GEMENT DE DATE

ligne de
changement de date

eures à ajouter à l'heure du fuseau 0 pour obtenir l'heure locale

D'ORIGINE

les hachures signifient que l'heure légale du pays est inférieure de 15 ou 30 minutes à celle des pays de même teinte

pour la France et les pays limitrophes concernés, l'heure d'hiver a été retenue

ENCYCLOPÉDIE ALPHABÉTIQUE LAROUSSE

omnis

32 330 articles
1 200 illustrations
200 cartes

LIBRAIRIE LAROUSSE

17, rue du Montparnasse, et boulevard Raspail, 114, Paris VIe

ISBN 2-03-020125-1

préface

Alors que les difficultés d'intercompréhension s'accroissent avec les cloisonnements culturels et les spécialisations scientifiques, mais qu'en revanche le développement des moyens d'information et d'éducation sollicite l'homme contemporain à s'ouvrir aux domaines les plus divers de la connaissance, les dictionnaires et les encyclopédies, dont le but reste de mettre le savoir à la portée du plus grand nombre, deviennent de véritables outils fonctionnels et cherchent à mieux s'adapter à une culture dont ils sont tout à la fois témoins et acteurs. Pour répondre plus sûrement aux exigences que l'on attend d'eux, ces ouvrages ont peu à peu précisé leur méthodologie et diversifié leur contenu. Ainsi se sont constitués des modèles de plus en plus élaborés et l'on peut, dans l'apparente complexité de la production lexicographique et encyclopédique, distinguer de grandes lignes directrices.

Certains dictionnaires — que l'on nomme parfois *dictionnaires de mots* ou *dictionnaires de langue* — donnent des informations sur la nature et le genre grammatical des mots, leurs formes graphique et sonore, leurs sens, leurs emplois, leurs niveaux de langue, etc. Ils ont pour objet d'aider celui qui les consulte à maîtriser les moyens d'expression par l'analyse sémantique, syntaxique et morphologique de la langue. Tels sont le *Grand Larousse de la langue française* (7 vol.), le *Larousse de la langue française-Lexis* ou le *Dictionnaire du français contemporain.*

D'autres — que l'on appelle, par opposition aux précédents, *dictionnaires de choses* ou *dictionnaires encyclopédiques* — s'attachent à accroître le savoir du lecteur grâce aux informations données sur les choses signifiées par les mots. Ils s'assignent comme but de rendre compte de l'ensemble des connaissances en utilisant la grille alphabétique et en s'attachant tout à la fois aux noms communs et aux noms propres. À cette tradition de dictionnaires encyclopédiques, dont Pierre Larousse fut l'initiateur, se rattachent tout aussi bien le *Grand Larousse encyclopédique* (12 vol.) que le *Petit Larousse.*

Quant aux *encyclopédies,* qu'elles soient méthodiques — comme l'*Encyclopédie générale Larousse* (3 vol.) ou la *Petite Encyclopédie Larousse,* thématique — ou qu'elles préfèrent l'ordre alphabétique — comme *la Grande Encyclopédie* (20 vol.) ou *Panorama du XXe siècle* (9 vol.) —, elles tentent de restituer un savoir organisé, en s'attachant, dans des articles de synthèse, à établir un bilan des connaissances. Alors que les dictionnaires encyclopédiques cherchent à répondre le plus brièvement possible au plus grand nombre de questions et offrent donc une grande quantité d'articles, les encyclopédies préfèrent regrouper l'information en un nombre restreint d'articles étoffés.

L'Encyclopédie alphabétique Larousse-Omnis se propose d'ouvrir une voie originale, tout en se rattachant à la tradition des dictionnaires encyclopédiques et des encyclopédies. Au dictionnaire, cet ouvrage emprunte son ordre — alphabétique — et, grâce au nombre important des entrées, la richesse et la diversité de sa documentation. Comme l'encyclopédie, il a pour ambition de présenter une organisation générale des connaissances à travers les concepts principaux. Il offre la plus large ouverture sur le monde en ne négligeant aucune des grandes branches du savoir. Noms propres et noms communs sont traités en un ensemble cohérent, car il paraît impossible de rendre compte de la connaissance en ne traitant que des uns ou des autres. L'œuvre d'un *Einstein* peut-elle se comprendre par sa simple biographie et celle-ci ne doit-elle pas être complétée par un article sur la *relativité?* Un simple catalogue de noms de lieux peut-il rendre compte d'un univers d'où l'on exclurait les plantes et les animaux? Et notre monde peut-il être appréhendé en ignorant les idéologies et les civilisations?

Ainsi trouvera-t-on tout à la fois les noms de personnes, de lieux ou d'œuvres et les principaux mots concrets ainsi que les concepts essentiels.

Préalablement à la rédaction de l'ouvrage, on a relevé les termes fondamentaux qui devaient faire l'objet de développements à leur ordre alphabétique. C'est ainsi que, pour l'INFORMATIQUE, 103 mots ont été retenus, parmi lesquels : *acquisition de données, adressage, bande magnétique, base de données, calculateur, calcul scientifique, numérique ou analogique, carte perforée, centre de calcul, code, compilateur, dialogue homme-machine, disque magnétique, enregistrement, entrée-sortie, fichier d'informatique, imprimante, informatique, instruction, langage, lecteur de cartes, lecteur de disques, lecteur magnétique et optique, logiciel, mémoire, micro-ordinateur, mini-ordinateur, microprogrammation, multiprogrammation, multitraitement, ordinateur, périphérique, programmation, programme, réseau, système d'exploitation, téléinformatique, terminal,* etc. De véritables réseaux conceptuels ont donc été constitués et le lecteur pourra, aidé en cela par un système de renvois, se reporter d'un terme à un autre d'un ensemble pour reconstituer ce dernier dans sa plénitude. La PSYCHANALYSE a fait ainsi l'objet de 67 articles : biographies *(K. Abraham, A. Adler, F. Alexander, M. Balint, G. Bateson, F. Dolto, S. Ferenczi, A. Freud, S. Freud, E. Fromm, W. G. Groddeck, K. Horney, C. G. Jung, M. Klein, J. Lacan, M. Mannoni, A. S. Neill, O. Rank, W. Reich, G. Róheim, T. Szasz, R. Spitz, D. W. Winnicott)* ou monographies *(angoisse, Ça,* [méthode] *cathartique, complexe, corps, défense, dépression, désir, fantasme, fétichisme, forclusion,* [stade] *génital, identification, imaginaire, inconscient, introjection,* [période de] *latence, libido, masochisme, Moi,* [pulsion de] *mort, névrose, objet,* [stade] *oral, perversion, phallus,* [principe de] *plaisir, projection, psychanalyse, psychose, pulsion, refoulement, régression, résistance, rêve,* [stade] *sadique anal, sadisme, sexualité, sublimation, Surmoi, symbolique, transfert,* [objets et phénomènes] *transitionnels).*

Les articles ont été écrits dans l'intention de donner au lecteur des renseignements précis et objectifs et de lui permettre de comprendre les notions de base des divers secteurs de la connaissance. Afin de rendre l'ouvrage aisément consultable, on a accompagné certains textes de tableaux qui mettent en évidence les renseignements indispensables : ainsi, pour les grands pays, les données climatiques, administratives et démographiques, ou, pour les écrivains principaux, les principales dates de la vie et de l'œuvre.

À l'illustration a été réservée une part importante, dans la mesure où le texte se serait révélé, sans elle, impuissant à rendre compte de la réalité que l'on a essayé de décrire et d'expliquer. On relèvera particulièrement la richesse de l'ouvrage en cartes et en schémas : trop souvent négligés dans certains livres, qui cherchent plus à flatter l'œil qu'à développer le savoir, ils ont pour objet de compléter les textes qu'ils illustrent et d'aider à leur compréhension.

Le lecteur qui voudrait compléter la documentation encyclopédique que l'on a cherché à lui donner par une meilleure connaissance du vocabulaire pourra se reporter au **Larousse de la langue française-Lexis,** dictionnaire de langue, qui, par le nombre et la diversité des informations qu'il donne sur l'utilisation des mots de la langue, s'associe tout naturellement à l'**Encyclopédie alphabétique Larousse-Omnis.** Les deux ouvrages constituent, en effet, un ensemble qui s'inspire de la tradition des « Larousse », en la rajeunissant et en l'adaptant aux aspirations de notre temps.

LES ÉDITEURS.

N. B. — L'*Encyclopédie alphabétique Larousse-Omnis* comporte de nombreux articles consacrés aux grandes œuvres littéraires, artistiques, musicales et cinématographiques. On a choisi d'accompagner d'une illustration les notices artistiques et cinématographiques les plus importantes, les signalant par un astérisque dans les biographies de leurs auteurs. C'est ainsi que le lecteur pourra se reporter de l'article PICASSO aux monographies *Demoiselles d'Avignon* (les) et *Guernica,* ou de la biographie d'EISENSTEIN à *Cuirassé « Potemkine »* (le).

rédaction

Claude DUBOIS, rédacteur en chef

correction-révision

Louis PETITHORY, chef du service de correction
Pierre ARISTIDE, Bernard CHAUDAT, Charles PRIOUX, Annick VALADE, René VIOLOT, Alexis WITT

maquette

Serge LEBRUN
assisté de Claude MAGNIN-RENONCIAL

documentation générale

Jacques PIERRE
assisté de Bernard CROCHET, Monique PLON, Viviane POITEVIN, Monique TILLEQUIN

cartographie

Société française d'études et de réalisations cartographiques
Michèle BÉZILLE, Geneviève PAVAUX

dessin

Lucien LALLEMAND
assisté de Hubert NOZAHIC
Daniel BAILLON, Ernest BERGER, Mireille CHENU, Jean DEMION, Michel DERAIN, Jacky DEUM, Henri DEWITTE, Lucien MATHIEU, Marcel MILLER, Pierre RIVALLAIN

photogravure

Michel BONNET, chef des laboratoires
Ginette MASSON

photographie

Guy MOTTÉ, chef du service photographique
assisté de Gérard LE GALL
Mariano AGUAYO, Jacques BOTTET, Jacques ROUCHEUX, René SERGENT, Jacques TOROSSIAN, Michel TOULET

principaux collaborateurs

René ALLEAU, licencié ès lettres, licencié ès sciences, diplômé d'études supérieures de philosophie.
Jean ARMANET, ancien élève de l'École polytechnique, ingénieur en chef au Corps des mines (E. R.).
Chantal BALKOWSKI-MAUGER, assistante à l'Observatoire de Paris.
Francis BALLE, maître de conférences à l'université de Paris-II, directeur de l'Institut français de presse.
François Brisout de BARNEVILLE, général de brigade (C. R.).
Georges BAUDRY, ingénieur Arts et Métiers, consultant en imprimerie.
Françoise BEER, docteur en médecine, chef de clinique à la faculté de médecine de Paris.
Marcelle BENOIT, docteur ès lettres et sciences humaines, chargée de cours au Conservatoire national supérieur de musique, chargée de cours complémentaires à l'université de Paris-IV, secrétaire générale de la Rédaction (musique).
René BESSON, directeur à la Compagnie Thomson-Brandt, professeur de technologie industrielle à l'École française de radioélectricité de Paris.
Jean-Pierre BOCA, ingénieur diplômé de l'École nationale supérieure de chimie de Montpellier, docteur ès sciences physiques, ingénieur de recherche à la Manufacture française des pneumatiques Michelin.
Bernard Mosnay de BOISHÉRAUD, général de brigade (C. R.), ancien directeur des études de l'Institut des hautes études de la Défense nationale.
Astrid BONIFACJ, ancienne élève de l'École du Louvre, rédactrice à la Librairie Larousse.
Jean BONNET, ancien élève de l'École supérieure des travaux publics, ancien chef du département technique du journal « l'Auto » et de la rubrique motocycliste du journal « l'Équipe ».
Françoise BOUCQ, diplômée de l'École des hautes études commerciales pour jeunes filles, ingénieur en chef à la Société C2M.
Jacques BOURNEUF, docteur en médecine, ancien externe des hôpitaux de Paris, secrétaire général de la Rédaction (médecine).

Danièle CAPPE, professeur de philosophie.
Didier CASALIS, secrétaire général de la Rédaction (sciences humaines).
Jacques CASALIS, ingénieur agricole.
Édith CHABRIER, licenciée ès lettres, diplômée de l'Institut des langues et civilisations orientales, rédactrice à la Librairie Larousse.
Jean-Noël CHARNIOT, licencié d'histoire.
Emmanuel CHICOT, architecte naval, ingénieur (E. R.) à la direction technique de la Compagnie générale transatlantique et à l'Association française de normalisation.
Henri CLOAREC, directeur honoraire à la Compagnie générale transatlantique.
Jacques CROVISIER, licencié ès sciences, assistant à l'Observatoire de Paris.
Jean-Claude DAGNEAUX, docteur en médecine, anesthésiste-réanimateur.
Jacques DALBANNE, ingénieur des Arts et Manufactures, diplômé de l'École supérieure d'électricité et du Centre de perfectionnement dans l'administration des affaires, secrétaire général de la Rédaction (astronomie, mathématiques, sciences appliquées).
Luc DAUCHEZ, diplômé de l'École des sciences politiques, secrétaire général du Cercle de la voile de Paris.
Jacques DEMOUGIN, secrétaire général de la Rédaction (littérature).
Édith DESAUTEL, ingénieur diplômé de l'École supérieure des travaux publics, licenciée ès sciences.
François DONATIEN, licencié ès lettres.
Gérald DOYON, ingénieur en chef des Télécommunications, professeur de physique à l'École spéciale de mécanique et d'électricité.
Jacques DUBUCS, titulaire d'un diplôme d'études approfondies de logique, agrégé de philosophie.
Norbert DUFOURCQ, archiviste-paléographe, docteur ès lettres, professeur honoraire au Conservatoire national supérieur de musique, directeur du Conservatoire municipal du Luxembourg (Paris), chargé de cours complémentaires à l'université de Paris-IV.
Pierre DUFOURCQ, secrétaire général de la Rédaction (défense et armées).
Armelle DUMAS, docteur en médecine, interne des hôpitaux psychiatriques de la Seine, diplômée d'études supérieures de psychopathologie.
Michel DUPOUY, ancien élève diplômé de l'École nationale supérieure des postes et télécommunications, directeur départemental des Postes du Haut-Rhin, ancien directeur du Musée postal de Paris.
Henri DUQUESNE, ingénieur textile, inspecteur des études à l'Institut textile de France.
Marius DURIEZ, ancien élève de l'École polytechnique, ingénieur général des Ponts et Chaussées.
Marie-Thérèse EUDES, licenciée ès lettres.
Stéphane FANIEL, expert en orfèvrerie.
Jean FAURY, ingénieur des Arts et Manufactures.
Georges FISCHER, ingénieur des Arts et Manufactures, docteur ès sciences, chef de projets à la division avionique et spatiale Thomson-C. S. F.
Michel FLAMANT, rédacteur d'aéronautique militaire.
Marie-Thérèse FRANÇOIS, agrégée des facultés de pharmacie, docteur ès sciences physiques, professeur titulaire de la chaire de matière médicale de la faculté de pharmacie de Nancy.
Bertrand FRAUDET, ingénieur des Arts et Manufactures.
Henri FRIEDEL, professeur agrégé de sciences naturelles au lycée Voltaire, secrétaire général de la Rédaction (sciences naturelles).
Gilbert GATELLIER, secrétaire général de la Rédaction (beaux-arts).
Georges GÉNIN, ingénieur de l'École supérieure de physique et de chimie industrielle de Paris, ancien ingénieur en chef à la Compagnie générale d'électricité.
Jacques GLATRON, ingénieur des Arts et Manufactures, vice-président de la société anonyme Arjomari-Prioux.
Hélène HACHARD, rédactrice chorégraphique.
Raymond d'HOLLANDER, ancien élève de l'École polytechnique, ingénieur général géographe, directeur des études de l'École nationale des sciences géographiques.
Jean ITARD, agrégé de l'Université, professeur honoraire de mathématiques supérieures.
Chantal de JACQUELOT, titulaire de la maîtrise d'histoire, rédactrice à la Librairie Larousse.
Pierre KOHLER, docteur ès sciences.
Jacques LACHNITT, ingénieur civil de l'Aéronautique, ingénieur à la Société nationale industrielle aérospatiale.
Annick LACOUDRE, docteur en médecine.
Philippe LACROUTS, secrétaire d'édition.
Henri LAFUMA, docteur ès sciences physiques, professeur honoraire au Conservatoire national des arts et métiers.
Bernadette LAINE, assistante au secrétariat de rédaction.
Stéphane de LAJARTE, ingénieur de l'École nationale supérieure de chimie de Paris, ancien directeur de recherches de la Compagnie de Saint-Gobain.
Bertrand de LA LAURENCIE, diplômé de l'École des hautes études commerciales, diplômé d'études supérieures de droit, secrétaire général de la Compagnie des commissionnaires agréés près de la Bourse de commerce de Paris.
Jean LAMBERT, docteur en droit, secrétaire général de la Rédaction (sciences économiques et juridiques).
Suzanne LARRUE, licenciée ès lettres, secrétaire générale de la Rédaction (arts ménagers, mode, tourisme).
Michel LE BERRE, docteur en éthologie, assistant à l'université de Lyon-I.
Pierre LEFORT, ingénieur des Arts et Manufactures, professeur à l'École technique d'aéronautique et de construction automobile.
Marcel LEMOIGNE, ancien élève de l'École polytechnique, ingénieur en chef des Manufactures de l'État.
René LE ROUX, ingénieur du Conservatoire national des arts et métiers, docteur de l'université de Paris, professeur au Centre associé du Conservatoire national des arts et métiers.
Pierre LE ROY, conseiller de l'enseignement technologique.
Pierre LISSARRAGUE, général de division aérienne (C. R.), ancien directeur des études à l'École supérieure de guerre aérienne, directeur du musée de l'Air.

Gilles de LUZE, secrétaire général de la Rédaction (philosophie).
Marie MATHELIN, titulaire de la maîtrise de chinois, diplômée de l'École du Louvre, attachée au musée Guimet.
Louis MÉDARD, ingénieur général des Poudres, président de la Commission des substances explosives au ministère de l'Industrie.
Catherine MÉVEL, docteur en géologie.
Jean-Pierre MÉVEL, secrétaire général de la Rédaction (linguistique).
Catherine MICHAUD, titulaire de premiers prix du Conservatoire national supérieur de musique.
Claude MOREAU, ancien élève de l'Institut supérieur des matériaux et de la construction mécanique, inspecteur divisionnaire à la Direction du matériel de la S. N. C. F.
Alain MORICE, sous-chef du Service des relations extérieures de la Chambre syndicale des agents de change.
Eugène MORICE, professeur à l'Institut de statistiques de l'université de Paris, directeur de l'École nationale de la statistique et de l'administration économique.
Danielle NAKACHE, diplômée d'études supérieures de droit public, diplômée de l'Institut français de presse, rédactrice à la Librairie Larousse.
Pierre NASLIN, ancien élève de l'École polytechnique, ingénieur diplômé de l'École supérieure d'électricité, ingénieur général de l'Armement, chef de la section « Recherche pour la défense » au Secrétariat international de l'O. T. A. N.
René OIZON, docteur ès lettres, secrétaire général de la Rédaction (géographie et sports).
Jean-Louis ORMIÈRES, diplômé de l'Institut d'études politiques, assistant de recherche (anthropologie).
Jacques PAIN, chargé de cours en sciences de l'éducation à l'université de Paris-X.
Jean-Loup PASSEK, critique de cinéma, secrétaire général de la Rédaction (cinéma, jazz, variétés).
Pierre PIERRARD, docteur ès lettres, professeur d'histoire contemporaine à la faculté des lettres et à l'U. E. R. de théologie et de sciences religieuses de l'Institut catholique de Paris, secrétaire général de la Rédaction (histoire, religions).
Henry PIRAUX, ancien chef de la propagande technique à la S. A. Philips.
André POINCHEVAL, ingénieur agronome, secrétaire général de la Rédaction (agriculture).
Philippe REINE, ingénieur civil de l'École nationale des ponts et chaussées, ingénieur en Génie atomique, docteur en droit, diplômé de l'École des sciences politiques.
André RÉTIF, archiviste de la Librairie Larousse.
Jean SABLIÈRE, licencié ès lettres, professeur de collège détaché au Service d'action culturelle du musée du Louvre.
Émile SALLÉ, licencié ès sciences mathématiques pures et appliquées, assistant de mathématiques à l'université de Paris-X.
Yves SASSIER, diplômé d'études supérieures de droit privé et d'histoire du droit, maître ès lettres, assistant à l'U. E. R. de droit de Rouen.
Albert Harold SAURAT, ancien élève de l'École polytechnique, directeur du département « Ingénierie » à la Société française des pétroles BP.
Jacques SAUVAN, docteur en médecine, ancien chef du département « Cybernétique » de la Société nationale d'étude et de construction de moteurs d'aviation.
Édouard SELZER, ancien élève de l'École normale supérieure, chef de service de magnétisme terrestre à l'Institut de physique du globe.
Alexis SÉMÉNOFF, ingénieur électricien de l'Institut national polytechnique de Grenoble, ingénieur conseil, expert près les tribunaux.
Léopold SÉMERY, ingénieur civil des Mines.
Jean TERRIEN, agrégé des sciences physiques, docteur ès sciences, directeur du Bureau international des poids et mesures.
Irénée TERRIÈRE, diplômé de langues sémitiques, rédacteur à la Librairie Larousse.
Roger THÉVENOT, ingénieur agronome de l'Institut national agronomique, ingénieur général du Génie rural, des Eaux et des Forêts, membre de l'Académie d'agriculture.
Raymond TOUREN, ancien élève de l'École normale supérieure, agrégé des sciences physiques, secrétaire général de la Rédaction (physique et chimie).
Jean-Pierre VERDET, docteur ès sciences, astronome à l'Observatoire de Paris.
Marc VIGNAL, licencié ès lettres, musicographe.
Claudine VIGNERON, docteur en médecine.
André VILLIÈRE, ingénieur agronome de l'Institut national agronomique, ingénieur en chef du Génie rural, des Eaux et des Forêts, professeur à l'École supérieure du bois, professeur à l'École nationale du génie rural, des eaux et des forêts.
Mady VINCIGUERRA, licenciée d'histoire, rédactrice à la Librairie Larousse.
Catherine WISZNIAK, licenciée d'histoire et de géographie, rédactrice à la Librairie Larousse.
Christiane YBERT, assistante au secrétariat de rédaction.

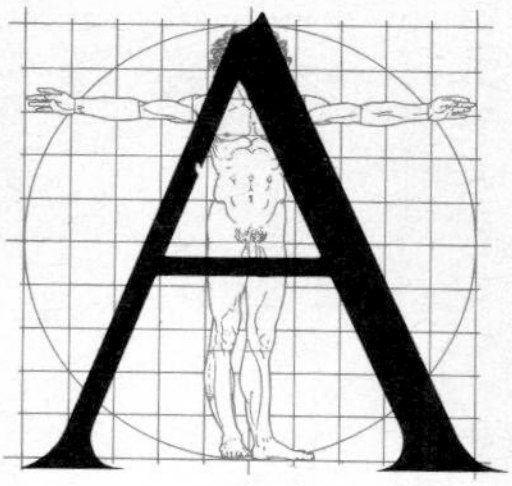

AA, fl. côtier du nord de la France, long de 80 km, né dans l'Artois et navigable de Saint-Omer à Gravelines, où il rejoint la mer du Nord.

AACHEN, nom allemand d'AIX-LA-CHAPELLE.

AALBORG → ÅLBORG.

AALST, nom néerlandais d'ALOST.

AALTER, comm. de Belgique (Flandre-Orientale); 9 173 hab. (en 1970).

AALTO (Alvar), architecte finlandais (Kuortane 1898 - Helsinki 1976). S'écartant du « style international » dès le début des années 30, il illustre le courant « organique » par un souci des rapports du bâtiment au site, une recherche de la continuité de l'espace interne et une utilisation sensible des matériaux (bois, pierre, brique) qui traduisent son sens de l'humain et une poétique parfois baroque. Il a beaucoup construit dans son pays et, après 1945, à l'étranger (Allemagne). Il a donné des modèles de meubles (dès les années 30 : sièges en bois lamellé ployé d'une seule pièce) aussi bien que des plans d'urbanisme.

AAR, principale riv. de Suisse, affl. du Rhin (r. g.), longue de 280 km. Née dans le *massif de l'Aar,* elle traverse les lacs de Brienz et de Thoune, passe à Berne, alimente le lac de Bienne et longe ensuite le rebord du Jura.

AAR *(massif de l'),* extrémité orientale des Alpes bernoises, dont elle comprend les sommets les plus élevés, Jungfrau, Mönch, Aletschhorn et Finsteraarhorn, qui dépassent tous 4 000 m.

AARAU, v. de Suisse, ch.-l. du cant. d'Argovie, sur l'*Aar;* 16 881 hab. Instruments d'optique.

AARGAU, nom allemand du canton suisse d'ARGOVIE.

AARHUS → ÅRHUS.

AARNIO (Eero), architecte et designer finlandais (Helsinki 1932). À la tête d'un bureau de design à Helsinki depuis 1962, il s'est surtout intéressé à l'utilisation des matières plastiques dans l'ameublement : fauteuil sphère (1966) et fauteuil Pastilli (1968).

AARON, personnage biblique, frère de Moïse* et premier grand prêtre d'Israël. Les grandes familles sacerdotales de Jérusalem prétendaient descendre de lui.

AARSCHOT, v. de Belgique (Brabant), au N.-E. de Louvain; 12 474 hab. (en 1970).

ABA, v. du sud-est du Nigeria; 158 000 hab. Textile.

ĀBĀDĀN, port de l'Iran, près de l'embouchure du Chaṭṭ al-'Arab, dans le golfe Persique; 300 000 hab. Grande raffinerie de pétrole.

ABADIE (Paul), architecte français (Paris 1812 - *id.* 1884). Restaurateur abusif de Saint-Front de Périgueux, il s'inspira de ce monument pour construire le Sacré-Cœur de Paris.

ABAKAN, v. de l'U. R. S. S. (R. S. F. S. de Russie), en Sibérie, au confluent de l'*Abakan* (300 km) et de l'Ienisseï; 90 000 hab. Matériel ferroviaire.

ABANDON DE FAMILLE. — À l'origine, le délit était constitué par le défaut de paiement d'une dette d'aliments judiciairement constatée. La loi du 23 juillet 1942 a établi des incriminations nouvelles punissant l'abandon du foyer et des enfants, et l'ordonnance du 23 décembre 1958 a introduit les dispositions relatives à l'abandon de famille dans le Code pénal.

• *Abandon du foyer.* C'est le fait, de la part du père ou de la mère, d'abandonner sans motif grave pendant plus de deux mois la résidence familiale et de se soustraire aux obligations de l'autorité* parentale ou de la tutelle* légale.

• *Abandon de la femme enceinte.* C'est l'abandon, sciemment effectué par le mari, sans motif et pendant plus de deux mois, de la femme en la sachant enceinte.

• *Abandon moral des enfants.* Il s'agit d'actes du père ou de la mère qui peuvent compromettre la santé physique ou morale des enfants.

• *Abandon pécuniaire.* Il est constitué par la cessation du paiement d'une pension alimentaire allouée par une décision de justice en exécution d'une obligation familiale.

Ces délits sont punis de peines de prison et d'amendes.

ABAQUE. — Un abaque est constitué d'un réseau de courbes tracées sur papier millimétrique et permettant de résoudre graphiquement certains problèmes. Par exemple, les courbes C_1 et C_2, d'équations respectives $f(x, y, \lambda_1) = 0$ et $f(x, y, \lambda_2) = 0$, ont été tracées avec précision. Pour $y = 1{,}5$, on sait qu'on obtient les points M_1 et M_2, d'abscisses $x_1 = 1{,}1$ et $x_2 = 2{,}4$. La courbe C, d'équation $f(x, y, \lambda) = 0$ avec $\lambda_1 < \lambda < \lambda_2$, ne peut être tracée si, par exemple, les calculs sont trop compliqués. Si l'on veut résoudre l'équation $f(x, y, \lambda) = 0$ avec $y = 1{,}5$, on sait que l'on obtient une valeur x telle que $1{,}1 < x < 2{,}4$. Pour plus de précision, on fera une interpolation* linéaire dont le résultat donnera une valeur acceptable pour x.

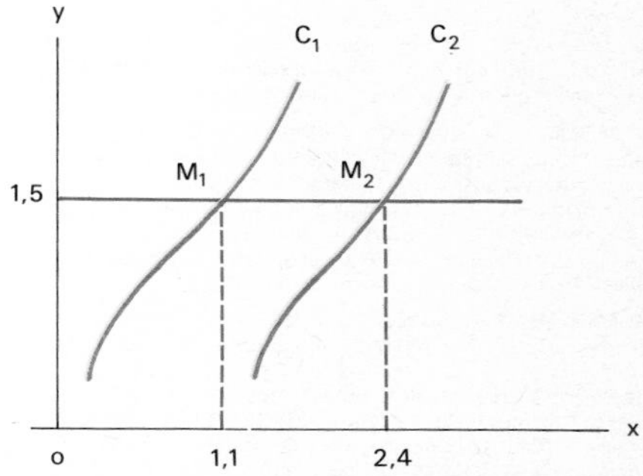

ABATTAGE. — Opération fondamentale de l'exploitation des mines* et des carrières, l'abattage consiste à détacher systématiquement du gisement* minéralisé ou de son voisinage les morceaux qui seront ensuite chargés et transportés, ainsi qu'à creuser les galeries*. Pour les roches dures on utilise des explosifs* placés dans des trous de mine; ceux-ci sont forés par des *marteaux perforateurs* pneumatiques ou des *perforatrices rotatives* ou *rotopercutantes.* Les engins légers sont tenus à la main, aidée par une béquille. Mais on préfère généralement les perforatrices lourdes montées sur un *jumbo,* chariot automoteur sur pneus, électrique ou Diesel*, muni de un à trois bras à mouvements hydrauliques portant des glissières. Dans les carrières, les trous de mine verticaux de grand diamètre sont forés par des engins automoteurs du type sondeuses. Le *marteau piqueur* pneumatique est devenu un simple outil d'appoint. Dans les terrains moins durs, comme le charbon, où l'abattage sans explosif convient, il est effectué par de puissantes machines électriques de 300 kW et plus. Dans une longue taille au charbon, l'abattage est fait soit par un *rabot* tiré en va-et-vient par une chaîne sans fin, actionnée par des moteurs placés aux deux extrémités de la taille, et dont les couteaux mordant dans le front de taille détachent des pans de charbon qui

Charbonnages de France

Abattage du charbon à l'aide d'une haveuse.

s'éboulent et tombent dans un *convoyeur blindé* latéral, soit par une *haveuse à tambour* d'axe horizontal (rotor) muni de pics, qui réalise dans le massif une enlevure; la haveuse glisse sur les rebords du convoyeur blindé en se halant elle-même sur une chaîne ou un câble; une sorte de soc, traîné par la haveuse, déverse le charbon abattu sur le convoyeur blindé. Puissantes machines automotrices sur chenilles, les *mineurs continus* attaquent le massif frontalement par de grands rotors munis de pics; ils permettent le creusement des galeries et l'exploitation par *chambres et piliers.* Les perfectionnements et l'augmentation de puissance de ces machines, jusqu'à 1 000 kW et plus, autorisent l'abattage sans explosif de terrains estimés autrefois trop durs. Dans des terrains de dureté intermédiaire, on peut utiliser l'une ou l'autre de ces techniques, ou une combinaison des deux faisant appel à l'explosif après avoir creusé une profonde et étroite rainure avec une haveuse à chaîne, ce qui facilite le travail de l'explosif. L'abattage hydraulique à l'aide d'un puissant jet d'eau projeté par un *monitor* est classique pour abattre à ciel ouvert un gisement ébouleux; on l'expérimente en mine souterraine pour l'abattage du charbon avec un jet sous pression de 400 à 1 000 bar. D'autres techniques sont étudiées pour disloquer le massif en profondeur par *explosif nucléaire,* ou pour le fracturer par chocs thermiques ou électriques, par ultrasons*, etc.

ABATTOIR. — Les abattoirs industriels, publics ou privés, qui ont remplacé progressivement les tueries particulières, sont le maillon principal du circuit de la viande. Ils assurent une meilleure utilisation des abats divers et des sous-produits, en même temps que des conditions de travail plus hygiéniques, et facilitent l'inspection sanitaire. Certains d'entre eux sont spécialisés (porcs, volailles).

'ABBĀDIDES, dynastie arabe qui règne à Séville* au XIe s. Elle est fondée en 1023 par le cadi de Séville, dont le fils, al-Mu'taḍid billāh (de 1042 à 1069), étend son royaume à presque tout le sud-ouest de l'Espagne aux dépens des taifas* berbères d'Andalousie. Son successeur, le poète et mécène al-Mu'tamid (de 1069 à 1095), ne peut pas arrêter la Reconquista* et appelle à son secours les Almoravides*, qui battent Alphonse VI* et s'emparent de Séville en 1091.

'ABBĀS Ier le Grand (1571 - Mazāndarān 1629), chāh séfévide* de Perse (1587-1629). Il réorganise l'armée, prend des contacts diplomatiques avec les Européens et établit l'Iran dans ses frontières actuelles, enlevant l'Azerbaïdjan aux Ottomans et Ormuz aux Portugais. Il transfère sa capitale à Ispahan*, qu'il embellit.

'ABBĀSSIDES, dynastie de califes arabes (750-1258). La famille 'abbāsside, issue d'un oncle de Mahomet, 'Abbās, met à profit le mécontentement populaire contre l'aristocratie arabe, classe dominante sous les Omeyyades*, et Abū al-'Abbās (de 749 à 754) prend le pouvoir avec l'aide des chī'ites de Perse et de Mésopotamie en 750. Le centre de l'empire quitte alors la Syrie pour l'Iraq, et Abū Dja'far al-Manṣūr (de 754 à 775) fonde Bagdad* sur le Tigre. Le califat 'abbāsside ne s'appuie plus sur le consensus des chefs de tribu arabes; c'est une autocratie de droit divin qui gouverne avec une puissante bureaucratie et une armée, formées essentiellement de musulmans non arabes. Les Persans sont très nombreux dans l'Administration, et les Barmakides occupent héréditairement la charge de vizir jusqu'en 803. Sous les califats d'Hārūn al-Rachīd* (de 786 à 809) et de 'Abd Allāh al-Ma'mūn (de 813 à 833), les lettres et les sciences, héritières de la tradition grecque classique,

J.-C. Chabrier

'Abbāssides. Minaret de la mosquée Dja'far al-Mutawakkil à Sāmarrā. IXe s.

connaissent un remarquable essor. La prospérité économique repose sur le commerce actif avec l'Extrême-Orient, l'Europe et l'Empire byzantin. Les révoltes des paysans et de la main-d'œuvre servile s'appuient sur des dissidences religieuses : les zandj esclaves noirs acquis au khāridjisme* (869-883), les qarmates ismaéliens*. Au cours des IXe et Xe s., des dynasties locales prennent partout la réalité du pouvoir. Les unes sont vassales des 'Abbāssides : Arhlabides* de l'Ifrīqiya, Ṭūlūnides* d'Égypte, Hamdānides de Mossoul et d'Alep, Sāmānides* de l'Iran oriental; d'autres sont indépendantes et se posent en rivales : califat de Cordoue*, califat fāṭimide* du Maghreb, puis de l'Égypte. À l'intérieur même de l'Iraq, le pouvoir échappe aux califes, mis en tutelle par les mamelouks turcs dans leur nouvelle capitale Sāmarrā (836-892). La création de la charge de grand émir en 936 consacre le rôle dominant des militaires. Les Buwayhides occupent Bagdad en 945; ils en sont chassés en 1055 par les Seldjoukides*. Si le pouvoir temporel leur échappe, les 'Abbāssides conservent, jusqu'à la prise de Bagdad par les Mongols* (1258), leur rôle de chefs religieux, de califes dépositaires de l'orthodoxie sunnite*.

ABBAYE. — L'abbaye, qui est un monastère d'hommes ou de femmes érigé canoniquement et gouverné par un abbé ou une abbesse, se distingue des autres formes de communautés religieuses en ce qu'elle est autonome. Les abbayes monastiques — bénédictines et cisterciennes notamment — ont joué un rôle éminent au Moyen Âge comme foyers de civilisation chrétienne, refuges pour voyageurs et pauvres, pépinières d'évêques. Véritables « faiseuses de terre » par leur activité de défrichement, elles furent aussi de grandes bâtisseuses et l'art religieux leur doit beaucoup. Malgré les aléas de l'histoire, elles restent des hauts lieux de travail, de culture et de prière.

Abbaye *(groupe de l'),* communauté d'écrivains (Ch. Vildrac, G. Duhamel, J. Romains) et d'artistes (le peintre Gleizes) qui s'installa en 1906 à Créteil pour échapper aux contraintes sociales.

Abbaye-aux-Bois, couvent de femmes, fondé à Paris, rue de Sèvres, en 1640 et démoli en 1907. De 1819 à 1849, Mme Récamier* y résida et y réunit la société parisienne autour de Chateaubriand*.

ABBE (Ernst), physicien et industriel allemand (Eisenach 1840 - Iéna 1905). Fondateur, avec Zeiss*, d'une société d'instruments d'optique à Iéna, il établit la théorie du microscope, dont il calcula le pouvoir de résolution (1877) et pour lequel il employa l'objectif à immersion. Il réalisa le premier objectif apochromatique (1889).

ABBEVILLE (80100), ch.-l. d'arr. de la Somme, deuxième ville du département, sur la Somme; 26 581 hab. *(Abbevillois).* Site éponyme d'un faciès industriel du début du quaternaire (abbevillien). Église Saint-Vulfran (XVe s.) à la riche façade en gothique flamboyant (XVIe s.). Aux environs, folie de Bagatelle (XVIIIe s.). Constructions mécaniques et électriques. Textile. Alimentation.

ABCÈS. — L'inflammation d'un tissu peut être responsable de la formation d'un abcès. Cette collection de pus est située dans une cavité formée par la fonte des éléments constitutifs de l'inflammation.

L'abcès évolue de différentes manières : vers la résorption, vers l'élimination du pus à l'extérieur ou par l'intermédiaire d'un conduit naturel (vomique des abcès pulmonaires), vers l'enkystement. D'autres abcès peuvent s'étendre, essaimer à distance. La localisation des abcès est variable : certains sont superficiels (abcès sous-cutanés, dentaires), d'autres sont profonds (abcès appendiculaires, abcès du foie). Selon les germes en cause et l'évolution, on distingue des abcès chauds et des abcès froids. Les abcès chauds se traduisent par une rougeur, une chaleur locales et une douleur pulsatile. En sont responsables des germes banals (streptocoque, staphylocoque). Les abcès froids sont d'apparition torpide, insidieuse, sans signes subjectifs évidents. Le bacille de Koch, mais aussi d'autres bactéries, tel le bacille d'Eberth, ou des champignons microscopiques peuvent en être la cause.

Pour traiter les abcès on utilise des antibiotiques ou des antimycosiques qui stérilisent le foyer et permettent parfois la résorption. La chirurgie provoque l'évacuation du pus lorsque celui-ci est collecté.

'ABD AL-'AZĪZ IBN AL-ḤASAN (Marrakech 1878 ou 1881-Tanger 1943), sultan du Maroc (1894-1908). Il doit accepter la prépondérance de la France confirmée à la conférence d'Algésiras*.

'ABD AL-'AZĪZ III IBN SA'ŪD (Riyāḍ 1880 - *id.* 1953), roi d'Arabie Saoudite (1932-1953). À partir du Nadjd (conquête de Riyāḍ en 1902), il soumet les territoires qui formeront l'Arabie Saoudite* (1932) et les dote d'institutions modernes.

'ABD AL-ḤAMĪD IBN YAḤYĀ, écrivain arabe († 750), l'un des créateurs de la prose littéraire arabe et de l'adab*.

'ABD AL-MU'MIN → ALMOHADES.

1307 et s'emparent du royaume 'abdalwādide en 1337. Abū Ḥammū Mūsā II (de 1359 à 1389) retrouve son indépendance en s'appuyant sur les Arabes. Après un siècle de décadence et de sujétion imposée par les Ḥafṣides* ou les Espagnols, le royaume est conquis par les Turcs en 1550.

ABD EL-KADER, en ar. **'Abd al-Qādir,** émir arabe (près de Mascara 1808 - Damas 1883). Il dirige, de 1832 à 1847, la résistance à la conquête de l'Algérie par la France. Par les traités de 1834 (signé avec le général Desmichels) et de 1837 (signé avec Bugeaud), les Français reconnaissent l'autorité d'Abd el-Kader sur tout le beylicat d'Oran et sur une partie de celui d'Alger, où l'émir tente d'organiser un État arabe. Mais les combats reprennent en 1839 et, après la dispersion de sa smala, surprise par le duc d'Aumale (1843), et la défaite de ses alliés marocains sur l'Isly (1844), Abd el-Kader finit par se rendre à Lamoricière et au duc d'Aumale (1847). D'abord interné en France, il est libéré en 1852. Doté d'une pension par Napoléon III, il se retire à Damas où il se montre un fidèle ami de la France. En 1966 ses restes ont été transférés en Algérie, où l'émir est honoré comme une grande figure de l'indépendance algérienne.

ABD EL-KRIM, en ar. **Muḥammad ibn 'Abd al-Karīm,** chef rifain (Ajdir 1882 - Le Caire 1963). Cadi de la région de Melilla, il soulève en 1921 la tribu marocaine du Rif contre les Espagnols auxquels il inflige la défaite d'Anoual. Il se tourne alors contre les Français (v. RIF [*guerre du*]), mais il est battu et se rend en 1926. Interné à la Réunion, il profite de son transfert en France en 1947 pour s'évader et se réfugier au Caire.

ABDOMEN. — L'abdomen, ou *région abdominale,* est, chez les animaux vertébrés, la partie postérieure du *tronc,* sise en arrière du thorax, et en avant de la queue lorsque celle-ci existe. Seulement chez les mammifères, l'abdomen est très nettement séparé du thorax par un muscle en coupole, le *diaphragme.* Il est limité en arrière par l'anus. On distingue une partie dorsale, qui comprend les

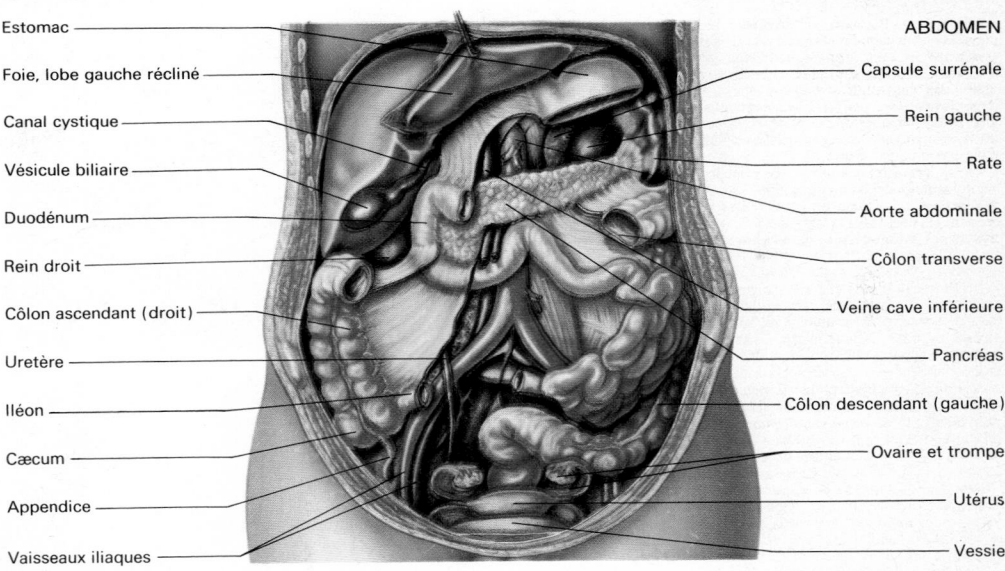

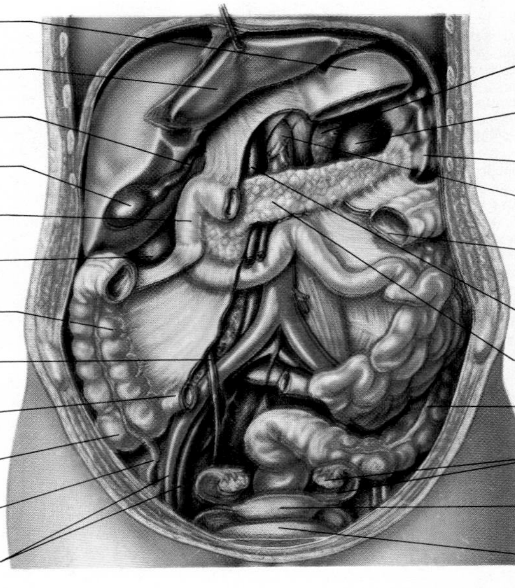

vertèbres lombaires et le sacrum, et une partie ventrale, qui comprend la plus grande partie de l'appareil digestif, l'appareil urinaire et l'appareil génital. La plupart des organes abdominaux sont enveloppés dans le *péritoine**, et les os du *bassin* les protègent ou les soutiennent. On distingue aussi un abdomen dans trois groupes d'arthropodes — les crustacés supérieurs, les insectes et la plupart des arachnides —, avec des organes et des fonctions analogues à ceux de l'abdomen des vertébrés.

Chez l'homme, l'abdomen est divisé en trois régions médianes : l'épigastre, la région ombilicale et l'hypogastre (de haut en bas). Il est séparé du thorax par le diaphragme, limité en arrière par la colonne vertébrale et une paroi musculaire comprenant les muscles paravertébraux et les muscles psoas iliaques, continué en bas par le bassin. Une sangle musculo-aponévrotique (muscles abdominaux) ferme en avant l'abdomen et a une action dans la fonction respiratoire, le soutien et la protection des viscères abdominaux, la statique et la dynamique du tronc.

'ABD AL-RAḤMĀN Ier → CORDOUE.

'ABD AL-RAḤMĀN III (891 - Cordoue 961), souverain omeyyade d'Espagne (912-961), fondateur du califat de Cordoue* (929). Il repousse les attaques des rois chrétiens du León et dispute aux Fāṭimides* le contrôle du Maroc, où il garde cependant Ceuta et Tanger.

'ABD AL-RAḤMĀN AL-ṢŪFĪ, astronome arabe (Rayy 903-† 986). Astronome à la cour de 'Aḍud al-Dawla à Ispahan, il établit vers 965 le *Livre des étoiles fixes,* qui a permis aux astronomes modernes d'utiles comparaisons pour la recherche d'éventuelles variations lentes d'éclat des étoiles.

'ABDALWĀDIDES, dynastie berbère de Tlemcen (XIIIe-XVIe s.). Les 'Abdalwādides se rendent indépendants des Almohades* en 1235; Yarhmurāsan ibn Zayyān (de 1235 à 1283) protège le royaume contre ses voisins, mais les Marīnides* assiègent Tlemcen de 1299 à

La paroi abdominale comporte différents points faibles (ligne blanche, ombilic, canal inguinal) qui sont responsables d'éventrations ou de hernies*.

La paroi abdominale est revêtue intérieurement d'une membrane séreuse, le péritoine, et l'on peut distinguer ainsi :
1. *l'espace rétropéritonéal,* compris entre le péritoine pariétal et la paroi postérieure de l'abdomen, qui contient les glandes surrénales, les reins, les uretères, les gros vaisseaux (aorte abdominale, veine cave inférieure et leurs branches), des nerfs constituant les plexus lombaire et sympathique abdominal (plexus solaire et mésentérique inférieur), des ganglions et des canaux lymphatiques;
2. *la cavité péritonéale,* qui contient l'estomac, le duodénum, l'intestin grêle et le côlon, le foie et les voies biliaires, le pancréas, la rate, des nerfs et des vaisseaux pour tous ces organes, en particulier le système de la veine porte.

'ABDUH (Muḥammad), écrivain et théologien égyptien (1849-1905). Initiateur du réformisme musulman, il préconisa un retour à la religion primitive, en même temps qu'une adaptation progressive de la langue arabe et des modes de pensée traditionnels aux nécessités de la vie moderne.

ABDÜLAZIZ → OTTOMANS.

ABDÜLHAMID Ier → OTTOMANS.

ABDÜLHAMID II (Constantinople 1842-*id.* 1918), 34e sultan ottoman* (1876-1909). Il institue un régime parlementaire (Constitution de 1876), mais, dès 1878, mène une politique autoritaire et panislamique. Les Jeunes-Turcs* le renversent en 1909.

ABDULLAH → HĀCHÉMITES.

ABDÜLMECID Ier (1823-1861), 32e sultan ottoman (1839-1861). Il promulgue en 1839 la charte de Gülhane qui stipule l'égalité civique de tous les sujets de l'empire et réorganise la justice, les finances, l'armée et l'administration provinciale : ainsi la Turquie entre dans la période des réformes (le Tanzimat).

ABDÜLMECID II → OTTOMANS.

ABEILLE. — L'abeille est demeurée le seul insecte que l'homme élève dans le monde entier, à cause des deux produits irremplaçables qu'elle lui fournit : le *miel* et la *cire.* Installée dans une sorte de caisse à une seule ouverture, la *ruche,* la société d'abeilles y édifie des *rayons* de cire qui pendent verticalement, et dont les deux faces sont couvertes de *logettes,* ou *alvéoles,* hexagonales, légèrement obliques. Certains alvéoles contiennent le *couvain* (œuf, larve ou nymphe; un seul par loge), d'autres les provisions de miel qui serviront en hiver.

La société comprend une seule femelle féconde, la *reine,* qui peut vivre jusqu'à cinq ans, et qui, à la suite d'une unique copulation, le *vol nuptial,* ne cessera de pondre. Les autres femelles *(ouvrières),* rendues stériles dès l'état larvaire par la sous-alimentation, se partagent les fonctions de gardiennes, de nourrices, de nettoyeuses, de ventileuses et surtout de butineuses. La récolte du pollen pour la nourriture des larves est le fait des pattes postérieures, pourvues à cette fin d'une *brosse* et d'une *corbeille.* Celle du nectar est assurée par la *langue.* Accumulé dans un jabot, celui-ci sera régurgité dans la ruche et passera de bouche en bouche, l'excédent seul évoluant ensuite en miel. Chaque matin, les premières butineuses informent les autres abeilles de la position et de la distance des gîtes floraux, grâce à un *langage dansé,* décodé par Karl von Frisch*.

En été, la population de la ruche ayant doublé, la moitié des abeilles, à la suite de la vieille reine, partent à la recherche d'un nouvel abri. C'est l'*essaimage.* Quand cet abri est trouvé, toutes les ouvrières deviennent des *cirières :* la cire suinte entre les anneaux de leur abdomen, les pattes de derrière étirent et façonnent cette substance pour construire les rayons.

Les mâles sont très peu nombreux, et cinq ou six d'entre eux seulement fournissent à la reine leur sperme, que celle-ci conservera vivant dans une *spermathèque.* Seuls les œufs non fécondés donneront de nouveaux mâles (parthénogénétiques), tandis qu'à l'automne les vieux mâles seront expulsés ou massacrés.

Il existe des espèces voisines, sociales ou solitaires, faisant ou non du miel, telles que les bourdons, les charpentières, les tapissières, les maçonnes, les osmies et les halictes.

ABE KŌBŌ, écrivain japonais (Tōkyō 1924). Son œuvre poétique et romanesque, qui unit les thèmes traditionnels du conte populaire aux plus modernes procédés occidentaux d'écriture (roman policier, science-fiction), compose une recherche passionnée de l'identité humaine : *l'Intrus* (1951), *la Femme des sables* (1962), *le Plan déchiqueté* (1967).

ABEL → CAÏN ET ABEL.

ABEL (Niels), mathématicien norvégien (île de Finnøy 1802-Froland, près d'Arendal, 1829). Son œuvre domine l'algèbre* et la théorie des fonctions*. En 1824, il établit l'impossibilité de résoudre par radicaux* l'équation générale de degré cinq. En étudiant l'inversion des intégrales* elliptiques, il créa la théorie des fonctions elliptiques dont il trouva la double périodicité dans le domaine de la variable* complexe.

ABÉLARD (Pierre), théologien et philosophe français (Le Pallet, près de Nantes, 1079-prieuré de Saint-Marcel, près de Chalon-sur-Saône, 1142). Sa liaison avec Héloïse et l'émasculation dont il a été victime sont à l'origine de l'une des plus belles correspondances d'amour du Moyen Âge. Son œuvre immense traite surtout de problèmes logiques et théologiques. La *Dialectica* distingue les mots des concepts universaux et voit dans leur articulation et dans la liaison de ces universaux aux sujets individuels le fondement de l'expression et de la signification du langage. La théologie d'Abélard, qui manifeste l'exigence de principes rationnels et

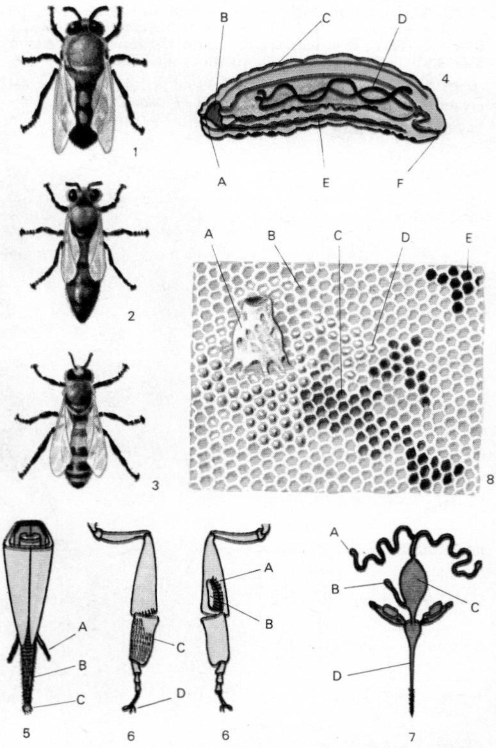

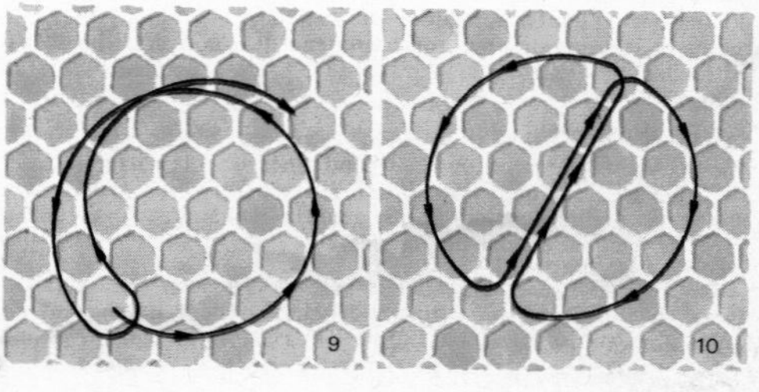

ABEILLE. 1. Mâle ou faux bourdon. 2. Femelle ou reine. 3. Ouvrière. 4. Larve : A. Bouche; B. Cerveau; C. Cœur; D. Tube de Malpighi; E. Chaîne ventrale; F. Anus. 5. Bouche vue de l'avant : A. Palpe labial; B. Langue; C. Cuilleron. 6. Patte postérieure (face interne) : C. Brosse; D. Griffes et organes adhésifs; Patte postérieure (face externe) : A. Râteau; B. Corbeille. 7. Appareil venimeux. A. Glandes acides; B. Glandes alcalines; C. Réservoir; D. Stylet. 8. Rayon : A. Cellules royales; B. Pollen; C. Miel; D. Œufs; E. Cellules des mâles. 9. Danse circulaire pour une source rapprochée. 10. Danse pour une source éloignée.

dialectiques dans l'élaboration de la foi, a suscité de vives controverses, notamment avec Bernard* de Clairvaux et Anselme*, puis a entraîné sa condamnation par l'Église en 1140 à Sens (v. UNIVERSAUX [*querelle des*]).

ABELL (Kjeld), écrivain danois (Ribe 1901-Copenhague 1961). Représentant du théâtre engagé, il chercha dans ses comédies (*La mélodie qui disparut,* 1935) et ses drames (*Anna Sophie Hedvig,* 1939; *Silkeborg,* 1946) à rénover la technique dramatique (emprunts à l'opéra et au cinéma).

ABENCÉRAGES, tribu maure du royaume de Grenade, au XVe s., qui inspira à Chateaubriand une nouvelle, *les Aventures du dernier Abencérage* (1826), illustration du « genre troubadour* ».

ABEOKUTA, v. du sud-ouest du Nigeria, au N. de Lagos; 226 000 hab.

ABERDEEN, port d'Écosse, sur la mer du Nord; 182 000 hab. Pêche. Métallurgie.

ABERDEEN ANGUS → BOVINS.

ABERRATION. — On distingue, en optique, les *aberrations géométriques,* qui résultent d'un défaut de stigmatisme du système, et que l'on réduit en diaphragmant les faisceaux lumineux, et les *aberrations chromatiques,* dues à la dispersion des lumières non simples, que l'on corrige en associant des lentilles de verres différents.

ABER-VRAC'H, fl. côtier et estuaire de la Bretagne, sur la Manche, dans le Léon; 34 km.

ABETONE, principale station de sports d'hiver (alt. 1 400-1 940 m) des Apennins, en Italie (Toscane), au N.-O. de Florence.

ABIDJAN, capit. de la Côte-d'Ivoire, sur la lagune Ebrié; 360 000 hab. Plus grande ville et principal port du pays. Université. Industries mécaniques, alimentaires et textiles. Raffinerie de pétrole. Cimenterie.

ABILENE, v. des États-Unis (Texas), à l'O. de Dallas; 90 000 hab. Raffinage du pétrole.

ABITIBI, région agricole et surtout minière (or et argent, cuivre, zinc et plomb) de l'ouest du Québec (Canada), à l'E. du *lac Abitibi* (915 km^2), lui-même aux confins de l'Ontario et du Québec.

ABKHAZIE, république autonome de l'U.R.S.S., en Géorgie; 487 000 hab. Capit. *Soukhoumi.* Tabac et agrumes. Stations climatiques sur le littoral de la mer Noire.

ABLATION (*Astronaut.*). — Les capsules* spatiales ou les ogives de missiles* balistiques rentrant dans l'atmosphère* subissent un échauffement intense dû au frottement à grande vitesse contre les molécules d'air. Pour les protéger, on a recours à la technique d'ablation qui consiste à revêtir les surfaces extérieures par un matériau qui se sublime avec une forte absorption de chaleur. Les matériaux le plus couramment utilisés à cet effet sont des stratifiés* à base de fibres de silice et de résines phénoliques.

ABLON-SUR-SEINE (94480), comm. du Val-de-Marne, dans la banlieue sud de Paris; 5 629 hab.

ÅBO, nom suédois de TURKU.

ABOLITIONNISME → ESCLAVAGE.

ABOMEY, v. du sud du Bénin; 31 000 hab.

ABOMEY (*royaume d'*), ancien royaume d'Afrique noire, probablement fondé au début du XVIIe s. par des Noirs venus de Tado. Le royaume connaît son apogée avec son troisième roi, Ouégbadja (de 1645 à 1685), qui bâtit à Abomey le premier palais royal, cité des vivants et des morts. Chacun de ses successeurs établira le sien à côté. Les anciens palais des rois Guezo et Glèlè abritent le musée historique, qui recèle les œuvres de plusieurs générations d'artisans. Pour l'essentiel, c'est un art de cour : reliefs peints, statues de bois, tissus, etc., décrivent en effet les exploits historiques des souverains ou évoquent symboliquement leur devise.

ABONDANCE (74360), ch.-l. de cant. de la Haute-Savoie, à 28 km au S.-E. d'Évian-les-Bains, dans le Chablais; 1 303 hab. Race bovine réputée. Sports d'hiver (alt. 930-2 000 m).

ABORDAGE. — Cet accident de la navigation maritime, le heurt de deux bâtiments, est prévu par les dispositions de la loi du 7 juillet 1967. On distingue l'*abordage fortuit* et l'*abordage fautif* (les deux navires abordeurs, ou l'un d'entre eux pouvant être, en ce dernier cas, en faute). Dans le cas d'abordage fortuit, c'est celui qui souffre du dommage qui le supporte; dans le cas d'abordage fautif, la responsabilité incombe à l'auteur de la faute, et les tribunaux apprécient, sous le contrôle de la Cour de cassation, si les faits incriminés représentent effectivement une faute. L'abordage fautif constitue, pour le capitaine ou l'auteur de la faute, une infraction pénale. Celle-ci sera réprimée par les dispositions du Code disciplinaire et pénal de la marine marchande s'il y a eu perte de vies humaines.

ABOUKIR, v. de la Basse-Égypte, au N.-E. d'Alexandrie. Batailles de 1798 et 1799 (v. ÉGYPTE [*campagne d'*]).

ABOU-SIMBEL, site de Haute-Égypte. Sous le règne de Ramsès II, deux *speos* furent creusés dans le grès rose; l'ensemble colossal était dédié aux dieux Re-Harakhti, Amon, Hathor, ainsi qu'au pharaon divinisé et à son épouse Nefertari. L'Unesco a patronné le sauvetage des sanctuaires, condamnés à être submergés par le Nil à la suite de la construction du haut barrage d'Assouan. Découpés en énormes blocs, ils sont reconstruits depuis 1970 au-dessus du niveau du fleuve et adossés à une falaise artificielle.

ABOUT (Edmond), écrivain français (Dieuze 1828-Paris 1885). Journaliste célèbre pour son esprit parisien et voltairien, il passa, dans ses romans, de la satire (*le Roi des montagnes,* 1857; *l'Homme à l'oreille cassée,* 1862) à l'humour tendre (*le Roman d'un brave homme,* 1880).

À bout de souffle, premier long métrage du cinéaste Jean-Luc Godard (1959). C'est moins par son intrigue, somme toute assez conventionnelle (un petit voleur de voitures tue accidentellement un motard, puis se réfugie à Paris auprès d'une jeune Américaine qui finalement le dénoncera), que par sa grande liberté de ton, la désinvolture de sa facture technique, ses références au cinéma américain de série, la modestie de son budget et le refus des conceptions cinématographiques traditionnelles de l'époque que ce film apparut comme l'un des manifestes de la « nouvelle vague » française.

ABRAHAM, patriarche* biblique (XIXe s. av. J.-C.). Originaire d'Our*, en basse Mésopotamie, il vient en Palestine où il mène avec son clan une vie de pasteur semi-nomade. Selon la Bible, il sera le bénéficiaire d'une alliance divine dont le signe est la circoncision*. Ancêtre des peuples juif et arabe par ses fils Isaac* et Ismaël*, il est aussi revendiqué par les chrétiens qui se considèrent comme ses descendants spirituels.

ABRAHAM (Karl), médecin et psychanalyste allemand (Brême 1877-Berlin 1925). Il s'efforça de maintenir la cohésion du mouvement psychanalytique et devint président, en 1924, de l'Association psychanalytique internationale. K. Abraham exerça une influence décisive sur Melanie Klein*, qui fut son élève. Il fut théoricien aussi bien que clinicien de la psychanalyse*, et l'expérience des psychoses*, qu'il avait acquise auprès de Bleuler*, le conduisit à définir les stades prégénitaux de la libido* et les processus d'incorporation et d'introjection*.

ABRAHAM (*plaines d'*), plateau dominant le Saint-Laurent, près de Québec. Victoire des Anglais sur les Français (13 sept. 1759) : Montcalm et Wolfe y trouvèrent la mort.

ABRAMOVITZ (Chalom YAACOV, dit **Mendele-Mocher-Sefarim**), écrivain russe d'expression yiddish et hébraïque (Kopyle, gouv. de Minsk, 1836-Odessa 1917). L'un des fondateurs de la littérature hébraïque moderne par sa langue empruntée à la vie quotidienne, il choisit le parler du peuple, le yiddish, pour peindre la vie douloureuse et pittoresque des ghettos d'Europe orientale : *le Petit Homme* (1864), *les Voyages de Benjamin III* (1878).

ABRASIF. — Les abrasifs sont soit naturels, soit artificiels. Parmi les premiers figurent le *grès,* formé de grains de silice* (SiO_2) agglomérés par un liant généralement calcaire, l'*émeri naturel,* ou *corindon* granulaire, dont la dureté est due principalement aux cristaux d'alumine* (Al_2O_3) qu'il renferme, et le *diamant**, qui est le plus dur de tous les corps connus. Les abrasifs artificiels comprennent trois catégories : les produits constitués par de l'*alumine cristallisée,* que l'on obtient en chauffant au four* à arc un mélange de bauxite et de coke, les produits constitués par du *carbure de silicium* cristallisé* (SiC), que l'on fabrique au four électrique à partir d'un mélange de sable, de coke, de sciure de bois et de sel, et enfin les produits constitués par du *carbure de bore* cristallisé* (B_4C). Celui-ci est préparé par réduction de l'anhydride borique par le carbone*, et sa dureté approche celle du diamant. Les abrasifs dits *libres* sont employés en suspension dans un fluide (air, huile, pétrole, etc.) pour les opérations de sciage, de rodage ou de polissage. Les abrasifs *appliqués,* dont les grains sont fixés par collage en couche mince sur des supports souples (papiers, toiles, fibres, etc.), sont utilisés sous forme de disques, de bandes, de cylindres. Enfin, les abrasifs *agglomérés,* dont les grains sont fixés les uns sur les autres à l'aide d'un liant minéral, organique ou métallique pour constituer un corps solide, présentent la forme de pierres, de bâtons ou de meules.

ABRÉACTION → CATHARTIQUE (*méthode*).

ABRICOTIER. — Très sensible aux gelées de printemps, d'autant plus que sa floraison est précoce, l'abricotier (*Prunus Armeniaca*) est un arbre peu élevé, dont le fruit est une grosse drupe charnue, l'abricot (famille des rosacées).

ABRIÈS (05460), comm. des Hautes-Alpes, à 32 km au N.-E. de Guillestre, sur le Guil; 242 hab. Sports d'hiver (alt. 1 550-2 405 m).

ABRUZZES (les), région de l'Italie péninsulaire, sur l'Adriatique; 10 794 km^2; 1 180 000 hab. Capit. *L'Aquila.* Cette région est formée de quatre provinces : Chieti, L'Aquila, Pescara et Teramo. Son nom vient du *massif des Abruzzes* (partie la plus élevée de l'Apennin, culminant à 2914 m au Corno Grande, dans le massif du Gran Sasso d'Italia), qui en occupe la majeure partie, séparée d'une étroite plaine littorale par une bande de collines argileuses et sableuses. Le relief, un climat rude l'hiver, au moins dans l'intérieur, expliquent la relative faiblesse de la densité de population et, surtout, une constante émigration. L'élevage (bovins et ovins) et les cultures (olivier, blé, vigne, fruits et légumes [sur la côte]) fournissent quelques industries, implantées dans les villes d'importance modeste. Plus que la pêche, le tourisme estival anime le littoral, intéressant aussi aujourd'hui l'intérieur avec la création du *Parc national des Abruzzes.*

Absalon! Absalon!, roman de William Faulkner (1936). Œuvre la plus caractéristique de la technique de l'auteur : l'histoire d'un homme qui désire obsessionnellement se survivre dans une lignée et qui est l'artisan de son propre échec est contée à la fois sur le mode d'une *quête* à travers le temps (l'événement est relaté, quarante ans après, par quatre narrateurs successifs, ou plutôt concentriques), souvent proche de celle de Proust, et sur le rythme d'une *enquête* policière. Elle combine, dans une phrase qui se déploie en amples volutes, les thèmes et les symboles chers à Faulkner : images bibliques, sexualité trouble, superposition d'une destinée individuelle et de l'histoire américaine.

ABSENCE. — L'absent est celui qui, éloigné de sa résidence habituelle, a cessé de donner de ses nouvelles depuis assez longtemps pour que, de ce fait, son existence soit devenue incertaine.

• La *période de présomption d'absence* commence avec l'*incertitude* sur le sort de l'absent et avant qu'il soit intervenu de décision judiciaire.

• Elle est suivie d'une période d'*absence déclarée,* qui est ouverte par une déclaration intervenant après quatre années depuis la réception des dernières nouvelles. (Le délai est porté à dix ans lorsque l'absent a laissé une procuration pour l'administration de ses biens.) La déclaration peut être demandée par les parties intéressées, notamment ceux qui ont des droits sur le patrimoine de l'absent (héritiers présomptifs, légataires, conjoint), mais cette faculté est refusée aux créanciers et au ministère public. Les personnes qui ont qualité pour provoquer la déclaration d'absence peuvent demander la jouissance provisoire des droits que leur conféreraient la mort de l'absent. L'absence déclarée entraîne, si l'absent était marié, dissolution de la communauté, le conjoint pouvant dès lors exercer tous les droits (reprises) qui lui sont reconnus en pareil cas. (Le conjoint peut cependant opter pour la continuation de la communauté.)

• L'*envoi en possession définitif* peut être demandé lorsque l'absence a duré trente ans depuis la déclaration d'absence (ou cent ans depuis la naissance de l'absent). Les envoyés en possession ont alors tous les droits quant aux biens sur lesquels ils ont été envoyés en possession, et, notamment, le droit de les aliéner. Mais, si l'absent venait à reparaître, ils devraient restituer les biens.

L'absence ne prend fin que par la preuve du décès ou la preuve de l'existence de l'absent. Les deux situations mettent fin aux droits et pouvoirs des envoyés en possession.

ABSOLUTISME. — L'idée d'un absolutisme royal, considéré comme la forme idéale de gouvernement, apparaît en France dès le XVIe s. au moment où la société, après de longues années d'anarchie et de misères, éprouve un vif besoin d'ordre et d'autorité. L'absolutisme royal triomphe décidément de la féodalité au XVIIe s., quand Richelieu fait de la « raison d'État » le ressort essentiel de la vie politique, puis quand Louis XIV incarne véritablement l'absolutisme sacral de la royauté. Le XVIIIe s., qui prétend prendre le contre-pied de l'absolutisme louis-quatorzième, reste, malgré l'avatar du « despotisme éclairé », marqué par l'absolutisme de l'État : le despotisme dur de Frédéric II et le joséphisme, aux apparences plus libérales, ne sont en fait que les formes contrastées du même autoritarisme. De nos jours, si l'absolutisme a disparu de la plupart des régimes monarchiques, il connaît ailleurs des surgeons souvent monstrueux avec les dictatures militaires et les régimes totalitaires.

ABSORPTION. — Le passage des substances nutritives (eau, ions minéraux, substances organiques simples) et de l'oxygène, depuis le milieu extérieur jusque dans l'intimité des cellules d'un être vivant pluricellulaire, plante ou animal, se fait généralement en trois étapes, toutes trois dénommées *absorption,* ce qui donne au mot un sens parfois ambigu.

• *L'absorption immédiate.* Un homme avale une bouchée de nourriture, une feuille absorbe du gaz carbonique à travers ses stomates, une racine accumule de l'eau dans son écorce. Dans ces trois cas, l'aliment absorbé n'est encore ni trié ni transformé et il peut même être rejeté (rôle social de l'estomac des abeilles*, qui régurgitent le nectar au profit d'autres abeilles, etc.).

• *Le passage dans les liquides circulants.* C'est l'absorption au sens strict du terme, bien qu'on l'appelle souvent, à tort, *assimilation*. Le sang et la sève constituent en effet le véritable « milieu intérieur », respectivement, des animaux et des plantes. Avant d'être admis dans les vaisseaux, les aliments sont sévèrement triés et subissent d'importantes transformations, notamment une hydrolyse (digestion*) qui partage les grosses molécules organiques insolubles (ex. : amidon) en molécules beaucoup plus petites et solubles dans l'eau (ex. : glucose). La barrière intestinale des animaux, la barrière endodermique des racines, les tissus qui entourent les tubes libériens dans les feuilles contrôlent strictement ce passage des aliments dans la circulation.

• *L'entrée dans les cellules.* C'est l'étape finale. Dans la plupart des cas, l'oxygène et les aliments gagnent les cellules parce qu'ils y sont moins concentrés que dans le sang ou la sève (c'est l'osmose*). Mais les cellules peuvent aussi choisir leurs aliments et, par un « transport actif » exigeant une dépense d'énergie, se saisir des molécules nécessaires, en dépit des lois de l'osmose.

Quant aux cellules isolées (globules blancs du sang*, protistes*), elles ingèrent les proies solides par *phagocytose,* les liquides par *pinocytose,* donc par des processus actifs.

ABSORPTION DE CAPITAL (capacité d'). — La capacité d'absorption de capital est la *limite supérieure* de l'optimum d'investissement. Ce concept met en lumière la capacité qu'a une économie donnée d'« assimiler » utilement des doses de capital sans déséquilibres graves ou tensions sociales dommageables.

ABSTRACTION. — La première aquarelle abstraite de Kandinsky* (1910) définit un courant romantique de l'abstraction, *projection,* dans la magie des lignes et des couleurs, du monde intérieur de l'artiste et de sa vision imaginaire. C'est au contraire dans la *construction* géométrique la plus épurée que Malevitch* et Mondrian* trouvent le lieu de rencontre de leur sens cosmique et de leur volonté rationnelle, objective. D'autres artistes ont contribué plus épisodiquement à la naissance du nouvel art : les Français Delaunay*, Léger*, Picabia*, le Russe Larionov*, le Tchèque Kupka*, l'Italien Magnelli*, les Américains Dove, Russell et Macdonald Wright, etc.

Entre les deux guerres, c'est la tendance géométrique, parfois baptisée « art concret » et souvent liée aux recherches architecturales, qui domine. Elle est représentée par le constructivisme* des sculpteurs Pevsner* et Gabo; par le « néo-plasticisme » de Mondrian et du groupe néerlandais *De Stijl**; dans une certaine mesure, par le Bauhaus* allemand, où enseignent Kandinsky, rallié à un art plus froid, le Hongrois Moholy-Nagy*, etc.; par le Suisse Max Bill*, épris de mathématiques; à Paris, de 1930 à 1936, par les groupes *Cercle et Carré* puis *Abstraction-Création,* où l'on trouve Mondrian, l'Uruguayen Torres García, les Belges Seuphor et Vantongerloo, les Français Arp*, Herbin*, Gorin, Valmier, l'Anglais Ben Nicholson, le sculpteur américain Calder*, etc.

À partir de 1945, le courant géométrique (Vasarely*, Dewasne) semble perdre du terrain à Paris, avant de donner naissance, dans les années 50, à l'art cinétique*. À ce moment, toutefois, le courant dominant de l'abstraction (ou « non-figuration ») est celui d'un lyrisme plus ou moins spontané; deux tendances y sont discernables. La première procède par décantation du spectacle naturel : Vieira da Silva*, Bissière*, Estève*, Bazaine*, Manessier*, de Staël*, Singier, Riopelle*, Messagier, que l'on a pu nommer « paysagistes abstraits ». La seconde, à laquelle la dénomination d'« abstraction lyrique » s'applique spécialement, est celle de l'expression « gestuelle » (Hartung*, Soulages*). Informels, matiéristes, tachistes, calligraphes (Wols*, Fautrier*, Dubuffet*, Mathieu*, Bryen, Zao* Wou-ki, Degottex...) représentent des variantes. Des sculpteurs, comme Stahly* et Étienne-Martin*, rejoignent ces courants, que l'on retrouve dans les différents pays occidentaux (en Italie : Fontana*, Burri), au Japon, etc.

Aux États-Unis s'est constituée à la même époque une école d'« expressionnisme abstrait » qui tire parti de l'automatisme* surréaliste. Ses deux courants majeurs sont une « abstraction gestuelle », ou *action painting* (Pollock*, De Kooning*, Kline*...), marquée par la vitesse d'exécution et une subjectivité intense, et une « abstraction chromatique » (Ad Reinhardt, Rothko*, Newman*...) qui, toutes deux, tendent à renoncer au principe même d'une « composition » de la toile en recouvrant celle-ci d'un foisonnement de signes (Pollock) ou de plages de couleur qui semblent flotter dans l'espace. De la volonté d'objectivité du second courant dérivent, dans les années 60, les grands formats de la « nouvelle abstraction » (Morris Louis, Noland, Olitsky, Ellsworth Kelly, Frank Stella...), pure expression chromatique qui revient parfois aux contours tranchés de la géométrie (*hard-edge;* sculptures de l'art *minimal**). Aux États-Unis comme en France, de nouvelles recherches se développent dans les années 70, souvent liées à de fines analyses théoriques sur la nature du fait plastique.

ABSURDE. — Le sentiment de l'absurde naît de la prise de conscience d'une rupture irrémédiable entre les réalités d'une expérience et les exigences d'un système de pensée admis. Issu probablement de l'expérience de la mort, mais aussi du mal et de l'injustice, l'absurde se trouve résorbé dans l'univers religieux, et tout particulièrement chrétien, fondé sur la double cohérence de la raison et de la foi, qui permet d'accepter, sans explication rationnelle, les « mystères ». Mais, avec l'éclatement de l'univers médiéval et la constitution du monde moderne dans ses nouvelles dimensions géographiques et scientifiques, l'écart entre la métaphysique officielle et la vie réelle s'exprime bientôt dans le domaine philosophique et littéraire : *l'Éloge de la folie* d'Érasme, l'« humour » de Ben Jonson, l'angoisse de Kierkegaard, le *nonsense* de Lewis Carroll sont des étapes sur la voie de l'existentialisme* moderne incarné par Sartre et Camus — l'homme qui vit sans finalité dans un monde sans signification ne peut se définir que par sa révolte (mais cette révolte peut être vécue comme une fin en soi ou comme la préparation à un engagement social et politique).

Le sentiment de l'absurde est présent dans la littérature bien avant le mouvement existentialiste : Jarry, Kafka, le surréalisme en offrent des versions diverses. Mais c'est le théâtre contemporain qui, à travers le thème de l'incommunicabilité, en donne l'expression la plus rigoureuse (Ionesco, Pinter, Beckett) : le « théâtre de l'absurde » est le pendant exact, dans le monde moderne, de la tragédie* classique.

ABŪ AL-'ABBĀS → 'Abbāssides.

ABŪ AL-'ALĀ' AL-MA'ARRĪ, écrivain arabe (Ma'arrat al-Nu'mān, Syrie, 973-*id.* 1057). Il devient aveugle dès l'âge de quatre ans. Son œuvre poétique joint la recherche verbale à la hardiesse de la pensée religieuse *(Épître du pardon, les Maximes et les buts, les Poèmes asservis).*

ABŪ AL-'ATĀHIYA, poète arabe (Kūfa 747-Bagdad 825). Son œuvre, d'une grande simplicité de style, est une méditation sur la vanité du destin de l'homme.

ABŪ AL-FARADJ 'ALĪ AL-IṢFAHĀNĪ, écrivain arabe (Ispahan 897-Bagdad 967). Son *Livre des chansons* est un recueil des anciens poèmes arabes chantés, de leur notation musicale et de la vie de leurs auteurs.

ABŪ AL-FEIZI, poète indien de langue persane (Āgra 1547-1595), auteur d'une traduction du *Mahābhārata** et d'un *Dīwān* de 18 000 vers.

ABŪ BAKR → Arabie.

ABŪ DHABĪ → Abū Ẓabī.

ABŪ ḤANĪFA, théologien et législateur musulman (Kūfa 696-Bagdad 767), fondateur d'une des écoles de l'islām orthodoxe, celle des ḥanafites.

ABŪ NUWĀS, poète arabe (Ahwāz v. 762-Bagdad v. 815). Poète de cour, sous les califes Hārūn al-Rachīd et al-Amīn, il substitua à la poésie bédouine traditionnelle un art raffiné, qui en fait le maître de la poésie bachique.

ABUS DE CONFIANCE. — Ce délit, distinct du *vol* et de l'*escroquerie,* consiste à détourner ou à dissiper, à l'encontre de leurs propriétaires, de leurs possesseurs ou de leurs détenteurs, des valeurs ou objets mobiliers confiés à charge de les restituer ou d'en faire un usage déterminé. L'abus de confiance est prévu par les articles 406 et suivants du Code pénal entraînant un emprisonnement de deux mois à deux ans et une amende de 3 600 à 36 000 francs, plus, éventuellement, les peines complémentaires.

ABŪ TAMMĀM AL-ṬĀ'Ī, poète arabe (Djāsim v. 804-Mossoul 845). En réaction contre Abū Nuwās*, il retrouva l'inspiration et les formes de la poésie bédouine, dont il donna une anthologie célèbre *(al-Ḥamāsa).*

ABŪ ẒABĪ ou **ABŪ DHABĪ,** le plus grand (67 000 km²) des Émirats arabes* unis, membre de l'Organisation des pays exportateurs de pétrole (O. P. E. P.), sur le golfe Persique. Désertique, il compte à peine 50 000 hab. (moins de 1 hab. en moyenne au kilomètre carré, dont la moitié dans sa capitale, *Abū Ẓabī*). Son importance tient à sa richesse en pétrole, extrait depuis le début des années 60. La production annuelle approche 70 millions de tonnes (près de 1 500 t par habitant), avec des réserves prouvées supérieures à 4 milliards de tonnes. Les réserves estimées de gaz naturel sont encore supérieures, plus de 5 000 milliards de mètres cubes (25 fois le gisement de Lacq à son origine). Le poids politique et économique de l'émirat est évidemment hors de rapport avec sa superficie et surtout sa population.

Abwehr, service de renseignements de l'état-major allemand de 1925 à 1944. Dirigée de 1935 à 1944 par l'amiral Canaris*, l'Abwehr passa, après le putsch du 20 juillet, sous le contrôle de Himmler et du parti nazi.

ABYDOS, site de Haute-Égypte, l'un des plus importants centres du culte d'Osiris*, où des découvertes archéologiques capitales ont été réalisées par Mariette*, Maspero* et F. Petrie* (sanctuaire prédynastique, nécropoles thinites, grands temples de Séti Ier et Ramsès II, table d'Abydos...).

G. Fall

Composition en bleu, jaune et gris (v. 1950), de Mark Rothko. (Coll. priv.)

ABSTRACTION

Larousse

Peinture avec trois points (1914), de Vassili Kandinsky. (Musée Guggenheim, New York.)

ABYMES (Les) [97110 Pointe à Pitre], comm. de la Guadeloupe, dans l'île de Grande-Terre; 54048 hab.

ABYSSES. — On parle d'*abysses,* ou de *zone abyssale,* lorsque la profondeur océanique dépasse 2000 m, c'est-à-dire pour 80 p. 100 de la surface océanique, soit 56 p. 100 de la surface du globe tout entier. Les abysses sont donc constitués d'un fond et d'une masse d'eau qui surmonte celui-ci.

• *Le fond.* C'est une vase non solidifiée, constituée de microscopiques coquilles calcaires de *globigérines* (44 p. 100 des fonds) ou de *ptéropodes* (2 p. 100), de restes siliceux de *diatomées* (12 p. 100) ou de *radiolaires* (2 p. 100), ou enfin d'une argile rouge (35 p. 100). Des *nodules* de manganèse ou d'autres métaux recouvrent par endroits le fond, qui est en général à peu près plat, mais qui peut présenter des reliefs très aigus (dorsales, fosses, guyots, etc.). Toute une faune, le *benthos,* s'y nourrit des cadavres tombant sans cesse de plus haut comme « une neige qui ne s'arrête jamais » (Carson), et des bactéries minéralisent le tout.

• *La masse des eaux.* Malgré de lents courants qui en renouvellent la matière, les eaux abyssales sont d'une invariance presque totale, avec leur température de -1 à $+2\,^{0}C$, leur obscurité absolue, que percent seulement les rayons émis par les nombreuses espèces lumineuses, enfin leur teneur en oxygène, faible à cause de l'éloignement de l'air, mais suffisante à la vie d'une faune assez dispersée (biomasse 10 à 100 fois plus faible à 2000 m de fond qu'à 200 m).

• *La vie dans les abysses.* L'*obscurité* des abysses entraîne la présence d'une forte proportion d'espèces aveugles, tandis que d'autres espèces produisent diverses lumières qui favorisent la rencontre d'un partenaire sexuel ou la capture des proies, que la lumière attire. Le *manque de calcaire dissous* provoque des formes molles ou fragiles. La *nourriture* se composant plus souvent de cadavres que de proies vivantes, les formes pélagiques capturent ces cadavres au passage tandis que les formes benthiques fouillent la vase. Pour demeurer ou cheminer sur celle-ci sans s'enfoncer, la faune benthique doit revêtir des formes aplaties ou posséder de longues pattes. Au demeurant, la faune abyssale n'est uniforme ni zoologiquement (8 embranchements représentés) ni géographiquement (75 p. 100 de formes exclusivement atlantiques ou pacifiques), et, faute de lumière, il n'existe pas de flore.

ACADÉMIE. — Le mot, dont l'origine rappelle la communauté d'esprits qui unissait Platon et ses disciples dans les jardins d'Akadêmos (v. art. suiv.), évoque plutôt aujourd'hui des idées de célébration et d'institution officielles. En réalité, dès ses premières manifestations — cours d'amour ou chambres de rhétorique du Moyen Âge, réunions d'humanistes à Florence —, apparaissent les deux caractères, tantôt complémentaires, tantôt contradictoires, de l'académie : mise en commun, de leur propre mouvement, par des écrivains ou des hommes de science, de leur savoir et de leurs recherches; constitution d'un établissement reconnu et entretenu par le prince (ou l'État) à la gloire duquel il doit concourir. Après la floraison des académies italiennes, qui, face à l'Église et à l'Université scolastique, représentent l'avant-garde intellectuelle du XVIe s., c'est une volonté politique centralisatrice (Richelieu, Colbert) qui imposera la formule en France, puis dans toute l'Europe : désir d'organiser le culte de la personne royale et volonté de lier les découvertes scientifiques aux exigences industrielles et commerciales. Cette conception du rôle des académies (contribuer au prestige national et au progrès scientifique et culturel) est encore celle des pays rénovés (U. R. S. S., Chine) et des nations en voie de développement.

Académie, école philosophique (du jardin d'Akadêmos, situé aux portes d'Athènes) qui s'est perpétuée du IVe au Ier s. av. J.-C. Dès Speusippe, premier successeur de Platon*, la doctrine du maître subit des transformations. Les scolarques qui se succèdent à la tête de l'école (Xénocrate, Polémon, Cratès d'Athènes et Crantor de Cilicie) tendent à confondre l'idée platonicienne avec le nombre pythagoricien. Ils constituent l'*Ancienne Académie.* Une deuxième période s'ouvre avec Arcésilas*. La thèse principale devient celle du scepticisme probabiliste. Cette thèse, que soutiendront aussi Carnéade, Clitomachos de Carthage, Philon de Lárissa et Antiochus d'Ascalon, est caractéristique de la *Nouvelle Académie.*

Académie des Goncourt, société littéraire instituée par le testament d'Edmond de Goncourt*. Composée de dix membres, elle décerne chaque année, depuis 1903, après un déjeuner traditionnel au restaurant Drouant, à Paris, le prix littéraire le plus recherché des jeunes écrivains. Depuis 1974, l'Académie, qui compte cinq membres correspondants à titre étranger, attribue également une bourse de la nouvelle et une bourse du récit historique.

Académie française, institution fondée en 1635 par Richelieu (40 membres) et chargée de la rédaction d'un *Dictionnaire* (8 éditions de 1694 à 1932) ainsi que d'une *Grammaire* (publiée en 1933).

ACADÉMISME *(Bx-arts).* — La création d'académies, vers la fin de la Renaissance*, semble résulter du désir des artistes de dépasser le statut d'artisan qui était le leur dans les gildes et corporations. À l'apprentissage chez un maître unique s'oppose un enseignement plus large, donnant leur place aux débats sur les fins (beauté, convenance...), les moyens (la connaissance rationnelle, scientifique) et les modèles de l'art (la « nature », l'Antiquité, les maîtres, comme Raphaël*). Liées au maniérisme, les premières académies sont fondées dans la seconde moitié du XVIe s. (Vasari* à Florence); à la fin du siècle, l'académie des Carrache* a pour doctrine l'éclectisme*, non séparé de l'étude du réel; puis vient la codification la plus achevée de l'académisme, celle de Le Brun* au sein de l'Académie royale française. Celle-ci entend imposer la primauté du *dessin* dans la peinture, mais c'est la *couleur* qui l'emportera à la fin du siècle. Le carcan de l'art « officiel » se resserre en France dans la seconde moitié du XVIIIe s., l'Académie, qui monopolise l'enseignement, s'efforçant de restaurer la prééminence de la peinture* d'histoire et imposant à tous les études archéologiques.

Devenues appauvrissantes, sauf pour des personnalités d'exception (Ingres*), les règles imposées par l'École des beaux-arts, jointes à la médiocrité du goût de la clientèle, conduisent au XIXe s.

Scala

Académisme.
Course d'Atalante et Hippomène (1625),
de Guido Reni.
(Musée de Capodimonte, Naples.)

Accélérateur de particules.
Accélérateur à électrons
du Centre de recherches nucléaires de Saclay (Essonne).
Puissance : 300 MeV.
Mise en service : 1970.

à un art de virtuosité creuse et non plus d'invention. D'où la révolte de générations successives de jeunes artistes et le triomphe, au moins posthume, du romantisme*, du réalisme* ou de l'impressionnisme* sur l'académisme des « pompiers ».

ACADIE, ancienne région orientale du Canada français. L'Acadie, colonisée par les Français à partir de 1605, est cédée aux Britanniques en 1713, mais ce n'est que durant la seconde partie du XVIIIe s. que les gouvernements anglais du Canada entreprennent de la coloniser puis de la vider de sa population française — 10 000 âmes — au profit d'immigrants britanniques. Rentrés à la suite du traité de Paris (1763), les Acadiens ne recouvrent que lentement leurs droits avant de reformer une entité ethnique.

ACALCULIE. — Ce trouble mental peut porter sur la reconnaissance des chiffres, sur leur structure en nombre ou sur la conduite des opérations arithmétiques. Beaucoup de troubles du calcul sont associés à des troubles du langage. Il est plus rare que l'acalculie soit isolée : elle est alors le témoin d'une lésion cérébrale pariétale.

A CAPPELLA. — Cette locution italienne désigne le style, et par extension l'interprétation d'une œuvre vocale polyphonique non accompagnée, par analogie avec les compositions « de chapelle » écrites à l'époque de la Renaissance.

ACAPULCO ou **ACAPULCO DE JUÁREZ,** v. du Mexique, au S. de Mexico, sur le Pacifique; 174 000 hab. Grande station balnéaire.

ACARIE (Barbe AVRILLOT, Mme), religieuse française (Paris 1565-Pontoise 1618). Elle entre au couvent après la retraite de son mari, Jean-Pierre Acarie. Devenue mère Marie de l'Incarnation, elle installe à Paris les premières carmélites. Elle a été béatifiée.

ACARIENS. — On a décrit au moins 15 000 espèces d'acariens. Ce sont tous de très petits animaux (rarement plus de 0,5 cm), mais on en rencontre dans tous les milieux et leurs adaptations sont si diverses qu'il reste peu de caractères communs à toutes les espèces de cet ordre. Les acariens sont des arachnides au corps non segmenté et presque aussi large que long, en général. Les trachées, l'anus, les yeux peuvent manquer; le nombre des paires de pattes varie de 2 à 4, selon l'espèce. Les formes libres peuvent hanter les déserts, les grottes, les eaux thermales, les algues marines, les étangs (hydrachne), les aliments (tyroglyphe, ou ciron du fromage), les feuilles mortes (oribates). Plus connues sont les espèces parasites : *Demodex* des « points noirs », tiques (celle du chien, *Ixodes,* est transmissible à l'homme), *Argas* des poules et des pigeons, *Acarapis* de l'abeille, ou encore le *rouget,* ou *aoûtat,* qui passe des plantes sur l'homme, et les *tétranyques* et *ériophyes* de divers arbres cultivés. Les acariens peuvent transmettre à l'homme des spirochétoses ou des borrélioses (fièvres récurrentes), des encéphalites à virus (arboviroses), des rickettsioses (fièvres boutonneuses). Ils sont responsables de la gale (sarcopte).

ACARIOSE → ÉPIZOOTIE.

ACCÉLÉRATEUR *(Phys. nucl.).* — L'accélérateur comporte à l'entrée une source de particules chargées (électrons, protons, ions lourds), auxquelles il communique une énergie supplémentaire en accroissant leur vitesse. À cet effet, il les soumet à un champ électrique, qui peut être créé par un multiplicateur de tension ou une machine électrostatique. Dans le *cyclotron* ou l'*accélérateur linéaire,* ce champ ne s'établit, en résonance avec la particule, qu'à l'instant où celle-ci est présente dans l'espace où il peut agir, ce qui permet d'utiliser des tensions relativement faibles. Une autre méthode, mise à profit dans le *bêtatron,* consiste à induire une force électromotrice à l'aide d'une variation de flux magnétique. Le bombardement d'une cible par les projectiles sortant de l'accélérateur y provoque des réactions qui permettent d'étudier la structure de la matière. Les accélérateurs servent aussi à la production de radioéléments artificiels.

Rémy Poinot

ACCÉLÉRATION → CINÉMATIQUE, CINÉTIQUE, MÉCANIQUE.

ACCÉLÉRATION (principe d'). — Ce principe, utilisé par la science économique, exprime la relation entre *la demande de biens et de services* et *la demande de biens de production* (destinés à satisfaire la première demande). Le principe tend à montrer que toute modification de la première demande se propage vers la seconde avec un effet de *multiplication,* l'investissement* tendant, de ce fait, à être trop important. Aftalion*, dès 1907, a mis en valeur ce principe, qui éclaire l'influence des facteurs psychologiques sur le comportement des entrepreneurs.

ACCENT *(Ling.).* — L'accent se caractérise par une manifestation d'intensité, de hauteur et/ou de durée mettant en valeur une syllabe aux dépens des autres. Selon les langues, l'accent peut avoir plusieurs fonctions. Quand sa place n'est pas libre, par exemple en français où les mots sont accentués sur la dernière syllabe, il indique le début ou la fin d'un mot (fonction démarcative). Il peut aussi servir à noter certaines articulations importantes de l'énoncé (fonction culminative). Quand sa place est libre, il peut servir à distinguer des unités linguistiques de sens différent (ainsi, en italien, *áncora* [ancre] et *ancóra* [encore]).

ACCIDENTS DE LA ROUTE → SÉCURITÉ.

ACCIDENTS DU TRAVAIL. — La législation des accidents du travail a en France son point de départ dans la loi du 9 avril 1898, avant l'intervention de laquelle la réparation n'était assurée qu'aux termes de l'article 1382 du Code civil, qui liait la responsabilité de l'entreprise à l'idée de *faute* du dirigeant. La loi du 1er juillet 1938 l'a étendue à l'égard de toute personne exécutant un contrat de louage de services. L'ordonnance du 4 octobre 1945 et la loi du 30 octobre 1946 organisent l'indemnisation des accidents du travail et des maladies professionnelles dans le cadre de la sécurité* sociale.

Après avoir été stable jusqu'en 1967, le nombre d'accidents du travail a légèrement décru selon la Caisse nationale d'assurance maladie (qui exclut mines, charbonnages, régime agricole et autres régimes spéciaux). De même, la gravité des accidents, après avoir longtemps augmenté, décroît sensiblement. En 1973, pour 13 492 184 salariés, on dénombrait 1 137 840 accidents, dont 2 242 mortels, et 4 580 maladies professionnelles. Le taux de gravité des incapacités permanentes pour la totalité des accidentés du travail était de 1,03 (nombre de journées perdues par rapport au nombre d'heures travaillées) et le nombre de journées perdues pour incapacité temporaire dépassait 29 millions en 1973. C'est dans le secteur du bâtiment et des travaux publics que l'on totalise le plus grand nombre d'accidents (306 047, dont 824 décès, sur un total de 1 840 302 travailleurs).

ACCIUS (Lucius), poète romain (Pisaurum 170 - v. 84 av. J.-C.), le meilleur représentant de la tragédie latine. De ses 45 pièces, inspirées tantôt d'Euripide, tantôt de l'histoire romaine, il ne reste que 700 vers.

ACCLIMATATION. — Contrairement à l'*acclimatement,* qui n'est qu'un aspect de l'adaptation naturelle des plantes ou des animaux à un climat nouveau, l'*acclimatation* est un ensemble d'interventions humaines permettant de cultiver une plante ou d'élever un animal, de façon durable, loin de son pays d'origine. Pratiquement, aucune des plantes de grande culture et aucun des animaux domestiques de l'Europe actuelle ne sont autochtones : les céréales viennent d'Asie, la pomme de terre d'Amérique, le cheval des steppes asiatiques, etc. L'acclimatation est donc à l'origine de notre civilisation.

Pour les animaux, elle se confond avec une parfaite hygiène : sélection des meilleurs individus, respect d'étapes successives si le changement de climat est important, élimination rigoureuse des parasites au départ et à l'arrivée. Pour les plantes, elle requiert surtout une bonne convenance du sol et le choix de variétés résistant au gel ou à la sécheresse.

ACCOMMODATION → VISION.

ACCOMPAGNEMENT. — La composition de certaines œuvres musicales prévoit une ou plusieurs parties instrumentales de soutien de la mélodie* principale. Le rôle de ces parties, rarement réduites à l'état d'accessoires, consiste à créer une atmosphère, notamment dans le lied, ou à apporter certains éléments pittoresques. Si l'accompagnement possède une beauté intrinsèque, il participe pleinement à la musique (sonate).

ACCORD *(Ling.)*. — Il y a accord quand deux ou plusieurs éléments linguistiques entrent en correspondance pour exprimer la même catégorie grammaticale (genre, nombre, cas, personne, etc.) et indiquer la structure de la phrase. Les phénomènes d'accord varient selon les langues : ils sont, par exemple, très peu développés en anglais. En français, ils ne fonctionnent pas de la même manière dans la langue écrite* et dans la langue parlée.

ACCORD *(Mus.)* → ÉCRITURE MUSICALE.

ACCORD D'ENTREPRISE. — Une telle convention, intervenant entre la direction générale et les syndicats d'une entreprise, porte sur les problèmes touchant à la condition des travailleurs dans l'entreprise (rémunérations, conditions du travail, fin de la carrière, retraites, classifications), à la formation professionnelle, etc. Ces dispositions sont susceptibles d'ajouter à des dispositions plus générales comme celles d'une convention collective.

ACCORDÉON. — C'est de l'idée qu'eut Buschmann, en 1882, de transformer un harmonica que naquit cet instrument de musique. Il se compose d'un soufflet et de deux claviers (de touches ou de boutons), dont le jeu met en vibration des lamelles de métal remplissant le rôle d'anches libres et vibrant au passage de l'air. D'abord diatonique, l'accordéon s'améliora vers 1910 par l'adjonction de basses chromatiques. Les accordéonistes se produisent parfois en récital, mais animent surtout les bals musettes.

ACCOUCHEMENT. — L'accouchement qui se produit au terme normal de la grossesse* (de 270 à 280 jours) est « à terme »; entre 6 et 8 mois et demi de grossesse, il est « prématuré »; après 280 jours, il est « post-terme ». L'accouchement est « spontané » lorsqu'il se déclenche de lui-même, « provoqué » quand il est consécutif à une intervention extérieure, le plus souvent thérapeutique. Il est « naturel » lorsqu'il se déroule sans intervention extérieure et « artificiel » dans le cas contraire.

Le déroulement de l'accouchement s'accomplit en trois périodes. La première correspond à l'effacement et à la dilatation du col de l'utérus, la deuxième à la sortie du fœtus* (ces deux premières périodes représentant le « travail »), la troisième à la sortie du placenta (c'est la « délivrance »).

• La *première période* est marquée par l'apparition de contractions utérines. Celles-ci sont douloureuses, involontaires, intermittentes et rythmées de façon régulière; d'abord séparées par des intervalles de 20 à 25 mn, puis de plus en plus courts (2 à 3 mn à la fin), elles sont de plus en plus prolongées (15 à 20 s au début, 30 à 45 s à la fin de la dilatation), de plus en plus intenses et douloureuses. La douleur disparaît en dehors des contractions, qui permettent l'effacement et la dilatation du col utérin. La formation de la « poche des eaux » (portion membraneuse du pôle inférieur de l'œuf) s'opère sous l'effet des contractions utérines. La rupture de cette poche peut être spontanée ou provoquée. Sur le fœtus, la contraction a pour effet de le pousser vers le bas et de lui faire franchir le pelvis (excavation du bassin). La présentation (pôle

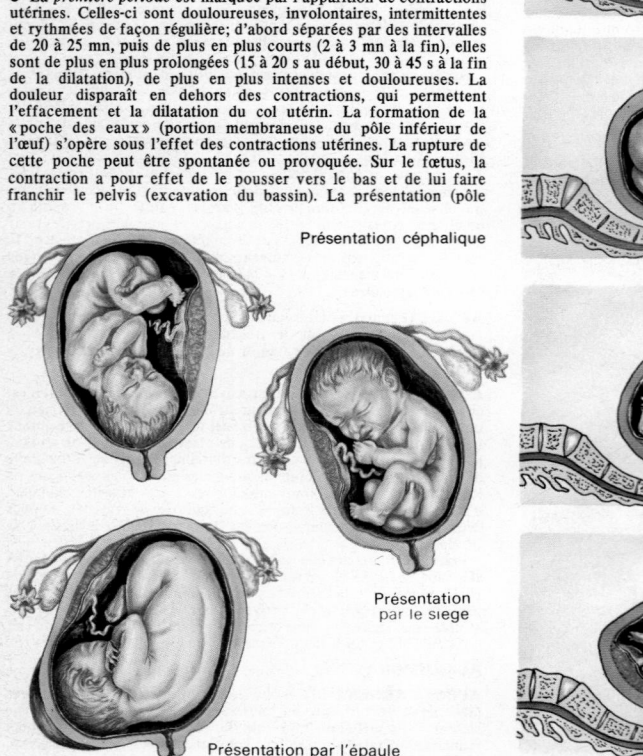

Présentation céphalique

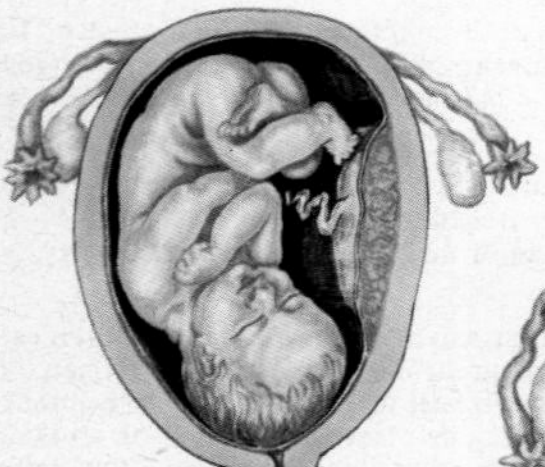

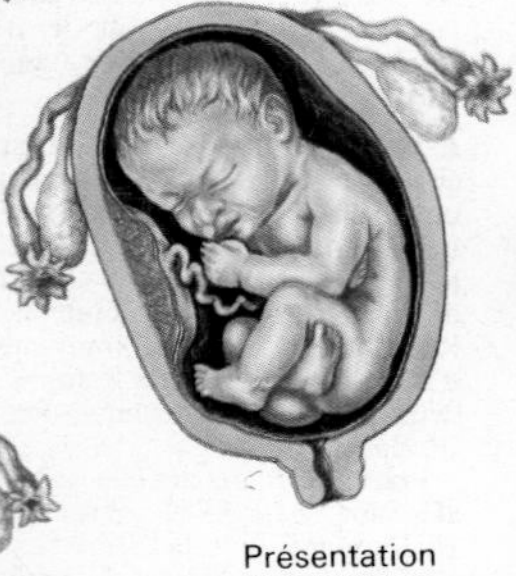

Présentation par le siege

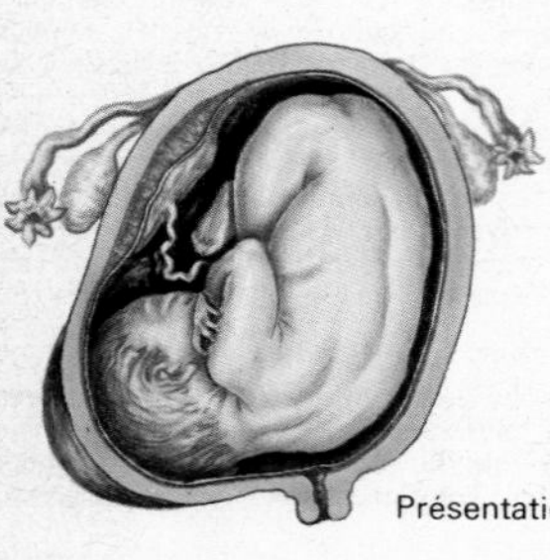

Présentation par l'épaule

ACCOUCHEMENT

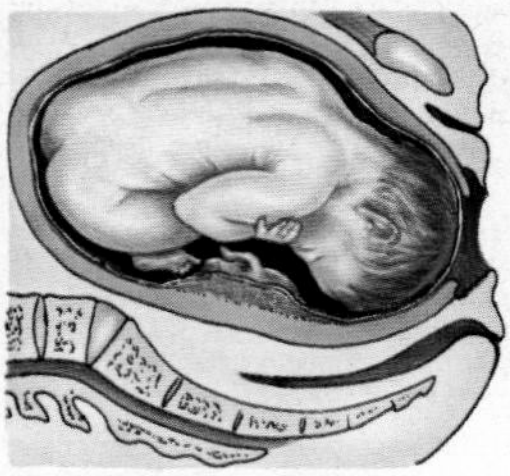

Début de distension du périnée

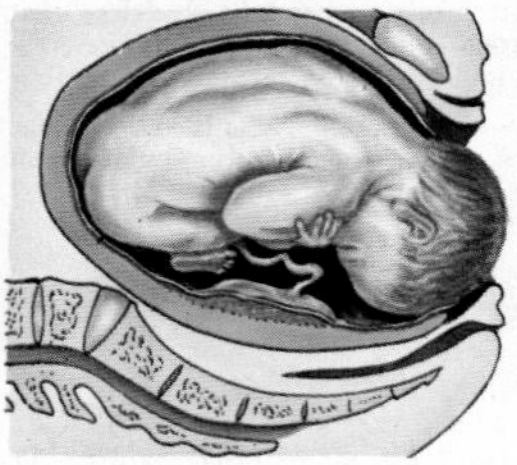

L'accoucheur fixe la tête sur le périnée

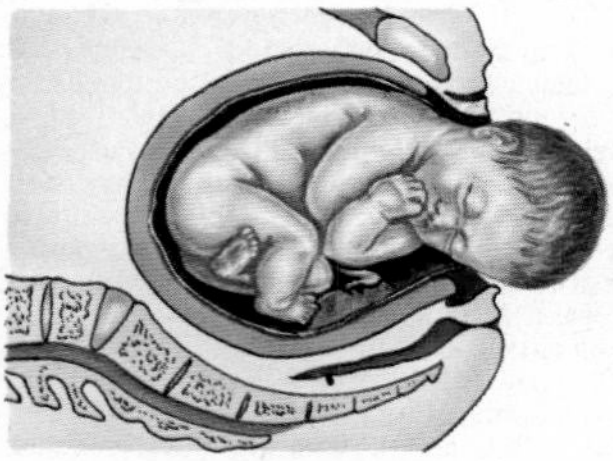

Sortie de la tête

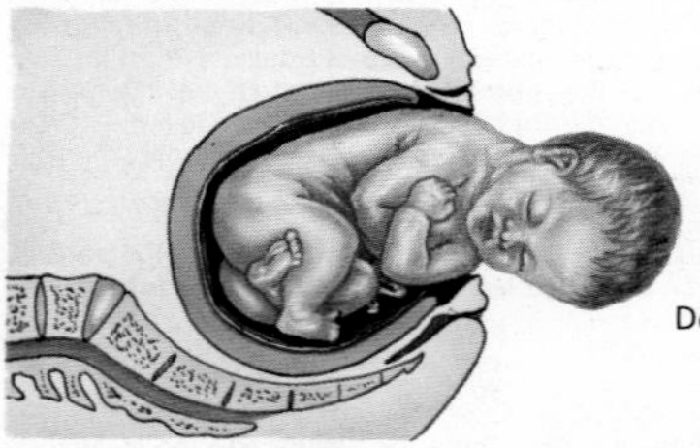

Dégagement des épaules

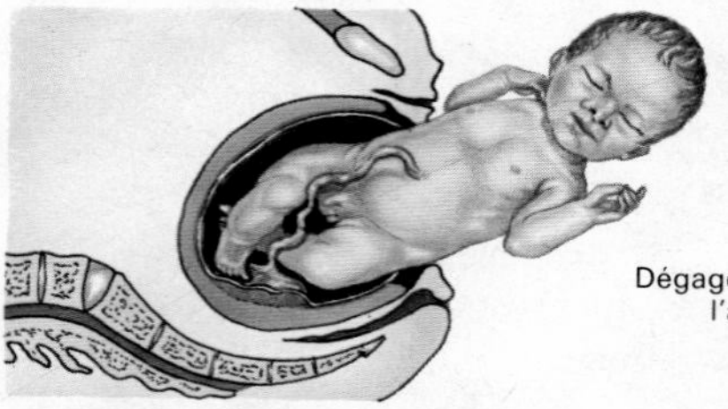

Dégagement de l'abdomen

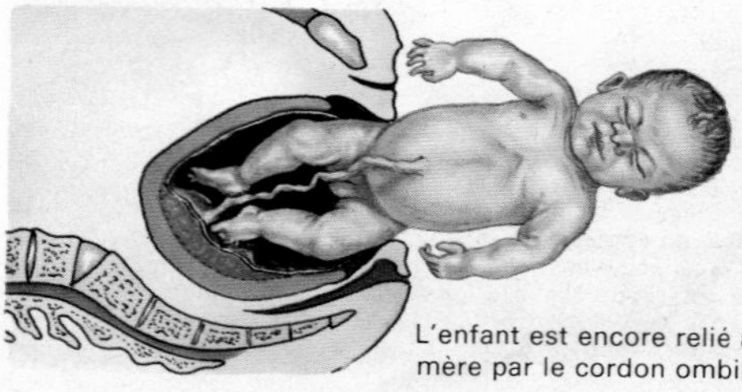

L'enfant est encore relié à sa mère par le cordon ombilical

fœtal qui descend le premier dans l'excavation pelvienne) franchit le détroit supérieur du bassin (s'engage), descend tout en subissant une rotation et se dégage (franchit le détroit inférieur). Chaque segment du fœtus (tête, épaule, siège) subit ces trois phénomènes.

Cette période se prolonge de 8 à 10 h chez les primipares (femmes accouchant pour la première fois) et de 2 à 6 h chez les multipares (femmes ayant déjà accouché).

• La *deuxième période* est la phase d'expulsion du fœtus. Elle commence lorsque la dilatation est totale : la femme éprouve alors le besoin de pousser et doit ajouter aux contractions involontaires de l'utérus les contractions volontaires des muscles de l'abdomen et du diaphragme. La présentation arrive à l'orifice vulvaire qui se dilate de plus en plus, pour atteindre les dimensions de la circonférence de la présentation fœtale. Celle-ci ayant franchi l'orifice vulvaire, le retrait du périnée en arrière dégage complètement la présentation.

La période d'expulsion dure en général de 10 à 20 mn. Elle peut être écourtée par une expression abdominale douce (action directe avec les mains sur le fond utérin), par une épisiotomie (section minime du périnée) ou par la pose d'un forceps. Le fœtus peut se présenter par la tête : c'est la présentation céphalique, de beaucoup la plus fréquente. La présentation de la tête fléchie est la présentation du sommet : c'est la meilleure présentation et la plus habituelle. Lorsque la tête est défléchie, il s'agit de la présentation de la face, plus rare et moins favorable. Le fœtus peut se présenter par son extrémité pelvienne : c'est la présentation du siège, qui s'observe surtout chez les primipares et correspond souvent à une anomalie de forme de l'utérus. Il est possible que le fœtus se trouve en travers ou en biais à la fin de la grossesse : c'est la présentation de l'épaule. L'accouchement spontané est dans ce cas impossible. On a alors recours à des manœuvres externes ou à la césarienne.

L'accouchement peut être difficile et est dit alors « dystocique » : cela est parfois dû à des anomalies des contractions utérines et donc du muscle utérin. Des moyens médicamenteux permettent dans la plupart des cas de rétablir des contractions utérines normales et efficaces.

La dystocie peut être la conséquence d'anomalies au niveau des obstacles à franchir : les dystocies cervicale (col de l'utérus) et périnéale (périnée) peuvent être surmontées par l'épisiotomie ou par le forceps. La dystocie osseuse par anomalies de forme ou de dimension du bassin est beaucoup plus rare actuellement (la grande cause en était autrefois le rachitisme); la césarienne est alors indiquée. Parfois le fœtus ou les annexes sont responsables de cette dystocie : présentations du front et des épaules; excès de volume du fœtus. La descente avant la présentation du cordon ombilical entraîne la compression du fœtus contre les parois du bassin et son arrêt circulatoire : la césarienne s'impose dans ce cas. Parfois, c'est le placenta qui est inséré bas (placenta praevia) et gêne l'expulsion du fœtus.

• La *troisième période*, la « délivrance », correspond au décollement du placenta et à son expulsion. Elle s'accompagne d'une perte de sang de 300 ml environ. Parfois cette perte de sang est plus importante, et l'hémorragie de la délivrance est une complication redoutable. L'absence d'expulsion du placenta une heure après la sortie du fœtus (rétention placentaire) exige une délivrance artificielle.

• Les *suites de couches* (post-partum) s'étendent sur les 6 semaines qui suivent l'accouchement. Elles sont marquées par le retour progressif des organes génitaux vers leur état d'avant la grossesse et par l'établissement de la lactation. Le retour de la menstruation (retour de couches) se fait vers la sixième semaine.

• Bien que l'accouchement soit un phénomène physiologique, on peut être amené à intervenir pour terminer un accouchement impossible ou mettant en jeu la vie de la mère et du fœtus. L'*épisiotomie* consiste à sectionner le périnée; elle permet de prévenir les déchirures de celui-ci et hâte la sortie du fœtus; elle se fait à la fin de l'expulsion. Le *forceps* est une sorte de « grande pince » destinée à tenir la tête du fœtus, à le diriger, à l'extraire. La *version* transforme une présentation en une autre. Les *extractions du siège* consistent à tirer le fœtus hors des voies vaginales en se servant des pieds du fœtus comme tracteurs. La *césarienne* réalise un accouchement artificiel après ouverture chirurgicale de l'abdomen et de l'utérus.

Les thérapeutiques médicamenteuses sont utilisées pour modifier les contractions utérines. Les antispasmodiques permettent de lutter contre les contractions utérines trop intenses. Les substances ocytociques, au contraire, renforcent les contractions.

• Atténuer ou supprimer les douleurs de l'accouchement est une des préoccupations importantes. L'analgésie obstétricale fait appel actuellement à deux méthodes :
— la méthode médicamenteuse, essentiellement l'anesthésie péridurale, qui conserve la conscience de la parturiente et exige une bonne coopération, et donc une préparation psychologique ;
— la psychoprophylaxie obstétricale (préparation à l'« accouchement sans douleur ») qui repose sur l'éducation physique et psychique des femmes enceintes. Le principe de base en est la transformation de l'attitude passive des femmes vis-à-vis de leur grossesse et de leur accouchement en une attitude active de participation consciente; l'éducation neuromusculaire est un élément important; il s'agit, en effet, d'entraîner à la décontraction volontaire les différents groupes musculaires (muscles abdominaux, diaphragme, périnée) qui jouent un rôle primordial lors de l'accouchement.

ACCOUPLEMENT *(Sc. nat.).* — Dans tout le règne animal, les cellules reproductrices mâles *(spermatozoïdes)* ne peuvent se déplacer qu'en nageant dans un liquide. La fécondation des animaux aquatiques ou semi-aquatiques (grenouille) peut donc être obtenue sans contact direct entre les appareils génitaux mâle et femelle. Il n'en est pas de même dans les espèces terrestres (vertébrés amniotes, insectes et arachnides, escargots et limaces, lombric, etc.). Dans ces groupes, la femelle possède une cavité réceptrice, ou *vagin,* et le mâle un organe d'intromission saillant, ou *pénis,* de sorte que les spermatozoïdes sont conduits jusque dans l'appareil génital supérieur de la femelle, où ils rencontrent le milieu liquide qui leur convient. L'acte sexuel se complique dans les espèces hermaphrodites à fécondation réciproque, et aussi chez quelques espèces disparates : argonaute (voisin du poulpe : un bras du mâle, porteur d'un *spermatophore,* se détache), araignées (cas analogue, mais sans rupture du bras), salamandres (la femelle aspire un spermatophore déposé à son voisinage par le mâle), etc. (V. COÏT.)

ACCOUPLEMENT *(Technol.).* — Les accouplements sont utilisés pour relier deux arbres de machines, placés bout à bout (l'arbre moteur et l'arbre entraîné), et transmettre le couple* de l'un à l'autre. À l'exception des accouplements totalement rigides,

accouplement Oldham

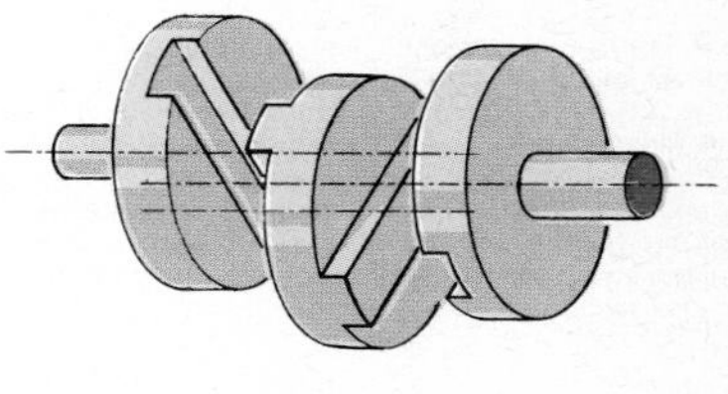

accouplement type Ben avec ressorts à boudin précomprimés

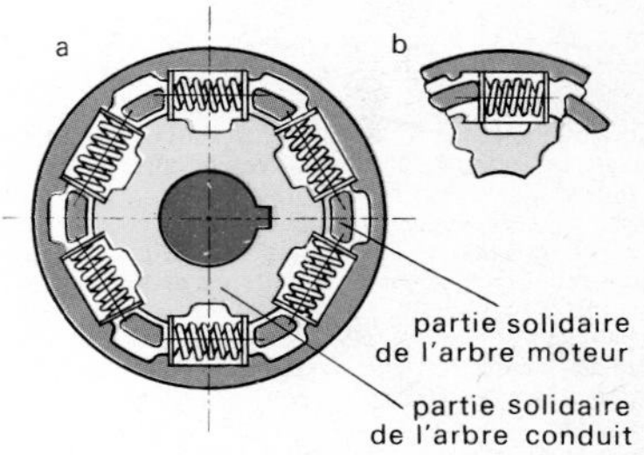

a. cas où le couple transmis est nul
b. cas où le couple transmis est élevé

rarement utilisés en constructions mécaniques, ces organes de transmission de couple ont également pour but de corriger et de compenser, dans toute la mesure du possible, les défauts d'alignement des deux arbres en question, les défauts de centrage ou de déport de ceux-ci, ainsi que les variations de dimensions et de position de ces arbres dues aux dilatations et aux déformations des machines accouplées. La qualité d'un accouplement dépend essentiellement de la complexité de sa conception et conditionne la durée de vie des paliers qui supportent les arbres à relier. Cette conception est également fonction de la vitesse de rotation de ces arbres, de la valeur maximale du couple à transmettre et de l'importance des défauts précités. Les *accouplements dilatables* sont à deux pièces, à trois pièces, à engrenages, etc. Les *accouplements de compensation* sont du type Oldham, du type flexible à denture bombée, du type à cardan, etc. Les *accouplements élastiques* servent d'amortisseur de vibrations et de chocs : c'est le cas des accouplements type Benn, avec ressorts à boudin précomprimés, des accouplements type Voith-Maurer, avec boucles en fil d'acier, et des accouplements à ruban élastique en acier disposé radialement. Les *accouplements de sécurité* sont aussi limiteurs de couple, notamment ceux qui sont à cisaillement de goupilles, à ressorts et billes ou à disques comprimés par ressorts.

ACCOUS (64490 Bedous), ch.-l. de cant. des Pyrénées-Atlantiques, à 26 km au S. d'Oloron-Sainte-Marie; 440 hab.

ACCOUTUMANCE. — L'absorption régulière d'une substance atténue peu à peu les phénomènes physiologiques qu'elle provoque habituellement. L'accoutumance peut se produire :
— vis-à-vis de poisons (c'est la mithridatisation, accoutumance très exceptionnelle);
— vis-à-vis des stupéfiants, tels les opiacés, la cocaïne, le L. S. D.; l'accoutumance à ces drogues oblige le toxicomane à utiliser des doses de plus en plus fortes pour obtenir des effets comparables (état de besoin impérieux);
— vis-à-vis de médicaments, l'usage quotidien d'un médicament pouvant être suivi d'une diminution progressive de son activité.

L'accoutumance est mise à profit en thérapeutique : c'est la désensibilisation spécifique des allergiques (asthmatiques).

ACCRA, capit. du Ghāna et port sur le golfe de Guinée; 564 000 hab. (738 000 pour l'agglomération). Université. Raffinerie de pétrole. Industries alimentaires.

ACCULTURATION. — L'acculturation est le processus de transformation d'une culture à la suite du contact de deux ou de plusieurs ethnies. Elle revêt plusieurs aspects selon la nature du contact entre les ethnies concernées (pacifique ou guerrier; plus ou moins total; plus ou moins continu) et selon le rapport de forces entre les deux cultures. L'acculturation peut être complète (ethnocide), sélective (emprunts de certains traits culturels), adaptée (réinterprétation des emprunts culturels) ou refusée (traditionalisme, messianisme).

ACCUMULATEUR. — L'accumulateur électrique est une sorte de pile réversible qu'on charge en y faisant passer un courant continu, et qui peut ensuite, au moment voulu, rendre une partie de l'énergie emmagasinée sous forme chimique, en produisant un courant inverse, de durée limitée.

Les appareils les plus employés sont les *accumulateurs au plomb,* inventés par Planté (1860). Deux lames de plomb, immergées dans une solution d'acide sulfurique, sont réunies aux bornes d'un générateur de courant continu, de force électromotrice suffisante : l'électrode positive se suroxyde et l'électrode négative reçoit de l'hydrogène qui la réduit si elle était au préalable oxydée. Si l'on réunit alors les électrodes par un conducteur, il s'établit un courant de décharge, qui produit des réactions chimiques inverses des précédentes, jusqu'à ce que les lames de plomb soient ramenées à leur état initial; il faut alors recharger l'accumulateur. La capacité de l'accumulateur (quantité d'électricité que peut débiter sa décharge) est d'autant plus grande que les plaques ont subi des modifications plus profondes; elle augmente avec le nombre de charges et de décharges. On utilise maintenant plutôt une formation artificielle : on constitue les plaques par des grillages de plomb antimonié, dans les alvéoles desquels on place des matières actives (minium à la positive, litharge à la négative). Lorsque l'accumulateur est bien chargé, la densité de l'électrolyte doit être de 24 à 28 degrés Baumé. Sa force électromotrice est voisine de 2 V, sa capacité de l'ordre de 30 Ah par kilogramme de poids total. On utilise en général des batteries de plusieurs éléments en série.

Les accumulateurs au plomb sont lourds, assez fragiles et contiennent un liquide corrosif; aussi a-t-on réalisé des *accumulateurs alcalins,* dont les électrodes sont des plaques de fer et de nickel plongeant dans une solution de soude. Ces appareils, plus coûteux, sont aussi plus robustes; ils ont une capacité plus grande, mais une force électromotrice moins constante et plus faible (1,25 V en moyenne).

ACCUMULATION → CHAUFFAGE TOUT ÉLECTRIQUE.

ACCUMULATION DU CAPITAL. — Ce concept de la science économique a été mis en valeur par Karl Marx. Il existe, à un certain stade d'une société donnée, une accumulation « primitive » d'origine non capitaliste mais provenant de situations de fait diverses (pillage, monopole, etc.) : le type même en est l'« enclosure » en Grande-Bretagne (XVIIIe s.). Il y a, ensuite, accroissement secondaire de ce capital préalable par le jeu de la plus-value, qui « est retransformée en capital additionnel et se révèle comme création de capital nouveau ou de capital accru. Le capital a ainsi créé du capital... » (K. Marx).

Dans son ouvrage sur *l'Accumulation du capital* (1913), Rosa Luxemburg* s'attache à concilier la possibilité théoriquement indéfinie de l'accumulation et l'existence de crises périodiques de plus en plus graves du capitalisme; elle estime que pour assurer le développement illimité de l'accumulation, le capitalisme a besoin « des forces de travail de toutes les régions du monde », c'est-à-dire de l'impérialisme*.

ACCURSE (Francesco ACCURSIO, en franç. **François**), jurisconsulte italien (Bagnolo, Toscane, v. 1185 - Bologne v. 1263), rénovateur du droit romain, auteur de la *Grande Glose.*

ACCUSATOIRE (procédure) → PROCÉDURE.

ACÉTAL. — L'acétal ordinaire $CH_3—CH(OC_2H_5)_2$ bout à 104 °C; il est utilisé en pharmacie comme hypnotique et en parfumerie comme solvant.

ACÉTIQUE (acide). — De formule CH_3CO_2H, il peut être obtenu par oxydation de l'alcool éthylique avec élimination d'eau. On le prépare habituellement par synthèse : oxydation par l'air de l'aldéhyde acétique provenant de l'hydratation de l'acétylène. C'est un solide incolore qui fond à 16,7 °C, bout à 117 °C et se dissout dans l'eau. Il est utilisé à la fabrication de l'acétone et des acétates.

ACÉTONE. — L'acétone, $CH_3—CO—CH_3$, peut être obtenue par distillation sèche de l'acétate de calcium. Elle est actuellement préparée à partir de l'acétylène ou du propène de cracking des pétroles. Elle bout à 56 °C et est miscible à l'eau. C'est le solvant de l'acétylène; elle dissout aussi les graisses, les résines, la nitrocellulose, etc.

L'absorption d'acétone peut entraîner des troubles de la conscience allant de la somnolence au coma. La dose mortelle est d'environ 50 g.

L'acétone est produite par l'organisme au cours du métabolisme des graisses. Normalement elle est transformée immédiatement et aboutit au gaz carbonique (CO_2). Dans certains états pathologiques, ces réactions ne se font pas et provoquent une cétose *(acétonémie).* L'acétonémie s'observe surtout dans le diabète et au cours de nombreux états infectieux chez l'enfant.

ACÉTYLCHOLINE. — Cette substance joue le rôle de médiateur chimique entre les cellules nerveuses. Son action se manifeste au niveau : 1° des synapses neuro-neuroniques (entre deux neurones) des ganglions sympathiques; 2° des synapses neuro-effectrices (entre le neurone et l'organe commandé) du système parasympathique; 3° de certaines synapses neuro-effectrices du système sympathique.

Les influx nerveux libérant de l'acétylcholine sont dits « cholinergiques ». À dose forte, l'acétylcholine entraîne une vasodilatation, une polypnée, une constriction bronchique, une stimulation des sécrétions digestives et la contraction des muscles lisses, un myosis et une salivation. Tous ces effets sont supprimés par l'atropine.

ACÉTYLÈNE. — L'acétylène (C_2H_2) brûle avec une flamme blanche très éclairante. C'est un gaz dangereux, détonant, qu'on conserve dissous dans l'acétone. On l'utilise pour l'éclairage et dans le chalumeau oxyacétylénique. Mais il est surtout le point de départ d'un très grand nombre de synthèses.

ACHAB → ISRAËL *(royaume d').*

ACHAÏE, contrée de l'ancienne Grèce au nord du Péloponnèse où selon les vieilles légendes grecques se seraient réfugiés les derniers des Achéens* chassés par les Doriens*. Elle fut le berceau de la ligue Achéenne*. Après la conquête romaine (146 av. J.-C.) le nom d'Achaïe désigne la Grèce soumise à Rome et gouvernée par un proconsul, qui résidait à Corinthe; elle cessera d'exister administrativement avec Dioclétien.

ACHAÏE *(principauté d'),* seigneurie de l'Empire latin d'Orient, conquise sur les Byzantins, au début du XIIIe s., par Guillaume Ier de Champagne et Geoffroi Ier de Villehardouin. Prospère jusqu'à la bataille de Pelagonia (1259), où Guillaume II Villehardouin est fait prisonnier, la principauté est affaiblie par la perte de Mistra, Maïna et Monemvasie, que Guillaume II a dû céder pour être libéré. À la mort de celui-ci, l'Achaïe tombe sous la domination angevine (1278) en vertu du traité de Viterbe* (1267). Le pays devient alors l'objet de conflits et est rattaché à l'Empire byzantin* au XVe s.

ACHANTIS ou **ASHANTIS,** peuple du groupe akan, établi au Ghāna. Il étendit ses conquêtes vers le nord à partir du XVIIIe s. La destruction par les Anglais de la capitale, Koumassi, en 1874, affaiblit le pays achanti, qui, par la suite, fut annexé à la colonie de la Côte-de-l'Or. (V. AFRIQUE.)

ACHARD (Marcel), auteur dramatique français (Sainte-Foy-lès-Lyon 1899 - Paris 1974), auteur de comédies légères *(Jean de la Lune, Patate)* ou musicales *(la Polka des lampions).*

ACHARISME ou **ASHARISME.** — Cette école de pensée islamique, formée au Xe s. par les disciples d'al-Ach'arī, a dominé pendant plusieurs siècles l'islām sunnite au point de s'identifier avec lui, notamment sous le règne du vizir Niẓām al-Mulk, au XIe s. Rhazalī* et Rāzī* figurent parmi ses principaux représentants.

ACHAZ → JUDA *(royaume de).*

Achéenne *(ligue),* fédération de douze villes grecques constituée au Ve s. av. J.-C. et dissoute par Philippe* de Macédoine en 338 av. J.-C. Reconstituée en 281 av. J.-C., elle devient puissante grâce à Aratos* de Sicyone; affaiblie par les rivalités des cités grecques, elle se maintient grâce à Philopœmen* et disparaît lors de la défaite de Leucopetra* (146 av. J.-C.).

ACHÉENS, la plus ancienne des familles ethniques grecques. Les Achéens appartiennent à la première vague des envahisseurs qui, venus du nord vers le XXe s. av. J.-C., occupent la Grèce méridionale. Le contact avec les civilisations du monde égéen, l'influence de la Crète, conquise à la fin du XVIe s., suscitent la brillante civilisation dite « mycénienne* ». Hardis navigateurs, les Achéens commercent et piratent sur les côtes d'Asie Mineure, de Phénicie, de Syrie et même en Égypte. Des rivalités politiques et commerciales les amènent à détruire Troie (v. 1240?); mais, à la fin du XIIe s. av. J.-C., ils cèdent la place aux envahisseurs doriens*.

ACHÉLOOS, fl. de Grèce, né dans le Pinde, tributaire de la mer Ionienne; 220 km. Centrales hydrauliques.

ACHÉMÉNIDES, dynastie qui régna sur l'Empire perse du VIe au IVe s. av. J.-C.

HISTOIRE. Si l'ancêtre de la dynastie est l'obscur Achéménès (VIIe s.), le véritable fondateur est son cinquième descendant, Cyrus II* le Grand. Prince d'un canton de l'Iran, Cyrus II renverse Astyage roi des Mèdes*, v. 550 et se proclame roi des Mèdes et des Perses. Il conquiert la Lydie* en 547 et Babylone en 539; son fils, Cambyse II* (de 530 à 522), achève la conquête de l'Orient en annexant l'Égypte. Darios Ier* (de 522 à 486) procède à la réorganisation de cet immense empire dont il recule les frontières jusqu'à l'Indus et au Danube : son règne marque l'âge d'or de la puissance achéménide; mais il meurt sans avoir pu mettre à la raison les cités grecques révoltées (première guerre médique*). Déjà des craquements se font entendre. Xerxès Ier* (de 486 à 465), après avoir fait face à une révolte de l'Égypte et de Babylone, met sur pied contre les Grecs une puissante armée, qui est finalement tenue en échec (deuxième guerre médique) et son fils Artaxerxès Ier (de 465 à 424), sera contraint d'accepter, pour sauver la face, le compromis de Callias (449) qui entérine la liberté des cités grecques. Les règnes de Darios II (de 423 à 404), d'Artaxerxès II (de 404 à 358) et d'Artaxerxès III (de 358 à 338) sont une succession de luttes contre le particularisme des satrapes* et le séparatisme des peuples soumis; mais déjà apparaît un autre impérialisme, celui de la Macédoine*. Darios III (de 336 à 330), vaincu en 331 par Alexandre* près d'Arbèles, meurt assassiné par un de ses satrapes. Avec lui finit la dynastie achéménide.

BEAUX-ARTS. Issu d'une subtile synthèse entre les traditions proche-orientales (mésopotamienne, phénicienne et même égyptienne) et le génie des artistes grecs, l'art achéménide reste l'exemple parfait d'un art de cour dont les ensembles palatiaux de Pasargades, Persépolis* ou Suse* ont abrité les fastes. Cette architecture monumentale est surtout caractérisée par une vaste salle d'apparat de plan carré (l'*apadana*), dont le plafond est soutenu par trente-six colonnes, surmontées de deux avant-trains de taureaux, dos à dos, qui forment le chapiteau. L'accès à l'apadana se fait par un escalier grandiose à double révolution orné de bas-reliefs célébrant la gloire du souverain. Malgré leur rigoureuse symétrie — nécessitée par l'architecture — et l'inlassable répétition des thèmes, ces reliefs atteignent une grande perfection technique et possèdent une incontestable valeur décorative, trait essentiel de l'art iranien qui s'épanouit surtout dans l'orfèvrerie. Ce domaine est moins tributaire du formalisme de l'époque. L'artisan se souvient de son lointain ancêtre du Luristān*; il stylise avec talent les formes animales et réalise de très belles pièces, où s'allient la virtuosité et le sens inné du décor.

ACHÈRES (78260), comm. des Yvelines, à 11 km au N. de Saint-Germain-en-Laye, près de la Seine (en aval de son confluent avec l'Oise); 15 172 hab. *(Achérois).* Station d'épuration des eaux. Cultures maraîchères. Gare de triage.

ACHERNAR → ÉTOILE.

ACHEUX-EN-AMIÉNOIS (80560), ch.-l. de cant. de la Somme, à 29 km au N.-E. d'Amiens; 464 hab.

ACHICOURT (62000 Arras), comm. du Pas-de-Calais, dans la banlieue sud d'Arras; 7 433 hab.

ACHILLE, le modèle des héros grecs. Personnage central de l'*Iliade**, il s'oppose à Ulysse*, héros exclusif de l'*Odyssée**, comme l'impétuosité, l'héroïsme sans calcul, la brutalité des sentiments sans nuances s'opposent à la prudence, à la patience et à la ruse. Sa mère, la divinité marine Thétis, a rendu son corps invulnérable en le plongeant dans le Styx, sauf au talon par où elle le tenait (c'est là que l'atteindra la flèche qui le tuera). Achille connaît son destin et l'a choisi : une vie courte et glorieuse plutôt qu'une longue existence obscure. À ce titre, il est un exemple privilégié pour la littérature (Eschyle, Pindare, Euripide) et la politique grecques (Alexandre attaquant l'Empire perse offre un sacrifice à Achille sur le site de Troie*). Le personnage d'Achille connaîtra de nombreux avatars dans la littérature occidentale : chevalier médiéval dans l'*Achilléide byzantine* (XIVe s.), il n'est qu'un bellâtre pour Shakespeare *(Troïlus et Cressida),* mais un amoureux parfait pour Racine *(Iphigénie en Aulide),* avant de finir en bouffon dans *la Belle Hélène* d'Offenbach.

ACHKHABAD, v. de l'U. R. S. S., capit. du Turkménistan, près de la frontière iranienne; 253 000 hab. Université. Industries mécaniques, textiles et alimentaires.

ACHONDROPLASIE. — Cette forme de nanisme atteint avec prédominance le sexe féminin. C'est une dystrophie osseuse congénitale et héréditaire. Des troubles de l'ossification aboutissent à un nanisme dysharmonieux prédominant aux membres; la tête est de dimension normale.

ACHROMATISME. — L'objet de l'achromatisme est de réaliser un système optique qui donne, en lumière blanche, des images dépourvues d'irisations. Avec deux lentilles accolées, l'une convergente, l'autre divergente, faites en verres différents (crown et flint, par exemple), on peut obtenir des images sensiblement achromatiques.

ACIDE. — On distingue, parmi les acides, les *hydracides,* dans lesquels l'hydrogène acide est uni à un métalloïde autre que l'oxygène (HCl, H_2S), et les *oxacides,* dans lesquels cet hydrogène appartient à un groupement hydroxyle OH (H_2SO_4, HNO_3). A ces derniers correspondent des chlorures et des anhydrides.

Achéménides. Détail d'un des bas-reliefs ornant les murs du palais de Darios Ier à Persépolis. VIe s. av. J.-C.

Le concept d'acide a été, en 1922, élargi par le chimiste Brønsted : on nomme actuellement *acide* tout corps, molécule ou ion, capable de céder un proton H^+, *base* tout corps, molécule ou ion, capable de fixer un proton.

ACIDO-ALCALIMÉTRIE. — Suivant la théorie d'Arrhenius, modifiée par Brønsted, une solution aqueuse, qui contient des ions H^+ (ou H_3O^+) et OH^-, est acide ou basique selon qu'il y a prédominance des ions H^+ ou des ions OH^-. Dans l'eau pure, qui est neutre, les concentrations de ces deux ions sont égales et valent, à 23 °C, 10^{-7} ion-gramme par litre. Dans toute solution aqueuse, le produit de ces deux concentrations demeure constant et égal à 10^{-14}. L'acido-alcalinité est représentée par la concentration en ions H^+ ou, plus commodément, par son cologarithme, ou pH. Ce pH, qui vaut 7 en milieu neutre, comme l'eau, est donc inférieur à 7 en milieu acide et supérieur à 7 en milieu basique.

ACIDO-BASIQUE (équilibre). — L'équilibre acido-basique correspond au rapport constant qui existe dans l'organisme entre les acides et les bases. Le pH des milieux physiologiques (tel le sang) est ainsi maintenu constant, autour de 7,35. Les métabolismes produisent de grandes quantités d'acides et le « système tampon » du plasma et des cellules limite les variations du pH.

Deux organes interviennent dans la régulation de ce système : le poumon et le rein. L'acide carbonique est éliminé par le poumon, et, par le rein, il y a une déperdition d'ions H^+.

Tant que les mécanismes compensateurs pulmonaires et rénaux maintiennent la constance au rapport $\frac{\text{acide carbonique}}{\text{bicarbonate}}$, même s'il y a une variation pathologique d'un des constituants, le trouble *(acidose* ou *alcalose)* est dit « compensé », et le pH n'est pas modifié. Si ces mécanismes sont débordés, il y a *alcalose* ou *acidose* « décompensées ». L'*acidose gazeuse* est due à une accumulation d'acide carbonique : c'est le cas de l'insuffisance respiratoire. L'*alcalose gazeuse* est provoquée par une perte exagérée d'acide carbonique par polypnée (respiration trop ample). L'*acidose fixe* est due à une surcharge en résidus organiques (acido-cétose du diabète) ou à un défaut d'élimination (insuffisance rénale). L'*alcalose fixe* se produit quand il y a une déperdition exagérée d'acides (vomissements répétés et abondants).

ACIDOSE → ACIDO-BASIQUE *(équilibre).*

ACIER. — Parmi les produits métalliques, l'acier est particulièrement apprécié pour la variété de ses propriétés, aussi bien de malléabilité que de grande résistance à la rupture et de haute dureté, qui lui sont conférées par sa composition chimique (carbone*, éléments d'alliage*), par les traitements* thermiques (recuit, trempe, revenu) et par les déformations mécaniques (écrouissage). De plus, il s'usine aisément et peut être revêtu ou traité superficiellement (cémentation) par de nombreux procédés. Ceux qui sont utilisés en sidérurgie* pour l'élaboration* de l'acier se différencient par l'origine des matières premières, le type d'opération et la composition ou la qualité de l'alliage à obtenir.

• L'affinage de la fonte* liquide dans des convertisseurs abaisse la teneur en carbone par soufflage d'oxygène* pur ou d'air (procédés Thomas, LD), pour obtenir les aciers d'usage courant.

• L'affinage de la fonte liquide, sur la sole d'un four* à réverbère (procédé Martin-Siemens), conduit à des aciers fins ou alliés, par oxydation à l'aide de minerai ou par dilution de la fonte, avec des ferrailles.

• L'élaboration au four électrique fournit des aciers spéciaux de haute qualité.

• Les autres procédés (fusion au creuset, frittage de poudres*, réduction directe de minerais, etc.) aboutissent à des formes particulières d'acier. Les traitements thermiques des aciers sont fondés sur des différences structurales à chaud et à froid : à température ambiante, le fer* ne dissout pratiquement pas de carbone (fer α ou ferrite), alors qu'à haute température il peut en dissoudre jusqu'à 1,7 p. 100, à 1 150 °C (fer γ donnant la solution solide austénite). Dans la trempe, on utilise cette variation de solubilité du carbone dans le fer pour faire apparaître un constituant dur : la *martensite*. Les aciers ordinaires, ou aciers au carbone non alliés, sont des alliages de fer avec, en général, moins de 1 p. 100 de carbone; les aciers doux à moins de 0,20 p. 100 de carbone sont utilisés dans les industries de carrosserie, de charpente, de construction mécanique courante, alors que les aciers demi-doux et demi-durs, renfermant de 0,30 à 0,40 p. 100 de carbone, sont employés, à l'état recuit ou traité (trempe, revenu), pour constituer des organes de machines; les aciers durs et extra-durs à plus de 0,5 p. 100 de carbone servent à la confection d'outils ou de pièces d'usure. L'addition de chrome*, de nickel*, de manganèse*, de silicium*, de tungstène*, de molybdène*, de titane*, etc., aboutit à des aciers spéciaux aux qualités spécifiques très appréciées : aciers d'outillage, aciers inoxydables ou réfractaires, aciers à coupe rapide, aciers pour aimants*, aciers à haute résistance, etc.

La production mondiale annuelle, qui est de l'ordre de 700 millions de tonnes, est assurée pour plus de la moitié par les trois grands producteurs (États-Unis, U. R. S. S. et Japon). L'Allemagne fédérale émerge nettement d'un groupe de producteurs moyens comprenant encore d'autres pays de l'Europe occidentale (France, Grande-Bretagne, Italie) et, sans doute, la Chine. Plus loin derrière viennent des États industrialisés de l'Europe orientale (Tchécoslovaquie et Pologne), le Canada et l'Espagne. Il s'agit donc, dans presque tous les cas, de pays développés. Mais la production d'acier est aussi apparue ou s'est accrue récemment dans nombre d'autres pays, apparaissant à la base d'une industrialisation nationale qui l'utilise en aval. Sur le plan spatial, autrefois implantée exclusivement ou presque sur le charbon ou les gisements de minerais de fer, elle s'est souvent déplacée sur le littoral; cette évolution est permise par la spectaculaire augmentation du tonnage des minéraliers, qui modifie les coûts d'approvisionnement en matières premières, facteur primordial du prix de revient de cette industrie lourde. (V. ill. p. 15.)

ACIREALE, port d'Italie, en Sicile, au N. de Catane; 48 000 hab. Station thermale et climatique.

ACMÉISME. — Cette école littéraire russe du début du XXe s. réagit contre l'esthétisme du mouvement symboliste par la célébration de la vie et par la rigueur et la simplicité du style (Kouzmine, Anna Akhmatova, Mandelstam).

ACNÉ. — L'*acné vulgaire juvénile* est due à une hypertrophie de la glande sébacée, entraînée surtout par les androgènes à la période pubertaire, et à un facteur infectieux. Elle s'amende souvent avec l'âge. Elle siège au visage, et aussi aux épaules et dans le dos. Elle est constituée de comédons (ou « points noirs »), de kystes, de pustules.

L'*acné rosacée*, qui siège au visage, apparaît vers la quarantaine et est une réaction inflammatoire compliquant les rougeurs du visage dues à des dilatations des capillaires. Les *acnés chéloïdiennes* sont des suppurations des follicules pileux de la nuque.

L'*acné conglobata* se définit par l'existence de placards suppurés, étendus.

Les antiseptiques locaux, les antibiotiques par voie générale et les œstroprogestatifs de synthèse sont parmi les médicaments les plus employés pour traiter l'acné.

AÇOKA → AŚOKA.

ACONCAGUA, point culminant de l'Amérique, dans les Andes, en Argentine; 6 959 m. Première ascension, en 1897, par le Suisse Mattias Zurbriggen.

AÇORES (les), archipel portugais de l'océan Atlantique. Situé à environ 1 500 km du Portugal, l'archipel volcanique compte neuf îles couvrant au total 2 344 km² et comptant environ 280 000 hab. São Miguel (sur laquelle est située la capitale, Ponta Delgada), Pico et Terceira sont les principales îles. La densité moyenne du peuplement est élevée pour un archipel montagneux dont l'économie est presque exclusivement agricole (maïs, patate douce et igname pour l'autoconsommation; thé, tabac et élevage bovin permettant quelques exportations).

Cet archipel ne fut vraiment reconnu qu'au XVe s. par les Portugais, qui s'installèrent d'abord à Santa Maria et à São Miguel (1432); les autres îles furent colonisées dans la seconde partie du siècle. Terre de refuge pour les Maures fuyant l'Espagne, puis terre espagnole (1582-1640), les Açores devinrent un important relais sur la route de l'Amérique. Le retour des Portugais marqua le déclin de l'archipel.

À la suite d'accords passés avec le Portugal en 1944 et en 1951, les États-Unis ont installé une base aérienne dans l'île de Santa Maria, où, en 1972, avec sept autres pays membres du Pacte atlantique (dont la France, l'Allemagne fédérale et la Grande-Bretagne), ils ont aménagé, en outre, un centre de recherche d'acoustique sous-marine.

ACOUSTIQUE. — Tout phénomène sonore comporte trois phases : la production, la propagation et la réception du son*. La production est liée au fait qu'un corps, la source sonore, entre en vibration; l'acoustique étudie donc les mouvements vibratoires. La propagation du son depuis la source jusqu'à l'oreille nécessite un milieu matériel, gazeux, liquide ou solide; les caractéristiques des ondes sonores sont du ressort de l'acoustique. Enfin, la réception du son relève de la physiologie et, même, de la psychologie.

Certaines lois de l'acoustique étaient connues des Anciens, d'autres furent énoncées au XVIIe et au XVIIIe s. L'invention du phonographe (Edison, 1877) constitua un progrès considérable, en permettant d'obtenir l'« objet » sonore qu'est le sillon phonographique. L'avènement plus récent de l'électroacoustique* permit encore une analyse beaucoup plus fine des sons, ainsi que leur synthèse.

L'*acoustique architecturale* a pour objet, d'une part, de rechercher dans une salle la meilleure audition par l'étude des formes et le choix des matériaux, et, d'autre part, d'obtenir l'isolation acoustique des locaux, soit entre eux, soit par rapport à l'extérieur.

ACQUISITION DE DONNÉES. — Un ordinateur* traite des données. L'acquisition des données en vue de leur traitement utilise des techniques variées. Pour suivre, étudier ou contrôler un phénomène physique, dans un laboratoire ou une usine, on prélève automatiquement des informations* à l'aide d'appareils de mesure. Ces valeurs sont soit enregistrées sur un support (ruban* perforé, bande* magnétique), pour être ensuite relues et traitées par un ordinateur, soit prises en compte directement par l'ordinateur lui-même; dans ce dernier cas, on a affaire à une acquisition de données en ligne. Entre le processus physique et l'ordinateur existe toute une chaîne de capteurs et de convertisseurs qui permettent de mesurer, de convertir et de digitaliser les grandeurs physiques étudiées, pour qu'elles puissent subir un traitement numérique. Plus généralement, l'acquisition, ou saisie, de données recouvre l'ensemble des techniques et des procédures d'enregistrement* et de préparation des données, qui doivent ensuite être mises en mémoire*, puis traitées dans un système informatique. Cette saisie peut se faire sur cartes* perforées, ruban perforé, bandes magnétiques, minicassettes, disques* souples. L'utilisation d'un moyen d'acquisition relié directement à un ordinateur permet d'analyser la validité de l'information dès que celle-ci est soumise à l'ordinateur et d'en rendre compte à l'opérateur. Les terminaux* reliés à un centre* de traitement, les miniordinateurs, permettent de rapprocher la saisie des données du lieu même où celles-ci sont créées.

ACRE, État du Brésil occidental, aux confins du Pérou et de la Bolivie (qui le céda en 1903); 216 000 hab. Capit. *Rio Branco.*

ACRE, auj. **Akko,** port du nord d'Israël, sur la Méditerranée; 34 000 hab. Sidérurgie. (V. SAINT-JEAN-D'ACRE.)

ACRIDIENS. — Les insectes orthoptères de la famille des acridiens, appelés à tort « sauterelles », sont en fait les criquets, les locustes, les truxales et les œdipodes. Ce sont des animaux sauteurs et bons voiliers, presque uniquement végétariens et doués d'une redoutable tendance au grégarisme, qui fait de certaines espèces

MINERAI DE FER

production de minerais
- grands bassins à forte teneur
- mines isolées favorisées
- bassins et mines à faible teneur
- mines difficiles à exploiter (coût d'exploitation élevé)

destination principale des minerais
- industrie nationale
- exportation
- mixte

réserves pour l'avenir
- gisements dont l'exploitation est prévue à court terme
- réserves potentielles
- gisements épuisés

principaux courants d'échange
- vers le Japon
- vers l'Europe
- vers les États-Unis

principaux pays producteurs de minerai de fer (Fe contenu)

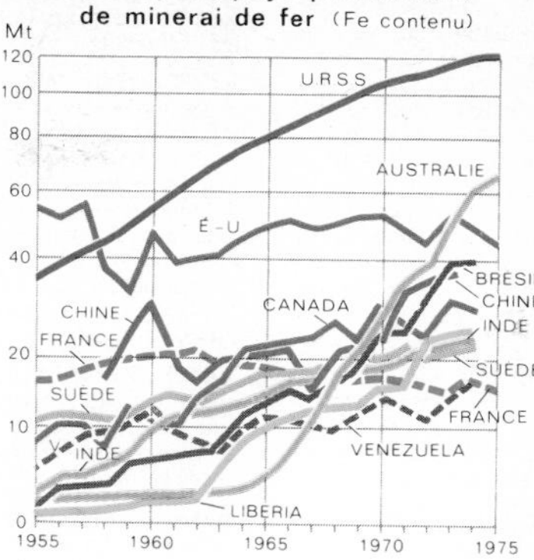

part (en %) de la production mondiale faisant l'objet d'un commerce international

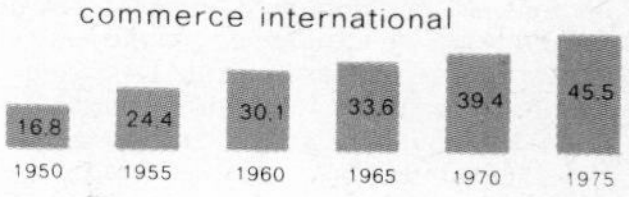

dépendance des principaux consommateurs à l'égard des importations de minerais

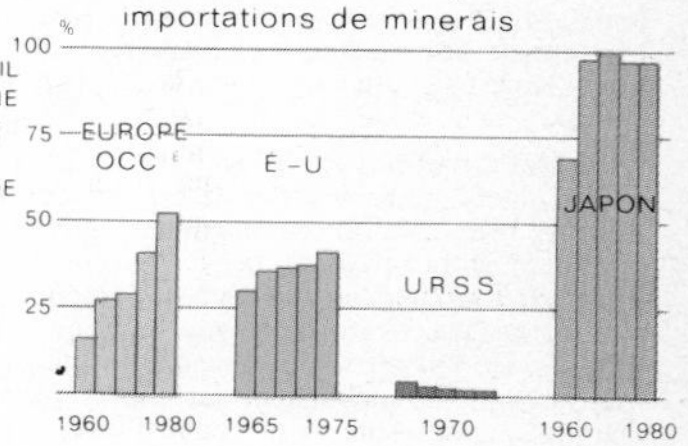

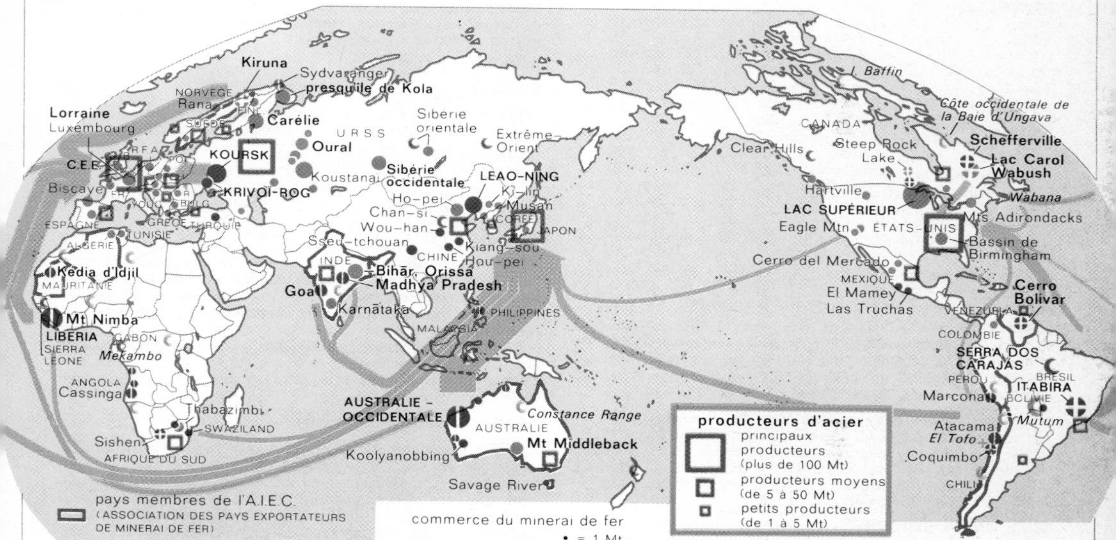

principaux pays producteurs d'acier

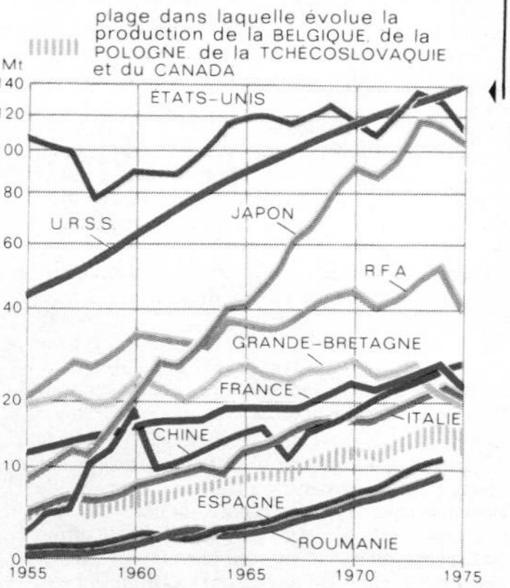

commerce du minerai de fer

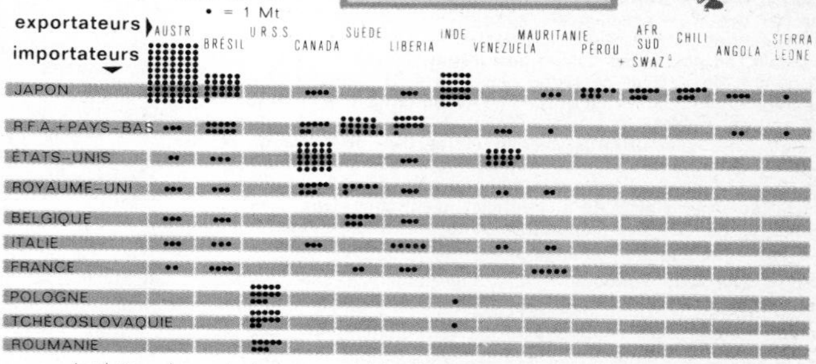

évolution des principaux procédés d'élaboration de l'acier depuis 1950 (en % de la production mondiale)

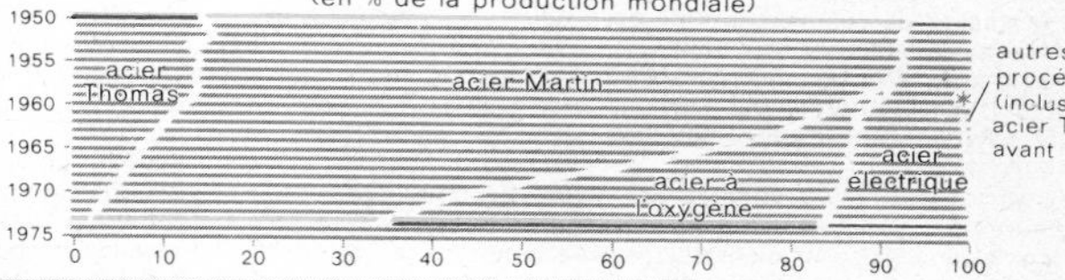

des fléaux redoutés. Là où s'est posé un vol de « criquets » *(Locusta, Schistocerca* ou *Dociostaurus),* il peut ne subsister ni une feuille d'arbre ni un brin d'herbe. De tels vols sont provoqués par la sécheresse du biotope d'origine : les insectes réagissent en se rassemblant, et un *effet de groupe* a lieu, modifiant à la fois leur forme et leur comportement. Des troupes de jeunes se forment, confluent, émigrent, d'abord en sautant, puis en volant lorsque les ailes ont poussé. La lutte antiacridienne emploie les moyens les plus énergiques (insecticides répandus par hélicoptères, etc.).

ACROCYANOSE → CYANOSE.

ACROLÉINE. — C'est un liquide incolore, à odeur désagréable, bouillant à 52 °C, très lacrymogène. Le produit pur se polymérise rapidement, soit en une masse amorphe, soit en une résine *(orca).* L'acroléine est employée dans la fabrication des résines synthétiques.

ACROMÉGALIE. — La production excessive, à l'âge adulte, d'hormone somatotrope (ou de croissance), responsable de l'acromégalie, est due au développement d'un adénome à cellules éosinophiles de l'hypophyse.

Les altérations cliniques les plus caractéristiques sont l'hypertrophie de la face, la grosse langue, les pieds et les mains allongés et épaissis. Une hypertrophie osseuse et une augmentation de volume des viscères accompagnent les signes cliniques. L'évolution est marquée par le risque de survenue d'un diabète, d'une décompensation cardiaque ou de compression du chiasma optique.

ACROPOLE. — Presque toutes les villes de la Grèce antique sont dotées d'une citadelle : simple habitat fortifié dans les temps les plus reculés, celle-ci est à Athènes*, vers le ve s. av. J.-C., le domaine des dieux et des immortels, avant de devenir un gigantesque décor de marbre à Pergame* durant l'époque hellénistique. L'Acropole d'Athènes est occupée dès le début du IIe millénaire et déjà consacrée à Athéna à l'âge mycénien. Mais ce n'est qu'après avoir été ravagée lors des guerres médiques que seront, entre autres, édifiés — à l'initiative de Périclès et sous la direction de Phidias* et de ses nombreux collaborateurs — l'Erechthéion, chef-d'œuvre de style ionique, le temple d'Athéna Nikê, les Propylées et le Parthénon. Ce dernier, temple* périptère aux proportions particulièrement étudiées (huit colonnes rythmant la façade au lieu des six habituelles), est dû au génie de Phidias et des architectes Callicratès et Ictinos; il représente la quintessence de l'harmonie et de la sobriété de l'ordre* dorique. Transformé en poudrière par les Turcs, il a été très endommagé en 1687 lors d'un bombardement, et la plupart des bas-reliefs ont été déposés par lord Elgin au XIXe s., avant d'être légués au British* Museum.

ACRYLIQUE. — Les esters de l'acide acrylique se polymérisent en verre organique; son nitrile $CH_2{=}CH{-}CN$ fournit par polymérisation des fibres textiles ou des résines pour peintures et vernis, qui s'emploient pures ou mélangées. Ces composés se préparent généralement à partir de l'acétylène.

Acte additionnel aux constitutions de l'Empire, Constitution par laquelle Napoléon, au retour de l'île d'Elbe (mars 1815), établit un Parlement composé d'une Chambre des pairs, nommée par l'Empereur, et d'une Chambre des représentants, élue au suffrage universel. L'échec des Cent* jours mit fin à cette tentative de monarchie constitutionnelle et libérale.

ACTE ADMINISTRATIF. — On parle d'actes administratifs à propos des actes émanant des autorités administratives; il s'agit essentiellement de décisions unilatérales. À côté de cette acception *formelle,* on peut parler d'actes administratifs au sens *matériel,* la définition étant, dans ce cadre, plus difficile à formuler : l'acte administratif serait, en ce sens, celui qui se rattache à l'opération de service* public.

Les actes administratifs doivent entrer dans le cadre de la légalité, respecter les lois et les principes généraux du droit; le vice de forme, l'incompétence et le détournement de pouvoir constituent des cas d'illégalité susceptibles d'entraîner leur censure (exercée par le juge administratif) ou d'entraîner l'exception d'illégalité formulée devant une juridiction de l'ordre judiciaire.

ACTE DE COMMERCE. — Par opposition aux actes civils, soumis au droit civil, les actes de commerce sont soumis à la réglementation du droit commercial. Ils comprennent des *actes de commerce par nature,* énumérés par la loi (articles 632 et 633 du Code de commerce), des *actes de commerce par accessoire,* dont la nature est originellement civile, mais peut se trouver transformée par la qualité de commerçants de ceux qui les exécutent, et des *actes de commerce par leur forme.*

L'acte peut être commercial à l'égard d'une des parties qui y figurent : ainsi, la vente par l'agriculteur est civile, alors que sa contrepartie — l'achat pour revendre effectué par un négociant — est commerciale.

Parmi les actes de commerce par nature figurent l'achat pour revendre et pour louer, les opérations commerciales exercées autrement que d'une manière accidentelle (commission, transport par terre, par eau et par air, assurances, etc.), les opérations de change, de banque et de courtage. La lettre de change est un acte de commerce en raison de sa forme.

ACTE JUDICIAIRE. — Les actes judiciaires sont généralement tous les actes qui se font en justice, englobant — au sens large — les jugements.

ACTE JURIDIQUE. — L'acte juridique peut s'entendre dans son acception *matérielle* et dans son acception *formelle.* Il désigne en effet l'opération qui a pour objet de produire un ou des effets de droit et, par ailleurs, l'écrit destiné à la constater.

L'acte juridique (au sens matériel) s'oppose au *fait juridique,* qui, n'impliquant pas d'action volontaire de l'homme, entraîne cependant des conséquences juridiques. Les actes juridiques sont des contrats ou des actes unilatéraux. L'acte instrumentaire est l'écrit dressé pour conserver la preuve d'un acte juridique ou d'un fait juridique; on distingue les actes authentiques et les actes sous seing privé.

ACTE MANQUÉ. — Freud voit dans les actes manqués, apparemment saugrenus, qui surviennent par accident, sans que leur auteur y reconnaisse une intention de sa part, l'émergence de désirs inconscients contradictoires des motivations conscientes. Il en donne pour exemple les *lapsus linguae,* les oublis, etc.

Actes des Apôtres, livre du Nouveau Testament attribué à l'évangéliste Luc*. Il constitue une histoire des débuts de l'Église jusqu'à la captivité de Paul* à Rome. Trois témoins majeurs en sont les personnages principaux : les apôtres Pierre* et Paul et le diacre Étienne*. Le but de l'auteur est de montrer que par l'action de l'Esprit-Saint le message chrétien est devenu universel; l'ouvrage peut avoir été écrit entre 80 et 90.

A. C. T. H. → HYPOPHYSE.

ACTIFS → BILAN.

ACTINIUM. — La *série de l'actinium* comprend l'ensemble des noyaux résultant de la décomposition de l'uranium 235.

ACTINOMÉTRIE. — Les échanges radiatifs entre le soleil, l'atmosphère et le sol sont à la source des mouvements de l'atmosphère; aussi l'actinométrie apparaît-elle comme un fondement de la météorologie et de la climatologie. Ses principales mesures concernent la constante solaire, la radiation directe, la radiation de l'atmosphère, le rayonnement du sol.

ACTINOMYCOSE. — Cette infection non contagieuse est produite par une bactérie anaérobie normalement présente dans la bouche, *Actinomyces Israëli.* Cette bactérie atteint les régions non ventilées du poumon et le côlon. À partir de ces foyers et à la faveur d'un traumatisme (extraction dentaire par exemple), l'actinomycose peut s'étendre aux viscères, à la moelle, au cerveau et aux tissus sous-cutanés. Elle provoque des foyers de suppuration chronique et de nécrose extensive. Les pénicillines et les tétracyclines sont très efficaces.

ACTION *(Bours.)* → VALEUR MOBILIÈRE.

ACTION (sociologie de l'). — Très longtemps, on s'est efforcé d'expliquer les faits sociaux par des déterminants non sociaux. Tantôt ceux-ci appartiennent au monde du « déjà là », à ce qui semble exister indépendamment de l'organisation de l'univers social : ainsi le climat, l'environnement géographique ou la race apparaissent-ils comme des facteurs qui déterminent la société et les divers aspects de son organisation. Tantôt on se réfère à une représentation *a priori* de la nature humaine pour expliquer les comportements de l'homme en société et pour rendre intelligible l'organisation sociale considérée dans sa totalité. Dans ce cas, les faits sociaux, quels qu'ils soient, sont éclairés exclusivement par un certain principe de l'homme social, fantomatique incarnation de son universelle essence.

Dans les *Règles de la méthode sociologique,* en 1894, Durkheim s'inscrit en faux contre cette approche, à ses yeux préscientifique, des faits sociaux. En souhaitant considérer toujours ceux-ci « comme des choses », il entend surtout expliquer chacun des faits sociaux par un autre fait social, à l'exclusion de tout autre élément déterminant.

Aujourd'hui, la sociologie de l'action se nourrit de l'historicisme, né au siècle dernier et qui met l'accent sur la transformation de la société par elle-même. Dans cette perspective, son ambition principale, selon le sociologue français Alain Touraine, est de tenter d'analyser la formation et le fonctionnement des catégories, des règles, des conduites et des croyances, qui définissent les conduites possibles dans une société donnée.

Deux courants se réclament de la même ambition. D'inspiration marxiste, le premier concentre l'attention sur les formes de production comme élément déterminant de la structure et de l'organisation sociale. Du même coup, les classes sociales et leurs conflits apparaissent comme le champ privilégié de l'action historique, de cette transformation de la société par elle-même. Le second courant s'attache à l'étude des acteurs sociaux, individus ou groupes, au sein d'un système de valeurs donné. Ainsi, l'essentiel semble résider dans les conduites et les convictions qui permettent à la société à la fois de se perpétuer et de se transformer.

Action catholique, expression qui apparaît vers 1930 et qui désigne l'engagement des laïques dans l'Église. C'est la déchristianisation de la société moderne, et plus particulièrement des milieux populaires, qui est à l'origine de ce courant. L'Action catholique prend forme d'abord avec la Jeunesse ouvrière chrétienne (J. O. C.), fondée en 1925 par un prêtre belge, Joseph Cardijn, et introduite en France en 1926 par l'abbé Georges Guérin. D'autres mouvements spécialisés suivent la même voie : la Jeunesse agricole chrétienne (J. A. C.) — qui deviendra en 1964 le Mouvement rural de la jeunesse chrétienne (M. R. J. C.) — et la Jeunesse étudiante chrétienne (J. E. C.) en 1929, la Jeunesse maritime chrétienne (J. M. C.) et la Jeunesse indépendante chrétienne (J. I. C.) entre 1930 et 1935. Des groupements similaires pour jeunes filles et adultes se constituent en même temps, puis l'épiscopat favorise, à côté de cette Action catholique spécialisée, une Action catholique générale d'hommes et de femmes (1954). Depuis, non sans drames internes, l'Action catholique a fait éclater ses cadres pour s'adapter davantage aux structures d'un monde en pleine mutation.

ACTION CIVILE. — L'action civile est celle qui est intentée devant la juridiction civile; mais, dans un sens plus restreint, il s'agit de l'action fondée sur l'existence d'une infraction pénale et visant à la réparation du dommage causé. L'action civile n'est possible que si le crime, le délit ou la contravention est à la base du dommage ressenti et elle n'appartient qu'à ceux qui ont souffert du dommage causé par l'infraction. Le dommage doit être *actuel, personnel, direct,* et porter atteinte à un intérêt légitime et juridiquement protégé.

ACTION EN JUSTICE. — Elle est le fait, pour une personne, de s'adresser aux tribunaux pour obtenir que lui soit reconnu un droit qui lui est présentement contesté ou encore la faculté laissée à quelqu'un de faire fonctionner à son égard l'appareil juridictionnel.

En principe, toute personne, physique ou morale, est capable d'« agir » en justice; cependant, certaines personnes (mineurs, interdits, aliénés internés) sont obligées de recourir à des représentants légaux. Il faut, pour agir, être titulaire du droit que l'on veut faire consacrer par la justice. L'action est transmissible aux héritiers. Elle s'exerce par une « demande » en justice, formulée par un « demandeur » contre un « défendeur ». Les défenses sont les moyens opposés par le défendeur à la prétention du demandeur.

On distingue l'action *personnelle,* l'action *réelle* (et l'action mixte); la première tend à faire respecter ou exécuter un droit personnel; l'action réelle se fonde sur un droit exercé sur une chose (propriété, usufruit, servitude). Les actions *mobilières* se distinguent des actions *immobilières* en ce sens qu'elles ont pour objet des meubles ou des droits mobiliers.

Action française, nom pris au temps de l'Affaire Dreyfus* par un comité nationaliste fondé en 1899.

D'abord mouvement républicain et patriote, l'Action française trouve un théoricien en la personne de Charles Maurras*, qui l'oriente vers le nationalisme intégral et l'établissement d'une monarchie héréditaire, antiparlementaire et décentralisée. Appuyée sur un organe de presse, *l'Action française,* dirigé par Léon Daudet* et devenu quotidien en 1908, diffusant sa doctrine par les cours d'un institut d'Action française et la défendant vigoureusement par l'intermédiaire des Camelots du roi, l'Action française exerce jusqu'en 1940 une certaine influence, notamment sur les catholiques. La condamnation du mouvement par Pie XI (1926-1929) lui porte cependant un rude coup, encore que Pie XII l'ait relevé de cette condamnation en 1939.

La disparition de la IIIe République en juin 1940 redonne vigueur à l'Action française, qui paiera de son existence sa fidélité à l'état de choses instauré par le maréchal Pétain.

ACTIONNEUR → AUTOMATIQUE, AUTOMATISATION, RÉGULATION AUTOMATIQUE, SERVOMÉCANISME.

ACTION PAINTING → ABSTRACTION.

ACTION PUBLIQUE. — Elle est exercée afin de maintenir l'ordre public par la répression des infractions pénales (on l'appelle aussi « action pénale »). Elle appartient à l'État. C'est en principe le ministère public qui a la prérogative d'exercice de l'action publique. La partie lésée peut également déclencher l'action publique par la « constitution de partie civile ». L'action publique est exercée contre l'auteur de l'infraction pénale et contre ses complices. Le ministère public a la latitude d'agir ou de ne pas agir, sauf si l'agent du ministère public est requis par un supérieur hiérarchique ou s'il y a constitution de partie civile. La mort du prévenu, la prescription, l'amnistie, l'abrogation de la loi pénale, la chose jugée sont des causes d'extinction de l'action publique.

ACTION RESEARCH. — Kurt Lewin*, qui introduit ce concept en 1943, part de l'hypothèse de la complémentarité entre la recherche fondamentale et l'action, c'est-à-dire le changement social. Cela l'amène à préconiser des recherches de psychosociologie conduites dans des situations de la vie courante, plutôt qu'en laboratoire, sur des groupes artificiels ainsi que la participation des chercheurs à l'action du groupe-client et, réciproquement, la collaboration des membres du groupe à la conduite de la recherche. L'action research constitue le prototype de toute intervention* psychosociologique.

ACTIUM, promontoire de Grèce, à l'entrée du golfe d'Ambracie (auj. d'Árta), devant lequel la flotte d'Octavien commandée par Agrippa* remporta sur Antoine* la victoire qui lui assura la domination du monde romain (31 av. J.-C.).

ACTIVATION *(Chim.).* — Passage d'une molécule, d'un atome ou d'un ion de sa forme normale à une forme activée, plus riche en énergie et se trouvant, par suite, plus apte à entrer en réaction; l'activation peut être thermique, électrique ou provoquée par des radiations.

ACTIVATION NEUTRONIQUE. — Elle consiste à rendre radioactifs un ou plusieurs éléments* contenus dans une substance que l'on veut analyser, en la soumettant à une irradiation due à un flux de neutrons*, et, d'après la radioactivité* formée, ou radioactivité induite, on cherche à identifier les radioéléments* formés à partir des produits ou des impuretés qui y sont contenus. Le flux de neutrons est généralement obtenu dans un réacteur* nucléaire, qui permet de réaliser couramment une densité de 10^{10} à 10^{14} neutrons par centimètre carré et par seconde.

ACTIVITÉ *(Phys. nucl.).* — L'activité d'une source radioactive est le nombre de désintégrations* nucléaires spontanées que celle-ci subit par unité de temps (des/s). L'*activité massique* et l'*activité volumique* sont les activités nucléaires par unité de masse ou de volume; l'*activité induite* est celle que présentent des corps irradiés par un flux de neutrons*. En 1898, Marie Curie* avait défini l'unité d'activité comme étant celle d'un gramme de radium* en équilibre avec ses descendants. Par suite, cette unité, le *curie* (Ci), fut définie comme l'activité radionucléaire d'une quantité de radioélément* pour laquelle le nombre de désintégrations par seconde était $3{,}7 \cdot 10^{10}$. Les Anglais avaient, sans succès, proposé comme unité le *rutherford* (10^6 des/s). Depuis juin 1975, l'unité d'activité est le *becquerel* (Bq), qui correspond à 1 des/s. Le *sunshine unité* (Su) est une unité utilisée quelquefois pour évaluer la contamination interne résultant d'éléments qui se fixent sélectivement dans le squelette, comme c'est le cas du strontium 90; il correspond à un picocurie de radioélément fixé par gramme de calcium contenu dans l'organisme. Les sources radioactives du monde médical, utilisées pour permettre au praticien de préciser son diagnostic ou de traiter des tumeurs malignes, sont en moins grand nombre, mais de plus grande activité que les sources du monde industriel (gammagraphie, mesure des épaisseurs ou des niveaux, etc.).

Actor's Studio, école d'art dramatique fondée en 1947 à New York. Sous la direction de Lee Strasberg, disciple de Stanislavski*, elle réunissait dans un travail collectif des comédiens chevronnés et des débutants. Sa méthode de concentration et de recréation intérieure de l'émotion contenue dans une situation dramatique, qui marqua de nombreux artistes américains (Marlon Brando, James Dean, Montgomery Clift, Paul Newman), est combattue à la fois par les partisans de la dramaturgie de Brecht* et par les groupes qui, comme le Living* Theatre, privilégient l'expression corporelle.

ACTUALISATION. — C'est le calcul indiquant la valeur, dans le moment présent, d'un capital non immédiatement exigible. (La valeur *actuelle* d'une somme récupérable dans x années est différente de son « nominal », car la valeur qu'elle présentera alors est inférieure à l'intérêt qu'il y aurait à en disposer aujourd'hui.)

La valeur actualisée d'une somme de 1 000 francs disponible dans 10 ans est de $\frac{1\,000}{(1+t)^{10}}$, la difficulté étant de choisir la valeur de t, taux d'intérêt (qui peut, d'ailleurs, inclure la détérioration monétaire).

ACUPUNCTURE. — Cette méthode thérapeutique est pratiquée en Chine depuis des temps immémoriaux. Elle a été introduite en Europe en 1928. Elle utilise le plus souvent des aiguilles métalliques ou des cautères en bois mis en ignition *(moxas),* implantés en des points déterminés de la surface du corps. Plusieurs centaines de points cutanés simples, correspondant à des symptômes divers, sont reliés entre eux par des lignes hypothétiques, au nombre de vingt-quatre, les « méridiens ». L'acupuncture est utilisée dans le traitement des spasmes viscéraux, des douleurs rhumatismales ou des affections psychosomatiques.

ADAB. — Cette notion culturelle, qui prend corps au IXe s. dans le monde arabe, désigne à la fois les deux composantes d'une culture humaniste : connaissances littéraires et historiques héritées aussi bien de l'Antiquité hellénique ou iranienne que de la tradition islamique; qualités sociales d'éducation et d'élégance qui caractérisent l'« honnête homme ». La littérature arabe comporte de nombreux « ouvrages d'adab », qui mêlent aux anthologies de prose et de vers des recueils d'anecdotes morales.

ADAGE. — Dérivé de l'italien *adagio,* que les danseurs russes et américains continuent à lui préférer, le terme s'applique à une suite de mouvements lents. À l'origine exécuté seul, l'adage constitue maintenant la première partie d'un pas de deux. Moment essentiel de cette prestation, il a un double intérêt : point culminant de l'émotion poétique, il est aussi l'affirmation, grâce au soutien du danseur — partenaire et porteur tout à la fois —, des qualités techniques de la danseuse. Les exercices d'adage sont inclus dans l'entraînement journalier des danseurs. Des *classes d'adage* ont été créées dans différents théâtres. — Les *adages acrobatiques,* domaine du music-hall, sont aussi utilisés dans le ballet moderne.

ADAM, selon la Bible, ancêtre de l'humanité créé par Dieu. Le mythe du premier homme façonné par Dieu avec de la glaise se retrouve dans les textes assyro-babyloniens. Il s'agit donc de représentations populaires communes à l'Orient ancien, reprises par l'auteur biblique, mais traitées par lui en fonction d'une pensée religieuse plus évoluée : transcendance et unicité de Dieu.

ADAM *(pont d'),* chaîne de récifs entre l'Inde et Sri Lanka.

ADAM le Bossu ou **de la Halle,** trouvère picard (Arras v. 1240-Naples v. 1285). Auteur du *Jeu* de la feuillée* (v. 1276), première pièce du théâtre profane français, et du *Jeu* de Robin et Marion* (v. 1282), ancêtre de la pastorale avec musique, il fut un musicien novateur en adaptant à l'écriture du rondeau* le mode de composition du conduit.

ADAM (les), famille de sculpteurs français du XVIIIe s. JACOB SIGISBERT (Nancy 1670-Paris 1747), actif en Lorraine, fut le professeur de ses trois fils. LAMBERT SIGISBERT (Nancy 1700-Paris 1759) s'éprit, à Rome, de l'art du Bernin*; artiste officiel, fécond et véhément, il est le meilleur sculpteur de l'art rocaille* (*Neptune et Amphitrite,* Versailles). NICOLAS SÉBASTIEN (Nancy 1705-Paris 1778), qui seconda parfois son aîné, est plus sensible (décor de l'hôtel de Soubise; tombeau de la reine Catherine Opalinska à Nancy). FRANÇOIS GASPARD (Nancy 1710-Paris 1761) introduisit le goût français à la cour de Potsdam.

ADAM (Robert), architecte et décorateur écossais (Kirkcaldy 1728-Londres 1792). Après avoir étudié les monuments antiques en Italie et en Dalmatie (Split), il construisit, assisté de son frère JAMES (1730-1794), dans la campagne anglaise, à Londres et, après 1770, en Écosse. Décorateur épris d'élégance, de clarté et de mouvement, il a donné son nom *(style Adam)* à la nouvelle mode « pompéienne ». Le recueil des deux frères, *Works in Architecture* (1er vol. 1773), eut une grande influence.

ADAMAOUA, massif montagneux d'Afrique, aux confins du Cameroun et du Nigeria.

ADAMELLO, massif des Alpes italiennes, dans le Trentin; 3 554 m.

ADAMOV (Arthur), auteur dramatique français d'origine russe (Kislovodsk 1908-Paris 1970). Marqué par l'influence de Strindberg et de Dostoïevski, son théâtre est d'abord une dénonciation, sur le mode symbolique, des persécutions que les hommes s'infligent mutuellement (*la Grande et la Petite Manœuvre,* 1950; *la Parodie,* 1952). Puis, à travers une redécouverte progressive du monde réel (*le Professeur Taranne,* 1953; *le Ping-Pong**, 1955), il s'oriente, à la suite de Brecht, vers un engagement social et politique et une forme didactique plus marqués (*Printemps 71,* 1963; *M. le Modéré,* 1968). Son œuvre critique et autobiographique (*Ici et maintenant,* 1964; *l'Homme et l'enfant,* 1968) est une méditation sur ses contradictions, auxquelles il ne parvint à échapper que par la mort.

ADAMS (Samuel), homme politique américain (Boston 1722-*id.* 1803). Membre influent du congrès de Philadelphie, il est considéré comme l'un des fondateurs des États-Unis.

ADAMS (John), homme d'État américain (Braintree, 1735-*id.* 1826). Vice-président des États-Unis en 1788, il succède à Washington comme président de 1797 à 1800.

ADAMS (John Quincy), homme d'État américain (Braintree 1767-Washington 1848). Fils aîné de John Adams, il a été le sixième président des États-Unis (1824-1828).

ADAMS (John Couch), astronome britannique (Laneast, Cornouailles, 1819-Cambridge 1892). À partir de l'étude des perturbations de la trajectoire d'Uranus*, il démontra par le calcul, indépendamment de Le Verrier*, l'existence de la planète Neptune*.

ADAMS (Ansel), photographe américain (San Francisco 1902). Membre fondateur du groupe *f. 64* de Weston*, il en applique avec rigueur les théories. Mais sa parfaite maîtrise technique n'asservit jamais sa sensibilité, comme le montrent ses paysages de l'*Illustrated Guide to Yosemite Valley* (1940).

ADANA, v. de la Turquie méridionale, en Cilicie, sur le Seyhan; 352 000 hab. Textile. Tabac.

ADAPAZARI, v. du nord-ouest de la Turquie, sur le Sakarya; 102 000 hab. Pneumatiques.

ADAPTATION. — La notion d'adaptation, en biologie, est des plus vagues. Lorsqu'une espèce animale ou végétale peut vivre et se reproduire dans un milieu donné, c'est la preuve qu'elle y est adaptée. Mais la mouche domestique, l'herbe nommée *Capselle* se rencontrent dans le monde entier : leur adaptation est large. La chenille du zygène ne vit que sur la spirée : son adaptation est étroite. D'autre part, l'adaptation à un milieu aussi accueillant que la zone tempérée humide n'exige que peu de dispositions anatomiques ou physiologiques spéciales, tandis que l'adaptation à un milieu hostile (déserts chauds ou glacés, hautes montagnes, abysses...) en exige beaucoup. C'est pourquoi la flore et la faune des milieux faciles à vivre sont des plus variées, tandis que de nombreux caractères communs affectent les plantes des hautes montagnes ou les mammifères du Grand Nord, même sans parenté proche. Par ailleurs, les plantes, et plus encore les animaux, peuvent acquérir une *spécialisation,* un mode particulier d'exploitation des ressources de leur milieu, et cela se traduit très fortement sur le plan anatomique (bec croisé de l'oiseau *Loxia,* sabot du cheval, pattes fouisseuses de la taupe, suçoirs des plantes parasites, etc.). Bien que vivant côte à côte, les espèces ont ainsi une « niche écologique » différente.

Mais l'adaptation frappe plus encore l'observateur lorsqu'elle change de direction. Les premiers vertébrés terrestres se sont lentement adaptés à vivre hors de l'eau, la classe des mammifères a porté à l'extrême cette adaptation, et voici que trois groupes de mammifères, les pinnipèdes (phoque), les siréniens (dugong) et les cétacés (baleine), sont retournés à l'eau, au prix d'adaptations beaucoup plus difficiles et complexes que celles des poissons. Toutefois, comme l'a fait remarquer Cuénot, il faut bien une part de *préadaptation* pour que le changement de milieu soit possible. Sans poumons, comment *Ichtyostega,* ancêtre des vertébrés terrestres, aurait-il respiré? Sans pattes, comment aurait-il marché? Le milieu, l'organisation et le comportement ne peuvent cesser de « dialoguer », sous peine de mort.

J. Six

ADDA, riv. d'Italie, affl. du Pô (r. g.); 300 km. Née au N.-E. de la Bernina, elle draine la Valteline, traverse le lac de Côme et arrose la plaine lombarde au S.-E. de Milan.

ADDIS-ABEBA ou **ADDIS-ABABA,** capit. de l'Éthiopie, grande ville, la plus haute d'Afrique, à 2 500 m d'alt.; 881 000 hab. Université. Industries textiles et alimentaires. Pneumatiques. — Fondée par Ménélik II en 1887, occupée par les Italiens de 1936 à 1941, la ville devient, en 1963, le siège de l'Organisation de l'unité africaine (O. U. A.).

ADDISON (Joseph), écrivain et publiciste anglais (Milston 1672-Kensington 1719). Il fit une courte carrière politique (membre du Parlement en 1708, secrétaire d'État en 1717) grâce à la célébrité que lui assurèrent ses œuvres de circonstance (poésies sur les victoires de Marlborough, tragédie sur *Caton*). Avec R. Steele*, il fonda en 1711 un périodique, *The Spectator,* où, dans des articles considérés comme les modèles de l'essai, il esquissa le type idéal du « gentleman » et le moralisme qui devait marquer l'ère victorienne.

ADDISON (Thomas), médecin anglais (Long Benton 1793-Brighton 1860). Il a décrit l'insuffisance chronique des glandes surrénales (v. art. suiv.).

Addison *(maladie d'),* affection liée à la destruction des glandes corticosurrénales, d'origine le plus souvent tuberculeuse. Ses manifestations cliniques sont une « mélanodermie » (brunissement de la peau), un amaigrissement, une grande fatigabilité et une hypotension artérielle. Biologiquement, surtout lors des poussées, on peut constater une hypoglycémie et la fuite d'eau et de sodium. La maladie est affirmée par la diminution d'excrétion urinaire des hormones corticosurrénales et par l'absence de montée de leur excrétion sous l'action de l'A. C. T. H. Le traitement hormonal substitutif (hydrocortisone seule ou associée à la désoxycorticostérine), s'il est continu, permet d'éviter l'évolution fatale et assure la rétrocession de tous les symptômes.

ADDITIF → BITUME, DÉSULFURATION, ESSENCE.

ADDUCTION. — Les ouvrages d'adduction d'eau comportent des captages de sources, des prélèvements en rivière ou en lac ainsi que des réseaux de distribution et des installations de pompage. Les conduites peuvent être en fonte*, en acier*, en béton* ou en matériaux divers. La fonte ordinaire assure la longévité des conduites enterrées, mais elle est fragile. L'acier est également utilisé pour des adductions d'eau enterrées, afin de parer aux tassements de sol, ou encore pour des conduites posées à l'air libre, quand il est utile d'obtenir un allégement du poids mort. Le béton utilisé pour la fabrication des tuyaux est toujours armé. Dans les tuyaux à *âme tôle,* la tôle assure l'étanchéité et la résistance à la pression de l'eau, alors que les revêtements, intérieur et extérieur en béton, protègent la tôle contre la corrosion*. L'amiante-ciment* est un matériau dans lequel des fibres d'amiante jouent le même rôle que les armatures dans les tuyaux en béton armé. La matière plastique* utilisée pour les tuyaux rigides est le chlorure de polyvinyle et, pour les tuyaux semi-rigides, le polyéthylène. Les conduites doivent être ancrées ou butées à leurs extrémités, aux changements de direction ou de diamètre et aux dérivations pour équilibrer la poussée de l'eau.

Adaptation. La transformation en nageoires des membres antérieurs du manchot royal est un exemple d'adaptation de l'oiseau à la vie en milieu aquatique.

Konrad Adenauer.

Réalités-Top

ADÉLAÏDE, port d'Australie, sur l'océan Indien, capit. de l'État d'Australie-Méridionale; 855 000 hab. Université. Constructions mécaniques (automobiles) et électriques.

ADELBODEN, comm. de Suisse (cant. de Berne); 3 326 hab. Importante station de sports d'hiver (alt. 1 400-2 330 m) de l'ouest de l'Oberland bernois.

ADÉLIE *(terre),* partie française du continent antarctique, entre le pôle Sud et la côte (correspondant ici approximativement au cercle polaire), comprise entre 136° 20′ et 142° 20′ de longitude E. (environ 350 000 km²). Découverte en 1840 par Dumont* d'Urville, qui lui donna le prénom de sa femme, cette terre est presque totalement englacée. Elle a été le siège d'explorations scientifiques effectuées par les Expéditions polaires françaises sous la direction de Paul-Émile Victor*, qui y ont installé les bases de Port-Martin, de Dumont-d'Urville et de Charcot.

ADEN, principale ville et port du Yémen démocratique, sur la côte méridionale de l'Arabie, à l'E. du détroit de Bāb al-Mandab; 250 000 hab.

ADEN *(golfe d'),* partie nord-ouest de l'océan Indien, entre le sud de la péninsule arabique et le nord de la péninsule africaine des Somalis, à l'entrée de la mer Rouge. Les ports d'Aden* et de Djibouti* se sont établis sur les rives, arabique et africaine, du golfe, dont l'importance politique et économique est liée au canal de Suez.

ADEN *(protectorat d'),* anciens territoires sous protectorat britannique sur le golfe d'Aden. Conquise par les Britanniques en 1839, la ville d'Aden se développe après l'ouverture du canal de Suez* en 1869. L'influence britannique s'étend de proche en proche jusqu'au sultanat de Mahra (1886), dont fait partie l'île de Socotora. Aden et ses environs immédiats deviennent colonie de la Couronne en 1937, alors que le reste du protectorat, comptant une vingtaine de petits sultanats, est divisé en un protectorat occidental et en un protectorat oriental (région de l'Hadramaout). De 1959 à 1963, la majorité des États entre dans la Fédération d'Arabie du Sud, embryon de la future république démocratique et populaire du Yémen*.

ADENAUER (Konrad), homme d'État allemand (Cologne 1876-Rhöndorf 1967). Maire de Cologne (1917), il se prête un moment au projet de la création d'une République rhénane dans le cadre du Reich. Démocrate-chrétien, président du Landtag prussien (1928-1933), membre du Conseil économique du Reich, il s'oppose au nazisme, ce qui lui vaut d'être révoqué (1933), puis emprisonné (1934 et 1944) par Hitler. De nouveau maire de Cologne (1945), il s'impose aux Alliés, qui, dès 1946, décident de réorganiser politiquement l'Allemagne occidentale. Le 15 septembre 1949, K. Adenauer — par ailleurs président de la CDU — est élu chancelier fédéral de la jeune R. F. A. À ce poste, il donne surtout ses soins à la politique étrangère, réalisant deux grands projets : l'unification de l'Europe occidentale et la réconciliation franco-allemande. Adenauer quitte la chancellerie le 15 octobre 1963.

ADENET ou **ADAM,** dit **le Roi,** trouvère brabançon (v. 1240-v. 1300). Il remania de nombreuses chansons de geste en les adaptant à la technique du récit romanesque.

ADÉNITE, ADÉNOPATHIE. — L'augmentation de volume d'un ou de plusieurs ganglions lymphatiques répond à des origines diverses.

Si l'atteinte est infectieuse, on peut observer une adénite aiguë, en rapport avec une lésion infectieuse du territoire que draine le ganglion atteint (plaie infectée, chancre syphilitique, chancre mou). Des polyadénopathies aiguës (plusieurs ganglions atteints) s'observent au cours de maladies infectieuses (rougeole, rubéole).

Les adénites chroniques, d'évolution plus torpide, sont dues essentiellement à la tuberculose, plus rarement à la syphilis.

Les adénopathies peuvent être cancéreuses : métastases lymphatiques d'un cancer siégeant dans le territoire drainé par les ganglions; elles sont parfois des localisations de maladies hématologiques : leucémies, maladies de Hodgkin, etc.

ADÉNOME. — Les adénomes siègent dans tous les tissus où existent des glandes à sécrétion interne (surrénale, hypophyse, thyroïde, etc.) ou à sécrétion externe (glandes sébacées, salivaires, pancréas). Ils peuvent, du fait de leur volume, entraîner des troubles compressifs. Les adénomes à sécrétion interne entraînent certains désordres divers : hypoglycémie des adénomes langerhansiens du pancréas, acromégalie par adénome de l'hypophyse.

ADER (Clément), ingénieur français (Muret 1841 - Toulouse 1925). Après s'être enrichi grâce à des inventions dans le domaine de l'électricité (microphone, théâtrophone), il construisit plusieurs appareils volants plus lourds que l'air, dont l'*Éole,* sur lequel, le 9 octobre 1890, il s'éleva et parcourut une cinquantaine de mètres par ses propres moyens.

ADHÉRENCE *(Autom.)* → TENUE DE ROUTE, TRACTION.

ADHÉRENCE *(Math.).* — L'adhérence d'une partie A d'un espace topologique E est formée des points de A et des points d'accumulation de A. Ainsi, dans l'ensemble* des nombres réels $\mathbb{R}^*$ muni de la topologie* associée à la distance euclidienne, la partie A, formée des valeurs numériques, que prend la suite* (u_n), telle que

$$u_n = (-1)^n\left(1 + \frac{1}{n}\right),$$

quand n prend toute valeur entière positive, a, comme points d'accumulation, les points d'abscisses respectives -1 et $+1$. En effet, quand n augmente indéfiniment, $\frac{1}{n}$ tend vers zéro et $1 + \frac{1}{n}$ tend vers 1. Par suite, suivant la parité de n, u_n est très voisin de -1 ou de $+1$; au voisinage de -1 et de $+1$, il y a une infinité de points de la suite (u_n) : c'est pour cela que -1 et $+1$ sont des points d'accumulation de (u_n).

L'adhérence de la suite (u_n), notée $\bar{A}$, est formée des valeurs que prend u_n et des deux points -1 et $+1$. Un point de l'adhérence $\bar{A}$ d'une partie A d'un espace topologique E est un point adhérent à A : c'est donc soit un point de A, soit un point d'accumulation de A. L'adhérence $\bar{A}$ de A est une partie fermée de l'espace E : on l'appelle aussi la *fermeture* de A. $\bar{A}$ s'obtient en prenant l'intersection de toutes les parties fermées de l'espace topologique E contenant A. $\overline{A}$ est aussi la plus petite partie fermée de E contenant A.

ADHÉRENCE *(Mécan.)*. — L'adhérence véritable est due à une affinité physico-chimique, d'ordre moléculaire, entre deux corps en contact intime par mouillage préalable. Elle est maximale quand il y a enchevêtrement dirigé, ou *épitaxie,* entre molécules* des deux corps. Comme adhérence par affinités figurent la galvanisation, l'étamage, le contact fer-béton* de ciment. Il existe aussi une *adhérence mécanique,* ou *frottement statique,* réalisée par les micro-rugosités des surfaces en contact. Les deux types d'adhérence coexistent souvent et se renforcent mutuellement. L'adhérence mécanique est à la base de la traction automobile, du freinage* et du dérapage par manque de rugosité; elle est caractérisée par un *coefficient de frottement* $f = \frac{T}{N}$ entre l'effort tangentiel T provenant du couple moteur et l'effort normal N, qui prend le nom de *coefficient d'adhérence*. Dans le cas du chemin de fer, ce coefficient au contact roue-rail est rarement supérieur à 0,35. Pour développer des efforts moteurs importants, les locomotives ont généralement une charge par essieu* plus élevée que celle des véhicules remorqués et plusieurs essieux moteurs, qui sont souvent accouplés mécaniquement au moyen de bielles ou d'engrenages.

ADHÉRENCE *(Méd.)*. — Des *adhérences normales* existent entre certains organes; ainsi, le côlon adhère aux reins et à la rate. Les *adhérences pathologiques* peuvent être congénitales (adhérences du prépuce) ou acquises (adhérences des séreuses [plèvre, péritoine, méninges], secondaires à des irritations [infection, radiothérapie], à des interventions chirurgicales ou au cancer). Les adhérences peuvent être à l'origine de brides, de compressions, d'occlusions intestinales.

ADHÉSIF. — Un adhésif est *structural* s'il est destiné à l'exécution d'assemblages de grande solidité, *non structural* s'il assure une simple mise en place, ou *semi-structural* s'il occupe une position intermédiaire. Dans l'adhérence* interviennent des phénomènes mécaniques (accrochage de l'adhésif dans les pores de la surface à coller), chimiques (réaction entre adhésif et objet), physico-chimiques (attraction de forces moléculaires entre l'adhésif et la surface). Un adhésif peut être utilisé sous forme de solution, de dispersion, de ruban collant ou de produit solide fondu au moment de l'emploi. On distingue les adhésifs d'origine végétale (amidon), animale (caséine) ou minérale (silicate de sodium), les thermoplastiques* (bitume*, résines), les élastomères (caoutchouc*), les thermodurcissables et les adhésifs mixtes, constitués des mélanges des produits précédents. L'examen d'un adhésif comporte des essais physiques (résistance à la chaleur, à la lumière, aux agents atmosphériques, aux radiations), des essais chimiques (tenue à l'eau et aux produits chimiques corrosifs) et des essais mécaniques (résistance à la traction, au cisaillement, à l'arrachage par pelage, au fluage, à la fatigue par flexion; durabilité après vieillissement naturel ou accéléré des éprouvettes collées).

ADIABATIQUE. — Les transformations adiabatiques d'un gaz parfait sont représentées par l'équation $pv^{\gamma}=$ Cte, où p est la pression du gaz, v son volume et γ le rapport de ses chaleurs spécifiques, à pression constante et à volume constant.

Adieu aux armes *(l')*, roman de E. Hemingway (1929). Un jeune Américain, lors de la Première Guerre mondiale, s'engage dans l'armée italienne, par goût du risque, et dans une idylle avec une infirmière, par désœuvrement : il finit par renoncer à la guerre et par croire à l'amour.

ADIGE, deuxième fleuve d'Italie (après le Pô); 410 km. Né dans les Alpes (à proximité de la Suisse et de l'Autriche), il traverse le Trentin (passant à Trente), puis la Vénétie (arrosant Vérone), rejoignant l'Adriatique au S. de Venise.

ADIRONDACKS *(monts),* massif cristallin du nord-est des États-Unis (État de New York), au S. du Saint-Laurent; 1 628 m. Sylviculture. Hydroélectricité. Tourisme.

ADJARIE, république autonome de l'U. R. S. S., en Géorgie, sur la mer Noire; 3 000 km^2; 310 000 hab. Capit. *Batoumi.* Cultures subtropicales (thé, agrumes). Stations climatiques sur le littoral.

ADLER (Victor), socialiste autrichien (Prague 1852 - Vienne 1918), l'un des principaux animateurs de la IIe Internationale.

ADLER (Alfred), médecin et psychologue autrichien (Vienne 1870 - Aberdeen 1937). D'abord disciple de S. Freud*, il se sépara de ce dernier sur des points fondamentaux de la théorie psychanalytique. Minimisant le rôle de la pulsion sexuelle, il pense que l'on peut expliquer la vie psychique à partir du sentiment d'infériorité qui résulte de l'état de dépendance, dont chacun fait l'expérience dans l'enfance. Il est l'auteur du *Tempérament nerveux* (1912), de *Connaissance de l'homme* (1927), de *l'Enfant difficile* (1928), du *Sens de la vie* (1930).

ADLISWIL, comm. de Suisse (cant. de Zurich), dans la banlieue sud de Zurich; 15 920 hab.

ADMINISTRATION → FONCTION PUBLIQUE, MANAGEMENT.

A. D. N. → NUCLÉIQUES *(acides).*

ADOLESCENCE. — Période de transition entre l'enfance et l'âge adulte, l'adolescence peut apparaître comme création de l'époque moderne, car l'insertion sociale des jeunes dans le monde des adultes, avec les devoirs et les pouvoirs que cela comporte, se fait de plus en plus tard. Cela tient en partie à l'allongement du temps de la scolarité et de l'apprentissage.

L'adolescence est inaugurée par les modifications corporelles de la puberté. Elle est avant tout le réveil de la sexualité et la possibilité de sa satisfaction physiologique. À l'époque actuelle, les progrès des méthodes contraceptives donnent aux adolescents la possibilité de relations sexuelles plus régulières et moins culpabilisées. À la recherche de son identité et de son autonomie, l'adolescent doit, tout d'abord, lutter contre tout ce qui l'attache à l'enfance, donc, en premier lieu, sa famille. Vis-à-vis d'elle, il présente une attitude déconcertante faite de défi et de dépendance. Le combat entre l'adolescent et sa famille est d'autant plus dur que la crise d'adolescence des enfants réactive celle des parents. Se sentant moins stables intérieurement, ceux-ci réagissent en se montrant plus intransigeants, refusant toute remise en cause. Comme le souligne D. Winnicott* (1962), « la menace que représente l'adolescent s'adresse à cette partie de nous qui n'a pas eu réellement son adolescence, et qui fait que nous en voulons à ceux qui peuvent avoir ce passage ».

Isolé dans son milieu familial, l'adolescent cherche la compagnie de ceux qui ont les mêmes préoccupations que lui : ainsi se forment les groupes d'adolescents. Au sein de ces groupes prennent naissance des amitiés passionnées et exclusives qui résistent parfois mal à la séparation. Refusant tout compromis, la révolte de l'adolescent passe nécessairement par la critique des valeurs de la société des adultes (famille, travail, religion) pour parvenir à la construction d'un propre système de valeurs.

Si les modifications affectives sont les plus spectaculaires, la pensée, elle aussi, est l'objet de profonds remaniements. À partir de 12-13 ans, le jeune adolescent devient capable d'opérer sur des signes ou des symboles sans qu'il ait besoin de recourir aux objets pour pouvoir raisonner sur ces substituts (pensée abstraite).

Adolphe, roman de B. Constant (1816). Obsédé par l'idée de la mort, le héros analyse le fonctionnement de son intelligence destructive, qui le rend incapable de répondre à un amour passionné qu'il a lui-même provoqué. Récit autobiographique et essai sur la destinée humaine, ce roman répond au *René** de Chateaubriand : Adolphe ne cherche pas la source de son « mal » dans le siècle, mais en lui-même.

ADOLPHE-FRÉDÉRIC (Gottorp 1710 - Stockholm 1771), roi de Suède (1751-1771). Nommé prince royal de Suède en 1743 grâce à l'influence russe, cet Allemand devient roi en 1751 : dominé par sa femme, Louise Ulrique, sœur de Frédéric II de Prusse, il ne peut arbitrer la querelle qui oppose le parti des Chapeaux à celui des Bonnets.

ADONIS, dieu phénicien de la Végétation, dont le culte fut introduit dans le monde gréco-romain. Le mythe de sa mort et de sa résurrection est le symbole de la végétation qui naît et meurt chaque année. (V. TAMMOUZ.)

ADOPTIANISME. — À la fin du IIe s., Théodote de Byzance, excommunié vers 198, professe que Jésus-Christ n'est pas Fils de Dieu de toute éternité, mais qu'il le devient lors de son baptême, où il est « adopté » par Dieu. En 268, Paul de Samosate, évêque d'Antioche, est condamné pour sa théologie adoptianiste. Sous une forme mitigée, cette hérésie reprend vie au VIIIe s. avec Élipand, évêque de Tolède. Abélard* et son école professeront un néo-adoptianisme.

ADOPTION. — Cette institution crée — le plus souvent en dehors des liens du sang — entre un *adoptant* et un *adopté* des rapports de droit analogues à ceux qui résulteraient de la filiation*.

Entièrement refondu par la loi du 11 juillet 1966, le régime de l'*adoption plénière* peut être demandé, après cinq années de mariage, par deux époux non séparés de corps et dont l'un est âgé de plus de 30 ans ou par toute personne âgée de plus de 35 ans. Pour adopter, il ne faut pas avoir de descendants légitimes (sauf dispense du président de la République).

L'enfant adopté doit avoir moins de 15 ans, avoir été abandonné ou être un enfant dont les père et mère — ou le conseil de famille — ont accepté l'adoption, ou encore être pupille de l'État. L'enfant, préalablement à l'adoption, doit être l'objet d'un accueil d'une durée de six mois au foyer de l'adoptant. L'adoption est prononcée à la requête de l'adoptant par le tribunal de grande instance. L'adopté a les mêmes droits et obligations qu'un enfant légitime.

Contrairement à l'adoption plénière, l'*adoption simple* concerne des individus (âgés éventuellement de plus de 15 ans) jouissant d'une filiation établie, l'adopté conservant ses liens avec sa famille d'origine et acquérant une seconde « filiation » auprès de l'adoptant.

Elle peut être révoquée à la demande de l'adoptant ou de l'adopté en cas de motifs graves.

ADORNO (Theodor Wiesengrund), philosophe et musicologue allemand (Francfort-sur-le-Main 1903-Viège, Valais, 1969). Marquée par le freudo-marxisme* de l'école de Francfort*, l'œuvre d'Adorno consiste principalement en des études sur Berg, Mahler, Wagner, etc., et en des recherches sociologiques sur la consommation culturelle et la création esthétique (*Philosophie de la nouvelle musique,* 1949; *la Personnalité autoritaire,* 1950).

ADOUA *(bataille d')* → ÉTHIOPIE *(campagnes d').*

ADOUR, fl. du sud-ouest de la France; 335 km. Né dans les Pyrénées (près du col du Tourmalet), il coule vers le N., décrivant en aval de Tarbes (principale ville traversée, avec Dax, puis Bayonne à son embouchure dans l'Atlantique) une vaste courbe dans le sud du bassin d'Aquitaine. Grâce à ses affluents (notamment les gaves de Pau et d'Oloron au S., la Midouze au N.), il draine la majeure partie des Pyrénées occidentales et le sud-ouest de l'Aquitaine intérieure aux confins des Landes. Son importance économique est faible.

ADRAR. — Ce mot berbère, équivalant au *djebel* arabe, désigne divers massifs montagneux du Sahara, notamment en Mauritanie et au Mali (Adrar des Iforas, au S.-O. du Hoggar algérien).

ADRÉNALINE. — Hormone des glandes surrénales, c'est un sympathomimétique doué de propriétés vaso-constrictives et hypertensives. La *noradrénaline* est une substance voisine, produite par la médullo-surrénale et les terminaisons des neurones postganglionnaires du système sympathique.

ADRÉNERGIQUE. — Les *substances adrénergiques* ont des effets comparables à ceux de l'adrénaline et sont donc sympathomimétiques. Les *nerfs adrénergiques* agissent par l'intermédiaire d'une de ces substances; il en est ainsi des fibres sympathiques postganglionnaires (allant du ganglion nerveux à l'organe commandé).

ADRESSAGE. — Toutes les informations stockées ou traitées dans un ordinateur* sont repérées par l'adresse des cellules dans lesquelles elles sont rangées. L'adresse où doit être placée une donnée est déterminée par le programme*, aidé du système* d'exploitation. Un programme retrouve une donnée en désignant son adresse. Tous les programmes généraux, assembleurs*, compilateurs*, éditeurs de lien, chargeurs, gestionnaires des ressources mémoires*, participent à la gestion des adresses. Dans la mémoire centrale, l'adressage est fait au niveau de cellules d'un octet* ou d'un mot. Pour les disques* ou les bandes* magnétiques, l'adresse correspond au début d'une zone localisée sur le support magnétique. Les adresses dites « physiques », car liées au matériel, sont celles qui sont utilisées dans les instructions* propres de la machine. Au niveau des langages* symboliques, les adresses se présentent très différemment et se ramènent souvent aux noms donnés aux entités traitées. C'est un jeu de correspondances biunivoques gérées par le système d'exploitation qui établit la relation nécessaire entre cet adressage symbolique et l'adressage physique de la machine.

ADRIA, v. d'Italie (Vénétie); 26 000 hab. Elle a donné son nom à la *mer Adriatique,* dont les alluvions du Pô l'ont considérablement éloignée.

ADRIAN (*sir* Edgar Douglas), physiologiste anglais (Londres 1889-Cambridge 1977). Il a reçu le prix Nobel de physiologie et de médecine en 1932, avec C. Sherrington, pour ses travaux sur le système nerveux et les neurones.

ADRIATIQUE *(mer),* partie de la Méditerranée comprise entre les péninsules italienne et balkanique (Yougoslavie et Albanie), communiquant avec la mer Ionienne par le canal d'Otrante; 131 500 km². Simple golfe, elle est bordée de ports notables (Venise et Rijeka) et de nombreuses stations balnéaires sur le littoral bas et rectiligne de l'Italie (Rimini) ainsi que sur la côte accidentée, précédée d'îles, de la Yougoslavie (Split, Dubrovnik).

ADRIEN, empereur romain → HADRIEN.

ADRIEN Ier, II, III, IV, V, VI → PAPE.

ADSORPTION. — Le phénomène de fixation d'un fluide par la surface d'un solide peut s'expliquer par deux mécanismes différents. Dans la *chimisorption* se produisent des liaisons chimiques par mise en commun d'électrons entre les atomes superficiels du solide et les molécules du fluide, qui se trouvent alors activées (catalyse par contact); le phénomène est sélectif et met en jeu une grande énergie. Dans la *physisorption* interviennent seulement des forces de Van der Waals, de faible énergie; le phénomène ne dépend pas de la nature du fluide.

ADULA, massif des Alpes suisses, où naît le Rhin postérieur; 3 898 m au *Rheinwaldhorn.*

ADULTÈRE. — L'adultère consiste, pour une personne engagée dans les liens du mariage, à avoir des rapports sexuels avec un autre que son conjoint. Il n'est poursuivi que sur plainte du conjoint, qui peut se constituer partie civile, et il peut être prouvé par tous moyens de preuve. L'adultère commis par la femme est puni de trois mois à deux ans d'emprisonnement; l'adultère du mari (punissable seulement s'il entretient sa concubine au domicile conjugal) est passible de l'amende, des dommages-intérêts pouvant, par ailleurs, frapper l'époux fautif au profit du conjoint.

ADVENTISTE. — William Miller (1782-1849) découvre, en scrutant la Bible, que le Christ doit revenir sur terre en 1843; l'échéance étant passée sans que l'événement ait lieu, Miller et ses disciples restent persuadés que le retour du Christ est proche. L'Église adventiste compte de nos jours environ 2 millions de membres, en majorité aux États-Unis; sa confession de foi est à peu près celle de l'Église baptiste*, dont Miller était membre.

Les *adventistes du 7e jour* sont des dissidents de l'adventisme qui ont adopté la loi de sanctification du 7e jour (le samedi au lieu du dimanche); les visions d'Ellen Whitte (1827-1915) sont à l'origine de ce schisme.

ADY (Endre), poète hongrois (Érmindszent 1877-Budapest 1919). Nourri de Baudelaire et de style biblique, il a exhalé ses obsessions charnelles et sa vision apocalyptique du monde contemporain dans des recueils qui font de lui à la fois un écrivain national et engagé et l'un des grands poètes lyriques de l'Europe moderne (*Poèmes neufs,* 1906; *Sang et Or,* 1907; *Sur le char d'Élie,* 1909; *En tête des morts,* 1918).

ADYGUÉENS *(territoire des),* territoire autonome de l'U.R.S.S., dans la R.S.F.S. de Russie, au N. du Caucase occidental; 7 600 km²; 386 000 hab. Capit. *Maïkop.* Élevage. Travail du bois et industries alimentaires.

ÆGAGROPILE. — Cette concrétion trouvée dans l'estomac des ruminants, faite des poils que l'animal avale en se léchant, n'est pas évacuée. Mais elle est à rapprocher, par sa nature et son origine, de certaines boules excrémentielles des boas et des pythons, faites des poils et des sabots de leurs proies, ou des pelotes de régurgitation des oiseaux rapaces, que ceux-ci recrachent pour s'alléger lorsqu'ils sont inquiétés. Toutes ces formations, de même que les boules d'ambre gris de l'intestin des cachalots (sépia des poulpes qu'ils dévorent), sont en effet des déchets alimentaires. Les boules de posidonies des rivages méditerranéens ont un aspect analogue, mais une tout autre origine.

AEMILIUS LEPIDUS → LÉPIDE.

ÆNÉSIDÈME, philosophe grec (Cnossos Ier s.?). Il est le premier philosophe à critiquer le platonisme issu de l'Académie* en s'inspirant du pyrrhonisme* ancien, dont il rassemble les raisons de douter en dix schémas d'argumentation.

ÆPINUS (Franz Ulrich HOCH, dit), physicien et médecin allemand (Rostock 1724-Dorpat 1802). On lui attribue la première idée de l'électrophore et du condensateur électrique.

AÉRAGE. — Dans les mines* souterraines, l'atmosphère est maintenue respirable grâce au courant d'air qui parcourt tous les chantiers et galeries* en activité. Il doit donc y avoir au moins deux communications avec la surface, par exemple deux puits*, ce qui est nécessaire aussi pour la sécurité en cas d'accident. L'air plus chaud, donc plus léger, qui sort de la mine, provoque un aérage naturel qui est insuffisant et qui varie avec la température extérieure. On réalise alors l'aérage par un (ou plusieurs) ventilateur. Celui-ci, le plus souvent installé en surface, aspire sur le puits de retour d'air, mais il peut aussi être souterrain, à la base du puits de retour d'air ou de celui d'entrée d'air : dans ce dernier cas, il est soufflant. La puissance nécessaire dépend du débit d'air à assurer et de la « résistance » de la mine, constituée par l'ensemble de ses circuits. Le débit peut être de l'ordre de 5 000 m³/mn dans une galerie collectrice de 15 m² de section, où la vitesse de l'air atteint 6 m/s, et la différence de pression donnée par le ventilateur est souvent de l'ordre de 150 à 300 mm d'eau. Dans les mines grisouteuses ou profondes, le débit doit être particulièrement grand, afin de diluer le grisou* ou pour refroidir l'atmosphère, car la température des terrains augmente d'environ 1 °C par 30 m de profondeur. Dans une mine très profonde, on réfrigère l'air entrant dans les travaux. Un chantier en cul-de-sac est aéré par un ventilateur secondaire soufflant ou aspirant dans des « canars » (tuyauteries de grand diamètre).

AÉRATION → VENTILATION.

AÉRIENNE (défense). — La défense active contre les attaques aériennes fut confiée dès la Première Guerre mondiale tant à des avions spécialisés dans cette mission (v. CHASSE AÉRIENNE) qu'à une artillerie dite *antiaérienne* (autocanon de 75 mm). Elle se développera beaucoup pendant la Seconde Guerre mondiale, notamment dans la Wehrmacht (17 000 canons lourds de 88 mm et 25 000 canons légers en 1945). Son efficacité progressera (3 000 coups par avion abattu en 1918, 365 en 1945) grâce à l'emploi de nouvelles techniques de détection (radar de guet et de tir), de préparation et de conduite de tir (calculateurs électroniques). Le calibre des canons antiaériens atteint alors 134 mm à terre et 152 mm à bord d'un navire de guerre.

Dans les années 1960-1970, la généralisation de l'emploi des missiles* et des satellites* a transformé le problème de la défense aérienne. Celle-ci emploie maintenant comme moyens actifs des chasseurs de défense ou des intercepteurs bi- ou trisoniques (tels le « Mig 23 » soviétique et le « YF-12 A » américain), dont l'efficacité est considérablement accrue grâce au traitement par l'informatique des données fournies par les radars. À l'efficacité des avions s'ajoute celle des missiles antiaériens à longue ou à courte portée (type *Crotale* ou *Roland* français), qui, avec les canons automatiques (tel le bitube de 30 mm sur châssis de char), constituent, pour les troupes au sol comme pour les navires, les armes d'autodéfense contre l'ennemi aérien.

Le problème difficile de la défense contre les missiles stratégiques relève de missiles dits *antimissiles**; il s'est encore compliqué depuis 1970 par l'apparition des ogives à charge multiple (type *MIRV*).

Quant à la défense passive des populations, dont la puissance des bombardements aériens de la Seconde Guerre mondiale avait souligné l'importance, elle s'est longtemps ramenée à des problèmes de détection, de délai d'alerte et de construction d'abris à l'épreuve des bombes. Transformée, elle aussi, par la prise en compte de la menace nucléaire, elle ressortit désormais aux missions de la protection* civile.

AÉRIENS (transports). — Dans le monde, le nombre annuel des utilisateurs a dépassé aujourd'hui le seuil des 500 millions, dont les quatre cinquièmes, il est vrai, sont transportés sur des lignes intérieures, particulièrement importantes dans les pays à la vaste superficie et aussi au niveau de développement suffisant (États-Unis et U. R. S. S.). Les transports aériens ont connu une période de grand essor de la fin de la Seconde Guerre mondiale à la crise pétrolière de 1973, favorisé par le progrès technique (augmentant la vitesse de croisière et la capacité unitaire des appareils, c'est-à-dire démocratisant, en le rendant moins coûteux, l'usage de l'avion) et par la forte expansion économique générale (élevant le niveau de vie et, par effet cumulatif avec le progrès technique, multipliant les opportunités du transport aérien). Aujourd'hui, l'aviation civile souffre de la crise pétrolière, qui a fait croître fortement le prix du carburant. Elle souffre aussi, au moins régionalement, d'une surcapacité, d'un suréquipement résultant d'une anticipation trop optimiste de la demande, brutalement freinée par la hausse des prix des voyages. Irremplaçable sur les longues distances pour des déplacements rapides, le transport aérien apparaît plus lié à l'économie (voyages d'affaires) aujourd'hui que dans les décennies précédentes, où l'essor du tourisme a été un support essentiel de son développement, notamment sur les lignes internationales.

AÉROBIE → BACTÉRIE.

AÉROBIOSE. — L'utilisation de l'oxygène libre (atmosphérique ou dissous dans l'eau) comme comburant biologique est un fait général chez les êtres vivants. Elle constitue la respiration* et nécessite un appareil respiratoire, sauf dans les formes microscopiques.

AÉRODYNAMIQUE. — L'aérodynamique étudie les écoulements de fluide par rapport à des corps quelconques. Elle s'applique principalement à l'aviation, mais aussi à l'automobile, voire à la construction d'ouvrages de génie civil. Bien que de nature surtout expérimentale, elle fait l'objet d'études théoriques, qui, à partir de développements mathématiques, permettent de définir des lois fondamentales applicables à des corps simples, plaques planes, corps de révolution. La transposition de ces lois aux corps réels s'effectue à l'aide d'essais en soufflerie* sur maquettes. L'aérodynamique s'intéresse aux caractéristiques générales des écoulements, tels que couche* limite, viscosité*, turbulence*, décollements, ondes* de choc, et cherche à déterminer les efforts aérodynamiques, notamment la portance et la traînée pour un avion*. Pour mener à bien leurs divers essais, les aérodynamiciens disposent d'importants moyens, dont le principal est constitué par les souffleries, où sont visualisés les écoulements d'air, les champs de pression autour de la maquette et où sont mesurées les forces développées sur cette dernière. Pour l'étude des écoulements aux très grandes vitesses, des moyens d'essai spéciaux ont été créés, tels que les *tubes de choc*.

AÉROGARE → AÉROPORT.

AÉROGLISSEUR. — Un aéroglisseur est un véhicule dont la sustentation à la surface du sol est obtenue en créant entre sa partie inférieure et le sol un coussin d'air sous pression, de telle sorte que tout contact avec le sol soit éliminé. Le coussin d'air est limité par des parois verticales constituant une sorte de cloche;

LES TRANSPORTS AÉRIENS DANS LE MONDE

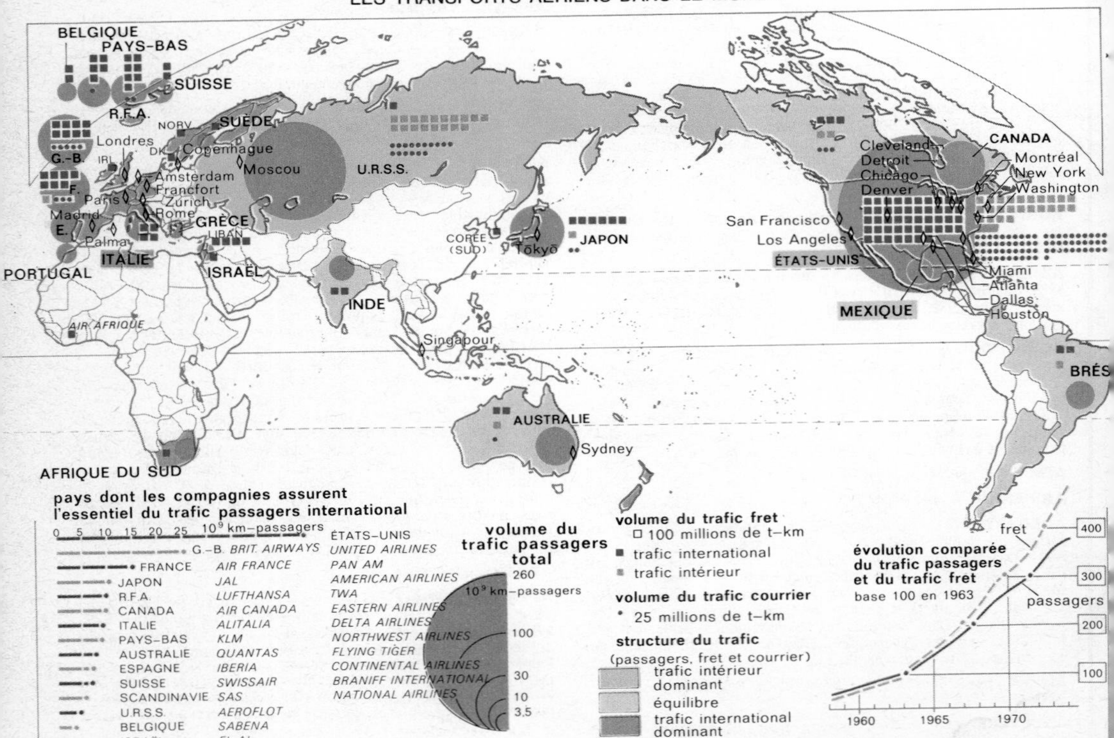

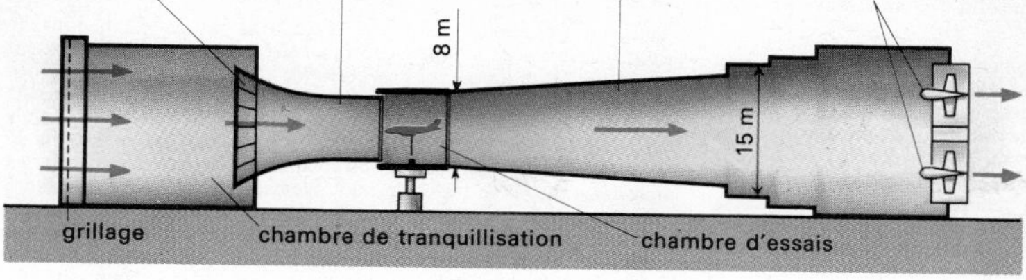

Aérodynamique. Schéma de la soufflerie de Chalais-Meudon. Soufflerie de type Eiffel, à circuit ouvert; veine de 8 × 16 m; vitesse : 50 m/s; 6 ventilateurs.

AÉROGLISSEUR

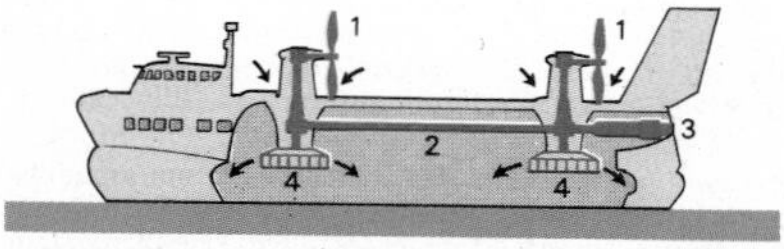

1. hélice de propulsion; 2. arbre de transmission; 3. turbopropulseur; 4. ventilateur de sustentation.

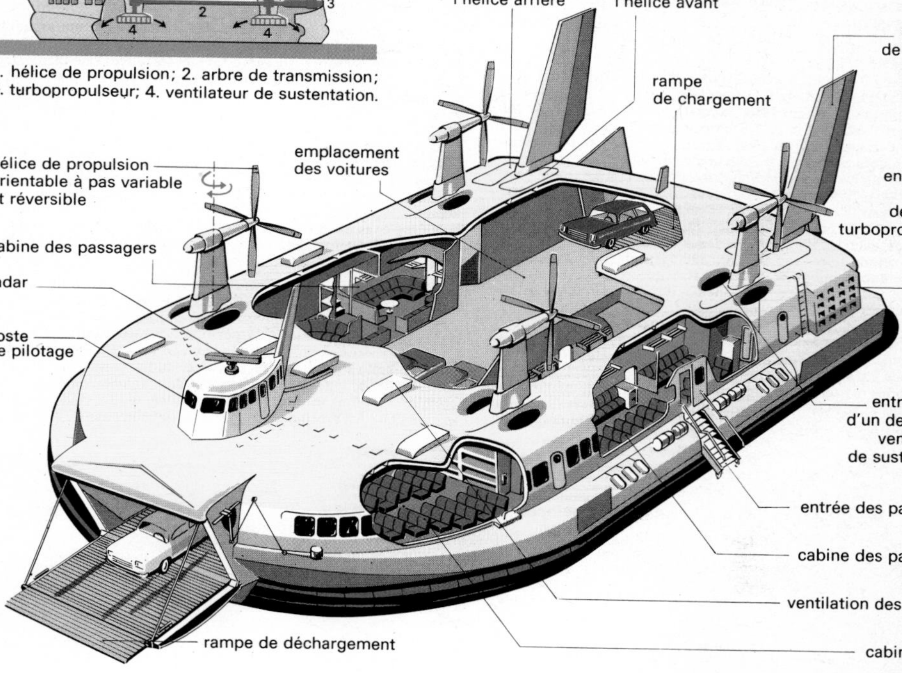

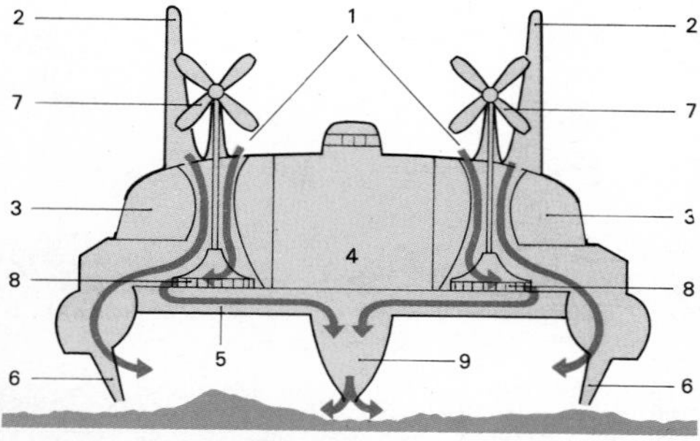

Coupe d'un aéroglisseur :
1. Trajet de l'air de sustentation;
2. Gouverne de direction; 3. Passagers;
4. Véhicules; 5. Caisson de flottabilité;
6. Jupe; 7. Hélice de propulsion;
8. Ventilateur centrifuge de sustentation;
9. Jupe-quille antiroulis.

celle-ci peut être décomposée en un certain nombre d'éléments distincts. Les parois, appelées *jupes,* sont généralement souples, afin de faciliter le franchissement des obstacles. Les applications les plus nombreuses des aéroglisseurs concernent le transport au-dessus de l'eau, bras de mer ou rivières : la traversée de la Manche, notamment, est régulièrement assurée par de tels véhicules. Les applications terrestres sont particulièrement représentées par l'Aérotrain*, qui est un aéroglisseur guidé.

AÉROLOGIE. — Cette science étudie la répartition, en altitude, de la pression, de la température, de la composition chimique grâce à la radiosonde, qui fournit, en une heure, une coupe verticale de l'atmosphère jusqu'à 20 000 m d'altitude. Elle édite des cartes des pressions et des températures aux divers niveaux, à plusieurs instants de la journée, qui sont à la base de la prévision météorologique moderne.

AÉROMOBILITÉ. — Née de la mise en œuvre, à grande échelle, des possibilités de l'hélicoptère, la notion d'aéromobilité est fondée sur l'emploi, en opérations, de l'espace aérien pour évoluer et combattre en s'affranchissant des servitudes du terrain. La 1re division de cavalerie aéromobile américaine, créée au Viêt-nam en 1965, rassemblait 15 000 hommes et 450 hélicoptères (2 bataillons d'hélicoptères de transport et 2 d'hélicoptères de combat armés de canons, de roquettes et de missiles air-sol), 9 bataillons de combat et 3 bataillons d'obusiers.

AÉRONAUTIQUE → AÉROSTATION, AVIATION, PARACHUTISTE.

Aéronautique *(médaille de l')*, la plus haute décoration française pour récompenser les services aériens civils ou militaires (créée en 1945).

AÉRONAUTIQUE (médecine). — Les effets nocifs de l'atmosphère en haute altitude résultent de la baisse de pression barométrique, de la diminution de pression partielle d'oxygène, de la sécheresse de l'air et du refroidissement de la température. Ces modifications sont compensées par un appareillage perfectionné. Des incidents ou des accidents peuvent, cependant, survenir dans certaines conditions : lourdeur des jambes, chute des paupières, obscurcissement de la vue, hémorragies nasales, perte de connaissance surviennent lors de grandes accélérations, en particulier sur les avions militaires.

Une décompression soudaine accidentelle entraîne des phénomènes d'anoxie et des embolies gazeuses. Les transports en avions de lignes commerciales sont en principe sans danger si les appareils ont une pressurisation et une climatisation correctes. Cependant, il est habituel de contre-indiquer l'avion aux cardiaques et aux personnes atteintes d'une grave insuffisance respiratoire.

AÉRONAVALE. — Née peu avant 1914 de la volonté de faire bénéficier les forces navales des possibilités de l'aviation, l'aéronavale débute en France et en Angleterre par l'aménagement de croiseurs pour l'embarquement d'hydravions. Son extension pendant la Première Guerre mondiale est liée au rôle de l'avion dans la lutte anti-sous-marine (en 1918, la marine française dispose de 1 260 avions). En 1917, les Britanniques réalisent le premier appontage d'un avion sur un navire, préfigurant ainsi le porte-aéronefs*, qui jouera désormais un rôle déterminant dans l'aéronavale. Promue au rang d'arme stratégique par l'attaque japonaise sur Pearl Harbor (1941), l'aéronavale est, pendant la Seconde Guerre mondiale, l'instrument essentiel de la guerre du Pacifique (batailles des Midway [1942], de Leyte [1944], etc.).

Consacrée par la victoire américaine dans le Pacifique, elle constitue depuis 1945 un élément indispensable de toutes les marines militaires et révèle l'importance, désormais vitale, de la maîtrise de l'espace aérien pour mener des opérations à la mer. Autour des porte-avions se constituent les forces d'intervention, qui tendent à prendre le relais des bases terrestres, devenues trop vulnérables aux fluctuations politiques des pays dans lesquels elles étaient implantées. Il demeure en outre d'importantes formations d'aéronavale basées à terre avec des missions de surveillance et de lutte anti-sous-marine. On notera, enfin, que l'emploi de l'hélicoptère et des avions à décollage court ou vertical (type *Harrier* britannique) renouvelle les possibilités de l'aviation embarquée.

techniques servant à la mise en œuvre des avions et d'autre part les installations commerciales permettant l'accueil des passagers.

- Les *installations techniques* regroupent les pistes, la tour de contrôle, les aides à l'approche et à l'atterrissage*, le ravitaillement en carburant et les moyens de sécurité. La nature et la longueur des pistes dépendent des avions à prendre en charge; elles sont le plus souvent en béton et dépassent largement 3 000 m sur les grands aéroports internationaux. Elles sont balisées pour les opérations de nuit et souvent équipées de dispositifs antibrouillard. Si, sur les aéroports de faible trafic, le ravitaillement en carburant est assuré par des camions-citernes, tous les grands aéroports sont équipés d'installations fixes comportant des dépôts de carburant enterrés, situés à l'écart des zones de stationnement, auxquelles ils sont reliés par des canalisations souterraines. Les aides à l'approche et à l'atterrissage utilisent essentiellement le système ILS (Instrument Landing System), qui matérialise directement sur le tableau de bord la position de l'avion par rapport à la trajectoire d'atterrissage idéale. Enfin, les moyens de sécurité doivent garantir une possibilité d'intervention en quelques minutes en cas d'incendie au décollage* ou à l'atterrissage.
- Les *installations commerciales* englobent tout ce qui est utilisé par les passagers et constituent l'aérogare proprement dite. Elles ne cessent de s'accroître au fur et à mesure du développement du transport aérien. Les plus modernes comportent des passerelles d'embarquement directement reliées aux avions, évitant ainsi aux passagers des transports à travers les aires de stationnement. Dans certains cas, ces passerelles sont reliées au hall central par des tapis roulants. Dans les aérogares, on trouve d'une part les services des compagnies aériennes et d'autre part des commerces de luxe à l'usage des passagers ou des visiteurs. Sur les grands aéroports internationaux, le nombre de passagers accueillis dans une année dépasse 10 millions. Les problèmes du bruit des avions modernes et les surfaces nécessaires conduisent à éloigner de plus en plus les aéroports du centre des villes, comme c'est le cas de l'aéroport Charles-de-Gaulle, à Roissy.

AÉROPORTÉ. — Ce terme qualifie toute personne, toute unité ou tout matériel transporté par voie aérienne sur le lieu de son emploi, soit par largage (ou parachutage), soit par atterrissage (on dit alors qu'il s'agit de matériel ou de personnel aérotransporté).

Les premières expérimentations (1925-1939) font apparaître deux types d'emplois combinés de l'avion et du parachute, suivant qu'ils concernent des petites équipes ou des unités constituées. Au premier se rattache en 1939-1945 l'action des commandos alliés (parachutage au profit de la Résistance) ou allemands (libération de

AÉROPORT

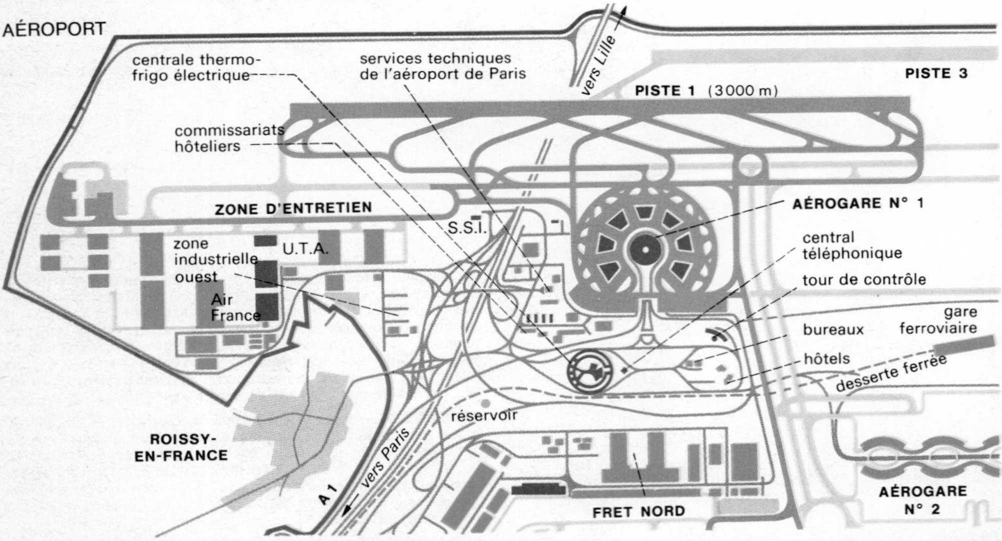

AÉROPHAGIE. — La déglutition d'air survient lorsque le sujet avale à vide un peu de salive. Une partie de l'air avalé ressort par « éructation ». L'aérophagie ne devient gênante que lorsqu'elle est excessive; elle entraîne alors une dilatation gastrique et un ballonnement abdominal.

AÉROPORT. — Un aéroport rassemble les installations servant à l'embarquement et au débarquement des passagers des avions de transport. Ces installations comprennent d'une part les installations

Mussolini en 1943). Dès 1940, la Wehrmacht engage d'autre part les régiments parachutistes du général Kurt Student en Norvège, en Belgique, puis en Crète (1941). Les premières divisions aéroportées alliées (13 000 hommes, 310 avions et 600 planeurs chez les Anglais, 450 avions et 900 planeurs chez les Américains) interviennent en 1943 (Sicile), puis s'illustrent en 1944 en Normandie, à Arnhem et en Birmanie. Après 1945, il y aura encore de nombreuses actions aéroportées, notamment dans les guerres d'Indochine et d'Algérie, où apparaîtra le premier emploi de l'hélicoptère pour le transport au combat de petites unités. Leur souplesse d'action permettra de donner aux détachements dits *héliportés,* dont les Américains feront en 1965 au Viêt-nam une division *aéromobile,* des missions analogues à celles de l'ancienne cavalerie.

AÉROSOL. — Moyen d'administration générale de médicaments, les aérosols sont utilisés dans le traitement de certains asthmes, où l'on peut faire inspirer des brouillards d'eau thermale ou des solutions médicamenteuses : corticoïdes, éphédrine, etc.

AÉROSTATION. — Le 4 juin 1783, les frères Joseph et Étienne de Montgolfier* lançaient le premier ballon à air chaud et, le 21 novembre de la même année, ils effectuaient le premier voyage aérien. Depuis ces dates, l'aérostation s'est développée jusqu'à ce qu'elle soit progressivement remplacée par l'aviation*. Les applications militaires des ballons ont été nombreuses, notamment durant la Première Guerre mondiale (missions d'observation et de reconnaissance). Pendant longtemps, des dirigeables effectuèrent également des voyages aériens, jusqu'à l'accident de l'appareil géant allemand « Hindenburg », qui, gonflé à l'hydrogène, explosa en vol en 1938. Enfin, les ballons ont assuré l'exploration de la haute atmosphère* jusqu'à l'apparition des fusées-sondes.

AÉROTRAIN. — L'Aérotrain est un véhicule à coussin d'air guidé sur rail et conçu par la société Bertin en France. Du fait de l'absence d'obstacles naturels à surmonter, puisque le tracé de la voie les prend en considération, la hauteur du coussin d'air peut être très faible. Le profil du rail de guidage est un T renversé, le coussin d'air s'appuyant à la fois sur les surfaces horizontales et sur la paroi centrale verticale. Le freinage d'urgence est obtenu par des patins qui viennent s'appliquer fortement sur le rail. La propulsion peut être assurée soit par un moteur d'avion (turbomoteur entraînant une hélice ou turboréacteur), soit par un moteur électrique à induction linéaire. En mars 1974, une vitesse record de 417,6 km/h a été atteinte par un tel véhicule.

AÉROTRANSPORTÉ → AÉROPORTÉ.

AÉROTRIANGULATION. — L'*aérotriangulation analogique* est un aérocheminement, où l'on forme successivement sur un stéréorestituteur analogique différents modèles; en bout de bande, on effectue une fermeture sur des points de calage connus. L'*aérotriangulation analytique* consiste à mesurer sur chaque photographie les coordonnées* *x, y* d'une série de points, dont on calcule les coordonnées terrain grâce à des points de calage connus. On utilise soit un monocomparateur (un seul porte-cliché), soit un stéréocomparateur (deux ou trois porte-clichés). Les calculs sont effectués par ordinateur*.

AERTSEN (Pieter), peintre néerlandais (Amsterdam v.1509-*id.* 1575). Rompant avec l'italianisme, il applique le même réalisme opulent aux scènes de genre (personnages et victuailles) et aux sujets religieux. Son œuvre se continue, par exemple, dans celle du Flamand Joachim Beuckelaer (1535-1574), son neveu par alliance.

AETIUS, général romain (Durostorum-† 454). Véritable chef d'État sous Valentinien III*, il est appelé par Procope « le dernier des Romains » : pour la défense de la civilisation de l'Occident menacée par les Asiatiques, Romains et Goths collaborèrent sous son autorité aux champs Catalauniques* (451), où Attila* fut mis en échec.

AFARS ET DES ISSAS (TERRITOIRE FRANÇAIS DES), anc. territoire français d'outre-mer devenu, après son indépendance, la République de Djibouti; 21 700 km²; 125 000 hab. Capit. *Djibouti.* Pays aride, la région offre surtout un intérêt stratégique par sa situation sur le golfe d'Aden et le détroit de Bāb al-Mandab, à l'entrée de la mer Rouge. La population, juxtaposant deux ethnies dominantes qui donnèrent leur nom au territoire, vit surtout de l'élevage ovin dans l'intérieur. Mais la moitié des habitants se concentrent à Djibouti, tête de ligne d'une voie ferrée vers l'Éthiopie (Addis-Abeba) et port, dont l'importance du trafic est liée largement à l'activité du canal de Suez.

Le territoire d'Obock, occupé par les Français en 1884, devient Côte française des Somalis en 1896, après que Djibouti eut été préféré, comme port, à Obock. Territoire d'outre-mer (1946), la Côte française des Somalis est dotée d'une Assemblée et d'un Conseil de gouvernement en 1957. En 1967, dans le cadre d'un statut d'autonomie interne, le pays est dénommé Territoire français des Afars et des Issas; il devient indépendant en juin 1977 sous le nom de « République de Djibouti ».

AFFAIRES MARITIMES *(Administration des),* service public chargé du statut des marins et de la réglementation des navires. L'Inscription maritime, dont l'origine remonte à la fin du XVIIe s., répondait au souci de pourvoir la Marine nationale d'hommes formés avant leur appel au métier de marin et qui, comme réservistes, ne perdaient pas contact avec la mer. En contrepartie des obligations militaires ainsi imposées alors aux seuls inscrits maritimes, divers avantages d'ordre social leur étaient donnés. Administrée par un corps spécial d'officiers sous l'autorité du secrétaire général à la Marine marchande, l'Inscription maritime a

Stedelijk museum

Lucifer girl (1904), de Victor Schufinsky. (Stedelijk museum, Amsterdam.)

Larousse

Étoile du Nord (1927), de Cassandre.

pris en 1967 la dénomination d'« Administration des affaires maritimes », et ses attributions s'étendent désormais à l'enregistrement et au contrôle technique des navires* de commerce, de pêche et de plaisance, à la réglementation du travail maritime, à la police générale de la navigation*, etc.

AFFECTIVITÉ. — On oppose généralement le domaine de l'affectivité — émotions, sentiments —, irrationnel, subjectif, à celui du rationnel, du logique, de l'objectif, représenté par l'intelligence. Alors que S. Freud* subordonne l'intelligence à l'affectivité, J. Piaget* voit dans l'affectivité la source énergétique des conduites, dont la structure est déterminée par l'intelligence. La psychanalyse*, les différentes psychothérapies, les tests de personnalité* constituent les méthodes privilégiées d'analyse et d'exploration de l'affectivité.

Les affects représentent les aspects élémentaires inanalysables de l'affectivité. La détermination des affects de base, à partir desquels se différencie et s'organise la vie affective des individus, a longtemps préoccupé les psychologues. C'est ainsi que H. Piéron* en décrit trois : l'intéressant, l'agréable et le désagréable, alors que, pour J. B. Watson*, la vie affective est fondée sur la peur, l'amour et la colère. L'humeur, ou thymie, décrite comme la résultante, à un moment donné, de toutes les réactions affectives de base, oscille entre deux pôles : la joie et la tristesse. Elle peut être exaltée (hyperthymie) ou diminuée, sous l'influence de processus pathologiques, comme dans la manie* ou la mélancolie*. La vie affective se module sous l'influence de la maturation, qui fait surgir des élans affectifs nouveaux, et sous celle de l'expérience, qui renforce l'expression de telle ou telle expression affective.

AFFICHAGE *(Inform.).* — Les résultats d'un traitement sur ordinateur* sont fournis à l'utilisateur sur des supports très variés. Lorsqu'une trace permanente, le plus souvent imprimée, n'est pas indispensable, les résultats peuvent être présentés sous forme d'un simple affichage, ce qui est un procédé souvent plus efficient et plus économique que celui de l'impression. Dans les calculatrices de poche, l'affichage se réduit à une suite de chiffres, grâce à l'utilisation de diodes luminescentes. L'écran cathodique est un support d'affichage plus important, qui contient quelques milliers de caractères alphanumériques. Couplé à un clavier, l'écran devient un terminal* conversationnel complet, puisqu'il dispose alors d'un organe d'entrée et d'un organe de sortie des informations. Des unités d'affichage plus complexes, conversationnelles, permettent d'afficher, de modifier, de créer des dessins quelconques composés par programme*. Il s'agit alors d'affichage graphique, support d'un dialogue* homme-machine élaboré.

AFFICHE. — L'affiche publicitaire moderne, de grand format et à grand tirage, naît vers 1860-1870 en France grâce à Jules Chéret*, qui met à profit les progrès apportés en Angleterre à la chromolithographie. Liée à l'expansion de la production industrielle, elle le sera aussi, par des liens réciproques, à l'évolution générale de l'art. Après le papillotement joyeux de Chéret, elle apprend à concentrer ses effets grâce à la leçon des estampes japonaises et de Gauguin, et elle adopte l'arabesque de l'Art nouveau : ainsi chez Toulouse-Lautrec*, Mucha*, l'Américain Will Bradley (1868-1962), Cappiello* et, en Grande-Bretagne, chez les « Beggarstaff Brothers », dont la superbe économie de moyens influence l'Allemand Ludwig Hohlwein (1874-1949).

Après 1918, l'avènement du constructivisme pousse à un rigorisme des formes, à un langage d'idéogrammes que tempère le lyrisme de l'Américain E. McKnight Kauffer (1890-1954) ou du Français Cassandre*. Photomontage, cinéma, bande dessinée, symbolique surréaliste influenceront à leur tour l'affiche. Citons les Français Charles Loupot (1892-1962), Paul Colin*, Jean Carlu (né en 1900), Raymond Savignac (né en 1907), puis le Suisse Herbert Leupin (né en 1916), les Polonais Jan Lenica (né en 1928) ou Roman Cieślewicz (né en 1930), le Belge Folon*... En face de la platitude d'une production photographique aujourd'hui croissante se détachent aussi bien la cohésion des affiches révolutionnaires cubaines que celle des *posters* psychédéliques, des publicités liées à l'ensemble du *design* d'une firme (Olivetti) ou conçues par des ateliers comme le Push Pin Studio de Milton Glaser (né en 1929), héritier californien du pop art. (V. ill. p. précéd.)

AFFINE SUR ℝ (fonction). — L'application* $x \overset{f}{\mapsto} ax + b$, dans laquelle a et b sont deux constantes réelles données et x décrit ℝ, est une fonction* numérique affine définie sur ℝ. La représentation graphique de f, dans un repère xOy ou $O\,\vec{i}\,\vec{j}$ quelconque est une droite que l'on trace à l'aide de deux points : par exemple, $A(0, b)$ et $B\left(-\dfrac{b}{a}, 0\right)$ si $a \neq 0$. Si $b = 0$, la droite représentative passe par O. Si $a = 0$, la droite est parallèle à Oy. La somme de deux fonctions affines est une fonction affine. Toute combinaison linéaire, à coefficients réels, de fonctions affines est une fonction affine. L'ensemble des fonctions numériques affines définies sur ℝ est un espace vectoriel* sur ℝ.

AFFINITÉ *(Chim.).* — On convient de prendre comme mesure de l'affinité la diminution d'énergie libre du système entre l'état initial du mélange des corps réagissants et l'état final après réaction. Grâce à cette connaissance, il est possible de prévoir les réactions.

Affinités électives *(les),* roman de Goethe (1809). Des amours croisées qui n'aboutissent pas, mais qui brisent la vie d'un couple : Goethe applique à un cas psychologique le principe chimique des affinités.

AFFIXE. — Les affixes constituent une classe de morphèmes qui s'adjoignent au radical du mot pour en modifier le sens ou la fonction syntaxique : ce sont les préfixes (qui précèdent le radical), les suffixes (qui le suivent) et les infixes (qui s'insèrent à l'intérieur). On distingue les affixes flexionnels qui ont un rôle syntaxique (les suffixes *-erais* dans *je parl*ERAIS ou *-s* dans *books*) et les affixes dérivationnels qui modifient le sens du radical en créant un nouveau mot (le préfixe *re-* dans RE*faire,* le suffixe *-esse* dans *petit*ESSE).

AFFRANCHISSEMENT *(Hist.).* — En Grèce, les affranchissements sont rares. L'affranchi est assimilé à un métèque*, avec les mêmes droits et les mêmes obligations.

À Rome, l'affranchissement *(manumissio)* était réalisé selon divers procédés : par testament, par inscription, lors des opérations du cens de l'esclave comme *sui juris* ou par décision judiciaire. L'esclave affranchi *(libertus)* demeurait le « client » de son ancien maître; il prenait son prénom et son nom, gardant comme cognomen son nom d'esclave. Devenu citoyen romain, il n'était cependant pas égal au citoyen né libre *(ingenuus)* : son droit de vote était réduit, et il ne pouvait être ni magistrat, ni sénateur. Par contre, sous l'Empire, les fils d'affranchis avaient tous les privilèges des *ingenui.* Les guerres de conquête avaient accru le nombre des esclaves, et la République en admit beaucoup dans le corps civique. Malgré leur infériorité civique, l'importance économique et sociale de ces hommes, qui avaient sans nul doute « une vocation mercantile », ne cessa de croître. Peut-être est-ce pour sauver la pureté du sang romain qu'Auguste, puis Tibère limitèrent le nombre des affranchissements par les lois *Fufia Caninia* (2 av. J.-C.) et *Aelia Sentia* (4 apr. J.-C.), tandis que la loi *Junia Norbana* (v. 19 apr. J.-C.) créait une catégorie vile d'affranchis, les Latins Juniens. L'influence des affranchis privés et impériaux se révéla à ciel ouvert sous les Julio-Claudiens (Pallas* et Narcisse*, les grands commis de Claude). À partir de Vespasien, leur rôle s'amenuisa, et ils furent remplacés dans les postes de direction par les chevaliers.

AFFRE (Denis Auguste), prélat français (Saint-Rome-de-Tarn 1793-Paris 1848). Archevêque de Paris (1840), il se montre libéral et gallican. Le 25 juin 1848, il est blessé mortellement sur une barricade du faubourg Saint-Antoine.

AFFRÈTEMENT. — Aux termes de ce contrat, un armateur loue (« affrète ») son navire à un « affréteur », qui l'utilise pour transporter des marchandises. Il y a des variétés particulières de l'affrètement : l'affréteur peut exploiter lui-même le navire affrété, et, en ce cas, celui-ci peut être remis « coque nue » ou avec son équipage; l'affrètement peut être total ou partiel, conclu au voyage ou à temps.

Affreux Pastis de la rue des Merles *(l'),* roman de Carlo Gadda (1957). Une enquête policière dans les vieux quartiers et le petit peuple de Rome au temps du fascisme : récit réaliste et itinéraire symbolique — l'image que le commissaire a de la victime se diversifie et se décompose en même temps que s'étend l'espace où il recherche les coupables — poursuivis à travers une étonnante virtuosité de style, mêlant les curiosités dialectales et les subtilités rhétoriques. L'intrigue n'a pas de fin (on ne connaîtra jamais l'assassin), manière bien nette d'affirmer la seule importance de l'écriture.

AFFÛTAGE. — L'affûtage correct des outils de coupe utilisés pour la mise en forme des pièces métalliques ou autres (bois, matières plastiques*...) par enlèvement de matière (copeaux) conditionne essentiellement la qualité du travail d'usinage obtenu (état de surface) et sa vitesse d'exécution. Lors des opérations d'affûtage, il importe de donner non seulement à l'outil des faces et des arêtes de coupe (tranchants) de forme géométrique optimale, mais aussi aux faces de coupe un bon état de surface tout en enlevant à l'outil le minimum de matière possible. L'affûtage termine la gamme des opérations de fabrication d'un outil de coupe. Il doit s'effectuer aussi chaque fois que l'outil est usé. Compte tenu de la dureté propre des outils de coupe eux-mêmes, les opérations d'affûtage s'effectuent presque exclusivement par abrasion à l'aide d'une meule. Les scies à bois et les chaînes coupantes de tronçonneuses à bois peuvent être affûtées à la lime. Ces opérations ne doivent être confiées qu'à un personnel très compétent et expérimenté, à moins que l'opération s'effectue sur machines automatiques à affûter, préalablement réglées. L'affûtage est un *meulage* lorsque l'outil est tenu à la main, une *rectification** lorsqu'il est maintenu mécaniquement dans une machine spéciale, de telle manière que les mouvements relatifs de l'outil et de la meule soient obtenus automatiquement par des chaînes cinémtiques. L'affûtage des forets de perçage et des outils de tour simples peut, éventuellement, se faire à la main, mais il est de loin préférable d'utiliser des machines à affûter, afin d'obtenir un travail plus rapide et plus précis. L'affûtage des fraises ne peut se

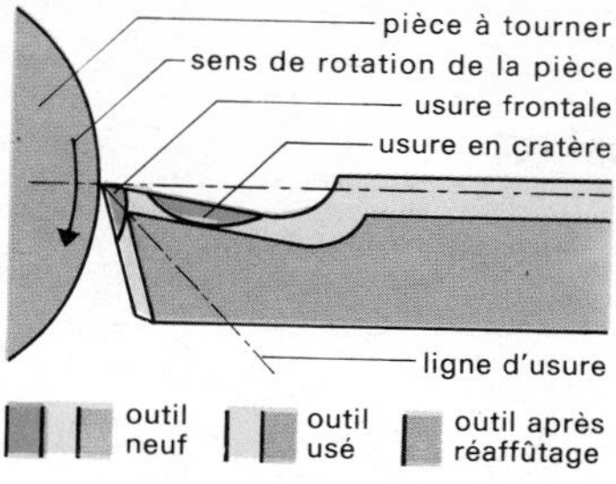

Usure et réaffûtage d'un outil de tour.

faire qu'avec des machines à affûter, car les différentes lèvres de coupe doivent avoir rigoureusement la même forme et la même position tout autour de l'axe de rotation de la fraise. Les outils de travail du bois peuvent être affûtés à la main, souvent par l'utilisation de guides, ou gabarits. Toutefois, l'utilisation de machines à affûter donne un meilleur résultat.

AFGHĀNISTĀN, État de l'Asie occidentale, entre l'Iran et le Pākistān; 650 000 km²; 19 800 000 hab. *(Afghans).* Capit. *Kaboul.*

GÉOGRAPHIE. C'est un pays montagneux dominé par une chaîne centrale qui s'élève de 4 000 m à l'O. à plus de 6 000 m à l'E., dans l'Hindū Kūch. Des dépressions y sont ouvertes : Turkestan au N., bassin du Hilmand au S. et bassins du Kaboul et du Harī Rūd au centre. Le climat est rude, marqué par la continentalité. À l'exception des montagnes centrales, un peu plus arrosées, l'aridité règne sur tout le pays.

La population regroupe des ethnies très diverses, usant de langues différentes; la plus importante est celle des Afghans, qui parlent le pachto. La densité, liée à la rigueur des conditions naturelles, est faible. Les dépressions arides sont parcourues par des nomades, la population sédentaire étant fixée dans les bassins et sur les piémonts montagnards. C'est là que se situent également les principales villes, Kaboul et Kandahar, qui sont de grosses oasis.

L'agriculture reste la ressource essentielle d'un pays enclavé, à la structure sociale archaïque. Sauf dans les montagnes, l'irrigation, développée actuellement, est partout nécessaire. Les cultures vivrières (blé, fruits et légumes) dominent, le coton étant la seule culture industrielle. L'élevage (caprins et ovins) tient une place importante.

À part un peu de charbon, les ressources du sous-sol ne sont pas exploitées. Les industries textiles et alimentaires, seules activités de transformation notables, sont concentrées à Kaboul et dans la vallée du Kunduz, au N. du pays. L'Afghānistān exporte du coton, des fruits secs et des peaux d'astrakan, mais doit importer des biens de consommation. Il a des rapports préférentiels avec l'U. R. S. S., qui y envoie des conseillers et des techniciens.

HISTOIRE. L'histoire de l'Afghānistān antique et médiéval relève de celle de l'Iran, de l'Inde, de la Chine et des Turcs, qui ont tour à tour dominé cette région. Province de l'Empire achéménide*, celle-ci est conquise par Alexandre* le Grand. Mais Séleucos Ier* doit abandonner l'Afghānistān oriental, annexé en 303 av. J.-C. par l'Empire maurya* des Indes. L'hellénisme survit en Bactriane*, puis regagne tout le pays au début du IIe s. av. J.-C. Vers la fin de ce siècle, les invasions des Scythes*, puis des Yue-tche venus de Chine bousculent la civilisation indo-grecque. Les Yue-tche forment l'Empire indo-afghan des Kuṣāṇa, particulièrement prospère sous Kaniṣka* (IIe s. apr. J.-C.). Le bouddhisme, qui a dû apparaître dès le règne d'Aśoka*, se développe. Les Sassanides*, maîtres de l'Afghānistān occidental du IIIe au VIIe s., doivent subir les invasions des Huns*, puis sont vaincus par les armées arabes (conquête de Harāt, 651). L'islamisation du pays est lente : elle se heurte à l'est à la Chine des T'ang, qui contrôle les oasis de la route de la soie; elle s'affermit dans la province de Kaboul* aux IXe-Xe s. et est parachevée dans le Rhūr par les Rhaznévides*. Ces gouverneurs turcs des Sāmānides* se déclarent indépendants et fondent la dynastie rhaznévide (962-1186), qui sera renversée par les Afghans rhūrides* (1148-1215). Les Mongols de Gengis khān* ravagent le pays en 1221-22 — Balkh, Bāmiyān, Rhaznī, Harāt sont rasées —, suivis par ceux de Tīmūr Lang* (Tamerlan) vers 1380. Les Tīmūrides* s'installent à Harāt, centre de la renaissance du XVe s. Pendant les XVIe et XVIIe s., l'est du pays est dominé par les Grands Moghols* de l'Inde et l'ouest par les Séfévides* d'Iran. À partir du XVIIIe s., l'Afghānistān s'achemine vers l'indépendance. Affranchi des Séfévides en 1707, de Nādir Chah* en 1747, il est gouverné par les Durrānīs de Kandahar, puis par la dynastie des Muḥammadzays (1838-1973), fondée par Dūst Muḥammad (1793-1863). Enjeu des impérialismes britannique et russe, il n'obtient son indépendance qu'en 1921. Le pays, archaïque et sous-développé, formé de plusieurs ethnies, parmi lesquelles les Afghans ont acquis le rôle prépondérant, se modernise sous Amān Allāh (de 1919 à 1929) et Ẓāhir chāh (de 1933 à 1973). La république est proclamée en 1973 avec à sa tête Sardār Muḥammad Dā'ūd.

BEAUX-ARTS. Un constant brassage d'influences venues de l'est et de l'ouest marque l'art de la plus haute antiquité à la période islamique.

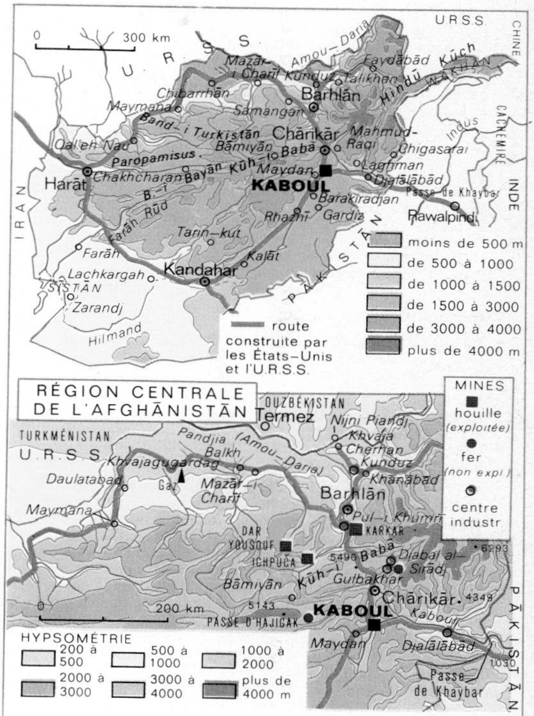

AFGHĀNISTĀN

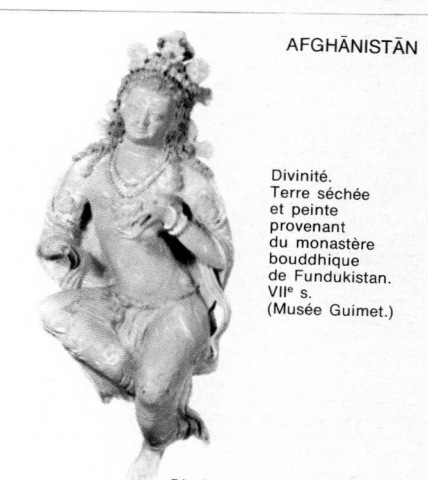

Divinité. Terre séchée et peinte provenant du monastère bouddhique de Fundukistan. VIIe s. (Musée Guimet.)

Réunion des musées nationaux

Le site de Mundigak est l'un des premiers témoins de cet art. Dès le IVe millénaire, la céramique y rappelle celle de l'Iran. Un millénaire plus tard, l'établissement est à son apogée et l'on décèle toujours l'influence de l'Iran, mais aussi celle de la civilisation de l'Indus*.

Ai-Khanoum*, véritable cité hellénistique du royaume de Bactriane, est l'un des meilleurs exemples de la marque laissée par les colons grecs. Les Kuṣāṇa se caractérisent par leur éclectisme (trésor de Begram, où se côtoient laques chinois des Han, bronzes gréco-romains et ivoires d'Amarāvatī*) et leur ferveur religieuse, qui engendre l'implantation de nombreux monastères, où s'épanouit l'art gréco-bouddhique. À Shotorak (IIe s.), le couvent se compose de plusieurs constructions en pierre, entourant un stūpa monumental et quatre stūpa plus petits, le décor des stūpa étant en schiste verdâtre. À Hadda, la décoration est faite en stuc ou en terre séchée, et, à Bāmiyān*, l'ensemble monastique est entièrement creusé dans la falaise.

Malgré les dévastations mongoles du XIIIe s., l'islām laisse d'intéressants vestiges. Ceux-ci révèlent l'existence de grandes écoles médiévales, comme celle des Rhaznévides (minarets de Rhaznī [XIIe s.], au fin décor en mosaïque de brique, importants fragments de peintures murales des palais de Lachkari Bāzār). Harāt connaît un éclat particulier sous la domination tīmūride, grâce à la célèbre école de peinture qui eut pour maître le miniaturiste Bihzad*.

africains et océaniens *(Musée national des Arts),* musée édifié à Paris (porte Dorée) en 1931, au moment de l'Exposition coloniale. L'ensemble a été rattaché en 1960 à la Direction des musées de France et, à l'initiative d'André Malraux, transformé non pas en musée d'ethnographie, mais en musée d'art. Il comprend trois sections, Maghreb, Afrique noire, Océanie, ainsi qu'un aquarium tropical.

AFRIKAANS → NÉERLANDAIS.

AFRIKAKORPS, nom donné aux unités allemandes qui, de 1941 à 1943, combattirent aux ordres de Rommel en Libye, en Égypte et en Tunisie pour aider les forces italiennes. (V. LIBYE [*campagne de*].)

AFRIQUE, une des cinq parties du monde; 30 224 000 km²; 415 millions d'hab.

Continent massif aux côtes peu découpées, l'Afrique est reliée à l'Asie par l'isthme de Suez.

• *Le milieu naturel.* Seule son extrémité septentrionale, le Maghreb, de formation récente, se rattache au système alpin. Les chaînes, orientées O.-E., de l'Atlas tellien et de l'Atlas saharien encadrent une succession de plaines et de plateaux particulièrement développés en Algérie. Le reste du continent est un vieux socle plus ou moins recouvert de sédiments. Ce bouclier a été affecté par des mouvements tectoniques à grand rayon de courbure qui ont déterminé la formation d'une série de cuvettes (cuvettes du Niger, du Tchad, de Bahr-el-Gazal, du Congo, du Kalahari) séparées par des hauteurs (dorsale guinéenne, Adamaoua, plateaux du Luanda et de Rhodésie, Drakensberg). Les déformations du socle rigide se sont accompagnées de cassures, facilitant les épanchements volcaniques tels que le Tibesti, le Hoggar et le mont Cameroun (4 070 m). Mais ceux-ci sont surtout abondants dans la partie orientale du continent, la plus bousculée. Les grands fossés d'effondrement, ou Rifts, de l'Est africain, dont le fond est occupé par des lacs (Tanganyika, Malawi), sont dominés par de grands édifices volcaniques (mont Kenya, 5 194 m; mont Kilimandjaro, 5 963 m, point culminant de l'Afrique). Ils se prolongent vers le N. dans le fossé de l'Afar, zone d'instabilité de l'écorce terrestre.

Axée sur l'équateur, l'Afrique est un continent chaud. Au centre, la cuvette du Congo, soumise à un climat équatorial, est couverte par la forêt dense. De part et d'autre, on observe la succession zonale des climats. Le climat devient tropical, avec d'abord deux courtes saisons sèches, puis une seule de plus en plus longue. À la latitude des tropiques, la persistance d'une ceinture de hautes pressions explique la présence du désert. Mais le Sahara, au N., est beaucoup plus étendu que le Kalahari, au S., et les précipitations y sont encore plus rares et irrégulières. Parallèlement à la décroissance de l'humidité, la végétation s'éclaircit. Dans la zone tropicale, la forêt dense ne subsiste qu'en galeries le long des cours d'eau. Ailleurs s'étendent la forêt claire, puis la savane arborée et enfin la steppe. Le désert est marqué par la quasi-absence de végétation, sauf à proximité des rares points d'eau (oasis) ou dans le lit des oueds intermittents. Les franges septentrionale (Maghreb) et méridionale (région du Cap) jouissent d'un climat méditerranéen.

L'Afrique est caractérisée par la déficience de son réseau hydrographique. En raison du relief (cloisonnement en cuvettes) et de la grande extension des déserts, la moitié du continent est endoréique ou aréique. Les seuls grands fleuves (Nil, Congo, Zambèze) sont issus des régions équatoriales et n'arrivent à la mer qu'après un cours entrecoupé de chutes.

• *Les hommes.* Avec une densité moyenne de 12 habitants au kilomètre carré, l'Afrique est un continent peu peuplé. La faiblesse du peuplement recouvre de plus des inégalités, puisque de vastes régions comme le Sahara ou la forêt équatoriale sont quasiment vides. Elle s'explique d'une part par la médiocrité des conditions naturelles, d'autre part par des causes historiques, en particulier la traite des esclaves, qui a complètement désorganisé les sociétés traditionnelles. Actuellement, l'accroissement naturel est rapide en raison de la forte diminution du taux de mortalité. Le Sahara forme la limite entre une Afrique septentrionale, blanche, et l'Afrique noire, peuplée de groupes divers.

Mais le continent a été fortement marqué par la colonisation. À côté du mode de vie traditionnel, fondé sur l'élevage nomade ou la culture sur brûlis, la colonisation a suscité le développement d'activités dont les produits étaient destinés à l'exportation : cultures commerciales (arachides, cacao, café, coton, canne à sucre, palmiers à huile) et extraction des matières premières (métaux, phosphates, diamants, pétrole). Mais la dépendance vis-à-vis des métropoles a freiné le développement de l'industrie, qui n'a touché, récemment, que les pays d'Afrique du Nord et l'Afrique du Sud. Maintenant, la décolonisation de l'Afrique est presque achevée. Mais l'accession à l'indépendance s'est souvent faite dans des conditions difficiles. En Afrique noire, il en a résulté un émiettement en petits États dont les antagonismes politiques recouvrent souvent des oppositions ethniques. Le continent, en

principales ethnies et populations d'Afrique

nom	*nombre*	*localisation*
Achantis* ou Ashantis	entre 600 000 et 1 000 000	centre et sud du Ghāna
Azandés ou Azendés	750 000 (1960)	Emp. centrafricain, Soudan, Zaïre
Bambaras ou Banmanas	1 600 000 (1961)	Mali
Bamilékés	500 000 (1972)	sud-ouest du Cameroun
Baoulés	400 000 (1950)	centre de la Côte-d'Ivoire
Bochimans ou Bushmen	50 000 (1960)	Botswana et Namibie
Dogons	250 000 (1954)	Mali
Fangs ou Pahouins	700 000 (1958)	nord du Gabon, sud du Cameroun, Guinée équatoriale
Fons	639 000 (1972)	Bénin
Gallas	3 000 000 (1972)	Éthiopie
Gouros	100 000 (1958)	Côte-d'Ivoire
Haoussas	6 900 000 (1972)	sud du Niger et nord du Nigeria
Ibos	5 000 000 (1960)	est du Nigeria
Kikuyus	2 200 000 (1969)	Kenya
Kissis	250 000	Guinée, Sierra Leone, Libéria
Kongos	870 000 (1960)	rép. pop. du Congo et Zaïre
Koubas	70 000 (1972)	Zaïre
Malinkés	610 000 (1972)	Guinée, Mali, Sénégal
Masaïs ou Massaïs	200 000 (1960)	Kenya, Soudan, Tanzanie
Mossis	3 000 000 (1973)	Mali et sud de la Haute-Volta
Nuers	200 000 (1972)	Soudan
Ouolofs ou Wolofs	750 000 (1972)	Gambie et Sénégal
Peuls	6 000 000 (1972)	Guinée, Mali, Niger, Emp. centrafricain, Namibie, Haute-Volta, Tchad, Sénégal, Soudan
Pygmées	150 000 (1972)	rép. pop. du Congo, Cameroun, Gabon
Saras	800 000 (1972)	Tchad et Emp. centrafricain
Sénoufos	1 000 000 (1958)	Côte-d'Ivoire, Haute-Volta, Mali
Songhaïs ou Songhays	650 000 (1972)	Mali, Niger
Swazis	600 000 (1972)	rép. d'Afrique du Sud, Swaziland
Tékés	200 000 (1972)	rép. populaire du Congo
Tivs	782 000 (1972)	Nigeria
Touaregs	600 000 (1972)	Algérie, Mali, Niger
Toucouleurs	246 000 (1972)	Sénégal
Yoroubas	près de 6 000 000 (1971)	Bénin, Nigeria, Togo
Zoulous	3 970 000 (1971)	rép. d'Afrique du Sud

dehors de l'Afrique du Sud blanche et de quelques îlots de prospérité en Afrique méditerranéenne et tropicale, est encore en proie au sous-développement. (Carte : v. pages de garde.)

AFRIQUE DU NORD, partie septentrionale de l'Afrique désignant les trois pays du Maghreb (Maroc, Algérie, Tunisie) et englobant parfois les autres États riverains de la Méditerranée (Libye et Égypte).

AFRIQUE DU SUD *(république d'),* État occupant l'extrémité méridionale de l'Afrique; 1 221 000 km²; 26 130 000 hab. *(Sud-Africains).* Capit. *Pretoria* et *Le Cap.*

GÉOGRAPHIE.

• *Le milieu.* L'Afrique du Sud est un vieux socle précambrien raboté et partiellement couvert de sédiments, parfois entrecoupés d'épanchements basaltiques (séries du karroo). Déprimé au centre, dans la cuvette du Kalahari drainée par l'Orange, le socle se relève sur les bords dans les plateaux du Transvaal, du haut Veld et du Karroo. Dans la partie orientale du pays, ceux-ci se redressent et

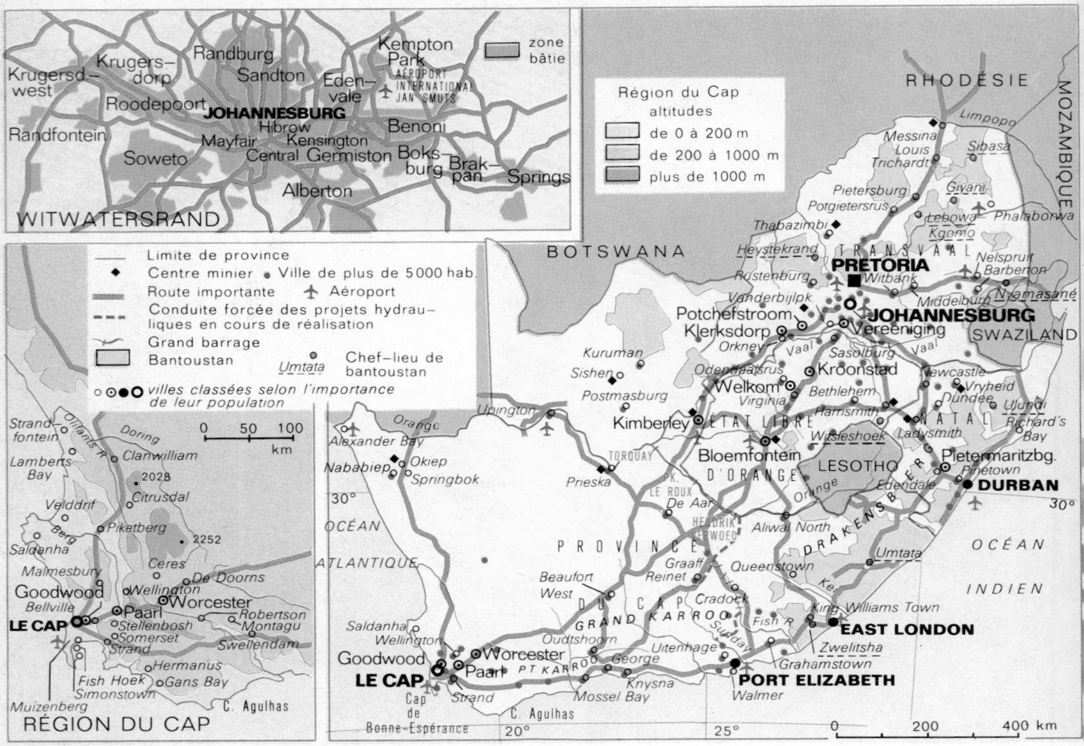

dominent l'étroite plaine côtière par un grand escarpement (Drakensberg). Le climat permet d'opposer la partie occidentale du pays, aride sur la côte atlantique (désert du Kalahari) et se couvrant de savanes vers l'intérieur, à la partie orientale, plus humide. Le Natal, qui reçoit les vents alizés, connaît un climat tropical, tandis que la région du Cap jouit d'un climat méditerranéen.

• *La population.* Elle se concentre dans les régions orientale et méridionale du pays. Elle se compose de quatre groupes bien distincts. Les Blancs (17 p. 100) dominent l'administration et l'économie. Ils imposent une politique de ségrégation raciale très rigoureuse, l'*apartheid**. Les Noirs (70 p. 100), principalement des Bantous, sont de loin les plus nombreux. Une grande partie d'entre eux sont maintenus dans des réserves, pratiquant l'agriculture traditionnelle; les autres forment un sous-prolétariat, aux conditions de vie très précaires, dans les zones industrielles et minières. La création d'États bantous (Bantoustans), plus ou moins autonomes politiquement, ne diminue pas la dépendance économique. Les Coloureds (10 p. 100), métis, constituent une catégorie sociale

divisions administratives

province	superficie (en km²)	population	chef-lieu	population
Le Cap	721 000	6 722 000	Le Cap	691 000
Natal	87 000	4 246 000	Pietermaritzburg	114 000
Transvaal	283 900	8 765 000	Pretoria	544 000
État libre d'Orange	129 200	1 716 000	Bloemfontein	148 000

autres grandes villes

Johannesburg	1 408 000 hab.
Durban	843 000 hab.
Port Elizabeth	387 000 hab.

intermédiaire. Enfin, les Asiatiques (3 p. 100) sont généralement spécialisés dans le commerce.

Par rapport au reste du continent, l'Afrique du Sud est un pays fortement urbanisé : elle compte de nombreuses villes de plus de 100 000 habitants.

• *L'économie.* L'Afrique du Sud tire l'essentiel de sa richesse de son sous-sol. Les mines de diamants de Kimberley et de Pretoria (sous le contrôle de la société De Beers), le charbon (65 Mt) et le fer (6 Mt) du Transvaal et du Natal, l'uranium, le manganèse, le chrome, le platine et surtout l'or (env. 800 t, plus de la moitié de la production mondiale) du Witwatersrand fournissent la majeure partie des exportations, à partir des ports du Cap, de Durban, de Port Elizabeth et d'East London.

Cependant, ces matières premières ont également permis, surtout depuis la Seconde Guerre mondiale, le développement d'une industrie puissante dans le pays même, édifiée avec l'aide de capitaux anglo-saxons. Les sources d'énergie locales sont le charbon et l'hydroélectricité, et le pays doit importer du pétrole. L'activité essentielle est la métallurgie (6 Mt d'acier par an). La chimie est en plein essor et produit des engrais et des matières plastiques. Les industries textiles (laine et coton) et alimentaires sont également importantes. Ces activités sont localisées dans quatre zones industrielles : le Transvaal, en particulier le Witwatersrand, autour de Johannesburg, spécialisé dans les industries lourdes, et les régions littorales de Durban, du Cap et de Port Elizabeth. Ces régions sont reliées entre elles par un réseau de voies de communication dont la construction date du développement des mines.

L'agriculture demeure cependant un secteur important. Dans les régions les plus arrosées, les cultures dominent : vivrières (maïs) ou commerciales (vignes et agrumes dans la région du Cap, tabac du Transvaal, canne à sucre du Natal).

Les plateaux du Centre et de l'Ouest, couverts par la savane, sont le domaine de l'élevage, surtout ovin, la laine étant en partie exportée. L'aménagement de l'Orange doit permettre, grâce à l'irrigation, l'extension de la surface cultivable.

L'Afrique du Sud est ainsi la première puissance économique du continent. Mais sa richesse reste précaire en raison de l'organisation sociale fondée sur l'apartheid, qui l'isole du reste de l'Afrique.

Le développement économique s'appuie sur l'abondance d'une main-d'œuvre noire à bon marché, maintenue dans des conditions misérables. Mais cette situation est dangereuse à terme : les Bantous forment en effet le groupe numériquement le plus important, et ce déséquilibre s'accentue du fait de l'évolution démographique.

HISTOIRE. Mis à part les hommes de la préhistoire, ce sont les populations de race khoisan qui constituent le peuplement le plus ancien de l'Afrique du Sud. Arrivent ensuite les Bochimans, puis (XIe s.) les Namas et (XVe s.) les Bantous (Ovambous, Sothos, Zoulous, Tswanas...), qui refoulent leurs prédécesseurs.

Les côtes du pays sont abordées à plusieurs reprises au XVe s. par les Portugais, qui ne s'y installent pas. La Compagnie hollandaise des Indes orientales, fondée en 1602, sert bientôt de base à l'expansion coloniale des Provinces-Unies. En 1652, les Hollandais fondent au Cap leur premier établissement permanent en Afrique du Sud. Les colons, les *Free Burghers* ou *Boers,* agissent en véritables pionniers, se heurtant à la fois aux autochtones, qu'ils refoulent vers le nord ou réduisent en esclavage, et à la Compagnie des Indes, dont ils contestent l'autorité.

La révocation de l'édit de Nantes (1685) provoque une forte immigration de huguenots français, qui renforce la colonisation hollandaise. Au génocide des Bochimans succèdent de nombreux heurts sanglants avec les Bantous (guerre cafre, 1779-80).

En 1814, le pays passe sous administration britannique. Les relations des nouveaux maîtres avec les Boers ne tardent pas à se tendre, ce qui provoque en 1834 le « Grand Trek », qui conduit les Boers dans le Nord. Si le Natal échappe à ces derniers (il devient possession britannique en 1844), le Transvaal et l'Orange sont reconnus comme républiques indépendantes (1852-1854). Mais la découverte des diamants dans la région de Kimberley et de l'or au Transvaal incite Cecil Rhodes* et les Britanniques à pousser eux aussi vers le nord, ce qui provoque l'épuisante guerre des Boers* (1899-1902), laquelle se termine par la victoire britannique.

Cependant, les Boers renaissent rapidement à la vie culturelle et politique au sein de l'entité qui s'appelle d'abord l'Union sud-africaine (1910), membre du Commonwealth britannique, puis la république indépendante d'Afrique du Sud (1961). L'histoire de cet État est marquée par deux éléments majeurs : l'annexion du Sud-Ouest africain et le développement du nationalisme afrikaner, ferment d'une stricte politique d'apartheid à l'égard des non-Blancs. La résistance à cette politique s'intensifie constamment.

AFRIQUE-ÉQUATORIALE FRANÇAISE (A.-É.F.), gouvernement général, qui, de 1910 à 1958, groupa en une fédération les territoires du Gabon, du Moyen-Congo, de l'Oubangui-Chari et du Tchad.

AFRIQUE NOIRE, ensemble des régions d'Afrique habitées principalement par des peuples noirs.

HISTOIRE. L'Afrique a peut-être été le berceau de l'humanité, mais le Noir est le dernier venu des représentants des grandes races, dont les anthropologues identifient les ossements en Afrique.

C'est la Nubie et l'Abyssinie qui sont, dès le IIIe millénaire av. J.-C., les premières touchées par les influences extérieures, égyptiennes notamment. De Méroé, ces influences gagnent le Soudan occidental et même la Rhodésie. En fait, des « siècles obscurs » continuent à régir l'histoire de l'intérieur du continent africain jusqu'à sa conquête par des Européens. Cependant, on sait que de grands États noirs (Ghāna, Mali, Songhaï, Bornou) y ont prospéré. Une première poussée musulmane s'exerce à partir du VIIIe s. sur les États soudaniens, qui sont alors largement gagnés à l'islām. Sur les côtes, les Arabes, au XIIIe s., et les Portugais, au XVe, installent des comptoirs. Puis (XVIe-XVIIIe s.) les Européens — Portugais, Hollandais, Français, Anglais —, partant de la mer, pénètrent peu à peu à l'intérieur, trouvent dans la population noire une énorme réserve pour la traite, dont l'Amérique est le principal bénéficiaire. En quatre siècles, l'Afrique perd ainsi 11 millions d'habitants. De nouveaux États noirs, esclavagistes (Achanti, Abomey, Yorouba...), s'organisent d'ailleurs en fonction de la traite, puis du commerce de l'huile de palme.

Une seconde poussée musulmane (1770-1860) semble promettre toute l'Afrique à l'islām; mais trois quarts de siècle de colonisation européenne vont suffire à la faire basculer vers l'Occident. À partir du Soudan — conquis par les Français et les Anglais après 1870 —, les Européens gagnent le bassin du Congo, où les Belges se taillent un empire, tandis que les Anglais, partis du sud du continent, remontent vers le Nil. La conférence de Berlin (1884-85) consacre le partage colonial de l'Afrique noire. Aux résistances des autochtones répond une pacification parfois brutale.

L'Afrique noire aux mains des Européens est en fait considérée

LES ÉTATS SOUDANIENS AU XVIe S.

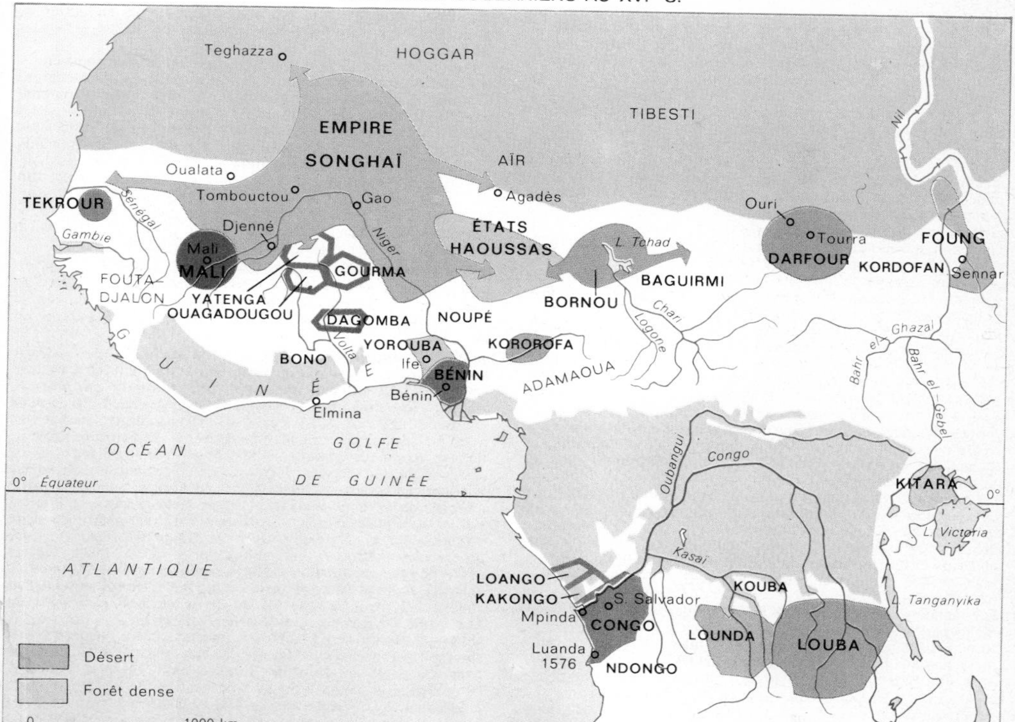

Hoa-Qui

Peinture corporelle d'un chef batéké. Congo.

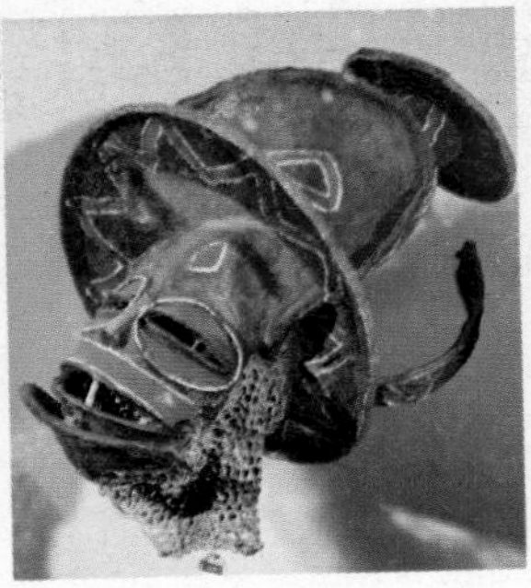

Hoa-Qui

Masque d'initiation tchokwé. Angola. (Musée ethnographique, Genève.)

Hoa-Qui

Couple d'ancêtres. Art dogon. Mali. (Musée Rietberg, Zurich.)

par eux comme une terre d'exploitation ou d'investissement, aucune politique coloniale d'ensemble n'envisageant une prise en charge du continent en vue de sa «promotion» économique, sociale, religieuse ou politique. Il faut attendre les années qui suivent la Seconde Guerre mondiale pour voir s'amorcer la décolonisation.

BEAUX-ARTS. On distingue de nombreux styles d'art rupestre, dont l'aire d'extension est très vaste (Tassili*, Tibesti, Afrique du Sud, Shaba [Katanga]). L'identité des auteurs reste encore une énigme et la datation des œuvres problématiques — de 4 600 à 1 200 pour les peintures anciennes —, mais, jusqu'au début du XXe s., les Bochimans, réfugiés dans le désert du Kalahari, exécutent des peintures pariétales proches, elles aussi, de celles du paléolithique* européen. Des chasseurs de type négroïde sont les sujets de la plupart des représentations.

Peu de vestiges ont résisté au climat et aux vicissitudes de l'histoire. Cependant, la découverte, en 1943, de plusieurs objets dans une même couche géologique a permis à B. Fagg de dater la plus ancienne civilisation actuellement connue, celle de Nok*, au Nigeria, qui se développe de 500 av. J.-C. à 200 apr. J.-C.

Une certaine parenté (traitement du corps humain, parure) existe entre Nok et Ife*, qui atteint son apogée vers le XIIIe s. Aujourd'hui encore, Ife est le centre culturel des Yoroubas.

La tradition nous apprend que, vers le XIIIe s., un prince yorouba établit une dynastie nouvelle dans le royaume de Bénin*. C'est également à cette époque qu'un artiste venu d'Ife transmet aux fondeurs binis la technique du travail du bronze. Un autre foyer de civilisation a été mis en lumière par J.-P. Lebeuf, celui des Saos, établis au sud du lac Tchad et dont l'hégémonie s'exerce entre le XIe et le XIVe s., pour disparaître vers le XVIe s.

En Rhodésie, sur le territoire occupé jadis par les Chonas, près d'une centaine de ruines monumentales forment l'ensemble archéologique de Zimbabwe*, capitale de l'empire du Monomotapa. Plusieurs périodes ont été décelées par analyse au carbone 14; les objets les plus anciens sont datés du IVe s., et les murs du milieu du XVe s.

Pour l'architecture traditionnelle de l'Afrique noire, ce sont le plus souvent les techniques de la poterie (zone tropicale) et celles de la vannerie (zone équatoriale) qui sont utilisées. Les cases, de formes très variées, sont souvent groupées autour des greniers. Il existe une architecture royale abondamment décorée ainsi qu'une architecture militaire rudimentaire ou assez élaborée, chez les Yoroubas et les Fangs.

La sculpture est la manifestation la plus riche de l'art traditionnel chez les populations sédentaires, et les centres les plus importants se situent en Afrique occidentale. Lorsqu'il travaille le bois, son matériau de prédilection, le sculpteur africain associe souvent plusieurs autres techniques (vannerie, peinture, collage de tissus). Mais, malgré certains caractères communs, les productions sont très diversifiées et la notion de style est difficile à établir. En effet, la première source d'inspiration est la tradition tribale. On distingue d'une part les œuvres à tendance géométrisante, privilégiant la forme verticale de l'arbre originel (statuaire bambara, ancêtres mythiques aux bras levés des Dogons, statues pilons des Sénoufos), et d'autre part une production plus naturaliste, aux formes plus réalistes, dont les personnages sont en mouvement, sans frontalité rigoureuse (œuvres des Lobis). On ne peut citer toutes les ethnies qui élaborent des créations marquantes, comme les linteaux et les portes travaillés en bas relief, les statuettes d'ancêtres au visage traité avec finesse, les objets rituels et les masques souvent surmontés d'oiseaux affrontés remarquablement élégants des Baoulés. L'art des Bamilékés, organisés en chefferies, porte l'empreinte de cette structure sociale. Abondamment orné de perles et sculpté, le trône est réservé au chef, et l'importance des sièges révèle le rang de leur propriétaire.

Malgré des règles rigoureuses de fabrication et même si les fonctions et les significations du masque* sont très précises, le sculpteur jouit d'une certaine liberté. Son unique dessein est d'insuffler au masque — qui devient miroir du dieu — la force de l'expression intérieure. Il utilise souvent la polychromie et le symbolisme des couleurs ainsi que divers procédés : forme en cœur (Kwélés) ou ronde aux visages gonflés (Bamoums), volumes convexes (Tchokwés), abondance du décor géométrique (Tékés), idéalisation du visage (Dans et Mpongwés), tendance à l'abstraction (Baoulés), plans droits qui pénètrent la face et rectangles ou parallélépipèdes surmontés de sculpture de haute dimension (Dogons).

Issu d'une caste dans certaines sociétés, mais néanmoins craint, le forgeron, dans d'autres sociétés, est assimilé au héros culturel. Son rôle social est toujours important : le forgeron ne se cantonne pas à la fabrication de l'outillage; il est aussi l'artiste qui travaille le bois et le métal (tiges rituelles des Dogons ou des Bambaras, statuettes de fer des Koubas, poids à peser l'or des Achantis, fondus à la cire perdue, pendentifs en bronze des Sénoufos).

Les tatouages, les coiffures, la peinture corporelle et la peinture de case sont également des moyens d'expression importants de cet art africain, qui, véritable émanation d'une société de traditions, ne subit pas sans danger le contact de l'Occident (v. ACCULTURATION) et se retrouve en complète mutation à l'heure actuelle.

AFRIQUE-OCCIDENTALE FRANÇAISE (A.-O.F.), gouvernement général qui, de 1895 à 1958, groupa en une fédération les territoires du Sénégal, de la Mauritanie, du Soudan, de la Haute-Volta, de la Guinée, du Niger, de la Côte-d'Ivoire et du Dahomey.

AFRIQUE ROMAINE, ensemble des territoires de l'Afrique septentrionale colonisés par Rome. Après la chute de Carthage* (146 av. J.-C.), Rome transforma son territoire en province (*Africa* : le tiers nord-est de l'actuelle Tunisie), et, à l'issue de la guerre de Jugurtha (112-105 av. J.-C.), étendit son protectorat vers l'ouest : le royaume numide fut divisé, et sa partie occidentale donnée au roi de Mauritanie Bocchus Ier, devenu son «allié». Après Thapsus (46 av. J.-C.), César supprima les royaumes numides, qui avaient soutenu les pompéiens, et annexa la partie orientale de la Numidie, créant ainsi une seconde province, l'*Africa nova.* À partir de 36 av. J.-C., Octave resta seul maître des deux Afriques, qui, en 27, n'en formèrent plus qu'une seule, l'*Afrique proconsulaire.* Après la mort de Bocchus II (33 av. J.-C.), Auguste confia le royaume de Mauritanie, agrandi du pays des Gétules*, à Juba II*. Caligula fit assassiner son fils Ptolémée (40 apr. J.-C.) et annexa son royaume, que Claude divisa en deux provinces : la Mauritanie Césarienne et la Mauritanie Tingitane. Au cours de sa conquête, Rome divisa donc l'Afrique du Nord en quatre provinces : la Proconsulaire (capit. Carthage), placée sous l'autorité d'un proconsul; la Numidie* (limitée à l'ouest par l'Ampsaga [Rummel]), fut détaché de la Proconsulaire en 37 apr. J.-C. et confiée au légat commandant la *Legio III Augusta;* enfin les deux provinces procuratoriennes de Mauritanie*, séparées par la Moulouya.

La colonisation romaine, en évinçant les tribus berbères de leurs terres, suscita de violentes révoltes, telle celle du numide Tacfarinas (17-24 av. J.-C.). Pour protéger le territoire annexé, Rome disposa une armée *(Legio III Augusta)* aux confins sahariens, qui tendait à sédentariser les nomades à l'abri du *limes.* Les empereurs développèrent en Afrique la vie municipale, qui favorisa la romanisation : les villes étaient nombreuses (500), et les ruines imposantes (à Leptis Magna*, la ville de Septime Sévère*, ou à Timgad*) en attestent la prospérité. La culture romaine pénétra l'élite urbaine : l'Afrique devint une « pépinière d'avocats » et forma des écrivains célèbres (Apulée*, Tertullien*). Mais la romanisation, brillante dans les cités, n'atteignit pas les campagnes, où les Berbères avaient conservé leurs usages, leur religion et leur langue. La proclamation de Gordien Ier (238) à l'Empire ouvrit en Afrique une ère de troubles : les tribus montagnardes des Mauritanies se révoltèrent (253) contre les Romains et les Berbères romanisés. Au IVe s., la crise politique et sociale se mêle aux troubles religieux : le donatisme* soulève les passions révolutionnaires du prolétariat agricole (circoncellions), et des chefs berbères (Firmus et Gildon), révoltés contre Rome, rallièrent à leur cause les schismatiques. Ce fut une levée en masse contre l'Empire et l'Église coalisés.

En Afrique, la Rome impériale, minée par les révoltes indigènes, disparaît sous le coup des Vandales (429-439), mais son influence persiste jusqu'au XIe s.

AFTALION (Albert), économiste français (Ruse, Bulgarie, 1874-Chambéry 1956). Auteur d'ouvrages sur l'équilibre économique et sur la monnaie, il a découvert le principe d'accélération*.

AFYONKARAHISAR, v. de Turquie, au S.-O. d'Ankara; 52000 hab.

AGADIR, port du Maroc méridional, sur l'Atlantique, au débouché de la plaine du Sous; 61000 hab. Pêche. Tourisme balnéaire. Cimenterie. — En 1911, l'envoi d'une canonnière allemande (la *Panther)* dans ce port provoqua un vif incident — prélude à la Grande Guerre — entre la France et l'Allemagne. Le 29 février 1960, la ville fut entièrement détruite par un tremblement de terre (plus de 10000 morts). Reconstruction de qualité en béton armé.

AGAMEMNON → ATRIDES.

AGAPET Ier, II → PAPE.

AGASSIZ (Louis), géologue et paléontologiste suisse (Môtier 1807-Cambridge 1873). Il se fixa aux États-Unis, étudia les poissons et montra l'importance de l'action des glaciers. — Son fils ALEXANDRE (Neuchâtel 1835-† en mer 1910), qui vécut aussi aux États-Unis, fut l'un des pionniers de l'océanographie moderne.

AGATE *(Minér.).* — On en distingue plusieurs variétés : l'agate chrysoprase, couleur vert pomme, la cornaline, rouge cerise, la saphirine, bleu ciel, et la sardoine, rouge-orangé. L'agate est dite « onyx » quand ses bandes ondulées ou concentriques sont peu nombreuses et bien tranchées.

AGATHOCLE, tyran, puis roi de Syracuse (v. 361-289 av. J.-C.). Avisé mais cruel, il entreprend une réforme radicale en faveur des déshérités et lutte contre la suprématie de Carthage.

AGATHON → PAPE.

AGAY (83700 St Raphaël), station balnéaire du Var (comm. de Saint-Raphaël).

AGDE (34300), ch.-l. de cant. de l'Hérault, au point de confluence de l'Hérault et du canal du Midi, près de la Méditerranée; 11768 hab. *(Agathois).* Ancien port. Église romane fortifiée, ancienne cathédrale (XIIe s.). Musée agathois (archéologie sous-marine).

AGDE *(cap d'),* promontoire volcanique de la côte de l'Hérault, au S.-E. d'*Agde.* Grande station balnéaire.

AGEN (47000), ch.-l. du départ. de Lot-et-Garonne, à 612 km au S.-S.-O. de Paris, sur la Garonne; 35839 hab. *(Agenais).* Cathédrale Saint-Caprais, romane et gothique. Églises gothiques. Musée occupant trois hôtels du XVIe s. (archéologie; céramique; peintures, dont cinq Goya). Centre d'expédition de fruits (prunes, chasselas) et industries agricoles (conserveries, engrais).

AGENA → ÉTOILE.

AGENCE DE VOYAGES. — Ce type d'organisme commercial assure toutes les démarches relatives au voyage. L'initiative de cette formule, couronnée de succès dès le départ, revient à Thomas Cook (1808-1892) qui, dès 1840, eut l'idée d'affréter un train pour l'Exposition de Paris en 1855. Voyages de groupes et voyages individuels « sur mesure » sont les deux pôles d'activité des agences de voyages actuelles. Néanmoins, avec la « massification des voyages », priorité est donnée à la recherche des programmes pour les groupes — séjours, circuits, croisières, randonnées, etc. —, axés en majorité sur les pays étrangers. Les agences se doivent d'offrir une large gamme de prix : depuis les week-ends en autocar, repas non compris, jusqu'aux quatre-étoiles de luxe. En 1974, 3000 programmes étaient disponibles sur le marché français : en moins de cinq ans, le nombre de points de vente passait de 1000 à 2000. Pourtant, seuls 6 p. 100 des Français faisaient alors appel au service des agences de voyages contre 26 p. 100 d'Allemands et 30 p. 100 de Britanniques. D'après l'I. N. S. E. E., 1600000 Français sur les 26 millions partant en vacances sont passés par des agences. L'avenir de ces dernières est lié à la promotion de leurs produits à l'échelle industrielle.

AGENT DE CHANGE. — La profession d'agent de change tient ses origines contemporaines du Code de commerce napoléonien (1807), qui lui conféra le privilège des négociations de valeurs* mobilières et réglementa strictement ses conditions d'accès et d'exercice, dans un souci de protection de l'épargne publique. L'intégrité originelle de ce privilège, qui avait été entamée par l'existence de fait, puis de droit, d'une catégorie d'intermédiaires parallèles, les banquiers ou *courtiers en valeurs mobilières,* a été restaurée par la loi du 29 juillet 1961 qui a supprimé ces intermédiaires et organisé la fusion de leur marché avec le marché officiel des agents de change.

Le statut de l'agent de change est aujourd'hui caractérisé par trois qualités.

• C'est tout d'abord un *officier ministériel,* nommé, éventuellement révoqué, par arrêté du ministre de l'Économie et des Finances, et titulaire ou cotitulaire d'un office dont la création, ou la suppression, ne peut être de même décidée que par un arrêté ministériel.

• C'est un *commerçant.* Dans son rôle d'intermédiaire entre acheteurs et vendeurs de valeurs mobilières, il est tenu d'assurer la bonne fin des opérations qui lui sont confiées. À ce titre, il est rémunéré par un courtage dont le taux est fixé par décret ministériel. Son rôle commercial ne saurait cependant être limité aujourd'hui à cet unique aspect de son activité. Au cours de la dernière décennie, le législateur lui a ouvert de nouvelles voies en rapportant certaines des contraintes et prohibitions qui limitaient traditionnellement son activité. Lui ont ainsi été successivement reconnus les droits d'assurer, pour compte et sur mandat de ses clients, la gestion de portefeuilles (1967); d'avoir des bureaux de représentation ou des mandataires dans toute ville, française ou étrangère, et de faire de la publicité (1967); de se porter, dans certaines conditions, contrepartie des ordres de sa clientèle (1972); enfin, de pratiquer le démarchage en vue d'opérations sur valeurs mobilières (1972). Afin que les agents de change puissent réunir les moyens financiers de leurs activités commerciales élargies, le droit leur a été donné de s'associer ou de fusionner leurs offices (1967), puis de constituer des sociétés anonymes (1972).

• Enfin, il est *solidaire,* financièrement, de l'ensemble de ses confrères et tenu de se substituer à tout agent de change en défaut. Cette solidarité s'exerce dans le cadre d'une Compagnie des agents de change, à vocation nationale depuis 1967, et sous le contrôle de son conseil exécutif, la Chambre syndicale, qui constitue à la fois l'autorité des Bourses* de valeurs, en ce qui concerne le fonctionnement de leurs marchés, et l'autorité corporative, pour tout ce qui touche l'organisation, la discipline et le contrôle de la profession. À l'heure actuelle, il existe en France 108 agents de change : 79 à Paris et 29 auprès de six Bourses régionales : Bordeaux, Lille, Lyon, Marseille, Nancy et Nantes.

AGEO, v. du Japon, dans l'île de Honshū, au N. de Tōkyō; 111000 hab.

ÂGES (pyramide des) → POPULATION.

AGÉSILAS II, roi de Sparte de 398 à 358 av. J.-C. Il lutte avec succès contre les Perses, puis triomphe à Coronée* (394) des forces thébaines et alliées.

AGGLOMÉRATION. — Le terme est né du débordement de l'habitat et du genre de vie urbains hors des limites administratives des villes, de leurs « territoires communaux ». Il désigne le plus souvent l'ensemble formé par *une ville et ses banlieues,* celles-ci pouvant être d'ailleurs plus peuplées que celle-là, comme c'est le cas dans l'agglomération parisienne. Mais on étend aussi le terme à un ensemble juxtaposant plusieurs grandes villes (et accessoirement leurs banlieues respectives) en qualifiant l'agglomération par référence à la localité la plus importante : on peut évoquer l'agglomération lilloise, qui, outre Lille, englobe aussi les villes, notables, de Roubaix et de Tourcoing; le terme de *conurbation* paraît cependant mieux adapté à cette forme de groupement urbain. L'expression *aire métropolitaine* est intermédiaire. Le terme de *mégalopolis* s'applique moins à une gigantesque ville ou agglomération classique qu'à une sorte de nébuleuse urbaine, débordant l'espace limité d'une conurbation, pouvant s'étendre sur des dizaines, voire des centaines de kilomètres, et jalonnée par des cités importantes. La mégalopolis de la côte atlantique des États-Unis s'étire sur plus de 500 km de Boston à Washington, en passant notamment par New York, Philadelphie et Baltimore. L'apparition du mot « agglomération », les extensions de son sens originel encore le plus fréquent témoignent de l'écart grandissant entre la réalité urbaine et son cadre administratif souvent désuet, du moins dans les grandes cités.

AGGLOMÉRÉ. — Ce terme couvre deux familles de matériaux de construction : les panneaux et les blocs. Les *panneaux** ont pour qualités principales leurs grandes dimensions, leur faible densité et leur conductibilité thermique. Agglomérées par un liant, les diverses matières constitutives sont mises en forme par pilonnage ou serrage. Les *blocs,* fabriqués d'abord artisanalement, ont donné naissance à l'industrie du béton manufacturé, en forte expansion.

AGGLUTININE → IMMUNITÉ.

AGHA KHĀN → ISMAÉLIENS.

AGIDES, famille royale de Sparte* qui, conjointement avec les Eurypontides* (dyarchie), détient le pouvoir du VIe au IIIe s. av. J.-C. Ses représentants les plus notables sont : Cléomène Ier (roi de 520 à 490), qui lutte pour étendre en Grèce l'influence de Sparte; Léonidas Ier (de 490 à 480 env.), qui, par son courage aux Thermopyles (480), personnifie l'héroïsme spartiate; Pausanias (de 444 à 395), vainqueur des Perses à Platées (479), et Cléomène III († 219), prince réformateur et dernier des Agides (de 235 à 222). Il faut noter qu'Agis II, Agis III et Agis IV ne sont pas des Agides mais des Eurypontides.

AGIS IV, roi de Sparte* (de 244 à 241 av. J.-C.). Son programme social (restauration de l'éducation antique et réforme agraire) devait lui coûter le trône et la vie.

AGLY, fl. côtier du Roussillon, né dans les Corbières, qui rejoint le golfe du Lion, au N. de Perpignan; 80 km.

AGNATHES. — Le groupe, actuellement très restreint, des agnathes (ou *cyclostomes*), comprend les plus primitifs de tous les vertébrés. La lamproie, qui en est le type, présente une bouche ronde sans mâchoires, munie de plusieurs cercles de dents et d'une langue suceuse. Elle n'a ni nageoires paires ni écailles; elle présente sept paires de trous branchiaux et un évent unilatéral. L'oreille interne est rudimentaire. La lamproie vit en parasite des poissons, sur lesquels elle se fixe par la ventouse buccale et qu'elle dévore lentement. Ses caractères d'infériorité sont dus en partie au parasitisme, mais les « poissons cuirassés » de l'ère primaire (ou *ostracodermes*) ne lui étaient supérieurs que par leur squelette externe, non par la bouche. Il est admis aujourd'hui que les mâchoires dérivent de la première paire d'arcs branchiaux *(arcs mandibulaires),* encore intacte chez les agnathes. Formes actuelles : la lamproie et la myxine.

AGNEAU → OVINS.

Agneau mystique *(polyptyque de l'),* chef-d'œuvre qui se situe à l'origine de l'école flamande de peinture. Ce grand retable à volets (cathédrale Saint-Bavon de Gand) aurait été commandé à Hubert Van Eyck, exécuté en grande partie par Jan Van Eyck* et inauguré en 1432. Son complexe programme iconographique illustre le thème de la Rédemption. Stylistiquement, il s'éloigne des conventions gothiques par son réalisme attentif : précision descriptive et rendu de l'espace, auxquels contribue l'usage de la peinture à l'huile.

AGNÈS *(sainte),* vierge romaine (IVe s.). Considérée, dès le IVe s., comme le symbole et la gardienne de la pureté chrétienne, Agnès, jeune Romaine, fut très probablement exécutée pour avoir refusé de perdre sa virginité.

AGNON (Samuel Joseph), écrivain israélien (Buczacz, Galicie, 1888-Rehovoth, Israël, 1970). Ses romans et ses nouvelles, nourris de la tradition hassidique, cherchent à donner une définition de la conscience juive moderne, dans l'esprit de la pensée religieuse et morale traditionnelle et à travers la peinture des ghettos d'Europe centrale ou des pionniers de la colonisation en Palestine (*la Dot de la fiancée,* 1929; *les Délaissées,* 1931; *Une simple histoire,* 1935; *le Signe,* 1964). Il a partagé avec Nelly Sachs le prix Nobel de littérature 1966.

AGNOSIE. — La reconnaissance des objets, fonction touchée dans l'agnosie, est un acte psychique complexe qui suppose une synthèse entre les impressions sensorielles et les souvenirs de l'individu, l'efficience intellectuelle étant intacte ainsi que les récepteurs sensoriels. Dans l'agnosie, les sensations élémentaires brutes parviennent bien au cortex, mais elles n'y sont pas analysées et intégrées, en raison des traces amnésiques, par suite d'une défaillance des aires associatives corticales. Les agnosies, qui peuvent affecter les perceptions tactiles, visuelles et auditives, sont dues à un processus expansif intracrânien (tumeur, abcès), à une atrophie ou à un ramollissement localisés. Une lésion pariétale d'un hémisphère cérébral est responsable d'une impossibilité de reconnaissance tactile des objets par le toucher, du côté du corps opposé à la lésion cérébrale. Une lésion du lobe occipital entraîne l'impossibilité pour le sujet d'identifier ce qu'il voit (agnosie visuelle). Une lésion du lobe temporal de l'hémisphère dominant empêche le sujet d'identifier les différents bruits perçus (agnosie auditive).

Polyptyque de l'Agneau mystique,
partie centrale : Dieu entre la Vierge et saint Jean-Baptiste, l'Adoration de l'Agneau.

AGORA. — Centre essentiel de la vie politique, puis économique de la cité grecque, elle est aussi lieu de culte et de fête. À Athènes, c'est vers le VIIIe s. av. J.-C. que l'agora (occupée avant l'époque mycénienne) est installée au pied de l'Acropole*. Prenant depuis 1931 le relais des descriptions de Pausanias*, les fouilles américaines affirment notre connaissance de ce site, qui n'acquiert son caractère monumental que vers le IIe s. av. J.-C., après de nombreux agrandissements. Les portiques sont l'un des éléments caractéristiques d'une agora; parmi eux, citons la *stoa* d'Attale — reconstruite selon son aspect du IIe s. —, qui abrite le riche musée de l'agora. Plusieurs constructions religieuses ou administratives ont également été mises au jour (Tholos, Bouleutêrion, temples, autels, etc.).

AGOSTINO DI DUCCIO, sculpteur et architecte italien (Florence 1418-Pérouse 1481). Réalisant pour L. B. Alberti* le décor du temple Malatesta à Rimini et composant la façade de l'oratoire de San Bernardino à Pérouse (1461), il associe un jeu linéaire raffiné au style « écrasé » du relief donatellien.

AGOUT, riv. du sud-ouest de la France, passant à Castres, affl. du Tarn (r. g.); 180 km. Née sur le versant nord de l'Espinouse, elle a creusé des gorges entre les monts de Lacaune et le Sidobre.

ĀGRĀ, v. de l'Inde (Uttar Pradesh), sur la Jamna; 592 000 hab. Université. Les souverains moghols, Akbar*, Djahāngīr et Chāh Djahān, ont enrichi la ville de prestigieuses constructions (fort de grès rouge fondé en 1565, palais, salle d'audience, mosquée de la Perle [1654] et divers tombeaux dont le célèbre Tādj Mahall*). À 38 km, Fathpūr-Sīkrī — ville morte, construite (1570-1574) par Akbar et qui devint sa capitale (1574-1586) — représente par son unité de style l'une des plus parfaites réussites de l'art moghol* (Grande Mosquée, tombeau de Salīm Čichtī; Diwān-i Khāṣṣ, etc.).

AGRAIRES (lois). — La Grèce n'a pas eu de lois agraires à proprement parler, mais des réformes favorables à la paysannerie, en lutte avec une aristocratie puissante. À Athènes, Solon* (594 av. J.-C.) abolit les dettes et la contrainte par corps et favorisa le morcellement des terres, comme le firent ensuite Pisistrate* et Périclès*. La petite propriété se développa, mais la meilleure répartition des terres ne dura pas et les luttes agraires se poursuivirent jusqu'à la conquête romaine (146).

À Rome, les lois agraires concernaient le domaine public *(ager publicus),* que les grands propriétaires accaparaient au détriment des petits paysans. La première loi agraire, qui limitait les droits d'usage sur l'*ager publicus,* est celle de 297 av. J.-C., attribuée par la tradition à Licinius* Stolo : elle interdisait à chaque famille d'occuper plus de 125 ha et de faire paître plus de cent bœufs. Tiberius Gracchus reprit en 133 les stipulations essentielles de la loi licinienne mais prescrivit, en plus, la distribution des terres récupérées (par lots de 7,5 ha) aux pauvres des villes et des campagnes. Les lois agraires des Gracques* permirent de récupérer une grande quantité de terres domaniales qui furent distribuées sous forme d'assignations coloniales. César, durant son consulat, fit voter deux lois agraires qui achevèrent le lotissement de l'*ager publicus* de l'Italie. Mais la législation agraire, qui voulait maintenir une classe moyenne de petits propriétaires ruraux, se heurta autant aux résistances des grands « possesseurs » qu'à la réticence que manifesta toujours la plèbe urbaine pour quitter les villes.

AGRAM, nom allemand de ZAGREB.

AGRANULOCYTOSE → APLASIE.

AGRÉGAT *(Écon.).* — Les agrégats donnent une représentation de la *valeur totale* d'un grand nombre d'opérations; ils contribuent à établir une image de la vie économique. Le premier agrégat connu aurait été fourni en 1707 par Vauban, qui voulait connaître le « revenu du royaume ». On distingue parmi les agrégats :
— *la production intérieure brute (P. I. B.),* qui tient compte de l'effort productif réalisé sur le territoire national; on la dit « brute », car on n'en déduit pas les amortissements des investissements. C'est, en d'autres termes, la somme des valeurs ajoutées par les entreprises;
— *le produit domestique brut (P. D. B.),* qui inclut dans l'effort productif celui qui est réalisé en dehors des entreprises (dans les administrations, les ménages et les institutions financières); c'est la P. I. B. à laquelle s'ajoutent les salaires versés par les administrations, les salaires versés par les ménages et les services rendus par les institutions financières;
— *le produit national brut (P. N. B.),* qui ajoute au P. D. B. les revenus des facteurs versés par l'étranger et qui retranche les revenus des facteurs versés à l'étranger.

AGRÉGAT *(Pédol.)* → SOL.

AGRÉGATION. — Ce concours fut institué en 1821, pour recruter les professeurs titulaires des lycées — dans les disciplines littéraires et scientifiques —, et étendu en 1883 à l'enseignement féminin. Dans les domaines du droit, de la médecine, de la médecine vétérinaire et de la pharmacie, le concours de l'agrégation est destiné au recrutement des professeurs de l'enseignement supérieur.

AGRÉMENT *(Mus.)* → ORNEMENTATION MUSICALE.

AGRESSION. — L'Assemblée générale des Nations unies, le 14 décembre 1974, la définit comme l'emploi de la force armée par un État contre la souveraineté, l'intégrité territoriale ou l'indépendance politique d'un autre État. Aucune considération ne saurait justifier l'agression : elle est un crime contre la paix internationale et donne lieu à la mise en jeu de la responsabilité internationale.

AGRESSIVITÉ *(Psychol.).* — Pour Lorenz* comme pour Freud*, l'agressivité constitue une des tendances fondamentales et innées que l'on retrouve dans chaque espèce.

Chez la plupart des espèces animales, des comportements agressifs apparaissent à l'époque de la reproduction, en liaison avec une modification des équilibres hormonaux. L'agressivité a une valeur sélective pour les individus et les espèces; le combat sexuel aboutit à la sélection des mâles : seuls les individus bien conformés et vigoureux peuvent se reproduire.

Chez les animaux qui vivent isolément, les comportements agressifs s'expriment à l'intérieur de certaines zones de l'environnement (territoire). La défense du territoire permet à chaque individu de s'assurer les conditions indispensables à sa reproduction. Le propriétaire du territoire attaque tout animal reconnu à certains stimuli-signes comme un rival possible. Ces stimuli déclenchant l'agression sont de nature variée : visuelle (couleur rouge du ventre, forme et mouvements chez l'épinoche mâle), ou sonore (chant des passereaux, vibrations des plumes chez certains autres oiseaux). Ces mêmes stimuli sont, au contraire, inhibiteurs de l'agression si le mâle se trouve hors de son territoire.

Chez les espèces animales qui vivent en groupe, les relations agressives permettent l'établissement d'une hiérarchie où chaque animal occupe un rang déterminé et cède le pas en toutes circonstances aux individus de rang supérieur. Les rapports de dominance s'établissent à la suite de combats plus ou moins poussés.

L'existence d'une hiérarchie, ou celle d'un territoire, entraîne une limitation du nombre des combats effectifs entre membres d'une même société et profite ainsi à celle-ci tout entière. Cependant, il est rare que se déroulent de véritables combats; on assiste le plus souvent à des simulacres ou à des mouvements ritualisés. Certaines espèces présentent des comportements d'apaisement qui ont pour résultat de faire baisser l'agressivité chez le partenaire. Chez le loup, par exemple, l'animal dominé offre sa gorge aux crocs de l'adversaire.

Les manifestations agressives opposent en général des mâles d'une même espèce : il arrive parfois qu'un mâle s'en prenne à d'autres espèces susceptibles d'entrer en compétition alimentaire avec lui.

Alors que les béhavioristes conçoivent l'agressivité de l'homme comme une réponse à la frustration* émanant du monde extérieur, S. Freud reconnaît, à partir de 1920, l'existence d'une pulsion agressive innée. Celle-ci représente la partie de la pulsion de mort tournée vers l'extérieur; elle est alors au service de la pulsion sexuelle et normalement en équilibre avec elle.

AGRESSIVITÉ *(Technol.)* → SÉCURITÉ.

AGRICOLA (Cnaeus Julius), général romain (Fréjus 40 apr. J.-C.- † 93). Son activité en Bretagne, où il fut gouverneur (77-84), est connue grâce à sa biographie écrite par son gendre Tacite. Il pacifia l'île, construisit de nombreux *castella* à l'emplacement du futur mur d'Antonin*, mais ne put achever la conquête de la Calédonie*, où il avait remporté une brillante victoire (83).

AGRICOLA (Georg BAUER, dit), minéralogiste allemand (Glauchau 1494-Chemnitz 1555). Son ouvrage, *De re metallica* (1546), est une description des connaissances géologiques, minières et métallurgiques de son temps.

AGRICOLA (Mikael), écrivain finnois et évêque de Turku (Pernaja v. 1500-près de Viborg 1557). Traducteur du Nouveau Testament, il introduisit la Réforme en Finlande et publia le premier livre imprimé en finnois (*Abécédaire,* 1542).

AGRICULTURE. — L'agriculture est, suivant les régions du globe, *extensive* ou *intensive.* Dans le premier cas, les façons culturales sont très sommaires et le sol n'est pas fertilisé par des apports d'engrais chimiques. Dans le second cas, le sol est travaillé à plusieurs reprises au cours d'une saison culturale et reçoit une fertilisation abondante au moyen d'engrais azotés, phosphatés et potassiques.

On distingue parfois l'agriculture traditionnelle et l'*agriculture biologique;* les partisans de cette dernière se refusent à employer des produits chimiques, que ce soit pour la fertilisation du sol ou pour la lutte contre les ennemis des cultures.

Au XVIIIe s., les progrès de l'agronomie créent une révolution agricole qui sera pour une bonne part à la base de la révolution industrielle*. Cette dernière provoque à son tour, au milieu du XXe s., une nouvelle révolution agricole; en effet, l'économie rurale étant dominée par l'industrie, celle-ci impose à l'agriculture son type d'évolution. L'organisation commune européenne agricole, née du traité de Rome de 1957, achève d'accélérer les mutations de l'agriculture des pays de l'Europe de l'Ouest.

La grande mutation, avec la mécanisation, est le passage d'une autoconsommation importante (de l'ordre de 40 p. 100 à la fin du XIXe s.) à un régime où la quasi-totalité de la production est commercialisée. L'économie d'échanges s'est emparée de l'agriculture, les ménages d'agriculteurs désirant de plus en plus la possession de *disponibilités monétaires* qui leur permettent d'obtenir des biens non agricoles. L'agriculture est devenue acheteuse, les consommations intermédiaires représentant 36,4 p. 100 de la production agricole, et 54,8 p. 100 de la valeur ajoutée (1972) [achats d'engrais, aliments du bétail]. Elle ne fonctionne donc plus en autarcie. Le calcul de rentabilité est apparu. La firme agricole s'intègre à une chaîne de production agro-alimentaire et sa stratégie est encadrée par des impératifs « amont » et des impératifs « aval ». L'intensité capitalistique de l'agriculture s'est considérablement accrue, le capital s'étant substitué au travail, ce qui condamne les exploitations à accroître leurs rendements pour rentabiliser leurs investissements.

L'agriculture (au sens large, c'est-à-dire englobant l'élevage) demeure l'activité première de la majeure partie de la population mondiale. Cette affirmation peut surprendre dans l'Europe du Nord-Ouest, où, comme en Amérique du Nord, l'agriculture emploie souvent moins du dixième de la population active, mais la prépondérance de ce que l'on appelle parfois aussi le secteur primaire est écrasante dans la quasi-totalité du tiers monde, où l'agriculture revêt souvent des formes *extensives,* primitives, en rapport avec l'hostilité du milieu naturel et plus encore avec l'archaïsme des techniques utilisées. *Cueillette* et *brûlis* sont encore largement répandus en Afrique équatoriale et dans les montagnes de l'Asie du Sud-Est. Dans le monde tropical, des conditions climatiques favorables ont parfois provoqué le développement de spécialisations, de *monocultures* (cacao, arachide, coton, café, etc.), pratiquées souvent dans le cadre de grandes exploitations, aux noms variés, mais que l'on peut rapprocher des *latifundia.* Cette structure est souvent en opposition avec celle qui est observée en Europe occidentale, domaine de la *culture intensive* (imposée par les faibles superficies disponibles et la densité de population), aux apports souvent variés *(polyculture),* pratiquée dans un paysage de grands champs ouverts *(campagne* ou *openfield)* ou coupés par des haies *(bocage).* Le progrès technique a parfois permis ici d'étendre les surfaces disponibles aux dépens des marais *(bonification)* ou de la mer *(polders),* comme, dans le désert ou à ses franges, avec le forage de puits, il a plus anciennement autorisé le développement d'îlots ponctuels de culture, les *oasis.*

Dans les pays socialistes, à l'agriculture « individualiste » a succédé une agriculture collectiviste, dont le *kolkhoz* (sorte de groupement d'ouvriers agricoles conservant toutefois une petite propriété individuelle, le « lopin de terre » des kolkhoziens) et le *sovkhoz* (où la fonctionnarisation est totale) soviétiques sont les formes achevées. Le *kibboutz* israélien, autre forme collective d'exploitation agricole, a une vocation militaire, civique (creuset d'une population aux origines variées) plus qu'économique.

Fournissant produits alimentaires et certaines matières industrielles, l'agriculture, par sa position en amont dans le processus de production, commande largement celui-ci. C'est une lapalissade, mais qui a souvent été masquée par le développement d'échanges permettant aux pays industrialisés de s'approvisionner à bon compte en produits leur manquant (denrées alimentaires tropicales, coton, caoutchouc naturel, etc.). La prise de conscience récente des limites des ressources naturelles, le début d'une organisation des producteurs-exportateurs agricoles tendent à redonner à l'agriculture toute sa valeur.

AGRIGENTE, v. d'Italie, en Sicile, ch.-l. de prov., près de la côte sud de l'île; 49 000 hab. Fondée vers 580 av. J.-C., elle subit la tyrannie cruelle de Phalaris*. Théron, en 480 av. J.-C., la libéra de la tutelle de Carthage; prise et pillée en 406 av. J.-C. par les Carthaginois, elle ne retrouva jamais sa splendeur passée. Parmi d'imposantes ruines du VIe et du Ve s. av. J.-C., les temples de la Concorde ou d'Héra Lacinia — témoins de l'âge d'or de la cité — montrent l'épanouissement et le splendide équilibre de l'ordre* dorique.

AGRIPPA (Marcus Vipsanius), général et homme politique romain (63-12 av. J.-C.). Par ses succès militaires — il est vainqueur de Sextus Pompée* à Nauloque (36) et d'Antoine à Actium* —, il aide Octave dans sa conquête du pouvoir. Édile en 33, il inaugure à Rome l'œuvre monumentale de l'époque impériale : il fait construire deux aqueducs *(Aqua Julia, Aqua Virgo),* des thermes, le Panthéon... Agrippa est le meilleur collaborateur d'Auguste, qui organise en sa faveur une sorte de corégence (18) pour éviter toute vacance éventuelle du pouvoir. Mais il meurt subitement en 12, laissant deux enfants, C. et L. César*, nés de son mariage avec Julie*, fille d'Auguste.

AGRIPPINE la Jeune (v. 15-59 apr. J.-C.). Arrière-petite-fille d'Auguste, elle épouse l'empereur Claude (49), à qui elle fait adopter son propre fils, le futur Néron. Après la mort de Claude, elle règne au nom de son fils : mais Néron se dégage très tôt de la tutelle de sa mère, qu'il fait assassiner (59).

AGRONOMIE. — L'agronomie s'intéresse aux aspects scientifiques de la culture des plantes et de l'élevage des animaux. En France, le développement des connaissances en matière d'agronomie est officiellement la tâche de l'Institut national de la recherche agronomique (I. N. R. A.), mais des établissements officiels ou privés d'enseignement agricole ou vétérinaire et certaines facultés et instituts privés y concourent également.

AGRUMES. — Originaires d'Asie, les agrumes se sont peu à peu répandus dans le monde : le cédrat en Asie Mineure et en Grèce dès l'Antiquité, le citronnier en Espagne au XIIe s., l'oranger dans le Bassin méditerranéen à la fin du XIVe s., le mandarinier enfin au XIXe s. La production mondiale annuelle dépasse 40 Mt, dont au moins les deux tiers sont constitués d'oranges (les mandarines, citrons et pamplemousses se partageant à peu près également le dernier tiers). Elle est d'origine climatique, méditerranéenne et subtropicale. Les États-Unis (Californie, Floride) viennent largement en tête des pays producteurs (plus du quart du total mondial), du moins pour les oranges et les pamplemousses, précédant le Brésil (oranges) et le groupe des États du pourtour de la Méditerranée (Espagne, Italie, Maroc, Israël), dont la majeure partie de la production est destinée à l'exportation. Des plantations de clémentiniers sont réalisées en Corse depuis 1956.

AGUASCALIENTES, v. du Mexique, capit. de l'*État d'Aguascalientes,* au N.-O. de Mexico; 181 000 hab. Métallurgie.

AGUESSEAU (Henri François D'), chancelier de France (Limoges 1668-Paris 1751). Chancelier de 1717 à 1750, il rédige des ordonnances importantes : sur les donations (1731), les testaments (1735) et les substitutions, dont plusieurs articles passeront dans le Code civil.

AHAGGAR → HOGGAR.

AHIDJO (Ahmadou), homme d'État camerounais (Garoua 1924). Président de la République fédérale du Cameroun depuis 1961, il crée en 1966 l'Union nationale camerounaise et devient l'un des leaders de l'Afrique noire.

AHLIN (Lars Gustav), écrivain suédois (Sundsvall 1915), poète populiste et rénovateur du roman prolétarien (*Tobb et le manifeste,* 1943; *Bout-de-Cannelle,* 1953).

AHMADĀBĀD ou **AHMEDABAD,** v. de l'Inde (Gujerat); 1 585 000 hab. Beaux monuments du XVe s. Université. Textile.

AḤMAD AL-MANṢŪR → SA'DIENS.

AḤMAD IBN ṬŪLŪN → ṬŪLŪNIDES.

AHMADNAGAR, v. de l'Inde (Mahārāshtra), à l'E. de Bombay; 125 000 hab. Textile.

AHMADOU, chef soudanais († Mey Koulfi 1898). Fils du chef toucouleur El-Hadj Omar, il est privé de ses États — l'Empire toucouleur du Soudan occidental — par les Français (1890-1893).

AHMED Ier, II, III → OTTOMANS.

AHMOSIS Ier → NOUVEL EMPIRE.

AHMOSIS II → BASSE ÉPOQUE.

AHO (Juhani BROFELDT, dit **Juhani**), écrivain finlandais d'expression finnoise (Lapinlahti 1861-Helsinki 1921). Ses romans firent découvrir à son pays l'esthétique naturaliste (*la Femme du pasteur,* 1893).

AHRIMAN, dans le mazdéisme*, esprit du Mal, responsable de tout ce qui est mauvais dans le monde; à lui s'oppose Ormuzd (Ahura-Mazdâ), principe du Bien.

AHUN (23150), ch.-l. de cant. de la Creuse, à 20 km au S.-E. de Guéret; 2 067 hab.

AHURA-MAZDÂ → ORMUZD.

AHVĀZ, v. d'Iran, capit. du Khūzistān, au N. d'Ābādān; 206 000 hab. Sidérurgie. Chimie.

AHVENANMAA, en suédois **Åland,** archipel finlandais de la Baltique, au N.-E. de Stockholm; 1 505 km^2; 21 000 hab.

AICARD (Jean), écrivain français (Toulon 1848-Paris 1921). Poète, auteur dramatique, on lui doit notamment le roman provençal *Maurin des Maures* (1908).

AICHINGER (Ilse), femme de lettres autrichienne (Vienne 1921). Ses romans (*le Grand Espoir,* 1948), ses nouvelles (*Eliza, Eliza,* 1966) et ses récits dramatiques (*Auckland,* 1969) passent de l'influence de Kafka à celle de Beckett et de l'expérience des persécutions raciales et de la guerre à la méditation sur la destinée humaine. Elle a épousé le poète Günter Eich*.

Aïda, opéra en quatre actes, livret d'A. Ghislanzoni, musique de G. Verdi (1871). Commandé pour l'inauguration de l'Opéra du Caire, cet ouvrage grandiose, conçu d'après une idée de l'égyptologue A. Mariette, sera représenté lors de l'ouverture du canal de Suez.

AIDE JUDICIAIRE. — L'aide judiciaire, organisée par la loi du 3 janvier 1972, remplace l'assistance judiciaire : se substitue au critère d'assistance charitable celui de *justice sociale.* L'aide judiciaire peut, en fonction des ressources, être totale ou partielle, des ressources mensuelles inférieures à 1 500 F permettant d'accéder à l'aide totale. Elle est accordée en matière gracieuse comme en matière contentieuse, et elle recouvre tous les frais afférents aux instances, procédures et actes; les dépenses en incombent à l'État. L'avocat commis à l'aide est désigné par le bâtonnier. L'aide judiciaire est en général demandée au procureur de la République par le tribunal de grande instance du ressort du requérant. Il est institué des bureaux d'aide judiciaire près des juridictions judiciaires et administratives; ils instruisent les demandes d'aide judiciaire.

AIDES. — Dans la société féodale, l'aide *(auxilium)* est une participation militaire et financière apportée par le vassal au suzerain. L'aide est donc soit un service armé, soit un impôt qui ne se lève qu'en certains cas fixés par la coutume. En France, on pratique l'aide dite « aux quatre cas » (rançon du seigneur prisonnier, adoubement de son fils aîné, mariage de sa fille aînée, départ pour la croisade). À partir de 1360, les aides sont levées régulièrement par la royauté. Ce sont des impôts portant sur les ventes de marchandises et de boissons. Les affaires concernant ces taxes sont jugées par une cour souveraine, la Cour des aides.

AIDE SOCIALE. — C'est l'appellation actuelle de l'assistance publique. Le bureau d'aide sociale, établissement public communal, s'est substitué à l'ancien « bureau de bienfaisance » et à l'ancien « bureau d'assistance » qui était chargé de l'assistance médicale gratuite. L'aide sociale est représentée essentiellement par l'aide médicale — accordée à tout malade privé de ressources financières suffisantes pour recevoir les soins exigés par son état, soit à domicile, soit dans un établissement hospitalier —, par l'aide aux personnes âgées et aux infirmes, ainsi que par toutes les formes d'aide sociale aux familles.

AIDE TECHNIQUE (service de l'). — Institué en 1965, ce service, d'une durée de seize mois, est une forme particulière du service* national qui s'applique à des jeunes gens qualifiés et volontaires pour contribuer au développement des territoires et départements français d'outre-mer.

AIGLE. — L'aigle, avec une envergure qui peut atteindre 2,50 m, est l'un des plus grands rapaces diurnes de l'Ancien Monde. Il se caractérise par la puissance de son bec et de ses serres, par son plumage qui recouvre le métatarse comme chez les nocturnes, par son beau vol plané et par ses habitudes largement sédentaires (son territoire se réduit souvent à une seule vallée). Son nid *(aire)* est grand, mais sommairement construit sur un rocher, et sa reproduction est limitée (il élève un seul aiglon chaque année). Son rôle dans l'élimination des proies faibles ou malades fait de lui un animal utile, qui doit être protégé. Sa place dans la mythologie, le folklore, l'emblématique et la symbolique verbale est immense dans la plupart des civilisations.

A. Visage - Jacana

Aigle royal.

AIGLE, constellation de l'hémisphère boréal sur les confins de la Voie* lactée, qui apparaît, dans cette région, divisée en deux bras séparés par une bande obscure.

Aigle *(ordres de l'),* nom de plusieurs ordres de chevalerie, notamment polonais (*Aigle blanc,* créé au XIVe s.) et prussiens (*Aigle noir,* créé en 1701; *Aigle rouge,* créé en 1705).

AIGLE, v. de Suisse (cant. de Vaud), près du Rhône; 6 532 hab. Vins. Raffinerie de pétrole.

AIGLE (L') [61300], anc. **Laigle,** ch.-l. de cant. de l'Orne, à 31 km au N. de Mortagne-au-Perche; 10 209 hab. *(Aiglons).* Métallurgie.

Aiglon *(l'),* drame en six actes, en vers, d'Edmond Rostand (1900), sur le fils de Napoléon Ier.

AIGNAN (32290), ch.-l. de cant. du Gers, à 54 km à l'O. d'Auch; 932 hab. *(Aignanais).*

AIGNAY-LE-DUC (21510), ch.-l. de cant. de la Côte-d'Or, à 33 km au S.-E. de Châtillon-sur-Seine; 534 hab. Église du XIIIe s.

AIGOS-POTAMOS, petit fleuve de Thrace auprès duquel le Spartiate Lysandre* anéantit la flotte athénienne (août 405 av. J.-C.). Cette bataille marque la fin de la guerre du Péloponnèse* et de la puissance d'Athènes.

AIGOUAL, massif forestier de la bordure sud-est du Massif central, dans les Cévennes, aux confins du Gard et de la Lozère; 1 567 m. Observatoire.

AIGRE (16140), ch.-l. de cant. de la Charente, à 32 km au N.-O. d'Angoulême; 1 179 hab.

AIGREFEUILLE-D'AUNIS (17290), ch.-l. de cant. de la Charente-Maritime, à 20 km au S.-E. de La Rochelle; 2 419 hab. *(Aigrefeuillais).*

AIGREFEUILLE-SUR-MAINE (44140 Montbert), ch.-l. de cant. de la Loire-Atlantique, à 21 km au S.-E. de Nantes; 1 520 hab. *(Aigrefeuillais).*

AIGUEBELETTE-LE-LAC (73610 Lépin le Lac), comm. de la Savoie, à 32,5 km à l'E. de La Tour-du-Pin, près du *lac d'Aiguebelette;* 138 hab. Station estivale.

AIGUEBELLE (73220), ch.-l. de cant. de la Savoie, à 24 km au S.-O. d'Albertville, sur l'Arc; 1 065 hab. *(Aiguebellains).*

AIGUEPERSE (63260), ch.-l. de cant. du Puy-de-Dôme, à 9 km au S. de Gannat, dans la Limagne; 2 698 hab. *(Aiguepersois).* Église Notre-Dame du XIIIe s.

AIGUES-MORTES (30220), ch.-l. de cant. du Gard, à 40 km à l'E. de Montpellier; 4 536 hab. *(Aigues-Mortais).* Anc. port de mer. Salines. Enceinte rectangulaire du XIIIe s. — La ville doit son origine à Saint Louis, qui fit relier son emplacement à la mer par un chenal accessible aux navires marchands; au XIVe s., le chenal s'envasa.

AIGUILLAGE. — La continuité de l'itinéraire lors du dédoublement des voies* est assurée par la manœuvre de rails* mobiles (aiguilles) pouvant venir en contact ou se séparer des rails adjacents (contre-aiguilles). L'aiguillage utilisé avec un croisement constitue un branchement qui est le plus simple des appareils de voie. Le dédoublement et le croisement des itinéraires peuvent être assurés par un ensemble complexe d'appareils. Ce sont les branchements multiples ou entrecroisés, les traversées-jonctions, les bifurcations et les communications croisées. La manœuvre des aiguilles peut se faire à pied d'œuvre ou, plus souvent, à distance, à partir d'un poste d'aiguillage dans lequel elle est conjuguée avec la commande des signaux.

AIGUILLE *(Ch. de f.)* → AIGUILLAGE, TRIAGE.

AIGUILLE *(Text.)* → BONNETERIE, NONTISSÉ.

AIGUILLE *(mont),* sommet isolé des Préalpes du Nord, sur la bordure est du Vercors, au N.-E. de Die; 2 097 m.

AIGUILLES (05470), ch.-l. de cant. des Hautes-Alpes, à 47 km au N.-E. d'Embrun, sur le Guil; 275 hab.

AIGUILLES *(cap des),* en portug. **cabo das Agulhas,** pointe la plus méridionale de l'Afrique, à l'E. du cap de Bonne-Espérance.

AIGUILLES-ROUGES (les), massif cristallin des Alpes françaises du Nord, au N. du mont Blanc; 2 966 m.

AIGUILLETAGE → NONTISSÉ.

AIGUILLON (47190), comm. de Lot-et-Garonne, à 30 km au N.-O. d'Agen, sur le Lot; 4 066 hab. *(Aiguillonnais).* Château du XVIIe s. Tuilerie. Tabac.

AIGUILLON *(anse* ou *baie de l'),* échancrure du littoral de l'Atlantique (Charente-Maritime), en face de l'île de Ré, limitée vers le large par la *pointe de l'Aiguillon.* Ostréiculture et mytiliculture.

AIGUILLON-SUR-MER (L') [85460], comm. de la Vendée, à 21 km au S.-O. de Luçon, sur l'estuaire du Lay; 2 117 hab. Mytiliculture.

AIGURANDE (36140), ch.-l. de cant. de l'Indre, à 26 km au S.-O. de La Châtre; 2 288 hab. *(Aigurandais).*

AIHOLE, site archéologique de l'Inde, dans le Deccan. Temples, cavernes et sculptures de la période classique postgupta témoignent de la splendeur de cette ancienne capitale des Cālukya, qui ont régné du VIe au VIIIe s.

AÏ-KHANOUM, cité hellénistique d'Afghānistān*, découverte en 1965 par D. Schlumberger. Les ruines de la ville basse (plan en damier) et celles de l'acropole attestent la profonde influence de la Grèce entre le IIIe s. et 50 av. J.-C., date présumée de l'abandon du site.

AIL. — Très voisin de l'oignon, de l'échalote et du poireau, l'ail s'en distingue par deux particularités : son inflorescence, une ombelle arrondie, comporte davantage de *bulbilles* (sortes de boutures naturelles) que de fleurs; son oignon est toujours partagé en sept à dix caïeux *(gousses)* dans une enveloppe en partie commune. Son goût très prononcé, qui se communique à l'haleine du consommateur, fait de l'ail un condiment recherché dans tout le midi de la France.

AILANTE. — Cet arbre d'origine chinoise, plus souvent nommé *vernis du Japon,* nourrit les chenilles d'un très grand et beau papillon, *Attacus cynthia* ou *Samia cynthia.* On le range parmi les simarubacées.

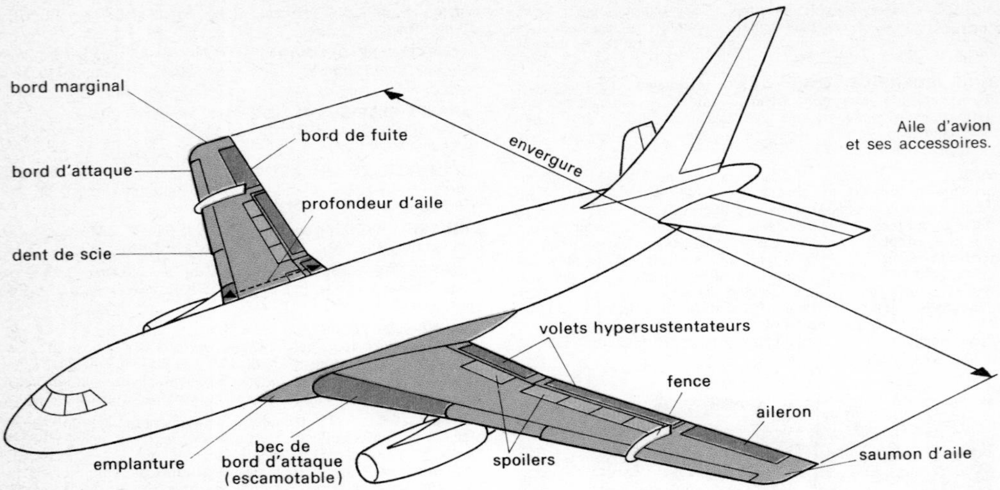

Aile d'avion et ses accessoires.

AILE *(Aéron.).* — L'aile est l'élément fondamental d'un avion*, celui qui doit assurer sa sustentation tout en présentant la traînée minimale. Sa forme en plan et son profil varient avec la vitesse d'utilisation de l'avion. Droite et de forme trapézoïdale jusqu'à des vitesses de 600 km/h, l'aile s'infléchit vers l'arrière dans la gamme des vitesses subsoniques et supersoniques. Pour les très hautes vitesses de vol, certaines formes particulières ont été développées : ailes en delta ou en double delta, aile ogivale de « Concorde ». Quelques avions, enfin, possèdent une aile à flèche variable qui permet une adaptation optimale à diverses vitesses. Les profils doivent être d'autant plus minces que la vitesse est plus élevée; tels sont les profils laminaires dont le maître couple est, en outre, reculé vers l'arrière. Outre ses fonctions aérodynamiques, l'aile peut contenir des réservoirs de carburant ainsi que le train d'atterrissage en position escamotée. Souvent elle supporte les moteurs.

AILE *(Zool.).* — Les ailes, surfaces des organismes animaux capables de prendre appui sur l'air et d'assurer le vol, vont toujours par paires. Dans la forme actuelle, on ne les connaît que chez toutes les chauves-souris, presque tous les oiseaux et la plupart des insectes. L'ère secondaire a connu un groupe de reptiles volants (ptérosauriens). Les ailes des vertébrés sont constituées par leurs membres antérieurs. Chez les chauves-souris, ce sont des membranes sans poils (« chauves ») tendues entre quatre doigts démesurés, le flanc et la jambe, voire la queue. Chez les oiseaux, leur surface est surtout faite de grandes plumes *(rémiges)* régulièrement disposées. Quant aux insectes, leurs ailes, toujours propres à l'adulte, sont des expansions dorsales des deux derniers anneaux du thorax, ou seulement de l'anneau du milieu (mouches). Dans tous les cas, les ailes sont puissamment musclées, et leur battement est d'autant plus rapide qu'elles sont plus petites.

AILERON *(Aéron.)* → GOUVERNE, PILOTAGE.

Ailes de la colombe *(les),* roman d'Henry James (1902). La comédie de l'amour et de la mort, à travers la captation d'une fortune, unit trois êtres qui n'ignorent rien de leurs mobiles réciproques mais se laissent prendre à leur propre jeu.

AILETTE (l') ou **LETTE** (la), riv. du nord du Bassin parisien, affl. de l'Oise (r. g.); 63 km.

AILEY (Alvin), danseur et chorégraphe américain (Rogers, Texas, 1931). Ses compositions empruntées au jazz et aux negro-spirituals offrent une riche synthèse des techniques classique et moderne (*Revelations,* 1960; *Cry,* 1971; *Hidden Rites,* 1973).

AILLANT-SUR-THOLON (89110), ch.-l. de cant. de l'Yonne, à 20 km au N.-O. d'Auxerre; 1 352 hab.

AILLAUD (Émile), architecte français (Barcelonnette 1902). Ses ensembles de logements sociaux recourent à la préfabrication sans tomber dans la monotonie (façades sinueuses, décorations originales, etc.).

AILLERET (Charles), général français (Gassicourt 1907 - île de la Réunion 1968). Polytechnicien et artilleur, ancien déporté (1944), il se spécialise après 1945 dans l'armement atomique et met au point la première bombe nucléaire française, qu'il expérimente à Reggane

AILE 1. Aile de pigeon : A. Rémiges primaires; B. Rémiges secondaires; C. Rémiges bâtardes; D. Rémiges scapulaires; E. Grandes couvertures; F. Couvertures moyennes; G. Petites couvertures. 2. Chauve-souris. 3. Papillon (machaon). 4. Poisson volant (exocet). 5. Libellule. 6. Coléoptère (cétoine) : A. Charnière. 7. Ptérodactyle (fossile).

(Sahara) en 1960. Chef d'état-major des armées en 1962, il meurt dans un accident d'avion.

AILLY (Pierre D'), théologien français (Compiègne 1350-Avignon 1420). Chancelier de l'Université de Paris (1389), évêque de Cambrai (1396) et cardinal (1411), il joue un rôle éminent au concile de Constance (1414-1418), où il soutient la thèse de la supériorité du concile général sur le pape.

AILLY-LE-HAUT-CLOCHER (80690), ch.-l. de cant. de la Somme, à 13 km à l'E.-S.-E. d'Abbeville; 778 hab.

AILLY-SUR-NOYE (80250), ch.-l. de cant. de la Somme, à 18 km au S.-E. d'Amiens; 2 135 hab. Textile.

AIMANT. — Les matériaux pour aimants doivent conserver leur aimantation en dépit du champ démagnétisant créé par leurs pôles. Les aciers trempés furent longtemps les seules substances utilisées. C'est vers 1930 qu'apparurent des alliages nouveaux, tel l'Alnico (aluminium-nickel-cobalt), qui possèdent un champ coercitif très élevé. Un autre progrès a été réalisé en préparant la matière à aimant, non plus par fusion et moulage, mais à partir de poudres à grains très fins, auxquelles on donne une cohésion et une résistance suffisantes en les assemblant par des traitements thermiques sous pression. Un avantage de ces aimants est qu'on peut leur donner toutes les formes désirées. Les aimants en Alnico sont utilisés dans les appareils de levage, les fermetures de portes, les plateaux et séparateurs magnétiques, les systèmes focalisateurs de particules, les moteurs et magnétos.

AIMANTATION. — On réalise l'aimantation d'un barreau de fer ou d'acier en le plaçant dans le champ magnétique d'un solénoïde alimenté en courant continu. Cette aimantation est temporaire pour le fer doux, permanente pour l'acier trempé. On nomme *intensité d'aimantation* le quotient du moment magnétique d'un aimant par son volume.

AIME (73210), ch.-l. de cant. de la Savoie, à 15 km au N.-E. de Moûtiers, sur l'Isère; 2 472 hab.

AIN, riv. de France, née dans le Jura, affl. du Rhône (r. dr.); 200 km. Aménagements hydrauliques (barrage et centrale de Vouglans).

AIN (01), département de la Région Rhône-Alpes; 5 756 km^2; 376 477 hab. Ch.-l. *Bourg-en-Bresse.* S.-préf. *Belley, Gex, Nantua.*

Au N.-E. de Lyon, l'Ain est formé de deux ensembles distincts. La Dombes et la Bresse correspondent à la partie la plus basse des plaines de la Saône. À l'E., l'Ain occupe la partie sud, la plus élevée, du Jura français. Au-dessus de la vallée du Rhône, les altitudes dépassent souvent 1 000 m, 1 500 m même dans l'extrémité nord-est (1 723 m au crêt de la Neige, point culminant de la chaîne du Jura). La montagne est aussi entaillée par d'autres vallées en gorges, Albarine, Seran, Ain, qui l'aèrent. Le climat est humide, le total des précipitations, à Bourg-en-Bresse, approche 1 m, seuil largement dépassé dans la partie jurassienne, enneigée plusieurs semaines l'hiver.

L'agriculture emploie moins du cinquième de la population active. Les spécialisations demeurent dans les régions basses (aviculture [les poulardes] dans la Bresse, pisciculture dans la Dombes, parsemée d'étangs), mais l'élevage bovin et porcin est largement répandu. L'exploitation de la forêt a été tôt développée dans la montagne, où l'industrie (qui occupe, au total, un effectif double de celui de l'agriculture) est localement active : la transformation des matières plastiques anime la région d'Oyonnax; le pays de Gex, zone franche, taille les diamants; Bellegarde-sur-Valserine bénéficie de la proximité de la grande usine hydro-électrique de Génissiat sur le Rhône, dont la vallée plus en aval, à Saint-Vulbas, est le site d'une importante centrale nucléaire. À l'O. sous l'influence de Lyon, aux traditionnelles activités agricoles (conserveries, fromageries) se sont ajoutées des activités plus modernes (constructions mécaniques à Bourg-en-Bresse notamment). Quelques régions connaissent un dynamisme certain (autour de Bourg, Ambérieu, Gex notamment), expliquant la croissance démographique globale récente du département, plus de 1 p. 100 par an en moyenne de 1962 à 1975.

AÏNOUS, population autochtone du Japon qui fut refoulée dans l'île d'Hokkaidō et qui n'a pas été assimilée (20 000 en 1972).

Ainsi parlait Zarathoustra, poème philosophique (1883-1885), dans lequel Nietzsche critique les valeurs établies par la morale et développe le thème du surhomme créateur de nouvelles valeurs de vie.

AÏN-TÉMOUCHENT, v. d'Algérie, au S.-O. d'Oran; 34 100 hab.

AIOI, v. du Japon, dans l'île de Honshū, sur la mer Intérieure; 26 000 hab. Grands chantiers navals.

AÏOLI. — Cette mayonnaise à l'ail, typique de la cuisine provençale, se caractérise par l'ail de Provence, plus doux que celui des autres régions, et par l'huile d'olive vierge; elle accompagne le poisson bouilli — notamment la morue —, les escargots ou les légumes cuits à l'eau, et elle est de tradition le mercredi des Cendres.

L'aïoli grec est une sorte de vinaigrette où la mie de pain trempée dans du lait remplace le jaune d'œuf et les noix pilées l'ail.

AIR *(Chim.).* — L'air pur est un mélange de plusieurs gaz, dont les deux principaux sont l'oxygène et l'azote. Il contient environ 21 volumes d'oxygène pour 78 d'azote; il renferme en outre de l'argon (environ 1 p. 100) et des traces d'autres gaz rares (néon, krypton, xénon, hélium). L'air ordinaire contient, en proportions variables, diverses impuretés, vapeur d'eau, gaz carbonique, et tient en suspension une multitude de poussières diverses, minérales et organiques, parmi lesquelles se trouvent des germes organisés (microbes). C'est un gaz dénué d'odeur et de saveur; incolore sous une faible épaisseur, il devient bleu sous une grande, par suite de la diffraction de la lumière par ses molécules gazeuses. La pression qu'il exerce dans l'atmosphère, dite *pression atmosphérique,* a, au niveau de la mer, une valeur voisine de 76 cm de mercure. Sous cette pression et à 0 °C, un litre d'air pur pèse 1,293 g.

AIR *(Mus.).* — Qu'il soit vocal ou instrumental, l'air prend pour point de départ une mélodie reconnaissable, que le compositeur expose, développe, varie, ornemente, en la soumettant à une structure définie (binaire, da capo, strophique). L'air chanté, à une ou plusieurs voix, peut avoir une vie indépendante (air à boire, air de cour) ou s'intégrer dans une partition (opéra, oratorio). L'air pour instrument prend le plus souvent place dans la suite. Les Italiens demeurent les grands maîtres de l'air, qu'ils dénomment *aria.*

Air (ÉCOLE DE L') → MILITAIRES *(écoles).*

Air (MUSÉE DE L'), musée créé en 1919 par le Service technique aéronautique à Chalais-Meudon. Il rassemble des appareils de toutes catégories, civiles et militaires. En attendant son transfert global au Bourget, deux halls d'exposition sont ouverts au public en 1975, l'un à Meudon, l'autre au Bourget.

AÏR, massif montagneux du Sahara méridional, au Niger. Gisement d'uranium à Arlit, au N. d'Agadir, principal centre de la région. Palmeraies.

AIRAIN (loi d'). — Cette loi, formulée par F. Lassalle*, exprime la tendance du salaire moyen à se trouver réduit à la subsistance indispensable à la survie et à la reproduction du travailleur; si le salaire s'élève, l'augmentation de la population ouvrière le fait de nouveau baisser par la concurrence.

AIRAINES (80270), comm. de la Somme, à 20 km au S.-E. d'Abbeville; 2 303 hab. Églises gothiques. Industrie du vêtement.

AIR COMPRIMÉ. — L'air comprimé, au sortir du compresseur, peut être soit emmagasiné dans des réservoirs résistants et étanches en vue d'un emploi ultérieur, soit utilisé pour le transport de force motrice ou l'insufflation d'air à des fins diverses.

Un *ventilateur à roue* est une soufflerie* centrifuge ou une soufflerie à hélice. La première produit de faibles compressions allant de quelques millimètres de hauteur d'eau jusqu'à 500 mm (0,5 bar). Pour un même débit, les dimensions d'une soufflerie à hélice sont plus réduites; elle est donc plus économique et moins encombrante. On l'utilise de préférence pour mobiliser des quantités d'air très élevées sous de faibles pressions : chauffage*, aération des locaux, climatisation, dépoussiérage, séchage, réfrigération*.

Le *compresseur à piston* est, économiquement, le plus avantageux. Son encombrement est assez faible et ses fondations exigent des massifs moins onéreux; mais la constance du courant d'air qu'il entretient est un peu moins grande que celle des souffleries à turbine. Il est utilisé comme soufflerie de hauts fourneaux ou de convertisseurs. Enfin on l'emploie avec des pressions extrêmement élevées, jusqu'à 70 et 80 bar, pour le remplissage des réservoirs d'air comprimé.

AIRE, riv. de l'est du Bassin parisien, qui traverse l'Argonne, affl. de l'Aisne (r. dr.); 131 km.

AIRE (62120), ch.-l. de cant. du Pas-de-Calais, à 18 km au S.-E. de Saint-Omer, sur la Lys; 9 657 hab. *(Airois).* Églises Saint-Pierre (XVe-XVIIIe s.) et Saint-Jacques (XVIIe s.). Maison du Bailliage (début du XVIIe s.).

AIRELLE. — L'airelle la plus commune en France est la *myrtille,* ou *brimbelle,* sous-arbrisseau des montagnes siliceuses (Vosges, Massif central), dont le fruit sucré charnu et rond, d'un bleu sombre, est massivement récolté, à l'aide de râteaux spéciaux à larges dents serrées, pour être mangé frais ou pour fournir un alcool. Les pays scandinaves ont une airelle rouge. Ces plantes sont si vivaces par leurs parties souterraines que certains pieds irlandais auraient plus de mille ans. Leur présence nuit au reboisement naturel.

AIRE MÉTROPOLITAINE → AGGLOMÉRATION.

AIRE-SUR-L'ADOUR (40800), ch.-l. de cant. des Landes, à 33 km au S.-E. de Mont-de-Marsan; 6 917 hab. *(Aturins).* Cathédrale en grande partie romane (XIIe s.). Église gothique du Mas d'Aire (sarcophages paléochrétiens). Constructions aéronautiques.

Air France, compagnie française de transports aériens fondée en 1933. Son réseau s'étend sur plus de 400 000 km, touchant plus de 130 escales dans 72 pays, et constituant le plus long réseau aérien du monde occidental. Cette compagnie emploie 24 000 agents et transporte annuellement près de 5 millions de passagers.

AIR LIQUIDE. — Obtenu industriellement depuis 1897, c'est un liquide légèrement bleuâtre, de la densité de l'eau. Sous la pression atmosphérique, il commence à bouillir vers – 193 °C, et le gaz qui se forme alors est surtout de l'azote; la température d'ébullition s'élève peu à peu et il finit par distiller de l'oxygène presque pur (vers – 182 °C). On peut le conserver pendant quelques jours dans des flacons à deux parois argentées, entre lesquelles on a fait le vide, et qui doivent rester ouverts. L'air liquide sert à la préparation de l'oxygène, de l'azote et des gaz rares. Les basses températures qu'il permet de réaliser sont utilisées pour l'étude des propriétés des corps, la trempe forte de l'acier, la production du vide par le charbon poreux. Enrichi en oxygène, il sert à la préparation d'explosifs.

1

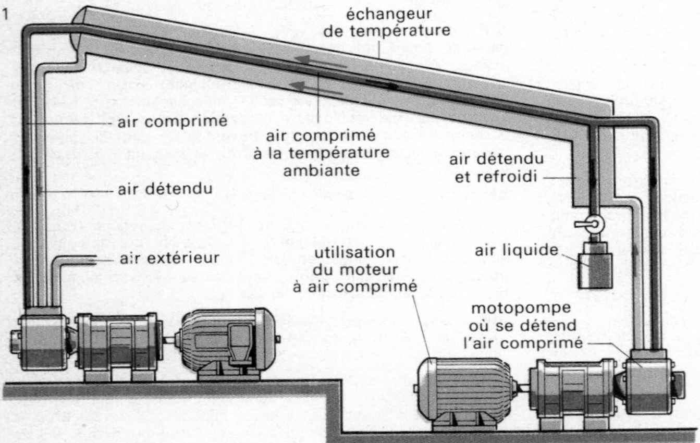

2

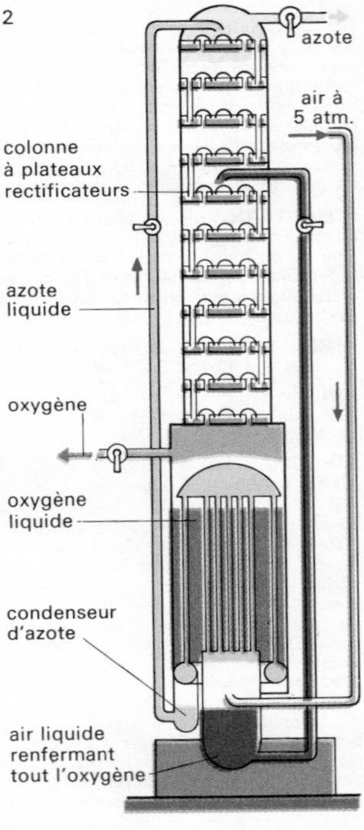

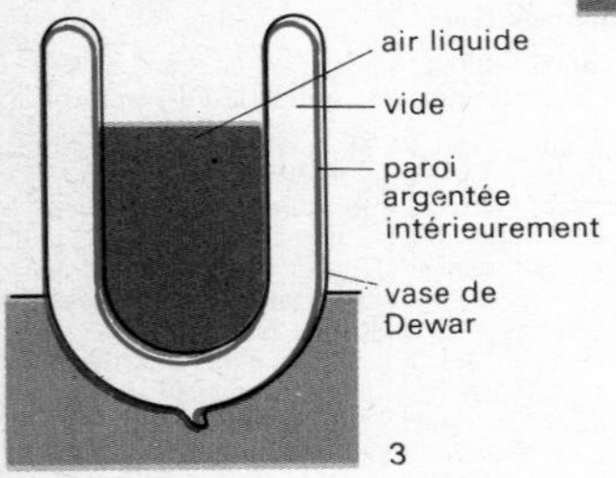

3

AIR LIQUIDE
1. Principe de l'obtention de l'air liquide (procédé G. Claude).
2. Colonne de distillation (G. Claude).
3. Vase de Dewar.

AIROLO, comm. de Suisse (Tessin), à l'entrée sud du tunnel du Saint-Gothard; 2 140 hab.

AIRVAULT (79600), ch.-l. de cant. des Deux-Sèvres, à 23 km au N.-E. de Parthenay, sur le Thouet; 3 928 hab. Église (anc. abbatiale) typique du roman poitevin (1100; voûtes du XIIIe s. en gothique angevin). Cimenterie.

AIRY (*sir* George Biddell), astronome britannique (Alnwick 1801 - Greenwich 1892). On lui doit de nombreux travaux aussi bien astronomiques (mécanique céleste, cinématique des étoiles*) que physiques (théorie de l'arc-en-ciel) et instrumentaux (principe du tube zénithal pour l'étude du passage des étoiles au zénith).

AISNE, riv. du Bassin parisien; 280 km. Née dans l'Argonne, elle passe à Rethel, puis à Soissons, avant de rejoindre l'Oise (r. g.), en amont de Compiègne. Canalisée sur près de 60 km dans sa partie aval, elle est ensuite partiellement longée vers l'amont par un canal latéral, puis par le canal des Ardennes (qui la relie à la Meuse), et est unie à l'Oise et à la Marne par deux autres canaux.

AISNE (02), département de la Région Picardie; 7 378 km^2; 533 862 hab. Ch.-l. *Laon.* S.-préf. *Château-Thierry, Saint-Quentin, Soissons* et *Vervins.*

Appartenant au nord du Bassin parisien, le département associe des régions historiques variées, parties de l'Île-de-France (Soissonnais et Laonnois), de la Picardie (Vermandois et Thiérache) et de la Champagne (Brie champenoise autour de Château-Thierry). L'Aisne juxtapose plaines crayeuses, buttes et plateaux de calcaires grossiers, entaillés de vallées (Somme, Oise, Aisne et Marne notamment), sites des principales villes à l'exception de Laon. Le département jouit d'un climat à dominante océanique, modérément et régulièrement arrosé (environ 700 mm), sans écarts thermiques accusés (la température moyenne annuelle est de l'ordre de 10 °C).

L'agriculture n'occupe guère que le sixième de la population active, mais se distingue par la grande dimension des exploitations, leur haut degré de mécanisation et leur importante consommation d'engrais. L'Aisne se place aux premiers rangs des départements français pour les productions de blé et de betterave sucrière. Le développement des cultures de maïs et de fourrages est à rapprocher de celui de l'élevage, qui, traditionnel en Brie et en Thiérache, a gagné les plaines et plateaux du centre.

L'industrie occupe plus des deux cinquièmes de la production active. Aux usines valorisant la production agricole (sucreries et laiteries) s'ajoutent notamment la métallurgie de transformation (surtout dans la région de Saint-Quentin) et le textile (dans le nord également). Le département est le berceau de Saint-Gobain, près de Chauny, devenu un centre chimique. Le secteur tertiaire est moins développé, à peine 40 p. 100 de la population active, en raison surtout de l'absence de véritable métropole urbaine. Aucune agglomération n'approche 100 000 habitants. Par sa situation géographique, le département est écartelé entre les zones d'attraction des grandes villes proches, Lille et surtout Paris, mais aussi Amiens, la capitale régionale, qui concentrent les activités du tertiaire supérieur (enseignement notamment). Cette faiblesse de l'urbanisation explique le taux élevé de population rurale (la moitié de la population totale alors qu'il est en moyenne inférieur au tiers en France) et aussi la lenteur de la croissance démographique, phénomènes liés, causes et conséquences d'une notable émigration.

AIUN (El-), capit. du Sahara occidental, dans le nord du territoire; 6 000 hab.

AIX *(île d')* [17123], île et comm. de la Charente-Maritime, au S. de La Rochelle; 210 hab.

Lauros

Aix-en-Provence. Le cours Mirabeau.

G. de Brouhns

Ajaṇṭā. Vue partielle de la cave 17. Peinture murale des Ve-VIe s. av. J.-C.

AIX-D'ANGILLON (Les) [18220], ch.-l. de cant. du Cher, à 20 km au N.-E. de Bourges, dans la Champagne berrichonne; 1 953 hab.

AIX-EN-OTHE (10160), ch.-l. de cant. de l'Aube, à 31,5 km au S.-O. de Troyes; 2 325 hab. Bonneterie.

AIX-EN-PROVENCE (13100), ch.-l. d'arr. des Bouches-du-Rhône; 114 014 hab. *(Aixois).*

GÉOGRAPHIE. À une trentaine de kilomètres au N. de Marseille, proche encore des secteurs industriels de l'est de l'étang de Berre, Aix connaît un rapide essor démographique. La ville demeure un centre plus résidentiel qu'industriel, animé surtout par le secteur tertiaire, universitaire en premier lieu, plus temporairement par le tourisme, surtout culturel (festival annuel de musique), et aussi le thermalisme : les eaux bicarbonatées calciques sont utilisées dans le traitement des maladies veineuses, des rhumatismes chroniques, ainsi que pour des cures de diurèse.

HISTOIRE. Cité romaine *(Aquae Sextiae),* Aix devient au VIe s. le siège d'un archevêché et, à la fin du XIIe s., la capitale du comté de Provence. En 1409, elle est dotée d'une université.

BEAUX-ARTS. Cathédrale Saint-Sauveur, romane et gothique (baptistère du VIe s.; triptyque du *Buisson ardent* de N. Froment*, tapisseries flamandes). Églises Saint-Jean-de-Malte (XIIIe s.) et de la Madeleine (v. 1700; *Annonciation* de 1443). Édifices publics et beaux hôtels particuliers des XVIIe et XVIIIe s. Musées Granet (ou des Beaux-Arts) et des Tapisseries; atelier de Cézanne* au chemin des Lauves.

AIXE-SUR-VIENNE (87700), ch.-l. de cant. de la Haute-Vienne, à 13 km au S.-O. de Limoges; 4 959 hab. Papeterie. Céramique.

AIX-LA-CHAPELLE, en allem. **Aachen,** v. de l'Allemagne fédérale (Rhénanie-du-Nord-Westphalie), près des frontières belge et néerlandaise; 177 000 hab. Constructions mécaniques.

HISTOIRE. Cité romaine, puis résidence préférée de Charlemagne, Aix devient l'un des hauts lieux de l'Empire. À l'époque moderne y sont signés deux importants traités qui mettent fin, l'un (1668) à la guerre de Dévolution, l'autre (1748) à la guerre de la Succession d'Autriche. Chef-lieu du département de la Roer de 1794 à 1814, Aix devient ensuite prussienne : le congrès qui s'y tient en 1818 décide de l'évacuation complète de la France par les Alliés.

BEAUX-ARTS. De l'ensemble palatial de Charlemagne subsistent la chapelle octogonale (consacrée en 805) et la « salle du couronnement », devenues respectivement le noyau de la cathédrale (important trésor) et celui de l'hôtel de ville, gothiques. Musée municipal Suermondt (peintures néerlandaises, sculptures, objets d'art) et Nouvelle Galerie (art contemporain).

AIX-LES-BAINS (73100), ch.-l. de cant. de la Savoie, sur la rive est du lac du Bourget; 22 293 hab. *(Aixois).* Station thermale aux eaux sulfurées carbonatées calciques, sulfatées sodiques, magnésiennes et alcalines, utilisées dans le traitement des rhumatismes chroniques et des séquelles de phlébites. Chaudronnerie. Construction électrique.

AIZENAY (85190), comm. de la Vendée, à 15 km au N.-O. de La Roche-sur-Yon; 5 411 hab.

AIZU-WAKAMATSU, anc. **Aizu,** v. du Japon (Honshū), au N. de Tōkyō; 104 000 hab.

AJACCIO (20000), ch.-l. du départ. de la Corse-du-Sud, dans l'ouest de l'île, sur la côte nord du *golfe d'Ajaccio;* 51 770 hab. *(Ajacciens).* Cathédrale (seconde moitié du XVIe s.). Maison natale de Napoléon. Musée municipal Fesch (peinture italienne). Peu industrialisée, Ajaccio est un centre administratif et commercial, où l'essor du tourisme (débordant le cadre de la ville) explique l'activité du port et de l'aéroport (Campo del Oro). Le secteur tertiaire emploie plus des deux tiers des actifs.

AJAṆṬĀ *(monts),* montagnes de l'Inde, dans le Deccan septentrional, au N.-E. de Bombay. Trente sanctuaires rupestres — œuvre de religieux bouddhistes — réunissant des *caitya* et des *vihāra* ont été creusés (IIe s. av. J.-C. - déb. VIIe s. apr. J.-C.) dans la falaise du même nom. Structures architecturales, décor peint et sculpté suivent une évolution parallèle et aboutissent malgré leur abondance et leur somptuosité à un parfait équilibre. Celui-ci est particulièrement sensible dans les réalisations de l'époque gupta, empreintes de douceur et d'intériorité.

AJAX, nom de deux héros grecs de la guerre de Troie : Ajax, fils de Télamon, roi de Salamine, qui se donna la mort; Ajax, fils d'Oïlée, roi des Locriens, qui fit naufrage au retour de Troie.

AJJER *(Tassili des),* massif montagneux du Sahara central, en Algérie, bordant au N. le Hoggar. Peintures rupestres néolithiques.

AJKA, v. de Hongrie, au N.-O. du lac Balaton; 15 000 hab. Métallurgie.

AJMER, v. de l'Inde (Rājasthān), au S.-O. de Delhi; 263 000 hab.

AJUSTEMENT. — En statistique, l'ajustement consiste à rechercher, à partir d'observations, un modèle théorique résumant au mieux, à des variations aléatoires près, soit une distribution* (ajustement d'une loi de probabilité), soit une relation (ajustement d'une courbe ou d'une surface de régression*) entre une variable* dépendante Y et la (ou les) variable(s) X_1, X_2, ..., X_n dont elle paraît dépendre. La forme analytique du modèle étant choisie soit à partir d'une étude graphique, soit en raison de considérations techniques relatives à la nature du phénomène étudié, l'ajustement a pour but l'estimation des paramètres* qui précisent ce modèle. La qualité de l'ajustement est appréciée en fonction de la somme des carrés des écarts entre valeurs observées et valeurs données par la fonction d'ajustement.

AJUSTEMENT LINÉAIRE. — L'ajustement linéaire consiste à remplacer un nuage de points par une droite différant le moins possible du nuage. Un point M_i quelconque a pour coordonnées x_i et y_i, avec $1 \leqslant i \leqslant n$: il y a n points en tout. Si $y = ax + b$ est l'équation de la droite d'ajustement, on a, pour $x = x_i$, $y = ax_i + b$, et l'on voudrait que la différence $|y - y_i|$ soit aussi petite que possible. La *méthode des moindres carrés* consiste à déterminer un couple unique (a, b) tel que la somme

$$\sum_{i=1}^{n} (ax_i + b - y_i)^2$$

soit minimale. La droite D d'équation $y = ax + b$ ainsi déterminée est la *droite de régression** de y par rapport à x. Elle passe par le point moyen $M_0(\bar{x}, \bar{y})$ du nuage, de coordonnées

$$\bar{x} = \frac{1}{n}\sum_{i=1}^{n} x_i, \qquad \bar{y} = \frac{1}{n}\sum_{i=1}^{n} y_i.$$

On utilise le nouveau système M_0XY, et l'on détermine a de façon que la quantité $\sum_{i=1}^{n} (Y_i - a X_i)^2$ soit minimale.

On trouve : $a = \dfrac{\Sigma X_i Y_i}{\Sigma X_i^2}$

ou avec les anciennes variables :

$$a = \frac{\Sigma (x_i - \bar{x})(y_i - \bar{y})}{\Sigma x_i^2 - n\bar{x}^2},$$

les sommes s'étendant aux n valeurs. On écrit aussi

$$a = \frac{\frac{1}{n}\Sigma x_i y_i - \bar{x}\bar{y}}{\frac{1}{n}\Sigma x_i^2 - \bar{x}^2},$$

le dernier numérateur de a étant la *covariance* de x et de y, le dénominateur correspondant étant la *variance** de x. On définit aussi la *droite de régression* de x par rapport à y. Elle a pour équation $x = a'y + b'$. Elle passe par M_0;

$$a' = \frac{\frac{1}{n}\Sigma x_i y_i - \bar{x}\bar{y}}{\frac{1}{n}\Sigma y_i^2 - \bar{y}^2}.$$

Le coefficient de corrélation* de x et y est tel que :

$$r = \frac{\text{covariance}(x, y)}{\sqrt{\text{var.}(x) \cdot \text{var.}(y)}}.$$

On a : $r^2 = aa'$ et $-1 \leqslant r \leqslant +1$. Si $r = 1$, les deux droites de régression coïncident : la corrélation est maximale.

AKABA → 'AQABA.

AKADEMGOROD, v. de l'U. R. S. S., en Sibérie, près de Novossibirsk. Nombreux instituts de recherche scientifique.

AKASHI, v. du Japon (Honshū), à l'O. de Kōbe; 207 000 hab.

AKBAR (Umarkot 1542 - Āgra 1605), empereur moghol* de l'Inde (1556-1605). Son règne personnel commence en 1561. Il annexe le Malvā (1562), le Gujerat (1572), le Bengale (1576), le Cachemire (1586), le Sind (1591), une partie de l'Orissa (1592) et le Baloutchistan (1594), et dote ce vaste empire d'une administration régulière et tolérante. Akbar supprime la *djizya,* prélevée sur les sujets non musulmans (en majorité hindous) et songe à unir tous ses sujets dans une nouvelle religion syncrétique.

AKHENATON → AMÉNOPHIS IV.

AKHMATOVA (Anna Andreïevna GORENKO, dite **Anna**), poétesse russe (près d'Odessa 1889 - près de Moscou 1966). Mariée au poète Goumilev (qui sera impliqué dans un complot anarchiste et fusillé en 1921), elle fut l'un des principaux représentants de l'acméisme*, et passa du lyrisme mystique à un art plus classique inspiré de thèmes populaires (*le Rosaire,* 1914; *la Volée blanche,* 1917; *Anno Domini MCMXXI,* 1922). Rangée parmi les « décadents » de la littérature, puis exclue en 1946 de l'Union des écrivains soviétiques, elle fut réhabilitée après la mort de Staline (*Poèmes, 1909-1960,* 1961; *Poème sans héros,* 1962).

AKHṬAL (al-), poète arabe (Ḥīra ou Ruṣāfa de Syrie v. 640 - Kūfa v. 710). Chrétien nestorien, auteur de panégyriques et de poésies satiriques, célèbre pour sa rivalité avec Djarīr*.

AKINARI → UEDA AKINARI.

AKITA, v. du Japon, dans le nord de l'île de Honshū, près de la mer du Japon; 236 000 hab. Industries chimiques et métallurgiques. Raffinerie de pétrole.

AKJOUJT, localité de Mauritanie, au N.-E. de Nouakchott; 2 500 hab. Cuivre.

AKKAD ou **AGADÉ,** ville, État et dynastie de la basse Mésopotamie. (V. 2325-2160 av. J.-C.)

HISTOIRE. Sargon dit l'Ancien, officier du roi de Kish (cité sumérienne à l'est de Babylone) se révolte contre son maître et, à la tête d'une troupe de nomades sémites, va fonder la cité-État d'Akkad. Après avoir vaincu, v. 2325, le roi sumérien d'Oumma, Lougal-Zaggesi, il impose sa domination au pays de Sumer*, à l'Élam*, aux pays situés à l'est du Tigre, à l'Assyrie et s'avance jusqu'en Syrie et en Anatolie. Un empire aussi étendu pose de difficiles problèmes d'organisation. Les régions à prédominance akkadienne sont directement rattachées au gouvernement central; les autres gardent leurs institutions propres sous le contrôle de hauts fonctionnaires akkadiens. La fin du règne de Sargon se passe à réprimer les incessantes révoltes des peuples soumis; ses deux fils, Rimoush et Man-ishtou-shou, doivent faire face aux mêmes difficultés. Mais Narâm-Sin (v. 2260-2225), fils de Man-ishtou-shou, rétablit le prestige du royaume de Sargon; l'assassinat de Shar-kalî-sharri (v. 2200) marque le déclin de la puissance akkadienne. Après une période d'anarchie de trois ans, les deux derniers rois d'Akkad maintiennent un semblant de pouvoir sur un empire diminué qui finira par disparaître (v. 2160) sous les coups de barbares venus du Zagros, les Gouti.

BEAUX-ARTS. L'art akkadien — caractérisé par une liberté d'expression et un sens inné de la composition alliés à une parfaite assimilation des traditions sumériennes — est connu par de beaux vestiges. Parmi les principaux, citons : au musée de Bagdad, une tête en bronze, probable portrait idéalisé du roi Sargon; au Louvre, la statue et l'obélisque de Man-ishtou-shou, le cylindre de Shar-kalî-sharri et, surtout, la stèle de Narâm-Sin, dont la remarquable composition ascendante et dynamique concentre l'intérêt sur le personnage du roi vainqueur.

AKKADIEN. — Attesté à partir de 2400 av. J.-C. par des documents cunéiformes, l'akkadien est la plus ancienne langue sémitique connue. Il s'est étendu dans tout le Proche-Orient avec l'expansion des Assyriens et des Babyloniens. D'abord homogène (vieil akkadien), il se diversifie au IIe millénaire en deux grands dialectes : le babylonien et l'assyrien. Vers le VIe s. av. J.-C., l'akkadien disparaît en tant que langue parlée, et est supplanté par l'araméen.

AKMOLINSK → TSELINOGRAD.

AKOLA, v. de l'Inde (Mahārāshtra), au pied des monts Ajaṇṭā; 168 000 hab.

AKOSOMBO, localité du Ghāna, sur la basse Volta. Barrage et centrale hydraulique.

AKRON, v. des États-Unis (Ohio), près du lac Érié, au S. de Cleveland; 275 000 hab. Grand centre de l'industrie du pneumatique.

AKSAKOV (Sergueï Timofeïevitch), écrivain russe (Oufa 1791-Moscou 1859), auteur de récits sur la vie patriarcale de la campagne russe (*Chronique de famille,* 1856; *les Années d'enfance du petit-fils Bagrov,* 1858). — L'un de ses fils, IVAN (1823-1886), fonda l'un des plus célèbres journaux slavophiles, *Rous (la Russie).*

Akkad. Stèle en grès rose de Narâm-Sin, représentant le roi piétinant ses ennemis vaincus. IIIe millénaire. (Musée du Louvre.)

Giraudon

AKSOUM ou **AXOUM,** v. d'Éthiopie, autrefois capitale du royaume d'Aksoum. Fondé à une date imprécise, le royaume d'Aksoum paraît exister du Ier au IXe s.; il est connu des Grecs au début de notre ère pour la richesse de son commerce. En 300, un roi d'Aksoum envahit l'Arabie du Sud. Au milieu du IVe s., le roi Ézana se convertit au christianisme, dont il fait la religion officielle du royaume. Avec le roi Kaleb (VIe s.), Aksoum connaît sa dernière période glorieuse; l'occupation par les musulmans du littoral de la mer Rouge étouffe son commerce et précipite son déclin. Des monnaies et de nombreux vestiges, dont de remarquables obélisques monolithes, témoignent de la prospérité du vieux royaume, berceau de la civilisation et de l'Église éthiopiennes.

AKTIOUBINSK, v. de l'U. R. S. S. (Kazakhstan), au S. de l'Oural; 150 000 hab.

AKUTAGAWA RYŪNOSUKE, écrivain japonais (Tōkyō 1892-*id.* 1927). Styliste érudit et virtuose, il imita des contes classiques (*le Nez,* 1916), des légendes populaires ou inspirées de la littérature *kirishitan* (chrétienne) du XVIe s. *(Rashōmon, Figures infernales),* avant d'analyser dans ses nouvelles la montée de la folie qui devait le conduire au suicide (*les Kappa, l'Engrenage,* 1927).

AKYAB, port de Birmanie, sur le golfe du Bengale; 82 000 hab.

ALABAMA, État du sud des États-Unis; 133 667 km²; 3 444 000 hab. Capit. *Montgomery.* L'État juxtapose une partie septentrionale appartenant aux Appalaches et une partie méridionale, élément de la plaine du golfe du Mexique, sur lequel il possède une étroite façade littorale. État du Sud historique, avec une forte minorité noire (plus du quart de la population totale), l'Alabama demeure à prépondérance agricole, surtout dans le Sud (coton, soja, maïs, élevage bovin). Dans le Nord, la partie appalachienne fournit du charbon, base d'une sidérurgie implantée notamment à Birmingham, plus grande ville de l'État.

ALACA HÖYÜK, site de Turquie, près de Boğazköy, où depuis 1935 de nombreux vestiges archéologiques ont été dégagés sur plusieurs niveaux (IVᵉ millénaire, époque ottomane). Treize tombes « royales » (niveau III, 2400-2300 av. J.-C.) ont livré un remarquable mobilier funéraire que l'on attribue à un peuple préhittite. Ces trésors attestent en Anatolie, pendant le bronze ancien, une parfaite maîtrise de la métallurgie de l'or, de l'argent et du cuivre, et supposent une solide organisation politique et économique. Ce niveau a été recouvert par une importante ville hittite (portes monumentales).

Aladin ou la Lampe merveilleuse, conte des *Mille* et Une Nuits.*

ALAGNON, riv. d'Auvergne, descendant du plomb du Cantal, qui passe à Murat, avant de rejoindre l'Allier (r. g.); 80 km. Il coule dans des gorges superbes.

ALAGOAS, État du nord-est du Brésil, sur l'Atlantique, au S. de Recife; 1 590 000 hab. Capit. *Maceió.*

ALAIGNE (11240 Belvèze), ch.-l. de cant. de l'Aude, à 13 km au N.-O. de Limoux; 367 hab.

ALAIN (Émile CHARTIER, dit), essayiste et philosophe français (Mortagne 1868 - Le Vésinet 1951). Ses *Propos* variés et ses *Éléments de philosophie* (1947) montrent un penseur soucieux de rendre l'homme maître de ses passions. L'humanisme d'Alain s'est exprimé politiquement par le radicalisme et le pacifisme.

ALAIN (Jehan), compositeur français (Saint-Germain-en-Laye 1911 - tué près de Saumur 1940). Ses œuvres pour clavier, notamment pour orgue *(Chorals, Litanies, Danses),* témoignent d'une constante recherche dans les domaines du timbre, de l'harmonie, du rythme.

ALAIN-FOURNIER (Henri FOURNIER, dit), écrivain français (La Chapelle-d'Angillon 1886 - au combat 1914), auteur du *Grand* Meaulnes* (1913) et d'une importante *Correspondance,* échangée de 1905 à 1914 avec Jacques Rivière*.

ALAINS → BARBARES.

ALAKALUFS → INDIENS D'AMÉRIQUE DU SUD [carte].

ALAMANS → BARBARES, GERMAINS.

ALAMBIC. — L'alambic est constitué par une chaudière, ou cucurbite, chauffée par un foyer. Les vapeurs émises à la distillation se dégagent par le chapiteau et passent par un col-de-cygne pour gagner le réfrigérant, serpentin logé dans un bac où circule de l'eau froide.

ALAMEIN (El-), localité d'Égypte, à 100 km à l'O. d'Alexandrie. Victoire décisive de Montgomery* sur les forces germano-italiennes (23 oct. 1942) [v. LIBYE *(campagne de)*].

ÅLAND → AHVENANMAA.

ALAOUITES → 'ALAWĪTES.

ALARCÓN (Pedro Antonio DE), écrivain espagnol (Guadix 1833-Valdemoro 1891), auteur de la nouvelle historique *le Tricorne** (1874), qui inspira à Manuel de Falla un ballet-pantomime célèbre.

À la recherche du temps perdu, titre général de l'ensemble romanesque de Marcel Proust, formé par *Du côté de chez Swann* (1913), *À l'ombre des jeunes filles en fleurs* (1918), *le Côté de Guermantes* (1920), *Sodome et Gomorrhe* (1922), *la Prisonnière* (1923), *Albertine disparue* ou *la Fugitive* (1925), *le Temps retrouvé* (1927). L'œuvre se présente comme le récit d'un « Narrateur » qui relate l'expérience humaine et la découverte esthétique, qui sont à la source du roman. En quête d'un bonheur absolu qui échappe à l'érosion du temps, le Narrateur le poursuit vainement dans la vie des salons, l'amour, la contemplation des œuvres d'art, mais il le découvre dans le pouvoir d'évocation de la mémoire instinctive (la saveur de la madeleine trempée par hasard dans sa tasse de thé ressuscite le rituel du petit déjeuner de sa tante, lorsqu'il était enfant) : la superposition fulgurante de deux moments distincts (passé/présent) en une même sensation retrouvée le fait à la fois échapper au temps et atteindre l'essence même du temps — le Narrateur vit l'événement sous l'aspect de l'éternité, qui est aussi celui de l'art. Il va donc triompher du temps en le fixant dans l'écriture (et le roman s'achève au moment même où le Narrateur a compris qu'il peut l'écrire et comment l'écrire). L'architecture de l'œuvre n'est pas à chercher dans le découpage linéaire des romans qui la composent. Plus proche de la structure hiérarchisée et symétrique d'une cathédrale ou du réseau de correspondances d'une œuvre musicale, elle est symbolisée, dans le récit même, par le style de l'écrivain Bergotte, le septuor de Vinteuil, la peinture d'Elstir, le bœuf à la gelée de Françoise, les robes du couturier Fortuny, mais surtout par la « figure » fondamentale de l'église de Combray, dont les strates de pierre révèlent les perspectives à la fois spatiales et temporelles du roman (en avançant dans la nef ou en montant dans le clocher de l'église, on parcourt non seulement un espace, mais les siècles qu'on a mis à l'élever).

Le roman de Proust, qui reprend des thèmes présents dans ses œuvres antérieures, et même dès ses écrits de jeunesse, y ajoute cependant une dimension capitale : la découverte qu'il faut relier les moments précieux de résurrection du passé par la continuité du récit, qui traduit exactement le vide de la vie quotidienne. Ainsi la chronique de la vie mondaine entre 1880 et 1914 que tisse le roman n'est-elle nullement une copie de l'entreprise balzacienne : elle est une nécessité dans la structure de l'œuvre, l'inverse de la vie réelle, qui n'existe que dans l'art.

ALARIC Iᵉʳ (Perice, delta du Danube, v. 370 - Cosenza 410), roi wisigoth de 396 à 410. Le sac de Rome par Alaric en 410 eut dans tout l'Empire romain un immense retentissement et il a été souvent pris comme date pour clore l'histoire romaine : si l'événement fut le signe d'une crise profonde, il ne mit fin, cependant, ni au règne d'Honorius*, ni à l'Empire romain d'Occident.

ALARIC II, roi wisigoth → WISIGOTHS.

G. Boutin - A. A. A.-Photo

Paysage de l'Alaska, dans la région de Summit Lake, entre Glennallen et Richardson.

ALASKA, État des États-Unis, à l'extrémité nord-ouest de l'Amérique du Nord; 1 518 769 km²; 302 000 hab. Capit. *Juneau.*

GÉOGRAPHIE. La chaîne de Brooks, au N., près du littoral arctique, et la *chaîne de l'Alaska,* élevée (portant avec le mont McKinley [6 187 m] le point culminant de l'Amérique du Nord), au S. (prolongée par la *péninsule d'Alaska* et la bande des Aléoutiennes*, partie, au point de vue administratif, de l'État), enserrent le bassin du Yukon, ouvert sur le détroit de Béring. Traversé par le cercle polaire, l'Alaska a un climat rude, humide au moins localement (à proximité du Pacifique) et presque partout froid. Même Juneau, pourtant sur le littoral méridional, relativement favorisé, a une température moyenne annuelle inférieure à 5 °C. Au N., la moitié de l'année possède une température moyenne inférieure à − 15 °C.

On conçoit, avec le caractère excentré de la région, l'extrême faiblesse du peuplement sur une superficie presque triple de celle de la France. La maigre population, en accroissement rapide cependant, se concentre dans le Sud, site des villes (en dehors de

Fairbanks, terminaison septentrionale de la *route de l'Alaska,* dont la majeure partie se situe en Colombie britannique). Il s'agit de Juneau, de Sitka, de Ketchikan et surtout d'Anchorage, dont l'aire métropolitaine regroupe plus du tiers de la population de l'État. Aux activités traditionnelles (exploitation de la forêt, minerais précieux [or] et surtout pêche [saumon]) se sont ajoutés le tourisme et surtout l'extraction des hydrocarbures : le gisement de pétrole de la baie Prudhoe, sur le littoral arctique, recèle près de 1 Gt de réserves (plus du quart des réserves prouvées des États-Unis).

HISTOIRE. C'est le Danois Vitus Béring* qui, le premier, en 1741, débarque en Alaska, dont il prend possession pour les Russes. Au XIXe s., la flotte impériale se montrant de plus en plus incapable de protéger l'Amérique russe, le tsar Alexandre II, en 1867, vend l'Alaska aux États-Unis, qui laissent leur conquête à l'abandon jusqu'à ce que la découverte de l'or (1898) y provoque une ruée : celle-ci est à l'origine de la transformation de l'Alaska en Territoire (1912), puis en État (1958) de l'Union.

ALBANIE

ÁLAVA, l'une des provinces basques d'Espagne; 204 000 hab. Ch.-l. *Vitoria.*

'ALAWĪTES, membres d'une secte chī'ite initiatique et secrète, fondée au IXe s. par Ibn Nuṣayr, les 'Alawītes, ou Nuṣayrīs, voient en 'Alī* l'incarnation de la divinité. Leur communauté se réfugia (Xe-XIe s.) dans le djebel Anṣariyya, organisé par le mandat français sur la Syrie (1920-1941) en « territoire des Alaouites ». Les 'Alawītes jouent dans la Syrie actuelle, dont ils forment 12 p. 100 de la population, un rôle politique important.

'ALAWĪTES, dynastie régnante du Maroc. À la fin du XVIIe s., les chérifs du Tafilalet prennent le pouvoir dans un Maroc livré à l'anarchie des derniers Sa'diens* et à l'autorité des marabouts*. Mūlāy Rachīd (de 1666 à 1672) s'empare de Fès et de Marrakech, et Mūlāy Ismā'īl (de 1672 à 1727) installe sa capitale à Meknès. Les 'Alawītes doivent accepter le protectorat français en 1912. Ils gouvernent le Maroc, indépendant depuis 1956.

ALBACETE, v. d'Espagne (Murcie), au S.-E. de Madrid; 93 000 hab.

ALBA-IULIA, v. de Roumanie, en Transylvanie, au S. de Cluj; 30 000 hab. Cathédrale du XIIIe s. Le 1er décembre 1918 y fut proclamée la réunion de la Transylvanie à la Roumanie.

ALBAN (81250), ch.-l. de cant. du Tarn, à 29 km à l'E. d'Albi, dans le Ségala; 1 110 hab.

ALBANAIS. — Branche isolée de l'indo-européen, l'albanais se présente sous la forme de deux dialectes : le guègue au N. du pays et le tosque, qui est la langue officielle, au S. Le vocabulaire a subi des influences successives (latin, turc, italien, grec, slave).

ALBANI (Francesco), dit **l'Albane,** peintre italien (Bologne 1578-*id.* 1660). Élève des Carrache*, il travailla à Rome et à Bologne, donnant des compositions décoratives (Santa Maria della Pace, Rome), des tableaux d'autel (Bologne) et des peintures mythologiques aux paysages sereins et délicats.

ALBANIE, en albanais **Shqipnija** ou **Shqipëria,** État de la péninsule des Balkans, entre la Yougoslavie et la Grèce; 29 000 km²; 2 550 000 hab. *(Albanais).* Capit. *Tirana.*

GÉOGRAPHIE. Une bande de collines sépare la plaine côtière de l'Adriatique, inhospitalière, des plateaux et montagnes de l'intérieur, peu élevés, mais au relief compartimenté qui rend la pénétration difficile. Le climat, méditerranéen à proximité du littoral, devient continental vers l'intérieur.

La population se concentre dans la partie centrale, sur les collines et dans les vallées montagnardes. L'accroissement naturel est élevé. République populaire depuis 1946, l'Albanie a entrepris son développement économique sur des bases socialistes. L'agriculture reste prédominante. L'assainissement et l'irrigation ont permis l'accroissement des surfaces cultivées, parallèlement à l'augmentation des rendements. À côté des cultures vivrières de céréales, les cultures industrielles (coton, tabac) progressent. L'élevage (ovins et caprins) reste l'activité principale des régions montagneuses. Un effort d'industrialisation a également été entrepris. Il s'est accompagné d'un développement urbain, les villes principales étant Tirana, Durrësi et Shkodra. Malgré la création spectaculaire de combinats industriels, en particulier textiles et chimiques, les activités légères (notamment alimentaires) restent les plus importantes. Ce développement a été possible grâce à l'aide de la Chine, avec laquelle l'Albanie, qui est totalement coupée du reste de l'Europe, même socialiste, entretient des liens amicaux.

HISTOIRE. D'abord occupé par des Illyriens, le pays est colonisé par les Grecs. Rome fait d'ailleurs de l'Illyricum une de ses provinces les plus prospères. Les Slaves colonisent ensuite les plaines d'Illyrie, tandis que dans les montagnes et dans la région de Tirana se maintiennent des tribus illyriennes, pastorales et itinérantes, non intégrées au système byzantin. En 1271, Charles Ier d'Anjou occupe une partie de l'Illyrie, qu'il nomme *Albanum* (Albanie). Menacés par les Ottomans, les clans albanais trouvent un chef en Skanderbeg (1443-1468), qui résiste aux Turcs durant un quart de siècle. Par la suite, les Albanais traitent avec les Ottomans, et la majorité d'entre eux se convertissent à l'islām. Les Turcs se serviront de ces montagnards comme gendarmes de leur empire, et de nombreux Albanais accéderont aux plus hautes charges de la Porte.

Au XIXe s., l'Albanie lutte pour son autonomie, qu'elle n'obtient qu'en 1912. Devenu presque aussitôt indépendant, le jeune État, après une période de transition, est pris en main par un gros propriétaire terrien, Ahmed Zog, qui, président de la République en 1925, se proclame roi (Zog Ier) en 1928. Celui-ci ne peut empêcher l'Italie fasciste de dominer le pays en attendant de l'annexer (1939). Libérée en 1945 grâce à un important mouvement de résistance animé par les communistes, l'Albanie devient aussitôt république populaire sous la direction d'Enver Hoxha. Ce dernier rompt avec l'U. R. S. S. en 1961. Soutenu par la Chine, il se sépare également de cette dernière, sur le plan idéologique, en 1977.

ALBANO *(lac d'),* lac de cratère d'Italie, dans les monts Albains, au S.-E. de Rome.

ALBANY, v. des États-Unis, capit. de l'État de New York, sur l'Hudson; 115 000 hab. Université.

ALBÂTRE. — On distingue l'*albâtre calcaire,* variété de carbonate de calcium (calcite), et l'*albâtre gypseux,* variété de gypse. La friabilité de ces pierres oblige le sculpteur à les travailler comme du bois.

ALBE la Longue, anc. v. du Latium*, fondée, selon la légende, par Ascagne (ou Iule*), fils d'Énée. De la lignée royale inaugurée par Ascagne seraient issus Romulus* et Rémus. Capitale de la Ligue latine, Albe entra en conflit avec Rome : vaincue et détruite par sa propre colonie (v. HORACES), elle lui laissa la direction de la Ligue.

ALBE (Fernando Álvarez DE TOLÈDE, *duc* D'), homme d'État espagnol (Piedrahita 1508-Lisbonne 1582). Vainqueur à Mühlberg (1547), il est nommé vice-roi de Naples (1557), puis gouverneur des Flandres (1567); dans cette région, il exerce, par l'intermédiaire du Conseil des troubles, une implacable et sanglante répression antihuguenote, origine de la révolte des Pays-Bas. Rappelé en Espagne (1573), il dirige l'armée chargée d'écraser un soulèvement au Portugal.

ALBÉDO. — La connaissance des albédos (c'est-à-dire de l'énergie de rayonnement incidente réfléchie par les divers corps), qui varient suivant la nature de la surface du globe, explique souvent la diversité des climats locaux et revêt une grande importance en météorologie et en climatologie, puisque les phénomènes radiatifs sont à la base de tous les mécanismes. L'albédo global de la Terre et de son atmosphère est voisin de 39 en moyenne, mais ses variations instantanées sont considérables.

ALBEE (Edward), auteur dramatique américain (Washington 1928). Sa peinture satirique de la vie familiale et sociale américaine débouche non sur un engagement politique ou social précis, comme chez les dramaturges de la génération précédente, mais sur la prise de conscience d'une angoisse collective qui ne peut se satisfaire ni du conformisme, ni du « rêve américain », ni des solutions révolutionnaires toutes faites : *Zoo Story* (1959), *la Mort de Bessie Smith* (1960), *le Rêve de l'Amérique* (1961), *Qui a peur de Virginia Woolf?* (1962), *Délicate Balance* (1966), *All over* (1971), *Seascape* (1975).

ALBÉNIZ (Isaac), pianiste et compositeur espagnol (Camprodón 1860-Cambo-les-Bains 1909). Élève de Liszt, il s'établit à Paris. Ses quatre recueils d'*Iberia,* pour piano, témoignent de recherches harmoniques et pianistiques intéressantes.

ALBENS (73410), ch.-l. de cant. de la Savoie, à 11 km au N. d'Aix-les-Bains; 1 661 hab. *(Albanais).*

ALBÈRES *(monts),* massif constituant l'extrémité orientale des Pyrénées, entre le col du Perthus et la Méditerranée; 1 275 m au pic *Neulos.*

ALBERONI (Giulio), cardinal italien et ministre d'Espagne (Fiorenzuola d'Arda 1664-Plaisance 1752). D'abord ministre de Parme à Madrid, il accède en 1716 au rang de Premier ministre d'Espagne en même temps qu'il reçoit le chapeau de cardinal. Sa politique, résolument nationaliste (il veut rendre à l'Espagne des domaines perdus au traité d'Utrecht), échoue par la faute de Philippe V, trop attentif aux intérêts français et qui se sépare de son ministre dès 1719.

ALBERS (Josef) → BAUHAUS.

ALBERT (80300), ch.-l. de cant. de la Somme, à 28 km au N.-E. d'Amiens, sur l'Ancre; 12 061 hab. *(Albertins).* Machines-outils.

Albert *(canal),* canal de Belgique, entre Liège et Anvers, qui joint la Meuse à l'Escaut; 129 km.

ALBERT *(lac)* → MOBUTU *(lac).*

ALBERT le Grand *(saint),* théologien et philosophe allemand (Lauingen, Souabe, v. 1193-Cologne 1280). Entré dans l'ordre des Dominicains, il enseigne en Allemagne et à Paris. Profondément influencé par la pensée d'Aristote* (dont l'œuvre est cependant interdite par l'Église) et convaincu que « l'expérience seule donne la certitude », il étudie les sciences de la nature. Il considère qu'il existe à la fois une nature et une surnature dont les savoirs respectifs ne se contredisent pas. La théologie qu'il élabore procède d'une vision platonicienne de l'univers qu'il superpose à la philosophie d'Aristote. Albert le Grand a ainsi alimenté de nombreuses controverses et ouvert la voie à plusieurs disciples, dont le plus célèbre est Thomas* d'Aquin. (V. ARISTOTÉLISME et AVERROÏSME LATIN.)

ALBERT, archiduc d'Autriche (Wiener Neustadt 1559-Bruxelles 1621). Fils de l'empereur Maximilien II, vice-roi de Portugal, il devient en 1596 gouverneur des Pays-Bas et en 1599 le gendre de Philippe II.

ALBERT, archiduc d'Autriche et général autrichien (Vienne 1817-Arco 1895). Oncle de l'empereur François-Joseph, il l'emporte sur les Italiens à Custoza (1866), puis commande après Sadowa les forces opposées aux Prussiens.

ALBERT Ier (Bruxelles 1875-Marche-les-Dames 1934), roi des Belges (1904-1934). Neveu de Léopold II, il lui succède en 1909. Le début de son règne est marqué par de grands efforts en vue de renforcer la défense nationale : ceux-ci ne peuvent empêcher les Allemands, en août 1914, d'envahir la Belgique, pays neutre, le roi Albert ayant rejeté, sans hésitation, l'ultimatum du Kaiser. Devenu, devant l'opinion mondiale, le « roi-chevalier », Albert Ier contribue à la victoire finale en maintenant la bataille avec son armée, sur son territoire, face à l'Yser, mais sans perdre de vue l'indépendance de la Belgique. Au lendemain de la guerre (1918), il dresse un vaste programme de réformes, notamment sur le plan linguistique, programme qui ne prendra corps qu'en 1932, deux ans avant sa mort accidentelle.

ALBERT Ier (Honoré Charles DE GRIMALDI), prince de Monaco (Paris 1848-*id.* 1922). Il fut le fondateur de l'Institut océanographique de Paris (1906) et du Musée océanographique de Monaco.

ALBERT IV le Sage, duc de Bavière → BAVIÈRE.

ALBERT Ier DE BALLENSTÄDT → BRANDEBOURG.

ALBERT DE BRANDEBOURG (Ansbach 1490-Tapian 1568), duc de Prusse. Grand maître de l'ordre Teutonique, il sécularise ses biens en passant au luthéranisme et devient (1525) le premier duc héréditaire de Prusse.

ALBERT Ier DE HABSBOURG (1250-Brugg, Argovie, 1308), empereur germanique. Duc d'Autriche, il enlève l'Empire à Adolphe de Nassau (1298), mais son alliance avec Philippe le Bel lui vaut la défaveur du pape Boniface VIII, qui ne le reconnaît qu'en 1303.

ALBERT V DE HABSBOURG (1397-Neszmély, Hongrie, 1439), duc d'Autriche (1404), roi des Romains (1438). Il fut le premier Habsbourg à ceindre la couronne de saint Étienne en devenant roi de Bohême et de Hongrie (1437).

ALBERTA, province du Canada occidental; 661 185 km²; 1 799 800 hab. Capit. *Edmonton.*

Entre une avancée du Bouclier canadien au N.-E. et les montagnes Rocheuses au S.-O., l'État s'étend en majeure partie sur la *haute plaine d'Alberta.* L'altitude moyenne élevée, voisine de 1 000 m, aggrave des conditions climatiques déjà rudes (froid et relative sécheresse), liées à la continentalité. A Edmonton et à Calgary, près de la moitié de l'année règne une température moyenne inférieure à 0 °C, et le total annuel des précipitations y est inférieur à 500 mm.

Malgré la réduction de la saison végétative, grâce à la qualité et à l'étendue des terres, à la desserte ferroviaire, la province est une grande région productrice de céréales (blé, orge, avoine) et aussi une terre d'élevage. Mais l'industrie domine aujourd'hui en raison de la richesse du sous-sol en hydrocarbures. L'Alberta fournit, et de loin, la plus grande partie du pétrole et du gaz naturel canadiens (plus de trois quarts dans les deux cas), cependant que de gigantesques dépôts de sables bitumineux ont commencé à être traités dans le Nord. Le tourisme est actif dans les parcs nationaux des Rocheuses (Banff et Jasper notamment). La population, bien qu'encore faible en moyenne (la province est plus étendue que la France), s'accroît rapidement. Elle est fortement urbanisée. Edmonton et Calgary concentrent d'ailleurs ensemble plus de la moitié de la population totale de l'Alberta.

ALBERTI (Leon Battista), humaniste et architecte italien (Gênes 1404-Rome 1472). D'une famille florentine, il devint en 1432 secrétaire de la chancellerie pontificale à Rome. Ses traités de peinture (1435) et d'architecture (commencé en 1450) font de lui le premier grand théoricien des arts de la Renaissance. Les références à l'Antiquité, à la nature et à la raison humaine le conduisent à la recherche d'une harmonie fondée sur des bases scientifiques. Alberti fournit plans et maquettes pour le temple Malatesta à Rimini (1450), le palais Rucellai, puis la façade de Santa Maria Novella à Florence, les églises San Sebastiano (1460) et Sant'Andrea (1470) à Mantoue.

ALBERTI (Rafael), poète espagnol (Puerto de Santa María 1902). Admirateur de Góngora et des *cancioneros* du XVe s., il unit l'inspiration populaire à une forme raffinée (*Marin à terre,* 1925; *Chaux vive,* 1927) nourrie par la pratique de la peinture, qu'il n'abandonnera jamais. Cherchant à se dépouiller de toutes les conventions religieuses et esthétiques (*l'Homme inhabité,* 1931), il se jette dans l'action politique (*Radio-Séville,* 1937) avant de faire revivre, en exil (*Entre l'œillet et l'épée,* 1941), l'Espagne féodale et mystique (*le Trèfle fleuri,* 1940; *le Repoussoir,* 1944), sans désespérer du *Printemps des peuples* (1961), ni renier ses convictions (*Mépris et merveille,* 1974).

Albertina, importante collection publique de dessins et d'estampes, à Vienne (Autriche), célèbre pour ses œuvres de Dürer, de Rubens, de Rembrandt.

ALBERTON, v. de l'Afrique du Sud (Transvaal), dans la banlieue sud-est de Johannesburg; 150 000 hab.

ALBERTVILLE (73200), ch.-l. d'arr. de la Savoie, sur l'Arly, près de son confluent avec l'Isère; 17 534 hab. *(Albertvillois).* Musée.

ALBESTROFF (57670), ch.-l. de cant. de la Moselle, à 22 km au N.-E. de Dieuze; 1 747 hab.

ALBI (81000), ch.-l. du départ. du Tarn, sur le Tarn, à 676 km au S. de Paris; 49 456 hab. *(Albigeois).* Cathédrale fortifiée typique du gothique méridional (XIIIe-XVe s.; riches porche et clôture de chœur; décor peint des XVe-XVIe s.). Palais de la Berbie (musée municipal Toulouse-Lautrec). La ville est au centre d'une agglomération de plus de 60 000 habitants, industrialisée (métallurgie, textiles artificiels, cimenterie, centrale thermique).

ALBIGEOIS, région de plateaux du départ. du Tarn, en bordure du Massif central, de part et d'autre de la vallée du Tarn, en aval de la ville d'*Albi.*

ALBIGEOIS → CATHARES.

ALBINISME. — L'*albinisme complet* se transmet de façon héréditaire, autosomique et récessive. La peau est blanche, les phanères, l'iris et la choroïde sont décolorés (lueur rouge de la pupille). Il existe une sensibilité particulière à la lumière (coups de soleil, photophobie).

L'*albinisme partiel* est transmis de façon autosomique dominante. Il est localisé à l'œil, aux cheveux (mèche blanche).

L'albinisme correspond à une anomalie biochimique dans la synthèse de la mélanine.

ALBINONI (Tomaso), compositeur italien (Venise 1675 - *id.* 1750). Un des plus célèbres représentants de l'école vénitienne, il a laissé de nombreux opéras, des sonates et des concertos.

ALBION *(plateau d'),* plateau calcaire à l'E. du mont Ventoux. Entre les communes de Montbrun (Drôme), des Omergues (Basses-Alpes) et de Rustrel (Vaucluse), base de lancement de 2 escadrons de 9 missiles stratégiques « SSBS » de l'armée de l'air : opérationnels en 1971-72, d'une portée de 2 500 km, ceux-ci constituent un des éléments de la force nucléaire stratégique française.

ALBITE. — L'albite, ou feldspath sodique, du groupe des plagioclases, a pour formule $NaAlSi_3O_8$. Elle se trouve dans les roches primitives, dans les calcaires magnésiens des Alpes et les schistes cristallins. Elle cristallise dans le système triclinique et se présente soit en masses lamellaires clivables, soit en masses grenues, ou bien en cristaux.

ÅLBORG ou **AALBORG,** port du Danemark, dans le nord du Jylland; 156 000 hab. Cimenterie.

ALBORNOZ (Gil ÁLVAREZ CARRILLO DE), cardinal espagnol (Cuenca 1310 - Viterbe 1367). Archevêque de Tolède, légat du pape d'Avignon en Italie, il reconquiert l'État pontifical (1353-1360), le dotant de constitutions qui, jusqu'en 1797, demeureront la charte des États du Saint-Siège.

ALBUFERA, lagune d'Espagne, près de Valence, aujourd'hui bordée de rizières. Victoire de Suchet sur les Anglais (1812).

ALBUMEN. — Cet organe embryonnaire n'existe que chez les plantes à graines et à fruit clos (angiospermes). À son origine se placent deux fusions successives de noyaux cellulaires à *n* chromosomes (noyaux haploïdes) : deux des huit noyaux femelles s'unissent pour constituer un *noyau secondaire,* puis l'un des deux noyaux mâles issus du tube pollinique s'unit au noyau secondaire (tandis que l'autre s'unit au gamète femelle et engendre un nouvel individu végétal). Le noyau secondaire ainsi fécondé acquiert un double pouvoir : celui de se multiplier activement et celui d'absorber rapidement les substances nutritives contenues dans l'ovule. Mais il est incapable de s'organiser en embryon et, lorsque la jeune plante l'attaque et consomme sa substance, il n'oppose aucune résistance. La disparition de l'albumen peut se produire dès avant la maturité de la graine (haricot); les aliments s'accumulent alors dans les cotylédons, qui à leur tour seront exploités lors de la croissance. Mais le plus souvent (blé, ricin, etc.) l'albumen est respecté jusqu'à la germination, et les cotylédons en absorbent la substance pour la transférer immédiatement aux parties actives de la jeune plante. La nature des réserves alimentaires de l'albumen est variable; celles-ci sont le plus souvent des grains d'amidon (céréales, légumineuses), parfois des huiles (lin, ricin, tournesol), plus rarement des protéines et des dérivés azotés (café). L'alimentation humaine en tire le plus grand profit.

ALBUMINE. — Parmi les protéines de petite taille, la sérumalbumine (albumine du plasma sanguin) joue un rôle physiologique important : elle est le principal support de la pression oncotique du plasma et sert de transporteur à de nombreuses substances (bilirubine, hormones, etc.). Elle est synthétisée par le foie, et sa production diminue dans les atteintes de celui-ci (cirrhose). Elle diminue aussi en cas de pertes excessives par maladie du rein (glomérulo-néphrite), et on la retrouve dans les urines (albuminurie ou protéinurie).

ALBUQUERQUE, v. des États-Unis (Nouveau-Mexique), dans la haute vallée du Rio Grande del Norte; 244 000 hab. Université.

ALBUQUERQUE (Afonso DE), conquistador portugais (Alhandra 1453 - Goa 1515). Après avoir occupé Ormuz (1507), il est nommé vice-roi des Indes (1508). Il travaille alors à étendre l'Empire portugais sur les côtes de l'Asie du Sud-Est, occupant Goa (1510), les côtes de Ceylan et Malacca (1511).

ALBY-SUR-CHÉRAN (74540), ch.-l. de cant. de la Haute-Savoie, à 14 km au S.-O. d'Annecy; 802 hab.

Alcade de Zalamea *(l'),* titre de deux comédies dramatiques en trois actes et en vers, l'une de Lope de Vega (1600), l'autre de Calderón (1642). Dans les deux cas, à propos d'une banale affaire d'honneur et de séduction, le conflit des justices bourgeoise et aristocratique est résolu par l'intervention royale.

ALCALÁ DE HENARES, v. d'Espagne (Nouvelle-Castille), au N.-E. de Madrid; 57 000 hab. Monuments des XVIe-XVIIe s. Université.

ALCALÁ ZAMORA (Niceto), homme politique espagnol (Priego 1877 - Buenos Aires 1949). Adversaire de Primo de Rivera, il devient le premier président de la seconde République espagnole (1931-1936), au sein de laquelle il joue un rôle modérateur.

ALCALINO-TERREUX (métaux). — Les métaux alcalino-terreux (calcium, baryum, strontium, radium) sont les éléments bivalents appartenant à la deuxième colonne de la classification périodique. Leurs atomes possèdent deux électrons sur la couche périphérique. Solides de faible dureté, ces métaux fondent au rouge et ont des densités peu élevées. Très oxydables, ils sont réducteurs et décomposent l'eau. Leurs hydroxydes, peu solubles, sont des bases fortes. Leurs sels, souvent moins solubles que les sels alcalins, sont habituellement incolores.

ALCALINS (métaux). — Les métaux alcalins (sodium, potassium, rubidium, cæsium, francium) sont les éléments univalents appartenant à la première colonne de la classification périodique; leurs atomes possèdent un seul électron sur la couche périphérique. Ces métaux sont des solides mous, aisément fusibles, de faible densité. Très électropositifs, ils sont oxydables et réducteurs, et décomposent l'eau à froid. Leurs hydroxydes sont des bases fortes; leurs sels, en général solubles, sont incolores, à moins que leurs anions ne soient colorés.

ALCALOÏDE. — Les alcaloïdes proviennent de certaines dicotylédones, dans lesquelles ils sont le plus souvent salifiés par des acides organiques. Ceux qui ne contiennent pas d'oxygène sont en général volatils et entraînables par la vapeur d'eau. La plupart d'entre eux ont pu être reproduits par synthèse.

ALCALOSE → ACIDO-BASIQUE *(équilibre).*

ALCANE. — Les alcanes, qui comportent le méthane CH_4 et ses homologues, ont pour formule générale C_nH_{2n+2}. À partir de $n = 4$, ils présentent plusieurs isomères à chaînes ramifiées. Jusqu'à $n = 4$, ce sont des gaz de plus en plus faciles à liquéfier, puis, *n* croissant, des liquides et enfin des solides. Leurs molécules étant saturées, ils ne peuvent donner lieu à des réactions d'addition, mais seulement à des réactions de destruction ou de substitution.

Alcántara *(ordre d'),* ordre religieux et militaire espagnol, fondé en 1156 à l'imitation des Templiers. Supprimé par les régimes républicains en 1872 et en 1931, il fut rétabli en 1874 par Alphonse XII et en 1936 par le général Franco.

ALCAZARQUIVIR. → KSAR EL-KÉBIR.

ALCÉE, poète lyrique grec (Mytilène VIIe s. av. J.-C.). Il créa, pour chanter ses passions politiques et amoureuses, un rythme qu'imitèrent Théocrite et Horace.

ALCÈNE. — Les alcènes, dont le premier terme est l'éthylène C_2H_4, ont pour formule C_nH_{2n}. Les premiers sont gazeux, puis, *n* croissant, ils deviennent liquides et enfin solides. Comportant une double liaison dans leurs molécules, ils peuvent additionner deux atomes d'hydrogène ou de chlore et se polymérisent facilement.

Alceste, tragédie lyrique en cinq actes, livret de Ph. Quinault, musique de J.-B. Lully (1674). La scène du passage dans la barque de Caron est restée célèbre. — Le même sujet a été mis en livret par Calzabigi (1767), adapté en français par du Rollet (1776) et en musique par C. W. Gluck; le compositeur fit précéder sa partition d'une épître dédicatoire qui expose ses principes sur le drame lyrique.

Alceste, principal personnage du *Misanthrope** de Molière.

ALCHIMIE. — L'alchimie était, pour les praticiens du Moyen Âge, la science par excellence, contenant les principes de toutes les autres. Se donnant pour objet l'étude de la vie, elle cherchait à découvrir un agent capable de retarder indéfiniment la mort et de faire progresser les êtres vers un état supérieur. Liquide, il s'agissait de l'*élixir de longue vie,* ou *panacée,* propre à guérir toutes les maladies; solide, c'était la *pierre philosophale,* qui pouvait assurer la transmutation en or ou en argent de tous les métaux vils. Les alchimistes rapportaient les résultats de leurs recherches dans des grimoires en une langue figurée, compréhensible par les seuls initiés.

ALCIAT (André), en ital. **Andrea Alciati** ou **Alciato,** jurisconsulte italien (Alzate, Milanais 1492 - Pavie 1550). Il chercha à éclairer l'étude du droit romain au moyen de l'histoire et de la civilisation de l'Antiquité.

ALCIBIADE, homme d'État athénien (v. 450-404 av. J.-C.). Stratège à trente ans avec Nicias*, il pousse les Athéniens à entreprendre l'aventureuse expédition de Sicile (415) [v. PÉLOPONNÈSE *(guerre du)*]. Compromis dans un scandale religieux, il s'enfuit à Sparte et, par les conseils qu'il donne aux ennemis de sa patrie, il fait échouer l'expédition. En butte à la jalousie des généraux lacédémoniens, il se réfugie auprès du satrape Tissapherne* (412); il intrigue de loin et parvient à renouer avec les factions politiques d'Athènes. Après une série de succès militaires (victoire de Cyzique en 410, prise de Byzance en 408), il rentre à Athènes en

407. Mais son triomphe sera sans lendemain; à la suite de l'échec de la flotte athénienne en 406, Alcibiade doit s'exiler en Thrace et meurt assassiné en 404 à l'instigation des Spartiates.

ALCMAN, poète grec (Sardes VIIe s. av. J.-C.), un des créateurs du lyrisme choral.

ALCMÉONIDES, famille noble d'Athènes, qui se distingue par son attachement à la démocratie. Alcméon commande le contingent athénien pendant la première guerre sacrée en 590; son fils Mégaclès lutte contre la tyrannie de Cylon en 632. Clisthène* est l'auteur de la réforme démocratique de 508-507. La famille disparaît de la scène politique après la première guerre médique*. Périclès* et Alcibiade* sont des Alcméonides par leur mère.

ALCOBAÇA, v. du Portugal (Leiria); 4500 h. Grandiose abbaye cistercienne (XIIe-XVIIIe s.).

ALCOOL. — L'alcool ordinaire est l'alcool éthylique, ou éthanol, C_2H_5OH. Il est appelé couramment *alcool* ou *alcool de vin* ou *esprit-de-vin* parce que, pendant longtemps, on ne le tirait que du vin.

On réserve ordinairement le nom d'*eaux-de-vie**, ou alcools naturels, aux alcools qui proviennent de la distillation des jus de fruits après fermentation, et l'on désigne sous le nom d'*alcools d'industrie* ceux qui sont tirés des betteraves, des mélasses, des pommes de terre, des grains, du bois.

Les levures, particulièrement les saccharomyces, sont utilisées industriellement par les distilleries pour obtenir de l'alcool éthylique par fermentation à partir de matières glucidiques. Quant aux matières amylacées, c'est-à-dire contenant de l'amidon (pomme de terre, blé, riz, seigle, etc.), elles donnent par hydrolyse des moûts sucrés fermentescibles par les levures. Enfin, la cellulose donne aussi des sucres par hydrolyse, mais cette opération est difficile et délicate.

L'alcool éthylique existe pour 2 à 5 p. 100 dans la composition des bières, pour 4 à 8 p. 100 dans celle des cidres, pour 8 à 14 p. 100 dans celle des vins, pour 40 à 60 p. 100 dans celle des eaux-de-vie. Une distillation de ces liquides laisse passer en tête un azéotrope eau-alcool renfermant 5 p. 100 d'eau, appelé « alcool à 95^0 ». L'alcool anhydre est dit « absolu ».

• En chimie, il y a quatre classes d'alcools : l'alcool méthylique, ou méthanol, CH_3OH, les alcools primaires $R—CH_2OH$, les alcools secondaires $R—CHOH—R'$ et les alcools tertiaires $R—C(R')(R'')OH$. Tous, par action des acides, donnent des éthers-sels ou des esters. Seuls le méthanol et les alcools primaires se transforment, par oxydation ménagée, en aldéhydes, puis en acides carboxyliques, tandis que les alcools secondaires fournissent des cétones.

Les alcools sont en général des liquides, et ceux qui contiennent moins de 4 atomes de carbone sont miscibles à l'eau. Les principaux sont le méthanol et l'éthanol, employés comme solvants.

ALCOOLÉMIE → ALCOOLISME.

ALCOOLISME. — L'intoxication aiguë par l'alcool réalise l'ivresse, qui se manifeste par une excitation, une incoordination motrice et des vomissements. Un coma peut en marquer l'évolution.

L'intoxication chronique peut survenir indépendamment de l'intoxication aiguë : le sujet est incapable de s'abstenir d'absorber une boisson alcoolisée (vin, bière, apéritifs, liqueurs, etc.). L'alcoolisme chronique est provoqué par des problèmes affectifs, mais surtout par l'environnement social, le sujet prenant souvent l'habitude de boire de l'alcool du fait de mauvaises conditions de vie. Il se manifeste par des tremblements des mains, de la bouche et de la langue. Les complications sont hépatiques et neurologiques : la cirrhose du foie est très fréquente et responsable d'une grande mortalité. Les polynévrites sensitives et motrices des membres inférieurs associent des crampes, une abolition des réflexes, une paralysie avec fonte des muscles et des troubles de la sensibilité cutanée; ces signes peuvent s'étendre aux membres supérieurs. Une névrite optique s'ajoute parfois aux troubles précédents, et il arrive qu'elle aboutisse à la cécité. Les lésions du système nerveux central peuvent survenir isolément ou en association avec les troubles neurologiques précédents. L'encéphalopathie de Gayet-Wernicke est due à une carence en vitamine B_1, fréquente chez l'alcoolique : elle se traduit par une confusion mentale associée à des troubles neurologiques. Le syndrome de Korsakoff associe des troubles de la mémoire, une inconscience de ces troubles amnésiques avec fabulation et fréquemment une polynévrite des membres inférieurs. Ces manifestations sont, en général, définitives. La démence alcoolique, témoin d'une atrophie cérébrale, guette à la longue l'alcoolique. Cette atrophie cérébrale est visible à l'encéphalographie gazeuse; elle se traduit par un affaiblissement de l'intelligence et aboutit à une déchéance morale et physique. Les troubles mentaux (instabilité de l'humeur, irritabilité, agressivité, faiblesse, anxiété, cauchemars) sont les signes prémonitoires de cette évolution. Sur ce fond de troubles mentaux chroniques peuvent se développer des accidents aigus et surtout le *delirium tremens,* état confusionnel avec agitation, délire hallucinatoire, qui nécessite un traitement d'urgence en milieu hospitalier.

Le traitement de l'alcoolisme chronique repose sur l'abstinence complète avec, éventuellement, cure de « désintoxication » : le sujet prend du disulfiram, qui entraîne, lors de la moindre absorption d'alcool, des nausées, des vomissements. Des tranquillisants peuvent aider à calmer l'anxiété.

Lorsque les sujets sont sous l'emprise de l'alcool (état d'ivresse ou alcoolisme chronique : taux d'alcool dans le sang supérieur ou égal à 0,80 g/l), les réflexes, les capacités d'idéation, les réactions sont ralenties, diminuées. La conduite automobile, en particulier, est perturbée, et les accidents de la route sont fréquemment la conséquence d'une intoxication alcoolique. L'*alcootest* permet de contrôler la réalité d'un état alcoolique en évaluant la teneur en alcool de l'air expiré par un sujet. Au-delà de 0,80 g/l d'alcoolémie, le réactif de l'alcootest vire au vert. Cette réaction, lorsqu'elle est positive, justifie une prise de sang pour doser précisément le taux d'alcool dans le sang (alcoolémie).

Ces contrôles biologiques et des contrôles cliniques peuvent être exigés par les officiers de police administrative ou judiciaire lorsqu'un sujet est l'auteur d'un accident de la circulation. Sur le plan légal, la jurisprudence estime que l'ivresse constitue une circonstance aggravante.

Alcools, recueil poétique de Guillaume Apollinaire (1913). L'ouvrage, qui étonna surtout par la suppression de toute ponctuation, traite des thèmes traditionnels de l'amour et de la mort à travers une très grande diversité de style : rythme mélodique de la chanson populaire, influences de Verlaine et de Rimbaud, tentative d'appliquer à la poésie le cubisme pictural (« Zone », « le Pont Mirabeau », « la Chanson du mal-aimé », « Rhénanes »).

ALCOOMÈTRE. — L'alcoomètre de Gay-Lussac est un aréomètre dont la graduation donne directement le nombre de centimètres cubes d'alcool, mesurés à 15 ^{0}C, que renferment 100 cm^3 du liquide, pris à la même température.

ALCOOTEST → ALCOOLISME.

ALCOY, v. d'Espagne (région de Valence), au N. d'Alicante; 62000 hab. Constructions mécaniques. Textiles.

ALCUIN, en lat. **Albinus Flaccus,** religieux anglo-saxon (York v. 735-Tours 804). Collaborateur de Charlemagne, il est chargé par celui-ci de diriger l'école du palais d'Aix-la-Chapelle et celle de Tours. Il joue un rôle capital dans la mise en œuvre de la renaissance carolingienne.

ALCYNE. — Les alcynes, qui comprennent l'acétylène C_2H_2 et ses homologues, ont pour formule générale C_nH_{2n-2}. Leurs molécules comportant une triple liaison, ils peuvent donner des réactions d'addition en fixant 2 ou 4 atomes univalents et ils se polymérisent facilement.

ALDABRA *(îles),* archipel de l'océan Indien, au N.-O. de Madagascar, dépendance des Seychelles.

ALDEADÁVILA DE LA RIBERA, localité d'Espagne, dans le León (prov. de Salamanque). Grand aménagement hydroélectrique sur le Douro.

ALDÉBARAN → ÉTOILE.

ALDÉHYDE. — L'aldéhyde acétique, ou éthanal, $CH_3—CHO$, se polymérise facilement en *paraldéhyde,* liquide, et en *métaldéhyde,* solide, employé comme combustible sous le nom de *Méta.* Tous les aldéhydes donnent des alcools primaires par fixation d'hydrogène et des acides carboxyliques par oxydation ménagée; ils sont, par suite, réducteurs. Leur réactif est la liqueur de Fehling (sulfate de cuivre, tartrate de potassium et soude), qui donne à l'ébullition un précipité d'oxyde cuivreux rouge.

ALDER (Kurt), chimiste allemand (Königshütte 1902-Cologne 1958) → DIELS.

ALDOL. — L'aldol, de formule $CH_3—CHOH—CH_2—CHO$, provient de la condensation de l'aldéhyde acétique avec lui-même (aldolisation), qui se produit au contact d'acide chlorhydrique étendu.

ALDOSE. — Les aldoses sont des pentoses ou des hexoses répandus dans la nature, les plus connus étant le glucose, le mannose et le galactose. Ils sont réducteurs (action sur la liqueur de Fehling) et doués de pouvoir rotatoire.

ALDOSTÉRONE → CORTICOSTÉROÏDES.

ALDRIN (Edwin), astronaute et officier américain (Montclair, New Jersey, 1930). Copilote du module lunaire lors de la mission « Apollo XI », il fut le second homme à avoir posé le pied sur la Lune en juillet 1969.

ALDROVANDI (Ulisse), médecin et naturaliste italien (Bologne 1522-*id.* 1605), auteur d'études sur la pharmacopée et sur les animaux.

Lauros - Giraudon

Jean Le Rond d'Alembert, par Louis Tocqué. (Musée des Beaux-Arts, Grenoble.)

ALÉATOIRE (musique). — Dans ce type de musique, né dans les années 50, en raison aussi bien des limites du sérialisme intégral que de la recherche de nouvelles relations compositeurs-interprètes, sont introduits, au niveau de la composition et de l'exécution, dans les détails ou dans les grandes lignes, des éléments de hasard ou d'improvisation.

ALECHINSKY (Pierre) → COBRA.

ALECSANDRI (Vasile), écrivain et homme politique roumain (Bacău 1821 - Mirceşti 1890), auteur de recueils lyriques et épiques (*Pastels,* 1875).

ALEGRÍA (Ciro), écrivain péruvien (Sartimbamba 1909 - Lima 1967). Ses romans dénoncent les injustices dont sont victimes les Indiens (*Symphonie péruvienne,* 1941).

ALEIJADINHO (Antonio Francisco LISBOA, dit **l'**), architecte, sculpteur et décorateur brésilien (Ouro Prêto 1730 - *id.* 1814). Mulâtre, estropié (d'où son surnom) par suite de maladie, il a orné les églises du Minas Gerais d'œuvres d'un baroque très expressif (Bom Jesus de Congonhas do Campo).

ALEIXANDRE (Vicente), poète espagnol (Séville 1900). Il est passé d'une inspiration surréaliste et panthéiste (*la Destruction ou l'Amour,* 1933) à l'expression de la solidarité humaine (*Histoire du cœur,* 1954). [Prix Nobel, 1977.]

ALEKHINE (Alexandre), joueur d'échecs russe naturalisé français (Moscou 1892 - Estoril, Portugal, 1946). Spécialiste du « jeu sans voir » et théoricien averti, il fut champion du monde de 1927 à 1935 et de 1937 à sa mort.

ALEKSANDROVSK-SAKHALINSKI, v. de l'U.R.S.S. (R.S.F.S. de Russie), sur la côte occidentale de l'île de Sakhaline; 100 000 hab. Pêcheries.

ALEMÁN (Mateo), écrivain espagnol (Séville 1547 - au Mexique 1614), auteur du roman picaresque *Guzmán de Alfarache* (1599), que Lesage imita.

ALEMBERT (Jean LE ROND D'), philosophe et mathématicien français (Paris 1717 - *id.* 1783). Ses recherches en mécanique, en acoustique et en astronomie l'ont conduit à approfondir et à perfectionner l'outil analytique de son siècle. Entré à vingt-trois ans à l'Académie des sciences, il publie en 1743 son *Traité de dynamique,* contenant le théorème, connu sous le nom de *Principe de d'Alembert,* qui ramène la dynamique à la statique. En algèbre il montra que le corps $\mathbb{C}$ des nombres complexes suffit à tous les besoins de l'analyse. Le premier à utiliser un développement de Taylor avec reste explicité sous forme d'intégrale (1754), il propose une méthode de résolution des systèmes d'équations différentielles et étudie un premier exemple d'équation aux dérivées partielles. En 1768, il utilisa, dans un cas particulier, le critère de convergence des séries qui porte son nom. Son *Discours préliminaire de l'Encyclopédie* et les articles qu'il y a rédigés font de lui un précurseur positiviste de l'histoire des sciences.

ALENCAR (José Martiniano DE), écrivain et homme politique brésilien (Mecejana 1829 - Rio de Janeiro 1877), initiateur du roman historique (*le Guarani,* 1857) et du mouvement indianiste (*Iracema,* 1865).

ALENÇON (61000), ch.-l. du départ. de l'Orne, sur la Sarthe, dans la *campagne d'Alençon,* à 195 km à l'O. de Paris; 34 666 hab. *(Alençonnais).* Églises Notre-Dame (porche flamboyant et vitraux du XVIe s.) et Saint-Léonard (en gothique flamboyant). Hôtel de ville du XVIIIe s. (musée de peinture). Constructions mécaniques et électriques.

ALENTEJO, région du Portugal méridional, entre le Tage et l'Algarve, constituée d'un *Bas-Alentejo* (autour de Beja) et d'un *Haut-Alentejo* (dont Evora est le centre).

ALÉOUTIENNES *(îles),* chapelet d'îles volcaniques, prolongeant dans le nord du Pacifique la péninsule de l'Alaska; 15 000 hab. *(Aléoutes).* Américain depuis 1867 (en même temps que l'Alaska, dont il dépend administrativement), l'archipel, qui est formé de plusieurs groupes d'îles (d'E. en O. Fox [avec les îles d'Unimak, d'Unalaska et d'Unmak], Andreanof, Rat et Near Islands), vit surtout de la pêche et de la chasse des animaux à fourrure. Bases aériennes.

Ce fut le point extrême atteint en 1942 par les Japonais en direction du continent américain. Les États-Unis y réalisèrent des explosions nucléaires souterraines, notamment en 1969 et en 1971 dans l'île d'Amchitka.

ALEP, v. du nord-ouest de la Syrie; 639 000 hab. Textiles. Cimenterie. Important musée archéologique. — La ville, dont l'existence est attestée depuis le XXe s. av. J.-C., acquiert sous les Séleucides* la structure urbaine qui est celle de la ville musulmane, conquise en 637. Capitale du mécène ḥamdānide Sayf al-Dawla (944-967), elle est ruinée par les Byzantins. Prospère aux XIIe et XIIIe s. sous les Zangīdes* et les Ayyūbides*, elle devient du XVe au XVIIIe s. le principal marché du Levant, où s'échangent les produits de l'Europe, de l'Iran, de l'Anatolie et de la Syrie. — Plusieurs édifices attestent la vitalité de l'art islamique* en Syrie (grande mosquée omeyyade [715] édifiée sur les plans de celle de Damas*, madrasas, etc.).

ALÉRIA (20270), comm. du départ. de la Haute-Corse, à 48 km au S.-E. de Corte, sur le Tavignano, près du littoral oriental de l'île, dans la *plaine d'Aléria;* 2 726 hab. Importantes fouilles archéologiques.

ALÉRIA *(plaine d'),* région basse de l'est de la Corse, en bordure de la Méditerranée, autrefois marécageuse et insalubre, aujourd'hui assainie et aménagée, portant des cultures fruitières (agrumes) et un vignoble.

ALÈS (30100), ch.-l. d'arr. du Gard, en bordure des Cévennes, sur le *Gardon d'Alès;* 45 787 hab. *(Alésiens).* Ancien centre houiller. Constructions mécaniques. Chaussures. — Important foyer du protestantisme, Alès est prise en 1629 par Louis XIII, qui y signe la paix d'Alès : celle-ci assure aux huguenots leurs libertés religieuses. Alès sera évêché catholique de 1694 à 1790.

ALÉSAGE. — Opération d'usinage de finition de parties généralement cylindriques de révolution, l'alésage améliore à la fois l'état de surface et les tolérances d'usinage en position, diamètre moyen, ovalisation, conicité et direction de ces surfaces. Il est possible pour tous les métaux* et alliages* usuels. Relativement lente et de grande précision, la quantité de métal enlevé étant toujours faible,

Barre d'alésage en porte à faux pour usinage court.

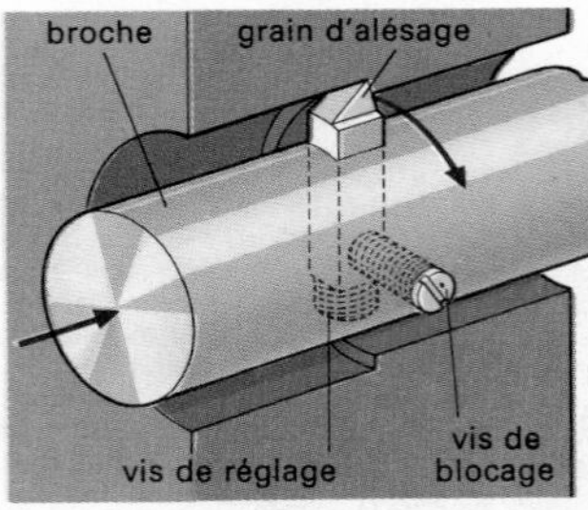

cette opération peut s'effectuer à la main, avec des alésoirs en acier rapide, fixés dans un tourne-à-gauche que l'on fait entrer progressivement, par rotation, dans l'avant-trou. Ces alésoirs à main comportent des lèvres de coupe droites ou légèrement en hélice, rigoureusement disposées suivant une surface de révolution, la partie avant étant légèrement tronconique pour s'engager dans l'avant-trou à aléser. L'alésage à main fait partie des *opérations d'ajustage.* L'outil est coûteux, et il faut un alésoir à main différent pour chaque diamètre à aléser. Le plus souvent, l'alésage s'effectue à l'aide de machines à aléser, mais aussi à l'aide de tours et de fraiseuses. Pour les alésages de faible diamètre (jusqu'à 20 mm environ), les alésoirs sont monoblocs, analogues aux alésoirs à main. Pour les diamètres plus grands, on utilise des alésoirs à lames rapportées, des têtes porte-outils à aléser à un tranchant (avec réglage radial de précision de l'outil) ou encore des barres d'alésage très rigides, avec *grains* d'usinage, dont la distance de la lèvre de coupe à l'axe de rotation de la barre est réglable avec une très grande précision. Le mouvement relatif de l'outil de coupe par rapport à la pièce à aléser est tel que cet outil est animé à la fois d'un mouvement de rotation rapide et d'un mouvement d'avance axiale très lent, de manière à décrire une hélice de très faible pas. Sur une machine à aléser et à fraiser, c'est l'outil qui tourne, alors que sur un tour c'est la pièce à aléser qui tourne : elle est fixée dans le mandrin du tour et l'outil est fixé dans la poupée mobile à la place de la contre-pointe.

ALÉSIA, anc. ville de Gaule, oppidum des Mandubiens (auj. Alise-Sainte-Reine [Côte-d'Or]). Bloqué à Alésia par César, qui dressa autour de la place deux lignes de fortifications, Vercingétorix dut se rendre après plusieurs mois de siège et les assauts infructueux de l'armée de secours (52 av. J.-C.). — La localisation du site a suscité de multiples controverses, mais, après les fouilles de 1861-1864, qui révélèrent de savantes fortifications, de nombreux ossements de combattants et de chevaux ainsi que des armes, des harnachements et des monnaies, dont aucune n'était postérieure à 52 av. J.-C., il s'avérait que l'on était en présence, à Alise-Sainte-Reine, de l'oppidum où Vercingétorix s'était retranché. Sans compter les indices géographiques, toponymiques et épigraphiques, les fouilles récentes ont confirmé l'exactitude des travaux du XIXe s. On a également mis au jour les vestiges d'une ville gallo-romaine qui s'est développée après la conquête.

ALESSI (Galeazzo), architecte italien (Pérouse 1512-*id.* 1572). Influencé à Rome par Michel-Ange, il travailla surtout à Gênes, concevant l'axe de l'actuelle via Garibaldi et une partie de ses palais, avec leurs habiles articulations de niveaux.

À l'est d'Eden, roman de John Steinbeck (1952). La vallée de la Salinas, lieu de prédilection de l'auteur, devient ici la région où, selon la Bible, Caïn se réfugie après le meurtre d'Abel, et les conflits qui déchirent une famille servent à illustrer une conception manichéenne de la lutte du Bien et du Mal. — S'inspirant de ce roman dans son film (1955), Elia Kazan analyse, à travers le portrait d'un adolescent crispé, impulsif et rebelle (le rôle valut au débutant James Dean une immédiate notoriété), la lente désagrégation d'une cellule familiale. Le cinéaste réussit une transposition freudienne très anticonformiste du mythe de Caïn et Abel et sut utiliser avec talent les possibilités stylistiques du Cinémascope dont l'exploitation commerciale était encore toute récente.

ÅLESUND, port de la Norvège centrale; 41 000 hab. Pêche. Conserveries.

ALET-LES-BAINS (11300 Limoux), comm. de l'Aude, à 8,5 km au S. de Limoux, sur l'Aude; 554 hab. Thermalisme.

ALETSCH, grand glacier des Alpes suisses, dans le Valais, long de 18 km, dominé par l'*Aletschhorn,* sommet des Alpes bernoises (4 182 m).

ALEVIN → PISCICULTURE.

ALEXANDER (Franz), psychanalyste américain d'origine allemande (Berlin 1891-New York 1964). L'un des pionniers de la médecine psychosomatique, il préconisa un aménagement de la cure analytique en recommandant au thérapeute une attitude plus directive et en insistant sur l'importance des conflits actuels.

ALEXANDER (Harold George), 1er comte **Alexander of Tunis,** maréchal britannique (Londres 1891-Slough, Buckinghamshire, 1969). Commandant un corps d'armée à Dunkerque (1940), puis le 15e groupe d'armées alliées en Italie (1943-44), il succède à Maitland Wilson comme commandant suprême allié en Méditerranée (1944-45). Gouverneur du Canada (1945-1952), il est ministre de la Défense dans le cabinet de Churchill (1952-1954).

ALEXANDRE Ier, II, IV, V, VIII → PAPE.

ALEXANDRE III (Rolando BANDINELLI) [Sienne - † Civita Castellana 1181], pape de 1159 à 1181. Élu pape en 1151, il n'est pas reconnu par Frédéric Barberousse qui lui oppose un antipape. Alexandre III mène la lutte contre l'empereur avec l'appui des villes lombardes; ayant obtenu la soumission de Barberousse (1177), il convoque au Latran (1174) un concile qui fixe les modalités de l'élection papale et accentue la centralisation de l'Église romaine.

Alexandre le Grand. Mosaïque romaine découverte à Pompéi, représentant Alexandre le Grand (à gauche, sur son cheval) combattant Darios.

Held-Ziolo

ALEXANDRE VI (Rodrigo BORGIA) [Játiva, Espagne, 1431-Rome 1503], pape de 1492 à 1503. Souverain temporel plus que pasteur de l'Église, ce pontife dissolu participe aux luttes politiques de l'Italie, tout en assurant à ses enfants, César et Lucrèce Borgia, des avantages territoriaux et de fortune. En 1493, il partage entre l'Espagne et le Portugal les nouveaux mondes découverts, confiant à leurs rois le soin de les évangéliser.

ALEXANDRE VII (Fabio CHIGI) [Sienne 1599-Rome 1667], pape de 1655 à 1667. Adversaire du jansénisme*, il le condamne en 1656 par la bulle *Ad sacram,* dont la publication ne modifie en rien les positions de Port-Royal.

ALEXANDRE le Grand (356-323 av. J.-C.), roi de Macédoine (336-323). Il succède à son père Philippe* assassiné. À l'arrivée de ce jeune roi, les pays soumis par Philippe de Macédoine essaient de secouer le joug macédonien. Par une campagne sur le Danube et une action énergique en Grèce, Alexandre raffermit la prépondérance macédonienne dans la péninsule balkanique.

Au début de 334 av. J.-C. commence la chevauchée qui va passer comme une trombe sur l'Orient. Le jeune roi passe l'Hellespont (les

Dardanelles); l'armée perse de Darios III, très supérieure en nombre, attend les Macédoniens sur les bords du Granique*, petit fleuve côtier de Phrygie. Le combat s'engage et Alexandre remporte sa première victoire en Asie (printemps 334). Un an plus tard, ayant soumis la Phrygie, la Lydie, l'Ionie, il franchit les montagnes de Cilicie et se heurte à l'armée perse à Issos* (printemps 333), bataille qui se termine par la fuite du Grand Roi. Refusant le pacte d'amitié que Darios lui propose, Alexandre, au lieu de se porter vers le centre de l'Empire perse, décide d'occuper la côte syrienne pour neutraliser la puissance maritime de l'ennemi. Après un siège de sept mois (janv.-août 332), il s'empare de Tyr, puis de Gaza, et pénètre en Égypte qu'il occupe sans coup férir : les Égyptiens, qui supportaient mal le joug des Perses, l'accueillent en libérateur. Avec la conquête de l'Égypte, Alexandre inaugure la politique qui désormais va être la sienne avec les peuples soumis : il ne se pose pas en guerrier victorieux, mais en souverain légitime, héritier des pharaons. Il fonde Alexandrie*, organise l'administration et le gouvernement du royaume et fait siennes les traditions de la théocratie pharaonique.

Au printemps 331, il quitte l'Égypte et franchit l'Euphrate puis le Tigre, au-delà duquel Darios a rassemblé toutes ses troupes. Alexandre le rejoint entre Gaugamèles et Arbèles, où s'engage la bataille décisive en octobre 331 : Alexandre entre à Babylone* et se proclame le roi de l'Asie. De novembre 331 au printemps 330, il occupe successivement Suse, Persépolis, Pasargades et Ecbatane, où Darios s'est réfugié avec une petite armée. Le roi des Perses, qui réussit une fois encore à s'enfuir, sera rejoint par son vainqueur sur les confins de la Caspienne, où il meurt assassiné par un traître. Après son accession au trône des Achéménides*, Alexandre

Assassinat du tsar Alexandre II à Saint-Pétersbourg, le 13 mars 1881.

Larousse

poursuit ses campagnes pour soumettre les satrapies orientales : de 330 à 327, il pacifie l'Hyrcanie, la Bactriane, la Sogdiane et les autres territoires des confins orientaux de l'Empire perse.

En 327, il entreprend la fabuleuse équipée qui le conduira au-delà de l'Indus. L'Inde avait autrefois fait l'objet des convoitises des Perses; Darios Ier, en 518, avait occupé la vallée de l'Indus. Alexandre, par sa victoire sur le roi Pôros et ses éléphants, devient maître de Pendjab (été 326). Mais il ne pourra atteindre le Gange, son armée, épuisée, refusant d'aller plus loin. À la fin de 326, un difficile retour commence, qui se fera par terre et par mer, la flotte étant confiée à Néarque. En novembre, l'armée descend l'Hydaspe et l'Indus jusqu'à l'Océan; de là, Alexandre rejoint la Perse par la voie de terre tandis que Néarque ramène la flotte en longeant la côte (périple de Néarque).

À Suse, février 324, Alexandre réorganise son empire et son armée dans le sens d'une fusion totale entre Grecs et Asiatiques; il exige que lui soient rendus les honneurs divins : les Orientaux acquiescent, les Grecs se résignent. D'Ecbatane, il prépare l'exploration de l'Arabie et de la Caspienne. L'expédition restera à l'état de projet. En juin 323, Alexandre meurt à Babylone, sans doute d'une crise de malaria; son empire, dont seule sa puissante personnalité maintenait l'unité, ne lui survivra pas.

ALEXANDRE Ier (Tatoï 1893-Athènes 1920), roi de Grèce de 1917 à 1920. Ayant succédé à son père Constantin, déposé par les Alliés pour sa germanophilie, il s'appuie sur Venizelos et entre dans la guerre aux côtés de l'Entente.

ALEXANDRE, prince de **Battenberg** (Vérone 1857-Graz 1893), premier prince de Bulgarie (1879-1886). S'étant aliéné la Russie, qui l'avait fait élire prince de Bulgarie, il doit abdiquer en 1886.

ALEXANDRE FARNÈSE (Rome 1545-Arras 1592), duc de Parme (1586-1592). Après s'être distingué à la bataille de Lépante (1571), il est nommé gouverneur des Pays-Bas (1578). Mais s'il peut reprendre Anvers (1583-1585), il échoue devant les Hollandais, alliés aux Anglais. Envoyé en France par Philippe II pour appuyer la Ligue catholique, il force Henri IV à lever le siège de Paris (1590).

ALEXANDRE Ier JAGELLON → JAGELLON.

ALEXANDRE JANNÉE → ASMONÉENS.

ALEXANDRE Ier (Saint-Pétersbourg 1777-Taganrog 1825), empereur de Russie (1801-1825). Nourri de la philosophie des lumières par son précepteur La Harpe, il accède au trône après l'assassinat de son père Paul Ier* en affirmant vouloir gouverner selon les principes de sa grand-mère, Catherine II*. L'enseignement est doté d'un statut qui accorde l'autonomie aux universités; un oukaze de 1803 invite les nobles à libérer leurs serfs, mais il reste presque sans application. Speranski*, chargé en 1809 d'une réorganisation d'ensemble de l'État, propose de confier le pouvoir législatif à une représentation nationale : de son projet, il n'est retenu que le Conseil d'État et les neuf ministères organisés en 1810-11. Alexandre Ier cède à la pression des nobles et congédie Speranski en 1812. En politique étrangère, Alexandre Ier essaie d'abord d'imposer sa médiation entre la France et l'Angleterre, mais il est rejeté vers les troisième et quatrième coalitions*. Vaincu à Austerlitz* (1805), à Eylau* et à Friedland* (1807), il conclut avec Napoléon les traités d'alliance de Tilsit*. La Russie bat la Suède et obtient la Finlande (1809). Elle est en guerre avec la Turquie (1806-1812), qui lui abandonne la Bessarabie, et avec l'Iran (1804-1813), qui doit reconnaître l'annexion de la Géorgie accomplie en 1801 et céder le Daguestan et l'Azerbaïdjan septentrional. Alexandre Ier rompt en 1811 le Blocus* continental, qui prive l'agriculture de son débouché anglais. Napoléon entreprend alors la campagne de Russie*, à laquelle le pays répond par la « guerre patriotique » de 1812, menée par Koutouzov*, Bagration*, Barclay* de Tolly, avec l'aide des milices paysannes. Alexandre participe à la campagne de France* et se pose en libérateur de l'Europe. Après le Congrès de Vienne* (1815), influencé par le piétisme de Mme de Krüdener et de A. N. Galitzine, il conclut la Sainte Alliance*. Sa politique devient alors de plus en plus contradictoire : il accorde au royaume de Pologne une constitution et une large autonomie, mais il se rallie au conservatisme de Metternich* et n'intervient pas en faveur des Grecs. Lorsqu'il apprend l'existence de sociétés secrètes de jeunes officiers libéraux, déçu, il réagit par une politique réactionnaire : censure accrue, contrôle des universités, toute-puissance d'Araktcheïev*, rétablissement de la déportation en Sibérie pour les serfs indociles. À la fin de son règne, le mécontentement est général.

ALEXANDRE II (Moscou 1818-Saint-Pétersbourg 1881), empereur de Russie (1855-1881), fils de Nicolas Ier. Son éducation est confiée au capitaine Mörder — qui lui enseigne la discipline militaire — et au poète Joukovski*. Il hérite en 1855 de la situation désastreuse créée par la guerre de Crimée* et signe le traité de Paris* (1856). Il se consacre à l'élaboration des réformes qui doivent faire de la Russie une grande puissance moderne, et d'abord à l'abolition du servage : les paysans de l'État sont affranchis en 1858. La réforme de 1861 accorde aux paysans la liberté personnelle et la propriété de leur enclos (maison, bâtiment d'exploitation, potager); la terre arable doit être rachetée aux nobles, et, comme les paysans n'ont pas d'argent liquide, l'État leur fait une avance qu'ils rembourseront en quarante-neuf ans; la commune rurale, le mir*, est responsable de toutes ces opérations et répartit la terre entre les paysans. La réforme de l'administration locale (1864) aboutit à la création des zemstvos*; celles de la justice et de l'instruction (1863-64) instituent l'égalité de tous devant les tribunaux et ouvrent les lycées aux enfants de toutes classes et de toutes religions. Mais les conservateurs mettent à profit l'insurrection polonaise de 1863 et l'attentat manqué de 1866 pour accroître leur influence et vider les réformes d'une partie de leur contenu. D. A. Tolstoï s'oppose à un enseignement secondaire moderne, mais il ne peut abolir l'autonomie des universités. Gortchakov* mène une politique étrangère habile : amitié russo-prussienne, mais désaveu de Bismarck* sur le point de reprendre les hostilités avec la France en 1875; expansion territoriale vers le Caucase (reddition de Chamil*, 1859), l'Asie centrale et l'Extrême-Orient. La guerre russo-turque (1877-78) aboutit après la meurtrière mais victorieuse campagne des Balkans* au traité de San Stefano (mars 1878); cependant la Russie doit accepter l'intervention des puissances et la réunion du congrès de Berlin*. Elle garde Kars et Batoumi, mais l'opinion publique, favorable au panslavisme*, est déçue. L'opposition révolutionnaire prend des formes nouvelles : nihilisme* des années 1860, populisme* des années 1870, qui tente de rapprocher l'intelligentsia des masses populaires, et enfin terrorisme. Le tsar, impressionné par les attentats, fait appel à Loris-Melikov, qui propose la réunion d'un conseil consultatif de députés des zemstvos et des villes. Il accepte le projet et meurt le jour même, victime d'un attentat.

ALEXANDRE III (Saint-Pétersbourg 1845 - Livadia 1894), empereur de Russie (1881-1894). À la mort de son frère aîné (1865), son éducation est confiée à Pobedonotsev* et Solovev*. Il n'en retient que quelques idées sommaires : bien-fondé de l'autocratie, supériorité de l'orthodoxie et de la nation russe. Après l'assassinat de son père, Alexandre II, il poursuit les terroristes et anéantit l'opposition révolutionnaire en Russie. Loris-Melikov démissionne dès avril 1881. D. A. Tolstoï devient ministre de l'Intérieur (1882). Les derniers vestiges des réformes libérales d'Alexandre II concernant l'instruction publique, la justice, les zemstvos* et les villes disparaissent : Pobedonotsev est l'instigateur d'une politique de russification des populations allogènes et de prosélytisme orthodoxe; des contraintes sont imposées à l'élément germanique des provinces baltes, aux Polonais et aux Ukrainiens, aux Arméniens, aux musulmans de l'Asie centrale, où Skobelev* poursuit l'expansion, et enfin aux juifs, astreints par le statut de 1882 à se fixer dans la zone occidentale. Le tsar prend quelques mesures en faveur du monde rural, dont les difficultés sont encore accrues par la baisse mondiale des prix agricoles. Le développement industriel connaît un essor rapide, favorisé par l'afflux des capitaux étrangers — germaniques et britanniques, puis français à partir de 1888. En effet, le tsar adhère au système de Bismarck* jusqu'à la chute de ce dernier (1890). Alors s'amorce le rapprochement avec la France, qui aboutit à l'alliance franco-russe.

ALEXANDRE Ier KARADJORDJEVIĆ → KARADJORDJEVIĆ.

ALEXANDRE NEVSKI (Vladimir v. 1220 - Gorodets 1263), prince de Novgorod (1236-1252), grand-prince de Vladimir (1252-1263). Il bat les Suédois (1240) sur les bords de la Néva et les chevaliers Porte-Glaive (1242) sur les glaces du lac des Tchoudes. Il a été canonisé par l'Église orthodoxe.

Alexandre Nevski *(ordre d'),* ordre russe créé en 1722 et transformé en 1942 en ordre militaire soviétique.

ALEXANDRE Ier OBRENOVIĆ → OBRENOVIĆ.

ALEXANDRESCU (Grigore), poète roumain (Tîrgovişte 1810-Bucarest 1885), d'inspiration romantique.

ALEXANDRIA, v. des États-Unis (Virginie), près de Washington; 110 000 hab.

ALEXANDRIE, principal port d'Égypte, sur la Méditerranée, à l'angle nord-ouest du delta du Nil; 1 801 000 hab. Deuxième ville du pays, Alexandrie est une cité économiquement active (centre bancaire, industries métallurgiques [chantiers navals], textiles [coton], chimiques et alimentaires), assurant la majeure partie du commerce extérieur égyptien.

La ville, fondée par Alexandre* en 331 av. J.-C., est capitale du royaume des Lagides* (306-30 av. J.-C.), qui en font une métropole intellectuelle et artistique du monde grec (v. ALEXANDRINISME). Le quartier dit « du Delta » est le siège d'une importante communauté juive parlant le grec. De cette alliance de deux cultures naîtront le livre des Maccabées*, le livre de la Sagesse*, la traduction grecque de la Bible, dite « version des Septante* », et l'œuvre du philosophe Philon*, qui tente de jeter un pont entre la révélation biblique et la pensée grecque. En 30 av. J.-C., Alexandrie devient la capitale de la province romaine d'Égypte. L'Église d'Alexandrie joue dans le développement du christianisme un rôle majeur; parmi ses évêques émergent les figures de saint Athanase*, fougueux adversaire de l'arianisme*, et de saint Cyrille*, adversaire du nestorianisme*. L'école chrétienne d'Alexandrie, fondée v. 180 par Pantène, devient avec Clément* et Origène* une grande école de théologie dont la méthode allégorisante et spéculative s'opposera à l'exégèse historique et littérale de l'école d'Antioche*. La prise de la ville par les Arabes en 642 met fin au prestige alexandrin.

Après l'armistice de 1940, l'escadre française de la Méditerranée orientale y fut immobilisée par les Anglais jusqu'à son ralliement en 1943 aux forces du général Giraud.

ALEXANDRIE, v. d'Italie (Piémont), ch.-l. de prov., sur le Tanaro; 103 000 hab.

ALEXANDRIN. — Ce vers de douze syllabes a été employé dans la poésie épique et tragique. L'alexandrin classique a deux accents fixes (sur la 6e et sur la 12e syllabe) et des accents mobiles, qui divisent le plus souvent le vers en quatre mesures. Une pause, ou *césure,* entre la 6e et la 7e syllabe, partage le vers en deux *hémistiches.*

ALEXANDRINISME. — L'activité intellectuelle et littéraire, qui se développe aux IIIe et IIe s. av. J.-C. à Alexandrie, mais aussi à Antioche et à Pergame, jusqu'à la conquête romaine, est une pratique d'érudits, de grammairiens, d'écrivains précieux et raffinés : Callimaque*; Aratos, dont Cicéron traduira le poème encyclopédique des *Phénomènes;* Hérondas, un des maîtres du « mime* »; Lycophron, dont l'obscurité est restée proverbiale; Aristarque*. Un seul thème original : la peinture de l'amour, bucolique avec Théocrite*, épique avec Apollonios* de Rhodes.

ALEXANDROVSK-SAKHALINSKI → ALEKSANDROVSK-SAKHALINSKI.

ALEXIS Ier COMNÈNE (Constantinople 1056 - *id.* 1118), empereur byzantin (1081-1118), fondateur de la dynastie des Comnènes*. Usurpateur d'un empire, assailli de toutes parts, il déploie une grande énergie pour restaurer par les armes et la diplomatie la puissance byzantine. Il conclut un traité avec les Seldjoukides* de Rūm (1081), puis mène une lutte difficile contre les Normands de Robert* Guiscard (1081-1085) avec l'aide de la flotte vénitienne. Il fait cesser les incursions des Petchenègues*, des Coumans, des Turcs et des Serbes; mais la première croisade* (1095-1099) lui crée de nouveaux problèmes; pour mener sa politique, il doit lever des impôts très lourds et concéder à Venise des avantages commerciaux qui nuisent au commerce byzantin.

ALEXIS II COMNÈNE → COMNÈNES.

ALEXIS III ET IV ANGE → ANGES.

ALEXIS V DOUKAS → DOUKAS.

ALEXIS Ier ET II COMNÈNE → TRÉBIZONDE *(empire grec de).*

ALEXIS MIKHAÏLOVITCH (Moscou 1629 - *id.* 1676), tsar de Russie (1645-1676). Il doit réunir le Zemski* Sobor qui élabore l'*Oulojenie* de 1649, code des rapports sociaux et du servage. Les serfs de la région de la Volga inférieure se révoltent (1670-71) sous la conduite de Stenka Razine*. De 1654 à 1667, Alexis mène contre la Pologne la guerre qui aboutit à l'armistice d'Androussovo : la Russie obtient la partie de l'Ukraine que lui avait cédée Khmelnitski*, et la Biélorussie. L'adoption des réformes religieuses de Nikon* provoque le schisme de 1666-67 (raskol*).

ALFA. — Ce sont seulement les feuilles de l'alfa qui sont employées soit à la fabrication des cordes et des ficelles, soit à celle du papier de belle qualité. La plante, qui est une herbe vivace et peut vivre soixante ans, appartient à la famille des graminacées.

ALFIERI (Vittorio), écrivain italien (Asti 1749 - Florence 1803). Après une jeunesse mondaine et voyageuse, qu'il déplore dans sa *Vie de Vittorio Alfieri, écrite par lui-même* (1790-1804), le succès de sa première tragédie (*Cléopâtre,* 1775) le fait se consacrer à la création dramatique et parfaire sa formation éthique (Plutarque, Machiavel), littéraire (Dante, Pétrarque, Le Tasse) et théorique (*De la tyrannie,* 1779). Peignant en un style concis des caractères énergiques, il entreprend d'inspirer à ses contemporains l'amour de la liberté (*Mérope,* 1782; *Antigone,* 1783; *Octavie,* 1784; *Mirra,* 1789), qu'il saluera dans la Révolution française, avant de condamner les incohérences de la politique et de l'esprit français (*Misogallo,* 1792).

ALFÖLD, nom donné aux plaines céréalières hongroises couvrant la majeure partie du Bassin pannonien, s'étendant notamment à l'E. du Danube.

ALFORTVILLE (94140), ch.-l. de cant. du Val-de-Marne, dans la proche banlieue sud-est de Paris, au confluent de la Seine et de la Marne; 38 058 hab. *(Alfortvillais).* Dénitrogénation du gaz naturel. Verrerie.

ALFRED le Grand *(saint)* [Wantage, Berkshire, 849 - † 889], roi de Wessex. Conseillé par le pape, il restaure l'autorité royale et ranime l'Église anglo-saxonne, favorisant en même temps une véritable renaissance de la civilisation anglo-saxonne.

ALFVÉN (Hannes), physicien suédois (Norrköping 1908). Il a découvert, en 1947, les ondes naissant et se propageant dans le plasma de la magnétosphère. (Prix Nobel de physique en 1970.)

Alfvén *(ondes de),* formes particulières d'ondes électromagnétiques d'ultrabasses fréquences, elles peuvent se propager dans les milieux du type plasma, très conducteurs (tels que la magnétosphère).

ALGARDI (Alessandro), dit **l'Algarde,** sculpteur italien (Bologne 1595 - Rome 1654), élève des Carrache et rival du Bernin. Sa manière, chargée d'éléments baroques, s'oriente pourtant vers l'équilibre et la sobriété (tombeau de Léon XI et relief d'*Attila et saint Léon* à Saint-Pierre de Rome; bustes).

ALGAROTTI (Francesco), écrivain italien (Venise 1712 - Pise 1764), une des figures les plus caractéristiques de l'illuminisme* par sa passion des voyages, sa correspondance avec Voltaire, son activité de vulgarisateur *(Newtonianisme pour dames)* et son intérêt pour les arts plastiques (*Sur la peinture,* 1762).

ALGARVE, région constituant l'extrémité méridionale du Portugal, dont le centre principal est Faro. Salines.

Alger. Vue partielle du port et de la ville.

ALGÈBRE. — Le mot *algèbre* est d'origine arabe, mais les méthodes algébriques sont bien antérieures à la civilisation arabe. Dès le IIe millénaire avant J.-C., les Babyloniens résolvent des problèmes du second degré. Ils utilisent pour leurs calculs la numération* de position à base 60 dont seules les imperfections (qui ne sont pas supérieures à celles de la numération décimale) limitent les possibilités. Au IIe s. avant J.-C., les Chinois ont, pour les problèmes du premier degré à plusieurs inconnues, une technique qui s'apparente au calcul des déterminants*. Ils ne calculent qu'en nombres entiers rationnels ou fractionnaires, mais ils emploient aussi bien les nombres positifs que les nombres négatifs. Le Grec Diophante* d'Alexandrie (IIe s. apr. J.-C.) crée l'analyse* indéterminée, où les calculs se font en nombres rationnels positifs, mais où le nombre des équations* est supérieur à celui des inconnues. Cependant, son influence ne se fera sentir sur l'Occident qu'à partir du XVIe s. Les algébristes italiens Tartaglia* et Cardan* résolvent des équations des degrés 3 et 4, et Bombelli* crée, à cette occasion, une première forme de nombres complexes ou imaginaires. Cependant, Viète* fonde le calcul littéral, calculant non plus sur des nombres, mais sur des grandeurs de natures quelconques représentées par des lettres. En 1637, Descartes* simplifie et systématise le nouveau calcul, qu'il applique à des problèmes géométriques. Il fonde ainsi la géométrie* analytique. Au troisième livre de sa *Géométrie,* il énonce les principales propriétés des équations algébriques, mettant en lumière le principe aux termes duquel *une équation algébrique a autant de racines que son degré a d'unités.* Mais il faut pour cela admettre l'existence éventuelle de racines multiples et, surtout, admettre celle de racines *imaginaires.* Ce sera l'œuvre des algébristes du XVIIIe s. de préciser ces notions nouvelles. Jean Le Rond d'Alembert* énonce le « théorème fondamental » de l'algèbre, ou principe de Descartes (1746), et en donne une démonstration jugée satisfaisante par la plupart de ses contemporains, mais soumise en 1799, de la part de Gauss*, à une critique sévère. À côté des diverses démonstrations de Gauss du théorème fondamental, celle de Legendre semble inspirée par la représentation des nombres complexes donnée par Argand*. Cette représentation se généralise grâce à celle des *quaternions,* créée en 1843 par sir William Rowan Hamilton*. Il apparaît ainsi une première algèbre non commutative. La terminologie de Hamilton s'impose. On lui doit les mots *vecteur, commutativité,* et, dans un sens il est vrai différent du sens actuel, le mot *tenseur**. Mais la théorie des nombres conduit l'algèbre à des conceptions nouvelles. Elles sont dues aux recherches entreprises en 1843 par Kummer* pour démontrer le « grand théorème » de Fermat, conjecture selon laquelle l'équation $x^m + y^m = z^m$ n'est possible en nombres entiers que pour $m = 1$ et 2. Ces recherches ont conduit celui-ci à la notion nouvelle de *nombre idéal,* qui, clarifiée et systématisée en 1871 par Dedekind*, aboutit à la notion fondamentale d'*idéal d'anneau**. Ces travaux mènent d'ailleurs, vers la fin du siècle, à la théorie des *corps* de nombres algébriques de Hilbert*. La notion de *groupe**, due à Galois* (1830), s'applique d'abord à des ensembles* finis, comme celui des permutations entre les racines d'une équation algébrique. Sous cet aspect, elle prend une extension considérable dans les travaux de Jordan*. Felix Klein* et Sophus Lie* la généralisent à des ensembles infinis et lui font jouer un rôle fondamental, le premier en géométrie*, le second dans la théorie des équations* aux dérivées* partielles. Le concept d'*espace vectoriel** se rattache pour sa part aux travaux de Hamilton, au calcul géométrique de Möbius* (calcul barycentrique, 1827) et aux systèmes hypercomplexes imaginés par Grassmann* en 1844. Si les déterminants sont en fait connus depuis la résolution des systèmes d'équations affines par Cramer* au XVIIIe s., ils ne deviennent d'un usage courant qu'avec Carl Jacobi*. Les algébristes anglais Sylvester* et Cayley* développent la théorie des invariants, et Cayley fonde en 1858 le *calcul matriciel.* Mais l'apport le plus original de l'école anglaise reste cependant celui de la logique* mathématique fondée par George Boole*. Tous les domaines des mathématiques, géométrie*, mécanique*, théorie des fonctions, logique, se trouvent ainsi envahis par les procédés algébriques. Après Dedekind et Hilbert, on est ainsi amené à l'axiomatisation de l'algèbre, due, notamment, à Ernst, Steinitz (1871-1928), Emil Artin* et Emmy Noether*.

ALGÉBRIQUE (équation). — Une équation algébrique est une relation de la forme $f(x) = 0$, avec

$$f(x) \equiv a_0 x^n + a_1 x^{n-1} + \dots + a_p x^{n-p} + \dots + a_n,$$

$f(x)$ étant un polynôme dont les coefficients $a_0, a_1, \dots, a_p, \dots, a_n$ appartiennent à un anneau* commutatif et, très souvent, à un corps commutatif. Tout nombre α vérifiant la relation $f(\alpha) = 0$ est une *racine* de l'équation symbolisée par $f(x) = 0$. Résoudre cette équation, c'est trouver tous les nombres α tels que $f(\alpha) = 0$. Le corps dans lequel sont choisis les coefficients est souvent le corps $\mathbb{R}$ des nombres réels ou le corps $\mathbb{C}$ des nombres complexes. Dans ces deux cas, les racines de l'équation $f(x) = 0$ appartiennent à $\mathbb{R}$ ou à $\mathbb{C}$.

● EXEMPLES. 1. L'équation $x^2 - 1 = 0$, qui s'écrit aussi $(x-1)(x+1) = 0$, admet les deux racines $\alpha = 1$ et $\beta = -1$, valeurs qui annulent respectivement les facteurs $x - 1$ et $x + 1$. Ces deux racines sont réelles.

2. L'équation $x^3 + 2x^2 + x + 2 = 0$ admet comme racine $\alpha = -2$, puisque $-8 + 8 - 2 + 2 = 0$. On peut alors faire apparaître le facteur $x + 2$:

$$x^3 + 2x^2 + x + 2 = (x+2).(x^2+1).$$

Le facteur $x^2 + 1$ ne s'annule pour aucune valeur réelle de x, car, quel que soit x réel, x^2 est réel, positif ou nul, et $x^2 + 1$ est supérieur ou égal à 1. Les racines de l'équation $x^2 + 1 = 0$ sont les nombres complexes imaginaires purs i et $-i$, dont les carrés sont égaux à -1. Ainsi, l'équation $x^3 + 2x^2 + x + 2 = 0$ admet une racine réelle et deux racines complexes imaginaires conjuguées.

3. L'équation $z^2 - (2+i)z + 1 + i = 0$ admet la racine $\alpha = 1$ puisque $1 - 2 - i + 1 + i = 0$ et la racine $\beta = 1 + i$. En effet, on a

$$z^2 - (2+i)z + 1 + i = (z-1)(z-1-i).$$

Dans ces trois exemples, les coefficients des équations sont complexes ou réels, et les racines sont recherchées dans le corps $\mathbb{C}$: elles sont complexes, éventuellement réelles, c'est-à-dire de la forme $a + ib$, a et b réels, b pouvant être nul.

● THÉORÈME DE D'ALEMBERT. Toute équation algébrique de degré n à coefficients réels ou complexes a au moins une racine dans le corps des complexes.

Ainsi l'équation $f(x) \equiv a_0 x^n + \dots + a_n = 0$ à coefficients réels ou complexes a au moins une racine complexe (éventuellement réelle) α, telle que $f(x) = (x - \alpha).g(x)$, le polynôme $g(x)$ étant de degré $n - 1$. Le polynôme $g(x)$ a au moins une racine β telle que $g(x) = (x - \beta).h(x)$; d'où

$$f(x) = (x-\alpha)(x-\beta)\,h(x),$$

$h(x)$ étant le degré $n - 2$. On continue avec $h(x)$, et finalement $f(x)$ se décompose complètement en un produit de binômes du premier degré à coefficients complexes ou réels :

$$f(x) = a_0(x-\alpha)(x-\beta)\dots(x-\lambda).$$

Dans la décomposition de $f(x)$, il se peut que toutes les racines $\alpha, \beta, \dots, \lambda$ ne soient pas deux à deux distinctes. On dit alors que le polynôme $f(x)$ a une *racine multiple.* Le nombre α est racine multiple d'ordre m pour $f(x)$ si $f(x) = (x-\alpha)^m q(x)$ avec $q(\alpha) \neq 0$. Par exemple, 2 est racine triple de $f(x) = (x-2)^3(x^2+1)$.

Ainsi tout polynôme de degré n à coefficients réels ou complexes peut se mettre sous la forme

$$f(x) = a_0(x-\alpha_1)^{m_1}(x-\alpha_2)^{m_2}\dots(x-\alpha_p)^{m_p},$$

chaque racine α_i étant indiquée avec son ordre de multiplicité :

$$1 \leqslant m_i < n, \qquad m_1 + m_2 + \dots + m_p = n, \qquad 1 \leqslant i \leqslant p.$$

ALGER, capit. de l'Algérie et ch.-l. de départ., sur la Méditerranée; 950 000 hab. *(Algérois).*

GÉOGRAPHIE. La situation à mi-distance entre les extrémités de l'Afrique du Nord, entre les frontières marocaine et tunisienne, au débouché d'un riche arrière-pays (Mitidja notamment), et le site d'une baie facile à aménager expliquent l'essor de la ville, amorcé aux XVIIe et XVIIIe s. sous la domination turque et poursuivi pendant la période française de 1830 à 1962. Capitale politique, commerciale, culturelle d'un État indépendant, Alger demeure un port important et, de loin, le premier centre industriel du pays (raffinage du pétrole, arrivant par pipe-line d'Hassi-Messaoud, métallurgie, chimie) aux fonctions cependant insuffisamment développées pour occuper totalement une population en rapide accroissement par l'excédent naturel et surtout l'immigration.

HISTOIRE. Modeste comptoir punique, puis romain, petite ville musulmane à partir du Xe s., Alger devient la capitale de l'Algérie sous la domination ottomane (XVIe s.). Menacée par les Espagnols, elle fait appel aux corsaires ʿArūdj et Barberousse*. Prospère grâce

C. D. P. Tétrel

à la course en Méditerranée, que combattent Charles Quint et Louis XIV, la ville est occupée par les Français en 1830. Capitale provisoire de la France en 1943-44, elle joue un rôle actif dans la révolution algérienne (1954-1962).

ALGÉRIE, en ar. **Barr al-Djazā'ir,** État de l'Afrique du Nord, sur la Méditerranée, entre le Maroc à l'O. et la Tunisie à l'E.; 2 376 391 km²; 17 300 000 hab. *(Algériens).* Capit. *Alger.*

GÉOGRAPHIE.

• *Le milieu.* Les conditions naturelles permettent d'opposer deux grands domaines : le Nord, qui appartient à la zone méditerranéenne, et le Sud, qui est une partie du vaste désert du Sahara.

Dans le Nord, trois unités de relief se succèdent à partir de la Méditerranée. Situés en bordure de mer, les fragments de massif cristallin du Tell (Grande Kabylie, Kabylie de Collo, Edough) sont dominés par les escarpements sédimentaires de l'Atlas tellien (monts Tlemcen, Ouarsenis, Djurdjura, Bibans, Babor). Les Hautes Plaines leur font suite vers l'intérieur; cet ensemble de hautes terres, dont la largeur s'amenuise vers l'E., comprend des zones endoréiques occupées par des chotts. Au S., enfin, les chaînons de l'Atlas saharien (djebel Amour, Ouled Naïl, Ziban, Aurès) constituent la limite avec le désert. Le climat méditerranéen règne sur cet ensemble. Mais les précipitations, qui atteignent parfois 1 000 mm par an sur les côtes — ce qui permet la croissance de la forêt de chênes-lièges —, diminuent de plus en plus vers l'intérieur, les Hautes Plaines étant couvertes d'une steppe semi-aride.

climat

Station	*Altitude en m*	*Températures moyennes janvier*	*Températures moyennes juillet*	*Précipitations hauteur en mm*	*Précipitations jours*
Alger		13 °C	26 °C	558	74
Constantine	634	6 °C	25 °C	439	94
Béchar	763	9 °C	32 °C	43	27

Dans le Sud, l'Algérie possède une partie importante du Sahara*. Cette vaste étendue désertique comprend des régions au relief varié : plateaux pierreux (regs), cuvettes tapissées de dunes (ergs) et massifs montagneux (Hoggar).

• *La population.* Elle se concentre dans la partie nord du pays. L'accession à l'indépendance a entraîné le départ de la plupart des Européens, qui sont moins de 100 000 aujourd'hui. La population musulmane se répartit en deux groupes : les Arabes, majoritaires, et les Berbères, fixés essentiellement en Grande Kabylie et dans l'Aurès. Malgré un taux de mortalité qui reste élevé, la population s'accroît rapidement. Le problème démographique qui en résulte explique l'importance de l'émigration, principalement vers la France (plusieurs centaines de milliers). Mais cette émigration, ne concernant que les hommes d'âge actif, reste généralement temporaire.

villes principales

Alger	304 000 hab.	Oran	328 000 hab.
Constantine	244 000 hab.	'Annaba	152 000 hab.

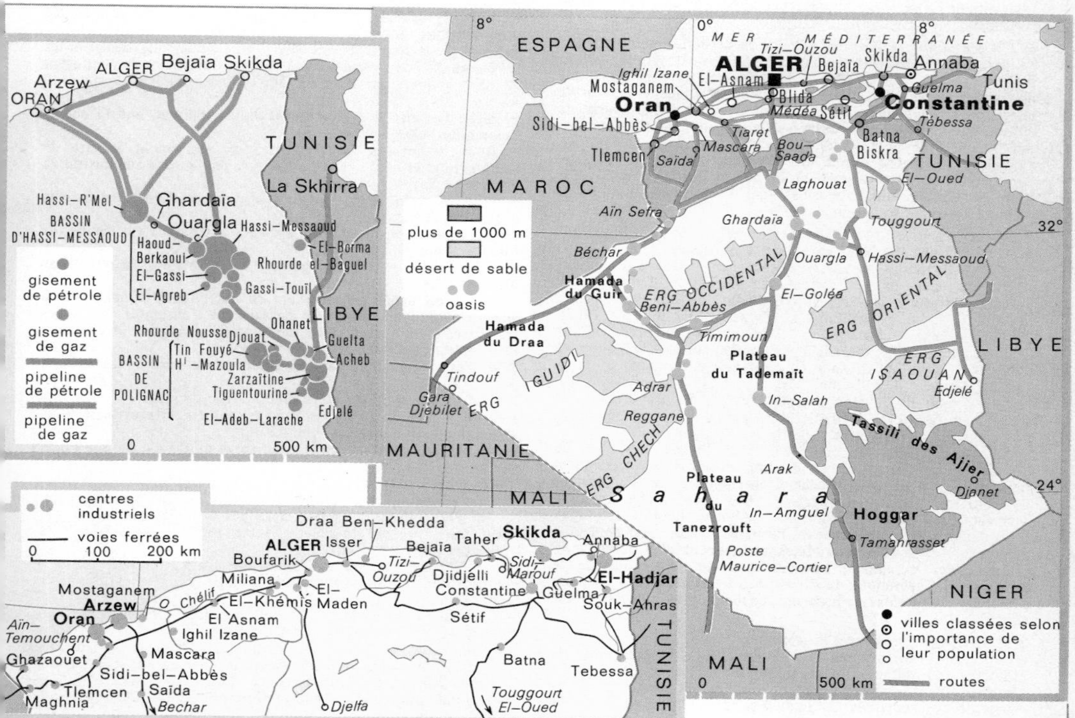

Le réseau urbain est dense. L'insuffisance des ressources à la campagne explique l'afflux des populations rurales vers les villes. Sous la pression de cet exode rural, on assiste à un gonflement des villes, en particulier des quatre principales, où les conditions de vie sont souvent médiocres.

À l'exception des oasis et des centres d'extraction pétrolifères créés de toutes pièces, le Sahara est vide d'hommes.

• *L'économie.* Elle est encore marquée par l'héritage de la colonisation. Durant cette période, les cultures commerciales (vigne, arbres fruitiers) et les industries extractives (phosphate, fer et surtout hydrocarbures) ont été favorisées. Depuis l'indépendance, un changement d'orientation a eu lieu sous l'impulsion de l'État.

L'agriculture occupe près de la moitié de la population active. Des tentatives d'organisation socialiste ont été faites. Sur des initiatives spontanées, les anciens domaines coloniaux ont été transformés en exploitations autogérées; celles-ci couvrent la moitié des terres cultivées et produisent des fruits, des légumes et surtout du vin (7,4 Mhl), pour lequel se pose un problème de débouchés. Mais l'essentiel de la population rurale pratique encore une agriculture traditionnelle aux rendements faibles (céréales, cultures fruitières), ou un élevage extensif d'ovins. Par ailleurs, l'État a entrepris la création d'une industrie de base, favorisée par la richesse en hydrocarbures : le pétrole (50 Mt) et le gaz naturel (5 Gm^3) du Sahara (extraits notamment à Hassi-Messaoud et Hassi-R'Mel). Découverts et mis en valeur par la France, les gisements sont devenus la propriété d'une société d'État, la Sonatrach, qui a développé un réseau d'oléoducs et exploite le complexe pétrochimique d'Arzew. Parallèlement a été créée l'usine sidérurgique d'Annaba. Les industries légères (textiles, industries alimentaires) restent dispersées dans les centres urbains. Mais, pour l'instant, l'effort d'industrialisation reste insuffisant. Les industries de base apportent peu d'emplois, et le chômage sévit encore. Le développement du tourisme permet d'apporter quelques ressources complémentaires, augmentant un excédent de la balance commerciale, obtenu grâce à l'accroissement des revenus du pétrole, qui représentent, en valeur, plus des quatre cinquièmes des exportations.

HISTOIRE. Les frontières actuelles de l'Algérie ne se dessinent que lors de la régence turque d'Alger (XVIe s.). À l'époque romaine, le territoire algérien correspond à la Numidie* et à la Mauritanie* césarienne et déborde sur l'Afrique proconsulaire. À l'époque arabe, il comprend le Maghreb central et une partie de l'Ifrīqiya*. L'histoire de l'Algérie est donc inséparable de celle du Maroc* et de la Tunisie*.

• *L'Algérie antique.* La préhistoire de la Berbérie semble pouvoir se caractériser par un néolithique relativement récent, qui se prolonge jusqu'en pleine période historique. C'est dans un monde de civilisation néolithique que les Phéniciens* fondent, à partir de la fin du IIe millénaire av. J.-C., leurs premiers établissements côtiers, que développent ensuite les Carthaginois. Sous la domination romaine, du IIe s. av. J.-C. au Ve s. apr. J.-C., le Maghreb s'urbanise et l'Église chrétienne d'Afrique acquiert un prestige considérable (v. AFRIQUE ROMAINE). En 533-34, Justinien* reprend le territoire algérien aux Vandales* (qui l'ont envahi v. 429) et organise l'Afrique byzantine.

• *L'Algérie arabe.* Les raids arabes de 647 et 665 sont le prélude de celui d''Uqba ibn Nāfi' en 681-82. Les Arabes viennent vite à bout des Byzantins et se constituent en caste aristocratique dominante, mais ils se heurtent aux Berbères*. La résistance berbère s'exprime au VIIIe s. par l'adhésion au khāridjisme*, doctrine puritaine et égalitaire. Le royaume khāridjite de Tāhert (776-911) se maintient jusqu'à sa destruction par les Fāṭimides* : au Xe s., ces derniers étendent leur domination sur tout le Maghreb à partir de la Petite Kabylie, puis en confient le gouvernement à leurs vassaux zīrides*. Les Ḥammādides* (1015-1152) se rendent indépendants, mais ils doivent, sous la pression des Banu Hilāl*, se replier vers le littoral. L'Oranie et l'Algérois sont conquis par les Almoravides* v. 1080, puis, à partir de 1147, par les Almohades*, qui éliminent ensuite les Ḥammādides de Bougie. Les villes du littoral s'ouvrent alors à la civilisation andalouse et entretiennent un commerce actif avec l'Occident chrétien. Au XIIIe s., l'Afrique du Nord est de nouveau morcelée, et le domaine algérien, avec Tlemcen pour capitale, échoit aux 'Abdalwādides* (1235-1550). C'est durant cette période que les Berbères Zenāta s'arabisent. À la fin du XVe s., les 'Abdalwādides ne tiennent plus que l'Ouest algérien; tout le reste du pays est morcelé en une infinité de principautés, fédérations de tribus, terres maraboutiques ou ports libres. De 1505 à 1511, les Espagnols occupent Mers el-Kébir, Oran* et Bougie.

• *L'Algérie turque.* Face à la menace espagnole, les Algérois font appel aux corsaires turcs. Barberousse* place Alger* sous la protection du sultan ottoman (1518), et la régence d'Alger est organisée en 1587. Elle tire le meilleur de ses ressources de la course, très prospère aux XVIe et XVIIe s., et lève l'impôt sur les trois provinces de son territoire.

• *La colonisation française. 1830.* Après plusieurs incidents, le gouvernement de Charles X décide l'envoi d'un corps expéditionnaire de 36 000 hommes aux ordres du général de Bourmont, qui s'empare d'Alger le 5 juillet.
1830-1839. La France n'occupe d'abord que Blida, Bône, Bougie et Oran, et se heurte, à l'ouest, à Abd el-Kader* (1832), qui s'efforce d'organiser la lutte. Les Français tentent de négocier avec lui en 1834, puis en 1837 (traité de la Tafna), année où le général Valée s'empare de Constantine. Fort de l'appui du Maroc, Abd el-Kader déclare la guerre à la France (1839).
1840-1848. La conquête est l'œuvre du général Bugeaud*. Il dispose de 100 000 hommes, dont il adapte l'action à la guerre africaine (bureaux* arabes, colonnes mobiles), et refoule Abd el-Kader dans le désert. Après la prise de sa smala (1843), l'émir, battu sur l'Isly, doit se rendre (1847).
1848-1870. La pacification fait suite à la guerre et s'applique à la Petite Kabylie (Saint-Arnaud*, 1849-1852), puis à la Grande Kabylie (Randon, 1857). Elle s'étend enfin au Sud algérien (Touggourt et Laghouat, 1854; Sud-Oranais, 1869-70).

Les colons s'installent de plus en plus nombreux, surtout après 1870. Partisans de l'assimilation et du régime civil, ils obtiennent gain de cause sous la IIe et la IIIe République. Ils développent la culture de la vigne et des céréales et apportent à l'Algérie une indéniable prospérité économique, mais la paysannerie arabe, victime d'une dépossession foncière continue, s'appauvrit. Le régime de l'indigénat établit une véritable ségrégation entre colons et autochtones. Au cours des années 1930, le mouvement national prend corps dans la société algérienne : modernisme musulman de l'Association des ulémas de Ben Badis (1889-1940), revendications sociales puis nationalistes de l'Étoile nord-africaine de Messali* Hadj, qui devient en 1937 le Parti du peuple algérien. Avec la Seconde Guerre mondiale, les aspirations nationalistes se radicalisent (Manifeste du peuple algérien de Farḥāt 'Abbās). Le Constantinois se soulève en 1945. Le statut de 1947 accorde aux musulmans les mêmes droits politiques qu'aux Français, mais la situation économique et sociale est propice au développement du mouvement révolutionnaire. Les diverses organisations s'unissent en un Front* de libération nationale (F. L. N., 1954), qui, soutenu par les pays arabes, et notamment par l'Égypte, appelle le peuple algérien à la lutte armée.

• *La guerre d'Algérie. 1954.* 1er nov., insurrection dans les Aurès et en Grande Kabylie. Création de l'Armée de libération nationale (A. L. N.).
1955. La France instaure l'état d'urgence en Algérie et y envoie trois divisions (Soustelle, gouverneur général).
1956. Avr. : le gouvernement Mollet rappelle les disponibles et les envoie en Algérie avec des unités formées d'appelés du contingent (400 000 hommes en Algérie) [R. Lacoste, ministre résidant à Alger].
— Mai : l'insurrection s'étend à l'Oranie, puis au Sud (Tindouf, Colomb-Béchar).
— Août : le congrès F. L. N. de la Soummam établit la charte de l'insurrection et crée une infrastructure politique et administrative dans les willayas.
— Oct.-nov. : intervention franco-anglaise en Égypte (deuxième guerre israélo*-arabe).
1957. Construction de la ligne Morice à la frontière tunisienne (de Bône à Tébessa).
— Janv.-févr. : répression, par le général Massu, du terrorisme urbain à Alger.

Le général Salan, commandant en chef, tente de maîtriser la guerre révolutionnaire par un engagement d'ensemble des forces françaises (action des S. A. S., des supplétifs, création de chantiers et d'écoles, regroupement de populations...).
1958. Févr. : l'aviation française bombarde la base de l'A. L. N., à Sakiet (Tunisie).
— Mai : crise politique; de Gaulle à Alger (4 juin).
— Sept. : le F. L. N. se proclame gouvernement provisoire de la République algérienne (G. P. R. A.).
— Oct. : plan de Constantine; vain appel de De Gaulle à la « paix des braves ».
1959. Févr. : reprise des grandes opérations militaires menées d'ouest en est par le général Challe contre les forces de l'A. L. N.
— 16 sept. : discours de De Gaulle sur l'autodétermination.
1960. Janv. : rappel du général Massu, semaine des barricades à Alger (24 janv. - 1er févr.).
— 13 févr. : 1re bombe atomique française à Reggane.
— Mars-juin : reddition aux forces françaises de plusieurs chefs de willayas.
— 24 juin : réception à Melun des premiers émissaires du G. P. R. A.
— 4 nov. : déclaration de De Gaulle sur l'Algérie « algérienne ».
1961. 22-24 avr. : échec d'un putsch des généraux Challe, Jouhaud, Zeller et Salan à Alger; formation de l'O. A. S.
— Mai-juill. : négociations entre la France et le G. P. R. A. à Évian, puis à Lugrin.

1962. 18 mars : signature des accords franco-algériens d'Évian reconnaissant l'indépendance de l'Algérie.
— 23-26 mars : émeutes à Bab el-Oued. Fusillades de la rue d'Isly à Alger.
— 1er juill. : un référendum consacre l'indépendance de l'Algérie.

• *L'Algérie indépendante.* Une assemblée nationale constituante charge Ben Bella* de former le premier gouvernement de la République algérienne (1962) et prépare la Constitution de 1963; cette dernière établit en Algérie une république présidentielle avec un parti unique, le F. L. N. Ben Bella commence la mise en pratique du programme socialiste de nationalisation et d'autogestion des grandes propriétés et des entreprises, mais il est renversé en 1965 par Boumediene*. Ce dernier inaugure une politique pétrolière nationale, que parachève la nationalisation des sociétés étrangères. Les plans quadriennaux (1970-1973 et 1974-1977) prévoient le développement de l'industrialisation et l'application de la réforme agraire de 1972. Boumediene poursuit la politique d'arabisation et de scolarisation de Ben Bella, ainsi que sa politique extérieure anti-impérialiste. Une nouvelle constitution est adoptée en 1976.

DÉFENSE ET ARMÉES

• *1962 :* création, à partir de l'Armée de libération nationale (A. L. N.), de l'*Armée nationale populaire.*

• LES FORCES ALGÉRIENNES EN 1977. Budget : 312 millions de dollars. Effectifs : 69 000 hommes (armée de volontaires).
Armée : 61 000 hommes; 5 brigades (dont 1 blindée), matériel en majorité soviétique.
Marine : 3 800 hommes; 6 patrouilleurs, une vingtaine de petits bâtiments.
Aviation : 4 500 hommes; 182 avions de combat (surtout soviétiques).

ALGÉROIS, région centrale de l'Algérie, correspondant à l'ancien découpage du pays en trois départements (Algérois; Oranais à l'ouest; Constantinois à l'est).

ALGÉSIRAS, port d'Espagne (Andalousie), sur le détroit de Gibraltar; 80 000 hab. Raffinerie de pétrole. La ville a été le siège, du 16 janvier au 7 avril 1906, d'une conférence qui consacra l'internationalisation économique du Maroc et la position privilégiée de la France dans ce pays.

ALGOL → ÉTOILE.

ALGONQUINS → INDIENS.

ALGORITHME. — Pour obtenir à partir d'un ensemble de données un résultat déterminé, il faut définir un procédé, une suite finie de règles opératoires qui constituent un algorithme. Un algorithme définit une méthode de calcul et, plus généralement, une méthode de traitement quelconque permettant d'arriver à un résultat final. Tel est par exemple l'algorithme d'Euclide* conduisant au plus grand commun diviseur, ou p. g. c. d., de deux entiers naturels non nuls a et b avec $a > b$. On divise a par b; si le reste est nul, b divise a et le plus grand commun diviseur est b. Si b ne divise pas a, $a = bq + r$, $0 < r < b$, q est le *quotient* et r le *reste.* Les diviseurs communs à a et à b sont les diviseurs communs à b et à r, puisque, si un nombre divise a et b, il divise bq, $a - bq = r$, donc b et r; inversement, un nombre qui divise b et r divise $bq + r$, donc a. On remplace ainsi la recherche des diviseurs communs à a et à b par celle des diviseurs de b et de r, et l'on obtient, de proche en proche, les relations suivantes :
$a = bq + r,\ 0 < r < b;\ b = rq_1 + r_1,\ 0 < r_1 < r;$
$r = r_1q_2 + r_2,\ 0 < r_2 < r_1;$ etc. $r_{n-1} = r_nq_{n+1} + r_{n+1},\ 0 < r_{n+1} < r_n.$
La suite des restes successifs va en décroissant :
$r > r_1 > r_2 \ldots > r_n > r_{n+1}$ et, nécessairement, on trouve, à un certain stade du calcul, un reste nul. Le reste précédant ce reste nul est le plus grand commun diviseur cherché. Si $r_{n+1} = 0$, r_n est le plus grand commun diviseur.

En informatique*, l'algorithme d'un traitement à mettre en œuvre sur un ordinateur* peut se traduire par un organigramme* et se concrétise par la réalisation d'un programme*. Une exécution d'un programme sur un ordinateur correspond à l'application de l'algorithme à un ensemble particulier de données. Chaque nouvelle exécution est une application nouvelle de l'algorithme sur un nouveau jeu de données.

ALGRANGE (57440), comm. de la Moselle, à 12 km à l'O. de Thionville; 7 658 hab. Mine de fer.

ALGUES. — La masse végétale des eaux marines est presque uniquement constituée par des algues, la seule exception étant le fait de quelques « herbiers » littoraux de zostères ou de posidonies, plantes à vaisseaux et à fleurs. De nombreuses algues, flottantes ou fixées, vivent dans les eaux douces; d'autres couvrent le tronc des arbres dans tous les lieux humides. La symbiose avec des champignons permet enfin aux algues, sous la forme de lichens*, d'occuper les lieux les moins hospitaliers. Une organisation très simple, sans vraies feuilles, sans racines ni vaisseaux, une reproduction très diverse, mais toujours sans fleurs ni fruits, la présence constante de chlorophylle (parfois masquée par un pigment brun ou rouge) ont permis à ces plantes de prospérer massivement dans les milieux les plus variés. La seule exigence commune à toutes les espèces non symbiotiques est l'association de lumière et d'eau (ou tout au moins d'humidité).

Il n'est pas arbitraire de classer les algues non vertes selon leur couleur, qui va de pair avec tout un ensemble de caractères.

• *Les algues bleues* (cyanophycées) ont une structure cellulaire de type primitif, à noyau non délimité, mais ce sont les seules plantes chlorophylliennes capables d'utiliser l'azote à l'état moléculaire, qu'elles soient terrestres (nostoc) ou d'eau douce (oscillaire).

• *Les algues rouges* (rhodophycées) ont le pouvoir de tirer parti des rayons solaires de courtes longueurs d'onde, très pénétrants dans l'eau, ce qui leur permet de croître à une profondeur marine atteignant parfois 50 m, sans leur interdire les stations de surface ou les eaux douces. De nombreuses espèces (coralline) s'incrustent d'une gaine calcaire. La nature de leur amidon et leur cycle reproductif à trois phases distinguent les algues rouges supérieures (floridées) de tous les autres végétaux.

• *Les algues brunes* (phæophycées) sont majoritaires dans le varech, ou goémon, de la zone des marées ou des laisses de mer. Fucus, ascophylle, pelvétie, laminaire peuplent toutes nos côtes. Le pigment brun leur permet l'usage des longueurs d'onde moyennes et l'accès aux profondeurs de 10 à 20 m, mais leur aptitude à supporter de longues émersions les qualifie aussi pour l'extrême bord des rivages à fortes marées. On les utilise comme engrais riches en iode, en potasse et en soude. La reproduction du fucus, simple et sans spores, ne diffère qu'à peine de celle d'un oursin ou d'un poisson.

• *Les grandes algues vertes* (chlorophycées), sans autre pigment que la chlorophylle, forment un groupe beaucoup plus « artificiel », tant y sont diverses les formes et les modes de reproduction.

ALGUES 1. Fucus vésiculeux; 2. Sargasse; 3. Ulve laitue; 4. Ascophylle; 5. Hétérosyphonia; 6. Coralline; 7. Laminaire.

Citons, parmi les espèces des rivages, l'ulve et l'entéromorphe.

• *Les conjuguées* (spirogyre) des eaux douces ont une reproduction « en échelle » tout à fait originale.

• *Les formes microscopiques ou unicellulaires* (diatomées* à coque siliceuse, coccolites à écailles calcaires, desmidiées, chrysomonadines, xanthophycées, euglènes, volvocales, phytoflagellées, péridiniens) abondent dans le phytoplancton marin et d'eau douce; leurs débris minéraux jouent parfois un rôle géologique décisif. Cyanelles, chlorelles et xanthelles pratiquent la symbiose avec des animaux (hydre verte, convolute). Les protocoques forment la poussière verte des troncs d'arbre.

• Enfin certains auteurs rangent les *charales* parmi les algues.

Cet immense ensemble de « producteurs », aliment exclusif des animaux aquatiques végétariens notamment, est, de ce fait, à la base de toutes les pyramides alimentaires océaniques, conduisant aux plus gros poissons aussi bien qu'aux baleines.

Alhambra, résidence des rois maures, à Grenade (XIIIe-XIVe s.), à laquelle Charles Quint ajouta, en 1526, un palais à l'italienne. Magnifiques jardins.

'ALĪ, cousin de Mahomet et mari de sa fille Fāṭima*, 4e calife (de 656 à 661). Il bat ses rivaux à la bataille du Chameau (656), mais n'est pas reconnu par Mu'āwiyya. Lors de la bataille de Ṣiffīn (657), il accepte le principe d'un arbitrage et ramène son armée en Iraq. Un khāridjite l'assassine en 661. Le chī'isme* le vénère en tant que « proche de Dieu », détenteur de connaissances secrètes reçues de Mahomet et transmises aux imāms*.

Ali Baba, un des héros des *Mille* et Une Nuits.*

ALICANTE, port d'Espagne (région de Valence), ch.-l. de prov. sur la Méditerranée; 185 000 hab. Monuments des XVIIe-XVIIIe s. Vins. Chimie.

Alice au pays des merveilles, récit de Lewis Carroll (1865), né des contes que l'auteur improvisait pour trois petites filles. Ce rêve à épisodes, qui se déroule sur le rythme des comptines *(nursery rimes)* et qui reproduit les fantaisies de la logique enfantine, se prolonge dans *À travers le miroir* (1871), où Alice voyage dans un pays qui a la forme d'un échiquier, sur lequel l'écrivain joue à la fois de sa connaissance de la psychologie des enfants et de sa culture de mathématicien.

'ALIDES, terme qui a d'abord été appliqué à tous les descendants de 'Alī*, puis, après l'avènement des 'Abbāssides, aux seuls descendants de 'Alī et de Fāṭima*, à qui, selon le chī'isme*, le califat revient de droit. Après l'éviction de 'Alī par les Omeyyades*, Ḥasan abandonne la lutte et Ḥusayn est tué à Karbalā'* (680). Leurs descendants, Ḥasanides* et Ḥusaynides, fomentent des révoltes et forment des dynasties indépendantes : Idrīsides*, Fāṭimides*, Zaydites des provinces caspiennes de l'Iran et du Yémen, chérifs de La Mecque*.

ALIÉNATION *(Dr.).* — État, permanent ou temporaire, de privation de raison, l'aliénation a des conséquences juridiques importantes, car l'aliéné entre dans la catégorie des incapables majeurs.

Le placement dans un hôpital psychiatrique est volontaire ou forcé. Dans le cas de placement volontaire, c'est la famille du malade qui intervient; dans l'autre cas (placement d'office), l'entrée dans l'établissement a lieu à l'initiative de l'autorité publique, quand le malade est dangereux pour la sécurité publique. Le malade lui-même, muni d'un certificat médical, peut demander son admission dans un hôpital psychiatrique (placement libre).

Depuis la loi du 3 janvier 1968, toute personne soignée pour troubles mentaux peut être protégée par un régime juridique spécial, quel que soit le lieu de son traitement : hôpital, dispensaire ou domicile. Elle est placée, tout en conservant l'exercice de ses droits, sous l'un des trois régimes prévus par la loi : le placement sous la sauvegarde de la justice, la curatelle, la tutelle. (V. CAPACITÉ.)

ALIÉNATION *(Philos.).* — Alors que l'aliénation est, dans les théories du droit* naturel, un désaisissement d'avoir (de la liberté sauvage de l'individu) qui permet à la société politique d'exister, elle est chez Hegel* un désaisissement d'être. L'aliénation est le lot de la conscience et de la « société civile », qui sont étrangères à leur essence et ne peuvent la récupérer qu'au terme d'un devenir historique.

En situant l'origine de l'aliénation dans l'économie, Marx* lui fait recouvrir toute l'étendue de l'expérience humaine, car il considère que l'économie commande tous les rapports que les hommes nouent entre eux ou avec la nature. L'ouvrier s'aliène doublement en travaillant : dans la marchandise qu'il produit et dans son travail même, qui, tous deux, appartiennent au capitaliste. Marx pense alors que l'aliénation ne peut être éliminée que par l'abolition du règne des marchandises et de la propriété : par la révolution prolétarienne.

ALIÉNOR D'AQUITAINE (1122-Fontevrault 1204), duchesse d'Aquitaine et de Gascogne, comtesse de Poitou (1137-1204). Après l'annulation (1152) de son mariage avec Louis VII, roi de France, elle épouse Henri Plantagenêt, futur roi d'Angleterre, lui apportant les territoires du sud-ouest de la France, que Louis VII avait dû lui restituer.

ALĪGARH, v. de l'Inde (Uttar Pradesh), au S.-E. de Delhi; 252 000 hab. Université.

ALIMENT *(Diét.).* — Les aliments sont formés de protides, de glucides, de lipides et de sels minéraux.

• *Les protides**. Ils fournissent 4 calories par gramme et sont riches en acides aminés essentiels à l'organisme, auquel ils parviennent sous forme de protéines alimentaires, d'origine animale (lait et dérivés, œufs, viandes et poissons) ou végétale (céréales, légumes secs, riz).

• *Les glucides** (ou hydrates de carbone). Ils sont rapidement utilisés par l'organisme, apportant 4 calories par gramme. Ils peuvent être mis en réserve dans le foie, sous forme de glycogène, ou encore être transformés en lipides dans le tissu adipeux. Les céréales, le pain et les farineux sont riches en glucides.

• *Les lipides**. Ils ont un pouvoir calorique très élevé : 9 calories par gramme. Ils sont stockés dans le tissu adipeux et constituent une réserve énergétique.

• *Eau et sels minéraux.* L'eau représente 70 p. 100 du poids du corps humain et c'est un des éléments essentiels de l'alimentation. Les sels minéraux (chlorures, potassium, sodium, calcium, fer, etc.) sont indispensables à l'organisme.

ALIMENT *(Dr.).* — La loi peut imposer à certaines personnes l'obligation de fournir des ressources à d'autres qui se trouvent dans le besoin (nourriture et logement, frais de soins en cas de maladie, etc.). L'obligation existe entre ascendants et descendants, entre alliés, entre époux (devoir de secours). L'obligation est généralement acquittée en argent, et son montant, à défaut d'accord, est fixé par le juge. Les demandes sont de la compétence du tribunal d'instance. L'allocation est insaisissable et incessible, intransmissible à cause de mort, elle est d'ordre public et l'on ne peut convenir valablement d'y renoncer.

ALIMENTAIRE (régime). — Les substances dont les cellules des divers tissus de l'homme ont besoin pour vivre et pour fonctionner, et qu'elles puisent dans le sang et la lymphe (« milieu intérieur »), peuvent être classées en deux groupes : celles que l'organisme peut mettre en réserve dans des organes spécialisés et celles qu'il doit utiliser immédiatement. Les réserves d'oxygène du sang sont épuisées en deux ou trois minutes, les réserves d'eau en quelques heures. En revanche, l'organisme peut supporter pendant plusieurs semaines un régime entièrement dépourvu de matières grasses.

Par ailleurs, on sait combien la digestion et l'action du foie transforment les aliments, par exemple en changeant les féculents en sucre. Cette aptitude permet à l'homme de s'alimenter de substances moins diverses, moins strictement déterminées que celles que réclament ses cellules. Celles-ci opèrent d'ailleurs elles-mêmes certaines synthèses.

Le régime alimentaire doit, avant tout, apporter à l'organisme assez de combustible pour produire quotidiennement 2 400 à 3 000 calories, voire 4 000 si le travail musculaire est intense. On admet que 1 g de féculents procure 4 calories, 1 g de protéines également, tandis que 1 g de graisse en fournit 9.

Mais l'alimentation doit aussi restituer au corps, gramme pour gramme, chacun des éléments (corps simples) que celui-ci élimine quotidiennement dans l'urine, la sueur, l'air expiré et dans la partie des excréments qui provient du foie. Elle doit aussi fournir les outils chimiques *(vitamines)* sans lesquels les autres aliments seraient mal utilisés. Enfin, elle doit comporter un *ballast* (cellulose de la salade, par exemple) qui n'entrera jamais dans le sang, mais qui exercera une action mécanique favorable à la digestion.

La ration quotidienne ou hebdomadaire optimale dépend de l'état physiologique du sujet : un enfant en pleine croissance, une femme enceinte ou allaitante doivent recevoir davantage de protéines (ration de croissance); l'effort musculaire ou intellectuel et même l'émotion appellent une fourniture de calories; convalescents, vieillards, malades chroniques (diabétiques, par exemple) auront un régime tout à fait particulier.

Chez les animaux domestiques, le régime alimentaire est calculé pour une production maximale de lait, de viande, d'œufs, etc., plus qu'en vue de la santé des sujets.

Les animaux sauvages ont des choix alimentaires innés : proies animales pour les carnivores, herbes ou fruits pour les espèces végétariennes, etc. Les animaux trop spécialisés à cet égard — grand panda qui ne mange que les pousses de bambou, chenilles ne dévorant les feuilles que d'une seule espèce de plante — peuvent mourir de faim dans un milieu qui serait en mesure de les nourrir.

Les plantes elles-mêmes ont un régime alimentaire spécifique : du blé et des pommes de terre, cultivés dans le même sol, n'y prélèvent pas les mêmes minéraux, l'un appauvrit le sol surtout en potassium, l'autre en ions phosphoriques.

ALIMENTATION *(Industr.)*. — L'alimentation contemporaine des pays industrialisés est issue de l'évolution économique et technique qui marqua le XIXe s. et l'orienta vers le stade industriel : les procédés industriels de conservation font appel soit à la *stérilisation,* qui tue les germes à haute température (appertisation, pasteurisation, upérisation), soit à la *dessiccation,* qui élimine l'eau des tissus (déshydratation, lyophilisation) ou la transforme en glace (congélation, surgélation), soit, enfin, à l'*action radioactive* de rayons ionisants destructeurs des germes (irradiation). Les plats « prêts à être cuisinés » ou « prêts à être consommés » et les produits spécialisés s'adressent à des clientèles différenciées par l'âge et le niveau social. La consommation de pain et de pommes de terre régresse depuis des années au profit de la viande, des fruits et du fromage, avec, cependant, une réserve à faire pour le prolétariat urbain et pour la paysannerie, celle-ci vivant souvent en autarcie. Les échanges commerciaux sont à l'origine de modes alimentaires : la Grande-Bretagne découvre les produits provençaux, les Français le thé et l'avocat. Les dépenses alimentaires diminuent en valeur relative avec l'augmentation du revenu individuel, mais non en valeur absolue puisque les prix alimentaires sont en hausse constante. Bien que la famine sévisse dans certaines régions d'Afrique et d'Asie, les pays nantis utilisent les produits alimentaires, dont ils ont le monopole, comme arme économique : en relevant les prix des céréales et du soja en 1972, les États-Unis ont compensé les pertes enregistrées sur les produits non agricoles, et, en 1975, ces mêmes produits leur ont servi à acheter du pétrole à l'U. R. S. S. Dans la perspective de lutter contre la famine — qui devrait être mondiale à la fin de ce millénaire —, l'industrie, depuis une dizaine d'années, est arrivée à produire des protéines à partir du pétrole ou d'algues (les spirulines) ou encore du soja.

L'industrie alimentaire française est l'objet d'investissements étrangers importants, notamment, depuis 1972, de la part des Britanniques.

Les marchés approvisionnent le commerce de détail. En 1969, Paris-Rungis a remplacé le marché des Halles centrales de Paris, sauf pour la viande qu'il a englobée en 1973. La viande abattue sur place est toujours commercialisée par le marché de La Villette. Les grossistes fournissent le détaillant et les centrales d'achats le commerce intégré. (V. DISTRIBUTION.)

ALIMENTATION *(Méd.)*. — L'allaitement* est le mode d'alimentation du nourrisson. Certains états pathologiques (diabète, insuffisance cardiaque) nécessitent un régime* sélectif. Les états de dénutrition justifient un régime hyperprotidique (suralimentation). Certaines maladies mentales peuvent modifier le comportement alimentaire : refus d'aliment lors de l'anorexie mentale; caprices alimentaires dans certaines névroses obsessionnelles; fringales chez les boulimiques. D'autres malades mentaux peuvent avoir des perversions de goût (coprophagie, géophagie).

ALIMENTATION DU BÉTAIL → BÉTAIL *(alimentation du).*

ALIMENTATION URBAINE ET RURALE EN ÉLECTRICITÉ. — L'alimentation en énergie électrique d'une région ou d'une zone se fait par paliers. Chaque grande agglomération est reliée au réseau général d'interconnexion par des postes* de répartition à 400 kV implantés dans les zones rurales, en dehors de la zone à urbaniser ou urbanisée. De ces postes partent des lignes* à 400 kV, qui alimentent des postes de transformation 400/225 kV situés à la limite des zones rurales et urbanisées. De ces derniers partent des lignes à 225 kV jusqu'à des postes de répartition à 225 kV situés à l'intérieur des zones urbanisées. Les postes de transformation 225/20 kV, ou *sous-stations,* débitent directement sur les lignes à moyenne tension, triphasées à 20 kV. Les postes de transformation secondaires sont situés soit dans des bâtiments spéciaux, soit dans les sous-sols de certaines usines ou de groupes d'immeubles. Le local comprend alors les appareils de coupure*, les appareils de protection*, les cellules de départ vers les différentes utilisations. S'il comprend un dispositif de comptage, ce local prend le nom de *poste de livraison.* Les postes de transformation MT/BT ont des puissances comprises entre 25 et 1 000 kVA. Pour les faibles puissances inférieures à 100 kVA, il n'y a pas de postes : tout l'appareillage est groupé en haut du poteau, en plein air. L'alimentation des villes nouvelles est totalement différente de celle du centre des grandes villes, car il n'y a généralement pas de réseau initial au départ. On utilise les injections directes 225 kV/MT, en laissant les postes 63 kV/MT à la périphérie des grandes villes. Alors que dans les immeubles l'alimentation est faite par postes MT/BT situés en sous-sol et par colonnes montantes à basse tension, dans les immeubles de grande hauteur ou dans les tours les colonnes montantes sont en moyenne tension et les postes MT/BT installés en étage. La distribution à basse tension est alors réalisée en très forte section.

ALISE-SAINTE-REINE → ALÉSIA.

ALISIER. — L'alisier terminal, le plus commun en France, se distingue du sorbier par ses feuilles rappelant celles de l'érable; les fleurs, petites et blanches, sont groupées en corymbes; les fruits, bruns, sont comestibles à l'état blet. L'arbre ne dépasse guère 15 m de haut. Certains auteurs classent les alisiers parmi les sorbiers. (Famille des rosacées.)

ALIZARINE. — L'alizarine fait partie des colorants anthracéniques. Peu soluble dans l'eau, elle est utilisée en teinture avec des mordants qui permettent la précipitation sur la fibre de laques insolubles, dont la teinte (rouge, brun, noir-violet) varie suivant le choix du mordant.

ALIZAY (27460), comm. de l'Eure, dans la vallée de la Seine, à 16,5 km au S. de Rouen; 865 hab. Éponges. Cellulose.

ALIZÉS. — Des ceintures de hautes pressions subtropicales N. et S. (environ 30° de lat.) vers les basses pressions équatoriales soufflent des vents secs et réguliers, les *alizés.* À cause de la rotation de la Terre, ils sont déviés par la force de Coriolis : dans l'hémisphère N., ils se dirigent du N.-E. vers le S.-O.; dans l'hémisphère S., du S.-E. vers le N.-O. Ils sont compensés en altitude par des courants de directions contraires, les *contre-alizés.*

À cause de la variation en latitude des hautes pressions subtropicales selon la saison, on observe un balancement de la zone soumise aux vents alizés : cette zone se décale vers le N. en juillet, vers le S. en janvier. En certains points du globe, en particulier en Asie, l'alizé du S. franchit l'équateur et pénètre dans l'hémisphère N. : c'est la mousson*.

ALJUBARROTA, localité du Portugal (Estrémadure) où, en 1385, Jean Ier de Portugal sauva l'indépendance de son pays en battant Jean Ier de Castille.

ALKEN, comm. de Belgique (Limbourg), au S.-O. de Hasselt; 8 677 hab. (en 1970).

ALKMAAR, v. des Pays-Bas (Hollande-Septentrionale), au N.-O. d'Amsterdam; 60 000 hab. Monuments gothiques. Marché aux fromages.

ALLĀH, nom arabe du dieu unique des religions monothéistes et, notamment, de l'islām*.

ALLĀHĀBĀD, v. de l'Inde (Uttar Pradesh), au confluent du Gange et de la Jamna; 431 000 hab. Cette ville, fortifiée par Akbar en 1583, est devenue un très important centre de pèlerinage.

ALLAINES (François DE GAUDARD D'), chirurgien français (Paris 1892 - Clémont 1974), pionnier de la chirurgie cardiaque en France.

ALLAIRE (56350), ch.-l. de cant. du Morbihan, à 9 km à l'O. de Redon; 2 394 hab. Mégalithes.

ALLAIS (Alphonse), écrivain français (Honfleur 1855 - Paris 1905). L'un des fondateurs du cabaret du Chat-Noir, il fait preuve dans ses récits et ses comédies d'un goût marqué pour la mystification (*On n'est pas des bœufs,* 1896; *le Captain Cap,* 1902).

ALLAIS (Émile), skieur français (Megève 1912). Troisième du combiné olympique en 1936, il remporte, l'année suivante, aux championnats du monde disputés à Chamonix, la descente (13 s d'avance), le slalom et, naturellement, le combiné (dernier titre qu'il conservera en 1938). Allais a contribué (avec P. Gignoux et G. Blachon) à la définition de la méthode française d'enseignement, vulgarisée par la publication, en 1937, du manuel *Ski français.*

ALLAITEMENT. — La période d'allaitement s'étend de la naissance jusqu'à l'âge de 2 à 4 mois; le sevrage correspond à la suppression du lait maternel et au début d'un régime varié. L'allaitement s'effectue par tétées (6 à 8 au début, 5 à partir du 2e mois), en fonction des besoins de l'enfant. Seront supprimés de l'alimentation de la mère les excitants (café, thé) ou les produits toxiques (alcool, certains médicaments). Les contre-indications à l'allaitement maternel sont les maladies graves (cardiopathies, insuffisances rénales sévères) et certaines maladies risquant de nuire à la santé de l'enfant (tuberculose, syphilis maternelles). Les infections locales du sein (abcès, lymphangite) sont des contre-indications transitoires.

L'*allaitement mixte* consiste à compléter l'allaitement au sein par la prise de biberons de lait.

L'*allaitement artificiel* remplace le lait maternel par d'autres laits : laits secs ou concentrés, lait de vache. Ce type d'allaitement nécessite des précautions de propreté et de stérilisation du lait, de l'eau de coupage, des récipients (biberon et tétine). La surveillance des nourrissons au lait artificiel doit être plus rigoureuse que celle des enfants nourris au lait maternel, car les incidents sont plus fréquents : constipation ou diarrhée, stagnation de poids.

Une vitaminothérapie C et D doit compléter l'allaitement artificiel.

ALLANCHE (15160), ch.-l. de cant. du Cantal, sur l'*Allanche,* à 23 km au N.-E. de Murat; 1 551 hab. Station d'altitude (985 m).

ALLARD *(lac),* lac du Canada (Québec), au N. de Havre-Saint-Pierre. Minerai de fer.

ALLASSAC (19240), comm. de la Corrèze, à 16 km au N.-O. de Brive-la-Gaillarde; 3 594 hab. *(Allassacois).* Centre commercial. Industries alimentaires.

ALLAUCH (13190), ch.-l. de cant. des Bouches-du-Rhône, à 11 km au N.-E. de Marseille; 11 149 hab. *(Allaudiens).*

ALLEGHENY, partie nord-ouest du massif des Appalaches.

ALLEGHENY, riv. des États-Unis, branche mère de l'Ohio; 520 km.

ALLÈGRE (43270), ch.-l. de cant. de la Haute-Loire, à 28 km au N.-O. du Puy, dans le nord de Velay; 1 631 hab.

ALLEMAGNE, en allem. **Deutschland,** région de l'Europe centrale, partagée entre la République fédérale d'Allemagne et la République démocratique allemande.

C'est sous la pression d'envahisseurs slaves et asiatiques venus de l'est que les Barbares germaniques s'installent de part et d'autre du Rhin. Christianisés, ils sont intégrés, en 800, à l'empire franc de Charlemagne*, empire qui se disloque peu après : en 842, le serment de Strasbourg marque la naissance de la nation allemande; le traité de Verdun (843) puis le traité de Meersen (870) consacrent la souveraineté de Louis le Germanique, petit-fils de Charlemagne, sur la *Francia orientalis.* La faiblesse des derniers Carolingiens et les invasions normandes, hongroises, moraves accélèrent l'implantation du régime féodal dans le cadre, à la fois territorial et ethnique, des duchés nationaux : Bavière, Souabe, Franconie, Saxe, Lorraine.

En 919, c'est la dynastie de Saxe, avec Henri Ier l'Oiseleur (de 919 à 936), qui s'assure le pouvoir royal. Le fils d'Henri Ier, Otton Ier (de 936 à 973), redonne vie à l'idée carolingienne en fondant le Saint Empire* romain germanique (962). Mais ni lui ni ses successeurs ne peuvent empêcher l'émiettement territorial de l'Allemagne. Autres causes de faiblesse : le césaropapisme, que les rois de la dynastie franconienne (1024-1138) pratiquent au détriment des intérêts allemands; la querelle des Investitures*, qui culmine sous Henri IV* (de 1056 à 1106), amenant les empereurs germaniques à intervenir fréquemment en Italie, dont ils sont d'ailleurs rois. Les Hohenstaufen* (1138-1273) sont aux prises, en outre, avec la querelle des guelfes* et des gibelins, les empereurs s'en remettant aux guelfes du soin de germaniser les Slaves des Marches de l'Est, eux-mêmes s'orientant vers l'Italie. La lutte du Sacerdoce* et de l'Empire (1154-1250) oppose notamment Frédéric Ier* Barberousse (de 1152 à 1190) au pape Alexandre III et Frédéric II (de 1197 à 1220) à Innocent IV.

Le triomphe de la papauté livre l'Allemagne à l'anarchie. Après un long interrègne (1250-1273), dont les villes marchandes de la Hanse* (Lübeck, Brême, Hambourg...) profitent pour prendre leur essor, les Habsbourg* d'Autriche s'installent sur le trône impérial (1273). Renonçant à l'aventureuse politique italienne et sicilienne des Hohenstaufen, ils s'attachent avant tout à faire de leur maison — par une politique d'annexions — la première puissance territoriale d'Allemagne. Cependant, la maison d'Autriche doit compter avec des compétiteurs qui la supplantent parfois; ainsi Charles IV* de Luxembourg (de 1346 à 1378), roi de Bohême, sacré empereur germanique en 1355 et qui affranchit définitivement l'Allemagne de la tutelle pontificale en codifiant un système électoral par la Bulle d'or : celle-ci confie à un collège de sept membres l'élection de l'empereur. En fait, tandis que la souveraineté géographique de ce dernier se réduit constamment, celui-ci voit son influence diminuer en Allemagne même, où il se heurte à la structure restée féodale et aux décisions de la diète d'Empire. À partir de 1440, les Habsbourg ont, en fait, le monopole du titre impérial. Le règne de Maximilien Ier* (de 1493 à 1519) prépare l'énorme puissance de Charles Quint*, son petit-fils. Maximilien essaie d'unifier l'Allemagne en y étendant les institutions autrichiennes (Chambre aulique, Chancellerie...), mais il échoue.

Charles Quint (de 1519 à 1556), devenu empereur, se heurte lui aussi à l'endémique faiblesse institutionnelle et politique de l'Empire, faiblesse que viennent aggraver les conséquences de la Réforme*. Quand il abdique en 1556, l'unité de l'Empire est définitivement brisée. Son frère Ferdinand Ier († 1564) travaille à reprendre une partie du terrain perdu, en favorisant en Allemagne

L'UNITÉ ALLEMANDE

la Contre-Réforme. Quant à ses successeurs, tantôt ils pratiquent la tolérance religieuse, tantôt, comme Ferdinand II de Styrie (de 1619 à 1637), ils poussent, par leur intolérance catholique, certains de leurs sujets à la révolte. La défenestration de Prague (23 mai 1618), qui prélude au soulèvement des Tchèques, ouvre une nouvelle guerre de Religion, la guerre de Trente* Ans (1618-1648). Guerre atroce, qui fait de l'Allemagne le théâtre de toutes les ambitions étrangères (Suédois, Danois, Français...) et des pires atrocités, et dont le pays sort dévasté, ayant perdu 35 p. 100 de sa population. Les traités de Westphalie (1648), qui clôturent cette guerre, ruinent tout espoir d'unification de l'Allemagne en la morcelant en 350 États; ils sanctionnent l'échec de la politique des Habsbourg et celui de la Contre-Réforme en Allemagne, la paix d'Augsbourg de 1555 *(cujus regio, ejus religio)* étant en fait ratifiée.

Cependant, au cours des XVIIe et XVIIIe s., une civilisation allemande se forge, grâce à de très vivantes universités, et l'idée d'une patrie allemande commune se développe; en même temps, la civilisation française influence fortement les courants culturels. Les derniers empereurs Habsbourg, de Léopold Ier* (de 1658 à 1705) à François II* (de 1792 à 1806), se désintéressent de l'Allemagne au profit de l'Italie et de l'Europe balkanique et danubienne. Face à eux, se dresse l'ambition grandissante des Hohenzollern*, Électeurs de Brandebourg, puis, à partir de 1701, rois de Prusse; cette ambition s'incarne en Frédéric II* (le « grand Frédéric »), roi de 1740 à 1786, qui fait de ses États les plus puissants de l'Allemagne.

La Révolution française de 1789, si elle éveille en Allemagne (de l'Ouest et du Sud surtout) des échos favorables et des espoirs, inquiète les rois et, particulièrement, les Habsbourg qui, vaincus en 1797 puis en 1800 par Bonaparte, doivent non seulement reconnaître la souveraineté française sur la rive gauche du Rhin, mais aussi renoncer à la couronne impériale d'Allemagne, qui disparaît en même temps que le Saint Empire romain germanique (1803-1806). Napoléon Ier crée bien la Confédération* du Rhin, dont il est le protecteur, mais celle-ci se révèle un édifice fragile qui ne survit pas à la défaite française (1813-14), défaite à laquelle le nationalisme prussien, ravivé par les humiliations d'Iéna, d'Auerstedt (1806) et de Tilsit (1807), prend une part prépondérante.

Le congrès de Vienne (1814-15) se plie tout naturellement aux exigences territoriales de la Prusse (Rhénanie), qui, au sein de la nouvelle Confédération germanique, se pose comme l'État le plus puissant, mais qui se heurte à la présence de l'Autriche. C'est à éliminer les Habsbourg de l'Allemagne que les Hohenzollern vont désormais se consacrer. De 1818 à 1833, la Prusse constitue autour d'elle une union douanière, ou *Zollverein,* mais l'unité politique de l'Allemagne est plus difficile à réaliser. Au lendemain de la révolution — à la fois libérale et nationale — de 1848, la couronne impériale est proposée au roi de Prusse Frédéric-Guillaume IV, mais l'Autriche l'oblige à y renoncer (1849-50).

L'arrivée au trône de Prusse de Guillaume Ier* (1861), qui prend comme Premier ministre Bismarck* (1862) et confie la réorganisation de son armée à Moltke*, marque un tournant dans l'histoire de l'Allemagne qui va désormais passer dans l'orbite de Berlin. Ayant battu les Autrichiens à Sadowa (1866), la Prusse organise une Confédération d'Allemagne du Nord, dont le président héréditaire est le roi de Prusse, les quatre États du Sud (Hesse, Bade, Wurtemberg, Bavière) restant provisoirement à part. La guerre franco-allemande de 1870-71, qui se termine par l'éclatante victoire des armées de Moltke, scelle l'unité politique du Nord et du Sud : le 18 janvier 1871, Guillaume Ier est proclamé empereur allemand; Bismarck sera le premier chancelier fédéral. Quelques semaines plus tard, le traité de Francfort donne au Reich l'Alsace et une partie de la Lorraine, et lui accorde une indemnité de 5 milliards de francs, qui vont contribuer à développer son économie.

L'Allemagne bismarckienne (1870-1890) devient, en effet, une puissance économique de premier ordre. Dans le même temps, le chancelier Bismarck s'impose comme l'arbitre de l'Europe, son jeu diplomatique visant à maintenir dans l'isolement une France dont il craint le désir de « revanche ». À l'intérieur, Bismarck doit composer avec le puissant parti catholique (v. KULTURKAMPF), et il essaie de déborder la forte social-démocratie (Bebel, Liebknecht) en appliquant une législation sociale très avancée. Après la mort de Guillaume Ier (1888), Bismarck ne peut s'entendre avec Frédéric III, qui ne règne que quelques semaines, et moins encore avec le fils de celui-ci, Guillaume II* (de 1888 à 1918) : il doit se retirer dès 1890.

L'Allemagne wilhelmienne poursuit un développement économique qui fait d'elle, en 1914, alors qu'elle compte 67 millions d'habitants (contre 41 en 1871), la première puissance européenne. L'impérialisme allemand, en sommeil au temps de Bismarck, prend alors une forme extrêmement dynamique, mais dangereuse pour la paix : le pangermanisme*. De crise en crise, la Première Guerre mondiale — dont la cause profonde est le double antagonisme franco-allemand et austro-russe — finit par éclater (août 1914). L'Allemagne y jette toutes ses forces, mais elle est finalement vaincue par les puissances de l'Entente, que les États-Unis ont décidé d'aider. Le 9 novembre 1918, Guillaume II abdique, imité par tous les souverains de l'empire. Aussitôt, la République fédérale allemande est proclamée, dont le socialiste Ebert est le premier président.

La république de Weimar*, au milieu des pires difficultés économiques, sociales, diplomatiques et idéologiques, se maintient tant bien que mal durant quatorze ans (1919-1933). La montée du communisme, facilité par l'inflation galopante, la crise mondiale de 1929 et la misère ont comme corollaire la montée du nationalisme, exaspéré par les dures conditions économiques du traité de Versailles de 1919 et par l'occupation française de la Ruhr (1923-1925). L'arrivée à la présidence du maréchal Hindenburg* (1925) est le signe de la proche victoire de ce nationalisme, qui trouve un chef, quasiment un prophète, en Adolf Hitler*, fondateur du parti national-socialiste (nazi).

Chancelier le 30 janvier 1933, chef de l'État muni des pleins pouvoirs *(Reichsführer)* quelques semaines plus tard, Hitler établit un régime (IIIe Reich) dictatorial et autarcique, soutenu par une police politique redoutable et un formidable appareil paramilitaire. L'opinion allemande fascinée, galvanisée, se donne à l'homme qui porte le pangermanisme jusqu'à ses extrêmes limites (annexion de l'Autriche [1938], de la Tchécoslovaquie [1939]), en le renforçant d'une idéologie raciste qui exalte la race germanique au détriment des étrangers, et notamment des Juifs, voués à l'extermination.

Ayant attaqué la Pologne, Hitler déchaîne la Seconde Guerre mondiale (1939-1945), qui voit d'abord l'Allemagne victorieuse de ses adversaires — hormis les Britanniques — et maîtresse en fait de l'Europe (1939-1943). Mais l'échec des armées hitlériennes en Russie (Stalingrad) et l'effort de guerre massif des États-Unis et de ses alliés préludent à l'effondrement du IIIe Reich (mai 1945). L'Allemagne, ravagée, épuisée (5 millions de morts), désorganisée, sans un pouce de terrain libre, est alors entièrement occupée par les armées victorieuses, celles de l'U. R. S. S., des États-Unis, de la Grande-Bretagne et de la France.

Allemagne *(De l'),* ouvrage de Mme de Staël (1810), interdit et saisi par le gouvernement impérial. À travers les études successives des mœurs, de la littérature, des arts, de la philosophie et de la religion des Allemands, l'auteur établit une triple opposition : entre les littératures romantiques du Nord et les littératures classiques du Midi; entre la France napoléonienne et conquérante et une Europe libérale et philosophe; entre le « génie du christianisme » et l'enthousiasme mystique du protestantisme.

ALLEMAGNE (**République fédérale d'**), en allem. **Bundesrepublik Deutschland,** État de l'Europe occidentale; 248 000 km^2; 61 510 000 hab. *(Allemands).* Capit. *Bonn.* Berlin-Ouest, dépendance de fait de l'Allemagne fédérale (appelée souvent aussi *Allemagne occidentale*), compte 2 063 000 hab. sur 480 km^2.

GÉOGRAPHIE. En dehors de l'U. R. S. S., la République fédérale d'Allemagne (R. F. A.) est l'État le plus peuplé d'Europe, mais n'arrive qu'au neuvième rang pour la superficie. La densité moyenne de population est donc élevée. En incluant Berlin-Ouest, elle est de l'ordre de 250 hab. au kilomètre carré (plus de deux fois et demie la densité moyenne française). Cette densité explique partiellement la puissance de l'économie, qui place le pays au troisième rang mondial (immédiatement après les États-Unis et l'U. R. S. S.), à peu près à égalité avec le Japon (presque deux fois plus peuplé), au deuxième rang (derrière les États-Unis) pour la valeur des exportations.

• *Le milieu naturel.* Étirée du N. au S., sur près de 800 km, de la mer du Nord aux Alpes, l'Allemagne fédérale juxtapose trois types de régions morphologiques, parties des grands ensembles de l'Europe.

Au N. d'une ligne Osnabrück-Hanovre, l'Allemagne septentrionale est un élément de la grande plaine d'Europe du Nord. Il s'agit essentiellement d'une région basse (la Geest), parsemée de dépôts glaciaires (moraines) quaternaires, partiellement marécageuse (avec de nombreuses tourbières [Moor]). Le littoral, bas et sableux, précédé sur la mer du Nord par le chapelet des îles de la Frise orientale, est bordé de polders (Marschen). La bande lœssique des Börden, allongée du bassin de Münster à Brunswick, forme la transition avec l'Allemagne moyenne, d'âge hercynien, au relief plus varié et élevé. De multiples massifs (fréquemment boisés) et plateaux sont délimités par des vallées, le plus souvent encaissées, sites presque exclusifs des villes de cet ensemble. À l'O., le Massif schisteux rhénan est découpé par le Rhin et ses principaux affluents, Moselle et Lahn. À l'E., quelques épanchements volcaniques dominent les plateaux de la Hesse, entaillés par la Fulda et l'Eder. Plus au S., dans le Bade-Wurtemberg et le nord de la Bavière, se développe le bassin de Souabe-Franconie, où prédomine encore le paysage de plateaux. À l'O., le massif ancien de la Forêt-Noire limite l'étroite plaine de Bade, sur la rive droite du Rhin.

Au S. du Danube, l'Allemagne méridionale, ou alpine, est essentiellement constituée d'un plateau mollassique, découpé par les affluents du fleuve (dont le Lech, l'Isar et l'Inn). La zone proprement alpine est une étroite bande à l'E. de la Wurbach (Préalpes de Bavière); la Zugspitze, à la frontière germano-autrichienne, atteint 2 963 m.

climat

station	altitude	températures moyennes janvier	températures moyennes juillet	précipitations hauteur	précipitations nombre de jours
Hambourg	29 m	0,3 °C	17,1 °C	740 mm	198
Francfort-sur-le-Main	103 m	0,7 °C	18,7 °C	604 mm	166
Munich	529 m	– 2,3 °C	15 °C	904 mm	193

L'Allemagne fédérale possède, dans l'ensemble, un climat à dominante continentale, mais modéré par la relative proximité de l'Océan, l'absence de grande barrière naturelle favorisant la pénétration des influences maritimes. Les écarts des températures moyennes du mois le plus froid et du mois le plus chaud ne dépassent nulle part 20 °C. L'hiver n'est véritablement froid qu'en altitude. En revanche, caractéristique de climat continental, l'été, toujours frais (la moyenne de juillet n'atteint jamais 20 °C), est partout humide. Le volume des précipitations varie assez peu d'une région à l'autre et d'une année à l'autre.

• *La population.* Accrue, surtout de 1945 à 1950, par l'afflux de plus de 10 millions de réfugiés, en provenance principalement de la zone d'occupation soviétique, plus tard, dans les années 50 et 60, par un excédent naturel, allant s'amenuisant, la population ouest-allemande est aujourd'hui à peu près stable numériquement. Elle le doit à une chute récente spectaculaire du taux de natalité, dépassant de peu 11 p. 1 000 en 1976 et, alors même, légèrement inférieur à un taux de mortalité encore élevé, en raison de la structure relativement vieillie de la population. Après 1970, c'est l'immigration seule qui explique l'augmentation (modeste) de la population globale. Le nombre des travailleurs étrangers — Méditerranéens surtout (Turcs, Yougoslaves, Italiens, Grecs), employés principalement dans les mines et le bâtiment — dépassait 2,5 millions en 1973, représentant alors pratiquement le dixième de la population active. Ce nombre s'est réduit depuis en raison du ralentissement économique, qui a aussi provoqué une forte montée du chômage (plus de 1 million de personnes en 1976).

En dehors des Länder urbains (Hambourg, Brême), la population est particulièrement dense en Allemagne moyenne, dans la Rhénanie-du-Nord-Westphalie (englobant la Ruhr) et la Sarre, régions particulièrement industrialisées. Elle est moins nombreuse dans l'Allemagne septentrionale (Länder demeurés plus ruraux du Schleswig-Holstein et de la Basse-Saxe) et méridionale (vides relatifs sur le plateau bavarois). Elle se caractérise aussi par sa forte urbanisation (concernant plus des quatre cinquièmes de la population totale), s'exprimant par un semis de villes formant une armature équilibrée. Aucune cité n'écrase les autres. En dehors de Berlin-Ouest, aucune ville n'atteint 2 millions d'habitants, mais 10 dépassent 500 000 hab., capitales des Länder le plus souvent, mais aussi villes industrielles de la Ruhr (Dortmund, Essen) ou des grandes vallées (Francfort-sur-le-Main, Cologne, en bordure du Rhin). Une cinquantaine d'autres villes dépassent 100 000 hab., d'origines très diverses, villes historiques (Aix-la-Chapelle, Mayence, Trèves), cités industrielles (Ludwigshafen, Oberhausen), ports au riche passé (Lübeck) ou plus modernes (Kiel).

États et grandes villes

Land (État)	superficie en km²	population	capitale	population
Bade-Wurtemberg	35 750	9 154 000	Stuttgart	633 000
Bavière	70 550	10 779 000	Munich	1 338 000
Brême	404	734 000	Brême	595 000
Hambourg	747	1 766 000	Hambourg	1 766 000
Hesse	21 110	5 533 000	Wiesbaden	252 000
Rhénanie-du-Nord-Westphalie	34 038	17 193 000	Düsseldorf	650 000
Rhénanie-Palatinat	19 837	3 690 000	Mayence	179 000
Sarre	2 568	1 119 000	Sarrebruck	128 000
Saxe (Basse-)	47 411	7 215 000	Hanovre	517 000
Schleswig-Holstein	15 658	2 567 000	Kiel	269 000
Berlin-Ouest (1)	480	2 063 000		

(1) Berlin-Ouest n'a pas le statut d'un Land

autres grandes villes

Augsbourg	214 000	Gelsenkirchen	345 000
Bochum	342 000	Karlsruhe	258 000
Bonn	279 000	Kassel	215 000
Brunswick	223 000	Krefeld	223 000
Cologne	847 000	Lübeck	240 000
Dortmund	642 000	Mannheim	331 000
Duisburg	449 000	Nuremberg	480 000
Essen	692 000	Oberhausen	245 000
Francfort-sur-le-Main	658 000	Wuppertal	417 000

• *L'économie.* L'industrie occupe la moitié de la population active et assure une part pratiquement égale du produit intérieur brut. Elle a bénéficié historiquement de conditions naturelles et humaines favorables, tenant notamment à la richesse du sous-sol en charbon et à la densité de population à tradition manufacturière ancienne. Plus tôt aussi que dans la majeure partie de l'Europe occidentale, l'industrie a profité des économies d'échelle résultant de la concentration de la production dans un petit nombre d'entreprises, conduites par des dirigeants dynamiques. Ce dernier avantage demeure, alors que l'extraction houillère a connu un recul sensible depuis une quinzaine d'années. La production est tombée au-dessous de 100 Mt en 1974 (près de 90 p. 100 provenant de la Ruhr). Les réserves sont énormes et les rendements assez élevés. Mais la houille a souffert de la montée du pétrole, qui l'a progressivement supplantée dans le bilan énergétique. Cependant, il s'agit presque exclusivement de pétrole importé : la production nationale avoisine seulement 6 Mt, alors que la consommation du marché intérieur a approché 135 Mt en 1973. La crise de l'énergie peut stabiliser au niveau actuel la production houillère, permettant au pays une certaine indépendance énergétique, que ne favorise pas l'extrême faiblesse de la production hydroélectrique. Un apport intéressant est celui du gaz naturel national (environ 20 Gm³), complété par l'achat de gaz néerlandais. L'électricité nucléaire se développe, mais fournit encore moins de 5 p. 100 de la production totale d'électricité (310 TWh), faisant largement appel au lignite, dont la R.F.A. est le deuxième producteur mondial (125 Mt).

Riche encore en potasse, le sous-sol l'est beaucoup moins en minerais métalliques, notamment en fer, compte tenu du grand développement de la sidérurgie. La production d'acier, avoisinant 50 Mt, place le pays au quatrième rang mondial. Localisée principalement dans la Ruhr (sur le charbon), elle est assurée en priorité par les deux géants, Thyssen et Mannesmann, et alimente notamment l'important secteur de la métallurgie de transformation, à l'intérieur duquel émergent l'industrie automobile, la construction électrique et la fourniture de biens mécaniques d'équipement. La construction automobile (où voisinent firmes nationales — Volkswagen et Daimler-Benz [Mercedes] — et filiales américaines — Ford et General Motors [Opel]) se maintient, depuis longtemps, au premier rang européen (3 à 4 millions de voitures de tourisme et environ 300 000 véhicules utilitaires par an). Il en est de même de la construction électrique, dominée par Siemens et A. E. G.-Telefunken. Dans la livraison de biens d'équipement, MAN et Demag occupent des positions privilégiées. La chimie industrielle est aussi, et de loin, au premier rang en Europe, avec ses trois grandes firmes (BASF, Hoechst et Bayer). La construction navale est au deuxième rang (derrière la Suède).

L'agriculture n'emploie plus guère que le quinzième de la population active, moins de 2 millions de personnes. Elle ne satisfait pas la demande nationale. Pourtant, la production céréalière n'est pas négligeable, de l'ordre de 20 Mt au total (dont plus du tiers de blé), et l'élevage, bovin et surtout porcin, est relativement développé. Mais l'agriculture souffre du morcellement des exploitations, d'une insuffisante productivité : sa contribution à la formation du produit intérieur brut n'est que de 3 p. 100.

L'essor de l'économie a été favorisé par le développement remarquable des voies de communication. Il s'agit notamment des autoroutes (plus de 5 000 km), du réseau ferroviaire (30 000 km [presque aussi long que le réseau français sur une superficie de plus de moitié inférieure], dont près du tiers est électrifié) et aussi du réseau fluvial (Rhin et ses affluents, Moselle, Neckar et Main [qui doit bientôt relier le Rhin au Danube], Elbe inférieure, Weser). La desserte aérienne est dense, liée à l'armature urbaine, à la dispersion des fonctions de direction industrielle et tertiaire; sur le plan international, Francfort est une plaque tournante européenne. Les ports maritimes de Hambourg et de Brême ont perdu de leur importance relative (notamment pour Hambourg avec le partage de l'Allemagne).

Malgré l'importance du marché intérieur, le développement de l'industrie a tôt imposé une vocation exportatrice à l'économie allemande. La valeur des exportations représente annuellement près du quart du produit national brut; elle est constituée pour plus de la moitié par la seule vente des biens d'équipement, qui, en revanche, ne représentent que le cinquième des importations. Celles-ci comportent surtout des matières premières industrielles (pétrole et minerais) et des denrées agricoles. Environ 60 p. 100 du commerce extérieur s'effectuent avec les autres pays du Marché commun. La France est le premier partenaire commercial de la R. F. A. La balance commerciale est depuis longtemps excédentaire

ALLEMAGNE
RÉPUBLIQUE FÉDÉRALE

- zones urbaines
- ○ ● ○● ○○ villes classées suivant l'importance de leur population
- liaisons ferroviaires importantes internationales ou interrégionales
- trajets des trains rapides T.E.E. ou "Intercity"
- autoroutes routes cana

LA RUHR

MITTELLANDKANAL

FRANCFORT ET LA WEINSTRASSE

STUTTGART ET LA VALLÉE DU NECKAR

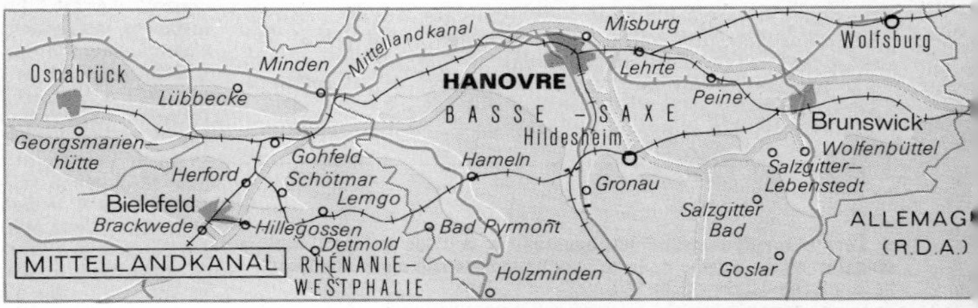

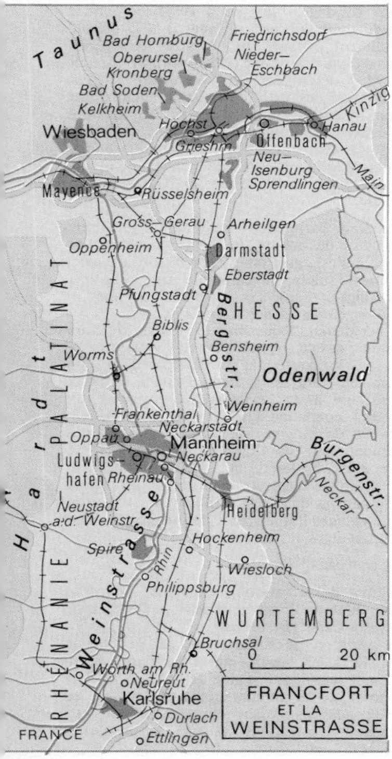

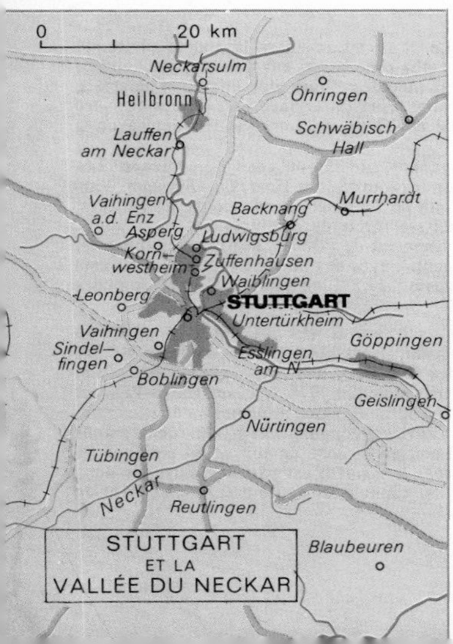

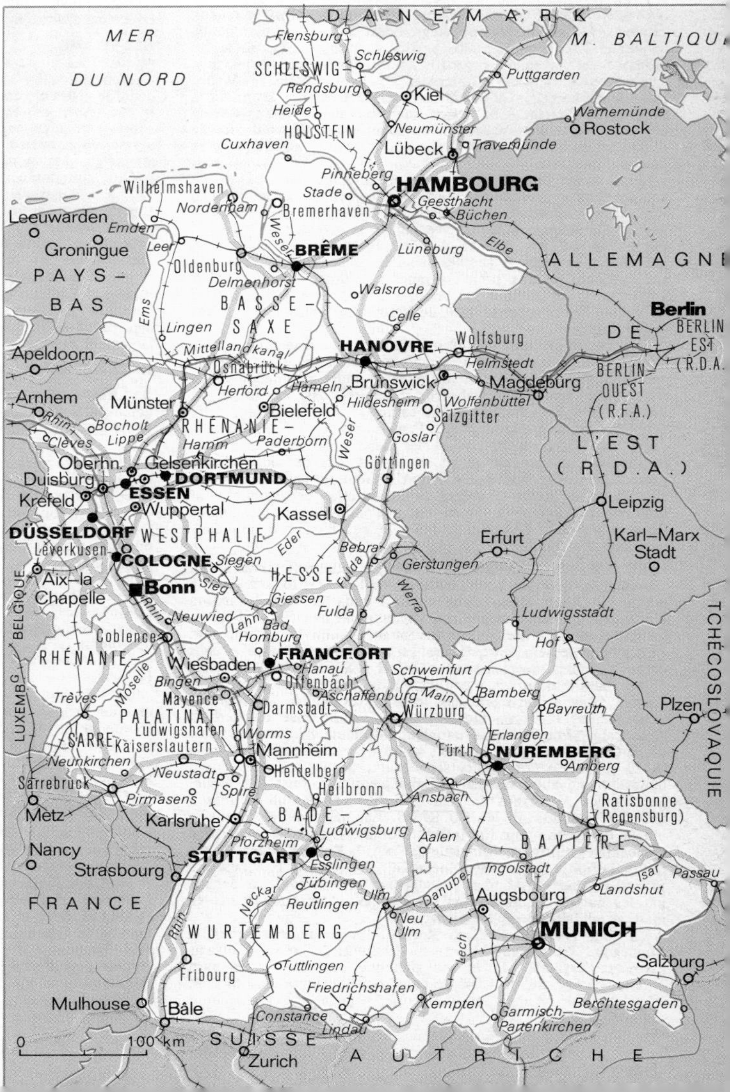

DÉFENSE ET ARMÉES

• *1954* : échec de la Communauté européenne de défense. Création, par les accords de Paris, de l'*Union de l'Europe occidentale,* autorisant le réarmement allemand.

• *1955* : l'Allemagne fédérale adhère au Pacte atlantique et crée ses armées sous le nom de *Bundeswehr,* dont l'effectif atteint 140 000 hommes en 1958, 250 000 en 1960, 400 000 en 1963, 495 000 (plus 20 000 hommes de police des frontières) en 1976.

• LA BUNDESWEHR EN 1977. Budget : 12 605 millions de dollars (3,7 p. 100 du P. N. B.). Service militaire de 15 mois (227 000 appelés, 34 000 objecteurs de conscience en 1974).

Armée de terre : 345 000 hommes, soit 12 divisions, dont 4 blindées, 4 mécanisées et 1 aéroportée, intégrées dans l'O. T. A. N.

Armée de l'air (Luftwaffe) : 111 000 hommes, 462 avions de combat (en majorité matériel américain).

Marine : 39 000 hommes, 150 bâtiments dont 24 sous-marins côtiers, 11 destroyers et 57 dragueurs.

Aéronavale : 135 avions de combat.

et l'est demeurée malgré les hausses du prix du pétrole. Cette situation est à l'origine de la solidité de la monnaie ouest-allemande (le deutsche Mark, ou D. M.).

En contrepartie, la balance des services est déficitaire. L'ampleur (en poids autant qu'en valeur) des échanges internationaux explique, malgré le développement récent de la flotte marchande nationale, l'appel partiel aux pavillons étrangers. Le solde du tourisme est largement négatif : nombreux sont les Allemands passant leurs vacances à l'étranger. Les envois de fonds des travailleurs immigrés et les investissements publics et privés à l'étranger s'ajoutent à ce déficit, mais la balance des paiements courants est traditionnellement excédentaire. L'accumulation de devises place le pays, et de loin, au premier rang mondial dans ce domaine financier.

Les fortunes contraires du D. M. et du dollar depuis 1970 ont provoqué un rapprochement des valeurs du produit par habitant en R. F. A. et aux États-Unis (dépassant sensiblement, dans ces deux pays, 5 000 dollars en 1973). Néanmoins, le niveau de vie moyen ouest-allemand n'a pas rejoint le niveau de vie américain, notamment au point de vue des biens de consommation, mais il se situe aujourd'hui aux premiers rangs en Europe. En effet, pour 1 000 hab. il y a environ 300 voitures de tourisme, 350 postes de télévision, 300 téléphones. Plus de 500 000 logements sont achevés chaque année.

L'économie est ainsi prospère, mais, cependant, seulement dans la mesure où il n'existe pas de marasme international susceptible de tarir ses débouchés extérieurs, indispensables pour l'écoulement total d'une production élaborée, tributaire aussi en amont de matières premières importées. Le caractère international de cette économie est bien marqué. La R. F. A. est un peu à l'étroit dans le cadre du Marché commun, et les liens avec le tiers monde (fournisseur de produits bruts et importateur de biens d'équipement, de technologie) et les États-Unis (qui ont beaucoup investi dans le pays, notamment dans la construction automobile) sont activement développés. Sinon encore politiquement, du moins économiquement, l'Allemagne fédérale est bien une puissance mondiale.

HISTOIRE. Au lendemain de la défaite hitlérienne (mai 1945), l'Allemagne, ramenée à ses frontières de 1937, est totalement aux mains des Alliés : les quatre commandants en chef des zones d'occupation — américaine, française, anglaise, soviétique (Berlin a un statut quadripartite) — constituent un Conseil de contrôle dont l'autorité ne cessera de se défaire. En effet, l'opposition qui grandit entre les alliés occidentaux et l'U. R. S. S. fait que les zones occidentales entrent peu à peu dans la mouvance de l'Ouest et se coupent chaque jour davantage de la zone orientale soviétique.

Le 4 juin 1948, au moment où éclate la crise de Berlin*, Américains, Français et Britanniques décident la mise en place d'une Constituante pour les trois zones de l'Allemagne de l'Ouest; le 20 juin, apparaît le deutsche Mark, auquel les Soviétiques opposent une autre monnaie. Rapidement, aux yeux des Anglo-Saxons, les Allemands de l'Ouest deviennent des alliés, face à l'hostilité grandissante de l'U. R. S. S. En mai 1949, alors que le blocus de Berlin prend fin, la Haute Commission alliée (la trizone occidentale) ratifie et promulgue (23 mai) la Loi fondamentale qui fait de la future République fédérale d'Allemagne (R. F. A.) un État fédéral (11 puis 10 Länder) et indépendant, mais toujours occupé par les puissances alliées, qui gardent des droits importants en matière militaire et diplomatique.

En août 1949 ont lieu, en R. F. A., les élections au premier Bundestag. Trois grands partis se dégagent, qui vont désormais assumer l'essentiel de la vie politique allemande : le parti chrétien-démocrate, ou CDU; le parti social-démocrate ou SPD; le parti libéral, ou FDP. Élu président de la République (sept. 1949), Theodor Heuss appelle à la chancellerie fédérale Konrad Adenauer, leader de la CDU. Celui-ci, en 1951, obtient un allégement du statut d'occupation; après les accords de Paris du 23 octobre 1954, la R. F. A. reçoit la plénitude de ses responsabilités diplomatiques. La République fédérale groupe alors les deux tiers de la population allemande, car elle a dû absorber plus de dix millions de réfugiés venus des provinces annexées de l'Est; par la suite, elle recevra de nombreux Allemands quittant le territoire de la R. D. A. ou la zone soviétique de Berlin. Conservateur en politique, mais partisan déterminé du libéralisme économique, le chancelier Adenauer (de 1949 à 1963) se voue d'abord à la reconstitution de l'économie allemande. De 1950 à 1960, la croissance s'effectue à un rythme annuel moyen supérieur à 7 p. 100; le produit national brut triple entre 1950 et 1967. En même temps, la R. F. A. entre dans toutes les instances internationales et devient membre à part entière de la Communauté européenne.

Cette politique se poursuit sous les chanceliers Ludwig Erhard (de 1963 à 1966) et Kurt Kiesinger (de 1966 à 1969); ce dernier forme un gouvernement de « grande coalition » avec la SPD, dont le leader, Willy Brandt, devient ministre des Affaires étrangères, avant de prendre la tête du gouvernement (1969-1974). W. Brandt axe résolument sa politique étrangère sur l'ouverture à l'Est *(Ostpolitik)* et la normalisation des rapports entre les deux États allemands. Cette politique rencontre l'hostilité de la CDU, hostilité qui détermine, à longue échéance, le remplacement (6 mai 1974) de W. Brandt par un autre social-démocrate, Helmut Schmidt : celui-ci se voue davantage à la construction de l'Europe occidentale et à la recherche d'une solution aux problèmes créés en R. F. A. par la crise économique mondiale.

ALLEMAND. — L'allemand, parlé par 100 millions de locuteurs, est une des grandes langues de culture de l'Occident. Son aire d'extension, qui s'arrête, à l'est, aux frontières de l'Allemagne, déborde celles-ci vers l'ouest (Suisse, Luxembourg, Alsace) et vers le sud (Autriche, Haut-Adige italien), sans compter les communautés germanophones d'Argentine et des États-Unis.

Issu du germanique occidental, l'allemand se divise en deux grands groupes de dialectes, qui se sont différenciés vers le VIe s. par une mutation qui a altéré les consonnes germaniques de la série *p, t, k* : le bas-allemand, au nord, et le haut-allemand, au sud. L'unification linguistique, qui a donné naissance, à partir du haut-allemand, à la langue commune (Hochsprache, ou Hochdeutsch), a eu lieu à la fin du Moyen Âge à partir de certaines chancelleries (en particulier celle de l'Électeur de Saxe). Cette langue s'est diffusée grâce à l'imprimerie et à la traduction de la Bible par Luther. Mais elle reste longtemps une langue seulement écrite, qui n'est acceptée partout qu'à la fin du XVIIIe s. à cause de son prestige littéraire. Aujourd'hui encore, les dialectes sont largement employés, surtout dans les campagnes.

ALLEMANDE → SUITE DE DANSES.

ALLEMANDE (République démocratique), en allem. **Deutsche demokratische Republik,** État de l'Europe centrale; 108 000 km²; 16 790 000 hab. *(Allemands).* Capit. *Berlin-Est.*

Née en 1949 de la partition de l'Allemagne, la République démocratique allemande (R. D. A.), appelée aussi *Allemagne orientale* ou *Allemagne de l'Est,* a réussi, avec l'aide de l'U. R. S. S., à se hisser, sur le plan économique, au premier rang des démocraties populaires. Pourtant, les conditions initiales étaient défavorables : l'industrie était totalement désorganisée et une partie de la population avait émigré à l'Ouest.

GÉOGRAPHIE

• *Le milieu naturel.* Le Nord appartient à la grande plaine de l'Europe du Nord. C'est une zone basse, aux sols pauvres souvent sableux, seulement accidentée de collines morainiques et parsemée de nombreux lacs glaciaires. Elle est drainée vers la mer du Nord et la Baltique par l'Elbe et l'Oder, qui forme la frontière avec la Pologne.

Dans le Sud, le pays appartient à la zone hercynienne. Les massifs anciens, aux formes lourdes, du Harz, du Thüringer Wald (bordé au N. par le bassin de Thuringe) et des monts Métallifères, sont couverts par d'épaisses forêts de conifères.

En raison de son éloignement de l'Océan, le pays tout entier est soumis au climat continental, avec des hivers rigoureux et des étés orageux (– 0,9 °C en janvier, 17,2 °C en juillet; 599 mm de pluies par an à Berlin).

• *La population.* Elle a fortement diminué après la guerre en raison des nombreux départs vers l'Ouest. Ceux-ci ont cessé par suite de la fermeture des frontières, mais la population est âgée et connaît une diminution légère depuis 1976. L'Allemagne de l'Est est fortement urbanisée. Une série de villes moyennes s'échelonnent, surtout en Saxe et en Thuringe, commandées par les deux grands centres de Dresde et Leipzig. À cause de son statut politique (la ville, coupée en deux par le « mur », est partagée entre les deux Allemagnes), Berlin-Est, la capitale, demeure assez isolée du reste du pays.

RÉPUBLIQUE DÉMOCRATIQUE ALLEMANDE

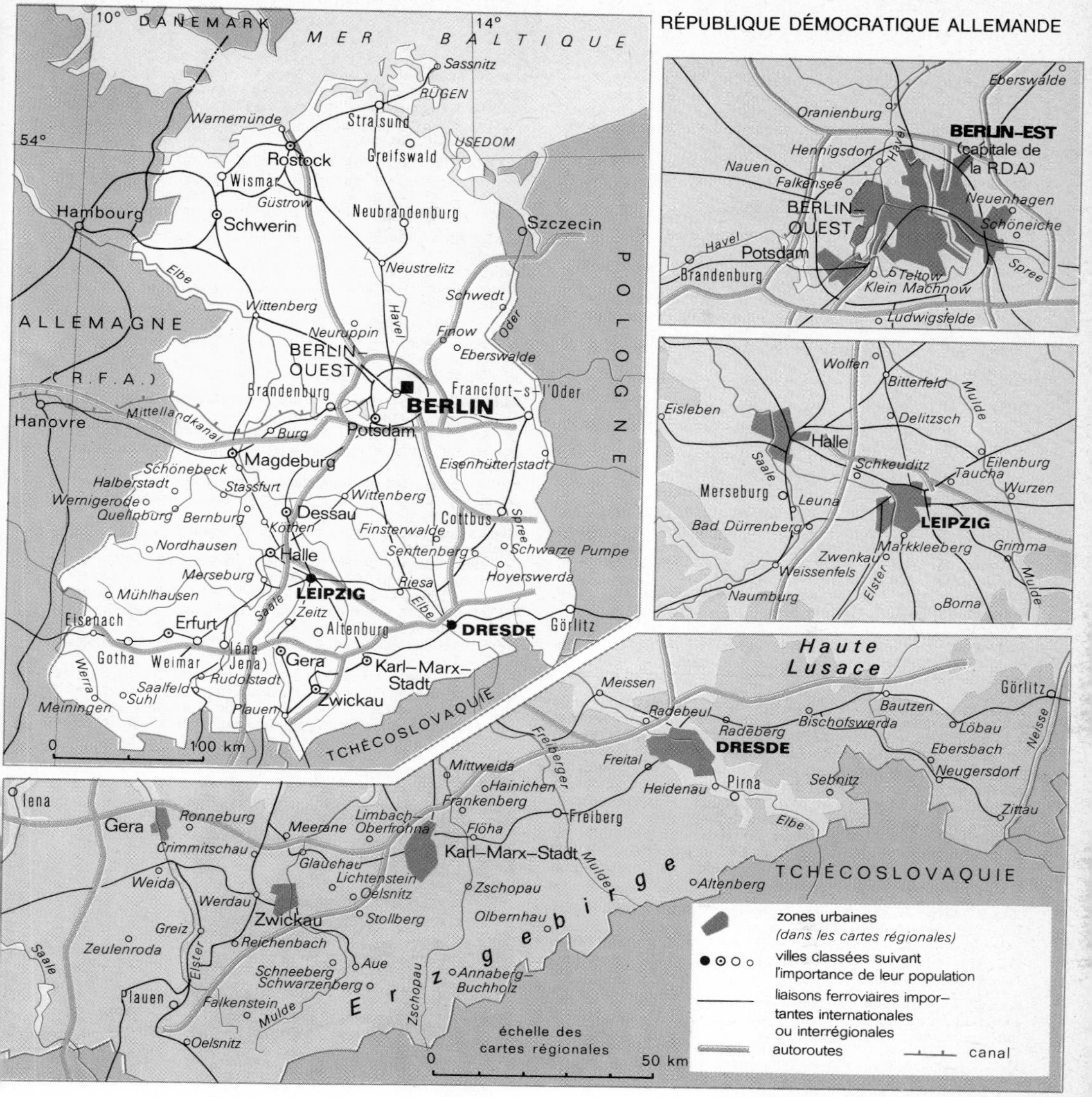

villes principales			
Berlin	1 089 000	Karl-Marx-Stadt	302 000
Leipzig	577 000	Magdeburg	273 000
Dresde	505 000	Halle	251 000

• *L'économie.* Elle a été totalement réorganisée par l'État sur des bases socialistes.

Dans le domaine industriel, de nombreux problèmes se posaient au lendemain de la guerre : les usines avaient subi de graves destructions et, surtout, l'approvisionnement en matières premières qui venaient auparavant de l'ouest, notamment de la Ruhr, était coupé. Malgré la relative médiocrité des ressources naturelles, la progression est impressionnante. Les principales sources d'énergie sont maintenant le lignite (250 Mt), de Saxe et de Lusace, et le pétrole, importé d'U. R. S. S. par l'oléoduc de l'Amitié. Les industries traditionnelles subsistent : textile, travail du bois (jouets), verrerie, édition, mais leur importance est devenue faible car l'accent a été mis sur les activités de base. La production d'acier dépasse 6 Mt par an. La métallurgie des métaux non ferreux, fondée sur les petits gisements (plomb, zinc, cuivre) des massifs anciens, est également importante. L'uranium extrait des monts Métallifères est exporté vers l'U. R. S. S. Des industries mécaniques variées (machines-outils, matériel ferroviaire, chantiers navals) sont réparties dans tout le pays. Mais l'Allemagne de l'Est est également spécialisée dans le matériel de très haute précision : électronique, appareils photographiques, etc. Les gisements de potasse (2,5 Mt) et de sel gemme entretiennent une puissante industrie chimique, qui fournit des engrais, des matières plastiques et des fibres synthétiques. Le rapide développement de l'industrie lourde a pu être réalisé grâce à un réseau dense de voies de communication, permettant d'importer les matières premières nécessaires. Les ports de la Baltique, en particulier Rostock, ont également été équipés.

L'agriculture, peu favorisée par les conditions naturelles, occupe une place moins importante. Le régime socialiste a supprimé les propriétés privées, et pratiquement toutes les terres sont exploitées dans le cadre de coopératives agricoles; les rendements ont beaucoup augmenté grâce à la mécanisation et à l'emploi massif des engrais. Les terres les plus riches produisent du blé et de la betterave à sucre, les autres, du seigle et des pommes de terre. L'élevage bovin et, surtout, porcin est important. Cependant, la production est insuffisante pour l'alimentation du pays, et celui-ci doit importer notamment des céréales, de la viande et des fruits.

Malgré les difficultés initiales, l'Allemagne de l'Est a connu un important développement économique grâce aux liens avec l'U. R. S. S., principal partenaire commercial : importation de produits alimentaires et de matières premières, exportation de produits fabriqués. La priorité donnée à l'industrie lourde a freiné au départ l'élévation du niveau de vie, plus rapide depuis quelques années.

HISTOIRE. En octobre 1949 se constitue la République démocratique allemande. Dirigée par le parti socialiste unifié (SED), né dès 1946 et organisé sur le modèle soviétique, la R. D. A. est soumise rapidement à l'application d'un programme d'économie planifiée. Sous la double direction de Otto Grotewohl, chef du gouvernement de 1949 à sa mort, en 1964, et de Walter Ulbricht († 1973), premier secrétaire du SED à partir de 1950 et président du Conseil d'État à partir de 1960, la R. D. A. triomphe peu à peu des difficultés économiques énormes, nées de la guerre, de la partition de l'Allemagne et de l'exode vers la R. F. A. de plusieurs millions de ses ressortissants. La priorité étant accordée à l'industrie lourde et à la production des biens d'équipement, la R. D. A., dès 1963, est largement en tête de tous les États socialistes pour la production industrielle par habitant. Aussi ses dirigeants peuvent-ils multiplier les contacts avec leurs voisins de l'Est et aussi avec les puissances occidentales, notamment avec la R. F. A., qui, en 1968, reconnaît *de facto* la R. D. A., rendant ainsi inopérants les projets de réunification de l'Allemagne. Cette politique d'ouverture est poursuivie par Erich Honecker, premier secrétaire du SED depuis 1971 et chef de l'État à partir de 1976, Willi Stoph, président du Conseil d'État (1973-1976), puis premier ministre.

DÉFENSE ET ARMÉES

- *1954 :* création de formations militaires organisées sur modèle soviétique et intégrées en 1956 sous le nom d'*armée nationale populaire* dans les forces du pacte de Varsovie.

Effectif : env. 100 000 hommes en 1958, 200 000 en 1966, 157 000 (plus 70 000 gardes frontières et troupes de sécurité) en 1976.

- LES FORCES DE LA D. D. R. en 1977. Budget : voisin de 2 729 millions de dollars (5,4 p. 100 du P. N. B.). Service militaire de 18 mois. Matériel d'armement soviétique.

Armée de terre : 105 000 hommes; 2 divisions blindées et 4 motorisées (2 000 chars « T 54 » et « T 62 »).

Armée de l'air : 36 000 hommes et 441 avions de combat (« Mig-17 », « Mig-21 », « Il-14 », etc.).

Marine : 16 000 hommes, armant notamment 2 escorteurs, une cinquantaine de dragueurs et de chasseurs de sous-marins, 40 vedettes rapides.

ALLEMANE (Jean), socialiste français (Sauveterre, Haute-Garonne, 1843 - Herblay 1935). D'abord chef des socialistes possibilistes, opposés aux guesdistes collectivistes, il constitue en 1890 un groupe — dit « allemaniste » — qui privilégie le rôle des ouvriers dans l'action révolutionnaire.

ALLENBY (Edmund), maréchal britannique (Londres 1861 - *id.* 1936). Commandant la IIIe armée sur le front d'Artois (1916-17), puis les forces britanniques en Palestine (1917-18), il conquiert Jérusalem, Damas et Alep, et contraint les Turcs à capituler. Haut-commissaire au Caire de 1919 à 1925, il contribue à l'élaboration du traité d'indépendance de l'Égypte (1922).

ALLENDE (Salvador), homme politique chilien (Valparaíso 1908-Santiago 1973). Médecin, il est un des fondateurs du parti socialiste chilien (1933), dont il devient secrétaire général en 1943. Sénateur (1945), puis président du Sénat, il est élu président de la République en septembre 1970, et met aussitôt en œuvre le programme élaboré par l'Unité populaire, qui groupe les forces de gauche. Mais la montée des oppositions et l'attitude hostile des États-Unis gênent son action, avant d'aboutir à la formation d'une junte militaire, qui provoque la chute et la mort d'Allende et établit un régime dictatorial (1973).

ALLENTOWN, v. des États-Unis (Pennsylvanie), au N.-O. de Philadelphie; 110 000 hab.

ALLEPPEY, port de l'Inde méridionale (Kerala) sur la côte de Malabār; 160 000 hab.

ALLER, riv. du nord de l'Allemagne fédérale, en Basse-Saxe, affl. de la Weser (r. dr.); 256 km.

ALLERGIE. — Cette réaction est le plus souvent liée à un précédent contact avec l'*allergène* (sensibilisation), mais elle peut survenir dès le premier contact (état d'hypersensibilité). L'urticaire, l'asthme, l'eczéma en sont les exemples les plus fréquents. L'allergie peut être *humorale,* et liée à la présence d'anticorps circulants dans le sang (urticaire provoquée par des médicaments). Quand elle est *tissulaire* il n'y a pas d'anticorps circulants : ceux-ci sont localisés à l'organe intéressé (l'eczéma en est le meilleur exemple). Les tests cutanés permettent de mettre en évidence l'allergie en cause. De nombreuses maladies ou des troubles peuvent être d'origine allergique : prurigo, rhume des foins, digestions difficiles, etc.

ALLEU. — Terre libre exempte de redevances, ne relevant d'aucun seigneur, par opposition au fief*, l'alleu, avec l'évolution féodale, passe cependant souvent à l'état de fief, les alleutiers cédant de gré ou de force leurs privilèges à un seigneur.

ALLEVARD (38580), ch.-l. de cant. de l'Isère, à 40 km au N.-E. de Grenoble, sur le Bréda (affl. de l'Isère); 2 577 hab. *(Allevardais).* Station thermale, aux eaux froides, gazeuses, sulfurées, calciques utilisées dans le traitement des affections des voies respiratoires. Électrométallurgie.

ALLIA, affl. du Tibre (r. g.). Sur les bords de cette rivière, les Romains subirent une défaite (390 av. J.-C.) devant les Gaulois, qui prirent Rome et la pillèrent. Cette « catastrophe gauloise » marqua pour de longs siècles la mentalité romaine.

ALLIAGE. — Il existe des centaines d'alliages utilisés dans les applications courantes ou industrielles, parmi les milliers qui ont été étudiés systématiquement depuis la fin du XIXe s. et qui résultent de l'union d'un métal* avec un ou plusieurs autres métaux ou métalloïdes* (alliages dits « binaires », « ternaires », « quaternaires », « simples » ou « complexes »). L'intérêt de la formation de ces alliages est primordial pour le métallurgiste, car ils présentent des propriétés bien différentes et meilleures d'emploi que celles des métaux constitutifs. Ainsi, un alliage d'aluminium à 11,7 p. 100 de silicium* (eutectique) a un point de fusion de 577 °C, alors que celui de l'aluminium est de 660 °C et celui du silicium de 1 410 °C; un cupro-étain à 30 p. 100 d'étain* présente une dureté Brinell de l'ordre de 500 alors que celle du cuivre* est de 50 et celle de l'étain de 5. De plus, en raison de la diversité des phases constituantes, il est possible de modifier encore les structures et les propriétés corrélatives des alliages par des traitements* thermiques pratiqués à l'état solide.

L'étude de la constitution physico-chimique de la structure des alliages et de leurs diverses caractéristiques (physiques, mécaniques, chimiques) est l'objet principal de la métallographie*, soit par examens au microscope, soit par l'emploi de procédés d'investigation les plus divers, faisant appel aux méthodes scientifiques les plus fines (dilatométrie différentielle, analyse thermique, radiocristallographie, etc.). Comme les métaux, les alliages solidifiés sont constitués de cristaux, ou grains, à l'intérieur desquels les atomes* des métaux constitutifs sont disposés suivant des motifs cristallins caractéristiques (systèmes du type cubique, hexagonal, tétragonal, etc.). L'incorporation à un métal de base (solvant) d'un autre élément (soluté) conduit à la formation de diverses phases, dont l'existence est régie par des règles physico-chimiques : une *solution solide primaire,* lorsque cette solution est issue directement du métal de base; une *solution solide secondaire,* dite *phase intermédiaire* (de structure cristalline différente de celle des métaux constitutifs); un *composé défini,* ou *composé intermétallique,* correspondant à une composition précise (combinaison

Gamma

Salvador Allende.

définie). Les domaines d'existence et d'équilibre des phases sont représentés sur des diagrammes, dits *diagrammes d'équilibre* de phases, d'alliages binaires, ternaires, quaternaires, dans lesquels les phases sont indiquées en fonction de la composition chimique et de la température. On connaît ainsi les diverses réactions depuis l'état liquide, ou à l'état solide, responsables de la formation des phases dans les alliages (réaction eutectique, péritectique, monotectique, eutectoïde, etc.). Les propriétés diverses des alliages découlent le plus souvent de leur constitution physico-chimique, soit de la nature même des phases (masse volumique, dilatation*, fusion*, élasticité*, conductibilité* électrique, magnétisme*, etc.), soit de la structure micrographique et de la répartition des phases (constituants micrographiques), de leur finesse et de leur imperfection cristalline (propriétés mécaniques, comportement chimique). Dans certains cas, il est possible de maintenir des alliages dans des états suffisamment stables, mais hors d'équilibre physico-chimique, qui leur confèrent des caractéristiques particulières : ainsi, la trempe des aciers et le durcissement structural des alliages à base d'aluminium* sont les phénomènes de base qui permettent d'obtenir des propriétés bien spécifiques de ces alliages industriels.

Alliance *(Quadruple-),* pacte signé le 20 novembre 1815, entre l'Angleterre, l'Autriche, la Prusse et la Russie, vainqueurs de la France napoléonienne. Cette alliance constitue la pièce essentielle du système de Metternich, particulièrement attentif à étouffer en Europe tout mouvement libéral : cette politique se réalisera par l'intermédiaire de congrès (Aix-la-Chapelle, 1818; Karlsbad, 1819; Vienne, 1820; Troppau, 1820; Laybach, 1821; Vérone, 1822).

Alliance *(Sainte-),* pacte mystique, conclu à Paris le 26 septembre 1815, les signataires s'engageant à se prêter assistance chaque fois que le pouvoir des rois serait menacé en Europe par les mouvements populaires.

Au lendemain de la chute de Napoléon Ier, le tsar Alexandre Ier, inspiré par Mme de Krüdener, a l'idée de réconcilier autour d'un idéal chrétien commun et « au nom de la Très Sainte et Indicible Trinité », les trois souverains, orthodoxe (Russie), catholique (Autriche) et protestant (Prusse), qui ont vaincu l'Empereur des Français. C'est ainsi qu'est conçue l'idée de la Sainte-Alliance. Mais, en fait, ce pacte, véritable « vide sonore », est dépourvu de contenu et d'efficacité. C'est pourquoi le ministre anglais Castlereagh, réaliste, prend l'initiative de lui substituer un traité précis, la Quadruple-Alliance*.

Alliance *(Triple-)* ou **Triplice,** accord politique constitué par l'Allemagne, l'Autriche-Hongrie et l'Italie. Amorcé entre les empires centraux en 1879, il est complété par l'entrée en 1882 de l'Italie, puissance préoccupée par l'établissement du protectorat français en Tunisie, ses deux partenaires voulant, quant à eux, parer à une éventuelle agression française ou franco-russe. Guillaume II, de 1890 à 1914, fera de la Triple-Alliance l'élément essentiel de sa politique internationale. Mais, si le bloc austro-allemand reste intact, la tension qui monte entre l'Italie et l'Autriche finit par dissocier la Triplice, et, en 1915, par faire passer l'Italie dans le camp adverse, celui de la Triple-Entente.

ALLIER, riv. du Massif central, affl. de la Loire (r. g.); 410 km. Né dans l'est du départ. de la Lozère, l'Allier coule vers le N., passe à Langeac, ouvre les bassins de Brioude et Issoire, draine la Grande Limagne et arrose enfin Vichy, puis Moulins, avant de confluer, au *bec d'Allier,* à l'O. de Nevers.

ALLIER (03), départ. de la Région Auvergne; 7 327 km^2; 378 406 hab. Ch.-l. *Moulins.* S.-préf. *Montluçon, Vichy.*

Le département correspond presque exactement à l'ancienne province du Bourbonnais*. Il est formé de trois régions, différentes par leur aspect et leurs aptitudes. Entre les vallées du Cher d'une part, de l'Allier et de la Sioule d'autre part, occupant approximativement la moitié de la superficie totale du département, le Bocage bourbonnais correspond à un plateau cristallin incliné vers le N., où il disparaît sous des terrains sédimentaires. Entre la Sioule et l'Allier, au S., à l'E. de l'Allier, au N.-E., s'étendent les plaines de la Limagne bourbonnaise et de la Sologne bourbonnaise. Au S.-E., enfin, la Montagne bourbonnaise correspond au rebord septentrional des monts de la Madeleine.

La densité moyenne d'occupation est faible, dépassant légèrement 50 habitants au kilomètre carré. L'exode rural persiste dans le Bocage, la Sologne et la Montagne. Il ne profite que partiellement aux vallées, celles du Cher et de l'Allier surtout, sites des principales villes. Les trois agglomérations : Montluçon (qui s'étend vers Commentry), sur le Cher, Vichy, et, plus en aval, Moulins, sur l'Allier, regroupent approximativement la moitié de la population départementale.

L'agriculture emploie environ le cinquième de la population active. L'élevage (bovins d'embouche, porcins et volailles) domine en dehors des vallées, zones de cultures céréalières, qui se sont cependant répandues aussi sur les plateaux. L'industrie occupe un peu plus du tiers de la population active. L'ensemble Montluçon-Commentry associe la construction mécanique et l'industrie du caoutchouc. Moulins demeure surtout une cité administrative et commerçante. Vichy est toujours un important centre du thermalisme, présent aussi à Néris-les-Bains, Bourbon-l'Archambault. Sans sources d'énergie, relativement éloigné de Paris, privé de véritables grandes villes, à l'écart des principaux axes de communication (sinon celui menant vers Clermont-Ferrand), le département appartient à cette bordure méridionale du Bassin parisien, au dynamisme démographique et économique ralenti.

ALLOCATIONS FAMILIALES → FAMILIALES *(prestations).*

ALLONNES (72700), comm. de la Sarthe, dans la banlieue sud-ouest du Mans; 15 852 hab.

ALLOS (04260), ch.-l. de cant. des Alpes-de-Haute-Provence, à 36 km au S. de Barcelonnette, dans la haute vallée du Verdon; 564 hab. Station d'altitude (1 425 m) au pied du *col d'Allos* (2 250 m). Sports d'hiver à *La Foux-d'Allos* (alt. 1 800-2 600 m).

ALLOTROPIE. — L'allotropie concerne plusieurs formes d'un même élément chimique, mais présentant des différences de structure. Ainsi, dans le soufre α, les atomes sont disposés dans un réseau cristallin appartenant au système orthorhombique, alors que, dans le soufre ß, le groupement s'effectue suivant les symétries du système monoclinique. De même, le diamant appartient au système cubique, tandis que le graphite est hexagonal. Dans d'autres cas, les molécules sont différentes : l'oxygène O_2 est diatomique et l'ozone O_3 triatomique. Il est en général possible de passer d'une forme allotropique à une autre par variation de température ou de pression. Deux formes allotropiques d'un même élément fournissent évidemment les mêmes composés, mais leur réactivité est souvent différente.

ALLSCHWIL, comm. de Suisse (Bâle-Campagne), dans la banlieue sud-ouest de Bâle; 17 638 hab.

ALLUMAGE. — L'allumage de la masse gazeuse carburée contenue dans la chambre d'explosion d'un moteur* peu avant la fin du temps de compression (avance à l'allumage) est assuré soit par inflammation spontanée due à l'élévation considérable de sa température, soit par suite d'une forte compression (diesel*, turbine* et moteur à haut rendement à injection* d'essence), soit encore par intervention d'une étincelle électrique jaillissant entre les électrodes* d'une bougie, ce qui implique l'utilisation d'une source d'énergie électrique. À la magnéto*, qui produisait le courant d'allumage à haute tension nécessaire, on a substitué l'allumage par

Allumage par batterie et bobine d'induction.

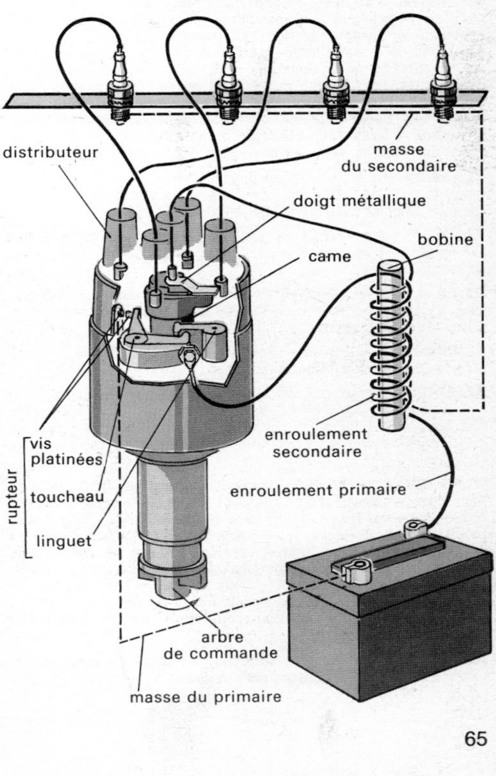

batterie* d'accumulateurs, dont le principe de fonctionnement est identique, mais dont l'énergie peut être utilisée pour animer d'autres accessoires. La batterie fournit un courant continu à basse tension qui circule dans le circuit primaire d'une bobine d'induction. Ce circuit est réalisé par l'enroulement à spires non jointives d'un fil de gros diamètre autour d'un noyau de fer doux. Il engendre un champ magnétique dans lequel baigne un second enroulement, à fil fin et à spires jointives, qui constitue le secondaire. Un rupteur, commandé par l'arbre moteur, interrompt temporairement le courant du primaire, et, l'action du champ magnétique cessant, il se produit dans le secondaire un courant induit de haute tension que l'on envoie à la bougie par l'intermédiaire d'un distributeur. Celui-ci sélectionne le cylindre dans lequel doit se produire l'allumage. La bougie est constituée d'une tige, dite « électrode centrale », scellée dans le corps isolant de l'appareil, et d'une électrode de masse, qui est mise à la masse du moteur lorsque le culot de la bougie est vissé dans la culasse. Les électrodes sont séparées par un écartement invariable, calculé pour qu'un petit arc électrique éclate lorsque le courant haute tension du secondaire circule. L'efficacité du système dépend de la possibilité pour le rupteur de produire des ruptures franches. Étant doué d'inertie, il supporte mal les hautes vitesses de régime du moteur poussé. En outre, la grande intensité du courant du primaire qu'il doit couper entraîne la formation sur les surfaces en contact de dépôts d'oxydes métalliques isolants. L'usage des semi-conducteurs* est intéressant, car le rupteur ne reçoit plus que le courant de commande de faible intensité. Cette solution simple est actuellement préférée à l'allumage électronique, où le rupteur est remplacé par un générateur d'impulsions.

ALLUMETTE. — Une allumette est constituée d'un bâtonnet, en bois ou en carton, qu'un mélange chimique, formant un bouton à son extrémité, permet d'enflammer par frottement soit sur n'importe quel corps rugueux, soit seulement — et de préférence — sur un autre mélange chimique déposé sur l'étui, d'où une sécurité contre un allumage accidentel. Initialement, les allumettes étaient de simples bûchettes de bois imprégnées à un bout d'une matière plus combustible, mais qu'on ne pouvait enflammer que par contact avec un corps déjà en ignition. Les premières allumettes chimiques datent du début du XIXe s. L'emploi du phosphore* dans la pâte du bouton fut un notable perfectionnement dû, en France, à Sauria*, en 1831, et, en Allemagne, à Jakob Friedrich Kammerer (1796-1857), en 1832. Mais le phosphore blanc utilisé était dangereux pour ceux qui fabriquaient et utilisaient les allumettes : on fit alors appel au sesquisulfure de phosphore. Cependant, la plus grande amélioration, apportée par les frères Lundström*, fut d'incorporer le combustible, sous forme de phosphore rouge, à la pâte du frottoir, d'où se détachaient des parcelles par frottement du bouton contenant le comburant riche en oxygène tel que chlorate de potassium ou bioxyde de manganèse. À cause de la nationalité de ses inventeurs, on a donné le nom de *suédoise* à cette sorte d'allumettes. Pour qu'une tige de bois ou de carton prenne feu à coup sûr, on imprègne de soufre* — ou plus souvent de paraffine*, brûlant sans odeur — le bout qui reçoit ensuite le bouton. Frottoir et bouton contiennent dans leur composition des gommes adhésives ainsi que du verre en poudre qui les rendent rugueux.

ALLYLE. — Le radical allyle a pour formule $CH_2{=}CH{-}CH_2{-}$. Il figure dans l'alcool allylique et de nombreux éthers ou esters, par exemple le chlorure d'allyle $CH_2{=}CH{-}CH_2{-}Cl$.

ALMA, fl. de l'U.R.S.S., en Crimée; 86 km. Victoire des Franco-Anglais sur les Russes (20 septembre 1854) pendant la guerre de Crimée*.

ALMA-ATA, anc. **Viernyï,** v. de l'U.R.S.S., capit. du Kazakhstan, au S. du lac Balkhach; 730 000 hab. Métallurgie. Industries alimentaires et textiles.

ALMADÉN, v. d'Espagne (Nouvelle-Castille), au N. de la sierra Morena; 14 400 hab. Mine de mercure.

ALMAGRO (Diego DE), conquistador espagnol (Almagro 1475-Cuzco 1538). Compagnon de Pizarro, il entreprend, en 1535, avec 500 hommes, la conquête du Chili. Il atteint bien la vallée de l'Aconcagua, mais, entré en lutte avec Pizarro, il est vaincu et étranglé.

ALMANACH. — Réunissant aux indications sur la division du temps, les évolutions des astres, les fêtes et les foires locales, des éléments de médecine empirique, des recettes de cuisine, des prophéties astrologiques, les almanachs furent longtemps le seul livre du paysan et du bourgeois provincial, et l'un des éléments de base de la littérature de colportage*. Illustrés de gravures naïves, connaissant une diffusion régionale *(Almanach du diocèse de Meaux)* ou nationale *(le Messager boiteux),* ils restèrent, jusqu'au milieu du XIXe s., un puissant moyen d'influence entre les mains du pouvoir.

ALMANSA, v. d'Espagne (Murcie), où Berwick remporta la victoire qui assura définitivement à Philippe V le trône d'Espagne (25 avr. 1707).

ALMEIDA GARRETT (João Baptista DA SILVA LEITÃO DE), écrivain et homme politique portugais (Porto 1799-Lisbonne 1854). Exilé à plusieurs reprises pour ses idées libérales, puis ministre des Affaires étrangères (1851), il ressuscita le *romanceiro* et appliqua son inspiration romantique et son nationalisme littéraire à la poésie (*Feuilles tombées,* 1853) et au théâtre (*Un auto de Gil Vicente,* 1838; *Frère Louis de Sousa,* 1844).

ALMELO, v. des Pays-Bas (Overijsel), près de la frontière ouest-allemande; 60 000 hab.

ALMERÍA, port d'Espagne (Andalousie), ch.-l. de prov., sur la Méditerranée; 115 000 hab. Ancienne forteresse mauresque (Alcazaba). Cathédrale gothique du XVIe s. Fruits. Métallurgie.

ALMOHADES, dynastie berbère qui règne sur l'Afrique du Nord et l'Andalousie de 1147 à 1269. Les Berbères du Haut Atlas se rallient au réformateur religieux Muḥammad ibn Tūmart (v. 1080-v. 1130), qui prêche la doctrine almohade et se déclare mahdī en 1121. Après sa mort, ʿAbd al-Mu'min († 1163) devient le calife de la communauté et entreprend la conquête d'un vaste empire. Il écrase les Almoravides* (prise de Marrakech, 1147), détruit le royaume ḥammādide* de Bougie (1151) et soumet l'Ifrīqiya jusqu'aux confins de l'Égypte. Il s'appuie sur les Arabes hilāliens pour contrebalancer l'autorité des cheikhs almohades, et fonde la dynastie almohade en désignant comme successeur son fils, Abū Yaʿqūb Yūsuf (de 1163 à 1184). Celui-ci parachève la conquête de l'Espagne musulmane (1172) et mate plusieurs rébellions au Maghreb; son fils, Abū Yūsuf Yaʿqūb (de 1184 à 1199), vainqueur des chrétiens à Alarcos (1195), doit lutter contre les Almoravides des Baléares. Protecteurs des lettres et des sciences, ces deux souverains ont doté Séville de nombreux monuments. Avec le règne de Muḥammad ibn Yaʿqūb al-Nāṣir (de 1199 à 1213) commence le déclin de la dynastie. Ses possessions espagnoles sont conquises les unes après les autres par les chrétiens, qui remportent la bataille de Las Navas de Tolosa (1212) et prennent Cordoue (1236). Au Maghreb, diverses dynasties rejettent l'obédience almohade : Ḥafṣides* de Tunis (1229), ʿAbdalwādides* de Tlemcen (1235), Marīnides*, qui s'emparent de Marrakech (1269) et éliminent ainsi la dynastie.

ALMORAVIDES, confrérie de moines guerriers et dynastie berbère qui règne au Maghreb et en Andalousie aux XIe et XIIe s. ʿAbd Allāh ibn Yāsīn, réformateur musulman rigoureux, fonde un couvent *(ribāṭ)* dans une île du fleuve Sénégal, où ses disciples, recrutés parmi les Berbères sahariens, acquièrent une formation religieuse et militaire. De là, ils se lancent à la conquête de terres plus riches et propagent leur doctrine. Yūsuf ibn Tāchfīn (de 1061 à 1106) fonde la dynastie almoravide en 1061. À partir de sa capitale, Marrakech* (1062), il conquiert le Maroc et le Maghreb central jusqu'à Alger. À l'appel des rois de taifas* menacés par Alphonse VI*, il débarque en Andalousie et remporte la victoire de Zalaca (1086). Forts de l'appui des jurisconsultes et des milieux populaires et dévots, les Almoravides refont l'unité politique de l'Espagne musulmane et s'emparent de Séville (1091), Valence (1102) et Saragosse (1110). Yūsuf ibn Tāchfīn et son fils, ʿAlī ibn Yūsuf (de 1106 à 1143), tout en conservant leur austérité de moines soldats, recueillent l'héritage culturel andalou, qui gagne même le Maghreb. Les derniers Almoravides ne peuvent faire face aux attaques des royaumes chrétiens et des Almohades*, qui s'emparent de Marrakech en 1147. La puissance almoravide se maintient aux Baléares jusqu'au début du XIIIe s.

ALMQUIST (Carl Jonas Love), écrivain suédois (Stockholm 1793-Brême 1866). Auteur d'une des œuvres les plus originales du romantisme, *le Livre de l'églantier* (1832-1840), qui rassemble des poèmes, des essais, des récits historiques, des pièces de théâtre, il est également l'un des premiers romanciers réalistes de son pays (*Amalia Hillner,* 1840).

ALONG *(baie d'),* baie de la côte du Viêt-nam septentrional, au N.-E. du delta du Tonkin. Elle est parsemée de pittoresques rochers calcaires.

ALONSO (Alicia), danseuse cubaine (La Havane v. 1920). Monstre sacré de la danse, célèbre interprète de *Giselle,* elle est la fondatrice du Ballet national de Cuba et de son école nationale de danse.

ALOPÉCIE. — Chute de cheveux et de poils, l'*alopécie diffuse* aiguë peut se voir dans les six mois qui suivent un accouchement, un choc psychologique, une maladie infectieuse (fièvre typhoïde). L'alopécie de la syphilis se fait par petites plaques surtout aux tempes et dans la région occipitale. L'alopécie séborrhéique, diffuse et progressive, touchant les sujets à peau grasse, est très fréquente surtout chez l'homme, et elle aboutit à la calvitie. Le traitement est difficile et essaie de limiter la sécrétion sébacée, cause de cette séborrhée et de la chute des cheveux. Les *alopécies circonscrites* sont plus rares : pelades, teignes, cicatrices du lupus érythémateux, de la sclérodermie.

ALOR STAR, v. de Malaysia (Malaisie), capit. de l'État de Kedah, près du détroit de Malacca; 66 000 hab.

ALOST, en néerl. **Aalst,** v. de Belgique, ch.-l. d'arr. de la Flandre-Orientale, entre Gand et Bruxelles; 46 659 hab. (en 1970). Monuments gothiques. Industries textiles et mécaniques.

À l'ouest rien de nouveau, film américain de Lewis Milestone (1930), adapté du roman pacifiste, du même nom, d'Erich Maria Remarque. À travers le destin tragique de quelques jeunes recrues allemandes pendant le conflit de 1914-1918, l'une des premières dénonciations à l'écran des horreurs et de l'absurdité de la guerre. Cette œuvre fit forte impression à l'époque de sa sortie par son souci de réalisme violent et polémique.

ALOUETTE. — L'originalité principale de ce passereau chanteur est la conformation de l'ongle du pouce, qui favorise la marche sur le sol, mais interdit à l'oiseau de percher. L'alouette vit donc dans les champs, où elle dissimule son nid. Abusivement chassée et piégée pour sa chair, elle se rend pourtant utile par son régime surtout insectivore, et son envol matinal s'accompagne de trilles étincelants.

ALOXE-CORTON (21420 Savigny lès Beaune), comm. de la Côte-d'Or, à 6 km au N. de Beaune; 218 hab. Vins rouges *(corton).*

ALPE-DE-MONT-DE-LANS (l') → DEUX-ALPES (les).

ALPE-DE-VENOSC (l') → DEUX-ALPES (les).

ALPE-D'HUEZ (l') [38750], station de sports d'hiver (alt. 1 860-3 350 m) de l'Isère (comm. d'*Huez*), au S.-E. de Grenoble.

ALPES, le plus grand massif montagneux d'Europe, s'étirant sur plus de 1 000 km de la Méditerranée jusqu'à Vienne; 4 807 m au *mont Blanc.*

• *Le milieu naturel.* L'arc alpin résulte du plissement d'énormes masses de sédiments accumulées dans un géosynclinal, accompagné de la reprise de fragments du socle hercynien, qui se sont trouvés portés à de hautes altitudes. C'est une montagne jeune — sa surrection ayant débuté à la fin de l'ère secondaire et s'étant poursuivie pendant tout le tertiaire — qui compte de nombreux sommets dépassant 4 000 m : mont Blanc, mont Rose, Cervin, Jungfrau, barre des Écrins.

On distingue généralement la zone externe, du côté convexe de l'arc, qui regroupe à la fois des terrains sédimentaires et une partie axiale cristalline, et la zone interne, du côté concave, constituée de terrains très divers, plus ou moins intensément métamorphisés. Mais la physionomie de ces deux zones varie tout au long de la chaîne.

Dans les Alpes occidentales, la zone externe, ou dauphinoise, comprend les massifs cristallins hercyniens de la zone axiale (Mercantour, Pelvoux, Mont-Banc), flanqués à l'O. par les terrains sédimentaires régulièrement plissés des Préalpes (Préalpes de Haute-Provence, Vercors, Grande-Chartreuse, Bauges et Bornes). La zone interne, ou pennique, est constituée de fragments de socle (Dora Maira, Grand-Paradis) présentant localement des intercalations de roches vertes, les ophiolites. Cet ensemble forme des nappes de charriage déversées vers l'extérieur. Dans les Alpes centrales, les massifs cristallins axiaux subsistent (Saint-Gothard), mais l'ensemble de la zone externe, ou helvétique, est plus bousculé : les nappes de charriage du Chablais, des Morcles, des Diablerets se déversent vers l'avant-pays. Dans la zone interne apparaît une nouvelle unité géologique, l'ensemble austro-alpin. Dans les Alpes orientales, ce dernier, constitué de terrains à la fois sédimentaires et cristallins, masque tout l'édifice. Seule la zone pennique apparaît en fenêtres (Engadine, Hohe Tauern).

La surrection de la chaîne s'est accompagnée du travail intense de l'érosion et les Alpes sont bordées de grands épandages détritiques, plus ou moins déformés par les mouvements terminaux (bassins de Valensole, du Chambarand, bassin molassique du nord de la Suisse).

À l'ère quaternaire, sous l'effet d'un refroidissement général du climat, l'arc alpin a été recouvert par d'énormes glaciers, qui débordaient de la montagne. Ils ont modelé le relief, élargissant les vallées en auges, creusant des ombilics, puis, lors de leur fusion, ils ont abandonné des dépôts morainiques et sont à l'origine de nombreux lacs. Actuellement, les surfaces englacées ne couvrent plus que 2 p. 100 du massif.

Tout entières comprises dans la zone tempérée, les Alpes ont un climat marqué par la rigueur des températures due à l'altitude, et l'abondance des précipitations qui tombent souvent sous forme de neige. Cependant, il faut opposer les Alpes occidentales, plus humides, car exposées de front aux vents d'ouest, aux Alpes centrales et orientales, plus abritées. De plus, les conditions locales d'exposition engendrent une multitude de microclimats pouvant varier d'une vallée à l'autre et même d'un versant à l'autre (ubac et adret). L'altitude explique l'étagement de la végétation. La forêt (des feuillus, puis des conifères) monte jusqu'à 2 000 m. Au-dessus s'étendent les prairies des alpages. Au-delà de 3 000 m, c'est le domaine des pierriers et des neiges éternelles.

• *L'occupation humaine.* Montagnes élevées, les Alpes sont cependant aisément pénétrables par de profondes vallées (Sillon alpin, Valais, Engadine) et sont percées par de nombreux cols.

Everts - Rapho

Alpes. Paysage des Dolomites, massif italien des Alpes orientales.

Elles n'ont jamais joué un rôle de barrière et sont relativement peuplées. La vie traditionnelle était fondée sur une polyculture pauvre (céréales, pommes de terre), la culture de la vigne dans les endroits abrités (Grésivaudan, Valais, Valteline) et surtout sur l'élevage, rythmé par l'estivage. La longue période de l'hiver avait favorisé le développement de l'artisanat (travail du bois, du cuir, etc.).

La création de voies de communication modernes (aménagement des cols et des tunnels, ferroviaires ou routiers, du Saint-Gothard, du Simplon, du Grand-Saint-Bernard, du Brenner, du Mont-Blanc) est à l'origine du désenclavement de la montagne. L'exploitation de l'énorme potentiel hydroélectrique a permis le développement, dès la fin du XIXe s., de l'industrie. Les activités traditionnelles (papeterie, textile) ont été modernisées, mais surtout des usines électrochimiques et électrométallurgiques ont été créées. Cependant, cet essor spectaculaire a surtout touché les Alpes françaises du Nord, le val d'Aoste et les Alpes suisses. Ailleurs, le contact avec la vie moderne a engendré un exode rural vers les plaines. Un nouvel atout, le tourisme, aussi bien d'hiver que d'été, devrait permettre de freiner la dépopulation. Il se manifeste soit par l'aménagement d'anciens villages, soit par la création de stations de haute altitude.

ALPES (Hautes-) [05], départ. de la Région Provence-Alpes-Côte d'Azur; 5 520 km^2; 97 358 hab. Ch.-l. *Gap.* S.-préf. *Briançon.*

Entièrement montagnard (les altitudes ne sont inférieures à 1 000 m que dans les vallées, et dépassent souvent 2 000 m), le département juxtapose, sans généralement les intégrer, une série de petites régions, définies par une ville ou une vallée, et qui ont longtemps vécu dans une certaine autarcie, liée à leur isolement. Au N.-E. se succèdent le Briançonnais (correspondant approximativement à l'aire de drainage de la haute Durance) et le Queyras (vallée et bassin supérieur du Guil). Au S., l'Embrunais domine la retenue de Serre-Ponçon et est limité à l'O. par le Gapençais. Au N.-O., entre les massifs du Dévoluy et du Pelvoux, s'individualisent les vallées du haut Drac (Champsaur) et de la Séveraisse (Valgodemar).

Alpes françaises. La chaîne du Mont-Blanc, en Haute-Savoie.

Lang - Rapho

Le relief et, accessoirement, le climat, rude en hiver, à tendance méditerranéenne en été (relative sécheresse, fort ensoleillement), expliquent la faiblesse du peuplement : moins de 20 habitants au kilomètre carré en moyenne, malgré une légère augmentation récente, qui contraste avec une longue période de dépeuplement, provoqué par l'exode rural et aggravé par la médiocrité de la vie urbaine. Seules Briançon et, surtout, Gap, aujourd'hui la principale cité des Alpes du Sud, peuvent véritablement prétendre au rang de villes.

L'agriculture (l'élevage — laitier — des bovins et des ovins domine largement) emploie un peu plus du cinquième de la population active, ainsi que l'industrie, surtout artisanale en dehors de quelques établissements de moyenne importance (industrie alimentaire à Gap; aluminium à L'Argentière-la-Bessée, grâce à un ancien aménagement de la haute Durance). La prépondérance du secteur tertiaire tient en partie au grand essor des stations d'hiver, assez récemment développées (Serre-Chevalier, Montgenèvre, Vars, Vallouise-Pelvoux, Orcières-Merlette, Les Orres), dont certaines connaissent aussi une notable fréquentation estivale.

ALPES AUSTRALIENNES, partie méridionale de la Cordillère australienne (Victoria et Nouvelle-Galles du Sud).

ALPES-DE-HAUTE-PROVENCE (04), départ. de la Région Provence-Alpes-Côte d'Azur; 6 944 km^2; 112 178 hab. Ch.-l. *Digne.* S.-préf. *Barcelonnette, Castellane, Forcalquier.*

Franchement montagneux à l'E. (l'altitude de quelques sommets dépasse 3 000 m près de la frontière italienne), le département juxtapose moyennes montagnes (Préalpes de Digne, montagne de Lure) et plateaux (Valensole) dans ses parties centrale et occidentale. La topographie est relativement aérée par les vallées supérieures du Verdon et surtout de la Durance. Alpin, en majeure partie, par le relief, le département est méditerranéen par les influences climatiques. L'hiver est modérément enneigé, l'été, court, connaît un fort ensoleillement. Les précipitations tombent essentiellement aux saisons intermédiaires.

L'extension de la montagne, l'éloignement et la difficulté des relations avec les grandes vallées (Rhône), à l'O., ou le littoral méditerranéen, au S., expliquent la faiblesse générale du peuplement. La densité moyenne d'occupation est en effet seulement de l'ordre de 15 habitants au kilomètre carré, moins du sixième de la moyenne nationale. Pourtant, cette population, après avoir baissé de près de moitié en un siècle, du fait de l'exode rural, a augmenté sensiblement durant les vingt dernières années. Ce sont les villes, d'importance bien moyenne, qui ont absorbé la majeure partie de cette croissance, surtout d'origine migratoire; elles jalonnent surtout la vallée de la Durance, de Sisteron à Manosque, seule cité avec Digne à dépasser 15 000 habitants.

Le cinquième de la population active est employé dans l'agriculture (élevage extensif des ovins dans la montagne, cultures fruitières irriguées dans la vallée de la Durance, lavande du plateau de Valensole). Le tiers est occupé dans l'industrie, qui a localement (notamment à Saint-Auban, au S. de Sisteron) bénéficié de l'électricité produite par les centrales de la Durance (Sisteron, Oraison) et du Verdon, dont l'équipement est aujourd'hui pratiquement achevé. Plus des deux cinquièmes de la population active sont employés dans les services, une part non négligeable revenant à l'activité touristique : gorges du Verdon surtout, dans le sud, stations de sports d'hiver, généralement d'extension récente, dans le nord, localisées notamment autour de Barcelonnette (Pra-Loup, Le Sauze, Allos).

ALPES (ou chaînes) DINARIQUES, massifs de la Yougoslavie occidentale, entre les Alpes slovènes au N. et le Rhodope au S., comprenant les blocs calcaires du Karst et les montagnes cristallines ou primaires de Bosnie.

ALPES FRANÇAISES, partie française de la chaîne des Alpes*, s'étendant du lac Léman à la Méditerranée.

Elles sont marquées par une profonde dissymétrie entre le Nord et le Sud, aussi bien naturelle qu'économique. Dans les *Alpes du Nord,* quatre unités se succèdent d'O. en E. : les massifs préalpins (Chablais, Bornes, Bauges, Grande-Chartreuse, Vercors), percés de larges cluses; la profonde entaille du Sillon alpin, particulièrement développée dans le Grésivaudan; les massifs cristallins de la zone axiale (Mont-Blanc, Beaufortin, Belledonne et Pelvoux); les massifs essentiellement schisteux de la zone interne, aérés par les vallées de l'Isère (Tarentaise) et de l'Arc (Maurienne), qui communiquent avec le Sillon alpin.

Dans les *Alpes du Sud,* cette belle ordonnance n'existe plus. Les Préalpes atteignent un large développement (Diois, Baronnies, Préalpes de Digne et de Nice) et sont en contact direct avec les nappes de charriage de la zone interne (Briançonnais, Queyras, Embrunais), sauf à l'extrême sud, où s'intercale le massif cristallin du Mercantour. La vallée de la Durance n'offre qu'une médiocre voie de pénétration.

Cette opposition se retrouve dans le climat. Les Alpes du Nord, humides et froides, portent de belles forêts d'épicéas et de sapins, tandis que les Alpes du Sud, sous l'influence méditerranéenne, sont plus sèches et plus ensoleillées.

Jusqu'au milieu du XIXe s., les Alpes françaises vivaient, en autarcie, des revenus de la polyculture et de l'élevage. Le développement des voies de communication a amené un bouleversement de la vie traditionnelle qui a diversement affecté le nord et le sud de la chaîne.

Dans les Alpes du Nord, la montagne s'est dépeuplée; l'élevage bovin (fromage) et l'exploitation forestière sont alors restés les seules activités. Mais les vallées ont connu un net essor. C'est là que se concentrent les cultures (maïs, cultures fruitières, vigne) et, surtout, l'industrie, fondée sur l'hydroélectricité, qui alimente l'électrochimie et l'électrométallurgie de la Maurienne et de la Tarentaise; la cluse de l'Arve est spécialisée dans le décolletage, et les villes (Grenoble, Annecy, Chambéry), dynamiques, attirent des activités variées. Les Alpes du Sud ont été moins favorisées. L'émigration, parfois lointaine, a fait longtemps diminuer fortement la population. L'agriculture reste l'activité essentielle : élevage, surtout ovin, céréales et arbres fruitiers dans la vallée de la Durance, aménagée aussi pour la production d'électricité. Le tourisme se développe sur l'ensemble du massif, tant en hiver qu'en été (Chamonix, Megève, Val-d'Isère, Serre-Chevalier, etc.). Il devrait favoriser la stabilité de la population par la création d'emplois nouveaux.

ALPES-MARITIMES (06), départ. de la Région Provence-Alpes-Côte d'Azur; 4 234 km²; 816 681 hab. Ch.-l. *Nice.* S.-préf. *Grasse.*

Le département oppose deux régions d'extension et de densité de population bien inégales. La partie vitale, celle qui explique le spectaculaire accroissement démographique intervenu depuis une vingtaine d'années, est le littoral, la Côte d'Azur. Ici, la densité moyenne d'occupation dépasse 1 000 habitants au kilomètre carré. Villes et stations balnéaires, se confondant, se succèdent de Cannes à Menton, en passant par Antibes et, surtout, Nice, dont l'agglomération regroupe plus de la moitié de la population départementale. La prépondérance de la vie urbaine, l'essor des services et en particulier, évidemment, de la fonction touristique expliquent le développement exceptionnel du secteur tertiaire. Celui-ci occupe un peu plus des trois cinquièmes d'une population active relativement peu nombreuse (moins de 40 p. 100 de la population totale), en raison du nombre élevé de retraités attirés par les conditions climatiques du littoral : celles-ci sont en effet à la base de la croissance démographique, provenant presque exclusivement de l'immigration.

L'industrie emploie environ le tiers de la population active, correspondant surtout à la valorisation d'activités agricoles élaborées (cultures florales, destinées partiellement à la parfumerie) et à des branches de pointe (électronique). L'agriculture n'occupe plus guère que 5 p. 100 de la population active. Elle demeure une ressource essentielle dans l'arrière-pays montagneux, aéré seulement par quelques vallées (Var, Tinée, Vésubie, Roya). Ici, les altitudes dépassent souvent 1 500 m, et la densité de population tombe au-dessous de 10 habitants au kilomètre carré. Pourtant, cet arrière-pays est aujourd'hui, au moins localement, revivifié par un tourisme qui est décidément l'atout majeur des Alpes-Maritimes. La fréquentation estivale est déjà relativement ancienne. Depuis peu se sont développées les stations de sports d'hiver, parmi lesquelles Auron, Valberg et Isola 2 000.

ALPES NÉO-ZÉLANDAISES, chaîne de montagnes de Nouvelle-Zélande, dans l'île du Sud.

ALPES SCANDINAVES, nom parfois donné aux montagnes des confins de la Suède et de la Norvège.

ALPHA. — La particule alpha, ou hélion, de charge électrique positive, est un noyau d'hélium, formé de deux protons et deux neutrons. Elle peut être émise par des radioéléments naturels ou dans des réactions nucléaires.

ALPHABET. — Un alphabet sert à noter graphiquement, grâce à un nombre de signes limité (20 à 50), les mots d'une langue. Par rapport aux écritures idéographiques et syllabiques, il fait preuve d'un degré d'abstraction plus grand, puisqu'il y a décomposition du mot en ses unités élémentaires, les sons. L'écriture alphabétique apparaît, vers 1100 av. J.-C., chez les Phéniciens. Servant à transcrire une langue sémitique dont la structure consonantique des mots est essentielle, cet alphabet de 22 signes ne comportait que des consonnes. Par l'intermédiaire de l'araméen, il est l'ancêtre direct des alphabets hébreu, arabe, des écritures d'Iran et de l'Asie centrale, des alphabets turco-mongols. L'alphabet grec reprend les signes phéniciens, mais il constitue un progrès car il note également les voyelles. Il a donné naissance aux écritures copte, arménienne, géorgienne, cyrillique, etc. L'alphabet latin est l'adaptation par les Étrusques de l'alphabet grec. Servant à transcrire les langues romanes et germaniques, il est actuellement le plus répandu à travers le monde.

L'alphabet phonétique international (A. P. I.), créé à la fin du XIXᵉ s., utilise surtout des signes empruntés à l'alphabet latin. En classant les sons utilisés dans les différentes langues en fonction de leurs caractéristiques articulatoires, il vise à fournir aux linguistes du monde entier un répertoire de signes correspondant à ces sons.

ALPHONSE Iᵉʳ, II, rois d'Aragon → ARAGON et NAVARRE.

ALPHONSE V (1396-Naples 1458), roi d'Aragon et de Sicile (1416-1458). Fils de Ferdinand Iᵉʳ, il laisse le gouvernement de l'Aragon à sa femme et à son frère pour s'installer en Sicile. Après la mort de Jeanne II, il se rend maître des Deux-Siciles, dont il devient le premier souverain.

ALPHONSE III, roi des Asturies → ASTURIES.

ALPHONSE VI (1030-1109), roi de León (1065-1109), de Castille (1072-1109) et de Galice (1073-1109). S'étant imposé en Castille et en León, il s'empare du royaume de Galice (1073) avant de se tourner contre les Arabes, à qui il arrache Tolède (1085), dont il fait sa capitale. Cependant, battu à Sagrajas (1088), il perd une partie de ses conquêtes. Son meilleur capitaine fut Rodrigo Díaz de Vivar, dit *le Cid.*

ALPHONSE VII (1105-Fresneda 1157), roi de Castille et de León (1126-1157), empereur d'Espagne (1126-1157). Porté au trône par les nobles castillans fatigués du mauvais gouvernement de sa mère, Urraque, Alphonse poursuit la politique d'expansion d'Alphonse VI. En 1135, se parant du titre d'empereur, il impose sa suzeraineté à l'ensemble des souverains ibériques.

ALPHONSE VIII (1155-Ávila 1214), roi de Castille (1158-1214). Allié aux rois d'Aragon et de Portugal, il remporte avec eux la grande victoire de Las Navas de Tolosa (1212), qui porte à la domination musulmane en Espagne un coup décisif. Il fonde à Palencia (1209) la première université d'Espagne.

ALPHONSE X le Sage (Tolède 1221-Séville 1284), roi de Castille et de León (1252-1284), empereur germanique (1267-1272). Fils aîné du roi Ferdinand III, animateur du mouvement intellectuel espagnol, est, tout à la fois, poète, chroniqueur, juriste *(Siete partidas)* et astronome *(Tables alphonsines).* Il participe à la Reconquista, doit renoncer à faire valoir ses droits au trône du Saint Empire et, après une guerre civile, deshérite son fils Sanche au profit des infants de La Cerda.

ALPHONSE XII (Madrid 1857-*id.* 1885), roi d'Espagne (1875-1885). Fils de la reine Isabelle II, il mène à bien la troisième guerre carliste (1876), avant de faire voter par les Cortès une nouvelle Constitution. Les gouvernements qui se succèdent sous son règne sont d'abord conservateurs; le roi s'appuie ensuite sur le cabinet libéral, présidé par Práxedes Mateo Sagasta.

ALPHONSE XIII (Madrid 1886-Rome 1941), roi d'Espagne (1886-1931). Fils posthume d'Alphonse XII et de Marie-Christine de

principaux signes de l'alphabet phonétique international

	LABIALES		DENTALES			PALATALES			VÉLAIRES		
	bilabiales	*labio-dentales*	*dentales et alvéolaires*	*rétroflexes*	*palato-alvéolaires*	*alvéolo-palatales*	*palatales*	*vélaires*	*uvulaires*	*pharyngales*	*glottales*
VOISEMENT	− +	− +	− + − +	− +	− +	− +	− +	− +	− +	− +	− +
consonnes											
occlusives	p b		t d	ʈ ɖ			c ɟ	k g	q G		ʔ
fricatives	ɸ β	f v	θ ð s z	ʂ ʐ	ʃ ʒ	ɕ ʑ	ç ʝ	x ɣ	χ ʁ	ħ ʕ	h ɦ
nasales	m	ɱ	n	ɳ			ɲ	ŋ	N		
latérales			l	ɭ			ʎ	ɫ			
latérales fricatives			ɬ ɮ								
vibrantes											
vibrantes roulées			r						R		
vibrantes battues			ɾ	ɽ					R		
vibrantes fricatives			ɹ								
continues sans friction et semi-voyelles	w ɥ	ʋ					j (ɥ)	(w)			

voyelles		PALATALES		CENTRALES		VÉLAIRES	
fermées	(y ʉ u)	i	y	ɨ	ʉ	ɯ	u
semi-fermées	(ø o)	e	ø			ɤ	o
				ə			
semi-ouvertes	(œ ɔ)	ɛ	œ			ʌ	ɔ
			æ			ɐ	
ouvertes	(ɒ)		a			ɑ	ɒ

Les articulations secondaires sont indiquées entre parenthèses.

Habsbourg-Lorraine, il monte officiellement sur le trône en 1902. Il est aussitôt affronté à une situation financière médiocre et au mouvement régionaliste qui prend de l'ampleur en Catalogne. Le jeune roi s'efforce d'assurer le fonctionnement de la monarchie constitutionnelle, mais l'âpreté des conflits sociaux et les échecs militaires au Maroc l'amènent, en 1923, à confier le pouvoir réel au directoire militaire présidé par le général M. Primo* de Rivera, qui démissionne en 1930. La poussée républicaine est alors telle qu'Alphonse XIII quitte l'Espagne le 12 avril 1931. Il n'abdiquera que peu avant sa mort.

ALPHONSE Ier, II, III, IV, rois de Portugal → BOURGOGNE *(dynastie de).*

ALPHONSE V, roi de Portugal → AVIZ *(dynastie d').*

Alpinisme. Cordée d'alpinistes effectuant l'ascension de l'aiguille d'Argentières, dans le massif du Mont-Blanc.

P. Lorne - Explorer

ALPHONSE VI, roi de Portugal → BRAGANCE *(dynastie de).*

ALPHONSE DE FRANCE, prince capétien (1220-1271), comte de Poitiers et de Toulouse (1249-1271), frère de Saint Louis, époux de Jeanne de Toulouse. Il accorde à la ville de Riom la « Charte Alphonsine », qui sert de code de droit public en Auvergne pendant tout le Moyen Âge.

ALPHONSE-LAVALÉE → CÉPAGE.

ALPHONSE-MARIE de Liguori *(saint),* fondateur des Rédemptoristes (Marianella, près de Naples, 1696 - Nocera dei Pagani, 1787). Orientant son apostolat vers les milieux populaires, il jette, en 1732, les bases de la congrégation du T.-S. Rédempteur (Rédemptoristes), vouée aux missions populaires. Il est évêque du pauvre diocèse de Sant' Agata de'Goti (près de Bénévent) de 1762 à 1775. Alphonse a attaché son nom au *liguorisme,* théologie antijanséniste qui a fait de lui le « docteur de la morale » et favorisera, dans les Temps modernes, une spiritualité optimiste et confiante. Docteur de l'Église en 1871.

ALPILLES (les), anc. **Alpines** (les), petit massif calcaire de Provence (Bouches-du-Rhône), entre la Crau et la plaine de la basse Durance.

ALPIN (cycle orogénique). — Il a débuté à l'ère secondaire, par l'accumulation de sédiments, mais les mouvements se sont déroulés essentiellement pendant l'ère tertiaire. Les chaînes de montagnes qui en ont résulté forment deux ensembles — la ceinture péripacifique (Andes, Rocheuses, Japon, Indonésie, Nouvelle-Zélande, Antarctique occidental) et la ceinture mésogéenne (Pyrénées, chaîne des Alpes [qui a donné son nom au mouvement], Caucase, Himālaya) — et sont marquées par des altitudes élevées et un relief contrasté (aiguilles déchiquetées, vallées profondes).

ALPINE (race) → CHÈVRE.

ALPINES (troupes). — Spécialisées dans la guerre de montagne, et notamment dans la défense des Alpes, ces unités sont nées avec la création, en 1888, des bataillons de *chasseurs alpins,* auxquels s'ajoutèrent plus tard des régiments d'*infanterie* et d'*artillerie alpines.* Certains cadres reçoivent une instruction technique sur le combat de montagne à l'*École militaire de haute montagne,* créée à Chamonix en 1932. En 1976 les troupes alpines, rassemblées en une division (la 27e à Grenoble), regroupaient six bataillons de chasseurs alpins, un régiment d'infanterie alpine, ainsi que des unités de blindés, d'artillerie, de l'A. L. A. T., du génie et des transmissions.

ALPINISME. — L'historique de la conquête des principaux sommets répartis à la surface du globe est éloquent. Il y a déjà plus d'un siècle que tous les grands sommets des Alpes ont été gravis, et les points culminants des continents américain et africain ont été atteints avant le commencement du XXe s., mais ce n'est qu'au début de la seconde moitié de celui-ci que sont enfin successivement vaincus les géants de l'Himālaya, les « plus de 8 000 m », qui ont résisté à tous les assauts (des Britanniques, Allemands, Autrichiens, etc.) entre les deux guerres mondiales. Cette longue résistance a tenu, bien sûr, à l'altitude (raréfiant l'oxygène et rendant encore plus pénible l'escalade) et à l'éloignement des bases de départ, et elle n'a été vaincue que par l'organisation de véritables expéditions de plusieurs mois, bénéficiant des progrès de la technique moderne dans le domaine de l'équipement (allégement de la tenue, et pourtant meilleure protection contre le froid; emploi « artificiel » de l'oxygène, pratiquement obligatoire au-dessus de 7 000 m; etc.). Aujourd'hui, si tous les grands sommets sont vaincus, il demeure des exploits peut-être moins spectaculaires,

la conquête des principaux sommets mondiaux

sommet	*altitude*	*alpinistes*	*année*
Everest	8 880 m	E. Hillary (Nouvelle-Zélande) et le Sherpa N. Tensing	1953
K 2	8 620 m	A. Compagnoni (Italie) L. Lacedelli (Italie)	1954
Kangchenjunga	8 585 m	Expédition britannique	1955
Annapūrna (premier 8 000 m)	8 078 m	M. Herzog et L. Lachenal (France)	1950
Aconcagua (point culminant des Andes)	6 959 m	M. Zurbriggen (Suisse)	1897
Kilimandjaro (point culminant de l'Afrique)	5 963 m	H. Meyer (Allemagne)	1889
Blanc (mont) (point culminant de l'Europe)	4 807 m	J. Balmat (France) M. G. Paccard (France)	1786

mais tout aussi significatifs techniquement : l'escalade de montagnes d'altitude modeste, mais aux grandes difficultés, les « premières » réalisées en dehors de la saison estivale, c'est-à-dire dans de difficiles conditions climatiques. L'alpiniste, dans son effort de dépassement, ne manque pas de tâches à entreprendre, même si les années 50 ont peut-être marqué, pour les profanes, la fin de l'âge d'or de ce sport.

ALSACE, Région de l'est de la France regroupant les départements du Bas-Rhin et du Haut-Rhin; 8 310 km^2; 1 517 330 hab. Capit. *Strasbourg.*

GÉOGRAPHIE. L'Alsace est l'un des rares exemples où coïncident (approximativement) les limites de la province historique et de la Région administrative. Le milieu naturel juxtapose trois types de paysages. D'O. en E., se succèdent : le versant oriental des Vosges, la bande des collines sous-vosgiennes et la plaine d'Alsace. Celle-ci est formée du Ried, plaine d'inondation du Rhin avant sa régularisation, et de la Hardt, bande de hautes terrasses le plus souvent forestières. La plaine est recouverte de lœss, dans sa partie la plus basse (déterminant l'Ackerland : le pays des labours); le lœss est aussi présent dans le Kochersberg, zone de collines entre le Zorn et la Bruche, cependant qu'au N. se situe l'Unterland (le pays d'outre-forêt) et au S. le Sundgau, avancée du Jura. Climatiquement l'Alsace bénéficie de l'abri de la montagne vosgienne, qui réduit le volume des précipitations. L'été est la saison la plus arrosée, caractère continental dont témoignent aussi le nombre élevé de jours de gel et la fréquence de la neige. A Strasbourg, la température moyenne de janvier est de 0,6 °C, celle de juillet, 19,1 °C. La hauteur annuelle des précipitations est de 607 mm, réparties sur 158 jours.

Lauros - Vieil

Un village viticole du Haut-Rhin, Riquewihr.

ALSACE

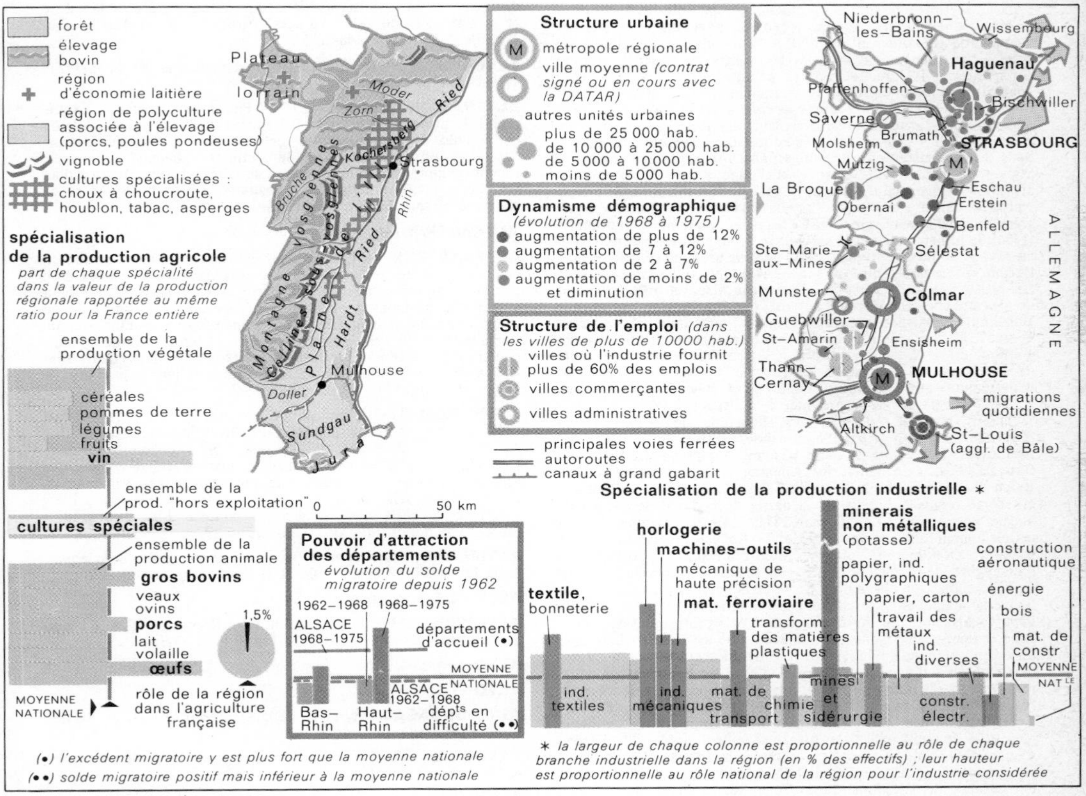

La plus petite des 22 Régions administratives françaises vient au seizième rang pour la population. La densité de la population (plus de 180 hab. au kilomètre carré) est voisine du double de la moyenne nationale.

L'intensité du peuplement n'est pas récente, tenant notamment à la situation du carrefour de l'Alsace. Strasbourg, Mulhouse et Colmar concentrent plus de 650 000 hab., plus des deux cinquièmes de la population régionale. Près de 80 p. 100 de la population totale vivent dans les villes.

L'industrie occupe 45 p. 100 de la population active. L'activité extractive est représentée essentiellement par la production de potasse (seul bassin français), près de Mulhouse. Au point de vue énergétique, l'Alsace bénéficie de l'apport hydroélectrique des centrales du grand canal d'Alsace (v. art. page suiv.) et de l'apport thermonucléaire des deux tranches de Fessenheim, du gaz naturel importé des Pays-Bas et, surtout, du pétrole raffiné (près de 10 Mt) dans les deux unités proches de Strasbourg, Reichstett et Herrlisheim, alimentées en brut par le pipe-line Sud-Européen. Dans l'industrie de transformation, deux branches émergent : les constructions mécaniques, développées notamment dans l'agglomération strasbourgeoise, et, malgré son déclin, le textile, héritage de l'ancienne activité des vallées vosgiennes et représenté surtout aujourd'hui dans la zone d'attraction de Mulhouse. Le secteur tertiaire occupe une part presque égale de la population active; cette part devient même prépondérante dans le Bas-Rhin, grâce au poids administratif, commercial et culturel de Strasbourg.

L'agriculture bénéficie d'une longue tradition de polyculture intensive, tenant à de multiples facteurs : naturels (variété des expositions, diversité des terroirs, aléas climatiques) et humains (densité de population nécessitant une mise en valeur poussée, influences étrangères liées au passage). Une spécialisation, cependant, est connue : le vignoble (vins blancs essentiellement), dans les collines sous-vosgiennes. Ailleurs se juxtaposent céréales (blé et aussi maïs) et cultures industrielles (betterave à sucre, tabac [en régression], chou à choucroute et houblon, destiné à la brasserie), généralement dans de petites exploitations (de règle également pour le vignoble). Toutefois, l'exode rural, la commercialisation accrue ont entraîné un recul de cette polyculture, au profit de l'élevage, autrefois ressource essentielle de la montagne vosgienne (avec l'exploitation d'une forêt qui recouvre approximativement le tiers de la superficie régionale), partiellement vivifiée, dans sa partie méridionale surtout, par le tourisme estival et aussi hivernal. L'élevage est « descendu » dans la plaine (Ried, Ackerland et Kochersberg).

L'importance notable de l'industrie, l'intensité de l'agriculture, l'essor du tertiaire ne suffisent pas à occuper la totalité d'une population dense. Cette situation explique l'ampleur des mouvements frontaliers, qui conduisent chaque jour environ 30 000 Alsaciens en Allemagne fédérale et en Suisse (vers Bâle). De plus, une part importante des créations d'emplois industriels sur place résulte d'investissements étrangers, américains, mais surtout ouest-allemands et suisses. L'Alsace, au cœur du Marché commun, carrefour d'influences européennes, s'internationalise plus vite, grâce à sa situation géographique et à son histoire, que les autres Régions françaises.

HISTOIRE. À partir de 352 apr. J.-C., les invasions éprouvent l'Alsace — prospère sous les Romains —, qui voit s'installer dans la plaine rhénane les Alamans; ceux-ci, avec les Francs, leurs vainqueurs, constitueront le fond de la population germanique de cette plaine. Cependant, sous les Mérovingiens, et par l'action du christianisme, l'Alsace dégage sa personnalité. Déjà Strasbourg apparaît comme un carrefour international : c'est là que, en 842, les rois Charles le Chauve *(Francia occidentalis)* et Louis le Germanique *(Francia orientalis)* scellent leur alliance. D'abord lotharingienne (843), l'Alsace est intégrée au royaume de Germanie en 870. Sous les Hohenstaufen (XIIe-XIIIe s.) elle voit prospérer ses villes, Strasbourg notamment, dont c'est l'« âge d'or ». Marchands et artisans prennent naturellement le pas sur la noblesse et le clergé. Après les cataclysmes du XIVe s., elle devient, aux XVe et XVIe s., un grand foyer d'humanisme : c'est à Strasbourg que naît l'imprimerie (1434); le luthéranisme et le calvinisme trouvent tout naturellement en Alsace un terrain propice. Cette période brillante est suivie de la terrible guerre de Trente Ans (1618-1648), qui ravage la région et la fait passer peu à peu sous l'influence française. En 1648, les traités de Westphalie transfèrent au roi de France les droits des Habsbourg en Alsace, qui reste cependant terre impériale. À partir de 1657, Mazarin, puis Louis XIV entreprennent l'investissement politique du pays, qui devient officiellement français en 1678 (traité de Nimègue). La Révolution française (1790), en créant les deux départements du Haut-Rhin (Colmar) et du Bas-Rhin (Strasbourg), achève l'intégration de la province à la France.

Quand éclate la guerre franco-allemande de 1870, l'Alsace redevient un champ de bataille. Strasbourg résiste six semaines aux Allemands; Belfort ne se rend pas, ce qui lui vaudra de rester français. Car, vainqueurs, les Allemands exigent l'annexion au Reich du Bas-Rhin et du Haut-Rhin (sauf le Territoire de Belfort), en même temps que celle de la partie de la Lorraine qui est de langue germanique. Le 10 mai 1871, l'Alsace-Lorraine devient officiellement allemande; le 9 juin, elle est proclamée « Terre d'Empire *(Reichsland)*; elle est dotée d'un statut d'exception et d'un régime d'assimilation qui exclut la langue française au profit de l'allemand. Une partie importante de la population, encadrée par le clergé catholique, résiste à cette politique. En 1874, les dix députés alsaciens au *Reichstag* sont des « protestataires ». Puis, avec le temps, l'antagonisme germanophobe est contrebalancé par un esprit autonomiste qui amène le gouvernement allemand à doter le *Reichsland* d'une Constitution (1879) : un lieutenant impérial *(Statthalter)* est placé à sa tête. Les générations qui ont connu le régime français étant peu à peu relevées, le calme se fait. Cependant, l'idée de « revanche » en France et la politique malhabile de Guillaume II en Alsace réveillent, après 1906, l'esprit d'opposition, naturellement favorable à la France. La Première Guerre mondiale (1914-1918) rend d'ailleurs l'Alsace à celle-ci. Mais les défauts de l'administration française, la crise économique, l'instabilité ministérielle, le sectarisme de certains gouvernants créent un malaise qui réveille en Alsace l'esprit autonomiste; il est vrai que la menace de l'hitlérisme, à partir de 1933, contribue à faire reculer cet esprit.

Évacuée en partie dès septembre 1939, l'Alsace est annexée en juin 1940 par les Allemands, qui se proposent de germaniser le pays en dix ans. Mais, pendant l'hiver 1944-45, la province est libérée par l'action conjuguée de la VIIe armée américaine, de la 2e division blindée (Leclerc) et de la Ire armée française (de Lattre de Tassigny).

ALSACE *(ballon d'),* sommet des Vosges méridionales, à 38 km au N. de Belfort; 1 248 m. Sports d'hiver (alt. 550-1 248 m).

Alsace *(grand canal d'),* canal latéral au Rhin, à l'amont et formé, à partir de Vogelgrun, de biefs séparés. Destiné surtout à la production hydroélectrique, il comporte dix centrales (Kembs, Ottmarsheim, Fessenheim, Vogelgrun, Marckolsheim, Rhinau, Gerstheim, Strasbourg, Gambsheim et Iffezheim), dont les neuf premières sont implantées en France et la dixième en Allemagne fédérale. La production moyenne totale par an est de l'ordre de 8 TWh (plus de 90 p. 100 revenant à la France, propriétaire exclusive des huit premières usines, partageant avec l'Allemagne fédérale l'apport des deux unités, moins productives, d'aval).

ALSACE *(porte d'),* seuil faisant communiquer les plaines du Rhin et de la Saône. Il est également connu sous le nom de *porte de Bourgogne* et de *trouée de Belfort.* C'est une importante région industrielle (métallurgie essentiellement, de Belfort à Montbéliard).

ALTAÏ, massif montagneux de l'Asie centrale soviétique; 4 506 m à la *montagne Beloukha.* (V. STEPPES [*art des*].)

ALTAÏR → ÉTOILE.

ALTAMIRA →. ASTURIES.

ALTDORF, v. de Suisse, ch.-l. du cant. d'Uri, dans la vallée de la Reuss, près du lac des Quatre-Cantons; 8 647 hab. Métallurgie.

ALTDORFER (Albrecht), peintre et graveur allemand (Ratisbonne? v. 1480-*id.* 1538). Principal maître du « style danubien », s'exprimant surtout dans le petit format, avec minutie, il se distingue par sa fantaisie poétique, son sentiment aigu de la nature et la virtuosité de ses éclairages (*Naissance de la Vierge* et *la Bataille d'Alexandre,* Munich).

ALTENBURG, v. de l'Allemagne orientale, au S. de Leipzig; 49 000 hab.

ALTÉRATION *(Géomorphol.).* — Parmi les agents atmosphériques, le principal facteur de l'altération est l'eau, qui ruisselle ou qui percole. À son contact, les roches subissent des modifications (lessivage ou concentration de certains éléments chimiques, transformations minéralogiques) qui aboutissent à la formation d'un sol. Certains gîtes métallifères (bauxite, minerais de fer et de manganèse) sont liés à ce processus.

ALTÉRATION *(Mus.)* → NOTATION MUSICALE.

ALTERNATEUR. — L'alternateur industriel comporte un *induit,* ou *stator,* formé de bobinages disposés dans les encoches d'un circuit magnétique fixe, à l'intérieur duquel tourne un circuit magnétique portant les bobines inductrices, appelé *inducteur,* ou *rotor.* Les bobines inductrices sont alimentées en courant continu. Lorsque le rotor est accouplé à une turbine, le groupe ainsi constitué prend le nom de *turbo-alternateur.* Les alternateurs sont dits *monophasés, diphasés* ou *triphasés,* suivant le nombre de phases du courant qu'ils fournissent.

ALTHUSSER (Louis), philosophe français (Birmandreis, Algérie, 1918). Il s'est efforcé de dissocier les œuvres de jeunesse de Marx du *Capital**, où il voit la naissance de l'économie politique scientifique. Althusser définit la philosophie marxiste comme une pratique nouvelle de la philosophie, qui a pour tâche principale de distinguer les sciences de l'idéologie* (*Lire « le Capital »,* 1965; *Lénine et la philosophie,* 1968-69; *Réponse à John Lewis,* 1973; *Éléments d'autocritique,* 1974; *Positions,* 1976).

ALTIPLANO, haute plaine (4 000 m d'alt.) des Andes boliviennes, entre la Cordillère occidentale et la Cordillère orientale.

ALTITUDE → NIVELLEMENT, TOPOMÉTRIE.

ALTKIRCH (68130), ch.-l. d'arr. du Haut-Rhin, sur l'Ill, à 18 km au S.-S.-O. de Mulhouse; 6 283 hab. Textile. Cimenterie.

ALTO → VIOLON.

ALTO → VOIX.

ALTO-DI-CASACONI, cant. de la Haute-Corse (arr. de Bastia). Ch.-l. *Campitello.*

ALTOONA, v. des États-Unis (Pennsylvanie), à l'E. de Pittsburgh; 63 000 hab.

ALTYNTAGH, massif montagneux, dépassant localement 5 000 m, bordure septentrionale du Tibet, au-dessus du Sin-kiang.

ALUMINE. — L'alumine anhydre Al_2O_3 est une poudre blanche, fondant à 2 050 °C, insoluble dans l'eau. L'alumine hydratée est un précipité incolore gélatineux, soluble dans les acides et dans les alcalis, en raison de son caractère amphotère. L'alumine retient les matières colorantes, pour donner des laques. Utilisée dans la fabrication de l'aluminium, elle est obtenue à partir de la bauxite, hydrate d'alumine contenant de la silice et du fer. Dans le procédé Bayer, la bauxite est attaquée par une lessive de soude; il se forme de l'aluminate de sodium, soluble, et des résidus insolubles, les boues rouges. L'aluminate est hydrolysé par addition d'eau, et le précipité d'alumine hydratée ainsi obtenu est calciné à 1 200 °C.

ALUMINIUM. — Élément chimique de numéro atomique 13 et de masse atomique Al = 26,97, l'aluminium est abondant dans la nature, principalement sous forme de silicates. C'est un solide blanc, de densité 2,7, fondant à 660 °C, bon conducteur de la chaleur et de l'électricité. À l'état pur, il est assez mou et malléable. Bien que très oxydable, il ne s'altère pas à l'air ni au contact de

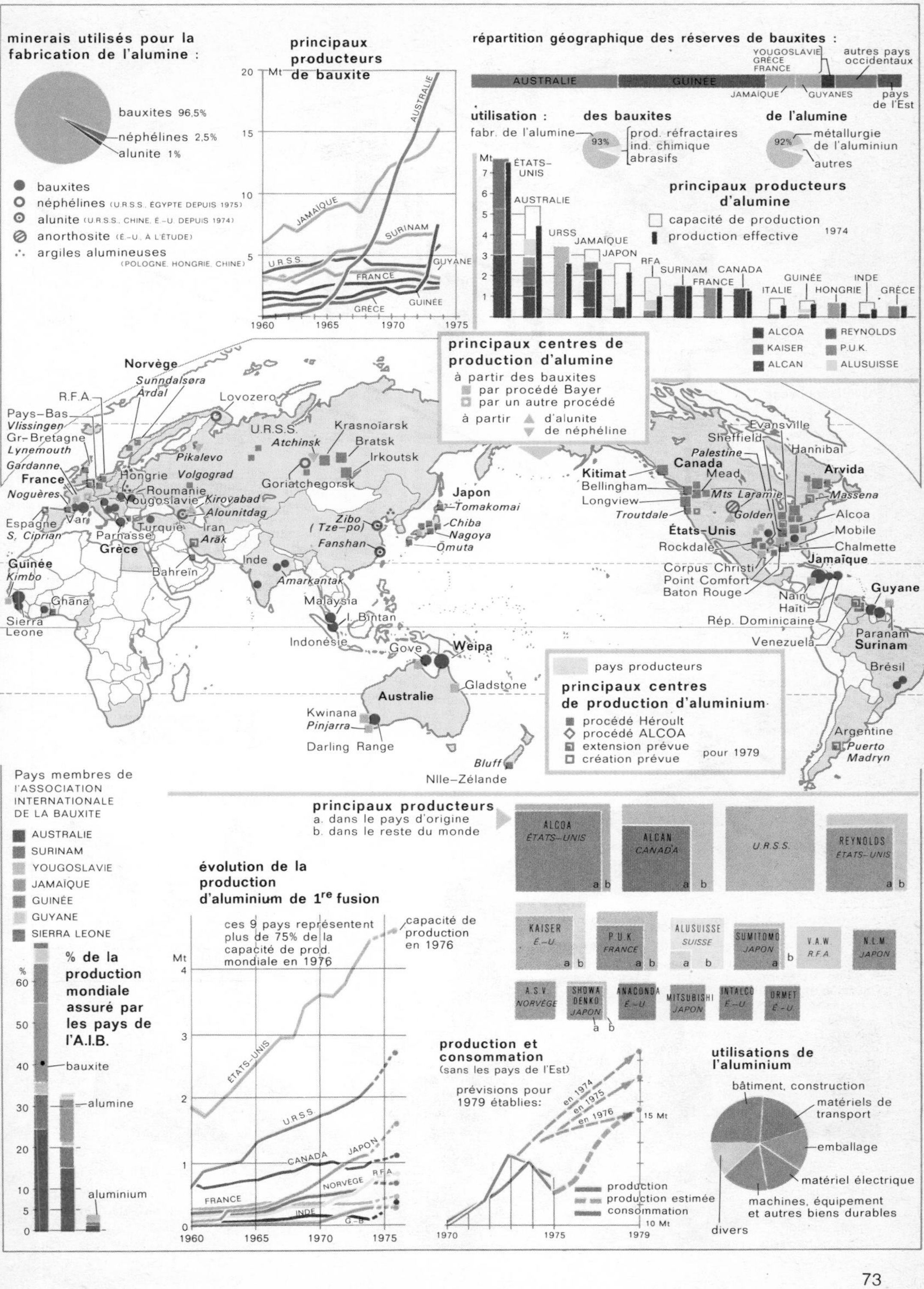
minerais utilisés pour la fabrication de l'alumine :
bauxites 96,5%
néphélines 2,5%
alunite 1%
bauxites
néphélines (U.R.S.S., ÉGYPTE DEPUIS 1975)
alunite (U.R.S.S., CHINE, É.-U. DEPUIS 1974)
anorthosite (É.-U., À L'ÉTUDE)
argiles alumineuses (POLOGNE, HONGRIE, CHINE)
principaux producteurs de bauxite
Mt
AUSTRALIE
JAMAÏQUE
SURINAM
U.R.S.S.
GUYANE
FRANCE
GRÈCE
GUINÉE
1960
1965
1970
1975
répartition géographique des réserves de bauxites :
AUSTRALIE
GUINÉE
YOUGOSLAVIE
GRÈCE
FRANCE
JAMAÏQUE
GUYANES
autres pays occidentaux
pays de l'Est
utilisation :
des bauxites
fabr. de l'alumine
93%
prod. réfractaires
ind. chimique
abrasifs
de l'alumine
92%
métallurgie de l'aluminium
autres
principaux producteurs d'alumine
capacité de production
production effective
1974
ÉTATS-UNIS
AUSTRALIE
URSS
JAMAÏQUE
JAPON
RFA
SURINAM
CANADA
FRANCE
GUINÉE
INDE
ITALIE
HONGRIE
GRÈCE
ALCOA
REYNOLDS
KAISER
P.U.K.
ALCAN
ALUSUISSE
principaux centres de production d'alumine
à partir des bauxites
par procédé Bayer
par un autre procédé
à partir d'alunite
de néphéline
Norvège
Sunndalsøra
Årdal
R.F.A.
Pays-Bas
Vlissingen
Gr-Bretagne
Lynemouth
Gardanne
France
Noguères
Espagne
S. Ciprian
Var
Hongrie
Roumanie
Yougoslavie
Parnasse
Grèce
Turquie
Lovozero
U.R.S.S.
Pikalevo
Volgograd
Kirovabad
Alounitdag
Iran
Arak
Bahreïn
Atchinsk
Krasnoïarsk
Bratsk
Irkoutsk
Goriatchegorsk
Zibo (Tze-po)
Fanshan
Japon
Tomakomai
Chiba
Nagoya
Omuta
Inde
Amarkantak
Malaysia
I. Bintan
Indonésie
Guinée
Kimbo
Sierra Leone
Ghana
Gove
Weipa
Gladstone
Australie
Kwinana
Pinjarra
Darling Range
Bluff
Nlle-Zélande
Kitimat
Bellingham
Longview
Troutdale
Canada
Palestine
Mead
Mts Laramie
Golden
États-Unis
Rockdale
Corpus Christi
Point Comfort
Baton Rouge
Evansville
Sheffield
Hannibal
Arvida
Massena
Alcoa
Mobile
Chalmette
Jamaïque
Nain
Haïti
Rép. Dominicaine
Venezuela
Guyane
Paranam
Surinam
Brésil
Argentine
Puerto Madryn
pays producteurs
principaux centres de production d'aluminium
procédé Héroult
procédé ALCOA
extension prévue
création prévue
pour 1979
Pays membres de l'ASSOCIATION INTERNATIONALE DE LA BAUXITE
AUSTRALIE
SURINAM
YOUGOSLAVIE
JAMAÏQUE
GUINÉE
GUYANE
SIERRA LEONE
% de la production mondiale assuré par les pays de l'A.I.B.
bauxite
alumine
aluminium
principaux producteurs
a. dans le pays d'origine
b. dans le reste du monde
ALCOA ÉTATS-UNIS
ALCAN CANADA
U.R.S.S.
REYNOLDS ÉTATS-UNIS
KAISER É.-U.
P.U.K. FRANCE
ALUSUISSE SUISSE
SUMITOMO JAPON
V.A.W. R.F.A.
N.L.M. JAPON
A.S.V. NORVÈGE
SHOWA DENKO JAPON
ANACONDA É.-U.
MITSUBISHI JAPON
INTALCO É.-U.
ORMET É.-U.
évolution de la production d'aluminium de 1re fusion
ces 9 pays représentent plus de 75% de la capacité de prod. mondiale en 1976
capacité de production en 1976
ÉTATS-UNIS
U.R.S.S.
CANADA
JAPON
NORVÈGE
R.F.A.
FRANCE
INDE
G.-B.
production et consommation (sans les pays de l'Est)
prévisions pour 1979 établies:
en 1974
en 1975
en 1976
15 Mt
10 Mt
production
production estimée
consommation
1970
1975
1979
utilisations de l'aluminium
bâtiment, construction
matériels de transport
emballage
matériel électrique
machines, équipement et autres biens durables
divers

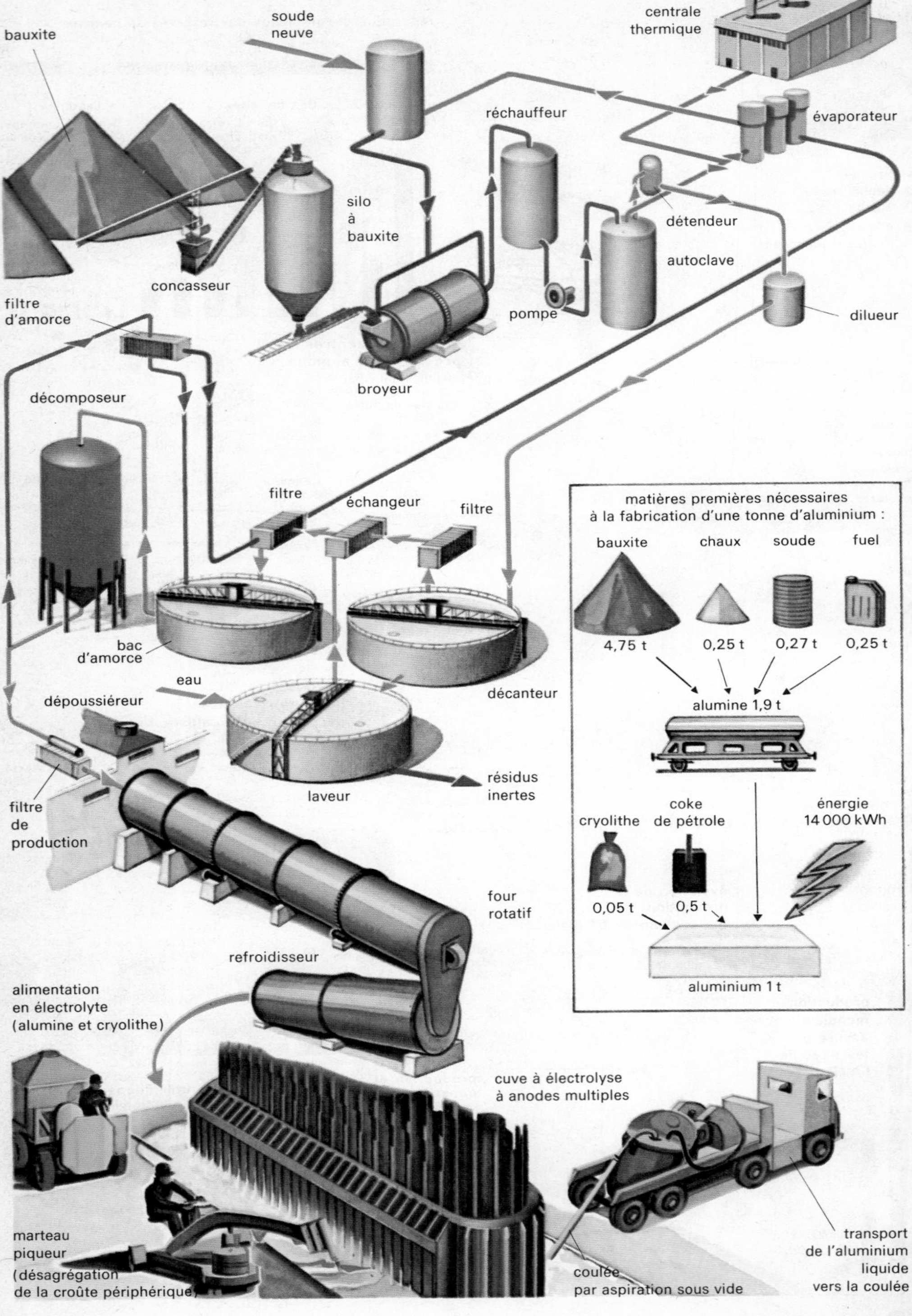
bauxite
soude
neuve
centrale
thermique
réchauffeur
évaporateur
silo
à
bauxite
détendeur
autoclave
concasseur
filtre
d'amorce
pompe
dilueur
broyeur
décomposeur
filtre
échangeur
filtre
matières premières nécessaires
à la fabrication d'une tonne d'aluminium :
bauxite
chaux
soude
fuel
4,75 t
0,25 t
0,27 t
0,25 t
alumine 1,9 t
bac
d'amorce
eau
dépoussiéreur
décanteur
résidus
inertes
laveur
filtre
de
production
cryolithe
coke
de pétrole
énergie
14 000 kWh
four
rotatif
0,05 t
0,5 t
refroidisseur
aluminium 1 t
alimentation
en électrolyte
(alumine et cryolithe)
cuve à électrolyse
à anodes multiples
marteau
piqueur
(désagrégation
de la croûte périphérique)
coulée
par aspiration sous vide
transport
de l'aluminium
liquide
vers la coulée

l'eau, car sa surface est protégée par une mince couche d'alumine. Il est trivalent dans ses composés, comme l'alumine Al_2O_3 ou le chlorure $AlCl_3$. Sa métallurgie a été mise au point en 1886, simultanément par le Français Héroult et l'Américain Hall.

L'élaboration du métal à partir de son principal minerai, la *bauxite* (à base d'oxyde d'aluminium), s'effectue en deux phases successives :

1. Obtention d'*alumine* pure, par attaque du minerai à la soude, précipitation et élimination des impuretés, lavage et calcination, suivant le procédé Bayer.
2. Électrolyse ignée de l'alumine en solution dans un bain de fluorure double d'aluminium et de sodium* (cryolithe), fondu à 950 °C, dans un four* électrique à cuve, avec anodes de carbone (coke, graphite). L'aluminium recueilli à la cathode, dans le fond de la cuve, titre 99,8 p. 100; par un raffinage électrolytique, on obtient de l'aluminium à haute pureté, à 99,995 p. 100.

Le métal pur est utilisé pour sa grande conductibilité* électrique et thermique (conducteurs pour l'électrotechnique, condensateurs, réflecteurs), ainsi que pour sa bonne tenue à l'air et à certaines corrosions* courantes (feuilles minces et plaques pour l'emballage et les toitures; industries chimique, pharmaceutique et alimentaire). Les alliages d'aluminium, ou alliages légers, possèdent une faible masse volumique et une bonne tenue à certaines corrosions, qui les font utiliser dans de nombreuses industries. L'alliage classique de ce métal avec le cuivre* et le magnésium* (Duralumin) peut être durci par un traitement* de durcissement structural (maturation, ou vieillissement), qui le fait utiliser dans l'aviation, l'automobile, les transports et l'industrie chimique. D'autres alliages, avec le cuivre-nickel*, le magnésium* (Alumag), le magnésium-zinc* (Zicral), subissent également ce traitement thermique caractéristique. Sous forme de pièces de fonderie*, l'alliage aluminium-silicium* (Alpax) est utilisé pour la confection de blocs-moteurs et de pistons d'automobile.

La production mondiale annuelle (de première fusion) avoisine aujourd'hui 13 millions de tonnes; elle a plus que quadruplé durant les vingt dernières années, avec un rythme de croissance cependant ralenti depuis quelques années. La géographie de la production ne se superpose pas à celle de l'extraction de la matière première, la bauxite. Utilisée dans des industries élaborées, à forte valeur ajoutée, nécessitant pour sa fabrication de grandes quantités d'électricité (12 à 15 kWh par kilo d'aluminium), facteur essentiel d'implantation des usines d'électrolyse, la production de l'aluminium est l'apanage des pays hautement développés. Les États-Unis fournissent près du tiers de la production mondiale, et l'U. R. S. S., le sixième. Derrière, viennent le Japon et le Canada, puis le bloc des pays de l'Europe occidentale, la Norvège (aux abondantes disponibilités hydroélectriques), l'Allemagne fédérale, la France, la Grande-Bretagne.

ALUN. — L'alun proprement dit a pour formule

$$K_2SO_4, Al_2(SO_4)_3, 24\,H_2O.$$

C'est un solide incolore, cristallisé en octaèdres appartenant au système cubique, de goût sucré et astringent, beaucoup plus soluble à chaud qu'à froid. Il est employé en teinture comme mordant, pour la conservation des peaux, le collage de la pâte à papier et le durcissement du plâtre.

L'alun est le type d'une série de sulfates doubles hydratés, de compositions analogues, de même forme cristalline et isomorphes, tels l'alun ammoniacal, incolore, l'alun de fer, rose, et l'alun de chrome, violet.

ALVAREZ (Luis Walter), physicien américain (San Francisco 1911). Il a découvert la capture K, l'hélium 3 et le tritium (1939). Il a réalisé l'accélérateur linéaire de protons. (Prix Nobel de physique, 1968.)

ALVEAR (Carlos María DE), général argentin (Santo Angel 1788 - Washington 1852). Ayant enlevé Montevideo aux Espagnols (1814), il devient (1816) directeur supérieur des Provinces-Unies du Río de la Plata.

ALZETTE, riv. du Luxembourg, passant à Esch-sur-Alzette et Luxembourg, affl. de la Sûre (r. dr.); 65 km. Métallurgie lourde dans sa vallée.

ALZON (30770), ch.-l. de cant. du Gard, à 19 km à l'O. du Vigan; 237 hab.

ALZONNE (11170), ch.-l. de cant. de l'Aude, à 16 km au N.-O. de Carcassonne; 1 206 hab.

AMADE (Albert D'), général français (Toulouse 1856 - Fronsac 1941). Il participa à la pacification du Maroc (1908-1913), puis commanda les troupes françaises engagées aux Dardanelles* en 1915.

Amadis de Gaule, roman de chevalerie espagnol, publié par Ordóñez de Montalvo (1508), dérivé peut-être d'un original portugais du XIIIe s., et traduit en français par Nicolas d'Herberay des Essarts (1540). Le héros, Amadis, surnommé *Beau* Ténébreux,* est resté le type de la chevalerie errante et des amants fidèles (v. DON QUICHOTTE).

AMADO (Jorge), écrivain brésilien (Pirangi, Bahia, 1912). Écrivain engagé, auteur d'une biographie du dirigeant du parti communiste brésilien Carlos Prestes (*le Chevalier de l'espérance,* 1942), il unit dans ses romans la critique sociale à un lyrisme populaire et folklorique : *Bahia de tous les saints* (1935); *Terre violente* (1942); *Gabriella, fille du Brésil* (1958); *Tereza Batista* (1973).

AMAGASAKI, v. du Japon (Honshū), sur la baie d'Ōsaka; 554 000 hab. Centre industriel.

AMAGAT (Émile), physicien français (Saint-Satur 1841 - *id.* 1915), auteur de travaux sur la compressibilité et la dilatation des liquides et des gaz et sur les variations des points de fusion avec la pression.

AMAGER, île danoise, au S. de Copenhague, dont elle constitue, en partie, une banlieue.

AMALFI, v. d'Italie (Campanie), sur le golfe de Salerne, au S. de Naples; 7 200 hab. Cathédrale de style arabo-normand (1203), remaniée aux XVIIIe et XIXe s.; cloître du Paradis, XIIIe s. Important centre d'échanges entre l'Italie du Sud et l'Empire byzantin, en lutte contre les Lombards et les Sarrasins, Amalfi devient une république indépendante v. 850, après avoir été sujette de Byzance. Au Xe s., elle connaît un remarquable essor commercial. Ses juristes créent un code de droit commercial maritime, les *Tables amalfitaines.* À partir de 1073, soumise aux Normands, elle commence à décliner et, en 1131, elle est annexée au royaume de Sicile.

AMALGAME *(Mil.).* — Le terme reste surtout connu par la réunion en une demi-brigade, effectuée en 1793 par Carnot et Dubois-Crancé, de deux bataillons de volontaires et d'un bataillon de l'ancienne armée royale. Ce mot avait aussi qualifié l'incorporation, en 1701, dans les troupes de métier de l'armée de Louis XIV, de bataillons des milices provinciales levées dans les paroisses. Un amalgame fut encore réalisé en 1944-45 par le général de Lattre qui, en pleine bataille, réunit à la Ire armée française venue d'Afrique 137 000 hommes issus des maquis de la Résistance.

AMALGAME *(Phys.).* — Le mercure forme directement des amalgames avec de nombreux métaux : sodium, potassium, étain, cuivre, plomb, argent, or. Tous sont décomposés au rouge, en dégageant leur mercure. L'amalgame de cuivre sert de mastic métallique pour la réparation de la porcelaine; celui d'étain et d'argent a été employé pour la fabrication des miroirs et sert aux obturations dentaires. On trouve dans la nature l'amalgame d'argent (mercure argental).

AMĀN ALLĀH KHĀN → AFGHĀNISTĀN.

AMANCE (70160 Faverney), ch.-l. de cant. de la Haute-Saône, à 25 km au N. de Vesoul; 728 hab.

AMANCEY (25330), ch.-l. de cant. du Doubs, à 16 km au S. d'Ornans; 1 022 hab.

AMANDIER. — Ce petit arbre (il dépasse rarement 10 m) présente les caractères habituels des rosacées, avec ses fleurs blanches aux pétales arrondis, très riches en nectar et paraissant avant les feuilles. Celles-ci sont petites et fusiformes. Le fruit (amande), vert et velouté, n'est comestible que par sa graine, et seulement dans les variétés « douces », car les amandes amères contiennent de l'acide cyanhydrique toxique. Les amandes douces servent couramment en pâtisserie (dragées, nougats, tartes et gâteaux divers); on en tire aussi une boisson, l'*orgeat,* et une huile cosmétique. Les amandes amères servent en savonnerie et en pharmacie.

AMANITE. — Le genre *Amanita* réunit des champignons extrêmement communs, à lamelles rayonnantes sous le chapeau, et dont l'état adulte garde la trace des enveloppes de l'embryon (volve et anneau). L'espèce mortelle, *A. phalloides,* se reconnaît à ses lamelles blanches, mais le dessus du chapeau est malheureusement de teinte variable, et les espèces voisines, *A. verna* et *A. virosa,* sont presque aussi dangereuses. Plus reconnaissable, la fausse oronge *(A. muscaria)* se distingue par son chapeau rouge-orangé, parsemé de résidus blancs du voile général, et par sa grande taille. Elle tue rarement, mais elle occasionne une « ivresse muscarinique » très éprouvante. Seule l'oronge des Césars *(A. cæsarea),* qui n'abonde en France que dans le Sud-Ouest, est un excellent comestible; lamelles et pied jaunes, chapeau orangé sans traces de voile permettent de l'identifier facilement.

Amant de lady Chatterley *(l'),* roman de David Herbert Lawrence (1928). Un homme blessé par la vie, devenu un garde-chasse solitaire et brutal, et une aristocrate raffinée mais insatisfaite connaissent une passion violemment sensuelle qui triomphe de toutes les conventions.

AMAPÁ, territoire du Brésil septentrional, sur l'océan Atlantique, limitrophe de la Guyane française; 115 000 hab. Presque vide (moins de 1 hab. au kilomètre carré), l'Amapá recèle du manganèse.

'AMĀRA, v. de l'Iraq, sur le Tigre; 104 000 hab.

AMARĀVATĪ, site archéologique du sud-est de l'Inde, qui, dès le IIe s. av. J.-C., dans le royaume des Andhra, abrite une école artistique sensiblement contemporaine de celle de Mathurā* et du Gāndhāra*, et dont l'influence se retrouve dans l'Asie du Sud-Est, notamment à Anurādhapura*. Divisé en plusieurs phases, le style d'Amarāvatī est surtout marqué par des stūpa* de très vastes dimensions, un enrichissement de l'iconographie du Bouddha et d'innombrables bas-reliefs (musée de Madras et British Museum), dont la grâce langoureuse unie au sens du rythme et de la composition annonce, comme ceux de Kārli*, l'art raffiné de l'époque gupta.

AMARILLO, v. des États-Unis, dans le nord-ouest du Texas; 127 000 hab.

AMARNA ou **TELL AL-AMARNA,** nom moderne du site où Aménophis IV* Akhenaton fit construire, après 1370 av. J.-C., son éphémère capitale, Akhetaton. On y a découvert, en 1887, la correspondance d'Aménophis III et d'Aménophis IV avec leurs vassaux d'Orient, sous la forme de 358 tablettes d'argile, qui sont écrites non en égyptien mais en akkadien, langue diplomatique du temps, et qui fournissent d'innombrables renseignements sur la situation politique dans le Proche-Orient au XIVe s. av. J.-C.

Temples, palais et quartiers d'habitations des ouvriers ont été mis au jour, ainsi que divers ateliers. Dans celui du sculpteur Thoutmès, on a découvert (1913) les portraits de Néfertiti, admirables témoignages de l'art original, vibrant et intime, de la période amarnienne.

AMAS *(Astron.).* — La plupart des galaxies* sont regroupées en amas, qui peuvent contenir de quelques galaxies à plusieurs milliers de membres. La Galaxie* elle-même appartient au groupe local, ainsi qu'une vingtaine d'autres, dont la galaxie d'Andromède*. L'amas le plus proche est situé à environ 40 millions d'années de lumière. Leur diamètre varie entre 1 et 20 millions d'années de lumière. Un catalogue répertorie 2 700 amas, eux-mêmes probablement regroupés en *super-amas.* La répartition des étoiles* n'est pas totalement uniforme. Elles sont groupées en amas *galactiques,* de forme irrégulière et situés dans le plan de la Galaxie, ou en amas *globulaires sphériques,* situés dans le halo de celle-ci. Les amas globulaires contiennent plus de 100 000 étoiles de même âge. Ce sont des objets vieux, tandis que les amas galactiques ne renferment que de 100 à 1 000 étoiles qui sont plus jeunes. L'amas galactique le plus connu est celui des Pléiades*.

AMAS *(Min.)* → MINE.

AMASIS, potier athénien, actif v. 550-525, l'un des maîtres de la céramique grecque à figure noire. Il se caractérise par le sens du mouvement et un goût remarquable du détail.

AMATERASU («Celle qui illumine le ciel»), déesse du panthéon shintō*, qui symbolise le soleil. À ce titre, elle est aussi une divinité tutélaire de la dynastie impériale japonaise.

AMATI, famille de luthiers italiens, qui contribua au renom d'excellence dont jouissent encore les violons fabriqués à Crémone — leur ville d'origine — au XVIIe s. Le plus célèbre, NICOLA (1596-1684), forma de nombreux disciples, parmi lesquels Antonio Stradivarius* et Andrea Guarnerius*.

AMAURY Ier, II → JÉRUSALEM *(royaume latin de).*

AMAYA (Carmen), dite **la Capitana,** danseuse gitane (Barcelone, ou Grenade, 1909/1913 - Bagur, près de Barcelone, 1963), célèbre par ses vertigineuses improvisations.

AMAZONAS, État du Brésil septentrional, couvrant la partie occidentale de l'Amazone. Capit. *Manaus.* D'une superficie proche du triple de celle de la France, il compte encore moins de un million d'habitants.

AMAZONE, en esp. et en portug. **Amazonas,** fl. de l'Amérique du Sud. Ses deux branches mères (l'Apurímac, auquel succède l'Ucayali, et le Marañón) naissent dans les Andes péruviennes, se rejoignant en amont d'Iquitos pour former l'Amazone proprement dite. Celle-ci est alors un fleuve de plaine, qui entre au Brésil en occupant un lit large de plusieurs kilomètres. La forte pluviosité des régions traversées (Amazonie*), proches de l'équateur, explique l'abondance de son débit — de l'ordre de 100 000 à 200 000 m^3/s à l'embouchure, dans l'Atlantique —, qui place l'Amazone au premier rang des fleuves du monde dans ce domaine, comme elle l'est par la longueur (7 025 km), si l'on considère l'Apurímac comme sa branche mère la plus lointaine. L'intérêt économique n'est pas en rapport avec le débit et la longueur. Aucune grande ville n'est établie sur le fleuve lui-même, qui traverse une région forestière, insalubre, presque vide d'hommes.

AMAZONIE, vaste région de l'Amérique du Sud, correspondant aux bassins moyen et inférieur de l'Amazone. Elle constitue le nord-ouest du Brésil, secteur chaud et humide, couvert par la grande forêt, peu favorable à l'occupation humaine. La construction en cours de deux grandes routes (les *Transamazoniennes*), de part et d'autre de l'Amazone, est la première étape d'un gigantesque effort de mise en valeur d'une région, dont le sous-sol, surtout, apparaît riche de promesses (hydrocarbures); la colonisation agricole, qui se heurte au climat hostile, accompagne l'ouverture des routes.

Gerster - Rapho

Amazonie. Percée à travers la forêt de la route transamazonienne devant contribuer à relier João Pessoa (sur l'Atlantique) au réseau routier péruvien.

AMBĀLA, v. de l'Inde, dans le nord de l'Haryana; 103 000 hab.

AMBARÈS-ET-LAGRAVE (33440), comm. de la Gironde, à 15 km au N.-E. de Bordeaux, dans l'Entre-deux-Mers; 7 744 hab. Produits pharmaceutiques.

AMBARTSOUMIAN (Viktor Amazaspovitch), astronome soviétique (Tiflis 1908). Auteur de travaux sur la formation et l'évolution des étoiles*, il fut le premier à mettre en évidence l'importance des amas*.

Ambassadeurs *(les),* roman d'Henry James (1903). Le conflit entre le puritanisme américain et l'esthétisme européen.

AMBATO, v. de l'Équateur, dans les Andes, au S. de Quito; 54 000 hab.

AMBAZAC (87240), ch.-l. de cant. de la Haute-Vienne, à 19,5 km au N.-E. de Limoges, sur le flanc méridional des *monts d'Ambazac;* 3 929 hab. Céramiques. Confection.

AMBERG, v. de l'Allemagne fédérale (Bavière), à l'E. de Nuremberg; 41 000 hab. Métallurgie.

AMBÉRIEU-EN-BUGEY (01500), ch.-l. de cant. de l'Ain, à 30 km au S. de Bourg-en-Bresse, sur l'Albarine; 10 026 hab. *(Ambarrois).* Nœud ferroviaire.

AMBERT (63600), ch.-l. d'arr. du Puy-de-Dôme, dans le *bassin d'Ambert,* sur la Dore; 8 059 hab. *(Ambertois).* Textile. Chapelets.

AMBÈS (33810), comm. de la Gironde, à 24 km au N. de Bordeaux, sur la Dordogne; 2545 hab. Le *bec d'Ambès* est une pointe de terre effilée, en amont du confluent de la Garonne et de la Dordogne, occupée par l'industrie (deux raffineries de pétrole et une grande centrale thermique).

AMBILLY (74100 Annemasse), comm. de Haute-Savoie, banlieue nord d'Annemasse; 5582 hab.

AMBIVALENCE → SCHIZOPHRÉNIE.

AMBLETEUSE (62164), comm. du Pas-de-Calais, à 11 km de Boulogne-sur-Mer; 1449 hab. Station balnéaire.

AMBOINE, en indonésien **Ambon,** une des îles Moluques (Indonésie). V. princ. *Amboine* ou *Ambon* (56000 hab.). Elle fut, au début du XVIIe s., la capitale des comptoirs hollandais, là où s'organisait le monopole des épices.

AMBOISE (37400), ch.-l. de cant. d'Indre-et-Loire, à 24 km à l'E. de Tours, sur la Loire; 11116 hab. *(Amboisiens).* Métallurgie. Chaussures. Château résultant de la reconstruction fastueuse, par Charles VIII, d'une forteresse antérieure (tour des Minimes, à large rampe hélicoïdale; chapelle Saint-Hubert, en gothique flamboyant).

Amboise *(conjuration d'),* coup de force fomenté par les calvinistes, en mars 1560, afin de soustraire François II à l'influence des Guises et porter au pouvoir le prince de Condé. Il fut éventé par le duc de Guise, qui, en mandant Condé et Coligny à Amboise, où était la Cour, attira les conjurés, qui furent exécutés.

AMBRIÈRES-LES-VALLÉES (53300), ch.-l. de cant. de la Mayenne, à 12 km au N. de Mayenne; 2867 hab.

AMBROISE *(saint),* père et docteur de l'Église latine (Trèves v. 340-Milan 397). Issu d'une famille romaine de haut rang, il est, v. 370, gouverneur de Ligurie et d'Émilie, en résidence à Milan dont il devient évêque (déc. 374). Saint Augustin*, alors professeur à Milan, lui devra une grande part de sa conversion. La politique religieuse d'Ambroise tend à christianiser les institutions impériales et à faire admettre la suprématie de l'Église sur l'empereur dans le domaine religieux. L'évêque lutte contre les cultes païens et l'arianisme et, en 390, impose à l'empereur Théodose une pénitence publique pour le massacre des révoltés de Thessalonique. Ses écrits théologiques, sermons et traités, où prédomine l'influence d'Origène*, n'ont pas la profondeur de pensée d'un saint Augustin ou la science d'un saint Jérôme, mais, avec ses *Hymnes,* il a créé une poésie liturgique populaire que reprendra le Moyen Âge.

AMBULANCE. — Le personnel ambulancier est composé d'un chauffeur et d'un infirmier, parfois d'un médecin. Les ambulances modernes sont munies d'oxygène; certaines sont entièrement équipées pour assurer les premiers soins d'urgence et la surveillance de malades graves (intubation endotrachéale, enregistrement du tracé électrocardiographique).

AMDEN, comm. de Suisse (cant. de Saint-Gall), au-dessus du lac Walen; 1215 hab. Sports d'hiver (alt. 1000-1450 m).

ÂME. — L'âme, qui, pour Platon*, est « dans le corps comme dans une prison », est une notion idéaliste opposée à celle de *corps** (sauf pour Aristote). Le couple de notions âme/corps a profondément influencé la théologie et la philosophie idéaliste.

AMÉDÉE VIII (Chambéry 1383-Ripaille 1451), comte puis duc de Savoie (1391-1440). Il est le véritable créateur de l'État savoyard. Élu pape en 1439, sous le nom de Félix V, par des Pères du concile de Bâle, il doit abdiquer en 1449.

AMÉDÉE DE SAVOIE (Turin 1845-*id.* 1890), roi d'Espagne de 1870 à 1873, fils de Victor-Emmanuel II. L'insurrection carliste l'obligea à abdiquer trois ans après avoir été proclamé roi d'Espagne.

AMÉLIE-LES-BAINS-PALALDA (66110), comm. des Pyrénées-Orientales, à 8 km au S.-O. de Céret, sur le Tech; 4037 hab. *(Améliens* ou *Palaldéens).* Station thermale aux eaux sulfurées, utilisées dans le traitement des affections des voies respiratoires et des rhumatismes chroniques.

AMÉNAGEMENT DU TERRITOIRE. — Notion relativement récente, du moins quant à sa vulgarisation, l'aménagement du territoire est, dans les pays développés, une réaction contre les excès d'une croissance rapide, nés principalement d'une centralisation, d'une industrialisation et d'une urbanisation excessives. Il s'agit en fait d'un *réaménagement,* tendant à une nouvelle répartition des activités en fonction d'impératifs plus sociaux — ou même écologiques — que strictement économiques : décentralisation d'industries, plus rarement de services, à partir de métropoles surchargées; création d'emplois nouveaux dans les régions plus riches d'hommes que dotées de matières premières ou de capitaux; aménagement de zones ludiques à proximité de concentrations urbaines. L'incitation à l'aménagement peut se réaliser par voie réglementaire, mais plus souvent par facilités fiscales, et toujours par la mise en place d'une infrastructure (équipement de zones industrielles, voies de communication désenclavantes, réseau téléphonique, etc.) apte à assurer aussi sa fiabilité. Dans les pays en voie de développement ou dans les régions pionnières, aux marges de l'écoumène, il s'agit d'un véritable aménagement, facilité par l'absence des contraintes héritées du passé, handicapé souvent par le souci d'atteindre une rentabilité immédiate des investissements

Saint Ambroise. Panneau d'un retable attribué au Maître de Burgo de Osma. Valence, début du XVe s. (Musée de Perpignan.)

Giraudon

engagés pour la production. Dans tous les cas, l'aménagement du territoire est une politique à long terme, dont les avantages ne sont pas immédiats, ce qui explique qu'il a été effectivement plus souvent accepté comme un remède à certains abus que comme une composante normale du processus de développement économique.

AMENDE → PEINE.

AMENDEMENT. — La chaux, la marne, la tangue, la tourbe, certaines algues marines sont d'excellents amendements améliorant les propriétés physiques du sol; la vente de ces produits très bon marché est freinée par le prix des transports, si bien que leur utilisation ne se fait plus qu'à proximité des lieux d'extraction.

AMENDOLA (Giorgio), homme politique italien (Rome 1907), membre de la direction du parti communiste italien depuis 1946.

AMENEMHAT Ier, II, III, IV → MOYEN EMPIRE.

AMÉNOPHIS Ier, II, III → NOUVEL EMPIRE.

AMÉNOPHIS IV ou **AKHENATON,** roi d'Égypte de 1372 à 1354 av. J.-C. environ. Successeur d'Aménophis III, son père, sous le nom d'Aménophis IV, après quatre ans de règne il prend le nom d'Akhenaton (« Celui qui est agréable à Aton »). Tempérament mystique, il instaure avec l'appui de sa femme, Néfertiti*, le culte du dieu Aton, dieu solaire, représenté sous la forme d'un disque d'or lumineux. Le culte d'Amon*, le dieu dynastique, est proscrit, les autres dieux sont tolérés comme manifestations d'Aton, dieu suprême et unique. Devant l'opposition du clergé d'Amon, Akhenaton abandonne Thèbes et fonde une nouvelle capitale, Akhetaton (« l'Horizon d'Aton »), l'actuelle Amarna*. Avec elle surgit une civilisation qui, pour éphémère qu'elle soit, inspire un art original. Mais, pendant ce temps, la puissance égyptienne s'effrite sous les poussées hittite* et assyrienne*. La fin d'Akhenaton est aussi celle de la réforme amarnienne. Son successeur, Toutankhaton, reviendra à Thèbes, fief du dieu Amon, à qui il fera amende honorable en changeant son nom en Toutankhamon*.

AMÉRIQUE
OCÉAN ARCTIQUE
Dt de Béring
MER DE BEAUFORT
Ellesmere
Iles Reine-Elizabeth
Iles Parry
Ile de Banks
I. Devon
Groenland
MER DE BAFFIN
Chne de Brooks
Yukon
Chne de l'Alaska
Mt McKinley 6187
Golfe de l'Alaska
Mt St Elie
Mt Logan 6050
Mts Mackenzie
Mackenzie
Ile Victoria
Terre de Baffin
Détroit de Davis
C. Farewell
GD LAC DE L'OURS
Bassin de Foxe
Ile Southampton
GD LAC DE L'ESCLAVE
Dt d'Hudson
Montagnes Rocheuses
Chne côtière
Peace riv.
BAIE D'HUDSON
Presqu'île du Labrador
Chne des Cascades
LAC WINNIPEG
Terre-Neuve
Columbia
Missouri
G. du St-Laurent
C. Breton
PLATEAU DE COLUMBIA
PLAT. DU MISSOURI
LAC SUPÉRIEUR
St-Laurent
Nlle-Écosse
Chne côtière
Sa Nevada
Grand Bassin
GD LAC SALÉ
LAC HURON
LAC MICHIGAN
L. ONTARIO
C. Sable
Mt Whitney 4418
Mts Wasatch
LAC ÉRIÉ
C. Cod
PLATEAU DU COLORADO
Arkansas
Ohio
Appalaches
Colorado
Mississippi
C. Hatteras
Basse-Californie
G. DE CALIFORNIE
Rio Grande
Sierra Madre occ.
Sierra Madre or.
OCÉAN
Tropique du Cancer
GOLFE DU MEXIQUE
Floride
Iles Bahamas
C. San Lucas
Dt de Floride
Cuba
ATLANTIQUE
C. Catoche
Popocatepetl 5452
Orizaba 5700
Isthme de Tehuantepec
Yucatan
Grandes Antilles
Haïti
Ptes Antilles
Sa Madre del Sur
MER DES CARAÏBES
C. Gracias a Dios
L. NICARAGUA
Isthme de Panamá
OCÉAN
canal
Orénoque
Massif des Guyanes
Tolima 5620
R. Magdalena
Équateur
PACIFIQUE
R. Negro
R. Japurá
C. São Roque
Chimborazo 6272
Marañón
Amazone
R. Purús
R. Madeira
R. Tapajós
R. Xingu
R. Tocantins
Ucayali
Sa Geral de Goiás
R. São Francisco
PLATEAU
Huascarán 6768
Cordillère des Andes
PLATEAU DU MATO GROSSO
BRÉSILIEN
Serra do Espinhaço
L. TITICACA
Coropuna 6613
Illimani 6550
L. POOPÓ
Sajama 6780
Gran Chaco
Paraguay
Paraná
Serra do Mar
Désert d'Atacama
Llullaillaco 6723
Tropique du Capricorne
Ojos del Salado 6100
Aconcagua 6959
Río de La Plata
Colorado
Patagonie
Tronador 3554
Iles Falkland
Détroit de Magellan
Terre de Feu
C. Horn
échelle des altitudes
200 m
500
1 000
2 000
3 000
4 000
0 500 1000 km
60°
70°
80°
20°
10°
0°
10°
20°
30°
40°
90°
80°
60°
50°
40°
30°

AMÉNORRHÉE. — L'absence de règles est, le plus souvent, due à une grossesse; mais l'aménorrhée est possible au cours de maladies entraînant une altération de l'état général (diabète, tuberculose), au cours de maladies endocriniennes, ou après un choc émotif. Parfois elle est due à une malformation ou à une infection des organes génitaux, ou encore à l'hystérectomie.

AMER, nom donné à deux lacs d'Égypte *(Grand Lac Amer* et *Petit Lac Amer),* sections les plus larges du canal de Suez.

AMÉRICIUM. — L'américium, élément n° 95, qui n'existe pas dans la nature, a été obtenu en 1945 par bombardement de l'uranium au moyen de particules alpha. L'atome, dont le nombre de masse est 241, est radioactif avec une période d'environ cinq cents ans.

AMÉRINDIENNES (langues) → INDIENNES *(langues).*

AMÉRIQUE, une des cinq parties du monde; 42 millions de kilomètres carrés; 550 millions d'habitants.

L'Amérique est formée de deux masses triangulaires *(Amérique du Nord* et *Amérique du Sud),* réunies par un isthme étroit *(Amérique centrale).* Une série de plaines (bassins du Mississippi, de l'Amazone, du Paraná-Paraguay) sépare les massifs anciens, qui bordent l'Atlantique (Appalaches, plateau des Guyanes et plateau brésilien), des chaînes jeunes (Rocheuses, Andes), qui longent la côte pacifique. L'Amérique du Nord est en majeure partie tempérée et froide, l'Amérique centrale et méridionale est surtout équatoriale et tropicale. La colonisation a complètement bouleversé le peuplement, en refoulant les Indiens* dans les zones inhospitalières ou en les exterminant, et en introduisant les Noirs, amenés d'Afrique comme esclaves. Les Blancs sont presque partout majoritaires. Leur origine permet de distinguer l'*Amérique anglo-saxonne,* au peuplement d'origine essentiellement britannique, groupant le Canada et les États-Unis, et l'*Amérique* latine*.

• *La découverte de l'Amérique.* La première « découverte » par des Européens d'une terre américaine revient aux Scandinaves, qui, avec Erik le Rouge, touchent au Groenland dès la fin du Xe s. Mais il faut attendre cinq cents ans pour que le long itinéraire de Christophe Colomb* permette d'atteindre le Nouveau Monde en dehors de ses marges glacées. Car, si les Portugais, tournés vers la conquête « normale » des Indes par l'est, laissent échapper l'occasion de la découverte d'un monde nouveau, les Espagnols se taillent en Amérique, au XVIe s., un immense empire. En 1492, Colomb aborde les Antilles, croyant atteindre le grand archipel des Indes. Au cours des voyages suivants (1498-1504), il trace les contours de la « Méditerranée américaine », mais sans avoir une claire conscience de ce que représente le Nouveau Monde.

Après les expéditions de Jean Cabot sur les côtes de l'Amérique du Nord (1498), de Pedro Álvares Cabral sur les côtes du Brésil (1500), de Solís au Río de la Plata (1516) et de Magellan (1520), le tracé du rivage oriental du Nouveau Monde est connu dans ses grandes lignes. Par ailleurs, les voyages de Balboa à Panamá (1513), les expéditions de Cortés au Mexique, à partir de 1519, et de Pizarro au Pérou, à partir de 1530, celles de Jacques Cartier au Canada (1534), d'Almagro au Chili (1536), d'Orellana sur l'Amazone et de Soto en Floride et dans le bassin inférieur du Mississippi (1541) achèvent de préciser la forme du continent américain.

Les explorations intérieures reprennent au XVIIe s., notamment en Amérique du Nord, qui est littéralement « découverte » par des voyageurs français, notamment Marquette, Joliet et Cavelier de La Salle. Au XVIIIe s., Mackenzie reconnaît le territoire canadien et Béring explore les côtes de l'Alaska, tandis que les navigateurs essaient de trouver les passages reliant Pacifique et Atlantique. Durant tout le XIXe s. et au début du XXe, des explorations scientifiques et des levés topographiques à grande échelle complètent les données acquises. (Carte : v. pages de garde.)

AMÉRIQUE CENTRALE, partie la plus étroite de l'Amérique, comprise entre les isthmes de Téhuantepec (Mexique) et de Panamá, à laquelle on rattache, généralement, les Antilles.

AMÉRIQUE DU NORD, partie septentrionale du continent américain, comprenant le Canada, les États-Unis et la plus grande partie du Mexique (au N. de l'isthme de Tehuantepec).

AMÉRIQUE DU SUD, partie méridionale du continent américain, au S. de l'isthme de Panamá.

AMÉRIQUE LATINE, ensemble des pays de l'Amérique du Sud et de l'Amérique centrale (plus le Mexique) qui ont été des colonies espagnoles ou portugaises.

GÉOGRAPHIE. L'Amérique latine commence à la frontière nord du Mexique, au río Grande. Elle recouvre des régions naturelles très variées. Au *Mexique,* les hauts plateaux du centre sont encadrés par des chaînes élevées (sierra Madre occidentale et orientale). Elles se rejoignent en *Amérique centrale,* long isthme montagneux hérissé de volcans et bordé à l'E. par une guirlande d'îles (Antilles). En *Amérique du Sud,* la cordillère des Andes* est une énorme barrière continue longeant le Pacifique, qu'une série de plaines (Amazonie, Chaco, Pampa) sépare des massifs anciens rabotés qui bordent la côte atlantique (Guyanes, plateau brésilien). La diversité des climats reflète l'étirement en latitude. De part et d'autre de l'immense cuvette équatoriale de l'Amazone, couverte par la forêt dense, le climat s'assèche progressivement jusqu'à devenir désertique au N. du Mexique et du Chili. Dans la pointe sud de l'Amérique, on retrouve la succession des climats tempérés (méditerranéen, puis océanique de plus en plus froid), mais l'écran que les Andes opposent aux vents d'ouest explique l'aridité de la côte atlantique (Patagonie). Enfin, l'altitude joue un rôle très important, impliquant l'étagement de différents types de végétation dans la chaîne andine.

L'unité de l'Amérique latine lui vient de son peuplement blanc, d'origine essentiellement ibérique : Portugais au Brésil, Espagnols ailleurs. Ces colonisateurs venus d'Europe ont refoulé vers l'ouest les populations précolombiennes, qu'ils ont fortement décimées; les Indiens ne restent nombreux que dans les États andins. Les conquistadores ont également amené des Noirs d'Afrique comme esclaves dans les plantations (Antilles, Brésil). La population de l'Amérique latine est donc extrêmement mêlée. Elle est, par ailleurs, très inégalement répartie : certaines zones, aux conditions naturelles répulsives, sont quasiment vides (Amazonie, Patagonie); les habitants se concentrent surtout sur la côte atlantique (Venezuela, côte sud du Brésil, Pampa argentine), dans les Antilles et en quelques points de la côte pacifique (centre du Chili), les autres secteurs de peuplement étant les hauts plateaux.

L'Amérique latine est marquée par un accroissement démographique rapide, dû à un taux de natalité très élevé. C'est un continent relativement urbanisé : une notable partie des habitants réside dans des villes démesurément étendues.

La structure de l'économie est héritée en partie de la période coloniale. Elle est fondée sur l'exploitation des matières premières (or et argent, fer, cuivre des Andes, pétrole du Venezuela et du Mexique) et les cultures commerciales (café et cacao du Brésil, canne à sucre des Antilles, fruits tropicaux de l'Amérique centrale, coton, etc.). L'accession à l'indépendance a partagé le continent en États, souvent politiquement instables, beaucoup sous la dépendance étroite des États-Unis, qui contrôlent leur économie par le biais de leurs grandes compagnies.

Les conséquences très graves des crises successives de surproduction ne sont guère compensées par l'industrie de transformation. Celle-ci, en raison du manque de capitaux et de techniciens, n'a guère touché que l'Argentine et le Brésil, et est aussi, en partie, sous le contrôle des États-Unis. Dans l'ensemble de l'Amérique latine, les conditions de vie restent précaires. Des milliers de chômeurs, que la surcharge démographique et la misère chassent de la campagne, viennent grossir les bidonvilles qui entourent les grandes cités. Le niveau de vie, généralement très bas, fait contraster cette Amérique du sous-développement avec l'Amérique du Nord.

HISTOIRE. C'est en 1519 que commence la conquête de l'Amérique par les Espagnols : cette année-là, Hernán Cortés* débarque au Mexique; il soumet la Confédération aztèque et conquiert le pays. À son tour, en Amérique du Sud, Francisco Pizarro*, en deux ans (1530-1532), réussit à se rendre maître de l'Empire inca. La conquête espagnole se parachève en moins de trente ans; les Portugais, quant à eux, occupent peu à peu, et sans heurts, les côtes du Brésil, en attendant de devenir maîtres de l'ensemble du pays. Terminée l'époque des conquistadores, commence la mise en place du système colonial, où se mêlent, en s'opposant souvent, la soif de l'or, qui pousse les créoles à tirer le parti maximal de la force de travail indigène, et l'esprit d'évangélisation des missionnaires, qui sont, par ailleurs, les adversaires de l'exploitation des Indiens.

Au début du XIXe s. est fixée une hiérarchie sociale qui comporte, au sommet, quelque 300 000 Espagnols métropolitains et, à la base, 10 millions d'Indiens, sur qui pèse l'exploitation fiscale et économique; entre les deux se trouvent 3 millions de créoles et la masse des « sang-mêlé » (métis, mulâtres, zambos...).

Les guerres d'indépendance, qui éclatent à partir de 1810, ne sont populaires qu'au Mexique et à Haïti; ailleurs, elles sont le fait de la rébellion créole, les Indiens se montrant souvent loyaux à l'égard de l'Espagne. Le héros de l'indépendance, Simón Bolívar*, n'ayant pu réaliser l'unité américaine, l'Amérique latine (sauf le Brésil) connaît une longue période de morcellement, de chaos, d'anarchie. C'est l'ère du caciquisme, des généraux, des « colonels », des chefs indiens, qui se taillent un pouvoir éphémère mais très lucratif. La multiplication des caciques fait surgir périodiquement les *caudillos* — conservateurs ou libéraux —, qui cachent généralement un régime de violence et d'illégalité derrière une façade démocratique.

Ce système se retrouve au XXe s., et même souvent de nos jours, le poids de l'empire invisible des États-Unis faussant problèmes et solutions. Il est vrai que la révolution cubaine, amorcée par Fidel Castro en 1958, tente de contrebalancer cette influence.

Amers, poème de Saint-John Perse (1957). Le mythe de la mer et sa résonance au cœur de l'homme.

AMERSFOORT, v. des Pays-Bas (prov. d'Utrecht), au N.-E. d'Utrecht; 80 000 hab. Monuments des XIIIe-XVIIe s.

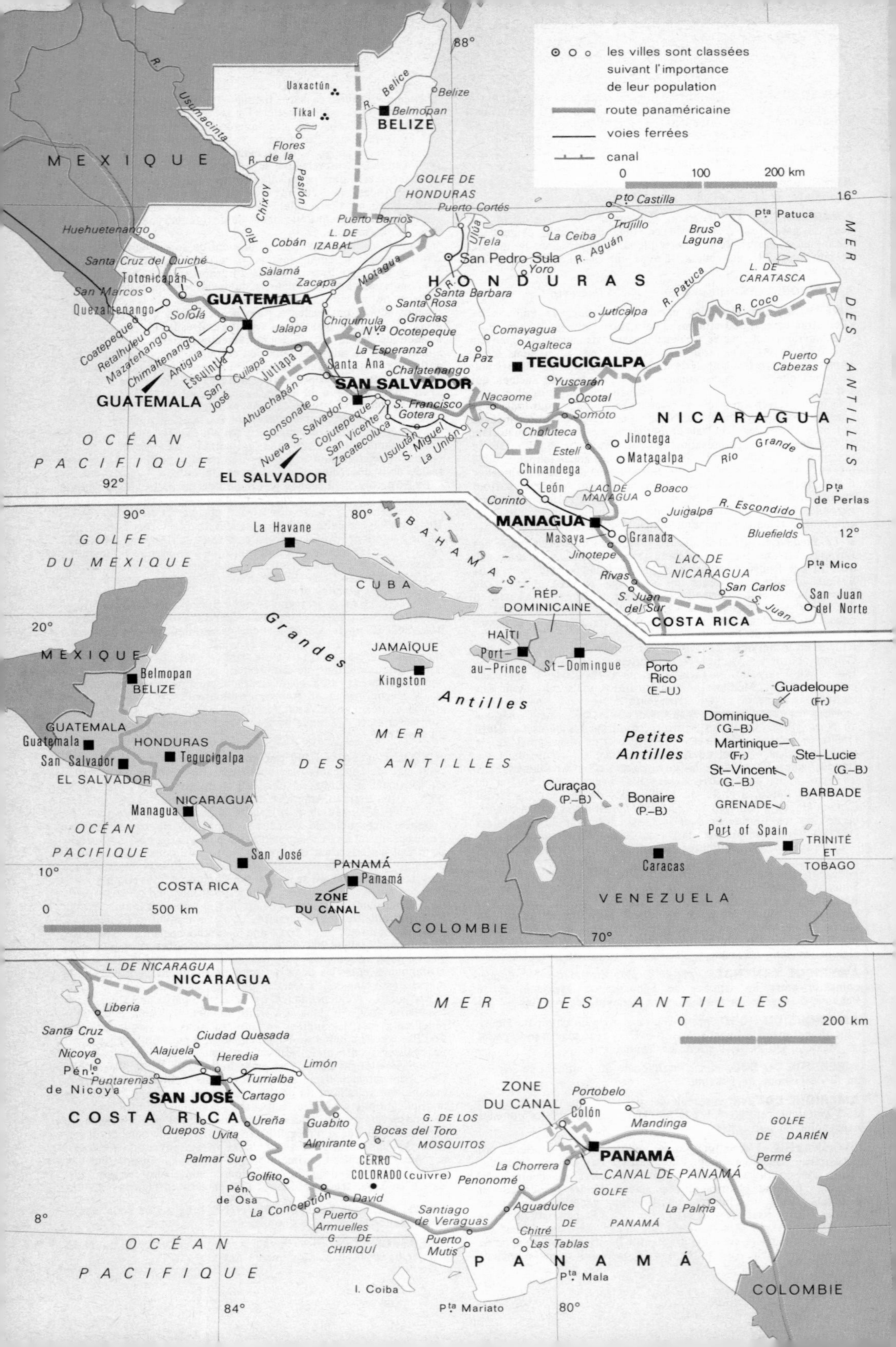
les villes sont classées suivant l'importance de leur population
route panaméricaine
voies ferrées
canal
0
100
200 km
88°
16°
92°
MEXIQUE
R. Usumacinta
Uaxactún
Tikal
Flores
R. de la Pasión
Río Chixoy
R. Belice
Belize
Belmopan
BELIZE
GOLFE DE HONDURAS
Puerto Cortés
Puerto Barrios
L. DE IZABAL
Cobán
Huehuetenango
Santa Cruz del Quiché
Totonicapán
San Marcos
Quezaltenango
Sololá
GUATEMALA
Sàlamá
Zacapa
Motagua
Coatepeque
Retalhuleu
Mazatenango
Chimaltenango
Antigua
Escuintla
San José
Cuilapa
Jutiapa
Jalapa
Chiquimula
Nva Ocotepeque
La Esperanza
Santa Ana
Chalatenango
SAN SALVADOR
Ahuachapán
Sonsonate
Nueva S. Salvador
Cojutepeque
San Vicente
Zacatecoluca
S. Francisco Gotera
Usulután
S. Miguel
La Unión
OCÉAN PACIFIQUE
EL SALVADOR
Ulúa
Tela
San Pedro Sula
La Ceiba
R. Aguán
Yoro
Santa Barbara
Santa Rosa
Gracias
HONDURAS
Comayagua
La Paz
Agalteca
TEGUCIGALPA
Yuscarán
Nacaome
Choluteca
Ocotal
Somoto
Pto Castilla
Trujillo
Brus Laguna
Pta Patuca
R. Patuca
Juticalpa
L. DE CARATASCA
R. Coco
Puerto Cabezas
MER DES ANTILLES
NICARAGUA
Jinotega
Matagalpa
Estelí
Río Grande
Chinandega
León
Corinto
LAC DE MANAGUA
Boaco
Juigalpa
R. Escondido
Pta de Perlas
MANAGUA
Masaya
Granada
Jinotepe
Bluefields
12°
LAC DE NICARAGUA
Pta Mico
Rivas
S. Juan del Sur
San Carlos
R. S. Juan
San Juan del Norte
COSTA RICA
90°
80°
GOLFE DU MEXIQUE
La Havane
BAHAMAS
CUBA
20°
MEXIQUE
Belmopan
BELIZE
Grandes Antilles
JAMAÏQUE
Kingston
RÉP. DOMINICAINE
HAÏTI
Port-au-Prince
St-Domingue
Porto Rico (E.-U)
Guadeloupe (Fr)
Dominique (G.-B)
Martinique (Fr)
Ste-Lucie (G.-B)
St-Vincent (G.-B)
BARBADE
GRENADE
Petites Antilles
GUATEMALA
Guatemala
HONDURAS
Tegucigalpa
San Salvador
EL SALVADOR
MER DES ANTILLES
NICARAGUA
Managua
Curaçao (P.-B)
Bonaire (P.-B)
Port of Spain
TRINITÉ ET TOBAGO
OCÉAN PACIFIQUE
San José
PANAMÁ
Panamá
Caracas
10°
COSTA RICA
ZONE DU CANAL
VENEZUELA
0
500 km
COLOMBIE
70°
L. DE NICARAGUA
NICARAGUA
MER DES ANTILLES
0
200 km
Liberia
Santa Cruz
Ciudad Quesada
Nicoya
Alajuela
Heredia
Limón
Pénle de Nicoya
Puntarenas
Turrialba
SAN JOSÉ
Cartago
COSTA RICA
Ureña
Quepos
Uvita
Guabito
Bocas del Toro
G. DE LOS MOSQUITOS
Almirante
ZONE DU CANAL
Portobelo
Colón
Mandinga
GOLFE DARIÉN
PANAMÁ
Palmar Sur
CERRO COLORADO (cuivre)
La Chorrera
Permé
CANAL DE PANAMÁ
Golfito
Pén. de Osa
La Concepción
David
Penonomé
GOLFE DE PANAMÁ
Puerto Armuelles
Santiago de Veraguas
Aguadulce
La Palma
8°
G. DE CHIRIQUÍ
Puerto Mutis
Chitré
Las Tablas
OCÉAN PACIFIQUE
PANAMÁ
Pta Mala
COLOMBIE
I. Coiba
Pta Mariato
84°
80°

◁ AMÉRIQUE CENTRALE

L'INDÉPENDANCE DE L'AMÉRIQUE LATINE AU XIXe S.

Âmes mortes *(les)*, roman de N. Gogol (1842; 2e partie, inachevée et posthume, 1852). Une escroquerie (pour obtenir les avances d'argent que l'État concède aux propriétaires qui s'installent sur de nouvelles terres avec leurs serfs, un aventurier achète à bas prix les paysans russes morts depuis le dernier recensement, mais toujours vivants sur les listes du fisc) qui permet de brosser un panorama de la vie provinciale et une esquisse de « l'homme russe tout entier », par son côté négatif.

AMEUBLEMENT. — Artisanale à l'origine, la fabrication du meuble est devenue industrielle. À côté des articles courants, adaptés à des besoins divers et d'un prix accessible, sont apparus des articles nouveaux : meubles de cuisine, meubles par éléments, meubles transformables. Si le travail artisanal existe toujours pour la reproduction de meubles anciens et la fabrication des meubles rustiques, les méthodes de production en grande série se sont imposées. Elles ont amené les industriels à utiliser moins de bois massif et à envisager l'emploi de contre-plaqués*, de panneaux* lattés, de panneaux de fibres et de particules. Pour recouvrir ces matériaux, on a recours à des placages* de bois précieux, de 0,7 à 0,8 mm, qui, appliqués sous presse* chauffante, donnent aux meubles leur aspect extérieur. Les méthodes d'usinage ont également évolué, en liaison avec l'emploi des nouveaux matériaux, et l'on constate une tendance à réaliser des meubles démontables.

Enfin, et surtout, une attention spéciale a été apportée aux traitements des surfaces par l'utilisation, d'une part, de vernis* soignés et durables (vernis polyester, polyuréthanes), et, d'autre part, de machines de finition très étudiées (vernisseuses en continu). Le montage est réalisé par des chaînes de montage spéciales et suivi d'un contrôle rigoureux du meuble. Pour des productions économiques, on peut remplacer les placages précieux par des placages de bois de moindre valeur dont la surface est enrichie soit par des motifs imprimés imitant les bois précieux, soit par des papiers* résinifiés décoratifs ou des plastiques*.

AMFREVILLE-LA-CAMPAGNE (27370), ch.-l. de cant. de l'Eure, à 11 km au S.-O. d'Elbeuf; 636 hab.

AMHARIQUE. — Issu du guèze, l'amharique est, depuis le XIIIe s., la langue administrative de l'Éthiopie et, à ce titre, il connaît une expansion qui continue encore aujourd'hui (9 millions de locuteurs). Langue parlée, il sert depuis peu à l'expression d'une littérature, surtout didactique.

AMHERST, v. du Canada (Nouvelle-Écosse); 10 800 hab.

AMIANTE. — Ce terme s'applique aux fibres blanches et brillantes, alors que les fibres teintées, verdâtres ou grisâtres, sont désignées sous le nom d'*asbeste.* Elles sont extraites du minerai — dont le principal producteur est le Canada — par broyage, puis elles sont battues, cardées et filées. On fabrique souvent des fils armés par du laiton entouré d'amiante.

AMIANTE-CIMENT. — Ce matériau composite est constitué d'une matrice de ciment* englobant une charge de fibres d'amiante*, de préférence chrysotile. La fabrication est assez analogue à celle du carton* : l'amiante défibré est incorporé à une pâte très fluide de ciment; le produit obtenu par filtration est empilé, avec intercalation de feuilles d'acier, et passé à la presse hydraulique sous 200 bar environ. On obtient les pièces façonnées en déformant les feuilles sèches. Les produits d'amiante-ciment sont caractérisés par leurs fortes résistances en flexion et en traction, leur imperméabilité, leur légèreté et leurs excellentes résistances au gel et au choc thermique.

AMIATA *(monte),* massif d'Italie, dans l'Apennin toscan. Mercure.

Schéma de fabrication de l'amiante-ciment.

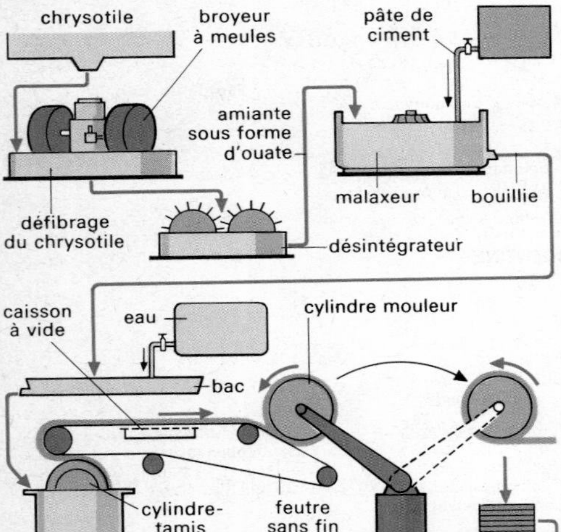

AMIBE. — Parmi les protistes *eucaryotes,* c'est-à-dire ceux dont le noyau cellulaire est entouré d'une membrane qui le sépare du cytoplasme, l'amibe est souvent regardée comme le plus simple de tous. La forme amibienne (qui peut d'ailleurs être adoptée temporairement par des espèces flagellées) se définit par deux cytoplasmes concentriques, l'externe *(ectoplasme)* étant beaucoup plus mince et plus limpide que l'interne *(endoplasme).* La membrane cellulaire, très souple, permet une sorte de reptation sur les supports (mouvements amiboïdes) et la formation de bras temporaires *(pseudopodes)* pour la capture des grosses proies. Les petites proies (bactéries) sont engluées dans un *plasmalemme* muqueux, puis ingérées dans un estomac provisoire *(gastriole).*

Il existe des amibes à coquille chitineuse ou siliceuse et des amibes nues, plus nombreuses, et dont certaines sont de redoutables parasites de l'homme, agents de l'*amibiase** intestinale *(Entamoeba histolytica).*

AMIBIASE. — Maladie cosmopolite due à un protozoaire, l'*Entamoeba histolytica,* l'amibiase est répandue entre le 40e parallèle nord et le 30e parallèle sud.

La transmission des amibes est assurée par les eaux de bassin polluées et par les aliments contaminés. Elle atteint d'abord le côlon, réalisant l'amibiase intestinale à traduction clinique (dysenterie amibienne) ou non. Les amibiases hépatique et pulmonaire sont les localisations secondaires les plus fréquentes. Les localisations à la rate, au cerveau, aux reins, à la peau, aux os ou aux organes génitaux sont beaucoup plus rares.

La certitude du diagnostic est apportée par l'examen parasitologique des selles. Le traitement est avant tout médical : le chlorhydrate d'émétine (Rogers, 1912) a transformé le pronostic. Le métronidazole, d'utilisation plus récente, tend à supplanter le précédent, car il est dénué d'accidents toxiques. Le traitement ne devient chirurgical qu'en cas de complications. La prophylaxie consiste à traiter les porteurs de parasites et à stériliser les selles.

AMICI (Giovanni Battista), physicien et astronome italien (Modène 1786 - Florence 1863). On lui doit un spectroscope, des lunettes équatoriales et méridiennes, des instruments de nivellement. Il utilisa le premier les points stigmatiques du dioptre sphérique et l'immersion dans les objectifs de microscope.

AMIDE. — Les amides non substitués, de formule générale $R{-}CONH_2$, se préparent en déshydratant par la chaleur les sels d'ammonium $R{-}CO_2NH_4$. Ce sont des solides peu fusibles. Ils peuvent perdre de l'eau pour se transformer en nitriles $R{-}CN$. Les amides substitués $R{-}CONHR'$ se préparent par substitution d'une amine à l'ammoniac.

AMIDON. — Les graines d'amidon (ou *amyloplastes*) constituent la réserve glucidique typique des végétaux verts. L'équivalent chez les animaux et les champignons est le glycogène, qui ne forme pas de grains. Les amyloplastes, dont la taille et la forme dépendent de l'espèce qui les a élaborés, présentent des zones concentriques, en nombre égal à leur âge exprimé en jours. Leur structure semi-cristalline apparaît au microscope polarisant (phénomène de la croix noire). On trouve surtout l'amidon dans les organes souterrains pérennants (racines, rhizomes, bulbes, tubercules) et dans les graines farineuses, mais le bois des arbres en contient parfois (sagoutier).

On identifie l'amidon par la vive coloration violet foncé qu'il prend au contact de l'iode. L'hydrolyse digestive de l'amidon conduit au glucose*.

La solution colloïdale d'amidon *(empois)* a été utilisée pour empeser le linge blanc. Mais c'est dans notre alimentation que se trouve le principal emploi de l'amidon, puisque tous les *féculents* — pain, riz, pâtes, pommes de terre, légumineuses, châtaignes, manioc, etc. — en contiennent une proportion très élevée.

AMIEL (Henri Frédéric), écrivain suisse d'expression française (Genève 1821 - *id.* 1881). Influencé par Hegel* et Schelling*, il a laissé un manuscrit autobiographique de 17 000 pages, partiellement publié (*Fragments d'un journal intime,* 1883-1965), dans lequel il analyse son inquiétude et sa timidité fondamentales devant la vie.

AMIENS (80000), capit. de la Région Picardie, ch.-l. du départ. de la Somme, sur la Somme, à 130 km au N. de Paris; 135 992 hab. *(Amiénois).*

GÉOGRAPHIE. L'une des principales villes de la « grande couronne » urbaine de Paris, Amiens s'est développée comme lieu de passage (matérialisé surtout aujourd'hui par le rail, mais à l'écart des liaisons autoroutières) et comme centre industriel, avec le textile. Celui-ci demeure encore l'activité prédominante, bien que partiellement relayé par des branches parfois plus dynamiques (métallurgie de transformation; valorisation de la production agricole régionale; chimie [caoutchouc notamment]). Les services sont surtout représentés par l'administration, régionale et départementale, le commerce et l'université. Presque à mi-chemin de l'agglomération parisienne et de la conurbation lilloise, Amiens est une ville dont le relatif dynamisme actuel succède à une longue léthargie. L'agglomération compte plus de 150 000 habitants et

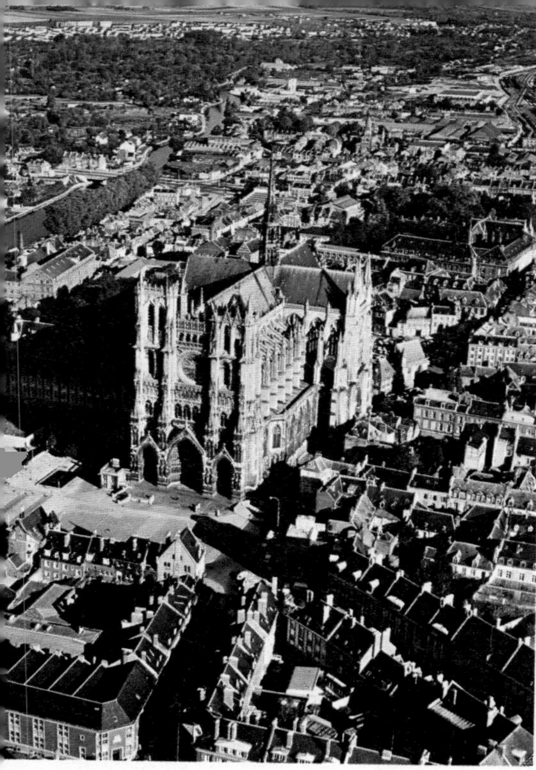

Le centre d'Amiens et la cathédrale Notre-Dame.

augmente d'environ 2 p. 100 par an, en raison des croîts naturels et de l'exode rural des campagnes picardes.

HISTOIRE. Ville romaine, évangélisée par saint Firmin et siège d'un évêché dès le IVe s., Amiens connaît, grâce à sa fabrication de draps, une grande prospérité au Moyen Âge. Le 25 mars 1802 est signée à Amiens la paix qui met fin — pour un temps — à l'interminable guerre franco-anglaise.

BEAUX-ARTS. Cathédrale gothique, la plus vaste de France, exemple majeur et homogène du style rayonnant (1220-1270, pour l'essentiel); l'élancement vertical de la nef rompt avec les proportions chartraines; l'ensemble de la sculpture des portails est conservé, mais non les vitraux; stalles de bois sculpté (début du XVIe s.). Églises et édifices civils anciens. Musée des beaux-arts et d'archéologie, dit *musée de Picardie* (riche collection de peintures).

AMILLY (45200 Montargis), ch.-l. de cant. du Loiret, dans la banlieue sud-est de Montargis; 8 878 hab. Télécommunications.

AMIN (Samir), économiste égyptien (Le Caire 1931), spécialiste du sous-développement. On lui doit notamment : *l'Accumulation à l'échelle mondiale* (1970); *le Développement inégal, essai sur les formations sociales du capitalisme périphérique* (1972).

AMIN DADA (Idi), homme d'État ougandais (Koboko 1925). Commandant en chef de l'armée ougandaise, il s'installe au pouvoir, à la place de Milton Obote, le 25 janvier 1971 et institue un régime autoritaire.

AMINE. — On distingue les amines primaires, de formule générale RNH_2, les amines secondaires $RNHR'$ et les amines tertiaires $RN(R')(R'')$. Selon que le substituant R dérive d'un carbure acyclique ou d'un carbure benzénique, on a une amine aliphatique (ou alcoylamine) ou une amine aromatique (ou arylamine), dite encore « aniline ».

Les amines aliphatiques sont des gaz ou des liquides d'odeur désagréable. Elles ont des propriétés basiques plus marquées que celles de l'ammoniac et donnent des sels avec les acides.

AMINOACIDE ou **ACIDE AMINÉ.** — Les plus importants de la série aliphatique sont les aminoacides α, dans lesquels l'aminogène NH_2 et le carboxyle CO sont séparés par un seul atome de carbone, et dont le plus simple est le glycocolle $NH_2—CH_2—CO_2H$. Beaucoup se forment par dédoublement des protéines. Leur présence est indispensable dans l'alimentation. Certains peuvent être reconstitués dans l'organisme humain, d'autres doivent être apportés par les aliments (acides aminés essentiels). Les acides aminés sont catabolisés par désamination oxydative, et l'ammoniac qui en résulte entre dans le cycle de l'urée.

AMINOPLASTE. — Ce genre de résines synthétiques s'obtient par condensation de composés aminés, c'est-à-dire comportant le groupe fonctionnel $—NH_2$, avec un aldéhyde*, ce qui fournit un plastique* thermodurcissable*. Les amines* les plus utilisées sont l'urée* et la mélamine, l'aldéhyde étant le formol.

La préparation s'effectue par polycondensation des solutions aqueuses des constituants, et on obtient des produits inodores, insipides, bénéficiant de bonnes propriétés isolantes, résistant convenablement aux bases*, aux acides* faibles et à de nombreux solvants*.

Ces produits sont utilisés sous la forme de sirop pour le moulage par coulée et pour la préparation d'adhésifs*, ou sous la forme de poudres à mouler par compression, qui trouvent de nombreuses applications domestiques (vaisselle, articles ménagers notamment).

Aminta, pastorale* dramatique du Tasse (1573), restée le modèle du genre.

AMIRAL. — Le titre d'*amiral de France,* qui apparut au XIIIe s., fut conféré soixante-treize fois de 1270 à 1869. Son titulaire gérait les affaires navales du roi. Le grade de vice-amiral fut créé au XVIe s., celui de contre-amiral (remplaçant le chef d'escadre) sous la Révolution. (V. GRADE.) Le titre d'*amiral de la flotte* fut décerné à titre personnel à l'amiral Darlan*. L'Amirauté était un organisme administratif et judiciaire existant dans les ports ou auprès des parlements. La plus importante était l'*Amirauté de France,* à Paris, qui rendait la justice au nom de l'amiral. En Angleterre, le *conseil de l'Amirauté* (Board of Admiralty) était un organe collégial exerçant le pouvoir sur la Royal Navy, dont le ministre fut appelé jusqu'en 1963 Premier lord de l'Amirauté.

AMIRANTES *(îles),* archipel de l'océan Indien, au N.-E. de Madagascar, dépendance des Seychelles.

AMIRAUTÉ → AMIRAL.

AMIRAUTÉ *(îles de l'),* en angl. **Admiralty Islands,** archipel de la Mélanésie, au N. de la Nouvelle-Guinée, dépendance de la Papouasie-Nouvelle-Guinée.

AMIS *(îles des)* → TONGA.

AMIS (Kingsley), écrivain anglais (Londres 1922). L'un des représentants les plus marquants de la génération des « jeunes gens en colère » (*Jim-la-Chance,* 1954; *Un Anglais bien en chair,* 1963), il a mis dans sa satire sociale plus de distance et plus d'humour (*l'Homme vert,* 1969; *Girl,* 1972). Sous le pseudonyme de Robert Marklam, il a donné un nouvel épisode des aventures de James Bond (*Colonel Sun,* 1968).

AMITĀBHA (« Lumière sans limites »), le plus populaire des bouddhas créés par le bouddhisme* mahāyāna. Il symbolise le Bouddha Śākyamuni. Né en Inde au IIe s., son culte s'est surtout répandu au Japon à partir de 650.

Amitié *(pipe-line de l'),* grand oléoduc de l'Europe orientale, desservant à partir de gisements soviétiques (bassin de la Volga, Sibérie occidentale) des raffineries polonaise (Płock), est-allemande (Schwedt-sur-l'Oder), tchécoslovaque (Bratislava) et hongroise (Százhalombatta). La longueur totale du réseau de conduites est de l'ordre de 5 000 km, avec une capacité annuelle totale de transport d'environ 50 Mt.

'AMMĀN, capit. de la Jordanie, à une trentaine de kilomètres à l'O. du Jourdain; 521 000 hab. Principale ville et premier centre industriel du pays, dont elle regroupe plus du cinquième de la population totale.

AMMIEN MARCELLIN, historien latin (Antioche v. 330-† v. 400). Il poursuit l'œuvre de Tacite, faisant commencer son histoire *(Res Gestae)* au règne de Nerva. De son œuvre, remarquable de densité et d'impartialité, il ne nous reste que les livres XIV à XXXI (années 353-378).

AMMONIAC. — C'est un gaz incolore, d'odeur vive et piquante. Plus léger que l'air (densité 0,6), il se liquéfie aisément, à − 33 °C sous la pression atmosphérique; l'ammoniac liquide est employé comme réfrigérant et comme solvant. Il est particulièrement soluble dans l'eau, qui en dissout 1 000 volumes à 0 °C. La solution commerciale, qui a pour densité 0,92, en contient 20 p. 100; chauffée, elle perd l'ammoniac dissous.

De formule NH_3, il est décomposé par chauffage en ses éléments et brûle dans l'oxygène pur. Son mélange avec l'oxygène, chauffé au contact de platine, fournit de l'acide nitrique. Dans le sol, les composés ammoniacaux subissent une oxydation analogue en formant des nitrates (nitrification). L'ammoniac s'unit aux acides pour donner des produits d'addition ayant les propriétés de sels (v. AMMONIUM). D'ailleurs la solution ammoniacale a les caractères d'une base (alcali volatil).

Les matières organiques azotées, sous l'influence de certains ferments, se décomposent en donnant de l'ammoniac; aussi les

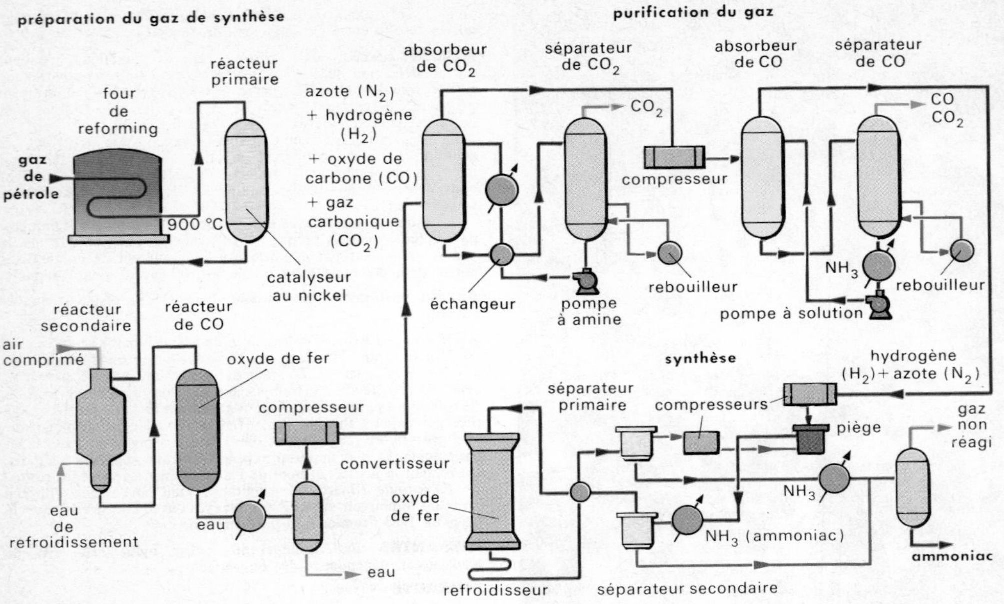

Schéma de la préparation de l'ammoniac.

eaux-vannes de vidange et les eaux d'épuration du gaz d'éclairage en étaient-elles jadis une source importante. On le fabrique actuellement dans l'industrie par synthèse, en chauffant sous une très forte pression le mélange d'azote et d'hydrogène, au contact d'un catalyseur.

C'est un composé d'une grande importance. Ses sels, notamment le sulfate, sont employés comme engrais azotés. Il sert à la préparation de l'acide nitrique et du carbonate de sodium.

AMMONITES. — Ce sont les fossiles les plus communs dans les sédiments d'origine marine datant du secondaire. La rapidité avec laquelle ont varié les détails de leur forme fait de ces mollusques céphalopodes d'excellents indicateurs de l'âge des terrains. En revanche, leur coquille était un trop bon flotteur, même après la mort, pour que l'on soit assuré de les rencontrer vraiment là où elles ont vécu. On ne peut donc tirer de conclusions de leur présence quant à la profondeur de la mer, à sa température, etc.

La coquille des ammonites, seule partie conservée à l'état fossile, est généralement une spirale plane résultant de l'enroulement d'un tube à section ronde, ovale ou ogivale. Le tube est fractionné en loges par des cloisons internes, dont la suture aux parois du tube est extrêmement sinueuse. Un siphon, attenant à la ligne externe de la paroi, fait communiquer les loges et débouche finalement dans une loge initiale ronde. À l'autre extrémité du tube, une vaste *chambre d'habitation* hébergeait l'animal. Une pièce indépendante *(aptychus)* assurait peut-être la fermeture de cette loge.

Marins, carnivores, excellents nageurs, ces animaux ont eu une évolution mouvementée. Issues sans doute de la souche des nautiles, il y a 300 millions d'années, les ammonites ont d'abord revêtu des formes primitives, que l'on classe dans des groupes voisins : clyménies, goniatites (jusque vers − 230 MA), cératites (jusqu'au rhétien, − 160 MA). Une crise grave réduit alors massivement le nombre des espèces, mais une nouvelle « explosion de formes », celle des ammonites proprement dites, conduit le groupe jusqu'au sommet du crétacé, où elles disparaissent toutes (− 80 MA). On ignore la cause de ces extinctions brutales.

L'étude hydrostatique des ammonites suggère qu'elles pouvaient ajuster finement leur densité, tourner brusquement autour de leur axe et opérer un démarrage soudain en cas d'attaque. La résistance de leurs cloisons à la pression de l'eau, le faible poids de leur coquille, tout a contribué à leur assurer un succès fondé sur la chasse et la fuite.

AMMONITES, peuplade d'origine amorrite*, qui s'établit au XIVe s. av. J.-C. à l'E. du Jourdain, entre le Yabbok et l'Arnon. Nombreux sont les démêlés entre Ammonites et Israélites, dès l'installation des Hébreux* en Canaan* (XIIIe s. av. J.-C.), à l'époque des Juges* et de Saül*. David leur inflige une défaite sévère; au temps des deux royaumes juifs d'Israël* et de Juda*, ils subissent, comme les autres peuples, la domination assyro-babylonienne. Après la chute de Babylone*, en 539, le pays d'Ammon passe successivement au pouvoir des Perses*, puis des Séleucides*. Les Asmonéens* en font une province juive qui prend le nom de Pérée*. La ville d'‘Ammān, capitale de l'actuelle Jordanie, perpétue le souvenir de l'ancienne métropole ammonite Rabbat-Ammon.

AMMONIUM. — Le gaz ammoniac se combine avec les acides pour donner des solides cristallisés, présentant tous les caractères des sels alcalins. Pour rappeler cette analogie, on admet l'existence d'un groupement NH_4, nommé ammonium, qui se comporte comme un métal dans les sels ammoniacaux, mais que l'on n'a pas pu isoler.

Les sels d'ammonium, comme NH_4Cl ou $(NH_4)_2SO_4$, sont isomorphes des sels de potassium. Assez volatils, ils se dissocient par chauffage.

AMNÉSIE → MÉMOIRE.

AMNÉVILLE (57360), comm. de la Moselle, à 12 km au S. de Thionville; 8 997 hab. Cimenterie.

AMNISTIE. — L'amnistie se distingue de la grâce* (mesure individuelle de remise ou de commutation de peine), en tant que mesure générale faisant globalement remise à une catégorie de condamnés ou d'inculpés de leur condamnation ou de leur inculpation. La Constitution du 4 octobre 1958 en donne la prérogative au pouvoir législatif. L'amnistie a pour caractéristique d'effacer le caractère délictueux du fait, sans supprimer celui-ci et en laissant subsister ses conséquences autres que pénales. La rétroactivité de l'amnistie est limitée; elle ne peut être opposée aux droits des tiers.

AMON, dieu égyptien de Thèbes. La gloire de Thèbes*, capitale de l'Égypte au Nouvel* Empire, fait de ce dieu local une divinité impériale, dont les prêtres constituent une caste très influente. La destruction de la cité en 664 av. J.-C. par les Assyriens met fin au culte d'Amon. (V. RÉ.)

AMONTONS (Guillaume), physicien français (Paris 1663-*id.* 1705). Il créa des thermomètres à mercure et à air, pour lesquels il utilisa, comme points fixes, les températures des changements d'état de l'eau.

AMORÇAGE. — L'amorçage d'une explosion* chimique résulte de l'application d'une flamme, du contact d'un corps incandescent, du passage du courant électrique, d'un choc ou encore d'une friction. La flamme issue d'un brin de cordeau Bickford déclenche la déflagration* de la poudre* noire ou allume une tête d'amorce. Dans beaucoup d'armes à feu, le choc du percuteur sur une amorce allume celle-ci. Pour certains artifices*, la friction d'une tige rugueuse sur une composition appropriée produit l'amorçage.

AMORCE → AMORÇAGE, ARTIFICE.

AMORION *(dynastie d')*, dynastie byzantine qui règne de 820 à 867. Léon V*, fervent iconoclaste, est assassiné en 820 à l'instigation d'un militaire originaire d'Amorion, en Phrygie, Michel II le Bègue (de 820 à 829). Celui-ci cherche à apaiser la querelle iconoclaste et fait cesser les persécutions. Son pouvoir est menacé par Thomas le Slave, qui, soutenu par les 'Abbāssides et reconnu empereur par le patriarche d'Antioche, soulève l'Asie Mineure et la Thrace et assiège Constantinople (821-22). Ce n'est qu'avec l'aide des Bulgares que Michel II vient à bout de cette guerre civile (823). Mais il ne peut empêcher l'expansion musulmane (prise de la Crète, 825-26; conquête de la Sicile à partir de 827), qui se poursuit en Asie Mineure (prise d'Amorion et d'Ancyre en 838) sous le règne de son fils, Théophile (de 829 à 842). Celui-ci ordonne la dernière vague de persécutions iconoclastes. Son épouse Théodora assure, de 842 à 856, la régence de leur fils Michel III (de 842 à 867). Elle met fin à la seconde crise iconoclaste déclenchée par Léon V : le culte des images est définitivement rétabli par le concile de 843. Michel III s'entoure de collaborateurs éminents, son oncle Bardas et le patriarche Photios*, dont la nomination provoque la rupture avec Rome de 863 à 867. Il mène une lutte énergique contre les Arabes. L'Église byzantine étend sa sphère d'influence aux Slaves de Moravie et de Bulgarie. Michel III est assassiné par Basile, le fondateur de la dynastie macédonienne*, sous laquelle culmine la renaissance amorcée par le dernier souverain d'Amorion.

AMORPHE. — L'état amorphe de la matière est caractérisé par l'absence d'ordre dans la répartition des particules (atomes, molécules ou ions) qui la constituent; il s'oppose ainsi à l'état cristallisé. Le type de l'état amorphe est l'état fluide; les gaz, par exemple, sont formés de molécules disposées et orientées au hasard, et d'ailleurs en perpétuel mouvement. Il en est de même, en général, pour les liquides, à l'exception des états mésomorphes. Parmi les solides, il en est qui sont amorphes, par exemple les verres; ils ne sont pas autre chose que des liquides surfondus.

AMORRITES ou **AMURRU,** peuple sémitique d'origine nomade, installé en Syrie v. 2000 av. J.-C., puis v. 1900 en Mésopotamie. Les Amorrites s'établissent alors à Isin, Larsa, Assour*, Mari* et Babylone*, où la dynastie amorrite (Ire dynastie de Babylone, 1894-1595) assurera à la cité la prédominance politique avec le règne d'Hammourabi*. Éliminés par les Hittites*, les Amorrites ne subsisteront que sous la forme de petits États vassaux soit des Hittites, soit des Égyptiens; au XIIe s., l'invasion araméenne les fait disparaître de la scène politique. Le terme d'Amorrite, dans la Bible, désigne la population préisraélite de Canaan et non les Amorrites-Amurru.

AMORTISSEMENT. — Le terme désigne plusieurs notions distinctes.

• *L'amortissement financier* représente le remboursement des emprunts par le moyen de décaissements échelonnés dans le temps.

• *L'amortissement de capital* consiste, pour une société, à réaliser — au moyen des bénéfices ou des réserves — la diminution du capital social par le remboursement des actions ou par leur rachat sur le marché financier : il aboutit à une réduction des fonds propres de l'entreprise.

• *L'amortissement d'une créance* s'effectue lorsque, celle-ci ne pouvant être remboursée par suite de la défaillance du débiteur, le poste représenté par cette créance est annulé à l'actif de l'entreprise créditrice. C'est une mesure de prudence et de vérité comptable.

• *L'amortissement des charges* consiste à étaler sur plusieurs exercices sociaux le poids d'une charge (ou d'une perte), au lieu de la passer au compte de résultats d'un seul exercice (amortissement des frais d'établissement, des charges exceptionnelles, des pertes d'exploitation, etc.).

• *L'amortissement industriel* (ou « amortissement » proprement dit) est la constatation de la perte annuelle subie par les actifs immobilisés, dont la valeur se déprécie avec le temps (usure et obsolescence).

AMOS, v. du Canada (Québec), ch.-l. de l'Abitibi; 6984 hab.

AMOS, prophète biblique. Il exerce son ministère v. 750 av. J.-C. dans le royaume d'Israël*. Héraut de la justice divine, il s'élève contre les injustices sociales et l'hypocrisie du formalisme religieux. Le recueil de ses prophéties, le *Livre d'Amos,* a été retouché vers le VIe s.

AMOU (40330), ch.-l. de cant. des Landes, à 18,5 km au N. d'Orthez; 1455 hab.

AMOU-DARIA, fl. de l'U. R. S. S., en Asie centrale, tributaire de la mer d'Aral; 2620 km. Né dans le Pamir, l'Amou-Daria sépare d'abord le Tadjikistan de l'Afghānistān, avant d'entrer en plaine et de traverser une région aride (aux confins de l'Ouzbékistan et du Turkménistan), que ses eaux ont contribué à mettre en valeur (irrigation pour la culture du coton).

AMOUR, fl. du nord-est de l'Asie, formé par la réunion de l'Argoun (frontière entre l'U. R. S. S. et la Chine) et de la Chilka, tributaire de la Manche de Tartarie (en face de Sakhaline). Sur la plus grande partie de son cours (2845 km), il sépare aussi l'U. R. S. S. et la Chine, rôle stratégique qui exclut pratiquement actuellement toute autre fonction.

AMOUR *(djebel)*, massif de l'Atlas saharien, en Algérie.

amour *(De l')*, essai de Stendhal (1822). Inspiré à la fois par une passion malheureuse et par les théories des idéologues, l'auteur étudie, avec une rigueur d'apparence scientifique, les quatre sortes d'amour *(amour-passion, amour-goût, amour physique, amour de vanité),* l'influence des différentes sociétés sur le développement de la passion et les sept états par lesquels passe celui qui aime. Son analyse la plus célèbre est consacrée à la *cristallisation**.

Amour et la vie d'une femme *(l')*, cycle de huit lieder de R. Schumann (op. 42, 1840), sur des poèmes de Chamisso. C'est l'image du bonheur, que traduisent une voix de femme et un piano, étroitement unis.

Amour et l'Occident *(l')*, essai de Denis de Rougemont (1938; seconde édition modifiée 1957). À travers la légende de Tristan et Iseut, une réflexion sur la prédilection de la culture occidentale pour la passion malheureuse et mortelle et sur les origines mystiques de ce mythe.

Amour fou *(l')*, récit d'André Breton (1937). Une chronique de la découverte de l'amour heureux à travers les manifestations de la « beauté convulsive » et du « hasard objectif ».

Amour la Poésie *(l')*, recueil poétique d'Eluard (1929). Œuvre majeure de la période surréaliste : l'exubérance créatrice de l'« amour fou » à la recherche d'un ordre dans la parole poétique.

Amour médecin *(l')*, comédie-ballet de Molière (1665), en trois actes et en prose, musique de Lully.

Amours *(les)*, titre de plusieurs recueils lyriques de Ronsard : le premier (1552-53), d'inspiration mythologique et philosophique, célèbre Cassandre Salviati; *la Continuation des Amours* (1555) et la *Nouvelle Continuation* (1556) chantent Marie Dupin, la fille d'un aubergiste, en un style plus bucolique; le dernier recueil (1578), consacré à Hélène de Surgères, est surtout une déploration de la vieillesse.

Amour sacré et l'Amour profane *(l')*, titre donné vers 1700 à une peinture de la jeunesse de Titien, précédemment appelée *la Beauté parée et la Beauté sans parure* (v. 1515-16; 1,18 × 2,79 m; galerie Borghèse, Rome). Elle illustre peut-être le goût de la

Lauros-Giraudon

L'Amour sacré et l'Amour profane, de Titien. V. 1515-1516. (Galerie Borghèse, Rome.)

André Marie Ampère par lui-même.

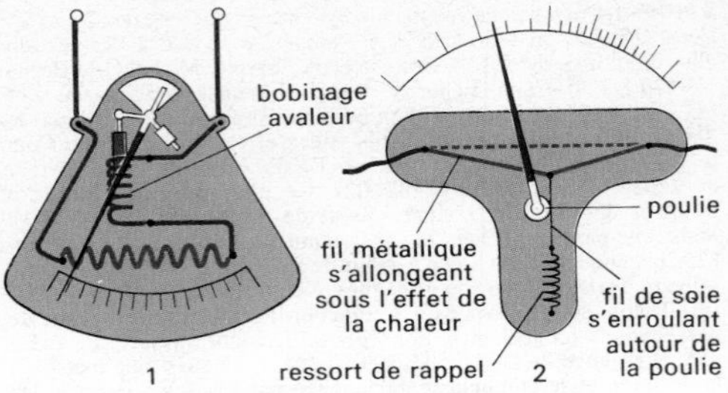

1. Ampèremètre électromagnétique.
2. Ampèremètre thermique.

Renaissance pour les dialogues platoniciens sur l'amour. Titien s'y écarte de Giorgione par la puissante relation des figures au paysage et par une unification chromatique qui annonce sa maîtrise de coloriste.

Amours du poète *(les),* cycle de seize lieder de R. Schumann (op. 48, 1840) sur des poèmes de Heine. La discrétion du chant, l'effusion du piano décrivent ici des sentiments d'une rare intensité.

Amours jaunes *(les),* recueil poétique de Tristan Corbière (1873). Mélange du cri romantique et de sa dérision, dislocation du vers et parodie des conventions rhétoriques, célébration de la mer et fascination de la mort : une des œuvres initiatrices de notre modernité.

Amour sorcier *(l'),* ballet que composa Manuel de Falla pour la danseuse gitane, Pastora Imperio (v. 1890-1961), qui le créa à Madrid en 1915. Œuvre colorée, âpre, au rythme envoûtant (« danse rituelle du feu »), elle fut reprise, notamment, par la Argentina* (Paris, 1928).

AMOY ou **HIA-MEN,** port de Chine (Fou-kien), dans une île en face de T'ai-wan; 260 000 hab.

AMPÈRE. — La détermination de l'ampère se fait en utilisant non pas des conducteurs rectilignes, mais des enroulements à spires multiples, afin que la force plus grande puisse être mesurée avec plus de précision. Partant de la force fixée par convention dans la définition, on calcule la force entre les enroulements construits pour l'expérience lorsqu'ils sont parcourus par un courant dont l'intensité est de 1 ampère. Pour mesurer la force, on suspend l'un des enroulements au fléau d'une balance, l'autre enroulement restant fixe et étant placé de façon que la force soit verticale. Si la balance est en équilibre en l'absence de courant, cet équilibre est détruit lorsqu'on lance le courant. On le rétablit par une surcharge dont on détermine la masse. La force étant ainsi mesurée, et la relation entre force et intensité du courant préalablement calculée, on en déduit la valeur de l'intensité du courant en ampères.

AMPÈRE (André Marie), physicien français (Lyon 1775 - Marseille 1836). D'abord auteur de travaux de mathématiques, il se tourna vers la chimie et adopta la théorie atomique et l'hypothèse d'Avogadro (1814), qui lui permirent d'expliquer les lois des combinaisons. Mais ses principales découvertes sont du domaine de l'électromagnétisme : il fit la théorie de l'expérience d'Œrsted et montra dans l'électricité en mouvement la source des actions magnétiques. En 1821, il supposa que les molécules des corps sont l'objet de « courants particulaires » qui s'orientent dans l'aimantation. Il put alors étudier les actions réciproques des courants et des aimants ainsi que les actions mutuelles de deux courants, jetant les bases de l'électrodynamique. Il imagina le galvanomètre, inventa le télégraphe électrique et, avec Arago*, l'électroaimant*.

AMPÈREMÈTRE. — On distingue les ampèremètres à cadre mobile, les ampèremètres à fer doux (improprement appelés « électromagnétiques »), les ampèremètres à induction et les ampèremètres thermiques.

AMPHÉTAMINES. — Les indications médicales de ces stimulants majeurs du système nerveux central sont très réduites. À dose modérée, les amphétamines provoquent une élévation de la tension artérielle, une augmentation des rythmes cardiaque et respiratoire et une diminution de la sensation de faim. Sur le plan psychique, elles augmentent la vigilance, l'initiative et l'énergie, donnent une impression de lucidité et diminuent la fatigue. Ces effets sont recherchés par certains toxicomanes ou par certains sportifs pour améliorer leurs performances. Cependant, l'utilisation régulière d'amphétamines peut entraîner de véritables psychoses*, ce qui les fait considérer comme des drogues dures.

AMPHIBIENS. — Le nom de cette classe de vertébrés pourrait induire en erreur : ni la larve ni l'adulte (sauf de rares exceptions) ne peuvent vivre dans l'eau loin de la surface ou dans l'air loin de l'eau. C'est au contact des milieux aérien et aquatique seulement que les « batraciens » (tel est leur ancien nom) peuvent se perpétuer.

Les formes actuelles se divisent très nettement en 3 groupes : les anoures (grenouilles et crapauds), les urodèles (tritons et salamandres), les apodes (cécilies), formant seulement 250 genres. Elles ne sont que le résidu de groupes fossiles beaucoup plus riches en espèces et souvent de plus grande taille. (V. STÉGOCÉPHALES.)

Les amphibiens typiques adultes ont deux paires de pattes (marcheuses ou sauteuses), des poumons et une peau sans écailles, ce qui les distingue des poissons. Mais les œufs sont toujours pondus dans l'eau, et la larve (têtard) est aquatique et pourvue de branchies, ce qui oppose les amphibiens aux reptiles. Aucune espèce actuelle ne fait le passage direct des poissons aux reptiles. Les anoures, dont le type est la grenouille*, n'ont pas de queue à l'état postlarvaire, les pattes de derrière sont plus longues que celles de devant et apparaissent avant celles-ci chez la larve. Ils respirent surtout par la peau lorsque celle-ci est humide. Les crapauds sont moins aquatiques que les grenouilles, les rainettes vivent parfois dans les arbres. Les soins donnés aux jeunes par leurs parents chez les anoures sont d'une extrême diversité, allant jusqu'à l'incubation par le mâle (rhinoderme) ou par la femelle *(Pipa, Nototrema)* dans des organes spécialisés. Les urodèles ressemblent beaucoup plus, par leur forme générale, à des lézards : quatre pattes égales, une longue queue. La larve ressemble déjà beaucoup à l'adulte, mais elle respire par des branchies. Chez l'axolotl* elle peut se reproduire. Le protée conserve ses branchies toute sa vie. Au contraire, certaines salamandres vivipares engendrent des larves déjà pulmonées. Les apodes, vermiformes, vivent dans le sol.

De toutes les classes de vertébrés, celle des amphibiens est, eu égard au petit nombre de ses formes, la plus diversifiée.

AMPHIBIES (opérations) → DÉBARQUEMENT.

AMPHIBIOSE. — Ce mode de vie, à la limite de l'air et de l'eau, se rencontre dans les groupes les plus divers d'animaux et de plantes. Il se définit surtout négativement, chez les plantes, par la nécessité d'avoir une partie du corps dans l'air et l'autre dans l'eau, chez les animaux, par celle de passer une partie de leur temps dans l'air et l'autre dans l'eau, et par l'impossibilité absolue de vivre loin des lignes ou des surfaces de contact de ces deux milieux.

Amphibiens. Triton marbré.

Les algues des rivages à fortes marées (*Fucus, Pelvetia, Laminaria, Ulva,* etc.) sont régulièrement exondées, et s'ordonnent en zones parallèles selon le temps d'exondation qu'elles peuvent supporter. Roseaux et joncs entourent les marécages et les pièces d'eau; la sagittaire porte des feuilles de trois types : immergé, flottant, aérien; les lentilles d'eau couvrent certains étangs de leurs feuilles flottantes libres, tandis que celles du nénuphar sont reliées au fond par un long pétiole. Des déplacements verticaux s'observent chez la vallisnérie, l'utriculaire, certaines algues d'eau douce.

Loin de tout rivage, les sargasses* offrent un milieu faussement littoral à toute une faune, dont un insecte. Dans le règne animal, on peut tenir pour amphibies les formes qui doivent respirer l'air en nature par des poumons, des trachées ou l'ensemble de la peau, mais qui ont besoin de l'eau pour se reproduire, pour se nourrir ou pour se déplacer : mollusques (limnées, planorbes), crustacés (crabes terrestres), araignées (argyronètes), insectes (libellules, moustiques, dytiques, hémiptères...), poissons (clarias, anabas, tétrophtalmes), amphibiens évidemment, reptiles (tortues marines ou palustres, crocodiles, serpents marins), oiseaux de mer et des marais, et enfin, parmi les mammifères, les cétacés, les siréniens, les pinnipèdes, la loutre, le castor et même le raton laveur.

L'amphibiose est donc un mode de vie extrêmement répandu, en dépit des adaptations spéciales qu'elle nécessite.

AMPHIBOLE. — Voisines des pyroxènes, les amphiboles ont pour formule générale $X_7Si_8O_{22}(OH)_2$, X étant un élément bivalent, comme Mg ou Fe. Parmi celles-ci, on peut citer : la trémolite, l'actinote, la hornblende, etc.

AMPHICTYONIE. — Associations de villes autour d'un sanctuaire commun, les amphictyonies ont été nombreuses dans le monde grec; la plus célèbre fut celle de Delphes*. Mais le particularisme des cités grecques les empêcha de jouer le rôle unificateur qui aurait dû être le leur.

AMPHION, poète et musicien légendaire grec, fils de Zeus et d'Antiope. Il se serait emparé de Thèbes au son magique de sa lyre.

AMPHIOXUS. — Ce petit animal des côtes sableuses présente un immense intérêt biologique. On ne voit plus en lui l'ancêtre commun de tous les vertébrés, mais il forme à lui seul le groupe des céphalocordés, plus voisin que tout autre des vertébrés primitifs. Planté dans le sable comme une lame de couteau, dont il a la forme lancéolée, il peut s'en extraire pour nager rapidement et aller se replanter plus loin. Une corde dorsale non divisée en vertèbres, une moelle épinière sans cerveau, une circulation sanguine sans cœur, l'existence d'une cavité péribranchiale qui recueille l'eau respirée et la conduit vers un pore abdominal, celle d'une gouttière digestive (endostyle) non refermée en tube, autant de caractères qui appellent la comparaison avec les tuniciers d'une part, les lamproies de l'autre, sans qu'il s'agisse en rien d'une forme de passage entre les deux groupes.

AMPHIPOLIS, ville de Thrace, fondée en 436 av. J.-C. par Athènes pour assurer sa suprématie dans la Grèce du Nord. Durant la guerre du Péloponnèse*, le Spartiate Brasidas l'enlève aux Athéniens (424 av. J.-C.). Philippe de Macédoine s'en empare en 357 av. J.-C.

AMPHITHÉÂTRE *(Archit.)* → THÉÂTRE.

AMPHITHÉÂTRE *(Géogr.)* → GLACIAIRE *(relief)*.

AMPHITRITE, déesse grecque, épouse de Poséidon* et reine des mers. Elle est souvent représentée parcourant la mer, montée sur un char traîné par des Tritons*.

AMPHITRYON, héros légendaire grec. Zeus prit ses traits pour vaincre la fidélité de son épouse, Alcmène. Celle-ci donna le jour à deux jumeaux : Iphiclès, qui était le fils d'Amphitryon, et Héraclès*, fils de Zeus. Cette aventure a particulièrement inspiré, depuis Plaute, les auteurs dramatiques : Giraudoux a donné un *Amphitryon 38* (1929), après avoir dénombré 37 prédécesseurs, dont les plus célèbres restent Molière (1668), Dryden (1690) et Heinrich von Kleist (1807).

AMPHOTÈRE. — L'alumine Al_2O_3 est un oxyde amphotère : fonctionnant comme base, elle se combine à l'acide chlorhydrique pour donner le chlorure d'aluminium; fonctionnant comme acide, elle se combine à la soude pour donner de l'aluminate de sodium. Il en est de même de l'oxyde de zinc ZnO.

AMPLEPUIS, ch.-l. de cant. du Rhône, à 16 km au N.-O. de Tarare; 5 391 hab. *(Amplepuisiens)*. Centre textile.

AMPLIFICATEUR. — Un amplificateur peut être considéré comme un quadripôle à l'entrée duquel on applique un signal périodique et où l'on recueille en sortie un signal avec un certain gain. Il existe également des amplificateurs de tensions continues par couplages directs entre les divers étages. En électroacoustique*, l'amplification dépend non seulement de la nature des composants, mais aussi de leurs valeurs. Un gros problème est celui de la *distorsion du signal*. On y pallie en grande partie en reportant une fraction de l'énergie* en sortie sur le circuit d'entrée (contre-réaction), mais au détriment du gain. Aux très hautes fréquences, on ne peut plus utiliser les montages classiques en raison des capacités entre les composants, ainsi que du temps fini de transit des électrons*. En faisant intervenir des cavités résonnantes et en opérant à de très basses températures, on a réalisé des amplificateurs à très faible bruit de fond et de gain notable, de l'ordre de 30 dB, les *masers**, utilisables jusqu'à des longueurs d'onde de l'ordre du centimètre. Des techniques dérivées ont donné naissance aux *lasers*, générateurs et amplificateurs de lumière cohérente. Les multiplicateurs électroniques, comprenant des électrodes émettrices d'électrons en cascade, réalisent des gains de l'ordre de 10^6. Les amplificateurs de luminance sont notamment utilisés en radiologie.

AMPLIFICATION. — Un signal électrique recueilli en sortie d'un tube* électronique, d'un transistor* ou d'un circuit* intégré est plus puissant que celui qui est appliqué à l'entrée du même dispositif; il est *amplifié*. Cette amplification est très variable en importance selon les circuits. Dans certains on recherche surtout une amplification de la tension; dans d'autres, c'est un courant plus intense qui doit être obtenu, même parfois sous une tension inférieure. Cependant, dans tous les cas, pour qu'il y ait amplification, il faut que le produit *courant* × *tension* dans le circuit de sortie soit plus important que celui qui est mesuré dans le circuit d'entrée.

Certains dispositifs amplifient directement le flux des électrons* dans un tube à vide; les électrons accélérés par un champ* électrique frappent une cible qui, pour un électron incident, émet plusieurs électrons secondaires. Avec plusieurs cibles en série dans un même tube, on obtient une amplification considérable en partant d'un très faible flux.

AMPLITUDE *(Climatol.)* → TEMPÉRATURE.

AMPOULE *(Pathol.)*. — Ce décollement cutané rempli de sérosité est le plus souvent d'origine physique (frottements prolongés, brûlures du deuxième degré), plus rarement le témoin de maladies bulleuses (pemphigus).

AMPURDÁN, région d'Espagne, dans le nord-est de la Catalogne, près de la frontière française. V. princ. *Figueras*. Cultures irriguées; rizières.

AMPURIAS, ville antique d'Espagne, en Catalogne, sur le golfe de Rosas. Colonie grecque phocéenne fondée vers 580 av. J.-C., elle devint romaine vers le Ier s. av. J.-C. Trois villes successives (archaïque, hellénistique — au plan en damier — et romaine), entourées de remparts, ont livré un matériel abondant ainsi que de nombreux pavements de mosaïque.

AMPUTATION. — L'*amputation chirurgicale* consiste en l'ablation d'un membre, d'un segment de membre ou de toute autre partie du corps (langue, oreille, rectum, etc.).

L'*amputation spontanée* peut exister dès la naissance. C'est une malformation congénitale consistant en une absence d'un membre, d'un segment de membre, ou encore en une section incomplète. Elle peut être acquise à l'âge adulte et réalise l'aïnhum, maladie du sujet noir masculin, caractérisée par la section spontanée progressive d'un orteil (en général le cinquième).

AMRAVATI ou **AMRAOTI,** v. de l'Inde, dans le nord du Mahārāshtra; 194 000 hab.

AMRITSAR, v. de l'Inde (Pendjab), près de la frontière pakistanaise; 408 000 hab. Métropole religieuse des sikhs*, Amritsar a vu s'édifier, au XVIe s., sur le «lac Immortalité», le célèbre *Temple d'or*.

AMSTELVEEN, v. des Pays-Bas, dans la banlieue sud d'Amsterdam; 73 000 hab.

AMSTERDAM, capit. des Pays-Bas, en Hollande-Septentrionale; 792 000 hab.

GÉOGRAPHIE. Centre administratif (puisque capitale de l'État, bien que le gouvernement et la Cour résident à La Haye), cité industrielle, deuxième port néerlandais, Amsterdam est la plus grande ville des Pays-Bas, dominant une agglomération millionnaire (légèrement dépassée cependant par celle de Rotterdam). Ancien port sur le Zuiderzee, Amsterdam bénéficie depuis un siècle de l'existence du canal de la mer du Nord (qui l'unit à IJmuiden et permet un trafic annuel de l'ordre de 20 Mt) et est aussi reliée par canal au Rhin. La fonction portuaire est d'ailleurs à l'origine d'une notable partie de l'activité industrielle (alimentation, réparation navale, taille des diamants), à laquelle il faut ajouter les constructions mécaniques et électriques, la chimie. La ville est encore un important centre culturel (universités, grands journaux, édition), où le tourisme (vieille ville parsemée de canaux, Rijksmuseum) est favorisé par la desserte ferroviaire, autoroutière et aérienne (aéroport de Schiphol).

HISTOIRE. Ce n'est qu'en 1275, lorsqu'elle bénéficie d'une charte communale, qu'Amsterdam, jusque-là petit port de pêcheurs,

Marché aux fleurs au bord d'un canal, à Amsterdam.

accède au rang de ville. Au XIVe s., les comtes de Hollande en font un instrument de leur politique d'assujettissement de la noblesse et de monopole économique dans l'Europe du Nord-Est. En effet, Amsterdam, port de commerce, élargit considérablement — jusqu'en Baltique et en Gascogne — son champ d'influence; mais, pour s'imposer, elle doit triompher de la concurrence des Hanséates; elle y réussit, au XVe s., notamment en matière de draperie.

Ayant rompu, en 1578, avec l'Espagne catholique et bénéficiant, par ricochet, de la ruine d'Anvers, Amsterdam voit ses riches marchands accéder à une vocation véritablement impériale, épices et soieries des Indes orientales constituant la base de leur trafic intercontinental. Pour le rendre efficace, ils se dotent d'instruments (chantiers navals vastes et bien équipés, compagnies de commerce colonial à monopole, banque, Bourse de commerce...) qui font d'Amsterdam, au XVIIe s., le laboratoire du monde capitaliste et libéral.

La Révolution française, l'annexion du royaume de Hollande par la France (1810), le blocus britannique (1792-1814), l'indépendance de la Belgique (1830) et la concurrence renouvelée d'Anvers frappent durement la prospérité d'Amsterdam, qui, après avoir été la capitale de la République batave (1795) et du royaume de Hollande (1800), est, depuis 1813, la capitale du royaume des Pays-Bas.

BEAUX-ARTS. Oude Kerk (XIVe-XVIe s.) et Nieuwe Kerk (XVe-XVIIe s.), toutes deux gothiques à voûtes de bois, abritant de nombreux tombeaux. Palais royal (ancien hôtel de ville) de style classique par J. Van Campen (1595-1657). Bourse par Berlage*. Activité picturale, surtout au XVIe s. (Aertsen*), au XVIIe (installation de Rembrandt*) et depuis la fin du XIXe (G. H. Breitner). Principaux musées : Rijksmuseum, fondé en 1808, spécialement riche en peintures de l'école hollandaise, en dessins et en estampes; musée Van Gogh, ouvert en 1973 dans un bâtiment conçu par G. T. Rietveld; Stedelijk Museum, centre de promotion de l'art contemporain avancé.

AMUNDSEN (Roald), explorateur norvégien (Hvitsten, près d'Oslo, 1872 - dans l'Arctique 1928). Dès 1897, il participe comme officier à l'expédition du Belge de Gerlache dans l'Antarctique. À partir de 1903, il multiplie les voyages d'exploration, étudiant notamment le pôle magnétique, dont il confirme le continuel déplacement, et découvre, en 1906, le passage du Nord-Ouest. Le 14 décembre 1911, il plante le drapeau norvégien sur l'emplacement du pôle Sud, devançant d'un mois l'Anglais R. F. Scott*; en 1926, il survole en hydravion le pôle Nord. Il disparaît en allant à la recherche de Nobile*.

AMY (Gilbert), compositeur français (Paris 1936). Élève de Milhaud, Messiaen et Boulez, il poursuit la tradition sérielle et postsérielle (*Cette étoile enseigne à s'incliner,* 1970; *D'un espace déployé,* 1972-73).

AMYGDALE. — Les plus importantes des amygdales sont les *palatines,* paires et symétriques, situées entre les piliers antérieur et postérieur du voile du palais.

L'infection de l'amygdale *pharyngienne* et son augmentation de volume constituent les *végétations adénoïdes,* qui peuvent être source, chez l'enfant, de gêne respiratoire nasale et d'infections.

AMYLASE → ENZYME.

AMYLE. — Il existe autant de radicaux que d'alcools amyliques; le plus fréquent est l'isoamyle $(CH_3)_2CH—CH_2—CH_2—$. Il est contenu dans le nitrite d'amyle $NO—OC_5H_{11}$, utilisé pour les diazotations, et dans l'acétate d'amyle $CH_3—CO_2C_5H_{11}$, employé en confiserie et en parfumerie.

AMYOT (Jacques), humaniste français (Melun 1513 - Auxerre 1593). Précepteur des futurs Charles IX et Henri III, grand aumônier de France, puis évêque d'Auxerre, il a donné, par ses traductions des *Vies* parallèles* de Plutarque (1559), une forme pittoresque à l'admiration de la Renaissance pour les vertus antiques et contribué à la formation de la prose classique.

ANABAPTISTES. — D'une manière générale, on désigne ainsi les membres de diverses sectes qui, considérant le baptême des enfants comme nul, à cause de l'absence de tout acte personnel de foi, baptisent de nouveau les adultes. Historiquement sont ainsi appelés des groupes issus de la Réforme luthérienne qui, associant ces idées théologiques à des vues politiques révolutionnaires, provoquent en 1525 la guerre des Paysans* et ceux qui, avec Jean* de Leyde, constituent (1533-1535) le royaume théocratique de Münster. Aujourd'hui, le terme est appliqué aux mennonites et autres « Églises libres » qui refusent pacifiquement toute dépendance par rapport au pouvoir et mettent l'accent sur l'aspect personnel et intérieur de la foi.

ANABAR, fl. de l'U. R. S. S., en Sibérie centrale, tributaire de la mer des Laptev; 700 km.

ANABAR *(bouclier de l'),* plateau du nord de la Sibérie orientale (U. R. S. S.), partie du socle sibérien, où naît le fleuve *Anabar.*

Anabase *(l'),* récit, par Xénophon (IVe s. av. J.-C.), de l'expédition de Cyrus* le Jeune contre son frère Artaxerxès II et de la retraite des mercenaires grecs aux ordres de Cyrus, que l'auteur avait lui-même conduite.

Anabase, poème en dix chants et deux chansons de Saint-John Perse (1924). Le double mouvement, jamais achevé, d'élan et de pétrification de la conquête guerrière et de la création esthétique.

ANABOLISME. — À partir des éléments simples résultant de la digestion sont formés les constituants de l'organisme (protides, lipides, glucides); les anabolisants favorisent cette réaction. En thérapeutique, la propriété anabolisante des hormones mâles est utilisée sous forme de dérivés à action virilisante atténuée.

ANACLET *(saint)* → PAPE.

ANACONDA, v. des États-Unis (Montana), dans les Rocheuses; 10 000 hab. Fonderie de cuivre.

ANACRÉON, poète lyrique grec (Téos, seconde moitié du VIe s. av. J.-C.). Les odes qui lui ont été attribuées et qui célèbrent les agréments de la vie et les plaisirs éphémères ont inspiré la poésie dite *anacréontique* de la Renaissance et les poètes légers du XVIIIe s. (Parny).

ANADYR, fl. de l'U. R. S. S., dans le nord de la Sibérie, qui rejoint par le *golfe d'Anadyr* la mer de Béring; 1 145 km.

ANADYR *(monts de l'),* région de montagnes et de plateaux du nord-est de la Sibérie, au N. du fleuve *Anadyr.*

ANAÉROBIOSE. — Le besoin d'oxygène pour vivre est commun à tous les êtres vivants, ou presque. Seules quelques formes très simples (bactéries, levures) peuvent dégager l'énergie de leurs aliments sans faire appel à l'oxygène et en réalisant des *fermentations*.* La levure de bière se développe soixante fois plus vite à l'air qu'en l'absence d'air. Pour elle, l'anaérobiose et le recours à la fermentation alcoolique ne sont qu'un pis-aller. Pour le bacille du tétanos, au contraire, l'oxygène moléculaire est un véritable poison : c'est un anaérobie strict.

ANAGNI, v. d'Italie (Latium), au S.-E. de Rome; 15 500 hab. Cathédrale romane du XIe s. Pneumatiques. — Le pape Boniface VIII y fut arrêté par Nogaret, envoyé de Philippe le Bel, et par Sciarra Colonna en 1303.

ANAHEIM, v. des États-Unis (Californie), au S.-E. de Los Angeles; 167 000 hab.

ANAL **(stade)** → SADIQUE-ANAL.

ANALEPTIQUES. — Les analeptiques respiratoires (lobeline, caféine) ramènent à la normale le rythme et l'amplitude de la respiration. Les analeptiques circulatoires (caféine, camphre, noradrénaline, métaraminol) améliorent la contraction cardiaque.

ANALGÉSIE. — La suppression spontanée de toute sensibilité douloureuse d'un territoire cutané est due à de nombreuses causes (compressions de la moelle, syringomyélie). [V. ANESTHÉSIE.]

ANALYCITÉ. — L'analycité, qui désigne le caractère des propositions dans lesquelles le prédicat est logiquement contenu dans le sujet (tout *x* est *y*), est une notion clef de la logique classique. En 1953, Willard Quine* a montré l'ambiguïté qui est soulevée par l'usage de ce concept dans le calcul modal des prédicats.

ANALYSE *(Chim.)*. — L'analyse peut être *qualitative* ou *quantitative*, selon que l'on recherche la nature ou les proportions des corps contenus dans un échantillon. Elle est dite *immédiate* quand on sépare les constituants d'un mélange, *élémentaire* si l'on recherche les éléments chimiques d'une combinaison. C'est une analyse *minérale* si l'on recherche les éléments d'un minerai ou d'un alliage ou les ions dans un mélange de sels. Elle est *organique* quand elle recherche le carbone, l'hydrogène, l'oxygène et, éventuellement, d'autres éléments dans un composé du carbone.

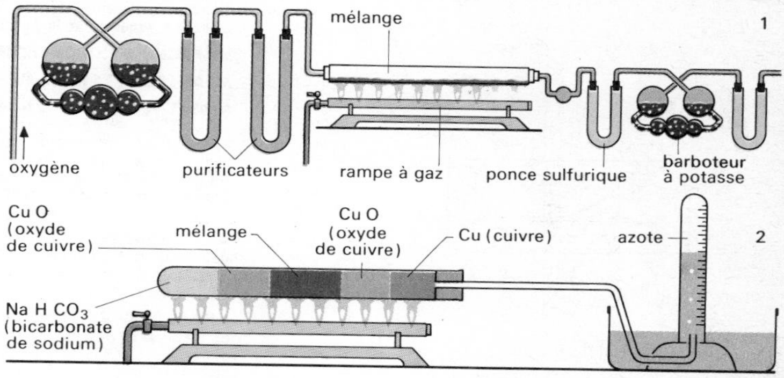

ANALYSE. Analyse organique élémentaire (méthode de Dumas). 1. Dosage de l'hydrogène et du carbone. 2. Dosage de l'azote.

ANALYSE *(Inform.)*. — L'informatisation d'une activité exige la description minutieuse des opérations qu'on fera faire à l'ordinateur*. Préalablement à la réalisation des programmes*, il est nécessaire d'analyser dans le détail les tâches qu'on veut informatiser ainsi que la manière dont l'application nouvelle sera conçue et aura des conséquences sur la façon antérieure de travailler. Une première étape d'analyse, dite *analyse fonctionnelle,* consiste à recenser les informations et leur circuit, à préciser l'expression des besoins nouveaux avec les intéressés, qui deviendront ensuite les utilisateurs du nouveau système s'appuyant sur l'ordinateur. Une seconde étape, l'*analyse organique,* décrit l'application dans l'environnement de l'informatique* (organisation des fichiers*, programmes, logique des traitements). L'analyste, personne chargée de ces travaux, connaît à la fois la discipline à laquelle appartient l'application et les techniques de l'informatique.

ANALYSE *(Math.)*. — Si l'on ramène l'analyse à des calculs approchés systématiques, l'erreur tendant vers zéro lorsque le nombre des essais augmente indéfiniment, elle semble remonter à la plus haute antiquité. On en trouve des traces dans les techniques d'approximation des Babyloniens et des Grecs. Avec Aristote*, on prend conscience de l'existence de grandeurs irrationnelles justifiant pleinement de telles techniques. Avec le XIIe livre des *Éléments* d'Euclide* et surtout avec les travaux d'Archimède*, les géomètres grecs adoptent des techniques illimitées pour l'étude des volumes (pyramide, sphère) ou des aires (quadrature du cercle, aire du segment de parabole). D'autre part, ils précisent la notion de droite tangente à une courbe. Ainsi apparaissent les premiers exemples de calcul intégral (aires et volumes) et de calcul différentiel (tangentes). Au XVIIe s., les recherches reprennent dans la direction que leur avait imprimée Archimède. En 1635, Cavalieri*, crée sa *géométrie des indivisibles,* qui veut systématiser et promouvoir les techniques archimédiennes. Les idées plus classiques de Pierre de Fermat*, vers la même époque, s'imposent dans ce qui sera plus tard le calcul intégral. Mais, surtout par ses techniques différentielles, il trouve la détermination des tangentes aux courbes planes. Par leur méthode cinématique, Roberval* et Torricelli* arrivent à des résultats analogues. Les études sur la cycloïde, qui vont se poursuivre durant tout le XVIIe s., permettent de trouver les quadratures des expressions où se mêlent fonctions* entières et fonctions trigonométriques. À la fin du XVIIe s., avec Newton* et Leibniz*, apparaissent véritablement le calcul différentiel et le calcul intégral en même temps que se précise la notion de fonction, destinée à jouer un rôle fondamental aux XVIIIe et XIXe s. Des techniques nouvelles apparaissent : calcul des séries entières, où Newton est le maître incontesté, fonctions exponentielles, fonctions circulaires directes et inverses, et logarithmes* avec Napier*.

Le problème des cordes* vibrantes passionne les esprits de la génération de Lagrange*, de Daniel Bernoulli* et d'Euler*. Au début du XIXe s., ce problème amène Fourier au calcul des séries trigonométriques, qui donneront lieu à de nouveaux travaux. Cependant, Cauchy* pose les bases de l'étude des fonctions de la variable* complexe, étude approfondie en Allemagne par Weierstrass*. Parmi les fonctions de la variable complexe, les plus célèbres sont les *fonctions elliptiques.* Nées des recherches de Legendre*, elles sont appliquées par Abel* et par Jacobi* au domaine de la variable complexe, où elles ont révélé leur importance (fonctions doublement périodiques). Cauchy avait précisé la notion d'intégrale* définie par un retour aux conceptions archimédiennes. Dans le domaine réel, Riemann* donnera la définition de ces intégrales. Cependant, ses conceptions seront très modifiées au moyen de la mesure des ensembles* par Lebesgue* en 1902. L'intégrale le long d'un circuit se révèle, grâce à Cauchy, comme un outil puissant dans le domaine complexe, où sont également utilisées la technique des séries entières et celle de l'intégration, fort employées dans l'étude des *fonctions analytiques.* L'étude des équations différentielles, dont les débuts remontent à Leibniz*, et celle des équations aux dérivées* partielles, qui remontent à d'Alembert ainsi qu'à la querelle des cordes vibrantes, fournissent tout au cours du XIXe s. un important sujet de recherches. Les équations aux dérivées partielles, résolues par Lagrange*, sont interprétées géométriquement par Monge*. Les recherches sur la courbure des surfaces donnent de même une interprétation géométrique aux équations du second ordre. Enfin, les travaux de Laurent Schwartz* sur les distributions (1945) sont un des aboutissements de ces diverses études.

ANALYSE DE CONTENU → CONTENU *(analyse de).*

ANALYSE DES VALEURS → VALEURS *(analyse des).*

ANALYSE ÉCONOMIQUE. — Cette partie de la science économique est centrée sur l'explication causale des phénomènes économiques. Apparue au XIXe s., elle marque réellement la naissance de l'économie comme discipline scientifique. Elle se divise en analyse *quantitative* et en analyse *qualitative,* en analyse *micro-* et *macro-économique,* en analyse *statique* et en analyse *dynamique.*

ANALYSE FACTORIELLE. — Elle vise à partir de l'analyse des corrélations observées sur un ensemble de variables à représenter ces dernières comme des combinaisons de variables hypothétiques appelées facteurs.

ANALYTIQUE (géométrie). — La géométrie analytique utilise des équations* de courbes et de surfaces pour résoudre des problèmes de géométrie.

On choisit un repère ou un système d'axes le mieux adapté au problème posé, c'est-à-dire fournissant les équations et les calculs les moins compliqués.

Si, pour traduire analytiquement les données, on doit utiliser des distances ou des angles, il est nécessaire de rapporter la figure à un repère orthonormé O*xyz* ou $O\vec{i}\vec{j}\vec{k}$, tel que les vecteurs $\vec{i}$, $\vec{j}$ et $\vec{k}$ aient pour module l'unité et que le trièdre $O\vec{i}\vec{j}\vec{k}$ soit direct, pour un problème dans l'espace. Dans le plan, le repère Oxy ou O$\vec{i}\,\vec{j}$ est défini par les vecteurs unitaires $\vec{i}$ et $\vec{j}$, de façon que l'angle $(\vec{i}, \vec{j})$ soit droit et de sens direct.

La méthode analytique sert à démontrer des propriétés géométriques, comme l'alignement de trois points, mais surtout à trouver des ensembles de points (lieux géométriques), définis par l'intersection de courbes ou de surfaces variables.

• EXEMPLE. Trouver l'ensemble des points équidistants d'un point fixe F et d'une droite fixe (D) ne passant pas par F. On peut obtenir, à l'aide de la règle et du compas, autant de points de l'ensemble cherché que l'on désire. On trace un cercle (C) de centre F, de rayon r arbitraire et la droite (Δ), parallèle à (D), située à la distance r de (D), du même côté que F. Si r est assez grand, (C) et (Δ) se coupent en deux points M et M′ qui appartiennent à l'ensemble étudié. Si H est la projection orthogonale de F sur (D) et O le milieu de FH, on choisit comme axes Ox, porté par la médiatrice de FH, et Oy, porté

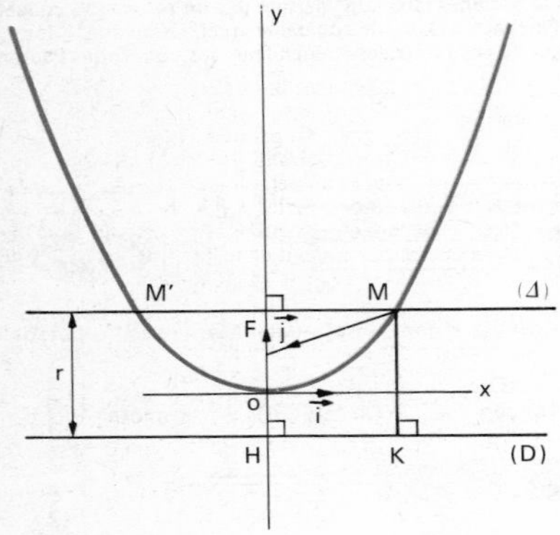

par FH, de façon que le repère O$\vec{i}\,\vec{j}$ soit orthonormé. Le point M a pour coordonnées x et y. On trouve l'équation de l'ensemble décrit par M en écrivant que les distances MF et MK sont égales ou, ce qui est équivalent, les carrés de ces distances :

$$\text{MF}^2 = x^2 + \left(y - \frac{p}{2}\right)^2 = \text{MK}^2 = \left(y + \frac{p}{2}\right), \quad \text{avec} \quad p = \text{FH}.$$

On obtient

$$x^2 + y^2 - py + \frac{p^2}{4} = y^2 + py + \frac{p^2}{4} \quad \text{ou} \quad x^2 = 2py.$$

Telle est l'équation de l'ensemble étudié. Elle montre, comme la construction géométrique, une symétrie par rapport à Oy. L'ensemble passe par O, est tangent en O à Ox et présente deux branches infinies dans la direction de Oy : c'est une *parabole,* de foyer F, de directrice (D).

ANAMORPHOSE *(Opt.).* — Ce phénomène se produit lorsque la grandeur apparente de l'image d'un objet n'est pas la même horizontalement et verticalement. On peut obtenir ce résultat, utilisé dans le Cinémascope, à l'aide de miroirs ou de lentilles cylindriques ou toriques.

ANANAS. — L'ananas est le type même du « faux fruit ». Les organes qui se chargent de réserves sucrées à la suite de la fécondation sont non seulement les ovaires, mais aussi et surtout les bractées florales. Curieusement, le fruit n'occupe pas l'extrémité de l'axe floral, mais il est surmonté d'une couronne de feuilles identiques à celles de la base.

La plante (famille des broméliacées) est vivace, mais de faible hauteur.

Le commerce offre parfois le fruit intact, plus souvent la chair, jaune, découpée en rondelles évidées et flottant dans le jus, en boîtes de conserves. Originaire de l'Amérique du Sud, la production s'étend maintenant sur toutes les régions chaudes.

ANAPHYLAXIE. — Les accidents de choc survenant après la réintroduction d'une substance étrangère à l'organisme et que celui-ci avait reçue antérieurement sans incident ne sont pas rares chez l'homme : collapsus cardio-vasculaire, œdème de Quincke, dyspnée, convulsions. Plus fréquemment, ce conflit antigène-anticorps entraîne des manifestations moins dramatiques : urticaire, arthralgies. Les mécanismes immunitaires mis en jeu sont complexes.

La notion d'anaphylaxie a donné naissance au concept d'allergie*, où la sensibilisation se fait progressivement. Cependant, chez certains sujets, une sensibilisation antérieure ne peut être mise en évidence : on parle d'*idiosyncrasie.*

ANARCHISME. — Idéologie qui rejette toute autorité et préconise la liberté absolue et la spontanéité, l'anarchisme, dont Proudhon* et Bakounine* ont défini les principes, s'appuie sur le fédéralisme, qui sauvegarde l'autonomie de l'individu. Très tôt, il préconise, auprès des masses, la propagande pacifique « par le fait » (ateliers communistes, mutuelles, coopératives...); mais la répression dont les anarchistes sont l'objet en certains pays — Espagne et Russie notamment — les amène parfois à l'action terroriste (Vaillant, Ravachol, Caserio...), sans que l'action éducative, antimilitariste, syndicale (anarcho-syndicalisme) soit pour autant négligée. Ici ou là-même — en Ukraine (N. I. Makhno) et en Bavière (G. Landauer et E. Mühsam) au lendemain de la Première Guerre mondiale, en Espagne en 1936 —, la vie libertaire est l'objet d'expériences concrètes.

Les anarchistes les plus marquants sont : parmi les pionniers, Bakounine et Kropotkine; puis Élisée Reclus, Louise Michel, Émile Henry, Jean Grave, Sébastien Faure pour la France; Errico Malatesta, Pietro Gori, Camillo Berneri, Carlo Cafiero pour l'Italie; Francisco Ferrer Guardia et Buenaventura Durruti pour l'Espagne; Ricardo Flores Magón pour le Mexique; Manuel González Prada pour le Pérou.

ANARCHO-SYNDICALISME → SYNDICALISME.

ANASTASE Ier, II, III, IV → PAPE.

ANASTASE Ier (Durazzo 430?-Constantinople 518), empereur d'Orient de 491 à 518. Il perfectionne le système monétaire byzantin et entreprend une réforme fiscale qui favorise le commerce et l'industrie. Orthodoxe lors de son avènement, il soutient de plus en plus ouvertement les monophysites, ce qui provoque de nombreuses révoltes, en particulier celle de Vitalien (à partir de 513) en Thrace.

ANASTOMOSE *(Anat.).* — L'anastomose, réunion naturelle de deux vaisseaux artériels ou veineux, rend possibles les ligatures de certaines artères sans qu'il y ait de phénomènes secondaires d'ischémie.

ANASTOMOSE *(Chirurg.).* — Les anastomoses chirurgicales permettent de rétablir la continuité après ablation d'un segment d'organe ou de court-circuiter ce segment. Elles peuvent être digestives, urinaires, vasculaires.

ANATEXIE. — En profondeur, les roches métamorphiques de la croûte peuvent se trouver portées à des pressions et à des températures telles qu'elles fondent : c'est le phénomène d'*anatexie.* Le liquide qui en résulte cristallise pour donner de nouvelles roches. Si la fusion est partielle, il se forme des migmatites ou des *anatexites,* dans lesquelles on reconnaît des témoins, plus ou moins déformés, des anciennes roches métamorphiques. Si la fusion est totale, il se forme de véritables *granites,* dits *d'anatexie.*

ANATIFE. — Pour reconnaître dans cet être marin, qui est fixé sur les bois immergés par un pédoncule gris et s'abrite dans une coquille blanche aux nombreuses valves, un animal de la classe des crustacés, il faut avoir observé sa larve, un *nauplius* typique, nageur actif. C'est à la suite de sa fixation que l'anatife se transforme totalement, les pattes ne servant plus qu'à battre l'eau pour créer un courant, qui apportera à l'animal une nourriture planctonique (alimentation *microphage*). [Ordre des cirripèdes. Forme voisine : le pouce-pied.]

ANATOLIE (du gr. *anatolê,* lever du soleil), nom souvent donné à l'Asie Mineure, désignant parfois l'ensemble de la Turquie d'Asie.

L'Anatolie est peuplée dès les temps préhistoriques (civilisation de Çatal höyük*). Vers 3 000 av. J.-C. apparaissent des cités-États avec lesquelles commercent Mésopotamiens et Syriens. Vers 1900 av. J.-C., Assyriens* et Amorrites* installent en Cappadoce des colonies marchandes; du XVIIIe au XIIe s. av. J.-C., divers royaumes (Hittites*, Hourrites, Louvites) et les établissements grecs (Troie*, Milet*) se partagent l'Anatolie. Avec l'invasion de hordes barbares descendues d'Europe, les Peuples* de la mer (XIIIe-XIIe s. av. J.-C.), commence la période des siècles obscurs (v. 1200-900 av. J.-C.), marquée par un recul de la civilisation. Au IXe s. av. J.-C., l'Anatolie renaît avec les royaumes d'Ourartou* (IXe-VIe s. av. J.-C.), de Phrygie* et de Lydie* (VIIIe-VIe s. av. J.-C.); à partir du VIIe s. av. J.-C. elle s'hellénise, et peu à peu se formera une Grèce* d'Asie qui constituera le point de départ de l'Empire byzantin*.

ANATOMIE. — L'*anatomie descriptive* décrit de façon analytique un organe. L'*anatomie topographique* précise les rapports qu'ont entre eux les organes d'une même région. L'*anatomie pathologique* précise les modifications macroscopiques et microscopiques des organes, des tissus et des cellules apportées par les maladies. L'*anatomie radiologique* est l'étude morphologique des organes par radiographie.

ANATOXINE → TOXINE.

ANAXAGORE, philosophe grec (Clazomènes 500-Lampsaque v. 428 av. J.-C.). Selon ce compagnon de Périclès, la matière est constituée d'un nombre infini d'éléments semblables, dont la composition est à l'origine de toute chose. Tout est dans tout et rien ne naît de rien. Ce tout est mû par l'esprit, conçu comme la matière la plus subtile, animant le monde, la nature et les hommes.

ANAXIMANDRE, philosophe grec ionien* (v. 610-547 av. J.-C.). Dans son traité *De la nature,* il voit dans l'indéterminé infini, qui englobe et meut tout ce qui existe, le principe de toute chose.

ANAXIMÈNE de Milet, philosophe grec ionien († v. 525 av. J.-C.). Il retient d'Anaximandre* l'idée que le principe du cosmos est indéterminé et de Thalès* qu'il doit être possible d'observer ce principe dans la nature elle-même. Pour lui, tout provient de l'air et y retourne. (V. IONIENS.)

ANCELLE (05260 Chabottes), comm. des Hautes-Alpes, à 16,5 km au N.-E. de Gap; 650 hab. Sports d'hiver (alt. 1 340-1 700 m).

ANCENIS (44150), ch.-l. d'arr. de la Loire-Atlantique, sur la rive nord de la Loire, à 38 km au N.-E. de Nantes; 7 304 hab. *(Anceniens).* Château (XVe-XVIIe s.). Constructions mécaniques et électriques.

ANCERVILLE (55170), ch.-l. de cant. de la Meuse, à 5,5 km à l'E. de Saint-Dizier; 2 716 hab. Métallurgie.

AN-CHAN → NGAN-CHAN.

ANCHOIS. — Peu différent du hareng et de la sardine, l'anchois s'en distingue par sa bouche largement fendue et s'ouvrant au-dessous d'un rostre, comme chez les requins. C'est un poisson social, modérément migrateur, des eaux chaudes et tempérées; il abonde en Méditerranée et dans le golfe de Gascogne; on le rencontre aussi en mer Baltique. L'anchois semble peu sensible à la pollution marine. Objet d'une pêche industrielle, il est offert au public sous forme de filets, parfois roulés autour d'un câpre, ou d'une pâte, le « beurre d'anchois », présentée en tubes. (Type de la famille des engraulidés.)

ANCHORAGE, port et principale ville de l'Alaska, sur la côte méridionale de l'État; 48 000 hab. Escale aérienne.

ANCIEN EMPIRE, période historique de l'Égypte ancienne (3200-2280 environ).

À l'aube de l'histoire de l'Égypte (v. 3500), on retrouve constitués deux royaumes correspondant à la dualité géographique du pays, l'un dans la haute vallée du Nil, l'autre dans le Delta. Vers 3200, Narmer (peut-être le légendaire Menès des Grecs), originaire de This, près d'Abydos, réunit sous son sceptre la Haute- et la Basse-Égypte, et fonde à la jonction des deux anciens royaumes la ville qui s'appellera plus tard Memphis*. De ses successeurs on ne connaît que les noms, mais c'est de cette époque, dite *période thinite* (Ire, IIe dynastie, 3200-2780 environ), que se constitue la structure fondamentale de la civilisation pharaonique. Une forte centralisation groupe autour du roi, incarnation du dieu Horus*, les forces vives du pays. À la tête des provinces (nomes) sont placés de hauts fonctionnaires (nomarques), mais cette organisation administrative est mal connue, comme d'ailleurs les luttes des rois thinites contre les Libyens, les Nubiens et les nomades d'Asie, qui menacent la sécurité des frontières.

Avec les rois de la IIIe dynastie commence une nouvelle époque, dite *période memphite* (2780-2280 env.) en raison du déplacement du centre politique à Memphis, qui devient capitale. La IIIe et la IVe dynastie donnent à la civilisation pharaonique un prodigieux essor, qui se maintient sous la Ve dynastie pour retomber progressivement sous la VIe dynastie jusqu'à l'effondrement qui sonne le glas de l'Ancien Empire. Djoser, ou Zoser, premier roi memphite, paraît avoir été une forte personnalité. L'administration, qui s'étend et se complique, amène le pharaon à s'adjoindre un proche collaborateur, sorte de Premier ministre, qui prendra à la IVe dynastie le nom de *vizir.* Il choisit Imhotep (le légendaire Imouthès des Grecs), écrivain, penseur, artiste, médecin, que les traditions égyptienne et grecque diviniseront. Maître d'œuvre de génie, Imhotep introduit l'emploi de la pierre dans la construction et crée la pyramide* à degrés, ancêtre de la pyramide classique à parois lisses. Des successeurs de Djoser nous ne savons rien; mais leurs monuments révèlent la grandeur de leur œuvre. Snéfrou (v. 2700), fondateur de la IVe dynastie, apparaît comme un roi puissant, dont les expéditions fructueuses au Sinaï, en Libye et en Nubie rapportent du cuivre, des prisonniers et des bestiaux par milliers. Les grandes pyramides et le sphinx de Gizeh immortalisent les noms de Kheops, de Khephren et de Mykerinus. La perfection de l'art, la littérature lapidaire, les contes de « sagesse » conservés par la tradition sont les témoins d'une civilisation que les Égyptiens de la décadence considéraient comme un âge d'or. La Ve dynastie consacre le triomphe du dieu solaire Rê*, dont la métropole est Héliopolis*. La valeur intellectuelle du clergé héliopolitain et sans doute aussi son influence politique expliquent l'importance que prend le culte de Rê. Le dieu Horus perd son exclusivité de dieu dynastique. Les règnes de Sahouré, de Néouséré, d'Ounas marquent l'apogée de l'Ancien Empire, et pourtant le déclin est proche. Si les pharaons de la VIe dynastie sauvegardent, au début, le prestige de l'Égypte à l'extérieur (relations avec la Phénicie, campagne victorieuse contre les Asiatiques), à l'intérieur apparaissent les premiers signes de l'effritement du pouvoir royal : constitution d'une féodalité, les fonctions devenant héréditaires. Vers 2370 commence le trop long règne de Pépi II (roi à 6 ans, 90 ans de règne). Les nomarques, devenus de grands féodaux, n'obéissent plus au pouvoir royal. L'ordre social s'écroule, le désordre s'installe, livrant le pays au marasme économique et à l'invasion étrangère. Vers 2280, la royauté memphite disparaît. Suit une période obscure, que les historiens nomment la *première période intermédiaire* (de la VIIe à la Xe dynastie), faite de troubles sociaux, d'anarchie provinciale et de pénétrations étrangères. Après deux siècles, les nomarques de Thèbes restaureront l'unité du pouvoir. (V. MOYEN EMPIRE.)

Anciens *(Conseil des),* Chambre haute instituée par la Constitution de l'an III. Ce Conseil formait sous le Directoire, avec le Conseil des Cinq-Cents, le Corps législatif.

Anciens et des Modernes *(querelle des),* polémique de littérature et d'esthétique qui a pour thème les mérites comparés des écrivains et des artistes de l'Antiquité et de ceux du siècle de Louis XIV. Cette discussion, déjà ancienne, prit une forme aiguë avec Charles Perrault (*le Siècle de Louis le Grand,* 1687; *Parallèles des Anciens et des Modernes,* 1668-1695), qui établissait une loi de progrès de l'esprit humain et affirmait que les Modernes, riches de l'héritage antique et de leur expérience propre, l'emportaient sur les Anciens. L'originalité de la polémique tient dans le fait que tous les écrivains modernes sur lesquels il fondait sa démonstration (La Fontaine, Racine, Boileau) ont pris le parti des Anciens (on trouverait un élément d'explication dans le fait que le débat littéraire recouvre un débat philosophique et politique : entre ceux qui voient dans les institutions monarchiques du XVIIe s. la dégradation d'un âge d'or — royauté paternaliste ou aristocratie dominante — et ceux qui ont une conception dynamique de l'histoire — dont témoignent à la même époque les controverses sur la révolution d'Angleterre). Un moment apaisée, la querelle reprit en 1714 entre Mme Dacier et Houdar de La Motte, qui traduisait Homère en l'adaptant au goût du jour, puis elle se fixa sur Marivaux et sa « néologie » (à pensée neuve, langage nouveau), condamnée par les Anciens. Les idées des Modernes seront reprises par les encyclopédistes et sont à la source d'une partie de l'esprit romantique.

ANCIZES-COMPS (Les) [63770], comm. du Puy-de-Dôme, à 32 km à l'O. de Riom, au-dessus de la Sioule; 1 983 hab. Métallurgie.

ANCÔNE, port d'Italie, capit. des Marches, sur l'Adriatique; 108 000 hab. Arc de Trajan. Cathédrale romano-byzantine. Église et palais médiévaux. Monuments du XVIIIe s. par L. Vanvitelli. Musées.

ANCUS MARTIUS, 4e roi légendaire de Rome (640-616 av. J.-C.). Selon la tradition, il incorpore l'Aventin dans la cité de Rome et fonde la colonie d'Ostie*.

ANCY-LE-FRANC (89160), ch.-l. de cant. de l'Yonne, sur l'Armançon, à 18 km au S.-E. de Tonnerre; 1 236 hab. Château entrepris en 1546 sur des plans réguliers de Serlio; décors de l'école de Fontainebleau*.

ANCYRE → ANKARA.

ANDAINE *(forêt d'),* forêt (près de 4 000 ha) du sud de la Normandie, près de Bagnoles-de-l'Orne.

ANDALOUSIE, en esp. **Andalucía,** région du sud de l'Espagne, comprenant huit provinces (Almería, Cadix, Cordoue, Grenade, Huelva, Jaén, Málaga et Séville); 87 268 km^2; 5 971 000 hab.

GÉOGRAPHIE. C'est la plus vaste et la plus peuplée des régions espagnoles, dont le bassin du Guadalquivir, mis en valeur depuis la colonisation romaine, constitue le cœur. Les cultures du blé et surtout de l'olivier y dominent, avec, localement, des vignobles. La partie avale (les Marismas) a été drainée et livre surtout du riz. Au N. du Guadalquivir, le rebord méridional de la sierra Morena fournit des minerais (cuivre, mercure, plomb); au S., les cordillères Bétiques, qui portent, avec la sierra Nevada, le point culminant de la péninsule (3 478 m), sont ouvertes par des bassins intérieurs, parfois sites urbains (Grenade). La façade méditerranéenne juxtapose d'étroites plaines littorales, portant cultures classiques (vigne, olivier) et aussi subtropicales (canne à sucre, agrumes). Mais le tourisme est devenu l'activité essentielle de cette Costa del Sol, de Málaga à Almería, comme il anime aussi les grandes villes de l'intérieur, au riche passé (Séville [quatrième ville d'Espagne], Cordoue et Grenade). Mais il ne pallie que partiellement la faiblesse de l'industrialisation de cette région excentrée et ne peut empêcher une constante émigration.

HISTOIRE. Connu à l'origine sous le nom de *Bétique,* le pays est colonisé par les Phéniciens et les Carthaginois, qui y fondent

F. Jalain - C.E.D.R.I.

Andalousie. Village des environs de Grenade.

J. Bottin

Andes. Paysage des Andes péruviennes : la vallée du río Urubamba, près de l'ancienne cité inca Machu Picchu.

d'importants comptoirs, notamment Gadès (Cadix). Conquise par Scipion l'Africain (206 av. J.-C.), la Bétique assimile la culture romaine, devenant en même temps un grenier pour Rome. Envahie par les Vandales au début du Vᵉ s., la région devient ensuite partie constitutive du royaume wisigothique et passe aux mains des Arabes en 711. Cordoue est la capitale d'un émirat, puis (929) d'un puissant califat, foyer de la culture musulmane en Occident. Au milieu du XIᵉ s., le califat se défait en petites principautés, ou *taifas,* ce qui facilite la *Reconquista** espagnole. La victoire chrétienne de Las Navas de Tolosa (1212) marque le début de la décadence musulmane; en 1492, la prise de Grenade par les Rois Catholiques met fin à l'histoire de l'Andalousie maure. Au XVIᵉ s., les Maures d'Andalousie sont pratiquement acculés à la conversion au christianisme (les morisques). Mais Philippe III, les soupçonnant de ne s'être pas réellement convertis, les chasse, ce qui a pour conséquence d'affaiblir gravement l'économie espagnole. Au début du XIXᵉ s., l'Andalousie (Cadix) est le foyer le plus important de la résistance à Napoléon.

ANDAMAN *(îles),* archipel du golfe du Bengale, comportant plus de 200 îles, au large des côtes birmanes et formant avec les îles Nicobar un territoire de l'Inde; 6 475 km². V. princ. (ch.-l. du territoire) *Port Blair.* L'ensemble du territoire couvre 8 293 km² et compte 115 000 hab.

ANDELLE, riv. de la haute Normandie, affl. de la Seine (r. dr.); 54 km.

ANDELOT-BLANCHEVILLE (52700), ch.-l. de cant. de la Haute-Marne, à 22,5 km au N.-E. de Chaumont; 916 hab.

ANDELYS (Les) [27700], ch.-l. d'arr. de l'Eure, sur la Seine, à 40 km au S.-E. de Rouen; 8 293 hab. *(Andelisiens).* Constructions électriques. Puissantes ruines du Château-Gaillard de Richard Cœur de Lion. Églises Saint-Sauveur (XIIᵉ-XIVᵉ s.) et Notre-Dame (XIIIᵉ-XVIᵉ s., vitraux).

ANDENNE, v. de Belgique (Namur), sur la Meuse; 8 091 hab.

ANDERLECHT, comm. de la banlieue sud-ouest de Bruxelles, sur la Senne; 103 736 hab. (en 1970). Église (XIᵉ-XVIᵉ s.). Musée Érasme. Industries diverses.

ANDERLUES, comm. de Belgique (Hainaut), à l'O. de Charleroi; 12 176 hab. (en 1970).

ANDERMATT, comm. de Suisse (cant. d'Uri), au pied du Saint-Gothard; 1 583 hab. Sports d'hiver (alt. 1 444-3 000 m).

ANDERNOS-LES-BAINS (33510), comm. de la Gironde, sur la rive nord du bassin d'Arcachon; 5 189 hab. *(Andernoisiens).*

ANDERS (Władysław), général polonais (Błonie 1892 - Londres 1970). Fait prisonnier par les Soviétiques en 1939 en Pologne, il est libéré en 1941, puis commande les forces polonaises reconstituées en U. R. S. S. qui s'illustreront en Italie contre la Wehrmacht (1943-1945). Après la guerre, il ramène ses troupes en Angleterre, où il se retirera.

ANDERSCH (Alfred), écrivain allemand (Munich 1914). Interné à Dachau pour son appartenance au parti communiste, il est l'un des fondateurs du *Groupe* 47.* Ses nouvelles et ses romans composent, à travers la variété des itinéraires philosophiques ou stylistiques, une même méditation sur la solitude (*les Cerises de la liberté,* 1952; *Un amateur de demi-teintes,* 1967).

ANDERSEN (Hans Christian), écrivain danois (Odense 1805-Copenhague 1875). Sa vie, selon sa propre expression, fut « un beau conte » : fils d'un pauvre cordonnier, il tenta vainement sa chance, dès quatorze ans, au théâtre (comme danseur, choriste et auteur de tragédies), pour finir entouré des amitiés les plus célèbres (Hugo, Dickens, Liszt, Wagner), familier des souverains danois et statufié de son vivant. Entre-temps, il aura poursuivi obstinément, et sans jamais le connaître, le succès à la scène et en amour, et cette insatisfaction fondamentale nourrit la mélancolie et l'ironie de ses récits de voyage (*le Bazar d'un poète,* 1842), de ses romans (*l'Improvisateur,* 1835; *Peer le chanceux,* 1870) et surtout de ses *Contes** (1835-1872), un des plus grands succès de la littérature mondiale.

ANDERSON (Sherwood), écrivain américain (Camden, Ohio, 1876 - Colón, Panamá, 1941), l'un des initiateurs de la nouvelle moderne (*Winesburg-en-Ohio,* 1919) et de la rébellion contre le critère matérialiste de « réussite » de la société américaine (*Horses and Men,* 1923).

ANDERSON (Marian), cantatrice américaine (Philadelphie 1902). Grande interprète des negro spirituals et des mélodies classiques (Bach, Schubert, Schumann), elle fut la première chanteuse de couleur admise au Metropolitan Opera de New York.

ANDERSON (Carl David), physicien américain (New York 1905). Étudiant les rayons cosmiques, il découvrit en 1932 l'électron positif prévu par Dirac*; en 1937, il y reconnut aussi l'existence de mésons. (Prix Nobel de physique, 1936.)

ANDES *(cordillère des),* chaîne de montagnes dominant la côte occidentale de l'Amérique du Sud; 6 959 m à l'Aconcagua.

• *Le milieu naturel.* Les Andes forment une gigantesque barrière en bordure du Pacifique, s'étirant sur 7 500 km du Venezuela à la Terre de Feu. Cette chaîne jeune est principalement constituée de roches plutoniques et volcaniques (andésites) à l'O., flanquée de roches sédimentaires plissées à l'E. Secouées de fréquents tremblements de terre et comptant de nombreux volcans actifs (Chimborazo, Tolima, Cotopaxi), les Andes font partie de la ceinture de feu du Pacifique. Au N. existent trois rameaux séparés par les fossés tectoniques du Caucá et du Magdalena. Dans les Andes centrales, seuls les deux rameaux occidentaux subsistent, encadrant de hauts plateaux, les *altiplanos,* souvent endoréiques, parsemés de lacs (lacs Titicaca, Poopó). Vers le S., ils se réunissent en une chaîne unique, dont l'altitude diminue progressivement.

L'influence conjointe de l'altitude et de la latitude explique la diversité des climats et de la végétation. Au N., les Andes se situent dans la zone tropicale, mais l'étagement en altitude permet de distinguer : la *tierra caliente* (terre chaude), couverte par la forêt sempervirente, jusqu'à 900 m; la *tierra templada* (terre tempérée), domaine de la forêt à feuilles caduques, de 900 à 2 000 m; la *tierra fría* (terre froide), couverte par la prairie, de 2 000 à 4 500 m. Au-delà, c'est la zone des neiges éternelles. Les Andes centrales, situées aux latitudes subtropicales, sont très sèches : les *altiplanos* sont couverts par une maigre steppe. Vers le S., on observe la succession zonale des climats : méditerranéen, puis tempéré de plus en plus froid, avec une humidité croissante.

• *Occupation humaine.* Montagne massive, la cordillère des Andes est peu pénétrable. Elle est peuplée principalement d'Indiens et de métis, qui vivent sur les hauts plateaux. La population est surtout rurale. L'organisation de la vie reste, la plupart du temps, traditionnelle (culture vivrière de céréales et de pommes de terre). Cependant, on pratique également des cultures commerciales (café de Colombie) et l'élevage extensif. Mais l'intérêt économique réside surtout dans les ressources minières, abondantes et variées. L'exploitation de l'étain (Bolivie), du cuivre (Chili, Pérou), du fer, du mercure, du pétrole (surtout dans l'avant-pays [Venezuela]) a pris le pas sur celle de l'or et de l'argent.

ANDHRA PRADESH, État de l'Inde, dans le Deccan, sur le golfe du Bengale; 276 754 km²; 43 503 000 hab. Capit. *Hyderābād.* L'agriculture, activité largement dominante, bénéficie d'une irrigation développée, favorisant les cultures du riz et de la canne à sucre. L'élevage (bovins et ovins) est également important. Le travail, surtout artisanal, du coton est la principale industrie de l'Andra Pradesh.

ANDIJAN, v. de l'U. R. S. S. (Ouzbékistan), dans la Fergana; 188 000 hab.

ANDLAU (67140 Barr), comm. du Bas-Rhin, à 17 km au N. de Sélestat, en bordure des Vosges, sur l'*Andlau;* 1 919 hab. Église romane (sculptures). Maisons anciennes.

ANDOLSHEIM (68600 Neuf Brisach), ch.-l. de cant. du Haut-Rhin, à 6 km à l'E. de Colmar; 1 088 hab.

Andorra, pièce de Max Frisch (1965). Comment on devient un « autre » en acceptant progressivement l'image que les autres ont de vous : un démontage du racisme et de l'antisémitisme.

ANDORRE *(principauté d'),* petit pays des Pyrénées, entre la France (départ. de l'Ariège) et l'Espagne; 465 km²; 23 000 hab. *(Andorrans),* de langue catalane. Capit. *Andorre-la-Vieille (Andorra la Vella)* [5 500 hab.].

GÉOGRAPHIE. Région montagneuse (l'altitude est en moyenne de 1 800 m), au climat rude, l'Andorre a longtemps vécu de l'élevage (ovins et bovins), accessoirement de quelques cultures céréalières (blé, orge, seigle) et spécialisées (vigne, tabac) avant le développement récent du tourisme, favorisé par la modernisation des communications et certaines franchises douanières. Le nombre annuel des visiteurs dépasse largement le million.

HISTOIRE. Les vallées qui constituent la principauté d'Andorre font partie, au temps des incursions sarrasines, de la « marche d'Espagne ». Au IXᵉ s., les paroisses de ces vallées appartiennent aux comtes d'Urgel, qui les cèdent, par la suite, à l'évêque d'Urgel. Au XIIIᵉ s., les Andorrans se donnent une administration de type féodal. Dès lors, le pays est placé sous la double suzeraineté de l'évêque d'Urgel et du comte de Foix, dont les droits passent en 1607 au roi de France. La suzeraineté française est actuellement exercée par le préfet des Pyrénées-Orientales, représentant le chef de l'État.

ANDRADE (Olegario), poète argentin (Concepción del Uruguay 1841 - Buenos Aires 1882). Disciple de Hugo, il donna une forme épique au sentiment national (*Prométhée,* 1877).

ANDRADE (Oswald DE), écrivain brésilien (São Paulo 1890 - *id.* 1954). Poète, inspirateur du mouvement « anthropophagique » (*Pau-Brasil,* 1924), il s'inspire, dans ses romans, des chroniqueurs de l'époque coloniale pour retrouver une vision naïve de la réalité brésilienne (*Marco Zéro,* 1943).

ANDRADE (Mário DE), poète brésilien (São Paulo 1893 - *id.* 1945), l'un des fondateurs du mouvement « moderniste » (*Paulicéia Desvairada,* 1928).

ANDRÁSSY (Gyula, *comte*), homme politique hongrois (Kassa 1823 - Volosca 1890), un des artisans du « dualisme » austro-hongrois.

ANDRAULT (Michel), architecte français (Montrouge 1926), associé depuis 1957 avec Pierre Parat (Versailles 1928). Leur sont dus de nombreux ensembles de logements et de bureaux, ainsi que des locaux destinés à l'enseignement.

ANDRÉ *(saint),* apôtre. Pêcheur de son état, il est disciple de Jean-Baptiste* avant de devenir, avec son frère l'apôtre Pierre*, l'un des premiers disciples de Jésus. Il aurait évangélisé le sud de la Russie et des pays balkaniques, et il aurait été crucifié à Patras.

ANDRÉ II (1175-1235), roi de Hongrie (1205-1235), de la famille des Árpád. En 1222, il concède à la noblesse la « Bulle d'or », charte fondamentale de la Constitution hongroise. Il fut le père de sainte Élisabeth de Hongrie.

ANDRÉ (Louis), général français → FICHES *(affaire des).*

ANDREA DEL CASTAGNO, peintre italien (dans le Mugello, v. 1420 - Florence 1457). Continuateur de Masaccio et de Donatello, d'une âpre puissance, il est épris de rigueur géométrique, cherche le relief jusqu'au trompe-l'œil, mais aussi le mouvement. Il a travaillé à Florence (fresques du monastère de Sant'Apollonia) et à Venise.

ANDREA DEL SARTO, peintre italien (Florence 1486 - *id.* 1530). Il marque à la fois l'aboutissement de la Renaissance classique et le point de départ du maniérisme toscan dans ses fresques des couvents de Florence et ses tableaux, faits d'eurythmie et de sereine grandeur (*la Charité,* 1518, Louvre).

ANDREA PISANO, sculpteur et architecte italien (Pontedera?, près de Pise, v. 1295 - Orvieto v. 1348). Ses reliefs (Florence : porte du baptistère [1330-1336], puis médaillons du campanile de Giotto) réalisent une harmonieuse synthèse de l'élégance gothique et du classicisme giottesque. Il fut maître d'œuvre des cathédrales de Florence (1337) et d'Orvieto (1347). — Son fils NINO (v. 1315-1368), sans doute son chef d'atelier, lui succéda à Orvieto; il est le créateur de souples madones déhanchées à la française.

C. D. P. Tétrel

Panorama de l'Andorre : Andorre-la-Vieille et les Escaldes.

ANDREÏEV (Leonid Nikolaïevitch), écrivain russe (Orel 1871 - Mustamäggi, Finlande, 1919). Auteur de nouvelles qui expriment le désarroi de la jeunesse russe à la veille de la Révolution (*le Gouffre,* 1902; *le Récit des sept pendus,* 1908), il est, par ses drames allégoriques, le représentant le plus typique de l'esthétique symboliste (*la Vie humaine,* 1906).

Andreï Roublev, film soviétique d'Andreï Tarkovski (1964-65). Le destin d'un peintre d'icônes dans la Russie du début du XVe s., déchirée par les invasions tatares. Réflexion sur la création artistique et la nécessaire liberté de l'artiste, cette vaste fresque historique encourut dans son propre pays les tracasseries de la censure politique, mais fut accueillie dans le monde entier comme une œuvre majeure.

ANDRES (Stefan), écrivain allemand (Breitwies, près de Trèves, 1906-Rome 1970), auteur de romans et de drames marqués de mysticisme chrétien (*Utopia,* 1942; *le Déluge,* 1949-1959).

ANDRÉSY (78570), comm. des Yvelines, à 13 km au N. de Saint-Germain-en-Laye, sur la Seine; 8 950 hab.

ANDREWS (Thomas), physicien irlandais (Belfast 1813-*id.* 1885). Il a découvert la température critique (1869) et reconnu la continuité des états liquide et gazeux.

ANDRÉZIEUX-BOUTHÉON (42160), comm. de la Loire, à 15 km au N.-O. de Saint-Étienne, sur la Loire (à son confluent avec le Furan); 7 640 hab. Constructions mécaniques.

ANDRIA, v. d'Italie, dans l'intérieur de la Pouille; 78 000 hab. Elle fut la résidence favorite de l'empereur Frédéric II.

ANDRIĆ (Ivo), diplomate et écrivain yougoslave (Dolac, près de Travnik, 1892-Belgrade 1975). Ses recueils lyriques (*Ex Ponto,* 1919) et ses romans (*la Chronique de Travnik,* 1945) évoquent sa Bosnie natale et les luttes politiques de son pays. (Prix Nobel, 1961.)

ANDRIEU (Jean François D'), compositeur français (Paris 1682-*id.* 1738). Neveu de l'organiste Pierre d'Andrieu, il est nommé organiste de la Chapelle royale en 1721. Il a laissé des livres de pièces pour orgue, pour clavecin et des sonates, où se combinent l'art de Lully et celui des maîtres allemands.

ANDRINOPLE → EDIRNE.

ANDROGÈNES. — Ces substances sont produites par les deux sexes, mais de façon plus importante chez l'homme. Elles sont sécrétées pour un tiers par le testicule (testostérone, androstérone) et pour les deux tiers par les corticosurrénales. Chez l'homme, elles favorisent l'apparition des caractères sexuels secondaires. Chez la femme, elles sont utilisées en thérapeutique.

ANDROMAQUE, femme d'Hector* et mère d'Astyanax*. Dans la chute de Troie*, elle perd son mari et son fils, et est amenée captive en Grèce. La tradition grecque la présente comme une épouse noble, une mère courageuse, une femme au type dominateur, qui lutte avec intelligence contre l'adversité.

Andromaque, tragédies d'Euripide (v. 426 av. J.-C.) et de Racine (1667).

ANDROMÈDE, héroïne de la mythologie grecque, délivrée par Persée* du monstre auquel elle avait été livrée en victime expiatoire. Sur ce sujet, Sophocle* et Euripide* ont composé l'un et l'autre une tragédie dont il ne reste que des fragments.

Andromède, tragédie « à machines » de P. Corneille (1650), musique de D'Assouci, qui préfigure l'opéra moderne.

ANDROMÈDE, constellation* de l'hémisphère boréal. On y trouve le seul objet extragalactique visible par nuit claire à l'œil nu dans l'hémisphère Nord : la *Grande Nébuleuse d'Andromède* M 31, prototype des nébulosités* extragalactiques. C'est une galaxie* semblable à la nôtre et la plus proche de la Terre*, dont elle est située à 2.10^6 al. Elle mesure environ 180 000 al de diamètre, et sa masse est estimée à 150 milliards de masses solaires. Comme toutes les galaxies, elle est constituée d'étoiles*, de gaz et de poussières.

ANDRONIC Ier COMNÈNE → COMNÈNES.

ANDRONIC II, III, IV PALÉOLOGUE → PALÉOLOGUES.

ANDRONIC Ier GIDOS → TRÉBIZONDE *(empire grec de).*

ANDROPAUSE. — Cet ensemble de manifestations organiques et psychiques survenant chez l'homme entre 50 et 70 ans n'est pas une entité comme l'est la ménopause*. Ce n'est que l'évolution globale de l'organisme vers le vieillissement, avec une diminution progressive de l'activité génitale. La formation de spermatozoïdes se poursuit longtemps, alors que la sécrétion d'hormones mâles diminue plus tôt.

ANDROS, île grecque du nord des Cyclades*.

ANDRZEJEWSKI (Jerzy), écrivain polonais (Varsovie 1909). Il fut l'un des initiateurs du mouvement de révolte des intellectuels (l'« Octobre polonais ») en 1956 (*Cendres et diamant,* 1948; *les Portes du paradis,* 1953; *le Recours,* 1968).

ANDÚJAR, v. d'Espagne (Andalousie), sur le Guadalquivir; 32 000 hab. Métallurgie de l'uranium.

ANDUZE (30140), ch.-l. de cant. du Gard, à 14 km au S.-O. d'Alès, sur le *Gardon d'Anduze;* 2 725 hab. Métallurgie.

ÂNE. — Cet animal domestique devient une rareté dans les régions d'agriculture riche. Ses longues oreilles, la croix noire de son pelage (échine et épaules), sa petite taille, sa crinière courte, sa queue peu velue le distinguent du cheval. Il convient mieux au bât qu'au trait. Le mâle entier, ou *baudet,* est recherché pour l'accouplement avec la jument, qui fournit les *mulets** et les *mules**. Le lait d'ânesse est tenu pour proche du lait de femme; d'où d'anciens usages diététiques.

Plus rustique et plus sobre que le cheval, l'âne est plus sensible au froid; aussi son aire géographique d'extension se rapproche-t-elle plutôt de l'équateur. Il existe des races à profil droit (du Poitou) et des races à profil convexe (d'Égypte, des Pyrénées, d'Afrique du Nord, etc.). La race du Poitou fournit les baudets les plus estimés pour la production des mulets.

Âne d'or *(l')* ou *les Métamorphoses,* roman d'Apulée (IIe s. apr. J.-C.), qui contient des scènes pittoresques sur les pratiques de magie et le conte célèbre de Psyché et de Cupidon.

ANÉMIE. — Lorsqu'elle est marquée, l'anémie se manifeste par une pâleur de la peau et des muqueuses (surtout conjonctives), par une dyspnée d'effort, par une tachycardie et même par des souffles cardiaques. Des syncopes surviennent parfois.

Les anémies peuvent être *macrocytaires* (les globules rouges sont augmentés de volume) et hyperchromes (teneur en hémoglobine des hématies augmentée). C'est le cas de l'anémie de Biermer, des autres carences en vitamine B 12, des anémies nutritionnelles avec carence en acide folique.

Les anémies peuvent être *normocytaires* (les globules rouges sont de taille normale); les pertes de sang, les destructions précoces de globules rouges (anémie hémolytique néo-natale par incompatibilité Rhésus), les anémies aplasiques (par défaut de production dans la moelle osseuse) en sont les causes les plus fréquentes.

Les anémies *microcytaires* (petites hématies) peuvent être liées à un syndrome inflammatoire chronique ou à des hémorragies répétées.

ANÉMIE INFECTIEUSE → ÉPIZOOTIE.

ANÉMOMÈTRE. — En météorologie, on utilise les appareils du type badin, les anémomètres à fil chaud, pour les études à la soufflerie, et surtout les anémomètres à rotation. Ceux-ci sont constitués essentiellement par deux tiges en croix portant quatre coupelles; ce dispositif tourne d'autant plus vite que la vitesse du vent est grande.

ANESTHÉSIE. — L'anesthésie peut être *spontanée* et survenir au cours de maladies neurologiques ou, au contraire, *thérapeutique,* permettant alors de bloquer la sensibilité douloureuse.

L'anesthésie est soit locale, soit générale. L'anesthésie définitive peut être réalisée pour des douleurs très importantes et rebelles (alcoolisation du ganglion de Gasser, lobotomie). L'anesthésie transitoire *locale* est utilisée pour permettre sans douleur un geste chirurgical limité (extraction dentaire, incision d'abcès). Elle se fait par infiltration à la seringue d'anesthésiques locaux (procaïne) dans le territoire intéressé.

L'injection d'anesthésique dans le canal rachidien *(rachianesthésie)* et surtout l'anesthésie péridurale, qui se fait dans le canal rachidien, mais sans perforation de la dure-mère, sont utilisées lors des accouchements.

L'*anesthésie générale* est nécessaire pour toutes les interventions chirurgicales importantes. Elle entraîne une perte de la motilité et de la conscience, mais laisse subsister les fonctions végétatives automatiques. De nombreux anesthésiques sont utilisés : les barbituriques (penthiobarbital) servent en début d'anesthésie et sont relayés au besoin, si l'intervention se prolonge, par l'inhalation de protoxyde d'azote, d'halothane. L'anesthésie nécessite une surveillance pré-, per- et postopératoire. En période préopératoire, il faut s'assurer de l'état général, pulmonaire, cardiaque et rénal. Des contrôles de glycémie et d'azotémie, une radiographie pulmonaire et un électrocardiogramme sont souvent nécessaires. Lors de l'anesthésie, une perfusion par voie veineuse est mise en place afin de pouvoir injecter les produits nécessaires sans perdre de temps. Une intubation trachéale est pratiquée si l'état du patient ou le type d'intervention le justifient.

Pendant toute la durée de l'intervention, l'anesthésiste surveille : la tension artérielle, le rythme respiratoire et la profondeur du sommeil. Le réveil se produit d'une demi-heure à une heure après l'arrêt de l'anesthésie; l'opéré doit être encore surveillé pendant cette phase. Aujourd'hui les incidents de l'anesthésie sont devenus rares.

ANET (28260), ch.-l. de cant. d'Eure-et-Loir, à 16 km au N. de Dreux, près de l'Eure; 1 781 hab. Du château construit par Delorme pour Diane de Poitiers subsistent le portail, une aile et la chapelle (milieu du XVIe s.).

ANETO *(pic d'),* point culminant de la chaîne des Pyrénées, en Espagne, dans le massif de la Maladetta; 3 404 m.

ANÉVRISME. — Les *anévrismes artériels* peuvent intéresser les vaisseaux superficiels (artère fémorale, artère carotide primitive)

B. Beaujard

Angers. Le château au bord de la Maine et la cathédrale Saint-Maurice.

ainsi que les vaisseaux intrathoraciques (aorte), intraabdominaux (artères mésentériques) et intracrâniens. Le risque de thrombose et de rupture rend indispensable l'intervention chirurgicale toutes les fois qu'elle est possible. La cause de ces lésions peut être une malformation congénitale, une maladie infectieuse (syphilis), une collagénose (périartérite noueuse), un traumatisme et surtout l'athérome.

L'anévrisme artério-veineux est le plus souvent dû à un traumatisme qui fait communiquer une artère et une veine, soit directement, soit par l'intermédiaire d'une poche kystique; il s'ensuit un court-circuit sanguin entre les systèmes artériel et veineux. La cure chirurgicale est indispensable.

L'anévrisme cirsoïde, formé de vaisseaux artériels flexueux anastomosés à des veines, est une malformation congénitale. Il se manifeste par des dilatations vasculaires rouges plus ou moins pulsatiles.

ANESTHÉSIE. 1. Flacon pour perfusion; 2. Goutte-à-goutte; 3. Seringue d'injection de l'anesthésique; 4. Moniteur; 5. Oscilloscope (E. C. G. et pressions artérielle et veineuse); 6. Affichage de la fréquence cardiaque; 7. Enregistrement des données précédentes; 8. Débitmètre; 9. Évaporateur; 10. Table d'anesthésie; 11. Pince à mors; 12. Poire de gonflement du ballonnet; 13. Barboteur; 14. Vessie pour la respiration assistée; 15. Sonde trachéale à ballonnet (vue en transparence); 16. Électrodes de l'E. C. G.; 17. Prise de la tension artérielle.

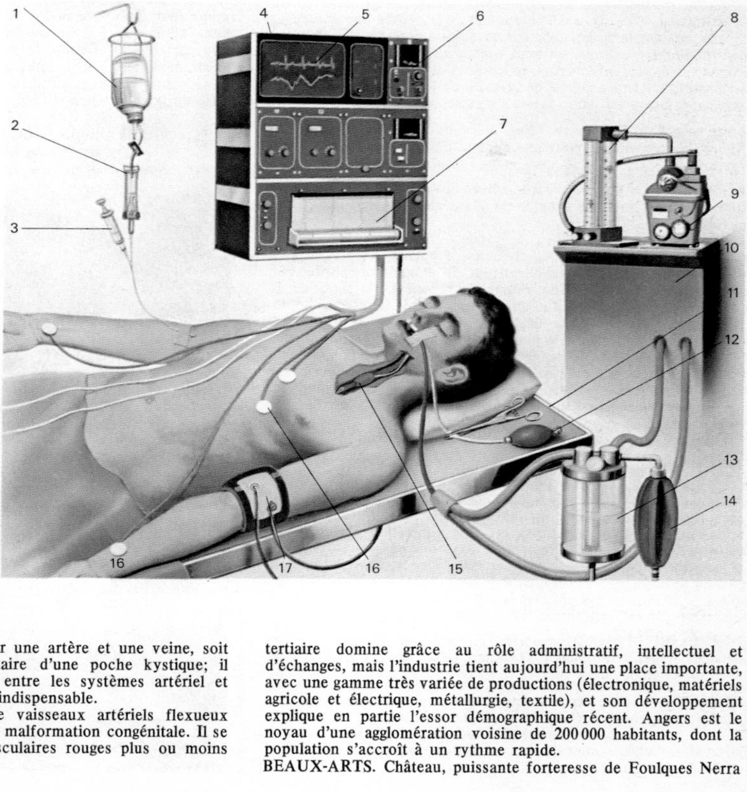

ANFINSEN (Christian Boehmer), biochimiste américain (Manessen, Pennsylvanie, 1916). Il a établi la structure spatiale de la ribonucléase, enzyme qui détruit l'acide ribonucléique. (Prix Nobel de chimie, 1972.)

ANGARA, riv. de l'U. R. S. S., dans le sud de la Sibérie, affl. de l'Ienisseï (r. dr.); 1 826 km. Émissaire du lac Baïkal, elle est jalonnée de grands aménagements hydroélectriques : Irkoutsk, Bratsk et Oust-Ilim, les deux premiers étant déjà en service.

ANGARSK, v. de l'U. R. S. S. (R. S. F. S. de Russie), sur l'*Angara,* en aval d'Irkoutsk; 203 000 hab. Raffinage du pétrole.

ANGELICO (Guidolino DI PIETRO, dit **Fra**), peintre italien (dans le Mugello v. 1400 - Rome 1455). Dominicain à Fiesole et au couvent San Marco de Florence (qu'il décore de fresques et où beaucoup de ses peintures sur panneaux ont été réunies), il a travaillé aussi à Orvieto et à Rome (chapelle de Nicolas V). Formé au style gothique courtois, il n'ignore pas la leçon d'un Masaccio, mais choisit l'évocation d'un espace spirituel où prime soit l'intensité lumineuse du coloris (retables), soit un dépouillement propre à la méditation (fresques de San Marco).

Angélique, nom de deux héroïnes de la poésie épique italienne : la première, dans le *Roland* amoureux* de Boïardo, est une sorcière venue du royaume de Cathay pour détourner de leur devoir les preux de Charlemagne; la seconde, dans le *Roland furieux* de l'Arioste, est une innocente et jeune Orientale égarée en Occident, et qui cherche à regagner le royaume de son père avec le jeune Sarrasin qu'elle aime.

ÅNGERMAN, fl. de la Suède du Nord, tributaire du golfe de Botnie; 450 km.

ANGERS (49000), ch.-l. du départ. de Maine-et-Loire, sur la Maine, à 306 km au S.-O. de Paris; 142 966 hab. *(Angevins).* École d'application du génie (installée en 1945).

GÉOGRAPHIE. Proche de la Loire, carrefour routier entre le Maine, la Normandie, la Bretagne, le Poitou et la Touraine, Angers a eu très tôt une vocation commerciale, s'ajoutant à une fonction politique, également ancienne, de capitale de l'Anjou. Le secteur tertiaire domine grâce au rôle administratif, intellectuel et d'échanges, mais l'industrie tient aujourd'hui une place importante, avec une gamme très variée de productions (électronique, matériels agricole et électrique, métallurgie, textile), et son développement explique en partie l'essor démographique récent. Angers est le noyau d'une agglomération voisine de 200 000 habitants, dont la population s'accroît à un rythme rapide.

BEAUX-ARTS. Château, puissante forteresse de Foulques Nerra

reconstruite par Saint Louis (chapelle du XVe s.; musée de tapisseries : tenture de l'*Apocalypse**). Édifices gothiques à voûtes bombées dites « angevines » (XIIe-XIIIe s.) : cathédrale (vitraux), églises de la Trinité et Saint-Serge, hôpital Saint-Jean. Demeures des XVe-XVIe s. : maison d'Adam, logis Barrault (musée des Beaux-Arts) et Pincé.

ANGES, dynastie byzantine, qui règne de 1185 à 1204. Le siècle des Comnènes* s'achève par le massacre d'Andronic Ier et l'avènement au trône impérial d'un membre de la noblesse, Isaac II Ange (de 1185 à 1195). Ce dernier laisse libre cours à tous les abus qu'avait combattus Andronic Ier : corruption des fonctionnaires, fiscalité écrasante, faste excessif de la Cour, omnipotence des latifundiaires aux dépens du gouvernement central. Les Normands, qui avaient occupé Thessalonique et les provinces occidentales, sont refoulés à la fin de 1185, mais les Bulgares se révoltent et créent un nouveau royaume indépendant, dont Byzance est obligée de s'accommoder. Isaac II est contraint par Frédéric Ier* Barberousse, secondé par les Serbes et les Bulgares, de laisser passer la troisième croisade* par le territoire impérial, que celle-ci traite en pays conquis. Son frère Alexis III Ange (de 1195 à 1203) usurpe le pouvoir; mais la faiblesse de ce souverain précipite la décadence de l'État; sa politique balkanique se solde par des échecs, et il doit reconnaître la conquête d'une grande partie de la Macédoine par les Bulgares. C'est la quatrième croisade (1202-1204) qui porte le coup de grâce à la dynastie et à Byzance : organisée par le pape Innocent III, elle est détournée vers Constantinople par les Vénitiens. Ceux-ci s'entendent avec Alexis, le fils d'Isaac II, qui, pour rendre à son père le trône impérial, allèche les croisés par des promesses, qu'il ne peut tenir : versement d'une forte somme d'argent, union des Églises d'Orient et d'Occident. Constantinople tombe aux mains des croisés en juillet 1203, et Isaac II recouvre son trône. Alexis IV (de 1203 à 1204) devient coempereur. Accusés d'avoir vendu leur royaume aux Latins, tous deux sont renversés par une révolte populaire. Alexis V Doukas monte sur le trône. Les croisés assaillent de nouveau Constantinople en avril 1204 et proclament le comte de Flandre, Baudouin IX, empereur du nouvel État latin* de Constantinople.

ANGES ET DÉMONS. — La croyance à des êtres spirituels intermédiaires entre la divinité et l'homme, bons ou mauvais génies, anges ou démons, est attestée dans les religions anciennes et se retrouve dans les religions contemporaines. L'angélologie juive, constituée au VIe s. av. J.-C. au contact de la pensée babylonienne, est passée dans le christianisme. La tradition chrétienne a organisé une hiérarchie angélique en neuf ordres : séraphins et chérubins, trônes et dominations, vertus, puissances et principautés, anges et archanges. L'islām a hérité des traditions juive et chrétienne ses anges messagers du ciel, ses satans et ses djinns.

ange vient à Babylone *(Un),* pièce de Friedrich Dürrenmatt (1953). L'impossibilité pour une époque de vice de reconnaître la vertu.

ANGINE. — Le plus souvent localisée aux amygdales, l'angine se traduit par des douleurs spontanées à la déglutition ainsi que par de la fièvre.

L'*angine rouge* est d'origine virale (grippe) ou bactérienne (surtout streptocoque β hémolytique). L'angine streptococcique peut se compliquer d'otite et surtout de glomérulonéphrite; elle peut marquer le début de rhumatisme articulaire aigu, de la scarlatine. C'est pourquoi elle impose une antibiothérapie générale.

L'*angine blanche,* avec dépôts blanchâtres ou sérofibrineux (fausses membranes), est le plus souvent due à des germes banals (streptocoques, staphylocoques); parfois c'est une des manifestations de la mononucléose infectieuse. La diphtérie est une cause rare. L'examen bactériologique de l'exsudat permet le diagnostic.

L'*angine ulcéreuse* peut être due à l'association de bacilles fusiformes et de spirochètes (angine de Vincent).

L'*angine de Duguet* se voit au cours de la typhoïde.

Des angines ulcéreuses peuvent être observées au cours d'agranulocytoses, de leucémies aiguës.

ANGIOGRAPHIE. — L'introduction dans les vaisseaux de produits de contraste opaques aux rayons X permet d'étudier radiologiquement les vaisseaux et leurs anomalies. Ces produits peuvent être introduits directement dans les artères : artériographies des artères fémorale, carotide, de l'aorte abdominale (aortographie). La *phlébographie* permet l'étude des varices. La *splénoportographie,* qui opacifie la rate et le système veineux porte, renseigne sur les syndromes d'hypertension portale.

ANGIOLINI (Gasparo), danseur, compositeur de ballet et de musique italien (Florence 1731-Milan 1803), un des créateurs du ballet-pantomime (ou d'action).

ANGIOME. — Les *angiomes superficiels* regroupent les angiomes *plans* (ou « taches de vin ») et les angiomes *tubéreux,* qui existent dès la naissance; les angiomes *stellaires,* qui apparaissent à n'importe quel âge, sont des points rouges entourés de dilatations capillaires en étoile.

Les *angiomes profonds* concernent les angiomes *osseux,* rares et bénins, mais parfois suivis de complication (effondrement vertébral), les angiomes *viscéraux* (hépatiques, thoraciques), les angiomes *cérébraux et de la moelle épinière.* Leur cure chirurgicale s'impose, si le siège le permet.

Les *angiomatoses* sont des affections rares, complexes, parfois héréditaires, se manifestant par des angiomes disséminés.

ANGIOSPERMES. — Les angiospermes, qui correspondent aux « plantes à fleurs » des non-spécialistes, forment un immense groupe de 270 000 espèces, réuni avec les *gymnospermes* dans le groupe, à peine plus vaste, des *plantes à graines* (spermaphytes). La plupart d'entre elles, surtout les herbes et les arbustes, portent saisonnièrement des fleurs, colorées et souvent parfumées, qui attirent les insectes. Ceux-ci jouent un rôle fondamental dans le transport du pollen d'une fleur à l'autre. En revanche, les arbres, qui répandent leur pollen dans le vent, ont souvent des fleurs réduites et peu visibles; ils se distinguent pourtant sans peine des gymnospermes (conifères résineux : pin, épicéa) par leurs feuilles à limbe large et aplati. D'où l'opposition faite par les forestiers entre « feuillus » et « résineux ».

Le passage de la fleur au fruit résulte d'une fécondation *double :* dans chaque ovule croissent d'abord côte à côte un embryon *(plantule)* et un *albumen**, qui assure le transit des aliments depuis la plante mère (*nucelle* de l'ovule) jusqu'à la plantule, qui le dévore tôt ou tard. Le fruit reste clos jusqu'à maturité : d'où le nom du groupe (*angiospermes* = graines dans des boîtes). Lorsqu'il est *charnu* (cerise, pomme), les aliments s'accumulent non seulement dans la graine, mais aussi dans l'ovaire et parfois le réceptacle floral : les animaux mangent le fruit et assurent la dispersion des graines. Lorsque le fruit est *sec,* il est souvent *déhiscent :* il s'ouvre sur la plante mère, que les graines seules abandonnent (haricot). On divise le sous-embranchement des angiospermes en deux classes : les *monocotylédones** et les *dicotylédones**, qui se distinguent notamment par le mode de nervation des feuilles, la symétrie florale et le mode de croissance en largeur des espèces vivaces.

L'homme tire des angiospermes la quasi-totalité de sa nourriture végétale et de celle de ses animaux d'élevage.

ANGKOR, l'ensemble archéologique le plus important du Cambodge; plus de quatre-vingts sites ont été construits entre 650 et la fin du XIIIe s., soit à l'intérieur de la cité, soit dans le voisinage de son enceinte. Capitale de presque tous les rois khmers, la ville est fondée par Yaśovarman Ier (889-900), qui la nomme Yaśodharapura; pillée par les Chams en 1177, elle est reconstruite par Jayavarman VII. Depuis le début du XXe s., l'École française d'Extrême-Orient y accomplit un énorme travail d'exploration, de conservation et de restauration. Le Phnom Bakheng — édifié vers la fin du IXe s. sur une colline au cœur de la ville — représente le

Tours sculptées du Bàyon d'Angkor Thom, représentant le bodhisattva Lokeśvara sous les traits du souverain Jayavarman VII.

B. Barbey - Magnum

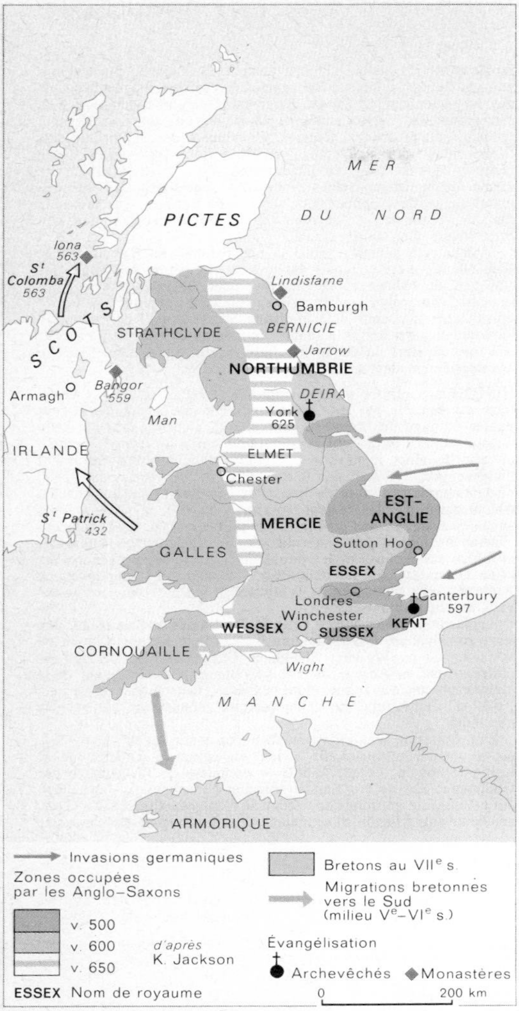

LES INVASIONS GERMANIQUES EN ANGLETERRE

empire implanté à la fois en France, où le roi doit se défendre contre les Capétiens, et en Angleterre, où il doit réduire une féodalité turbulente. La présence fréquente des Plantagenêts en France donne à l'aristocratie anglaise un pouvoir qui s'incarne dans le Parlement; l'emprise de l'aristocratie sur les paysans s'accroît, réduisant ceux-ci à la servitude et faisant des « manoirs », en même temps que d'importants foyers d'exploitation agricole, des centres judiciaires locaux.

Au XIVe s. et au début du XVe, l'Angleterre s'épuise dans la guerre contre les Valois (guerre de Cent Ans) cependant que la crise monétaire et économique, les épidémies et les famines rongent la nation anglaise. La faiblesse des Lancastre déchaîne les ambitions nobiliaires au point de provoquer la sanglante guerre des Deux-Roses (1450-1485), qui oppose les Lancastre aux York et laisse la grande noblesse exsangue.

L'avènement d'Henri VII Tudor (de 1485 à 1509) rend à l'Angleterre la prospérité et l'équilibre. La politique intérieure du souverain, fondée sur l'accord avec le Parlement et la noblesse, et une diplomatie prestigieuse, qui profite de la rivalité entre la France et les Habsbourg, sont poursuivies, avec plus d'éclat encore, et malgré les conséquences du schisme religieux (Réforme*), par Henri VIII (de 1509 à 1547) et surtout par Élisabeth Ire (de 1558 à 1603). L'Angleterre moderne naît alors, à la fois précapitaliste et maritime. À la mort d'Élisabeth, Jacques VI Stuart, roi d'Écosse, devient Jacques Ier d'Angleterre; ainsi est constituée, en fait, la Grande-Bretagne*.

Angleterre *(bataille d'),* ensemble des opérations aériennes qui opposèrent, d'août 1940 au printemps de 1941, dans le ciel d'Angleterre, l'aviation allemande aux chasseurs britanniques de la R. A. F. Après l'attaque des ports, la Luftwaffe (1 700 bombardiers, 1 000 chasseurs) concentre ses raids sur Londres, mais la vigueur de la réaction de la R. A. F., commandée par le général Hugh Dowding (1882-1970), contraint Hitler et Göring à renoncer à envahir l'Angleterre (oct.). La Luftwaffe attaquera désormais de nuit les centres industriels (Coventry le 14 novembre). Pertes : environ 2 000 avions pour la Luftwaffe et 700 pour la R. A. F.

ANGLEUR, anc. comm. de Belgique, sur l'Ourthe canalisée, auj. rattachée à Liège. Métallurgie.

ANGLICANISME. — En Angleterre, la Réforme* est née non pas d'un mouvement d'idées, mais de la politique religieuse d'Henri* VIII (de 1509 à 1547), dont les complications de la vie conjugale provoquèrent un sérieux désaccord avec la papauté. En 1534, l'*Acte de suprématie* stipule que le roi doit être regardé comme « unique et suprême chef sur terre de l'Église d'Angleterre ». À l'origine, donc, l'Église anglicane est seulement une dissidence catholique. Mais, sous le bref règne d'Édouard VI* (de 1547 à 1553), la rupture avec Rome va favoriser la pénétration des idées luthériennes, dont l'influence se concrétisera en 1549 par le *Book of Common Prayer*,* qui se démarque du catholicisme, notamment sur l'eucharistie. En 1553, les *Quarante-Deux Articles* promulguent une nouvelle confession de foi, où se fait nettement sentir l'influence de la pensée de Calvin. Le règne de Marie* Tudor (de 1553 à 1558) déchaîne une sanglante contre-réforme, qui n'est qu'un intermède. Élisabeth Ire* (de 1558 à 1603) reprend l'évolution dans le sens du protestantisme. En 1559, l'*Acte d'uniformité* impose le *Prayer Book,* et, en 1563, les *Trente-Neuf Articles* définissent la doctrine en atténuant dans un sens luthérien le strict calvinisme de 1553.

La Réforme anglicane apparaît donc comme une voie moyenne entre le catholicisme, dont elle conserve les formes extérieures du culte, la hiérarchie ecclésiastique, et le protestantisme, dont elle maintient les grands principes doctrinaux : la Bible, seul fondement de la foi; gratuité du salut, saisi par la foi seule; autorité du témoignage intérieur du Saint-Esprit. C'est peut-être à cause de cette situation unique que l'Église d'Angleterre joue un rôle de premier plan dans l'œcuménisme*.

ANGLO-NORMANDES *(îles),* en angl. **Channel Islands,** groupe d'îles britanniques de la Manche, près de la côte normande du Cotentin; 195 km²; 123 000 hab. Il comporte deux îles principales, *Jersey* et *Guernesey,* et plusieurs îlots, dont les plus importants sont *Aurigny (Alderney)* et *Sercq (Sark).*

GÉOGRAPHIE. Bénéficiant d'un climat généralement doux et assez humide, mais relativement ensoleillé en été, les îles Anglo-Normandes sont des îles basses, où l'élevage bovin a longtemps constitué, à côté de quelques cultures spécialisées (tomates, fleurs, pommes de terre, primeurs), la ressource essentielle d'une économie qui profite aujourd'hui du développement du tourisme. Le nombre annuel des visiteurs dépasse largement 500 000.

HISTOIRE. L'histoire de ces îles, déterminée par leur situation géographique, à proximité de la France et de l'Angleterre, commence en fait avec leur annexion au duché de Normandie par le duc Guillaume Longue-Épée en 933. Comme c'est en tant que duc de Normandie que le roi d'Angleterre conserve sa souveraineté sur les îles, celles-ci gardent leurs propres institutions : malgré la révision constitutionnelle intervenue après la Seconde Guerre mondiale, l'archaïsme de ces institutions reste frappant; il contribue, particulièrement, à faire des îles Anglo-Normandes un véritable « paradis fiscal ».

ANGLO-SAXONS, nom générique des Germains* (Angles, Jutes, Saxons) établis à la veille des grandes invasions barbares* sur les côtes de la mer du Nord. Entre 450 et 500, ils envahissent l'île de Bretagne où ils organisent des royaumes indépendants. (V. ANGLETERRE.)

ANGLURE (51260), ch.-l. de cant. de la Marne, sur l'Aube, à 12 km au N.-E. de Romilly-sur-Seine; 785 hab.

ANGO (Jean), armateur français (Dieppe 1480 - *id.* 1551). Riche armateur, il met sa flotte au service de François Ier d'abord contre les Portugais (1531), puis contre les Anglais (1544-45).

ANGOISSE. — Il est classique mais arbitraire de distinguer l'angoisse de l'anxiété, l'angoisse étant le cortège des manifestations psychomotrices et végétatives (tachycardie, dyspnée, tremblements, sueurs, agitation) qui accompagnent l'anxiété, état de désarroi psychique. L'anxiété et l'angoisse se différencient de la peur, qui serait la réponse motrice (fuite ou immobilisation) à un danger extérieur, précis, réel et imminent.

Pour Freud, l'angoisse est produite par le moi* devant un danger pulsionnel, permettant de mettre en jeu les opérations de défense*. Otto Rank* voit dans le traumatisme de la naissance le prototype

type du temple angkorien : temple-montagne, dont le symbolisme élaboré évoque l'ordre cosmique. Le temple de Prè Rup (961) — composé de trois étages, avec cinq tours terminales et, sur les deux premiers gradins, de longues salles annonçant les galeries pourtournantes ultérieures — est une admirable réussite. Agrandie, la ville est dotée d'un nouveau lac artificiel ainsi que du Baphuon (seconde moitié du XIe s.), aux proportions colossales et couvert de bas-reliefs de très belle qualité. L'art khmer a atteint son apogée, et sous le règne de Sūryavarman II (1113-v. 1150) est édifié Angkor Vat, vaste quadrilatère (1 500 m sur 1 300) bordé par un large bassin et une enceinte de 5,6 km. Le temple, dont la destination est probablement funéraire, est dédié à Viṣṇu. Le plan primitif est très amplifié, les galeries pourtournantes sur trois étages permettent le passage d'un niveau à l'autre et le décor sculptural, illustrant l'épopée indienne, est d'une somptueuse richesse. Lorsque Jayavarman VII reconstruit la ville (muraille de 12 km de tour, système de canaux, multiples fondations religieuses), elle devient Angkor Thom. Le symbolisme architectural triomphe, mais l'esthétisme l'emporte sur la qualité de la construction. Le Bàyon, monument d'inspiration bouddhique (fin du XIIe s.-début du XIIIe), en est un très bel exemple. Ses tours sculptées représentent le visage du bodhisattva Lokeśvara sous les traits du souverain, dont l'énigmatique sourire n'écartera ni la décadence ni le long oubli de sa cité.

ANGLAIS. — L'anglais est, après le chinois, la langue la plus répandue dans le monde : plus de 300 millions de personnes le parlent, dont 220 millions en Amérique et 60 millions en Grande-Bretagne. De plus, du fait de l'importance économique et scientifique des pays anglophones, l'anglais est devenu la première langue utilisée pour les échanges commerciaux et la diffusion de l'information technique et scientifique.

Il appartient au groupe occidental des langues germaniques. Introduit au Ve s. dans les îles Britanniques par les envahisseurs Angles, Saxons et Frisons, il supplante alors peu à peu le parler romano-celtique antérieur. Le vieil-anglais (ou saxon) est la langue littéraire de l'Angleterre du IXe s. La conquête normande (1066) impose le français comme langue officielle, et l'Angleterre connaît pendant trois siècles un bilinguisme qui marquera profondément le vocabulaire. À partir de la fin du XIVe s., le français disparaît peu à peu, et le dialecte de la région de Londres s'impose comme langue littéraire (Chaucer), qui est stabilisée et diffusée au siècle suivant par l'imprimerie.

ANGLEBERT (Jean Henri D'), compositeur, organiste et claveciniste français (Paris 1628-*id.* 1691). Élève de Chambonnières, il lui succédera comme claveciniste de la chambre de Louis XIV. Il a laissé soixante *Pièces de clavecin* (1689).

ANGLES → BARBARES.

ANGLES (Les) [66210 Mont Louis], comm. des Pyrénées-Orientales, à 10 km au N. de Mont-Louis; 351 hab. Sports d'hiver (1 600-2 400 m).

ANGLÈS (81240 St Amans Soult), ch.-l. de cant. du Tarn, à 26 km au N.-E. de Mazamet; 668 hab.

ANGLESEY, île de Grande-Bretagne (pays de Galles), dans la mer d'Irlande; 60 000 hab.

ANGLET (64600), ch.-l. de cant. des Pyrénées-Atlantiques, dans la banlieue ouest de Bayonne; 26 049 hab. *(Angloys).* Construction aéronautique.

ANGLETERRE, en angl. **England,** partie sud de la Grande-Bretagne, limitée par l'Écosse au N. et le pays de Galles à l'O.; 130 000 km^2; 46,3 millions d'habitants *(Anglais).* Capit. *Londres.*

GÉOGRAPHIE. La majeure partie de l'Angleterre s'étend sur le bassin sédimentaire de Londres, marqué par des alignements d'escarpements monoclinaux (Downs, Chiltern Hills, Cotswolds) que séparent des dépressions. Ce bassin est bordé par des noyaux de massifs anciens aplanis : Cumberland et chaîne Pennine au N., Dartmoor, en Cornouailles, à l'O. Un climat océanique frais et pluvieux règne sur l'ensemble. Seules la région de Londres et la côte sud, sur la Manche, bénéficient d'un ensoleillement notable.

L'Angleterre est une région très peuplée, fortement urbanisée, qui a été le berceau de la révolution industrielle. Seuls deux secteurs sont à vocation essentiellement agricole. En Cornouailles, le climat, particulièrement doux et humide, entretient des prairies naturelles, vouées à l'élevage surtout bovin. La partie orientale (Fens), plus ensoleillée et aux sols plus riches, se consacre à la culture : céréales, betterave à sucre, fruits et légumes.

Mais l'essentiel de la population se concentre dans les différentes zones industrielles, qui s'opposent par leur évolution actuelle. Dans le Nord, les bassins houillers (Lancashire, Yorkshire, Northumberland-Durham) ont favorisé dès le XIXe s. le développement de la métallurgie lourde et des industries mécaniques (chantiers navals de la Tees) et textiles (coton à Manchester, laine à Leeds). Mais ces activités sont en crise, et l'effort actuel de reconversion se heurte à de nombreuses difficultés. Le noyau industriel des Midlands est né également du charbon (Pays noir, autour de Birmingham). Mais, rapidement, l'industrie s'y est diversifiée, avec la construction automobile, la production de poteries industrielles, l'électronique, etc. La région du Sud-Est est certainement la plus dynamique. Elle est centrée sur l'agglomération londonienne, que son port alimente en matières premières diverses. La plupart des activités industrielles ainsi que le secteur tertiaire y sont représentés. Cette énorme concentration de population, qu'un effort d'urbanisme essaie de maîtriser (villes nouvelles), entretient des cultures maraîchères, développées surtout au S. de Londres. La côte de la Manche, enfin, est fréquentée par de nombreux touristes tant britanniques que continentaux.

L'Angleterre constitue ainsi la partie vitale du Royaume-Uni. Mais elle recouvre en réalité des régions très différentes. Les zones agricoles de l'Ouest et de l'Est évoluent lentement, et le Nord industriel, en proie à la crise, voit sa population diminuer. Les deux pôles attractifs sont les Midlands et surtout l'agglomération londonienne, qui ont su s'adapter aux activités nouvelles et n'ont pas trop souffert du déclin du charbon, sur lequel a été fondé le développement de l'Angleterre.

HISTOIRE. Occupée par l'homme dès le IIIe millénaire, l'Angleterre est envahie par les Celtes (VIIIe-Ier s. av. J.-C.), qui la font passer de l'âge du bronze à l'âge du fer. Cette occupation celte atteste les liens étroits qui, dès lors, unissent la Bretagne — comme on appelle alors le pays — au continent : liens qui entraînent l'intervention des Romains (César, Claude, Agricola...) dans l'île, où la romanisation hors du bassin de Londres reste superficielle. Abandonnée par les légions romaines en 407, la Bretagne est envahie, cinquante ans plus tard, par les Germains : les Saxons qui s'installent dans la partie méridionale, les Angles et les Jutes. Ces envahisseurs repoussent les populations celtiques en Cornouailles et en Galles ou bien les obligent à s'installer sur le continent, en Armorique. La population et la société de l'Angleterre sont vite et entièrement germanisées.

Après de terribles luttes entre les royaumes anglo-saxons, une lente pacification, à laquelle contribue principalement à la fin du IXe s. le roi du Wessex, Alfred* le Grand, et l'introduction du christianisme en Angleterre (VIIe s.) rendent possible l'essor de la civilisation anglo-saxonne, dont les deux métropoles religieuses, York et Canterbury, et de nombreux monastères assurent la pérennité.

L'implantation scandinave (danoise) au cours des IXe, Xe et XIe s. est superficielle; mais elle remet en cause le principe de la légitimité royale, ce qui facilite la conquête de l'Angleterre par Guillaume, duc de Normandie (bataille d'Hastings, 14 oct. 1066), qui est aussitôt couronné roi. Henri II Plantagenêt (de 1154 à 1189), en épousant Aliénor d'Aquitaine, devient le maître d'un vaste

Maisons à colombages du centre de Chester (Cheshire). Au niveau du premier étage sont aménagées des galeries commerciales, les « Rows ».

Lauros-Atlas-Photo

de toute angoisse, alors que, pour R. Spitz, ce ne serait que vers 6-8 mois, au moment où l'enfant devient capable de distinguer le familier de l'étranger, qu'apparaît vraiment l'angoisse. C'est l'angoisse des 8 mois, moment normal du développement psychique, qui indique que l'enfant réagit à l'absence de sa mère. Au stade phallique* apparaît ensuite l'angoisse de castration*. Ultérieurement, la partie du surmoi* qui s'est formée par intériorisation des normes sociales est à l'origine de la production d'angoisse « morale ». Le danger est alors pour le moi* le risque de perte de l'amour du surmoi*.

ANGOLA, État du sud de l'Afrique, en bordure de l'océan Atlantique; 1 246 000 km²; 5 810 000 hab. *(Angolais).* Capit. *Luanda.*

GÉOGRAPHIE. La plaine littorale, marécageuse, est bordée à l'E. par un grand escarpement qui limite le plateau du Bié. Ce dernier, dont l'altitude varie de 1 000 à 2 000 m, est drainé vers le N. par les affluents du Congo, vers le S. par ceux du Zambèze. Sur le plateau, les précipitations restent partout abondantes, alors que la côte, encore sous l'influence équatoriale au N., s'assèche progressivement vers le désert de Namib, au S.

Vaste pays, l'Angola est très peu peuplé. Au moment de l'indépendance, les Européens, Portugais pour la plupart, sont partis, et la population, noire, est constituée en majorité de Bantous. Elle est principalement rurale, la seule ville importante étant la capitale. L'agriculture traditionnelle (manioc) et l'élevage bovin sont pratiqués par une partie des habitants. Les grandes exploitations d'origine coloniale fournissent café, maïs, cacao et coton. Les ressources minières sont abondantes, mais, à part les diamants, le fer et le pétrole, encore peu exploitées. L'industrialisation reste faible, et les dissensions internes qu'a suscitées l'accession à l'indépendance freinent le développement économique.

HISTOIRE. En 1482, un Portugais, Diogo Cam (ou Cão), découvre et remonte l'estuaire du Congo; des relations confiantes s'établissent avec le royaume du Kongo, qui étend son influence sur une grande partie de l'Angola et dont les souverains embrassent le christianisme et poussent à l'européanisation de leur État. Mais, peu après, des colons portugais plantent à São Tomé de la canne à sucre : ce sont les débuts de la pénétration portugaise et de la traite des Noirs. En 1583, le roi d'Angola réagit violemment, ce qui provoque une longue guerre, terminée en 1625 par l'application du système espagnol (le Portugal dépend alors de l'Espagne) des *encomiendas,* ou protectorats.

Cependant, la domination portugaise en Angola reste limitée; la colonisation elle-même se borne à la traite des esclaves. À la fin du XIXe s., une série de traités internationaux permettent au Portugal d'étendre peu à peu sa zone d'influence, les explorations de Silva Porto (1845) et de Serpa Pinto (1877-1879) ayant préparé le terrain. En 1920, les Portugais sont maîtres de l'ensemble d'un pays par ailleurs médiocrement exploité. Mais bientôt le régime salazariste renforce les pouvoirs de l'Administration et le système de l'indigénat, provoquant en 1961, à Luanda, une forte insurrection nationaliste, dont les résultats sont freinés par les dissensions entre les trois principaux mouvements nationalistes : le Mouvement populaire de libération de l'Angola (M. P. L. A.), le Front national de libération de l'Angola (F. N. L. A.) et l'Union nationale pour l'indépendance de l'Angola (U. N. I. T. A.). Au prix d'un gros effort militaire, le Portugal maintient sa présence en Angola.

Le coup d'État qui éclate à Lisbonne en avril 1974 modifie fondamentalement la situation, en accélérant un processus de décolonisation qui aboutit, le 15 janvier 1975, à la signature, entre le Portugal et les mouvements de libération, d'un accord sur l'indépendance, laquelle est proclamée le 11 novembre de la même année. L'Angola est pendant quelques mois en proie à la guerre civile avant que le M. P. L. A. ne l'emporte sur ses rivaux.

ANGOULÊME (16000), ch.-l. du départ. de la Charente, sur la Charente, à 440 km au S.-O. de Paris; 50 500 hab. *(Angoumoisins).*

Cathédrale romane (XIIe s.) à nef unique couverte de grandes coupoles et à façade richement sculptée (les parties hautes sont un faux de P. Abadie). Centre administratif et commercial, Angoulême possède quelques industries, implantées surtout dans la banlieue : papeterie, fonderie, moteurs, cimenterie. La ville est le noyau d'une agglomération proche de 100 000 habitants.

ANGOULÊME (Louis Antoine DE BOURBON, *duc* D'), dernier dauphin de France (Versailles 1775 - Görz, auj. Gorizia, Autriche, 1844). Fils du comte d'Artois (Charles X), il épouse en 1799 sa cousine Marie-Thérèse, fille de Louis XVI, dont il n'a pas d'enfant. En 1815, il essaie de soulever le Midi contre Napoléon. Il dirige l'expédition d'Espagne de 1823. Il doit s'exiler, comme son père, en 1830.

ANGOULÊME (Marie-Thérèse Charlotte DE BOURBON, *duchesse* D'), fille de Louis XVI (Versailles 1778 - Görz, auj. Gorizia, Autriche, 1851), appelée **Madame Royale.** Emprisonnée au Temple en 1792, elle est échangée trois ans plus tard contre des Conventionnels prisonniers des Autrichiens. Elle épouse en 1799 son cousin le duc d'Angoulême.

ANGOUMOIS, anc. pays de la France du Sud-Ouest. Rattaché au royaume (1308), puis cédé à l'Angleterre (1360), le comté d'Angoulême est reconquis par Charles V (1373) et réuni définitivement à la Couronne par François Ier (1515).

ANGRA DO HEROÍSMO, port des Açores, dans l'île de Terceira; 14 000 hab.

ANGRA DOS REIS, localité du Brésil (État de Rio de Janeiro), sur l'Atlantique. Centrale nucléaire.

ANGSTRÖM → UNITÉS.

ÅNGSTRÖM (Anders Jonas), physicien suédois (Lödgö 1814 - Uppsala 1874). Il a mesuré les longueurs d'onde et déterminé les limites du spectre visible; il a identifié les raies spectrales de divers métaux.

ANGUIER, nom de deux frères (FRANÇOIS [1604-1669] et MICHEL [1614-1686]), sculpteurs français nés à Eu et morts à Paris. Passés par Rome, ils sont à la charnière de la Renaissance, réaliste et maniériste, et du classicisme antiquisant du règne de Louis XIV (mausolée d'Henri II de Montmorency à Moulins et décors du Louvre, par les deux frères; priant de Gasparde de La Châtre [François] et *Amphitrite* [Michel] au Louvre; décors du Val-de-Grâce et de la porte Saint-Denis à Paris [Michel]).

ANGUILLA, île britannique des Petites Antilles, au N.-O. de la Guadeloupe; 5 400 hab.

ANGUILLE. — Il y a peu d'animaux qui soient aussi migrateurs que l'anguille. Les anguilles du bassin atlantique naissent dans les abysses au-dessous des Sargasses. La larve *(leptocéphale)* met deux ans et demi à gagner les côtes européennes, tandis qu'elle prend une nouvelle forme larvaire, celle d'une *civelle.* Le leptocéphale a la forme d'une feuille de laurier, alors que la civelle ressemble beaucoup plus à l'adulte. Il faudra pourtant quinze ans à cette dernière pour atteindre sa taille définitive et approcher de la maturité sexuelle, tout en se répandant dans tout le réseau des rivières et des ruisseaux, voire dans les étangs, qu'elle atteint en rampant à travers les prés humides. L'adulte a la forme d'un serpent, de courtes nageoires pectorales, une longue et unique nageoire impaire ventro-dorsale, une peau particulièrement vis-

ANGOLA

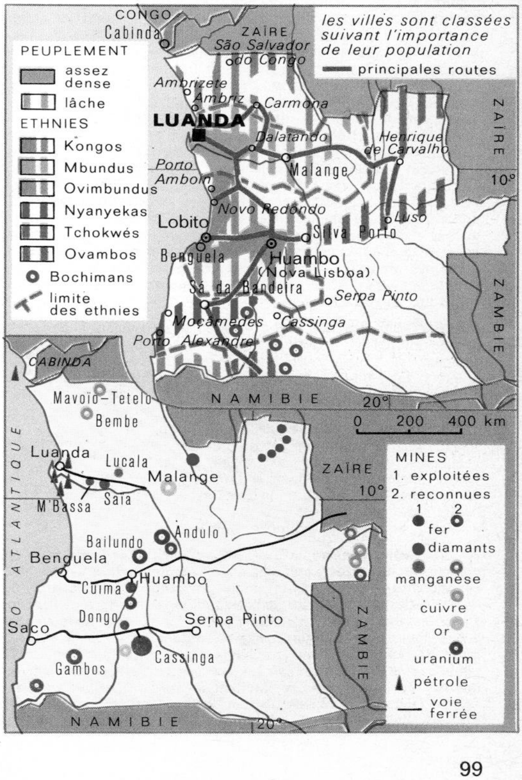

queuse («glisser comme une anguille»), qui lui permet de supporter les différences de salinité auxquelles la soumettent ses migrations et même de sortir longuement de l'eau. Devenus *anguilles d'avalaison,* ayant pris une couleur argentée, mâles et femelles redescendent les cours d'eau et retournent frayer en mer des Sargasses. On range ces poissons dans l'ordre des *apodes.*

ANHALT, anc. État souverain de l'Allemagne centrale, dont le territoire était constitué de parties enclavées dans les provinces prussiennes. En 1863, les deux duchés d'Anhalt-Bernburg et d'Anhalt-Dessau-Köthen furent réunis en un seul. Devenu État libre en 1918, l'Anhalt perdit ses pouvoirs souverains au profit du Reich en 1933. La région fait aujourd'hui partie de la République démocratique allemande.

AN-HOUEI → NGAN-HOUEI.

ANHYDRIDE. — Les anhydrides d'acides minéraux sont des oxydes de métalloïdes ou parfois de métaux (ex. : SO_3, anhydride sulfurique, CrO_3, anhydride chromique); ce sont des oxydes acides. Parallèlement, il existe des oxydes basiques, toujours métalliques, tels Na_2O, CaO, etc.; leur formule se déduit de celle de l'hydroxyde (base) par élimination d'eau entre les OH basiques. On les nomme parfois «anhydrides de bases».

ANI → ARMÉNIE.

ANIANE (34150 Gignac), ch.-l. de cant. de l'Hérault, à 23 km à l'E. de Lodève; 1 684 hab. Une abbaye, l'une des plus importantes de l'époque carolingienne, y fut fondée au VIIIe s.

ANICET *(saint)* → PAPE.

ANICHE (59580), comm. du Nord, à 13 km à l'E. de Douai; 9 690 hab. Verrerie.

ANIENE, riv. d'Italie, affl. du Tibre (r. g.), qu'elle rejoint au N. de Rome; 99 km. À Tivoli, cascade de 108 m de haut.

ANILINE. — L'aniline $C_6H_5NH_2$ est le type des bases appelées «arylamines», dont le groupement NH_2 est fixé directement sur le noyau benzénique. Elle se prépare par hydrogénation du nitrobenzène. C'est un liquide incolore, brunissant à l'air et toxique. Les arylamines permettent la préparation d'hydrazines et de nombreux colorants dits «azoïques», dont l'importance est considérable.

ANIMAL. — Évidente chez un chat ou chez une mouche, l'appartenance d'un être vivant au règne animal est plus délicate à établir chez une éponge, un corail, une amibe. Outre un caractère négatif fondamental, l'absence de chlorophylle, l'animal se définit surtout par son mode d'alimentation : il possède au moins une *bouche,* presque toujours permanente, et capture des proies organisées, qu'il *ingère.* Ingérer, c'est introduire dans une cavité organique avant de *digérer,* de transformer chimiquement les aliments. Seuls les animaux le font, puisque les plantes carnivores digèrent les insectes à la surface de leurs feuilles et non dans une cavité. La plupart des animaux n'attendent pas leur proie, mais la recherchent, voire la poursuivent après l'avoir dépistée. Organes sensoriels, système nerveux, locomotion prennent alors chez eux une importance vitale. La symétrie bilatérale, l'existence d'une tête* sont des adaptations habituelles à ce mode d'alimentation. Et, pourtant, certains animaux très évolués n'ingèrent pas leur proie, mais la digèrent extérieurement, la «sucent», telles l'étoile de mer, la larve de fourmilion, la nèpe des étangs et, jusqu'à un certain point, les araignées. Leur évidente ressemblance, dans tous les autres domaines, avec des animaux mangeurs interdit de les soustraire au règne animal.

ANIMATION *(Psychosociol.).* — Bien que l'animation de la vie sociale ait existé de tout temps et se soit développée empiriquement, sa conceptualisation est récente. Elle fait appel aux sciences humaines, à l'urbanisme, à la planification, etc. Elle remplit trois rôles essentiels : la prévention de l'inadaptation sociale, par l'invention de nouveaux modes de communication, la facilitation des relations et l'éducation, pour favoriser l'insertion sociale; la préservation du potentiel de créativité de chacun, face à l'emprise croissante des mass media, au service de la société de consommation; l'incitation à la croissance et au développement économique. Elle revêt de multiples aspects, qui dépendent de la nature du projet auquel elle apporte son concours : culturel, distractif, commercial, politique, religieux.

ANIMATION (cinéma d'). — Le cinéma d'animation, qu'on nomme aussi parfois «huitième art», compte environ une dizaine de branches, dont le dessin animé proprement dit et le film de marionnettes sont les plus importantes. Son origine remonte aux lointaines expériences d'ombres chinoises et aux perfectionnements apportés à la lanterne magique durant le XVIIe et le XVIIIe s. Mais c'est au XIXe s. et parallèlement au développement de la photographie que les savants purent mettre en application leurs théories de l'image animée. Mettant à profit les découvertes de J. A. Plateau (phénakistiscope) et W. A. Horner (zootrope), le Français Émile Reynaud, grâce à son Théâtre Optique, peut être considéré comme le véritable pionnier de l'animation. Ses pantomimes lumineuses eurent un grand succès de 1892 à 1900 avant d'être éclipsées par l'invention du cinéma. C'est l'Américain J. Stuart Blackton qui découvre le premier la prise de vues image par image dans *l'Hôtel hanté* (1906), procédé qui sera repris avec bonheur par Émile Cohl. Vers 1909, le cap expérimental de l'animation est franchi aux États-Unis grâce à Winsor McCay, qui améliore la technique et ouvre la voie aux recherches de Pat Sullivan *(Félix le Chat)* et des frères Fleischer *(Koko le clown).* Au cours des années 20, un homme, Walt Disney, va comprendre l'immense parti qu'il pourra tirer d'un art nouveau dont la popularité ne cesse de s'étendre. Les bases d'une usine à rêves pour enfants et adultes sont jetées lorsqu'en 1926 paraît pour la première fois sur les écrans Mickey, la souris anthropomorphe. L'alliance du son et du dessin, puis bientôt de la couleur va permettre au dessin animé de se propager dans le monde entier à partir de 1930. En Amérique, Walt Disney impose son style réaliste et arrondi. *Blanche-Neige et les sept nains* (1937) est un triomphe. L'«empereur» Disney n'a que peu de concurrents (sinon les frères

W. Disney (coll. J.-L. Passek)

Blanche-Neige et les sept nains, de Walt Disney.

CINÉMA D'ANIMATION

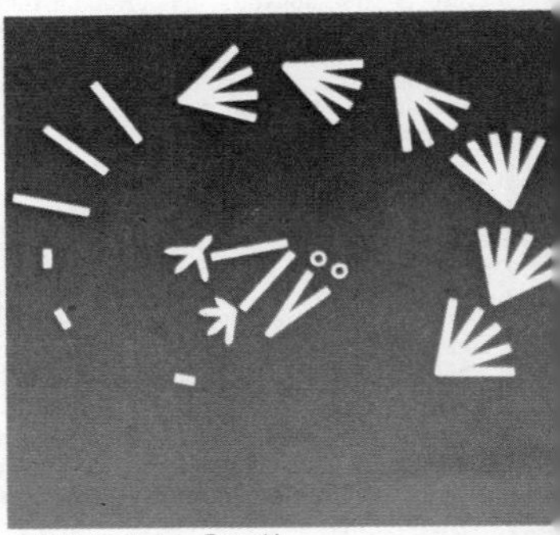

Le Merle, de Norman McLaren.

O.N.F. (coll. J.-L. Passek)

Fleischer et leurs séries populaires de *Popeye).* Cependant, progressivement, certains de ses collaborateurs cherchent à échapper à sa férule. Des hommes comme Tex Avery et Stephen Bosustow imposent leur conception du dessin animé. L'animation découvre, grâce au premier nommé, la violence, la loufoquerie, le délire et, grâce au second, la beauté des formes nouvelles, qui s'inspirent des recherches picturales contemporaines et abordent le domaine de l'humour. Les spectateurs américains seront, jusqu'en 1960, écartelés entre la folie ravageuse de Tex Avery et de ses adeptes, l'élégance subtile de l'United Production of America, fondée par Bosustow, et l'inépuisable gentillesse de Walt Disney. Mais, dès la fin de la Seconde Guerre mondiale, le monopole de l'animation échappe petit à petit aux Américains. D'autres créateurs s'imposent à travers le monde, comme le Canadien

W. Disney (coll. J.-L. Passek)

Dumbo, de Walt Disney.

X (coll. J.-L. Passek)

Une marionnette de Jiří Trnka.

La Planète sauvage, de R. Laloux et Topor.

Armorial Films (coll. J.-L. Passek)

Norman McLaren, qui se fait le chantre d'un nouvel espace irréaliste, à la fois abstrait et musical, et jongle avec les techniques les plus raffinées. Chaque pays a ses individualités. En Europe centrale se développe une véritable « politique de l'animation ». En Tchécoslovaquie, Karel Zeman et le marionnettiste Jiří Trnka empruntent les chemins de la féerie; en Yougoslavie, l'école de Zagreb invente un monde farfelu, caustique et parfois très allégorique. L'animation se diversifie et part à la conquête d'un nouveau public, féru de musique pop, de bandes dessinées vengeresses ou de science-fiction (*le Sous-Marin jaune* de George Dunning [1968], *Fritz the Cat* de Ralph Bakshi [1972], *la Planète sauvage* de R. Laloux et Topor [1973]).

Le cinéma publicitaire fait également largement appel aux techniques de l'animation.

ANIMISME. — L'animisme, pratiqué par les peuples « primitifs », est une forme de religion fondée sur la croyance selon laquelle toute chose (objet, animal, élément naturel) recèle une âme, dont l'essence est dotée d'une puissance variable et de qualité supérieure à l'homme, et qui est perçue comme intermédiaire entre Dieu et l'homme.

ANION → ION.

ANIS. — Il ne faut pas confondre l'*anis étoilé,* qui provient d'un arbuste, la badiane *(Illicium verum),* assez voisin des renoncules, et les divers condiments, parfums et tisanes à l'« anis », qui proviennent de diverses ombellifères : fenouil, carvi, etc. La ressemblance de l'arôme exprime une ressemblance chimique véritable, mais qui ne correspond à aucune parenté botanique.

ANIZY-LE-CHÂTEAU (02320), ch.-l. de cant. de l'Aisne, à 19,5 km au S.-O. de Laon, sur l'Ailette; 1 788 hab.

ANJERO-SOUDJENSK, v. de l'U. R. S. S. (R. S. F. S. de Russie), en Sibérie, dans le nord du Kouzbass; 106 000 hab.

ANJOU, anc. prov. de l'ouest de la France, axée sur la Loire, entre la Bretagne, le Maine, la Touraine et le Poitou. Capit. *Angers.* Elle a constitué le département de Maine-et-Loire et les confins des départements d'Indre-et-Loire, de la Sarthe et de la Mayenne.

GÉOGRAPHIE. Aux confins du Massif armoricain *(Anjou noir)* et du Bassin parisien *(Anjou blanc),* l'Anjou est d'abord un carrefour de rivières, le Loir, la Sarthe et la Mayenne y formant la Maine, affl. de la Loire, dont la vallée constitue la partie la plus riche de la province, de Saumur au voisinage d'Angers, associant primeurs, cultures florales, pépinières. Le vignoble est cultivé dans le Saumurois et sur les coteaux du Layon. L'élevage est une ressource essentielle des plateaux, dont le sous-sol fournit localement du fer (dans le Segréen) et des schistes ardoisiers (Trélazé), mais l'activité industrielle est surtout concentrée à Angers*.

HISTOIRE. Pays gaulois des Andes, ou Andécaves, occupé par les Romains (57-56 av. J.-C.), l'Anjou forme un comté au IXᵉ s., défendu par Robert le Fort contre les Normands. Installé par le fils de Robert pour le suppléer à Angers, le vicomte Enjeuger est le fondateur de la première maison d'Anjou, qui deviendra comtale sous Foulques Ier le Roux (929). Le comté sera bientôt un des fiefs les plus importants de France. Foulques III Nerra (de 987 à 1040) et son fils Geoffroi II Martel Ier (de 1040 à 1060) agrandissent l'Anjou, qui connaît une éclipse sous Foulques IV le Réchin (de 1068 à 1109). Avec Geoffroi V (de 1131 à 1151) commencent une période brillante de l'histoire du comté et le règne de la dynastie anglo-angevine des Plantagenêts*. Sous Henri II* Plantagenêt, l'Anjou devient le cœur d'un vaste Empire franco-anglais qui s'étend de l'Écosse aux Pyrénées.

En 1205, Philippe Auguste s'en empare, et le comté sera constitué en apanage en faveur de Charles Ier* d'Anjou (1246), fondateur de la deuxième dynastie. En 1290, il passe aux Valois*, troisième dynastie angevine, par le mariage de Charles de Valois avec la petite-fille de Charles Ier d'Anjou. À l'avènement de Philippe VI de Valois (1328), il est réuni au domaine royal. Mais, en 1360, il est de nouveau un apanage, érigé en duché, en faveur de Louis Ier d'Anjou. Après la mort du roi René (1480) et de Charles V du Maine (1481), qui le lègue à Louis XI, il est rattaché définitivement à la Couronne.

Dévasté par les guerres de Religion*, la Fronde* et la guerre de Vendée*, l'Anjou constitue un gouvernement militaire particulier au XVIIᵉ et au XVIIIᵉ s., et forme pour l'essentiel le département de Maine-et-Loire en 1790.

ANJOU, v. du Canada (Québec), dans la banlieue nord de Montréal; 33 886 hab.

ANJOU (Hercule François, *duc* D'), fils d'Henri II et de Catherine de Médicis (Saint-Germain-en-Laye 1554-Château-Thierry 1584). Duc d'Alençon, il devient duc d'Anjou en 1576 par la « paix de Monsieur* ». Sa mort fait d'Henri de Navarre l'héritier du trône de France.

ANJOUAN, île volcanique de l'archipel des Comores; 83 500 hab.

ANKARA, capit. de la Turquie; 1 209 000 hab. Important musée archéologique. Située sur le plateau anatolien, à 900 m d'altitude, la ville comptait encore moins de 100 000 habitants il y a un demi-siècle. Simple village phrygien, puis modeste agglomération galate, *Ancyre* s'était développée à l'époque romaine; enlevée aux Byzantins par les Seldjoukides au XIIᵉ s., elle était jusqu'au XIXᵉ s. un centre de filature et de tissage de la laine d'*Angora.* Son essor date de son choix, en 1923, comme capitale de l'État. Isolée par sa situation continentale, Ankara est d'abord une ville administrative et politique, un marché agricole, aux industries surtout artisanales, bien loin économiquement derrière Istanbul*.

ANKYLOSE → ARTICULATION.

an mille *(l'),* année caractérisée par des transformations dont la plupart des aspects sont à la fois causes et conséquences de l'essor du monde médiéval. La construction des cathédrales joue un rôle important dans les progrès de l'Occident. Raoul Glaber, le chroniqueur bourguignon, rend compte de ce mouvement de construction : « Comme approchait la troisième année qui suivit l'an mille, on vit dans presque toute la terre, mais surtout en Italie et en Gaule, réédifier les bâtiments des églises [...]. On eût dit que le monde lui-même secouait sa vétusté et revêtait de toutes parts un « blanc manteau d'églises » [...]. » Les chantiers de construction sont le centre de la première et presque de la seule industrie médiévale. Mais l'origine de l'essor est en fait la terre, qui, au Moyen Âge, est la base de tout. Des progrès techniques (moulin à eau, charrue à roues) font augmenter la production agricole. La population s'accroît, et l'on assiste à un intense mouvement de défrichement. Les progrès de l'agriculture et des moyens de transport, la plus grande sécurité des routes entraînent un renouveau commercial. Dès lors, l'argent, et non plus seulement la terre, commence à jouer un rôle essentiel dans la société médiévale. Profitant de ce réveil agricole et commercial, les villes naissent et se développent.

ANNABA, anc. **Bône,** port de l'Algérie orientale, ch.-l. de départ.; 152 000 hab. Sidérurgie. Engrais. C'est le site de l'ancienne *Hippone**.

ANNA IVANOVNA (Moscou 1693 - Saint-Pétersbourg 1740), impératrice de Russie (1730-1740). Fille d'Ivan V, elle est choisie à la mort de Pierre II par le Haut Conseil secret, qu'elle dissout après son avènement. Elle laisse son favori Biron* gouverner et placer à tous les postes clefs des Allemands célèbres pour leur brutalité et leur corruption. La Russie, qui vient de participer à la guerre de la Succession* de Pologne, entreprend contre la Turquie la guerre de 1735-1739.

Anna Karenine, roman de L. Tolstoï (1876-77). À travers une peinture fidèle de la société aristocratique du temps, le bonheur d'un ménage honnête opposé aux humiliations et aux drames de la passion adultère.

ANNALES. — Textes qui rapportent les événements en suivant uniquement l'ordre chronologique, les annales se retrouvent aux origines de l'histoire dans tous les pays. En Occident, à partir de l'époque carolingienne, elles ont été rédigées, pour la plupart, dans les monastères. Les recueils les plus célèbres et les plus précieux sont les *Annales de Fulda,* les *Annales de Saint-Bertin,* les *Annales de Lorch.*

Les deux principaux recueils d'annales en Chine sont : le *Chou-king**, ou *Classique des documents* (XIe s.-VIe s. av. J.-C.), partiellement légendaire, composé de discours et d'édits prononcés par les empereurs et les hauts dignitaires; le *Tch'ouen-ts'ieou,* ou *Annales des printemps et automnes,* qui couvre la période allant de 722 à 481 av. J.-C. et fait du passé une leçon permanente pour le présent.

Annales, de Tacite (IIe s.). Elles exposent en seize livres (dont plusieurs ont été perdus) l'histoire romaine depuis la mort d'Auguste jusqu'à celle de Néron. Tacite, qui n'est pas exempt des préjugés de la classe sénatoriale de son temps, raconte l'histoire d'une Rome impériale où s'affrontent le sénat, gardien de la tradition, et la cour des princes « tyrans ».

Annales d'histoire économique et sociale (depuis 1946 : **Annales. Économies. Sociétés. Civilisations**), revue créée en 1929 par Lucien Febvre et Marc Bloch, et qui a contribué à orienter l'histoire vers des voies nouvelles et multiples, l'intégrant à l'ensemble des sciences humaines.

ANNAM, région du Viêt-nam, entre le Tonkin et la Cochinchine, en grande partie montagneuse *(Cordillère annamitique),* dominant la mer de Chine méridionale, bordée localement de petites plaines rizicoles, site des principales villes (Huê, Da Nang).

À l'origine, ce nom désigna le royaume formé par le Tonkin et une partie des provinces méridionales de la Chine (Kouang-si, Kouang-tong). Par la suite, il s'appliqua à un empire dont l'étendue a beaucoup varié et a longtemps englobé les pays allant du Tonkin à la Cochinchine. Le terme fut supplanté par celui de *Viêt-nam,* vieille dénomination remise en honneur en 1803 par Gia-long, lors de sa conquête du Tonkin. Cependant, la France, puissance coloniale, continua à en faire usage pour désigner la partie centrale de l'Indochine française. (V. VIÊT-NAM.)

ANNAPOLIS, v. des États-Unis, capit. du Maryland, sur la baie de Chesapeake; 30 000 hab. Centre touristique. Siège de l'École navale américaine, créée en 1845.

ANNAPPES, anc. comm. du Nord, près de Lille, intégrée à la nouvelle comm. de Villeneuve-d'Ascq en 1970.

ANNAPŪRNA, massif de l'Himālaya, au Népal; 8 078 m. C'est le premier sommet de plus de 8 000 m qui ait été gravi (en 1950, par les Français M. Herzog et L. Lachenal).

ANN ARBOR, v. des États-Unis (Michigan), à l'O. de Detroit; 98 000 hab. Université.

ANNAY (62880 Vendin le Vieil), comm. du Pas-de-Calais, à 5 km au N.-E. de Lens; 5 139 hab.

ANNE *(sainte),* mère de la Vierge Marie. On ne sait rien de certain concernant cette sainte, épouse de Joachim, dit la tradition, et dont le culte s'est répandu dans toute la chrétienté, et notamment en Bretagne.

ANNE COMNÈNE, princesse byzantine (1083-1148). Elle a été l'historienne du règne d'Alexis Ier Comnène, son père, qu'elle a décrit dans l'*Alexiade.* Elle échoua dans sa conspiration contre Jean II Comnène, son frère, à qui elle voulait substituer Nicéphore Bryenne, son mari.

ANNE D'AUTRICHE, reine de France (Valladolid 1601 - Paris 1666). Fille de Philippe III d'Espagne, elle épouse en 1615 le roi de France Louis XIII, avec qui elle forme un ménage peu uni et dont elle aura, tardivement, deux enfants : Louis (XIV) et Philippe (d'Orléans). Après avoir longtemps cabalé, à la tête du parti dévot et espagnol, contre Richelieu, elle devient régente du royaume à la mort de Louis XIII (1643). Elle tombe alors sous la coupe de Mazarin*, dont elle fait le « chef du Conseil et ministre d'État », et

Lauros - Vieil

Anne d'Autriche. Portrait de l'école française, début du XVIIe s. (Musée de Narbonne.)

qu'elle soutient contre vents et marées malgré la Fronde*, crise dont elle sort indemne. Il est vrai qu'à la mort de Mazarin (1661) son fils Louis XIV prend la réalité du pouvoir. Dans ses dernières années, Anne se retire souvent au Val-de-Grâce, qu'elle a fait construire.

ANNE DE BEAUJEU (1460 - Chantelle 1522). Fille aînée de Louis XI, mariée en 1474 à Pierre de Beaujeu, futur duc de Bourbon, elle est régente du royaume durant la minorité de son frère Charles VIII (1483-1491). Sa fermeté et son habileté lui permettent alors de parachever l'œuvre de son père et de juguler les sursauts de la féodalité.

ANNE DE BRETAGNE (Nantes 1477 - Blois 1514), duchesse de Bretagne (1488-1514). Après avoir épousé Maximilien d'Autriche (1490), puis Charles VIII (1491), elle se marie en 1499, conformément au traité de Rennes, avec Louis XII, sur qui elle exercera une grande influence. Ce mariage confirme l'union de la Bretagne*, union qui deviendra effective lorsque François Ier, époux de Claude de France, fille d'Anne et de Louis XII, réunira cette province à la Couronne.

ANNE DE GONZAGUE, dite **la Princesse palatine** (Paris 1616 - *id.* 1684). Fille de Charles Ier, duc de Nevers, elle épouse en 1645 Édouard de Bavière, comte palatin du Rhin. Elle joue durant la Fronde* un rôle modérateur.

ANNE STUART (Londres 1665-*id.* 1714), reine de Grande-Bretagne et d'Irlande (1702-1714). Seconde fille de Jacques II Stuart, mais restée fervente protestante, elle succède en 1702 à sa sœur Marie et à Guillaume III, morts sans postérité. Son règne, au lendemain de cruelles guerres civiles, est particulièrement bienfaisant pour l'Angleterre; il est marqué par l'Acte d'union (1707), qui crée, avec l'Angleterre et l'Écosse, un État unique, la Grande-Bretagne. À l'extérieur, les victoires de Marlborough font de la Grande-Bretagne la première puissance maritime d'Europe. La disparition d'Anne entraîne la substitution de la dynastie de Hanovre à celle des Stuarts.

ANNEAU *(Math.).* — Un anneau est un ensemble* muni de deux lois de composition* internes, dont l'une confère à cet ensemble une structure de groupe* commutatif et dont l'autre est associative et distributive par rapport à la première.

• EXEMPLES. 1. L'ensemble $\mathbb{Z}$ des entiers relatifs, c'est-à-dire des nombres entiers positifs, négatifs ou nuls, muni de l'addition est un groupe commutatif.

La multiplication, dans $\mathbb{Z}$, est associative et distributive par rapport à l'addition; elle possède de plus un *élément neutre,* le nombre 1, et elle est commutative. Ces deux dernières propriétés font de $\mathbb{Z}$ un anneau commutatif et unitaire.

2. L'ensemble des entiers modulo un entier n positif quelconque est aussi un anneau commutatif et unitaire. Si l'on prend par exemple $n = 6$ et si l'on remplace tout entier positif par son reste dans la division par 6, le nombre $32 = 6.5 + 2$ sera remplacé par 2. On forme un ensemble $A = \{0, 1, 2, 3, 4, 5\}$. On munit cet ensemble A de l'addition, notée $\oplus$, coïncidant avec l'addition des nombres si le résultat obtenu est un élément de A. Si la somme obtenue dépasse 5, on la remplace par son reste dans la division par 6. Ainsi, $3 \oplus 1 = 3 + 1 = 4$; mais, comme $4 + 3 = 7 = 6 \times 1 + 1$, $4 \oplus 3 = 1$; de même, $4 \oplus 2 = 0$. On constate alors simplement que A, muni de $\oplus$, est un groupe commutatif.

On munit l'ensemble A d'une multiplication $\otimes$ obtenue en remplaçant le produit ordinaire de deux éléments de A par son reste dans la division par 6.

Ainsi, $2 \otimes 1 = 2 \times 1 = 2$; mais $3 \otimes 4 = 0$, car

$$3 \times 4 = 12 = 6 \times 2 + 0;$$

de même, $5 \otimes 2 = 4$, car $5 \times 2 = 10 = 6 \times 1 + 4$.

La multiplication $\otimes$ est associative, commutative et distributive par rapport à l'addition $\oplus$; 1 est élément neutre. On a bien ainsi construit un anneau commutatif et unitaire. Cet anneau est désigné par $\mathbb{Z}/6\mathbb{Z}$.

• *Idéal dans un anneau.* C'est un sous-groupe additif $\mathcal{J}$ de l'anneau A qui est multiplicativement permis.

Dire que $\mathcal{J}$ est un sous-groupe additif de A signifie que l'addition de l'anneau A confère à $\mathcal{J}$ une structure de groupe additif. $\mathcal{J}$ est multiplicativement permis si, quels que soient un élément a de A et un élément b appartenant à $\mathcal{J}$, ab et ba appartiennent à $\mathcal{J}$. Ainsi, dans $\mathbb{Z}$, l'ensemble $\mathcal{J} = \{\lambda a + \mu b\}$, dans lequel a et b sont deux éléments donnés de $\mathbb{Z}$ et λ et μ décrivent $\mathbb{Z}$, est un idéal de $\mathbb{Z}$. En effet, dans $\mathcal{J}$, l'addition est interne, associative comme dans $\mathbb{Z}$; O, élément neutre, appartient à $\mathcal{J} (\lambda = \mu = 0)$; l'élément $\lambda a + \mu b$ admet, comme symétrique, $-\lambda a - \mu b$.

Enfin, si $x \in A$ et $y = \lambda a + \mu b \in \mathcal{J}$, on a

$$xy = yx = x(\lambda a + \mu b) = \lambda x . a + \mu x . b = \lambda' a + \mu' b,$$

$\lambda' = \lambda x$ et $\mu' = \mu x$ appartenant à $\mathbb{Z}$. Donc $\lambda' a + \mu' b \in \mathcal{J}$, qui est multiplicativement permis. Cette notion d'idéal dans $\mathbb{Z}$ conduit à des applications arithmétiques concernant la divisibilité* et en particulier le plus grand commun diviseur de deux ou plus de deux nombres.

ANNEAU *(Phys. nucl.).* — L'*anneau de stockage* est une chambre à vide annulaire dans laquelle des particules animées de grandes vitesses, en provenance d'un accélérateur, décrivent, sous l'action d'un champ magnétique, des trajectoires circulaires en conservant leur énergie. On donne le nom d'*anneaux de collision* à un ensemble d'anneaux de stockage présentant une partie commune, dans laquelle sont organisées des collisions de particules à très haute énergie.

ANNEAU DE SATURNE → SATURNE.

ANNECY (74000), ch.-l. du départ. de la Haute-Savoie, au pied du Semnoz, à l'extrémité nord du *lac d'Annecy,* dans la *cluse d'Annecy* (passage entre les massifs préalpins des Bauges et des Bornes), à 542 km au S.-E. de Paris; 54 954 hab. *(Anneciens).* Château et palais de l'Isle (XIIe-XVIe s.). Cathédrale (XVIe s.). Églises Saint-Maurice (XVe s.) et Saint-François-de-Sales (XVIIe s.). Maisons anciennes. Musée.

Au cœur d'une agglomération de près de 100 000 habitants, Annecy est une des villes françaises ayant connu la plus forte croissance démographique après 1950. Elle le doit au développement des industries nouvelles (électronique, mécanique de précision), s'ajoutant à des branches plus anciennes (textiles), à la fonction administrative et favorisé par des aides à la décentralisation, alors que le cadre naturel attractif fait encore de la ville un centre touristique.

ANNECY *(lac d'),* lac préalpin de la Haute-Savoie, au S.-E. d'*Annecy,* long d'une quinzaine de kilomètres, couvrant 28 km^2. Site touristique.

ANNECY-LE-VIEUX (74000 Annecy), ch.-l. de cant. de la Haute-Savoie, dans la banlieue nord-est d'Annecy; 13 835 hab.

ANNÉE. — Le Soleil* décrit, au cours de l'année, un grand cercle sur la sphère céleste, l'*écliptique.* Ce cercle coupe l'équateur céleste en deux points, atteints lors des *équinoxes.* L'équinoxe de printemps est le moment où le Soleil passe de l'hémisphère céleste Sud dans l'hémisphère céleste Nord. Sa date peut être connue avec précision par les observations, car, à ce moment, la déclinaison du Soleil est juste nulle. Les astronomes définissent la durée de l'année comme étant le temps écoulé entre deux équinoxes de printemps successifs : c'est l'*année tropique.* La durée de l'année tropique varie légèrement en raison des perturbations de l'orbite de la Terre par les autres planètes. Lorsque l'unité de temps* était rattachée à l'année tropique, avant d'être rattachée au temps atomique, une année tropique de référence, celle de 1900, a dû être désignée. Le calendrier* grégorien s'est efforcé de faire coïncider la durée moyenne de l'année civile avec celle de l'année tropique afin que les équinoxes restent à la même date et que les saisons ne se décalent pas.

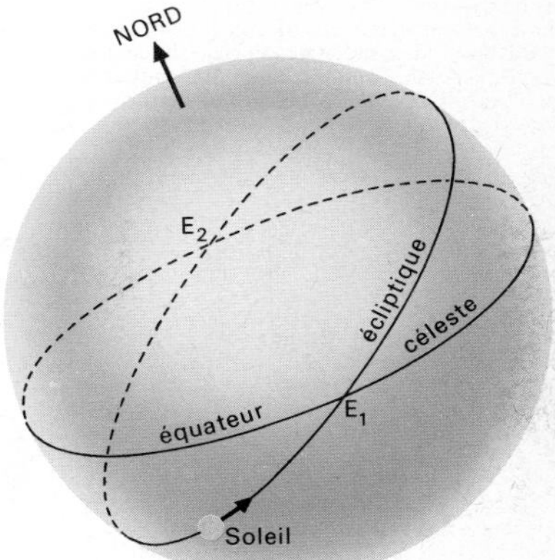

Année. Le point E_1 est atteint à l'équinoxe de printemps, le point E_2 à l'équinoxe d'automne.

Année terrible *(l'),* recueil poétique de V. Hugo (1872), inspiré par le siège de Paris et la Commune.

ANNÉLIDES. — Les annélides forment le plus nombreux des embranchements de « vers ». Elles sont toutes divisées en anneaux (d'où leur nom), et les anneaux voisins sont souvent identiques ou presque identiques, sauf aux deux extrémités. Ces anneaux ne sont jamais entourés d'un tégument chitineux, comme chez les arthropodes, et ils ne portent jamais de pattes articulées. Mais tous les organes internes habituels aux invertébrés sont présents chez les annélides : système nerveux ventral, vaisseau dorsal contractile, tube digestif, muscles, organes excréteurs (néphridies), etc.; il existe divers organes sensoriels et parfois une tête très distincte. La respiration est cutanée ou branchiale : il n'y a jamais de trachées. C'est d'après l'abondance des « soies » (poils raides favorisant la locomotion) que l'on distribue les annélides en trois classes : les *polychètes,* généralement marines, les unes errantes (néréide), les autres fixées (spirographe) ou fouisseuses (arénicole), ont de nombreuses soies; les *oligochètes* (lombric*) en ont peu; les *achètes,* ou *hirudinées* (sangsue*), n'en ont pas du tout.

ANNEMASSE (74100), ch.-l. de cant. de la Haute-Savoie, à 7 km à l'E. de Genève, près de l'Arve; 23 655 hab. *(Annemassiens).* Métallurgie et mécanique de précision.

ANNENSKI (Innokenti Fedorovitch), poète russe (Omsk 1856-Saint-Pétersbourg 1909). Apparenté au mouvement symboliste, le « Mallarmé russe » a renouvelé le langage poétique par l'intérêt qu'il porte aux objets et aux mots de la vie quotidienne, et par ses recherches sur la musicalité du vers (*Chants à voix basse,* 1904; *le Coffret de cyprès,* 1910; *Vers posthumes,* 1923).

ANNEZIN (62400 Béthune), comm. du Pas-de-Calais, dans la banlieue ouest de Béthune; 5466 hab.

ANNOBÓN → PAGALU.

ANNŒULLIN (59112), comm. du Nord, à 18 km au S. de Lille; 6127 hab. *(Annœullinois).*

ANNONAY (07100), ch.-l. de cant. de l'Ardèche, dans le nord du Vivarais, sur la Cance; 21530 hab. *(Annonéens).* Industrie automobile. Ganterie. Papeterie.

Annonce faite à Marie *(l'),* drame en quatre actes de P. Claudel (1912). Drame mystique, proche du mystère* médiéval : un équilibre, rompu par les passions humaines, est rétabli par le sacrifice d'une âme prédestinée. En toile de fond, les découvertes des navigateurs espagnols et portugais, et l'épopée de Jeanne d'Arc.

Annonciade *(ordre de l'),* ancien ordre de chevalerie italien, fondé en 1363 par le duc Amédée VI de Savoie et réservé aux souverains et aux grands personnages.

ANNONCIATION → MARIE.

ANNONE. — À Rome, les services de l'annone s'occupaient du ravitaillement de la ville en céréales (surtout le blé) et autres denrées (huile, pain...). Devant l'insuffisance de la production italienne, l'État dut avoir recours aux provinces (Afrique, Égypte, Sicile, Sardaigne), où le blé était soit réquisitionné et payé selon un tarif officiel, soit perçu à titre d'impôt *(annone).* À Rome, il existait d'une part des distributions officielles de vivres, gratuites ou à bas prix, et d'autre part un marché libre. La charge de veiller à l'approvisionnement de l'ensemble du marché libre *(cura annonae)* était confiée d'abord aux édiles *ceriales,* puis au préfet de l'annone (à partir d'Auguste). Malgré cette administration spécialisée, Rome était presque toujours au bord de la famine.

ANNOT (04240), ch.-l. de cant. des Alpes-de-Haute-Provence, à 22 km à l'O. de Puget-Théniers; 885 hab. Vieilles maisons.

ANNUNZIO (Gabriele D'). → D'ANNUNZIO.

ANOMIE. — Le concept s'applique à l'état d'une société que caractérise l'incertitude, l'incohérence ou le changement injustifié des règles sociales, tenues ordinairement pour légitimes et qui guident à la fois les aspirations et les conduites individuelles.

Étymologiquement, l'anomie désigne le désordre ou la violation de la loi. En ce sens, on l'oppose à l'*autonomie,* définie comme étant la pleine maîtrise de l'homme sur sa destinée individuelle. C'est à Émile Durkheim* que l'on doit l'introduction de la notion d'anomie dans le vocabulaire sociologique. Véritable clef de voûte dans sa conception de cette solidarité singulière née de la division du travail, le concept désigne l'ensemble des tensions, individuelles ou collectives, qui résultent de l'inadéquation entre les buts que la société se propose de poursuivre et les moyens dont elle dispose pour les accomplir.

ANOR (59186), comm. du Nord, à 8 km au N. d'Hirson; 3373 hab. Métallurgie.

ANOREXIE → APPÉTIT.

ANOREXIE MENTALE. — Refus actif ou passif de nourriture, l'anorexie, chez le nourrisson, est souvent attribuée à un changement dans le régime alimentaire (sevrage par exemple). Cependant, à cet âge, où l'essentiel des relations mère-enfant passe par l'oralité, elle témoigne d'une perturbation de celles-ci. Chez les adolescentes, elle est aussi un symptôme fréquent. Elle s'accompagne alors d'amaigrissement et d'aménorrhée, alors que la recherche d'une cause endocrinienne se révèle négative. Elle témoigne d'un refus d'identification à la mère chez une personnalité de structure hystérique ou psychotique le plus souvent. L'isolement strict de la famille est la première des mesures thérapeutiques à instituer chez ces malades, qui risquent la mort par cachexie.

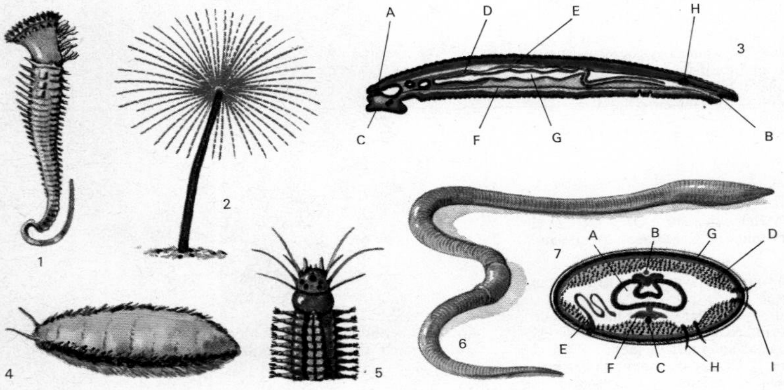

ANNÉLIDES.
1. Hermelle. 2. Spirographe.
3. Sangsue : A. Anus;
B. Ventouse buccale;
C. Ventouse postérieure;
D. Sinus sanguin;
E. Vaisseau dorsal;
F. Vaisseau ventral;
G. Intestin; H. Cœur.
4. Aphrodite.
5. Néréide (tête).
6. Lombric. 7. Coupe transversale d'un lombric; A. Intestin;
B. Vaisseau dorsal;
C. Vaisseau ventral;
D. Muscle; E. Néphridie;
F. Chaîne nerveuse ventrale;
G. Hypoderme;
H. Soie ventrale;
I. Soie latérale.
Antarctique (carte)

ANOUAL, localité du Maroc oriental. Victoire d'Abd el-Krim sur les Espagnols en 1921.

ANOUILH (Jean), auteur dramatique français (Bordeaux 1910). L'échec dérisoire ou douloureux de héros attirés par un idéal de pureté forme le thème essentiel de son théâtre, à mi-chemin entre le boulevard et l'avant-garde, et dont la division en pièces « roses » (*le Bal des voleurs,* 1938), « noires » (*Antigone,* 1944), « brillantes » (*la Répétition ou l'Amour puni,* 1950), « grinçantes » (*la Valse des toréadors,* 1952) ou « costumées » (*Becket ou l'Honneur de Dieu,* 1959) recouvre une même volonté de démythification, que l'auteur n'hésite pas à tourner contre lui-même (*Cher Antoine,* 1969; *l'Arrestation,* 1975).

ANOURES → AMPHIBIENS, CRAPAUD, GRENOUILLE.

ANOXIE. — Dans l'*anoxie aiguë,* le temps de survie des tissus est d'environ huit minutes pour le cerveau, de beaucoup plus pour d'autres organes; toutefois, l'anoxie du myocarde entraîne un arrêt cardiaque. L'*anoxie chronique* peut être due à un défaut d'oxygénation de l'hémoglobine du sang artériel, à une quantité insuffisante d'hémoglobine (anémie), à un ralentissement du débit sanguin au niveau des tissus (insuffisance coronaire); enfin, les cellules elles-mêmes peuvent être incapables d'utiliser l'oxygène en raison d'altérations enzymatiques (anoxie histotoxique).

ANQUETIL (Jacques), coureur cycliste français (Mont-Saint-Aignan 1934). Remarquable rouleur, bon grimpeur, Anquetil a été un spécialiste des courses contre la montre et par étapes. Il a dominé le cyclisme international pendant la première moitié des années 60. Sa faiblesse dans les sprints explique l'absence de grandes victoires dans les classiques; son palmarès est cependant exceptionnel, avec notamment cinq victoires dans le Tour de France (1957, 1961, 1962, 1963 et 1964), deux victoires dans le Tour d'Italie (1960 et 1964) et un record du monde de l'heure (46,159 km en 1956).

ANS, comm. de Belgique (prov. et dans la banlieue nord-ouest de Liège); 16403 hab. (en 1970).

Anschluss, rattachement de l'Autriche à l'Allemagne imposé par Hitler en 1938. Cet acte, en débridant l'ambition de l'Allemagne nazie, constitue l'une des causes de la Seconde Guerre mondiale.

ANSE (69480), ch.-l. de cant. du Rhône, à 6 km au S. de Villefranche-sur-Saône, sur l'Azergues; 3116 hab.

ANSELME *(saint),* théologien français (Aoste 1033 - Canterbury 1109). Abbé bénédictin de Sainte-Marie-du-Bec (1078), il devient archevêque de Canterbury en 1093. Selon sa théologie, la connaissance, bien que nécessaire pour croire, n'est ni l'origine ni l'achèvement de la foi, car, à son terme, elle doit se transformer en amour et en contemplation de Dieu *(Monologion).* Mais c'est dans le *Proslogion* qu'Anselme pense atteindre ce but par l'argument de la preuve ontologique*. Cette « preuve » est au point de départ de la controverse sur l'existence de Dieu qui traversera la philosophie jusqu'à Hegel* et la théologie jusqu'à K. Barth*.

ANSEREUILLES (Les), écart de la comm. de Wavrin* (Nord). Centrale thermique.

ANSÉRIFORMES. — On rassemble dans ce groupe les oies*, les canards* et les oiseaux voisins, caractérisés par leurs pattes palmées, leur bec rond du bout et parfois garni de dents cornées, leurs mœurs plus ou moins aquatiques. Les flamants* (phœnicoptéridés), les kamichis (anhimidés) des forêts inondées d'Amazonie sont associés aux ansérides (cygne*, oie, canard) dans l'ordre des ansériformes.

ANSERMET (Ernest), chef d'orchestre suisse (Vevey 1883-Genève 1969). Il fonda en 1918 l'orchestre de la Suisse romande et l'anima jusqu'en 1966.

ANTAKYA → ANTIOCHE.

ANTALKIDAS, homme politique spartiate, qui exerce son activité entre 393 et 367 av. J.-C. Il est célèbre par le compromis douteux dit « paix d'Antalkidas » ou « paix du Roi » (386), signé avec Artaxerxès II.

ANTALYA, port de la Turquie méridionale, sur la Méditerranée; 95 000 hab. Monuments romains, byzantins et seldjoukides. Tourisme. Métallurgie.

ANTANANARIVO, nom actuel de TANANARIVE.

'ANTARA AL-'ABSĪ, poète et guerrier arabe antéislamique (début du VIe s.), auteur d'une des sept *mu'allaqāt** et héros du roman de chevalerie le *Roman d'Antar,* un des récits favoris des conteurs populaires.

ANTARCTIDE, nom donné aussi aux Terres antarctiques.

ANTARCTIQUE, continent des régions polaires australes; 13 millions de kilomètres carrés. On appelle *océan Antarctique* la terminaison australe des océans Atlantique, Pacifique et Indien.

GÉOGRAPHIE. Presque entièrement compris à l'intérieur du cercle polaire austral, le continent antarctique est marqué par l'extrême rigueur de son climat. Pendant la nuit polaire hivernale, les températures moyennes oscillent autour de − 60 °C et l'on a enregistré les minimums de la planète : − 90 °C. En été, le réchauffement est médiocre et, sauf sur les côtes, les températures dépassent rarement − 10 °C. L'air froid persistant explique la permanence, au-dessus du pôle, d'un anticyclone d'où s'échappent les vents qui balaient le continent. Ceux-ci empêchent la pénétration des influences maritimes; ce qui explique la faiblesse des précipitations.

Une calotte glaciaire, dont la formation paraît remonter à l'ère tertiaire, recouvre presque tout le continent, atteignant 4 000 m d'altitude au centre. Des langues glaciaires en divergent et rejoignent l'océan, où elles se débitent en blocs énormes, les icebergs, qui sont emportés par les courants marins.

On distingue deux parties séparées par une grande faille jalonnée de volcans (mont Erebus, 4 023 m), qui détermine les échancrures de la mer de Weddell et de la mer de Ross. L'Antarctique oriental est un socle ancien raboté par l'érosion et partiellement couvert de sédiments. L'Antarctique occidental, chaîne de type alpin prolongeant les Andes, constitue la terminaison de la ceinture de feu du Pacifique, secouée de tremblements de terre et accidentée de volcans. Autour de cet énorme réservoir de froid, l'océan gèle et forme la banquise. Au contact du continent, celle-ci est permanente, se disloquant à peine en été. Au-delà, elle devient saisonnière, s'étendant jusque vers 60° S.

En raison des conditions physiques extrêmement dures, la vie est presque absente du continent. Elle se concentre dans la frange côtière, en particulier dans la mer, dont les eaux, riches en plancton, entretiennent une faune de poissons, phoques, éléphants de mer, etc. Les côtes sont peuplées par des colonies de manchots.

HISTOIRE. Soupçonnée depuis l'Antiquité, l'existence du continent polaire n'est que tardivement prouvée; il faut, en effet, attendre le XVIIIe s. pour que sa découverte soit entamée volontairement. Le 30 janvier 1774, James Cook franchit le cercle polaire. Les expéditions se multiplient au XIXe s.; d'abord le fait de baleiniers et d'armateurs, elles deviennent scientifiques à partir de 1840 avec, notamment, le Français Dumont d'Urville (1840), l'Américain Charles Wilkes (1838-1842), l'Anglais J. C. Ross (1840-1843). À la fin du siècle, les premiers débarquements sont opérés par les Norvégiens (Kristensen et Borchgrevink) et les Belges (A. de Gerlache). Au XXe s., les explorations antarctiques appellent la coopération internationale, qui favorise les recherches systématiques de R. F. Scott, de E. H. Shackleton, de O. Nordenskjöld, de J. Charcot. Le 14 décembre 1911, Amundsen atteint le pôle, un mois avant R. F. Scott, qui y périt. Par la suite, l'aviation (R. E. Byrd, 1921) et les techniques modernes (géophysique) permettent d'arracher à l'Antarctique, que se sont partagés les Européens, ses derniers secrets.

ANTARCTIQUE BRITANNIQUE *(territoire de l'),* colonie britannique regroupant le secteur britannique de l'Antarctique, les Shetland du Sud et les Orcades du Sud.

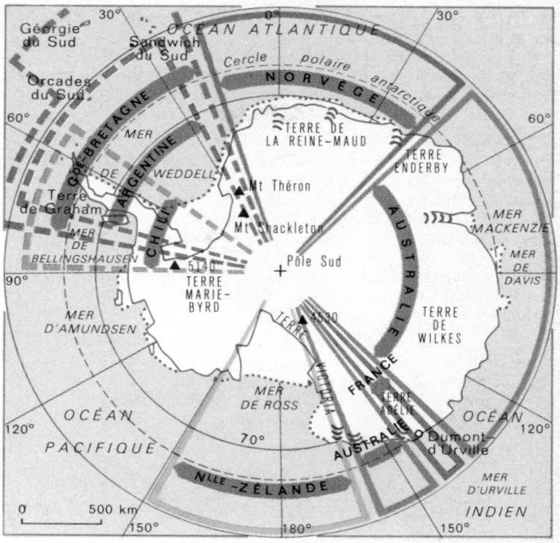

ANTARCTIQUE

ANTARÈS → ÉTOILE.

ANTÉCÉDENCE. — Une rivière puissante maintient le tracé général de son cours malgré les déformations tectoniques : c'est le *phénomène d'antécédence,* qui se traduit par une inadaptation du cours d'eau à la structure. L'antécédence n'est possible que si l'érosion est assez intense pour compenser les mouvements de surrection de l'écorce terrestre à mesure qu'ils se produisent.

ANTENNE *(Télécomm.).* — Un simple fil de cuivre tendu horizontalement ou verticalement, isolé à ses extrémités et placé dans un champ* magnétique de même polarisation est l'objet d'une induction*. C'est une ligne à onde* stationnaire qui « vibre » en présentant sur sa longueur une répartition fixe de ventres et de nœuds de potentiel et d'intensité; c'est une antenne. Si on accorde la longueur de l'antenne avec une fraction de la longueur d'onde de la station à recevoir, on obtient une tension haute fréquence plus élevée aux bornes du récepteur et une amélioration de la sélectivité.

— Une antenne accordée en *demi-onde* présente une impédance* Z élevée aux extrémités et faible au centre; la tension V est nulle au centre et maximale aux extrémités; c'est l'inverse pour l'intensité I.

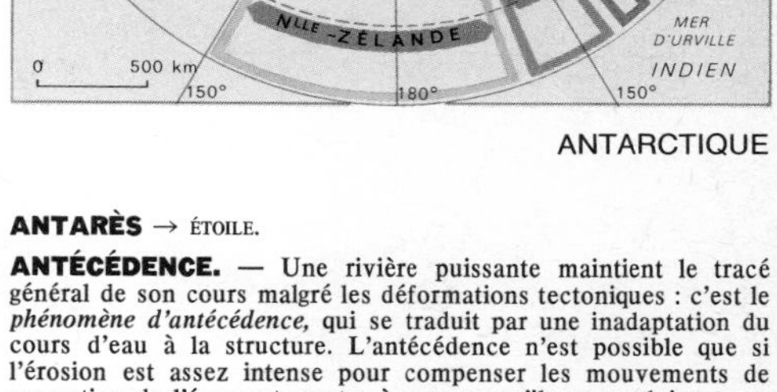

L'émetteur ou le récepteur est branché au centre de l'antenne, où l'intensité haute féquence est maximale.

— Une antenne accordée en *quart d'onde* se comporte comme la moitié d'une antenne en demi-onde. L'émetteur ou le récepteur est

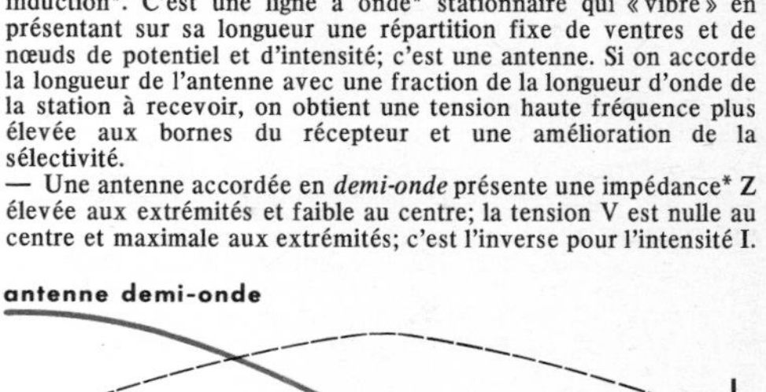

branché à une extrémité, pour laquelle l'intensité haute fréquence est de ce fait maximale.

Ces antennes sont pratiquement *omnidirectionnelles;* on peut les rendre *unidirectionnelles* grâce à un réflecteur disposé derrière l'antenne et à des directeurs placés devant l'antenne en direction de l'émetteur : c'est le cas des antennes de télévision.

ANTENNE *(Zool.).* — Le seul embranchement animal où l'on observe des antennes est celui des arthropodes, dans les classes des crustacés (deux paires d'antennes), des mille-pattes (une paire) et des insectes (une paire). Situées sur la tête, parfois très longues (crevette, sauterelle) ou finement ramifiées (paon de nuit, hanneton), les antennes sont, avant tout, des organes du toucher et de l'odorat, et il est peu probable qu'elles soient sensibles à des « ondes » à la façon des récepteurs de télécommunication, qui leur ont emprunté leur nom. Mais cela suffit à les rendre presque

ANTENNE
1. Langouste; 2. Abeille; 3. Daphnie; 4. Capricorne;
5. Fourmi; 6. Petit paon; 7. Hanneton; 8. Éphippigère.

indispensables à l'animal pour s'orienter dans l'espace ou rejoindre son partenaire sexuel.

ANTEQUERA, v. d'Espagne (Andalousie), au N.-O. de Málaga; 42 000 hab. Sépultures mégalithiques. Églises (XVIe-XVIIIe s.).

ANTHÉMIOS de Tralles, architecte et mathématicien lydien du VIe s. Tant ingénieur qu'artiste, il a écrit un traité des *Paradoxes mécaniques* qui témoigne d'une connaissance approfondie des lois de l'optique. À la demande de Justinien, il a donné les plans de Sainte-Sophie* de Constantinople*, achevée en 537, après sa mort, par Isidore de Milet.

ANTHÉOR, station balnéaire du Var, sur la côte de l'Esterel, dominée par le massif du Cap-Roux.

Anthologie grecque, recueil de poésies, réunies du IIe s. av. J.-C. (Méléagre de Gadara) au XIVe s. apr. J.-C. (Planude), qui servit de modèle aux écrivains classiques.

ANTHRACÈNE. — L'anthracène $C_{14}H_{10}$, hydrocarbure benzénique à trois noyaux condensés, est un solide blanc cristallisé à fluorescence bleue, fondant à 217 °C. L'oxydation le transforme en anthraquinone.

ANTHRACITE → GRISOU.

ANTHRACNOSE → PLANTES *(maladies des).*

ANTHRAQUINONE. — L'anthraquinone $C_{14}H_8O_2$, préparée par oxydation de l'anthracène, se présente sous forme d'aiguilles jaunes sublimables, fondant à 285 °C. C'est la base de tous les colorants anthraquinoniques, parmi lesquels l'alizarine.

ANTHRAX → FURONCLE.

ANTHROPIQUE (érosion). — Due à l'action de l'homme, qui, volontairement ou non, intervient dans l'évolution naturelle du relief, l'érosion anthropique a souvent des conséquences catastrophiques et irrémédiables, en particulier sur les sols : formation de cuirasses ferrugineuses stériles par suite de la déforestation sous climat tropical sec, érosion des sols résultant d'une monoculture intensive, glissements de terrain succédant au creusement de tranchées à la base des versants. Des études minutieuses doivent être menées avant d'entreprendre des travaux susceptibles de modifier l'équilibre naturel.

ANTHROPOÏDES. — Quatre genres de singes, le chimpanzé, l'orang-outan, le gorille et le gibbon, sont qualifiés d'*anthropoïdes* en raison de quelques convergences de forme avec l'homme, en particulier l'absence de queue et la denture. Les trois premiers forment la famille des *pongidés,* et le dernier celle des *hylobatidés.* Aucun d'eux ne ressemble vraiment à leur ancêtre commun probable avec l'homme *(Propliopithecus),* car leur adaptation au grimper et à la brachiation les a éloignés des dispositions liées à la bipédie.

ANTHROPOLOGIE. — Au sens restreint que lui donnent les zoologistes, l'anthropologie est l'étude comparative du corps humain dans les diverses ethnies, tant dans ses formes et ses mesures que dans ses particularités physiologiques et pathologiques, son adaptation au milieu, les indices de parenté entre les divers groupes, etc. L'hématologie comparée (étude du sang) est l'une des branches les plus actives de la recherche anthropologique.

ANTHROPOLOGIE CULTURELLE. — À la fois domaine (étude des faits culturels) et école (américaine essentiellement) au sein de l'histoire de l'anthropologie, l'anthropologie culturelle connaît ses premiers développements avec F. Boas* et les diffusionnistes, qui entendent réagir contre l'évolutionnisme* dominant. Insistant sur l'aspect original, spécifique du développement de chaque culture, elle aboutit cependant chez certains auteurs à des positions tout autant excessives (tant chez les « relativistes » comme F. Boas et R. Lowie*, qui en arrivent à nier toute existence de loi en anthropologie, que chez les tenants de l'hyperdiffusionnisme allemand) que celles qu'elle condamne dans l'évolutionnisme. Mais ce sont surtout les disciples de Boas (A. Kardiner, R. Linton, R. Benedict*, M. Mead*) qui lui ont donné la consistance d'une véritable école. Créant une nouvelle sous-discipline (« culture et personnalité »), ils ont démontré l'importance de la culture sur la formation de la personnalité. L'anthropologie culturelle a eu le mérite de montrer que, dans une certaine mesure, les comportements normaux et pathologiques variaient selon les cultures. (V. CULTURALISME, CULTUROLOGIE.)

ANTHROPOLOGIE ÉCONOMIQUE. — En voie de se constituer en tant que discipline autonome, l'anthropologie économique analyse le système économique des sociétés « primitives ». Depuis les travaux de Malinowski* (*Argonauts of the Western Pacific,* 1922), trois écoles sont apparues en anthropologie économique. Se contentant d'emprunter les concepts et la démarche de la science économique dominante (marginalisme), l'école formaliste (Herskovits*, Firth, etc.) a été très critiquée par les tenants du substantivisme (K. Polanyi*, G. Dalton), qui ont démontré l'inadéquation des concepts de l'économie classique aux économies non marchandes. Allant plus loin, le néo-marxisme (et surtout l'école française : M. Godelier, Cl. Meillassoux, E. Terray) a reproché aux substantivistes de négliger l'aspect déterminant des rapports de production dans les sociétés « primitives ».

ANTHROPOLOGIE POLITIQUE. — Elle analyse le pouvoir, les conflits et l'État dans les sociétés « primitives ». Dès ses débuts, dans les années 30, l'anthropologie politique (essentiellement britannique) a distingué deux types de système politique : les sociétés sans État et les sociétés à État. Mais, par la suite, des études plus approfondies montrèrent le manque de pertinence de cette dichotomie (les sociétés à chefferie* constituant un système politique spécifique). Au cours des années 50, l'approche dynamiste s'intéresse particulièrement aux problèmes des conflits sociopolitiques. L'apport essentiel de l'anthropologie politique a été de montrer que le pouvoir n'est pas fondé uniquement sur la coercition.

ANTHROPOLOGIE RELIGIEUSE. — L'anthropologie religieuse s'attache non seulement à décrire son domaine (culte des ancêtres, des esprits, cérémonies et rites d'initiation, mythes...), mais également à expliquer ces phénomènes sociaux en tant qu'ils participent au renforcement du contrôle social. Elle a montré que le religieux n'est pas seulement inclus dans ce qu'on appelle la « religion ».

ANTHROPOLOGIE STRUCTURALE. — L'anthropologie structurale cherche, à partir de l'étude des relations sociales (ce qui est directement observable), à construire les modèles* théoriques permettant de rendre compte de la *structure* sociale qui est de l'ordre de l'inconscient et donc du caché. (V. LÉVI-STRAUSS.)

ANTHROPOMÉTRIE → CRIMINALISTIQUE.

ANTIAÉRIEN → AÉRIENNE *(défense).*

ANTIAMARILE (vaccination) → JAUNE *(fièvre).*

ANTI-ATLAS, massif cristallin du Maroc méridional, entre les oueds Draa et Sous. (V. *Atlas.*)

ANTIBES (06600), ch.-l. de cant. des Alpes-Maritimes, à l'E. de Cannes, sur la Méditerranée; 56 309 hab. *(Antibois).* Musée du château Grimaldi (œuvres exécutées ici en 1946 et données par Picasso). Centre touristique. Cultures florales. Parfumerie.

ANTIBIOTIQUES. — Primitivement, les antibiotiques constituaient un groupe de substances d'origine biologique, produites par des champignons ou des bactéries. Actuellement, certains antibiotiques sont synthétisés chimiquement; d'autres molécules sont d'origine naturelle, mais profondément modifiées (antibiotiques semi-synthétiques). Les antibiotiques apparentés sont groupés en familles, avec une formule chimique analogue, un spectre antibactérien et un mécanisme d'action semblables. Il en existe sept familles : 1° les bétalactamines (pénicilline, céphalosporine); 2° les aminosides (streptomycine, gentamycine); 3° le chloramphénicol et ses dérivés; 4° les tétracyclines; 5° les antibiotiques polypeptidiques, dont le plus connu est la colistine; 6° les macrolides, dont le chef de file est l'érythromycine; 7° des antibiotiques inclassables ailleurs : antifongiques (griséofulvine, nystatine, amphotéricine B), antibiotiques antimitotiques utilisés contre cancers et leucémies, antibiotiques antituberculeux et antilépreux.

On peut séparer les antibiotiques en deux classes fondamentales : les antibiotiques *bactériostatiques,* essentiellement tétracyclines et chloramphénicol d'administration orale, et les antibiotiques *bactéricides,* qui comprennent les bétalactamines, les aminosides, les polypeptidiques administrés par voie intramusculaire ou intraveineuse.

Toute bactérie peut devenir résistante à un ou à plusieurs antibiotiques donnés et échapper ainsi au traitement.

La mesure du pouvoir bactériostatique des antibiotiques (antibiogramme) permet d'apprécier le pouvoir d'inhibition des antibiotiques vis-à-vis d'un germe donné et de choisir le plus actif.

Les antibiotiques peuvent être responsables d'accidents d'intolérance (pénicilline), de toxicité auditive ou rénale (groupe des aminosides), de toxicité sanguine (chloramphénicol) et de troubles digestifs (tétracyclines). Tous ces accidents restent, cependant, rares.

ANTICANCÉREUX. — Les médicaments utilisés pour le traitement du cancer comprennent :
1° les *caryolytiques,* qui détruisent les cellules, provoquent des anomalies nucléaires et inhibent la mitose (cyclophosphamide);
2° les *antagonistes métaboliques,* qui interviennent dans le métabolisme cellulaire (ils peuvent être antagonistes de l'acide folique [amithroptérine], des purines [6-mercaptopurine], des pyrimidines [5-fluoro-uracile], de la glutamine [vincaleucoblastine, leucocristine]);
3° des *antibiotiques,* qui agissent en bloquant la mitose (actinomycine D, rubidomycine).

Enfin, la *L asparaginase* est une enzyme antimitotique.

La toxicité des anticancéreux est, en règle générale, assez élevée (leucopénie, anémie, thrombopénie, signant l'atteinte de la moelle osseuse).

ANTICHAR → BLINDÉ.

ANTICIPATION (élasticité d'). — En matière de prévision et de calcul économiques, l'élasticité d'anticipation est le rapport entre l'évolution *prévue par un agent économique* concernant les prix des biens ou des services sur une période future et *l'évolution* de ces prix pendant une période passée d'une même longueur. Si, du 1er juin 1975 au 1er juin 1976, les prix de détail ont effectivement augmenté de 10 p. 100 et si le sujet s'attend à ce que, du 1er juin 1976 au 1er juin 1977, les prix montent de 15 p. 100, elle est $\frac{0,15}{0,10} = 1,5$. Si l'élasticité est comprise entre $[(-)1$ et $(+)1]$, l'anticipation ne joue pratiquement pas.

ANTICIPATION (littérature d'). — La littérature d'anticipation s'apparente aux récits de voyages dans des pays imaginaires (*Histoire vraie* de Lucien de Samosate; *les Voyages de Gulliver* de Swift), mais elle esquisse un univers futur en partant de connaissances scientifiques acquises et en préjugeant de leur évolution (Jules Verne). Dénonçant les dangers matériels (*la Guerre des mondes* de H. G. Wells) ou spirituels (*R. U. R.* de Karel Čapek; *le Meilleur des mondes* de A. Huxley) du développement scientifique, cette forme de littérature se prolonge et se diversifie dans les domaines du fantastique*, de la science*-fiction et de la politique*-fiction.

ANTICLINAL → PLISSEMENT.

ANTICOAGULANT. — Le *fluorure* et l'*oxalate de calcium* sont employés pour éviter la coagulation du sang prélevé en vue de dosage. L'*héparine* est utilisée en thérapeutique par voie veineuse; l'*héparinate de calcium,* variante de l'héparine, d'action plus prolongée (12 heures), a l'avantage d'être injecté par voie sous-cutanée. Les *antivitamines K* (dicoumarol, phénindione), qui inhibent la formation de la prothrombine, sont actifs par voie orale, et l'action anticoagulante est retardée.

Les anticoagulants sont utilisés lors des traitements à long terme sous contrôle du taux de prothrombine, qui doit être maintenu entre 15 et 30 p. 100 de sa valeur normale. Les indications du traitement anticoagulant sont les phlébites, les artérites et l'infarctus du myocarde.

ANTICORPS → IMMUNITÉ.

ANTICORROSION → ÉPOXYDE.

ANTICOSTI, île du Canada (Québec), à l'entrée du Saint-Laurent.

ANTICOUPLE → GIRAVIATION.

ANTICYCLONE → PRESSION ATMOSPHÉRIQUE.

ANTIDÉPRESSEUR. — Les antidépresseurs (ou thymoanaleptiques) sont remarquablement efficaces dans les dépressions* de toute nature. L'inertie, l'abattement disparaissent progressivement, mais cette action n'apparaît qu'avec un délai de quinze jours à un mois. Elle disparaît à l'arrêt du traitement, et des doses d'entretien sont souvent nécessaires. Il existe deux grands groupes d'antidépresseurs : celui de l'imipramine et celui des inhibiteurs de la mono-amino-oxydase (I. M. A. O.). Ces médicaments ne doivent être utilisés que sous contrôle médical.

ANTIDÉTONANT → DÉSULFURATION, ESSENCE.

ANTIDOTE. — Les antidotes vrais ne sont qu'au nombre d'une vingtaine. La morphine, les anticoagulants ont leurs antidotes (apomorphine, vitamine K). À côté des antidotes vrais, certains produits servent à compenser les effets de l'intoxication : ainsi, eau de Javel et hyposulfite de sodium dilué se neutralisent.

Anti-Dühring, œuvre d'Engels*, publiée en 1878, qui est une critique du mécanisme et du réformisme de E. Dühring à partir de l'exposé des principes du matérialisme historique et dialectique.

ANTIFER *(cap d'),* promontoire de la Seine-Maritime, sur la Manche, près d'Étretat. Port aménagé pour la réception des pétroliers de fort tonnage.

ANTIFONGIQUE → ANTIBIOTIQUES.

ANTIFRICTION. — Les alliages antifriction constituant la surface frottante de coussinets, de bagues, de butées doivent présenter des propriétés physico-chimiques parfois contradictoires, ce qui oblige à en utiliser plusieurs types : les alliages à base d'étain* (avec de l'antimoine* et du cuivre*), à base de plomb* (avec de l'antimoine, de l'étain et de l'arsenic* ou avec de l'étain et du cuivre), à base de cuivre (cuproplomb, bronzes au plomb) ou encore à base d'aluminium* (avec de l'étain ou du cadmium* ou du silicium*). Ils sont mis en œuvre par les procédés traditionnels de fonderie* (coulée* statique, continue ou centrifuge), par métallurgie des poudres* ou par placage (laminage sur un support en acier).

ANTIGEL → ÉTHYLÈNE.

ANTIGÈNE → IMMUNITÉ.

ANTIGIVRANT → ESSENCE.

Antigone, tragédie de Sophocle (442 av. J.-C.). L'héroïne — fille d'Œdipe, condamnée à mort pour avoir, malgré la défense du roi Créon, enseveli son frère Polynice — défend les lois « non écrites » du devoir moral contre la fausse justice de la raison d'État et des sociétés humaines (elle apparaît également dans une autre pièce de Sophocle, *Œdipe à Colone,* dans *les Phéniciennes* d'Euripide et *la Thébaïde* de Racine). Sous le même titre ont paru notamment une tragédie d'Alfieri (1783), un opéra de Honegger (1927), un drame d'Anouilh (1944), un ballet de J. Cranko (1959).

ANTIGONIDES, dynastie royale de Macédoine* (276-168 av. J.-C.), qui tire son nom d'Antigonos* Monophthalmos.

Antigonos Ier Gonatas (de 276 à 239), fondateur de la dynastie, rétablit la puissance de la Macédoine, affaiblie par les luttes des diadoques* après la mort d'Alexandre*. Il impose sa domination aux cités grecques soutenues par le lagide* Ptolémée II Philadelphe, dont il neutralise l'influence. Son fils, Démétrios II (de 239 à 229), doit affronter l'alliance des confédérations grecques (ligue Achéenne* et ligue d'Étolie*), mais c'est Antigonos II Dôson (de 229 à 221) qui redresse la situation : profitant du particularisme querelleur des cités grecques, il parvient à leur imposer son autorité et à réduire Sparte*, principal foyer de l'opposition. Philippe V (de 221 à 179) trouve un royaume prospère. Mais aux difficultés que recommencent à susciter les États grecs vont s'ajouter la menace de l'impérialisme de Rome. La déroute de la phalange macédonienne devant la légion romaine à Cynoscéphales* en 197 est le commencement d'un déclin qui s'achèvera sous le règne de Persée (de 179 à 168) avec la défaite de Pydna* (168), qui marque la fin des Antigonides et la mainmise de Rome sur la Macédoine.

ANTIGONOS Monophthalmos (c'est-à-dire « le Borgne ») [381-301 av. J.-C.], lieutenant d'Alexandre*, un des principaux diadoques. Après 323, il tente de reconstituer à son profit l'empire du conquérant, ambition qui suscite l'opposition armée des autres diadoques. Après une série de campagnes aux fortunes diverses, il est vaincu et tué à Ipsos* en 301.

ANTIGUA, État associé à la Grande-Bretagne, au N. de la Guadeloupe; 442 km²; 70 000 hab. Capit. *Saint John's* (22 000 hab.). Il comprend les îles d'*Antigua* (280 km²), de la Barbude et l'îlot de Redonda. Cultures de la canne à sucre et du coton. Tourisme.

Marmounier - C. E. D. R. I.

Antilles.
La rade de Saint-Pierre (Martinique), sur la mer des Antilles.
Au fond, la montagne Pelée.

ANTIGUA, anc. capit. du Guatemala, plusieurs fois secouée par des séismes. Églises et couvents en baroque hispano-américain (XVIIe-XVIIIe s.).

ANTIHASARD → CYBERNÉTIQUE.

ANTIHISTAMINIQUES. — Les antihistaminiques s'opposent aux effets de l'histamine dans l'organisme. On les emploie dans l'urticaire, les prurits, les toux et les dyspnées spasmodiques, les allergies digestives, pour éviter les nausées et comme sédatifs généraux. Les antihistaminiques de synthèse sont nombreux; ils entraînent souvent de la somnolence.

Antikomintern *(pacte),* pacte conclu le 25 novembre 1936 entre l'Allemagne nazie et le Japon contre l'Internationale communiste. Y adhérèrent par la suite l'Italie fasciste (1937), le Mandchoukouo, l'Espagne franquiste (1939), la Hongrie (1940) et la Bulgarie (1941).

ANTI-LIBAN, massif de l'Asie occidentale, aux confins du Liban et de la Syrie; 2629 m en Syrie.

ANTILLES, archipel séparant l'océan Atlantique de la *mer des Antilles,* formé au N. par les *Grandes Antilles* (Cuba, Haïti, Jamaïque et Porto Rico) et à l'E. et au S. par les *Petites Antilles.* L'archipel s'étire sur 4000 km, de la côte occidentale de Cuba, au S. de la Floride, aux possessions néerlandaises (Aruba, Curaçao), au large du lac vénézuélien de Maracaibo. La superficie totale est de 236000 km^2, alors que la population globale avoisine 30 millions d'habitants. À l'exception des Bahamas et des Bermudes (que l'on exclut parfois des Antilles), l'archipel est tout entier compris dans la zone tropicale, ce qui explique une chaleur presque constante, parfois tempérée par le relief, souvent heurté (volcanique dans les Petites Antilles), qui, surtout au point de vue pluviométrique, oppose les côtes orientales « au vent », abondamment arrosées, aux régions occidentales « sous le vent », abritées et plus sèches. Peu peuplées à l'époque précolombienne, les Antilles ont subi l'impact des colonisations espagnole, française et britannique, et ont reçu des Noirs d'Afrique, importés pour le développement des cultures de plantation, histoire qui explique une grande hétérogénéité de la population antillaise, le plus souvent fortement métissée. Dans son ensemble, aujourd'hui, cette population se caractérise par un rapide accroissement démographique, qui pose localement le problème du surpeuplement. La densité dépasse 300 habitants au kilomètre carré à Porto Rico et à la Martinique, avoisine 200 à Haïti, à la Jamaïque, à Trinité et Tobago, à la Guadeloupe. Ces chiffres sont d'autant plus alarmants que la mise en valeur est ancienne, que l'agriculture demeure en général le fondement de l'économie (avec notamment les cultures tropicales : canne à sucre, agrumes, café), malgré quelques ressources minières (bauxite surtout, localement pétrole, nickel), insuffisamment valorisées sur place, et aussi, fréquemment, le développement du tourisme. En fait, la situation varie régionalement considérablement, en rapport avec la très grande diversité naturelle (inégalités de superficie, de ressources potentielles) et humaine (population, régime politique) de ce monde insulaire qui, du point de vue socioéconomique, fait partie de l'Amérique latine.

ANTILLES ou **CARAÏBES** *(mer des),* ou **mer Caraïbe,** dépendance de l'Atlantique entre l'Amérique centrale continentale, le nord de l'Amérique du Sud (Colombie et Venezuela) et l'arc insulaire des *Antilles.*

ANTILOPE. — Les antilopes ne constituent pas une sous-famille unique parmi les ruminants aux cornes creuses (bovidés), mais une dizaine de sous-familles, ayant en commun la vie dans les zones herbacées (de l'Afrique tropicale surtout), depuis la sylve équatoriale jusqu'aux confins du désert, et quelques traits morphologiques, tels que les cornes, généralement réduites ou absentes chez la femelle, mais superbes chez le mâle, ou encore l'abondance des glandes cutanées, distribuées en divers points du corps. Les antilopes vivent en troupeaux, ce qui les protège quelque peu des grands fauves, mais les rend extrêmement vulnérables aux maladies contagieuses (peste bovine).

Antilopes.
Troupeau d'Oryx Beisa en Afrique.

J. Six

Principaux types : gazelle, springbok, cob, oryx, addax, bubale, gnou, koudou, canna, éland, nilgaut.

ANTIMATIÈRE. — C'est une entité entièrement constituée d'antiparticules*, de la même manière que la matière est formée de particules*. Ces antiparticules existent à l'état naturel dans les rayons cosmiques (positons, antiprotons, antineutrons, etc.); elles peuvent être dues aux interactions à haute énergie des particules cosmiques, dans des créations de paires particule-antiparticule.

Américains et Soviétiques ont fabriqué de l'antihydrogène et de l'antihélium dans les accélérateurs* de particules. Une telle fabrication n'est qu'expérimentale, car elle pose de nombreux problèmes difficiles à résoudre. Lorsque matière et antimatière se trouvent en présence, elles s'annihilent et se transforment en énergie* sous forme de rayonnement gamma*. Si la Galaxie* est faite de matière, il peut exister des galaxies* d'antimatière, mais il est difficile de le savoir. En effet, matière et antimatière émettent le même rayonnement, et les seules informations recueillies sur les objets lointains sont fournies par les rayonnements qu'ils émettent. L'excès de rayonnement gamma pourrait, si on le décèle, donner une indication en faveur de l'existence d'antimatière dans l'Univers.

ANTIMISSILE. — C'est au début des années 60 que le développement des missiles* stratégiques, devenus armes principales de la dissuasion, amène, tant aux États-Unis qu'en U. R. S. S., la mise au point d'armes dites *antimissiles* capables de s'opposer à leur action. Appliquant à la défense antimissile les techniques acquises dans le domaine de la défense aérienne*, un missile « Nike Zeus » lancé des îles Marshall intercepte en 1962 un missile stratégique intercontinental (« ICBM ») lancé de la côte ouest des États-Unis. À la suite de cette expérience, les Américains réalisent les missiles antimissiles « Spartan » (« Nike Zeus » amélioré à trois étages, d'une portée de 180 km) pour l'interception exo-atmosphérique et « Sprint » (deux étages, efficace entre 2 et 30 km d'altitude jusqu'à 45 km de portée) pour l'interception intra-atmosphérique en cas d'échec du « Spartan ». Les expérimentations de ces antimissiles, tirés de silos, se déroulent en 1970 et en 1971. De toute façon, l'existence d'un délai de préavis suffisant conditionne leur efficacité : aussi aboutit-on à la conception de véritables systèmes* d'armes baptisés « Sentinelle » (1967) puis « Safeguard » (1970), comprenant, outre les missiles antimissiles, les radars d'acquisition, de poursuite et de guidage ainsi que les calculateurs associés. En U. R. S. S., l'antimissile à deux étages, baptisé « Galosh », est apparu en 1964; il aurait une portée de 700 km et serait plus puissant que le « Spartan ».

Du côté américain comme du côté soviétique, on s'aperçut très vite du prix extraordinairement onéreux de tout système antimissile. À cela s'ajoute sa précarité à mesure que s'améliorent la précision des missiles stratégiques, leur équipement en aides à la pénétration et surtout leur fractionnement en missiles à têtes multiples de type MIRV. Ces considérations ont conduit les deux superpuissances à chercher à limiter par la négociation la réalisation de ces systèmes. Par l'accord signé à Moscou le 26 mai 1972, les États-Unis et l'U. R. S. S. ont décidé de limiter le déploiement des antimissiles à la défense d'un seul site de lancement de missiles stratégiques et à la protection d'une grande agglomération. Par un nouvel accord du 3 juillet 1974, ils ont convenu de se contenter d'une seule de ces deux possibilités. (V. SALT.)

ANTIMOINE. — L'antimoine, élément nº 51, de symbole Sb (de *stibium*), a pour masse atomique 121,76. Il est intermédiaire entre les métaux et les métalloïdes. Son principal minerai est la stibine Sb_2S_3, qu'un grillage transforme en oxyde, réduit ensuite par le charbon de bois. Il s'allie à un grand nombre de métaux, dont il augmente la dureté; aussi figure-t-il, avec le plomb et l'étain, dans les caractères d'imprimerie et dans divers alliages antifriction.

ANTINOMIE. — L'exemple d'antinomie le plus ancien est le paradoxe du menteur formulé par Eubulide de Mégare* : « L'énoncé que je prononce est faux. » Cette phrase ne peut être ni vraie ni fausse.

On désigne souvent par antinomies l'ensemble des difficultés qui ont affecté les principes de la théorie des ensembles* au début du XXe s. : paradoxe de Cantor* (1899), concernant l'ensemble de tous les ensembles; paradoxe de Burali-Forti (1897), concernant l'ensemble de tous les ordinaux; paradoxe de Russell* (1902). Ce dernier est le plus connu. Dans son interprétation ensembliste, il se rapporte à l'ensemble de tous les ensembles qui ne se contiennent pas eux-mêmes à titre d'élément : cet ensemble, par définition, s'appartient à lui-même seulement s'il ne s'appartient pas à lui-même. Il existe de ce paradoxe une formulation extramathématique : un barbier rase toutes les personnes ne se rasant pas elles-mêmes, et elles seulement. Ce barbier se rase-t-il lui-même?

La découverte de ces antinomies a bouleversé le monde mathématique en jetant la suspicion sur la théorie des ensembles fondée par Cantor. Mais beaucoup de mathématiciens, à l'instar d'Hilbert*, refusent alors de se laisser « chasser du paradis que Cantor a créé pour eux » et s'attachent à résoudre les difficultés posées par les antinomies selon trois directions principales :
— l'axiomatisation, par Zermelo*, puis Fraenkel, de la théorie des ensembles (on définit implicitement les notions d'ensemble et d'élément en se bornant à énoncer leurs relations, la théorie ne devant supposer que ces relations et renoncer à emprunter quoi que ce soit aux représentations naïves suggérées par les notions d'ensemble et d'élément);
— la théorie des types* de Russell;
— les méthodes finitistes d'Hilbert (v. FINITISME).

ANTIOCHE, en turc **Antakya,** v. de la Turquie méridionale, sur l'Oronte inférieur; 66 000 hab.

HISTOIRE. Fondée en 300 av. J.-C. par Séleucos* Ier, Antioche devient sous le règne d'Antiochos Ier (281-261) la capitale de l'Empire séleucide* et un des centres économiques et intellectuels de l'époque hellénistique. Soumise à la domination romaine (conquête de la Syrie* par Pompée* en 64 av. J.-C.), elle est, après Rome et Alexandrie, la troisième ville de l'empire, rang qu'elle cédera au IVe s. à Constantinople*. L'invasion perse (538) et la conquête arabe (636) mettront un terme à sa période glorieuse.

Évangélisée dès le Ier s., Antioche sera un centre chrétien florissant. L'*école d'Antioche,* fondée par Lucien d'Antioche († 312) et illustrée par Diodore de Tarse († 394), saint Jean* Chrysostome, Théodore de Mopsueste († 428), s'oppose à la méthode allégorique d'Origène* et de l'*école d'Alexandrie**; elle met l'accent sur l'expression littérale du texte biblique et sur son étude historique et grammaticale. Elle pose les fondements de toute exégèse véritable.

BEAUX-ARTS. Le plan en damier, l'hippodrome, les thermes et des habitations ont été mis au jour par les fouilles franco-américaines (1932-1939). À Daphné, faubourg de la ville, on a dégagé plusieurs édifices publics et privés, et surtout des mosaïques de pavement qui donnent un intéressant aperçu de l'évolution de cette technique de l'époque hellénistique au VIe s.

ANTIOCHE *(pertuis d'),* détroit séparant les îles de Ré et d'Oléron.

Antioche *(principauté d'),* État latin d'Orient, fondé en 1098 par Bohémond* Ier. Antioche, après les gouvernements de Tancrède* et de Roger de Salerne, est affaiblie par les rivalités politiques intérieures et la menace turque. Confiée aux rois de Jérusalem, Baudouin II et Foulques, elle est sauvegardée jusqu'en 1137, date à laquelle les Byzantins l'assiègent. En 1159, ces derniers font reconnaître leur suzeraineté par Renaud de Châtillon. La principauté est perdue par Bohémond VI (de 1251 à 1268) en 1268.

ANTIOCHOS Ier, II, V, VI, VII, VIII → SÉLEUCIDES.

ANTIOCHOS III Mégas (« le Grand »), roi séleucide* (de 223 à 187 av. J.-C.). Ses visées expansionnistes, d'abord couronnées de succès en Orient, le mettent en conflit avec l'Égypte et surtout avec Rome, qui, en 188 av. J.-C. (paix d'Apamée*), le contraint à livrer sa flotte et à renoncer à ses conquêtes d'Asie.

ANTIOCHOS IV Epiphane (« l'Illustre »), roi séleucide* (de 175 à 164 av. J.-C.). Profitant de la jeunesse de Ptolémée VI (v. LAGIDES), il occupe l'Égypte (169-168), qu'il doit abandonner sur l'intervention de Rome. Sa politique d'hellénisation provoque en Judée la révolte des Maccabées* (167).

Anti-Œdipe *(l'),* ouvrage écrit conjointement (1972) par le philosophe G. Deleuze et le psychanalyste F. Guattari, avec le sous-titre *Capitalisme et schizophrénie.* C'est une critique importante de la théorie psychanalytique. Le « familialisme » représente, pour ces auteurs, la tare essentielle de la psychanalyse freudienne, en ce sens que celle-ci tend à tout ramener à l'Œdipe et au triangle « papa-maman-enfant ».

ANTIPARTICULE. — Particule en quelque sorte symétrique d'une autre particule, par exemple de charge électrique opposée, avec laquelle elle est créée lors d'un processus de matérialisation d'un rayonnement d'énergie suffisante. L'existence des antiparticules, prévue théoriquement par Dirac, a été confirmée par la découverte du positon, électron positif, et, depuis, par celle de l'antiproton et celle de l'antineutron. (V. ANTIMATIÈRE.)

ANTIPATROS ou **ANTIPATER,** général macédonien (397-319 av. J.-C.), lieutenant d'Alexandre* le Grand, qui le charge du gouvernement de la Macédoine durant l'expédition d'Asie. À la mort du conquérant, Antipatros réprime la révolte des cités grecques soulevées par Hypéride* et Démosthène* (guerre lamiaque, 323-322), et il devient en 321 régent de Macédoine à la place de Perdiccas*, assassiné.

ANTIPSYCHIATRIE. — Dénonciation de la psychiatrie traditionnelle, le courant antipsychiatrique est apparu vers 1965. Ses principaux initiateurs sont les psychiatres britanniques D. Cooper (né en 1931) et R. D. Laing (né en 1927), qui partent d'une perspective franchement phénoménologique et sartrienne pour aborder le problème de la folie*. Ils conçoivent celle-ci comme « une stratégie particulière qu'une personne invente pour supporter une situation insupportable ». Ils remettent en cause la notion de maladie mentale et celle de soins : « Je propose dès lors, écrit Laing, de considérer que la santé mentale ou la psychose ont pour critère le degré d'entente ou d'incompréhension existant entre deux personnes dont l'une est tenue d'un commun accord pour saine d'esprit. »

Pour illustrer leurs thèses, ils choisissent la schizophrénie* et montrent que les symptômes classiques de celle-ci (« bizarreries »), lorsqu'on les replace dans le contexte familial et social, apparaissent normaux et sains. Dans *Mort de la famille* (1971), D. Cooper présente la folie comme un voyage en soi-même pour échapper au déterminisme familial et social. L'antipsychiatrie dénonce violemment les « pratiques répressives » des hôpitaux traditionnels, où tout est fait pour contraindre le corps et pour « normaliser » l'esprit. En France, M. Mannoni s'est très tôt associée au mouvement antipsychiatrique dans ses ouvrages (*le Psychiatre, son fou et la psychanalyse,* 1970; *Éducation impossible,* 1974) et dans sa pratique, notamment en créant l'institution de Bonneuil-sur-Marne, qui accueille des enfants déviants rejetés par l'école ou par l'asile.

ANTIPYRÉTIQUE → FIÈVRE.

Antiquités judaïques → FLAVIUS JOSÈPHE.

Antiquités nationales *(musée des)* → SAINT-GERMAIN-EN-LAYE.

ANTIREFLET. — Il s'agit, en général, d'une couche mince de fluorure de magnésium, dont l'épaisseur est telle que les lumières réfléchies par ses deux faces se détruisent par interférences.

ANTIROMAN. — Né de la crise des valeurs morales et culturelles ainsi que du développement des moyens de communication de masse au lendemain de la Seconde Guerre mondiale, l'antiroman exprime la perte de la belle confiance réaliste et naturaliste dans la compréhension de la réalité et dans la possibilité de la traduire en langage. Le romancier s'interroge alors sur son écriture, ses conventions, ses techniques, poursuivant une réflexion déjà entreprise dans le domaine des arts plastiques (« créer une fiction qui soit aux grandes œuvres composées de Dostoïevski et de Meredith ce qu'était aux tableaux de Rembrandt et de Rubens cette toile de Miró intitulée *Assassinat de la peinture*», J.-P. Sartre, préface au *Portrait d'un inconnu* de N. Sarraute, 1949). Incarné par les romans de Nathalie Sarraute, défini par les essais critiques de Georges Bataille et de Maurice Blanchot, l'antiroman aboutira à l'esthétique du « nouveau* roman ».

ANTIROUILLE → CORROSION.

ANTISÉMITISME. — Dans l'Antiquité païenne, l'hostilité à l'égard des Juifs est suscitée par leur fidélité au Dieu unique, Yahvé, et au message de la Bible. Les premiers chrétiens, encore confondus avec les Juifs, subissent les effets de la même intolérance. Mais, quand le christianisme devient religion officielle de l'Empire romain, les Juifs sont peu à peu considérés comme appartenant à une « race maudite », comme constituant le peuple « déicide », celui qui porte la responsabilité de la mort sanglante de Jésus-Christ. D'où des mesures de plus en plus rigoureuses pour les exclure de la société chrétienne. Cette ségrégation, rendue sensible par la multiplication des ghettos*, favorise l'éclosion et le développement de fausses accusations : profanations d'hosties, crimes rituels, empoisonnement des sources...

Il faut attendre la Révolution française pour voir se normaliser quelque peu la condition des Juifs dans les pays chrétiens. Le 27 septembre 1791, l'Assemblée constituante accorde aux Juifs français la citoyenneté pleine et entière. L'Europe suit, encore que des pays comme la Russie et la Roumanie restent, dans leurs institutions et leurs mœurs, profondément hostiles aux Juifs. D'ailleurs, la seconde moitié du XIXe s. et le XXe s. connaissent partout une résurgence d'un antisémitisme d'autant plus violent qu'il prétend se fonder sur les théories pseudo-scientifiques du racisme* : en France l'Affaire Dreyfus, en Russie la xénophobie tsariste, en Allemagne l'idéologie aryenne du national-socialisme*.

ANTISEPSIE, ANTISEPTIQUE. — Le choix des antiseptiques employés varie avec le territoire à désinfecter : l'antisepsie du nez peut s'obtenir par du sérum physiologique, des sels d'argent, des solutions d'antibiotiques. La désinfection de la bouche peut être réalisée avec de la glycérine boratée, des dérivés de l'hexamidine ou des ammoniums quaternaires; pour celle de la peau on se sert de colorants (éosine, mercurescéine), d'alcool iodé, d'ammoniums quaternaires.

ANTI-SOUS-MARINE (lutte). — Apparue au cours de la Première Guerre mondiale, la lutte anti-sous-marine (ou ASM) revêt alors les formes les plus diverses : grenades, filets, mines, armement des bateaux de commerce naviguant en convoi, avions... Les progrès de la détection dus à l'*asdic* (devenu le *sonar*) et aux radars d'avion décuplent ses moyens et permettent la victoire alliée sur les « U-Boot » en 1945. Depuis, les progrès techniques des sous-marins, leur rôle stratégique ont transformé la lutte ASM. Elle dispose d'un arsenal de missiles ASM (« Malafon » français) porteurs de torpilles à autodirecteur, voire de charges nucléaires, auxquels s'ajoutent des lance-roquettes et des mortiers ASM. Depuis 1965-1970, la détection bénéficie des études sur la réflexion des ondes sur le fond marin. D'autre part, des bâtiments (frégate *Tourville*, 1973) sont spécialisés dans la lutte ASM et équipés de sonars remorqués et d'hélicoptères, dont l'efficacité (comme celle des avions ASM à long rayon d'action) est redoutable pour les sous-marins.

ANTISPASMODIQUE → SPASME.

ANTISTHÈNE, philosophe grec (Athènes v. 444-365 av. J.-C.). Reprenant de Socrate* l'idée que la vertu est le souverain bien, Antisthène pense qu'elle réside dans l'indépendance complète à l'égard de toutes choses. D'après lui, cette vertu, ou sagesse, laisse l'homme libre de vivre comme il l'entend et non comme l'impose la société. (V. CYNIQUES.)

ANTI-TAURUS, montagne de Turquie, partie du Taurus central, qui prolonge au N.-E. le Taurus cilicien.

ANTOFAGASTA, port du nord du Chili; 125 000 hab. Aéroport. Terminaison du chemin de fer transandin. Fonderie de cuivre. Exportation de nitrates et de cuivre.

ANTOINE *(saint),* patriarche des cénobites (Qeman, Égypte, v. 250 - mont Golzim 356). Orphelin à dix-huit ans, il quitte le monde pour s'installer dans le désert, reculant constamment son lieu de retraite, ce qui n'empêche pas des disciples d'accourir à lui, au point qu'il est amené à jeter les bases du cénobitisme et à fonder, à Pispir et à Arsinoé, les deux premiers monastères connus. Installé au pied du mont Golzim, il se rend, en 354, à Alexandrie pour combattre les ariens; là, il se lie avec saint Athanase*, qui sera son historien.

Antonello da Messina. *Pietà* exécutée à Venise vers 1475-76. (Musée Correr, Venise.)

Le culte de saint Antoine se répandra à travers la chrétienté; il est partiellement lié à la légende du saint, qui veut que celui-ci ait été torturé et tenté par le démon : le « feu » avec lequel le diable essaya d'attiser en lui les passions mauvaises explique probablement qu'on l'invoqua longtemps contre de graves inflammations, dites « feu Saint-Antoine ».

ANTOINE DANIEL *(saint),* missionnaire français (Dieppe 1601-au Canada 1648). Religieux jésuite envoyé au Canada (1632), il s'occupe des missions huronnes et est massacré par les Iroquois.

ANTOINE (Marc), en lat. **Marcus Antonius,** général romain (83-30 av. J.-C.). Issu d'une famille plébéienne illustre, il se distingue en Gaule comme lieutenant de César (52 av. J.-C.). En 44, il revêt avec César le consulat et exerce légalement le pouvoir après les ides de mars. Il refuse la ratification de l'adoption d'Octave; mais le sénat, sous l'impulsion de Cicéron, qui prononce contre lui ses *Philippiques,* s'allie à Octave qui le bat à Modène (43). Antoine doit alors reconnaître le nouveau partenaire et s'associe avec lui et Lépide* pour former le second triumvirat*. À Philippes*, où il bat aux côtés d'Octave les meurtriers de César, Brutus* et Cassius*, son rôle est décisif. La paix de Brindes (40), qui partage le monde entre les triumvirs, lui donne l'Orient, et cette « paix » est scellée entre les deux principaux signataires par le mariage d'Antoine et d'Octavie*, sœur d'Octave. En Orient, Antoine poursuit la politique de Pompée; ses lieutenants reconquièrent sur les Parthes l'Asie (39) et la Cilicie (38), et il annexe l'Arménie (35). Mais sa suprématie est ébranlée par ses pillages en Asie et, plus encore, par sa passion pour Cléopâtre VII*, qui espère avec lui restaurer l'éclat du royaume des Ptolémées. Antoine établit sa capitale à Alexandrie, où il prend de plus en plus les allures d'un dynaste hellénistique; il accroît le royaume égyptien de la Crète, de Chypre et de la Phénicie (36), et reconnaît pour son héritier Césarion, fils de César et de Cléopâtre. Sa politique, ses ambitions et celles de Cléopâtre font l'objet d'une habile propagande menée en Occident par Octave : Rome pouvait craindre de se voir bientôt supplanter par Alexandrie. Octave lui déclare la guerre : vaincu à Actium* (31), Antoine se suicide.

ANTOINE (Jacques) → MONNAIES *(hôtel des).*

ANTOINE (André), acteur et directeur de théâtre français (Limoges 1858 - Le Pouliguen 1943). Fondateur du Théâtre*-Libre en 1887, puis du Théâtre-Antoine en 1897, il dirigea l'Odéon de 1906 à 1913. Ses conceptions dramatiques, inspirées de l'esthétique naturaliste, dominèrent le théâtre français jusqu'à la réaction de Copeau*.

ANTOINE DE BOURBON (1518 - Les Andelys 1562), duc de Vendôme en 1537, roi de Navarre en 1555, duc d'Albret en 1558. Il épouse en 1548 Jeanne III d'Albret, à l'incitation de laquelle il passe au protestantisme et dont il a un fils, le futur Henri IV. Lieutenant général du royaume après la mort de François II (1561), il n'ose disputer la régence à Catherine de Médicis. Revenu au catholicisme, il meurt au siège de Rouen, ville tombée aux mains des protestants.

Antoine et Cléopâtre, drame de Shakespeare (1606). La déchéance et les sursauts d'un homme d'action, la diversité baroque de la séductrice, l'exubérance déjà romantique des scènes exotiques et de la cascade finale de suicides.

ANTOMMARCHI (François), médecin français (Morsiglia, Corse, 1780 - Cuba 1838), attaché à Napoléon Ier, à Sainte-Hélène, à partir de 1819. Il publia ses *Mémoires* en 1825.

ANTONELLO DA MESSINA, peintre italien (Messine v. 1430 - *id.* v. 1479). Formé dans le milieu cosmopolite de Naples, il unit le sens méditerranéen des volumes et de la composition ample à l'observation méticuleuse des primitifs flamands (sujets religieux, portraits d'hommes). Son voyage à Venise (1475-76) fut l'occasion d'importants échanges d'influences (*Pala de San Cassiano,* fragments à Vienne).

ANTONESCU (Ion), maréchal roumain (Piteşti 1882 - Bucarest 1946). Premier ministre en 1940, il exige l'abdication du roi Charles II et se proclame dictateur *(conducător)* du pays. Il engage en 1941 la Roumanie aux côtés de Hitler contre l'U. R. S. S. Arrêté en août 1944 par le roi Michel, il est condamné à mort et exécuté.

AN-TONG → NGAN-TONG.

ANTONIN le Pieux (Lanuvium 86 - † 161), empereur romain de 138 à 161. Riche bourgeois du Latium, Antonin se fait remarquer pour ses compétences d'administrateur (proconsul d'Asie) par Hadrien*, qui l'adopte en 138. Le titre de *Pius,* qu'il reçoit pour avoir fait rendre à Hadrien les honneurs divins, convient à cet empereur qui restera très attaché à ses devoirs. Il fait preuve de modération à l'égard du sénat, développe l'assistance publique, intervient en faveur des esclaves. En matière religieuse, il est traditionaliste : il se laisse assimiler à Numa et régénère les cultes du Latium; mais, en même temps, il favorise les cultes orientaux, ceux de Cybèle et d'Attis. Par une diplomatie active et des actions militaires limitées, il assure la « paix » aux provinces; il renforce le *limes* rhéno-danubien et fait construire un mur en Bretagne, sur la ligne Forth-Clyde (mur d'Antonin). Antonin a régné à l'apogée de l'Empire; par la prospérité de son règne, il laisse son nom à son siècle; toutefois, son administration sera taxée d'immobilisme.

Michelangelo Antonioni pendant le tournage de *Profession : reporter* (1973-1974).

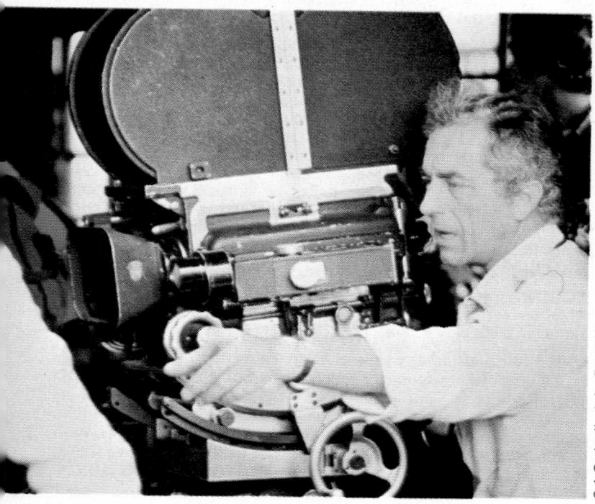

C.I.C. (coll. J.-L. Passek)

ANTONINS *(siècle des),* période couvrant les règnes des empereurs romains qui se sont succédé de 96 à 192 : Nerva*, Trajan*, Hadrien*, Antonin*, Marc Aurèle*, Lucius Verus*, Commode*. Parmi eux, de grandes figures (Trajan, Hadrien, Antonin) ont permis que s'épanouisse, à l'abri du *limes*,* le siècle d'or de l'Empire romain.

Dans la monarchie antonine, l'équilibre entre l'empereur, l'« homme providentiel », et le sénat est renforcé par le système de l'adoption et par l'idéologie politique dérivée du stoïcisme. Le siècle d'or des Antonins est l'âge d'or des provinces et des cités; c'est aussi l'apogée économique du monde romain. Cependant, comme le montre le raid des Marcomans sur Aquilée en 168, Rome demeure une « ville assiégée ».

ANTONIONI (Michelangelo), cinéaste italien (Ferrare 1912). D'abord critique puis scénariste et réalisateur de documentaires, il n'a la possibilité de tourner ses premiers films de fiction qu'au moment où la veine néoréaliste s'épuise (*Chronique d'un amour,* 1950; *Femmes entre elles,* 1955; *le Cri,* 1956). *L'Avventura** (1959), dont le modernisme formel et le tempo psychologique suscitent d'âpres polémiques, lui apporte une grande notoriété internationale. S'appliquant à rendre perceptible au public une sorte de « dramaturgie de l'incertain », Antonioni s'efforcera dans ses œuvres ultérieures d'approfondir certains de ses thèmes de prédilection : la désagrégation des sentiments, l'inaboutissement des désirs, l'incommunicabilité des êtres humains, la soumission des individus à l'environnement, le malaise d'une société aliénée (*la Nuit,* 1960; *l'Éclipse,* 1961; *le Désert rouge,* 1964; *Blow up,* 1966; *Zabriskie Point,* 1969; *Profession : reporter,* 1974).

ANTONY (92160), ch.-l. d'arr. des Hauts-de-Seine, à 8 km au S. de Paris; 57 626 hab. *(Antoniens).* Résidence universitaire.

Antony, drame d'Alexandre Dumas père (1831), en cinq actes et en prose; glorification de la passion fatale et condensation de tous les caractères du héros et du théâtre romantiques.

ANTRAIGUES (07530), ch.-l. de cant. de l'Ardèche, à 13 km au N. d'Aubenas; 502 hab.

ANTRAIN (35560 Bazouges la Pérouse), ch.-l. de cant. d'Ille-et-Vilaine, à 22 km au S. du Mont-Saint-Michel; 1 626 hab.

ANTRIM, comté de l'Irlande du Nord (Ulster); 353 000 hab. Ch.-l. *Belfast.*

ANTSIRABÉ, v. de Madagascar, sur les hauts plateaux, au S. de Tananarive; 33 000 hab. Textile.

ANTWERPEN, nom néerlandais d'ANVERS.

ANUBIS, dieu à tête de chien sauvage ou de chacal dans l'ancienne Égypte. Il introduit les morts dans l'autre monde et veille sur les tombeaux. Grand dieu funéraire dans l'Ancien* Empire, il sera, par la suite, supplanté par Osiris*.

ANURĀDHAPURA, v. du nord de l'île de Sri Lanka, dont les importants vestiges sont préservés dans un parc archéologique. Capitale entre le IVe s. av. J.-C. et le VIIIe s., elle est ravagée par les Colas et abandonnée en 992; ses ruines ne seront redécouvertes, dans la jungle, qu'en 1833. Surtout influencé par l'art des Andhra, dont l'un des centres artistiques est Amarāvatī*, l'art d'Anurādhapura acquiert peu à peu son originalité et révèle un très haut degré de culture (nombreuses fondations bouddhiques, stūpa* [ou dagoba] élevé pour abriter les reliques du Bouddha, temple abritant une bouture de l'arbre de la Bodhi de Bodh-Gayā, palais, jardins et remarquables installations hydrauliques). Le site, grâce à la proximité de la montagne sainte Mihintalē, reste un important centre de pèlerinage bouddhique.

ANURIE → URINE.

ANUS. — L'occlusion de cet orifice est assurée par le sphincter anal, qui se relâche au moment de la défécation.

Les malformations de l'anus sont rares : imperforation anale, abouchement anormal de l'anus au niveau du périnée, rétrécissement congénital. Leur traitement est chirurgical. En revanche, les lésions inflammatoires et suppurées sont fréquentes : abcès, fissure ou fistule anale, dont le traitement est le plus souvent chirurgical. Les cancers de l'anus se manifestent par des faux besoins et des hémorragies; une anuscopie, avec biopsie, permet le diagnostic; le traitement dépend du siège et du type de la tumeur.

L'abouchement du côlon au niveau de la paroi abdominale *(anus artificiel)* permet une dérivation des matières en cas d'obstruction.

ANVERS, en néerl. **Antwerpen,** v. de Belgique, à la tête de l'estuaire de l'Escaut, ch.-l. de la *province d'Anvers.* La ville seule a 540 000 habitants (ce qui suffit à la situer d'ailleurs au premier rang en Belgique), et l'agglomération compte plus de 700 000 habitants (venant immédiatement après celle de Bruxelles).

GÉOGRAPHIE. Anvers s'est surtout développée comme un port (quatrième rang en Europe), qui assure la majeure partie du trafic maritime belge et environ le tiers du total du commerce extérieur du pays, et qui, surtout, a permis le développement de la fonction industrielle, très importante. Métropole de la partie flamande, au cœur d'une région active du Marché commun (entre l'Angleterre, la Hollande, l'Allemagne rhénane et le Nord français) unie à Liège par le canal Albert, la ville a attiré les firmes multinationales dans les domaines de l'industrie automobile, de la chimie (liée à la présence du raffinage du pétrole), s'ajoutant à des branches plus traditionnelles (textile, métallurgie des non-ferreux, travail du diamant). Ville commerçante, centre bancaire, Anvers possède un poids économique comparable à celui de Bruxelles.

HISTOIRE. D'abord village de pêcheurs, Anvers n'entre véritablement dans l'histoire qu'au XIIIe s., quand elle est érigée en cité, incorporée (1288) au duché de Brabant et promue au rang de ville libre impériale. Le déclin de Bruges en fait au XVe s. la capitale économique de l'Occident. Mais ruinée par les guerres de Religion, la ville est détrônée par Gênes, puis par Amsterdam. Elle est l'enjeu, en raison de son importance stratégique, de nombreuses batailles : prise par les Français en 1792 et en 1794, défendue par Carnot en 1814, elle est de nouveau assiégée par les Français en 1832. Elle connaît un nouvel essor après 1833, quand, néerlandaise depuis 1814, elle devient le principal port du jeune royaume de Belgique. Occupée par les Allemands de 1914 à 1918, puis de 1940 à 1944, la ville est libérée par les Britanniques et bombardée par les V1 et V2 allemands en 1944-45.

BEAUX-ARTS. Vaste cathédrale gothique à sept nefs et à tour de 123 m (1350-1530; chefs-d'œuvre de Rubens). Églises gothiques. Sur le Grote Markt, maisons de gildes et monumental hôtel de ville par C. Floris* de Vriendt (1565). Églises baroques Saint-Augustin et Saint-Charles-Borromée, du début du XVIIe s. Centre majeur de la peinture flamande, surtout aux XVIe (les Matsys*, Patinir*, J. Van Cleve, P. Coecke* Van Aelst, J. S. Van Hemessen, F. Floris* de Vriendt) et XVIIe s. (Rubens*, Jordaens*, Van Dyck*, Snyders*, les Teniers*...), et de la sculpture décorative au XVIIe s. Principaux musées : royal des Beaux-Arts, prestigieux rassemblement de l'école flamande du XVe au XXe s.; Plantin-Moretus (imprimerie, gravures, dessins); de la maison de Rubens; de sculpture du XXe s. au parc de Middelheim.

Direction générale du port d'Anvers

ANVERS *(province d')*, prov. du nord de la Belgique; 1 550 000 hab. Ch.-l. *Anvers;* 3 arrond. *(Anvers, Malines* et *Turnhout).* Elle s'étend au N. sur la partie occidentale de la Campine, agricole à l'O., plus industrielle à l'E. (extraction houillère); le Sud est une région rurale drainée par la Grande Nèthe. L'ensemble est dominé par l'agglomération anversoise, à l'extrémité occidentale de la province, qui regroupe près de la moitié de la population totale.

AN-YANG → NGAN-YANG.

ANZÈRE, station de sports d'hiver (alt. 1 500-2 420 m) de Suisse, dans le Valais, près de Sion.

ANZIN (59410), comm. du Nord, dans la banlieue nord-ouest de Valenciennes, sur l'Escaut; 14 874 hab. *(Anzinois).* Sidérurgie.

ANZIO, port d'Italie au S. de Rome. Les Alliés y débarquèrent le 22 janvier 1944 sur les arrières du front allemand de Cassino (v. ITALIE [*campagne d'*]).

ANZY-LE-DUC (71110 Marcigny), comm. de Saône-et-Loire, à 23 km au S.-O. de Charolles; 447 hab. Église romane typique du style du Brionnais.

AOMORI, port du Japon, dans le nord de l'île de Honshū; 240 000 hab.

AORTE. — La *crosse de l'aorte* naît du ventricule gauche du cœur. Elle devient l'*aorte thoracique descendante,* traverse le diaphragme et se transforme en *aorte abdominale,* qui donne des branches pariétales et viscérales à tous les organes de l'abdomen, puis se termine en artères iliaques. L'anévrisme de l'aorte est le plus souvent d'origine athéromateuse, rarement syphilitique; la rupture est à craindre. Les seules possibilités thérapeutiques sont chirurgicales. La coarctation (rétrécissement) de l'aorte est une malformation congénitale qui se manifeste par une hypertension artérielle précoce. L'intervention chirurgicale doit être faite entre dix et quinze ans.

L'*aortite* peut être d'origine syphilitique : elle se localise sur l'orifice sigmoïdien et déclenche une insuffisance aortique avec angine de poitrine (oblitération des coronaires). L'aortite athéromateuse intéresse toute l'artère, mais prédomine au niveau de l'aorte abdominale et se complique d'anévrisme et d'oblitération.

AORTIQUES (arcs). — Toute l'anatomie comparée des vertébrés, de la lamproie jusqu'aux mammifères, trouve un fil conducteur précieux dans l'observation des *arcs branchiaux,* ou *arcs aortiques,* ensembles d'organes situés des deux côtés de la tête et du thorax, et qui, constituant à l'origine sept paires identiques, évoluent et se spécialisent au point de former les mâchoires, les os et cartilages de la région bucco-laryngée, les osselets de l'oreille moyenne, les fentes branchiales des poissons, etc., tandis que les branches de l'aorte se diversifient, les unes disparaissant, les autres devenant communes à plusieurs segments.

AORTITE → AORTE.

AOSTE, en ital. **Aosta,** v. du nord-ouest de l'Italie, ch.-l. du *Val d'Aoste,* sur la Doire Baltée; 38 000 hab. Monuments romains. Collégiale (XIe-XVIe s.) et cathédrale (XIe-XVIIIe s.).

AOSTE (val d'), région autonome du nord-ouest de l'Italie; 3 262 km^2; 111 000 hab. *(Valdotains).* Ch.-l. *Aoste.*

GÉOGRAPHIE. Pays alpin, entre la France (Savoie) et la Suisse (Valais), le val d'Aoste a été revivifié économiquement par l'hydroélectricité et surtout par le tourisme estival et hivernal (stations de Courmayeur, de Breuil-Cervinia), favorisé par l'ouverture des tunnels routiers transalpins (Grand-Saint-Bernard et Mont-Blanc), qui ont désenclavé la région.

HISTOIRE. L'appartenance du val d'Aoste aux royaumes burgondes et son ethnie expliquent la permanence d'un dialecte gallo-romain. De 1032 à 1946, le pays suit la destinée de la maison de Savoie, sauf de 1800 à 1814, quand il fait partie, avec le Piémont, de l'Empire français. Cependant, la permanence de la souveraineté exercée par la maison de Savoie n'exclut pas la fixation d'un certain particularisme lié à la francophonie; remis en cause par la maison de Savoie après 1848, combattu par Mussolini (1922-1943), qui s'efforce d'italianiser le pays, ce particularisme — constamment soutenu dans les années difficiles par le clergé local et des nationalistes comme Émile Chanoux — débouche sur une solution officielle le 26 février 1948, quand une loi constitutionnelle définit le statut de la région autonome de la vallée d'Aoste.

AOUDH, anc. prov. de l'Inde, incorporée à l'Uttar Pradesh. C'est l'une des premières contrées de l'Inde où s'installèrent les Aryens (ou Ārya). Au XIIe s., elle fut conquise par l'islām.

août 1789 *(nuit du 4),* « folle nuit » au cours de laquelle les députés de l'Assemblée nationale, inquiets des troubles agraires, liés à la « Grande Peur », qui ont éclaté un peu partout, votent la suppression des privilèges féodaux qui subsistent encore : droit de mainmorte, juridictions seigneuriales, immunités pécuniaires, droit de chasse. En même temps sont décidés le rachat des redevances et des dîmes, l'abolition des corvées et de la vénalité des offices, l'égalité devant l'impôt.

août 1792 *(journée du 10),* journée révolutionnaire. La commune insurrectionnelle installée à Paris lance contre les Tuileries les sections des faubourgs et les fédérés marseillais. Soucieux d'éviter le pire, Louis XVI fait cesser le feu; ce qui n'empêche pas le sac du château et le massacre des gardes suisses. Le roi se met alors sous la protection de l'Assemblée législative, qui décrète sa suspension.

APACHES → INDIENS.

APAMÉE, anc. v. de Syrie, sur l'Oronte, fondée par les rois séleucides à la fin du IVe s. av. J.-C. et détruite par les Perses en 540. Les vestiges dégagés révèlent notamment l'épanouissement de la civilisation hellénistique.

Anvers. Vue partielle du port.

Giraudon

La prise des Tuileries, le 10 août 1792. Estampe. (Bibliothèque nationale, Paris.)

Apamée *(paix d')*, paix signée en 188 av. J.-C. après la victoire des Romains à Magnésie* du Sipyle sur Antiochos* III. Elle assurait aux Romains la mainmise sur l'Asie Mineure.

APANAGE. — À l'origine, les apanages représentent les biens donnés aux fils puînés en échange de la renonciation à la succession paternelle, à laquelle seul le fils aîné du seigneur peut prétendre. Ensuite, quand le principe de l'indivisibilité du royaume est établi, ils désignent les fiefs* concédés aux fils puînés et aux frères du roi de France; la clause de 1314 stipule leur retour à la Couronne en cas d'extinction d'héritier mâle. Les apanages royaux, dont la pratique est inaugurée par Louis VIII, ont pour objet d'éviter les luttes entre frères et de soutenir l'éclat du trône. Ce mode d'aliénation du domaine a semblé mettre en danger la puissance de la monarchie et l'unité du royaume; c'est pourquoi les pouvoirs des princes apanagés sont sans cesse réduits. L'ordonnance de Moulins* (1566) renouvelle l'interdiction des apanages décidée par Charles V. Réduits en rentes apanagères en 1790, ceux-ci sont remplacés par des dotations sous le règne de Louis-Philippe.

APARTHEID. — Discrimination raciale institutionnalisée en Afrique* du Sud, l'apartheid s'explique en partie par la peur des « petits Blancs » face à la majorité de couleur au début du XXe s. Les premières mesures d'apartheid sont prises en 1913, quand une loi limite les droits de possession des Africains à 21 millions d'acres; en 1936, le gouvernement limite à quatre le nombre des sénateurs élus par eux.

Avec l'accession au pouvoir, en 1948, du parti nationaliste et l'indépendance de la République sud-africaine (1961), l'apartheid se renforce, envahissant tous les domaines — écoles, syndicats, mariages, emplois et jusqu'à la rue et les stades —, poussant à une séparation géographique qui, dans un avenir plus ou moins proche, peut aboutir à l'autonomie, voire à l'indépendance d'États noirs ou bantoustans, comme le Transkei*. En attendant, il assure la prépondérance de 4 millions de Blancs sur 13 millions de Noirs et près de 2 millions de métis.

APATITE. — Phosphate de calcium contenant souvent du fluor ou du chlore, elle cristallise dans le système hexagonal. Se rencontrant dans les roches éruptives et métamorphiques, elle existe aussi dans le tissu osseux, et elle est employée en agriculture.

APCHÉRON, péninsule de l'U. R. S. S., prolongation du Caucase, s'avançant dans la mer Caspienne. V. princ. *Bakou**. Gisements de pétrole.

APELDOORN, v. des Pays-Bas (Gueldre), au S.-E. de l'IJselmeer; 129 000 hab. Palais *Het Loo,* remontant à 1685. Électronique.

APELLE, peintre grec actif pendant le IVe s. av. J.-C. Seule sa réputation est parvenue jusqu'à nous; on connaît l'une de ses œuvres *(la Calomnie)* d'après une description de Lucien, et l'on sait qu'il a été le portraitiste d'Alexandre le Grand.

APENNIN (l') ou **APENNINS (les),** ensemble de massifs montagneux, constituant l'ossature de la péninsule italienne. Il forme un arc, long de 1 500 km, de la Ligurie à la Calabre, dont la largeur varie de 40 à 200 km, et il culmine dans les Abruzzes, au Gran Sasso (2 914 m).

APESANTEUR. — L'apesanteur est l'état dans lequel se trouve un corps qui ne ressent plus les effets de l'attraction* terrestre. Elle se manifeste pour les véhicules cosmiques qui se déplacent hors de l'atmosphère* et en l'absence de propulsion; c'est le cas, notamment, des satellites* artificiels placés en orbite autour de la Terre, l'attraction terrestre étant alors équilibrée par la force centrifuge due à la vitesse de déplacement sur l'orbite. L'état d'apesanteur entraîne certaines modifications sur le plan des phénomènes physiques (par exemple, le comportement des liquides). Ces phénomènes peuvent être étudiés dans des laboratoires d'apesanteur, grandes tours verticales à l'intérieur desquelles règne le vide* et dans lesquelles on laisse tomber les capsules d'essai en chute libre. Sur le plan biologique, il ne semble pas qu'il y ait d'effet important, du moins pour des durées de vol inférieures à un mois. En outre, les opérations spatiales « Skylab » et « Saliout » ont démontré les possibilités de l'homme de travailler en état d'apesanteur.

Apgar *(score d')* [du nom du médecin américain Virginia Apgar], test, universellement pratiqué sur les nouveau-nés, qui apprécie à intervalles réguliers les rythmes cardiaques et respiratoires, le tonus musculaire, les réflexes et la couleur de la peau.

APHASIE. — La fonction du langage impliquant deux composantes, compréhension et expression, on peut diviser les aphasies en deux grands groupes :

• Dans l'*aphasie sensorielle,* ou *aphasie de Wernicke,* prédominent les troubles de la compréhension; l'évocation des mots est perturbée, rendant impossible la dénomination des objets ou l'exécution d'ordres simples par le malade, qui ne comprend pas ce qu'on lui dit (surdité verbale), ce qu'il lit (alexie), et qui déforme les mots ou les utilise les uns pour les autres (jargonaphasie).

• Dans l'*aphasie motrice,* ou *aphasie de Broca,* prédominent les troubles de l'expression; le malade reste muet ou émet quelques sons inarticulés ou quelques phrases brèves, toujours les mêmes (anarthrie); la compréhension du langage est également perturbée dans ce type d'aphasie.

L'aphasie est due à une lésion corticale de l'hémisphère dominant (gauche chez le droitier), et dont la localisation détermine le type d'aphasie.

APHRODISIAS, ancienne ville grecque de l'Asie Mineure. Elle doit sa renommée à son école de sculpture, en activité entre le Ier et les IVe-Ve s., et dont certains ateliers annoncent, par la recherche de l'effet expressif ou décoratif, le goût byzantin. La copie d'œuvres classiques et la frise ornementale sont les domaines privilégiés de ces ateliers, dont on retrouve les œuvres signées à Rome, mais aussi en Thrace ou à Leptis Magna*.

APHRODITE, déesse grecque de la Beauté et de l'Amour. Les fêtes d'Aphrodite portaient le nom générique d'*aphrodisies.*

APHTEUSE (fièvre) → ÉPIZOOTIE.

APIA, capit. de l'État des Samoa occidentales, sur la côte nord de l'île d'Upolu; 25 000 hab.

APICULTURE. — Autrefois on utilisait des ruches rudimentaires et il fallait casser les rayons de cire fabriqués par les abeilles* pour en extraire le miel : c'était l'apiculture fixiste. Depuis plus d'un siècle, on emploie des ruches à cadres, contenant des rayons mobiles (cire gaufrée) permettant une surveillance efficace (groupage de colonies trop faibles, remplacement des reines, nourrissement des abeilles, récolte du miel, etc.), et l'on pratique de plus en plus la transhumance vers les régions à fleurs mellifères telles que la lavande, la bruyère, le colza, l'acacia, le tilleul, le romarin, etc.

APIS, dieu de l'ancienne Égypte honoré sous la forme d'un taureau sacré et associé à Ptah*, à Rê ou à Osiris*. À leur mort, les taureaux sacrés sont embaumés et solennellement ensevelis dans un tombeau. Mais, à peine disparu, Apis renaît dans un nouveau taureau, identifié par les prêtres selon des critères très précis. A. Mariette*, en 1850, a retrouvé à Memphis les sarcophages de vingt-quatre taureaux sacrés.

Baltimore museum of art

Groupe d'artistes. Entourant Guillaume Apollinaire, Picasso, Marie Laurencin et Fernande Olivier. Peinture de Marie Laurencin. 1908. (The Baltimore museum of art.)

Le fleuve du Paradis. Scène n° 82 de la tenture de l'Apocalypse de Nicolas Bataille. (Musée des tapisseries, Angers.)

Lauros - Giraudon

APLANÉTIQUE. — Un objectif aplanétique, qui est à la fois stigmatique pour un point de l'axe optique et pour tout point situé à faible distance de cet axe, fournit une image nette d'une petite portion de plan perpendiculaire à l'axe.

APLANISSEMENT → CYCLE D'ÉROSION.

APLASIE. — Cette absence de formation d'un organe ou d'un fragment d'organe peut intéresser, par exemple, un rein ou un testicule. La diminution du pouvoir hématopoïétique de la moelle osseuse, ou *aplasie médullaire,* peut frapper les trois lignées — globules rouges, globules blancs et plaquettes — ou une seule lignée. Ainsi l'atteinte de la lignée des globules blancs polynucléaires, ou leucocytes granuleux, est l'*agranulocytose.* Les aplasies peuvent être dues aux radiations, aux anticancéreux, au chloramphénicol, aux arsenicaux, ou apparaître sans cause connue. Les complications sont hémorragiques et infectieuses.

APNÉE → RESPIRATION.

Apocalypse, dernier livre de la Bible* chrétienne, attribué par la tradition à l'apôtre saint Jean*. Aux IIe et Ier s. av. J.-C. se développe dans le judaïsme* une importante littérature, dite « apocalyptique » (du grec *apokalupsis,* révélation), qui décrit, sous une forme conventionnelle et mystérieuse pour les non-initiés, l'instauration du royaume messianique et la fin des temps : livre de Daniel*, livre d'Hénoch*, certains écrits de Qumrān, etc. Le christianisme du Ier s. produit lui aussi des apocalypses, dont celle dite « de saint Jean », qui fait partie du Nouveau Testament* : c'est un ensemble de visions symboliques annonçant sous le masque d'événements contemporains (persécution de Domitien*) le triomphe futur du Christ sur les puissances du mal. L'ouvrage est écrit à la fin du règne de Domitien, v. 96.

Apocalypse *(tenture de l'),* au château d'Angers. L'un des premiers ensembles de tapisseries historiées du Moyen Âge, et le plus vaste qui subsiste, en sept pièces totalisant 107 m de long et regroupant 68 scènes (à l'origine 84 ou 98?). L'œuvre fut exécutée vers 1373-1379, par les soins du tapissier parisien Nicolas Bataille, pour Louis Ier d'Anjou, sur des cartons de Hennequin de Bruges, peintre de Charles V, qui a donné aux scènes de l'Apocalypse, déjà

Collines du piedmont appalachien près de Charlottesville en Virginie.

A. Abbe

traitées par les miniaturistes, intensité, saveur et simplicité monumentale.

APOGAMIE. — Dans le règne animal on ne connaît que deux modes de reproduction* à partir de cellules germinales : la reproduction sexuée proprement dite, résultant d'une fécondation*, et la parthénogenèse*, ou développement du gamète femelle vierge. Chez les plantes supérieures, on a décrit un troisième mode de reproduction germinale, l'*apogamie,* qui consiste dans le développement sans fécondation d'une cellule du gamétophyte (sac embryonnaire) *autre que le gamète femelle.* Les synergides du mimosa et du lis, les antipodes de la nigelle peuvent donner chacune une plantule viable. Mais, en général, les cellules apogamiques sont diploïdes (2 *n* chromosomes) : la méiose a échoué, parce que les lots chromosomiques paternel et maternel étaient trop différents (lignées hybrides). C'est le cas chez les hieraciums, les potentilles, les alchémilles, les roses. Très souvent, d'ailleurs, des cellules normalement diploïdes de ces mêmes espèces (cellules nucellaires du citronnier, par exemple) forment aussi des embryons : c'est l'*aposporie.* Quant au gamète femelle diploïde, son développement (dans les mêmes espèces, entre autres) n'est qu'une *parthénogenèse* homologue de celle des animaux. Enfin, une fragmentation précoce de l'embryon normal, comparable à la gemellité vraie chez l'homme, s'observe chez les gymnospermes : c'est la *polyembryonie.*

Apogamie, aposporie, parthénogenèse et polyembryonie se distinguent, au moins en théorie, de la *multiplication végétative,* dans laquelle c'est à partir d'un organe déjà volumineux que le nouveau pied se forme.

APOLLINAIRE (Sidoine). → SIDOINE APOLLINAIRE.

APOLLINAIRE (Guillaume Apollinaire DE KOSTROWITZKY, dit **Guillaume**), écrivain français (Rome 1880-Paris 1918). Né de la rencontre romanesque d'un noble italien et d'une aristocrate polonaise, vite abandonnée par son amant, il chercha très tôt à se faire un nom par la littérature. «Placé au centre de son temps comme une araignée au centre de sa toile», il fut moins un novateur qu'un résonateur de toutes les découvertes et de toutes les avant-gardes : il admire ainsi le Douanier Rousseau*, le fauvisme, la sculpture nègre, et le cubisme avec Braque* et Picasso* (*les Peintres cubistes,* 1913). Son esthétique, ondoyante comme la beauté qu'il poursuit, est à chercher moins dans ses contes (*l'Enchanteur pourrissant,* 1909; *l'Hérésiarque et Cie,* 1910) que dans ses recueils poétiques (*le Bestiaire ou Cortège d'Orphée,* 1911; *Alcools**, 1913; *Calligrammes**, 1918), dans lesquels il cherche à créer une association immédiate entre l'image et son expression verbale. Faisant de la «surprise» le grand ressort de sa vie, et désireux cependant de reconnaissance sociale (d'où son engagement volontaire et sa célébration de la guerre), il a annoncé, sinon créé, une sensibilité et une écriture nouvelles, à travers le surréalisme* (*l'Esprit nouveau et les poètes,* 1917; *les Mamelles de Tirésias,* 1917).

Apollo *(programme)* → LUNE.

APOLLODORE, peintre grec, actif dans la seconde moitié du Ve s. av. J.-C. Il doit son surnom de *Skiagraphe* à sa manière de dégrader les tons et d'utiliser les jeux d'ombre.

APOLLODORE de Damas, architecte et ingénieur grec, actif pendant le Ier s. apr. J.-C., à qui l'on pense pouvoir attribuer les constructions magistrales — marquées par une fusion originale des principes architecturaux hellénistiques et romains — édifiées à Rome sous le règne de Trajan (forum, marché, basilique Ulpienne...). Ses machines de guerre sont connues grâce à certaines représentations de la colonne Trajane et grâce à son *Traité de poliorcétique.* Un profond désaccord l'opposa à Hadrien et lui valut d'être exilé.

APOLLON, dieu de la mythologie grecque, dont le culte n'apparaît qu'à la fin du IIe millénaire. Fils de Zeus* et de Léto*, il présente une personnalité multiple qui paraît être le résultat d'un syncrétisme. Éternellement jeune, il est l'image de la beauté athlétique. Son culte, partout répandu, aurait connu moins de succès si le dieu dans son sanctuaire de Delphes* n'avait pas prédit l'avenir.

APOLLONIOS de Rhodes, poète et grammairien alexandrin (v. 295-v. 230 av. J.-C.). Disciple et émule de Callimaque*, il a fait dans son épopée en quatre chants, *les Argonautiques,* une peinture de l'amour de Médée* qui fut souvent imitée par les poètes latins et les écrivains classiques européens.

APOLLONIOS de Perga, mathématicien et astronome grec (Perga v. 262-† v. 180 av. J.-C.). Il vécut à Alexandrie et fut l'un des créateurs des sciences mathématiques. Il considéra les coniques* comme les sections planes d'un cône droit ou oblique à base circulaire, et utilisa le premier les noms actuels d'*ellipse,* d'*hyperbole* et de *parabole.* En astronomie, il développa la théorie des excentriques et des épicycles du mouvement des planètes*.

Apollon musagète, ballet d'Igor Stravinski, chorégraphie de G. Balanchine, créé à Paris en 1928 par les Ballets russes de Diaghilev.

APOLOGISTES. — Les Pères de l'Église ont écrit à partir du IIe s. de nombreuses apologies de la foi chrétienne pour la défendre contre les juifs et les païens, empereurs (comme Marc Aurèle*) ou philosophes (comme Celse*). Les figures les plus célèbres de la patristique* sont : Athénagore, Clément* d'Alexandrie, Grégoire* de Nysse, Justin*, Origène*, Tatien* et Tertullien*.

APONÉVROSE. — Les aponévroses constituent une enveloppe de groupes musculaires, d'un muscle ou de fibres musculaires. La maladie de Dupuytren (rétraction de l'aponévrose palmaire) et celle de Ledderhose (rétraction de l'aponévrose plantaire) sont des affections propres à ces tissus.

APOPLEXIE → COMA.

APÔTRE. — Dans l'Église primitive, le terme a deux sens différents : d'une part, il s'applique au collège des Douze choisis par Jésus, à savoir Simon Pierre*, Jacques* fils de Zébédée, Jean*, André*, Philippe*, Barthélemy*, Thomas*, Matthieu*, Jacques fils d'Alphée, Thaddée*, Simon* le Zélote et Judas* l'Iscariote; d'autre part, il désigne ceux que le Christ a appelés par une vocation particulière (ainsi Paul*, Barnabé*) pour être les messagers de l'Évangile.

APPALACHES, massif montagneux de l'est de l'Amérique du Nord, s'étendant, au sens large, des abords du golfe du Mexique à Terre-Neuve; au sens étroit, il est limité au N. par les monts

Adirondacks et donc alors entièrement situé aux Etats-Unis. De l'Alabama au golfe du Saint-Laurent, le système appalachien (qui a donné son nom à une forme de relief [v. APPALACHIEN *(relief)*]) s'étire sur plus de 2500 km (près du triple de la longueur de l'arc des Alpes). C'est une montagne aux roches précambriennes et primaires, où la durée et l'intensité de l'érosion expliquent le fréquent paysage de plateaux et la modestie des altitudes (le mont Mitchell, point culminant, ne s'élève qu'à 2037 m). La zone axiale, associant crêtes et vallées, est bordée à l'O. par le *plateau appalachien* et précédée à l'E. par le *Piedmont,* qui domine la plaine côtière atlantique. La région appalachienne est un pays d'émigration, à l'agriculture contrariée par de difficiles conditions naturelles et dont la ressource essentielle est l'exploitation houillère; celle-ci fournit annuellement plus de 400 millions de tonnes, faisant des Appalaches la première région charbonnière mondiale, à proximité relative des gigantesques concentrations industrielles du Nord-Est américain, qui lui doivent, en partie, leur développement.

Appalachian Spring, « modern dance work » (chorégr. de Martha Graham; mus. d'Aaron Copland; Washington, 1944), une des grandes œuvres de la danse moderne américaine, évoquant l'histoire d'un couple de jeunes pionniers bâtissant leur maison.

APPALACHIEN (relief). — Dans les régions d'anciennes montagnes plissées, puis pénéplanées, une reprise d'érosion, généralement à la suite d'un soulèvement d'ensemble, engendre le dégagement de crêtes de roches dures séparées par des sillons creusés dans les roches tendres. Le relief qui en résulte est marqué par le parallélisme des directions et par l'inadaptation du réseau hydrographique à la structure. Il est particulièrement caractérisé dans les Appalaches*, d'où il tire son nom.

APPAREIL *(Archit.).* — La forme et l'agencement des pierres (ou des briques) d'un mur sont d'une grande variété : appareils *cyclopéens* (énormes blocs non retaillés dont de petites pierres garnissent les interstices) de la Grèce archaïque, puis *polygonaux,* à joints vifs (sans mortier de liaison), puis *rectangulaires,* de dispositions variées; *opus* divers des Romains, qui réservaient souvent les appareils réguliers aux seuls parements des murs, l'intérieur étant un *blocage* de moellons et de mortier, mais utilisaient aussi un *grand appareil* à crampons de bois ou de fer. L'Europe romane reprend par exemple l'*opus reticulatum* romain, à disposition losangée décorative, et l'architecture classique orne de *bossages* ou de *refends* les blocs de l'appareil rectangulaire. Arcs, voûtes, escaliers, etc., recourent à une stéréotomie plus complexe.

APPAREIL PSYCHIQUE → PSYCHANALYSE.

APPEL (Karel) → COBRA.

APPEL → VOIES DE RECOURS.

APPEL DU CONTINGENT → SERVICE NATIONAL.

APPELL (Paul), mathématicien français (Strasbourg 1855 - Paris 1930). L'essentiel de son œuvre se situe en analyse où il étudia les fonctions* algébriques et les fonctions abéliennes.

APPENDICITE. — L'inflammation de l'appendice vermiculaire, très fréquente, est due à plusieurs facteurs souvent intriqués : au premier plan les germes intestinaux et les vers (oxyures, ascaris). Elle apparaît à tout âge, mais est plus fréquente chez l'enfant et chez l'adulte jeune.

L'*appendicite aiguë* provoque une crise douloureuse abdominale aiguë, fébrile, accompagnée de perte d'appétit, de nausées ou de vomissements et de constipation. Elle peut entraîner, en l'absence de traitement, un abcès appendiculaire ou une péritonite généralisée, plus rarement des atteintes hépatiques (abcès du foie) ou des phlébites.

L'*appendicite chronique* fait suite à l'appendicite aiguë ou survient d'emblée. Elle revêt le masque de nombreuses affections abdominales, s'accompagne de nausées, de constipation ou de diarrhée ainsi que de maux de tête.

Le traitement des appendicites est chirurgical *(appendicectomie).*

APPENZELL, canton de Suisse, enclavé dans celui de Saint-Gall et divisé depuis 1597, pour des raisons religieuses, en deux demi-cantons : *Rhodes-Extérieures* (49023 hab.; ch.-l. *Herisau*), à majorité protestante, et *Rhodes-Intérieures,* catholique (13124 hab.; ch.-l. *Appenzell*).

APPERT (Nicolas), inventeur français (Châlons-sur-Marne 1749 ou 1752 - Massy 1841). Il a découvert la conservation des aliments par chauffage en vase clos. Il trouve également des procédés de concentration des moûts et de conservation des vins par chauffage.

APPÉTIT. — La diminution de l'appétit, ou *anorexie,* peut se rencontrer au cours de maladies générales (hépatite virale, tuberculose pulmonaire, etc.). L'appétit est stimulé par certains médicaments (vitamines, chlorhydrate de pipéridine).

En cas d'*obésité* ou de *boulimie,* les modérateurs de l'appétit, ou *anorexigènes,* sont parfois utilisés : ils inhibent l'appétit en agissant sur les centres nerveux hypothalamiques, mais sont des excitants que certains ne supportent pas.

APPIEN, historien grec (né à Alexandrie v. 95 apr. J.-C.), auteur d'une *Histoire romaine.*

APPIUS CLAUDIUS → CLAUDIUS.

APPLETON (*sir* Edward Victor), physicien anglais (Bradford 1892 - Édimbourg 1965). Il a mesuré l'altitude de l'ionosphère (1924), dont il a découvert une seconde couche grâce à la réflexion des ondes ultracourtes, et il a participé à la réalisation du radar. (Prix Nobel de physique, 1947.)

APPLICATION. — Une application d'un ensemble* E dans un ensemble F est une correspondance qui associe à tout élément de E un élément de F et un seul.

En général, une application est notée par une petite lettre de l'alphabet latin ou de l'alphabet grec, f, φ, etc. Ainsi, l'écriture $f : E \to F$ désigne une application de E dans F. On utilise aussi une flèche incurvée : $f : E \curvearrowright F$. L'ensemble E est appelé *ensemble de départ,* et F *ensemble d'arrivée.* Si, par f, on associe à l'élément x de E l'élément y de F, on note $y = f(x)$ ou $x \overset{f}{\curvearrowright} y$; y est l'*image* de x par f; x est un *antécédent* de y. Un même élément y de F peut être l'image de plusieurs éléments de E : c'est ainsi que l'on peut parler d'un antécédent de y et non de l'antécédent de y. En revanche, et ceci est contenu dans la définition d'une application, un élément de E n'a qu'une image dans F. D'autre part, il n'existe pas d'élément de E n'ayant pas d'image dans F.

Une application est *injective* si deux éléments quelconques distincts de l'ensemble de départ ont deux images distinctes; elle est *surjective* si tout élément de l'ensemble d'arrivée a au moins un antécédent. Une application qui est à la fois injective et surjective est dite *bijective :* tout élément de l'ensemble d'arrivée a un antécédent et un seul. Une *bijection* s'appelle aussi une *correspondance biunivoque.* La notion d'application contient celle de fonction*, en particulier de fonction numérique, c'est-à-dire d'application dont l'ensemble d'arrivée est $\mathbb{R}$ ou un sous-ensemble de $\mathbb{R}$.

APPOGGIATURE → ORNEMENTATION.

APPOMATTOX, village de Virginie (États-Unis) → SÉCESSION *(guerre de).*

APPONYI (Albert, *comte*), homme d'État hongrois (Vienne 1846 - Genève 1933). Ministre des Cultes et de l'Instruction publique (1906-1910; 1917-1918), il fait voter une loi scolaire (1907) qui favorise l'assimilation des groupes ethniques non hongrois.

Apprenti sorcier *(l'),* scherzo symphonique de P. Dukas (1897), d'après une ballade de Goethe. Solidement structuré sur trois thèmes (dont le célèbre thème du balai, confié au basson), ce poème symphonique narratif se distingue par son orchestration brillante.

APPRENTISSAGE *(Dr.).* — Le contrat d'apprentissage est celui par lequel un chef d'établissement s'oblige à assurer une formation* professionnelle à une personne qui, réciproquement, s'engage à travailler pour lui pendant un temps convenu. Il doit être constaté par écrit, l'écrit contenant un certain nombre de mentions obligatoires. L'enseignement du métier, assuré à la fois dans l'entreprise et dans un centre de formation d'apprentis, constituera l'obligation essentielle à l'égard de l'apprenti, qui a droit, par ailleurs, à une rémunération.

APPRENTISSAGE *(Psychol.).* — Outre le domaine traditionnel de formation des habitudes, l'apprentissage recouvre celui de la mémoire* et celui du conditionnement. Les études sur le conditionnement ont fourni aux recherches sur l'apprentissage des procédures expérimentales simples ainsi qu'un schéma explicatif aisément généralisable. La plus simple situation expérimentale d'apprentissage est celle du conditionnement classique ou pavlovien. Dans son expérience princeps, Pavlov présentait à un chien immobilisé dans un harnais de la nourriture (stimulus inconditionnel), ce qui entraînait naturellement une sécrétion salivaire de la part de l'animal (réponse inconditionnelle).

En faisant régulièrement précéder la présentation de nourriture d'un signal quelconque (son, lumière, etc.), que l'on appelle « stimulus neutre », car, à lui seul, il est incapable de déclencher la réaction salivaire, on constate qu'au bout d'un certain nombre de présentations conjointes le stimulus neutre devient, à lui seul, capable de déclencher la réaction salivaire. Le stimulus neutre est alors devenu stimulus conditionnel; il peut être appelé renforcement, car il réduit un besoin, ici la faim. Établir un conditionnement, c'est donc anticiper une réponse, c'est apprendre une certaine séquence comportementale.

Le conditionnement instrumental ou opérant constitue l'autre procédure expérimentale. La situation qui lui a servi de modèle a été imaginée par B. F. Skinner (1935). Un rat affamé est placé dans une cage où se trouve un petit levier qui, lorsque le rat appuie dessus, lui délivre une quantité définie de nourriture (renforcement). En explorant son habitacle, l'animal en vient, par hasard, à appuyer sur le levier. Très vite, le rat répète, s'il est affamé, sa réponse, dont la fréquence croît rapidement jusqu'à un niveau stable, tant qu'elle continue d'être renforcée. Si, au contraire, l'appui sur le levier est suivi d'un choc électrique, sa fréquence décroît jusqu'à disparaître complètement (renforcement négatif).

Le conditionnement instrumental se distingue du conditionnement pavlovien d'abord par l'absence de relation de cause à effet : le stimulus renforçateur (nourriture) n'est aucunement le déclencheur original de la réaction à conditionner (appui sur le levier). Dans ce type de situation, il n'est pas nécessaire que la réponse que l'on souhaite faire apprendre possède originellement un stimulus déclencheur propre. Le renforcement est donc un événement quelconque qui, survenant après une réponse, augmente la probabilité d'émission de celle-ci. L'organisme y est actif, si bien que ce type de conditionnement ne peut s'appliquer qu'aux actes « volontaires » (mettant en jeu la musculature striée).

En dépit de la diversité des domaines et des méthodes d'études, les recherches sur l'apprentissage, aussi bien chez l'homme que chez l'animal, ont conduit à énoncer un certain nombre de lois communes à toutes les situations. La *répétition* est une des conditions fondamentales de tout apprentissage, lequel est d'autant plus solide qu'il a été souvent répété et dont la force se manifeste dans la plus ou moins grande résistance à l'oubli, dans la rapidité ou la précision de la réponse. Des répétitions convenablement espacées conduisent en général à un apprentissage plus rapide que des répétitions temporellement trop rapprochées. La *généralisation* traduit le fait que non seulement le stimulus initialement renforcé, mais également toute une gamme de stimuli voisins sont capables de déclencher la réaction. Complément de la généralisation, la *discrimination* est le fait de répondre exclusivement à une stimulation déterminée. Si un premier apprentissage en facilite un second, on dit qu'il y a *transfert ;* si cette action est négative, on dit qu'il y a *interférence* (transfert négatif). La pratique d'un certain nombre d'apprentissages successifs facilite l'adoption d'une stratégie de plus en plus efficace pour aborder des tâches plus ou moins semblables : on peut apprendre à apprendre. L'enseignement programmé représente un développement important des théories de l'apprentissage.

APPRÊT. — Cette opération que l'on fait subir au tissu* a pour objet d'en modifier l'aspect, le toucher, les caractéristiques, etc., afin de lui donner l'apparence la plus favorable et les qualités les mieux appropriées à l'usage auquel il est destiné.

• Les *apprêts mécaniques* rendront le tissu net par flambage, grillage, tondage ou rasage, duveteux ou laineux par grattage, émerisage ou ratinage, lisse et brillant par pressage ou calandrage, irrétrécissable par Sanforisage, plus souple par dérompage. Ils en modifieront la surface par similisage, gaufrage ou moirage, en supprimeront l'excès de lustre et le stabiliseront par décatissage.

• Les *apprêts chimiques* rendront le tissu plus rigide par les amidons, fécules, etc., plus lourd par une charge (sulfate de magnésie*, talc*, etc.), plus souple par adoucissage, infeutrable, infroissable, imperméable à l'eau, ininflammable, inattaquable aux champignons et aux mites. Enfin, certains apprêts permettront au tissu d'être porté après lavage sans repassage, de garder le pli (pressage permanent), d'être intachable, de faciliter le lavage, d'empêcher la formation d'électricité statique. Les produits d'apprêt ne doivent pas abîmer les fibres ni avoir d'influence sur la teinture et doivent être stables au stockage.

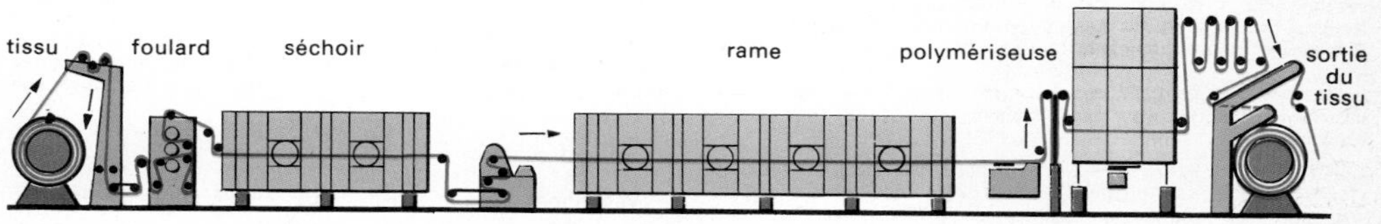

Apprêt. Grand ennoblissement final en continu (infroissabilisation, imperméabilisation, etc.).

APPROVISIONNEMENT. — La fonction « approvisionnement » revêt deux aspects principaux dans l'économie de l'entreprise. Le premier, d'ordre technique et commercial, consiste, d'une part, à s'enquérir des besoins de l'entreprise et, d'autre part, à étudier les possibilités des fournisseurs. Le second aspect est d'ordre administratif et financier. Il faut organiser tous les circuits, qui partent de l'émission de la commande pour aboutir au contrôle de réception des produits. Afin d'assurer leur fonctionnement, les approvisionnements sont répartis en plusieurs sous-fonctions (achats proprement dits, magasins et gestion des stocks*).

APRAXIE. — La coordination des gestes volontaires élémentaires est une activité complexe qui est spécifiquement perturbée dans l'apraxie, alors que l'efficience intellectuelle est normale et qu'il n'y a pas de paralysie. L'individu doit, en effet, concevoir un schéma de réalisation de l'acte dans son ensemble en coordonnant les gestes élémentaires en fonction du but recherché. La réalisation peut être troublée à des moments différents : exécution du geste élémentaire (apraxie idéomotrice), coordination de ces gestes élémentaires (apraxie idéatoire).

après-midi d'un faune *(Prélude à l'),* page orchestrale inspirée à C. Debussy (1892-1894) par une églogue de S. Mallarmé. Ouvrant par un thème chromatique resté célèbre, elle est caractéristique de la manière impressionniste du compositeur. — Elle a inspiré à Nijinski un tableau chorégraphique (dont le titre définitif fut *l'Après-midi d'un faune*), créé par les Ballets russes en 1912. Serge Lifar a donné une version « sans nymphes » en 1932. Jerome Robbins, sous le titre d'*Afternoon of a Faun* (1953), a transporté le sujet mallarméen dans un studio de danse.

APT (84400), ch.-l. d'arr. de Vaucluse, dans le *bassin d'Apt,* sur le Coulon (affl. de la Durance), au nord du Luberon ; 11 612 hab. *(Aptésiens* ou *Aptois).* Église en partie du XIIe s. (trésor). Musée. Industries alimentaires.

APTÉRYGOTES. — C'est à la limite du monde des insectes que se situent ces petits animaux. Des insectes, ils ont les trois paires de pattes thoraciques et l'unique paire d'antennes, mais ils ne présentent ni les ailes ni les métamorphoses. Quant aux yeux, ce sont de simples ocelles, mais, dans le genre *Machilis,* ils se groupent en deux yeux composés rudimentaires. Des vestiges de pattes abdominales et de bifurcation des pattes thoraciques rapprochent les aptérygotes des crustacés.

Les aptérygotes les plus importants en écologie sont les collemboles du sol, des litières végétales, des rivages et des fourmilières, minuscules insectes sauteurs munis d'un tube ventral sécréteur de glu. Un peu moins primitifs, les lépismes (« petits poissons d'argent ») [ordre des thysanoures] hantent les maisons et les entrepôts ou, pour d'autres espèces, les fourmilières.

APTITUDE. — Les aptitudes, ou capacités innées, de l'individu pour tel ou tel type d'activité ont été distinguées, par les psychologues, de ce qui est acquis par apprentissage* (connaissance). Elles peuvent être sensorielles (acuité visuelle, auditive), sensorimotrices (dextérité, coordination manuelle, etc.) ou mentales (raisonnement abstrait et concret, mémoire, attention, représentation spatiale, intelligence, etc.). Elles sont donc très nombreuses, et une des préoccupations des psychologues a été d'en dresser l'inventaire et de les mesurer *(tests d'aptitude)* essentiellement dans un dessein d'orientation scolaire ou professionnelle. Cependant, plus on s'éloigne de la physiologie, plus le développement d'une aptitude dépend des circonstances auxquelles l'individu a été exposé. Il est malaisé, lorsqu'on pense mesurer une aptitude mentale, de faire la part de ce qui revient au milieu et à l'éducation, si bien que la notion d'efficience a été construite pour rendre compte du niveau de réussite d'un individu dans une activité donnée par l'effet conjugué de l'aptitude et de l'apprentissage.

APULÉE, écrivain latin (Madaure, Numidie, 125 - Carthage v. 180), le type des conférenciers-touristes qui parcouraient le monde méditerranéen à l'apogée de l'Empire et de la *paix romaine,* curieux de philosophie, de coutumes rares et de mystères religieux. Il est l'auteur de *l'Âne* d'or.*

APULIE, nom anc. de la Pouille*, en Italie méridionale.

APURÍMAC, riv. du Pérou, contribuant à former l'Ucayali* et considérée comme une branche mère de l'Amazone ; 885 km.

'AQABA ou **AKABA** *(golfe d'),* golfe allongé de l'extrémité nord-est de la mer Rouge, au fond duquel sont établis le port jordanien d'*'Aqaba* (10 000 hab.) et le port israélien d'Elath*.

AQARQUF → DOUR-KOURIGALZOU.

AQUACULTURE ou **AQUICULTURE.** — Aux branches traditionnelles (pisciculture en eau douce, ostréiculture, mytiliculture) se sont ajoutées l'astaciculture (élevage des écrevisses) et, plus récemment, diverses formes d'aquaculture en eau salée (reproduction des daurades et des loups ainsi que des crevettes et des homards).

AQUARELLE. — Son charme réside dans sa transparence de lavis coloré, que révèle le blanc du papier, dans ses effets de fluidité. Après avoir servi surtout, du XVe au XVIIIe s., en Occident, à rehausser des dessins, l'aquarelle devient au XIXe s. un genre autonome d'une grande liberté avec les paysagistes anglais John Sell Cotman (1782-1842), Bonington*, Turner*..., qui y trouvent les « équivalences picturales » de leurs surfaces marines, de leurs brumes et de leurs ciels changeants. Cette leçon est reprise par les romantiques français, au premier rang desquels Delacroix*, puis par Jongkind* et Boudin* ainsi que par les impressionnistes*, qui utilisent l'aptitude de l'aquarelle à la notation fugitive. Sur le fond blanc, le néo-impressionnisme* joue de la fragmentation des touches, Cézanne* échafaude ses facettes et le fauvisme* exalte la richesse des couleurs pures. L'abstraction, enfin, exploitera le « hasard objectif » des coulées et des taches.

AQUARIUM. — L'aquariophilie ne reproduit pas un milieu naturel, car elle entend faire vivre en milieu *fermé* de nombreux animaux aquatiques, poissons surtout, habitués à vivre en milieu ouvert. Les conditions de réussite de l'élevage en aquarium sont donc multiples :
— assurer un volume d'eau suffisant pour la population;
— séparer les prédateurs des proies éventuelles, puisque la fuite n'est pas possible;
— contrôler la température;
— maintenir la saturation en oxygène à l'aide d'un appareil à bulles (les poissons rouges peuvent s'en passer);
— nettoyer régulièrement le fond par aspiration à la pipette;
— absorber les déchets solubles par filtration de l'eau sur charbon (« régénération »);
— réparer les pertes d'eau par évaporation (avec de l'eau douce, même dans les aquariums marins, puisque les sels minéraux ne s'évaporent pas; il vaut mieux, d'ailleurs, éviter le plus possible l'évaporation);
— aménager le biotope avec de grosses pierres, qui servent de refuge, avec du sable sur le fond, pour permettre l'enfouissement, et avec des plantes aquatiques vertes, qui contribuent à l'oxygénation;
— éclairer d'en haut, ne combattre les algues sur les parois que du côté à observer (grattage ou élevage de limnées mangeuses d'algues).

AQUATIQUES (milieux). — Les eaux naturelles au sein desquelles vivent animaux et plantes peuvent être douces ou salées, stagnantes ou courantes, chaudes ou froides, bien ou mal oxygénées, pures ou polluées, profondes ou superficielles, éclairées ou obscures, sujettes ou non à de rapides changements de température ou de salinité, exposées ou non au gel, etc. De telles différences créent, pour la plupart des espèces, d'infranchissables barrières, que traversent seulement quelques migrateurs bien adaptés (anguille, saumon), mettant à profit la continuité physique entre les océans et les réseaux fluviaux. Certains lacs (Baïkal, Tanganyika) échappent à cette continuité et possèdent une faune qui leur est propre.

Toutes les eaux, cependant, permettent la respiration par des expansions ramifiées (branchies) et la locomotion en quasi-apesanteur (rôle de la vessie gazeuse des poissons); leur pouvoir transporteur permet l'alimentation microphage (proies microscopiques) et la fécondation externe. Les fonctions sensorielles des animaux sont profondément différentes de ce qu'elles sont sur terre. Les plantes supérieures, d'ailleurs presque toutes d'eau douce, n'ont guère besoin de racines et de vaisseaux ni de parties ligneuses. Elles peuvent être purement flottantes (lentilles d'eau) ou, en tout cas, posséder des feuilles flottantes (nénuphar). L'amphibiose* et la vie sur les rivages* sont fort différentes de la vie *pélagique* en pleine eau et de la vie *benthique* sur le fond.

AQUILA (L'), v. d'Italie, dans les Abruzzes, ch.-l. de prov.; 62 000 hab. Nombreux monuments anciens. Musée.

AQUILÉE, v. d'Italie, sur l'Adriatique. Colonie latine fondée en 181 av. J.-C., Aquilée fut un important centre commercial d'où partait la route du commerce méditerranéen vers le Danube. Au Bas-Empire, elle devint résidence impériale. Elle fut détruite par Attila* en 452; ses habitants se réfugièrent dans les îles de la future Venise. Basilique (XIe-XVe s.). Musée.

AQUIN (Louis Claude D'), compositeur français (Paris 1694-*id.* 1772). Ses *Noëls* pour orgue demeurent, par leur dynamisme, leur esprit et leur couleur, les modèles du genre. Virtuose précoce, Aquin fut un des plus grands improvisateurs de son temps.

AQUITAIN *(Bassin)* ou **AQUITAINE** *(bassin d'),* région naturelle du sud-ouest de la France.

Entre les Pyrénées au S., le Massif central à l'E. et le Massif armoricain au N., le Bassin aquitain est une région sédimentaire, formée de dépôts secondaires et surtout tertiaires, largement ouverte sur l'Atlantique. Au N. (Poitou, Aunis, Saintonge) et à l'E. (Périgord et Quercy) affleurent des auréoles crétacées et jurassiques; dans la majeure partie du bassin de la Garonne (principale artère fluviale de la région) dominent les couches tertiaires, parfois recouvertes d'alluvions quaternaires (vallée du fleuve et Landes) ou masquées par des dépôts détritiques (avant-pays pyrénéen). Du point de vue topographique (et aussi des points de vue humain et économique) s'opposent les vallées, souvent élargies, et les plateaux qui les séparent. L'ensemble possède un climat où se combinent surtout influences maritimes (prépondérantes à proximité de l'Atlantique : plus fortes pluviosités, moindre amplitude thermique entre hiver et été) et méditerranéennes (dominantes dans l'intérieur : chaleur estivale plus prononcée, notamment avec orages fréquents, et nombre de jours de pluie moins élevé); ces conditions se répercutent sur la végétation et aussi sur l'économie (v. les articles sur les Régions AQUITAINE* et MIDI-PYRÉNÉES).

AQUITAINE, région historique du sud-ouest de la France. Conquise par César, étendue par Auguste jusqu'à la Loire, l'Aquitaine est divisée au IIIe s. apr. J.-C. en trois provinces : Novempopulanie, Aquitaine seconde et Aquitaine première. Occupée par les Wisigoths* au Ve s., elle est intégrée au « Regnum Francorum » par Clovis, vainqueur des Wisigoths à Vouillé (507). Au cours de la décadence mérovingienne, elle devient pratiquement indépendante et est dirigée par des ducs nationaux. Au VIIIe s., le duc Waifre essaie d'assurer l'autonomie de son duché, mais Pépin le Bref le fait assassiner (768) et incorpore l'Aquitaine au « Regnum Francorum » par le capitulaire de Saintes. En 781, Charlemagne constitue le duché en royaume, qu'il confie à son fils Louis. Le royaume survit jusqu'au règne de Louis le Bègue, dont l'accession au trône de France (877) entraîne la disparition définitive du royaume. Dès lors, il existe formellement un « Ducatus Aquitaniae », qui dépend successivement du comté de Poitiers, de l'Auvergne, des comtes de Toulouse, puis, de nouveau, des Poitevins. La dynastie poitevine — illustrée par Guillaume III « Tête d'Étoupe » (de 951 à 963), Guillaume IV Fierebrace (de 963 à 994), Guillaume IX, le prince des troubadours — prend fin à la mort de Guillaume X (de 1127 à 1137). Le duché perd son indépendance de fait quand la fille de ce dernier, Aliénor*, épouse Louis VII de France (1137). Le remariage d'Aliénor avec Henri II Plantagenêt (1152) rattache l'Aquitaine à l'Empire anglo-angevin. Au XIIe et au XIIIe s., l'Aquitaine est progressivement démembrée par la conquête capétienne : elle ne retrouvera plus jamais son

Vendanges dans les environs de Saint-Émilion (Gironde).

Duboutin-Explorer

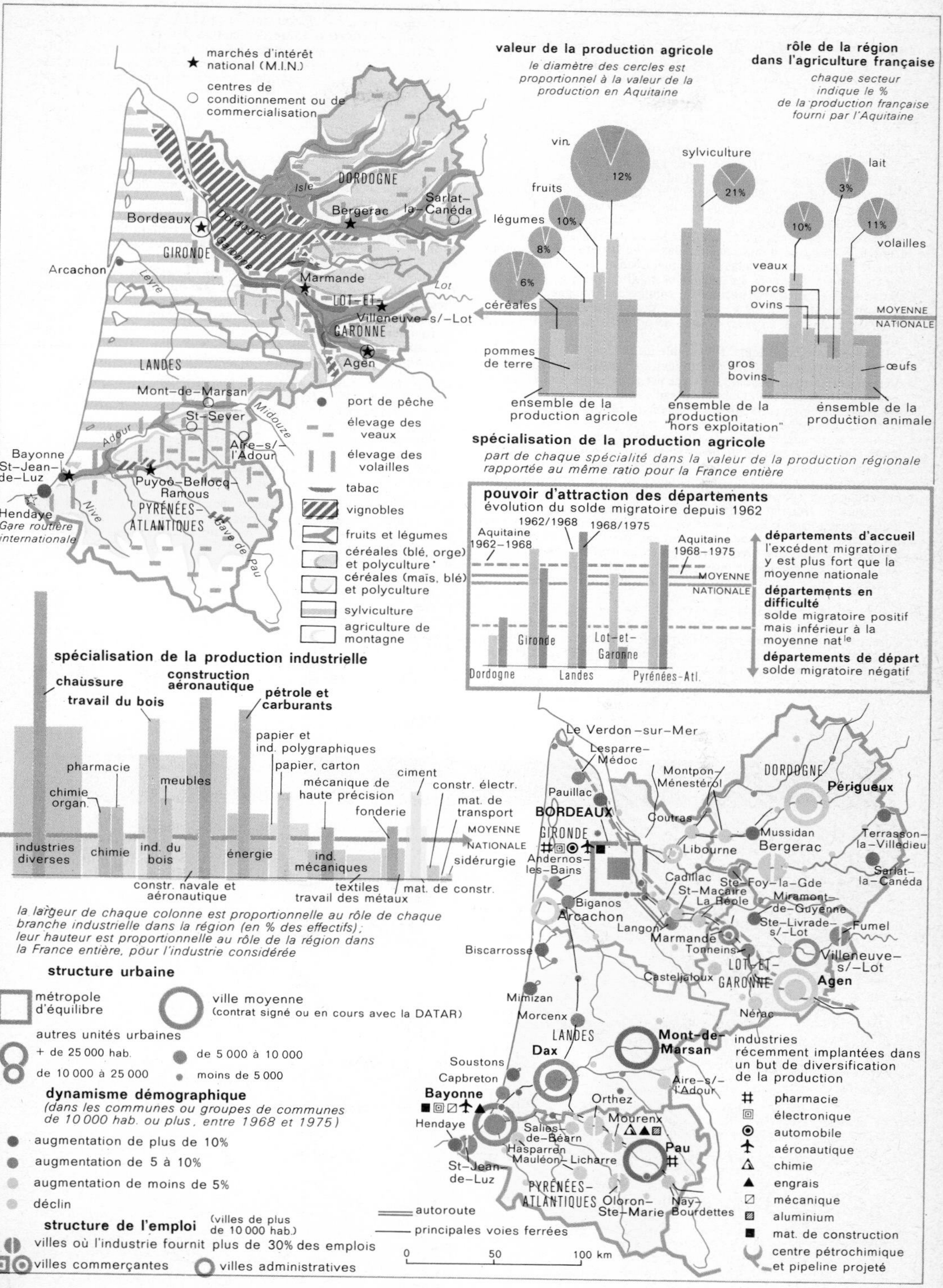
marchés d'intérêt national (M.I.N.)
centres de conditionnement ou de commercialisation
DORDOGNE
Isle
Sarlat-la-Canéda
Bergerac
Bordeaux
GIRONDE
Dordogne
Garonne
Arcachon
Leyre
Marmande
LOT-ET-GARONNE
Lot
Villeneuve-s/-Lot
Agen
LANDES
Mont-de-Marsan
St-Sever
Midouze
Adour
Aire-s/-l'Adour
Bayonne
St-Jean-de-Luz
Hendaye
Gare routière internationale
Puyoô-Bellocq-Ramous
PYRÉNÉES-ATLANTIQUES
Nive
Gave de Pau
port de pêche
élevage des veaux
élevage des volailles
tabac
vignobles
fruits et légumes
céréales (blé, orge) et polyculture
céréales (maïs, blé) et polyculture
sylviculture
agriculture de montagne
valeur de la production agricole
le diamètre des cercles est proportionnel à la valeur de la production en Aquitaine
rôle de la région dans l'agriculture française
chaque secteur indique le % de la production française fourni par l'Aquitaine
vin
12%
fruits
10%
légumes
8%
6%
céréales
pommes de terre
ensemble de la production agricole
sylviculture
21%
ensemble de la production "hors exploitation"
lait
3%
10%
11%
volailles
veaux
porcs
ovins
gros bovins
œufs
ensemble de la production animale
MOYENNE NATIONALE
spécialisation de la production agricole
part de chaque spécialité dans la valeur de la production régionale rapportée au même ratio pour la France entière
pouvoir d'attraction des départements
évolution du solde migratoire depuis 1962
1962/1968
1968/1975
Aquitaine 1962–1968
Aquitaine 1968–1975
MOYENNE NATIONALE
Dordogne
Gironde
Landes
Lot-et-Garonne
Pyrénées-Atl.
départements d'accueil
l'excédent migratoire y est plus fort que la moyenne nationale
départements en difficulté
solde migratoire positif mais inférieur à la moyenne natle
départements de départ
solde migratoire négatif
spécialisation de la production industrielle
chaussure
travail du bois
construction aéronautique
pétrole et carburants
papier et ind. polygraphiques
papier, carton
pharmacie
chimie organ.
meubles
ciment
mécanique de haute précision
constr. électr.
mat. de transport
fonderie
MOYENNE NATIONALE
sidérurgie
industries diverses
chimie
ind. du bois
énergie
ind. mécaniques
constr. navale et aéronautique
textiles
travail des métaux
mat. de constr.
la largeur de chaque colonne est proportionnelle au rôle de chaque branche industrielle dans la région (en % des effectifs); leur hauteur est proportionnelle au rôle de la région dans la France entière, pour l'industrie considérée
structure urbaine
métropole d'équilibre
ville moyenne (contrat signé ou en cours avec la DATAR)
autres unités urbaines
+ de 25 000 hab.
de 10 000 à 25 000
de 5 000 à 10 000
moins de 5 000
dynamisme démographique
(dans les communes ou groupes de communes de 10 000 hab. ou plus, entre 1968 et 1975)
augmentation de plus de 10%
augmentation de 5 à 10%
augmentation de moins de 5%
déclin
structure de l'emploi (villes de plus de 10 000 hab.)
villes où l'industrie fournit plus de 30% des emplois
villes commerçantes
villes administratives
autoroute
principales voies ferrées
0
50
100 km
Le Verdon-sur-Mer
Lesparre-Médoc
Montpon-Ménestérol
DORDOGNE
Périgueux
Pauillac
BORDEAUX
Coutras
Mussidan
Terrasson-la-Villedieu
GIRONDE
Libourne
Bergerac
Andernos-les-Bains
Cadillac
St-Macaire
La Réole
Ste-Foy-la-Gde
Sarlat-la-Canéda
Miramont-de-Guyenne
Biganos
Arcachon
Langon
Marmande
Ste-Livrade-s/-Lot
Fumel
Tonneins
Villeneuve-s/-Lot
Biscarrosse
LOT-ET-GARONNE
Casteljaloux
Agen
Mimizan
Nérac
Morcenx
LANDES
Mont-de-Marsan
Dax
Soustons
Capbreton
Aire-s/-l'Adour
Bayonne
Orthez
Mourenx
Hendaye
Salies-de-Béarn
Hasparren
Pau
Mauléon-Licharre
St-Jean-de-Luz
PYRÉNÉES-ATLANTIQUES
Oloron-Ste-Marie
Nay-Bourdettes
industries récemment implantées dans un but de diversification de la production
pharmacie
électronique
automobile
aéronautique
chimie
engrais
mécanique
aluminium
mat. de construction
centre pétrochimique et pipeline projeté

unité. Elle renaît partiellement sous les apparences de la Guyenne* (déformation du mot *Aquitaine*).

AQUITAINE, Région du sud-ouest de la France, sur l'Atlantique regroupant les cinq départements suivants : Dordogne, Gironde, Landes, Lot-et-Garonne et Pyrénées-Atlantiques; 41 407 km²; 2 550 340 hab. Capit. *Bordeaux.*

La Région administrative regroupe tout ou partie de vieilles provinces historiques (Gascogne [landes de Gascogne, Chalosse], Guyenne [Périgord, Bordelais, Agenais], le Béarn et le Pays basque français), mais ne recouvre qu'une partie du *bassin d'Aquitaine,* s'identifiant approximativement avec l'aire de rayonnement de sa capitale régionale. L'Aquitaine atteint les Pyrénées au S., mais ailleurs l'altitude n'excède jamais 500 m. Cependant, la topographie peut être localement accidentée par les vallées, surtout à l'E. de la Garonne (Lot, Dordogne, Isle), qui entaillent les plateaux (Périgord), l'ouest étant occupé en majeure partie par la grande forêt des Landes, en bordure d'une côte rectiligne, de la Gironde à l'Adour, dunaire et parsemée d'étangs (Arcachon, Cazaux, etc.). Du point de vue climatique dominent les influences maritimes, qui procurent un climat doux et relativement humide, comme en témoigne l'exemple de Bordeaux (la température moyenne de janvier est de 1,7 °C, et celle d'août de 19,6 °C, avec 900 mm de précipitations réparties sur 162 jours).

Dans le domaine agricole, l'ensemble du bassin d'Aquitaine a été considéré comme une terre de polyculture, mais, localement, des spécialisations apparaissent. La vigne est presque partout présente (en dehors des Landes évidemment), mais domine dans le Bordelais, aux crus souvent réputés; le maïs (introduit dès la fin du XVIe s. et développé au XVIIIe) provient essentiellement des pays de l'Adour, alors que le blé est surtout cultivé plus au N., dans le Lot-et-Garonne. Ayant perdu un quasi-monopole pour la production du maïs, l'Aquitaine a conservé sa prépondérance pour la culture du tabac (surtout aux confins de la Gironde, de la Dordogne et du Lot-et-Garonne) et occupe toujours une place importante pour la fourniture de fruits et de légumes (Agenais, Bergeracois, Périgord). L'élevage est moins développé (vaches laitières et ovins pour la fabrication du fromage de Roquefort, et aussi volailles [Landes, Périgord], notamment pour le foie gras). La forêt couvre environ 40 p. 100 du sol (taux de boisement double de la moyenne française) grâce aux Landes, fournissant bois d'œuvre et bois à pâte.

Bien que possédant la quasi-totalité des modestes gisements français d'hydrocarbures (pétrole dans les Landes, autour de Parentis, et surtout gaz naturel de Lacq et de la région paloise), l'Aquitaine est peu industrialisée (en dehors de l'agglomération bordelaise); les activités sont surtout liées à l'agriculture (conserverie) ou au marché de consommation (chaussure, textile). Le tourisme apporte des revenus supplémentaires et devrait se développer avec l'aménagement du littoral. Cela ne sera pas suffisant pour enrayer l'émigration de ruraux hors d'une Région qui a souffert de son éloignement des pôles de développement de Paris et du Nord-Est, et peu profité d'une capitale régionale, traditionnellement plus liée au trafic maritime qu'à l'arrière-pays (en dehors du Bordelais viticole).

ARABE. — Langue d'environ 120 millions de personnes, l'arabe est une réalité linguistique complexe : l'*arabe littéraire* est une langue uniquement écrite, mais uniforme du fait de son caractère religieux et même divin; les *dialectes,* parlés sur un domaine immense, de l'Atlantique à l'Asie centrale, ne possèdent pas d'expression écrite, et leur variété est telle que l'intercompréhension entre « arabophones » n'est pas toujours assurée.

Issu du groupe méridional des langues sémitiques, l'arabe a connu brusquement au VIIe s. une diffusion extraordinaire grâce à l'expansion de l'islām. Langue du Coran*, il est devenu, sous sa forme écrite, une des grandes langues de culture.

L'arabe possède un vocalisme pauvre (3 voyelles : *i, u, a*) et un consonantisme riche (27 consonnes). Le trait linguistique fondamental est l'existence de racines consonantiques, souvent trilitères, qui, en se combinant à d'autres éléments phoniques, sont à la base du fonctionnement de la langue. L'arabe s'écrit de droite à gauche; son alphabet, qui sert à transcrire également le persan et l'ourdou, ne note que les consonnes et les voyelles longues.

arabe *(Ligue),* association d'États arabes indépendants, destinée à promouvoir leur coopération et dont la charte est signée en 1945 au Caire par l'Égypte, la Syrie, le Liban, l'Iraq, la Transjordanie, l'Arabie Saoudite et le Yémen. Au fur et à mesure de leur accession à l'indépendance, les autres pays arabes y adhèrent. Différents organismes spécialisés sont créés, mais des conflits entre pays membres et l'opposition à l'hégémonie égyptienne paralysent l'activité de la Ligue.

ARABE (musique). — Constituée par un ensemble de traditions orales, mal définies dans le temps et dans l'espace, la musique arabe garde jusqu'au VIIe s. un caractère poétique intense et original, purement populaire, essentiellement fondé sur la pratique du chant, que le prophète Mahomet (au début de l'islām) condamne, ne tolérant que les psalmodies du muezzin. Les conquêtes de la guerre sainte enrichissent de traditions indiennes, perses, syriennes, byzantines un répertoire qui connaît son plein épanouissement du Xe au XVe s., en raison de la forte densité des peuples dominés (en particulier l'Espagne). Une stagnation succède à la période d'exil et de repliement, comprise entre le XVe et le XVIIIe s. Un réveil s'amorce toutefois au XIXe s., avec la reprise de contacts entre l'Occident et l'Orient. La théorie musicale arabe

ALPHABET ARABE

figure 1	figure 2	figure 3	figure 4	nom	valeur
ا	ـا	ـا	ا	alif	ā
ب	ـب	ـبـ	بـ	bā'	b
ت	ـت	ـتـ	تـ	tā'	t
ث	ـث	ـثـ	ثـ	thā'	th, th *angl. doux*
ج	ـج	ـجـ	جـ	djīm	dj
ح	ـح	ـحـ	حـ	ḥā'	ḥ
خ	ـخ	ـخـ	خـ	khā'	kh, ch *all.*, j *esp.*
د	ـد	ـد	د	dāl	d
ذ	ـذ	ـذ	ذ	dhāl	dh, th *angl. dur*
ر	ـر	ـر	ر	rā'	r *roulé*
ز	ـز	ـز	ز	zāy	z
س	ـس	ـسـ	سـ	sīn	s
ش	ـش	ـشـ	شـ	chīn	ch
ص	ـص	ـصـ	صـ	ṣād	ṣ *emphat.*
ض	ـض	ـضـ	ضـ	ḍād	ḍ *emphat.*
ط	ـط	ـطـ	طـ	ṭā'	ṭ *emphat.*
ظ	ـظ	ـظـ	ظـ	ẓā'	ẓ, dh *emphat.*
ع	ـع	ـعـ	عـ	'ayn	' *laryngale*
غ	ـغ	ـغـ	غـ	ghayn	rh, gh, r *grasseyé*
ف	ـف	ـفـ	فـ	fā'	f
ق	ـق	ـقـ	قـ	qāf	q
ك	ـك	ـكـ	كـ	kāf	k
ل	ـل	ـلـ	لـ	lām	l
م	ـم	ـمـ	مـ	mīm	m
ن	ـن	ـنـ	نـ	nūn	n
ه	ـه	ـهـ	هـ	hā'	h
و	ـو	ـو	و	wāw	ū, w
ي	ـي	ـيـ	يـ	yā'	ī, y

1. isolées 2. finales 3. médiales 4. initiales

s'inspire de la conception grecque en ce qui concerne les modes, mais s'en éloigne rythmiquement. Les instruments répondent aux catégories traditionnelles occidentales : cordes, percussion.

ARABE (philosophie) → ISLĀM.

ARABES. — Les Arabes ne constituent pas une race ou une nation-État, mais un peuple ou une ethnie dont le signe distinctif est l'usage de la langue arabe. Ils sont environ 120 millions, occupant une vaste zone allant du golfe Persique à l'Atlantique. (Ce chiffre englobe d'importantes minorités berbères, kurdes, araméennes, arméniennes, nilotiques plus ou moins arabisées.)

Depuis au moins la seconde moitié du Ier millénaire av. J.-C., les Arabes occupent l'Arabie*, à l'exception de sa partie méridionale. L'immigration arabe vers le Croissant fertile est attestée dès l'Antiquité. Cependant, ce n'est qu'après la révélation coranique que les Arabes se lancent, au nom de l'islām*, à la conquête d'un vaste empire, qui, au début du VIIIe s., atteint l'Espagne et l'Inde. La révolution 'abbāsside* instaure un Empire musulman, où les diverses ethnies sont traitées à égalité. De vastes zones s'arabisent plus par assimilation des indigènes que par émigration massive. À partir du XIe s., les Turcs* jouent un rôle de plus en plus important, et l'Empire ottoman*, à partir du XVIe s., gouverne la majorité des régions arabes.

À partir du XVIe s., l'idée d'un État arabe prend corps sous l'influence du modèle d'État-nation européen et de sentiments antiturcs qui se développent, malgré la communauté de foi, à la fin du XIXe s. Les chrétiens syro-libanais en sont les protagonistes efficaces. La Grande-Bretagne fomente la révolte arabe en s'appuyant sur les Hāchémites*. Mais à l'impérialisme ottoman succède l'impérialisme européen. L'idéologie nationaliste arabe prend conscience des problèmes d'indépendance nationale, de modernisation et de justice sociale qui se posent aux nations arabes : le parti Baath* propose une solution laïque et socialiste. La Ligue arabe* est créée en 1945. L'indépendance politique est le premier stade de l'affranchissement, souvent acquis de haute lutte (Maroc, Tunisie, Soudan en 1956, Algérie en 1962). Elle est parfois suivie de révolutions nationales qui renversent les dynasties mises en place par les régimes coloniaux : révolutions égyptienne de Nasser*, irakienne de Kassem*, libyenne de Kadhafi*. Malgré des réussites certaines, les idéologies progressistes arabes ont à faire face à trois problèmes majeurs : l'attachement des masses populaires aux tendances conservatrices de l'islām, le problème palestinien*, qu'aggrave l'antagonisme américano-soviétique, et la dépendance envers la technologie des pays développés, qui entraîne l'ingérence permanente de ceux-ci.

ARABES UNIS *(Émirats)*, fédération correspondant à l'ancienne Côte des Pirates, ou Trucial States, et regroupant les principautés d'Abū Ẓabī, d''Adjmān, de Chārdja, de Dubayy, de Fudjayra, d'Umm al-Qaywayn et de Ra's al-Khayma; 83 600 km²; 200 000 hab. La Fédération, dont les émirats jalonnent la côte méridionale désertique du golfe Persique, est un important producteur de pétrole (80 Mt, provenant essentiellement d'Abū Ẓabī, chiffre énorme, rapporté à sa faible population).

HISTOIRE. Le nom collectif d'« États de la Trêve » (Trucial States) remonte au traité de paix perpétuelle signé en 1853 avec la Grande-Bretagne. Celle-ci veut éliminer du golfe Persique la piraterie et le commerce des esclaves, de plus en plus actifs au début du XIXe s., et mène des expéditions militaires contre Ra's al-Khayma en 1809 et en 1819. En 1892, le protectorat britannique est étendu aux affaires étrangères de l'ensemble des émirats. De l'instauration de la paix britannique au début de l'exploitation pétrolière (1962 à Abū Ẓabī, 1969 à Dubayy), les émirats vivent du commerce avec l'océan Indien et de la pêche perlière. En 1971, six émirats s'unissent en une fédération indépendante, rejoints en 1972 par Ra's al-Khayma. La Fédération est gouvernée par un Conseil suprême, composé des souverains de chaque émirat, et un gouvernement fédéral, installé à Abū Ẓabī et présidé par Zāyd ibn Sulṭān al-Naḥyān.

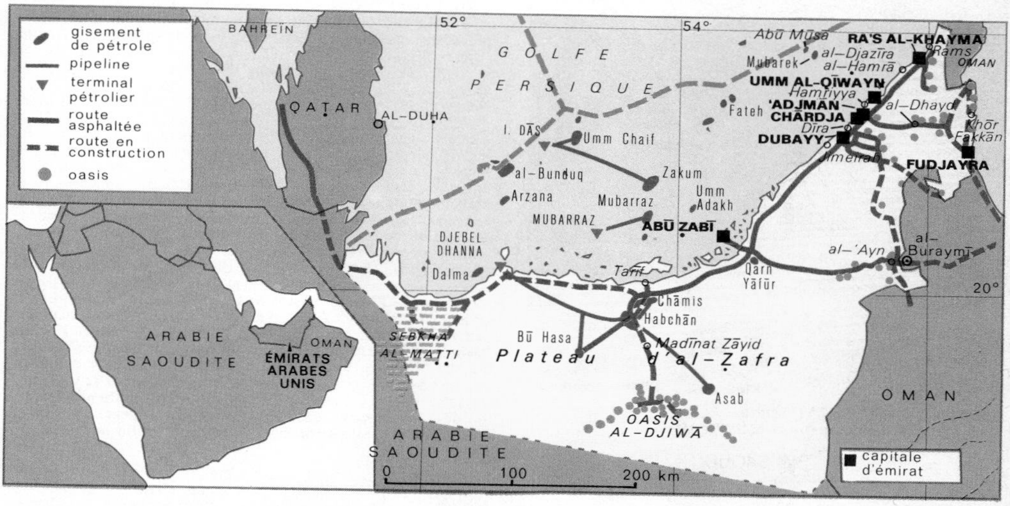

ARABIE, en ar. **Djazīrat al-'Arab,** péninsule constituant l'extrémité sud-ouest de l'Asie, comprise entre la mer Rouge et le golfe Persique; 3 millions de kilomètres carrés environ.

GÉOGRAPHIE. L'Arabie forme un vaste bloc redressé vers l'O. qui domine l'étroite plaine côtière de la mer Rouge par un grand escarpement approchant 4 000 m au S. Du point de vue structural, elle constitue la moitié orientale d'un anticlinal à grand rayon de courbure, dont la voûte s'est effondrée pour former la mer Rouge. Les terrains les plus anciens, parfois recouverts de grands épanchements basaltiques, affleurent à l'O. Vers l'E., ils plongent sous une couverture sédimentaire dans laquelle s'est développé un relief monoclinal; les dépressions y sont occupées par des ergs (Nufūd). En bordure du golfe Persique apparaissent des chaînes plissées présentant des structures anticlinales pétrolifères. Le sud de la péninsule correspond au vaste erg du Rub' al-Khālī, tandis qu'à l'extrémité orientale la chaîne d'Oman précède les montagnes de l'Iran.

Située à des latitudes subtropicales, l'Arabie est presque entièrement soumise à un climat désertique aux amplitudes de température extrêmes (la différence de température entre le jour et la nuit peut atteindre 60 °C) et aux précipitations rares et irrégulières. Cependant, la côte méridionale reçoit en été parfois plus de 1 000 mm de précipitations, apportées par la mousson. Cette humidité entretient une végétation de type sahélien.

Berceau des Arabes, l'Arabie est peuplée par deux groupes bien distincts. Le nord et le centre du pays sont parcourus par les Bédouins nomades, tandis que dans le Sud vit une population sédentaire, pratiquant une culture intensive sur des terrasses irriguées aménagées au cours des siècles. La découverte des énormes gisements de pétrole du golfe Persique n'a pas modifié la vie de la plupart des habitants.

HISTOIRE. Au IIe millénaire av. J.-C. se produisent deux événements majeurs : la domestication du chameau et l'invention d'une écriture alphabétique. Dans la seconde moitié du Ier millénaire, des États organisés prennent naissance en Arabie du Sud, parmi lesquels les royaumes d'Hadramaout et de Saba*. Les négociants de l'Arabie du Sud monopolisent le commerce entre l'Inde et l'Occident, qui décline vers le IIe s. av. J.-C. Les Bédouins de l'Arabie du Nord pratiquent une économie précaire, qui ne peut

S. Duroy - Rapho

Terminal pétrolier de Ra's Tannūra, port d'Arabie Saoudite sur le golfe Persique.

être autarcique. Les oasis du Hedjaz* sont d'actifs centres commerciaux. La présence romaine en Orient (IIe s. av. J.-C.-IVe s. apr. J.-C.) amène le développement des cités-États au débouché des routes caravanières : Pétra*, capitale des Nabatéens*, puis de la province romaine d'Arabie (106 apr. J.-C.), Bostra, Palmyre* (IIIe s.). Le déclin du commerce aux IVe et Ve s. coïncide avec la décadence romaine et la désorganisation de l'Arabie du Sud. Le christianisme et le judaïsme se répandent. Deux États arabes chrétiens se forment : Rhāssān, vassal de Byzance, et Ḥīra, vassal des Sassanides, aux confins de la Syrie et de la Mésopotamie. La Mecque*, centre de pèlerinages autour de la Ka'ba* et de la Pierre noire, se développe grâce au commerce prospère des Quraychites*.

Mahomet* commence sa prédication au début du VIIe s. Celle-ci, recueillie dans le Coran*, est capable d'unir l'Arabie autour d'une nouvelle religion et de donner une dimension nouvelle à l'expansion vers les terres plus riches, vocation éternelle des nomades. Yathrib (Médine*), où la communauté a dû émigrer en 622, devient le centre de l'islām* naissant. Vers 630, des tribus de toute la péninsule se convertissent.

À la mort de Mahomet, en 632, se pose le problème de sa succession (v. CALIFAT), qui divisera la communauté tant sur le plan doctrinal que sur le plan politique. Les quatre premiers califes, Abū Bakr, 'Umar Ier, 'Uthmān ibn 'Affān et 'Alī, sont dits « inspirés ». Abū Bakr (de 632 à 634) soumet toute l'Arabie et lance les premières expéditions contre les Empires perse et byzantin. 'Umar Ier (de 634 à 644) remporte les victoires décisives qui assurent aux Arabes le contrôle de la Syrie et de la Palestine (Yarmouk, 636), de la Mésopotamie et de l'Iran (Qādisiyya, 637; Nehavend, 642), puis de l'Égypte (640-642). 'Umar jette les bases d'un État organisé, pour lequel il prélève une partie du profit de la conquête, que la pratique bédouine partageait intégralement entre les vainqueurs. Il institue une rémunération fixe des combattants. Sous le califat d''Uthmān ibn 'Affān (de 644 à 656), les rivalités entre les grandes familles se déchaînent. Après son assassinat, 'Alī* (de 656 à 661) est confronté aux mêmes difficultés et connaît le même sort. Le gouverneur de Syrie Mu'āwiyya s'empare du pouvoir et fonde la dynastie omeyyade.

Le centre de l'empire se déplace vers la Syrie, puis vers la Mésopotamie, où s'opéreront les synthèses qui donneront naissance à la civilisation arabo-islamique classique. Gouvernée par les Omeyyades*, l'Arabie et surtout les villes saintes profitent de la prospérité de l'empire. Les 'Abbāssides* ne peuvent maintenir leur autorité après 860. Les Ismaéliens*, ou Qarmaṭes, sont, au Xe s., les maîtres du Yémen*, de l'Oman* et du Hasā, et menacent à partir de ces bases l'Iraq. Vers 960, des chérifs ḥasanides prennent le pouvoir à La Mecque, où plusieurs lignées d'entre eux se succèdent jusqu'en 1924. L'Arabie, divisée en une multitude de principautés ou de cités-États, vit dans l'anarchie et l'isolement, à l'écart de l'évolution du reste du monde. À partir de la fin du XVe s., les

ARABIE SAOUDITE

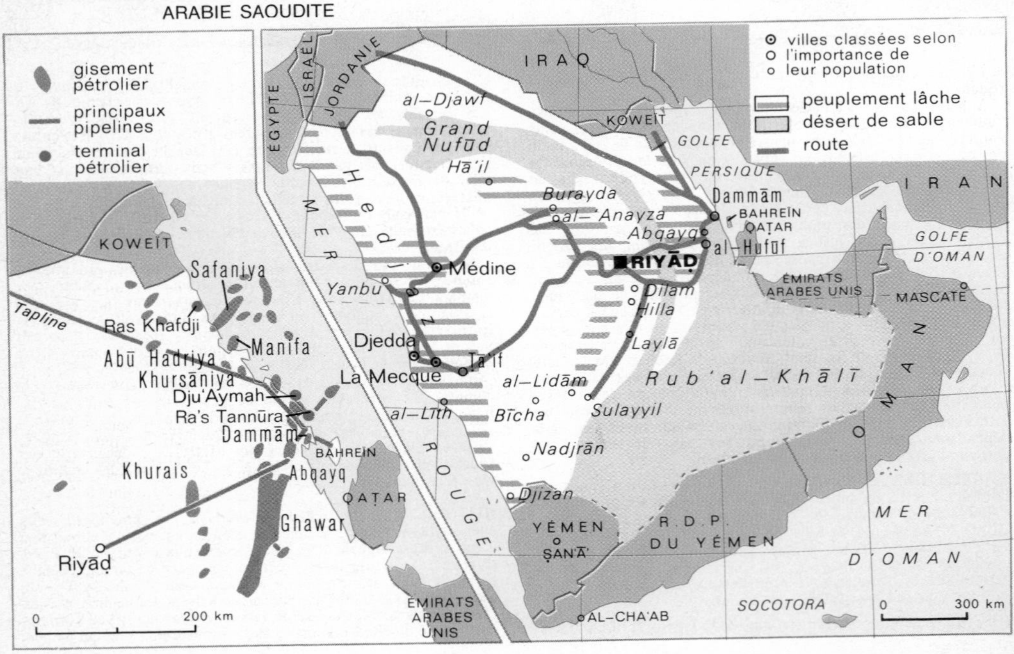

Portugais s'assurent des bases (Ormuzd*, Bahreïn*) sur le golfe Persique. Ils se heurtent aux prétentions des Ottomans* (XVIe s.), puis des Hollandais et des Britanniques (XVIIe s.).

Un réformateur religieux du Nadjd, Muḥammad ibn 'Abd al-Wahhāb (1703-1792), s'allie aux Saoudites pour regrouper les Arabes autour d'un idéal religieux, le wahhābisme*. Sa'ūd le Grand (de 1803 à 1814) achève la conquête de l'Arabie. Les Ottomans envoient Méhémet Ali* écraser son royaume (1811-1819) et rétablissent leur autorité, tandis que les Britanniques installent leurs protectorats sur les côtes du golfe Persique et de l'océan Indien (Aden*, Oman, Trucial States, Bahreïn). Mais le wahhābisme a éveillé le nationalisme arabe : 'Abd al-'Azīz III ibn Sa'ūd* conquiert sur les Ottomans et sur les Hāchémites* les régions de la future Arabie Saoudite* (fondée en 1932). Les autres pays se libèrent les uns après les autres de la tutelle britannique et forment les États indépendants de l'Arabie contemporaine.

ARABIE DU SUD *(fédération de l')* → YÉMEN *(République démocratique et populaire du).*

ARABIE SAOUDITE, en ar. **Mamlaka al-'Arabiyya al-Sa'udiyya,** royaume s'étendant sur la majeure partie de la *péninsule d'Arabie;* 1 750 000 km²; 8 200 000 hab. *(Saoudiens).* Capit. *Riyāḍ.*

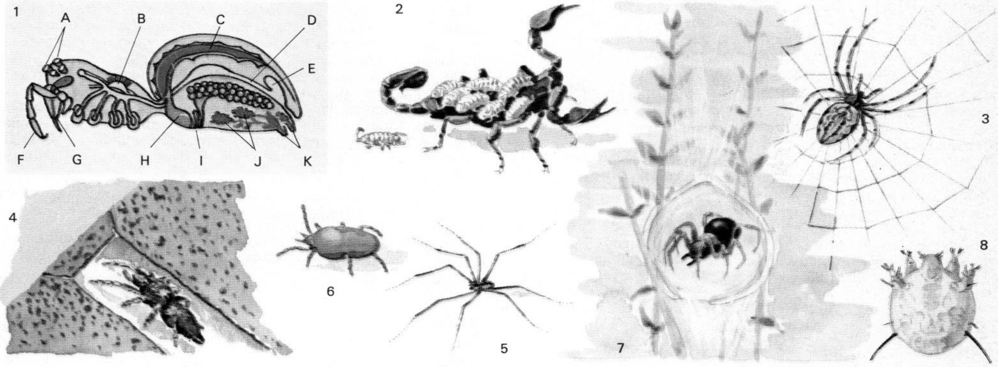

1. Schéma d'organisation d'une araignée : A. Yeux; B. Jabot et ses muscles; C. Cœur; D. Tube digestif; E. Cloaque; F. Patte-mâchoire; G. Chélicère; H. Poumon; I. Orifice génital; J. Glandes séricigènes; K. Filières. 2. Scorpion femelle et ses petits. 3. Épeire. 4. Mygale et son terrier. 5. Faucheux ou opilion. 6. Aoûtat. 7. Argyronète. 8. Sarcopte.

GÉOGRAPHIE. Vaste plateau à l'écart des vents de mousson, l'Arabie Saoudite est presque totalement désertique. La population, très peu dense (moins de 5 habitants au kilomètre carré), connaît toujours un mode de vie traditionnel, fondé sur une organisation quasi féodale de la société. La plus grande partie du pays est parcourue par les Bédouins avec leurs troupeaux de chameaux et de moutons. Cependant, dans des zones favorisées, l'eau jaillit en sources ou peut être puisée à faible profondeur. Là se sont développées les oasis : région de l'Hedjaz, près de la côte de la mer Rouge, Riyāḍ. Les palmiers-dattiers y protègent les cultures de céréales (sorgho) ou de canne à sucre. L'artisanat du cuir et du textile reste vivace dans ces cités, lieux d'échanges entre les sédentaires et les nomades. Villes saintes, Médine et surtout La Mecque attirent chaque année plusieurs centaines de milliers de pèlerins musulmans.

La grande richesse de l'Arabie Saoudite est le pétrole, découvert à proximité du golfe Persique. Les réserves sont immenses (près de 25 Gt, le quart ou presque des réserves mondiales), et la production annuelle (400 Mt) place le pays au troisième rang mondial, au premier des exportateurs. Un îlot modernisé s'est installé autour des exploitations pétrolières. Mais les revenus énormes que le pays tire de la vente du pétrole profitent surtout à une minorité de privilégiés.

HISTOIRE. L'Arabie Saoudite naît en 1932 de la réunion en un seul royaume des provinces conquises par 'Abd al-'Azīz* III ibn Sa'ūd. Celui-ci s'empare de Riyāḍ en 1902, consolide son pouvoir dans le Nadjd, conquiert le Ḥasā en 1913, le Ḥā'il en 1921, le Hedjaz* (1924-1926), puis l''Asīr (la frontière avec le Yémen est fixée en 1934). Durant son règne (de 1932 à 1953), il entreprend de sédentariser les nomades et de substituer la notion de patrie à celle de tribu. Le pétrole, découvert en 1930 dans le Ḥasā, va lui procurer les fonds nécessaires à la modernisation du pays. Les Américains obtiennent le monopole de l'exploitation du pétrole saoudien en 1945. Membre de la Ligue arabe, l'Arabie Saoudite, traditionnellement hostile aux Hāchémites*, se rapproche de l'Égypte. Pendant le règne de Sa'ūd ibn 'Abd al-'Azīz (de 1953 à 1964), les relations avec l'Égypte se détériorent. Face aux régimes progressistes de l'Égypte nassérienne, de la Syrie et de l'Iraq, Sa'ūd se rapproche de la Jordanie, des Britanniques et des Américains. Fayṣal Ier ibn 'Abd al-'Azīz* s'oppose directement à l'Égypte lors de la révolution yéménite (1962). Roi de 1964 à 1975, il devient le champion du panislamisme* et le protecteur des régimes conservateurs. Il doit, cependant, s'entendre avec Nasser sur la cessation de leur intervention au Yémen (1967). Khālid ibn 'Abd al-'Azīz le remplace à la tête du royaume après son assassinat.

ARABIQUE *(mer)* → OMAN *(mer d').*

ARACAJU, port du Brésil, au N. de Salvador, capit. de l'État de Sergipe; 184 000 hab.

ARACHIDE. — La production mondiale approche 17 Mt (dont Asie [Inde et Chine] 8,7, Afrique 5,2, Amérique du Nord 1,7). Consommée torréfiée (cacahuète), la graine d'arachide fournit aussi une des principales huiles alimentaires et un tourteau particulièrement apprécié pour l'alimentation du bétail du fait de sa grande richesse en protéines.

ARACHNIDES. — Numériquement, acariens* et araignées* se partagent la presque totalité des espèces de cette classe d'arthropodes. Leurs caractères typiques — absence d'antennes et d'yeux composés, existence de deux paires de pièces buccales (crochets et palpes), céphalothorax à quatre paires de pattes, abdomen sans pattes, métamorphoses nulles ou réduites — se trouvent cependant chez les faucheux (« araignées » sans soie ni venin, à l'abdomen segmenté), chez les scorpions*, chez les chélifères (petits scorpions sans « queue » ni venin), chez les palpigrades (kœnenia) et dans quelques petits ordres des régions chaudes du globe.

ARACHNOÏDE → MÉNINGE.

ARAD, v. de Roumanie, sur le Mureş, près de la frontière hongroise; 141 000 hab. Métallurgie.

'ARAFĀT (Yāsir ou Yasser), homme politique palestinien (Jérusalem 1929). Président du comité exécutif de l'Organisation* de libération palestinienne depuis 1969, il s'impose progressivement comme le principal chef de la résistance palestinienne*, qu'il représente lors du débat de l'Assemblée générale de l'O. N. U. sur la Palestine (1974).

ARAGNOUET (65630), comm. des Hautes-Pyrénées, à 23 km au S.-O. d'Arreau, à 7 km de la frontière espagnole; 160 hab. Tunnel routier vers l'Espagne.

ARAGO (François), astronome, physicien et homme politique français (Estagel 1786 - Paris 1853). Il effectua avec Biot* la mesure de l'arc du méridien terrestre (1806). Il adopta en optique la théorie ondulatoire et découvrit les polarisations rotatoire et chromatique (1811). Il mesura la densité de divers gaz et la tension de la vapeur d'eau. Il découvrit l'aimantation du fer par le courant électrique (1820) et la chromosphère solaire (1840). Esprit libéral, très populaire, il fut député des Pyrénées-Orientales et membre du gouvernement provisoire (1848), comme ministre de la Marine et de la Guerre. Il fit abolir l'esclavage dans les colonies françaises.

ARAGON, en esp. **Aragón,** région du nord-est de l'Espagne, formée des provinces de Huesca, de Saragosse et de Teruel; 47 669 km²; 1 153 000 hab. La moyenne vallée de l'Èbre constitue l'axe d'une région étirée des Pyrénées, au N., aux monts Ibériques, au S., la moins densément peuplée du pays, demeurée rurale, en dehors de l'agglomération de Saragosse (cinquième ville espagnole), qui regroupe près de la moitié de la population aragonaise.

HISTOIRE. Le comté d'Aragon apparaît au IXe s. dans une vallée pyrénéenne qui lui prête son nom; il reste dans l'orbite du royaume de Pampelune jusqu'au XIe s., puis se constitue à son tour en royaume, dont la superficie double en une génération. La chute du royaume taifa de Saragosse (1118) — désormais capitale —, grâce à l'action d'Alphonse Ier « el Batallador » (de 1104 à 1134), marque le début de la prospérité de l'Aragon. En fiançant sa fille au comte de Barcelone en 1137, Ramire II fait de l'Aragon — pour quatre siècles — une puissance méditerranéenne. En 1172, Alphonse II (de 1164 à 1196) acquiert le Roussillon. La puissance aragonaise est renforcée par la prise des Baléares (1229-1235), réalisée par Jacques Ier (de 1213 à 1276), qui marie son fils Pierre à l'héritière de Sicile. Pierre, devenu Pierre III, chasse les Angevins de Sicile en 1282 (Vêpres siciliennes); en 1325, Jacques II (de 1291 à 1327) soumet la Sardaigne; il se fonde même un duché aragonais d'Athènes. Si bien qu'au XIVe s. toute la Méditerranée occidentale est sous l'influence des Aragonais, des « Catalans » comme on dit, dont la richesse est proverbiale. Martin Ier étant mort sans enfant en 1410, Ferdinand Ier de Castille est désigné comme prétendant.

Sans doute, en épousant Isabelle de Castille, Ferdinand d'Aragon (de 1479 à 1516) réalise-t-il l'unité espagnole; mais, en même temps, le premier rôle échappe à l'Aragon au profit de la Castille et de l'Andalousie, puissances atlantiques.

ARAGON (Louis), écrivain français (Paris 1897). L'un des fondateurs du surréalisme* (*le Paysan* de Paris,* 1926), il adhère ensuite au communisme et se consacre, dans ses romans, à l'illustration des thèmes marxistes (*les Cloches de Bâle,* 1933; *les Beaux* Quartiers,* 1936; *les Communistes,* 1949-50). Fidèle à l'inspiration poétique, il exalte les luttes de la Résistance (*le Crève-Cœur,* 1941) et unit le lyrisme traditionnel (*les Yeux d'Elsa,* 1942; *le Fou d'Elsa,* 1963) à la célébration de l'action politique (*Élégie à Pablo Neruda,* 1966). Directeur de l'hebdomadaire *les Lettres françaises* (1953-1972), il élabore une réflexion sur la création artistique (*Collages,* 1965; *Henri Matisse, roman,* 1971) et littéraire (*Je n'ai jamais appris à écrire, ou les Incipit,* 1969), qui anime ses derniers romans (*la Semaine* sainte,* 1958; *la Mise à mort,* 1965; *Blanche* ou l'Oubli,* 1967; *Théâtre/Roman,* 1974). Élu en 1967 à l'académie Goncourt, il démissionna l'année suivante.

ARAGONITE. — L'aragonite se différencie de la calcite par son appartenance au système rhomboédrique et par sa biréfringence. Chauffée, elle se transforme en calcite.

ARAIGNÉES. — Les araignées sont le type des arachnides* et ne sont pas des insectes. Leur corps se divise en deux parties seulement : céphalothorax et abdomen; il n'existe ni ailes, ni antennes, ni yeux composés, et l'on compte quatre paires de pattes au lieu de trois. En outre, une paire de crochets venimeux (chélicères) et une paire de « pattes-mâchoires » (pédipalpes) remplacent les pièces buccales. L'abdomen n'est pas divisé en anneaux, et son tégument, souple, lui permet de se dilater pour loger la *soie,* sécrétion caractéristique des araignées, qui en font les usages les plus variés. La respiration est toujours assurée, au moins en partie, par des poumons. Enfin, il n'y a pas de métamorphoses.

Les araignées sont toutes exclusivement prédatrices et carnivores, et lorsqu'on en trouve une sur une plante, c'est qu'elle y chasse les insectes. Certaines espèces (épeire) guettent leur proie dans une toile-piège, d'autres les chassent à la course (lycose). Le logement est soit la toile-piège elle-même, soit un terrier perfectionné (mygale) ou même une cloche à plongeurs dans un étang (argyronète). La soie peut même, tel un planeur, assurer à la jeune araignée un très grand voyage aérien (fil de la Vierge).

La reproduction suppose un accouplement, à l'issue duquel la femelle dévore parfois le mâle. La ponte est presque toujours enrobée dans un cocon de soie. La lycose traîne son cocon derrière elle.

À l'exception des ulobores, toutes les araignées vivent dans la solitude. (V. illustration page 123.)

ARAIRE → LABOUR.

ARĀK, v. de l'Iran, au pied du Zagros; 72 000 hab. Industrie métallurgique.

ARAKS → ARAXE.

ARAKTCHEÏEV (Alekseï Andreïevitch), général et homme politique russe (près de Novgorod 1769-*id.* 1834). Réactionnaire, autoritaire et brutal, il réorganise les armées de Paul Ier* et d'Alexandre Ier*, dont il devient le principal conseiller après 1815.

ARAL *(mer d'),* grand lac salé de l'U.R.S.S., en Asie centrale (partagé entre le Kazakhstan et l'Ouzbékistan); 67 000 km^2. Il est alimenté par l'Amou-Daria et le Syr-Daria, dont l'apport, diminué par l'irrigation, ne compense pas l'intense évaporation qui explique la diminution récente de sa superficie.

ARALDITE → ÉPOXYDE.

ARAMÉEN. — Issu du sémitique occidental, l'araméen, langue officielle de l'Empire perse, fut parlé dans tout le Proche-Orient du VIIIe s. av. J.-C. jusqu'aux débuts de l'ère chrétienne. Du fait de son aire d'extension, il se divisa, après la conquête d'Alexandre, en une douzaine de dialectes, dont les plus importants sont d'une part l'araméen biblique, le palmyrénien, le nabatéen, le judéo-araméen, le samaritain et le christo-palestinien (rameau occidental), d'autre part le judéo-babylonien, le syriaque et le mandéen (rameau oriental). Remplacé par l'arabe à partir du VIIe s., il ne subsiste aujourd'hui que dans quelques communautés chrétiennes du Kurdistān.

ARAMÉENS, peuple sémitique d'origine nomade, dont les textes d'Ougarit*-Ras-Shamra (XIVe s. av. J.-C.) font mention. Adad-nirâri Ier, roi d'Assyrie* (de 1308 à 1276), lutte contre les bandes araméennes, et Téglat-phalasar Ier (de 1115 à 1077), qui consacre vingt-huit campagnes à les poursuivre, ne réussit à contenir leur pression que pour peu de temps. Durant les XIe et Xe s., les Araméens dominent le cours de l'Euphrate, au point que l'Assyrie est presque totalement encerclée et qu'un usurpateur araméen occupe un temps le trône de Babylone. Mais ils ne forment jamais une unité politique : ils créent en Syrie, sur l'Euphrate et même en pays hittite de petits États (royaumes de Samʿal, de Bît-Adini, de Damas*, ce dernier étant souvent mentionné dans la Bible), qui disparaissent l'un après l'autre aux IXe et VIIIe s. avec le retour de la puissance assyrienne.

Dès lors, les Araméens entrent dans la mouvance des grands empires qui se succèdent en Orient; ils se répandent dans l'Administration et, dans l'Empire perse, occupent même de hautes fonctions. Leur langue, l'araméen*, dont l'écriture est plus simple et plus rapide que les cunéiformes, prend une grande extension et devient une langue internationale utilisée pour les relations diplomatiques et commerciales.

ARAMITS (64570), ch.-l. de cant. des Pyrénées-Atlantiques, à 14 km au S.-O. d'Oloron-Sainte-Marie; 621 hab.

ARAMON (30390), ch.-l. de cant. du Gard, sur la rive droite du Rhône, à 13 km au S.-O. d'Avignon; 1 953 hab. Centrale thermique.

ARAN, nom de deux groupes d'îles des côtes occidentales de l'Irlande.

ARAN *(val d'),* haute vallée des Pyrénées espagnoles (Catalogne), où naît la Garonne.

ARANDA (Pedro Pablo ABARGA Y BOLEA, *comte* D'), diplomate et homme d'État espagnol (Huesca 1719-Épila 1798). Président du Conseil de Castille (1765), il seconde activement Charles III — despote éclairé — dans son œuvre réformatrice, expulsant les jésuites et rénovant l'administration de son pays.

ARANJUEZ, v. d'Espagne (prov. de Madrid), sur le Tage; 27 300 hab. Palais royal des XVIe-XVIIIe s.; jardins à la française. C'est dans cette ville de Castille qu'est signé, le 21 mars 1801, le traité qui fait de la Toscane le royaume d'Étrurie. Sept ans plus tard (nuit du 17 au 18 mars 1808) y éclate une insurrection qui aboutit à l'abdication de Charles IV en faveur de son fils Ferdinand VII et à l'intervention directe de Napoléon Ier en Espagne, origine d'une guerre de six années.

ARANY (János), poète hongrois (Nagyszalonta [auj. Salonta] 1817-Budapest 1882), auteur de l'épopée nationale de *Toldi* (1847-1879).

ARARAT *(mont),* massif volcanique de l'extrémité orientale de la Turquie, en Arménie; 5 165 m.

ARATOS de Sicyone (v. 271-213 av. J.-C.), chef de la ligue Achéenne*. Après avoir chassé les Macédoniens du Péloponnèse (228), il n'hésite pas à faire appel à eux contre Sparte (222). Philippe V de Macédoine le fait assassiner. Polybe* et Plutarque* ont utilisé ses *Mémoires.*

ARATU, nouveau centre industriel du Brésil, près de Salvador.

Araucana *(l'),* poème épique espagnol, en trente-sept chants, par Alonso de Ercilla y Zúñiga (1569-1590) : la conquête du Chili par les Espagnols et l'un des premiers hommages rendus aux Indiens vaincus.

ARAUCANIE, pays des Indiens Araucans, dans le Chili central. L'Araucanie ne se soumet que tardivement aux Espagnols (1665), avant de se révolter contre eux au XVIIIe s., puis contre le Chili au XIXe s.

ARAUCARIA. — Ce conifère, avec son manchon de feuilles triangulaires autour de chaque branche, a un port très archaïque. Inexistant en France à l'état sauvage, il y orne de nombreux jardins, surtout en Bretagne. On l'exploite au Brésil, où il abonde, comme bois de menuiserie et de charpente.

ARĀVALLI *(monts),* massif cristallin de l'Inde, terminaison nord-ouest du Deccan; 1 722 m.

baobab
banyan
cônes
palmier
cocotier
fruit
cèdre
chêne rouvre
cône
pin
parasol
écaille
grain
saules
bouleau
peuplier
d'Italie
feuilles et fruit
cyprès
châtaignier

ARAVIS *(chaîne des),* chaîne calcaire des Alpes du Nord, dans le massif des Bornes; 2752 m. Elle est entaillée par le *col des Aravis,* à 1498 m.

ARAWAKS → INDIENS D'AMÉRIQUE DU SUD (carte).

ARAXE ou **ARAKS,** riv. de l'ouest de l'Asie, née en Turquie, qui sépare ce pays de l'U. R. S. S., puis l'U. R. S. S. et l'Iran, avant de former avec la Koura un delta commun sur la Caspienne, dans l'Azerbaïdjan soviétique; 994 km.

ARBEAU (Thoinot) → TABOUROT (Jehan).

ARBÈLES, anc. v. d'Assyrie, auj. *Arbīl**, en Iraq. Au temps de l'Empire assyrien, centre important du culte d'Ishtar*. Dans ses environs, près de Gaugamèles, Darios III fut définitivement vaincu par Alexandre* (331 av. J.-C.).

ARBĪL, v. d'Iraq, au pied du Zagros; 90000 hab.

ARBITRAGE. — L'arbitrage se distingue de la transaction* en ce qu'il est *un mode juridictionnel* (et non contractuel) de résolution d'un litige. La convention par laquelle les parties choisissent les arbitres est le «compromis». Lorsque l'on adopte l'arbitrage, on renonce aux règles habituelles de la procédure; les arbitres peuvent recevoir des parties le pouvoir de ne pas juger selon les règles habituelles du droit, et les parties peuvent renoncer aux voies de recours qui leur seraient normalement ouvertes. En droit du travail*, les conflits collectifs peuvent faire l'objet d'un arbitrage.

ARBOGAST, général d'origine franque (†394). Il est un de ces chefs barbares qui ont accédé, au IVe s., aux plus hautes charges de l'Empire romain : Théodose Ier lui confie la tutelle de Valentinien II* en Gaule, et Arbogast devient le véritable souverain de l'Occident. Après avoir éliminé le jeune empereur, il confère la pourpre impériale au rhéteur Eugène* (392). Vaincu par Théodose, il se tue.

ARBOIS (39600), ch.-l. de cant. du Jura, à 38 km au N.-E. de Lons-le-Saunier, dans le Vignoble; 4232 hab. Vins. Monuments anciens.

ARBON, v. de Suisse (Thurgovie), sur le lac de Constance; 13122 hab. Métallurgie.

ARBORICULTURE. — Cette branche de l'horticulture* comprend l'arboriculture fruitière, l'arboriculture ornementale et l'arboriculture forestière (sylviculture*). L'arboriculture fruitière s'est considérablement développée : depuis 1936, sa production totale a plus que quadruplé.

Pour la production des sujets, on fait appel tantôt à la voie sexuée (semis), tantôt à la voie asexuée, c'est-à-dire à la multiplication végétative (bouturage, marcottage, greffage).

ARBRE. — La masse principale de la végétation terrestre est constituée par des arbres, pour la plupart groupés en forêts*. Tout végétal vivace et ligneux ramifié dépassant 7 m de haut peut être appelé un *arbre.* Plus petit, c'est un *arbuste* ou, s'il est ramifié dès la base, un *arbrisseau.* Les arbres les plus grands atteignent 165 m de haut (eucalyptus d'Australie); le diamètre basal du tronc atteint 13 m chez les séquoias de Californie, dont la longévité dépasse 2000 ans. Un arbre présente généralement trois parties : un *système racinaire* de très grande largeur, fortement ramifié autour de la base du tronc, à partir du niveau même du sol, un *fût* vertical non ramifié et un *houppier* riche en branches, en rameaux et en feuilles.

Le *port* d'un arbre (en hauteur ou en largeur, par exemple) dépend de l'espèce, de l'âge et des conditions de la croissance (arbre isolé ou arbre forestier). Les arbres éclairés par le soleil rejettent une forte quantité d'oxygène (de 1 à 3 g par heure et par mètre carré de surface foliaire) et absorbent par leurs racines une énorme quantité d'eau (100 litres par jour chez le platane), dont 0,2 p. 100 seulement est incorporé aux tissus vivants, le reste étant évaporé. Leur influence sur la faune, la flore et le climat local est capitale, et les forêts fabriquent littéralement leur sol, à partir de la litière des feuilles mortes. D'autre part, les grands arbres sont les fournisseurs principaux du *bois**. Dans les régions aux saisons bien marquées, ils en élaborent un nouveau cerne chaque année (d'avril à août en France). Les propriétés très diverses des bois d'espèces différentes (densité, dureté, flexibilité, couleur, pouvoir calorifique, etc.) les qualifient chacun pour un usage précis.

Protecteurs de l'atmosphère, du sol et des eaux, abri des oiseaux, écrans contre le vent et les poussières, les arbres resteraient indispensables à la vie humaine même si le bois perdait le rôle économique de premier plan qu'il a encore aujourd'hui. (V. illustration page précédente.)

ARBRE DE NOËL *(Technol.)* → FORAGE.

ARBRESLE (L') [69210], ch.-l. de cant. du Rhône, à 20 km au N.-O. de Lyon, dans les monts du Lyonnais; 4247 hab. *(Breslois).* Constructions mécaniques. À Éveux, couvent par Le Corbusier.

ARC. — Membre architectonique franchissant un espace (par exemple une baie), il est fait, depuis l'époque romaine, d'un assemblage de *claveaux* de pierre ou de brique et, par opposition avec le linteau ou l'architrave (qui sont droits), dessine une ou plusieurs courbes (parfois associées à des droites). On distingue ainsi le *plein cintre* (demi-cercle), l'arc *outrepassé* de l'islām (plus d'un demi-cercle), l'arc *surhaussé* (demi-cercle prolongé par deux verticales), les arcs *surbaissés* (*bombé,* inférieur au demi-cercle, ou *en anse de panier,* demi-ovale au grand axe horizontal), les arcs *brisés, polylobés* ou *en accolade* de l'architecture gothique, etc.

ARC, riv. du départ. de la Savoie, affl. de l'Isère (r. g.); 150 km. Sa vallée constitue la Maurienne; c'est une voie de passage (vers l'Italie) et une artère industrielle, bénéficiant d'importants aménagements hydroélectriques (centrales d'Aussois, d'Orelle, de La Saussaz, etc.).

ARC *(pont d'),* pont naturel formé par le recoupement d'un méandre encaissé de l'Ardèche, dans le sud du département du même nom, près de *Vallon-Pont-d'Arc.*

ARCACHON (33120), ch.-l. de cant. de la Gironde, sur la rive sud du *bassin d'Arcachon,* à 60 km au S.-O. de Bordeaux; 14341 hab. *(Arcachonnais).* Station balnéaire, au climat très égal, fondée en 1823 par François Legallais. Petite construction navale. — Le *bassin d'Arcachon,* ouvert sur l'Atlantique, est le plus vaste des étangs landais (15000 ha à marée haute) et une importante région ostréicole.

ARCADIE, nome de la Grèce dans le Péloponnèse central. Sa population de pasteurs, descendants d'Achéens* pourchassés par les Doriens, parlait un dialecte rude truffé d'archaïsmes, connu par les inscriptions de Tégée*, de Mantinée* et d'Orchomène*. Mégalopolis*, fondée en 370 par Épaminondas*, devint la capitale d'une éphémère confédération arcadienne; elle entra en 229 dans la ligue Achéenne, qui lui dut son illustre chef, Philopœmen*.

ARCADIUS (v. 377-408), empereur d'Orient (395-408), fils aîné de Théodose Ier*. Outre les rivalités entre ses ministres Rufin* et Eutrope*, son règne est marqué par une réaction antibarbare de la cour de Constantinople et surtout par le réveil de la conscience nationale de l'Empire romain d'Orient, où Arcadius, en 397, autorise les juges à prononcer leurs sentences en grec : c'est la «revanche de l'hellénisme».

Arcane 17, essai d'André Breton (1947). Le titre désigne l'Étoile selon le tarot, et la femme initiatrice d'un mythe nouveau qui transcende les explications matérialistes et politiques du devenir humain.

Arc de triomphe de l'Étoile, monument de Paris construit en haut de l'avenue des Champs-Élysées, au milieu d'une place circulaire (auj. place Charles-de-Gaulle) d'où rayonnent douze avenues. Son érection fut décrétée en 1806. Construit d'après les plans de Chalgrin, il fut inauguré en 1836. Il est décoré de sculptures par Rude*, Pradier*, Cortot, Etex. Sous la grande arcade se trouve, depuis 1920, la pierre tombale du Soldat inconnu.

ARC ÉLECTRIQUE. — Lorsqu'on écarte progressivement deux conducteurs dans lesquels passait un courant, on voit se produire dans l'intervalle qui les sépare, si celui-ci n'est pas trop grand et si la tension est suffisante, un jet lumineux qui remplit constamment cet espace : c'est l'arc électrique, découvert en 1813 par Davy. On emploie habituellement des électrodes de charbon. Tandis que l'extrémité du charbon négatif devient pointue, le charbon positif se creuse, et c'est du cratère ainsi formé, porté à 3800 °C environ, que provient la majeure partie de la lumière émise. L'arc électrique est utilisé comme source de lumière dans certains projecteurs, comme source calorifique dans divers fours électriques. La soudure à l'arc connaît un développement considérable.

ARC-EN-BARROIS (52210), ch.-l. de cant. de la Haute-Marne, à 24 km au S.-O. de Chaumont; 1033 hab.

ARC-EN-CIEL. — Visible à l'opposé du soleil, l'arc-en-ciel présente les couleurs du spectre et résulte de la dispersion de la lumière solaire par réfraction et réflexion dans les gouttelettes d'eau sphériques qui se forment lorsqu'un nuage se résout en pluie.

1

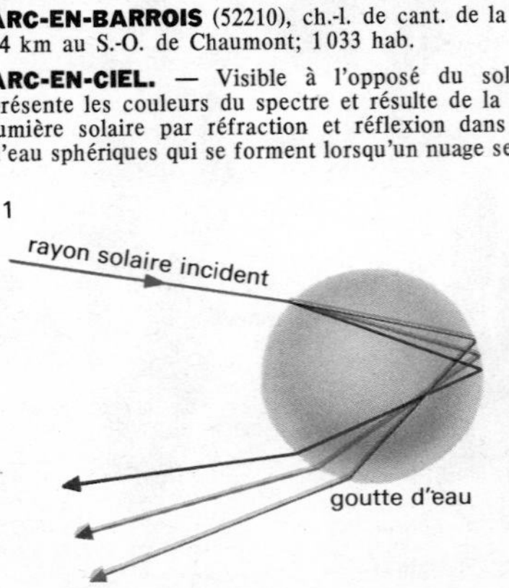

1. Marche des rayons réfractés et réfléchis à l'intérieur d'une goutte d'eau.

On voit parfois, totalement ou partiellement, plusieurs arcs concentriques. L'arc intérieur, qui est le plus brillant, présente le violet à l'intérieur, le rouge à l'extérieur. Dans l'arc extérieur, l'ordre des couleurs est inversé.

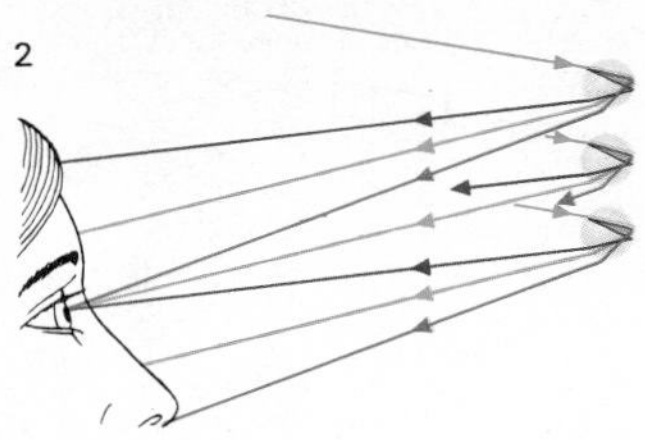

2. Formation de l'arc intérieur.

ARCÉSILAS, philosophe grec (Pitane, Éolide, v. 316 - v. 241 av. J.-C.). Soutenant contre Zénon* de Citium qu'il n'existe aucun critère de la vérité et qu'il faut donc s'abstenir de juger, ce fondateur de la Nouvelle Académie* considère que seul le probable est à la source de l'action morale.

ARC-ET-SENANS (25610), comm. du Doubs, à 35 km à l'E.-S.-E. de Dole, près de la Loue; 1231 hab. Fondation culturelle dans les bâtiments, dus à Ledoux*, d'une saline royale.

ARCHÆOPTERYX. — Les quatre spécimens fossiles d'archæopteryx actuellement connus proviennent tous du jurassique supérieur de Bavière. Le grand intérêt de cet animal est d'avoir été le premier au monde à posséder des plumes, en particulier des ailes plumeuses et une queue emplumée, comme les oiseaux actuels, alors que ses autres caractères sont ceux d'un reptile arboricole. Tout porte à croire que cet ancêtre des oiseaux ne pouvait guère que *planer* d'un arbre à l'autre. Plus tard, le développement du bréchet et de la musculature alaire, associé à bien d'autres caractères adaptatifs, ont rendu possible le vol *battu* ou *ramé,* typique des oiseaux, dès la base du tertiaire.

ARCHAÏSME. — Qu'il soit parlé ou écrit, l'emploi d'archaïsmes obéit à une intention stylistique. Un archaïsme peut être de type lexical («choir» pour *tomber,* «chef» pour *tête*) ou grammatical (ordre des mots dans la phrase, imparfait du subjonctif).

ARCHDEACON (Ernest), mécène français de l'aviation (Paris 1863-Versailles 1950). Il participa en 1898 à la fondation de l'Aéro-Club de France.

ARCHE D'ALLIANCE. — Le mot *arche* répond à l'hébreu *arōn* (coffre). Pour déterminer la nature de cet objet du culte israélite, on n'a que peu d'éléments, dispersés dans des textes provenant de traditions différentes. L'arche était un coffre en bois d'acacia, recouvert d'une plaque d'or et transporté à l'aide de deux barres de bois : étant un objet sacré, elle était intouchable. À l'intérieur étaient déposées les tables de la Loi : d'où son nom d'«arche d'alliance». Elle accompagnait les Hébreux dans le désert et l'armée dans les combats. Placée dans le Temple, où elle était encadrée par des chérubins aux ailes déployées, elle disparut dans la ruine de Jérusalem en 587 av. J.-C. Elle était considérée comme le trône de Yahvé, le trône étant le signe de la présence royale ou divine. Les anciennes religions d'Orient et de Grèce ont eu dans leur mobilier cultuel des trônes vides sur lesquels figurait seulement le symbole du dieu; certains trônes sont flanqués de sphinx ailés qui rappellent les chérubins bibliques.

ARCHÉLAOS, roi de Macédoine (de 413 à 399 av. J.-C.). Il fait de son royaume un État de type militaire et lui donne Pella comme capitale. Manœuvrant habilement entre Athènes, son alliée, et Sparte*, il intervient dans le conflit des villes de Thessalie (400), mais se heurte à l'opposition de Sparte. Dans son palais décoré par Zeuxis*, il accueille des artistes et des écrivains : Euripide* exilé y passe les dernières années de sa vie. Archélaos meurt assassiné.

ARCHÉOLOGIE. — Quête utopique de la Grèce antique par les humanistes du quattrocento et déjà passion avide de collectionneur, source d'émotions esthétiques, comme celle (1506) de Michel-Ange* devant le Laocoon*, et passe-temps de dilettante qui suscite tout un courant artistique durant le XVIIIe s. — dû aux fouilles d'Herculanum* (1738) et de Pompéi* (1748) —, l'archéologie connaît ses premières bases techniques grâce à Caylus* et à Winckelmann*. Le XIXe s. voit non seulement la révélation de grands sites (Botta découvre Khursabād, Layard Nimroud*, Taylor Our*, Schliemann Troie*, Evans la civilisation minoenne*), mais aussi les récits des grands voyageurs qui décrivent la Nubie* ou Angkor*, ainsi que les premières constatations de Boucher* de Perthes. L'ampleur et la diversité de ces découvertes sont à l'origine des spécialisations, dont l'égyptologie est l'une des premières (publication, dès 1809, de la *Description de l'Égypte* à la suite de la campagne française et déchiffrement, en 1822, des hiéroglyphes par Champollion).

L'archéologie orientale, avec la lecture de Béhistoun*, suit de très peu, de même que l'archéologie gréco-romaine (fondations des grands instituts de recherches : École française d'Athènes [1846], Institut allemand d'archéologie [1874], etc.). Ce n'est qu'au XXe s. que l'archéologie devient une science auxiliaire de l'histoire au même titre que la numismatique, l'épigraphie, la paléographie ou la sigillographie.

On distingue quatre phases de travaux.

- En premier lieu se placent la *détection* et la *prospection* par repérage d'anomalie topographique, présence de tessons de céramique, analyse de la densité végétale par photographie aérienne, archéomagnétisme et sonde photographique.
- La *fouille* consiste non seulement à recueillir des objets, mais aussi à les situer dans leur contexte en réunissant les éléments d'une chronologie relative avant de pouvoir, à la suite d'analyses et de comparaisons, obtenir une chronologie absolue, à laquelle concourt le relevé stratigraphique*.

A. Margiocco

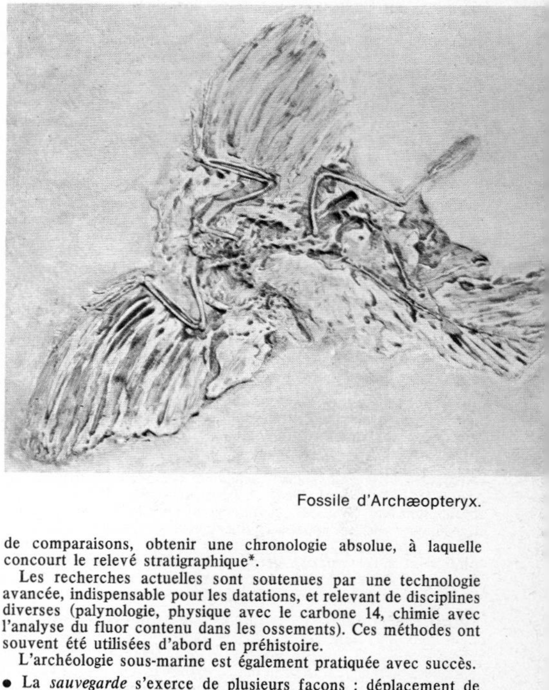

Fossile d'Archæopteryx.

Les recherches actuelles sont soutenues par une technologie avancée, indispensable pour les datations, et relevant de disciplines diverses (palynologie, physique avec le carbone 14, chimie avec l'analyse du fluor contenu dans les ossements). Ces méthodes ont souvent été utilisées d'abord en préhistoire.

L'archéologie sous-marine est également pratiquée avec succès.

- La *sauvegarde* s'exerce de plusieurs façons : déplacement de monument (Abou-Simbel*), protection d'objet ou de gisement (Pincevent*), étude des problèmes de conservation (Lascaux*), consolidation ou reconstitution (Bārābudur*).
- Devant la multitude de renseignements recueillis, les *publications* se font souvent en plusieurs temps, et les rapports préliminaires précèdent les études exhaustives.

ARCHÉOLOGIE *(Philos.).* — L'archéologie des événements discursifs, mise en œuvre par M. Foucault*, consiste en une analyse de l'ensemble des conditions qui régissent, à un moment donné et dans une société donnée, l'apparition, la conservation et la disparition des énoncés, les rapports qui se tissent entre eux, les fonctions qu'ils exercent, la façon dont ils sont investis dans des pratiques et les modes selon lesquels ils circulent, sont refoulés ou réactivés.

Archéologie du savoir *(l'),* œuvre de M. Foucault (1972), qui examine les questions de méthode posées par l'analyse de type archéologique (v. ARCHÉOLOGIE), pratiquée notamment dans *les Mots et les choses.*

ARCHÉOMAGNÉTISME. — Cette méthode vise à la détermination de la valeur (en grandeur et direction) du champ magnétique terrestre dans le passé archéologique. Les données de cette science sont surtout les aimantations rémanentes que les terres cuites, briques et tuiles, ont acquises, sous l'effet du champ magnétique terrestre, tout au long des refroidissements consécutifs à leur cuisson originelle et à d'éventuels recuits. C'est un domaine d'étroite collaboration, à bénéfice réciproque, entre l'archéologie et le géomagnétisme.

ARCHES (88380), comm. des Vosges, à 13,5 km au S.-E. d'Épinal, sur la Moselle; 1 523 hab. Papeterie.

ARCHÉTYPE → JUNG.

ARCHIAC (17520), ch.-l. de cant. de la Charente-Maritime, à 14 km au N.-E. de Jonzac; 890 hab.

ARCHILOQUE, poète lyrique grec (Paros 712-v. 664 av. J.-C.), qui passe pour avoir inventé le vers ïambique dans des poèmes satiriques célèbres pour leur violence.

ARCHIMÈDE, savant de l'Antiquité (Syracuse 287 av. J.-C.-*id.* 212). Son œuvre scientifique est considérable. On lui doit, en mathématiques, le calcul de π par la mesure des polygones réguliers inscrits et exinscrits, les formules d'addition et de soustraction des arcs, le calcul des aires de la sphère et du cylindre, l'étude des solides engendrés par la rotation des coniques autour de leurs axes. En mécanique, on lui attribue les inventions de la vis sans fin, de la poulie mobile, des moufles, des roues dentées. Archimède établit la théorie du levier, ne demandant, dit-on, qu'« un point d'appui pour soulever le monde ». En physique, il fut le créateur de la statique des solides, avec sa théorie du centre de gravité, ainsi que de l'hydrostatique, dont il établit les lois fondamentales. Hiéron, roi de Syracuse, soupçonnant un orfèvre d'avoir mêlé de l'argent à l'or d'une couronne, lui avait demandé de déceler la fraude sans altérer l'objet. C'est en observant la diminution du poids de ses membres tandis qu'il prenait un bain qu'Archimède en trouva le moyen, en découvrant le principe qui porte son nom. Dans l'enthousiasme de cette découverte, il aurait crié : « Eurêka » (« J'ai trouvé »). Grâce à des machines qu'il avait fait construire pour lancer au loin des traits ou des pierres, il tint pendant trois ans en échec les Romains qui assiégeaient Syracuse; on prétend qu'il enflammait aussi les vaisseaux ennemis à l'aide de miroirs ardents. Bien que Marcellus eût ordonné qu'on épargnât sa vie, il fut tué lors de la prise de la ville par un soldat qui ne le reconnut pas.

ARCHINARD (Louis), général français (Le Havre 1850-Villiers-le-Bel 1932). Compagnon de Borgnis-Desbordes en Afrique noire (1880-1884), il vainquit Ahmadou (1890) et Samory Touré (1891), et fut l'un des principaux artisans de la pénétration française au Soudan.

Archipel du Goulag *(l'), essai d'investigation littéraire, 1918-1956,* par A. Soljenitsyne (1974-1976), dossier d'accusation sur la répression politique et culturelle en U. R. S. S. depuis la révolution d'Octobre.

ARCHIPENKO (Alexander), sculpteur américain d'origine russe (Kiev 1887-New York 1964). À Paris, vers 1910-1914, se place la production qui le classe comme grand novateur. De caractère dynamique, elle fait appel à l'évidement des formes (bronze de *la Femme marchant*), à la polychromie (reliefs dits « sculpto-peintures ») et à l'assemblage de matériaux divers (*Médrano,* musée Guggenheim, New York). Aux États-Unis, à partir de 1923, sa manière se stabilise dans l'élégance.

ARCHITECTURE. — La finalité de tout édifice est la réalisation d'un lieu qui *isole* ses occupants (hommes et/ou leurs biens matériels, dieux) tout en ménageant des *échanges* (locomoteurs, optiques, thermiques) avec le milieu extérieur. Le type de l'édifice *(matériaux, structure,* éventuel *décor)* est conditionné par les ressources techniques de chaque civilisation — confrontées aux conditions physiques du lieu — et par le *programme* (destination) qui lui est assigné, qui inclut non seulement des données rationnelles, mais aussi les valeurs symboliques que lui confère la vision spirituelle et cosmique des hommes : ainsi l'interaction du mythe et de la matière conduit-elle à des solutions qui échappent souvent à notre raisonnement analytique. De ces valeurs mythiques ne subsistent guère en Occident, depuis l'époque classique, que celles de beauté ou d'ostentation, mais bien d'autres sont décelables chez les peuples à cultures dites « prélogiques », d'autrefois ou d'aujourd'hui.

Les hommes primitifs ont offert les exemples fondamentaux de cellules de base construites en matériaux végétaux, en terre, en bois ou bien excavées. En Mésopotamie* domine l'entassement massif des briques crues. La Chine* donnera ses plus savants aboutissements à la charpenterie de bois, l'Inde* sa plus grande complexité décorative au temple rupestre, avant de développer la construction en pierre. Dans le bassin méditerranéen, l'architecture de l'Égypte*, en dépit de ses résultats spectaculaires (temples et sépultures monumentaux, à l'agencement hautement symbolique), reste soumise à des techniques primitives. La Grèce* classique, en revanche, bénéficie de deux grands progrès : l'outillage en fer, qui facilite la taille des pierres (v. APPAREIL), et les engins de démultiplication des forces. Le temple grec, qui en résulte, est un système simple, où les colonnes recueillent la poussée verticale

Architecture. Cases obus de la tribu des Mousgoums (Cameroun septentrional).

d'un entablement horizontal (v. ORDRES). Rome* adopte l'arc* en plein cintre et la voûte*, dont les poussées obliques sont amorties par des points d'appui massifs, ainsi que la coupole* et coordonne une série de techniques de *second œuvre,* qui font des thermes, par exemple, un ensemble complexe assurant le confort des utilisateurs.

L'art roman* s'applique, dans les églises et les monastères, à développer l'organisme des voûtes et oppose aux statiques concrétions romaines un effort pour localiser les poussées (voûtes d'arête), distinguer une ossature (arcs-doubleaux appareillés des voûtes en berceau, contreforts) et un remplissage : conception dynamique (et économe) que la croisée d'ogives gothique* porte à son summum, à une époque où les maîtres d'œuvre développent dans les loges de chantier un *art du trait* qui permet de savantes stéréotomies et une composition en quelque sorte « organique ». À partir de la Renaissance*, l'Europe reprend, avec les ordres, les systèmes *modulaires* de l'Antiquité, auxquels le travail sur plans dans les agences d'architectes tend à donner un tour abstrait et rigide; le baroque*, pourtant, utilise un type de composition structurale qui se situe dans la voie tracée par le gothique. L'éclectisme* du XIXe s. dissocie — comme la Renaissance italienne — l'aspect de la structure, économise les matériaux nobles par la pratique du placage (plâtre, stuc...) et se prête ainsi à des modes décoratives changeantes. Mais de nouvelles techniques s'installent derrière cette façade et transforment le confort des habitations, tandis que les créations des ingénieurs défient l'académisme officiel.

La rupture stylistique de l'Art* nouveau, l'usage du fer* et du béton*, qui autorisent le couvrement de vastes espaces et la construction en hauteur, conditionnent le spectaculaire renouveau du XXe s. — régulièrement contesté par des résurgences « néo-classiques ». La tendance *fonctionnelle* triomphe dans la rigueur du « style international* » des années 1925-1935, s'assouplit ensuite dans le courant de l'architecture *organique**. De nouvelles techniques (voûtes en voile mince de béton, préfabrication* lourde, murs-rideaux en acier et en verre...) se généralisent après la Seconde Guerre mondiale, permettant, dans les réalisations monumentales, une liberté de traitement formel qui va jusqu'au maniérisme et, dans l'habitat collectif, des expériences d'agglomération de cellules (depuis 1955) qui pourraient déboucher sur ces « nappes » de constructions qu'envisagent certains urbanistes visionnaires. (V. illustration pp. 130-131.)

ARCHIVES. — À l'imitation de l'Église, Philippe Auguste décide de constituer un dépôt central d'archives royales; les grandes familles nobles organisent à leur tour des archives privées. Cependant, à la veille de la Révolution, les dépôts sont éparpillés et inorganisés. En 1794, la Convention amorce un vaste regroupement et le collationnement des archives publiques par la création des Archives nationales; en 1796, le Directoire ordonne la centralisation des archives dans les chefs-lieux des départements. Créée en

Hoa-Qui

1821 et réorganisée en 1846, l'École des chartes dote les Archives nationales et départementales d'un personnel spécialisé dans les travaux de classement et d'inventaire; les archives communales, malheureusement, ne jouissent pas de mesures aussi efficaces, encore que de nombreuses villes fassent un effort important dans le sens d'une réorganisation rationnelle. Par contre, les archives hospitalières, très précieuses, mais longtemps abandonnées, bénéficient depuis 1964 de mesures réglementaires. Actuellement, l'ensemble des services d'archives en France dépend du directeur général des Archives de France, qui assure en même temps la direction des Archives nationales.

ARCHONTE. — À Athènes, l'archontat marque le passage du pouvoir de la royauté à l'oligarchie foncière. À l'origine, il n'y a qu'un seul archonte, et la charge est héréditaire. Ensuite, l'archontat est limité à dix ans (752 av. J.-C.), jusqu'à ce que, vers 683 av. J.-C., soit institué un collège annuel de neuf archontes. Ce collège comprend l'archonte éponyme, l'archonte roi, le polémarque et six thesmothètes. Primitivement réservée aux Eupatrides, cette magistrature se démocratise avec Solon* et Aristide*. À leur sortie de charge, les archontes entrent à l'Aréopage*. Chefs du gouvernement jusqu'au milieu du Ve s. av. J.-C., ils ne conservent guère, par la suite, que des fonctions religieuses et judiciaires. Ils sont mentionnés jusqu'au Ve s. apr. J.-C.

ARCHYTAS de Tarente, savant pythagoricien (Tarente v. 430 - † v. 360). Ami de Platon*, il fut le principal représentant de l'école de Tarente. Ses théories arithmétiques et musicales semblent avoir été préservées dans les livres arithmétiques d'Euclide* et dans la « section du canon » de ce dernier. Sa solution de l'intercalation de deux moyennes* géométriques entre deux longueurs données fait intervenir la géométrie* de l'espace et le mouvement. (V. PYTHAGORISME.)

ARCIMBOLDI (Giuseppe), peintre italien (Milan v. 1527 - Prague 1593). Il fut, dans le climat maniériste de Prague, l'inventif metteur en scène des fêtes des Habsbourg. Ses peintures sont d'étranges « caprices » où végétaux, fruits, crustacés, etc., dessinent des formes humaines.

ARC INSULAIRE → PLAQUE.

ARCIS-SUR-AUBE (10700), ch.-l. de cant. de l'Aube, à 28 km au N. de Troyes; 3 439 hab. Église gothique. Industries alimentaires. Défaite de Napoléon pendant la campagne de France*.

ARC-LÈS-GRAY (70100 Gray), comm. de la Haute-Saône, dans la banlieue nord de Gray, sur la rive droite de la Saône; 3 153 hab. Constructions mécaniques.

ARCOAT ou **ARGOAT,** en Bretagne, nom donné à l'intérieur des terres, par opposition à l'*Armor,* ou *Arvor,* le pays côtier.

ARCOLE, comm. d'Italie, en Vénétie (prov. de Vérone). Victoire de Bonaparte sur les Autrichiens (15-17 nov. 1796) [v. ITALIE *(campagne d')*].

ARCOUEST *(pointe de l'),* promontoire de Bretagne (Côtes-du-Nord), près de Paimpol, en face de l'île de Bréhat.

ARCS (Les), station de sports d'hiver (alt. 1 600-3 000 m) de la Savoie, à 14 km au S.-E. de Bourg-Saint-Maurice.

ARCS (Les) [83460], comm. du Var, à 12 km au S. de Draguignan, sur la voie ferrée Paris-Nice; 3 431 hab.

ARCTIQUE, vaste région continentale et insulaire, comprise à l'intérieur du cercle polaire boréal.

GÉOGRAPHIE. L'Arctique s'étend sur le nord de l'Amérique (Alaska, terre Victoria, terre de Baffin), le Groenland, le Svalbard, le nord de l'Europe (Laponie, Nouvelle-Zemble) et de la Sibérie. Cet ensemble de terres tire son unité de son climat très froid : les températures moyennes annuelles varient généralement de − 10 à − 20 °C, et l'extrême rudesse des hivers (souvent − 50 °C) n'est guère compensée par le très faible réchauffement de l'été. Le froid explique la permanence d'un sol gelé en profondeur, qui empêche la croissance de l'arbre. La végétation naturelle est la toundra, maigre steppe de mousses et de lichens, que les troupeaux de rennes et de caribous viennent brouter en été.

Les terres arctiques sont très peu peuplées. Divers groupes (Esquimaux, Lapons, Samoyèdes), très dispersés, vivent traditionnellement de la chasse et de la pêche. Leurs contacts avec le monde moderne, bouleversant leur mode de vie, ont souvent eu des conséquences catastrophiques. Ils ont eu lieu à la faveur de la prospection minière, liée au développement des voies de communication. Mais l'Arctique est également le siège de bases scientifiques et surtout militaires, en raison de son intérêt stratégique.

HISTOIRE. La découverte des régions arctiques commence au XVIe s. avec les tentatives de Hugh Willoughby, de Burrough, de Pett et de Jackmann pour rechercher les passages conduisant aux rivages du Pacifique soit par l'ouest, au nord de l'Amérique, soit par l'est, au nord de l'Eurasie. En 1741, Béring découvre les Aléoutiennes, et les expéditions russes (1734-1743) permettent de mieux connaître les côtes septentrionales de la Sibérie. En 1879, Nordenskjöld ouvre le passage du Nord-Est; mais ce n'est qu'en 1906 qu'Amundsen force le passage du Nord-Ouest. La découverte du pôle se révèle aussi difficile : c'est seulement en 1909 que le pôle est atteint par l'Américain Peary; en 1926, il est survolé par Byrd et Amundsen. Quant à la connaissance scientifique de l'Arctique, elle fait des progrès décisifs grâce, en particulier, aux missions menées par K. Rasmussen, par le commandant Charcot et par P.-É. Victor.

ARCTIQUE *(océan),* ensemble des mers situées dans la partie boréale du globe, limitées par les *terres* et le *cercle polaire*

ARCTIQUE

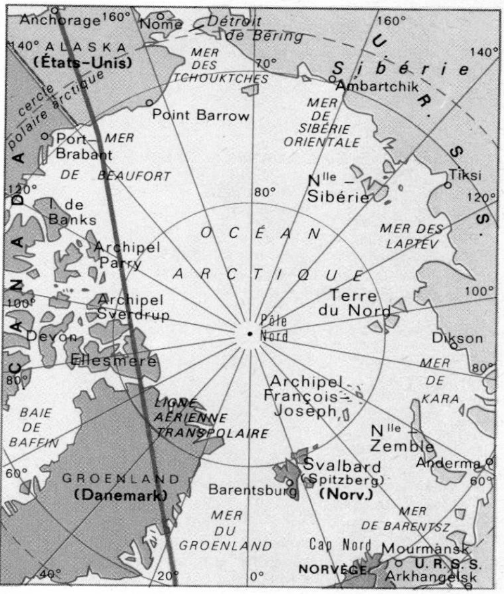

Karnak. Temple de Khonsou (1190-221). Coupe des structures essentielles d'un temple divin, se déployant derrière l'imposante maçonnerie pleine du pylône. Grandes dimensions (longueur = 75 m), forêts de colonnes et précision de l'ajustement d'énormes blocs sont typiques du Nouvel Empire.

Sainte-Sophie* de Constantinople (VIe s.). Vue axonométrique (coupe N.-S.). L'énorme coupole centrale (diamètre = 55 m) sur pendentifs repose sur 4 grands arcs supportés par des piles. Les faces E. et O. sont contre-butées par des semi-coupoles; les arcs des faces N. et S. sont soutenus par de puissants contreforts.

Cathédrale de Bourges* (1195-1255) : vue axonométrique de deux travées montrant la voûte sexpartite (haut. : 37 m) de la nef principale et l'étagement des nefs latérales, système de "canalisation" des poussées que complètent arcs-boutants et contreforts. La charpente des toits n'est pas figurée.

Élévation et coupe de la pagode
(haut. : 33,60 m).
du monastère du Yakushi-ji,
typique de l'architecture
de bois d'Extrême-Orient.
Construite à Fujiwara (698),
elle a été transportée
à Heijo-Kyo (Nara*).

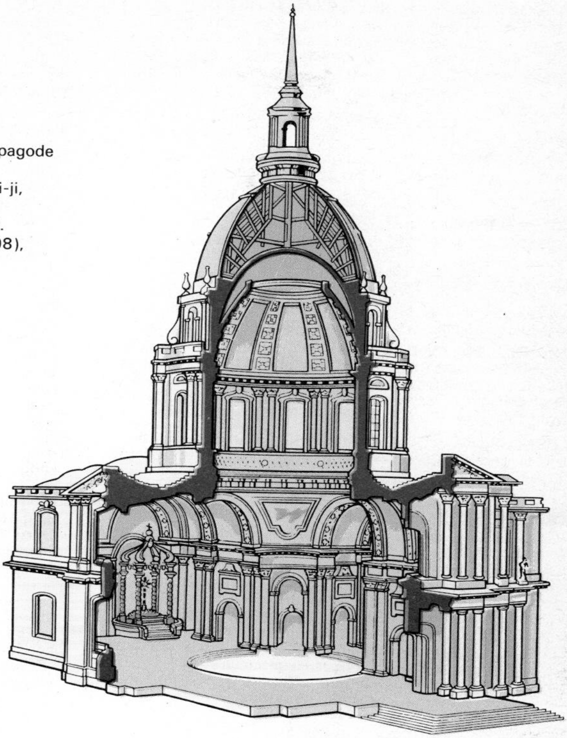

Chapelle des Invalides* à Paris
(haut. totale : 110 m; à partir de 1680;
archit. : J.-H. Mansart*). Plan en croix grecque,
dôme à trois enveloppes et lanternon;
façade à ordres dorique et
corinthien superposés. La pureté des volumes,
que respecte le décor, est exemplaire
du classicisme français.

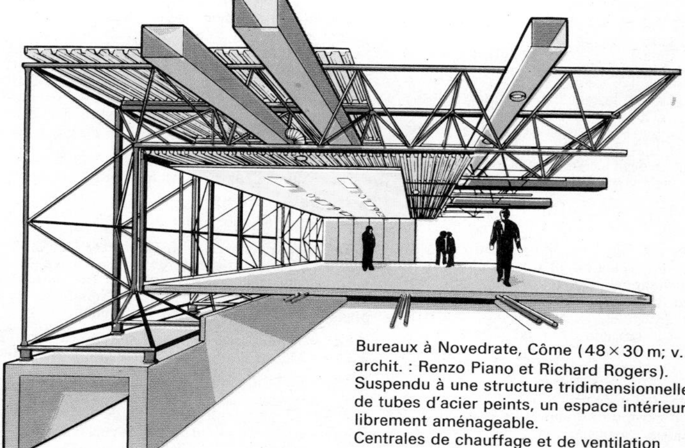

Bureaux à Novedrate, Côme (48 × 30 m; v. 1973;
archit. : Renzo Piano et Richard Rogers).
Suspendu à une structure tridimensionnelle
de tubes d'acier peints, un espace intérieur
librement aménageable.
Centrales de chauffage et de ventilation
en sous-sol, flux circulant entre les toits.

arctiques; 13 millions de kilomètres carrés environ. Centré sur le pôle Nord, l'océan Arctique pénètre les continents par de nombreuses mers secondaires. Ses eaux sont froides et peu salées, mais la faune abonde près des côtes (poissons, phoques, baleines). Elles gèlent pour former la banquise, plus ou moins étendue suivant la saison, qui rend la navigation très difficile, exigeant l'emploi de brise-glace.

ARCTURUS → ÉTOILE.

ARCUEIL (94110), ch.-l. de cant. du Val-de-Marne, à 2 km au S. de Paris, sur la Bièvre; 20509 hab. Église en partie du XIIIe s.

ARCY-SUR-CURE (89650), comm. de l'Yonne, à 20 km au N.-O. d'Avallon, sur la Cure; 509 hab. Grottes préhistoriques.

ARDABIL ou **ARDÉBIL,** v. du nord-ouest de l'Iran, près de la Caspienne; 84000 hab.

ARDACHÈR Ier → SASSANIDES.

ÅRDAL, localité de la Norvège, au fond d'une ramification du Sognefjord. Aluminium.

ARDANT DU PICQ (Charles), officier et écrivain militaire français (Périgueux 1821-tué à Gravelotte 1870). Ses notes sur la discipline et le moral de la troupe, publiées en 1880 sous le titre *le Combat moderne,* exercèrent une grande influence sur les cadres de l'armée de 1914.

ARDÈCHE, riv. de France, affl. du Rhône (r. dr.); 120 km. Née dans le nord des Cévennes, l'Ardèche a un régime irrégulier; elle dévale vers le bas Vivarais (atteint à Aubenas), passe sous le pont d'Arc, entaillant dans sa partie aval les *gorges de l'Ardèche.*

ARDÈCHE (07), départ. de la Région Rhône-Alpes; 5523 km^2; 257065 hab. *(Ardéchois).* Ch.-l. *Privas.* S.-préf. *Largentière* et *Tournon.*

Appartenant en majeure partie à la bordure orientale du Massif central, qui domine la vallée du Rhône, le département présente une topographie contrastée, à prépondérance montagnarde. À l'O., les altitudes dépassent souvent 1000 m, parfois 1500 m dans les monts du Vivarais, ou haut Vivarais, qui prolongent vers le N. les Cévennes. Des hauts plateaux granitiques ou volcaniques (Mézenc, Gerbier-de-Jonc) sont entaillés par les profondes vallées (Chassezac, Ardèche, Eyrieux, Doux) des affluents, parfois torrentueux, du Rhône. Vers l'E. apparaît une sorte de piémont, étiré d'Annonay à Vernoux, vers 300 à 600 m d'altitude. Au S. du Coiron, le bas Vivarais est une région de collines où dominent, dans le paysage, les affinités méditerranéennes.

Le relief, le relatif éloignement des grandes métropoles économiques contribuent à expliquer la faible densité moyenne d'occupation, inférieure à 50 habitants au kilomètre carré et donc de moitié à la moyenne nationale. L'émigration, qui persiste dans les cantons montagnards, profite partiellement aux villes, établies surtout dans les vallées des affluents du Rhône (Annonay sur la Cance, Vals et Aubenas sur l'Ardèche) ou à proximité du fleuve lui-même (Tournon, La Voulte-sur-Rhône, Viviers), mais dont aucune n'a eu une puissance unificatrice sur le département.

L'agriculture emploie encore plus du cinquième de la population active. La montagne est le domaine de la forêt ou d'un élevage extensif. Châtaigniers et pommiers occupent une partie du piémont. Dans le bas Vivarais, localement, apparaissent quelques cultures. L'industrie textile est de tradition ancienne; aujourd'hui dominent la construction mécanique (Annonay) et les activités extractives (ciments) de la vallée du Rhône (vers Le Teil), site de l'aménagement hydroélectrique de Beauchastel (le seul sur la rive droite du fleuve). Plus des deux cinquièmes de la population active appartiennent à ce secteur secondaire.

ARDEN (John), auteur dramatique britannique (Barnsley, Yorkshire, 1930). Se recommandant aussi bien d'Aristophane que de Brecht, il cherche à concilier des préoccupations didactiques (*Vous vivrez comme des porcs,* 1958; *la Danse du sergent Musgrave,* 1959; *l'Âne de l'hospice,* 1963) avec le désir de susciter la créativité des spectateurs (*The Hero rises up,* 1968).

Arden de Feversham, drame anonyme (1586), l'une des œuvres les plus fortes du théâtre élisabéthain*.

ARDENNE (l') ou **ARDENNES** (les), région naturelle couvrant environ 10000 km^2, s'étendant principalement sur le sud-est de la Belgique (province du Luxembourg* notamment), l'extrémité septentrionale du grand-duché de Luxembourg et occupant, en France, le nord du département des Ardennes*. L'Ardenne est un massif primaire, aplani par une longue érosion, de forme tabulaire, aux altitudes modestes (le signal de Botrange, en Belgique, culmine à 692 m), mais à la topographie accidentée par les vallées encaissées qui l'entaillent (Meuse et ses affluents, Semois, Lesse, Ourthe). Région au climat rude, boisée, parsemée de tourbières (fagnes), elle est peu peuplée et tend à devenir une «réserve naturelle» à proximité de secteurs fortement urbanisés.

• En août 1914, l'Ardenne belge fut le théâtre d'une sévère bataille de rencontre entre trois armées allemandes et trois armées françaises (combats de Neufchâteau, d'Ethe, de Virton, de Dinant...). [V. GUERRE MONDIALE *(Première).*]

• En mai 1940, c'est à travers l'Ardenne que passent sept divisions blindées de la Wehrmacht, qui franchissent la Meuse à Houx, à Monthermé et à Sedan*. (V. FRANCE [*campagne de*].)

• En décembre 1944, enfin, l'ultime contre-offensive des Panzer allemands de von Rundstedt s'effectue encore dans les Ardennes, mais échoue devant la résistance américaine à Bastogne. (V. GUERRE MONDIALE [*Seconde*].)

ARDENNES (08), départ. de la Région Champagne-Ardenne; 5219 km^2; 309306 hab. *(Ardennais).* Ch.-l. *Charleville-Mézières.* S.-préf. *Rethel, Sedan, Vouziers.*

La vallée de la Meuse est l'axe vital d'un département qui associe des régions naturelles variées : partie du *massif de l'Ardenne* dans la moitié nord-est, la plus élevée, et extrémité septentrionale de la plaine de craie champenoise au sud, deux ensembles séparés par la bande des *crêtes préardennaises.* Le département, relativement éloigné de la mer, a un climat assez rude, surtout dans le massif ardennais, largement boisé (comme, au S.-E., l'extrémité nord de l'Argonne). L'extension de la forêt contribue à expliquer une densité de peuplement relativement faible, de l'ordre de 60 habitants au kilomètre carré, c'est-à-dire inférieure d'environ un tiers à la moyenne nationale.

L'agriculture est surtout développée dans la plaine champenoise, où sont associées céréales, betterave à sucre et luzerne. L'élevage domine dans le nord-ouest, qui appartient déjà à la Thiérache herbagère et laitière. Mais le secteur primaire n'emploie guère plus du dixième de la population active (un pourcentage proche de la moyenne française). L'industrie est depuis longtemps et de très loin la principale ressource, occupant près de la moitié des actifs, part sensiblement plus élevée que la moyenne nationale. Elle se concentre dans la vallée de la Meuse, jalonnée par les villes de Sedan et surtout de Charleville-Mézières. La métallurgie domine largement, orientée surtout vers la fonderie et la mécanique de précision. Le textile, représenté surtout vers Sedan, a perdu de son importance passée. Le département est producteur d'électricité grâce à la partie aval de la vallée de la Meuse, site d'une centrale nucléaire (Chooz) et d'un grand aménagement hydroélectrique (Revin). La part du secteur tertiaire est un peu inférieure à la moyenne nationale. Cette faiblesse tient à l'absence de grande métropole, malgré le développement de l'urbanisation. Elle explique, avec certaines difficultés sectorielles dans l'industrie, la stagnation actuelle de la population, l'excédent naturel étant compensé par la persistance d'une émigration sensible.

ARDENTES (36120), ch.-l. de cant. de l'Indre, à 14 km au S.-E. de Châteauroux, sur l'Indre; 2794 hab. Église romane du XIIe s.

ARDES (63420), ch.-l. de cant. du Puy-de-Dôme, à 22 km au S.-O. d'Issoire; 747 hab.

ARDOISE. — L'ardoise est composée de minéraux complexes et sa facilité de clivage, parallèlement à un plan privilégié dit *plan de fissilité,* qui est sa propriété essentielle, est d'autant plus grande que ses éléments sont plus fins et mieux orientés. Cette fissilité s'atténue assez rapidement sous l'action de la gelée ou sous l'effet du vent ou du soleil, qui lui font perdre son eau naturelle. L'ardoise est imperméable, non poreuse et imputrescible. Sa densité est de l'ordre de 2,8. Son usage le plus courant est la couverture des bâtiments. Lorsque le schiste n'a pas une fissilité suffisante pour être débité à l'épaisseur voulue, permettant d'en faire des ardoises de couverture, on l'utilise pour la fabrication de dallages et parements sous des formes variées. En revanche, l'ardoiserie exige un schiste peu délité et sans défauts pour la fabrication de dalles brutes, rabotées ou polies, remplaçant le marbre. La poudre d'ardoise est utilisée pour la fillerisation des bitumes servant à la fabrication des feutres asphaltés, ainsi que dans l'industrie des peintures, des mastics, des matières plastiques et du ciment.

ARDOISE (L'), écart de la comm. de Laudun (Gard), à 10 km au S. de Marcoule, sur la rive droite du Rhône. Métallurgie.

ARDRES (62610), ch.-l. de cant. du Pas-de-Calais, à 17 km au S.-E. de Calais; 3165 hab. Église des XIVe-XVe s. Sucrerie.

À rebours, roman de J. K. Huysmans (1884), tableau des modes intellectuelles et artistiques de l'époque «décadente»* à travers le portrait d'un aristocrate excentrique, Des Esseintes, qui recherche les objets et les sensations rares : l'admiration qu'il professe pour Mallarmé révéla le poète au grand public.

ARÈCHES, écart du ch.-l. de cant. de Beaufort* (Savoie), à 25 km à l'E. d'Albertville. Sports d'hiver (alt. 1080-1950 m).

AREF (Abdul Rahman), général et homme d'État irakien (Bagdad 1916). Il participe au coup d'État de 1958 qui renverse la monarchie hâchémite, sert ensuite le régime de Kassem, puis devient le bras droit de son frère Abdul Salam, auquel il succède comme président de la République (1966-1968).

AREF (Abdul Salam), maréchal et homme d'État irakien (Bagdad 1921-près de Bassora 1966). Nationaliste arabe pronassérien, il renverse Kassem* avec l'aide du Baath*. Président de la République (1963-1966), il abandonne en 1965 sa politique pronassérienne.

ARÉISME → HYDROLOGIE ET HYDROGRAPHIE.

ARENAL (Concepción), sociologue espagnole (Le Ferrol 1820-Vigo 1893). Visiteuse générale des prisons pour femmes (1864), elle s'est activement consacrée à la question ouvrière, à la réforme pénale et à la défense de la femme.

ARENDONK, comm. de Belgique (prov. d'Anvers), à l'E. de Turnhout; 9 919 hab. (en 1970).

ARENDT (Hannah), sociologue américaine d'origine allemande (Hanovre 1906-New York 1975). Professeur de philosophie politique, elle a acquis la notoriété par ses œuvres sur le totalitarisme et le problème juif.

ARÈNE *(Géomorphol.).* — L'arène, qui est un sable, se forme généralement par altération chimique des roches granitiques ou gneissiques, la destruction sélective de certains minéraux entraînant leur ameublissement.

ARÉOMÈTRE. — L'aréomètre se compose d'une boule lestée et surmontée d'une tige graduée. Plongé dans un liquide, il flotte verticalement et s'enfonce d'autant plus que le liquide est moins dense. Dans les *densimètres,* la graduation donne directement la densité du liquide, et ses divisions ne sont pas équidistantes. Dans les *pèse-acides,* les *pèse-alcool,* les *pèse-sels,* les *pèse-lait,* dont les noms indiquent l'usage, on utilise des graduations conventionnelles.

Aréopage, premier tribunal d'Athènes, fondé, selon la tradition, par Athéna pour juger le parricide d'Oreste*. Composé, à l'origine, des chefs des grandes familles et, à partir de Solon*, des archontes* sortis de charge, il a, de ce fait, un grand pouvoir politique. La réforme d'Éphialtès*, en 462, réduit ses attributions à des fonctions judiciaires. L'Aréopage reprend une grande importance sous la domination romaine.

AREQUIPA, v. du Pérou méridional, au pied du volcan Misti (5 842 m); 321 000 hab. Pittoresque, la ville garde, en dépit de tremblements de terre, des édifices religieux de l'époque coloniale. Centre commercial. Textile. Travail du cuir.

ARES *(col d'),* col des Pyrénées-Orientales, à la frontière espagnole; 1 610 m.

ARÈS (33740), comm. de la Gironde, à 47 km à l'O. de Bordeaux, sur la rive nord du bassin d'Arcachon; 2 656 hab. Station balnéaire.

ARÈS, dieu grec de la Guerre. La pauvreté des mythes le concernant montre qu'il ne fut jamais très populaire, au contraire du Mars* italique, auquel les Romains l'ont identifié.

ARÉTIN (l'), en ital. **Pietro Aretino,** écrivain italien (Arezzo 1492-Venise 1556). Protégé, tantôt flatteur, tantôt menaçant, des princes et des prélats, il mena à travers ses poèmes satiriques et licencieux une carrière d'écrivain à scandales et à succès. Il renia cependant toutes ses œuvres — comédies (*le Maréchal,* 1527; *le Philosophe,* 1544), tragédies ou vies de saints —, pour ne reconnaître que ses *Lettres* (1537-1557), documentation monumentale sur la vie culturelle et politique de son temps, et qui prolongent ses *Ragionamenti* (1534), où il analyse l'institution courtisane comme une prostitution physique et morale, et comme phénomène typique d'une société en crise.

AREZZO, v. d'Italie (Toscane), ch.-l. de prov., sur l'Arno supérieur; 88 000 hab. Cathédrale (XIIIe-XVe s.). Églises de la Pieve (XIIe-XIIIe s.), S. Francesco (XIVe s.; fresques de Spinello Aretino et de Piero* della Francesca), S. Maria delle Grazie (XVe s.), etc. Palais des XIVe-XVIe s. Piazza Grande, remodelée par Vasari*. Musées. Orfèvrerie.

AREZZO (Gui d') → GUI *d'Arezzo.*

ARGAND (Jean Robert), mathématicien français (Genève 1768-Paris 1822). On lui doit la représentation d'une quantité complexe de la forme $a + bi$, dans laquelle les nombres a et b sont considérés comme les deux coordonnées d'un point du plan (1806).

ARGAND (Émile), géologue suisse (Genève 1879-Neuchâtel 1940). Il s'est intéressé à l'architecture des chaînes plissées, notamment des Alpes et de l'Himālaya. Partisan de la théorie de Wegener, il l'appliqua à la formation des chaînes de montagnes : les Alpes résulteraient de l'écrasement d'un géosynclinal entre le bloc eurasiatique et le bloc africain, provoquant la formation des nappes de charriage, dont il a défini le schéma général.

ARGELANDER (Friedrich), astronome allemand (Memel 1799-Bonn 1875). Outre certains travaux sur la magnitude des étoiles*, on lui doit surtout un catalogue d'étoiles, le *Bonner Durchmusterung.* Cette étude systématique de tout le ciel boréal reste, aujourd'hui, fondamentale pour l'astronomie stellaire.

ARGELÈS-GAZOST (65400), ch.-l. d'arr. des Hautes-Pyrénées, à 13 km au S.-O. de Lourdes, sur le gave d'Azun; 3 678 hab. *(Argelésiens).*

ARGELÈS-SUR-MER (66700), ch.-l. de cant. des Pyrénées-Orientales, à 21 km au S.-E. de Perpignan, à 2 km de la Méditerranée; 5 100 hab. *(Argelésiens).* Église du XIVe s.

ARGENLIEU (Georges THIERRY D'), en religion **T. R. P. Louis de la Trinité,** amiral français (Brest 1889-*id.* 1964). Ancien officier de marine, supérieur des Carmes à Paris en 1939, il est mobilisé et rejoint de Gaulle à Londres en 1940. Commandant en 1944 les Forces navales françaises libres, il est haut-commissaire en Indochine de 1945 à 1947. Grand chancelier de l'ordre de la Libération (1940-1958).

ARGENS, fl. côtier de Provence, qui rejoint la Méditerranée au S. de Fréjus; 116 km.

ARGENT *(Chim.).* — L'argent est l'élément chimique n° 47, de masse atomique Ag = 107,88. C'est un solide très blanc, malléable et ductile, mais assez mou quand il est pur. De densité 10,5, il fond à 960 °C. Il est le meilleur conducteur de tous les corps. Inoxydable au contact de l'air, il noircit lentement par suite de traces d'hydrogène sulfuré. Il est dissous par l'acide nitrique. Il est univalent dans ses composés, dont la plupart sont incolores. Les principaux sont le chlorure AgCl et le bromure AgBr, décomposés par la lumière — d'où leur emploi en photographie — et le nitrate $AgNO_3$, utilisé comme caustique.

L'argent se rencontre rarement à l'état pur dans le sol; il est le plus souvent combiné au soufre ou à l'antimoine, et la teneur de ses minerais est toujours faible. Ce métal est séparé de sa gangue par dissolution dans un métal fondu (plomb ou cuivre), dans le mercure ou dans un cyanure. Son extraction du solvant, dont la méthode dépend de la nature de celui-ci, peut se faire par coupellation et par raffinage électrolytique.

Argent *(l'),* pamphlet de Charles Péguy (1913). Sous le règne de l'argent et des « bourgeois intellectuels », l'honnête homme est astreint aux vertus de pauvreté et de lucidité.

ARGENTAN (61200), ch.-l. d'arr. de l'Orne, sur l'Orne, dans la *plaine* ou *campagne d'Argentan,* à 44 km au N. d'Alençon; 17 411 hab. *(Argentanais).* Anc. château féodal; donjon. Églises Saint-Martin (rebâtie au début du XVIe s.; vitraux) et Saint-Germain (XVe-XVIIe s., à porche en gothique flamboyant). Constructions mécaniques.

ARGENTAT (19400), ch.-l. de cant. de la Corrèze, à 30 km au S.-E. de Tulle, sur la Dordogne; 3 735 hab.

ARGENTERIE. — On désigne par ce mot les pièces fabriquées exclusivement en argent, et plus spécialement celles des services de table, du luminaire, de la toilette et les pièces diverses à usage domestique. Sous l'Ancien Régime, dans les *Inventaires d'argenterie,* où le mot « vaisselle » venait en préciser davantage la nature, le nombre des pièces était considérable. L'*argenterie de bouche,* autre terme usité, s'estimait en poids. Celle de Louis XIV atteignait 22 000 kg, et celle de Mazarin, plus modeste, 1 400 kg. L'« argenterie du Roi » désignait un fonds constitué pour couvrir les dépenses extraordinaires. De nos jours, dans les inventaires de succession, de partage, le terme d'« argenterie » est réservé à cette partie importante du patrimoine avant les autres pièces.

ARGENTEUIL (95100), ch.-l. d'arr. du Val-d'Oise, à 8 km au N.-O. de Paris, sur la Seine; 103 141 hab. *(Argenteuillais).* Cultures maraîchères. Industries métallurgiques et chimiques.

ARGENTIÈRE, station de sports d'hiver (alt. 1 252-3 271 m) de la Haute-Savoie, à 8 km au N. de Chamonix.

ARGENTIÈRE *(col de l')* → LARCHE *(col de).*

ARGENTIÈRE-LA-BESSÉE (L') [05120], ch.-l. de cant. des Hautes-Alpes, à 15 km au S. de Briançon, sur la Durance; 2 462 hab. Église du XVe s. Centrale hydraulique. Usine d'aluminium.

ARGENTINA (Antonia MERCÉ Y LUQUE, dite **la**), danseuse espagnole (Buenos Aires 1888-près de Bayonne 1936), célèbre par ses interprétations (*l'Amour* sorcier,* ballet de Manuel de Falla; Paris, 1928) de style classique ou flamenco et par la virtuosité de son jeu de castagnettes.

ARGENTINE *(république),* en esp. **República Argentina,** État de l'Amérique du Sud, entre les Andes et l'Atlantique; 2 780 000 km²; 25 720 000 hab. *(Argentins).* Capit. *Buenos Aires.*

GÉOGRAPHIE. Étirée en latitude, l'Argentine présente des *régions naturelles* variées. La cordillère des Andes occupe la partie occidentale du pays (6 959 m à l'Aconcagua); elle s'abaisse, par l'intermédiaire des sierras pampéennes, au-dessus des plaines du Chaco, de l'Entre Ríos et de la Pampa au N., mais domine brutalement le vaste plateau de Patagonie au S. À l'exception de l'extrême Nord, tropical humide, l'Argentine appartient à la zone tempérée. Mais l'écran montagneux des Andes la prive de

l'influence des vents d'ouest, et, dans l'ensemble, le climat est plutôt sec, sauf dans la région du Río de la Plata. Au S., la Patagonie est un désert froid, battu par les vents. La végétation est marquée par la rareté de l'arbre : elle passe de la brousse à épineux, au N., à la prairie, au centre, et à la steppe, au S.

La densité de *population* moyenne est faible, à peine 10 habitants au kilomètre carré, mais ce chiffre marque une grande diversité régionale; 80 p. 100 des habitants vivent dans la Pampa, dont plus du tiers dans la seule agglomération de Buenos Aires (plus de 8 millions d'habitants). Deux autres villes émergent, Córdoba et Rosario, qui comptent chacune près de 800 000 habitants. La population est constituée essentiellement de Blancs, descendants des immigrés (surtout espagnols et italiens) et elle s'accroît aujourd'hui grâce à un excédent naturel élevé.

L'Argentine est un pays neuf, dont *l'économie* ne s'organise qu'à partir du milieu du XIXe s. La culture de céréales et l'élevage bovin (Pampa) et ovin (Patagonie) fournissent alors l'essentiel des exportations. La crise de 1929, qui limite les marchés extérieurs, impose un effort d'industrialisation. La sidérurgie se développe (plus de 2 Mt d'acier par an). Le pétrole de Patagonie (environ 20 Mt), le gaz naturel (8 Gm^3) et l'hydroélectricité favorisent la création d'activités diverses : constructions mécaniques et électriques, textile, conserveries alimentaires. Ce développement affecte surtout la Pampa, autour de Buenos Aires, qu'un réseau de voies de communication relie à son arrière-pays. L'agriculture, souvent dans le cadre de grandes propriétés *(estancias)*, est encore importante : la région de Buenos Aires alimente la capitale en fruits, en légumes et en lait; au-delà, on cultive des céréales et des plantes fourragères; la canne à sucre se développe dans le Nord-Est, tropical; l'élevage (60 millions de bovins et 40 millions d'ovins) est largement répandu.

Au sein d'une Amérique latine le plus souvent déshéritée, l'Argentine, à la balance commerciale équilibrée, apparaît comme un pays relativement développé, mais avec de grandes inégalités régionales, liées à la prépondérance de Buenos Aires*.

HISTOIRE. La région, partie de l'Empire colonial espagnol, est englobée dans la vice-royauté de La Plata à partir de la création de celle-ci en 1776. À l'annonce de la prise de Séville par les Français, le vice-roi est déposé (25 mai 1810), une junte révolutionnaire se constitue à Buenos Aires et l'indépendance est proclamée par le congrès de Tucumán en 1816. Les victoires remportées sur les Espagnols par San Martín sont déterminantes : le Chili est, à son tour, libéré.

Cependant, la personnalité de l'Argentine ne se dégage que lentement, car les *caudillos* provinciaux jouissent longtemps d'une autonomie de fait. Contre eux essaie de s'imposer un mouvement unitaire ou centraliste. La confusion qui règne entre 1820 et 1829 favorise la dictature du « Restaurateur » Juan Manuel de Rosas, qui, de 1829 à 1852, forge, au milieu d'excès de toutes sortes, l'Argentine moderne, la dotant d'un régime fédéral qui ne menace plus l'unité et qui trouvera son cadre juridique dans la Constitution de 1853. Les chefs de l'État qui se succèdent jusqu'à la fin du siècle, notamment Bartolomé Mitre (de 1862 à 1868) et Julio Argentino Roca (de 1880 à 1886 et de 1898 à 1904), président à la révolution économique de l'Argentine, laquelle s'accompagne de l'élimination des Indiens (génocide contre le Paraguay indien lors de la guerre de la Triple-Alliance, 1865-1870; conquête de la Patagonie, 1876-1879) et de l'appel aux immigrants (italiens et espagnols surtout) et aux capitaux étrangers.

Après l'« ère du mouton » (1853-1880), qui a envahi la Pampa, l'expansion économique a été favorisée par les progrès de la navigation à vapeur et des chemins de fer ainsi que par l'invention des frigorifiques. Cependant, cette économie brillante est très vulnérable; elle est trop spécialisée (viande) et dépend étroitement des marchés, des capitaux et des techniciens étrangers (britanniques surtout). Les crises qui s'ensuivent et le caractère despotique de l'oligarchie dirigeante provoquent, au début du XXe s., la montée de l'opposition populaire sous la forme du radicalisme, qui est un populisme assez hétéroclite, rassemblant tous les mécontents et dépourvu de programme défini. S'appuyant sur l'Union civique radicale, le président Hipólito Yrigoyen (de 1916 à 1922 et de 1928 à 1930) fait alterner le réformisme paternaliste et la répression brutale de l'agitation sociale. Mais les structures oligarchiques restent en place. L'incapacité des radicaux et la crise mondiale de 1929 favorisent la mise en place de régimes conservateurs militaires et corrompus, notamment sous la présidence d'Agustín Pedro Justo (de 1932 à 1938).

En 1943, une junte d'officiers neutralistes et nationalistes dépose le président Ramón Castillo. De cette junte se dégage très vite le colonel Juan Domingo Perón*, qui, devenu président de la République en 1946, applique, avec sa femme, Eva Duarte Perón — l'idole des *descamisados* —, une doctrine dite « justicialiste », qui mêle nationalisme, neutralisme, réformisme social, démagogie et paternalisme à un style extérieur autoritaire. Mais le succès à court terme de l'autarcie n'empêche pas l'échec à long terme, l'industrialisation rapide mais souvent superficielle se payant par la ruine de l'économie agricole, et l'aristocratie foncière restant en place.

Perón écarté en 1955 par une junte militaire, l'Argentine entre dans un état de crise permanente, marqué par le passage rapide au pouvoir de présidents successivement renvoyés par les militaires ainsi que par la force et la popularité du péronisme, qui apparaît toujours aux masses défavorisées comme le suprême recours. Si bien qu'en juin 1973 Juan Perón, rentré d'exil, est réélu président avec plus de 61 p. 100 des voix; mais, débordé sur sa gauche, il évolue rapidement vers la droite. Quand il meurt, le 1er juillet 1974, sa troisième épouse, Isabel Martínez, vice-président, accède au pouvoir, mais elle ne peut enrayer le développement de la violence et mettre fin aux dissensions péronistes. En mars 1976, elle est renversée par une junte militaire qui, présidée par le général Videla, prend le pouvoir et impose un régime d'exception.

ARGENTON-CHÂTEAU (79150), ch.-l. de cant. des Deux-Sèvres, à 17 km au N.-E. de Bressuire, sur l'*Argenton;* 1 172 hab.

ARGENTON-SUR-CREUSE (36200), ch.-l. de cant. de l'Indre, à 30 km au S.-O. de Châteauroux, sur la Creuse; 6 763 hab. Confection.

ARGENTRÉ (53210), ch.-l. de cant. de la Mayenne, à 11 km à l'E. de Laval; 1 246 hab.

ARGENTRÉ-DU-PLESSIS (35370), ch.-l. de cant. d'Ille-et-Vilaine, à 10 km au S.-E. de Vitré; 2 765 hab.

ARGENT-SUR-SAULDRE (18410), ch.-l. de cant. du Cher, en Sologne, à 21 km au S.-O. de Gien; 2 737 hab. Imprimerie.

ARGHEZI (Ion THEODORESCU, dit **Tudor**), poète roumain (Bucarest 1880-*id.* 1967). Son lyrisme est nourri de son expérience de la vie monastique et des luttes politiques (*Fleurs de moisissure,* 1931; *Cantique à l'homme,* 1956; *Feuilles,* 1961). Il est également l'auteur de récits critiques et autobiographiques (*Billets de perroquet,* 1946).

ARGILE → ARGILEUSES *(roches).*

ARGILEUSES (roches). — Elles sont constituées essentiellement de silicates d'alumine fortement hydratés (kaolinite, illite, montmorillonite), et l'on réserve le nom d'*argiles* aux roches qui en contiennent plus de 50 p. 100.

Les roches argileuses, exogènes, ont une granulométrie généralement inférieure à 2 microns. Elles sont imperméables et ont des propriétés plastiques en présence d'eau. Elles se classent en deux types, suivant leur mode de formation. Les *argiles résiduelles* (kaolin, argile à silex) résultent de l'altération *in situ* de roches préexistantes. Les *argiles sédimentaires* (argiles rouges des grands fonds) se déposent après un transport plus ou moins long par les agents météoriques; elles contiennent souvent une proportion notable de calcite, et l'on parle alors de marnes ou d'*argiles calcaires.*

ARGOAT → ARCOAT.

ARGOLIDE, région de la Grèce, au N.-E. du Péloponnèse. Au temps des Achéens*, l'Argolide est le centre de la brillante civilisation dont témoignent les fouilles de Mycènes*, d'Argos* et de Tirynthe*. Dans la période qui suit l'invasion dorienne, son histoire se confond avec celle d'Argos. Lorsque celle-ci perd sa suprématie (VIe s. av. J.-C.), les cités d'Argolide, affaiblies par leurs dissensions internes, subissent la rivalité de Sparte et d'Athènes. Entrées dans la ligue Achéenne*, elles passent sous la domination romaine en 146 av. J.-C.

ARGON. — L'argon est l'élément chimique n° 18, de masse atomique $A = 39{,}94$. Il a été découvert en 1894, lorsque l'on eut observé une différence de densité entre l'azote retiré de l'atmosphère par absorption de l'oxygène et l'azote obtenu par voie chimique. C'est un gaz monoatomique, chimiquement inactif, de densité 1,38, qui se liquéfie à $-187\,^{0}$C. Il est le plus abondant des gaz rares de l'atmosphère. Il est préparé par distillation de l'air liquide. Il sert pour le remplissage des lampes à incandescence et pour constituer, en chimie, une atmosphère inerte.

ARGONAUTES, héros de la mythologie grecque, qui, sous la conduite de Jason*, allèrent en Colchide* conquérir la Toison* d'or et qui réussirent grâce aux sortilèges de Médée*.

ARGONAY (74370 Pringy), anc. **Argonnex,** comm. de la Haute-Savoie, à 5 km au N. d'Annecy; 980 hab. Construction aéronautique.

ARGONNE, région, fortement boisée et de topographie accidentée, de l'est du Bassin parisien, aux confins des départements des Ardennes, de la Marne et de la Meuse, entre la vallée (supérieure) de l'Aisne et celle de son affluent, l'Aire. — Barrière naturelle entre la Lorraine et la Champagne, l'Argonne a été le théâtre de nombreux affrontements : victoire de Dumouriez à Valmy (1792), sanglants combats de 1914-15 (Vauquois, la Gruerie, Bagatelle, le Four-de-Paris, la Fille-Morte...) et victoire américaine de Montfaucon en 1918.

ARGOS, v. de Grèce, dans le Péloponnèse, près du golfe de Nauplie; 20 000 hab. Aux XIVe-XIIIe s., av. J.-C., elle est un des principaux centres de la civilisation mycénienne*. Au VIIe s. av. J.-C., sous la tyrannie de Phidon*, elle domine, aux dépens de Sparte*, dans le Péloponnèse. On lui attribue l'invention de la monnaie. — Les fouilles archéologiques ont révélé une occupation qui remonte à l'helladique moyen (v. 2000 av. J.-C.) et ont permis l'étude de plusieurs édifices, dont le grand temple d'Héra (Héraïon). La cité est surtout restée célèbre grâce à son école de sculpteurs-bronziers, qui, dès la fin de l'archaïsme, marquent la statuaire grecque par leurs recherches de réalisme et d'équilibre, et dont Polyclète* représente plus tard le plein épanouissement. (V. ARGOLIDE.)

ARGOT. — On ne peut parler d'« argot » qu'au pluriel. Les argots sont en effet multiples selon les époques, les lieux, les milieux.

La première mention d'un argot en France apparaît au XIIIe s. dans le *Jeu de Saint-Nicolas.* Langages secrets destinés à protéger le groupe qui en use (argots du milieu), parlers de milieux restreints présentant un caractère utilitaire (argots de métiers) ou ludique (argots des grandes écoles), les argots meurent d'être compris par la communauté linguistique. Ils ne survivent que par les traces qu'ils laissent dans la langue commune (*abasourdir, dupe, grivois* sont, à l'origine, des termes argotiques).

L'argot est langage, parler, mais non langue au sens linguistique, car il n'embrasse pas tout le champ de la langue : réduit au lexique, il n'a pas de syntaxe originale; le lexique lui-même est restreint aux centres d'intérêt du groupe concerné.

Les procédés utilisés par les argots sont d'ordres morphologique et stylistique. Morphologiquement, il est procédé à un codage des formes : troncation (du début ou de la fin du mot), suffixation utilisant des suffixes spéciaux *(-dingue, -muche, -zigue).* Des codages plus systématiques peuvent apparaître : le *javanais* (de *jave,* je) introduit dans le mot l'affixe *-av-,* le *loucherbem* (de *boucher*) et le *largongi* (de *jargon*) manipulent le lexique de manière encore plus brutale. Stylistiquement, l'argot recourt aux renforcements expressifs (métaphore, métonymie), aux rapprochements paronymiques, aux assimilations homonymiques. Les argots ont été, de Villon à Céline, fort utilisés par la littérature. Le langage parlé s'en sert avec des intentions expressives ou affectives.

ARGOVIE, en allem. **Aargau,** canton (créé en 1803) du nord-ouest de la Suisse, s'étendant à l'O. (Jura) et à l'E. (Plateau suisse) du cours inférieur de l'*Aar;* 1 404 km²; 433 284 hab. *(Argoviens).* Ch.-l. *Aarau.* À proximité de Zurich et du Rhin, bénéficiant d'importants aménagements hydroélectriques, ce canton est fortement industrialisé (métallurgie) et peuplé (plus de 300 habitants au kilomètre carré, malgré l'absence de grande ville).

ÁRGÜEDAS (Alcides), écrivain bolivien (La Paz 1879-Santiago-du-Chili 1946). Il ouvrit la voie de la littérature « indigéniste » (v. INDIGÉNISME) [*Race de bronze,* 1919].

ARGUEIL-FRY (76780), ch.-l. de cant. de la Seine-Maritime, à 20 km au N.-O. de Gournay-en-Bray; 524 hab.

ARGYLL, ancien comté d'Écosse, au N.-O. de Glasgow.

ARGYLL (Archibald CAMPBELL, *comte,* puis *marquis* D'), seigneur écossais (v. 1607-Édimbourg 1661). Les défaites des royalistes lui ayant livré Charles Ier (1646), il entre en contact avec Cromwell* et contribue à livrer le roi aux parlementaires anglais. Accusé de haute trahison lors de la Restauration, il est décapité.

ARHLABIDES, dynastie arabe de l'Afrique du Nord (IXe s.). Fondée par le gouverneur ʿabbāsside d'Ifrīqiya* Ibrāhīm Ier (de 800 à 812), la dynastie arhlabide a pour capitale Kairouan*. Elle favorise l'agriculture par la construction d'aqueducs et de réservoirs, et élève de nombreux palais, mosquées et couvents (Sousse, Monastir). À l'issue de controverses théologiques, le malékisme* s'impose en Ifrīqiya. Les Arhlabides entreprennent la conquête de la Sicile et de l'île de Malte. Ils sont éliminés par les Fāṭimides* en 909.

ÅRHUS ou **AARHUS,** port du Danemark, sur la côte orientale du Jylland; 242 000 hab. Cathédrale romane et gothique abritant de nombreuses œuvres d'art. Église Notre-Dame. Maisons anciennes. Musées. Bâtiments modernes de l'université.

ARIA → AIR.

ARIANISME. — Un prêtre d'Alexandrie, Arius (v. 256-336), est à l'origine de cette hérésie qui perturba l'Église et l'Empire romain durant plus de soixante ans (av. 320-381). En bref, Arius enseigne que, dans la Trinité*, le Fils n'est pas parfaitement égal au Père, qu'il n'est pas de même nature (consubstantiel) et ne participe pas à son éternité (coéternel). Il en va de même de l'Esprit-Saint, qui, inférieur au Fils, reste d'ailleurs dans l'ombre. L'agitation suscitée dans les Églises par cette nouveauté amène l'empereur Constantin* à provoquer la réunion d'un concile* réunissant les évêques de toute la chrétienté.

En 325 se tient à Nicée* le premier concile œcuménique, qui définit, à l'encontre d'Arius, l'identité de nature du Père et du Fils, et déclare le Fils « consubstantiel » (en grec *homoousios*) au Père. Mais la partie n'est pas gagnée pour autant par l'orthodoxie. Entre les ariens et les orthodoxes s'insèrent en pacificateurs quelques doctrinaires qui proposent le terme de *homoiousios* (de nature semblable), tandis que d'autres préconisent celui, plus vague, de *homoios* (semblable). Tous ces conciliateurs ne réussissent qu'à augmenter la confusion, jusqu'à ce que le concile de Constantinople*, en 381, consacre définitivement le « consubstantiel » du concile de Nicée.

ARICA, port du Chili septentrional, près du Pérou; 88 000 hab. Construction automobile.

ARIDE (climat). — Ce type de climat marqué par la faiblesse (moins de 250 mm par an) et l'irrégularité des précipitations affecte les régions protégées par des anticyclones permanents (déserts subtropicaux) ou privées des influences maritimes par l'éloignement de l'Océan ou la disposition du relief. La sécheresse de l'air engendre une extrême variabilité des températures : les amplitudes diurnes peuvent atteindre 60 °C. Suivant la latitude, on distingue des climats arides chauds (Sahara) ou froids (Patagonie). Dans les régions arides se développe un relief désertique*.

ARIDITÉ (indice d'). — Il établit un bilan entre les températures et les précipitations annuelles, permettant d'apprécier le climat d'une région. Le plus simple est celui de E. de Martonne (1926) :

$I = \frac{P}{T + 10}$ où P est la hauteur annuelle des précipitations (en mm) et T la moyenne annuelle des températures (en ^{0}C).

ARIÈGE, riv. du sud de la France, affl. de la Garonne (r. dr.); 170 km. Née dans les Pyrénées (près du Carlitte), elle traverse du S. au N. le *département de l'Ariège,* passant successivement à Ax-les-Thermes, Tarascon, Foix et Pamiers. Sa vallée, surtout aval, est jalonnée d'aménagements hydroélectriques d'importance moyenne.

ARIÈGE (09), départ. de la Région Midi-Pyrénées; 4 890 km^2; 137 857 hab. *(Ariégeois).* Ch.-l. *Foix.* S.-préf. *Pamiers, Saint-Girons.*

La moitié méridionale du département appartient aux Pyrénées. Ici, l'altitude, même dans l'avant-pays (Plantaurel), dépasse toujours 500 m et souvent (à la frontière espagnole) 1 500 m; le climat est rude, enneigé plusieurs mois l'hiver. Au N., de part et d'autre de la vallée de l'Ariège, s'étend une zone de collines, plus basses, aux confins du bassin d'Aquitaine et du Languedoc. Les conditions naturelles, généralement défavorables, expliquent la faible densité de population, inférieure à 30 habitants au kilomètre carré, c'est-à-dire égale à peine au tiers de la moyenne nationale.

La forêt, qui couvre à peu près le quart de la superficie, est répandue surtout dans la montagne, domaine aussi des herbages, encore plus étendus, mais souvent accessibles seulement pendant l'été. Ici, sylviculture et élevage (ovins et bovins) sont les ressources essentielles. Dans les collines du nord, dominent blé et maïs. Au total, l'agriculture emploie environ le quart de la population active (part double de la moyenne nationale), presque autant que le secteur industriel; ce dernier juxtapose activités d'extraction (minerai de fer, près du Puymorens, et surtout talc, près de Luzenac) et activités de transformation (métallurgie, textile), celles-ci étant parfois stimulées par les nombreux aménagements hydroélectriques (dont ceux de L'Hospitalet et d'Aston), à la base de la production d'aluminium (Auzat, Sabart) et d'aciers spéciaux (Pamiers). Le secteur tertiaire occupe seulement un peu plus du tiers de la population active, malgré le développement local du thermalisme et du tourisme (vers Ax-les-Thermes). Cette faiblesse est à relier à celle de l'urbanisation. Foix n'avoisine que 10 000 habitants, seuil que dépasse seulement encore Pamiers. L'émigration se poursuit, mais elle s'est cependant récemment ralentie, puisque la population du département est aujourd'hui à peu près stationnaire, alors qu'elle a presque diminué de moitié entre le milieu du XIXᵉ s. et celui du XXᵉ s.

ARINTHOD (39240), ch.-l. de cant. du Jura, à 37 km au S. de Lons-le-Saunier; 1 119 hab.

ARION, poète et musicien grec (VIIᵉ s. av. J.-C.?). Jeté à la mer, il aurait charmé les dauphins grâce au son de sa cithare. Il aurait fait évoluer le dithyrambe populaire vers un genre littéraire et artistique.

ARIOSO. — À mi-chemin entre le récit*, ou récitatif, et l'air*, l'arioso, pour chant solo, est une déclamation mélodique expressive, dont la liberté de structure se trouve compensée par l'organisation de l'accompagnement qui la soutient. Il s'insère dans les opéras, cantates, oratorios. A. Scarlatti, Bach et Händel nous en ont fourni les plus beaux exemples.

ARIOSTE (l'), en ital. **Ludovico Ariosto,** poète italien (Reggio nell'Emilia 1474-Ferrare 1533). Contraint à la servitude courtisane auprès des ducs d'Este, il exprima son idéal de vie paisible (*Satires,* 1517-1525), tout en participant par ses comédies à la brillante activité culturelle de Ferrare (*La Cassaria,* 1508; *Personnages supposés,* 1509; *La Lena,* 1528). Son poème épique du *Roland* furieux* (1516-1532) est l'illustration parfaite de la Renaissance parvenue à sa maturité.

ARIOVISTE, chef des Suèves* (Iᵉʳ s. av. J.-C.). Il aide les Séquanes à vaincre les Éduens, puis colonise leurs terres. Ayant refusé de respecter la frontière du Rhin, il fut défait par César dans la plaine d'Alsace (58 av. J.-C.). Vaincus, les Suèves repassent le Rhin.

ARISTAGORAS, tyran de Milet († 497 av. J.-C.). Il soulève l'Ionie contre Darios Iᵉʳ*, en 499. Cette révolte est à l'origine de la première guerre médique*.

ARISTARQUE de Samos, astronome grec (IIIᵉ s. av. J.-C.). L'un des plus importants astronomes de l'Antiquité, il observa le solstice d'été de l'an 281 av. J.-C. Mais son titre de gloire reste d'être le seul véritable précurseur de Copernic*, avec son hypothèse d'un système du monde dans lequel la Terre* tourne sur elle-même en vingt-quatre heures et autour du Soleil* en un an. Il est le premier dont on garde une trace de la mesure des distances de la Terre à la Lune* et au Soleil.

ARISTARQUE de Samothrace, grammairien alexandrin (v. 215-v. 143 av. J.-C.). Sa minutie dans l'édition commentée des œuvres de Pindare et d'Homère ont fait de son nom le symbole de la sévérité critique.

ARISTIDE, homme d'État athénien (540-468 av. J.-C. env.). Stratège à Marathon (490) aux côtés de Miltiade*, il devient archonte* l'année suivante. Son traditionalisme, qui l'oppose à Thémistocle*, le fait frapper d'ostracisme (484). Rappelé lors de la seconde invasion perse, il combat à Salamine* (480) et à Platées (479) et contribue au rapide succès de la ligue de Délos* (478-77). Sa probité l'avait fait surnommer *le Juste.*

ARISTIPPE de Cyrène, philosophe grec (Cyrène v. 435-v. 350 av. J.-C.). Selon la tradition, Aristippe juge la connaissance objective impossible et place les sens à la source du plaisir, dont il fait la fin naturelle de l'homme. (V. CYRÉNAÏQUES.)

ARISTOBULE Iᵉʳ, II → ASMONÉENS.

ARISTOPHANE, poète comique grec (Athènes v. 445-v. 386 av. J.-C.). Trop jeune pour participer aux concours dramatiques, il fit jouer ses premières pièces sous le nom d'un confrère, puis gagna le premier prix avec *les Acharniens* (425), apologie de la paix au plus fort de la guerre du Péloponnèse. Variations satiriques sur des

Clark Cooldrige contre l'assemblée des femmes, de R. Diez et L. Cendominao, d'après la comédie d'Aristophane *l'Assemblée des femmes.* (Théâtre le Palace, sept. 1974.)

problèmes d'actualité, ses comédies défendent les traditions contre les idées nouvelles : il dénonce ainsi les démagogues *(les Cavaliers*),* les utopies politiques *(l'Assemblée* des femmes),* les ambitions guerrières *(la Paix*, Lysistrata*),* la manie procédurière des Athéniens *(les Guêpes*),* l'évolution du goût littéraire *(les Thesmophories, les Grenouilles*).* Après la défaite d'Athènes, il abandonna le théâtre « engagé » pour des thèmes moralisateurs et allégoriques *(Plutus*).*

ARISTOTE, philosophe grec (Stagire, Macédoine, 384 av. J.-C.-Chalcis, Eubée, 322 av. J.-C.). À la mort de son père, v. 365, Aristote se fixe à Athènes, où il suit les cours de Platon à l'Académie* jusqu'en 348. Il devient, par la suite, précepteur d'Alexandre le Grand, puis il revient à Athènes en 335, où il fonde le Lycée* et écrit la majeure partie de ses œuvres.

Pour Aristote, l'univers est un, le tout est l'unité d'une diversité multiple dont l'homme fait l'expérience, chaque être que cet homme appréhende n'a d'unité que composée. La science qu'il construit tente de réunir chaque être à lui-même et d'articuler tous ces êtres dans un discours qui, lui aussi, subit la loi du devenir. La logique qu'Aristote élabore consiste principalement en l'analyse des différentes façons dont « l'être se dit en une pluralité de sens », propose un canon du savoir démonstratif, et distingue ce savoir des procédés mis en œuvre dans les arts du langage *(Organon*, Rhétorique, Poétique).*

Le problème de l'être est posé dans la *Métaphysique** selon une double perspective : ontologique et théologique. L'être sur lequel porte l'ontologie* est « l'être en tant qu'être » ou substance. La théologie, en revanche, constitue avec la physique et les mathématiques les sciences théorétiques, son objet est le « premier moteur », ou Dieu, dont l'idée exclut cependant celles de création et de providence. Tout être (sauf Dieu) se compose d'une matière et d'une forme, la matière est l'être en puissance, qui ne devient être en acte qu'après avoir reçu une forme. Mais la matière ne peut être saisie que comme corrélat d'une forme : le bois est, par exemple, un matériau *pour* la table. Articulées à la théorie aristotélicienne de la causalité, ces notions constituent pour le Stagirite les principes d'intelligibilité du monde réel. Aristote poursuit alors l'investigation de ce monde par l'analyse du mouvement *(Physique), De la génération et de la corruption* des êtres individuels, *Du ciel* et des météores *(Météorologiques)*.

Penseur encyclopédique, il étudie aussi la botanique, la zoologie et la biologie *(Des parties des animaux, De la génération des animaux, De l'âme)* dans une optique finaliste de la nature. Ce finalisme qui situe l'homme comme la perfection du monde des vivants domine encore sa philosophie éthique et politique des choses humaines.

Toute activité humaine, d'après Aristote, tend vers une fin. La finalité la plus haute, celle qui est propre à l'homme et n'est pas conçue comme moyen en vue d'une autre fin, est le « souverain bien ». Mais ce « souverain bien dépend [...] de la science politique », car l'homme est un « animal politique » et c'est la politique qui tend à réaliser ce bien spécifiquement humain en s'efforçant de faire régner la justice *(Éthique* à Nicomaque, la Politique*)*.

ARISTOTÉLISME. — L'aristotélisme, comme mouvement philosophique original, est issu de la rencontre de la théologie chrétienne et de l'œuvre d'Aristote*, qui, accompagnée des commentaires d'Averroès*, parvient à Paris au XIIIe s. La pénétration de la métaphysique d'Aristote — et non plus seulement d'une partie de l'*Organon**, connue depuis Boèce* — se fait dans un monde culturel, où domine le christianisme imprégné du platonisme* de Plotin*, de Proclus* et d'Augustin*. Cette pénétration, qui suscite une vive résistance de l'Église, est due principalement à Roger Bacon* et Albert* le Grand, qui commentent les textes du philosophe à partir de 1240. À leur suite, Thomas* d'Aquin s'efforce d'articuler le naturalisme d'Aristote aux dogmes de la théologie (la nature se trouve ainsi située dans l'étroite dépendance d'un Dieu créateur), tandis que Siger de Brabant (v. 1235-1284) reprend au contraire l'interprétation d'Averroès (v. AVERROÏSME LATIN). Ces controverses entraînent la réprobation de Bonaventure* et la rédaction, en 1277, d'un syllabus condamnant « les erreurs de ce temps ».

ARITHMÉTIQUE. — L'arithmétique est la plus ancienne des sciences mathématiques. Les numérations* parlées remontent à la plus haute antiquité. Les numérations écrites les plus significatives sont celles des Égyptiens, de base 10, utilisant en écriture hiéroglyphique des idéogrammes et en écriture démotique des symboles cursifs qui se rapprochent des notations numériques grecques et qui en sont probablement un archétype. Plus significative au point de vue mathématique est la numération savante des Babyloniens. Elle est à base 60, procédant de soixantaine en soixantaine et de soixantième en soixantième, et est adaptée non seulement aux nombres entiers, mais aussi aux fractions. La numération maya, de base 20, n'a eu aucune influence sur la science occidentale. Les numérations savantes — celle des Grecs, à partir du Ve s. av. J.-C., puis celles des Hébreux et des Arabes, qui en dérivent — utilisent les lettres de leur alphabet pour représenter les unités, les dizaines, les centaines, etc., mais sont nettement inférieures à la numération babylonienne. Cependant, les Arabes empruntent aux Hindous notre numération de position, analogue à celle des Babyloniens, mais plus simple, procédant de 10 en 10, au lieu de 60 en 60. À partir du XIIe s., elle est adoptée en Occident. Complétée par Viète* et Stevin*, qui l'étendent au-delà de l'unité (nombres décimaux), elle retrouve alors la belle ordonnance de la numération de Babylone et devient classique, surtout depuis la Révolution française, qui impose le système métrique* décimal.

La théorie des nombres trouve ses fondements dans les *Éléments* d'Euclide*, livres VII, VIII et IX, qui contiennent tous les principes de l'enseignement du premier cycle actuel : recherche du plus petit dénominateur commun, décomposition d'un nombre en ses facteurs premiers, etc. Mais la théorie des nombres se développe surtout au XVIIe s., avec Fermat*, et au XVIIIe s., avec Euler* et Lagrange*. Au début du XIXe s., les *Recherches arithmétiques* de Gauss* et la *Théorie des nombres* de Legendre* systématisent et généralisent les recherches antérieures. À partir de Gauss, la notion même de nombre entier connaît des développements importants. C'est lui qui crée les premiers nombres imaginaires, ou *nombres de Gauss.* D'autre part, sa *théorie des congruences** dégage l'importance des classes d'équivalence pour un module premier. Par ses *imaginaires,* Galois* généralise la conception de Gauss et détermine tous les corps de nombres finis. Vers 1840, Kummer*, suivi de Dedekind*, crée la notion d'« idéal d'anneau* ». Née de l'hypothèse de Fermat, aux termes de laquelle l'équation $x^n + y^n = z^n$ est impossible pour n entier supérieur à 2, x, y, z étant des entiers, cette notion s'étendra à tous les domaines des mathématiques. Enfin, la théorie des corps de nombres algébriques, née aussi des travaux de Kummer, prend avec Hilbert* et son école une extension considérable.

ARIUS → ARIANISME.

ARIZONA, État du sud-ouest des États-Unis; 295 022 km²; 1 772 000 hab. Capit. *Phoenix.* L'État est en majeure partie formé de montagnes et surtout de hauts plateaux, entaillés notamment par le célèbre grand cañon du fleuve Colorado. L'hiver y est froid, l'été est torride dans le Sud, désertique, vide hors des oasis, que constituent notamment les villes de Tucson et surtout de Phoenix (la capitale regroupe dans son aire métropolitaine pratiquement la moitié de la population totale de l'État). L'agriculture (céréales, fruits) est ponctuelle, tributaire de l'irrigation, l'élevage est plus répandu. Mais les principales richesses de l'État résident dans son potentiel minier, cuivre en tête, et aussi, de plus en plus, dans l'activité touristique, favorisée par la beauté des sites et l'ensoleillement. Encore relativement peu peuplé, l'Arizona est cependant un État attractif : la population y a augmenté de plus d'un tiers depuis 1960, ayant presque décuplé depuis son accession au rang d'État en 1912.

ARJUN DEV (v. 1581-1606), cinquième guru de la secte des sikhs*, dont il a composé la majeure partie du livre sacré *Adi Granth.*

ARJUZANX (40116), comm. des Landes, à 34 km au N.-O. de Mont-de-Marsan; 238 hab. Extraction du lignite alimentant une centrale électrique.

ARKANSAS, État du sud historique des États-Unis; 137 539 km²; 1 923 000 hab. Capit. *Little Rock.* L'État s'étend à l'E. dans la vallée du Mississippi, qui constitue sa limite orientale, et à l'O. sur des plateaux et moyennes montagnes (monts Ouachita et Boston). Le climat est subtropical (doux en hiver, très chaud en été) humide. Le soja, le coton et le riz sont les principales cultures de l'État, à dominante agricole, puisque le taux d'urbanisation d'une population comportant une forte minorité noire est encore inférieur à 50 p. 100. La bauxite, dont l'Arkansas est le seul grand producteur américain, est la grande richesse minière.

ARKHANGELSK, port de l'U. R. S. S. (R. S. F. S. de Russie), sur la mer Blanche; 343 000 hab.

ARKWRIGHT (*sir* Richard), mécanicien britannique (Preston, Lancashire, 1732-Cromford, Derbyshire, 1792). L'un des créateurs de l'industrie cotonnière britannique, il contribua à diffuser l'emploi de la *mule-jenny,* machine de filature semi-mécanique, réalisée par son compatriote Hargreaves.

ARLANC (63220), ch.-l. de cant. du Puy-de-Dôme, à 16 km au S. d'Ambert; 2 503 hab.

ARLAND (Marcel), écrivain français (Varennes-sur-Amance 1899), codirecteur avec Jean Paulhan de *la Nouvelle Revue française,* auteur de romans (*l'Ordre,* 1929), de nouvelles (*le Grand Pardon,* 1965) et d'essais critiques dans la ligne de l'analyse psychologique et du moralisme classiques.

ARLANDES (François, *marquis* D'), aéronaute français (Anneyron, Dauphiné, 1742-† 1809). Il fit, avec Pilâtre de Rozier, la première ascension en ballon libre (21 nov. 1783). Parti de la Muette, l'aérostat atterrit à la Butte-aux-Cailles.

ARLBERG, col des Alpes, en Autriche (alt. 1 802 m), entre les bassins du Rhin et de l'Inn. Le tunnel ferroviaire, ouvert en 1884, est long de 10 239 m; il permet les relations entre la Suisse, le Vorarlberg et le reste de l'Autriche.

Arlequin, personnage de la commedia* dell'arte; il porte un habit composé de petits morceaux de drap triangulaires et multicolores, un masque noir et un bâton appelé *latte* ou *batte.* Héros de plusieurs comédies de Regnard, de Lesage et de Goldoni (*Arlequin serviteur de deux maîtres,* 1748), c'est chez Marivaux, où il apparaît dans une douzaine de pièces, qu'il déploie — du nigaud d'*Arlequin poli par l'amour* au valet philosophe de *l'Île des esclaves* et au personnage parodique du *Jeu de l'amour et du hasard* — toutes les facettes de sa personnalité.

ARLES (13200), ch.-l. d'arr. des Bouches-du-Rhône, sur le Rhône, à 36 km au S.-S.-O. d'Avignon; 50 345 hab. *(Arlésiens).*

GÉOGRAPHIE. La ville est située à la tête du delta du Rhône, à l'extrémité septentrionale de la Camargue*, qui en dépend administrativement et fait d'Arles la plus vaste commune de France (75 810 ha), alors que seulement les trois quarts de ses habitants sont agglomérés au chef-lieu. Celui-ci reste essentiellement un centre commercial et surtout touristique.

HISTOIRE. Ancien comptoir grec, Arles se développe avec la venue des Romains. Marius y fait construire un canal, les « fosses

Arles. Les arènes et le théâtre antique (à droite).

Mariennes», qui relie la cité à la mer. Arles devient un port maritime. Après l'installation des vétérans de César, elle est la principale ville de Provence. Sous Auguste, elle s'agrandit et se couvre de monuments; des corporations contrôlent un commerce de transit actif. Au Bas-Empire, elle est un moment siège de la préfecture des Gaules et résidence impériale. Évangélisée par saint Trophime, la ville est le siège du primat des Gaules et de plusieurs conciles. Au haut Moyen Âge, elle est envahie par les Sarrasins. Au Xe s., elle est unie à la Bourgogne, dont elle devient la capitale; c'est pourquoi le nom de «royaume d'Arles» est donné quelquefois au royaume de Bourgogne*. Au début du XIIIe s., Arles devient une république, mais, en 1251, Charles Ier d'Anjou la contraint à lui rendre hommage. Elle suit alors le sort de la Provence et, en 1535, elle est réunie à la France.

BEAUX-ARTS. Ruines gallo-romaines (arènes, théâtre). Église romane Saint-Trophime, du XIIe s. (portail historié de tradition antique, cloître). Musées lapidaires païen et chrétien (sarcophages), musée Arlaten, fondé par F. Mistral (ethnographie provençale), musée Réattu (beaux-arts), tous installés dans des chapelles ou demeures anciennes.

ARLES-SUR-TECH (66150), ch.-l. de cant. des Pyrénées-Orientales, à 12 km au S.-O. de Céret; 2945 hab. D'une ancienne abbaye restent l'église romane (XIe-XIIe s.) et le cloître gothique.

ARLEUX (59151), ch.-l. de cant. du Nord, à 14 km au S. de Douai, sur la Sensée; 2225 hab.

ARLINGTON (Henry BENNET, *comte* D'), homme politique anglais (Arlington, Middlesex, 1618-Euston, Suffolk, 1685). Membre du ministère de la «Cabal» (1667), il démissionne pour le poste de lord chambellan (1674).

Arlington *(cimetière national d')*, nécropole américaine située sur le Potomac, en face de Washington, et où sont enterrées de nombreuses hautes personnalités des États-Unis.

ARLIT, localité du Niger septentrional, au N. d'Agadès. Gisement d'uranium.

ARLON, v. de Belgique, ch.-l. de la prov. de Luxembourg, sur la Semois; 13745 hab. (en 1970).

ARLY, riv. des Alpes du Nord, qui rejoint l'Isère (r. dr.) à Albertville; 32 km.

Armada (l'*Invincible*), nom donné par Philippe II, roi d'Espagne, à l'énorme flotte qu'il envoya en Angleterre, en 1588, pour venger la mort de Marie Stuart, détrôner Élisabeth et rétablir le catholicisme. Les fautes d'un commandement médiocre, les tempêtes et les attaques hardies des marins anglais firent échouer l'expédition.

ARMAGNAC, région de collines du sud du bassin d'Aquitaine, dans la grande boucle décrite par la Garonne et s'étendant principalement sur le département du Gers*. C'est une terre de polyculture (céréales, vignes, élevage de volailles), où, cependant, la production de vins blancs distillés pour la fabrication de l'eau-de-vie* d'*armagnac* constitue une ressource originale. V. princ. *Auch.*

ARMAGNAC *(comté d')*, région historique du sud-ouest de la France. Érigé en comté vers 960, l'Armagnac est réuni au comté de Fezensac vers 1140, avec comme capitale Auch. Du XIIIe au XVe s., il s'agrandit de seigneuries en Agenais, dans le Quercy, dans le Rouergue et en Auvergne. Devenu, au XVe s., l'une des principautés les plus puissantes de la Gascogne*, il joue un rôle politique important (querelles des Armagnacs et des Bourguignons). Confisqué à plusieurs reprises entre 1444 et 1484, le comté est restitué, à cette dernière date, à Charles Ier d'Armagnac. Il est réuni à la France en 1607 par Henri IV, qui en avait hérité.

Armagnacs *(faction des)*, parti opposé à celui des Bourguignons*, dont les luttes déchirent la France sous Charles VI et Charles VII. Ce parti, qui représente la maison d'Orléans, a pour chef Bernard VII d'Armagnac. Le conflit prend fin avec le traité d'Arras (1435).

ARMAN → RÉALISME *(nouveau).*

ARMANÇON, riv. du sud-est du Bassin parisien, affl. de l'Yonne (r. dr.); 174 km. Sa vallée a été partiellement empruntée par le canal de Bourgogne.

ARMAND *(aven)*, gouffre du causse Méjean (Lozère), découvert en 1897 par E. Martel et L. Armand.

ARMAND (Louis), ingénieur et administrateur français (Cruseilles, Haute-Savoie, 1905-Villers-sur-Mer 1971). Il fut président de la S.N.C.F. et s'occupa de la mise en valeur du Sahara ainsi que du développement de l'industrie atomique française et européenne. Il présida l'Euratom de 1957 à 1959.

ARMATEUR. — Le propriétaire d'un navire qui l'exploite est dénommé *armateur.* L'armateur peut louer son navire, par le contrat d'affrètement, à un affréteur, encore appelé *chargeur.* (V. AFFRÈTEMENT.)

ARMAVIR, v. de l'U.R.S.S. (R.S.F.S. de Russie), au pied nord du Caucase; 145000 hab.

ARMÉE. — On ne peut parler d'armée qu'à partir du moment où existe une organisation d'hommes munis d'armes et soumis à des chefs pour défendre ou conquérir le droit à l'existence d'une communauté humaine. Au cours des siècles, la forme et l'importance des armées reflètent la position géographique, la démographie, l'évolution technique, la richesse, mais aussi le type de la société dont les guerres sont issues. Ainsi a-t-on rencontré l'*armée mercenaire,* formée de professionnels, nationaux ou étrangers recrutés par la force ou par contrat, et l'*armée de milices* (communales ou provinciales), recrutée parmi des nationaux appelés à un service court par une mobilisation rapide (c'est encore le cas de l'armée suisse). L'*armée* dite *de métier,* constituée par des nationaux servant à long terme, caractérise les systèmes militaires du XIXe s. (en France de 1815 à 1870). Enfin, l'*armée nationale,* fondée sur la conscription, devenue service* militaire universel et obligatoire, concrétise le principe de la *nation armée* apparu à la fin du XIXe s. et consacré par les deux guerres mondiales; leur caractère de guerre totale révélera que la défense des peuples cessait d'être le monopole des armées et s'étendait à tout leur potentiel humain, économique et moral.

Depuis 1945, le fait nucléaire, la généralisation de conflits révolutionnaires souvent liés à la décolonisation ont engendré des types d'armées très divers. Seuls les États-Unis et l'U.R.S.S. peuvent disposer d'un appareil militaire comprenant à la fois la puissance nucléaire et de gros effectifs correspondant à une politique de dimension mondiale. La France s'efforce de concilier l'efficacité d'une dissuasion nucléaire avec une armée nationale où les professionnels se font de plus en plus nombreux. La Chine, bien que nation nucléaire depuis 1964, fonde sa puissance militaire sur une armée de masse, rustique mais chargée d'un rôle essentiel dans l'État. Cette fonction politique, liée aux idéologies les plus diverses, caractérise désormais un certain nombre d'armées, soit dans le tiers monde — où elles incarnent une unité et une indépendance récemment acquises —, soit dans les pays socialistes, soit dans les pays en crise (Amérique latine) — où l'armée estime devoir s'engager pour assurer à titre plus ou moins provisoire l'orientation ou la reconstruction politique de la nation.

Armée *(musée de l')*, musée créé en 1905 à l'hôtel des Invalides, à Paris. Il renferme de très riches collections d'armes et d'uniformes concernant l'ensemble de l'histoire des armées françaises. Il a été partiellement rénové depuis 1965.

ARMEMENT *(Électr.)* → LIGNE ÉLECTRIQUE.

ARMEMENT *(Mil.).* — L'apparition en 1945 de l'arme nucléaire, jointe au développement du moteur-fusée et de l'électronique, a bouleversé l'équilibre précaire des armes antérieures, appelées désormais *classiques.* Aussi, le terme d'« armement » recouvre-t-il aujourd'hui un ensemble de matériels de plus en plus diversifiés, qui comprend : les armes à feu classiques (canons, fusils, mitrailleuses...); les systèmes* d'armes autopropulsées, de type roquette ou missile; les matériels terrestres motorisés (véhicules de transport, du génie, ponts automoteurs...) et mécanisés (blindés); les aéronefs (avions, hélicoptères, hydroptères), avec leur infrastructure; les matériels aéroportés ou amphibies; les navires de surface ou sous-marins, avec leur appui aérien; les moyens de transmission et de détection (radio, radar, sonar); les armes nucléaires stratégiques et tactiques; les moyens d'agression biologiques ou chimiques, ainsi que leurs parades. La *course* quantitative aux *armements,* née au début du XXe s., cède le pas aujourd'hui à une compétition scientifique et technique. Elle s'applique en effet à des matériels d'une technologie de plus en plus complexe, dont le prix de revient unitaire ne cesse d'augmenter (on estime que le coût d'un avion de combat est multiplié par dix tous les dix ans). Ce fait explique le désir des États d'abaisser ce prix de revient en accroissant par l'exportation le volume des séries. La mise au point de ces matériels résulte d'une coopération entre la recherche (laboratoires), l'industrie et les militaires chargés de les employer. Aussi, les programmes d'armement s'inscrivent-ils dans une rigoureuse planification menée, en France, dans le cadre de lois-programmes établies, en principe, pour cinq ans.

ARMEMENT MARITIME. — L'armement maritime moderne a pris naissance au milieu du XIXe s., lorsque se sont créées des compagnies de navigation possédant un nombre d'unités suffisant pour exploiter des lignes régulières de paquebots* et de cargos*. L'augmentation des tonnages unitaires et les progrès techniques impliquant des investissements de plus en plus élevés conduisent aujourd'hui ces sociétés à se concentrer, soit dans leur cadre national, soit par constitution de groupements multinationaux. Cependant, en raison de sa nature même, l'armement au tramping* n'a pas suivi une évolution identique. Les armements des nations maritimes d'économie libérale se heurtent, maintenant, à la concurrence des jeunes flottes des pays en voie de développement et à celle d'importantes flottes d'État. Les compagnies aériennes, dont les progrès ont déjà éliminé les paquebots de long cours, mettent en ligne leurs avions-cargos. Enfin, le transport maritime subit les effets des crises qui provoquent une baisse des frets et des désarmements de navires. Pourtant, les armateurs, plus ou moins aidés par des gouvernements soucieux d'assurer l'indépendance économique de leur pays, poursuivent l'expansion de leurs flottes, compte tenu de prévisions à long terme sur le volume des échanges par voie maritime.

ARMENIA, v. de Colombie, à l'O. de Bogotá; 137 000 hab.

ARMÉNIE, région montagneuse du nord-ouest de l'Asie, au S. du Caucase, aux confins de la Turquie, de l'U. R. S. S. (république d'Arménie*) et de l'Iran.

HISTOIRE. On admet généralement que le peuple arménien a été constitué au VIIe s. av. J.-C. par un mélange de la population autochtone de l'Ourartou* et d'un peuple indo-européen, les Thraco-Phrygiens, venus des Balkans. Vassaux des Mèdes*, puis des Achéménides*, et, enfin, des Séleucides*, les Arméniens conquièrent leur indépendance v. 190 av. J.-C. Tigrane* (de 95 à 55 av. J.-C.) fonde un vaste empire, bientôt soumis par Rome, qui établit une espèce de condominium romano-parthe sur la région. (V. PARTHES.)

Le christianisme, attesté en Arménie dès le IIe s., se répand au IVe s. grâce à l'action de Grégoire Ier l'Illuminateur. L'invention de l'alphabet arménien (début du Ve s.) permet la traduction des textes chrétiens. Partagée entre les Sassanides*, maîtres de la Grande Arménie (capit. *Dwin*), et les Byzantins, dont la capitale était Théodosiopolis (auj. *Erzurum*), l'Arménie se révolte à plusieurs reprises. Au VIe s., l'Église arménienne adopte le monophysisme* et devient indépendante. Les princes arméniens doivent accepter la souveraineté des Arabes, qui ont effectué plusieurs raids à partir de 642, et leur payer tribut. Un Bagratide est reconnu roi par le calife 'abbāsside et fonde une dynastie indépendante (885-1045), qui se maintient jusqu'à la restauration byzantine. La défaite des Byzantins à Mantzikert (1071) livre l'Arménie aux Seldjoukides*. L'émigration en terre byzantine, qui a commencé avec la domination arabe, se précipite alors et s'oriente vers le Taurus et la Cilicie*. Celle-ci est gouvernée, du XIIe s. au XIVe s., par les dynasties arméniennes des Roupéniens et des Héthoumiens. Les Mongols*, lors de leurs invasions du Proche-Orient au XIIIe s., s'allient avec les communautés chrétiennes, et notamment arméniennes, mais Tīmūr Lang* (Tamerlan) dévaste l'Arménie (1387). Les Ottomans* se rendent maîtres de toute l'Arménie (à l'exception de la région d'Erevan) entre la fin du XIVe s. et le XVIe s. Mehmed* II organise les Arméniens de l'Empire ottoman en une nation *(millet),* avec à sa tête un patriarche assisté d'un conseil laïque et d'un conseil religieux. Les Arméniens acquièrent un rôle économique important en tant que banquiers, commerçants ou artisans. Au XIXe s., les Russes annexent l'Arménie transcaucasienne (1828), et les régions de Kars et Batoumi (1878). Durant les années 1890-1915, se déchaîne une vague de massacres des Arméniens de Turquie, qui atteint son paroxysme sous le gouvernement jeune-turc (1915). Une république arménienne indépendante, proclamée en 1918, est reconnue par les Occidentaux au traité de Sèvres (août 1920). Mais Mustafa Kemal* reprend la guerre, tandis que le gouvernement soviétique reconquiert le Caucase. La république soviétique d'Arménie, proclamée à la fin de 1920, cède à la Turquie la région de Kars. Membre de la Fédération transcaucasienne à partir de 1922, l'Arménie devient en 1936 une république fédérée de l'U. R. S. S.

BEAUX-ARTS. Occupé dès le paléolithique, le pays connaît à la fin du IIIe millénaire une riche civilisation de pasteurs; ceux-ci s'abritent dans de puissantes forteresses aux murs cyclopéens (fouilles près du lac de Sevan, 1953-1957). La métallurgie se développe entre le XVe et le XIIe s. av. J.-C.; elle témoigne d'une parfaite maîtrise technique avec le royaume d'Ourartou* (IXe-VIe s. av. J.-C.). Le pays subit ensuite l'influence des Scythes*, de l'hellénisme, des Parthes et enfin des Sassanides*. L'art de ces derniers, associé à l'art paléochrétien, donne naissance à un style chrétien original. L'architecture en est le mode d'expression le plus fréquent, et les églises, de types variés, sont les monuments les plus nombreux. Le plan basilical, d'origine romaine, disparaît vers le Ve s. pour être remplacé par toute une série de variantes : coupole élevée sur tambour (Mren, 639), tétraconque (Etchmiadzine, 483; Zvartnots, v. 650...). Entre le IXe et le XIe s., on rencontre la basilique à coupole (Ani, cathédrale), l'octogone (Ani, chapelle du Rédempteur) et la tétraconque (Saint-Grégoire de Gagik, à Ani), pour voir la salle à coupole prédominer entre le XIIIe et le XIVe s. et certains édifices atteindre de remarquables élans verticaux. La sculpture, surtout décorative (nombreuses stèles funéraires), est parfois abondamment utilisée, comme à Aktamar (921) où toute la façade est ornée. Peu de vestiges subsistent de l'art pictural du VIIe s., et, entre le Xe et le XVIIe s., diverses influences étrangères prédominent.

Le faste des arts mineurs se déploie surtout pendant le XIIIe et le XIVe s. La miniature, profondément originale dès le VIIe s. (évangéliaire d'Etchmiadzine), connaît un magnifique épanouissement entre le XIIIe et le XVe s., surtout grâce au maître de l'école de Cilicie, Toros Roslin.

ARMÉNIE *(république socialiste soviétique d'),* république fédérée de l'U. R. S. S., occupant la partie soviétique de l'*Arménie;* 29 800 km^2; 2 492 000 hab. Capit. *Erevan.* C'est la plus petite, mais non la moins peuplée des républiques soviétiques, malgré l'extension de la montagne. La population, formée presque exclusivement d'Arméniens, se concentre dans les bassins de Leninakan et surtout d'Erevan, intensément cultivés (céréales), cependant que la vallée du Razdan (affl. de l'Araxe) est le site d'importants aménagements hydroélectriques.

ARMÉNIEN. — Rameau isolé de la famille indo-européenne, l'arménien s'écrit depuis le Ve s. apr. J.-C. grâce à un alphabet original de 36 lettres, qui correspondent à un phonétisme compliqué. Unifié jusqu'à la fin du Moyen Âge, l'arménien s'est divisé ensuite en de nombreux dialectes, qui sont parlés par environ 4 millions de locuteurs, principalement localisés dans la république socialiste soviétique d'Arménie.

ARMENTIÈRES (59280), ch.-l. de cant. du Nord, sur la Lys, près de la frontière belge; 27 473 hab. *(Armentiérois).* Textile. Brasserie. Robinetterie.

Armeria, musée d'armes anciennes fondé par Philippe II, à Madrid, en 1564.

Armide, tragédie lyrique en cinq actes, livret de Quinault, d'après *la Jérusalem délivrée* du Tasse, musique de J.-B. Lully (1685). Appelé en son temps l'« opéra des dames », cet ouvrage contient le modèle le plus achevé de récit dramatique (monologue d'Armide). — Le sujet sera repris par C. W. Gluck en 1777.

ARMINIANISME. — Jacob Armenszoon, dit Jacobus Arminius (1560-1609), professeur de théologie à Leyde, conteste l'interprétation rigide de la doctrine calviniste sur la prédestination* : il soutient que la grâce de Dieu est offerte à tous et que l'usage de la liberté intervient dans la détermination de la destinée éternelle. La pensée d'Arminius, qui s'oppose à la conception rigoriste du gomarisme*, est à l'origine d'une dissidence calviniste, la secte des arminiens, ou remonstrants, qui compte de nos jours aux Pays-Bas quelque vingt mille membres.

ARMINIUS, chef des Chérusques, né v. 18 av. J.-C. Après avoir commandé des corps auxiliaires de l'armée romaine, il souleva son peuple, exaspéré par l'administration romaine en Germanie*, et anéantit les légions de P. Quintilius* Varus dans la forêt de Teutoburg (9 apr. J.-C.). « Arminius, écrit Tacite, fut sans nul doute le libérateur de la Germanie. » Il est resté en Allemagne un héros populaire sous le nom d'**Hermann.**

ARMINIUS (Jacobus) → ARMINIANISME.

ARMOIRIES → HÉRALDIQUE.

ARMOR ou **ARVOR** (le « pays de la mer »), nom celtique de la Bretagne, qui désigne aujourd'hui le pourtour côtier de la région par opposition à l'*Arcoat** (le « pays des bois »).

ARMORICAIN *(Massif)*, région naturelle de l'ouest de la France, occupant la totalité de la Bretagne*, la Normandie* occidentale et la Vendée*.

Au contact des deux grands bassins sédimentaires (parisien et aquitain), le Massif armoricain, malgré son nom, ne s'individualise pas par une altitude élevée. Les points culminants, à l'E. (forêt d'Écouves et signal des Avaloirs), n'atteignent en effet que 417 m. La modestie des altitudes tient à la durée de l'érosion, s'exerçant sur un massif né à la fin de l'ère primaire, et à son éloignement du centre de gravité du plissement alpin, qui a repris, à l'ère tertiaire, des éléments de massifs anciens voisins. Pourtant, la topographie est relativement accidentée, en raison de l'encaissement de vallées entaillant le massif, à l'intérieur duquel on peut distinguer, à partir des monts d'Arrée (384 m), à l'O., deux lignes de hauteurs dirigées l'une vers le Bocage normand (par les landes du Méné), l'autre vers le Bocage vendéen (par les landes de Lanvaux et le sillon de Bretagne). Entre ces branches divergentes, se juxtaposent bassins (de Châteaulin, de Rennes) et plateaux (de Rohan). L'ensemble, constituant une péninsule largement ouverte aux influences maritimes atlantiques, possède un climat océanique, doux et humide, domaine de la forêt ou de la lande, là où l'occupation humaine, ancienne et dense, n'a pas détruit la végétation naturelle.

Armorique *(parc régional d')*, parc régional de la Bretagne occidentale, s'étendant sur une partie du Finistère continental (dont les monts d'Arrée) et insulaire (Molène et Ouessant).

Leloir

Louis Armstrong.

ARMSTRONG (Louis), trompettiste et chef d'orchestre de jazz noir américain (La Nouvelle-Orléans 1900 - New York 1971). Celui qu'on surnommera amicalement « Satchmo », et qui pendant plus d'un demi-siècle sera l'incontestable et incontesté porte-drapeau du jazz classique, fut découvert et lancé en 1922 par King Oliver. Chanteur des rues pendant son enfance, il avait été ensuite trompettiste amateur dans les cabarets de Storyville et sur les riverboats. Engagé en 1924 dans l'orchestre de Fletcher Henderson, il enregistre notamment avec la chanteuse Bessie Smith *(Saint Louis Blues)*, puis fonde sa propre formation (les *Hot Five*, qui deviendront en 1927 les *Hot Seven*). Sa réputation ne cesse de s'élargir après 1930. Armstrong s'adaptera avec souplesse et brio à l'évolution du jazz, dont il sera dans le monde entier le meilleur ambassadeur. Il saura imposer à travers les années sa voix au timbre voilé et aux accents parfois ironiques, parfois pathétiques, sa présence chaleureuse, son swing débordant de vitalité et, surtout, d'étonnantes improvisations à la trompette. Ses solos prolongés par un large vibrato sont un modèle du genre : la technique instrumentale épousant à la perfection les fantaisies de l'inspiration.

ARMSTRONG (Neil), astronaute américain (Wapakoneta, Ohio, 1930). En mars 1966, il réussit au cours de la mission « Gemini VIII » le premier arrimage entre deux véhicules spatiaux. Chef de la mission « Apollo XI », il est le premier homme à poser le pied sur la Lune en juillet 1969.

ARMURE *(Text.)*. — Le mode d'entrecroisement des fils de chaîne et de trame qui constituent un tissu*, ou armure, peut varier à l'infini, ce qui permet la création de tissus très différents les uns des autres. La représentation schématique d'une armure se fait sur du papier quadrillé : chaque rangée verticale correspond à un fil de chaîne (fil parallèle au sens d'avancement du tissu en cours de fabrication) et chaque rangée horizontale à un fil de trame, ou duite (fil perpendiculaire à la chaîne). Une case représente l'intersection de deux fils : lorsqu'elle est coloriée, cela indique que le fil de chaîne passe au-dessus du fil de trame; lorsqu'elle n'est pas coloriée, cela indique, par contre, que le fil de chaîne passe au-dessous du fil de trame. Dans la grande majorité des cas, l'évolution des fils de chaîne et de trame se répète après un certain nombre de fils. Ce nombre constitue le *rapport d'armure* du tissu. Quel que soit ce rapport, toutes les combinaisons d'entrecroisement dérivent des armures fondamentales suivantes : toile, sergé, satin. L'*armure toile*, désignée également sous le nom de *lisse* ou d'*uni*, est caractérisée par la disposition inverse des fils pairs et impairs. Chaque fil de chaîne passe alternativement au-dessus et au-dessous de chaque fil de trame. Le rapport d'armure est de deux fils et deux duites. L'*armure sergé* donne un effet oblique (diagonale); le plus petit sergé a un rapport de trois fils et de trois duites. On peut obtenir des sergés de quatre, cinq, six, etc. L'*armure satin* est caractérisée par la dissémination des points de liage; on évite ainsi tout effet de diagonale. On peut obtenir des satins de cinq, sept, huit ou plus.

A. R. N. → NUCLÉIQUES *(acides)*.

ARNAUD de Brescia, réformateur italien (Brescia fin du XIe s. - Rome 1155). Disciple d'Abélard, il entreprend, dans une Rome dont il a expulsé le pape, une réforme fondamentale du clergé, en même temps que l'instauration d'un régime républicain. Il est finalement arrêté, torturé et brûlé.

ARNAUD de Villeneuve, médecin catalan (Villeneuve, près de Montpellier, v. 1235 - † 1313, lors d'un voyage de Sicile en Provence). Conseiller du pape Clément V, astrologue et alchimiste, il eut de graves démêlés avec l'autorité ecclésiastique. On lui doit peut-être la fabrication des liqueurs spiritueuses.

ARNAULD, famille française dont l'histoire est liée à celle du jansénisme* et de l'abbaye de Port-Royal*. Son fondateur est ANTOINE **Arnauld** (Paris 1560 - *id.* 1619), conseiller d'État sous Henri IV, qui a vingt enfants. Les plus marquants d'entre eux sont, par ordre de primogéniture : ROBERT **Arnauld d'Andilly** (Paris 1589 - *id.* 1674), qui se retire à Port-Royal et laisse des œuvres spirituelles; JACQUELINE MARIE ANGÉLIQUE **Arnauld de Sainte-Madeleine**, dite **mère Angélique** (Paris 1591 - *id.* 1661), abbesse et réformatrice de Port-Royal-des-Champs, où le directeur, abbé de Saint-Cyran, introduit le jansénisme; JEANNE CATHERINE AGNÈS **Arnauld**, dite **mère Agnès** (1593-1671), elle aussi abbesse de Port-Royal, qui subit la persécution pour avoir refusé de signer le *Formulaire* (1661); ANTOINE **Arnauld**, dit **le Grand Arnauld** (Paris 1612 - Bruxelles 1694), véritable théologien du jansénisme, adversaire impétueux des Jésuites, auteur, notamment, d'un traité *De la fréquente communion* (1643), où il vulgarise l'*Augustinus**.

ARNAY-LE-DUC (21230), ch.-l. de cant. de la Côte-d'Or, sur l'Arroux, à 28 km au N.-E. d'Autun; 2 473 hab. Vieux monuments.

ARNDT (Ernst Moritz), écrivain allemand (Schoritz, île de Rügen, 1769 - Bonn 1860). Il participa au soulèvement national de 1813 contre Napoléon *(Chants de guerre)* et fit partie, en 1848, des membres de l'Assemblée de Francfort qui offrirent au roi de Prusse la couronne impériale. Son ouvrage l'*Esprit du temps* (1806-1818) inspira les doctrines de la *Jeune-Allemagne*.

ARNHEM, v. des Pays-Bas, capit. de la Gueldre, sur le Rhin, près de la frontière allemande; 130 000 hab. Musée de plein air. Textile.

Arnhem *(bataille d')* [1944], offensive aéroportée déclenchée par Montgomery en septembre 1944 pour ouvrir aux Alliés l'accès de l'Allemagne du Nord (elle se termina par un échec, dû à la violente réaction des blindés allemands).

ARNIM (Ludwig Joachim, dit **Achim von**), écrivain allemand (Berlin 1781 - Wiepersdorf 1831). Il recueillit avec Brentano* les chansons populaires allemandes (*le Cor merveilleux*, 1806-1808). — Sa femme, ÉLISABETH, dite **Bettina** (Francfort-sur-le-Main 1785 - Berlin 1859), fut la correspondante de Goethe et de Beethoven, et l'un des premiers écrivains à décrire le prolétariat industriel.

ARNO, fl. d'Italie, en Toscane. Né dans l'Apennin, il passe à Arezzo, Florence (ravagée par une crue en 1966) et Pise, avant de rejoindre la Méditerranée; 241 km.

ARNOBE l'Ancien, écrivain latin d'Afrique (seconde moitié du IIIe s. apr. J.-C.). Rhéteur converti au christianisme, il fut, dans ses disputes théologiques avec les païens, le premier à utiliser l'« argument du pari », que développera Pascal.

Antoine Arnauld (1612-1694). Gravure de Gérard Edelinck, d'après Jean-Baptiste de Champaigne (neveu de Philippe). [Bibliothèque nationale, Paris.]

ARNOLD de Winkelried → SEMPACH *(bataille de).*

ARNOLD (Matthew), poète et critique anglais (Laleham 1822-Liverpool 1888), influencé par l'hellénisme et la pensée de Renan, défenseur d'un moralisme panthéiste face au matérialisme de l'époque victorienne.

ARNOLFO DI CAMBIO, sculpteur et architecte italien (près de Florence v. 1245-Florence 1302). Collaborateur de Nicola* Pisano, averti du gothique français comme de l'art antique, il renouvela le genre funéraire (ex. : le tombeau du cardinal de Braye à Orvieto, 1282). Actif à Rome, il revint en 1296 à Florence, où il donna l'impulsion à un renouveau architectural.

ARNOULD (Sophie), cantatrice française (Paris 1744-*id.* 1802). Protégée par Mme de Pompadour, elle fut l'interprète privilégiée de Rameau et de Gluck.

ARNOUVILLE-LÈS-GONESSE (95400), comm. du Val-d'Oise, à 11 km au N.-N.-E. de Paris; 11 195 hab.

AROMATIQUES (hydrocarbures). — Les hydrocarbures aromatiques, dont la molécule est caractérisée par un ou plusieurs noyaux benzéniques, constituent tantôt des éléments indésirables à extraire du pétrole* lampant, de certains solvants et des lubrifiants*, tantôt des corps très intéressants pour enrichir les carburants* en indice d'octane* ou comme matières premières pétrochimiques. Naguère obtenus comme sous-produits de l'industrie du gaz* de houille, ou de coke sidérurgique, les aromatiques sont aujourd'hui à 90 p. 100 d'origine pétrolière : peu abondants dans la plupart des bruts, ils se forment par cyclisation au cours des procédés de reformage* catalytique et de vapocraquage*, lorsqu'une molécule* à chaîne droite, naphténique par exemple, se soude sur elle-même en forme de boucle. Les essences* reformées ou vapocraquées contiennent environ 40 p. 100 d'aromatiques, qui en sont extraits assez facilement à l'aide d'un solvant sélectif, puis fractionnés par distillation* pour séparer, avec une grande pureté, le *benzène* (matière première du Nylon et du polystyrène*), le *toluène* (matière première d'explosifs*) et les *xylènes* (matières premières des peintures* glycérophtaliques et des fibres Tergal). La capacité de production mondiale d'aromatiques est de l'ordre de 10 Mt.

ARON (Raymond), sociologue, philosophe et journaliste français (Paris 1905). Le séjour du jeune agrégé de philosophie dans l'Allemagne de Weimar marque une première étape dans la démarche intellectuelle du futur sociologue (*la Sociologie allemande contemporaine,* 1936; *Essai sur la théorie de l'histoire dans l'Allemagne contemporaine,* 1938). L'*Introduction à la philosophie de l'Histoire* (1938) met en lumière les liens entre le savoir historique et l'existence dans l'histoire. Dans *l'Opium des intellectuels* (1955), Aron démonte le mécanisme de la protestation des intellectuels : après un détour par l'observation des réalités de l'époque, il tente d'expliquer l'attrait du marxisme dans une France dont l'évolution économique lui semble démentir les prédictions. Sociologue, il entreprend ensuite une étude comparée des régimes de type soviétique et de type occidental, sous un triple aspect : économique (*Dix-Huit* Leçons sur la société industrielle,* 1963); social (*la Lutte des classes,* 1964); politique (*Démocratie et totalitarisme,* 1965). Avec *les Étapes de la pensée sociologique* (1967), il définit le mode de pensée sociologique et affirme sa continuité, de Montesquieu à Max Weber, en passant par Marx et Tocqueville. Il considère les relations internationales en philosophe et en sociologue attentif aux réalités, avec *Paix et guerre entre les nations* (1962) et *Penser la guerre, Clausewitz* (1976).

AROSA, comm. de Suisse (Grisons), à proximité de Coire; 2 717 hab. Station de sports d'hiver (alt. 1 750-2 639 m).

ARP (Hans ou Jean), peintre, sculpteur et poète français (Strasbourg 1887-Bâle 1966). Cofondateur de dada à Zurich (1916) et à Cologne (1919), il épouse en 1921 le peintre abstrait suisse Sophie Taeuber (1889-1943), s'installe en 1926 à Meudon et conjugue désormais surréalisme et abstraction. Les formes embryonnaires de ses reliefs peints (depuis 1916) et de ses sculptures (depuis 1930) sont d'une invention aussi pure que savoureuse.

ARPACHIYAH, site d'Iraq, à l'E. de Ninive*, dont les fouilles conduites à partir de 1933 par Mallowan ont permis une étude complète de la culture de Tell Halaf. Celle-ci, avant d'être supplantée par la culture d'Obeïd*, en est la contemporaine en Mésopotamie* du Nord à la fin du Ve millénaire.

ÁRPÁD, conquérant hongrois († 907), chef du peuple magyar. Partis de la région du Don v. 825, les Magyars atteignent la Moldavie v. 860 et s'établissent définitivement v. 896 dans la région du moyen Danube. Árpád, fondateur de la dynastie nationale des Árpáds ou *Árpádiens,* gouverne avec le titre de duc. Ses descendants régneront en Hongrie jusqu'en 1301. Parmi eux, Étienne Ier prendra le titre de roi en l'an 1000.

ARPAJON (91290), ch.-l. de cant. de l'Essonne, sur l'Orge, à 19 km au N.-E. d'Étampes; 8 127 hab. *(Arpajonnais).* Église des XIIIe et XVe s. Industrie chimique. Cultures maraîchères. Foire aux haricots.

ARPÈGE → ORNEMENTATION MUSICALE.

ARPENTAGE. — L'arpentage est la partie de la topographie* qui concerne la délimitation des propriétés ainsi que la mesure des surfaces* des parcelles. Les instruments le plus couramment utilisés sont : le *jalon* d'arpenteur, pour les alignements; l'*équerre optique,* pour les tracés de perpendiculaires; le *ruban* d'acier de 10, 20 ou 30 m, pour les mesures de longueurs. Celles-ci doivent être rapportées à un plan horizontal; si la longueur est mesurée selon la pente, on la réduit à l'horizon au moyen d'un calcul trigonométrique; on peut éviter toute correction en mesurant par ressauts horizontaux. Le procédé des perpendiculaires consiste à diviser une parcelle complexe en triangles ou en trapèzes rectangles s'appuyant sur une diagonale. Les longueurs des côtés des triangles

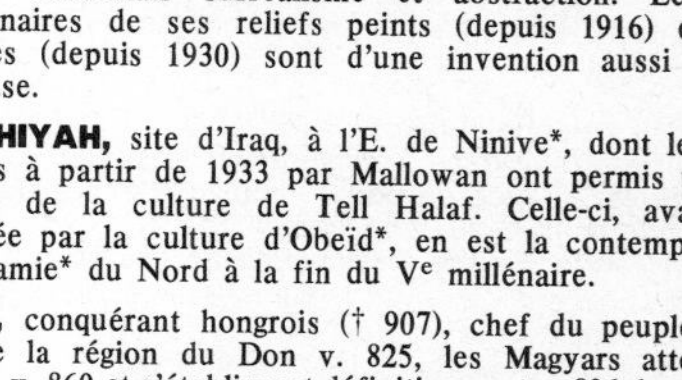

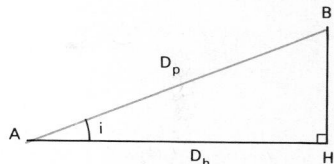

Réduction d'une longueur à l'horizon : $D_h = D_p \cdot \cos i$.
D_p = distance chaînée selon la pente;
D_h = distance réduite à l'horizon.

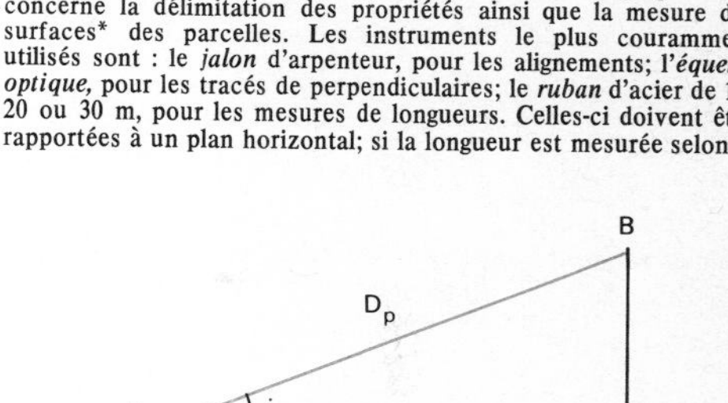

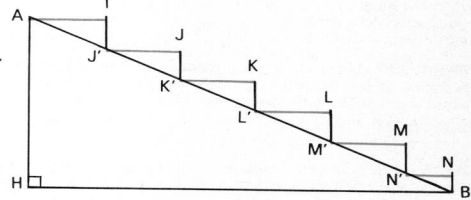

Distance mesurée par ressauts horizontaux : Les quantités AI, J'J, K'K, L'L, etc. sont des portées de ruban tendu horizontalement.

et des trapèzes permettent le report à une échelle* généralement comprise entre 1/500 et 1/2 500, ainsi que le calcul des surfaces. On peut aussi décomposer une parcelle en triangles quelconques.

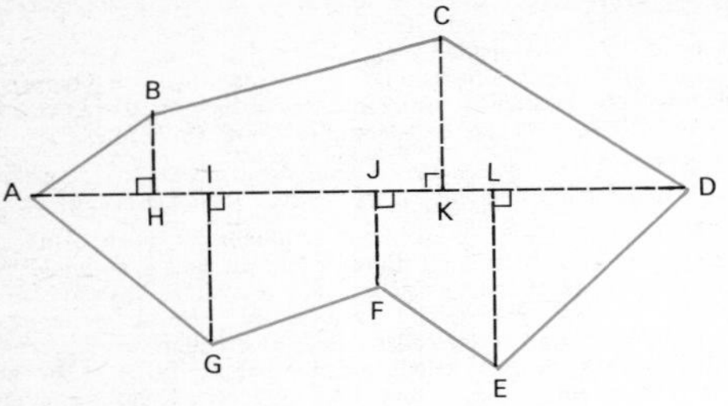

Procédé des perpendiculaires :
On décompose la surface à mesurer en triangles et en trapèzes, à l'aide de perpendiculaires abaissées des sommets BCEFG sur une base AD.
Puis on évalue la surface de chacune de ces figures.

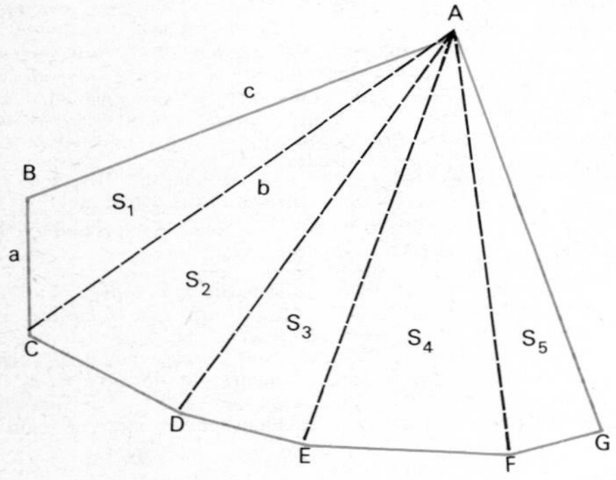

Décomposition d'une parcelle en triangles :

$S = S_1 + S_2 + S_3 + S_4 + S_5$

$S_1 = \sqrt{p(p-a)(p-b)(p-c)}$

$2p = a + b + c.$

ARPINO (Gennaro ARPINO, dit **Gerald**), chorégraphe américain (West New Brighton 1929), remarquable par l'éclectisme de ses créations (*Incubus,* 1962; *The Clowns,* 1968; *Chabriesque,* 1972).

ARQUES, fl. côtier de Normandie, qui forme le port de Dieppe; 6 km.

ARQUES (62510), comm. du Pas-de-Calais, à 4 km à l'E. de Saint-Omer, sur l'Aa; 10 046 hab. *(Arquais).* Verrerie. Cimenterie.

ARQUES-LA-BATAILLE (76880), comm. de la Seine-Maritime, à 6 km au S.-E. de Dieppe, sur l'*Arques;* 2 676 hab. Ruines d'un château des ducs de Normandie. Église (XVIe-XVIIe s.).

ARRABAL (Fernando), écrivain et cinéaste espagnol d'expression espagnole et française (Melilla 1932). Son théâtre « panique » met en scène des personnages dérisoires, dont le comportement quotidien ou politique obéit à un cérémonial sado-masochiste (*Fando et Lis,* 1964; *le Cimetière des voitures,* 1966; *l'Architecte et l'empereur d'Assyrie,* 1967; *Sur le fil,* 1974). Au cinéma, on lui doit notamment *Viva la muerte* (1971) et *J'irai comme un cheval fou* (1973).

ARRACHART (Ludovic), aviateur français (Besançon 1897 - Étampes 1933), un des pionniers des raids aériens intercontinentaux (Paris-Bassora, 1926; Paris-Madagascar, 1931).

ARRACOURT (54370 Einville), ch.-l. de cant. de Meurthe-et-Moselle, à 19 km au N. de Lunéville; 259 hab.

ARRAS (62000), ch.-l. du départ. du Pas-de-Calais, à 175 km au N. de Paris, au confluent de la Scarpe et du Crinchon; 50 386 hab. *(Arrageois).*

GÉOGRAPHIE. La ville occupe une situation de carrefour entre le Nord et le Bassin parisien, à l'extrémité orientale de l'Artois. Située au S. du bassin houiller, elle est un centre administratif, commercial, touristique et industriel (métallurgie, confection, industries alimentaires).

HISTOIRE. La capitale des *Atrébates,* active à l'époque gallo-romaine, détruite par les Barbares, est relevée de ses ruines au VIe s. par saint Vaast, son premier évêque. La fondation, au VIIIe s., de l'abbaye de Saint-Vaast détermine l'essor de la ville, qui, capitale du comté d'Artois* et commune à charte (XIIe s.), devient une métropole de la draperie, de la tapisserie et de la banque; les guerres du XVe s. marquent son déclin. Arras, définitivement française en 1659, sera choisie (contre Saint-Omer) comme chef-lieu du département du Pas-de-Calais (1790). La place jouera un rôle stratégique primordial durant la Première Guerre mondiale.

BEAUX-ARTS. Grand-Place et Petite-Place restaurées ou reconstruites après 1918 (maisons de style Renaissance flamande du XVIIe s.; beffroi des XVe et XVIe s.; hôtel de ville). Abbaye Saint-Vaast rebâtie au XVIIIe s. (palais, auj. musée municipal, 1746-1783; abbatiale, auj. cathédrale, 1755-1833, par Contant d'Ivry). Centre majeur de la tapisserie aux XIVe et XVe s.

ARREAU (65240), ch.-l. de cant. des Hautes-Pyrénées, à 38 km au S.-E. de Bagnères-de-Bigorre, sur la Neste d'Aure; 913 hab.

ARRÉE *(monts* ou *montagne d'),* hauteurs de Bretagne (Finistère), portant le point culminant de la Bretagne (384 m près du signal de Toussaines). Centrale nucléaire à Brennilis.

ARRÊT-BARRAGE → POUSSIÈRES.

ARRÊTÉ → RÉGLEMENTAIRE *(pouvoir).*

ARRHENIUS (Svante), physicien suédois (Wijk, près d'Uppsala, 1859 - Stockholm 1927). Il est l'auteur de la *théorie des ions* (1887), qui permet d'interpréter les lois de l'électrolyse et explique les propriétés chimiques des solutions d'électrolytes. Il émit l'hypothèse de la *panspermie,* selon laquelle la vie pourrait se transmettre d'un astre à un autre par des germes très petits. (Prix Nobel de chimie, 1903.)

ARRIEN, historien et philosophe grec (v. 105 - v. 180). Disciple d'Épictète, il rapporte les leçons de celui-ci dans les *Entretiens* et le

Arras. La Petite-Place et l'église Saint-Jean-Baptiste, vues depuis le beffroi.

Jipe-C.E.D.R.I.

Manuel. Admirateur d'Hérodote et de Xénophon, il compose un *Traité de tactique,* un *Traité sur la chasse* et plusieurs ouvrages historiques, dont *l'Anabase* ou *Expédition d'Alexandre* et *l'Inde.*

ARRIÉRATION MENTALE. — C'est une notion peu précise, liée aux critères que l'on utilise pour la définir, et qui sont dépendants du degré de développement technologique de la société considérée. En France, toute personne ayant, au test de Binet et Simon, un Q. I.* (quotient intellectuel) inférieur à 80 peut être considérée comme arriérée, or le Q. I. et les tests qui servent à le mesurer sont actuellement fortement controversés. Entre 80 et 65 de Q. I. on situe la débilité légère, entre 65 et 50 la débilité moyenne, entre 50 et 30 la débilité profonde, au-dessous de 30 on parle d'arriération profonde.

L'arriération pose des problèmes complexes, car la capacité d'utiliser un certain potentiel intellectuel dépend de multiples facteurs : environnement affectif et pédagogique, troubles organiques associés (surdité, cécité, épilepsie, handicaps moteurs). Dans 20 à 40 p. 100 des cas, on ne peut attribuer l'arriération à une cause organique (maladies génétiques, accident périnatal), on est alors obligé de faire intervenir des facteurs d'ordre affectif et/ou social. R. Spitz* a montré le préjudice causé au développement tant physique que psychique par les carences affectives précoces. Parfois, bien que l'enfant ne souffre pas de carence affective massive, le milieu, très défavorisé du point de vue économique et culturel, ne lui offre pas le minimum de stimulations nécessaires à son développement intellectuel. On peut parler alors de pseudodébilité.

Mais ce n'est qu'assez récemment, depuis les travaux de Maud Mannoni* (1964), que l'arriération a été introduite dans le champ de l'investigation psychanalytique. Cependant, S. Freud* et Melanie Klein* avaient déjà montré que l'intelligence n'était pas une fonction autonome et qu'elle subissait les avatars du développement pulsionnel.

ARROMANCHES-LES-BAINS (14117), comm. du Calvados, à 10 km au N.-E. de Bayeux, sur la Manche; 355 hab. Lieu de débarquement de la 50e division britannique, le 6 juin 1944, célèbre par le port artificiel qu'y construisirent aussitôt les Alliés (transit quotidien de 9 000 t à partir du 1er juillet 1944). [V. NORMANDIE *(bataille de).*]

ARROUX, riv. de l'extrémité nord-est du Massif central, qui passe à Autun, affl. de la Loire (r. dr.); 120 km.

ARROW (Kenneth J.), économiste américain (New York 1921). Il a notamment généralisé la fonction de Cobb-Douglas*, calculé l'élasticité de substitution* entre le travail et le capital pour 24 industries, et enrichi l'étude de la maximation de la fonction sociale de bien-être. (Prix Nobel de sciences économiques, 1972.)

ARS *(curé d')* → JEAN-BAPTISTE MARIE VIANNEY.

ARSACE, fondateur de la dynastie des Arsacides*. Chef de nomades scythes, il profite de la faiblesse des Séleucides pour s'installer en Parthie (v. 250 av. J.-C.). Il meurt v. 248 dans un combat.

ARSACIDES, dynastie parthe fondée par Arsace*. Elle compte trente-huit rois, qui ont régné sur la Perse de 250 av. J.-C. à 224 apr. J.-C., époque où elle est renversée par la dynastie des Sassanides* (v. IRAN et PARTHES). Une branche de la famille arsacide a régné en Arménie*.

Ars antiqua, dans l'histoire de la musique occidentale, période qui recouvre à peu près le XIIIe s. Elle correspond à des recherches dans le domaine de la notation et du rythme, et à une éclosion de la polyphonie religieuse (à Notre-Dame de Paris, notamment, avec Pérotin) et profane (Adam* le Bossu).

Arsenal *(bibliothèque de l'),* bibliothèque de Paris, installée dans la demeure du grand maître de l'Artillerie (du XVIe s. à la Révolution). Elle fut ouverte au public en 1797. Elle comporte plus d'un million de volumes, les archives de la Bastille, un fonds spécial de théâtre et la bibliothèque saint-simonienne, dite *fonds Enfantin.*

Arsène Lupin, type de gentleman cambrioleur créé par Maurice Leblanc*.

ARSENIC. — L'arsenic est l'élément chimique no 33, de masse atomique As = 74,91. Sous sa forme la plus commune, c'est un solide cristallisé gris, de densité 5,7, sublimable vers 450 °C, insoluble dans les solvants usuels. Son composé le plus important est l'anhydride arsénieux As_2O_3, dit « arsenic blanc », ou même « arsenic », poudre blanche inodore, peu soluble dans l'eau. C'est un poison très violent, dont l'antidote est le lait.

ARS-EN-RÉ (17590), ch.-l. de cant. de la Charente-Maritime, dans l'*île de Ré;* 1 020 hab. Église (XIIe et XVe s.).

ARSINE. — Les arsines ont des constitutions analogues à celles des amines, l'arsenic y remplaçant l'azote. Il existe des arsines primaires, secondaires et tertiaires, et des sels d'arsonium quaternaire. Ces composés sont extrêmement toxiques.

ARSLĀN TASH → HADATOU.

Ars nova, période musicale faisant suite à l'Ars* antiqua, et qui correspond à l'« art nouveau » du XIVe s.; elle s'étend jusqu'à la mort de Dufay* (1474). Marquée par l'apparition des signes de mesure, la formation de la tonalité moderne, la composition du motet isorythmique et de la messe unitaire, elle compte parmi ses maîtres Philippe de Vitry et Guillaume* de Machaut.

ARSONVAL (Jacques Arsène D'), physicien français (La Borie, Haute-Vienne, 1851 - *id.* 1940). Il perfectionna le téléphone, le microphone, le galvanomètre à cadre mobile, inventa une pile impolarisable et la bouteille à double paroi vide pour conserver l'air liquide. En 1895, il utilisa l'action thérapeutique des courants de haute fréquence *(d'arsonvalisation).*

ARS-SUR-MOSELLE (57130), ch.-l. de cant. de la Moselle, à 11 km au S.-O. de Metz; 5 486 hab. Métallurgie.

ART. — Le sens du mot — et la classification des activités qui s'y rattachent — a beaucoup varié depuis le début du Moyen Âge européen. Celui-ci avait hérité de l'Antiquité la notion d'*arts libéraux,* activités intellectuelles — telles que rhétorique, dialectique, arithmétique, musique, astronomie... — opposées à celles où interviennent la main et le matériau. Mais, tout en considérant les *métiers* comme inférieurs, on dut reconnaître qu'il y avait un *art* (ensemble de moyens adéquats) pour les exercer au mieux. Par ailleurs, certains de ces métiers, où la spéculation intellectuelle avait sa part, formèrent au XVIIIe s. le groupe des *beaux-arts :* architecture, sculpture, peinture, gravure, auxquels on joint musique et chorégraphie; leurs praticiens, selon un processus entamé dès la Renaissance et amplifié par l'académisme*, passèrent du statut d'ouvriers ou d'artisans, attelés à des tâches souvent collectives, à celui d'*artistes,* moins dépendants. On exigera encore longtemps de ces derniers qu'ils aient *du métier,* mais les *métiers d'art* seront désormais ceux des *arts décoratifs*,* ou *appliqués,* auxquels architectes, peintres, sculpteurs peuvent toutefois collaborer.

Finalement, et face à une civilisation industrielle qui entend assurer à elle seule la production des biens matériels, selon de nouvelles normes collectives jugées oppressantes par certains, ce qui était jusque-là l'exception (le privilège intellectuel dont jouissait un Léonard de Vinci) est devenu habituel en Occident au XIXe et, plus encore, au XXe s. : le « grand » peintre ou sculpteur (leurs deux disciplines forment les *arts plastiques*), comme le poète, se voit largement reconnaître — à moins que sa solitude ne fasse de lui un artiste « maudit » — la mission d'exprimer, en dehors de toute finalité utilitaire à court terme et, presque, de toute contrainte socioculturelle, certaines dimensions privilégiées de l'existence. Tâche d'ailleurs trop lourde pour d'innombrables artistes pleins de talent, mais simplement attachés à la production d'« images d'agrément » (et d'évasion) conformes au goût moyen d'une majorité de consommateurs, qui, eux-mêmes, n'ont pas le loisir, les occasions, la préparation ou l'orientation d'esprit nécessaires pour tirer un éventuel profit d'une plus ambitieuse « aventure » artistique.

Cette façon nouvelle de voir la mission de l'art (et non plus *des* arts) résulte de l'exigence de *liberté* de plus en plus mise en avant, face aux aliénations socio-économico-culturelles, par des artistes qui se veulent « créateurs » ou « chercheurs ». À la poursuite de la *beauté* et de ses « règles », les avant-gardes ont en effet préféré, dans leurs balancements successifs, celle d'une *expression* aussi authentique que possible des pulsions de l'être en tant que résonateur de toutes choses (du romantisme* à l'expressionnisme* et au surréalisme*), ou d'une *spéculation* sur toutes choses et, notamment, sur la nature même de l'art (de l'abstraction* en tant que plastique pure aux récentes tendances conceptuelles* ou néo-abstraites, en passant par l'« anti-art » de dada*).

Or la nature de l'art s'avère indéfinissable : activité humaine que l'on ressent bien comme spécifique, mais dont les contours se dérobent, comme se dérobent les frontières entre disciplines naguère codifiées (peinture, sculpture), voire la frontière même entre art, écriture, sciences humaines, etc. Son domaine est fait de contradictions. Ainsi l'art « engagé », qui utilise les moyens du réalisme* ou du symbolisme* pour une démonstration extérieure à lui-même, nous satisfait rarement, écartelé qu'il est entre une « forme » et un « fond » (cette dichotomie que refuse, elle aussi, la plus haute poésie); à l'opposé, l'art « expérimental », alors même qu'il se voudrait au service de tous, demeure hermétique et se voit (comme le précédent) « récupéré » par le snobisme et par l'argent, n'ayant souvent plus de la liberté qu'une apparence. Ici et là, les réussites semblent des exceptions, dont chacune ne touche d'ailleurs qu'une partie des secateurs de l'art, et qu'on ne saurait garantir pour l'éternité. Surtout, ces réussites n'existent que *par* et *dans* le processus de la création; l'archétype ou le champ de sensibilité nouveau que découvre un artiste perd le plus souvent sa vertu à être copié (et par son auteur même) : il ne peut qu'être pris en compte pour d'autres dépassements.

Vu sous cet angle extrême de prophétie délirante ou raisonneuse, l'art est une activité absolument subversive, exorbitante des normes serviles de la réalité vécue, mais dont la finalité pourrait être de participer à une hypothétique libération de la vie (seul idéal humain vraiment sérieux) jusqu'à pouvoir se fondre en elle.

ÁRTA *(golfe d')*, profonde échancrure du littoral grec de la mer Ionienne. — À proximité est située la ville d'*Árta* (21 000 hab.).

ARTABAN Ier, V → PARTHES.

Artaban, héros d'un roman de La Calprenède, *Cléopâtre* (1647-1658), dont la fierté est passée en proverbe.

ARTAUD (Antonin), écrivain français (Marseille 1896-Ivry-sur-Seine 1948). Il proclama obstinément son refus de « faire de l'art », son choix de la vie contre la culture, mais il le fit dans une œuvre littéraire et dramatique, dans laquelle on peut discerner trois caractéristiques fondamentales : 1. la *discontinuité* — il passera d'une poésie d'inspiration symboliste (*Tric-Trac du ciel,* 1923) à l'aventure surréaliste (*l'Ombilic des limbes; le Pèse-Nerfs,* 1925) et à l'expérience conjointe de la nécessité du cri et de l'impuissance du langage (*Pour en finir avec le jugement de Dieu,* 1948); 2. *l'importance de l'« action théâtrale »* — comédien (au théâtre pour Dullin, Jouvet et Pitoëff, au cinéma pour Abel Gance, Carl Dreyer, Pabst et Fritz Lang), il écrit des scénarios, fonde le théâtre Alfred-Jarry (1926), et illustre (*les Cenci,* 1935) une esthétique dramatique qu'il ne cessera de préciser et qui influencera profondément le théâtre moderne (*le Théâtre* et son double,* 1938); 3. *un besoin de*

Antonin Artaud dans *la Passion de Jeanne d'Arc* de Carl Dreyer.

X.

compréhension, qui s'exprime à la fois dans ses essais critiques et dans une immense correspondance (*Correspondance avec Jacques Rivière,* 1927; *Lettres de Rodez,* 1946; *Lettres à Génica Athanasiou,* 1969). Cette communication avec autrui, sans cesse reprise et sans cesse rompue, conduit Artaud à rechercher l'audience dans un « ailleurs » — au Mexique *(Voyage au pays des Tarahumaras),* en Irlande —, en qui, après l'échec final et l'irruption de la folie, il verra précisément le lieu de ses persécuteurs imaginaires (le Tibet). Artaud s'est placé lui-même dans la lignée d'Hölderlin, de Nietzsche et de Van Gogh (*Van Gogh, le suicidé de la société,* 1947), de ceux qui ont osé aller jusqu'au terme de la pensée et qui se tiennent dans la « marge » de toute culture, lieu privilégié de la réflexion et de la création contemporaines.

ARTAXERXÈS Ier Longue-Main, roi perse achéménide* (de 465 à 424 av. J.-C.). Il signe avec les Athéniens le compromis de Callias (449), qui marque la fin des guerres médiques*. C'est l'Artaxerxès de la Bible, sous le règne duquel se situe l'œuvre d'Esdras* et de Néhémie*, restaurateurs de Jérusalem et de la communauté juive après l'Exil. Le règne d'Artaxerxès Ier, monarque faible et influençable, marque le début de la décadence de l'Empire achéménide.

ARTAXERXÈS II, roi perse achéménide (de 404 à 358 av. J.-C.). Dès son avènement il perd l'Égypte et doit faire face à la révolte de son frère, Cyrus le Jeune, qui est tué à Counaxa* en 401. Xénophon, dans *l'Anabase,* décrit l'odyssée des mercenaires grecs à la solde de Cyrus (v. DIX* MILLE [*retraite des*]). En 396 (paix d'Antalkidas), il rétablit sur les îles Ioniennes son hégémonie menacée par Sparte.

ARTAXERXÈS III → ACHÉMÉNIDES.

Art d'aimer *(l')*, poème d'Ovide (début du Ier s. apr. J.-C.). Sous l'aspect d'un ouvrage didactique, une peinture pittoresque de la vie quotidienne romaine.

Art de la fugue *(l')*, recueil didactique écrit par J.-S. Bach à la fin de sa vie (1749-50) et comportant quatorze contrepoints et quatre canons sur un même thème et son renversement.

Art d'être grand-père *(l')*, recueil de poésies inspirées à Victor Hugo par ses petits-enfants (1877).

ARTÉMIS, divinité grecque de la nature sauvage, la Diane* des Romains. Son principal sanctuaire, situé à Éphèse, était considéré comme la septième merveille du monde.

ARTÉMISION *(cap)*, promontoire au N. de l'Eubée. Au printemps 480 av. J.-C., y eut lieu un combat indécis entre les flottes grecque et perse.

ARTENAY (45410), ch.-l. de cant. du Loiret, à 20 km au N. d'Orléans, dans la Beauce; 1 632 hab. Industrie alimentaire.

ARTÈRE. — Le sang est oxygéné et rouge vif dans les artères de la grande circulation (aorte et ses branches). Il est chargé de gaz carbonique et rouge foncé dans l'artère pulmonaire. On sent aisément battre les artères lorsqu'elles sont sous la peau (gouttière du pouls). Ce choc témoigne de l'impulsion donnée par le cœur. Chaque ondée sanguine systolique pousse la précédente par le jeu de l'élasticité vasculaire. La perte de cette élasticité *(athérome)* oblige le cœur à un effort plus grand et peut provoquer une insuffisance cardiaque.

ARTÉRIOGRAPHIE → ANGIOGRAPHIE.

ARTÉRIOSCLÉROSE. — L'induration des parois artérielles est le plus souvent due à une sclérose diffuse associée à des dépôts lipidiques de cholestérol (athérome). D'autres affections, telles que les collagénoses et surtout la périartérite noueuse, peuvent en être responsables. Plus rarement, l'artériosclérose peut succéder à un syndrome infectieux (rickettsiose, syphilis). Les manifestations de la maladie sont liées au défaut d'irrigation (ischémie) des tissus intéressés : membres inférieurs, rein, cerveau, myocarde. Le traitement est essentiellement préventif : il faut assurer une hygiène de vie correcte, supprimer le tabac, réduire les apports alimentaires glucidiques et lipidiques. Les traitements anticoagulant ou chirurgical permettent de limiter certaines complications de l'artériosclérose.

ARTÉSIEN (puits). — Puits à source jaillissante (suivant le principe des vases communicants), le *puits artésien* est creusé dans le niveau inférieur d'une nappe aquifère emprisonnée entre deux couches imperméables.

ARTHEZ-DE-BÉARN (64370), ch.-l. de cant. des Pyrénées-Atlantiques, à 20 km au N.-O. de Pau; 1 534 hab.

ARTHRITE. — • Les *arthrites rhumatismales.* Le *rhumatisme* articulaire aigu* (R. A. A.) est provoqué par la toxine streptococcique. Son grand risque est la localisation cardiaque. Le *rhumatisme subaigu* curable, dont le tableau clinique articulaire est voisin de celui du R. A. A., n'expose pas à des localisations extra-articulaires. La *polyarthrite chronique évolutive* est une affection inflammatoire touchant surtout la femme; elle peut frapper toutes les articulations, mais surtout celles des mains, des pieds et les genoux. Les arthrites y évoluent vers des déformations et l'ankylose. Il existe un syndrome biologique (vitesse de sédimentation augmentée, présence du facteur rhumatoïde). Le traitement fait appel aux anti-inflammatoires (indométhacine, corticoïdes). La *spondylarthrite ankylosante* frappe surtout l'homme jeune. Elle siège essentiellement sur les articulations sacro-iliaques et intervertébrales. Elle se manifeste par des douleurs et une raideur évoluant vers l'ankylose. Le traitement associe antalgiques, anti-inflammatoires et rééducation. Le *rhumatisme psoriasique* associe un psoriasis et une atteinte articulaire voisine des deux maladies précédentes.

• Les *arthrites infectieuses.* Elles sont provoquées par une infection microbienne. Dans les *arthrites aiguës* à germes banals (staphylocoques), l'infection de l'articulation peut se faire par inoculation directe (plaie), par propagation d'une ostéite, par voie sanguine au cours d'une septicémie. Ce type de maladie se manifeste par des signes inflammatoires aigus : douleur, chaleur, rougeur, gonflement. La ponction permet de mettre en évidence le germe en cause. Les *arthrites gonococciques* peuvent être aiguës ou chroniques; elles sont souvent polyarticulaires. Les *arthrites des brucelloses,* aiguës pendant la période fébrile, sont plus souvent chroniques une fois passée cette période. Les *arthrites tuberculeuses* sont rares actuellement : elles atteignent la colonne vertébrale (mal de Pott*), la hanche (coxalgie), le genou. Les thérapeutiques antituberculeuses permettent d'éviter l'évolution vers l'ankylose.

ARTHRITISME → RHUMATISME.

ARTHROPODES. — À lui seul, l'embranchement des arthropodes représente au moins les trois quarts du règne animal tout entier, quant au nombre des espèces différentes que l'on y classe. Et, pourtant, deux arthropodes se ressemblent au moins autant que

ARTÈRE

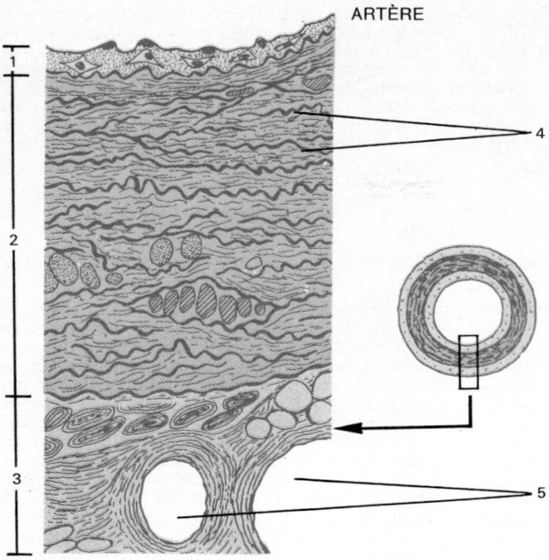

1. Intima; 2. Média; 3. Adventice; 4. Fibres élastiques; 5. Vaisseaux nourriciers (vasa vasorum).

ARTICULATION

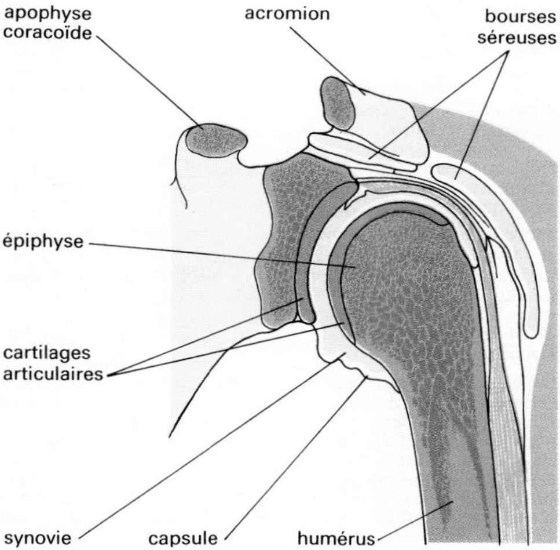

deux vertébrés ou deux mollusques. Il s'agit de petits animaux (de 1 à 1 000 mm de longueur en général) au corps mou intérieurement, mais entouré extérieurement d'un tégument de *chitine* divisé en une suite d'*anneaux* articulés. Certains de ces anneaux portent, en position ventro-latérale, une paire d'*appendices articulés* (c'est-à-dire pliants). La tête, résultant de la fusion de plusieurs anneaux, porte plusieurs paires d'appendices (toujours des *pièces buccales* et souvent des *antennes*). Des organes tels que les *yeux composés* et les *trachées respiratoires* n'existent que chez les arthropodes, bien que ceux-ci n'en aient pas tous. L'anatomie interne confirme l'unité de cet immense groupe : système nerveux ventral, circulation en partie lacunaire avec vaisseau moteur dorsal, où le sang circule d'arrière en avant.

D'après le mode de respiration (branchies, trachées ou poumons), le nombre et la nature des appendices, on distingue trois classes riches en espèces : insectes*, arachnides*, crustacés*, une classe peu nombreuse (myriapodes*) et cinq classes très pauvres en espèces : mérostomes (limule*), pycnogonides, péripates, tardigrades, linguatules.

ARTHROSE. — L'arthrose, conséquence du vieillissement articulaire, est caractérisée par une destruction des cartilages articulaires, une prolifération du tissu osseux sous-jacent et, souvent, une atteinte inflammatoire de la synoviale. Elle siège surtout aux articulations intervertébrales, aux hanches *(coxarthrose),* aux genoux, etc. Certains facteurs sont favorisants : microtraumatismes répétés, traumatismes, obésité, troubles de la statique, malformations congénitales. Le symptôme essentiel de l'arthrose est la douleur, calmée par le repos, augmentée par les mouvements, entraînant une impotence plus ou moins complète de l'articulation malade. Les radiographies montrent un pincement de l'interligne articulaire et la présence d'ostéophytes (becs-de-perroquet). Le traitement médical utilise les antalgiques et les anti-inflammatoires pour lutter contre la douleur et les phénomènes inflammatoires. La thyrocalcitonine a été proposée pour arrêter le processus évolutif. Le traitement chirurgical est parfois nécessaire.

ARTHUR, roi légendaire de Galles (fin V^e^-début VIe s. apr. J.-C.), qui passe pour avoir animé la résistance des Celtes à la conquête anglo-saxonne. Sa figure de héros national, qui apparaît dès le IXe s. *(Historia Britonum),* se précise avec Geoffroi de Monmouth (*Historia regum Britanniae,* 1135), dont l'œuvre, traduite en langue vulgaire par le poète anglo-normand Wace* (*le Roman de Brut,* 1155), fait connaître en France la « matière celtique » : celle-ci inspire tout un ensemble de poèmes et de récits en prose, appelé *cycle breton* ou *cycle de la Table ronde,* centrés autour de la quête du Graal* et illustrés particulièrement par les lais de Marie* de France et les romans de Chrétien* de Troyes.

ARTHUR (Chester Alan), homme d'État américain (près de Fairfield 1830-New York 1886). Républicain, il fut le 21e président des États-Unis (1881-1885).

ARTICULATION *(Méd.).* — Dans les *articulations immobiles (synarthroses),* l'union entre les os ou les articles se fait par du cartilage ou du tissu fibreux (os du crâne). Dans les *articulations semi-mobiles (amphiarthroses),* l'union est faite par un ligament interosseux et des ligaments périphériques (articulations intervertébrales). Les *articulations mobiles (diarthroses)* présentent des surfaces articulaires revêtues de cartilage, une capsule articulaire, des ligaments reliant les deux articles, une synoviale (membrane séreuse) qui tapisse intérieurement l'articulation. Les surfaces articulaires sont constamment lubrifiées par un liquide visqueux : la *synovie.*

Les traumatismes des articulations peuvent être responsables d'hydarthrose*, d'entorse* et de luxations*. Les lésions traumatiques, les arthrites* et l'arthrose* provoquent une limitation de la mobilité (ankylose).

ARTICULATION *(Phonét.).* — Le mouvement des différents organes entrant en jeu lors de la production des sons du langage constitue l'articulation. Ces sons peuvent être classés (phonétique articulatoire) en fonction de deux facteurs : d'une part le mode d'articulation, c'est-à-dire la façon dont l'air pulmonaire s'écoule le long du chenal vocal (occlusion plus ou moins complète, friction, etc.); d'autre part le point d'articulation, c'est-à-dire les organes dont le contact ou le rapprochement modifie le son laryngé (lèvres, dents, alvéoles, palais, langue [pointe, dos ou racine], luette, pharynx).

ARTIFICE. — C'est grâce à la substance explosive ou à la composition pyrotechnique qu'ils contiennent que les artifices produisent les effets pour lesquels ils sont conçus : effets lumineux, thermiques, sonores, fumigènes, etc. Outre les artifices de réjouissance (feux d'artifices), les artifices industriels les plus importants sont les *artifices d'amorçage**, c'est-à-dire les *amorces* qui servent à provoquer la déflagration* des poudres*, et les *détonateurs,* utilisés pour produire la détonation* des explosifs* secondaires. Pour la transmission à distance de la déflagration ou de la détonation, on se sert comme artifices de *cordeaux Bickford* et de *cordeaux détonants.* Ceux-ci, amorcés par un détonateur, peuvent transmettre la détonation simultanément à plusieurs charges explosives.

ARTIFICIELLES (langues). — Devant la diversité des langues naturelles, certains ont pensé qu'il convenait de créer des langues artificielles (dites aussi « langues auxiliaires internationales ») qui permettraient, une fois diffusées, l'intercompréhension entre les peuples sans heurter les susceptibilités nationales. On désigne sous le nom d'*interlinguistique* les recherches et les mouvements qui se proposent de créer et de promouvoir ce type de langue. Parmi les nombreuses tentatives faites en ce sens, les plus connues sont le *volapük* (1880), qui n'eut qu'une vogue éphémère, et l'*espéranto,* pratiqué aujourd'hui par une centaine de milliers de personnes. Créé en 1887 par le médecin polonais Lejzer Ludwik Zamenhof (1859-1917), l'espéranto emprunte ses racines à diverses langues européennes, surtout romanes, et forme les mots grâce à un système de dérivation régulier; sa grammaire est très simplifiée. Malgré une abondante littérature de traductions, sa diffusion reste cependant restreinte par rapport au but universaliste qu'il se propose.

Cordier - Diathèque C.C.I.

Art nouveau. Porte de Mackintosh
à l'intérieur des *Willow tea rooms* (Glasgow, 1903.)

ARTIGAS (José), général uruguayen (Montevideo 1764 - Asunción 1850). Ayant défait les Espagnols à San José (1811), il forme — malgré les Argentins — le premier gouvernement national uruguayen (1815). Battu par les Argentins alliés aux Brésiliens (1820), il se réfugie au Paraguay.

ARTILLERIE. — Née avec le canon, l'artillerie est d'abord un service civil confié, en 1527, à un *grand maître.* À la fin du XVIIe s., elle devient un corps militaire. Organisée au XVIIIe s. par Vallières puis par Gribeauval, qui distingue l'*artillerie de campagne* de l'*artillerie de siège,* elle joue un rôle important dans la tactique de Napoléon — qui l'emploie en masse. Servants et conducteurs sont réunis en *batterie* en 1829, et les progrès du canon* lui confèrent une puissance de feu qui, avec l'*artillerie lourde,* s'exercera à plein sur les fronts continus de 1914-1918. L'avion est employé pour régler les tirs, mais il suscite l'*artillerie antiaérienne.* Puissance, mobilité et précision sont encore accrues en 1940-1945, où apparaissent les projectiles autopropulsés et à charge creuse, les canons sans recul et les affûts automoteurs. Dans les années 50, l'artillerie est dotée de roquettes («Honest John»), puis de toute la gamme des missiles tactiques («Pluton» français 1974 — portée 130 km) qui peuvent être munis de charges nucléaires. On mentionnera enfin le développement de l'*artillerie navale,* qui connut un grand essor de 1850 à 1950, notamment sur les cuirassés, mais où, depuis 1960, les missiles ont pratiquement remplacé les canons de marine.

ARTIN (Emil), mathématicien allemand (Vienne 1898 - Hambourg 1962). On le considère comme l'un des fondateurs de l'algèbre* abstraite.

ARTISANAT. — L'artisan est défini comme la personne exerçant, pour son propre compte, un métier manuel pour lequel elle assume la direction de l'entreprise tout en prenant part personnellement à l'exécution du travail et en justifiant d'une qualification professionnelle; l'artisan peut employer (en dehors de sa famille proche et de ses apprentis) un nombre d'auxiliaires qui ne doit pas être supérieur à cinq sous réserve de dérogations. La loi du 26 juillet 1925 porte création des chambres de métiers, établissements publics institués par le gouvernement. La loi d'orientation du commerce et de l'artisanat du 27 décembre 1973 renforce le rôle des chambres de métiers. Celles-ci exercent des activités en matière de représentation, d'administration et de développement du secteur de l'artisanat, ainsi que de formation professionnelle.

ARTIX (64170), comm. des Pyrénées-Atlantiques, à 5 km au S.-E. de Lacq; 3 161 hab. Centrale thermique.

Art moderne *(musée national d')* → CENTRE NATIONAL D'ART ET DE CULTURE.

Art nouveau. — Style de pointe des arts décoratifs vers 1885-1905, il est étroitement lié aux recherches architecturales d'alors, comme à presque tout ce qui domine dans les arts plastiques, cubisme exclu, de Gauguin* à Kandinsky*, du symbolisme* au futurisme*. Préparé par l'Anglais W. Morris*, nostalgique d'un artisanat qui fut «un bonheur pour le créateur et pour l'usager», par les premiers tissus, meubles et typographies de son compatriote Arthur H. Mackmurdo (1851-1942), par l'influence de l'estampe japonaise aussi, le mouvement — dont le nom usuel est celui d'une boutique ouverte à Paris en 1895, mais qui s'appelle aussi *modern style* en France et en Belgique, *Secession-Stil* en Autriche, *Jugendstil* en Allemagne, *Stile floreale* ou *Liberty* en Italie — a assuré la décisive rupture avec l'académisme* et l'éclectisme* du XIXe s., c'est-à-dire avec le ressassement des styles du passé. Reconnaissable à son emploi, tant structurel que décoratif, de l'arabesque souvent empruntée à une flore plus ou moins stylisée, il surgit à Nancy avec Gallé*, à Paris avec, notamment, les immeubles et bouches de métro de Guimard*, à Bruxelles avec Horta* et son usage du fer, à Munich avec le sculpteur suisse Hermann Obrist (1863-1927), célèbre pour ses tissus brodés, et l'architecte August Endell (1871-1925), à Barcelone avec l'œuvre très personnelle de Gaudí*. Affiche, verrerie (Gallé; L. C. Tiffany* à New York), bijou (en France, René Lalique [1860-1945]), meuble — de façon plus laborieuse — reflètent l'exaltation plastique et symbolique du mouvement. Cependant, à Glasgow Mackintosh*, à Vienne O. Wagner* et J. Hoffmann*, en Allemagne H. Van de Velde* et Behrens* s'expriment bientôt avec plus de retenue, répudiant l'exubérance de la ligne jusqu'à participer, pour certains d'entre eux, à ce qui est le contraire de l'Art nouveau, la tendance puriste et technicienne annonciatrice, en architecture, du style international*. Après une brève symbiose, le divorce du XIXe s. entre arts plastiques, d'une part, architecture et arts appliqués, d'autre part, va s'installer de nouveau (les divers mouvements liés au constructivisme* faisant exception).

ARTOIS, région du nord de la France. Géographiquement, l'Artois est d'abord une bande de collines étirées du détroit du pas de Calais aux environs d'Arras, séparant la plaine flamande au N. et la Picardie au S. La modestie des altitudes (généralement comprises entre 100 et 200 m) explique l'importance de l'agriculture (blé, betterave à sucre), qui est favorisée par la fréquence des sols limoneux.

HISTOIRE. Le comté d'Artois est issu, au XIIe s., d'une région enlevée à la Flandre. Incorporé au domaine royal par Louis VIII en 1223, l'Artois fut donné, en 1237, par Saint Louis, en apanage à son frère Robert Ier et érigé en comté. Il revint, en 1382, à Louis de Mâle et, à la mort de celui-ci (1384), il fit partie des États bourguignons, puis devint possession des Habsbourg. Rattaché en fait à la France par le traité d'Arras (1482), cédé par Charles VIII à la maison d'Autriche (traité de Senlis, 1493), donné aux Habsbourg d'Espagne (1529), il fit retour à la France par le traité des Pyrénées (1659).

Artois *(batailles d'),* combats de la Première Guerre mondiale. Les régions d'Arras et de Lens connurent, en 1914, les durs combats de la Course à la mer; en 1915, les deux offensives alliées de mai et de septembre (Notre-Dame-de-Lorette, Souchez, Ablain-Saint-Nazaire); en avril 1917, l'offensive britannique de part et d'autre du front d'Arras, notamment sur la crête de Vimy.

ART POÉTIQUE. — Sous ce titre, l'histoire de la littérature range divers ouvrages, en vers ou en prose, qui définissent les caractères et les techniques de la création poétique. C'est ainsi que l'on désigne l'*Épître aux Pisons,* d'Horace (entre 20 et 8 av. J.-C.), qui, dans le cadre d'une esthétique générale, s'efforce de préciser les exigences de l'œuvre dramatique. Après lui, et à son exemple, on retient : l'*Art poétique français,* de Jean Vauquelin de La Fresnaye (1605), qui dresse un bilan de la Pléiade* et plaide la cause du merveilleux* chrétien; le poème didactique de Boileau, en quatre chants (*Art poétique,* 1674), qui définit l'art classique; l'*Art poétique,* de Verlaine, poème écrit en 1874 et publié dans *Jadis et Naguère* (1884), dans lequel l'auteur recommande l'utilisation du vers impair et la recherche de la musicalité. À l'époque moderne, la théorie de l'art d'un écrivain ou d'une école littéraire s'exprime plus volontiers sous forme d'essai* critique, de préface ou de manifeste*.

ART POUR L'ART *(l')*. — Cette expression, employée par Victor Cousin dans son *Cours de philosophie* (1828), développée par Théophile Gautier* dans la préface de *Mademoiselle de Maupin* (1835), résume une doctrine littéraire qui s'incarne particulièrement dans les poètes du Parnasse*. Elle se fonde sur un double refus : de l'Histoire, d'abord, et de la mission sociale du poète, qu'il soit le chantre du pouvoir ou l'annonciateur de temps nouveaux; de l'histoire personnelle de l'artiste, ensuite : le poète cherche non plus l'inspiration et le cri, mais, tourné vers l'extérieur, il voit dans la «possession impeccable de toutes ses facultés» (Mallarmé) le moyen d'exprimer des pensées à l'aide d'«images hardies et lentement ciselées» (revue *l'Art,* 1865). Entre la retombée du romantisme et l'éclatement de l'écriture (Lautréamont, Rimbaud), l'art pour l'art, qui se recommande de Baudelaire et de la «beauté pure», fait de la poésie un exercice qui n'a d'autre but que lui-même, et du poème un objet clos, un bibelot, produit d'une virtuosité : d'où le succès des poèmes à forme fixe (sonnet) et l'utilisation des grands mythes sous leurs aspects les plus stéréotypés (Leconte de Lisle).

Art romantique *(l'),* recueil posthume (1868) rassemblant les articles critiques de Baudelaire concernant la littérature, et qui fait pendant au recueil de critiques d'art, publié la même année, *les Curiosités esthétiques.*

Arts and Crafts Movement → MORRIS (William).

Arts et des Lettres *(ordre français des),* institué en 1957, il récompense les mérites littéraires et artistiques. Ruban vert rayé de quatre filets blancs.

Arts et Traditions populaires *(musée national des),* musée ouvert à Paris, au bois de Boulogne, en 1972. Comprenant un centre d'étude et des galeries qui tentent une muséographie vivante, il est consacré à l'ethnologie et aux arts populaires français, surtout dans leurs dernières phases d'avant l'ère industrielle.

ARUA, v. du nord-ouest de l'Ouganda, près de la frontière zaïroise; 11 000 hab. Aéroport.

ARUBA, île néerlandaise de la mer des Antilles, au large du Venezuela; 61 000 hab. Ch.-l. *Oranjestad* (16 000 hab.). Grande raffinerie de pétrole.

ARUDY (64260), ch.-l. de cant. des Pyrénées-Atlantiques, à 18 km au S.-E. d'Oloron-Sainte-Marie; 2 957 hab. Église du XVe s. Marbre. Métallurgie. Important gisement préhistorique.

ARUNACHAL PRADESH, anc. **Agence de la frontière du Nord-Est,** territoire du nord-est de l'Inde, limitrophe de la Chine; 83 578 km^2; 468 000 hab. Ch.-l. *Itanagar.*

ARVE, riv. des Alpes françaises du Nord, affl. du Rhône (r. g.); 100 km. Elle draine le massif du Mont-Blanc (passant à Chamonix), traverse, en cluse, les Préalpes, rejoignant le Rhône en aval de Genève. L'Arve alimente plusieurs centrales hydroélectriques (dont celle de Passy).

ARVERNES, peuple de la Gaule qui occupait l'Auvergne actuelle. Au IIe s. av. J.-C., les Arvernes exercent sur la Gaule une sorte d'hégémonie que leur disputent les Éduens*. La défaite de leur roi Bituit (121 av. J.-C.) par les Romains marque la fin de leur puissance. Mais, sous la conduite de leur chef Vercingétorix*, ils prennent la direction de la révolte générale qui embrase la Gaule en 52 av. J.-C.

ARVIDA, v. du Canada (Québec), au N. de Québec; 18 448 hab. Aluminium.

ARVIEUX (05510), comm. des Hautes-Alpes, à 21 km au N.-E. de Guillestre; 324 hab. Sports d'hiver (alt. 1 550-2 000 m).

ARYENS ou **ĀRYA** → INDE.

ARYTHMIE → RYTHME CARDIAQUE.

ARZACQ-ARRAZIGUET (64410), ch.-l. de cant. des Pyrénées-Atlantiques, à 33 km au N. de Pau; 865 hab.

ARZAL (56190 Muzillac), comm. du Morbihan; 901 hab. Barrage sur la Vilaine, près de son embouchure.

ARZANO (29130 Quimperlé), ch.-l. de cant. du Finistère, à 9 km au N.-E. de Quimperlé; 1 103 hab.

ARZEW, port d'Algérie, sur la Méditerranée *(golfe d'Arzew),* au N.-E. d'Oran; 12 000 hab. Liquéfaction et exportation du gaz naturel. Raffinerie de pétrole.

ASAD (Ḥāfiẓ **al-**), général et homme d'État syrien (Lattaquié 1928). Ministre de la Défense à partir de 1966, il dirige le coup d'État de 1970. Président de la République depuis 1971 et secrétaire général du Baath*, il gouverne avec les autres partis de gauche et libéralise l'économie.

ASAHIGAWA ou **ASAHIKAWA,** v. du Japon, dans le centre de l'île d'Hokkaidō; 288 000 hab.

ASAM *(les frères),* COSMAS DAMIAN, peintre et architecte (Benediktbeuern 1686 - Munich 1739), et EGID QUIRIN, sculpteur et stucateur (Tegernsee 1692 - Mannheim 1750), figures exemplaires du baroque de l'Allemagne du Sud. Formés auprès de leur père, Hans Georg, peintre fresquiste, et à Rome (1712-13), ils travaillent ensemble aux abbayes de Weltenburg, Rohr, Osterhofen... Foisonnement décoratif et effets théâtraux culminent à l'église Saint-Jean-Népomucène de Munich (v. 1733).

ASANSOL, v. de l'Inde (Bengale-Occidental), sur la Dāmodar; 201 000 hab.

ASARHADDON, roi d'Assyrie* (de 680 à 669). Il restaure Babylone* et, après plusieurs campagnes en Syrie et en Palestine, il pénètre dans le delta du Nil (671), mais la mort l'empêche d'achever sa conquête.

ASASP-ARROS (64660), comm. des Pyrénées-Atlantiques, à 8 km au S. d'Oloron-Sainte-Marie; 628 hab. Centrale hydraulique dans la vallée d'Aspe.

ASBESTOS, v. du Canada (Québec), à l'E. de Montréal; 9 749 hab. Amiante.

ASCANIENS, une des dynasties de l'Empire germanique. On la trouve, à partir du XIIe s., régnant successivement, ou simultanément, sur le Brandebourg, la Saxe, le Lauenburg et l'Anhalt.

ASCARIS → VER.

ASCENDANCE → VOL À VOILE.

ASCENSEUR. — Les dimensions des *cabines* d'ascenseur varient avec le nombre maximal de personnes à transporter. On admet qu'une personne pèse en moyenne 75 kg. Le *contrepoids,* en gueuses de fonte de 25 à 120 kg, doit équilibrer le poids mort, augmenté de la demi-charge utile. Les *câbles** sont en général calculés avec un coefficient de sécurité minimal de 7 par rapport à la charge totale, poids mort compris. Aussi, les risques de rupture sont-ils quasi nuls. La *gaine* (ou cage) d'ascenseur est exclusivement réservée à la cabine et au contrepoids. Elle doit être close sur toute sa hauteur. La porte de cabine est supprimée si la paroi interne est lisse et si la vitesse maximale est de 0,50 m/s. Au-delà, la cabine doit obligatoirement comporter une porte. Normalement, les portes palières ne sont pas prémunies contre le rayonnement calorifique en cas d'incendie. Mais elles doivent résister au feu un temps suffisant pour que les flammes et la fumée ne puissent pénétrer dans la gaine et ressortir aux autres niveaux.

ASCENSION. — Le mythe de l'ascension, ou montée au ciel, est fréquent dans les religions anciennes et modernes. Les *Actes* des Apôtres* font le récit de la montée au ciel de Jésus, quarante jours après sa résurrection. Nombre de critiques rangent ce texte non dans le genre historique, mais dans le genre mythique ou symbolique : ils l'interprètent comme une visualisation de la glorification de Jésus à la fin de sa mission terrestre.

ASCENSION *(île de l'),* petite île anglaise de l'Atlantique austral, à environ 1 300 km au N.-O. de Sainte-Hélène, dont elle dépend; 88 km^2; 300 hab. Elle a été découverte en 1501, le jour de l'Ascension, par Juan de Nova.

ASCÈSE. — Dans le monde grec, ce terme est employé d'abord pour signifier les exercices et les privations auxquels s'astreignent les athlètes ou les soldats. Par la suite, le mot prend le sens plus étendu d'autodiscipline, non seulement dans le domaine matériel, mais aussi dans l'ordre moral et spirituel. Les systèmes philosophiques et les religions mettent en valeur la vertu purificatrice et libératrice de l'ascèse pour la volonté et l'intelligence.

ASCHACH, localité d'Autriche (Haute-Autriche), sur le Danube. Centrale hydroélectrique.

ASCHAFFENBURG, v. d'Allemagne fédérale (Bavière), sur le Main, au S.-E. de Francfort; 55 000 hab. Monuments anciens.

ASCITE → PÉRITOINE.

ASCLÉPIADES, famille de médecins grecs se disant descendants d'Asclépios, et dont Hippocrate est le membre le plus connu. L'un d'entre eux, Asclépiade (Pruse, Bithynie, 124-40 av. J.-C.), qui exerça en Grèce, puis à Rome, fut un adversaire de la médecine hippocratique et de l'expectation.

ASCLÉPIOS, dieu guérisseur de la mythologie grecque, vénéré à Épidaure*. C'est l'Esculape des Latins.

ASCOLI PICENO, v. d'Italie, dans les Marches, ch.-l. de prov.; 56 000 hab. Importants monuments anciens.

ASCOMYCÈTES. — Ce sont des champignons supérieurs, bien qu'ils tiennent dans les récoltes forestières d'automne beaucoup moins de place que les basidiomycètes*; ils se distinguent de ces derniers par leurs spores contenues dans de petits sacs *(asques)* ne s'ouvrant qu'à la maturité. Ainsi protégées de la pluie, les ascospores n'ont pas besoin de l'abri d'un chapeau, et, de fait, aucun champignon à chapeau n'est un ascomycète. La truffe* et la morille sont les plus connus de ces champignons, en réalité plus nombreux que les basidiomycètes, puisqu'on en dénombre 45 000 espèces. En effet, les levures*, de très nombreux parasites des arbres ou des herbes, diverses moisissures* *(Penicillium),* l'ergot du seigle, les pezizes, les helvelles sont des champignons à asques.

ASCOT, localité de Grande-Bretagne, à l'O.-S.-O. de Londres, près de Windsor. Champ de courses.

ASCQ, anc. comm. du Nord (arr. de Lille), intégrée, en 1970, à la nouv. comm. de Villeneuve-d'Ascq. Église du XVe s. — En représailles d'une explosion dans un train militaire allemand, les S. S. massacrèrent 86 habitants d'Ascq, le 1er avril 1944.

ASDIC → SONAR.

ASEPSIE. — *Dans la nature,* il y a peu de milieux aseptiques; seuls les milieux intérieurs (sang, urines) des animaux en bonne santé sont aseptiques.

En chirurgie et en médecine, l'asepsie est obtenue par la désinfection des instruments et des pansements par diverses méthodes. La surface cutanée peut être désinfectée par des produits antiseptiques*.

ASER, tribu israélite établie en haute Galilée, sur la côte méditerranéenne. Son ancêtre éponyme est fils de Jacob* et de la servante Zilpa.

ASES, dieux guerriers de la mythologie germanique, formant une famille dont Odin (ou Wotan) est le chef. Le mythe de la guerre qui les oppose aux dieux Vanes, divinités agraires, reflète la tension entre deux groupes sociaux primitifs : la caste des chefs et la masse confuse des agriculteurs et des éleveurs de bétail.

ASEXUÉE (reproduction) → MULTIPLICATION VÉGÉTATIVE.

ASFELD (08190), ch.-l. de cant. des Ardennes, sur l'Aisne, à 27 km au N.-E. de Reims; 926 hab. Originale église du XVIIe s.

ÁSGEIRSSON (Ásgeir), homme politique islandais (Kóranes 1894-Reykjavik 1972), président de la République islandaise de 1952 à 1968.

ASHARISME → ACHARISME.

ASHDOD, port de l'État d'Israël, au S. de Tel-Aviv; 41 000 hab.

ASHIKAGA, v. du Japon (Honshū), au N. de Tōkyō; 156 000 hab.

ASHIKAGA, famille noble japonaise qui a fourni, de 1338 à 1573, quinze shōgun au Japon. Leur période est appelée encore *Muromachi,* parce que le premier shōgun issu de cette famille, Takauji, s'installa, afin de contrôler la cour impériale, dans un quartier de Kyōto appelé « Muromachi ». En fait, les Ashikaga ne contrôlèrent réellement que les provinces centrales.

ASHTART → ISHTAR.

ASHTON (Frederick), danseur et chorégraphe britannique (Guayaquil, Équateur, 1904). Collaborateur du Ballet Rambert, du Sadler's Wells Ballet et du Royal Ballet (dont il fut codirecteur, puis seul directeur jusqu'en 1970), il est un des plus grands chorégraphes contemporains au pur style classique *(Symphonic Variations, Romeo and Juliet, Enigma Variations).*

ASIA-DOLLARS. — On dénomme « asia-dollars » les dépôts en dollars effectués hors des États-Unis, dans des banques asiatiques (à Singapour notamment).

ASIATIQUE (mode de production). — Cette notion, d'origine marxiste, caractérise le mode de production dominant d'une formation sociale où le surplus de production de communautés villageoises éparses, pratiquant l'artisanat et l'agriculture, était prélevé par un État, le plus souvent despotique, qui assurait en retour l'exécution de travaux d'intérêt public. Ce concept est aujourd'hui utilisé par certains anthropologues afin d'expliquer certaines sociétés de l'Amérique précolombienne et de l'Afrique précoloniale.

ASIE, une des cinq parties du monde; 44 millions de kilomètres carrés; 2,8 milliards d'habitants.

Le plus vaste des continents, l'Asie est presque entièrement comprise dans l'hémisphère Nord. Les *paysages* y sont très variés. Une ceinture de montagnes jeunes et élevées, souvent couronnées de glaciers, prend le continent en écharpe, de la Méditerranée au Pacifique : Caucase, Zagros, Hindū Kūch, Pamir, Himālaya (qui compte le sommet le plus élevé du monde, l'Everest, 8 880 m) et chaînes de Birmanie, qui se prolongent dans les îles d'Indonésie, encore en cours de surrection. Au N., s'étend un ensemble de plaines et de plateaux très monotones, qui tranchent les roches précambriennes du bouclier sibérien. Le relief actuel y est dû essentiellement à l'action des glaciers quaternaires. Au S., s'étalent deux vastes péninsules, l'Arabie et le Deccan, constituées de plateaux basculés vers l'E. Enfin la façade orientale du continent est bordée par des guirlandes d'îles montagneuses, où l'activité volcanique et séismique est intense, et qui se rattachent à la ceinture de feu du Pacifique.

L'Asie est soumise à des *climats* très divers. Tout le nord du continent, marqué par l'éloignement de l'Océan, connaît un climat sibérien, caractérisé par de très forts écarts de température (liés surtout à la rudesse de l'hiver) et de faibles précipitations. La végétation de l'extrême nord est la toundra, maigre steppe de mousses et de lichens. Plus au S. pousse la taïga, ou la prairie lorsque les précipitations sont insuffisantes pour la croissance de l'arbre.

L'Asie occidentale et centrale, à cause de la latitude (Arabie) ou de l'éloignement de la mer et de la disposition des reliefs (déserts du Tibet, de Gobi), est soumise à un climat aride, froid ou chaud, marqué par la faiblesse et l'irrégularité des précipitations et la discontinuité du tapis végétal. Seule la frange côtière de l'Asie occidentale jouit d'un climat méditerranéen très doux.

L'Asie méridionale et orientale est le domaine de la mousson. L'hiver est sec et frais, l'été chaud et pluvieux par suite de la pénétration de l'alizé austral dans l'hémisphère Nord. Ce vent, chargé d'humidité, prend le nom de « mousson d'été ». Les pluies sont particulièrement abondantes sur les reliefs (on a enregistré le maximum de la planète, 12 m par an, à Cherrapunji). Vers le S., on passe progressivement au climat équatorial (Bornéo). Les régions

classification ethno-linguistique

Population		*Localisation*
ENSEMBLE PALÉOASIATIQUE OU HYPERBORÉEN		
groupe esquimau ou eskimo	2 000	rives du détroit de Béring
groupe aléoute	3 300	Alaska et île du Commandeur
groupe tchouktche ou luorawetlan	12 000	Sibérie du Nord-Est
groupe gilyak ou nivkh	4 000	Sakhaline et embouchure du fleuve Amour
groupe aïnou	20 000	Hokkaidō
ENSEMBLE ALTAÏQUE ET EURASIEN		
groupe toungouse-mandchou	2 583 500	Sibérie, nord de la Chine et Sakhaline
groupe mongol — oriental	2 620 000	Sibérie, Mongolie, nord de la Chine
groupe mongol — occidental	580 000	Sibérie, République mongole, Afghānistān
groupe ostiak ou ket	2 000	rives du fleuve Ienisseï
groupe turc	19 565 500	Sibérie, Kan-sou, Ts'ing-hai, Sin-kiang, Kirghizie, Kazakhstan, Iran, Afghānistān, Turquie, Oural, Caucase, Balkans, etc.
groupe coréen	33 800 000	Corée, Chine, Japon, U. R. S. S.
groupe japonais	100 000 000	Japon
groupe ouralien	50 000 (env.)	monts de l'Oural, Hongrie
ENSEMBLE DES FAMILLES DE LANGUES D'EXTRÊME-ORIENT		
• *groupe sino-tibétain*		
chinois ou han	700 000 000	Chine, U. R. S. S. (23 000)
tibéto-birman	25 186 000	Tibet, Chine, Inde, Népal, Birmanie, Pākistān, Laos, Thaïlande, Sikkim
karen	1 208 000	Birmanie surtout
• *groupe méo ou miao-yao*	3 345 000	Chine, Laos, Viêt-nam
• *groupe kadai*		
kadai	429 400	Chine du Sud et Viêt-nam
thai ou dai	25 610 000	Thaïlande, Chine, Birmanie, Viêt-nam, Laos, Inde

de mousson sont couvertes par une forêt où s'interpénètrent espèces tempérées et tropicales.

Le *réseau hydrographique* reflète à la fois le climat et le relief. La Sibérie est drainée vers le N. par de grands fleuves (Ob, Ienisseï, Lena), qui, pris par les glaces en hiver, ont de violentes crues lors des fontes au printemps. L'Asie occidentale et centrale est marquée par l'endoréisme. À l'exception du Tigre et de l'Euphrate, les rares fleuves qui descendent des massifs montagneux, plus arrosés, se perdent dans les sables ou se jettent dans des mers intérieures. En Asie des moussons, les fleuves, alimentés par les fortes pluies, sont puissants et marqués par des crues d'été très violentes (Gange, Mékong, Yang-tseu-kiang, Houang-ho).

L'Asie est de loin *le plus peuplé des continents.* Mais la densité moyenne (plus de 50 habitants au kilomètre carré) recouvre de très fortes inégalités. La Sibérie et l'Asie occidentale et centrale sont très peu peuplées, tandis que l'Asie des moussons, véritable fourmilière humaine, regroupe 90 p. 100 de la population sur le tiers, à peine, de l'espace continental. Sur le *plan économique,* à l'exception du Japon et de la Sibérie, partie asiatique de l'U. R. S. S., l'Asie appartient au monde du sous-développement. L'Asie occidentale et centrale souffre de conditions naturelles peu favorables. L'exploitation du pétrole sur les bords du golfe Persique apporte des revenus importants, mais qui ne profitent qu'à une minorité de la population. En Asie des moussons, le problème démographique est crucial. En Inde, particulièrement, la population augmente beaucoup plus vite que les revenus. Seule la Chine, pays immense aux ressources nombreuses, a amélioré ses conditions de vie, organisées sur des bases collectivistes. (Cartes, v. pages de garde et page 150.)

des principaux peuples d'Asie (1972)

Population		*Localisation*
cao lan	30 000	Viêt-nam
bê	200 000	Hai-nan
sek	20 000	Laos
tong-chouei (dong-shui)	863 000	Chine du Sud
• *groupe austro-asiatique*		
khasi	250 000	Assam (Inde)
palaung-wa	1 776 000	Chine, Birmanie, Laos
vietnamien	23 360 000	Viêt-nam
môn ou talaing	415 000	Birmanie, Thaïlande
kui ou so	385 000	Thaïlande, Cambodge, Laos, Viêt-nam
sédang-bahnar	337 000	Laos
mnong-maa	150 000	Cambodge
khmer	3 800 000	Cambodge, Viêt-nam, Thaïlande
semang ou pagan	50 000	Malaisie
nicobarais	10 000	îles Nicobar
mundā ou kolarien	3 600 000	Inde
• *groupe austronésien*		
formosan ou kaochan	220 000	
langues et dialectes des îles Philippines, Mariannes, de Palaos, de Madagascar et d'Indonésie		
malais	3 000 000	Malaisie, Birmanie, Thaïlande
micronésien, mélanésien et polynésien		
ENSEMBLES PARTICULIERS DU SUD DE L'ASIE		
andaman		îles Andaman
dravidien	99 065 500	Inde, Pākistān
ENSEMBLES DE L'ASIE OCCIDENTALE		
burushashki ou bourouchaski	20 000	nord du Pākistān
indo-européen		
indien	321 500 000	Inde, Pākistān, Bangladesh, Népal Cachemire, Afghānistān
iranien	17 223 000	Afghānistān, U. R. S. S., Iran

Asie du Sud-Est *(Organisation du traité de l')* ou **O. T. A. S. E.,** alliance défensive conclue à Manille, en 1954, entre l'Australie, les États-Unis, la France, la Grande-Bretagne, la Nouvelle-Zélande, le Pākistān, les Philippines et la Thaïlande. Après les retraits progressifs de la France (1966-1974) et du Pākistān (1967-1972) et le désengagement des États-Unis au Viêt-nam, les États demeurant dans l'alliance ont décidé, en 1975, sa dissolution, qui est devenue effective en juin 1977.

Une *Association des nations de l'Asie du Sud-Est,* ou *A. S. E. A. N.,* créée à Bangkok en 1967, rassemble la Thaïlande, l'Indonésie, la Malaisie, les Philippines et Singapour.

ASIE MINEURE, nom que donnaient les Anciens à la partie occidentale de l'Asie, comprise entre la Méditerranée orientale, la mer Égée et la mer Noire.

'ASĪR, prov. du sud-ouest de l'Arabie Saoudite, sur la mer Rouge, au S.-E. de La Mecque.

ASMAR *(Tell)* → ESHNOUNNA.

ASMARA, v. de l'Éthiopie, capit. de la prov. de l'Érythrée, à proximité de la mer Rouge; 241 000 hab.

ASMODÉE, démon des plaisirs impurs dans le livre de Tobie. Sous la forme d'un diable boiteux qui perce les secrets des hommes, c'est un personnage du folklore et de la littérature populaires espagnols, et des romans de Luis Vélez de Guevara (1641) et de Lesage (1707). François Mauriac l'a pris comme titre de sa première pièce (1938).

ASMONÉENS, dynastie sacerdotale et royale juive issue des Maccabées*. Elle règne de 134 à 37 av. J.-C. sur la Palestine, redevenue indépendante (v. MACCABÉES [*soulèvement des*]).

Hyrcan Ier (de 134 à 104), fils de Simon Maccabée, soumet les Samaritains*, détruit leur temple du mont Garizim (128), mais s'attire à l'intérieur l'hostilité du puissant parti religieux des pharisiens*, qui le trouvent trop peu zélé. Cette rupture s'accentuera avec ses successeurs, Aristobule Ier (de 104 à 103) et Alexandre Jannée (de 103 à 76); ce dernier étend le royaume à la haute Galilée et réprime férocement les troubles fomentés par les pharisiens. La rivalité entre ses deux fils, Aristobule II (de 67 à 63) et Hyrcan, survenant après la régence de leur mère Alexandra (de 76 à 67), donne à Pompée* l'occasion d'imposer la tutelle de Rome (prise de Jérusalem en 63 av. J.-C.). Pendant les dernières années de la dynastie asmonéenne, c'est l'Iduméen Antipater, investi de la confiance romaine, qui gouverne à côté, ou plutôt au-dessus, d'Hyrcan II (de 63 à 40) et pousse sa famille au pouvoir. Le règne d'Antigonos (de 40 à 37) n'est qu'un intermède. En 37 av. J.-C., Hérode*, fils d'Antipater, se fait proclamer roi de Judée : c'est la fin de la dynastie asmonéenne.

ASNAM (El-), anc. **Orléansville,** v. d'Algérie, ch.-l. de départ., à l'extrémité orientale de la plaine du Chélif; 70 000 hab.

ASNIÈRES-SUR-SEINE (92600), ch.-l. de cant. des Hauts-de-Seine, sur la rive gauche de la Seine, à 2 km au N.-O. de Paris; 75 679 hab. *(Asniérois).* Ville industrielle et résidentielle. Château du XVIIIe s.

ASO, volcan actif du Japon, dans l'intérieur de l'île de Kyūshū.

AŚOKA (292-236 av. J.-C.), souverain de l'Inde (273-236). Héritier d'un immense empire, il contrôle pratiquement toute l'Inde. Véritable roi-moine, il réalise une synthèse exceptionnelle entre la morale et la politique, entre l'enseignement du Bouddha et celui de Kautilya, ce Machiavel indien auteur d'un traité de science politique. En même temps, il élève le principe de la non-violence à la hauteur d'une institution, s'attachant à faire triompher le droit et la vertu d'accueil sur la force. Aśoka contribue à faire passer le bouddhisme* du stade de simple philosophie au rang de religion.

ASPASIE de Milet, Grecque célèbre par sa beauté et son esprit (v. 450 av. J.-C.). Elle fréquente les cénacles qui réunissent les meilleurs esprits d'Athènes. Amie de Périclès*, qui répudie sa femme pour elle, son influence politique en fait la cible des poètes comiques.

ASPE *(vallée d'),* vallée des Pyrénées-Atlantiques, parcourue par le *gave d'Aspe.*

ASPECT. — On désigne sous le nom d'aspects les procédés linguistiques qui permettent d'exprimer la manière dont le sujet parlant envisage l'action du verbe : dans son commencement (inchoatif), dans son achèvement ou son non-achèvement (perfectif/imperfectif), dans sa répétition (itératif), etc. Selon les langues, l'aspect peut se marquer par des moyens très divers (syntaxiques, morphologiques, lexicaux). En russe, par exemple, le verbe se présente sous deux formes, selon que l'action est considérée comme achevée ou non achevée.

ASIE

ASPERGILLOSE. — Cette mycose, essentiellement pulmonaire, est due à *Aspergillus fumigatus,* champignon cosmopolite qui ne devient pathogène que dans certaines circonstances : tuberculose, diabète, immunodépression.

ASPET (31160), ch.-l. de cant. de la Haute-Garonne, à 15 km au S.-E. de Saint-Gaudens, sur le Ger; 1229 hab.

ASPHALTE. — L'asphalte naturel est un solide brun-noir, se ramollissant entre 50 et 100 °C. Les gisements le plus anciennement connus sont ceux de la vallée du Jourdain (bitume de Judée) et des rives de la mer Morte (lac Asphaltite); on en trouve en France dans l'Ain et le Gard. Il est constitué par des hydrocarbures (asphaltènes et carbènes), qui représentent aussi la fraction la plus lourde du pétrole brut, dont on l'isole par une distillation sous vide.

ASPHYXIE → RESPIRATION.

ASPIRATEUR. — Cet appareil à turbine et moteur électrique comporte un corps en matière plastique, un réservoir à poussière et un manche ou un tube à raccordement pour le guider. On distingue l'*aspirateur-balai,* dont le corps est muni d'un manche à axe vertical, et l'*aspirateur-traîneau,* dont le corps, sphérique ou allongé, est traîné sur des roulettes ou des patins par un tuyau flexible à embout aspirant. L'*aspiro-batteur,* muni de brosses rotatives et de battes métalliques, bat et aspire les moquettes.

ASPIRATION. — L'aspiration *trachéale* et *bronchique* permet, après une bronchoscopie, l'examen histologique et bactériologique du produit d'aspiration; on peut évacuer les mucosités, cause d'asphyxie chez les malades comateux ou anesthésiés. L'aspiration *gastro-duodénale* est pratiquée lors des occlusions, après perforation d'ulcère ou après chirurgie abdominale. L'évacuation de *cavités purulentes* utilise l'aspiration chirurgicale. L'aspiration *endo-utérine* permet des interruptions de grossesse ne dépassant pas 12 semaines.

ASPIRINE. — L'acide acétylsalicylique, analgésique, antipyrétique et anti-inflammatoire, agit aussi sur la coagulation sanguine qu'il retarde. Médicament des plus utilisés, l'aspirine peut être responsable de troubles gastriques, d'hémorragies et, chez l'enfant, d'une intoxication salicylée.

ASPRES-SUR-BUËCH (05140), ch.-l. de cant. des Hautes-Alpes, à 35 km au S.-O. de Gap, sur le *Buëch;* 696 hab.

ASPROMONTE, massif granitique de l'Italie, à l'extrémité méridionale de la péninsule, en Calabre; 1956 m.

ASQUITH (Herbert Henry, *comte*), homme politique britannique (Morley 1852 - Londres 1928). Député libéral, ministre de l'Intérieur (1892-1895), chancelier de l'Échiquier (1905), il devient Premier ministre en 1908. Il soutient alors les projets sociaux audacieux de Lloyd George, fait triompher le *Home Rule* en Irlande (1914), et entre résolument, la même année, dans la Première Guerre mondiale. En 1916, il passe le pouvoir à Lloyd George et reprend la direction du parti libéral, dont il ne peut éviter le déclin.

ASSAB, port de l'Éthiopie, en Érythrée, sur la mer Rouge; 11000 hab. Raffinerie de pétrole. Salines.

ASSAM, État du nord-est de l'Inde; 78523 km^2; 14625000 hab. Capit. *Dispur.*

GÉOGRAPHIE. Entre le Bangladesh à l'O., l'extrémité orientale de l'Himālaya au N. et les montagnes de Birmanie à l'E., l'Assam correspond surtout à la large plaine alluviale du Brahmapoutre, chaude et humide (pluies de mousson, en été), domaine de la riziculture, du jute, aussi, et, sur les terrasses et les collines, du thé, dont l'État est le premier producteur en Inde.

HISTOIRE. De 1228 à 1800, l'Assam est un pays indépendant sous la dynastie des Ahoms. Mais, s'il a su résister à l'hégémonie mongole au XVIIIe s., il est rendu vulnérable par les invasions birmanes (1816-1824), et, finalement, il est annexé par les Britanniques, maîtres de l'Inde (1826). Depuis l'indépendance de l'Inde, en 1947, l'Assam éprouve des difficultés à s'intégrer au reste du pays du fait de l'ambivalence de sa population et des tendances séparatistes qui, en son sein, constituent des forces centrifuges.

ASSAMAIS → INDO-ARYEN.

ASSASSINS, secte chī'ite* ismaélienne*, organisée en société secrète vers 1090 par le Persan Ḥasan-i Ṣabbāḥ († 1124). En 1090, ce dernier s'empare de la forteresse d'Alamūt, près de Qazvin. Lors de la succession du calife fāṭimide du Caire (1094), il prend parti pour Nizār et organise la propagande nizārite en Syrie (forteresse du Maṣyaf) et en Iran. Les nizārites sont célèbres sous l'appellation populaire « enivrés de hachisch », « hachīchiyyīn », déformée en « assassins ». Ils emploient systématiquement le terrorisme contre leurs ennemis. Les assassins sont éliminés d'Iran par Hūlāgū* en 1256-1258, tandis que le mamelouk Baybars les chasse de Syrie (1271-1273).

ASSE, comm. de Belgique (Brabant), au N.-O. de Bruxelles; 10376 hab. (en 1970). Église gothique avec vestiges romans.

ASSEMBLAGE *(Art contemp.).* — L'opération d'assemblage de matériaux et d'objets à trois dimensions, de rebut ou neufs, donne son nom, dans l'art du XXe s., aux œuvres d'une extrême variété qui en résultent. L'assemblage participe de l'esprit du collage*, au sens large, lorsqu'il réalise une métaphore visuelle inhabituelle, chargée de significations imprévues, mais non lorsqu'il a surtout valeur plastique (par ex. assemblages de matériaux dans le constructivisme* et la sculpture abstraite).

À l'origine de l'assemblage non identifiable à de la sculpture se trouvent les œuvres en matériaux divers construites par Boccioni*, Picasso* et Archipenko* dès 1912, ainsi que le phénomène majeur de l'intrusion de l'*objet* dans l'art, depuis le premier « ready-made » de M. Duchamp* en 1913. Après dada* (Schwitters*, Man Ray*...) et le surréalisme* (*objets surréalistes; environnement* de l'Exposition de 1938), l'art de l'assemblage, fortifié aux États-Unis par la pratique du happening* et par ces agencements visant à investir le spectateur que sont les *environnements* (Oldenburg, Kienholz*...), se généralise autour de 1960 avec, par exemple, le pop'* art, le nouveau réalisme* européen et, vers 1966, l'*arte povera* italien.

ASSEMBLAGE *(Technol.)* → CHARPENTE.

ASSEMBLÉE → PARLEMENT.

Assemblée des femmes *(l'),* comédie d'Aristophane (392 av. J.-C.). La communauté des biens et des femmes vue et appliquée par les Athéniennes qui s'emparent du pouvoir.

Assemblée législative → LÉGISLATIVE.

Assemblée nationale constituante → CONSTITUANTE.

Assemblée nationale de 1871. Bismarck, après la défaite française (v. GUERRE FRANCO-ALLEMANDE [1870-71]), ayant subordonné la paix définitive au vote d'une Assemblée nationale, celle-ci est élue le 8 février 1871. Réunie d'abord à Bordeaux (13 févr. 1871), puis à Versailles (20 mars), elle est composée d'une majorité de monarchistes qui, malgré l'extrême gauche, ratifient les préliminaires de paix (1er mars 1871). Pour rétablir l'ordre bourgeois — qui sera de nouveau gravement menacé par la Commune* (mars-mai) — l'Assemblée nomme Adolphe Thiers* chef du pouvoir exécutif (17 févr. 1871), puis président de la République (31 août), tout en exigeant de lui qu'il respecte le pacte de Bordeaux (10 mars 1871), par lequel il s'était engagé à ne pas intervenir dans le débat devant statuer sur les institutions définitives de la France. L'accusant d'avoir rompu ce pacte, l'Assemblée accule Thiers à la démission (24 mai 1873) et le remplace, le jour même, par le maréchal Mac-Mahon. Mais, la restauration monarchique escomptée par la majorité ayant été ajournée du fait de l'attitude du comte de Chambord (oct. 1873), les députés votent le septennat de Mac-Mahon (nov. 1873), puis, de guerre lasse, sont amenés à voter les lois constitutionnelles de la IIIe République* (1875). L'Assemblée se sépare le 31 décembre 1875, laissant la place libre aux républicains, bientôt majoritaires.

Bearnery. Assemblage-environnement d'Edward Kienholz. 1965. (Stedelijk museum, Amsterdam.)

Stedelijk museum

ASSEMBLEUR. — En informatique, un langage* d'assemblage, parfois appelé « assembleur », est un langage qui permet de décrire d'une manière symbolique, par opposition au langage binaire de l'ordinateur*, les opérations à faire exécuter par la machine. Dans un tel langage une instruction* comprend en général trois champs : une *étiquette,* qui donne un nom (adresse) à l'instruction; un *code* mnémonique d'opération* (chargement d'un registre, addition, débranchement, etc.); une *zone d'opérandes,* qui représentent des registres, des noms de variables, des étiquettes. Un *macro-assembleur* permet de mettre en œuvre des instructions complexes composées à partir des instructions primitives de l'ordinateur. L'assembleur proprement dit est un programme* général du système* d'exploitation qui transforme le code* symbolique en une suite d'instructions binaires, strictement équivalentes, exécutables par l'ordinateur.

ASSEN, v. des Pays-Bas, ch.-l. de la Drenthe, au S. de Groningue; 42 000 hab. Aux environs, nombreux monuments mégalithiques.

ASSERVISSEMENT. — Les systèmes automatiques dont le fonctionnement est régi par l'*écart* entre le comportement actuel et le comportement désiré sont appelés *asservissements,* ou *systèmes asservis.* Pour une grandeur asservie unique, le principe d'asservissement consiste à agir sur elle d'après l'écart entre sa *valeur mesurée* et sa *valeur désirée* ou *prescrite.* Selon que celle-ci est constante ou variable dans le temps, on parle de *système à régulation** ou de *servomécanisme**. Toute grandeur physique peut être asservie à toute autre grandeur physique, pourvu que ces deux grandeurs soient mesurables et qu'on puisse agir sur la première. On réalise ainsi des télécommandes* asservissant un déplacement à une commande mécanique ou électrique, des copieurs asservissant le mouvement d'un outil au profil d'un gabarit, des régulateurs de vitesse angulaire, de température, de pression, de débit, etc., des pilotes automatiques d'avions et de missiles, des radars* de poursuite, des enregistreurs et des tables traçantes, même des répéteurs téléphoniques. L'asservissement s'accompagne d'une amplification de puissance. L'action de réglage peut être simplement proportionnelle à l'écart ou tenir compte de ses dérivées par rapport au temps (pour accroître la stabilité) et à son intégrale dans le temps (pour améliorer la précision). Les systèmes asservis tendant à entrer en auto-oscillation lorsque l'on augmente leur précision, leur calcul vise à établir le meilleur compromis possible entre les exigences contradictoires de la *stabilité* et de la *précision.* La théorie des asservissements linéaires peut être présentée en utilisant comme variable soit le *temps,* soit la *fréquence**; elle fait donc appel soit à la théorie des équations différentielles*, soit à celle des filtres de fréquences. La théorie fréquentielle, ou analyse harmonique, peut être étendue à certains types de systèmes non linéaires dits *filtrés,* dans lesquels on peut négliger les harmoniques* engendrés par les non-linéarités, telles que l'action d'un relais, la saturation d'un amplificateur ou un jeu mécanique. Il est également possible de prendre en compte les signaux et perturbations agissant réellement en service sur le système étudié, caractérisés par leurs propriétés statistiques; la théorie du *filtrage optimal* permet de rendre la boucle d'asservissement aussi sensible que possible vis-à-vis des signaux utiles et aussi insensible que possible aux signaux parasites et aux perturbations extérieures. Dans les *systèmes asservis adaptatifs,* les paramètres d'asservissement ne sont pas fixés une fois pour toutes, mais sont réglés automatiquement selon les propriétés fluctuantes du système commandé et de son environnement. La boucle d'asservissement peut être fermée en permanence ou par intermittence, comme dans les radars de poursuite et les machines-outils commandées par ordinateur : on parle alors de *système asservi échantillonné.*

ASSIGNAT. — Billets émis en France, entre 1789 et 1796, non convertibles en espèces, les assignats sont remboursables sur le produit de la vente des biens nationaux, essentiellement les biens du clergé. Par suite d'une inflation galopante, et malgré l'emprunt forcé de septembre 1793, ils ne cessent de se déprécier; en février 1797, leur cours légal est supprimé.

ASSIMILATION *(Biol.).* — L'assimilation s'identifie à la vie, dont elle est la caractéristique fondamentale. Les structures moléculaires des cellules vivantes, et même celles des virus, qui sont beaucoup plus simples que des cellules, ont le singulier pouvoir de fournir à la matière inerte un *moule,* un *modèle* sur lequel elle se plaque, réalisant ainsi une structure identique. C'est la *duplication* chromosomique, base de l'*autoreproduction,* qui se traduit, au niveau cellulaire, par la *multiplication,* au niveau de l'organisme par la *croissance* et la *reproduction.* La base de cette expansion est évidemment la capture de matériaux *(alimentation),* puis leur fractionnement *(digestion)* en morceaux assez petits pour pouvoir se réassembler selon les formes spécifiques de l'être qui les assimile. L'assimilation, c'est la transformation de la matière « blé » en matière « homme » par le mangeur de pain, etc. Il est donc inexact de la confondre avec l'absorption*, ou passage des aliments dans le sang. L'enfant diarrhéique ne « désassimile » pas : il absorbe mal.

ASSINIBOINE, riv. du Canada, qui rejoint la Red River (r. g.) à Winnipeg; 960 km.

ASSIOUT ou **ASYŪṬ,** v. d'Égypte, ch.-l. de prov. ; 154 000 hab. Barrage sur le Nil.

ASSISE, v. d'Italie, en Ombrie, au S.-E. de Pérouse; 24 000 hab. Saint François y fonda, en 1208, l'ordre des Franciscains. Ville pittoresque aux importants monuments, dont la basilique San Francesco, formée de deux églises superposées (XIIIe s.; fresques de Cimabue*, Giotto*, P. Lorenzetti*, S. Martini*...), la cathédrale (XIIe-XIIIe s.), l'église Santa Chiara (XIIIe s.).

Assises de Jérusalem, recueil des lois des royaumes de Jérusalem et de Chypre. Rédigées, selon la tradition, par les croisés à l'initiative de Godefroi* de Bouillon, les *Assises de Jérusalem* (XIIe-XIIIe s.) sont importantes pour l'étude du droit français médiéval, car la législation de l'Orient latin découle des usages féodaux français.

ASSISTANCE ÉDUCATIVE. — L'ordonnance du 23 décembre 1958 institue l'assistance éducative, ensemble de mesures ayant pour but d'assurer la protection et le traitement de mineurs mis en danger par leur environnement ou leur milieu. Le juge des enfants prescrit la mesure d'assistance éducative la plus appropriée, qui s'exercera dans le milieu de vie naturel de l'enfant ou en dehors de celui-ci.

ASSISTANCE JUDICIAIRE → AIDE JUDICIAIRE.

ASSISTANCE PUBLIQUE → AIDE SOCIALE.

ASSOCIATION *(Dr.).* — L'association est une convention par laquelle deux ou plusieurs personnes conviennent de mettre en commun, d'une manière permanente, leur savoir ou leur activité dans un but autre que lucratif. Elle est régie par les principes généraux qui s'appliquent aux contrats et aux obligations. En réalité, l'association est à la fois un *contrat* (dans le temps où elle se forme) et une création, distincte à la fois de la *société** (qui poursuit le profit) et de la *réunion* (qui n'a qu'un caractère occasionnel). On distingue les *associations non déclarées,* les *associations déclarées* — qui ont une capacité juridique — (la déclaration devant être faite par écrit) et les *associations reconnues d'utilité publique,* instituées par décret rendu en la forme de règlement d'administration publique, dont la demande est adressée au ministère de l'Intérieur qui transmet le dossier au Conseil d'État.

ASSOCIATION *(Stat.).* — Degré de dépendance qui existe entre caractères qualitatifs, l'association est plus particulièrement la relation entre deux caractères qualitatifs A et B, qui, chez chaque individu ou élément du groupe observé, peuvent donner lieu à l'une des quatre combinaisons : A et B, non A et B, A et non B, non A et non B. Si a, b, c, d sont, pour le groupe observé, les effectifs respectifs de ces quatre combinaisons, l'association entre A et B est caractérisée par le signe de la quantité $ad - bc$; si $ad = bc$, les deux caractères sont dits *indépendants.* Dans le cas de deux caractères à m et n modalités respectives, le tableau résumant les résultats obtenus est appelé *tableau de contingence.*

Association française de normalisation → NORMALISATION.

ASSOCIATIONNISME. — Ce terme enveloppe diverses conceptions philosophiques et psychologiques qui voient, dans l'association des idées dérivées de la perception du monde et de l'activité de l'esprit, le mécanisme de la formation des connaissances. Issu de Hume*, l'associationnisme s'est surtout exprimé chez Stuart Mill*, Wundt*, Hamilton, Taine* et Spencer*.

ASSOCIATIONS LIBRES → PSYCHANALYSE.

ASSOLEMENT. — L'ensemble des parcelles occupées, au cours d'une même année, par chacune des cultures principales d'une exploitation agricole, forme une « sole ». La répartition de ces cultures constitue l'*assolement.* La *rotation* est la succession des cultures et leur retour dans le temps sur une même parcelle. L'usage de l'assolement résulte de ce que les plantes ne peuvent être cultivées d'une façon indéfinie sur le même champ : à une plante dont les racines traçantes épuisent les couches superficielles, on fait succéder une plante aux racines pénétrant plus profondément.

ASSOLLANT (Jean), aviateur français (Versailles 1905 - Diégo-Suarez 1942). Il fut le premier Français qui réussit, le 13 juin 1929, la traversée de l'Atlantique Nord, des États-Unis à l'Espagne.

Assommoir *(l'),* roman d'Émile Zola (1877), septième volume des *Rougon*-Macquart.* La vie ratée de Gervaise Macquart, symbole de la déchéance fatale du petit peuple, prisonnier des quartiers sordides, du travail abrutissant et de l'alcool.

ASSOMPTION. — L'assomption de la Vierge Marie, fêtée le 15 août, est devenue un dogme s'imposant à la foi du catholique depuis la définition qu'en a donnée Pie XII le 1er novembre 1950. Ce dogme s'appuie sur la Tradition et sur le travail théologique accompli, surtout au XVIe et au XVIIe s., en réaction contre le protestantisme et le jansénisme. Mais, si la théologie catholique considère l'assomption de Marie comme une vérité de foi, elle ne possède aucun élément pour préciser les circonstances et le lieu de l'élévation corporelle de la Vierge au ciel.

ASSONANCE. — L'assonance, qui consiste à répéter, à la fin de deux vers ou dans un même vers, la même voyelle accentuée, diffère de la rime* en ce qu'elle ne tient pas compte des consonnes qui entourent le timbre vocalique. Base de la versification des anciens peuples nordiques et des premiers poèmes français *(la Chanson de Roland),* elle a réapparu depuis le symbolisme comme une composante essentielle du vers moderne (Jammes, Eluard).

ASSOUAN, v. de l'Égypte méridionale, sur le Nil, près de la première cataracte; 128 000 hab. Carrières pharaoniques avec un ancien obélisque inachevé. À proximité : monastère copte de Saint-Siméon, tombes rupestres (VIe-XIIe dynasties). Site de deux barrages, dont le plus en amont, dit « de Sadd al-ʿĀlī », l'un des plus grands du monde (long de plus de 200 km), emmagasine plus de 150 milliards de mètres cubes d'eau dans un lac artificiel (lac Nasser) et est destiné à l'irrigation et à la production d'électricité.

ASSOUCI (Charles COUPPEAU D'), musicien et poète français (Paris 1605-*id.* 1677). Luthiste et compositeur, il publia des poèmes burlesques (*Ovide en belle humeur,* 1650) et le récit de son existence mouvementée (*les Aventures du sieur d'Assouci,* 1677).

ASSOUR, l'une des capitales de l'Assyrie*, mise au jour entre 1903 et 1914 sur la rive droite du Tigre. On connaît le tracé de la cité, la double enceinte plusieurs fois reconstruite (première construction datant des XXIIIe et XXIIe s. av. J.-C.), le quai le long du Tigre, deux palais ainsi que les vestiges de plusieurs sanctuaires et ziggourats. De nombreux objets ont été recueillis, parmi lesquels la statue du dieu éponyme Assour et un lot important d'ivoires assyriens.

ASSOUR, dieu principal de la ville du même nom, puis de l'Assyrie. Sa divinité parèdre est Ishtar*. Père et roi des dieux, dont il assimile peu à peu les attributs, il est le Sage, le grand Juge, le dieu guerrier qui fait siennes les causes de son peuple.

ASSOURBANIPAL, dernier grand roi d'Assyrie* (de 668 à 627 env. av. J.-C.). Par la conquête de l'Égypte*, la soumission de Babylone* et la destruction de l'Empire élamite*, il porte à son apogée la puissance assyrienne. Monarque à l'esprit brillant et cultivé, il constitue à Ninive* une bibliothèque, en partie retrouvée (20 000 tablettes environ), où sont représentés les chefs-d'œuvre de l'ancienne littérature orientale. Ses hymnes à Ishtar* révèlent une sensibilité qui surprend chez cet homme de guerre. Les reliefs animaliers qui ornent son palais sont les plus parfaits de l'art assyrien par la variété de leur composition et leur naturalisme expressif.

ASSURANCE. — L'assurance est une convention aux termes de laquelle une des parties au contrat, l'assuré, se fait promettre par l'assureur, contre le versement d'une prime, une prestation en cas de réalisation d'un sinistre. On distingue — d'après le milieu naturel où peut se réaliser le risque — les assurances terrestre, fluviale, maritime*, aérienne.

Le texte de base des assurances terrestres est la loi du 13 juillet 1930, modifiée en 1958, et dont les caractères sont impératifs sous réserve de dispositions plus favorables en faveur des assurés. Les personnes habilitées à offrir au public des contrats d'assurance sont les agents d'assurance, les courtiers d'assurance, les employés des sociétés d'assurance, etc., ces personnes devant justifier de leur aptitude à traiter les opérations d'assurance. L'*assureur* est obligatoirement une société d'assurance, l'*assuré* est celui dont la personne ou les biens sont exposés aux risques, le *bénéficiaire* étant la personne recevant la somme en cas de réalisation du risque envisagé au contrat.

La *police* est l'écrit qui porte la signature de l'assureur et de l'assuré et mentionne la condition de l'engagement; elle doit observer certaines formes imposées par la loi.

ASSURANCE-CRÉDIT. — On appelle ainsi l'assurance garantissant contre l'insolvabilité d'un débiteur commercial le créancier de celui-ci. Elle est actuellement assumée en France par deux organismes, la Compagnie française d'assurance pour le commerce extérieur (C. O. F. A. C. E.) et la Société française d'assurance pour favoriser le crédit (S. F. A. F. C.), la première opérant à l'exportation, la seconde limitant ses activités à la garantie des opérations de commerce intérieur. La garantie va jouer si le débiteur n'est pas capable d'assumer son engagement vis-à-vis de l'assuré (créancier), mais seulement si ce dernier a lui-même rempli ses obligations à l'égard du débiteur. Dans un grand nombre de contrats, l'assuré abandonne la créance irrécupérable au profit de l'assureur. L'assureur a le droit d'exercer un recours contre le débiteur à la place duquel il a payé.

ASSURANCES SOCIALES → SÉCURITÉ SOCIALE.

ASSY, localité de la Haute-Savoie (comm. de Passy*), à 15 km au N. de Saint-Gervais-les-Bains, au-dessus de l'Arve. Église (1937-1950) de M. Novarina, décorée par de grands artistes contemporains. Située à 1 000 m d'altitude, cette station sanatoriale est actuellement reconvertie en station climatique pour les convalescents et pour le traitement des maladies de longue durée.

ASSYRIE, Empire mésopotamien qui, du IXe au VIIe s. av. J.-C., domine l'Orient ancien.

HISTOIRE. L'histoire de l'Assyrie commence avec celle de la cité d'Assour*. Au IIIe millénaire, Assour est une cité-État qui perd son indépendance à deux reprises, au temps de l'empire d'Akkad* (2325-2200 env.) et à l'époque de la IIIe dynastie d'Our* (2133-2025). Du XXe au XVIIIe s., elle devient le centre d'un commerce très actif (étain, cuivre, tissus) qui s'étend jusqu'en Anatolie*. Mais, au long et brillant règne de Shamshi-Adad Ier (de 1816 à 1783 env.), font suite quatre siècles faits de rivalités intérieures et de domination étrangère (Babylone*, Mitanni*). Au XIVe s., les Hittites*, en détruisant la puissance mitannienne, permettent à l'Assyrie d'exister en tant que nation. (Le terme d'« Assyrie » est la dénomination grecque du « pays d'Assour ».)

Assour-ouballit Ier (de 1366 à 1330), fondateur du *premier Empire assyrien* (XIVe-XIe s.), s'empare de Ninive* et des régions riveraines du Tigre. Trois rois feront de l'Assyrie l'État le plus puissant de l'Asie occidentale : Adad-nirâri Ier (de 1308 à 1276), Salmanasar Ier (de 1276 à 1246) et Toukoulti-Ninourta Ier (de 1246 à 1209) : la domination assyrienne s'étend à la Mésopotamie entière (prise de Babylone v. 1224). Les invasions araméennes*, malgré le sursaut de Téglat-phalasar Ier (de 1115 à 1077) vont submerger la Mésopotamie et l'Empire assyrien sera bientôt réduit à la moyenne vallée du Tigre.

Il faut attendre la fin du Xe s. pour voir renaître la puissance assyrienne avec Assour-dân II (de 932 à 912) et Adad-nirâri II (de 911 à 891) qui entreprennent de desserrer l'étau araméen. L'ère des grandes conquêtes commence : Assour-Nasirpal II (de 883 à 859), premier grand roi du *second Empire assyrien* (IXe-VIIe s.), étend sa domination jusqu'à la Méditerranée; les cités araméennes et phéniciennes doivent payer tribut. Son fils, Salmanasar III (de 859 à 824) annexe l'important royaume araméen de Bît-Adini, mais échoue à Qarqar (854) devant une coalition dirigée par les Araméens de Damas. Une période de crise (826-746) arrête l'expansion assyrienne, qui ne reprend qu'avec Téglat-phalasar III (de 745 à 727); Damas est prise en 732 et Babylone placée sous le protectorat assyrien. Le règne de Sargon II (de 722 à 705) et ceux de ses successeurs, Sennachérib* (de 705 à 680), Asarhaddon* (de 680 à 669), Assourbanipal* (de 669 à 627 env.) marquent l'apogée de l'Assyrie. La soumission de la Palestine (prise de Samarie* en 721), de la Phénicie*, de l'Ourartou*, la mainmise sur la Babylonie, la conquête de l'Égypte (destruction de Thèbes* en 663) et l'anéantissement de l'Élam* (chute de Suse* en 639) font de l'Assyrie un empire grandiose qui, du haut Nil au golfe Persique, unifie tout l'Orient civilisé. Cet empire, fondé sur la violence et la terreur — prisonniers torturés et massacrés, populations déportées ou durement rançonnées, villes rasées —, n'a pas eu le souci d'assimiler les peuples vaincus. Sa chute sera rapide. Les Mèdes*, alliés aux Babyloniens, qui ont recouvré leur indépendance, portent les coups décisifs : en 612, Cyaxare s'empare de Ninive, qui est, à son tour, brûlée et rasée. « Elle est dévastée la ville sanguinaire... Qui la plaindra? » chante Nahoum, le prophète biblique.

BEAUX-ARTS. Même si les Assyriens sont déjà d'actifs commerçants à la fin du IIIe millénaire, comme l'attestent des tablettes de Kültepe, en Anatolie, c'est entre le XIIIe et le VIIe s. av. J.-C. que leur art connaît sa pleine expansion. En architecture, ils adoptent les moyens techniques de Sumer* et des autres civilisations de l'ancienne Mésopotamie*, mais on est frappé par le gigantisme architectural d'Assour* et de Ninive* — dont on a relevé le tracé des fondations —, et de Khursabād (Dour-Sharroukên). La contrainte d'un matériau fragile, la brique crue, marque les ziggourats (tours à étages), les sanctuaires et les palais, dont le plan est un simple parallélépipède où se juxtaposent les quartiers (sanctuaires, salle d'apparat, appartements royaux, et communs). Les Assyriens, pour orner ces énormes façades, font appel à la brique émaillée et à l'alternance de redans et de saillants, mais, à l'intérieur, le décor plaqué — énormes orthostates souvent en albâtre gypseux et sculptés en léger relief — reste leur grande innovation et se développe entre le IXe et le VIIe s. Le récit mythologique, mais surtout la grandeur et les exploits du souverain, sont la seule source d'inspiration des sculpteurs. Malgré la rigidité des conventions, la perspective hiérarchique, l'éternelle représentation de profil, ils trouvent là un moyen d'expression à la mesure de leur talent d'animaliers. On distingue une certaine évolution entre les reliefs du IXe s. (nombre restreint de personnages, aux musculatures outrancières, pas de recherche de perspective) et ceux du VIIe s., où les personnages se multiplient, évoluent parfois au cœur de paysages, et où transparaît une certaine sensibilité (*Lionne blessée,* British Museum). La statuaire en ronde bosse est peu fréquente, mais des fragments de leur peinture murale — proches de ceux de Dour-Kourigalzou* — ont été retrouvés, notamment à Tilbarsip, sur le haut Euphrate.

Les arts appliqués, glyptique*, reliefs de bronze (portes de

E. Chabrier

Assyrie. Taureau ailé à tête d'homme. Statue androcéphale du palais d'Assour-Nasirpal II à Nimroud. IXe s. av. J.-C.

Bālawāt, British Museum), sont empreints d'originalité; les ivoires, découverts en grand nombre (Nimroud*, Arslān Tash [Hadatou*]), sont divisés en deux groupes : créations autochtones et importations syro-phéniciennes. Une multitude de tablettes constituaient la bibliothèque (British Museum) du roi Assourbanipal, découverte à Ninive. Comme celui des Achéménides*, quelques siècles plus tard, l'objectif unique de cet art de cour a été d'imposer la suprématie d'une civilisation essentiellement militaire, et tout naturellement il disparaîtra avec elle.

ASSYRIOLOGIE. — Jusqu'à la fin du XVIIIe s., les civilisations du Proche-Orient ancien ne sont guère connues que par la Bible. Vers 1760, des voyageurs visitent Ninive*, Babylone*, Persépolis, et en rapportent quelques monuments épigraphiques et des relevés d'inscriptions qui permettent de déchiffrer les écritures dites « cunéiformes », en raison de leur apparence en forme de clous. À partir de 1842, des fouilles méthodiques sont entreprises dans les grands sites de Mésopotamie* par P. E. Botta, V. Place, H. Layard, etc. Après la civilisation assyrienne, qui a donné son nom par priorité à une science nouvelle, l'assyriologie, ressuscitent celles de Sumer*, des Hittites* et, plus tard, des Hourrites*. Des milliers de tablettes découvertes à Ras-Shamra-Ougarit* et déchiffrées par E. Dhorme*, les fouilles effectuées à Mari* par A. Parrot apportent à l'historien des documents qui renouvellent notre connaissance de l'Orient ancien.

ASTAFFORT (47220), ch.-l. de cant. de Lot-et-Garonne, à 19 km au S. d'Agen, sur le Gers; 1 968 hab. Constructions mécaniques.

ASTAIRE (Frederick E. AUSTERLITZ, dit **Fred**), danseur, chorégraphe, chanteur et acteur américain (Omaha 1899). Aidé par une connaissance parfaite de la danse classique et par une virtuosité sans égale dans l'art de la claquette, il fut, au cours des années 30, à l'origine de l'épanouissement d'un genre cinématographique nouveau : la « comédie musicale ». Jusqu'en 1939, il forma avec Ginger Rogers un couple idéal célèbre, puis continua à imposer sa souplesse légendaire et son sens du rythme aux côtés de partenaires telles qu'Eleanor Powell, Paulette Goddard, Rita Hayworth, Judy Garland et Cyd Charisse.

ASTATE. — L'astate, ou astatine, élément chimique no 85 (symb. At), n'existe pas dans la nature et a été obtenu artificiellement. Il suit l'iode dans la famille des halogènes. On ne lui connaît aucun isotope stable.

ASTÉRÉOGNOSIE → SENSIBILITÉ.

ASTÉROÏDE. — En 1772, l'Allemand Johann Daniel Tietz, dit Titius (1729-1796), découvrit, dans l'échelonnement des distances planétaires par rapport au Soleil*, une progression jusqu'alors inaperçue. En 1778, Johann Elert Bode* précisa cette relation et montra qu'il manquait au cinquième rang, entre Mars* et Jupiter*, une planète* que l'abbé Giuseppe Piazzi (1746-1826) découvrit en 1801. En raison de son très faible diamètre (1 000 km), cette planète, Cérès*, est invisible à l'œil nu, bien que Mars, à peu près à la même distance, soit facilement observable. Par la suite, on découvrit, sur des orbites proches, une multitude d'astéroïdes semblables. Le deuxième fut baptisé Pallas*, le troisième Junon*, et le quatrième Vesta*; les suivants ont moins de 200 km de diamètre et leur nombre croît très vite à mesure que diminuent les dimensions. On en comptait 100 en 1868, 450 en 1900 et l'on en dénombre près de 2 000 à l'heure actuelle. Les plus petits ont parfois moins de 1 km de diamètre et leur nombre total est probablement indéfini. Certains astéroïdes s'écartent assez sensiblement de l'emplacement que leur octroie la loi de Titius-Bode, à 400 millions de kilomètres du Soleil, soit pénétrant à l'intérieur de l'orbite de Mercure*, comme Icare, ou s'éloignant au contraire jusqu'à Saturne*. Quelques-uns approchent même la Terre d'assez près, tel Hermès qui, en 1937, en est passé à 600 000 km. Ces astéroïdes, qui ont une forme irrégulière, comme l'attestent leurs variations d'éclat, proviennent peut-être d'une ancienne planète qui se serait fragmentée, mais plus probablement des restes de la nébuleuse primitive, qui n'auraient pu se rassembler par suite des perturbations gravifiques de Jupiter*.

ASTHÉNIE. — L'asthénie peut provenir de la fatigue et du surmenage. Elle peut aussi être due à de nombreuses maladies infectieuses ou endocrines. Normalement, la fatigue est consécutive et proportionnelle à l'effort; dans l'asthénie, elle prédomine le matin avant toute activité. Physique et intellectuelle, l'asthénie est une des manifestations des dépressions.

ASTHME. — Les accès de dyspnée expiratoire de l'asthme peuvent survenir brutalement ou insidieusement, être brefs ou durer des semaines. Quand un épisode d'asthme se prolonge, on parle d'*état de mal asthmatique.*

Habituellement l'asthme débute chez l'enfant, le jeune adulte; rarement chez le vieillard. Les cas familiaux sont fréquents. Les crises d'asthme sont dues, avant tout, à un rétrécissement des petites bronches périphériques et s'accompagnent de toux et de sifflements. Quatre causes sont incriminées :

1. essentiellement une *allergie** à des pollens, moisissures, plumes, poils, acariens inhalés (des crises d'urticaire, de rhinite allergique [rhume des foins], d'eczéma peuvent précéder ou accompagner cet asthme allergique);
2. des infections respiratoires à répétition (bronchites);
3. des réactions psychologiques excessives aux difficultés de l'existence;
4. la pollution atmosphérique.

Ces quatre facteurs peuvent être responsables isolément ou en association. L'élimination de l'antigène responsable, quand il est retrouvé, permet de prévenir les crises. La *désensibilisation* à cet antigène n'est pas toujours efficace. Lors du traitement des crises sont utilisés l'aminophylline, le salbutamol et, si nécessaire, les corticoïdes.

ASTI, v. d'Italie, dans le Piémont, ch.-l. de prov., au S.-E. de Turin; 78 000 hab. Nombreux monuments. Vins blancs (souvent mousseux).

ASTIGMATISME. — Lorsqu'on diaphragme suffisamment un système optique, le faisceau issu d'un point de l'objet se réduit à un pinceau étroit; les rayons émergents s'appuient tous sur deux petits segments de droites : les *focales.* Si celles-ci sont dans le même plan, elles se réduisent à leur point d'intersection, et le système est stigmatique; sinon la section du pinceau est généralement elliptique, mais il existe entre les deux focales une section circulaire (cercle de moindre diffusion), non ponctuelle. L'astigmatisme nuit à la qualité des images de points situés loin de l'axe du système. (V. VISION.)

ASTLEY (Philip), écuyer et imprésario britannique (Newcastle-under-Lyme 1742-Paris 1814). Ayant eu l'idée de présenter à Londres, en 1769, dans un manège cerné de gradins, un spectacle d'exhibitions équestres rehaussées d'attractions acrobatiques diverses, il peut être considéré comme l'inventeur du cirque moderne. Il ouvrit à Paris, en 1783, l'Amphithéâtre des sieurs Astley et fils.

ASTON (09310 Les Cabannes), comm. de l'Ariège, à 12 km au S. de Tarascon-sur-Ariège; 180 hab. Centrale hydraulique utilisant les eaux de l'Ariège et de l'*Aston.*

ASTON (Francis William), physicien anglais (Harborne 1877 - Londres 1945). Il découvrit l'existence des isotopes, qu'il étudia en perfectionnant, en 1920, le spectrographe de masse de J. J. Thomson. (Prix Nobel de chimie, 1922.)

ASTRAGALE → PIED.

ASTRAKAN. — Originaire d'U. R. S. S. (Crimée), du Moyen-Orient (Afghānistān, Iran), et d'Afrique du Sud, l'astrakan est la dépouille d'un agneau de quelques jours à toison bouclée, grise ou marron à l'état naturel.

ASTRAKHAN ou **ASTRAKAN,** v. d'U. R. S. S. (R. S. F. S. de Russie), sur la basse Volga, près de la mer Caspienne; 410 000 hab. Industries alimentaires (caviar). Papeterie.

Astrée *(l'),* roman pastoral d'Honoré d'Urfé, en cinq parties : les trois premières furent publiées par l'auteur (1607-1619), la quatrième par son secrétaire Balthazar Baro (1627), qui y ajouta une cinquième (1628). Le récit des amours contrariées, puis triomphantes, du berger Céladon et de la bergère Astrée propose une véritable « mystique de l'amour », qui exerça une influence considérable sur la préciosité*.

ASTREINTE. — L'astreinte est la condamnation pécuniaire, prononcée, à raison de tant par jour (ou par mois) de retard, contre un débiteur d'une obligation de faire pour le contraindre à l'exécuter. Le droit français, qui ne connaît plus la contrainte sur la personne ni la prison pour dettes, emploie ce procédé particulièrement énergique destiné à l'exécution des dettes : le débiteur condamné sous astreinte voit grossir sa dette d'argent jusqu'à ce qu'il obtempère à l'ordre du juge et accepte d'exécuter son obligation. La loi du 5 juillet 1972 réglemente l'astreinte.

ASTRID, reine des Belges (Stockholm 1905 - près de Küssnacht, Suisse, 1935). Princesse suédoise, elle épousa en 1926 Léopold (III) de Belgique, devenu roi en 1934.

ASTROBLÈME. — Les astroblèmes, résultant de l'impact d'une météorite sur le sol, se présentent sous la forme de cratères, tel le Meteor Crater aux États-Unis, et se reconnaissent à la présence de structures et de roches témoignant de très fortes pressions.

ASTROLOGIE. — On distingue trois périodes successives d'élaboration des pratiques et des théories de l'astrologie traditionnelle.

• La première période correspond à l'élaboration de l'astrologie *magico-religieuse.* Elle avait pour but, non pas de prévoir les destinées individuelles, mais de choisir les moments célestes favorables à l'édification des temples, aux cérémonies du culte, aux actes du souverain et, principalement, aux campagnes militaires. Les documents archéologiques les plus anciens sont d'origine mésopotamienne. De beaucoup antérieurs aux textes astrologiques gréco-égyptiens, indiens, chinois et méso-américains, ils remontent à l'époque de la naissance de l'Empire babylonien (XIXe s. av. J.-C.), comme l'atteste la première tablette astrologique connue. Quatorze siècles la séparent du plus ancien horoscope* assyro-babylonien qui ait été découvert (419 av. J.-C.).

• La deuxième période, celle de l'astrologie *mythique et mystique,* a duré huit siècles environ (Ve s. av. J.-C. - IIIe s. apr. J.-C.). Ce système astrologique symbolique était relié à l'enseignement des mystères* gréco-égyptiens et des initiations* pythagoriciennes.

• La troisième période, celle de l'astrologie *philosophique et savante,* élaborée par les philosophes néo-platoniciens de l'école d'Alexandrie (IIIe s. - fin du Ve s. de l'ère chrétienne), a été marquée ultérieurement par l'influence de la civilisation et de la culture islamiques, apparues dans la seconde moitié du VIIe s. L'astrologie *philosophique et savante* arabe s'est transmise par l'intermédiaire des traducteurs juifs du sud de l'Espagne à la civilisation médiévale occidentale. La science de l'horoscope, ou astrologie *judiciaire,* distincte de l'art des étoiles, ou astrologie *naturelle,* n'a pas été confondue avec l'astronomie par les encyclopédistes arabes ni par les théologiens médiévaux. Dans son état actuel, le système astrologique ne représente qu'une partie des enseignements traditionnels antiques, celle de la science de l'horoscope, l'aspect cosmologique et philosophique de l'art des étoiles n'ayant été conservé en partie que par les traditions* alchimiques et magiques de l'hermétisme.

ASTRONAUTIQUE. — L'astronautique regroupe toutes les études relatives au déplacement de véhicules lancés par l'homme dans l'espace. Concrétisant les recherches des précurseurs de génie dont les plus célèbres sont le Russe Konstantine Tsiolkovski*, l'Américain Robert Hutchings Goddard* et le Français Robert Esnault-Pelterie*, l'astronautique n'a véritablement pris son essor que le 4 octobre 1957, avec la mise en orbite par les Soviétiques du premier satellite* artificiel de la Terre, « Spoutnik I ». Dès lors, les progrès ont été rapides, grâce à la mise au point de fusées* puissantes permettant de disposer d'énergies de lancement considérables. Le 12 avril 1961, les Soviétiques mirent en orbite le premier satellite occupé par un homme, le cosmonaute Youri Gagarine. De nombreux lancements suivirent, tant aux États-Unis qu'en U. R. S. S., la durée des vols devenant de plus en plus grande. De nouvelles étapes furent franchies : sortie des cosmonautes hors de leur capsule et travail dans l'espace (18 mars 1965); premier rendez-vous en orbite entre deux satellites habités (« Gemini VI » et « Gemini VII », en décembre 1965).

Un nouvel objectif put être alors envisagé : l'envoi d'hommes sur la Lune*; et ce fut le but du programme américain « Apollo ». Pour l'atteindre, les États-Unis conçurent la fusée Saturn V, à trois étages, dont la hauteur et le poids au décollage étaient respectivement de 111 m et 3 000 t. Le 16 juillet 1969 commença la mission qui, pour la première fois, conduisit des hommes sur la Lune, et, le 21 juillet, Neil Armstrong* mit le pied sur le sol lunaire. Depuis cette date, cinq autres missions ont été réussies, les tâches confiées aux cosmonautes devenant de plus en plus complexes. Lors des trois dernières missions, une voiture électrique leur a permis d'effectuer des déplacements de plusieurs kilomètres et de rapporter des échantillons du sol variés. Divers équipements ont également été déposés sur la Lune afin d'étudier l'environnement. Parallèlement au programme « Apollo », les Soviétiques développèrent un vaste programme d'exploration lunaire à base d'engins automatiques, les « Luna », dont l'un a également ramené sur terre des échantillons lunaires.

Au cours des années 60, l'exploration des planètes* proches du système solaire (Mars* et Vénus*) a commencé par l'envoi de sondes spatiales qui, passant à une distance relativement faible des planètes, en ont pris des photos et les ont retransmises sur terre; des sondes ont également été mises en orbite autour de Vénus, d'autres déposées sur son sol, ce qui a permis une connaissance plus approfondie de l'environnement de la planète.

L'utilisation de l'espace à des fins pratiques a pris une grande envergure grâce au développement de satellites d'application. Les télécommunications en ont été les premières bénéficiaires, avec la mise en orbite de satellites capables de transmettre sur de longues distances des programmes de télévision et des communications téléphoniques; tel est le rôle du réseau Intelsat, qui utilise des satellites stationnaires circulant à 36 000 km de la Terre et surplombant divers points du globe. Des stations de réception spéciales ont dû être implantées au sol, comme celle de Pleumeur-Bodou, en France. Parmi les autres satellites d'application figurent les *satellites météorologiques* (Tiros, Nimbus), les *satellites géodésiques,* et, dans le domaine militaire, les *satellites d'observation et de détection* des tirs de missiles. C'est aussi dans un but pratique qu'est prévue la mise sur orbite circumterrestre de stations permanentes de grandes dimensions, dans lesquelles des équipes de cosmonautes se relaieraient régulièrement, des navettes spatiales assurant la liaison entre la Terre et la station. Le lancement, en mars 1973, par les États-Unis, de « Skylab » est une première démarche dans ce sens, puisque trois équipages de trois hommes ont successivement passé plusieurs semaines à bord. (V. illustration page suivante.)

ASTRONOMIE. — Liée au développement des techniques, l'astronomie n'a progressé que très lentement jusqu'à la découverte de la lunette* et du télescope*, qui ont permis de reculer les limites du monde visible.

On pense que l'astronomie est née en Mésopotamie, dont les savants savent déjà prédire les éclipses*, bien que n'ayant aucune idée de leur mécanisme. C'est à la Grèce que l'on doit l'explication des éclipses et la première mesure du rayon terrestre. Mais, pendant très longtemps, deux hypothèses fausses sont à la base des tentatives d'explication du mouvement des planètes* : ce mouvement est circulaire et la Terre* est le centre de l'Univers*. Pourtant, Aristarque* de Samos place le Soleil* au centre du monde et les planètes, y compris la Terre, sur des orbites concentriques et circulaires autour du Soleil. Ces idées nouvelles ne rencontrent pas l'approbation des grands de l'époque, Aristote* et Platon*, et cette théorie est écartée. Le Moyen Âge ne remet pas en question ces acquis. Si de nombreuses observations, ainsi que l'établissement de tables donnant la position d'un astre en fonction du lieu et de la date, rendent surtout service aux astrologues, elles restent malgré tout précieuses. Au XVIe s., après vingt-cinq années d'observations, Copernic* aboutit à un système héliocentrique. Grâce aux nombreuses observations de Tycho Brahe*, au Danemark, son élève Kepler* montrera que les planètes se déplacent sur des orbites elliptiques dont le Soleil occupe l'un des foyers. Puis, la découverte de la lunette va bouleverser l'astronomie. Galilée*, physicien et astronome italien, confirme par ses observations le système de Copernic. Newton*, physicien et astronome anglais, invente le télescope, dont la réalisation est plus simple que celle de la lunette, car il est constitué de miroirs plus faciles à réaliser que la lentille* de la lunette. Il établit la loi de la gravitation* universelle. À partir de cette époque, l'astronomie se développe rapidement, elle dispose de bons instruments et de théories fondamentales. L'observatoire de Paris et celui de Greenwich, en Angleterre, sont créés. Dès 1685, les découvertes se multiplient : prévision du retour

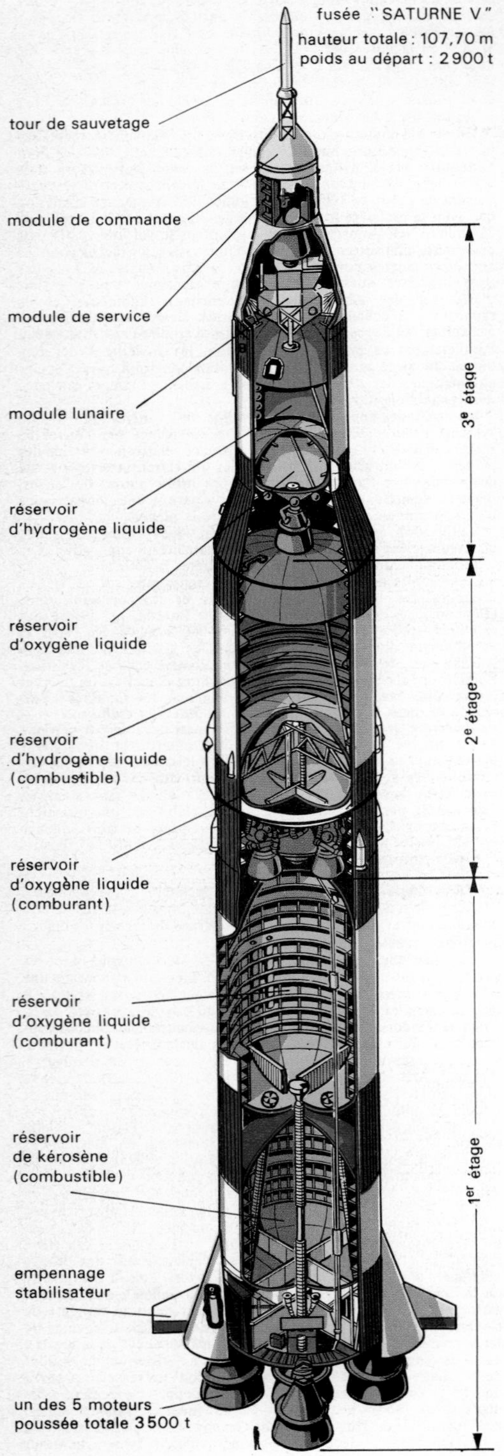

Lauros - Atlas-Photo

Grande lunette astronomique de l'observatoire de Meudon (Hauts-de-Seine).

Astronautique. Détails du système de lancement et des différents modules du lanceur américain « Saturne V ».

d'une comète*, propagation non instantanée de la vitesse de la lumière*, découverte des satellites* de Saturne*, découverte d'Uranus* et de ses satellites, des étoiles* doubles, de nébuleuses, etc. Les calculs théoriques de Le Verrier*, astronome français, prévoient la présence de Neptune*, qui est effectivement observée peu de temps après. La nature des astres reste encore à déterminer. La découverte de la dispersion* de la lumière par Newton apporte de nouvelles possibilités. Un prisme de verre décompose la lumière en ses différents composants comme les gouttes d'eau dispersent la lumière blanche dans les sept couleurs de l'arc-en-ciel. Par cette méthode, on peut aussi déterminer la vitesse des astres et leur température. Enfin, la photographie permet, par le biais du temps de pose, d'obtenir des photos d'objets invisibles auparavant. Au début du xxe s., l'astronome américain Hubble* met en évidence l'existence d'objets extérieurs à la Galaxie* et établit une relation de proportionnalité entre la vitesse et la distance de ces objets. L'introduction par Einstein* de la théorie de la relativité* générale bouleverse les conceptions newtoniennes : la présence d'une masse courbe l'espace dans son voisinage. La loi d'expansion de l'Univers et la relativité générale servent de base à toute la cosmologie* moderne. De grands télescopes — comme celui de 5 m de diamètre du mont Palomar, aux États-Unis — permettent de découvrir des objets extragalactiques de plus en plus lointains et repoussent sans cesse les limites de l'Univers visible. La mise en service en 1976 d'un télescope soviétique de 6 m de diamètre doit permettre de nouvelles découvertes.

Des appareils de plus en plus perfectionnés, comme photomultiplicateurs et caméras électroniques, sont placés derrière les télescopes afin d'étudier des objets faiblement lumineux. À partir de 1945, la radioastronomie ouvre un autre domaine, celui des longueurs d'onde du millimètre au décamètre, permettant ainsi, entre autres, la découverte d'objets invisibles en optique. La radioastronomie permet de mettre en évidence la structure spirale de la Galaxie par la détection de l'hydrogène* sur une longueur d'onde de 21 cm. La découverte des quasars* et des pulsars* est aussi due à la radioastronomie. Le développement des ballons, des fusées-sondes, des satellites a fait entrer l'astronomie dans une ère nouvelle : l'exploration directe de l'Univers. On peut ainsi s'affranchir de l'atmosphère* terrestre qui empêchait l'observation de certaines longueurs d'onde, comme les rayonnements gamma*, X*, ultraviolet* et infrarouge*, maintenant possible.

ASTURIAS (Miguel Ángel), écrivain et diplomate guatémaltèque (Guatemala 1899-Madrid 1974). Ses poèmes et ses romans, consacrés à l'histoire et aux problèmes sociaux de son pays (*Légendes du Guatemala,* 1930; *Monsieur le Président,* 1946; *le Pape Vert,* 1954; *Week-end au Guatemala,* 1956; *le Miroir de Lida Sal,* 1967; *Trois des quatre soleils,* 1971), mêlent la splendeur des légendes mayas à la luxuriance des recherches verbales. (Prix Nobel, 1967.)

ASTURIES, en esp. **Asturias,** région du nord de l'Espagne, correspondant administrativement à la province d'Oviedo*; 10 565 km²; 1 046 000 hab.

GÉOGRAPHIE. Sur l'Atlantique, région au climat humide et doux, malgré une altitude moyenne relativement élevée, les Asturies sont une terre d'élevage (bovins), où l'industrie occupe cependant une place exceptionnelle grâce à la présence de charbon, qui est à l'origine de la sidérurgie (Avilès, Mières), favorisée par la présence du port de Gijón (importateur de fer), plus peuplé que la capitale, Oviedo, ville surtout tertiaire.

HISTOIRE. Les peintures rupestres d'Altamira (près du village de Santillana del Mar) attestent une très ancienne implantation humaine (paléolithique, faciès magdalénien). Relativement peu marqué par la civilisation romaine, ce pays montagneux devient, après l'écroulement de la monarchie wisigothique (711), le refuge de ses derniers partisans. S'y crée même, dès 718, un royaume chrétien des Asturies, dont Oviedo est la capitale en 758. Alphonse III, roi de 866 à 910, réorganise et unifie les provinces chrétiennes du Nord-Ouest. Son État comprend la Galice, les Asturies et le León, qui, vers 920, donne son nom au royaume. Depuis 1388, l'héritier présomptif de la couronne de Castille puis d'Espagne porte le titre de « prince des Asturies ».

Franfilmdis (coll. J.-L. Passek)

L'Atalante (1934). Une scène du film de Jean Vigo.

ASUNCIÓN, capit. du Paraguay, sur le río Paraguay; 393 000 hab. Industries textiles et alimentaires.

ATACAMA, région désertique du Chili septentrional, couvrant l'étroite plaine côtière sur le Pacifique et une haute plaine andine, la *Puna de Atacama.*

ATAHUALPA (1500-Cajamarca 1533), souverain inca depuis 1525. Prisonnier de Pizarro (1532), il est étranglé sur son ordre. L'Empire inca s'écroule alors.

Atala, roman de Chateaubriand (1801). Conçu d'abord comme un épisode des *Natchez*,* puis comme un chapitre du *Génie* du christianisme,* il parut sous sa forme autonome en 1805. L'impossible passion de l'Indien Chactas et d'Atala, vouée à la virginité par sa mère chrétienne, est à la fois une mise en images de la philosophie des lumières, une illustration des idées de Chateaubriand sur la valeur pratique de la religion, et la préfiguration du rêve romantique qui fait de l'exotisme le lieu de l'ordre et de la beauté.

Atalante *(l'),* film français de Jean Vigo* (1934). Un marinier épouse une jeune paysanne et lui fait partager les difficultés d'une existence vagabonde sur une péniche où règne un vieil excentrique (Michel Simon). Poème romanesque plutôt que récit linéaire, *l'Atalante,* qui connut un douloureux échec commercial, reste un exemple unique dans le cinéma français des années 30 : ce fut l'heureuse rencontre du réalisme poétique populiste et du lyrisme surréaliste. Son auteur mourut peu après le tournage.

ATANASSOFF (Cyril), danseur français d'origine bulgare (Puteaux 1941), danseur noble *(Giselle)* dont la personnalité s'est également imposée dans sa création du *Sacre du printemps* (chorégraphie de Maurice Béjart, 1965), d'*Ivan le Terrible* (de I. Grigorovitch, 1976).

ATARAXIE. — L'absence de trouble dans l'âme, l'harmonie dans les pensées et la modération dans les plaisirs sont les trois caractéristiques principales de l'ataraxie, dont Démocrite* puis, surtout, Épicure*, les épicuriens et les stoïciens ont fait le principe du bonheur.

ATATÜRK → KEMAL (Mustafa).

ATAXIE → MOTRICITÉ.

ATBARA, riv. du Soudan, affl. du Nil (r. dr.); 1 100 km. Au confluent se situe la ville d'*Atbara* (56 000 hab.).

ATCHINSK, v. de l'U. R. S. S. (R. S. F. S. de Russie), en Sibérie, à l'O. de Krasnoïarsk. Cimenterie. Alumine.

Atelier *(théâtre de l'),* l'un des théâtres du Cartel*, dirigé par Charles Dullin* de 1922 à 1940, puis par André Barsacq.

ATELIERS NATIONAUX. — Caricature des ateliers sociaux préconisés par Louis Blanc*, les ateliers nationaux, créés à Paris le 27 février 1848 pour les ouvriers sans travail, s'avèrent rapidement, aux yeux du pouvoir, comme dangereux et inutiles. Leur dissolution, le 21 juin 1848, par l'Assemblée constituante, provoque une violente insurrection ouvrière. (V. JUIN [*journées de*].)

ATGET (Eugène), photographe français (Libourne 1856-Paris 1927). Il pratiqua avec un appareil de grand format une technique très simple et n'utilisa presque jamais d'instantané. Sa principale source d'inspiration : un Paris, souvent désert, étrange, dont il capta l'atmosphère magique, presque irréelle. Il mourut à peu près ignoré. Quelques peintres s'inspirèrent de ses photographies, les surréalistes les collectionnèrent.

ATH, v. de Belgique (Hainaut), sur la Dendre, au S.-O. de Bruxelles; 11 165 hab.

ATHABASCA ou **ATHABASKA,** riv. du Canada occidental, née dans les Rocheuses, qui constitue le cours supérieur du Mackenzie* et se jette dans le *lac d'Athabasca.* Gisements de sables bitumineux (réserves du pétrole contenu estimées à 100 Gt), dont l'exploitation, expérimentale, a commencé.

ATHABASCA ou **ATHABASKA** *(lac),* grand lac du Canada occidental (11 500 km²), partagé entre l'Alberta et la Saskatchewan, dont l'émissaire, la rivière de l'Esclave, rejoint le Grand Lac de l'Esclave*.

ATHALIE, reine de Juda (de 841 à 835 av. J.-C.). À la mort de son fils Ochozias, elle fait périr tous les princes de la famille royale et s'impose comme reine. Après six ans d'un pouvoir tyrannique, elle est mise à mort, à la faveur d'un coup d'État dirigé par le grand prêtre Joad (Yehoyada). Son petit-fils Joas, qui avait échappé à l'extermination, continue la lignée des rois davidiques.

Athalie, tragédie de Racine (1691), avec chœurs de J.-B. Moreau, composée pour les demoiselles de Saint-Cyr. Inspiré du texte biblique et de la réflexion contemporaine sur la nature des révolutions (et singulièrement sur celle de 1688 en Angleterre), un drame temporel et religieux : l'habileté politique du grand prêtre Joad et l'innocence inspirée de Joas concourent au succès de la légitimité, qui est, avant tout, le triomphe de Dieu.

ATHANASE *(saint),* évêque d'Alexandrie. Père de l'Église grecque (Alexandrie v. 295-*id.* 373), un des principaux adversaires de l'arianisme*. Les fluctuations de la politique religieuse des empereurs et la rigueur dont il fait montre à l'égard du moindre compromis avec l'hérésie le conduisent à cinq reprises en exil : dix-huit années, au total, sur les quarante-cinq années de son épiscopat (328-373). Son œuvre théologique est presque entièrement consacrée à la controverse antiarienne. Il faut mentionner, parmi ses principales œuvres, le *Discours contre les ariens,* l'*Apologie contre les ariens,* l'*Apologie à Constance* et ses *Commentaires* sur l'Écriture; enfin, et dans un autre domaine, la *Vie de saint Antoine,* qui aura pour la diffusion de l'idéal monastique une influence considérable, surtout en Occident.

ATHÉISME. — L'athéisme est un courant philosophique matérialiste se caractérisant par le refus de tout dualisme et de toute transcendance. Ses principaux représentants sont Héraclite*, Démocrite*, Épicure*, Lucrèce*, Copernic*, Galilée*, Spinoza* et les encyclopédistes du XVIIIe s. Jusqu'alors violemment réprimé par les tenants des pouvoirs (Église surtout), l'athéisme s'est renouvelé au XIXe s. sous l'influence de Marx*, d'Engels* et de Nietzsche*. Pour Marx, l'idée de Dieu et les pratiques religieuses qui s'y rattachent relèvent de l'arsenal idéologique qu'utilise la bourgeoisie pour maintenir son pouvoir et l'exploitation capitaliste. Selon

J. Bottin

Athènes. Vue panoramique de l'Acropole. On distingue au premier plan, l'odéon d'Hérode Atticus et le portique d'Eumenês. Au second plan, à gauche de l'enceinte (murs de Cimon), le temple d'Athéna Nikê et les Propylées. Enfin, à droite de l'Erechthéion, le Parthénon.

Nietzsche, la proposition « Dieu est mort » n'a de valeur que si elle est proférée par le « surhomme » qui affirme joyeusement la vie et non par le « dernier des hommes » qui substitue l'adoration de la foule à celle de Dieu.

Au XXe s., les développements des sciences, de la psychanalyse* et de l'épistémologie* ont contribué au renforcement de l'athéisme en en renouvelant les raisons, tandis que l'agnosticisme pratique a continué à s'étendre.

ATHÉNA, déesse grecque, fille de Zeus*, qui l'a fait sortir de son front tout armée. Ses attributions, comme celles de la plupart des divinités grecques, sont très variées : protectrice des villes — en particulier d'Athènes, à laquelle elle a donné l'olivier —, déesse des combats, des arts, de la raison. Elle symbolise l'action de la sagesse et de l'intelligence sur la vie de la cité. (V. PANATHÉNÉES.

ATHÊNAGORAS, primat orthodoxe (1886-Istanbul 1972). Patriarche œcuménique de Constantinople (1948), il s'attache à renouer les liens entre Rome et Constantinople. Sa rencontre avec Paul VI à Jérusalem, en 1964, prend valeur de symbole.

ATHÉNÉE, écrivain grec, né à Naucratis, en Égypte (IIIe s. apr. J.-C.), auteur d'un recueil des curiosités relevées au cours de ses lectures *(Banquet des sophistes),* qui a conservé des extraits de 1 500 ouvrages antiques perdus.

ATHÈNES, capit. de la Grèce (et du nome [province] de l'Attique); 867 023 hab. *(Athéniens).*

GÉOGRAPHIE. Avec le port du Pirée (principal débouché maritime du pays) et les autres banlieues, l'agglomération athénienne (le *Grand Athènes*) compte plus de 2,5 millions d'habitants, c'est-à-dire plus du quart de la population totale de la Grèce. Le poids économique de la capitale est encore plus lourd que son poids démographique : la ville concentre le tiers des fonctionnaires, regroupe environ la moitié des actifs industriels du pays et draine près des deux tiers des revenus déclarés. Outre ses fonctions de production (industries métallurgiques, alimentaires, textiles, chimiques) et de services (administration, banques, enseignement, etc.), Athènes est un centre touristique et culturel de niveau mondial. Le rythme de la croissance de la population (qui a plus que décuplé depuis le début du siècle) est cependant hors de rapport avec son essor économique. Résultant de l'excédent naturel et surtout de l'immigration de ruraux, il explique l'aspect hétérogène de l'habitat et un taux élevé de chômeurs. Il pose surtout le problème, exceptionnel à ce degré, dans l'Europe méditerranéenne et balkanique, du rapport entre une agglomération hypertrophiée et le reste du pays, tributaire des besoins prioritaires de la capitale.

HISTOIRE. Au temps des rois (av. le Xe s. av. J.-C.), Athènes, limitée au rocher escarpé de l'Acropole, est une des douze cités rivales de l'Attique*. D'après la légende, c'est Thésée* qui aurait procédé à l'unification politique de l'Attique. Il aurait ainsi, par le groupement des différentes cités (synœcisme), fondé Athènes et assuré sa suprématie. À la royauté succéda l'archontat. Un collège annuel d'archontes* est institué à partir de 683, et un gouvernement aristocratique s'établit au profit des Eupatrides*. Mais, au VIIe s., des transformations économiques et sociales ébranlent l'aristocratie, dont Dracon* et Solon* essaient de diminuer les pouvoirs. Avec la Constitution de Solon naît le véritable départ de la démocratie, car il étend la participation de la classe populaire à la vie publique. Des partis politiques se forment : pédiens, paraliens et diacriens. Ces derniers permettent à Pisistrate* de s'emparer du pouvoir et d'exercer la tyrannie. Athènes connaît, sous les tyrans, une période de splendeur et de développement. Mais une nouvelle évolution politique se dessine : la tyrannie n'aura été qu'une période de transition entre l'émancipation des petits propriétaires et la Constitution de la démocratie instaurée par Clisthène* (507 av. J.-C.). Ce dernier complète l'œuvre de Solon et donne à Athènes des institutions qui en font un État nouveau, débarrassé des privilèges de la naissance.

Au début du Ve s., les guerres médiques* contribuent à consolider le régime démocratique : Athènes, restée jusqu'alors un État agricole, devient une grande puissance maritime, et les victoires qu'elle a remportées lui confèrent un grand prestige. La cité groupe autour d'elle les cités de l'Égée et constitue, sous son autorité, une vaste confédération (ligue de Délos*, 477) pour s'opposer à l'hégémonie spartiate. Grâce à son hégémonie maritime et aux hommes qui la gouvernent, Thémistocle*, Aristide*, Cimon, Éphialtès* et Périclès*, Athènes connaît, au Ve s., une période de prospérité. L'évolution démocratique va s'achever avec les réformes de Périclès. Sous son autorité, la ville, embellie de monuments, rayonne par son activité artistique, littéraire et commerciale. Mais, malgré ce prestige, apparaissent les signes du déclin, qui commence avec la guerre du Péloponnèse* (431-404). Cette lutte, née de la rivalité entre Sparte* et Athènes, prend l'allure d'une guerre civile opposant démocrates et oligarques. Le conflit aboutit à la destruction de l'empire maritime d'Athènes et, en 404, la ville est prise par le Spartiate Lysandre*; elle doit subir un gouvernement aristocratique (tyrannie des Trente*). L'année suivante cependant Thrasybule rétablit la démocratie. Athènes reprend alors une place assez importante dans le monde grec. Elle constitue une nouvelle confédération (378), mais la guerre sociale* (357-355) y met fin.

Face à l'expansion macédonienne, Athènes déjà affaiblie ne peut résister. Vaincue à Chéronée (338) par Philippe* de Macédoine, elle doit se soumettre à l'autorité macédonienne. Dès lors, Athènes cessant d'être une puissance politique et militaire ne joue plus qu'un rôle économique et culturel. Malgré des sursauts d'indépendance (guerre lamiaque, 323-322), son rôle prééminent est terminé pour longtemps. En 146 av. J.-C., elle est assujettie aux Romains. Unie un moment à Mithridate (88), elle est prise et saccagée par Sulla (86). Elle garde pourtant son prestige intellectuel. Au IIIe s. apr. J.-C., elle est menacée par les Barbares. Au Moyen Âge, elle est à peine mentionnée. Cependant, après la prise de Constantinople par les Francs (1204), elle devient la capitale du duché d'Athènes et retrouve un rôle politique momentané. Elle est conquise par les Turcs en 1456 puis en 1688. Elle est saccagée en 1821 pendant la guerre d'indépendance. Athènes est la capitale du royaume ou de la république de Grèce depuis 1834.

BEAUX-ARTS. Occupée dès le néolithique, l'Acropole* reste le brillant témoignage du siècle de Périclès (Parthénon, Erechthéion, temple d'Athéna Nikê), de même que le temple d'Héphaistos (dit « Théséion »), temple dorique achevé du vivant de l'homme d'État. Sur les pentes méridionales de l'Acropole, à l'est, le théâtre de Dionysos est terminé au IVe s. av. J.-C. et embelli par l'empereur Hadrien. Les constructions de l'époque hellénistique ne frappent que par leurs dimensions colossales (portique d'Attalos sur l'Agora*; portique d'Eumenês; reprise des travaux de l'Olympieion, terminé sous Hadrien; reconstruction de l'Odéon de Périclès. La ville demeure un centre intellectuel pour les Romains, qui continuent les aménagements : Hadrien crée une véritable cité romaine; Hérode Atticus lui offre un nouvel Odéon, au sud-ouest de l'Acropole, et refait le stade en marbre pentélique. L'époque byzantine, par contre, laisse de petites églises, parmi lesquelles : la Kapnikaréa, la petite Métropole, les Saints-Apôtres et les Saints-Théodores. Le monastère de Kaisariani date du Xe s., tandis que l'église de celui de Dhafní (fin XIe s.), sur la route d'Éleusis*, est justement célèbre pour ses mosaïques*, qui associent la sévérité (Pantocrator) à un style nouveau (épisodes de la vie du Christ), plus souple et plus gracieux, empreint de réminiscences antiques.

Le XXe s. a vu la protection des zones archéologiques (Acropole, Agora, théâtre de Dionysos, etc.) ainsi que de nouvelles présentations du Musée national, le plus riche du monde en antiquités grecques. Près du Parthénon, l'important musée de l'Acropole abrite toutes les pièces provenant des fouilles voisines. Restitution réalisée par l'École américaine, le portique d'Attalos contient les objets du musée de l'Agora. Un musée est installé dans le cimetière du Céramique, qui a livré un mobilier funéraire important de l'époque géométrique et de nombreuses stèles. De belles icônes sont présentées dans le musée d'Art byzantin; le musée Benaki possède une riche collection d'arts décoratifs, antiques et byzantins.

ATHÉROME → ARTÉRIOSCLÉROSE.

ATHIS-DE-L'ORNE (61430), ch.-l. de cant. de l'Orne, à 9 km au N.-E. de Flers; 2202 hab.

ATHIS-MONS (91200), ch.-l. de cant. de l'Essonne, à 18 km au S. de Paris, près d'Orly; 31335 hab. *(Athégiens* ou *Athémonsois).* Métallurgie.

ATHLÉTISME. — Juxtaposant courses et concours (sauts et lancers), l'athlétisme est un sport dont l'extension universelle résulte de son caractère naturel, de la simplicité de règlements, fondés sur les seules mesures du temps ou de la distance. Pratiqué exclusivement, ou presque, par des amateurs, il est la base des jeux Olympiques, seule compétition rassemblant, tous les quatre ans, l'élite des athlètes mondiaux.

Pour les hommes, il existe douze *courses* principales (disputées aux jeux Olympiques, et dans les autres compétitions internationales — championnats continentaux ou rencontres entre pays). Le 100 mètres et le 200 mètres sont les épreuves de sprint pur, le 400 mètres est une course de vitesse prolongée, comme tend à le devenir le 800 mètres. Le 1500 mètres, le 5000 mètres et le 10000 mètres constituent les épreuves de demi-fond et de fond. À ces courses plates individuelles s'ajoutent deux courses de relais — le 4 × 100 mètres et le 4 × 400 mètres —, et trois courses individuelles d'obstacles — le 110 mètres haies et le 400 mètres haies, comportant chacun le franchissement de dix haies (hautes respectivement de 1,067 m et 0,914 m), et le 3000 mètres steeple, marqué, entre autres obstacles, par le franchissement de la « rivière » (fosse remplie d'eau large de 3,60 m).

Les *concours* comprennent quatre épreuves de sauts et quatre épreuves de lancers. Il s'agit, d'une part, du saut en hauteur, du saut en longueur, du triple saut (addition de trois bonds successifs) et du saut à la perche (effectué avec une perche en fibre de verre qui permet de pulvériser les performances du classique saut en hauteur), et, d'autre part, des lancers du poids (sphère en métal lourd pesant 7,257 kg), du disque (engin presque plat, de forme circulaire, pesant 2 kg), du marteau (boulet de 7,257 kg — comme le poids —, accroché à un câble en fil d'acier) et du javelot (long de 2,60 m et pesant 800 g).

Les épreuves féminines sont moins nombreuses : 100 mètres, 200 mètres, 400 mètres, 800 mètres, 1500 mètres et 3000 mètres, relais 4 × 100 mètres et 4 × 400 mètres, 100 mètres haies, sauts en hauteur et en longueur, lancers du poids (4 kg), du disque (1 kg) et du javelot (600 g). Comme le montre le tableau des records mondiaux, les performances féminines demeurent très en deçà de celles qui sont réalisées par les hommes.

Il existe d'autres épreuves, plus ou moins régulièrement disputées, et dont les plus célèbres sont le décathlon (et son équivalent féminin, le pentathlon), le marathon et le mile. Le décathlon, réservé aux hommes, consiste en l'addition des points obtenus, selon les performances accomplies, dans dix épreuves (100 mètres, 400 mètres, 1500 mètres, 110 mètres haies, hauteur, longueur, perche, poids, disque, javelot); le pentathlon comprend 100 mètres haies, 200 mètres, hauteur, longueur et poids. Le marathon est une course de fond disputée sur 42 km, qui doit son origine et son nom au célèbre soldat de Marathon*. Enfin, le mile est une course classique de demi-fond, sur 1609 m, disputée surtout dans les pays anglo-saxons, moins courue cependant aujourd'hui que le 1500 mètres.

les principaux records du monde au 1er janvier 1978

	Hommes	*Femmes*
100 mètres	9 s 95/100	10 s 88/100
200 mètres	19 s 83/100	22 s 21/100
400 mètres	43 s 86/100	49 s 29/100
800 mètres	1 min 43 s 4/10	1 min 55 s
1500 mètres	3 min 32 s 2/10	3 min 56 s
5000 mètres	13 min 12 s 9/10	
10000 mètres	27 min 30 s	
110 mètres haies	13 s 21/100	
400 mètres haies	47 s 45/100	
3000 mètres steeple	8 min 8 s	
4 × 100 mètres	38 s 03/100	42 s 50/100
4 × 400 mètres	2 min 56 s 01/10	3 min 19 s 23/100
saut en hauteur	2,33 m	2 m
saut en longueur	8,90 m	6,99 m
saut à la perche	5,70 m	
triple saut	17,89 m	
lancer du poids	22 m	22,32 m
lancer du disque	70,86 m	70,50 m
lancer du marteau	79,30 m	
lancer du javelot	94,58 m	69,32 m

ATHOS *(mont),* montagne de la Grèce septentrionale, en Macédoine, dans le sud de la péninsule la plus orientale de la Chalcidique, au-dessus de la mer Égée; 2033 m.

La « Sainte Montagne » est la dernière de ces colonies monastiques que l'Orient chrétien a multipliées de l'Égypte à l'Asie Mineure. C'est une république confédérale de 1300 moines (1970), autonome, sous le protectorat politique de la Grèce et la juridiction canonique du patriarcat de Constantinople. Cœur de l'orthodoxie, le monachisme athonite est purement contemplatif; mais la contemplation, toujours unie au travail manuel le plus humble, y est conçue comme la forme suprême de l'action.

Entourés de murailles, les bâtiments monastiques ont subi d'importantes modifications au XVIIe s. Les constructions s'échelonnent entre le XIIIe et le XXe s., avec des vestiges du IXe s. Le plan le plus fréquent est conforme aux normes byzantines. La décoration extérieure est fournie par les éléments constructifs, tandis qu'à l'intérieur se rencontrent les dallages de marbre, la mosaïque, puis les faïences murales. La fresque illustre l'art des Paléologues, mais surtout l'école dite « crétoise » (grands ensembles datés de 1535 à 1560), dont le moine Théophane a été l'un des brillants représentants. Les monastères abritent de très riches collections d'arts mineurs et des manuscrits du VIIIe au XVe s.

ATILIUS REGULUS *(Marcus)* → PUNIQUES *(guerres).*

ATLANTA, v. des États-Unis, capit. de la Géorgie, au S. des Appalaches; 497000 hab. Université. Aéroport. Industries mécaniques et alimentaires.

ATLANTIC CITY, v. des États-Unis (New Jersey), sur l'Atlantique, au S. de New York; 48000 hab. Station balnéaire.

ATLANTIDE, île hypothétique de l'Atlantique, jadis engloutie, et qui a inspiré depuis Platon de nombreuses légendes.

ATLANTIQUE *(océan),* océan qui sépare l'Europe et l'Afrique de l'Amérique; 106200000 km^2 (avec ses dépendances).

L'océan Atlantique, le deuxième du monde par sa surface, s'étire en forme de S relativement étroit, communiquant avec l'océan Arctique par un seuil resserré, le seuil d'Islande, mais s'ouvrant largement sur l'Antarctique. Dans sa moitié nord, les côtes continentales, très découpées, délimitent de nombreuses mers annexes (Manche, mer du Nord, Baltique, Méditerranée, mer de Baffin, mer des Antilles). Au sud, par contre, les côtes sont très rectilignes.

Les fonds de l'océan Atlantique présentent une disposition très régulière. Les côtes sont bordées par une *plate-forme continentale* peu profonde. Celle-ci est développée le long de l'Europe, de l'Amérique du Nord et de la Patagonie, et étroite au large de l'Afrique et du Brésil. Une énorme chaîne de montagnes sous-marine, la *ride* (ou *dorsale*) *médio-atlantique,* s'étire sur toute la longueur de l'Océan. Son sommet se situe généralement entre −3 000 et −1 500 m de profondeur, mais elle émerge parfois et forme alors des îles : Jan Mayen, Islande, Açores, Ascension, Tristan da Cunha. Dans sa partie centrale, elle est disloquée par des fractures transversales déterminant de profonds fossés (−7 758 m à la fosse de la Romanche). De part et d'autre de la ride se disposent une série de bassins de 6 000 à 7 000 m de profondeur, séparés par des seuils : bassins américain, du Brésil et argentin à l'ouest, bassins scandinave, ouest-européen, ouest-africain, de Guinée, d'Angola et du Cap à l'est. Les fosses océaniques sont très limitées : elles se situent en contrebas des Antilles (fosses des Caïmans et de Porto Rico) et des îles Sandwich du Sud. Des campagnes océanographiques systématiques ont montré que la ride médio-atlantique est constituée de basaltes, qui disparaissent sous des sédiments, de plus en plus épais au fur et à mesure que l'on approche des côtes. Enfin, du point de vue géologique, le plateau continental est la prolongation sous-marine du continent. Les eaux de l'Atlantique sont les plus salées de tous les océans (37,5 p. 1 000). Elles sont animées par des courants qui assurent un brassage entre les eaux froides des hautes latitudes et les eaux chaudes équatoriales. Les courants froids du Labrador et des Falkland remontent les côtes septentrionales et méridionales de l'Amérique et celui de Benguela remonte la côte africaine vers l'équateur. Ils sont compensés par le courant chaud du Brésil et celui du Gulf Stream, qui, parti du golfe du Mexique, vient réchauffer les côtes européennes par sa terminaison nord-est, la dérive nord-atlantique. Ces mélanges se traduisent par une agitation constante de l'eau qui favorise son oxygénation et la prolifération du plancton.

L'océan Atlantique joue un rôle économique très important. Certains secteurs sont le siège d'une pêche active : la façade nord-américaine autour de Terre-Neuve, la façade européenne et l'Islande, enfin la côte africaine et la côte méridionale de l'Amérique du Sud. Les plates-formes continentales recèlent parfois des gisements pétroliers, que le développement technique permet maintenant d'exploiter (mer du Nord, côtes du Venezuela et du golfe de Guinée). Enfin, reliant notamment l'Amérique du Nord à l'Europe, l'Atlantique est sillonné par une circulation maritime intense.

Atlantique *(mur de l'),* position fortifiée construite par les Allemands, de 1941 à 1944, sur les côtes de la mer du Nord, de la Manche et de l'Atlantique.

Atlantique Nord *(traité de l'),* pacte d'alliance signé à Washington le 4 avril 1949 par la Belgique, le Canada, le Danemark, les États-Unis, la France, la Grande-Bretagne, l'Islande, l'Italie, le Luxembourg, la Norvège, les Pays-Bas et le Portugal. Ces pays ont été rejoints en 1952 par la Grèce et la Turquie et en 1955 par l'Allemagne fédérale. Destinée à sauvegarder la paix et la sécurité dans la région de l'Atlantique Nord, l'organisation constituée par les signataires comprend de grands commandements militaires intégrés, dont le plus important est le S. H. A. P. E.*. Tout en restant membre de l'alliance, la France s'est retirée en 1966 de l'organisation; la Grèce a fait de même en 1974.

ATLAS *(Anat.)* → VERTÈBRE.

ATLAS *(Géogr.)* → CARTOGRAPHIE.

ATLAS, nom donné à plusieurs chaînes de montagnes de l'Afrique du Nord.

Au Maroc, le *Haut Atlas* (parfois appelé aussi *Grand Atlas)* s'étire sur près de 800 km du S.-O. au N.-E., à partir de l'Atlantique (région d'Agadir). Massif lourd, il culmine à 4 165 m au djebel Toubkal, point culminant de l'Afrique du Nord. Il est séparé de l'*Anti-Atlas,* au S., moins élevé, par les vallées du Sous, du Dadès et du Todra, et du *Moyen Atlas,* au N., par celles de l'oued el-Abid et de la haute Moulouya.

En Algérie, on distingue, au N., l'*Atlas tellien,* proche de la Méditerranée, région de moyennes montagnes, assez arrosées et entaillées notamment par le Chélif, la Soummam et l'oued el-Kébir, et, au S., l'*Atlas saharien* ou *présaharien,* succession de massifs (Ksour, djebel Amour, Ouled Naïl, Aurès), lieu d'estivage des nomades du désert.

ATMOSPHÈRE. — La variation verticale de la température permet de distinguer les couches suivantes : 1° la *troposphère,* où la température décroît quand on s'élève, et qui, brassée par la circulation atmosphérique, est le siège des phénomènes météorologiques; 2° la *stratosphère,* où la température est pratiquement constante; 3° la *mésosphère,* où la température est croissante, puis décroissante; 4° la *thermosphère,* où la température croît avec l'altitude. Les limites supérieures des trois premières couches sont la tropopause, la stratopause, la mésopause. On appelle *homosphère* la couche située entre 0 et 100 km, où la composition de l'air est constante. Au-dessus, l'*hétérosphère* se caractérise par la prédominance des gaz légers (hélium, azote, hydrogène). À partir de 1 000 km commence l'*exosphère,* où les molécules les plus légères échappent à la pesanteur et s'évadent vers l'espace interplanétaire. La vapeur d'eau, le gaz carbonique, les impuretés de toutes sortes se cantonnent à la troposphère, et, le plus souvent, dans les trois premiers kilomètres. L'ozone prédomine dans la stratosphère supérieure. La densité des ions devient grande dans diverses couches, à partir de 100 km d'altitude, dont l'ensemble constitue l'*ionosphère.*

L'atmosphère est indispensable à la vie en raison des gaz qu'elle contient et aussi en tant qu'écran protecteur (en particulier l'ozone qui filtre les rayons ultraviolets) face au rayonnement solaire.

ATOLL → CORALLIEN.

ATOME. — Chaque élément chimique est constitué par des atomes, particules extrêmement petites, identiques entre elles, conservant, au travers de toutes les réactions chimiques, leur masse et leurs propriétés caractéristiques de l'élément considéré.

L'atome d'un élément chimique est formé d'un noyau central (qui porte la presque totalité de sa masse, ainsi qu'une charge électrique positive), entouré d'un nuage d'électrons (particules d'électricité négative, ayant au total une charge opposée à celle du noyau).

Le *noyau* est formé de *neutrons,* particules sans charge, et de *protons,* particules chargées positivement, ayant à peu près la même masse. Deux constantes le caractérisent :

— 1. Le nombre Z de ses protons, dit *numéro atomique,* qui varie de 1 (hydrogène) à 92 (uranium) pour les éléments existant dans la nature; ce nombre indique la charge du noyau et le nombre des électrons planétaires;

— 2. Le nombre total de particules $A = Z + N$ (N, mombre de neutrons), dit *nombre de masse,* car il fournit sensiblement la masse du noyau.

On accompagne le symbole d'un élément des indications précédentes, A étant porté en exposant et Z en indice. Ainsi, $^{16}_{8}O$ indique un noyau d'oxygène formé de 16 particules, dont 8 protons. On remarque que la masse d'un noyau est légèrement inférieure à celle des particules qui le constituent. Cette *perte de masse* mesure l'énergie libérée par la formation de l'atome, selon la formule relativiste $W = mc^2$, où *c* est la vitesse de la lumière.

Autour du noyau gravitent des *électrons,* dont le nombre Z est le numéro atomique du noyau. Ces électrons sont disposés en couches, définissant des niveaux d'énergie. Chaque électron, dont il est impossible de localiser la position et la vitesse (principe d'incertitude), est défini par quatre nombres quantiques, dont le premier est le numéro d'ordre de la couche. L'émission ou l'absorption d'énergie par un atome, qui se fait par quanta, correspond à un changement de nombre quantique.

Les *ions* sont des atomes ayant gagné ou perdu des électrons; ils manifestent alors, selon le cas, une charge totale négative (anions) ou positive (cations). Les propriétés chimiques des éléments s'interprètent par les caractères des électrons de la couche extérieure.

Les diamètres des nuages électroniques vont de 1 à 5 dix-millionièmes de millimètre; ils sont environ 10 000 fois plus grands que ceux des noyaux.

ATOMIQUE (bombe). — Après de longues recherches, les États-Unis réalisaient, le 16 juillet 1945 à Alamogordo (Nouveau-Mexique), la première explosion atomique. Les 6 et 9 août suivants, ils larguaient deux bombes de ce type sur Hiroshima et Nagasaki, provoquant ainsi la capitulation du Japon. Ces deux explosions marquaient, dans la stratégie comme dans les relations internationales, le début d'une nouvelle époque : l'ère atomique.

Les effets de ces projectiles sont sans commune mesure avec ceux des projectiles chargés d'explosifs classiques. Ils peuvent se classer : en effets *mécaniques,* résultant de la déflagration propagée en ondes de choc (surpression de 50 t au mètre carré au point zéro); en effets *thermiques,* dus à la chaleur intense dégagée par l'explosion (brûlures mortelles sur les personnes non protégées, dans un rayon de 1 200 m); en effets *radioactifs* instantanés et résiduels, à base de rayons gamma et de neutrons. La puissance des charges nucléaires est évaluée en kilotonnes par référence aux seuls effets mécaniques. La bombe d'Hiroshima est dite « de 20 kt » parce que son explosion a libéré une énergie mécanique correspondant à celle de 20 000 t de tolite (explosif classique). En 1952 apparaissait aux États-Unis un nouveau type de projectile mettant en œuvre non plus la fission de noyaux d'atomes lourds, mais la fusion d'atomes légers. Cette bombe, dite *thermonucléaire,* ou *bombe H,* infiniment plus puissante, est caractérisée par des effets mécaniques évalués non plus en kilotonnes, mais en mégatonnes et par le phénomène dit « des retombées radioactives ».

La possession des armes nucléaires, qui recouvrent un ensemble

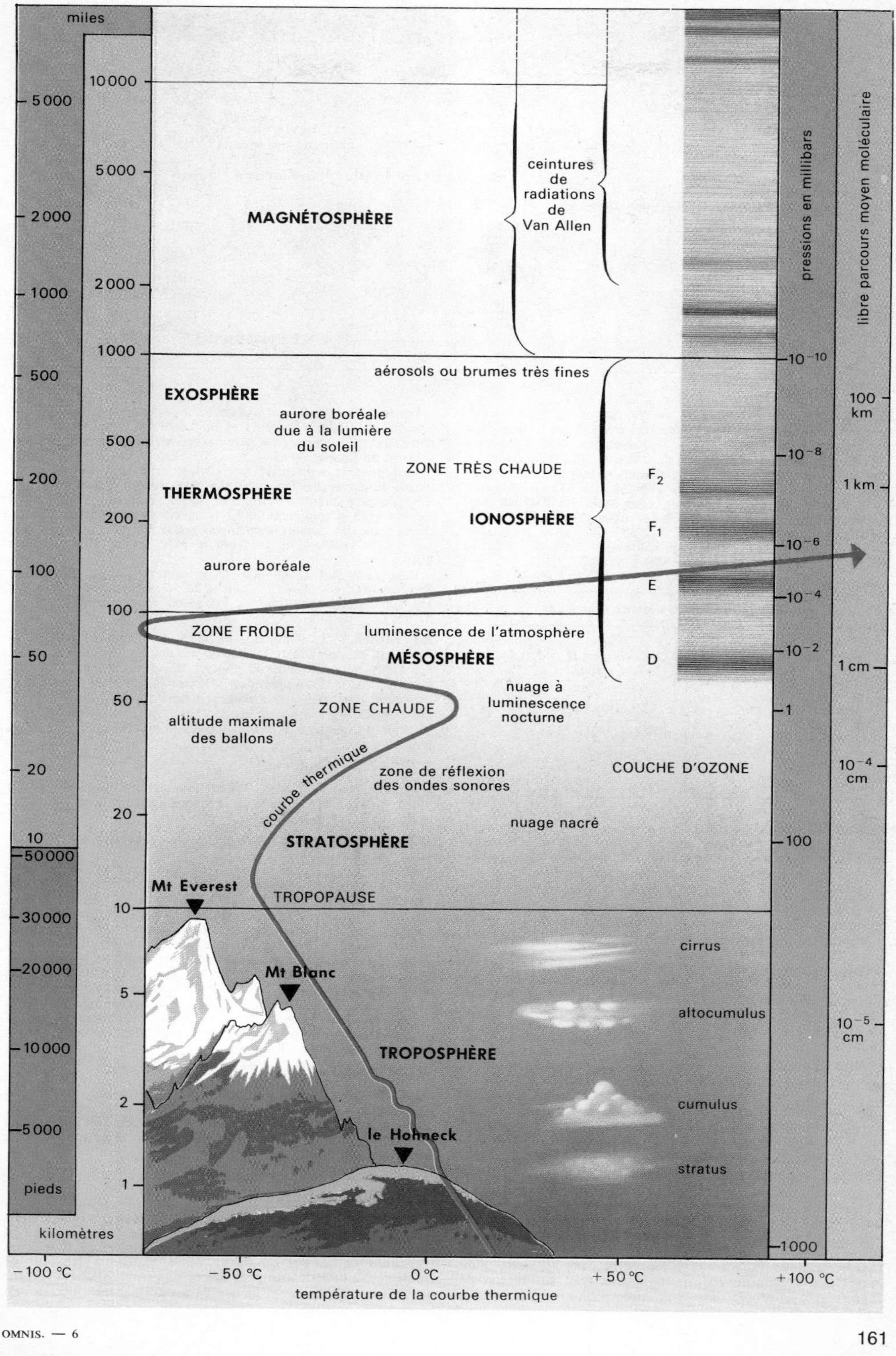
miles
kilomètres
pieds
MAGNÉTOSPHÈRE
ceintures de radiations de Van Allen
aérosols ou brumes très fines
EXOSPHÈRE
aurore boréale due à la lumière du soleil
ZONE TRÈS CHAUDE
THERMOSPHÈRE
IONOSPHÈRE
F_2
F_1
E
D
aurore boréale
ZONE FROIDE
luminescence de l'atmosphère
MÉSOSPHÈRE
nuage à luminescence nocturne
ZONE CHAUDE
altitude maximale des ballons
courbe thermique
zone de réflexion des ondes sonores
COUCHE D'OZONE
nuage nacré
STRATOSPHÈRE
Mt Everest
TROPOPAUSE
Mt Blanc
TROPOSPHÈRE
le Hohneck
cirrus
altocumulus
cumulus
stratus
pressions en millibars
libre parcours moyen moléculaire
10000
5000
2000
1000
500
200
100
50
20
10
5
2
1
5 000
2 000
1000
500
200
100
50
20
10
50000
30000
20000
10000
5000
10^{-10}
10^{-8}
10^{-6}
10^{-4}
10^{-2}
1
100
1000
100 km
1 km
1 cm
10^{-4} cm
10^{-5} cm
− 100 °C
− 50 °C
0 °C
+ 50 °C
+ 100 °C
température de la courbe thermique

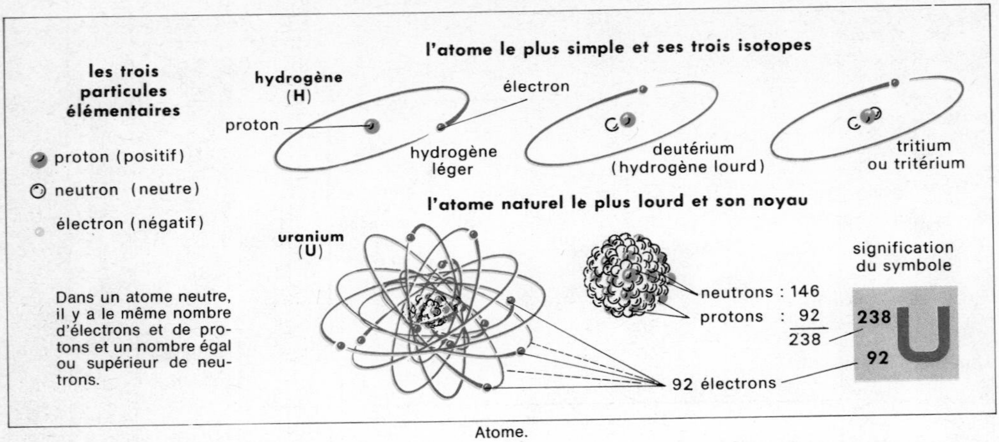

Atome.

allant du projectile tactique (v. NUCLÉAIRE [*arme*]) au missile* stratégique intercontinental, a rapidement cessé d'être le monopole des États-Unis. Le danger qu'elles représentent a conduit les deux super-grands américain et soviétique à limiter, par les accords de Moscou (1963), les explosions expérimentales qui, de 1945 à 1963, avaient dégagé une énergie évaluée à 700 Mt, soit 140 fois plus que l'ensemble des projectiles classiques tirés de 1939 à 1945 par tous les belligérants. À partir de 1969, les États-Unis et l'U. R. S. S. décidaient par une négociation directe de limiter aussi l'ensemble de leurs propres armements nucléaires stratégiques (accords SALT* 1972 et 1974). [V. DÉSARMEMENT.]

date des premières explosions atomiques

	bombes A (fission)	*bombes H (fusion)*	*Nombre d'explosions au 1er janvier 1976*
États-Unis	16 juill. 1945	1er nov. 1952	604
U. R. S. S.	29 août 1949	12 août 1953	329
Grande-Bretagne	3 oct. 1952	15 mai 1957	22
France	13 févr. 1960	24 août 1968	63
Chine	16 oct. 1964	17 juin 1967	17
Inde	16 (?) mai 1974		1

ATOMIQUE (masse ou poids). — Beaucoup d'éléments naturels sont des mélanges d'isotopes, atomes différant par le nombre de neutrons de leurs noyaux; leur masse atomique est la moyenne des nombres de masse des isotopes constituants.

ATOMISME. — Développé par Leucippe (v. 460-370 av. J.-C.) puis par Démocrite*, l'atomisme est une doctrine de la nature qui se situe dans la lignée des Ioniens*. Inengendré, immuable et insécable, l'atome est pensé comme l'être même de la nature. Infinis en nombre et en configuration, les atomes sont les constituants minimaux de toute réalité perceptible. Réactivé par Épicure* et Lucrèce*, l'atomisme aura pour défenseurs Gassendi*, Helvétius* et d'Holbach*, aux XVIIe et XVIIIe s. Mais, dès lors où la notion philosophique d'atome a été remplacée par le concept scientifique d'atome*, l'atomisme a fait place à la «théorie atomique».

ATONALE (musique). — Globalement, peut être qualifiée d'*atonale* toute musique n'obéissant pas (ou plus) aux lois du langage tonal classico-romantique occidental. Historiquement, le terme s'applique essentiellement aux œuvres de Schönberg, Berg et Webern comprises entre leur abandon de la tonalité, vers 1908, et leur mise en œuvre, à partir de 1923, du dodécaphonisme* sériel, cas particulier de l'atonalité.

ATRIDES, famille de la mythologie grecque célèbre par son destin tragique.

La légende a pour point de départ la haine farouche qui dresse l'un contre l'autre les deux fils de Pélops*, Atrée, ancêtre de la famille, et Thyeste. Cette rivalité, à la fois politique (le trône de Mycènes*) et amoureuse, conduit Atrée à tuer les trois fils de Thyeste et à les faire servir à leur père dans un festin (d'où l'expression «festin de Thyeste»). Égisthe, fruit de l'inceste de Thyeste avec sa propre fille, tuera Atrée pour venger son père.

La deuxième partie de la légende a comme toile de fond une période historique : Mycènes et la guerre de Troie*. Atrée avait deux fils, Agamemnon, qui régnera sur Mycènes, et Ménélas, qui sera roi de Sparte; Ménélas épouse Hélène*, Agamemnon* prend pour femme la sœur d'Hélène, Clytemnestre, qui, trouvant trop longue la guerre de Troie, où son mari commande en chef, fait d'Égisthe son amant. À son retour, Agamemnon sera assassiné par Égisthe avec la complicité de Clytemnestre. Pour venger son père, Oreste* tue les amants meurtriers; poursuivi pour son parricide par les Érinyes*, il ne trouvera la paix que par l'intervention d'Apollon*.

Dans cette légende qui illustre la force du Destin, thème cher à la pensée hellénique, se mêlent des éléments divers, dont les uns appartiennent au folklore, les autres à une réalité historique déformée.

ATROPHIE. — La diminution de poids, de volume d'un organe ou d'un tissu est due à la déficience ou à la destruction des vaisseaux, des filets nerveux dont ils dépendent, et à l'absence d'apport nutritif. Citons l'atrophie des artérites par défaut d'irrigation, l'atrophie cérébrale des maladies dégénératives et les atrophies musculaires, ou *amyotrophies,* des paralysies consécutives à des sections de nerfs ou à des lésions de la moelle épinière, telle la poliomyélite.

ATROPINE → BELLADONE.

ATTAINGNANT (Pierre), éditeur français de musique († Paris 1552). Il publia des recueils de chansons polyphoniques françaises et des livres de motets.

ATTALIDES, dynastie hellénistique des souverains de Pergame*, issue d'Attalos de Tios.

Philétairos († 263 av. J.-C.), fils d'Attalos et officier de Lysimaque*, se rend indépendant des Séleucides* et fonde le royaume de Pergame, que son fils adoptif, Eumenês Ier (de 263 à 241), fait reconnaître en 261 par les Séleucides. Attalos Ier (de 241 à 197) prend le titre de roi à la suite de sa victoire sur les Galates. Eumenês II (de 197 à 159), allié des Romains contre les Séleucides, reçoit à la paix d'Apamée (188) une partie de l'Asie Mineure. Son frère, Attalos II Philadelphe (de 159 à 138), intervient dans les affaires de Bithynie* et participe à côté des Romains à l'écrasement de la ligue Achéenne (146). Il laisse un royaume puissant et prospère qui, à la mort de son neveu, Attalos III Philométor (de 138 à 133), esprit fantasque, plus intéressé par la botanique que par la politique, revient aux Romains.

ATTALOS ou **ATTALE Ier, II, III** → ATTALIDES.

'ATTĀR (Farīd al-Dīn), poète persan (Nichāpur v. 1150-*id.* v. 1220). Il a illustré les doctrines du soufisme* dans ses épopées romanesques *(le Livre de Khosrō)* et mystiques *(le Colloque des oiseaux, le Livre des afflictions)* et dans ses récits biographiques *(le Mémorial des saints).*

ATTELAGE *(Ch. de f.)* → TRAIN.

ATTENTION → VIGILANCE.

ATTERRISSAGE. — Au cours de l'atterrissage, l'avion* prend contact avec le sol; il est équipé de trains d'atterrissage qui s'escamotent pendant le vol et sont sortis lorsqu'il est à quelques centaines de mètres au-dessus de la piste. La longueur de roulement à l'atterrissage peut être réduite en utilisant des moyens de freinage auxiliaires : réduction du pas des hélices*, inversion de poussée des turboréacteurs, et, pour les avions à grande vitesse, parachute* de queue.

ATTICHY (60350 Cuise la Motte), ch.-l. de cant. de l'Oise, à 18 km à l'E. de Compiègne, sur l'Aisne; 1 545 hab. Chimie.

ATTICISME. — Notion née à l'époque hellénistique, à un moment d'évolution profonde de la langue grecque, l'atticisme consista à imiter le style des auteurs athéniens des ve et IVe s., d'Eschyle à Démosthène. À Rome, on appelait *attiques* les orateurs partisans d'un style dépouillé à la manière des orateurs athéniens classiques (Lysias), et qui s'opposaient aux tenants d'un style plus exubérant, les *asiatiques.* Chez les écrivains modernes, l'atticisme a désigné un idéal de goût et de mesure.

ATTIGNY (08130), ch.-l. de cant. des Ardennes, au N.-O. de Vouziers, sur l'Aisne; 1 445 hab. Église surtout des XVe-XVIe s.

ATTILA (v. 395-453), roi des Huns* (434-453). Il ravage l'empire d'Orient (441) et poursuit sa politique expansionniste vers l'Occident, dominé par le désir de « conquérir l'or du Rhin » : il envahit la Gaule en 451. Battu aux champs Catalauniques*, il reconstitue ses forces en Pannonie et marche vers l'Italie (452) : il prend Aquilée, Milan, Pavie; après avoir négocié avec le pape Léon Ier, il évacue l'Italie. L'empire des Huns sur lequel il régnait se désagrégea après la mort de ce chef, autant diplomate que guerrier, mais qui n'eut pas de plan politique d'ampleur historique.

ATTIQUE, péninsule de la Grèce, correspondant à l'actuelle province *(nome)* dont Athènes est le chef-lieu. Dès la période achéenne, la population de l'Attique est groupée dans une douzaine de bourgades indépendantes, dont Athènes*, Éleusis*, Braurôn, etc. Vers 750 av. J.-C., Athènes annexe Éleusis et unifie l'Attique à son profit. Dès lors, l'histoire de l'Attique se confond avec celle d'Athènes. Mais subsistent encore les anciennes rivalités locales que Clisthène, en 507, par une nouvelle division administrative, tentera de réduire.

ATTIS, dieu phrygien de la végétation, aimé de la déesse Cybèle*. Dans un accès de folie, il s'émascula; son sang fertilisa la végétation. Attis était l'objet d'un culte initiatique.

ATTITUDE. — L'existence et la quantification d'une attitude chez un individu ne peuvent être que déduites de son comportement, car l'attitude représente la disposition affective de l'individu vis-à-vis d'un objet donné, susceptible de s'actualiser dans un comportement. Vis-à-vis d'un objet donné, les attitudes que l'on rencontre dans une population s'ordonnent dans un continuum qui va du plus favorable au moins favorable. Les « échelles d'attitude » permettent, à partir d'un questionnaire, de déterminer avec plus ou moins de précision, selon le type d'échelle, la position d'un sujet sur ce continuum. Ainsi, Bogardus (1925) considérait que répondre positivement à : « J'accepterais un élément de ce groupe ethnique comme proche parent par le mariage » impliquait une attitude plus favorable envers le groupe en question que de répondre positivement à : « J'accepterais un élément de ce groupe comme voisin », et, *a fortiori,* que « oui » à : « J'accepterais un élément de ce groupe comme résident temporaire dans mon pays ». Cependant, ce type d'échelle (ordinale), si elle permet d'ordonner les attitudes, ne permet pas de préciser davantage la distance séparant ces trois attitudes. Par contre, les échelles d'intervalles permettent de comparer entre eux les intervalles, donc de définir l'égalité de deux intervalles.

Les psychologues ont été sollicités par tous ceux qui se préoccupent de modifier les attitudes (publicistes, partis politiques). Ils ont constaté que ce qui modifiait le plus aisément l'attitude des indécis était l'apport d'une nouvelle information, en relation avec l'objet de l'attitude, et que la manière de transmettre l'information modificatrice était au moins aussi importante que l'information elle-même. Cependant, une attitude résiste d'autant mieux au changement qu'elle est reliée à d'autres dans un réseau d'ensemble cohérent. Ainsi, Adorno* (1950) a montré que les antisémites avaient généralement des attitudes hostiles à l'égard d'autres minorités ethniques.

ATTLEE (Clement, *comte*), homme d'État britannique (Londres 1883 - *id.* 1967). Député travailliste (1922), puis leader de son parti, il fait partie du cabinet de guerre présidé par W. Churchill (1940-1945). Premier ministre en 1945, il engage prudemment le pays dans la voie des nationalisations et de la planification. Rejeté dans l'opposition par les élections de 1951, il dirige le parti travailliste jusqu'en 1955. Il est élevé à la pairie l'année suivante.

ATTRACTION UNIVERSELLE. — Deux points matériels, de masses m et m', séparés par une distance d, exercent l'un sur l'autre une force attractive dirigée suivant la droite qui les joint, dont l'intensité est $F = k\frac{mm'}{d^2}$, où k désigne une constante universelle.

ATWOOD (George), physicien anglais (Londres 1746 - *id.* 1807), inventeur d'un appareil pour l'étude des principes de la dynamique et des lois de la chute des corps (1784).

AUBAGNE (13400), ch.-l. de cant. des Bouches-du-Rhône, à 17 km à l'E. de Marseille, sur l'Huveaune; 33 601 hab. (*Aubains* ou *Aubaniens*). Dépôt de la Légion étrangère et du 1er régiment étranger replié de Sidi-Bel-Abbès en 1962. Musée de la Légion créé en 1966.

AUBAINE. — D'abord droit seigneurial, l'aubaine devient à partir du XVIe s. un droit royal. Ce droit consiste dans l'attribution au seigneur ou au roi de la succession de l'aubain (étranger non naturalisé). Aboli par l'Assemblée nationale constituante, rétabli partiellement en 1804, il est supprimé définitivement par la loi du 14 juillet 1819.

AUBE, riv. de l'est du Bassin parisien, affl. de la Seine (r. dr.); 248 km. Née sur le versant septentrional du plateau de Langres, l'Aube draine le sud de la Champagne, passant à Bar-sur-Aube et confluant près de Romilly-sur-Seine.

AUBE (10), départ. de la Région Champagne-Ardenne; 6 002 km^2; 284 823 hab. Ch.-l. *Troyes.* S.-préf. *Bar-sur-Aube* et *Nogent-sur-Seine.* Dans l'est du Bassin parisien, le département s'étend sur la partie méridionale de la Champagne, drainée par l'*Aube* et, surtout, la Seine, axe vital, jalonnée de centres urbains — Bar-sur-Seine, Romilly-sur-Seine, Nogent-sur-Seine et, surtout, Troyes, dont l'agglomération regroupe environ les deux cinquièmes de la population départementale. Dans la vallée de l'Aube, moins active, se succèdent Bar-sur-Aube, Brienne-le-Château et Arcis-sur-Aube.

L'agriculture n'emploie plus guère que le dixième de la population active, développée surtout dans le nord-ouest, la Champagne crayeuse, valorisé par l'emploi massif d'engrais et domaine des céréales, de la betterave à sucre et de la luzerne. Au S., dans la Champagne humide, à la topographie plus accidentée, plus arrosée, l'élevage domine. Les cultures réapparaissent à l'extrémité est du département, dans la côte des Bars, où, de plus, la production du vignoble est destinée à la champagnisation. Enfin, les forêts occupent de grandes superficies, dans le pays d'Othe, au S. de la Seine (forêt d'Aumont) et à l'E. de Troyes (forêt d'Orient, à proximité d'un grand lac artificiel [réservoir Seine] destiné à écrêter les crues du fleuve).

L'industrie est, de loin, l'activité principale, occupant environ la moitié de la population active. Elle est toujours dominée par la bonneterie, dont Troyes est la capitale (les constructions mécaniques et l'alimentation sont les autres branches notables), industrie peu dynamique qui explique une certaine lourdeur chronique de l'emploi et la relative faiblesse de la croissance démographique récente. Celle-ci tient encore à la part, inférieure à la moyenne nationale, du secteur tertiaire, malgré la présence et l'importance de Troyes, seul véritable centre urbain du département et dont l'accroissement de population masque, dans la quasi-totalité des cantons ruraux, la persistance de l'émigration. Au total, le département est peu peuplé : la densité est inférieure de moitié à la moyenne nationale.

AUBENAS (07200), ch.-l. de cant. de l'Ardèche, à 30 km au S.-O. de Privas, au-dessus de l'Ardèche; 13 707 hab. *(Albenassiens).*

AUBENTON (02500 Hirson), ch.-l. de cant. de l'Aisne, à 15 km au S.-E. d'Hirson; 1 006 hab.

AUBÉPINE. — Cet arbrisseau, au tronc épineux et clair, aux fleurs printanières blanches ou roses, peut vivre jusqu'à 500 ans et atteindre 10 m de haut. Il se multiplie par ses racines drageonnantes et l'on en fait des haies vives. Ses fruits rouges, mûrs en novembre, sont très appréciés des oiseaux. L'aubépine est une rosacée*.

AUBER (Esprit), compositeur français (Caen 1782 - Paris 1871). S'étant spécialisé dans le genre de demi-caractère de l'opéra-comique, en s'assurant la collaboration du librettiste E. Scribe, il y remporta de vifs succès (*la Muette de Portici,* 1828; *Fra Diavolo,* 1830; *le Domino noir,* 1837; *les Diamants de la Couronne,* 1841), avant d'être nommé directeur du Conservatoire de Paris (1842).

AUBERCHICOURT (59165), comm. du Nord, à 12 km au S.-E. de Douai; 5 292 hab.

AUBERGENVILLE (78410), ch.-l. de cant. des Yvelines, à 12 km au S.-E. de Mantes-la-Jolie, près de la Seine; 10 242 hab.

AUBERGINE → SOLANACÉES.

AUBERIVE (52160), ch.-l. de cant. de la Haute-Marne, à 27 km au S.-O. de Langres, sur l'Aube; 270 hab.

AUBERT (Jean), architecte français († 1741) au service du prince de Condé (superbes Grandes Écuries de Chantilly, 1719-1735).

AUBERT (Jacques), compositeur français (Paris 1689 - Belleville, près de Paris, 1753). Violoniste réputé, au service du prince de Condé, puis du roi, de l'Académie de musique et du Concert spirituel, il a laissé pour son instrument des livres de suites, sonates et concertos qui se ressentent de l'influence italienne.

AUBERVILLIERS (93300), ch.-l. de cant. de la Seine-Saint-Denis, à 2 km au N.-E. de Paris; 72 997 hab. *(Albertvilliariens).*

AUBETERRE-SUR-DRONNE (16390 St Séverin), ch.-l. de cant. de la Charente, à 57 km au S. d'Angoulême, sur la *Dronne;* 419 hab. Deux églises, dont l'une rupestre (XIIe s.).

AUBIÈRE (63170), comm. du Puy-de-Dôme, dans la banlieue sud-est de Clermont-Ferrand; 9203 hab.

AUBIGNÉ (Théodore Agrippa D'), écrivain français (près de Pons, Saintonge, 1552-Genève 1630). Voué par son père, devant le spectacle des suppliciés d'Amboise, à la défense de la cause calviniste, il devient le compagnon incorruptible d'Henri IV, puis, la paix politique et religieuse revenue, il défend ses convictions en écrivant une épopée mystique (*les Tragiques**, 1616), des romans satiriques (*Aventures du baron de Fœneste,* 1617), une *Histoire universelle depuis 1550 jusqu'en 1601* (1616-1620). Compromis dans la conspiration contre Luynes (1620), il se réfugia à Genève. Il a laissé des poèmes d'amour *(le Printemps)* qui sont une des premières manifestations du baroque* littéraire. Il fut le grand-père de Mme de Maintenon.

AUBIGNY-EN-ARTOIS (62690), ch.-l. de cant. du Pas-de-Calais, à 16 km au N.-O. d'Arras; 1161 hab.

AUBIGNY-SUR-NÈRE (18700), ch.-l. de cant. du Cher, à 28 km au S.-O. de Gien, en Sologne; 5545 hab. Église des XIIe-XVe s. Château et maisons des XVe-XVIe s. Constructions mécaniques.

AUBIN (12110), ch.-l. de cant. de l'Aveyron, à 4 km au S. de Decazeville; 6504 hab. Église des XIIe et XVe s.

AUBISQUE *(col d'),* passage pyrénéen (Pyrénées-Atlantiques), entre Eaux-Bonnes et Argelès-Gazost; 1709 m.

AUBOUÉ (54580), comm. de Meurthe-et-Moselle, à 6 km au S.-E. de Briey; 4321 hab.

AUBRAC, haut plateau basaltique du Massif central, dans le sud de l'Auvergne, entre les vallées de la Truyère et du Lot supérieur; 1469 m au *Mailhebiau.*

AUBRAIS (Les), écart de la comm. de *Fleury-les-Aubrais* (Loiret), à 3 km au N. d'Orléans. Centre ferroviaire.

AUBUSSON (23200), ch.-l. d'arr. de la Creuse, sur la Creuse; 6824 hab. *(Aubussonnais).* Ateliers de tapisserie, surtout depuis le XVIe s. (à noter le séjour de Lurçat* en 1940). École nationale des arts décoratifs. Constructions électriques.

AUBY (59950), comm. du Nord, à 6 km au N. de Douai; 8837 hab. Métallurgie. Engrais.

Aucassin et Nicolette, « chantefable », roman en prose mêlée de vers (XIIIe s.), racontant les amours du fils du comte de Beaucaire et d'une esclave sarrasine.

AUCH (32000), ch.-l. du départ. du Gers, sur le Gers, à 685 km au S.-O. de Paris; 25070 hab. *(Auscitains).* Cathédrale en gothique flamboyant, à façade classique (célèbres stalles et vitraux du XVIe s.). Tuilerie. Imprimerie.

AUCHEL (62260), comm. du Pas-de-Calais, à 5 km à l'O. de Bruay-en-Artois; 13329 hab. *(Auchellois).* Textile.

AUCKLAND, v. de Nouvelle-Zélande, dans l'île du Nord; 650000 hab. C'est, de loin, la principale agglomération (regroupant plus du cinquième de la population totale du pays), le premier port et le plus grand centre industriel (métallurgie, textile, alimentation, chimie) de la Nouvelle-Zélande.

AUCKLAND *(îles),* archipel inhabité du Pacifique Sud, à 350 km au S. de la Nouvelle-Zélande, dont il dépend.

AUCUN (65400 Argelès Gazost), ch.-l. de cant. des Hautes-Pyrénées, dans le val du même nom, sur le gave d'Argelès, à 9 km au S.-O. d'Argelès-Gazost; 150 hab.

AUDE, riv. du sud de la France, tributaire de la Méditerranée; 223 km. Née dans les Pyrénées orientales (massif du Carlitte), elle sort en gorges de la montagne, coulant d'abord vers le N., passant à Quillan puis à Limoux. À Carcassonne, entrant en plaine, elle oblique vers l'E., drainant l'extrémité méridionale de la plaine languedocienne.

AUDE (11), départ. de la Région Languedoc-Roussillon; 6232 km^2; 272366 hab. *(Audois).* Ch.-l. *Carcassonne.* S.-préf. *Limoux* et *Narbonne.*

Sur la Méditerranée, aux confins du Massif central et des Pyrénées, du bassin d'Aquitaine et du Languedoc, le département juxtapose des paysages variés. La plaine littorale s'étire vers l'O. dans la vallée de l'Aude (prolongée par le seuil de Naurouze ou du Lauragais), dominée, au N., par le versant méridional de la Montagne Noire (Cabardès) et les hauteurs du Minervois, au S., par le massif des Corbières et le pays de Sault, avant-pays pyrénéen. Le climat, méditerranéen sur la côte, devient plus rude dans l'intérieur, également plus élevé.

La densité générale d'occupation est faible, inférieure même à la moitié de la moyenne nationale, en raison de l'extension des secteurs montagneux et de la médiocrité de l'urbanisation. Il n'existe pas de grandes villes, les principales cités jalonnent la vallée de l'Aude; se succèdent ainsi Quillan, Limoux, Carcassonne et, à proximité de la rivière, Lézignan-Corbières et Narbonne. L'industrie est peu développée, n'occupant guère que le quart de la population active, proportion voisine de celle qui est enregistrée dans l'agriculture, à laquelle elle est d'ailleurs partiellement liée. La viticulture demeure, de loin, la principale ressource départementale, juxtaposant vignobles de masse (prépondérants) et vignobles de qualité plus grande (Corbières, Minervois, région de Limoux). Son dynamisme est cependant bien insuffisant pour retenir la population. Il en résulte une persistance de l'émigration qui explique la diminution récente du chiffre de population. La part élevée du secteur tertiaire (plus des deux cinquièmes de la population active totale) est liée à la place importante de la fonction commerciale (notamment pour les vins) et, localement, au développement récent du tourisme estival sur le littoral en cours d'aménagement — notamment vers Leucate et Gruissan —, dont l'apport est supérieur à celui de la pêche, peu développée.

Au-delà du principe de plaisir, essai écrit par S. Freud en 1920 et qui marque un tournant important dans la théorie analytique. Freud y introduit en effet le concept de pulsion de mort*.

AUDEN (Wystan Hugh), écrivain anglais, naturalisé américain (York 1907-Vienne 1973). Son œuvre poétique (*Poèmes,* 1930; *l'Âge de l'angoisse,* 1947; *le Bouclier d'Achille,* 1955; *Hommage à Clio,* 1960), dramatique (*la Danse de mort,* 1933) et critique (*la Main du teinturier,* 1963) a évolué de l'engagement social et politique à l'angoisse existentialiste puis à l'acceptation de l'attitude chrétienne.

AUDENARDE, en néerl. **Oudenaarde,** v. de Belgique (Flandre-Orientale), sur l'Escaut, au S. de Gand; 26615 hab. (en 1970). Hôtel de ville en gothique tardif (1527), richement décoré. Églises N.-D. de Pamele (gothique scaldien du XIIIe s.) et Sainte-Walburge (XIIIe et XVe s.). Textile. Le duc de Vendôme y fut battu par le Prince Eugène et Marlborough (1708).

AUDENGE (33980), comm. de la Gironde, à 45 km au S.-O. de Bordeaux, près du bassin d'Arcachon; 2529 hab. Station balnéaire.

AUDERGHEM, en néerl. **Oudergem,** comm. de Belgique (Brabant), dans la banlieue sud-est de Bruxelles; 34546 hab.

Au-dessous du volcan, roman de Malcolm Lowry (1947). Le délire alcoolique et la désagrégation intellectuelle d'un consul déchu dans une petite ville du Mexique : symbole de tous les fantasmes d'autodestruction qui obsèdent l'homme contemporain.

AUDEUX (25170 Recologne), ch.-l. de cant. du Doubs, à 13 km au N.-O. de Besançon; 198 hab.

AUDIBERTI (Jacques), écrivain français (Antibes 1899-Paris 1965). Ses poèmes (*Des tonnes de semence,* 1941; *Ange aux entrailles,* 1964), ses romans (*Abraxas,* 1938; *Les tombeaux ferment mal,* 1963) et son théâtre (*Le mal court,* 1947; *l'Effet Glapion,* 1959; *la Fourmi dans le corps,* 1961; *Cavalier seul,* 1963) témoignent d'un monde où, à travers les hymnes à l'amour vrai, les situations fausses et les personnages ambigus, le langage se révèle la seule réalité solide.

AUDIERNE (29113), comm. du Finistère, à 35 km à l'O. de Quimper, sur la *baie d'Audierne,* à l'embouchure du Goyen; 3679 hab. Pêche et conserveries. Station balnéaire.

AUDIERNE *(baie d'),* baie largement ouverte du Finistère méridional, entre la pointe du Raz et la pointe de Penmarch.

AUDINCOURT (25400), ch.-l. de cant. du Doubs, à 6 km au S.-E. de Montbéliard, sur le Doubs; 18725 hab. *(Audincourtois).* Église moderne (vitraux de Léger, Bazaine et Le Moal). Métallurgie.

AUDIOMÉTRIE. — L'audiométrie permet de mesurer l'acuité auditive et d'individualiser les anomalies de l'audition. On établit plusieurs formes de courbes *(audiogrammes)* en rapport avec les surdités* de transmission, de perception ou mixtes.

AUDIOVISUEL. — Ce mot désigne, parmi les moyens de diffusion, ceux qui n'appartiennent pas à l'univers de l'écrit. Dans ce sens, il englobe les moyens de communication* de masse, ou mass media, permettant l'enregistrement et la diffusion des sons et des images : la radio, la télévision hertzienne, la télévision par câble, les satellites de télécommunication, les vidéogrammes et le matériel vidéo. Très souvent, le mot a une coloration péjorative; en ce cas, il exprime la réaction de défense de l'imprimé (journaux, livres, etc.) face aux défis des techniques électriques ou électroniques (depuis la radio de Marconi jusqu'aux ordinateurs).

En 1972 a été créé un Haut Conseil de l'audiovisuel de quarante membres (membres du Parlement, hautes personnalités, etc.), dont la fonction est d'émettre des avis sur les problèmes concernant l'orientation et le développement des techniques audiovisuelles, sur la déontologie des communications audiovisuelles, sur les dérogations au monopole de diffusion et sur les modalités du droit de réponse à l'antenne. Dans cette même voie, la réforme de la radiodiffusion et de la télévision françaises en 1974 a entraîné la création d'un Institut* national de l'audiovisuel chargé, notamment, de la conservation des archives, des recherches de création audiovisuelle et de la formation professionnelle.

Au sein des méthodes modernes d'enseignement, les techniques audiovisuelles couvrent, de la projection de simples vues fixes à la télévision en circuit fermé, un large éventail de fonctions pédagogiques. Elles jouent deux rôles principaux : elles créent une *motivation,* éveillant par l'immédiateté de l'image la curiosité des élèves ou des adultes qui relèvent de la formation permanente; elles apportent une *illustration* sur des événements ou des objets impossibles à produire dans l'espace d'enseignement et qu'elles rendent plus sensibles que la seule description verbale (certains films très courts permettent de faire comprendre en quelques minutes des processus complexes : mouvements moléculaires, circulation sanguine, phénomènes géologiques, combinaisons mécaniques, etc.). D'autre part, le langage audiovisuel apparaît, et pas seulement dans des milieux sociaux culturellement défavorisés, comme un *mode d'expression* moins contraignant et plus immédiat que l'écriture : l'analyse de l'image, son « décodage », permet une réflexion sur l'expression audiovisuelle et ouvre à une initiation aux arts de l'écran. De plus, les possibilités de conservation et de rediffusion des messages éducatifs par les techniques audiovisuelles permettent une véritable démocratisation pédagogique (systèmes « multi-media », télé-enseignement) et un abaissement sensible des coûts de l'enseignement.

AUDIT. — L'entreprise étant créatrice de richesses, elle doit être dotée de rentabilité et, pour l'être, elle doit s'imposer un certain nombre d'objectifs précis; l'*audit économique* assure le contrôle de l'exécution de ces objectifs. En outre, l'entreprise ayant, de plus en plus, des objectifs sociaux, à l'audit économique se surajoute un *audit social* — procédure d'examen des politiques de l'entreprise présentant des conséquences sociales.

AUDITION. — La détection des vibrations mécaniques est assurée par deux sortes d'organes animaux : ceux qui enregistrent les vibrations d'un support solide, et que l'on range parmi les organes du tact (corpuscules de Krause, de Herbst, etc.), et ceux qui enregistrent les vibrations d'un milieu fluide, air ou eau, et dont la fonction est l'*audition.*

L'organe auditif peut siéger sur diverses parties du corps : les pattes, chez les insectes (sauterelle); les flancs, chez les poissons (ligne latérale); enfin la tête (oreilles*), chez les vertébrés terrestres. La bande de fréquence que perçoit l'oreille humaine forme l'ensemble des *sons.* Mais de nombreux animaux perçoivent des *ultrasons* de plus haute fréquence (chauve-souris, chien) ou des *infrasons* de fréquence plus basse (cétacés, poissons).

L'organe auditif distingue les sons simples d'après leur intensité (unité : le décibel) et d'après leur hauteur, ou fréquence (unité : le hertz), mais il est capable, contrairement à l'œil, d'analyser les sons complexes selon leur *timbre.*

La comparaison des informations sonores parvenues à droite et à gauche permet de localiser l'origine des sons, voire de structurer un champ auditif (écholocation* des chauves-souris).

En milieu aquatique, l'audition est parfois assurée par le même organe que celui de l'orientation spatiale, le statocyste* (crustacés).

L'audition joue un rôle capital dans la reconnaissance des individus : conjoint, parent ou progéniture, au sein d'une foule (manchots, phoques, passereaux chanteurs). Elle permet la détection des proies ou des prédateurs. Associée à la phonation*, elle permet des échanges de signaux qui, chez l'homme (et peut-être chez le dauphin), aboutissent au langage*.

AUDRAN, famille d'artistes français des XVIIe et XVIIIe s., dont les plus illustres sont GÉRARD II (Lyon 1640 - Paris 1703), « graveur ordinaire du roi » et rénovateur de l'estampe de reproduction (à l'eau-forte et au burin, non plus au burin seul), d'après les œuvres de Raphaël, Le Brun, Mignard, Poussin..., et CLAUDE III (Lyon 1657 - Paris 1734), qui contribua à libérer l'art ornemental de la pompe classique par l'usage d'arabesques et de grotesques allégées (décors muraux perdus; tapisseries).

AUDRUICQ (62370), ch.-l. de cant. du Pas-de-Calais, à 26 km au S.-E. de Calais; 3 620 hab. Textile.

AUDUN-LE-ROMAN (54560), ch.-l. de cant. de Meurthe-et-Moselle, à 17 km au N. de Briey; 2 102 hab.

AUDUN-LE-TICHE (57390), comm. de la Moselle, à 18 km au S.-E. de Longwy; 6 831 hab. Métallurgie.

AUER (Karl), baron **von Welsbach,** chimiste autrichien (Vienne 1858 - château de Welsbach, Carinthie, 1929). Auteur de recherches sur les terres rares, il inventa le manchon à oxyde de thorium dit *bec Auer* (1895) et découvrit les propriétés pyrophoriques du ferrocérium.

AUERBACH (Erich), critique américain d'origine allemande (Berlin 1892 - Wallingford, Connecticut, 1957), auteur d'études sur le problème de la figuration et de la représentation dans la littérature occidentale, de Dante à Zola (*Mimesis**, 1946).

AUERSTEDT, village de l'Allemagne orientale, au N.-E. de Weimar, où Davout fut vainqueur des Prussiens en 1806. (V. COALITION [4e].)

Aufklärung *(Zeitalter der)* [« siècle des lumières »], mouvement de pensée rationaliste, d'inspiration leibnizienne, qui s'efforça de promouvoir une émancipation intellectuelle dans l'Allemagne du XVIIIe s. Ce courant, dont Wolff*, Lessing* et Herder* ont été les trois grandes figures, a cherché à créer un théâtre (Lessing), une poésie (Wieland*) et une esthétique (Baumgarten*) où s'affirmerait le « génie national » du peuple allemand.

AUGE → GLACIAIRE *(relief).*

AUGE *(pays d'),* région herbagère de Normandie, s'étendant essentiellement dans le département du Calvados, entre les vallées de la Touques et de la Dives (on donne à cette dernière le nom de *vallée d'Auge*). C'est un pays d'élevage bovin, destiné surtout à la production de fromages (camembert, livarot, pont-l'évêque).

AUGER (Pierre), physicien français (Paris 1899). Il a découvert les grandes gerbes du rayonnement cosmique ainsi que l'émission d'un électron par un atome changeant de niveau d'excitation (*effet Auger,* 1925).

AUGEREAU (Pierre), duc de **Castiglione,** maréchal et pair de France (Paris 1757 - La Houssaye 1816). Général en 1795, il se distingue en Italie (1796) et exécute le coup d'État du 18-Fructidor (1797). Fait maréchal en 1804, il participe à toutes les campagnes de l'Empire.

AUGIER (Émile), auteur dramatique français (Valence 1820 - Paris 1889), défenseur de la société bourgeoise traditionnelle contre toutes les atteintes portées à sa stabilité de corps et à son confort moral et intellectuel (*le Gendre de Monsieur Poirier,* 1854).

AUGSBOURG, en allem. **Augsburg,** v. de l'Allemagne fédérale (Bavière), sur le Lech, au N.-O. de Munich; 214 000 hab. Industries métallurgiques et textiles.

BEAUX-ARTS. Cathédrale du XIe s., transformée aux XVe-XVIe s. (vitraux du XIIe s., parmi les plus beaux d'Allemagne). Église Sainte-Anne (avec chapelle funéraire des Fugger*) et cité ouvrière, dite « Fuggerei », du début du XVIe s. Hôtel de ville, arsenal et hôpital classiques par Elias Holl (1573-1646). Musées installés dans des édifices anciens.

Augsbourg *(Confession d'),* premier formulaire confessionnel des Églises luthériennes, composé par Melanchthon* en 1530 pour exposer la foi des réformés à la diète réunie par Charles Quint à Augsbourg. Melanchthon s'efforce de montrer que les Églises évangéliques ne s'écartent pas de la tradition chrétienne, les quelques changements introduits consistant dans la correction de certains abus.

Augsbourg *(ligue d'),* coalition (1686-1697) des puissances européennes — les puissances protestantes notamment — contre les visées ambitieuses de Louis XIV*, qui vient d'occuper Strasbourg (1681) et de révoquer l'édit de Nantes (1685). L'âme de cette coalition est Guillaume* (III) d'Orange, roi d'Angleterre à partir de 1689. En fait, le roi de France peut contenir les forces ennemies grâce aux exploits de Luxembourg devant Guillaume III (victoires de Steinkerque [1692] et de Neerwinden [1693]) et de Catinat devant le duc de Savoie (La Marsaille, 1693). Si bien qu'au traité de Ryswick (1697) la France conserve Strasbourg; il est vrai qu'elle doit reconnaître Guillaume III comme roi d'Angleterre.

AUGURE → AUSPICES.

AUGUSTA, v. des États-Unis (Géorgie); 60 000 hab.

AUGUSTA, v. des États-Unis, capit. de l'État du Maine; 22 000 hab.

AUGUSTA, port d'Italie, en Sicile, sur la côte orientale de l'île; 28 000 hab. Raffinage du pétrole et pétrochimie.

AUGUSTE *(Cirque).* — Primitivement chargé d'amuser les spectateurs du cirque entre deux numéros, l'auguste fut ensuite associé au clown blanc pour exécuter des sketches comiques.

AUGUSTE *(Hist.).* — En décernant à Octavien (janv. 27 av. J.-C.) le surnom d'*Auguste,* mot emprunté au vocabulaire augural, le sénat reconnaissait au nouveau fondateur de Rome le pouvoir divin de « commencer toutes choses sous d'heureux auspices ». Auguste devint ensuite le *cognomen* de tous les empereurs romains. Dans le système de la tétrarchie* le titre a une valeur purement politique.

AUGUSTE, en latin. **Caius Julius Caesar Octavianus Augustus,** empereur romain (Rome 63 av. J.-C. - Nola 14 apr. J.-C.). Par sa mère, Octave est petit-neveu de César*, qui le choisit pour héritier dès 45 av. J.-C. A Apollonia (Grèce), où il achève ses études, il apprend l'assassinat de son père adoptif. Alors âgé de dix-neuf ans, il rentre en Italie pour revendiquer son héritage. A Rome, le maître de l'heure, Antoine*, a fait valider les actes de César et la lutte a repris entre césariens et républicains. Octave n'hésite pas à se poser en rival d'Antoine. Cicéron lui ménage les faveurs des sénateurs (qui soutiennent les meurtriers de César, Brutus* et Cassius*) et obtient pour lui un *imperium* pour aller combattre Antoine. Vainqueur d'Antoine à Modène (43), Octave se fait élire consul. Maître de Rome, il fait régulariser son adoption par les comices et devient Jules César Octavien. Pour venger la mort de César, il s'entend provisoirement avec Antoine et Lépide*, ancien maître de la cavalerie de César : la *lex Titia* (43) reconnaît le triumvirat*, partage l'Occident romain entre les triumvirs et crée pour eux une sorte de triple dictature, les chargeant pour cinq ans de restaurer la République. À Rome, l'opposition républicaine est extirpée par les proscriptions (Cicéron est assassiné); en Orient, l'armée républicaine de Brutus et Cassius est anéantie à Philippes* (42). Après Philippes, le monde romain tout entier est partagé entre les triumvirs : l'Occident à Octavien, l'Orient à Antoine, l'Afrique à Lépide (paix de Brindes, 40). En Occident, Octavien élimine d'abord (à Nauloque, 36) le « roi de la mer », Sextus Pompée*, qui avait conservé la Sicile et affamait Rome. La Sicile est conquise et, lorsque Lépide prétend la garder, Octavien le dépose et lui enlève l'Afrique. Resté seul maître de l'Occident, Octavien s'entoure de bons conseillers (Mécène* et Agrippa*), assure la sécurité des côtes dalmates, embellit Rome et reçoit, en 36, la puissance tribunitienne*. Il devient ainsi le chef incontesté d'un Occident romain pacifié et unifié. Dans le même temps, à Alexandrie, Antoine prend de plus en plus les allures d'un monarque hellénistique. Octavien a alors l'habileté de présenter sa rivalité avec Antoine comme la lutte entre l'Orient et Rome, menacée par le réveil d'un nouvel empire oriental. Le triumvirat expirant en 32, Octavien, dans la perspective de la guerre contre Antoine, se fait prêter serment de fidélité par l'Italie, ce qui lui permet de conserver l'*imperium*. Vainqueur d'Antoine à Actium* (sept. 31), il occupe la Grèce, l'Asie et annexe l'Égypte.

Octavien règne seul désormais sur le monde romain; de 31 à 27 il procède à la remise en ordre de l'État et, en janvier 27, il remet au sénat la République restaurée par ses soins; l'Assemblée lui confie alors le gouvernement de plusieurs provinces et lui décerne le titre d'*Auguste* : « Depuis ce temps, écrit Auguste, je l'ai emporté sur tous en *autorité*. » Tout en revêtant les magistratures traditionnelles (consulat depuis 31, proconsulat), Auguste exerce, en fait, la réalité du pouvoir politique. En 23, la base constitutionnelle de son autorité est modifiée : Auguste dépose le consulat mais prend l'*imperium* proconsulaire, étendu à tout l'Empire *(imperium majus);* puis il reçoit tous les pouvoirs des tribuns, autrement dit tous les pouvoirs civils. Enfin, à la mort de Lépide, en 12, le peuple l'élit grand pontife. Ainsi est fondé un nouveau régime, le *principat,* qu'Auguste a l'habileté d'organiser derrière une façade républicaine, mais qui est dominé par l'*empereur,* dont les pouvoirs reposent sur trois bases : civile, par la puissance tribunitienne; militaire par l'*imperium;* religieuse par le grand pontificat.

Cette autorité, Auguste l'emploie à édifier les institutions qui vont consolider le nouvel État politique : il s'entoure d'un véritable conseil impérial, et le sénat, dépouillé de ses pouvoirs politiques, devient un corps plus qu'une assemblée. Il crée un corps de fonctionnaires nommés et recrutés par lui dans les classes supérieures, fortement organisées : l'ordre sénatorial (défini par un cens de un million de sesterces) et l'ordre équestre (400 000 sesterces), dont les membres sont tout entiers consacrés aux tâches administratives. Parmi les chevaliers, il recrute les préfets chargés de l'administration de Rome : les préfets du prétoire, chefs de la garde impériale, le préfet de l'annone* chargé du ravitaillement et le préfet des vigiles, chef de la police. Les provinces sont réparties en provinces impériales et en provinces sénatoriales; dans les premières, l'empereur envoie ses légats* *(legati Augusti propraetores),* nommés, payés et révoqués par lui; les secondes relèvent du sénat, qui y délègue des promagistrats (anciens consuls ou préteurs); mais Auguste, en vertu de son *imperium majus,* y exerce sa surveillance par l'intermédiaire de ses procurateurs. En même temps que la stabilité politique, Auguste instaure un ordre nouveau, qu'il fonde sur des valeurs morales héritées du passé, et rétablit les formes traditionnelles de la religion : culte de Mars et de Vénus...

Dans sa politique extérieure, Auguste préfère aux conquêtes la sécurité des frontières : il envoie des expéditions en Égypte et en Afrique. Il emploie autant l'action diplomatique que militaire : c'est ainsi qu'il obtient des Parthes*, en 20 av. J.-C., la restitution des enseignes de M. Licinius* Crassus. La seule entreprise offensive de son règne, la conquête de la Germanie* jusqu'à l'Elbe, se solde par l'échec de P. Quintilius* Varus (9 apr. J.-C.). La frontière est ramenée au Rhin, désigné par Auguste comme les bornes de l'Empire.

Auguste a élaboré l'ordre dans un monde ébranlé par un siècle de guerres civiles : il a développé, derrière une façade républicaine, un ordre monarchique, il a promu une classe de grands commis dévoués au prince, il a fondé la société sur des bases morales et religieuses nouvelles, et opéré des remaniements idéologiques dont les écrivains de son « siècle », Virgile* et Horace*, multiplient l'écho.

Mais, le fondateur de l'Empire voulut que son œuvre lui survécût : en se présentant comme l'héritier des magistrats républicains, Auguste, qui n'a eu qu'une fille, Julie*, ne put appliquer la loi d'hérédité pratiquée dans une monarchie. Il désigna, de son vivant, au sénat et au peuple, ceux qu'il désirait avoir pour successeurs : son neveu, M. Claudius Marcellus, Agrippa, C. et L. César*, mais, tous ayant disparu avant l'ouverture de sa succession, l'Empire revint à sa mort à son beau-fils, Tibère*, qu'il avait adopté et associé à son pouvoir.

AUGUSTE II (Dresde 1670 - Varsovie 1733), Électeur de Saxe et roi de Pologne (1697-1733). Successeur de Jean Sobieski, il est un moment détrôné par Charles XII de Suède.

AUGUSTE III (Dresde 1696 - *id.* 1763), Électeur de Saxe et roi de Pologne (1733-1763). Fils d'Auguste II, il obtient le trône de Pologne contre Stanislas Leszczyński. (V. SUCCESSION DE POLOGNE [*guerre de la*].)

AUGUSTE, orfèvres parisiens du XVIIIe s. : ROBERT JOSEPH (1725 - v. 1795), maître en 1757, travailla pour les cours de France et de Suède et fut l'un des premiers à rompre avec la rocaille au profit du répertoire classique. — Son fils, HENRI (1759 - v. 1816), maître en 1785, innova sur le plan de la technique, alors en voie d'industrialisation (pièces coulées, voire embouties, au lieu d'être travaillées au marteau, usage de vis et écrous), comme sur celui du style, solennel et monumental (commandes de Louis XVI et de Napoléon).

AUGUSTIN *(saint),* Père de l'Église latine (Tagaste [auj. Souk-Ahras] 354 - Hippone 430). Romain d'Afrique, Augustin, malgré sa mère Monique, reste longtemps étranger à l'Église, cherchant dans les plaisirs charnels et les séductions du manichéisme une réponse à son inquiétude. Converti à Milan sous l'influence de l'évêque Ambroise*, il y est baptisé (387) et rentre en Afrique, où il se dépouille de ses biens, amorçant, avec quelques compagnons, une forme de vie cénobitique : expérience qu'il poursuivra étant évêque et qui lui permettra d'élaborer, à l'usage des religieux, ce qu'on appellera assez improprement la *règle* de saint Augustin.

Ordonné prêtre malgré lui, puis élu évêque d'Hippone (398), Augustin joue un rôle capital dans l'Église d'Occident par le rayonnement de sa pensée, de sa parole, de son zèle et de son immense œuvre écrite, d'où se détachent *la Cité de Dieu* (413-427), qui est « le traité fondamental de la théologie chrétienne de l'Histoire » (H. Marrou), les *Confessions* (397) et une correspondance universelle. Adversaire des doctrines hétérodoxes (manichéisme, donatisme, pélagianisme...), Augustin est un infatigable prédicateur (on a de lui 400 sermons authentifiés), en même temps qu'un exégète et un théologien consulté de partout, un pasteur constamment attentif au bien spirituel de ses ouailles et un écrivain racé qui donne ses lettres de noblesse au latin chrétien.

Augustin meurt au début du siège d'Hippone par les Vandales. Docteur de l'Église, son nom est attaché à diverses familles religieuses (Augustins) et à une tendance doctrinale dite « augustinisme* ».

AUGUSTIN *(saint),* évêque de Canterbury († Canterbury 604 ou 605). Moine bénédictin, il est choisi par le pape Grégoire Ier pour conduire les moines chargés d'évangéliser les Anglo-Saxons (596). Il convertit le roi du Kent Aethelberht, et devient le premier métropolitain de Canterbury.

AUGUSTINISME. — L'augustinisme n'est pas un corps de doctrine tiré de l'œuvre et de la pensée de saint Augustin*, mais plutôt une tendance de l'esprit et du cœur. Il s'oppose au pélagianisme*, sorte de stoïcisme chrétien. Jusqu'à l'avènement du thomisme*, au XIIIe s., saint Augustin est le grand maître de la pensée chrétienne en Occident, pensée caractérisée par l'absence d'une distinction formelle entre les domaines de la philosophie et de la théologie, par la prééminence de la notion de *bien* sur celle du *vrai,* de la volonté sur l'intelligence. En même temps, se fortifie un augustinisme politique, inspiré notamment par *la Cité de Dieu* et qui est une tendance à absorber le droit naturel de l'État dans le droit surnaturel de l'Église. Revivifié par le thomisme, l'augustinisme connaît un regain d'audience à partir du XVIIe s., avec, d'une part, un véritable jaillissement de la spiritualité et de la piété, et, d'autre part, des déviations et des durcissements dont le jansénisme* est la forme la plus connue.

Augustinus *(l'),* titre de l'ouvrage posthume de Jansénius, évêque d'Ypres (1640), et dont les adversaires du jansénisme* prétendirent tirer des propositions hérétiques.

AULIS, port de Béotie où, selon la légende, se rassembla la flotte des Grecs partant pour Troie*, et où Agamemnon fut contraint de sacrifier sa fille Iphigénie. C'est l'*Aulide* de Racine.

AULNAT (63510), comm. du Puy-de-Dôme, à 5 km à l'E. de Clermont-Ferrand; 4 937 hab. Aérodrome. Base et école de l'armée de l'air.

AULNAY (17470), ch.-l. de cant. de la Charente-Maritime, à 17 km au N.-E. de Saint-Jean-d'Angély; 1 556 hab. Église exemplaire de l'art roman de Saintonge (début XIIe s.).

AULNAY-SOUS-BOIS (93600), ch.-l. de cant. de la Seine-Saint-

Denis, à 10 km au N.-E. de Paris; 61 758 hab. *(Aulnaisiens).* Constructions mécaniques. Produits chimiques.

AULNE. — L'aulne est un arbre du bord des eaux, aux feuilles arrondies du bout, qui présente tout l'hiver ses chatons, les uns — mâles — très allongés, les autres — femelles — plus trapus, et fleurit au premier printemps. Ses racines hébergent un champignon fixateur d'azote. Coupé, il rejette vigoureusement.
Les légendes germaniques sur le « roi des aulnes » procèdent d'une confusion avec les elfes, le mot *Erl* désignant l'un et l'autre.

AULNE, fl. de la Bretagne occidentale, né dans les monts d'Arrée, qui traverse le bassin de Châteaulin, avant de rejoindre la rade de Brest; 140 km.

AULNOY (Marie Catherine LE JUMEL DE BARNEVILLE, *comtesse* D'), femme de lettres française (Barneville v. 1650 - Paris 1705). Entre un mariage précoce avec un mari débauché qu'elle chercha à faire condamner à mort et une fin édifiante dans un couvent, elle donna de l'Espagne une image qui prévalut jusqu'au romantisme (*Relation du voyage d'Espagne,* 1690) et fut l'un des plus féconds et des plus célèbres auteurs de *Contes de fées.*

AULNOYE-AYMERIES (59620), comm. du Nord, à 12 km au N.-O. d'Avesnes-sur-Helpe, sur la Sambre; 10 010 hab. Sidérurgie.

AULNOY-LEZ-VALENCIENNES (59300 Valenciennes), comm. du Nord, banlieue sud de Valenciennes; 7 465 hab.

AULT (80460), ch.-l. de cant. de la Somme, à 12 km au N.-E. du Tréport; 2 192 hab. *(Aultois).* Station balnéaire.

AULU-GELLE, grammairien et critique latin (Rome v. 130 apr. J.-C.). Ses notes de lecture *(Nuits attiques)* donnent de précieux renseignements sur les écrivains archaïques et la civilisation de l'Antiquité grecque et romaine.

Aulularia *(« la Marmite »),* comédie de Plaute (v. 190 av. J.-C.), qui inspira *l'Avare** de Molière.

AULUS-LES-BAINS (09140 Seix), comm. de l'Ariège, à 33 km au S.-E. de Saint-Girons; 182 hab. Thermalisme.

AUMALE (76390), ch.-l. de cant. de la Seine-Maritime, à 45 km au S.-O. d'Amiens, sur la Bresle; 3 023 hab. *(Aumalois).*

AUMALE, v. d'Algérie → SOUR EL-GHOZLANE.

AUMALE (Henri D'ORLÉANS, *duc* D'), général et historien français (Paris 1822 - Zucco, Sicile, 1897), quatrième fils de Louis-Philippe. Il se distingue en Algérie, où il enlève la smala d'Abd el-Kader* (1843). Retiré en Angleterre en 1848, député à l'Assemblée nationale et élu à l'Académie française en 1871, il est rappelé à l'activité et préside, en 1872, le conseil de guerre qui condamne Bazaine*. Auteur d'une *Histoire des princes de Condé* (1869), il a légué à l'Institut le château de Chantilly ainsi que ses collections.

AUMANCE, riv. du départ. de l'Allier, affl. du Cher (r. dr.); 58 km. Gisement houiller dans la vallée.

AUMONT-AUBRAC (48130), ch.-l. de cant. de la Lozère, à 11 km au S. de Saint-Chély-d'Apcher, dans le Gévaudan; 1 034 hab.

AUNAY-SUR-ODON (14260), ch.-l. de cant. du Calvados, à 32 km au S.-O. de Caen; 2 922 hab.

AUNEAU (28700), ch.-l. de cant. d'Eure-et-Loir, à 23 km à l'E. de Chartres; 2 791 hab. Constructions mécaniques.

AUNEUIL (60390), ch.-l. de cant. de l'Oise, à 11 km au S.-O. de Beauvais; 2 106 hab.

AUNIS, région calcaire du nord-ouest du départ. de la Charente-Maritime, entre la basse vallée de la Charente au S. et celle de la Sèvre Niortaise au N. V. princ. *La Rochelle.*

HISTOIRE. L'Aunis, dont le nom dérive de Châtelaillon *(Castrum Alionis,* puis *Pagus Alienensis),* était l'un des deux *pagi* de Saintes. Rattachée en 507 au *Regnum Francorum,* la région passe progressivement sous l'influence anglaise au XIIe s. Réunie à la Couronne en 1271, elle est ensuite donnée aux Anglais par le traité de Brétigny* (1360); elle fait définitivement retour à la France en 1371-1373. Fief du parti protestant au XVIe s., elle est dévastée par les guerres de Religion*. La prise de La Rochelle*, en 1628, marque le début de l'emprise totale de la royauté sur l'Aunis.

AUPS (83630), ch.-l. de cant. du Var, à 29 km au N.-O. de Draguignan; 1 504 hab. Église gothique.

AURANGĀBĀD, v. de l'Inde (Mahārāshtra), au N.-E. de Bombay; 151 000 hab. Plusieurs édifices rappellent l'empereur moghol Aurangzeb, qui en fit sa résidence favorite; le site est aussi célèbre pour ses fondations bouddhiques creusées dans la falaise et décorées (IIe-VIIe s.).

AURANGZEB ou **AWRANGZĪB** (Dhod 1618 - Aurangābād 1707), empereur moghol de l'Inde (1658-1707). Descendant de Tīmūr Lang, il se débarrasse de ses trois frères et devient le chef de l'Empire moghol*, que, par ses conquêtes, il porte à son apogée.

AURAY (56400), ch.-l. de cant. du Morbihan, sur la *rivière d'Auray* (estuaire du Loch), à 18 km à l'O. de Vannes; 10 398 hab. *(Alréens).* Église du XVIIe s. Vieilles maisons.

AURE *(vallée d'),* région des Pyrénées centrales (départ. des Hautes-Pyrénées), ouverte par la *Neste d'Aure* et la Neste de Louron, qui confluent à Arreau.

AUREC-SUR-LOIRE (43110), ch.-l. de cant. de la Haute-Loire, à 25 km au S.-O. de Saint-Étienne; 4 295 hab.

AUREILHAN (65800), comm. des Hautes-Pyrénées, dans la banlieue nord-est de Tarbes; 8 158 hab.

Aurélia, ou le Rêve et la vie, dernier ouvrage de Gérard de Nerval (1855), que les besoins de la publication dans la *Revue de Paris* ont divisé artificiellement en deux parties. Accordant le même degré de réalité aux faits oniriques qu'aux événements de la vie quotidienne, Nerval décrit cette « seconde vie » qu'est le rêve, traversé par ses croyances d'illuminé, ses souvenirs d'amour, ses réminiscences littéraires.

AURÉLIEN (v. 214 - 275), empereur romain de 270 à 275. Originaire d'Illyrie, Aurélien se fait proclamer empereur par l'armée de Sirmium (270). L'Empire romain semble alors en voie de désagrégation : l'Orient (royaume de Palmyre*) et l'Occident (empire des Gaules) deviennent progressivement indépendants. Pour parer aux invasions barbares, Aurélien fait fortifier Rome (mur d'Aurélien) et bon nombre de cités gauloises. Puis il se consacre à la réunification de l'Empire. Sur le Danube, il bat les Goths (271), mais il préfère laisser la Dacie* aux Barbares pour se porter contre Zénobie*, reine de Palmyre, qui vient de rompre les derniers liens qui l'unissaient à Rome : Palmyre est prise en 273. Aurélien se tourne ensuite contre le maître de l'empire des Gaules, Tetricus, qui se rend et abdique (Châlons, 273). L'unité de l'Empire rétablie, Aurélien peut entreprendre des réformes qui traduisent un renforcement de l'autorité : le contrôle de l'État sur les corporations est accru, et l'Italie est divisée en régions confiées à des *correctores.* Voulant donner à sa monarchie l'appui d'une religion pratiquée par tous, il crée le culte du Soleil, dieu suprême universel dont l'empereur apparaît comme l'incarnation et le représentant sur terre : aussi Aurélien se fait-il appeler *deus* de son vivant. En proclamant le droit divin de l'empereur, Aurélien a jeté les bases d'un État où l'empereur, maître de toutes choses, va permettre le redressement du Bas*-Empire.

AURELLE DE PALADINES (Louis D') → LOIRE *(armées de la)* [1870-71].

Aureole, *white modern dance work* (« ballet blanc de danse moderne ») [chorégraphie de Paul Taylor, musique de Händel; New London, Connecticut, 1962]. Fluidité du mouvement et rigueur académique sont alliées à la jupe de mousseline blanche romantique.

AURÈS, massif de l'Algérie orientale; 2 328 m au *djebel Chelia.* Montagne aux formes lourdes, entaillée cependant de gorges, l'Aurès, relativement arrosé et boisé, a été le refuge de farouches populations berbères, les Chaouïas.

AURIC (Georges), compositeur français (Lodève 1899). Membre du groupe des Six, il sacrifie d'abord à son esthétique impertinente (*les Fâcheux,* 1924), puis s'exprime avec plus de force et d'ampleur *(Sonate pour piano).* Il est un des premiers à saisir l'importance de la musique de film *(À nous la liberté, Moulin rouge).* Il administre la Réunion des théâtres lyriques nationaux de 1962 à 1968.

AURIGNAC (31420), ch.-l. de cant. de la Haute-Garonne, à 22 km au N.-E. de Saint-Gaudens; 1 130 hab. Site éponyme d'un faciès culturel du paléolithique supérieur.

AURIGNY, en angl. **Alderney,** la plus septentrionale des îles Anglo-Normandes, au large du cap de La Hague, dont elle est séparée par le raz Blanchart. Ch.-l. *Sainte-Anne.* Cultures maraîchères, fruitières et florales. Tourisme.

AURILLAC (15000), ch.-l. du départ. du Cantal, sur la Jordanne, à 548 km au S. de Paris; 33 355 hab. *(Aurillacois).* Monuments divers, vieilles maisons et musées. Centre commercial. Parapluies. Mobilier. Industrie pharmaceutique.

AURIOL (Vincent), homme politique français (Revel 1884 - Paris 1966). Socialiste, il est ministre des Finances du gouvernement du Front* populaire (1936-37). Après la guerre, il devient le premier président de la IVe République (1947-1954).

AUROBINDO (Śri), philosophe indien (Calcutta 1872 - Pondichéry 1950). Il consacre la seconde partie de sa vie à l'enseignement de sa pensée dans une communauté (āśram) qu'il fonde à Pondichéry en 1914 et qui, en 1968, comptera plus de 2 000 fidèles. Le pivot de sa doctrine, qu'il exprime notamment dans *la Synthèse des yogas* et *la Vie divine,* est le yoga*, qu'il conçoit comme la discipline permettant de reconnaître en soi la vérité de Dieu. Sous l'impulsion de ses disciples a été édifiée la cité d'Auroville.

AURON, riv. du Berry, qui rejoint l'Yèvre (r. g.) à Bourges; 84 km.

AURON (06660 St Étienne de Tinée), station de sports d'hiver (alt. 1 600-2 400 m) du nord des Alpes-Maritimes, sur la comm. de Saint-Étienne-de-Tinée, à 7 km au S. du ch.-l. communal.

Aurore *(l')*, film américain de Friedrich Wilhelm Murnau (1927). Adapté d'un roman de Hermann Sudermann par le scénariste Carl Mayer, ce film, tourné à Hollywood, fut produit par William Fox, qui désirait s'attacher les services de F. W. Murnau, le cinéaste européen le plus coté en Amérique après le succès critique du *Dernier des hommes.* Cet émouvant « chant de l'Homme et de la Femme » (un jeune paysan séduit par une jolie citadine projette de tuer son épouse puis renonce à son forfait et, au cours d'un voyage périlleux sur un lac, sent renaître en lui le renouveau de la passion conjugale) fut l'un des derniers joyaux du cinéma muet. Ses qualités esthétiques ne lui évitèrent pas un cuisant échec commercial.

AURORE POLAIRE. — Boréale ou australe, elle se présente sous la forme d'un arc lumineux d'où s'échappent des jets de lumière qui fusent dans l'espace. Elle est due à la luminescence de la haute atmosphère sous l'influence de particules électrisées issues du Soleil, dont les trajectoires sont déviées vers les pôles par le champ magnétique terrestre.

AUROS (33124), ch.-l. de cant. de la Gironde, à 11 km au S.-E. de Langon; 609 hab.

AUSCHWITZ, en polon. **Oświęcim,** v. de Pologne, à 30 km de Katowice. Des camps de concentration y furent créés par les Allemands (Oświęcim en 1940, Buna-Monowitz et Birkenau en 1941), où furent exterminés par asphyxie dans des chambres à gaz près de 4 millions de détenus, en majorité Polonais et israélites. L'ancien camp d'Oświęcim a été conservé comme témoignage de l'horreur du système concentrationnaire nazi.

AUSCULTATION. — L'auscultation permet d'écouter les bruits normaux ou anormaux produits par certains organes : elle se pratique par application directe de l'oreille sur le patient ou à l'aide d'un stéthoscope. L'auscultation *pulmonaire* laisse entendre à l'état normal le murmure vésiculaire. En cas de maladie, on perçoit des bruits anormaux : râles crépitants, ronflants ou sibilants, souffles, retentissement de la voix. L'auscultation du *cœur* permet de distinguer normalement deux bruits. Toute modification de ces bruits (troubles du rythme) ou toute adjonction de bruits anormaux (souffles, frottements) témoignent d'une atteinte cardiaque. Grâce à l'auscultation des vaisseaux (carotide, fémorale), on peut entendre parfois un souffle, signe d'obstruction pathologique. Chez la *femme enceinte* l'auscultation de l'abdomen permet de percevoir les bruits du cœur du fœtus.

AUSONE, poète latin (Burdigala [Bordeaux] v. 310-*id.* v. 395). Précepteur du futur empereur Gratien, consul en 379, il fut le maître de saint Paulin et reste l'un des meilleurs représentants de la poésie descriptive *(la Moselle).*

AUSPICES. — À Rome on prenait les auspices avant toute action importante pour connaître, par des signes (présages) envoyés par Jupiter, l'avis des puissances surnaturelles. Certains actes de la vie publique (convocation des comices, entrée en charge des magistrats, départ des armées) devaient obligatoirement être précédés d'une consultation des auspices. Le droit d'interpréter les signes favorables ou défavorables était reconnu à tous les magistrats; ceux-ci étaient souvent assistés des augures, « experts dans l'art d'interpréter les signes célestes » (vol des oiseaux...). Les membres du collège augural étaient recrutés par cooptation, puis, à partir d'Auguste, nommés par l'empereur lui-même. Leur rôle politique, considérable à l'origine — puisque, en fait, ils pouvaient faire différer une assemblée ou une bataille —, fut peu à peu restreint, mais leur rôle religieux demeura sous l'Empire : ils étaient chargés d'« inaugurer » les lieux sacrés.

AUSSILLON (81200 Mazamet), comm. du Tarn, banlieue de Mazamet; 8 383 hab.

AUSTEN (Jane), écrivain anglais (Steventon 1775-Winchester 1817). En marge de la première génération romantique, elle fit des mœurs provinciales de la petite bourgeoisie anglaise le lieu d'une œuvre romanesque, publiée anonymement et marquée par le réalisme de la peinture sociale et l'ironie froide de l'analyse psychologique (*Raison et sensibilité,* 1811; *Orgueil et préjugé,* 1813; *Mansfield Park,* 1814; *l'Abbaye de Northanger,* 1818).

AUSTERLITZ, en tchèque **Slavkov,** v. de Tchécoslovaquie (Moravie). Théâtre, le 2 décembre 1805, de la plus célèbre victoire de Napoléon, qu'il remporta sur les Autrichiens et les Russes. Dite aussi *bataille des Trois Empereurs,* cette victoire mit fin à la troisième coalition*.

AUSTIN, v. des États-Unis, capit. du Texas, sur la Colorado River; 252 000 hab. Université.

AUSTRAL *(océan),* nom donné aussi à l'ensemble des eaux bordant le continent Antarctique.

AUSTRALASIE, nom parfois donné à l'ensemble géographique formé par l'Australie et la Nouvelle-Zélande.

AUSTRALES ET ANTARCTIQUES FRANÇAISES (TERRES), territoire français d'outre-mer, créé en 1955, regroupant l'archipel des Kerguelen, les îles Saint-Paul et Nouvelle-Amsterdam, l'archipel Crozet et la terre Adélie.

AUSTRALIE, en angl. **Commonwealth of Australia,** État de l'Océanie, membre du Commonwealth; 7 700 000 km²; 13 340 000 hab. *(Australiens).* Capit. *Canberra.*

GÉOGRAPHIE. L'Australie est *une île à la taille d'un continent.* Tout le centre du pays s'étend sur une vaste région déprimée. Celle-ci est bordée à l'O. par un ensemble de plateaux formés de terrains très anciens rabotés, tandis qu'à l'E. la Cordillère australienne (2 228 m au mont Kosciusko) domine une étroite plaine côtière. En raison de sa latitude, l'Australie est presque entièrement aride. Seuls le Nord, tropical, et une frange orientale et méridionale, méditerranéenne, échappent à la sécheresse. Le reste du pays est un désert couvert par une végétation discontinue, le scrub.

L'Australie est très peu peuplée : la densité moyenne n'atteint pas 2 habitants au kilomètre carré. La population se concentre dans les zones humides, surtout sur la côte orientale et méridionale. Elle est fortement urbanisée : plus de 80 p. 100 des habitants résident dans des villes, généralement portuaires. Le peuplement est essentiellement d'origine européenne. Les aborigènes (environ 40 000) ont été décimés et refoulés dans des réserves, où ils vivent de la chasse et de la cueillette. Actuellement, la population s'accroît par l'excédent des naissances sur les décès, mais également par l'immigration qui se poursuit. Celle-ci est sévèrement contrôlée : l'Australie accueille surtout des Européens (dont la moitié est composée de Britanniques) et exclut les gens de couleur.

L'*agriculture* reste l'un des secteurs essentiels de l'économie. Les surfaces cultivables, assez restreintes en raison des conditions naturelles, progressent grâce à l'irrigation (aménagement du Murray). Elles produisent surtout des céréales (12 Mt de blé), mais aussi des fruits (agrumes, pommes), du vin et, sur la côte nord, de la canne à sucre et du coton. La culture est pratiquée dans de grandes exploitations fortement mécanisées. Les prairies artificielles permettent l'élevage intensif de bovins. Mais l'élevage se fait surtout dans les immenses propriétés extensives des régions arides. Les bovins (30 millions de têtes) fournissent lait et viande, les ovins (150 millions de têtes), viande et laine.

Le *sous-sol* recèle de nombreux minerais : du fer (60 Mt), de la bauxite (20 Mt) et divers métaux non ferreux (or, argent, plomb, zinc, manganèse, etc.). Leur exploitation est aux mains de grandes sociétés internationales, à capitaux surtout australiens, américains et britanniques. Les produits sont exportés bruts ou sont raffinés sur place. Sur le plan énergétique, la production d'hydrocarbures s'accroît (plus de 20 Mt de pétrole), mais demeure inférieure à l'apport de charbon (70 Mt). Celui-ci alimente la sidérurgie (8 Mt d'acier), base de toute une gamme d'*industries de transformation,* mécaniques (constructions automobiles et navales) et électriques. Le textile utilise surtout la laine locale. Enfin, les industries alimentaires (sucreries, conserveries) sont en étroite liaison avec l'agriculture.

Le développement économique n'a pu se réaliser que grâce à l'essor du *réseau de communication,* dans ce pays où les distances sont énormes. La voie ferrée sert surtout au transport des matières pondéreuses (produits agricoles et miniers) vers les ports, alors que les voyageurs utilisent couramment l'avion.

L'Australie exporte principalement des matières premières, dont la moitié provient de l'agriculture (laine, blé). Elle doit encore importer du pétrole et des biens d'équipement. La *balance commerciale* est devenue excédentaire. L'essentiel des échanges

divisions administratives

États et territoires	*superficie* (km²)	*population* (hab.)	*capitale*	*habitants*
Australie-Méridionale	984 377	1 197 000	Adélaïde	855 000
Australie-Occidentale	2 527 621	1 066 000	Perth	725 000
Nouvelle-Galles du Sud	801 428	4 696 000	Sydney	2 851 000
Queensland	1 727 522	1 898 000	Brisbane	888 000
Victoria	227 618	3 578 000	Melbourne	2 544 000
Tasmanie	68 322	396 000	Hobart	155 000
Territoire du Nord	1 347 519	96 000	Darwin	41 000
Territoire fédéral de la capitale	2 432	174 000	Canberra	174 000

LES NOUVELLES RICHESSES DU SOUS-SOL

LE PEUPLEMENT DE LA CÔTE EST

se fait avec l'Asie (Japon), puis l'Europe (la Grande-Bretagne conserve des liens privilégiés à l'intérieur du Commonwealth) et les États-Unis. Ce pays aux ressources immenses possède l'un des niveaux de vie les plus élevés du monde. Mais il souffre de l'insuffisance du peuplement que la très forte mécanisation n'arrive guère à pallier.

HISTOIRE. Occupé partiellement par des populations dites « australoïdes », le continent australien attire les navigateurs hollandais (Willem Jansz, Abel J. Tasman) et anglais (William Dampier) au XVIIe s. La compétition franco-anglaise (Bougainville-Cook), qui se développe à partir de 1768, se dénoue au profit des Britanniques, qui voient dans l'Australie un relais de l'Amérique perdue et un trop-plein pour leurs condamnés *(convicts).* La première colonie anglaise est établie à Port Jackson (Sydney) en janvier 1788 : c'est le noyau de la Nouvelle-Galles du Sud.

Bientôt, les gouverneurs se heurtent à l'oligarchie despotique du *New South Wales Corps,* que finit par mater l'énergique Macquarie (1808) : celui-ci, en construisant routes et bâtiments publics, en acclimatant le mouton mérinos et en poursuivant l'exploration du continent, fournit à l'Australie les éléments de son développement et de sa richesse.

Après Macquarie, l'Australie passe du stade de pénitencier à celui de colonie : la Nouvelle-Galles du Sud est en effet déclarée colonie de la Couronne en 1823; puis la Tasmanie reçoit un gouverneur (1825); l'Australie-Occidentale (1829), l'Australie-Méridionale (1836) et le Queensland (1859) sont fondés; l'envoi de *convicts* est arrêté (1840). Dès lors, l'Australie évolue vers le *self-government,* qui prend corps avec l'*Australian colonies government act* (1850). La découverte de l'or dans la région de Bathurst et le Victoria accélère, à partir de 1851, l'immigration britannique. En 1880, l'Australie compte 2 300 000 habitants. L'enrichissement inouï des éleveurs et des propriétaires a comme conséquences la prolétarisation des non-possédants et la formation d'un syndicalisme bien structuré, tandis que les visées françaises et allemandes en Océanie fortifient le courant unioniste, qui aboutit en 1899 à une constitution fédérale. Deux ans plus tard (1er janvier 1901), le *Commonwealth of Australia* est proclamé.

Plusieurs crises (notamment celle de 1901, due à la sécheresse) provoquent l'arrivée au pouvoir fédéral, en 1910, du Labour Party, vainqueur des libéraux. Fortement engagée (330 000 volontaires, 60 000 tués) durant la Première Guerre mondiale, l'Australie est dominée, de 1920 à 1930, par le parti nationaliste qui, lors de la crise mondiale de 1929, doit céder la place au Labour : celui-ci essaie de sauver la face en vendant l'or, mais il ne peut éviter le chaos économique et même, pendant un moment (1932), une atmosphère de guerre civile, tandis que les progrès de la puissance japonaise amènent le gouvernement à mettre sur pied un plan de défense nationale (1939). De fait, l'Australie est tout de suite et massivement engagée dans la Seconde Guerre mondiale (750 000 mobilisés, 30 000 morts), dont elle sort fortifiée : sur le plan économique, par le développement d'une industrie moderne; sur le plan diplomatique en devenant, dans l'Asie du Sud-Est, le partenaire privilégié des États-Unis.

Cependant, l'après-guerre est marqué par de graves difficultés. Le leader libéral, Robert Gordon Menzies, au pouvoir de 1949 à 1966, est secondé par une équipe qui met sur pied un programme économique sévère : celui-ci permet de maîtriser inflation et récession, et, à partir de 1963, d'assurer l'essor du pays. Après la démission de Menzies (1966), et sous la présidence des libéraux Harold Holt (1966-67), John Grey Gorton (1967-1971) et William McMahon (1971-72), qui s'appuient sur l'union des libéraux et des agrariens, un nouveau parti, le parti libéral réformiste, pousse le pays vers une voie originale : tout en maintenant des liens spéciaux avec la Couronne britannique, l'Australie se tourne en effet — et délibérément — vers le marché japonais et appuie totalement l'action des États-Unis dans le Sud-Est asiatique. Cette politique rencontre l'hostilité des travaillistes (Labour), qui reviennent au pouvoir avec Edward Gough Whitlam, après les élections de décembre 1972, mais qui doivent le quitter en 1975 au profit des conservateurs (Malcolm Fraser).

AUSTRALIE-MÉRIDIONALE, État de l'Australie, sur l'océan Indien; 984 377 km^2; 1 197 000 hab. Capit. *Adélaïde.* La densité de population dépasse de peu 1 habitant au kilomètre carré, mais ce chiffre a peu de signification, près des trois quarts des habitants étant concentrés dans l'agglomération d'Adélaïde. Le reste du territoire, au climat aride, est un désert ou le support d'un élevage (ovins) très extensif. Le sous-sol fournit surtout du minerai de fer.

AUSTRALIE-OCCIDENTALE, État de l'Australie, sur l'océan Indien; 2 527 621 km^2; 1 065 800 hab. Capit. *Perth.* Vaste comme près de cinq fois la France, l'État, au climat généralement désertique, est presque vide, en dehors de l'agglomération de Perth (qui regroupe près des trois quarts de sa population) et des sites d'exploitation minière (minerai de fer surtout, pétrole, or, etc.).

AUSTRALOPITHÈQUE. — De nombreux fossiles, trouvés surtout en Afrique du Sud et en Afrique méridionale (Oldoway [ou Olduvai]), indiquent l'existence ancienne (au moins un million d'années) de primates très proches de l'homme et capables de tailler des outils assez grossiers dans le silex. C'étaient des bipèdes, les uns chasseurs, les autres végétariens de préférence, plus petits que l'homme (taille adulte : 1,15 m à 1,55 m). Les plus grands *(Australopithecus robustus)* avaient de fortes dents molaires et une crête sagittale au-dessus du crâne. Leur capacité crânienne ne dépassait pas 550 cm^3, avec un cerveau très allongé. L'espèce *africanus* pourrait avoir été l'ancêtre de l'homme.

AUSTRASIE, royaume de l'est de la Gaule (par opposition à la Neustrie*, royaume de l'ouest). Il comprenait la rive gauche du Rhin, les régions de la Moselle, de la Meuse et de l'Escaut et, à l'E. du Rhin, les régions soumises aux Francs*, avec Metz pour capitale. Constituée en 511, l'Austrasie, après une longue période de rivalité avec la Neustrie, se révolta. Pépin d'Herstal, par la victoire de Tertry* (687), affirma la prédominance du royaume de l'Est et prépara l'avènement des Carolingiens*, qui en sont originaires.

Austro-prussienne *(guerre),* conflit qui, en 1866, opposa la Prusse, soutenue par l'Italie, à l'Autriche, appuyée par les principaux États allemands (Bade, Bavière, Hanovre, Hesse, Saxe, Wurtemberg). Voulue par Bismarck*, cette guerre eut pour but d'évincer l'Autriche au profit de la Prusse dans sa position de puissance dominante en Allemagne. Les opérations, conduites par Moltke, se déroulèrent en Allemagne, en Italie (victoires autrichiennes à Custoza et, sur mer, à Lissa) et surtout en Bohême, où les Prussiens remportèrent la victoire décisive de Sadowa (3 juillet) qui les conduisit à 60 km de Vienne. La paix de Prague (23 août 1866) consacrait cette victoire, tandis que par le traité de Vienne (3 octobre), obtenu par l'arbitrage de Napoléon III, l'Autriche cédait la Vénétie à l'Italie.

Autant en emporte le vent, film américain de Victor Fleming (1939). Cette adaptation d'un best-seller de Margaret Mitchell (1936), décrivant la vie tumultueuse et romanesque d'une famille sudiste déchirée par la guerre de Sécession, demeura longtemps en tête du box-office américain. Cette superproduction fut en effet l'une des premières fresques cinématographiques à bénéficier des prestiges de la couleur et fut en outre soutenue par une distribution éclatante (Vivien Leigh, Clark Gable, Olivia De Havilland, Leslie Howard).

M. G. M. (coll. J.-L. Passek)

Autant en emporte le vent (1939), de Victor Fleming.

AUTANT-LARA (Claude), metteur en scène de cinéma français (Luzarches 1903). Costumier et décorateur, il dirigea en 1927 *Construire un feu,* premier essai de Cinémascope. Parmi ses autres films, on citera : *le Mariage de Chiffon* (1942), *Douce* (1943), *le Diable au corps* (1947), *Occupe-toi d'Amélie* (1949), *l'Auberge rouge* (1951), *la Traversée de Paris* (1956) et *En cas de malheur* (1958).

AUTERIVE (31190), ch.-l. de cant. de la Haute-Garonne, sur l'Ariège, à 32 km au S. de Toulouse; 5 187 hab.

AUTEUIL, quartier résidentiel de Paris (XVIe arr.), entre la Seine et le bois de Boulogne. Hippodrome.

AUTHIE, fl. côtier du nord de la France, né dans les collines de l'Artois, qui rejoint la Manche au S. de Berck; 100 km.

AUTHION, riv. de l'Anjou, affl. de la Loire (r. dr.); 100 km.

AUTHON-DU-PERCHE (28330), ch.-l. de cant. d'Eure-et-Loir, à 17 km au S.-E. de Nogent-le-Rotrou; 1 421 hab.

AUTISME → SCHIZOPHRÉNIE.

AUTOALLUMAGE → ESSENCE.

AUTOBIOGRAPHIE. — La forme habituelle de la narration apparaît curieusement comme le récit à la troisième personne, et la présence d'un narrateur qui dit *je* et établit le bilan de sa vie est ressentie comme une conquête de la conscience et une audace littéraire (Montaigne : « Je suis moi-même la matière de mon livre », *Essais,* préface; Rousseau : « Je veux montrer à mes semblables un homme dans toute la vérité de la nature; et cet homme, ce sera moi », *Confessions,* I, 1). La forme idéale de l'autobiographie semble être le journal* intime, du moins sous le rapport de la sincérité : il se distingue en effet des Mémoires* et par sa discontinuité et par l'absence d'un public auquel on veut imposer l'image non d'une personne mais d'une personnalité; il se différencie également de la correspondance*, qui suppose un lecteur privilégié et qui varie en fonction de ce lecteur. Lorsque son déroulement n'est pas uniquement chronologique, mais qu'elle est construite comme peut l'être en peinture un autoportrait (le temps et l'espace du récit l'emportant sur le temps et l'espace des événements rapportés), l'autobiographie s'édifie souvent à partir d'une « figure » qui s'impose et s'oppose à l'auteur, forme étrangère (étrange) de l'*Autre* qui accuse en retour sa propre singularité : La Boétie et les « cannibales » dans les *Essais* de Montaigne; Napoléon au cœur des *Mémoires* de Chateaubriand; David de Mayrena dans les *Antimémoires* de Malraux; l'expérience ethnographique à l'origine des quatre volumes de *la Règle du jeu* de Michel Leiris. Quant au « roman autobiographique », il apparaît souvent comme une excroissance dans l'œuvre d'un auteur (ainsi *René* de Chateaubriand, *Adolphe* de Benjamin Constant, *Volupté* de Sainte-Beuve, *Dominique* de Fromentin) pour lequel le roman n'est pas la forme majeure d'expression : il joue ainsi un rôle d'autoanalyse et de purification, à l'inverse d'une démarche comme celle de Flaubert, absent de tous ses romans qui, en revanche, sont contaminés par un même schéma vécu et fondateur sans cesse repris (découverte — frustration — vie axée sur le souvenir et la répétition), et qui dessinent ainsi une autobiographie « en creux ».

Autobiographie, récit de John Cowper Powys (1934). Moins un portrait en pied qu'une radiographie de son être créateur, à travers les troubles d'une sexualité anomale et le rituel compliqué de la célébration d'un mythe personnel.

AUTOFINANCEMENT. — On entend par ce terme la réalisation (grâce aux profits réalisés par l'entreprise) d'une politique de prévoyance et d'investissement qui ne fait pas appel à des disponibilités extérieures. L'autofinancement s'oppose à la politique poursuivant le même objectif par endettement ou par souscription en numéraire d'augmentations de capital.

L'*annuité d'autofinancement* est égale à l'annuité d'« amortissement », plus l'annuité de provision et l'annuité de mise en réserve. Le « cash flow » (qui rend compte de cette capacité de l'entreprise à réaliser cet autofinancement) est égal à ces annuités auxquelles il faut ajouter le bénéfice distribuable (après impôt). L'autofinancement est une « épargne » réalisée par l'entreprise.

AUTOGESTION. — Rarement une notion appartenant au vocabulaire politique n'a autant oscillé entre un principe et une expérience historique. Le principe, c'est la gestion assurée par tous dans le cadre d'une économie ayant socialisé, au moins partiellement, les moyens de production; l'expérience est celle de la Yougoslavie*, dont le système de gestion collective est étendu depuis 1948-1950 à l'échelle nationale. À l'exception de quelques tentatives en Pologne et en Algérie, ce système n'a pas été expérimenté ailleurs.

En Yougoslavie, les organes d'autogestion (le collectif, le conseil ouvrier, le comité de direction) ne sont que les utilisateurs de la propriété sociale. Le plan national, corollaire nécessaire de la socialisation, leur communique les instructions précises concernant cette « gérance ». Aussi l'entreprise ne peut-elle connaître que des degrés d'autonomie. Mais depuis 1965 la planification nationale est beaucoup moins impérative.

En France, des groupes politiques se réclamant du socialisme préconisent, sur les plans économique, politique et éducatif, l'autogestion conçue comme une participation active de chacun aux décisions qui le concernent en tant que producteur ou citoyen.

AUTOGIRE → GIRAVIATION.

AUTOGUIDAGE → GUIDAGE.

AUTO-INDUCTION. — Si un circuit est parcouru par un courant d'intensité variable i, le flux qu'il embrasse dans son propre champ magnétique est lui-même variable. Il s'y développe, par suite, une force électromotrice induite $E = \frac{di}{dt}$, où L est le *coefficient d'auto-induction,* ou *inductance propre,* du circuit. Celle-ci a pour effet de retarder les variations du courant i.

Ce phénomène est à l'origine de l'extra-courant de rupture, qui se manifeste par une étincelle. En courant alternatif, l'auto-induction provoque un retard de l'intensité sur la tension ainsi qu'une diminution de l'intensité efficace.

AUTOMATE. — Dans les automates de l'Antiquité, la tête, les bras et les jambes sont animés par l'action de la pesanteur. Mais, dès le XIIIe s., le jacquemart qui sonne l'heure est un automate à ressort-moteur. Salomon de Caus* construit des orgues hydrauliques (1615), mues par le déroulement d'un cylindre à clous et à taquets : la « roue musicale » programmée. Jacques de Vaucanson* crée des androïdes, comme le *Joueur de flûte traversière* (1737), et des « anatomies mouvantes », tel le *Canard digérateur* (1738). En 1796, la boîte à musique du Genevois Antoine Favre (1734-1820) a une mémoire* composée d'un peigne d'acier à lames vibrantes. En 1770, Abram Louis Perrelet (1729-1826) et, en 1780, Abraham Louis Breguet* imaginent la montre à secousses, dite « perpétuelle », dont la masse oscillante assure le remontage automatique. L'automate moderne contrôle et corrige lui-même son mouvement : il est asservi. En 1948-1952, l'Anglais William Ross Ashby (né à Londres en 1903) réalise l'*Homeostat,* projet pour un cerveau artificiel. Ce n'est plus un jouet, mais une « machine autoréglée » dont le comportement imite celui d'un être vivant.

AUTOMATE *(Inform.).* — Un automate est un être mathématique qui formalise la façon dont un système ou une machine peut évoluer d'un état premier à un état final, en suivant les règles d'un mécanisme abstrait rigoureux pour passer d'un état à un autre. Mathématiquement, l'automate est entièrement défini par l'ensemble des états qu'il peut prendre : un état initial, un ensemble de symboles appelé *vocabulaire,* et un ensemble de règles de fonctionnement qui décrivent comment l'application d'un symbole du vocabulaire à un état fait passer l'automate à un nouvel état. Si l'automate traite toute une chaîne de symboles, il passe d'état en état pour arriver à un état final. Souvent, il génère en même temps une nouvelle chaîne de symboles. Un automate peut constituer un outil d'analyse de chaînes de symboles et, plus généralement, de phrases d'un langage*. Cette analyse lui permet de produire une traduction, une nouvelle expression ou une émanation quelconque de la chaîne d'entrée. Les automates et les grammaires* formelles qui leur sont très liées ont fait progresser la science des langages théoriques et les techniques de compilation. Ils sont une des disciplines théoriques de base de l'informatique*.

AUTOMATIQUE. — L'automatique est l'aspect technique de la cybernétique*, groupant l'ensemble des disciplines théoriques et technologiques qui interviennent dans la conception et la construction des systèmes automatiques. Elle présente des liens étroits avec les mathématiques*, les statistiques*, la théorie de l'information*, l'informatique* et les techniques de l'ingénieur. On distingue, d'une part, l'*automatique théorique,* ensemble des méthodes mathématiques d'analyse et de synthèse des systèmes automatiques et de leurs éléments, et, d'autre part, l'*automatique appliquée,* qui traite des problèmes pratiques d'automatisation* grâce à la théorie et à la technologie des capteurs, des amplificateurs*, des actionneurs et des ordinateurs*. Le fonctionnement de tout système automatique résulte de la confrontation d'une *information de commande,* décrivant le programme désiré, à une *information d'état;* des ordres sont donnés aux organes d'action, ou *actionneurs,* qui agissent sur le système commandé, modifiant ainsi son état. Cette suite d'opérations constitue une boucle, qui est le siège d'opérations de commande et de contrôle dont l'ensemble assure la conduite de l'installation : *conduite = commande + contrôle.*

• Dans les *automatismes à programme chronométrique,* comme les tours automatiques, l'information d'état se réduit à une information de sécurité, qui arrête la machine en cas de danger.

• Dans les *automatismes séquentiels,* dont l'ascenseur est un exemple connu de tous, l'information d'état est fournie par des capteurs binaires, tels que des contacts de fin de course, et le traitement de l'information est de nature logique. Le programme est constitué par une suite, ou séquence, de phases opératoires s'enchaînant les unes aux autres selon un ensemble de règles logiques. Ces systèmes constituent la grande majorité des automatismes industriels — notamment dans les fabrications mécaniques — et des automatismes électroménagers. Les ordinateurs, dont le programme est enregistré dans une mémoire* de grande capacité, en sont la forme la plus élaborée.

• Dans les *systèmes asservis,* l'information d'état prend la forme d'une ou de plusieurs mesures caractérisant l'état du système. L'énergie communiquée aux actionneurs est dosée d'après les écarts entre ces mesures et les valeurs désirées, et la boucle de conduite agit comme un système de zéro automatique tendant sans cesse à annuler l'écart entre l'état actuel et l'état désiré. De plus, ce principe d'asservissement* tend à réduire l'influence des perturbations extérieures. On distingue les *régulateurs,* grâce auxquels une grandeur réglée est astreinte à conserver le mieux possible une valeur constante dite « de consigne », des *servomécanismes*,* ou *asservissements,* dans lesquels une grandeur de sortie doit suivre le mieux possible les évolutions d'une grandeur d'entrée.

Schéma général de tout système de conduite automatique. La bande de conduite du processus comprend une chaîne de commande ou d'action et une chaîne de contrôle ou de réaction.

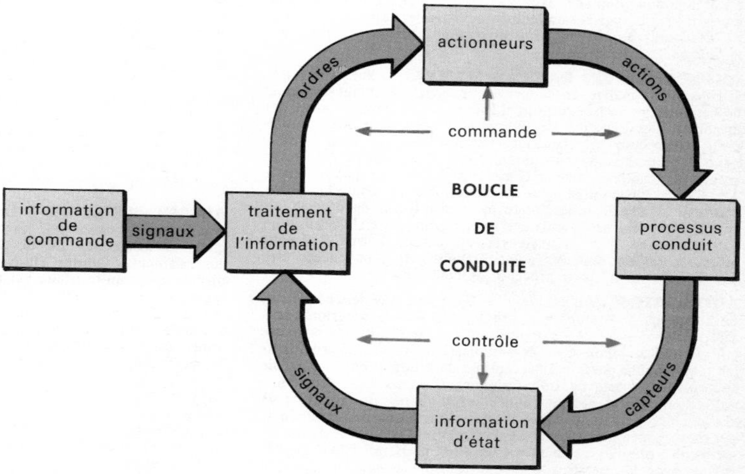

• Dans les systèmes *autoadaptatifs,* qui possèdent, outre la faculté d'autocorrection des écarts, une faculté d'autoréglage qui leur permet de fonctionner correctement dans des conditions extérieures très diverses, la résistance aux perturbations et aux fluctuations de l'environnement est accrue.

• Dans les *systèmes autodidactiques,* enfin, le programme* de traitement de l'information s'élabore et se perfectionne en cours de fonctionnement par autoapprentissage sous la conduite d'un superprogramme. Ce principe est appliqué notamment en reconnaissance automatique des formes et des sons.

AUTOMATISATION. — Le contenu du mot « automatisation » ne diffère en rien de celui de l'anglicisme *automation.* L'automatisation consiste à supprimer totalement ou partiellement l'intervention humaine dans l'exécution des tâches industrielles, domestiques, administratives ou scientifiques, depuis les plus simples — telles que la régulation* de la température d'un four* ou la commande séquentielle des phases opératoires d'une machine-outil* — jusqu'aux plus complexes — telles que la conduite par ordinateur* d'une unité chimique ou la gestion automatisée d'un établissement bancaire. L'automatisation conduit généralement à repenser le processus considéré et à remettre en question les habitudes acquises et les solutions traditionnelles. En confiant à des organes technologiques tout ou partie des fonctions intellectuelles intervenant dans la conduite d'un processus, l'automatisation se place à un niveau supérieur à la *mécanisation.* Les problèmes d'automatisation industrielle et administrative sont confiés respectivement aux automaticiens et aux informaticiens, auxquels se joignent les spécialistes du processus à automatiser, constituant ainsi des équipes pluridisciplinaires. L'automatisation d'un processus se situe dans un cadre technico-économique dont elle ne constitue qu'un des aspects; elle est liée au processus lui-même, à l'étude des besoins justifiant son automatisation et à la distribution des produits fabriqués ou à la prestation des services rendus. Elle fait partie intégrante de la conception et de la gestion des grands ensembles industriels, administratifs et commerciaux. Elle constitue l'un des facteurs d'accroissement de la productivité* et de la qualité. Les principaux *composants* de l'automatisation sont les émetteurs et les capteurs d'information, les actionneurs et leurs amplificateurs* de puissance, ainsi que les organes de traitement de l'information*, notamment les ordinateurs; leur nature dépend de celle du système considéré, automatisme séquentiel ou système asservi. Toutes les techniques y ont leur place : pneumatique, hydraulique, électrotechnique et électronique. Dans un nombre croissant d'installations industrielles, un *ordinateur de conduite* se charge de calculs de bilans d'énergie ou de matières, de la surveillance des grandeurs pouvant prendre des valeurs dangereuses, de la conduite séquentielle du démarrage et de l'arrêt, de calculs sur les mesures, etc. Mais l'ordinateur peut également effectuer des calculs d'auto-adaptation ou d'auto-optimalisation; les conditions de fonctionnement optimal sont imposées au processus, soit indirectement par l'intermédiaire de régulateurs classiques pilotés par l'ordinateur, soit directement dans le cas de la conduite numérique directe. Dans les systèmes de *conduite hiérarchisée,* un ordinateur central détermine les consignes générales communiquées à des calculateurs* spécialisés pilotant les divers éléments de l'installation. Même dans le domaine des fabrications mécaniques, où la plupart des automatismes sont du type séquentiel, l'ordinateur a fait son apparition sous la forme des commandes numériques de machines-outils, qui permettent de commander le choix et le trajet des outils au moyen d'un programme enregistré sur bande* magnétique ou perforée.

AUTOMATISATION DANS LA MARINE. — Sur un navire* marchand automatisé, en dehors des manœuvres, aucun personnel de conduite ne se trouve normalement dans le compartiment des machines. Les appareils de télécontrôle des installations propulsives, électriques et frigorifiques sont centralisés dans la *salle nautique.* Le plus souvent, un enregistreur de mesures réalise, au moyen de capteurs, un balayage très rapide des paramètres à surveiller et en imprime la valeur sur un *journal.* Toute indication anormale déclenche une alarme avec inscription du défaut. Sur certains navires, un calculateur* assure, en outre, la réalisation automatique de diverses manœuvres et peut aussi être utilisé pour effectuer certains calculs (point, stabilité, etc.), ou encore être couplé à un radar* pour prévenir les collisions.

AUTOMATISME *(Art* et *Litt.).* — C'est aux expériences spirites du XIXe s. qu'A. Breton* a emprunté, en 1922, l'expression « écriture automatique » pour désigner non plus le résultat de la transe qui mettrait le médium en communication avec les esprits, mais les textes qu'un poète est susceptible de produire en essayant de se soustraire à tout contrôle rationnel. Il s'agissait de ruiner une culture considérée comme fondée sur la répression morale et de s'acheminer vers la découverte du « fonctionnement réel de la pensée », captée à sa source. Benjamin Péret (1899-1959) donne les meilleurs exemples de la méthode; Arp* et H. Michaux* font la liaison avec les peintres qui l'ont transposée dans le domaine plastique, tels Miró* puis Wolfgang Paalen (1907-1959) ou Matta*. La volonté de ces artistes d'établir une communication avec le tréfonds de l'homme, la nature, le cosmos se retrouve dans l'abstraction* lyrique, qui, en dépit de ses coquetteries, de son narcissisme, a donné à l'acte de peindre un rythme, une intensité, une vérité intime rarement atteints.

AUTOMATISME *(Cybern.)* → AUTOMATIQUE.

AUTOMITRAILLEUSE. — En 1914, l'automitrailleuse est une simple automobile armée d'une mitrailleuse et protégée par un bouclier. Spécialisée dans des missions de découverte et de reconnaissance, elle connaît un grand développement avant et pendant la Seconde Guerre mondiale. Depuis 1960, les unités rapides de cavalerie légère blindée sont dotées en France d'*automitrailleuses légères* (AML), de 5 t, à quatre roues motrices, armées soit d'une mitrailleuse, soit d'un mortier de 60 mm ou d'un canon de 90 mm, soit même équipées en transport de troupes (6 t, 12 h.).

Automne à Pékin *(l'),* roman de Boris Vian (1947). Un conte surréaliste où l'on retrouve les influences conjointes de *la Tentation de saint Antoine* de Flaubert et de la peinture de Salvador Dalí.

AUTOMOBILE. — L'automobile a pour ancêtre la voiture hippomobile, modifiée par la substitution d'un moteur* thermique au cheval de traction. Après des essais sans lendemain du moteur à vapeur et du moteur électrique, le moteur à essence, dit « à explosion », fut seul adopté, le diesel* à huile lourde étant généralement réservé à l'équipement des poids lourds. Cependant, celui-ci équipe également des voitures particulières dans un souci d'économie d'emploi. Théoriquement, la voiture est composée de trois parties principales : le *moteur** destiné à l'entraîner; le *châssis**, qui comporte deux longerons parallèles réunis par des entretoises assurant la rigidité; la *carrosserie**, qui lui est liée par un système élastique. Le châssis est considéré comme un support rigide pour tous les organes mécaniques : moteur, transmission* (changement de vitesse), arbre de transmission, pont arrière différentiel* et essieux, direction*, freins* et suspension* élastique de l'habitacle que constitue la carrosserie. Cette dernière avait été étudiée surtout en fonction du confort, mais des considérations de tenue* de route ont conduit à l'associer rigidement avec le châssis, l'ensemble constituant une coque autoporteuse. Ce procédé nécessite un compromis, car la ligne ne peut varier que dans d'étroites limites et les profilages de moindre résistance aérodynamique ne s'adaptent que difficilement à l'impératif de confort des occupants.

AUTOMOBILE (construction). — La production annuelle mondiale oscille entre 25 et 30 millions de voitures de tourisme et approche 10 millions de véhicules utilitaires. Dans sa majeure partie, elle provient d'un petit nombre de pays et est assurée par quelques grandes firmes. Malgré un déclin relatif, les États-Unis demeurent, de loin, le premier pays producteur, et les filiales de ses firmes géantes (General Motors, Ford et Chrysler) assurent souvent une fraction importante de la production d'autres États — Japon, Allemagne fédérale, France, Grande-Bretagne, Italie —, qui possèdent aussi de puissantes entreprises (Toyota, Volkswagen, Daimler-Benz [Mercedes], Renault, Peugeot-Citroën, British Leyland [Austin], Fiat). [V. carte page 174.]

AUTOMOBILE (parc). — Le nombre total de voitures de tourisme en circulation dans le monde dépasse 250 millions d'unités, auxquelles il faut ajouter environ 70 millions de véhicules utilitaires. Les États-Unis, où l'on compte 1 voiture pour 2 habitants, concentrent plus de 40 p. 100 du « parc de tourisme » et le tiers du « parc utilitaire ». Le nombre des voitures de tourisme en circulation dépasse ou avoisine 15 millions d'unités en Allemagne fédérale, en France et en Grande-Bretagne. Ici, il existe 1 voiture pour 3 à 5 habitants, fréquence que l'on retrouve dans les autres pays développés (Canada, Suisse, Suède, etc.) et qui implique, si on la rapporte à la moyenne mondiale (approximativement 1 voiture pour 15 habitants), une grande rareté dans le tiers monde (1 voiture pour 700 habitants en Inde, pour 200 en Égypte, etc.).

AUTOMOBILE (sport). — Le sport automobile juxtapose deux grands types d'épreuves : les courses disputées sur un circuit de quelques kilomètres de développement et dont la durée est généralement comprise entre une et deux heures; les courses disputées sur un territoire beaucoup plus vaste et se déroulant sur plusieurs jours (les rallyes).

Les courses sur circuit opposent souvent des voitures prototypes monoplaces, notamment dans les Grands Prix disputés chaque année dans différents pays du monde (Afrique du Sud, Espagne, Monaco, Belgique, Pays-Bas, France, Grande-Bretagne, Allemagne fédérale, Autriche, Italie, Canada, États-Unis, Mexique, Brésil) dans le cadre dit « de la formule 1 » (c'est-à-dire réunissant les voitures les plus puissantes et les pilotes les plus expérimentés). Les premiers de chaque épreuve marquent des points et le pilote obtenant le meilleur total est couronné champion du monde des conducteurs à la fin de l'année. Les circuits sont aussi le support de courses plus longues, disputées généralement une fois chaque année, comme les Vingt-Quatre Heures du Mans, les Douze Heures de Sebring (Floride) et les Cinq Cents Miles d'Indianapolis, aux États-Unis, les Mille Kilomètres de Monza comptant, pour la plupart, pour un championnat du monde des constructeurs.

À ces épreuves de vitesse et, plus rarement, d'endurance, s'oppose la longue épreuve routière qu'est le rallye, qui juxtapose le plus souvent un parcours de liaison devant être effectué à une moyenne minimale et des parcours de vitesse se déroulant sur des routes gardées. Les pénalisations éventuelles pour retard encourues sur les parcours de liaison et les temps effectués dans les épreuves de vitesse permettent d'établir un classement. Le Rallye de Monte-Carlo, disputé en fait sur le territoire de plusieurs pays, demeure l'épreuve la plus célèbre du genre.

Dangereux, souvent décrié, le sport automobile reste un indispensable banc d'essai pour l'industrie automobile, au sens le plus large (mécanique, carburants et lubrifiants, pneumatiques, etc.).

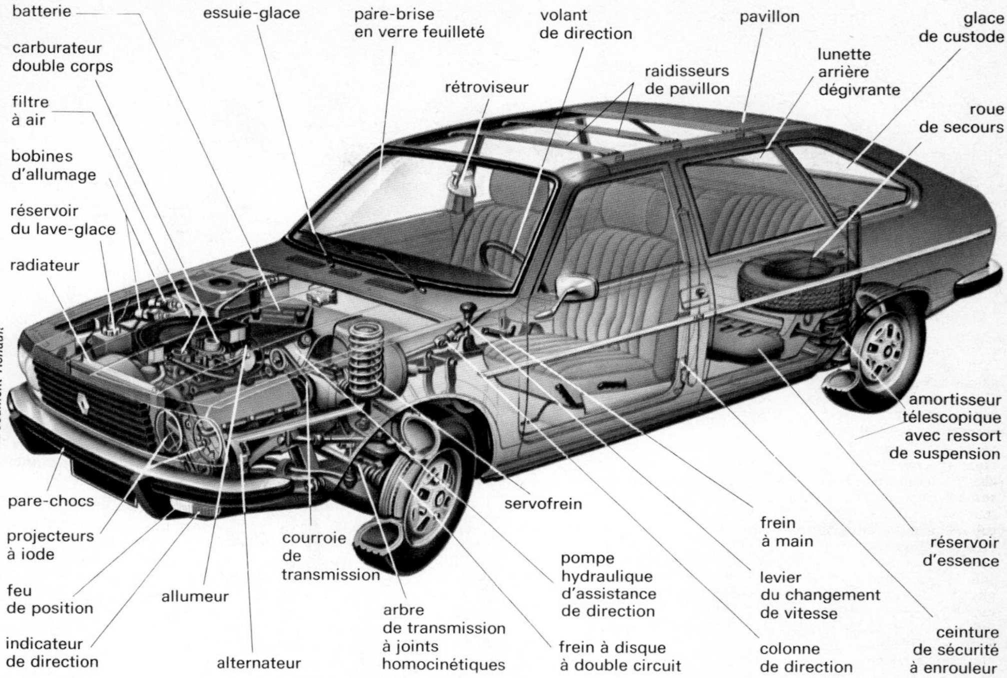

Document Renault

les grandes dates de l'automobile

1771 « Fardier » de Cugnot*, à trois roues, mû par la vapeur.
1821 Diligence à vapeur de l'Anglais Julius Griffith.
1860 Brevet de Lenoir* pour un moteur fonctionnant soit au gaz* d'éclairage, soit par combustion d'hydrocarbures.
1862 Cycle à quatre temps de Beau de Rochas*.
1873 La *Mancelle* à vapeur d'Amédée Bollée*.
1876 Premier moteur à essence à soupapes latérales, fonctionnant selon le cycle de Beau de Rochas et dû à Otto*.
1880 Invention du pneumatique par Dunlop*.
1883 Voiture de Delamarre-Debouteville*, qui, actionnée par un moteur à explosion — alimenté d'abord au gaz d'éclairage, puis (1884) à l'essence —, fut la première automobile à circuler en vitesse sur route.
1887 Tricycle à vapeur de Serpollet*, avec chaudière à petits tubes et à vaporisation instantanée. — Brevet de Daimler* pour un moteur fonctionnant au gaz de pétrole. — Premier moteur à deux cylindres en V.
1888 Brevet de Dunlop pour son pneumatique.
1890 Construction par Peugeot* d'une des premières voitures à essence qui aient circulé.
1891 René Panhard* et Levassor* adaptent un moteur à explosion de Daimler sur un châssis automobile.
1892 Premier brevet de Diesel*, utilisant l'élévation de la température provoquée par la compression de l'air du cylindre pour enflammer le combustible.
1899 Brevet de Renault* pour la prise directe dans le changement de vitesse, et introduction du cardan dans la transmission. — Première carrosserie profilée sur la *Jamais-Contente* de Jenatzy, avec laquelle il dépasse la vitesse de 105 km/h.
1902 Carrosserie « tonneau » avec entrée par l'arrière.
1903 Carrosserie avec entrées sur les côtés.
1906 Boîte à quatre vitesses, avec la quatrième surmultipliée (Rolls-Royce).
1907 Suspension à roues avant indépendantes (Sizaire et Naudin).
1908 Carrosserie « torpédo ».
1910 Pare-brise. — Voiture à freins avant (Argyll). — Brevet d'Henri Perrot pour le freinage sur les quatre roues, à dispositif de sécurité pour la commande.
1912 Premières voitures de série, sortant de l'usine d'Henry Ford* entièrement carrossées et équipées.
1913 Démarreur électrique.
1919 Apparition du servofrein.
1920 Carrosserie Weyman à charpente déformable en bois, dite « indépendante du châssis ». — Moteur sans soupapes, à fourreaux, brevet « Knight », adopté par Voisin*, puis par Panhard. — Introduction en Europe, par Citroën*, de la fabrication en série, avec une 10 CV, qui sera suivie, en 1922, de la 5 CV, point de départ de la voiture de faible cylindrée, économique et confortable.
1921 Commande hydraulique des freins.
1922 Première voiture à structure autoportante et à roues indépendantes (Lancia). — Première application industrielle de la commande hydraulique du freinage (Lockheed). — Voiture de course à moteur arrière (Benz).
1923 Pneu à basse pression.
1924 Généralisation du freinage sur les quatre roues.
1925 Filtration de l'admission d'air (Packard).
1926 « Tracta » à traction avant, utilisant des joints homocinétiques pour la transmission (Grégoire et Fenaille).
1927 Première voiture carénée sans angles saillants (Voisin). — Berline à profilage en goutte d'eau (Émile Claveau).
1928 Torpédo profilée en aile d'avion (Chenard* et Walcker). — Boîte de vitesses munie d'un dispositif de synchronisation.
1929 Boîte de vitesses à pignons silencieux à taille hélicoïdale.
1930 Accouplement hydraulique de Daimler. — « Voiturelle » DKW à suspension munie de quatre roues indépendantes.
1932 Première voiture à carrosserie autoportante, à éléments emboutis et soudés (Lancia).
1933 Suspension à barres de torsion (Porsche).
1934 Voiture à carrosserie autoportante et à roues avant motrices (Citroën).
1936 Moteur à culasse hémisphérique en série (Talbot).
1953 Apparition du frein à disque (lancé en série sur la DS 19 Citroën en 1955).
1955 Suspension hydropneumatique (Citroën).
1956 Commande hydraulique de la boîte de vitesses (Hydramatic). — Transmission automatique par convertisseur de couple (Turboglide).
1962 Transmission automatique électromagnétique et mécanique (R 8 Renault).
1965 Moteur à pistons rotatifs (NSU).
1970 Direction assistée à rappel asservi (Citroën).

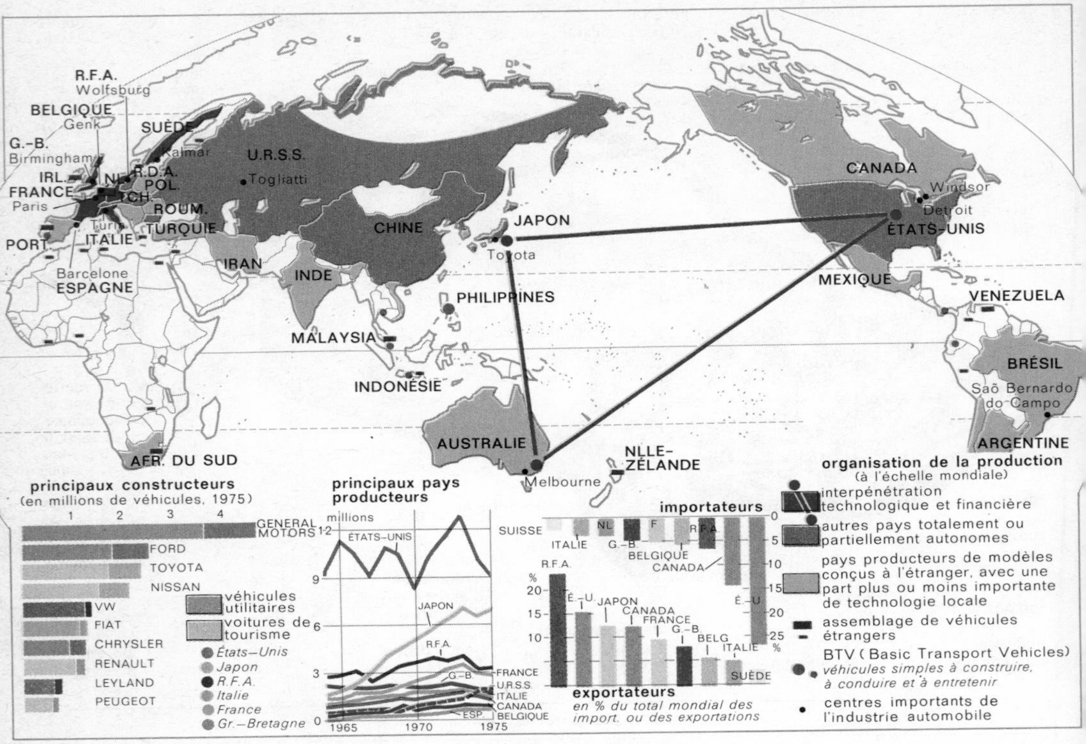

L'INDUSTRIE AUTOMOBILE

AUTOMOTEUR. — Apparu pendant la Seconde Guerre mondiale, le canon automoteur est, à l'origine, une pièce d'artillerie placée sur un châssis de char (105 HM7 américain, 105 ABS français). Le terme d'« automoteur » s'est précisé depuis les années 1960-1970; il est réservé, par opposition à celui d'*automouvant**, aux matériels chenillés dont le service au combat est assuré sous protection d'un blindage.

AUTOMOTRICE. — La traction électrique a permis le développement des automotrices, en particulier dans les chemins de fer urbains (métropolitains*), car elles permettent alors des déplacements rapides et fréquents. Une automotrice électrique est constituée d'une caisse reposant sur deux bogies* moteurs. L'appareillage est disposé sous la caisse ou dans un compartiment spécial, de façon à laisser le maximum d'espace aux voyageurs. La puissance des automotrices actuelles leur permet souvent de remorquer un ou plusieurs véhicules pour constituer des *éléments automoteurs* qui, jumelés entre eux, formeront des *trains automoteurs.* Ceux-ci sont surtout utilisés pour la desserte des banlieues et l'établissement de relations intervilles à grande vitesse. Pour la desserte des lignes à faible trafic, les chemins de fer utilisent des autorails et, pour les grandes relations sur les lignes non électrifiées, des trains automoteurs à moteurs Diesel* ou des turbotrains équipés de turbines* à gaz. Sur ces matériels, la puissance des moteurs est transmise aux essieux* au moyen de transmissions mécaniques, électriques ou hydrauliques. Étant réversibles, les trains automoteurs procurent une grande facilité d'exploitation et leur puissance spécifique élevée les rend particulièrement aptes à la pratique des très grandes vitesses.

AUTOMOUVANT. — À la différence du canon automoteur*, le canon automouvant est monté directement sur un affût chenillé mais dépourvu de casemate blindée protectrice. Dans le canon français automouvant de 155 M[le] 1966, seuls le chef de pièce et le conducteur sont logés dans l'affût chenillé; servants et munitions sont transportés en camion.

AUTONETTOYANT → FOUR AUTONETTOYANT.

AUTONOMIE. — Propriété de certains systèmes complexes, en particulier des systèmes vivants, de ne pas refléter passivement les variations de leur environnement, l'autonomie paraît liée à l'existence de structures cybernétiques. On ne conçoit sa manifestation que par un comportement finalisé, c'est-à-dire par une action vers un but. Un organisme dispose de deux moyens de manifester son indépendance : l'un, général, est la modification de son mécanisme interne de réponse aux messages de son environnement, c'est le comportement instinctif; l'autre est la mémoire* lorsqu'elle est source d'imagination*, c'est-à-dire génératrice de stratégie. On distingue l'*autonomie,* surtout motrice, de l'*indépendance,* qui associe conscience réfléchie à autonomie. Au-delà, il y a la *licence,* qui bloque les informations de l'environnement, la *liberté,* qui intègre ces informations, et la *décision,* qui est l'exercice de la liberté aux niveaux à partir desquels la logique est impuissante.

AUTOPROPULSÉ. — Employés autrefois sous une forme rudimentaire (fusées volantes du XVe s., fusées de Congreve au XIXe s.), les projectiles autopropulsés ont été éclipsés à la fin du XIXe s. par les progrès du canon : ils n'ont retrouvé leur importance que pendant et depuis la Seconde Guerre mondiale. Ils se caractérisent par le fait qu'ils n'emploient pas de point d'appui pour leur propulsion, laquelle résulte de l'éjection à grande vitesse d'une partie de leur substance. La source d'énergie de ces projectiles est d'origine chimique et résulte de la combustion d'un combustible dans un comburant (propergol), qui peut être solide (fusée à poudre) ou liquide. Les autopropulsés comprennent les *roquettes,* qui sont dirigées dès leur départ mais ne sont pas guidées sur leur parcours, et les *missiles,* qui sont guidés sur tout ou partie de leur trajectoire par télé- ou autoguidage. Les premiers projectiles autopropulsés modernes furent, en 1941-42, les lance-roquettes multitubes soviétiques (orgues de Staline), les bazookas antichars américains et les bombes volantes allemandes V1 de 1944-45. Depuis lors, ces projectiles ont connu un prodigieux développement tant dans leur version roquette* que dans leur version missile*.

AUTOPSIE. — L'autopsie permet l'examen des viscères et s'accompagne de prélèvements destinés aux études microscopiques, bactériologiques, virologiques et chimiques. Ainsi peut-on pousser plus avant les connaissances médicales (autopsie d'intérêt scientifique). D'autre part, l'autopsie précise éventuellement l'identité du mort, la cause, la date et l'heure du décès (autopsie médico-légale ou judiciaire, pratiquée sur réquisition du procureur de la République).

AUTORAIL → AUTOMOTRICE.

AUTORITÉ. — Les sources de l'autorité sont multiples : l'individu lui-même (compétence, prestige...); son statut social et sa position hiérarchique; la délégation que lui font les individus de son groupe en vue de l'organisation du groupe et des objectifs collectifs; les exigences de la situation ou du moment historique. Mais on peut distinguer l'autorité à la fois de la force et du pouvoir. L'autorité est une *qualité* des relations de subordination, qui, d'un côté, se définit par rapport à l'efficacité du système social et, de l'autre, se caractérise, du point de vue des acteurs concernés, par son acceptabilité. L'école de Kurt Lewin* a proposé trois types de leadership — autoritaire, démocratique, non interventionniste. Dans un cadre semi-expérimental, il a observé que, d'une façon générale, le leadership démocratique augmente la satisfaction du groupe alors que le leadership autoritaire en accroît le rendement.

Dans les relations entre générations ou dans les relations entre les membres d'une profession libérale et leurs clients, c'est la confiance qui fait accepter l'autorité à l'enfant ou au client. La confiance s'analyse comme une sorte de pari aux termes duquel le titulaire de l'autorité paraît agir non exclusivement pour son propre intérêt, mais à la fois en vue du bien commun et du bien propre de celui sur lequel il exerce son autorité.

AUTORITÉ PARENTALE. — La loi du 4 juin 1970 a remplacé la puissance paternelle par l'autorité parentale. Exercée en commun pendant le mariage par le père et la mère, l'autorité parentale place l'enfant sous leur autorité commune jusqu'à sa majorité ou son émancipation. L'un des deux parents peut perdre l'exercice de l'autorité parentale à la suite de certaines circonstances comme le décès, le divorce ou la séparation de corps (le parent qui s'est vu confier la garde exerce l'autorité parentale). Le parent qui a le premier reconnu l'enfant naturel exerce sur lui l'autorité parentale. S'il n'y a plus ni père ni mère, l'ouverture d'une tutelle* a lieu, même s'il n'y a pas de bien à administrer.

AUTOROUTE. — • Les *autoroutes de liaison* permettent d'assurer, avec le maximum de sécurité et de confort, un trafic important et très rapide entre les villes qu'elles desservent. Grâce à la réduction importante réalisée sur les coûts de transport et à la facilité de relations procurée, une autoroute de liaison est un facteur de développement des activités économiques, et, par conséquent, un élément de prospérité et de croissance démographique des régions qu'elle traverse. Elle constitue un véritable outil d'aménagement du territoire. La construction d'une autoroute nécessite la réalisation d'un grand nombre d'ouvrages d'art, non seulement pour le franchissement des cours d'eau, vallées et voies ferrées, mais aussi pour les passages supérieurs et inférieurs des routes rencontrées. Les passages supérieurs routiers sont, le plus souvent, des ponts* à quatre travées de petite portée, composés de tabliers en béton* armé ou précontraint, d'épaisseur constante, reposant sur des piles en béton.

Les *bretelles des échangeurs* se présentent sous des formes plus ou moins complexes, selon le nombre des voies à raccorder à l'autoroute : losanges ou trèfles à deux, trois ou quatre feuilles.

• Les *autoroutes urbaines* permettent le trafic dans les agglomérations entre les zones d'habitation et les lieux de travail. Elles se distinguent des autoroutes de liaison par un volume de trafic beaucoup plus important, surtout aux heures de pointe, par des parcours en général réduits à une dizaine de kilomètres et par des vitesses de circulation plus faibles. L'écoulement d'un trafic très important constitue un impératif majeur. L'établissement d'une autoroute urbaine et de ses échangeurs dans les zones bâties est plus délicat et plus coûteux au kilomètre construit que la construction des autoroutes en rase campagne. Les prix de revient au kilomètre peuvent être dans le rapport de 1 à 10.

AUTO SACRAMENTAL. — À l'origine, simple « acte » *(auto)* de dévotion au saint sacrement le jour de la Fête-Dieu, ce spectacle s'étoffa dans l'Espagne de la Contre-Réforme pour devenir une institution religieuse et nationale. Apparenté aux mystères* médiévaux, ayant toujours un sens allégorique et une intention édifiante, le genre (1 000 à 2 000 vers, action intemporelle mettant en scène le conflit des vices et des vertus et le triomphe final de celles-ci dans la communion avec le Christ véritablement présent dans l'hostie consacrée, luxe des décors et subtilités de la machinerie) prit une grande valeur dramatique avec Juan del Encina*, Lope de Vega* et Calderón*, jusqu'à son interdiction, au siècle des Lumières, en 1765.

AUTOTOMIE. — Saisi par la queue, un lézard peut, par une contraction musculaire violente, briser cet organe à la base et prendre la fuite. Certains crabes et de nombreux insectes peuvent, dans la même situation, se séparer d'une patte. Il y a *autotomie de capture.*

Tout autre est l'*autotomie reproductrice* de diverses annélides marines (néréis), qui détachent leur partie postérieure sexuée pour que celle-ci monte nager à la surface, ou de l'argonaute mâle (voisin des poulpes), dont un bras chargé de spermatophores — *l'hectocotyle* — se détache pour féconder la femelle.

On ne considère pas comme autotomie la reproduction des bactéries ou des amibes par partage en deux parties égales *(scissiparité).*

AUTOTROPHIE. — Les aliments des êtres vivants peuvent être classés en deux catégories : ceux qui fournissent tout ensemble aux organismes les matières premières et l'énergie, du fait qu'ils sont « combustibles » au sens large du mot, et ceux qui, étant incombustibles, ne peuvent leur fournir que leur matière, ce qui suppose que l'organisme se procure l'énergie autrement. Bien entendu, un animal qui consomme *surtout* des aliments combustibles consomme toujours *aussi* des aliments incombustibles — eau et sel, par exemple —, et des réactions couplées mettent l'énergie des uns au service de l'assimilation des autres; le sodium du sel se retrouve dans des phosphates complexes, etc. Dans ce cas, il n'y a pas autotrophie. L'être autotrophe ingère *uniquement* des aliments sans énergie interne : eau, gaz carbonique, nitrates et phosphates pour les plantes vertes, par exemple. On partage les autotrophes en deux groupes très inégaux : les *phototrophes* (tous chlorophylliens), qui utilisent l'énergie rayonnante du soleil, et les *chimiotrophes* (quelques bactéries), qui déclenchent autour d'eux une réaction exothermique dont ils utilisent l'énergie — oxydation du soufre, du fer, de l'hydrogène, de divers composés carbonés (oxyde de carbone, méthane, formol, acide formique) ou azotés (sels ammoniacaux, nitrites). Ces réactions permettent l'autotrophie pour le carbone, souvent aussi pour l'azote et les autres éléments. Mais seule la photosynthèse* des plantes chlorophylliennes a pour résultat le dégagement atmosphérique d'oxygène et permet à l'homme et aux animaux non seulement de se nourrir de plantes vertes, mais tout simplement de respirer.

AUTRANS (38880), comm. de l'Isère, à 16 km au N. de Villard-de-Lans, dans le Vercors; 1 588 hab. Sports d'hiver (alt. 1 050-1 610 m), centre de ski de fond.

AUTREY-LÈS-GRAY (70100 Gray), ch.-l. de cant. de la Haute-Saône, à 8 km au N.-O. de Gray; 500 hab.

AUTRICHE, en allem. **Österreich,** État de l'Europe centrale; 84 000 km²; 7 550 000 hab. *(Autrichiens).* Capit. *Vienne.*

GÉOGRAPHIE. L'Autriche s'étend en majeure partie sur la terminaison orientale des Alpes. Les massifs cristallins de l'Ötztal et des Hohe Tauern (3 796 m au Grossglockner) sont flanqués au N. par des Préalpes calcaires et au S. par des chaînes sédimentaires (Alpes de Carinthie et de Styrie). Les Alpes autrichiennes sont percées de vallées (Inn, Enns, Mur, Drave) élargies par les glaciers, et des bassins intramontagnards s'y ouvrent (Klagenfurt). Au N., elles sont limitées par les collines du massif ancien de Bohême, traversé par la large vallée du Danube, tandis qu'à l'E. s'ouvre le bassin de Vienne. Le climat, continental, est étroitement dépendant de l'altitude. Les hauts sommets sont très arrosés, et l'enneigement dure plusieurs mois en montagne. La région de Vienne, très abritée, jouit d'un ensoleillement prolongé (à Vienne, la température moyenne de janvier est de − 1 °C, celle de juillet de 19 °C, et les précipitations annuelles sont de 504 mm).

Si l'on tient compte des conditions naturelles, l'Autriche est relativement peuplée. Mais elle souffre du faible pourcentage des couches actives, dû au vieillissement de la population, lié aux conditions historiques. Actuellement, cette population n'augmente plus. Le taux d'urbanisation est moyen : environ la moitié des habitants résident dans les villes (Graz, Linz, Salzbourg et Innsbruck dépassent 100 000 habitants) et surtout à Vienne, qui groupe le quart de la population du pays.

L'agriculture reste importante. En montagne, les alpages sont consacrés à l'élevage bovin, tandis que bassins et vallées sont le domaine d'une polyculture vivrière traditionnelle. Dans la vallée du Danube et le bassin de Vienne, la grande culture prédomine : céréales, betterave sucrière, arbres fruitiers et vigne dans les endroits abrités.

Le développement industriel est récent. Il existait quelques activités traditionnelles, fondées sur l'exploitation de la forêt. Un renouveau a eu lieu après la dernière guerre sous l'impulsion de l'État, notamment grâce aux ressources en pétrole du bassin de Vienne (Zistersdorf) et surtout à l'exploitation du potentiel hydroélectrique que représentent les Alpes et le Danube. Le fer de l'Erzberg alimente la sidérurgie (5 Mt d'acier par an). Mais les activités sont très diversifiées : constructions mécaniques, électriques et électroniques, industries textiles, chimiques et alimentaires (brasseries, sucreries). Elles se localisent dans les grandes villes, principalement sur l'axe danubien (autour de Linz et surtout à Vienne). Le développement du tourisme, en plein essor dans les montagnes du Tyrol et du Vorarlberg, compense le déséquilibre de la balance commerciale. L'Autriche a beaucoup souffert du démantèlement de l'Empire austro-hongrois. L'économie de ce petit pays aux ressources limitées, doté d'une capitale disproportionnée, est étroitement dépendante de l'Allemagne fédérale et a beaucoup à attendre de l'ouverture des relations avec l'Est.

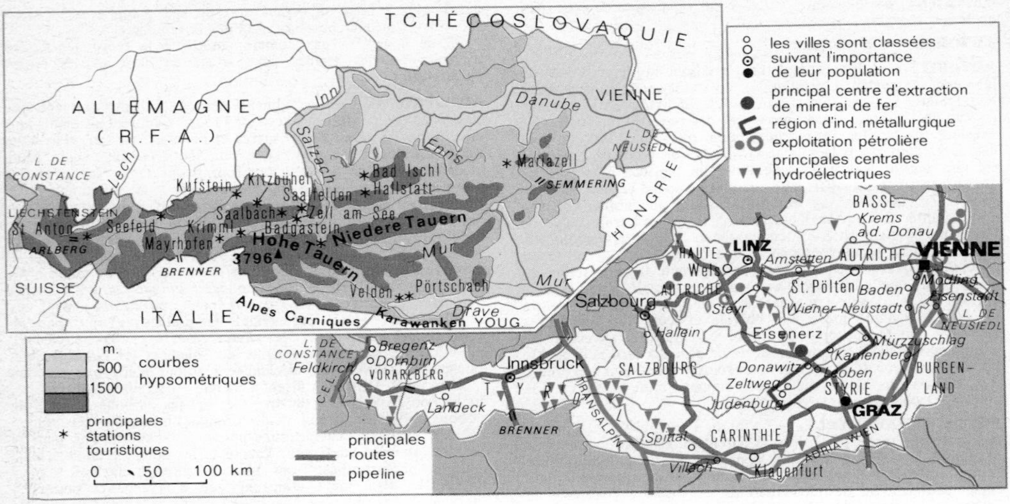

HISTOIRE. Les camps des légions romaines donnent naissance aux principales villes autrichiennes. Après avoir détruit l'empire des Avars, Charlemagne, pour prévenir de nouvelles invasions, constitue en 803 la marche de l'Est *(Ostmark),* que les Hongrois ne peuvent franchir (victoire d'Otton le Grand au Lechfeld en 955) et que garde durant trois siècles la maison de Babenberg.

Duché héréditaire (1156), avec Vienne comme capitale, bientôt agrandi de la Styrie et d'une partie de la Carniole (1192), l'Autriche passe en 1278 sous la coupe des Habsbourg* : ceux-ci acquièrent la Carinthie (1335) et le Tyrol (1363). En 1379, les territoires autrichiens sont partagés entre la branche léopoldine et la branche albertine : cette dernière s'éteint en 1457, ce qui permet à Frédéric V de Styrie, chef de la branche léopoldine et empereur germanique (Frédéric III) depuis 1440, de rassembler la majeure partie des terres habsbourgeoises. Les Habsbourg vont désormais être assurés du titre impérial, tout en restant les maîtres de l'Autriche, cœur de leurs domaines héréditaires.

Maximilien Ier (de 1493 à 1519) pousse au développement des ressources (sel, cuivre, argent) de ces domaines, qu'il dote d'institutions originales. Dans le même temps, il acquiert l'Artois, la Franche-Comté et le Charolais (1493). Charles Quint*, petit-fils de Maximilien, étant devenu empereur (1519), abandonne à son frère Ferdinand les domaines autrichiens, qui, en 1526, s'augmentent de la Bohême et de la Hongrie. Les successeurs de Ferdinand Ier stoppent l'offensive turque, qui atteint Vienne (1683) sans la submerger, avant de passer à l'offensive et d'acquérir la Transylvanie (1699), puis le Banat (1718). De plus, les divers engagements des Habsbourg d'Autriche contre la France leur valent l'acquisition des Pays-Bas, du Milanais et de Naples (1714). Dans le même temps, les Habsbourg s'efforcent de faire reculer l'influence protestante dans leurs États en promouvant la Contre-Réforme*.

L'indivisibilité des États autrichiens, promulguée en 1713 par Charles VI (Pragmatique Sanction), est sauvegardée par Marie-Thérèse (de 1740 à 1780), qui, si elle perd Parme et la Silésie à l'issue de la guerre de la Succession d'Autriche (1740-1748), acquiert la Galicie (1772) et la Bucovine (1774). En même temps, l'impératrice renforce la centralisation et la germanisation de ses États dans une perspective de « despotisme éclairé », laquelle est poursuivie par son fils Joseph II (de 1780 à 1790); la politique de ce dernier, le joséphisme*, allie les réformes sociales (abolition du servage) et économiques au centralisme administratif et au bureaucratisme clérical.

De 1791 à 1814, l'histoire de l'Autriche n'est qu'une longue lutte contre la France révolutionnaire et impériale, ce qui lui vaut de graves amputations territoriales. En 1806, François II, empereur depuis 1792, doit renoncer, par la volonté de Napoléon, qui deviendra son gendre en 1810, à la couronne du Saint Empire (1806); il est désormais François Ier, empereur d'Autriche. Au premier rang des vainqueurs de l'Empereur des Français (1814), puissance organisatrice du congrès de Vienne (1814-15), l'Autriche non seulement recouvre la plupart de ses anciens territoires et obtient une place prépondérante en Italie, mais, dans la personne du chancelier d'Empire Metternich*, domine la diplomatie européenne jusqu'en 1848, assurant, contre les libéraux et les patriotes européens, le triomphe des idéaux de la Sainte-Alliance*.

L'année 1848 marque un tournant dans l'histoire de l'Autriche, qui se voit peu à peu éliminée de l'Allemagne par la Prusse, dont les armées battent les siennes à Sadowa (1866); d'autre part, l'Autriche doit compter avec la résistance des nombreuses minorités ethniques de l'empire, notamment Hongrois et Tchèques. L'empereur François-Joseph Ier (de 1848 à 1916) réagit d'abord dans le sens de l'absolutisme, du centralisme administratif et du cléricalisme (« système » de Bach*); puis Sadowa l'amène au compromis austro-hongrois (1867) [v. AUTRICHE-HONGRIE].

En 1918, à la suite de la défaite des Empires centraux, la monarchie austro-hongroise disparaît, et l'empire éclate. Dans une Autriche réduite aux territoires germaniques des Habsbourg déchus, devenue en octobre 1920 République fédérale et dominée par les chrétiens-sociaux, les difficultés s'accumulent, notamment sur le plan économique. L'inflation, un moment contenue par Mgr Ignaz Seipel, chancelier de 1922 à 1924 et de 1926 à 1929, reprend en 1930, ce qui renforce les positions des partisans de l'*Anschluss* (réunion de l'Autriche à l'Allemagne); le gouvernement autrichien, qui s'appuie sur les chrétiens-sociaux, lutte tout à la fois contre les socialistes et contre les nazis. L'assassinat du chancelier Dollfuss par les nazis en 1934 prélude à l'*Anschluss,* que réalise Hitler le 11 mars 1938. L'Autriche n'est plus qu'une province du Reich *(Ostmark);* en cette qualité, elle participe aux luttes, puis aux défaites de la Seconde Guerre mondiale.

Si la IIe République fédérale autrichienne est reconnue par les Alliés le 27 avril 1945, l'Autriche n'en subit pas moins l'occupation militaire, sa souveraineté ne devenant officielle et effective qu'en mai 1955. Cependant, de 1945 à 1955, l'action du président socialiste Karl Renner († 1950) et celle du chancelier populiste Leopold Figl (de 1945 à 1958) permettent à l'Autriche de revivre, populistes et socialistes cohabitant dans une *Grosse Koalition* qui se prolongera jusqu'en 1966. Par la suite, la constitution d'un parti démocratique du progrès disloque la coalition et oriente l'Autriche vers un système majoritaire, marqué, en fait, par l'alternance au pouvoir des populistes (Josef Klaus, de 1966 à 1970) et des socialistes (Bruno Kreisky, depuis 1970).

AUTRICHE (Basse-), province du nord-est de l'Autriche (la plus vaste du pays), drainée par le Danube; 19 170 km²; 1 414 000 hab. Capit. *Vienne.*

AUTRICHE (Haute-), province du nord de l'Autriche, correspondant à la vallée du Danube et à l'extrémité septentrionale des Alpes; 11 979 km²; 1 223 000 hab. Capit. *Linz.*

AUTRICHE-HONGRIE, anc. État de l'Europe centrale (1867-1918). Selon les dispositions du « compromis austro-hongrois » du 8 février 1867, l'Autriche et la Hongrie forment deux États égaux, ayant chacun leur capitale (Vienne, Budapest). Chaque État a son système politique propre, avec des éléments communs, qui sont l'empereur et roi — François-Joseph († 1916), puis son petit-neveu Charles Ier (de 1916 à 1918) —, les ministères des Affaires étrangères, de la Guerre et des Finances.

La Hongrie est chargée d'administrer la partie orientale de l'empire (Transleithanie), la Cisleithanie demeurant sous la direction autrichienne. En fait, la Cisleithanie (Galicie, Bohême,

Moravie, États autrichiens, Trentin, Istrie, Illyrie...) l'emporte par les ressources et la population, une population remuante d'ailleurs : en effet, jusqu'en 1918, les minorités, les Tchèques surtout, ne cessent de s'agiter. Au début (1868-1878), les centralistes l'emportent avec les frères Adolf et Karl Auersperg; la politique fédéraliste d'Eduard Taafe (de 1879 à 1893) apporte quelque détente. Mais l'industrialisation et la modernisation du pays provoquent la création de nouveaux partis, très actifs, notamment les chrétiens-sociaux de Karl Lueger (1880), qui, violemment antisémites, s'appuient sur la petite bourgeoisie, et les sociaux-démocrates (1888), marxisants, de Victor Adler.

À l'extérieur, la politique austro-hongroise est fondée sur l'alliance indéfectible avec l'Allemagne et sur les visées balkaniques. Celles-ci, en provoquant l'hostilité de la Russie, sont à l'origine de la Première Guerre mondiale (assassinat de l'archiduc héritier François-Ferdinand à Sarajevo le 28 juin 1914), cause, elle-même, de l'éclatement de la monarchie austro-hongroise. (V. AUTRICHE et HONGRIE.)

AUTRUCHE. — De profondes différences opposent l'autruche et ses voisins (nandou, casoar, émeu) à tous les autres oiseaux. Beaucoup plus grands, capables de courir très rapidement sur de longues pattes à deux doigts seulement, les *ratites* (ainsi nomme-t-on cette sous-classe) ont des plumes aux barbes non jointives, des ailes réduites et impropres au vol, un sternum sans carène. Les œufs, énormes, ne sont pas couvés. Très voraces, les autruches conservent souvent dans l'estomac des objets indigestes.

On les élève parfois dans des fermes pour leurs grandes plumes caudales.

AUTUN (71400), ch.-l. d'arr. de Saône-et-Loire, sur l'Arroux; 22 949 hab. *(Autunois).* Portes monumentales et vestiges divers de l'époque gallo-romaine. Cathédrale Saint-Lazare, un des chefs-d'œuvre du roman bourguignon (v. 1120-v. 1140; tympan du Jugement dernier, signé Gislebertus), avec clocher du XVe s. Riche musée dans l'hôtel du chancelier Rolin (XVe s.). Constructions mécaniques. Industrie textile. Parapluies.

AUTUNITE → URANIUM.

AUTUNOIS, petite région boisée du nord-est du Massif central, au S.-E. d'*Autun,* entre les vallées de l'Arroux et de la Bourbince.

AUVELAIS, anc. comm. de Belgique, à l'O. de Namur.

AUVERGNE, région historique de la France. Peuplée par les Arvernes, l'Auvergne est rattachée à la province romaine d'Aquitaine après la défaite de Vercingétorix à Alésia (52 av. J.-C.). Un des derniers bastions de la romanité face aux Barbares, elle est cédée aux Wisigoths en 474. Réunie par la suite au « Regnum Francorum » (507), elle devient en 778 un comté du royaume d'Aquitaine. Durant le haut Moyen Âge, le morcellement féodal l'affaiblit. Au XIIIe s., l'Auvergne est découpée en quatre domaines :
— la terre d'Auvergne, devenue duché d'Auvergne en 1360 et appartenant aux Bourbons, est réunie à la Couronne en 1527;
— le Dauphiné d'Auvergne est légué à la Couronne en 1693;
— le comté d'Auvergne et le comté de Clermont, réunis en 1557, sont légués par Marguerite de Valois à Louis XIII (1606).

L'Auvergne connaît une période de troubles au XVIe s. avec la Réforme et les guerres de Religion. Il en est de même au XVIIe s. avec les révoltes des féodaux, dont Louis XIV se débarrasse avec la réunion des Grands Jours d'Auvergne (1665).

AUVERGNE, Région formée des quatre départements de l'Allier, du Cantal, de la Haute-Loire et du Puy-de-Dôme; 25 988 km^2; 1 330 479 hab. *(Auvergnats).* Capit. *Clermont-Ferrand.*

L'Auvergne englobe la partie la plus élevée (volcanique) du Massif central. À l'O., entre Sioule et Truyère, se succèdent, du N. au S., la chaîne des Puys, les monts Dore et le massif du Cantal. À l'E., la Région s'étend sur les monts du Forez et du Livradois, séparés par la Dore et le Velay, également en partie montagneux (monts du Velay), surtout entre les hautes vallées de la Loire et de l'Allier. Ce dernier cours d'eau assure une certaine unité à l'Auvergne, qu'il traverse du S. vers le N., ouvrant des bassins dans la montagne (les Limagnes de Brioude et d'Issoire, la Grande Limagne de Clermont-Ferrand), avant de s'épanouir dans le Bourbonnais, qui correspond approximativement au département de l'Allier. Celui-ci est le seul à prépondérance de régions basses et, d'ailleurs, se rattache géologiquement au Bassin parisien, sédimentaire; les autres départements de l'Auvergne sont formés, sous la partielle couverture volcanique, surtout de roches primaires, souvent cristallines.

Du point de vue climatique, comme du point de vue topographique, s'opposent les bassins et les fossés en position d'abri — aux hivers froids et assez secs, aux étés chauds et aux modestes totaux annuels de précipitations (à Clermont-Ferrand, la température moyenne de janvier est de − 1,1 °C, celle de juillet de 25,4 °C; 563 mm de précipitations tombent en 132 jours) — à la montagne, plus arrosée (enneigée l'hiver), notamment dans l'ouest, plus élevé et surtout exposé aux influences maritimes atlantiques. Landes et prairies dominent; l'est est plus forestier, mais comporte aussi plus de champs.

Des conditions naturelles souvent défavorables expliquent la faible densité générale d'occupation, de l'ordre de 50 habitants au kilomètre carré, c'est-à-dire inférieure de moitié à la moyenne nationale. L'émigration sévit depuis plus d'un siècle, vidant la montagne au profit des plaines de l'Allier (où se concentre aujourd'hui près de la moitié de la population de l'Auvergne et qui apparaissent de plus en plus comme l'axe vital de la Région) et surtout de la région parisienne. L'émigration d'éléments jeunes a provoqué le vieillissement de la population, ce qui se répercute sur les taux de fécondité et de natalité, fortement abaissés. La faiblesse de la densité moyenne et l'émigration sont aussi à relier à l'absence de grande ville, en dehors de la capitale régionale; les autres cités notables sont les villes jalonnant la partie aval de l'Allier, Vichy et Moulins, et le centre isolé du Puy, cité administrative et industrielle dans un bassin ouvert par la Loire.

L'agriculture tient toujours une place importante, occupant approximativement le tiers des actifs. En règle générale, l'élevage (bovins et ovins) domine sur les hauteurs, alors que les cultures se concentrent dans les plaines (blé, betterave sucrière, maïs, fourrages notamment dans la Grande Limagne). L'artisanat, autrefois développé dans la montagne, a décliné. Il en subsiste des vestiges, comme la coutellerie de Thiers, mais l'industrie, manquant

J. Bottin

Auvergne. Le lac Pavin dans les monts Dore, au pied du puy de Montchal.

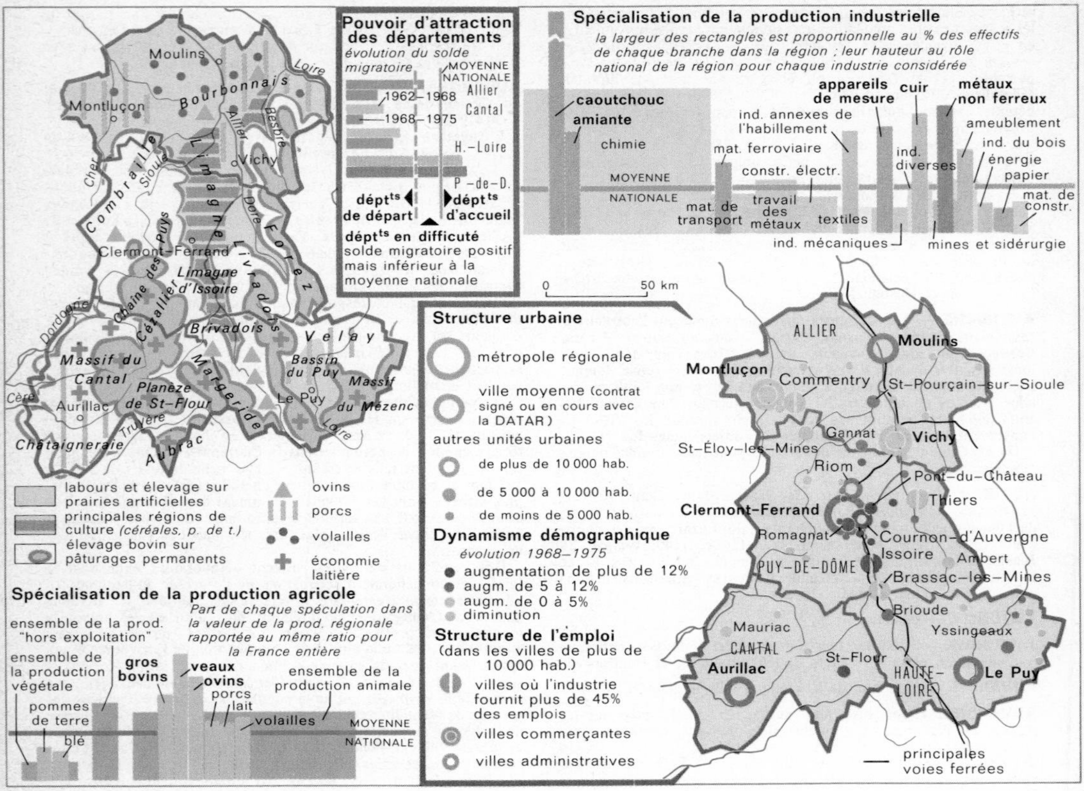

de bases (les mines de charbon vont fermer, une partie de l'hydroélectricité produite, dans le Cantal surtout, est exportée), se concentre dans la vallée de l'Allier, de Brioude à Moulins, en passant par Clermont-Ferrand, la capitale française du caoutchouc, activité évidemment sans liens avec le milieu régional. Celui-ci, en revanche, explique le développement du thermalisme, actif autour de Vichy et dans le Puy-de-Dôme, et aussi du tourisme. Ces activités vivifient ou revivifient localement une Région qui souffre de la fréquente rigueur des conditions naturelles, du compartimentage du relief, aéré seulement par le sillon de l'Allier, qui l'ouvre sur le N., vers la région parisienne, alors que les liaisons sont plus difficiles vers Lyon et le Rhône, Bordeaux et l'Aquitaine ainsi que vers le Languedoc méditerranéen.

AUVERGNE (Antoine D'), compositeur français (Moulins 1713-Lyon 1797). Violoniste, surintendant de la musique du roi, directeur de l'Académie de musique et du Concert spirituel, il s'adonne surtout, après un essai dans l'opéra bouffe (*les Troqueurs,* 1753), à la musique instrumentale (sonates, concerts de symphonies).

AUVERS-SUR-OISE (95430), ch.-l. de cant. du Val-d'Oise, à 6,5 km au N.-E. de Pontoise, sur la rive droite de l'Oise; 5 808 hab. Église des XIIe-XIIIe s. Tombe de Van Gogh.

AUVEZÈRE, riv. du Limousin et du Périgord, qui rejoint l'Isle (r. g.) en amont de Périgueux; 103 km.

AUVILLAR (82340), ch.-l. de cant. de Tarn-et-Garonne, à 20 km à l'O. de Castelsarrasin, sur la Garonne; 994 hab. *(Auvillarais).*

AUVOURS, camp militaire, situé à 10 km du Mans, sur la commune de Champagné (Sarthe).

AUXERRE (89000), ch.-l. du départ. de l'Yonne, à 170 km au S.-E. de Paris, sur l'Yonne; 39 955 hab. *(Auxerrois).* Anc. abbatiale bénédictine Saint-Germain, reconstruite aux XIIIe-XIVe s. (cryptes du IXe s. avec peintures, clocher roman). Cathédrale, reconstruite à partir du XIIIe s. (crypte romane à voûte peinte, vitraux du XIIIe s., portails sculptés). Églises. Vieilles maisons. Musées d'archéologie et des beaux-arts. Constructions mécaniques et électriques. Industries alimentaires.

AUXI-LE-CHÂTEAU (62390), ch.-l. de cant. du Pas-de-Calais, à 26 km au N.-E. d'Abbeville, sur l'Authie; 3 237 hab. Église du XVIe s. Constructions mécaniques.

AUXOIS, petit pays de Bourgogne, entre les vallées du Serein et de l'Armançon.

AUXONNE (21130), ch.-l. de cant. de la Côte-d'Or, à 16 km au N.-O. de Dole, sur la Saône; 6 943 hab. Anc. ville forte. Église du XIVe s. Industrie alimentaire.

AUZANCES (23700), ch.-l. de cant. de la Creuse, à 31 km au N.-E. d'Aubusson; 1 715 hab. Industries alimentaires.

AUZAT (09220 Vicdessos), comm. de l'Ariège, à 32 km au S.-O. de Foix, sur le Vicdessos; 798 hab. Aluminium.

AUZON (43390), ch.-l. de cant. de la Haute-Loire, à 12 km au N. de Brioude, dans la Limagne; 1 071 hab. Église romane.

AUZOUT (Adrien), mathématicien et astronome français (Rouen 1622-Rome 1691). Surtout connu pour ses réalisations instrumentales, il fut, avec Hooke* et Huygens*, l'un des premiers constructeurs des grandes lunettes* astronomiques sans tube. Les lentilles*, fixées dans des cadres de bois, étaient manœuvrées par des systèmes de poulies et de cordages très spectaculaires. Avec l'invention du micromètre, Auzout a ouvert à l'astronomie le domaine de la précision.

AVAILLES-LIMOUZINE (86460 Mauprévoir), ch.-l. de cant. de la Vienne, à 13 km au N. de Confolens, sur la Vienne; 1 403 hab.

AVALANCHE. — Les avalanches se déclenchent souvent à la suite d'un brutal réchauffement de température ou d'une abondante chute de neige. Certaines zones sont particulièrement menacées en raison de leur relief ou de leur exposition *(couloirs d'avalanches).* Les avalanches ont des effets extrêmement dévastateurs, et divers procédés sont employés afin de lutter contre elles. Pour fixer le tapis neigeux, il faut préserver la forêt. À l'altitude des alpages, on creuse des banquettes, on implante des filets de Nylon ou des clayonnages en Duralumin dans les zones dangereuses et l'on protège les routes par des auvents de béton.

AVALLON (89200), ch.-l. d'arr. de l'Yonne, à 52 km au S.-E. d'Auxerre, sur le Cousin; 9 255 hab. *(Avallonnais).* Église Saint-Lazare, en roman bourguignon (XIe-XIIe s.). Restes de fortifications. Hôtel de ville du XVIIIe s. Constructions mécaniques.

AVALOIRS *(mont* ou *signal des),* sommet de l'extrémité orientale du Massif armoricain, dont il constitue (avec la forêt d'Écouves) le point culminant (417 m), à l'O. d'Alençon.

AVALOKITEŚVARA, le plus populaire des bodhisattvas du bouddhisme* du Grand Véhicule. Il symbolise la charité. Né en Inde au IIe s., son culte s'est répandu en Chine, au Japon et surtout au Tibet.

AVALON, presqu'île située au S.-E. de Terre-Neuve, à laquelle la relie l'*isthme d'Avalon.* V. princ. *Saint John's,* capit. de l'île.

AVANT-BRAS. — Sur le radius, le cubitus et le ligament interosseux qui les relie sont insérés de nombreux muscles qui permettent les mouvements de flexion, d'extension des doigts et de la main; la pronation et la supination, l'abduction et l'adduction de la main sont également commandées par des muscles propres.
Les fractures des deux os de l'avant-bras nécessitent une ostéosynthèse précise pour conserver ces fonctions.

AVANTS-SONLOUP (Les), station touristique de Suisse (Vaud), au-dessus de Montreux.

Avare *(l'),* comédie, en cinq actes et en prose, de Molière (1668), sur la trame de l'*Aulularia* de Plaute, mais plus dans la lignée des rapaces du théâtre élisabéthain que dans celle de la comédie française préclassique : la passion de thésauriser devenue manie obsessionnelle et relevant non de la condamnation morale, mais de l'étude clinique de la folie. Le rôle de l'Avare, Harpagon, a tenté tous les grands acteurs, de Molière à Dullin.

AVARICUM → BOURGES.

AVARS → BARBARES.

AVED (Jacques), peintre français (Douai ? 1702-Paris 1766). Élevé à Amsterdam, ami de Chardin, il est un portraitiste exact et agréable, saisissant l'intimité de ses modèles.

AVEDON (Richard), photographe américain (New York 1923). Après avoir subi l'influence d'Alexeï Brodovitch, il acquiert rapidement une écriture très personnelle, où alternent l'extrême sophistication (photographie de modes) et la vision brutale et incisive de la réalité (série des portraits de son père âgé et malade).

AVEIRO, v. du Portugal, sur la *lagune d'Aveiro,* au S. de Porto; 20 000 hab.

AVELLANEDA, agglomération industrielle de la banlieue sud-est de Buenos Aires; 338 000 hab.

AVELLINO, v. d'Italie, en Campanie, ch.-l. de prov., à l'E. de Naples; 54 000 hab.

AVEMPACE → IBN BĀDJDJA.

AVEN → KARSTIQUE *(relief).*

Avenir *(l'),* journal éphémère (16 oct. 1830-15 nov. 1831) de Félicité de La Mennais*, d'un catholicisme libéral combatif, prophétique, mais incompris.

Avenir de la science *(l'),* ouvrage de E. Renan (écrit en 1848, publié en 1890). La rénovation politique et morale de l'Europe confiée non plus à la religion, mais à la science, fondée conjointement sur la philosophie et l'érudition allemandes et sur l'esprit français de liberté (la science de Renan est surtout celle du philologue et de l'historien).

AVENTIN *(mont),* une des sept collines de Rome. Exclue du consulat, la plèbe menaça, en 494 av. J.-C., de faire sécession : elle se retira sur la colline de l'Aventin, située en dehors du *pomoerium* (enceinte religieuse de la cité). Après cette sécession, les plébéiens obtinrent le droit d'élire des tribuns*.

AVERCAMP (Hendrik), peintre hollandais (Amsterdam 1585-Kampen 1634). Ses paysages d'hiver sont animés de petits personnages dont il évoque la vie sur un mode intimiste et spirituel.

AVERESCU (Alexandru), maréchal et homme politique roumain (Ismaïl 1859-Bucarest 1938). Chef d'état-major pendant les guerres balkaniques (1912-13), il commanda la IIe armée roumaine (1916-1918) et fut chef du gouvernement en 1918, en 1920 et en 1926.

AVERROÈS (Abū al-Walīd Muḥammad ibn Aḥmad ibn Muḥammad ibn Ruchd, connu sous le nom d'), philosophe, savant et médecin arabe (Cordoue 1126-Marrakech 1198). Cadi (1171), puis grand cadi (1182) de Cordoue, Averroès fait une carrière administrative jusqu'à ce que sa philosophie le fasse tomber en disgrâce sous les accusations des partisans de l'« orthodoxie » coranique.
Il s'efforce de placer la pensée islamique (v. ISLĀM) sous l'autorité des raisonnements attribués à Aristote* et de concilier la conception aristotélicienne de l'être et de l'univers avec le Dieu du Coran *(Grands Commentaires).* Quoi qu'en disent ses détracteurs dogmatiques, il maintient néanmoins la tradition exégétique qui interprète le Coran en des sens exotérique et ésotérique. Contrairement aux tenants de l'averroïsme* latin, la vérité du Coran est, selon Averroès, une et non double. Cette vérité est, cependant, susceptible d'être interprétée à trois niveaux distincts — philosophie, théologie et foi —, d'après le degré de savoir et d'imagination de chacun *(Découverte de la méthode).* Bien que condamnée par les autorités catholiques en 1240 et en 1513, la philosophie d'Averroès a exercé une profonde influence sur l'Occident médiéval chrétien, notamment en lui faisant connaître Aristote (v. ARISTOTÉLISME).

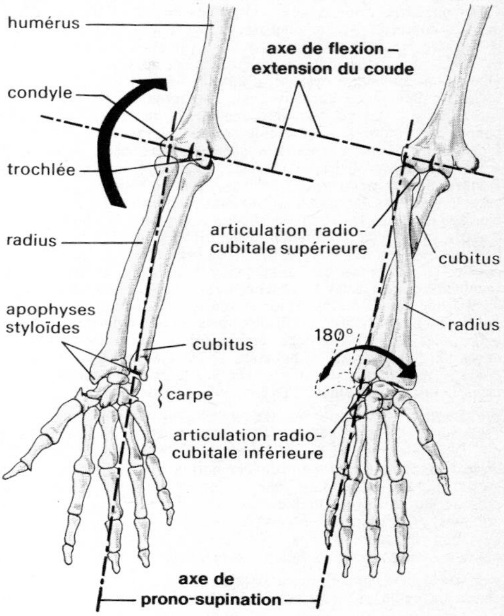

Schéma des deux os de l'avant-bras avec leurs articulations et les axes de rotation, montrant le mécanisme de prono-supination.

AVERROÏSME LATIN. — L'averroïsme latin naît de la rencontre des commentaires d'Aristote* par Averroès* avec la théologie et la religion catholiques à Paris en 1240. La négation de l'immortalité de l'âme, le rejet des idées de création et de Providence ainsi que la formulation d'une éthique « païenne » sont les aspects principaux de ce courant, qui cristallise les oppositions entre raison et foi, philosophie et théologie. Les vives controverses qui opposent les averroïstes comme Siger de Brabant (v. 1235-1281) aux tenants de l'aristotélisme* et aux théologiens entraînent la condamnation de l'averroïsme en 1277. L'influence de celui-ci diminue, puis se fait de nouveau sentir au XVe s. avec l'école de Padoue*.

AVESNES-LE-COMTE (62810), ch.-l. de cant. du Pas-de-Calais, à 21 km à l'O. d'Arras; 1 500 hab.

AVESNES-LÈS-AUBERT (59129), comm. du Nord, à 11 km à l'E. de Cambrai; 4 256 hab.

AVESNES-SUR-HELPE (59440), ch.-l. d'arr. du Nord, sur la *Grande Helpe,* affl. de la Sambre (r. dr.); 6 792 hab. *(Avesnois).* Église des XIIIe et XVIe s. Textile.

Avesta, livre sacré du mazdéisme. Il est divisé en plusieurs sections : 1° le *Yasna,* recueil de textes liturgiques dans lequel sont inclus les *Gâthâs* (hymnes); 2° le *Visprat,* ou *Vispered,* textes rituels récités à l'occasion des fêtes; 3° le *Vendidâd,* ou *Vidêvdât,* traité de pureté rituelle; 4° le *Sirôzat,* ensemble de prières aux divinités protectrices des mois de l'année; 5° les *Yasht,* recueil d'hymnes à la gloire des anges et des héros; 6° le *Petit Avesta,* livre de dévotions privées à l'usage des laïques. Le texte actuel paraît avoir été rédigé à l'époque sassanide*, mais certains Gâthâs peuvent remonter aux Achéménides*.

AVESTIQUE → IRANIEN.

AVEYRON, riv. née dans le sud du Massif central, dans la région des Causses, qu'elle entaille en gorges avant de traverser le

Rouergue (passant à Rodez, puis à Villefranche-de-Rouergue) et de rejoindre le Tarn (r. dr.) au N.-O. de Montauban; 250 km.

AVEYRON (12), départ. de la Région Midi-Pyrénées; 8 735 km^2; 278 306 hab. *(Aveyronnais).* Ch.-l. *Rodez.* S.-préf. *Millau* et *Villefranche-de-Rouergue.*

Le département occupe la partie sud-ouest du Massif central, ouverte aux influences atlantiques, qui expliquent notamment l'abondance des précipitations, presque toujours supérieures à 700 mm et souvent à 1 000 mm, notamment dans l'est, plus élevé (partie occidentale de l'Aubrac, plateau de la Viadène, Lévezou). Au S.-E., la région calcaire des Causses (Saint-Affrique, Larzac) est plus sèche, mais partout le climat est rude l'hiver, s'adoucissant seulement dans l'ouest, aux confins du bassin d'Aquitaine. Le paysage dominant — celui de plateaux — est aéré par les vallées de la Truyère, du Lot, de l'Aveyron, du Tarn, sites d'aménagements hydroélectriques (surtout sur la Truyère) et aussi des principales villes, dont aucune, en réalité, n'est très importante.

Cette faiblesse de l'urbanisation, à rapprocher des conditions naturelles souvent défavorables, explique la basse densité d'occupation, de l'ordre du tiers seulement de la moyenne nationale. L'agriculture emploie encore environ le tiers de la population active; la culture du blé est développée dans le Ségala, autour de Rodez, mais, généralement, l'élevage domine (bovins dans l'Aubrac, ovins dans les Causses), notamment pour la fabrication du fromage de Roquefort. L'industrie, fait exceptionnel, occupe moins d'actifs, malgré la production d'électricité (surtout exportée) et l'exploitation (en déclin aujourd'hui) de la houille vers Aubin-Decazeville; le travail du cuir anime encore Millau. La faiblesse du secteur tertiaire est liée à l'absence de grande ville et est loin d'être compensée par un certain essor du tourisme. À l'écart des grandes voies de communication, loin des pôles de développement et des métropoles régionales, le département, comme la Lozère voisine, se dépeuple; l'exode rural, commencé il y a déjà plus d'un siècle, se poursuit, la situation étant aggravée par la crise de certaines des rares industries urbaines (charbon, industrie du cuir).

AVIATION. — Depuis les temps les plus reculés, le rêve de l'homme a été de se déplacer librement dans les airs. Après l'ère du ballon, les frères Wright* donnaient, le 17 décembre 1903, l'impulsion initiale à un mode de locomotion qui allait révolutionner le XXe s., l'aviation. Les progrès furent extrêmement rapides, puisque des vitesses doubles de celle du son sont désormais atteintes, même par des avions* de transport. Les applications de l'aviation peuvent se répartir dans trois domaines : l'aviation militaire (v. art. suiv.), l'aviation commerciale et l'aviation générale.

• L'*aviation commerciale,* pratiquement inexistante vers 1920, a connu un développement extrêmement rapide, tant sur le plan du

De Havilland Canada Aircraft and Co.

Petit avion de transport à décollage et atterrissage courts De Havilland Canada « Twin Otter ».

Avion-cargo Boeing « 747-C » en cours de chargement.

AVIATION COMMERCIALE

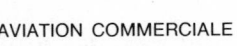

Triréacteur long-courrier à grande capacité Lockheed L-1011 « Tristar ».

Lockheed Aircraft

les grandes étapes de l'aviation

1890 Premier soulèvement (9 oct.) d'un aéroplane équipé d'un moteur à vapeur, l'*Éole* de Clément Ader*, à Armainvilliers, sur 50 m à 0,20 m du sol.

1903 Premier vol (17 déc.) d'un avion à moteur piloté par Wilbur et Orville Wright*, à Kitty Hawk (Caroline du Nord), sur 284 m.

1906 Premier soulèvement (13 sept.) d'un aéroplane en Europe par Alberto Santos-Dumont* à Bagatelle. — Premier vol prolongé d'un avion en Europe (23 oct.) par Santos-Dumont, qui, à Bagatelle, couvre 220 m. — Premier record de vitesse homologué (12 nov.), réalisé par Santos-Dumont avec 41,29 km/h.

1907 Premier vol (13 nov.) d'un hélicoptère, qui, piloté par le Français Paul Cornu (1881-1944) à Lisieux, se soulève de 1,5 m.

1908 Premier vol officiel (13 janv.) sur 1 km en circuit fermé par Henri Farman* à Issy-les-Moulineaux.

1909 Première traversée de la Manche (25 juill.), de Calais à Douvres (durée de vol, 37 mn), par Louis Blériot*.

1910 Premier vol à plus de 1 000 m d'altitude (7 janv.) par Hubert Latham*. — Premier vol d'un hydravion (28 mars) sur l'étang de Berre par Henri Fabre*. — Premier vol à plus de 100 km/h (9 sept.) par Léon Morane* à Reims. — Première traversée des Alpes (23 sept.) par Geo Chávez*, qui s'écrase à l'atterrissage.

1911 Premier voyage Londres-Paris sans escale (12 avr.) par le Français Pierre Prier (1886-1950).

1913 Traversée de la Méditerranée (23-24 sept.), de Saint-Raphaël à Bizerte, par Roland Garros*.

1916 Première installation de la radio à bord des avions.

1919 Première traversée de l'Atlantique Nord en hydravion (16-17 mai), de Terre-Neuve à Horta (Açores) et Lisbonne, par le lieutenant-commander américain Albert Cushing Read (né en 1887). — Première traversée de l'Atlantique Nord en avion (14-15 juin), entre Saint John's (Terre-Neuve) et Clifden (Irlande), par les Anglais sir John William Alcock (1892-1919) et sir Whitten Brown (1886-1948).

1922 Première traversée de l'Atlantique Sud en hydravion (30 mars - 5 juin), entre Lisbonne et Rio de Janeiro, par les Portugais Sacadura Cabral (1880-1924) et Gago Coutinho. — Premier vol de plus de 1 heure en planeur (18 août) par l'Allemand Martens.

1923 Premier ravitaillement en vol d'un avion (26 juin) par les Américains Lowell Smith et J. P. Richter à San Diego.

1924 Premier vol d'une durée supérieure à 10 minutes en hélicoptère (29 janv.) par Raoul Pateras Pescara (né en 1886) à Issy-les-Moulineaux.

1926 Réalisation du pilote automatique et des instruments de pilotage sans visibilité.

1927 Première traversée de l'Atlantique Nord sans escale (20-21 mai), de New York à Paris, par Charles Lindbergh* sur l'avion *Spirit of St Louis.*

1929 Record de la distance en ligne droite (27-29 sept.) porté à 7 905 km par Dieudonné Costes* et Maurice Bellonte*, de Paris à Tsitsihar (Chine du Nord-Est). — Premier vol, sur 3 km, d'un avion propulsé par un moteur-fusée (30 sept.) par l'Allemand Fritz von Opel (né en 1889).

1930 Première liaison Paris-New York sans escale (1er-2 sept.) par Dieudonné Costes et Maurice Bellonte sur le Breguet *Point-d'Interrogation.*

1934 Premier vol à plus de 700 km/h (24 oct.) par l'Italien Francesco Agello (1902-1942) sur hydravion Macchi.

1940 Premier vol d'un avion propulsé par un turboréacteur (30 avr.), le Caproni-Campini « CC-I ».

1944 (nov.) Premier engagement au combat du biréacteur allemand Messerschmitt « Me-262 ». — Signature, à Chi-

Air France

cago, de la Convention relative à l'aviation civile internationale (7 déc.).

1947 Premier vol (14 oct.) du Bell « X-1 », propulsé par un moteur-fusée, piloté par l'Américain Charles Yeager (né en 1923), le premier à dépasser la vitesse du son en vol horizontal.

1949 Premier vol (27 juill.) du De Havilland 106 « Comet », premier avion de transport propulsé par turboréacteur.

1953 Premier vol (15 déc.) du « Djinn », premier hélicoptère propulsé par réaction, par éjection d'air comprimé en bout de pales.

1954 Désintégration en vol (10 janv. et 8 avr.) de deux « Comet » par fatigue des structures.

1955 Premier vol (27 mai) de la « Caravelle », qui introduit la formule des réacteurs à l'arrière du fuselage.

1958 Premier vol d'un hélicoptère (13 juin) au-dessus de 10 000 m par l'« Alouette III », qui atteint 10 984 m.

1962 Record de distance en ligne droite (10-11 janv.) porté à 20 169 km, de Okinawa à Madrid, par un Boeing « B-52 ». — Record d'altitude (17 juill.) porté à 95 936 m par le North American « X-15 », à moteur-fusée, lancé d'un avion porteur.

1965 Records d'altitude (24 462 m) et de vitesse (3 331,5 km/h) en vol horizontal (1er mars) battus par le Lockheed « YF-12 A ».

1968 Premier vol (31 déc.) du premier avion de transport supersonique, le Tupolev « TU-144 ».

1969 Premier vol (9 févr.) de l'avion de transport Boeing « 747 ». — Premier vol (2 mars) de l'avion de transport franco-britannique « Concorde ».

1970 Première liaison transatlantique (22 janv.) du Boeing « 747 » entre New York et Londres.

1976 Premiers vols commerciaux réguliers (21 janv.) du « Concorde ».

trafic que sur celui des performances. Depuis 1950, un certain nombre de progrès décisifs ont été enregistrés : introduction de la propulsion* par réaction, mise au point des techniques de guidage* et d'atterrissage* par mauvaise visibilité — qui ont considérablement amélioré la régularité et la sécurité des vols —, mise en service, depuis 1970, d'avions gros porteurs offrant de 200 à 400 places; en 1976 est venue s'ajouter la mise en service de l'avion de transport supersonique « Concorde ».

• L'*aviation générale* englobe l'aviation de tourisme et l'aviation d'affaires. L'*aviation de tourisme,* en pleine expansion, a bénéficié des perfectionnements apportés aux appareils, notamment sur le plan des aides au pilotage*. L'*aviation d'affaires* utilise de petits avions commerciaux de 6 à 10 places, généralement propulsés par turboréacteurs.

AVIATION MILITAIRE. — Si son origine lointaine remonte à l'emploi du ballon par les aérostiers à la bataille de Fleurus (1794), l'aviation militaire n'apparaît qu'au début du XXe s. C'est en France qu'elle connaît le plus grand essor; dès 1910, l'armée française possède une trentaine d'aéroplanes, et la première escadrille est créée en 1912, date à laquelle des pilotes français font leurs premières expériences de combat dans les Balkans et où l'Angleterre crée la Royal Flying Corps, ancêtre de la Royal Air Force.

La Première Guerre mondiale donne droit de cité, parmi les armes, à l'aviation, où se distinguent peu à peu les trois branches de l'*observation* (des troupes et des tirs avec emploi de la photographie aérienne), de la *chasse* (pour interdire ces missions à l'adversaire) et du *bombardement.* Partie en 1914 avec 216 appareils, la France, devenue en 1918 la première puissance aérienne, en compte alors 3 600 (288 escadrilles en ligne). Illustrées par les exploits de leurs as (Fonck*, Guynemer* en France, Manfreid et Lothar von Richthofen, Ernst Udet, Max Immelmann en Allemagne), les forces aériennes jouent un rôle important dans les opérations terrestres. En moins de dix ans, les avions sont passés du stade sportif à la production industrielle de série, mais, s'ils ont accru leurs performances, ils demeurent fragiles.

Après 1919, de nombreux appareils militaires sont reconvertis dans le secteur commercial, et d'anciens pilotes de guerre apportent leur expérience à l'expansion de l'aviation de ligne. Au contraire, les armées de l'air connaissent une période de stagnation, sauf en Allemagne, où la Luftwaffe, créée en 1935, dispose d'emblée d'un matériel et d'un personnel de haute qualité, dont Hitler fait de 1939 à 1941 un élément décisif de la guerre éclair. Mais l'offensive aérienne allemande de 1940 sur l'Angleterre échoue, et les Alliés acquièrent peu à peu une supériorité aérienne qui leur donnera en 1944-45 une maîtrise de l'air quasi totale. Au cours de ce second conflit, les aviations militaires connaissent une nouvelle évolution technique (radar, engagement en 1944 du « Me-262 » allemand, premier avion à réaction), tandis que s'accroît, suivant la capacité des industries de guerre, le nombre des avions. Cela explique notamment la supériorité écrasante de l'US Air Force (296 000 avions américains construits de 1940 à 1945). De nouvelles distinctions apparaissent entre les aviations *tactiques* (chasse, assaut, bombardiers légers), l'aviation *stratégique* (bombardiers lourds avec leur accompagnement de chasseurs et d'avions de reconnaissance) et l'aviation de *transport,* employée notamment dans les opérations aéroportées.

Depuis 1945, outre la généralisation du moteur à réaction et la multiplication des équipements électroniques, deux facteurs nouveaux, l'arme nucléaire* et le missile*, vont bouleverser la physionomie des aviations militaires. C'est d'abord l'époque du Strategic Air Command américain, dont les bombardiers (« B-29 », « B-36 », « B-47 »), porteurs de bombes nucléaires, ne connaîtront d'adversaires à leur mesure qu'au moment où, vers 1955, l'U. R. S. S., disposant aussi de l'arme nucléaire, choisit le missile pour son vecteur. Alors s'ouvre une compétition entre le missile et l'avion, lequel, au cours des années 1960-1970, perd, au profit du missile et du sous-marin, son monopole de vecteur de l'arme nucléaire stratégique. Ce rôle continue, toutefois, à être tenu par le bombardier, qui garde en outre toute sa valeur comme porteur de bombes lourdes non nucléaires (emploi des « B-52 » dans la guerre du Viêt-nam, 1965-1973). D'autre part, la mission stratégique de l'aviation de transport (pont aérien de Berlin, Proche-Orient...) s'accroît avec les performances des nouveaux appareils (« C-5 A » américain de 1970).

Sur le plan tactique, la puissance de l'*avion d'appui* ou de l'*avion de combat,* déjà renforcée en 1945 par l'emploi des roquettes, est encore accrue par leur armement en projectiles (missiles air-sol ou bombes) nucléaires. En 1975, ces avions sont des appareils tout temps naviguant au radar à Mach 2 et dont les équipements sont si évolués que leur prix en limite impérativement le nombre. Cela explique que les constructeurs cherchent à abaisser ces prix de revient unitaires en accroissant par des ventes à l'étranger le volume des séries. On notera, enfin, que, dans les conflits limités de la période 1945-1975, les belligérants ont continué à employer les avions de combat équipés d'armes classiques et désormais renforcés par des hélicoptères. Ainsi, en dehors des domaines où, comme le transport, l'avion reste irremplaçable, on estime que

les avions militaires

type	*pays*	*année*	*moteur* (1)	*vitesse* (2)	*plafond en m*	*poids en t*	*catégorie* (3)
Spad « 13 » (4)	F.	1917	1 × 220	210 km/h	6 800	0,850	C
Fokker « D 7 » (5)	A.	1918	1 × 210	245 km/h	6 700	0,900	C
Handley Page « 0/400 » (6)	G.-B.	1918	2 × 360	160 km/h	2 600	6,000	B
Junker « Ju-52 3m g 5e » (7)	A.	1933	3 × 830	270 km/h	5 500	11,000	T
Junker « 87 B-1 » (8)	A.	1937	1 × 1 200	385 km/h	8 000	4,300	B
Focke-Wulf « 190 D-9 » (9)	A.	1941	1 × 1 780	685 km/h	11 400	4,300	C
Messerschmitt « 109 G-10 » (10)	A.	1942	1 × 1 475	620 km/h	11 600	3,150	C
North American P-51 D « Mustang » (11)	É.-U.	1942	1 × 1 500	700 km/h	12 700	5,200	C
Yakovlev « Yak-9 T »	U. R. S. S.	1942	1 × 1 260	585 km/h	11 000	3,200	C
De Havilland FB Mk-6 « Mosquito » (12)	G.-B.	1942	2 × 1 460	610 km/h	10 000	10,400	B-R
Avro 683 « Lancaster » (13)	G.-B.	1942	4 × 1 460	460 km/h	7 500	31,700	B
Vickers Mk XII « Spitfire » (14)	G.-B.	1943	1 × 1 735	630 km/h	12 200	3,500	C
Boeing B-29 « Superforteresse » (15)	É.-U.	1943	4 × 2 200	575 km/h	9 700	49,900	B
Boeing « B-52 A » (16)	É.-U.	1956	8 × 7,7 t	M 0,95	15 200	221,000	B
Tupolev Tu-22 « Blinder » (16)	U. R. S. S.	1960	2 × 11,8 t	M 1,4	18 300	84,000	B
Dassault « Mirage IV A » (16)	F.	1964	2 × 7 t	M 2,2	20 000	31,600	B
Mig 23 « Foxbat »	U. R. S. S.	1965	2 × 11 t	M 3	27 000	20 (?)	C
Tupolev Tu-26 « Backfire »	U. R. S. S.	1970	2 × 15 t	M 2	18 000	130,000	B
Lockheed C-5 A « Galaxy » (17)	É.-U.	1971	4 × 18,6 t	920 km/h	10 350	346,000	T
Douglas « F-15 »	É.-U.	1974	2 × 11,3 t	M 2,5	20 400	18,100	C
North American « B-1 » à flèche variable (18)	É.-U.	1974	4 × 13 t	M 2,5	20 000	175,000	B

(1) nombre × puissance en chevaux-vapeur (ch) ou en tonnes (t) de poussée; (2) en kilomètres à l'heure (km/h) ou en mach (M); (3) C = chasseur ou intercepteur, B = bombardier, T = transport, R = reconnaissance; (4) avion de Fonck et de Guynemer, le plus construit de la guerre 1914-1918 (8 472 exemplaires); (5) avion de Richthofen; (6) un des premiers types de bombardiers lourds (1 000 kg de bombes); (7) premier type d'avion de transport militaire; (8) Stuka expérimenté pendant la guerre d'Espagne; (9) 20 000 construits; (10) avion le plus construit pendant la Seconde Guerre mondiale (33 000 exemplaires); (11) 9 290 construits; (12) 7 781 construits; (13) 7 366 construits, 156 000 missions, 608 000 t de bombes larguées; (14) 20 351 construits; (15) 3 970 construits. Vecteur de la bombe atomique sur Hiroshima (1945); (16) vecteurs de la bombe nucléaire stratégique; (17) premier emploi en opérations dans la guerre du Kippour (1973). Capacité de transport : 120 t; (18) premier vol le 23 décembre 1974.

Dassault-Bréguet

Chasseurs monoréacteurs à aile en flèche Dassault « Mirage F-1 ».

AVIATION MILITAIRE

Lockheed Aircraft Corporation

Avion-cargo quadriréacteur Lockheed C-5 A « Galaxy ».

Chasseur léger américain General Dynamic « YF-16 ».

Interinfo

Chasseurs supersoniques soviétiques Mig 21

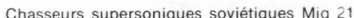

R. Demeuille

missiles et avions pilotés demeurent complémentaires. Ces derniers trouvent surtout leur place dans le domaine tactique, qui requiert une intelligence et une rapidité d'adaptation à l'événement qui resteront encore longtemps le privilège de l'équipage humain.

AVICENNE (Abū ʿAlī al-Ḥusayn ibn Sīnā, connu sous le nom d'), savant, philosophe et médecin iranien (Afchana, près de Boukhara, 980-Hamadhān 1037). Extraordinairement précoce, Avicenne étudie toutes les connaissances accumulées jusqu'alors, puis s'intéresse plus particulièrement à la médecine et à la philosophie. Il poursuit ses recherches et rédige un *Canon* de la médecine,* sur lequel s'appuieront l'enseignement et les pratiques médicales en Occident jusqu'au XVIIe s. et en Iran jusqu'au XXe s.

Influencé par Aristote et l'ismaélisme, il élabore une théorie de l'intellect qui fonde sa cosmologie. Il distingue les êtres possibles des êtres nécessaires et pense que les êtres possibles deviennent êtres en acte dans la mesure où leur existence est rendue nécessaire par une cause. Cette nécessité est celle d'un Dieu créateur, qui, en se pensant lui-même, constitue le premier intellect, dont procèdent les êtres et les autres intellects *(Livre de la guérison* [de l'âme], *Livre de la science).*

Introduite en Occident, la pensée d'Avicenne a donné naissance à un avicennisme latin qui, en réalité, respecte beaucoup plus la pensée d'Augustin* que celle d'Avicenne. En Iran, au contraire, elle a exercé une influence importante sur Sohrawardi*, sur l'école d'Ispahan au XVIe s. et plus globalement sur le chīʿisme* iranien jusqu'à nos jours.

AVICULTURE. — On distingue l'*aviculture sportive* (oiseaux de volière, curiosités) de l'*aviculture utilitaire,* orientée sur la production des œufs et celle de la viande. L'aviculture utilitaire fournit plus de 8 p. 100 du produit brut agricole et occupe la cinquième place parmi les productions agricoles françaises. Si, pour les œufs, la part de la production fermière dépasse encore la moitié, plus du tiers du cheptel est exploité rationnellement dans des élevages de plus de 5 000 pondeuses chacun. Quant aux poulets commercialisés pour la chair, le quart de la production provient d'élevages d'au moins 10 000 sujets.

Si l'élevage des palmipèdes s'est peu développé, celui des pintades et surtout celui des dindons, par contre, se sont multipliés. En outre, l'aviculture s'est spécialisée; elle comprend des sélectionneurs, des multiplicateurs accouveurs (fournissant les poussins aux éleveurs), des producteurs de poulets de chair et des producteurs d'œufs de consommation.

AVIGNON (84000), ch.-l. du départ. de Vaucluse, à 697 km au S.-S.-E. de Paris, sur la rive gauche du Rhône; 93 024 hab. *(Avignonnais).* Avignon est le centre d'une agglomération d'environ 150 000 habitants.

GÉOGRAPHIE. Dans la ville elle-même prédominent les fonctions administrative, commerciale (au centre de la riche région agricole du Comtat), universitaire et touristique. La banlieue, notamment le long du Rhône (Sorgues, Le Pontet), est le site d'importantes zones industrielles. Les produits réfractaires, les poudres et explosifs, les papiers et cartons, les appareils ménagers sont les principales productions d'une agglomération qui se développe rapidement.

HISTOIRE. Colonie latine, Avignon est évêché au début du Ve s. Cité épiscopale, elle devient le siège d'un puissant consulat vers 1129. Elle prend parti pour les albigeois et est conquise par Louis VIII en 1226. À peine est-elle retombée sous la domination du comte de Provence (1285) qu'elle devient la ville des papes (1309-1376), qui en font une ville active et monumentale; en 1348, Jeanne Ire, reine de Sicile, la vend au pape Clément VI. La ville est, de 1378 à 1403, la résidence des papes dits « d'Avignon », en rupture avec Rome lors du Grand Schisme d'Occident (1378-1417). Elle vote son rattachement à la France le 12 juin 1790. Officiellement annexée le 14 septembre 1791, elle devient le chef-lieu du Vaucluse le 25 juin 1793. Mais ce n'est qu'en 1797 que sa cession par Pie VI est officialisée (traité de Tolentino).

Papigny

Le pont Saint-Bénezet, l'église Notre-Dame-des-Doms et le palais des Papes, à Avignon.

BEAUX-ARTS. Sur le rocher des Doms, cathédrale romane et célèbre palais-forteresse des papes du XIVe s. : austère Palais-Vieux de Benoît XII, complété par le Palais-Neuf, fastueux, de Clément VI (fresques exécutées sous la direction de Matteo Giovanetti, de Viterbe). La ville a un riche capital monumental : restes du pont Saint-Bénezet (XIIe s.); églises gothiques; Petit Palais des légats italiens (XVe s., auj. musée : primitifs italiens et avignonnais); hôtels et chapelles du XVIIe s., dont celle du collège des Jésuites, auj. musée lapidaire; hôtels du XVIIIe s., dont l'un abrite les collections de peinture et d'arts décoratifs du musée Calvet.

ÁVILA, v. d'Espagne, en Vieille-Castille, ch.-l. de prov., à l'O. de Madrid; 31 000 hab. Derrière son enceinte restaurée aux quelque quatre-vingts tours de granit, la ville conserve une cathédrale gothique à chevet fortifié — abritant, comme le musée attenant, de nombreuses œuvres d'art —, des églises, des couvents, etc. Plusieurs églises romanes, dont San Vicente (portail de la fin du XIIe s.), et le couvent Santo Tomás, en gothique tardif (retable de P. Berruguete, cloîtres du XVIe s.), sont hors les murs.

AVILÉS, port d'Espagne, dans les Asturies; 82 000 hab. Sidérurgie.

AVION. — Un avion est un appareil plus lourd que l'air, capable de voler par ses propres moyens. Il comporte essentiellement une aile*, un fuselage*, des empennages* et des gouvernes*, un train d'atterrissage* et des groupes propulseurs. L'*aile* a pour rôle principal d'assurer la sustentation de l'avion, et sa forme dépend de la vitesse d'utilisation; elle diffère pour les avions subsoniques et les avions supersoniques. Le *fuselage* contient la charge utile : passagers pour un avion de transport, charges militaires pour les avions d'armes; il reçoit également le poste de pilotage*. Sa forme est généralement cylindrique, le diamètre pouvant atteindre 6 m sur les plus gros avions. Les *empennages* assurent la stabilité de l'avion en tangage, en roulis et en lacet. On distingue l'empennage horizontal et l'empennage vertical. Chacun d'eux porte des *gouvernes :* gouvernes de profondeur pour l'empennage horizontal, qui commandent les mouvements de l'avion en tangage, et gouvernes de direction pour l'empennage vertical, qui commandent les mouvements en lacet. Les autres gouvernes sont portées par l'aile; il s'agit des ailerons, qui, montés en bout d'aile au bord de fuite, commandent les mouvements de roulis. Le *train d'atterrissage* comporte deux éléments : un train principal, situé à hauteur de l'aile et qui s'escamote généralement dans cette dernière, et un train avant, situé sous le nez du fuselage, dans lequel il se rétracte; sur les avions géants, l'ensemble du train peut compter jusqu'à vingt roues. Les groupes propulseurs sont soit accrochés à la voilure (cas de la majorité des avions de transport), soit contenus dans le fuselage (cas des avions d'armes monomoteurs); on observe également sur certains avions de transport les réacteurs accolés à l'arrière du fuselage, avec quelquefois un réacteur supplémentaire intégré dans la base de l'empennage vertical. Les avions de transport, qui volent à des altitudes comprises entre 6000 et 10000 m (de 15000 à 18000 m pour les avions de transport supersoniques), sont pressurisés à une pression correspondant à une altitude fictive de 2500 m. En outre, un système de conditionnement* d'air maintient une température et une humidité convenables, quelles que soient les conditions ambiantes. Sur les avions de combat, qui peuvent atteindre des altitudes très élevées, la pressurisation doit être limitée en fonction de la résistance de la verrière, et le pilote doit porter une combinaison pressurisée. Les avions de combat doivent également permettre l'évacuation de l'équipage en cas de destruction de l'avion en vol. Ils sont alors équipés de sièges* éjectables; sur certains avions les plus récents (bombardier américain « B-1 »), on prévoit même l'éjection de l'ensemble de la cabine, qui est ramenée au sol à l'aide de parachutes*. Enfin, pour accroître leurs possibilités de rayon d'action, certains avions d'armes disposent de systèmes de ravitaillement en vol à partir d'avions-citernes; cette technique est notamment utilisée lors de missions de bombardement à longue distance. Qu'ils soient civils ou militaires, mais surtout pour ces derniers, les avions modernes à hautes performances comportent un équipement* électronique très complexe, dont le coût intervient pour une part importante dans le prix total de l'avion : centrale de navigation, pilote automatique, systèmes de conduite de tir pour les avions d'armes, etc.

AVION (62210), ch.-l. de cant. du Pas-de-Calais, dans la banlieue sud de Lens; 22900 hab.

AVIRON. — Né en Angleterre, l'aviron est un sport déjà ancien. Le premier Oxford-Cambridge eut lieu dès 1829, et les régates de Henley furent créées dix ans plus tard. Le premier club français fut fondé au Havre en 1834. Il existe deux types d'armement : en couple, le rameur manie deux avirons; en pointe, il en manie un seul, à deux mains. Les courses se disputent toutes sur une distance (en ligne droite) de 2000 m (1000 m pour les femmes) dans diverses catégories : en couple et sans barreur, skiff (un rameur) et double scull (deux rameurs); en pointe, deux sans barreur et les deux, quatre et huit (la course la plus rapide et la plus spectaculaire) avec barreur (destiné à faciliter par la voix la synchronisation et donc l'efficacité des mouvements des rameurs). Comportant chaque année des championnats d'Europe (ouverts en fait à tous les rameurs du monde et prenant tous les quatre ans le nom de « championnats du monde »), l'aviron est aussi, depuis 1900, un sport olympique.

AVITAMINOSE → VITAMINE.

AVIZ *(dynastie d'),* dynastie qui régna au Portugal de 1385 à 1580.
La dynastie de Bourgogne, incapable de mettre fin au malaise social et de contenir les ambitions castillanes, disparaît en 1385, quand les Cortes de Coimbra proclament roi le grand maître de l'ordre d'Aviz, Jean Ier (de 1385 à 1433), qui mate la féodalité et prend d'importantes mesures en faveur du petit peuple. Les successeurs immédiats de Jean Ier sont débordés de nouveau par la noblesse et le clergé. Mais Jean II (de 1481 à 1495) et Manuel Ier (de 1495 à 1521) posent les bases de l'absolutisme royal. Dans le même temps, en Afrique, en Amérique et en Asie, se fonde un Empire portugais, auquel reste attaché le nom d'Henri* le Navigateur et qui atteint son apogée sous Alphonse V l'Africain (de 1438 à 1481). Mais l'abandon des places marocaines sous Jean III (de 1521 à 1557) montre les limites des possibilités de conquêtes portugaises. La scandaleuse dichotomie qui marque la vie sociale au Portugal précipite le déclin de la dynastie d'Aviz. Si bien qu'à la mort du vieux cardinal roi dom Henri (1580) le Portugal devient, pour soixante ans, possession espagnole.

AVIZE (51190), ch.-l. de cant. de la Marne, à 10 km au S.-E. d'Épernay, en bordure de la côte d'Île-de-France; 1852 hab. Église des XIIe et XVe s. Vignobles.

AVOCAT. — La loi française du 31 décembre 1971 portant réforme de certaines professions judiciaires et juridiques a réorganisé la profession d'avocat et supprimé celle d'avoué, « absorbée » par la première. À dater du 16 septembre 1972, les offices d'avoués près les tribunaux de grande instance ont été supprimés, une nouvelle profession d'« avocat » se substituant à l'ancienne et à celle d'avoué; seuls subsistent les avoués auprès des cours d'appel. Les avocats peuvent désormais (en plus de leurs consultations et de leurs plaidoiries) représenter les parties et faire les actes de procédure (ce qui était auparavant réservé aux avoués), tout au moins devant les juridictions auxquelles leur « barreau » est rattaché.

AVOGADRO (Amedeo DI QUAREGNA, *comte*), chimiste italien (Turin 1776 - *id.* 1856), auteur, en 1811, de l'hypothèse selon laquelle il y a toujours le même nombre de molécules dans des volumes égaux de gaz différents; d'où la possibilité d'obtenir les masses moléculaires des corps gazeux. — Le *nombre d'Avogadro* ($6,023 \times 10^{23}$) est le nombre de molécules contenues dans une mole.

AVOINE. — Malgré l'amélioration des rendements, la diminution des surfaces consacrées à la culture de l'avoine a été telle que la production totale est en régression, en liaison avec la diminution de la demande (réduction du cheptel chevalin par motorisation de l'agriculture et des transports). L'avoine ne représente plus que 5 p. 100 des récoltes mondiales de céréales.

AVOINE (37420), comm. d'Indre-et-Loire, à 8 km au N.-O. de Chinon; 1331 hab. Centrale nucléaire, dite aussi « centrale de Chinon », en bordure de la Loire.

AVOIR FISCAL → IMPÔT.

AVON (77210), comm. de Seine-et-Marne, à 3 km à l'E. de Fontainebleau; 15609 hab. *(Avonnais).* Église des XIIe et XVIe s.

AVON, comté de Grande-Bretagne (Angleterre), sur l'estuaire de la Severn; 914000 hab.

AVORD (18800 Baugy), comm. du Cher, à 21 km au S.-E. de Bourges; 3401 hab. Base-école de l'armée de l'air.

AVORIAZ, station de sports d'hiver (alt. 1800-2380 m) de la Haute-Savoie (comm. de Morzine).

AVORTEMENT. — Les *avortements spontanés* peuvent être dus à une maladie générale (tel le diabète), à des anomalies utérines (béance de l'isthme, facilement corrigée, fibromes), à une insuffisance hormonale ou à des anomalies de l'œuf, qui est ainsi rapidement expulsé.
Les *avortements provoqués* peuvent être thérapeutiques, lorsque la vie de la mère est menacée par la poursuite de la grossesse (cardiopathie congénitale), ou volontaires. Les complications des avortements sont surtout le fait des avortements clandestins. Elles peuvent être traumatiques (perforations utérines, hémorragies), infectieuses (infection locale ou généralisée) ou locales (synéchies utérines ou salpingites chroniques, causes de stérilité).
Aux termes de la loi française du 17 janvier 1975, l'« interruption volontaire de grossesse » cesse, sous certaines conditions, d'être punie par la loi pénale (les dispositions des quatre premiers alinéas de l'article 317 du Code pénal étant suspendues pour une durée de cinq ans).
L'avortement est autorisé jusqu'à la dixième semaine de grossesse lorsque la mère présente une « situation de détresse »; l'interruption de grossesse sera pratiquée par un médecin dans un établissement hospitalier agréé (le médecin pouvant refuser de s'y prêter). La femme doit être avertie des risques médicaux qu'elle encourt et consulter un centre d'information et de conseil familial. Elle doit, si l'avortement est décidé, confirmer par écrit sa décision au médecin. Le consentement de l'une des personnes exerçant l'autorité parentale est requis en cas de mineure célibataire.
L'interruption volontaire de grossesse pour motif thérapeutique peut être pratiquée au-delà de la dixième semaine de grossesse, seulement si deux médecins (dont les qualifications sont prévues par la loi) attestent, après examen et discussion, que la poursuite de la grossesse mettrait gravement en danger la santé de la mère ou que l'enfant à naître risquerait d'être atteint d'une anomalie grave et incurable.
La provocation à l'avortement est punie, même si elle n'a pas été suivie d'effet, ainsi que la publicité pour les établissements qui le pratiquent et les médicaments qui le causent. (V. CONTRACEPTION.)

AVOUÉ → AVOCAT.

AVRANCHES (50300), ch.-l. d'arr. de la Manche, près de l'embouchure de la Sée, à proximité du Mont-Saint-Michel; 11319 hab. *(Avranchins).* Industrie textile. — Pendant la bataille de Normandie*, les Américains y réussirent, le 31 juillet 1944, une percée décisive du front allemand, par où passèrent les blindés de Patton, lancés en direction de la Bretagne et du Bassin parisien.

AVRE, riv. des confins méridionaux de la Normandie, affl. de l'Eure (r. g.); 72 km.

AVRE, riv. de Picardie, affl. de la Somme (r. g.); 59 km.

AVRIEUX (73500 Modane), comm. de Savoie, à 10 km à l'E. de Modane, dans la Maurienne; 267 hab. Centrale hydraulique et souffleries.

AVRILLÉ (49240), comm. de Maine-et-Loire, banlieue d'Angers; 9491 hab.

AVVAKOUM, archiprêtre et écrivain russe (Grigorovo v. 1620-Poutozersk 1682). Curé de campagne, puis archiprêtre d'une paroisse de Moscou, Avvakoum se fait le défenseur des rites traditionnels russes, que Nikon* voulait aligner sur ceux de l'Église grecque (v. RASKOL). Il est exilé en Sibérie en 1652, puis en 1666-67, à l'issue du concile qui l'excommunie. Il poursuit sa propagande et est brûlé sur un bûcher en 1682. Le récit de sa *Vie* (1672-1675) est la première œuvre littéraire russe écrite en langue vulgaire.

Avventura *(L'),* film italien de Michelangelo Antonioni (1959).

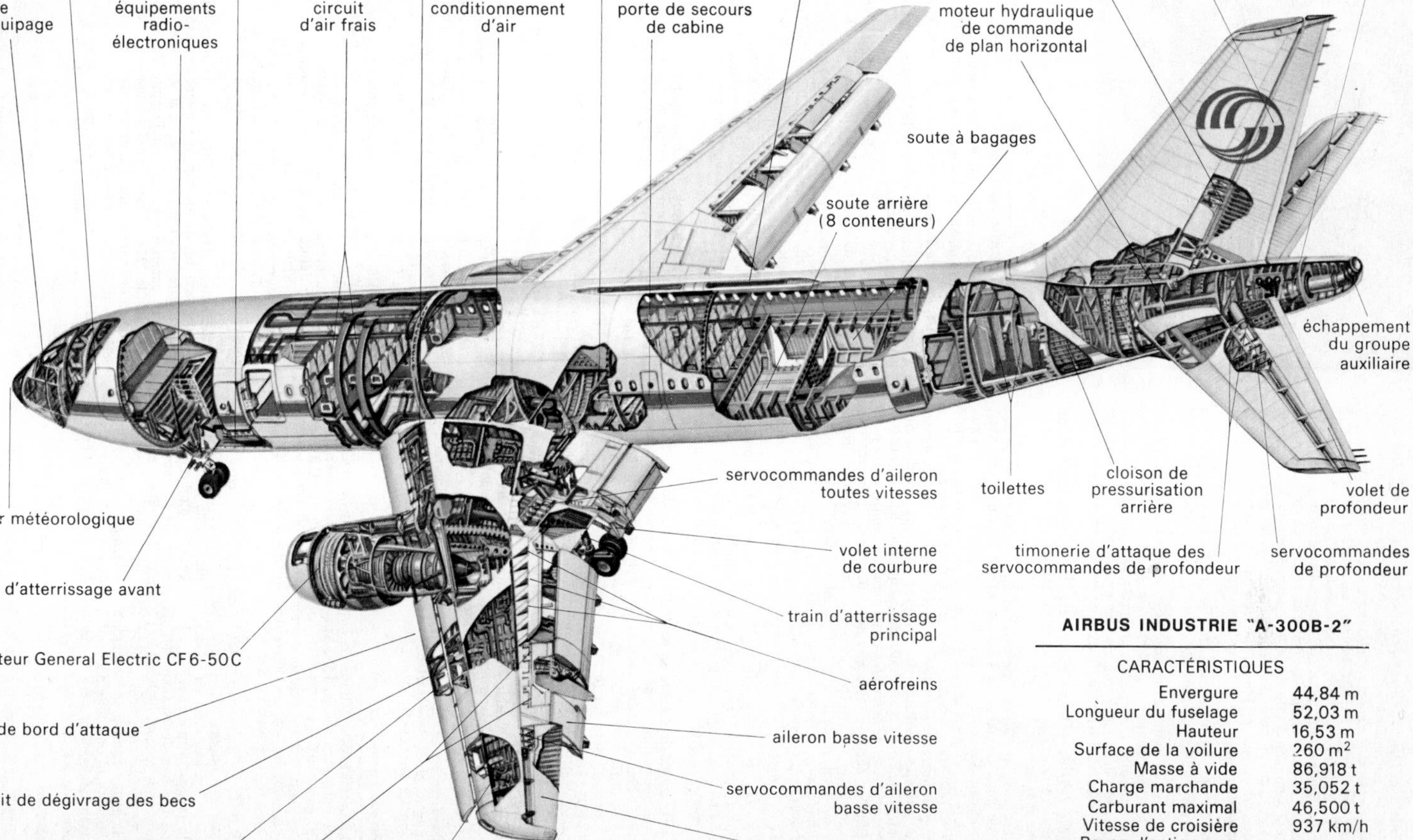

AIRBUS INDUSTRIE "A-300B-2"

CARACTÉRISTIQUES

Envergure	44,84 m
Longueur du fuselage	52,03 m
Hauteur	16,53 m
Surface de la voilure	260 m²
Masse à vide	86,918 t
Charge marchande	35,052 t
Carburant maximal	46,500 t
Vitesse de croisière	937 km/h
Rayon d'action avec 281 passagers et bagages	3 900 km

Cette œuvre austère, déroutante, d'une rigueur quasi mathématique déchaîna des polémiques passionnées à sa sortie sur les écrans. En négligeant volontairement de s'intéresser aux péripéties mêmes de l'intrigue (un homme et une femme, qui tentent de retrouver à travers la Sicile une jeune et riche Romaine disparue sur un îlot désert au cours d'une croisière, abandonnent peu à peu leurs recherches et poursuivent une autre quête : celle de leur propre identité), Antonioni s'efforça de traduire en images le thème de l'incommunicabilité entre les êtres et l'angoisse de vivre du monde moderne. Il ouvrit également la voie à un nouveau langage cinématographique.

AXAT (11140), ch.-l. de cant. de l'Aude, à 11 km au S.-E. de Quillan, sur l'Aude; 915 hab.

Axel, poème dramatique en prose et en quatre parties de Villiers de L'Isle-Adam (publié en 1890, représenté en 1894). Drame symboliste inspiré des légendes germaniques et de la dramaturgie wagnérienne : deux âmes trop grandes pour la réalité du savoir et de la richesse choisissent la mort pour ne pas briser leur rêve.

AXIOMATIQUE. — L'axiomatique est l'étude des propriétés que possèdent certains ensembles* munis de lois que l'on définit par un système d'axiomes.

• Une *loi,* ou *opération, interne* pour un ensemble E, permet, à partir de deux éléments de E, d'en obtenir un troisième. Ainsi, l'addition dans l'ensemble $\mathbb{Z}$ des entiers relatifs associe à deux de ces entiers leur somme, qui est aussi un entier relatif. Par exemple, $2 + (-3) = 2 - 3 = -1 \in \mathbb{Z}$ comme $2 \in \mathbb{Z}$ et $-3 \in \mathbb{Z}$. Une loi interne peut posséder certaines propriétés que l'on pose, au départ, comme axiomes. À l'aide de ces propriétés, on en démontre d'autres, et dans ces démonstrations ainsi que dans leurs résultats se manifeste la méthode axiomatique, qui permet de construire, à partir de prémisses, certains ensembles dotés de telle ou telle structure. Par exemple, une loi interne dans E est *associative* si, quels que soient a, b et c de l'ensemble E, la loi étant notée comme la multiplication ordinaire, on a $a.(b.c) = (a.b).c$. Il peut exister un élément neutre e dans E tel que, quel que soit l'élément x de E, on ait $xe = ex = e$. Enfin, il se peut que, pour certains éléments de E, il existe un *inverse :* ainsi, x' est l'inverse de x dans E si $xx' = x'x = e$. Si l'inverse existe pour tout élément de l'ensemble de E, E muni de la loi considérée est un groupe*.

La méthode axiomatique permet de construire des théories de façon rigoureuse. Aussi est-elle de plus en plus utilisée en mathématiques.

• Si on la considère comme un mode idéal d'exposition d'un traité mathématique, la méthode axiomatique remonte aux *Éléments* d'Euclide*. Pourtant, la méthode axiomatique moderne (à partir du XIXe s.) se différencie nettement du mode d'exposition euclidien : depuis la constitution des géométries non euclidiennes, les axiomes ne sont plus conçus — comme c'était encore le cas chez Euclide — comme expressifs de propriétés du monde réel, et l'on s'attache principalement à la cohérence interne de la théorie en étudiant des propriétés telles que l'indépendance d'un axiome par rapport aux autres, etc. (v. CATÉGORICITÉ, CONSISTANCE). Dans l'axiomatique « formelle », l'interprétation des termes primitifs est laissée indéterminée : on peut choisir arbitrairement les objets désignés par les termes primitifs, pourvu qu'ils vérifient les axiomes.

AXIOME. — Un axiome est une proposition non démontrable qui constitue le point de départ des démonstrations des théorèmes* dans une axiomatique*.

AXIS → VERTÈBRE.

AX-LES-THERMES (09110), ch.-l. de cant. de l'Ariège, à 42 km au S.-E. de Foix, sur l'Ariège; 1 592 hab. *(Axéens).* Station thermale de l'Ariège, aux eaux sulfurées sodiques, chaudes (de 18 °C à 78 °C), utilisées dans le traitement des rhumatismes, des affections des voies respiratoires et des névralgies. Sports d'hiver (alt. 1 400-2 300 m) sur le plateau du Saquet.

AXOLOTL. — La notion d'*adulte* est remise en cause par les animaux *néoténiques,* c'est-à-dire capables de se reproduire dès l'état larvaire, car, dans un tel cas, l'adulte, inutile à l'espèce, se raréfie et peut disparaître. C'est le cas chez l'axolotl, amphibien urodèle des lacs du Mexique, qui présente encore de chaque côté du corps trois rangées de branchies externes lorsqu'il se reproduit, pour mourir généralement sans s'être métamorphosé. Toutefois, dans la nature comme en laboratoire, la métamorphose peut avoir lieu, en donnant un adulte pigmenté et pulmoné, l'*amblystome,* très semblable à une salamandre. Un mutant albinos de l'axolotl est fort répandu dans les élevages européens.

AXONE → NERVEUX *(système).*

AY (51160), ch.-l. de cant. de la Marne, à 3 km au N.-E. d'Épernay, sur la Marne; 4 883 hab. Église des XVe et XVIe s. Vignobles.

AYACUCHO, v. du Pérou, sur le versant est de la Cordillère

J. Six

occidentale, célèbre par la victoire que Sucre y remporta en décembre 1824 sur le vice-roi du Pérou et qui consacra l'indépendance de l'Amérique espagnole.

AYDAT (63970), comm. du Puy-de-Dôme, à 22 km au S.-O. de Clermont-Ferrand, sur le *lac d'Aydat;* 789 hab. Centre touristique.

AYDIN, v. de la Turquie occidentale, au S.-E. d'Izmir; 51 000 hab.

AYEN (19310), ch.-l. de cant. de la Corrèze, à 23 km au N.-O. de Brive-la-Gaillarde; 654 hab.

AYLESBURY, v. de Grande-Bretagne (Angleterre), au N.-O. de Londres, ch.-l. du comté de Buckingham; 28 000 hab.

AYMARAS → INDIENS D'AMÉRIQUE DU SUD *(carte).*

AYMÉ (Marcel), écrivain français (Joigny 1902-Paris 1967). Sa peinture ironique et désabusée, que donnent de la société française — notamment celle de l'Occupation — ses nouvelles (*le Passe-Muraille,* 1942), ses romans (*la Table-aux-Crevés,* 1929; *la Jument verte,* 1933; *Travelingue,* 1941) et son théâtre (*Clérambard,* 1950; *la Tête des autres,* 1952), rend plus sensible la fraîcheur de ses *Contes* du chat perché* (1934-1958).

Aymeri de Narbonne, chanson épique de Bertrand de Bar-sur-Aube (v. 1210-1220), qui fait partie du *cycle* de Garin de Monglane* et qui inspira à Hugo le poème « Aymerillot » de *la Légende des siècles.*

Aymon *(les Quatre Fils).* → QUATRE FILS AYMON *(les).*

AYR, v. de Grande-Bretagne (Écosse), au S.-O. de Glasgow; 48 000 hab.

AYTRÉ (17440), comm. de la Charente-Maritime, à 4 km au S.-E. de La Rochelle; 6 900 hab.

AYUTHIA, v. de Thaïlande, capit. de l'ancien royaume du Siam entre 1350 et 1767. Après plusieurs attaques des Birmans (1569, 1767), la ville, très ruinée, garde de nombreux témoignages de sa splendeur : sanctuaires avec tour reliquaire (Wat Budhaisavan, 1353; Wat Pra Ram, 1369; Wat Pra Mahathat, 1374) ou stūpa, plus fréquent vers la seconde moitié du XVe s. (Wat Pra Si Sanpet, XVe et XVIIe s.; Pra Chedi Chai Mongkon, 1593).

AYYŪBIDES, dynastie musulmane fondée par Saladin*, qui règne aux XIIe-XIIIe s. sur l'Égypte, la Syrie et une grande partie de la Mésopotamie et du Yémen. La famille a pour éponyme le Kurde Ayyūb, gouverneur zangīde de la région de Damas. Chirkūh, le frère de ce dernier, parvient, avec son neveu Saladin, à s'imposer en Égypte. Vizir en 1169, Saladin dépose le calife fāṭimide* (1171) et restaure le sunnisme en Égypte. La grande entreprise de son règne (de 1171 à 1193) est la constitution d'un vaste empire : soumission du Hedjaz et du Yémen (1174), élimination des Zangīdes* de Syrie (1183), victoire de Ḥaṭṭīn sur les croisés et prise de Jérusalem (1187). Les différents territoires sont confiés aux frères et aux fils de Saladin, et forment une « fédération familiale semi-féodale » (C. Cahen). Al-Malik al-'Ādil (de 1198 à 1218) réunit sous son autorité presque tout l'empire de Saladin, et Al-Malik al-Kāmil (de 1218 à 1238) rend Jérusalem aux Francs (1229). Leur politique de coexistence pacifique avec les Francs favorise la relance de l'économie et du commerce syro-égyptiens. Les Mamelouks* s'emparent du pouvoir en Égypte en 1250, mais les Ayyūbides se maintiennent à Alep et à Damas jusqu'en 1260, et à Ḥamā jusqu'en 1341.

AYYŪB KHĀN (Muḥammad), homme d'État pakistanais (Province du Nord-Ouest 1907-Islāmābad 1974). Commandant en chef de l'armée pakistanaise (1951), ministre de la Défense (1954), il reçoit en 1958 les pleins pouvoirs et le commandement suprême, devenant à la fois Premier ministre et président de la République,

Axolotl.
Larve albinos
et larve
pigmentée
de l'amblystome.

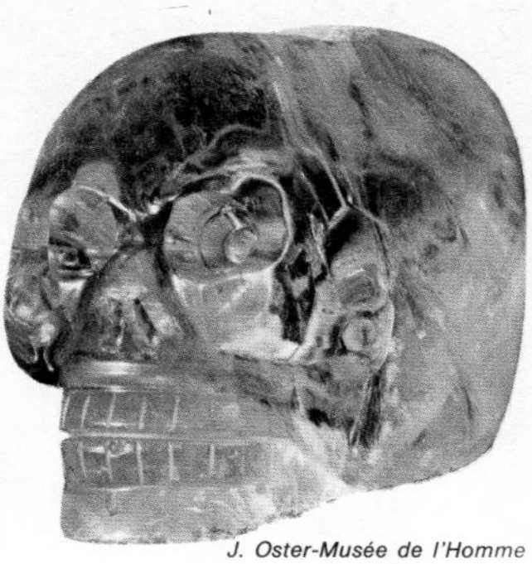

Aztèques.
Tête de mort
en quartz poli.
(Musée de l'Homme,
Paris.)

J. Oster-Musée de l'Homme

puis (1959) maréchal. Il instaure un régime autoritaire, s'efforce de relever l'économie pakistanaise, mais ne peut empêcher le déclenchement d'une guerre avec l'Inde (1965-66). L'agitation estudiantine l'oblige, en 1968, à proclamer la loi martiale, qu'il lève en 1969, peu avant de démissionner.

AZAÑA Y DÍAZ (Manuel), homme politique espagnol (Alcalá de Henares 1880-Montauban 1940). Président du Conseil de 1931 à 1933 et de 1934 à 1936, il est président de la République de 1936 à 1939, date de la victoire du général Franco; il doit alors se réfugier en France.

AZAY-LE-RIDEAU (37190), ch.-l. de cant. d'Indre-et-Loire, à 21 km au N.-E. de Chinon, sur l'Indre; 2749 hab. Église à façade carolingienne. Château exemplaire de la première Renaissance (1518-1529). Industrie du bois.

AZEGLIO (Massimo TAPARELLI, *marquis* D'), homme politique et écrivain italien (Turin 1798-*id.* 1866). Ses romans historiques, notamment *Ettore Fieramosca* (1833), font de lui un des chefs modérés du *Risorgimento**. Son œuvre capitale, *les Derniers Événements de Romagne* (1846), contient son programme : la création d'une confédération italienne libérale autour de Charles-Albert. Mais, devenu président du Conseil piémontais après les désastres de 1848, Azeglio est vite débordé par Cavour.

AZÉOTROPE. — Quand on distille un mélange de deux liquides, la température d'ébullition n'est pas toujours comprise entre celles des deux constituants; elle peut présenter un maximum (azéotropisme négatif) ou un minimum (azéotropisme positif). Dans l'un et l'autre cas, la distillation fractionnée ne permet pas de séparer les deux liquides, mais seulement l'un d'entre eux et le *mélange azéotrope* correspondant au point d'ébullition maximal ou minimal (alcool à 96° par exemple).

AZERBAÏDJAN, région de l'Asie occidentale, aujourd'hui divisée entre l'U. R. S. S. et l'Iran.

Province de la Perse achéménide*, cette région est érigée en province d'Atropatène après la conquête d'Alexandre le Grand, puis fait partie du domaine des Arsacides* et enfin de celui des Sassanides*. Conquise par les Arabes vers 642, elle échappe peu à peu au contrôle des ʿAbbāssides* (IXe-Xe s.). Des hordes de Turcs commandés par les Seldjoukides* l'occupent à partir du XIe s. Ainsi s'amorce la transformation de l'Azerbaïdjan en région turcophone, qui sera favorisée par le repli des Turkmènes de l'Anatolie aux XIVe-XVe s. Les Mongols*, lors de leur occupation de l'Iran (1251-1335), ont pour capitale Marāgha, puis Tabriz*, qui connaît un grand essor. Les Séfévides* unifient l'Iran au XVIe s. et se disputent avec les Ottomans l'Azerbaïdjan. La Russie acquiert l'Azerbaïdjan septentrional à l'issue de deux guerres avec l'Iran (1813 et 1828). Après l'effondrement de l'armée impériale russe, les Alliés, puis les Turcs occupent Bakou (1918) et favorisent la constitution d'une république indépendante d'Azerbaïdjan. Un gouvernement soviétique est instauré en 1920, et l'Azerbaïdjan fait partie de la Fédération transcaucasienne, de 1922 à 1936, avant de devenir une république fédérée de l'U. R. S. S. Les Soviétiques occupent l'Azerbaïdjan iranien de 1941 à 1946 et aident à la formation d'un gouvernement autonome à Tabriz, que l'armée iranienne élimine en décembre 1946.

AZERBAÏDJAN, région constituant l'extrémité nord-ouest de l'Iran. V. princ. *Tabriz.*

AZERBAÏDJAN, république fédérée de l'U. R. S. S., sur la mer Caspienne; 86600 km²; 5117000 hab. Capit. *Bakou.* L'extrémité orientale du Caucase, au N., et les montagnes de l'Arménie, au S., encadrent la large dépression ouverte par la Koura, dont les eaux (et celles de ses affluents), par l'irrigation, ont transformé l'économie rurale, fondée aujourd'hui sur le coton, les cultures fourragères et maraîchères, les vergers. La production du pétrole (dont Bakou est un centre historique) a décliné, mais demeure notable.

AZERGUES, riv. de la bordure orientale du Massif central, qui rejoint la Saône (r. dr.) au S. de Villefranche; 64 km.

AZERI → TURC.

AZEVEDO (Aluízio), écrivain brésilien (São Luís do Maranhão 1857-Buenos Aires 1913), auteur du premier roman naturaliste de son pays (*le Mulâtre,* 1881).

AZIMUT → ORIENTATION.

AZOÏQUE. — Le prototype des composés azoïques est l'azobenzène $C_6H_5N{=}NC_6H_5$. Les *colorants azoïques* dérivent de ce corps, ou de ses homologues, par substitution d'un ou de plusieurs groupements auxochromes aux atomes d'hydrogène des noyaux. Ils sont préparés par condensation des composés diazoïques avec des phénols ou des amines aromatiques. Ils sont très nombreux, et il en existe de toutes teintes.

AZORÍN (José Martínez RUIZ, dit), écrivain espagnol (Monóvar 1874-Madrid 1967). Ses récits (*Castille,* 1912; *Don Juan,* 1924) et ses essais (*le Licencié de verre,* 1913) cherchent à traduire le sentiment de l'éphémère et de la mort à travers la peinture des types curieux de la vie quotidienne et de l'histoire de l'Espagne.

AZOTE. — L'azote est l'élément chimique n° 7, de masse atomique N = 14,01. C'est un gaz incolore et inodore, de densité 0,97 par rapport à l'air; son point d'ébullition sous la pression atmosphérique est − 195 °C, et sa solubilité est très faible.

À basse température, l'azote est sans activité chimique, ce qui explique son nom. Toutefois, il s'unit à l'hydrogène à chaud et sous pression pour donner de l'ammoniac NH_3, et, à la température de l'arc électrique, il donne, avec l'oxygène, de petites quantités de l'oxyde NO; il s'unit à divers métaux pour donner des nitrures.

Il existe à l'état libre dans l'air, dont il constitue 78 p. 100 en volume, et on le prépare industriellement par distillation de l'air liquide. On le trouve combiné dans les nitrates et les sels ammoniacaux; l'azote entre enfin dans la constitution des protéines, qu'on rencontre dans tous les tissus vivants.

Ses composés, surtout l'ammoniac et l'acide nitrique HNO_3, ont une grande importance dans l'industrie des engrais, des explosifs et des colorants.

AZOTÉMIE → SANG.

AZOV *(mer d'),* golfe peu profond (moins de 200 m), formé par la mer Noire, enclavé dans le territoire de l'U. R. S. S. (Ukraine et R. S. F. S. de Russie), qui reçoit le Don et communique avec la mer Noire par le détroit de Kertch.

AZTÈQUES, peuple autochtone de l'Amérique centrale. Longtemps établis à Aztlán (IIe-XIIe s. apr. J.-C.), les Aztèques descendent ensuite vers le sud, dans la région de Tula, où ils s'imprègnent des mœurs de la civilisation toltèque. En 1325, ils fondent Tenochtitlán (Mexico). Organisés en cités-États, ils constituent en 1428 un véritable empire par l'association des royaumes de Tenochtitlán, de Texcoco et de Tlacopan. L'Empire aztèque s'étend peu à peu sur l'ensemble du Mexique. Extrêmement prospère, très hiérarchisé, cet État, né de la démocratie tribale, devient une monarchie aristocratique dominée par la religion. Des onze souverains aztèques, Moctezuma II (1502-1520) et Cuauhtémoc (1520-1525) furent tués par les Espagnols de Cortés qui mit fin à l'empire.

La civilisation et l'art des Aztèques marqués, par l'assimilation de certains caractères des cultures voisines (toltèque*, mixteca-puebla [v. MIXTÈQUES], huaxtèque*), n'en constituent pas moins un ensemble original par son syncrétisme religieux et sa symbolique ésotérique. En architecture, si ce n'est le complexe de Malinalco et la juxtaposition de deux temples au sommet d'une pyramide unique (Grand Teocalli de Mexico*-Tenochtitlán, avec les sanctuaires de Huitzilopochtli et de Tlaloc), les Aztèques n'innovent pas; leur architecture militaire est importante, alors que leurs édifices civils ont disparu. Leur vocation religieuse s'exprime aussi par la sculpture, où un puissant réalisme et une implacable sévérité sont associés à une accumulation de symboles et à un indéniable sens de la matière (monolithe de Coatlicue, musée de Mexico; calendrier aztèque; statue de Quetzalcóatl, musée de l'Homme, Paris). L'art du masque, déjà en faveur durant l'époque classique de l'art précolombien (Teotihuacán*, Ve-VIIIe s.), atteint une grande perfection, tout comme la ciselure des pierres précieuses, les arts mineurs et la peinture, dont on conserve quelques fragments de fresques et surtout de très intéressants manuscrits enluminés qui portent les empreintes mixtèque et mixteca-puebla.

AZUELA (Mariano), écrivain mexicain (Lagos de Moreno 1873-Mexico 1952). Médecin des troupes de Pancho Villa, il a écrit le premier roman sur la révolution mexicaine (*Ceux d'en bas,* 1916), qui en donne une peinture réaliste et désenchantée.

BAAL, mot sémitique signifiant « Seigneur », appliqué à nombre de divinités patronnes de ville et en particulier au grand dieu cananéen Hadad.

BAALBEK, v. du Liban; 18 000 hab. Importantes ruines romaines des IIe-IIIe s. (notamment le grand temple de Jupiter Héliopolitain).

BAAR, comm. de Suisse (cant. de Zoug), au N. de Zoug; 14 074 hab.

Baath, parti socialiste de la Résurrection *(Ba'th)* arabe, né, en 1953, en Syrie, de la fusion du parti de la Résurrection arabe (fondé v. 1940 par Michel Aflak et Ṣalāḥ al-Bīṭār) avec le parti socialiste arabe d'Akram al-Ḥawrānī*. Il se propose d'unir tous les États arabes en un seul État socialiste et laïque. Au pouvoir en Syrie depuis 1963 et en Iraq depuis 1968, il connaît une grave crise à cause de l'opposition des deux principales tendances qui le composent.

BĀB ('Alī Muḥammad, dit **le**), chef religieux persan (Chirāz 1819 ou 1820 - Tabriz 1850). Il se déclare en 1844 *Bāb* (« porte de la vérité divine »). Les insurrections de ses nombreux adeptes (1848-1850) sont durement réprimées, et lui-même est fusillé.

BĀB AL-MANDAB ou **BAB EL-MANDEB** (la « porte des pleurs »), détroit, large de 25 km, entre l'Arabie et l'Afrique, reliant l'océan Indien (golfe d'Aden) à la mer Rouge.

BABEL, nom de Babylone* dans la Bible. Dans l'épisode biblique de la *tour de Babel,* la grande ziggourat* de Babylone (tour à étages surmontée d'un temple) symbolise l'orgueil de l'homme qui veut escalader le ciel (thème que l'on retrouve dans la mythologie grecque). Le châtiment (dispersion de l'humanité) est une explication populaire de la diversité des nations et des langues.

BABEL (Issaak Emmanouilovitch), écrivain soviétique (Odessa 1894-1941), auteur de nouvelles (*Cavalerie rouge,* 1926; *Contes d'Odessa,* 1931) et de drames (*le Couchant,* 1928; *Maria,* 1935) qui peignent, à travers des figures réalistes et truculentes, les épisodes de la guerre civile et la nouvelle société née de la révolution.

BABENBERG, famille franconienne, qui a connu son apogée au XIIe et au XIIIe s., notamment avec : Henri II (1141-1177), premier duc héréditaire d'Autriche (1156); Léopold V (1157-1194), duc d'Autriche, qui livra Richard Cœur de Lion à l'empereur Henri VI; Léopold VI (1198-1230), vicaire d'empire. La famille s'éteignit avec Frédéric II en 1246.

BĀBER ou **BĀBUR** (Ẓāhir al-Dīn Muḥammad) [1483 - Āgrā 1530], fondateur de l'Empire moghol de l'Inde. Descendant de Tīmūr Lang, il part de Kaboul pour conquérir peu à peu l'Inde (1526-1530). Souverain fastueux, il est aussi un poète brillant.

BABEUF (François Noël, dit **Gracchus**), révolutionnaire et socialiste français (Saint-Quentin 1760 - Vendôme 1797). Il remplit de modestes emplois avant de devenir commissaire à terrier à Roye. Ses lectures (Rousseau, Mably, Morelly) et son expérience quotidienne le convainquent de l'injustice du système foncier de l'ancienne France et de la nécessité d'une collectivisation des terres. La Révolution venue, ses idées s'affirment, notamment dans *le Tribun du peuple,* qu'il fonde en octobre 1794 et où il démontre qu'une administration commune des richesses est possible. Durant le dur hiver de 1795-96, qui avive les souffrances du peuple, il forme la « conjuration des Égaux », ce qui provoque son arrestation (10 mai 1796) et sa condamnation à mort par la haute cour de Vendôme (26 mai 1797). Le « babouvisme » sera connu et influencera le blanquisme au XIXe s. par l'intermédiaire d'un des compagnons de Babeuf, le communiste Philippe Buonarotti (1761-1838), auteur de l'*Histoire de la conspiration de l'Égalité, dite « de Babeuf »* (1828).

BABEURRE → BEURRE.

BABILÉE (Jean GUTMANN, dit **Jean**), danseur et chorégraphe français (Paris 1923), créateur du *Jeune Homme et la Mort* (de R. Petit, 1946) et du *Fils prodigue* (de J. Lazzini, 1966).

BABINET (Jacques), physicien et astronome français (Lusignan 1794 - Paris 1872). On lui doit un polariscope, le goniomètre à prisme pour la mesure des indices de réfraction, un hygromètre et, en cartographie, un type de projection homographique.

BABINSKI (Joseph), médecin français (Paris 1857 - *id.* 1932). Élève et successeur de Charcot, il s'est surtout attaché à décrire les signes permettant de distinguer les affections organiques du système nerveux central des affections d'origine psychique. En particulier, il limite l'hystérie*, qu'il appelle *pithiatisme,* à l'ensemble des phénomènes pouvant être produits ou supprimés par la suggestion. — Le *signe de Babinski* (v. RÉFLEXE) témoigne de l'atteinte du faisceau moteur pyramidal.

BABITS (Mihály), écrivain hongrois (Skekszárd 1883 - Budapest 1941). Il collabora, dès sa fondation, à la revue *Nyugat**, avant d'en devenir le directeur (1929). Peintre, dans ses romans, de la « psychologie des profondeurs » (*le Calife Cigogne,* 1910; *le Fils de Virgil Timar,* 1922), il passa, en poésie, d'une inspiration symboliste à un lyrisme classique (*le Livre de Jonas,* 1941).

Lauros - Giraudon

Le 10 septembre 1796, des partisans de Gracchus Babeuf tentent, sans succès, de soulever les troupes du camp de Grenelle. Estampe. (Musée Carnavalet, Paris.)

BABOUIN. — Parmi les cynocéphales, les babouins sont les plus ternes par leur pelage, mais les plus intelligents et les plus aptes au dressage. Ils vivent en troupes nombreuses dans les forêts indiennes et africaines, mangent un peu de tout et contre-attaquent avec courage et efficacité tous ceux qui les inquiètent, y compris l'homme. Ils vivent au sol et grimpent peu aux arbres.

BĀBUR → BĀBER.

BABYLONE, cité de basse Mésopotamie, qui a été, au XVIIIe s. puis aux VIIe-VIe s. av. J.-C., la capitale d'un puissant empire et le centre d'une des plus belles civilisations du Moyen-Orient.

HISTOIRE. Babylone entre dans l'histoire au début du IIe millénaire, lorsque s'installe dans la cité un chef amorrite*, Sou-aboum (de 1894 à 1881), qui prend le titre de roi. Le sixième souverain amorrite, Hammourabi* (de 1792 à 1750), fait de cette cité, jusqu'ici modeste, la capitale d'un empire qui s'étend sur la basse et presque toute la haute Mésopotamie, mais que les successeurs ne sauront pas maintenir. En 1595, la dynastie amorrite disparaît sous les coups conjugués des Hittites* et des Élamites*.

Pendant quatre siècles (1595-1153), Babylone, gouvernée par des souverains kassites*, ne joue qu'un rôle politique assez effacé; la prise de la cité par les Assyriens et les expéditions des pillards élamites mettent fin au règne de la dynastie kassite. Mais au XIIe s., Babylone connaît une période brillante avec Nabuchodonosor Ier (de v. 1129 à 1106), qui tient en échec les Assyriens et détruit la puissance élamite. La mort de celui-ci sera suivie d'une longue période de troubles (XIIe-VIIIe s.) : le traditionnel conflit avec l'Assyrie est aggravé par la menace que font peser les Araméens*, et le royaume est morcelé entre une multitude de cités au pouvoir de chefs araméens dont le roi de Babylone est le suzerain théorique. En 729, l'aggravation de l'anarchie amène Téglat-phalasar III à occuper Babylone, à laquelle, durant un siècle, les rois assyriens imposeront leur autorité.

Une dynastie chaldéenne rend à la cité son prestige. Nabopolassar (de 626 à 605), mettant à profit les troubles qui éclatent en Assyrie, s'empare du trône de Babylone et, allié aux Mèdes, détruit l'Empire assyrien (prise de Ninive en 612); ensuite, s'attaquant à l'Égypte, il assure son pouvoir sur la haute Mésopotamie. Son fils Nabuchodonosor II (de 605 à 562) soumet la Syrie et la Palestine (prise de Jérusalem en 587) et enlève Suse* aux Élamites. Après sa mort, son vaste empire s'effrite; son dernier successeur, Nabonide (de 556 à 539), féru de religion, délaisse son royaume, que les intrigues et les rivalités des clergés babyloniens livrent à Cyrus* II, qui se rend maître de Babylone en 539. Babylone, désormais, va suivre la destinée des empires auxquels elle sera soumise (Achéménides, Alexandre, Séleucides, Parthes) pour s'enfoncer peu à peu dans l'obscurité, d'où la tireront les archéologues à la fin du XIXe s.

ARCHÉOLOGIE. Les premières fouilles systématiques ont été menées par une mission allemande (1889-1917); le Service des antiquités d'Iraq les poursuit actuellement. La ville mise au jour est surtout néo-babylonienne. De plan rectangulaire, la cité du Ier millénaire était entourée de fortifications colossales. Ouvrant la voie processionnelle, la porte d'Ishtar (reconstituée à Berlin) était la plus importante. Un revêtement de briques émaillées en formait le décor. D'autres monuments étaient célèbres dans l'Antiquité : ziggourat (tour à étages), palais et jardins de Sémiramis.

BAC À PISTON → CONCENTRATION DES MINERAIS ET CHARBONS.

BACĂU, v. de Roumanie, en Moldavie, sur la Bistriţa; 100 000 hab. Industries alimentaires et textiles. Centrale hydraulique.

BACCALAURÉAT. — Le premier des grades universitaires sanctionne les trois ans d'études du second cycle long de l'enseignement général ou technologique : il donne le titre de bachelier et ouvre l'accès à l'enseignement supérieur.

BACCARAT (54120), ch.-l. de cant. de Meurthe-et-Moselle, à 25 km au S.-E. de Lunéville, sur la Meurthe; 5 606 hab. Cristallerie.

BACCHANALES. — Les réunions destinées à célébrer à Rome les fêtes de Bacchus* et les mystères dionysiaques furent un prétexte à débauche ou à crime. Elles furent dénoncées comme attentatoires à la moralité publique et à la sûreté de l'État en raison de leur caractère secret. Un sénatus-consulte (186 av. J.-C.) défendit de former des associations dionysiaques. Malgré cette interdiction, le culte de Bacchus persista longtemps.

Bacchantes *(les),* tragédie d'Euripide (405 av. J.-C.). Le roi de Thèbes, Penthée, qui s'est opposé à l'introduction du culte de Dionysos* dans son pays, est mis en pièces par les femmes de Thèbes transformées en bacchantes. Sous l'aspect d'une bacchanale rituelle (le meurtre de Penthée se déroule suivant les règles du sacrifice dionysiaque, le *sparagmos,* ou lynchage collectif de la victime), Euripide pose le problème de la violence humaine et du sacrifice destiné à la conjurer en la détournant sur un individu chargé des fautes de la communauté : par là, il porte un regard critique à la fois sur l'illusion qui attribue à la divinité l'origine de la violence, et sur l'institution religieuse qui apparaît comme un mal nécessaire — ce qui explique les interprétations contradictoires (le poète est-il un sceptique ou un mystique?) données de la pièce dès l'Antiquité.

BACCHUS, nom sous lequel les Romains adoptèrent Dionysos*, l'assimilant au dieu italique *Liber Pater.* Virgile montre en lui le dieu du Vin et de la Vigne. Il fut vénéré par quelques initiés qui célébraient en son honneur les « bacchanales* ».

Bacchus et Ariane, ballet en deux actes, argument de A. Hermant, musique de A. Roussel (1930). De cet ouvrage ont été tirées deux suites d'orchestre, parmi lesquelles se distingue la bacchanale, au rythme effréné, qui constitue une des réussites de la musique symphonique française.

BACCHYLIDE, poète lyrique grec, né dans l'île de Céos v. 500 av. J.-C. Auteur d'odes triomphales, de péans et de dithyrambes, il fut, dans un style plus précieux, le rival de Pindare.

BACH, nom d'une célèbre dynastie de musiciens saxons, dont le plus illustre, JEAN-SÉBASTIEN (Eisenach 1685 - Leipzig 1750), a recueilli en plein XVIIIe s. tout l'héritage du monde polyphonique.

L'arrière-grand-père de Jean-Sébastien, Johannes (1580-v. 1626), avait eu trois fils musiciens : Johannes (1604-1673), Christoph (1613-1661) et Heinrich (1615-1692). Johann Ambrosius (1645-1695), fils de Christoph et père de Jean-Sébastien, avait été musicien de la Cour et de la ville d'Eisenach.

Jean-Sébastien, organiste de métier (Arnstadt, Mühlhausen, Weimar), dirige l'orchestre du prince Léopold d'Anhalt à Köthen à partir de 1717 et devient en 1723 cantor à la Thomasschule de Leipzig.

Son œuvre d'orgue (préludes, toccate, fantaisies et fugues, sonates, 150 chorals), bréviaire de tous les organistes, marque le sommet d'une histoire du contrepoint en Europe. Dans son œuvre pour le clavier, Jean-Sébastien cultive surtout les préludes et fugues *(Clavier* bien tempéré)* — sous toutes formes —, les suites ou partitas de danses qui aboutissent à la sonate. Violoniste, chef d'orchestre, il écrit nombre de recueils de musique de chambre (sonates pour violon seul, pour violon et clavecin, suites pour cello, sonates pour gambe, concertos brandebourgeois [1721], suites d'orchestre). Cantor d'une haute spiritualité, il compose pour le culte luthérien, auquel il se réfère, outre un *Magnificat* (1723) célèbre, quatre *Passions* (notamment celle selon saint Jean en 1723 et celle selon saint Matthieu en 1729), un *Oratorio de Noël* (1734), une *Messe en « si » mineur* (1733-1740), plusieurs cycles de cantates s'adaptant aux quatre fêtes de l'année liturgique, en lesquels se font mutuellement valoir récitatif psalmodié ou dramatique, ariosi lyriques, arie da capo, chœurs d'une intensité dynamique et d'une écriture inégalée. Au théoricien que fut Bach, on doit l'*Offrande musicale* (1747), dont les différents fragments ont été écrits sur le thème de Frédéric II, et *l'Art* de la fugue* (1749-50), véritable synthèse de toutes ses recherches contrapuntiques.

Jean-Sébastien Bach. Portrait peint par E. G. Haussmann en 1746.

Museum für Geschichte der Stadt zu Leipzig

Des vingt enfants de Jean-Sébastien, quatre ont laissé un nom dans la musique : WILHELM FRIEDEMANN (Weimar 1710 - Berlin 1784), organiste à Dresde, à Halle, auteur de sonates, de fantaisies, de polonaises pour le clavier; CARL PHILIPP EMANUEL (Weimar 1714-Hambourg 1788), directeur de la musique à Hambourg, l'un des créateurs de la forme « sonate », de la symphonie, l'un des premiers maîtres de la musique de chambre; JOHANN CHRISTOPH FRIEDRICH (Leipzig 1732 - Bückeburg 1795), dit le « Bach de Bückeburg » (musique de chambre et d'orchestre); JOHANN CHRISTIAN *(Jean Chrétien)* [Leipzig 1735 - Londres 1782], dit le « Bach de Londres », qui, après un séjour comme organiste à Milan, s'installa à Londres, écrivant quantité de partitions lyriques et d'orchestre annonciatrices du style galant (concertos, sonates, symphonies).

BACH (Alexander, *baron* VON), homme d'État autrichien (Loosdorf 1813 - Schönberg 1893). Ministre de l'Intérieur de 1849 à 1859, il personnifie un système de gouvernement néo-absolutiste, bureaucratique, policier et clérical.

BACHCHĀR IBN BURD, poète arabo-irakien (Bassora v. 714-v. 784). Panégyriste des gouverneurs de Bassora, célèbre pour ses élégies amoureuses et ses épigrammes féroces, il forme la transition entre la tradition bédouine et le lyrisme d'Abū* Nuwās.

BACHELARD (Gaston), philosophe français (Bar-sur-Aube 1884-Paris 1962). Employé dans les Postes, il passe une licence de mathématiques (1913), puis poursuit des études de philosophie et devient professeur d'histoire et de philosophie des sciences à la Sorbonne (1940). Il élabore une épistémologie* historique — où il s'efforce de rendre compte des obstacles* épistémologiques que rencontrent les sciences dans leur développement — et une « psychanalyse de la connaissance objective ». L'analyse qu'il fait de l'imagination commune aux sciences et à la poésie le conduit à dresser un inventaire de l'imaginaire poétique. Bachelard a notamment publié *la Formation* de l'esprit scientifique, l'Eau et les rêves* (1942), *le Rationalisme appliqué* (1949), *la Poétique de la rêverie* (1960).

BACHELIER (Nicolas) → TOULOUSE.

BACHKIRIE, république autonome de l'U. R. S. S. (R. S. F. S. de Russie), dans le sud de l'Oural; 3 818 000 hab. *(Bachkirs).* Capit. *Oufa.* Importants gisements de pétrole.

BACHMANN (Ingeborg), femme de lettres autrichienne (Klagenfurt 1926 - Rome 1973). Son œuvre lyrique (*Die gestundete Zeit,* 1953), romanesque (*la Trentième Année,* 1961; *Malina,* 1971) et dramatique (*Die Zikaden,* 1955) est marquée par l'influence de Heidegger et son expérience de la Seconde Guerre mondiale.

BACILLE → BACTÉRIE.

BACK (*sir* George), amiral et navigateur anglais (Stockport 1796 - Londres 1878). Il conduisit plusieurs expéditions dans le Nord-Ouest canadien *(Back River)* et dans l'archipel arctique.

BACOLOD, port des Philippines, sur la côte nord-ouest de l'île de Negros; 187 000 hab.

BACON (Roger), moine franciscain, philosophe et savant anglais (Ilchester [Somerset] ou Bisley [Gloucester] 1214 - Oxford 1292). Esprit ouvert aussi bien aux mathématiques et à la philosophie qu'à l'astronomie et à l'alchimie, Bacon est l'un des premiers à commenter l'œuvre d'Aristote en dépit de l'interdiction de l'Église (v. ARISTOTÉLISME). Dans son *Opus majus* (1268), il propose une organisation des différentes sciences afin de promouvoir leur étude et leur progrès. Il s'inscrit en faux contre la scolastique* en soutenant que la science expérimentale de son époque est la science maîtresse. Bien que son opposition à l'obscurantisme de certains catholiques s'inscrive dans une perspective théologique où toute vérité procède du Verbe divin, son œuvre est condamnée (1277), et lui-même est emprisonné jusqu'à sa mort.

Il s'était aperçu, le premier, que le calendrier julien était erroné et avait signalé les points vulnérables du système de Ptolémée. En optique, il avait indiqué les lois de la réflexion et les phénomènes de réfraction, et donné une théorie de l'arc-en-ciel. On lui doit la description de plusieurs inventions mécaniques : bateaux, voitures et machines volantes.

BACON (Francis), baron **Verulam,** chancelier d'Angleterre et philosophe (Londres 1561 - *id.* 1626). Élevé à la Cour, puis à Cambridge, où il étudie le droit et la philosophie scolastique, Bacon fait une carrière politique. Élu à la Chambre des communes en 1584, en 1589 et en 1593, il prend soin de se concilier les faveurs du comte d'Essex, de Jacques Ier, puis du duc de Buckingham. Il parvient ainsi à se faire nommer grand chancelier en 1618. Accusé de vénalité par le Parlement en 1621, il se retire de la vie publique et s'adonne définitivement à l'étude. Hormis les *Essais de morale et de politique* (1597) et l'*Histoire d'Henri VII* (1622), l'œuvre de Bacon consiste principalement en une théorie empiriste de la connaissance (v. EMPIRISME). Dans son *Instauratio magna* (*la Grande Reconstitution,* 1623), Bacon soutient qu'on ne peut connaître la nature qu'en l'observant et tente de dégager des lois de l'induction*, où il voit la méthode de toute connaissance.

BACON (Francis), peintre britannique (Dublin 1909). Exprimant, depuis 1944, l'inadaptation et le malaise des êtres par de violentes déformations, des stridences de couleurs, des « tremblés » de l'image, il a eu de nombreux disciples dans la « nouvelle figuration* » internationale.

BACQUEVILLE-EN-CAUX (76730), ch.-l. de cant. de la Seine-Maritime, à 19 km au S.-S.-O. de Dieppe; 1 698 hab.

BACTÉRIE. — Les bactéries sont formées d'une seule cellule*. Les *eubactéries* comprennent la majorité des germes pathogènes. Aux *mycobactéries* appartient le bacille tuberculeux. Les *protozoobactéries,* tels les leptospires et les tréponèmes, se rapprochent des protozoaires. L'étude des bactéries, ou *bactériologie,* permet, dès l'examen direct au microscope, de distinguer trois formes principales : des éléments sphériques, les *cocci,* qui regroupent les streptocoques, les entérocoques, les staphylocoques et les pneumocoques; des éléments allongés en forme de bâtonnets, les *bacilles* (salmonelles, colibacilles); des éléments *spiralés,* les tréponèmes et les leptospires. L'examen direct permet aussi d'apprécier si les bactéries sont mobiles (vibrion cholérique, tréponème) ou non (streptocoque). La coloration précise certains détails des bactéries

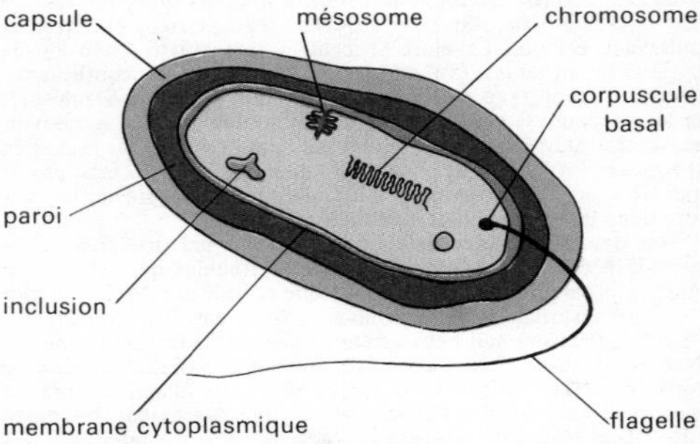

et les affinités de celles-ci pour les colorants : certaines prennent la coloration de Gram (Gram + [positif]), alors que d'autres ne la prennent pas (Gram − [négatif]). Les cultures mettent en évidence des colonies visibles à l'œil nu et permettent l'étude morphologique des germes. Les milieux de culture sont très variés : certains nécessitent l'oxygène de l'air libre (pour les germes *aérobies*); d'autres doivent être à l'abri de l'oxygène de l'air libre (pour les bactéries *anaérobies*). L'inoculation aux animaux permet de distinguer quelques bactéries (bacille tuberculeux) et d'apprécier leur pouvoir pathogène. Certaines bactéries sont pathogènes pour l'homme seul; d'autres le sont pour les animaux ou pour l'homme et les animaux. Certaines espèces sont commensales des milieux intérieurs de l'homme ou des animaux ou peuvent même intervenir dans leur métabolisme : ainsi, le bacille *amylobacter* du tube digestif des mammifères permet aux herbivores d'utiliser la cellulose. Quant aux bactéries du sol*, la plupart d'entre elles assurent la minéralisation des excréments et des cadavres (nitrification, par ex.), fermant ainsi les cycles* biochimiques, tandis que quelques espèces (bacilles tétanique, botulique, perfringens, etc.) peuvent devenir pathogènes.

BACTÉRIOLOGIE → BACTÉRIE.

BACTRIANE, anc. région de l'Asie centrale, dans la partie nord de l'Afghānistān; sa capitale était Bactres (auj. Balkh). Elle fut conquise par Cyrus II. Premier foyer du zoroastrisme*, elle a joué un rôle commercial important sur la route de la soie reliant l'Occident à la Chine.

BADAJOZ, v. d'Espagne, en Estrémadure, ch.-l. de prov., sur le Guadiana, près du Portugal; 102 000 hab. Monuments anciens.

BADALONA, v. d'Espagne, dans la banlieue nord-est de Barcelone, sur la Méditerranée; 163 000 hab. Industries chimiques.

BĀDĀMI, site archéologique du Deccan, qui, comme Aihole*, fut une ancienne capitale des Cālukya occidentaux. Architecture rupestre et décor peint et sculpté — d'inspiration bouddhique et brahmanique — représentent le renouveau caractéristique de cette dynastie, héritière de la tradition gupta.

BADE, en allem. **Baden,** anc. État de l'Allemagne rhénane. Margraviat, le pays de Bade, agrandi d'une partie du Palatinat (1803) et du Brisgau (1805), est érigé en grand-duché en 1806. Membre de la Confédération du Rhin (1806), puis de la Confédération germanique (1815) et de l'Empire allemand (1871), le grand-duché de Bade devient république en 1919. Prévue lors de la fondation de la R. F. A. (1949), la réunion du Bade et du Wurtemberg en un seul *Land* (Bade-Wurtemberg*) devient effective en 1951.

BAD EMS → EMS.

BADEN, v. de Suisse (Argovie), sur la Limmat, au N.-O. de Zurich; 14 115 hab. Station thermale. Constructions électriques.

BADEN-BADEN, v. de l'Allemagne fédérale (Bade-Wurtemberg), à proximité du Rhin; 39 000 hab. Station thermale.

BADEN-POWELL (Robert, *baron*), général anglais (Londres 1857 - Nyeri, Kenya, 1941). En 1908, il fonde l'organisation, bientôt internationale, des *boy-scouts,* ou *scouts.* (V. SCOUTISME.)

BADE-WURTEMBERG, État occupant le sud-ouest de l'Allemagne fédérale; 35 750 km^2; 9 154 000 hab. Capit. *Stuttgart.* Le paysage dominant est celui de plateaux et de moyennes montagnes (Jura souabe et Forêt-Noire), mais l'essentiel de la population et des activités industrielles se concentre dans la vallée du Rhin (plaine de Bade), jalonnée notamment par les villes de Fribourg-en-Brisgau et de Karlsruhe, et surtout dans celle du Neckar, de Stuttgart à Heidelberg, ce qui explique, malgré l'extension des surfaces boisées, la densité élevée de la population, proche de la forte moyenne fédérale.

BADGASTEIN, v. d'Autriche, dans les Alpes, à l'E. des Hohe Tauern; 6 500 hab. Grande station thermale et de sports d'hiver (alt. 1 083-2 246 m).

BAD GODESBERG, anc. v. de l'Allemagne fédérale, auj. réunie à Bonn.

BAD HOFGASTEIN, localité d'Autriche (prov. de Salzbourg), dans la *vallée de Gastein;* 5 300 hab. Sports d'hiver (alt. 1 083-2 246 m).

BAD KREUZNACH, v. de l'Allemagne fédérale (Rhénanie-Palatinat), sur la Nahe (affl. du Rhin), au S.-O. de Mayence; 43 000 hab. Pneumatiques.

BAD-LANDS → RUISSELLEMENT.

BAD NAUHEIM ou **NAUHEIM,** v. de l'Allemagne fédérale (Hesse), au N. de Francfort-sur-le-Main; 15 000 hab. Station thermale.

BADOGLIO (Pietro), maréchal italien (Grazzano Monferrato 1871-*id.* 1956). Gouverneur de la Libye de 1928 à 1933, puis vice-roi d'Éthiopie (1938) après sa victoire d'Addis-Abeba, il est nommé chef d'état-major général en 1939 et négocie l'armistice avec la France (1940). Chef du gouvernement après l'arrestation de Mussolini en 1943, il traite avec les Alliés, déclare la guerre à l'Allemagne, mais quitte le pouvoir avec le roi Humbert II en 1944.

BADONVILLER (54540), ch.-l. de cant. de Meurthe-et-Moselle, à 32 km à l'E.-S.-E. de Lunéville; 1 920 hab.

Badr *(bataille de),* victoire remportée en 624 par Mahomet* à Badr, au S.-O. de Médine, sur une troupe mecquoise beaucoup plus nombreuse que la sienne.

BAD RAGAZ, en fr. **Ragaz-les-Bains,** comm. de Suisse (cant. de Saint-Gall), dans la vallée du Rhin; 3 713 hab. Station thermale.

BAD REICHENHALL, v. de d'Allemagne fédérale, en Bavière, au S.-O. de Salzbourg; 15 000 hab. Station thermale et de sports d'hiver (alt. 470-1 614 m).

BAEKELAND (Leo Hendrik), chimiste belge, puis américain (Gand 1863-Beacon, New York, 1944), inventeur, en 1906, de la *bakélite,* première résine de synthèse, obtenue par condensation du phénol avec le formol.

BAEYER (Adolf VON), chimiste allemand (Berlin 1835-Starnberg, Bavière, 1917). Il a découvert les phtaléines (1871) et réalisé en 1880 la synthèse de l'indigo. (Prix Nobel de chimie, 1905.)

BAFFIN (William), navigateur anglais (Londres 1584-Ormuz 1622). À la recherche d'un passage maritime vers la Chine, il est le premier à franchir le détroit de Davis.

BAFFIN *(mer* ou *baie de),* étendue d'eau marine au N. du cercle polaire, limitée par la *terre de Baffin,* les îles Devon et Ellesmere et le Groenland, communiquant avec l'Atlantique, au S., par le détroit de Davis.

BAFFIN *(terre de),* île la plus étendue de l'archipel Arctique canadien (Territoires du Nord-Ouest), séparée du Groenland par la *mer de Baffin* et de la province du Québec par le détroit d'Hudson.

BAGASSE → RHUM.

BAGAUDES. — Au IIIe s., les bagaudes forment en Gaule une masse hétéroclite de paysans ruinés, de déserteurs, d'asociaux, que la misère réduit au brigandage. Contre ces bandes de vagabonds, Maximien* lutte avec succès (285). Cependant, les bagaudes réapparaissent sporadiquement jusqu'au début du Ve s.

BAGDAD, capit. de l'Iraq, sur le Tigre; 2 400 000 hab.

GÉOGRAPHIE. Bien située au point de franchissement le plus facile du Tigre et de l'Euphrate, au N. des marais de Mésopotamie, la ville a, cependant, longtemps vécu sous la menace d'inondations, ce qui explique les déplacements d'un site anciennement habité. Capitale de l'Iraq depuis 1930, elle a connu une extraordinaire croissance démographique (sa population a décuplé durant le dernier demi-siècle), hors de rapport avec un développement économique bien plus modeste. L'agglomération concentre environ le quart de la population du pays.

HISTOIRE. Bagdad est choisie comme capitale par le calife

E. Chabrier - Atlas-Photo

Bagdad. Les quartiers résidentiels du sud-est de la ville.

ʿabbāsside al-Manṣūr (v. 760). Elle devient la métropole économique, intellectuelle et artistique du monde musulman. À partir du Xe s., le mauvais entretien des canaux est responsable de nombreuses inondations. La ville est détruite par les Mongols en 1258. Gouvernée par les Turcs à partir du XVe s., elle ne retrouve une certaine prospérité qu'au XVIIIe s.

BEAUX-ARTS. Très peu de vestiges subsistent de la grande période ʿabbāsside (VIIIe-IXe s.). Les principaux monuments laissés par l'islām* datent des XIIIe et XIVe s. (madrasa al-Mustanṣiriyya, madrasa Mirdjāniyya). À la fin du XIIe s. et au début du XIIIe, une école de miniaturistes s'épanouit dans la ville. Elle eut pour chef de file Yaḥyā al-Wāsiṭī, dont on possède plusieurs œuvres signées. Celles-ci révèlent une fermeté de trait et une richesse de palette alliées à une certaine liberté et à une nouvelle complexité de la composition. Important musée d'archéologie mésopotamienne et islamique.

Bagdad *(pacte de)* → CENTO.

BÂGÉ-LE-CHÂTEL (01380), ch.-l. de cant. de l'Ain, à 9 km à l'E. de Mâcon; 601 hab.

BAGHLAN, v. d'Afghānistān, au N. de Kaboul, ch.-l. de prov.; 106 000 hab.

BAGNEAUX-SUR-LOING (77167), comm. de Seine-et-Marne, à 4 km au S. de Nemours; 1 664 hab. Verrerie.

BAGNÈRES-DE-BIGORRE (65200), ch.-l. d'arr. des Hautes-Pyrénées, à 21 km au S. de Tarbes, sur l'Adour; 10 573 hab. *(Bagnérais).* Station thermale, aux eaux sulfatées calciques et ferrugineuses, utilisées dans le traitement des affections rénales et de certaines anémies. Industries mécaniques et textiles.

BAGNÈRES-DE-LUCHON ou **LUCHON** (31110), ch.-l. de cant. de la Haute-Garonne, à 46 km au S.-S.-O. de Saint-Gaudens, sur la Pique, dans la *vallée de Luchon;* 3 627 hab. *(Luchonnais).* Station thermale, aux eaux sulfureuses, utilisées dans le traitement des affections des voies respiratoires supérieures et des rhumatismes.

BAGNEUX (92220), ch.-l. de cant. des Hauts-de-Seine, à 6 km au S. de Paris; 40 674 hab. Cimetière parisien.

BAGNOLES-DE-L'ORNE (61140), comm. de l'Orne, à 48 km au N.-O. d'Alençon; 651 hab. Station thermale, aux eaux sulfureuses radioactives, utilisées dans le traitement des maladies des veines (varices, hémorroïdes, suites de phlébites).

BAGNOLET (93170), ch.-l. de cant. de la Seine-Saint-Denis, limitrophe (à l'E.) de Paris; 35 907 hab.

BAGNOLI, localité d'Italie, en Campanie, dans la banlieue de Naples. Sidérurgie.

BAGNOLS-LES-BAINS (48190), comm. de la Lozère, à 20 km à l'E. de Mende, au pied des Cévennes, sur le Lot (près de sa source); 216 hab.

BAGNOLS-SUR-CÈZE (30200), ch.-l. de cant. du Gard, à 10 km à l'O. de Marcoule; 17 772 hab. *(Bagnolais).* Musée (peintures de Renoir à Matisse). Électrométallurgie.

BAGRATION (Petr Ivanovitch, *prince*), général russe (Kizliar 1765 - Sima 1812). Il s'illustra contre les Français à Austerlitz, Eylau et Friedland et fut mortellement blessé à la Moskova.

BAGRJANA (Elisaveta BELCEVA, dite), poétesse bulgare (Sofia 1893). Ses recueils lyriques tentent de concilier l'image traditionnelle de la femme orientale et son désir d'émancipation dans la société moderne (*l'Éternelle et la Sainte,* 1927; *Cœur humain,* 1936; *Contrepoints,* 1972).

BAGUAGE. — L'étude scientifique des migrations des oiseaux n'est possible que si un nombre suffisant d'individus sont identifiés personnellement et reconnus d'un lieu à un autre. Tel est l'objet du baguage, qui consiste à capturer, sans les blesser, de nombreux oiseaux et à entourer leur patte d'une légère bague d'aluminium portant lieu, date et numéro d'ordre de la capture. Les oiseaux sont aussitôt relâchés. Parmi eux, quelques-uns sont tirés par des chasseurs, qui sont invités à renvoyer la bague en la complétant par la date et le lieu de leur chasse. D'autres sont capturés par une deuxième station ornithologique, qui prend connaissance de la bague et la remplace par une autre. Les informations fournies par le baguage des oiseaux sont si importantes que des méthodes semblables sont appliquées aux poissons migrateurs (marquage des saumons par une plaque fixée à la nageoire).

BAGUIO, v. des Philippines, dans le nord de l'île de Luçon; 58 000 hab. Station d'altitude (1 500 m), siège des services du gouvernement en été.

BAHAMAS, État membre du Commonwealth, formé par un archipel de l'Atlantique situé au S.-E. de la côte de la Floride; 11 405 km²; 175 000 hab. Capit. *Nassau,* dans l'île de New Providence qui rassemble plus de la moitié de la population de l'archipel sur seulement 55 km². Étirées sur 1 000 km de part et d'autre du tropique du Cancer, les Bahamas ont un climat chaud, sans être torride (la température moyenne est de 23 °C, avec de faibles variations saisonnières), et ensoleillé qui explique, avec la proximité des États-Unis, le développement spectaculaire du tourisme (environ 1,5 million de visiteurs), devenu — de loin — la principale ressource de l'archipel et compensant largement le lourd déficit de la balance commerciale. — Les Bahamas, qui furent découvertes par Christophe Colomb en 1492 et occupées par les Anglais au début du XVIIe s., sont indépendantes depuis 1973.

BAHĀWALPUR, v. du Pākistān, sur la Sutlej; 84 000 hab.

BAHIA, État du nord-est du Brésil; 561 026 km²; 7 509 000 hab. Capit. *Salvador.* Un peu plus vaste que la France, l'État est assez peu peuplé. En fait, s'opposent le littoral, humide, portant des cultures de canne à sucre et de cacao, et l'intérieur, plus aride, domaine d'un élevage bovin extensif.

BAHÍA BLANCA, port d'Argentine, au S.-O. de Buenos Aires, près de la *baie de Bahía Blanca;* 182 000 hab. Raffinage du pétrole.

BAHRÂM II, IV, V → SASSANIDES.

BAHREÏN ou **BAHRAYN** *(îles),* État insulaire du golfe Persique; 662 km²; 216 000 hab. Capit. *Manāma.* Formé d'une vingtaine d'îles (dont la plus grande, *Bahreïn,* couvre 543 km²), l'archipel, au climat désertique, autrefois réputé pour la pêche des huîtres perlières, vit aujourd'hui de l'extraction du pétrole, dont la production est relativement modeste en valeur absolue (3,5 Mt), mais importante rapportée à la faible population.

HISTOIRE. Connues dès l'époque assyrienne sous le nom de Dilmoun, les îles de Bahreïn ont joué de tout temps un rôle de centre de pêche perlière, de relais commercial et de point stratégique dans le golfe Persique. Occupées par les Portugais au XVIe s., elles sont gouvernées par les Persans de 1602 à 1783, date à laquelle la dynastie régnante des Āl Khalīfa, originaire du Nadjd, s'empare de l'archipel à partir du Qaṭar. En 1820 est conclu avec le gouvernement britannique le premier d'une série de traités qui aboutissent au protectorat de 1914. Le pays, indépendant depuis 1971, reçoit une constitution de type parlementaire en 1973.

BAHR EL-ABIAD, autre nom du NIL BLANC.

Vue aérienne d'une des îles de l'archipel des Bahamas.

Friedel - Rapho

BAHR EL-AZRAK, autre nom du NIL BLEU.

BAHR EL-GHAZAL, cours d'eau du Soudan méridional, exutoire vers le Nil d'une cuvette marécageuse formée surtout par le Bahr el-Arab (riv. du Soudan, née dans le Darfour).

BAHRITES → MAMELOUKS.

BAIA MARE, v. du nord-ouest de la Roumanie; 84 000 hab. Industries métallurgiques et chimiques.

BAIE-COMEAU, v. du Canada (Québec), sur la rive nord de l'estuaire du Saint-Laurent; 12 109 hab. Métallurgie.

BAÏF (Jean Antoine DE), poète français (Venise 1532 - Paris 1589), fils de l'humaniste Lazare de Baïf (1496-1547). Défenseur systématique des doctrines de la Pléiade*, il tenta d'acclimater en France le vers de la poésie antique et de réformer l'orthographe. Il fonda en 1570, avec le musicien Thibault de Courville, une académie de poésie et de musique.

BAIGNES-SAINTE-RADEGONDE (16360), ch.-l. de cant. de la Charente, à 13 km au S.-O. de Barbezieux; 1 452 hab. Laiterie.

BAIGNEUX-LES-JUIFS (21450), ch.-l. de cant. de la Côte-d'Or, à 27 km à l'E. de Montbard; 300 hab.

BAÏKAL *(lac)*, grand lac de la Sibérie méridionale, qui se déverse dans l'Ienisseï par l'Angara; 31 500 km². Long de 640 km et large de 60 à 85 km, le lac, occupant un fossé tectonique, a une profondeur presque toujours supérieure à 1 000 m (profondeur maximale : 1 741 m), qui explique l'énorme volume d'eau retenu, supérieur à 22 000 km³ (près de 250 fois le volume du lac Léman).

BAÏKONOUR, v. de l'U. R. S. S., dans le centre du Kazakhstan, au N.-E. de la mer d'Aral. Principale base soviétique de lancement des engins spatiaux et d'expérimentation des missiles balistiques intercontinentaux.

BAIL. — Le louage de choses est un contrat synallagmatique, aux termes duquel l'une des parties au contrat, le bailleur, s'oblige à permettre à l'autre partie, le locataire, de jouir d'une chose moyennant un prix, le loyer, que cette dernière s'engage à payer. Le louage peut avoir pour objet des biens meubles ou immeubles (à l'exception des choses hors du commerce, des biens du domaine public de l'État), des droits incorporels comme le droit de pêche ou de chasse. Le contrat de louage est parfait si les parties sont d'accord sur le prix et sur la durée de location. Il n'y a pas de durée minimale, mais le bail ne peut excéder quatre-vingt-dix-neuf ans. La durée de la location peut être laissée à la discrétion de l'une des parties.

BAILÉN, v. d'Espagne (Andalousie), où, en 1808, le général Pierre Dupont de l'Étang (1765-1840) dut capituler avec 18 000 hommes.

BAILLAIRGÉ ou **BAILLARGÉ,** famille de sculpteurs et d'architectes canadiens-français des XVIIIᵉ et XIXᵉ s.

BAILLEUL (59270), ch.-l. de cant. du Nord, à 12 km au N.-O. d'Armentières; 13 483 hab. *(Bailleulois)*. Musée (céramiques, etc.). Industries alimentaires et textiles.

BAILLEUL-SUR-THÉRAIN (60930), comm. de l'Oise, à 12 km au S.-E. de Beauvais; 1 150 hab. Métallurgie.

BAILLI. — L'institution des baillis, qui remonte probablement en France au XIIᵉ s., a été établie par le roi pour renforcer le pouvoir central, affaiblir les feudataires et répondre aux plaintes des administrés contre les prévôts*. Aux baillis du Nord et de l'Est correspondent les sénéchaux* de l'Ouest et du Midi. À l'origine membres de la *Curia regis*, ils sont d'abord chargés de missions temporaires; à la fin du XIIᵉ s., ils deviennent des officiers sédentaires, établis dans des circonscriptions délimitées, ou bailliages, et leurs pouvoirs administratifs et judiciaires sont considérables : convocation du ban, centralisation des recettes, réunion des assises quatre fois par an.

Au XVᵉ s., avec le renforcement progressif de la monarchie et la vénalité des charges, ces pouvoirs s'amenuisent; l'établissement des présidiaux et l'institution des gouverneurs limitent encore leurs attributions.

BAILLOT (Pierre), violoniste et compositeur français (Passy 1771 - Paris 1842). Professeur de violon au Conservatoire, il a fait profiter ses élèves de la technique italienne, a fondé un quatuor célèbre et a publié, en 1834, un *Art du violon*.

BAILLY (Jean Sylvain), savant et homme politique français (Paris 1736 - *id.* 1793). Astronome, membre de l'Académie des sciences, il est élu député de Paris aux États généraux de 1789. Maire de Paris du 15 juillet 1789 au 12 novembre 1791, il est condamné à mort et exécuté durant la Terreur.

Bain *(ordre du)*, ordre de chevalerie civil et militaire britannique, créé par George Iᵉʳ en 1725.

BAIN-DE-BRETAGNE (35470), ch.-l. de cant. d'Ille-et-Vilaine, à 32 km au S. de Rennes; 5 063 hab. Maisons anciennes.

BAINS-LES-BAINS (88240), ch.-l. de cant. des Vosges, à 27 km au S.-S.-O. d'Épinal; 1 757 hab. Église du XVIIIᵉ s. Station thermale, aux eaux silicatées sodiques alcalines, employées dans le traitement des affections artérielles.

BAINVILLE (Jacques), écrivain français (Vincennes 1879 - Paris 1936). Sa pensée et son œuvre historique (*Histoire de deux peuples*, 1916-1933; *Napoléon*, 1931) se situent dans la ligne du maurrassisme et de l'Action* française.

BAIRD (John Logie), ingénieur et physicien écossais (Helensburgh 1888 - Bexhill 1946). L'un des pionniers de la télévision, il y introduisit l'emploi de films cinématographiques, puis imagina des procédés de télévision en couleurs.

BAIRE (René), mathématicien français (Paris 1874 - Chambéry 1932). Considéré, aux mêmes titres que Borel* et Lebesgue*, comme l'un des chefs de file de l'école mathématique française au début du XXᵉ s., il a étudié les fonctions* de la variable* réelle.

BAIS (53160), ch.-l. de cant. de la Mayenne, à 20 km à l'E.-S.-E. de Mayenne; 1 251 hab.

BAÏSE (la), riv. de Gascogne, qui passe à Mirande et Nérac, avant de rejoindre la Garonne (r. g.); 190 km.

Bajazet, tragédie de Racine (1672), tirée d'un épisode contemporain de la cour ottomane. Racine justifia son manquement au choix du sujet antique imposé à toute tragédie « dans les règles » : « L'éloignement des pays répare en quelque sorte la trop grande proximité des temps : car le peuple ne met guère de différence entre ce qui est à mille ans de lui et ce qui en est à mille lieues. » En réalité, le sérail lui offrait une image parfaite du lieu tragique.

BAKÉLITE → PHÉNOPLASTE.

BAKER (*sir* Samuel White), voyageur anglais (Londres 1821 - Sandford Orleigh, 1893). Au cours d'un voyage dans les pays du haut Nil, il découvre le lac Albert (1864).

BAKER (Joséphine), artiste de music-hall américaine (Saint Louis 1906 - Paris 1975). Découverte en 1925 à Paris dans la *Revue nègre*, elle connut une renommée mondiale comme chanteuse (*J'ai deux amours*, de V. Scotto), danseuse, actrice de cinéma et surtout animatrice de revues.

BAKI (Abdulbaki Mahmud, dit), poète turc (Istanbul 1526 - *id.* 1600). Son *Ode funèbre de Soliman le Magnifique* est un classique de la poésie ottomane.

BAKONY *(monts)*, ligne de hauteurs de la Hongrie occidentale, au N. du lac Balaton; 704 m.

BAKOU, v. de l'U. R. S. S., capit. de la république de l'Azerbaïdjan, sur la côte occidentale de la Caspienne, dans la péninsule d'Apchéron, prolongement oriental du Caucase; 1 337 000 hab. Université. Extraction et raffinage du pétrole. Industries métallurgiques et chimiques.

BAKOU (Second-), nom de la principale région pétrolifère de l'U. R. S. S., s'étirant sur plus de 1 000 km du N. au S., correspondant approximativement au bassin de la moyenne et de la basse Volga.

BAKOUMA, localité de l'est de l'Empire centrafricain. Extraction et concentration de l'uranium.

BAKOUNINE (Mikhaïl Aleksandrovitch), révolutionnaire russe et théoricien anarchiste (Priamoukhino, gouvern. de Tver, 1814 - Berne 1876). Participant activement aux mouvements révolutionnaires européens de 1842 à 1872 et militant au sein de la Iʳᵉ Internationale* jusqu'à son exclusion en 1872, Bakounine pose les bases de l'anarcho-syndicalisme. Ses idées libertaires et antiétatiques, qu'il développe dans *l'État et l'anarchie* et l'influence réelle qu'elles ont exercée dans le mouvement ouvrier en ont fait un adversaire politique de Marx* et des marxistes.

BAKR (Aḥmad Ḥasan al-), général et homme d'État irakien (Tikrit 1914), vice-président (1963-1966) puis président de la république d'Iraq depuis 1968.

Bakufu (« gouvernement de la tente »), nom appliqué au gouvernement shōgunal inauguré en 1185 à Kamakura par Yoritomo.

BAKWANGA, localité du Zaïre, dans le Kasaï oriental. Importante mine de diamants industriels.

BALAGNE (la), région du nord-ouest de la Corse.

BALAGNY-SUR-THÉRAIN (60250 Mouy), comm. de l'Oise, à 27 km au S.-E. de Beauvais; 1 393 hab. Papiers peints.

BALAGUER (Joaquín), homme d'État dominicain (Santiago de los Caballeros 1906). Président de la république Dominicaine de 1960 à 1962, il est réélu sans interruption depuis 1966.

BALAÏTOUS, sommet granitique des Hautes-Pyrénées, à la frontière espagnole; 3 144 m.

BALAKIREV (Mili Alekseïevitch), compositeur russe (Nijni-Novgorod 1837 - Saint-Pétersbourg 1910). Chef spirituel du « groupe des Cinq », qui a favorisé l'éclosion d'une école nationale basée sur le folklore, il a laissé des pages symphoniques et de musique de chambre, ainsi qu'une célèbre fantaisie orientale pour piano, *Islamey* (1868).

BALAKLAVA, port de l'U. R. S. S. (Crimée), sur la mer Noire. Combat de la guerre de Crimée* (1854) demeuré célèbre par la « charge de la brigade légère » de cavalerie anglaise.

BALAKOVO, v. de l'U. R. S. S. (R. S. F. S. de Russie), sur la Volga; 103 000 hab.

BALAN (01120 Montluel), comm. de l'Ain, à 24 km au N.-E. de Lyon; 2 522 hab. Industrie chimique.

BALANCE *(Écon. polit.)*. — La *balance commerciale* est la comparaison entre la totalité des importations de biens et de services réalisées par un pays et ses ventes de biens et de services réalisées avec les autres pays.

La *balance des comptes* met en comparaison ce que le pays doit

« au reste du monde » et ce qu'on lui doit; cette balance est positive ou négative.

La *balance des paiements* ne peut être que soldée, puisque les dettes et les créances sont toujours, en fin de période, apurées.

BALANCE *(Phys.)*. — La balance classique se compose d'une barre rigide, le *fléau*, traversée perpendiculairement à sa longueur par trois prismes d'acier parallèles et équidistants, les *couteaux*. L'arête du couteau central repose sur le haut d'une colonne verticale; sur les arêtes des deux couteaux placés aux extrémités du fléau sont accrochés les deux plateaux, dans lesquels on place les corps à peser ou les masses marquées.

• *Qualités d'une balance de précision.* Une balance est *fidèle* lorsque son équilibre est indépendant de la position des corps dans les plateaux; cette condition essentielle nécessite un fléau rigide, des arêtes de couteaux fines et parallèles. Une balance est *sensible* lorsque l'équilibre est troublé par l'addition d'un poids aussi petit que possible; pour cela, le fléau doit être léger, court, avec un centre de gravité proche du couteau central. Une balance est *juste* si, sous l'action de deux masses égales placées dans les plateaux, elle reprend sa position d'équilibre à vide; les deux bras du fléau doivent être égaux, ce qui est irréalisable avec une précision suffisante pour les balances sensibles. La mesure des masses se fait alors par double pesée, en équilibrant le corps à peser par une tare, puis en substituant au corps des masses marquées.

Les commerçants utilisent habituellement des *balances automatiques,* qui exécutent les pesées sans intervention humaine.

BALANCE, constellation* zodiacale de l'hémisphère austral. — Septième signe du zodiaque* dans lequel le Soleil entre à l'équinoxe d'automne.

BALANCHINE (Gueorgui Melitonovitch BALANCHIVADZE, dit **George**), danseur et chorégraphe russe naturalisé américain (Saint-Pétersbourg 1904). Une des révélations des Ballets russes de Diaghilev, il est le fondateur (1934) de l'American Ballet School, berceau de la troupe qui porte depuis 1948 le nom de « New York City Ballet ». Initiateur du ballet abstrait (sans argument), musicien, créateur fécond, il compte dans son œuvre plusieurs pièces maîtresses du ballet contemporain *(Concerto Barocco, The Four Temperaments, Agon, Liebeslieder Walzer, Jewels...).*

BALANDIER (Georges), sociologue et anthropologue français (Aillevillers [auj. Aillevillers-et-Lyaumont] 1920). Après *Afrique ambiguë* (1957), qui ressortit à l'anthropologie, Balandier s'efforce d'utiliser sur le terrain des sociétés modernes et industrielles les méthodes expérimentées pour l'étude de sociétés sinon plus simples, du moins peu engagées encore dans la voie du développement industriel (*Sens et puissance, les dynamiques sociales,* 1971; *Anthropologiques,* 1974).

BALANE. — Sa coquille calcaire en forme de petit volcan, soudée à n'importe quel support marin (autre coquille, rocher, caillou), donne à la balane adulte un aspect de mollusque. Mais la larve, un *nauplius,* est très semblable à celle des autres crustacés, d'où son classement dans ce groupe. Une fois fixée, la balane utilise ses nombreuses pattes pour battre l'eau, renouvelant ainsi l'oxygène et le microplancton dont elle se nourrit (ordre des cirripèdes).

BALANITE → VERGE.

BALARD (Antoine Jérôme), chimiste français (Montpellier 1802-Paris 1876). Il tira le sulfate de sodium de l'eau de mer et découvrit le brome, en 1826, dont il montra les analogies avec le chlore et l'iode.

BALARUC-LES-BAINS (34540), comm. de l'Hérault, sur l'étang de Thau, à 5 km au N. de Sète; 2 957 hab. Station thermale. Industrie chimique.

BALASSA ou **BALASSI** (Bálint), poète hongrois (Zólyom 1554-Esztergom 1594). S'inspirant de Pétrarque, des poésies populaires hongroises et persanes, de la Bible, il est le premier poète classique hongrois.

BALATON, grand lac de la Hongrie occidentale, au pied méridional des monts Bakony, à l'O. du Danube; 596 km^2. Très peu profond (3 à 12 m), il est, par sa superficie, le plus grand lac d'Europe (après ceux de l'U. R. S. S. et de la Scandinavie).

BALÁZS (Béla), théoricien du cinéma et scénariste hongrois (Szeged 1884-Budapest 1949). Dramaturge, librettiste (pour Béla Bartók), scénariste (notamment pour certains films de G. W. Pabst et Leni Riefenstahl), il est surtout l'auteur de livres fondamentaux sur la force créatrice du cinéma, l'art du montage et l'esthétique des films (*l'Homme invisible,* 1924; *l'Esprit du film,* 1930).

BALBO (Italo), maréchal de l'Air italien (Ferrare 1896-Tobrouk 1940). Un des artisans de la marche sur Rome avec Mussolini (1922), ministre de l'Air de 1926 à 1935, il participa à la croisière Rome-New York (1935) et fut nommé gouverneur de la Libye en 1939. Son avion fut abattu par méprise par la D. C. A. italienne.

BALBOA (Vasco NÚÑEZ DE), conquistador espagnol (Jerez, Estrémadure, 1475-Acla, Panamá, 1517). En 1513, il franchit l'isthme de Darién et découvre ainsi l'océan Pacifique.

Balcon *(le),* pièce de Jean Genet (1956). Dans une « maison d'illusions », des habitués viennent jouer au juge, au policier, à l'évêque, au général, jusqu'à ce qu'une révolution les amène à projeter leurs fantasmes dans le monde réel.

BALDOVINETTI (Alessio), peintre et mosaïste italien (Florence 1425-*id.* 1499). Élève de Domenico* Veneziano, il se rapproche dans sa maturité d'Andrea* del Castagno (*Annonciation* de San Miniato al Monte).

BALDUNG (Hans), dit **Grien,** peintre et graveur allemand (Gmünd 1484 ou 1485-Strasbourg 1545). Il travaille auprès de Dürer à Nuremberg, puis se fixe à Strasbourg (1509). Dans ses tableaux, au coloris précieux, il aime associer des nus sensuels à des allégories macabres ou fantastiques. Son chef-d'œuvre est le polyptyque du *Couronnement de la Vierge* à la cathédrale de Fribourg (1512-1516).

BALDWIN (Stanley, *comte*), homme politique britannique (Bewdley 1867-Stourport 1947). Député conservateur (1908), Premier ministre (1923, 1924-1929, 1935-1937), il est affronté aux difficultés économiques nées de la Première Guerre mondiale.

BALDWIN (James), écrivain américain (New York 1924). Fils d'un pasteur de race noire, il veut démontrer par son œuvre romanesque et dramatique que la solution des conflits raciaux se trouve non dans les lois, mais dans le cœur des hommes (*les Élus du Seigneur,* 1953; *Un autre pays,* 1962; *Chassés de la lumière,* 1972).

BÂLE, v. de Suisse, ch.-l. d'un canton urbain (*Bâle-Ville;* 37 km^2; 234 345 hab.); 212 857 hab. *(Bâlois).*

GÉOGRAPHIE. Sur le Rhin, Bâle est un important port fluvial, avec un trafic de l'ordre de 15 millions de tonnes, assurant une part essentielle (au moins en volume) du commerce extérieur suisse. La ville est le centre d'une agglomération comptant environ 400 000 habitants; débordant le territoire national (elle englobe l'extrémité sud-orientale de l'Alsace et les localités allemandes de la rive droite du Rhin), elle possède de notables fonctions industrielles (chimie en tête, puis constructions mécaniques et alimentation) et tertiaires (universités, banques, Bourse).

Le canton de Bâle-Campagne a 428 km^2 et 204 889 hab. Ch.-l. *Liestal.*

HISTOIRE. Ancienne cité romaine, siège d'un évêché dès 620, Bâle entre dans la Confédération en 1501 et adopte la Réforme en 1529. La ville tombe alors des mains de l'évêque dans celles de l'oligarchie marchande; dotée d'une université en 1460, elle joue un rôle capital dans la diffusion de l'humanisme. En 1833, à la suite d'une guerre civile entre paysans et citadins, le canton est divisé en deux demi-cantons : Bâle-Ville et Bâle-Campagne.

BEAUX-ARTS. Cathédrale romane et gothique. Églises du XIIIe au XVe s. Ruelles anciennes, hôtel de ville du XVIe s., demeures du XVIIIe s. aux belles ferronneries. Musées, dont le Musée historique (dans l'église des cordeliers : orfèvrerie religieuse et civile) et celui des Beaux-Arts (peintres anciens, Witz*, Holbein*, Baldung*, Grünewald*, et modernes, de Böcklin* et de l'école française du XIXe s. à l'art contemporain).

Bâle *(concile de),* XVIIe concile œcuménique, convoqué par le pape Martin V en 1431. À la suite d'un conflit, qui provoque l'élection de l'antipape Félix V, il est transféré par Eugène IV à Ferrare en 1438, à Florence en 1439, enfin à Rome en 1443. Au cours de ce concile a été réalisée l'union, en fait passagère, entre les catholiques romains et les orientaux.

Bâle *(traités de),* traités conclus par la France en 1795 avec la Prusse (5 avril) puis l'Espagne (22 juillet). Ils marquent la dislocation de la première coalition et le début de l'installation des Français sur la rive gauche du Rhin.

BALÉARES, archipel de la Méditerranée occidentale, constituant une région et une province d'Espagne; 5 014 km^2; 558 000 hab. *(Baléares).* Ch.-l. *Palma de Majorque.*

GÉOGRAPHIE. L'archipel est formé de quatre îles principales (Majorque, Minorque, Ibiza et Formentera), allongées du S.-O. au N.-E., juxtaposant paysages montagneux et bassins intérieurs ou plaines littorales. L'ensemble jouit d'un climat doux l'hiver (les moyennes mensuelles sont toujours supérieures à 10 °C), chaud et ensoleillé l'été. Ces conditions ont d'abord favorisé certaines cultures d'affinités méditerranéennes (olivier, vignoble, amandier) et, plus récemment, le tourisme international, qui est devenu — de loin — la principale ressource de l'archipel et qui est à la base de son essor démographique récent; le nombre annuel des visiteurs étrangers est de l'ordre de deux millions.

HISTOIRE. Occupé très anciennement, et notamment par les Puniques, l'archipel est arabe de 902 à la reconquête chrétienne par les Aragonais (1229-1286). En léguant les Baléares à son fils Jacques II, Jacques Ier fait de lui un roi de Majorque* (de 1276 à

Naud-Atlas-Photo

Funk-Rapho

Iles Baléares. La baie de Palma de Majorque et le château de Bellver (XIVe s.).
Bâle. Fontaine du Marché aux poissons (*Fischmarktbrunnen,* XVe s.).

1311). Mais, à partir de 1343, Pierre IV d'Aragon reprend l'archipel, dont le commerce continue à prospérer. L'union de l'Aragon et de la Castille et la découverte de l'Amérique entraînent la décadence des îles. Minorque connaît une histoire mouvementée, devenant momentanément anglaise (1708-1756, 1763-1782, 1798-1802, 1805-1808) et française (1756-1763), avant de redevenir territoire espagnol.

BALEINE. — Jamais, à aucune époque géologique, la nature n'a produit un animal approchant, même de loin, le volume et le poids d'une baleine. Des longueurs de 35 m, des poids (calculés) de 150 t ont été parfois observés. À sa naissance, le baleineau pèse déjà 6 t.

La baleine est un mammifère marin; elle respire donc par des poumons tandis qu'elle nage en surface. Si elle échoue, elle meurt étouffée, n'ayant pas la force de soulever son énorme masse pour respirer. En revanche, elle peut réaliser des plongées durables (jusqu'à une heure) et des remontées rapides. Elle évite la surpression intrapulmonaire en plongée en ne conduisant que tardivement le gaz carbonique jusqu'à ses poumons (arrêt momentané de la moitié droite du cœur). La dissolution de l'azote dans sa graisse cutanée lui évite les accidents de décompression, et cette même graisse la protège du froid. Sa nourriture exclusive est le *krill,* c'est-à-dire les bancs du minuscule crustacé *Euphausia superba.* L'allaitement du jeune a lieu sous les eaux, mais il est extrêmement bref, les mamelles étant pourvues de muscles qui injectent dans la bouche du baleineau un lait hautement nutritif.

BALEINE

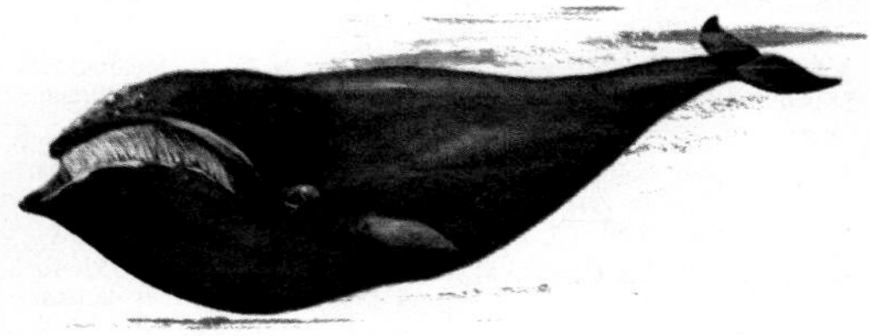

À ces remarquables adaptations physiologiques s'ajoute une convergence générale de formes avec les poissons, la principale différence étant que la nageoire caudale est horizontale. La capture du krill est réalisée par un ensemble de 600 lamelles cornées, au rebord effrangé, les *fanons,* qui pendent à la mâchoire supérieure.

On distingue plusieurs types de baleine : baleine franche (sans aileron dorsal); rorquals, ou balénoptères (le bleu, le commun et le boréal); mégaptère, ou baleine à bosse (dite aussi *jubarte*); etc. Tous ces animaux sont menacés de disparition — bien qu'ils bénéficient d'une législation internationale très rigoureuse —, à cause des énormes profits tirés de leur chasse, qui se fait surtout au canon lance-harpon.

BALEINE, constellation équatoriale contenant l'étoile variable *Mira* Ceti.*

BALEN, comm. de Belgique, dans l'est de la province d'Anvers; 15 110 hab. (en 1970).

BALFOUR (Arthur James, *comte*), homme politique britannique (Whittingehame 1848 - Fishers Hall 1930). Député conservateur, il devient Premier ministre, à la tête d'un gouvernement unioniste (1902-1906). Ministre des Affaires étrangères en 1916, il attache son nom à la *Déclaration,* qui jette les bases de l'établissement, en Palestine, d'un foyer national juif (1917). Il se retire en 1922.

BALGACH, comm. de Suisse (cant. de Saint-Gall), à l'E. de Saint-Gall; 3 356 hab. Instruments de précision.

BALI, île d'Indonésie, à l'E. de Java, dont elle est séparée par le *détroit de Bali;* 5 561 km²; 2 120 000 hab. *(Balinais).* V. princ. *Singaraja.* Montagneuse et volcanique, l'île vit principalement des cultures du riz et du maïs, en dehors de sa fonction touristique internationale.

BEAUX-ARTS. Quelques objets attestent les cultures préhistoriques et protohistoriques. Mais c'est avec l'arrivée du bouddhisme que se développe un art proche de celui de l'Indonésie* et de l'Inde*. La période indianisée « classique » (VIIIe-XVe s.) est divisée en trois phases. La première, indo-balinaise, est influencée par le style post-gupta (images en haut relief sur fond de stèle, au modelé moins parfait et à la décoration abondante). Au cours de la deuxième phase, entre le Xe et le XIIe s., la marque de l'Inde est assimilée; les sanctuaires rupestres apparaissent au XIe s. (Gunnung Kawi et grotte de Goa Gajah). Le courant réaliste s'accentue en sculpture durant la troisième phase (XIIIe-XVe s.), de même que la surcharge décorative.

BALIKESIR, v. de la Turquie occidentale, au N.-E. d'Izmir; 85 000 hab.

BALIKPAPAN, port d'Indonésie, sur la côte orientale de Bornéo; 137 000 hab.

BALINT (Michael), médecin et psychanalyste britannique d'origine hongroise (Budapest 1896 - Londres 1970). Il a proposé une méthode pour sensibiliser les médecins à l'abord psychologique de leurs patients. Les « groupes Balint » sont des réunions de médecins qui, sous la direction d'un psychanalyste, cherchent à comprendre les difficultés qu'ils éprouvent dans leurs relations avec leurs malades. À partir de la discussion du cas d'un malade présenté par l'un d'eux, et grâce aux interventions des membres du groupe et de l'animateur, ils en viennent à prendre conscience de leurs attitudes en face du patient. On doit à Balint : *le Médecin, le malade et la maladie* (1957) et *les Techniques thérapeutiques en médecine* (en coll. avec Enid Balint, 1961).

BALIOL, famille des marches d'Écosse, d'origine normande. Son fondateur en Angleterre, Gui de Baliol, est inféodé dans le Nord par Guillaume* le Roux. Son fils, Bernard, construit dans le Durham un château, principale forteresse des marches. Cette famille jouera un rôle important dans les relations anglo-écossaises aux XIIIe et XIVe s. Elle accédera au trône d'Écosse en 1292.

BALISTIQUE. — Science du mouvement des corps lancés dans l'espace, et plus spécialement des projectiles, la balistique comprend aussi une branche dite *balistique intérieure,* consacrée au mouvement initial du projectile sous l'effet de la combustion d'une charge propulsive dans l'âme d'une bouche à feu. Son étude théorique, résultant de l'application des lois de la thermodynamique à la combustion de la poudre, est fondée sur celle des relations entre la pression maximale et la vitesse initiale. Ces lois fondamentales s'expriment par trois relations, dites « équation d'inertie », « équation d'énergie » et « équation de combustion ». Depuis 1940, l'étude de la déflagration dans la chambre de combustion d'une roquette qui débouche vers l'extérieur par une tuyère en produisant une poussée a conduit à préciser la loi de combustion des poudres sous faible pression.

Quant à la *balistique extérieure,* qui doit sa forme moderne aux travaux de Galilée (1638) et de Newton (1687) sur la pesanteur et la résistance de l'air, elle est fondée sur l'étude de la trajectoire des projectiles. Dans le vide, celle-ci serait une parabole à axe vertical, mais elle est modifiée dans l'air en fonction de la vitesse initiale, du vent, de la température et de la pression et d'un coefficient, dit « balistique », relatif au calibre et à la forme des projectiles. La stabilité de ces derniers sur les trajectoires résulte d'un mouvement de rotation sur eux-mêmes créé par les rayures du canon. Cette rotation entraîne des mouvements, dits de *précession* et de *nutation,* du centre de gravité du projectile autour de la trajectoire, ainsi qu'un phénomène de *dérivation* qui déplace le point de chute vers la droite du plan de tir (dans le cas d'un canon rayé à droite). [V. TIR.]

BALISTITE → POUDRE.

BALISTOCARDIOGRAPHIE → CŒUR.

BALKAN *(mont),* longue chaîne montagneuse de la Bulgarie centrale; 2 376 m au *pic Botev.*

BALKANS *(péninsule des),* la plus orientale des péninsules de l'Europe méridionale, s'étendant sur la Yougoslavie, l'Albanie, la Grèce, la Turquie d'Europe et la Bulgarie.

GÉOGRAPHIE. La péninsule balkanique est essentiellement montagneuse. Les massifs cristallins anciens du Rhodope et de l'Olympe (2 911 m), hachés de failles, séparent deux systèmes montagneux récents, de type alpin. À l'O., les chaînes sédimentaires dinariques (Karst, Pinde) constituent la terminaison méridionale des Alpes alors que, à l'E., la *chaîne du Balkan* prolonge l'arc des Carpates. Les régions basses sont très peu étendues : bassins intérieurs (bassins de Sofia, de Thessalie), vallées du Vardar, de la Marica et étroites plaines côtières. Le climat, de type méditerranéen près des côtes, devient rapidement continental vers l'intérieur avec des étés orageux et des hivers rudes.

La péninsule des Balkans est marquée par ces conditions naturelles peu favorables. Le cloisonnement du relief explique la difficulté des communications. Le peuplement, essentiellement slave, est faible, et les montagnes ont servi de refuge à des populations persécutées qui se sont refermées sur elles-mêmes, ce qui explique l'actuel morcellement politique. La vie moderne a peu touché la majorité des habitants, qui pratiquent la polyculture vivrière (blé) et l'élevage ovin. Des cultures commerciales se sont développées dans les plaines (coton, tabac, vigne, arbres fruitiers), mais l'extraction de richesses minières (plomb, lignite, bauxite, etc.) n'a guère favorisé le développement industriel des États balkaniques, qui comptent parmi les moins développés de l'Europe.

HISTOIRE. Unifiée sous les Romains, puis sous les Byzantins, la péninsule balkanique tomba sous la domination turque après la bataille de Mohács (1526). À partir du début du XVIIIe s. l'Europe chrétienne se ligua pour reconquérir les Balkans.

Dans le dernier quart du XIXe s. et dans la première moitié du XXe s., le problème posé par la rivalité des grandes puissances, la lutte menée par les différents peuples balkaniques contre la domination turque et les dissensions qui les opposèrent entre eux donnèrent lieu à de nombreux conflits, dont certains s'imbriquèrent dans les deux guerres mondiales. On citera notamment :

— les *guerres serbo-turque* (1876) et *russo-turque* (1877-78), au cours desquelles les Serbes et les Monténégrins, révoltés contre les Turcs, ne furent sauvés que par l'intervention de la Russie (bataille de Plevna), d'où résulta la création d'une grande Bulgarie consacrée par le traité de San Stefano (1878);

— la *guerre serbo-bulgare* (1885), à la suite de l'union de la Roumélie à la Bulgarie qui fut maintenue par le traité de Bucarest (1886);

— la *guerre gréco-turque* (1897), provoquée par la révolte des Crétois contre le sultan; sauvée par l'intervention des grandes puissances, la Grèce perdit une partie de la Thessalie;

— les *guerres balkaniques* (1912-13), lorsque, profitant du conflit italo-turc, la Bulgarie, la Grèce, le Monténégro et la Serbie déclarèrent la guerre à la Turquie; celle-ci, par le traité de Londres (mai 1913), dut céder à ses vainqueurs la plupart de ses possessions en Europe; la répartition de ces territoires et les intrigues de l'Autriche amenèrent les Bulgares à prendre les armes contre leurs anciens alliés, soutenus cette fois par les Roumains. Vaincue en cette deuxième guerre balkanique, la Bulgarie dut céder les territoires qu'elle venait de conquérir (traité de Bucarest, août 1913);

— durant la *Première Guerre* mondiale,* les campagnes de Serbie (1914), des Dardanelles (1915) et de Macédoine* (1916-1918);

— la *guerre gréco-turque* (1921-22), au cours de laquelle les Grecs, débouchant de Smyrne, furent battus à Inönü, ce qui provoqua l'abdication du roi Constantin. Le traité de Lausanne (1923) mettra fin aux revendications grecques sur Constantinople et l'Asie Mineure par échanges de population;

— durant la *Seconde Guerre* mondiale,* l'attaque de la Grèce par l'Italie (1940), la conquête de la Yougoslavie par la Wehrmacht (1941), la résistance des forces de Mihajlović et de Tito, l'offensive soviétique en Roumanie, en Bulgarie et en Yougoslavie (1944), les combats de la Grèce évacuée par les Allemands et occupée par les Anglais.

BALKHACH, grand lac de l'U. R. S. S., dans l'est du Kazakhstan; 17 300 km^2. Sur la rive nord du lac, la ville de *Balkhach* (53 000 hab.) est un centre de la métallurgie du cuivre.

BALLA (Giacomo), peintre italien (Turin 1871 - Rome 1958). Illustrateur et peintre divisionniste, il est signataire, en 1910, des manifestes du futurisme*, dont il devient bientôt l'un des animateurs par ses études de décomposition de la lumière et du mouvement. Après la guerre, il s'intéresse aux arts appliqués, tandis que sa peinture tend à une abstraction puriste et décorative. Vers 1930, il cède à l'académisme figuratif du temps.

BALLADE. — Dérivée d'une ancienne chanson à danser, la ballade, que l'on trouve enchâssée dans les romans et les poèmes des XIIIe et XIVe s. (le *Roman de Fauvel,* en 1316, cite 132 ballades chantées à une seule voix), se constitue sous une forme rigoureuse avec Guillaume de Machaut (trois couplets suivis chacun d'un refrain, accompagnement d'un instrument). Mais, avec Dufay* et Binchois*, texte et mélodie tendent à se séparer, et la ballade devient l'une des formes privilégiées de la poésie courtoise (Froissart, Christine de Pisan, Charles d'Orléans). Si Villon en fait l'instrument d'un lyrisme personnel, elle est pour les rhétoriqueurs* un objet de virtuosité, ce qu'elle restera pour les salons précieux du XVIIe s. et les poètes du Parnasse*.

Le terme de ballade désigne également un poème, partagé en stances égales, et qui prend pour sujet un fait historique ou légendaire : c'est le genre illustré par les romantiques anglais (*Ballades lyriques,* de Wordsworth et Coleridge), allemands (Schiller, Goethe, Uhland) ou français (Hugo, Musset).

À l'époque moderne, la ballade, bouleversée dans sa structure traditionnelle, retrouve une forme plus lyrique que narrative avec Laforgue, Paul Fort, Apollinaire et Aragon.

Quant aux musiciens romantiques, ils assimilent la ballade à un *lied** strophique, monodique ou polyphonique, proche de la source populaire, de caractère narratif et légendaire (Schubert).

Sous le même titre, des compositeurs du XIXe s. ont écrit des pièces instrumentales, pour piano notamment (Chopin), d'un style épique ou dramatique.

BALLANCHE (Pierre), écrivain français (Lyon 1776 - Paris 1847). Ami de Mme Récamier. Sa philosophie de l'histoire, inspirée de Vico, s'allie à une sociologie mystique qui influencera les catholiques libéraux (*Du sentiment considéré dans ses rapports avec la littérature et les arts,* 1801; *Essais de palingénésie sociale,* 1829).

BALLANCOURT-SUR-ESSONNE (91610), comm. de l'Essonne, à 6 km au N.-E. de La Ferté-Alais; 5 025 hab.

BALLARAT, v. d'Australie (Victoria), au N.-O. de Melbourne; 58 000 hab. Métallurgie du cuivre. Industries textiles et alimentaires.

BALLARD, dynastie officielle d'imprimeurs de musique parisiens, qui ont joui d'un certain monopole en France depuis la fin du XVIe s. jusqu'à la fin du XVIIIe s.

Ballarino *(Il)* [« le Danseur »] (1581), de Fabrizio Caroso (1526-fin du XVIe s.), un des premiers ouvrages connus décrivant les danses.

BALLAST → VOIE.

BALLEROY (14490), ch.-l. de cant. du Calvados, à 16 km au S.-O. de Bayeux; 712 hab. Château en schiste et pierre blanche, construit de 1626 à 1636 (sur plans de F. Mansart?) pour un fonctionnaire du roi, typique du style Louis XIII.

BALLET. — La danse* primitive est un moyen de communication; sous sa forme élaborée, elle devient spectacle. Dès la plus haute antiquité, elle s'intègre dans la vie des hommes. Les danses religieuses, guerrières et théâtrales des Grecs, les jeux dansés du Moyen Âge aboutissent aux intermèdes des fêtes somptueuses de la Renaissance (surtout en Italie), dont est issu à son tour le *ballet de cour,* fusion de la danse, de la musique, du chant, de la peinture. Divertissement, le ballet de cour est aussi un instrument de la puissance royale : Louis XIV danse en « vedette » et maintient son

Nijinski, clown de Dieu, par le Ballet du XXᵉ siècle. Chorégraphie de Maurice Béjart; musique de Pierre Henry. (Palais des sports, Paris, 1972.)

De Andrade - Magnum

Photri

Manifestations, par le Dance Theatre of Harlem, troupe noire de ballet classique.

prestige auprès des grands du royaume... Sous son règne, le musicien italien Lully* joue un rôle considérable. Auteur de la musique de nombreux ballets *(Ballet de la nuit),* il collabore avec Molière* pour les livrets et avec Beauchamp* pour la danse dans les comédies-ballets (*le Bourgeois* gentilhomme,* 1670). Vient ensuite la tragédie-ballet, où la danse intervient au cours de l'action *(Cadmus et Hermione)* et à laquelle succède l'opéra-ballet, composé de plusieurs actes indépendants chantés et dansés (*Europe galante,* de Campra, 1697).

Avec l'apparition des danseurs professionnels (1681, *Triomphe de l'amour*), la création de l'École de danse de l'Opéra (1713), l'élaboration de règles (l'en-dehors*, les cinq positions* fondamentales), l'enrichissement de la technique et du vocabulaire des pas, le ballet passe à la scène. L'illusion optique, les décors, les lumières, tout concourt désormais au spectacle théâtral. La vogue de l'opéra italien (qui avait introduit en France les « grandes machines ») s'estompe, et le ballet français fait école. Après Beauchamp, de grands danseurs illustreront l'histoire du ballet : Pécourt, Blondy, Ballon, Dupré, Duport, Dauberval, les Vestris, les Gardel, Perrot. Les danseuses s'imposent à leur tour : Mlle Fontaine (ou La Fontaine), la Camargo, Marie Sallé, Mlle Prévost... Le ballet de cour disparu, le théâtre lyrique connaît une mutation profonde. La réforme de Jean Georges Noverre* donne au ballet une esthétique nouvelle. Très controversé, le ballet sans action cède la place au ballet d'action (où la pantomime joue un rôle primordial), innové en France par Noverre qui, par ailleurs, supprime masques, robes à paniers et perruques. Le ballet d'action rayonne, s'implante en Russie grâce aux disciples de Noverre. Le drame dansé de l'Italien Salvatore Vigano ajoute un élément émotionnel au ballet.

À l'époque romantique, le ballet devient l'expression d'une âme, de l'imaginaire. L'action se situe sur deux plans : l'un terrestre, l'autre surnaturel. Pour donner l'impression d'immatérialité, la danseuse utilise les pointes, qui rendent sa danse « aérienne », et le long tutu de mousseline blanche. Le ballet romantique, ou ballet

Le Lac des cygnes, par la troupe de l'Opéra de Paris (1974). Version et mise en scène de Vladimir Bourmeister.

Bernand

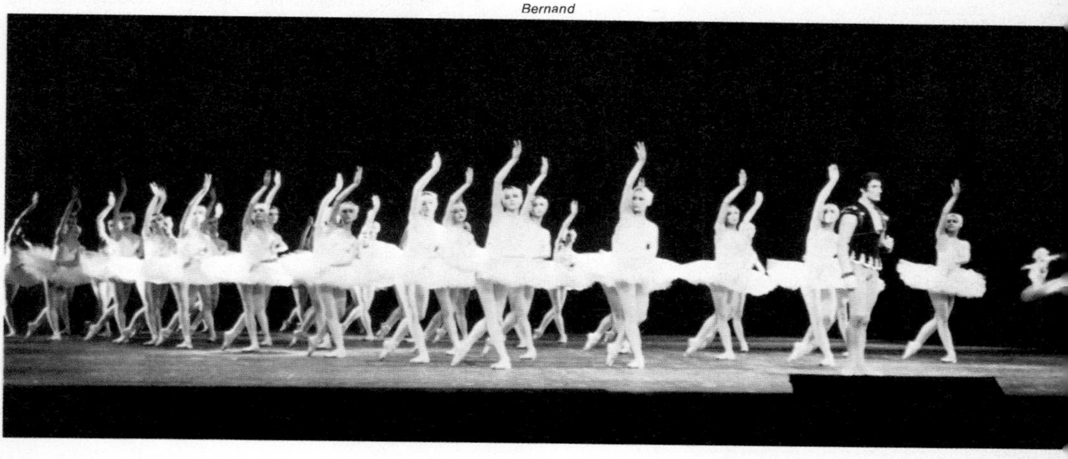

blanc, est né. À cette époque, Carlo Blasis* fait le point sur l'évolution de la technique. La virtuosité, autrefois désavouée par Noverre, acquiert une importance primordiale. En 1832, *la Sylphide,* de Filippo Taglioni*, est créée par sa fille Maria (ou Marie). C'est une révélation : le style de l'interprète, sa technique, le langage chorégraphique en font une œuvre tragique à l'ineffable poésie qui suscite l'enthousiasme. La création de *Giselle* (1841), ballet dont le livret est en partie dû à Théophile Gautier, révèle Carlotta Grisi (1819-1899). Une troisième « grâce » est incarnée par l'Autrichienne Fanny Elssler.

Le succès du ballet romantique est de courte durée... La technique et la virtuosité intéressent de nouveau le public (*Coppélia,* mus. de Léo Delibes, chorégr. d'A. Saint-Léon). À Saint-Pétersbourg, Marius Petipa*, secondé par Enrico Cecchetti*, fait revivre la tradition classique et forme les futures étoiles du Théâtre Marie et des Ballets* russes de Diaghilev. La révolution artistique qu'apportent les Ballets russes marque le début d'une ère nouvelle pour le ballet, qui sort régénéré de cette confrontation. Des troupes se créent; leur itinérance de fraîche date fait connaître œuvres et artistes dans le monde entier. La compagnie de ballet est désormais un des grands vecteurs de la modernité en matière artistique. Parallèlement, avec Isadora Duncan et sa danse libre, avec l'expressionnisme allemand, avec les « pionniers » de la danse moderne en Amérique, le ballet connaît un autre grand courant (v. MODERN DANCE).

À la fin de la Seconde Guerre mondiale, la jeune génération libère des aspirations longtemps refoulées. Roland Petit et Janine Charrat apportent au ballet un sang neuf. Les problèmes de l'homme moderne sont plus brutalement posés par Jerome Robbins (*Age of Anxiety,* 1950) aux États-Unis ou par Maurice Béjart (*Symphonie pour un homme seul,* 1955) en France — qui, depuis, s'est installé en Belgique avec le Ballet du XXe siècle et son école, Mudra.

Les grandes compagnies américaines (New York City Ballet, American Ballet Theatre) ou européennes (London's Festival Ballet, Grand Ballet du marquis de Cuevas) maintiennent la tradition classique, comme le font les ballets des grands théâtres (Royal Ballet, Opéra de Paris, Bolchoï, Kirov, Scala...). La Chine, Cuba, les pays d'Europe centrale disposent de troupes importantes; certains autres pays ont des activités chorégraphiques intenses (Canada, Pays-Bas, Danemark, Allemagne, Australie...).

Le ballet, comme tous les arts, a ses grands noms. Ce sont des interprètes (v. DANSE) ou des créateurs (v. CHORÉGRAPHIE).

La « modern dance » a pris un grand essor aux États-Unis, sans toutefois y supplanter le ballet classique. Elle s'est installée un peu partout dans le monde et son apport a enrichi le ballet traditionnel, donnant naissance à un genre hybride, dans lequel certains chorégraphes contemporains semblent parfaitement à l'aise (Maurice Béjart, John Butler). Le génie inventif d'une Martha Graham, la passion, la profondeur de ton d'un José Limón, l'humour d'un Paul Taylor ou la magie d'un Alwin Nikolais sont à l'origine de moments artistiques d'une incomparable qualité.

Langage universel, le ballet s'adresse à tous. Par la multiplication des spectacles de ballet, des festivals, par l'intermédiaire de la télévision et des publications spécialisées ou de vulgarisation, il a considérablement élargi son audience et est devenu un art complet.

Ballet comique de la reine *(le),* premier ballet de cour créé en France, représenté en 1581 à Paris, œuvre de Balthazar de Beaujoyeux (début du XVIe s.-1587).

Ballets russes, compagnie de ballet créée en 1909, à Saint-Pétersbourg, par Serge de Diaghilev. Issus de deux courants de rénovation — pictural et chorégraphique —, les Ballets russes, pendant vingt ans, associent des danseurs et des chorégraphes (T. Karsavina, O. Spessivtseva, A. Danilova, B. Nijinska...; M. Fokine, S. Lifar, G. Balanchine, L. Massine, V. Nijinski...), des peintres (A. Benois, L. Bakst, Picasso, Matisse, M. Larionov, Braque, Derain...). Sur le plan musical, Diaghilev popularise les chefs-d'œuvre des compositeurs russes (Moussorgski, Borodine, Rimski-Korsakov) ou fait découvrir de grands musiciens (Stravinski, S. Prokofiev, H. Sauguet, G. Auric, E. Satie, F. Poulenc). Les « danses polovtsiennes » du *Prince Igor, Schéhérazade, Petrouchka, l'Oiseau de feu, le Spectre de la rose, le Sacre du printemps, l'Après-midi d'un faune, Daphnis et Chloé, les Noces, le Coq d'or, le Fils prodigue* sont parmi les productions les plus remarquables de la troupe.

BALLIN, orfèvres parisiens : CLAUDE I (1615-1678) exécuta pour Louis XIV le mobilier d'argent (fondu à la fin du règne) de la galerie des Glaces de Versailles. — Son neveu, CLAUDE II (1661-1754), cisela la couronne du sacre de Louis XV et eut maintes commandes des cours étrangères.

BALLON → AÉROSTATION.

BALLON (72290), ch.-l. de cant. de la Sarthe, à 21 km au N. du Mans; 1246 hab.

BALLY, v. de l'Inde (Bengale-Occidental), banlieue nord-ouest de Calcutta; 248000 hab.

BALLY (Charles), linguiste suisse (Genève 1865 - *id.* 1947). Disciple de F. de Saussure, à qui il succède à l'université de Genève, Bally est l'initiateur d'une nouvelle « stylistique », qui étudierait la langue du point de vue de ses moyens d'expression, de ses ressources stylistiques (*Traité de stylistique française,* 1909; *Linguistique générale et linguistique française,* 1932).

BALMA (31130), comm. de la Haute-Garonne, à 5 km à l'E. de Toulouse; 7809 hab.

BALMAT (Jacques), guide français (Chamonix 1762 - vallée de Sixt [Haute-Savoie] 1834). Avec le Dr Paccard, il réalisa, le 8 août 1786, la première ascension du mont Blanc et y mena, l'année suivante, l'expédition du naturaliste suisse Horace Benedict de Saussure.

BALME *(col de),* passage des Alpes, à 2205 m d'alt., à la frontière franco-suisse, entre la haute vallée de l'Arve et celle du Rhône.

BALMER (Johann Jakob), physicien suisse (Lausen 1825 - Bâle 1898). Il étudia les spectres lumineux des gaz incandescents et découvrit en 1885 la formule donnant les longueurs d'onde des raies du spectre visible de l'hydrogène.

BALMONT (Konstantine Dmitrievitch), poète russe (Goumnichtchi, prov. de Vladimir, 1867 - Noisy-le-Grand 1942). Par ses « visions solaires » et sa création de nouveaux rythmes poétiques (diversification de la rime, multiplication des allitérations et des assonances), il est l'un des meilleurs représentants du symbolisme russe (*Soyons comme le soleil,* 1903; *les Éclairs blancs,* 1908; *Aurore boréale,* 1931).

BALNÉOTHÉRAPIE → PHYSIOTHÉRAPIE.

BALOUTCHISTAN ou **BALUCHISTĀN** ou **BÉLOUTCHISTAN,** région montagneuse partagée entre l'Iran (prov. du *Baloutchistan-Sistān*) et le Pākistān (prov. du *Baloutchistan*).

BALTARD (Victor), architecte français (Paris 1805 - *id.* 1874). Reprenant les idées d'Hector Horeau (1801-1872), il édifia en fer (à la demande de Napoléon III) les Halles centrales de Paris (1854, auj. détruites).

BALTES *(pays),* nom donné aux trois républiques fédérées de l'U. R. S. S., sur la Baltique : Estonie, Lettonie, Lituanie.

BALTHAZAR, fils aîné de Nabonide, tué lors de la prise de Babylone par les Perses en 539. Le récit biblique du livre de Daniel*, qui fait de Balthazar le dernier roi des Chaldéens et le fils de Nabuchodonosor* II, utilise des traditions légendaires.

BALTHUS (Balthasar KLOSSOWSKI, dit), peintre français (Paris 1908). Très construits, mais souvent nimbés d'une lumière pâle ou sourde qui mange la couleur, ses paysages, ses intérieurs avec leurs figures de jeunes filles ont une qualité troublante, à la fois intime et distanciée. Il a été directeur de l'Académie de France à Rome de 1961 à 1976.

BALTIMORE, port des États-Unis (Maryland), sur la rive occidentale de la baie de Chesapeake; 906000 hab. (2071000 hab. pour l'aire métropolitaine). Université Johns Hopkins. Musée des beaux-arts. Industries métallurgiques, électriques, chimiques et alimentaires. Tabac.

BALTIQUE, mer bordière de l'Atlantique, qui baigne la Finlande, l'U. R. S. S., la Pologne, les deux Allemagnes, le Danemark et la Suède. Atteignant au maximum − 459 m, la Baltique est une mer peu profonde, correspondant à une portion continentale envahie par les eaux lors de la fusion des glaciers quaternaires. Elle communique avec la mer du Nord par les détroits danois (Sund, Grand- et Petit-Belt). Les nombreux seuils, qui accidentent son fond, expliquent le faible renouvellement des eaux, ce qui entraîne l'absence de marées, la faible salinité (surtout dans sa terminaison septentrionale, le golfe de Botnie) et l'appauvrissement de la faune et de la flore.

BALZAC (Jean-Louis GUEZ, dit DE), écrivain français (Angoulême 1597 - *id.* 1654). Par ses *Lettres* (qu'il adressa notamment à la société précieuse de l'Hôtel de Rambouillet), ses écrits politiques (*le Prince,* 1631), ses essais critiques (*le Socrate chrétien,* 1652; *Aristippe,* 1658), il a joué un rôle essentiel dans la formation de la prose classique.

BALZAC (Honoré DE), écrivain français (Tours 1799 - Paris 1850). Est-il réaliste ou romantique? « le plus humble des copistes », comme il se veut dans la préface d'*Eugénie Grandet,* ou « l'être qui, pour Théophile Gautier, a le plus créé après Dieu », « visionnaire passionné », comme le voit Baudelaire, insufflant à chacune de ses créatures une parcelle de son génie (« des âmes chargées de volonté jusqu'à la gueule »)?

Dans la préface à la première édition de *la Peau de chagrin,* Balzac fait de l'*observation* et de l'*expression* les deux éléments constitutifs de l'art d'écrire, « une vue et un toucher littéraires ». La réunion de ces deux facultés « fait l'homme complet », mais non le génie, apanage des écrivains « réellement philosophes », qui doivent posséder « une sorte de *seconde vue* qui leur permet de deviner la vérité dans toutes les situations possibles ». Le génie balzacien se fonde sur un sens profond de la réalité, où tout est à double signification. Face aux mystères vieillis de la société religieuse et féodale, à la bonne conscience des libéraux pour qui *la* Révolution est faite et l'histoire terminée, Balzac révèle la dimension tragique de la vie, telle qu'il en a fait l'expérience dans sa poursuite toujours déçue de l'amour et de l'argent. En 1829-1831, lorsqu'il atteint à la célébrité, Balzac fonde son œuvre sur une triple assise : l'analyse scientifique des faits sociaux *(Physiologie du mariage),* la conscience du pathétique moderne *(Scènes de la vie privée),* la vision dramatique de l'existence *(Contes philosophiques).* La cohésion des données fournies par ces différentes expériences sera assurée techniquement par le procédé des personnages reparaissants et l'architecture de *la Comédie humaine,* esthétiquement par une philosophie qui remonte aux méditations de son adolescence (cf. *le Traité de la volonté,* rédigé par Louis Lambert, et la *Théorie de la volonté* de Raphaël de Valentin).

Les premiers récits, *le Centenaire* (1822) qui expose une théorie du fluide vital, *la Dernière Fée* (1823) qui traite du problème de la personnalité, sont des romans « philosophiques ». La *Physiologie du mariage,* dont Balzac eut l'idée dès 1820, était le premier élément d'une série d'études qui auraient constitué une *Pathologie de la vie sociale.* La philosophie de Balzac repose sur une vision linéaire et ascensionnelle de l'homme, et cet optimisme prométhéen se fonde non sur un acte de foi, mais sur des études assidues du comportement humain en vue d'en déduire des lois. Balzac interroge les notaires, les chimistes, les médecins : les descriptions de la phtisie de Raphaël de Valentin, de l'hémorragie cérébrale de Benassis, de la névropathie de M. de Mortsauf sont des chefs-d'œuvre d'observation médicale. Mais son meilleur examen clinique porte sur l'élément moteur de la société française de la Restauration et de la monarchie de Juillet : l'argent. Balzac lui confère une fluidité analogue à celle de la société : l'argent circule comme un liquide magique à travers les « sphères » sociales, mêlé inextricablement aux hommes, à leurs actes, à leur être. Les deux faces du génie balzacien sont ainsi inséparables. On ne peut célébrer *le Père Goriot* et considérer *la Peau de chagrin* comme une excroissance : le talisman et la « toute-puissante pièce de cent sous » ne sont que les deux faces d'un même signe; on ne peut faire de Balzac un mystique et le taxer d'exagération dans la peinture de la misère engendrée par la nouvelle société industrielle. Œuvre de lucidité, *la Comédie humaine* se fonde sur une dialectique du vouloir-vivre et de la retraite, du désir et de la sagesse. La réussite se fait par écrasement des autres, c'est-à-dire qu'elle est négation du désir d'affirmation et de liberté qui était à l'origine du désir de réussir. Le réalisme de Balzac tient moins à la peinture scrupuleuse de l'objet ou de l'événement qu'à l'expression des contradictions motrices de son siècle. Rares sont les héros balzaciens qui, comme David Séchard *(Illusions perdues),* sauvent le maximum possible de bonheur au bord de la Charente. À l'exemple de Rastignac, ils lancent à la vie un défi, ils épuisent leur énergie à résister à l'action dissolvante du temps. Énergie et usure, ce double aspect d'une même activité humaine s'incarne dans les « couples » qui unissent une force dominatrice à une obéissance fascinée, une volonté virile

Larousse

Honoré de Balzac. Caricature anonyme d'après Dantan. (Coll. Lovenjoul, Chantilly.)

chronologie

1er prairial an VII (20 mai 1799) : naissance à Tours.

1799-1813 En nourrice chez un gendarme. Pensionnaire au collège des Oratoriens de Vendôme. Vit séparé de sa famille.

1816-1819 Études de droit. Stage de clerc chez un avoué, puis chez un notaire. Cours de sciences au Muséum et de littérature en Sorbonne.

1819-1821 Proclame sa vocation littéraire : travaille à une tragédie en vers *(Cromwell)* et à des récits philosophiques *(Falthurne, Sténie).*

1822-1824 Rencontre Mme de Berny, de vingt-deux ans son aînée. Sous divers pseudonymes (lord R'Hoone, Horace de Saint-Aubin), publie une trentaine de romans alimentaires.

1826-1828 Tente de faire fortune : prend un brevet d'imprimeur, puis crée une fonderie de caractères. Ruiné, « il retombe dans la littérature ». Liaison avec la duchesse d'Abrantès.

1829 La *Physiologie du mariage :* succès de scandale. *Le Dernier Chouan* (repris en 1834 sous le titre *les Chouans :* c'est le premier roman incorporé à *la Comédie humaine*).

1831-1832 Succès de *la Peau de chagrin.* Vie de dandy. Ambitions politiques. Atteint à la célébrité comme inventeur de *la Femme de trente ans.* Première lettre de l'« Étrangère », Mme Hanska.

1833 A l'idée des *personnages reparaissants.*

1835 Travail intensif (Balzac récrit plusieurs fois un livre en corrigeant ses épreuves), soutenu par une consommation abusive de café.

1837 Achète la propriété des Jardies, près de Sèvres, et projette d'y créer des plantations d'ananas.

1838 En Sardaigne, rêve de remettre en activité les mines d'argent jadis exploitées par les Romains.

1842 Mort du comte Hanski. Le mariage avec Mme Hanska devient la grande affaire de sa vie.

1846 Achète un hôtel particulier, rue Fortunée. Naissance et mort de Victor-Honoré, fils de Balzac et de Mme Hanska.

1849 Séjour et maladie en Ukraine, à Wierzchownia. Échec à l'Académie française.

1850 14 mars : mariage avec la comtesse Hanska. 18 août : mort à Paris.

« la Comédie humaine » : plan et œuvres principales

ÉTUDES DE MŒURS

Scènes de la vie privée : la Femme de trente ans (1831-1834), le Colonel* Chabert (1832), le Père* Goriot (1834-35), Modeste Mignon (1844).
Scènes de la vie de province : Eugénie* Grandet (1833), le Cabinet des antiques (1836-1839), Illusions* perdues (1837-1843).
Scènes de la vie parisienne : César* Birotteau (1837), la Maison Nucingen (1838), Splendeurs* et misères des courtisanes (1839-1847), la Cousine* Bette (1846), le Cousin* Pons (1847).
Scènes de la vie politique : Z. Marcas (1840), Une ténébreuse affaire (1841).
Scènes de la vie militaire : les Chouans (1829).
Scènes de la vie de campagne : le Médecin* de campagne (1833), le Lys* dans la vallée (1835), le Curé de village (1838-39), les Paysans* (1844).

ÉTUDES PHILOSOPHIQUES

La Peau* de chagrin (1831), Louis Lambert (1832), Séraphita (1833), la Recherche* de l'absolu (1834).

ÉTUDES ANALYTIQUES

La Physiologie* du mariage (1829).

Lucky Luke dans *Ma Dalton* (1971), de Morris et Goscinny. (Éditions Dargaud.)

Larousse

BANDE DESSINÉE

Les Six Voyages de Lone Sloane (1972), par Philippe Druillet. (Éditions Dargaud.)

à une acceptation femelle, Vautrin à Lucien de Rubempré. Vivant et aimant par personne interposée, Vautrin manifeste un motif balzacien fondamental, celui du « voyeur ». Amant et père, Vautrin unit à l'égard de Lucien les deux aspects du mythe de la création, esquissé dans *le Père Goriot* selon la chair (les filles du vieillard vivent à sa place et le tuent) et selon l'esprit (Vautrin offre à Rastignac de l'aider dans son ascension sociale). Ce désir de la créature façonnée à son image se prolonge chez Balzac dans la longue théorie des « lorettes » qui forment à l'intérieur de la société parisienne un monde clos avec sa hiérarchie, ses ascensions et ses ruines : les Coralie, les Florentine, les Esther composent l'image exemplaire de l'affrontement de la vie et de la mort. C'est ce destin que l'œuvre de Balzac s'efforce de conjurer, cette séparation entre « la postérité de Caïn et celle d'Abel », comme l'écrit Lucien de Rubempré dans sa dernière lettre à Carlos Herrera, qui s'accompagne de la nostalgie de l'unité perdue, et s'exprime dans le mythe de l'androgyne, dont *Séraphita* offre la version la plus profonde. *La Comédie humaine,* ce titre même implique une épreuve vécue, une distance (ce plébéien qui prétend écrire « à la lumière de deux vérités éternelles, la Monarchie et la Religion » est, comme l'a vu Hugo, « de la forte race des écrivains révolutionnaires »), une ironie; mais il rappelle aussi que Balzac a comme point de mire un poète visionnaire, Dante.

BAMAKO, capit. de la république du Mali, sur le Niger; 197 000 hab. Industries textiles et alimentaires.

BAMBARAS → AFRIQUE et MALI.

BAMBERG, v. de l'Allemagne fédérale (Bavière), sur la Regnitz, au N. de Nuremberg; 69 000 hab. Exemplaire de l'urbanisme allemand médiéval et baroque, la ville conserve d'importants monuments, dont sa cathédrale (célèbre ensemble de sculptures du XIIIe s.).

BAMBOU. — Le bambou est la plus grande des graminacées, et, sous les climats chauds et très humides, sa croissance est extrêmement rapide. Son chaume fortement lignifié a reçu de très nombreux usages : murs de cabanes, clôtures, poutres, vases, meubles, etc. Ses pousses sont l'unique nourriture d'un « carnassier » rare : le panda géant. C'est, par excellence, une plante chinoise, mais on la rencontre dans toutes les régions tropicales, même en altitude (à 5 000 m dans les Andes), et jusque dans le midi de la France. On en distingue plusieurs centaines d'espèces. Les plus petites sont utilisées comme cannes à pêche. La plus grande espèce, *Gigantochloa maxima,* de Java, atteint 45 m de haut.

BAMILÉKÉS → AFRIQUE.

BĀMIYĀN, v. d'Afghānistān dans la province de Kaboul; 8 000 hab. Situé sur la route des caravanes, cet important centre bouddhique (IIe-Ve s.) a été un véritable trait d'union entre la Chine, l'Inde et l'Occident. Au pied de deux bouddhas gigantesques, plusieurs fondations bouddhistes taillées dans la falaise attestent par leurs décorations peintes les influences du Turkestan chinois (Touen-houang*), de l'Inde* et de la Perse sassanide*.

BĀNA, écrivain sanskrit du VIIe s. Poète de la cour de l'empereur Harṣa, dont il dépeint la vie quotidienne et les expéditions *(Harṣacaritam),* il est l'auteur d'un roman d'amour et d'aventures merveilleuses *(Kādambari).*

BANACH (Stefan), mathématicien polonais (Cracovie 1892 - Lvov, Ukraine, 1945). Il s'est surtout intéressé à la topologie et aux espaces métriques.

BANALITÉ. — À l'époque féodale, en vertu du droit de banalité, le seigneur peut obliger ses censitaires à utiliser les instruments banaux, tels que fours, moulins, pressoirs, qui lui appartiennent et qu'il a souvent construits à ses frais. La banalité, conséquence du droit de justice et de police, représente le moyen de leur rétribution.

BANANIER. — Le bananier est une plante vivace, mais non ligneuse, de sorte que les botanistes en font une *herbe,* malgré ses grandes dimensions. La partie souterraine est un rhizome, la partie aérienne un stipe formé d'une succession de feuilles engainées. Ses feuilles sont parmi les plus grandes qui existent, atteignant parfois 3 m de long et 0,60 m de large. Leurs fibres peuvent fournir des tissus et du papier, la feuille intacte sert de toiture aux habitations légères et de fourrage pour les animaux de ferme. L'inflorescence, retombante, est mâle au sommet et femelle à la base. Les fruits (bananes) sont groupés en un *régime.* La banane contient une chair farineuse, onctueuse et sucrée, et de minuscules graines. Cueillie verte, et constamment abritée du froid, la banane est mûrie dans des chambres chaudes avant d'être commercialisée. Elle reste comestible en début de blettissement. La culture du bananier s'étend sur toutes les régions chaudes. Plusieurs espèces sont propres à l'Océanie.

BANAT, région de l'Europe centrale, dans le Bassin pannonien. Occupé par les Ottomans à partir de 1552, restitué aux Habsbourg en 1718, le Banat est alors peuplé d'immigrants allemands. En 1919, la plus grande partie du Banat est attribuée à la Yougoslavie et à la Roumanie.

BANDA *(îles),* archipel des Moluques (Indonésie), au S. de Céram.

BANDAGE → ORTHOPÉDIE.

BANDAMA (la), fl. de la Côte-d'Ivoire, sur lequel a été construit le barrage de Kossou, tributaire du golfe de Guinée; 620 km.

BANDAR, anc. **Masulipatam,** puis **Masulipatnam,** port de l'Inde (Andhra Pradesh), sur le golfe du Bengale; 113 000 hab.

BANDARANAIKE (Solomon), homme politique cinghalais (Colombo 1899 - *id.* 1959). Fondateur, en 1952, du Parti de la liberté, il devient Premier ministre en 1956 et obtient l'évacuation des bases britanniques de Ceylan (1957). Au lendemain de son assassinat par un moine bouddhiste, son épouse, SIRIMAVO **Bandaranaike** (Balangoda 1916), poursuit son œuvre; Premier ministre de 1960 à 1965 et de 1970 à 1977, elle avait l'intention de réaliser la « grande révolution sociale ».

BANDAR CHĀHPUR, port d'Iran, sur le golfe Persique, à l'E. d'Abadan; 6 000 hab. Pétrochimie.

BANDAR SERI BEGAWAN, capit. du sultanat de Brunei, sur la mer de Chine méridionale; 37 000 hab.

BANDE DESSINÉE. — Gratifiée d'origines plus ou moins lointaines (les peintures rupestres, la colonne Trajane, la tapisserie de la reine Mathilde, les enluminures des manuscrits médiévaux, les gravures satiriques anglaises du XVIIIe s.), la bande dessinée ne

Larousse

prend en réalité sa forme et sa fonction que dans sa diffusion de masse par la presse, quotidienne ou hebdomadaire d'abord, puis par des supports spécialisés (mensuels, albums, *comic-books*). Les *Histoires en estampes* (1846-47) de R. Toepffer, les aventures de *Max und Moritz* (1865) de Wilhelm Busch, *la Famille Fenouillard* (1889) de Christophe appartiennent, en fait, à sa préhistoire. Son ère réelle débute avec la lutte que se livrent, au début du siècle, les deux magnats de la presse américaine, J. Pulitzer et W. R. Hearst (65 titres de bandes dessinées entre 1900 et 1904; 165 entre 1905 et 1909), à travers le supplément dominical en couleurs de leurs journaux. Au début simple illustration d'un récit (proche de l'imagerie d'Épinal), la bande dessinée se crée bientôt un espace spécifique : le dessin inclut des taches blanches cernées d'un trait et destinées à recevoir le texte (les « ballons » ou « bulles »). D'abord humoristique (d'où le nom de *comics*), la bande dessinée traite une grande variété de thèmes, de la contestation enfantine (*The Katzenjammer Kids,* 1897, de Rudolph Dirks) au domaine du rêve (*Little Nemo in Slumberland,* 1905, de Winsor McCay) et aux problèmes de la famille et de l'insertion sociale (*la Famille Illico,* 1915, de G. MacManus). Alors que Bud Fisher crée, en 1907, aux États-Unis, la première bande quotidienne *(daily strip),* l'Europe garde au texte la primauté avec deux bandes d'idéologies diamétralement opposées : *Bécassine* (1905), de Pinchon et Caumery, et *les Pieds Nickelés* (1908), de Forton. Cet archaïsme subsistera jusqu'à *Zig et Puce* (1925), d'Alain Saint-Ogan.

Tandis que certains dessinateurs américains voient dans la bande dessinée, au-delà d'un simple divertissement, un nouveau mode d'expression narrative (*Krazy Kat,* 1910, de Pat Sullivan), la diffusion s'accroît considérablement par la création d'agences de distribution, les *syndicates,* qui contrôlent financièrement et idéologiquement les dessinateurs (les *cartoonists*). Ils assurent ainsi le succès parallèle des bandes qui peignent les joies de la famille bourgeoise *(family strip)* et de celles qui placent l'indispensable part de rêve dans l'aventure policière *(Secret Agent X-9),* exotique *(Jungle Jim)* ou d'anticipation *(Flash Gordon),* trois bandes d'Alex Raymond, tandis que l'héroïsme s'impose dans l'espace avec *Tarzan,* d'Harold Foster (1929) et Burne Hogarth (1934), et dans le temps avec *Prince Valiant* (1937).

Mais l'intérêt majeur de la bande dessinée réside dans le fait qu'elle enregistre avec une fidélité remarquable les événements économiques et sociaux contemporains : l'Amérique de la grande dépression et du New Deal se console avec la débrouillardise de *Mickey Mouse* (1928), la vigueur irrépressible de *Popeye* (1929) ou les exploits fantastiques de *Batman* et de *Superman* (1938). Les héros de bande dessinée combattront contre l'Allemagne ou le Japon avant les G. I. et resteront mobilisés pendant toute la durée de la guerre froide (*Malle Call,* 1942, et *Steve Canyon,* 1947, de Milton Caniff). Et, si les Américains cherchent à oublier les bouleversements politiques et culturels de l'après-guerre dans les épisodes mélodramatiques du *soap opera* (l'« opéra savonneux »), illustré par Stan Drake (*The Heart of Juliet Jones,* 1953), la crise sociale apparaît d'une part dans les *horror comics,* rapidement interdits pour leur violence et qui sont à l'origine de législations sévères dans tous les pays du monde (Comics Code américain, loi de 1949 en France, Code Europress Junior de 1966), d'autre part dans les bandes « intellectuelles » (*Pogo,* 1949, de Walt Kelly; *Peanuts,* 1950, de Charles Schulz), qu'amplifient le succès du mensuel *Mad* (2 500 000 exemplaires en 1954) et les publications de l'« underground ». L'Europe connaît, avec un léger retard, une évolution semblable : si *Tintin,* de Hergé (1929), *Spirou,* de Rob Vel puis de Franquin, ou *Astérix,* de Goscinny et Uderzo, se proposent encore avant tout le divertissement de la jeunesse, la bande dessinée s'adresse à un public adulte avec J.-C. Forest (*Barbarella,* 1962) et devient radicalement contestataire avec l'équipe de *Hara Kiri* (1960) puis, en 1969, de *Charlie-Hebdo* (Reiser, Wolinski, Cabu). Cette évolution du contenu de la bande dessinée s'accompagne de recherches sur le graphisme, qui intègre, dès les années 30, des procédés picturaux et cinématographiques (contre-plongée, gros plans, ellipses) et qui se poursuit aujourd'hui à travers l'organisation d'espaces fantastiques, oniriques (*The Silver Surfer* aux États-Unis; Fred ou Druillet en France) ou fantasmatiques (Marcel Gotlib, Mandryka).

Si l'U. R. S. S. maintient (Congrès international des écrivains pour la jeunesse, 1973) sa condamnation absolue de la bande dessinée, celle-ci n'en apparaît pas moins dans plusieurs publications clandestines et même dans une revue officielle ukrainienne comme *le Poivrier.* Les pays en voie de développement, qui se réclament du socialisme, l'utilisent d'ailleurs, à l'exemple de la Chine (*lianhuanhua :* 20 à 100 pages de format de poche, 1 à 3 images par page accompagnées de légendes; sujets : le passé national ou l'explication d'un objectif fixé par le gouvernement), pour présenter les problèmes économiques et culturels et expliquer la politique gouvernementale à un public vaste et peu cultivé (ainsi à Cuba, en Yougoslavie, en Algérie).

BANDEIRA (Manuel), poète brésilien (Recife 1886 - Rio de Janeiro 1968). Son lyrisme, d'une grande complexité formelle, doit à la simplicité de ses thèmes quotidiens d'avoir touché un public très populaire (*Carnaval,* 1919; *Libertinage,* 1930; *Opus 10,* 1952; *Étoile du soir,* 1958).

BANDELLO (Matteo), écrivain italien (Castelnuovo Scrivia v. 1485 - Bassens 1561). Moine, diplomate et courtisan à Ferrare et à Mantoue, il mourra évêque d'Agen. Auteur de *Nouvelles,* à la manière de Boccace, qui font revivre la société italienne de la Renaissance et que Stendhal admira.

BANDE MAGNÉTIQUE. — Une bande magnétique comprend un support, sous forme de ruban en polyester (Mylar) ou en chlorure de vinyle, et une couche magnétique qui permet l'enregistrement des informations. Cette couche est composée d'un liant enrobant de fines aiguilles d'oxyde de fer (Fe_2O_3) ou de bioxyde de chrome (CrO_2), avec une densité de l'ordre de 15 millions d'aiguilles par millimètre carré. La bande classique pour magnétophone a une largeur de 6,25 mm en France et de 6,35 mm aux États-Unis. Son épaisseur varie de 48 à 14 µm, suivant l'usage auquel elle est destinée : radiodiffusion, enregistrement de disques, appareils à très haute fidélité, magnétophones, etc.

En informatique, les bandes courantes ont une largeur de 12,7 mm (1/2 pouce) et une longueur de 700 m. Elles sont enroulées sur des bobines de 27 cm de diamètre. Ce sont des mémoires* semi-permanentes, car les informations peuvent être enregistrées et relues plusieurs fois, une nouvelle écriture détruisant l'information précédente. Les bobines sont montées sur des dérouleurs au moment où un programme a besoin de lire ou d'écrire des données. Les bandes magnétiques constituent le support principal d'enregistrement d'entrée et de sortie des ordinateurs*. Capables de contenir jusqu'à 50 millions de caractères, elles apportent le seul moyen de stocker des quantités considérables d'informations (fichiers*). La vitesse de lecture ou d'écriture peut atteindre 1 200 000 caractères à la seconde.

Le principe d'enregistrement utilise l'aimantation* rémanente créée par le flux d'un électroaimant*. Lors de l'écriture, le flux créé dans l'entrefer aimante le matériau magnétique dans un sens ou dans l'autre, selon le sens du courant. En lecture, le déplacement relatif de l'aimant* potentiel qui se trouve sur le support magnétique crée une variation de flux qui induit une différence de potentiel et un courant dans un circuit. Cette technique permet l'enregistrement simple d'informations binaires par défilement de la bande sous une tête de lecture-écriture. Les informations sont groupées en enregistrements entre lesquels la bande s'arrête. Dans les bandes à haute densité (1 600 bits par pouce et plus), la variation du signal dans un sens correspond au 0, la variation dans l'autre au 1. On enregistre un caractère (6 ou 8 bits) dans la largeur de la bande sur 7 ou 9 pistes, soit 6 ou 8 pistes pour l'information, 1 piste pour le contrôle. Un centre* de calcul peut posséder des dizaines de milliers de bandes, constituant des *bandothèques* qui doivent être soigneusement gérées. Il existe aussi des dispositifs entièrement automatiques d'enregistrement sur bandes larges ou sur feuillets roulés dans des cartouches organisés en *mémoire de masse,* qui devraient permettre à l'ordinateur de gérer lui-même physiquement et logiquement de très grandes quantités de données.

BANDINELLI (Baccio), sculpteur italien (Florence 1488 - *id.* 1560) inspiré par Michel-Ange (*Hercule et Cacus,* place de la Seigneurie, Florence).

BANDJERMASSIN → BANJERMASSIN.

BANDOL (83150), comm. du Var, à 19 km à l'O. de Toulon; 6 204 hab. Station balnéaire.

BANDUNDU, anc. **Banningville,** v. de l'ouest du Zaïre, près du Kasaï, ch.-l. de prov.; 74 000 hab.

BANDUNG ou **BANDOENG,** v. d'Indonésie, dans l'ouest de l'île de Java; 1 202 000 hab.

BANDUNG *(conférence afro-asiatique de),* première réunion officielle de vingt-neuf pays asiatiques et africains récemment émancipés (avril 1955). Le racisme et le colonialisme y sont solennellement condamnés.

BANÉR (Johan Gustafsson), général suédois (Djursholm 1596-Halberstadt 1641). Commandant en chef de l'armée suédoise (1634), il conquiert la Bohême.

BANFF, v. du Canada (Alberta), dans les Rocheuses, à l'O. de Calgary; 3 400 hab. Centre touristique dans le *parc national de Banff.*

BANGALORE, v. de l'Inde, capit. de l'État de Karnātaka, dans l'intérieur du Deccan; 1 541 000 hab. Industries textiles, aéronautiques et chimiques.

BANGE (Charles RAGON DE), officier français (Balignicourt, Aube, 1833 - Le Chesnay 1914). Il mit au point un système de matériels d'artillerie légers et lourds (1877-1881).

BANGKA, île d'Indonésie, à l'E. de Sumatra; 519 000 hab. Étain.

BANGKOK, en thaï **Krung Thép** ou **Pra Nakkon,** capit. de la Thaïlande, près de l'embouchure du Ménam Chao Phraya; 2 228 000 hab. (avec la ville voisine de Thonburi). À 20 km du fond du golfe de Siam, Bangkok est la plus grande métropole de l'Asie du Sud-Est continentale, principal port (exportation de riz et de bois) et cité manufacturière (industries de consommation) de Thaïlande (dont elle est la seule grande ville), escale aérienne et centre touristique internationaux. La ville conserve plusieurs monuments du XVIIIe s., caractérisés par leur richesse et leur raffinement, dont le style rappelle celui d'Ayuthia* (Wat Pra Keo, 1785; Wat Pô, commencé en 1793; palais de Wang Na, 1782, qui abrite le Musée national, etc.).

BANGLADESH *(république du),* État d'Asie correspondant à l'ancien Pākistān oriental; 142 776 km²; 71 610 000 hab. Capit. *Dacca.*

GÉOGRAPHIE. Le pays s'étend sur la majeure partie du delta commun du Gange et du Brahmapoutre. Cette vaste plaine alluviale, très basse, est soumise annuellement, en été, à des inondations lors de la saison des pluies. Les deux fleuves drainent en effet les régions de mousson les plus arrosées du monde. Le total annuel des précipitations dépasse presque partout 2 000 mm, alors que les températures moyennes, variant peu dans l'année, oscillent entre 20 et 30 °C.

Le Bangladesh, à la nature ingrate, est pourtant très fortement peuplé; la densité avoisine 500 habitants au kilomètre carré (chiffre énorme pour un pays presque exclusivement agricole) et s'accroît encore rapidement en raison d'un excédent naturel élevé. Les ressources sont maigres : l'essentiel de la population vit de la culture du riz (15 à 20 Mt), qui sert à l'alimentation, et du jute (1,2 Mt), destiné à l'exportation. Les rares activités industrielles se concentrent dans la capitale et dans le port de Chittagong (travail du jute).

En raison du surpeuplement, la misère est extrêmement préoccupante. Le conflit, qui a abouti à la création de l'État, a ravagé les campagnes. Malgré l'aide des grandes puissances mondiales, le pays connaît l'un des plus faibles niveaux de vie du monde et la famine reste menaçante.

HISTOIRE. Sous l'impulsion du mouvement autonomiste dirigé par la ligue Awami, le Bengale*-Oriental s'engage, à partir de mars 1971, dans une véritable guerre civile contre le gouvernement central du Pākistān. Appuyé militairement par l'Inde, ce mouvement aboutit à la création de l'État indépendant du Bangladesh après la victoire de l'Inde* sur le Pākistān* (déc. 1971). Le nouvel État se heurte à de très graves difficultés économiques (famine, inflation), qu'il ne peut surmonter malgré l'aide considérable apportée par les pays étrangers (Inde, U. R. S. S.). Face au développement de l'anarchie politique, le cheikh Mujibur Rahman, leader de la ligue Awami et chef du gouvernement, abolit le système parlementaire et instaure un régime présidentiel appuyé sur un parti unique (janv. 1975). Devenu président de la République, il est renversé en août par un putsch militaire au cours duquel il est tué. Deux nouveaux coups d'État (novembre) témoignent des rivalités qui divisent les forces armées désormais au pouvoir.

BANGUI, capit. de l'Empire centrafricain, sur l'Oubangui; 302 000 hab. Port fluvial.

BANGWEULU ou **BANGOUÉLO,** lac marécageux de la Zambie, au S. du lac Tanganyika; 5 000 km².

BANIAN. — De tous les grands arbres, le banian est sans doute le seul qui se reproduise par marcottage naturel : des racines adventives descendent de ses branches jusqu'au sol, s'y enfoncent, soutiennent et nourrissent la branche mère, ce qui permet à un seul pied de s'élargir aux dimensions d'un bosquet. Le banian est un figuier *(Ficus indica),* localisé dans le sous-continent indien.

BĀNIYĀS, port de Syrie, sur la Méditerranée; 11 000 hab. Aboutissement d'un pipe-line amenant le pétrole extrait à Kirkūk.

BANJA LUKA, v. de Yougoslavie (Bosnie-Herzégovine), sur le Vrbas (affl. de la Save); 90 000 hab.

BANJERMASSIN ou **BANDJERMASSIN,** v. d'Indonésie, dans le sud de Bornéo, près de l'embouchure du Barito (dans la mer de Java); 282 000 hab.

BANJO → INSTRUMENTS DE MUSIQUE.

BANJUL, anc. **Bathurst,** capit. de la Gambie, sur la rive sud de l'estuaire de la Gambie; 39 000 hab.

BANKS, grande île, la plus occidentale, de l'archipel canadien (Territoires du Nord-Ouest).

BANLIEUE → AGGLOMÉRATION.

BANNALEC (29114), ch.-l. de cant. du Finistère, à 15 km au N.-O. de Quimperlé; 5 172 hab. Aux environs, château de Quimerc'h.

BANON (04150), ch.-l. de cant. des Alpes-de-Haute-Provence, à 25 km au N.-O. de Forcalquier; 850 hab.

BANQUE. — Le système bancaire français comprend essentiellement :

- *les banques inscrites* (banques de dépôt, banques d'affaires, banques de crédit à long et à moyen terme), au nombre de 361 à la fin de l'année 1975;
- *les établissements financiers enregistrés,* qui, faisant les mêmes opérations que les banques, ne peuvent pas recueillir de fonds de la clientèle et travaillent avec leurs fonds propres, les prêts de leurs maisons mères et des emprunts effectués sur le marché monétaire. Ils étaient au nombre de 409 en 1975. Eux-mêmes se répartissent en *maisons de ventes à tempérament* (86), *maisons de titres* (67), *sociétés financières* (57), *établissements de crédit-bail* (74), *maisons de crédit immobilier,* et « divers ».

Les organismes bancaires sous tutelle publique sont, par ailleurs, des *administrations d'État* (Trésor, Chèques postaux, Caisse nationale d'épargne), des *établissements publics autonomes* (Caisse des dépôts et consignations), des *sociétés de droit privé* mais dont les dirigeants sont nommés par l'État (Crédit national, Crédit foncier de France, B. F. C. E.), des *établissements à « statut légal spécial »* (Crédit agricole mutuel, Crédit populaire...).

La distinction entre banques de dépôt et banques d'affaires s'est, en France, considérablement estompée depuis le décret du 25 janvier 1966, les banques d'affaires pouvant désormais faire appel aux fonds des particuliers et leur offrir de nombreux services (chèques notamment) et les banques de dépôt étant, de leur côté, autorisées à collecter des dépôts à plus de deux ans et à prendre des participations (dans des entreprises non financières), jusqu'à 20 p. 100 du capital de chacune d'elles, en employant 100 p. 100 de leurs fonds propres.

BANQUE DE DONNÉES. — Une banque de données est une accumulation d'informations de natures communes ou apparentées. L'informatique* apporte un outil puissant grâce aux possibilités qu'a l'ordinateur* de mémoriser des quantités considérables d'informations et de retrouver rapidement une donnée enregistrée. Une banque de données se compose souvent de plusieurs bases* de données, qui représentent l'ensemble informatisé de la banque. Le regroupement massif de données, constamment tenues à jour et facilement accessibles, présente un grand intérêt. L'unicité de l'enregistrement de l'information, quel que soit le besoin d'utilisation, existant ou potentiel, est un facteur d'économie. L'accumulation est une richesse pour toutes les applications qui peuvent en résulter : consultations élémentaires, regroupements, traitements élaborés et complexes. Une banque de données est en mesure de contenir des milliards de caractères. En général, seul un public d'abonnés y accède et la consulte. La téléinformatique* permet même un accès direct. On distingue des banques de données scientifiques (documentation, données physiques ou technolo-

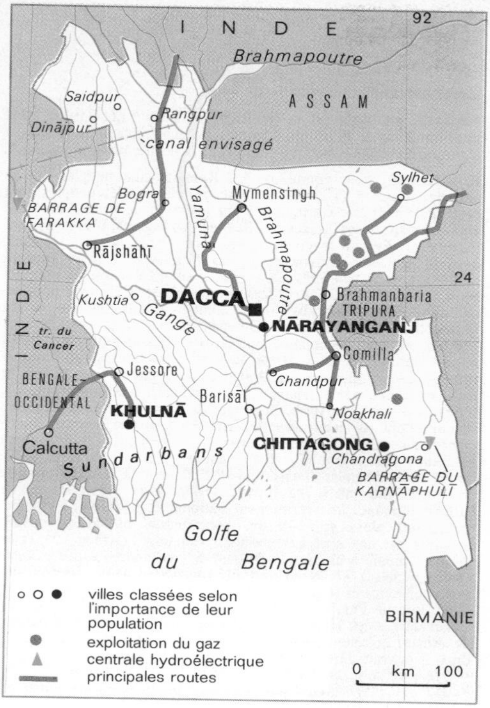

BANGLADESH

La mission essentielle de la Banque de France est d'assurer l'*escompte des effets de commerce* (réservé aux titulaires de « comptes courants avec faculté d'escompte ») et les *avances sur titres* contre garantie d'effets publics (notamment de bons du Trésor), ainsi que de permettre les *dépôts de titres, monnaies, lingots,* etc. La Banque de France est le régulateur, par le taux de l'escompte, du marché des capitaux à court terme.

Banque internationale de reconstruction et de développement (B. I. R. D.), banque essentiellement vouée à des prêts à long terme aux pays en voie de développement. Ses ressources proviennent de son capital de 21 milliards de dollars, apportés par les pays membres, et des emprunts qu'elle émet par ailleurs. L'A. I. D. (Association internationale de développement) et la S. F. I. (Société financière internationale) lui sont associées, la première étant spécialisée dans les prêts aux pays les plus pauvres.

BANQUEROUTE → FAILLITE.

BANQUETTE → VOIE.

BANQUO, gouverneur sous Duncan, roi d'Écosse (XIe s.). L'un des personnages de *Macbeth* de Shakespeare.

BANSKÁ BYSTRICA, v. de Tchécoslovaquie, ch.-l. de la Slovaquie-Centrale; 40 000 hab. Cimenterie.

BANTING (*sir* Frederick GRANT), médecin canadien (Alliston, Ontario, 1892-Musgrave Harbor 1941). Il isola l'insuline avec Macleod, Best et Collip. (Prix Nobel de médecine, 1923.)

BANTOU. — Les langues bantoues sont parlées par environ 60 millions de personnes sur un vaste territoire s'étendant du Cameroun au sud de l'Afrique. Elles ont en commun un système régulier de classes nominales marquées par des préfixes; ces classes, au nombre d'une vingtaine, ont à la fois une valeur grammaticale et une valeur sémantique. Le grand nombre des langues et des dialectes bantous rend difficile toute classification. Parmi les plus importants, on peut citer le swahili, langue officielle du Kenya et de la Tanzanie (13 millions de locuteurs), le bemba et le chona (Zambie), le kongo, le ngala et le louba (Zaïre), le ganda

Bangkok. Vue générale de la ville depuis la Montagne Dorée.

Froissardey - Atlas-Photo

giques, bibliothèques de composants industriels, brevets...), de données administratives (informations et statistiques de l'I. N. S. E. E., états civils...), d'informations juridiques (lois, jurisprudence), etc. La concentration d'informations dans une banque de données et la puissance de traitement qui l'accompagne représentent un bien qui peut être considérable et très sensible. Le droit de posséder ou d'exploiter certaines banques soulève des problèmes juridiques, déontologiques et de respect des droits individuels.

Banque de France, établissement fondé le 24 pluviôse an VIII (18 février 1800). La Banque de France reçut, à l'origine, le privilège d'émission; elle était dotée d'un gouverneur nommé par l'État (assisté de deux sous-gouverneurs), qui avait un droit de veto sur les décisions du *Conseil général,* dont la nomination était assumée par l'assemblée générale des 200 plus forts actionnaires. Une réforme du 24 juillet 1936 fait entrer au Conseil général 11 représentants de l'État, et la loi du 2 décembre 1945 nationalise la Banque en transférant les actions à l'État sans toucher fondamentalement au régime antérieur.

(Ouganda), le mboudou (Angola), le ruanda (Ruanda), le sotho, le xhosa, le swazi et le zoulou (Afrique du Sud).

BANTOUSTAN → AFRIQUE DU SUD.

BANTRY BAY, échancrure du littoral sud-ouest de l'Irlande. Port d'éclatement pétrolier sur l'île Whiddy.

BANVILLE (Théodore DE), poète français (Moulins 1823-Paris 1891). Prônant à la fois l'abandon à la fantaisie et les recettes de style, il pouvait, disait Baudelaire, enseigner à devenir poète en vingt-cinq leçons. C'est un des maîtres de l'école du Parnasse* (*Odes funambulesques,* 1857).

BANYULS-SUR-MER (66650), comm. des Pyrénées-Orientales, à 39 km au S.-E. de Perpignan, à proximité de la frontière espagnole; 4 294 hab. *(Banyulencs* ou *Bagnolais).* Vins. Station balnéaire.

BANZER SUÁREZ (Hugo), homme politique bolivien (Santa Cruz 1921). Président de la République depuis 1971, il s'appuie sur l'armée et la Phalange bolivienne pour réprimer l'opposition.

BAOBAB. — Cet arbre des régions chaudes de l'Australie, de l'Asie et de l'Afrique se rencontre à l'état isolé dans les savanes et les clairières. Il vit plus de mille ans, s'accroissant chaque année en largeur, jusqu'à atteindre plus de 20 m de circonférence, tandis que sa hauteur ne dépasse pas 10 m. Son bois, particulièrement mou, ne peut pas soutenir ses longues branches (25 m), dont l'extrémité vient toucher le sol en couronne chez les sujets âgés. La feuille rappelle celle du marronnier, et le fruit ressemble à une orange (genre *Adansonia,* famille des bombacacées).

BAO DAÏ (Hué 1913), empereur d'Annam (1925-1955). Fils de Khaï Dinh, il prend le pouvoir en 1932, mais le laisse en fait entre les mains des Français. Sa passivité face à la puissance colonisatrice explique son impopularité grandissante et son éviction après le référendum d'octobre 1955.

BAPAUME (62450), ch.-l. de cant. du Pas-de-Calais, à 22 km au S. d'Arras, à la terminaison sud-est des collines de l'Artois; 4 207 hab. *(Bapalmois).*

BAPTÊME. — De nombreuses religions comportent des rites d'ablutions ou de bains sacrés qui expriment la purification et le renouvellement. Le baptême chrétien a une relation d'origine avec les ablutions rituelles juives, les bains quotidiens des esséniens* et le baptême de Jean-Baptiste*, que Jésus* a reçu. Cependant, il s'en différencie radicalement; il est certes un rite de purification (destruction de la souillure originelle), mais, en tant qu'il suscite une nouvelle créature, il est le sacrement de l'insertion dans le royaume de Dieu, le signe juridique et sacral de son appartenance à l'Église du Christ.

BAPTISTES. — Fondé en Hollande par un pasteur anglais en exil, John Smith († 1612), le baptisme passe en Angleterre dès la mort de son fondateur. En 1620, les émigrés du *Mayflower** le portent aux États-Unis. À l'heure actuelle, les baptistes (28 millions de membres, dont 24 millions aux États-Unis) sont représentés dans le monde entier. Ils se caractérisent par leur attachement à la lettre de la Bible, et leur communauté, qui n'a ni hiérarchie ni sacerdoce, a pour vocation première la mission : le baptisme est l'initiateur du mouvement d'évangélisation protestant contemporain.

BAQUEIRA-BERET (La), station de sports d'hiver (alt. 1 520-2 470 m) des Pyrénées espagnoles (prov. de Lerida), à l'E. de Viella.

BAR, port de Yougoslavie (Monténégro), sur l'Adriatique; 5 000 hab. Centre touristique.

BAR *(comté de)* → BARROIS.

Bar *(Confédération de),* union formée en 1768 à Bar (Podolie), par des patriotes polonais, en vue de lutter contre la mainmise de la Russie sur la Pologne. Son action ne put empêcher le premier partage du pays en 1772.

Bārābudur, grand temple bouddhique de Java central, caractéristique de la phase « Java central » de l'art de l'Indonésie* et dont la construction s'achève vers le IXᵉ s. Chacune des quatre galeries de cet immense sanctuaire à étagement pyramidal est décorée de bas-reliefs d'une harmonieuse beauté, évoquant la vie du Bouddha, tandis que l'ensemble de l'édifice recèle un symbolisme cosmique très complexe. Un vaste programme de sauvegarde est en cours.

BARACALDO, v. d'Espagne (Biscaye), à l'O. de Bilbao; 109 000 hab. Métallurgie. Chimie.

BARAGUEY-D'HILLIERS (Achille), maréchal de France (Paris 1795 - Amélie-les-Bains 1878). En 1849, il se rallia au futur Napoléon III, qui le mit à la tête de l'armée de Paris et le nomma maréchal après qu'il eut pris la forteresse russe de Bomarsund (île d'Åland) au début de la guerre de Crimée (1854).

BARANAGAR, v. de l'Inde (Bengale-Occidental), dans la banlieue nord de Calcutta; 121 000 hab.

BARANOVITCHI, v. d'U.R.S.S., en Biélorussie, au S.-O. de Minsk; 101 000 hab. Nœud ferroviaire et centre industriel.

BÁRÁNY (Robert), médecin et physiologiste autrichien (Vienne 1876 - Uppsala 1936), prix Nobel de médecine en 1914 pour ses travaux sur le nystagmus vestibulaire.

BARAQUEVILLE (12160), ch.-l. du cant. de *Baraqueville-Sauveterre,* à 19 km au S.-O. de Rodez, dans l'Aveyron; 1 955 hab.

BARATIER (Augustin), général français (Belfort 1864 - sur le front de Reims 1917). Il participa à plusieurs expéditions en Afrique noire, puis à la mission Marchand au Congo (1896).

BARATIERI (Oreste) → ÉTHIOPIE *(campagne d')* [1896].

BARATTAGE → BEURRE.

BARBADE (la), État membre du Commonwealth, une des Petites Antilles, au S.-E. de la Martinique; 431 km²; 253 000 hab. Capit. *Bridgetown.* C'est l'un des plus petits États indépendants du monde, à la limite du surpeuplement et dont l'économie agricole (en dehors du tourisme) repose sur la canne à sucre.

BARBANÈGRE (Joseph) → HUNINGUE.

barbare en Asie *(Un),* récit d'Henri Michaux (1933). Une condamnation de l'Europe, à travers la découverte de la religiosité hindoue, du génie esthétique chinois, de la beauté plastique malaise.

BARBARES, nom donné par les Romains aux peuples qui ne participent pas à la civilisation gréco-romaine. Ces peuples sont essentiellement des Germains* : sur les rives de la mer du Nord vivent les Jutes, les Angles, les Saxons, les Frisons; plus au sud les Francs*, fixés sur le cours inférieur du Rhin, et les Alamans; derrière eux, les Burgondes et les Vandales* (sur le Danube moyen), voisins des Suèves*, localisés sur l'Oder, où ils jouxtent les Lombards*. Les Goths* sont divisés en deux groupes politico-militaires : les Wisigoths* (entre Dniepr et bas Danube) et les Ostrogoths* (entre Volga et Dniepr), soumis à la pression des peuples iraniens, notamment Sarmates* et Alains, qui nomadisent entre l'Oural et le Don. Forts de leurs associations familiales et tribales, ces peuples ne connaissent en revanche ni État, ni cité, et leur croissance démographique les condamne à la famine sur des terres peu fertiles. Aussi cherchent-ils à pénétrer dans l'Empire romain, dont ils convoitent les richesses. Rome, prenant conscience du danger germain, organise solidement ses frontières naturelles (Rhin-Danube), qu'elle couvre d'une ligne fortifiée, le *limes**. Les Romains réussissent difficilement à refouler la série d'invasions du IIIᵉ s. La lutte fait apparaître l'insuffisance de l'armée romaine. Le recrutement national étant faible, les empereurs font alors appel à des mercenaires barbares, souvent encadrés par des généraux germains romanisés (Arbogast*), et en viennent même à confier la défense des frontières à des peuples barbares : liés à Rome par un traité *(foedus),* ceux-ci occupent des terres romaines et fournissent des contingents de soldats (fédérés). Ainsi, lorsque l'empereur Valens* accepta que 200 000 Wisigoths, fuyant devant les Huns*, s'installassent en Thrace (376), il pensait les utiliser comme soldats et comme paysans. Mais, en agissant ainsi, il ouvrait l'ère des « grandes invasions barbares » :
— 378 : victoire des Goths à Andrinople, où Valens est tué;
— 382 : les Wisigoths sont installés par Théodose* entre les Balkans et le Danube;
— 406-443 : Vandales, Suèves et Alains franchissent le Rhin (406), suivis par les Burgondes, qui s'installent entre Worms et Spire (413), et les Alamans, en Alsace. Suèves, Vandales et Alains passent en Espagne (409). Geiséric* mène les Vandales en Afrique (429); les Suèves sont rejetés dans l'Espagne du Nord-Ouest, et les Burgondes sont établis en Sapaudia (Savoie) [443];
— 410 : sac de Rome par Alaric*;
— 413 : les Wisigoths envahissent la Narbonnaise et l'Aquitaine;
— 450-500 : invasion des Angles, des Jutes et des Saxons en Bretagne;
— 451-453 : les Huns d'Attila* envahissent la Gaule du Nord. Battus à la bataille dite « des champs Catalauniques* » (452), ils ravagent l'Italie du Nord;
— 486-534 : Clovis* et ses fils sont maîtres de la Gaule après les victoires remportées sur le « roi des Romains » Syagrius (Soissons, 486), les Alamans (v. 496), les Wisigoths (Vouillé, 507), les Francs de Cologne (v. 509) et les Burgondes (534);
— 488 : les Ostrogoths passent en Italie : Théodoric Iᵉʳ* étend son royaume à l'Italie du Sud, à la Pannonie et à la Provence;
— 568 : les Avars, peuple d'origine turque, pénètrent en Europe et forcent les Lombards à quitter la Pannonie pour l'Italie.

En ce début du VIᵉ s., l'Empire romain d'Occident a disparu. Un monde gothique, mérovingien, lombard a pris la succession de la Gaule, de l'Espagne et de l'Italie romaines.

BARBARIE ou **ÉTATS BARBARESQUES,** nom donné jadis au Nord-Ouest africain (Maroc, Algérie, Tunisie, régence de Tripoli), et plus spécialement aux États maritimes qui se développèrent sur ses côtes.

BARBAZAN (31510), ch.-l. de cant. de la Haute-Garonne, à 14 km au S.-O. de Saint-Gaudens; 406 hab. Station thermale.

BARBE *(sainte),* martyre. L'histoire de cette sainte, patronne des artificiers, des artilleurs et des mineurs et des carriers, relève de la légende.

Barbe-Bleue, conte de Perrault. Le personnage du mari sanguinaire, meurtrier de six épouses et qui tombe sous les coups des frères de la septième, a été rapproché de nombreuses figures historiques ou folkloriques : le roi Komor de la légende bretonne de sainte Trophime, Gilles de Rais, compagnon de Jeanne d'Arc et brûlé pour crimes de sorcellerie, etc. Plus profondément, le récit de Perrault exprimerait à la fois la fatalité destructrice de l'amour perpétuellement déçu et l'idée que la connaissance du secret profond de la destinée humaine ne se paie que du prix de la mort.

BARBERINI, famille romaine d'origine florentine, dont la plupart des représentants furent des gens de l'Église, tel le pape Urbain VIII*. Les Barberini étaient de grands mécènes : leur palais, construit en 1630, fut un foyer artistique. En politique, leur objectif était d'être les instruments du Saint-Siège pour dominer l'Italie.

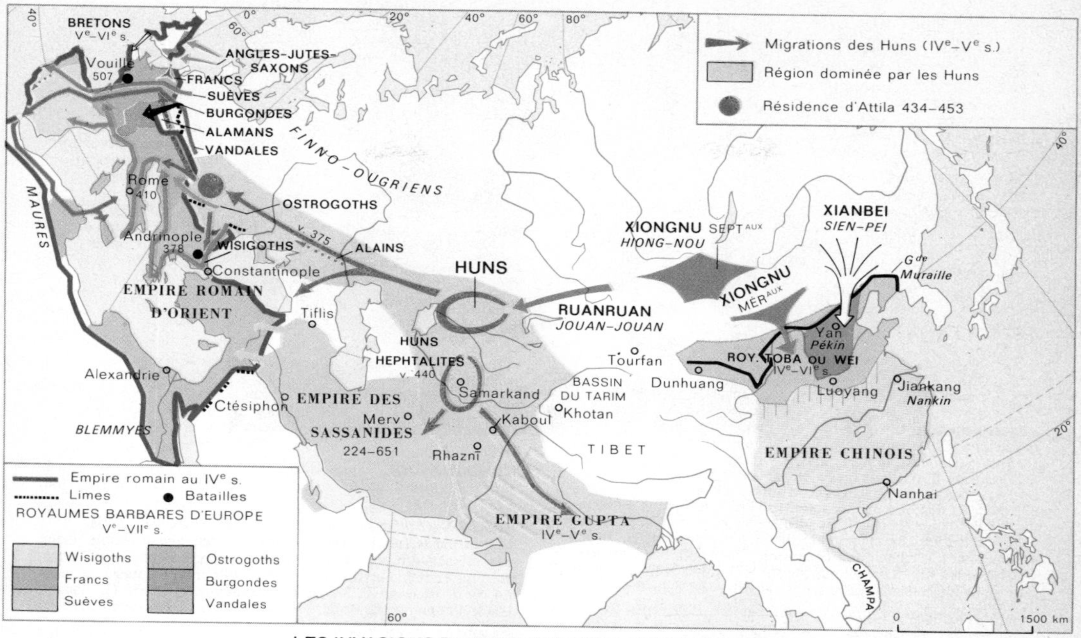

LES INVASIONS BARBARES EN ASIE ET EN EUROPE

Cette famille s'éteignit en 1736; ses biens passèrent alors aux Colonna*.

BARBEROUSSE (Khayr al-Dīn, dit), corsaire turc († 1546). Maître d'Alger, il fait hommage de sa conquête à Selim Ier (1518), qui lui confère le titre de *beylerbey*. Nommé grand-amiral de la flotte ottomane (1533), il poursuit la lutte contre Charles Quint (Tunis, 1534-1535; Alger, 1541).

BARBEROUSSE → FRÉDÉRIC Ier.

BARBÈS (Armand), homme politique français (Pointe-à-Pitre, 1809 - La Haye 1870). Révolutionnaire agissant durant la monarchie de Juillet, il est représentant du peuple en avril 1848. Sa participation à la journée insurrectionnelle du 15 mai 1848 brise net sa carrière. Il meurt en exil.

BARBEY D'AUREVILLY (Jules), écrivain français (Saint-Sauveur-le-Vicomte 1808 - Paris 1889). Par son élégance de dandy, ses articles féroces, ses duels, il se composa un personnage de « connétable des lettres », avant de professer un catholicisme intransigeant. Ses romans (*Une vieille maîtresse,* 1851; *le Chevalier Des Touches,* 1864; *Un prêtre marié,* 1865) et ses nouvelles (*les Diaboliques**, 1874) dessinent un univers mélodramatique et démoniaque où la fascination de Satan paraît le meilleur chemin de la découverte de Dieu : par là, il a exercé une profonde influence sur Léon Bloy et Bernanos.

BARBEZIEUX-SAINT-HILAIRE (16300), ch.-l. de cant. de la Charente, à 35 km au S.-O. d'Angoulême; 5 516 hab. *(Barbeziliens).* Musée et théâtre dans l'anc. château. Industries alimentaires.

Barbier de Séville *(le)* ou *la Précaution inutile,* comédie en quatre actes et en prose de Beaumarchais (1775). Sur le thème traditionnel du barbon trompé et après plusieurs tentatives inédites *(le Sacristain)* inspirées d'un « intermède » espagnol, une comédie réaliste qui mêle le rythme de la parade* à la peinture de mœurs du « drame bourgeois ». — D'après cette comédie, G. Rossini a écrit un opéra bouffe en deux actes sur un livret de C. Sterbini, créé à Rome en 1816. Associant l'esprit français à la verve italienne, il réussit là un chef-d'œuvre de gaieté, tant dans le récitatif preste que dans les airs, où domine le bel canto.

BARBITURIQUES. — Le groupe des barbituriques contient de nombreux médicaments hypnotiques : certains favorisent l'endormissement (sécobarbital), d'autres prolongent le sommeil (butobarbital), d'autres, enfin, ont une action sédative et antiépileptique (phénobarbital). L'intoxication aiguë par les barbituriques s'observe lors de tentatives de suicide. Elle se manifeste par un coma tranquille, le danger résidant surtout dans l'arrêt respiratoire. Le traitement impose une évacuation rapide du toxique (lavage d'estomac si le malade est conscient) et la réanimation respiratoire. L'intoxication chronique s'observe chez les épileptiques et chez les insomniaques qui absorbent des barbituriques. Ses manifestations sont des troubles de la mémoire et des paresthésies. L'arrêt des barbituriques doit se faire de façon progressive.

Barbizon *(école de),* nom donné à un groupe de peintres qui, à partir de 1830, avec Corot* et T. Rousseau* pour guides, réintroduisirent plus de naturel dans la peinture de paysage. Rousseau s'installa en 1835 à Barbizon, dans la forêt de Fontainebleau, où Millet* le rejoignit en 1849 et où l'on vit se fixer tour à tour Narcisse Diaz de la Peña (1807-1878), dont l'œuvre est faite pour une large part de sujets d'inspiration romantique et orientale, précieux de matière et de couleur, Constant Troyon (1810-1865), qui s'inspira des Hollandais pour introduire des animaux dans ses sujets champêtres, d'une belle vigueur, et Charles Jacque (1813-1894), graveur puis peintre de scènes agrestes. P. Huet*, J. Dupré*, C. F. Daubigny* ont également fait évoluer l'art paysagiste dans l'esprit de Barbizon.

BARBOTAN-LES-THERMES (32150 Cazaubon), localité du Gers (comm. de Cazaubon), à 20 km au N.-O. d'Eauze. Station thermale spécialisée dans le traitement des troubles circulatoires et des arthroses.

BARBOTINE → CÉRAMIQUE et PORCELAINE.

BARBUSSE (Henri), écrivain français (Asnières 1873 - Moscou 1935). Prix Goncourt en 1916 pour un roman, *le Feu,* qui, en réaction contre les peintures conventionnelles et cocardières, apportait le premier vrai témoignage sur la vie du soldat, il tenta après la guerre, à la direction littéraire de *l'Humanité* et de la revue *Monde,* de susciter l'apparition d'une littérature prolétarienne en France.

BARCARÈS (Le) [66420], comm. des Pyrénées-Orientales, à 18 km au N.-E. de Perpignan; 1 347 hab. Station balnéaire.

BARCELONA, v. du Venezuela, sur la mer des Antilles; 76 000 hab.

BARCELONE, en esp. **Barcelona,** v. d'Espagne, capit. de la Catalogne et ch.-l. de prov.; 1 745 000 hab. *(Barcelonais).*

GÉOGRAPHIE. Sur la Méditerranée, centre et débouché d'une des grandes régions manufacturières du pays, Barcelone, deuxième ville d'Espagne, est un port notable avec un trafic annuel de l'ordre de 15 millions de tonnes, lié à la fonction industrielle prépondérante. La ville est le noyau d'une agglomération de plus de

Vue générale de Barcelone et du mont Tibidabo. Au premier plan, près du port, la place de la Paix et le monument de Christophe Colomb.

P. Koch - Rapho

2,5 millions d'habitants (avec les banlieues proches d'Hospitalet et de Badalona), rayonnant sur d'autres cités-satellites (Sabadell, Tarrasa) et dominée par les activités de transformation, notamment le textile (coton, laine, fibres artificielles et synthétiques, bonneterie, confection), la métallurgie (biens d'équipement, construction automobile), la chimie (en expansion), l'alimentation, l'édition. La ville devient une étape touristique sur la route de la Costa del Sol et un point d'éclatement vers les stations de la Costa Brava.

HISTOIRE. Fondée probablement par les Phocéens, Barcelone connaît une grande prospérité sous la domination aragonaise (XIIe-XVe s.) : elle devient alors une métropole méditerranéenne et une place bancaire de premier rang, étendant son influence à tout le Moyen-Orient. La découverte de l'Amérique porte un coup à sa prospérité; elle ne retrouve son rang et son importance qu'à partir du milieu du XIXe s. Durant la guerre civile (1936-1939), Barcelone est le bastion de la résistance républicaine.

BEAUX-ARTS. Nombreux édifices gothiques des XIIIe-XVe s., dont la cathédrale, l'église Santa María del Mar, le monastère de Pedralbes, la Diputación, l'hôtel de ville, le Palacio Real Mayor, la Lonja (Bourse de commerce). Édifices de Gaudí*. Musée archéologique et musée d'Art catalan de Montjuich (peintures romanes; retables de l'école gothique de Barcelone, des frères Serra et de Lluís Borrassà* à Bernat Martorell et Jaume Huguet), Musée maritime, musée archéologique, musée des Arts décoratifs dans le palais de la Virreina (fin XVIIIe s.), musées Picasso* et Miró*, etc.

BARCELONNETTE (04400), ch.-l. d'arr. des Alpes-de-Haute-Provence, sur l'Ubaye; 3 213 hab. Ancien centre d'émigration vers le Mexique.

BARCILLONNETTE (05110 La Saulce des Alpes), ch.-l. de cant. des Hautes-Alpes, à 28 km au S.-O. de Gap; 88 hab.

BARCLAY DE TOLLY (Mikhaïl Bogdanovitch, *prince*), maréchal russe (Luhde Grosshoff, Livonie, 1761 - Insterburg 1818). Ministre de la Guerre en 1810, il se distingue, à la tête d'une armée contre Napoléon, en Russie (1812), en Allemagne (1813) puis en France (1814).

BARDE. — Membres de la classe sacerdotale chez les Celtes, les bardes célébraient les exploits guerriers des chefs et jouaient un rôle de conseillers. Après la conquête romaine, ils subsistèrent à la cour des petits princes du pays de Galles, où ils étaient organisés selon une rigoureuse hiérarchie. La conquête du pays par Edouard Ier en fit des chanteurs ambulants jusqu'au XVIe s. Le romantisme leur redonna une certaine popularité en leur attribuant un rôle décisif dans la constitution des épopées nationales.

BARDEEN (John), physicien américain (Madison, Wisconsin, 1908). Il a reçu deux fois le prix Nobel de physique : en 1956, en même temps que W.H. Brattain et W. Shokley, pour la mise au point du transistor à germanium; en 1972, avec L. Cooper et J.R. Schrieffer, pour leur théorie de la supraconductibilité.

BARDI, célèbre famille florentine. Elle fonde une compagnie marchande qui, de 1250 à 1350, est l'une des plus importantes puissances financières et bancaires d'Europe. Les Bardi financent le roi d'Angleterre dans sa lutte contre la France, et Florence contre Lucques. La famille perd toute importance politique à partir de la faillite de 1345.

Bardo *(traité du),* traité signé en 1881 au Bardo (dans la banlieue de Tunis), établissant le protectorat de la France sur la Tunisie.

BARDONNÈCHE, comm. d'Italie (Piémont), dans les Alpes, à la sortie du tunnel du Mont-Cenis; 2 700 hab. Sports d'hiver (alt. 1 312-2 700 m).

BARDOT (Brigitte), actrice de cinéma française (Paris 1934). Lancée par le film de Roger Vadim *Et Dieu créa la femme* (1956), elle sut acquérir une vive popularité qui se confondit, un temps, avec un véritable mythe sociologique. Elle tourna notamment dans *En cas de malheur* (C. Autant-Lara, 1958), *la Vérité* (H. G. Clouzot, 1960), *Vie privée* (L. Malle, 1962), *le Mépris* (J.-L. Godard, 1963).

BARÈGES (65120 Luz St Sauveur) comm. des Hautes-Pyrénées, à 25 km au S.-E. d'Argelès-Gazost, près du Tourmalet; 324 hab. Station thermale aux eaux sulfurées sodiques, utilisées dans le traitement des séquelles de traumatismes et des affections rhumatismales. Station de sports d'hiver (alt. 1 240-2 390 m).

BAREILLY, v. de l'Inde (Uttar Pradesh), à l'E. de Delhi; 326 000 hab.

BARENTIN (76360), comm. de la Seine-Maritime, à 17 km au N.-O. de Rouen; 11 420 hab. *(Barentinois).* Dans la ville, sculptures modernes (depuis Rodin). Textile. Constructions électriques.

BARENTON (50720), ch.-l. de cant. de la Manche, à 10 km au S.-E. de Mortain; 1 565 hab.

BARENTS ou **BARENTSZ** (Willem), explorateur néerlandais (île Terschelling, milieu du XVIe s. - Nouvelle-Zemble 1597). Au cours de deux expéditions polaires il découvre la Nouvelle-Zemble (1594), puis le Spitzberg (1596).

BARENTS *(mer de),* partie de l'océan Arctique, entre le Svalbard et la Nouvelle-Zemble.

BARÈRE DE VIEUZAC (Bertrand), homme politique français (Tarbes 1755 - *id.* 1841). Député aux États généraux (1789) et à la Convention (1792), il devient membre du Comité de salut public et se montre partisan de la Terreur.

BARFLEUR (50760), comm. de la Manche, près de la *pointe de Barfleur,* extrémité nord-orientale du Cotentin; 722 hab. Église du XVIIe s. Station balnéaire.

BARGE. — • Les *barges océaniques,* remorquées ou poussées, sont utilisées pour le transport de marchandises en vrac telles que le bois, le sucre, le fret liquide ou gazeux, etc. En raison des conditions de navigation* en pleine mer, elles sont très différentes des chalands fluviaux : dimensions plus grandes, faible rapport de la longueur à la largeur et formes très pleines.

• Les *barges transportées* sur les navires porte-barges constituent de véritables conteneurs flottants. Les navires transocéaniques porte-barges appartiennent à deux types : le type LASH (*Lighter* A*broad* SH*ip*), sur lequel les barges, d'une masse en charge de l'ordre de 400 t, sont soulevées à l'arrière du navire à l'aide d'un portique et placées dans des cellules verticales; le type SEABE (SEA B*arg*E), sur lequel les barges, d'une masse en charge approchant 1 000 t, sont déplacées au moyen d'un appareil élévateur submersible et transportées par des convoyeurs dans les cales du navire. Les barges sont amenées par eau de leur lieu de chargement à leur destination, en empruntant les voies navigables soit par poussage, soit sur des petits navires porte-barges auxiliaires, du type FLASH au Japon ou du type *Bacat* en Europe.

Bargello (le), à Florence, palais du podestat (XIIIe-XIVe s.), puis du

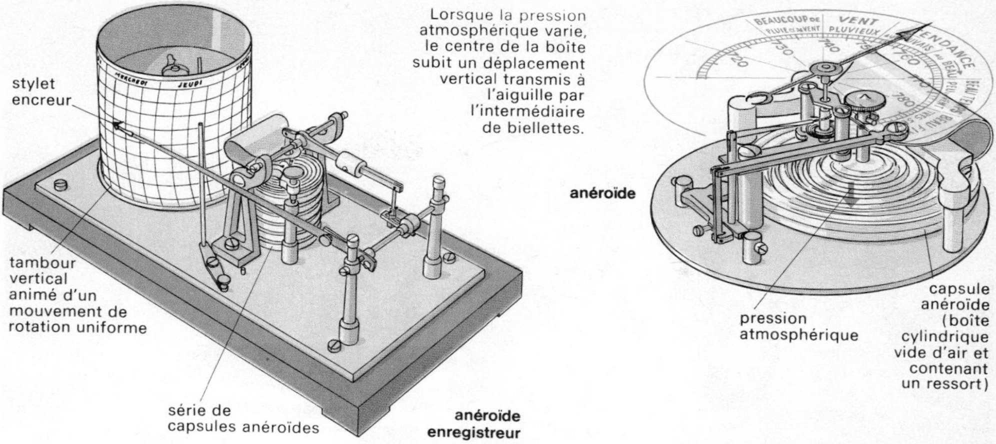

chef de la police *(bargello),* auj. riche musée national de sculpture.

BARI, port d'Italie, capit. de la Pouille, sur l'Adriatique; 363 000 hab. Université. Majestueuse basilique S. Nicola et cathédrale (remaniée) typiques du roman de la Pouille (XIe-XIIe s.). Château fort. Musées. Centre industriel (centrale thermique, raffinage du pétrole, industries métallurgiques, textiles et alimentaires).

BARICHNIKOV (Mikhaïl Nikolaïevitch), danseur soviétique (Riga 1948), virtuose et technicien exceptionnel.

BARISAL, v. du Bangladesh, dans l'est du delta du Gange; 70 000 hab.

BARISAN *(monts),* longue chaîne de montagnes de l'Indonésie, dans l'île de Sumatra.

BARITO (le), le plus long fleuve de l'île de Bornéo, qui se jette dans la mer de Java; environ 900 km.

BARJAC (30430), ch.-l. de cant. du Gard, à 32 km à l'O. de Pont-Saint-Esprit; 1 108 hab.

BARJOLS (83670), ch.-l. de cant. du Var, à 27 km au N. de Brignoles; 2 092 hab. Église du XVe s.

BARKHANE → DUNE.

BARKLA (Charles Glover), physicien anglais (Widnes, Lancashire, 1877 - Édimbourg 1944). Il étudia la propagation des ondes radioélectriques et les propriétés des rayons X, notamment leur polarisation et leur pouvoir pénétrant. (Prix Nobel de physique, 1917.)

BAR-KOKHEBA, c'est-à-dire « Fils de l'étoile », surnom de signification messianique donné à Simon Bar Koziba, chef de la deuxième révolte juive (132-135), sous Hadrien*. Le caractère religieux de l'insurrection et les prétentions messianiques de son chef sont attestés par les monnaies de cette époque. En 1951, plusieurs lettres de Simon, dont deux qui semblent autographes, ont été retrouvées dans des grottes de la mer Morte*, au sud de Qumrān*.

BARLACH (Ernst), sculpteur, graveur et dramaturge allemand (Wedel, Holstein, 1870 - Rostock 1938). Caractérisé à la fois par la compacité et l'énergie, son expressionnisme allie la stylisation du XXe s. au souvenir des imagiers médiévaux.

BAR-LE-DUC (55000), ch.-l. du départ. de la Meuse, dans le Barrois, sur l'Ornain, à 231 km à l'E. de Paris; 20 516 hab. *(Barrois* ou *Barisiens).* Industries métallurgiques, textiles et alimentaires.

BEAUX-ARTS. Dans la ville haute, bel ensemble de demeures anciennes, château médiéval et classique, église Saint-Pierre (du XVe s.; mausolée du cœur de René de Chalon par L. Richier*). Dans la ville basse, église Notre-Dame (XIIIe-XVIIIe s.), ancien collège Gilles de Trèves (XVIe s.).

BARLETTA, port d'Italie, sur l'Adriatique, dans la Pouille, au N.-O. de Bari; 77 000 hab. Devant l'église gothique S. Sepolcro, « Colosse » en bronze (statue d'un empereur romain de style byzantin). Cathédrale romano-gothique. Imposant château fort. Musée. Cimenterie.

BARLIN (62620), comm. du Pas-de-Calais, à 10 km au S. de Béthune; 8 009 hab. Cimenterie.

BARLOW (Peter), mathématicien et physicien anglais (Norwich 1776 - Woolwich 1862). Il réussit à compenser l'action des masses métalliques d'un navire sur l'aiguille de la boussole et imagina, en 1828, la *roue de Barlow,* prototype du moteur électrique.

BARNABÉ *(saint),* compagnon de mission de l'apôtre saint Paul*. L'*Épitre de Barnabé* est apocryphe et date du début du IIe s.; elle est classée parmi les écrits patristiques.

BARNAOUL, v. de l'U. R. S. S. (R. S. F. S. de Russie), en Sibérie méridionale, sur l'Ob, au S. de Novossibirsk, ch.-l. du territoire de l'Altaï; 439 000 hab. Industries mécaniques, textiles et chimiques.

BARNARD (Christian), chirurgien sud-africain (Beaufort West, Province du Cap, 1922), qui réalisa la première greffe cardiaque en 1967. Depuis, il a expérimenté une technique de « double greffe ».

BARNAVE (Antoine), homme politique français (Grenoble 1761-Paris 1793). Député du Dauphiné (1789), il exerce une influence déterminante aux États généraux, mais, après avoir combattu les prérogatives royales, il se rapproche de Louis XVI après Varennes (1791), ce qui lui vaudra d'être arrêté et exécuté.

BARNES (Ralph M.), ingénieur-conseil américain (Clifton Mills, Virginie-Occidentale, 1900), auteur d'études sur les mouvements et les temps ainsi que sur les observations instantanées.

BARNEVELT → OLDENBARNEVELT.

BARNEVILLE-CARTERET (50270), ch.-l. de cant. de la Manche, à 36 km au S.-O. de Cherbourg, sur la côte occidentale du Cotentin; 2 012 hab. Station balnéaire.

BARNSLEY, v. de Grande-Bretagne (Angleterre), au N. de Sheffield; 75 500 hab. Sidérurgie.

BARNUM (Phineas Taylor), entrepreneur de spectacles américain (Bethel, Connecticut, 1810 - Bridgeport, Connecticut, 1891). Homme d'affaires avisé, doué d'un sens très efficace de la publicité, il assura sa renommée en exhibant de ville en ville certains « phénomènes » (tels la prétendue nourrice noire de George Washington ou le nain Tom Thumb). Fondateur de l'American Museum en 1841, où il offre à la curiosité des foules une célèbre « galerie de monstres », il est également impresario pour la cantatrice Jenny Lind et promène à travers le monde entier, à partir de 1871, un cirque itinérant, le *Greatest Show on Earth* (dont la ménagerie comporte plusieurs animaux vedettes, comme l'éléphant Jumbo) qui, en 1881, fusionnera avec le cirque de James Anthony Bailey.

BAROCCIO ou **BAROCCI** (Federico FIORI, dit **il**), peintre et graveur italien (Urbino 1535 - *id.* 1612). Maniériste, influencé par le Corrège, il a su trouver dans ses compositions religieuses des harmonies rares, aux accords adoucis.

BARODA, v. de l'Inde (Gujerat), au S.-E. d'Ahmadabad; 467 000 hab. Constructions mécaniques. Raffinage du pétrole et industries chimiques.

BAROJA (Pío), écrivain espagnol (Saint-Sébastien 1872 - Madrid 1956). Médecin, il entreprit dans une œuvre immense (soixante-six romans, huit grandes chroniques et neuf recueils de contes et nouvelles) et une phrase courte (« la rhétorique du ton mineur ») la peinture d'êtres en marge de la société ou de leur époque (*l'Arbre de la science,* 1911; *Mémoires d'un homme d'action,* 1913-1935; *Hôtel du Cygne,* 1946).

BAROMÈTRE. — Imaginé en 1643 par Torricelli, le baromètre se compose d'un tube vertical vide d'air, mais rempli de mercure. Son

Halin - Rapho

Place Navone, à Rome : la fontaine du More (1653) et la fontaine des Quatre-Fleuves (surmontée d'un obélisque; 1648), du Bernin; à gauche, la façade de l'église Sant'Agnese in Agone (1653-1657), de Borromini.

ART BAROQUE

Kaisersaal de la Résidence de Würtzburg (Bavière) : Fresque de Giambattista Tiepolo dans un cadre architectural de Balthazar Neumann (milieu du XVIIIe s.).

Lauros - Giraudon

extrémité supérieure est fermée, et l'autre, ouverte, plonge dans une cuve contenant du mercure, sur la surface duquel agit la pression atmosphérique en déplaçant le mercure dans le tube. On peut aussi remplacer le tube et la cuvette par un simple siphon. Le *baromètre anéroïde* se compose d'une boîte métallique vide d'air, à paroi mince, qui se déprime plus ou moins suivant les variations de la pression atmosphérique; les mouvements qui en résultent sont transmis à une aiguille, mobile devant un cadran. Dans le *baromètre enregistreur,* cette aiguille, munie d'une plume encrée, trace une courbe sur le papier d'un cylindre tournant. La longueur de la colonne mercurielle, dite *hauteur barométrique,* représente la pression atmosphérique; elle est en moyenne de 76 cm au niveau de la mer; elle diminue quand l'altitude augmente. En un même lieu, elle varie d'un instant à l'autre, et ses variations servent à la prévision du temps.

BARON (Michel BOYRON, dit), acteur et auteur dramatique français (Paris 1653-*id.* 1729). Membre de la troupe de Molière, puis de l'Hôtel de Bourgogne, il est l'auteur de comédies (*l'Homme à bonnes fortunes,* 1680).

BARONNIES (les), massif des Préalpes du Sud, partie sud-est du départ. de la Drôme, au N. du Ventoux; 1 532 m.

BAROQUE. — Le baroque désigne moins un mouvement ou une époque, historiquement et géographiquement situés, qu'une manière que la modernité, depuis la fin du XIXe s., a de définir certaines formes esthétiques passées qui trouvent dans sa sensibilité une résonance particulière. Le mot s'applique aussi bien à la sculpture hellénistique qu'au délire psychédélique, à la musique qu'à la littérature et au cinéma. À l'origine, il désigne, en joaillerie, une pierre mal taillée; pour Saint-Simon (*Mémoires,* 1711), une entreprise incongrue; pour l'*Encyclopédie méthodique* (1788), « une nuance du bizarre ». Jusqu'à Wölfflin (*Principes fondamentaux de l'histoire de l'art,* 1915), qui en fait un concept d'esthétique générale (opposant l'art classique *linéaire* et *fermé* à l'art baroque *pictural* et *ouvert*), et Eugenio d'Ors (qui y voit un élément permanent de la vision esthétique), le baroque se définit négativement, et particulièrement en littérature : *il est ce qui n'est pas classique;* il est l'obscur, l'exubérant, le décadent. Illustré en Italie par la poésie raffinée de Marino et l'ironie populaire de Tassoni, en Espagne par la luxuriance de Góngora, en Allemagne par le pathétique d'Andreas Gryphius et l'humour picaresque de Grimmelshausen, en Angleterre par les délicatesses de l'euphuisme, le baroque inspire en France l'hermétisme de Maurice Scève, les raffinements macabres de Jean de Sponde, la mythologie sensuelle de Théophile de Viau et de Saint-Amant, les violences visionnaires d'Agrippa d'Aubigné. Le baroque triomphe dans les poèmes cosmogoniques et métaphysiques, les tragi-comédies, les pastorales, dans la composition maniériste des *Essais* de Montaigne, les premiers poèmes de Malherbe. Art du reflet et de l'apparence, fondé sur un système d'antithèses, d'analogies et de symétries, le baroque est un art fortement structuré, où les métaphores et les périphrases jouent le même rôle que les volutes et les spirales dans l'organisation des volumes architecturaux, tout en assurant par les ruptures de style la présence constante de l'imagination et de la surprise.

• Dans le domaine des beaux-arts, l'épithète de baroque a servi à qualifier, dans un sens péjoratif, le style qui, succédant à ceux de la Renaissance* classique et maniériste, a régné sur une grande partie de l'Europe au XVIIe s. et dans la première moitié du XVIIIe. Né à Rome, expression essentielle de la Contre-Réforme*, il s'est surtout imposé dans les pays catholiques (encore que l'architecture française ait plutôt développé l'esthétique classique*), et y a complètement renouvelé l'iconographie et les formes de l'art sacré. Mais ce fut aussi un art de cour, reflétant l'absolutisme des princes dans le faste de la décoration.

Contrairement à l'idéal de sérénité et d'équilibre méthodique de la Renaissance, le baroque veut étonner, éblouir, toucher les sens à une époque où est proclamé le caractère affectif de la foi. Il y parvient par des effets de lumière et de mouvement, de formes en expansion qui s'expriment : en architecture, par l'emploi de l'ordre colossal, de la ligne courbe, des décrochements; en sculpture, par le goût de la torsion, des figures volantes, des draperies tumultueuses; en peinture, par des compositions en diagonale, des jeux de perspective, de raccourci, de trompe-l'œil. Mais, surtout, les différentes disciplines tendent à se fondre dans l'unité d'une sorte de spectacle, dont le dynamisme et le scintillement coloré traduisent l'exaltation.

Le baroque trouva sa première expression à Rome, chez les architectes chargés de terminer l'œuvre de Michel-Ange : Maderno* et le Bernin*, auteurs de la façade et de la colonnade de Saint-Pierre. Courbes et contre-courbes, interpénétrations de figures géométriques règnent chez Borromini*; en sculpture, le Bernin triomphe avec le baldaquin de Saint-Pierre, la *Sainte Thérèse,* la fontaine des Quatre-Fleuves, tandis que Lanfranco*, P. de Cortone* ou le P. Pozzo* couvrent les plafonds d'envolées célestes en trompe l'œil. Le style se répand en Italie, dans le Piémont (Guarini*, Juvara*), à Naples (le peintre L. Giordano*), à Gênes, à Lecce, en Sicile au XVIIIe s., sans omettre la Venise de Longhena* et de Tiepolo*.

D'Italie, le baroque s'est propagé en Bohême, en Autriche et en Allemagne, dans les Pays-Bas du Sud, dans la péninsule Ibérique et dans ses colonies d'Amérique, en Russie, etc. Ses capitales germaniques furent Prague (avec les Dientzenhofer), Vienne (Fischer* von Erlach, L. von Hildebrandt*, le sculpteur Georg Raphael Donner [1693-1741]), Munich (les Asam*, Cuvilliés*), mais de nombreux châteaux, églises de pèlerinage et abbayes (comme Melk*, Wies, Vierzehnheiligen...) témoignent au premier chef de l'allégresse du *rococo* germanique, qui atteint les terres protestantes de Saxe (Dresde*) et de Prusse (Sans-Souci, à Potsdam). En Espagne, le baroque s'incarne dans les statues pathétiques des processions *(pasos),* dans la débauche ornementale des grands retables dorés, comme dans le style churrigueresque d'un P. de Ribera*. Cette exubérance, au moins décorative, se retrouve, avec une contagion de l'esprit indigène, au Mexique, sur les lourdes constructions de l'Amérique centrale, faites pour résister aux séismes, au Pérou et en Bolivie; le Brésil a un essor tardif (fin du XVIIe s.), mais l'invention, féconde, dans l'urbanisme comme dans l'articulation des églises, s'y prolonge jusqu'au début du XIXe s. (l'Aleijadinho*). Terre d'élection pour les Jésuites, la Belgique construit au XVIIe s. des églises qui se souviennent de la structure et de l'élan vertical du gothique. Des sculpteurs comme Hendrik Frans Verbruggen (1655-1724) y installent leurs étonnantes chaires à prêcher, où des éléments végétaux se tordent autour des figures sculptées, et Rubens*, surtout, le peintre baroque par excellence, y fait claironner ses grands tableaux d'autels. Décor des fêtes mis à part, la France n'agrée guère la tentation baroque que vers les années 1630-1660 (Vouet*, Le Vau*...) et, dans les arts décoratifs surtout, un siècle plus tard (v. ROCAILLE).

Assimilée aux beaux-arts, la musique reçoit parfois la dénomination de « baroque », qui s'applique notamment aux œuvres italiennes et germaniques du XVIIe s. et de la première moitié du XVIIIe s., aux lignes décoratives et tumultueuses (Vivaldi, Bach).

BAROTRAUMATISME. — Les lésions provoquées par les variations de pression de l'air intéressent notamment l'oreille et les sinus. L'otite barotraumatique a une gravité qui varie avec l'intensité et la durée de dépression de la caisse du tympan. Elle s'accompagne parfois d'une rupture du tympan et de vaisseaux. L'oreille interne peut aussi être lésée, ce qui provoque une surdité de perception. Les sinus sont atteints de façon beaucoup plus rare : douleur sinusienne, sinusite* suppurée en cas d'infection préalable des fosses nasales.

Le traitement est surtout préventif et comprend une diminution de vitesse de dénivellation lorsque la pression extérieure augmente, une sélection du personnel qui doit être entraîné, enfin l'interdiction des vols ou des plongées aux sujets présentant une infection aiguë des voies aériennes supérieures. Les accidents neurologiques et articulaires de la décompression (plongée) se rattachent aux barotraumatismes.

BARQUISIMETO, v. du Venezuela, à l'O. de Caracas; 334 000 hab.

BARR (67140), ch.-l. de cant. du Bas-Rhin, à 17 km au N. de Sélestat; 4 367 hab.

BARRAGE. — • Un barrage édifié au fond d'une vallée peut avoir pour objet : d'élever le plan d'eau en vue d'irriguer des terres situées en amont; d'exhausser le niveau d'eau en créant une retenue qui permette d'alimenter en eau sous pression une usine hydroélectrique; d'irriguer des terres par gravité à partir du plan d'eau à l'amont du barrage; de créer une réserve d'eau destinée à l'alimentation de villes; de régulariser un cours d'eau; de parer au danger d'inondation des grandes cités par le jeu des réservoirs naturels à remplissage saisonnier; enfin, de créer de vastes plans d'eau mettant en valeur les sites.

• Un barrage édifié en haute montagne est généralement établi au droit de l'exutoire d'un lac. Il permet d'alimenter en eau sous pression une usine hydroélectrique, dite de *haute chute,* qui se trouve dans le fond de la vallée.

• Un barrage mobile, établi entre les différents biefs de cours d'eau navigables, n'occupe en général qu'une partie de la section du lit, car il est presque toujours couplé avec une *écluse de navigation.* Il est le plus souvent constitué par des plaques d'acier mobiles commandées du haut d'une passerelle qui les surmonte; il sert parfois à alimenter en eau un canal latéral, le bief d'une usine, ou une prise d'eau.

BARRAGE. Coupe d'un barrage en terre.

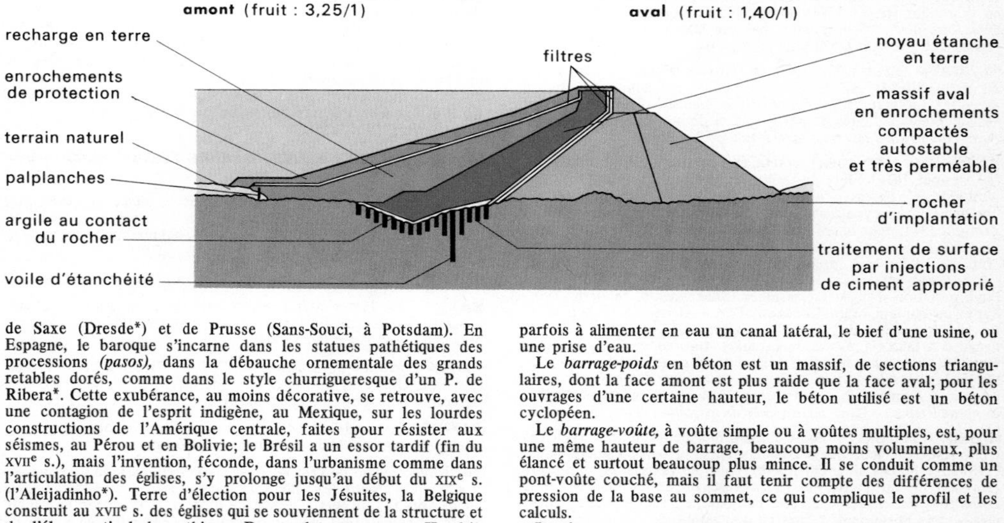

Le *barrage-poids* en béton est un massif, de sections triangulaires, dont la face amont est plus raide que la face aval; pour les ouvrages d'une certaine hauteur, le béton utilisé est un béton cyclopéen.

Le *barrage-voûte,* à voûte simple ou à voûtes multiples, est, pour une même hauteur de barrage, beaucoup moins volumineux, plus élancé et surtout beaucoup plus mince. Il se conduit comme un pont-voûte couché, mais il faut tenir compte des différences de pression de la base au sommet, ce qui complique le profil et les calculs.

Le *barrage en enrochements* ou *en éboulis compactés* doit posséder une protection imperméable appliquée sur sa face immergée.

Le *barrage en terre fortement compactée* a des fruits amont et aval très faibles, de l'ordre de 3,5 pour 1 en amont, et 1,5 pour 1 en aval. Il est généralement imperméabilisé par un noyau central étanche. De plus, la face amont doit être rendue étanche.

La stabilité d'un barrage dépend avant tout de la résistance du sol sur lequel il prend appui. Ce sol doit, au besoin, être consolidé par des injections profondes, en amont et latéralement, pour éviter

C centre de poussée des eaux

G centre de gravité du barrage

h distance de l'arête de renversement éventuel à la poussée

O arête aval (arête de renversement éventuel)

d distance de l'arête de renversement éventuel au poids du barrage

P poids du barrage

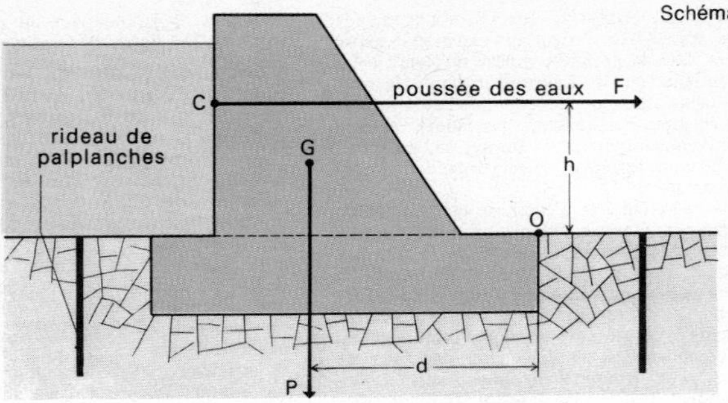

Schéma d'un barrage-poids.

La condition de stabilité du barrage ou de non-renversement autour de l'arête O est P.d ⩾ F.h.

les sous-pressions dangereuses. Pour le calcul d'un barrage-poids, on admet que la pression, en tout point du parement immergé, doit être supérieure à la pression hydrostatique qui règne en ce même point. Pour le barrage-voûte, les conditions de stabilité sont différentes. On suppose que le barrage se comporte comme une voûte ou une série de voûtes inclinées qui prennent leurs appuis sur les pentes de la vallée. Il est indispensable, notamment, que les appuis soient rigoureusement stables sous les pressions qu'ils supportent, sinon l'ouvrage risque d'être emporté.

BARRANCABERMEJA, v. de Colombie, sur le Magdelena, au N. de Bogotá; 71 000 hab. Extraction et raffinage du pétrole.

BARRANQUILLA, principal port de Colombie, sur l'Atlantique (mer des Antilles), à l'embouchure du Magdalena; 498 000 hab. Industrie chimique.

BARRAQUÉ (Jean), compositeur français (Paris 1928 - *id.* 1973). Il s'est imposé comme un des principaux représentants des courants postsériels *(Séquence, Sonate pour piano).* Ses œuvres suivantes *(Chant après chant, le Temps restitué, Concerto)* se rattachent d'une façon ou d'une autre au roman *la Mort de Virgile,* de H. Broch. Beaucoup restèrent en chantier au moment de sa mort. Il a écrit un ouvrage sur Claude Debussy.

BARRAS (Paul, *vicomte* DE), homme politique français (Fox-Amphoux, Provence, 1755 - Chaillot 1829). Député du Var à la Convention (1793), représentant en mission à l'armée d'Italie, il contribue directement à la chute et à l'arrestation de Robespierre, en thermidor (juillet 1794). Protecteur de Bonaparte, membre du Directoire dès 1795, il incarne, par son luxe et sa corruption, un régime qui s'écroula en brumaire an VIII.

BARRAUD (Henry), compositeur français (Bordeaux 1900). Son art grave et tendu est ennemi de la facilité *(Numance, Une saison en enfer).* Le Grand Prix national de la musique (1969) a couronné également ses activités de pédagogue et de musicographe *(Berlioz, Pour comprendre les musiques d'aujourd'hui).*

BARRAULT (Jean-Louis), acteur et directeur de théâtre français (Le Vésinet, 1910). Élève de Dullin, il entre à la Comédie-Française, où il monte *le Soulier de satin* (1943) de Claudel, auteur qui restera une de ses préoccupations constantes de metteur en scène (*Partage de midi,* 1948; *Sous le vent des îles Baléares,* 1972). Avec sa femme, Madeleine Renaud, il fonde une compagnie installée au théâtre Marigny (1946-1956), prend la direction du Théâtre de France (1959-1968), puis crée le Théâtre d'Orsay (1972) : à travers l'interprétation d'auteurs classiques (Shakespeare, Molière, Tchekhov) ou contemporains (Beckett, Duras, Genet), il recherche un langage dramatique de plus en plus « corporel » et viscéral, dans la lignée d'Artaud (*la Tentation de saint Antoine,* 1967; *Jarry sur la Butte,* 1970) et sur lequel il réfléchit dans ses articles et essais (*Réflexions sur le théâtre,* 1949; *Souvenirs pour demain,* 1972). Au cinéma, il a interprété de nombreux films et incarné en particulier le mime Deburau dans *les Enfants du paradis* (1944), de Carné.

BARRE *(Chorégr.).* — Point d'appui indispensable aux exercices d'entraînement journaliers des danseurs, la barre est également l'ensemble de ces mouvements, exécutés en général dans un ordre croissant de difficultés. Destinés à échauffer les muscles et le corps tout entier, ces exercices permettent d'acquérir une rigueur d'exécution et un contrôle parfait de l'amplitude des mouvements. De tradition, l'école « classique » a conservé cette préparation technique; certains pédagogues contemporains sont favorables à la « barre à terre » de Boris Kniaseff, qui transpose au sol l'ensemble de ces exercices.

BARRE *(Océanogr.).* — Les barres sableuses qui obstruent l'entrée des estuaires sont édifiées par la dérive littorale lorsque le courant du fleuve est insuffisant pour chasser les alluvions. Leur formation est favorisée par les mers à forte houle. Elles posent un problème pour la navigation en exigeant l'entretien d'un chenal.

BARRE (Raymond), économiste et homme politique français (Saint-Denis, Réunion, 1924). Spécialiste des questions économiques et financières à la Commission exécutive du Marché commun (1967-1972), il est nommé ministre du Commerce extérieur en janv. 1976. Premier ministre et ministre de l'Économie et des finances en août 1976, il établit un plan de lutte contre l'inflation. Après les élections législatives de 1978, il est confirmé dans ses fonctions de Premier ministre.

BARRE-DES-CÉVENNES (48400 Florac), ch.-l. de cant. de la Lozère, à 14 km au S.-E. de Florac; 152 hab.

BARRE FIXE → GYMNASTIQUE.

BARREIRO, v. du Portugal, sur la rive sud de l'estuaire du Tage, en face de Lisbonne; 54 000 hab. Industrie chimique.

BARRÊME (04330), ch.-l. de cant. des Alpes-de-Haute-Provence, à 24 km au N.-O. de Castellane; 435 hab.

BARRÈS (Maurice), écrivain français (Charmes 1862 - Neuilly-sur-Seine 1923). Le 13 mai 1921, les surréalistes firent, dans une mise en scène fameuse, le « procès » de Barrès, qu'ils accusaient de « crime contre la sûreté de l'esprit » pour avoir produit des textes patriotiques en contradiction avec les idées et les œuvres de sa jeunesse. Jugement paradoxal à l'égard du député boulangiste de Nancy (1889-1893), du guide intellectuel du mouvement nationaliste (*les Déracinés,* 1897), du célébrant de la terre et des morts (*la Colline* inspirée,* 1913), du héraut de l'« union sacrée » (*Chronique de la Grande Guerre,* 1920-1924)? André Breton, en réalité, avait su lire la contradiction d'un esprit passionné, hésitant sans cesse entre le culte raffiné du moi (*le Jardin de Bérénice,* 1891), avivé par la séduction des œuvres et des destinées exemplaires (*Du* sang, de la volupté et de la mort,* 1893-1909), et un besoin d'ordre et de discipline, qui s'avouera finalement déçu (*Un jardin* sur l'Oronte,* 1922) et sur lequel Barrès portait un regard lucide et désenchanté (*Mes cahiers,* 1930-1956).

BARRES ASYMÉTRIQUES, BARRES PARALLÈLES → GYMNASTIQUE.

Barricades *(journée des),* nom donné à deux soulèvements parisiens : celui du 12 mai 1588, qui vit le triomphe d'Henri de Guise sur Henri III; celui du 26 août 1648, qui marqua le début de la Fronde*.

BARRIE, v. du Canada (Ontario), au N. de Toronto; 27 676 hab.

BARRIE (*sir* James Matthew), romancier et auteur dramatique écossais (Kirriemuir, Forfarshire, 1860 - Londres 1937), créateur du personnage de *Peter Pan* (1904).

Barrière *(traités de la),* traités (1709 et 1715) qui confient aux Provinces-Unies un certain nombre de places fortes des Pays-Bas espagnols pour opposer une « barrière » aux visées de la France.

BARRIÈRE (Grande), édifice corallien, bordant la côte nord-est de l'Australie (Queensland), sur plus de 2 000 km.

BARROIS, région de l'est du Bassin parisien, entre la Champagne et la Lorraine, entre les vallées de la haute Marne et de l'Ornain. — Fondé vers 959, le comté de Bar, ou Barrois, se reconnaît vassal du roi de France en 1301, pour ses biens situés sur la rive gauche de la Meuse (Barrois mouvant). Uni en 1480 à la Lorraine, il est annexé avec celle-ci à la France en 1766.

BARROIS (Charles), géologue français (Lille 1851 - Sainte-Geneviève-en-Caux 1939). Il a étudié la structure du bassin houiller franco-belge, dont il a permis une exploitation rationnelle.

BARROT (Odilon), homme politique français (Villefort, Lozère, 1791 - Bougival 1873). Chef de la gauche dynastique sous Louis-Philippe, organisateur des banquets réformistes (1847-48), il est

Karl Barth.

Rapho

débordé par la révolution de février et se laisse par la suite séduire par Louis-Napoléon, avant de retourner à l'orléanisme.

BARROW (Isaac), mathématicien anglais (Londres 1630-*id.* 1677). Professeur à Trinity College (Cambridge), il eut comme élève Newton*, auquel il céda sa chaire en 1669. Il fut l'un de ceux qui préparèrent l'application du calcul différentiel à la géométrie.

BARROW IN FURNESS, port de Grande-Bretagne, dans le nord de l'Angleterre, sur la mer d'Irlande; 64 500 hab. Chantiers navals. Constructions mécaniques. Chimie.

BARRY (Jeanne BÉCU, *comtesse* DU), favorite de Louis XV (Vaucouleurs 1743-Paris 1793). Maîtresse de Louis XV à partir de 1769, elle est guillotinée le 8 décembre 1793.

BARSAC (33720 Podensac), comm. de la Gironde, sur la rive gauche de la Garonne, à 8 km au N.-O. de Langon; 2 019 hab. Église du XVIIIe s. Vins blancs.

BARSEBACK, localité de la Suède méridionale, au N. de Malmö. Centrale nucléaire.

BAR-SUR-AUBE (10200), ch.-l. d'arr. de l'Aube, à 42 km à l'O.-N.-O. de Chaumont; 7 422 hab. *(Baralbins* ou *Barsuraubois).* Deux églises remontant au XIIe s. Constructions mécaniques.

BAR-SUR-LOUP (Le) [06620], ch.-l. de cant. des Alpes-Maritimes, à 9 km au N.-E. de Grasse; 1 691 hab. Église gothique.

BAR-SUR-SEINE (10110), ch.-l. de cant. de l'Aube, à 33 km au S.-E. de Troyes; 3 430 hab. Église des XVIe-XVIIe s. Textile.

BART (Jean), marin français (Dunkerque 1650-*id.* 1702). Corsaire de la marine royale française, il assure, à l'encontre des flottes anglaise et hollandaise (1692-93), l'entrée à Dunkerque des navires chargés de blé dont la France a besoin.

BARTAS (Guillaume DE SALLUSTE, *seigneur* DU), poète français (Montfort, près d'Auch, 1544-Paris 1590). Huguenot, il entreprit, dans deux poèmes d'inspiration religieuse et encyclopédique, un tableau de la création du monde (*la Semaine**, 1578) et une histoire de l'humanité (*la Seconde Semaine,* 1585). Disciple de Ronsard, il porta à l'extrême le goût de la Pléiade pour les néologismes.

BARTH (Karl), théologien calviniste suisse (Bâle 1886-*id.* 1968), un des théologiens les plus importants de notre époque. Sa *Dogmatique* (1932-1939, 12 vol.) fait découvrir une théologie vivante, pensée non comme un sec enseignement universitaire, mais comme la doctrine du salut dont l'annonce est la raison d'être de l'Église.

BARTHE-DE-NESTE (La) [65250], ch.-l. de cant. des Hautes-Pyrénées, dans la vallée d'Aure, à 6 km au S. de Lannemezan; 1 378 hab.

BARTHÉLEMY *(saint),* un des douze apôtres de Jésus, appelé Nathanaël dans l'évangile de saint Jean.

BARTHÉLEMY (abbé Jean-Jacques), écrivain et numismate français (Cassis 1716-Paris 1795). Réorganisateur du cabinet des Médailles, il tenta, à partir de documents archéologiques et philologiques, et à la suite du nouvel éclairage porté sur l'Antiquité par les fouilles de Pompéi, une reconstitution de la vie du monde grec au IVe s. av. J.-C. : son *Voyage du jeune Anacharsis en Grèce* (1788) fut un véritable manuel d'initiation historique et un bréviaire d'exotisme.

BARTHÉLEMY (René), physicien français (Nangis 1889-Antibes 1954), l'un des créateurs de la télévision en France. Il réalisa l'analyse entrelacée et créa l'*isoscope,* tube de prises de vues perfectionné pour caméras de télévision.

BARTHES (Roland), écrivain français (Cherbourg 1915). Du *Degré zéro de l'écriture* (1953) au second degré de la littérature (*Roland Barthes par Roland Barthes,* 1975), son œuvre dessine un des trajets les plus originaux de la « critique » contemporaine. De ses années de formation, marquées par la gêne matérielle, la maladie et la lecture du *Journal* de Gide, Barthes a tiré une philosophie de l'*aise* (saisie immédiate et sensible de choses qu'il adapte à ses humeurs, distance à l'égard des doctrines et des langages constitués), qui sous-tend aussi bien ses contacts avec les objets que ses relations à autrui et son activité intellectuelle. Refusant les trois pressions de l'idéologie, de l'illusion scientifique et de l'engagement militant, il entreprend une exploration des rapports sociaux et de leur expression qui connaît trois étapes principales : une étape *ethnologique,* où domine la critique des attitudes sociales et quotidiennes (*Mythologies,* 1957); une étape *sémiologique,* où la linguistique sert de modèle à l'élaboration d'une science générale des signes (*Éléments de sémiologie,* 1965; *Critique et vérité,* 1966; *Système de la mode,* 1967); une étape *textuelle,* en relation avec les recherches du groupe *Tel Quel** et les travaux de Jacques Lacan* : il s'efforce de lire et de déchiffrer les inadvertances révélatrices de l'œuvre balzacienne (*S/Z,* 1970), l'étrangeté du Japon saisie dans les correspondances entre ses codes culinaire et poétique (*l'Empire des signes,* 1970), les rapports inattendus entre l'érotisme, le mysticisme et l'imagination utopique (*Sade, Fourier, Loyola,* 1971).

On a fait de Barthes le chef de file de la « nouvelle* critique », puis on lui a reproché de s'abandonner au *Plaisir du texte* (1973) et de manquer de rigueur scientifique. C'est méconnaître la double caractéristique de sa démarche : d'abord une *appréhension plastique* des choses et des notions, qui le fait aller du geste à l'idée; ensuite le *refus de la massification* (dogmatisme, idéologie dominante), qui lui fait prendre les références scientifiques plus comme « emblèmes » que comme modèles. D'où son horreur des classements et sa passion des différences qui fondent une identité sensible; d'où son perpétuel glissement d'une théorie à une autre et sa tendance constante à se situer « en marge »; d'où sa prédilection pour une écriture « courte » (lexies*, fragments, etc.), qui use de la métaphore comme d'un gag ou d'une rengaine (on « pousse » une expression ou une situation jusqu'au moment où elle éclate ou dérive), et qui s'organise selon des schémas plus musicaux que littéraires (cf. son admiration pour les *Pièces brèves* de Webern). Texte de plaisir, qui fait « passer l'écriture par le corps » et qui veut introduire non à une science ou à une pédagogie, mais à un « nouvel art » de l'intelligence et du désir.

BARTHOLDI (Frédéric Auguste), sculpteur français (Colmar 1834-Paris 1904), auteur du *Lion de Belfort,* taillé dans le roc (1880), et de *la Liberté éclairant le monde* (1886, New York).

BARTHOLIN (Erasmus), physicien et mathématicien danois (Roskilde 1625-Copenhague 1698). Il découvrit en 1669 la double réfraction dans le spath d'Islande.

BARTHOU (Louis), homme politique français (Oloron-Sainte-Marie 1862-Marseille 1934). Plusieurs fois ministre, notamment des Travaux Publics (1894-1909), Premier ministre du 22 mars au 2 décembre 1913, il attache son nom, comme garde des Sceaux (1922-1929), à une importante réforme judiciaire et, comme ministre des Affaires étrangères (1934), au système de sécurité collective. Il est victime de l'attentat perpétré sur la personne d'Alexandre Ier de Yougoslavie (9 oct. 1934).

BARTÓK (Béla), compositeur hongrois (Nagiszentmiklós 1881-New York 1945). Sa position éminente dans la musique du XXe siècle n'est contestée — cas assez rare — ni par l'avant-garde ni par la tradition. Ses recherches folkloriques lui ouvrirent la voie d'une musique nationale authentique, de portée universelle. Il se livra aussi à de passionnantes expériences dans le domaine des timbres : musique de chambre, dont six quatuors, six concertos (dont trois pour piano); musique symphonique, dont *Musique pour cordes, percussion et célesta* (1936); musique dramatique, dont *le Château de Barbe-Bleue* (1911) et le ballet *le Prince de bois* (1914-1916); musique pour piano, dont *Mikrokosmos* (1926-1937).

BARTOLOMEO (Fra), peintre italien (Florence 1472-Pian di Mugnone 1517). Dominicain du couvent de Saint-Marc (1500), influencé par le Pérugin et Léonard de Vinci, ami de Raphaël, il expérimenta des jeux d'ombre et de lumière subtils, pour aboutir à un style monumental et naturel (tableaux d'autels, fresques du couvent de Pian di Mugnone).

BARTON (Derek Harold), chimiste britannique (Gravesend 1918). Il a introduit l'idée de conformation en chimie, qui rend compte des déformations subies par les grosses molécules sous l'action d'un champ électrique ou de groupes d'atomes voisins. (Prix Nobel de chimie, 1969.)

BARUCH, disciple et secrétaire du prophète Jérémie*. Le *livre de Baruch,* absent de la Bible hébraïque, est un écrit postérieur au Ier s. av. J.-C.

BARYCENTRE. — Dans l'espace euclidien $\mathbb{R}^3$ à trois dimensions rapporté à un repère orthonormé $O\vec{i}\vec{j}\vec{k}$ ou $Oxyz$, le barycentre G des n points $A_1, A_2, ..., A_n$, affectés des coefficients $\alpha_1, \alpha_2, ..., \alpha_n$, est le point G, s'il existe, tel que :

$$\alpha_1 \overrightarrow{GA_1} + \alpha_2 \overrightarrow{GA_2} + ... + \alpha_n \overrightarrow{GA_n} = 0.$$

La notation $\overrightarrow{GA_i}$, pour $i = 1, 2, ..., n$, désigne le vecteur d'origine G et d'extrémité A_i. En introduisant l'origine O des coordonnées, on peut, si $\alpha_1 + \alpha_2 + ... + \alpha_n \neq 0$, calculer $\overrightarrow{OG}$, car :

$$\alpha_1 (\overrightarrow{GO} + \overrightarrow{OA_1}) + \alpha_2 (\overrightarrow{GO} + \overrightarrow{OA_2}) + ... + \alpha_n (\overrightarrow{GO} + \overrightarrow{OA_n}) = 0,$$

d'où

$$(\alpha_1 + \alpha_2 + ... + \alpha_n) \overrightarrow{GO} + \alpha_1 \overrightarrow{OA_1} + \alpha_2 \overrightarrow{OA_2} + ... + \alpha_n \overrightarrow{OA_n} = 0,$$

$$\overrightarrow{OG} = \frac{\alpha_1 \overrightarrow{OA_1} + \alpha_2 \overrightarrow{OA_2} + ... + \alpha_n \overrightarrow{OA_n}}{\alpha_1 + \alpha_2 + ... + \alpha_n}.$$

La notion de barycentre est importante en mécanique des systèmes : chaque point A_i ayant une masse* m_i, le barycentre G des points A_i affectés des coefficients m_i est le centre de gravité du système constitué des points A_i dont la masse est m_i. Le centre de gravité d'une plaque mince triangulaire est le point de rencontre de ses médianes. Tout se passe comme si le poids total de la plaque était appliqué en ce point. Si l'on suspend la plaque par un fil attaché au centre de gravité de la plaque, elle reste dans la position où on l'a abandonnée : elle est en *équilibre indifférent*.

BARYE (Antoine Louis), sculpteur et aquarelliste français (Paris 1795-*id.* 1875). Fils d'un orfèvre, élève de Bosio et de Gros, il se spécialisa dans l'art du bronze animalier, alliant à une intuition romantique de l'énergie des bêtes sauvages la volonté classique de trouver une vérité qui dépasse l'anecdote (*Lion au serpent,* 1833; *le Centaure et le Lapithe,* 1850).

BARYTON → VOIX.

BARYUM. — De numéro atomique 56, de masse atomique Ba = 137,36, fondant à 710 °C et de densité 3,7, ce métal alcalino-terreux a des propriétés analogues à celles du calcium; très oxydable, il est bivalent dans ses composés.

BĀRZĀNĪ (Mullā Muṣṭafā **al-**), chef kurde (Bārzān 1903). À la chute de la République démocratique kurde (1946), il se réfugie en U.R.S.S. Rentré en Iraq en 1958, il est le chef des insurrections des autonomistes kurdes* (1961-1970). Après la défaite de 1975, il quitte l'Iraq.

BARZEL (Rainer), homme politique allemand (Braunsberg 1924). Président de la CDU (1971), il s'oppose à l'*Ostpolitik* de Willy Brandt, mais il échoue aux élections de 1972.

BASALTE. — Cette roche volcanique basique, de teinte noirâtre, est généralement formée de phénocristaux d'olivine et de pyroxène, dispersés dans une pâte microlitique constituée de plagioclase, pyroxène et verre. À la surface de la terre, les basaltes affleurent en édifices volcaniques ponctuels ou en vastes épanchements (trapps); ils forment par ailleurs l'essentiel de la croûte océanique.

BASE *(Chim.).* — Une base, corps capable d'agir sur un acide pour donner un sel et de l'eau, est le plus souvent un hydroxyde métallique, comme la soude NaOH ou la chaux $Ca(OH)_2$. En solution aqueuse, elle fournit des ions OH^-. Plus généralement, on considère maintenant comme base tout corps pouvant fixer des ions H^+.

BASE *(Mil.).* — L'importance croissante du facteur logistique dans la mise en œuvre des armées a accru en conséquence le rôle des bases d'opérations. Les *bases maritimes,* aménagées dans les ports, et les *bases continentales,* chargées d'assurer les approvisionnements nécessaires aux armées (vivres, munitions, carburants) constituent d'énormes unités de transport, de gestion et de réparation. Elles correspondaient en 1945 à un ensemble d'environ 500 000 hommes. Sur le plan naval, apparurent dans le Pacifique de véritables bases logistiques mobiles, constituées de bâtiments spécialisés à cet effet. En temps de paix, elles rendent les flottes indépendantes des problèmes politiques posés par la présence d'éléments militaires en pays étrangers.

Quant aux *bases aériennes,* elles ont pris depuis 1945 une extension considérable en raison de la technicité des appareils. On estimait notamment, en 1975, que chaque heure de vol coûtait de 10 à 20 heures de mécanicien et que le support technique d'une escadre de 30 « Mirage III » exigeait environ 900 spécialistes.

BASE DE DONNÉES *(Inform.).* — Une base de données est composée d'un grand nombre de fichiers* enregistrés sur bandes* et disques* magnétiques. Au sein de ces fichiers, et entre eux, les données sont organisées, structurées, hiérarchisées, reliées, vérifiées. Les mises à jour des informations (adjonctions, suppressions, corrections) doivent éliminer les incohérences pour que soit respectée l'intégrité des données. La base doit être protégée à tous niveaux contre l'accès qui y serait fait par des personnes ou des programmes* non autorisés. On utilise pour cela des techniques de mots de passe. Compte tenu de la valeur que représente la base et du coût de sa constitution, elle doit être à l'abri de tout risque de destruction ou de dégénération progressive. Toute dégradation partielle, qui résulte d'un défaut du matériel ou des programmes aussi bien que d'une erreur de l'utilisateur, doit pouvoir être immédiatement diagnostiquée et, si possible, automatiquement réparée grâce à certaines redondances des informations ou à partir de sauvegardes d'états antérieurs de la base. Enfin, la consultation des informations, leur traitement, l'élaboration et l'édition des résultats doivent être souples et efficaces. Tout cela conduit à la mise en œuvre de systèmes informatiques complexes tant sur le plan des matériels que sur celui des programmes.

BASEDOW (Karl), médecin allemand (Dessau 1799-Marsenburg 1854) qui a laissé son nom à une forme d'hyperthyroïdie liée à une activité excessive du lobe antérieur de l'hypophyse (hypersécrétion de thyréostimuline). [V. THYROÏDE.]

BASE D'UN ESPACE VECTORIEL. — Une base d'un espace vectoriel* est une partie libre génératrice de cet espace. Si on appelle E l'espace vectoriel sur un corps K, une partie libre de E est constituée d'éléments x_i où $i \in I$, I étant un ensemble* dénombrable, telle que toute relation de la forme $\sum_{i \in I} \lambda_i x_i = 0$, les quantités λ_i étant des éléments du corps K, n'est possible que pour $\lambda_i = 0 \; \forall i \in I$. Si cette partie libre est *génératrice,* c'est-à-dire si out élément y de E se met sous la forme $y = \sum_{i \in I} \mu_i x_i$, les quantités μ_i étant des éléments de K, elle constitue une base de l'espace vectoriel E. Si l'espace E est de dimension finie, l'ensemble I est fini. Ainsi, l'espace euclidien $\mathbb{R}^3$ peut être rapporté à une base orthonormée quelconque, d'origine O arbitraire et formée de trois vecteurs $\vec{i}$, $\vec{j}$ et $\vec{k}$, de module égal à 1, deux à deux orthogonaux et tels que le trièdre O, $\vec{i}$, $\vec{j}$, $\vec{k}$ soit direct.

BAS-EMPIRE, période de l'histoire romaine (284-395). L'Empire romain traverse au IIIe s. une crise où il manque de sombrer : il connaît des invasions barbares*, l'anarchie militaire, l'instabilité du pouvoir. Cette période critique (235-284) constitue une rupture entre deux époques, le Haut-Empire (Ier-IIe s.) et le Bas-Empire. Le nom de « Bas-Empire », donné à la nouvelle civilisation, est fallacieux par l'idée de décadence qu'il évoque. En effet, le Bas-Empire est une période de rétablissement de la grandeur romaine sur une nouvelle base, le christianisme*. Les principaux auteurs de ce redressement sont Dioclétien* (de 284 à 305) et Constantin* (de 306 à 337). Leurs efforts pour sauver l'Empire conduisent à l'établissement d'un nouveau régime, un état totalitaire de type moderne. L'empereur, qui se veut absolu, intervient partout grâce à une bureaucratie militarisée et hiérarchisée. Les *agentes in rebus,* à la fois espions et policiers, effectuent par en haut la surveillance de tout le circuit. Cette bureaucratie accrue a pour conséquences une fiscalité écrasante et un dirigisme totalitaire. Dans son compartimentage et ses obligations, la société reflète une mobilisation générale au service de l'État : les lois attachent le curial à la cité, le naviculaire et l'artisan à son port et à son atelier, et le colon au sol. La rénovation de l'État s'accomplit dans un climat religieux renouvelé : le Bas-Empire est une période dite « de nouvelle religiosité », où apparaît l'idée d'un dieu unique, d'un Transcendant. Cette évolution n'est pas sans intérêt pour l'empereur qui est le reflet du dieu suprême. Influencé par le néo-platonisme*, le paganisme paraît compromis par ses complaisances avec l'occultisme. Après la brève « réaction païenne » sous Julien* (de 361 à 363), l'État sépare son sort de celui du paganisme (379). En 392, Théodose* interdit les sacrifices païens : c'est l'aboutissement de l'évolution dont Constantin prit l'initiative en 313. Avec la conversion de ce prince, l'Empire devient chrétien : c'est là la plus grande transformation que connaît le Bas-Empire. Le christianisme représente le secteur actif de l'atmosphère culturelle du Bas-Empire. Avec Prudence*, Orose*, Paulin* de Nole..., l'idée chrétienne vient rénover les formes usées de la poésie, de l'histoire; la réflexion historique, philosophique apparaît avec saint Jérôme* et saint Augustin*. La civilisation du Bas-Empire est donc une civilisation nouvelle, très brillante et très vivace. Le système inauguré par Dioclétien est lourd, mais efficace : en Orient, le régime se prolonge jusqu'en 1453 et, au IVe s., Rome relève ses ruines. Mais, face aux invasions barbares, l'Occident ne connaît pas de réaction nationale : alors que Rome fait appel à des mercenaires barbares, une réaction nationaliste et antibarbare oriente la politique de Constantinople, qui réussit à former une armée « romaine », nationale. Aussi peut-on dire, avec A. Piganiol, que « c'est d'abord pour avoir renoncé au service militaire obligatoire que Rome a péri » (476).

BAS-EN-BASSET (43210), ch.-l. de cant. de la Haute-Loire, à 26 km au N. d'Yssingeaux; 2 315 hab.

BASHŌ (MATSUO MUNEFUSA, dit), poète japonais (Ueno 1644-Ōsaka 1694). Ses journaux, relatant ses voyages à travers les provinces pour répondre à l'admiration de ses disciples (*Oku no Hosomichi* [*la Sente étroite du Bout-du-Monde*], 1689-1692; *Saga-nikki*, 1691), et ses *haibun* (textes en prose illustrés de courts poèmes, les *haïku*) font de lui un des grands classiques de la littérature japonaise.

BASIDIOMYCÈTES. — À de rares exceptions près, tous les champignons récoltés par les amateurs dans les forêts et les prairies sont des basidiomycètes. On nomme ainsi les champignons supérieurs dont les spores sont *externes*, portées par deux ou par quatre au sommet d'un pédoncule microscopique nommé *baside*. N'étant protégées de la pluie par aucune enveloppe, les spores le sont par un *chapeau*, souvent en forme de parapluie ouvert, dont la face inférieure porte les lamelles rayonnantes ou les tubes verticaux qui constituent ordinairement l'*hyménium*, c'est-à-dire la surface sporifère. Les basidiomycètes du sol ont un *pied*, ceux des troncs d'arbre (polypores) en sont dépourvus.

On a décrit environ 15 000 espèces de basidiomycètes : amanites, russules, lactaires, psalliotes, lépiotes, coprins, vesses-de-loup, chanterelles, craterelles, bolets, hydnes, clavaires, etc. On rattache à ce groupe des champignons parasites au cycle reproductif compliqué, tels que les rouilles (ustilaginales) et les charbons (urédinales) des céréales.

BASIE (William, dit **Count**), pianiste, organiste, compositeur et chef d'orchestre de jazz noir américain (Red Bank, New Jersey, 1904). Fondateur en 1936 d'un grand orchestre, dont la réputation ne devait pas faiblir au fil des ans, il y révéla des individualités comme Buck Clayton, Lester Young, Roy Eldridge, et il s'imposa lui-même comme l'un des noms les plus prestigieux du *middle jazz.*

BASILAN, île des Philippines, au S.-O. de Mindanao, dont elle est séparée par le *détroit de Basilan.* V. princ. *Basilan* (139 000 hab.).

BASILDON, v. de Grande-Bretagne, au N.-E. de Londres, à proximité de l'estuaire de la Tamise; 136 000 hab. Constructions mécaniques et électriques.

BASILE *(saint),* Père de l'Église grecque, évêque de Césarée de Cappadoce (Césarée v. 329 - *id.* 379). En 356, il renonce à la carrière de rhéteur et opte pour la vie monastique; durant cette période, il rédige les deux *Règles monastiques,* dont s'inspireront les deux grands législateurs du monachisme en Occident : Cassien* et saint Benoît*. Nommé évêque en 370, au plus vif des querelles ariennes, il contribue, avec son frère Grégoire* de Nysse et son ami Grégoire* de Nazianze, à l'apaisement des esprits et au retour à l'unité de la foi, que réalisera le concile de Constantinople en 381. Ses œuvres principales sont le *Contre Eunomius,* le *Traité sur l'Esprit-Saint,* les *Homélies sur l'Hexaméron* et la *Lettre sur les études grecques.*

BASILE Ier → MACÉDONIENNE *(dynastie).*

BASILE II (957-1025), empereur byzantin (963-1025) de la dynastie macédonienne*. Il doit réprimer les insurrections menées par l'aristocratie militaire et terrienne (976-979 et 987), et repousser les assauts des Fātimides* en Syrie, avant de se consacrer à une lutte acharnée (1001-1018) contre les Bulgares. Ayant ainsi assuré la maîtrise de Byzance sur toute la péninsule balkanique, il annexe une partie de l'Arménie et de la Géorgie.

BASILEUS. — Après sa victoire sur les Perses en 630, Heraclius Ier prit officiellement le titre de « basileus », par lequel les Grecs désignaient le roi de Perse. Dès lors, les empereurs byzantins adoptèrent le titre de *Basileus autocrator Romanorum.*

BASILE VALENTIN, alchimiste du XVe s., né en Alsace. Il employa l'antimoine comme médicament, prépara l'acide chlorhydrique et donna le moyen d'obtenir de l'eau-de-vie en distillant le vin ou la bière.

BASILICATE, région du sud de l'Italie, formée par les provinces de Matera et Potenza; 9 992 km²; 607 000 hab. Montagneux, entre la mer Tyrrhénienne (golfe de Policastro) et la mer Ionienne (golfe de Tarente), le Basilicate est un pays pauvre, à prépondérance agricole (blé et, localement, vignobles et oliviers ainsi qu'élevage ovin), où persiste une notable émigration.

BASILIDE → GNOSTIQUES.

BASILIQUE. — Dans le monde romain, cet édifice a surtout une fonction judiciaire. Ses dimensions sont vastes (à Rome, basiliques Aemilia, Julia, Ulpia); de plan rectangulaire, l'espace est divisé en nefs par des rangées de colonnes qui soutiennent la charpente; souvent une petite abside termine la construction, comme à Timgad*. Les dernières basiliques païennes datent de la fin du IVe s. C'est après 313 que les chrétiens commencent à construire des basiliques, auxquelles ils donnent une forme caractéristique. Toujours rectangulaire, le monument est orienté vers l'est par un de ses petits côtés, où s'ouvre une abside semi-circulaire. L'espace intérieur est scandé par les colonnades, qui supportent des architraves, mais bientôt celles-ci sont remplacées par des arcs. Connue depuis longtemps, la voûte donne naissance en Orient à des églises cruciformes couvertes d'une coupole, alors qu'en Occident le transept ne retire pas à l'église voûtée sa forme basilicale.

BASINGSTOKE, v. de Grande-Bretagne, au S.-O. de Londres; 30 000 hab.

BASKET-BALL. — La Fédération internationale de basket-ball amateur (la F. I. B. A.), fondée en 1932, regroupe aujourd'hui plus de 130 fédérations nationales. C'est dire la quasi-universalité de ce sport, apparu à la fin du siècle dernier aux États-Unis, dans le Massachusetts, et dû à l'imagination d'un Canadien, James A. Naismith.

Le basket-ball se pratique exclusivement avec les mains. La partie oppose deux équipes de cinq joueurs (pouvant être remplacés en cours de match) qui cherchent à placer le ballon dans

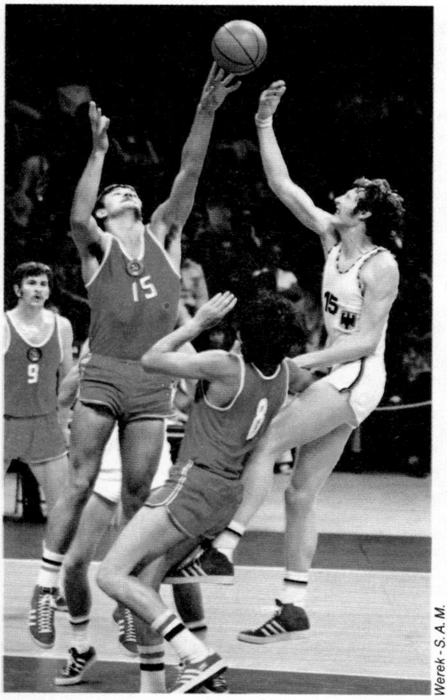

Werek - S. A. M.

Phase de jeu d'un match de basket-ball opposant les équipes de République fédérale d'Allemagne et d'U. R. S. S. (jeux Olympiques de Munich, 1972).

Plan et mesures d'un terrain de basket-ball, avec la disposition des joueurs.

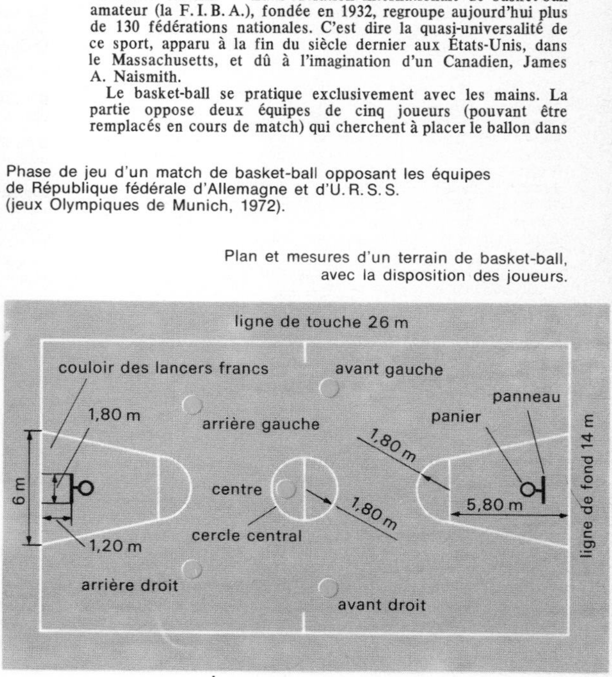

le panier de l'adversaire; cette tentative réussie apporte deux points. Les infractions aux règles du jeu sont souvent sanctionnées par des lancers francs, dont la transformation rapporte un point. La partie se compose de deux mi-temps de vingt minutes de jeu effectif chacune (le chronomètre est arrêté chaque fois que le jeu est interrompu) et est dirigée par deux arbitres.

Sport rapide et spectaculaire, le basket-ball a longtemps été largement dominé par les États-Unis, qui s'imposèrent aussi bien dans les championnats du monde qu'aux jeux Olympiques. Leur suprématie est aujourd'hui contestée par les Soviétiques et les Yougoslaves, d'autant plus que leurs meilleurs éléments sont souvent rapidement attirés dans les rangs d'un basket-ball professionnel florissant aux États-Unis.

Chez les hommes comme chez les femmes, le basket est aujourd'hui, du moins au niveau international, pratiqué par des joueurs de grande taille, qui doivent posséder des qualités de détente et d'adresse, et il n'est pas rare de voir les équipes nationales aligner sur le plancher trois ou quatre joueurs mesurant plus de deux mètres. L'évolution vers le gigantisme risque de restreindre le développement d'un sport tendant aussi à s'apparenter souvent sinon au spectacle, du moins à la compétition professionnelle, quel que soit le statut officiel des pratiquants.

BASQUE. — Le basque (appelé *euskera* ou *eskuara* par ses usagers) est une langue agglutinante qui constitue sans doute le seul vestige linguistique de l'Europe occidentale avant l'arrivée des Indo-Européens. Son origine et ses affinités sont un problème encore discuté : certains ont pensé à une parenté avec l'ancien ibère et les langues chamito-sémitiques; l'hypothèse la plus répandue le rattache aux langues caucasiennes. Le basque est parlé par environ 600 000 personnes en Espagne et 100 000 en France. Il présente une grande variété dialectale (biscayen, guipúzcoan, haut- et bas-navarrais, labourdin, souletin).

BASQUE FRANÇAIS *(Pays),* région du sud-ouest de la France, correspondant à la partie septentrionale du Pays basque. Situé dans les Pyrénées-Atlantiques (arrondissement de Bayonne et ouest de l'arrondissement d'Oloron-Sainte-Marie), le Pays basque français englobe le *Labourd* (bassin de la Nivelle et région de la Nive inférieure), la *Basse-Navarre* (bassin supérieur de la Nive et région de Saint-Palais) et la *Soule* (bassin du Saison). Il compte un peu moins de 200 000 habitants dans un milieu dont l'unité est d'abord linguistique.

BASQUES *(provinces),* en esp. **Provincias Vascongadas,** région de l'Espagne du Nord, correspondant aux provinces de Biscaye, de Guipúzcoa et d'Álava; 7 261 km²; 1 879 000 hab. Peu étendue, la région est fortement peuplée, notamment sur le littoral ou à proximité de celui-ci, là où se situent Saint-Sébastien et surtout la conurbation industrielle de Bilbao (sidérurgie et métallurgie). Dans un bassin, sur la route de la Castille, Victoria est la seule localité importante de l'intérieur, montagneux, souvent boisé et beaucoup moins densément peuplé.

HISTOIRE. Les origines du peuple basque sont difficiles à déterminer. En tout cas, ce peuple a un type, une langue, un mode de vie, une tradition orale, un droit coutumier qui lui ont permis de sauvegarder jusqu'à nos jours sa personnalité. Rattachées à la Castille du XIIIe s. au XIVe s., les trois provinces basques (Biscaye, Guipúzcoa, Álava) gardent leurs privilèges *(fueros)* jusqu'au début du XIXe s. Par la suite, elles sont affrontées au centralisme des Bourbons, de Primo de Rivera, puis du franquisme. D'où l'allégeance des Basques au carlisme*, au Front populaire de 1936 et aux républicains durant la guerre civile. La création, en 1959, de l'E. T. A. (Euzkadi ta Askatasuna : le Pays basque et sa liberté) marque une étape importante dans la résistance — parfois violente — des Basques au régime de Madrid.

BASRA → BASSORA.

BAS-RELIEF → SCULPTURE.

BASS *(détroit de),* détroit séparant le continent australien et la Tasmanie. Large d'environ 200 km, il recouvre des gisements de pétrole.

BASSANI (Giovanni Battista), compositeur italien (Padoue? v. 1657 - Bergame 1716). Malgré sa réputation comme violoniste et auteur de sonates, il a surtout laissé son nom dans le genre de la cantate, profane ou sacrée.

BASSANO (Jacopo DA PONTE, dit), peintre italien (Bassano v. 1510-1518 - *id.* 1592). Fils d'un peintre local, FRANCESCO **Bassano,** il est l'initiateur d'une formule qui introduit dans les scènes religieuses tous les éléments d'une pastorale naturaliste. Influencé par Venise et par divers courants maniéristes, coloriste somptueux, il a cultivé les effets de luminisme nocturne. De ses quatre fils peintres, FRANCESCO II et LEANDRO, installés à Venise, sont ceux qui ont le mieux diffusé sa manière — prisée dans toute l'Europe —, non sans la dessécher.

BASSE → VOIX.

BASSÉE (La) [59480], ch.-l. de cant. du Nord, à 13 km à l'E. de Béthune; 6 131 hab. Textile. Constructions mécaniques.

BASSE ÉPOQUE, période de décadence qui marque la fin de l'Empire pharaonique (1085-332).

À la fin du Nouvel Empire, l'Égypte se trouve pratiquement scindée en deux : au nord les rois de Tanis*, au sud les rois-prêtres d'Amon* de Thèbes (XXIe dynastie, 1085-950), les uns et les autres ne se manifestant pas d'hostilité foncière. Vers 950, le Libyen Chéchanq Ier (XXIIe dynastie, 950-730) restaure l'unité nationale et rétablit le prestige de l'Égypte dans le couloir syrien par une campagne en Palestine, où Jérusalem est prise et le Temple pillé (927). Mais, sous ses successeurs, l'opposition des milieux thébains renaît, attisée par le clergé d'Amon, et le désordre devient anarchie au début de la période que recouvrent les XXIIIe, XXIVe et XXVe dynasties (817-656); une vingtaine de féodaux, dont quatre portent le titre de pharaon, se partagent le pays. Profitant de la confusion, un prince du pays de Koush (Éthiopie ancienne), Piankhi, prend le pouvoir en Haute-Égypte, tandis que Tefnakht, prince de Saïs (Delta oriental), tente de faire l'unité autour de lui. Son fils, Bocchoris* (Bokenranef), ne peut pas empêcher la XXVe dynastie koushite d'étendre sur l'Égypte entière une domination à laquelle, soixante ans après, le puissant Empire assyrien viendra mettre fin. Mais la domination étrangère sera, cette fois, brève. Le fondateur de la XXVIe dynastie (663-525), Psammétik Ier (663-609), descendant de Tefnakht, chasse les Assyriens grâce à l'appui des mercenaires grecs et, par la fondation de colonies grecques, transforme l'économie du pays. Néchao II (609-594) réorganise la flotte égyptienne sur le modèle grec, mais échoue dans sa lutte contre l'expansion babylonienne à Karkémish en 605. La dynastie saïte, que continuent Psammétik II (594-588), Apriès (588-568), Ahmosis (568-525), réussit à édifier une Égypte unie et prospère. En 525, Cambyse*, vainqueur de Psammétik III (six mois de règne), se rend maître de l'Égypte. Les pharaons de la XXVIIe dynastie (525-405) seront achéménides. En 410, Amyrtée, unique pharaon de la XXVIIIe dynastie (405-398), se révolte contre les Perses, et, en 406, le pays retrouve la liberté. Les XXIXe et XXXe dynasties (398-341) maintiennent une indépendance précaire. En 341, Artaxerxès III chasse Nectanibis II, le dernier pharaon. Quand Alexandre pénètre dans la vallée du Nil (332), s'achève l'histoire de l'Égypte des pharaons.

BASSEIN, v. de Birmanie, à l'O. de Rangoon; 136 000 hab.

BASSE-INDRE → INDRE.

BASSENS (33530), comm. de la Gironde, à 9 km au N.-E. de Bordeaux, sur la rive droite de la Garonne; 6 133 hab. Industries chimiques.

BASSE-TERRE (97100), ch.-l. de la Guadeloupe, sur la côte nord-ouest de l'île de *Basse-Terre* (partie occidentale de la Guadeloupe); 15 778 hab. *(Basse-Terriens).*

BASSE-YUTZ → YUTZ.

BASSIGNY, région du sud-est du Bassin parisien, au N.-E. du plateau de Langres, dans l'est de la Haute-Marne.

BASSIN *(Anat.).* — Le bassin osseux est une cavité limitée par les os iliaques, le sacrum et le coccyx, articulés entre eux. Il comprend deux rétrécissements, importants en obstétrique : 1° le *détroit supérieur,* constitué par le promontoire et le bord antérieur de l'aileron du sacrum, la ligne innominée de l'os iliaque, le bord supérieur du pubis et la symphyse pubienne (il divise la cavité pelvienne en grand bassin, qui supporte les viscères abdominaux, et petit bassin, ou pelvis); 2° le *détroit inférieur,* limité par l'extrémité inférieure de la symphyse pubienne, les branches ischiopubiennes, les tubérosités ischiatiques, le grand ligament sacro-sciatique, le sommet du coccyx. Chez la femme, le petit bassin, le détroit supérieur et le détroit inférieur sont plus larges que chez l'homme. Les fractures du bassin sont fréquentes, leurs complications essentielles sont urinaires. Une coxarthrose ultérieure est possible lors des fractures atteignant la hanche, fréquentes dans les accidents d'automobile. Chez la femme enceinte, les déformations du bassin sont à l'origine de dystocie osseuse lors de l'accouchement.

BASSIN DE STOCKAGE → FORAGE.

BASSIN ROUGE, région de la Chine, dans l'est du Sseu-tch'ouan. Cuvette entourée de montagnes, c'est la région vitale de la province, intensément mise en valeur (céréales [riz surtout], thé, canne à sucre, etc.).

BASSIN SÉDIMENTAIRE. — Au fur et à mesure de la sédimentation, le centre d'un bassin sédimentaire s'affaisse par subsidence, permettant le dépôt de nouvelles couches. Les séries sédimentaires se disposent ainsi en piles concentriques, les plus anciennes affleurant à la périphérie et les plus récentes au centre du bassin.

BASSON → HAUTBOIS.

BASSORA ou **BAṢRA,** principal port de l'Iraq, sur le Chaṭṭ al-ʿArab; 423 000 hab. Raffinage du pétrole. Industrie chimique. Grande palmeraie. Exportation de dattes.

BASSOV (Nikolaï Guennadievitch), physicien soviétique (Ousman, près de Voronej, 1922). Il a réalisé en 1956 un « oscillateur moléculaire » à ammoniac, puis travaillé sur les lasers à gaz et les lasers semi-conducteurs. (Prix Nobel de physique, 1964.)

BASTELICA (20119), ch.-l. de cant. de la Corse-du-Sud, à 33 km au N.-E. d'Ajaccio; 1 780 hab.

BASTIA (20200), ch.-l. du départ. de la Haute-Corse, sur la côte nord-est de l'île; 52 000 hab. *(Bastiais).* Citadelle enserrant le palais des Gouverneurs (commencé en 1378) et l'ancienne cathédrale (début du XVIIe s.). Églises et chapelles remontant à la première moitié du XVIIe s. Principal port de commerce et de voyageurs de l'île, Bastia est surtout une cité de services et un centre commercial (pour la plus grande partie de la plaine orientale); elle est encore peu industrialisée (tabac).

BASTIAN (Adolf), anthropologue allemand (Brême 1826 - Port of Spain 1905). Physicien de formation, professeur d'ethnologie à Berlin, il a publié, avec Virchow, *Zeitschrift für Ethnologie* (1869).

BASTIAT (Claude Frédéric), homme politique et économiste français (Bayonne 1801 - Rome 1850), auteur des *Harmonies économiques.* Ennemi du socialisme, partisan du libre-échange, défenseur d'un optimisme résolu, il appuie ses raisonnements sur l'action de la providence dans la vie des hommes.

BASTIDE (Roger), sociologue français (Nîmes 1898 - Maisons-Laffitte 1974). Il consacre l'essentiel de son œuvre à l'examen des divers phénomènes d'acculturation entre sociétés dites « traditionnelles » et sociétés modernes. La singularité de son approche réside à la fois dans l'accent porté sur les religions et dans le recours constant à l'inspiration psychanalytique (*les Religions africaines au Brésil,* 1960; *Sociologie des maladies mentales,* 1965; *le Rêve, la transe, la folie,* 1973).

BASTIDE-DE-SÉROU (La) [09240], ch.-l. de cant. de l'Ariège, à 16 km au N.-O. de Foix; 941 hab.

BASTIÉ (Maryse), aviatrice française (Limoges 1898 - Lyon 1952), détentrice de dix records internationaux de distance et de durée, elle traversa seule à son bord l'Atlantique Sud, le 30 décembre 1936.

Bastille *(prise de la),* événement qui se déroula dans la soirée du 14 juillet 1789. La prise, par une foule d'origine populaire, de la forteresse-prison parisienne, fut capitale, moins pour son résultat matériel, que pour son puissant symbolisme : la victoire du peuple sur l'arbitraire royal.

BASTOGNE, v. de Belgique (Luxembourg), dans l'Ardenne; 6 816 hab. (en 1970). Station estivale. Point fort de la résistance américaine dans la bataille des Ardennes* de 1944.

BASUTOLAND → LESOTHO.

BATA, port de la Guinée équatoriale, ch.-l. du Mbini; 27 000 hab.

BAT'A (Tomáš), industriel tchèque (Zlín 1876 - Otrokovice 1932). Il fut l'un des premiers industriels à faire participer le personnel de sa manufacture de chaussures de Zlín (auj. Gottwaldov) aux bénéfices, en imaginant l'autonomie comptable des ateliers.

BATAILLE (Nicolas) → APOCALYPSE *(tenture de l').*

BATAILLE (Henry), auteur dramatique français (Nîmes 1872 - Malmaison 1922). Il voulut observer les manifestations de l'« instinct » à travers la peinture des mœurs d'une aristocratie finissante ou d'une bourgeoisie prétentieuse (*Maman Colibri,* 1903; *le Phalène,* 1913).

Lauros - Giraudon

Prise de la Bastille. Dessin français du XVIIIe s. (Musée Carnavalet, Paris.)

BATAILLE (Georges), écrivain français (Billom 1897 - Orléans 1962). Manifestant très tôt des tendances au mysticisme, marqué par l'influence de Hegel, Nietzsche et Heidegger, il est un moment attiré par le surréalisme et fonde plusieurs revues (*Documents,* 1928; *Critique,* 1946). Sa réflexion sur l'art et la littérature (*Lascaux, ou la Naissance de l'art,* 1955; *la Littérature et le mal,* 1957), et leur double rapport à la société et à l'artiste, le conduit à placer le lieu de toute création dans une ascèse inverse où l'homme se dépasse dans la transgression de tous les interdits et notamment des deux tabous majeurs, l'érotisme (*Anus solaire,* 1927; *Madame Edwarda,* 1941; *l'Abbé C...,* 1950; *le Bleu du ciel,* 1957; *l'Érotisme**, 1957) et la mort (*les Larmes d'Éros,* 1961). Esthétique de « consumation », qui fait d'un même moment où le plaisir et l'intolérable coïncident l'aboutissement de *l'Expérience intérieure* (1943), et qui renverse la finalité des explorations physiques et religieuses (*la Part maudite,* 1949).

BATALHA, v. du Portugal (Estrémadure); 7 000 hab. Grandiose abbaye nationale dominicaine, de styles gothique et manuélin (XIVe-XVIe s.).

BATANGAS, v. des Philippines, dans l'île de Luçon, au S. de Manille; 109 000 hab.

BÂTARDEAU. — Un bâtardeau doit être conçu pour résister non seulement à la poussée des eaux, mais aussi aux infiltrations dans sa masse et aux sous-pressions à sa base. Pour de faibles retenues et pour des ouvrages d'une importance moyenne, on a recours à des bâtardeaux en terre. Ce sont des digues* faites de terre argilo-sableuse corroyée, dont la face en amont et le couronnement sont protégés par des enrochements. Quand on ne possède pas de terre pouvant se prêter au corroyage pour assurer l'étanchéité, ou quand le sol est perméable, on établit des bâtardeaux en terre et en palplanches. Dans ce dernier cas, les palplanches métalliques, battues jusqu'au terrain pratiquement imperméable, sont noyées dans des massifs d'épaulement en terre ou en enrochements. Les

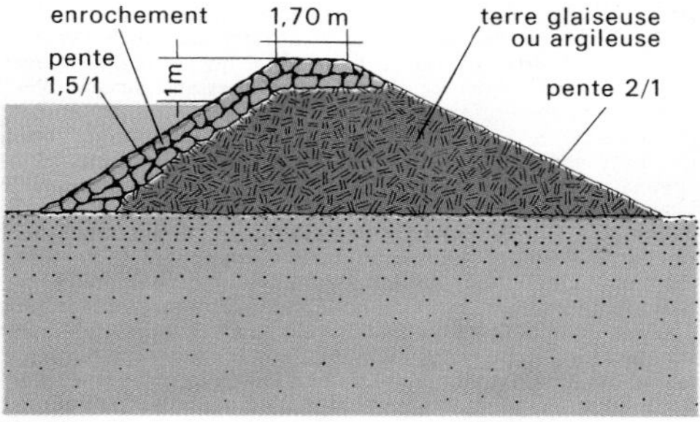

Bâtardeau en terre.

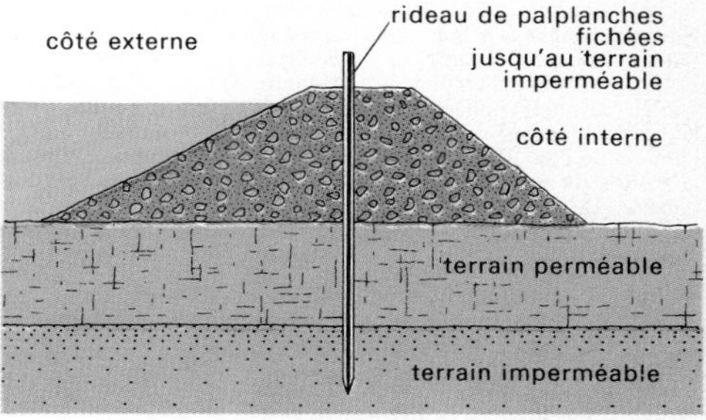

Bâtardeau en terre avec palplanches.

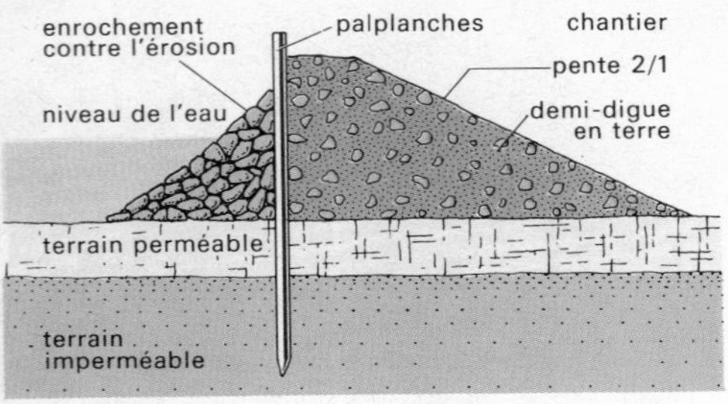

Bâtardeau en terre et palplanches avec digue.

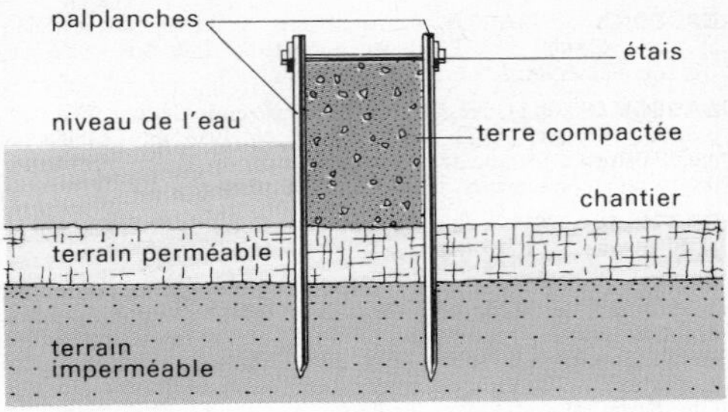

Bâtardeau constitué par un massif de terre compactée entre deux rideaux de palplanches.

rideaux de palplanches, sans massifs d'épaulement, s'emploient quand on ne dispose pas d'une emprise de terrain suffisante. Les palplanches doivent alors être suffisamment encastrées dans le sol pour résister à la poussée de l'eau. Enfin, on peut installer deux rideaux de palplanches parallèles, rendus solidaires l'un de l'autre par des tirants et entre lesquels on tasse de la terre.

BATAVE *(République),* nom pris par la république des Provinces-Unies à la suite du traité de La Haye du 16 mai 1795. Sa Constitution, démocratique mais unitaire, s'inspirait de celle du Directoire* français.

BATELLERIE. — Le transport par voie d'eau, qui, avant le XIXe s., était le seul moyen de déplacer des masses importantes de marchandises à l'intérieur des terres, n'a pu prendre tout son essor qu'après la mise en œuvre des sources d'énergie qui, se substituant à la force humaine ou animale, ont permis de mouvoir des bateaux porteurs lourdement chargés. Il s'est agi du touage, de la traction sur berge par locomotive et tracteur à moteur électrique ou Diesel*, du remorquage à vapeur, puis à moteur. Depuis le début du XXe s., s'est développée la flotte des automoteurs qui ont presque complètement éliminé les péniches tractées. Sur les voies à grand gabarit, c'est maintenant par poussage qu'est effectuée une part grandissante du trafic, les convois comportant un pousseur de forme rectangulaire (ou un automoteur pousseur) et des barges* en nombre variable, étroitement liées entre elles, souvent deux par deux. Supérieur au remorquage du point de vue énergétique, le poussage permet une exploitation plus souple et une économie de personnel. La flotte fluviale est exploitée soit par des sociétés commerciales possédant plusieurs unités, soit par des patrons bateliers, soit enfin par des entreprises transportant leurs propres produits. Un organisme public, l'Office national de la navigation (O. N. N.), coordonne et surveille l'activité de la flotte fluviale, notamment en ce qui concerne les affrètements au voyage conclus dans le cadre des « bureaux d'affrètement ».

BATESON (Gregory), anthropologue américain d'origine britannique (Grantchester 1904). Il se consacre tôt à l'anthropologie sociale et entreprend plusieurs études sur le terrain, notamment en Nouvelle-Guinée et à Bali, associé pendant un temps à sa première femme, Margaret Mead*. Après la Seconde Guerre mondiale, il s'oriente vers la cybernétique et rencontre Norbert Wiener et John von Neumann. Il applique les concepts mis au jour par la théorie de la communication* au champ psychiatrique. Il travaille alors à l'hôpital de Palo Alto (Californie) et, avec John Weekland, élabore la théorie du double bind, théorie largement reprise par l'antipsychiatrie. Depuis 1964, il complète ses études sur la théorie de la communication par des travaux sur les octopus et les dauphins à Hawaii.

BATH, v. de Grande-Bretagne, au S.-E. de Bristol, sur l'Avon; 83 000 hab. Église de style gothique perpendiculaire. Bel urbanisme du XVIIIe s. Grande station thermale.

BÂTHIE (La) [73540], comm. de la Savoie, à 9 km au S.-E. d'Albertville, près de la rive droite de l'Isère; 1 759 hab. Grande centrale hydroélectrique alimentée par la retenue de Roselend.

BÁTHORY, famille hongroise qui a fourni notamment un roi à la Pologne, Étienne Ier* (de 1576 à 1586), et deux princes de Transylvanie, Sigismond (1573 - Prague 1613) et Gábor ou Gabriel († 1613).

BATHURST, v. du Canada (Nouveau-Brunswick), sur la baie des Chaleurs; 16 674 hab.

BATHURST → BANJUL.

BATHYAL → OCÉANIQUES *(fonds).*

Le bathyscaphe *Archimède :* déplacement, 200 t; longueur, 21 m; diamètre intérieur, 2,10 m; épaisseur de la coque de résistance, 15 cm.

Marine française

BATHYMÉTRIE. — On dresse des cartes de relief sous-marin *(cartes bathymétriques)* en mesurant la profondeur des fonds, soit par sondage à l'aide de fils lestés ou de sondeurs à ultrasons, soit en enregistrant les ondes émises par des charges explosant au fond de la mer.

BATHYSCAPHE. — Le principe du bathyscaphe est celui du ballon libre atmosphérique, le gaz étant remplacé par de l'essence et le lest constitué par de la grenaille de fer retenue au moyen d'électroaimants*. Cet engin se compose essentiellement d'une sphère habitable capable de résister aux pressions des grandes profondeurs et solidaire d'un flotteur en tôle légère rempli d'essence maintenue à la même pression que l'eau de mer par le contact permanent des deux liquides. Au cours de la descente, le volume de l'essence diminue, le poids apparent du bathyscaphe augmente et il faut, pour remonter à la surface, lâcher une quantité de lest légèrement supérieure à cette augmentation de poids. Plusieurs bathyscaphes ont été construits. Le premier, inventé par Auguste Piccard* et lancé en 1948, atteignit une profondeur de 1 500 m, puis de 4 000 m après sa reconstruction par la Marine française; le *Trieste,* construit en 1953 par le professeur Piccard et acheté par les États-Unis, descendit en 1960 à la profondeur record de 10 987 m; l'*Archimède,* construit en 1962 par la Marine française pour le compte du Centre national de la recherche scientifique, est conçu pour une profondeur de 11 000 m.

BÂTIE-NEUVE (La) [05000 Gap], ch.-l. de cant. des Hautes-Alpes, à 10 km à l'E. de Gap; 627 hab.

BATISTA Y ZALDÍVAR (Fulgencio), officier et homme d'État cubain (Banes, Cuba, 1901 - Marbella, Espagne, 1973). Président de la République de 1940 à 1944, puis de 1952 à 1959, il est renversé par le mouvement révolutionnaire de Fidel Castro*.

BATNA, v. d'Algérie, ch.-l. du départ. des Aurès, au pied nord du massif du même nom; 55 000 hab. Centre commercial. Textile.

BÂTONNET → RÉTINE.

BATON ROUGE, v. des États-Unis, capit. de la Louisiane, au N.-O. de La Nouvelle-Orléans, sur le Mississippi; 166 000 hab. Université. Raffinage du pétrole et industrie chimique.

BATOUMI ou **BATOUM,** v. de l'U. R. S. S. (Géorgie), capit. de la république autonome d'Adjarie, sur la mer Noire; 101 000 hab. Port. Station climatique. Raffinerie de pétrole alimentée par oléoduc depuis Bakou. Chantiers navals.

BATOUTA → IBN BAṬṬŪTA.

BATTAMBANG, v. du Cambodge, ch.-l. de prov., à l'O. du Tonlé Sap; 39 000 hab. Textile.

BATTĀNĪ (Al-), dit aussi **Albatenius** ou **Albategni,** astronome et mathématicien arabe du IXᵉ s. Il naquit avant 858 dans le nord-ouest de la Mésopotamie et écrivit un traité d'astronomie très célèbre, le Zīdj. Ses tables de positions planétaires et son catalogue d'étoiles furent très utilisés jusqu'à la Renaissance, aussi bien en Orient qu'en Occident.

BATTERIE *(Chorégr.).* — Les sauts et pas « battus », qui apportent à la danse son éclat et sa virtuosité, répondent aussi à un besoin d'allégement et sont un défi à la pesanteur. On distingue traditionnellement la *petite batterie* (entrechat, brisé, assemblé battu) de la *grande batterie* (cabriole, sissonne battu), mais sur le plan technique il est judicieux de préciser *batterie de croisement* (passages des pieds l'un devant l'autre) ou *batterie de choc* (les jambes se frappant l'une contre l'autre durant le « temps de suspension »). Le brillant d'une batterie, dont le *moment caractéristique* se situe au point le plus haut atteint pendant le temps de suspension, dépend donc des qualités d'élévation et du ballon du danseur.

BATTERIE *(Électr.).* — Une batterie de générateurs ou de condensateurs peut être couplée en série ou en parallèle. Dans la *batterie en série,* la borne de sortie d'un appareil est connectée avec la borne d'entrée de l'appareil voisin, et ainsi de suite. La tension totale est la somme des tensions partielles; l'intensité totale est la même que celle qui traverse un élément. Dans la *batterie en parallèle,* toutes les bornes d'entrée sont connectées ensemble et il en est de même pour les bornes de sortie. L'intensité totale est la somme des intensités partielles et la tension aux bornes de la batterie est la même que pour un seul élément.

BATTEUR-BROYEUR → ROBOT MÉNAGER.

BATTHYÁNY, famille hongroise dont les principaux représentants furent LOUIS (Presbourg 1806 - Pest 1849), président du Conseil hongrois lors de la révolution de 1848; CASIMIR (1807-1854), ministre des Affaires étrangères de Kossuth en 1848-49.

BATŪ KHĀN, prince mongol (1204-1255), petit-fils de Gengis* khān. Il mène la conquête de l'Occident (Russie, 1237-1240; Hongrie, 1241) lorsque, en 1242, averti de la mort d'Ogoday, il repart pour la Mongolie. Il est le fondateur de la Horde* d'Or.

BATY (Gaston), directeur de théâtre et metteur en scène français (Pélussin, Loire, 1885 - *id.* 1952). Un des animateurs du « Cartel* », influencé par l'expressionnisme allemand et le réalisme thomiste, il a surtout cherché à créer des « atmosphères théâtrales » par sa direction des acteurs et son utilisation des moyens techniques de la scène, notamment des éclairages.

BAT YAM, v. d'Israël, dans la banlieue sud de Tel-Aviv; 100 000 hab.

BATZ *(île de)* [29253], île et comm. du Finistère, dans la Manche, en face de Roscoff; 807 hab. *(Batziens).* Pêche. Station balnéaire.

BATZ-SUR-MER (44740), comm. de la Loire-Atlantique, dans la presqu'île du Croisic; 2 277 hab. Station balnéaire.

BAUCHANT (André), peintre français (Château-Renault 1873-Montoire 1958). D'abord pépiniériste, il débute au Salon d'automne en 1921. On lui doit des tableaux de fleurs, des paysages et des compositions empruntées à l'histoire et à la mythologie, d'une sérénité familière.

BAUCIS → PHILÉMON ET BAUCIS.

BAUD (56150), ch.-l. de cant. du Morbihan, à 23 km au S. de Pontivy; 5 137 hab.

BAUDELAIRE (Charles), poète français (Paris 1821 - *id.* 1867). Les manuels de littérature disent du poète des *Fleurs du mal* (1857) qu'il est à la source de la sensibilité moderne. Cela peut paraître curieux si l'on songe à la forme du recueil (composé de sonnets et autres poèmes à forme fixe) et aux motifs qu'il met en œuvre : un sens profond de culpabilité, une fascination manichéenne pour le mal qui révèle un désir d'amour et de salut, une célébration des « paradis artificiels » — par tous ces thèmes, Baudelaire se rattache au romantisme le plus traditionnel. Et ce n'est pas sa vie qui peut contredire le portrait banal de l'artiste, sinon maudit, du moins

Charles Baudelaire.

Nadar - Coll. Sirot

incompris : révolte précoce contre sa famille (sa mère se remaria au futur général et ambassadeur Aupick), vie de dandy dissipateur, voyage dans l'océan Indien, dont il rapporte non — comme on l'espérait — la sagesse bourgeoise, mais des images exotiques, syphilis qui le conduira à la paralysie finale, tentative de suicide, conseil judiciaire, condamnation en correctionnelle des *Fleurs du mal.*

S'il est moderne, Baudelaire l'est par son esprit critique et sa réflexion esthétique. Sa conception statique de la beauté (le « rêve de pierre »), il la tire d'une étude précise de « mouvements » et de rythmes privilégiés de la littérature (Hoffmann, De Quincey et surtout Edgar Poe, qu'on lit toujours dans sa traduction), de la musique (Wagner) et de la peinture : Baudelaire a été un grand critique d'art *(Curiosités esthétiques; l'Art romantique; les Salons),* comprenant Delacroix dans ses grandes compositions, Catlin dans son génie de coloriste, Constantin Guys dans la vivacité de ses esquisses. Cette modernité le fascine et le rebute à la fois : l'art de Baudelaire ne se satisfait pas plus du joli et de l'éphémère que du gigantesque. Son univers minéral a une répulsion pour le vivant (femme, végétal), le réalisme (il méconnaît au fond Courbet), et les « correspondances » qu'il découvre dans la nature (« Les parfums, les couleurs et les sons se répondent ») sont saisies en dehors de toute appréhension tactile : elles renvoient d'ailleurs beaucoup plus aux antiques rapports entre microcosme et macrocosme qu'au bouleversement des structures scientifiques et mentales que réalisent les mathématiques et la thermodynamique à son époque. L'art le plus moderne de Baudelaire, il faut le chercher dans les *Petits* Poèmes en prose,* qui tentent de réaliser l'adéquation absolue entre la sensation et son expression temporelle et spatiale, et dont l'influence sera profonde de Mallarmé à Pierre Jean Jouve.

BAUDELOCQUE (Jean-Louis), obstétricien français (Heilly, Picardie, 1746 - Paris 1810), auteur des *Principes de l'art des accouchements, par demandes et par réponses, en faveur des élèves sages-femmes* (1775) et de *l'Art des accouchements* (1781).

BAUDET → ÂNE.

BAUDISSIN (Wolf, *comte* VON), général allemand (Trèves 1907). Il est dans la nouvelle Bundeswehr (1955) le promoteur d'un nouveau style de commandement (dit *innere Führung*) du soldat-citoyen. Après avoir servi au S. H. A. P. E., il prend sa retraite (1967) et devient professeur de stratégie à l'université de Hambourg (1969).

BAUDOT (Anatole DE), architecte et théoricien français (Sarrebourg 1834 - Paris 1915). Élève de Viollet-le-Duc, restaurateur de monuments historiques et pionnier de la construction nouvelle, il a — l'un des premiers —, dans l'église Saint-Jean de Montmartre (1897-1902), utilisé le ciment armé (système de l'ingénieur Cottancin) selon sa logique structurelle (nervures, voûtes en voiles minces).

BAUDOT (Émile), ingénieur français (Magneux, Haute-Marne, 1845 - Sceaux 1903). On lui doit, notamment, le télégraphe multiple, rapide et imprimeur qui porte son nom (1874), un alphabet à cinq signaux élémentaires, ainsi qu'un retransmetteur automatique (1894), qui se prête à une foule de combinaisons et présente une portée théoriquement illimitée.

BAUDOUIN Iᵉʳ (Valenciennes 1171 - † 1205), comte BAUDOUIN VI de Hainaut, comte BAUDOUIN IX de Flandre, empereur latin d'Orient

Gamma

Le roi Baudouin Ier et la reine Fabiola de Belgique.

(1204-05). Un des chefs de la quatrième croisade, il est élu empereur du nouvel État latin d'Orient (1204) après la prise de Constantinople. Battu par le tsar bulgare Jean* II Kalojan, appelé par les Byzantins (1205), il meurt peu après en captivité.

BAUDOUIN II Porphyrogénète (1217-1273), empereur latin d'Orient (1240-1261). En 1261, quand Michel VIII Paléologue s'empare de Constantinople, Baudouin s'enfuit en Occident et cède à Charles Ier d'Anjou la suzeraineté de la principauté d'Achaïe (1267).

BAUDOUIN Ier et II, comtes d'Édesse, rois de Jérusalem → ÉDESSE *(comté d')* et JÉRUSALEM *(royaume latin de).*

BAUDOUIN III et IV, rois de Jérusalem → JÉRUSALEM *(royaume latin de).*

BAUDOUIN Ier, roi des Belges (Bruxelles 1930). Fils de la reine Astrid* et du roi Léopold* III, il accède au trône le 16 juillet 1951, lors de l'abdication de son père. En 1960, il épouse Fabiola de Mora y Aragón.

BAUDOUIN DE COURTENAY (Jan Ignacy), linguiste polonais (Radzymin, région de Varsovie, 1845 - Varsovie 1929). Professeur à Kazan, Cracovie et Saint-Pétersbourg, il est considéré comme le précurseur de la phonologie (*Versuch einer Theorie phonetischer Alternationen,* 1895). Partant du fait que des sons physiquement différents pouvaient être perçus comme une même entité linguistique, il distingue une « physiophonétique » et une « psychophonétique » qui correspondent en gros à la division actuelle entre phonétique et phonologie.

BAUDRIMONT (Alexandre Édouard), chimiste français (Compiègne 1806 - Bordeaux 1880). Il étudia les colloïdes.

BAUDROIE. — La baudroie est un poisson des fonds marins. Elle se distingue des raies par son squelette osseux, des turbots par sa symétrie bilatérale normale, mais elle partage la manière de vivre de ces poissons : aplatie sur le fond, elle guette ses proies. Plusieurs filaments dorsaux, qu'elle agite constamment comme des vers, attirent les poissons nageurs, qu'elle happe avec son énorme bouche aux dents basculantes et crochues. Sa peau couverte de lambeaux bigarrés la dissimule bien à ses ennemis comme à ses proies. La larve est un poisson de pleine eau, très différent de l'adulte (famille des lophiidés).

BAUER (Bruno), critique et philosophe allemand (Eisenberg 1809 - Rixdorf, près de Berlin, 1882). Influencé par l'hégélianisme*, il critique le christianisme (*Critique des faits contenus dans l'Évangile de saint Jean,* 1840; *Christianisme dévoilé,* 1843) puis aborde la politique et l'histoire en une suite d'ouvrages qui sont violemment combattus par Marx et Engels. Après 1870 Bauer devient l'un des thuriféraires de Bismarck.

BAUER (Eddy), historien suisse (Neuchâtel 1902 - *id.* 1972). Recteur de l'université de Neuchâtel (1947-1949), il fut aussi professeur d'histoire militaire à l'École polytechnique de Zurich et se consacra à l'étude de la Seconde Guerre mondiale, sur laquelle il publia notamment une histoire en sept volumes (1966-67).

BAUGÉ (49150), ch.-l. de cant. de Maine-et-Loire, à 18 km au S. de La Flèche; 3 994 hab. Château de René d'Anjou (XVe s.). Hospice fondé au XVIIe s. (pharmacie). Demeures anciennes.

BAUGES *(massif des),* massif des Préalpes françaises du Nord, en Savoie, au N.-E. de Chambéry; 2 217 m.

BAUGY (18800), ch.-l. de cant. du Cher, à 28 km à l'E. de Bourges; 1 106 hab.

Bauhaus, établissement d'enseignement artistique créé par Gropius* à Weimar en 1919, année de la proclamation de la République allemande, et qui disparaît en même temps que celle-ci, en 1933, à Berlin. Entre-temps, en 1924, un gouvernement réactionnaire élu en Thuringe contraint le Bauhaus à se dissoudre; il est accueilli l'année suivante à Dessau, où il occupe, en 1926, des bâtiments neufs construits par Gropius; il en est chassé en 1932 à la suite d'un changement de majorité au conseil municipal de la ville.

Né de la fusion de l'école des Beaux-Arts et de l'école d'Art appliqué de Weimar — fusion significative et qui ne fut pas sans soulever des protestations —, le Bauhaus (« maison de l'œuvre bâtie ») représente une expérience capitale pour le renouveau tant des méthodes pédagogiques que de certaines des finalités attribuées aux activités artistiques. Sa pédagogie fut, notamment, l'œuvre du peintre suisse Johannes Itten (1888-1967) — illustre en outre par son traité *l'Art de la couleur,* 1961 —, qui dirigea le « cours préliminaire » de l'école de 1919 à 1923, avant d'enseigner en d'autres lieux (Gropius lui reprochant son orientation mystique); elle tendait à substituer à un apport extérieur de connaissances l'éveil global de la personnalité de l'élève au moyen d'expériences menées par lui-même. Moholy-Nagy* et le peintre Joseph Albers (1888-1976) succèdent à Itten au cours préliminaire, le premier insistant sur l'assimilation des données esthétiques du monde contemporain, le second — dont les travaux comme chef de l'atelier du vitrail sont parmi ceux qui annoncent l'art cinétique* — sur l'invention de systèmes d'organisation plastique généralisables aux différentes disciplines.

L'histoire de l'école fut ponctuée par des conflits entre tradition artisanale et nouvelle synthèse art-industrie, entre art pur et produit industriel, conflits qui étaient déjà latents au sein du *Deutscher Werkbund,* association d'industriels et d'artistes fondée en 1907 et à laquelle appartenait Behrens*, maître de Gropius et l'un des premiers créateurs du design* moderne. Sans que ces oppositions aient jamais été résolues, les différents ateliers du Bauhaus eurent une activité féconde : meubles de Breuer*; *Ballet triadique* du peintre Oskar Schlemmer (1888-1943) — exemple de traitement de notre environnement sensoriel comme un tout indissoluble; arts graphiques et typographie vus sous l'angle des problèmes de communication visuelle (maître, l'Autrichien Herbert Bayer, né en 1900); analyse scientifique des données économiques, sociales et techniques de l'architecture (maître, en 1927, le Suisse Hannes Meyer [1887-1954], que Gropius choisit pour le remplacer à la tête de l'école en 1928); analyses picturales de Kandinsky* et de Klee*; etc.

Après la prise du pouvoir par les nazis, bien des maîtres du Bauhaus iront porter leur expérience aux États-Unis : Feininger*, Bayer, Gropius lui-même, qui y enseignera, comme Breuer, Albers, Mies* van der Rohe et Moholy-Nagy. (Celui-ci fondera à Chicago le New Bauhaus, devenu l'Institute of Design.)

BAULE-ESCOUBLAC (La) [44500] ou **LA BAULE,** comm. de la Loire-Atlantique, à 17 km à l'O. de Saint-Nazaire, sur l'Atlantique; 15 193 hab. *(Baulois).* L'agglomération, étirée le long d'une vaste plage, compte près de 30 000 hab. Grande station balnéaire.

BAUME. — De nombreuses plantes fournissent une résine ou un latex d'odeur suave, soluble dans l'alcool mais non dans l'eau, et riche en acide benzoïque ou en acide cinnamique. De tels produits, obtenus par incision de la plante vivante, sont les *vrais baumes.* Leur usage médicinal, autrefois important, est en régression. Des expressions telles que « du baume sur le cœur » ou « du baume sur les plaies » évoquent des propriétés calmantes et résolutives. Principaux exemples : le *baume du Pérou,* le benjoin, le styrax, le *baume de Tolu.*

BAUMÉ (Antoine), pharmacien et chimiste français (Senlis 1728-Paris 1804). Il imagina une graduation des aréomètres pour la mesure des densités des liquides.

BAUME-LES-DAMES (25110), ch.-l. de cant. du Doubs, à 30 km au N.-E. de Besançon, sur le Doubs, en bordure du Jura; 6 071 hab. Constructions mécaniques. Église, anc. abbatiale, des XVIe-XVIIe s.

BAUME-LES-MESSIEURS, comm. du Jura, à 18 km au S.-E. de Lons-le-Saunier; 202 hab. Anc. abbaye des XIIe-XVIe s. (belle église romane, sculptures).

BAUMGARTEN (Alexander Gottlieb), philosophe allemand (Berlin 1714 - Francfort-sur-l'Oder 1762). Il est le premier à distinguer sous le nom d'« esthétique » la science du beau, de nature sensible, de la connaissance par entendement et raison (*Aesthetica acroamatica,* 1750-1758).

BAUTZEN, v. de l'Allemagne orientale, à l'E. de Dresde, sur la Sprée; 44 000 hab. Industries textiles, métallurgiques et électriques. — Victoire de Napoléon sur les Russes et les Prussiens en 1813. (V. COALITION [6e].)

BAUWENS (Liévin), industriel belge (Gand 1769 - Paris 1822). Il introduisit en France le procédé de la filature mécanique du coton (mule-jenny), dont le monopole était jalousement gardé par l'Angleterre, et s'attacha à répandre ses procédés de fabrication.

Bavière. Village de la Bavière alpine, près de Berchtesgaden.

Lauros - Candelier - Atlas-Photo

BAUX-DE-PROVENCE (Les) [13520 Maussane les Alpilles], comm. des Bouches-du-Rhône, à 9 km au S.-O. de Saint-Rémy-de-Provence, sur un éperon des Alpilles; 367 hab. Ancien fief puissant, elle conserve les ruines d'un château fort en partie taillé dans le roc, une église romane, des maisons Renaissance. Elle a donné son nom à la *bauxite.*

BAUXITE. — Découverte par Berthier, la bauxite sert à la préparation de l'alumine pure, base de la métallurgie de l'aluminium*. On l'utilise également dans la fabrication du ciment fondu. La France est le deuxième producteur européen de bauxite.

BAVAY (59570), ch.-l. de cant. du Nord, à 14 km à l'O. de Maubeuge, dans le Hainaut; 4088 hab. Vestiges gallo-romains; les fouilles ont livré de nombreuses statuettes et des vases. Musée.

BAVIÈRE, en allem. **Bayern,** État de l'Allemagne fédérale; 70547 km²; 10779000 hab. *(Bavarois).* Capit. *Munich.*

GÉOGRAPHIE. La Bavière couvre plus du quart de la superficie du pays, mais ne compte guère que le sixième de sa population. C'est un territoire resté encore assez largement rural, de part et d'autre de la vallée du Danube (Jura franconien au N., plaine molassique en avant des *Préalpes de Bavière* au S.), malgré la présence de villes souvent anciennes et de vieille tradition manufacturière, comme Nuremberg, Augsbourg, Ratisbonne et surtout Munich, la métropole économique du sud de l'Allemagne, en rapide expansion.

HISTOIRE. La Bavière est l'un des plus importants duchés de l'Empire germanique. La dynastie des Guelfes (1070-1180) est spoliée au profit des Wittelsbach, qui régneront en Bavière jusqu'en 1918. L'unification du pays est gênée par la constitution de puissantes principautés ecclésiastiques (Salzbourg, Augsbourg), et ce n'est qu'au XVIe s., notamment avec Albert IV le Sage (1447-1508), duc de 1467 à 1508, que les ducs s'imposent définitivement à leurs États, qui deviennent alors, face à l'Allemagne protestante, un bastion de la réforme catholique (v. CONTRE-RÉFORME) : l'époque est dominée par la grande figure de Maximilien Ier (de 1597 à 1651), dont le *Codex maximilianeus* (1616) établit une unité juridique dans toute la Bavière. Mais si Maximilien, durant la guerre de Trente* Ans, obtient le titre envié d'« Électeur », la Bavière sort épuisée de cette lutte. Au XVIIIe s., tout en louvoyant entre l'alliance française et l'alliance autrichienne, les Électeurs de Bavière font de leurs États un foyer vivace de renouveau intellectuel et artistique (art baroque*). Allié de Napoléon Ier, membre éminent de la Confédération du Rhin, l'Électeur Maximilien Ier Joseph (de 1799 à 1825) devient roi en 1805; et, tandis que ses territoires s'agrandissent aux dépens de l'Autriche, le ministre Maximilian von Montgelas (1759-1838) pratique un despotisme éclairé efficace. La chute de Napoléon Ier (1814), s'il ramène la Bavière — membre de la Confédération germanique — dans ses limites antérieures, n'arrête pas les Wittelsbach sur la voie du progrès et du mécénat. Adversaires de l'unité allemande à la prussienne, partisans farouches du fédéralisme, les rois de Bavière (en particulier Louis II, de 1864 à 1886), après la victoire de la Prusse sur l'Autriche et ses alliés (dont la Bavière) en 1866 et la défaite française en 1870-71, doivent finalement reconnaître la prépondérance prussienne en Allemagne, encore qu'au sein de l'Empire fédéral, créé en 1871, la Bavière bénéficie de « droits spéciaux ». L'abdication de Louis III, en novembre 1918, fait de la Bavière un simple Land dans la république de Weimar; mais le puissant parti populaire bavarois, chrétien et fédéraliste, ne peut rien contre la montée et l'emprise de l'hitlérisme, qui triomphe en 1933. En 1945, la voie fédéraliste, chère aux Bavarois, est de nouveau libre et la Bavière devient au sein de la R. F. A. un Land dont les limites respectent l'histoire. L'originalité de la Bavière se marque par la constitution de l'Union chrétienne sociale (CSU), branche autonome de la CDU.

Bayadère *(la),* ballet de Marius Petipa, musique de Minkus, créé (au Kammenyï teatr) à Saint-Pétersbourg en 1877. Une version courte de cette œuvre est très populaire en U. R. S. S.

BAYARD *(col),* passage des Hautes-Alpes, entre les vallées du Drac et de la Durance, sur la route Napoléon; 1248 m.

BAYARD (Pierre TERRAIL, *seigneur* DE), dit **le Chevalier sans peur et sans reproche** (château de Bayard, près de Grenoble, 1476 - Romagnano, Sesia, 1524). Successivement au service de Charles VIII, de Louis XII et de François Ier, il se couvre de gloire lors des guerres. Il s'illustre ainsi à la bataille de Fornoue (1495), au siège de Canosa (1502), devant Brescia, Ravenne, Mézières.

BAYARD (Hippolyte), photographe français (Breteuil, Oise, 1801-Nemours 1887). Il améliore le procédé de W. H. F. Talbot, et réalise les premiers travaux en France sur négatif-papier (chlorure d'argent noirci puis plongé dans l'iodure de potassium, et blanchiment du papier par exposition à la lumière). Dès 1839, il obtient les premiers positifs directs sur papier, mais, victime de la célébrité de Daguerre, sa découverte passe totalement inaperçue.

BAYBARS → MAMELOUKS.

BAYEN (Pierre), pharmacien et chimiste français (Châlons-sur-Marne 1725 - Paris 1798). Avant Lavoisier, il s'attaqua à la théorie du phlogistique. Il isola le premier l'oxygène (1774) et découvrit le fulminate de mercure.

BAYES (Thomas), mathématicien britannique (Londres 1702 - Tunbridge Wells 1761). Il étudia le problème de la détermination des causes par les effets observés, qui, repris par Laplace*, a permis à celui-ci et à Condorcet* d'évaluer la probabilité de nombreux événements en s'appuyant sur les résultats d'observations antérieures.

BAYEUX (14400), ch.-l. d'arr. du Calvados, à 27 km au N.-O. de Caen, sur l'Aure; 14528 hab. (*Bayeusains* ou *Bajocasses*). Constructions mécaniques. Centre bancaire.

BEAUX-ARTS. La cathédrale est une des plus belles des styles roman et gothique normands (XIIe-XIIIe-XVe s.). Un musée conserve la broderie dite « tapisserie de la reine Mathilde », longue de 70 m et relatant en 58 épisodes la conquête de l'Angleterre; elle fut exécutée de 1066 à 1077 pour la cathédrale d'alors.

BAYEZID Ier (1354-1403), sultan ottoman de 1389 à 1403. Il soumet les principautés d'Anatolie orientale, poursuit la conquête des Balkans, assiège Constantinople de 1394 à 1402 et bat, à Nicopolis* (1396), les croisés de Sigismond de Luxembourg. Mais il est vaincu en 1402 par Tīmūr Lang* (Tamerlan), qui le fait prisonnier et détruit son empire.

BAYEZID II → OTTOMANS.

BAYLE (Pierre), écrivain français (Carla, Ariège, 1647 - Rotterdam 1706). Protestant converti au catholicisme, il revient à sa foi première et se réfugie à Genève (1670) puis à Sedan et Rotterdam, où il enseigne l'histoire et la philosophie. Sa controverse avec Jurieu* sur l'éventuel retour en France des protestants émigrés lui fait perdre sa chaire (1693). Son esprit de libre examen, qui inspire sa critique des superstitions populaires (*Pensées sur la comète,* 1694), sa volonté de tolérance s'expliquent plus par son appartenance spirituelle et morale au calvinisme que par un parti pris de libre penseur. Son *Dictionnaire historique et critique* (1696-97) met en œuvre une méthode originale : sur chaque thème retenu il expose, en les citant longuement, les différentes théories et opinions soutenues, en les opposant les unes aux autres et en les éclairant par un énorme appareil de notes marginales et de bas de page, de commentaires, qui dessinent un nouvel espace de lecture brisant avec la linéarité des exposés traditionnels. Cette critique systématique fonde l'histoire sur l'étude des documents scientifiquement réunis et observés et permet de dégager la vérité de l'erreur reconnue pour telle (« la seule chose qui me puisse servir, pourvu que je la puisse rectifier »).

BAYON (54290), ch.-l. de cant. de Meurthe-et-Moselle, à 21 km au S.-O. de Lunéville; 1 515 hab.

BAYONNE (64100), ch.-l. d'arr. des Pyrénées-Atlantiques, au confluent de l'Adour et de la Nive; 44 706 hab. *(Bayonnais).* Fortifications médiévales et classiques. Cathédrale des XIIIe-XVIe s. Musée Bonnat (antiquités, objets d'art, peintures et riche cabinet de dessins) et Musée basque. Plus de 100 000 habitants vivent dans une agglomération qui englobe notamment les villes de Biarritz et d'Anglet. Le port, sur l'Adour, exporte surtout du soufre (de Lacq) et du maïs, et importe des phosphates. Les constructions mécaniques (aéronautique) et la chimie (engrais) sont les principales activités industrielles. — C'est à Bayonne qu'en 1808 se tinrent les conférences qui aboutirent à l'abdication des souverains espagnols (Charles IV et Ferdinand VII) en faveur de Napoléon Ier.

BAYONNE, v. des États-Unis (New Jersey), sur la baie de New York; 73 000 hab. Raffinage du pétrole. Industrie chimique.

BAYREUTH, v. de l'Allemagne fédérale (Bavière), au N.-E. de Nuremberg; 61 000 hab. Le théâtre des Festspiele, ce « temple de la musique allemande », fut érigé grâce à Louis II de Bavière, à la demande de R. Wagner qui le destinait à la représentation de ses propres ouvrages. Inauguré en 1876, il demeure, par ses festivals annuels, le lieu de pèlerinage des wagnériens.

BAYRISCHZELL, station de sports d'hiver (alt. 802-1 800 m) de l'Allemagne fédérale, en Bavière, au S.-E. de Munich.

BAZAINE (Achille), maréchal de France (Versailles 1811 - Madrid 1888). Commandant en chef au Mexique (1863), promu maréchal (1864), il organise le retrait des troupes françaises (1866-67) puis commande la garde impériale en 1869. Mis, le 12 août 1870, par Napoléon III, à la tête de l'armée de Lorraine, il laisse enfermer ses forces dans Metz, tente de négocier avec l'impératrice, mais doit capituler avec 180 000 hommes le 27 octobre. Condamné à mort en 1873, il voit sa peine aussitôt commuée en détention. Il s'évade en 1874 de l'île Sainte-Marguerite et se réfugie à Madrid.

BAZAINE (Jean), peintre français (Paris 1904). L'un des « vingt jeunes peintres de tradition française » qui exposèrent ensemble, à Paris, en 1941 (Beaudin, Lapicque, Manessier, Pignon, Singier...), il vint à la non-figuration vers 1945, développant un chromatisme et des rythmes issus du spectacle de la nature. Des vitraux, surtout, représentent son inspiration religieuse.

BAZARD (Saint-Amand), saint-simonien français (Paris 1791-Courtry 1832). Venu du carbonarisme au saint-simonisme, il se brouilla avec Enfantin* en 1831. Il eut une grande influence, notamment sur Stuart Mill*.

BAZAS (33430), ch.-l. de cant. de la Gironde, à 15 km au S. de Langon; 5 235 hab. Cathédrale rebâtie à partir du XIIIe s., époque des portails sculptés de la façade. Vignobles.

BAZEILLES (08140 Douzy), comm. des Ardennes, à 6 km au S.-E. de Montmédy; 1 411 hab. Célèbres combats du 1er septembre 1870, dont l'anniversaire est devenu la fête traditionnelle des troupes de marine. (V. SEDAN [*bataille de*].)

BAZET (65460), comm. des Hautes-Pyrénées, à 6 km au N. de Tarbes; 1 180 hab. Céramique industrielle.

BAZILLE (Frédéric), peintre français (Montpellier 1841 - tué à l'attaque de Beaune-la-Rolande 1870). D'une famille bourgeoise, très doué, il eut un rôle essentiel dans la formation de l'impressionnisme, tant par son talent que par les relations dont il favorisa l'établissement entre jeunes peintres, à Paris, à partir de 1863. Il a surtout peint des figures en plein air, dans le cadre de la propriété familiale de Méric (musée de Montpellier, Louvre).

BAZIN (René), écrivain français (Angers 1853 - Paris 1932). Ses romans célèbrent l'attachement à la terre et aux vertus ancestrales (*les Oberlé,* 1901).

BAZIN (Jean-Pierre HERVÉ-BAZIN, dit **Hervé**), écrivain français (Angers 1911), petit-neveu du précédent. Sa violence satirique s'exerce contre les oppressions familiales et sociales (*Vipère au poing,* 1948; *l'Huile sur le feu,* 1954; *le Matrimoine,* 1967; *Madame Ex,* 1975).

BAZOCHES-SUR-HOËNE (61400 Mortagne au Perche), ch.-l. de cant. de l'Orne, à 8 km au N.-O. de Mortagne-au-Perche; 615 hab.

BAZOIS, petite région de la Nièvre, à l'O. du Morvan. Élevage (embouche).

BAZY (Pierre), chirurgien français (Sainte-Croix-de-Volvestre, Ariège, 1853 - Paris 1934) qui précisa la symptomatologie des maladies des voies urinaires.

B.C.G. — Le bacille *b*ilié de *C*almette et *G*uérin permet la vaccination antituberculeuse. D'une innocuité absolue, il provoque, chez un sujet vierge de toute affection tuberculeuse, une primo-infection bénigne qui se réduit au virage des réactions tuberculiniques. Il protège efficacement contre les tuberculoses graves. La loi du 5 janvier 1950 rend obligatoire la vaccination par le B.C.G. pour les enfants, les personnels sanitaires, les militaires, les adultes de moins de vingt-cinq ans; elle peut se faire par injection intradermique ou par scarification. Le contrôle de la vaccination, fait de deux à trois mois après celle-ci, est répété périodiquement. Les contre-indications à la vaccination sont rares : prématurité tant que l'enfant n'a pas atteint 3 kg, maladies aiguës.

BEACONSFIELD, comm. du Canada (Québec), dans la banlieue sud-ouest de Montréal; 19 389 hab.

BEACONSFIELD (Benjamin DISRAELI, *comte* DE) → DISRAELI.

BEADLE (George W.), biologiste américain (Wahoo, Nebraska, 1903), prix Nobel de physiologie et de médecine, en 1958, avec E. L. Tatum, pour ses travaux sur les mutations et sur les gènes.

BEAMON (Ralph), athlète américain (Jamaica, État de New York, 1946). Dans l'histoire de l'athlétisme, Beamon demeurera comme l'homme d'un seul saut, fabuleux : aux jeux Olympiques de Mexico (1968), il pulvérisa le record du monde du saut en longueur en franchissant 8,90 m (personne d'autre n'a encore atteint 8,50 m) au premier essai. Un vent favorable à la limite de la vitesse permise, l'altitude (plus de 2 000 m) facilitant la pénétration dans l'air moins dense et naturellement une classe exceptionnelle expliquent cet exploit unique que son auteur n'a plus jamais approché.

BEARDSLEY (Aubrey), dessinateur et affichiste anglais (Brighton 1872 - Menton 1898). Esthète fiévreux, il s'est acquis une immense célébrité en illustrant la *Salomé* de Wilde (1893), les *Contes* de Poe, le *Volpone* de Ben Jonson, etc., de dessins auxquels une ligne précise, mais exaspérée, dans l'esprit de l'Art nouveau, donne toute leur charge de sensualité volontiers sulfureuse.

BÉARN, région du sud-ouest de la France, dans les Pyrénées-Atlantiques, correspondant approximativement aux bassins du gave d'Oloron et du moyen gave de Pau. V. princ. *Pau.*

HISTOIRE. Créée au IXe s., dans le cadre du duché de Gascogne, la vicomté de Béarn a pour capitale Lescar, puis Pau. Elle dépend successivement de cinq dynasties : Centulle, Gabarret, Moncade, Foix-Béarn, cette dernière accédant, en 1481, à la couronne de Navarre. Quand Henri (IV) devient roi de France (1589), le Béarn passe à la Couronne, mais, pays d'état, conserve l'usage de sa langue. Il cesse d'exister en 1790, quand il constitue la partie orientale du département des Basses-Pyrénées.

BEAT GENERATION. — Lancée en 1952 dans le *New York Times,* l'expression « beat generation » désigne, par analogie avec la « génération perdue » des années 20, un mouvement social et littéraire qui prend naissance aux États-Unis, à partir de 1950 : il rassemble des troupes d'adolescents nomades et inadaptés (les *beatniks,* ainsi nommés en 1958 : on ne sait si le suffixe *nik* est emprunté au yiddish ou au *spoutnik* qui inquiétait alors les États-Unis), des écrivains (Allen Ginsberg, Jack Kerouac*, William Burroughs*) et des artistes (les peintres de l'Action Painting) autour d'une exigence de liberté et de spontanéité et, plus particulièrement, d'une maison d'édition (City Lights) fondée à San Francisco par Lawrence Ferlinghetti. Influencée par le surréalisme, les philosophies orientales, les expériences vécues sous l'emprise de la drogue, cette nouvelle vague romantique proclame l'impossibilité de son insertion dans la société moderne (*beat* viendrait de *to beat,* battre : elle serait la « génération battue ») et son désir exaspéré (*beat* évoquerait le rythme du batteur de jazz) d'absolu (*beat* serait l'abréviation de *beatific*). Révolte utopique ou soupape de sûreté d'une société bien programmée, le mouvement reste un signe majeur de l'évolution de la civilisation occidentale.

Béatitudes *(les),* oratorio de César Franck (1869-1879). Groupement de huit cantates, sur un livret de Mme Colomb, inspiré du Sermon sur la montagne, et qui oppose à des chœurs descriptifs, dramatiques, des chœurs célestes et les apaisantes interventions du Christ représenté par une voix de basse.

Beatles *(The),* quartette vocal et instrumental britannique composé de Ringo Starr, pseudonyme de Richard Starkey (né en 1940) à la batterie, John Lennon (né en 1940) à la guitare d'accompagnement, Paul McCartney (né en 1942) à la guitare basse et George Harrison (né en 1943) à la guitare solo. Les Beatles, dont le succès

X (Coll. J.-L. Passek)

The Beatles, héros du film d'animation de G. Dunning *The Yellow Submarine* (*le Sous-Marin jaune,* 1968).

fut considérable à partir de 1962, furent à l'origine de la vogue que connut dans le monde entier la pop music. Ils jouèrent également dans plusieurs films. Ils se séparèrent en 1970.

BÉATRICE PORTINARI, Florentine aimée de Dante et célébrée dans la *Vita nuova* et *la Divine Comédie.*

BEATTIE (James), poète et philosophe écossais (Laurencekirk 1735 - Aberdeen 1803), auteur d'une méditation préromantique sur le génie poétique, *le Ménestrel* (1771-1774), composée en stances spensériennes.

BEATTY (David, *comte*), amiral britannique (Dublin 1871 - Londres 1936). Commandant les croiseurs de bataille à la bataille du Jutland (1916), il remplaça Jellicoe à la tête de la *Grand Fleet* (1916-1918) et fut premier lord de la Mer de 1919 à 1927.

BEAUCAIRE (30300), ch.-l. de cant. du Gard, sur la rive droite du Rhône, en face de Tarascon; 12 997 hab. *(Beaucairois).* Château à donjon triangulaire (XIIIe-XIVe s.). Hôtel de ville (1679-1683). Belle église du XVIIIe s. Musée. Brasserie. Cimenterie. Centrale hydraulique.

BEAUCE, plaine du Bassin parisien, s'étendant de Chartres au N. à la forêt d'Orléans au S., de Châteaudun à l'O. à Étampes à l'E. Région sèche, dénudée, fertilisée par des dépôts de limons, c'est le domaine de la culture mécanisée, du blé notamment, pratiquée dans le cadre de grandes exploitations. On appelle parfois *Petite Beauce* l'extrémité sud-ouest, entre les vallées du Loir et de la Loire.

BEAUCE, région du Canada (Québec), au S. du Saint-Laurent. V. princ. *Beauceville.*

BEAUCHAMP (95250), comm. du Val-d'Oise, à 9 km au S.-O. de Pontoise; 7 801 hab. Métallurgie. Chimie.

BEAUCHAMP ou **BEAUCHAMPS** (Charles Louis ou Pierre), danseur et « compositeur » de ballet français (Versailles 1636 - Paris 1719). Maître à danser de Louis XIV, surintendant des ballets royaux, collaborateur de Lully et de Molière, il est l'auteur d'un nombre considérable de « ballets de cour » et de divertissements.

BEAUCHAMPS (80770), comm. de la Somme, à 13 km au S.-E. du Tréport; 900 hab. Sucrerie.

BEAUCHASTEL (07800 La Voulte sur Rhône), comm. de l'Ardèche, à 15 km au S.-S.-O. de Valence; 1 545 hab. Centrale hydraulique sur une dérivation du Rhône.

Beaucoup de bruit pour rien, comédie en cinq actes, en prose mêlée de vers, de Shakespeare (1598).

BEAUCOURT (90500), ch.-l. de cant. du Territoire de Belfort, à 7 km à l'E. d'Audincourt; 5 521 hab. Constructions mécaniques et électriques.

BEAUCROISSANT (38140 Rives sur Fure), comm. de l'Isère, à 13 km à l'O.-S.-O. de Voiron; 1 003 hab. Foire annuelle.

BEAU DE ROCHAS (Alphonse), ingénieur français (Digne 1815 - † 1893). En 1862, il imagina le cycle qui porte son nom et qui règle les conditions de la transformation en énergie mécanique de l'énergie calorifique provenant de la combustion d'un mélange carburé air-essence en vase clos.

BEAUDIN (André), peintre, graveur et sculpteur français (Mennecy 1895). Son œuvre, harmonieuse et mesurée, ne s'est jamais écartée des formes du visible, qu'il stylise par une géométrie souple, mais volontaire.

BEAUDOUIN (Eugène) → LODS (Marcel).

BEAUFORT (73270), ch.-l. de cant. de la Savoie, à 20 km au N.-E. d'Albertville, dans le *Beaufortin,* sur le *Doron de Beaufort;* 1 913 hab. Station d'altitude.

BEAUFORT ou **BEAUFORT-DU-JURA** (39190), ch.-l. de cant. du Jura, à 15 km au S.-O. de Lons-le-Saunier; 779 hab.

BEAUFORT, famille issue de la liaison, puis du mariage (1396) entre Jean de Gand et Catherine Swynford. Elle est principalement représentée par HENRI (1377? - Winchester 1447), évêque de Winchester, cardinal, légat du pape en Angleterre (1427-1431), chancelier (1413-1417), qui joua un rôle capital, comme médiateur, au concile de Constance*.

Beaufort *(échelle de),* échelle cotée de 0 à 12 degrés, proposée par l'amiral Beaufort, en 1806, et utilisée universellement pour mesurer la force du vent.

BEAUFORT-EN-VALLÉE (49250), ch.-l. de cant. de Maine-et-Loire, à 27 km à l'E. d'Angers; 4 103 hab. Industrie alimentaire.

BEAUFORTIN ou **MASSIF DE BEAUFORT,** massif des Alpes françaises du Nord, en Savoie, à l'E. de la vallée de l'Arly.

BEAUFRE (André), général et écrivain français (Neuilly 1902 - Belgrade 1975). Après avoir participé à la préparation du débarquement allié en Afrique (1942) et avoir servi en Indochine, il commande la force terrestre d'intervention en Égypte (1956) puis représente la France à l'O. T. A. N., à Washington (1960). Ayant quitté le service en 1961, il se consacre à l'étude des problèmes stratégiques et publie de nombreux ouvrages (*Introduction à la stratégie,* 1963; *Dissuasion et stratégie,* 1964; *les Formes nouvelles de la guerre, Stratégie pour demain,* 1972).

BEAUGENCY (45190), ch.-l. de cant. du Loiret, à 25 km au S.-O. d'Orléans, sur la rive droite de la Loire; 6 814 hab. *(Balgenciens).* Église Saint-Étienne et donjon du XIe s. Château du XVe s. (musée régional), qu'une voûte relie à l'église Notre-Dame, du XIIe s. Hôtel de ville du XVIe s. Matériel de literie.

BEAUHARNAIS, famille originaire de l'Orléanais. ALEXANDRE, vicomte **de Beauharnais** (Fort-Royal de la Martinique 1760 - Paris 1794), fils d'un gouverneur de la Martinique, député aux États généraux de 1789, décapité durant la Terreur; il épousa, en 1779, Joséphine Tascher de La Pagerie, future impératrice des Français. — EUGÈNE (Paris 1781 - Munich 1824), fils d'Alexandre et de Joséphine, fut, sous Napoléon Ier — son beau-père —, prince d'Eichstätt, puis vice-roi d'Italie (1805-1814). — HORTENSE (Paris 1783 - Arenenberg 1837), sœur du précédent, épousa (1802) Louis Bonaparte, roi de Hollande, dont elle eut trois fils : survécut seul Charles Louis Napoléon (1808), le futur Napoléon* III.

Beauharnois, importante centrale hydroélectrique du Canada (Québec), sur le Saint-Laurent.

BEAUHARNOIS ou **BEAUHARNAIS** (Charles DE), officier et administrateur français (Orléans v. 1670 - Paris 1749). Gouverneur général de la Nouvelle-France (1726-1747), il encourage à la pénétration française dans l'Ouest canadien.

BEAUJEU (69430), ch.-l. de cant. du Rhône, à 36 km au S.-O. de Mâcon; 2 301 hab. *(Beaujolais).*

BEAUJOLAIS → VIN.

BEAUJOLAIS, région cristalline de la bordure orientale du Massif central, entre la Loire et la Saône. On distingue les *monts du Beaujolais* et, à l'E., la *côte beaujolaise,* région viticole, partie de la Bourgogne, fournissant surtout des vins rouges réputés (Moulin-à-Vent, Fleurie, Juliénas, Morgon, Chiroubles, etc.).

BEAULIEU-LÈS-LOCHES (37600 Loches), comm. d'Indre-et-Loire; 1 769 hab. Anc. abbaye bénédictine (église à clocher roman, logis abbatial des XVIe-XVIIe s.). Églises et demeures médiévales. (V. MONSIEUR [*paix de*].)

BEAULIEU-SUR-DORDOGNE (19120), ch.-l. de cant. de la Corrèze, à 17 km au N.-O. de Saint-Céré; 1 700 hab. Anc. abbatiale des XIIe-XIVe s. (tympan roman du Jugement dernier, v. 1130-1140; trésor). Industries du bois.

BEAULIEU-SUR-MER (06310), comm. des Alpes-Maritimes, à 10 km à l'E. de Nice; 4 273 hab. *(Berlugans).* Station balnéaire.

BEAUMANOIR (Philippe DE RÉMI, *sire* DE), écrivain français (dans le Beauvaisis ou le Gâtinais v. 1250 - Pont-Sainte-Maxence 1296), auteur des *Coutumes du Beauvaisis.*

BEAUMARCHAIS (Pierre Augustin CARON DE), écrivain français (Paris 1732 - *id.* 1799). Un personnage pittoresque d'abord : inventeur de la montre à échappement, professeur de harpe des filles de Louis XV, agent diplomatique en Espagne pour obtenir le monopole de la traite des nègres, puis en Angleterre pour racheter au chevalier d'Éon des papiers compromettants, trafiquant d'armes

Larousse

Beaumarchais. Illustration pour *le Barbier de Séville.* (Bibliothèque de l'Arsenal.)

(pour armer les *insurgents* d'Amérique, puis les volontaires de 92), fondateur de la Société des auteurs dramatiques, éditeur des œuvres complètes de Voltaire (l'édition de Kehl), trois fois marié, deux fois emprisonné. Il touche à toutes les Bastilles du temps : par ses *Mémoires* (1773-74) contre le conseiller Goëzman, où il dénonce les abus judiciaires et qui lui apportent la célébrité; par l'hôtel magnifique qu'il se fait construire à Paris, près de la prison d'État, à partir de 1787. À travers cette existence endiablée, une passion constante : le théâtre. Si Diderot inspire ses premiers drames, sensibles et bourgeois (*Eugénie,* 1767; *les Deux Amis,* 1770), il sait tirer de la force de situations comiques éprouvées et du tempo allègre des parades* du théâtre de la Foire une comédie à rebondissements et à surprises (*le Barbier* de Séville,* 1775), à l'image d'une époque dont il sut prendre le vent : critique violent d'une société qui applaudissait sa propre dénonciation (*le Mariage* de Figaro,* 1784) et chantre larmoyant de la nouvelle morale révolutionnaire (*la Mère coupable,* 1792). Plus que la Révolution, il annonça le règne de Barras et, grand « rajeunisseur » d'intrigues, la fin du règne de l'esprit.

BEAUMES-DE-VENISE (84190), ch.-l. de cant. de Vaucluse, à 8 km au N. de Carpentras; 1631 hab. Vins.

BEAUMESNIL (27410), ch.-l. de cant. de l'Eure, à 13 km au S.-E. de Bernay; 565 hab.

BEAUMETZ-LÈS-LOGES (62123), ch.-l. de cant. du Pas-de-Calais, à 10,5 km au S.-O. d'Arras; 805 hab.

BEAUMONT (24440), ch.-l. de cant. de la Dordogne, à 30 km au S.-E. de Bergerac; 1317 hab. Bastide du XIIIe s. (église fortifiée).

BEAUMONT (50440 Beaumont Hague), ch.-l. de cant. de la Manche, à 18 km au N.-O. de Cherbourg; 1005 hab.

BEAUMONT (63110), comm. du Puy-de-Dôme, dans la banlieue sud de Clermont-Ferrand; 7853 hab. Anc. abbatiale des XIIe-XIIIe s.

BEAUMONT, v. des États-Unis (Texas), près du golfe du Mexique; 116000 hab. Port pétrolier. Industrie chimique.

BEAUMONT (Francis), poète dramatique anglais (Grace-Dieu, Leicestershire, 1584 - Londres 1616), auteur avec John Fletcher de tragédies et de comédies d'intrigue (*le Chevalier du Pilon-Ardent,* 1607).

BEAUMONT (Christophe DE), prélat français (château de La Roque, diocèse de Sarlat, 1703 - Paris 1781). Archevêque de Paris en 1746, il déploie contre les jansénistes et les philosophes un zèle intolérant qui lui vaut d'être relégué en Auvergne dès 1754.

BEAUMONT (Cyril William), critique et historien de la danse britannique (Londres 1891, *id.* 1976). Érudit, il a publié de nombreux articles, monographies et ouvrages critiques sur la danse et les danseurs (*Complete Book of Ballets,* 1937).

BEAUMONT-DE-LOMAGNE (82500), ch.-l. de cant. de Tarn-et-Garonne, à 25 km au S.-O. de Castelsarrasin; 4077 hab. Anc. bastide. Église fortifiée (XIVe s.). Halle (XVe s.).

BEAUMONT-LE-ROGER (27170), ch.-l. de cant. de l'Eure, à 17 km à l'E. de Bernay; 2894 hab. Église des XIVe-XVIe s. Constructions électriques.

BEAUMONT-SUR-OISE (95260), ch.-l. de cant. du Val-d'Oise, à 19 km au N.-E. de Pontoise, sur la rive gauche de l'Oise; 8271 hab. Église des XIIe-XVIe s. Cimenterie.

BEAUMONT-SUR-SARTHE (72170), ch.-l. de cant. de la Sarthe, à 26 km au N. du Mans; 2224 hab. Monuments anciens.

BEAUNE (21200), ch.-l. d'arr. de la Côte-d'Or, à 38 km au S.-S.-O. de Dijon; 19972 hab. *(Beaunois).* Hôtel-Dieu fondé par le chancelier Rolin en 1443, chef-d'œuvre d'architecture hospitalière (*Jugement dernier* de Van der Weyden). Église romane Notre-Dame (tenture de la *Vie de la Vierge,* fin XVe s.). Hôtel des ducs de Bourgogne (musée du Vin). Remparts, vieilles maisons. Centre de commerce des vins de la *côte de Beaune* (Aloxe-Corton, Volnay, Pommard, Meursault, etc.). Matériel viticole. Électronique.

BEAUNE-LA-ROLANDE (45340), ch.-l. de cant. du Loiret, à 18 km au S.-E. de Pithiviers; 2035 hab. Église des XIIIe-XVe s.

BEAUNEVEU (André), sculpteur et peintre français originaire de Valenciennes, mentionné de 1360 à 1400. Il exécute le gisant de Charles V à Saint-Denis (commandé en 1364) ainsi que diverses sculptures dans les Flandres et le nord de la France, avant d'entrer, en 1386, au service du duc de Berry, pour lequel il illustre un psautier (Bibl. nat., Paris) de 24 prophètes et apôtres en grisaille. D'une harmonieuse fermeté, son art innove par sa sensibilité naturaliste.

BEAUPORT, v. du Canada, dans la banlieue de Québec, sur le Saint-Laurent; 14681 hab.

BEAUPRÉ *(côte de),* littoral nord du Saint-Laurent (Canada), entre la rivière Montmorency et le cap Tourmente.

BEAUPRÉAU (49600), ch.-l. de cant. de Maine-et-Loire, à 18 km au N.-O. de Cholet; 5729 hab. Château (XVe-XIXe s.).

BEAUREPAIRE (38270), ch.-l. de cant. de l'Isère, à 29 km au S.-E. de Vienne; 3713 hab. Emballages métalliques.

BEAUREPAIRE-EN-BRESSE (71660), ch.-l. de cant. de Saône-et-Loire, à 14 km au N.-E. de Louhans; 522 hab.

BEAUSOLEIL (06240), ch.-l. de cant. des Alpes-Maritimes, au N.-E. de Monaco; 12208 hab.

BEAUSSET (Le) [83330], ch.-l. de cant. du Var, à 17 km au N.-O. de Toulon; 2992 hab. Chapelle romane.

BEAUTÉ (soins de). — À la fin du XIXe s., la fabrication artisanale des produits de beauté commença à s'industrialiser sous l'influence de facteurs scientifiques et sociaux : les progrès de la chimie permirent la réalisation de parfums et de colorants de synthèse. Ces progrès se poursuivirent au XXe s. avec la biochimie, qui est à l'origine des produits « biologiques ». L'industrialisation, en provoquant l'abaissement de leur prix de revient, mit les cosmétiques à portée d'un plus grand nombre; cependant, ils ne devinrent objets de grande consommation qu'après la Seconde Guerre mondiale : l'amélioration du niveau de vie et l'urbanisation contribuèrent à leur expansion; hygiène et beauté devinrent inséparables, et la publicité trouva un terrain d'élection en milieu urbain. La clientèle se diversifia en s'étendant : femmes obligées par leur profession de soigner leur aspect physique (hôtesse, vendeuse); jeunes nantis désormais d'un certain pouvoir d'achat, qui constituèrent un nouveau marché très important; enfin, développement de la clientèle masculine sous l'influence des États-Unis. Cet élargissement de l'éventail des consommateurs a pour corollaire une gamme étendue de produits. Ceux qui sont destinés aux soins — que ce soient des lotions, des laits, des crèmes ou des masques — ont pour fonction de nourrir, de protéger ou de nettoyer la peau. Ils sont conçus en fonction de chaque type de peau. Ils ne masquent pas les défauts, ils les traitent. Quant aux produits de maquillage — lotions colorées, fonds de teint, poudre et fards —, leur évolution est fonction de la mode : en 1967 l'importance accordée aux yeux dans le maquillage fit chuter la vente des rouges à lèvres. Implantés dans nos mœurs, les soins de beauté ont donné lieu à une industrie florissante, illustrée notamment par Avon et Revlon aux États-Unis, l'Oréal en France et Shiseido au Japon. En voie de concentration, cette industrie attire à elle les capitaux les plus divers donnant naissance à des sociétés multinationales. La diffusion de ces produits s'opère en France par le canal de magasins spécialisés, dont certains ont l'exclusivité de marques de prestige, ou par celui des grands magasins, qui attirent une clientèle plus large. La vente à domicile rencontre en France un succès beaucoup moins grand qu'aux États-Unis. Depuis 1974, la législation relative à la composition des produits de beauté et à leur publicité a donné lieu à des dispositions spéciales.

BEAUTEMPS-BEAUPRÉ (Charles François), ingénieur hydrographe français (La Neuville-au-Pont 1766 - Paris 1854). Il fut chargé, sous l'Empire et la Restauration, de tous les grands travaux hydrographiques.

Beau Ténébreux (le), nom que prend Amadis de Gaule lorsqu'il devient ermite, après avoir offensé la dame de ses pensées. Synonyme d'amoureux taciturne aux allures mélancoliques.

BEAUTOR (02800 La Fère), comm. de l'Aisne, sur l'Oise, à 1 km de La Fère; 3600 hab. Centrale thermique. Sidérurgie.

BEAUVAIS (60000), ch.-l. du départ. de l'Oise, sur le Thérain, à

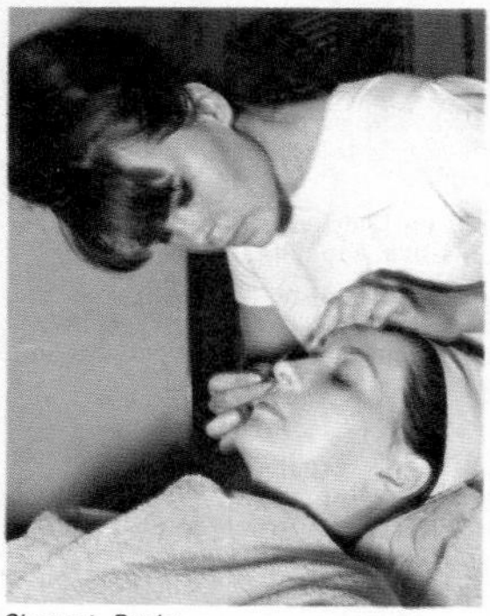

Simonet - Rapho

Soins de beauté. Séance de maquillage en institut. (Institut Carita, Paris.)

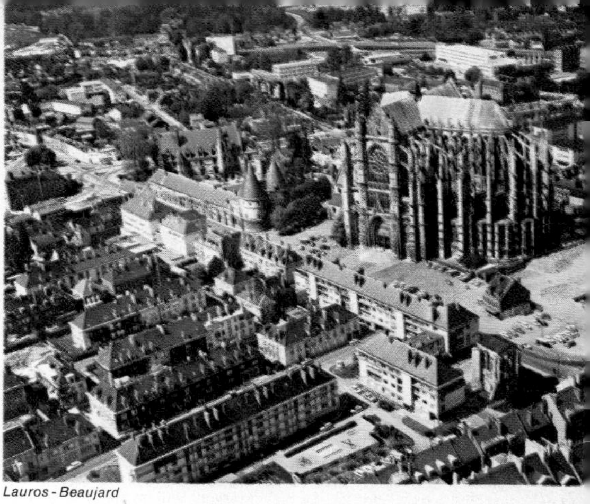

Lauros - Beaujard

Beauvais. La cathédrale Saint-Pierre et le musée, ancien palais épiscopal (porte fortifiée du XIVe s.).

74 km au N. de Paris; 56 725 hab. *(Beauvaisiens).* Important centre industriel : constructions mécaniques (matériel agricole, industrie automobile), industrie chimique (dérivés de la cellulose), textiles, brosserie, etc.

HISTOIRE. Capitale, au sein de la Belgique seconde, de la *civitas Bellovacorum,* Beauvais est dotée en 1096 de franchises communales qui l'opposent constamment au comte-évêque. En 1472, assiégée par Charles le Téméraire, la ville est défendue par Jeanne Hachette. Elle est dévastée en juin 1940 par un raid aérien.

BEAUX-ARTS. Cathédrale, la plus audacieuse de l'art gothique (48 m de hauteur de voûte), dont seuls furent construits le chœur et le transept (XIIIe-XVIe s.) [vitraux, notamment dus aux Leprince*, tapisseries]; Basse-Œuvre du Xe s.; palais épiscopal de la fin du gothique, auj. musée de la ville. Église Saint-Étienne, romane et gothique (vitraux). Production de tapisseries depuis le XVe et surtout le XVIIe s. (manufacture transférée aux Gobelins, à Paris, après les bombardements de 1940).

BEAUVALLON, station balnéaire du Var (comm. de Cogolin), sur la côte des Maures, en face de Saint-Tropez.

BEAUVILLE (47470), ch.-l. de cant. de Lot-et-Garonne, à 26 km au N.-E. d'Agen; 462 hab. Anc. bastide. Église du XIIIe s.

BEAUVOIR (Simone DE), femme de lettres française (Paris 1908). Disciple et compagne de J.-P. Sartre, son œuvre de romancière et d'essayiste tente de démêler les contradictions de sa condition d'être (*Tous les hommes sont mortels,* 1946; *Pour une morale de l'ambiguïté,* 1947), de femme (*le Deuxième Sexe,* 1949; *Mémoires d'une jeune fille rangée,* 1958; *la Femme rompue,* 1967) et d'intellectuelle (*les Mandarins,* 1954; *Tout compte fait,* 1972).

BEAUVOIR-SUR-MER (85230), ch.-l. de cant. de la Vendée, à 15 km au N.-O. de Challans; 3 041 hab.

BEAUVOIR-SUR-NIORT (79360), ch.-l. de cant. des Deux-Sèvres, à 17 km au S. de Niort; 1 046 hab.

BEAUVOIS-EN-CAMBRÉSIS (59157), comm. du Nord, à 11 km à l'E.-S.-E. de Cambrai; 2 260 hab. Église (retable).

beaux-arts (ÉCOLE NATIONALE SUPÉRIEURE DES), établissement d'enseignement supérieur, situé à Paris, rue Bonaparte.

Beaux Quartiers *(les),* roman d'Aragon (1936). L'évolution opposée de deux frères (l'un vers l'argent, l'autre vers l'engagement syndical), en 1913, dans le Paris de la Belle Époque et des grandes manifestations populaires animées par Jaurès.

BEAZLEY (*sir* John David), archéologue britannique (Glasgow 1885 - Oxford 1970) dont le nom reste attaché à la céramique grecque du VIIe au IVe s. av. J.-C. et, tout particulièrement, à la céramique attique à figure noire et à figure rouge. Parmi ses ouvrages, citons : *Attic Black-figure Vase Painters* (1956), *Attic Red-figure Vase Painters* (1963).

BEBEL (August), socialiste allemand (Deutz 1840 - Passugg, Suisse, 1913). Ouvrier tourneur, membre de la Ire Internationale, l'un des fondateurs du parti ouvrier démocrate (1869), il anime, comme député au Reichstag, l'opposition à Bismarck. Après la mort de W. Liebknecht (1900), il devient le chef incontesté de la social-démocratie allemande.

BE-BOP. — Ce style de jazz est né à New York vers 1944 au cours des jam sessions organisées à Harlem, au « Minton's », et a connu son apogée vers 1946 dans les cabarets de la 52e rue. Ses promoteurs les plus actifs furent Charlie Parker, Dizzy Gillespie, Thelonious Monk, Kenny Clarke, Charlie Christian, J. J. Johnson, Fats Navarro, Bud Powell, Max Roach et Art Blakey.

BEC. — La bouche d'un animal est appelée *bec* lorsque les mâchoires, dépourvues d'alvéoles dentaires et généralement allongées en pointe, sont toutes deux revêtues d'un étui corné. Ce dernier porte parfois des *denticules,* purement épidermiques.

BECS.
1. Balæniceps; 2. Spatule; 3. Flamant; 4. Courlis; 5. Macareux; 6. Perroquet; 7. Avocette; 8. Marabout; 9. Fulmar; 10. Goéland; 11. Coq; 12. Pic noir; 13. Canard tadorne; 14. Toucan; 15. Aigle; 16. Mésange bleue; 17. Oie grise; 18. Ornithorynque; 19. Pélican; 20. Tortue.

Il est licite de distinguer *bec corné* et *bec osseux,* ou encore *bec inférieur* et *bec supérieur.* Le bec supérieur est percé des narines.

Ainsi décrit, le bec caractérise les oiseaux et les tortues. Sa forme est en rapport avec le mode d'alimentation de l'animal : bec aspirant du colibri buveur de nectar, bec filtrant du canard, bec tranchant des rapaces, bec piquant du héron, bec à large ouverture de l'hirondelle, bec croisé du *Loxia,* bec à poche du pélican, bec inversé du flamant — qui mange avec la tête à l'envers —, bec retroussé de l'avocette, gros bec du... gros-bec, mangeur de graines, bec aplati de la spatule, etc.

Les mollusques céphalopodes présentent un bec purement corné, rappelant celui des perroquets.

Chez les jeunes passereaux nidicoles, le bec n'est pas encore fonctionnel, mais l'intérieur de la bouche est vivement coloré et sa vue détermine chez les parents un réflexe de nourrissage.

BÉCARRE → NOTATION MUSICALE.

BÉCASSE. — Ce gibier particulièrement estimé est un oiseau des sols forestiers humides, des marais et des chemins de troupeaux. Ses teintes brunes le rendent peu visible, le long bec pointu qui lui a valu son nom lui permet de picorer les vers dans la vase et les insectes dans les bouses. Le mâle pratique seul un vol de cour. Les *bécassines,* plus petites et plus élancées que les bécasses, leur ressemblent, alors que les *bécasseaux* ont le bec beaucoup plus court et un habitat plus aquatique, plages marines notamment.

Bécassine, type de servante bretonne, héroïne d'une des premières bandes dessinées (1905), créée par Pinchon et Caumery.

BÉCAUD (François SILLY, dit **Gilbert**), chanteur et compositeur français (Toulon 1927). Auteur d'une cantate et d'un opéra (*l'Opéra d'Aran,* 1962), il est surtout connu comme parolier et interprète de chansons. Depuis le début des années 50, il occupe une place importante dans la hiérarchie des artistes de music-hall internationaux. Sa fougue sur scène l'a fait surnommer « Monsieur 100 000 volts ».

N. Treatt

Samuel Beckett. Représentation de *Fin de partie,* au théâtre Alpha 347, en 1968. Mise en scène de R. Blin.

BECCARIA (Cesare BONESANA, *marquis* DE), publiciste et économiste italien (Milan 1738 - *id.* 1794), auteur d'un traité *Des délits et des peines* (1764), réagissant, en harmonie avec les idées philosophiques de l'époque, contre la dureté des peines. Économiste, il étudia les fonctions des capitaux et la division du travail.

BEC-DE-LIÈVRE. — Cette fente de la lèvre supérieure est congénitale et héréditaire. Elle peut être associée ou non à une fissure de la voûte palatine. Le traitement chirurgical est entrepris entre six mois et deux ans, selon les cas.

BÉCHAR, anc. **Colomb-Béchar,** v. d'Algérie, en bordure du Sahara, ch.-l. du départ. de la Saoura; 42 000 hab.

BEC-HELLOUIN (Le) [27800 Brionne], comm. de l'Eure; 566 hab. Le bienheureux Hellouin y fonda une abbaye bénédictine (XIe s.). L'école du monastère, dirigée par saint Anselme, fut l'une des plus célèbres au Moyen Âge.

BECHER (Johann Joachim), chimiste allemand (Spire 1635 - Londres 1682). Il découvrit l'éthylène en 1669. Précurseur de la théorie du phlogistique, il soutint la thèse des trois éléments : terreux, métallique et combustible.

BÉCHEREL (35190 Tinténiac), ch.-l. de cant. d'Ille-et-Vilaine, à 31 km au N.-O. de Rennes; 543 hab. Produits laitiers.

BECHET (Sidney), clarinettiste, saxophoniste, compositeur et chef d'orchestre de jazz noir américain (La Nouvelle-Orléans 1897? - Garches 1959). Virtuose du saxophone soprano, il fut l'un des plus authentiques représentants du style « Nouvelle-Orléans ».

BECHUANALAND → BOTSWANA.

BECKER (Jacques), cinéaste français (Paris 1906 - *id.* 1960). Il s'est fait, dans ses films (*Goupi-Mains rouges,* 1943; *Falbalas,* 1944; *Antoine et Antoinette,* 1946; *Rendez-vous de juillet,* 1949; *Casque d'or,* 1952; *Touchez pas au grisbi,* 1954; *le Trou,* 1959), le chroniqueur méticuleux, sobre et sensible de l'époque contemporaine.

BECKET (Thomas) → THOMAS BECKET *(saint).*

BECKETT (Samuel), écrivain irlandais (Foxrock, près de Dublin, 1906). Une œuvre placée sous le signe du double : écrite en deux langues (anglais, français), sur deux registres principaux (théâtre, roman), mettant en jeu des couples de héros pitoyables (Vladimir et Estragon, Pozzo et Lucky, Watt et Sam), dans une action divisée en deux temps (dramatique, parodique) de plus en plus courts (quelques minutes pour les dernières pièces), dont le second n'est bientôt plus que la pure et simple répétition du premier. Aucune opposition vraie dans cette dualité, mais une complicité (chacun est successivement bourreau et victime de l'autre), une simple variation, un renversement (ainsi du nom des héros préférés : Molloy, Murphy, Moran, Malone — on fait basculer l'initiale et l'on a : Watt, Worm, Winnie, Willie). Tout mouvement dérape et se fige : l'espace se définit en termes de reflet, le temps en termes de répétition. Toute l'œuvre compose une biologie inverse : de l'humain au minéral, à travers des personnages infirmes, loqueteux, peu distincts des détritus qu'ils traînent avec eux ou sous lesquels ils sont enfouis. Tous ont plus ou moins perdu leur mobilité : ils rampent, se traînent à quatre pattes, sont cloués à leur fauteuil ou gisent dans des sacs, dans des jarres; êtres « animés » qui se sclérosent, se pétrifient peu à peu et qui n'ont plus guère que des réactions de bactéries, répondant avec peine à quelques stimuli élémentaires : un coup de pied, une carotte agitée devant leur nez, une piqûre d'aiguillon. La parole leur est de peu d'utilité dans la reconnaissance de leur monde fragmentaire et dans leurs tentatives d'adaptation : essais de dialogues dramatiques, poussées nostal-

la vie

1906	Naissance à Foxrock, de parents protestants.
1923	Études à Trinity College, Dublin : la même érudition et la même distance ironique que Joyce à l'égard de la culture.
1928	Lecteur à l'École normale supérieure de Paris. Rencontre Joyce.
1930-1932	Enseigne à Dublin.
1936-1937	Voyage en Allemagne.
1942	Se réfugie dans le Vaucluse.
1945	Début de la grande « crise » d'écriture. Commence à écrire d'abord en français.
1953	Première d'*En attendant Godot.*
1969	Prix Nobel de littérature.

l'essentiel de l'œuvre

(dates de publication et de création, la composition étant souvent très antérieure)

Poèmes	*Whoroscope* (1930); *Poèmes 1937-39* (1968).
Essais	*Dante... Bruno. Vico... Joyce* (1929); *la Peinture des Van Velde* (1945).
Romans	*Murphy* (1938); *Malone meurt* (1951); *Molloy** (1951); *Watt** (1953); *Comment c'est* (1961); *Mercier et Camier* (1970).
Théâtre	*En* attendant Godot* (1953); *Fin* de partie* (1957); *la Dernière Bande* (1960); *Oh* les beaux jours* (1963); *Comédie* (1964); *Va et vient* (1966); *Dis Joe* (1967); *Pas moi* (1972).
Textes courts	*Textes pour rien* (1955); *Imagination morte imaginez* (1965); *Sans* (1969); *le Dépeupleur* (1971).

giques de lyrisme, bribes de conversations quotidiennes, borborygmes et bruits de bouche — le langage est plutôt de l'ordre de la sécrétion que de celui de la communication (le lien le plus sûr entre deux êtres, c'est une corde). L'œuvre de Beckett est une lente conquête de l'aphasie, du silence : ses pièces se réduisent à quelques minutes (17 pour *Pas moi*), ses derniers textes à quelques lignes de mots répétés, ressassés, qu'on tourne dans sa bouche comme un caillou dans sa poche. Les gestes quotidiens se répètent minutieusement (lire l'heure à sa montre, se brosser les dents, mettre ses chaussures), mais on en a oublié la finalité, la signification. Au bout de tout, l'opacité qui envahit la page peuplée de quelques mots roulant les uns sur les autres, comme des molécules sans les aspérités qui permettent jonction, réaction, vie, et la nuit qui envahit peu à peu la scène, ne laissant dans la lumière qu'un organe vivant, la bouche qui s'épuise à articuler, proférer, parler. Une « œuvre pour rien », pour dire le rien : la tragédie* du monde moderne.

BECKMANN (Max) → EXPRESSIONNISME.

BECQUE (Henry), auteur dramatique français (Paris 1837-*id.* 1899). De l'échec d'un drame « socialiste » (*Michel Pauper,* 1870) au succès d'une comédie boulevardière (*la Parisienne,* 1885), la carrière d'Henry Becque n'est que l'histoire de ses compromissions calculées avec les directeurs de théâtre et le public pour faire jouer *les Corbeaux* (1882), féroce satire de la société bourgeoise et chef-d'œuvre du théâtre réaliste.

BÉCQUER (Gustavo Adolfo), écrivain espagnol (Séville 1836-Madrid 1870), auteur de légendes en prose et de poésies lyriques (*Rimas,* 1860) qui en font une sorte de Musset espagnol.

BECQUEREL → ACTIVITÉ, RADIOACTIVITÉ.

BECQUEREL (Antoine César), physicien français (Châtillon-Coligny 1788-Paris 1878). Il découvrit la piézo-électricité (1819), observa l'existence des corps diamagnétiques (1827), imagina la première pile impolarisable à deux liquides (1829) et inventa la pile photovoltaïque (1839). — Son deuxième fils, ALEXANDRE EDMOND, physicien français (Paris 1820-*id.* 1891), utilisa la plaque photographique en spectroscopie, étudiant par ce moyen les radiations ultraviolettes, et fit, en 1866, les premières mesures de températures par la pile thermo-électrique. — Son petit-fils, HENRI, physicien français (Paris 1852-Le Croisic 1908), découvrit, en 1896, la radioactivité, en étudiant la phosphorescence des sels d'uranium; il établit qu'il s'agissait d'une propriété de l'atome, identifia les rayons alpha et bêta et montra qu'ils provoquent l'ionisation des gaz. (Prix Nobel de physique, 1903.)

BÉDARIEUX (34600), ch.-l. de cant. de l'Hérault, à 36 km au N. de Béziers; 6 864 hab. *(Bédariciens).* Bauxite. Bonneterie.

BÉDARRIDES (84370), ch.-l. de cant. de Vaucluse, à 14 km au N.-E. d'Avignon; 3 818 hab.

BEDAUX (Charles), ingénieur français (Paris 1888-Miami 1944). On lui doit un système de mesure du travail qui fait intervenir l'allure de l'opérateur.

BEDDOES (Thomas Lovell), écrivain anglais (Clifton 1803-Bâle 1849). Sa vie (il mena une existence errante à travers l'Allemagne et finit par se suicider) et son œuvre, marquée par le goût du macabre (*les Facéties de la mort,* 1850-1851), composent une sorte de résumé du romantisme.

BEDFORD, v. de Grande-Bretagne, ch.-l. du *comté de Bedford* (481 000 hab.), au N. de Londres; 129 000 hab. Constructions mécaniques.

BÉDIER (Joseph), historien littéraire français (Paris 1864-Le Grand-Serre, Drôme, 1938). Spécialiste de la littérature médiévale (*les Fabliaux,* 1893), il proposa de voir l'origine des chansons de geste* non plus dans des créations populaires spontanées, mais dans des récits composés par les clercs desservant les sanctuaires placés sur les grandes routes de pèlerinages (*les Légendes épiques,* 1908-1913).

BÉDOS DE CELLES (dom François DE), bénédictin français (Caux 1709-Saint-Denis 1779). Son *Art du facteur d'orgues* (1766-1778) demeure le plus célèbre traité consacré à l'instrument à tuyaux.

BEEBE (William), naturaliste et explorateur américain (New York 1877-La Trinité 1962). Grand spécialiste de la faune américaine des régions tropicales, tant continentales qu'insulaires, il est descendu, en 1934, jusqu'à 923 m de fond dans une « bathysphère » suspendue à un câble, en vue d'observer la faune des abysses. Ce record n'a été battu que vingt ans plus tard par le bathyscaphe libre.

BEECHAM (*sir* Thomas), chef d'orchestre anglais (Saint-Helens 1879-Londres 1961). Fondateur du London Philharmonic de Londres (1932) et du Royal Philharmonic Orchestra (1946), il régna à Covent Garden de 1932 à 1940, et excella notamment dans Mozart, Berlioz, Sibelius, et, d'une façon générale, dans la musique française.

BEECHER-STOWE (Harriet BEECHER, Mrs. STOWE, dite **Mrs.**), femme de lettres américaine (Lichtfield, Connecticut, 1811-Hartford 1896). Son roman *la Case de l'oncle Tom* (1852) fut l'un des plus puissants moyens de propagande du mouvement antiesclavagiste.

BEERNAERT (Auguste), homme politique belge (Ostende 1829-Lucerne 1912). Catholique, président du Conseil de 1884 à 1894, il reçoit en 1909 le prix Nobel de la paix.

BEERSE, comm. de Belgique (prov. d'Anvers), à l'O. de Turnhout; 9 643 hab. (en 1970).

BEERSHEBA ou **BEER-SHEV'A,** v. d'Israël, ch.-l. de district, à la limite septentrionale du Néguev; 84 000 hab. Anc. Bersabée, elle marquait la limite sud de la Terre promise. Des vestiges de l'époque royale, puis des époques perse, hellénistique et romaine ont été dégagés; mais l'ensemble des sites qui l'entourent l'a aussi rendue célèbre en révélant une culture (IVe millénaire) de pasteurs-éleveurs, qui pratiquaient l'agriculture, et par la suite la métallurgie du cuivre pur, et qui possédaient des coutumes funéraires.

BEETHOVEN (Ludwig VAN), compositeur allemand (Bonn 1770-Vienne 1827). La destinée de cet enfant prodige — il donne son premier concert à huit ans, est organiste à quatorze ans — le situe à la jonction entre un classicisme viennois dont il représente l'aboutissement et un romantisme germanique dont il favorise l'éveil.

Adepte des idées révolutionnaires françaises, admirateur de l'épopée bonapartiste, qu'il reniera par la suite, généreux et libéral, ce Rhénan (issu d'une famille de musiciens d'origine brabançonne et fixée à Bonn), installé, à partir de 1792, à Vienne (où il est le protégé de membres de la noblesse), est un des principaux représentants d'une école allemande qui va dominer l'Europe pendant un siècle. Il se fit le chantre de la joie, en dépit d'une existence qui l'éprouva par la surdité (testament d'Heiligenstadt de 1802, dans lequel il crie sa détresse), par des déceptions sentimentales (« lettre à l'Immortelle Bien-aimée ») et par des difficultés financières.

Maison de Beethoven

Ludwig van Beethoven, par Klöber.

Il s'est moins attaché à poursuivre l'effort de Mozart dans le domaine de l'opéra (*Fidelio**, 1805) qu'à élargir le cadre et l'expressivité de la sonate (32 sonates pour piano [*la Pathétique, Au clair de lune, l'Appassionata, l'Aurore*], musique de chambre dont 17 quatuors), intensifiant les recherches orchestrales (concertos, 9 symphonies dont la troisième, dite *Héroïque* [1804], la sixième, dite *Pastorale* [1808], et la neuvième avec chœurs [1823]). La majorité des compositeurs du XIXe s. lui sont redevables.

BEFFES (18560), comm. du Cher, à 10 km au S. de La Charité-sur-Loire, sur le canal latéral à la Loire; 689 hab. Cimenterie.

BÉGAIEMENT → PAROLE.

BÉGARD (22140), ch.-l. de cant. des Côtes-du-Nord, à 14 km au N.-O. de Guingamp; 5 411 hab. Restes d'une abbaye du XIIe s.

Bégin *(hôpital),* ancien hôpital militaire de Vincennes créé en 1855 à Saint-Mandé (Val-de-Marne). Il a été entièrement rénové en 1970 comme hôpital d'instruction des armées et abrite, en outre, le Centre de traitement de l'information du service de santé militaire.

BÈGLES (33130), ch.-l. de cant. de la Gironde, dans la banlieue sud-est de Bordeaux; 25 680 hab. *(Béglais).* Industries métallurgiques et alimentaires. Papeterie.

BEG-MEIL, station balnéaire de la côte sud du Finistère (comm. de Fouesnant) en face de Concarneau.

BÉGONIA. — Aucune des 1 300 espèces du genre *Begiona* ne peut pousser en pleine terre en France. Ce sont des plantes de serre, vendues en pot pour orner les appartements. Leur beauté est due aux formes variées et dissymétriques de leurs feuilles et aux pétales colorés de leurs fleurs, qui sont unisexuées. Type de la famille des bégoniacées.

BEGRAM → AFGHĀNISTĀN.

BEHAN (Brendan), écrivain irlandais (Dublin 1923 - *id.* 1964). Ses récits autobiographiques (*Un peuple partisan,* 1957; *Confessions d'un Irlandais révolté,* 1963) et son théâtre (*le Client du matin,* 1955; *Un otage,* 1958) font de la farce le meilleur révélateur du tragique moderne.

BÉHANZIN (1844 - Alger 1900), roi du Dahomey (1889-1894). Fils et successeur de Glé-Glé, il est spolié de son royaume par les Français (expéditions Dodds, 1890 et 1892-93) et déporté.

BÉHAVIORISME. — Première grande conception cohérente de la psychologie scientifique, le béhaviorisme est né en 1913 aux États-Unis sous l'impulsion de J. B. Watson (Greenville 1878 - New York 1958).

Voulant promouvoir la psychologie au statut de science objective, au même titre que les sciences naturelles, Watson lui assigne un modèle biologique et le comportement (en américain *behavior*) comme objet d'étude. Il étend à l'homme les méthodes déjà employées en psychologie animale, où l'introspection ne peut naturellement être utilisée et où l'accord entre expérimentateurs est le seul garant de l'objectivité des résultats. Watson propose d'établir des lois constantes reliant le stimulus (S) et la réponse (R), telles qu'on puisse prévoir le comportement si l'on connaît le stimulus. Il fait ainsi de la psychologie une science pratique, fondée sur l'observation du comportement et ayant pour tâche de prévoir.

Le réflexe qui est la conjonction la plus élémentaire entre (S) et (R) est considéré comme le type le plus simple d'interaction entre le milieu qui fournit les stimulations et l'organisme qui produit les réponses. Tout type de comportement* peut être ramené selon le béhaviorisme à des relations (S) → (R) élémentaires.

C'est sur un schéma watsonien à peine élargi que repose la *behavior therapy* (thérapie comportementale), qui s'est développée récemment à partir des États-Unis. Elle repose sur l'interprétation de la psychopathologie en termes d'apprentissage* et de conditionnement. Le symptôme (alcoolisme, perversion, tic, bégaiement, etc.) est considéré comme une mauvaise réponse à une situation donnée, que l'on peut faire disparaître en suivant les lois du conditionnement que les psychologues ont établies chez l'animal.

BÉHISTOUN, site archéologique du Kurdistān iranien, près de Kermānchāh. Darios Ier, en 516 av. J.-C., fait sculpter un relief accompagné d'un texte en cunéiforme rédigé en trois langues. Le déchiffrement, par H. Rawlinson en 1837, de l'une d'entre elles (vieux perse), servit de base à l'étude du cunéiforme.

BÉHOBIE, écart de la comm. d'Urrugne (Pyrénées-Atlantiques), sur la Bidassoa, à 6 km au S. d'Hendaye. Poste frontière sur l'Espagne.

BEHREN-LÈS-FORBACH (57460), comm. de la Moselle, à 4,5 km au S.-E. de Forbach; 12 015 hab.

BEHRENS (Peter), architecte et designer allemand (Hambourg 1868 - Berlin 1940). Graphiste et décorateur proche de l'Art nouveau, à Munich et à Darmstadt, dans les années 1890, il se tourne en 1903 vers un constructivisme modéré et devient directeur de l'École des arts appliqués de Düsseldorf. En 1907, il est chargé par la firme AEG de créer l'ensemble de son design, de l'architecture de l'usine de Berlin au graphisme publicitaire en passant par la mise en forme des produits. Dans son atelier passent Gropius, Mies van der Rohe et Le Corbusier. Vers 1920, il subit la tentation expressionniste.

BEHRING → BÉRING.

BEHRING (Emil VON), médecin et bactériologiste allemand (Hansdorf 1854 - Marburg 1917), auteur de recherches sur la vaccination contre la diphtérie, prix Nobel de physiologie et de médecine en 1901.

BEHZĀD ou **BIHZĀD** (Kamāl al-Dīn), l'un des grands maîtres de la miniature persane (v. 1450 - v. 1535), qui exerce une profonde influence sur celle-ci par ses innovations (complexité et audace de la composition, personnalisation du visage, sens du mouvement et richesse de la palette). Après avoir travaillé à Harāt*, il est à l'origine de la grande école séfévide de Tabriz*.

R. Michaud

Le Roi Dara et le gardien du troupeau royal de chevaux (1488). Miniature de Kamāl al-Din Behzād illustrant le *Bustān (le Verger)* de Sa'dī. (Bibliothèque Nationale, Le Caire.)

BEIDA (El-), ville de Libye, en Cyrénaïque, ch.-l. de prov.; 35 000 hab.

BEINE-NAUROY (51110 Bazancourt), ch.-l. de cant. de la Marne, à 17 km à l'E. de Reims; 433 hab.

BEIRA, port du Mozambique, débouché ferroviaire et maritime de la Rhodésie; 114 000 hab.

BEJAIA, anc. **Bougie,** port d'Algérie (prov. de Sétif), sur le *golfe de Bejaia;* 63 000 hab. Exportation de pétrole. Cimenterie.

BÉJART, famille de comédiens à laquelle appartenaient MADELEINE (Paris 1618 - *id.* 1672) et sa sœur ARMANDE (v. 1642 - Paris 1700), qui épousa Molière en 1662.

BÉJART (Maurice Jean BERGER, dit **Maurice**), danseur et chorégraphe français (Marseille 1927). Danseur de formation académique, sa *Symphonie pour un homme seul* (1955), au style hybride, à mi-chemin entre le classique et le moderne, le révèle comme chorégraphe au public français; mais c'est à la Belgique qu'il doit d'être à la tête du Ballet du XXe siècle et de l'école « Mudra ». Rompant avec la tradition figée, il a créé une danse parfois intemporelle, souvent reflet de notre temps, langage intérieur et universel tout à la fois, rapidement devenue art de masse. Son œuvre déjà très vaste comprend, entre autres, *la Neuvième Symphonie, le Sacre du printemps, Roméo et Juliette, À la recherche de..., Nomos Alpha, l'Oiseau de feu, Nijinski, clown de Dieu, les Chants du compagnon errant, le Marteau sans maître, Golestan, I Trionfi, Pli selon pli, Notre Faust, Farah, Héliogabale.*

BEKAA, plaine allongée du Liban, entre les montagnes du Liban et de l'Anti-Liban.

BÉKÉSCSABA, v. de Hongrie, ch.-l. de comté, près de la frontière roumaine; 58 000 hab. Monuments anciens.

BEKESY (Georg VON), physicien américain d'origine hongroise (Budapest 1899 - Honolulu 1972), prix Nobel de physiologie et de médecine en 1961 pour ses travaux sur les mécanismes de l'audition.

BEL. — Le bel est le logarithme décimal du rapport d'une puissance sonore à une autre dix fois plus faible; on utilise plutôt le *décibel,* qui en est la dixième partie.

BÊL, divinité suméro-akkadienne. À Babylone et dans la Bible, nom courant du dieu Mardouk*.

BÉLA III, roi de Hongrie de la famille des Árpád (de 1172 à 1196). Écarté du trône impérial d'Orient, il tente en vain, devenu roi de Hongrie, de s'emparer de Constantinople (1185). Il établit son fils sur le trône de la principauté de Halicz, causant ainsi la rivalité entre la Pologne et la Hongrie.

BÉLA IV, roi de Hongrie de la famille des Árpád (de 1235 à 1270). Il réussit à soumettre la noblesse à l'autorité royale. Battu par les Mongols à la bataille de Muhi (1241), il se réfugie à l'étranger. Après leur départ il reconstruit le pays dévasté et reconquiert les territoires hongrois occupés par le duc autrichien Frédéric; mais il est vaincu par la Bohême, à qui il disputait la succession d'Autriche (1260).

BÉLÂBRE (36370), ch.-l. de cant. de l'Indre, à 13 km au S.-E. du Blanc; 1 260 hab.

BELAÏA TSERKOV ou **BIELAÏA TSERKOV,** v. de l'U.R.S.S. (Ukraine), au S. de Kiev; 109 000 hab.

Bel-Ami, roman de Maupassant (1885). Comment un arriviste use des femmes, de la presse, de l'argent et de la politique dans la bourgeoisie de l'ère des entreprises coloniales : un Rastignac de la deuxième génération.

BÉLANGER (François Joseph), architecte français (Paris 1745 - *id.* 1818). Il construisit et décora la folie de Bagatelle (pour le comte d'Artois), au bois de Boulogne, ainsi que de nombreuses demeures parisiennes dans un style antiquisant et palladien d'une grâce extrême. Il aménagea aussi des jardins paysagers « à l'anglaise » (Bagatelle, Méréville) et, sous l'Empire, donna à sa halle aux blés, à Paris, une coupole en fer et cuivre apparents.

BELATE *(col de),* col des Pyrénées espagnoles, emprunté par la route de Bayonne à Pampelune; 847 m.

BELCAIRE (11340 Espezel), ch.-l. de cant. de l'Aude, à 26 km au N.-E. d'Ax-les-Thermes; 463 hab.

BEL CANTO → CHANT.

BELÉM → LISBONNE.

BELÉM, anc. **Pará,** ville du Brésil, capit. de l'État de Pará, sur le rio Pará, branche orientale du delta de l'Amazone; 634 000 hab.

BÉLEMNITE. — Ce fossile de l'ère secondaire, extrêmement commun, ne constitue qu'une faible partie de l'animal dont il provient : il s'agit seulement du *rostre,* c'est-à-dire de la pointe arrière de la coquille. L'animal entier, connu seulement par de rares moulages naturels, était une sorte de seiche ou de calmar. Contrairement aux ammonites, les bélemnites ont peu évolué et ne permettent guère de dater les terrains.

BELETTE. — Très commune en France (la faible valeur de sa fourrure lui évite d'être chassée), la belette est un des mammifères carnassiers les plus courts sur pattes et les plus féroces. Elle entre sans peine dans les terriers et y saigne les lapins. Elle chasse surtout la nuit. C'est la belette *(Mustela)* qui a donné son nom à toute la famille des mustélidés.

Belette.

B. Losier

BELFAST, capit. de l'Irlande du Nord, dans le nord-est de l'île; 362 000 hab. Principal port et centre politique, administratif et commercial, c'est aussi la métropole industrielle de l'Irlande du Nord (chantiers navals, industries textiles, mécaniques et chimiques, raffinage du pétrole).

BELFORT (90000), ch.-l. du *Territoire de Belfort,* à 423 km à l'E. de Paris; 57 317 hab. *(Belfortains).* Fortifications. Monuments des XVIIIe et XIXe s. Noyau d'une agglomération de plus de 80 000 personnes, Belfort doit son développement industriel (textile et surtout constructions mécaniques et électriques, auj. largement prépondérantes) au fait d'être restée une ville française en 1871.

Belfort *(siège de),* l'un des événements saillants de la guerre franco-allemande de 1870-71. La résistance, durant cent trois jours (4 novembre 1870 - 18 février 1871), de la garnison commandée par le colonel Pierre Denfert-Rochereau (1823-1878) valut à Belfort de rester française en 1871.

BELFORT (TERRITOIRE DE) [90], division administrative, formée par la partie du départ. du Haut-Rhin demeurée française en 1871; 610 km²; 128 125 hab. Ch.-l. *Belfort.* Atteignant les Vosges (ballon d'Alsace) au N., le département s'étend principalement sur la *trouée de Belfort,* ou porte d'Alsace*. Les deux tiers de sa population se concentrent dans l'agglomération de Belfort*, ce qui explique la prépondérance du secteur industriel (nettement plus de la moitié de la population active du territoire) et l'extrême faiblesse du secteur agricole (moins du vingtième des actifs).

BELFORT (TROUÉE DE) → ALSACE *(porte d').*

BELGAUM, v. de l'Inde (Karnātaka); 192 000 hab. Aluminium.

BELGIQUE, royaume de l'Europe occidentale, sur la mer du Nord; 30 507 km²; 9 800 000 hab. *(Belges).* Capit. *Bruxelles.*

divisions administratives

province	*superficie (en km²)*	*population (1977)*	*chef-lieu*	*population (1977)*
Anvers	2 861	1 567 429	Anvers	206 786
Brabant	3 372	2 217 934	Bruxelles	152 850
Flandre-Occidentale	3 134	1 073 406	Bruges	118 984
Flandre-Orientale	2 982	1 325 222	Gand	248 657
Hainaut	3 790	1 317 772	Mons	95 239
Liège	3 876	1 010 237	Liège	230 805
Limbourg	2 421	692 127	Hasselt	62 755
Luxembourg	4 418	220 259	Arlon	23 269
Namur	3 660	398 916	Namur	100 060

principales agglomérations (en 1977)

Bruxelles	1 042 052	Liège	437 000
Anvers	669 000	Gand	221 000

GÉOGRAPHIE

• *Le milieu naturel.* La Belgique est un pays bas, au relief monotone, qui se relève doucement vers le S.-E. Les plaines littorales, bordées par une côte rectiligne, sont relayées vers le S.-E. par une région de collines (Flandre intérieure et Campine) sablo-argileuses, d'origine glaciaire. Puis s'étendent les plateaux de Hesbaye, du Brabant et du Hainaut, limités au S.-E. par le sillon Sambre-Meuse. Au-delà, les hauteurs du Condroz sont séparées par les dépressions schisteuses de la Famenne et de la Fagne du massif de l'Ardenne. Celui-ci, constitué de terrains primaires rabotés (692 m au signal de Botrange), est incisé par les profondes vallées de la Meuse et de ses affluents. Le climat, océanique sur l'ensemble du pays, prend, dans l'Ardenne, une nuance continentale marquée par des hivers plus rudes et enneigés.

• *La population.* La Belgique est un pays fortement peuplé, puisque sa densité moyenne dépasse 320 habitants au kilomètre carré. Mais, du fait d'un accroissement naturel très réduit, la population est vieillie et, actuellement, numériquement stagnante ou presque. Du point de vue linguistique, une ligne ouest-est divise le pays en deux communautés : au N., les Flamands, de langue néerlandaise, au S., les Wallons, francophones, la capitale étant bilingue. L'allemand est parlé dans la partie orientale. De plus, la Belgique compte un nombre important d'ouvriers immigrés, en particulier des Italiens. La répartition de la population est inégale : les hauteurs du Sud-Est sont délaissées au profit des vallées (Sambre-Meuse, Escaut, Lys, Senne) et du littoral. Le taux d'urbanisation est très élevé, 85 p. 100 des habitants résidant dans des villes. Trois grandes agglomérations (Bruxelles, Anvers et Liège) dominent un réseau dense de villes moyennes, constitué d'anciennes cités historiques ou d'agglomérations nées du développement industriel.

• *L'économie.* L'agriculture n'occupe qu'une faible partie de la population active. Peu favorisée par des sols généralement pauvres, elle est caractérisée par son intensivité : la mécanisation et l'emploi massif d'engrais permettent d'obtenir de forts rendements. La culture est surtout pratiquée dans les plaines et sur les plateaux limoneux, les principales productions étant la betterave à sucre, les céréales (blé), la pomme de terre et le lin. Le Sud-Est, bocager, se consacre à l'élevage bovin, à l'exception des hautes terres ardennaises où l'on exploite la forêt. La production agricole reste cependant insuffisante pour l'alimentation nationale.

La richesse de la Belgique est fondée sur son développement industriel. Dès le Moyen Âge, la Flandre est célèbre par ses villes drapantes. L'accumulation de capitaux permettra, au XIXe s., la révolution industrielle fondée sur l'exploitation du charbon. La Belgique possède en effet d'importants bassins houillers, dont l'exploitation, en déclin marqué, est actuellement de l'ordre de 7 Mt, alors qu'elle avoisinait 30 Mt il y a une vingtaine d'années. Le pétrole, devenu la principale source d'énergie, doit être importé; il est surtout raffiné dans l'agglomération d'Anvers. Pour la production d'électricité (supérieure à 40 TWh), la part du nucléaire augmente dans ce pays peu favorisé par l'hydrographie.

Née dans le Pays noir, la sidérurgie (15 Mt d'acier par an) repose sur l'importation de minerai de fer, et aujourd'hui, en partie, du charbon, ou coke, de même que la transformation des métaux non ferreux (cuivre, étain, plomb, zinc) s'est développée lors de la période coloniale grâce aux minerais de l'ancien Congo belge. Les constructions mécaniques occupent une place de premier plan : matériel ferroviaire, machines-outils, chantiers navals. L'industrie traditionnelle du textile s'est diversifiée et reste florissante : laine, coton, jute, lin. La carbochimie est localisée dans le Pays noir, tandis que la pétrochimie progresse à Anvers; les productions d'engrais, matières plastiques, fibres synthétiques sont en essor. À ces diverses branches s'ajoutent la cimenterie, la verrerie et les industries alimentaires fondées sur la production agricole locale (sucreries, brasseries) ou de l'ancienne colonie (chocolateries).

Le développement industriel a été facilité par un excellent réseau de communication. La densité en routes et en voies ferrées est très importante, et le réseau autoroutier est appréciable. Enfin, la Belgique compte 1 600 km de voies navigables — dont une partie est accessible aux convois poussés de 10 000 t — qui facilitent les communications avec l'Allemagne et la France et la liaison entre le port d'Anvers et le reste du pays (notamment par le canal Albert). Ce réseau de voies de communication est indispensable car l'économie du pays repose largement sur les échanges avec l'extérieur. Le port d'Anvers (le quatrième d'Europe par son trafic) est la plaque tournante du commerce extérieur, suivi de loin par celui de Gand. La balance commerciale est à peu près équilibrée. Le pays importe des produits alimentaires et les matières premières nécessaires à l'industrie (minerais, textiles, hydrocarbures), et exporte des produits fabriqués (constructions mécaniques, tissus). Les échanges ont lieu surtout au sein du Marché commun, avec l'Allemagne fédérale, les Pays-Bas (dans le cadre plus restreint du Benelux) et la France.

Ainsi, malgré sa superficie très réduite et ses ressources naturelles limitées, la Belgique compte parmi les pays les plus riches du monde, avec un niveau de vie moyen élevé. Cependant, son équilibre reste fragile car le pays est étroitement tributaire du marché mondial pour son approvisionnement et l'écoulement de ses produits. Il dépend en particulier de l'évolution du Marché commun. Par ailleurs, se pose le problème linguistique qui recouvre des réalités économiques et sociales, la Wallonie correspondant aux régions aujourd'hui souvent les moins actives du pays.

HISTOIRE. La Gaule Belgique est conquise par César en 57 av. J.-C. Si la Belgique romaine compte peu de villes, elle joue un rôle important dans la stratégie et l'économie de l'empire. Les invasions germaniques (Francs) marquent davantage, sur le plan linguistique notamment, les territoires du Nord (Flandre, Brabant, Campine) que ceux du Sud (Wallonie), qui restent fortement romanisés. Portion de l'Empire carolingien, la Belgique est, en 843, coupée par l'Escaut, frontière entre la France et l'empire jusqu'en 1526. L'histoire des principautés belges et de leurs cités prospères, fief français (Flandre*) ou fiefs d'Empire, se confond dès lors avec celle des Pays-Bas*, dont l'unification est tentée par les ducs de Bourgogne (XIVe-XVe s.), puis par les Habsbourg d'Espagne (XVIe-XVIIe s.) et d'Autriche (XVIIIe s.). Après un essai éphémère d'indépendance (États belgiques unis, 1790), les provinces belges deviennent françaises (1794-1814), puis hollandaises, dans le cadre du royaume des Pays-Bas créé pour la dynastie hollandaise d'Orange (1814-1830). La politique maladroite des Hollandais provoque l'insurrection bruxelloise (25 août 1830), la sécession des provinces belges (29 sept.) et l'indépendance de la Belgique (4 oct.) : celle-ci est reconnue le 20 janvier 1831 par la conférence de Londres, mais en 1839 seulement par la Hollande — qui doit (1833) céder Anvers aux Belges.

La couronne est donnée à Léopold (Ier) de Saxe-Cobourg († 1865), qui, le 21 juillet 1831, prête serment à la Constitution du 7 février, laquelle s'inspire du libéralisme bourgeois et chrétien et entérine la création d'une monarchie parlementaire (deux chambres) et héréditaire.

Si ce petit pays prospère et riche trouve rapidement son équilibre économique, sa vie politique est constamment marquée par la lutte entre libéraux et catholiques. Le règne de Léopold II* (de 1865 à 1909) est bénéfique, l'essor industriel se doublant d'une implantation en Afrique (Congo belge), mais dans « ce paradis du capitalisme », l'industrialisation se double d'une paupérisation des masses qui provoque la création, et détermine l'action, d'un dynamique parti socialiste (parti ouvrier belge, 1885); parallèlement, se développent la démocratisation des institutions et les revendications flamandes, la francophonie et les francophones étant en fait favorisés sur tous les plans. Le règne d'Albert Ier* (de 1909 à 1934) est dominé par la Première Guerre* mondiale, comme celui de son fils, Léopold III* (de 1934 à 1951), l'est par la Seconde.

Après 1945, si elle connaît un redressement économique spectaculaire, la Belgique est affrontée à de graves problèmes : le problème royal, qui se résout par l'abdication de Léopold III et l'avènement de son fils, Baudouin Ier (1951); le problème scolaire, qui oppose l'Église aux libéraux et aux socialistes et trouve une solution dans le pacte scolaire (1958); le problème congolais, lié à la décolonisation générale de l'Afrique noire (v. ZAÏRE); enfin, le problème linguistique, qui, à partir de 1960 surtout, oppose, plus ou moins violemment, les francophones (Wallons), devenus minoritaires sur le plan économique et sur le plan démographique, aux néerlandophones (Flamands), les uns et les autres se disputant Bruxelles, ville à majorité francophone en zone flamande. Ce problème, jamais résolu en droit, est à l'origine — les difficultés économiques mondiales en alourdissant les conséquences — de l'instabilité ministérielle, les gouvernements les plus solides étant ceux de Gaston Eyskens (1958-1961; 1968-1972), Théo Lefèvre (1961-1965), Edmond Leburton (1972-1974), Léo Tindemans. La Belgique n'en reste pas moins un bastion solide de la Communauté européenne, dont Bruxelles est la capitale.

DÉFENSE ET ARMÉES. Signataire du traité de Bruxelles (1948) et membre du Pacte atlantique (1949).

• LES FORCES BELGES EN 1977. Budget : 1 479 millions de dollars (3 p. 100 du P. N. B.). Effectifs : 88 000 hommes dont 34 000 appelés à un service militaire de 10 à 12 mois.

Armée : 64 000 hommes, soit 1 corps d'armée (4 brigades blindées ou mécanisées), intégré dans les forces de l'O. T. A. N. Armement : chars allemands « Leopard », roquettes « Honest John », missiles « Lance » américains.

Aviation : 20 000 hommes, 144 appareils de combat (« Mirage V » français, « F-104 » américain — qui sera remplacé par le « F-16 »).

Force navale : 4 200 hommes, 4 escorteurs de 1 860 t en construction, une trentaine de petites unités.

BELGODÈRE (20226), ch.-l. de cant. de la Haute-Corse, dans la Balagne, à 15 km au S.-E. de L'Île-Rousse; 536 hab.

BELGOROD ou **BIELGOROD,** v. de l'U. R. S. S. (R. S. F. S. de Russie), au N. de Kharkov; 151 000 hab.

BELGRADE, en serbe **Beograd,** capit. de la Yougoslavie et de la république de Serbie, au confluent du Danube et de la Save; 770 000 hab. Antique citadelle reconstruite au XVIIIe s. Église Saint-Marc, élevée en 1931 dans le style byzantin macédonien. Importants musées. Dans une situation de carrefour entre les pays de langue allemande et la mer Noire, l'Europe orientale et les États méditerranéens, Belgrade s'est développée comme centre militaire et commercial. Aujourd'hui domine la fonction administrative, alors que l'industrie tient une place croissante (métallurgie de transformation surtout). La ville a débordé son cadre originel sur la rive droite de la Save, et une cité satellite, *Novi Beograd,* a été construite sur la rive gauche, l'ensemble de l'agglomération s'étirant sur la rive méridionale du Danube, où le trafic fluvial est assez intense. (V. illustration p. 230.)

BELGRAND (Eugène), ingénieur français (Ervy, Aube, 1810-Paris 1878). Il installa le système d'égouts de la Ville de Paris, dériva la Vanne et construisit les réservoirs de Montsouris.

BELGRANO (Manuel), patriote argentin (Buenos Aires 1770-*id.* 1820). Il bat les Espagnols à Tucumán (1812) et à Salta (1813), contribuant ainsi à l'indépendance de l'Argentine.

BÉLIER → OVINS.

BÉLIER, constellation zodiacale de l'hémisphère boréal. — Premier signe du zodiaque*, dans lequel le Soleil entre à l'équinoxe du printemps.

zones urbaines (dans les cartes régionales)
communes classées suivant l'importance de leur population.
voies ferrées (dans les cartes régionales)
trajet des trains rapides T.E.E. (dans la carte générale)
autoroutes
canaux
limite linguistique entre régions de langue néerlandaise au Nord et régions de langue française au Sud, et allemande à l'Est
MER DU NORD
P A Y S - B A S
Knokke
Zeebrugge
Blankenberge
Terneuzen
Ostende
BRUGES
ANVERS
Turnhout
PAYS-BAS
A L L E M A G N E (R. F. A.)
La Panne
Furnes
Dixmude
Torhout
Tielt
Eeklo
Zelzate
Saint-Nicolas
Lokeren
GAND
Malines
Geel
Lommel
Leer
jonction de la Meuse à l'Escaut
canal Albert
LIMBOURG
Genk
F L A N D R E - O C C I D E N T A L E
F L A N D R E - O R I E N T A L E
Yser
Roulers
Ypres
Izegem
Poperinge
Lys
Courtrai
Audenarde
Alost
Dendre
Demer
Louvain
Hasselt
St-Trond
Maastricht
Aix-la-Chapelle
BRUXELLES
B R A B A N T
Tirlemont
Tongres
Mouscron
Renaix
Halle
Wavre
Dyle
Senne
Waremme
LIÈGE
Armentières
Lille
Deule
Tournai
Ath
Soignies
Nivelles
Gembloux
Meuse
Eupen
Verviers
F R A N C E
Scarpe
La Louvière
Namur
L I È G E
Huy
Malmédy
Valenciennes
Escaut
Mons
H A I N A U T
Sambre
Charleroi
Amblève
Thuin
Ciney
Dinant
N A M U R
Ourthe
Philippeville
Lesse
A r d e n n e
Oise
Bastogne
L U X E M B O U R G
Neufchâteau
Semois
LUXEMBOURG
Arlon
F R A N C E
0 50 km
Canal Albert
Alleur
Herstal
Montegnée
Ans
Vottem
Saint-Nicolas
Jupille s/-M.
Grâce-Hollogne
Bressoux
Jemeppe
Tilleur
LIÈGE
Grivegnée
Flémalle Gde Hte
Angleur
Chênée
Ougrée
Forêt
Seraing
Ourthe
Vesdre
0 10 km
PAYS-BAS
Kalmthout
0 5 10 km
Kapellen
Brasschaat
Ekeren
Merksem
Schoten
Schilde
Escaut Maritime
Zwijndrecht
ANVERS
Deurne
Wijnegem
Borsbeek
Burcht
Hoboken
Borgerhout
Berchem
Mortsel
Boechout
Wilrijk
Edegem
Hove
Hemiksem
Kontich
Aartselaar
Lierre
Schelle
Niel
c^l de la Nete
Boom
Duffel
Nete
Willebroek
canal de Willebroek
Wavre-Ste-Catherine
Malines
Dyle
Senne
BRABANT
FLANDRE-ORIENTALE
FLANDRE-ORLE
Grimbergen
Vilvorde
Wemmel
Asse
Machelen
Strombeek-Bever
Ganshoren
Jette
Zaventem
Evere
Berchem-Ste-Agathe
Koekelberg
Schaerbeek
Kraainem
Liedekerke
Molenbeek-St-Jean
Woluwe-Saint-Lambert
St-Josse-ten-Noode
Dilbeek
Wezembeek Oppem
BRUXELLES
Etterbeek
Anderlecht
St-Gilles
Ixelles
Tervuren
Auderghem
Forest
Watermael-Boitsfort
Ruisbroek
Uccle
0 5 10 km
La Louvière
canal de Bruxelles à Charleroi
Houdeng-Aimeries
Fleurus
Ghlin
Canal du Centre
Jumet
Gosselies
Jemeppe-s-Sambre
Morlanwelz-Mariemont
Ransart
Haine-St-Paul
Courcelles
Lodelinsart
Jemappes
MONS
Roux
Farciennes
Sambre
Hornu
Boussu
Flénu
Haine-St-Pierre
Carnières
Charleroi
Gilly
Auvelais
Quaregnon
Monceau-s/-Sambre
Châtelineau
Tamines
Wasmes
Pâturages
Fontaine-l'Évêque
Montignies-s/-Sambre
Dour
Frameries
Binche
Anderlues
Marchienne-au-Pont
Marcinelle
La Bouverie
Trouille
Mont-sur-Marchienne

Fiore

Belgrade. Vue des quartiers en bordure de la Save.

BELIN (Édouard), inventeur français (Vesoul 1876-Territet, canton de Vaud, 1963). Il imagina en 1907 des procédés de phototélégraphie (bélinogrammes) et de télautographie.

BELIN-BÉLIET (33830), ch.-l. de cant. de la Gironde, à 45 km au S.-O. de Bordeaux, dans les Landes; 2 229 hab. Constructions mécaniques.

BELINGA, massif du nord-est du Gabon. Gisement de minerai de fer.

BELINSKI ou **BIELINSKI** (Vissarion Grigorievitch), critique et publiciste russe (Sveaborg 1811-Saint-Pétersbourg 1848). Influencé d'abord par l'idéalisme allemand (*Rêveries littéraires,* 1834), il évolue, à travers les découvertes successives de Hegel et de Feuerbach, vers une philosophie matérialiste et une esthétique réaliste (*Physiologie de Pétersbourg,* 1845). Maître à penser de deux générations, lu avec passion par ses adversaires mêmes (les slavophiles), il est considéré comme l'un des précurseurs du réalisme* socialiste.

BÉLISAIRE, général byzantin (Thrace v. 494-Constantinople 565). Il est l'un des principaux artisans de la reconquête de l'Occident sous Justinien Ier*. Victorieux des Vandales* en Afrique du Nord (Carthage, 533) ainsi que des Ostrogoths* en Sicile (535) et en Italie (Ravenne, 540), il subit plusieurs revers qui lui sont infligés par les Ostrogoths de Totila.

BELITUNG ou **BILLITON,** île de l'Indonésie, entre Sumatra et Bornéo. Étain.

BELIZE, anc. **Honduras britannique,** territoire autonome de l'Amérique centrale, sur la mer des Antilles, dépendance de la Grande-Bretagne et membre du Commonwealth; 23 000 km²; 120 000 hab. Capit. *Belmopan.*

GÉOGRAPHIE. Le pays s'étend sur un ensemble de terres basses souvent marécageuses, que dominent au S. de petites collines calcaires. L'accès par la côte est rendu très difficile par la présence de récifs et l'extension de la mangrove. Le climat, tropical humide, explique le large développement de la forêt dense.

La population, peu nombreuse, se concentre dans la partie centrale du pays. Elle est formée en majorité de Noirs et de mulâtres. L'économie du pays repose sur l'exploitation du chicle (exporté vers les États-Unis pour fabriquer le chewing-gum) et surtout les plantations de canne à sucre et la sylviculture. La balance des échanges (effectués surtout avec les États-Unis) est lourdement déficitaire.

HISTOIRE. Honduras britannique jusqu'en 1973, le Belize, longtemps disputé par l'Espagne et la Grande-Bretagne, évolue vers l'indépendance : colonie de la Couronne britannique en 1862, le pays a accédé à l'autonomie interne en 1964.

BELL (*sir* Charles), physiologiste britannique (Édimbourg 1774-près de Worcester 1842), qui, le premier, eut l'idée de la double conduction (sensitive et motrice) des nerfs rachidiens, théorie exposée dans un mémoire, *Sur les nerfs* (1821).

BELL (Alexander Graham), physicien américain d'origine anglaise (Édimbourg 1847-Baddeck, Canada, 1922). Chargé de l'enseignement aux sourds-muets, il construisit une oreille artificielle (1874) et aboutit à l'invention du téléphone (1876). Il préconisa l'usage de la cire pour les disques de phonographe et imagina un procédé électrique de localisation des objets métalliques dans le corps humain.

BELLAC (87300), ch.-l. d'arr. de la Haute-Vienne, à 40 km au N.-O. de Limoges; 5 826 hab. *(Bellaquais* ou *Bellachons).* Église des XIIe et XIVe s. Tannerie.

BELLADONE. — Comme la douce-amère et le lyciet, dont elle est voisine, la belladone est une plante des décombres. Son fruit, une baie noire, est mortellement toxique. On en extrait l'*atropine,* utilisée en ophtalmologie pour agrandir la pupille en vue de l'examen du fond de l'œil. (Famille des solanacées.)

BELLANGE (Jacques [DE ?]), peintre et graveur lorrain, actif à la cour de Nancy vers 1600-1616. On a de lui des dessins et des eaux-fortes d'une étrange préciosité dans l'effusion religieuse ou le populisme, ultimes avatars du maniérisme italien.

BELLARMIN (*saint* Robert) → ROBERT BELLARMIN *(saint).*

BELLARY, v. de l'Inde, dans l'est de l'État de Karnātaka; 125 000 hab.

BELLATRIX → ÉTOILE.

BELLAVITIS (*comte* Giusto), mathématicien italien (Bassano, Vénétie, 1803-Tezze 1880). Il créa à partir de 1832 la *théorie des équipollences,* une des premières formes de calcul vectoriel dans le plan. Il étudia également la transformation par inversion*.

BELLAY (Joachim DU), poète français (près de Liré 1522-Paris 1560). Ayant rencontré Ronsard dans une hôtellerie, il s'enthousiasma pour la nouvelle école poétique, dont il rédigea le manifeste (*Défense* et illustration de la langue française,* 1549) et qu'il illustra par ses sonnets (*l'Olive,* 1549). Le voyage qu'il fit à Rome avec son cousin le cardinal Jean du Bellay lui ouvrit la voie de la poésie personnelle (*les Antiquités de Rome, les Regrets*, Jeux rustiques,* 1558) à travers l'expérience de l'exil, de la maladie et de la corruption de la cour papale.

BELLEAU (02400 Château Thierry), comm. de l'Aisne, à 11 km au N.-O. de Château-Thierry; 109 hab. Combats victorieux des Américains en juin 1918.

BELLEAU (Rémy), poète français (Nogent-le-Rotrou 1528-Paris 1577). Membre de la Pléiade*, il pratique une poésie précieuse dans ses blasons*, sa pastorale en prose mêlée de vers (*la Bergerie,* 1565-1572) et sa mythologie minérale, imitée de l'Antiquité et des lapidaires* médiévaux (*Amours et nouveaux échanges des pierres précieuses,* 1576).

Belle au bois dormant *(la),* conte de Perrault. La princesse, condamnée par une méchante fée à dormir pendant cent ans, sera réveillée, puis épousée par un beau prince. Ce thème du sommeil magique, qui rappelle le mythe de Perséphone et la Blanche-Neige des frères Grimm, a inspiré plusieurs musiciens : Hérold (1829), Tchaïkovski (1890) et Ravel (*Pavane de la Belle au bois dormant,* 1908). S'inspirant de ce conte, Marius Petipa, sur la partition de Tchaïkovski, composa un ballet en trois actes et un prologue, créé à Saint-Pétersbourg en 1890 : cette œuvre fastueuse et grandiose est dansée dans le monde entier dans des versions et des adaptations différentes.

BELLECHOSE (Henri), peintre brabançon († Dijon v. 1495). Succédant en 1415 à Jean Malouel* comme peintre du duc de Bourgogne, il peignit (ou acheva) pour la chartreuse de Champmol le *Retable de saint Denis* (auj. au Louvre).

BELLEDONNE, massif des Alpes (Isère), dominant le Grésivaudan; 2 981 m.

Belle et la Bête *(la),* conte de Mme Leprince de Beaumont. Un monstre se fait livrer une jeune fille : la bonté triomphe de l'angoisse, et, en retour, l'amour dissipe la laideur. De cet apologue moral, Jean Cocteau tira un film (1946).

BELLEGAMBE (Jean), peintre français (Douai v. 1470-*id.* 1534). Son œuvre capitale est le *Polyptyque de la Trinité* (1508-1513, musée de Douai), qui prolonge l'art des primitifs flamands dans une manière monumentale et apaisée.

BELLEGARDE (45270), ch.-l. de cant. du Loiret, à 23 km à l'O. de Montargis, dans le Gâtinais; 1 479 hab. Église romane. Château.

BELLEGARDE-EN-MARCHE (23190), ch.-l. de cant. de la Creuse, à 12,5 km au N.-E. d'Aubusson; 425 hab.

BELLEGARDE-SUR-VALSERINE (01200), ch.-l. de cant. de l'Ain, à 25 km au S.-E. de Nantua, au confluent du Rhône et de la *Valserine;* 12 383 hab. *(Bellegardiens).* Industries métallurgiques, textiles et chimiques.

BELLE-ÎLE ou **BELLE-ÎLE-EN-MER,** île française de l'océan Atlantique (Morbihan), en face de Quiberon; 90 km^2; 4 328 hab. *(Bellilois).* Ch.-l. *Le Palais.*

BELLE-ISLE *(détroit de),* bras de mer, large d'environ 20 km, qui sépare le Labrador du nord de l'île de Terre-Neuve.

BELLE-ISLE (Charles Fouquet, duc de), maréchal de France (Villefranche-de-Rouergue 1684 - Versailles 1761). Maréchal de France en 1741, ambassadeur à la diète de Francfort, il est à l'origine de la coalition contre Marie-Thérèse d'Autriche (guerre de la Succession* d'Autriche, 1740-1748). Duc et pair (1748), ministre de la Guerre (1758-1761), il rénova l'administration de l'armée.

BELLE-ISLE-EN-TERRE (22810), ch.-l. de cant. des Côtes-du-Nord, à 20 km à l'O. de Guingamp; 1 269 hab.

BELLÊME (61130), ch.-l. de cant. de l'Orne, à 15 km au N.-E. de Mamers; 1 841 hab. Forêt. Monuments anciens.

BELLENCOMBRE (76680 St Saëns), ch.-l. de cant. de la Seine-Maritime, à 18 km à l'O. de Neufchâtel-en-Bray; 648 hab.

BELLERIVE-SUR-ALLIER (03700), comm. de l'Allier, sur la rive gauche de l'Allier, en face de Vichy; 7 619 hab.

BELLEVILLE, quartier de l'est de Paris (XXe arr.).

Belleville *(programme de),* programme républicain exposé par Léon Gambetta à Belleville, où il est candidat lors des élections de 1869. Charte de la future république, ce programme s'appuie sur l'exercice sans limites des libertés essentielles, une scolarisation large et laïque, la séparation de l'Église et de l'État ainsi que la suppression des armées permanentes.

BELLEVILLE, v. du Canada (Ontario), sur le lac Ontario; 35 128 hab.

BELLEVILLE (69220), ch.-l. de cant. du Rhône, à 14 km au N. de Villefranche-sur-Saône, sur la rive droite de la Saône; 6 609 hab. Belle église du XIIe s. Métallurgie.

BELLEVUE, localité des Hauts-de-Seine (comm. de Meudon). Château construit en 1748 pour Mme de Pompadour, en grande partie détruit sous la Restauration (1823).

BELLEY (01300), ch.-l. d'arr. de l'Ain, dans le sud-est du départ.; 8 224 hab. *(Belleysans).* Cathédrale des XVe et XIXe s.

BELLIGÉRANCE → GUERRE.

BELLINGHAM, v. des États-Unis (État de Washington), sur le détroit de Géorgie, près de la frontière canadienne; 40 000 hab. Aluminium. Raffinage du pétrole.

BELLINI, famille de peintres italiens, nés et morts à Venise. Iacopo (v. 1400 - v. 1470), dont on conserve surtout des dessins, garde certains souvenirs des traditions byzantine et gothique. — Son fils Gentile (1429 ? - 1507), peintre de portraits et de cycles narratifs, se signale par son réalisme, qui emprunte à la vie vénitienne et à l'Orient (il était allé à Constantinople en 1579). — Giovanni (v. 1429-1516), frère de Gentile, reçoit de son beau-frère Mantegna une influence décisive, mais qu'il saura assouplir. Peintre de tableaux d'autels et aussi de portraits, il a enseigné à l'école de Venise la plénitude de la forme, les ressources de la couleur, le goût du paysage, l'expression du sentiment. Il a donné, mais aussi emprunté à Antonello da Messina, puis à Giorgione et à Titien.

BELLINI (Vincenzo), compositeur italien (Catane 1801 - Puteaux 1835). La mélodie italienne, avec son lyrisme et son ornementation, a trouvé, sous le nom de *bel canto,* son apogée avec son opéra *La Norma* (1831).

BELLINZONA, v. de Suisse, ch.-l. du cant. du Tessin; 16 979 hab. Gare importante sur la ligne du Saint-Gothard.

BELLMAN (Carl Michael), poète suédois (Stockholm 1740 - *id.* 1795). Il abandonna une inspiration religieuse et didactique pour composer, sur des chansons populaires ou des airs d'opéra, des poèmes bachiques ou idylliques (*Épîtres de Fredman,* 1790; *Chants de Fredman,* 1791).

BELLMER (Hans), dessinateur, graveur, sculpteur-assemblagiste, photographe et peintre allemand (Katowice 1902 - Paris 1975). Un érotisme exacerbé, salué par les surréalistes, s'exprime dans ses *Poupées* articulées (1932-1965) comme dans le climat troublant et la virtuosité graphique de ses œuvres à deux dimensions, où il s'inspire parfois des vieux maîtres allemands.

BELLO (Andrés), écrivain et homme politique hispano-américain (Caracas 1781 - Santiago du Chili 1865). Juriste, grammairien, poète (*À l'agriculture dans la zone torride,* 1827), fondateur de l'université du Chili, il fut l'un des maîtres à penser de l'Amérique latine dans la conquête de son indépendance.

BELLONE, déesse romaine de la Guerre, probablement d'origine sabine et identifiée avec la déesse grecque Enyô. En 296 av. J.-C., Appius Claudius lui dédia un temple à Rome, situé hors de l'enceinte. Le culte de Bellone, sanguinaire et orgiaque, devint officiel au IIIe s. apr. J.-C.; ses prêtres, ou *bellonaires,* reçurent le nom de « fanatiques ».

BELLONTE (Maurice), aviateur français (Méru 1896), coéquipier de Costes lors du record du monde de distance en ligne droite (7 905 km en 1929) et de la première liaison aérienne Paris-New York (1930).

BELLOTTO (Bernardo) → Canaletto.

BELLOW (Saul), romancier américain (Lachine, Québec, 1915). Influencée d'abord par Kafka (*l'Homme de Buridan,* 1944), son œuvre fait de l'inquiétude d'une minorité — la communauté juive —, qui désire à la fois s'intégrer à la société américaine et préserver son identité, le symbole de l'angoisse générale du monde moderne (*les Aventures d'Augie March,* 1953; *le Faiseur de pluie,* 1959; *Herzog,* 1964; *la Planète de M. Sammler,* 1969; *le Cadeau de Humboldt,* 1975). [Prix Nobel, 1976.]

BELMONT-DE-LA-LOIRE (42670), ch.-l. de cant. de la Loire, à 18,5 km à l'E. de Charlieu; 1 653 hab.

BELMONT-SUR-RANCE (12370), ch.-l. de cant. de l'Aveyron, à 25 km au S.-O. de Saint-Affrique; 913 hab.

BELMOPAN, capit. du Belize; 4 000 hab.

BELŒIL, v. du Canada (Québec), à l'E. de Montréal, sur le Richelieu; 12 274 hab.

BELO HORIZONTE, v. du Brésil, capit. de l'État de Minas Gerais; 1 333 000 hab. Métallurgie. À Pampulha, édifices de Niemeyer.

BELOÏARSK ou **BIELOÏARSK,** localité de l'U. R. S. S. (R. S. F. S. de Russie), dans l'Oural. Centrale nucléaire.

BÉLON ou **BELON** (le), petit fleuve côtier de Bretagne, près de Pont-Aven; 25 km. Huîtres *(belons).*

BÉLOUTCHISTAN → Baloutchistan.

BELOVO ou **BIELOVO,** v. de l'U. R. S. S. (R. S. F. S. de Russie), en Sibérie occidentale, dans le Kouzbass; 108 000 hab.

BELPECH (11420), ch.-l. de cant. de l'Aude, à 30 km au S.-O. de Castelnaudary; 1 089 hab.

BELT (**Grand-** et **Petit-**), nom de deux détroits danois : le premier, à l'E., entre les îles de Sjaelland et de Fionie; le second entre l'île de Fionie et le Jylland. Ils relient la Baltique à la mer du Nord (par le Cattégat et le Skagerrak).

BELTRAMI (Eugenio), mathématicien italien (Crémone 1835 - Rome 1900). Il montra que les surfaces à courbure* constante, ou pseudosphères (1868), jouissent de propriétés localement identiques à celles de la géométrie non euclidienne plane de Lobatchevski*.

BELTSY, v. de l'U. R. S. S., dans le nord de la Moldavie; 101 000 hab. Centrale thermique.

BÉLUGA ou **BÉLOUGA.** — En toute rigueur, ce nom ne s'applique qu'au dauphin blanc *(Delphinapterus leucas)* des mers polaires, dépourvu de nageoire dorsale et long de 5 m environ. Mais les pêcheurs donnent ce nom à toutes sortes de gros poissons.

BELVÈS (24170), ch.-l. de cant. de la Dordogne, à 30 km au S.-O. de Sarlat-la-Canéda; 1 747 hab.

BELYÏ ou **BIELYÏ** (Boris Nikolaïevitch Bougaïev, dit **Andreï**), écrivain russe (Moscou 1880 - *id.* 1934). Il vit dans le symbolisme, auquel il s'efforça de donner des bases dogmatiques, non seulement une esthétique (*Symphonies,* 1902-1909), mais une religion (une « théurgie ») capable de transformer l'humanité (*le Pigeon d'argent,* 1910; *Pétersbourg,* 1912; *Moscou,* 1926-1932). Il se rallia à la révolution (*Christ est ressuscité,* 1918), qu'il interpréta comme l'héritage lointain des Scythes, à égale distance de l'Orient et de l'Occident. Ses études critiques, notamment de la prose de Gogol, ont influencé les recherches du *formalisme* russe.*

BELZ (56550), ch.-l. de cant. du Morbihan, sur la rivière d'Étel, à 13 km à l'O. d'Auray; 3 401 hab.

BELZÉBUTH, déformation méprisante du titre donné à une divinité cananéenne, Baal-Zeboub, Baal le Prince, transformé en Baal-Zeboul, Seigneur fumier, par les Hébreux en raison du culte idolâtrique qu'il patronnait. La démonologie juive et la démonologie chrétienne en ont fait le prince des démons.

BEMBO (Pietro), cardinal et humaniste italien (Venise 1470 - Rome

1547). Secrétaire de Léon X, il codifia les règles grammaticales et esthétiques de la langue « vulgaire » (*Prose della volgar lingua,* 1525) et fit de l'œuvre de Pétrarque un modèle littéraire.

BÉMOL → NOTATION MUSICALE.

BÉNARÈS ou **VĀRĀNASI,** v. de l'Inde (Uttar Pradesh), sur le Gange; 584 000 hab. C'est, depuis le VIe s., l'une des villes saintes et l'un des grands centres intellectuels de l'hindouisme.

BENAVENTE (Jacinto), auteur dramatique espagnol (Madrid 1866-*id.* 1954). Son théâtre du divorce entre les discours et les mœurs, entre la conscience et les pulsions (*la Curée,* 1898; *le Tout-Madrid,* 1906; *les Intérêts d'autrui qu'il est bon de servir,* 1907; *La Malquerida,* 1913) tint la scène pendant plus d'un demi-siècle, d'abord par succès de nouveauté et de scandale, puis par l'exploitation du procédé (*Les fils d'Ève ne sont pas toujours les fils d'Adam,* 1931; *Ne jouez pas avec ces choses-là,* 1935). [Prix Nobel, 1922.]

BEN BARKA (El Mehdi), homme politique marocain (Rabat 1920-en France 1965). Leader d'une organisation de gauche, il est enlevé à Paris en 1965. La justice française, en condamnant par contumace Oufkir*, semble reconnaître la responsabilité des autorités marocaines dans cet enlèvement.

BEN BELLA (Ahmed), homme d'État algérien (Marnia, Oranie, 1916). Sous-officier de l'armée française, puis militant nationaliste clandestin, il devient le dirigeant de la délégation extérieure du F. L. N. Il est interné en France de 1956 à 1962. Président de la République de 1963 à 1965, il est renversé par Boumediene*.

BENDA (Julien), essayiste français (Paris 1867-Fontenay-aux-Roses 1956). Défenseur d'une discipline intellectuelle et d'une esthétique fondées sur la raison, il combattit le bergsonisme et les tendances des écrivains modernes à l'« engagement » (*la Trahison des clercs,* 1927).

BENDERY, v. de l'U. R. S. S. (Moldavie), sur le Dniestr; 86 000 hab. Textile.

BENDOR, îlot situé en face de Bandol (Var). Centre de tourisme et de yachting.

BENEDEK (Ludwig VON), général autrichien (Ödenburg 1804-Graz 1881). Commandant l'armée autrichienne de Bohême, il fut battu par les Prussiens à Sadowa (1866).

BENEDETTI (Vincent, *comte*), diplomate français (Bastia 1817-Paris 1900). Ambassadeur à Berlin de 1864 à 1870, il joue un rôle déterminant dans le déclenchement de la guerre franco*-allemande.

BENEDETTO DA MAIANO → GIULIANO DA MAIANO.

BENEDICT (Ruth), anthropologue américaine (New York 1887-*id.* 1948). Ses enquêtes auprès des Indiens Pimas et Pueblos aux États-Unis l'amènent à établir une opposition entre deux types de cultures : les cultures « dionysiennes », qui valorisent les comportements excessifs et agressifs, et les cultures « apolliniennes », qui, à l'inverse, accentuent les comportements équilibrés et pacifiques. Sa principale publication est *Patterns of Culture* (1934).

BÉNÉDICTINS. — Ce sont les religieux de l'ordre fondé au Mont-Cassin (v. 500-v. 530) par saint Benoît de Nursie (480-547), qui, jeune étudiant romain, s'est retiré du monde pour mieux vivre l'idéal évangélique et servir plus facilement Dieu. La règle que Benoît donne à ses moines est souple et équilibrée : elle vise à créer une atmosphère de mesure et de paix afin que le moine — qui est à l'origine un laïque — puisse atteindre facilement à la perfection chrétienne et à l'équilibre humain. Le monastère bénédictin (v. ABBAYE) forme une famille dont l'abbé est le père; les membres de la communauté ne possèdent rien en propre; isolée du monde par la clôture, l'abbaye — ou le prieuré — conserve néanmoins avec lui le lien de l'hospitalité. Astreints à chanter les louanges de Dieu à des heures déterminées du jour et de la nuit, les moines bénédictins sont obligés par la règle au travail intellectuel et au travail manuel.

Les Bénédictins ont joué un rôle immense dans la société occidentale à la fois comme porteurs de culture, témoins de sainteté, rassembleurs de populations, protecteurs des pauvres, artistes aussi, créant le type du monastère occidental. Ils ont fourni à l'Église d'innombrables papes, évêques, docteurs et saints. Actuellement, on compte environ 12 000 moines bénédictins, répartis en 225 monastères, et 9 000 moniales bénédictines, réparties en 277 monastères.

BÉNÉFICE (*Hist.*). — Les bénéfices ecclésiastiques, reconnus par le droit canon, ont comme origine le droit de patronat, exercé au Moyen Âge, souvent d'une manière abusive, par les puissances laïques.

Dans le droit féodal, le bénéfice consiste essentiellement dans les donations de terres, par lesquelles les suzerains récompensent leurs vassaux; le mot *bénéfice* fut assez rapidement remplacé par le mot *fief.* (V. FÉODALITÉ.)

BENEŠ (Edvard), homme d'État tchécoslovaque (Kožlany 1884-Sezimovo-Ústí 1948). Disciple puis collaborateur intime de Masaryk, il est à l'origine, durant la Première Guerre mondiale, de la formation d'un gouvernement provisoire tchécoslovaque. Ministre des Affaires étrangères à partir de 1918, il est le principal créateur de la Petite-Entente*. Président de la République tchécoslovaque (1935-1938), président du gouvernement tchécoslovaque à Londres (1944-45), puis à Prague, il doit, en 1948, céder au « coup de Prague », qui amène les communistes au pouvoir.

BÉNÉVENT, en ital. **Benevento,** v. d'Italie, en Campanie, ch.-l. de prov.; 60 000 hab. Arc de triomphe de Trajan et vestiges d'un théâtre. Monuments médiévaux : château, église S. Sofia, de style byzantin, et cathédrale romane. Musées.

HISTOIRE. Appelé par les Grecs de Sicile pour organiser la lutte contre Carthage, Pyrrhos II* se rendit maître de l'île. Écrasés de tribut, les Siciliens se révoltèrent, et Pyrrhos dut se rembarquer pour l'Italie. Il reparut devant Tarente*, mais fut vaincu près de Bénévent (275 av. J.-C.) : cette bataille de Bénévent, qui ne fut qu'une échauffourée, décida Pyrrhos à quitter l'Italie et donna à Rome l'hégémonie sur la péninsule italienne. Possession de l'empire d'Orient jusqu'en 545 apr. J.-C., la ville fut érigée en duché par les Lombards (VIe s.). Tombé aux mains des Normands (XIe s.), le duché fut ensuite cédé à la papauté (1053), à laquelle il resta attaché jusqu'en 1807. Annexé par Napoléon, il fut érigé en principauté, en faveur de Talleyrand; rattaché de nouveau aux États de l'Église (1815), il fut finalement annexé à l'Italie en 1860.

Ben Gourion.

Gamma

BÉNÉVENT-L'ABBAYE (23210), ch.-l. de cant. de la Creuse, à 25 km au S.-O. de Guéret; 1 106 hab. Église du XIIe s.

BENFELD (67230), ch.-l. de cant. du Bas-Rhin, à 17 km au N.-E. de Sélestat; 3 894 hab. Constructions électriques.

BENGALE, partie de l'Asie méridionale, sur l'océan Indien (au fond du *golfe du Bengale*).

GÉOGRAPHIE. Région basse au climat chaud et humide (abondamment arrosée pendant la mousson d'été), formée essentiellement par les basses plaines alluviales et le delta commun du Gange et du Brahmapoutre, le Bengale possède seulement une unité linguistique (le *bengali*), étant partagé politiquement entre l'Inde (dont il constitue un État, le *Bengale-Occidental,* qui couvre 87 853 km^2 et compte 44 312 000 hab., et dont la capitale est Calcutta*) et le Bangladesh*, qui se confond presque avec la partie orientale du Bengale. L'ensemble est très densément peuplé, surtout pour une région presque exclusivement agricole, dont l'économie repose sur les cultures du riz (destiné à l'autoconsommation) et du jute (exporté).

HISTOIRE. Le Bengale hindou est conquis par Muhammad de Rhūr à la fin du XIIe s. Dès lors, jusqu'au XVIIIe s., le Bengale fait partie de l'Inde musulmane tout en gardant une indépendance de fait. En 1756, le nabāb du Bengale est affronté à la Compagnie anglaise des Indes orientales, qui, par la victoire de Clive à Plassey (1757), ouvre la voie à la domination britannique. En 1773, un gouverneur britannique est nommé au Bengale; en 1833, il devient aussi celui de l'Inde. La révolte des Cipayes (1858) a comme conséquence le transfert du gouvernement à la Couronne britannique; le Bengale joue alors un rôle important dans le réveil culturel et national indien. En 1947, la partition a lieu comme le souhaite Jinnah, chef de la ligue musulmane, selon des critères religieux : le Bengale-Occidental (Calcutta) est rattaché à l'Union indienne; le Bengale-Oriental (Dacca) devient le Pākistān-Oriental. Situation anormale sur le plan économique et qui provoque des remous violents : sous l'influence du cheikh Mujibur Rahman († 1975), chef de la ligue Awami, le Pākistān-Oriental réclame son indépendance, qui est acquise en décembre 1971, et il devient le Bangladesh*.

BENGALE *(golfe du),* extrémité nord-est de l'océan Indien, entre l'Inde, le Bangladesh et la Birmanie.

BENGALI → INDO-ARYEN.

BENGHAZI, port de Libye, en Cyrénaïque; 137 000 hab. Raffinerie de pétrole. — La ville changea quatre fois de mains pendant la campagne de Libye (1940-1942).

BEN GOURION (David), homme d'État israélien (Płońsk, Pologne, 1886-Tel-Aviv 1973). Installé en Palestine dès 1906, principal animateur du Mapai, secrétaire général de l'Histadrouth, président de l'exécutif sioniste à partir de 1935, il est à la tête du gouvernement lors de la création de l'État d'Israël en 1948. Démissionnaire en 1953, de nouveau Premier ministre (1955-1963), il mène son pays à la victoire lors de la deuxième guerre israélo-égyptienne (1956).

BENGUELA, port de l'Angola; 41 000 hab.

BENGUELA *(courant de),* courant marin froid de l'Atlantique austral, remontant vers le golfe de Guinée, le long de la côte occidentale de l'Afrique.

BENHA, v. d'Égypte, au N. du Caire, ch.-l. de gouvernorat; 64 000 hab. Nœud ferroviaire.

BENI MELLAL, v. du Maroc, ch.-l. de prov., en bordure du Moyen Atlas; 54 000 hab. Sucrerie.

BENIN, v. du sud du Nigeria; 122 000 hab.

BÉNIN, ancien royaume de la côte de Guinée, à l'O. du delta du Niger. Il connaît son apogée au XVIIe s. En 1892, les Britanniques lui imposent leur protectorat; cinq ans plus tard, au cours d'une expédition punitive, ils détruisent la ville de Bénin.

BEAUX-ARTS. Voué à la gloire du souverain, l'art du Bénin, comme celui d'Ife*, est essentiellement un art de cour. Selon la tradition, c'est par un fondeur d'Ife que les habitants du Bénin auraient appris vers le XIIIe s. l'art de couler le bronze à cire perdue. Les bronzes du XVe et du XVIe s. (série des têtes de reines mères) sont fins et de très belle facture. Partagé entre le naturalisme (hérité d'Ife) et une tendance à l'abstraction, l'artiste rend avec minutie le détail. L'arrivée des Portugais, pourvoyeurs de métal, suscite une abondante production d'œuvres de plus en plus lourdes. Au XVIIIe s., l'art du bronze est en décadence. Pendant l'âge d'or du royaume (XVIe-XVIIe s.), le peuple du Bénin travaille aussi l'ivoire (masque, British Museum) de façon admirable.

BÉNIN, anc. **Dahomey,** république de l'Afrique occidentale; 115 800 km^2; 3 200 000 hab. Capit. *Porto Novo.*

GÉOGRAPHIE. Ancien pays de l'Afrique-Occidentale française, le Bénin s'étend sur trois régions naturelles, depuis la côte du golfe de Guinée, au S., jusqu'au Niger, au N. Du S. au N. se succèdent la région littorale, basse, au climat subéquatorial humide, les plateaux cristallins du Centre, où l'apparition d'une saison sèche explique l'extension de la savane arborée, et le nord du pays, souvent steppique, où règne un climat soudanais.

La population, dense surtout sur la côte, vit principalement de l'agriculture. Aux productions vivrières s'ajoutent la culture du coton dans le Nord et surtout celle du palmier à huile dans le Sud; elles fournissent la quasi-totalité des exportations, qui passent par le port, récemment modernisé, de Cotonou. Cette ville, la principale du pays, concentre les rares activités industrielles : alimentation (huileries, brasseries), cimenteries. Le commerce extérieur reste largement déficitaire. La France, principal partenaire, perd peu à peu sa prépondérance. Le Bénin, pays aux ressources très limitées, connaît l'un des plus bas niveaux de vie d'Afrique.

HISTOIRE. La France signe en 1883 un traité de protectorat avec le roi de Porto-Novo, dont la mort, en 1908, prélude au régime de colonisation directe. Avec le souverain d'Abomey*, les premiers traités de commerce avec la France datent de 1851 (comptoir d'Ouidah) et de 1868 (Cotonou); une fois écartés le roi Glé-Glé (de 1858 à 1889) et son fils Béhanzin (de 1889 à 1894), la France constitue artificiellement le Dahomey, colonie de l'A.-O. F., qui est administrée directement par la métropole à partir de 1904, le Sud s'avérant plus évolué économiquement et culturellement que le Nord.

Membre de l'Union française en 1946, le Dahomey est dominé par le parti progressiste dahoméen (P. P. D.), section locale du parti de regroupement africain (P. R. A.), dirigé par Sourou Migan Apithy (né en 1913), qui, en 1958, devient Premier ministre de la république du Dahomey, en attendant de devenir président de la République (de 1964 à 1965) après Hubert Maga, premier président (de 1960 à 1964). La rivalité de plus en plus aiguë entre le président de la République et le Premier ministre est arbitrée par l'armée; d'où une instabilité politique chronique. Quand, en 1972, le commandant Mathieu Kerekou (né en 1933) s'empare du pouvoir et devient à la fois chef de l'État et chef du gouvernement, le Dahomey en est à son quatrième coup d'État depuis 1960. En 1975, il prend le nom de république du Bénin.

BÉNIN *(golfe de),* partie du golfe de Guinée, à l'O. du delta du Niger.

BENI-SAF, port de l'ouest de l'Algérie; 22 000 hab.

BENI-SOUEF, v. d'Égypte, sur le Nil; 90 000 hab.

BENJAMIN *(tribu de),* tribu israélite au sud de la Palestine. Son ancêtre éponyme, Benjamin, est le dernier des fils de Jacob*. Les benjaminites bibliques sont peut-être à rapprocher des nomades benjaminites dont parlent les textes de Mari*.

BEN JONSON → JONSON (Benjamin).

BENN (Gottfried), écrivain allemand (Mansfeld 1886-Berlin 1956). Influencé par Nietzsche et l'expressionnisme (*Morgue,* 1912), il vit

BÉNIN

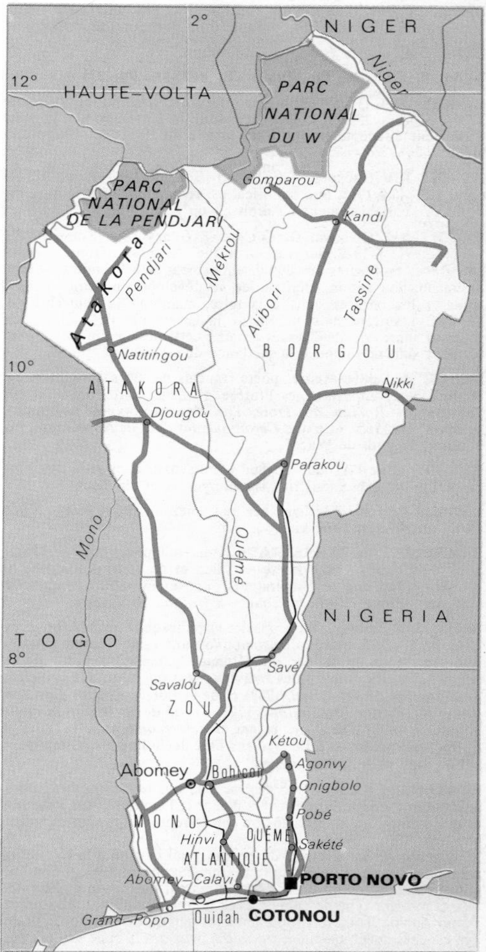

un moment dans le national-socialisme (*l'État nouveau et les intellectuels,* 1933) une issue au nihilisme qui justifie son « émigration intérieure » (*Double Vie,* 1950) et sa conception « statique » (hors de tout engagement et de l'histoire) du rôle de l'écrivain et de la littérature (*Problèmes du lyrisme,* 1951; *Poèmes statiques,* 1953).

BENNETT (James Gordon), publiciste américain (New Mill, Écosse, 1795-New York 1872). Fondateur du *New York Herald,* il fut le premier à employer systématiquement le télégraphe pour les besoins de la presse. Il envoya Stanley* à la recherche de Livingstone*.

BENNETT (Enoch Arnold), écrivain anglais (près de Hanley, Staffordshire, 1867-Londres 1931). Ses romans régionalistes décrivent le « district des poteries » au nord du Staffordshire (*Contes des vieilles femmes,* 1908).

BEN NEVIS, point culminant de la Grande-Bretagne, en Écosse, dans les Grampians; 1340 m.

BENNIGSEN (Levin Leontievitch), général russe d'origine hanovrienne (Brunswick 1745-Banteln 1826). Il fut battu à Eylau (1807) par Napoléon, mais il se distingua à Leipzig (1813).

BÉNODET (29118), comm. du Finistère, à 16 km au S. de Quimper; 2087 hab. Station balnéaire à l'entrée de l'estuaire de l'Odet.

BENOÎT de Nursie *(saint)* → BÉNÉDICTINS.

BENOÎT Ier, II, III, IV, V, VI, VII, VIII, IX, XI, XII → PAPE.

BENOÎT XIII (Pietro Francesco ORSINI) [Gravina 1649-Rome 1730], pape de 1724 à 1730. Adversaire du jansénisme, il imposa vainement l'acceptation pure et simple de la bulle *Unigenitus* (1725).

BENOÎT XIV (Prospero LAMBERTINI) [Bologne 1675-Rome 1758], pape de 1740 à 1758. Son pontificat est remarquable par la mise en ordre et l'enrichissement du droit canon*.

BENOÎT XV (Giacomo DELLA CHIESA) [Gênes 1854-Rome 1922], pape de 1914 à 1922. Successeur de Pie* X, il est affronté surtout aux graves problèmes nés du déclenchement de la Première Guerre mondiale. Son action pacificatrice se développe sur trois plans : soulager les misères dues à la lutte, maintenir la neutralité de l'Église et surtout hâter la fin de la guerre par des démarches précises auprès des belligérants; mais à cette diplomatie incontestablement sincère s'oppose la méfiance des Alliés.

BENOÎT de Sainte-Maure, poète français du XIIe s., originaire de Sainte-Maure, en Touraine. Protégé d'Aliénor d'Aquitaine, il est l'auteur du *Roman de Troie,* l'un des prototypes du roman courtois* (v. 1165), et d'une *Chronique des ducs de Normandie,* qui continue l'œuvre de Wace*.

BENONI, v. de l'Afrique du Sud (Transvaal), dans le Witwatersrand; 149000 hab. Industries métallurgiques et chimiques.

BENOUÉ (la), riv. d'Afrique, née au Cameroun, qui rejoint le Niger (r. g.) au Nigeria; 1400 km.

BENSERADE ou **BENSSERADE** (Isaac DE), poète français (Paris 1613 [?]-Gentilly 1691). Poète de salon et de cour, il composa le sonnet de *Job,* que ses admirateurs opposèrent, dans une querelle littéraire célèbre (1649), au sonnet d'*Uranie,* de Voiture.

BENTHAM (Jeremy), jurisconsulte et philosophe anglais (Londres 1748-*id.* 1832). Soucieux de promouvoir une vaste réforme morale, Bentham tente de fonder une éthique hédoniste à partir d'une psychologie des mobiles des individus (*Introduction aux principes de morale et de législation,* 1789) et de la faire appliquer dans son œuvre législatrice (*Panoptique,* 1791; *Traité de la législation civile et pénale,* 1802; *Traité des peines et des récompenses,* 1811). Il a exercé une profonde influence sur l'idéologie libérale, notamment sur le droit et la jurisprudence.

BENTHOS. — Ce mot grec désigne à la fois le fond des étendues aquatiques (océans, lacs et cours d'eau) et l'ensemble des animaux et des plantes qui vivent dans ou sur ce fond, ou ne s'en éloignent que peu.

Immense est la diversité du benthos, qui dépend à la fois de la profondeur et de la nature du fond (rocheux ou meuble), et dont les constituants diffèrent les uns des autres par leur mode d'alimentation et par leur type de contact avec le fond (fixation, fouissage ou simple appui). Toutefois, on exclut en général du benthos la foule des espèces spécifiquement *littorales,* peuplant la zone des marées ou dépendant du proche voisinage des côtes.

• *Êtres fixés.* À faible profondeur, on rencontre des algues, surtout sur les fonds rocheux; celles-ci ont souvent des crampons de fixation, mais ne puisent rien dans leur support. Les animaux brouteurs d'algues les environnent. Au-delà de −50 m, le fond ne porte que des animaux, eux aussi fixés par une ventouse, des crampons ou un véritable ciment : éponges, anémones de mer, coraux et gorgones, crinoïdes, vers, mollusques bivalves, crustacés (balane), etc. Presque tous se nourrissent de plancton et, faute de pouvoir se déplacer, disposent d'organes « batteurs » qui créent les courants d'eau nécessaires au renouvellement de leurs proies.

• *Êtres fouisseurs.* Ce sont, par exemple, des oursins ou des vers *limivores,* qui avalent beaucoup de vase et en retiennent la petite part comestible.

• *Êtres marcheurs.* Il s'agit ici de mangeurs de cadavres, qui circulent sur le fond à la recherche de proies mortes (c'est le cas des pycnogonides et de certains crustacés).

• *Êtres guetteurs.* Pour ces derniers, le fond n'est qu'un appui et une cachette. Raies, turbots, soles, baudroies et autres poissons, seiches et crabes sont plus ou moins dissimulés, par enfouissement partiel ou par homochromie, et bondissent sur la proie qui passe à la nage au-dessus d'eux.

• *Autres cas.* Bien des êtres fréquentent le fond au repos parce qu'ils sont un peu plus lourds que l'eau. C'est le cas des coquilles Saint-Jacques, qui « s'envolent » dans l'eau à la vue d'une étoile de mer.

On voit donc que le mode d'alimentation et le type de contact avec le fond sont en étroite corrélation.

BENTIVOGLIO, famille princière italienne, souveraine de Bologne au XVe et au XVIe s.

BENTONITE. — D'origine et de composition assez variables, la bentonite se gonfle fortement au contact de l'eau et est douée de propriétés adsorbantes remarquables.

BENVENISTE (Émile), linguiste français (Alep 1902-Paris 1976). Professeur de grammaire comparée au Collège de France, il a étudié les langues indo-européennes (*Origine de la formation des noms en indo-européen,* 1935; *le Vocabulaire des institutions indo-européennes,* 1969-70, 2 vol.). Son apport théorique en linguistique générale n'est pas moins important. Plutôt qu'un corps de doctrine, Benveniste propose une problématique du langage à travers de nombreux articles portant sur des points particuliers (*Problèmes de linguistique générale,* 1966-1974, 2 vol.).

Benvenuto Cellini, opéra en deux actes, livret de L. de Wailly et A. Barbier, musique de H. Berlioz (1838). L'acte du carnaval en demeure le point culminant.

BÉNY-BOCAGE (Le) [14350], ch.-l. de cant. du Calvados, à 13 km au N.-E. de Vire; 635 hab.

BENZ (Carl), ingénieur allemand (Karlsruhe 1844-Ladenburg 1929). Après avoir mis au point un moteur à gaz du type deux temps (1878), il fit breveter un tricycle mû par un moteur à quatre temps et à une seule vitesse (1886), prévoyant l'utilisation de l'essence. Considérablement perfectionnée, la voiture Benz fut importée en France en 1888.

BENZÈNE. — C'est un liquide incolore, d'odeur non désagréable, se solidifiant à 5,4 °C, bouillant à 80,4 °C, de densité 0,88, peu miscible à l'eau. Inflammable, il brûle avec une flamme fuligineuse. On l'obtient à partir de la houille et surtout du pétrole.

Sa formule C_6H_6 est représentée par un hexagone plan régulier, dont les six sommets sont occupés par des atomes de carbone et dans lequel toutes les liaisons chimiques sont identiques, bien que la quadrivalence du carbone conduise à y alterner les simples et doubles liaisons. Ce corps peut donner soit des réactions d'addition, soit des réactions de substitution. Ces propriétés du « noyau benzénique » subsistent dans les dérivés du benzène. Utilisé comme solvant, le benzène est le point de départ de la fabrication de colorants, de détergents, d'insecticides, de plastiques, etc. (V. AROMATIQUES [*hydrocarbures*], ÉTHYLÈNE.)

BENZOÏQUE (acide). — De formule $C_6H_5CO_2H$, l'acide benzoïque forme des paillettes blanches, peu solubles, fondant à 120 °C. Certains de ses esters sont employés en parfumerie.

BENZOLISME. — Cette maladie professionnelle est due au benzène* des détachants et des solvants industriels. L'*intoxication aiguë* se produit presque toujours à l'occasion d'une inhalation de vapeurs. L'effet toxique prédomine sur le système nerveux. La mort est possible par collapsus et arrêt respiratoire. L'*intoxication chronique* provoque une aplasie médullaire.

BEN ZVI (Isaac), homme politique israélien (Poltava 1884-Jérusalem 1963). Pionnier du sionisme, président du Conseil national juif (1924-1949), il est président de l'État d'Israël de 1952 à sa mort.

BENZYLIQUE (alcool). — De formule $C_6H_5CH_2OH$, l'alcool benzylique est un liquide d'odeur faible, bouillant à 206 °C, peu soluble dans l'eau.

BEOGRAD → BELGRADE.

BÉOTIE, nome de la Grèce antique, dont le centre principal est Thèbes*. Lors des guerres médiques*, les Béotiens combattent dans l'armée perse, et les Athéniens leur reprocheront leur trahison. Au milieu du IVe s. av. J.-C., Épaminondas* et Pélopidas* donnent à Thèbes et à la Confédération béotienne l'hégémonie sur la Grèce.

Beowulf, héros légendaire d'un poème épique anglo-saxon rédigé entre le VIIIe et le Xe s., tableau du haut Moyen Âge germanique.

BEPPU, port du Japon, sur la côte nord-est de Kyūshū; 124 000 hab.

BERAIN (Jean), ornemaniste français (Saint-Mihiel 1639 - Paris 1711). « Dessinateur de la chambre du roi » (1673), il dirigea les fêtes de la cour de Louis XIV, dessina des costumes pour l'Opéra et créa pour la manufacture de Beauvais les tentures des *Grotesques* et des *Triomphes marins.* Ses dessins, meubles et ornements d'une grande fantaisie, mais qui reflètent encore la solennité du règne, forment un important recueil gravé (1711).

BÉRARDE (La), station touristique de l'Isère, dans l'Oisans, à 1 740 m d'altitude.

BERBERA, port de la Somalie septentrionale, sur le golfe d'Aden; 30 000 hab.

BERBÈRE. — Issu de la famille chamito-sémitique, le berbère est représenté par une très grande quantité de dialectes (kabyle, chleuh, touareg, etc.), parlés par environ 60 millions de personnes. Ces dialectes, disséminés sur une zone très vaste (Libye, Maghreb, Sahara), ont été influencés par l'arabe, qui tend à les supplanter.

BERBÈRES, ensemble d'ethnies de langue berbère habitant l'Afrique du Nord. Le problème de l'origine des Berbères, que l'on considère parfois comme la population originelle de l'Afrique du Nord, n'est toujours pas résolu. Divisés en d'innombrables tribus rivales, mais capables de s'unir momentanément contre les étrangers, les Berbères (Nasamons et Psylles de Libye, Garamantes du Sahara, Numides*, Gétules* et Maures du Maghreb) ne constituèrent pas d'États centralisés et durables. Les puissants royaumes numides de Masinissa* et de Jugurtha*, le royaume mauritanien de Juba II font figure d'exception. Les Berbères subissent l'influence civilisatrice de Carthage* et, dans une moindre mesure, celle de Rome. (V. AFRIQUE ROMAINE.)
Les Berbères opposent aux Arabes une résistance farouche (exploits de la légendaire Kāhina dans les Aurès), qui ne fait que retarder la conquête. L'islamisation fait de grands progrès au début du VIIIe s., et les Berbères forment le gros des troupes qui conquièrent l'Espagne. Au Maghreb, ils s'opposent au pouvoir central arabe en adoptant des doctrines religieuses schismatiques : khāridjisme* (VIIIe-IXe s.), chī'isme fāṭimide* (Xe s.). Deux dynasties berbères parviennent à unir l'Afrique du Nord sous leur autorité : les Almoravides* (nomades du groupe des Ṣanhādjas) et les Almohades* (sédentaires du groupe des Masmoudas).
Au XIIIe s., le Maghreb est divisé entre les royaumes ḥafṣide*, 'abdalwādide* et marīnide*, dont les souverains, berbères d'origine, ont adopté la civilisation arabo-andalouse. Les tribus berbères des montagnes échappent au contrôle de ces derniers. Elles forment les îlots berbérophones de l'Algérie et du Maroc contemporains.

BERBÉRIDACÉES. — La seule plante de cette petite famille qui soit commune en France est *l'épine-vinette,* buisson épineux des régions calcaires, curieux surtout par ses étamines, qui s'ouvrent par une valve et qui, à maturité, viennent brusquement se plaquer sur le stigmate, comme par un effet de ressort. Cette plante est nuisible parce qu'elle héberge une partie du cycle reproductif d'un champignon parasite des céréales, la « rouille du blé » *(Puccinia graminis).*

BERCE. — Cette ombellifère ne mérite une mention que pour son extrême abondance dans la flore sauvage (prairies, landes, bois clairs, bord des chemins) et pour la forme très particulière de ses grandes feuilles, qui la rend facile à identifier. Son nom latin *(Heracleum)* rappelle une antique consécration à Hercule.

BERCHEM, comm. de Belgique, dans la banlieue sud d'Anvers; 50 241 hab. (en 1970).

BERCHEM (Nicolaes), peintre et dessinateur néerlandais (Haarlem 1620 - Amsterdam 1683). Prolifique en divers genres, il est célèbre pour ses paysages italianisants, animés par leurs contrastes de lumière et oscillant entre la simplicité rustique et une verve fantasque. Boucher l'a étudié.

BERCHEM-SAINTE-AGATHE, en néerl. **Sint-Agatha-Berchem,** comm. de Belgique (Brabant), dans la banlieue nord-ouest de Bruxelles; 19 087 hab. (en 1970).

BERCHET (Giovanni), poète italien (Milan 1783 - Turin 1851), l'un des animateurs du mouvement romantique (*Lettre mi-sérieuse de Chrysostome,* 1816) et patriotique (*Romances,* 1824-1827).

BERCHTESGADEN, v. de l'Allemagne fédérale (Bavière), dans les Préalpes de Salzbourg; 4 500 hab. L'ancienne résidence de Hitler fut conquise le 4 mai 1945 par la 2e division blindée française.

BERCK (62600), comm. du Pas-de-Calais, à 16 km au S. du Touquet, sur la côte picarde; 16 494 hab. *(Berckois).* Station balnéaire à *Berck-Plage.* Centre de cure marine pour la tuberculose osseuse, centre de rééducation et de convalescence de maladies ostéo-articulaires et neuro-musculaires.

BERCY, quartier du sud-est de Paris, sur la rive droite de la Seine. Anciens entrepôts pour les vins.

BERDIAEV ou **BERDIAEFF** (Nicolas) → EXISTENTIALISME.

BÉRÉNICE, fille d'Hérode* Agrippa Ier. Après la mort de son époux et oncle, Hérode de Chalcis, elle vit avec son frère Hérode* Agrippa II, ce qui donne lieu à des rumeurs. Elle a, durant la guerre juive (67-70), une liaison avec Titus*.

Bérénice, tragédie de Racine (1670), sur un sujet traité en même temps par Corneille *(Tite et Bérénice) :* pièce du renoncement à l'amour dont le débat tout intérieur est plus proche de l'élégie ou de la pastorale héroïque que de la tragédie régulière.

BÉRÉNICE (Chevelure de) → CHEVELURE DE BÉRÉNICE.

BERENSON (Bernard), écrivain d'art de langue anglaise, originaire de Lituanie (près de Vilnious 1865 - Florence 1959). Pour lui, l'art est un langage qui se suffit à lui-même, les « valeurs tactiles » de l'œuvre permettant au spectateur de communiquer avec l'artiste. Les ouvrages et les expertises de Berenson ont fait progresser la connaissance de la peinture italienne.

BEREZINA (la), riv. de l'U. R. S. S. (Biélorussie), affl. du Dniepr (r. dr.); 613 km. À la fin de la campagne de Russie*, la Grande Armée en força le passage grâce aux pontonniers du général Jean-Baptiste Éblé (1758-1812).

BEREZNIKI, v. de l'U. R. S. S. (R. S. F. S. R.), à l'ouest de l'Oural, sur la Kama; 146 000 hab.

BERG *(duché de),* anc. État d'Allemagne. Issu du comté de Berg et d'Altena, créé en 1108 et possession de l'Électeur palatin depuis 1742, il est transformé en grand-duché en 1806 par Napoléon Ier, qui l'attribue à Murat, puis (1808) au fils de son frère Louis, roi de Hollande. En 1815, ce territoire est annexé par la Prusse.

BERG (Alban), compositeur autrichien (Vienne 1885 - *id.* 1935). Élève de Schönberg, il adopta à sa suite l'atonalité, puis le dodécaphonisme sériel sans pour autant se couper de la tradition romantique, ni même de l'univers tonal. Ses œuvres, peu nombreuses mais sans faiblesses, témoignent d'un sens dramatique peu commun et de recherches formelles très poussées (opéras *Wozzeck** [1914-1921] et *Lulu* [1928-1935], *Suite lyrique* pour quatuor à cordes, *Concerto de chambre, Concerto pour violon « À la mémoire d'un ange »).*

BERGAME, v. d'Italie, en Lombardie, ch.-l. de prov.; 128 000 hab. Dans la ville haute, citadelles et palais, église S. Maria Maggiore (XIIe-XVIe s.), chapelle Colleoni (fin du XVe s.) par Giovanni Antonio Amadeo. Musées. Constructions mécaniques. Cimenterie.

BERGEN, nom néerlandais de MONS.

BERGEN, port de la côte sud-ouest de la Norvège, sur l'Atlantique; 214 000 hab. Ancienne forteresse. Mariakirke, église du XIIe s. Hôtel de ville remontant au XVIe s. Musées. Chantiers navals. Conserveries.

Bergen-Belsen *(camp de),* camp de concentration créé par les S. S. allemands à 65 km de Hanovre en avril 1943. Plus de 100 000 déportés y furent internés jusqu'en 1945 et 50 000 environ y périrent.

BERGEN OP ZOOM, v. des Pays-Bas (Brabant-Septentrional), près de l'Escaut oriental; 40 000 hab.

Berger *(gouffre),* gouffre du Vercors, découvert en 1953. On y atteint la profondeur de − 1 141 m.

BERGERAC (24100), ch.-l. d'arr. de la Dordogne, sur la Dordogne; 28 617 hab. *(Bergeracois).* Centre de la culture du tabac. Constructions mécaniques.

BERGERON (André), syndicaliste français (Suarce, Territoire de Belfort, 1922). Secrétaire général de la Fédération F. O. du livre (1948), il accède en 1963 au poste de secrétaire général de la C. G. T.-F. O., confédération qu'il veut maintenir indépendante des partis politiques.

BERGERONNETTE. — Proche parent de l'alouette, ce charmant passereau marche rapidement sur le sol au voisinage des eaux ou même dans les flaques, le corps horizontal; sa longue queue se balance alors régulièrement (d'où le surnom de *hoche-queue*). Les bergeronnettes, aux coloris assez vifs, se distinguent des pipis, plus ternes. Ce sont des oiseaux insectivores et migrateurs.

BERGÈS (Aristide), ingénieur français (Lorp, Ariège, 1833 - Lancey, Isère, 1904). Il utilisa les hautes chutes de montagne pour en transformer l'énergie mécanique en énergie électrique (1869).

BERGIUS (Friedrich), chimiste allemand (Goldschmieden 1884 - Buenos Aires 1949). Il a réalisé le cracking des pétroles dans l'hydrogène et créé la première méthode industrielle de synthèse des carburants par hydrogénation catalytique du carbone en phase liquide (1921). [Prix Nobel de chimie, 1931.]

BERGMAN (Torbern Olof), chimiste suédois (Katrineberg 1735-Medevi 1784). Il établit une distinction entre la chaux et la baryte, entre le magnésium et le manganèse, et il isola le tungstène en 1782; il est aussi l'auteur d'une classification chimique des minéraux. Il introduisit en chimie la notion d'« affinité élective ».

BERGMAN (Ingmar), cinéaste et metteur en scène de théâtre suédois (Uppsala 1918). Menant de front deux activités artistiques complémentaires (la mise en scène de pièces de théâtre, de ballets et d'opéras, d'une part, et le tournage de nombreux films pour le cinéma et la télévision, d'autre part) il est devenu dans ces deux disciplines l'un des artistes le plus justement réputés de son temps. Son œuvre cinématographique se caractérise notamment par l'obsession de deux thèmes majeurs : l'un, méditatif, philosophique et métaphysique, analyse l'angoisse d'un monde qui s'interroge sur Dieu, le Bien et le Mal, le sens de la vie; l'autre, caustique et brillant, brode de subtiles variations sur l'incommunicabilité du couple humain. Le style de Bergman, d'abord réaliste, puis allégorique, s'est progressivement dépouillé pour tenter de cerner l'essentiel, sans pour autant renoncer aux recherches formelles. Les films principaux du cinéaste sont : *la Prison* (1948), *Jeux d'été* (1950), *la Nuit des forains* (1953), *Sourires d'une nuit d'été* (1955), *le Septième Sceau** (1956), *les Fraises sauvages* (1957), *le Visage* (1958), *À travers le miroir* (1961), *les Communiants* (1962), *le Silence* (1963), *Persona* (1966), *l'Heure du loup* (1967), *la Honte* (1968), *Une passion* (1969), *le Lien* (1970), *Cris et chuchotements** (1972), *Scènes de la vie conjugale* (1973), *la Flûte enchantée* (1974), *Face à face* (1976), *l'Œuf du serpent* (1977).

BERGSLAG, région minière (fer) et industrielle (hydroélectricité, métallurgie) de la Suède centrale.

BERGSON (Henri), philosophe français (Paris 1859-*id.* 1941). Son *Essai sur les données immédiates de la conscience* (1889), *Matière et mémoire* (1896) et *le Rire* (1900) lui ouvrent les portes du Collège de France, où il attire, à ses cours, le Tout-Paris. Entré à l'Académie française en 1914, Bergson reçoit le prix Nobel de littérature en 1927.

Étranger aux problèmes sociaux et économiques, le spiritualisme* bergsonien « se ramasse en un point unique », la durée, qui est la succession d'états de conscience qualitativement différents, et seule l'intuition, selon Bergson, est capable de saisir les qualités constitutives des faits de conscience.

Attentive au mouvement de différenciation par lequel la vie se perpétue (*l'Évolution créatrice,* 1907), l'intuition « se dilate » du présent au plus lointain passé et se resserre du souvenir à la perception. Elle manifeste ainsi l'infinie contractibilité de la durée (*Durée et simultanéité,* 1922).

BERGUES (59380), ch.-l. de cant. du Nord, à 9 km au S.-E. de Dunkerque; 4 824 hab. Fortifications et monuments anciens ou reconstruits. Musée de peinture dans le mont-de-piété de 1630.

BERIA (Lavrenti Pavlovitch), homme politique soviétique (Merkheouli, Géorgie, 1899-Moscou 1953). Il dirige la Tcheka en Géorgie (1921-1931) et devient le chef du N.K.V.D. en 1938. Membre du Politburo, il est arrêté et exécuté en 1953.

BÉRIBÉRI → VITAMINE.

BÉRING ou **BEHRING** (Vitus), explorateur danois (Horsens 1681-île d'Avatcha 1741). Au service de Pierre le Grand, il explore le Kamtchatka, acquiert la certitude que l'Asie n'est pas jointe à l'Amérique et découvre les Aléoutiennes et l'Alaska.

BÉRING ou **BEHRING** *(détroit de),* détroit entre l'Asie (extrémité nord-est de l'U.R.S.S.) et l'Amérique (Alaska), reliant l'océan Pacifique *(mer de Béring)* à l'océan Arctique.

BÉRING ou **BEHRING** *(mer de),* partie septentrionale de l'océan Pacifique, entre l'U.R.S.S. et l'Alaska, limitée au S. par les Aléoutiennes et au N. par le *détroit de Béring.*

BERIO (Luciano), compositeur italien (Oneglia 1925), un des principaux représentants des courants sériels et postsériels. Il s'est beaucoup intéressé à la voix, et, dans le domaine électro-acoustique et pour les instruments traditionnels, on lui doit plusieurs des réussites incontestables du second après-guerre *(Omaggio a Joyce, Circles, Epifanie, Laborintus 2).*

BERKANE, v. du Maroc septentrional, au N.-O. d'Oujda; 39 000 hab.

BERKELEY, v. des États-Unis (Californie), près de San Francisco; 117 000 hab. Université.

BERKELEY (George), évêque et philosophe irlandais (Kilkenny, Irlande, 1685-Oxford 1753). Professeur au Trinity College de Dublin, où il enseigne l'hébreu et la théologie, il est, en 1710, ordonné diacre dans la religion anglicane. En 1728, il part pour Rhode Island en vue d'évangéliser les habitants des Bermudes;

Lauros-Atlas-Photo

manquant d'argent, il doit rentrer en Irlande, où il est consacré évêque (1734).

Soucieux d'endiguer les progrès du matérialisme et de l'incrédulité, et pensant trouver leur origine dans la croyance en une matière indépendante de l'esprit, il entreprend de montrer l'inexistence de cette matière afin de mieux affirmer l'existence de Dieu et de l'âme. La critique du langage et des idées abstraites (*Traité sur les principes de la connaissance humaine,* 1710) et la prétention de ruiner les idées des géomètres (*Alciphron,* 1732) le conduisent à élaborer la théorie de l'immatérialisme. Berkeley soutient que les choses sont identiques aux perceptions que nous en avons et qu'ainsi le monde n'existe qu'en tant qu'objet de l'esprit. L'esprit humain est garanti par l'esprit divin. Dès lors, dans cette optique idéaliste de type spiritualiste, tout est esprit et la matière n'existe pas. (V. IDÉALISME.)

BERKELEY (Busby), chorégraphe et cinéaste américain (Los Angeles 1895-Palm Springs 1976). Il régla et dirigea les ballets des plus célèbres comédies musicales à grand spectacle des années 30 et 40 (*42e Rue,* 1933; *Chercheuses d'or,* 1933; *Entrez dans la danse,* 1935; *la Danseuse des Ziegfeld Follies,* 1941), et il réalisa lui-même plusieurs films (*Je suis un criminel,* 1939; *Place au rythme,* 1940).

BERKÉLIUM. — Le berkélium (symb. Bk), élément n° 97, a été obtenu artificiellement en 1950 par Seaborg et ses collaborateurs, par bombardement de l'américium ou du curium. L'atome dont le nombre de masse est 243 est doué de radioactivité alpha.

BERKSHIRE, comté de Grande-Bretagne (Angleterre), à l'O. de Londres; 645 000 hab.

BERLAAR, comm. de Belgique, au S.-E. d'Anvers; 9 537 hab.

BERLAGE (Hendrik Petrus), architecte néerlandais (Amsterdam 1856-La Haye 1934). Initiateur très écouté des tendances modernes dans son pays, rationaliste, il a mis l'accent sur une utilisation probe des matériaux (brique) et sur la lisibilité des plans dans l'aspect externe des édifices (Bourse d'Amsterdam, 1892; musée municipal de La Haye, 1934).

BERLAIMONT (59145), ch.-l. de cant. du Nord, à 14 km au N.-O. d'Avesnes-sur-Helpe, sur la Sambre; 3 797 hab.

BERLICHINGEN (Götz ou Gottfried VON), chevalier allemand (Jagsthausen, Wurtemberg, v. 1480-Hornberg 1562), héros d'un drame de Goethe et de la pièce de Sartre *le Diable et le Bon Dieu.*

BERLIER (Jean-Baptiste), ingénieur français (Rive-de-Gier 1843-Deauville 1911). Il imagina le système de transmission pneumatique de cartes-télégrammes, qu'il installa à Paris, et conçut un projet de tramway souterrain, réalisé depuis par le « Métropolitain ».

BERLIET (Marius), industriel français (Lyon 1864-*id.* 1949). Après avoir construit des voitures légères, il érigea à Lyon l'un des plus importants complexes industriels d'Europe pour la production de poids lourds.

BERLIN, anc. capit. de l'Allemagne, sur la Sprée. Elle est partagée aujourd'hui entre *Berlin-Ouest* (480 km^2 et 2 063 000 hab.), dépendance de fait de l'Allemagne fédérale, et *Berlin-Est* (403 km^2 et 1 088 000 hab.), capitale de la République démocratique allemande.

GÉOGRAPHIE. Ravagée par les derniers jours de la Seconde Guerre mondiale, ayant perdu, au moins partiellement, ses fonctions de capitale d'une Allemagne unie, Berlin est loin d'avoir retrouvé le chiffre de population de la fin des années 30 (alors plus de 4 millions d'habitants). À *Berlin-Ouest,* qui souffre d'une position d'enclave à l'intérieur du territoire de la R.D.A., la perte des fonctions politiques et administratives n'a pas été compensée

Berlin-Ouest. L'église du Souvenir, le Kurfürstendamm (à gauche) et la Hardenbergstrasse (à droite), vus depuis l'Europa Center.

Berlin-Est. Entourée d'une frise de mosaïques (125 m de long), la maison de l'Enseignant sur l'Alexanderplatz.

Smotkine

par un certain essor de l'industrie, dont les constructions mécaniques et électriques, la confection et l'alimentation sont les principales branches. Une certaine inquiétude sur l'avenir politique de la ville freine cependant les investissements et le développement économique, et la prospérité de Berlin-Ouest paraît un peu artificielle, liée en partie à l'aide financière du gouvernement fédéral. *Berlin-Est,* moins densément peuplée, possède les mêmes activités industrielles dominantes que la partie occidentale, auxquelles s'ajoute le rôle de capitale politique et culturelle.

HISTOIRE. Berlin est mentionnée pour la première fois comme ville en 1230; sa fortune est liée à l'établissement des Hohenzollern*, qui la choisissent comme capitale, dans l'électorat de Brandebourg* (1415). À la fin du XVIIe s., les protestants français émigrés contribuent à son essor économique. Capitale, sans cesse embellie, du royaume de Prusse, puis (1871) de l'Empire allemand, du IIe et du IIIe Reich, Berlin voit sa population quadrupler entre 1871 et 1939. Elle est prise le 2 mai 1945 par les troupes soviétiques, alors que Hitler* vient de s'y suicider (30 avril); c'est là que, le 8 mai, sont signés l'acte de reddition et l'acte de capitulation des forces armées allemandes. Depuis, l'ancienne capitale du Reich est une ville en partie isolée de l'État qui l'entoure (R. D. A.) et partagée entre les quatre Alliés : depuis 1961, un mur sépare Berlin-Est de Berlin-Ouest.

BEAUX-ARTS. Berlin-Est conserve le long d'Unter den Linden une partie de son bel ensemble monumental néo-classique (fin du XVIIIe s.-début du XIXe) : porte de Brandebourg, Opéra, Corps de garde (Schinkel*), église en rotonde Sainte-Hedwige...; l'île de la Sprée a perdu son château royal, mais préservé son Musée ancien et son Pergamon Museum. Berlin-Ouest a le château de Charlottenburg (fin du XVIIe s.-XVIIIe s.), et la construction contemporaine y a été plus originale qu'à l'Est : palais des Congrès, Philharmonie et Bibliothèque de Scharoun*, quartier dit « Hansaviertel », Nouvelle Galerie nationale de Mies van der Rohe. Au musée de Dahlem, faubourg sud-ouest, sont regroupées une partie des collections de l'ancien État allemand (riche ensemble de peintures).

BERLIN *(congrès* ou *conférences de),* conférences diplomatiques. Les deux plus importantes, présidées toutes deux par Bismarck, sont la conférence qui révisa les clauses du traité de San Stefano (13 juin-13 juill. 1878) et le congrès qui régla le partage de l'Afrique entre les grandes puissances (15 nov. 1884-26 févr. 1885).

Berlin, Alexanderplatz, roman d'Alfred Döblin (1929). Une écriture qui mêle style épique et rythme dramatique, montages de textes publicitaires, de journaux, de rapports de police, de conversations quotidiennes et qui est l'image même du destin du héros, Franz Biberkopf, meurtrier qui échoue dans sa tentative de réinsertion dans une société qui le dépasse de toutes parts : une des plus significatives illustrations de l'*expressionnisme** finissant et du *futurisme**.

BERLINGUER (Enrico), homme politique italien (Sassari 1922). Secrétaire général du parti communiste italien depuis 1972, il se montre favorable au « compromis historique » avec les démocrates chrétiens.

BERLINE → PUITS.

BERLIOZ (Hector), compositeur français (La Côte-Saint-André 1803-Paris 1869). Attiré à la fois par la musique à programme et par l'orchestre, il mettra « du drame dans la symphonie et de la symphonie dans le drame » (*Roméo et Juliette,* 1839). Sa *Symphonie fantastique* (1830) marque le véritable point de départ du poème symphonique. Berlioz s'est intéressé à la mélodie de concert *(les Nuits d'été),* au théâtre lyrique (*la Damnation de Faust**, 1846; *Benvenuto Cellini,* 1838; *les Troyens,* 1855-1858), aux possibilités expressives de l'alto (*Harold en Italie,* 1834) et à une musique religieuse fulgurante (*Grande Messe des morts,* 1837) ou intimiste (*l'Enfance du Christ,* 1854).

Son orchestration, colorée, très neuve, a marqué tout le XIXe s. (*Grand Traité d'instrumentation et d'orchestration modernes,* 1844). Ses ouvrages ont connu un grand succès à l'étranger, notamment en Allemagne et en Russie, où le compositeur se rendit plusieurs fois.

Hector Berlioz. Portrait peint par Émile Signol. (Villa Médicis, Rome.)

Roger-Viollet

Les écrits de Berlioz constituent une source importante d'informations sur son temps.

BERMEJO (le), riv. de l'Amérique du Sud, née dans les Andes de Bolivie, affl. du Paraná (r. dr.); 1 800 km.

BERMEJO (Bartolomé), peintre espagnol de la seconde moitié du XVe s., né à Cordoue, type de l'artiste ambulant du Moyen Âge enrichissant sa manière par la fréquentation des milieux les plus divers. Il a une connaissance intime de la peinture flamande, associe la science du modelé au goût hispanique de l'or, du décor chargé, d'une rudesse impérieuse dans son retable de Daroca (auj. au Prado), mais exalte les valeurs atmosphériques dans sa *Pietà* à fond de paysage de Barcelone.

BERMUDES, en angl. **Bermudas,** archipel britannique de l'Atlantique, à 1 000 km environ du littoral des États-Unis; 53,5 km^2; 53 000 hab. Capit. *Hamilton.*

GÉOGRAPHIE. L'archipel, volcanique, est formé d'environ 150 îles et îlots, et possède un climat chaud et humide sans excès (température moyenne annuelle légèrement supérieure à 20 °C). Sa principale ressource est le tourisme (environ 500 000 visiteurs par an), dont les revenus compensent le déficit de la balance commerciale, sans assurer le plein-emploi d'une population extrêmement dense (1 000 hab. au km^2).

HISTOIRE. Découvertes en 1519 par les Espagnols, ces îles sont britanniques depuis 1612, servant depuis lors à la marine britannique pour contrôler les routes de l'Atlantique Nord. L'archipel bénéficie depuis 1968 d'un régime d'autonomie interne.

BERNADETTE SOUBIROUS *(sainte),* religieuse française (Lourdes 1844 - Nevers 1879). Fille de pauvres gens, elle bénéficie, à plusieurs reprises, au cours de l'année 1858, d'apparitions de la Vierge, origine des pèlerinages de Lourdes*. Bernadette achève sa vie dans la congrégation des Sœurs de la Charité de Nevers. Elle a été béatifiée en 1925 et canonisée en 1933.

BERNADOTTE (Jean) → CHARLES XIV *de Suède.*

BERNANOS (Georges), écrivain français (Paris 1888 - Neuilly-sur-Seine 1948). Un homme qui, enfant, rêvait de saints et de héros, et qui n'accepta jamais les compromissions morales et politiques des adultes : telle est la ligne profonde de sa vie, qui explique sa double capacité d'innocence et de fureur. Mais Bernanos, chrétien, sait que l'intransigeance est une preuve d'orgueil et il connaît la vanité de la colère. D'où son déchirement entre le mysticisme et la révolte (*Sous le soleil de Satan,* 1926), son admiration pour Maurras et sa condamnation de Franco (*les Grands Cimetières sous la lune,* 1938). L'important est la lutte contre tous les obstacles qui barrent le chemin de Dieu : l'argent, le mensonge, l'iniquité, la peur de la mort (*l'Imposture,* 1927; *la Joie,* 1929; *Journal* d'un curé de campagne,* 1936; *Histoire de Mouchette,* 1937; *Dialogues des carmélites,* 1948), le péché suprême étant la tiédeur, la médiocrité (*la Grande Peur des bien-pensants,* 1931), l'indifférence (*Nous autres Français,* 1939). Dans un univers où la présence oppressante et charnelle de Satan rend irrépressible le besoin de Dieu, c'est dans les faibles et leur désir d'insurrection que Bernanos placera l'avenir du monde (*les Enfants humiliés,* 1949).

BERNARD de Clairvaux *(saint),* docteur de l'Église (château de Fontaine, près de Dijon, 1090 - Clairvaux 1153). Jeune noble, il entre, avec plusieurs parents et amis, au monastère de Cîteaux (1112), dont l'abbé, en 1115, le charge de fonder l'abbaye de Clairvaux, où Bernard applique strictement la règle de saint Benoît, devenant en fait le père des Cisterciens*, ces Bénédictins blancs qui opposent l'austérité de leur vie au relâchement des Clunisiens. Du vivant de Bernard, 167 monastères cisterciens dépendant de Clairvaux sont fondés. Conseiller des rois de France (Louis VII) et

Bibliothèque nationale

Saint Bernard écrivant. Miniature du *Miroir historial de Vincent de Beauvais* de Jean de Vignay (XVe s.). [Bibliothèque nationale, Paris.]

des papes (Eugène III), véritable arbitre de l'Europe, colonne de l'Église romaine, prédicateur de la seconde croisade (1146), Bernard est aussi un théologien sûr et un écrivain mystique de premier plan, particulièrement lyrique lorsqu'il s'agit de la Vierge Marie. Canonisé dès 1173, Bernard de Clairvaux a été déclaré docteur de l'Église en 1830.

BERNARD de Ventadour, troubadour limousin du XIIe s., de la cour d'Aliénor d'Aquitaine.

BERNARD (Samuel), financier protestant français (Sancerre 1651 - Paris 1739). Louis XIV eut souvent recours à lui.

BERNARD (Claude), médecin et physiologiste français (Saint-Julien, Rhône, 1813 - Paris 1878). Ses travaux portèrent d'abord sur la physiologie de la digestion, puis l'amenèrent à découvrir la fonction glycogénique du foie et à édifier une théorie pathogénique du diabète sucré. Ultérieurement, ses travaux sur le système nerveux sympathique le conduisirent à la découverte capitale des nerfs vaso-moteurs. Ses écrits sont le reflet de ses découvertes et de ses travaux. Claude Bernard a notamment écrit une importante *Introduction à l'étude de la médecine expérimentale* (1865).

BERNARD (Paul, dit **Tristan**), écrivain français (Besançon 1866 - Paris 1947). Ses romans (*Mémoires d'un jeune homme rangé,* 1899) et ses pièces (*Triplepatte,* 1905) gardent l'écho de sa causticité, qui fit de lui l'une des incarnations de l'esprit parisien et boulevardier.

BERNARD (Émile), peintre et écrivain français (Lille 1868 - Paris 1941). Il fut à Pont-Aven l'ami de Gauguin, qu'il a sans doute influencé (invention du *synthétisme* ou *cloisonnisme*), puis revint à un art traditionnel, guidé par le culte des maîtres du passé, qui transparaît dans ses écrits.

BERNARD (Jean), médecin hématologiste français (Paris 1907). Son œuvre est consacrée à l'étude des leucémies et des désordres sanguins. Jean Bernard a écrit *Grandeurs et tentations de la médecine* (1973).

BERNARDIN DE SAINT-PIERRE (Henri), écrivain français (Le Havre 1737 - Éragny-sur-Oise 1814). S'il se rapproche de Rousseau par une amitié qui les unit dans les dernières années du philosophe et par son amour de la nature, il s'en distingue par son succès ininterrompu auprès des sociétés les plus diverses — les Noirs exceptés, qu'il maltraita pendant son séjour à l'île Maurice comme capitaine-ingénieur (*Voyage à l'île de France,* 1773). Louis XVI le nomma directeur du Jardin des Plantes, la Constituante voulut lui donner l'éducation du Dauphin, la Convention et l'Empire le pensionnèrent et le firent membre de l'Institut. Célèbre pour son idylle colorée de *Paul* et Virginie* (1787), Bernardin de Saint-Pierre est, par ses *Harmonies de la nature* (1815-1818), à la source des thèmes poétiques (correspondances, exotisme) et des émotions religieuses du romantisme.

BERNARD-L'ERMITE ou **-L'HERMITE** → PAGURE.

BERNAVILLE (80370), ch.-l. de cant. de la Somme, à 25 km au N.-E. d'Abbeville; 882 hab.

BERNAY (27300), ch.-l. d'arr. de l'Eure, dans le Lieuvin; 11 263 hab. *(Bernayens).* Églises anciennes, dont l'ex-abbatiale (XIe s.). Produits de beauté. Industrie du vêtement.

BERNBURG, v. de l'Allemagne orientale, sur la Saale; 45 000 hab.

BERNE, en allem. **Bern,** capit. fédérale de la Suisse et ch.-l. du *canton de Berne* (6 887 km²; 983 296 hab.), sur l'Aar; 162 405 hab. *(Bernois).* Hôtel de ville remontant au XVe s., cathédrale en gothique tardif, fontaines et maisons anciennes. Riches musées.

GÉOGRAPHIE. À un peu plus de 500 m d'altitude, bien située au centre du plateau suisse, Berne est d'abord une ville tertiaire (capitale politique et administrative, bancaire, universitaire), où l'industrie est aussi présente (constructions mécaniques surtout), se développant aujourd'hui surtout à la périphérie, dans les communes de la banlieue, qui forment avec Berne une agglomération de près de 300 000 habitants, la quatrième de Suisse (loin derrière Zurich, mais proche de Bâle et de Genève).

HISTOIRE. Tête d'étape de l'armée impériale au temps des Hohenstaufen*, ville impériale en 1218, Berne mène dès lors une vie indépendante. Canton de la Confédération suisse en 1353, elle connaît une grande prospérité aux XVe et XVIe s. Passée à la Réforme, la République bernoise évolue du régime démocratique vers un gouvernement aristocratique, qui est aboli par les Français en 1798, mais qui est rétabli en partie en 1814; la souveraineté populaire triomphera définitivement avec la Constitution populaire de 1831. En 1848, le gouvernement fédéral suisse fixe son siège à Berne. Depuis 1950, la Constitution bernoise reconnaît l'existence de deux peuples dans le canton : celui du vieux Berne et celui du Jura bernois, francophone. Sous la pression des séparatistes, le Jura bernois devient, en juin 1974, le 27e canton de la Confédération.

BERNERIE-EN-RETZ (La) [44760], comm. de la Loire-Atlantique, à 8 km au S.-E. de Pornic, sur l'Atlantique; 1 735 hab. Station balnéaire.

BERNHARD (Thomas), écrivain autrichien (Heerlen 1931). Son œuvre poétique (*In hora mortis,* 1958), dramatique et romanesque (*Gel,* 1963; *Perturbation,* 1967; *la Plâtrière,* 1970) compose une longue méditation sur le désespoir et l'autodestruction.

BERNHARDT (Henriette Rosine BERNARD, dite **Sarah**), actrice française (Paris 1844 - *id.* 1923). Elle renouvela l'interprétation du répertoire classique (recherche de l'effet plastique, diction soutenue). Elle a laissé des pièces et des *Mémoires.*

BERNI (Francesco), poète italien (Lamporecchio, Toscane, v. 1497 - Florence 1535), auteur de poèmes parodiques (*Roland amoureux,* v. 1530) et satiriques.

BERNIER (Nicolas), compositeur français (Mantes 1664 - Paris 1734). À la Sainte-Chapelle du Palais à Paris, comme à la Chapelle royale de Versailles, il demeure l'un des maîtres du grand motet. Il est parmi les créateurs de la cantate* en France.

BERNIER (Étienne), prélat français (Daon 1762 - Paris 1806). Après avoir participé à l'insurrection vendéenne, il se rallie à Bonaparte, négocie le concordat* de 1801 et meurt évêque d'Orléans.

BERNIN (Gian Lorenzo BERNINI, dit en France **le Cavalier**), sculpteur et architecte italien (Naples 1598 - Rome 1680). Il s'est affirmé au cours de sa longue et féconde carrière comme le maître du baroque. Son style de sculpteur se caractérise par la grâce et

Berne. La fontaine de Zähringen (1535), dans la Kramgasse. Au second plan, la tour de l'Horloge, construite en 1191.

la vivacité de l'invention (*Apollon et Daphné,* marbre, 1622), un mouvement intense, la souplesse du traitement des chairs et des draperies, le sens de la mise en scène (*l'Extase de sainte Thérèse,* 1645-1652, Rome, S. Maria della Vittoria). À Rome, qui lui doit beaucoup de son visage moderne, il éleva de nombreux monuments : fontaine des Quatre-Fleuves, 1648; colonnade de Saint-Pierre, 1656-1667; église S. Andrea al Quirinale... À la basilique Saint-Pierre, il imagina l'énorme baldaquin en bronze de l'autel (1624), un *Saint Longin,* divers décors plaqués, la vertigineuse « chaire de saint Pierre » et des tombeaux de papes qui renouvellent

Le Bernin. *L'Extase de sainte Thérèse.* (Chapelle Cornaro, église Santa Maria della Vittoria, Rome.)

le genre par leur animation de lignes et de couleurs. Ses bustes (série des Urbain VIII; Louis XIV, 1665, Versailles) n'ont pas moins d'importance.

BERNINA (la), massif des Alpes, aux confins de la Suisse (Grisons) et de l'Italie, entre les hauts bassins de l'Inn et de l'Adda; 4 052 m au *pic de la Bernina.* — Le *col de la Bernina,* à 2 330 m d'altitude, relie l'Engadine (Suisse) à la Valteline (Italie).

BERNIS (François DE PIERRE, *cardinal* DE), homme d'État et prélat français (Saint-Marcel-en-Vivarais 1715 - Rome 1794). Ambassadeur à Venise grâce à Mme de Pompadour (1752-1755), puis secrétaire d'État aux Affaires étrangères, il conclut avec l'Autriche un traité d'alliance (Versailles, 1756). Cardinal en 1758, il est archevêque d'Albi (1764), puis ambassadeur à Rome de 1768 à la Révolution.

BERNOULLI, famille de mathématiciens originaire d'Anvers, réfugiée à Bâle vers la fin du XVIe s. — JACQUES (Bâle 1654 - *id.* 1705) perfectionna le calcul différentiel et le calcul intégral, dont les bases venaient d'être posées par Leibniz*. Il réalisa la première intégration d'une équation différentielle*, donna une solution au problème des isopérimètres et étendit les principes ainsi que les applications du calcul des probabilités*. — Son frère JEAN (Bâle 1667 - *id.* 1748) développa, lui aussi, les découvertes de Leibniz et publia d'importants travaux sur le calcul exponentiel. En 1696, en même temps que Leibniz, Newton* et L'Hospital*, il détermina avec son frère Jacques la courbe que doit suivre un corps pesant pour parvenir d'un point à un autre dans le moindre temps possible, la vitesse au point de départ étant nulle. — Le second fils de Jean, DANIEL (Groningen 1700 - Bâle 1782), étudia l'écoulement de l'eau dans les conduites, les canaux et les rivières. Son *Traité d'hydrodynamique* (1738) permet de le considérer comme l'un des fondateurs de cette science.

BERNOUVILLE (27660 Bézu St Éloi), comm. de l'Eure, à 6 km à l'O. de Gisors; 203 hab. Matières plastiques.

BERNSTEIN (Eduard), théoricien socialiste allemand (Berlin 1850 - *id.* 1932). Sa critique de Marx le conduit à développer un courant réformiste au sein de la social-démocratie* allemande. Élu à diverses reprises au Reichstag, Bernstein est sous-secrétaire d'État aux Finances dans le gouvernement provisoire de novembre 1918.

BERNSTEIN (Leonard), compositeur et chef d'orchestre américain (Lawrence, Massachusetts, 1918), auteur de *West Side Story* (1957). Il a été jusqu'en 1970 directeur de l'Orchestre philharmonique de New York.

BÉROUL, trouvère normand du XIIe s. Il a composé un roman de *Tristan** qui donne de la légende celtique une version « commune », par opposition à l'interprétation courtoise : personnages violents et primitifs, croyance naïve dans les puissances magiques.

BERQUIN (Arnaud), écrivain français (Bordeaux 1747 - Paris 1791), auteur d'idylles et de récits moralisateurs pour la jeunesse (*l'Ami des enfants,* 1784), types de sentimentalité fade (« berquinades »).

BERRE *(étang de),* étang littoral des Bouches-du-Rhône, au N.-O. de Marseille, communiquant avec la Méditerranée par le canal, ou étang, de Caronte. Sur ses rives, raffineries de pétrole (*Berre-l'Étang* et La Mède) et pétrochimie.

BERRE-L'ÉTANG (13130), ch.-l. de cant. des Bouches-du-Rhône, sur la rive nord de l'*étang de Berre;* 12 063 hab. *(Berratins).* Raffinage du pétrole et pétrochimie.

BERRUGUETE, famille d'artistes espagnols. — PEDRO, peintre (Paredes de Nava, Vieille-Castille, v. 1450 - *id.* 1503 ou 1504), artiste de transition, séjourna en Italie; ses retables associent le sens flamand de l'observation, la solidité plastique et un accent mystique proprement espagnol. — ALONSO, sculpteur et peintre (Paredes de Nava v. 1488 - Tolède 1561), fils du précédent, exprime sa spiritualité dans les statues de bois polychrome de ses retables, où la véhémence le dispute aux influences italiennes classiques et maniéristes.

BERRY, région du sud du Bassin parisien, partagée essentiellement entre les départements du Cher et de l'Indre, s'étendant entre la Sologne, au N., et l'extrémité septentrionale du Massif central, au S. Au pied de celui-ci se situe la dépression argileuse du Boischaut (terre d'élevage bovin), auquel succède, au N., la vaste *Champagne berrichonne* (associant cultures céréalières et élevage), entaillée par les vallées de l'Indre, du Cher et de leurs affluents, sites des villes (Châteauroux, Vierzon et Bourges) et des activités industrielles (métallurgie). À l'O., la Brenne argileuse, parsemée d'étangs et en voie de dépeuplement, tend à devenir une terre de loisir. Au N.-E., les collines du Sancerrois portent des vignobles.

HISTOIRE. L'histoire ancienne du Berry — pays des *Bituriges* — se confond avec celle de sa capitale, Bourges* *(Avaricum).* Intégré à l'Aquitaine (VIIe-VIIIe s.), le Berry perd son unité après 928 par l'incorporation de ses éléments à diverses seigneuries. Rendu à la Couronne au XIIIe s., il constitue au XIVe s. un duché, qui est donné en apanage à Jean († 1416), le troisième fils de Jean le Bon. C'est dans le Berry que se réfugie Charles VII, « petit roi de Bourges »; c'est de là qu'il amorce sa reconquête du royaume à partir de 1429. Par la suite, le Berry sera encore donné en apanage à divers princes du sang.

Berry *(canal du),* canal désaffecté qui unissait la Loire au Cher.

BERRY (Jean DE FRANCE, *duc* DE), prince capétien (Vincennes 1340 - Paris 1416). Troisième fils du roi Jean II le Bon, il favorise les Armagnacs, après avoir servi la cause du duc de Bourgogne. Comte de Poitiers (1356-1360), duc de Berry et d'Auvergne (1360-1416), ce prince fastueux, sensuel et sans scrupule mène, au milieu de sa cour, l'existence d'un mécène. Sa célèbre « librairie » contenait quelques-uns des plus beaux manuscrits du siècle, notamment les *Très Riches Heures du duc de Berry.*

BERRY (Charles Ferdinand DE BOURBON, *duc* DE), prince français (Versailles 1778 - Paris 1820). Second fils du comte d'Artois (Charles X), il est assassiné le 13 février 1820 par un fanatique, Louvel.

BERRY (Marie-Caroline DE BOURBON-SICILE, *duchesse* DE), princesse française (Palerme 1798 - Brünnsee, Autriche, 1870). Fille du roi des Deux-Siciles, elle épouse en 1816 le duc Charles Ferdinand de Berry, dont elle a un fils posthume, le futur comte de Chambord (1820). Exilée en 1830, elle s'efforce, en vain, en 1832, de soulever l'ouest de la France contre Louis-Philippe.

BERRY (Brian J. L.), géographe britannique (Sedgeley, Staffordshire, 1934). Enseignant aux États-Unis, adepte de la nouvelle géographie, il consacre ses recherches à la théorie des lieux centraux, à la hiérarchie des villes, à la division régionale de l'espace et à la structure des aires métropolitaines.

BERRY-AU-BAC (02190 Guignicourt), comm. de l'Aisne, à 18 km au N.-O. de Reims, sur l'Aisne; 338 hab. (V. CHEMIN DES DAMES.)

BERRYER (Pierre Antoine), magistrat et homme politique français (Paris 1790 - Angerville-la-Rivière, Loiret, 1868). Légitimiste et catholique, il met cependant son éloquence au service des causes libérales, menacées par la Restauration et la monarchie de Juillet.

BERT (Paul), médecin, physiologiste et homme politique français (Auxerre 1833 - Hanoi 1886). Comme physiologiste, il a surtout étudié les phénomènes de la respiration et l'influence des variations de pression des gaz de l'atmosphère (gaz carbonique, oxygène). Défenseur de la république radicale et laïque, il fut ministre de l'Instruction publique dans le cabinet Gambetta (1881-82) et gouverneur général de l'Annam et du Tonkin (1886).

BERTAUT (Jean), poète français (Donnay, Normandie, 1552 - Séez 1611). Les corrections qu'il apporta, de 1586 à 1601, à ses poèmes d'amour sont un témoignage précieux sur l'évolution de la poésie française avant Malherbe.

Bertha (de *Bertha Krupp,* fille de l'industriel allemand), surnom donné pendant la Première Guerre mondiale à des canons allemands à grande puissance, et notamment à ceux de 210 mm, qui, installés à plus de 100 km de la capitale, tirèrent sur Paris environ 350 obus du 23 mars au 9 août 1918.

BERTHE ou **BERTRADE,** dite **au grand pied,** fille de Caribert, comte de Laon († Choisy-au-Bac 783). Femme de Pépin le Bref, elle fut la mère de Charlemagne et de Carloman.

BERTHELOT (Marcelin), chimiste et homme politique français (Paris 1827 - *id.* 1907). Il fit, avec Péan de Saint-Gilles, une étude de l'estérification des alcools, démontrant que la réaction était limitée par la réaction inverse pour aboutir à un équilibre. Il effectua un nombre considérable de synthèses en chimie organique : alcool éthylique (1855), méthane (1858), acétylène (1860), benzène (1866), etc. Il créa presque de toutes pièces la thermochimie, pour laquelle il imagina un calorimètre de précision et la bombe calorimétrique. Il fut aussi ministre de l'Instruction publique (1886), puis des Affaires étrangères (1895).

BERTHIER (Louis Alexandre), prince **de Neuchâtel et de Wagram,** maréchal de France (Versailles 1753 - Bamberg 1815). Engagé à dix-sept ans, attaché à Bonaparte à partir de la campagne d'Italie (1796), il fut ministre de la Guerre (1800-1807). Fait maréchal en 1804, il fut de 1805 à 1814 le collaborateur direct de Napoléon comme major général de la Grande Armée. Rallié à Louis XVIII, il se réfugia en Bavière pendant les Cent-Jours.

BERTHOLLET (Claude, *comte*), chimiste français (Talloires 1748 - Arcueil 1822). Il découvrit les hypochlorites (eau de Javel), qu'il utilisa pour le blanchiment des toiles et des fils (1789), et prépara les explosifs chloratés. Il montra que tous les acides ne contiennent pas de l'oxygène et énonça en 1803 les règles régissant les doubles décompositions entre sels, acides et bases. Il suivit Bonaparte en Italie, puis en Égypte et fonda avec Laplace la « Société d'Arcueil », qui réunit de nombreux savants.

BERTHOUD → BURGDORF.

BERTILLON (Alphonse), savant français (Paris 1853 - *id.* 1914). Par ses découvertes et ses initiatives variées, dont la plus importante est le système d'identification des criminels connu sous le nom d'*anthropométrie,* ou *bertillonnage,* il contribua largement au progrès de la technique policière.

BERTIN l'Aîné (Louis François BERTIN, dit), publiciste français (Paris 1766 - *id.* 1841). Il acheta après le 18-Brumaire le *Journal des débats,* dont il fit l'organe du royalisme constitutionnel sous la Restauration, puis du Juste-Milieu sous la monarchie de Juillet.

BERTIN (Jean), ingénieur français (Druyes, Yonne, 1917 - Neuilly-sur-Seine 1975). Créateur des déviateurs de jet pour le freinage des avions à réaction, il est le pionnier de la technique des coussins d'air utilisés sur des véhicules aquatiques *(Naviplane)* et terrestres *(Terraplane),* et surtout sur l'*Aérotrain**.

BERTINCOURT (62124), ch.-l. de cant. du Pas-de-Calais, à 24 km au S.-O. de Cambrai; 841 hab.

BERTOIA (Harry), architecte d'intérieur et sculpteur américain d'origine italienne (San Lorenzo 1915). Auteur de sièges en treillage métallique sur piétement d'acier soudé (produits par Knoll en 1952) dans la lignée de ses sculptures, elles-mêmes élaborées à partir de tiges de métal coloré.

BERTRAN de Born, troubadour périgourdin (v. 1140 - abbaye de Dalon av. 1215), auteur de *sirventès,* pièces d'inspiration satirique et morale, dans lesquelles il épouse notamment les haines de Richard Cœur de Lion.

BERTRAND (Henri, *comte*), général français (Châteauroux 1773 - *id.* 1844). Compagnon de Bonaparte en Égypte, aide de camp de l'Empereur (1804), grand maréchal du Palais (1813), il suivit Napoléon à l'île d'Elbe et à Sainte-Hélène. En 1840, il organisa le retour des cendres de l'Empereur à Paris.

BERTRAND (Louis Jacques Napoléon, dit **Aloysius**), écrivain français (Ceva, Piémont, 1807 - Paris 1841). Dans ses poèmes en prose (*Gaspard de la nuit, fantaisies à la manière de Callot et de Rembrandt,* 1842), il cultive les thèmes du rêve et de l'inconscient.

BERTRAND (Joseph), mathématicien français (Paris 1822 - *id.* 1900). Il s'est surtout intéressé aux séries entières et au calcul des probabilités*.

BERTRAND (Gabriel), biochimiste français (Paris 1867 - *id.* 1962). Trois domaines principaux ont bénéficié de ses travaux : la mise au point de la vaccination antivenimeuse, la découverte des oxydases (enzymes d'oxydation), enfin la connaissance de divers oligo-éléments. Il a formé de nombreux chercheurs.

BERTRAND (Jean-Jacques), homme d'État canadien (Sainte-Agathe-des-Monts 1916 - Montréal 1973). Premier ministre du Québec de 1968 à 1970.

BÉRULLE (Pierre DE), prélat français (château de Sérilly, Champagne, 1575 - Paris 1629). Prêtre en 1599, cardinal en 1627, il est, à la cour de Louis XIII, le chef du « parti dévot », adversaire de l'alliance avec les protestants. Controversiste redoutable, il est par ailleurs le véritable fondateur de l'école française de spiritualité, qui alimente son christocentrisme chez les Pères et les mystiques.

Bibliothèque nationale

Pierre de Bérulle. Portrait anonyme du XVIIe s. Estampe. (Bibliothèque nationale, Paris.)

Introducteur des Carmélites en France, il est préoccupé du renouveau nécessaire du clergé français; c'est pourquoi il fonde (1611-1613) la congrégation de prêtres séculiers dits « de l'Oratoire* », dont l'action sera considérable au sein de la Réforme catholique.

BERWANG, station de sports d'hiver (alt. 1336-1657 m) d'Autriche (Tyrol), près de la frontière allemande.

BERWICK (James Stuart FITZJAMES, *duc* DE), maréchal de France (Moulins 1670-Philippsburg 1734). Fils de Jacques II d'Angleterre, élevé en France, il sert Louis XIV et Philippe V d'Espagne. Après une campagne contre les camisards (1706), il est fait maréchal de France.

BÉRYLLIUM. — Élément de numéro atomique 4 et de masse atomique Be = 9,013, le béryllium a été découvert en 1798 par Vauquelin, qui le baptisa *glucinium.* C'est un solide gris, de densité 1,85, fondant à 1215 °C, peu corrodé par l'air, très toxique. Il est employé comme ralentisseur de neutrons dans certains réacteurs nucléaires.

BERZÉ-LA-VILLE → CLUNY.

BERZELIUS (Jöns Jacob, *baron*), chimiste suédois (Väversunda Sörgard, près de Linköping, 1779-Stockholm 1848), un des créateurs de la chimie moderne. Il institua la notation chimique par symboles, prenant pour base l'oxygène, et détermina les équivalents d'un grand nombre d'éléments (1847). Il proposa une théorie électrique de l'affinité chimique. Il introduisit les concepts d'isomérie, de polymérie et d'allotropie, et étudia la catalyse. Il isola un grand nombre de corps simples (sélénium, calcium, baryum, strontium, thorium).

BESANÇON (25000), capit. de la Région Franche-Comté et ch.-l. du départ. du Doubs, à 393 km au S.-E. de Paris, en bordure du Jura; 126187 hab. *(Bisontins).* Dans un site exceptionnel (un méandre presque recoupé du Doubs), mais surtout propice à la fonction militaire (ou, aujourd'hui, touristique), la ville est devenue un important centre industriel grâce à l'essor de l'horlogerie, dont elle demeure la capitale française, mais aussi du textile (fibres synthétiques et confection). Le secteur tertiaire demeure cependant prédominant avec la fonction administrative, culturelle (université, festival de musique) et un important équipement commercial. Besançon a largement débordé son cadre originel, se développant notamment vers le N.-O.

BEAUX-ARTS. Vestiges romains. Citadelle de Vauban. Cathédrale romane et gothique. Palais Granvelle (musée franc-comtois), hôtel de ville et palais de justice du XVIe s. Beaux monuments des XVIIe et XVIIIe s., dont l'hôpital Saint-Jacques, les églises Saint-François-Xavier et Sainte-Madeleine, la préfecture, le théâtre (Ledoux, 1778). Musée des Beaux-Arts (archéologie, objets d'art, vastes collections de peintures européennes et de dessins [XVIIIe s. français]).

BESKIDES, partie nord-ouest des Carpates, partagée entre la Tchécoslovaquie et la Pologne.

BESOIN *(Écon.).* — Les besoins sont à la base de toute activité économique : les producteurs sont dans l'incapacité d'offrir des biens économiques s'il ne se manifeste des besoins sur le marché*, et aucune offre de travail ne se manifesterait si les offreurs de travail n'avaient des besoins, dont la satisfaction leur est assurée par le salaire*.

Le besoin est une des notions le plus étroitement insérées dans l'économie, car il révèle les motivations les plus vitales de l'homme. Les physiocrates firent entrer la notion de besoin dans la science économique, mais le concept fut affiné ultérieurement. Si, pour Marx, «la production produit les biens, la manière de les consommer et jusqu'au désir de ces produits», le besoin est, selon Pantaleoni, «le désir de disposer d'un moyen capable de prévenir ou de faire cesser une sensation pénible, de provoquer, de conserver ou d'accroître une sensation agréable» (*Principes d'économie pure,* 1931). Assorti d'une solvabilité, il devient, sur le marché, l'expression d'une demande*. Les analyses récentes (Attali, Guillaume) montrent qu'il ne coïncide pas totalement avec le désir, qui représente un étage plus profond de la personnalité : le besoin est largement «secondaire», «artificiel», et peut être produit.

BESOIN *(Psychol.)* → DÉSIR.

BESSANCOURT (95550), comm. du Val-d'Oise, à 12 km à l'E. de Pontoise; 6719 hab. Église des XIIIe et XVe s.

BESSARABIE, région de l'U. R. S. S. (Moldavie), entre le Prout et le Dniestr. Incorporée à la Moldavie au XVe s., la région fut sous domination ottomane jusqu'à son acquisition par les Russes (1812). La réunion de la Bessarabie à la Roumanie (1918) fut reconnue par les Occidentaux au traité de Paris (1920). Un ultimatum soviétique de 1940 exigea la restitution de la Bessarabie et de la Bucovine du Nord, qui sont aujourd'hui incorporées dans la R. S. S. de Moldavie*.

BESSARION (Jean), cardinal, humaniste et écrivain byzantin (Trébizonde 1402-Ravenne 1472), partisan de l'union des Églises et l'un des promoteurs de la Renaissance.

BESSE-ET-SAINT-ANASTAISE (63610), ch.-l. de cant. du Puy-de-Dôme, à 31 km à l'O. d'Issoire, dans les monts Dore; 1926 hab. Église à nef romane. Beffroi du XVe s. Fromages. Sports d'hiver à *Superbesse* (alt. 1350-1850 m).

BESSÈGES (30160), ch.-l. de cant. du Gard, à 30 km au N. d'Alès, sur la Cèze; 5260 hab. Métallurgie.

BESSEL (Friedrich Wilhelm), astronome allemand (Minden 1784-Königsberg 1846). Auteur de nombreux travaux sur les étoiles*, il fut le premier à avoir effectué une mesure de distance stellaire. Excellent mathématicien, il a laissé son nom à une famille de fonctions importantes en physique mathématique.

BESSEMER (*sir* Henry), industriel et métallurgiste britannique (Charlton, Hertfordshire, 1813-Londres 1898). Il imagina un procédé de transformation de la fonte en acier par insufflation d'air sous pression dans un appareil à revêtement intérieur spécial (1855), qui s'imposa partout en raison de son faible prix de revient.

BESSE-SUR-ISSOLE (83890), ch.-l. de cant. du Var, à 17 km au S.-E. de Brignoles; 756 hab.

BESSIÈRES (Jean-Baptiste), duc **d'Istrie,** maréchal de France (Prayssac 1768-Rippach 1813). Commandant la cavalerie de la Garde (1809-1812), puis celle de l'armée (1813), il fut tué en Saxe à la veille de la bataille de Lützen.

BESSIN, région herbagère (élevage bovin) de la Normandie occidentale, dans le nord-ouest du département du Calvados.

De Forceville-Ruyant Production

Besançon. Vue aérienne de la ville établie dans un méandre du Doubs. Au premier plan la citadelle

BESSINES-SUR-GARTEMPE (87250), ch.-l. de cant. de la Haute-Vienne, à 20 km au S.-O. de La Souterraine; 2 982 hab. Concentration de l'uranium extrait à La Crouzille.

BESSIS (Marcel), médecin français (Tunis 1917), auteur d'études sur les problèmes de microscopie électronique, l'exsanguino-transfusion et la physiologie des cellules du sang.

BEST (Charles Herbert), physiologiste et médecin canadien (West Pembroke, Maine, 1899 - Toronto 1978), dont le nom reste lié à celui de Banting* pour la découverte de l'insuline en 1921.

BÊTA (rayons) → RADIOACTIVITÉ.

BÉTAIL (alimentation du). — On utilisait autrefois uniquement les produits de la ferme (fourrages verts, foin, paille, racines, grains, lait écrémé, babeurre). On fait appel aujourd'hui à de multiples sous-produits des industries alimentaires (tourteaux d'arachide, de soja, etc., levure de bière, poudre de lait, etc.), et la fabrication industrielle des aliments du bétail s'est considérablement développée : elle fournit des farines et des granulés équilibrés (glucides, protides, lipides) et supplémentés (acides aminés, diastases, sels minéraux) permettant d'obtenir de hauts rendements.

BÉTAIL (maladies du). — La concentration des animaux dans de grands bâtiments spécialisés facilite l'exploitation, mais favorise l'apparition de maladies; aussi est-on amené à pratiquer systématiquement des traitements curatifs et même préventifs contre les épizooties*.

BETANCOURT (Rómulo), homme politique vénézuélien (Guatire 1908). Fondateur du parti d'action démocratique, il est le chef du pays de 1945 à 1948, puis président de la République de 1958 à 1964.

BÊTATRON. — Il comporte un tube annulaire à vide, placé dans l'entrefer d'un électroaimant alimenté en courant alternatif. Des électrons injectés y décrivent une spirale d'un mouvement accéléré et en sortent à une vitesse voisine de celle de la lumière. Cet appareil est utilisé pour des recherches de physique nucléaire; il sert aussi comme source de rayons gamma pour la destruction des tumeurs cancéreuses.

BÉTELGEUSE → ÉTOILE.

BETHE (Hans Albrecht), physicien américain d'origine allemande (Strasbourg 1906). Auteur, avec Walter Heitler (né en 1904), de la théorie des gerbes-cascades dans les rayons cosmiques, il a découvert en 1938 le cycle de transformations thermonucléaires pouvant expliquer l'origine de l'énergie du Soleil et des étoiles chaudes. (Prix Nobel de physique, 1967.)

Bethe *(cycle de).* Cycle de transformations thermonucléaires pouvant expliquer l'origine de l'énergie du Soleil et des étoiles chaudes.

Il est représenté par les réactions nucléaires suivantes :

$$^{1}_{1}H + ^{12}_{6}C \rightarrow ^{13}_{7}N;$$

$$^{13}_{7}N \rightarrow ^{13}_{6}C + ^{0}_{1}e;$$

$$^{1}_{1}H + ^{13}_{6}C \rightarrow ^{14}_{7}N;$$

$$^{1}_{1}H + ^{14}_{7}N \rightarrow ^{15}_{8}O;$$

$$^{15}_{8}O \rightarrow ^{15}_{7}N + ^{0}_{1}e;$$

$$^{1}_{1}H + ^{15}_{7}N \rightarrow ^{12}_{6}C + ^{4}_{2}He.$$

Les noyaux intermédiaires étant régénérés, la réaction globale s'écrit

$$4\,^{1}_{1}H \rightarrow ^{4}_{2}He + 2\,^{0}_{1}e.$$

BETHENOD (Joseph), électrotechnicien français (Lyon 1883 - Paris 1944). On lui doit la théorie du transformateur à résonance, celle de l'auto-excitation des alternateurs et diverses inventions relatives à la radiotélégraphie.

BETHLÉEM, en ar. **Bayt Laḥm,** v. de Jordanie, en Palestine, au S. de Jérusalem; 24 000 hab. Mentionnée dans les documents d'Amarna* (XIVe s. av. J.-C.), elle fut la patrie du roi David* et le lieu de naissance de Jésus*, selon les Évangiles.

BETHLEHEM, v. des États-Unis (Pennsylvanie), au N. de Philadelphie; 73 000 hab. Sidérurgie.

BETHMANN-HOLLWEG (Theobald VON), homme d'État allemand (Hohenfinow 1856 - *id.* 1921). Chancelier d'Empire de 1909 à 1917, il ne peut empêcher la déflagration mondiale de 1914. Par la suite, il échoue dans une tentative de paix de compromis (1916).

BÉTHONCOURT (25200 Montbéliard), comm. du Doubs, dans la banlieue nord de Montbéliard; 10 592 hab.

BÉTHUNE (62400), ch.-l. d'arr. du Pas-de-Calais, à 38 km au S.-O. de Lille; 28 279 hab. *(Béthunois).* [L'agglomération a 147 130 hab.] Beffroi du XIVe s. Pneumatiques. Industries textiles, mécaniques et électriques.

BÉTIQUE, anc. région méridionale de la péninsule Ibérique, traversée par le fleuve Bétis (Guadalquivir). La Bétique *(Hispania Ulterior)* correspondait à peu près à l'Andalousie*. Province sénatoriale à partir d'Auguste, avec Cordoue pour capitale, elle fut une des provinces les plus riches et les plus romanisées de l'Empire.

BÉTIQUE *(chaîne* ou *cordillère),* massif montagneux du sud-est de l'Espagne, du détroit de Gibraltar au cap de la Nao; 3 478 m au Mulhacén (dans la Sierra Nevada), point culminant de la péninsule Ibérique.

BÉTON. — On distingue les bétons hydrauliques, à base de ciment*, et les bétons hydrocarbonés (bétons bitumineux).

• Les *bétons hydrauliques* sont constitués par environ 800 litres (1 200 kg) de gravier, 400 litres (600 kg) de sable, 300 à 350 kg de ciment et 150 à 175 litres d'eau de gâchage. Ils sont préparés dans les bétonnières ou dans des malaxeurs et compactés par damage ou vibration. On peut les armer par une structure de barres d'acier qui leur donnent une bonne résistance en traction et en flexion. Leur résistance en compression est bonne; elle croît rapidement le premier mois, puis de plus en plus lentement pendant six ans. Elle est de 300 kg/cm^2 au moins; la résistance en traction en est le 1/12, soit 25 kg/cm^2 au moins. C'est donc un matériau résistant, mais fragile. Il subit un certain retrait à l'air, et gonfle sous l'eau. Le retrait linéaire varie de 2/10 000 à 6/10 000, soit en moyenne 4 mm pour une poutre de 10 m. Ce retrait est progressif, mais avec des fluctuations selon l'hygrométrie ambiante. Le module d'Young E atteint 300 000 kg/cm^2 au moins, et il est proportionnel à la racine carrée de la résistance en compression. Le coefficient de dilatation* linéaire est de 10×10^{-6}, comme pour l'acier (11×10^{-6}).

• Les *bétons hydrocarbonés* ont une ossature granulaire faite d'environ 50 kg de gravillon, 30 kg de sable gros, 13 kg de sable fin et 7 kg de farine minérale (filler), soit 100 kg, que l'on malaxe à + 150 °C avec 6 kg de bitume* dur en fusion, dans des tambours comportant un brûleur à mazout.

Ce béton bitumineux routier s'étale et se compacte à chaud en couches de 7 à 12 cm. Le béton bitumineux pour revêtements de barrages, digues et berges de canaux est plus riche en bitume dur (8 kg au lieu de 6).

• L'ARCHITECTURE EN BÉTON. Après des tentatives et des spéculations diverses tout au long du XIXe s., les premiers entrepreneurs ou architectes à faire sortir des limbes le béton armé furent des Français : François Hennebique* exploite les possibilités structurelles du matériau à partir de 1890 (maisons, ponts, usines), suivi par A. de Baudot* puis par A. Perret*, qui s'attachent, en outre, à ses possibilités expressives — comme F. L. Wright* aux États-Unis. Des ingénieurs, comme Simon Boussiron (1873-1958; voûtes paraboliques minces à la gare de Bercy, 1910), le Suisse R. Maillart* (pilier-champignon, solidaire de la dalle qu'il supporte) et E. Freyssinet* (pervibration, précontrainte) — ainsi que T. Garnier* dans sa Cité industrielle et l'architecte allemand Max Berg (1870-1947) dans son hall du Centenaire à Breslau (1913) —, les dépasseront en concevant des systèmes d'arches, de voûtes ou de porte-à-faux révolutionnaires par rapport au simple organisme orthogonal de poteaux et de poutres.

À partir des années 30 — le béton est alors le matériau privilégié du « style international* », qui s'attache plutôt à des formes cubiques et à la nudité des murs — viendront d'autres innovations d'ingénieurs : celles de Freyssinet, toujours, de Bernard Lafaille (1900-1955), des Espagnols Torroja (1899-1961) et Félix Candela (né en 1910, actif au Mexique), de l'Italien Nervi*, qui développeront les systèmes de poteaux, d'ossatures, de voiles et de coques les plus complexes — jusqu'à la couverture suspendue « en selle de cheval » (paraboloïde hyperbolique), où le béton s'associe à des câbles d'acier (arène de Raleigh, États-Unis, 1953, sur un projet de Matthew Nowicki [1910-1950]); ils développeront aussi des systèmes de préfabrication* lourde, qui s'étendent aujourd'hui non seulement aux différents éléments structurels, mais encore à des cellules à trois dimensions dont l'assemblage par superposition et croisement constitue un nouveau type d'immeuble. Lyrisme, rationalité, économie peuvent désormais aller de pair.

BÉTONNAGE. — La préparation du béton* sur chantier se fait dans une installation spéciale appelée *centrale à béton,* comprenant un « skip » de chargement avec une benne élévatrice, pour alimenter en matériaux la bétonnière ou le malaxeur, une bétonnière, un dispositif de vidange du béton, un tank doseur pour alimenter le malaxeur en eau, ainsi que des installations spéciales tant pour le stockage en silos des granulats* et du ciment* que pour le dosage de ces matériaux et de l'eau de gâchage. Qu'il soit effectué par bétonnière ou par malaxeur, le malaxage du béton a une influence essentielle sur ses caractéristiques. La qualité du produit final dépend avant tout du degré d'homogénéité du mélange. Cette homogénéité est nécessaire pour obtenir des résistances élevées, et surtout uniformes, dans toute la masse du béton.

• Le *transport* du béton de la centrale au chantier se fait dans des bennes malaxeuses, appelées « toupies », montées sur châssis automobile et pourvues de dispositifs de vidage automatique du béton. Sur les chantiers on transporte le béton soit dans des wagonnets basculants, soit dans des bennes à fond ouvrant que l'on élève jusqu'au lieu de coulage à l'aide d'une grue, soit encore — sur les gros chantiers de travaux publics — par blondin. Enfin, le béton est quelquefois pulsé dans des tuyaux de fonte à l'aide de pompes spéciales. Dans ce dernier cas, le béton doit être particulièrement plastique.

• Le *coulage* du béton est exécuté dans des coffrages et des moules qui doivent être suffisamment stables et rigides pour ne pas se déformer sous le poids et les poussées qu'ils ont à supporter. Les coffrages glissants sont utilisés notamment pour l'exécution des tours de réservoirs et des piles de pont. Ils se composent de panneaux mobiles, de hauteur réduite, qui permettent de couler le béton par tranches superposées. Dès qu'une tranche de béton a acquis un durcissement suffisant, le coffrage est soulevé pour permettre le coulage de la tranche supérieure. Pour obtenir des parements d'un aspect correct, il faut éviter que le béton n'adhère au coffrage et aux moules. À cet effet, on enduit ces derniers d'huile de démoulage spécialement composée pour ne pas tacher le béton.

• La *mise en œuvre* du béton se fait par damage, compression et vibration quand, à l'état frais, il est de consistance relativement ferme. On le pique et on le pilonne quand sa consistance est plastique. La vibration simple s'effectue par l'intermédiaire même des coffrages sur lesquels on fixe des vibrateurs pneumatiques ou électriques. La *pervibration* s'opère au moyen de pervibrateurs qu'on enfonce dans le béton frais. L'effet de la vibration est de réduire les frottements internes des éléments solides du béton et de leur permettre de se répandre dans les moules, en se tassant. La vibration impose pour le béton un certain degré de fermeté. L'opération doit être de courte durée, sinon le mélange se sépare, la laitance remontant à la surface et les graviers s'accumulant dans les parties basses.

• Le *décoffrage* du béton ne peut s'effectuer qu'à partir du moment où celui-ci a acquis une résistance suffisante pour ne pas se fissurer ou se désagréger. Le délai d'immobilisation des coffrages et des moules dépend de la nature et du dosage du ciment, de la composition et de la mise en œuvre du béton, enfin de la température. Pratiquement, ce délai peut varier, sur les chantiers, entre quarante-huit heures et trois semaines. Dans le cas de pièces préfabriquées en atelier, si celles-ci sont étuvées, le démoulage peut se faire quelques heures après le coulage.

• La *cure* du béton permet, grâce à la pulvérisation de résines spéciales sur sa surface ou sur ses parements fraîchement décoffrés, de ralentir l'évaporation de l'eau, et, par voie de conséquence, de diminuer le retrait et d'augmenter les résistances.

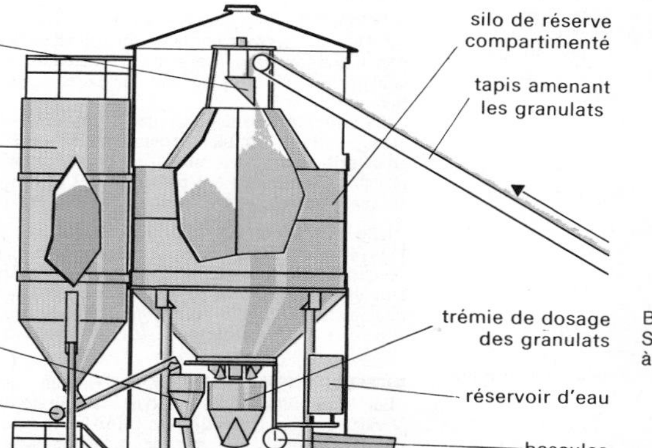

BÉTONNAGE. Schéma d'une centrale à béton.

BET SHEARIM, anc. v. de Palestine florissante aux IIe-IIIe s.

BETTELHEIM (Bruno), psychanalyste américain d'origine autrichienne (Vienne 1903), dont l'œuvre sur les psychoses infantiles est une des plus importantes de la psychiatrie contemporaine. Dans la communauté pour enfants autistiques qu'il dirigea de 1944 à 1973, l'École orthogénique de Chicago, il introduisit les concepts analytiques pour y créer une microsociété permettant à l'enfant psychotique de réinvestir le monde qu'il a quitté. C'est cette expérience qu'il rapporte notamment dans *la Forteresse vide* (1967) et *Évadés de la vie* (1970).

BETTEMBOURG, v. du Luxembourg, au S. de la ville de Luxembourg; 6 600 hab. Métallurgie.

BETTERAVE. — Les formes agricoles de l'espèce *Beta vulgaris* L. sont : la *betterave sucrière,* cultivée pour la teneur en sucre* de la racine; la *betterave fourragère,* dont les racines sont utilisées comme fourrage d'hiver; la *betterave potagère,* le plus souvent à chair rouge, que l'on consomme après cuisson. La culture de la

P. Cotteau - Atlas-Photo

Arrachage de betteraves fourragères.

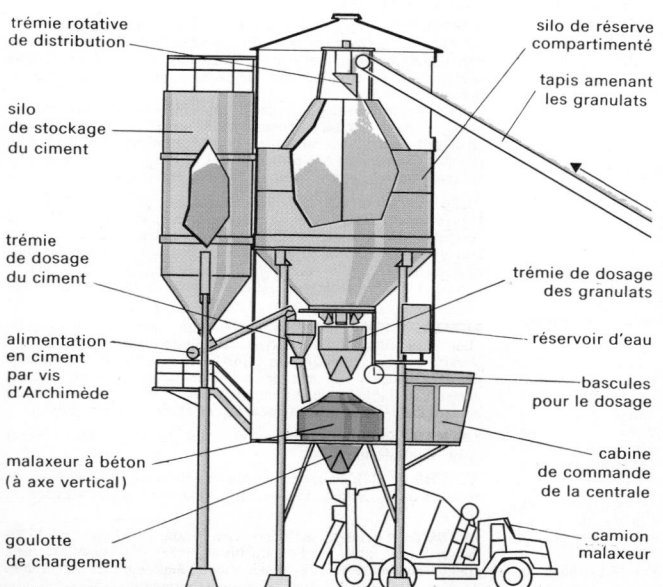

betterave demandait une main-d'œuvre importante (démariage, binage, arrachage); c'est pourquoi on fait appel maintenant aux graines monogermes et à l'arrachage mécanique.

BETTIGNIES (Louise DE), héroïne française (près de Saint-Amand-les-Eaux 1880 - Cologne 1918). Pendant la Première Guerre mondiale elle créa, sous le nom d'*Alice Dubois,* un réseau de renseignements dans la région de Lille, occupée par les Allemands. Arrêtée en 1915 et condamnée à mort, elle vit sa peine commuée en détention perpétuelle et mourut en captivité.

BÉTULACÉES → BOULEAU.

BETZ (60620), ch.-l. de cant. de l'Oise, à 10 km au S.-E. de Crépy-en-Valois; 531 hab. Parc paysager du XVIIIe s.

BEUDANT (François), minéralogiste et physicien français (Paris 1787 - *id.* 1850). Auteur d'une classification des minéraux, il a observé, avant Mitscherlich, le phénomène d'isomorphisme.

BEURRE. — Si l'on soumet le lait à l'action de la force centrifuge dans une écrémeuse, on obtient, d'une part, le lait écrémé, et, d'autre part, la crème. La crème n'est pas autre chose que du lait que l'on a enrichi en matière grasse en éliminant mécaniquement la plus grande partie de la phase non grasse. L'écrémage de 10 litres de lait donne, en moyenne, 1 litre de crème et 9 litres de lait écrémé. Les globules de matière grasse sont ainsi beaucoup plus

Beyrouth.
La place des Martyrs, ou place des Canons, en 1974.

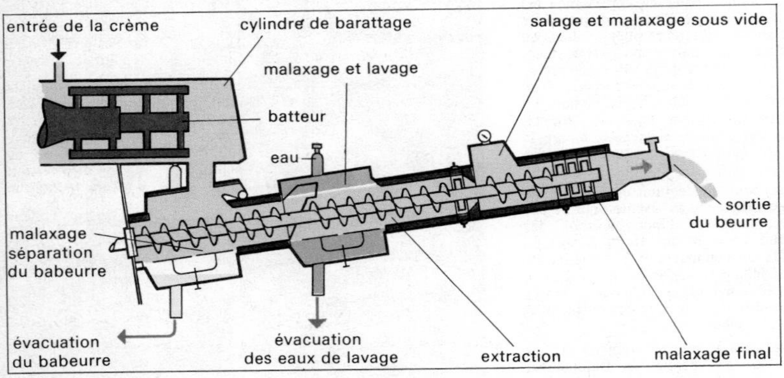

BEURRE. Fabrication du beurre en continu. (D'après document Contimab Simon.)

proches dans la crème que dans le lait. La crème, après une maturation au cours de laquelle elle s'acidifie et acquiert de l'arôme, est traitée en discontinu ou en continu dans des barattes, où les chocs mécaniques que subissent les globules gras les font s'agglomérer les uns aux autres; elle se sépare du babeurre et constitue le beurre. On fabrique en France trois catégories de beurre : les beurres fermiers, les beurres laitiers et les beurres pasteurisés.

BEUVILLERS (14100 Lisieux), comm. du Calvados, dans la banlieue sud-est de Lisieux; 1263 hab. Produits laitiers.

BEUVRON (le), riv. de Sologne, affl. de la Loire (r. g.); 125 km.

BEUVRY (62660), comm. du Pas-de-Calais, à 3 km à l'E. de Béthune; 8150 hab. Constructions mécaniques.

BEUZEVILLE (27210), ch.-l. de cant. de l'Eure, à 14 km à l'O. de Pont-Audemer; 2415 hab.

BEVELAND, anc. îles des Pays-Bas (Zélande), auj. reliées au continent.

BEVEREN, comm. de Belgique (Flandre-Orientale), à l'O. d'Anvers; 15913 hab. (en 1970).

BEVERIDGE (*lord* William Henry), économiste britannique (Rangpur, Bengale, 1879 - Oxford 1963), auteur d'un plan d'établissement d'une sécurité sociale en Angleterre. Le « plan Beveridge » (1942) fut à la base des allocations familiales britanniques, de la réglementation des accidents du travail, des assurances sociales, du service national de santé et de l'assistance nationale; il mettait l'accent sur la nécessité du plein-emploi. L'ouvrage fondamental de Beveridge est *Full Employment in a Free Society* (1944).

BEVERWIJK, v. des Pays-Bas (Hollande-Septentrionale), au N.-O. d'Amsterdam; 40000 hab. Station balnéaire sur la mer du Nord.

BEYLE (Henri) → STENDHAL.

BEYNAT (19190), ch.-l. de cant. de la Corrèze, à 25 km au S. de Tulle; 1179 hab.

BEYNES (78650), comm. des Yvelines, à 23 km au S.-E. de Mantes-la-Jolie; 6602 hab. Réservoir naturel souterrain de gaz.

BEYROUTH, en ar. **Bayrūt,** capit. du Liban, sur la Méditerranée; 940000 hab. Regroupant dans son agglomération plus du tiers de la population du pays, Beyrouth a longtemps été un grand centre commercial (port) et surtout bancaire, également intellectuel et touristique.

La structure cosmopolite de sa population (juxtaposant musulmans, surtout sunnites, communautés chrétiennes [Arméniens, grecs orthodoxes, maronites]) et, plus récemment, l'installation de réfugiés palestiniens ont provoqué des affrontements à caractères politique ou religieux ruinant sa relative prospérité.

BÈZE (Théodore DE), écrivain et théologien protestant (Vézelay 1519 - Genève 1605). Principal collaborateur de Calvin, et polémiste redoutable (*l'Âne logicien, Épître de Benoît Passavant,* 1553), il fut l'un des initiateurs de la Renaissance littéraire et de la tragédie humaniste (*Abraham sacrifiant,* 1550). Il a dirigé la rédaction de l'*Histoire ecclésiastique des Églises réformées du royaume de France* (1580).

BÉZIERS (34500), ch.-l. d'arr. de l'Hérault, sur l'Orb et le canal du Midi; 85677 hab. *(Biterrois).* Anc. cathédrale fortifiée (XIIIe-XIVe s.). Vieilles églises. Hôtel de ville (1742-1764). Musées. Deuxième ville du département, au cœur de la plaine languedocienne, Béziers demeure essentiellement un important marché viticole, encore peu industrialisé (constructions mécaniques et électriques, chimie).

BEZNAU, écart de la comm. suisse de Döttingen (Argovie), sur l'Aar. Centrale nucléaire.

BEZONS (95870), ch.-l. de cant. du Val-d'Oise, à 7 km au N.-O. de Paris, sur la Seine; 25309 hab. Industries métallurgiques et chimiques.

BÉZOUT (Étienne), mathématicien français (Nemours 1730 - Basses-Loges, près de Fontainebleau, 1783). Son nom est resté attaché au théorème aux termes duquel deux courbes algébriques de degrés *m* et *n* possèdent *mn* points communs (1771).

F. Jalain - C.E.D.R.I.

BEZWADA → VIJAYAVADA.

BHADRĀVATI, v. de l'Inde (Karnātaka), au N.-O. de Bangalore; 101 000 hab. Industries mécaniques et chimiques.

BHĀGALPUR, v. de l'Inde (Bihār), sur le Gange; 173 000 hab.

Bhagavad-Gītā, épopée du Mahābhārata*, où Kriṣṇa transmet à Arjuna, fils d'Indra*, l'enseignement de la philosophie brahmanique, portant sur le devoir propre aux membres d'une caste et les moyens de se délivrer du flux des renaissances. (V. SAṂSĀRA.)

BHAKRA-NANGAL, aménagement hydraulique du nord de l'Inde, utilisant les eaux de la Sutlej et destiné à l'irrigation et à la production d'électricité.

BHAKTI. — La bhakti (mot sanskr. signifiant « dévotion ») est l'une des voies que propose la *Bhagavad-Gītā** pour se libérer du flux des renaissances. Elle vise à faire participer le dévot à l'essence du dieu qu'il adore (Viṣṇu puis Śiva, notamment, dans l'histoire de l'hindouisme*).

BHĀRAT, nom hindī de l'INDE.

BHĀRHUT, site archéologique de l'Inde centrale, dans l'État de Madhya Pradesh, où les fragments de l'un des plus anciens stūpa connus ont été découverts. Les bas-reliefs (Musée indien de Calcutta) qui ornaient la balustrade et le porche illustrent avec verve les vies antérieures du Bouddha, dans un style encore archaïque qui préfigure celui de Sāñcī*.

BHARTRIHARI, poète indien du VIIe s., auteur de trois célèbres poèmes, de cent vers chacun, sur l'amour, la sagesse mondaine, le renoncement.

BHASHANI (*maulana* Abdul Hamid khān), homme politique bengali (Tangari 1883 ou 1889 - Dacca 1976). Il réclame, au nom de la ligue Awami, l'indépendance du Pākistān oriental. Quand le Bangladesh* élit sa première Assemblée législative (mars 1973), il demande vainement la création d'un État regroupant le Bengale-Occidental (province indienne) et le Bangladesh.

BHATGAON ou **BHĀDGĀUN,** v. du Népal, au S.-E. de Katmandou; 84 000 hab.

BHATPARA, v. de l'Inde (Bengale-Occidental), au N. de Calcutta; 159 000 hab.

BHAVABHŪTI, écrivain sanskrit du début du VIIIe s., auteur de deux drames sur la légende de Rāma et d'une comédie amoureuse. C'est après Kālidāsa le plus grand nom du théâtre indien.

BHAVNAGAR, port de l'Inde (Gujerat), dans la presqu'île de Kāthiāwār; 226 000 hab.

BHILAI, v. de l'Inde (Madhya Pradesh), à l'E. de Nāgpur; 174 000 hab. Sidérurgie.

BHOPĀL, v. de l'Inde, capit. du Madhya Pradesh; 392 000 hab. Constructions électriques.

BHOUTAN ou **BHUTĀN,** royaume d'Asie, en bordure de l'Himālaya; 50 000 km²; 1 035 000 hab. Capit. *Punākha,* et, en été, *Thimbu* (ou *Thimphu*).

GÉOGRAPHIE. Entre les collines inhospitalières des Duars, couvertes par la jungle, et les sommets enneigés du Haut Himālaya, s'étendent les montagnes du Moyen Himālaya, percées de vallées abritées de la mousson, au climat salubre. Là se concentre l'essentiel de la population. L'économie repose sur la culture vivrière et l'artisanat. La politique actuelle de développement des communications (vers l'Inde) devrait permettre le décloisonnement de cet État, à la structure sociale encore quasi féodale.

HISTOIRE. Ce royaume, vassal de l'Inde en 1865, est dirigé à partir de 1907 par un souverain héréditaire, soumis d'abord à un semi-protectorat britannique (1910), puis indien (1949). Depuis 1971, le Bhoutan est indépendant.

BHUBANESWAR, v. de l'Inde, capit. de l'Orissa, à proximité du golfe du Bengale; 105 000 hab. Centre śivaïte important depuis le VIIIe s., dont les très nombreux temples, édifiés entre le VIIIe et le XIIIe s., présentent l'évolution complète de l'architecture caractéristique de l'Orissa (Paraśurameśvara, VIIIe s.; Mukteśvara, Xe s.; enfin vers 1 000 — chef-d'œuvre d'équilibre et d'harmonie — le temple de Liṅgarāja, à la haute tour sanctuaire à superstructure curviligne).

BHUMIBOL ADULYADEJ, roi de Thaïlande (Cambridge, Massachusetts, 1927). Successeur de son frère Ananda Mahidol en 1946, il est durant six ans (1951-1957) soumis en fait au pouvoir du maréchal Pibul Songgram.

BHUTTO (Zulfikar Ali), homme politique pakistanais (Larkana 1928). À la tête de différents ministères à partir de 1958, il participe à la refonte des institutions et de l'économie du pays. Fondateur du parti populaire (1967), il est président de la République pakistanaise (1971-1973), puis Premier ministre. Il est renversé par un coup d'État militaire en juillet 1977.

BIACHE-SAINT-VAAST (62118), comm. du Pas-de-Calais, à 13 km à l'E. d'Arras; 4 227 hab. Cimenterie. Métallurgie.

BIAFRA, nom donné pendant sa sécession à la province orientale de la république fédérale du Nigeria* (capit. *Enugu*). Peuplée en majorité d'Ibos chrétiens qui se considèrent comme brimés par les autres Nigérians, le Biafra se proclame République indépendante le 30 mai 1967. Une guerre atroce s'ensuit qui se termine en janvier 1970 par une capitulation : celle-ci, au moins en théorie, doit permettre aux Ibos de reprendre leur place au sein d'une fédération réconciliée.

BIALIK (Hayim Nahman), poète hébraïque (Rady, Ukraine, 1873 - Vienne 1934). Il a exercé une influence profonde sur le mouvement sioniste (*le Rouleau de feu,* 1905), et son nom consacre la plus haute récompense littéraire décernée en Israël.

BIAŁYSTOK, v. de Pologne, ch.-l. de voïévodie, au N.-E. de Varsovie; 178 000 hab. Industries mécaniques et textiles. Brasserie.

BIARRITZ (64200), ch.-l. de cant. des Pyrénées-Atlantiques, à 8 km à l'O. de Bayonne; 27 653 hab. *(Biarrots).* Grande station balnéaire de la Côte basque. Station hydrominérale aux eaux de sources chlorurées sodiques, utilisées dans le traitement des affections rhumatismales et de l'anémie.

BIBANS *(chaîne des),* montagnes d'Algérie, au S. de la Grande Kabylie, percées de brèches, dont le défilé des *Portes de fer;* 1 735 m.

BIBER (Heinrich), compositeur allemand (Wartenberg 1644 - Salzbourg 1704). L'un des premiers maîtres de l'école viennoise, son nom reste attaché à des œuvres pour violon dans lesquelles il emploie la double corde.

BIBERON → ALLAITEMENT.

BIBIENA, surnom (emprunté à sa ville d'origine) de la famille des Galli, architectes scénographes, peintres et graveurs italiens, dont les principaux sont : FERDINANDO (Bologne 1657 - *id.* 1743), actif dans différentes cours d'Europe et auteur de traités de perspective scénique; ses fils GIUSEPPE (Parme 1696 - Berlin 1756) et ANTONIO (Parme 1700 - Milan 1774, architecte du théâtre de Bologne), tous virtuoses du décor monumental imaginaire.

BIBLE, ensemble des livres saints des religions juive et chrétiennes.

Le terme de *Bible* est une transcription du grec *ta biblia,* les livres. Le latin de basse époque a fait de ce neutre pluriel grec un féminin singulier latin : *biblia, -ae,* la Bible. L'ensemble des livres bibliques est divisé par les chrétiens en Ancien et Nouveau Testament. Le terme de *Testament* signifie ici « pacte », « alliance ». Il est, en passant par le latin de la Vulgate* « testamentum », la traduction plus ou moins heureuse du grec *diathêkê,* qui a le double sens de « testament », au sens courant du mot, et d'« alliance ». C'est ce dernier sens qui a été retenu. L'Ancien Testament, ou Ancienne Alliance, comprend donc tous les écrits qui se rapportent à l'histoire de l'alliance de Dieu avec le peuple juif. Le Nouveau Testament, ou Nouvelle Alliance, est le recueil des écrits qui concernent l'alliance établie par Jésus-Christ avec tous les peuples.

Si ce titre de Bible désigne le Livre par excellence, le Livre des livres, cette appellation peut prêter à confusion. Car la Bible n'est pas, comme le Coran* par exemple, un seul livre, mais un recueil de livres écrits par des auteurs différents et dont la composition s'étale sur plusieurs siècles. Pour l'Ancien Testament les juifs et les protestants comptent 39 livres : la Torah, ou Pentateuque, qui comprend la *Genèse,* l'*Exode,* le *Lévitique,* les *Nombres* et le *Deutéronome;* les livres historiques, *Josué, Juges, I et II Samuel, I et II Rois, I et II Chroniques, Esdras* et *Néhémie;* les livres prophétiques, *Isaïe, Jérémie, Ezéchiel, (Daniel), Osée, Joël, Amos, Abdias, Jonas, Michée, Nahum, Habacuc, Sophonie, Aggée, Zacharie* et *Malachie;* les livres poétiques et sapientiaux, les *Psaumes,* les *Proverbes, Job,* le *Cantique des cantiques,* l'*Ecclésiaste, Esther* et *Ruth.* Les catholiques ajoutent à cette liste six écrits provenant de la Bible grecque des Septante* : *I et II Maccabées, Baruch,* la *Sagesse,* l'*Ecclésiastique, Tobie, Judith,* plus quelques passages des livres de *Daniel* et d'*Esther.* À noter, enfin, que dans la Bible hébraïque le livre de *Daniel* n'est pas classé parmi les livres prophétiques. Les livres de l'Ancien Testament sont écrits en hébreu, sauf quelques passages en grec et en araméen*. Le recueil des livres chrétiens du Nouveau Testament, écrit en grec, comprend les quatre *Évangiles,* les *Actes des Apôtres,* les *Épîtres* de saint Paul, saint Jacques, saint Pierre, saint Jean et saint Jude, et l'*Apocalypse.*

La Bible, née au désert avec Moïse* au XIIIe s. av. J.-C., passe ensuite en Palestine où elle croît au rythme du peuple et de la religion, dont elle rapporte le cheminement historique. La période monarchique (XIe-VIe s. av. J.-C.) voit se former les grands écrits historiques et prophétiques. Durant l'Exil et les débuts du judaïsme*, la Torah, ou Pentateuque, née dans la période précédente, prend sa forme définitive et, avec les livres poétiques et sapientiaux et les derniers livres historiques, l'ensemble des livres de l'Ancien Testament est achevé. Au début de notre ère, les deux premières générations chrétiennes témoigneront de l'œuvre du Christ et de la naissance de son Église dans les 27 livres du Nouveau Testament.

BIBLIOGRAPHIE. — Si le mot vient tard (on le date de 1633), l'activité qu'il désigne remonte à l'Antiquité : *catalogue, répertoire, index, inventaire,* etc., toutes formes par lesquelles les érudits ont cherché à réunir sur un sujet, ou dans une discipline, l'information la plus étendue et la plus précise possible. La première bibliographie publiée date de 1494 *(Liber de scriptoribus ecclesiasticis);* la première bibliographie universelle est de 1545 (*Bibliotheca universalis,* de Conrad Gessner); la première bibliographie nationale est anglaise et consacrée aux écrivains (John Bale, 1548) : la Renaissance manifeste ainsi l'une de ses préoccupations méthodologiques fondamentales. À partir du XVIIIe s., la bibliographie se diversifie et devient une véritable « science du livre », qui relève aujourd'hui des techniques de la *documentation.* Une branche particulière connaît un développement récent, la *bibliographie matérielle* (*physical* ou *analytical bibliography* dans les pays anglo-saxons, *textologie* en U. R. S. S.), qui étudie les traces physiques laissées par les procédés techniques (composition, impression, reliure, etc.) sur les objets imprimés et qui permet ainsi de déterminer les contraintes graphiques et commerciales qui pèsent sur le livre à une époque donnée.

BIBLIOTHÈQUE. — Des tablettes cunéiformes exhumées des ruines de Ninive au rêve de Jorge Luis Borges* évoquant un espace labyrinthique qui contiendrait tout ce qu'il est possible d'exprimer dans toutes les langues, la bibliothèque est une fascination permanente de l'esprit humain. Elle en est, au vrai, la projection, la sécrétion fossilisée, la mémoire. Et la disparition de livres dans les flammes (incendie de la bibliothèque d'Alexandrie par les soldats de César, autodafés nazis) a toujours été ressentie comme un crime et un supplice intolérables. Ramsès II possédait, sur des rouleaux de papyrus, des recueils juridiques et des rituels; Assourbanipal conservait dans des jarres numérotées 30 000 tablettes contenant des textes religieux, astrologiques et littéraires; la bibliothèque d'Alexandrie rassembla jusqu'à 700 000 volumes, groupés par genres et répertoriés dans un catalogue. Des 28 bibliothèques que Rome comptait au IVe siècle, les invasions barbares ne laissèrent que des manuscrits épars qui formèrent le maigre fonds des bibliothèques monastiques médiévales (un grand monastère comme Saint-Gall ne possédait guère que 200 ouvrages), à partir desquelles se constitua la culture occidentale : les bibliothèques sont alors des organismes non seulement de conservation, mais de production de livres (la règle de saint Benoît prescrit la transcription des manuscrits anciens). L'imprimerie entraîna un développement spectaculaire des bibliothèques, non plus propriétés jalouses de collectionneurs, mais lieux de travail ouverts au public (comme la Vaticane, dès le XVe s.), où les livres ne sont plus enchaînés (comme dans les collèges d'Oxford et de Cambridge), mais offerts sur un dispositif de rayonnages muraux (comme à l'Escorial, dans la bibliothèque de Philippe II). L'enrichissement des bibliothèques pose le problème de leur organisation, déjà abordé par Gabriel Naudé, bibliothécaire de Mazarin (*Advis pour dresser une bibliothèque,* 1627), mais c'est dans les pays anglo-saxons que se précise, au cours du XIXe s., la pratique du classement et de la consultation des livres (les bibliothèques en « libre accès » apparaissent vers 1850 en Angleterre et aux États-Unis), et que s'impose la nécessité d'une formation professionnelle des bibliothécaires (création en 1887, à Columbia, de la première école de bibliothécaires). Aujourd'hui, avec l'accès des masses à la culture et les ressources des techniques informatiques et audio-visuelles, l'organisation des bibliothèques relève à la fois des problèmes d'urbanisme* et des techniques de la documentation.

Bibliothèque du Congrès, bibliothèque du Parlement américain (Library of Congress) fondée en 1800 à Washington. Elle joue le rôle de Bibliothèque nationale des États-Unis. Elle diffuse, sur la base du projet MARC (Machine readable catalog project), des bandes magnétiques donnant les références complètes des livres acquis. Une collaboration avec la Grande-Bretagne aboutit au recensement de l'ensemble de la production anglo-saxonne. Son système de numérotation, étendu à d'autres pays, permet d'individualiser chaque livre et d'enregistrer ses caractéristiques sur ordinateur.

Bibliothèque nationale, établissement public créé en 1926 pour réunir un certain nombre de bibliothèques françaises. La Bibliothèque nationale proprement dite, située à Paris et dont l'origine remonte à Charles V, conserve, grâce à l'obligation du dépôt légal, l'ensemble des livres, périodiques, estampes, cartes, médailles, etc., parus en France.

BIBLIS, localité de l'Allemagne fédérale (Hesse), près du Rhin. Centrale nucléaire.

BIBRACTE, v. de Gaule, capit. et oppidum des Éduens. L'enceinte de l'oppidum a été mise au jour ainsi que des habitations, un temple et plusieurs ateliers contenant de très beaux objets de bronze et de fer. La période d'occupation s'échelonne d'environ 40 av. J.-C. à env. 10 apr. J.-C.

BICEPS → BRAS.

BICHAT (Xavier), anatomiste français (Thoirette, Jura, 1771 - Paris 1802). Fondateur de l'anatomie générale (laquelle ne considère pas les organes en particulier, mais les éléments qui entrent dans leur structure, les tissus), il contribua au développement de l'embryologie et particulièrement de l'organogenèse.

BICKFORD (William), ingénieur britannique (Bickington, Devon, 1774 - Camborne, Cornouailles, 1834). Il inventa la mèche de sûreté pour mineurs (1831).

BICKFORD → AMORÇAGE et ARTIFICE.

BICOQUE (La), écart de la commune italienne de Niguarda (Milanais), qui vit, en 1522, la défaite des Français devant les Impériaux, désormais maîtres du Milanais.

BICYCLETTE. — Dérivée de la draisienne, datant du Directoire, la bicyclette ne dut son développement qu'à l'invention du pédalier, en 1861, par Pierre Michaux et son fils Ernest. Elle se compose d'un assemblage de tubes — soit en acier, soit en alliages légers à haute résistance — formant cadre rigide qui supporte tout le mécanisme. Le centre du dispositif est occupé par un triangle comportant un tube horizontal — ou plongeant, pour les modèles de dames —, solidaire à l'avant du tube de direction, qui porte le guidon et qui se prolonge jusqu'à l'axe de la roue avant directrice par une fourche rigide, et se joignant à l'autre extrémité au tube de selle. Au centre du V est fixé le pédalier, formé de deux pédales articulées sur des biellettes rigides et sur lesquelles le cycliste appuie successivement pour entraîner en rotation un plateau denté sur lequel engrène une chaîne faisant tourner un pignon porté par l'axe de la roue arrière motrice. Cette transmission est dotée d'un changement de vitesse par dérailleur, mécanisme constitué d'une roue libre à trois dentures différentes, de manière que la chaîne puisse sauter sur celle qui assurera la démultiplication désirée. Ce changement de vitesse est parfois doublé d'un dérailleur de pédalier à deux plateaux, dont le fonctionnement est assuré par une fourchette actionnée par le cycliste. Le système de freinage est quelquefois du type à tambour autoserreur, encore que le frein avant à mâchoire serrant la jante de la roue puisse être considéré comme un modèle à disque.

BIDACHE (64520), ch.-l. de cant. des Pyrénées-Atlantiques, à 32 km à l'E. de Bayonne; 1 033 hab. Ruines d'un château.

BIDART (64210), comm. des Pyrénées-Atlantiques, à 6 km au S.-O. de Biarritz; 2 977 hab. Station balnéaire.

BIDASSOA (la), fl. côtier de l'ouest des Pyrénées; 70 km. Elle sépare, sur ses 12 derniers kilomètres, la France et l'Espagne.

BIDAULT (Georges), homme politique français (Moulins 1899). Historien, journaliste catholique *(l'Aube),* il devient en 1943, après la mort de Jean Moulin, le président du Conseil national de la Résistance. Cofondateur puis président du Mouvement républicain populaire (M. R. P.), il est président du Gouvernement provisoire en 1946 et président du Conseil (oct. 1949 - juin 1950). Plusieurs fois ministre des Affaires étrangères, il mène une politique fondée sur le pacte de l'Atlantique. Après juin 1958, il s'oppose vivement à la politique algérienne du général de Gaulle.

BIDONVILLE → URBANISATION.

BIDOS (64400 Oloron Ste Marie), comm. des Pyrénées-Atlantiques, à 2 km au S.-E. d'Oloron-Sainte-Marie; 1215 hab. Industrie aéronautique.

BIDPAY ou **PILPAY,** brahmane semi-légendaire (IIIe s.?), qui aurait rédigé en sanskrit un recueil d'apologues dont la source est dans le *Panchatāntra* et qui inspira les fabulistes et les illustrateurs orientaux et européens.

Biedermann et les incendiaires, pièce de Max Frisch (version radiophonique, 1953; version scénique, 1958). Jaloux de sa tranquillité, « Monsieur Bonhomme » ne veut pas prendre parti entre les pompiers et les incendiaires. Lorsque ceux-ci se réfugient chez lui, il découvre qu'on ne peut impunément refuser de s'engager.

Biela *(comète de),* comète périodique, dont la révolution est de 6,70 ans, découverte en 1826 par Wilhelm von Biela (1782-1856) à Johannisberg et, dix jours plus tard, par Gambart à Marseille, mais déjà observée en 1772 et en 1805. Elle a été revue en 1832 et en 1846, où elle est apparue divisée en deux grands fragments, que l'on retrouva en 1852, puis pour la dernière fois en 1866.

BIELEFELD, v. de l'Allemagne fédérale (Rhénanie-du-Nord-Westphalie), au N.-O. de Hanovre; 168000 hab. Métallurgie.

BIELGOROD → BELGOROD.

BIELINSKI → BELINSKI.

BIELLA, v. d'Italie (Piémont), au pied des Alpes; 55000 hab. Industrie lainière.

BIELOÏARSK → BELOÏARSK.

BIÉLORUSSE → RUSSE.

BIÉLORUSSIE, anc. **Russie blanche,** république fédérée de l'U.R.S.S., en bordure de la Pologne; 207600 km^2; 9002000 hab. Capit. *Minsk.* Largement forestière et souvent marécageuse, dévastée pendant la Seconde Guerre mondiale, la république demeure encore à prépondérance rurale (blé, betterave à sucre, pomme de terre, élevage bovin et porcin), ce qui explique une densité moyenne de population relativement faible. L'industrie est souvent liée à l'agriculture (sucreries, matériel agricole, travail du bois). L'extraction de la tourbe alimente quelques centrales thermiques.

BIELOVO → BELOVO.

BIELSKO-BIAŁA, v. de Pologne, en Silésie, au S. de Katowice; 109000 hab. Métallurgie.

BIELYÏ → BELYÏ.

BIEN → MAL.

BIENAYMÉ (Jules), statisticien et administrateur français (Paris 1796-*id.* 1878). En calcul des probabilités*, il découvrit une inégalité fondamentale, dont Tchebychev* se servit pour étudier la convergence en probabilité, et qui est parfois appelée inégalité de Bienaymé-Tchebychev.

BIEN-ÊTRE (économie de). — Le concept d'économie de bien-être, dû notamment à Pareto, Pigou et Kaldor, se trouve aux limites de la sociologie et de l'économie. L'économie de bien-être se différencie de l'économie de richesse, car elle prend en compte des critères qualitatifs. Pour ses adeptes, la production doit satisfaire avant tout les besoins essentiels constitutifs du bien-être, et non uniquement une quelconque demande solvable. L'économie de bien-être mène à une réflexion sur le bonheur de l'homme, réintroduisant des préoccupations normatives en science économique.

BIÊN HOA, v. du Viêt-nam méridional, au N.-E. de Saigon; 38000 hab.

BIENNE, en allem. **Biel,** v. de Suisse (cant. de Berne), à l'extrémité nord du *lac de Bienne;* 64333 hab. Horlogerie.

BIENNE (la), riv. du Jura, affl. de l'Ain (r. g.); 55 km. Elle passe à Morez et Saint-Claude.

BIENNE *(lac de),* lac de Suisse, au pied du Jura, au N.-E. du lac de Neuchâtel, avec lequel il communique par la Thièle; 42 km^2.

Bien public *(ligue du),* union constituée en 1465 contre Louis XI, accusé d'autoritarisme, et qui regroupe les grands seigneurs mécontents sous la direction de Charles de France, frère du roi, et de Charles le Téméraire, appuyés par les ducs de Bourbon et de Bretagne. Après l'indécise bataille de Montlhéry (16 juill. 1465), la ligue est dissoute. Les traités de Conflans et de Saint-Maur (5 et 29 oct.) marquent le recul de la royauté, non son effondrement. Les villes de la Somme reviennent à la Bourgogne et Charles de France reçoit la Normandie en apanage.

BIENS *(Dr.).* — Les *choses* deviennent des *biens* au sens juridique, lorsque, ayant une valeur pécuniaire, elles sont susceptibles d'être appropriées, le mot « biens » s'étendant à des « droits » portant sur des choses (droit de propriété, servitude, usufruit) ou non (droits d'auteur, etc.).

On divise les biens en *biens corporels* (matériellement représentés) et en *biens incorporels,* ou *« droits »,* et, surtout (car c'est la grande classification du Code civil), en *biens meubles* et en *biens immeubles.* Parmi les biens corporels, on oppose les *choses consomptibles,* qui se consomment par leur premier usage, et les *choses non consomptibles,* qui ne se détruisent pas par leur utilisation (les immeubles et les meubles meublants, notamment), les *choses fongibles,* qui sont interchangeables (des denrées), et les *choses non fongibles,* qui sont susceptibles d'être individualisées.

Les immeubles comprennent les immeubles par nature, par destination, par l'objet auquel ils s'appliquent ou par détermination de la loi. Les immeubles, par nature, sont essentiellement les terrains urbains ou ruraux, les bâtiments et édifices; sont également immeubles les produits de la terre, végétaux ou minéraux, lorsqu'ils demeurent adhérents au sol ou en font partie intégrante, ces produits devenant meubles lorsqu'ils sont séparés.

BIENS *(Écon. polit.).* — L'économiste Carl Menger définit le bien comme « une chose reconnue apte à la satisfaction d'un besoin* humain et disponible pour cette fonction ». Il existe de nombreuses classifications des biens économiques, parmi lesquelles on peut citer le bien final et le bien intermédiaire, les biens consomptibles ou fongibles (disparaissant au premier usage) et les biens durables. Mais une des classifications les plus importantes semble être celle qui oppose les *biens de production* et les *biens de consommation,* ces derniers étant utilisés pour assouvir les besoins des consommateurs, les premiers, au contraire, étant employés pour assumer une fonction de producteur et contribuant à l'élaboration d'autres biens (terres, bâtiments, machines). Les *biens d'épargne* sont constitués par de la monnaie, des titres, des dépôts en banque, des pierres précieuses, des tableaux, etc. Une autre classification importante distingue les *biens privés* et les *biens publics* ou *collectifs,* fournis par l'État à la collectivité (équipements publics, etc.).

BIENS NATIONAUX. — C'est l'ensemble des biens, collectifs ou privés, que l'État s'est appropriés durant la période révolutionnaire pour les vendre aux enchères et en gager les assignats et le papier. Ils sont de quatre origines : biens du clergé (10 p. 100 des terres), mis à la disposition de la nation dès le 2 novembre 1789; biens des émigrés, mis sous séquestre à partir du 9 février 1792; biens communaux (10 juin 1793); biens des suspects (17 septembre 1793). La vente des biens nationaux profita davantage aux bourgeois des villes ou aux riches laboureurs qu'aux petits paysans.

BIENVENÜE (Fulgence), ingénieur français (Uzel, Côtes-du-Nord, 1852-Paris 1936). Il conçut le réseau parisien souterrain de lignes de chemin de fer à traction électrique pour le transport des voyageurs (Métropolitain), dont il dirigea la construction de l'infrastructure.

BIÈRE. — Le nombre des fabriques de bière, ou brasseries, a considérablement diminué depuis une quinzaine d'années par suite de concentrations. La fabrication de la bière comporte cinq opérations principales :
1. La germination de l'orge, ou maltage : les grains d'orge sont immergés dans de l'eau à une température d'environ 15 °C pendant trois ou quatre jours. Puis les grains mouillés sont étendus en couches de 12 à 15 cm d'épaisseur dans le germoir. On laisse les radicelles de l'orge se former et se développer pendant huit à dix jours.
2. Le séchage du malt, ou *touraillage,* suivi d'un dégermage destiné à éliminer les radicelles.
3. Le broyage du malt, de façon à le réduire en une farine grossière.
4. Le brassage, qui consiste à mélanger le malt dans de l'eau chaude. Sous l'action des diastases contenues dans le malt, l'amidon du malt est transformé en dextrine et en sucre. On obtient ainsi le moût de bière.
5. La cuisson du moût jusqu'à ébullition. C'est à l'ébullition que l'on ajoute les fleurs femelles du houblon, ou cônes. Sur les bractées qui constituent les cônes se trouve une résine jaune pulvérulente, ou lupuline, qui contribue à donner à la bière son arôme, son goût et en particulier son amertume.

La production mondiale, en accroissement constant, dépasse 700 millions d'hectolitres. Pratiquement universelle et largement autoconsommée, elle provient essentiellement des grands pays (États-Unis, Allemagne fédérale, Grande-Bretagne, U.R.S.S., Japon, France), mais aussi d'États moins peuplés exportant une part notable de leur production (Tchécoslovaquie, Belgique, Danemark, etc.). [V. illustration p. 248.]

BIERNÉ (53290 Grez en Bouère), ch.-l. de cant. de la Mayenne, à 13 km à l'E. de Château-Gontier; 664 hab.

BIÈVRE (la), riv. de l'Île-de-France, née dans les Yvelines et qui rejoint les égouts de Paris; 40 km.

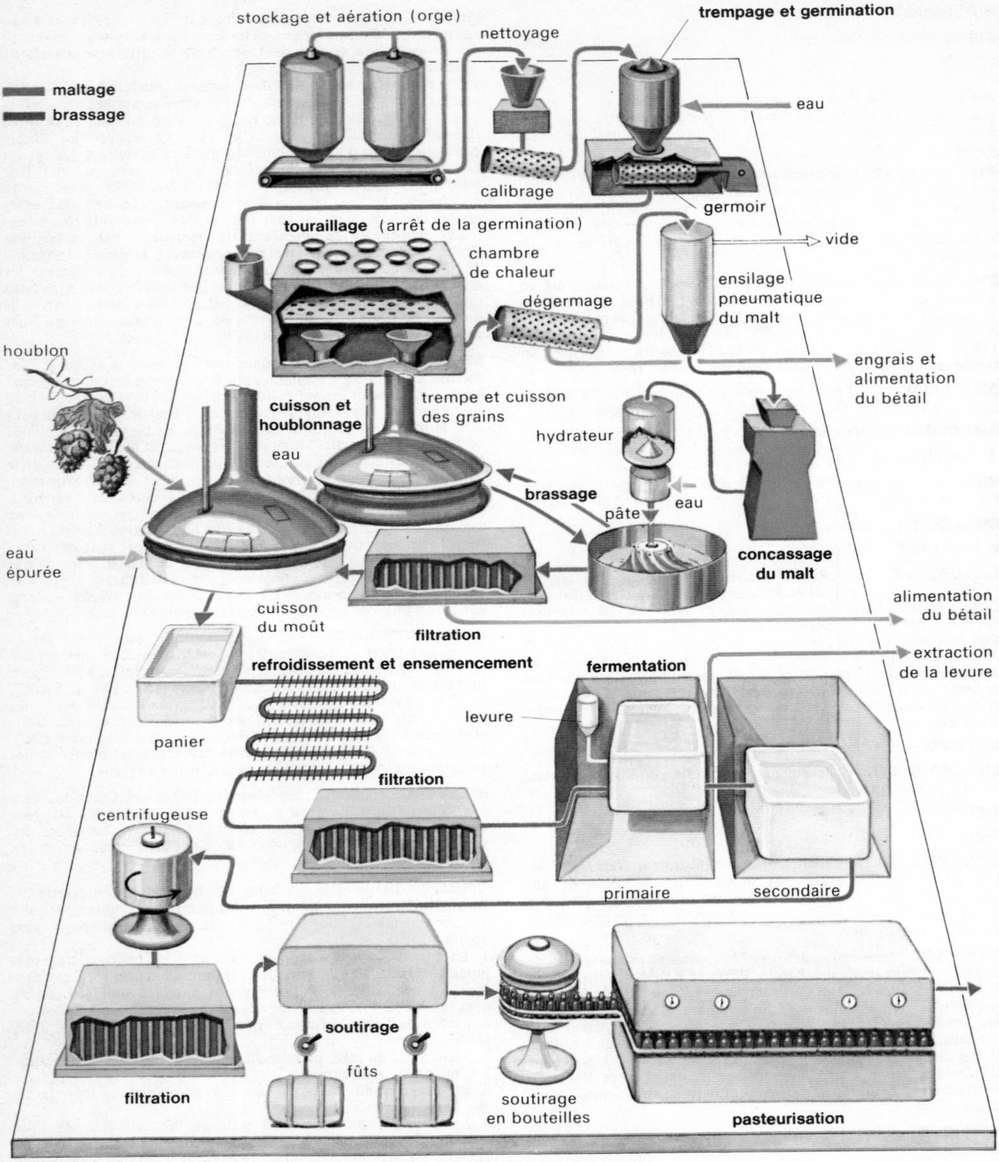

FABRICATION DE LA BIÈRE

BIÈVRES (91570), ch.-l. de cant. de l'Essonne, à 11 km au S.-O. de Paris; 4235 hab. Musée de la photographie.

BIFURCATION → AIGUILLAGE.

BIGANOS (33380), comm. de la Gironde, près du bassin d'Arcachon; 4416 hab.

BIGORNEAU. — Les *littorines,* ou *bigorneaux,* constituent des populations abondantes sur les rivages, dans la zone des marées. Ce sont de petits gastropodes noirs à coquille sphéroconique, munis d'un opercule; l'un d'eux, le *vignot,* est un comestible recherché. Chaque espèce occupe un biotope particulier, à la limite des domaines terrestre et maritime : façades rocheuses mouillées seulement par les embruns, fentes des rochers, algues; parfois, on observe de véritables « zones de littorines », parallèles à la ligne du rivage.

BIGORRE (la), région du sud-ouest de la France. Constitué au IXe s., le comté de Bigorre est l'un des plus grands fiefs de la Gascogne au Moyen Âge. Passé à la maison de Foix en 1425, il est finalement rattaché au domaine royal en 1607. Les « états de Bigorre », assemblée locale, continuèrent à siéger et à défendre les privilèges locaux jusqu'à la Révolution.

BIHĀR, État du nord-est de l'Inde; 173 876 km^2; 56 353 000 hab. Capit. Paṭnā. L'État, au climat chaud, humide en été (mousson), s'étend sur une région de plateaux au S. (extrémité septentrionale du Deccan) et sur une partie de la plaine du Gange au N., très densément peuplée et surtout rizicole.

BIHĀRĪ → INDO-ARYEN.

BIHOR, massif de l'ouest de la Roumanie; 1 848 m.

BIHOREAU. — Le nom latin du bihoreau, *Nycticorax,* c'est-à-dire « corbeau de nuit », le décrit assez bien, son cri et son plumage le rapprochant du corbeau, alors que ses autres caractères le font ranger parmi les hérons. Il niche d'ailleurs dans les arbres et chasse (ou pêche) dans les marais.

BIHOREL (76420), comm. de la Seine-Maritime, dans la banlieue nord-est de Rouen; 9 500 hab.

BIISK, v. de l'U. R. S. S. (R. S. F. S. de Russie), en Sibérie, sur l'Ob; 186 000 hab.

BIJĀPUR, v. de l'Inde (Karnātaka), au S.-E. de Bombay; 103 000 hab. L'importance ancienne de la ville est attestée par les vestiges de temples préislamiques, mais aussi par 50 mosquées, 20 palais et autant de tombeaux construits alors qu'elle était la capitale d'un État indépendant. Le *Gol Gunbadh,* mausolée de Muḥammad ʿĀdil Chāh, à la vaste et élégante coupole, édifié v. 1657, reste l'un des plus célèbres.

BIJOU. — Le bijoutier travaille les métaux précieux en alliage soit pour les durcir, soit pour en modifier la couleur. Le titre légal de l'alliage est garanti par des poinçons et, pour l'or, il s'exprime en carats. Le bijou de métal, traité à froid, est scié, limé, percé à la perceuse électrique, fraisé ou encore embouti à l'aide de ciselets et du marteau. Il peut être ciselé, gravé, guilloché, émaillé, etc. Les pierres précieuses sont fixées au métal selon différents modes de sertis.

À l'époque contemporaine, les bijoux inspirés par le style « rétro » ou le folklore n'ont pas empêché des créations plus originales ou inédites. Torün, dans les années 50, inaugura des bijoux aux formes sculpturales et dépouillées. Aujourd'hui, Cl. Lalanne, César, Matta, A. Pennalba, J. Filhos prolongent à l'échelle du bijou leurs études sculpturales, tandis que des joailliers (Claude Gros, Jean Dinh Van, Jean Vendôme, etc.), rompant avec le style traditionnel, cherchent par des associations inédites (bois et diamant) ou des formes originales (bague spirale) à désacraliser le bijou dans une optique d'art contemporain : liberté de la mise en œuvre de matériaux précieux ou de matériaux insolites (minéraux à l'état brut, acier, plastique, etc.).

BIKANER, v. de l'Inde (Rājasthān), dans le désert de Thar; 189 000 hab.

Bijou. Collier et bague en argent massif de Torün; bracelet en argent et onyx de Lacroix.

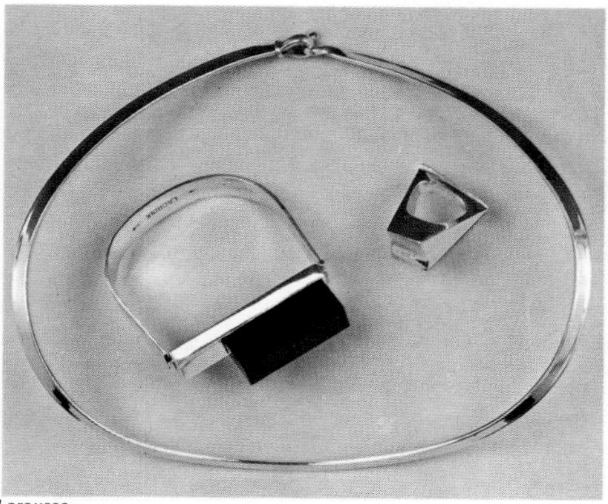

Larousse

BIKINI, atoll du Pacifique (îles Marshall). Lieu des premières expérimentations américaines sur les bombes atomiques à partir de 1946.

BILAN. — Le bilan est la figuration schématisée de ce qui appartient à l'entreprise (y compris ce qu'on lui doit) et de ce qu'elle doit, la différence entre ces éléments donnant la « perte » ou le « profit ».

Le *passif* indique les ressources de l'entreprise et leur origine (fonds propres et dettes à long terme [formant les « capitaux permanents »], dettes à court terme), et les profits s'il y en a.

L'*actif* rend compte des valeurs immobilisées et des actifs circulants, comprenant eux-mêmes les *valeurs d'exploitation,* les *valeurs réalisables* et les *valeurs disponibles.*

Le « fonds de roulement net » (marge de sécurité pour la gestion financière de l'entreprise) est égal à l'excédent des capitaux permanents (qui figurent au passif) sur les valeurs immobilisées (à l'actif).

BILAN HYDRIQUE. — Le bilan hydrique d'un sol est la différence entre la quantité d'eau fournie par les précipitations et celle qui est prélevée par l'évapotranspiration. En cas de bilan hydrique positif, l'eau est disponible pour le réseau hydrographique.

BILASPUR, v. de l'Inde (Madhya Pradesh), dans le N.-E. du Deccan; 131 000 hab.

BILBAO, v. d'Espagne, ch.-l. de la prov. basque de Biscaye, sur l'estuaire du río Nervión; 410 000 hab. Centre minier (fer) et industriel (sidérurgie, chimie), la plus grande ville de l'Espagne du Nord-Ouest. — Au début de la guerre civile espagnole, Bilbao fut le point fort de la résistance des troupes républicaines basques aux forces de Franco, qui ne prirent la ville que le 19 juin 1937.

BILE ET VOIES BILIAIRES. — Les *voies biliaires* drainent la bile sécrétée par le foie et l'évacuent dans le duodénum. Elles ont leur origine dans les lobules du foie. La *voie biliaire principale* fait suite aux canaux intrahépatiques, qui se groupent pour former le *canal hépatique.* Celui-ci, après avoir reçu la voie biliaire accessoire, devient le *canal cholédoque,* qui s'abouche dans la deuxième portion du duodénum au niveau de l'ampoule de Vater : cet abouchement est entouré par le sphincter d'Oddi. La *voie biliaire accessoire* comprend la vésicule biliaire et le canal cystique, qui rejoint le canal hépatique.

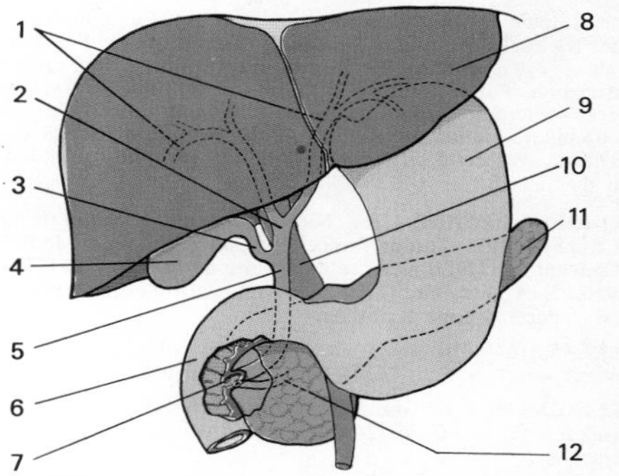

VOIES BILIAIRES. 1. Canaux hépatiques droit et gauche; 2. Canal hépatique principal; 3. Canal cystique; 4. Vésicule biliaire; 5. Canal cholédoque; 6. Duodénum; 7. Ampoule de Vater; 8. Foie; 9. Estomac; 10. Veine porte; 11. Pancréas; 12. Canal de Wirsung.

La *bile* est sécrétée par le foie. Elle s'accumule et se concentre dans la vésicule entre les repas et est évacuée dans le duodénum pendant la digestion. Elle contient de la *bilirubine* — produit de dégradation de l'hémoglobine —, du *cholestérol* et des *sels biliaires.* Ces substances facilitent l'émulsion des graisses alimentaires, nécessaire à leur absorption.

Les voies biliaires peuvent être le siège d'infections au niveau de la voie biliaire principale (angiocholites) et au niveau de la vésicule biliaire (cholécystites). L'obstruction des voies biliaires par un calcul ou une tumeur entraîne une gêne à l'écoulement de la bile, des douleurs (coliques hépatiques) et un ictère.

BILHARZIOSE. — La bilharziose urinaire est due à un ver trématode, *Schistosoma hæmatobium,* et s'observe surtout en Afrique. Les complications touchent les uretères et la vessie. La bilharziose intestinale, due à *S. mansoni,* s'observe en Afrique, en Amérique centrale et aux Antilles. L'évolution vers une cirrhose est possible. La bilharziose sino-japonaise, due à *S. japonicum,* se rencontre surtout en Asie; la cirrhose en est la grande complication. Le traitement utilise les dérivés du nitro-imidazole. La prophylaxie comporte, outre le traitement des malades, la lutte contre le péril fécal et les mollusques vecteurs, ainsi que l'abstention des bains en eaux douces dans les zones d'endémie.

BILINGUISME. — Le bilinguisme (cas le plus fréquent du plurilinguisme) peut être individuel ou affecter une communauté linguistique dans son ensemble. Dans les deux cas, il se produit des interférences diverses et complexes (lexicales, grammaticales, phonétiques) entre les langues qui se trouvent en contact en fonctionnant concurremment. Dans le cas d'une collectivité, le bilinguisme désigne soit la coexistence de deux langues parlées par des fractions différentes de la population (cas de la Belgique ou du Canada), soit le fait que l'ensemble de la population utilise couramment deux langues différentes : c'est le cas quand une langue a été institutionnalisée aux dépens des autres parlers et dialectes (le français et les « patois »).

BILIRUBINE → BILE.

BILL (Max), architecte, designer, peintre, sculpteur et théoricien suisse (Winterthur 1908). Formé à Zurich et au Bauhaus* de Dessau, membre du groupe Abstraction-Création à Paris (1933), il développe les principes d'un art *concret* (1936), s'attache à la synthèse des différentes disciplines et mène d'importantes activités pédagogiques (fondation en 1950 de l'École d'esthétique d'Ulm).

BILLARD. — Le billard apparaît dans le mobilier dès le début du XVIe s., mais sa vogue en tant que jeu d'adresse date du XVIIe s. et surtout du XVIIIe s. Le jeu consiste à frapper une boule (ou bille) d'ivoire à l'aide d'une queue de bois de façon qu'elle percute deux autres boules (dont l'une est toujours colorée en rouge). Chaque carambolage assure un point au joueur et lui permet de faire une série. On distingue : le *billard anglais* (la table de jeu a l'une de ses extrémités légèrement arrondie et pourvue de 9 trous); le *billard russe* (la table rectangulaire est pourvue de trous où l'on doit faire entrer les boules); le *billard hollandais* (la table, garnie d'arceaux et de clous, est légèrement inclinée et possède sur le côté droit une contrebande d'où la boule est chassée, soit avec la queue, soit avec un ressort, et doit venir se loger dans des casiers numérotés dans le bas du billard); le *billard japonais* ou *chinois* (même principe que le précédent avec cette différence que les casiers sont placés dans le haut du billard).

BILLAUD-VARENNE (Jean Nicolas), homme politique français (La Rochelle 1756 - Port-au-Prince 1819). Jacobin, député de Paris à la Convention (1792), membre du Comité de salut public (1793), il contribue, en Thermidor (1794), à la chute de Robespierre. En 1795, il est déporté comme terroriste.

BILLÈRE (64140), comm. des Pyrénées-Atlantiques, dans la banlieue ouest de Pau; 14871 hab. Électronique.

BILLINGHAM, v. de Grande-Bretagne (Angleterre), à proximité de l'estuaire de la Tees; 24000 hab. Raffinage du pétrole et pétrochimie.

BILLITON → BELITUNG.

BILLOM (63160), ch.-l. de cant. du Puy-de-Dôme, à 25 km à l'E. de Clermont-Ferrand; 4155 hab. Église romane.

BILLY (03260 St Germain des Fossés), comm. de l'Allier, à 15 km au N. de Vichy, sur l'Allier; 912 hab. Cimenterie.

BILLY-MONTIGNY (62420), comm. du Pas-de-Calais, dans la banlieue est de Lens; 8787 hab.

BIMÉTALLISME → MONNAIE.

BINAGE → SOL.

BINAIRE. — Le système de numération* binaire ou à base 2, qui utilise les seuls chiffres 0 et 1, est souvent identifié à l'informatique* elle-même. L'ordinateur*, machine logique, utilise en effet fondamentalement, dans son principe comme dans sa technologie, une logique s'appuyant sur le binaire; logique formelle du VRAI et du FAUX, dispositifs technologiques possédant deux états : présence ou absence d'un courant*, condensateur* chargé ou déchargé, polarité d'une aimantation*, bascule, etc. Le 0 et le 1 de la notation binaire représentent les deux valeurs distinctes de l'unité élémentaire et insécable d'information. Elle porte le nom de *bit.* Un bit d'information a donc une valeur 0 ou 1. Dans un ordinateur, que ce soit au niveau de ses circuits ou à celui de ses mémoires*, toutes les informations sont codées sous forme de *chaînes de bits;* on dit qu'elles sont *digitalisées.*

BINARISME. — Théorie phonologique développée par R. Jakobson*, le binarisme part de l'hypothèse que les relations entre les unités phoniques distinctives des langues peuvent se ramener à douze oppositions binaires (consonantique/non-consonantique, vocalique/non-vocalique, compact/diffus, voisé/non-voisé, continu/discontinu, strident/mat, nasal/oral, tendu/lâche, bloqué/non-bloqué, grave/aigu, bémolisé/non-bémolisé, diésé/non-diésé).

BINCHE, v. de Belgique (Hainaut), au S.-E. de Mons; 10098 hab. Carnaval.

BINCHOIS (Gilles), compositeur bourguignon (Mons v. 1400 - 1460). Au service de Philippe le Bon, il est l'un des plus grands auteurs de chansons polyphoniques tantôt joyeuses, tantôt mélancoliques.

BIN EL-OUIDANE, v. du Maroc (prov. de Beni Mellal); 6600 hab. Barrage et centrale hydraulique sur l'oued el-Abid.

BINET (Alfred), psychologue français (Nice 1857 - Paris 1911). Il s'est intéressé à l'étude des processus intellectuels supérieurs, mais il est surtout connu pour avoir mis au point (de 1905 à 1911), avec la collaboration du médecin Th. Simon, le premier instrument destiné à mesurer l'intelligence : l'échelle métrique d'intelligence. Le test de Binet et Simon s'adresse à l'intelligence* considérée comme une aptitude globale innée; il fait appel à une multitude d'épreuves permettant d'envisager tout le champ de l'intelligence et écarte celles qui peuvent faire intervenir un quelconque apprentissage, comme les connaissances scolaires. Ce test permet de définir un âge mental, unité dont est issu le quotient* intellectuel.

BINET (Léon), médecin et physiologiste français (Saint-Martin, Seine-et-Marne, 1891 - Paris 1971), dont les travaux ont porté sur l'exploration fonctionnelle du poumon, l'asphyxie, l'hémorragie aiguë et l'occlusion intestinale.

BINGER (Louis Gustave), officier et explorateur français (Strasbourg 1856 - L'Isle-Adam 1936). Il explora la boucle du Niger (1887-1889) et la Côte-d'Ivoire, dont il fut gouverneur (1893-1897).

BINGHAM ou **BINGHAM CANYON,** localité des États-Unis, dans l'Utah, au S. du Grand Lac Salé; 2600 hab. Importante mine de cuivre.

BINGHAMPTON, v. des États-Unis (État de New York), au N.-O. de New York; 64000 hab. Métallurgie.

BINIC (22520), comm. des Côtes-du-Nord, à 10 km au N. de Saint-Brieuc; 2361 hab. Station balnéaire.

BINIOU → INSTRUMENTS DE MUSIQUE.

BINNINGEN, comm. de Suisse, dans la banlieue sud-ouest de Bâle; 15344 hab.

BINÔME DE NEWTON. — Le binôme de Newton* est le développement de la puissance n-ième du binôme $a + b$:

$$(a+b)^n = C_n^0 a^n + C_n^1 a^{n-1} b + C_n^2 a^{n-2} b^2 + \dots + C_n^p a^{n-p} b^p + \dots + C_n^{n-1} a b^{n-1} + C_n^n b^n.$$

Les coefficients C_n^p intervenant dans ce développement sont appelés *coefficients du binôme*. Pour $0 \leqslant p \leqslant n$, C_n^p désigne le nombre de *parties* (on dit aussi *combinaisons*), contenant p éléments, que l'on peut former avec n éléments. Ainsi, $C_n^0 = 1$, car tout ensemble* contient une partie à zéro élément, qu'on appelle la *partie vide;* $C_n^1 = n$, car avec n éléments on peut former n parties à un élément.

De façon générale $C_n^p = \dfrac{n(n-1)\dots(n-p+1)}{p!}$

avec $p! = 1 \, . \, 2 \dots (p-1) \, . \, p$. Par exemple :

$$C_5^2 = \frac{5 \times 4}{2} = 10.$$

$C_n^p = C_n^{n-p}$, car pour un ensemble contenant n éléments il y a autant de parties à p éléments que de parties à $n - p$ éléments.

La formule du binôme, fort utile en algèbre ordinaire, est valable dans un anneau* commutatif. On a :

$$(a+b)^2 = a^2 + 2\,ab + b^2$$
$$(a+b)^3 = a^3 + 3\,a^2 b + 3\,ab^2 + b^3$$
$$(a+b)^4 = a^4 + 4\,a^3 b + 6\,a^2 b^2 + 4\,ab^3 + b^4.$$

De façon générale, on obtient, de proche en proche, tous les coefficients du binôme à l'aide de l'égalité

$$C_n^p = C_{n-1}^p + C_{n-1}^{p-1}.$$

BINOMIALE (loi). — La loi binomiale est la loi de probabilité* d'une variable* discrète X susceptible de prendre toute valeur entière k de l'ensemble* $\{0, 1, 2, \dots, n\}$ avec la probabilité

$$P(X = k) = C_n^k p^k q^{n-k},$$

p étant un nombre compris entre 0 et 1 et $q = 1 - p$.

Le coefficient $C_n^k = \dfrac{n(n-1)\dots(n-k+1)}{k!}$ est un coefficient du binôme de Newton*; d'où le nom de *loi binomiale*. Les nombres n et p s'appellent les *paramètres* de la loi, qui est entièrement déterminée par leur donnée.

• EXEMPLE. Pour $p = q = \dfrac{1}{2}$ et $n = 3$, on obtient les résultats suivants :

X	0	1	2	3
P_k	$\frac{1}{8}$	$\frac{3}{8}$	$\frac{3}{8}$	$\frac{1}{8}$

car $C_3^0 = C_3^3 = 1$, $C_3^1 = C_3^2 = 3$ et $p^k q^{3-k} = p^3 = q^3 = \dfrac{1}{8}$.

Le tableau ci-dessus donne la loi de probabilité de la variable aléatoire X égale au nombre de piles amenés au jeu de pile ou face en trois coups.

De façon générale, la loi binomiale de paramètres n et p est la loi d'une variable aléatoire X égale au nombre de succès pouvant être obtenus au cours de n épreuves successives et indépendantes, la probabilité de succès à chaque épreuve étant égale à p et la probabilité d'échec étant, par suite, égale à $q = 1 - p$. Le résultat d'une des épreuves n'influe pas sur le résultat des suivantes. C'est en ce sens que l'on parle d'*épreuves indépendantes*.

BINSWANGER (Ludwig) → EXISTENTIELLE *(analyse).*

BIOCÉNOSE. — Une biocénose est un ensemble d'êtres vivants qui occupent de façon durable le même biotope, c'est-à-dire le même lieu de vie. Elle comprend des animaux et des plantes qui peuvent avoir entre eux des relations d'entraide, de concurrence ou de prédation, ou même n'avoir aucune relation directe. L'apparition d'une nouvelle espèce au sein d'une biocénose peut y jeter une perturbation irréparable ou se solder par un échec rapide *(biocénose fermée);* il est plus rare que le nouveau venu s'intègre harmonieusement dans l'ensemble préexistant. Toutes les « niches écologiques » de la biocénose sont en effet déjà occupées lorsque cet ensemble a atteint la « maturité ».

BIOCHIMIE. — Il importe de ne pas confondre la *biochimie* avec la *chimie organique.* La chimie organique étudie les propriétés de composés du carbone, naturels ou synthétiques, *hors de* l'organisme qui les a éventuellement produits. La biochimie étudie les phénomènes moléculaires *dans* les organismes en train de vivre, dans le cadre des cellules et de leurs structures les plus fines. Or, par leur nature, leur vitesse, leur libération d'énergie, leur équilibre, leur réversibilité, leur complexité, ces réactions intracellulaires peuvent être profondément différentes de ce qu'on obtient dans un tube à essais. En outre, le biochimiste s'intéresse aux circonstances naturelles qui déclenchent les réactions intracellulaires, aux conséquences de ces réactions sur l'organisme, bref à l'aspect physiologique, et non purement chimique, des phénomènes. Des notions telles qu'enzyme, hormone, vitamine, médiateur, etc., fondamentales en biochimie, n'ont pas leur place en chimie organique.

BIOCLIMATOLOGIE. — Alors que la climatologie générale considère surtout des phénomènes de grande étendue (intéressant des milliers de kilomètres carrés d'un seul coup), la bioclimatologie s'intéresse aux *microclimats,* aux quelques centimètres d'air ou d'eau qui entourent un organisme et qui, seuls, agissent directement sur lui. Mais les liens statistiques entre climat et microclimat sont évidemment trop étroits pour que le biologiste ignore les grandes données de la climatologie générale et ses corrélations avec le développement de la flore, les migrations des oiseaux, etc.

L'instrument par excellence de la bioclimatologie expérimentale est le phytotron*.

BIODÉGRADABILITÉ. — Certaines molécules* organiques complexes sont sensibles à l'attaque de micro-organismes, vivant dans le sol ou les eaux de surface; elles subissent alors une altération plus ou moins profonde définie par le terme de « biodégradabilité ». Celle-ci a l'avantage d'offrir à la faune aquatique un apport valable à son alimentation. Elle évite de plus, en grande partie, l'accumulation au fond des lacs et des rivières de boues* insolubles, dont la présence est redoutable pour la vie animale et végétale.

La non-biodégradabilité a été mise en évidence lors du développement rapide de l'utilisation, à tous les niveaux du nettoyage, de détergents de synthèse fabriqués à partir de certaines fractions hydrocarbonées de l'industrie pétrolière, constituées par des carbures* cycliques. Le rejet dans les rivières, les lacs et la mer des eaux* usées a provoqué une pollution* qui s'est révélée par une diminution, ou quelquefois même une disparition, de la faune aquatique, mais aussi, beaucoup plus spectaculairement, par l'apparition de nappes de mousse et d'écume recouvrant plus ou moins complètement la surface de l'eau. Ces nappes s'accumulent parfois sur une hauteur impressionnante en bordure des écluses.

BIOGÉOGRAPHIE. — Cet aspect fondamental de la géographie consiste dans l'étude des faunes et des flores des diverses régions du globe, dans leurs rapports avec le climat, l'éloignement des rivages, les anciennes communications intercontinentales disparues, les effets des glaciations quaternaires, etc., en vue d'expliquer scientifiquement les raisons d'être des situations floristiques et faunistiques actuelles. La biogéographie comprend plusieurs branches, notamment la mésologie, ou étude du milieu, l'écologie, la phytosociologie, la floristique et la faunistique. (V. VÉGÉTATION.)

BIOLOGIE. — On serait tenté d'écrire, bizarrement, que la biologie est l'une des quelque douze sciences dont l'ensemble constitue la biologie. Le mot a en effet deux sens, l'un extrêmement large, l'autre relativement restreint. Au sens large, la biologie englobe absolument toutes les sciences de la vie, dites aussi *sciences biologiques :* zoologie, botanique, protistologie, écologie, physiologie, biochimie cellulaire, etc. Au sens étroit, la biologie est seulement l'étude du *cycle reproductif* des espèces, et inclut l'embryologie et l'étude des phénomènes sexuels animaux et végétaux, la génétique et les recherches sur l'évolution des espèces. Le prestige actuel de la biologie tend à faire prévaloir le sens large du mot, et même à le pourvoir d'une connotation favorable : un camembert *biologique,* c'est-à-dire non traité par des agents chimiques, est le quasi-synonyme d'un produit *naturel.*

BIOLUMINESCENCE. — La production de lumière est exceptionnelle dans le monde vivant, mais lorsqu'elle a lieu elle est remarquablement économique, car l'énergie y est contenue entièrement dans la bande de longueurs d'onde que l'œil du destinataire peut percevoir, sans déperdition de chaleur. D'où l'expression « lumière froide » appliquée au rayonnement du ver luisant, par exemple. Les réactions productrices de lumière sont encore mal connues, certainement enzymatiques et exigeant la présence d'oxygène. Elles sont à la portée de certaines bactéries, et s'observent chez de nombreux céphalopodes et poissons des grandes profondeurs marines, ainsi que dans quelques espèces d'insectes (lampyre, ou ver luisant; luciole). L'utilité de l'émission lumineuse pour l'animal est controversée : recherche d'un partenaire sexuel, piège lumineux pour les proies, guide dans les lieux obscurs, protection contre certains prédateurs? La véritable réponse dépend certainement de l'espèce considérée. (V. LUMINESCENCE.)

BIOMAGNÉTISME. — On ne peut pas contester l'existence d'une sensibilité à l'orientation du champ magnétique terrestre chez la mouche de la viande *(Sarcophaga),* lorsqu'on voit celle-ci se poser en foule dans l'exacte direction nord-sud ou selon sa perpendiculaire rigoureuse est-ouest. Des faits analogues ont été relevés chez des planaires, chez des algues flottantes et, d'une autre façon, chez l'homme lui-même. Il y a donc un *biomagnétisme,* une réceptivité des espèces aux champs faibles. Quant aux champs artificiels forts, leurs effets sont tout à fait inattendus et se traduisent dans l'ensemble par un *ralentissement* des phénomènes biologiques les plus divers.

BIOMÉTRIE. — Cette science porte sur les dimensions relatives des organes d'un être vivant, les lois de sa croissance totale ou partielle, les phénomènes d'*hypertélie* (gigantisme d'une partie limitée du corps) et tout ce qui peut, en morphologie ou en anatomie, être objet de mesures et de statistiques.

BIONIQUE. — La bionique a pour objet l'emploi, pour la conception de machines, de procédés utilisés dans les organismes vivants. Il s'agit très généralement de capteurs et de systèmes de traitement de l'information*. D'autre part, il s'est créé une recherche systématique des mécanismes vivants susceptibles d'être utilisés industriellement. En détectant le plan de polarisation de la lumière solaire à travers les nuages un compas à lumière polarisée permet de définir la position du Soleil* lorsqu'il est masqué : c'est un mécanisme qui existe chez l'abeille*. De même, il existe un indicateur de vitesse, un gyroscope par variation de fréquence et une pompe* puissante sans valves, ni clapets. On peut rattacher à cette méthode la recherche de médicaments dérivés des métabolites normaux de l'organisme.

La bionique a à son actif l'invention du *sonar,* imité du système d'écholocation des chauves-souris.

BIOPHYSIQUE. — Les êtres vivants reçoivent et émettent de l'énergie sous diverses formes : lumière, chaleur, déformations mécaniques, déplacements au sein d'un fluide, vibrations acoustiques ou électromagnétiques, potentiels électriques, etc. Les physiciens spécialisés dans l'étude de tels phénomènes sont des *biophysiciens.*

BIOPSIE. — Les tissus prélevés par biopsie peuvent être examinés au microscope (examen anatomo-pathologique) et être l'objet de dosages chimiques et d'étude bactériologique. La biopsie peut être effectuée soit au cours d'une intervention chirurgicale, soit par un prélèvement superficiel, soit par ponction (ponction-biopsie).

BIORHEXISTASIE. — Selon la théorie de la biorhexistasie proposée par H. Erhart (1955), l'histoire géologique est marquée par la succession de périodes de biostasie et de périodes de rhexistasie. Les premières sont caractérisées par un équilibre pédogénétique : le sol est protégé par un tapis végétal continu, l'érosion est limitée à la dissolution chimique par percolation et la sédimentation est essentiellement physico-chimique (calcaires, phosphates). Les secondes sont caractérisées par un déséquilibre engendrant l'absence de tapis végétal et une érosion mécanique intense : la sédimentation est essentiellement détritique (conglomérats, flyschs). Les périodes de rhexistasie sont liées à des causes tectoniques (surrection d'une chaîne de montagnes) ou climatiques (climats aride, glaciaire, etc.). Cette théorie permet d'expliquer les alternances de sédimentation que l'on observe à la surface du globe.

BIOSPÉLÉOLOGIE. — Les conditions offertes à la vie dans les cavernes sont si sévères (obscurité, humidité, froid, manque de nourriture) que seules quelques espèces animales peu nombreuses peuvent survivre dans les grottes. La biospéléologie étudie les conditions adaptatives de la vie souterraine et dresse le catalogue des espèces.

BIOSPHÈRE. — Toute région de notre planète que ses conditions de température, d'oxygénation, d'éclairage, etc., rendent habitable par quelques espèces vivantes, animales, végétales ou microbiennes, fait partie, par définition, de la biosphère. Celle-ci est pourtant très réduite, puisqu'elle se limite à la masse des eaux (douces et océaniques) et à une faible épaisseur au-dessus des socles continentaux (sol et basse atmosphère), sur une étendue inférieure à celle des terres émergées, les déserts chauds et froids et les hautes montagnes en étant exclus ou presque exclus.

BIOT (Jean-Baptiste), physicien français (Paris 1774-*id.* 1862). Il a reconnu l'origine céleste des météorites (1803), mesuré les densités des gaz (1806), déterminé la vitesse du son dans les solides (1809), découvert le pouvoir rotatoire des solutions sucrées et créé le saccharimètre (1815). Il a donné, avec Savart*, la formule fournissant le champ magnétique créé par un courant électrique (1820).

BIOT (Le) [74430 St Jean d'Aulps], ch.-l. de cant. de la Haute-Savoie, à 21 km au S.-E. de Thonon-les-Bains; 215 hab. *(Véros).*

BIOTOPE. — Ce «lieu de vie» est défini non dans l'absolu mais par rapport à tel ou tel animal, à telle ou telle plante. On parlera du *biotope* d'un lièvre, ou d'un pied de primevère, tout au plus du biotope d'une espèce. Il faut distinguer la notion de biotope de celle de *niche écologique,* qui précise, en outre, le mode d'utilisation de son biotope par l'espèce. En effet, deux espèces peuvent avoir le même biotope, elles n'ont jamais la même niche écologique.

BIRAPPORT. — Le birapport de quatre nombres a, b, c, d, pris dans cet ordre, est la quantité, notée (a,b,c,d), telle que :

$$(a,b,c,d) = \frac{c-a}{c-b} : \frac{d-a}{d-b}.$$

Ce birapport ne change pas si l'on permute deux des quatre nombres, pourvu que l'on permute les deux autres :

$$(a,b,c,d) = (b,a,d,c) = (c,d,a,b) = (d,c,b,a).$$

Comme il y a $4! = 4 \cdot 3 \cdot 2 \cdot 1 = 24$ permutations des quatre lettres a, b, c et d, les 24 valeurs possibles, *a priori,* pour le birapport se réduisent à six.

$$\text{Si} \quad (a,b,c,d) = k, \quad (a,b,d,c) = \frac{1}{k}, \quad (a,c,b,d) = 1-k,$$

$$(a,c,d,b) = \frac{1}{1-k}, \quad (a,d,b,c) = \frac{k-1}{k}, \quad (a,d,c,b) = \frac{k}{k-1};$$

$$k \neq 0 \quad \text{et} \quad k \neq 1.$$

Si les nombres a, b, c et d sont les abscisses de quatre points A, B, C et D sur un axe $x'x$ d'origine O et de vecteur unitaire $\vec{u}$, $a = \overline{OA}$, $b = \overline{OB}$, $c = \overline{OC}$, $d = \overline{OD}$, le birapport (a,b,c,d) est le birapport des quatre points A, B, C et D sur l'axe $x'x$. Un cas particulier important est alors celui où $(a,b,c,d) = -1$, ce qui se traduit par la relation $(a+b)(c+d) = 2(ab+cd)$.

On dit alors que la division formée par A, B, C et D sur $x'x$ est *harmonique*.

BIR HAKEIM, point d'eau de Libye, à 60 km au S.-O. de Tobrouk. Un détachement des Forces françaises libres, commandé par Kœnig, y résista du 27 mai au 11 juin 1942 aux forces de Rommel puis réussit à rejoindre les lignes britanniques.

Birkenau *(camp de)* → AUSCHWITZ *(camp d').*

BIRKENHEAD, v. de Grande-Bretagne, en Angleterre, sur l'estuaire de la Mersey, en face de Liverpool; 138 000 hab. Chantiers navals.

BIRKHOFF, famille de mathématiciens américains. — GEORGE DAVID (Overisel, Michigan, 1884-Cambridge, Massachusetts, 1944) s'est particulièrement intéressé à l'analyse* et au très important problème de mécanique céleste dit *problème des trois corps;* il perfectionna dans ce domaine les méthodes de Henri Poincaré*. — Son fils, GARRETT (né en 1911), a surtout étudié la structure des treillis*.

BÎRLAD, v. de l'est de la Roumanie; 51 000 hab.

BIRMAN → TIBÉTO-BIRMAN.

BIRMANIE, État de l'Asie du Sud-Est, groupant en une fédération l'ancienne colonie anglaise de Birmanie, les États des Chans, des Karens (ou Kawthoolei), des Kachins et des Kayahs, et le territoire autonome des Chins; 678 000 km^2; 30 830 000 hab. *(Birmans).* Capit. *Rangoon.*

GÉOGRAPHIE. Les chaînes birmanes (Arakan Yoma), à l'O., et le plateau Chan, prolongé par le Tenasserim, à l'E., encadrent

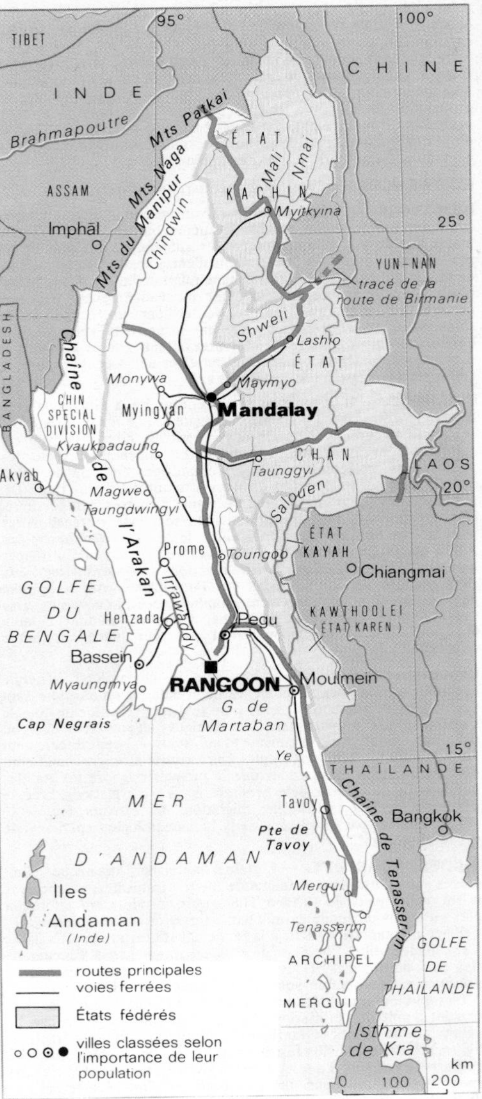

BIRMANIE

la région centrale déprimée. Celle-ci correspond au bassin de l'Irrawaddy, fleuve puissamment alimenté, qui se jette dans l'océan Indien en un vaste delta. L'ensemble du pays connaît un climat de mousson à longue saison humide; mais, si les précipitations sont abondantes sur les reliefs périphériques (plus de 5 m à l'Arakan Yoma), couverts par la forêt, les régions basses (delta de l'Irrawaddy et surtout bassin de Mandalay) sont plus abritées.

La population, peu dense, vit essentiellement dans la dépression centrale, où se situent les deux principales villes, Rangoon et Mandalay. Les régions périphériques sont peuplées de minorités ethniques organisées en États fédéraux, qui gardent leur individualité.

L'agriculture reste le secteur essentiel de l'économie. L'aménagement, au XIXe s., du delta de l'Irrawaddy, l'a transformé en une grande région rizicole, dont une partie de la production (9 Mt) est exportée. Les autres cultures (coton, millet, arachide, canne à sucre) sont pratiquées dans le bassin de Mandalay, centre historique du pays. Les forêts des régions montagneuses fournissent teck et bambou. Malgré quelques ressources minières (étain, plomb, zinc) et un peu de pétrole, l'industrie n'est encore guère développée.

HISTOIRE. Plusieurs civilisations se sont épanouies en Birmanie. Celle des Pyus, très brillante, disparaît au IXe s. sous les coups des tribus thaïs du Nan-tchao. Les Môns dominent la basse Birmanie à partir du XIe s.; leur empire tombera définitivement aux mains des Birmans en 1754. Les Thaïs s'installent en Birmanie centrale (Pyinya, Ava), dont ils sont les maîtres du XIVe au XVIe s.; en 1555, la région redevient birmane, après la chute de l'Empire chan d'Ava. Quant aux Karens, ils font des raids en Birmanie au XIIIe s.

La vague d'immigration birmane se développe au XIIe s., la première capitale des Birmans étant Pagan. Jusqu'à la chute de Pagan, sous les coups successifs des Sino-Mongols et des Chans, au XIIIe s., une brillante civilisation birmane et bouddhiste se développe. Une dynastie birmane se reconstitue à Pyinya (1309) puis à Toungoo (1347); au XVIe s., le roi birman Tabinshwéti se rend maître de toute la Birmanie (1539-1546), mais son royaume s'effondre en 1599. Il renaît au XVIIe s., s'épanouit au XVIIIe s., mais au XIXe s. les rois birmans — dont la capitale est Mandalay à partir de 1859 — subissent la pression britannique; en 1886 la Birmanie est annexée à l'empire des Indes. Envahie par les Japonais en 1942, reconquise par les Alliés en 1944-45, elle devient indépendante en 1948; l'Union birmane est créée par la fusion de la Birmanie et des États chans et karens. Durant quatorze ans (1948-1962), le général U Nu, Premier ministre, s'efforce d'appliquer des réformes sociales à un pays dont l'économie reste délicate. En s'emparant du pouvoir en 1962, le général Ne Win applique autoritairement un programme de collectivisation et ferme son pays aux étrangers; comme son prédécesseur, il doit compter avec l'insubordination des minorités chans et karens. La Constitution de 1973 fait de la Birmanie une République socialiste.

BEAUX-ARTS. Les vestiges (bases de monuments en brique, stèles de pierre sculptées, urnes funéraires, etc.) des royaumes pyus de Halin et de Peikthanó sont datés des premiers siècles de notre ère, et ceux de Śrīkṣetra (région de Prome) du Ve au IXe s. L'architecture et la sculpture de ce dernier royaume attestent l'influence indienne et l'appartenance des Pyus à la religion bouddhique (Mahāyāna) : de hauts stūpa* cylindriques rappellent le style gupta de Sārnāth*; les temples, de plan carré ou barlong, avec une ou quatre entrées et couverts d'une structure plus ou moins conique, serviront de modèles aux grands sanctuaires de Pagan*; la statuaire (stèles en pierre ou en stuc, statuettes en bronze...) représente des bouddhas, des bodhisattva, mais aussi quelques divinités hindouistes.

Convertis très tôt (IIIe s. av. J.-C.) au bouddhisme theravādin, les Môns auront surtout des contacts avec Ceylan (Sri Lanka*), mais Thaton, capitale de leur premier royaume, est mise à sac vers 1060 et ne conserve pratiquement aucun vestige de son illustre passé.

L'essor exceptionnel du royaume de Pagan permet à l'art birman d'atteindre son apogée. Inspirées par la doctrine bouddhique, les constructions religieuses abondent et se diversifient. Les stūpa bulbeux ou campaniformes sont pourvus d'une base circulaire peu élevée ou, plus souvent, d'un haut soubassement pyramidal subdivisé en gradins accessibles parfois par des emmarchements (Shwesandaw, 1057). Les temples se classent principalement en deux catégories : l'édifice à salle-sanctuaire, de plan barlong, précédé d'un avant-corps; l'édifice à noyau central, supportant des superstructures quelquefois à étages et ceinturé d'un ou de deux couloirs pourtournants (Ananda, 1091). Ces montagnes de maçonnerie en brique sont supportées par des voûtes, en arc de cloître ou en berceau, appareillées en claveaux. Dominés par le śikhara (influence de l'Orissa) et plus rarement par le stūpa, les toits sont constitués d'un étagement de terrasses ornées aux angles de sanctuaires en réduction. L'ornementation, sobre extérieurement, consiste en des frises stuquées figurant surtout des rinceaux stylisés où apparaissent parfois quelques animaux. Intérieurement, les images colossales du Bouddha, les stèles et les peintures illustrant des scènes de sa dernière existence ou de ses vies antérieures (jātaka) forment un ensemble unique et incomparable, bien que certains éléments puissent se rattacher soit à l'art cinghalais, soit à l'art de l'Inde (pāla-sena et népalais).

L'art birman se fige pendant plusieurs siècles après la chute de Pagan, mais retrouvera un nouvel éclat à partir du XVIIIe s. dans les nombreux monastères d'Ava, d'Amarapura, de Mandalay*, construits en bois et admirablement sculptés. Enfin, l'habitude d'appliquer des feuilles d'or sur les images de culte et sur les dômes des stūpa s'est propagée depuis Mandalay dans toute la Birmanie, donnant une rutilance caractéristique aux grands sanctuaires actuellement vénérés.

Birmanie *(campagne de),* une des campagnes de la Seconde Guerre* mondiale. En 1943, le commandement allié du Sud-Est asiatique (lord Mountbatten) reprend l'offensive en Birmanie, occupée en 1942 par les Japonais. Les actions combinées des forces chinoises, indiennes, anglaises et des troupes américaines (général Stilwell) repoussent les Japonais dans les montagnes, en dépit de leur contre-offensive sur l'Assam et Imphal (1944). Les Alliés réoccupent Akyab (1944), Mandalay et Rangoon (1945).

Birmanie *(route de),* route stratégique de ravitaillement pour la Chine reliant Rangoon à Tch'ong-k'ing par Lashio. Achevée en 1939, coupée par les Japonais en 1942 et remplacée par un pont aérien, elle fut progressivement doublée par une route « Stilwell » de Ledo (Assam) à Lashio, avant sa réouverture en mars 1945.

BIRMINGHAM, v. de l'Angleterre centrale, dans les Midlands; 1 088 000 hab. Grand centre métallurgique depuis le XVIIe s., au cœur du Pays noir, Birmingham est le noyau de la conurbation des West Midlands, la deuxième de Grande-Bretagne, qui compte près de 3 millions d'habitants. Les activités industrielles se sont diversifiées et sont de plus en plus élaborées (constructions mécaniques et électriques principalement, chimie, etc.). Important musée.

BIRMINGHAM, v. des États-Unis (Alabama), dans le nord des Appalaches; 301 000 hab. Métallurgie.

BIROBIDJAN, v. de l'U.R.S.S. (R.S.F.S. de Russie), ch.-l. de l'arr. autonome des Juifs (l'ancien *Birobidjan*), sur le Transsibérien, à l'O. de Khabarovsk; 56 000 hab. Matériel agricole.

BIRON (Charles DE GONTAUT, 1er duc DE), maréchal de France (1562-Paris 1602). Compagnon d'Henri IV, qui le fait maréchal de France (1595) et gouverneur de Bourgogne (1598), il conspire contre le roi qui le laisse exécuter.

BIRON (Ernst Johann), duc **de Courlande** (Kalntsiems, Lettonie, 1690-Ielgava 1772). Favori de l'impératrice Anna* Ivanovna, qui lui donne en 1737 le duché de Courlande, il gouverne la Russie avec une clique d'Allemands corrompus. Il est exilé en 1740.

BIROT (Pierre), géographe français (Meudon 1909). Spécialiste de géographie physique, principalement de géomorphologie, il a lié entre eux les divers éléments constitutifs de cette discipline, contribuant à développer la notion de géographie zonale, amorce d'une fusion entre géographie générale et géographie régionale.

BIRSFELDEN, comm. de Suisse, dans la banlieue est de Bâle: 14 226 hab.

BIRSHEBA → BEERSHEBA.

BĪRŪNĪ (al-), savant, philosophe et logographe irano-arabe (Kāth, sur l'Amou-Daria, 973-Rhaznī apr. 1048), « maître Aliboron » du Moyen Âge. Historien, il écrit *les Vestiges subsistants des siècles révolus,* qui constituent un calendrier et une chronologie des Perses, des Grecs, des Égyptiens, des juifs, des chrétiens et des anciens Arabes. Contraint d'accompagner le sultan de Rhaznī, Maḥmūd, dans sa conquête de l'Inde, al-Bīrūnī accumule une masse extraordinaire d'observations sur la civilisation de ce pays. Dans *l'Histoire de l'Inde,* il restitue minutieusement l'état des sociétés indiennes, de leurs religions et de leurs philosophies. Dans *Al-Qānūn al-mas'ūdi,* il complète toutes les observations astronomiques antérieures par ses travaux personnels. Au Moyen Âge, cet ouvrage sera aussi célèbre que le *Canon* de la médecine* de son contemporain Avicenne. L'œuvre d'al-Bīrūnī, immense, comporte également des traités de philosophie, de minéralogie, de géographie et de mathématiques.

BIR ZELTEN → ZELTEN.

BISCARROSSE (40600), comm. des Landes, à 32 km au S. d'Arcachon, près de l'extrémité nord de l'*étang de Biscarrosse;* 8 759 hab. Station balnéaire à *Biscarrosse-Plage* (à 10 km au N.-O. de Biscarrosse).

BISCARROSSE ET DE PARENTIS *(étang de),* étang des Landes, séparé de l'Atlantique par la *forêt de Biscarrosse.* Extraction du pétrole.

BISCAYE, en esp. **Vizcaya,** l'une des provinces basques d'Espagne; 1 043 000 hab. Ch.-l. *Bilbao.* Importante région industrielle (métallurgie surtout).

BISCHHEIM (67800), comm. du Bas-Rhin, dans la banlieue nord de Strasbourg; 15 047 hab. Confection.

BISCHWILLER (67240), ch.-l. de cant. du Bas-Rhin, à 8 km au S.-E. de Haguenau; 10 011 hab. Confection.

BISCUIT → PORCELAINE.

BISEXUALITÉ. — Convaincu, en partie sous l'influence de W. Fliess, de la présence chez tout individu de caractéristiques psychiques féminines et masculines, Freud* pensa d'abord qu'il y avait chez chaque individu refoulement de la composante sexuelle complémentaire du sexe qui est le sien. Cependant, ce point de la démarche freudienne est contredit ultérieurement par la prédominance accordée au phallus* par Freud et ses successeurs.

BISKRA, v. d'Algérie, au pied méridional du massif de l'Aurès; 53 000 hab.

BISMARCK *(archipel),* archipel de la Mélanésie, au N.-E. de la Nouvelle-Guinée; 166 000 hab. Il comprend les îles de la Nouvelle-Bretagne (la plus grande), de la Nouvelle-Irlande, de Lavongai (Nouveau-Hanovre) et de l'Amirauté.

BISMARCK, v. des États-Unis, capit. du Dakota du Nord, sur le Missouri; 35 000 hab.

BISMARCK (Otto, *prince* VON), homme d'État allemand (Schönhausen 1815 - Friedrichsruh 1898). Député au Landtag de Prusse (1847), ce hobereau luthérien représente son pays à la diète de Francfort (1851) puis à Saint-Pétersbourg (1859) et à Paris (1862). Appelé à la présidence du Conseil par Guillaume Ier, qui ne peut obtenir du Landtag les crédits militaires exigés par la réforme de Moltke, Bismarck fait voter ces crédits — qui dotent la Prusse d'une armée modèle (1862) — et instaure en Prusse un régime autoritaire que la confiance du roi rend possible. De 1864 à 1871, Bismarck réalise l'unité allemande, au profit de la Prusse, en plusieurs temps : la guerre des Duchés (1864) provoque la guerre contre l'Autriche qui, battue à Sadowa (1866), est éliminée de la Confédération germanique; la guerre franco-allemande (1870-71) se termine par la victoire complète des Allemands, l'annexion par eux de l'Alsace-Lorraine et la proclamation, à Versailles, le 18 janvier 1871, de l'Empire allemand.

Chancelier de cet empire et président du Conseil de Prusse, Bismarck domine durant vingt ans la scène diplomatique, imposant à l'Europe un système d'alliances fondé sur l'isolement de la France. En Allemagne, il doit compter : avec les catholiques, qu'il affronte d'abord brutalement (v. KULTURKAMPF), puis qui l'obligent à revenir à une politique religieuse plus modérée; avec les Alsaciens-Lorrains, qui acceptent difficilement d'être sujets allemands; avec la social-démocratie, qu'il s'efforce de déborder par l'application d'une législation sociale avancée. Incapable de supporter le jeune empereur Guillaume II (1888), qui lui-même cherche à se débarrasser du vieux chancelier, Bismarck quitte le pouvoir en 1890.

Coll. Viollet

Bismarck.

BISMUTH. — Élément de nombre atomique 83 et de masse atomique Bi = 209, le bismuth est un solide blanc jaunâtre, cassant, de densité 9,8 et fondant à 270 °C, en diminuant de volume. Inaltérable à l'air à froid, il brûle au rouge en donnant l'oxyde Bi_2O_3. Allié à d'autres métaux fusibles, il en abaisse encore le point de fusion. Son nitrate basique est employé dans le traitement des affections gastro-intestinales.

BISON. — Le bison est un tout proche parent du bœuf, mais il s'en distingue par des cornes plus écartées et recourbées vers l'avant, par une forte bosse au-dessus des épaules, par une longue crinière et un pelage touffu qui tombent par plaques en été, enfin par des dimensions plus importantes (poids : 1 t; hauteur au garrot : 2 m, dans l'espèce américaine). Rares sont les espèces que l'homme s'est employé à détruire aussi méthodiquement que le bison. La chasse de cet animal est représentée sur les parois des grottes préhistoriques; le bison d'Europe a disparu de France et de Suisse au Moyen Âge, d'Allemagne et de Transylvanie avant la fin du XVIIIe s., et les deux guerres mondiales du XXe s. n'ont laissé subsister que les spécimens des parcs zoologiques, à partir desquels on reconstitue péniblement un troupeau dans la forêt de Białowieża (Pologne). Quant au troupeau de la Grande Prairie américaine (60 millions de têtes), il était entièrement disparu en 1875, et avec lui les nations indiennes qui avaient le bison comme ressource principale. On a repeuplé les parcs nationaux, ici aussi, à partir des parcs zoologiques.

BISSAGOS *(îles),* archipel en face de la Guinée-Bissau, dont il dépend.

BISSAU, principale ville et anc. capit. de la Guinée-Bissau, dans l'*île de Bissau,* à l'embouchure du rio Geba; 71 000 hab.

BISSEXTILE → CALENDRIER.

BISSIÈRE (Roger), peintre français (Villeréal 1886 - Marminiac 1964). Professeur à l'académie Ranson de 1925 à 1938, pratiquant alors un cubisme modéré, il parvient après la guerre à la célébrité avec des œuvres non figuratives de petit format, trames souples d'horizontales et de verticales où la couleur joue comme une effusion, une confidence.

BISSING (Moritz VON), général allemand (Bellmannsdorf 1844 - Bruxelles 1917), gouverneur de la Belgique occupée de 1914 à 1917.

BISSORTE (la), lac et torrent des Alpes du Nord (Savoie), affl. de l'Arc (r. g.). Aménagement hydroélectrique.

BISTOURI. — On utilise des bistouris à lames interchangeables et à usage unique, de formes diverses. Le bistouri électrique agit par l'effet d'un courant de haute fréquence; il permet la coagulation de vaisseaux et de tumeurs, ainsi que la section de tissus.

BISTRIŢA (la), riv. de Roumanie, née dans les Carpates moldaves, affl. du Siret (r. dr.); 280 km. Centrales hydroélectriques.

BITCHE (57230), ch.-l. de cant. de la Moselle, à 33 km à l'E. de Sarreguemines; 6 369 hab. Cristallerie. — Fortifié par Vauban, Bitche résista aux Prussiens en 1793 et en 1870-71. Camp militaire.

BITHYNIE, région et royaume de l'Asie Mineure, en bordure de la mer Noire et de la mer de Marmara. Conquise par les Perses, puis par Alexandre, elle devient, au début du IIIe s. av. J.-C., un petit royaume indépendant dont les rois les plus marquants sont Prousias Ier*, Prousias II, Nicomède Ier*, Nicomède II, Nicomède III, et Nicomède IV; ce dernier, en 75 av. J.-C., léguera son royaume aux Romains.

BITOLA ou **BITOLJ,** anc. en turc **Monastir,** v. de Yougoslavie, en Macédoine, près de la frontière grecque; 66 000 hab. Victoire des forces franco-serbes de Sarrail contre les Bulgares, en novembre 1916. (V. MACÉDOINE [*campagne de*].)

BITUME. — Les bitumes sont des corps liquides, mous ou solides, dont la densité varie entre 0,7 et 1,2. On en distingue quatre espèces : le naphte (ou pétrole), le malthe (ou bitume glutineux), l'élatérite (ou caoutchouc minéral) et l'asphalte.

Le principal usage du bitume est le goudronnage des routes et des toitures, en utilisant le produit soit directement à chaud, soit sous forme fluidifiée ou émulsionnée : ce résidu pétrolier est en effet solide à la température ambiante, ramolli vers 50 °C et liquide au-dessus de 100 °C. Une fois coulé en place, il se solidifie tout en conservant une certaine élasticité qui permet au revêtement* routier de résister à l'usure et de rester imperméable et antidérapant été comme hiver. Le bitume s'obtient en raffinerie, comme résidu de la distillation* sous vide d'une partie des fuel-oils*, eux-mêmes résidus de la première distillation du pétrole* brut. Ses propriétés sont ensuite améliorées par une oxydation légère, réalisée à 200 °C dans une tour de soufflage à l'air, et par des additifs (dopes). Les bitumes *fluidifiés,* dits *cut-backs,* sont dilués à l'aide d'un pétrole, qui s'évapore après épandage sur la route, de même que l'eau contenue dans les bitumes préalablement *émulsionnés* avec une machine rotative spéciale : leur mise en œuvre peut donc s'opérer sans réchauffage. Les bitumes *oxydés* servent à fabriquer les dalles de revêtement de sol et les bardeaux pour toitures (shingles).

La France produit environ 4 millions de tonnes de bitumes, dont plus de 80 p. 100 sont utilisés dans les travaux publics.

BIVALVES. — Bien que d'autres animaux, tels que les brachiopodes, aient également une coquille à deux valves, on réserve le nom de *bivalves* à un groupe de mollusques appelés aussi *lamellibranches* — à cause de leurs branchies en lamelles —, *acéphales* — à cause de l'absence de tête — et *pélécypodes* — à cause de leur pied, parfois en forme de hache. Les plus typiques de ces mollusques ont une coquille à deux valves égales et symétriques, l'une à droite, l'autre à gauche (moule, coque, couteau, pholade), mais les formes fixées peuvent présenter une valve

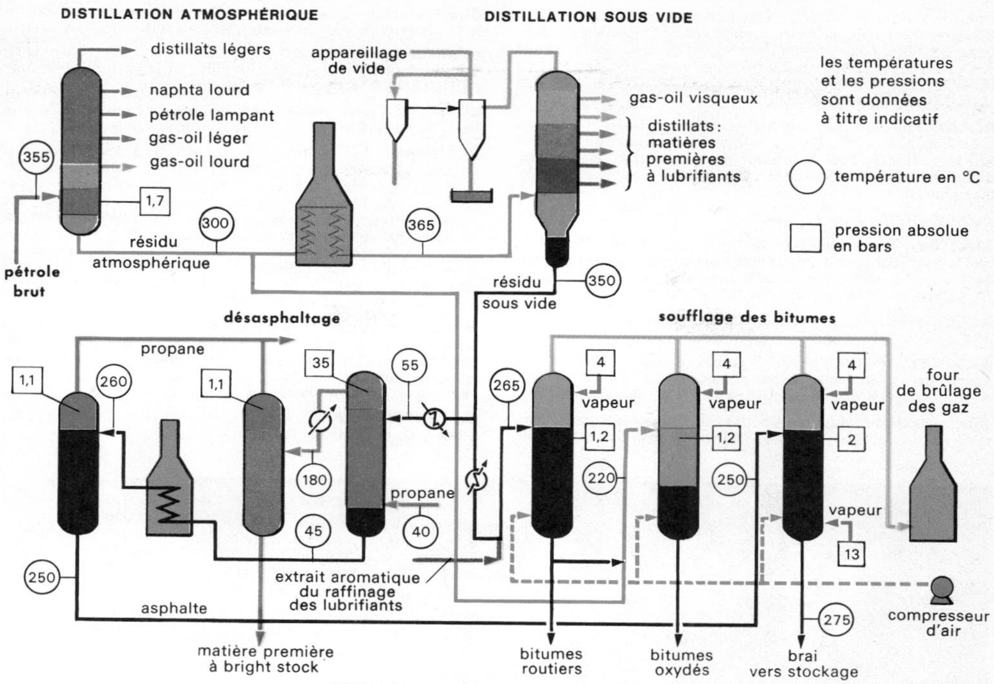

BITUME. Distillation du pétrole brut pour la production de l'asphalte et du bitume.

d'habitation creuse et une valve-couvercle plate (huître, rudistes fossiles), tandis que les formes nageuses (coquille Saint-Jacques) acquièrent, en outre, une néosymétrie apparente entre l'avant et l'arrière. Presque tous marins (sauf l'unio, l'anodonte et la dreyssensia, en Europe), les bivalves sont microphages : ils créent un courant d'eau à l'aide de leurs cils branchiaux et retiennent au passage la nourriture planctonique véhiculée par l'eau. La larve, nageuse, ressemble à celle des annélides. Les formes adultes sont fixées, fouisseuses, rampantes ou (rarement) nageuses. Presque toutes peuvent se protéger efficacement en appliquant l'une sur l'autre leurs deux valves, dont le mouvement est souvent guidé par une charnière dentée. La disposition des « dents » est d'ailleurs l'un des critères de la classification des bivalves.

BIZERTE, port de Tunisie, ch.-l. de gouvernorat, sur la Méditerranée, au débouché du *lac de Bizerte;* 52 000 hab. Raffinerie de pétrole. Constructions mécaniques. — Aménagée par la France en 1882, la base navale de Bizerte a joué un rôle important par sa situation à la limite des deux bassins de la Méditerranée. Occupée par les Allemands en novembre 1942, libérée en 1943 par les Américains, elle a été évacuée par la marine française et remise à la Tunisie en octobre 1963.

BIZET (Georges), compositeur français (Paris 1838 - Bougival 1875). Prix de Rome en 1857, influencé par Gounod, il s'adonne à l'opéra-comique (*les Pêcheurs de perles,* 1863; *la Jolie Fille de Perth,* 1866), écrit la suite pour piano *Jeux d'enfants* et une musique de scène pour *l'Arlésienne* de Daudet, avant de revenir à l'art lyrique avec *Carmen**, son chef-d'œuvre.

BJØRNSON (Bjørnstjerne), écrivain norvégien (Kvikne 1832 - Paris 1910). Comme Ibsen, il évolua du romantisme vers une inspiration réaliste et sociale. Après des histoires paysannes (*Synnøve Solbakken,* 1857), il en vient à des drames lyriques (*Sigurd Slembe,*

BIVALVES. 1. Organisation d'une moule : A. Muscle antérieur; B. Muscle postérieur; C. Palpes labiaux; D. Pied; E. Byssus; F. Branchies; G. Bord du manteau; H. Cœur; I. Intestin; J. Ligament. 2. Pétoncle; 3. Coque; 4. Coquille Saint-Jacques; 5. Couteau; 6. Donax; 7. Pholade; 8. Huître; 9. Tridacne.

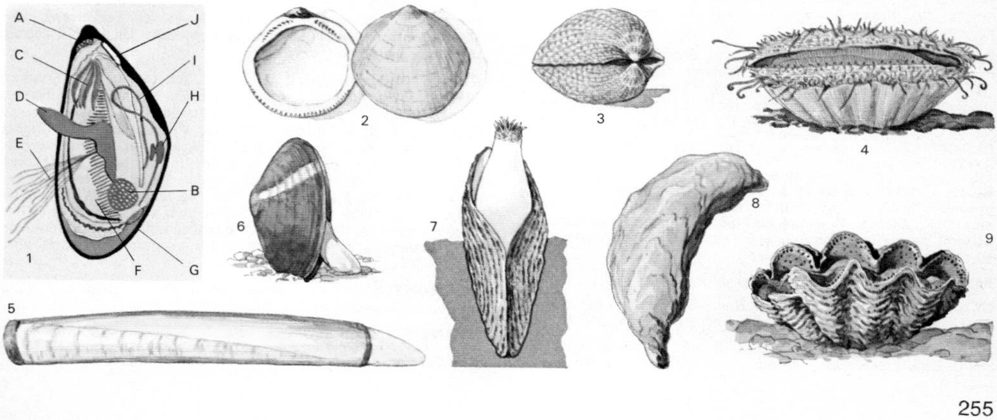

1862), puis réalistes (*Au-dessus des forces humaines,* 1883-1895). Ses dernières œuvres évoquent les conflits nés de l'évolution politique et sociale (*Paul Lange et Tora Parsberg,* 1898), ou de l'affrontement des générations (*Lorsque le vin nouveau fleurit,* 1909). Il a joué un rôle important dans le mouvement national qui aboutit au divorce de la Norvège et de la Suède.

BLACK (Joseph), physicien et chimiste écossais (Bordeaux 1728 - Édimbourg 1799). Il a étudié le gaz carbonique et découvert la magnésie. Il a distingué la quantité de chaleur de la température, défini les chaleurs spécifiques et les chaleurs latentes de changements d'état.

BLACK-BASS → PISCICULTURE.

Black Boy, récit autobiographique de Richard Wright (1945). Plus que la faim et la misère qui marquent son enfance, Wright exprime sa détresse et sa révolte lorsqu'il comprend que, parce qu'il est Noir, certains sentiments lui sont refusés.

BLACKBURN, v. de Grande-Bretagne (Angleterre), au N.-O. de Manchester; 102 000 hab. Industries mécaniques et textiles.

BLACKETT (Patrick), physicien anglais (Londres 1897 - *id.* 1974). Spécialiste de l'étude des rayons cosmiques, il a observé, en 1933, la matérialisation des photons. (Prix Nobel de physique, 1948.)

Black Muslims (« Musulmans noirs »), mouvement séparatiste noir nord-américain qui a ses racines dans le *Moorish Science Temple,* fondé en 1913 par le Noir Timothy Drew (1886-1929). Son véritable fondateur est Malcolm Little, dit Malcom X, qui créa à New York en 1963 une organisation d'unité afro-américaine. Violemment hostiles aux Blancs, les *Black Muslims* ont contribué au développement du *Black Power.*

Black Panthers (« Panthères noires »), organisation paramilitaire formée de militants noirs révolutionnaires. Elle a été dirigée par Huey Newton, Bobby Seale et Eldridge Cleaver. À ses violences répondent celles de la police. Les procès contre les militants et les conflits internes des années 1968-1970 ont affaibli l'organisation.

BLACKPOOL, v. de Grande-Bretagne (Angleterre), sur la mer d'Irlande; 151 000 hab.

Black Power! (« Pouvoir noir! »), slogan lancé en 1966 par le président du Comité de coordination des étudiants non violents, Stokely Carmichael. Il inspire, en 1967, un programme en six points qui doit aboutir à la libération et à l'autonomie effective des Noirs au sein de la société américaine.

BLACK-ROT → PLANTES *(maladies des).*

BLAGNAC (31700), comm. de la Haute-Garonne, à 7 km au N.-O. de Toulouse; 11 865 hab. Aéroport. Industrie aéronautique.

BLAGOVECHTCHENSK, v. de l'U. R. S. S. (R. S. F. S. de Russie), sur la Zeia, près de son confluent avec l'Amour; 151 000 hab.

BLAIN (44130), ch.-l. de cant. de la Loire-Atlantique, à 35 km au N.-O. de Nantes; 7 208 hab. Anc. château fort.

BLAINVILLE-SUR-L'EAU (54360), comm. de Meurthe-et-Moselle, à 10 km au S.-O. de Lunéville, sur la Meurthe; 4 495 hab. Gare de triage.

BLAINVILLE-SUR-ORNE (14550), comm. du Calvados, à 7 km au N.-E. de Caen; 2 534 hab. Construction automobile.

BLAIREAU. — Le blaireau, sans doute à cause des difficultés de sa capture, est resté un animal relativement commun dans les forêts européennes. Carnassier typique par sa denture, il se rapproche de l'ours par ses molaires, surtout broyeuses, ses longues griffes, sa démarche plantigrade et son régime omnivore, du renard par son terrier à plusieurs chambres, de la belette par ses glandes anales d'où peut gicler un « aérosol » puant. Mais son pelage à bandes noires longitudinales le distingue de tous les autres carnassiers. Il pratique un sommeil hivernal entrecoupé. (Genre *Taxus,* type de la famille des mélidés.)

BLAIS (Marie-Claire), femme de lettres canadienne d'expression française (Québec 1939). Son œuvre est une critique désabusée des conformismes sociaux et culturels d'un monde dont son pays n'est qu'un territoire pathologique privilégié (*la Belle Bête,* 1959; *Une saison dans la vie d'Emmanuel,* 1966; *le Loup,* 1973).

BLAISERIVES (52110), ch.-l. de cant. de la Haute-Marne, à 22 km à l'O.-S.-O. de Joinville; 461 hab.

William Blake : Béatrice accueillant Dante au paradis. Aquarelle illustrant *la Divine Comédie* de Dante. (Tate Gallery, Londres.)

Fleming

BLAISOIS → BLÉSOIS.

BLAKE (Robert), amiral anglais (Bridgwater 1599 - au large de Plymouth 1657). Il se distingue au service de Cromwell contre la flotte royaliste, contre les Portugais et les Provinces-Unies, assurant aux Anglais la maîtrise de la Manche. En 1657, il détruit une flotte espagnole aux Canaries.

BLAKE (William), poète, peintre et graveur anglais (Londres 1757 - *id.* 1827). Tirant ses sujets de la Bible, des poètes médiévaux ou de ses mythes personnels, il composa des poèmes lyriques et épiques qu'il illustra lui-même (*Chants d'innocence,* 1789; *Chants d'expérience,* 1794; *Jérusalem,* 1807-1818). Admirateur de la Révolution française, il proclama la nécessité de briser toutes les contraintes sociales et familiales (*le Mariage du ciel et de l'enfer,* 1793; *Visions des filles d'Albion,* 1793). Sa dénonciation violente de la tyrannie, de la misère, du terrorisme de la science et de la raison explique qu'avant Swinburne, qui le redécouvrit, on ait préféré voir l'incarnation du romantisme dans des aventures poétiques plus sentimentales et idéalistes.

BLÂMONT (54450), ch.-l. de cant. de Meurthe-et-Moselle, à 30 km à l'E. de Lunéville; 1 387 hab. Métallurgie. Textile.

BLANC *(cap),* cap d'Afrique, sur l'Atlantique, en Mauritanie.

BLANC *(lac),* lac des Vosges, dans le Haut-Rhin, à l'O. de Colmar.

BLANC *(mont),* point culminant de l'Europe, dans les Alpes françaises (Haute-Savoie), dans le *massif du Mont-Blanc,* près de la frontière italienne, au-dessus de la vallée de Chamonix; 4 807 m. Sommet d'accès relativement facile, il fut gravi dès 1786 (8 août) par le guide J. Balmat* et le Dr Paccard. Sous le mont Blanc a été ouvert, en 1965, un tunnel routier long de 11,6 km, entre les Pèlerins (près de Chamonix), à 1 274 m d'altitude, et Entrèves, du côté italien, près de Courmayeur, à 1 380 m.

BLANC (Le) [36300], ch.-l. d'arr. de l'Indre, sur la Creuse; 8 435 hab.

BLANC (saison du). — Elle consiste à organiser, en janvier, des ventes promotionnelles de linge de maison pour stimuler les ventes au lendemain des fêtes. Elle englobe aussi, malgré son nom originel, des articles de couleur.

BLANC (Louis), socialiste français (Madrid 1811 - Cannes 1882). Journaliste libéral, il attire sur lui l'attention par une brochure sur *l'Organisation du travail* (1839), où il préconise, contre la concurrence, « mère de tous les maux », une double réforme : politique, par l'étatisation des banques et des grands moyens de production; sociale, par l'organisation d'*ateliers sociaux,* où triomphera l'esprit d'association. En 1848, Louis Blanc préside bien au palais du Luxembourg la Commission du gouvernement pour les travailleurs, mais le pouvoir caricature les ateliers sociaux en créant pour les chômeurs des ateliers* de charité dits « nationaux ». Député de Paris en avril 1848, Louis Blanc doit s'exiler après juin.

BLANCHARD (Jacques), peintre français (Paris 1600 - *id.* 1638). Très influencé par un séjour à Venise, il joua, à partir de 1628, un rôle de premier plan dans la vie artistique parisienne, donnant l'exemple, aux côtés de Vouet, d'une peinture brillante, colorée et de tendance baroque.

BLANCHARD (Jean-Pierre), aéronaute français (Les Andelys 1753 - Paris 1809). Il expérimenta le parachute avec des animaux et, le premier, traversa la Manche en ballon, de Douvres à Calais (1785). On lui doit aussi un aérostat manœuvré au moyen de rames fixées à la nacelle.

BLANCHARD (Raoul), géographe français (Orléans 1877 - Paris 1965). Il est l'auteur d'importants travaux sur le Canada français et sur les Alpes occidentales.

BLANCHART *(raz),* détroit de la Manche, entre le cap de la Hague et l'île anglo-normande d'Aurigny.

BLANCHE → NOTATION MUSICALE.

BLANCHE *(mer),* dépendance soviétique de l'océan Arctique, à l'E. et au S. de la péninsule de Kola, et sur laquelle est établi le port d'Arkhangelsk.

BLANCHE *(vallée),* haute vallée du massif du Mont-Blanc, occupée par un glacier.

BLANCHE (Jacques-Émile), peintre et écrivain français (Paris 1861 - Offranville 1942). Portraitiste mondain, il a vulgarisé de façon brillante et hâtive le style d'un Manet (musée de Rouen).

BLANCHE DE CASTILLE, princesse castillane (Palencia 1188 - Maubuisson 1252), fille du roi Alphonse VIII et d'Aliénor d'Angleterre. À la mort de son époux, Louis VIII le Lion (1226), roi de France, elle exerce la régence pendant la minorité de son fils, Louis IX. Jusqu'à sa mort, elle conservera un rôle politique important et assumera une deuxième fois la régence pendant la croisade d'Égypte (1248-1252).

Blanche ou l'Oubli, roman d'Aragon (1967). Amour, politique, littérature : ce qu'un poète ne peut oublier à travers toutes les fascinations et toutes les modes passagères auxquelles il s'applique.

BLANCHIMENT → PRÉTRAITEMENT.

BLANCHOT (Maurice), écrivain français (Quain, Saône-et-Loire, 1907). Cherchant une continuité entre la vie physiologique et la vie intellectuelle (*Thomas l'obscur,* 1941-1950; *le Dernier Homme,* 1957), il saisit le sens de l'activité créatrice dans l'expérience du vide, de l'absence et du silence vers lequel tend le langage, paradoxe inconfortable de l'écrivain, qui ne dit quelque chose que parce qu'il ne veut pas dire l'essentiel, c'est-à-dire le rien et la mort (*la Part du feu,* 1949; *l'Espace littéraire,* 1955; *le Livre à venir,* 1959; *le Pas au-delà,* 1973).

BLANC-MESNIL (Le) [93150], ch.-l. de cant. de la Seine-Saint-Denis, à 6 km au N.-E. de Paris; 49 166 hab. *(Blancmesnilois).* Métallurgie. Chimie.

BLANC-NEZ *(cap),* promontoire calcaire du Pas-de-Calais, sur la mer du Nord, au S.-O. de Calais.

BLANGY-LE-CHÂTEAU (14130 Pont l'Évêque), ch.-l. de cant. du Calvados, à 9 km au S.-E. de Pont-l'Évêque, dans le pays d'Auge; 585 hab. Église du XVe s.

BLANGY-SUR-BRESLE (76340), ch.-l. de cant. de la Seine-Maritime, à 23 km au S.-O. d'Abbeville; 3 406 hab. Verrerie.

BLANKENBERGE, comm. de Belgique (Flandre-Occidentale), sur la mer du Nord; 14 442 hab. (en 1977). Station balnéaire.

BLANQUEFORT (33290), ch.-l. de cant. de la Gironde, à 10 km au N. de Bordeaux; 8 015 hab. Constructions mécaniques. Chimie.

BLANQUI (Adolphe), économiste français (Nice 1798 - Paris 1854). Dans son *Histoire de l'économie politique* (1837), il défend le libéralisme.

BLANQUI (Auguste), révolutionnaire français (Puget-Théniers 1805 - Paris 1881), frère du précédent. Il s'affilie en 1824 à la Charbonnerie. Il est l'insurgé type, convaincu de la nécessité, pour établir une république sociale, d'imposer une dictature révolutionnaire; ces idées inspireront les blanquistes de la Commune et le syndicalisme révolutionnaire. L'existence de Blanqui devait être une interminable alternance d'insurrections, préparées et éventées, et de longs séjours (36 ans et 5 mois en tout) en prison.

BLANTYRE, v. du Malawi méridional, la plus grande du pays; 110 000 hab.

BLANZAC-PORCHERESSE (16250), ch.-l. de cant. de la Charente, à 15 km à l'E. de Barbezieux; 1 012 hab. Église (XIIe-XIIIe s.).

BLANZY (71450), comm. de Saône-et-Loire, dans la banlieue nord de Montceau-les-Mines; 4 975 hab. Houille. Métallurgie.

BLASCO IBÁÑEZ (Vicente), écrivain espagnol (Valence 1867 - Menton 1928). D'une œuvre ouverte à toutes les modes esthétiques et à toutes les passions sociales et politiques de son temps (*Arènes sanglantes,* 1908; *les Quatre Cavaliers de l'Apocalypse,* 1916) restent surtout les romans qu'il consacra à la société valencienne (*Riz et tartane,* 1894; *Contes valenciens,* 1897; *Paludes,* 1902).

Lauros - Giraudon

Auguste Blanqui. Portrait peint par Mme Blanqui (1835). [Musée Carnavalet, Paris.]

BLASIS (Carlo), théoricien de la danse italien (Naples 1795 - Cernobbio 1878). Sa carrière de danseur, chorégraphe et pédagogue se déroule à Milan, Saint-Pétersbourg, Londres et Paris. Son *Manuel de la danse* (1830) et surtout son *Manuel élémentaire théorique et pratique de l'art de la danse* (1820) sont restés à la base de l'enseignement de la danse académique.

BLASON *(Hérald.)* → HÉRALDIQUE.

BLASON *(Litt.).* — Issu du *dit* médiéval (petit poème descriptif sur un sujet emprunté à la vie quotidienne), le blason connut une vogue particulière au XVIe s. : avec Maurice Scève ou Clément Marot, c'est une courte pièce de vers célébrant un monument, un objet et, plus particulièrement, les charmes détaillés du corps féminin.

BLASTOMYCOSE. — La blastomycose nord-américaine, ou maladie de Gilchrist, sévit presque uniquement aux États-Unis. Ses localisations sont cutanées et viscérales. La blastomycose sud-américaine (maladie de Lutz), à localisation cutanéo-muqueuse, digestive et pulmonaire, atteint surtout le Brésil.

BLATTE. — Le cafard, ou cancrelat, ou blatte, est devenu un commensal de l'homme, et on le rencontre beaucoup plus souvent dans les entrepôts et à bord des bateaux qu'en pleine campagne. La course rapide et nocturne des cafards, leur teinte sombre, leur forme aplatie, leurs dégâts, leur aptitude à transmettre l'hépatite virale concourent à leur détestable réputation. Les espèces cavernicoles explorent le guano des chauves-souris. Ces insectes servent de type à l'ordre des dictyoptères, qui comprend aussi les mantes, pourtant très différentes.

Blaue Reiter *(Der),* en franç. «le Cavalier bleu». Groupe artistique sans contours stricts, qui se signala par trois expositions (Munich, déc. 1911 et févr. 1912; Berlin, mars 1912) et la publication d'un *Almanach* (mai 1912), le Blaue Reiter représente, en Allemagne, dans l'art avancé d'alors, un faisceau de tendances distinct du courant pathétique de *Die Brücke* (v. EXPRESSIONNISME). Il est préparé par la rencontre à Murnau, dans la campagne bavaroise, l'été 1908, des peintres russes Alexei von Jawlensky (1864-1941) et Marianne von Werefkin (1860-1938) avec Kandinsky* et Gabriele Münter (1877-1962). Tous quatre sont alors adeptes d'une sorte de fauvisme* aussi raffiné qu'intense dans la couleur. En 1911, c'est avec Franz Marc (Munich 1880-Verdun 1916) que Kandinsky forme le nouveau groupe; il vient de peindre ses premières œuvres non figuratives, tandis que Marc exprime sa vision d'une nature rédemptrice dans des peintures animalières où l'expression plastique prend le relais des apparences : les deux artistes postulent la «nécessité intérieure», le lyrisme, la liberté des moyens.

Avec eux, l'exposition de décembre 1911 réunit, en présence d'œuvres du Douanier Rousseau* et de R. Delaunay*, les toiles de deux Russes, les frères David et Vladimir Bourliouk, proches du cubisme*, de Heinrich Campendonk (1889-1957), à la figuration décorative, d'August Macke (1887-1914), coloriste sensible influencé par Delaunay, de G. Münter, aux paysages sourds et charpentés... En février 1912, il s'agit d'œuvres graphiques : certains des meilleurs artistes russes et français du moment sont invités, avec des expressionnistes de *Die Brücke* et de jeunes inconnus, dont Klee*. A Berlin, à la galerie Der Sturm, est reprise l'exposition de décembre 1911, élargie à Jawlensky, à Klee et à Alfred Kubin (1877-1958), dessinateur visionnaire et angoissé assez éloigné de l'idéalisme du Cavalier bleu. Dans l'*Almanach* (dont la couverture porte ce fameux cavalier, bois de Kandinsky) sont mis à contribution les arts archaïques et extra-européens, l'imagerie, les hantises des aliénés : c'est la première initiative du XXe s. visant, après Gauguin*, à situer sur le même plan de spiritualité la démarche des primitifs et celle des artistes modernes; on y trouve aussi, avant le Bauhaus*, une ébauche de concertation entre les arts, théâtre et musique (Schönberg*) y tenant leur place.

BLAVET (le), fl. de la Bretagne méridionale, long de 140 km, tributaire de l'Atlantique et dont l'estuaire, commun avec celui du Scorff, forme la rade de Lorient.

BLAVET (Michel), compositeur français (Besançon 1700-Paris 1768). Il a laissé nombre de sonates et de concertos pour flûte, instrument dont il fut l'un des plus grands virtuoses.

BLAYAIS, région viticole du Bordelais (Gironde), à l'E. et au N. de Blaye.

BLAYE (33390), ch.-l. d'arr. de la Gironde, sur la rive droite de la Gironde, à 49 km au N. de Bordeaux; 4295 hab. Vins.

BLAYE-LES-MINES (81400 Carmaux), comm. du Tarn, à 3 km au S.-O. de Carmaux; 4563 hab.

BLÉ. — Le blé demeure la première céréale pour l'alimentation humaine. La production annuelle mondiale oscille entre 350 et 400 millions de tonnes. L'U.R.S.S. est, de loin, le premier pays producteur, avec un apport de l'ordre du quart de ces chiffres, précédant les États-Unis (40 à 50 millions de tonnes), sans doute talonnés par la Chine, loin devant un petit groupe de producteurs moyens (Inde, France, Canada et aussi Australie et Turquie). Malgré l'énormité de sa production, l'U.R.S.S. est importatrice (comme l'Inde) de blé, fourni surtout par l'Amérique du Nord, excédentaire. La France et l'Australie alimentent aussi un commerce international qui porte sur plus du dixième de la production mondiale, proportion notable pour une denrée alimentaire de base.

Parmi les nombreuses espèces de blé, *Triticum durum* (blé dur) et *Triticum vulgare* (blé tendre) sont les plus cultivées. Les blés durs servent à la fabrication des semoules et des pâtes alimentaires : les deux seuls pays producteurs de la C.E.E. sont la France et l'Italie (qui en produit plus des quatre cinquièmes). Les blés tendres se divisent en blés d'hiver (qu'on sème dès le mois de novembre), blés alternatifs (semés de la fin de l'hiver au début du printemps) et blés de printemps (semés de fin mars à début avril), ces derniers étant utilisés lorsqu'on n'a pas pu semer de blés d'hiver. Les rendements du blé en France approchent de 40 quintaux à l'hectare.

BLED, localité de Yougoslavie (Slovénie), sur le *lac de Bled;* 4500 hab. Centre touristique.

BLENDE. — De formule ZnS, la blende forme des cristaux noirs ou bruns du système cubique. Elle constitue le principal minerai de zinc*.

BLENDECQUES (62570 Wizernes), comm. du Pas-de-Calais, à 4 km au S. de Saint-Omer; 5016 hab.

BLÉNEAU (89220), ch.-l. de cant. de l'Yonne, à 19 km à l'E.-N.-E. de Briare, sur le Loing; 1673 hab. Église du XIIe s.

Blenheim *(bataille de),* nom donné par les Anglais à la bataille dite «de Höchstädt*» (1704).

BLENNIE. — La blennie est un poisson très commun sur nos côtes et très original d'aspect, par son revêtement muqueux et gluant, sa dorsale en drapeau, son nez busqué, ainsi que par sa curieuse habitude de se retourner pour déposer au-dessus de lui, au plafond d'un creux de rocher, sa ponte adhésive. C'est un poisson carnivore, aux dents redoutables.

BLENNORRAGIE → GONOCOQUE.

BLÉNOD-LÈS-PONT-À-MOUSSON (54700 Pont à Mousson), comm. de Meurthe-et-Moselle, à 3 km au S. de Pont-à-Mousson; 4074 hab. Centrale thermique sur la Moselle. Métallurgie.

BLÉONE (la), riv. des Alpes du Sud, affl. de la Durance (r. g.); 70 km.

BLÉPHARITE → PAUPIÈRE.

BLÉRÉ (37150), ch.-l. de cant. d'Indre-et-Loire, à 26 km à l'E. de Tours, sur le Cher; 4113 hab. Église des XIIe-XVIe s.

BLÉRIOT (Louis), ingénieur, industriel et aviateur français (Cambrai 1872-Paris 1936). Il effectua le premier voyage touristique aérien, de Toury à Artenay et retour (31 octobre 1908), et la première traversée de la Manche en aéroplane, de Calais à Douvres (25 juillet 1909).

BLÉSITÉ → PAROLE.

BLESLE (43450), ch.-l. de cant. de la Haute-Loire, à 22 km à l'O. de Brioude; 853 hab. Église romane. Donjon du XIIIe s.

BLÉSOIS, anc. **Blaisois,** région de France, autour de Blois.

BLETTE. — Blette est aujourd'hui le nom le plus usuel d'une chénopodiacée, nommée aussi *bette* ou *poirée,* qui n'est qu'une variété de la betterave, mais aux racines moins charnues et aux feuilles plus développées. C'est, en effet, le pétiole aplati et charnu des feuilles qui, sous le nom de *côtes de blettes,* sert de légume, mais on peut aussi manger le limbe.

BLETTERANS (39140), ch.-l. de cant. du Jura, à 13 km au N.-O. de Lons-le-Saunier; 1203 hab.

BLEU → FROMAGE.

BLEU *(fleuve)* → YANG-TSEU-KIANG.

BLEUE (maladie) → CŒUR.

BLEUET. — Le bleuet étant une composée, sa «fleur» est en réalité un capitule, d'ailleurs formé d'un assez petit nombre de fleurs bleues, que l'on cueille dans les champs de blé, où toutefois il abonde moins que le coquelicot. Le bleuet est une centaurée.

BLEULER (Eugen), psychiatre suisse (Zollikon, près de Zurich 1857-*id.* 1939), célèbre pour ses travaux sur la schizophrénie*, terme qu'il créa pour la distinguer de la démence précoce décrite par Kraeplin*. Bien que la dislocation des fonctions psychiques (ruptures de l'unité de la personnalité, qui est alors dominée par l'un ou l'autre de ses contenus inconscients) lui apparaisse comme la caractéristique fondamentale et constante de cette affection, il continue à penser que la schizophrénie est l'expression clinique d'une atteinte cérébrale organique. Son appui fut précieux pour Freud* à ses débuts, et en particulier il initia son assistant, C. G. Jung*, à la pensée freudienne, mais tous les deux ne suivirent pas le fondateur de la psychanalyse jusqu'au bout.

BLEYMARD (Le) [48190 Bagnols les Bains], ch.-l. de cant. de la Lozère, à 29 km à l'E. de Mende, sur le Lot; 408 hab.

BLIDA, v. d'Algérie, au pied de l'*Atlas de Blida,* en bordure de la Mitidja; 86000 hab. Industries alimentaires.

BLIGNY-SUR-OUCHE (21360), ch.-l. de cant. de la Côte-d'Or, à 19 km au N.-O. de Beaune; 719 hab.

BLIN (Roger), acteur et metteur en scène français (Neuilly-sur-Seine 1907). Le succès de sa présentation d'*En* attendant Godot* (1952) le révéla comme un des meilleurs spécialistes du «nouveau* théâtre», notamment dans ses mises en scène d'Adamov *(la Parodie),* de Beckett *(Fin* de partie),* de Genet *(les Paravents).*

BLINDÉ. — Véhicules motorisés de combat plus ou moins capables de se mouvoir en tout terrain et dotés d'un armement, les engins blindés sont apparus au début du xxe s. sous la double forme de l'automitrailleuse* et du char*. La première est née en temps de paix de l'idée d'employer l'automobile comme organe de renseignement, alors que le char a été conçu au début de la grande guerre de 1914 par le colonel Estienne comme un canon pouvant, grâce à des chenilles, se déplacer en terrain bouleversé. Réalisés en même temps par les Français et les Anglais, les premiers chars sont engagés par ces derniers dans la Somme le 15 septembre 1916 et par les Français au Chemin des Dames le 16 avril 1917.

Combinant la puissance du feu et du mouvement, le char, construit en série par les Alliés (4 300 français, 2 700 anglais), joue un rôle tactique décisif dans leur victoire de 1918, alors que les Allemands négligent cette nouvelle arme. Après la guerre s'affirme l'idée, énoncée par Estienne dès 1919 et reprise par de Gaulle en 1934, de l'emploi stratégique d'une puissante force blindée autonome capable, avec l'appui de l'aviation, d'apporter la décision d'un conflit. Incompris en France, ce projet est repris par l'état-major allemand (notamment par Guderian) lors de la création de la Wehrmacht en 1935. La division blindée (env. 270 chars) sera, avec le stuka, l'instrument de la *guerre éclair* menée avec un succès retentissant par Hitler de 1939 à 1941. À côté de modèles de chars de plus en plus puissants, la Seconde Guerre mondiale voit naître de nouveaux types de blindés, tels la chenillette de transport, le canon automoteur, le véhicule de transport de troupes (half-track) et le char « antichar » (tank-destroyer américain, Jagdpanzer allemand). Les blindés se heurtent désormais à de nombreuses autres armes antichars : canons (57 américain, 77 et 88 allemands), roquettes (bazooka américain), mines et, depuis 1945, missiles (« SS-10 », « SS-11 », « Milan »).

Interinfo

Char lourd américain M 60.

Char moyen français AMX 30.

E.C.P.A.

Chars moyens soviétiques T 62.

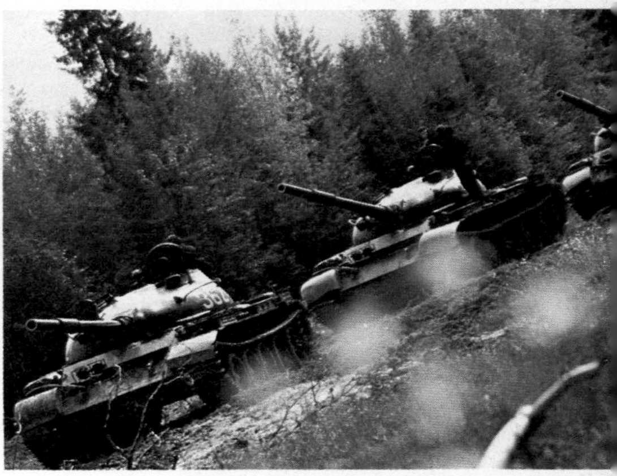
Agence Tass

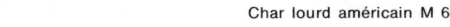

les blindés

date	désignation (nationalité)	poids en t	vitesse en km/h	armement canon (cal. en mm)	armement mitr.	équipage
1916	« Mark I » (G.-B.)	26	5	2 de 57	4	7
1917	Renault « F. T. » (F.)	6,5	8	37	1	2
1938	« B 1 bis » (F.)	32	30	75 + 47	2	4
1939	« Pz Kw IV » (A.)	20	40	75	2	5
1940	« T 34 » (U. R. S. S.)	27	50	76,2	2	4
1942	« Sherman M 4 » (É.-U.)	30	45	76,2	3	5
1944	« Tigre II » (A.)	69	40	88	3	5
1944	« J. Staline III » (U. R. S. S.)	46	40	122	2	4
1951	« E. B. R. » (F.)	13	80	75	2	4
1954	« T 54 » (U. R. S. S.)	40	55	100	3	4
1963	« AMX 30 » (F.)	32,5	65	105	2	4
1965	« Léopard » (A.)	40	65	105	2	4
1965	« Chieftain » (G.-B.)	56	40	120	2	4
1965	« M 60 A1 E1 » (É.-U.)	52	45	152	2	4

Remis en cause par l'apparition de l'arme atomique (1945), ils se révèlent à l'expérience assurer une protection efficace contre le rayonnement thermique et la radioactivité. Aussi allait-on connaître un nouvel essor tant dans la série des chars de bataille que dans les formations mécanisées, qui, depuis 1960, sont constituées dans toutes les armées. Celles-ci rassemblent, outre des chars moyens (de 35 à 40 t), des blindés employés comme véhicules de combat ou comme chars légers. Beaucoup sont aérotransportables et amphibies. À côté de ces grandes unités, blindées ou mécanisées, figurent encore, sous le nom de *cavalerie légère blindée,* des unités rapides équipées d'engins de reconnaissance (souvent à roues, type automitrailleuse) ou de blindés légers et chargés de missions de renseignement ou de protection. Mais tous ces matériels, assujettis à la constante évolution des techniques, sont de plus en plus coûteux, ce qui explique la réduction massive du nombre des unités blindées dans les armées de la fin du xxe s.

BLIND RIVER, v. du Canada (Ontario), près du lac Huron; 3 450 hab. Gisements d'uranium.

BLIXEN (Karen), femme de lettres danoise (Rungsted 1885 - *id.* 1962). Elle a publié des pastiches de contes romantiques (*Sept Contes gothiques,* 1935) et décrit sa vie au Kenya (*Ma ferme africaine,* 1937).

BLOC *(Constr.)* → AGGLOMÉRÉ.

BLOC AUTOMATIQUE → SIGNALISATION.

BLOC-DIAGRAMME → CARTOGRAPHIE.

BLOCH (Ernst), philosophe allemand (Ludwigshafen 1885-Tübingen 1977). Profondément marquée par l'art (Mahler et l'expressionnisme), par son amitié pour Lukács et Brecht, par le marxisme et le nazisme (qu'il doit fuir en 1933), l'œuvre de Bloch ne cesse de montrer que l'utopie d'un monde humain, d'où seraient bannies l'oppression et l'exploitation, demeure une force idéologique authentiquement révolutionnaire. Il a notamment écrit : *l'Esprit de l'utopie* (1918), *Thomas Münzer, théologien de la révolution* (1922) et, surtout, *le Principe espérance* (1954-1956).

BLOCH (Marc), historien français (Lyon 1886-près de Lyon 1944). Professeur à la Sorbonne, il fonde en 1929, avec Lucien Febvre, les

Blois : vue générale de la ville, avec le château et l'église Saint-Nicolas.

Annales d'histoire économique et sociale.* Dans ses ouvrages, notamment dans *Caractères généraux de l'histoire rurale française* (1931), *la Société féodale* (1939) et *Apologie pour l'histoire ou Métier d'historien* (posthume, 1952), il élabore une méthode pluridisciplinaire, clef de l'histoire des mentalités et de l'histoire totale. Israélite et résistant, il est fusillé par les Allemands.

BLOCH (Konrad), biochimiste américain d'origine allemande (Neisse 1912), prix Nobel de physiologie et de médecine en 1964 (avec F. Lynen) pour ses travaux sur la structure du cholestérol.

Blocus continental, ensemble des mesures prises par Napoléon Ier, entre 1806 et 1808, pour priver la Grande-Bretagne de relations commerciales avec le continent et qui constituaient une réplique au blocus maritime appliqué par le gouvernement de Londres. Le blocus, s'il donna de l'impulsion à l'industrie et à l'agriculture françaises, gêna considérablement l'économie de l'Europe et obligea Napoléon à pratiquer une politique expansionniste, source de conflits. La Grande-Bretagne, elle, si elle subit des crises graves, put compenser la perte des marchés européens par ceux de l'Amérique latine.

BLOEMFONTEIN, v. de l'Afrique du Sud, capit. de l'État libre d'Orange; 148 000 hab.

BLOIS (41000), ch.-l. du départ. de Loir-et-Cher, à 153 km au S.-O. de Paris, sur la Loire; 51 950 hab. *(Blésois).* Chocolaterie. Industries mécaniques, électriques et chimiques.

HISTOIRE. Siège d'un comté qui appartient à la maison de Champagne, puis à celle de Châtillon (1241), Blois est achetée en 1391 par Louis d'Orléans. Son château est la résidence favorite des rois de France au XVIe s. : c'est là que sont signés les traités de 1504-05 et que se tiennent les états généraux de 1576 et de 1588; au cours de ces derniers, le duc de Guise est assassiné.

BEAUX-ARTS. Château des comtes de Châtillon (XIIIe s.), puis des ducs d'Orléans (XVe s.), repris par Louis XII (dont l'aile sert auj. de musée), François Ier (célèbre escalier, façade des Loges sur la Loire) et Gaston d'Orléans (aile de Mansart). Église Saint-Nicolas, anc. abbatiale Saint-Lomer (XIIe-XIIIe s.), cathédrale (Xe-XVIIe s.), hôtels de la Renaissance.

BLOK (Aleksandr Aleksandrovitch), poète russe (Saint-Pétersbourg 1880-*id.* 1921). Influencé par la philosophie de Soloviev et la métrique de Brioussov, il fut le principal représentant du symbolisme russe (*Vers de la belle dame,* 1904; *la Ville,* 1904-1911), avant de donner une interprétation mystique de la révolution (*les Douze,* 1918).

BLONDE D'AQUITAINE (race) → BOVINS.

BLONDEL de Nesle, trouvère (Nesle v. 1150-v. 1200), auteur de chansons.

BLONDEL (François), architecte français (Ribemont 1618-Paris 1686). Mathématicien, précepteur d'un jeune noble en compagnie duquel il admira les grandes villes d'Europe, il s'éprit d'architecture, reconstruisit en 1665 le pont de Saintes et, devenu ingénieur militaire, travailla en 1666 à Rochefort. Il fut directeur de l'Académie royale d'architecture à sa fondation, en 1671. Son *Cours d'architecture* (1675) exprime la doctrine classique avec une rigueur qu'il assouplit dans ses propres réalisations (porte Saint-Denis, Paris, 1672).

BLONDEL (Jacques François), architecte français (Rouen 1705-Paris 1774). Neveu de l'architecte rouennais Jean François Blondel (1683-1756), il fonda à Paris sa propre école d'architecture, puis devint professeur à l'Académie royale (1756). Il travailla aux embellissements de Metz (1764), mais sa célébrité tient surtout à son *Cours d'architecture civile* (1771-1777), reflet du classicisme français, qui servit aux étudiants jusqu'à la fin du XIXe s.

BLONDEL (Maurice) → SPIRITUALISME.

BLONDEL (André), physicien français (Chaumont 1863-Paris 1938). Il a défini les grandeurs photométriques, imaginé en 1893 l'oscillographe à équipage mobile, étudié le couplage des alternateurs et créé les premiers radiophares.

BLOOMFIELD (Leonard), linguiste américain (Chicago 1887-New Haven 1949). Il est le fondateur de l'école distributionnelle, qui a dominé la linguistique américaine jusque vers 1955. Influencé par la psychologie béhavioriste, il considère le langage comme un comportement qui obéit au schéma stimulus-réponse : la tâche du linguiste est donc de décrire les actes de parole pris en eux-mêmes sans tenir compte de leur signification (*Language,* 1933).

BLOUSSE → PEIGNAGE.

BLOW (John), compositeur anglais (Newark 1649-Londres 1708). Organiste de Westminster et de la Chapelle royale, maître de Purcell, il a écrit quantité de motets et d'odes religieuses.

BLOY (Léon), écrivain français (Périgueux 1846-Bourg-la-Reine 1917). Il dut à Barbey d'Aurevilly d'abandonner la peinture pour la littérature et de cultiver sa férocité naturelle à l'égard des gloires établies (*Propos d'un entrepreneur de démolitions,* 1884). S'il vitupère le matérialisme bourgeois, la passion de l'argent, l'assoupissement de l'Église (*le Désespéré,* 1886; *la Femme pauvre,* 1897; *Exégèse des lieux communs,* 1902), c'est qu'il y voit autant de fausses routes sur la voie de Dieu et le germe de catastrophes, dont il se fait, dans son journal, le prophète colérique (*le Pèlerin de l'absolu,* 1910-1912).

BLÜCHER (Gebhard Leberecht), prince **Blücher von Wahlstatt,** maréchal prussien (Rostock 1742-Krieblowitz 1819). Commandant une armée en 1813 et en 1814, il fut battu par Napoléon à Ligny en 1815, mais intervint de façon décisive à Waterloo.

BLUE-JEAN. — Le pantalon actuel tire son nom de la toile en coton croisé dans lequel il fut taillé à l'origine, dès le XIXe s. Fabriquée à Nîmes, cette toile était teinte à l'indigo, ou « bleu de Gênes », expression que les Américains déformèrent en « blue-jean ». C'est en effet pour les chercheurs d'or californiens qu'un émigrant, Levi-Strauss, eut l'idée de tailler dans cette toile des pantalons dont les poches étaient suffisamment solides pour contenir les pépites.

BLUE MOUNTAINS (« Montagnes Bleues »), nom de diverses chaînes de pays anglophones, États-Unis (partie des Appalaches) et Australie (élément de la Cordillère australienne) notamment.

BLUES. — Ce thème musical est indissociable de l'évolution du jazz. Il constitue le motif prépondérant des adeptes du rhythm and blues, des chanteurs de blues proprement dits et des pianistes boogie-woogie. Il se caractérise aussi bien par sa forme (emploi des blue notes, c'est-à-dire des 3e ou 7e degrés de la gamme tonale

Léon Blum dans son bureau de l'hôtel Matignon, en septembre 1936.

France-Presse

européenne infléchis d'un demi-ton vers le mode majeur ou vers le mode mineur) que par son esprit (description souvent mélancolique d'un climat expressif, ressenti par les communautés noires américaines). L'histoire du blues vocal s'étend du *country blues* (blues rural) au *rock and roll* commercialisé et comprend de grands interprètes, parmi lesquels Blind Lemon Jefferson, Big Bill Broonzy, John Lee Hooker, Mamie Smith, Ma Rainey, Lightnin' Hopkins, Bessie Smith, Joe Turner, Champion Jack Dupree, Jimmy Rushing, Muddy Waters, Chuck Berry, Ray Charles, James Brown.

BLUM (Léon), homme politique français (Paris 1872 - Jouy-en-Josas 1950). Normalien, écrivain, critique littéraire et théâtral, il adhère au socialisme jauressiste en 1902. En 1920, au congrès de Tours, il est un des leaders de la minorité hostile à l'adhésion à la IIIe Internationale. Député éditorialiste du *Populaire,* il est le chef incontesté de la S. F. I. O., ce qui lui vaut de présider le premier gouvernement de Front* populaire (juin 1936 - juin 1937); il revient au pouvoir en mars-avril 1938. Après avoir été détenu durant la guerre, il préside le gouvernement de décembre 1946 à janvier 1947; il exercera jusqu'à sa mort une grande influence morale sur le parti socialiste.

BLUTAGE → MEUNERIE.

BMEWS, sigle de *Ballistic Missile Early Warning System,* système de détection avancé américain des missiles balistiques, constitué de 1958 à 1963 par une chaîne de radars spéciaux installés à Clear (Alaska), à Thulé (Groenland) et à Fylingdales (Yorkshire).

BOA. — La répartition géographique des boas est curieusement discontinue : Amériques et Madagascar. Ces serpents sont tenus pour très primitifs, car il leur reste des rudiments de pattes postérieures, simples ergots flanquant le cloaque. Le corps, souvent beaucoup plus large que la tête et fortement musclé, peut étouffer par constriction les proies (chèvres, jeunes antilopes) que l'animal avalera, sans pouvoir les mâcher et au prix d'un énorme écartement des mâchoires. Les dents, non venimeuses, mais inclinées en crochets, rendent la régurgitation difficile. Les boas chassent surtout dans les arbres, mais l'un d'eux, l'*anaconda,* vit en permanence dans les étangs et les rivières; sa longueur atteint 12 m, de sorte que la peau étirée et tannée atteint 15 m.

BOABDIL, nom déformé d'Abū ʿAbd Allāh, dernier roi naṣride* de Grenade sous le nom de Muḥammad XI (de 1482 à 1483 et de 1486 à 1492). Les Rois Catholiques occupant Grenade en 1492, Boabdil gagne le Maroc l'année suivante.

BOAS (Franz), anthropologue américain d'origine allemande (Minden, Westphalie, 1858 - New York 1942), professeur d'anthropologie à l'université Columbia (New York). Son premier travail de terrain le mène chez les Esquimaux (1883-84). Par la suite, Boas entreprend des enquêtes sur les ethnies de la Colombie britannique, et notamment chez les Kwakiutls. Véritable fondateur de l'anthropologie américaine, il a été un des premiers à remettre en cause les simplifications de l'évolutionnisme* et à insister sur la spécificité de chaque culture (v. ANTHROPOLOGIE CULTURELLE). Ses principales publications sont *The Mind of Primitive Man* (1911), *Primitive Art* (1928) et *Race, Language and Culture* (1940).

BOBÈCHE (MARDELARD ou MANDELARD, dit), pitre français (Paris 1791 - *id.* apr. 1840), célèbre sous l'Empire et la Restauration.

BOBET (Louis, dit **Louison**), coureur cycliste français (Saint-Méen-le-Grand 1925). Ses qualités de coureur complet (bon rouleur, bon sprinter et bon grimpeur) étaient alliées à une grande intelligence de la course et à un tempérament de gagneur, dernière qualité qui lui valut une grande popularité. Bobet possède un des plus riches palmarès du cyclisme français, notamment trois victoires dans le Tour de France (1953, 1954 et 1955), un titre de champion du monde (1954), deux titres de champion de France (1950 et 1951) et des victoires dans la plupart des grandes classiques, dont Paris-Roubaix et Milan-San Remo.

BOBIGNY (93000), ch.-l. du départ. de la Seine-Saint-Denis, à 4,5 km au N.-E. de Paris; 43 189 hab. *(Balbyniens).* Industries chimiques et électroniques. Travaux publics.

BOBILLOT (Jules), sergent français (Paris 1860 - Hanoi 1885). Il s'illustra en 1884-85 dans la défense de Tuyên Quang (Tonkin). Son corps a été ramené en France en 1966.

BOBINAGE → TISSAGE.

BOBINE D'INDUCTION. — Un noyau de fer doux supporte deux enroulements : un *primaire,* formé d'un petit nombre de tours de gros fil, alimenté en courant continu par un rupteur qui ouvre et ferme le circuit à cadence rapide; un *secondaire,* comportant un grand nombre de tours de fil fin. À chaque rupture du courant primaire, un courant de haute tension est induit dans le secondaire et provoque une étincelle entre ses bornes.

BOBO-DIOULASSO, v. de la Haute-Volta, au S.-O. de Ouagadougou; 64 000 hab. Industries alimentaires.

BOBROUÏSK, v. de l'U. R. S. S. (Biélorussie), sur la Berezina; 138 000 hab. Pneumatiques.

BOBSLEIGH → SPORTS DE GLACE.

BOCAGE → AGRICULTURE.

BOCAGE (le), nom donné à plusieurs régions de la France de l'Ouest, lié à la prédominance d'un paysage rural formé de champs et de prairies enclos par des haies épaisses, et alors souvent associé à un habitat dispersé : *Bocage vendéen, Bocage normand,* etc.

BOCCACE, en ital. **Giovanni Boccaccio,** écrivain italien (Florence ou Certaldo 1313 - Certaldo 1375). Des clés autobiographiques dont il parsema ses œuvres de jeunesse, on sait aujourd'hui qu'elles ouvraient de fausses portes : Boccace n'est pas né à Paris, et sa maîtresse qui inspira contes et nouvelles *(Fiammetta)* n'est pas la fille naturelle du roi de Naples. Mais c'est à Naples, où il fut envoyé pour faire des études commerciales, qu'il s'initia à la vie et à la littérature courtoises (*les Travaux d'amour,* 1336; *le Philostrate,* 1338; *la Théséide,* 1339-40), avant que la ruine de l'affaire familiale le rappelât à Florence, où son activité littéraire évolua, à travers des idylles mythologiques et allégoriques (*l'Amoureuse Vision,* 1342-43; *le Nymphée de Fiesole,* 1344-1346), vers le réalisme du *Décaméron** (1348-1353). Sa rencontre avec Pétrarque l'orienta vers les recherches érudites (il fut le premier écrivain italien à lire Homère et Platon dans le texte) et la célébration du culte de Dante.

BOCCHERINI (Luigi), compositeur italien (Lucques 1743 - Madrid 1805). C'est au violoncelle qu'il a consacré l'essentiel de ses efforts, ayant vécu entre Paris et Madrid. Il est l'un des créateurs de la musique de chambre (sonates, quatuors, quintettes).

BOCCHORIS ou **BOKENRANEF,** pharaon de la XXIVe dynastie. Il suscite en Palestine une révolte contre les Assyriens et meurt en 715 en luttant contre les Kouchites de Haute-Égypte. On lui attribue une réforme sociale et juridique importante.

BOCCHUS → MAURITANIE.

BOCCIONI (Umberto), peintre, sculpteur et théoricien italien (Reggio di Calabria 1882 - près de Vérone 1916). Figure majeure du futurisme*, coauteur ou auteur de plusieurs manifestes, il a emprunté au divisionnisme, à l'arabesque de l'Art nouveau et au cubisme les moyens d'exprimer le mouvement dans sa peinture et dans sa sculpture.

BOCHIMANS → AFRIQUE *(tableau).*

BOCHUM, v. de l'Allemagne fédérale (Rhénanie-du-Nord-Westphalie), dans la Ruhr; 342 000 hab. Université. Sidérurgie. Construction automobile.

BOCK (Fedor VON), maréchal allemand (Küstrin 1880 - Lehnsahn, Holstein, 1945). Il dirigea l'occupation de l'Autriche par la Wehrmacht (1938), commanda un groupe d'armées en Pologne (1939), en France (1940) et en Russie (1941); il échoua devant Moscou et fut disgracié par Hitler (1942).

BÖCKLIN (Arnold), peintre suisse (Bâle 1827 - San Domenico di Fiesole 1901). Rome, en 1850, lui révèle sa vocation. Symboliste parfois naïf, Böcklin met une facture robuste et sensuelle au service de ses visions mythologiques, que sous-tend une appréciation profonde des liens de l'homme et de la nature. De Chirico a vanté la puissance d'« apparition » de ses meilleures toiles (*l'Île des morts,* six versions, 1880-1890).

BOCOGNANO (20136), ch.-l. du cant. de Celavo-Mezzana (Corse-du-Sud), à 39 km au N.-E. d'Ajaccio; 616 hab.

BOCSKAI (Étienne ou István), prince de Transylvanie (1557 - Kassa 1606). Élevé à la cour des Báthory, il prend en 1604 la tête de l'insurrection hongroise contre Rodolphe II* et est proclamé prince de Hongrie. L'empereur est obligé de le reconnaître et d'accepter ses revendications au traité de Vienne (1606).

BODE (Johann Elert), astronome allemand (Hambourg 1747 - Berlin 1826). On lui doit la loi empirique qui porte son nom, aux termes de laquelle, si l'on ajoute 4 à chacun des nombres 0, 3, 6, 12, 24, 48, 96, 192, on obtient une suite de nombres sensiblement proportionnels aux distances des planètes* au Soleil*.

BODEL (Jean) → JEAN BODEL.

BODENSEE → CONSTANCE *(lac de).*

BODH-GAYĀ, localité de l'Inde (Bihār), l'un des plus vénérés parmi les lieux saints du bouddhisme, où le Śākyamuni parvint à l'état de Bouddha, après l'illumination *(Bodhi).* Sanctuaires d'Aśoka, remplacés par le temple Mahābodhi (XIIe, XIIIe et XIXe s.); dalle sculptée, dite « Trône de diamant », et reliefs dans un style proche de celui de Bhārhut*; vestiges d'un monastère du IVe s.

BODIN (Jean), magistrat, philosophe et économiste français (Angers 1530 - Laon 1596). Bodin estime que l'histoire est une bonne formation à la politique; il étudie l'inflation et prend position en faveur de la liberté des échanges. Partisan de la monarchie absolue, il soutient cependant le consentement des états généraux à la levée des impôts. Sa ***République*** (1576) est considérée comme un chef-d'œuvre.

BODMER (Johann Jacob), écrivain suisse d'expression allemande (Greifensee, Zurich, 1698 - Zurich 1783). Il combattit l'imitation de la littérature française, prônée par Gottsched, et lui opposa les poètes populaires allemands *(Collection de Minnesänger).*

BODØ, port de la Norvège septentrionale, au-dessus du cercle polaire, ch.-l. du Nordland; 30 000 hab. Pêche. Conserverie.

BODONI (Giambattista), imprimeur italien (Saluces 1740 - Parme 1813). La qualité de ses éditions de classiques grecs fit donner son nom à leurs caractères.

BOÈCE, en lat. **Anicius Manlius Torquatus Severinus Boetius,** homme d'État et philosophe latin (Rome v. 480 - † 524). Consul et prince du sénat romain en 510, il est inculpé de trahison et de magie, puis torturé et exécuté à Pavie. Traducteur de l'*Organon**, il commente Aristote et compose des traités de logique qui détermineront l'orientation de cette discipline au Moyen Âge. Le plus célèbre de ses écrits est la *Consolation philosophique,* d'inspiration très platonicienne, qu'il rédige en prison. Bien que Boèce ne cite jamais le nom du Christ dans ses écrits, les services qu'il a rendus aux catholiques lui valent d'être compté parmi les martyrs chrétiens. Par son traité *De institutione musica,* il reste l'un des grands théoriciens de la science musicale antique.

BOECHOUT, comm. de Belgique, au S.-O. d'Anvers; 10 284 hab.

BOËGE (74420), ch.-l. de cant. de la Haute-Savoie, à 28 km au S. de Thonon-les-Bains; 750 hab.

BOËLY (Alexandre Pierre François), compositeur français (Versailles 1785 - Paris 1858), pianiste et organiste influencé par Bach; son œuvre de clavier, de conception traditionnelle parfois, s'inscrit dans le domaine des recherches néo-classiques (préludes et fugues, canons, variations, fantaisies) et annonce aussi le romantisme (sonates, pièces de genre).

BOËN (42130), ch.-l. de cant. de la Loire, à 17 km au N.-N.-O. de Montbrison, sur le Lignon; 3 817 hab. Métallurgie.

BOERHAAVE (Hermannus), médecin, botaniste et chimiste hollandais (Voorhout, près de Leyde, 1668 - Leyde 1738), dont les cours attiraient de très nombreux élèves de tous les États d'Europe. Il a publié *Institutiones medicae in usum annuae exercitationis* (1708), *Aphorismi de cognoscendis et curandis morbis* (1709) et un *Index des plantes.*

BOERS → AFRIQUE DU SUD.

Boers *(guerre des),* conflit qui opposa de 1899 à 1902 les républiques boers à la Grande-Bretagne. En 1899, les Boers envahirent le Natal et bloquèrent des garnisons britanniques avec leurs commandos de miliciens. Battus à Paderberg (1900) par lord Roberts, ils poursuivirent la lutte sous forme de guérillas, durement réprimées par Kitchener, qui obtint la soumission de leurs chefs. Le traité de Vereeniging, signé à Pretoria (1902), consacra l'annexion de l'Orange et du Transvaal à la colonie britannique du Cap.

BOÉTIE (La) → LA BOÉTIE.

BŒUF → BOVINS.

BOFFRAND (Germain), architecte français (Nantes 1667 - Paris 1754), le meilleur de l'époque rocaille. Dans ses travaux pour le duc de Lorraine (château de Lunéville, 1702-1706) et surtout dans ses hôtels parisiens, il associe à la retenue des façades une virtuosité de l'organisation (hôtel Amelot, 1712) et une invention pleine de fantaisie dans les décors intérieurs (hôtel de Soubise, 1732). Inspecteur des Ponts et Chaussées, il montre son intérêt pour les techniques dans son *Livre d'architecture* (1745).

BOGART (Humphrey), acteur de cinéma américain (New York 1899 - Hollywood 1957). Comédien de second plan dans quelques films des années 30, il sortit de l'anonymat en 1941 en interprétant le rôle d'un détective privé dans *le Faucon maltais* de John Huston.

Du *Port de l'angoisse* (H. Hawks, 1944) à *la Comtesse aux pieds nus* (J. Mankiewicz, 1954) en passant par *le Grand Sommeil* (H. Hawks, 1946), *les Passagers de la pluie* (D. Daves, 1947), *le Trésor de la Sierra Madre* (J. Huston, 1947), *Key Largo* (J. Huston, 1948), *African Queen* (J. Huston, 1952) et *Bas les masques* (R. Brooks, 1952), il s'imposa comme l'une des rares « stars » américaines dont le culte quasi mythique se soit prolongé bien après sa mort.

M. et S. Landre - Holmès-Lebel

BOĞAZKALE ou **BOĞAZKÖY** → HATTOUSA.

BOGIE. — D'origine américaine, le bogie fut introduit en Europe à la fin du XIXe s. Il facilite l'inscription des véhicules dans les courbes, permet d'augmenter la capacité de transport et la vitesse de circulation du matériel. Il est constitué d'un châssis reposant sur deux essieux* par l'intermédiaire de ressorts de suspension* et supporte l'extrémité d'un wagon*, d'une voiture* ou parfois d'une locomotive* au moyen d'un pivot lui permettant de s'orienter aisément dans la voie*.

Dans les bogies destinés aux voitures* à voyageurs, le pivot est généralement relié au châssis par des ressorts assurant un second étage de suspension verticale et un rappel transversal élastique de la caisse du véhicule. Les bogies moteurs comportent en outre des organes destinés à transmettre le couple moteur aux essieux. Ils supportent également les ponts moteurs ou les moteurs électriques de traction, qui peuvent être semi-suspendus s'ils reposent en partie sur l'essieu ou totalement suspendus s'ils sont fixés au châssis.

BOGNY-SUR-MEUSE (08120), comm. des Ardennes, à 15 km au N. de Charleville-Mézières; 6 855 hab.

BOGOMILES, secte manichéenne* d'origine bulgare (Xe s.). Professant que le monde matériel a été créé par le diable, ils rejetaient l'Incarnation, les sacrements et l'autorité de l'Église.

BOGOR, v. d'Indonésie (Java), au S. de Jakarta; 196 000 hab.

BOGOTÁ, capit. de la Colombie; 2 818 000 hab. Beaux monuments portant l'empreinte du baroque européen (église S. Francisco, XVIe s.). Le Museo del Oro abrite la plus riche collection d'orfèvrerie et de bijouterie précolombienne*. — Dans un haut bassin de la cordillère des Andes, à 2 640 m d'altitude, à proximité de l'équateur, mais jouissant d'un climat tempéré par l'altitude, Bogotá, fondée en 1538, fut dès la fin du XVIe s. la capitale de la

Sintenský - Atlas-Photo

Bohême. Paysage des monts des Géants.

Vue panoramique de Bogotá.

vice-royauté espagnole de la Nouvelle-Grenade, puis celle de l'éphémère Grande-Colombie, avant de devenir celle de l'État actuel. Difficilement reliée aux autres grandes vallées andines et au Pacifique, elle ne rayonne pas sur tout le pays, dont elle est cependant le centre politique, culturel et même économique (grâce au développement de l'industrie [la métallurgie de transformation s'ajoutant aux traditionnelles activités textiles et alimentaires]).

BOGOUTCHANY, localité de l'U. R. S. S. (R. S. F. S. de Russie), sur l'Angara. Centrale hydroélectrique en construction.

BOHAIN-EN-VERMANDOIS (02110), ch.-l. de cant. de l'Aisne, à 20 km au N.-E. de Saint-Quentin; 7 543 hab. Industries textiles et mécaniques.

BOHÊME, partie occidentale de la Tchécoslovaquie*. Avec la Moravie*, elle constitue la *République socialiste tchèque.*

GÉOGRAPHIE. Formée d'un pourtour de moyennes montagnes entourant une cuvette drainée par l'Elbe vers l'Allemagne du Nord, couvrant environ 60 000 km² (près de la moitié de la superficie totale du pays) et peuplée d'environ 6 millions d'habitants (plus des deux cinquièmes de la population tchécoslovaque), la Bohême est la région la plus riche de l'État; son importance tient à l'histoire, à la tradition manufacturière ancienne. Les plaines sont couvertes de cultures céréalières (blé) et industrielles (betterave à sucre, houblon), alors que les hauteurs sont le domaine de l'élevage. L'industrie est partiellement liée à l'agriculture (brasseries notamment); elle est fondée aussi sur l'exploitation du sous-sol (lignite) et englobe encore une active métallurgie de transformation, présente notamment à Prague et à Plzeň.

HISTOIRE. C'est au vᵉ s. qu'apparaissent les Slaves en Bohême, pays qui, pendant tout le IXᵉ s., participe à la splendeur de la Grande-Moravie, dont il constitue la marche occidentale. Après l'effondrement de la Moravie sous les coups des Hongrois, l'État tchèque en formation subit la pression germanique : le prince Václav Iᵉʳ (saint Venceslas) [de 921 à 929], de la dynastie des Přemyslides, doit payer tribut à l'empereur. Ses successeurs s'émancipent peu à peu de celui-ci, qui, en 1085, octroie à Vratislav II la dignité royale à titre viager; bientôt le duc-roi de Bohême est Électeur d'Empire. La royauté de Bohême devient héréditaire en 1197 avec Otakar Iᵉʳ Přemysl (de 1197 à 1230). Otakar II Přemysl (de 1253 à 1278), l'un des plus puissants souverains de son temps, étend ses frontières jusqu'à l'Adriatique, mais il est vaincu et tué. Aux Přemyslides succède en 1310 la dynastie de Luxembourg, représentée surtout par Charles IV (de 1346 à 1378), qui s'attache durablement la Lusace et la Silésie, et qui devient empereur en 1355 : sous son règne, la culture tchèque connaît son premier âge d'or. Mais, en attirant les Allemands en Bohême, l'empereur prépare la réaction nationale, qui, d'abord religieuse avec Jan Hus* († 1415), prend une allure politique violente, au point que l'influence germanique disparaît au moment où s'éteint la dynastie de Luxembourg.

C'est un seigneur hussite, Georges de Poděbrady, roi de 1458 à 1471, qui domine toute la période suivante; mais il est le dernier roi « national ». Le passage des Jagellons* sur le trône conjoint de Bohême et de Hongrie (1471-1526) prépare la voie aux Habsbourg* : Ferdinand Iᵉʳ de Habsbourg est proclamé roi de Bohême en 1526. L'insurrection de la noblesse, provoquée par l'intolérance de l'empereur Mathias, débute avec la défenestration de Prague (1618); mais les révoltés sont écrasés par Ferdinand II à la bataille de la Montagne-Blanche (1620), qui décide pour longtemps du sort de la Bohême, devenue une province des Habsbourg.

Le réveil national a lieu à partir de 1848; après les fédéralistes comme František Palacký (1798-1876), le parti Jeune-Tchèque, avec Tomáš Masaryk*, mène une lutte acharnée contre la monarchie austro-hongroise. C'est l'amorce de l'indépendance de la Bohême au sein de la Tchécoslovaquie* en 1918.

Bohème *(la),* opéra en deux actes, inspiré d'un texte de H. Murger, musique de G. Puccini (1896). La partition, qui se rattache au mouvement vériste, vaut par son orchestre scintillant et le personnage émouvant de Mimi. — L'année suivante, le compositeur R. Leoncavallo a traité le même sujet.

BOHÉMOND Iᵉʳ (1050?-Canossa 1111), prince d'Antioche (1098-1104), fils aîné de Robert Guiscard. Un des chefs de la première croisade en 1095, il s'empare de la ville d'Antioche (1098) et prend le titre de prince d'Antioche. Entré en lutte contre Alexis Iᵉʳ Comnène, il ne veut pas renoncer à sa principauté, qu'il confie à son neveu Tancrède (1104) avant son départ pour l'Europe. Il doit, finalement, se reconnaître vassal de l'empereur d'Orient.

BOHÉMOND IV et VI → ANTIOCHE *(principauté d')* et TRIPOLI *(comté de).*

BÖHM-BAWERK (Eugen VON), économiste autrichien (Brünn 1851-Vienne 1914), un des principaux représentants de l'école psychologique. On lui doit d'importantes contributions sur la valeur, le capital, l'intérêt et la notion de temps en économie. L'œuvre principale de Böhm-Bawerk, *Capital et intérêt* (1884-1889), présente une vision d'ensemble de la vie économique.

BOHOL, île des Philippines, au N. de Mindanao; 683 000 hab.

BOHR (Niels), physicien danois (Copenhague 1885-*id.* 1962). Appliquant à l'atome la théorie des quanta, il a établi la représentation électronique planétaire de l'atome de Rutherford* (1913). Ce modèle d'atome a permis l'interprétation de nombreux phénomènes. Bohr a proposé une théorie des transmutations nucléaires. Il a enfin énoncé le principe selon lequel ondes et corpuscules en mouvement sont les aspects *complémentaires* d'une même réalité. (Prix Nobel de physique, 1922.)

BOIARDO (Matteo Maria), poète italien (Scandiano, Modène, 1441 - Reggio 1494), auteur d'un roman de chevalerie inachevé, le *Roland* amoureux* (1476-1492), qui combine les thèmes de la geste carolingienne et du cycle breton.

BOIELDIEU (François Adrien), compositeur français (Rouen 1775 - Jarcy 1834). Après un séjour de huit ans en Russie, il se montre, à Paris, l'un des principaux défenseurs de l'opéra-comique *(les Voitures versées),* enseigne piano et composition au Conservatoire, et donne en 1825 *la Dame blanche,* l'une des plus populaires partitions romantiques du répertoire lyrique.

BOIGNY-SUR-BIONNE (45800 St Jean de Braye), comm. du Loiret, à 8 km au N.-E. d'Orléans; 1 596 hab. Électronique.

BOILEAU ou **BOILLESVE** (Étienne) [† Paris 1270], prévôt de Paris sous Saint Louis (1261). Avec lui, la charge de prévôt de Paris devient administrative. Boileau est l'auteur du *Livre des métiers* (1268), qui codifie les usages corporatifs parisiens.

BOILEAU (Nicolas), écrivain français (Paris 1636 - *id.* 1711). Frère d'un critique redouté, GILLES **Boileau** (1631-1669), il est introduit dans une société de libertins et de poètes, où il exprime son dédain pour la littérature romanesque et galante ainsi que son admiration pour Molière (*Satires**, 1666). Mais, remarqué par Mme de Montespan et nommé historiographe du roi, il abandonne la violence satirique pour le « discours moral » (*Épîtres,* 1669-1695) et la réflexion théorique (*l'Art* poétique,* 1674), qu'il illustre par son épopée parodique du *Lutrin* (1674-1683). Poète officiel, chef de parti dans la querelle des Anciens* et des Modernes, il se compose un personnage d'inventeur du classicisme*, mais retrouve sa verve polémique pour fustiger les modes littéraires (*Contre les femmes,* 1694) et s'engager dans les controverses du jansénisme (*l'Amour de Dieu,* 1698) : ce sursaut passionné lui vaut la disgrâce royale (il ne pourra publier son poème contre les Jésuites, *l'Équivoque*), mais explique qu'il ait su faire preuve de discernement et signaler les œuvres majeures du siècle (Molière et Racine) à ses contemporains.

BOILLY (Louis Léopold), peintre et graveur français (La Bassée 1761 - Paris 1845). Spécialisé dans le portrait et les scènes de la vie parisienne, il est un bon représentant de la peinture anecdotique et parfois moralisatrice de l'époque, avec des petits formats d'une technique lisse et brillante, inspirée du XVIIe s. hollandais. Son humour s'exprime dans les *Grimaces,* série de lithos de 1823.

BOIS. — Le bois a toujours été, et reste, la principale matière première utilisée par l'homme. Charpentes et planchers, meubles et ustensiles, sabots et pipes, bois de chauffage, boisement des galeries de mines et traverses de chemins de fer suffisent à évoquer l'extrême diversité de ses usages. Pour d'évidentes raisons, le bois est surtout tiré du tronc et des branches des grands arbres, bien que les racines et les moindres sous-arbrisseaux vivaces en contiennent également. Ce *bois secondaire* est d'ailleurs précédé, pendant la première année de vie des plantes, par un *bois primaire* purement microscopique. Dans les deux cas, le bois, ou *xylème,* ou *tissu ligneux,* est formé de trois sortes d'éléments : les cellules ligneuses, les fibres ligneuses et les vaisseaux du bois, qui assurent la conduction de la sève brute montant des racines. Ces éléments sont imprégnés ou recouverts d'une substance caractéristique, la *lignine* (que l'on retrouve cependant ailleurs : par exemple dans le *sclérenchyme* des noyaux). Dans les régions tempérées, le bois se forme seulement au printemps et en été, ajoutant un *cerne annuel* autour de ceux des années précédentes, ce qui permet de connaître l'âge d'un tronc coupé. La largeur de ces cernes variant selon le climat de l'année, toute une technique de datation des bois anciens, la dendrochronologie, repose sur l'étude de tels cernes.

Les bois des conifères sont généralement résineux, d'autres bois (styrax, hamamélis, etc.) sécrètent des baumes. Le bois central des arbres les plus âgés se durcit, perd son pouvoir conducteur et meurt (bois de cœur), alors que le bois jeune et vivant reste de teinte plus claire (aubier). Chaque essence produit un bois particulier, qualifié pour des usages spéciaux : le buis est dur, le balsa est léger, le teck ne rouille pas le fer, l'ébène est noir, le châtaignier ne pourrit pas (d'où son emploi pour certaines toitures), etc. Bref, l'espèce botanique, l'âge de l'arbre et la partie du sujet utilisée diversifient à l'extrême des produits qui portent tous le même nom : le « bois ».

La production mondiale de bois rond avoisine 2,5 milliards de mètres cubes, provenant, à parts presque égales, des feuillus (légèrement prépondérants) et des résineux. L'U. R. S. S. est le premier producteur mondial (près de 400 millions de mètres cubes), devant les États-Unis (350 millions), tous deux fournissant surtout des résineux, de même que le Canada, la Suède, c'est-à-dire les pays tempérés et froids. La production de feuillus est issue naturellement des États, plus chauds, de la zone tropicale : Brésil, Inde, Nigeria, etc. (V. AMEUBLEMENT, CHARPENTE, CONTRE-PLAQUÉ, EMBALLAGE, MENUISERIE, PANNEAU, PAPIER, PÂTE À PAPIER, PLACAGE, SÉCHAGE, TRAITEMENT.)

BOIS → INSTRUMENTS DE MUSIQUE.

BOIS AMÉLIORÉ. — Les bois améliorés sont réalisés à partir de placages* de hêtre de diverses épaisseurs séchés et imprégnés de résine phénol-formol. Les placages empilés sont mis sous presse chauffante (150 °C, de 100 à 300 bar). On obtient un bois très densifié (de 0,8 à 1,3 g/cm^3), présentant des résistances mécaniques très augmentées et une bonne isolation électrique. Ces bois coûteux ne sont utilisés que pour des fabrications spéciales dans diverses industries : électrique, mécanique, chimique, textile, etc.

BOISCHAUT → BERRY.

BOIS-COLOMBES (92270), ch.-l. de cant. des Hauts-de-Seine, à 5 km au N.-O. de Paris; 26 707 hab.

BOIS-DE-LA-CHAIZE, station balnéaire de l'île de Noirmoutier.

BOIS-D'OINGT (Le) [69620], ch.-l. de cant. du Rhône, à 17 km au S.-O. de Villefranche-sur-Saône; 1 353 hab.

BOISE, v. des États-Unis, capit. de l'Idaho; 75 000 hab.

BOIS-GUILLAUME (76230), comm. de la Seine-Maritime, dans la banlieue nord-est de Rouen; 9 594 hab.

BOISGUILLEBERT (Pierre LE PESANT, *sieur* DE), économiste français (Rouen 1646 - *id.* 1714), auteur d'un *Détail de la France* (1699) et du *Factum de la France* (1707), dans lesquels il analyse les causes et les remèdes à la misère de la nation. Il annonce les théories de la demande*, soulignant notamment l'insuffisance de la consommation* sous l'effet du système fiscal.

BOIS-LE-DUC, en néerl. **'s-Hertogenbosch,** v. des Pays-Bas, ch.-l. du Brabant-Septentrional, près de la Meuse; 85 000 hab. Magnifique cathédrale reconstruite au XVe s. Hôtel de ville du XVIe s. Pneumatiques. Brasserie.

BOIS-LE-ROI (77590), comm. de Seine-et-Marne, à 9 km au N. de Fontainebleau; 3 146 hab.

BOISMORTIER (Joseph BODIN DE), compositeur français (Thionville 1689 - Roissy-en-Brie 1755). Un style brillant, souvent élégiaque, lui a permis d'exceller en différents genres : opéra, cantate, musique de chambre. Boismortier s'est particulièrement distingué dans la littérature pour flûte.

BOIS-NOIRS (les), site du Massif central, entre les monts du Forez et de la Madeleine. Extraction et concentration du minerai d'uranium.

BOISROBERT (François LE MÉTEL, *seigneur* DE), poète français (Caen 1592 - Paris 1662). Il joua un rôle important dans la querelle du *Cid* et dans la création de l'Académie française.

BOISSY-SAINT-LÉGER (94470), ch.-l. de cant. du Val-de-Marne, à 14 km au S.-E. de Paris; 9 373 hab.

BOÎTE DE VITESSES. — Cet organe est constitué d'un certain nombre (trois en général) de paires de pignons en prise que l'on peut successivement faire intervenir pour harmoniser l'effort moteur à l'effort résistant des roues motrices. Il varie en fonction des conditions de roulement. Lorsque deux pignons sont en prise, si le nombre de dents portées par le pignon moteur est inférieur à celui du pignon mené, celui-ci tourne moins vite (démultiplication des vitesses), mais le couple qu'il peut transmettre est plus important (multiplication des couples); on peut donc toujours calculer le rapport des dents des deux pignons pour corriger la variation de l'effort résistant. La boîte de vitesses comporte l'utilisation de trois arbres : l'*arbre primaire,* solidaire du moteur*, transmet en permanence sa rotation à un *arbre intermédiaire,* qui porte trois pignons clavetés engrenant avec trois autres pignons montés sur l'*arbre secondaire,* lié à la transmission et placé dans le prolongement du primaire. Afin d'enclencher un rapport, il suffit, après avoir débrayé, de déplacer les baladeurs par l'entremise d'une fourchette commandée par un levier à main s'engageant dans une grille de sélection, pour que la paire de pignons choisie soit solidarisée avec l'arbre secondaire par crabotage. Cette opération est facilitée par l'emploi de baladeurs synchroniseurs, qui ne réalisent le crabotage que lorsque les vitesses des deux arbres sont égales. Lorsque le secondaire est relié directement au primaire, on réalise la *prise directe,* et l'arbre intermédiaire tourne à vide. La marche arrière est obtenue en interposant un pignon entre celui de l'arbre intermédiaire et celui que porte le secondaire. L'automatisation du fonctionnement du changement de vitesse a conduit à la conception d'un schéma type comportant un transformateur hydraulique de couple associé à une boîte d'engrenages planétaires à trois rapports commandée par circulation d'huile. Le transformateur hydraulique de couple est dérivé du coupleur* hydraulique,

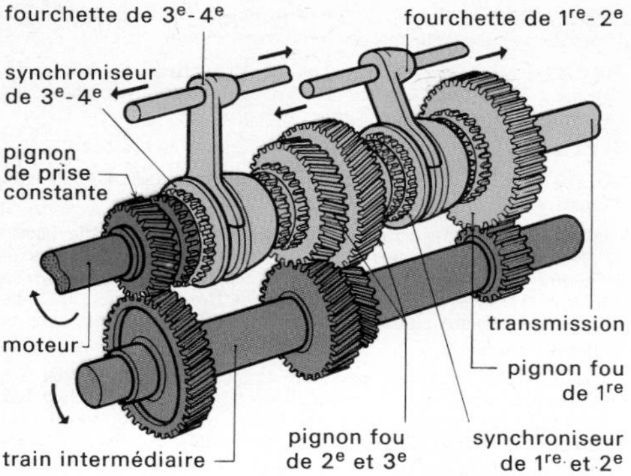

Changement de vitesse à pignons épicycloïdaux toujours en prise et sélectionnés par crabotage.

◁ BOÎTE DE VITESSES

Simón Bolívar. Estampe. (Bibliothèque nationale, Paris.)

Bibliothèque nationale

entre les deux turbines duquel on a inséré une roue à aubes, ou réacteur, solidaire de l'ensemble bâti-moteur et contrôlée par une roue libre. En déviant le courant d'huile envoyé par la turbine impulseur, ce réacteur développe sur la turbine réceptrice un couple maximal au moment du démarrage. Ce couple diminue progressivement jusqu'à l'annulation, où l'appareil fonctionne en coupleur. La boîte d'engrenages planétaires est constituée d'un pignon central ou planétaire, autour duquel peuvent rouler les pignons satellites, solidaires d'une couronne dentée extérieure. Les rapports sont obtenus en immobilisant un de ces éléments et en solidarisant les autres entre eux par de petits embrayages*. Un gros progrès vient d'être réalisé en utilisant un calculateur* électronique, qui a pour fonction de sélectionner et d'ordonner l'enclenchement des rapports de démultiplication en raison de la variation de la vitesse du véhicule et de la charge du moteur.

BOITO (Arrigo), écrivain et compositeur italien (Padoue 1842-Milan 1918). Journaliste, poète et homme de théâtre, il a fourni à Verdi les livrets d'*Otello* et de *Falstaff,* non sans s'être essayé lui-même à écrire des opéras *(Mefistofele).*

BOJER (Johan), écrivain norvégien (Orkanger 1872-Hvalstad 1959). Ses drames (*Une mère,* 1894) et ses romans naturalistes (*la Puissance du mensonge,* 1903) peignent la vie des paysans et des pêcheurs.

BOKARO, district houiller de l'Inde (Bihār), au N. de la Dāmodar. Aciérie.

BOKASSA (Jean BEDEL), homme d'État centrafricain (Bobangui 1921). Chef d'état-major de la Défense nationale, il prend le pouvoir en 1965 et concentre peu à peu entre ses mains tous les organes du gouvernement. En 1972, il est désigné comme président à vie; en 1976, il se proclame empereur. Il est couronné en 1977.

BOKÉ, v. de Guinée; 9500 hab. Bauxite.

BOKENRANEF → BOCCHORIS.

BOKSBURG, v. de l'Afrique du Sud (Transvaal), dans le Witwatersrand; 102000 hab.

BOL (Ferdinand), peintre et graveur néerlandais (Dordrecht 1616-Amsterdam 1680). Très proche de son maître Rembrandt, il fut surtout portraitiste.

BOLBEC (76210), ch.-l. de cant. de la Seine-Maritime, à 30 km à l'E.-N.-E. du Havre, dans le pays de Caux; 12772 hab. *(Bolbécais).* Textile.

BOLCHEVIK. — Au IIe Congrès du P.O.S.D.R. (parti ouvrier social-démocrate russe) de Bruxelles et de Londres (1903) s'affrontent deux tendances : l'une, majoritaire (les *bolcheviks*), soutient les thèses de Lénine* sur l'organisation d'un parti centralisé, composé de révolutionnaires professionnels; l'autre, minoritaire (les *mencheviks**), est favorable à un plus large recrutement. C'est le début d'une grande querelle qui ira s'amplifiant et ne prendra fin que lorsque les bolcheviks s'empareront du pouvoir en Russie lors de la révolution d'Octobre 1917.

Bolchoï *(théâtre),* « Grand Théâtre » de Moscou, construit en 1856 par Alberto Cavos.

BOLDINI (Giovanni), peintre italien (Ferrare 1842-Paris 1931). Portraitiste à Londres, puis à Paris (1882), il a laissé une œuvre pleine de brio, représentative de la société mondaine de son temps.

BOLDREWOOD (Thomas Alexander BROWNE, dit **Rolf**), écrivain australien (Londres 1826-Melbourne 1915), l'un des premiers romanciers nationaux de l'Australie (*Vol à main armée,* 1888).

Boléro, ballet en un acte, réglé par Bronislava Nijinska, sur la partition de Maurice Ravel, pour Ida Rubinstein, qui le créa à l'Opéra de Paris en 1928. Sur une basse obstinée, rythmique, confiée au tambour de basque, se déroule un thème de seize mesures qui se répète dix-huit fois dans un contexte orchestral constamment renouvelé. L'œuvre connut différentes versions, dont celle de Maurice Béjart, créée à Bruxelles en 1961.

BOLESLAS Ier, II, III → PIAST.

BOLGATANGA, v. du Ghāna septentrional; 93000 hab.

BOLIDE → MÉTÉORITE.

BOLINGBROKE (Henry SAINT JOHN, *vicomte*), homme d'État anglais (Battersea 1678-*id.* 1751). Tory, il entre dans le jeu jacobite. Premier ministre en 1714, il est obligé de fuir à l'arrivée des Hanovre (1715). Rentré en grâce (1723), il rajeunit le parti tory et combat la politique de Walpole.

BOLÍVAR (Simón), homme d'État sud-américain (Caracas 1783-Santa Marta, Colombie, 1830). Issu d'une riche famille, imbu des idées philosophiques françaises, il participe à l'insurrection anti-espagnole de 1810. Général en chef des insurgés, il devient le *Libertador* à qui sa victoire à Taguanes (1813) ouvre les portes de Caracas. Un retour en force des Espagnols l'oblige à fuir dans les Antilles (1815). Rentré en décembre 1816, Bolívar bat les unes après les autres les armées espagnoles et proclame pour la seconde fois l'indépendance vénézuélienne (1819). Ses victoires ultérieures, notamment celle de Boyacá (1819), et les victoires de Sucre (Ayacucho, 1824) lui permettent de songer à prendre la tête d'une vaste confédération, ou république, des États-Unis du Sud. Mais, accusé d'aspirer à l'empire, il doit abandonner le pouvoir en 1830, peu avant sa mort.

BOLIVIE, en esp. **Bolivia,** république de l'Amérique du Sud; 1098000 km^2; 5790000 hab. *(Boliviens).* Capit. constitutionnelle *Sucre;* siège du gouvernement *La Paz.*

GÉOGRAPHIE. Le pays comprend deux domaines naturels très différents. À l'O., il s'étend sur une partie des Andes. Dominés par les sommets des Andes centrales, les hauts plateaux s'étagent entre 3000 et 4000 m. Le climat y étant tempéré par l'altitude, ils regroupent l'essentiel de la population, en majorité indienne, et en particulier les principales villes (La Paz, Cochabamba, Oruro). L'Est correspond à un vaste ensemble de plaines. Sèches au S. (Chaco), elles deviennent humides vers le N. (Amazonie) et se couvrent de forêts denses. Ce milieu, moins favorable, n'a fait l'objet que d'un peuplement récent et ponctuel.

La Bolivie recèle d'importants gisements miniers (argent, plomb et surtout étain), qui assurent, avec le pétrole, l'essentiel des exportations. Mais l'agriculture reste primordiale. Dans les Andes, on pratique l'élevage et une maigre culture vivrière (blé, pommes de terre), tandis que, dans l'Est, le développement local de la culture du coton et de la canne à sucre s'ajoute aux ressources forestières (caoutchouc, bois). Malgré une balance commerciale excédentaire, la population a l'un des plus faibles niveaux de vie du continent.

HISTOIRE. Le pays, pendant l'époque coloniale espagnole, dépend du vice-royaume du Pérou et de l'audience de Charcas (rattachée au XVIIIe s. au vice-royaume de La Plata) : les Indiens forment la masse de la population et travaillent, dans de très dures conditions, dans les mines d'argent. L'indépendance, qui, proclamée le

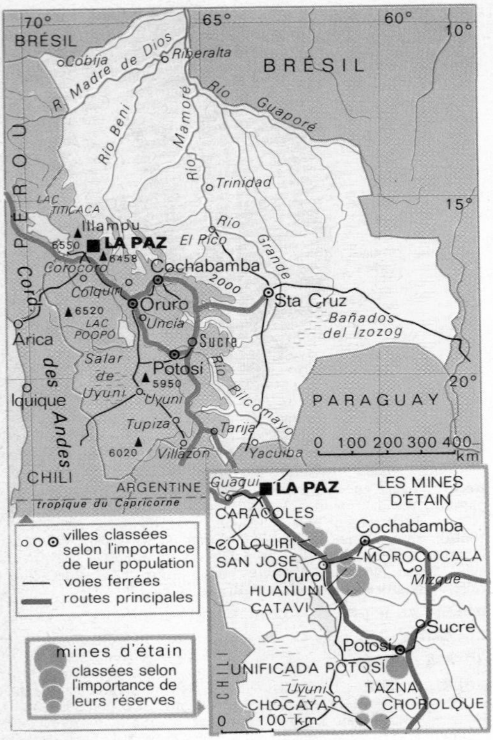

BOLIVIE

6 août 1825, fait du haut Pérou la République bolivienne, profite surtout aux *haciendas,* les Indiens étant maintenus dans un état de quasi-servitude (colonat). Cette situation explique le nombre important de jacqueries et de pronunciamientos jalonnant l'histoire de la Bolivie, pays dont l'isolement devient dramatique lorsque, à l'issue de la guerre du Pacifique (1879-1883), le Chili lui enlève toute façade maritime. Vaincue encore en 1935 par le Paraguay, au cours de l'atroce guerre du Chaco, la Bolivie connaît la misère endémique. Les gouvernements militaires qui se succèdent de 1936 à 1952 sont bien animés de préoccupations socialistes, mais ils se heurtent constamment à l'oligarchie minière, constituée notamment par la Compagnie Patiño, qui contrôle 60 p. 100 de la production d'étain en Bolivie. Víctor Paz Estenssoro, président de 1952 à 1964, nationalise les mines et amorce une réforme agraire, mais l'économie bolivienne, en faillite, doit recourir à l'aide américaine; d'où un virage politique à droite et le retour aux gouvernements militaires, eux-mêmes menacés par la guérilla, dont le chef le plus prestigieux est Che Guevara* († 1967). En 1971, Hugo Banzer Suárez devient président.

BÖLL (Heinrich), écrivain allemand (Cologne 1917). Une vision du monde qui tient à la fois de ses convictions catholiques et de l'influence des philosophies de l'absurde lui fait jeter un regard critique aussi bien sur l'Allemagne détruite de l'immédiat après-guerre (*Le train était à l'heure,* 1949; *Voyageur, si tu vas à Spa...,* 1950) que sur un pays redevenu prospère et tout entier préoccupé de jouissances matérielles (*Maison sans gardien,* 1954; *Portrait de groupe avec dame,* 1971; *l'Honneur perdu de Katharina Blum,* 1975). [Prix Nobel, 1972.]

BOLLANDISTES. — Cette société, dont les membres travaillent au recueil des *Vies des saints (Acta sanctorum),* a pris le nom de Jean Bolland, jésuite liégeois (1596-1665), qui, en 1630, fut chargé de reprendre et d'élargir l'œuvre hagiographique du P. Rosweyde. De nos jours, l'œuvre des bollandistes se poursuit avec des méthodes de critique scientifique sans cesse améliorées.

BOLLÉE, famille de constructeurs automobiles français. — AMÉDÉE (Le Mans 1844-Paris 1917) effectua avec une voiture à vapeur de son invention le trajet Le Mans-Paris (1873). — Ses fils LÉON (Le Mans 1870-Neuilly-sur-Seine 1913) et AMÉDÉE (Le Mans 1872-*id.* 1926) perfectionnèrent la technique de l'automobile par divers dispositifs (transmission, graissage, carburateur, etc.).

BOLLÈNE (84500), ch.-l. de cant. de Vaucluse, à 23 km au N. d'Orange; 11 520 hab. *(Bollénois).* Grande centrale hydraulique sur un canal de dérivation du Rhône. Métallurgie.

BOLLIGEN, v. de Suisse, au N.-E. de Berne; 26 121 hab.

BOLOGNE, v. d'Italie, capit. de l'Émilie-Romagne; 494 000 hab. Industries mécaniques, électriques et textiles.

HISTOIRE. De bourg étrusque *(Felsina),* Bologne passe à la dignité de colonie latine *(Bononia)* sous les Romains, puis de république et de centre universitaire (droit) à rayonnement mondial au Moyen Âge. Au XVe s., elle tombe au pouvoir de Bentivoglio et, en 1506, elle est intégrée aux États pontificaux. En 1860, elle est réunie au Piémont.

BEAUX-ARTS. Important ensemble de monuments du Moyen Âge et de la Renaissance : tours penchées de maisons nobles; palais communal, du podestat, della Mercanza, Bevilacqua, Pozzi (par Pellegrino Tibaldi [1527-1597], auj. université)...; églises, dont la basilique S. Petronio (XIVe-XVIe s., sculptures du portail par Iacopo della Quercia), S. Stefano (assemblage de petites églises de tradition romane lombarde), S. Domenico (XIIIe s., tombeau du saint commencé par Nicola Pisano). Fontaine de Neptune par Giambologna. Théâtre par Antonio Galli, dit Bibiena*. Musée civique (archéologie et œuvres d'art) et Pinacothèque, surtout consacrée aux peintres de l'école bolonaise du XIVe au XVIIe s. (les Carrache*, G. Reni*, le Dominiquin*, le Guerchin*, F. Albani*) et du XVIIIe s. (Giuseppe Maria Crespi, 1665-1747).

BOLOGNE (Jean) → GIAMBOLOGNA.

BOLOMÈTRE. — Le bolomètre comporte une lame noircie placée dans un pont de Wheatstone; il sert surtout pour l'étude des radiations infrarouges.

BOLSENA, lac d'Italie (Latium), au N. de Viterbe.

BOLTON, v. de Grande-Bretagne (Angleterre), au N.-O. de Manchester; 154 000 hab. Textile. Constructions mécaniques.

BOLTZMANN (Ludwig), physicien autrichien (Vienne 1844-Duino 1906). Il fut l'un des créateurs de la théorie cinétique des gaz et relia la notion d'entropie à celle de probabilité.

BOLYAI (János), mathématicien hongrois (Kolozsvár, auj. Cluj, 1802-Marosvásárhely, auj. Tîrgu-Mureş, 1860). Ses recherches ont porté sur la *vraie science de l'espace* (1823-1832). Dans sa géométrie*, les premières propositions des éléments d'Euclide* restent valables, mais, dans le plan, on peut mener par un point donné une infinité de droites non sécantes à une droite donnée.

BOLZANO, v. d'Italie, dans les Alpes (Trentin-Haut-Adige), ch.-l. de prov., sur l'Isarco; 106 000 hab. Aluminium.

BOLZANO (Bernhard), mathématicien et logicien tchèque (Prague 1781-*id.* 1848). Il est considéré comme un précurseur de Cantor* pour la théorie des ensembles* et l'un des pères de l'arithmétisation de l'analyse (*Paradoxien des Unendlichen,* 1851). En entreprenant la reconstruction des mathématiques sur la base d'un remaniement de la logique* (*Wissenschaftslehre,* 1837) il rend caduques les prétentions d'une philosophie kantienne des mathématiques et celles du psychologisme.

BOMA, v. du Zaïre, sur le Congo, près de son embouchure; 61 000 hab.

Erath-Explorer

BOMBARDEMENT (aviation de). — Après avoir joué un rôle déterminant dans la victoire alliée de 1945, qui vit l'emploi stratégique de flottes de plus de 1 000 bombardiers s'étirant sur 400 km, l'aviation de bombardement connut son apogée dans les années 1945-1960 en tant que vecteur exclusif de l'arme nucléaire stratégique. C'est l'époque du *Strategic Air Command* américain, arme par excellence de la dissuasion, dont les bombardiers passent du « B-36 » (1949) au « B-52 » (1956), puis au « B-58 » (Mach 2, 1960). Le début des années 60 marque l'apparition des premiers missiles stratégiques intercontinentaux, qui prennent la relève des bombardiers stratégiques, désormais réservés à l'attaque d'objectifs militaires précis. Ces perspectives ne sont que partiellement confirmées, puisqu'en 1975, aux États-Unis, en U. R. S. S. et en France, les bombardiers demeurent une des composantes des forces de dissuasion. Mais le bombardier connaît depuis 1970 une importante évolution, caractérisée par l'accroissement de l'autonomie due à la généralisation du ravitaillement en vol, à l'équipement en contre-mesures électroniques, à l'emploi d'avions à géométrie variable (« F-111 » et « B-1 » américains) et à l'armement en missiles air-sol, d'une portée de 50 à 500 km, pouvant être dotés d'ogives nucléaires. Le bombardement tactique sur zone de combat ou sur les arrières conserve toute sa valeur, notamment à basse altitude. On notera, enfin, qu'au Viêt-nam, où, de 1964 à 1973, les Américains ont fait le plus large emploi du bombardement aérien à des fins politiques, stratégiques ou tactiques, le procédé du bombardement dit *en tapis,* hérité des années 1944-45, a été repris : il consiste à arroser l'ensemble d'une zone avec un tapis de bombes régulièrement espacées. (V. AVIATION.)

BOMBAY, v. de l'Inde, capit. de l'État de Mahārāshtra; 5 971 000 hab. C'est la deuxième agglomération de l'Inde (derrière Calcutta), l'une des plus grandes d'Asie, née de la colonisation, dans une situation favorable, sur l'océan Indien, à un point relativement proche de l'Europe. L'essor commença avec la colonisation anglaise (1661), qui en fit un important centre commercial et aussi industriel (travail du coton). Aujourd'hui, Bombay demeure le premier port du pays (avec un trafic annuel de l'ordre de 20 Mt) et aussi une active ville industrielle (au textile se sont notamment ajoutées la métallurgie de transformation et la chimie), mais son développement économique ne suffit pas à assurer le plein-emploi d'une population en rapide accroissement (par excédent naturel et surtout par migration rurale).

BOMBE AÉRIENNE. — Les bombes à explosif classique employées par l'aviation n'ont guère varié depuis 1945 (leur poids allait de 10 kg à 10 t). Seule leur forme est devenue plus aérodynamique en vue de leur adaptation aux vitesses beaucoup plus grandes des avions lanceurs. À basse altitude, on a mis au point des bombes freinées par parachutes pour assurer une distance de sécurité suffisante avec l'avion. À partir de 1970, l'U. S. Air force a employé au Viêt-nam un procédé de guidage par laser ou par télévision de bombes équipées d'empennages mobiles pour pouvoir les manœuvrer. En dehors des bombes nucléaires stratégiques (v. ATOMIQUE [*bombe*]), la miniaturisation des bombes aériennes a fait de grands progrès. Depuis 1972, une bombe nucléaire tactique de 10 à 15 kt (« AN 52 ») arme les « Mirage III-E » et les « Jaguar » français. D'autre part, le bombardement aérien a été transformé par la mise au point de bombes à puissance variable en fonction de la nature des objectifs. Parmi elles, figure la bombe « Mark 28 » américaine, d'une puissance réglable entre 50 kt et 1 Mt.

BOMBYX

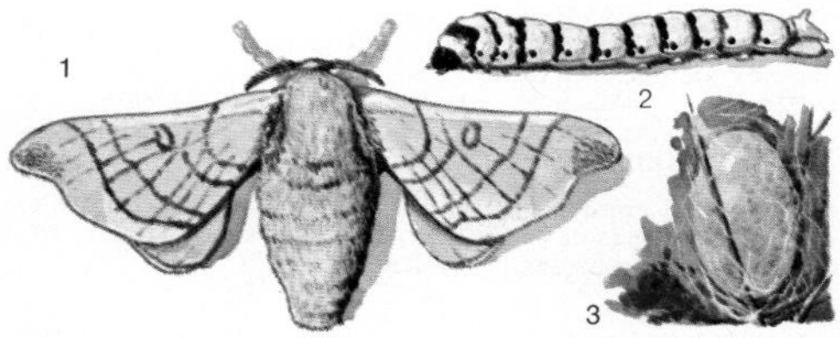

1. Bombyx du mûrier;
2. Ver à soie;
3. Cocon.

Bombay.
Immeubles modernes des quartiers sud-est, près de Nariman Road.

BOMBELLI (Raffaele), ingénieur et mathématicien italien (Borgo Panigale, près de Bologne, 1526-† 1572). Il travailla à l'assèchement du Val di Chiana, en Toscane, et introduisit en algèbre* les nombres complexes ou imaginaires.

BOMBE VOLCANIQUE → VOLCAN.

BOMBYX. — L'extension de ce nom de genre ne cesse de diminuer. On l'appliquait autrefois à de nombreux papillons de nuit que l'on répartit aujourd'hui entre plusieurs familles : bombycidés, liparidés, etc. Mais l'espèce qui fournit la soie* naturelle a conservé son nom scientifique de *Bombyx mori.* C'est en effet la feuille du mûrier qui constitue la nourriture exclusive de la chenille et qui permet à celle-ci d'atteindre, à la métamorphose, 2 000 fois son poids d'éclosion. Le papillon adulte n'est qu'un reproducteur, aux ailes médiocres, aux antennes rameuses, au ventre énorme, mais dont la trompe suceuse est bouchée et qui meurt sans jamais s'être alimenté.

BOMI HILLS, site d'importants gisements de fer du Liberia, au N. de Monrovia.

BOMVU, localité du Swaziland, près de Mbabane. Minerai de fer.

BON. — Cet ensemble de croyances et de pratiques de caractère chamaniste et démonologique est la religion du Tibet avant que s'y implante progressivement le bouddhisme tantrique (VIe-VIIIe s.). Aujourd'hui, le terme de « bon » désigne aussi une forme particulière du bouddhisme* tibétain.

BON *(cap),* péninsule et cap du nord-est de la Tunisie.

BONALD (Louis, *vicomte* DE), écrivain et philosophe français (château du Monna, près de Millau, 1754-*id.* 1840). D'abord favorable aux idées révolutionnaires, il s'exile après le vote de la Constitution civile du clergé (1791). Rentré en 1797, il reste à l'écart du régime impérial; sous la Restauration, il est député, ministre d'État, pair de France, mais il boude la monarchie de Juillet. Dans ses différents ouvrages, notamment la ***Théorie du pouvoir politique et religieux*** (1796), il soutient que la société politique et la société religieuse sont substantiellement liées, leur séparation ne pouvant provoquer qu'anarchie et barbarie.

BONAMPAK, v. précolombienne du Mexique (Chiapas). En 1946, des fresques du VIIe s. — représentant les épisodes d'une grande cérémonie religieuse avec attaque d'une tribu voisine — ont été découvertes dans cette cité maya* de l'ancien empire. L'ensemble est remarquable par la perfection du trait, le dynamisme et la richesse de la palette.

BONAPARTE, famille corse, dont le fondateur fut CHARLES MARIE **Bonaparte** (Ajaccio 1746-Montpellier 1785), qui, de son mariage avec MARIA LETIZIA **Ramolino** (Ajaccio 1750-Rome 1836), eut treize enfants, dont les huit qui suivent survécurent.

1. JOSEPH **Bonaparte** (Corte 1768-Florence 1844), premier prince du sang lors de la proclamation de l'Empire (1804), successivement roi de Naples (1806) et d'Espagne (1808), vécut en exil à partir de 1815 et laissa deux filles.
2. NAPOLÉON **Bonaparte** (Ajaccio 1769 - Sainte-Hélène 1821), empereur des Français sous le nom de NAPOLÉON* Ier, eut de son mariage avec Marie-Louise d'Autriche (1810) un fils, NAPOLÉON FRANÇOIS CHARLES JOSEPH (Paris 1811-Schönbrunn 1832), dit NAPOLÉON II* ou le *roi de Rome.*
3. LUCIEN **Bonaparte** (Ajaccio 1775-Viterbe 1840), prince **de Canino,** après avoir servi la cause de son frère Napoléon comme président des Cinq-Cents au 18-Brumaire et ministre de l'Intérieur sous le Consulat, se brouilla avec lui. De son second mariage, il eut neuf enfants, dont PIERRE **Bonaparte** (Rome 1815-Versailles 1881), qui, le 10 janvier 1870, abattit le journaliste Victor Noir, provoquant ainsi une violente campagne antibonapartiste.
4. ÉLISA **Bonaparte** (Ajaccio 1777-Trieste 1820) épousa Félix Baciocchi (1797), avec qui elle régna sur les principautés de Lucques et de Piombino (1805), puis, comme grande-duchesse, sur la Toscane (1809-1814).
5. LOUIS **Bonaparte** (Ajaccio 1778-Livourne 1846), connétable d'Empire (1804), puis roi de Hollande (1806-1810), épousa Hortense de Beauharnais* et fut le père de Napoléon III*.
6. PAULINE **Bonaparte** (Ajaccio 1780-Florence 1825), épouse (1803) de Camille Borghèse, qui fut fait prince-duc de Guastalla en 1806, était célèbre pour sa beauté et sa frivolité.

7. CAROLINE **Bonaparte** (Ajaccio 1782 - Florence 1839) épousa (1800) le général Murat*, avec qui elle régna sur le grand-duché de Clèves et de Berg (1806), puis sur le royaume de Naples (1808-1814).
8. JÉRÔME **Bonaparte** (Ajaccio 1784 - Villegenio 1860), roi de Westphalie (1807-1813), maréchal de France (1850), eut de son mariage avec Catherine de Wurtemberg trois enfants, dont MATHILDE **Bonaparte** (Trieste 1820 - Paris 1904), qui tint à Paris un salon célèbre, et NAPOLÉON **Bonaparte**, dit *le Prince Jérôme* (Trieste 1822 - Rome 1891), dont les idées avancées l'opposèrent à la politique de son cousin Napoléon* III; époux (1859) de Marie-Clotilde de Savoie, fille de Victor-Emmanuel II, il fut le père du prince VICTOR **Bonaparte** (Meudon 1862 - Bruxelles 1926), dont le fils, LOUIS NAPOLÉON **Bonaparte** (né à Bruxelles en 1914), est le chef actuel de la dynastie des Bonaparte.

BONAVENTURE *(saint)*, théologien (Bagnorea, Toscane, 1221 - Lyon 1274). Nommé ministre général des Franciscains en 1257, il s'efforce d'harmoniser les clivages qui se sont produits dans son ordre. Grégoire X le nomme évêque-cardinal d'Albano en 1273. Très influencé par la théologie d'Augustin*, le « docteur séraphique » compose en 1259 un *Itinéraire de l'esprit vers Dieu*, où il distingue six degrés entre l'âme et Dieu, et où il réaffirme la preuve ontologique* d'Anselme*.

BONCHAMPS (Charles, *marquis* DE) → VENDÉE *(guerre de)*.

BONCOURT, comm. de Suisse (Berne), près de la frontière française; 1528 hab. Tabac.

BONDUES (59910), comm. du Nord, à 5 km à l'O.-S.-O. de Tourcoing; 6813 hab.

BON DU TRÉSOR → TRÉSOR.

BONDY (93140), ch.-l. de cant. de la Seine-Saint-Denis, à 6 km au N.-E. de Paris, sur le canal de l'Ourcq; 48385 hab. Son ancienne forêt passait pour être un repaire de brigands.

BÔNE → ANNABA.

BONGO (Albert Bernard), homme politique gabonais (Lewai 1935). Président de la République gabonaise en 1967, réélu en 1973, il applique au Gabon une politique dite « de rénovation nationale ».

BONHOEFFER (Dietrich), théologien protestant allemand (Breslau 1906 - camp de Flossenbürg 1945). Il combat par sa parole et ses écrits l'idéologie nationale-socialiste, et, pour avoir conspiré contre Hitler, il est exécuté par pendaison. Sa pensée, marquée par le tragique de la période hitlérienne, tend vers un christianisme « majeur », dégagé des formules dogmatiques ou apologétiques et assumant pleinement la réalité de l'existence, au cœur de laquelle Dieu est présent et dans laquelle il se révèle.

BONHOMME *(col du)*, col de la Haute-Savoie (alt. 2329 m), reliant les vallées de l'Arve et de l'Isère. — Col des Vosges (alt. 949 m), entre Saint-Dié et Colmar.

BONIFACE *(saint)*, apôtre de la Germanie, archevêque de Mayence (près d'Exeter v. 675 - région de la Frise 754 ou 755). Moine anglais, principal artisan de la conversion des Germains, il entreprend, à la demande de Pépin* le Bref, la réforme du clergé de la Gaule. Au cours d'un voyage missionnaire dans la Frise, il meurt assassiné par les païens.

BONIFACE Ier, II, III, IV, V, VI, VII → PAPE.

BONIFACE VIII (Benedetto CAETANI) [Anagni 1235 ? - Rome 1303], pape de 1294 à 1303. Il ne peut rétablir la paix ni entre les guelfes et les gibelins ni entre la France et l'Angleterre. Une bonne partie de son pontificat est occupée par le conflit qui l'oppose dès 1294 à Philippe* le Bel, qui prétend faire contribuer les clercs aux dépenses publiques. Défenseur, face au roi de France, des immunités cléricales, Boniface VIII profite du jubilé de l'an 1300 pour proclamer officiellement la supériorité du pape sur les souverains. En 1303, il excommunie Philippe le Bel, qui, par ses manœuvres, tente de le déconsidérer. Le roi, conseillé par Nogaret, organise alors contre le pontife une expédition. Brutalisé par les Colonna à Anagni (sept. 1303), Boniface VIII ne survit que quelques semaines à cet outrage.

BONIFACE IX → PAPE.

BONIFACIO (20169), ch.-l. de cant. de la Corse-du-Sud, près de l'extrémité sud de l'île; 3015 hab. Centre touristique. Haute ville à ruelles étroites et à passages voûtés (citadelle, églises médiévales).

BONIFACIO *(détroit* ou *bouches de)*, détroit de la Méditerranée, large de 10 km, séparant la Corse et la Sardaigne.

BONIFICATION. — Les bonifications sont d'origine ancienne. Les premières réalisations dans la péninsule italienne ont été le fait des Étrusques, des Romains et, au Moyen Âge, des ordres monastiques. Aux XVe et XVIe s., Venise commence à bonifier le delta du Pô, et les travaux sont complétés au cours des siècles suivants. Cependant, l'essor des bonifications date du régime de Mussolini : aux bonifications hydrauliques s'ajoutent alors les bonifications intégrales, réalisées surtout dans les marais Pontins. Après la Seconde Guerre mondiale, les régions bonifiées sont de plus en plus nombreuses : le delta du Pô, la Maremme toscane, l'ancien lac Fucin, la région du Garigliano, celle du Volturno et celle du Sele, la Pouille, la Molise, la Sila, la Sicile et la Sardaigne.

BONIN, archipel japonais du Pacifique, à l'E. de Kyūshū. À l'E. de l'archipel, la *fosse des Bonin* a plus de 11000 m de profondeur.

BONINGTON (Richard Parkes), peintre anglais (Arnold, près de Nottingham, 1802 - Londres 1828). Sa famille s'étant installée à Paris (1818), il est élève de Gros à l'École des beaux-arts. Il voyage beaucoup — en France, en Angleterre avec Delacroix, en Italie (Venise) —, exécutant toiles, aquarelles et lithographies qui se partagent entre sujets romantiques et paysages, ceux-ci d'une frémissante qualité atmosphérique.

BONIVARD (François DE), patriote genevois (Seyssel 1493 - Genève 1570). Immortalisé par Byron dans son poème du *Prisonnier de Chillon*, il écrivit des *Chroniques de Genève*, publiées en 1831.

BONN, capit. de l'Allemagne fédérale, en Rhénanie-du-Nord-Westphalie, sur le Rhin; 279000 hab. Université.

BONNARD (Pierre), peintre français (Fontenay-aux-Roses 1867 - Le Cannet 1947). L'un des nabis*, influencé par l'estampe japonaise, il se lance dans une transposition du visible fondée sur la vivacité du trait, les libertés de perspective et de cadrage, la subtilité du coloris. Son affiche lithographique *France-Champagne* paraît en 1890, et celle de *la Revue blanche* en 1894. Bonnard expose chez Durand-Ruel et dans les Salons, professe à l'académie Ranson dès sa fondation (1906). Il peint des scènes de rue et d'intérieur, des paysages, des nus d'après sa femme, Marthe, et illustre en dessinateur-lithographe aigu Jarry, Verlaine, Jules Renard. Son coloris, très personnel, aux contrastes de tons froids et chauds, aux luminescences d'accords acides qu'amortissent des blancs floconneux, devient de plus en plus solaire vers 1935, époque de la tardive célébrité de l'artiste, qui aura une foule d'indignes plagiaires.

BONNAT (23220), ch.-l. de cant. de la Creuse, à 21 km au N. de Guéret; 1340 hab.

Bonne Âme de Se-Tchouan *(la)*, pièce de Bertolt Brecht (écrite en 1939, créée en 1943). Pour préserver l'avenir de son enfant dans un monde hostile, une femme désemparée s'invente un cousin inflexible et prend le masque de la dureté et du cynisme.

BONNE-ESPÉRANCE *(cap de)*, anc. **cap des Tempêtes,** cap de l'Afrique du Sud, sur l'océan Atlantique, au S. de la ville du Cap. Découvert par Bartolomeu Dias en 1487, il fut doublé par Vasco de Gama en 1497.

BONNEFOY (Yves), poète français (Tours 1923). Ses essais (*l'Improbable,* 1959; *Un rêve fait à Mantoue,* 1967) et sa critique d'art (*les Tombeaux de Ravenne,* 1953) constituent des jalons sur un itinéraire spirituel qui est prise de conscience et acceptation de l'incertitude fondamentale de la destinée humaine (*Du mouvement et de l'immobilité de Douve,* 1953; *Hier régnant désert,* 1958; *Pierre écrite,* 1959; *Dans le leurre du seuil,* 1975; *Rue Traversière,* 1977).

Bonnes *(les)*, pièce de Jean Genet (1946). Deux servantes « jouent » le monde de « Madame », mais elles échouent aussi bien dans l'imitation que dans la révolte.

BONNET (Charles), philosophe et naturaliste suisse (Genève 1720 - *id.* 1793). Sa principale découverte est celle de la parthénogenèse naturelle des pucerons, qui fut le premier exemple scientifiquement établi de ce mode de reproduction. En philosophie, il fut disciple de Condillac.

BONNÉTABLE (72110), ch.-l. de cant. de la Sarthe, à 28 km au N.-E. du Mans; 3922 hab. Château du XVe s. Église du XVIIe s.

BONNETERIE. — La bonneterie est l'art d'entrelacer des fils sous forme de boucles, ou mailles, pour réaliser une étoffe, ou tricot. On distingue deux catégories d'articles : les *tricots trame,* ou tricots à mailles cueillies, et les *tricots chaîne,* ou tricots à mailles jetées. La première catégorie comprend tous les articles dans lesquels un seul fil est entrelacé sur lui-même. La disposition générale du fil est analogue à celle de la trame d'une étoffe tissée : d'où le terme de « tricot trame ». De tels articles, extensibles en tous sens, se démaillent très facilement, puisqu'il suffit de tirer sur le fil qui les constitue pour défaire le tricot. La seconde catégorie comprend les articles dans lesquels plusieurs fils de chaîne parallèles sont entrelacés latéralement. La disposition générale des fils est analogue à la chaîne d'une étoffe tissée : d'où le terme de « tricot chaîne ». Ces articles se défont très difficilement et, de ce fait, sont souvent désignés sous le nom d'*indémaillables.* Pour la formation de la maille, tant en tricotage trame qu'en tricotage chaîne, les machines à tricoter sont équipées de différentes aiguilles, dont les plus courantes sont les aiguilles à bec et les aiguilles à clapet;

ces dernières sont également dénommées « aiguilles à palette », « aiguilles automatiques » ou « aiguilles self-acting ». L'*aiguille à bec* comprend une tige, un talon et un bec. La formation de la maille nécessite la fermeture et l'ouverture du bec, qui est donc flexible, la fermeture étant assurée par un organe dénommé *presse,* qui appuie dessus au moment propice, et l'ouverture par effet ressort dès que l'action de la presse est supprimée. Ce type d'aiguille est en général monté d'une manière fixe, soit dans les trous d'une barre à aiguilles (métier Cotton) ou d'une couronne d'aiguilles (métier à mailleuses), soit dans les plombs fixés sur une barre à aiguilles (métier chaîne). L'*aiguille à clapet* comprend une tige, un talon, un bec (celui-ci peut être fermé par un clapet fixé dans la tige et tournant autour de son axe de fixation). On utilise les aiguilles à clapet sur les métiers à tricoter rectilignes et circulaires, où elles coulissent indépendamment les unes des autres dans les rainures d'une plaque métallique appelée *fonture.* En pratique, les tricoteuses rectilignes comportent deux fontures semblables, placées en regard l'une de l'autre, ce qui permet, par une commande des aiguilles des deux fontures, d'obtenir des tricots variés, depuis le

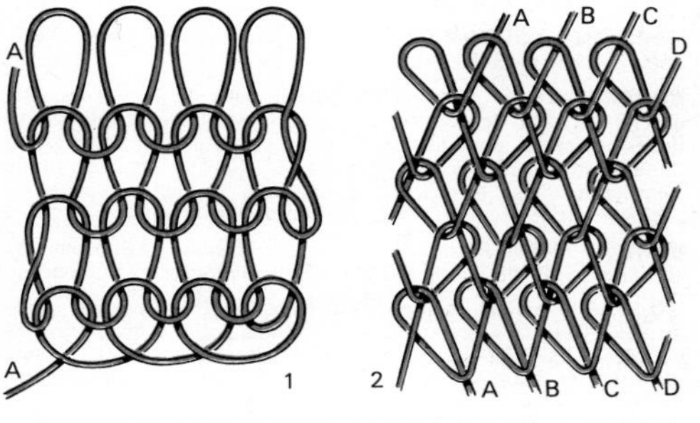

Bonneterie. 1. Tricot trame ou tricot à mailles cueillies.
2. Tricot chaîne ou tricot à mailles jetées.

jersey simple jusqu'aux tricots à côtes fantaisie. Des dispositifs de présélection permettent d'obtenir des dessins variés. Sur métier Rachel, ce type d'aiguille est monté d'une manière fixe sur une barre à aiguilles. Le nombre d'aiguilles par unité de longueur s'appelle la *jauge;* la jauge la plus utilisée est la jauge anglaise (nombre d'aiguilles dans 25,4 mm). La *bonneterie trame* groupe un certain nombre de matériels permettant de réaliser sur métier rectiligne des pièces de tricot dont les lisières sont bien formées et des pièces de jersey tubulaires, sur métier type « Cotton » des articles proportionnés ou « fully-fashioned », sur métier circulaire de grand diamètre du tricot en pièce tubulaire ou bien des panneaux de tricot à bord-côte tenant, destinés à la confection d'articles coupés-cousus, et sur métier circulaire de petit diamètre des articles chaussants. La *bonneterie chaîne* produit essentiellement des pièces de tricot destinées à la confection. Il faut distinguer d'une part les tricots réalisés sur métier chaîne, qui sont relativement fins et qui sont utilisés en lingerie, en chemiserie et en ameublement, tels les rideaux, et d'autre part les tricots réalisés sur métier Rachel, qui sont soit des articles lourds, soit des articles tels que les dentelles, les tapis, les tricots peluches, certains articles tubulaires (bas et collants). Avant tricotage, la bonneterie chaîne nécessite la disposition de tous les fils en une chaîne de fils parallèles mise sur une ensouple. L'ensouple alimente le métier, qui comprend des passettes guide-fils amenant chaque fil à proximité d'une aiguille à bec. Les déplacements imprimés à la fonture portant les aiguilles et aux barres supportant les passettes permettent d'obtenir la formation de mailles qui s'entrecroisent dans le sens longitudinal. Les tricots réalisés en pièces peuvent être obtenus à partir de fils écrus ou de fils teints. Selon les cas, ils subiront tout ou partie des opérations suivantes : lavage, blanchiment, teinture, pressage, pliage. Les articles chaussants subiront le formage et le fixage. Enfin, les usines de bonneterie possèdent souvent un atelier de confection. Les pièces de tricot sont coupées selon un tracé déterminé par la forme de l'article à confectionner. Les diverses pièces constituant l'article sont assemblées à l'aide de machines à coudre spéciales dites *surjeteuses.*

L'extension de la bonneterie dans l'habillement féminin et — plus récemment — dans le vestiaire masculin est liée au progrès des fibres synthétiques. Les élastomères (Helanca, Banlon, Lycra) sont à l'origine de sous-vêtements assimilables, par leur souplesse et leur finesse, à une seconde peau : il y a loin du corset baleiné à la gaine en Lycra. Un style de vie, de plus en plus orienté vers la détente et le confort, a incité stylistes (Kenzo, K. Lagerfeld, Sonia Rykiel, etc.) et couturiers (A. Courrèges, Ted Lapidus, P. Cardin) à s'intéresser à la maille. Le « coupé-cousu » offre une grande souplesse dans le choix des formes, et les textures sont d'aspect très varié : rustique, soyeux ou velouté. A l'instigation des jeunes, une osmose s'opère entre vêtements de dessus et de dessous.

Localisée dans les régions de Roanne et de Troyes, l'industrie française de la bonneterie évolue vers la concentration : près de 600 entreprises ont disparu de 1962 à 1972. La distribution des sous-vêtements a été bouleversée depuis que leur élasticité nouvelle, en supprimant l'opération du « formage », permet de les présenter « en vrac », conditionnés sous un volume réduit.

BONNEUIL-SUR-MARNE (94380), comm. du Val-de-Marne, à 10 km au S.-E. de Paris, sur la rive gauche de la Marne; 16 308 hab. Port fluvial.

BONNEVAL (28800), ch.-l. de cant. d'Eure-et-Loir, à 14 km au N.-E. de Châteaudun, sur le Loir; 4 892 hab. Restes d'une abbaye (XIIe-XVIIIe s.). Église et pont du XIIIe s.

BONNEVAL-SUR-ARC (73480 Lanslebourg Mont Cenis), comm. de la Savoie, à 14 km au S. du col de l'Iseran; 149 hab. Sports d'hiver (alt. 1 800-2 500 m).

BONNEVILLE (74130), ch.-l. d'arr. de la Haute-Savoie, à 21 km au S.-E. d'Annemasse, sur l'Arve; 8 087 hab.

BONNIÈRES-SUR-SEINE (78270), ch.-l. de cant. des Yvelines, à 13 km à l'O.-N.-O. de Mantes-la-Jolie, sur la rive gauche de la Seine; 3 345 hab. Sidérurgie. Constructions mécaniques.

BONNIEUX (84480), ch.-l. de cant. de Vaucluse, à 12 km au S.-O. d'Apt; 1 360 hab. Remparts. Église des XIIe et XVe s.

BONO (56400 Auray), comm. du Morbihan, à 6 km au S.-E. d'Auray, sur le *Bono;* 1 561 hab. Ostréiculture.

BONONCINI (Giovanni Battista), compositeur italien (Modène 1670 - Vienne 1747). Violoncelliste, compositeur de la cour impériale de Vienne, il se rendit célèbre par les opéras qu'il fit jouer à Londres, où il devint le rival de Händel.

BONSTETTEN (Charles Victor DE), écrivain suisse (Berne 1745 - Genève 1832). Il a laissé en allemand, puis en français des études sur la psychologie des peuples européens (*l'Homme du Midi et l'Homme du Nord,* 1824).

BONTEMPS (Pierre), sculpteur français de l'école de Fontainebleau (v. 1506 - v. 1570). Il collabora au tombeau de François Ier à Saint-Denis (statues et 54 bas-reliefs de la campagne d'Italie), sculpta le monument du cœur de ce roi *(ibid.)* et la statue couchée de Charles de Maigny (1557, Louvre), vigoureuse mais gauche.

BOOLE (George), logicien et mathématicien britannique (Lincoln 1815 - Ballintemple, près de Cork, 1864). Après s'être consacré au calcul des variations, aux vecteurs et aux quaternions, il utilisa l'analyse mathématique dans les domaines de la logique* et des probabilités*. En 1847, il adopta une conception abstraite de l'algèbre*, indépendante des notions de nombre et de grandeur, qui fit de lui un des pionniers de la logique* mathématique (v. *Logique formelle*).

BOOM, comm. de Belgique (prov. d'Anvers), au S. d'Anvers, sur le Rupel; 15 543 hab. (en 1977).

BOOS (76520), ch.-l. de cant. de la Seine-Maritime, à 10 km au S.-E. de Rouen, dans le pays de Caux; 1 012 hab. Aérodrome.

BOOTH (William), prédicateur évangélique anglais (Nottingham 1829 - Londres 1912). Il fonda en 1865 la Mission chrétienne, qui devint en 1878 l'*Armée du salut**, dont il fut le premier général.

BOOTHIA, péninsule du nord du Canada (Territoires du Nord-Ouest), bordée à l'E. par le *golfe de Boothia.*

BOOTLE, v. de Grande-Bretagne (Angleterre), dans la banlieue nord de Liverpool; 83 000 hab.

BOOZ → RUTH.

BOPHUTHATSWANA, État bantou de l'Afrique du Sud, dans le sud-ouest du Transvaal, près du *Botswana.*

BOPP (Franz), linguiste allemand (Mayence 1791 - Berlin 1867). Professeur de philologie et de sanskrit à l'université de Berlin, il est un des principaux fondateurs de la grammaire comparée*. Dans *le Système de conjugaison du sanskrit comparé avec celui des langues grecque, latine, persane et germanique* (1816), il démontre la parenté génétique de ces langues et en déduit les principes généraux de leur formation. Sa monumentale *Grammaire comparée des langues indo-européennes* (1833-1852), traduite en français par M. Bréal, exerça une profonde influence.

BOR, v. de Yougoslavie (Serbie), au S.-E. de Belgrade; 15 000 hab. Mines et fonderie de cuivre.

BORA BORA, île volcanique de la Polynésie française, au N.-O. de Tahiti.

BORÅS, v. de Suède, à l'E. de Göteborg; 72 000 hab. Textile.

BORCHERT (Wolfgang), écrivain allemand (Hambourg 1921 - Bâle

B. Beaujard

Bordeaux. Vue générale des quartiers du port et du centre de la ville. Au premier plan, la place de la Bourse (XVIIIe s.).

1947). Son drame *Devant la porte* (1947) exprima l'angoisse de la jeunesse devant la ruine matérielle et spirituelle de son pays.

BORDA (Charles DE), mathématicien et marin français (Dax 1733-Paris 1799). Avec Méchain* et Delambre*, il fut chargé de la détermination de la longueur d'un arc du méridien pour l'établissement du système métrique. Le premier, il utilisa le pendule* pour la mesure de l'intensité de la pesanteur*.

BORDABERRY (Juan María), homme politique uruguayen (Montevideo 1928). Président de la République uruguayenne (1972), il fait voter l'état de guerre interne et gouverne sous la pression des militaires, qui le destituent en juin 1976.

BORDEAUX, capit. de la Région Aquitaine et ch.-l. du départ. de la Gironde, à 562 km au S.-O. de Paris et à 250 km au N.-O. de Toulouse; 226 281 hab. *(Bordelais).*

GÉOGRAPHIE. Née sur la rive gauche de la Garonne (à 25 km en amont de la tête de l'estuaire de la Gironde et à 100 km de la mer), Bordeaux est le noyau d'une agglomération de plus de 600 000 habitants. Avec ses annexes en aval (Ambès, Pauillac et Le Verdon), le port a un trafic annuel de l'ordre de 15 Mt, le situant au 5e ou 6e rang en France. Le pétrole (destiné aux raffineries de l'estuaire) devance aux entrées les produits tropicaux et explique la nette prépondérance des importations sur les exportations (pétrole raffiné, céréales). L'activité industrielle est partiellement liée au trafic du port (alimentation, chimie), mais aussi à la présence d'un notable marché de consommation (textile, travail du cuir), cependant que s'est développée la métallurgie de transformation. Enfin, Bordeaux demeure traditionnellement un important centre commercial (notamment pour les vins du Bordelais*), administratif et universitaire. Métropole économique (avec Toulouse) du Sud-Ouest, Bordeaux a longtemps souffert d'une situation excentrée, qui freina notamment le développement de l'industrie, trop longtemps et largement tributaire d'un port aujourd'hui handicapé par son éloignement de la mer et aussi par l'absence de véritable arrière-pays.

HISTOIRE. Érigée en *civitas,* Bordeaux *(Burdigala)* devient l'une des quatorze cités de l'*Aquitaine Seconde* (28 av. J.-C.), dont elle est la capitale économique. Dévastée par les invasions, la ville est, sous Charlemagne, la capitale du royaume d'Aquitaine (778); métropole du duché d'Aquitaine, elle passe sous le contrôle anglais en 1154 et devient, pour trois siècles, le grand port d'exportation des vins gascons vers l'Espagne et surtout vers l'Angleterre. Une oligarchie de négociants dirige alors Bordeaux, qui n'accepte que de très mauvais gré le retour des Français (1453), encore que les Valois lui laissent ses privilèges marchands, privilèges qui sont abolis en 1653 par Mazarin, Bordeaux ayant participé à la Fronde. Ruinés, la ville et le port renaissent à la prospérité au XVIIIe s., devenant notamment le point de départ du négoce avec les Antilles (traite des Noirs) et se couvrant de beaux monuments. Chef-lieu du département de la Gironde (1790), Bordeaux souffre beaucoup de la Terreur jacobine puis du Blocus continental, avant de bénéficier, après 1840, d'un nouvel essor.

BEAUX-ARTS. Vestiges des arènes romaines («palais Gallien»). Monuments du Moyen Âge : collégiale Saint-Seurin (XIIe s., crypte du XIe), anc. abbatiale Sainte-Croix (XIIe-XIIIe s.), église Saint-Michel (XIVe-XVe s.), avec haut clocher isolé, cathédrale Saint-André (XIIe-XIVe s., portail sculpté du XIIIe), tour Pey-Berland (1440), portes fortifiées. Églises du XVIIe s. : Saint-Bruno (1611, riche décor intérieur), Saint-Paul et Notre-Dame. Bel ensemble monumental du XVIIIe s. : place de la Bourse par les Gabriel, quais de la Garonne, places de Tourny, Gambetta et de la Comédie (Grand-Théâtre par V. Louis, chef-d'œuvre du style Louis XVI), hôtel de ville (anc. archevêché). Importants musées.

Bordeaux *(assemblée de)* → ASSEMBLÉE NATIONALE (1871).

BORDELAIS, région géographique du départ. de la Gironde, autour de Bordeaux, occupant essentiellement la vallée de la Garonne en aval de La Réole et la rive gauche de l'estuaire de la Gironde. C'est surtout un important secteur viticole, englobant notamment le Médoc (aux crus les plus réputés) et les Graves (au N.-O. et à l'O.), l'Entre-Deux-Mers (entre les cours inférieurs de la Garonne et de la Dordogne), le Saint-Émilionnais et le Blayais (au N. de la basse Dordogne).

BORDÈRES-LOURON (65590), ch.-l. de cant. des Hautes-Pyrénées, à 4 km au S.-E. d'Arreau; 132 hab.

BORDERLINE. — La structure pathologique de la personnalité, que l'on qualifie de «borderline», juxtapose des éléments névrotiques et des éléments psychotiques, et constitue une organisation de défense du sujet contre la psychose*. Cependant, le terme de «borderline» est bien souvent imprécis, et met en cause le problème de la frontière entre psychose et névrose*.

BORDES (64320 Bizanos), comm. des Pyrénées-Atlantiques, à 10 km au S.-E. de Pau; 1 563 hab. Constructions aéronautiques.

BORDES (Charles), compositeur français (Rochecorbon 1863-Toulon 1909). Il a ressuscité le répertoire polyphonique avec les Chanteurs de Saint-Gervais, collaboré à la naissance de la Schola cantorum et fait œuvre de spécialiste du folklore basque, en marge de ses mélodies et de ses pages symphoniques.

BORDET (Jules), médecin et microbiologiste belge (Soignies 1870-Bruxelles 1961) qui a découvert la réaction de déviation du complément (v. SYPHILIS), le microbe de la diphtérie aviaire et celui de la coqueluche (avec Gengou). [Prix Nobel, 1919.]

Bordet-Wassermann *(réaction de)* → SYPHILIS.

BORDEU (Théophile DE), médecin français (Izeste, Béarn, 1722-Paris 1776), ami de Diderot et de d'Alembert, avec qui il collabora à l'*Encyclopédie.* Il étudia les eaux minérales du Béarn et publia un ouvrage sur les glandes, en 1752.

BORDIGA (Amadeo), homme politique italien (Resina 1889-Naples 1970). En 1921, au Congrès de Livourne, lors de la scission intervenue au sein du parti socialiste italien, il est l'un des fondateurs du parti communiste italien. Mais, en 1929, il est exclu du parti en raison de ses opinions anarcho-syndicalistes.

BORDIGHERA, v. d'Italie (Ligurie), sur la Riviera, à proximité de la frontière française; 11 000 hab. Centre touristique.

BORDONE (Paris), peintre italien (Trévise 1500-Venise 1571). Élève de Titien, il a peint des scènes mythologiques ou religieuses, mais ses portraits sont plus appréciés.

BORDUAS (Paul Emile), peintre canadien (Québec 1905-Paris 1960). Élève du peintre et décorateur d'églises Ozias Leduc (1864-1955), il se consacre à l'enseignement, découvre le surréalisme vers 1938 et, en 1948, s'affirme le chef de file des «automatistes» de Montréal, avec le manifeste *Refus global.* Sa peinture, spontanée, atteint un maximum d'intensité expressive à New York (1953), puis se dépouille, à partir de 1955, à Paris.

BORE. — Élément de nombre atomique 5 et de masse atomique B = 10,82, le bore est un solide brun très dur, de densité 2,4, qui ne fond qu'au-delà de 2 000 °C. Seul métalloïde de la troisième colonne de la classification, il s'apparente au carbone et au silicium, mais est trivalent. Il brûle avec une flamme verte, en donnant de l'anhydride borique B_2O_3.

BOREL (Pétrus), écrivain français (Lyon 1809-Mostaganem 1859). Son romantisme exacerbé (*Champavert, contes immoraux,* 1833) fut célébré par les surréalistes.

BOREL (Émile), mathématicien français (Saint-Affrique 1871-Paris 1956). Il relia la théorie des fonctions* à celle des ensembles*, où il précisa la notion de mesure. Il étendit l'étude des probabilités du cas d'un nombre fini d'épreuves au cas d'une infinité dénombrable d'épreuves. On lui doit également la *théorie des jeux stratégiques,* développée ensuite, et indépendamment, par Johann von Neumann (1903-1957).

BORGERHOUT, comm. de Belgique, dans la banlieue est d'Anvers; 46 079 hab. (en 1977). Taille des diamants.

BORGES (Jorge Luis), écrivain argentin (Buenos Aires 1899). Délibérément en marge des grandes tendances des lettres hispano-américaines (il ignore préoccupations sociales et engagement politique), il voit dans le labyrinthe l'image de la condition humaine et dans l'irréalité le fondement de l'art. Son œuvre de poète (*Ferveur de Buenos Aires*, 1923; *Cahiers de San Martin*, 1929), de conteur (*Fictions**, 1944; *l'Aleph*, 1949) et surtout de critique et d'essayiste (*Enquêtes*, 1925; *Histoire de l'infamie*, 1935; *Histoire** *de l'éternité*, 1936) forme une unique tentative pour échapper à l'angoisse du déroulement linéaire du temps, en faisant de l'acte d'écrire un élément spatial de la bibliothèque infinie que composent les œuvres accumulées de toutes les langues et de toutes les littératures.

BORGHÈSE, famille italienne originaire de Sienne. Le fondateur en fut Tiezzo da Monticiano (XIIIe s.), un marchand de laine, dont un neveu, Borghèse, donna le nom à la maison. La fortune de celle-ci commença en 1605 quand CAMILLO (1552-1621) fut élu pape sous le nom de **Paul V.** Son neveu, le cardinal SCIPIONE **Caffarelli** (1576-1633), fit construire la Villa Borghèse. MARCANTONIO II (1598-1658), héritier des Borghèse, fut la tige de la famille actuelle. En 1803, CAMILLO (1775-1832), fils de MARCANTONIO IV (1730-1809), épousa la sœur de Napoléon Ier, Pauline Bonaparte, et gouverna le Piémont de 1807 à 1814; il dut céder à Napoléon la collection d'art de la famille. Un autre fils de Marcantonio IV, FRANCESCO (1776-1839), fut l'héritier de Camillo.

Borghèse *(Villa)*, à Rome, maison de plaisance bâtie en 1615 pour le cardinal Scipione Borghèse, auj. importante galerie de peinture et de sculpture.

BORGIA, famille italienne originaire de Borja, en Aragon, qui joua un rôle historique important de 1455 à 1504. Sa fortune commença lorsque ALONSO, archevêque de Valence, fut élu pape sous le nom de **Calixte III** (1455). Un de ses neveux, RODRIGO, devint pape aussi sous le nom d'**Alexandre*** **VI**; il eut de Vannozza Cattanei quatre enfants, dont César et Lucrèce. CÉSAR (Rome v. 1475 - Pampelune 1507) fut le fils préféré d'Alexandre VI : accusé du meurtre de son frère GIOVANNI, il hérita de son titre de duc de Gandía; en 1498, il abandonna le cardinalat pour se consacrer à la politique; sa vie et sa politique ont inspiré Machiavel dans son portrait du « Prince ». LUCRÈCE (Rome 1480 - Ferrare 1519) fut l'instrument de la politique de son père et de son frère. Parmi les autres membres mémorables de la famille, on peut citer *saint* FRANÇOIS* **Borgia.**

BORGNIS-DESBORDES (Gustave), général français (Paris 1839 - Saigon 1900). Créateur du chemin de fer Niger-Océan, il fonda Kita et Bamako (1881-1883) et combattit au Tonkin (1884-1890).

BORGO (20290), ch.-l. de cant. de la Haute-Corse, à 18 km au S. de Bastia; 2 650 hab.

BORINAGE (le), région de la Belgique, dans le Hainaut, à l'O. de Mons, autrefois notable productrice de charbon.

BORIQUE. — L'*anhydride borique* B_2O_3 est une masse vitreuse incolore, avide d'eau. L'*acide borique* H_3BO_3 est un solide cristallisé en paillettes nacrées, de densité 1,5; il est employé comme antiseptique et pour la conservation de matières organiques altérables (colle, empois, aliments). Il donne avec les alcalis des sels comme $NaBO_2$ (métaborate) ou $Na_2B_4O_7$ (borax). Il existe dans les soffioni de Toscane.

BORIS Ier († 907), khān des Bulgares (852-889). Converti au christianisme orthodoxe (863), il oblige son peuple à l'imiter : le baptême des Bulgares renforce à la fois l'autorité monarchique et l'unité nationale, d'autant plus que l'Église bulgare devient presque tout de suite autocéphale.

BORIS III (Sofia 1894 - *id.* 1943), roi de Bulgarie (1918-1943). Il devient souverain à la suite de l'abdication de son père, Ferdinand Ier, et instaure un régime autoritaire; mais, s'il accepte d'entrer dans l'aire d'influence de l'Allemagne hitlérienne (1941), il préserve l'indépendance bulgare durant la Seconde Guerre mondiale. Boris III meurt assassiné par les nazis.

BORIS GODOUNOV (1551-1605), tsar de Russie de 1598 à 1605. Petit noble d'origine tatare, beau-frère de Fédor* Ier, qui le laisse gouverner, il est élu tsar par le Zemski*-Sobor de 1598. Bon administrateur, il redonne à la Russie, ruinée par la fin du règne d'Ivan IV*, une certaine prospérité. Mais la famine des années 1601-1603 et l'apparition du faux Dimitri amènent la guerre civile du temps des troubles*.

Boris Godounov, drame musical en quatre actes d'après la tragédie de Pouchkine, musique de M. Moussorgski, écrit entre 1869 et 1872. Cet opéra historique confronte le peuple, personnage principal, d'une part avec son tsar Boris, d'autre part avec l'usurpateur, le faux Dimitri. Le compositeur a réussi là les plus beaux récits, ariosos et airs du théâtre lyrique et a donné, grâce à ses chœurs, une impression d'action et de vérité.

BORMES-LES-MIMOSAS (83230), comm. du Var, à 5 km à l'O.-N.-O. du Lavandou, dans le massif des Maures; 3 093 hab. Centre touristique.

BORN (Bertran DE) → BERTRAN DE BORN.

BORN (Max), physicien allemand, naturalisé anglais (Breslau 1882 - Göttingen 1970). Auteur d'une théorie électronique de l'affinité chimique, il donna, en 1927, une interprétation probabiliste des ondes associées aux particules en mouvement. Il formula en 1933 une théorie unitaire du champ électromagnétique. (Prix Nobel de physique, 1954.)

BORNE. — La borne supérieure (resp. inférieure) d'une partie A d'un ensemble* ordonné E est le plus petit majorant (resp. plus grand minorant) de cette partie.

Elle possède les propriétés suivantes : elle est supérieure (resp. inférieure) ou égale à tous les éléments de A, et, s'il existe un majorant (resp. minorant) commun aux éléments de A, ce majorant (resp. minorant) est supérieur (resp. inférieur) à la borne supérieure (resp. inférieure). La borne supérieure (resp. inférieure) peut appartenir à la partie A ou non. On la désigne par sup A (resp. inf A).

• EXEMPLE. Dans l'ensemble $\mathbb{R}$ des nombres réels, si A est le sous-ensemble constitué par les nombres $u_n = 1 + \frac{1}{n}$, n étant un entier naturel supérieur ou égal à 1, on a

$$u_1 = 1 + \frac{1}{1} = 2, \quad u_2 = 1 + \frac{1}{2} = \frac{3}{2}, \quad \text{etc.}:$$

la suite des nombres u_n est décroissante car $\frac{1}{n}$ décroît quand n augmente. De plus, $\frac{1}{n}$ tend vers zéro quand n tend vers $+\infty$. Donc u_n tend vers 1 en décroissant, sans jamais atteindre la valeur 1. Le nombre 1 est la borne inférieure des nombres de A, car 1 est inférieur à tous les nombres u_n, et, d'autre part, quel que soit le nombre $\varepsilon > 0$ aussi petit que l'on veut, il existe un nombre u_n compris entre 1 et $1 + \varepsilon$: il suffit de prendre $\frac{1}{n} < \varepsilon$, ce qui est possible. Il ne peut donc exister de minorant de A plus grand que 1. La borne inférieure 1 n'appartient pas à A.

En revanche, le nombre $u_1 = 2$ est supérieur à tous les nombres u_n pour $n \geqslant 2$ et égal à u_1. Ce nombre 2, supérieur ou égal à tous les éléments de A, est la borne supérieure de A. Elle appartient à A.

BORNEL (60540), comm. de l'Oise, à 12 km au N. de L'Isle-Adam; 2 150 hab. Métallurgie.

BORNEM, comm. de Belgique, au S.-O. d'Anvers; 17 314 hab.

BORNÉO, île de l'Insulinde, la troisième du monde par sa superficie; 730 000 km². Bornéo est partagée entre : l'Indonésie, qui en occupe la majeure partie (Kalimantan); deux territoires

Longue habitation dayak, en bordure du fleuve Rayang (Sarawak, nord-ouest de l'île de Bornéo).

C. Lenars - Atlas-Photo

membres de la Malaysia (Sabah et Sarawak) et le protectorat britannique de Brunei, sur la côte nord.

GÉOGRAPHIE. Le climat équatorial très humide explique l'extension de la forêt dense sur toute l'île, dont la pénétration est encore compliquée par la mangrove et la présence de récifs coralliens près des côtes. Aussi, l'intérieur, pays montagneux (monts Kapuas au N., monts Meratu à l'E.) bordé au S. par une vaste zone marécageuse, est très mal connu. Le centre de l'île est occupé par des tribus dayaks, qui pratiquent la culture sur brûlis. Mais l'essentiel de la population, très peu dense, se concentre sur les côtes. Celles-ci sont jalonnées par des petites villes, souvent des ports animés par la pêche. Sous l'impulsion des Chinois, se sont localement développées des plantations de cocotiers, d'hévéas et de riz. Mais la ressource essentielle vient du pétrole, extrait sur la côte orientale de l'île et à Brunei.

HISTOIRE. La présence javanaise est attestée à Bornéo dès le XIVe s. Les Chinois, les Malais, puis (XVe s.) les Européens sont à leur tour attirés par les côtes de Bornéo. Devenue théoriquement hollandaise au XVIIe s., l'île, mal explorée, ne se livre que peu à peu à la Hollande. Encore celle-ci doit-elle compter avec les Britanniques, qui font passer tout le nord de l'île (Sarawak, Sabah, Brunei) sous leur contrôle en 1888. En 1963, si Sarawak et Sabah sont rattachés à la Malaysia, Brunei reste protectorat britannique.

BORNES *(massif des)* ou **MASSIF DU GENEVOIS,** massif des Préalpes (Haute-Savoie), entre l'Arve et le lac d'Annecy; 2 438 m.

BORNHOLM, île la plus orientale du Danemark, dans la Baltique; 588 km^{2}; 47 000 hab. Ch.-l. Rønne (15 000 hab.).

BORNOU, ancien empire négro-africain du Soudan central gouverné, du Xe au XIXe s., par la dynastie des Sayfiya, qui étendit sa domination sur une vaste zone couvrant le nord-est du Nigeria, le nord du Cameroun, l'ouest du Tchad (Kanem*) et atteignant le Tibesti. La défaite de Rabah* devant les Européens (1900) marqua la fin du Bornou.

BORODINE (Aleksandr), compositeur russe (Saint-Pétersbourg 1833 - *id.* 1887). Chimiste, professeur à l'Académie militaire de médecine, il adhère au groupe des Cinq, commence *le Prince* Igor* dès 1859 et tente, dans son œuvre symphonique, une synthèse entre l'art allemand et le folklore russe *(Dans les steppes de l'Asie centrale).*

BOROROS → INDIENS D'AMÉRIQUE DU SUD *(carte des).*

BORRAGINACÉES. — Leur aspect fortement poilu fait reconnaître aisément les herbes de la famille des borraginacées : bourrache, vipérine, myosotis, consoude, buglosse, grémil, pulmonaire, langue-de-chien, rapette, héliotrope. La plupart des espèces ont les fleurs alignées le long d'une spirale plane qui s'épanouit de la base au sommet, la corolle virant souvent du rose au bleu à l'éclosion.

BORRASSÀ (Lluís), peintre catalan (Gérone v. 1360 - Barcelone v. 1425). Représentant du « gothique international », il travaille à Barcelone et dans sa région avec un atelier sans doute important : on lui attribue une trentaine de retables, divisés en tableaux d'un style narratif animé, pleins de détails précieux.

BORROMÉES *(îles),* groupe d'îles *(Isola Bella, Isola Madre, Isola Superiore* ou *des Pêcheurs, Isolino di San Giovanni)* d'Italie, dans le lac Majeur, en face de Stresa. Tourisme.

BORROMINI (Francesco), architecte italien (Bissone, Tessin, 1599 - Rome 1667). Déjà apprenti sculpteur, il part à quinze ans pour Rome, où l'attirent les travaux de Saint-Pierre et la protection de Maderno*, son parent, qui lui enseigne les mathématiques. Écarté du chantier de la basilique à la suite d'un conflit de préséance avec le Bernin*, il n'en fera pas moins une grande carrière romaine au service de l'Église. Il travaille aux palais des pontifes, à Saint-Jean-de-Latran et à S. Agnese, mais se consacre surtout aux congrégations : couvent des Pères trinitaires (1634) et son église, S. Carlo alle Quattro Fontane (1638, façade apr. 1662); couvent des Philippins; église S. Ivo (1642) pour le collège de la Sapienza; immense palais de la Propagande de la foi (1662) pour les Jésuites. Esprit anxieux, épris d'absolu, il substitue au repliement classique des églises à plan central le dynamisme de volumes rayonnants aux subtils effets perspectifs, rompt les surfaces pour les intégrer à l'espace ambiant, fait interférer les figures géométriques et accuse la structure à la façon de l'art gothique. Accusé de détruire les règles, il a eu peu d'influence immédiate en Italie, sauf sur l'ornementation (et Guarini* mis à part), mais le baroque* de l'Europe centrale lui doit beaucoup.

BORSSELE, localité des Pays-Bas (Zélande), près de Flessingue. Centrale nucléaire.

BORT-LES-ORGUES (19110), ch.-l. de cant. de la Corrèze, à 28 km au S.-E. d'Ussel, sur la Dordogne; 5 612 hab. Centrale hydraulique. Tannerie. Colonnades de phonolite, dites *orgues de Bort.*

BORTOLUZZI (Paolo), danseur italien (Gênes 1938). Un des plus grands danseurs contemporains, interprète des œuvres de M. Béjart *(Nomos Alpha, Bhakti, l'Oiseau de feu...)* et du répertoire classique *(la Sylphide).*

BORUJERD, v. d'Iran, au S. d'Hamadhān; 71 000 hab.

BOSANQUET (Bernard), philosophe anglais (Rock Hall, Northumberland, 1848 - Londres 1923). Ami de Bradley*, il subit comme lui l'influence de Hegel* et développe une philosophie idéaliste dans : *Logique* (1888), *History of Aesthetics* (1892) et *Civilization of Christendom* (1893). [V. IDÉALISME.]

BOSCH (Jheronimus VAN AKEN, dit **Jérôme**), peintre néerlandais (Bois-le-Duc? v. 1450/1460 - *id.* 1516). On n'a sur sa vie et sur ses œuvres que des bribes de renseignements. Il naquit dans une famille de peintres peut-être originaire d'Aix-la-Chapelle, vécut et se maria bourgeoisement à Bois-le-Duc, où il était membre d'une confrérie pieuse satellite de la cathédrale. Beaucoup de ses œuvres ont été détruites, notamment lors des crises religieuses du XVIe s.; une dizaine de peintures portent une signature jugée authentique ou sont identifiées grâce à des inventaires anciens (œuvres achetées par Philippe II d'Espagne), vingt à trente autres sont reconnues, parmi une foule de copies et de pastiches, par la critique du XXe s. Celle-ci a tenté d'établir une chronologie qui conduit au classement suivant, par grandes périodes, pour quelques-unes des œuvres principales : v. 1475-1485, *l'Excision de la pierre de folie* et *les Sept Péchés capitaux* (au Prado, à Madrid); v. 1485-1505, *la Nef des fous* (Louvre), *le Chariot de foin* (triptyque, Prado), *les Visions de l'au-delà* (volets, palais ducal de Venise), *le Jardin* des délices terrestres, Saint Christophe* (Rotterdam), *Saint Jérôme* (Gand), *la Tentation de saint Antoine* (triptyque, Lisbonne); v. 1505-1516, *le Jugement dernier* (fragment, Munich), *l'Épiphanie* (triptyque, Prado), *le Couronnement d'épines* (Escorial), *la Tentation de saint Antoine* (Prado), *l'Enfant prodigue* (ou *le Vagabond?,* Rotterdam), *le Portement de croix* (Gand).

Par-delà « diableries » et fantasmagories, Bosch se reconnaît à sa haute qualité picturale. Sa conception de l'organisation spatiale du tableau est celle de l'époque en Europe du Nord, dérivant des « primitifs » de Bruges* ou d'un Geertgen* Tot Sint Jans, avec un certain archaïsme qui sert son propos narratif : hauteur de l'horizon, mais verticalité des figures devant l'étagement du paysage — qui connaît un admirable développement. Sa technique picturale, évolutive, est de première force, avec un dessin concis et aigu, une touche simplifiée, vivante, des couleurs appliquées en couches transparentes, riches d'éclats vifs et précieux, qui n'excluent pas une tendance à l'unité tonale.

Iconographie, monstres et accessoires viennent en partie des bestiaires médiévaux, de la miniature, de gravures comme celles de Schongauer*, plus encore de sources non spécifiquement picturales (alchimie, mystique, magie, clés des songes, théâtre, proverbes...), mais Bosch en fait un univers onirique personnel, qu'il revêt d'une étonnante illusion de réalité. Pour nous, comme pour ses contemporains semble-t-il, beaucoup d'œuvres, à travers la multiplicité des symboles et l'ambiguïté de la narration, restent impossibles à interpréter avec certitude. Le peintre appartenait-il à une secte secrète pour les initiés de laquelle son langage était limpide? Le climat général de l'œuvre, en tout cas, laisse entrevoir le message boschien : entre les pôles également convoitables des voluptés terrestres et d'une spiritualité désincarnée s'insèrent la dérision de la sottise, des égarements, des vanités et des hypocrisies de l'homme, l'expression de ses angoisses et, perceptible dans la beauté fragile et sans apprêt des nus, une intense compassion pour son innocence foncière.

BOSCH (Carl), chimiste et industriel allemand (Cologne 1874 - Heidelberg 1940). Il mit au point, avec Haber*, la synthèse industrielle de l'ammoniac (1909). [Prix Nobel de chimie, 1931.]

BOSCO (Henri), écrivain français (Avignon 1888 - Nice 1976), auteur de romans de terroir (*l'Âne Culotte,* 1937; *le Mas Théotime,* 1946).

BOSE (Satyendranath), physicien indien (Calcutta 1894 - *id.* 1974). Il a formulé en 1918, avec Saha, une équation d'état des gaz et créé une mécanique statistique, perfectionnée plus tard par Einstein, pour remplacer la mécanique de Boltzmann* dans le cas du photon.

BOSIO (François Joseph), sculpteur français (Monaco 1768 - Paris 1845). Élève de Pajou, artiste officiel sous l'Empire et la Restauration, il est l'auteur de bustes, de décors monumentaux et de figures académiques.

BOSNIE-HERZÉGOVINE, république fédérée de Yougoslavie; 51 129 km^{2}; 3 746 000 hab. Capit. *Sarajevo.*

GÉOGRAPHIE. S'étendant de l'Adriatique à la vallée de la Save, la région est une terre souvent montagneuse, domaine de l'élevage (bovins et surtout ovins) sur les hauteurs, des cultures (blé, maïs) dans les bassins intérieurs et le Nord, moins élevé. L'industrie est largement liée à l'exploitation du sous-sol, fournissant lignite, bauxite, plomb, etc.

HISTOIRE. Du fait de sa position géographique, la Bosnie est disputée par les Byzantins, les Hongrois et les Turcs. Mais elle assure son indépendance grâce notamment à Étienne II Kotromanić (de 1322 à 1353) et à son neveu Tvrtko Ier Kotromanić (de 1353 à 1391) : celui-ci se fait même proclamer roi de Serbie et de Bosnie en 1377. Mais, affaiblie par les luttes féodales et l'hérésie bogomile, la dynastie bosniaque plie devant les Turcs (1435-1528). Dès lors, la Bosnie et aussi l'Herzégovine — unité politique indépendante depuis le XVe s. — ne sont plus que des marches avancées de l'Empire ottoman; elles s'islamisent même rapidement. La double province végète jusqu'au début du XIXe s., quand l'émancipation de la Serbie réveille l'idée nationale (troubles et massacres de 1875-1878). Administrée par l'Autriche-Hongrie à partir de 1878, la Bosnie-Herzégovine est annexée par elle en 1908. L'hostilité des Bosniaques envers les Autrichiens est à l'origine de l'attentat de Sarajevo (28 juin 1914), prélude à la Première Guerre mondiale. Dans la jeune Yougoslavie*, la Bosnie ne jouit pas de l'autonomie escomptée; par contre, elle devient, en 1945, l'une des républiques constitutives de la république populaire fédérative de Yougoslavie.

BOSON. — C'est le nom générique de toutes les particules justiciables de la statistique de Bose-Einstein, particules (photons, mésons, hélions) dont le spin est un nombre entier.

BOSON († 887), roi de Bourgogne et de Provence (879-887), fils de Bouin (ou Bivin), comte de Vienne. Il est fait duc (875) par son beau-frère, Charles le Chauve, qui lui confie l'Italie. Son royaume couvrait à peu près le bassin du Rhône et de la Saône.

BOSPHORE (le), détroit de Turquie, entre l'Europe et l'Asie, faisant communiquer la mer Noire et la mer de Marmara. À Istanbul (établi sur la rive occidentale), il est franchi par un pont routier.

BOSPHORE *(royaume du)*, royaume grec établi sur les rives du Bosphore Cimmérien et sur la Crimée avec comme capitale Panticapée. Fondé au Ve s. av. J.-C., il est cédé à Mithridate v. 115 av. J.-C. En 63, il est restauré par Pompée, qui le donne au fils de Mithridate, Pharnace II (v. 97-47 av. J.-C.). Il reste sous le protectorat romain jusqu'au IVe s. apr. J.-C.

BOSQUET (Pierre), maréchal de France (Mont-de-Marsan 1810-*id.* 1861). Il se distingua en Algérie et en Crimée, où il fut victorieux à l'Alma (1854) et blessé à Malakoff (1855).

BOSSE (Abraham), graveur français (Tours 1602-Paris 1676). Il apprit de Callot*, à Paris, en 1628, l'usage d'un vernis dur permettant d'obtenir, à l'eau-forte, un trait aussi fin qu'au burin. Toutefois, il ne s'écarta pas du style posé et réfléchi du burin dans ses quelque 1 500 planches, qui forment un tableau complet de la société de son temps. Il écrivit notamment un *Traité des manières de graver en taille-douce* (1645) et enseigna la perspective à l'Académie royale.

BOSSOUTROT (Lucien), aviateur français (Tulle 1890-Paris 1958). Pilote du premier transport aérien public sur Paris-Londres (1919), il détient deux fois le record du monde en circuit fermé (8 805 km en 1931 et 10 601 km en 1932).

Bossu *(le)* ou *le Petit Parisien*, roman de cape et d'épée (1857), puis drame (1862) de Paul Féval.

BOSSUET (Jacques Bénigne), prélat, prédicateur et écrivain français (Dijon 1627-Paris 1704). Célèbre dès 1659 par ses prédications à Paris, évêque de Condom (1669), précepteur du Dauphin (1670), évêque de Meaux (1681), il est, jusqu'à sa mort, le défenseur intransigeant de l'Église de France (*Déclaration des Quatre Articles,* 1682) et de la foi (controverses avec les protestants, lutte contre le quiétisme*). Il exprime le caractère absolu et transcendant de l'autorité dans ses écrits apologétiques (*Exposition de la foi catholique,* 1671; *Histoire des variations des Églises protestantes,* 1688) et ses ouvrages historiques (*Discours sur l'histoire universelle,* 1681). Mais son prestige tient à son génie oratoire : il créa dans ses *Sermons* (*Sermon sur la mort,* 1662; *Sermon sur l'unité de l'Église,* 1681) et ses *Oraisons funèbres* (d'Anne d'Autriche, 1667; d'Henriette d'Angleterre, 1670; du prince de Condé, 1687) un style dont la musicalité et la richesse des images tranchent sur la clarté géométrique que son siècle prisait dans ces deux genres.

BOSTON, v. des États-Unis, sur l'Atlantique, capit. du Massachusetts; 641 000 hab. (2 754 000 pour l'aire métropolitaine). Museum of Fine Arts (arts chinois et japonais, peintures françaises du XIXe s., etc.) et autres musées. Centre commercial et financier. Industries textiles, métallurgiques et chimiques. Électronique.

BOSTRA ou **BOSRA,** village de Syrie (prov. de Deraa), qui a été capitale de la province d'Arabie sous Trajan, puis siège d'un évêché au IIIe s. De nombreux monuments romains*, paléochrétiens* et byzantins* ont été dégagés. L'un des plus intéressants, déblayé depuis 1969, est la cathédrale en basalte noir, au plan central très élaboré, que l'on peut rapprocher de Saint-Jean-Baptiste de Gerasa*.

Bosworth *(bataille de)*, bataille qui eut lieu en Angleterre, à l'O. de Leicester. Elle mit fin à la guerre des Deux-Roses* (1485).

BOTANIQUE. — La botanique, ou science des plantes, est aussi ancienne que l'homme, qui, tôt, a appris à distinguer les espèces nutritives des espèces toxiques ou médicinales. Toutes les populations actuelles de chasseurs-ramasseurs sont capables de distinguer sans erreur plus de 500 espèces de plantes. Sur cette base, la botanique a eu un développement lent et continu, avec la naissance de l'agriculture céréalière il y a dix mille ans («révolution néolithique*»), puis avec l'horticulture, l'arboriculture fruitière (Grecs et Romains), la pharmacopée. Une botanique plus dégagée des soucis pratiques s'est développée à partir des grands voyages du XVIe s. et de la création en Europe des premiers *jardins botaniques.* À un catalogue sans cesse accru et mieux classé des espèces végétales (Linné, les Jussieu) s'est ajoutée la découverte de la circulation des sèves (Hales), de la structure cellulaire (Robert Brown), des plantes fossiles (Adolphe Brongniart), des mutations (Jordan, De Vries), de l'adaptation au milieu (Bonnier), de la symbiose (Noël Bernard), des mécanismes de la photosynthèse (Emerson, Blackman, Wurmser, Calvin, etc.), des lois de la croissance végétale (Went *et alii*). Récemment, la création des phytotrons (Pasadena, Gif-sur-Yvette) a permis l'analyse fine des nombreux facteurs agissant sur le développement des plantes. On distingue aujourd'hui de nombreuses sciences botaniques, définies soit par leur objet (phanérogamie, cryptogamie, algologie, mycologie), soit par leur domaine de recherches (physiologie végétale, phytosociologie, paléobotanique, ethnobotanique, génétique et biochimie végétales, palynologie [étude des pollens], parasitologie végétale, etc.).

Du fait que l'alimentation humaine est surtout d'origine végétale, toutes les sciences botaniques ont d'heureuses répercussions, directes ou indirectes, sur notre nourriture.

BOTANY BAY, baie de la côte orientale de l'Australie (Nouvelle-Galles du Sud), autour de laquelle s'étend l'agglomération de Sydney.

BOTEV *(pic)*, anc. **Jumruk-čal,** point culminant du Balkan, en Bulgarie, dans le centre du pays; 2 376 m.

BOTEV (Hristo), écrivain et patriote bulgare (Kalofer 1848-région de la Vraca 1876). Il contribua à l'édification du sentiment national bulgare par ses articles de presse et ses poésies patriotiques *(Hadži Dimităr).*

BOTHA (Louis), général et homme d'État sud-africain (Greytown 1862-Pretoria 1919). Héros de la guerre des Boers contre les Anglais, il collabore avec ceux-ci après la paix et devient même Premier ministre de l'Union sud-africaine (1910).

BOTHE (Walther Wilhelm), physicien allemand (Oranienburg 1891-Heidelberg 1957). Avec H. Becker, il a obtenu en 1930, par action des rayons alpha sur le béryllium, un rayonnement pénétrant, qu'on montra plus tard comme formé de neutrons. (Prix Nobel de physique, 1954.)

BOTHRIOCÉPHALE → VER.

BOTHWELL (James HEPBURN, *comte* DE), homme politique écossais (1536-Adelersborg 1578). Meurtrier de Darnley, second époux de Marie* Stuart (1567), il épouse celle-ci, qui est éprise de lui, mais qui, devant la montée de l'opinion, doit s'en séparer presque aussitôt.

BOTNIE *(golfe de)*, extrémité septentrionale de la Baltique, entre la Suède et la Finlande.

BOTOŞANI, v. du nord-est de la Roumanie; 44 000 hab.

BOTRANGE *(signal de)*, point culminant de la Belgique, dans l'Ardenne, à l'E.-S.-E. de Liège, près de la frontière allemande; 692 m.

BOTSWANA, État de l'Afrique australe, membre du Commonwealth; 570 000 km^2; 661 000 hab. Capit. *Gaborone.*

GÉOGRAPHIE. Le pays s'étend sur un vaste plateau correspondant à la partie centrale et septentrionale du Kalahari. Le climat tropical sec (250 à 500 mm de pluies par an) entretient une végétation buissonneuse à baobabs. La population, en majorité bantoue, se concentre dans la partie orientale du pays, surtout le long du Limpopo. Elle vit de l'élevage nomade, bovin et caprin. Les ressources minières ne sont guère exploitées et l'économie de ce pays, très pauvre, est entièrement tournée vers l'Afrique du Sud.

HISTOIRE. Peuplé de Tswanas ou Bechuanas, Noirs du groupe sotho, le pays subit, au XIXe s., les incursions des Boers, attirés par l'or, si bien que les Tswanas recherchent le protectorat britannique — qui est effectif, en 1885, sur ce qu'on appelle alors le Bechuanaland. L'indépendance du pays, devenu la république du Botswana, est proclamée le 30 septembre 1966.

BOTTA (Paul Émile), diplomate et archéologue français (Turin 1802-Achères 1870) dont le nom reste attaché à Khursabād

(v. DOUR-SHARROUKÊN), où il dégagea le palais de Sargon II (nombreux objets conservés au Louvre).

BOTTIÇELLI (Sandro), peintre italien (Florence 1444 ou 1445 - *id.* 1510). Élève de Filippo Lippi, il profite aussi de l'accentuation mélodieuse des contours chez Verrocchio, de la tension d'un P. Pollaiolo, de la manière ondoyante du sculpteur Agostino di Duccio. Il travaille à Rome en 1481-82 (trois fresques à la chapelle Sixtine), mais c'est à Florence que se déroule presque toute sa carrière, favorisée par le mécénat des Médicis. C'est pour la famille de ceux-ci qu'il exécute son panneau le plus célèbre, *le Printemps** (v. 1478), puis *Minerve et le Centaure* et *la Naissance de Vénus.* Il peint de nombreux tableaux religieux pour les églises, les confréries ou les simples particuliers *(Histoire de Judith,* deux petits panneaux d'une facture précieuse, v. 1472, galerie des Offices; *Adoration des Mages,* avec les figures des Médicis, v. 1477, *ibid.).* On lui doit encore des madones, souvent en *tondo* (circulaires), prétextes à des compositions élégantes et lumineuses (*Madone du Magnificat,* 1485, Offices). Ses dernières œuvres révèlent un expressionnisme tragique ou un frémissement visionnaire sans doute liés à la prédication de Savonarole* (*Pietà,* 1498, Munich; *Nativité mystique,* 1501, National Gallery, Londres; *Crucifixion,* Cambridge, États-Unis). Humanisme et religion sont pour lui les deux faces d'une même recherche spirituelle, qui s'exprime dans un espace assez arbitraire, d'une poésie fascinante, où l'harmonie dansante de la ligne s'accorde à celle, transparente, du coloris.

BOTTIN (Sébastien), administrateur et statisticien français (Grimonviller, Lorraine, 1764 - Paris 1853). Il a donné son nom à un annuaire du commerce et de l'industrie.

BOTTROP, v. de l'Allemagne fédérale (Rhénanie-du-Nord-Westphalie), dans la Ruhr; 105 000 hab. Sidérurgie.

BOTULISME. — Le bacille du botulisme est présent dans les aliments avariés, les semi-conserves de viande ou de légumes. Il détermine des troubles neurologiques (diplopie, dysphagie, rétention d'urine) quelques heures après l'ingestion. La mort est possible par atteinte respiratoire ou cardiaque. Le traitement repose sur l'injection de sérum spécifique. En cas de paralysie respiratoire, on a recours aux méthodes de ventilation assistée. La prévention consiste à assurer une préparation correcte des conserves, à éliminer les boîtes « bombées » et à porter à l'ébullition au moment de l'usage.

BOTZARIS (Márkos), héros grec (Soúli 1788 - Karpenísi 1823). Défenseur de Missolonghi contre les Turcs (1822-23), il est tué alors qu'il pénètre audacieusement dans le camp turc de Karpenísi.

BOUAKÉ, deuxième ville de la Côte-d'Ivoire, au N.-O. d'Abidjan; 85 000 hab. Textiles. Brasserie. Tabac.

BOUAYE (44830), ch.-l. de cant. de la Loire-Atlantique, à 19 km au S.-O. de Nantes; 2 211 hab.

BOUC → CHÈVRE.

BOUCAU (64340), comm. des Pyrénées-Atlantiques, à 5 km au N. de Bayonne; 6 196 hab. Constructions mécaniques. Engrais. Cimenterie.

BOUCHAIN (59111), ch.-l. de cant. du Nord, à 18 km au S.-O. de Valenciennes, sur l'Escaut; 4 837 hab. Centrale thermique.

BOUCHARDON, sculpteurs français du XVIIIe s. — JEAN-BAPTISTE (Saint-Didier-en-Velay 1667 - Chaumont 1742) travailla pour les églises de Chaumont et du diocèse de Langres. — Son fils, EDME (Chaumont 1698 - Paris 1762), fut élève de G. Coustou à Paris et, de 1723 à 1732, pensionnaire de l'Académie de France à Rome. Il est plus spontané dans son importante œuvre de dessinateur (Louvre) que dans ses sculptures, commandes publiques où il joint à une recherche acharnée de la perfection la volonté de lutter contre le goût rocaille (*l'Amour se faisant un arc dans la massue d'Hercule,* Louvre). — JACQUES PHILIPPE (Chaumont 1711 - Stockholm 1753), frère du précédent, fit une carrière officielle en Suède.

BOUCHE. — Chez les formes vivantes primitives (protistes), c'est l'existence d'une bouche, donc l'aptitude à ingérer les proies *avant* de les digérer et non *après,* qui définit l'animal. C'est dire l'importance de l'orifice buccal. Temporaire chez l'amibe, permanente chez la paramécie (cytostome), multiple chez les éponges (pores inhalants), orifice unique et servant aussi d'anus chez les cœlentérés (anémone de mer), la bouche est, chez presque tous les autres animaux, l'orifice d'entrée d'un tube digestif, que les aliments parcourent en sens unique. Elle est munie dans la plupart des cas d'organes broyeurs : *dents* des oursins et des vertébrés, *radula* des mollusques, *bec* des céphalopodes et des oiseaux, *denticules* d'animaux aussi variés que les buccins, les sangsues, les lamproies et les canards, *mandibules* et mâchoires externes des arthropodes. Souvent pourvue d'un pouvoir aspirant ou suceur (insectes piqueurs, araignées, colibris), ou d'une langue lécheuse (abeille, pic), elle possède des glandes salivaires (insectes, vertébrés), des organes du goût et, chez les mammifères seulement, des lèvres molles. Des organes venimeux l'accompagnent chez certains animaux carnivores (poulpe, mille-pattes, vipère). Cette extrême richesse anatomique s'explique par la diversité des fonctions qui incombent parfois à la bouche : capturer les proies, les tuer, juger si elles sont comestibles, les fragmenter à l'extrême ou en extraire un liquide nutritif, enfin les avaler. À ces fonctions alimentaires, communes à tout le règne animal, s'ajoutent les fonctions accessoires les plus diverses : émission de la voix (vertébrés terrestres), transport des objets (oiseaux) ou des jeunes (chat, etc.), combat (mammifères), fixation (lamproie), respiration (poissons), stockage de la nourriture (hamster, pélican), transpiration (chien), etc.

• Chez l'homme, la bouche est divisée par les arcades dentaires en une partie périphérique, le vestibule, et une partie centrale, la cavité buccale. Le *vestibule* est ouvert à l'extérieur par l'orifice buccal; le canal extérieur de la glande parotide (canal de Sténon) s'ouvre à la face interne de la joue, en regard de la deuxième molaire supérieure. La *cavité buccale* communique avec le pharynx, en arrière, par l'isthme du gosier, limité par le voile du palais, ses piliers antérieurs et la base de la langue. En haut se situe la voûte palatine et en bas le plancher buccal, qui comprend la langue. Les inflammations de la bouche sont les stomatites.

BOUCHE-À-BOUCHE → RESPIRATION.

BOUCHER (Pierre), officier français (Mortagne 1622 - † 1717). Il fut lieutenant général de la Nouvelle-France.

BOUCHER (François), peintre, dessinateur et graveur français (Paris 1703 - *id.* 1770). Protégé par Mme de Pompadour, il a pratiqué tous les genres avec facilité et virtuosité, exprimant une sensualité aimable. Outre sa production de tableaux de chevalet, il a gravé 183 eaux-fortes d'après Watteau, qui l'influença, et d'après ses propres compositions, a décoré de nombreux appartements royaux et demeures privées (hôtel Soubise), a donné des cartons aux manufactures de tapisseries de Beauvais et des Gobelins ainsi que des dessins pour les biscuits de Sèvres. Il est nommé premier peintre du roi et directeur de l'Académie (qui l'avait reçu en 1734 avec son *Renaud et Armide* [Louvre]) à la mort de C. Van Loo, en 1765, à un moment où sa notoriété décline devant les progrès d'un goût plus sévère.

BOUCHER (Hélène), aviatrice française (Paris 1908 - Versailles 1934). Après avoir accompli seule, à vingt et un ans, le raid Paris-Saigon, elle conquit sept records mondiaux, mais se tua au cours d'un vol d'entraînement.

BOUCHER DE PERTHES (Jacques), préhistorien français (Rethel 1788 - Abbeville 1868). Fondateur de la science préhistorique, il a découvert, dans une couche d'alluvions de la Somme, un outillage lithique associé à des ossements de grands mammifères disparus, qu'il attribua à l'homme antédiluvien. Il a été aussi le premier à établir la distinction entre le paléolithique* (antédiluvien) et le néolithique*, qu'il nomme « celtique ».

BOUCHERON, société anonyme française dont l'origine remonte à la bijouterie fondée, en 1858, par FRÉDÉRIC **Boucheron** (1830-1902). Ses créations se caractérisent par les bijoux repercés, l'acier incrusté et les émaux; à l'Exposition de 1889, il présente des colliers de perles et de diamants intercalés. En 1899, il s'installe place Vendôme, devançant ainsi le mouvement commercial, et, en 1897, il ouvre une succursale à Moscou. — Son fils, LOUIS (1874-1959), participa en 1925 à l'Exposition des arts décoratifs avec des bijoux en pierres dures et en brillants et, en 1931, à l'Exposition coloniale avec des bijoux inspirés du Maghreb et du Soudan. En 1936, la Société en nom collectif est remplacée par une société anonyme. Un rayon « boutique » a été ouvert en 1971.

BOUCHEROT (Paul), ingénieur français (Paris 1869 - Ardentes 1943). Il imagina la distribution du courant électrique à intensité constante et introduisit la notion de « puissance réactive » pour tenir compte des courants en quadrature avec la tension.

BOUCHERVILLE, v. du Canada (Québec), dans la banlieue nord-est de Montréal; 19 997 hab.

BOUCHES-DU-RHÔNE (13), départ. de la Région Provence-Alpes-Côte d'Azur; 5 112 km^2; 1 632 974 hab. Ch.-l. *Marseille.* S.-préf. *Aix-en-Provence* et *Arles.*

L'ouest est formé de régions basses, appartenant à la vallée du Rhône : Camargue marécageuse au S.-O., séparée par le bras du Grand Rhône de la plaine de la Crau, à laquelle succède au N., au-delà de l'éperon isolé des Alpilles, la partie méridionale du Comtat. À l'E., entre la basse Durance et la Méditerranée, se dispose une série de chaînons calcaires (du N. au S. : Trévaresse, Sainte-Victoire, Estaque et Sainte-Baume) ouverts ou séparés par les vallées de l'Arc (bassin d'Aix-en-Provence) et de l'Huveaune qui rejoint la Méditerranée à Marseille.

Cette ville regroupe environ les deux tiers de la population totale du département, dont elle explique à la fois la forte densité d'occupation (plus du triple de la moyenne nationale) et la répartition de la population active. Les trois cinquièmes de celle-ci sont employés dans le secteur tertiaire, et plus du tiers dans l'industrie, où dominent la métallurgie, les constructions mécaniques, la chimie (avec le pétrole) et l'alimentation. L'industrie a débordé le cadre de l'agglomération marseillaise proprement dite, implantée depuis longtemps, sur le pourtour de l'étang de Berre et depuis peu sur le littoral du golfe de Fos. L'agriculture occupe aujourd'hui moins du vingtième de la population active. Son apport n'est pourtant pas négligeable, développé notamment grâce à l'irrigation. Au riz de la Camargue et au foin de la Crau s'ajoute la production maraîchère et fruitière du Comtat (autour de Châteaurenard); plus à l'E., le vignoble est souvent présent. Bénéficiant d'apports extérieurs (réfugiés d'Algérie) s'ajoutant à l'excédent naturel, la population s'est accrue de plus de moitié dans les vingt dernières années.

BOUCHOT → MYTILICULTURE.

BOUCHOUX (Les) [39370], ch.-l. de cant. du Jura, à 12 km au S. de Saint-Claude; 283 hab.

BOUCLE *(Cybern.)* → ASSERVISSEMENT et AUTOMATIQUE.

BOUCLE *(Électr.)* → POSTE.

BOUCLIER *(Géogr.)* → SOCLE.

BOUCLIER THERMIQUE → CAPSULE SPATIALE.

BOUDDHA ou **BUDDHA** («Illuminé»). — Dans le bouddhisme*, est bouddha tout être qui est parvenu à l'Illumination *(Bodhi)* en se libérant de la douleur née de son désir. Cependant, la tradition bouddhiste appelle *le* Bouddha le fondateur du bouddhisme : Śākyamuni (VIe s. av. J.-C.). Śākyamuni renonce au monde et mène une vie d'errant afin de trouver la voie du salut et de se libérer ainsi de la douleur. Après avoir rencontré «le suprême et complet éveil» au terme d'un long recueillement, il fonde la première communauté bouddhiste à Bénarès et part prêcher sa doctrine à travers l'Inde du Nord-Est.

BOUDDHISME. — L'essentiel de la doctrine bouddhiste se compose des quatre «nobles vérités» :

— Tout est douleur, la douleur imprègne et détermine la vie de tous les êtres. Il n'y a ni Dieu ni principe vital suprême, mais seulement des natures composées, sujettes par nature à la décomposition. Seule la douleur existe de façon permanente.

— L'origine de la douleur est la «soif», le désir, dont la cause est l'ignorance de la réalité que révèle le Bouddha; la réalité est le vide, l'impermanence (nirvāṇa).

— La troisième vérité est la suppression du désir, et donc l'extinction de la douleur (nirvāṇa).

— La quatrième vérité est la voie qui mène à cette extinction de la douleur : celle d'une vie austère et frugale, visant à favoriser la concentration spirituelle afin de parvenir à l'éveil (Bodhi), c'est-à-dire à l'appréhension de la «réalité» dont le Bouddha a eu l'illumination.

• *Le bouddhisme indien.* La communauté bouddhiste qui se forme en Inde à partir du VIe s. av. J.-C. n'a pas de canon strict, et la doctrine, transmise oralement, subit des modifications en se répandant. Afin d'éviter son éclatement, plusieurs conciles sont réunis; celui qui se tient à Rājagriha (477 av. J.-C.?) aboutit à la mise au point du premier ensemble des Écritures en langue pālī. L'expansion du bouddhisme se poursuit avec la formation de nombreuses sectes, dont la prolifération se solde par un schisme au début de l'ère chrétienne. Désormais, le bouddhisme traditionnel, hīnayāna (Petit Véhicule), se distingue du bouddhisme réformé, ou bouddhisme du Grand Véhicule (mahāyāna). Le hīnayāna s'en tient aux quatre «nobles vérités» du Bouddha, tandis que le mahāyāna développe des spéculations sur la nature des bodhisattvas (êtres qui ont connu l'Illumination) et tend à substituer à la voie de la destruction de la douleur une religion de salut faisant appel à la dévotion et au sentiment. Ce renouveau peuple l'univers de nombreux bouddhas et bodhisattvas, aux figures proches des dieux de l'hindouisme*, comme Mañjuśrī et Tārā; il est, en outre, à l'origine de nombreuses écoles philosophiques, notamment celle des yogācārin («qui pratiquent le yoga») et celle des madhyamika, fondée par Nāgārjuna à la fin du Ier s.

L'influence réciproque qu'exercent l'un sur l'autre le bouddhisme et l'hindouisme donne naissance au tantrisme*, qui se répand surtout au Bengale, au Népal et au Tibet. Le mahāyāna s'étend dans le nord de l'Inde, d'où il gagnera la Chine, le Tibet et le Japon, tandis que le hīnayāna s'implante dans l'Inde du Sud-Est. Après avoir atteint les presqu'îles malaise et indochinoise au IIIe s., puis la Corée au IVe s., le bouddhisme indien connaît son apogée sous la dynastie Gupta (IVe-Ve s.). Parallèlement à sa diffusion au Japon (VIe s.) et au Tibet (VIIe s.), le bouddhisme recule en Inde.

En 1941, l'Inde ne comptait plus qu'environ 232 000 bouddhistes, mais vingt ans après ce nombre dépasse 3 millions.

• *Le bouddhisme chinois.* Introduit en Chine dès le Ier s. de notre ère, le bouddhisme ne s'y répand véritablement qu'à la faveur des troubles socio-politiques qui secouent le pays au IVe s. Les souverains qui règnent alors dans le Nord encouragent la pénétration du bouddhisme, dans lequel ils voient un moyen capable de renforcer leur pouvoir. À la fin du IVe s., les lettrés chinois ne se contentent plus de traduire des textes, mais se rendent en pèlerinage en Inde, et des maîtres indiens, comme Kumārajīva en 401 et Bodhidharma en 520, viennent en Chine. Ces échanges donnent naissance à des écoles de pensée qui soit se rattachent nettement aux courants indiens, comme l'école fa-siang et l'école san-louen, soit développent des conceptions plus sinisées du bouddhisme, comme l'école houa-yen, l'école t'ien-t'ai, l'école tsing-t'ou et l'école du tch'an (ou zen* en japonais).

Mais les moines, qui sont devenus très riches, vivent en marge de la société, dont la philosophie officielle demeure le confucianisme*. Cette situation débouche sur un conflit opposant l'État aux bouddhistes en 626. En 842-845 les persécutions reprennent et le bouddhisme ne cesse de décliner, bien qu'il ait marqué de son empreinte tous les domaines de la culture chinoise, y compris le néoconfucianisme qui redevient alors la pensée dominante de l'Empire du Milieu.

• *Le bouddhisme japonais.* Confronté à un autre peuple et à une autre civilisation, le bouddhisme se transforme en pénétrant officiellement au Japon en 538. Dès 587 la Cour se convertit, puis Shōtoku Taishi, le fils de l'empereur Yōmei, favorise l'introduction des œuvres de bouddhistes chinois dans son pays et recommande cette religion dans la première Constitution du Japon (v. 620). Les textes sacrés ne sont traduits qu'au VIIe s. et les controverses qu'ils suscitent aboutissent, entre 710 et 794, à la formation, à Nara, de six sectes, dont les spéculations ne concernent que les lettrés et les moines.

Lauros - Giraudon

Tête de Bouddha. Sculpture en stuc (IIIe s.) du monastère bouddhique Hadda (Afghānistān). [Musée Guimet, Paris.]

À l'époque de Heian (794-1185), le bouddhisme japonais se développe dans trois directions. En 805, Dengyō* Daishi fonde un monastère où il enseigne la doctrine tendai; en 816, Kūkai (Kōbō Daishi [774-835]) forme la secte ésotérique de «la Vraie Parole» (shingon). Ces deux sectes prônent un syncrétisme partiel avec le shintō*, mais l'hermétisme dans lequel elles demeurent entraîne une réaction, qui s'efforce de faire du bouddhisme une religion simple et accessible à tous en faisant de la foi l'unique voie de salut : l'amidisme dont la principale divinité est Amitābha*.

En 1212, un schisme se produit au sein de l'amidisme, une nouvelle secte voit le jour : le jōdo-shinshū, qui, en autorisant ses moines à se marier, atténue la division séculaire entre le clergé et les laïques. Au cours de l'époque Kamakura (1192-1333) apparaissent deux sectes : le nichiren-shū — qui identifie le devenir du Japon à sa doctrine — et le zen-shū*. Depuis le XIVe s., le bouddhisme a pratiquement cessé de se renouveler au Japon et, en 1868, il est officiellement séparé du shintō* d'État. Il reste cependant que le culte des divinités bouddhiques y demeure encore vivace de nos jours.

• *Le bouddhisme tibétain.* Ce que les Occidentaux appellent lamaïsme n'est autre que le bouddhisme tantrique, ou vajrayāna*, que le souverain Khri-srong-lde-btsan (755-797) substitue officiellement, en 779, à la religion traditionnelle tibétaine (v. BON) pour en faire la religion d'État du Tibet. Le tantrisme tibétain se distingue du tantrisme* hindouiste par sa fonction théologico-politique, sa doctrine, ses dieux et ses rites. Ainsi, la doctrine de la transmigration (v. SAMSĀRA) prend un sens particulier avec la mort d'un maître spirituel, qui se réincarne dans un enfant, lequel, une fois initié, sera reconnu guru, dalaï-lama* ou panchen-lama*.

La conception de la non-dualité, c'est-à-dire de la vérité du monde (impermanence éternelle, ou nirvāṇa) *et* de son apparence (saṃsāra), imprègne profondément l'iconographie religieuse tibétaine, ses rites (notamment les méditations et le yoga) et sa hiérarchie (moines, ascètes, yogi).

Depuis 1959, le tantrisme n'existe pratiquement plus au Tibet et, aujourd'hui, cette forme du bouddhisme n'est plus représentée qu'au Bhoutan, au Ladhāk, au Népal et au Sikkim.

BOUDIN (Eugène), peintre français (Honfleur 1824-Deauville 1898). Surnommé par Corot «le Roi des ciels», il a peint surtout des paysages et des marines de l'estuaire de la Seine et de la Bretagne. Premier maître de Monet, il annonce l'impressionnisme (musées du Havre et de Honfleur; cabinet des Dessins du Louvre).

BOUDON (Raymond), sociologue français (Paris 1934). L'essentiel de son œuvre porte sur l'épistémologie et la méthodologie des sciences sociales. Il propose une classification des activités de la sociologie qui portent soit sur les sociétés globales, soit sur les «segments sociaux» (c'est-à-dire l'individu par rapport au champ social). Soucieux d'introduire les méthodes mathématiques dans l'enseignement de la sociologie, il a fait de la logique des sciences sociales le principal objet de sa recherche (*l'Analyse mathématique des faits sociaux,* 1967; *les Mathématiques en sociologie,* 1971; *l'Inégalité* des chances,* 1973; *les Inégalités sociales,* 1974).

BOUE. — Les boues peuvent avoir les caractéristiques d'un liquide très visqueux ou posséder un certain degré de rigidité, selon la nature des éléments les plus fins qu'elles contiennent. Elles sont employées pour creuser, sans coffrage ni blindage, des puits* de pétrole ou, sur les chantiers de construction, pour l'exécution de «parois moulées dans le sol». Leur rôle essentiel est de s'opposer aux éboulements du terrain. Elles font corps avec le parement de terre sans le détremper et en assurant sa stabilité, comme le ferait un blindage. Ce rôle est d'autant mieux assuré que les boues sont plus rigides et plus denses, propriétés propres aux boues stabilisées composées d'éléments ultra-fins en suspension, à très forte densité. De telles boues doivent être essentiellement thixotropiques pour s'opposer aux éboulements de terre dans les parties «calmes», au-dessus des zones agitées par l'attaque des engins de forage* et d'excavation. Elles forment un obturateur dense au contact du terrain en place, ce qui empêche la pénétration du liquide dans le sol. Elles doivent garder une densité uniforme et s'opposer à la sédimentation de leurs particules. Dans la pratique, on utilise surtout de la bentonite sodique, qui possède des propriétés thixotropiques très élevées et un pouvoir de rétention d'eau très important, puisque l'eau retenue peut être d'un volume de dix à trente fois supérieur à celui de la bentonite.

Les *boues activées* qui sont tirées des eaux usées se composent de substances organiques en décomposition et de bactéries. Ces dernières transforment la matière colloïdale en résidus solides, qui, par décantation, clarifient les eaux* usées.

BOUÉ (02450), comm. de l'Aisne, à 15,5 km au N.-N.-E. de Guise; 1493 hab. Laiterie.

BOUÉ DE LAPEYRÈRE (Augustin), amiral français (Castéra-Lectourois 1852-Pau 1924). Ministre de la Marine (1909-1911), il commanda en chef l'armée navale et le théâtre d'opérations allié de Méditerranée (1914-15).

BOUFARIK, v. d'Algérie, dans la Mitidja; 33000 hab. Industrie alimentaire.

BOUFFÉE DÉLIRANTE → DÉLIRE.

BOUFFLERS (Louis François, *duc* DE), maréchal de France (Cagny 1644-Fontainebleau 1711). Maréchal de France en 1693, il s'illustre en défendant Lille contre le Prince Eugène (1708).

Bouffons *(querelle des),* petite guerre esthétique qui, culminant en 1752, opposa, pendant près d'un siècle, les partisans de la musique française à ceux de la musique italienne. La représentation à Paris, par une troupe italienne, d'opéras bouffes, parmi lesquels *la Servante maîtresse* de Pergolèse, relança le débat entre le camp français (défendu par le roi et par Rameau) et le camp italianisant (soutenu par la reine, J.-J. Rousseau et Grimm).

BOUG (le) ou **BUG,** fl. d'Ukraine, tributaire de la mer Noire; 856 km.

BOUGAINVILLE, île montagneuse d'Océanie, la plus occidentale de l'archipel des Salomon; 10000 km^2; 78000 hab.

BOUGAINVILLE (Louis Antoine, *comte* DE), navigateur français (Paris 1729-*id.* 1811). De 1766 à 1769, il exécute un voyage de circumnavigation qui lui fait découvrir plusieurs archipels de Polynésie, et qu'il a raconté dans son célèbre *Voyage autour du monde* (1771). Il participe ensuite à la guerre d'Amérique.

BOUGIE *(Autom.)* → ALLUMAGE et CYCLE.

BOUGIE *(Électr.)* → LAMPE.

BOUGIE, v. d'Algérie → BEJAIA.

BOUGIVAL (78380), comm. des Yvelines, à 4 km au S.-E. de Saint-Germain-en-Laye, sur la Seine; 8744 hab. *(Bougivalais).*

BOUGLIONE, famille de «gens du voyage» d'origine italienne. SAMPION **Bouglione** († Niort 1941) et ses fils : ALFRED, dit *Alexandre* (1900-1954), JOSEPH (né en 1904), FIRMIN (né en 1905), NICOLAS dit *Sampion* (1910-1967), présentèrent à Paris, en 1928, le cirque Buffalo-Bill et assurèrent à partir de 1934 la gestion du cirque d'Hiver, où se produisirent les plus renommés des artistes, acrobates, dresseurs et dompteurs internationaux.

BOUGLON (47250), ch.-l. de cant. de Lot-et-Garonne, à 9 km au N. de Casteljaloux; 516 hab. Église du XVIe s.

BOUGUENAIS (44340), comm. de la Loire-Atlantique, à 9 km au S.-O. de Nantes, sur la Loire; 11757 hab. Constructions aéronautiques.

BOUGUER (Pierre), mathématicien, astronome et hydrographe français (Le Croisic 1698-Paris 1758). Il est surtout connu pour son invention de l'héliomètre (1748) et pour ses travaux qui permirent la fondation de la photométrie*. Excellent expérimentateur, il mesura au Pérou, avec La Condamine*, un arc de méridien (1735-1744).

BOUHEN → NUBIE*.

BOUHOURS (*le P.* Dominique), jésuite, grammairien et critique français (Paris 1628-*id.* 1702). Il se posa en défenseur de la doctrine classique et de la pureté de la langue (*Entretiens d'Ariste et d'Eugène,* 1671), mais sa réflexion sur le style et son enseignement au collège de Clermont inclinèrent ses disciples à prendre parti pour les Modernes dans le débat contre les Anciens*.

BOUILLABAISSE. — La bouillabaisse provençale, mais plus spécialement marseillaise, se prépare avec du poisson de roche (rascasse, notamment) et des crustacés tels que langoustes et crabes. Les tronçons de poissons et de crustacés sont servis d'une part, tandis que le bouillon obtenu est versé sur des tranches de pain de ménage. Ce pain spécial de Marseille est appelé «marette».

BOUILLAUD (Jean), médecin français (Garat 1796-Paris 1881). Il démontra l'influence des lésions des lobes antérieurs du cerveau sur la fonction du langage, et décrivit le rhumatisme* articulaire aigu auquel il a laissé son nom.

BOUILLÉ (François, *marquis* DE), général français (Cluzel-Saint-Eble 1739-Londres 1800). Commandant l'armée de Lorraine en 1790, il organisa l'évasion de Louis XVI, dont l'échec, à Varennes (1791), le conduisit à l'exil.

BOUILLIE BORDELAISE → PLANTES *(maladies des).*

BOUILLON, v. de Belgique (prov. de Luxembourg), sur la Semois; 2944 hab. (en 1970). Château fort.

BOUILLON *(duché de),* petit État érigé en duché en 1093. En 1591, il revient à la maison de La Tour d'Auvergne. Il est alors illustré par le duc HENRI **de Bouillon** (Joze 1555-Sedan 1623), conspirateur impénitent, passé au protestantisme, père de Turenne*, puis par le fils aîné d'Henri, le duc FRÉDÉRIC **de Bouillon** (Sedan 1605-Pontoise 1652), qui abjure le protestantisme (1636), combat Richelieu en s'alliant aux Espagnols, avant de se lancer dans la Fronde* avec son frère Turenne.

BOUILLY (10320), ch.-l. de cant. de l'Aube, à 14 km au S. de Troyes; 1059 hab. Église du XVIe s.

BOUIN (Jean), athlète français (Marseille 1888-† champ d'honneur 1914). Il a été le plus grand athlète français du début du XXe s. À côté de trois victoires consécutives (1911, 1912 et 1913) dans le cross des Nations, ses titres de gloire demeurent le record du monde de l'heure (19 km 021, en 1913) et aussi sa deuxième place au 5000 mètres aux jeux Olympiques de 1912, battu d'une poitrine par le Finlandais Kolehmainen. — Un stade parisien porte son nom.

BOUKHARA, v. de l'U. R. S. S. (Ouzbékistan), à l'O. de Samarkand, dans l'oasis de Zeravchan; 112 000 hab. Textile. — Capitale des Sāmānides* en 874, elle conserve plusieurs monuments qui attestent sa splendeur, dont le mausolée d'Ismā'īl al-Sāmāni, édifié entre 892 et 907 et remarquable par l'agencement décoratif des briques et par l'influence qu'il laisse sur l'art funéraire du monde iranien. Autres monuments de l'époque des khāns ouzbeks* : mosquée Kalān, reconstruite en 1514; madrasa Mīr 'Arab, 1535-36; Koch madrasa, 1566-67. Les tapis* dits « de Boukhara » proviennent en fait d'autres grands centres du Turkestan.

BOUKHARINE (Nikolaï Ivanovitch), économiste et homme politique soviétique (Moscou 1888 - *id.* 1938). Bolchevik, il doit quitter la Russie. Il y rentre en 1917, soutient les *thèses d'avril* de Lénine et devient le rédacteur en chef de la *Pravda.* Il rédige avec I. A. Preobrajenski un *A. B. C. du communisme* (1920). Il s'oppose à Staline (1928-29), en préconisant la poursuite de la politique agricole de la N. E. P.*. Il est condamné au procès des vingt et un (1938) et exécuté.

BOULANGER (Georges), officier et homme politique français (Rennes 1837 - Ixelles, Belgique, 1891). Officier aux brillants états de service, il est poussé par Clemenceau*, qui voit en lui un rempart pour la République radicale. Ministre de la Guerre (1886-87), le général Boulanger pratique une politique de défense républicaine nationaliste et démagogique qui le rend extrêmement populaire. Il devient alors le « syndic de tous les mécontents », qui comptent sur lui pour obtenir la révision de la Constitution. Mis d'office à la retraite (1888) par le gouvernement, inquiet, il est triomphalement élu dans plusieurs départements et à Paris même (27 janv. 1889). Mais ses hésitations devant la prise du pouvoir font le jeu du gouvernement. Traqué par la police, dépassé par ses troupes, qui l'abandonnent peu à peu, dominé par sa maîtresse, Marguerite de Bonnemains, Boulanger se tue sur la tombe de celle-ci. Le boulangisme disparaît avec lui.

BOULANGERIE → PAIN.

BOULAY-MOSELLE (57220), ch.-l. d'arr. de la Moselle, à 27 km au N.-E. de Metz; 3 875 hab. Constructions mécaniques.

Boulder Dam → HOOVER DAM.

BOULÊ. — Ce sénat des villes grecques joue dans l'administration de la cité un rôle essentiel. Créée à Athènes par Solon*, la boulê, dont les séances sont quotidiennes, compte, à partir de la réforme de 508 av. J.-C., cinq cents membres tirés au sort; un comité de cinquante prytanes* la dirige. Elle étudie les projets de loi, qu'elle propose au vote de l'*Ecclesia* (assemblée), contrôle l'administration intérieure et la politique étrangère.

BOULEAU. — Les forêts de bouleaux, ou *bétulaies,* s'étendent vers le nord du Canada et de la Sibérie jusqu'aux limites de la toundra, où l'on rencontre encore le *bouleau nain,* aplati sur le sol. Elles s'élèvent en montagne jusqu'à la limite des neiges éternelles. Un bouleau se reconnaît immédiatement à son écorce blanche, partant en lambeaux, et à ses petites feuilles, agitées par le vent comme celles du tremble. L'écorce de bouleau se prête à de nombreux usages artisanaux. (Type de la famille des *bétulacées.*)

Burnand - Atlas-Photo

Bouleaux verruqueux en Sologne.

BOULEVARD (théâtre du). — En 1760, les bateleurs de la foire Saint-Laurent furent autorisés à présenter leurs attractions sur le boulevard du Temple, lieu favori des promenades populaires. Le succès immédiat des premiers spectacles de marionnettes incita les comédiens de l'Opéra et de la Comédie-Française à faire interdire aux acteurs du Boulevard l'usage de la parole : singes et chiens savants triomphèrent alors, puis on permit des pièces à grand spectacle et des comédies à couplets (le *vaudeville**). La liberté des spectacles, proclamée en 1791, multiplia les théâtres et, malgré les restrictions de l'Empire (Napoléon fit fermer 22 salles), le Boulevard, avec ses mimes, ses funambules (Deburau, Bobèche, Mme Saqui), et ses mélodrames* où s'amoncelaient les cadavres (le « boulevard du Crime »), offrit un panorama complet des divertissements populaires — immortalisés par Daumier et *les Enfants du paradis* de Carné. Les romantiques furent fascinés par le théâtre du Boulevard et les grands acteurs qui les servirent (Frédérick Lemaître, Marie Dorval) y apprirent à réagir contre la routine du Conservatoire. Mais l'évolution sociale et politique, le triomphe de la bourgeoisie, amena une transformation rapide du Boulevard, qu'amorce et incarne Eugène Scribe, qui aura pour disciples avertis Émile Augier, Dumas fils, Victorien Sardou : une mécanique bien huilée (une intrigue, mais pas d'action : on s'agite, mais il ne se passe rien), des comédiens habiles prisonniers de leur personnage, des mots (« l'esprit boulevardier »), deux motifs permanents : l'adultère et l'argent. La formule est bonne et le Boulevard va essaimer, dominer de sa fonction digestive les scènes parisiennes, grâce à des acteurs qui sont des monstres sacrés (Max Dearly, Lucien Guitry, Réjane) et à des auteurs (Labiche, Feydeau) qui sont les vrais classiques de la bourgeoisie. C'est contre le Boulevard que réagit Antoine*. S'il ne le tua pas, que survit-il d'un siècle de triomphes? Porto-Riche, Maurice Donnay, Henri Bataille, François de Curel, Eugène Brieux, Robert de Flers et Gaston de Caillavet, Alfred Capus, Courteline, Sacha Guitry, Henry Bernstein, Édouard Bourdet, André Roussin? Théâtre populaire ou d'avant-garde, toute l'expression dramatique moderne se définit le plus souvent par opposition au Boulevard.

BOULEZ (Pierre), compositeur et chef d'orchestre français (Montbrison 1925). Élève de Messiaen et de Leibowitz, il s'est imposé, en se réclamant du double héritage de Debussy et de Webern, comme un représentant significatif des courants sériels et postsériels *(Sonates* pour piano, *Structures* pour deux pianos, *le Marteau sans maître, Pli selon pli, Éclat-Multiples, Cummings ist der Dichter).* Directeur du *Domaine musical* jusqu'en 1967, il est devenu, en 1971, chef permanent de l'Orchestre symphonique de la BBC et de la Philharmonie de New York, et, en 1975, directeur de l'Institut de recherche et de coordination acoustique-musique (IRCAM) du centre Georges-Pompidou.

BOULGAKOV (Mikhaïl Afanassievitch), écrivain soviétique (Kiev 1891 - Moscou 1940). Après des récits humoristiques (*Cœur de chien,* 1925), il devient célèbre par la peinture de la débâcle des armées contre-révolutionnaires qu'il fait dans un roman (*la Garde blanche,* 1925) et son adaptation théâtrale (*les Jours des Tourbine,* 1926), mais la vigueur satirique de ses comédies (*l'Île pourpre,* 1929)

Larousse

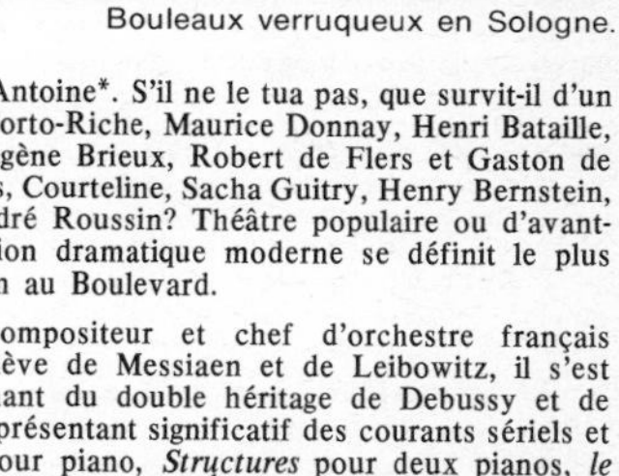

Pierre Boulez, par Rémusat. (Coll. privée.)

lui vaut la condamnation des écrivains « prolétariens » et la disgrâce. Ses derniers récits, où il traite des rapports entre l'écrivain et le pouvoir, ne paraîtront que bien après sa mort (*le Roman théâtral,* 1962; *le Maître et Marguerite,* 1966).

BOULGANINE (Nikolaï Aleksandrovitch), maréchal et homme d'État soviétique (Nijni-Novgorod 1895 - Moscou 1975). Membre du Conseil de défense (1941), maréchal (1947), successeur de Malenkov en 1955 comme président du Conseil des ministres, il dut démissionner en 1958 et fut exclu du Praesidium du Soviet suprême.

BOULIGNY (55240), comm. de la Meuse, à 18 km à l'O.-N.-O. de Briey; 4022 hab.

BOULIMIE → APPÉTIT.

BOULLE (André Charles), ébéniste français (Paris 1642 - *id.* 1732). Il créa un type de meubles recouverts de marqueteries de cuivre, d'écaille, d'étain, et enrichis de bronzes ciselés et dorés.

BOULLÉE (Étienne Louis), architecte français (Paris 1728 - *id.* 1799). Il a peu construit, mais a donné, à la fin de sa vie, des projets visionnaires (cénotaphe de Newton) et a formé des élèves, comme le rationaliste Jean Nicolas Louis Durand (1760-1834), lui-même théoricien influent.

BOULLONGNE ou **BOULOGNE,** famille de peintres français, dont les principaux, tous nés et morts à Paris, sont : LOUIS LE VIEUX (1609-1674), l'un des premiers membres de l'Académie royale; BON (1649-1717), son fils, passé comme lui par l'Italie, qui travailla à Versailles, sous Le Brun, et aux Invalides; LOUIS LE JEUNE (1654-1733), frère du précédent, prix de Rome en 1672, académicien en 1681, premier peintre du roi en 1724 (*Vie de saint Augustin,* aux Invalides; compositions mythologiques).

BOULOGNE-BILLANCOURT (92100), ch.-l. d'arr. des Hauts-de-Seine, limitrophe (au S.-O.) de Paris, sur la rive droite de la Seine; 103948 hab. *(Boulonnais).* Quartier résidentiel au N., en bordure du *bois de Boulogne.* Grande usine d'automobiles au S. *(Billancourt),* sur la Seine.

BOULOGNE-SUR-GESSE (31350), ch.-l. de cant. de la Haute-Garonne, à 26 km au N. de Saint-Gaudens; 1895 hab.

BOULOGNE-SUR-MER (62200), ch.-l. d'arr. du Pas-de-Calais, sur la Manche, à l'embouchure de la Liane; 49284 hab. *(Boulonnais).* [L'agglomération compte 102071 hab.] Enceinte du XIIIe s. autour de la ville haute (château, hôtel de ville du XVIIIe s., basilique du XIXe). Riche musée (vases grecs, archéologie et histoire locale). Principal port de pêche français. Sidérurgie. Constructions électriques et mécaniques. Confection.

Boulogne-sur-Mer *(camp de),* de 1803 à 1805, centre de rassemblement des troupes dites « des côtes de l'Océan », destinées par Bonaparte à un débarquement en Angleterre. Ce débarquement sera rendu impossible par la défaite navale de Trafalgar et la formation de la troisième coalition*.

BOULOIRE (72440), ch.-l. de cant. de la Sarthe, à 29 km à l'E. du Mans; 1501 hab.

BOULON → CHARPENTE.

BOULONNAIS, arrière-pays de *Boulogne-sur-Mer,* dans le départ. du Pas-de-Calais, sur la Manche, à l'O. des collines de l'Artois. Élevage dans la *fosse du Boulonnais,* dépression argileuse ouverte dans un plateau crayeux. — Faisant partie de la IIe Belgique romaine, puis du royaume franc de Neustrie, le pays fut, par la suite, érigé en comté, dont Philippe le Bon, duc de Bourgogne, s'empara en 1422 et que Louis XI incorpora au royaume en 1478.

BOULOU (Le) [66160], comm. des Pyrénées-Orientales, à 8 km au N.-E. de Céret, sur le Tech; 3709 hab. Station thermale pour le traitement des maladies du tube digestif et du diabète.

BOULOURIS, station balnéaire du Var (comm. de Saint-Raphaël), sur le littoral de l'Estérel.

BOUMEDIENE (Houari), homme d'État algérien (Guelma 1925). Chef d'état-major de l'Armée de libération nationale (1960), il est ministre de la Défense (1962) dans le gouvernement de Ben Bella*. Il prend le pouvoir lors du coup d'État de 1965 et gouverne avec le Conseil de la révolution, constitué essentiellement de militaires.

BOUNINE (Ivan Alekseïevitch), écrivain russe (Voronej 1870-Paris 1953). Fidèle au réalisme classique du XIXe s., il donne dans ses nouvelles et ses romans une peinture pittoresque du monde paysan (*le Village,* 1909), puis évolue vers une écriture lyrique dans ses souvenirs de voyages et ses récits d'inspiration autobiographique (*Lika,* 1939). [Prix Nobel, 1933.]

BOUQUETIN. — Le bouquetin est proche parent de la chèvre, avec laquelle il donne des hybrides féconds. Mais c'est une chèvre sauvage des hautes montagnes (Alpes, Pyrénées), remarquable par sa puissance de saut et son parfait équilibre sur d'étroites surfaces ainsi que par ses belles cornes, fortement annelées.

BOURASSA (Robert), homme d'État canadien (Montréal 1933), député libéral (1966), président du parti libéral du Québec (janv. 1970), Premier ministre du Québec (1970-1976).

BOURBAKI (Charles) → FRANCO-ALLEMANDE *(guerre).*

BOURBAKI (Nicolas), pseudonyme collectif sous lequel un groupe de mathématiciens, pour la plupart français, ont entrepris l'exposition des mathématiques en les prenant à leur point de départ logique et en proposant leur systématisation. Depuis 1939, ce groupe publie les *Éléments de mathématique,* caractérisés par l'approche strictement axiomatique de la mathématique et l'utilisation d'une terminologie personnelle, mais qui tend de plus en plus à se répandre. Les axiomes sont énoncés d'une façon abstraite, et l'ensemble maximal des mathématiques qui satisfait à un certain nombre d'entre eux s'appelle une *structure.*

BOURBINCE (la), riv. de Saône-et-Loire, affl. de l'Arroux (r. g.); 72 km. Sa vallée est empruntée par le canal du Centre.

BOURBON → EAU-DE-VIE.

BOURBON, maison souveraine, dont les membres ont régné en France (XVIIe-XIXe s.), à Naples, dans les Deux-Siciles et à Parme (XVIIIe-XIXe s.), et qui règne en Espagne depuis le début du XVIIIe s. Elle tire son nom de Bourbon-l'Archambault, capitale du duché de Bourbon.

Au XIIIe s. est formée la 10e maison de Bourbon, dont la tige est Robert de Clermont († 1317), sixième fils de Saint Louis et époux de Béatrice de Bourbon. De cette maison sont issues deux branches principales : la branche aînée et celle de Marche-Vendôme.

La *branche aînée,* issue de Pierre Ier (1311-1356), a donné notamment Pierre II, sire de Beaujeu, 7e duc de Bourbon (de 1488 à 1503), époux d'Anne de France (de Beaujeu), régent du royaume, avec sa femme, durant la minorité de Charles VIII, et Charles III, 8e duc de Bourbon (de 1503 à 1527), connétable de France, qui, s'étant mis au service des Impériaux, est dépossédé de son duché dès 1523 par François Ier, qui donne celui-ci à la *maison de Marche-Vendôme,* représentée notamment par Antoine* de Bourbon († 1562), époux (1548) de Jeanne d'Albret et père d'Henri de Navarre, qui, en devenant roi de France sous le nom d'Henri IV, prépare la réunion des domaines de la maison de Bourbon-Navarre à la Couronne.

Cette maison régnera sur la France presque sans discontinuité, par ordre de primogéniture, de 1589 à 1830 avec Henri IV*, Louis XIII*, Louis XIV*, Louis XV*, Louis XVI*, Louis XVIII* et Charles X*. Elle s'éteint en 1883 avec le comte de Chambord*, petit-fils de Charles X, mort sans postérité.

Des Bourbon-Vendôme sont issues de nombreuses branches :
1. *La branche des Condé*.* Elle est issue de Louis Ier de Bourbon (1530-1569), prince de Condé, frère d'Antoine de Bourbon-Navarre. De cette branche, principalement représentée par le Grand Condé (1621-1686) et éteinte en 1804 avec le duc d'Enghien*, est sorti le rameau des Conti*, éteint en 1814.
2. *Les deux branches des Bourbon-Orléans.* La première est limitée à Gaston* d'Orléans († 1660), frère de Louis XIII et père de la Grande Mademoiselle, morte sans postérité en 1693.

La seconde, issue de Philippe, duc d'Orléans (1640-1701), frère de Louis XIV, a régné avec Louis-Philippe* d'Orléans, roi des Français de 1830 à 1848, et est représentée actuellement par le comte de Paris (né en 1908), prétendant à la couronne de France, lui-même père de onze enfants.

De Louis, duc de Nemours († 1895), dernier fils de Louis-Philippe, subsiste le rameau d'Orléans-Bragance.
3. *La branche des Bourbon-Espagne.* En 1700, dans la personne du duc d'Anjou, troisième petit-fils de Louis XIV, devenu Philippe V († 1745), elle accède au trône d'Espagne. Juan Carlos, petit-fils d'Alphonse* XIII, proclamé roi d'Espagne en 1975, à la mort du général Franco, descend en droite ligne de Philippe V. Sa légitimité est contestée par les descendants de Don Carlos, père de Ferdinand. (V. CARLISME.)

Des Bourbon-Espagne se sont détachés divers rameaux, notamment : les *Bourbon-Parme,* issus de Philippe, fils cadet de Philippe V, duc de Parme, et qui furent dépossédés du duché de Parme en 1860; les *Bourbon-Sicile,* issus de Ferdinand, second fils de Charles III d'Espagne, roi des Deux-Siciles, et qui furent, eux aussi, dépossédés en 1860-61.

Des bâtards royaux sont sortis : les *Vendôme,* issus de César de Bourbon (1594-1665), aîné des enfants naturels d'Henri IV et de Gabrielle d'Estrées, et qui s'éteignirent au XVIIIe s.; les *Maine,* issus de Louis de Bourbon, duc du Maine (1670-1736), fils légitimé de Louis XIV et de Mme de Montespan; les *Penthièvre,* issus de Louis, comte de Toulouse (1678-1737), lui aussi fils légitimé de Louis XIV et de Mme de Montespan, et dont les biens passèrent à la famille d'Orléans en 1769.

BOURBON-LANCY (71140), ch.-l. de cant. de Saône-et-Loire, à 26 km au N.-O. de Digoin, près de la Loire; 6652 hab. Station thermale aux eaux chlorurées sodiques, chaudes et radioactives, utilisées dans le traitement des affections rhumatismales. Musée dans l'anc. église romane Saint-Nazaire. Matériel agricole.

BOURBON-L'ARCHAMBAULT (03160), ch.-l. de cant. de l'Allier, à 22 km à l'O. de Moulins; 2 598 hab. Station thermale aux eaux radioactives, chlorurées sodiques, bicarbonatées, bromurées et iodurées, utilisées dans le traitement des affections rhumatismales.

BOURBONNAIS, région historique du centre de la France. D'abord simple seigneurie (xe s.), puis duché-pairie (1327-28), le Bourbonnais naquit des succès des seigneurs de Bourbon, qui en firent au xve s. l'un des grands États féodaux français. Il fut rattaché à la Couronne en 1527.

BOURBONNE-LES-BAINS (52400), ch.-l. de cant. de la Haute-Marne, à 40 km au N.-E. de Langres; 3 105 hab. Station thermale aux eaux chaudes, radioactives, chlorurées sodiques et polymétalliques, utilisées dans le traitement des affections rhumatismales et des séquelles de traumatismes. Église des xIIe-xIIIe s.

BOURBOULE (La) [63150], comm. du Puy-de-Dôme, à 7 km à l'O. du Mont-Dore; 2 432 hab. Station thermale dont les eaux, radioactives, chlorurées sodiques et bicarbonatées, sont utilisées dans le traitement des affections respiratoires (asthme, rhinites), cutanées et rhumatismales.

BOURBOURG (59630), ch.-l. de cant. du Nord, à 17 km au S.-O. de Dunkerque; 7 317 hab.

BOURBRIAC (22390), ch.-l. de cant. des Côtes-du-Nord, à 11 km au S. de Guingamp; 2 903 hab. Église des xIe-xVIe s.

BOURDALOUE (Louis), prédicateur français (Bourges 1632 - Paris 1704). Jésuite, il commence à prêcher en 1666. Dans ses *sermons* (1670-1693), il développe une argumentation précise et prêche une morale rigoriste.

BOURDEAUX (26460), ch.-l. de cant. de la Drôme, à 24 km au S.-E. de Crest, sur le Roubion; 536 hab.

BOURDELLE (Antoine), sculpteur et peintre français (Montauban 1861 - Le Vésinet 1929). Fils d'un sculpteur sur bois, il étudia à Toulouse et à Paris. Après 1890, il devint l'aide préféré de Rodin, dont l'influence est compensée dans son œuvre par celle des sculpteurs romans et grecs archaïques. Il a exécuté près de 900 sculptures (plâtres originaux au musée Bourdelle, à Paris). Sa recherche d'une permanence des structures, d'un symbolisme architecturé s'exprime, par exemple, dans la *Tête d'Apollon* (1900), les *Beethoven* (de 1887 à 1929), le dynamique *Héraklès archer* (1909), les bas-reliefs du Théâtre des Champs-Élysées à Paris (1912), le *Monument d'Alvear* (1915-1923, Buenos Aires), la *Vierge à l'Enfant* (1920), *Sapho* (1925). Il a eu de nombreux élèves.

BOURDICHON (Jean), peintre et miniaturiste français (Tours v. 1457 - *id.* 1521). On connaît surtout ses *Heures d'Anne de Bretagne* (B. N., Paris), d'une grâce un peu académique.

BOURDIEU (Pierre), sociologue français (Denguin, Pyrénées-Atlantiques, 1930). Il s'intéresse particulièrement à la sociologie de l'Algérie en étudiant la société kabyle (*Travail et travailleurs en Algérie,* 1964). Puis il oriente ses recherches vers la sociologie de la culture et de l'éducation; il critique le système français d'enseignement en tant qu'institution assurant la continuité de la transmission des privilèges culturels et « reproduisant » ainsi les rapports établis entre les classes sociales (*la Reproduction. Éléments pour une théorie du système d'enseignement,* 1970).

BOURDON. — Voisin de l'abeille, le bourdon n'a jamais été domestiqué, ses colonies, trop peu nombreuses (quelques dizaines d'individus), ne fournissant qu'une quantité minuscule de miel. C'est cependant un insecte très commun, que l'on voit butiner en nombre en été, en particulier sur les luzernes. Son corps, massif, lui vaut un vol lourd; la fréquence relativement faible des battements de ses ailes produit le *bourdonnement.* En hiver, tous les bourdons meurent, sauf les *fondatrices* (femelles fécondées), qui constitueront chacune une colonie au printemps suivant.

Le rôle décisif du bourdon dans la pollinisation de maintes plantes fourragères fait de celui-ci un insecte utile.

BOURDON (Sébastien), peintre français (Montpellier 1616 - Paris 1671). Il est à Rome de 1634 à 1637; de retour en France, il pratique tous les genres, excelle aux pastiches les plus divers et devient un artiste officiel (recteur de l'Académie royale en 1655). L'influence d'un Poussin ou d'un Pierre de Cortone l'emporte dans les peintures d'histoire de sa maturité, où le paysage est traité de façon personnelle.

BOURDON (Eugène), ingénieur et industriel français (Paris 1808 - *id.* 1884). On lui doit l'invention du manomètre métallique (1849) et de nombreux appareils : trompe à vide, horloge pneumatique, tachymètre, etc.

BOURDONNEMENT D'OREILLE. — Cette anomalie peut être due à des maladies de l'oreille externe (bouchon de cérumen), de l'oreille moyenne (otites aiguës et chroniques) ou de l'oreille interne (traumatismes, toxiques [streptomycine], infections, artériosclérose). Elle est parfois provoquée par des lésions des voies nerveuses acoustiques ou par des lésions centrales cérébrales. Le traitement est souvent décevant.

BOUREÏA (la), riv. de l'U. R. S. S., affl. de l'Amour (r. g.); 716 km. Gisements miniers (fer, houille, or) dans sa vallée.

BOURG (33710), ch.-l. de cant. de la Gironde, à 17 km au S.-E. de Blaye, sur la Dordogne; 2 318 hab. Vins.

BOURGANEUF (23400), ch.-l. de cant. de la Creuse, à 33 km au S.-S.-O. de Guéret; 3 940 hab. Églises Saint-Jean et Saint-Pierre (xIIe-xVe s.).

BOURG-ARGENTAL (42220), ch.-l. de cant. de la Loire, à 28 km au S.-E. de Saint-Étienne; 3 335 hab.

BOURG-DE-PÉAGE (26300), ch.-l. de cant. de la Drôme, à 18 km au N.-E. de Valence, sur l'Isère; 9 006 hab. *(Péageois).*

BOURG-DE-THIZY (69240 Thizy), comm. du Rhône, à 33 km à l'E. de Roanne; 3 155 hab. Literie.

BOURG-DE-VISA (82190), ch.-l. de cant. de Tarn-et-Garonne, à 21 km au N. de Valence-d'Agen; 431 hab.

BOURG-D'OISANS (Le) [38520], ch.-l. de cant. de l'Isère, à 49 km au S.-E. de Grenoble, dans la vallée de la Romanche; 2 474 hab. Centre touristique.

BOURG-EN-BRESSE (01000), ch.-l. du départ. de l'Ain, sur la Reyssouze (affl. de la Saône), à 431 km au S.-E. de Paris; 44 967 hab. *(Bressans* ou *Bourgeois).* Construction automobile. Câbles. Machines-outils.

BEAUX-ARTS. Ancien monastère de Brou (auj. musée régional de l'Ain), reconstruit de 1506 à 1512 à la suite d'un vœu de Marguerite d'Autriche; l'église (1512-1532) est le chef-d'œuvre d'un style flamboyant épuré, le luxe décoratif se concentrant sur les sculptures du jubé, des stalles et des trois tombeaux du chœur, des chapelles (vitraux). Église gothique Notre-Dame, un peu postérieure à celle de Brou (stalles).

BOURGEOIS (Léon), homme politique français (Paris 1851 - Château d'Oger, Marne, 1925). Il préconisa l'arbitrage dans le règlement des conflits internationaux et fut un des promoteurs de la Société des Nations. (Prix Nobel de la paix, 1920.)

BOURGEOIS (Robert), général et savant français (Sainte-Marie-aux-Mines 1857 - Paris 1945). Chef de la mission qui mesura en Équateur un arc du méridien (1900-1906), il dirigea le Service géographique de l'armée (1911). Il est l'auteur de nombreux traités d'astronomie, de géodésie et de topographie.

Bourgeois gentilhomme *(le),* comédie-ballet, en cinq actes et en prose, de Molière, musique de Lully, intermède dansé réglé par Beauchamp (1670); satire d'un marchand drapier parvenu, M. Jourdain, qui veut jouer au gentilhomme.

BOURGEOISIE. — Le *burgensis* (bourgeois), c'est l'habitant d'un *bourg* nouvellement créé à partir du xIe s.; c'est avant tout un citadin qui assure son existence, dans une Europe qui sort de la longue immobilité féodale, soit par le métier qu'il pratique, soit par le commerce. Le bourgeois est donc le contraire d'un terrien; tout naturellement, il va demander au seigneur — qui les lui octroiera sous la forme de chartes de franchise applicables à l'ensemble de la bourgeoisie d'une commune — les libertés nécessaires à l'exercice de ses fonctions. Au xIIe s., une élite se dégage de la bourgeoisie : c'est le patriciat, qui forme des oligarchies, particulièrement puissantes dans le midi de la France et en Italie, où le régime municipal romain a survécu en s'adaptant à l'époque des invasions barbares.

Tout naturellement, la bourgeoisie, dont la place s'élargit sur les plans économique et culturel, se heurte aux anciens privilégiés, les clercs et les seigneurs. Les litiges se font particulièrement jour au sein des états* généraux, où le tiers état joue un rôle de plus en plus actif. C'est en France que l'ascension de la bourgeoisie est la plus rapide; elle est facilitée par le développement de l'administration royale, qui s'appuie sur elle contre la noblesse et la renforce par la vénalité des charges. En 1789 la puissance du tiers état — dont la partie active est la bourgeoisie d'affaires et la bourgeoisie de robe — est telle que la Révolution française sera une révolution bourgeoise. Dès lors, la bourgeoisie capitaliste s'installe dans tous les corps de l'État à la faveur de l'organisation napoléonienne; en 1830, elle triomphe définitivement de la réaction aristocratique liée à la Restauration. Et c'est logiquement qu'on a pu appeler la monarchie de Juillet* la « monarchie bourgeoise ». L'avènement du suffrage universel en 1848 ne réduit pas l'influence de la bourgeoisie; mais, peu à peu, celle-ci doit compter avec la montée du socialisme*, porte-parole des classes laborieuses.

Le terme de « bourgeois » désigne aujourd'hui autant le statut du propriétaire, un genre de vie particulier, que l'appartenance à l'ensemble des bénéficiaires d'un monde de production capitaliste*. Deux analyses prédominent en sociologie.

• L'*analyse marxiste* met l'accent sur la lutte* de classes, qui

Lauros - Giraudon

Bourges. La cathédrale Saint-Étienne (XIIIe s.).

oppose la bourgeoisie (classe détentrice des moyens de production) au prolétariat (classe exploitée), et qui annonce la victoire ultime du prolétariat. Dans la société industrielle capitaliste, la richesse de la classe bourgeoise ne peut se faire qu'au détriment de la classe ouvrière, car la classe possédante ne cherche qu'à s'enrichir et à utiliser cette même richesse à son accroissement. Hypocrite — car elle essaie de tourner l'ordre qu'en tant que classe et pour défendre ses intérêts elle a institué —, la bourgeoisie ne voit en chaque chose que sa valeur d'échange.

• L'*analyse de Max Weber* préfère s'attacher aux éléments objectivables qui définissent une classe sociale et en tirer les caractéristiques de l'idéal type bourgeois : refus de tout mysticisme, éloge du travail comme moyen de confirmer son salut, éloge de la continence et de l'ascétisme. Selon Weber, c'est la rencontre entre la conception calviniste du monde et les facteurs économiques accumulés par la féodalité qui a rendu possible la naissance du capitalisme.

• Le XXe s. voit l'essor de nouvelles couches sociales. L'accroissement du secteur tertiaire et l'élévation des revenus et des niveaux de vie créent une classe moyenne très nombreuse. La concentration du capital entraîne une séparation des fonctions de propriété et de gestion, d'où l'apparition de *managers.* Enfin, l'autonomisation relative de l'État engendre une nouvelle couche bureaucratique, les hauts fonctionnaires. À ces clivages sociaux s'ajoute, dans une société industrielle de consommation, le rôle homogénéisateur des mass media, qui présentent les mêmes modèles de vie à tous les individus. Dès lors, le terme de « bourgeoisie » désigne non seulement une classe, mais aussi un mode d'installation dans la société, auquel on oppose une contestation regroupant les marginalités de tous ordres (intellectuelles, sexuelles, sociales, économiques...). (V. PETITE BOURGEOISIE.)

BOURGEON. — À l'automne, les plantes vivaces préparent, à l'état de rudiments, les branches et les feuilles appelées à se développer au printemps suivant. Un ensemble d'ébauches foliaires, entouré de nombreuses écailles protectrices serrées et souvent enduites d'un vernis (marronnier d'Inde), constitue un *bourgeon à bois.* Terminal (au bout d'un rameau) ou axillaire (à l'aisselle d'une feuille), le bourgeon restera *dormant* pendant tout l'hiver, puis connaîtra au printemps une *éclosion* souvent très rapide (ouverture et croissance). Mais d'autres bourgeons peu différents *(bourgeons à fleurs)* donneront chacun soit une fleur unique, soit tout un groupe de fleurs (cerisier). Un bourgeon floral est un *bouton.*

BOURGEONNEMENT. — La notion de bourgeonnement s'applique non seulement aux végétaux qui forment des bourgeons, mais aussi à de nombreux animaux marins — cœlentérés, bryozoaires, tuniciers, etc. — qui vivent en colonies et qui augmentent le nombre d'individus de leurs colonies en formant des organes localisés capables de se développer, comme le ferait un œuf, mais sans qu'il y ait eu fécondation ni même formation de gamètes (multiplication asexuée).

BOURGES (18000), ch.-l. du départ. du Cher, sur l'Yèvre et l'Auron, à 220 km au S. de Paris; 80 379 hab. *(Berruyers).* De son passé brillant, Bourges a hérité une tradition administrative et culturelle (touristique notamment). À sa fonction commerciale se sont progressivement ajoutées, depuis le milieu du XIXe s., d'importantes activités industrielles, parmi lesquelles émergent aujourd'hui l'industrie du caoutchouc (dans la proche banlieue, à Saint-Doulchard), la construction aéronautique, la fonderie, l'armement (École supérieure et d'application du service du matériel de l'armée de terre; établissement d'expériences de fabrication d'armement; polygone d'essais).

HISTOIRE. Importante cité gauloise, puis romaine, Bourges *(Avaricum),* après la chute de l'Empire, passe aux mains des archevêques primats d'Aquitaine. Réunie au domaine royal au XIIe s., elle devient la résidence du « roi de Bourges » (Charles VII) et le centre de la résistance aux Anglais. L'une des plus grandes villes du royaume, elle possède d'importantes industries textiles et du cuir. Au XVe s., elle s'enrichit par des opérations commerciales et financières de Jacques Cœur*.

BEAUX-ARTS. Vaste cathédrale gothique, d'une structure originale (1195-1255) [deux portes romanes; tympan du Jugement dernier au portail central (1265); vitraux des XIIIe, XVe et XVIe s.; tours des XIVe-XVIe s.]. Important hôtel Jacques-Cœur (milieu du XVe s.). Hôtels Cujas (v. 1515) et Lallemant (auj. musées).

BOURGES (Élémir), écrivain français (Manosque 1852 - Paris 1925), auteur de romans qui peignent des passions mortelles nées de la fatalité (*le Crépuscule des dieux,* 1884) et d'un drame sur la destinée humaine (*la Nef,* 1904-1922).

BOURGET (Paul), écrivain français (Amiens 1852 - Paris 1935). Son analyse de la crise sociale et intellectuelle de son époque (*Essais de psychologie contemporaine,* 1883) l'amena à combattre le culte de la science et l'esthétique naturaliste, en opposant au roman de mœurs le roman psychologique (*le Disciple,* 1889), et à célébrer les valeurs bourgeoises traditionnelles (*Drames de famille,* 1900).

BOURGET *(lac du),* lac allongé (18 km) des Alpes, en Savoie, au N. de Chambéry; 44 km^2.

BOURGET (Le) [93350], ch.-l. de cant. de la Seine-Saint-Denis, à 5 km au N.-E. de Paris; 10 534 hab. Aéroport. Gare de triage. Constructions électriques.

BOURGET-DU-LAC (Le) [73370], comm. de la Savoie, à 11 km au N.-O. de Chambéry, au S. du *lac du Bourget;* 2 270 hab. Station estivale. Port de plaisance. Église des XIe, XIIIe et XVe s.

BOURG-LA-REINE (92340), ch.-l. de cant. des Hauts-de-Seine, à 5 km au S. de Paris; 18 480 hab. *(Réginaborgiens).*

BOURG-LASTIC (63760), ch.-l. de cant. du Puy-de-Dôme, à 24 km à l'O.-N.-O. de La Bourboule; 1 276 hab.

BOURG-LÉOPOLD, en néerl. **Leopoldsburg,** comm. de Belgique (Limbourg), au S.-E. de Mol; 13 095 hab. (en 1977).

BOURG-LÈS-VALENCE (26500), ch.-l. de cant. de la Drôme, dans la banlieue nord de Valence; 16 005 hab. Centrale hydroélectrique sur un canal de dérivation du Rhône.

BOURG-MADAME (66800 Saillagouse), comm. des Pyrénées-Orientales, à la frontière espagnole; 1 184 hab. *(Guinguettois).*

BOURGNEUF *(baie de),* baie des côtes de l'Atlantique (Loire-Atlantique et Vendée), au S. de l'estuaire de la Loire, limitée au S. par l'île de Noirmoutier. Ostréiculture.

BOURGNEUF-EN-RETZ (44580), ch.-l. de cant. de la Loire-Atlantique, à 15 km au S.-E. de Pornic, au fond de la baie de Bourgneuf; 2 161 hab.

BOURGOGNE → VIN.

BOURGOGNE, nom porté par plusieurs États dans l'histoire. C'est en 454 que les Burgondes*, venus de la vallée du Rhin, s'établissent dans la Bourgogne romaine, christianisée dès le IIe s. Le royaume burgonde tombe entre les mains des rois francs en 534. La Bourgogne carolingienne est démembrée lors du traité de Verdun (843), la Bourgogne franque (qui sera la Bourgogne proprement dite) étant séparée de la Bourgogne impériale (v. FRANCHE-COMTÉ). Au

IXe s., la Bourgogne est érigée en duché, dont, durant un siècle, des Robertiens se disputent le pouvoir. En 1031, Robert Ier est la tige d'une maison capétienne de Bourgogne qui ne s'éteint qu'en 1361, pour faire place à la brillante dynastie des Valois (1361-1477). La Bourgogne, foyer d'une éblouissante civilisation, devient, grâce surtout à Philippe* le Bon (de 1419 à 1467), le grand duché de l'Occident, considérable à la fois par son extension territoriale (Bourgogne et Pays-Bas) et par son essor économique et culturel. Après la mort de Charles* le Téméraire (1477), Louis XI rattache à la France le duché, qui devient la province de Bourgogne. La monarchie française, qui, en 1621, y crée une généralité, ne porte d'ailleurs pas atteinte aux institutions traditionnelles, notamment aux états de Bourgogne. En 1790, la généralité de Bourgogne constitue les départements de Saône-et-Loire, de la Côte-d'Or, de l'Ain et partiellement de l'Yonne.

BOURGOGNE, Région constituée par les départements de la Côte-d'Or, de la Nièvre, de Saône-et-Loire et de l'Yonne; 31 600 km²; 1 571 163 hab. *(Bourguignons).* Capit. *Dijon.*

S'étendant sur le sud-est du Bassin parisien et le rebord nord-oriental du Massif central, la Région ne présente pas une grande homogénéité : elle est constituée surtout d'unités plus ou moins autarciques, ou placées dans l'orbite de centres d'attraction différents, mais extrarégionaux. L'ensemble du département de

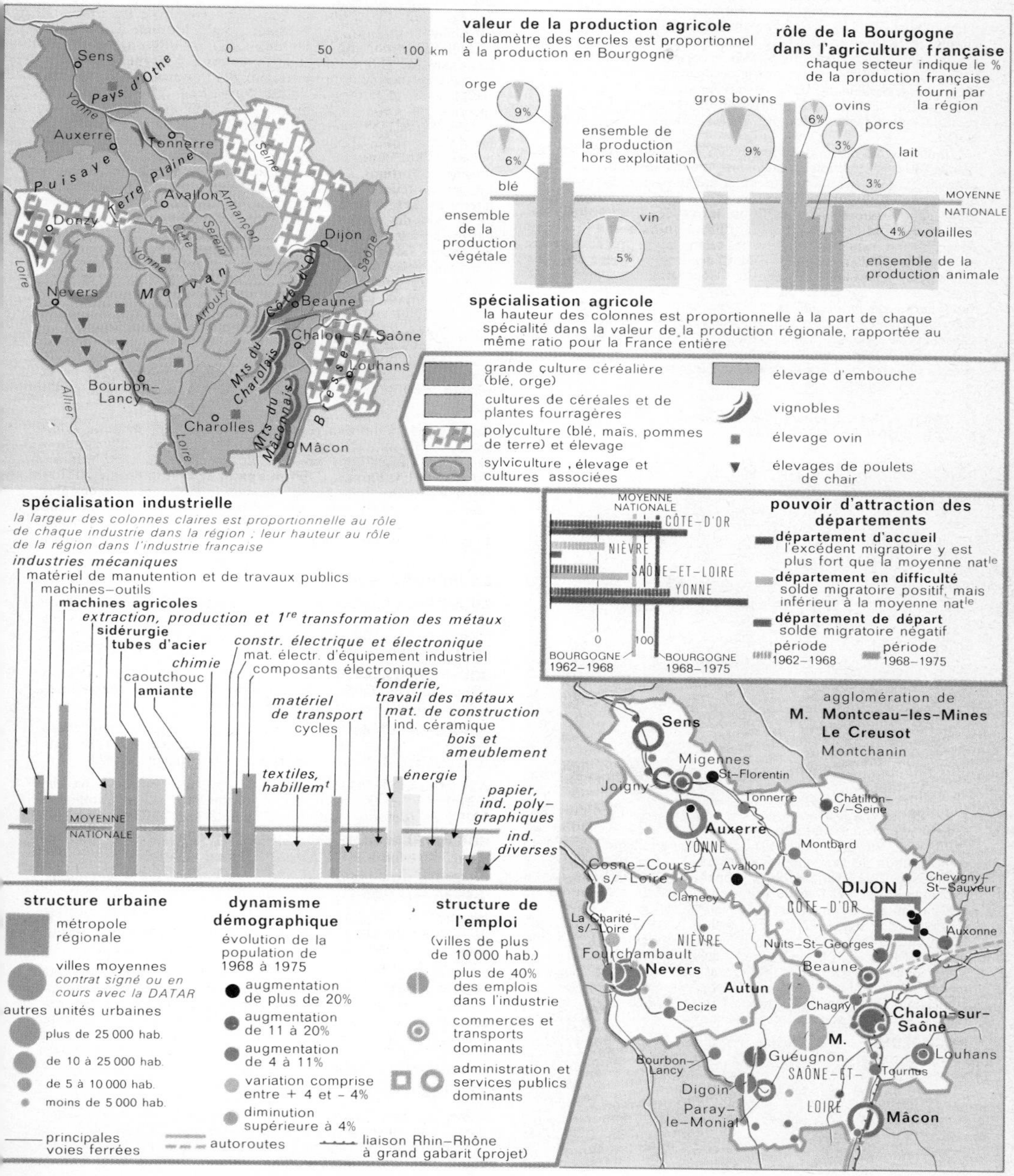

l'Yonne (Sénonais, Puisaye, Tonnerrois) est orienté vers Paris, comme l'est aussi une grande partie de la Nièvre, limitée à l'E. par le bloc granitique du Morvan, qui est prolongé au N. par les hauteurs du plateau de Langres. Au S.-E., les collines de l'Autunois et de la Côte d'Or dominent la vallée de la Saône et on entre alors dans l'orbite de Lyon. L'influence de la capitale régionale ne déborde guère le cadre de son département. Rivières et canaux (de Bourgogne, du Centre, du Nivernais) n'ont pas non plus de pouvoir unificateur pour une Région dont l'appellation est, en fait, plus historique que géographique.

Le climat, à tendance continentale, devient de plus en plus rude dans l'est, d'ailleurs souvent plus élevé. L'extrémité orientale, cependant dans une position d'abri, est relativement sèche et ensoleillée. Cette situation avec la nature du sol et le patient travail humain sont ici à la base d'un des plus célèbres vignobles du monde, entre Dijon et Meursault (c'est la Côte d'Or). On retrouve la culture de la vigne plus au S. (Mâconnais) et, par taches, dans l'ouest (vers Pouilly-sur-Loire) et le nord-ouest (Chablis). L'élevage (bovins essentiellement) domine souvent sur les hauteurs (Charolais), parfois domaine de la sylviculture (Morvan). Les cultures (céréales) se réfugient dans les vallées (Saône à l'E., Yonne au N.-O.).

L'industrie est, au moins localement, de tradition ancienne. La houille (dont l'extraction est maintenant en déclin) de Blanzy-Montceau-les-Mines a permis l'essor de la métallurgie, toujours active, du Creusot. Aujourd'hui, le secteur secondaire est surtout développé dans l'agglomération de Dijon, les vallées de la Loire à l'O. (vers Nevers) et de la Saône à l'E. (Chalon-sur-Saône); il progresse dans l'Yonne, vers Sens et Auxerre, relativement proche de Paris et desservie par l'autoroute du Sud. Cependant, la Région est, dans l'ensemble, peu peuplée. La densité d'occupation est seulement de l'ordre de 50 habitants au kilomètre carré, c'est-à-dire guère supérieure à la moitié de la moyenne nationale. L'extension du relief de plateaux, peu favorables à une dense occupation humaine, l'absence de grandes villes (Dijon est la seule agglomération dépassant 100 000 habitants) expliquent cette faiblesse, contrastant avec la richesse du passé de la Bourgogne, qui vaut à la Région une certaine attraction touristique, où se mêlent d'ailleurs culture et gastronomie. Il est permis, cependant, de s'interroger sur l'avenir de cette « construction » régionale : tous les territoires de l'actuelle Région de programme ont été, à des époques diverses, intégrés dans la construction bourguignonne, mais l'héritage du passé ne suffit pas à cimenter une unité administrative.

Le village et les vignobles d'Aloxe-Corton, en Côte-d'Or (Côte de Beaune).

Centre de documentation P. Tétrel.

BOURGOGNE (51220 Hermonville), ch.-l. de cant. de la Marne, à 11 km au N. de Reims; 698 hab.

Bourgogne *(canal de),* canal reliant la Seine à la Saône par la vallée de l'Armançon et celle de l'Ouche, de Laroche-Migennes à Saint-Jean-de-Losne; 242 km.

BOURGOGNE *(dynastie de),* première dynastie qui régna au Portugal (1128-1383). Elle tire son nom d'Henri* de Bourgogne, à qui Alphonse de León, son beau-père, confia le comté de Portugal.
Henri se rend vite indépendant, et son fils Alphonse Ier Henriques (de 1128 à 1185) transforme cette indépendance de fait en indépendance de droit : victorieux des Castillans à Saõ Mameda (1128), il prend le titre de roi de Portugal en 1139, titre que son suzerain du León reconnaît en 1143. Lui et ses successeurs Sanche Ier (de 1185 à 1211), Alphonse II (de 1211 à 1223), Sanche II (de 1223 à 1248), Alphonse III (de 1248 à 1279) accentuent la poussée chrétienne au détriment des musulmans, au point de donner au Portugal, à peu de chose près, son extension définitive. En même temps, les privilégiés (clergé, noblesse) bénéficient largement des générosités royales, et, au fur et à mesure de l'extension du royaume, les ordres militaires sont gratifiés de vastes territoires. Ces privilèges menacent l'autorité royale; celle-ci est encore faible sous un monarque comme Sanche II, mais elle s'affermit progressivement sous Denis le Libéral (de 1279 à 1325), véritable rénovateur de la vie économique portugaise, et sous Alphonse IV (de 1325 à 1357), qui, à la puissance des *Cortes* et des *conselhos* (communautés rurales ou urbaines), oppose des magistrats royaux, les *juizes de fora.* Le règne de Pierre Ier (de 1357 à 1367) en voit le triomphe, mais une crise économique effroyable liée à la peste noire (1348) — qui tue la moitié de la population — la remet en cause. Ferdinand Ier (de 1367 à 1383) n'ayant pu la rétablir, c'est le grand maître de l'ordre d'Aviz*, Jean Ier, qui lui succède.

Bourgogne *(hôtel de),* résidence parisienne des ducs de Bourgogne, dont il ne reste, aujourd'hui, que la tour, dite *donjon de Jean sans Peur.* Transformé en salle de spectacle en 1548 par les Confrères de la Passion, il devint à partir de 1599 le premier théâtre régulier de Paris. Il fut occupé pendant le XVIIe s. par une des plus célèbres troupes de comédiens, qui fusionna en 1680 avec celle du théâtre Guénégaud (ex-troupe de Molière) pour former la Comédie-Française. Les Comédiens-Italiens s'y installèrent alors jusqu'en 1783.

BOURGOGNE *(porte de)* → ALSACE *(porte d').*

BOURGOIN (Pierre), résistant français (Cherchell 1907-Paris 1970). Rallié à la France libre dès 1940, il crée et commande les commandos de l'air qui, surnommés *bataillons du ciel,* ont été parachutés sur les arrières allemands en Bretagne (juin 1944).

BOURGOIN-JALLIEU (38300), ch.-l. de cant. de l'Isère, à 15 km à l'O. de La Tour-du-Pin, sur la Bourbre; 22 335 hab. *(Berjalliens).* Textiles. Industries mécaniques et chimiques.

BOURG-SAINT-ANDÉOL (07700), ch.-l. de cant. de l'Ardèche, à 15 km au N. de Pont-Saint-Esprit, sur le Rhône; 7 083 hab. *(Bourguesans).* Église romane et autres monuments. Vins.

BOURG-SAINT-MAURICE (73700), ch.-l. de cant. de la Savoie, à 31 km au S.-O. du col du Petit-Saint-Bernard, en Tarentaise; 5 729 hab. *(Borains).* Station d'altitude (840 m). Métallurgie.

BOURGTHEROULDE-INFREVILLE (27520), ch.-l. de cant. de l'Eure, à 11 km à l'O. d'Elbeuf; 1 317 hab.

BOURGUÉBUS (14540), ch.-l. de cant. du Calvados, à 8 km au S.-E. de Caen; 620 hab.

BOURGUEIL (37140), ch.-l. de cant. d'Indre-et-Loire, à 23 km à l'E. de Saumur, sur les coteaux du Val de Loire; 3 620 hab. Église en partie romane. Restes d'une abbaye bénédictine. Vins.

BOURGUIBA (Ḥabīb ibn ʿAlī), homme d'État tunisien (Monastir 1903). Militant nationaliste, il s'oppose au Destour* traditionaliste et devient en 1934 le secrétaire général du Néo-Destour. Il forme en 1956 le premier gouvernement de la Tunisie indépendante. Président de la République depuis 1959, il est désigné président à vie par l'Assemblée nationale en 1975. Il entreprend la laïcisation de certaines institutions.

BOURGUIGNON → FROMAGE.

Bourguignons *(faction des),* faction rivale de celle des Armagnacs* pendant la guerre de Cent Ans et qui avait à sa tête Jean sans Peur, duc de Bourgogne. Le conflit entre les deux factions éclata après l'assassinat de Louis d'Orléans (1407). Dans sa lutte contre les Armagnacs, Jean sans Peur se servit des éléments les plus violents du parti bourguignon, les cabochiens.

BOURIATES *(république autonome des),* république de l'U. R. S. S. (R. S. F. S. de Russie), au S. du lac Baïkal; 812 000 hab. Ch.-l. *Oulan-Oude.*

BOURMONT (52150), ch.-l. de cant. de la Haute-Marne, à 21 km au S.-S.-O. de Neufchâteau; 794 hab.

BOURMONT (Louis, *comte* DE GHAISNES DE), maréchal de France (Bourmont, Anjou, 1773-*id.* 1846). Après avoir servi dans l'armée impériale (1808-1814), il abandonne l'Empereur pendant les Cent-Jours, rejoint Louis XVIII à Gand et est l'un des accusateurs de Ney. Ministre de la Guerre (1829), il commande l'armée qui, en 1830, prend Alger.

BOURNAZEL (Henri DE LESPINASSE DE), officier français de spahis (Limoges 1898-Bou Gafer, Maroc, 1933). Héros de la lutte menée contre Abd el-Krim et de la pacification du Maroc, gouverneur du Tafilalet (1932), il fut tué en opérations.

BOURNEMOUTH, v. de Grande-Bretagne (Angleterre), sur la Manche; 153 000 hab. Station balnéaire.

BOURNONVILLE (August), danseur et chorégraphe danois d'origine française (Copenhague 1805-*id.* 1879). Formé à l'école française, il rénove le ballet danois, qui lui doit son style (« bournonvillien »). Sa *Fête des fleurs à Genzano,* sa version de *la Sylphide* et *Napoli* sont encore dansés actuellement.

BOUROGNE (90140), comm. du Territoire de Belfort, à 12 km au S.-E. de Belfort; 906 hab. Petit port fluvial et zone industrielle sur le canal du Rhône au Rhin.

BOURRACHE → BORRAGINACÉES.

BOURRÉE → SUITE DE DANSES.

BOURRICAUD (François), sociologue français (Saint-Martin-du-Bois, Gironde, 1922). En 1955, il traduit différents textes de Talcott Parsons* qu'il réunit sous le titre d'*Éléments pour une sociologie de l'action.* Dans son *Esquisse d'une théorie de l'autorité* (1961), il montre comment l'observation microsociologique permet l'établissement d'hypothèses applicables au niveau de la société globale. Mais il se défie de l'extrapolation, la société fondant sa singularité de fonctionnement par rapport aux petits groupes. Ses observations font de lui un spécialiste de l'Amérique latine (*Pouvoir et société dans le Pérou contemporain,* 1967).

BOURRIENNE (Louis FAUVELET DE), officier français (Sens 1769-Caen 1834). Camarade de Bonaparte à Brienne, il devint son secrétaire (1797), puis fut conseiller d'État sous l'Empire et ministre d'État sous Louis XVIII. Il est l'auteur de *Mémoires* (1829-1831).

BOURSAULT (Edme), écrivain français (Mussy-l'Évêque, Champagne, 1638-Montluçon 1701). Auteur de romans de mœurs, de tragédies et de comédies (*le Mercure galant,* 1683), il est surtout célèbre par sa critique de *l'École des femmes* de Molière (*le Portrait du peintre,* 1663).

BOURSE-À-PASTEUR. — Il n'y a que peu d'espèces végétales que l'on rencontre vraiment dans le monde entier à l'état sauvage. C'est pourtant le cas de la petite *capselle,* ou « bourse-à-pasteur », crucifère du bord des chemins, ainsi nommée à cause de sa silique aplatie comme une bourse vide, au contour général triangulaire.

BOURSE DE COMMERCE. — Il existe en France trente-deux Bourses de commerce, dont les principales sont à Paris, au Havre, à Roubaix, à Tourcoing, à Lyon, à Marseille, à Bordeaux. Elles sont sous la tutelle des Chambres de commerce et d'industrie.

• Le *marché libre* embrasse les affaires pour lesquelles les parties contractent directement entre elles et fixent d'un commun accord la qualité, la quantité, le prix, la date, le délai de livraison ainsi que les modalités d'expédition et de paiement.

• Les *marchés à terme* sont légaux en France depuis la loi du 28 mars 1885. Leur mécanisme permet l'ajustement des offres et des demandes à l'échelle mondiale. Les opérations consistent dans l'achat ou la vente faisant l'objet d'un contrat qui se dénoue soit par la livraison ou la réception des marchandises, soit par la vente

TABLEAU DE COTATION.

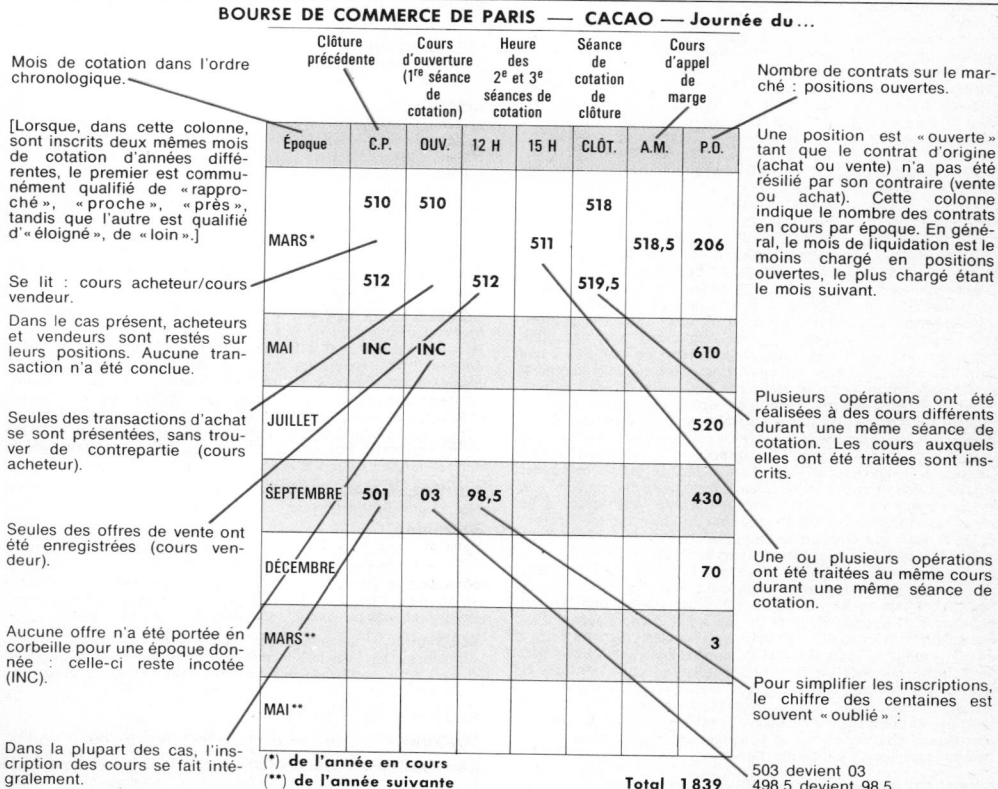

BOURSE DE COMMERCE DE PARIS — CACAO — Journée du...

Époque	C.P. (Clôture précédente)	OUV. (Cours d'ouverture (1re séance de cotation))	12 H (Heure des 2e et 3e séances de cotation)	15 H	CLÔT. (Séance de cotation de clôture)	A.M. (Cours d'appel de marge)	P.O.
MARS*	510 512	510	512	511	518 519,5	518,5	206
MAI	INC	INC					610
JUILLET							520
SEPTEMBRE	501	03	98,5				430
DÉCEMBRE							70
MARS**							3
MAI**							

(*) de l'année en cours
(**) de l'année suivante

Total 1 839

Mois de cotation dans l'ordre chronologique.

[Lorsque, dans cette colonne, sont inscrits deux mêmes mois de cotation d'années différentes, le premier est communément qualifié de « rapproché », « proche », « près », tandis que l'autre est qualifié d'« éloigné », de « loin ».]

Se lit : cours acheteur/cours vendeur.

Dans le cas présent, acheteurs et vendeurs sont restés sur leurs positions. Aucune transaction n'a été conclue.

Seules des transactions d'achat se sont présentées, sans trouver de contrepartie (cours acheteur).

Seules des offres de vente ont été enregistrées (cours vendeur).

Aucune offre n'a été portée en corbeille pour une époque donnée : celle-ci reste incotée (INC).

Dans la plupart des cas, l'inscription des cours se fait intégralement.

Nombre de contrats sur le marché : positions ouvertes.

Une position est « ouverte » tant que le contrat d'origine (achat ou vente) n'a pas été résilié par son contraire (vente ou achat). Cette colonne indique le nombre des contrats en cours par époque. En général, le mois de liquidation est le moins chargé en positions ouvertes, le plus chargé étant le mois suivant.

Plusieurs opérations ont été réalisées à des cours différents durant une même séance de cotation. Les cours auxquels elles ont été traitées sont inscrits.

Une ou plusieurs opérations ont été traitées au même cours durant une même séance de cotation.

Pour simplifier les inscriptions, le chiffre des centaines est souvent « oublié » :

503 devient 03
498,5 devient 98,5.

de ce qui avait été acheté ou l'inverse. L'opérateur débourse ou encaisse la différence de prix. Cependant, la référence à la marchandise demeure. Celle-ci doit se conserver, être fongible, de prix fluctuants et de libre circulation. En mettant en corrélation l'offre et la demande mondiales, les marchés à terme assurent les producteurs, les transporteurs, les exportateurs et les importateurs contre les risques de fluctuations défavorables, stabilisent les prix, les baisses et les hausses se compensant, et contribuent à former le prix vrai à tout moment en raison du volume d'affaires traitées. Les professionnels sont, au premier chef, intéressés par ces marchés. Mais, s'ils étaient les seuls, les ordres, faute de contrepartie, risqueraient d'être inexécutés; d'où l'intervention d'une clientèle non professionnelle élargissant le volume des transactions. La loi du 9 août 1950 confère aux commissionnaires* agréés le monopole des négociations, privilège entraînant une réglementation très stricte. Les commissionnaires, ducroires responsables de la solvabilité de leurs clients et de l'exécution des ordres, sont affiliés à la Compagnie des commissionnaires agréés et tenus au secret professionnel. La réglementation définit attributions et responsabilités des organismes concourant au fonctionnement des marchés : Compagnie des commissionnaires agréés et son conseil de direction, organisme chargé de l'exécution financière et de la liquidation des opérations, auprès duquel celles-ci doivent être enregistrées, comités techniques par marché et, au sommet, comité de direction, organisme de coordination et d'interprétation muni des pouvoirs les plus étendus.

BOURSE DES VALEURS. — Une Bourse des valeurs* est un marché sur lequel des agents* de change se réunissent quotidiennement pour effectuer en un laps de temps déterminé la négociation publique des valeurs mobilières. Après avoir recueilli tous les ordres d'achat et de vente exprimés sur une même valeur, les agents de change les confrontent pour constater entre eux un cours d'équilibre, qui est celui où le plus grand nombre d'ordres d'achat et de vente compatibles peut être exécuté. Ce marché est localisé en France dans les villes de Bordeaux, de Lille, de Lyon, de Marseille, de Nancy, de Nantes et de Paris. Une même valeur ne peut, cependant, être traitée que sur une seule de ces sept unités de négociation décentralisées : ainsi, les agents de change près la Bourse de Paris négocient et cotent les valeurs françaises à vocation nationale ou internationale et une sélection de valeurs étrangères, tandis que les agents de change attachés à chacune des Bourses de province assurent la négociation et la cotation des valeurs de collectivités dont l'essentiel des activités et de l'implantation est situé dans le ressort géographique de leur Bourse. Chacune de ces Bourses comporte deux marchés distincts : d'une part, un *marché officiel,* où se négocie une liste limitative de valeurs, formant la Cote officielle, à laquelle leur inscription a été prononcée par les autorités boursières à l'issue d'une procédure et selon des techniques strictement réglementées; d'autre part, un *marché hors-cote,* qui est librement ouvert à la négociation des valeurs non inscrites à la Cote officielle. Toutes les valeurs inscrites à la Cote officielle ou traitées sur un marché hors-cote sont négociables *au comptant,* en toutes quantités à partir de l'unité. En outre, et sur le marché officiel seulement, les valeurs qui font l'objet de la plus large diffusion publique et des transactions les plus étoffées (230 valeurs à Paris, 1 à Bordeaux, à Lille, à Lyon, à Marseille et à Nancy) sont négociables *à terme,* par quotités minimales de 10, de 25, de 50 ou de 100, ou leurs multiples : toutes les conditions du contrat d'achat ou de vente (prix et quantités) sont arrêtées le jour de la négociation, mais son exécution (règlement en capitaux et livraison des titres) est reportée à une date ultérieure, dite *date de liquidation,* fixée réglementairement sept Bourses avant la fin du mois civil. Tout ordre de négociation à terme doit être assorti d'une *couverture,* constituée par des espèces, de l'or ou des titres, variable entre 20 et 40 p. 100 du montant de l'engagement et bloquée au compte du donneur d'ordre jusqu'à exécution du contrat. Les ordres de Bourse peuvent être transmis soit directement à un agent de change par les personnes qui ont ouvert dans sa charge un compte de titres et d'espèces, soit à une banque ou à un établissement financier, soit, enfin, à un *remisier,* mandataire dont la fonction est de conseiller ses clients et de gérer leurs portefeuilles de titres. Quel que soit l'intermédiaire auquel il aura été transmis, l'ordre parvient en définitive à un agent de change, seul habilité à l'exécuter sur le marché. Outre d'évidentes stipulations (nom, nombre et nature des titres, achat ou vente, comptant ou terme), un ordre de Bourse doit comporter des indications concernant sa durée de validité et le cours auquel il est exécutable («au mieux», c'est-à-dire quel que soit le cours coté; à un prix «limité», maximal à l'achat, minimal à la vente). Les ordres de Bourse, transcrits sur fiches standardisées, sont confrontés en Bourse par les agents de change ou leur commis selon trois méthodes de cotation : *à la criée,* pour les valeurs à large marché (valeurs du terme et sélection de valeurs du comptant); *par oppositions,* pour la cotation au comptant des valeurs du terme; *par casiers,* pour toutes les autres valeurs.

BOURSEUL (Charles), savant français (Bruxelles 1829 - Saint-Céré 1912). Il perfectionna le télégraphe et créa en 1854, avant Graham Bell, un appareil téléphonique.

BOU SAADA, v. d'Algérie, oasis la plus proche d'Alger; 22 000 hab.

BOUSBECQUE (59166), comm. du Nord, à 6 km au N.-O. de Tourcoing, sur la rive droite de la Lys; 3 446 hab. Industrie chimique.

BOUSCAT (Le) [33110], ch.-l. de cant. de la Gironde, dans la banlieue nord-ouest de Bordeaux; 21 308 hab. Métallurgie. Travail du cuir.

BOUSIER → SCARABÉE.

BOUSSAC (23600), ch.-l. de cant. de la Creuse, à 36 km au S.-E. de La Châtre; 1 954 hab. Château du XVe s.

BOUSSAC (Marcel), industriel français (Châteauroux 1889). L'un des plus importants représentants de l'industrie textile, il s'est aussi intéressé à une maison de couture (Christian Dior), à la fabrication de machines à laver et de réfrigérateurs (Bendix) ainsi qu'à un quotidien *(l'Aurore).*

BOUSSENS (31360 St Martory), comm. de la Haute-Garonne, à 24 km à l'E.-N.-E. de Saint-Gaudens, sur la Garonne; 698 hab. Usine de dégazolinage. Cimenterie.

BOUSSIÈRES (25320 Montferrand le Château), ch.-l. de cant. du Doubs, à 15 km au S.-O. de Besançon; 697 hab.

BOUSSINESQ (Joseph), mathématicien français (Saint-André-de-Sangonis, Hérault, 1842 - Paris 1929). Spécialiste de la mécanique générale et de la mécanique physique, il étudia aussi la capillarité, l'élasticité et la résistance des matériaux.

BOUSSINGAULT (Jean-Baptiste), chimiste français (Paris 1802 - *id.* 1887). Il a étudié la richesse des engrais en azote et en phosphore, la composition des tissus vivants, la valeur nutritive des fourrages, etc. Il a participé aux travaux de J.-B. Dumas sur les masses atomiques.

BOUSSOIS (59168), comm. du Nord, à 6 km à l'E. de Maubeuge; 3 531 hab. Verrerie.

BOUSSU, comm. de Belgique (Hainaut), à l'O. de Mons; 11 474 hab. (en 1970).

BOUSSY-SAINT-ANTOINE (91800 Brunoy), comm. de l'Essonne, à 4 km au S.-E. de Brunoy; 5 986 hab. Musée Dunoyer-de-Segonzac.

BOUTEILLE. — Le verre* à bouteilles contient environ 75 p. 100 de silice*, 14 p. 100 d'oxyde de sodium*, 12 p. 100 de chaux* et de magnésie*, de 1 à 3 p. 100 d'alumine* et d'oxydes colorants. Les matières premières essentielles sont le sable, le carbonate et le sulfate de sodium, le calcaire et la dolomie. La fabrication est continue et automatique. Pesées par lots d'environ 1 t, les matières sont mélangées, puis introduites dans un four à cuve chauffé à 1 500 °C. Le verre fondu, débité à 1 200 °C sous forme de gouttes, est mis en forme par des machines de soufflage. Les bouteilles sont ensuite refroidies progressivement dans un four de recuisson. La production de chaque four peut atteindre 500 000 bouteilles par jour.

BOUTEILLE DE LEYDE. — Imaginée en 1745 par Van Musschenbroek et deux autres savants de Leyde, elle est constituée par un flacon de verre mince, qui forme le diélectrique du condensateur et dont la surface extérieure est recouverte d'une feuille d'étain ou d'aluminium, constituant l'armature externe; une tige métallique, terminée par un bouton, s'engage dans le bouchon de liège qui ferme la bouteille, dont l'intérieur est rempli de feuilles de clinquant, servant d'armature interne. Lorsque le goulot est assez large, l'armature interne est une feuille métallique garnissant la surface interne de la bouteille, qu'on appelle alors une *jarre.*

BOUTEILLE MAGNÉTIQUE. — Ce dispositif sert à confiner un plasma grâce à l'action de champs magnétiques.

BOUTHOUL (Gaston), sociologue français (Monastier, Lozère, 1899). Il créa en 1945 une discipline, la polémologie*, qui considère la guerre comme un phénomène à la fois biologique et social. Ce point de vue devait renouveler l'étude des relations, belliqueuses ou pacifiques, entre les États (*les Guerres, éléments de polémologie,* 1951; *Traité de polémologie. Sociologie des guerres,* 1970).

BOUTIQUE. — En matière de mode, ce terme désigne un petit magasin où des articles de pointe sont proposés dans un décor d'avant-garde, à l'image des boutiques sur rue ouvertes par les couturiers.

BOUTON → BOURGEON.

BOUTONNE (la), affl. de la Charente (r. dr.); 94 km.

BOUTS (Dieric), peintre des anciens Pays-Bas, mentionné à Louvain comme peintre de la ville de 1457 à sa mort, en 1475. Sans

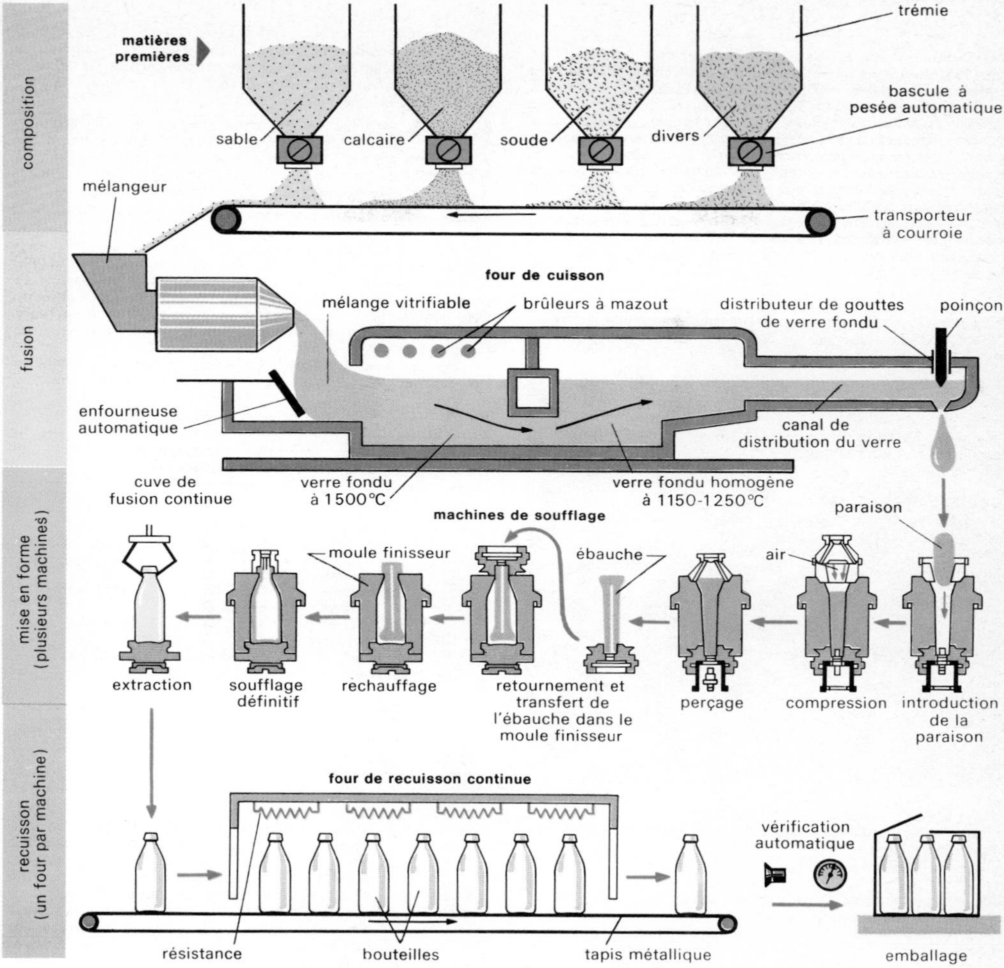

FABRICATION DES BOUTEILLES

doute venu de Haarlem, puis élève de Van der Weyden, il est un paysagiste subtil, un peu archaïsant, et un peintre de l'intimisme sacré (*la Fontaine symbolique* et *les Damnés,* volets d'un triptyque, musée de Lille).

BOUTURAGE → ARBORICULTURE.

BOUTX (31440 St Béat), comm. de la Haute-Garonne, à 16 km à l'E. de Saint-Béat; 304 hab. Sports d'hiver à l'écart du *Mourtis* (alt. 1 460-1 850 m).

Bouvard et Pécuchet, roman de Flaubert, inachevé, publié en 1881. Roman « philosophique », formant le pendant de *la Tentation* de saint Antoine* et dont le sous-titre devait être « du défaut de méthode dans les sciences ». Deux gratte-papier font connaissance sur un banc et décident de vivre ensemble : ils s'essaient successivement à l'agriculture, à la chimie, à l'archéologie, à la littérature, à la philosophie, à la politique, etc., y échouent pareillement et se remettent à « copier ». Mais Flaubert a doté ses deux anti-héros de sa propre faculté obsessionnelle « de voir la bêtise et de ne plus la tolérer ». La satire porte donc moins sur la science et son avenir (contre les certitudes naïves d'un Renan ou d'un Taine) que sur l'idée qu'on s'en fait ou, plutôt, qu'on en reçoit. Les deux amis vont donc « copier » le sottisier patiemment réuni par Flaubert tout au long de sa vie, ce « dictionnaire des idées reçues » qui joue le rôle de la croix ou du crâne sur lequel l'ermite du désert fait porter sa méditation.

BOUVIER, constellation de l'hémisphère boréal, dont la principale étoile est *Arcturus** et qui contient plusieurs étoiles doubles.

BOUVINES (59830 Cysoing), comm. du Nord, à 12 km au S.-E. de Lille, sur la Marcq; 611 hab. Victoire remportée par Philippe Auguste sur l'empereur Otton IV et ses alliés, le comte de Flandre et le roi d'Angleterre (27 juill. 1214).

BOUVREUIL. — Son ventre, au plumage rouge, le fait parfois confondre avec le rouge-gorge. Ce passereau, assez sauvage, commun dans les forêts, est pourtant plus proche parent des pinsons, des serins et de la linotte que du rouge-gorge, dont il se distingue aisément par sa corpulence, sa tête noire, son gros bec de mangeur de graines. C'est un oiseau nuisible, car il s'attaque aux jeunes pousses des plantes.

BOUXWILLER (67330), ch.-l. de cant. du Bas-Rhin, à 15 km au N.-E. de Saverne; 3 706 hab. Monuments anciens.

BOUZIGUES (34140 Mèze), comm. de l'Hérault, à 13 km au N.-O. de Sète, sur l'étang de Thau; 904 hab. Mytiliculture.

BOUZONVILLE (57320), ch.-l. de cant. de la Moselle, à 21 km à l'O. de Sarrelouis; 4 677 hab. Église remontant au XIe s. Constructions mécaniques.

Bovary *(Madame)* → MADAME BOVARY.

BOVES (80440), ch.-l. de cant. de la Somme, à 9 km au S.-E. d'Amiens, sur la Noye; 2 266 hab.

BOVET (Daniel), pharmacologiste italien (Neuchâtel 1907), prix Nobel de physiologie et de médecine en 1957 pour ses travaux sur les antihistaminiques et les curarisants de synthèse.

BOVIDÉS. — L'élevage de la vache, du mouton et de la chèvre dans le monde entier, celui du yack en Asie centrale, celui du zébu à Madagascar, celui du buffle en divers pays marquent l'importance primordiale des ruminants à cornes creuses, formant la vaste famille des *bovidés,* dans les civilisations humaines. Ces animaux se reconnaissent non seulement à leurs cornes creuses et persistantes (qui manquent chez la femelle dans certaines espèces grégaires, telles que le mouton), mais aussi à l'absence de toute trace des doigts latéraux aux quatre pattes et surtout à leur étonnante denture labiale : *quatre* paires d'incisives à la mâchoire inférieure (la dernière provenant d'une évolution des canines) et *aucune* dent labiale en haut, l'avant de la bouche fonctionnant comme un couteau face à une planche, mais à l'envers. Les molaires, elles, ont les mêmes replis en croissant de lune que chez les autres ruminants. L'estomac comprend les quatre poches typiques, bien délimitées.

On partage les bovidés en six sous-familles : *bovins* ou *bovinés* (bœuf, bison, buffle), *ovins* ou *ovinés* (mouton, mouflon), *caprins* ou *caprinés* (chèvre, bouquetin), *antilocaprinés, antilopinés* (très nombreux ; antilopes), *rupicaprinés* (chamois).

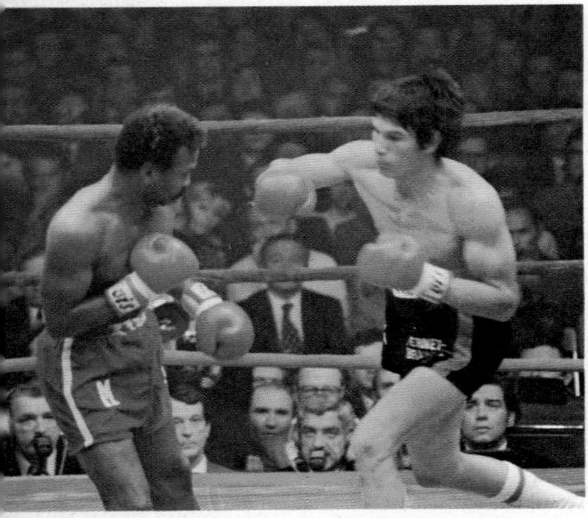
Courrière - Paris-Match

Boxe. Match opposant l'Argentin Carlos Monzon et le Mexicain José Napoles, deux des plus grands boxeurs des années 70.

BOVINS ou **BOVINÉS.** — À l'échelle mondiale, on distingue deux types essentiels de bovins domestiques : le *bœuf sans bosse,* originaire de l'Europe et du nord de l'Asie, et le *bœuf à bosse* (ou zébu), originaire du sud de l'Asie. Si l'on adopte un classement fondé sur l'utilisation des diverses races, on distingue :
— des races à viande : Shorthorn (ou Durham), Hereford, Aberdeen Angus, charolaise, Charbray (métissage de charolais avec le zébu Brahman), limousine, blonde d'Aquitaine...;
— des races laitières : pie noir, originaire de Frise, et le type Holstein-Friesian, qui en est dérivé, jersiaise, flamande (en régression)...;
— des races mixtes : normande, pie rouge des plaines, pie rouge des montagnes, tarentaise, brune...;
— des races rustiques, présentes dans tous les pays de l'Europe occidentale, parfaitement adaptées aux conditions de milieu, ce qui leur confère une certaine supériorité sur les races améliorées, plus fragiles, plus exigeantes.

Le troupeau mondial avoisine 1,2 milliard de têtes. Loin derrière l'Inde (180 millions de têtes), où la valeur économique du cheptel est bien inférieure à son effectif, les États-Unis et l'U. R. S. S. dépassent aussi le seuil des 100 millions de têtes. Les autres grands pays d'élevage bovin sont les vastes États de l'hémisphère Sud (Brésil et Argentine, Australie), le groupe assez compact de l'Afrique orientale (de l'Éthiopie à la Tanzanie, où le troupeau possède parfois une valeur sociale autant qu'économique) et aussi la France (23 millions de têtes), placée au premier rang européen (U. R. S. S. exclue).

BOWEN (Norman Levi), pétrographe américain (Kingston, Ontario, 1887 - Washington 1956). D'origine canadienne, il a effectué sa carrière aux États-Unis, à la Carnegie Institution à Washington et à l'université de Chicago. A la fois géologue et chimiste, il est le fondateur de la pétrologie expérimentale. Ses travaux essentiels concernent les roches alcalines et, en collaboration avec O. F. Tuttle, la genèse des granites.

BOWLING. — Ce jeu d'origine américaine consiste à renverser dix quilles de 38 cm de hauteur, disposées en triangle au bout d'une piste de bois dur de 25,50 m de long sur 1,85 m de large, à l'aide de deux boules en bois de gaïac de 18 à 32 cm de diamètre, qu'on lance en les faisant rouler sur cette même piste.

BOXE. — Née au début du XVIIIe s. en Angleterre, la boxe (dite parfois *boxe anglaise,* par opposition à la *boxe française,* moins pratiquée et où l'usage offensif des pieds est autorisé) n'est véritablement codifiée que depuis un peu plus d'un siècle (1867), avec la rédaction des fameuses règles attribuées au marquis de Queensberry, dont certaines (obligation du port des gants, durée de trois minutes pour chaque round, ou reprise, avec un intervalle d'une minute de repos) sont toujours valables. La création de catégories de poids fut plus tardive, s'imposant pour équilibrer les chances des pugilistes. Aujourd'hui, les combats se disputent en trois reprises chez les amateurs, en six, en huit, en dix, en douze ou en quinze rounds chez les professionnels, selon l'importance de la rencontre (les championnats du monde se disputent obligatoirement en quinze reprises). La victoire avant la limite peut être obtenue par k.-o., ou knock-out (c'est-à-dire que le boxeur mis à terre ne peut se relever ou reprendre le combat au bout de dix secondes), par abandon du boxeur ou jet de l'éponge de son manager, par disqualification. La victoire aux points récompense le boxeur ayant dominé l'autre dans une rencontre allant à son terme (celle-ci peut alors aussi se conclure par un match nul). La décision est rendue par un arbitre, juge unique, ou par trois juges (pour les rencontres les plus importantes), l'un d'eux faisant fonction d'arbitre. Pratiquée exclusivement avec les mains, poings fermés, la boxe comprend seulement une gamme de six ou sept coups, dont les plus importants sont le direct, le crochet et l'uppercut.

boxe : les catégories actuelles et leurs limites supérieures

catégories	*professionnels*	*amateurs*
mini-mouche	48,080 kg	48 kg
mouche	50,802 kg	51 kg
coq	53,524 kg	54 kg
plume	57,152 kg	57 kg
super-plume	58,967 kg	pas reconnu
léger	61,235 kg	60 kg
super-léger	63,503 kg	63,500 kg
welter ou mi-moyen	66,678 kg	67 kg
super-welter ou super-mi-moyen	69,853 kg	71 kg
moyen	72,574 kg	75 kg
mi-lourd	79,378 kg	81 kg
lourd	au-dessus	au-dessus

BOXEURS ou **BOXERS,** société secrète chinoise, qui fut à l'origine d'un mouvement xénophobe né des humiliations essuyées par la Chine devant le Japon (1895) et les puissances européennes (1898). Les Boxeurs s'attaquèrent aux légations étrangères de Pékin (1900), qu'une expédition internationale délivra. Leur défaite ne fit que renforcer l'emprise européenne sur la Chine.

BOYACÁ, village de Colombie, dans la Cordillère orientale, où Bolívar battit les Espagnols le 7 août 1819.

BOYLE (Robert), physicien et chimiste irlandais (Lismore Castle 1627 - Londres 1691). Il a, avant Mariotte*, énoncé la loi de compressibilité des gaz, reconnu le rôle de l'oxygène dans les combustions et les respirations. En 1661, répudiant la théorie d'Aristote, il a, pour la première fois, défini l'élément chimique.

BOYNE, fl. d'Irlande, sur les rives duquel Guillaume III triompha des troupes de Jacques II (1er juill. 1690).

BOZEL (73350), ch.-l. de cant. de la Savoie, sur le *Doron de Bozel,* à 13 km à l'E.-S.-E. de Moûtiers; 1 344 hab.

BOZOULS (12340), ch.-l. de cant. de l'Aveyron, à 23 km au N.-E. de Rodez; 1 817 hab. Église en grande partie romane (XIIe s.). Cañon du Dourdou, dit *trou de Bozouls.*

Brabançonne *(la),* hymne national belge, composé en 1830 par F. Van Campenhout.

BRABANT → LABOUR.

BRABANT, région historique, auj. partagée entre la Belgique et les Pays-Bas*. Le duché, partie intégrante de la Basse-Lorraine, naît au XIe s. de la réunion du comté de Louvain au comté de Bruxelles, auxquels s'adjoignent différentes seigneuries et villes, Anvers notamment. Il atteint son apogée avec Jean Ier (de 1261 à 1294), qui unit à titre personnel le duché de Limbourg à celui de Brabant. Au XIVe s., les ducs de Brabant doivent compter avec les villes drapantes. Jean IV (de 1415 à 1427) est le fondateur de l'université de Louvain (1426). En 1430, la dynastie s'étant éteinte avec Philippe de Saint-Pol, le Brabant est incorporé aux Pays-Bas. Il suit dès lors la destinée de ces provinces, puis de la Belgique*.

BRABANT, prov. de Belgique; 3 371 km^2; 2 176 373 hab. *(Brabançons).* Ch.-l. *Bruxelles.* C'est la province centrale du pays, entre la plaine de Flandre et les plateaux précédant l'Ardenne, entre la région linguistique flamande et la partie wallonne. Elle possède la capitale nationale, qui, dans son agglomération, concentre approximativement la moitié de la population provinciale. Le reste du Brabant, plat et souvent limoneux est intensément cultivé (blé, betterave à sucre et aussi cultures maraîchères, stimulées par l'important marché de consommation bruxellois).

BRABANT-SEPTENTRIONAL, prov. du sud des Pays-Bas, limitrophe de la Belgique; 1 880 000 hab. Ch.-l. *Bois-le-Duc.*

BRACHIOPODES. — Le groupe des brachiopodes, dont les zoologistes discutent encore les parentés, comprend un petit nombre d'espèces marines, dont certaines persistent sans changement depuis le cambrien (il y a 500 millions d'années). Mais il a connu une expansion et une diversification extrêmes au cours du primaire et, à un moindre degré, au cours du secondaire. Les brachiopodes sont des animaux fixés, ce qui gouverne toute leur anatomie : pédoncule de fixation, coquille bivalve protectrice pouvant s'ouvrir ou se fermer comme celle des mollusques (mais à ouverture transversale et non longitudinale), vastes branchies soutenues par un squelette rubané et bordées de cils microscopiques qui battent l'eau constamment pour renouveler l'oxygène et la nourriture (microplancton). Mais la larve est nageuse et ressemble énormément à celle des annélides (trochophore). Le seul genre actuel qui ne soit pas trop rare sur les côtes françaises est le minuscule *Gwynia* (0,5 mm), mais on compte soixante-deux genres de brachiopodes dans les mers du monde entier, et la dimension de la coquille dépasse souvent le centimètre.

BRACIEUX (41250), ch.-l. de cant. de Loir-et-Cher, à 17 km à l'E.-S.-E. de Blois, sur le Beuvron; 1 019 hab.

BRACQUEMOND (Félix), peintre, décorateur, graveur et théoricien français (Paris 1833 - *id.* 1914). Aquafortiste très lié aux milieux de l'avant-garde picturale et littéraire (participation aux expositions de ses amis impressionnistes), il s'est livré à de multiples expériences techniques et a joué un rôle d'animateur, amenant notamment Manet à la gravure. Il a donné des décors pour la céramique (service d'après la *Mangwa* d'Hokusai dès 1866). — Sa femme, MARIE (1841-1916), était peintre.

BRACTÉE. — Comme tous les rameaux, le pédoncule floral naît de la tige à l'aisselle d'une feuille. Mais cette feuille, dans la plupart des espèces, est si différente des autres par sa forme et ses dimensions qu'on lui a donné un nom spécial, la *bractée.* Lorsque le pédoncule floral se ramifie à son tour (ombellifères), chacune de ses branches peut être associée à une bractée de second ordre (bractéole). Quand les pédoncules floraux sont très courts, les bractées sont presque au contact des fleurs et, lorsque celles-ci sont nombreuses (composées), elles forment, autour d'un réceptacle en plateau ou en cône, une couronne serrée à plusieurs rangées, l'*involucre.* Chez les artichauts, elles constituent les feuilles à base comestible. Dans d'autres espèces de composées, les pièces de l'involucre ne sont que des écailles transparentes (scabieuse).

BRADFORD, v. de Grande-Bretagne (Angleterre), au N.-E. de Manchester; 294 000 hab. Industries textiles (laine).

BRADLEY (James), astronome britannique (Sherborne 1693 - Chalford 1762). On lui doit l'une des plus importantes découvertes astronomiques, celle de l'aberration* des étoiles* fixes, qu'il fit alors qu'il cherchait à mettre en évidence un autre phénomène : la parallaxe annuelle des étoiles, confirmation du mouvement de la Terre* autour du Soleil*, attendue depuis Copernic*.

BRADLEY (Francis Herbert), philosophe anglais (Glasbury, Brecknockshire, 1846 - Oxford 1924). Sa critique de la connaissance discursive (*les Principes de la logique,* 1883; *Apparence et réalité,* 1893) l'amène à penser que l'absolu est l'unique réalité vraie. Bradley est l'un des principaux représentants de l'idéalisme néo-hégélien en Angleterre.

BRADLEY (Omar), général américain (Clark, Missouri, 1893). Il se distingua en Tunisie et en Sicile (1943), puis commanda le XIIe groupe d'armées américain débarqué en Normandie (1944), qu'il conduisit jusqu'à la victoire de 1945. Il fut chef d'état-major des forces américaines de 1949 à 1953.

BRAGA, v. du Portugal septentrional, ch.-l. de district, au N. de Porto; 48 000 hab. Cathédrale romane très remaniée. Aux environs, sanctuaire du Bom Jesus do Monte et son escalier monumental à sculptures (baroque de la fin du XVIIIe s.).

BRAGANCE *(dynastie de),* quatrième et dernière dynastie royale en Portugal (1640-1910). Le Portugal s'étant révolté en 1640 contre ses maîtres espagnols, c'est un lointain descendant de Jean Ier d'Aviz*, Jean de Bragance, qui devient roi sous le nom de Jean IV (de 1640 à 1656) : il consolide la position du Portugal par une série d'accords avec les adversaires de l'Espagne. Si bien qu'en 1668, sous Alphonse VI, Madrid se résigne à reconnaître l'indépendance du Portugal. Mais ce pays est économiquement ruiné; sous le règne de Pierre II (de 1683 à 1706), Luís de Meneses, comte d'Ericeira — le « Colbert portugais » —, rééquilibre l'économie en créant une industrie nationale, mais cette orientation mercantiliste et industrialiste est stoppée en 1703 par la signature du traité de Methuen, qui fait du Portugal un partenaire privilégié de la Grande-Bretagne. Sous le règne de Jean V (de 1706 à 1750), l'afflux de l'or brésilien provoque une période de faste, mais aussi de dilapidation; si bien que l'or ne stimule nullement l'économie métropolitaine. La décadence portugaise privilégie l'Église — très riche — et la noblesse foncière; cependant, le long ministère de Pombal*, qui correspond au règne de Joseph Ier (de 1750 à 1777) et qui s'inspire du régalisme rationaliste, renforce l'État, restaure l'économie et rénove l'enseignement. Mais la reine Marie Ire (de 1777 à 1816) et son époux, Pierre III († 1786), prennent le contre-pied de la politique de Pombal. Le Portugal, ravagé par les invasions napoléoniennes, apparaît bientôt comme le frère pauvre du riche Brésil, d'autant plus que, de 1808 à 1821, la Cour réside dans ce dernier pays, devenu indépendant en 1822. À travers tout le XIXe s., sous le règne des derniers Bragance, Jean VI (de 1816 à 1826), Pierre IV (de 1826 à 1828), Michel Ier (de 1826 à 1834), Marie II (de 1834 à 1853), Pierre V (de 1853 à 1861), Louis Ier (de 1861 à 1889), le Portugal est en proie à la pauvreté et au désordre. Peu à peu, sous l'influence de la France, les idées républicaines s'y font jour. En 1908, Charles Ier (de 1889 à 1908) est assassiné; deux ans plus tard, le jeune Manuel II (de 1908 à 1910) cède devant la république, proclamée le 5 octobre 1910.

BRAGG (sir William Henry), physicien anglais (Wigton 1862 - Londres 1942). Il a reçu en 1915 le prix Nobel de physique avec son fils, sir WILLIAM LAWRENCE (Adélaïde, Australie, 1890 - Ipswich 1971), pour leurs travaux sur la diffraction des rayons X par les cristaux, qui leur permirent d'élucider de nombreuses structures.

BRAHE (Tycho), astronome danois (Knudstrup, Scanie, 1546 - Prague 1601). Célèbre, dès l'âge de vingt-six ans, par ses observations d'une nova dans la constellation* de Cassiopée*, il fut le plus grand observateur que l'astronomie ait connu avant l'invention du télescope*. Avec l'aide financière de Frédéric II de Danemark, il construisit le premier observatoire des temps modernes : Uraniborg, dans l'île de Hveen. À la mort de son protecteur en 1588, il quitta le Danemark pour Prague et devint l'astronome de Rodolphe II. C'est à Prague qu'il termina ses observations stellaires et planétaires, et qu'il dressa un catalogue de près de 800 étoiles*. C'est à Prague aussi qu'eut lieu la plus étonnante rencontre de l'astronomie, celle de Brahe et de Kepler*, en 1600. Si Tycho Brahe fut un grand praticien de l'astronomie, il fut moins bien inspiré en cosmologie, et, abandonnant le système héliocentrique récemment affirmé par Copernic*, il revint à un système géocentrique inspiré de celui d'Héraclide du Pont (IVe s. av. J.-C.).

BRAHMANISME. — Souvent identifié à l'hindouisme*, le brahmanisme s'en distingue cependant par certains traits.

• *Le brahmanisme, période transitoire de la civilisation indienne.* Selon certains historiens, il s'agirait de la période où s'effectue, vers le VIe s. av. J.-C., le passage du védisme* à l'hindouisme. Cela ne signifie pourtant pas qu'il s'est intégralement dilué dans l'hindouisme au fil des années, car cette religion a connu, notamment entre le XIIIe et le XVe s., puis au XIXe s., des tendances qui préconisèrent le retour à une certaine « orthodoxie » inspirée des commentaires de Śaṅkara*. Mais ces tendances ont disparu avec l'éclatement du royaume indien.

• *La référence stricte à l'absolu (ātman-brāhman).* Dans les *Upaniṣad**, l'absolu, ou totalité ou encore soi universel, est le principe transpersonnel, et le brahmanisme strict se définit par une référence précise à lui. En revanche, l'hindouisme s'est affirmé en interprétant cet absolu en un sens personnel et en n'y faisant plus qu'une vague référence.

• *Le dharma.* Ce terme désigne la loi ou l'ordre de la disposition des éléments de l'univers. Interprété dans un sens moral, cette loi interdit le passage d'un membre d'une caste à une autre caste. Ainsi, seuls les brahmanes peuvent obtenir le salut, qui, en revanche, dans l'hindouisme, n'est pas réservé aux membres de cette caste sacerdotale.

• *Les rites.* Qu'il s'agisse des rites dont le déroulement scande la vie et les jours ou des rites d'initiation, ils concernent essentiellement la caste des brahmanes.

BRAHMAPOUTRE (le), fl. de l'Asie, né au Tibet, sur le versant nord de l'Himālaya, et qui coule en Inde (Assam) avant de mêler ses eaux au Gange (au Bangladesh), avec lequel il forme un delta commun sur le golfe du Bengale; 2 900 km.

BRAHMS (Johannes), compositeur allemand (Hambourg 1833 - Vienne 1897). Un musicien du Nord qui a fait une partie de sa carrière à Vienne; un romantique de conception qui a sacrifié toute sa vie à l'art classique; un continuateur aussi, disciple spirituel de Schumann, qui n'a peut-être pas eu ses audaces : tel apparaît l'artiste paradoxal, grand pianiste, chef d'orchestre, qui est resté attaché par ses œuvres à la pensée de Bach comme à celle de Beethoven. Brahms s'est distingué dans la musique symphonique (4 symphonies, 2 ouvertures, concerto pour violon, concertos pour piano, concerto pour violon et violoncelle), la mélodie (lieder, romances, ballades), la musique de chambre (sonates, trios, quatuors, quintettes), la musique de piano (fantaisies, rhapsodies, sonates, variations), l'art choral (chœurs à quatre et à cinq voix, *Requiem allemand*).

BRAI → RAFFINAGE.

BRAIDWOOD (Robert J.), archéologue américain (Detroit 1907). En 1955, il reconnaît dans le nord-est de l'Iraq le plus ancien village mésopotamien (Mu'allafāt, près de Mossoul, entre 7000 et 6500). Par ses recherches fondées sur l'étude de l'environnement ancien, il a renouvelé l'approche du néolithique.

BRĂILA, v. de Roumanie, sur le Danube inférieur; 158 000 hab. Port fluvial. Industries du bois.

BRAILLE (Louis), inventeur français (Coupvray, Seine-et-Marne, 1809 - Paris 1852). Aveugle, il créa un système d'écriture, en points saillants, à l'usage des aveugles, qu'il appliqua à la notation musicale.

BRAINE (02220), ch.-l. de cant. de l'Aisne, à 18 km à l'E. de Soissons; 2 009 hab. Anc. abbatiale gothique Saint-Yved, de plan original (autour de 1200).

BRAINE-L'ALLEUD, comm. de Belgique (Brabant), au N. de Nivelles; 26 625 hab. (en 1977).

BRAINE-LE-COMTE, v. de Belgique (Hainaut), au N.-E. de Soignies; 16 561 hab. Église gothique.

BRAKEL, comm. de Belgique (Flandre-Orientale); 14 063 hab.

BRAKPAN, v. de l'Afrique du Sud (Transvaal), au S.-E. de Johannesburg; 113 000 hab.

BRAMABIAU, grotte du causse Noir (Gard), à l'O. du mont Aigoual, parcourue par le ruisseau du Bonheur.

BRAMAH (Joseph), mécanicien britannique (Stainborough 1749 - Londres 1814). On lui doit de multiples inventions, notamment la presse hydraulique (grâce à sa découverte du cuir embouti), une serrure de sûreté, une machine à numéroter les billets de banque, etc.

BRAMANTE (Donato d'ANGELO [?], dit), architecte italien (près d'Urbino 1444 - Rome 1514). Il commence comme peintre (proche de Melozzo), passant en Lombardie, à Bergame (1477), puis à Milan, où il élève le baptistère polygonal de S. Maria presso S. Satiro, au décor encore fleuri (mais un projet pour la façade le montre à la fois héritier d'Alberti et précurseur de Palladio), puis l'énorme abside de S. Maria delle Grazie (1492). La seconde partie de sa carrière, à Rome (1499), fait de lui le premier maître de la Renaissance classique, épris d'organisation des volumes et de contrastes de lumière. Après le petit temple rond de S. Pietro in Montorio, il construit divers palais et se voit confier par Jules II les vastes travaux de rénovation du Vatican : *loges* de la cour S. Damaso, immense cour à dénivellations du Belvédère (auj. altérée) avec travées « rythmiques » (motifs alternés), adoption du plan central pour Saint-Pierre, démolitions visant à créer les voies d'accès de la Rome moderne.

BRAMPTON, v. du Canada (Ontario), à l'O. de Toronto; 41 211 hab. Cultures florales.

BRANCHEMENT → AIGUILLAGE.

BRANCHIES. — Les animaux aquatiques les plus divers respirent par des *branchies,* expansions très découpées, baignant dans l'eau par leur face externe et dont la cavité interne contient soit du sang circulant (cas général : poissons, crustacés, mollusques, etc.), soit de l'air circulant (trachéo-branchies de certaines larves d'insectes), soit, enfin, de l'eau circulante (échinodermes). À la simplicité des *branchies externes,* autour desquelles l'eau se renouvelle quand l'animal nage (jeune têtard, axolotl) ou quand il s'agite (spirographe), s'oppose la complexité des *branchies internes,* qui doivent créer un courant d'eau soit par des battements ciliaires (mollusques bivalves, brachiopodes, etc.), soit par de véritables mouvements

Roger-Viollet

Johannes Brahms.

E. Lessing - Magnum

Willy Brandt.

respiratoires (gastropodes, crustacés, poissons). En revanche, les branchies internes sont souvent capables de continuer leur fonction respiratoire hors de l'eau, rendant possible une vie partiellement ou totalement terrestre (crabes, cloportes, quelques gastropodes et divers poissons).

BRANCHIOPODES ou **PHYLLOPODES.** — Il ne faut surtout pas confondre, malgré leur quasi-homonymie, les *branchiopodes* et les *brachiopodes.* En effet, les *branchiopodes* sont des crustacés nageurs, munis de nombreuses pattes thoraciques nageuses et rameuses (aux deux sens de l'adjectif), mais dépourvus d'appendices abdominaux. Généralement de petite taille (de l'ordre du centimètre ou du millimètre), les uns sont marins et les autres d'eau douce. Principaux types : *Artemia, Apus, Estheria, Daphnia.*

BRÂNCUŞI (Constantin), sculpteur roumain de l'école de Paris (Pestişani Gorj 1876 - Paris 1957), l'un des plus grands initiateurs du XXe s. Fils de paysans pauvres de l'Olténie, en partie autodidacte, il sort diplômé de l'École des beaux-arts de Bucarest en 1902, poursuit son apprentissage à Paris (1904), où le séduisent un moment le frémissement de Rodin, l'élongation et la stylisation des formes d'Elie Nadelman (1882-1946). *La Muse endormie** et *le Baiser* définissent respectivement, dès 1908-1910, deux directions fondamentales : recherche d'une essence symbolique de la forme (*l'Oiseau dans l'espace,* versions de 1924 à 1949, marbre, bronze); veine fruste et archaïsante, expressive, magique (*l'Esprit du Bouddha,* 1937, bois). Trois monuments ont été dressés par l'artiste dans son pays natal, à Tîrgu Jiu, en 1938 : *la Colonne sans fin, la Porte du baiser, la Table du silence.* L'atelier parisien de Brâncuşi est reconstitué au musée national d'Art moderne de Paris.

BRAND, station de repos et de sports d'hiver (alt. 1 050-1 900 m) d'Autriche, dans le Vorarlberg, près de Bludenz.

BRAND ou **BRANDT** (Hennig), alchimiste hambourgeois († 1692), qui découvrit le phosphore (1669) en distillant de l'extrait d'urine.

BRANDEBOURG, en allem. **Brandenburg,** région historique de l'Allemagne du Nord, qui a été le noyau de la Prusse*. C'est une terre de rencontre entre Slaves et Germains. En 1134, un baron du Harz, Albert Ier l'Ours, reçoit cette marche, dont ses successeurs de la famille des Ascaniens — éteinte en 1320 — reculent les frontières. Le margraviat — dont le titulaire est Électeur d'Empire en 1356 — est disputé au XIVe s. par les Wittelsbach et les Luxembourg, ce qui n'arrête pas le défrichement et la mise en valeur du Brandebourg. En 1415, les Hohenzollern* sont investis du margraviat et de l'électorat de Brandebourg; Joachim II (de 1535 à 1571) introduit le luthérianisme. Au XVIIe s., les ambitions des Hohenzollern aboutissent à la transformation de l'État brandebourgeois en un État allemand s'étendant, en écharpe, de la mer du Nord à la Baltique grâce à deux héritages heureux : Clèves en 1614 et la Prusse en 1618. Lorsqu'en 1701 Frédéric III se fait couronner roi de Prusse (Frédéric Ier), le Brandebourg ne constitue plus guère que 40 p. 100 de la superficie de l'État des Hohenzollern. En 1815, la Marche de Brandebourg fait place à un État prussien. Mais les rois de Prusse porteront le titre de margraves de Brandebourg jusqu'en 1918.

BRANDEBOURG, en allem. **Brandenburg,** v. de l'Allemagne orientale, sur la Havel, à l'O. de Berlin; 94 000 hab.

BRANDES (Georg), philosophe et critique littéraire danois (Copenhague 1842 - *id.* 1927). Il initia les pays scandinaves aux littératures européennes et fit triompher l'esthétique réaliste (*les Courants principaux de la littérature européenne au XIXe siècle,* 1872-1890), puis il évolua vers la peinture des individualités exceptionnelles de l'art ou de l'histoire (*Shakespeare,* 1895; *Jules César,* 1918).

BRANDO (20222 Erbalunga), ch.-l. du cant. de Sagro-di-Santa-Giulia, en Haute-Corse, à 12 km au N. de Bastia, dans la presqu'île du cap Corse; 1 157 hab. Église romane.

BRANDON, v. du Canada (Manitoba), sur l'Assiniboine, à l'O. de Winnipeg; 31 150 hab. Nœud ferroviaire.

BRANDT (Bill), photographe britannique (Londres 1904). Après avoir travaillé à Paris avec Man Ray* et subi l'influence des surréalistes, il rentre à Londres et réalise plusieurs reportages, parmi lesquels des images poignantes sur les abris-refuges de la capitale. D'extraordinaires perspectives et une lumière étrange qui fossilise le corps font de lui un novateur du nu féminin.

BRANDT (Herbert FRAHM, dit **Willy**), homme politique allemand (Lübeck 1913). Membre, puis président du parti social-démocrate (SPD) de la R. F. A., président de la municipalité de Berlin-Ouest (1957), il entre comme vice-chancelier et ministre des Affaires étrangères dans le cabinet Kiesinger (1966). Chancelier à la tête d'un gouvernement de coalition SPD-FDP (1969-1974), il oriente la diplomatie allemande vers l'*Ostpolitik,* l'ouverture à l'Est. En 1971, il obtient le prix Nobel de la paix.

BRANDYS (Kazimierz), écrivain polonais (Łódź 1916). Adepte du réalisme socialiste (*le Cheval de bois,* 1946), il procède ensuite à un examen de conscience littéraire et exprime la complexité des phénomènes humains dans des essais et des récits d'inspiration autobiographique (*le Joker,* 1966) ou historique (*Variations postales,* 1972).

BRANLY (Édouard), physicien français (Amiens 1844 - Paris 1940). Il a inventé en 1890 le cohéreur à limaille, qui a permis la réception des signaux de télégraphie sans fil.

BRANNE (33420), ch.-l. de cant. de la Gironde, à 15 km au S.-E. de Libourne, sur la Dordogne; 764 hab.

BRANNER (Hans Christian), écrivain danois (Ordrup 1903 - Copenhague 1966). Ses romans (*le Cavalier,* 1949), ses nouvelles (*Deux Minutes de silence,* 1944) et ses drames (*Frères et sœurs,* 1952) s'inspirent de la démarche de la psychanalyse.

BRANT ou **BRANDT** (Sebastian), humaniste alsacien (Strasbourg 1458 - *id.* 1521), jurisconsulte et auteur du poème satirique *la Nef* des fous* (1494).

BRANTFORD, v. du Canada (Ontario), à l'O. d'Hamilton; 64 421 hab. Constructions mécaniques et électriques.

BRANTING (Hjalmar), homme d'État suédois (Stockholm 1860 - *id.* 1925). Député socialiste dès 1896, à la tête de plusieurs cabinets socialistes homogènes entre 1920 et 1925, il pratique une politique sociale très avancée.

BRANTÔME (24310), ch.-l. de cant. de la Dordogne, à 27 km au N. de Périgueux, sur la Dronne; 2 086 hab. Anc. abbaye fondée par Charlemagne : bâtiments du XIe (clocher) au XVIIIe s., grottes sculptées de bas-reliefs.

BRANTÔME (Pierre DE BOURDEILLE, *seigneur* DE), écrivain français (Bourdeille 1540 - † 1614). Après avoir bataillé en Italie, en Afrique et en France, il conta avec pittoresque ses souvenirs guerriers et amoureux *(Vies des hommes illustres et des grands capitaines, Vies des dames galantes).*

BRAQUE (Georges), peintre français (Argenteuil 1882 - Paris 1963). Il est dès 1897, à l'école des Beaux-Arts du Havre, le camarade de Dufy et de Friesz, et vient au fauvisme en compagnie de ce dernier en 1906 (paysages d'Anvers, de l'Estaque). La découverte de Cézanne et la rencontre de Picasso par l'intermédiaire de Kahnweiler et d'Apollinaire, à la fin de 1907, vont le conduire l'année suivante à l'élaboration des premiers paysages du cubisme*, qui font bientôt place aux natures mortes et à l'innovation des « papiers collés » (1912). Vers 1920, la discipline cubiste se transcende dans un style non moins médité, où l'objet devient le prétexte d'une composition plastique aux rythmes harmonieux, sensuelle dans la matière, précieuse dans le coloris. À côté des natures mortes, de nouvelles séries apparaissent : Canéphores (1922), Guéridons (1926), Barques de Varangeville (1929), Ateliers (1939), Billards (1944), Oiseaux au vol hiératique (1948)... Comme les eaux-fortes pour la *Théogonie* d'Hésiode (1931), de petits bronzes révèlent le goût de l'artiste pour l'archaïsme grec. Braque a illustré et calligraphié ses propres *Cahiers* ainsi que *la Liberté des mers* de Reverdy.

BRAS. — Le bras, compris entre l'épaule et le coude, est formé par l'humérus et les muscles qui le recouvrent. En avant, le biceps donne son relief à la région; en dehors se trouve la partie inférieure du deltoïde, et en arrière le muscle triceps.

BRASAGE. — Parmi les techniques de brasage pour alliage* d'apport à température de fusion* supérieure à 427 °C, on distingue essentiellement deux procédés. Le *soudo-brasage* s'effectue, en partie, comme la soudure autogène, l'alliage d'apport étant déposé en volume important, quelquefois en plusieurs couches successives, mais sans qu'il y ait fusion, même locale, des pièces à assembler. Le *brasage par capillarité,* appelé encore *brasage fort,* est le brasage proprement dit, l'alliage d'apport se propageant par

BRAS

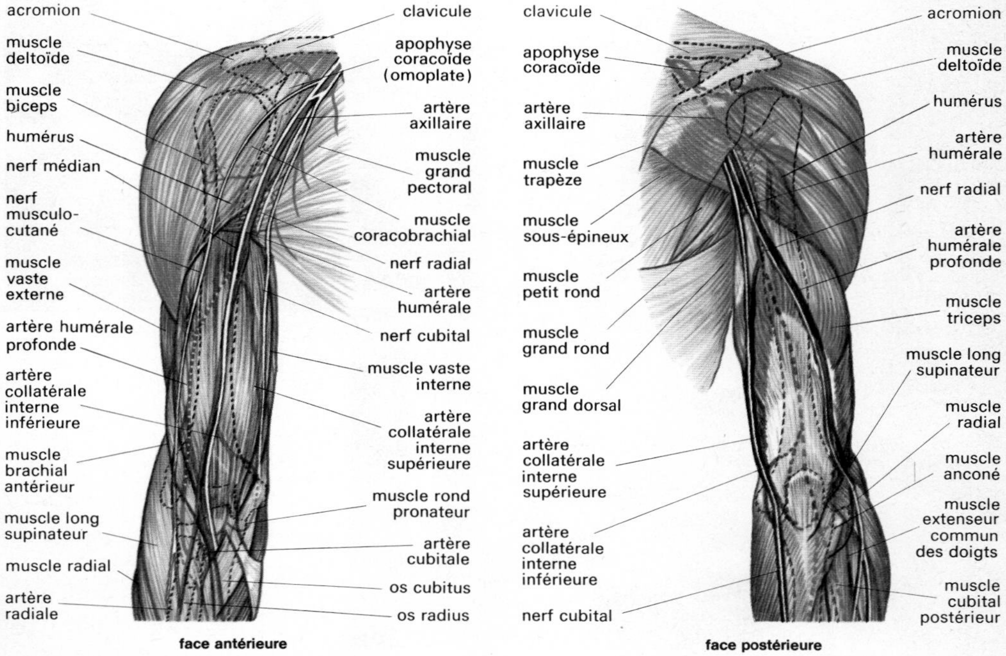

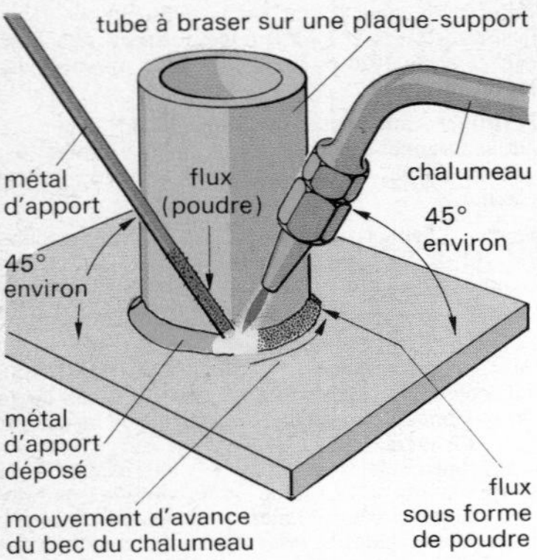

Brasage au chalumeau.

capillarité* dans le joint qui sépare les parties contiguës des deux pièces. Le métal d'apport est presque toujours un alliage et non pas un métal* pur, dont le choix dépend des matériaux constituant les pièces à assembler, du procédé de chauffage retenu et des conditions d'emploi de l'assemblage brasé. L'apport de calories nécessaires à l'opération est obtenu soit en chauffant les pièces à assembler à l'aide d'un chalumeau à gaz, soit en les introduisant dans un four* ou en les immergeant dans un bain chaud de sels fondus, soit encore en utilisant des méthodes de chauffage électrique par induction* ou par résistance*.

BRASÍLIA, capit. du Brésil, ch.-l. d'un district fédéral; 272 000 hab. (538 000 pour le district fédéral, qui couvre 5 814 km²). Création artificielle au cœur du plateau brésilien, bien reliée par route et air aux principales métropoles du pays, la ville est un centre presque exclusivement tertiaire (surtout administratif), où la construction est la seule activité industrielle notable. — Due à l'initiative (1956) du président Juscelino Kubitschek, elle a été construite selon les plans de l'urbaniste Lúcio Costa, et ses principaux monuments (palais du Congrès, du Gouvernement, de la Justice et de l'Aurore [présidence de la République], ministères, cathédrale, etc.) sont dus à l'architecte O. Niemeyer.

BRAŞOV, v. de Roumanie, au N. des Alpes de Transylvanie; 189 000 hab. Monuments médiévaux. Centre industriel (matériel agricole, construction automobile et aéronautique).

BRASSAC (81260), ch.-l. de cant. du Tarn, à 24 km à l'E. de Castres, sur l'Agout; 1 629 hab.

BRASSAC-LES-MINES (63570 Jumeaux), comm. du Puy-de-Dôme, à 18 km au N.-N.-O. de Brioude; 4 158 hab. Constructions mécaniques et électriques. Église romane.

BRASSAI (Gyula HALASZ, dit), photographe français d'origine hongroise (Braşov 1899). Lié au groupe surréaliste, il s'intéresse à la photographie sur le conseil de Kertész*. Fasciné par le monde insolite de Paris, il privilégie dans *Paris la nuit* (1933) un climat fantomatique d'ombre et de lumière, alors qu'il révèle avec *Graffiti* (1961) l'aspect étrange et captivant de graffiti, en fait à la portée de tous. Les modèles de ce portraitiste perspicace ont été Picasso ou Henry Miller (*Henry Miller grandeur nature,* 1976).

BRASSCHAAT, comm. de Belgique, au N.-N.-E. d'Anvers; 28 657 hab. (en 1970).

BRASSE → NATATION.

BRASSENS (Georges), auteur-compositeur et chanteur français (Sète 1921). Il s'est imposé comme l'un des plus authentiques poètes de la chanson française du XXᵉ s. Réussissant à parfaire son image de marque en restant à l'écart d'un vedettariat tapageur, il est ainsi parvenu à échapper aux vicissitudes de la mode et à garder un public fidèle, conscient de son originalité, de son anticonformisme parfois truculent et de la qualité littéraire de ses textes. En 1967, il a reçu le grand prix de poésie de l'Académie.

BRASSERIE → BIÈRE.

Holmès - Lebel

Brasília.
Le quartier des affaires.

Leloir

Georges Brassens.

BRĂTIANU (Ion), homme politique roumain (Florica 1864-Bucarest 1927). Chef du parti national libéral (1909), Premier ministre (1911, puis 1913-1918), il fait entrer son pays dans la guerre aux côtés des Alliés (1916). De nouveau au pouvoir (1918-19, 1922-1926, 1927), il resserre les liens de la Roumanie avec la Petite-Entente.

BRATISLAVA, v. de Tchécoslovaquie, capit. de la Slovaquie, sur le Danube; 291 000 hab. Cathédrale gothique des XIVe-XVe s. Château reconstruit aux XVIIe et XVIIIe s., restauré au XXe. Églises et palais anciens. Musées. Métallurgie. Raffinage du pétrole et pétrochimie. (V. PRESBOURG.)

BRATSK, v. de l'U. R. S. S. (R. S. F. S. de Russie), en Sibérie, sur l'Angara; 155 000 hab. Grande centrale hydroélectrique. Cellulose. Aluminium.

BRATTAIN (Walter Houser), physicien américain (Hia-men, Chine, 1902). Il a reçu en 1956, en même temps que J. Bardeen* et W. Shockley*, le prix Nobel de physique pour ses recherches sur les semi-conducteurs et la mise au point du transistor à germanium.

BRAUCHITSCH (Walther VON), maréchal allemand (Berlin 1881-Hambourg 1948), commandant en chef de l'armée de terre de 1938 jusqu'à son congédiement après l'échec de la Wehrmacht devant Moscou (1941).

BRAUDEL (Fernand), historien français (Luméville-en-Ornois 1902), professeur au Collège de France (1949). Sa thèse sur *la Méditerranée et le monde méditerranéen à l'époque de Philippe II* (1949) a beaucoup contribué à éclairer la notion d'histoire totale.

BRAUN (Karl Ferdinand), physicien allemand (Fulda 1850-New York 1918). Il est l'inventeur, en 1897, de l'oscillographe cathodique et le créateur, en 1902, des antennes dirigées. (Prix Nobel de physique, 1909.)

BRAUN (Wernher VON), ingénieur américain d'origine allemande (Wirsitz 1912-Alexandria, Virginie, 1977). Spécialiste de la propulsion par réaction, il mit au point les V2 (1944), puis, aux États-Unis, participa à la réalisation des engins spatiaux.

BRAUNER (Victor), peintre français d'origine roumaine (Piatra Neamţ 1903-Paris 1966). À Paris en 1930-1934, puis définitivement installé en France en 1938, affilié au surréalisme, il a transcrit une vision mythique inséparable de ses angoisses personnelles dans sa peinture, qui se fait imagerie hiératique à deux dimensions à partir de 1942 (adoption d'un procédé à la cire).

BRAVAIS (Auguste), physicien et minéralogiste français (Annonay 1811-Versailles 1863). Il est l'auteur de l'hypothèse selon laquelle les cristaux auraient une structure réticulaire (1849), qui fut vérifiée plus tard grâce à la diffraction des rayons X.

BRAY *(pays de),* région du nord-ouest du Bassin parisien, développée surtout dans l'est du département de la Seine-Maritime, de *Neufchâtel-en-Bray* à *Gournay-en-Bray.* C'est une dépression argileuse, ouverte dans le plateau crayeux, consacrée surtout à l'élevage bovin pour le lait.

BRAY-DUNES (59123), comm. du Nord, à 13 km à l'E.-N.-E. de Dunkerque; 4 765 hab. Station balnéaire sur la mer du Nord.

BRAY-ET-LÛ (95710), comm. du Val-d'Oise, à 16 km au N.-E. de Vernon, sur l'Epte; 613 hab. Métallurgie.

BRAY-SUR-SEINE (77480), ch.-l. de cant. de Seine-et-Marne, à 20 km au S. de Provins; 2 087 hab. Église romane et Renaissance.

BRAY-SUR-SOMME (80340), ch.-l. de cant. de la Somme, à 9 km au S.-E. d'Albert; 1 272 hab. Église des XIIIe et XVIe s.

BRAZZA (Pierre SAVORGNAN DE), explorateur français d'origine italienne (Rome 1852-Dakar 1905). Devenu français en 1874, il entra dans la marine. Ses expéditions furent à l'origine du Congo français (1875-1897). Son action fut facilitée par sa générosité et son humanité.

BRAZZAVILLE, capit. du Congo, sur la rive droite du fleuve Congo (ou Zaïre), en face de Kinshasa; 136 000 hab. Industries alimentaires et chimiques.

Brazzaville *(conférence de),* réunion présidée par le général de Gaulle et à laquelle participèrent les gouverneurs des colonies françaises et les représentants de l'Assemblée consultative (janv. 1944). Elle fut à l'origine de la création de l'Union française.

BREA, famille de peintres niçois (XVe-XVIe s.) qui ont laissé dans leur région de nombreux polyptyques (retable de Cimiez [1475] par LOUIS).

BRÉAL (Michel), linguiste français (Landau, Bavière, 1832-Paris 1915). Il introduit en France la linguistique historique comparative en traduisant la *Grammaire comparée* de F. Bopp* (1866-1874). Dans son *Essai de sémantique* (1897), il jette les bases d'une nouvelle partie de la linguistique, celle qui étudierait les problèmes de la signification.

BREBIS → OVINS.

BRÉCEY (50370), ch.-l. de cant. de la Manche, à 16 km à l'E. d'Avranches; 2 048 hab. Château du XVIIe s.

BRÈCHE → CONGLOMÉRAT.

BRÉCHET → OISEAU.

BRECHT, comm. de Belgique, au N.-E. d'Anvers; 8 659 hab.

BRECHT (Bertolt), poète et auteur dramatique allemand (Augsbourg 1898-Berlin 1956). Peu d'œuvres ont été aussi figées et réduites par leur célébrité : restreinte au théâtre, alors que Brecht est un chroniqueur qui a su retrouver la saveur des anciennes « histoires d'almanach » et un grand poète (même au théâtre, il avouait écrire des scènes entières à partir de mots concrets dans lesquels il voyait une certaine matière, une certaine couleur); présentée comme porteuse d'une vérité univoque et intangible, alors que toute l'entreprise de Brecht est profondément *critique.* Et d'ailleurs quelle vérité? Celle du jeune révolté esthète et anarchiste *(Baal)* ou celle de l'auteur des « pièces didactiques » qui font de l'anéantissement personnel la condition d'un monde nouveau *(l'Exception et la règle)*? Celle de la prise de conscience révolutionnaire *(la Mère)* ou celle de la parabole distanciée *(Maître Puntila)*? Celle du membre des conseils de travailleurs et de soldats d'Augsbourg (1919) ou celle qui lui fait apporter son soutien à Walter Ulbricht réprimant le soulèvement ouvrier de 1953? Celle de l'accusé devant le comité d'investigation des activités anti-américaines ou celle de l'auteur qui modifie le déroulement du *Procès de Lucullus* à la demande du gouvernement de la R. D. A.? Celle des dossiers techniques qui décrivent les spectacles du *Berliner Ensemble* et les propagent comme des modèles ou celle des *Écrits sur le théâtre,* qui font de chaque pièce une construction nouvelle née du travail collectif du metteur en scène et des comédiens? Pour comprendre cette évolution ou ces contradictions, il faut appliquer à Brecht le principe fondamental de sa dramaturgie : porter sur le monde le regard critique qui empêche de confondre habitude et nature, causalité et fatalité, qui fait que le familier devient insolite et que dans l'insolite apparaissent des traits connus. Sous ce regard, la contradiction n'est pas éludée, mais étalée en pleine lumière : le personnage brechtien est, par nature, écartelé (ivre, Puntila est un

N. Treatt

Une scène du *Cercle de craie caucasien.*

homme généreux; à jeun, c'est un propriétaire intraitable; la Mère Courage maudit la guerre qui la fait vivre); Brecht a toujours été déchiré entre son pacifisme et la nécessité de la violence dans l'action révolutionnaire. Cette lucidité suppose une forme « épique », narrative, du théâtre, qui éveille l'activité intellectuelle du spectateur, qui le place devant le phénomène théâtral comme *la vie*

1898 Naissance à Augsbourg.
1919 Participe aux mouvements spartakistes de Bavière.
1922 Prix Kleist.
1924 Metteur en scène au Deutsches Theater de Max Reinhardt à Berlin.
1928 Mariage avec l'actrice Helene Weigel.
1933 Le lendemain de l'incendie du Reichstag, départ pour l'exil. S'installe au Danemark, en Suède, en Finlande, puis aux États-Unis (1941-1947).
1947 Passe devant la commission des activités anti-américaines. S'installe en Suisse.
1948 S'établit à Berlin-Est.
1949 Fonde le *Berliner Ensemble.*
1953 Soulèvement ouvrier à Berlin-Est : Brecht exprime sa solidarité avec le régime de W. Ulbricht.
1956 Mort à Berlin.

l'œuvre

THÉÂTRE (dates de création)

Dans la jungle des villes (1922); *Baal* (1923); *Homme pour homme* (1926); *l'Opéra* de quat' sous* (1928); *Grandeur et décadence de la ville de Mahagonny* (1930); *la Décision* (1930); *la Mère* (1932); *Sainte Jeanne des Abattoirs* (1935); *Têtes rondes et têtes pointues* (1936); *Mère* Courage et ses enfants* (1941); *la Vie de Galilée* (1943); *la Bonne* Âme de Se-Tchouan* (1943); *Maître* Puntila et son valet Matti* (1948); *le Cercle* de craie caucasien* (1948); *la Résistible Ascension d'Arturo Ui* (1959).

CONTES ET ROMANS

Histoires de calendrier (1949); *les Affaires de Monsieur Jules César* (1957).

POÉSIE

Sermons domestiques (1927); *Élégies* de Buckow* (1953).

CRITIQUE ET THÉORIE

Écrits sur le théâtre (7 volumes, 1963-64).

devant une scène de la rue : réflexion et non émotion, conscience et non identification, raison et non sentiment, tels sont les principes qui guident aussi bien le spectateur dans la salle que l'acteur sur la scène, formé à l'« effet d'éloignement » (ou de « distanciation »); le comédien montre que ses propres sentiments ne se confondent pas avec ceux du personnage qu'il représente; il ne cherche pas la métamorphose, mais la démonstration. D'où les nombreuses techniques qui mettent en perspective l'action théâtrale par un double mouvement simultané : de rapprochement (emploi de structures classiques : forme de l'opéra, chansons à succès, rythmes et couleurs des « panoramas » des foires populaires) et d'éloignement (textes sur banderoles, projection d'images documentaires, musique qui n'« accompagne » pas mais commente, emploi des masques, entraînement des acteurs à la méthode du camelot, transposition du style soutenu en dialecte régional, assimilation des machinations politiques du nazisme au racket d'un gang du chou-fleur, etc.). Le théâtre doit montrer les contradictions, les rendre plus lisibles et parfaire cette lecture en intégrant les critiques des spectateurs et des comédiens : théâtre « dialectique », théâtre dans le théâtre, théâtre de participation, qui manifeste un double besoin de lucidité et de solidarité. Un théâtre préface à l'action, dans un monde où il est difficile d'être lucide et où l'action est ambiguë.

BREDA, v. des Pays-Bas (Brabant-Septentrional), à proximité de la frontière belge; 121 000 hab. Château. Grande Église (XVe-XVIe s.) et autres monuments. Industrie chimique.

Breda *(compromis de),* texte par lequel des seigneurs calvinistes des Pays-Bas réclamèrent de Philippe II une tolérance religieuse effective (1566).

Breda *(déclaration de),* texte public par lequel Charles II, à la veille de la restauration des Stuarts en Angleterre, s'inclina devant les exigences du Parlement (4 avr. 1660).

Breda *(traité de),* traité, signé à Breda le 31 juillet 1667, par lequel l'Angleterre, soumise sur la Tamise au blocus néerlandais, accorda aux Provinces-Unies et à la France des avantages commerciaux et territoriaux.

BREDENE, comm. de Belgique (Flandre-Occidentale), dans la banlieue d'Ostende; 9 244 hab. (en 1970). Station balnéaire.

BREENDONK, anc. comm. de Belgique (prov. d'Anvers), auj. intégrée à Puurs, à l'O. de Malines. Camp de concentration établi par les S.S. allemands de 1940 à 1944.

BRÉGANÇON *(cap de),* cap de Provence (Var), au S.-O. du Lavandou. Ancien fort aménagé en résidence d'été des présidents de la République.

BREGENZ, v. d'Autriche, capit. du Vorarlberg, à l'extrémité orientale du lac de Constance; 23 000 hab. Centre touristique.

BREGUET, famille d'horlogers et d'inventeurs d'origine suisse. — ABRAHAM LOUIS (Neuchâtel 1747 - Paris 1823) imagina l'échappement à tourbillon et la montre à remontoir automatique, qu'il dénomma « montre perpétuelle ». — Son petit-fils, LOUIS (Paris 1804 - *id.* 1883), construisit le sphygmographe enregistreur de Marey, inventa le télégraphe mobile et le télégraphe à cadran. Avec Masson il créa le premier modèle de bobine d'induction (1841). — LOUIS, industriel français (Paris 1880 - Saint-Germain 1955), petit-fils du précédent, fut l'un des premiers pilotes et l'un des premiers avionneurs du monde, construisant toute une lignée d'appareils militaires et commerciaux.

BRÉHAL (50290), ch.-l. de cant. de la Manche, à 10 km au N.-E. de Granville; 2 043 hab. À 2 km, château de Chanteloup (XVIe s.).

BRÉHAT (22870), île et comm. des Côtes-du-Nord, près de Paimpol, au N. de la pointe de l'Arcouest; 553 hab.

BREIL-SUR-ROYA (06540), ch.-l. de cant. des Alpes-Maritimes, à 43 km au N. de Menton; 2 232 hab. Église du XVIIIe s.

BREITENBACH-HAUT-RHIN (68380 Metzeral), comm. du Haut-Rhin, à 4 km au S.-O. de Munster; 862 hab. Constructions électriques.

BREJNEV (Leonid Ilitch), homme d'État soviétique (Kamenskoïe [auj. Dnieprodzerjinsk] 1906). Il succède à Khrouchtchev comme premier secrétaire du parti communiste de l'U. R. S. S. en 1964. Partisan de la coexistence pacifique, il applique la doctrine de la « souveraineté limitée », fondée sur le devoir pour l'U. R. S. S. de défendre, dans les pays socialistes, la cause du socialisme orthodoxe et du modèle soviétique. En 1976, il est nommé maréchal. En 1977, il écarte Podgornyï et lui succède comme chef de l'État.

BREL (Jacques), auteur-compositeur, chanteur et acteur belge (Bruxelles 1929). La qualité de ses textes, parfois descriptifs et poétiques *(le Plat Pays, Amsterdam),* parfois satiriques *(les Bourgeois, les Flamandes),* et son étonnante présence scénique lui ont donné une place privilégiée dans le monde de la chanson. Ayant débuté dans des petits cabarets parisiens en 1953, il a décidé en 1967 de se retirer de la scène. Il a joué dans des comédies musicales *(l'Homme de la Manche)* et dans quelques films.

BRÈME. — C'est un assez gros poisson (son poids peut atteindre 1 kg), vivant dans les eaux stagnantes ou faiblement courantes, peu comestible à cause de ses arêtes, et se distinguant des autres cyprinidés par une anale plus longue.

BRÊME, en allem. **Bremen,** v. du nord de l'Allemagne fédérale, sur la Weser; 594 000 hab. La ville est la capit. du *Land de Brême,* petit territoire de 404 km² qui, outre la ville elle-même et sa banlieue, englobe l'avant-port de *Bremerhaven* (145 000 hab.), établi à l'embouchure de la Weser, dans la mer du Nord. Le trafic portuaire de Brême, de l'ordre de 15 à 20 millions de tonnes, a favorisé le développement industriel de la ville (chantiers navals, sidérurgie, constructions mécaniques, alimentation), s'ajoutant à son traditionnel rôle commercial (marché du coton, du tabac, du café, etc.). Monuments anciens et musées.

HISTOIRE. Évêché fondé en 787, puis siège de l'archevêché Brême-Hambourg, Brême est, au XIIe s., une puissante métropole. À la fin du XIIIe s., elle devient l'un des ports les plus actifs de la Hanse*. Ville libre d'Empire en 1646, elle est annexée au département des Bouches-du-Weser en 1810. Redevenue indépendante en 1815, Brême entre dans l'Empire allemand en 1871. La Constitution de 1947 en fait une cité libre hanséatique, membre de la République fédérale allemande.

BREMERHAVEN → BRÊME.

BREMOND (*abbé* Henri), critique littéraire et historien français (Aix-en-Provence 1865 - Arthez-d'Asson, Basses-Pyrénées, 1933). Sa tendance au mysticisme marque aussi bien son *Histoire littéraire du sentiment religieux en France* (1916-1936) que sa conception de la poésie (*la Poésie pure,* 1926).

BRÉMONTIER (Nicolas Thomas), ingénieur français (Quevilly 1738 - Paris 1809). Il fixa les dunes du golfe de Gascogne en les boisant au moyen de semis de pins et de genêts.

BRENETS (Les), comm. de Suisse (cant. de Neuchâtel), à la frontière française, près du *saut du Doubs;* 1 327 hab.

BRENNE (la), partie occidentale du Berry*, entre les vallées de la Creuse et de la Claise. (Hab. *Brennous.*)

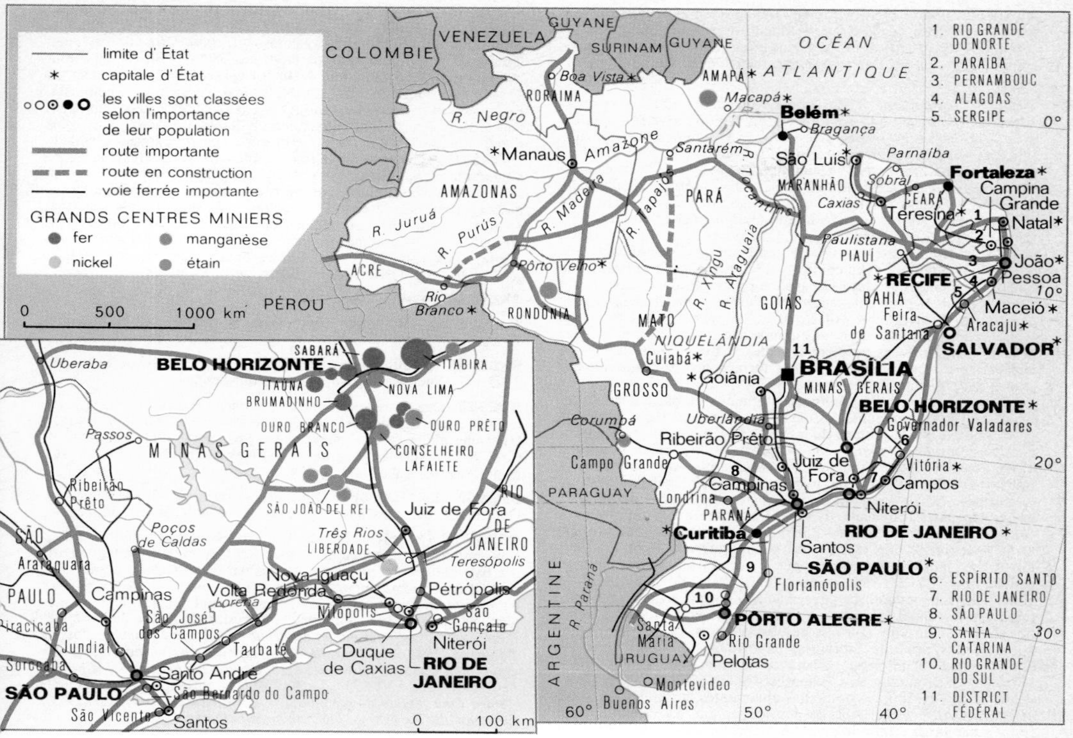

BRENNER *(col du),* col des Alpes orientales, à la frontière italo-autrichienne, entre Bolzano et Innsbruck; 1 370 m. Importante voie de passage, routière et ferroviaire.

BRENNILIS (29218 Huelgoat), comm. du Finistère, dans les monts d'Arrée; 654 hab. Dolmen. Église (fin XVe s.). Centrale nucléaire.

BRÉNOD (01740), ch.-l. de cant. de l'Ain, à 20 km au S. de Nantua, dans le Bugey; 436 hab.

BRENTA (la), fl. du nord de l'Italie, né dans les Dolomites, tributaire de l'Adriatique; 174 km.

BRENTANO (Clemens), écrivain allemand (Ehrenbreitstein 1778-Aschaffenburg 1842), un des principaux représentants du romantisme par ses poèmes et ses récits (*Journal de voyage d'un écolier,* 1818). Il était le frère de Bettina von Arnim*.

BRENTANO (Franz), philosophe et psychologue allemand (Marienberg 1838-Zurich 1917). Dans sa *Psychologie du point de vue empirique* (1874-1911) il jette les bases d'une psychologie descriptive des phénomènes psychiques, qui exercera une influence importante sur la phénoménologie* de Husserl*.

Brera, nom d'un palais de Milan (1615) qui abrite une bibliothèque de 400 000 volumes et l'une des plus riches pinacothèques italiennes.

BRESCIA, v. d'Italie, en Lombardie, ch.-l. de prov., à l'O. du lac de Garde; 213 000 hab. Vestiges romains. Château. Nombreuses églises du VIIIe au XVIIIe s. Importants musées. Métallurgie. Industries textiles et chimiques.

BRESDIN (Rodolphe), aquafortiste et lithographe français (Montrelais 1822-Sèvres 1885). Bohème visionnaire à l'application de primitif, dédaigné de son vivant, il a laissé quelque soixante-dix œuvres d'une minutie foisonnante, d'un climat savoureux (*la Sainte Famille au bord d'un torrent,* litho à la plume, 1853).

BRÉSIL, en portug. **Brasil,** république fédérale de l'Amérique du Sud, groupant 21 États, 4 territoires et un district fédéral; 8 512 000 km²; 109 180 000 hab. *(Brésiliens).* Capit. *Brasília.*

GÉOGRAPHIE.

• *Le milieu naturel.* Le pays s'étend sur deux ensembles naturels très différents. Au N., la vaste cuvette alluviale de l'Amazonie, au climat équatorial, est couverte par la forêt dense quasi impénétrable. Au S., affleure le bouclier brésilien, constitué de terrains précambriens rabotés et partiellement couverts de sédiments. Basculé vers l'O., il forme une série de plateaux descendant doucement vers la gouttière du Paraná, mais dominant par un grand escarpement des plaines côtières étroites et discontinues. Le climat, tropical, est humide sur la côte mais s'assèche progressivement vers l'intérieur, en particulier au N.-E., couvert par une brousse épineuse, la caatinga.

climatologie

station	températures moyennes		précipitations annuelles
	janvier	juillet	
Manaus	26 °C	26,6 °C	2 841 mm
Rio de Janeiro	26 °C	20,3 °C	1 029 mm

• *La population.* Elle est très variée ethniquement. Elle comprend des Blancs (descendants des anciens colons portugais, mais aussi immigrés allemands et italiens), des Noirs, des Indiens et de nombreux métis. Du fait d'un taux de natalité très élevé, elle s'accroît rapidement et est très jeune. Mais le peuplement est très inégalement réparti. En dehors de la voie de pénétration que constitue le fleuve, l'Amazonie n'est peuplée que par des tribus éparses d'Indiens. La population se concentre sur les côtes, surtout dans le Sud-Est, les plateaux de l'intérieur étant peu peuplés. Elle est fortement urbanisée : le Brésil compte cinq villes de plus d'un

villes principales (nombre d'hab.)

São Paulo	5 922 000	Recife	1 061 000
Rio de Janeiro	4 252 000	Salvador	1 008 000
Belo Horizonte	1 235 000	Pôrto Alegre	886 000
capit. Brasília : 272 000			

million d'habitants, et une série de villes moyennes, le plus souvent portuaires. Cette tendance à l'urbanisation s'accentue, car les conditions misérables de la campagne poussent les paysans vers les grandes cités, où ils s'entassent dans des bidonvilles.

• *La vie économique.* L'agriculture fait encore vivre plus de la moitié de la population. À côté de la polyculture vivrière (manioc, maïs, haricots), elle est caractérisée par la monoculture spéculative. Celle-ci a débuté lors de la période coloniale et a été marquée par des cycles successifs : exploitation des bois tropicaux, canne à sucre, hévéa, café. Ces cultures commerciales, étroitement dépendantes du marché mondial, ont été sujettes à des crises de surproduction. Actuellement s'opère une tendance à la diversification : au café (1,5 Mt) et à la canne à sucre se sont ajoutés le cacao, le coton et les fruits tropicaux, l'hévéa étant quasiment abandonné depuis l'invention du caoutchouc synthétique. Dans les plateaux de l'intérieur (Nordeste, Mato Grosso), on pratique un élevage bovin extensif. Mais le problème agraire est l'un des plus cruciaux qui se posent actuellement au Brésil. En effet, la répartition des terres est très inégale. Elles sont divisées en immenses propriétés, exploitées extensivement par des ouvriers agricoles aux conditions de vie très misérables. La modernisation y est freinée par le désintérêt des grands propriétaires terriens.

Le sous-sol recèle de nombreux gisements, en particulier du fer (25 Mt de métal contenu), des diamants, du manganèse, du plomb, de la bauxite et également du pétrole. Les mines sont localisées dans l'État du Minas Gerais, mais la prospection géologique est loin d'être achevée. Les produits miniers sont le plus souvent exportés bruts. Mais ils ont tout de même facilité le développement de l'industrie, à partir du début du XXe s., sous l'impulsion de capitaux en grande partie étrangers. Les branches les mieux représentées sont le textile, les industries alimentaires (sucreries, conserveries) et la métallurgie. En dehors de la sidérurgie (8,5 Mt d'acier), l'industrie lourde est encore peu développée. Les usines se concentrent sur la côte sud-est, entre Rio de Janeiro et la métropole économique du pays, São Paulo, qui, avec la capitale, regroupe l'essentiel du secteur tertiaire. Cependant, l'industrie reste insuffisante pour subvenir aux besoins du pays. Le Brésil, qui doit importer des produits fabriqués, exporte des produits agricoles (café surtout) et miniers, sa balance commerciale restant déficitaire. Une part notable des échanges s'opère avec les États-Unis.

Malgré des ressources naturelles abondantes et variées, le Brésil est encore un pays en voie de développement. La croissance est freinée par la structure agraire, qui empêche l'intensification et la modernisation de l'agriculture, et par le manque de capitaux et de techniciens. Malgré un développement spectaculaire récent, le niveau de vie moyen reste faible et surtout recouvre des inégalités sociales et géographiques. L'opposition entre les États relativement riches du Sud-Est et les terres pauvres de l'intérieur est connue. C'est d'ailleurs pour amorcer le développement de ces dernières que le gouvernement y a créé une nouvelle capitale, Brasília, et a récemment ouvert les routes transamazoniennes.

HISTOIRE. Reconnu par Cabral et devenu portugais (1500-1560) malgré les convoitises françaises, le Brésil est, au XVIIe s., un gros producteur de sucre; cette denrée tente les Hollandais, qui, quelque temps (1624-1644), contrôlent les côtes brésiliennes. Au XVIIIe s., la recherche de l'or provoque la création du Brésil intérieur, domaine des métis *mamelucos,* qui laissent la côte aux Blancs. En 1777, à la suite d'une guerre avec l'Espagne, le Portugal doit céder à celle-ci l'Uruguay.

Lors des guerres d'indépendance de l'Amérique latine, le Brésil reste fidèle aux Bragance, qui y résident d'ailleurs de 1808 à 1821, et aussi à l'alliance anglaise. Au congrès de Vienne (1815), Jean VI élève même le Brésil au rang de royaume, sur un pied d'égalité avec le Portugal. Aussi les liens avec la métropole sont-ils coupés sans peine : rappelé à Lisbonne (1821), Jean VI laisse tous les pouvoirs à son fils, Pierre (Pedro), qui annonce l'indépendance du Brésil et, le 12 octobre 1822, se proclame (Pierre Ier) empereur du Brésil; il abdique en 1831, en faveur de Pierre II, son fils. Le Brésil connaît alors un essor démographique et économique remarquable; dès 1869, le pays assure la moitié de la production mondiale de café; il est vrai que son histoire se confond pratiquement avec celle de l'État de São Paulo. La guerre contre le Paraguay (1865-1870) permet au Brésil de rectifier ses frontières en mettant fin à l'isolement dangereux du Rio Grande do Sul. En 1888, l'esclavage est aboli. Un an plus tard, Pierre II est renversé.

En fait, la république qui naît alors est de droite, en réaction contre un empire progressiste. Le Brésil devient alors la proie des oligarchies et des *coronels,* variété brésilienne des *caciques.* C'est ainsi que le président Manuel Ferraz de Campos Sales (de 1898 à 1902) s'appuie sur les grands propriétaires et sur le parti républicain, parti unique, l'économie (le café) étant contrôlée de l'extérieur par l'Angleterre — pour qui le Brésil constitue un « empire invisible » —, en attendant l'apparition sur le marché brésilien des États-Unis, de la France et de l'Allemagne.

Une brève période de prospérité suit la Première Guerre mondiale — au cours de laquelle le Brésil a été l'adversaire de l'Allemagne (1917). La crise de 1929 se solde par la ruine économique, la fin des *coronels* et la montée de l'armée, représentative des classes moyennes naissantes. Ce sont, d'ailleurs, les militaires qui portent au pouvoir, en 1930, Getúlio Vargas, dont la personnalité marque tout le Brésil contemporain. Président de 1930 à 1945, puis de 1951 à 1954, Vargas est un leader populiste, réformiste et nationaliste, qui favorise le développement industriel, l'ascension des classes moyennes et l'essor du prolétariat. Mais l'opposition, liée aux intérêts étrangers, accule Vargas au suicide (24 août 1954). Désormais le pays — où le *latifundio* reste la forme dominante d'exploitation rurale et où les grands groupes internationaux, américains notamment, sont dominants — se dirige, après des expériences réformistes (Juscelino Kubitschek, Jânio Quadros, João Goulart), vers un régime militaire. Celui qui est devenu effectif en 1964 pratique une politique de développement économique, mais aussi de répression des oppositions. Depuis 1974, le général Ernesto Geisel est président de la République.

BRESLAU → WROCŁAW.

BRESLE (la), fl. côtier séparant la Normandie et la Picardie; 72 km.

BRESLES (60510), comm. de l'Oise, à 12 km à l'E. de Beauvais; 3 195 hab. Sucrerie. Église à nef carolingienne.

BRESSE, région argileuse, entre la Saône et le Jura, partagée entre les départements de l'Ain et de Saône-et-Loire. (Hab. *Bressans.*) C'est une plaine, au sol imperméable, parsemée d'étangs (pisciculture), qui est surtout le domaine de l'élevage (bovins s'ajoutant aux traditionnelles volailles).

BRESSE (La) [88250], comm. des Vosges, à 13 km au S. de Gérardmer, dans les hautes Vosges; 5 395 hab. Sports d'hiver.

BRESSON (Robert), cinéaste français (Bromont-Lamothe 1907). Profondément convaincu de la spécificité du cinéma en tant qu'art, il a bâti une œuvre qui se caractérise par le refus de la plupart des « artifices » cinématographiques, par une constante exigence dans les thèmes traités et par un jansénisme formel qui, selon lui, permet d'approcher avec plus d'honnêteté la vérité spirituelle de l'homme. Il est l'auteur de : *les Anges du péché* (1943), *les Dames du Bois de Boulogne* (1945), *le Journal d'un curé de campagne* (1952), *Un condamné à mort s'est échappé* (1956), *Pickpocket* (1959), *le Procès de Jeanne d'Arc* (1962), *Au hasard Balthazar* (1965), *Mouchette* (1966), *Une femme douce* (1969), *Quatre Nuits d'un rêveur* (1971), *Lancelot du lac* (1974), *le Diable probablement* (1977).

Lauros

Bretagne. Le phare du Créac'h, dans l'île d'Ouessant.

Brest.
Le port militaire avec le pont de Recouvrance sur la Penfeld.
À gauche, la tour de la Motte-Tanguy (XIVe s.).

BRESSOUX, anc. comm. de Belgique, dans la banlieue est de Liège, intégrée à la ville de Liège en 1977.

BRESSUIRE (79300), ch.-l. d'arr. des Deux-Sèvres, à 31 km au N.-O. de Parthenay; 18 090 hab. *(Bressuirais).* Ruines d'un château fort. Église des XIIe-XVIe s. Constructions mécaniques.

BREST (29200), ch.-l. d'arr. du Finistère, sur la rive nord de la *rade de Brest,* à 583 km à l'O. de Paris; 172 176 hab. *(Brestois).* Musée détruit en 1941, reconstitué depuis (peintures du XVIIe au XXe s.).

GÉOGRAPHIE. À l'extrémité occidentale de la Bretagne, deuxième ville de cette Région, Brest est d'abord un port militaire dont l'arsenal est, de loin, le premier établissement industriel de la ville. Le trafic du port de commerce est réduit, faiblesse liée à l'absence d'important arrière-pays et au caractère excentré de la situation géographique de Brest, handicaps majeurs pour son développement. Cependant, les activités de la ville se sont diversifiées avec l'apparition de la fonction universitaire, l'implantation de nouvelles industries (électronique, matériel téléphonique) indispensables pour assurer le plein-emploi dans une agglomération — la plus grande du département — dont la croissance démographique (excédent naturel et immigration rurale) est rapide.

HISTOIRE. De cette base navale, Richelieu, Colbert et Vauban firent le plus puissant port de guerre des flottes françaises du Ponant. Siège de l'École navale de 1830 à 1940, Brest devint une base allemande des sous-marins de 1940 à 1944. Au sud de la rade a été installée, en 1961, à Lanvéoc-Poulmic, la nouvelle École navale et, en 1968, à l'île Longue, la base des sous-marins nucléaires lance-missiles. En 1972, le Service hydrographique et océanographique de la marine a été transféré de Paris à Brest.

BREST, anc. **Brest-Litovsk,** v. de l'U. R. S. S. (Biélorussie), près de la frontière polonaise; 122 000 hab.

Brest-Litovsk *(traités de),* traités de paix signés par l'Allemagne et ses alliés avec l'Ukraine (9 févr. 1918) puis avec la Russie socialiste (3 mars 1918), qui consacraient la domination allemande sur l'Est européen. Ils furent abrogés par le traité de Versailles.

BRETAGNE, nom ancien de la Grande-Bretagne → ANGLETERRE.

BRETAGNE, anc. province de l'ouest de la France. À partir du milieu du Ve s. et durant tout le VIe s., les Bretons de l'île de Bretagne, envahie par les Pictes et les Saxons, émigrent en masse vers l'Armorique, devenue par la suite la Bretagne *(Britannia minor).* Nominalement incluse dans la Gaule mérovingienne, puis carolingienne, la Bretagne est pratiquement indépendante. Louis le Pieux s'appuie sur un chef local, Nominoë, qui, fait « duc » (846), se conduit en roi. Les Capétiens réussissent à faire peu à peu de la Bretagne un des grands fiefs français, l'influence française faisant même reculer la langue bretonne dans la partie orientale du duché.

Les ducs qui succèdent au Capétien Pierre Ier Mauclerc (de 1213 à 1237) restent dans l'obédience française; mais la mort sans postérité de Jean III (de 1312 à 1341) ouvre la guerre de Succession de Bretagne (1341-1365), qui se termine par la défaite et la mort de Charles de Blois et le triomphe de Jean de Montfort, candidat de la Bretagne bretonnante. Ce dernier devient le duc Jean IV (de 1341 à 1349), dit le Conquérant. La Bretagne, au XVe s., connaît son âge d'or, notamment sous Jean V (de 1399 à 1442) : la richesse économique (toiles) et l'essor de la marine marchande ont comme corollaire l'épanouissement d'un art original, religieux surtout.

La duchesse Anne (de 1488 à 1514), fille de François II, subit les pressions des Valois. Épouse successivement de Charles VIII (1491), puis de Louis XII (1498), elle a de ce dernier une fille, Claude, qui, en épousant François Ier, roi de France (1514), prépare l'union de la Bretagne à la France, union que ratifie l'édit de 1532. Devenue province française, la Bretagne lutte pour maintenir sa personnalité et ses privilèges face aux agents royaux : au XVIIIe s., l'agitation populaire se double d'une forte opposition parlementaire. Divisée en cinq départements en 1790, la région est profondément marquée, durant la Révolution française, par la chouannerie (v. CHOUANS). Depuis quelques années, les Bretons manifestent un mécontentement grandissant dû au retard économique de leur province et aux difficultés qu'ils rencontrent pour faire reconnaître leurs particularismes.

BRETAGNE, Région de l'ouest de la France, formée des quatre départements suivants : Côtes-du-Nord, Finistère, Ille-et-Vilaine et Morbihan; 27 184 km^2; 2 583 196 hab. Capit. *Rennes.* Moins étendue que la Bretagne historique (qui englobait également l'actuelle Loire-Atlantique), la Région administrative correspond à la partie péninsulaire du Massif armoricain*, longue d'environ 250 km et large de 100 à 180 km.

Le paysage dominant est celui de plateaux, d'altitude toujours modeste (les monts d'Arrée culminant à 384 m), mais souvent accidentés par l'entaille des cours d'eau. L'intérieur est ouvert par quelques bassins, cependant que le littoral est découpé, rocheux surtout au nord (sur la Manche) et à l'ouest, sableux au sud (sur l'Atlantique). La présence ou la proximité de la mer explique l'extension du climat océanique, plus marqué dans l'ouest péninsu-

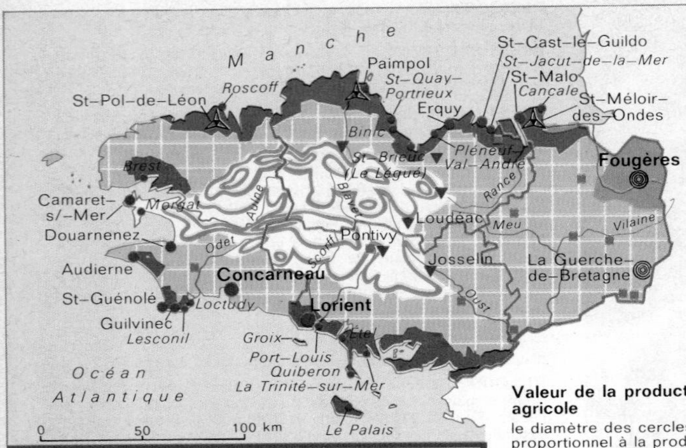

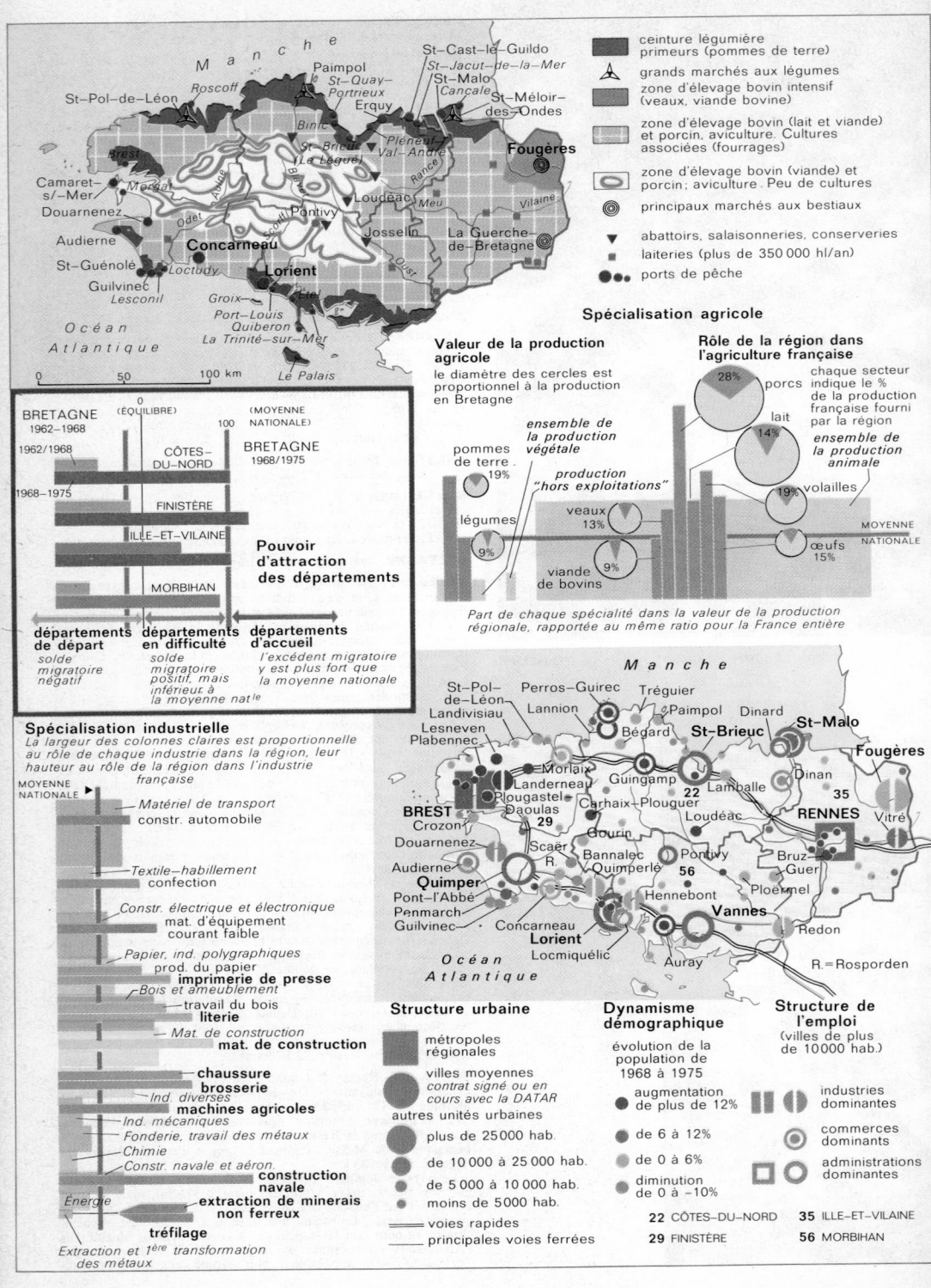

- ceinture légumière primeurs (pommes de terre)
- grands marchés aux légumes
- zone d'élevage bovin intensif (veaux, viande bovine)
- zone d'élevage bovin (lait et viande) et porcin, aviculture. Cultures associées (fourrages)
- zone d'élevage bovin (viande) et porcin; aviculture. Peu de cultures
- principaux marchés aux bestiaux
- abattoirs, salaisonneries, conserveries
- laiteries (plus de 350 000 hl/an)
- ports de pêche

Spécialisation agricole

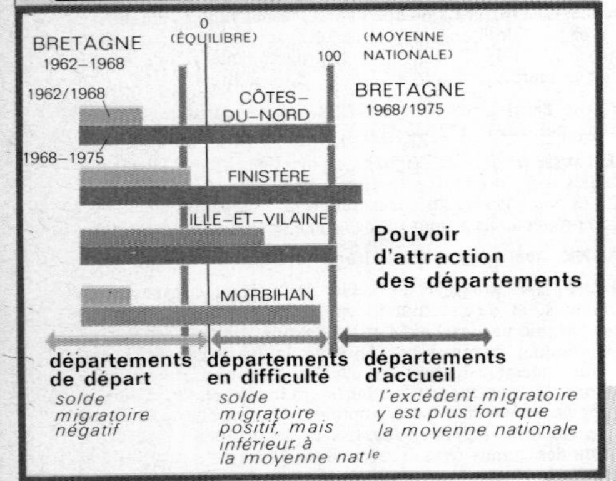

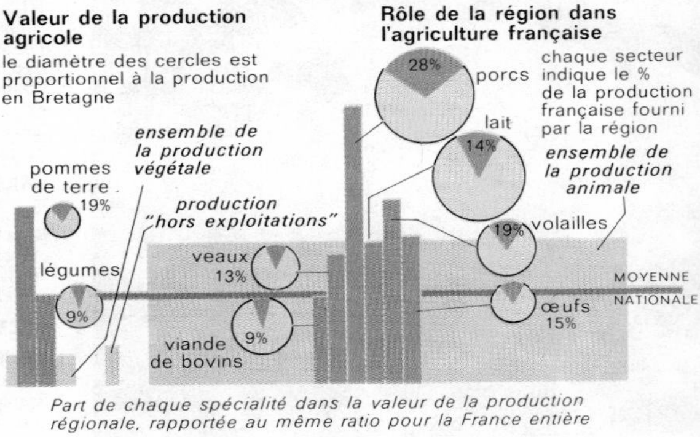

Spécialisation industrielle

La largeur des colonnes claires est proportionnelle au rôle de chaque industrie dans la région, leur hauteur au rôle de la région dans l'industrie française

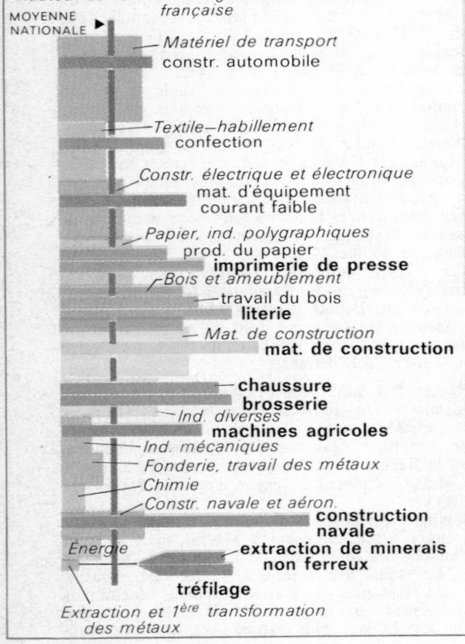

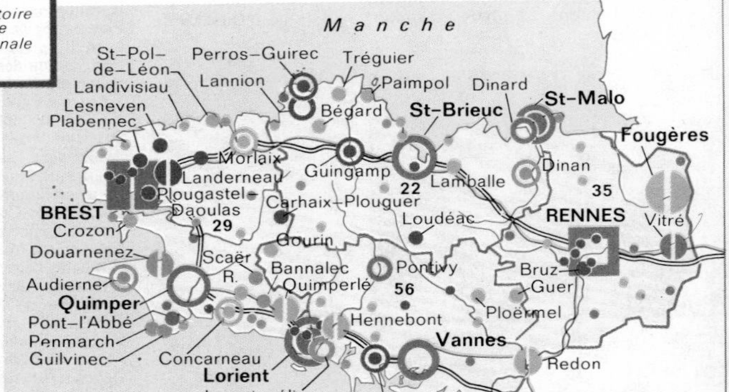

Structure urbaine

- métropoles régionales
- villes moyennes *contrat signé ou en cours avec la DATAR*
- autres unités urbaines
  - plus de 25 000 hab.
  - de 10 000 à 25 000 hab.
  - de 5 000 à 10 000 hab.
  - moins de 5000 hab.
- voies rapides
- principales voies ferrées

Dynamisme démographique

évolution de la population de 1968 à 1975

- augmentation de plus de 12%
- de 6 à 12%
- de 0 à 6%
- diminution de 0 à −10%

Structure de l'emploi

(villes de plus de 10000 hab.)

- industries dominantes
- commerces dominants
- administrations dominantes

22 CÔTES-DU-NORD — 35 ILLE-ET-VILAINE
29 FINISTÈRE — 56 MORBIHAN

laire que dans l'intérieur : l'hiver est plus doux à Brest (6,1 °C de température moyenne en janvier) qu'à Rennes (4,8 °C), où, en revanche, l'été est nettement plus marqué (18,1 °C en moyenne en août contre 16,1 °C à Brest); Brest est aussi beaucoup plus abondamment (1 129 mm contre 669 mm) et plus fréquemment (201 jours de pluies contre 168) arrosé que Rennes. Il s'agit toutefois plus de nuances que d'oppositions : l'ensemble est caractérisé par la douceur des hivers, une humidité relativement importante et également répartie, bien que l'été soit fréquemment ensoleillé, surtout sur le littoral méridional. La végétation naturelle ne subsiste que par lambeaux, forêts dans l'intérieur, landes plus près des côtes, sur des sols podzolisés, battus par les vents marins.

La Bretagne couvre environ 5 p. 100 de la superficie nationale et compte un pourcentage à peu près égal de la population française. Sa densité est ainsi très proche de la moyenne française; la Bretagne fut pendant longtemps une terre d'émigration, surtout d'éléments jeunes, mais cette caractéristique s'est atténuée depuis quelques années. La répartition du peuplement laisse apparaître une bande de forte densité : le long du littoral, jalonné par les principales villes (Saint-Malo, Saint-Brieuc, Brest, Quimper, Lorient, Vannes), à la seule exception de la capitale régionale, Rennes. L'intérieur est généralement moins peuplé, sans être jamais vide.

Si la densité régionale est voisine de la moyenne nationale, la répartition de la population active bretonne est bien différente de celle de la population active française. Le secteur primaire (agriculture) est beaucoup plus développé, en raison du maintien de nombreuses petites exploitations familiales. La production de ce secteur est notable (sans être au niveau, cependant, de l'effectif employé), notamment dans le domaine de l'élevage (bovins et surtout porcins et aviculture), des cultures légumières et des céréales (blé, orge et maïs); la Bretagne est aussi, de loin, la première région pour la pêche, notamment grâce aux ports de Lorient et de Concarneau. L'industrie occupe une place encore relativement réduite, malgré un développement récent. L'absence de sources d'énergie (que n'ont pu compenser certaines réalisations spectaculaires comme l'usine marémotrice de la Rance et la centrale nucléaire de Brennilis) a été un handicap dans le passé, moindre cependant que la faiblesse des capitaux à investir et la situation géographique excentrée. Longtemps, la transformation (souvent partielle) de la production agricole et de la pêche a été la principale branche. La décentralisation a favorisé l'essor de la métallurgie de transformation, de l'électronique aussi, indispensable pour absorber l'offre d'emploi, qui résulte de l'excédent naturel et de l'exode rural. La part du secteur tertiaire est encore inférieure à la moyenne nationale, en raison de la relative faiblesse de l'urbanisation (en dépit de la croissance rapide des principales villes, Rennes et Brest) et malgré l'importance du tourisme, développé sur l'ensemble du littoral.

Au total, longtemps économiquement en retard, la Bretagne s'est récemment modernisée, mais les transformations (favorisées aussi par le développement des communications) sont encore insuffisantes pour assurer le plein-emploi et enrayer totalement l'émigration, dans une région consciente de son originalité liée à l'histoire.

BRETENOUX (46130), ch.-l. de cant. du Lot, à 9 km au N.-O. de Saint-Céré, sur la Cère; 1 115 hab. Anc. bastide du XIIIe s.

BRETEUIL (27160), ch.-l. de cant. de l'Eure, à 31 km au S.-O. d'Évreux; 3 451 hab. Église en partie romane.

BRETEUIL (60120), ch.-l. de cant. de l'Oise, à 28 km au N.-E. de Beauvais; 3 351 hab. Métallurgie. Industrie chimique.

Brétigny *(traité de),* traité signé le 8 mai 1360 dans le hameau de Brétigny, en Beauce, et qui mit fin à la première partie de la guerre de Cent* Ans. En échange d'une renonciation au trône de France, Édouard III d'Angleterre recevait le sud-ouest de la France.

BRÉTIGNY-SUR-ORGE (91220), ch.-l. de cant. de l'Essonne, à 5 km au N.-E. d'Arpajon; 20 003 hab. *(Brétignolais).* Aérodrome militaire; centre d'essais en vol.

BRETON. — Le breton fait partie, avec le gallois, parlé encore aujourd'hui par environ un million de personnes, et le cornique, qui s'est éteint au XVIIIe s., du rameau brittonique des langues celtiques*. Son domaine comprend le Finistère et la moitié des départements du Morbihan et des Côtes-du-Nord, à l'ouest d'une frontière qui n'a pas varié depuis le Xe s. On y distingue quatre dialectes : le léonais, le trégorois, le cornouaillais et le vannetais. Le breton est parlé sans doute par plus de un million de personnes, dont la quasi-totalité parle aussi le français.

BRETON *(pertuis),* passage entre la côte du Marais poitevin et l'île de Ré.

BRETON (André), écrivain français (Tinchebray 1896 - Paris 1966). Point de ralliement, pape ou mage d'une génération qui voulut « changer la vie » et construire une nouvelle culture, Breton a, paradoxalement, eu le goût des sources et de la continuité : art des primitifs, des fous, des enfants, résurgence de l'alchimie ou du romantisme allemand, repérage des ancêtres ou intercesseurs (Sade, Hegel, Novalis, Lautréamont, Rimbaud, Apollinaire), Breton a comme constante le besoin de se situer et de situer (attribution de notes aux surréalistes suivant un barème scolaire, exclusions retentissantes des fautifs ou récalcitrants). Ce qui explique à la fois le classicisme d'une partie de l'œuvre (*Nadja**, 1928), la violence théorique des *Manifestes* (1924-1930) et la diversité expérimentale des recueils poétiques (*Clair de terre,* 1923; *le Revolver à cheveux blancs,* 1932; *l'Air de l'eau,* 1934). Mais, quelle que soit la nature de ses engouements ou de ses expériences (engagement politique, intérêt pour la psychanalyse), Breton garde une faculté critique, qui s'exprime dans la mise au jour des contradictions de Barrès, des réticences de Freud à l'égard de sa propre enfance ou de l'art moderne qui se recommande de lui, des dangers du stalinisme (rupture avec le parti communiste en 1935), des escroqueries intellectuelles (*Flagrant Délit,* 1949). Son désir de faire naître une poésie de l'« automatisme psychique pur », de l'écriture automatique (*Champs magnétiques,* 1920, en collaboration avec Ph. Soupault), et de la « toute-puissance du rêve » (*les Pas perdus,* 1924; *Point du jour,* 1934; *la Clé des champs,* 1953) s'accompagne d'une réflexion permanente sur les conditions idéologiques et esthétiques de l'écriture (*les Vases communicants,* 1932; *l'Amour* fou,* 1937; *Arcane* 17,* 1945). De la création de la revue *Littérature* (1919) à celle de *la Brèche* (1961), de la condamnation de dada* à celle de la guerre d'Algérie, des expositions de Marcel Duchamp, Ernst et Miró à celles d'Alechinsky ou de Télémaque, Breton s'est imposé comme la conscience incommode du surréalisme*.

BRETONNEAU (Pierre), médecin français (Saint-Georges-sur-Cher 1778 - Passy 1862). Il individualisa la fièvre typhoïde et la diphtérie et établit pour les maladies infectieuses, dont il pressentit l'origine, la doctrine de la spécificité.

BRETTEVILLE-SUR-LAIZE (14680), ch.-l. de cant. du Calvados, à 16 km au S. de Caen; 1 299 hab.

BREUER (Joseph) → FREUD *(S.).*

BREUER (Marcel), architecte et designer d'origine hongroise (Pécs 1902). Élève au Bauhaus en 1920, il y est directeur de la section d'ameublement de 1925 à 1928. Il utilise dès 1926 les tubulures d'acier et travaille aussi le bois lamellé et ployé, dans un style fonctionnel qui traduit le goût des structures nettes, volontairement mises en évidence. Ces qualités se retrouvent dans son architecture, à partir de 1928 et surtout après son départ d'Allemagne (1935). Il enseigne à Harvard avec Gropius, s'établit à New York en 1946 et connaît bientôt la célébrité internationale (palais de l'Unesco, à Paris, 1952, avec Nervi et Zehrfuss). Son style tend dès lors à la dramatisation et à l'éclectisme.

BREUIL (Henri), ecclésiastique et préhistorien français (Mortain 1877 - L'Isle-Adam 1961). Son nom reste attaché aux innombrables relevés d'œuvres pariétales qu'il a effectués ainsi qu'à des ouvrages fondamentaux, comme les *Subdivisions du paléolithique supérieur et leur signification* (1911), remarquable étude de l'évolution des divers faciès industriels, et *Quatre Cents Siècles d'art pariétal* (1952), vaste panorama de l'art franco-cantabrique.

BREUIL-CERVINIA, station de sports d'hiver (alt. 2 050-3 500 m) d'Italie (val d'Aoste), au pied du Cervin.

BREUIL-LE-SEC (60600 Clermont), comm. de l'Oise, à 3 km à l'E. de Clermont; 2 329 hab. Industrie chimique.

BREUILLET (91650), comm. de l'Essonne, à 7 km au S.-O. d'Arpajon; 6 575 hab.

BRÉVENT (le), sommet des Alpes (Haute-Savoie), dans le massif des Aiguilles-Rouges, au N.-O. de Chamonix-Mont-Blanc; 2 525 m.

BREVET → PROPRIÉTÉ INDUSTRIELLE.

BREWSTER (*sir* David), physicien écossais (Jedburgh 1781 - Allerby 1868). Il a découvert, en 1815, les lois de la polarisation par réflexion, imaginé le kaléidoscope et identifié les raies telluriques du spectre solaire (1834).

BREZA (Tadeusz), écrivain polonais (Siekierzyńce 1905 - Varsovie 1970). Ses romans (*les Murs de Jéricho,* 1946; *la Démarche,* 1960) et ses chroniques (*la Porte de bronze,* 1959) analysent l'évolution des structures mentales et politiques dans l'Europe de l'après-guerre.

BRÉZOLLES (28270), ch.-l. de cant. d'Eure-et-Loir, à 13 km au S.-E. de Verneuil-sur-Avre; 1 317 hab. Église du XVe s.

BRIALMONT (Henri Alexis), général belge (Venloo 1821 - Bruxelles 1903). Il dressa les plans de fortification d'Anvers (1859) et de Bucarest (1877). Il a laissé de nombreux ouvrages sur l'histoire militaire et la fortification.

BRIANÇON (05100), ch.-l. d'arr. des Hautes-Alpes, dans le *Briançonnais,* sur la haute Durance; 11 455 hab. *(Briançonnais).* Fortifications et église par Vauban. Centre climatique à plus de 1 300 m d'altitude.

BRIAND (Aristide), homme politique français (Nantes 1862 - Paris 1932). Militant socialiste, député de 1902 à sa mort, il rapporte en 1905 la loi de séparation des Églises et de l'État. Vingt-cinq fois ministre, dont dix-sept fois ministre des Affaires étrangères, à partir de 1906, et onze fois président du Conseil, à partir de 1909, il marque la vie politique et la diplomatie de la France entre 1925 et 1932, multipliant les occasions de fonder la paix en Europe, notamment par un rapprochement franco-allemand solide. Il attache particulièrement son nom à la conférence générale de Locarno (oct. 1925), où il met en honneur la notion de convention d'arbitrage. (Prix Nobel de la paix, 1926.)

BRIANSK, v. de l'U. R. S. S. (R. S. F. S. de Russie), au S.-O. de Moscou; 318 000 hab. Matériel ferroviaire.

BRIARE (45250), ch.-l. de cant. du Loiret, à 10 km au S.-E. de Gien, sur la rive droite de la Loire, à la jonction du *canal de Briare* et du canal latéral à la Loire; 5 682 hab. Pont-canal sur lequel le canal latéral franchit le fleuve. Céramique.

Briare *(canal de),* canal unissant la Loire à la Seine par le Loing; 56 km.

BRIÇONNET (Guillaume), ecclésiastique français (Paris 1472 - Esmans, près de Montereau, 1534). Évêque de Meaux de 1516 à 1534, il favorise la constitution, autour de Lefèvre* d'Étaples, d'un groupe de biblistes et de théologiens humanistes (cénacle de Meaux) désireux de promouvoir un renouveau religieux par l'étude de la Bible. Évêque hautement soucieux d'évangélisation, il a été, à tort, suspecté de complaisance à l'égard des idées de la Réforme.

BRICQUEBEC (50260), ch.-l. de cant. de la Manche, à 13 km au S.-O. de Valognes; 3 186 hab. Beau donjon du XIVe s.

BRIDES-LES-BAINS (73600 Moûtiers Tarentaise), comm. de Savoie, à 6 km au S.-E. de Moûtiers; 557 hab. Station thermale aux eaux chlorurées et sulfatées sodiques, utilisées dans le traitement de l'obésité et des affections digestives.

BRIDGE → PROTHÈSE DENTAIRE.

BRIDGEPORT, v. des États-Unis (Connecticut), au N.-E. de New York; 157 000 hab. Constructions mécaniques et électriques.

BRIDGETOWN, capit. de la Barbade; 9 000 hab.

BRIDGMAN, localité des États-Unis (Michigan), sur le lac Michigan. Centrale nucléaire.

BRIDGMAN (Percy Williams), physicien américain (Cambridge, Massachusetts, 1882 - Randolph 1961). Il a étudié les propriétés de la matière sous l'action de très fortes pressions (plusieurs centaines de milliers d'atmosphères), découvrant ainsi plusieurs variétés de glace. (Prix Nobel de physique, 1946.)

BRIE → FROMAGE.

BRIE, région du Bassin parisien, à l'E. de Paris, entre la Marne et la Seine. (Hab. *Briards.*) Limitée à l'E. par la côte de l'Île-de-France, la Brie s'étend principalement sur le département de Seine-et-Marne. C'est un plateau argileux, où la partielle couverture limoneuse permet les cultures céréalières (blé et maïs) et betteravières, souvent associées à l'élevage bovin (pour la viande et le lait [fromages]). Il est entaillé par des vallées (Grand Morin et Yerres, entre Marne et Seine), sites des principales villes : Meaux, Château-Thierry et Coulommiers au N., Corbeil-Essonnes et Melun au S.

BRIEC (29112), ch.-l. de cant. du Finistère, à 17 km au N.-E. de Quimper; 4 001 hab.

BRIE-COMTE-ROBERT (77170), ch.-l. de cant. de Seine-et-Marne, à 18 km au N. de Melun; 8 828 hab. *(Briards).* Monuments anciens, dont l'église des XIIIe-XVIe s. Verrerie.

BRIENNE-LE-CHÂTEAU (10500), ch.-l. de cant. de l'Aube, à 24 km au N.-O. de Bar-sur-Aube; 4 145 hab. Château du XVIIIe s. Victoire de Napoléon pendant la campagne de France*, de 1814.

BRIENON-SUR-ARMANÇON (89210), ch.-l. de cant. de l'Yonne, à 23 km au N. d'Auxerre; 3 180 hab. Église gothique.

BRIENZ *(lac de),* lac de Suisse (cant. de Berne), dans la vallée de l'Aar, près d'Interlaken; 30 km^2. Sur sa rive nord-ouest se trouve la comm. de *Brienz* (2 796 hab.).

BRIÈRE ou **GRANDE BRIÈRE** (la), région marécageuse de la Loire-Atlantique, au N. de Saint-Nazaire. (Hab. *Briérons*). Parc naturel régional.

BRIÈRE DE L'ISLE (Louis), général français (Saint-Michel-du-François, Martinique, 1827 - Saint-Leu-Taverny 1896). Gouverneur du Sénégal en 1877, il commanda les troupes du Tonkin en 1884, mais il fut rappelé après la perte de Lang Son (1885).

BRIÈRES-LES-SCELLÉS (91150 Étampes), comm. de l'Essonne, à 4 km au N. d'Étampes; 662 hab. Construction automobile.

BRIEY (54150), ch.-l. d'arr. de Meurthe-et-Moselle en bordure du *bassin ferrifère de Briey;* 5 461 hab. Église du XVe s. Métallurgie.

Brigades internationales, formations militaires de volontaires étrangers, en majorité communistes, qui, de 1936 à 1939, combattirent dans les rangs des forces républicaines pendant la guerre civile d'Espagne. Provenant de 50 nations, elles compteront environ 35 000 hommes, dont les Français A. Malraux, F. Billoux, H. Rol-Tanguy, l'Italien P. Togliatti, le Tchèque K. Gottwald.

Brigands *(les),* drame en cinq actes de Schiller (1782).

BRIGHT (Richard), médecin anglais (Bristol 1789 - Londres 1858) qui a décrit la néphrite* chronique (mal de Bright).

BRIGHTON, v. d'Angleterre, au S. de Londres, sur la Manche; 166 000 hab. *Pavillon royal* par J. Nash (1815). Station balnéaire.

BRIGNAIS (69530), comm. du Rhône, à 11 km au S.-S.-O. de Lyon; 6 790 hab.

BRIGNOLES (83170), ch.-l. d'arr. du Var; 10 482 hab. *(Brignolais).* Église romane et gothique. Musée dans un palais du XIIIe s. Extraction de la bauxite. Camp des unités d'instruction de la Protection civile.

BRIGUE, en allem. **Brig,** comm. de Suisse (Valais), à l'entrée du tunnel du Simplon; 5 191 hab.

BRIL (Paulus ou Paul), peintre et dessinateur flamand (Anvers 1554 - Rome 1626). À la suite de son père MATHIJS I et de son frère MATHIJS II (Anvers 1550 - Rome 1583), qu'il rejoint à Rome pour y demeurer toute sa vie, il devient peintre de paysages religieux ou mythologiques (fresques et petits tableaux). Ses vues de Rome et ses paysages, bien ordonnés, annoncent Claude Lorrain.

BRILLANT (Maurice), écrivain, journaliste et critique de danse français (Combrée, Maine-et-Loire, 1881 - Paris 1953), auteur d'une étude remarquable des *Problèmes de la danse* (1953).

BRILLAT-SAVARIN (Anthelme), magistrat et écrivain français (Belley 1755 - Paris 1826). Il inaugura la littérature gastronomique avec la *Physiologie du goût* (1826).

BRINDISI, port d'Italie, dans la Pouille, ch.-l. de prov., sur l'Adriatique; 83 000 hab. Pétrochimie. Constructions mécaniques. — La ville antique de *Brindes* devint colonie latine en 244 av. J.-C. Rome en fit une base navale pour son expansion vers l'Orient. C'est là que fut conclue, en 40 av. J.-C., la paix qui fit d'Octavien le maître de l'Occident et d'Antoine le maître de l'Orient.

BRINON-SUR-BEUVRON (58420), ch.-l. de cant. de la Nièvre, à 22 km au S. de Clamecy; 273 hab.

BRIOCHÉ (Pierre DATELIN, dit), bateleur italien qui vivait vers 1650, célèbre par ses marionnettes et son singe Fagotin.

BRION (Marcel), écrivain français (Marseille 1895). Ses récits d'inspiration fantastique (*la Folie Céladon,* 1935) et ses essais sur l'art (*Giotto,* 1929; *l'Art fantastique,* 1962) et les romantiques allemands (*l'Allemagne romantique,* 1963), ses romans (*Algues,* 1976) forment, sur des plans différents, une tentative d'exploration de l'imaginaire et de l'inconscient.

BRIONNE (27800), ch.-l. de cant. de l'Eure, à 15 km au N.-E. de Bernay, sur la Risle; 4 877 hab. Textile. Église des XIVe-XVe s.

BRIOUDE (43100), ch.-l. d'arr. de la Haute-Loire, près de l'Allier, dans la *Limagne de Brioude;* 8 427 hab. *(Brivadois).* Importante église romane. Industries mécaniques et textiles.

BRIOUX-SUR-BOUTONNE (79170), ch.-l. de cant. des Deux-Sèvres, à 11 km au S.-O. de Melle; 1 671 hab.

BRIOUZE (61220), ch.-l. de cant. de l'Orne, à 13 km au N. de La Ferté-Macé; 1 832 hab. Chapelle du XIe s.

BRIQUE. — Les briques destinées à la construction sont fabriquées avec des terres argileuses auxquelles on incorpore souvent des produits inertes, afin de diminuer le retrait au séchage et à la cuisson qui provoquerait des fissurations. Après malaxage avec 8 à 10 p. 100 d'eau, la pâte est mise en forme sous pression au moyen de presses ou de filières. Les briques sont séchées, puis cuites à une température supérieure à celle de la déshydratation de l'argile (700 °C). Les fours modernes comportent de 12 à 24 cellules permettant un circuit continu des gaz brûlés et une bonne utilisation de la chaleur. Les briques réfractaires, à base d'argiles plus pures, sont cuites à plus haute température (de 1 200 à 1 400 °C).

BRISBANE, port d'Australie, capit. du Queensland, sur le Pacifique; 888 000 hab. Chantiers navals. Industries chimiques. Construction automobile.

BRISE. — L'alternance de la *brise diurne* et de la *brise nocturne* est due à une inversion de température au cours de la journée, provoquant un déplacement de la zone de dépression atmosphérique.

BRISE-GLACE. — Les formes de l'avant d'un brise-glace varient selon le procédé utilisé : fendre la glace au moyen d'une étrave effilée, faire monter l'avant du bâtiment sur la glace de façon à la briser sous le poids propre du navire ou encore la soulever au moyen d'un bulbe très développé. Ses caractéristiques sont en rapport avec sa fonction : très grande largeur relative, compartimentage très resserré, forte stabilité transversale, coque en acier* résistant aux très basses températures, protection des deux ou trois hélices* contre le choc de la glace et puissance propulsive élevée pour pouvoir exercer sur celle-ci une poussée suffisante.

BRISE-MOTTES → SOL *(travail du).*

BRISSOT DE WARVILLE (Jacques Pierre BRISSOT, dit), homme politique français (Chartres 1754-Paris 1793). Député de Paris à l'Assemblée législative (1791), il pousse à la guerre contre les rois. Réélu à la Convention par l'Eure-et-Loir (1792), il est l'un des chefs du parti girondin, dit encore « brissotin ». Victime de la politique antigirondine des Jacobins, il est guillotiné.

BRISTOL, v. de Grande-Bretagne (Angleterre), sur l'Avon, près de son embouchure dans l'estuaire de la Severn; 425 000 hab. Cathédrale reconstruite aux XIVe-XVe et XIXe s. Église Saint Mary Redcliffe, joyau du gothique perpendiculaire. Musée. Constructions aéronautiques.

BRISTOL *(canal de),* bras de mer formé par l'Atlantique, entre le pays de Galles et la Cornouailles (Cornwall) anglaise, prolongeant l'estuaire élargi de la Severn.

BRITANNICUS (Tiberius Claudius) [41 apr. J.-C.?-55]. Fils de Claude et de Messaline, il est l'héritier présomptif de l'Empire, mais Agrippine* s'attache à le supplanter afin d'assurer le trône à son fils, Néron. Pour ôter à sa mère tout moyen de chantage et redoutant le prestige de l'hérédité sur l'opinion publique, Néron le fait empoisonner.

Britannicus, tragédie de Racine (1669). Dans un décor politique inspiré de Tacite, un drame violent entre un « monstre naissant », Néron, et une mère abusive, Agrippine.

BRITANNIQUES *(îles),* ensemble formé par la Grande-Bretagne (et ses dépendances) et l'Irlande.

British Museum, musée créé à Londres en 1753. L'un des plus riches du monde, il comprend des collections d'archéologie égyptienne, assyrienne et babylonienne, de sculpture grecque (frise du Parthénon) et romaine, de céramique, d'arts asiatiques, africains, océaniens et américains, ainsi qu'une bibliothèque aux précieux manuscrits enluminés, un cabinet d'estampes et de dessins, etc.

FABRICATION DES BRIQUES ET DES TUILES.

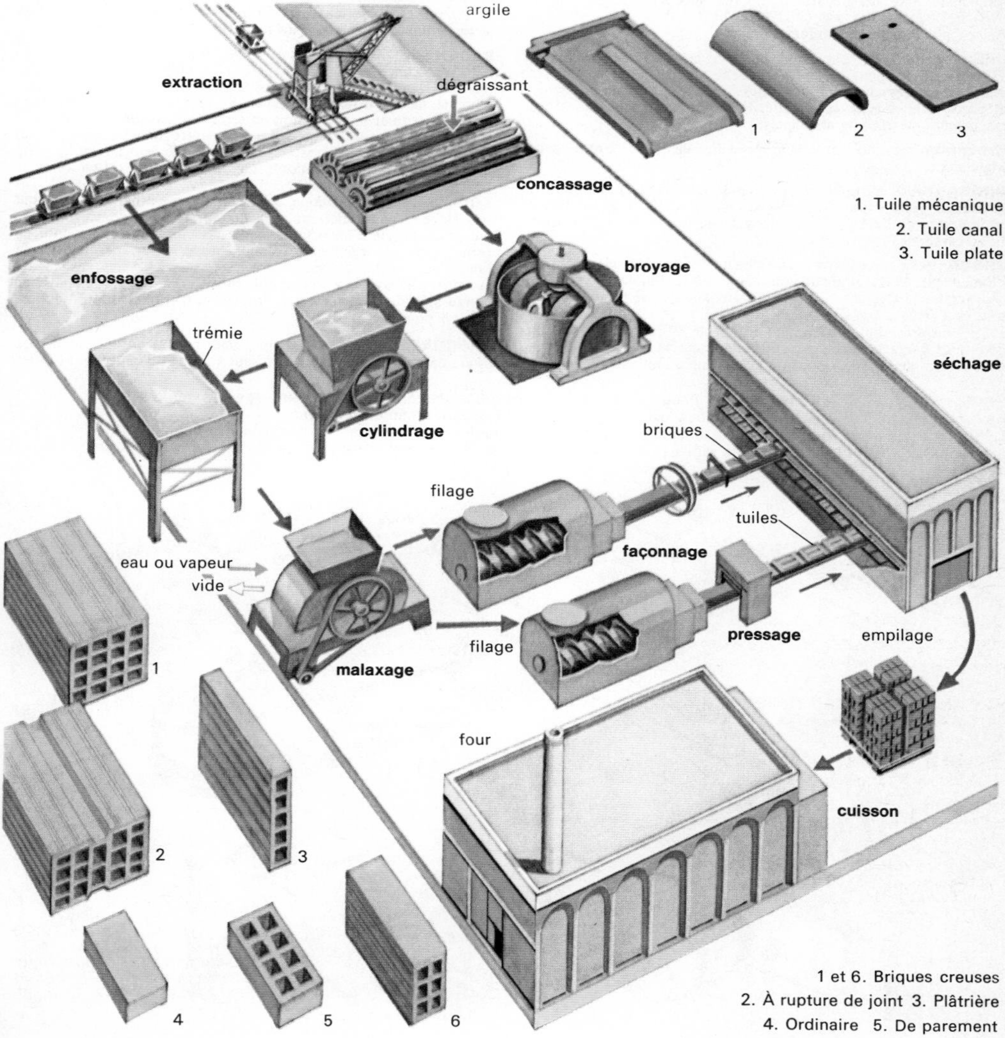

1. Tuile mécanique
2. Tuile canal
3. Tuile plate

1 et 6. Briques creuses
2. À rupture de joint 3. Plâtrière
4. Ordinaire 5. De parement

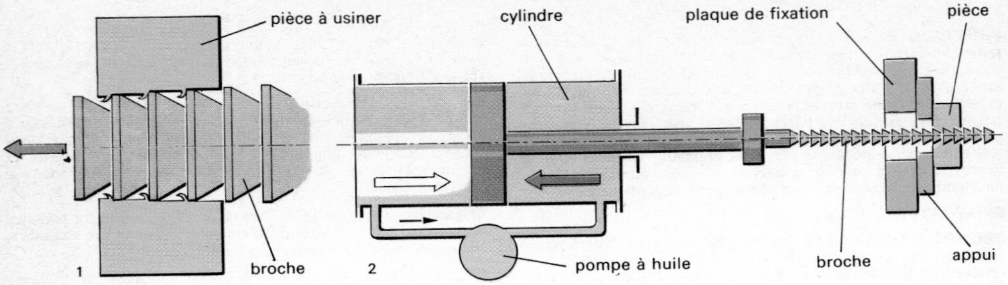

BROCHAGE. 1. Broche de traction en position de travail; 2. Machine à brocher horizontale avec entraînement hydraulique.

BRITTEN (Benjamin), compositeur anglais (Lowestoft 1913 - Aldeburgh, Suffolk, 1976). D'un tempérament traditionnel, mais éclectique, il a connu le succès avec les *Variations et fugue sur un thème de Purcell,* le *War Requiem* et ses opéras *(Peter Grimes).*

BRITTONIQUE → BRETON et CELTIQUE.

BRIVE-LA-GAILLARDE (19100), ch.-l. d'arr. de la Corrèze (principale ville du département), sur la Corrèze; 54766 hab. *(Brivistes).* Église des XIIe et XIVe s. Constructions mécaniques et électriques. Papeterie. Confection.

BRNO, v. de Tchécoslovaquie, ch.-l. de la Moravie-Méridionale; 339000 hab. Monuments civils (citadelle, ancien hôtel de ville) et religieux (cathédrale Saint-Pierre des XVe-XVIIe s., églises gothiques et baroques). Musées. Université. Foire internationale. Industries mécaniques, textiles et chimiques.

Broadway, grande artère de la ville de New York, dans Manhattan.

BROCA (Paul), chirurgien et anthropologiste français (Sainte-Foy-la-Grande 1824 - Paris 1880). Sa découverte (1861) de la lésion responsable de l'aphasie fut à l'origine de la théorie des localisations cérébrales.

BROCH (Hermann), écrivain autrichien (Vienne 1886 - New Haven, Connecticut, 1951). Il abandonna une carrière d'industriel pour se consacrer à la littérature. Son œuvre romanesque se fonde sur une réflexion critique très élaborée (*Création littéraire et connaissance,* 1955), inspirée notamment de Kant, de Wittgenstein* et de nombreux contacts avec les membres du « cercle de Vienne », de la découverte de Joyce. Confrontant la création esthétique aux exigences de la morale et aux méthodes de la connaissance scientifique, Broch recherche une forme littéraire qui rendrait compte de la totalité de la vie, rassemblant ses éléments rationnels et irrationnels : après l'avoir poursuivie dans la trilogie historique des *Somnambules* (*1888, Pasenow ou le Romantisme,* 1931; *1903, Esch ou l'Anarchie,* 1931; *1918, Huguenau ou le Réalisme,* 1932), puis dans un roman symbolique (*le Tentateur,* 1933-1938), il la trouve dans un récit lyrique et polyphonique, *la Mort* de Virgile* (1945), qui combine tous les thèmes du « malaise esthétique » et de la recherche d'un humanisme moderne.

BROCHAGE *(Métall.).* — Le brochage est utilisé pour usiner en série des pièces métalliques petites et moyennes. Le *brochage intérieur* permet d'exécuter des alésages de section quelconque, notamment des trous cylindriques de profils divers. Le *brochage extérieur* permet la réalisation en série des travaux analogues aux travaux de fraisage*. Dans les usinages effectués en série, il peut remplacer les opérations de fraisage, de mortaisage*, voire d'alésage* et de rectification*. La durée de l'opération est plus courte et l'état de surface meilleur. Les possibilités sont très vastes, mais cette technique, qui nécessite une broche — d'un coût très élevé — particulière pour chaque forme de pièce, n'est utilisée que pour usiner d'importantes séries. La broche est un outil de forme allongée, légèrement tronconique, à la surface duquel sont taillées les lèvres coupantes, profilées, espacées et étagées suivant la nature du travail à exécuter et le profil à réaliser. Elle est mise en œuvre à l'aide de machines à brocher et travaille soit en traction, soit en poussée.

BROCHAGE *(Rel.).* — Le papier imprimé est livré à l'atelier de *pliure* en grandes feuilles à plat, sauf s'il s'agit d'impressions faites

BROCHAGE. 1. Plieuse à couteaux; 2. Plieuse à poches; 3. Réception des cahiers; 4. Assemblage des cahiers 1, 2, 3..., par une assembleuse mécanique; 5. Couseuse, couture des cahiers d'une même brochure; 6. Machine couvrante pour brochures cousues; 7. Machine couvrante rognant, frisant et encollant les cahiers avant montage dans les couvertures rainées; 8. Agrafeuse au pied; 9. Assembleuse-piqueuse et massicots trois faces; 10. Massicots trois faces façonnant un ouvrage en une seule opération; 11. Brochures terminées.

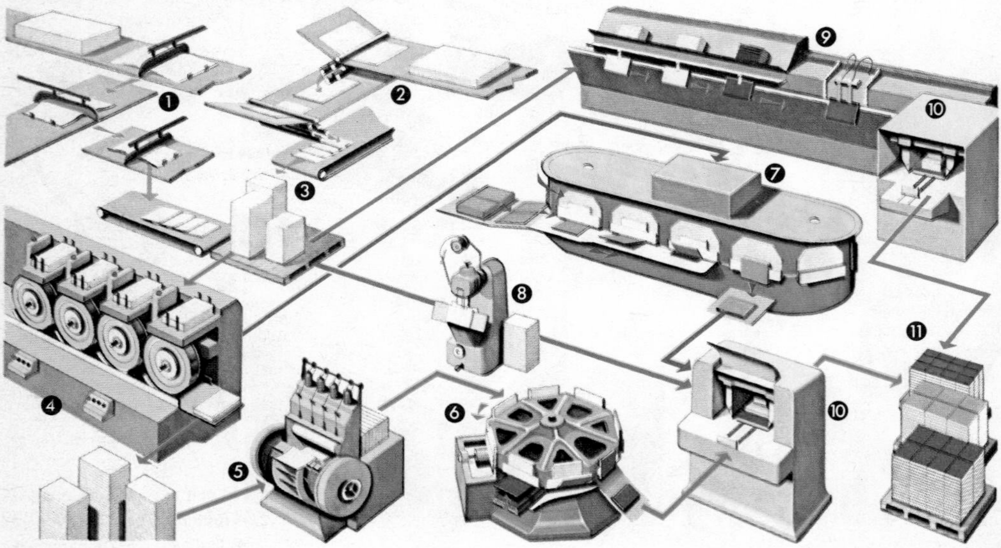

sur des machines rotatives* comportant un système de pliage. Ces feuilles sont pliées pour former soit des cahiers de 4, 8, 16 ou 32 pages, par des plis croisés perpendiculaires les uns aux autres exécutés sur des plieuses à couteau, soit des cahiers de 12, 18, 24 ou 36 pages, en plis parallèles ou croisés réalisés sur les plieuses à poche. L'équipe de la *plaçure* complète éventuellement le cahier en collant à l'emplacement prévu les hors-texte, imprimés par d'autres procédés que ceux qui sont employés pour le texte, et les papiers de gardes, collés sur la première page du premier cahier et la dernière page du dernier cahier. La première page de chaque cahier porte un chiffre (autrefois une lettre), appelé *signature,* qui indique sa place dans la suite des cahiers. L'*assemblage* consiste à réunir les cahiers les uns sur les autres dans l'ordre des signatures. Il reste à les maintenir entre eux par un lien solide. Le plus ancien et encore le plus employé des divers procédés est la *couture* à l'aide d'un fil textile, piqué dans le fond du pli des cahiers et noué à l'extérieur. On peut se contenter d'agrafes de fil métallique piquées à deux ou trois endroits dans le fond du pli. Pour certains travaux (petites brochures publicitaires ou cahiers d'écolier) un fil métallique ou de matière plastique passe en spirale dans des perforations circulaires ménagées dans les marges. Des anneaux peuvent remplacer le fil et traverser les feuillets dans des perforations rectangulaires. Pour les livres de dimensions moyennes (10 × 18 cm, par exemple), dits *livres de poche,* le dos des cahiers assemblés est coupé, râpé, meulé et enduit d'une couche de colle chaude à prise rapide, qui agglomère le fond des cahiers, ce qui permet d'accélérer et de simplifier le brochage. À la *couvrure* de brochure, on applique sur le volume une couverture en papier plus épais, en la collant au dos. Enfin, à la *rognure,* les trois tranches du volume — la tranche de tête en haut du livre, la tranche de queue en bas et la tranche de gouttière, parallèle au dos — sont rognées à l'aide d'un massicot afin d'éviter au lecteur de couper les plis pour lire le volume.

BROCHET. — Ce redoutable carnivore est un poisson sédentaire des eaux douces (type de la famille des ésocidés). Son museau aplati en largeur, son corps à section ovoïde constante d'avant en arrière, sa dorsale et son anale rejetées à l'arrière et participant à la propulsion, lui permettent de bondir sur ses proies comme une flèche. L'espèce américaine voisine, le *maskinonge,* atteint 2 m de long.

BROCKEN, point culminant du massif du Harz, situé en Allemagne orientale; 1 142 m.

BRODERIE. — On classe la broderie en trois catégories : la *broderie à l'aiguille* ou *au crochet,* exécutée à la main sur un petit métier; la *broderie à la machine* (genre Cornely); la *broderie mécanique,* réalisée sur les métiers industriels. Cette dernière s'obtient à partir de différentes machines, dont les plus courantes comprennent une série d'aiguilles devant lesquelles le tissu se déplace suivant le dessin à broder.

La *broderie* dite *blanche,* autrefois en fil blanc mais aujourd'hui en couleurs, a pour points principaux le plumetis, le feston, le richelieu, etc. La *broderie à jours,* sur tous tissus, utilise des fournitures diverses : coton, soie, laine, fils de métal, perles, paillettes, etc. Dans les broderies à la machine il faut citer la *broderie genre Saint-Gall* et la *broderie Cornely* aux effets très différents de ceux de la broderie à la main et de la broderie mécanique sur grands métiers.

BROEDERLAM (Melchior), peintre flamand cité de 1381 à 1409 à Ypres. Au service de Philippe le Hardi, il exécute v. 1394 les volets du retable de Champmol (musée de Dijon). L'élégance du style gothique international s'y nuance de sentiment réaliste.

BROGLIE (27270), ch.-l. de cant. de l'Eure, à 11 km au S.-O. de Bernay; 1 136 hab. Château. Église romane et gothique.

BROGLIE (Achille Léon Victor, *duc* DE), homme politique français (Paris 1785-*id.* 1870). Député libéral sous la Restauration, il se rallie à Louis-Philippe, qui le choisit comme Premier ministre (1835-36). — Son fils, ALBERT (Paris 1821-*id.* 1901), duc **de Broglie,** député monarchiste à l'Assemblée nationale (1871), contribue à la chute de Thiers* (1873). Premier ministre (1873-74 et 1877), il s'efforce d'instaurer un régime d'ordre moral.

BROGLIE (Maurice, *duc* DE), physicien français (Paris 1875-Neuilly-sur-Seine 1960). Il s'est consacré à l'étude des spectres de rayons X, imaginant la méthode du cristal tournant et découvrant, en 1921, l'effet photoélectrique nucléaire. — Son frère, LOUIS, prince, puis duc **de Broglie,** physicien français (Dieppe 1892), est le créateur, en 1924, de la mécanique ondulatoire, théorie suivant laquelle l'électron et les autres particules en mouvement ont aussi les caractères d'une onde. (Prix Nobel de physique, 1929.)

BROKEN HILL, v. d'Australie, dans l'ouest de la Nouvelle-Galles du Sud; 30 000 hab. Important centre minier (plomb et zinc).

BROKEN HILL, v. de Zambie → KABWE.

BROME *(Bot.).* — La flore française compte au moins 14 espèces de ce genre sauvage de graminacées. La plus commune est le *brome stérile* du bord des chemins, reconnaissable à ses longues « arêtes » (poils raides prolongeant le sommet des enveloppes du grain) et à son inflorescence très desserrée.

BROME *(Chim.).* — Découvert en 1826 par Balard, dans les eaux mères de salines, le brome est l'élément numéro 35, de masse atomique Br = 79,92. C'est un liquide rouge foncé, d'odeur désagréable, trois fois plus dense que l'eau, qui bout vers 60 °C, en émettant des vapeurs rouges. Il est légèrement soluble dans l'eau (eau de brome). Ses propriétés chimiques sont analogues à celles du chlore. Il se combine à l'hydrogène au rouge (formation de HBr) et détruit certains composés hydrogénés, notamment les matières organiques. Il s'unit aux métaux pour donner des bromures. On le trouve à l'état de bromures de sodium, de potassium et de magnésium, accompagnant les chlorures dans leurs gisements.

BROMÉLIACÉES. — L'ananas est la seule broméliacée de grande culture. Les autres espèces de cette curieuse famille de monocotylédones sont sauvages, beaucoup d'entre elles (*Tillandsia,* etc.) vivent en épiphytes sur les arbres, la poussière apportée par le vent suffisant à leur nutrition minérale, du fait d'une croissance très lente. L'existence d'un épi florifère au-dessus (ou partiellement au-dessous, comme chez l'ananas) d'une couronne de feuilles pointues évoque une ressemblance avec les aloès et les agaves.

BROMFIELD (Louis), romancier américain (Mansfield, Ohio, 1896-Columbus, Ohio, 1956), auteur de *la Mousson* (1937).

BROMHYDRIQUE (acide). — L'acide bromhydrique HBr est un gaz incolore, d'odeur piquante, assez dense, facile à liquéfier, soluble dans l'eau. Acide fort, il donne, avec les bases, des sels, les bromures. On peut le préparer par action simultanée du brome et du phosphore sur l'eau.

BROMMAT (12600 Mur de Barrez), comm. de l'Aveyron, près de la Truyère; 908 hab. Centrale hydroélectrique.

BROMOFORME. — De formule $CHBr_3$, c'est un liquide d'odeur éthérée, bouillant à 151 °C, anesthésique.

BRON (69500), ch.-l. de cant. du Rhône, dans la banlieue sud-est de Lyon; 44 995 hab. Aéroport.

BRONCHE. — La trachée se divise en deux bronches souches droite et gauche, chacune pénétrant dans le poumon correspondant où elle se ramifie. Les bronches sont destinées au transfert de l'air entre la trachée et les alvéoles pulmonaires.

Les *bronchites* sont des affections très fréquentes. Elles peuvent être *aiguës,* d'origine infectieuse, etc., et se manifestent par de la toux, de la fièvre, ainsi que par une expectoration muco-purulente. Une atteinte pulmonaire peut être associée : il y a alors *broncho-pneumonie.* La *bronchite chronique* évolue à long terme vers l'insuffisance respiratoire. Le traitement comporte la suppression des irritants bronchiques (tabac) et l'emploi des antibiotiques.

Les *bronchectasies* (ou dilatations des bronches) ont des causes imprécises; elles sont parfois secondaires à un cancer bronchique ou à une tuberculose. L'expectoration muco-purulente abondante est le signe essentiel de la maladie. La bronchographie montre les aspects caractéristiques de cette affection. L'évolution, que les traitements actuels permettent de freiner, se fait vers l'insuffisance respiratoire chronique.

Le *cancer bronchique* est plus fréquent chez l'homme que chez la femme et atteint particulièrement les grands fumeurs. Les signes de début sont très variés. Le diagnostic ne se fait que grâce à un examen radiologique complet et à la bronchoscopie. Le traitement permet d'obtenir des rémissions appréciables s'il est précocement institué.

L'*asthme** est également une affection des bronches.

BRONCHITE, BRONCHO-PNEUMONIE → BRONCHE.

BRONCHOSCOPIE → ENDOSCOPIE.

BRØNDAL (Viggo), linguiste danois (Copenhague 1887-*id.* 1942). Il est, avec L. Hjelmslev*, le fondateur du Cercle linguistique de Copenhague. Logicien rigoureux, il s'est efforcé de définir précisément les catégories grammaticales (*les Parties du discours,* 1948).

BRONGNIART, famille de scientifiques et d'architectes français. — ALEXANDRE THÉODORE (Paris 1739-*id.* 1813), architecte et urbaniste, élève de J. F. Blondel, représentant d'un néo-classicisme sévère (Paris : couvent des capucins, auj. lycée Condorcet, 1789; Bourse, 1807), a adopté par contre un style gracieux dans ses hôtels particuliers. — ANTOINE (Paris 1742-*id.* 1804), frère du précédent, chimiste et pharmacien, a été l'apothicaire de Louis XVI. — ALEXANDRE (Paris 1770-*id.* 1847), fils d'Alexandre Théodore, minéralogiste et géologue, a dirigé la Manufacture nationale de Sèvres en 1800. — ADOLPHE (Paris 1801-*id.* 1876), fils d'Alexandre, botaniste, a été le créateur de la paléontologie végétale (paléobotanique).

BRØNSTED (Johannes Nicolaus), chimiste danois (Varde 1879-Copenhague 1947). Il a, grâce à sa définition des couples acide-base, renouvelé la théorie des ions d'Arrhenius*.

BRONTË (les), femmes de lettres anglaises. Trois sœurs, qui menèrent une courte existence dans un presbytère campagnard, sans aucune expérience de la vie, et qui ont bouleversé le roman anglais. Si elles témoignent à l'origine de passions communes *(Juvenilia),* auxquelles participe leur frère, PATRICK **Branwell** (1817-1848), qui joua un grand rôle dans la constitution de leurs mythes personnels, elles révélèrent des tempéraments romanesques fort différents. CHARLOTTE (Thornton 1816-Haworth 1855) introduisit dans la littérature anglaise la personnalité réelle de la femme, avec ses exigences passionnelles et sociales (*Jane Eyre,* 1848). — EMILY (Thornton 1818-Haworth 1848) campa des personnages excessifs dans le roman lyrique *les Hauts de Hurlevent* (1847). — ANNE (Thornton 1820-Scarborough 1849) fit passer son angoisse métaphysique dans des récits didactiques et moraux (*Agnes Grey,* 1847).

BRONX, district du nord-est de New York; 1 472 000 hab.

BRONZE (âge du) → PROTOHISTOIRE.

BRONZINO (Agnolo TORI, dit **il**), peintre italien (Florence 1503-*id.* 1572). Élève de Pontormo, peintre de cour, il est surtout connu pour ses portraits impassibles et somptueux.

BROOK (Peter), metteur en scène anglais de théâtre et de cinéma (Londres 1925). Ouvert aux influences les plus variées (naturalisme américain, abstraction picturale, dramaturgie brechtienne, métaphysique gestuelle d'Artaud), il a réinterprété le répertoire shakespearien *(Titus Andronicus, Timon d'Athènes)* et voulu redonner au théâtre sa valeur de fête, en privilégiant ses formes marginales et poétiques (Jarry, Genet, Gelber). Il a ensuite orienté sa recherche (*l'Espace vide,* 1968) vers une expérience dramatique qui traduise sans rupture l'expérience quotidienne de groupes humains ou de communautés culturelles (*les Iks,* 1974). Au cinéma, on lui doit, notamment, *Moderato Cantabile,* sur un scénario de Marguerite Duras, *Marat-Sade* (1966) et *Tell me Lies* (1967).

BROOKLYN, district de New York, dans l'ouest de Long Island; 2 602 000 hab.

Brooks *(comète de),* comète périodique, dont la durée de révolution est de 6,72 ans, découverte en 1889.

BROONS (22250), ch.-l. de cant. des Côtes-du-Nord, à 24 km au S.-O. de Dinan; 2 870 hab.

BROSSAC (16480), ch.-l. de cant. de la Charente, à 20 km au S.-E. de Barbezieux; 679 hab.

BROSSARD, v. du Canada (Québec), près de Montréal, sur la rive droite du Saint-Laurent; 23 452 hab. Centre touristique.

BROSSARD (Sébastien DE), théoricien français de la musique (Dompierre 1655-Meaux 1730). Bibliophile et compositeur, il a légué sa célèbre bibliothèque de musique à Louis XV et rédigé, en 1703, le premier *Dictionnaire de musique* en langue française.

BROSSE (Salomon DE), architecte français (près de Verneuil-en-Halatte v. 1571-Paris 1626). Apparenté aux Du Cerceau, il participa à l'achèvement du château de Verneuil, exemple à partir duquel il amena à son plein développement le type français de la demeure princière (château de Coulommiers; palais du Luxembourg, pour Marie de Médicis, v. 1615; Blérancourt). Son sens des masses et sa distinction classique s'expriment aussi dans le parlement de Rennes.

BROSSES (Charles DE). → DE BROSSES.

BROSSOLETTE (Pierre), résistant français (Paris 1903-*id.* 1944). Agrégé d'histoire, journaliste socialiste, il entre très tôt dans la Résistance et devient le conseiller politique du général de Gaulle. En France occupée, il unifie les mouvements de Résistance. Arrêté, torturé, il se tue volontairement.

BROTONNE *(forêt de),* forêt domaniale de la Seine-Maritime, dans une boucle de la Seine. Parc naturel régional.

BROU (28160), ch.-l. de cant. d'Eure-et-Loir, à 22 km au N.-O. de Châteaudun; 3 638 hab. Église des XIIe et XVIe s. Constructions mécaniques.

BROU → BOURG-EN-BRESSE.

BROUAGE (17320 Marennes), village fortifié de la Charente-Maritime (comm. d'Hiers-Brouage), anc. port.

BROUCKÈRE (Louis DE), homme politique belge (Roulers 1870-Bruxelles 1951). Marxiste convaincu, président de l'Internationale socialiste, il se montra l'un des adversaires les plus résolus au retour du roi Léopold III en 1945.

BROUILLAGE. — Deux signaux radioélectriques dont les fréquences* sont très voisines ne peuvent pas être séparés dans le récepteur : ils interfèrent entre eux et ils sont brouillés. Ce phénomène est très fréquent étant donné la surcharge des bandes réservées aux radiocommunications. En temps de guerre, de tension internationale, ou de divergence politique, il arrive qu'un pays construise des émetteurs brouillant systématiquement ceux des voisins qui ne doivent pas être écoutés dans le pays considéré.

BROUILLARD. — Lorsque de l'air humide se trouve placé au contact du froid, la vapeur d'eau qu'il contient se condense en fines gouttelettes formant un nuage plus ou moins dense. Si la visibilité reste supérieure à 1 km, on parle de *brume,* si elle devient inférieure à 1 km, on parle de *brouillard.* Le *smog* est une variété particulièrement dense de brouillard, où des particules solides (fumées) se mêlent aux gouttes d'eau. On tente de mettre au point des méthodes permettant la dissipation artificielle du brouillard, obstacle à la circulation.

BROUSSAIS (François Joseph Victor), médecin français (Saint-Malo 1772-Vitry 1838), auteur de travaux sur la tuberculose pulmonaire et sur l'inflammation.

BROUSSE. — Elle résulte de l'action de l'homme sur la forêt claire des régions tropicales à saison sèche. C'est la végétation qui pousse après la destruction de la forêt par le feu, destinée à favoriser la culture ou l'extension des terres pâturées.

BROUSSE, en turc **Bursa,** v. de Turquie, au S.-E. de la mer de Marmara; 276 000 hab. Industries textiles et alimentaires. Construction automobile.

HISTOIRE. L'antique *Prousa,* fondation de Prousias Ier*, devint la capitale des Ottomans* de 1326 à 1402, jusqu'à la victoire de Tīmūr Lang sur Bayezid*. Elle demeura jusqu'au XVIIe s. un important entrepôt des marchandises en provenance de l'Orient, et notamment de la soie, matière première de l'industrie textile locale et base du commerce.

BEAUX-ARTS. Les édifices les plus marquants de la première architecture ottomane*, où se décèle l'influence italienne, y sont élevés. La décoration de céramique de la mosquée de Murad II (1424-1427) et surtout celle du tombeau Vert (Yeşil Türbe, début du XVe s.) de Mehmed Ier sont très riches. Grande Mosquée (Ulu Cami, 1379-1421). Mosquée-madrasa de Murad Ier (1363). Établissements thermaux de Yeni-Kaplıca (XVIe s.) et de Karamustafa (XVIIe s.).

BROUSSE (Paul), homme politique français (Montpellier 1844-Paris 1912). Médecin, membre de l'Internationale, partisan de la Commune, il vit en exil de 1871 à 1880. Il est le fondateur du parti socialiste possibiliste, dit « broussiste », dont l'objectif est la transformation non violente de la société (1882).

BROUSSEL (Pierre), parlementaire français (v. 1575-Paris 1654). Conseiller au parlement de Paris (1637), il s'oppose à la politique de Mazarin, qui le fait arrêter (26 août 1648) : cet acte provoque une émeute populaire, amorce de la Fronde*.

BROUSSILOV (Alekseï Alekseïevitch), général russe (Saint-Pétersbourg 1853-Moscou 1926). Célèbre par l'offensive victorieuse qu'il conduisit en 1916 en Galicie et qui soulagea le front de Verdun. Promu généralissime après l'abdication du tsar (1917), il se rallia au régime soviétique.

BROUSSONET (Pierre Marie Auguste), botaniste français (Montpellier 1761-Paris 1807). Député girondin en 1789, arrêté, évadé, réfugié en Espagne, médecin et collectionneur de plantes en Afrique, consul à Mogador, puis aux Canaries, fondateur de l'Institut de botanique et du jardin botanique de Montpellier, il a introduit en France le *mûrier à papier,* plante textile et ornementale d'origine japonaise.

BROUVELIEURES (88600 Bruyères), ch.-l. de cant. des Vosges, à 22 km au S.-O. de Saint-Dié; 638 hab.

BROUWER (Adriaen), peintre flamand (Audenarde 1605 ou 1606-Anvers 1638). Artiste de génie à la vie de bohème, ayant adopté la technique directe (« alla prima ») de Hals, il a peint des intérieurs de tavernes pauvres, des tabagies, des querelles de paysans, scènes à quelques personnages d'une forte unité, où les bruns et les ocres sont rehaussés de quelque touche vive, créant une harmonie raffinée (série des *Cinq Sens,* pinacothèque de Munich; *le Fumeur,* Louvre). Sa densité psychologique se retrouve mal dans les nombreux pastiches qui circulent sous son nom.

BROUWER (Luitzen Egbertus Jan) → INTUITIONNISME.

BROWN (Robert), botaniste écossais (Montrose 1773-Londres 1858). D'un voyage en Australie (1801-1805), il rapporta une collection de 4 000 espèces de plantes, dont il fit une étude floristique incomparable. Outre ses nombreux apports à la science botanique, Brown a découvert, en 1827, le mouvement moléculaire permanent, dit *mouvement brownien**, dont Lucrèce avait eu l'intuition et qui a fourni à la théorie atomique l'un de ses fondements.

BROWN (John), abolitionniste américain (Torrington, Connecticut, 1800-Charlestown, Virginie, 1859). Il mène une campagne anti-esclavagiste avec une violence telle qu'elle lui vaut d'être pendu.

BROWN (Carolyn), danseuse américaine (Fitchburg, Massachusetts, 1927), une des meilleures représentantes de la *modern dance,* collaboratrice et interprète de Merce Cunningham*.

BROWNIEN (mouvement). — Il est constitué par l'agitation désordonnée des particules très petites en suspension dans un liquide. Découvert en 1827 par Robert Brown, ce mouvement, qui se poursuit indéfiniment, s'explique par les chocs que chaque particule reçoit des molécules du liquide, en vertu de la théorie cinétique.

BROWNING (Elizabeth, née BARRETT), femme de lettres anglaise (Coxhoe Hall, Durham, 1806 - Florence 1861), auteur des *Sonnets de la Portugaise* et du roman en vers *Aurora Leigh* (1855). — Son mari, ROBERT **Browning** (Camberwell, Londres, 1812 - Venise 1889), d'abord influencé par Shelley, évolua vers une esthétique érudite qui lui valut une réputation d'obscurité (*Sordello,* 1840). La mort de sa femme marqua une coupure dans son œuvre, qui s'épanouit sous la forme de monologues passionnés (*Dramatis personae,* 1864; *l'Anneau et le livre,* 1869).

BROWNING (John Moses), inventeur américain (Ogden, Utah, 1855 - Bruxelles 1926). Il construisit un fusil se chargeant par la culasse (1879), puis, avec Winchester, un canon à tir rapide, et il inventa le pistolet automatique de 7,65 mm (1896) qui porte son nom.

BROWN-SÉQUARD (Charles Édouard), physiologiste et médecin français (Port-Louis, île Maurice, 1817 - Sceaux 1894), auteur de travaux sur le système nerveux, la composition du sang et les ganglions lymphatiques; il fut le précurseur de l'opothérapie.

Browns Ferry, grande centrale nucléaire des États-Unis, dans le nord de l'Alabama, dans la vallée du Tennessee.

BRUANT. — C'est par son beau plumage d'un jaune vif que ce petit passereau des buissons, des vignes et de l'orée des bois, mangeur d'insectes et de graines, se distingue de ses voisins, le verdier et l'ortolan (famille des fringillidés).

BRUANT (Libéral), architecte français (Paris 1635 - *id.* 1697). Il construisit à Paris l'hôtel des Invalides (1670), avec sa noble cour à arcades, et la très originale chapelle de la Salpêtrière.

BRUANT (Aristide), chansonnier français (Courtenay 1851 - Paris 1925). Il connut la célébrité en interprétant ses propres chansons — écrites dans une langue argotique, teintées d'anarchisme et de naturalisme gouailleur — dans les cabarets montmartrois, et surtout au *Chat-Noir,* qu'il racheta en 1885 à Rodolphe Salis pour en faire *le Mirliton.* Ses complaintes populaires *(À la Villette, À la Bastille, Nini-Peau d'chien)* ont été réunies en recueils. Il est également l'auteur de romans-feuilletons et d'un *Dictionnaire de l'argot au XXe s.* (1901).

BRUAT (Armand Joseph), amiral français (Colmar 1796 - † en mer 1855). Il négocia et établit le protectorat français sur Tahiti (1843), puis il commanda la flotte française engagée en Crimée (1854).

BRUAY-EN-ARTOIS (62700), ch.-l. de cant. du Pas-de-Calais, à 30 km au N.-O. d'Arras; 25 951 hab. *(Bruaysiens).* Industries textiles (bonneterie, confection). Construction automobile.

BRUAY-SUR-L'ESCAUT (59860), comm. du Nord, dans la banlieue nord de Valenciennes; 12 224 hab.

BRUCE (David) → DAVID II.

BRUCE (Robert VIII) → ROBERT Ier.

BRUCELLOSE. — Cette maladie, due à des bactéries du genre *Brucella,* est commune à l'homme et à certains animaux (caprins, ovins, bovins) [v. ÉPIZOOTIE]. L'homme est contaminé par voie cutanée ou digestive (lait ou fromage crus d'animaux infestés). La maladie, d'abord limitée au pourtour méditerranéen (fièvre de Malte), est devenue cosmopolite. Elle se manifeste par une fièvre ondulante, des sueurs et des douleurs diffuses. Des localisations viscérales (osseuses) sont possibles. Le diagnostic se fait par mise en évidence du germe (hémoculture) et par le sérodiagnostic de Wright. Le traitement utilise les antibiotiques, surtout les tétracyclines. La prophylaxie consiste à faire bouillir le lait et pasteuriser les fromages, à déclarer les cas de maladies animales, à abattre les animaux atteints et à vacciner les animaux sains.

BRUCHE. — Il s'agit d'un insecte coléoptère fort nuisible, puisqu'il dévore les graines sèches de pois ou de haricots (selon l'espèce), qu'il peut contaminer, après la récolte, dans les entrepôts.

BRUCHE (la), riv. d'Alsace, affl. de l'Ill (r. g.) à Strasbourg; 70 km.

Brücke *(Die)* → EXPRESSIONNISME.

BRUCKNER (Anton), compositeur autrichien (Ansfelden 1824 - Vienne 1896). Il est l'auteur de trois messes, de neuf symphonies et d'un quintette à cordes, inspirés à la fois par ses origines géographiques, sa foi catholique et son admiration pour Wagner. Il fut également organiste et professeur à l'université et au conservatoire de Vienne.

BRUCKNER (Theodor TAGGER, dit **Ferdinand**), auteur dramatique autrichien (Vienne 1891 - Berlin 1958). Il fut l'un des animateurs du théâtre d'avant-garde après la Première Guerre mondiale (*les Criminels,* 1928; *le Combat avec l'ange,* 1958).

BRUEGEL (Pieter), dit **Bruegel l'Ancien,** peintre flamand (? v. 1525-1530 - Bruxelles 1569). Élevé sans doute à Bois-le-Duc, il fait son apprentissage chez P. Coecke à Anvers, est reçu franc-maître en 1551, va à Rome en 1553, exécute à Anvers des dessins destinés à la gravure, se fixe à Bruxelles en 1563. Ses peintures datées s'échelonnent de 1557 à 1568. Les plus anciennes s'apparentent aux inventions fantastiques de J. Bosch, d'autres s'inspirent du folklore, des proverbes, de la vie rustique (*Combat de Carnaval et de Carême,* 1559, Vienne). La série des *Mois* (ou *Saisons,* 1565) montre le génie du paysagiste, à la fois précis dans le détail et grandiose dans l'évocation d'immenses panoramas. Ce génie est maintes fois associé au sentiment du tragique de l'existence (*Dulle Griet,* Anvers; *la Parabole des aveugles,* 1568, Naples). La monumentalité des figures est exceptionnelle dans *la Danse de paysans* (Vienne), alors que de petits tableaux comme *la Pie sur le gibet* (1568, Darmstadt) s'imposent par le fini et le charme de la facture. C'est dans un décor bien brabançon que Bruegel situe le *Dénombrement de Bethléem* (1566, Bruxelles). Ami des humanistes, il n'en préfère pas moins à la conception italienne de l'« homme en soi » celle de l'homme en chair et en os, faisant partie intégrante d'un univers souvent hostile ou du moins indifférent (*Paysage de la chute d'Icare,* des débuts, Bruxelles). — Parmi ses fils, PIETER II (1564-1638), dit **Bruegel d'Enfer,** l'imita de façon anecdotique, sans répercuter son message.

Devemy - Atlas-Photo

Bruges. Un aspect de la ville, près du Béguinage.

BRUEGEL ou **BREUGEL** (Jan), dit **Breughel de Velours,** peintre flamand (Bruxelles 1568 - Anvers 1625), fils de P. Bruegel l'Ancien. Il travailla en Italie et en Allemagne avant de se fixer à Bruxelles, puis à Anvers. Il a peint avec la finesse d'un miniaturiste des paysages animés de scènes mythologiques, bibliques ou de genre, ou encore d'allégories *(Éléments, Saisons),* ainsi que des tableaux de fleurs. Il a exécuté des fonds de paysages pour Rubens. Son fils JAN II (1601 - v. 1678) vulgarisa son style.

BRUGES, en néerl. **Brugge,** v. de Belgique, ch.-l. de la Flandre-Occidentale; 118 984 hab. (en 1977). Port (relié à Zeebrugge par un canal maritime) de pêche et de commerce (pétrole). Industries textiles, mécaniques et électriques.

HISTOIRE. Résidence du comte de Flandre Baudouin Ier (866-879), Bruges est à la fois un *castrum* et un *portus,* dont l'importance diminue avec le recul de la mer. Au XIIe s., la bourgeoisie brugeoise arrache aux comtes de Flandre de nombreux privilèges, qui lui permet de réaliser le désensablement de son port. Grande étape de la laine, Bruges est, au XIIIe s., naturellement liée aux intérêts anglais. Au siècle suivant, Bruges devient l'une des principales places marchandes et financières du continent; le développement de sa richesse a comme corollaire la formation d'un prolétariat de tisserands, qui s'oppose, souvent violemment, à la bourgeoisie locale, appuyée sur la monarchie française. Les Matines de Bruges — massacre des chevaliers français —, le 18 mai 1302, préludent à la victoire flamande sur les forces royales, le 11 juillet de la même année. Le comte doit octroyer à Bruges la charte communale de 1304. Mais, à l'heure où elle devient la capitale prestigieuse de l'art flamand, Bruges doit renoncer à ses rêves de république marchande. Le déclin économique se précipite à partir du XVe s., Anvers prenant le relais de Bruges.

BEAUX-ARTS. Monuments le plus souvent en brique, à l'ornementation caractéristique : halles et leur beffroi (XIIIe-XVe s.), hôtel de ville (XIVe s.), palais de justice (XVIIIe s., avec restes du palais du Franc, du XVIe s.), hôtel Gruuthuse (XVe s., auj. musée régional), basilique du Saint-Sang (chapelles superposées romane et gothique), église Notre-Dame (à tour de 122 m; XIIIe-XIVe s.), cathédrale et autres églises remontant au XIIIe s., béguinage. Au XVe s. s'est développée une école de peinture dont le maître est J. Van Eyck*, suivi par P. Christus*, Memling*, G. David* (musée Groeninge et musée de l'hôpital Saint-Jean [Memling]).

BRUGES (33520), comm. de la Gironde, dans la banlieue nord-ouest de Bordeaux; 7 610 hab.

BRUHN (Erik BELTON EVERS, dit **Erik**), danseur danois (Copenhague 1928). Technicien précis, un des plus purs danseurs de la tradition romantique (prince prédestiné dans *Giselle* et dans *le Lac des cygnes*), il incarne avec brio les héros du répertoire moderne *(Mademoiselle Julie, Carmen).*

BRUIT. — C'est l'une des principales nuisances actuelles. Tous les bruits sont pénibles, mais certains caractères les rendent dangereux, en particulier l'intensité : à partir de 90 décibels un son devient pénible et nocif; il l'est d'autant plus qu'il est aigu et pur. Le bruit intense peut provoquer une surdité professionnelle chez les ouvriers exposés; il favorise les troubles mentaux dans l'ensemble de la population.

Bruit et la fureur *(le),* roman de W. Faulkner (1929). Sur un rythme oppressant, monologues diffus et descriptions objectives s'entrelaçant selon un schéma musical, trois frères (un débile châtré, un suicidé par amour de sa sœur, un demi-malin vite trompé) racontent le moment décisif de leur vie, qui justifie le titre emprunté au *Macbeth* de Shakespeare : « C'est une histoire que conte un idiot, une histoire pleine de bruit et de fureur, mais vide de signification. »

BRUIX (Eustache), amiral français (Saint-Domingue 1759 - Paris 1805). Ministre de la Marine (1798), il organisa, en 1803, le camp de Boulogne.

BRÛLAGE *(Pétrochim.)* → CRAQUAGE.

BRULÉ (Étienne), explorateur français (Champigny v. 1591 - au Canada 1633). Compagnon de Champlain*, il a exploré le pays des Hurons et découvert le lac Ontario.

BRÛLEUR → FOUR et FUEL-OIL.

BRÛLIS → AGRICULTURE.

BRÛLON (72350), ch.-l. de cant. de la Sarthe, à 17 km au N.-E. de Sablé; 1 150 hab.

BRÛLURE. — Les brûlures peuvent être dues à des agents thermiques ou chimiques (acides, bases), à l'électricité et à des agents radioactifs. Leur gravité dépend de leur étendue, de leur profondeur et de leur siège. Les brûlures superficielles, atteignant moins de 15 p. 100 de la surface corporelle, sont dites « bénignes ». Les brûlures graves, dépassant 15 p. 100 de la surface corporelle, nécessitent le transfert en milieu hospitalier. Une réanimation adaptée à l'évolution peut être nécessaire. Ultérieurement, les brûlures peuvent être une indication à pratiquer des opérations plastiques pour corriger des cicatrices gênantes et inesthétiques.

Brumaire an VIII *(coup d'État de),* coup d'État qui donna le pouvoir à Bonaparte et préluda au Consulat. Le 18 brumaire an VIII (9 nov. 1799), Bonaparte — désigné par Sieyès et le parti révisionniste pour renverser le régime du Directoire* — est nommé commandant des troupes de Paris, tandis que le Conseil des Anciens et le Conseil des Cinq-Cents — présidé par Lucien Bonaparte — sont transférés à Saint-Cloud. Le 19 (10 nov.), Bonaparte expulse les députés par la force et est nommé, le soir même, consul provisoire, en même temps que Sieyès et Roger Ducos. (V. CONSULAT.)

Salmer - Scala

BRUMATH (67170), ch.-l. de cant. du Bas-Rhin, à 17 km au N. de Strasbourg; 6 890 hab. Industrie automobile.

BRUME → BROUILLARD.

BRUNE (Guillaume), maréchal de France (Brive-la-Gaillarde 1763 - Avignon 1815). Général en 1793, il commande en 1799 l'armée qui chasse les Anglais de Hollande. Maréchal en 1804, disgracié en 1807, il périt assassiné lors de la Terreur blanche.

BRUNEAU (Alfred), compositeur français (Paris 1857 - *id.* 1934). Un des principaux représentants de l'école naturaliste lyrique, il a mis en musique des ouvrages inspirés de Zola *(le Rêve, l'Attaque du moulin, Messidor),* non sans subir l'influence de Wagner.

BRUNEHAUT, fille du roi wisigoth Athanagild (Espagne v. 534 - Renève 613), épouse de Sigebert, roi d'Austrasie, puis de Mérovée, fils de Chilpéric. Elle est célèbre par sa rivalité avec Frédégonde*, qui entraîna la guerre entre Austrasie et Neustrie.

BRUNEI, sultanat de la côte nord de l'île de Bornéo; 5 765 km^2; 142 000 hab. Capit. *Bandar Seri Begawan.* L'économie de ce territoire, forestier, au climat équatorial, repose sur l'extraction du pétrole (10 Mt), qui explique le net excédent de la balance commerciale.

HISTOIRE. Protégé par la Grande-Bretagne, le sultanat de Brunei (Bornéo) est pourvu, en 1959, d'une constitution semi-démocratique accordée par le sultan. En 1963, si Sarawak et Sabah sont rattachés à la Malaysia, Brunei reste protectorat britannique; mais, en 1971, l'Angleterre lui accorde une autonomie interne complète.

BRUNEL, famille d'ingénieurs britanniques. — Sir MARC ISAMBARD, d'origine française (Hacqueville, Vexin, 1769 - Londres 1849), exécuta le tunnel sous la Tamise (1824-1842). — Son fils, ISAMBARD KINGDOM (Portsmouth 1806 - Westminster 1859), construisit des docks, des voies ferrées, des tunnels, des ponts et les fameux steamers *Great Western, Great Britain* (1845) et *Great Eastern* (1858).

BRUNELLESCHI (Filippo), architecte et sculpteur italien (Florence 1377 - *id.* 1446). Après de bonnes études théoriques, il devient apprenti orfèvre, participe avec un haut-relief plein de véhémence au concours pour la porte du baptistère de Florence, remporté par Ghiberti, et part travailler à Rome, où il a la révélation des ruines antiques. De retour à Florence, il élève le gracieux portique de l'hôpital des Innocents, selon le principe du tracé modulaire à l'antique : c'est le premier édifice « renaissant » de la ville (1419). Son dôme de S. Maria del Fiore (1420-1436) est une œuvre d'ingénieur qui extrapole génialement, pour couvrir sans cintrage une portée de 41 mètres, le système de double coque du dôme médiéval du baptistère. La clarté rythmique caractérise l'organisation interne de ses édifices : vieille sacristie de S. Lorenzo, églises de type basilical S. Lorenzo (1420) et S. Spirito (projet de 1436), chapelle des Pazzi (1429). Dans les dix dernières années de sa vie, les commandes affluèrent, de Mantoue, de Milan ou de Pise comme de Florence même, pour des palais, des églises, des forteresses qu'exécutèrent ses élèves. Parmi ceux-ci, Michelozzo* et Alberti*.

Germond. Coll. de l'Art brut, Lausanne

Art brut. *Pierre et Lili* (1955), de Laure (Laure Pigeon, 1882-1965). Encre bleue sur papier à dessin. (Coll. de l'Art brut. Lausanne.)

Filippo Brunelleschi. La chapelle des Pazzi, construite de 1429 à 1446 contre l'église Santa Croce, à Florence.

BRUNETIÈRE (Ferdinand), critique littéraire français (Toulon 1849 - Paris 1906). Il combattit à la fois la critique « impressionniste » et l'esthétique naturaliste (*Études critiques,* 1880-1925).

BRUNETTO LATINI → LATINI.

BRUNHES (Jean), géographe français (Toulouse 1869 - Boulogne-sur-Seine 1930). Auteur d'une *Géographie humaine* (1910), il fut l'un des premiers à mettre en évidence les rapports de l'homme avec le milieu naturel.

BRÜNING (Heinrich), homme politique allemand (Münster 1885-Norwich, Vermont, États-Unis, 1970). Chef du centre catholique (1929), il est chancelier du Reich de 1930 à 1932 : c'est en vain qu'il essaie de barrer la route au national-socialisme.

BRUNNEN, station touristique de Suisse (Schwyz), sur le lac des Quatre-Cantons.

BRUNO *(saint)* → CHARTREUX.

BRUNO (Giordano), philosophe italien (Nola 1548 - Rome 1600). Influencé par Nicolas* de Cusa et Copernic*, Bruno est l'un des premiers à rompre avec la conception aristotélicienne d'un monde clos pour lui substituer celle d'un univers infini *(De l'infini, de l'univers et des mondes).* Fondée sur des croyances animistes (et non sur des explications mathématiques, comme chez Copernic), cette cosmologie implique la négation de l'idée théologique de création. Ces idées, radicalement nouvelles pour l'époque, et le pamphlet que rédige Bruno contre le rôle politique de l'Église et du clergé lui valent d'être torturé, puis brûlé vif sur ordre du Saint-Office.

BRUNOT (Ferdinand), linguiste français (Saint-Dié 1860 - Paris 1938). Professeur à la Sorbonne, il est l'auteur d'une monumentale *Histoire de la langue française des origines à 1900* (inachevée), dont 10 volumes parurent de son vivant (1905-1937).

BRUNOY (91800), ch.-l. de cant. de l'Essonne, à 7 km au S.-E. de Villeneuve-Saint-Georges; 22 872 hab.

BRUNS (sols). — Les sols bruns se forment sur n'importe quel type de roche mère, sous climat tempéré à précipitations moyennes. La circulation de l'eau y est marquée par un équilibre entre les migrations descendantes (accentuées pendant la saison humide) et les migrations ascendantes (accentuées pendant la saison sèche), qui explique l'absence d'individualisation d'horizons nets. Ces sols, souvent profonds et aérés, se développent généralement sous forêts à feuilles caduques mais donnent de bonnes terres de culture.

BRUNSBÜTTEL, v. de l'Allemagne fédérale (Schleswig-Holstein), sur l'estuaire de l'Elbe, au débouché du canal de Kiel; 13 000 hab. Port en eau profonde. Centrales thermiques.

BRUNSCHVICG (Léon), philosophe français (Paris 1869 - Aix-les-Bains 1944). Influencé par le spiritualisme*, qui domine l'Université française à cette époque, il en reprend les thèmes dans des études de philosophie de la science (*les Étapes de la philosophie mathématique,* 1912; *l'Expérience humaine et la causalité physique,* 1922).

BRUNSSUM ou **BRUNSUM,** v. des Pays-Bas, dans le Limbourg, près de Heerlen; 26 000 hab. Siège, depuis 1967, du commandement des forces du pacte de l'Atlantique dans le secteur Centre-Europe, installé jusqu'en 1966 à Fontainebleau.

BRUNSWICK, en allem. **Braunschweig,** ancien État d'Allemagne, qui se composait de plusieurs enclaves saxonnes. Créé en 1235, le duché de Brunswick-Lunebourg est incorporé au royaume de Westphalie en 1806; restauré, mais diminué territorialement, en 1815, le duché de Brunswick disparaît en 1918, avant de devenir une république intégrée au Reich en 1934.

BRUNSWICK, en allem. **Braunschweig,** v. de l'Allemagne fédérale (Basse-Saxe), à l'E. de Hanovre; 223 000 hab. Cathédrale romane, ancien hôtel de ville gothique et autres monuments. Musées. Constructions mécaniques. Édition.

BRUNSWICK (Charles Guillaume, *duc* DE), général prussien (Wolfenbüttel 1735 - Ottensen 1806). Au service de la Prusse depuis 1778, il est à la tête des armées qui, en 1792, envahissent la France. Il lance alors le célèbre ultimatum, dit « manifeste de Brunswick » (Cologne, 25 juill. 1792), inspiré par les émigrés, qui menace Paris d'une subversion totale si la famille royale est inquiétée. Ayant battu en retraite à Valmy (20 sept. 1792), il continue par la suite à combattre la France.

BRUT (art). — Par rapport à l'art savant, *culturel,* qui tend à intégrer la plus grande part des activités créatrices, ce qu'on a appelé l'*art brut* se situe au-delà, dans une zone de complète liberté instinctive. Il est le fait d'individus ayant échappé au moule culturel, autodidactes (comme Gaston Chaissac, 1910-1964; Scottie Wilson, né en 1888), ou libérés du contrôle de la culture par une « déviance » mentale (Adolf Wölfli, 1864-1930; Aloïse, 1886-1964), ou bien encore se soumettant à la dictée des « esprits » (peintres « médiumniques » comme Joseph Crépin, 1875-1948; Augustin Lesage, 1876-1954; Jeanne Tripier, 1869-1944; Henriette Zéphir, née en 1920). Seuls le besoin ou le plaisir motivent ici des créations d'une spontanéité que les artistes professionnels ignorent. La connaissance de ces œuvres, jusqu'alors cachées ou méprisées, remonte à la création du Foyer de l'art brut (1947), puis de la Compagnie de l'art brut par Jean Dubuffet. Les collections, données en 1971 à la ville de Lausanne, comptent plus de 5 000 œuvres de 200 auteurs différents.

BRUTTIENS, population italique mentionnée pour la première fois au IVe s. av. J.-C. Les Bruttiens occupaient l'actuelle Calabre (anc. *Bruttium).* Libérés de la soumission des Lucaniens, ils fondèrent v. 365 av. J.-C. une puissante confédération, autour de Cosentia (auj. *Cosenza*). Les Bruttiens résistèrent aux attaques d'Alexandre Ier d'Épire (v. 330) et d'Agathocle de Syracuse (v. 300), mais l'intervention romaine ruina leur confédération. Après le départ d'Italie d'Hannibal, avec lequel ils s'étaient alliés en 215, ils cessèrent d'exister comme entité politique distincte.

BRUTUS (Lucius Junius), personnage d'une historicité douteuse, qui est considéré comme le libérateur de Rome. Il aurait chassé Tarquin* le Superbe, dernier roi de Rome, qui exerçait un pouvoir tyrannique, et il serait devenu un des deux premiers consuls de la République (509 av. J.-C.).

BRUTUS (Marcus Junius), homme politique romain (Rome v. 85 - 42 av. J.-C.). Après Pharsale, où il combat dans l'armée pompéienne, Brutus, neveu de Caton, abandonne la cause de Pompée. César lui accorde sa haute faveur et il devient préteur en 45. Mais Brutus voit en César le candidat à la monarchie. Champion sincère de la légalité, il est à la tête de la conjuration fomentée par Cassius*, qui abat César aux ides de mars (44). Cependant, le césarisme survit à César et les conjurés doivent quitter l'Italie : Brutus rejoint Cassius en Orient, dont ils deviennent bientôt les maîtres. Mais à Philippes* (42) l'armée républicaine de Brutus et Cassius est anéantie par Octavien et Antoine, et ses chefs se donnent la mort.

BRUXELLES, en néerl. **Brussel,** capit. de la Belgique et ch.-l. du Brabant, sur la Senne, à 310 km au N.-E. de Paris; 152 850 hab. (en 1977) [*Bruxellois*].

GÉOGRAPHIE. La ville est le centre d'une agglomération de plus de 1 million d'habitants (1 063 000), de loin la première de Belgique. Bruxelles est aussi le principal centre industriel du pays, concentrant approximativement le cinquième des entreprises et des salariés. Les branches dominantes sont les constructions mécaniques et électriques, le textile (confection), la chimie et l'alimentation, localisés surtout dans la vallée de la Senne. Mais le secteur tertiaire (employant environ les deux tiers des actifs de l'agglomération contre un tiers dans l'industrie) est encore plus développé, en raison de la fonction de capitale politique, nationale et européenne (Marché commun), de la ville, qui est aussi un notable centre de services de haut niveau (dans les domaines financier et culturel).

Bruxelles. La Grand-Place. Vue partielle de l'hôtel de ville (à gauche) et de la maison du Roi (à droite). Fermant la place, les anciennes maisons des Corporations (fin du XVIIe s.).

Holmès - Lebel

Bucarest. Vue partielle de la place Gheorghiu-Dej et du palais de la République.

Bruxelles joue aujourd'hui encore un rôle fédérateur entre la Flandre néerlandophone et la Wallonie francophone; le bilinguisme est le statut officiel de l'agglomération, bien que le français soit toujours, et de loin, la langue la plus parlée.

HISTOIRE. *Castrum* et *portus* au XIe s., Bruxelles est fortifiée en 1100. Devenue politiquement la ville la plus importante du Brabant*, elle reçoit sa première charte communale en 1229; les notables, enrichis dans le textile, forment alors une *gilde,* dont la constitution est approuvée par le duc de Brabant en 1289. Résidence des ducs de Bourgogne, Bruxelles garde son importance sous les Habsbourg, mais subit le contrecoup des troubles religieux du XVIe s. Si la période espagnole est pour la ville une période de stagnation (XVIIe s.), Bruxelles est au premier rang des villes des Pays-Bas opposées aux Habsbourg d'Autriche (XVIIIe s.). Chef-lieu du département français de la Dyle (1794-1814), devenue ville hollandaise en 1814, elle se révolte contre les Orange en 1830 et devient la capitale du jeune royaume de Belgique*. Occupée par les Allemands durant les deux guerres mondiales, Bruxelles est une des capitales de la Communauté européenne et, depuis 1967, le siège du Conseil permanent de l'O. T. A. N.

BEAUX-ARTS. La Grand-Place est un des ensembles architecturaux les plus prestigieux d'Europe (hôtel de ville du XVe s., chef-d'œuvre du gothique flamboyant brabançon; maisons des corporations, rénovées à l'époque baroque). Collégiale Saint-Michel (XIIIe-XVIIe s.), églises Notre-Dame-de-la-Chapelle (XIIe-XVIe s.), Notre-Dame-du-Sablon (XVe s.), Saint-Jean-Baptiste-au-Béguinage (1657-1676, typique du baroque flamand), etc. Bel ensemble civil néoclassique autour de la place Royale. Monumental palais de justice (1866-1883). Édifices de Victor Horta*. La ville a été un important foyer dans les domaines de la tapisserie (XVe-XVIIIe s.), de la faïence (XVIIIe-XIXe s.), de la sculpture, de la peinture (de Van der Weyden*, des « romanistes » — comme Van Orley* ou P. Coecke* — et des Bruegel* au bouillonnement d'idées qui fut celui du *groupe des XX* et de *la Libre Esthétique* [1883-1914]). Musées royaux des Beaux-Arts et d'Art et d'Histoire.

Bruxelles *(traité de),* alliance économique et militaire conclue le 17 mars 1948 par la France, la Grande-Bretagne et les pays du Benelux. Précurseur du pacte de l'Atlantique (1949), le traité a vu son cadre étendu à l'Allemagne occidentale et à l'Italie par les accords de Paris de 1954, qui constituèrent l'Union de l'Europe occidentale, ou U. E. O.

BRUYÈRE. — D'immenses étendues déboisées ou peu boisées, non calcaires, des zones tempérées ou froides sont couvertes de bruyères. La plupart des espèces ne dépassent pas les dimensions d'un sous-arbrisseau, mais la plante est longuement vivace, fortement dominante et exerce une action puissante sur le sol, créant cette « terre de bruyère », si recherchée pour certaines cultures florales en pot. Le terme de « bruyère » s'applique d'ailleurs à deux genres : *Calluna* (« grande bruyère » ou brande, au calice rose en cloche) et *Erica* (bruyère à balais; bruyère cendrée, aux fleurs plus petites et de couleur plus mauve que rose à maturité; etc.). Toutes ces plantes développent un important réseau de tiges souterraines et de racines, qui rend difficile la reconquête les arbres des landes où elles poussent. Notre Midi possède une bruyère arborescente dont on fait des pipes. Le miel de bruyère est commun, mais peu recherché. Les cendres des bruyères contiennent beaucoup de potasse et, chose curieuse, beaucoup de chaux, alors même que la bruyère ne peut pousser que dans des sols pauvres en calcaire. C'est dire qu'elle extrait et concentre activement le peu d'ions calciques qu'elle peut trouver.

BRUYÈRES (88600), ch.-l. de cant. des Vosges, à 25 km au S.-O. de Saint-Dié, sur la Vologne; 4 001 hab.

BRUYÈRES-LE-CHÂTEL (91680), comm. de l'Essonne, à 4,5 km à l'O. d'Arpajon; 2 925 hab. Centre de recherches atomiques.

BRUZ (35170), comm. d'Ille-et-Vilaine, à 12 km au S.-S.-O. de Rennes; 7 358 hab. Électronique.

BRYANT (William Cullen), écrivain américain (Cummington, Massachusetts, 1794-New York 1878), influencé par les romantiques anglais dans ses poèmes d'inspiration morale et religieuse (*Thanatopsis,* 1817-1821).

BRYGOS, l'un des plus féconds potiers athéniens du début du Ve s. av. J.-C. Plus d'une dizaine d'œuvres portent sa signature, mais il reste célèbre grâce au peintre qui décorait ses œuvres et dont la manière est caractéristique de la fin du style sévère.

BRYONE. — C'est une de nos plantes grimpantes les plus communes, et l'horticulture l'emploie à ce titre. Ornementale par ses fleurs jaunes et, surtout, par ses curieuses vrilles d'accrochage, à double enroulement contrarié, la plante est *dioïque,* c'est-à-dire que chaque pied n'a qu'un seul sexe, ce qui est rare chez les plantes. (Famille des cucurbitacées.)

BRYOPHYTES. — On peut contester le bien-fondé d'un embranchement végétal tel que les *bryophytes,* qui se définissent surtout négativement. Les plantes de ce groupe n'ont pas de vaisseaux conducteurs des sèves ni de vraies racines, ce qui les oppose à toutes les plantes supérieures, y compris aux fougères. Par ailleurs, ce ne sont pas des algues, car aucune de leurs espèces n'est marine et les rares espèces aquatiques semblent provenir, par évolution, d'espèces terrestres des milieux humides. Il s'agit donc de végétaux chlorophylliens primitifs, mais ayant un certain degré (variable) d'adaptation à la vie hors de l'eau, une dispersion aérienne des spores et, le plus souvent, une tige portant des *feuilles,* sans nervures évidemment, mais *transversales* (les découpures foliaires du thalle des algues sont toujours *dans le plan de la tige*). Ces éléments, apparemment minimes, sont pourtant l'amorce d'une évolution qui conduira aux structures des plantes à fleurs.

On distingue deux classes de bryophytes : les *mousses** et les *hépatiques**.

BRYOZOAIRES. — Inconnu du public non spécialisé, ce groupe d'animaux aquatiques comprend pourtant certaines espèces extrêmement communes, telles que la *flustre* des rivages marins. Mais la flustre est souvent prise pour une algue ou pour une éponge. En fait, on recueille sur les plages le squelette corné d'une colonie aux rameaux découpés et aplatis, couvert de petites logettes, dont chacune a contenu un individu. Ce dernier se réduit à une masse ovoïde, présentant, du côté de l'ouverture de la loge, une bouche, un anus et une couronne de tentacules dont les mouvements attirent l'eau chargée de microplancton nutritif, et, vers le fond de la loge, un muscle rétracteur qui tire tout l'organisme à l'abri en cas de danger.

La reproduction végétative par bourgeonnement* est intense chez les bryozoaires; il arrive même que les « polypes » (individus) soient de plusieurs types, remplissant une fonction différente.

BRY-SUR-MARNE (94360), ch.-l. de cant. du Val-de-Marne, à 14 km à l'E.-S.-E. de Paris, sur la rive gauche de la Marne; 12 364 hab.

BUBASTIS, ville de l'ancienne Égypte, dans le Delta, une des

Titus - C. E. D. R. I.

capitales de l'empire sous les Hyksos* et lieu d'origine des pharaons de la XXIIe dynastie. On y honorait Bastis, la déesse à tête de chat. Auj. Tell Basta.

BUBER (Martin), philosophe israélien (Vienne 1878 - Jérusalem 1965). Il développe une conception de l'homme ouvert à tous les dialogues (*Je et Tu,* 1923), puis, installé en Palestine, il cherche à constituer une image mystique et traditionnelle du judaïsme, en faisant de la fraternité la base des relations sociales (*les Récits hassidiques,* 1948; *les Chemins de l'utopie,* 1950).

BUC (78530), comm. des Yvelines, à 3 km au S. de Versailles, sur la Bièvre; 3 943 hab. Aqueduc du XVIIe s.

BUCARAMANGA, v. de Colombie, dans la Cordillère orientale; 230 000 hab. Métallurgie.

BUCAREST, en roum. **București,** capit. de la Roumanie, sur la Dîmbovița (sous-affl. du Danube); 1 643 000 hab. La fortune de la ville est liée d'abord à sa situation entre les pays de la mer Noire et de l'Asie Mineure et les plaines de l'Europe centrale, ensuite de son choix, au milieu du XIXe s., comme capitale des deux provinces de Moldavie et de Valachie. Bucarest devient la capitale de l'État roumain après la Première Guerre mondiale. À côté du rôle politique, le régime socialiste, depuis plus de un quart de siècle, a fortement développé la fonction industrielle (constructions mécaniques et électriques surtout, textile, etc.) et commerciale (foires internationales). Dans le sud du pays, Bucarest est cependant la métropole incontestée de l'ensemble de l'État, sans rivale urbaine. — Plusieurs traités y ont été signés, notamment celui du 10 août 1913, qui marquait la fin de la seconde guerre balkanique.

BEAUX-ARTS. La ville a conservé nombre de ses églises anciennes : celles de Curtea Veche (de l'ancienne Cour, XVIe s.), de l'ancien couvent Mihai Vodă (en style byzantin-valaque, fin XVIe s.), de la Patriarchie (1665, imitée de l'église épiscopale de Curtea-de-Argeș*), de l'hôpital Colțea (restes de fresques), du monastère Văcărești (à l'exubérance décorative typique du début du XVIIIe s.), l'église Stavropoleos, etc. Importants musées.

BUCCIN. — Si ce nom d'instrument de musique a été donné à un coquillage (mollusque gastropode), c'est parce que les plus grandes espèces, après sciage du sommet, peuvent servir de trompe (Océanie). Le buccin des côtes françaises, beaucoup moins grand, est par ailleurs un animal très commun, extrêmement fécond (on trouve des pontes de 500 000 œufs) et féroce carnivore. Il sait, en effet, perforer les coquilles des autres mollusques pour se nourrir de leur chair.

BUCER (Martin), réformateur alsacien (Sélestat 1491 - Cambridge 1551). Religieux dominicain rallié à Luther* vers 1520, il devient, à Strasbourg, un des principaux artisans de la Réforme*. Par le souci qu'il a de rétablir l'unité doctrinale entre les diverses branches du protestantisme, il exerce une influence notable sur les positions théologiques des réformes protestantes. Exilé en 1549 sous la pression de Charles Quint, il meurt à Cambridge, où il a rédigé son œuvre principale, *De Regno Christi.*

BUCHANAN (James), homme politique américain (près de Mercersburg, Pennsylvanie, 1791 - Wheatland, Pennsylvanie, 1868). Président des États-Unis (1856-1861), il se montre favorable à l'esclavagisme.

BUCHENWALD, village de l'Allemagne orientale, au N.-E. de Weimar. Camp de concentration ouvert en 1937 pour les adversaires allemands du nazisme, il reçut pendant la guerre de nombreux déportés politiques étrangers. (Le nombre des morts se situe entre 32 000 et 51 000.)

BUCHEZ (Philippe Joseph), homme politique français (Matagne-la-Petite 1796 - Rodez 1865). Venu au socialisme chrétien en passant par le saint-simonisme, il inspire le journal *l'Atelier* (1840-1850); en 1848, il est, durant quelques semaines, président de l'Assemblée constituante.

BUCHNER (Eduard), chimiste allemand (Munich 1860 - Focșani, Roumanie, 1917). Il mit en évidence le rôle des diastases dans les fermentations; il en isola certaines, notamment la zymase, extraite de la levure de bière. (Prix Nobel de chimie, 1907.)

BÜCHNER (Georg), poète allemand (Goddelau 1813 - Zurich 1837). Sa nouvelle sur la vie de *Lenz* (1839), sa comédie symbolique, *Léonce et Léna* (1836), ses drames, *la Mort de Danton* (1835) et, surtout, *Woyzeck,* dont Alban Berg* a tiré un opéra (*Wozzeck,* 1925), ont profondément marqué l'expressionnisme moderne.

BUCHY (76750), ch.-l. de cant. de la Seine-Maritime, à 27 km au N.-E. de Rouen; 1 053 hab. Église avec chœur du XVIe s.

BUCK (Pearl), romancière américaine (Hillsboro, Virginie, 1892 - Danby, Vermont, 1973), auteur de romans qui ont la Chine pour cadre. (Prix Nobel, 1938.)

Lauros - Atlas-Photo

Budapest. Le palais du Parlement, à Pest, sur la rive gauche du Danube (seconde moitié du XIXe s.).

BUCKINGHAM (George VILLIERS, 1er *duc* DE), homme politique anglais (Brooksby 1592 - Portsmouth 1628). Favori de Jacques Ier Stuart, qui le nomme grand amiral, il s'attire, sous Charles Ier, la haine du Parlement pour ses compromissions multiples, notamment auprès des catholiques; il meurt assassiné au moment où il va tenter un second siège de La Rochelle. — Son fils, GEORGE VILLIERS, 2e *duc* DE **Buckingham** (Londres 1628 - Kirkby Moorside 1687), sert la cause de Charles II, non sans se ménager des intelligences dans des camps opposés.

BUCKINGHAMSHIRE, comté de l'Angleterre, au N.-O. de Londres.

Bucoliques ou *Églogues,* de Virgile (42-39 av. J.-C.), courts dialogues de bergers, imités de Théocrite, mais faisant allusion aux événements politiques contemporains et aux malheurs personnels du poète.

BUDAPEST, capit. de la Hongrie, sur le Danube; 2 048 000 hab. Budapest juxtapose une ville haute *(Buda),* sur des collines dominant la rive droite du fleuve, et une ville basse *(Pest),* construite plus récemment, mais aujourd'hui plus développée, sur la rive gauche, plate, du Danube. La capitale concentre environ le cinquième de la population totale du pays (proportion énorme, que n'approche aucune autre ville de l'Europe de l'Est) et occupe une part encore plus grande dans la production, surtout industrielle, fortement développée depuis l'installation du régime socialiste (métallurgie lourde et surtout de transformation [matériel de transport, constructions électriques]). Le secteur secondaire emploie encore presque autant d'actifs que le tertiaire, marqué par les fonctions politique, commerciale et culturelle (avec un fort mouvement de touristes étrangers).

BEAUX-ARTS. Sites romains d'Aquincum. Vieille ville de Buda et son palais royal (XIVe-XVe s., reconstruits au XVIIIe), églises et palais baroques de Buda et de Pest, monuments néoclassiques, le tout englobé dans un tissu urbain éclectique, inspiré de Paris et de Vienne. La ville est le centre de la vie artistique du pays depuis cent cinquante ans. Musée national (archéologie, costumes, instruments de musique), musée des Beaux-Arts (panorama européen), Galerie nationale, collections Corvina de la Bibliothèque nationale, Musée ethnographique, musées des Arts décoratifs et de l'Extrême-Orient.

Buddenbrook *(les),* roman de Thomas Mann (1901). La désagrégation matérielle et psychologique, au XIXe s. et sur quatre générations, d'une famille bourgeoise de Lübeck.

BUDÉ (Guillaume), humaniste français (Paris 1467-*id.* 1540). Juriste (*Annotations aux Pandectes,* 1508), il mène de front des recherches économiques (*De asse,* 1514), philologiques (*Commentaires sur la langue grecque,* 1529) et des traités où il expose sa conception de la vie culturelle (*De studio litterarum,* 1532) et morale. Sa *Correspondance* avec ses disciples (Rabelais, Dolet) est un document important pour l'histoire littéraire du temps. Il contribua à la création des « lecteurs royaux », le futur Collège de France.

BUDGET. — Le budget est défini, par le décret du 31 mai 1862, comme l'« acte par lequel sont prévues et autorisées les recettes et les dépenses annuelles de l'État ou des autres services que les lois assujettissent aux mêmes règles ». C'est l'acte essentiel de la vie politique, et, de nos jours, un des plus puissants moyens d'intervention de l'État. Les principes budgétaires (dégagés en même temps que ceux de la comptabilité* publique) sont essentiellement au nombre de quatre : le budget est un acte prévisionnel soumis à la règle de l'*annualité,* à celle de l'*unité* et de l'*universalité,* à celle de l'*équilibre,* et au principe de la *spécialité.*

• Le budget est un acte prévisionnel tendant à chiffrer les dépenses de l'État pour l'année future. Cette prévision va se déployer dans le *cadre annuel,* les prévisions étant effectuées pour une durée de un an et l'exécution des dépenses et des recettes devant, elle aussi, s'effectuer dans le cadre de l'année, le principe supportant cependant quelques atténuations de nos jours (autorisations de programmes).

• Le principe de l'*unité* budgétaire implique, dans un souci d'ordre et de clarté, que le budget soit un document unique, la multiplication des budgets rendant difficile le contrôle. (Il y a cependant des exceptions, avec, notamment, les budgets annexes, les budgets autonomes et les comptes spéciaux du Trésor.) Le principe de l'*universalité,* corollaire de celui de l'unité, veut que les recettes et les dépenses figurent pour leur montant intégral, sans contraction aucune, dans le document budgétaire.

• La *règle de l'équilibre* (qui est plus une règle économique qu'un principe juridique) implique que les recettes normales de l'État, essentiellement fiscales, équilibrent les dépenses normales de celui-ci. Cette règle d'or des finances publiques « classiques » du XIXe s. est le principe qui a subi, de nos jours, le plus d'atteintes, les interventions économiques de l'État (et, notamment, les activités de l'État prêteur) l'infléchissant souvent dans les budgets modernes.

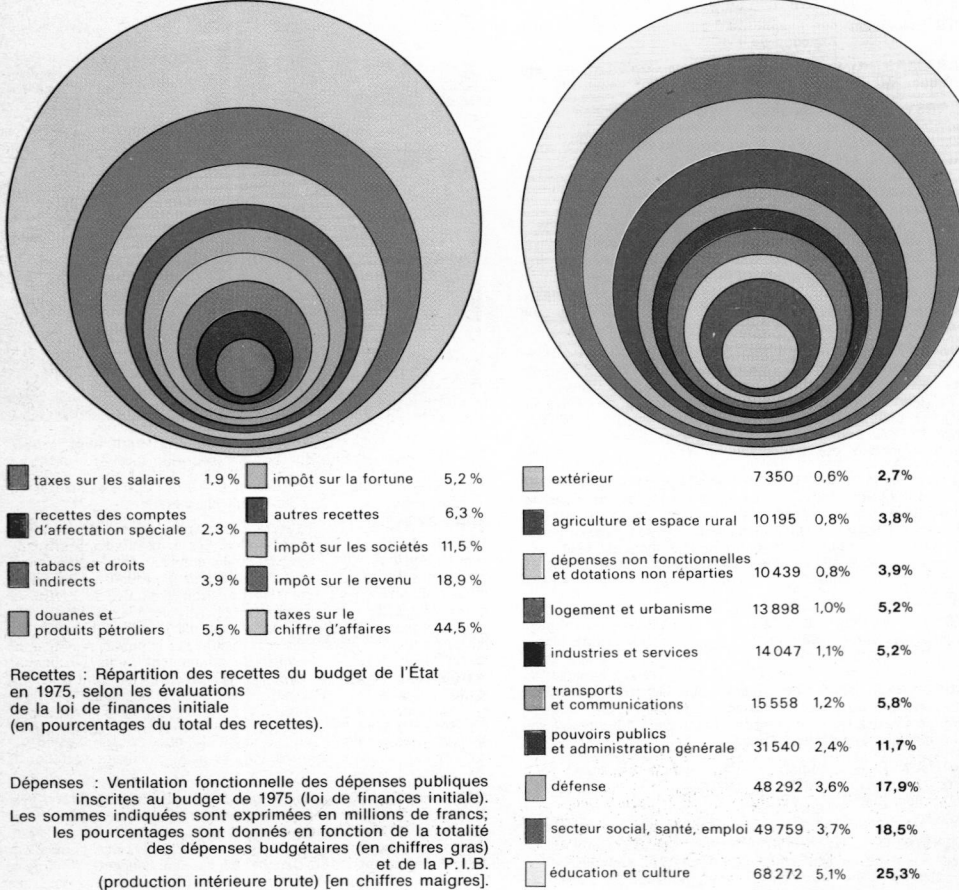

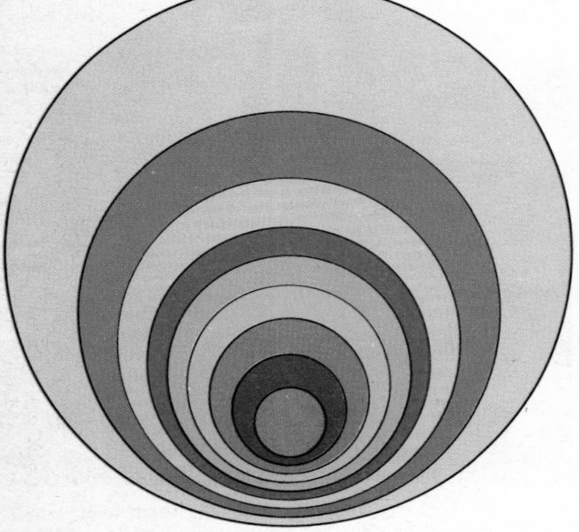

taxes sur les salaires	1,9 %
recettes des comptes d'affectation spéciale	2,3 %
tabacs et droits indirects	3,9 %
douanes et produits pétroliers	5,5 %
impôt sur la fortune	5,2 %
autres recettes	6,3 %
impôt sur les sociétés	11,5 %
impôt sur le revenu	18,9 %
taxes sur le chiffre d'affaires	44,5 %

Recettes : Répartition des recettes du budget de l'État en 1975, selon les évaluations de la loi de finances initiale (en pourcentages du total des recettes).

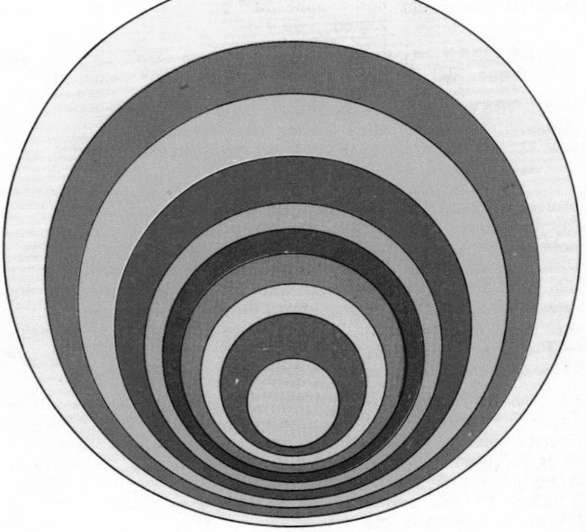

extérieur	7 350	0,6%	**2,7%**
agriculture et espace rural	10 195	0,8%	**3,8%**
dépenses non fonctionnelles et dotations non réparties	10 439	0,8%	**3,9%**
logement et urbanisme	13 898	1,0%	**5,2%**
industries et services	14 047	1,1%	**5,2%**
transports et communications	15 558	1,2%	**5,8%**
pouvoirs publics et administration générale	31 540	2,4%	**11,7%**
défense	48 292	3,6%	**17,9%**
secteur social, santé, emploi	49 759	3,7%	**18,5%**
éducation et culture	68 272	5,1%	**25,3%**

Dépenses : Ventilation fonctionnelle des dépenses publiques inscrites au budget de 1975 (loi de finances initiale). Les sommes indiquées sont exprimées en millions de francs; les pourcentages sont donnés en fonction de la totalité des dépenses budgétaires (en chiffres gras) et de la P. I. B. (production intérieure brute) [en chiffres maigres].

F. Gohier

Buenos Aires. La place San Martín et le Río de la Plata.

• La préparation du budget (qui est un «projet de loi») incombe au pouvoir exécutif : en France, le ministre des Finances, sous l'autorité du Premier ministre, établit le projet, qui est arrêté en conseil des ministres. Mais l'adoption du budget est une prérogative essentielle du pouvoir législatif, qui donne son accord sur le détail du budget. Intervient ici le dernier principe, celui de la *spécialité,* qui veut que l'examen par le Parlement et le vote du projet soient effectués, en principe, à un niveau de *détail* suffisant pour que cet examen ne soit pas théorique.

Les dépenses sont présentées par *titres,* divisés en *parties,* elles-mêmes subdivisées en *chapitres,* les chapitres regroupant des *articles,* les articles des *paragraphes.* En 1972 est intervenue une réforme de la présentation du budget, afin de parvenir à une double classification des dotations budgétaires, l'une selon leur *destination,* l'autre en fonction de leur *nature économique.* Le *chapitre* demeure l'unité normale de discussion, de gestion et de contrôle; à l'intérieur du chapitre, une ventilation des dotations est faite en rubriques homogènes (avec un classement par destination) au niveau de l'*article;* un classement économique (ou par nature) est fait au niveau du *paragraphe.*

Les «lois de finances» définissent les ressources et les charges de l'État, en fonction d'un équilibre financier qu'elles fixent. Sont lois de finances : la *loi de finances annuelle initiale;* les *lois de finances rectificatives,* ou *collectifs;* la *loi de règlement,* constatant, après la clôture de l'exercice, les ressources et les charges effectives.

Le «budget» est la partie chiffrée des lois de finances : pour la loi de finances initiale, il est résumé dans le tableau général d'équilibre. Est dit «budget général» la partie non affectée (c'est-à-dire l'essentiel, la règle de non-affectation étant la règle générale), celle où l'ensemble des ressources assure l'ensemble des charges.

Est dit «impasse» le solde négatif *prévu* de la loi de finances; le *découvert* est ce même solde, *après exécution,* de la loi de finances; le *déficit* est le solde négatif des opérations à caractère définitif.

Au titre du projet de budget pour 1975, les dépenses de l'État s'établissaient ainsi :

— dépenses civiles d'équipement	11,3 p. 100
— interventions sociales et économiques	28,2 p. 100
— fonctionnement des services civils	40,7 p. 100
— dépenses militaires	16,9 p. 100
— dette	2,9 p. 100
	100,0 p. 100

BUDGET DE L'ENTREPRISE. — Le terme, par analogie aux finances publiques, désigne un programme concernant le financement de l'ensemble des activités de l'entreprise ou de l'une de ses «fonctions» (ventes, achats, production, etc.); la méthode budgétaire a pour objet à la fois la prévision, la planification et le contrôle; pour cette raison, existent souvent dans l'entreprise, indépendamment du service de la trésorerie, des services de «budget de l'entreprise».

BUDGET SOCIAL DE LA NATION. — Le budget social représente l'ensemble des prestations sociales dont bénéficient les ménages et qui sont en provenance de l'État ou des organismes de sécurité sociale, d'assistance, de protection et de promotion sociales. (Les comptes du budget social font apparaître ce que l'on appelle les «transferts sociaux».)

Ces comptes retracent les allocations ayant pour objectif de couvrir, totalement ou en partie, les charges pesant sur les ménages, en raison de la maladie, de l'invalidité, de la vieillesse, du décès, de la maternité et de la situation de famille, du logement, de la formation professionnelle et du chômage, des accidents du travail et des maladies professionnelles, des événements politiques et des calamités naturelles; les prestations peuvent être des remboursements de frais, des services gratuits ou des revenus versés.

BUËCH (le), torrent des Alpes du Sud, affl. de la Durance (r. dr.); 90 km.

BUENAVENTURA, port de Colombie, sur le Pacifique; 113000 hab.

BUENOS AIRES, capit. de l'Argentine; 2972000 hab. La ville est, en fait, le noyau d'une énorme agglomération de près de 8,5 millions d'habitants, développée sur la rive méridionale de l'estuaire du Río de la Plata, dont la population a pratiquement décuplé depuis le début du siècle et qui concentre aujourd'hui plus du tiers de la population totale du pays, proportion énorme, mais cependant pas unique en Amérique du Sud. Buenos Aires est la métropole incontestée de l'Argentine dans tous les domaines, politique, administratif et culturel, mais aussi commercial (grâce notamment au port) et industriel (assurant approximativement la moitié de la production nationale du secteur secondaire, diversifié : métallurgie de transformation, industries alimentaires). Cela ne suffit pas à assurer le plein-emploi dans une ville où affluent les ruraux et qui s'étend aujourd'hui démesurément.

BUFFALO, v. des États-Unis (État de New York), sur le lac Érié; 463000 hab. (L'aire métropolitaine compte 1349000 hab.) Galerie d'art Albright-Knox. Université. Métallurgie. Chimie.

BUFFALO BILL (William Frederick CODY, dit), pionnier américain (comté de Scott, Iowa, 1846-Denver 1917). Tireur émérite, il lutta contre les Indiens puis participa à des représentations de cirque.

BUFFET (Bernard), peintre et graveur français (Paris 1928). À partir de 1946, il a exprimé un aspect de l'époque dans ses figures, ses paysages, ses natures mortes «misérabilistes», d'une facture aiguë et nerveuse. Ses grands cycles, depuis «la Passion», 1951, ont eu progressivement moins de succès.

BUFFLE. — Il ne faut surtout pas confondre le buffle avec le bison, malgré le nom de *buffalo* donné à ce dernier par les Américains. Les buffles *(Bubalus)* ne se distinguent en effet du bœuf domestique que par quelques détails : cornes beaucoup plus larges et écartées, poil beaucoup plus ras, pas de fanon (repli de peau pendante) sous le cou. Ils aiment l'eau et se roulent volontiers dans la boue pour éliminer leurs parasites. Le buffle est utilisé comme animal domestique de l'Italie et de la Tunisie jusqu'en Égypte; une autre espèce aux cornes géantes remplit la même fonction dans le Sud-Est asiatique. Il y a des buffles sauvages en Afrique noire, où ils sont durement chassés.

BUFFON (Georges Louis LECLERC, *comte* DE), écrivain et naturaliste français (Montbard 1707-Paris 1788). Ses deux mérites principaux sont le développement sans égal qu'il a donné au Jardin du roi (auj. Jardin des Plantes), dont il fut directeur à partir de 1739, et la rédaction, ou tout au moins la direction générale, de l'*Histoire naturelle générale et particulière* (44 vol. de 1749 à 1804, dont plusieurs posthumes). Cette œuvre, qui n'a jamais eu d'équivalent par son ampleur et par ses répercussions sur le public, résulte d'un travail d'équipe, où ont collaboré notamment Louis Daubenton (1716-1800) et Étienne de Lacépède (1756-1825), mais dont Buffon a gardé le contrôle et qu'il a marqué de son style personnel («le style est l'homme même», a-t-il dit à sa réception à l'Académie française, en 1753). Mais bien d'autres sujets ont occupé Buffon, qui fut maître de forges (1767-1780), traducteur de Hales et de Newton, inventeur de la lentille à échelons pour les phares, précurseur de la théorie de l'évolution et des recherches paléontologiques, homme d'affaires efficace, adoré des uns, haï des autres et célèbre auprès de tous pendant la moitié de sa vie.

BUG → BOUG.

BUG (le) ou **BUG OCCIDENTAL,** riv. de l'Europe orientale, servant de frontière entre l'U. R. S. S. (Ukraine, puis Biélorussie) et la Pologne, avant de rejoindre la Vistule (r. dr.), en aval de Varsovie; 813 km.

BUGA, v. de la Colombie andine, au N.-E. de Cali; 76 000 hab.

BUGATTI (Ettore), industriel français d'origine italienne (Milan 1882-Paris 1947). Ses usines de Molsheim produisirent des voitures de sport, de course et de grand luxe qui connurent une renommée mondiale. Le premier, il utilisa un compresseur sur les moteurs de course.

BUGEAT (19170), ch.-l. de cant. de la Corrèze, à 25 km au N.-O. de Meymac; 1 108 hab.

BUGEAUD (Thomas), marquis **de la Piconnerie,** duc **d'Isly,** maréchal de France (Limoges 1784-Paris 1849). Après avoir combattu Abd el-Kader, il signe avec lui le traité de la Tafna (1837). Gouverneur général de l'Algérie (1840-1847), il en organise la conquête, est promu maréchal (1843), bat les Marocains sur l'Isly (1844) et réorganise les Bureaux* arabes.

BUGEY (le), région du départ. de l'Ain, correspondant à l'extrémité méridionale du Jura. Ch.-l. *Belley.* Divisé en un *haut Bugey,* au N., et un *bas Bugey,* au S., c'est un territoire montagneux, domaine de la forêt et de l'élevage. — On donne le nom de *centrales du Bugey* aux usines productrices d'électricité nucléaire de Saint-Vulbas*.

BUGGENHOUT, comm. de Belgique (Flandre-Orientale), à l'E.-S.-E. de Termonde; 12 266 hab. (en 1970).

BUGLE *(Bot.).* — La bugle fleurit au premier printemps dans nos sous-bois, où elle abonde. C'est une plante basse, ayant le port typique des labiacées : tige droite à section carrée, feuilles opposées en croix superposées. La fleur, bleue, est presque dépourvue de lèvre supérieure. La bugle se reproduit par des *stolons,* ou tiges rampantes, à section cylindrique, pauvres en feuilles.

BUGLE *(Mus.)* → SAXHORN.

(Cotoneaster pyracantha) tient à la persistance hivernale non seulement de ses fleurs, mais aussi de ses fruits d'un beau rouge corail. Une variété rampante, dite « horizontalis », est particulièrement fréquente dans les jardins.

BUISSON-DE-CADOUIN (**Le**) [24480], ch.-l. de cant. de la Dordogne, à 39 km à l'E. de Bergerac; 2 187 hab.

BUJUMBURA, capit. du Burundi; 79 000 hab.

BUKAVU, v. de l'est du Zaïre, près du lac Kivu; 135 000 hab.

BUKITTINGGI, v. d'Indonésie, dans l'île de Sumatra, au N. de Padang; 80 000 hab.

BULAWAYO, v. du sud-ouest de la Rhodésie; 318 000 hab. Industrie du tabac.

BULBE *(Anat.).* — Le *bulbe rachidien* est à la fois un lieu de passage pour les influx nerveux, circulant entre le cerveau et la périphérie, et le siège de centres nerveux réglant la respiration, la circulation, la déglutition. Son atteinte est le plus souvent mortelle.

Le *bulbe duodénal* est le siège électif des ulcères du duodénum.

BULBE *(Bot.).* — Organe souterrain pérennant des plantes vivaces, comme le rhizome, le bulbe se distingue de celui-ci par sa forme ronde, en section horizontale surtout. On distingue les *bulbes écailleux* ou *tuniqués* (oignon, lis, jacinthe), constitués surtout par la base épaissie de feuilles verticillées ou en rosette, et les *bulbes solides* (safran), dont la masse est d'un seul tenant. Au printemps, la pointe supérieure du bulbe donne naissance à une tige florifère. Certaines espèces préparent, au cours de l'été, un *bulbe de remplacement* (tulipe) ou forment, entre les écailles, des bulbes secondaires, les *caïeux.*

Les bulbes se rencontrent souvent dans la famille des liliacées. Ils sont toujours riches en réserves nutritives, qui émigreront dans les feuilles et dans la hampe florifère à la belle saison.

BULBE (**groupe**). — L'emploi des groupes bulbes dans les usines de basse chute permet d'éviter la déviation de l'écoulement axial de l'eau (chutes de 6 à 20 m) par une turbine* du genre Kaplan*, en utilisant des alternateurs* logés à l'intérieur du conduit d'eau. Ce type d'alternateur a un diamètre moitié plus petit que celui de l'alternateur classique équivalent. Il est enfermé dans une enveloppe étanche et immergé au milieu de la veine liquide. Les groupes bulbes permettent une réduction de la longueur de l'installation et l'utilisation maximale de la hauteur de chute.

GROUPE BULBE
1. Groupe bulbe amont. Le bulbe amont comprend à la fois l'alternateur et les mécanismes d'orientation des pales mobiles, accessibles par un puits de petites dimensions qui n'assure que le passage des câbles. 2. Groupe bulbe aval. Le bulbe aval nécessite l'emploi de deux petits bulbes, l'un amont, l'autre aval, d'où deux puits pour assurer la sortie des câbles et pour accéder aux mécanismes de régulation, aux paliers et à la butée de la machine.

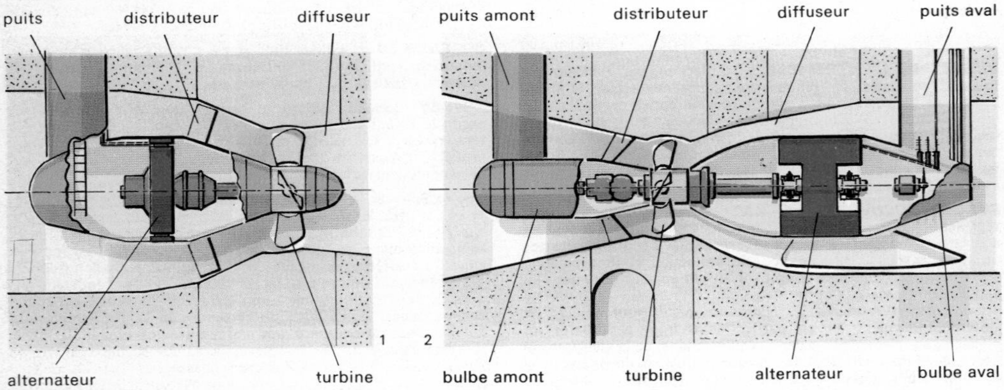

BUGUE (**Le**) [24260], ch.-l. de cant. de la Dordogne, à 25 km à l'O. de Sarlat-La Canéda; 2 778 hab. Grotte préhistorique.

BUIS. — Le buis est surtout connu comme plante de haie ou de bordure de parterre, à cause de l'extrême densité de son feuillage, qui permet aux horticulteurs de le tailler à leur goût. Ses feuilles, très petites, luisantes, coriaces, de forme ovale, d'un vert assez sombre, persistent toute l'année. Au soleil, elles répandent une odeur très agréable. Le bois de cet arbuste est jaune, très dense et très dur, et se polit bien; on l'emploie beaucoup en tabletterie et pour les objets tournés. (Type de la famille des buxacées.)

BUIS-LES-BARONNIES (26170), ch.-l. de cant. de la Drôme, à 22 km au N.-E. de Vaison-la-Romaine; 1 831 hab.

BUISSON (Ferdinand), pédagogue et homme politique français (Paris 1841-Thieuloy-Saint-Antoine 1932), collaborateur de Jules Ferry pour l'organisation de l'enseignement public et l'un des fondateurs de la Ligue des droits de l'homme. (Prix Nobel de la paix, 1927.)

BUISSON-ARDENT. — La valeur ornementale de cette rosacée

BULBILLE → MULTIPLICATION VÉGÉTATIVE.

BULGARE. — Le bulgare, qui appartient au groupe méridional des langues slaves*, a subi, sur le plan lexical, des influences turques, grecques, russes et françaises. Il s'écrit grâce à l'alphabet cyrillique*.

BULGARIE *(république populaire de),* en bulg. **Bălgarija,** État de la péninsule des Balkans; 110 927 km²; 8 680 000 hab. *(Bulgares).* Capit. *Sofia.*

GÉOGRAPHIE. C'est un pays essentiellement montagneux. Le bassin de Sofia et la vallée de la Marica, ouverte sur la mer Noire,

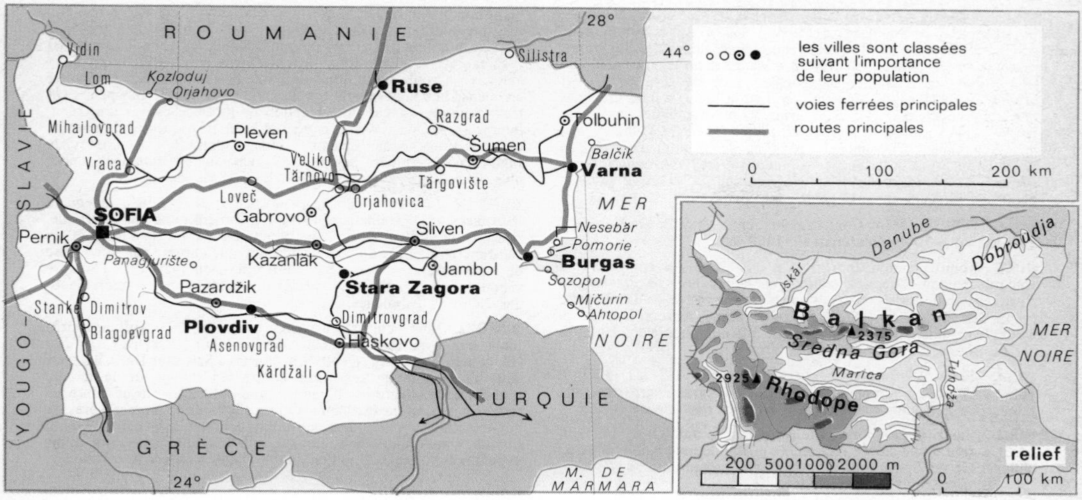

séparent le massif ancien du Rhodope, au S., au relief, compartimenté par des failles, de la chaîne récente du Balkan. Cette dernière, terminaison méridionale de l'arc des Carpates, est bordée, au N., par une série de glacis emboîtés qui descendent jusqu'à la plaine du Danube, frontière avec la Roumanie. Les montagnes empêchent la pénétration des influences méditerranéennes, et le pays est soumis à un climat continental (à Sofia, température moyenne de janvier − 3,7 °C, de juillet 19,3 °C; précipitations annuelles, 602 mm), particulièrement rude en montagne.

La population se concentre dans les plaines du Danube et de la Marica, ainsi que dans les bassins intérieurs. Son urbanisation est moyenne : 50 p. 100 des habitants résident dans des villes, dont les principales sont Sofia, Plovdiv et Varna.

Avant la Seconde Guerre mondiale, la Bulgarie n'avait guère été touchée par la vie moderne. C'était un pays aux traditions vivaces, vivant essentiellement de l'agriculture et dont les ressources n'étaient guère mises en valeur. À partir de 1947, elle a entrepris son développement économique sur des bases socialistes, dans le cadre de plans quinquennaux. L'U. R. S. S. lui a apporté une aide financière et technique.

L'agriculture reste un secteur important de l'économie. Les terres ont été étatisées ou sont exploitées dans de grosses coopératives agricoles, à l'échelle d'un ou de plusieurs villages. Ceci a facilité l'augmentation des rendements grâce à la mécanisation et à l'emploi des engrais. De plus, le développement de l'irrigation, en particulier dans la plaine du Danube, a permis l'extension des surfaces cultivables. Les cultures se localisent dans les plaines et les bassins. À côté du blé et du maïs ont progressé le tournesol, le tabac, le coton, les tomates et les roses, destinés en partie à l'exportation. Les montagnes restent le domaine de l'élevage ovin.

Le développement industriel a été spectaculaire. Il est fondé principalement sur la construction de routes et l'exploitation des ressources du sous-sol. Le lignite et l'hydroélectricité fournie par les cours d'eau issus des montagnes sont les principales sources locales d'énergie, complétées par des importations d'hydrocarbures. Les gisements de plomb, de zinc, de manganèse et surtout de cuivre sont à l'origine d'une métallurgie des non-ferreux, tandis que le fer de la région de Kremikovci alimente la sidérurgie (2,2 Mt d'acier). Celle-ci a permis la création d'une métallurgie de transformation. La chimie (pétrochimie de Burgas) et l'industrie textile (dispersée en milieu rural ou concentrée en combinats modernes) représentent les deux autres branches principales d'activité. Ce développement industriel repose sur les échanges avec les pays de l'Europe de l'Est, en particulier avec l'U. R. S. S. Enfin, l'aménagement du littoral de la mer Noire permet la progression du tourisme, d'origine aussi bien occidentale qu'orientale, qui apporte un complément de ressources.

HISTOIRE. À l'origine de la Bulgarie il y a les Thraces, qui légueront aux Bulgares une riche culture matérielle et spirituelle. Les Thraces sont soumis par Rome (Ier s. apr. J.-C.), puis ils passent dans l'orbite de l'Empire byzantin (ve s.). À partir du vie s., des tribus slaves, tout en fusionnant avec les Thraces et les Illyriens, imposent à la contrée leur langue; en coopération avec ces tribus, un peuple d'origine turque, les Bulgares, pose au viie s. les bases de l'État slavo-bulgare, avec Pliska comme capitale. Cet État s'accroît, notamment sous Boris Ier (de 852 à 889), qui y impose le christianisme; grâce aux disciples de Cyrille et de Méthode, la Bulgarie devient un centre culturel slave, dont le rayonnement cimente la nationalité bulgare. Sous le règne de Siméon (de 893 à 927) et de Pierre (de 927 à 969) se constitue le premier Empire bulgare, aux structures féodales. Mais, dès le règne du tsar Boris II (de 969 à 972), les invasions des Russes de Kiev affaiblissent les Bulgares, face aux Byzantins qui, en 1014, l'emportent sur le tsar Samuel (de 997 à 1014) et qui, en 1018, s'emparent d'Ohrid : succès qui prélude à une longue occupation byzantine (1018-1185).

L'insurrection conduite par deux boyards locaux, Pierre et Asen, aboutit à la libération du territoire (1187) et à la constitution d'un second Empire bulgare : agrandi de la Thrace et de la Macédoine, cet empire est fondé véritablement par Kalojan (de 1197 à 1207), frère d'Asen et de Pierre, qui annexe Thessalonique; il atteint son apogée avec Jean III Asen II (de 1218 à 1241) qui, vainqueur de l'empereur Théodore Comnène, fait de la Bulgarie la principale puissance balkanique. Tărnovo devient alors un centre intense de vie culturelle et le siège de l'Église bulgare, dont Nicée, en 1235, doit reconnaître l'autonomie.

Cependant, le morcellement politique et des révoltes paysannes (notamment celle d'Ivajlo, 1277) affaiblissent l'Empire bulgare, qui, de 1371 à 1396, est annexé progressivement par les Turcs, maîtres du pays durant cinq siècles. Au système turc de féodalité militaire, les Bulgares opposent la résistance organisée des *haïdouks* et aussi, à partir du xviiie s., la force grandissante de la renaissance bulgare, animée essentiellement par les évêques et les moines; ceux-ci, dans leurs œuvres profanes ou sacrées, se font les interprètes des aspirations nationales et populaires. Au xixe s., un mouvement révolutionnaire, organisé par Georgi Stojkov Rakovski (1821-1867) et animé ensuite par Vasil Levski (1837-1873), puis par Hristo Botev (1848-1876), prépare l'insurrection d'avril 1876. Celle-ci échoue et est noyée dans le sang, mais elle sensibilise l'Europe au problème bulgare.

La Russie, protectrice des Slaves, impose au Sultan, par le traité de San Stefano (mars 1878), la reconnaissance d'une grande Bulgarie autonome; cependant, le congrès de Berlin (juill. 1878) réduit ses prétentions et divise la Bulgarie en une principauté vassale du Sultan, au nord, avec un prince élu, et une province autonome, la Roumélie orientale, au sud, avec un gouverneur chrétien désigné par la Porte. Alexandre de Battenberg est élu prince par l'Assemblée bulgare (il abdiquera en 1886); sept ans plus tard (1885) la Roumélie orientale proclame son union avec le reste de la Bulgarie.

En 1908, profitant de la révolution jeune-turque, Ferdinand de Saxe-Cobourg, prince depuis 1887, se proclame tsar des Bulgares et rompt tout lien avec la Porte. Vainqueur, avec la Serbie et la Grèce, de la Turquie au cours de la première guerre balkanique (1912-13), Ferdinand est battu par ses anciens alliés, la Roumanie et la Turquie, à l'issue de la seconde (1913); vaincu encore aux côtés des Empires centraux au cours de la Première Guerre mondiale, il abdique en faveur de son fils Boris III*, le 3 octobre 1918; la Bulgarie perd alors l'accès à la mer Égée (traité de Neuilly, 27 nov. 1919).

L'entre-deux-guerres est marquée par la dictature paysanne d'Aleksandăr Stambolijski (de 1919 à 1923). Après la chute de celui-ci et l'installation d'un nouveau régime autoritaire, de graves troubles ont lieu, qui amènent Boris à instaurer un régime personnel (1935). La fragile alliance bulgaro-allemande de 1941 et la mort brutale du roi (1943) ne peuvent entraîner la Bulgarie dans une lutte effective contre l'U. R. S. S. L'insurrection populaire du 9 septembre 1944 renverse la régence du prince Cyrille († 1945), permet aux Soviétiques d'occuper le pays et de faciliter l'arrivée au pouvoir du Front de la patrie (communiste) et l'instauration d'une démocratie populaire (1946), Georgi Dimitrov étant le premier président du Conseil (1946-1949).

BULGNÉVILLE (88140 Contrexéville), ch.-l. de cant. des Vosges, à 21,5 km au S.-E. de Neufchâteau; 1130 hab.

BULL (John), compositeur anglais (v. 1563-Anvers 1628). Il apparaît comme l'un des maîtres de la musique de clavier, en Angleterre, au premier tiers du XVIIe s. Organiste de la chapelle royale dès 1591, il s'installe à Bruxelles puis à Anvers. Son œuvre de haute virtuosité fait une place égale à la polyphonie et à la danse (30 variations sur *Walsingham*).

BULL (Frederik), ingénieur norvégien (Oslo 1882-*id.* 1925). Il construisit une des premières machines à cartes perforées, une tabulatrice non imprimante, combinée avec une trieuse (1919).

BULL (Olaf), poète norvégien (Christiania, auj. Oslo, 1883-*id.* 1933), auteur d'une œuvre visionnaire profondément marquée par la philosophie de Bergson et la cosmologie contemporaine (*Poèmes,* 1909; *les Étoiles,* 1924; *Ignis ardens,* 1932).

BULLANT (Jean), architecte et théoricien français (Écouen v. 1520-*id.* 1578). Son œuvre est mal connue, en grande partie détruite. Émule de Delorme et, ayant séjourné à Rome, imitateur de l'antique (additions au château d'Écouen, à partir de 1552 : ordre colossal assez maladroit), il en vint rapidement à une fantaisie maniériste, comparable à celle de Du Cerceau, dans ses autres travaux pour les Montmorency (petit château de Chantilly, v. 1560) puis dans ceux qui furent commandés par Catherine de Médicis (incluant l'achèvement d'édifices de Delorme).

Bulle d'or, acte, marqué de la capsule d'or du sceau impérial, qui fut promulgué le 25 décembre 1356 par l'empereur Charles IV. Il organisait l'élection au Saint Empire; les princes électeurs étaient au nombre de sept : trois ecclésiastiques et quatre laïques. Le couronnement devait avoir lieu à Aix-la-Chapelle et non plus à Rome.

BULLET (Pierre), architecte français (Paris v. 1639-*id.* 1716). Élève de F. Blondel, il travailla à Paris à la porte Saint-Denis, édifia la porte Saint-Martin ainsi que les hôtels Crozat et d'Évreux, place Vendôme (1702-1707), librement articulés sur des parcelles irrégulières. — Son fils, JEAN-BAPTISTE (1665-1726), construisit le château de Champs.

BULLY-LES-MINES (62160), comm. du Pas-de-Calais, à 10 km à l'O. de Lens; 12257 hab. *(Bullygeois).*

BÜLOW (Friedrich Wilhelm), général prussien (Falkenberg 1755-Königsberg 1816). Vainqueur de Ney à Dennewitz (1813), il se distingua à Leipzig et à Waterloo.

BÜLOW (Karl VON) → MARNE *(bataille de la).*

BÜLOW (Bernhard, prince VON), homme d'État allemand (Klein-Flottbeck 1849-Rome 1929). Chancelier d'Empire (1900-1909), il seconde la politique de Guillaume II, mais il échoue dans sa tentative d'isoler de nouveau la France en attirant la Russie dans le système d'alliances allemand.

BULTMANN (Rudolf), exégète et théologien biblique protestant (Wiefelstede, près d'Oldenburg, 1884-Marburg 1976). Sa critique rigoureuse des textes du Nouveau Testament tend à retrouver sous une expression mythique, produit de la communauté chrétienne primitive, le message authentique évangélique. Si certains jugent trop radicale la critique des textes, il faut reconnaître que cette école de l'histoire des formes littéraires (dont Bultmann est le principal, mais non le seul, représentant) a ouvert à l'historien du christianisme des voies nouvelles.

Bundesrat, dans la Confédération de l'Allemagne du Nord (1866-1871), l'Empire allemand (1871-1918) et la République fédérale d'Allemagne (depuis 1949), chambre législative qui réunit les représentants des différents États (Länder) allemands.

Bundestag, dans la République fédérale d'Allemagne (R. F. A.), principale assemblée législative, dont les membres sont élus pour quatre ans au suffrage universel.

Bundeswehr, nom donné en 1955 aux forces armées de l'Allemagne fédérale.

BUNRAKU. — Art toujours très populaire, le théâtre de marionnettes, ou de poupées, japonais est issu du *jōruri**. Chaque marionnette, qui peut mesurer plus d'un mètre, est manipulée, à la vue du public, par trois animateurs : l'un, principal, manœuvre la tête (la marionnette peut remuer la bouche, les yeux, le nez et les oreilles) et la main droite (les phalanges sont articulées); deux aides, en cagoule noire, font mouvoir, l'un la main gauche, l'autre les pieds. Les marionnettes évoluent devant des décors peints sur toile, inspirés du *kabuki**. L'action de la pièce est un long récit, interprété par un récitant, coupé de scènes lyriques et de poèmes chantés avec accompagnement d'une guitare à trois cordes, le *shamisen.* Le Molière japonais, Chikamatsu* Monzaemon, a écrit plus de cent pièces pour le théâtre de marionnettes.

BUNSEN (Robert Wilhelm), physicien et chimiste allemand (Göttingen 1811-Heidelberg 1899). Il a construit une pile électrique, imaginé un brûleur à gaz, un photomètre à tache d'huile et un calorimètre à glace, isolé le magnésium et le chrome par électrolyse de leurs chlorures. Avec Kirchhoff*, il a, en 1859, créé l'analyse spectrale, découvrant que les raies du spectre sont caractéristiques des éléments chimiques.

BUÑUEL (Luis), cinéaste espagnol (Calenda 1900). Influencé très jeune par le surréalisme (*Un chien andalou* [1928] et *l'Âge d'or* [1930] seront réalisés en collaboration avec Salvador Dalí), il a lutté dans la plupart de ses films contre les tabous de la morale traditionnelle, l'emprise d'une religion contraignante et milité en faveur des pulsions instinctives et oniriques de l'homme. Après un documentaire social tourné en Espagne (*Terre sans pain,* 1932), il travaille aux États-Unis, tourne au Mexique plusieurs films populaires et reprend, en 1950, une brillante carrière internationale

X (Coll. J.-L. Passek)

Los Olvidados, film de Luis Buñuel (1950).

avec *Los Olvidados.* Suivront *la Montée au ciel* (1951), *El* (1952), *la Mort en ce jardin* (1956), *Nazarin* (1958), *Viridiana* (1961), *l'Ange exterminateur* (1962), *le Journal d'une femme de chambre* (1963), *Simon du désert* (1965), *Belle de jour* (1966), *la Voie lactée* (1968), *Tristana* (1970), *le Charme discret de la bourgeoisie* (1972), *le Fantôme de la liberté* (1974), *Cet obscur objet du désir* (1977).

BUNYAN (John), prédicateur et écrivain anglais (Elstow 1628-Londres 1688), auteur d'une allégorie religieuse, guide imagé et pratique du salut éternel, qui exerça une profonde influence sur le public populaire, *le Voyage du pèlerin* (1678-1684).

BUONARROTI (Philippe), révolutionnaire français (Pise 1761-Paris 1837). Ami et disciple de Gracchus Babeuf*, il échappe à la mort lors du procès de Vendôme (1797). Devenu *carbonaro,* il fait connaître la vie et l'œuvre de Babeuf par l'*Histoire de la Conspiration de l'égalité* (dite *de Babeuf*) [1828].

BUONTALENTI (Bernardo), architecte, peintre et sculpteur italien (Florence 1536-*id.* 1608). Organisateur de fêtes princières, il introduisit la fantaisie maniériste dans ses villas des environs de Florence.

BUPRESTE. — La France héberge environ 80 espèces de *buprestes* (ou *buprestidés*); les coléoptères de cette famille, assez grands, de forme très simple (une sorte d'hexagone semi-régulier allongé), ont parfois une belle livrée aux reflets métalliques. Ils volent avec une grande agilité. On les rencontre surtout sur les arbres, dont leur larve dévore le bois.

BURAYDA, v. de l'Arabie Saoudite, au N.-O. de Riyāḍ; 50 000 hab. Commerce des chameaux.

BURBAGE (Richard), acteur anglais (Londres v. 1567-*id.* 1619), créateur des principaux rôles des drames de Shakespeare, qu'il eut pour associé.

BURCKHARDT (Jacob), historien suisse (Bâle 1818-*id.* 1897). Professeur à Zurich et à Bâle, il est notamment l'auteur de *la Civilisation de la Renaissance en Italie* (1860).

BURDWĀN, v. de l'Inde (Bengale-Occidental), sur la Dāmodar; 145 000 hab. Université.

BURE *(Min.)* → MINE.

BUREAUCRATIE. — Les réflexions autour de la bureaucratie s'inspirent de deux courants de pensée issus de la révolution industrielle du XIXe s.

Le premier, héritier de Hegel*, met l'accent sur le rôle joué par les « fonctionnaires », serviteurs de l'État, dans l'unification d'une société que les activités économiques contribuent à diviser. S'inscrivant en faux contre la philosophie de l'État chez Hegel, Marx* considère la bureaucratie à la fois sous un angle plus concret et dans une perspective véritablement sociologique. Ainsi, l'auteur de la *Critique de la philosophie de l'État de Hegel* oppose la réalité aux principes dont celui-ci se réclame. Au nom de l'« intérêt général » et sous le couvert de l'impartialité, la bureaucratie lui apparaît en réalité essentiellement préoccupée de consolider l'hégémonie de la classe au pouvoir.

Le second courant est issu de Max Weber. Ce sociologue décèle dans la bureaucratie à la fois un instrument de rationalisation pour l'économie moderne et la substitution du règne de la règle à celui de la force ou du hasard. À double titre, la bureaucratie est ainsi l'alliée des démocraties industrielles.

Élément caractéristique des sociétés modernes, le phénomène bureaucratique constitue désormais un thème majeur de réflexion pour les sociologues contemporains, aussi bien chez les Américains, soucieux d'améliorer les systèmes d'administration des grandes organisations, que chez les Français, plus attentifs aux implications de ce type particulier d'organisation sur la société et les comportements de l'homme social.

BUREAU-PAYSAGE → IMPLANTATION.

Bureaux arabes, organismes militaires créés en 1833 en Algérie et réorganisés par Bugeaud en 1844. Ils étaient chargés de l'administration des autochtones dans les territoires confiés à l'armée. (Ils furent les ancêtres du service des Affaires indigènes.)

BURES-SUR-YVETTE (91440), comm. de l'Essonne, à 21 km au S.-O. de Paris; 18 204 hab. Constructions mécaniques.

BURGAN ou **BURHĀN,** gisement pétrolier du Koweït.

BURGAS, port de Bulgarie, sur la mer Noire; 106 000 hab. Pétrochimie.

BURGDORF, en franç. **Berthoud,** v. de Suisse (cant. de Berne), au N.-E. de Berne, sur la Grande Emme; 15 888 hab. Château fort (musée).

BURGENLAND, prov. de l'Autriche orientale, aux confins de la Hongrie; 272 000 hab. Ch.-l. *Eisenstadt.*

BÜRGER (Gottfried August), poète allemand (Molmerswende, Harz, 1747-Göttingen 1794). Ses ballades (*Lenore,* 1773), inspirées des légendes populaires, contribuèrent à créer une littérature allemande originale.

BURGKMAIR (Hans), peintre et graveur allemand (Augsbourg 1473-*id.* 1531). Élève de Schongauer, très averti de la Renaissance italienne, il fut un artiste facile et abondant au service de l'empereur Maximilien.

BURGONDES → BARBARES, GERMAINS.

BURGOS, v. d'Espagne, en Vieille-Castille, ch.-l. de prov. sur l'Arlanzón; 120 000 hab. Industries mécaniques. Pneumatiques.

BEAUX-ARTS. Capitale de l'art gothique en Castille : cathédrale du XIIIe s., agrandie et ornée du XIVe au XVIIIe s. (cloître, chapelle du Connétable, tour-lanterne; retables sculptés d'une grande richesse, notamment par G. et D. de Siloé), églises, monastère de Las Huelgas (XIIe-XIIIe s.) et chartreuse de Miraflores (XVe s.; retable, tombeaux). Arco de Santa María, porte reconstruite au XVIe s., Casa del Cordón (fin XVe s.), Casa de Miranda à beau patio Renaissance (XVIe s.), auj. musée provincial.

Burgraves *(les),* drame en trois actes et en vers, de Hugo (1843), qui, après son échec, abandonna le théâtre.

BURHANPUR, v. de l'Inde (Madhya Pradesh), sur la Tāpti; 105 000 hab.

BURIE (17770 Brizambourg), ch.-l. de cant. de la Charente-Maritime, à 12 km au N.-O. de Cognac; 1 165 hab.

BURIN → ESTAMPE.

BURKE (Edmund), homme politique et écrivain anglais (Dublin v. 1729-Beaconsfield 1797). Député aux Communes, il redonna vie au parti whig. S'il défendit, en 1765, le droit des colons américains contre l'arbitraire royal, il s'éleva, par contre, et violemment, contre la Révolution française (1789).

BURLESQUE. — Au sens le plus général, le burlesque en littérature est un genre parodique pratiqué dès l'Antiquité et qu'on peut suivre jusqu'à nos jours avec la série des « San Antonio » en passant par *Ubu roi.* Au sens strict, il désigne une forme d'expression, née en Italie au XVIe s., qui prend en France, au XVIIe s., la forme d'une réaction contre les excès des récits romanesques et de la préciosité* : il consiste à transformer l'épopée en bouffonnerie, à prêter aux personnages héroïques consacrés des sentiments et un langage vulgaires. Le genre, illustré par Scarron *(le Roman comique)* et d'Assouci *(Virgile travesti; Ovide en belle humeur),* se distingue habituellement du *grotesque** et de l'*héroï-comique**.

BURLINGTON, v. du Canada (Ontario), sur le lac Ontario, entre Toronto et Hamilton; 87 023 hab.

BURNE-JONES (*sir* Edward) → PRÉRAPHAÉLITES.

BURNEY (Frances, dite **Fanny**), femme de lettres anglaise (King's Lynn 1752-Londres 1840), auteur du roman épistolaire *Evelina* (1778).

BURNHAM (James), philosophe et sociologue américain (Chicago 1905). Il est l'un des premiers à avoir analysé le pouvoir croissant des « technocrates » avec *The Managerial Revolution* (1941; trad. fr. *l'Ère des organisateurs,* 1947), dans lequel il prévoit la substitution d'un régime « directorial » au régime capitaliste.

BURNLEY, v. de Grande-Bretagne (Angleterre), au N.-O. de Manchester; 95 000 hab. Industrie chimique.

BURNS (Robert), poète écossais (Alloway, Aryshire, 1759-Dumfries 1796). Il publia en 1786, en dialecte écossais, un recueil qui rassemble des chansons populaires, des ballades, des poèmes burlesques.

BURROUGHS (William Steward), industriel américain (Rochester 1857-Saint Louis 1898). On lui doit la première additionneuse imprimante à commande par touches.

BURROUGHS (William), écrivain américain (Saint Louis, Missouri, 1914). Figure majeure de la *beat* generation,* il poursuit une tentative de libération absolue de l'homme par la double expérience systématique de la drogue et de l'éclatement de la langue littéraire (*le Festin nu,* 1959; *la Machine molle,* 1961; *Le ticket qui explosa,* 1962; *Nova Express,* 1964; *les Garçons sauvages,* 1972).

BURRUS (Sextus Afranius), préfet du prétoire († 62). Agrippine* lui confia la préfecture du prétoire, dont il fut le seul titulaire de 51 à 62. Il fut le principal conseiller de Néron*, et son influence ainsi que celle de Sénèque auprès de l'empereur valurent à Rome sept années de bon gouvernement.

BURSA → BROUSSE.

BURTON (Robert), écrivain anglais (Lindley, Leicestershire, 1577-Oxford 1640), pasteur humaniste, auteur de l'*Anatomie de la mélancolie, par Démocrite junior* (1621).

BURTON UPON TRENT, v. de Grande-Bretagne (Angleterre), au N. de Birmingham; 51 000 hab. Brasserie. Pneumatiques.

BURUNDI, république de l'Afrique centrale; 28 000 km^2; 3 860 000 hab. Capit. *Bujumbura.*

GÉOGRAPHIE. Une chaîne montagneuse centrale (qui culmine à 2 670 m) domine à l'ouest un fossé d'effondrement occupé par le lac Tanganyika et descend doucement vers l'E. par une série de hauts plateaux étagés. Le climat, équatorial par la latitude, est tempéré par l'altitude, et le pays est couvert par la savane arborée.

La population est très dense. Elle se compose de deux groupes ethniques : les Hutus (85 p. 100) et les Tutsis. Elle vit de l'agriculture. Aux productions vivrières (manioc) et commerciales (coton, café, thé) est associé l'élevage (bovins, caprins). L'industrie est inexistante et les deux villes principales, Bujumbura et Gitega, sont des petits centres administratifs. Sans débouché maritime, le pays est relié par la route, puis par le rail (à partir de Kigoma, en Tanzanie), au port de Dar es-Salaam, par lequel arrive l'essentiel des importations.

HISTOIRE. Le Burundi est un des rares États africains à avoir existé tel quel avant la colonisation. Ce royaume, dont la dynastie pourrait remonter au moins au XVIIe s., jouit même d'une unité linguistique, le *kirundi,* langue bantoue, qui est le support d'une littérature orale raffinée. Au XIXe s., le souverain le plus remarquable est Mwezi Gisabo († 1908).

Le pays fait partie de l'Afrique-Orientale allemande à partir de 1892. De 1916 à 1962, formant, avec le Ruanda, le Ruanda-Urundi, il est dans l'orbite du Congo belge, avec le statut de « mandat B » (1923), puis de « pays sous tutelle » (1946). En 1959, le Burundi est doté d'un régime autonome. Le pays est indépendant depuis le 1er juillet 1962. En 1966, la royauté est abolie au profit de la république (28 nov.), mais les oppositions tribales entre les Hutus et les Tutsis continuent à bouleverser la vie politique.

BURY, v. de Grande-Bretagne (Angleterre), au N. de Manchester; 63 000 hab.

BURZET (07450), ch.-l. de cant. de l'Ardèche, à 21 km au N.-O. de Vals-les-Bains; 618 hab.

BUSE. — La buse est sans doute le rapace diurne le plus commun en France. Elle niche dans les arbres et dévore beaucoup de petits animaux des champs : souris, taupes, crapauds, insectes même, ce qui fait d'elle un animal utile. Elle chasse soit du haut du ciel, soit simplement depuis une haie ou une branche d'arbre. Anatomiquement, elle se distingue des aigles par une taille plus petite (envergure maximale 1,50 m), un bec supérieur recourbé depuis la base, des tarses grêles et sans plumes. On trouve des buses, diverses par leur livrée, dans tout l'Ancien Continent.

BUSHIDŌ. — Ce code d'honneur auquel devaient se conformer les samurai — caste militaire de l'ancien Japon — date du Xe s. de notre ère; depuis le XVIIIe s., il a eu tendance à devenir une éthique au service du nationalisme nippon.

BUSHNELL (David), inventeur américain (Saybrook, Connecticut, 1742 - Warrenton 1824). On doit le considérer comme un véritable précurseur tant pour la réalisation du sous-marin (la *Tortue,* 1775) que pour l'emploi de l'hélice comme moyen de propulsion du navire.

BUSONI (Ferrucio Benvenuto), compositeur italien (Empoli 1866 - Berlin 1924). Professeur de composition à l'Académie des arts de Berlin, auteur de l'opéra *Doktor Faust,* pianiste virtuose, il transcrira pour son instrument de nombreuses partitions classiques. Chercheur dans le domaine de l'harmonie, il a laissé un ouvrage sur la nouvelle esthétique de l'art.

BUSSANG (88540), comm. des Vosges, à 28 km au N.-O. de Thann, sur la Moselle, près du *col de Bussang* (734 m); 2 058 hab. Sports d'hiver (alt. 620-1 180 m).

BUSSEROLE. — Si cette plante est aussi nommée « raisin d'ours », c'est parce qu'on la rencontre surtout dans les hautes montagnes, refuge actuel des ours, et que son fruit rouge, à saveur âpre, mûrit en septembre, à la saison des vendanges. C'est un buisson assez serré, pouvant, à haute altitude et sur sol dénudé, former des disques assez aplatis et piquants, dits « coussins de belle-mère ». (Famille des éricacées.)

BUSSIÈRE-BADIL (24360 Piégut Pluviers), ch.-l. de cant. de la Dordogne, à 20 km au N.-N.-O. de Nontron; 595 hab.

BUSSY (Roger DE RABUTIN, *comte* DE), connu sous le nom de **Bussy-Rabutin,** général et écrivain français (Épiry, près d'Autun, 1618 - Autun 1693). Cousin de Mme de Sévigné, il fut disgracié et exilé dans ses terres pour avoir écrit l'*Histoire amoureuse des Gaules* (1665). Il a laissé des *Mémoires* (1696) et une volumineuse correspondance.

BUSTANICO (20250 Corte), comm. de la Haute-Corse, à 21 km à l'E. de Corte; 149 hab. Elle a donné son nom au *canton de Bustanico,* dont le ch.-l. est Sermano.

BUSTO ARSIZIO, v. d'Italie, en Lombardie, au N.-O. de Milan; 80 000 hab. Église S. Maria in Piazza (XVIe s.). Textile.

BUTADIÈNE → ÉLASTOMÈRE, ÉTHYLÈNE, POLYSTYRÈNE, VAPOCRAQUAGE.

BUTANE. — Il existe deux butanes isomères : le butane normal $CH_3CH_2CH_2CH_3$, gaz se liquéfiant à 1 °C, et l'isobutane $(CH_3)_2CHCH_3$, qui se liquéfie à − 10 °C. Le « butane » commercial, utilisé — en bouteilles de 25 litres — comme combustible domestique, est un mélange d'hydrocarbures obtenu par raffinage du pétrole. (V. DISTILLATION, ESSENCE, GAZ, STOCKAGE.)

BUTANIER → TRANSPORTEUR DE GAZ.

BUTE (John Stuart, comte DE), homme d'État britannique (Bute, Écosse, 1713 - *id.* 1792). Conseiller intime de George III, il est Premier ministre de 1761 à 1763.

BUTÉE *(Mécan.)* → MÉCANIQUE DES SOLS.

BUTENANDT (Adolf), chimiste allemand (Wesermünde 1903) qui a découvert la folliculine et les formules de l'œstrone et de l'androstérone, et préparé la progestérone pure. (Prix Nobel de chimie, 1939.)

BUTLER (Samuel), poète anglais (Strensham, Worcestershire, 1612 - Londres 1680). Il s'inspira de Rabelais, de Cervantès et de Scarron pour écrire son poème héroï-comique *Hudibras* (1663-1678), violente satire des puritains.

BUTLER (Samuel), écrivain anglais (Langar, Nottinghamshire, 1835 - Londres 1902). Il s'intéressa à l'histoire religieuse et à la psychologie, attaqua l'évolutionnisme de Darwin, qui l'avait d'abord séduit, et se livra à une satire cruelle de la société victorienne (*Erewhon,* 1872), avant de faire le bilan de ses haines et de ses illusions *(Ainsi va toute chair,* 1903).

BUTLER (John), chorégraphe américain (Memphis, Tennessee, 1920). Sa double formation, chez Martha Graham et à l'American Ballet School, lui a donné un style très personnel, qui se reconnaît dans sa version de *Carmina Burana, Catulli Carmina* (C. Orff), *Sebastian* (Menotti), *After Eden* (Hoiby), *Itinéraires* (Berio), *Intégrales* (Varèse), *Black Angels.*

BUTOR. — On s'étonne moins du nom de « bœuf taureau » *(Botaurus)* donné à cet oiseau lorsqu'on a entendu son cri, dont la ressemblance avec un mugissement est frappante. Mais l'animal est plus difficile à voir qu'à entendre lorsque, entre les roseaux, il dresse verticalement son cou rayé en longueur, qui ne se distingue guère du fond. D'ailleurs, son activité est surtout nocturne. C'est un voisin du héron (famille des ardéidés). Rien dans ses mœurs n'explique l'acception injurieuse de son nom.

BUTOR (Michel), écrivain français (Mons-en-Barœul 1926). Son œuvre est fondamentalement *critique,* en ce sens qu'elle a pour but de révéler les rapports que l'acte d'écrire, dans ses règles mentales et matérielles, entretient avec la prolifération et la dispersion spatiale et temporelle de la vie. Au fond de sa pratique romanesque (*Passage de Milan,* 1954; *l'Emploi* du temps,* 1956; *la Modification**, 1957; *Degrés**, 1960), comme de sa réflexion critique (*Répertoire I-IV,* 1960-1975) ou de ses tentatives pour dessiner un nouvel espace du récit (*Mobile,* 1962; *Six Millions Huit Cent Dix Mille Litres d'eau par seconde,* 1965; *Dialogue avec 33 variations de Ludwig van Beethoven sur une valse de Diabelli,* 1971), se révèle la double passion quasi scientifique d'une combinatoire et d'une cartographie : son inlassable curiosité littéraire, picturale, musicale contribue à préciser et à densifier un réseau de relations entre les différentes formes de création qui composent toute l'épaisseur de la culture.

BUTT (Isaac), homme politique irlandais (Glenfin 1813 - Dundrum 1879). Avocat et député libéral, il inaugure, en 1870, le mouvement du *Home Rule.*

BUTTAGE → POMME DE TERRE.

BUTTE *(Ch. de f.)* → TRIAGE.

BUTTE *(Géomorphol.).* — Les *buttes témoins* résultent du démantèlement d'un plateau structural surmonté par une couche dure. Elles sont typiques des reliefs de côte, dont elles précèdent le front. Les *buttes résiduelles* sont les restes, accidentant un plateau développé dans une couche dure, d'une couche tendre supérieure incomplètement déblayée par l'érosion.

BUTTE, v. des États-Unis (Montana), dans les Rocheuses; 23 000 hab. Extraction du cuivre.

BUTUAN, v. des Philippines (Mindanao); 131 000 hab.

BUTYLIQUE (alcool). — Il existe quatre alcools isomères, ou *butanols :* l'alcool primaire normal $CH_3(CH_2)_2CH_2OH$, qui sert de solvant pour vernis; l'alcool secondaire $CH_3CH_2CHOHCH_3$; l'alcool isobutylique $(CH_3)_2CHCH_2OH$, dont les esters sont employés en confiserie; l'alcool tertiaire $(CH_3)_3COH$.

BUTYRIQUE (acide). — Il existe deux isomères : l'*acide butyrique* normal, ou *butanoïque,* $CH_3CH_2CH_2CO_2H$, rencontré à l'état de glycéride dans le beurre, liquide épais, d'odeur rance, bouillant à 163 °C; l'*acide isobutyrique* $(CH_3)_3CHCO_2H$, de propriétés analogues.

BUTYROMÈTRE → LAIT.

BUXACÉES → BUIS.

BUXEROLLES (86000 Poitiers), comm. de la Vienne, banlieue nord de Poitiers; 5 159 hab.

BUXTEHUDE (Dietrich), compositeur allemand (Bad Oldesloe 1637 - Lübeck 1707). Célèbre organiste nordique, il a laissé son nom à une féconde institution de concerts (les *Abendmusiken*), donnés à Sainte-Marie de Lübeck, au cours desquels il a fait entendre tant ses cantates que sa musique d'orgue. Préromantique, doué d'une surprenante fantaisie au clavier, il apparaît comme l'un des plus grands précurseurs de Bach.

BUXY (71390), ch.-l. de cant. de Saône-et-Loire, à 17 km au S.-O. de Chalon-sur-Saône; 1 732 hab.

BUYS BALLOT (Christoph Hendrik), météorologue néerlandais (Kloetinge 1817 - Utrecht 1890). Il est l'auteur de la loi localisant le centre d'une dépression d'après l'observation de la direction des vents (dans l'hémisphère Nord, le vent laisse les basses pressions à sa gauche, et, pour l'ensemble du globe, la force du vent croît avec le resserrement des isobares).

BUYSSE (Cyriel), écrivain belge d'expression néerlandaise (Nevele 1859-Deurle, près de Gand, 1932), l'un des fondateurs de la revue *Van Nu en Straks,* auteur de contes et de romans réalistes (*le Droit du plus fort,* 1893; *le Bourriquet,* 1910).

BUZANÇAIS (36500), ch.-l. de cant. de l'Indre, à 24 km au N.-O. de Châteauroux, sur l'Indre; 5 227 hab.

BUZANCY (08240), ch.-l. de cant. des Ardennes, à 22 km à l'E.-N.-E. de Vouziers; 451 hab. Église des XIIIe-XVIe s.

BUZĂU, v. de Roumanie, au N.-E. de Bucarest; 75 000 hab. Cathédrale des XVIe-XVIIe s. Tréfilerie.

BUZZATI (Dino), écrivain italien (Belluno 1906-Milan 1972). Son œuvre picturale (il signa des décors pour la Scala) ou lyrique (il est l'auteur de plusieurs livrets d'opéra sur des musiques de Luciano Chailly ou de Malipiero) recoupe (*Poèmes bulles,* 1969) ou prolonge les thèmes de ses romans (*le Désert des Tartares,* 1940; *l'Image de pierre,* 1960; *Un amour,* 1963) et de ses nouvelles (*le K,* 1966; *les Sept Messagers,* 1968; *les Nuits difficiles,* 1971), qui unissent l'inspiration fantastique au réalisme parodique.

BYBLOS, ville de l'ancienne Phénicie, au N. de Beyrouth, auj. *Djebail.* Centre de commerce où, dès la période thinite (3200-2780 av. J.-C.), les Égyptiens achètent le bois de cèdre pour leurs navires et le cuivre du Caucase, Byblos reste dans la mouvance de l'Égypte, hormis le temps de l'intermède des Hyksos*, jusqu'à la conquête assyrienne (VIIIe s. av. J.-C.); son histoire se confond ensuite avec celle des empires de l'Orient méditerranéen.

Les fouilles ont révélé une première occupation remontant au néolithique et un centre urbanisé dès les débuts du IIe millénaire. Des hypogées (période amorite) ont livré un riche mobilier funéraire; le sarcophage d'Ahiram (souverain de Byblos, XIIIe s. av. J.-C.) porte la plus ancienne inscription alphabétique en lettre cursive.

BYDGOSZCZ, v. de Pologne, au N.-E. de Poznań; 291 000 hab. Églises remontant au XVe et XVIe s. Musée. Constructions mécaniques et électriques.

BYRD (William), compositeur et éditeur de musique anglais (1542 ou 1543-Stondon Massey, Essex, 1623). Organiste de la Chapelle royale, ami de T. Tallis, il écrit avec ce dernier des *Cantiones sacrae,* dédiés à la reine Élisabeth. Il est également auteur de messes et de motets, de madrigaux et de pièces pour clavier *(Parthenia).*

BYRD (Richard Evelyn), amiral, explorateur et aviateur américain (Winchester, Virginie, 1888-Boston 1957). Il survola le pôle Nord (1926), puis le pôle Sud (1929), et il créa la base de Little America, en Antarctique. Il explora de nouveau le continent antarctique au cours de plusieurs missions (1933-1935, 1939-1941, 1946-47).

BYRON (John), navigateur anglais (Newstead Abbey 1723-Londres 1786). De 1764 à 1766, il explore les parties méridionales de l'Amérique, puis il découvre plusieurs îles polynésiennes.

BYRON (George GORDON, *lord*), poète anglais (Londres 1788-Missolonghi 1824). Face à l'idéalisme d'un Shelley, il incarne une variété particulière du romantisme, faite d'orgueil et de révolte, de violence et de provocation : le *byronisme.* Une claudication congénitale le pousse, par revanche, à toutes les excentricités sportives. Longs voyages, amour incestueux pour sa demi-sœur, rupture scandaleuse de son mariage, mort au milieu des insurgés grecs combattant pour leur indépendance : cette vie de faste et d'insolence ne peut apaiser un mal de vivre qui s'exprime dans *le Pèlerinage de Childe* Harold* (1812), les poèmes des héros rebelles (*le Giaour,* 1813; *le Corsaire,* 1814; *le Prisonnier de Chillon,* 1816; *Manfred,* 1817; *Caïn,* 1821; *Don Juan,* 1824), ses drames (*Marino Faliero,* 1821), ses contes en vers (*Mazeppa,* 1819). Ayant su partager son génie entre sa vie et son œuvre, il reste le type même du héros et de l'écrivain romantiques.

BYSSUS. — De tous les modes de fixation des animaux aquatiques, la fixation par *byssus* est certainement la plus curieuse. Seuls quelques mollusques bivalves, en particulier la moule, recourent à ce procédé : le pied ventral du mollusque est creusé d'une gouttière longitudinale, le long de laquelle s'écoule le produit liquide d'une *glande byssogène.* Le bout du pied appuie, par exemple, sur un rocher, y fixe une goutte du liquide, que le contact de l'eau de mer solidifie en quelques secondes, et, par un retrait du pied, un fil résistant se dégage de la gouttière. Après 30 à 50 opérations de ce genre, le *byssus,* ou système de cordages, est constitué. La moule peut d'ailleurs, en rompant certains fils ici et en en fixant d'autres là, se déplacer, lentement mais sans risque de chute.

Outre les moules, les mollusques à byssus fonctionnel sont les avicules et, surtout, les *pinna* («jambonneaux»), dont le byssus a servi à tisser des gants et des foulards.

BYTOM, v. de Pologne, en Silésie, au N.-O. de Katowice; 189 000 hab. Houille. Sidérurgie.

BYZANCE, colonie grecque fondée au VIIe s. av. J.-C. par les Mégariens sur le Bosphore. Elle sera successivement capitale de l'Empire byzantin*, sous le nom de Constantinople*, et de l'Empire ottoman* sous le nom d'Istanbul*.

BYZANTIN (art). — Étroitement soumis aux structures politiques et ecclésiastiques d'un Empire romain devenu chrétien dans ses provinces orientales, l'art va s'affirmer, au-delà des manifestations paléochrétiennes*, à travers une période de mutations qui s'étend de la fondation de Constantinople*, en 324, à la crise iconoclaste des années 720. C'est sous Justinien, dernier des empereurs romains et premier des empereurs byzantins, que les caractéristiques chrétiennes trouvent leur véritable définition. À partir de Constantin, et tout au long des IVe, Ve et VIe s., l'architecture, avec la brique pour matériau de base, développe le type basilical avec charpente, emprunté aux forums (Saint-Jean-Stoudios à Constantinople, 463; Saint-Apollinaire-in-Classe et Saint-Apollinaire-le-Neuf à Ravenne*, au VIe s.), le plan central des martyriums et des baptistères (rotonde du Saint-Sépulcre à Jérusalem, 326-336; Saints-Serge-et-Bacchus à Constantinople, 526-27; Saint-Vital à Ravenne, 547), le plan en croix, libre ou inscrite (mausolée de Galla Placidia à Ravenne, v. 450; église des Prophètes, Apôtres et Martyrs à Gerasa* en Palestine, 474-75). Mais la période de Justinien donne ses chefs-d'œuvre avec les basiliques à coupole sur pendentifs, qui combinent les plans basilical et central, comme Sainte-Sophie* de Constantinople. Et, surtout, s'affirme le plan en croix grecque, typiquement byzantin : croix inscrite dans un rectangle avec coupole à la croisée (Saints-Apôtres de Constantinople, 536-550: Saint-Jean d'Éphèse). La sculpture, déjà en plein déclin — au profit du décor en méplat (relief historique, comme la base de l'obélisque de Théodose à Constantinople, fin IVe s.) —, s'intéresse avant tout aux jeux d'ombre et de lumière. À l'intérieur des édifices, la riche décoration contraste avec la sobriété extérieure; mais des mosaïques, seules celles de Salonique (Saint-Demetrius, fin IVe-début VIe s.) et de Ravenne (mausolée Galla Placidia, baptistère des Orthodoxes, Saint-Apollinaire-le-Neuf, Saint-Vital) nous sont parvenues; des icônes, seuls quelques exemples permettent de voir une filiation avec les portraits du Fayoum. Les miniatures, avec un courant d'inspiration alexandrine et un courant de tradition orientale, les ivoires (chaire de Maximien, dans la cathédrale de Ravenne, v. 550), l'orfèvrerie, souvent fidèle à la tradition hellénistique, ou encore les tissus, aux riches motifs empruntés à l'art sassanide*, témoignent du faste byzantin.

Held-Ziolo

La Résurrection (détail). Fresque de l'église du monastère de Mileševa (Yougoslavie). XIIIe s.

Loirat-C. D. Tétrel.

La décadence qui saisit l'Empire byzantin au VIIe s. supprime tout esprit novateur dans les arts : ceux-ci vivent de l'exploitation des formules antérieures. La crise iconoclaste (720 à 843) impose à l'art un caractère plus profane; il devient plus soucieux de vérité et d'observation, et son inspiration est plus proche des modèles antiques.

La renaissance qui s'amorce après la restauration des images (843) va constituer le classicisme de l'art byzantin (empereurs macédoniens, 867-1081, puis dynastie des Comnènes, 1081-1185). En architecture, triomphe le plan en croix grecque inscrite dans un carré en même temps que s'impose la recherche d'effets d'appareil. La nouvelle église de Basile Ier (achevée en 881) fournit pour les siècles suivants la formule de nombreux édifices, à Constantinople, en Macédoine, en Italie, en Grèce (mont Athos*) et en Arménie* (cathédrale d'Ani, 989-1001). Les mosaïques de Grèce (Dhafní [v. ATHÈNES]), d'Italie et de Sicile (XIIe s.), les fresques macédoniennes d'Ohrid* (XIe s.) et de Nerezi (XIIe s.) ainsi que les peintures d'inspiration populaire des églises rupestres de Cappadoce* (Xe et XIe s.) montrent un strict respect pour la hiérarchie des scènes : Christ Pantocrator au centre de la coupole, scènes de la vie du Christ dans les nefs, scènes de la vie de la Vierge et de donateurs dans le narthex. Au retour du sens de la beauté classique s'ajoute un caractère proprement byzantin : la spiritualisation des visages.

Une nouvelle, et dernière, renaissance est donnée à l'art byzantin par les Paléologues (1261-1453). Des raffinements dans les formules antérieures marquent essentiellement l'architecture. Ainsi, de l'église de la Théotokos Pammakaristos (XIIIe s.) à l'église de Gračanica (XIVe s.) et aux édifices de la vallée de la Morava (XIVe-XVe s.), les façades reçoivent un décor souvent important et parfois baroque. D'autre part, de nouveaux centres se révèlent actifs, tels Trébizonde et Mistra*. Enfin, aux mosaïques et aux fresques se substitue de plus en plus l'art de l'icône, surtout à partir du XVe s. et en Russie. En effet, après la chute de Constantinople, l'art byzantin se survit dans l'Orient orthodoxe et particulièrement dans le monde slave. Les centres de Kiev*, Novgorod*, Vladimir*, Souzdal* et Moscou* offrent les principales réalisations architecturales avec des églises à silhouette pyramidale, à clocher polygonal ou à bulbe. La peinture, surtout l'icône, connaît un intense développement avec les écoles de Novgorod, Pskov et Moscou (avec Andrei Roublev au début du XVe s.).

BYZANTIN (Empire), empire chrétien gréco-oriental, héritier de l'Empire romain (330-1453).

• *L'héritage constantinien (330-518).* Constantin* fonde Constantinople* en 330. Théodose Ier* (de 379 à 395) partage en 395 l'Empire romain entre Honorius* et Arcadius* (de 395 à 408), à qui échoit l'Orient. L'unité du gouvernement impérial subsiste, mais elle devient de plus en plus théorique. En effet, l'Orient résiste aux assauts des Barbares*, tandis que l'Occident succombe au Ve s. (les Ostrogoths* tiennent l'Italie, les Francs* une partie de la Gaule, les Wisigoths* le reste de la Gaule et l'Espagne, les Vandales* l'Afrique). L'Orient s'oppose aussi à l'Occident sur le plan religieux : Théodose Ier a fait du christianisme, tel que l'a défini le concile de Nicée*, une religion d'État, obligatoire, dont les dogmes sont fixés par l'empereur. Ainsi, à Byzance, orthodoxie et hérésie sont matière politique autant que religieuse. Les querelles sur la nature du Christ, qui sont à l'origine du nestorianisme* — condamné au concile d'Éphèse* (431), convoqué par Théodose II* (de 408 à 450) —, et du monophysisme* — condamné au concile de Chalcédoine* (451) —, sont avivées par l'opposition d'Antioche et d'Alexandrie à la primauté, sur l'Orient, reconnue à l'évêque de Constantinople (381). L'Égypte, la Syrie et la Palestine restent attachées au monophysisme, envers lequel Zénon* (de 474 à 491) et

Le Baptême du Christ. Mosaïque de l'église du couvent de Dhafní (Grèce) [XIe s.].

Vierge de Vladimir. Icône grecque du XIIe s. (Galerie Tretiakov, Moscou.)

R. Percheron-Ziolo

Anastase Ier* (de 491 à 518) adoptent une attitude conciliante, voire favorable.

• *Le siècle de Justinien (518-610).* Justinien* (de 527 à 565) est le principal conseiller de Justin Ier* (de 518 à 527). Il veut rétablir l'Empire romain dans ses anciennes frontières et lance ses généraux à la reconquête de l'Occident (Bélisaire* en Afrique et en Italie). La Méditerranée redevient une mer romaine. Justinien doit défendre l'empire contre les Perses et les Slaves, auxquels il consent de forts tributs, ce qui épuise le Trésor. Son œuvre législative (le *Code Justinien*) permet à Byzance d'assimiler le droit romain. Justinien et son épouse, Théodora*, ont un sens vraiment impérial de la grandeur, dont témoigne l'art de leur époque. Leurs successeurs, Justin II* (de 565 à 578) et Tibère II* (de 578 à 582), ne peuvent sauvegarder cet héritage fragile; Maurice* (de 582 à 602) essaie d'arrêter la décomposition de l'empire en créant les exarchats de Carthage* et de Ravenne*. Sous Phokas* (de 602 à 610), l'empire est assailli par les Perses et par les Slaves aidés des Avars. L'exarque de Carthage, Héraclius, arrive à Constantinople et y est proclamé empereur.

• *La rénovation de l'empire (610-867).* Avec les Héraclides* (de 610 à 717), l'empire cesse d'être romain pour devenir gréco-oriental, byzantin dans ses frontières, sa composition ethnique, grec dans sa langue et son administration. Héraclius (de 610 à 641) s'emploie à la création d'une armée nationale et à l'organisation administrative des thèmes*. Il bat les Perses en 630, victoire retentissante, mais sans lendemain, puisque les Arabes envahissent la Syrie, la

Palestine, la Mésopotamie et l'Égypte, de 636 à 642. L'empire perd ses plus riches provinces et se trouve réduit à l'Asie Mineure et à la Grèce, elle-même transformée par l'établissement des tribus slaves sur son territoire. Sous les successeurs d'Héraclius, les Arabes poursuivent leur expansion dans la mer Égée et au Maghreb, mais Constantinople, assiégée, résiste (674-678; 717-18). Les Bulgares fondent leur premier royaume dans les Balkans. En 695 commence une période de troubles qui se poursuit jusqu'à l'avènement des Isauriens* (717-802). Nicéphore Ier*, Michel Ier* et Léon V* l'Arménien se succèdent ensuite sur le trône, qu'usurpe le fondateur de la dynastie d'Amorion* (820-867). De 726 à 843, le monde byzantin est bouleversé par la querelle des « images » (v. ICONOCLASME), qui prend souvent la forme d'une lutte de l'État contre les moines. La défiance et la rivalité s'accroissent entre Rome et Byzance (schisme de Photios*).

• *La dynastie macédonienne* et l'apogée de l'empire (867-1081).* Après la mort du tsar bulgare Siméon*, Byzance passe à l'offensive. Grâce aux victoires remportées, de 963 à 1025, par Nicéphore II Phokas, Jean Ier Tzimiskès et Basile II*, les frontières de l'empire sont rétablies de l'Adriatique au Caucase. Cette période de grande prospérité économique est une des plus brillantes de l'histoire byzantine : œuvre législative de Basile Ier et Léon VI le Sage, épanouissement des arts et des lettres. Les souverains essaient de combattre le développement excessif de la grande propriété, lutte vaine, car, avec l'avènement des Comnènes, l'aristocratie terrienne triomphe. L'excommunication réciproque de Keroularios* et des légats du pape provoque le schisme* d'Orient (1054). Une période troublée suit l'extinction de la dynastie macédonienne (1056), pendant laquelle s'affrontent, d'une part, l'armée et le parti des grands seigneurs provinciaux (Nicéphore III* Botanéiatès), et, d'autre part, l'administration centrale et les bureaux civils de la capitale (les Doukas*). L'Asie Mineure est envahie par les Seldjoukides*, victorieux à Mantzikert (1071), tandis que l'Italie du Sud est occupée par les Normands*.

• *Byzance et les croisés (1081-1261).* Alexis Ier* Comnène (de 1081 à 1118) réussit à écarter le péril normand grâce à la flotte vénitienne. Il consent, en contrepartie, des avantages commerciaux à Venise (1082), qui sont reconduits en 1126. Les Comnènes* (1081-1185) renoncent ainsi à la source même de la prospérité de l'empire, à son rôle d'intermédiaire entre l'Orient et l'Occident. À la suite de la première croisade*, des États latins* se forment au Levant. Jean II (de 1118 à 1143) et Manuel Ier (de 1143 à 1180) imposent par la force leur souveraineté à Antioche et à la Cilicie.

Mais, après les défaites infligées à Manuel Ier par les Turcs (1176) et par les Normands, l'empire sombre dans l'anarchie. Les Anges* (1195-1204) ne peuvent remédier à son effondrement, et les Latins de la quatrième croisade s'emparent de Constantinople (1204). Les princes grecs en fuite créent des principautés en Épire*, à Trébizonde* et à Nicée*. C'est à partir de Nicée que les Lascaris* (1204-1259) restaurent l'Empire byzantin. Ils étendent leur autorité en Thrace et en Macédoine, puis, en 1261, Michel VIII Paléologue chasse les Latins de Constantinople.

• *La survie de l'Empire byzantin. Les Paléologues* (1261-1453).* Michel VIII Paléologue (de 1259 à 1282) accorde à Gênes (1261) des avantages commerciaux et s'entend avec le pape (signature de l'union avec Rome en 1274), afin d'éviter la coalition des Latins sous l'égide de Charles Ier* d'Anjou. À sa mort, le danger occidental est écarté. Avec ses successeurs commence la période de décadence de l'empire, que les guerres civiles déchirent de 1318 à 1391. Les Serbes d'Étienne IX* et les Turcs y prennent part (1341-1347) sous les Cantacuzènes*. Les Ottomans* s'emparent de Brousse* (1326) et de Nicée (1337), et ils font leurs premières conquêtes en Europe sous le règne de Jean V Paléologue (de 1341 à 1391). Ce dernier sollicite le secours de la papauté et des royaumes d'Occident, qui organisent les croisades de 1396 et 1444. L'arrivée de Tīmūr Lang (Tamerlan) en Anatolie (1402) sauve Constantinople assiégée. L'union des Églises, scellée en 1439, est passionnément rejetée par le peuple, et on assiste à cette époque à un retour vers l'hellénisme antique. La vie spirituelle et même politique tend peu à peu à se retirer de Constantinople pour se réfugier dans le Péloponnèse. Le despotat de Mistra* devient l'apanage du second fils de l'empereur. Les Ottomans s'emparent de Constantinople en 1453, de Mistra en 1460, de Trézibonde en 1461. Il ne reste plus rien de l'Empire grec.

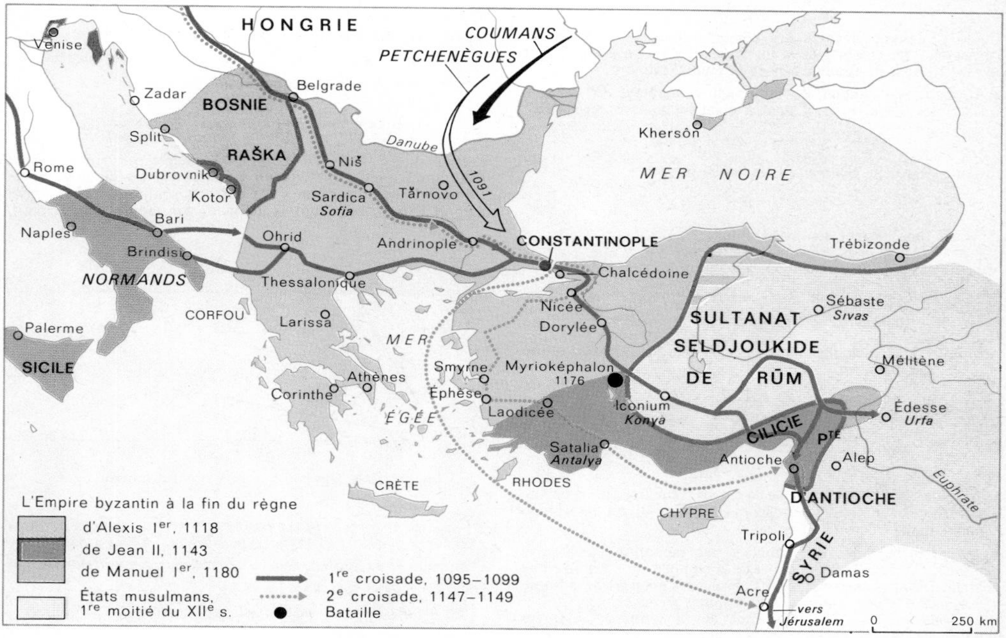

L'EMPIRE BYZANTIN DES COMNÈNES (1081-1185)

BYZANTINE (musique). — Les premiers chrétiens de Palestine et de Syrie possédaient un répertoire religieux émanant du chant de la synagogue. Au fur et à mesure que la nouvelle croyance gagnait les païens, les hymnes (cantiques strophiques), dans lesquels les allusions aux divinités grecques et orientales étaient remplacées par des acclamations au Seigneur, s'ajoutèrent à ce chant. Des premiers siècles jusqu'à la chute de Byzance (devenue Constantinople), offices du matin *(orthos),* offices du soir *(hesperinos),* messes, cérémonies donnent lieu à un répertoire de tradition orale, confiée à des moines. Son enrichissement progressif nécessita l'introduction de signes musicaux, pour fixer la note de départ et l'exécution des mélodies (écrites selon huit modes).

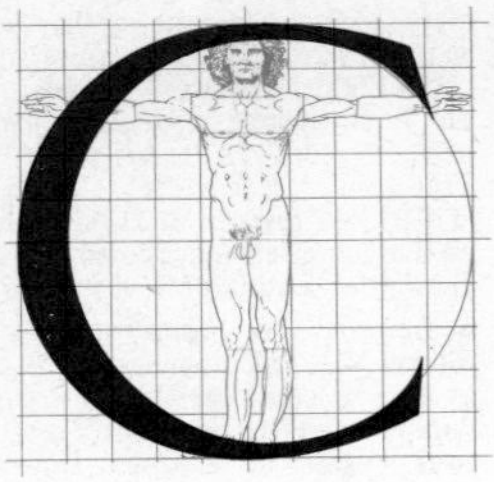

C. — $\mathbb{C}$ désigne le corps des nombres complexes, c'est-à-dire l'ensemble* des nombres de la forme $a + bi$, a et b étant réels et $i^2 = -1$, muni de l'addition et de la multiplication.

• $\mathbb{C}$, muni de l'addition, est un groupe commutatif. En effet, si $z = a + bi, z' = a' + b'i$, a, b, a', b' étant des nombres réels, on a

$$z + z' = a + a' + i(b + b') \in \mathbb{C};$$

l'addition est donc interne; elle est associative :

$$z + (z' + z'') = (z + z') + z''.$$

Il existe un élément neutre 0 : $0 + z = z + 0 = z$. Enfin, si $z = a + bi$, $z' = -z = -a - bi$ est tel que $z + z' = 0$; z' est le *symétrique* de z, pour l'addition. L'addition est commutative.

• Si $z = a + bi$ et $z' = a' + b'i$, on a :

$$zz' = (a + bi)(a' + b'i) = aa' - bb' + i(ab' + ba'),$$

car $i^2 = -1$. La multiplication est associative. 1 est élément neutre et $1 \in \mathbb{C}$, car $1 = 1 + 0i$.

Enfin, si $z = a + bi$ et $z' = \frac{a - bi}{a^2 + b^2}$, avec $a2 + b^2 \neq 0$,

$$zz' = \frac{(a + bi)(a - bi)}{a^2 + b^2} = \frac{a^2 + b^2}{a^2 + b^2} = 1,$$

ce qui montre que z' est l'inverse de z dans la multiplication, qui, de plus, est commutative. L'ensemble $\mathbb{C}^* = \mathbb{C} - \{0\}$ est un groupe commutatif pour la multiplication.

• La multiplication est distributive par rapport à l'addition : l'ensemble $\mathbb{C}$ muni de l'addition et de la multiplication est un corps commutatif. Le sous-ensemble de $\mathbb{C}$ formé des nombres de la forme $z = a + 0i = a$ est l'*ensemble des nombres réels*.

Le sous-ensemble de $\mathbb{C}$ constitué des nombres de la forme $z = 0 + bi = bi$ est l'*ensemble des nombres imaginaires* purs, auquel appartient le nombre i.

• REPRÉSENTATION GÉOMÉTRIQUE D'UN NOMBRE COMPLEXE. À tout nombre complexe $z = a + bi$, on associe, dans le plan rapporté à un repère orthonormé $O, \vec{i}, \vec{j}$, le point M de coordonnées a et b; M s'appelle l'*image* de z, et z est l'*affixe* de M. Inversement, à tout point $M'(x', y')$ du plan correspond le nombre $z' = x' + iy'$ appartenant à $\mathbb{C}$.

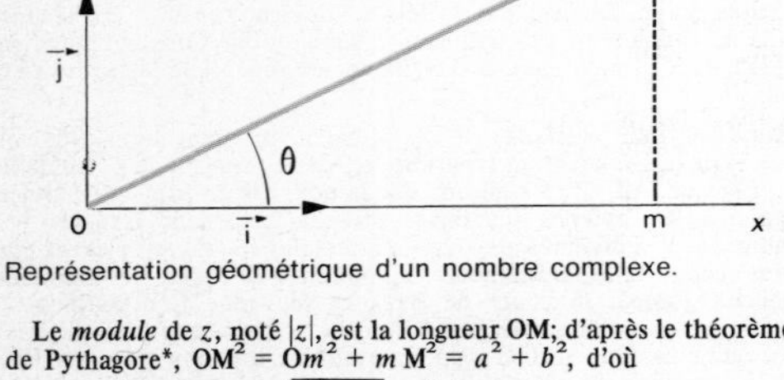

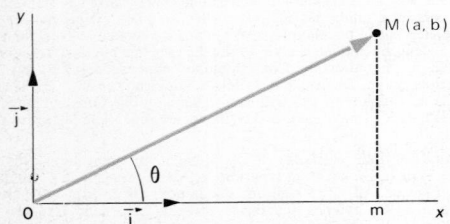

Représentation géométrique d'un nombre complexe.

Le *module* de z, noté $|z|$, est la longueur OM; d'après le théorème de Pythagore*, $OM^2 = Om^2 + mM^2 = a^2 + b^2$, d'où

$$|z| = OM = \sqrt{a^2 + b^2}, \quad |z| \geq 0.$$

L'*argument* de z, noté $\arg z$, est la mesure de l'angle de vecteurs $(\vec{i}, \overrightarrow{OM})$, connue à $2k\pi$ près, en radians :

$$\theta = \arg z = [\vec{i}, \overrightarrow{OM}] + 2k\pi \quad k \in \mathbb{Z} \text{ (entier relatif).}$$

L'angle θ est déterminé par les égalités :

$$\cos\theta = \frac{a}{\sqrt{a^2 + b^2}} \quad \text{et} \quad \sin\theta = \frac{b}{\sqrt{a^2 + b^2}},$$

avec $\sqrt{a^2 + b^2} = |z| = \rho$. Le nombre complexe $z = a + bi$ peut donc aussi s'écrire $z = \rho(\cos\theta + i\sin\theta)$ qui est la forme trigonométrique de ce nombre. Deux nombres sont *imaginaires conjugués* si leurs images sont symétriques par rapport à $x'x$; ainsi,

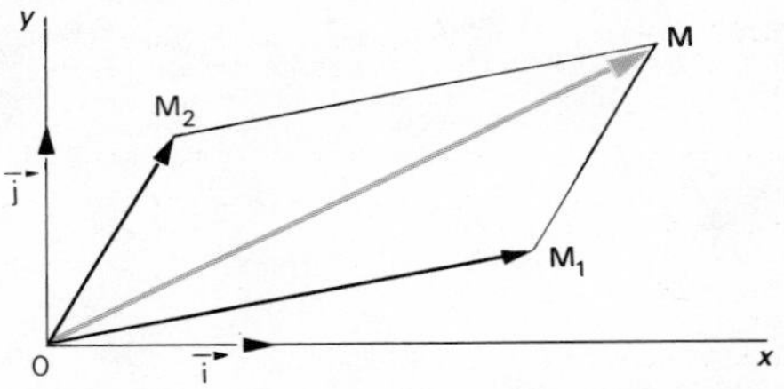

Image de la somme de deux nombres complexes.

$z = a + bi$ et $\bar{z} = a - bi$. La somme $z = z_1 + z_2$ de deux nombres complexes z_1 et z_2, d'images respectives M_1 et M_2, a pour image l'extrémité M du vecteur, somme géométrique des vecteurs $\overrightarrow{OM_1}$ et $\overrightarrow{OM_2}$. Le produit $z_1 z_2$ de

$$z_1 = \rho_1(\cos\theta_1 + i\sin\theta_1) \quad \text{et} \quad z_2 = \rho_2(\cos\theta_2 + i\sin\theta_2)$$

est égal à $\rho_1\rho_2[\cos(\theta_1 + \theta_2) + i\sin(\theta_1 + \theta_2)]$, de module $\rho_1\rho_2$, produit des deux modules, et d'argument $\theta_1 + \theta_2$, somme des deux arguments. Ce résultat se généralise à un produit de n facteurs. C'est ainsi que $(\cos\theta + i\sin\theta)^n = \cos n\theta + i\sin n\theta$, le module des deux membres étant égal à 1, l'argument étant égal à la somme des n arguments, c'est-à-dire $n\theta$.

ÇA. — Cette expression traduit *das Es,* pronom neutre allemand, que S. Freud* emprunta à G. Groddeck* pour désigner : « la partie obscure, impénétrable de notre personnalité ». Après le tournant de 1920 de la théorie psychanalytique (v. PSYCHANALYSE), le Ça représente l'une des trois instances de l'appareil psychique, qui constitue le réservoir des pulsions et du refoulé, et à partir de laquelle se différencie génétiquement le Moi* et le Surmoi*. Le contenu du Ça est donc inconscient (mais le Ça ne représente pas tout l'Inconscient*) et il n'obéit qu'aux lois de l'Inconscient.

CABALE ou **KABBALE.** — Ce mouvement mystique et ésotérique juif a marqué, du XIIe au XVIIe s., le judaïsme d'Europe et d'Orient. La doctrine de la cabale part de l'idée que Dieu ne peut être connu que dans sa création; il est l'inaccessible, cependant il se manifeste dans l'univers et dans l'histoire sous la forme des dix Sefirot (émanations), qui expriment le rayonnement divin. La cabale fait une part importante à l'homme, qui est la forme cosmique parfaite, et elle enseigne la « voie mystique » par l'extase, la méditation et la prière. L'ouvrage classique de la cabale est le *Zohar,* ou livre de la Splendeur (XIIIe s.), et son plus éminent représentant fut Isaac Luria (1534-1572).

CABALLERO (Cecilia BOHL VON FABER, dite **Fernán**), romancière espagnole (Morges, Suisse, 1796-Séville 1877). Sa peinture des paysans andalous créa le roman de mœurs espagnol (*La Gaviota,* 1849).

CABANATUAN, v. des Philippines (Luçon), au N. de Manille; 111 000 hab.

CABANEL (Alexandre), peintre français (Montpellier 1823-Paris 1889). Artiste officiel, professeur à l'Académie, il est l'auteur, non sans élégance et finesse, de décors muraux, de tableaux d'histoire et de mythologie, de portraits.

CABANIS (Georges), médecin et philosophe français (Cosnac 1757-Rueil 1808). Disciple de Condillac, il a été l'un des principaux représentants de l'école idéologique qui s'appuyait sur l'observation dégagée de tout *a priori* métaphysique (*Traité du physique et du moral de l'homme,* 1802).

CABANNES (Les) [09310], ch.-l. de cant. de l'Ariège, à 26,5 km au S.-S.-E. de Foix, sur l'Ariège; 470 hab.

CABARET. — Primitivement, le cabaret était l'endroit où l'on vendait le vin au détail. L'usage d'en boire sur place, de se réunir entre amis autour d'une table et de se livrer au plaisir du jeu était déjà fort répandu au Moyen Âge. Vers la fin du XVe s., le cabaret « à pot et à pinte » fut supplanté par le café.

Au XIXe s., et au début du XXe, d'autres catégories de cabarets eurent leur heure de célébrité. Les uns, mis à la mode par des écrivains réalistes, comme Eugène Sue, furent fréquentés à la fois par la pègre et par les gens du monde désireux de s'encanailler. Les autres, à l'origine des cénacles littéraires, se transformèrent en petites salles de spectacles consacrés essentiellement à la chanson satirique. Les cabarets de la butte Montmartre, à Paris (les premiers et les plus renommés furent *le Chat-Noir,* de Rodolphe Salis, et *le Mirliton,* d'Aristide Bruant), se développèrent et accueillirent de très nombreux chansonniers, qui se spécialisèrent dans la chanson humoristique et d'« actualité ».

CABERNET → CÉPAGE.

CABET (Étienne), socialiste utopique français (Dijon 1788-Saint Louis, Missouri, 1856). Influencé par Thomas* More et R. Owen*, il brosse un tableau d'une société idéale où les moyens de production sont collectivisés (*Voyage en Icarie,* 1840). Il tente, en vain, d'organiser une société « socialiste » au Texas, puis en Illinois.

CABEZÓN (Antonio DE), compositeur espagnol (Castrillo-Matajudíos v. 1510-Madrid 1566). Organiste aveugle au service de l'impératrice, épouse de Charles Quint, puis de Philippe II, il reste, à l'orgue, l'un des maîtres du tiento, du ricercare, du verset, de la variation.

CABIAI. — Le seul rongeur actuel atteignant le poids d'un homme (70 kg) est le gros *cabiai,* ou « cochon d'eau », des lacs et des fleuves de l'Amérique tropicale, végétarien aux pattes palmées, très résistant au froid, et dont l'élevage pour la viande s'est avéré lucratif partout où on l'a tenté.

CABIMAS, port du Venezuela, en face de Maracaibo; 155 000 hab. Extraction du pétrole.

CABINDA, enclave au S. de l'embouchure du fleuve Congo, entre la république populaire du Congo et le Zaïre, dépendance de l'Angola. Pétrole.

Cabinet du docteur Caligari *(le),* film allemand de Robert Wiene (1919). Vue à travers l'imagination d'un fou, l'histoire est celle d'un hypnotiseur qui fait accomplir par un médium divers crimes et forfaits. Le scénario (dû à Carl Mayer) est certes dans la lignée traditionnelle du romantisme fantastique du XIXe s., mais l'importance donnée aux décors (de toile peinte), aux déformations de la perspective, aux jeux d'ombre et de lumière et à l'interprétation outrancière des acteurs fit de ce film le vrai manifeste du premier courant expressionniste allemand.

Cabiria, film italien de Giovanni Pastrone (1914). Cette évocation, grandiose, très romancée et quelque peu pompeuse des Romains à Carthage, est l'une des premières superproductions cinématographiques. Plus que par son scénario — que le réalisateur écrivit lui-même, mais qu'il fit signer par Gabriele D'Annunzio —, le film doit sa célébrité à l'imposante hardiesse de ses décors staffés, à l'utilisation de certaines innovations techniques (emploi du travelling descriptif), à l'impressionnante direction d'acteurs — notamment la foule des figurants — et à la première apparition à l'écran du personnage de Maciste, dont le cinéma populaire devait s'emparer en le mythifiant. *Cabiria* influença profondément D. W. Griffith et Cecil B. De Mille.

CÂBLE *(Électr.).* — Les câbles sont utilisés pour le transport des informations ou de l'énergie* de nature électrique.

• La nature de la structure métallique acheminant des informations électriques est directement liée à la fréquence* des signaux.

En régime continu, et en basse fréquence, on utilise des conducteurs métalliques pleins en cuivre*, de structure filiforme (quelques dixièmes de millimètre de diamètre), généralement associés par paires torsadées. Ces paires, regroupées dans une enceinte étanche, forment un câble multipaire, qui peut dans certains cas être recouvert d'un écran (ruban d'étain ou d'aluminium relié à la masse). Les capacités vont de 1 à 1 800 paires. Ces câbles peuvent transporter des signaux téléphoniques basse fréquence sur de très grandes longueurs. Au-delà de quelques dizaines de kilomètres une amplification devient indispensable (répéteurs).

Lorsque la fréquence s'élève (quelques millions de hertz), la nature physique des signaux devient électromagnétique, ce qui entraîne un affaiblissement par rayonnement de plus en plus grand. Le fil se comporte alors comme une antenne* d'émission. Pour bloquer ce rayonnement, on enferme le fil métallique dans une enceinte métallique tubulaire coaxiale, mise électriquement à la terre. Cette enceinte, jouant le rôle d'un *écran,* permet aux ondes électromagnétiques de se propager dans l'espace laissé libre entre les deux conducteurs — central et coaxial — et l'affaiblissement est alors considérablement réduit. Plusieurs tubes coaxiaux peuvent être regroupés dans un même ensemble, formant un câble coaxial multipaire. Sur une paire coaxiale peuvent être transmises plusieurs centaines de conversations téléphoniques simultanées. Mais, généralement, des amplifications apparaissent nécessaires.

Pour les fréquences encore plus élevées (quelques milliards de hertz), on a recours aux techniques des guides* d'onde métalliques creux, et, pour les signaux de la gamme des ondes lumineuses, à celles, toutes nouvelles, des fibres* optiques.

• Pour le transport de l'énergie électrique, les câbles métalliques isolés peuvent être utilisés en canalisations souterraines jusqu'à des tensions de 40 000 à 50 000 V. De tels câbles comprennent, essentiellement, une *âme* en cuivre* électrolytique à haute conductibilité, en aluminium*, en aluminium et acier*, en almelec (alliage d'aluminium, de magnésium* et de silicium*) ou encore en une combinaison d'aluminium, d'acier et d'almelec (transports à THT). Cette âme est entourée d'un *isolant :* papier imprégné (MT et HT), chlorure de polyvinyle, ou PVC (BT jusqu'à 20 kV), polyéthylène réticulé PRC ou non (BT), ou magnésie. L'isolant est protégé par une *gaine* extérieure : dans le cas du papier imprégné, sensible à l'humidité, on utilise une gaine métallique étanche en plomb ou en aluminium, quelquefois enroulée d'un feuillard d'acier. Une autre isolation externe est réalisée en chlorure de polyvinyle ou en polyéthylène. Au-delà de 50 000 V, une structure toute spéciale doit être adoptée pour éviter les amorçages entre conducteurs voisins (isolement par imprégnation ou à l'huile). Dans le cas du transport aérien d'énergie, les câbles métalliques utilisés sont nus. Les principales caractéristiques électriques des câbles sont la rigidité* diélectrique, la capacité*, la self-inductance, la résistance* et l'impédance* kilométrique apparente.

X (Coll. J.-L. Passek).

Le Cabinet du docteur Caligari (1919), de Robert Wiene.

CÂBLE DE RÉSISTANCE. — Les *câbles de précontrainte* sont utilisés en béton* précontraint du type « post-tension ». Ils résistent à 150 kg/mm²; aux essais, on mesure leur allongement total et le pourcentage de perte de tension par relaxation sous contrainte constante. Les fils du câble sont toronnés et groupés en sept torons. La perte par relaxation peut atteindre 10 p. 100. Les câbles sont ancrés aux extrémités des poutres en béton déjà durci, au moyen de cônes d'ancrage. Les *câbles de sustentation et de traction* sont utilisés pour les ponts* suspendus, les téléphériques*, dans les descentes de puits de mine et comme moyen de remorquage*. Leur résistance est d'environ 150 kg/mm² et leur limite d'élasticité de 110 kg/mm². Exécutés sur chantier ou en usine, ils sont en général en fils ronds torsadés, enroulés en hélices superposées, alternativement à gauche et à droite. On les protège par de la graisse, du coaltar ou par un revêtement en plastique.

CÂBLIER *(Mar.).* — Sur les câbliers, les câbles* sont transportés dans des cales aménagées en forme de grands tambours, et ils quittent le navire, au cours de l'opération de pose, en s'enroulant sur des treuils spéciaux et en passant sur des rouleaux, ou *daviers,* disposés à l'extrême avant. Ces navires ont deux régimes de vitesse : la *route libre* et la *vitesse de travail,* qui tombe souvent au-dessous de 1 nœud pour le halage des câbles. Ils doivent pouvoir inverser facilement le sens de leur marche, d'où l'emploi fréquent d'hélices* à pales orientables et de la propulsion diesel-électrique. Enfin, de nombreux techniciens sont normalement présents à leur bord, ce qui exige des aménagements intérieurs et des dispositions de sécurité analogues à ceux d'un petit paquebot*.

CABOCHIENS → BOURGUIGNONS *(faction des).*

CABORA BASSA, localité du Mozambique, sur le Zambèze. Barrage et centrale hydroélectrique.

CABOT (Jean), navigateur génois (Gênes v. 1450-en Angleterre v. 1499). Naturalisé vénitien, puis anglais, il recherche une route maritime septentrionale vers la Chine. Le 24 juin 1497, il réussit, le premier, à mettre le pied sur le continent nord-américain, avec son second fils, SÉBASTIEN (Venise v. 1476-Londres 1557), qui devait en 1527 reconnaître le Río de la Plata.

CABOTAGE. — À l'intérieur d'une zone réglementairement fixée, la navigation* maritime commerciale porte le nom, si elle est pratiquée entre ports de pays différents, de *cabotage international* et, si elle est effectuée entre ports d'un même pays, de *cabotage national.* En France, celui-ci est, comme dans beaucoup d'autres pays, protégé par le monopole du pavillon. National ou international, le cabotage bénéficie d'un allégement de charges concernant la composition des équipages, certains droits de port, les normes de construction (surtout pour les unités de moins de 500 tonneaux), etc. Malgré cela, les armements intéressés connaissent des difficultés, auxquelles ils ont cherché remède dans les nouvelles méthodes de chargement : palettes, conteneurs, roulage, etc.

CABOURG (14390), comm. du Calvados, à 24 km au N.-E. de Caen, à l'embouchure de la Dives; 3 329 hab. Station balnéaire sur la Manche.

CABRAL (Pedro Álvares), navigateur portugais (Belmonte 1467 ou 1468-près de Santarem 1520 ou 1526). Amiral, il aborde au Brésil en 1500, double le cap de Bonne-Espérance, explore les côtes du Mozambique et atteint les Indes (1502).

CABRAL (Amilcar), homme politique guinéen (îles du Cap-Vert 1921-Conakry 1973). Fondateur, en 1956, du Parti africain pour l'indépendance de la Guinée portugaise et des îles du Cap-Vert (P. A. I. G. C.), il dirige la lutte de libération nationale. En 1972, il annonce la création d'un pouvoir exécutif provisoire, mais il est assassiné peu après. — Son demi-frère, LUÍS DE ALMEIDA **Cabral** (Bissau 1931), qui participe avec lui à la fondation du P. A. I. G. C., est le premier président de la république de Guinée-Bissau, proclamée en 1973.

CABRERA INFANTE (Guillermo), écrivain cubain (prov. d'Oriente 1929). Militant castriste, un moment secrétaire d'État aux Beaux-Arts, il critique la censure imposée par le régime et finit par s'exiler. Son roman *Trois Tristes Tigres* (1964-1970), encore marqué par l'influence de Faulkner, combine la mouvance de la vie et de l'écriture en un incessant jeu de miroirs.

CACAO. — Relativement stable, la production mondiale avoisine 1,5 million de tonnes. Elle provient essentiellement de l'Afrique occidentale et équatoriale (Ghāna, Nigeria, Côte-d'Ivoire, Togo, Cameroun), accessoirement des pays tropicaux de l'Amérique du Sud (Brésil, Équateur). La quasi-totalité est exportée vers les pays tempérés développés.

CACCINI (Giulio), dit **Giulio Romano** (Tivoli v. 1550-Florence v. 1618). Membre de la Camerata florentine de Bardi, il est, en même temps que J. Peri, à l'origine de l'opéra, par ses essais de récitatifs *(recitar cantando)* et son art du chant orné *(Nuove Musiche).*

CÁCERES, v. d'Espagne, en Estrémadure, ch.-l. de prov.; 56 000 hab. Enceinte d'origine romaine, églises, orgueilleux palais blasonnés de la fin du XVe s. et du XVIe s.

CACHALOT. — Moins connu et moins grand que les baleines (12 à 18 m de longueur), le cachalot ne constitue qu'une seule espèce : *Physeter catodon,* répandue dans toutes les eaux chaudes et tempérées. Son appareil buccal — environ 40 fortes dents à la mâchoire inférieure, s'engageant dans autant d'alvéoles de la mâchoire supérieure — le qualifie pour attaquer les très grands poulpes des profondeurs, dont on retrouve dans son intestin la sépia altérée, qui forme des boules d'*ambre gris.* Ce produit, recherché en parfumerie, n'est pas le seul que fournisse le cachalot. La tête de l'animal, énorme, contient une huile qui durcit à l'air en une pâte blanche, le *spermaceti,* ou *blanc de baleine,* d'usage cosmétique.

La viande de cachalot étant peu appréciée, cet animal est peu chassé depuis que son huile, utilisée pour l'éclairage, a été détrônée par le pétrole.

CACHAN (94230), ch.-l. de cant. du Val-de-Marne, à 3,5 km au S. de Paris; 27 456 hab.

CACHEMIRE ou **KĀŚMĪR,** région d'Asie, partagée entre l'Inde (État de *Jammu-et-Cachemire*) et le Pākistān. C'est un pays très montagneux, correspondant essentiellement à l'extrémité nord-ouest de l'Himālaya, avec, au N., la chaîne du Karakorum, où l'altitude oscille entre 5 000 et 6 000 m. La Jhelam, affluent de l'Indus, aère le relief et ouvre la *vallée du Cachemire,* haute plaine lacustre à 1 500 m d'altitude, qui regroupe une grande partie de la population, notamment autour de Srinagar, où l'artisanat textile, florissant au XIXe s., est aujourd'hui en déclin.

HISTOIRE. Longtemps indépendant, le Cachemire est intégré à l'empire d'Akbar* en 1586; dès lors, il suit les vicissitudes de l'Empire moghol. En 1819, il passe sous la domination afghane; en 1839, les Britanniques l'annexent, mais, en 1846, ils doivent le céder au souverain du Jammu, Gulab Singh. En 1947, lors de l'indépendance de l'Inde, le mahārājā hindou du Cachemire — pays peuplé aux trois quarts de musulmans — hésite à opter pour l'Inde ou pour le Pākistān. Débordé par des incursions musulmanes, il fait appel à l'aide militaire de l'Inde, tandis que, à l'est, se constitue le gouvernement du Cachemire libre, que le Pākistān appuie aussi militairement. La suspension des hostilités, en 1949, ne règle pas le problème de fond; la courte guerre indo-pakistanaise de 1965 laisse le Cachemire dans une situation indécise et menacée.

BEAUX-ARTS. Les premiers monuments bouddhiques portent l'empreinte de l'art du Gāndhāra* (ruines du stūpa* et figurines en terre cuite d'Ushkur); puis suit celle des époques gupta et postgupta, à Harvan. Ces influences sont associées à celle de l'art sassanide* dans l'ensemble de Parspor (VIIIe s.). Durant le Moyen Âge, l'Inde* marque encore l'architecture, mais les caractères cachemiriens apparaissent : toits superposés, faces du sanctuaire (de plan carré, réduit à la cella) ornées de portes ou de fausses portes surmontées d'un fronton triangulaire, à l'intérieur duquel s'inscrit un arc trilobé (Pandrenthan). Srinagar* conserve d'intéressantes constructions où l'art de l'Inde est uni à celui de l'islām*. La mosquée de bois est typique de cette époque (Chrar-i Charīf), alors que le souvenir de la domination moghole* se perpétue dans de merveilleux jardins (Chalimar, Nichāt Bagh, Tchachma Chāhī...).

CACHEXIE. — L'amaigrissement extrême, avec insuffisance globale des tissus et des organes, peut être la conséquence d'une affection grave (cancer, tuberculose, etc.) ou d'un apport alimentaire insuffisant. La cachexie hypophysaire (maladie de Simmonds) est en rapport avec une destruction du lobe antérieur de l'hypophyse. L'hypothrepsie et l'athrepsie du nourrisson, comme le syndrome de Kwashiorkor des pays sous-développés, sont le fait de malnutrition et de carences protidiques et vitaminiques.

CACHIN (Marcel), homme politique français (Paimpol 1869-Paris 1958). Député socialiste de Paris (1914), partisan de l'adhésion à la IIIe Internationale, il est un des fondateurs du parti communiste français (congrès de Tours, 1920) au sein duquel ses fonctions de membre du bureau politique et de directeur de *l'Humanité* (1918-1958) lui font jouer un rôle important. En 1936, il est élu sénateur.

CACTUS. — Dans l'usage courant, le nom de *cactus* est appliqué aux espèces du genre *opuntia.* Originaires de l'Amérique semi-tropicale, répandus avec succès en Afrique du Nord, les opuntias sont parmi les plantes d'appartement le plus communément cultivées. Chacun connaît leurs rameaux aplatis en raquettes, charnus, couverts de verticilles de poils piquants (qui sont des feuilles extrêmement réduites), et leur fruit comestible, la *figue de Barbarie.* Ce genre et ses voisins : *Cereus, Echinocactus,* etc., présentent une remarquable adaptation à la vie dans les régions aux pluies rarissimes. Absorbant très rapidement l'eau quand il y en a, ils la retiennent dans leurs cellules grâce à des acides organiques solubles qui en élèvent la pression osmotique. Les stomates (orifices respiratoires) ne s'ouvrent que la nuit, ce qui limite la transpiration mais pourrait compromettre l'utilisation du gaz carbonique (photosynthèse) si celui-ci n'était stocké dans des composés carbonés jusqu'à l'heure où les rayons du soleil peuvent lui faire jouer son rôle. La croissance, en revanche, est fort lente dans la nature.

CADALEN (81600 Gaillac), ch.-l. de cant. du Tarn, à 21 km au S.-O. d'Albi; 1 050 hab.

CADARACHE, écart de la comm. de Saint-Paul-lès-Durance, sur la rive gauche de la Durance, à 16 km au S. de Manosque. Barrage au confluent de la Durance et du Verdon. Centre d'études nucléaires.

CADASTRE. — Ce terme désigne un ensemble de documents représentant en détail les diverses parcelles du territoire de chaque commune, avec la représentation des propriétés bâties et non bâties. Les documents cadastraux comprennent le *plan cadastral,* les *états de section* et les *matrices cadastrales,* où est représenté, à un compte ouvert à chaque propriétaire, le détail de la (ou des) parcelle(s) que celui-ci possède. Les changements frappant les parcelles sont suivis annuellement. La confection du cadastre est assurée par le Service du cadastre. Le cadastre peut faire l'objet de *révisions* et de *réfections* (qui sont effectuées lorsque la révision est impossible). Les indications du cadastre sont couramment relevées par les juges comme éléments de preuve de la propriété, le cadastre étant par ailleurs lié à l'institution du fichier immobilier.

L'*ancien cadastre,* dit *napoléonien* (loi du 15 septembre 1807), fut levé par les méthodes de l'arpentage* et fut révisé d'après la loi du 16 avril 1930. Le *nouveau cadastre* s'appuie sur une triangulation* cadastrale. Le levé cadastral est exécuté par photogrammétrie*. Pour diminuer la densité du canevas au sol, on utilise la méthode du double survol : on exécute une première prise de vues supérieure, à petite échelle*, pour l'obtention du canevas de restitution par aérotriangulation*, puis une deuxième prise de vues inférieure, à grande échelle, pour la restitution. Dans le cadastre numérique, on détermine les coordonnées* des angles de parcelles, ce qui permet le calcul de leurs surfaces en ordinateur* et des reports graphiques automatiques.

Cadavre exquis. — Désireux d'atteindre à l'expression la plus profonde et la plus libre de l'esprit, débarrassé de toute surveillance intellectuelle et rhétorique, les surréalistes privilégièrent deux pratiques, l'une individuelle (l'écriture automatique), l'autre collective : il s'agissait de faire composer une phrase ou un dessin par plusieurs personnes, sans qu'aucune ne puisse tenir compte des collaborations précédentes (on écrit sur un morceau de papier que l'on plie et que l'on passe à son voisin). La première phrase obtenue, en 1925, fut : *le cadavre exquis boira le vin nouveau.* Breton voyait dans ce jeu un moyen de «libérer l'activité métaphorique de l'esprit» à travers une combinatoire infinie du langage.

CADENCE. — Selon son appartenance au discours musical, au rythme ou à la forme, ce mot possède trois sens. La cadence marque la chute d'une phrase ou la fin d'un morceau. Elle s'apparente à la pulsion rythmique ou à la répétition régulière et mesurée des temps. Enfin, elle évoque un passage de virtuosité écrit ou improvisé, situé à l'intérieur d'une œuvre, le plus souvent avant la fin d'un mouvement (concerto*).

CADENET (84160), ch.-l. de cant. de Vaucluse, à 23 km au S. d'Apt, près de la Durance; 2483 hab. Église des XIVe-XVIe s.

CADILLAC (33410), ch.-l. de cant. de la Gironde, à 13 km au N.-N.-O. de Langon, sur la Garonne; 3340 hab. Anc. bastide du XIVe s. Église du XVe s. Château d'environ 1600.

CADIX, en esp. **Cádiz,** port d'Espagne, en Andalousie, ch.-l. de prov., sur l'Atlantique; 136000 hab. Chantiers navals.

HISTOIRE. Fondé *(Gadir)* par les Phéniciens vers 1100 av. J.-C., le port est utilisé par les Carthaginois pour la conquête du Sud ibérique. Cadix joue un rôle capital au cours de la deuxième guerre punique* en s'alliant aux Romains qui l'appellent *Gades.* Conquise par Alphonse X sur les Arabes en 1262, la ville prend un grand essor après la découverte de l'Amérique, devenant, en 1717, le siège de la Casa* de Contratación. Aussi est-elle maintes fois assiégée au XVIIe et au XVIIIe s. En 1812, elle est la véritable capitale de l'Espagne, révoltée contre Napoléon Ier. Devenue le foyer de la révolution libérale après le retour des Bourbons, Cadix est occupée par les Français en 1823.

Cadmée *(la),* citadelle de la Thèbes* grecque, ainsi nommée de *Cadmos**, fondateur mythique de la cité.

CADMIUM. — Élément chimique numéro 48, de masse atomique Cd = 112,41, le cadmium a été découvert en 1917 par Stromeyer. Solide blanc brillant, il a pour densité 8,6 et fond à 320 °C. Il est malléable et ductile, et peu altéré par l'air. Il est bivalent dans ses composés, dont le principal est le sulfure CdS, employé en peinture sous le nom de *jaune de cadmium.* C'est un sous-produit de la métallurgie du zinc, qui sert à protéger l'acier contre la corrosion atmosphérique et qui entre dans la composition d'alliages pour soudures et brasures, et d'alliages antifrictions.

CADMOS, héros phénicien, fondateur légendaire de Thèbes*, en Béotie. Les Grecs lui attribuaient l'invention de l'alphabet et de la métallurgie; ce mythe témoigne de l'influence de la culture orientale sur la civilisation primitive des Hellènes.

Cadmus et Hermione, tragédie lyrique, livret de Quinault, musique de J.-B. Lully (1673). C'est le premier opéra français.

CADORNA (Luigi, *comte*) → ITALIE *(front d') [1915-1918].*

CADOU (René Guy), poète français (Sainte-Reine-de-Bretagne 1920-Louisfert 1951). Fils d'instituteurs et instituteur lui-même, l'espace de sa vie et de sa poésie se confondent : l'école, les enfants, les champs et les routes de campagne, objets et métiers de la terre placés dans la perspective de l'éternité chrétienne (*Brancardiers de l'aube,* 1937; *Forges du vent,* 1938; *la Vie rêvée,* 1944; *Hélène ou le règne végétal,* 1945-1951). Il fut l'un des animateurs de l'« école de Rochefort ».

CADOUDAL (Georges), conspirateur français (Kerléano 1771-Paris 1804). Engagé à vingt-deux ans dans l'armée vendéenne, il participe à l'affaire de Quiberon (1795) avant de devenir le chef le plus actif de la chouannerie bretonne. En 1800, il refuse les offres de Bonaparte et, au service du comte d'Artois, il organise contre le Premier consul la conspiration dite «de la machine infernale» (24 déc. 1800), qui échoue. Arrêté à Paris le 9 mars 1804, alors qu'il met au point, avec Pichegru et Moreau, un nouveau complot, il est guillotiné le 25 juin.

CADOURS (31480), ch.-l. de cant. de la Haute-Garonne, à 38 km au N.-O. de Toulouse; 777 hab.

CADRE. — Le «malaise» des cadres en France s'explique par l'extrême hétérogénéité de la catégorie sociale qu'ils constituent. Le terme même s'applique à des catégories d'emplois extrêmement diverses. À côté des *cadres moyens,* qui dirigent l'exécution des tâches (ingénieurs, techniciens hautement qualifiés), existent les *cadres gestionnaires,* dont le rôle est de prévoir et de coordonner les éléments de la productivité. Certains *cadres supérieurs* s'identifient à la classe des détenteurs des moyens de production et en réalisent la politique.

Le cadre est à la fois un responsable, qui bénéficie d'une certaine délégation de pouvoir de la direction, et un professionnel, qui met l'accent sur sa compétence technique. Salarié, il est, de plus, enclin à défendre des intérêts catégoriels au sein d'un syndicalisme qui met, notamment, l'accent sur la hiérarchisation des salaires et des avantages. Leur triple appartenance à une hiérarchie, à une solidarité de professionnels compétents et à la condition salariale souligne l'ambiguïté du statut des cadres.

CADRE NOIR. — Son origine est liée à l'école de cavalerie créée à Saumur en 1814 (le Cadre noir fut d'abord celui des instructeurs militaires d'équitation). Commandé par un écuyer en chef, il comprend des écuyers, des sous-écuyers, des maîtres et des sous-maîtres, qui portent la tenue traditionnelle noire à attributs (galons et éperons) d'or. Depuis 1969, le Cadre noir ne fait plus partie de l'armée et relève de l'Institut national d'équitation, créé en 1968, et dont l'école reste implantée à Saumur. (Depuis 1828, le Cadre noir prête chaque année son concours au célèbre carrousel.)

CAECILIUS METELLUS (Quintus), dit **le Macédonique** († 105 av. J.-C.). Préteur en 148, il brisa la révolte d'Andriscos, prétendu fils de Persée, qui insurgea la Macédoine en 149. Après Pydna*, la Macédoine avait été divisée en quatre «mérides», sans rapport politique entre elles; Metellus la réduisit, après la révolte d'Andriscos, à l'état de province romaine.

CAECILIUS METELLUS (Quintus), dit **le Numidique** († v. 91 av. J.-C.). Aristocrate d'une intégrité proverbiale, élu au consulat en 109, il prend le commandement de la guerre d'Afrique, avec C. Marius* et P. Rutilius Rufus pour légats : en pays numide, il remporte sur Jugurtha* la victoire du Muthul (109). En 107, il reprend campagne contre Jugurtha, mais il suspend les opérations lorsqu'il apprend que son légat Marius a reçu du peuple le consulat pour 108 et qu'un plébiscite exceptionnel appelle le nouveau consul au commandement suprême en Afrique.

CÆCUM → INTESTIN.

Caelius ou **Coelius,** une des sept collines de Rome, située au S.-E. du Palatin et à l'E. de l'Aventin. Selon les Anciens, son nom dériverait de *Celio Vibenna,* chef étrusque qui l'aurait occupé au temps des Tarquins.

CAEN (14000), capit. de la Région Basse-Normandie et ch.-l. du départ. du Calvados, sur l'Orne, à 224 km à l'O. de Paris; 122794 hab. *(Caennais).*

GÉOGRAPHIE. La ville est le noyau d'une agglomération de plus de 180000 hab., au spectaculaire accroissement démographique récent, tenant surtout au développement de la fonction industrielle (à la sidérurgie, depuis longtemps implantée dans la banlieue est, à Mondeville, se sont notamment ajoutées la construction automobile [poids lourds] et la construction électrique et électronique). Caen demeure encore une cité commerciale et intellectuelle (université). La fonction portuaire est handicapée par l'éloignement de la mer (à une dizaine de kilomètres au N.) et l'insuffisance de gabarit du *canal de Caen à la mer.* Capitale régionale, Caen n'anime pas sa zone d'attraction (correspondant approximativement à la Basse-Normandie), n'exerce pas pleinement un rôle de métropole économique et apparaît plutôt comme un des pôles de développement de l'ouest de la France.

BEAUX-ARTS. Abbayes aux Hommes et aux Dames fondées par Guillaume le Conquérant et la reine Mathilde (imposantes églises romanes Saint-Étienne et de la Trinité, avec additions gothiques;

Caen. L'abbaye aux Hommes, fondée en 1062 par Guillaume le Conquérant.

P. Hinous - Top

Lauros - Giraudon

Yvette Guilbert. Peinture de Henri de Toulouse-Lautrec (1894). [Musée Toulouse-Lautrec, Albi.]

anciens bâtiments conventuels reconstruits au début du XVIIIe s.). Églises Saint-Nicolas (romane), Saint-Pierre (XIIIe-XVIe s., à riche abside Renaissance), Saint-Jean (XIVe-XVe s.), Notre-Dame-de-la-Gloriette (1684); hôtel d'Escoville (1540). Musée des Beaux-Arts construit, en 1970, dans l'enceinte de la forteresse fondée par Guillaume le Conquérant.

CAERE → CERVETERI.

CÆSIUM ou **CÉSIUM.** — Élément chimique numéro 55, de masse atomique Cs = 132,91, ce métal alcalin a été découvert en 1861 par Bunsen et Kirchhoff. C'est un solide mou, jaune pâle, de densité 1,9, fondant à 28 °C. C'est le plus électropositif de tous les éléments naturels. Il est employé dans la fabrication de cellules photoélectriques.

CAFARD → BLATTE.

CAFÉ. — Le caféier est un arbuste de la famille des rubiacées; la principale espèce est le caféier d'Arabie. Par la caféine qu'il contient, le café est un psychotonique, stimulant de la vigilance. Son abus provoque des troubles du rythme cardiaque (palpitations) et des insomnies.

La production mondiale, variant assez fortement d'une année à l'autre, mais à la tendance croissante, est de l'ordre de 5 millions de tonnes. Le Brésil domine, fournissant, selon les années, entre le cinquième et le tiers de ce total; il précède la Colombie (plus de 500 000 t), le groupe — spatialement hétérogène (à l'intérieur d'un domaine exclusivement tropical ou subtropical) — des pays africains (Côte-d'Ivoire, Angola, Ouganda, Éthiopie) et d'autres États latino-américains (Mexique, Salvador, Guatemala). Une grande partie de la production est exportée vers les pays industrialisés.

CAFÉ-CONCERT. — Les premiers cafés chantants apparurent vers 1770. Appelés *musicos* sous la Révolution, ils connurent une certaine éclipse sous l'Empire, mais ils revinrent à la mode sous la monarchie de Juillet et se multiplièrent sous le second Empire. On disait couramment, à l'époque, que «le caf' conc' avait sur le théâtre l'immense avantage du cigare, de la bière et du coude sur la table». Dans ces établissements, où boire et fumer étaient donc autorisés, se produisaient des chanteurs populaires (que l'on classait dans différentes catégories : les troupiers, les gommeux, les sentimentaux, les patriotiques, les épileptiques, les chanteurs de *scies*), des acrobates et parfois des danseurs et danseuses de revues.

Très ébranlé par la vogue du music-hall, le café-concert ne résista pas à celle du cinéma. En France, les dernières salles se transformèrent à partir de 1918.

CAFÉ LITTÉRAIRE. — Face aux académies, trop institutionnelles, aux salons, trop mondains et trop composites, aux cénacles, plus fermés au monde extérieur, le café joua, dès le XVIIIe s., un rôle important dans la vie littéraire : lieu de rencontre et de manifestation pour de petits groupes se recommandant d'une esthétique commune, il apparaît avec une nouvelle conception de l'écrivain, non plus protégé d'un mécène ou pensionné par un prince, mais homme de lettres vivant de sa plume. Si le *Procope* à Paris remonte à 1686 et si Diderot situe sa conversation avec le neveu de Rameau au café de *la Régence,* c'est en Angleterre, autour de Samuel Johnson et dans la taverne de l'*Old Cheshire Cheese,* que le phénomène prit une consistance sociale et littéraire, avant de devenir, du romantisme au surréalisme et à l'existentialisme (le *Flore*), l'«espace littéraire» privilégié.

CAFÉ-THÉÂTRE. — On date volontiers son apparition de 1957, lorsque quelques comédiens se mirent à jouer dans l'arrière-salle du café Cino à Greenwich Village, à New York. D'abord lieu occasionnel d'un spectacle constitué de petites scènes improvisées par des acteurs plus ou moins professionnels, le café-théâtre tend à devenir un établissement permanent, géré par des troupes organisées et qui présentent des pièces en marge — pour des raisons de forme ou d'idéologie — des circuits traditionnels de diffusion.

CAFFIERI, famille d'artistes français de souche italienne comprenant : FILIPPO ou PHILIPPE (Rome 1634 - Paris 1716), en France en 1660, menuisier-sculpteur de la Couronne; son fils JACQUES (Paris 1678 - *id.* 1755), magnifique fondeur-ciseleur de bronzes d'ameublement; PHILIPPE (Paris 1714 - *id.* 1774), qui reprit, à la Cour, la charge de son père Jacques; JEAN-JACQUES (Paris 1725 - *id.* 1792), sculpteur, élève de J.-B. II Lemoyne, et l'un des meilleurs bustiers de son temps.

cafre *(guerre)* → AFRIQUE DU SUD.

CAGAYAN DE ORO, v. des Philippines, sur la côte nord de Mindanao; 128 000 hab.

CAGE *(Min.)* → PUITS.

Cage *(la),* ballet, argument et chorégraphie de Jerome Robbins, musique de Stravinski, créé à New York en 1951.

CAGE (John), compositeur américain (Los Angeles 1912). Élève de Schönberg, inventeur des «pianos préparés», il fut un des premiers à introduire en musique, sous l'influence notamment de la philosophie orientale et du zen, la notion d'indétermination et l'idée de hasard, devenant ainsi sur le plan esthétique, voire philosophique, le point de mire de toute une génération de compositeurs, en particulier à la suite des cours qu'il donna à Darmstadt en 1958.

CAGLIARI, port d'Italie, sur la côte sud de la Sardaigne, principale ville de l'île; 228 000 hab. Restes d'un amphithéâtre romain. Église S. Saturnino, remontant au Ve s. Cathédrale (XIVe-XVIIIe s.). Riche musée archéologique (bronzes sardes). Raffinage du pétrole. Pétrochimie.

CAGLIOSTRO (Giuseppe BELSAMO, dit **Alexandre,** *comte* DE), aventurier italien (Palerme 1743 - † 1795). Ce personnage, dont la vie est mal connue, fut notamment impliqué dans l'affaire dite « du collier de la reine » en 1786. Il mourut probablement prisonnier de l'Inquisition.

CAGNES-SUR-MER (06800), ch.-l. de cant. des Alpes-Maritimes, à 12 km au S.-O. de Nice; 29 538 hab. Chapelle Notre-Dame-de-Protection, des XIVe et XVIIe s., comme le château Grimaldi (musées). Électronique. Station balnéaire au *Cros-de-Cagnes* (06170).

CAGNIARD DE LA TOUR (Charles, *baron*), physicien français (Paris 1777-*id.* 1859). Connu surtout comme inventeur de la sirène (1819), il a, en 1838, montré que la fermentation alcoolique était due à la présence d'un organisme vivant.

Cagoulards, membres du C. S. A. R. (Comité secret d'action révolutionnaire), organisation d'extrême droite responsable, entre 1932 et 1940, de plusieurs attentats terroristes.

CAHIERS DE DOLÉANCES. — Il s'agit des documents dans lesquels, sous l'Ancien Régime, les assemblées convoquées pour l'élection des députés des trois ordres aux états généraux consignaient les réclamations et les vœux que leurs représentants devaient faire valoir. Les cahiers de doléances pour les États généraux de 1789 constituent une documentation sérielle très précieuse concernant les aspirations des Français à la veille de la Révolution.

CAHORS (46000), ch.-l. du départ. du Lot, à 570 km au S. de Paris; 21 903 hab. *(Cadurciens).* Cathédrale romane à coupoles remontant au début du XIIe s. (portail sculpté; fresques gothiques). Pont fortifié Valentré (XIVe s.). Vieilles demeures. Constructions mécaniques et électriques.

Le Caire. Vue de la citadelle. À gauche, la mosquée Sulṭan Ḥasan; à droite, la mosquée al-Rifā'ī.

Fiore - Explorer

CAHOURS (Auguste), chimiste français (Paris 1813-*id.* 1891). Il découvrit les chlorures d'acides (1846) et étudia avec Pelouze* la composition des pétroles.

CAHUSAC (Louis DE), historien de la danse (Montauban 1700 ou 1706-Paris 1759). Auteur d'un important ouvrage, *la Danse ancienne et moderne,* ou *Traité historique de la danse* (1754), il a collaboré à l'*Encyclopédie* de Diderot.

CAÏEU → BULBE.

CAILLAUX (Joseph), homme politique français (Le Mans 1863-Mamers 1944). Ministre des Finances dans le cabinet Waldeck-Rousseau (1899-1902), puis dans le ministère Clemenceau (1906-1909), il présente alors un projet d'impôt sur le revenu, qui sera appliqué à partir de 1914. Président du Conseil (1911-12), il négocie la convention franco-allemande sur le Maroc, ouvrant ainsi la voie à l'établissement du futur protectorat français. Élu président du parti radical en 1913, il est ministre des Finances dans le cabinet Doumergue, mais démissionne en 1914 à la suite de l'assassinat, par Mme Caillaux, de Gaston Calmette, directeur du *Figaro,* responsable d'une violente campagne de presse contre lui. Accusé, en 1917, de correspondance avec l'ennemi, il est condamné, puis amnistié (1925); il revient à la vie politique comme ministre des Finances (1925-26).

CAILLE. — C'est à leur grande fécondité (de 7 à 15 œufs par couvée) et à leur rapide croissance (elles ont toute leur taille à six semaines) que les cailles doivent de subsister en dépit de la chasse acharnée qui leur est faite. Ces petits gallinacés au corps bigarré de bistre et de blanc sont pourtant des oiseaux utiles, mangeurs d'insectes plus que de graines. Ils vivent dans les herbes hautes et migrent pour l'hiver jusqu'en Tunisie et en Égypte. Leur vitesse moyenne de vol atteint alors 70 km/h.

L'élevage de cet oiseau, excellent comestible, est facile.

CAILLÉ → FROMAGE.

CAILLEBOTTE (Gustave) → IMPRESSIONNISME.

CAILLETET (Louis Paul), physicien et industriel français (Châtillon-sur-Seine 1832-Paris 1913). Il étudia la compressibilité des gaz sous de fortes pressions et put ainsi, en 1882, liquéfier l'oxygène et l'azote.

CAILLIÉ (René), explorateur français (Mauzé 1799-La Baderre 1838), premier Français à être entré à Tombouctou (20 avr. 1828).

CAILLOIS (Roger), écrivain français (Reims 1913). Son œuvre d'anthropologue et d'essayiste est une réflexion sur les mythes sociaux et intellectuels, le sens du sacré et de la fête, à travers une théorie de la correspondance entre les œuvres de l'esprit et les produits de la nature (*l'Homme et le sacré,* 1949-50; *le Mimétisme animal,* 1963; *l'Écriture des pierres,* 1970).

CAILLOT → COAGULATION.

CAÏMAN → CROCODILE.

CAÏMANS *(îles)* ou **CAYMAN ISLANDS,** îles britanniques des Antilles, au S. de Cuba; 10 200 hab. Ch.-l. *George Town.*

CAÏN ET ABEL, fils d'Adam* et Ève*. Le mythe biblique du meurtre d'Abel par son frère Caïn est peut-être l'écho du conflit de deux civilisations : celle de l'agriculteur et celle du berger nomade. Une tablette sumérienne (IIe millénaire av. J.-C.), qui rapporte le conflit opposant un dieu berger et un dieu cultivateur, offre un curieux parallélisme avec le texte biblique.

CAÏPHE, surnom de Joseph, grand prêtre juif de 18 à 36, en fonctions durant le procès de Jésus*.

CAIRE (Le), en ar. **al-Qāhira,** capit. de l'Égypte, sur le Nil; 5 126 000 hab. *(Cairotes).*

GÉOGRAPHIE. De loin la plus grande ville d'Afrique, développée essentiellement sur la rive droite du Nil, près de la tête du Delta, Le Caire est la métropole de l'Égypte dans tous les domaines (sauf portuaire) : politique (débordant même le cadre national, Le Caire est une capitale du monde arabe), administratif, commercial et industriel (sidérurgie dans la banlieue, alimentation, textile, constructions mécaniques). L'importance (ou parfois l'essor) de ses fonctions (auxquelles s'ajoute encore le tourisme) est, cependant, bien insuffisante pour assurer le plein-emploi, notamment des émigrés de la campagne, dont l'afflux explique l'extension d'un habitat périphérique souvent misérable, contrastant avec le modernisme des immeubles des quartiers centraux ou de banlieues résidentielles.

HISTOIRE. Le Caire est créé par les Fāṭimides* (969), au nord de Fusṭāṭ. Saladin fait construire à la fin du XIIe s. une enceinte englobant Le Caire, cité des califes et siège, depuis 978, de l'université d'al-Azhar, et Fusṭāṭ, centre du commerce et de l'industrie. Capitale des Ayyūbides* et des Mamelouks*, la ville est une grande métropole économique et intellectuelle. Au XIXe s., elle se modernise, et Ismā'īl pacha (khédive de 1863 à 1879) fait percer des artères et construire des ponts et des quartiers nouveaux.

BEAUX-ARTS. L'évolution originale de l'art de l'islām* en Égypte, notamment sous les Fāṭimides et les Mamelouks, se traduit dans les nombreux monuments de la ville : les mosquées al-'Amr (643, plusieurs fois remaniée), d'ibn Ṭūlūn (876-879) [en brique et proche de celle de Sāmarrā*], al-Azhar (970) et al-Ḥākim (990-1003); les fortifications, dont trois des portes (Bāb al-Naṣr, Bāb al-Futūḥ et Bāb Zuwayla) d'inspiration byzantine, subsistent. Sous les Mamelouks, les constructions se multiplient, tels les mosquées-madrasa (Sulṭān Ḥasan, 1356) et les tombeaux à la coupole surhaussée ornée de dentelles d'arabesques. Le style de Brousse* et d'Istanbul* caractérise les édifices ottomans* (mosquées de Ḥasan Pacha [1523] et de Sulaymān Pacha [1528]). Très importants musées : antiquités égyptiennes, art islamique et art copte.

CAISSE D'ÉPARGNE → ÉPARGNE et POSTE.

CAISSE DES DÉPÔTS ET CONSIGNATIONS, établissement public qui a comme ressources les intérêts et les remboursements des prêts qu'elle consent ainsi que les fonds collectés par les caisses d'épargne. Les emplois de fonds consistent en prêts aux collectivités publiques, en investissements concernant la politique d'aide au logement (concours accordés à la caisse de prêts aux organismes H. L. M.), en placements en valeurs mobilières.

CAISSONS (maladie des). — Elle se manifeste au moment de la décompression des sujets travaillant dans des enceintes d'air comprimé. Outre des barotraumatismes* lésant surtout l'oreille, elle produit des douleurs articulaires et des paralysies, en raison de la formation de bulles d'azote dans les tissus. La recompression en caissons spéciaux, suivie de décompression lente, s'impose.

CAIUS → PAPE.

CAJAL (Santiago Ramón y), médecin espagnol (Petilla, Aragon, 1852-Madrid 1934), prix Nobel de médecine en 1906, avec Golgi, pour ses travaux sur le système nerveux, l'histologie de la microglie et sa théorie du neurone.

CAJARC (46160), ch.-l. de cant. du Lot, à 27 km au S.-O. de Figeac, sur le Lot; 1 184 hab. Vieilles maisons.

CAKE *(Pétrochim.)* → FORAGE.

Çakuntalā → ŚAKUNTALĀ.

CAL → FRACTURE.

CALABAR, v. du Nigeria, ch.-l. de la Région du Sud-Est; 76 000 hab.

CALABRE (la), en ital. **Calabria,** région occupant l'extrémité méridionale de l'Italie péninsulaire; 15 080 km^2; 1 997 000 hab. Capit. *Catanzaro.* La Calabre est formée de trois provinces (Catanzaro, Cosenza et Reggio di Calabria). C'est une péninsule montagneuse, presque exclusivement agricole (céréales, vignobles, agrumes), où la pression démographique explique la persistance de l'émigration.

CALACUCCIA (20224), ch.-l. du cant. de Niolu-Omessa, en Haute-Corse, à 26 km au N.-O. de Corte, au pied du Monte Cinto; 1 100 hab. Aménagement hydroélectrique sur le Golo.

CALAIS (62100), ch.-l. d'arr. du Pas-de-Calais, sur le *pas de Calais;* 79 369 hab. *(Calaisiens).* Église Notre-Dame, gothique. Calais, cœur d'une agglomération d'environ 100 000 habitants, est le premier port français de voyageurs (en relations avec l'Angleterre), avec un trafic commercial beaucoup plus réduit. La ville demeure un important centre textile (avec l'industrie de la dentelle, mais aussi avec la production de fibres synthétiques) malgré les difficultés de la branche. S'y ajoutent notamment les constructions mécaniques, la chimie et l'alimentation.

HISTOIRE. C'est au XIIe s. que naît réellement la ville, bientôt dotée d'une charte communale. Devenue le principal point de passage entre la France et l'Angleterre, elle tombe en 1347 aux mains des Anglais, qui ne la restituent à la France qu'en 1598. Sous les Bourbons, elle perd de son importance au profit de Dunkerque. Au XIXe s., l'importation de l'industrie du tulle (Saint-Pierre-lès-Calais) et le chemin de fer (Paris-Calais, Calais-Bâle) entraînent un rapide développement de Calais, qui est en communication directe avec Douvres. Cependant, ce n'est qu'en 1962 que la ville devient chef-lieu d'arrondissement.

CALAIS *(pas de),* détroit peu profond (72 m au maximum) entre la France et l'Angleterre, large de 31 km (au minimum) et reliant la Manche à la mer du Nord.

CALAME (Alexandre), peintre et graveur suisse (Vevey 1810-Menton 1864). Il a dépeint les beautés de la haute montagne avec un sentiment romantique de la grandeur.

CALAO. — Aucun oiseau ne possède un bec aussi démesuré que le calao des forêts équatoriales. Une sorte de casque, presque aussi grand, parfois, que le bec, surmonte celui-ci. On croit cet organe totalement inutile. Lors de la reproduction, le mâle enferme la femelle dans un creux d'arbre et se charge de la nourrir tandis qu'elle couve. Il faut plusieurs années aux jeunes pour atteindre la taille adulte.

CALAS (Jean), négociant français (Lacabarède 1698-Toulouse 1762). Accusé faussement d'avoir tué son fils Marc Antoine — qui s'était suicidé (oct. 1761) —, ce négociant calviniste fut rompu vif en mars 1762. Voltaire, qui recueillit une partie de sa famille, s'éleva contre ce déni de justice (*Traité de la tolérance,* 1763) et obtint la réhabilitation de Calas. « L'affaire Calas » contribua à développer la propagande contre l'absolutisme.

Calatrava *(ordre de),* ordre religieux et militaire espagnol, fondé en 1158 à Calatrava (Nouvelle-Castille) et rattaché à la Couronne en 1482.

CALCAIRE. — Le calcaire est l'une des roches sédimentaires les plus répandues. Formé essentiellement de carbonate de calcium, il fait effervescence à l'acide. Il peut avoir diverses origines. Les *calcaires détritiques* proviennent de la cimentation par l'érosion; à ce type appartient le calcaire lithographique, à grain très fin, très résistant. Dans les *calcaires organogènes,* le carbonate de calcium est fixé par l'intermédiaire d'organismes vivants; ces roches sont constituées par des débris de coquilles ou de squelettes cimentés (calcaire coquillier, calcaire corallien); la craie en est une variété blanche, friable, formée principalement de coccolithes. Les *calcaires d'origine physico-chimique* résultent de la précipitation directe du carbonate de calcium contenu dans l'eau. Les calcaires oolithiques sont constitués par la juxtaposition de petites boules calcaires cimentées. Les tufs, ou travertins, se forment à l'émergence des sources calcaires et contiennent souvent des débris végétaux.

Les calcaires sont plus ou moins purs. S'ils contiennent des grains de quartz, ce sont des calcaires gréseux. Les marnes sont des calcaires riches en argile. Les calcaires dolomitiques sont formés d'un mélange de calcaire et de dolomie, roche essentiellement constituée d'un carbonate double de calcium et de magnésium.

Le métamorphisme des calcaires donne des marbres, roches formées de cristaux de calcite. De couleurs variées, souvent veinés, les marbres sont utilisés en construction d'ornementation.

Dans les roches calcaires se développe un type de relief particulier, le relief karstique*.

CALCÉDOINE. — On en distingue de différentes couleurs : rouge (cornaline), brune (sardoine) et verte (chrysoprase). L'agate, le jaspe sont des variétés présentant des couches parallèles de colorations diverses.

CALCÉMIE → CALCIUM.

CALCHAS, devin des Grecs dans les poèmes d'Homère. Interprète de la volonté des dieux, il prédit le succès de la guerre de Troie* et exige le sacrifice d'Iphigénie*. Les Grecs lui doivent l'idée du cheval de Troie.

CALCIFICATION. — La calcification des cartilages formant les os est une phase normale de la croissance. Celle du cal fibreux formant le cal osseux permet la consolidation des fractures. La calcification est un mode de guérison de certains foyers infectieux, notamment tuberculeux. La calcification des artères (aboutissement de l'athérosclérose) et celle des cartilages costaux sont des manifestations de la sénescence.

CALCITE. — On trouve la calcite, ou *spath d'Islande,* dans la craie, les stalactites et les stalagmites, le marbre blanc, l'albâtre calcaire, la pierre lithographique, etc.

CALCITONINE. — Cette hormone polypeptidique de la thyroïde s'oppose à la résorption osseuse. On l'emploie dans le traitement de la maladie de Paget et de l'ostéoporose.

CALCIUM. — Isolé par Davy en 1808, le calcium est l'élément chimique n° 20, de masse atomique Ca = 40,08. C'est un solide blanc, mou, de densité 1,54, qui fond à 810 °C. Il s'oxyde à l'air en donnant de la chaux vive CaO et se combine aussi à l'hydrogène, aux halogènes, à l'azote. Très réducteur, il décompose l'eau à froid. Il est bivalent dans ses composés.

C'est le principal métal alcalino-terreux, car il est très abondant dans la nature. Son carbonate $CaCO_3$ est le constituant des roches calcaires; son sulfate $CaSO_4$ existe hydraté sous forme de gypse, dont la déshydratation fournit le plâtre; son nitrate $Ca(NO_3)_2$ se forme par fermentation dans les lieux humides; le phosphate tricalcique $Ca_3(PO_4)_2$ est un constituant des os. On en trouve d'importants gisements en Afrique du Nord.

Le calcium est présent dans le squelette sous forme de cristaux (hydroxyapatite); il est apporté à l'organisme en particulier par les produits laitiers (de 600 mg à 1 g/j). La vitamine D facilite son absorption par l'intestin. Le calcium est éliminé dans les matières fécales et les urines (calciurie : 250 mg/24 h). Le taux de calcémie (calcium sanguin), normalement de 100 mg/l, est réglé par l'hormone parathyroïdienne et joue un rôle dans l'équilibre du système nerveux. Une *hypercalcémie* peut être due à une hyperparathyroïdie primitive, à un cancer secondaire des os, à une hypervitaminose D, à la prise excessive de lait, ou à une ostéoporose aiguë. Une *hypocalcémie* s'observe lors des hypoparathyroïdies, de l'insuffisance rénale sévère et de l'ostéomalacie. En thérapeutique, le calcium est utilisé sous diverses formes comme reminéralisant et sédatif.

CALCUL *(Pathol.).* — Des calculs se forment dans les cavités de l'organisme soit du fait d'une composition anormale des liquides sécrétés (calculs d'organisme), soit du fait d'une difficulté d'écoulement de ces liquides (calculs d'organe). Les voies biliaires, les voies urinaires et les canaux salivaires sont les plus touchés, les calculs y provoquant des coliques « hepatiques », « néphrétiques » et « salivaires ».

CALCULATEUR. — Sous sa forme numérique, universelle, programmée, le calculateur numérique est devenu aujourd'hui l'ordinateur*. En informatique, on continue, toutefois, de distinguer certaines machines particulières et de les appeler « calculateurs ». Le *calculateur analogique,* au lieu d'utiliser comme l'ordinateur une logique binaire, fait appel à des opérations électroniques dont les lois de fonctionnement sont analogues à celles des phénomènes physiques qu'on cherche à simuler et à étudier. Un *calculateur hybride* utilise les possibilités complémentaires d'un ordinateur et d'un calculateur analogique en une sorte de symbiose. Ces calculateurs n'ont pas l'universalité des ordinateurs. Un *calculateur industriel,* appelé souvent *processeur,* est un petit ordinateur, parfois très spécialisé, qui intervient dans la chaîne de contrôle d'un processus industriel ou de fabrication, ou dans le pilotage ou le contrôle d'un appareillage de laboratoire ou d'usine. Recevant directement des données de mesures physiques et pouvant, en conséquence de leur traitement, intervenir de nouveau sur le processus, il fonctionne *en temps réel.*

Les *calculatrices de poche* sont aujourd'hui de véritables ordinateurs par leur capacité logique de traitement et par la possibilité qu'ont certaines d'être programmées. Elles se composent d'un circuit* intégré pour réaliser leur logique de calcul et constituer quelques registres, de touches qui permettent l'entrée des chiffres et des opérations à effectuer, de piles* ou d'accumulateurs rechargeables pour assurer leur alimentation et d'un petit écran pour afficher une dizaine de chiffres de résultats.

CALCUL ÉCONOMIQUE. — C'est l'ensemble des opérations mentales auxquelles se livre un agent économique pour tenter, avec les moyens dont il dispose, d'en tirer une utilité adaptée aux fins qu'il recherche. Le calcul suppose des « choix » effectués en fonction de hiérarchies de « besoins » à satisfaire.

CALCUL SCIENTIFIQUE, NUMÉRIQUE OU ANALOGIQUE. — Le *calcul scientifique* correspond à la recherche d'une solution à un problème donné, par application à ce cas particulier des lois générales de la physique* exprimées mathématiquement. Il peut s'agir aussi bien du calcul d'un pont que du calcul de la structure et de l'évolution des étoiles. L'ordinateur* a permis de développer de façon considérable, tant en profondeur que dans l'étendue de son domaine d'application, les possibilités du calcul scientifique. Les lois mathématiques de la physique, de la mécanique* expriment le plus souvent des phénomènes continus. Le *calcul numérique* sur ordinateur exige la décomposition du temps et de l'espace en une suite finie de valeurs discrètes, pour lesquelles on détermine l'évolution du phénomène physique. La conversion des équations* de la physique en algorithmes* de calcul pouvant être programmés pour un ordinateur s'appuie sur l'analyse numérique, discipline théorique des mathématiques aussi bien que technique propre de l'informatique*. Pour simuler un problème physique, on ne recourt pas nécessairement au calcul numérique; dans certains cas, on utilise des dispositifs mécaniques ou électroniques dont les lois de fonctionnement sont similaires à celles du phénomène étudié. Il s'agit alors de *calcul analogique.* La beaucoup plus grande universalité du calcul numérique sur ordinateur a, toutefois, réduit le développement du calcul analogique à des problèmes très particuliers.

CALCUTTA, v. de l'Inde, capit. de l'État du Bengale-Occidental, sur l'Hooghly; 3 149 000 hab.

GÉOGRAPHIE. Calcutta est le noyau d'une agglomération de plus de 7 millions d'habitants, la plus peuplée de l'Inde, développée comme comptoir anglais jusqu'au milieu du XIXe s., moment où la ville s'industrialise (travail du jute, métallurgie). Aujourd'hui, c'est un port notable (mais défavorisé par l'envasement de l'Hooghly), une ville manufacturière (où la chimie s'est ajoutée aux deux autres branches), un centre bancaire et culturel. Toutes ces fonctions ne suffisent pas à assurer le plein-emploi dans une ville recevant un flot continu de ruraux émigrés, expliquant l'extension du chômage, celle des taudis *(bustees)* et des bidonvilles, la fréquence d'une profonde misère.

HISTOIRE. Fondée en 1690 par l'English East India Company, devenue capitale en 1772, Calcutta se développe considérablement au XIXe s. Le transfert de la capitale à Delhi en 1912 ne freine pas cet essor.

CALDARA (Antonio), compositeur italien (Venise 1670 - Vienne 1736). Élève de Legrenzi, il résida principalement à Venise, à Mantoue et à Barcelone, avant de se fixer à Vienne, au service des Habsbourg. Il écrivit quantité de messes, d'oratorios, de cantates, d'opéras, de sérénades et de sonates. Il forme un lien important entre l'école italienne et l'école allemande.

CALDER (Alexander), sculpteur américain (Philadelphie 1898 - New York 1976). Il fait des études d'ingénieur, puis dessine, et débute en France, au Salon des humoristes de 1927, avec ses essais de sculptures en fil de fer. Celles-ci deviennent des constructions

Dubouin - Explorer

Calcutta. Grande avenue près de Dalhousi Square, dans le centre de la métropole indienne.

abstraites, qu'il anime en 1932 avec des moteurs. Le moteur supprimé, il en arrive à ces subtils *mobiles* qui ont fait sa célébrité : assemblages de tiges et de plans colorés suspendus, qui se mettent en mouvement de la façon la plus troublante et poétique au gré de l'air. S'y opposent les monumentaux *stabiles* peints de noir mat. Des formules mixtes existent, de toutes dimensions.

CALDERA RODRÍGUEZ (Rafael), homme d'État vénézuélien (San Felipe 1916), démocrate-chrétien, président de la République de 1969 à 1974.

CALDER HALL, localité de Grande-Bretagne, près de la mer d'Irlande. Centrale nucléaire.

CALDERÓN DE LA BARCA (Pedro), auteur dramatique espagnol (Madrid 1600 - *id.* 1681). Sa vision du monde conçu comme le lieu d'apparences éphémères (*La vie* est un songe,* 1635) et d'un conflit incessant qui ne trouve son dénouement que dans l'au-delà (*le Seul Magicien : Dieu,* 1644) le conduisit à donner une interprétation symbolique de toute action humaine dans ses comédies de cape et d'épée (*Aimable Fantôme,* 1629), ses pièces édifiantes (*la Dévotion* à la Croix,* 1633; *le Médecin de son honneur,* 1635; *Un alcade de village,* 1642), ses autos* sacramentales (*le Grand Théâtre du monde,* 1645), ses comédies mythologiques (*Écho et Narcisse,* 1661; *Prométhée idolâtre,* v. 1672). Sa mort marque la fin du « siècle d'or ».

CALDWELL (Erskine), écrivain américain (White Oak, Géorgie, 1903). Ses romans peignent le monde dérisoire et brutal des petits Blancs du Sud, empêtrés dans leur misère et leurs fantasmes raciaux et sexuels (*la Route au tabac,* 1932; *le Petit Arpent du Bon Dieu,* 1933; *Bagarre de juillet,* 1940; *le Quartier de Medora,* 1971).

CALÉDONIE, nom ancien donné à la partie septentrionale de la Grande-Bretagne, correspondant approximativement à l'Écosse actuelle. Après la tentative d'Agricola* pour l'occuper (83), Rome renonça à la conquérir. Le mur d'Hadrien*, du golfe de Solway à l'embouchure de la Tyne, marquait les limites méridionales de cette région.

CALÉDONIE (Nouvelle-) → NOUVELLE-CALÉDONIE.

CALÉDONIEN (canal) → GLEN MORE.

CALÉDONIEN (plissement). — Cette phase de plissement a eu lieu à l'ère primaire, à la fin du silurien. Elle est responsable de la formation de chaînes de montagnes, aujourd'hui aplanies, en Amérique du Nord (Alleghanys), dans le sud-est du Groenland et le nord de l'Europe (Écosse, Scandinavie). On en retrouve les traces en France, et notamment en Bretagne, mais l'orogenèse hercynienne* s'y est superposée.

CALÉFACTION. — Des gouttes d'eau projetées sur une plaque métallique faiblement chauffée se vaporisent rapidement; mais, si la surface est très chaude, il se forme à son contact une couche de vapeur sur laquelle les gouttes se maintiennent en équilibre en restant à une température inférieure au point d'ébullition.

CALENDRIER. — Pour les habitants de la Terre*, trois unités naturelles de temps se présentent : le *jour* est la période de rotation de la Terre sur elle-même; la *lunaison,* ou mois lunaire, est la période de rotation de la Lune autour de la Terre (29,530 6 jours); l'*année** est la période de rotation de la Terre autour du Soleil* (365,242 2 jours). Ces trois unités, qui dérivent de phénomènes indépendants, n'ont pas de rapports simples entre elles. Un calendrier utilisant simultanément le jour, la lunaison et l'année n'est donc pas très facile à élaborer. On conçoit que de nombreux calendriers aient été utilisés concurremment par différentes civilisations. Dans certaines contrées aux saisons peu accentuées, un calendrier lunaire pouvait être employé, par exemple le calendrier musulman, mais, ailleurs, il était important que les saisons ne se décalent pas au fil des ans. Un effort dans ce sens a été tenté par Jules César* avec l'aide de l'astronome d'Alexandrie Sosigène (Ier s. av. J.-C.). Celui-ci a introduit une année moyenne de 365,25 jours en instituant un cycle de trois années de 365 jours suivies d'une année, dite « bissextile », de 366 jours. Dans ce calendrier, le *calendrier julien,* les saisons se décalent encore de trois jours tous les 400 ans. Pour y remédier, le pape Grégoire XIII, suivant le conseil d'une commission de savants, a proposé, en 1582, de supprimer trois années bissextiles tous les 400 ans. Conventionnellement sont bissextiles les années dont le millésime est divisible par 4, à l'exception des années séculaires (millésime terminé par 00), dont le millésime n'est pas divisible par 400; ainsi, l'année 1900 ne fut pas bissextile, mais l'année 2 000 le sera. Le calendrier qui en résulte, le *calendrier grégorien,* est maintenant pratiquement adopté universellement. Le but recherché est atteint : les saisons ne se décalent que très peu : un jour en 3 000 ans. L'équinoxe de printemps s'observe tous les ans le 20 ou le 21 mars.

L'usage a divisé l'année en douze *mois,* dont la durée rappelle celle du mois lunaire. Il est habituel, dans la vie courante, de compter aussi le temps en *semaines* de sept jours. L'inconvénient majeur du calendrier grégorien est que les jours de la semaine se décalent sans cesse d'un mois à l'autre, d'une année à l'autre. Il existe un projet de calendrier, le *calendrier universel,* dans lequel à une même date correspondrait toujours le même jour de la semaine. La force de l'habitude est cependant telle qu'il n'est pas envisagé d'abandonner le calendrier grégorien : la tentative de la Convention, en 1793, de le remplacer par un calendrier plus rationnel, le calendrier républicain, a été vouée à l'échec.

CALENZANA (20214), ch.-l. de cant. de la Haute-Corse, à 13 km au S.-E. de Calvi; 1 700 hab. Église reconstruite au XVe s.

G. Gerster - Rapho

Largement utilisés dans la menuiserie* métallique, les matériaux rigides sont constitués par diverses variétés de bandes métalliques à ressort, employées sous forme de bourrelets pour portes et fenêtres.

CALGARY, v. du Canada, dans le sud de l'Alberta, en bordure des Rocheuses; 403 000 hab. Centre ferroviaire et industriel (métallurgie, raffinage du pétrole et pétrochimie).

CALI, v. de Colombie, dans la Cordillère occidentale; 638 000 hab. Métallurgie. Textiles.

Caliban, personnage fantastique de *la Tempête* de Shakespeare. Gnome monstrueux, il personnifie la force brutale obligée d'obéir à une puissance supérieure (symbolisée par Ariel), mais toujours en révolte contre elle.

CALICUT, auj. **Kozhikode,** port du sud de l'Inde (Kerala), sur la côte de Malabār; 334 000 hab.

CALIFAT. — Le problème de la dévolution du califat, charge de chef suprême de la communauté musulmane, est à l'origine de la division de l'islām en sectes, qui se rattachent aux trois principales options proposées par le khāridjisme*, le chī'isme* et le sunnisme. Pour les sunnites*, le calife n'a qu'un pouvoir temporel. Les quatre premiers califes (v. ARABIE) sont élus à Médine, puis le califat devient héréditaire avec les Omeyyades* de Damas (661-750) et de Cordoue* (929-1031), avec les 'Abbāssides* de Bagdad, puis du Caire (750-1517) et enfin avec les Ottomans* d'Istanbul (1517-1924). Pour les chī'ites, le chef de la communauté (l'imām), qui détient un grand pouvoir spirituel, doit appartenir à la descendance de 'Alī*. Les Fāṭimides* créent un califat chī'ite (Xe-XIIe s.) au Maghreb et en Égypte. Mustafa Kemal* abolit le califat en 1924.

concordance entre les calendriers républicain et grégorien pour le premier jour de chaque mois républicain

année républicaine		I	II	III	IV	V	VI	VII	VIII	IX	X	XI	XII	XIII	XIV	XV
année grégorienne		1792	1793	1794	1795	1796	1797	1798	1799	1800	1801	1802	1803	1804	1805	1806
1er vendémiaire	septembre	22	22	22	23	22	22	22	23	23	23	23	24	23	23	23
1er brumaire	octobre	22	22	22	23	22	22	22	23	23	23	23	24	23	23	23
1er frimaire	novembre	21	21	21	22	21	21	21	22	22	22	22	23	22	22	22
1er nivôse	décembre	21	21	21	22	21	21	21	22	22	22	22	23	22	22	22
année républicaine		I	II	III	IV	V	VI	VII	VIII	IX	X	XI	XII	XIII	XIV	XV
année grégorienne		1793	1794	1795	1796	1797	1798	1799	1800	1801	1802	1803	1804	1805	1806	1807
1er pluviôse	janvier	20	20	20	21	20	20	20	21	21	21	21	22	21	21	21
1er ventôse	février	19	19	19	20	19	19	19	20	20	20	20	21	20	20	20
1er germinal	mars	21	21	21	21	21	21	21	22	22	22	22	22	22	22	22
1er floréal	avril	20	20	20	20	20	20	20	21	21	21	21	21	21	21	21
1er prairial	mai	20	20	20	20	20	20	20	21	21	21	21	21	21	21	21
1er messidor	juin	19	19	19	19	19	19	19	20	20	20	20	20	20	20	20
1er thermidor	juillet	19	19	19	19	19	19	19	20	20	20	20	20	20	20	20
1er fructidor	août	18	18	18	18	18	18	18	19	19	19	19	19	19	19	19

CALEPINO (Ambrogio) → DICTIONNAIRE.

CALFEUTREMENT. — On peut employer dans ce domaine soit des produits plastiques* ou souples (qui sont le plus fréquemment utilisés), soit des produits rigides. Les produits plastiques doivent remplir certaines conditions : adhérer à toutes les surfaces, ne pas couler à la chaleur, demeurer plastiques par temps froid, conserver une coloration stable (pour les façades notamment), être de mise en place aisée, être d'une excellente durabilité, ne nécessiter aucun entretien, sauf cas accidentels, enfin ne pas être d'un coût excessif.

CALIFORNIE, en angl. **California,** État de l'ouest des États-Unis, sur l'océan Pacifique; 411 012 km²; 20 468 000 hab. Capit. *Sacramento.*

GÉOGRAPHIE. L'État est formé d'une grande dépression intérieure, la Vallée centrale, encadrée par les hauteurs de la sierra Nevada (4 418 m au mont Whitney) à l'E. et par une série de chaînes côtières, moins élevées, au-dessus du Pacifique, qui est bordé de plaines discontinues. Le climat est de type méditerranéen,

Californie.
La vallée de la Mort
(Death Valley).

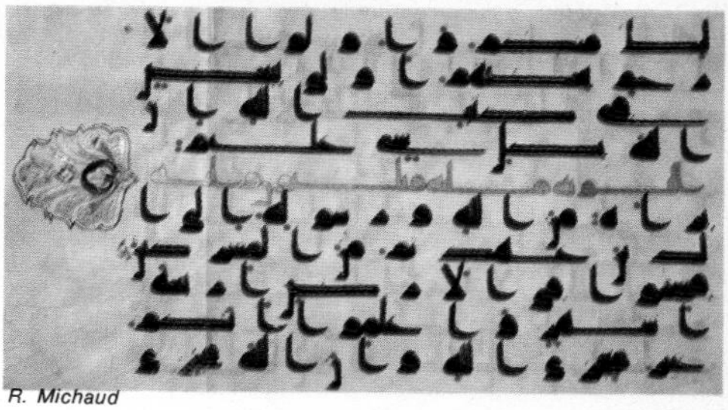

Calligraphie.
Page d'un coran
du Xᵉ s.,
manuscrit
en caractères coufiques.
(Bibliothèque nationale,
Tunis.)

R. Michaud

du moins près du littoral; les précipitations se raréfient dans l'intérieur abrité et vers le S., tandis qu'au contraire augmente l'amplitude thermique, liée alors à une grande chaleur estivale; le Sud-Est est parfois franchement désertique (vallée de la Mort).

La Californie est l'État le plus peuplé de l'Union grâce à un spectaculaire essor démographique, résultant surtout de l'immigration. Elle doit surtout ce rang au développement de ses deux agglomérations majeures (San Francisco et surtout Los Angeles), qui, ensemble, concentrent plus de la moitié de la population de l'État, et aussi à la vigueur de l'économie. L'agriculture intensive dans la dépression centrale, où elle est favorisée par l'irrigation, est orientée d'abord vers la fourniture de fruits (agrumes, raisin [vignoble]), puis de légumes; l'étendue des terres et la proximité d'importants marchés de consommation ont stimulé l'élevage bovin. La pêche anime une partie du littoral. L'industrie est aujourd'hui de loin le principal secteur productif, lié partiellement aux produits du sol (conserveries) et aussi du sous-sol (gaz naturel et surtout pétrole, utilisés partiellement pour la fourniture d'électricité, également d'origine hydraulique pour une part notable), mais les activités de transformation dominent (construction aéronautique, électronique, etc.). La forte urbanisation (90 p. 100 de la population totale) pose aujourd'hui de redoutables problèmes d'environnement.

HISTOIRE. Visitée par les Espagnols et les Britanniques au XVIᵉ s., la Californie ne commence à être colonisée — assez faiblement d'ailleurs — par les Espagnols qu'à partir de 1760. En 1822, elle tombe aux mains des Mexicains; à partir de 1846, les Américains y pénètrent progressivement; après une guerre avec le Mexique, la Californie entre dans l'Union le 2 février 1848 (traité de Guadalupe Hidalgo) et est érigée en État en 1850. Mais déjà la ruée vers l'or, découvert par le Suisse John Sutter (1803-1880), y attire du monde entier des milliers d'aventuriers. La construction du premier chemin de fer transcontinental (1863-1869) accentue l'essor de la Californie (92 597 hab. en 1860, 1 485 053 en 1900) : politiquement, l'État est d'ailleurs dominé jusqu'en 1910 par la puissante Southern Pacific, qui y pratique ouvertement la corruption. Depuis, les républicains s'y maintiennent au pouvoir.

CALIFORNIE (Basse-), longue péninsule montagneuse et aride du nord-ouest du Mexique, au S. de la Californie américaine, entre le Pacifique et le *golfe de Californie.*

CALIFORNIE *(courant de),* courant océanique froid, coulant du N. vers le S. le long des côtes de la *Californie.*

CALIGULA, en lat. **Caius Caesar Augustus Germanicus** (Antium [auj. Anzio], 12 apr. J.-C.-Rome 41), empereur romain (37-41). Caius, fils de Germanicus* et surnommé Caligula (de *caliga,* chaussure militaire) par les soldats de l'armée du Rhin, succède à Tibère en 37. Les premiers mois de son gouvernement, passés dans l'enthousiasme de tous, annoncent un règne heureux. On attribue à une maladie grave qui le frappe en octobre 37 le brusque changement de son caractère : le monde romain soumis à cet « empereur psychopathe » entre dès lors dans une ère de cruautés et d'extravagances. Comme les souverains égyptiens, Caligula veut régner en roi et en dieu : il se présente comme un « nouveau soleil » et s'offre à l'adoration de ses sujets. Sa politique est conditionnée par ses goûts pour l'Orient et par sa volonté de s'opposer à Tibère : il déclare gouverner pour le peuple et les chevaliers, et contre le sénat; en Asie Mineure, il rétablit les princes vassaux; il remplace les procurateurs de Judée par un roi (38); en 40, il fait assassiner Ptolémée, roi de Mauritanie, et annexe son royaume. Il introduit dans l'Empire le despotisme arbitraire d'un empereur-dieu. Sa politique suscite de violentes réactions, et son règne, bref, est riche en complots. Le dernier de ceux-ci réussira : Caligula sera assassiné en 41.

CĂLINESCU (George), écrivain roumain (Bucarest 1899-*id.* 1965). Auteur dramatique, poète, romancier (*l'Énigme d'Ottilia,* 1938; *le Bahut noir,* 1960), il fut dans ses essais le principal interprète de la crise de conscience des lettres roumaines modernes (*Vie d'Eminescu,* 1932).

CALIXTE Iᵉʳ *(saint)* → PAPE.

CALIXTE II (Gui DE BOURGOGNE) [v. 1060-1124], pape de 1119 à 1124. Archevêque de Vienne, élu pape à Cluny, il règle la querelle des Investitures* par le concordat de Worms (23 sept. 1122).

CALIXTE III → PAPE.

CALLAC (22160), ch.-l. de cant. des Côtes-du-Nord, à 28 km au S.-O. de Guingamp; 3 225 hab.

CALLAGHAN (James), homme politique britannique (Portsmouth 1912). Chancelier de l'Échiquier (1964-1967), ministre de l'Intérieur (1967-1970), puis des Affaires étrangères (1974-1976), il devient chef du parti travailliste et Premier ministre en avril 1976, après la démission de Harold Wilson.

CALLAO, principal port du Pérou; 312 000 hab. Débouché de Lima. Pêche (anchois) et industries annexes (farine de poisson).

CALLAS (83830), ch.-l. de cant. du Var, à 16 km au N.-E. de Draguignan; 708 hab.

CALLAS (Maria KALOGEROPOULOS, dite *la*), cantatrice grecque (New York 1923-Paris 1977). Consacrée grande vedette internationale à New York en 1956, elle a mis au service du bel canto sa virtuosité vocale et ses penchants pour l'expression dramatique.

CALLIAS *(paix de)* [du nom du principal négociateur athénien], compromis conclu en 449 av. J.-C. entre les cités grecques et les Perses, pratiquement évincés de la mer Egée*.

CALLICRATÈS → ACROPOLE.

Calligrammes, recueil poétique de G. Apollinaire (1918), qui comprend des pièces dont les vers sont disposés de manière à représenter, à mimer les objets qui forment le thème du poème. Ces « idéogrammes lyriques » (qui reprennent des tentatives analogues de Théocrite, de Raban Maur, de Rabelais, d'Angot de L'Éperonnière, de Mallarmé) sont un exemple de liaison indissoluble de l'écriture et de la lecture, qui est alors tout autant plastique (*signe* à identifier) que littéraire (*texte* à comprendre) : l'écoulement temporel et linéaire du texte cède la place à la perception globale d'un « espace littéraire ». Le calligramme relève d'une *visibilité* plus que d'une lisibilité, la résonance « orale » de la lecture disparaissant au profit d'une appréhension visuelle dans le grand silence de la page.

CALLIGRAPHIE. — • *Chine.* Après les caractères pictographiques ou idéographiques des Chang, les inscriptions en grand sigillaire des Tcheou et des Royaumes combattants, modifiées en petit sigillaire sous les Ts'in, l'écriture subit entre le IIIᵉ et le Iᵉʳ s. av. J.-C. une nouvelle mutation parfaitement adaptée aux ressources du pinceau. Elle se développe sous l'administration des Han, et trois formes d'écriture (employées jusqu'à nos jours) apparaissent : régulière, courante et cursive. Dans le même temps, le caractère est utilisé à des fins purement plastiques et devient une authentique création artistique. Les matériaux sont la pierre à encre, l'encre, le pinceau, le papier, la soie et, plus tard, le lavis.

Parmi les grands maîtres du IVᵉ s., Wang Hi-tche et son fils Wang Sien-tche donnent à la cursive sa forme définitive. Sous les T'ang, de robustes réalisations sont d'une remarquable sobriété. Vers le VIIIᵉ s., Tchang Hiu crée un style personnel et, tout comme le moine Houai-sou, abandonne toutes les conventions graphiques. Toujours renouvelée, cette discipline spécifique et spirituelle est pratiquée au long des siècles par une élite intellectuelle, pour qui elle est communion avec l'univers par sa force intérieure et son équilibre.

• *Islām.* Après la renaissance de la philosophie arabe, à l'époque ʿabbāside, l'interdit figuratif revêt un nouvel aspect et favorise le développement de la lettre à des fins purement plastiques. L'école de Bagdad* donne naissance à un art de la lettre tracée au roseau. Son fondateur, Abū ʿAlī Muḥammad ibn Mūqla (886-940), élabore la codification esthétique de l'alphabet arabe et l'outil du calligraphe : le calame, dont la taille de la tranche détermine d'une part l'unité de mesure du calligraphe, le « point », et d'autre part le genre de l'écriture.

Ibn Hillāl, dit ibn Bawwāb (1027 ou 1032), introduit la sensibilité créatrice dans l'art de la calligraphie (Coran de la Chester Beatty Library, Dublin), tandis que Yāqūt al-Mustaʿsimi (actif dans la seconde moitié du XIIIe s.) consacre l'intention plastique de cet art. Avec lui, la calligraphie abandonne le texte manuscrit pour devenir prétexte à des jeux esthétiques qui seront un des éléments de base de la décoration musulmane.

La calligraphie arabe utilise deux grands types d'écriture : une écriture anguleuse, la plus ancienne, le coufique et une écriture cursive, dont les genres se sont multipliés : naskhī (écriture des manuscrits), thuluth (titre...), diwāni (créé par les Turcs ottomans*) et nastaʿlīq (utilisé par les Persans).

La calligraphie arabe, en effet, se développe dans tous les pays musulmans, notamment au sein de l'école turque ottomane, dont le premier grand maître, Şeyh Hamdullah (1429-1519) de Amasya, a élaboré les nouvelles proportions des lettres arabes. Son plus brillant représentant a été Mustafa Rakım (1787-1825). Au sein de l'école persane, Mīr ʿAlī de Tabriz (actif dans la seconde moitié du XIVe s.) et Mīr Imad Hasani († 1615) ont façonné le nastaʿlīq.

CALLIMAQUE, grammairien et poète alexandrin (Cyrène v. 310-v. 235 av. J.-C.). Affirmant la séparation de l'art et de la morale, il composa des élégies *(Sur la chevelure de Bérénice),* des épigrammes, des poèmes mythologiques *(les Origines)* et épiques qui forment un exemple parfait de l'esthétique alexandrine.

CALLINOS d'Éphèse, le plus ancien des poètes lyriques grecs (VIIe s. av. J.-C.).

CALLIOPE, la plus éminente des neuf Muses*. Elle préside à la poésie épique et à l'éloquence.

CALLOT (Jacques), graveur et dessinateur français (Nancy 1592-*id.* 1635). Il travaille en 1608 à Rome et de 1611 à 1621 à Florence, où il s'initie à l'eau-forte et acquiert la célébrité avec sa série des *Caprices* (1617) et sa *Foire d'Impruneta* (1620), dont la finesse est obtenue par des progrès techniques (vernis dur; taille *simple,* suivant les lignes du dessin, et non plus hachures croisées). Congédié à la suite des difficultés financières de la cour de Florence, il grave à Nancy d'après ses dessins italiens (les *Gobbi*), puis donne *les Gueux, le Siège de La Rochelle* (pour lequel il vient en France), *les Misères et malheurs de la guerre* (1633), etc. Témoin aigu de son temps, il fait preuve d'une imagination puissante dans ses dessins, d'objectivité et de précision dans ses gravures. Virtuose, il a cependant le goût de la simplicité des moyens.

CALMAR. — Le calmar est appelé en Espagne *calamar,* par allusion à la pièce cornée en forme de plume *(calamus)* qui occupe chez lui la place du flotteur calcaire de la seiche, dont il est voisin. D'autres traits — corps plus allongé, nageoire triangulaire et localisée à l'arrière du corps, taille parfois géante — distinguent également le calmar de la seiche. Les plus grandes formes, vivant dans les grandes profondeurs marines, ne sont connues que par les rangées de cicatrices que leurs ventouses laissent sur la peau des cachalots lorsque ceux-ci tentent de les dévorer.

CALMAR → KALMAR.

CALMETTE (Albert), bactériologiste français (Nice 1863-Paris 1933). Ses travaux portent sur les venins, les vaccins et la sérothérapie. Il est, avec Guérin, l'inventeur du vaccin bilié Calmette-Guérin (B. C. G.*), contre la tuberculose.

CALONNE (Charles Alexandre DE), homme d'État français (Douai 1734-Paris 1802). Excellent administrateur, il est appelé en 1783, alors que l'État est au bord de la faillite, au contrôle général des Finances. Il est convaincu que l'équilibre budgétaire ne peut être rétabli que par une réforme radicale de la gestion des fonds publics et du mode de répartition des impôts. La résistance des privilégiés l'oblige à restaurer la confiance par des grands travaux ; mais, si le commerce — maritime surtout — s'accroît, le déficit financier reste entier; si bien que Calonne dresse un plan de réformes très hardi, comportant notamment une subvention territoriale qui frapperait tous les Français. L'Assemblée des notables refuse d'entériner ce plan. Calonne, abandonné par le roi, se retire alors (avr. 1787).

CALONNE-RICOUART (62470), comm. du Pas-de-Calais, à 3 km à l'O. de Bruay-en-Artois; 8 548 hab.

CALOOCAN, banlieue de Manille (Philippines); 305 000 hab.

CALOPORTEUR. — Dans un réacteur* nucléaire, la chaleur libérée par la fission* des noyaux* de combustible* fissile est évacuée hors du cœur par le fluide caloporteur, qu'on appelle aussi *réfrigérant* ou encore *fluide de refroidissement.* Mis en mouvement par un système complexe de soufflantes et de pompes*, ce fluide doit remplir certaines conditions : ne pas trop absorber les neutrons* et transporter la chaleur jusqu'à la turbine dans de bonnes conditions. Les fluides utilisés peuvent être soit un gaz — anhydride carbonique (CO_2) dans les réacteurs uranium naturel, graphite-gaz (Chinon : 210 et 480 MWe; Saint-Laurent-des-Eaux I et II : 480 et 515 MWe) ou hélium dans les réacteurs à hautes températures (centrale américaine de Fort Saint Vrain : 330 MWe) —, soit un liquide — eau ordinaire (qui joue en même temps le rôle de modérateur) dans les réacteurs utilisant l'uranium enrichi (Fessenheim : PWR, 890 MWe; Saint-Laurent-des-Eaux III et IV : BWR, 970 MWe), eau lourde (Brennilis : 73 MWe) ou, éventuellement, des produits organiques (diphényl) —, soit encore un métal liquide comme le sodium* fondu, utilisé dans les réacteurs surrégénérateurs* (Phénix : 265 MWe; Creys Malville : 1 200 MWe; centrales canadiennes type Candu).

CALORIMÉTRIE. — Il existe trois principales méthodes utilisées en calorimétrie. Dans la *méthode des mélanges,* la quantité de chaleur à mesurer est dégagée au sein d'une masse d'eau, dont on détermine l'élévation de température; le calorimètre de Berthelot

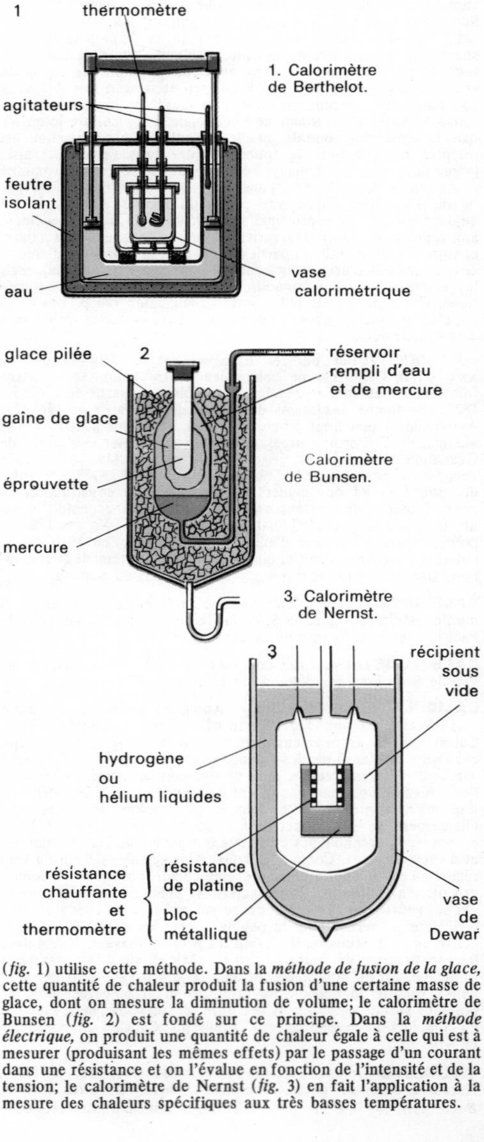

1. Calorimètre de Berthelot.

Calorimètre de Bunsen.

3. Calorimètre de Nernst.

(*fig.* 1) utilise cette méthode. Dans la *méthode de fusion de la glace,* cette quantité de chaleur produit la fusion d'une certaine masse de glace, dont on mesure la diminution de volume; le calorimètre de Bunsen (*fig.* 2) est fondé sur ce principe. Dans la *méthode électrique,* on produit une quantité de chaleur égale à celle qui est à mesurer (produisant les mêmes effets) par le passage d'un courant dans une résistance et on l'évalue en fonction de l'intensité et de la tension; le calorimètre de Nernst (*fig.* 3) en fait l'application à la mesure des chaleurs spécifiques aux très basses températures.

CALPURNIUS PISON (Caius), homme politique romain († 65 apr. J.-C.). Une conjuration contre Néron se forme autour de lui, pour le porter au pouvoir (65) : cette conspiration, dite *de Pison*, où est compromise une grande partie de l'aristocratie sénatoriale, est dénoncée et sauvagement réprimée; elle voit périr l'élite politique et intellectuelle de Rome (Sénèque, Lucain, Pétrone).

CALPURNIUS PISON LICINIANUS (Lucius) [38 - † Rome 69 apr. J.-C.], un des derniers représentants du patriciat républicain. Galba* l'adopte et le désigne comme successeur en 69. Cette même année, Pison est massacré avec lui par les prétoriens partisans d'Othon.

CALQUE → EMPRUNT.

CALTANISSETTA, v. d'Italie, ch.-l. de prov., dans l'intérieur de la Sicile; 60 000 hab. Soufre.

CALUIRE-ET-CUIRE (69300), comm. du Rhône, dans la banlieue nord de Lyon : 43 346 hab.

CALUMET → PIPE.

CALVADOS → EAU-DE-VIE.

CALVADOS (14), départ. de la Région Basse-Normandie, sur la Manche; 5 536 km^2; 560 967 hab. *(Calvadosiens)*. Ch.-l. *Caen*. S.-préf. *Bayeux, Lisieux, Vire.*

Au contact du Massif armoricain et du Bassin parisien, le département est formé de plusieurs régions aux altitudes variées. Au S.-O., le Bocage normand, autour de Vire, est relativement élevé et humide : l'élevage (bovins) l'emporte sur les cultures. Il en est de même au N.-O. dans le Bessin, presque exclusivement herbager. Au contraire, dans le centre du département, la plaine, ou campagne, de Caen est une terre calcaire recouverte d'un limon qui explique l'importance des céréales et de la betterave à sucre. À l'E., enfin, l'élevage redevient prédominant dans le pays d'Auge, où se maintient cependant le pommier, dont la production distillée donne toujours naissance au *calvados*. L'ensemble possède un climat océanique, aux précipitations fréquentes et relativement abondantes.

La densité du peuplement est légèrement supérieure à la moyenne française grâce à un essor démographique rapide dans le dernier quart de siècle. Pourtant, en dehors de l'agglomération caennaise, qui concentre près du tiers de la population départementale, il n'existe pas de ville importante. L'agriculture emploie encore environ le cinquième de la population active (approximativement le double de la moyenne nationale), et l'industrie un peu plus du tiers; elle est souvent liée à l'agriculture (produits laitiers), parfois au sous-sol (minerai de fer), mais elle est consacrée principalement à la métallurgie de transformation et présente surtout dans la région de Caen. Plus que la pêche, peu développée, le tourisme est actif sur le littoral, notamment à l'est (vers Deauville) plus proche de Paris. Il n'explique que partiellement l'importance du secteur tertiaire, de loin le principal secteur d'emplois (plus des deux cinquièmes des actifs), lié au développement du commerce et aussi à la présence de services de haut niveau (dont l'université) dans le chef-lieu du département, qui est aussi la capitale régionale.

CALVADOS *(rochers du)*, chaînes d'écueils et de petites falaises, sur la Manche.

CALVAERT (Denijs), peintre flamand (Anvers v. 1545 - Bologne 1619). Il passa presque toute sa vie en Italie, fondant à Bologne, en 1574, une académie qui servit de modèle à celle des Carrache et où étudièrent G. Reni, F. Albani, le Dominiquin...

CALVI (20260), ch.-l. d'arr. de la Haute-Corse, sur la côte nord-ouest de l'île; 3 684 hab. Port. Centre touristique.

CALVIN (Jean), réformateur français (Noyon, Picardie, 1509 - Genève 1564). Fils d'un procureur ecclésiastique, Jean Calvin est d'abord destiné à l'Église. Mais, dès 1533, il abandonne le catholicisme et commence à s'afficher protestant. Compromis à cette date dans le scandale provoqué par le discours favorable aux thèses luthériennes du recteur Nicolas Cop, il quitte Paris et, lors de l'affaire des Placards* (oct. 1534), se réfugie à Bâle, où il rédige son *Institution de la religion chrétienne* (1536), exposé de la foi réformée. Sa rencontre avec Guillaume Farel*, réformateur genevois, décide de son établissement à Genève où il fera un premier séjour de deux ans (1536-1538), au cours duquel il jette les bases de son activité future. Chassé de Genève à la suite d'un différend avec les autorités, au sujet de l'autonomie des Églises, Calvin s'établit à Strasbourg. Durant trois ans (1538-1541), il fait office de pasteur des réfugiés protestants français et de professeur de théologie; la célèbre *Épître à Sadolet*, apologie de la Réforme, et le *Petit Traité de la sainte Cène* sont de cette période. En 1541, rappelé à Genève, qu'il ne quittera plus, Calvin peut, dès lors, édifier une Église conforme à ses vues et faire de Genève une « cité-Église » régie par les principes de l'Évangile. En 1555, sa victoire sur le plan politique et le plan religieux est assurée, au prix parfois d'une rigueur qui laissera quelques souvenirs attristants (exécution de Michel Servet*). Les neuf années qui suivent (1555-1564) sont les plus fécondes de la carrière de Calvin : la paix règne dans Genève, devenue un havre de sécurité pour les protestants persécutés; l'Académie, fondée en 1559 et dirigée par Théodore de Bèze*, forme une élite qui diffusera la Réforme en Europe; un accord est établi entre les Églises de Suisse (mais cette union consommera la rupture avec les luthériens allemands); l'œuvre littéraire, déjà importante, du réformateur s'accroît considérablement (écrits de controverse et d'enseignement théologique, édition définitive de l'*Institution*, commentaires de l'Écriture). Le 27 mai 1564, Calvin meurt, fidèle jusqu'à la fin à son Dieu et à lui-même : « Seigneur tu me piles [tu m'écrases], mais il me suffit que c'est de ta main. »

L'idée centrale de la théologie de Calvin est celle de la transcendance et de la souveraineté de Dieu. La distance qui sépare Dieu de l'homme est telle qu'il est impossible d'affirmer quelque chose de lui s'il ne le révèle pas lui-même; l'Écriture, parole de Dieu, est la seule ouverture sur le mystère divin. Toute autre connaissance ne peut donner qu'une image difforme et idolâtrique de Dieu, car l'intelligence et la volonté humaines sont perverties et ne peuvent porter que de mauvais fruits; en effet, l'homme est mauvais non *par* nature, mais *en* sa nature corrompue à la suite de la chute originelle. En conséquence, il ne peut que vouloir le mal et qu'être rejeté éternellement par Dieu. Mais le Seigneur, en sa

Lauros - Giraudon

Jean Calvin. Portrait de l'école française du XVIIe s. (Coll. privée, Genève.)

miséricorde, a envoyé son Fils sur terre pour faire œuvre de salut. Tous les hommes, pourtant, ne sont pas rachetés : « Les uns sont prédestinés à salut, les autres à damnation. » Cette double prédestination*, Calvin en sent le scandale, mais il ne cherche pas à l'expliquer; c'est pour lui un fait d'expérience : « L'alliance de vie n'est pas également prêchée à tout le monde et, même où elle est prêchée, n'est pas également reçue de tous. » Mais qui demanderait des comptes à Dieu souverainement juste et maître de ses actes?

En conséquence, les sacrements sont conçus non pas comme des moyens ou des canaux de la grâce (le décret de prédestination est pris une fois pour toutes), mais comme des signes pour notre foi. En fait de sacrements, Calvin admet le baptême et la sainte Cène, en laquelle il affirme la présence réelle mais spirituelle du Christ.

La destinée du chrétien se réalisera dans l'accord des deux cités non pas séparées, mais autonomes : l'État éducateur, libéral, fondé sur la justice et l'Église peuple de Dieu animé par l'Esprit-Saint.

CALVIN (Melvin), biologiste américain (Saint Paul, Minnesota, 1911). On lui doit l'analyse fine des étapes de la photosynthèse, réalisée en fournissant aux plantes vertes du carbone radioactif C_{14} (1946). On nomme *cycle de Calvin* la série cyclique de transformations ainsi mise en évidence. (Prix Nobel de chimie, 1961.)

CALVINISME → CALVIN (Jean).

CALVINO (Italo), écrivain italien (Santiago de las Vegas, Cuba, 1923). Ses contes et ses nouvelles introduisent l'humour et le fantastique dans l'esthétique néoréaliste (*le Baron perché*, 1957; *Cosmicomics*, 1965; *les Villes invisibles*, 1972).

CALVITIE → ALOPÉCIE.

CALVO SOTELO (José), avocat et homme politique espagnol (La Corogne 1893 - Madrid 1936), un des chefs du parti monarchiste. Son assassinat déclencha la guerre civile.

CALYPSO, nymphe que la légende grecque fait vivre dans l'île d'Ogygie (peut-être Ceuta); elle accueillit Ulysse* naufragé et le retint dix ans.

CAM ou **CÂO** (Diogo), navigateur portugais du xve s. Au service de Jean II de Portugal, il explore les côtes du sud-ouest africain et établit des liens solides entre le Portugal et les souverains indigènes du Congo, fondant ainsi l'empire portugais en Afrique.

CAMAGÜEY, v. de Cuba, dans l'intérieur de l'île; 179 000 hab. Cathédrale du xviie s. Sucreries.

CAMARÂ → Pessõa Camarâ (Helder).

CAMARAT *(cap),* cap de la côte des Maures (Var), au S.-E. de Saint-Tropez.

CAMARÈS (12360), ch.-l. de cant. de l'Aveyron, à 22,5 km au S. de Saint-Affrique, sur le Dourdou; 1 212 hab.

CAMARET-SUR-AIGUES (84150 Jonquières), comm. de Vaucluse, à 6 km au N.-E. d'Orange; 2 255 hab. Conserverie.

CAMARET-SUR-MER (29129), comm. du Finistère, dans la presqu'île de Crozon; 3 272 hab. Station balnéaire. Pêche.

CAMARGO (Marie Anne de Cupis de), danseuse française (Bruxelles 1710 - Paris 1770). Célèbre par la liberté et le brillant de ses interprétations, elle donna un nouveau style à la danse féminine.

CAMARGUE (la), région du sud de la France, sur la Méditerranée, comprise entre les deux branches du delta du Rhône, au S. d'Arles, dont elle dépend administrativement (hab. *Camarguais*). C'est une zone amphibie, occupée pour près de moitié par des étangs (dont celui de Vaccarès). Dans le sud, transformé en réserve zoologique et botanique (intégrée dans un parc naturel régional englobant l'ensemble de la Camargue), se maintiennent les paysages traditionnels (végétation halophile de salicornes, élevage extensif de taureaux). Le nord a été mis en valeur, mais la riziculture a régressé, cependant qu'est localement présent le vignoble. La sécheresse du climat explique l'importance des salines (vers Salin-de-Giraud notamment) près d'un littoral, souvent bas et sableux, en perpétuel changement.

CA MAU *(cap),* extrémité sud du Viêt-nam, sur la mer de Chine méridionale.

CAMBACÉRÈS (Jean-Jacques Régis de), duc **de Parme,** homme d'État français (Montpellier 1753 - Paris 1824). Juriste, député à la Convention (1792), membre du Conseil des Cinq-Cents, ministre de la Justice (1799), il est choisi par Bonaparte comme deuxième consul (1800). Président du Sénat et du Conseil d'État, il est l'un

Taureaux dans la Camargue amphibie.

CAT - C.E.D.R.I.

des pères du Code civil. Archichancelier d'Empire (1804), duc de Parme, il se rallie aux Bourbons en 1814, mais reprend ses fonctions aux Cent-Jours*.

CAMBAY *(golfe de),* échancrure de la côte occidentale de l'Inde (Gujerat).

CAMBERT (Robert), compositeur français (Paris v. 1628 - Londres 1677). Organiste et claveciniste, élève de Chambonnières, il tenta d'implanter l'opéra en France avec le poète P. Perrin *(Pomone).* Ruiné, il se réfugia en Angleterre, où il tomba en disgrâce.

CAMBIASO (Luca), peintre italien (près de Gênes, 1527 - Escorial 1585). Ses dessins, pour la géométrisation des formes, et ses tableaux d'autel, pour leurs effets nocturnes (autour de 1570), sont plus appréciés que ses décors à fresque (à Gênes et à l'Escorial).

CAMBODGE, État de l'Indochine, sur le golfe de Siam; 180 000 km^{2}; 7 643 000 hab. *(Cambodgiens).* Capit. *Phnom Penh.*

GÉOGRAPHIE. Le centre du pays correspond à une cuvette alluviale occupée par le lac du Tonlé Sap et drainée par le Mékong.

CAMBODGE

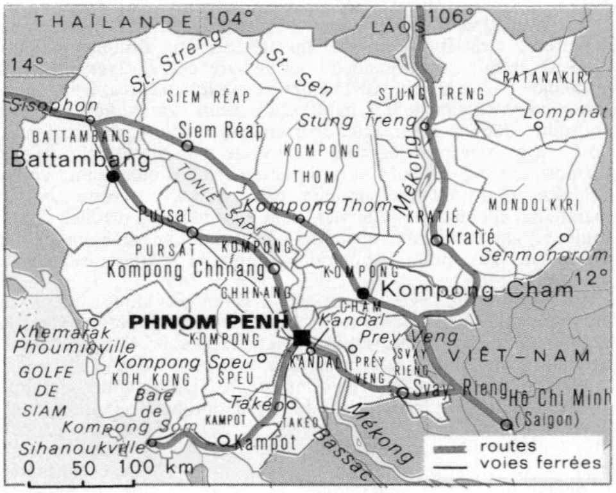

À la périphérie se disposent des reliefs modérés, plateaux taillés dans les grès ou les basaltes et couverts par la forêt claire ou la savane (Dangrêk, monts des Cardamomes, chaîne de l'Éléphant). L'ensemble est soumis à un climat de mousson*, très humide sur les reliefs, alors que la dépression centrale est relativement abritée.

La population, composée en majorité de Khmers, est relativement peu dense. Concentrée dans la cuvette centrale, elle est essentiellement rurale : la seule ville importante est la capitale.

L'agriculture est rythmée par la mousson, responsable de la crue annuelle du Mékong, qui abandonne ses alluvions fertiles. Le riz est cultivé dans les zones inondables. C'est la base de l'alimentation, mais la région, récemment mise en valeur, de Battambang en produit également à des fins commerciales. Sur les berges du fleuve est pratiquée une riche polyculture (arbres fruitiers, poivriers, maïs). L'hévéa, cultivé sur les riches sols basaltiques de l'Est, a constitué avec le riz l'essentiel des exportations partant par le port de Sihanoukville. La pêche dans le Tonlé Sap apporte un complément de ressources appréciable. Mais l'industrie est très peu développée, et le conflit qui a ravagé le pays en a désorganisé l'économie.

HISTOIRE. Les annales chinoises ont permis de connaître l'existence d'un royaume prékhmer, le Fou-nan, dont le fondateur légendaire, brahmane venu de l'Inde aux alentours du i^{er} s., apporte une société déjà organisée et possédant certaines formes de culture, une langue savante, le sanskrit, et une écriture qui, peu à peu, se modifiera pour devenir l'écriture khmère. Véritable « empire des Mers du Sud », le Fou-nan prospère durant cinq siècles; il est absorbé vers 550 de notre ère par Bhavavarman Ier, vassal du Nord, de la famille des Kambujas. Au cours du viie s., le Cambodge prend forme par la réunion du Tchen-la, territoire des Kambujas, et du royaume fou-nanais (delta du Mékong), le Mékong servant d'axe vital. Règnent alors (viie-viiie s.) les rois préangkoriens, qui créent de nombreuses villes. Au début du ixe s., la dynastie d'Angkor* est fondée par Jayavarman II : prestigieuse, elle règne sur le Cambodge jusqu'à la chute d'Angkor, au xve s. Les assises divines de la souveraineté khmère sont alors mises en place; la religion du *devarājā* imprègne profondément alors la civilisation khmère. L'histoire de la dynastie atteint son apogée avec Sūryavarman II (de 1113 à 1150 env.), à qui on doit le temple d'Angkor Vat, et avec Jayavarman VII (de 1181 à 1218 env.). Puis la souveraineté khmère s'affaiblit devant la puissance des Mongols et plus encore devant celle des Thaïs : c'est en effet sous les coups de la dynastie siamoise d'Ayuthia qu'Angkor est prise et ravagée en 1431. La capitale du Cambodge est alors transférée à Phnom Penh. Contre les incursions siamoises réagit un grand souverain, Ang Chan (de 1516 à 1566), qui renoue avec la tradition des rois bâtisseurs; mais c'est sous son règne qu'apparaît à la Cour le premier missionnaire chrétien (portugais). La grande invasion siamoise de 1594 ruine le pays, qui doit s'ouvrir de plus en plus aux étrangers; au XVIIIe s., le Cambodge perd même l'ensemble du delta du Mékong, qui passe aux Vietnamiens et devient la Cochinchine. La tutelle vietnamienne s'appesantit durant toute la première moitié du XIXe s., si bien que le roi Ang Duong (de 1847 à 1859) fait appel au protectorat de la France, qui devient effectif sous Norodom Ier (de 1859 à 1904) en 1863. Pendant le règne de ce dernier et en partie grâce à l'action de l'École française d'Extrême-Orient, le Cambodge connaît une véritable renaissance de la culture khmère. Sous Sisovath (de 1904 à 1927), il reconquiert avec l'aide de la France une partie des territoires annexés par le Siam. Il continue à prospérer sous Monivong (de 1927 à 1941) et à bénéficier d'importantes réalisations françaises.

Au début du règne de Norodom Sihanouk (né en 1922), roi en 1941, il est momentanément occupé par les Japonais (1945); la France reconnaît l'indépendance du pays *de jure* en 1949 et *de facto* en 1954. En mars 1955, Sihanouk abdique en faveur de son père, Norodom Suramarit, mais prend la tête du gouvernement. À la mort de son père (1960), sans abolir la royauté, il se déclare chef de l'État. Il pratique longtemps une politique de neutralisme, mais la guerre du Viêt-nam l'oblige à s'engager. En 1968, Sihanouk obtient les pleins pouvoirs, mais, devant le coup d'État du général — bientôt maréchal — Lon Nol (18 mars 1970), il doit gagner Pékin; la Chine est, à ses yeux, la caution de la véritable indépendance de son pays. Le Cambodge devient à son tour un champ de bataille. Malgré l'appui des États-Unis, les troupes de Lon Nol reculent devant les «Khmers rouges», qui prennent le contrôle de tout le pays après la chute de Phnom Penh le 17 avril 1975. Après les élections législatives de mars 1976 et la démission du prince Sihanouk, Khieu Samphan devient chef du «Kampuchéa démocratique». Au début de 1978, un conflit frontalier oppose le Viêt-nam et le Cambodge, que soutient la Chine.

BEAUX-ARTS. Une industrie lithique et osseuse atteste la présence de l'homme dès le pléistocène moyen, et la grotte de Loang Spean (S.-O. de Battambang) une occupation continue du Ve millénaire au IXe s. Plus tard, l'influence du Fou-nan prédomine, cependant que le site d'Oc-èo livre un matériel abondant, confirmant les relations avec la Thaïlande vers les VIIIe-IXe s. L'évolution artistique se divise en trois phases.

La période préangkorienne (milieu du VIe s.-début du IXe) ne laisse pas de constructions antérieures au VIIe s. L'inspiration est généralement śivaïte, mais le viṣnuisme* et le bouddhisme* sont tolérés. Les tours-sanctuaires, en brique, d'abord isolées, sont, à Sambor Prei Kuk, réunies dans une enceinte. Très tôt, la sculpture ornementale est de qualité, et le modelé de la statuaire noble et hiératique reste celui de l'Inde; accompagnée par l'arc de soutien, elle devient véritable ronde-bosse au début du IXe s.

La période angkorienne (début du IXe s.-1431) correspond à une renaissance politique et à l'épanouissement du temple-montagne, édifié en brique, puis en grès sur une pyramide à gradins (Phnom Bakeng); s'y ajoute l'apparition de la galerie voûtée en encorbellement (Ta Kéo [v. 1000] et Baphuon [XIe s.]).

La complexité du plan, l'adjonction d'avant-corps de bâtiment, de pavillons d'accès, d'immenses bassins aux fonctions plus sacrées qu'utilitaires et de larges avenues bordées de nāga se retrouvent à Angkor* Vat, aboutissement suprême de la période.

Un dynamisme monumental anime les reliefs de Koh Ker (921-944); des attitudes nouvelles associées à un traitement différent du visage et des vêtements caractérisent la statuaire de grande dimension. À Banteay Srei (XIe s.), les compositions archaïsantes sont d'une grande finesse d'exécution, tout comme au Baphuon (milieu du XIe s.), où réapparaît le bas-relief de grès, qui, à Angkor Vat, est traité en immenses panneaux continus souvent à un seul registre. La statuaire a retrouvé son aspect hiératique. Le style du Bàyon représente la dernière étincelle de l'art khmer et, malgré sa médiocrité d'exécution, le sourire mystique des quatre visages sculptés sur les tours évoque toute la douceur du bouddhisme, de nouveau à l'honneur sous Jayavarman VII.

CAMBODGIEN → MÔN-KHMER.

CAMBO-LES-BAINS (64250), comm. des Pyrénées-Atlantiques, à 20 km au S.-S.-E. de Bayonne, sur la Nive; 5 126 hab. *(Camboards).* Station thermale et climatique pour le traitement des affections nerveuses et rhumatismales ainsi que de l'anémie.

CAMBON (Joseph), homme politique français (Montpellier 1756-Saint-Josse-ten-Noode, Belgique, 1820). Député de l'Hérault à la Législative (1791) et à la Convention (1792), membre du Comité de salut public, il a attaché son nom à l'institution du *grand livre de la dette publique* (24 août 1793).

CAMBON (Paul), administrateur et diplomate français (Paris 1843-*id.* 1924). Ambassadeur à Londres (1898-1920), il joua un rôle important dans la réalisation de l'Entente cordiale, puis de la Triple-Entente avec la Russie (1907). — Son frère JULES (Paris 1845-Vevey 1935) fut ambassadeur à Berlin de 1907 à 1914.

CAMBRAI (59400), ch.-l. d'arr. du Nord, sur l'Escaut; 41 109 hab. *(Cambrésiens).* Porte Notre-Dame (1623), chapelle du grand séminaire (façade terminée en 1695), église Saint-Géry et cathédrale (très restaurée), toutes deux du XVIIIe s. Musée. Base aérienne. Industries textiles (bonneterie), mécaniques (construction automobile) et alimentaires (confiserie : *bêtises de Cambrai*).

HISTOIRE. Cité romaine, capitale d'un petit royaume franc, Cambrai devient au VIe s. une métropole religieuse. Au Xe s., ses évêques fondent leur puissance, les droits comtaux leur étant octroyés par l'empereur; mais ils doivent compter avec les bourgeois, qui obtiennent une charte communale dès 1184. Cependant, en 1559, Charles Quint obtient l'érection du siège en archevêché.

C'est à Cambrai, en 1508, qu'est formée la ligue qui rassemble, contre Venise, le pape, Louis XII et l'empereur. C'est là que, le 5 août 1529, est signée la paix — dite «des Dames» — qui met fin aux hostilités entre Charles Quint et Louis XII. Cambrai et le Cambrésis subissent, d'une manière grandissante, l'influence de la France : Louis XIV s'en empare en 1677; le traité de Nimègue en confirme la cession à la France (1678). Fénelon illustre le siège épiscopal de Cambrai de 1695 à 1715.

CAMBREMER (14340), ch.-l. de cant. du Calvados, à 17 km à l'O. de Lisieux; 936 hab.

CAMBRÉSIS, région déprimée *(seuil du Cambrésis)* au S. de *Cambrai,* entre le Bassin parisien et le Nord.

CAMBRIDGE, v. de Grande-Bretagne (Angleterre), ch.-l. du comté du même nom, au N. de Londres; 99 000 hab. Centre universitaire. Nombreux collèges aux bâtiments médiévaux ou classiques; la chapelle de King's College (1446-1515) est un chef-d'œuvre du gothique perpendiculaire (voûtes «en éventail», vitraux). Vaste musée Fitzwilliam (antiquités, objets d'art, peintures).

CAMBRIDGE, v. des États-Unis (Massachusetts), banlieue de Boston; 100 000 hab. Centre intellectuel (université Harvard, la plus ancienne du pays, et Massachusetts Institute of Technology [MIT]).

CAMBRIEN → PRIMAIRE *(ère).*

CAMBRIN (62149), ch.-l. de cant. du Pas-de-Calais, à 7 km à l'E. de Béthune; 814 hab.

CAMBRONNE (Pierre, *vicomte*), général français (Nantes 1770-*id.* 1842). Connu par de nombreuses actions d'éclat, commandant militaire de l'île d'Elbe (1814-15), il est à la tête du 1er chasseurs à pied de la Garde à Waterloo, où il est blessé (1815). On lui attribue, à tort semble-t-il, d'avoir répondu à une sommation de se rendre par le mot célèbre auquel reste attaché son nom.

CAMBYSE II, roi perse achéménide* (de 530 à 522 av. J.-C.). Fils de Cyrus* II, il termine la conquête de l'Orient en s'emparant de l'Égypte (525). Une rébellion causée par ses méthodes tyranniques et sa longue absence l'obligent à regagner la Perse; Cambyse mourra en chemin.

CAMDEN, v. des États-Unis (New Jersey), banlieue de Philadelphie; 103 000 hab.

CAMÉLÉON. — Aucun lézard n'est, de loin, aussi bien adapté à la vie dans les arbres que le caméléon. Aisément soulevé par des

Caméléon vulgaire capturant une mouche.

P. Starosta - Atlas-Photo

pattes musclées, enserrant les branches de ses doigts rassemblés en deux groupes opposés, s'aidant de l'enroulement de sa longue queue, le caméléon peut mouvoir séparément ses deux yeux, étrangement portés au sommet d'un cône de chair. Célèbre pour son aptitude, d'ailleurs limitée, à modifier sa couleur pour la rapprocher de celle du feuillage qui l'entoure, il est plus surprenant encore par son mode de capture des proies. Sa langue peut prendre la forme d'un filament plus long que le corps et dont l'extrémité, dure et élargie, est expulsée violemment entre les lèvres. Ce harpon assomme et englue l'insecte visé, qui, en un éclair, est ramené dans la bouche. À cette fin, les muscles de la langue ont une structure tout à fait particulière.

CAMÉLIA ou **CAMELLIA.** — Ce magnifique arbuste de serre, originaire des régions chaudes de l'Asie, existe sous plusieurs centaines de variétés ornementales. Voisin du théier, il rappelle cependant le rosier par les nombreux pétales de ses fleurs.

CAMÉLIDÉS. — L'absence totale de cornes, les pattes terminées par deux doigts larges adhérant au sol sans s'y enfoncer, l'existence d'incisives et de canines très développées à la mâchoire supérieure, l'estomac divisé seulement en trois poches, la forme ovale des globules du sang, etc., font des camélidés une famille de ruminants profondément différents de tous les autres. Les principaux camélidés sont le chameau*, le dromadaire* et les diverses variétés du lama* : alpaga, guanaco, vigogne ou lama proprement dit. Tous ces animaux supportent de façon remarquable les conditions sévères des déserts ou des montagnes arides.

CAMELOTS DU ROI → ACTION FRANÇAISE.

CAMEMBERT → FROMAGE.

CAMÉRA. — Dans son principe général, la caméra cinématographique se compose de plusieurs éléments essentiels : deux magasins, l'un contenant le film vierge (magasin débiteur), l'autre le film impressionné (magasin récepteur); un système d'entraînement mécanique, qui assure à des vitesses variables le passage du film par un jeu de griffes et de contre-griffes devant une fenêtre d'exposition; enfin un système optique, qui permet de concentrer les rayons lumineux issus de l'objet à filmer sur la partie sensible d'une pellicule. Des dispositifs complémentaires ou accessoires complètent, selon les modèles, l'équipement d'une caméra. L'entraînement de la caméra par moteur a remplacé le système de progression à manivelle, utilisé jusqu'en 1920.

Le système des viseurs réflexes, permettant de voir avant et pendant la prise de vues l'image exacte qui se forme sur la pellicule, a été adopté par tous les constructeurs de caméras professionnelles. Pour des enregistrements d'images ultrarapides (la vitesse d'une caméra normale variant généralement de 8 à 48 images par seconde), on a recours à des caméras spéciales (à compensateur optique, à train d'étincelles, électroniques).

La caméra de télévision assure la conversion de l'image optique en une suite de signaux électriques. L'image de la scène à transmettre est projetée, à l'aide d'un objectif, sur une surface photosensible, placée dans un tube à vide. Les rayons lumineux déterminent dans chaque point de la surface ainsi éclairée une émission d'électrons d'autant plus intense que l'éclairement est plus fort. La perte d'électrons se traduit par une formation de charges électriques positives, qui sont successivement balayées et neutralisées par un rayon cathodique. Il en résulte un courant d'intensité variable, qui, après amplification, est incorporé dans le signal modulant un émetteur de télévision. (V. aussi ASTRONOMIE.)

CAMÉRA

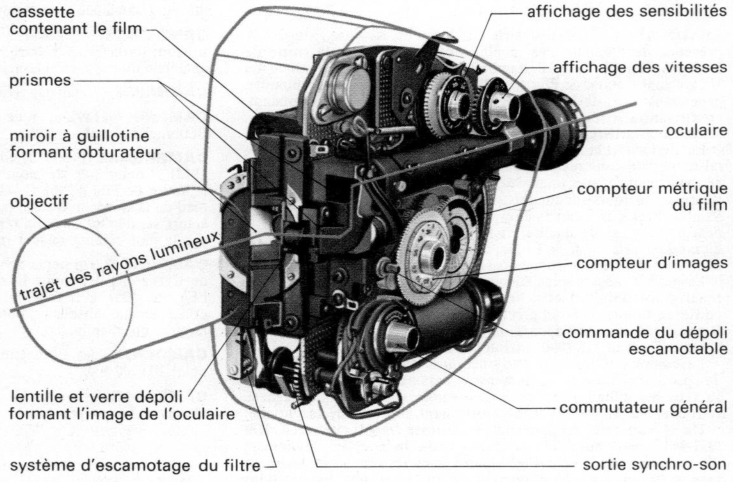

Écorché d'une caméra Super-8. (Document Beaulieu.)

Camerone *(combat de),* bataille de la guerre du Mexique (30 avr. 1863) où une soixantaine de légionnaires du capitaine Jean Danjou (1828-1863) résistèrent aux assauts de plusieurs milliers de Mexicains. Son anniversaire est devenu la fête de la Légion étrangère française.

CAMEROUN, État de l'Afrique, au fond du golfe de Guinée; 474 000 km²; 6 530 000 hab. *(Camerounais).* Capit. *Yaoundé.*

GÉOGRAPHIE. Le pays s'étend sur trois ensembles naturels. Dans la partie méridionale, la plaine côtière, dominée par le grand édifice volcanique du *mont Cameroun* (4 070 m), est relayée vers l'E. par une zone de collines, puis de plateaux; le climat équatorial explique la grande extension de la forêt dense. Le centre du pays correspond au lourd massif de l'Adamaoua, au climat tropical, couvert par la savane. Au N. une série de plateaux descendent jusqu'à la cuvette du Tchad; le climat s'assèche progressivement, et la végétation devient steppique.

La population, composée de groupes ethniques variés, n'est dense que dans la région littorale. L'agriculture occupe 80 p. 100 des actifs et varie selon les zones climatiques. La région équatoriale est caractérisée par l'exploitation de la forêt (bois précieux, hévéas) et les plantations de cacao, de café, de bananes, de palmiers à huile, tandis que les cultures vivrières fournissent manioc, mil et sorgho. La savane du Centre est le domaine de l'élevage bovin. Au N. se développent les cultures commerciales de coton et d'arachide.

En dehors des usines alimentaires, la fabrique d'aluminium d'Édéa est la seule activité industrielle notable. Le pays est donc tributaire du commerce extérieur, qui s'effectue par le port de Douala, métropole économique du Cameroun.

HISTOIRE. Le Cameroun, ensemble de petites principautés et terre de chasse aux esclaves, est soumis à la suzeraineté lointaine du Bornou au XVIe s. et du Baguirmi aux XVIIe et XVIIIe s. La conquête foulbé s'amorce au début du XIXe s. Les Européens, qui ont pris contact (Portugais) avec les côtes dès le XVe s., n'interviennent vraiment au Cameroun qu'à partir de 1860, quand s'installent les premières factoreries britanniques et les missionnaires, adversaires de la traite. Cependant, c'est un Allemand mandaté par Bismarck, Gustav Nachtigal, qui obtient des Doualas le premier traité de protectorat (juill. 1884). Colonie allemande, le Cameroun — dont les frontières sont fixées par des traités avec la France et la Grande-Bretagne — bénéficie en 1911 d'une extension territoriale importante (Neues Kamerun) : en contrepartie, la France obtient de l'Allemagne les mains libres au Maroc.

Conquis par les Français (1914-1916), le Cameroun est partagé entre la France et la Grande-Bretagne qui, en 1919, obtiennent le mandat sur les territoires camerounais qui leur sont impartis. Rallié dès le 27 août 1940 à la France libre, le Cameroun français devient après la guerre territoire sous tutelle. Sous la pression des mouvements nationalistes, et notamment de l'Union des popula-

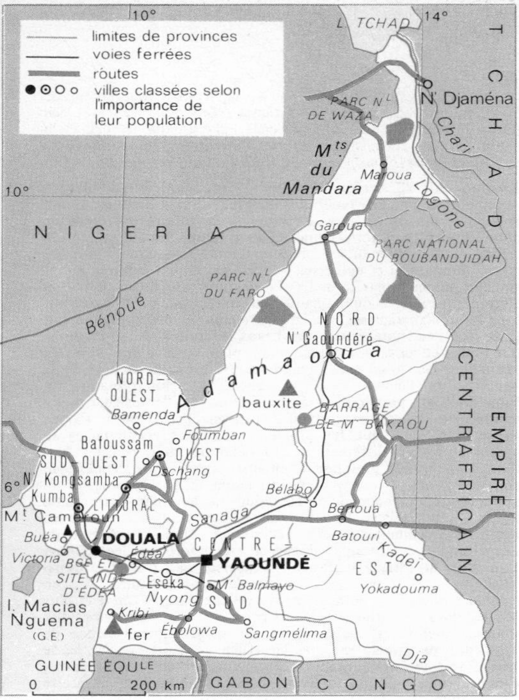

CAMEROUN

tions du Cameroun (U. P. C.), créée en 1948 par Ruben Um Nyobé, il obtient l'autonomie interne le 1er janvier 1959, puis l'indépendance le 1er janvier 1960. En 1961, un référendum provoque le rattachement au Nigeria de la zone nord de l'ancien Cameroun britannique, dont la partie méridionale se rattache à l'ex-Cameroun français, pour former la république fédérale du Cameroun.

Devenu à la suite d'une réforme constitutionnelle (1972) la république unie du Cameroun, l'État est dirigé depuis 1960 par le président Ahmadou Ahidjo. Mais celui-ci, appuyé sur l'Union nationale camerounaise (U. N. C.), doit compter avec l'opposition de l'Union des populations du Cameroun.

CAMICHEL (Charles), mathématicien français (Montagnac, Hérault, 1871 - Cap-Dorat, Tarn, 1966). Ses recherches sur la similitude avec Léopold Escande* ont abouti à la technique des modèles réduits, employée universellement dans l'industrie.

CAMISARDS. — Ces calvinistes cévenols luttèrent au début du XVIIIe s. contre l'administration et les armées de Louis XIV.

Les exactions exercées contre les protestants par les agents royaux dans le Languedoc, la révocation de l'édit de Nantes (1685) et le prosélytisme brutal de l'épiscopat provoquent en 1702, dans les Cévennes, où la communauté protestante est importante (200 000 âmes, 121 églises), fervente et très sensible au prophétisme et à l'illuminisme, une révolte conduite par un « prophète », Abraham Mazel (1675-1710). Rapidement, les calvinistes s'organisent et forment des troupes sous l'autorité de jeunes chefs (Jean Cavalier [1680-1740] et Pierre Laporte, dit Roland [1675-1704]).

La répression est terrible (1703-04), mais les camisards tiennent bon, jusqu'au jour où Cavalier, battu (16 avr. 1704), fait sa soumission; Roland poursuit bien la lutte, mais, trahi, il est tué (août 1704). Abraham Mazel prend la relève, mais, trahi lui aussi, il est exécuté (1710). La résistance des camisards prend alors une forme plus pacifique : celle des synodes du « désert », qui donnent un nouvel élan au calvinisme languedocien.

CAMÕES ou **CAMOENS** (Luís DE), poète portugais (Lisbonne 1524 ou 1525 - *id.* 1580). Une aventure amoureuse et une querelle le contraignirent à l'exil : au Maroc, où il perdit un œil, à Goa, à Macao, au Mozambique, Camões mena une vie mouvementée, tout en composant l'épopée nationale du Portugal, *les Lusiades** (1572). Il est également l'auteur de *redondilhas* (petits poèmes qui prolongent la tradition des *chansons d'ami* médiévales), d'une pastorale ironique (*Filodemo,* 1555) et de plus de deux cents sonnets qui s'inspirent de la Renaissance italienne.

CAMOIN (Charles) → FAUVISME.

CAMPAGNAC (12560), ch.-l. de cant. de l'Aveyron, à 16 km au N. de Sévérac-le-Château; 458 hab.

CAMPAGNE → AGRICULTURE.

CAMPAGNE → CHAMPAGNE.

CAMPAGNE-LÈS-HESDIN (62870), ch.-l. de cant. du Pas-de-Calais, à 12 km au S.-E. de Montreuil; 1 468 hab.

CAMPAGNE ROMAINE, en ital. **Agro Romano,** région d'Italie (Latium), autour de Rome.

CAMPAGNOL → RONGEURS.

CAMPAN (65200 Bagnères de Bigorre), ch.-l. de cant. des Hautes-Pyrénées, à 7 km au S. de Bagnères-de-Bigorre, sur l'Adour; 1 587 hab. Église et halle du XVIe s. Marbre.

CAMPANA (Dino), poète italien (Marradi 1885 - Castel Pulci 1932). Une existence errante bouclée dès 1918 par l'internement psychiatrique a pesé, en la fixant sous la forme de produit pathologique d'un artiste maudit, sur la lecture d'une œuvre visionnaire, qui s'essaya à tous les thèmes culturels pour les décomposer et les subvertir (*Canti Orfici,* 1914; *Taccuinetto faentino,* publié en 1960).

CAMPANELLA (Tommaso), philosophe italien (Stilo, Calabre, 1568 - Paris 1639). Accusé d'hérésie à diverses reprises, il est torturé et jeté en prison, où il brosse un tableau d'une société idéale et utopique *(la Cité du soleil).*

CAMPANIE, région de l'Italie péninsulaire, sur la mer Tyrrhénienne; 13 595 km²; 5 118 000 hab. Capit. *Naples.* La Campanie est formée de cinq provinces : Avellino, Bénévent, Caserte, Naples et Salerne. Au climat méditerranéen, doux (bénéficiant des influences maritimes), elle présente des paysages variés : montagnes de l'Apennin dans l'intérieur, massifs volcaniques (champs Phlégréens, Vésuve) à proximité du littoral, occupé aussi par des collines et des plaines bonifiées.

Douzième région italienne par la superficie, c'est la deuxième par le chiffre de population, la première même par la densité, qui approche 400 habitants au kilomètre carré. Ce chiffre est lié à la présence de la grande agglomération de Naples*, mais tient aussi à la fréquente richesse de l'agriculture (cultures fruitières, vigne, olivier) et au développement récent, et encore ponctuel, de l'industrie ainsi qu'à l'activité touristique, née de la beauté des paysages et des avantages du climat. Cet essor est, toutefois, insuffisant pour enrayer une émigration; celle-ci, née de la très forte pression démographique et dirigée vers le N. (Lombardie, Piémont), montre que la Campanie appartient encore au Mezzogiorno*.

CAMPANULE. — Cette fleur, usuellement appelée *clochette,* doit son nom à une corolle aux pétales presque totalement soudés, formant cloche.

Sa couleur est généralement mauve ou blanche. Une campanule, la *raiponce,* ou petite-rave, est comestible par ses racines et ses feuilles. Ce genre et les voisins constituent la famille des campanulacées, voire l'ordre des campanulales, dont les affinités sont discutées.

CAMPBELL (William Wallace), astronome américain (Hancock County, Ohio, 1862 - San Francisco 1938). On lui doit la spécialisation de l'observatoire de Lick dans l'étude des vitesses radiales des étoiles* et dans l'observation des nébuleuses gazeuses de la

Camisards. Troupe royale, dans un défilé, guettant les mouvements des camisards. Frontispice de l'*Atlas des Cévennes* publié en 1703.

Galaxie*. Avec George Frederick Dodwell, il observa l'éclipse de Soleil* de 1922, la deuxième où l'on ait cherché à vérifier la déviation des rayons lumineux par un fort champ gravitationnel (effet Einstein*).

Camp du Drap d'or, nom donné au lieu où François Ier et Henri VIII d'Angleterre se rencontrèrent entre Guines et Ardres (juin 1520) : par la magnificence de son accueil, le roi de France pensait impressionner son adversaire; cette tentative de séduction échoua.

CAMPECHE *(golfe de),* partie sud-ouest du golfe du Mexique. Le *port de Campeche* (70 000 hab.) est la capitale de l'État mexicain du même nom.

CAMPHRE. — Le *camphre* est une cétone terpénique de formule $C_{10}H_{16}O$. Il en existe deux formes inverses optiques, la plus courante étant le camphre droit, ou camphre du Japon, solide blanc, volatil, d'odeur caractéristique, utilisé pour la préparation du Celluloïd et de produits pharmaceutiques.

CAMPIDANO, région de plaines et de collines du sud de la Sardaigne, la plus fertile de l'île.

CAMPIN (Robert), peintre hainuyer (? av. 1380-Tournai 1444). Maître à Tournai en 1406, il est sans doute l'auteur des peintures très novatrices autrefois groupées sous le nom du « Maître de Flémalle », notamment de l'*Annonciation* de Mérode (Cloisters, New York) et de la *Vierge à l'Enfant* (institut Städel, Francfort). La *Nativité* du musée de Dijon refléterait son premier style. La *Vierge* de Francfort comme *le Larron crucifié* (ibid.) se signalent par une puissante monumentalité; le *Retable de Werl* (daté de 1438, Prado) est plus souple, avec un espace mieux suggéré. Van der Weyden* était inscrit dans l'atelier de l'artiste en 1427.

CAMPINA GRANDE, v. du Brésil (État de Paraíba), au N.-O. de Recife; 196 000 hab.

CAMPINAS, v. du Brésil (État de São Paulo), au N. de São Paulo; 376 000 hab.

CAMPINE, région du nord de la Belgique (prov. d'Anvers et du Limbourg), débordant au-delà de la frontière avec les Pays-Bas. Terre sableuse, la Campine a été souvent amendée, et les cultures (légumes, fruits, pomme de terre) se sont ajoutées à l'élevage. Le sous-sol fournit du charbon (principal bassin houiller belge), dont l'extraction a décliné.

CAMPING. — En 1974, la Fédération française de camping et de caravaning estimait à 6 millions le nombre des campeurs en France. Le nombre des terrains et leur capacité ne répondent pas à cette évolution : les 5 452 terrains recensés en 1974 n'offraient que 1 333 600 places. Depuis 1968, leur réglementation est plus stricte : chaque emplacement doit bénéficier, en moyenne, de 100 m². Des terrains pilotes (Savoie, Dordogne, Charente-Maritime) offrent 400 m² par installation, mais avec un confort moindre. Les terrains sont homologués, suivant des normes de confort, en différentes catégories. Les tarifs les plus bas sont fixés par arrêté préfectoral; les autres sont soumis à surveillance. Une inspection sanitaire a lieu avant chaque saison. Le camping à la ferme se développe et demeure libre au-dessous de six installations.

Le matériel répond aux divers besoins : tente familiale, tente allégée, avec mâts et faîtières en Duralumin, ou encore « tente express », s'ouvrant comme un parapluie, etc. Le matériel chauffant à gaz (réchaud, radiateur) s'est miniaturisé, et il existe un mobilier pliant.

CAMPISTRON (Jean Galbert de), poète dramatique français (Toulouse 1656-*id.* 1723). Soutenu par le duc de Vendôme et la « cabale du Temple », il prétendit succéder à Racine (*Tiridate,* 1691), mais sa gloire éphémère ne résista pas aux épigrammes de Boileau.

CAMPITELLO (20252), ch.-l. du cant. d'Alto-di-Casaconi, en Haute-Corse, à 36 km au S.-O. de Bastia; 202 hab.

CAMPOBASSO, v. d'Italie, capit. de la Molise, ch.-l. de prov.; 43 000 hab.

Campoformio *(traité de),* traité du 17 octobre 1797, terminant la campagne d'Italie. Conclu à Campoformio (Vénétie) par Bonaparte avec l'Autriche, il mettait fin à la 1re coalition* et reconnaissait à la France la Belgique et la rive gauche du Rhin ainsi que la création de la république Cisalpine.

CAMPOLORO-DI-MORIANI, cant. de la Haute-Corse, dans l'est de l'île. Ch.-l. *Cervione.*

CAMPOS, v. du Brésil, dans le nord de l'État de Rio de Janeiro; 319 000 hab.

CAMPRA (André), compositeur français (Aix-en-Provence 1660-Versailles 1744). Après avoir occupé plusieurs postes en province, il est nommé maître de chapelle à Notre-Dame de Paris, puis à la chapelle royale à Versailles, enfin inspecteur de l'Académie de musique. Ses grands motets font de lui le digne successeur de M. Delalande. Ses tragédies lyriques (*Tancrède,* 1702) et ses divertissements ajoutent à l'influence lullyste pour le récit et la danse celle des Italiens dans les airs. Campra reste le grand maître de l'opéra-ballet (*l'Europe galante,* 1697; *les Fêtes vénitiennes,* 1710).

CAMUS (Albert), écrivain français (Mondovi, Algérie, 1913-près de Villeblevin, Yonne, 1960). Peu d'œuvres se sont imposées si vite et dans le monde entier à des hommes de cultures différentes : donnant en pleine guerre mondiale avec *l'Étranger* une expression esthétique au « mal du xxe siècle », Camus réussissait à être du même coup actuel et universel. Actuel, parce qu'il montrait la vie humaine marquée par le mal et la violence sans qu'on puisse en discerner les raisons ou la finalité; universel, parce qu'il s'exprimait dans un roman ramassé, au langage simple et dépouillé, qui prit place tout de suite parmi les beaux exercices de style de la littérature et dont le rythme était plus celui d'une parabole dramatique que d'un récit romanesque. C'est cette netteté de la structure de l'œuvre et le « flou » de son interprétation de l'absurde* qui permirent à la génération de l'après-guerre d'y reconnaître ses angoisses. D'où l'éloignement sensible de Camus aujourd'hui, alors que les problèmes humains et politiques se posent en termes différents et que l'écriture littéraire est l'objet d'une interrogation profonde. D'où aussi l'intérêt plus sociologique porté à son œuvre : on y voit ainsi moins la mise en lumière du problème fondamental de la condition humaine que l'expression transposée du malaise du petit Blanc d'Algérie aux prises avec les conflits des communautés et des cultures. En réalité, l'ambiguïté de Camus vient de ce qu'il donne à l'inconfort intellectuel une expression stylistique parfaitement admise, qu'il traduit la dynamique existentielle en termes statiques de beauté littéraire. D'où, en revanche, son effort permanent, si explicite dans *la Chute* et plus encore dans ses *Carnets,* pour échapper aux idéologies, aux solutions politiques toutes faites. Sa prise de conscience de l'absurdité du monde et de la vie (Dieu est mort et avec lui le critère de toute valeur), acceptée dans toutes ses conséquences, aboutit à placer la liberté humaine non dans la durée aléatoire d'une entreprise intellectuelle ou politique dominée par une

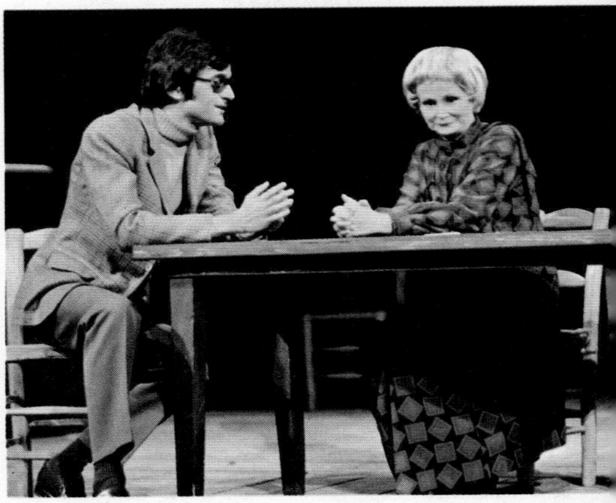
Bernand

Une scène du *Malentendu* d'Albert Camus, avec Tania Balachova et Jean-Luc Kayser (théâtre Montensier, Versailles, 1971).

l'œuvre

ROMANS ET RÉCITS

*L'Étranger** (1942), *la Peste** (1947), *la Chute* (1956), *l'Exil et le royaume* (1956), *la Mort heureuse* (posthume, 1971).

ESSAIS

L'Envers et l'endroit (1937), *Noces* (1939), *le Mythe de Sisyphe* (1942), *Actuelles* (*I,* 1950; *II,* 1953; *III,* 1957), *l'Homme révolté* (1951), *l'Été* (1954).

THÉÂTRE

Le Malentendu (1944), *Caligula* (1945), *l'État de siège* (1948), *les Justes* (1949).

Carnets (1961-1964).

conscience collective, mais dans la précarité concrète de l'instant perpétuellement repris d'une lucidité critique personnelle («N'attendez pas le jugement dernier, il a lieu tous les jours»). Ce qui explique, malgré son action dans la Résistance et à la direction de *Combat*, son refus de l'engagement* tel que le conçoivent l'existentialisme de Sartre et le marxisme, et sa célébration de la révolte, poussée jusqu'au risque ultime : l'homme qui joue sa vie dans ce refus permanent retrouve ainsi une valeur qui le dépasse et peut redonner un sens aux mots «liberté» et «vérité».

CANADA, État de l'Amérique du Nord, membre du Commonwealth; 9975000 km^2; 23140000 hab. *(Canadiens).* Capit. *Ottawa* (302341 hab.).

GÉOGRAPHIE

• *Le milieu naturel.* Le Bouclier canadien occupe toute la partie centrale et orientale du pays. Constitué de terrains précambriens rabotés, il est déprimé au centre et pénétré par la vaste baie d'Hudson; il plonge sous les plates-formes sédimentaires à l'O. (Prairie) et au S.-E. (basses terres du Saint-Laurent). Au sud de l'estuaire du Saint-Laurent, il est limité par la terminaison septentrionale du système appalachien (Gaspésie, Terre-Neuve), d'âge primaire. À l'O., il est bordé par un ensemble montagneux de type alpin : les montagnes Rocheuses et la chaîne côtière encadrent de hauts plateaux entaillés par les profondes vallées des rivières Fraser et Columbia, qui descendent vers l'océan Pacifique. Au quaternaire, le pays a subi une forte empreinte glaciaire, qui se traduit par des dépôts morainiques et de nombreux lacs (Grands Lacs à la frontière avec les États-Unis, lac Winnipeg, lacs de l'Esclave et de l'Ours). Actuellement, les glaciers sont cantonnés en montagne et dans l'extrême nord du pays (terre de Baffin, Ellesmere).

Le climat est étroitement dépendant de la latitude et de la disposition des reliefs, et explique la répartition de la végétation. Tout le nord du pays est soumis à un climat polaire (Coppermine), dont la température moyenne du mois le plus chaud avoisine 10 °C; il est couvert par la toundra. Aux latitudes méridionales, la barrière montagneuse des Rocheuses empêche la pénétration des influences maritimes occidentales. Seule la frange côtière pacifique (Vancouver) connaît un climat océanique aux hivers doux. À l'E. règne un climat continental rude, sec au pied des Rocheuses (Winnipeg), humide en bordure de l'océan Atlantique. Toute cette zone est couverte par la forêt de conifères, à l'exception de la région centrale, trop aride, où pousse une prairie de graminacées, et de la région du Saint-Laurent, aux belles forêts de feuillus.

climatologie

stations	températures moyennes janvier	températures moyennes juillet	précipitations annuelles (en mm)
Montréal	− 9,2 °C	21,3 °C	1061
Vancouver	− 3,1 °C	18 °C	1443
Coppermine	− 28,3 °C	9,4 °C	276
Winnipeg	− 17,5 °C	20,2 °C	501

• *La population.* Les conditions naturelles et l'évolution historique se mêlent pour expliquer les caractéristiques de la population canadienne. À l'exception de rares autochtones (Indiens et Esquimaux), celle-ci est d'origine essentiellement européenne. Elle comprend trois groupes principaux : les Canadiens français, premiers immigrants, concentrés dans la province du Québec et qui sont au nombre de 6,5 millions; les Canadiens anglais (10 millions), majoritaires; les immigrants récents, de nationalités diverses. Elle s'accroît assez rapidement par immigration et par excédent naturel, ce dernier ayant, cependant, tendance à diminuer. La répartition est très inégale. Le Nord est quasiment vide, et la population se concentre dans la partie méridionale, dans la région orientale, point d'arrivée de l'immigration, sur la côte pacifique et le long de la frontière avec les États-Unis. Des migrations intérieures ont d'ailleurs lieu au profit des régions pionnières de l'Ouest. Enfin, la population est fortement urbanisée, puisque plus des trois quarts des habitants résident dans les villes.

• *L'économie.* Bien qu'elle n'emploie plus que 5 p. 100 de la population active, l'agriculture reste un secteur important de l'économie. Elle est caractérisée par une mécanisation très poussée, qui permet aux exploitants d'avoir de hauts revenus. Le Canada est un grand producteur (15 Mt) et surtout un exportateur de blé. Cette céréale est cultivée souvent en monoculture dans la Prairie, mais elle est associée à l'orge, à l'avoine, à la betterave à sucre et aux cultures maraîchères dans les provinces laurentiennes, où l'on pratique également l'élevage bovin. Mais la forêt reste une des principales ressources du pays : son exploitation fournit du bois de sciage et surtout de la pâte à papier pour laquelle le Canada occupe le deuxième rang mondial, étant le premier producteur de

divisions administratives

provinces et territoires	superficie (km^2)	population (recensement 1976)	chef-lieu	population (recensement 1971)
Terre-Neuve	404517	548789	Saint John's	88102
Île du Prince-Édouard	5657	116251	Charlottetown	11133
Nouvelle-Écosse	55490	812127	Halifax	122035
Nouveau-Brunswick	73437	664525	Fredericton	24254
Québec	1540680	6141491	Québec	186088
Ontario	1068582	8131618	Toronto	712786
Manitoba	650086	1005953	Winnipeg	246246
Saskatchewan	651900	907650	Regina	139469
Alberta	661185	1799771	Edmonton	428152
Colombie britannique	948596	2406212	Victoria	61761
Territoire du Yukon	536324	21392	Whitehorse	11217
Territoires du Nord-Ouest	3379683	42237	Yellowknife	6122

autres grandes villes

Montréal	1214352	Calgary	403319
Vancouver	426256	Hamilton	309173

principales aires métropolitaines

Montréal	2743208	Winnipeg	540262
Toronto	2628043	Hamilton	498523
Vancouver	1082352	Edmonton	495702
Ottawa	602510	Québec	480502

papier journal. La pêche est pratiquée sur la côte pacifique (saumon) et surtout dans l'Atlantique (morue), notamment autour de Terre-Neuve.

Le sous-sol, en particulier le Bouclier canadien, recèle des richesses innombrables et d'ailleurs incomplètement prospectées. Le Canada est le premier producteur mondial de nickel (Ontario), d'amiante (Québec), de potasse (Saskatchewan), de zinc, et de platine. Il produit également du plomb, du cuivre, de l'or, de l'argent, de l'uranium, etc., ainsi que du fer (30 Mt de métal contenu, en particulier dans le Labrador). Les sources d'énergie sont aussi abondantes. La production de charbon est relativement faible (17 Mt), mais celle de pétrole (84 Mt) et celle de gaz naturel (72 Gm^3) se sont développées. Par ailleurs, le Canada exploite une partie de son immense potentiel hydroélectrique, et plus de la moitié de l'électricité est encore d'origine hydraulique. Les minerais, une fois raffinés, sont en grande partie exportés vers les États-Unis et l'Europe. Mais ils ont également permis le développement d'une industrie puissante et complète, où toutes les branches d'activité sont représentées. L'industrie traditionnelle du bois (papier) a perdu de son importance devant la métallurgie des métaux non ferreux (en particulier l'aluminium, la bauxite étant importée). La sidérurgie (13,5 Mt d'acier) alimente la construction automobile et des constructions mécaniques variées. Les industries alimentaires, textiles et chimiques (caoutchouc synthétique) sont localisées à proximité des lieux d'extraction, dans les ports d'importation ou dans les grandes villes de l'Est.

Grand pays agricole doté d'une puissante industrie, le Canada est l'un des pays les plus riches du monde : le niveau de vie moyen y est presque aussi élevé qu'aux États-Unis. Cependant, certains problèmes se posent. L'antagonisme entre Québécois et Canadiens anglais repose sur la prédominance démographique, politique et économique de ces derniers. La richesse du pays est étroitement tributaire du marché mondial, puisqu'elle est liée à l'exportation, la production étant supérieure aux besoins intérieurs. Par ailleurs se pose le problème de la dépendance vis-à-vis des États-Unis, principal partenaire commercial et qui, par le biais de leurs capitaux, contrôlent une grande partie de l'économie. (Voir carte p. 337.)

HISTOIRE

• *Le régime français.* Jacques Cartier se rend plusieurs fois en Nouvelle-France (Canada); la troisième fois (1541), il amène avec lui vingt «hommes laboureurs» et du bétail. Mais les premiers essais de colonisation n'ont guère de suite. Au XVIIe s., en échange du monopole de la traite des fourrures, Pierre de Gua, sieur de Monts, établit Port-Royal (Annapolis Royal) en Acadie (1604-1605) : le géographe du voyage est Samuel Champlain*, qui demeure au Canada en vue d'évangéliser les Indiens, certains de ses compagnons entreprenant une première colonisation du pays. En 1608, Champlain reçoit pour mission de parachever la découverte du Saint-Laurent; sa base de départ est Québec (1608), où, en 1618, il obtient de Richelieu l'autorisation d'établir 300 familles. Cependant, pour qu'on puisse parler de colonisation efficace, il faut attendre 1627, quand Richelieu crée la Compagnie des Cent-Associés. Une guerre avec les Anglais — prélude à bien d'autres —

freine les premiers progrès (1617-1632). Si bien que, lorsque Champlain meurt (1635), la population française totale du Canada n'excède pas 200 personnes (les Anglais sont 40 000 en Amérique du Nord).

Une première vague de colons, venus du Perche (1634-1636), permet de multiplier les concessions de terres, cependant que la recherche des animaux à fourrure et aussi l'action des missionnaires auprès des Indiens accroissent la zone d'influence française dans le « haut pays ». Le lac Ontario est atteint en 1615; en 1642, Montréal (Ville-Marie) est fondée. Mais les incursions des Iroquois, ennemis acharnés des Français et de leurs alliés Hurons, ralentissent les progrès d'une colonisation qui, d'ailleurs, n'intéresse que médiocrement la métropole.

En 1663, Louis XIV réintègre le Canada dans le domaine royal, le dote d'une administration efficace (gouverneur, évêque, intendant), tout en confiant à la Compagnie des Indes occidentales le monopole du commerce canadien. L'intendant Jean Talon, arrivé en 1665, s'avère un excellent administrateur : si bien qu'en 1673 on compte près de 7 000 Français au Canada, la colonisation se développant le long du Saint-Laurent. L'exploration intérieure, sous Louis de Frontenac, gouverneur en 1672, s'amplifie, notamment grâce à Louis Joliet et au P. Jacques Marquette, qui découvrent le Mississippi (1673), à Daniel du Luth, qui atteint le pays des Sioux (1679), et à Robert Cavelier de La Salle, qui touche à l'embouchure du Mississippi (1682) et fonde la Louisiane.

Mais les Anglais sont tout près, nombreux et entreprenants. En 1690, ils s'emparent de l'Acadie et de Terre-Neuve; le traité de Ryswick (1697) reconnaît les conquêtes françaises sur la baie d'Hudson, restitue à Louis XIV Terre-Neuve, mais ne lui laisse qu'une partie de l'Acadie. Bientôt, la guerre de la Succession d'Espagne fait rebondir le conflit : au traité d'Utrecht (1713), le Canada perd la baie d'Hudson, l'Acadie et l'essentiel de Terre-Neuve.

La Nouvelle-France connaît alors un demi-siècle de paix et de prospérité (1715-1763). En 1754, les Français sont 54 000. Les explorations de Pierre de La Vérendrye et de ses fils permettent d'atteindre les Rocheuses (1741-1743); mais l'immigration est peu à peu stoppée, et la forte natalité canadienne ne peut compenser le manque de bras, qui s'avère dramatique face aux colonies anglaises (1 500 000 hab.). La guerre franco-anglaise de 1744-1748 aboutit au *statu quo;* mais, dès 1749, les Anglais, décidés à devenir les maîtres du Canada, édifient une grande base navale à Halifax (Nouvelle-Écosse).

La guerre de Sept Ans est fatale à la France, qui dispose cependant de troupes d'élite et d'un chef remarquable, le marquis de Montcalm; celui-ci, arrivé en 1756, repousse trois ans durant les assauts anglais. Mais ses troupes ne peuvent empêcher la chute de Québec lors de la bataille des plaines d'Abraham (13 sept. 1759), au cours de laquelle les deux commandants en chef, Wolfe et Montcalm, trouvent la mort. Le traité de Paris cède tout le Canada à l'Angleterre (1763), cependant que l'Acadie*, devenue la Nouvelle-Écosse dès 1713, est vidée de ses derniers colons français.

● *Le régime anglais.* Devenus sujets britanniques, les Canadiens français sont réduits à vivre sur un petit territoire, au Québec. Cependant, ils gardent leur religion et leur langue, et recouvrent leurs anciennes institutions par l'Acte de Québec (1774), dont le libéralisme contribue à la rupture définitive entre Londres et les treize colonies américaines, qui se sentent trahies par la collusion « anglo-canadienne ». De fait, durant la guerre d'indépendance de l'Amérique, les Canadiens manifestent leur loyalisme à l'égard de George III. Cependant, la signature du traité de Versailles (1783), en reportant loin au nord les frontières du Québec, bloque définitivement l'influence des francophones au cœur de l'Amérique du Nord. Autre menace pour les Canadiens français : l'arrivée massive des loyalistes américains dans la province du Québec.

Désormais, l'histoire du Canada comprendra en filigrane le problème difficile des relations entre les deux communautés.

En 1791, l'Acte constitutionnel du Canada sépare territorialement et institutionnellement anglophones et francophones, le Bas-Canada étant réservé à ces derniers, encore que l'administration, le haut commerce et la représentation au Parlement provincial y soient largement entre les mains des anglophones.

De nouveau champ de bataille entre 1812 et 1814, lors de la guerre entre l'Angleterre et les jeunes États-Unis, le Canada fait bloc autour de la Couronne, attitude qui manifeste une certaine conscience nationale.

Dans les deux Canada, la politique est le fait des oligarchies terriennes ou négociantes. À la tête de l'opposition s'imposent, dans le Bas-Canada, Louis Joseph Papineau, champion du nationalisme canadien-français, et dans le Haut-Canada, William Lyon Mackenzie. En 1834, les deux leaders exigent l'élection du Conseil législatif (Chambre haute) et la responsabilité de l'exécutif devant l'Assemblée.

Londres se raidissant, une révolte éclate en 1837 : elle est libérale dans le Haut-Canada et nationaliste dans le Canada français. Aussi, la révolte écrasée, l'Angleterre, pour mettre fin aux luttes entre les deux communautés, impose-t-elle l'Acte d'Union (1840), loi organique qui unit les deux Canada en un Canada-Uni, avec un gouvernement et un Conseil législatif nommés par la Couronne et une Assemblée législative élue par le peuple. Si cette formule défavorise nettement les Canadiens francophones, pourtant majoritaires, elle accélère une évolution libérale facilitée par la reprise économique, la création des premiers chemins de fer et des canaux et la suppression de la tenure seigneuriale (1854). En 1848, est adopté le système d'un Conseil exécutif responsable devant l'Assemblée; en même temps, le français est restauré comme langue officielle. Le Canada connaît alors une ère de grande prospérité (1848-1860).

● *La Confédération canadienne.* Cependant une fédération des deux communautés apparaît de plus en plus comme la solution d'avenir. Sir John A. Macdonald s'en fait le champion. C'est lui d'ailleurs qui préside (1867-1873) le premier cabinet formé après la création du dominion du Canada par l'Acte de l'Amérique du Nord britannique (20 mars 1867). Cet acte crée la Confédération du Canada, qui unit le Haut-Canada et le Bas-Canada ainsi que le Nouveau-Brunswick et la Nouvelle-Écosse. Le législatif fédéral est désormais partagé entre un Sénat, dont les membres sont nommés à vie par le gouverneur, et une Chambre des communes.

Vers l'ouest, se poursuit l'expansion canadienne : en 1870, après la révolte de Louis Riel (qui sera exécuté après une nouvelle insurrection des métis en 1885), naît le territoire du Manitoba, devenu presque aussitôt province; en 1871, la Colombie britannique, colonie de la Couronne, devient province du Canada; en 1876, est créé le district de Keewatin et, en 1882, les districts d'Athabasca, d'Assiniboïa, d'Alberta et de Saskatchewan, ces deux derniers devenant provinces en 1905. L'achèvement du Canadian Pacific Railway (1885) et du Canadian Northern (1896) accélère le développement du Canada vers l'ouest.

L'histoire du dominion est dominée jusqu'en 1914 par deux grands noms : John A. Macdonald, conservateur, Premier ministre de 1867 à 1873 et de 1878 à sa mort (1891), qui pratique une politique protectionniste; Wilfrid Laurier (1841-1919), un Canadien français, leader du parti libéral, qui, Premier ministre de 1896 à 1911, renforce l'autonomie du Canada, créant une marine et un ministère des Affaires étrangères. En même temps, ce dernier facilite l'immigration, élément essentiel de la prospérité économique (de 1901 à 1911, la population augmente de 34 p. 100), mais il doit démissionner parce qu'il est partisan d'un traité de libre-échange avec les États-Unis.

Durant la Première Guerre mondiale, le Canada participe fortement à l'effort de guerre britannique (424 000 mobilisés, 52 000 morts), ce qui lui vaut une place à la Conférence de la paix de 1919.

L'après-guerre voit surgir, à côté du parti libéral et du parti conservateur, le groupe agraire, ou progressiste, opposé à la politique industrielle des conservateurs. C'est d'ailleurs le parti libéral qui dirige les affaires de 1921 à 1948 (sauf une interruption lors de la crise économique de 1930-1935, au profit des conservateurs), en la personne de William Lyon Mackenzie King, qui obtient de Londres une plus large autonomie. État du Commonwealth, le Canada, à partir de 1923, signe les traités qui le concernent; en 1926, il a un ambassadeur à Washington. Le Statut de Westminster (1933) admet l'adoption d'une loi canadienne même si elle est en contradiction avec Londres. Bref, peu à peu, le Canada devient une puissance à part entière.

La crise économique de 1929, à laquelle s'ajoutent, dans les grandes plaines céréalières, des sécheresses dévastatrices, éveille les revendications du prolétariat et réveille le nationalisme du Québec.

De nouveau engagée dans la Seconde Guerre mondiale, la Confédération canadienne, augmentée de Terre-Neuve en 1949, est ensuite affrontée aux problèmes qui opposent les Québécois francophones aux Canadiens anglophones. À la tête de la Fédération c'est un Canadien français, le libéral Louis Stephen Saint-Laurent, qui succède en 1948 à Mackenzie King; à la suite des

---

DÉFENSE ET ARMÉES

1949 : le Canada adhère au Pacte atlantique.

1958 : accord militaire avec les États-Unis pour la défense aérienne de l'Amérique du Nord (North American Air Defense, ou NORAD).

1964-1968 : intégration des trois armées sous la direction d'un état-major de défense unique.

● LES FORCES CANADIENNES EN 1977. Budget : 3 041 millions de dollars U.S. (2,2 p. 100 du P.N.B.). Effectifs : 78 000 hommes (armées de métier).

Armée : 28 000 hommes; 3 groupements, dont 1 en Allemagne et un élément à Chypre.

Aviation : 36 000 hommes; 210 avions de combat; unités de défense aérienne intégrées dans le NORAD.

Marine : 13 000 hommes, 3 sous-marins de 1 600 t, 20 escorteurs (dont 4 de 3 500 t).

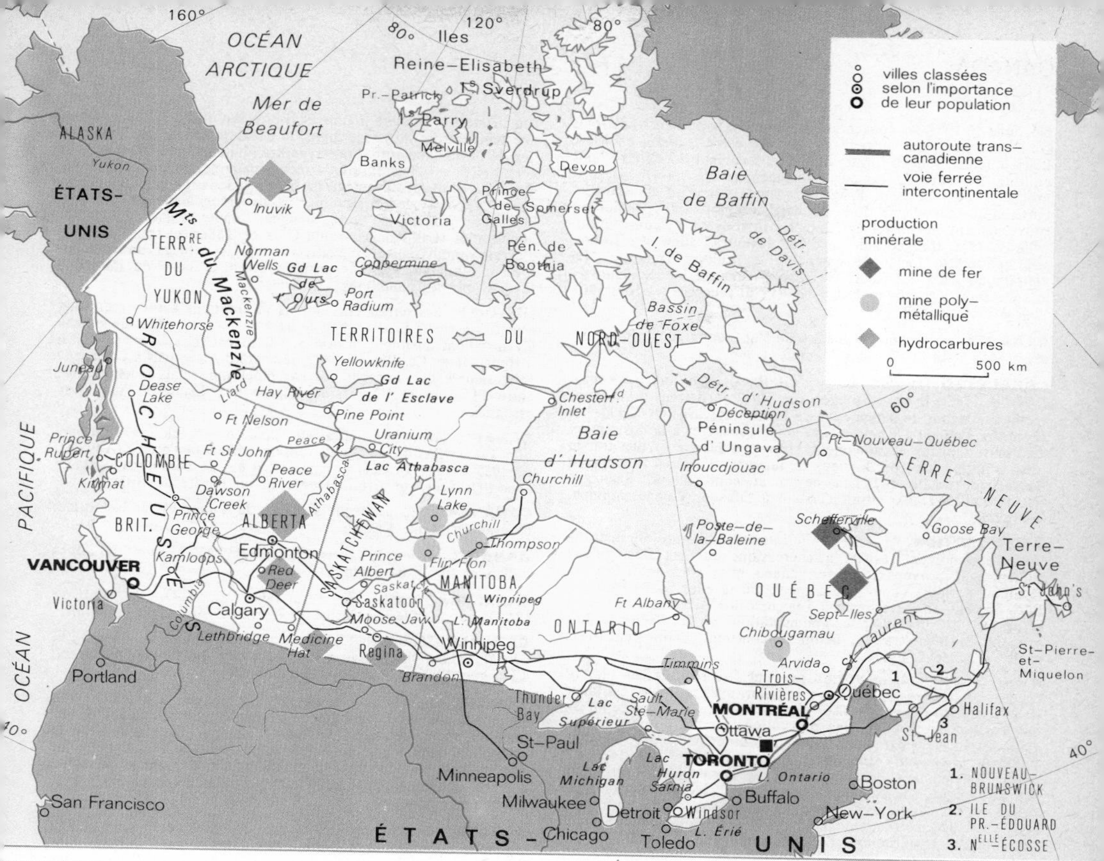

villes classées
selon l'importance
de leur population
autoroute trans-canadienne
voie ferrée intercontinentale
production minérale
mine de fer
mine poly-métallique
hydrocarbures
0 500 km
OCÉAN ARCTIQUE
Mer de Beaufort
Iles Reine-Elisabeth
Is Sverdrup
Pr.-Patrick
Is Parry
Melville
Banks
Devon
Victoria
Prince-de-Galles
Somerset
Pén. de Boothia
Baie de Baffin
I. de Baffin
Détr. de Davis
Bassin de Foxe
ALASKA
Yukon
ÉTATS-UNIS
Inuvik
TERRRE DU YUKON
Mts du Mackenzie
Mackenzie
Norman Wells
Gd Lac de l' Ours
Coppermine
Port Radium
Whitehorse
TERRITOIRES DU NORD-OUEST
Yellowknife
Gd Lac de l' Esclave
Juneau
Dease Lake
Liard
Hay River
Pine Point
Ft Nelson
Chesterfield Inlet
Détr. d'Hudson
Déception
Péninsule d' Ungava
Pt-Nouveau-Québec
TERRE-NEUVE
PACIFIQUE
Prince Rupert
Kitimat
COLOMBIE BRIT.
ROCHEUSES
Ft St John
Peace
Dawson Creek
Peace River
Athabasca
Uranium City
Lac Athabasca
Baie d' Hudson
Inoucdjouac
Churchill
Prince George
ALBERTA
SASKATCHEWAN
Lynn Lake
Churchill
Thompson
Poste-de-la-Baleine
Schefferville
Goose Bay
Terre-Neuve
VANCOUVER
Kamloops
Edmonton
Red Deer
Prince Albert
Flin Flon
MANITOBA
Saskat.
Saskatoon
L. Winnipeg
L. Manitoba
QUÉBEC
Sept-Iles
St John's
Victoria
Columbia
Calgary
Moose Jaw
Ft Albany
ONTARIO
Chibougamau
St Laurent
Lethbridge
Medicine Hat
Regina
Winnipeg
Brandon
Timmins
Arvida
St-Pierre-et-Miquelon
OCÉAN
Portland
Thunder Bay
Lac Supérieur
Sault Ste-Marie
Trois-Rivières
Québec
1
2
3
Halifax
St-Jean
MONTRÉAL
Ottawa
St-Paul
Lac Huron
TORONTO
Minneapolis
Lac Michigan
Sarnia
L. Ontario
Boston
San Francisco
Milwaukee
Detroit
Windsor
Buffalo
L. Érié
New-York
ÉTATS-UNIS
Chicago
Toledo
1. NOUVEAU-BRUNSWICK
2. ILE DU PR.-ÉDOUARD
3. NELLE-ÉCOSSE
160°
120°
80°
80°
60°
40°

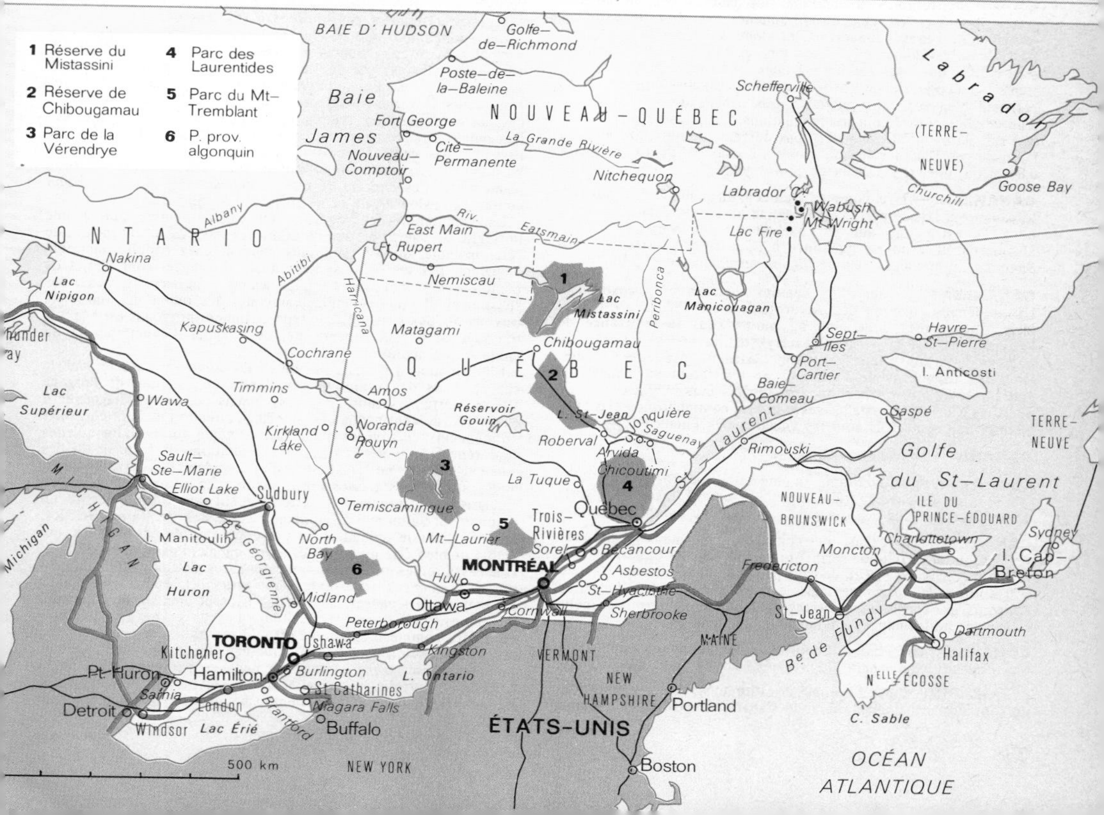

1 Réserve du Mistassini
2 Réserve de Chibougamau
3 Parc de la Vérendrye
4 Parc des Laurentides
5 Parc du Mt-Tremblant
6 P. prov. algonquin
BAIE D' HUDSON
Golfe-de-Richmond
Poste-de-la-Baleine
Baie James
Fort George
NOUVEAU-QUÉBEC
Cité-Permanente
La Grande Rivière
Nouveau-Comptoir
Nitchequon
Schefferville
Labrador
(TERRE-NEUVE)
Goose Bay
Churchill
Labrador City
Wabush
Mt Wright
Lac Fire
ONTARIO
Albany
Riv. Eatsmain
East Main
Ft Rupert
Nakina
Nemiscau
Lac Mistassini
Lac Nipigon
Abitibi
Harricana
Peribonca
Lac Manicouagan
Thunder Bay
Kapuskasing
Matagami
Chibougamau
Sept-Iles
Havre-St-Pierre
Cochrane
QUÉBEC
Port-Cartier
I. Anticosti
Lac Supérieur
Wawa
Timmins
Amos
Baie-Comeau
Réservoir Gouin
L. St-Jean
Gaspé
TERRE-NEUVE
Kirkland Lake
Noranda
Rouyn
Roberval
Jonquière
Saguenay
St Laurent
Rimouski
Golfe du St-Laurent
MICHIGAN
Sault-Ste-Marie
Elliot Lake
Sudbury
La Tuque
Arvida
Chicoutimi
NOUVEAU-BRUNSWICK
ILE DU PRINCE-ÉDOUARD
Temiscamingue
Trois-Rivières
Québec
Sydney
Michigan
I. Manitoulin
Georgienne
North Bay
Mt-Laurier
Sorel
Bécancour
Charlottetown
Moncton
I. Cap-Breton
Lac Huron
Hull
MONTRÉAL
Asbestos
Fredericton
Midland
Ottawa
St-Hyacinthe
Cornwall
Sherbrooke
St-Jean
Peterborough
MAINE
Be de Fundy
Dartmouth
TORONTO
Oshawa
Kingston
VERMONT
Halifax
Kitchener
Pt-Huron
Hamilton
Burlington
L. Ontario
NEW HAMPSHIRE
NELLE-ÉCOSSE
Sarnia
London
St Catharines
Portland
Detroit
Niagara Falls
Brantford
Windsor
Lac Érié
Buffalo
ÉTATS-UNIS
C. Sable
OCÉAN ATLANTIQUE
500 km
NEW YORK
Boston

élections de 1957, les conservateurs prennent le pouvoir avec John G. Diefenbaker, qui le cède au libéral Lester Pearson en 1963. Pierre Elliott Trudeau forme un nouveau cabinet libéral en 1968 : en vue d'apaiser la campagne indépendantiste au Québec*, il proclame le français et l'anglais langues officielles du Canada. Partisan du fédéralisme, P. E. Trudeau se heurte à l'opposition du gouvernement du Québec qui, dans le projet de charte constitutionnelle de 1971, trouve l'amorce d'une décentralisation insuffisante pour permettre l'épanouissement de la culture française. La victoire du parti québécois (P. Q.), de tendance indépendantiste, aux élections législatives du Québec (1976) accentue les contradictions à l'intérieur du pays.

CANADEL (Le), station balnéaire du Var (comm. de *Rayol-Canadel-sur-Mer),* sur la côte des Maures.

CANALETTO (Antonio CANAL, dit **il**), peintre italien (Venise 1697-*id.* 1768). Il travaille avec son père, décorateur de théâtre, reçoit des leçons de perspective de Luca Carlevarijs (1665-1731) et rencontre Pannini à Rome, avant de se consacrer à la description de Venise (canaux et monuments, fêtes) en des vues d'une grande précision, poétisées par les jeux de lumière. Il a aussi travaillé en Angleterre, tandis que son neveu et continuateur, BERNARDO BELLOTTO (1720-1780), faisait carrière à Dresde, Vienne, Munich, Varsovie.

CANALISATION. — • Les *canalisations extérieures* de distribution d'eau doivent résister aux pressions internes ainsi qu'aux sollicitations provenant du sol, quand elles sont enterrées, ou résultant de leurs conditions d'appui, quand elles sont aériennes. Elles doivent, en outre, résister à la corrosion* (interne ou externe) et ne pas être nocives pour l'alimentation. On les réalise le plus souvent en béton* armé, béton précontraint, béton centrifugé, fonte* et acier* laminé.

• Les *canalisations intérieures* peuvent être réalisées en plomb* et, de ce fait, elles sont faciles à installer, mais la faible résistance de ce matériau oblige à utiliser d'assez fortes épaisseurs de métal. S'il s'agit d'eau potable, des précautions sont à prendre contre l'empoisonnement par saturnisme, après un délai prolongé d'inutilisation de la conduite. Les canalisations en cuivre* sont faciles à poser. Néanmoins, si l'eau est dépourvue de calcaire et contient du gaz carbonique, elle peut prendre une teinte bleutée. On emploie également des conduites en fonte, en amiante-ciment* et surtout en acier galvanisé intérieurement. Mais ces dernières ne conviennent pas pour des canalisations d'eau chaude à plus de 80 °C.

• Les *canalisations d'évacuation* des eaux usées ne doivent jamais travailler en charge hydraulique, car il y aurait alors refoulement d'eaux polluées par les siphons d'appareils sanitaires. Les tuyaux de plomb, n'étant pas mis en pression, sont beaucoup plus minces que ceux servant à l'amenée des eaux propres, et les joints sont plus faciles à réaliser. Les canalisations en zinc* résistent bien aux eaux pluviales. Les canalisations en grès sont d'un emploi courant pour les évacuations d'eaux usées. Enfin, quel que soit leur type, les canalisations doivent toujours être mises à l'abri du gel. Dans les régions froides, il convient de les enterrer à 0,80 m ou, mieux, à 1,20 m de profondeur.

CANANÉEN. — Issu, comme l'araméen, du sémitique* occidental, le cananéen, langue parlée en Palestine au Ier millénaire av. J.-C., ne nous est connu que par quelques textes retrouvés à Tell al-Amarna. Il a donné naissance à l'ougaritique (textes de Ras Shamra), au moabite (stèle de Moab), au phénicien et à l'hébreu.

CANANÉENS, envahisseurs sémites installés en Palestine au IIIe millénaire, parents des Amorrites*. Vers 1900 av. J.-C., les cités cananéennes sont plus ou moins sous la mouvance de l'Égypte, mais, à la période des Hyksos* (XVIIe-XVIe s.), elles se libèrent de la suprématie égyptienne. Affaiblis par leurs rivalités, les États cananéens de l'intérieur ne résisteront pas, malgré la supériorité de leur civilisation, aux envahisseurs hébreux (XIIIe s.). Seuls les Cananéens installés sur le littoral continueront à avoir une histoire autonome : ils sont les ancêtres des Phéniciens.

CANARA → DRAVIDIENNES *(langues).*

Canard sauvage *(le),* drame en cinq actes, en prose, de H. Ibsen (1884). Une épreuve morale imposée à un médiocre pour sortir d'une situation fausse provoque la mort d'une enfant innocente.

CANARI. — Le canari ne constitue pas une espèce, mais seulement une variété de serins* originaire des îles Canaries et très recherchée comme oiseau de cage pour son beau plumage jaune et son aptitude au dressage dans le domaine du chant. Sélection, concours et expositions encouragent dans toute l'Europe l'amélioration des performances attendues de ces oiseaux.

CANARIES *(îles),* en esp. **Canarias,** archipel espagnol de l'Atlantique, au large du Sahara; 7 273 km^2; 1 170 000 hab. *(Canariens).*

GÉOGRAPHIE. Entre 27° et 30° de latitude N., l'archipel est formé de sept îles principales : Grande Canarie, Fuerteventura, Lanzarote, Tenerife, Gomera, Palma et Hierro (île du Fer). L'ensemble a une température moyenne annuelle oscillant autour de 20 °C. Les îles de l'est (Lanzarote, Fuerteventura [qui n'est qu'à 115 km de la côte d'Afrique]), basses, sont arides et pauvres, les autres îles, plus élevées, reçoivent davantage de précipitations, ce qui y a permis, avec l'appoint de l'irrigation, le développement de cultures intensives (pomme de terre, banane, tomate, vigne). Les villes importantes (Las Palmas, Santa Cruz de Tenerife) sont des ports d'escale, industrialisés (chantiers navals, raffinage du pétrole). L'essor actuel du secteur tertiaire est lié à celui du tourisme, favorisé par les conditions naturelles.

HISTOIRE. Les navigateurs arabes et chrétiens s'intéressent aux Canaries à partir du Xe s. Jean de Béthencourt et Gadifer de la Salle s'y installent au début du XVe s. : Béthencourt se déclare vassal d'Henri III de Castille. En 1479, le traité d'Alcáçovas reconnaît la souveraineté de l'Espagne sur l'archipel, qui, relais indispensable entre l'Europe et l'Amérique, assure aux Espagnols une base essentielle.

CANARIS (Wilhelm), amiral allemand (Aplerbeck 1887-Flossenbürg 1945). Chef du service de renseignements de l'armée (Abwehr) de 1935 à 1944, hostile au nazisme, il eut de nombreux contacts avec l'étranger, fut arrêté et exécuté sur l'ordre de Hitler.

CANAVERAL *(cap),* flèche sableuse de la côte est de la Floride; base aéronautique KENNEDY*.

CANAZEI, station de sports d'hiver (alt. 1 470-2 950 m) des Alpes italiennes (prov. de Trente).

CANBERRA, capit. de l'Australie, au S.-O. de Sydney; 174 000 hab., sur les 2 432 km^2 du *Territoire fédéral de la capitale.*

CANCALE (35260), ch.-l. de cant. d'Ille-et-Vilaine, à 14 km à l'E. de Saint-Malo, sur la rive ouest de la baie du Mont-Saint-Michel; 4 846 hab. Station balnéaire. Ostréiculture.

CANCER, constellation zodiacale, située vers la partie la plus septentrionale de l'écliptique et contenant un bel amas* ouvert M. 44, à 500 al, faiblement visible à l'œil nu. — Quatrième signe du zodiaque* dans lequel le Soleil entre au solstice d'été. — Le *tropique du Cancer* est le parallèle de la sphère terrestre, correspondant à la latitude 23° 27′ N., qui délimite au N. la zone dite « tropicale ».

CANCER. — Les proliférations cellulaires des cancers ont tendance à s'accroître, à détruire les tissus sains, à diffuser dans l'organisme sous forme de métastases et à récidiver. Mais tous les cancers ne répondent pas toujours à ces critères.

Les *épithéliomas* (ou carcinomes) sont les plus fréquents : ils sont divisés en épithéliomas *malpighiens* (ceux de la peau et des muqueuses [lèvres, col de l'utérus]) et *parenchymateux* (glande mammaire, foie). Les *sarcomes* sont les cancers des tissus conjonctifs; les hématosarcomes intéressent la rate, la moelle osseuse et les ganglions lymphatiques et peuvent être à l'origine des leucémies. Les *cancers embryonnaires* sont constitués par des tissus ou des cellules n'existant plus après la naissance (néphroblastomes). Les *mélanomes malins* sont des tumeurs du tissu pigmentaire. Les *cancers du système nerveux central* ne possèdent qu'une extension locale et ne forment pas de métastase.

L'augmentation de fréquence du cancer semble due à une longévité accrue et à l'amélioration des moyens de diagnostic de cette maladie, qui survient plus souvent chez l'adulte, mais qui n'épargne pas les enfants. Les causes du cancer font l'objet de nombreuses recherches. Certains agents sont cancérigènes : des substances chimiques (aniline, amiante), les radiations ionisantes (rayons X), des virus. Mais le type de tumeur provoqué est à la fois fonction de l'agent cancérigène, de l'animal d'expérience et du mode d'administration.

Cliniquement il n'existe pas de signes communs caractérisant le cancer, mais des symptômes variables en fonction de l'organe atteint. Certains symptômes, sans jamais donner un diagnostic à eux seuls, doivent néanmoins éveiller l'attention et faire consulter un médecin : ce sont les hémorragies, même minimes, lorsqu'elles sont répétées ou persistantes, les ulcérations de la peau ou des muqueuses qui ne cicatrisent pas rapidement, les « boules », boutons ou autres masses sentis sur la peau ou dans les seins, un amaigrissement rapide, une perte d'appétit sans cause évidente, un enrouement ou un mal de gorge persistant, des digestions difficiles, une constipation opiniâtre. En présence d'un de ces troubles, qui peut fort bien être dû à une affection banale, l'examen médical et, si nécessaire, les examens complémentaires permettront le diagnostic. Ces examens très divers (radiographies, endoscopies, etc.) permettent de localiser, de voir la lésion et bien souvent de faire une biopsie qui donne la certitude. Le cancer ne doit pas être considéré comme incurable. Lorsqu'il est traité correctement et à temps, la guérison peut être obtenue dans un grand nombre de cas. Le cancer est soigné chirurgicalement — par extirpation de la tumeur et parfois de ses métastases —, par la physiothérapie (radiothérapie, curiethérapie, bombe au cobalt) ou par la chimiothérapie (antimitotiques). Le traitement sera institué en fonction du type tumoral et de la localisation du cancer. Les différentes méthodes sont utilisées seules ou en association.

CANCHE (la), fl. côtier, né dans l'Artois, qui passe à Montreuil et rejoint la Manche dans la baie d'Étaples; 96 km.

CANCOILLOTTE → FROMAGE.

CANCON (47290), ch.-l. de cant. de Lot-et-Garonne, à 19 km au N.-O. de Villeneuve-sur-Lot; 1 602 hab.

CANCRELAT → BLATTE.

CANDAULE, roi de Lydie* (VIIᵉ s.) assassiné par Gygès*.

CANDÉ (49440), ch.-l. de cant. de Maine-et-Loire, à 19 km au S.-O. de Segré; 2 673 hab.

CANDELA. — L'étalon de départ de toutes les mesures photométriques, qu'elles s'expriment en candelas (intensité lumineuse), en lumens (flux) ou en lux (éclairement), est le rayonnement* d'un corps incandescent particulier au point de congélation du platine* (2 042 K environ).

Ce corps incandescent (corps noir ou radiateur intégral ou radiateur de Planck*) est réalisé sous la forme d'un tube en matière réfractaire plongé dans du platine en fusion; le rayonnement qui en sort ne dépend que de la température, quel que soit le matériau, et sert à étalonner l'intensité lumineuse de lampes à filament incandescent, qui reproduisent la même intensité lorsqu'on les alimente par le même courant électrique.

Candide ou l'Optimisme, conte de Voltaire (1759). Le problème du mal physique et moral traité à travers une critique de Leibniz, dont la pensée est volontairement simplifiée (tout n'est pas pour le mieux dans le meilleur des mondes possibles) et de Rousseau (réponse à la lettre sur la Providence), et sur le rythme d'un roman picaresque.

CANDIE → HÉRAKLION.

CANDILIS (Georges), architecte français (Bakou 1913). Élève et collaborateur de Le Corbusier de 1945 à 1951, il a ensuite construit, en béton, des ensembles de logements — en Afrique du Nord, à Bagnols-sur-Cèze, à Toulouse (Le Mirail) —, ainsi que des locaux d'enseignement (université de Berlin-Ouest, 1966-1972).

CANDOLLE (Augustin Pyrame DE), botaniste suisse (Genève 1778-*id.* 1841). Chargé par Lamarck de réviser sa *Flore française,* professeur de botanique à l'université de Montpellier (1808), il publie en 1813 la *Théorie élémentaire de la botanique* où il applique les principes de Jussieu. De retour à Genève, il y fonde le jardin botanique et y publie (1817) le *Système naturel des végétaux.* — Son fils ALPHONSE (Paris 1806-Genève 1893) a continué l'œuvre paternelle. On lui doit l'*Origine des plantes cultivées* (1883).

CANDRAGUPTA ou **CHANDRAGUPTA** → MAURYA.

CANDRAGUPTA Iᵉʳ ou **CHANDRAGUPTA Iᵉʳ** → GUPTA.

Canebière (la), grande artère de Marseille.

CANÉE (**La**), principal port de la Crète; 41 000 hab.

CANETAGE → TISSAGE.

CANET-EN-ROUSSILLON-SAINT-NAZAIRE (66140), comm. des Pyrénées-Orientales, à 10,5 km à l'E. de Perpignan; 5 130 hab. Église du XVIᵉ s. Station balnéaire à *Canet-Plage.*

CANEVAS → CADASTRE, GÉODÉSIE, STÉRÉOPRÉPARATION, TOPOMÉTRIE, TRIANGULATION.

CANFRANC *(col de)* → SOMPORT.

CANGE (Charles DU FRESNE, *seigneur* DU), érudit et byzantiniste français (Amiens 1610-Paris 1688). Il est l'auteur de plusieurs ouvrages importants sur l'Orient méditerranéen, dont une *Histoire de Constantinople sous les empereurs français* (1657).

CANGUILHEM (Georges), philosophe français (Castelnaudary 1904). *La Formation du concept de réflexe aux XVIIᵉ et XVIIIᵉ siècles* (1955), *le Normal et le pathologique* (1966) et ses *Études d'histoire et de philosophie des sciences* (1968) constituent une contribution très importante à l'histoire des sciences, que G. Canguilhem enseigne à la Sorbonne de 1955 à 1971.

CANIDÉS. — L'espèce domestique (chien*) dérive de formes extrêmement proches du loup* et du chacal*, ces trois espèces pouvant théoriquement s'hybrider. Le renard* et le fennec* s'en distinguent davantage.

Tous ces carnassiers ont un museau allongé portant des dents nombreuses : en bas, onze dents de chaque côté; en haut, dix seulement, parmi lesquelles une énorme molaire à chaque demi-mâchoire. C'est la *carnassière,* qui sépare les molaires broyeuses (en arrière) des molaires tranchantes (en avant). Les pattes des canidés (cinq doigts aux pattes de devant, quatre doigts et un ergot aux pattes de derrière) ne portent que des griffes non rétractiles et fortement émoussées, qui ne peuvent servir d'armes; les coussinets plantaires sont peu élastiques.

CANIGOU (le), massif des Pyrénées-Orientales, dominant le Roussillon; 2 784 m. Fer.

CANINE. — La canine, comme son nom l'indique, est particulièrement développée chez le chien (on la nomme alors *croc*) et chez la plupart des mammifères carnassiers (chat, belette...).

La canine supérieure, organe de meurtre, atteignait une dimension géante chez certains félins du quaternaire *(Machairodus, Smilodon),* d'ailleurs dépourvus de canine inférieure. Développées en croc chez la plupart des singes, les canines régressent chez les ancêtres de l'homme; ce dernier n'a plus que des canines peu pointues et ne dépassant pas les dents voisines, ce qui les rend inoffensives. Chez les porcins (sanglier), les canines sont très puissantes et *éversées,* c'est-à-dire qu'elles sortent de la bouche par le côté : elles servent à creuser le sol. Chez le cheval, elles n'existent que chez le mâle. Enfin, chez les ruminants les plus évolués (bovidés), la mâchoire supérieure ne porte ni incisives ni canines, et la canine d'en bas a pris la forme, la position et les fonctions d'une incisive supplémentaire.

Aucune espèce ne possède deux canines sur la même demi-mâchoire.

CANISY (50750), ch.-l. de cant. de la Manche, à 8,5 km au S.-O. de Saint-Lô; 705 hab. Château du XVIIᵉ s.

CANJUERS *(plan de),* haute plaine de Provence (départ. du Var), au S. des gorges du Verdon, à proximité de Draguignan. Un camp militaire y a été installé en 1970.

CANNA. — Voisin du strelitzia et du bananier, le canna est cultivé comme plante vivace décorative à cause de ses belles et grandes fleurs, à symétrie bilatérale et aux formes singulières. La plante est originaire des régions chaudes d'Amérique et d'Asie. (Ordre des scitaminales.)

CANNABINACÉES → CHANVRE.

CANNABIS. — Cette plante *(Cannabis sativa L.)* constitue le type même de la drogue de consommation traditionnelle ayant engendré une toxicomanie* moderne très répandue. Le cannabis pousse actuellement sous les climats chauds ou tempérés; seule la plante femelle contient du principe actif. Les formes sous lesquelles on le consomme sont nombreuses et leur nom varie avec les pays. Ainsi la marijuana (ou kif) est un mélange de feuilles et de sommités fleuries réduites en poudre; elle est moins active que le hachisch, qui en est la résine séchée. Ces deux produits sont fumés mélangés à du tabac ou purs, et le hachisch peut également être incorporé à des pâtes ou à des friandises.

La clinique actuelle distingue le cannabis des hallucinogènes*, bien que la loi l'assimile à un stupéfiant. Pourtant il n'engendre pas d'accoutumance et sa privation brutale n'entraîne pas de syndrome de sevrage. Les effets attribués au cannabis varient à l'extrême, d'une part parce que l'on manque de travaux scientifiques à ce sujet, et d'autre part parce qu'ils sont soumis à de multiples facteurs : état somatique ou psychique du consommateur, quantité et qualité du produit. Dans l'ivresse cannabique, euphorie et excitation intellectuelle prédominent et les hallucinations ou illusions sont fort rares. L'usage chronique du cannabis n'entraîne pas de complications d'ordre physique et les psychoses* chroniques qu'on lui impute ne semblent survenir que chez des personnalités antérieurement perturbées.

CANNE À SUCRE. — Cette graminacée vivace est cultivée dans les pays tropicaux (Indonésie, Antilles, Brésil, etc.). Elle atteint 2 à 5 m de haut. À maturité, les tiges sont coupées et débarrassées de leurs feuilles, puis broyées dans un moulin : on obtient ainsi un jus riche en sucre* appelé « vesou ».

CANNELLE. — Le cannelier, ou *cinnamome,* de la famille des lauracées, fournit une écorce aromatique : c'est à celle-ci que s'applique le nom de *cannelle.* Vendue en petits rouleaux naturels ou en poudre, la cannelle est surtout utilisée en pâtisserie.

Cannes *(bataille de),* bataille qui opposa Romains et Carthaginois (216 av. J.-C.). Après les batailles du Tessin, de la Trébie (218) et du lac Trasimène (217), qui sont autant de victoires puniques, Rome confie ses armées au dictateur Q. Fabius* Maximus Verrucosus, dont la politique temporisatrice à l'égard d'Hannibal exaspère le peuple. Persuadée que la noblesse prolonge inutilement la guerre, la plèbe porte au consulat, pour l'année 216, des hommes opposés aux conservateurs du type Fabius : Paul Émile, aristocrate libéral, et le démagogue C. Terentius Varron. Ce dernier engage la bataille sur les bords de l'Aufide (auj. Ofanto) [Apulie], dans la plaine de Cannes. Hannibal a la chance de se voir livrer une bataille rangée : quarante-cinq mille Romains sont tués, désastre sans précédent dans l'histoire romaine.

CANNES (06400), ch.-l. de cant. des Alpes-Maritimes, à 32 km au S.-O. de Nice; 71 080 hab. *(Cannois).* Développée depuis la fin de la première moitié du siècle dernier, Cannes est l'une des plus importantes stations balnéaires de la Côte d'Azur, mondialement connue aussi par son festival annuel de cinéma. La ville a débordé son cadre originel, bien abrité sur le golfe de La Napoule, et l'urbanisation a envahi les collines environnantes. L'agglomération compte plus de 200 000 habitants.

CANNET (Le) [06110], ch.-l. de cant. des Alpes-Maritimes, à 3 km au N. de Cannes; 33 915 hab. *(Cannettans).*

CANNIBALISME. — Fortement exagéré dans son ampleur par les explorateurs (et même par certains ethnologues), en voie de rapide disparition, ce phénomène a rarement reçu une explication satisfaisante. Il peut revêtir parfois un aspect économique (besoin de nourriture), mais le plus souvent ses causes sont magico-sociales (moyen de s'approprier les qualités et la vitalité guerrière des ennemis vaincus).

Loin de s'appliquer seulement à l'homme, le terme de « cannibalisme » désigne aussi un comportement animal consistant à dévorer des individus de la même espèce. On en connaît deux formes principales. La première est le cannibalisme des femelles qui, aussitôt qu'elles ont été fécondées, dévorent leur mâle : araignées, scorpion, voire mante religieuse; les œufs, pondus peu après, tirent profit de cette nourriture préadaptée à leurs besoins. La seconde est le cannibalisme des parents qui dévorent accidentellement tout ou partie de leur progéniture (chatte, divers poissons). Ces comportements restent exceptionnels.

CANNING (George), homme d'État britannique (Londres 1770-Chiswick 1827). Député tory (1793) solidaire de la politique de Pitt*, il est secrétaire d'État aux Affaires étrangères de 1807 à 1809. Face à la puissance de Napoléon, il s'efforce de consolider les positions britanniques. Brouillé avec Castlereagh*, il lui succède au Foreign Office (1822) et développe sa politique dans le sens de la non-intervention et de la neutralité bienveillante à l'égard des mouvements nationaux et libéraux. Peu avant sa mort il accède au rang de Premier ministre.

CANNIZZARO (Stanislao), chimiste italien (Palerme 1826-Rome 1910). Il distingua les molécules gazeuses des atomes et introduisit la notion de nombre d'Avogadro (1858).

CANO (Juan Sebastián DE EL), navigateur espagnol (Guetaria-† en voyage 1526). Il ramena le dernier bâtiment de l'expédition de Magellan*, en 1522, et fut le premier marin européen à avoir fait le tour du monde.

CANO (Alonso), peintre, sculpteur et architecte espagnol (Grenade 1601-*id.* 1667). Travaillant à Séville, Madrid puis Grenade, peintre d'une sévère monumentalité, influencé par les Vénitiens et par Velázquez, puis tendant au baroque, il exprime autant de tendresse que de mysticisme tourmenté dans ses statues polychromes.

CANOË. — Le canoë est propulsé à l'aide d'une pagaie simple par le pagayeur agenouillé; le kayak est propulsé à l'aide d'une pagaie double, le pagayeur étant assis. Les compétitions peuvent se disputer en eau calme (comme l'aviron) ou sur une descente de rivière rapide, épreuve plus spectaculaire. Différents types d'embarcation sont utilisés : le C 1 (canoë monoplace) et le C 2 (canoë biplace), le K 1 (kayak monoplace), le K 2 (biplace) et le K 4 (quadriplace).

CANON *(Arm.).* — D'abord constitué par des barres de fer soudées, le tube, élément essentiel du canon, est coulé, à partir du XVe s., dans une pièce de bronze. Pour la déplacer, on pose la bouche à feu, grâce à des tourillons, sur un affût qui permet aussi son pointage en hauteur. Chargée par la bouche, elle tire un boulet de pierre à 300 ou 400 m. Au XVIIe s. apparaît le *mortier,* qui lance des obus chargés d'explosifs, et, au XVIIIe s., l'*obusier* à tube très court, destiné au tir courbe. Dans la seconde moitié du XIXe s., l'adoption du tube rayé, l'emploi de l'acier, le chargement par la culasse, la découverte de la poudre sans fumée (1884) et de la mélinite (1885), la réalisation d'un frein hydropneumatique donnent au canon la forme moderne qu'illustre notamment le 75 français, modèle 1897 (portée pratique de 5 à 6 km). Pour augmenter l'efficacité du canon, employé désormais en tir antiaérien et antichar, il faudra allonger les tubes, accélérer le système d'alimentation et limiter le recul (par un frein de bouche). Au cours de la Seconde Guerre mondiale, naissent le *canon sans recul,* où une fraction des gaz est éjectée vers l'arrière de la culasse, et le *canon automoteur,* monté sur châssis de char. Depuis 1945, les progrès ont porté sur le télépointage et la télécommande, tandis qu'apparaissent en 1953 les premiers canons à projectile nucléaire. Dans les années 1960-1975, la généralisation de l'emploi des roquettes* et des missiles* a conduit à l'abandon des canons de gros calibre. En dehors des obusiers de 203 mm sur affût chenillé, les calibres les plus courants sont ceux de 100 (marine), 105 (appui direct), 155 et 175 mm, avec des portées de 15 à 32 km. Les canons de char et de chasseur de chars sont de 90 à 120 mm et les canons antiaériens, mono- ou bitubes (calibre de 30 à 57 mm), sont asservis à des radars et à des calculateurs de tir électroniques.

Canon automoteur français à grande cadence de tir de 155 mm, monté sur châssis de char « AMX 30 » (poids total en ordre de combat : 41 t).

E.C.P.A.

CANON *(Mus.)* → ÉCRITURE MUSICALE.

CANON (droit). — Le recueil des normes juridiques qui régissent l'activité de l'Église catholique en tant qu'institution forme le *Codex juris canonici* (Code de droit canonique). Son élaboration s'est faite par étapes. Dès les premiers siècles chrétiens, se constitue au gré des nécessités un ensemble de prescriptions émanant des textes scripturaires, des statuts des conciles, des décrets des papes, qui vont être peu à peu regroupées et systématisées. Les plus connues de ces collections juridiques sont le *Décret de Gratien* (v. 1140) et les *Décrétales* (1234) qui, avec les règles édictées par les conciles généraux, serviront de base au Code de droit canonique, mis en œuvre par Pie X* en 1904 et promulgué par Benoît XV en 1917. Le deuxième concile du Vatican* (1962-1965) a amorcé une profonde réforme, encore en cours, du droit canon : désormais celui-ci est plus orienté vers le service pastoral et missionnaire et plus ouvert aux traditions juridiques des divers peuples membres de l'Église.

CANON À ÉLECTRONS. — Il se compose d'une cathode chaude, d'une grille portée à un potentiel positif élevé et d'un cylindre de Wehnelt concentrant les électrons. (V. OSCILLOSCOPE.)

Canon de la médecine, œuvre d'Avicenne. Ce recueil d'observations psychologiques, de pharmacologie et de thérapeutique est aussi un traité de sémiologie médicale. Son autorité en matière médicale a été considérable, en Orient comme en Occident.

CANOPUS → ÉTOILE.

CANOSSA, village d'Italie (Émilie) où, le 28 janvier 1077, l'empereur Henri IV vint solliciter, pendant la querelle des Investitures*, le pardon du pape Grégoire VII, qui l'avait excommunié.

CANOURGUE (La) [48500], ch.-l. de cant. de la Lozère, à 27 km au N.-E. de Sévérac-le-Château; 1 921 hab. Vieux bourg pittoresque.

CANOVA (Antonio), sculpteur italien (Possagno 1757-Venise 1822). Fils d'un artisan, tailleur de pierre dans son enfance, il devint à Rome, foyer du nouveau mouvement, la figure majeure du néo-classicisme. Sculpteur attitré de la papauté et de l'Empire napoléonien, il fut chargé de commandes officielles (bustes, tombeaux d'une simplicité monumentale), tandis qu'il multipliait les mythologies aimables pour une riche clientèle privée (*Psyché ranimée par le baiser de l'Amour,* Louvre et Leningrad). Le contraste est grand entre ses fougueuses et vivantes esquisses dessinées et la froide perfection des marbres finals.

CANROBERT (François CERTAIN), maréchal de France (Saint-Céré 1809-Paris 1895). Aide de camp du prince Louis-Napoléon, il prit part au coup d'État du 2 décembre 1851, commanda le corps expéditionnaire français en Crimée (1855) et se distingua à Saint-Privat (1870).

ÇANSADO, cap de Mauritanie, près de Nouadhibou (Port-Étienne). — À proximité, port exportateur de minerai de fer.

CANTABRIQUES *(monts),* massif montagneux du nord-ouest de l'Espagne, prolongeant vers l'O. la chaîne des Pyrénées et séparant le littoral du golfe de Biscaye des hautes terres intérieures de la Vieille-Castille; 2 665 m au *Picos da Europa.*

CANTACUZÈNES, famille de l'aristocratie byzantine qui joue un rôle éminent dans l'empire du XIe au XVe s. — JEAN VI **Cantacuzène** (Constantinople v. 1296-Mistra 1383) est le grand domestique (chef des armées) d'Andronic III Paléologue, à la mort duquel, évincé de la régence, il se fait proclamer empereur en Thrace (1341). Une guerre civile de six ans s'ensuit, qu'aggrave l'intervention des Serbes et des Turcs. Les querelles religieuses autour du palamisme divisent toute la population. Jean VI, empereur d'Orient de 1347 à 1354, confie à ses fils MANUEL († 1380) puis MATHIEU (v. 1325-1391), coempereur d'Orient de 1353 à 1357, le despotat de Mistra*.

La famille émigre en Russie et en Roumanie, à laquelle elle fournit plusieurs hospodars.

CANTAL → FROMAGE.

CANTAL, vaste massif volcanique de l'Auvergne, de forme circulaire, occupant le centre du *département du Cantal;* 1 855 m au *plomb du Cantal.*

CANTAL (15), départ. du sud de la Région Auvergne; 5 779 km²; 166 549 hab. *(Cantaliens* ou *Cantalous).* Ch.-l. *Aurillac.* S.-préf. *Mauriac, Saint-Flour.*

L'élément essentiel du relief est le massif volcanique du Cantal, qui couvre près de la moitié de la superficie départementale; il est formé de sommets (plomb du Cantal, puy Mary) au centre, dont les coulées ont été découpées en planèzes par les rivières rayonnantes (Rhue, Maronne, Cère, Alagnon, etc.). On retrouve de hautes terres volcaniques dans le sud-est (Aubrac) et le nord-est (plateau basaltique du Cézallier). Les altitudes s'abaissent dans l'ouest, où s'ouvrent quelques bassins tertiaires (Aurillac). L'ensemble possède un climat humide et rude, enneigé en hiver; la forêt (hêtres à l'ouest, pins à l'est sur le plateau de la Margeride) et les landes couvrent de vastes espaces.

Les conditions naturelles expliquent la faible densité d'occupation, de l'ordre du tiers seulement de la moyenne nationale. L'agriculture est encore le secteur économique dominant, employant plus du tiers des actifs. L'élevage domine, surtout dans le massif du Cantal : il s'agit de bovins, pour la viande et surtout pour les produits laitiers (fromages); le troupeau ovin se maintient dans l'est. Les cultures, développées autour de Saint-Flour et, au S., dans la Châtaigneraie, sont en partie destinées à l'élevage (fourrages).

L'industrie emploie encore moins du quart de la population active et, en dehors de l'hydroélectricité, elle se limite à la valorisation des produits du sol, hormis quelques établissements, établis notamment à Aurillac, seule ville relativement importante. La faiblesse de l'urbanisation explique celle du secteur tertiaire et aussi la persistance de l'émigration, dirigée notamment vers Paris et Clermont-Ferrand.

Le tourisme, estival et aussi hivernal, s'est développé, mais il ne s'agit que d'une activité ponctuelle et temporaire.

CANTATE. — Cette réunion de morceaux profanes ou religieux destinés à être chantés, issus du madrigal* dramatique et influencés par l'opéra* et l'oratorio* naissants, groupe en alternance des récits*, des airs* à une ou plusieurs voix et parfois des chœurs*, le tout accompagné par quelques instruments. Scène lyrique non représentée, d'importation italienne (L. Rossi, Bassani, A. Scarlatti), elle connaîtra une grande vogue en France au XVIIIe s. (Morin, Campra, Boismortier, Clérambault, Rameau), notamment dans le genre profane et de petite dimension (cantatille). En revanche, les Allemands l'adaptent aux besoins du culte, notamment dans l'Église réformée, y insérant des chorals* (Schütz, Buxtehude, Händel, Telemann). J.-S. Bach porte le genre à son apogée, l'élevant parfois aux dimensions de l'oratorio. La cantate périclite au XIXe s., même si elle survit dans le morceau imposé aux candidats du prix de Rome.

Cantatrice chauve *(la),* pièce d'E. Ionesco (1950), la « tragédie du langage » à travers l'épreuve systématique des phrases toutes faites et des conventions sociales.

CANTELEU, comm. de la Seine-Maritime, dans la banlieue nord-ouest de Rouen, sur la rive droite de la Seine; 14 542 hab. *(Cantiliens).*

CANTEMIR (Demetrius), homme politique roumain (Iaşi 1673-Kharkov 1723). Prince de Moldavie (1710), il seconde le tsar Pierre le Grand dans sa lutte contre les Turcs. Ses œuvres historiques affirment les origines latines du peuple moldo-valaque *(Chronique de l'Antiquité des Romano-Moldo-Valaques).*

CANTERBURY, v. d'Angleterre (Kent); 32 600 hab. Colonie romaine (Durovernum Cantiacorum), puis capitale des rois de Kent, Canterbury doit son importance à son rôle religieux. Saint Augustin* y fonda un monastère bénédictin (597); la ville devint par la suite le siège de l'archevêché primat du royaume. Elle fut aussi un important lieu de pèlerinage au Moyen Âge, à la suite de l'assassinat de Thomas Becket* dans sa cathédrale (1170).

BEAUX-ARTS. Magnifique cathédrale, plusieurs fois reprise de la fin du XIe au XVe s. (crypte, vaste chœur de pèlerinage et double transept; tombeaux, peintures romanes, vitraux des XIIe-XIIIe s.; cloître et restes du monastère). Ruines de l'abbaye de Saint-Augustin et vestiges de Saint-Martin, la plus vieille église d'Angleterre. Autres églises, hospices de pèlerins, remparts et maisons du Moyen Âge. École de miniature du XIe au XIIIe s.

CANTH (Minna, née Ulrika Vilhelmina JOHNSSON), femme de lettres finlandaise d'expression finnoise (Tampere 1844-Kuopio 1897), auteur de pièces et de romans qui expriment ses préoccupations sociales et féministes (*Sylvi,* 1893).

CANTHO, v. du Viêt-nam méridional, au S.-O. d'Hô Chi Minh (Saigon); 154 000 hab.

CANTILLON (Richard), banquier, économiste et démographe d'origine irlandaise (1680-Londres 1734), auteur d'un *Essai sur la nature du commerce en général,* publié en 1755. La terre et le travail sont pour lui les déterminants essentiels de la valeur*, en tant que facteurs principaux de la production*. Cantillon a exprimé la notion d'« optimum de population ».

CANTIQUE. — Ce chant pieux en langue vernaculaire trouve souvent sa source dans les mélodies profanes (choral*, air de dévotion). Admis chez les protestants, toléré par les catholiques, très répandu au XIXe s., il témoigne d'une qualité artistique mineure.

Cantique des cantiques, livre biblique qui est un recueil de poèmes (v. 450 av. J.-C.) chantant l'amour du bien-aimé et de sa bien-aimée. La tradition juive a vu dans cette idylle le symbole de l'amour de Yahvé* pour Israël et celui du peuple pour son Dieu; ce thème sera repris par la tradition chrétienne.

CANTON *(Ch. de f.)* → SIGNALISATION.

CANTON, en chin. **Kouang-tcheou** ou **Guangzhou,** port de la Chine, capit. du Kouang-tong; 1 840 000 hab. *(Cantonais).* À la tête de l'estuaire de la rivière des Perles (formé par la confluence du Si-kiang, du Pei-kiang et du Tong-kiang), Canton est toujours un important centre commercial (foire internationale), qui s'est industrialisé (sidérurgie, constructions mécaniques, textile, alimentation). C'est la plus grande ville de la Chine du Sud.

HISTOIRE. Kouang-tcheou est appelée Canton par les Européens au XVIIe s. C'est là que Sun* Yat-sen, défait par les militaires du Nord après l'échec de la révolution de 1911, fonde, en 1917, une république chinoise ralliée à ses idées de progrès social et d'indépendance nationale. En 1927, Tchang Kaï-chek y écrase une insurrection ouvrière.

CANTON, v. des États-Unis (Ohio), au S. de Cleveland; 110 000 hab. Sidérurgie. Constructions mécaniques et électriques.

CANTONS DE L'EST, région du Canada (Québec), sur la rive droite du Saint-Laurent, à l'E. de Montréal, limitrophe des États-Unis. V. princ. *Sherbrooke.*

CANTOR (Georg), mathématicien allemand d'origine russe (Saint-Pétersbourg 1845-Halle 1918). Après avoir conçu, avec Dedekind*, toutes les idées de la théorie des ensembles*, il imagina en 1879 les nombres transfinis*, puis il fit une série de découvertes qui l'ont fait considérer comme un novateur : notion de la puissance* du dénombrable et de celle du continu, arithmétique des nombres transfinis, etc.

Cantos, recueil poétique d'Ezra Pound, publié de 1919 à 1969. Sur le thème de la descente aux Enfers, telle qu'on la trouve chez Homère, et sur un schéma inspiré de *la Divine Comédie* de Dante, une œuvre écrite en plusieurs langues, sur plusieurs niveaux et tonalités (lyrique/didactique), et qui est la chronique à la fois de l'écroulement d'un monde et de l'effritement du langage. Contre toute réalité historique et scientifique, le désir poétique passionné d'un monde sans « usure ».

CANTUS FIRMUS. — Dès le Moyen Âge et jusqu'à J.-S. Bach, les compositeurs ont souvent éprouvé le besoin d'étayer la polyphonie par un *chant ferme,* thème en valeurs longues, d'origine liturgique ou profane, inséré dans l'une ou l'autre voix de cette polyphonie.

canuts *(révolte des),* insurrection des ouvriers spécialisés dans le tissage de la soie à Lyon, en novembre 1831. Regroupés dans le quartier de la Croix-Rousse, les *canuts* sont des maîtres ouvriers qualifiés, propriétaires de leur métier, qui travaillent à domicile et emploient des compagnons. Ils sont eux-mêmes tributaires des *soyeux,* marchands-fabricants qui leur fournissent des commandes. Soumis à des conditions de vie et de travail souvent misérables, les canuts demandent et obtiennent l'établissement d'un tarif minimal des salaires.

Le refus par certains fabricants d'appliquer ce tarif minimal provoque l'insurrection : chefs d'atelier et compagnons prennent le contrôle de la ville et installent un gouvernement provisoire. Bientôt réprimée par les troupes royales, la révolte des canuts ne modifiera pas leur condition (le nouveau tarif fut abrogé), mais elle marquera une étape importante dans l'histoire du mouvement ouvrier.

CANY-BARVILLE (76450), ch.-l. de cant. de la Seine-Maritime, à 20 km à l'E.-N.-E. de Fécamp; 2 213 hab. Église Renaissance. Château de 1640.

CAO BANG, v. de l'extrémité septentrionale du Viêt-nam, près de la Chine. Les forces françaises, pressées par les troupes viêt-minh, durent évacuer la ville en 1950 et subirent à cette occasion une grave défaite. (V. INDOCHINE.)

CAODAÏSME. — Bien qu'il se présente comme une rénovation du bouddhisme*, le caodaïsme associe divers aspects du taoïsme*, du confucianisme* et du christianisme. Fondé par Ngô Van Chiên en 1926, le caodaïsme se développe rapidement et compte 4 millions de fidèles en 1937. Son rôle politique, notamment son nationalisme soutenu par une puissante organisation militaire, est à l'origine de l'extermination de ses adeptes par Ngô Dinh Diêm en 1954-55.

CAOUTCHOUC. — • Le *caoutchouc naturel* est un hydrocarbure qui forme une émulsion aqueuse appelée «latex», sécrétée par certaines espèces végétales, dont la plus courante est l'hévéa. On le trouve abondamment en Extrême-Orient et en Afrique. Le nom de *cahuchu* donné par les Indiens de la forêt amazonienne signifie «le bois qui pleure» et rappelle la façon dont le latex est recueilli, en incisant le tronc de l'arbre. Du point de vue chimique, le caoutchouc correspond à la formule globale $(C_5 H_8)_n$. C'est un polyisoprène, de masse moléculaire moyenne de 200 000 à 300 000. Il se présente en masse translucide, incolore ou jaunâtre, suivant le procédé de fabrication. L'action de l'oxygène provoque la coupure de la chaîne des différents maillons isoprènes, en tronçons de plus en plus petits, et lui fait perdre ses propriétés d'élasticité et de résistance. Après étirement, le caoutchouc cru conserve une certaine déformation permanente, que la vulcanisation permet d'atténuer. Découverte par Charles Goodyear* en 1840, la vulcanisation consiste, en effet, à relier entre elles les chaînes hydrocarbonées par des atomes de soufre*, et permet d'augmenter le caractère élastique du caoutchouc tout en empêchant le glissement des chaînes les unes sur les autres. Mais, en augmentant progressivement le taux des liaisons* pontales, on diminue peu à peu le caractère élastique du caoutchouc : le réseau tridimensionnel formé devient de plus en plus rigide et correspond, à la limite, à un taux de 32 p. 100 de soufre; on obtient alors une masse cassante, l'*ébonite,* qui a perdu tout caractère élastique.

• Les *caoutchoucs synthétiques* sont des substances macromoléculaires ayant des propriétés élastiques à l'état vulcanisé. Comme le caoutchouc naturel, ces polymères sont constitués de longues chaînes flexibles ayant des caractéristiques particulières de forme et de symétrie. Les plus importants d'entre eux sont les copolymères de butadiène et styrène, appelés couramment «SBR», dénomination qui remplace l'ancien vocable «GRS». Le polybutadiène, le polyisoprène, le butyl sont aussi des caoutchoucs à usage général, dont le principal débouché est la fabrication des pneumatiques*, dans lesquels ils ont supplanté en partie le caoutchouc naturel.

• *Production.* Prépondérante jusqu'en 1960, la production de caoutchouc naturel, malgré une sensible croissance ultérieure, est de plus en plus nettement dépassée par celle du caoutchouc synthétique, dont la production mondiale (U. R. S. S., à l'apport inconnu, exclue) approche 7 millions de tonnes. Les États-Unis fournissent le tiers de ce total, précédant largement le Japon (1 million de tonnes) et encore plus nettement le groupe des États industrialisés de l'Europe occidentale, mené par la France (près de 500 000 t). La production mondiale de caoutchouc naturel, issu de la zone tropicale, est de l'ordre de 3,5 millions de tonnes, provenant essentiellement de l'Asie du Sud-Est (Malaysia [1,5 million de tonnes]).

CAP (Le), en angl. **Cape Town,** en afrikaans **Kaapstad,** capit. de l'Afrique du Sud et de la *province du Cap;* 691 000 hab. À l'extrémité méridionale de l'Afrique, près du cap de Bonne-Espérance, sur la baie de la Table et au pied de la montagne de la Table, l'agglomération, qui compte plus de 800 000 habitants, est la deuxième du pays; elle est formée pour près d'un tiers de Blancs et pour plus de moitié de *Coloured* (métis). C'est un centre politique (siège du Parlement) et culturel (université), un port commercial et une ville industrielle (valorisation des produits agricoles, métallurgie, textile).

CAP *(province du),* prov. de l'Afrique du Sud, occupant l'extrémité méridionale de l'Afrique sur l'Atlantique et l'océan Indien; 721 001 km²; 6 722 000 hab. Capit. *Le Cap.* La province occupe plus de la moitié de la superficie totale du pays, mais compte moins du tiers de sa population, peuplée surtout autour de la capitale et sur le littoral sud-est, autour des deux ports d'East London et de Port Elizabeth. C'est une importante région agricole (céréales, fruits, vigne; élevage ovin dans l'intérieur), où l'industrie n'est guère représentée que dans les trois villes citées.

HISTOIRE. En 1652, les Hollandais s'installent dans la baie de la Table; l'immigration huguenote rend la colonie prospère. Devenue anglaise à la suite des guerres napoléoniennes, la colonie du Cap s'étend grâce au peuplement britannique; un Conseil exécutif est créé auprès du gouverneur en 1825; en 1833, l'anglais devient langue officielle, et l'esclavage est aboli. (V. AFRIQUE DU SUD.)

CAPA (André FRIEDMANN, dit **Robert**), photographe américain d'origine hongroise (Budapest 1913-près de Doiai-Than, Viêt-nam, 1954). Sans rechercher le sensationnel, il cerna l'événement avec une infaillible sûreté, dont témoignèrent ses images de la guerre d'Espagne, du débarquement en Normandie ou de l'entrée des armées en Allemagne.

CAPACITÉ *(Dr.).* — La capacité est l'aptitude d'un individu a être titulaire de droits et à les exercer effectivement. Les personnes inaptes à cet exercice sont des «incapables» atteints d'une *incapacité de jouissance.* Les personnes qui doivent obtenir une autorisation pour exercer leurs droits sont atteintes d'une *incapacité d'exercice.* Ces incapacités sont générales et atteignent chacun des actes de la vie juridique.

Les *mineurs* (en France jusqu'à l'âge de dix-huit ans ou jusqu'à leur émancipation) bénéficient d'un régime de protection normal, l'autorité* parentale, et d'un régime spécial, la tutelle*.

L'*autorité parentale* s'exerce sur la personne et sur les biens du mineur. Elle représente pour les parents le droit et le devoir de garder, d'éduquer et de surveiller l'enfant; celui-ci a pour domicile le domicile de ses parents, qui sont solidairement responsables des dommages qu'il peut causer. L'autorité parentale entraîne l'administration légale et le droit de jouissance sur les revenus des biens que le mineur posséderait. Lorsque l'un des parents décède, elle est exercée par le survivant, sous l'autorité du juge des tutelles.

À défaut de possibilité d'exercice d'une autorité parentale (décès des deux parents ou déchéance), ou en cas d'enfant naturel non reconnu, il y a ouverture d'une *tutelle,* qui s'exerce sur la personne et sur les biens. Il y a répartition des tâches entre le *conseil de famille,* qui règle les conditions générales de l'entretien et de l'éducation de l'enfant, le *tuteur,* qui prend soin de la personne de l'enfant et administre ses biens (le conseil de famille doit l'autoriser à faire les actes de disposition), le *subrogé tuteur,* qui reçoit annuellement le compte de gestion, qui sera transmis, enfin, au *juge des tutelles.*

Les *incapables majeurs* sont, d'une part, les personnes dont les facultés ont été altérées au point qu'elles ne peuvent pourvoir seules à la gestion de leurs affaires (une loi du 30 juin 1838 prévoyait la protection des majeurs «aliénés», mais la loi du 3 janvier 1968 étend cette protection aux vieillards, aux inadaptés, aux blessés) et, d'autre part, ceux qui, prodigues, intempérants ou oisifs, s'exposent à manquer de ressources, à dilapider leur patrimoine et à ne pouvoir faire face à leurs obligations.

Ces catégories de majeurs sont protégées par la *tutelle* (régime le plus restrictif des droits de l'incapable), par la *curatelle* (régime d'incapacité partielle, qui leur assure assistance et contrôle, le degré de la curatelle étant réglé par le juge) et par la *mise sous sauvegarde de la justice,* qui est une mesure de protection atténuée.

CAPACITÉ *(Électr.).* — La capacité d'un condensateur est le quotient $C = \frac{Q}{V_1 - V_2}$ de sa charge par la différence de potentiel entre ses armatures. Pour un condensateur plan, sa valeur, dans un système rationalisé, est $C = \frac{\varepsilon S}{e}$, S étant la surface d'une armature, *e* la distance entre les armatures et ε la permittivité de l'isolant qui les sépare. L'unité M. K. S. A. est le *farad* (symb. F); c'est la capacité d'un condensateur qui prend une charge de 1 coulomb sous une différence de potentiel de 1 volt. Cette unité étant très grande, on emploie le plus souvent ses sous-multiples.

CAPAZZA (Louis), inventeur et aéronaute français (Bastia 1862-Paris 1928). Il relia Marseille à la Corse en ballon sphérique (1886) et, avec le *Morning-Post,* premier dirigeable anglais, il effectua la première traversée de la Manche (1910).

CAPBRETON (40130), comm. des Landes, à 18 km au N. de Bayonne, sur l'Atlantique; 4 595 hab. Station balnéaire. — Le *gouf de Capbreton* est une fosse marine profonde.

CAP-BRETON *(île du),* île du Canada, constituant l'extrémité nord-est de la province de la Nouvelle-Écosse, à l'entrée du golfe du Saint-Laurent. V. princ. *Sydney.* Parc national.

CAPCIR, région des Pyrénées-Orientales, dans la haute vallée de l'Aude.

CAP-D'AIL (06320), comm. des Alpes-Maritimes, à 2 km au S.-O. de Monaco; 4 282 hab. Station balnéaire.

CAP-DE-LA-MADELEINE, v. du Canada (Québec), banlieue de Trois-Rivières, sur le Saint-Laurent; 31 463 hab.

CAPDENAC (46100 Figeac), comm. du Lot, sur la rive droite du Lot, en face de *Capdenac-Gare;* 1 076 hab. Bourg fortifié. Constructions mécaniques.

CAPDENAC-GARE (12700), ch.-l. de cant. de l'Aveyron, à 7 km au S.-E. de Figeac, sur la rive gauche du Lot; 5 989 hab. Constructions mécaniques.

CAPE → CIGARE.

CAPE COAST, port du Ghāna, au S.-O. d'Accra; 72 000 hab.

ČAPEK (Karel), écrivain tchèque (Malé-Svatoňovice 1890-Prague 1938). Préoccupé par la soumission de l'homme à ses propres créations scientifiques et techniques, il a exprimé son angoisse dans ses nouvelles, ses romans (*Vie et œuvre du compositeur Foltýn,* 1939) et surtout son théâtre (*R. U. R.,* 1920) : on lui doit le mot *robot.*

CAPELLE (La) [02260], ch.-l. de cant. de l'Aisne, à 14 km au N.-O. d'Hirson; 2 312 hab.

CAPELLEN, écart de la comm. de Mamer, donnant son nom à un canton du Luxembourg.

CAPENDU (11700), ch.-l. de cant. de l'Aude, à 17 km à l'E. de Carcassonne; 1 229 hab. Église du XIVe s.

CAPESTANG (34310), ch.-l. de cant. de l'Hérault, à 15 km à l'O. de Béziers, sur le canal du Midi, près de l'ancien *étang de Capestang;* 2 550 hab. Église des XIVe et XVe s. Vignobles.

CAPESTERRE-BELLE-EAU (97130), comm. de la Guadeloupe, sur la côte est de Basse-Terre; 18 172 hab.

CAPÉTIENS, dynastie de rois de France qui régna de 987 à 1328. Elle doit son nom à Hugues* Capet, dont la famille joua un grand rôle politique à partir de Robert le Fort († 866), qui s'illustra en combattant les Normands. Les fils de ce dernier, Eudes et Robert Ier, devaient régner en France respectivement de 888 à 898 et de 922 à 923, en alternance avec les Carolingiens, ainsi que le gendre de Robert Ier, Raoul de Bourgogne (de 923 à 936).

C'est avec Hugues Capet, qui devient roi à la mort du dernier Carolingien, que commence vraiment l'histoire de la dynastie capétienne. Maîtres, en 987, d'un domaine exigu situé dans la région parisienne, enserré par de grandes principautés féodales, les Capétiens se donneront pour but d'étendre le territoire sur lequel ils exercent l'autorité du seigneur direct.

Hugues Capet meurt en 996, et ses premiers successeurs, Robert II* le Pieux, Henri Ier* et Philippe Ier*, continuent de jouer un rôle très modeste, comparable à celui des grands féodaux du royaume. Pourtant, les Capétiens vont savoir tirer profit de certains avantages. Au début, le principe électif à la Couronne prévalant, les rois prennent le soin d'associer leur fils aîné au trône : le prince royal succède ainsi normalement à son père quand celui-ci meurt. Mais les Capétiens réussissent à faire admettre peu à peu le principe de l'hérédité; c'est ainsi qu'à partir de Philippe* Auguste la succession dynastique est établie; le pouvoir royal, renforcé par la royauté héréditaire, l'est aussi par le sacre, lequel confère au roi un prestige religieux.

Au XIIe s., Louis VI* le Gros et Louis VII* accroissent la puissance et l'autorité de la monarchie française. Pour assagir leurs vassaux, les Capétiens usent de leurs droits féodaux en tant que suzerains et non en tant que souverains. La prestation de l'hommage, renouvelée à chaque avènement, crée dès lors des liens d'homme à homme très solides; les vassaux témoignent ainsi d'une fidélité au roi qui est un des faits les plus notables de l'histoire de la dynastie capétienne. Cette fidélité est prouvée, sous le règne de Louis VI le Gros, par le fait que les vassaux se rangent aux côtés du roi lorsqu'en 1124 l'empereur Henri V envahit la Champagne. D'autre part, les Capétiens habituent les vassaux à compter avec le pouvoir royal en intervenant dans leurs domaines dans plusieurs circonstances.

L'usage des droits féodaux est, en fait, déterminé par l'accroissement du domaine royal. Celui-ci est agrandi par pariage, par mariage, par achat et par conquête. Philippe Auguste réussit même à détruire le vaste empire constitué par les Plantagenêts dans les provinces de l'Ouest; la lutte contre les souverains anglais est d'ailleurs l'une des tâches principales des Capétiens.

Pourtant, ces derniers n'envisagent pas d'absorber dans le domaine royal la totalité des terres de leur royaume, ce que confirment les amputations territoriales, sous la forme de donations à leurs familiers ou d'apanages concédés à leurs fils ou à leurs frères. Les apanages, pratiqués notamment à partir de Louis VIII*, auraient d'ailleurs brisé l'œuvre de Philippe Auguste si la mort de leurs détenteurs n'avait permis en général leur retour au domaine.

Véritables fondateurs de la puissance royale en France, les Capétiens sont les créateurs des institutions de la monarchie française, la dilatation du domaine nécessitant la mise en place d'une administration nouvelle. La création du Conseil du roi, du Parlement et de la Chambre des comptes permettent au roi d'étendre sa souveraineté à l'ensemble de son royaume et de dégager celui-ci de l'emprise du système féodal pour lui donner une existence en tant qu'État. Sur le plan local, les baillis remplacent les prévôts.

Les Capétiens ont réussi à accomplir une expansion remarquable du domaine royal. En 1328, seules la Flandre, la Bretagne, l'Aquitaine et la Bourgogne, tout en dépendant du royaume, dont les limites suivent à peu près les cours de l'Escaut, de la Meuse, de la Saône et du Rhône, sont en dehors du domaine royal.

À la mort de Charles* IV le Bel, qui n'a pas d'héritier mâle, la couronne passe à son cousin, Philippe VI de Valois, neveu de Philippe le Bel. (V. VALOIS.)

CAPE TOWN → CAP *(Le).*

CAP-FERRAT → SAINT-JEAN-CAP-FERRAT.

CAP-FERRET (33970), écart de la comm. de Lège (Gironde), à l'extrémité de la pointe qui ferme le bassin d'Arcachon. Station balnéaire. Pêche.

CAP-HAÏTIEN, port d'Haïti, sur la côte nord de l'île; 36 000 hab.

CAPHARNAÜM, v. de Galilée, sur le lac de Tibériade*, port de pêche et centre commercial, au début de notre ère. Jésus* y a fait de fréquents séjours.

CAPILLAIRE. — Les vaisseaux capillaires sont disposés entre une artériole et une veinule, parfois, comme au niveau du foie, entre deux veines (formant alors un système « porte* »). Leurs parois limitent de petits pertuis par où les échanges peuvent se faire avec les tissus, assurant ainsi la nutrition des cellules. Le flux sanguin dans les capillaires varie en fonction des besoins des organes irrigués; il permet de réduire le travail du cœur et de régulariser la tension artérielle.

La *fragilité capillaire* est un affaiblissement de la résistance des capillaires à la rupture; elle s'observe au cours du diabète, de l'insuffisance hépatique, du scorbut, etc. Son traitement associe les vitamines C et P.

CAPILLARITÉ. — La capillarité se manifeste par l'ascension de l'eau dans un tube de verre très fin dont la base plonge dans un récipient contenant de l'eau à l'air libre. La hauteur H de cette ascension, exprimée en centimètres, est donnée par la formule $H = \frac{2A\cos\alpha}{\rho g r}$, dont les différents éléments sont exprimés en unités C.G.S. et dans laquelle A est la tension superficielle de l'eau ($A = 76$ dyn/cm), ρ la masse volumique du liquide, *g* l'accélération de la pesanteur* ($g = 981$ C.G.S.), *r* le rayon intérieur du capillaire, en centimètre, et α l'angle de mouillage. Si ce dernier est parfait, $\alpha = 0$, $\cos\alpha = 1$, et l'on a

$$H = \frac{2 \times 76 \times 1}{1 \times 981 \times r} \# \frac{0{,}15}{r} \quad \text{en centimètres.}$$

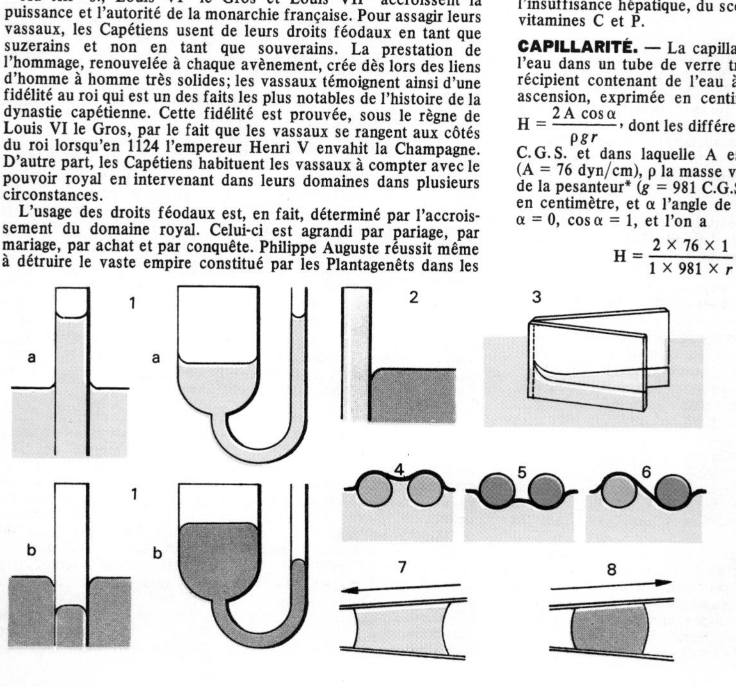

CAPILLARITÉ

Phénomènes de capillarité :
1. *a*, ascension de l'eau dans les tubes capillaires; *b*, dépression du mercure.
2. Contact d'un solide, d'un liquide et d'un gaz.
3. Ascension d'un liquide entre deux lames inclinées l'une sur l'autre.
4. Balles de liège mouillées posées sur l'eau.
5. Balles de cire non mouillées.
6. Balle de liège mouillée et balle de cire non mouillée.
7. et 8. Gouttes liquides dans un tube conique.

S'il n'y a pas mouillage, faute d'affinité, il n'y a pas ascension, car $\alpha = 90$ et $\cos\alpha = 0$. Si $\alpha > 90^o$, il y a dépression; entre verre et mercure, la dépression est

$$H = \frac{2 \times 76}{13{,}6 \times 981 \times r} \# \frac{0{,}15}{13{,}6 \times r}.$$

En haut du tube, il y a formation d'un ménisque de mouillage concave si $\alpha < 90^o$ et convexe si $\alpha > 90^o$. La hauteur d'ascension n'atteint jamais H, mais une valeur $H' < H$, du fait de l'évaporation. La viscosité* du liquide η n'influe pas sur la valeur de H, mais sur la vitesse d'ascension, qui est proportionnelle à $\frac{1}{\eta}$. La vitesse d'ascension se ralentit quand la hauteur h augmente et elle tend vers zéro quand h est proche de H ou de H'.

En matière de construction, la capillarité a souvent des effets nocifs, par humidification des murs et des locaux habités. On lutte contre elle par l'hydrofugation externe des murs et surtout en coupant les murs à leur base, sur toute la section, par une lame de cuivre. Si l'envahissement capillaire a eu lieu, il faut drainer l'humidité des murs.

CAPISTRANO → JEAN DE CAPISTRAN *(saint).*

Capitaine Fracasse *(le),* roman de cape et d'épée de Th. Gautier (1863), inspiré du *Roman* comique* de Scarron.

CAPITAL. — Le capital a été, dès l'origine de la science économique, opposé au travail* et à la terre, ces trois éléments figurant l'ensemble des «facteurs de production».

Le capital est un bien* économique qui n'est pas, par nature, susceptible d'être consommé directement par l'usage que l'on en fait; il se range parmi les biens «intermédiaires» voués à la production* d'autres biens. Un bien durable mis en réserve devient un «capital». Généralement employé dans une entreprise, le capital peut l'être également par un particulier ou un ménage.

Il joue un rôle fondamental dans la vie économique, à la fois dans les régimes capitalistes (v. CAPITALISME) et dans les régimes ne connaissant pas la propriété privée des moyens de production. Son entretien représente une demande*, pratiquement constante, de biens d'équipement.

Un des problèmes le plus fréquemment mis en avant par la science économique est le *recul de l'efficacité du capital* dans l'économie contemporaine (l'efficacité étant la capacité de production de richesses du capital), baisse d'efficacité que, déjà, Ricardo, Marx et Malthus avaient révélée au XIXe s. sous le nom de «rendements décroissants». La défense de l'environnement contemporain (industries non polluantes) alourdit la charge en capital de l'entreprise, de même que, en général, les facteurs tendant à améliorer la qualité de la vie.

Capital *(le),* œuvre de K. Marx, composée de quatre livres : le livre premier publié par Marx en 1867, les livres II et III par Engels en 1885 et en 1894, et le livre IV par Kautsky en 1905. Dans cette œuvre, Marx analyse «le mode de production capitaliste et les rapports de production et d'échange qui sont les siens». Il construit ainsi un système scientifique de concepts qui rend possible l'explication historique de formations sociales où domine le mode* de production capitaliste*. Les découvertes fondamentales du livre premier sont celles de l'accumulation* primitive et de la plus-value*.

Capitale de la douleur, recueil poétique d'Eluard (1926). Face à l'orthodoxie surréaliste, la première manifestation d'originalité d'Eluard dans sa conception de l'amour.

CAPITALISME. — Est appelé «capitalisme» ou «système capitaliste» le régime économique aux termes duquel les moyens de production*, propriété privée d'individus, de familles ou de groupes, sont exploités par ces propriétaires ou leurs mandataires, les profits de l'exploitation faisant par ailleurs l'objet d'une appropriation privée. (On oppose généralement au capitalisme l'économie planifiée ou socialiste, aux termes de laquelle aucune de ces caractéristiques ne se trouve réunie.) À ces caractères essentiels du capitalisme se surajoutent un certain nombre d'autres traits spécifiques, notamment l'existence d'un marché* pour lequel travaille l'entreprise*, la maximalisation du profit*, considérée en principe comme l'objectif fondamental de l'entreprise, la liberté d'entreprendre, de produire et de vendre avec le minimum de contrainte de la part des pouvoirs publics, la non-participation, en général, de l'État aux tâches économiques, laissées au secteur privé.

À défaut de percevoir, en Europe occidentale, la naissance du capitalisme lors de la révolution urbaine et marchande du XIVe s., c'est sous la Renaissance que l'on peut voir l'origine d'un certain capitalisme. Une *accumulation* de capital* se produira à partir du XVIIe s., cependant que des «moules» juridiques propres au capitalisme (grandes compagnies) apparaîtront au XVIIIe s. et qu'enfin une accélération du progrès technique (entre 1760 et 1800 en Grande-Bretagne) mènera de façon décisive à l'implantation du capitalisme en Europe occidentale.

Le terme de «néocapitalisme» qualifie parfois les formes contemporaines du capitalisme : à l'«atomicité» du capitalisme des pionniers, caractérisé par un grand nombre d'entreprises créant une foule de centres de décision, a succédé un capitalisme de grandes unités, cependant que les directions de fait des plus grandes firmes passent à des «directeurs» dont le pouvoir n'émane plus de la seule propriété du capital. Les entreprises multinationales se sont développées de plus en plus depuis quelques années. L'État, enfin, a pris une part de plus en plus importante dans l'économie, par le truchement de participations financières et de la planification*.

CAPITALISME PÉRIPHÉRIQUE. — Ce concept est utilisé par S. Amin pour expliquer les raisons du «développement du sous-développement» dans le tiers monde. Le capitalisme périphérique (celui de la «périphérie» [les pays en voie de développement], par opposition à celui du «centre» [les pays développés]) a trois caractères principaux communs :
— la prédominance du capitalisme agraire et commercial dans le secteur national;
— la formation d'une bourgeoisie locale ayant partie liée avec le capital étranger dominant;
— la tendance à un développement bureaucratique régional propre à ces pays dominés par l'impérialisme*.

CAPITALISTE (mode de production). — Selon Marx*, le mode de production capitaliste (M. P. C.) suppose trois conditions de possibilité : la disponibilité de la force de travail*, c'est-à-dire la possibilité de son exploitation, une accumulation* primitive d'un capital argent prêt à être investi et la séparation des travailleurs productifs des moyens* de production. Le M. P. C. ne peut donc s'établir qu'avec la formation de deux classes antagoniques : le prolétariat et la bourgeoisie. Dépourvus de moyens de production et d'existence, les prolétaires sont contraints de vendre leur force de travail, comme marchandise*, aux capitalistes, qui sont propriétaires des moyens de production et d'échange. (V. LUTTE DE CLASSES.)

Le mode de production capitaliste se caractérise, sur le plan économique, par l'antagonisme capital-travail. Le capital est investi dans un procès d'exploitation de la force de travail en vue de lui faire produire une valeur supplémentaire à celle qui est investie : la plus value* et le profit*. Le M. P. C. est un ensemble de rapports* sociaux de production dont l'objectif (la plus-value et le profit maximal) détermine et les fonctions précises que doivent remplir les instances de la superstructure* (principalement la politique et le droit) et les transformations nécessaires que le M. P. C. doit subir pour assurer un maximum de profit et de plus-value. Cette nécessité de son perpétuel renouvellement le conduit à développer considérablement les forces* productives, à socialiser au maximum la production tout en maintenant l'appropriation privée de ses résultats au profit d'une minorité de plus en plus restreinte. Ces transformations se cristallisent dans la concentration du capital, la formation d'un capitalisme financier et le renforcement du rôle de l'État. (V. IMPÉRIALISME, MARXISME.)

CAPITANT (Henri), juriste français (Grenoble 1865 - Allinges 1937). On lui doit d'importants travaux de droit civil.

CAPITATION. — Cet impôt par tête, d'origine féodale, prend place parmi les impôts publics sous Louis XIV (de 1695 à 1698). Devenue imposition extraordinaire à partir de 1701, la capitation est perçue en tenant compte d'un échelonnement social. En fait, les privilégiés s'en feront rapidement dispenser soit purement et simplement (clergé), soit par son remplacement par une quotité fixe (noblesse).

CAPITOLE (le), une des sept collines de Rome*, la colline sacrée par excellence. Le Capitole, ou mont Capitolin, comprend deux sommets séparés par une dépression : sur une des cimes se dressait la citadelle *(arx);* sur l'autre s'élevait le temple à triple *cella* de la triade Jupiter-Junon-Minerve, protectrice de la Cité. Ce temple, construit selon la tradition par Tarquin le Superbe, fut le symbole politique et religieux de Rome. — Les plans de l'actuelle *place du Capitole* ont été tracées par Michel Ange.

CAPITULE. — L'évolution de diverses lignées de plantes à fleurs conduit à des inflorescences de plus en plus condensées, formées d'un grand nombre de fleurs minuscules. Le terme de cette évolution est le *capitule :* le pédoncule de chaque fleur est extrêmement court, tandis que la tige florifère s'élargit au sommet en un réceptacle en plateau, dans lequel les fleurs sont comme fichées côte à côte. Sous ce plateau s'étend un *involucre,* couronne de bractées en nombre théoriquement égal à celui des fleurs. Avant la floraison, tout le capitule forme un seul bouton floral, dont les bractées sont les écailles protectrices. Si les composées tubuliflores (bleuet) ou liguliflores (pissenlit) ont un seul type de fleurs, les composées radiées (marguerite, tournesol), avec leurs fleurs tubulaires au centre et leurs fleurs ligulées sur les bords, simulent parfaitement des fleurs simples. Un transfert de fonctions encore plus poussé s'observe chez l'edelweiss, chez lequel des capitules ont position d'étamines, tandis que quelques feuilles laineuses ont forme et position de pétales.

CAPLET (André), compositeur et chef d'orchestre français (Le Havre 1878 - Neuilly-sur-Seine 1925). Grand prix de Rome, il a participé à l'orchestration et à la création du *Martyre de saint Sébastien* (1911) de C. Debussy. Parmi ses compositions marquantes citons maintes partitions vocales *(Prières, Trois Fables de La Fontaine, Messe à 3 voix, le Miroir de Jésus),* un *Conte fantastique,* d'après *le Masque de la mort rouge* de E. Poe, et une manière de concerto pour violoncelle *(Épiphanie).*

CAP-MARTIN, promontoire de la Côte d'Azur, entre Menton et *Roquebrune-Cap-Martin.*

CAPOBIANCO, cant. de l'extrémité nord de la Haute-Corse. Ch.-l. *Rogliano.*

CAPO D'ISTRIA (Jean), en gr. **Kapodhístrias** *(Ioánnis),* homme d'État grec (Corfou 1776 - Nauplie 1831). Haut fonctionnaire dans les îles Ioniennes (1802-1807), il entre au service du tsar, auprès de qui il plaide en vain la cause de la Grèce. Élu en 1827 président de la République grecque, il s'attire la haine de la famille rivale des Mavromikhális, qui le fait assassiner.

CAPORETTO, auj. **Kobarid,** village de Yougoslavie (Slovénie), sur l'Isonzo, où, en octobre 1917, les forces austro-allemandes rompirent le front italien, qui ne put se rétablir que sur la Piave. (V. ITALIE [*front d'*].)

CAPOTE (Truman), écrivain américain (La Nouvelle-Orléans 1924). Placée d'abord sous le signe de l'esthétisme et de l'influence du style du *New Yorker* (*les Domaines hantés,* 1948; *la Harpe d'herbe,* 1951; *Petit Déjeuner chez Tiffany,* 1958), son œuvre a évolué vers le réalisme à travers un « roman-reportage » sur la violence spontanée qui ravage l'Amérique (*De sang-froid,* 1965).

CAPOUE, en ital. **Capua,** v. d'Italie (Campanie), sur le Volturno; 20 000 hab. À Santa Maria Capua Vetere, ruines du vaste amphithéâtre du Ier s. Au village de Sant' Angelo in Formis, basilique du XIe s., avec remarquable décor de fresques.

HISTOIRE. L'ancienne Capoue fut fondée par les Étrusques au VIe s. av. J.-C. Elle se soumit à Rome en 338 av. J.-C., mais fit défection après la bataille de Cannes* : elle se déclara alors pour Hannibal, qui y passa l'hiver de 216-215. Les Romains la reprirent en 211 av. J.-C. et y fondèrent une colonie en 83 av. J.-C. Florissante sous l'Empire, Capoue fut détruite par Geiséric en 456 apr. J.-C.

CAPPADOCE, région centrale d'Anatolie*. Au début du IIe millénaire, les Assyriens y installent de nombreux comptoirs commerciaux. Centre de l'Empire hittite*, conquise par les Lydiens, puis par les Perses au temps d'Alexandre, la Cappadoce retrouve une indépendance relative avec la dynastie indigène des Ariarathès, mais, au Ier s. av. J.-C., elle doit accepter le protectorat de Rome. Elle est un brillant foyer de pensée chrétienne à la fin du IVe s. avec Basile* de Césarée, Grégoire* de Nysse et Grégoire de Nazianze*.

BEAUX-ARTS. Ornées de fresques, les nombreuses églises rupestres constituent une véritable « réserve » de peintures murales chrétiennes. L'évolution ininterrompue de l'école cappadocienne permet une étude pratiquement sans hiatus de la peinture grecque, grâce notamment à la présence de fresques de la période préiconoclaste (VIe-VIIIe s.). Les influences du Bas-Empire et des Sassanides* sont associées aux motifs classiques du paléochrétien* (fresques du VIe s. de la grande basilique [Ve s.] de Çavuş In). Un peu délaissée pendant la crise iconoclaste, la région illustre la période posticonoclaste par des fresques d'églises des IXe, Xe et XIe s., de style moins homogène. Certaines peintures témoignent d'une évolution purement régionale; d'autres, de l'apogée de la renaissance macédonienne (nouvelle église de Tokalı), avant de devenir purement byzantines et de connaître les trois tendances principales qui gouvernent alors la peinture : le réalisme (Karabaş kilise), la schématisation (Eski Gümüş) et le maniérisme (églises à colonnes de Göreme), qui s'épanouit ensuite à Byzance. Toute l'activité artistique chrétienne, à son apogée au XIe s., est interrompue par l'arrivée des Seldjoukides et le triomphe de l'art de l'islām*.

CAPPELLE-LA-GRANDE (59210 Coudekerque Branche), comm. du Nord, à 4 km au S. de Dunkerque; 7 962 hab.

CAPPIELLO (Leonetto), caricaturiste et affichiste français d'origine italienne (Livourne 1875 - Cannes 1942). Célèbre pour ses portraits-charges de personnalités parisiennes (dès 1898), il se consacre à partir de 1904 à l'affiche, synthétisant le « message » avec une expressive vigueur (*Ouate Thermogène,* 1909).

CAPRA (Frank), cinéaste américain (Palerme, Italie, 1897). Après avoir dirigé Harry Langdon dans ses meilleurs films, il fut le brillant reflet de l'Amérique rooseveltienne dans une série de comédies sophistiquées et optimistes : *Lady for a Day* (1933), *New York-Miami* (1934), *l'Extravagant M. Deeds* (1936), *Vous ne l'emporterez pas avec vous* (1938), *M. Smith au Sénat* (1939), *Arsenic et vieilles dentelles* (1944).

CAPRERA, îlot de la côte nord de la Sardaigne, célèbre par la résidence de Garibaldi, qui y mourut.

CAPRI, île italienne du golfe de Naples. Ruines d'un palais de Tibère. Grand centre touristique.

Caprices de Marianne *(les),* comédie en deux actes de A. de Musset, publiée en 1833 et jouée en 1851.

CAPRICORNE. — Une vaste famille de coléoptères, les *cérambycidés,* comprend des formes aux antennes extrêmement longues et rabattues en arrière, et appelées pour cette raison *longicornes* ou, plus usuellement, *capricornes.* Il s'agit d'insectes végétariens : la larve vit souvent dans le bois mort, et l'adulte sur les fleurs ou les écorces tendres. Le « grand capricorne » peut atteindre 5 cm de long et vit sur les chênes.

CAPRICORNE, constellation zodiacale. Elle contient une étoile double α dont les composantes sont susceptibles, à la limite, d'être séparées à l'œil nu.
— Dixième signe du zodiaque*, dans lequel le Soleil entre au solstice d'hiver.
— Le *tropique du Capricorne* est le parallèle de la sphère terrestre correspondant à la latitude 23° 27′ S. et qui délimite au S. la zone « tropicale ».

CAPRINS → CHÈVRE.

CAPRIVI di Caprara di Montecuccoli (Georg Leo, *comte* VON), général et homme politique prussien (Charlottenburg 1831 - Skyren, Brandebourg, 1899), successeur de Bismarck comme président du Conseil de Prusse (1890-1892) et chancelier d'empire (1890-1894).

CAPSELLA → CRUCIFÈRES.

CAPSULE *(Bot.)* → FRUIT.

CAPSULE SPATIALE. — Le 12 avril 1961, l'homme a commencé à voler dans l'espace à bord de capsules spatiales qui, lancées au moyen de fusées*, reviennent ensuite sur terre. D'abord monoplaces, puis biplaces, ces capsules emportent dorénavant trois cosmonautes. Afin d'éviter à ces derniers le port de scaphandres lourds et encombrants, elles sont entièrement pressurisées. Lors de la rentrée dans l'atmosphère*, qu'elles abordent à des vitesses supérieures à 10 000 km/h, leur freinage est assuré aérodynamiquement grâce à leur forme, qui comporte à l'avant une face bombée créant une forte traînée. Elles sont également soumises à un échauffement important, ce qui nécessite le recours à une protection thermique par ablation*; tel est le rôle du bouclier thermique placé à l'avant, qui est éjecté dans les basses couches de l'atmosphère. La fin de la descente s'effectue par parachutes, ce qui permet un contact sans dommage avec le sol; jusqu'à présent, d'ailleurs, les capsules américaines sont revenues sur mer. À titre d'exemple, la capsule « Apollo » se présente sous la forme d'un cône de 4 m de diamètre à la base et de 3,35 m de hauteur; après éjection du bouclier thermique, elle pèse un peu moins de 5 t. (V. illustration p. 346.)

CAPTAGE. — L'alimentation des moteurs* électriques de traction des véhicules ferroviaires est assurée au moyen de contacts glissants, qui peuvent être des *patins* frottant sur un *rail* isolé parallèle à la voie ou, plus généralement, des *pantographes* glissant sur une ligne aérienne. L'emploi du troisième rail est limité aux lignes alimentées sous faible tension (jusqu'à 1,5 kV) et parcourues à des vitesses peu élevées (jusqu'à 120 km/h). La ligne aérienne, ou *caténaire,* permet l'utilisation de hautes tensions. Elle peut être *simple* lorsqu'elle ne comporte que le fil de contact, *composée* ou *compound* lorsqu'elle comporte des fils porteurs auxiliaires. Elle doit assurer la régularité du contact sans se déformer exagérément au passage du pantographe. Celui-ci est constitué par un système articulé déformable supportant un archet muni de barres de frottement. Son développement est assuré par des ressorts qui maintiennent l'effort de contact à une valeur indépendante de la hauteur de la caténaire. (V. illustration p. 346.)

CAPTEUR → AUTOMATIQUE, BIONIQUE, RÉTROACTION, TÉLÉMESURE.

CAPTIEUX (33840), ch.-l. de cant. de la Gironde, à 32 km au S. de Langon, dans la forêt landaise; 1 669 hab.

CAPTURE. — Une *capture par creusement* se produit lorsque, par érosion régressive, un cours d'eau fait reculer la ligne de partage des eaux jusqu'à détourner le cours d'une rivière du bassin hydrographique voisin. Une *capture par déversement* a lieu lorsque, ne pouvant évacuer ses alluvions, un cours d'eau remblaie jusqu'à submerger la ligne de partage des eaux et se déverser dans le bassin voisin. Le *coude de capture* est le changement de direction brutal décrit par le cours d'eau capturé.

CAPUCINE. — Cette plante ornementale, connue surtout pour ses beaux pétales orangés munis d'un éperon et pour ses feuilles

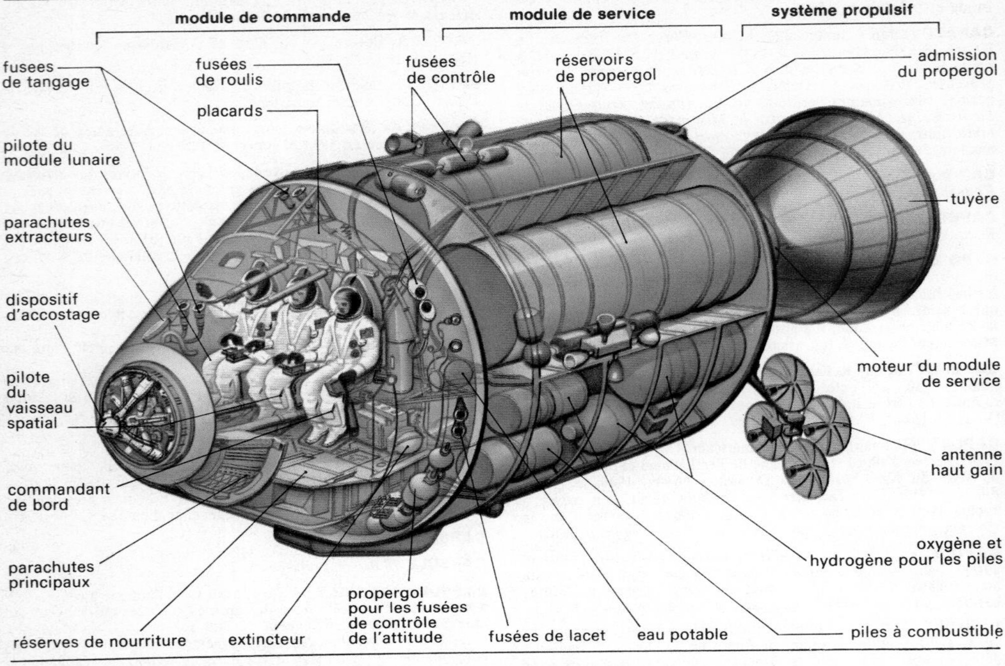

CAPSULE SPATIALE « Apollo » avec son module de service. (Document N. A. S. A.)

rondes, est scientifiquement intéressante par ses racines, qui répandent autour d'elles un produit bactéricide qui améliore leur développement d'une année à l'autre.

CAPUCINS → FRÈRES MINEURS.

CAPTAGE.
1. Suspension caténaire simple.
2. Suspension caténaire en Y.
3. Suspension caténaire composée ou compound.

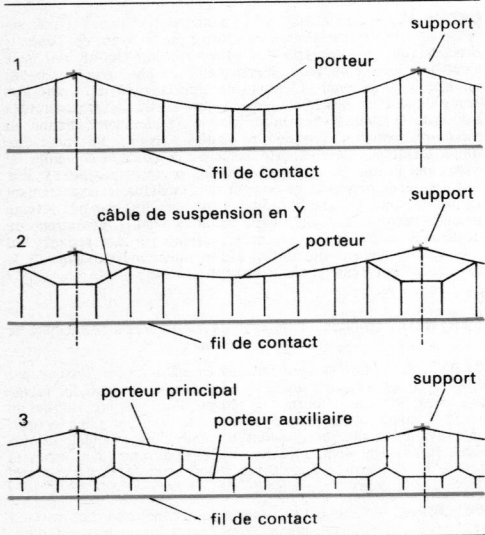

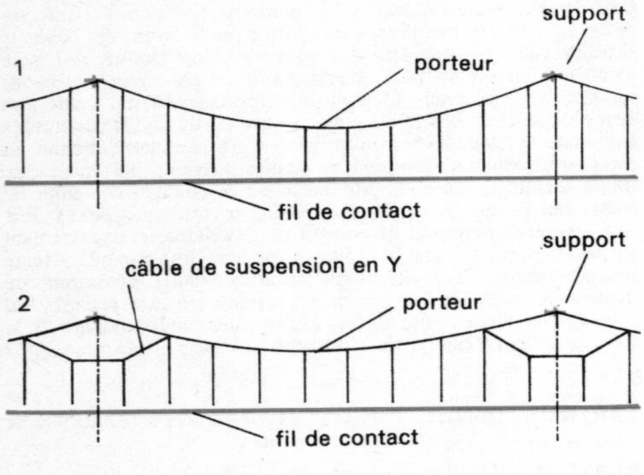

CAPVERN (65130), comm. des Hautes-Pyrénées, à 7 km au S.-O. de Lannemezan; 1 055 hab. Station thermale pour le traitement des affections rénales, urinaires et nutritionnelles (goutte et diabète).

CAP-VERT *(îles du),* État insulaire, dans l'Atlantique, au large du Sénégal; 4 033 km²; 284 000 hab. Capit. *Praia,* dans l'île São Tiago, la plus grande de l'archipel, volcanique, qui compte une douzaine d'îles principales. Cultures du maïs et du café. — Découvert en 1456 par le Vénitien Ca'da Mosto, au service du Portugal, l'archipel devient très vite une base importante pour la traite portugaise. Il est indépendant depuis 1975.

CAQUOT (Albert), ingénieur français (Vouziers 1881 - Paris 1976). Après avoir conçu le ballon captif à stabilisateur arrière, ou *saucisse* (1914), il s'est surtout consacré à l'étude de l'élasticité et de la résistance des matériaux, notamment du béton* armé, dont il a vulgarisé l'emploi.

CARABE. — L'immense famille des coléoptères *carabidés,* usuellement nommés *carabes,* comprend des insectes à la marche extrêmement rapide, bien pourvus en organes sensoriels, ce qui fait d'eux de redoutables chasseurs, dont les proies sont en général d'autres insectes, de sorte que les carabes sont des animaux utiles. Le genre *carabus* comprend de grandes espèces sans ailes.

CARABOBO, village du Venezuela, où Bolívar remporta la victoire qui assura l'indépendance du Venezuela (1821).

CARACALLA (Marcus Aurelius Antoninus BASSIANUS, surnommé) [Lyon 188 - Carrhae, Ḥarrān, 217], empereur romain (211-217), fils de Septime Sévère et de Julia Domna. Associé au pouvoir de son père avec son frère Geta, il succéda en 211 à Septime Sévère. Dès 212, il se débarrassa de son frère, qu'il fit assassiner avec quelque 20 000 de ses partisans supposés, dont le jurisconsulte Papinien*. Mégalomane, il se croyait la réincarnation d'Alexandre le Grand, d'où ses nombreuses campagnes en Gaule (213), sur le Danube (214), en Égypte (215). Il avait presque triomphé des Parthes lorsqu'il fut assassiné à l'instigation de son préfet du prétoire Macrin*. Sa politique militaire et les grands travaux qu'il entreprit (thermes à Rome) nécessitèrent une politique financière appropriée; une réforme monétaire fut nécessaire : Caracalla diminua le poids de l'*aureus* et créa une nouvelle pièce d'argent, l'*antoninianus.* Il poursuivit la politique égalitaire de son père : on lui doit la *Constitution antonine* (ou *édit de Caracalla,* 212), qui donnait à tous les pérégrins* de l'Empire « le droit de cité romain, en sauvegardant le droit des cités, sauf pour les déditices ».

CARACAS, capit. du Venezuela; 2 180 000 hab. À une quinzaine de kilomètres de la mer des Antilles (où s'est développé le port de La Guaira), à environ 1 000 m d'altitude (et possédant ainsi un climat agréable malgré la basse latitude), Caracas, fondée en 1567, regroupe plus du cinquième de la population totale du pays. C'est la métropole incontestée des points de vue politique, culturel (belle cité universitaire [1950-1958] par Carlos Raúl Villanueva [né en 1900], intégrant des œuvres dues à de grands artistes de l'école de Paris ainsi qu'à des Vénézuéliens) et économique, occupant la moitié des salariés industriels du Venezuela (constructions mécaniques et électriques, alimentation, textile, chimie). Cependant, lié à la forte croissance récente de la population de la ville, un sous-emploi marqué existe, qui se traduit par la prolifération de bidonvilles (ranchos) contrastant avec les gratte-ciel du quartier des affaires et les villas luxueuses.

CARACTÈRE *(Biol.).* — L'étude de l'hérédité animale ou végétale est rendue possible par la définition de certains détails morphologiques anatomiques transmissibles selon les lois de l'hérédité* et, en principe, indépendants les uns des autres. De tels *caractères héréditaires* dépendent chacun d'un segment chromosomique, ou *gène,* défini. Ils peuvent être « dominants » ou « récessifs », selon qu'ils apparaissent ou non chez les produits immédiats de deux parents dont un seul possède le caractère.

Les *caractères spécifiques* sont tout autre chose : ce sont les traits apparents permettant de déterminer à quelle espèce appartient un échantillon récolté dans la nature.

Les *caractères acquis* au cours de la vie sous l'influence du milieu ne sont pas transmissibles par hérédité.

CARACTÈRE *(Psychol.)* → PERSONNALITÉ.

CARACTÈRE D'IMPRIMERIE. — Un texte imprimé est formé par un ensemble de caractères : lettres, chiffres, signes ou symboles. Dans une famille de caractères, constituée d'après un même dessin de base, on trouve une diversité de dimensions et de proportions. Le dessin qui s'imprime sur le papier s'appelle l'*œil.* La hauteur du caractère est la *force de corps* ou le *corps.* Sa largeur est la *chasse;* on a des caractères larges, étroits, allongés; la chasse, qui dépend du dessin de l'œil, varie d'une lettre à l'autre : un *m* est plus large qu'un *n,* un *n* plus large qu'un *l.* L'épaisseur des traits est la *graisse,* et l'on a des caractères maigres, demi-gras ou gras. Le dessin lui-même est obtenu par des lignes ou des courbes plus ou moins uniformes et accentuées, accompagnées ou non à leurs extrémités de traits appelés *empattements.* D'après le style de ce dessin, les caractères sont classés en *familles :* les antiques n'ont

Caractère plomb et caractère digitalisé en photocomposition.

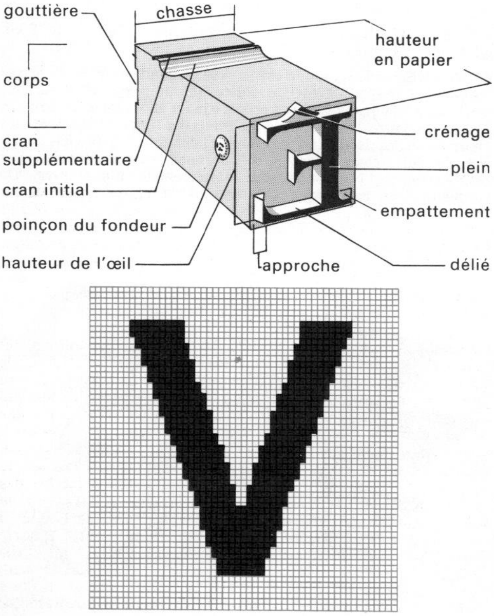

Boutin - Explorer

Caracas. Vue partielle de la ville, où se côtoient maisons anciennes, bidonvilles *(ranchos)* et immeubles modernes.

pas d'empattements; les italiques sont inclinés. L'assortiment standard des caractères d'un corps, d'une chasse et d'une graisse déterminés constitue une *police* et comprend les minuscules, ou *bas de casse,* les majuscules, ou *capitales,* la ponctuation et les signes divers.

Caractères *(les),* ouvrage de La Bruyère (1688). D'abord remarques en marge des *Caractères* du philosophe grec Théophraste, l'ouvrage fut constamment augmenté jusqu'à la huitième édition (1694) : l'auteur y dénonce l'évolution de la société, le pouvoir destructeur de l'argent, l'inégalité des conditions. La dissymétrie de la composition, la passion de l'anecdote piquante, les ruptures de style annoncent l'éclatement de l'esthétique classique.

CARACTÉRIEL (enfant). — Les enfants caractériels présentent des troubles très divers. Chez les uns, c'est l'agressivité (colères, agitation) qui domine; chez les autres, ce sont les réactions de blocage (inhibition, timidité, repliement) qui l'emportent. Les mensonges, les vols et les fugues sont fréquents.

Les causes des troubles caractériels sont multiples : elles sont le plus souvent d'ordre affectif ou socioéducatif. Les troubles caractériels qui apparaissent à la suite d'un traumatisme affectif mineur régressent généralement à la suite d'une action adéquate sur l'entourage de l'enfant. Par ailleurs, certains troubles peuvent être révélateurs d'une perturbation beaucoup plus intense de la personnalité : ce sont alors des exutoires à l'angoisse profonde. Le recours à une psychothérapie est nécessaire.

CARAGIALE (Ion Luca), écrivain roumain (Haimanale 1852-Berlin 1912). Auteur de comédies de mœurs (*Une lettre perdue,* 1884) et de drames (*la Calomnie,* 1890), il est l'initiateur de la nouvelle moderne dans son pays (*le Cierge pascal,* 1908).

CARAÏBE *(mer)* ou **CARAÏBES** *(mer des),* autres noms de la mer des Antilles*.

CARAÏTES. — Un rabbin de Bagdad, Anan ben David (v. 750), est à l'origine d'un schisme qui provoqua dans le judaïsme une véritable renaissance des études bibliques. Ses adeptes contestent le caractère obligatoire de la loi orale codifiée dans le Talmud* et n'acceptent que la seule autorité de la loi écrite, c'est-à-dire de la Bible; d'où leur nom de « caraïtes » (scripturaires). Les caraïtes sont encore aujourd'hui quelques milliers.

Le Caravage : *Résurrection de Lazare* (1608). [Museo Nazionale, Messine.]

CARAMAN (31460), ch.-l. de cant. de la Haute-Garonne, à 28 km à l'E.-S.-E. de Toulouse; 1 621 hab.

CARAMANLIS ou **KARAMANLÍS** (Constantin), homme politique grec (Serrai 1907). Fondateur du parti conservateur de l'Union nationale radicale (E. R. E.) en 1956, il est trois fois Premier ministre de 1955 à 1963 et établit un régime autoritaire, dont le premier objectif est la reconstruction du pays. À l'extérieur, il pratique une politique de détente et de rapprochement avec l'Europe, associant la Grèce au Marché commun (1962). L'agitation de l'opposition devant les excès du régime provoque sa démission (1963) et, après l'échec électoral de son parti, il s'exile à Paris. Rappelé au pouvoir en juillet 1974, après la chute de la dictature militaire, il assure le retour au libéralisme et fonde le mouvement Démocratie nouvelle, qui devient le parti majoritaire du nouveau Parlement.

CARAN D'ACHE (Emmanuel Poiré, dit), dessinateur humoriste français (Moscou 1859 - Paris 1909). Il stigmatisa, dans *le Figaro* notamment, les événements politiques de son temps.

CARANTEC (29226), comm. du Finistère, à 10 km au S.-E. de Saint-Pol-de-Léon; 2 588 hab. Station balnéaire.

CARAPACE. — Nombreux sont les animaux qui se protègent de leurs agresseurs par un revêtement dur, qui permet ordinairement à l'animal de se déplacer, mais dans lequel il peut s'abriter entièrement ou presque en cas de danger. Chez les mollusques et les brachiopodes, ce revêtement est calcaire et s'appelle une *coquille.* Chez les autres animaux, on peut appeler le revêtement chitineux ou corné une *carapace* (tortues, insectes et surtout crustacés, chez lesquels l'armure d'une seule pièce protégeant l'avant du corps est seule une « carapace » en langage scientifique).

CARATÉ → TRÉPONÈME.

CARAVAGE (Michelangelo Merisi, dit *le*), peintre italien (Caravaggio 1573 - Porto Ercole 1610). Après un premier apprentissage milanais, il est à Rome, vers 1590-1595, dans l'atelier du Cavalier d'Arpin (Giuseppe Cesari, 1568-1640), qui lui fait peindre des fleurs et des fruits. Le réalisme et le luminisme lombardo-vénitien dominent ses œuvres, claires et déjà très élaborées (*la Diseuse de bonne aventure,* Louvre), jusqu'à ce qu'apparaisse dans le *Martyre de saint Matthieu* (v. 1595-1600, Saint-Louis-des-Français) une conception nouvelle et dramatique de la lumière, qui fera de plus en plus éclater, dans des ambiances nocturnes, la violence antiacadémique des compositions, la trivialité naturaliste de maintes figures. Une sorte d'angoisse fébrile marque les œuvres de la maturité romaine du Caravage et celles du début de son séjour à Naples, où, mauvais garçon impénitent, l'artiste a dû fuir en 1606 après avoir tué un adversaire dans une rixe (*les Sept Œuvres de miséricorde,* église du Pio Monte, Naples). Traqué, le Caravage passe à Malte, puis en Sicile, où il peint des toiles d'un lyrisme transfiguré, telle cette *Résurrection de Lazare* (Messine) où, sous l'effroi d'un immense espace vide, un éclair rasant de lumière semble immobiliser le drame sacré. Il apporte ainsi une vision révolutionnaire, opposée aux tendances idéalistes par une tension profonde, un sens pathétique de l'humain. Sa postérité européenne sera grande, à commencer par les innombrables « caravagesques » pratiquant le « ténébrisme », tels les Italiens Gentileschi* et Bartolomeo Manfredi (v. 1580-1624), le Français Valentin*, l'Espagnol Ribera*, les Hollandais Terbrugghen* (plutôt adepte de la « manière claire ») et Gerard Van Honthorst (1590-1656), sans oublier les dettes du Lorrain Georges de La Tour, de Zurbarán, de Rembrandt, voire de Vermeer.

CARAVANE. — Le nombre des caravanes acquises en France est en accroissement. Actuellement, les ventes sont freinées par la crise économique. Utilisée pour le camping itinérant ou le camping de séjour, la caravane joue parfois — comme en R. F. A. — le rôle de résidence secondaire, installée à demeure sur un terrain dont on a loué une parcelle. Sa coque est constituée d'une ossature de bois ou d'acier revêtue intérieurement de bois aggloméré et extérieurement d'aluminium ou de tôle d'acier galvanisée; elle peut être aussi monocoque, en métal ou en plastique embouti. La caravaneige — destinée au camping dans la neige — a des qualités isothermiques poussées. Il existe des caravanes pliantes pas plus lourdes à traîner qu'une remorque (200 kg) et d'autres qui équipent à demeure des terrains de camping.

CARAVELLE. — Ce navire rapide à quatre mâts plus un beaupré, aux lignes fines, fut largement utilisé au cours des expéditions lointaines du XVe et du XVIe s.

CARBET (97221), comm. de la côte ouest de la Martinique, au pied des *Pitons de Carbet* (1 196 m); 3 244 hab.

CARBONARISME. — Les carbonari constituent au début du XIXe s., en Italie, une société politique secrète dont l'organisation hiérarchisée s'inspire de la franc-maçonnerie. Ils sont regroupés en sections de vingt membres, les *ventes,* et subissent des cérémonies d'initiation. Luttant contre la domination autrichienne et les souverains restaurés en 1814, pour l'indépendance nationale et l'établissement d'un régime libéral, le carbonarisme anime les insurrections de Naples (1820) et du Piémont (1821). Mais, sans programme commun, sans action coordonnée, sans un appui populaire suffisant, les carbonari subissent des échecs successifs. Durement touchés par la répression qui suit les révolutions de 1830-31, la plupart se regroupent dans le mouvement Jeune-Italie, fondé par un de leurs chefs, Mazzini. En France, l'influence de la *Charbonnerie* se développa à partir de 1820 dans les milieux de l'opposition libérale.

CARBON-BLANC (33560), ch.-l. de cant. de la Gironde, à 10 km au N.-E. de Bordeaux; 4 567 hab. Vins de l'Entre-deux-Mers.

CARBONE. — Le carbone est l'élément chimique n° 6, de masse atomique C = 12,01. C'est un solide qui présente deux variétés cristallisées, le diamant et le graphite. Quant au carbone amorphe, il existe, mélangé ou combiné à diverses impuretés, dans les charbons naturels (anthracite, houille, lignite) ou artificiels (charbon de bois, coke, charbon des cornues, noir de fumée). Les combinaisons du carbone sont extrêmement nombreuses. On trouve le gaz carbonique CO_2 dans l'air et les eaux, et les

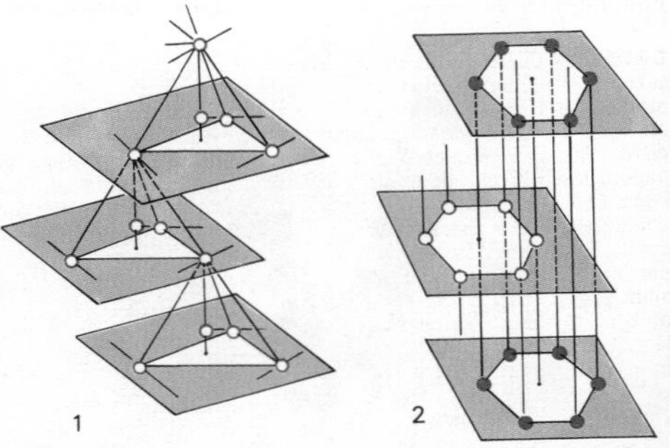

Carbone. 1. Structure du diamant. 2. Structure du graphite.

carbonates dans le sol. Les composés que le carbone forme avec l'hydrogène, l'oxygène et l'azote entrent dans la constitution des organismes vivants; aussi nomme-t-on « chimie organique » leur étude, bien qu'il soit possible de les obtenir par synthèse.

Toutes les variétés de carbone sont solides, infusibles sous la pression atmosphérique, volatiles dans l'arc électrique. Insoluble dans les solvants usuels, le carbone se dissout dans divers métaux fondus, et notamment le fer.

Il brûle en donnant, suivant le cas, du dioxyde CO_2 ou du monoxyde CO. Il se combine au soufre en formant du sulfure de carbone CS_2, liquide volatil utilisé comme solvant. Il forme avec l'hydrogène de nombreux composés, les hydrocarbures, et se combine au silicium et à de nombreux métaux pour former des carbures.

Il réduit la vapeur d'eau au rouge, le gaz carbonique et de nombreux oxydes métalliques; d'où son emploi en métallurgie.

Le *monoxyde de carbone* CO est un gaz incolore et inodore, de densité 0,97, difficile à liquéfier. Très toxique, il est responsable de nombreux empoisonnements par le gaz de ville ou les gaz des foyers. Combustible, il est par suite réducteur.

CARBONE 14. — C'est un isotope radioactif, de nombre de masse 14, qui prend régulièrement naissance dans l'atmosphère sous l'action des radiations solaires. Il figure dans le gaz carbonique de l'air, qui est absorbé par les êtres vivants. Comme sa période radioactive est connue, la proportion qui en subsiste dans les vestiges d'anciens végétaux permet de dater ceux-ci.

CARBONIFÈRE → PRIMAIRE *(ère).*

CARBONIQUE *(gaz).* — Découvert en 1648 par Van Helmont, le gaz carbonique, ou dioxyde de carbone CO_2, est un gaz incolore et inodore, de saveur aigrelette. De densité 1,52, il se liquéfie aisément par compression. Sous la pression atmosphérique, ce liquide ne peut exister; il se forme de la neige carbonique, solide qui se sublime sans fondre, à − 79 °C, et qui est employé comme réfrigérant sous le nom de *glace sèche.* Le gaz carbonique est assez soluble dans l'eau; sa solution sous pression est l'*eau de Seltz.* Il n'est pas toxique, mais une atmosphère qui en contient 30 p. 100 détermine une asphyxie, car le gaz carbonique du plasma sanguin ne peut alors se dégager. Sa solution a les caractères d'un acide faible et donne, avec la soude par exemple, les carbonates $NaHCO_3$ et Na_2CO_3. Son réactif est l'eau de chaux, où se forme un précipité blanc de carbonate de calcium $CaCO_3$.

Ce gaz existe dans l'atmosphère à raison de 3 p. 10 000; il est produit par les combustions et les respirations, et détruit par la fonction chlorophyllienne.

CARBONNE (31390), ch.-l. de cant. de la Haute-Garonne, à 22 km au S.-O. de Muret, au confluent de la Garonne et de l'Arize; 3 218 hab. Église du XIVe s. Centrale hydroélectrique.

CARBONNIER (Jean), juriste français (Libourne, 1908). Connu surtout pour ses ouvrages en droit civil, il est également un spécialiste de la sociologie du droit. On lui doit notamment *Flexible Droit* (1971) et *Sociologie juridique* (1972).

CARBONYLE. — Le *chlorure de carbonyle* $COCl_2$, oxychlorure de carbone ou phosgène, est un gaz toxique, employé comme agent de synthèse. Les *métaux-carbonyles* sont des composés d'addition, liquides et volatils, que donnent le fer, le nickel et le cobalt avec l'oxyde de carbone, tel le nickel-tétracarbonyle $Ni(CO)_4$.

CARBURANT. — Les carburants se différencient en fonction du type de moteur, dont ils assurent le fonctionnement par combustion. Les carburants pour moteurs* à pistons et turbomachines* appartiennent aux dérivés du pétrole* (essence*, kérosène); ils se caractérisent par leur pouvoir calorifique, leur densité*, leur température d'inflammabilité, leur volatilité. Les carburants pour moteurs-fusées se caractérisent par leur impulsion spécifique et leur température de combustion; les plus utilisés sont l'hydrogène*, l'U. D. M. H. ainsi que le kérosène.

CARBURATEUR. — Le carburateur, chargé de préparer la masse gazeuse air-essence qui sera enflammée dans le cylindre du moteur*, est constitué en principe d'une *cuve,* alimentée par le réservoir d'essence de telle manière que le niveau d'essence dans la cuve reste constant, et d'un *ajutage,* terminé par un *gicleur,* qui débouche au niveau de la cuve dans un étranglement du corps de l'appareil appelé *buse.* La dépression dans le cylindre aspire l'air ambiant, qui, en passant au droit du gicleur, vaporise l'essence, créant ainsi le mélange carburé. La constance du dosage est assurée par des éléments correcteurs sous forme d'une admission d'air additionnelle si le carburateur est réglé pour une faible dépression ou d'un gicleur supplémentaire dans le cas contraire. En disposant le gicleur au-dessous du niveau de la cuve (gicleur noyé), on obtient un débit dépendant à la fois de la différence de niveau avec la cuve et de la dépression. Enfin, certains carburateurs sont à plusieurs corps (deux en général).

CARBURATION. — La carburation consiste à préparer le mélange air-essence en proportions convenables pour qu'il puisse être enflammé et brûlé dans le cylindre du moteur*. Cette masse gazeuse est composée d'un mélange homogène air-essence de 15,3 à 20 g d'air pour 1 g d'essence, et sa constance varie en fonction de la dépression qui règne dans le cylindre au temps d'admission, elle-même inversement proportionnelle à la vitesse de régime. Le débit de l'air est proportionnel à la racine carrée de la dépression, et sa courbe de variation est un arc de parabole. Le débit de l'essence est une droite, et ce n'est qu'au point de rencontre de ces deux courbes que le dosage est correct. Lorsque la courbe de variation de l'essence est située au-dessus de celle de l'air le mélange est trop riche, et inversement.

CARBURÉACTEUR → DÉSULFURATION et ESSENCE.

CARBURES D'HYDROGÈNE → HYDROCARBURES.

CARBURES MÉTALLIQUES. — Ils se forment par union du métal avec le carbone à haute température. On peut citer : le carbure de calcium CaC_2, qui sert à préparer l'acétylène; le carbure de silicium SiC, abrasif (Carborundum); le carbure de tungstène, très dur, servant dans les outils de coupe.

CARCASSONNE (11000), ch.-l. du départ. de l'Aude, à 774 km au S. de Paris, sur l'Aude et le canal du Midi; 44 623 hab. *(Carcassonnais).* Étape touristique entre l'Aquitaine et le Languedoc méditerranéen, c'est un centre administratif et commercial, peu industrialisé (caoutchouc). La cité médiévale conserve le plus bel ensemble français de fortifications (IVe [?] et XIIe-XIIIe s.), restauré par Viollet-le-Duc. Église Saint-Nazaire, à nef romane et à chœur en gothique rayonnant septentrional très lumineux (statues, vitraux). Dans la ville basse, deux églises à nef unique.

CARCEL (Bertrand Guillaume), ouvrier horloger français (v. 1750 - Paris 1812). On lui doit l'invention de la lampe à pompe (1800), ou lampe métallique (appelée plus tard *carcel*).

CARCO (François CARCOPINO-TUSOLI, dit **Francis**), écrivain français (Nouméa 1886 - Paris 1958), évocateur des apaches (*Jésus la Caille,* 1914) et de la bohème artiste (*l'Ami des peintres,* 1944).

CARCOPINO (Jérôme), historien français (Verneuil-sur-Avre 1881 - Paris 1970). Il a consacré surtout ses recherches à l'histoire du dernier siècle de la République romaine.

CARDAGE. — Cette opération de filature* effectuée sur une carde a pour objet de démêler les fibres, de les nettoyer en en détachant les impuretés qui y adhèrent encore, de les isoler les unes des autres en les redressant et en les dirigeant dans un même sens, enfin de les disposer en un voile d'épaisseur régulière. Pour cela, on fait passer la matière entre deux surfaces garnies de pointes métalliques très serrées les unes contre les autres et portées par des organes cylindriques, ou tambours, tournant à des vitesses appropriées. Il existe divers modèles de cardes, adaptés au travail des différentes fibres textiles. La dénomination *fil cardé* est réservée aux fils composés de fibres n'ayant pas subi le peignage*, après cardage.

CARDAN (Gerolamo CARDANO, en franc. **Jérôme**), médecin, mathématicien et philosophe italien (Pavie 1501 - Rome 1576). Sa science fut universelle, mais ésotérique. Ses théories médicales étaient surtout fondées sur l'astrologie*. Sa philosophie est apparentée aux systèmes d'Aristote, d'Averroès, de Plotin et des stoïciens. Elle retient d'eux un vaste naturalisme qui considère le monde — et chaque chose au monde — comme des êtres vivants et animés, sans toutefois admettre l'immortalité de l'âme. Mais Cardan est surtout connu en mathématiques pour avoir généralisé

Carburateur élémentaire à courant descendant.

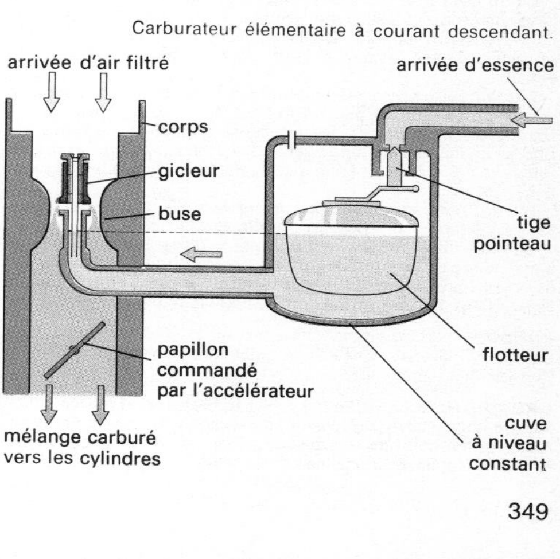

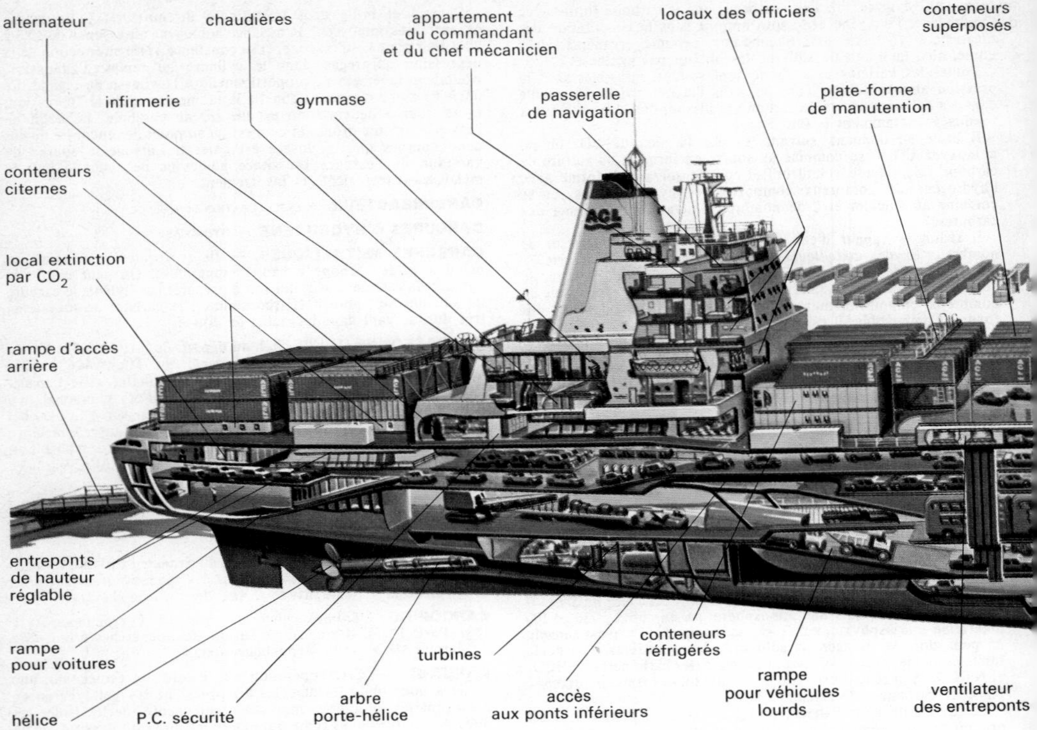

CARGO. Coupe d'un cargo porte-conteneurs.

et développé la résolution des équations du troisième degré, d'après l'esquisse de solution que lui avait indiquée Tartaglia*.

CÁRDENAS, v. de Cuba, sur la côte nord de l'île; 55 000 hab.

CÁRDENAS (Lázaro), homme d'État mexicain (Jiquilpan 1895 - Mexico 1970). Président du Comité exécutif du parti national révolutionnaire (1930), président des États-Unis du Mexique (1934-1940), puis commandant en chef des forces mexicaines, il prolonge l'œuvre révolutionnaire de ses prédécesseurs, nationalisant les entreprises pétrolières (1938) et poursuivant la réforme agraire.

CARDIAQUE (insuffisance). — Elle s'observe lorsque le myocarde n'arrive plus à s'adapter à un surcroît de travail ou lorsqu'il est en partie lésé.

L'*insuffisance ventriculaire gauche* se manifeste au cours de l'hypertension artérielle permanente, des valvulopathies aortiques, de l'insuffisance mitrale, de l'insuffisance coronarienne, etc.; elle se traduit par une dyspnée d'effort et parfois par un œdème aigu du poumon.

L'*insuffisance ventriculaire droite* est due à une augmentation de pression dans l'artère pulmonaire; elle se rencontre au cours du rétrécissement mitral et des affections pulmonaires chroniques. Elle se traduit par une turgescence des veines jugulaires avec gros foie, par des œdèmes périphériques, des épanchements séreux et une oligurie.

L'*insuffisance cardiaque globale,* ou *asystolie,* associe les signes des insuffisances ventriculaires droite et gauche.

On traite l'insuffisance cardiaque par le repos, le régime sans sel ainsi que par la prescription de tonicardiaques (digitaline et dérivés); ceux-ci améliorent le rendement du cœur, et sont parfois associés aux diurétiques, qui luttent contre la rétention hydrosaline.

CARDIFF, port de Grande-Bretagne, sur la côte sud du pays de Galles; 278 000 hab. Château et cathédrale remontant au XIIe s. Construction automobile.

CARDIJN (Joseph), prélat belge (Schaerbeek 1882 - Louvain 1967). Vicaire d'une paroisse populaire, il prend conscience du problème social; en 1924, il jette les bases de la Jeunesse ouvrière chrétienne (J. O. C.), reconnue officiellement en 1925. Il mourra cardinal.

CARDIN (Pierre), couturier français (Sant' Andrea di Barbarana, prov. de Trévise, Italie, 1922). Il ouvre, à Paris, sa propre maison de couture en 1949 et ses deux premières boutiques en 1954. Il a libéré la mode masculine de la rigueur britannique et il a marqué la mode féminine d'un style fait de netteté et d'élégance. Il a été un des premiers à faire fabriquer sous licence, et en vue d'une diffusion commerciale, un prêt-à-porter à sa griffe, et à donner un développement industriel à ses affaires en dehors du domaine de la couture : près de trois cents usines sortent les produits les plus divers à son nom (chocolat, linge, mobilier, etc.). En 1969, Cardin a ouvert l'*Espace Cardin* pour y abriter des manifestations artistiques.

CARDINAL *(Math.).* — La notion de cardinal remplace le concept intuitif de *nombre d'éléments* d'un ensemble* fini. Entre l'ensemble A, formé par cinq arbres, et l'ensemble B, formé par cinq lapins, existe une bijection : on peut mettre les éléments de A en correspondance avec ceux de B. Ces deux ensembles ont une propriété commune : ils ont même cardinal. En revanche, l'ensemble C, formé de six lapins, n'a plus cette propriété en commun avec A et B. Si un ensemble est fini, son cardinal est le nombre de ses éléments. Deux ensembles infinis ont même cardinal s'ils peuvent être mis en correspondance biunivoque : il existe une bijection de l'un vers l'autre.

CARDINAL *(Relig. cathol.).* — Ce titre, qui désigne au Moyen Âge certains clercs desservant des églises importantes, devient progressivement le privilège de quelques membres du clergé de Rome, collaborateurs du pape. Électeurs exclusifs du souverain pontife depuis 1179, les cardinaux, selon le droit canon*, « constituent le sénat du pontife romain et l'assistent comme conseillers et aides dans le gouvernement de l'Église ». Les derniers papes (de Pie XII à Paul VI) ont étendu le nombre et la répartition géographique du collège cardinalice pour le rendre plus représentatif de la diversité des peuples qui forment l'Église catholique.

CARDIOLOGIE. — Le rôle de la cardiologie s'accroît du fait de l'élévation de l'âge moyen et de la fréquence des affections du cœur et des vaisseaux. Les explorations radiologiques, électriques et radiomanométriques (cathétérismes) du cœur ont ouvert la voie à la chirurgie cardiaque et à la stimulation électrique (pacemaker ou stimulateur*).

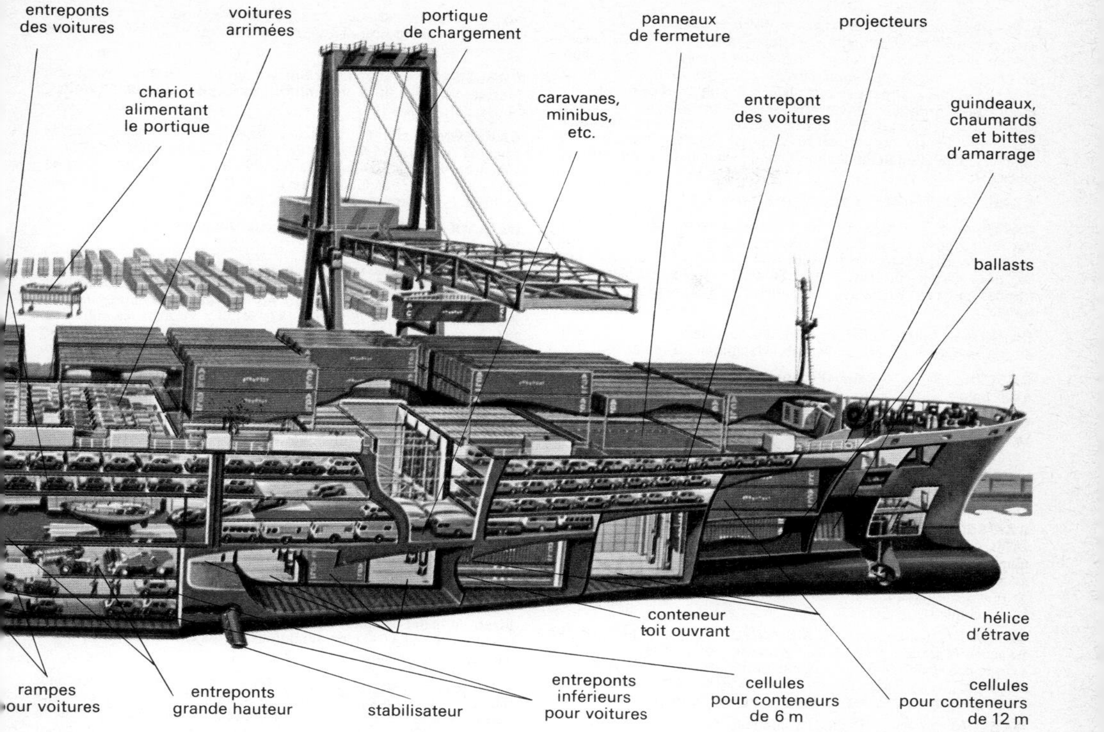

CARDUCCI (Giosuè), écrivain italien (Valdicastello 1835 - Bologne 1907). Prophète et poète officiel de l'Italie unifiée, il chercha, dans ses recueils d'inspiration politique et morale ainsi que dans ses essais critiques, à dégager une forme poétique réalisant la fusion de la ballade romantique et de la prosodie gréco-latine (*Rimes nouvelles,* 1861-1887). [Prix Nobel, 1906.]

CARÉLIE, république autonome de la R. S. F. S. de Russie (U. R. S. S.), sur l'isthme séparant la mer Blanche et le golfe de Finlande; 172 400 km²; 713 000 hab. Capit. *Petrozavodsk.* Sylviculture et industries du bois. Production de mica.

HISTOIRE. La région est divisée en 1323 entre le territoire de Novgorod* et la Suède. Enjeu des rivalités entre Russes et Suédois aux XVIIe et XVIIIe s., elle est rattachée au grand-duché de Finlande en 1811. Le traité de Dorpat (1920) attribue la Carélie orientale aux Soviétiques. Les Finlandais conservent la Carélie occidentale (avec Vyborg) jusqu'à son annexion par l'U. R. S. S. (1940), confirmée par le traité de Paris (1947).

CARÊME (Marie Antoine), cuisinier français (Paris 1784 - *id.* 1833). Au service des empereurs de Russie et d'Autriche ainsi que de Talleyrand, il s'illustra dans l'art de la pièce montée. Il écrivit plusieurs ouvrages sur la pâtisserie et la cuisine.

CARENCE. — Une *carence alimentaire* peut résulter d'un défaut d'apport, d'absorption ou d'utilisation de substances nécessaires à l'organisme. Les avitaminoses, souvent complexes, et le syndrome de Kwashiorkor (v. CACHEXIE) sont des maladies par carence.

Une *carence affective* peut engendrer des troubles psychiques graves. L'hospitalisme des nourrissons, certaines psychoses ou névroses graves, certaines conduites délinquantes des enfants et des adultes et certains états dépressifs du vieillard semblent en résulter.

CARÈNE, constellation* de l'hémisphère austral, contenant l'étoile *Canopus**, la plus brillante du ciel après *Sirius**.

CARENTAN (50500), ch.-l. de cant. de la Manche, à 28 km au N.-O. de Saint-Lô; 6 578 hab. Église des XIVe et XVe s.

CAREX → CYPÉRACÉES.

CAREY (Henry Charles), économiste américain (Philadelphie 1793 - *id.* 1879). Après avoir été d'abord libre-échangiste, il défendit le protectionnisme (*le Passé, le présent, le futur,* 1848). Son œuvre principale, *Principes de la science sociale* (1858-1860), a été traduite en français en 1861.

CARGO. — Ce terme est généralement utilisé pour les *navires* de charge* non spécialisés transportant toutes sortes de marchandises sous les formes les plus variées : colis divers sous emballages traditionnels (sacs, fûts, caisses, etc.), unités de charge (palettes et conteneurs*), marchandises en vrac, colis lourds et encombrants, véhicules divers et, sur les navires pourvus des compartiments nécessaires (chambres froides et citernes), fret frigorifique et liquides divers. Sur les cargos modernes, l'appareil moteur est à l'arrière ou aux trois quarts arrière, les parties les plus larges et les moins formées de la coque étant réservées aux marchandises. Les manutentions* s'effectuent soit verticalement par *levage,* à travers des écoutilles, au moyen de mâts de charge (bigues pour les colis lourds) ou de grues, soit horizontalement par *roulage* (d'où l'expression *cargo roulier*), à travers des portes de chargement sur la muraille, à l'aide de véhicules appropriés (chariots, fardiers, remorques), de rampes fixes ou mobiles ainsi que d'appareils élévateurs permettant de transporter les marchandises d'un niveau à un autre à l'intérieur du navire. Le fret peut aussi être embarqué ou débarqué à l'aide de deux chariots à fourche qui se passent la charge, l'un placé sur le navire, l'autre sur le quai. Les dimensions et la vitesse des cargos varient selon le genre de navigation effectué : cabotage* ou long cours. La plupart des caboteurs ont leur machine propulsive à l'arrière et sont conçus principalement pour la manutention par roulage. Les long-courriers modernes ont le plus souvent des appareils de manutention par levage ou sont éventuellement équipés pour les deux types de manutention. Beaucoup sont automatisés.

CARHAIX-PLOUGUER (29270) ou **CARHAIX,** ch.-l. de cant. du Finistère, entre la Montagne Noire et les monts d'Arrée; 8 949 hab. Maisons et monuments anciens. Industries alimentaires.

CARIBS → INDIENS D'AMÉRIQUE DU SUD [carte].

CARICATURE → DESSIN SATIRIQUE ET D'HUMOUR.

CARIE *(Pathol.).* — La *carie osseuse* survient au cours d'une tuberculose osseuse non traitée et conduit à la fonte de l'os atteint.

La *carie dentaire* a des causes diverses, parfois associées : externes (débris alimentaires, facteurs microbiens) et internes (défaut du pouvoir protecteur des odontoblastes). La carie simple de l'ivoire est souvent douloureuse; la carie pénétrante, qui atteint la cavité pulpaire et peut se compliquer de pulpite et de lésions des tissus du voisinage, est souvent secondaire à la première. La prophylaxie des caries dentaires repose sur le brossage biquotidien des dents et sur un dépistage régulier. Le traitement curatif comporte l'ablation de la dentine ramollie, suivie de l'obturation de la cavité.

CARIE *(Phytopathol.)* → PLANTES *(maladies des).*

CARIE, prov. de l'Asie Mineure, baignée par la mer Égée. Occupée par les Lydiens et les Perses, elle est, à partir du Vᵉ s. av. J.-C., gouvernée par des princes indigènes qui s'attachent à l'hellénisation du pays (règne de Mausole*). Soumise aux Séleucides*, aux Lagides* et aux Romains, elle sera ensuite byzantine, arabe et turque.

CARIGNAN (08110), ch.-l. de cant. des Ardennes, à 20 km au S.-E. de Sedan, sur la Chiers; 3 724 hab. Métallurgie. Textile.

CARIGNANO, v. d'Italie (Piémont, prov. de Turin), sur le Pô; 8 000 hab.

CARINTHIE, prov. de l'Autriche méridionale, drainée par la Drave; 526 000 hab. Capit. *Klagenfurt.* — Contrée où vécurent les Carnes, population celte, la Carinthie fut d'abord marche de l'Empire avant d'être érigée en duché en 976. À partir de 1336, elle devint autrichienne; cependant, les districts du Sud ont été donnés à la Yougoslavie en 1919.

CARISSIMI (Giacomo), compositeur italien (Marino 1605 - Rome 1674). C'est pour l'église Saint-Apollinaire de Rome qu'il a donné la plupart de ses oratorios avec récitatifs, airs et chœurs *(le Jugement de Salomon, Jephté).* Son style, à la fois dramatique et religieux, a marqué l'Europe du XVIIᵉ s., de M.-A. Charpentier à A. Scarlatti et G. F. Händel.

CARJAT (Étienne), caricaturiste, écrivain, éditeur et photographe français (Fareins, près de Villefranche, Ain, 1828 - Paris 1906). Longtemps éclipsé par son contemporain Nadar*, ce portraitiste de Baudelaire et de tant d'autres entre 1855 et 1875 réalisa de très belles images où transparaît toute la vie intérieure de ses modèles.

CARLING (57490 L'Hôpital), comm. de la Moselle, à 17 km au S.-O. de Forbach, près de la frontière allemande; 2 593 hab. Complexe industriel (centrale thermique et chimie notamment) situé presque en totalité sur la comm. de Saint-Avold.

CARLISLE, v. de Grande-Bretagne, dans le nord-ouest de l'Angleterre (Cumberland); 71 000 hab. Cathédrale des XIIᵉ-XIVᵉ s.

CARLISLE (*sir* Anthony), chirurgien et physiologiste anglais (Stillington 1768 - Londres 1840). Il étudia les effets physiologiques des piles et, en 1800, il découvrit avec Nicholson* la décomposition de l'eau par électrolyse.

CARLISME. — Le carlisme tire son nom de l'infant don Carlos (Charles de Bourbon, 1788-1855), frère cadet de Ferdinand VII, qui, comme ses successeurs, entend défendre ses droits à la couronne d'Espagne, considérant que la loi de *Las Partidas,* réglant la succession royale et privilégiant les fils sur les filles, a été bafouée par la désignation d'Isabelle Iʳᵉ comme successeur de Ferdinand VII († 1833).

Refusant de reconnaître sa nièce et se considérant comme le légitime héritier, Carlos (qui se fait appeler Charles V) se révolte. L'Espagne se coupe alors en deux, les *isabellins* étant, en gros, les libéraux et les bourgeois des villes favorables à la centralisation, alors que les *carlistes* sont en général des catholiques fervents, conservateurs, plus ruraux que citadins et défenseurs d'une décentralisation propre à rendre aux provinces leurs privilèges.

La guerre éclate dès 1833, la Navarre étant au centre des opérations; les carlistes sont sur le point d'entrer à Madrid (1837), mais les indécisions de Carlos permettent à l'armée gouvernementale de les refouler. Exilé en France, Carlos abdique (1845) en faveur de son fils Charles-Louis (Charles VI).

La deuxième guerre carliste (1846-1849) est surtout catalane; elle tourne encore court pour « Charles VI » et son général en chef, Ramón Cabrera (1806-1877). La troisième guerre carliste (1872-1876) met aux prises « Charles VII » (1848-1909), fils et successeur (1869) de « Jean III », lui-même successeur de Charles VI († 1861), et Amédée de Savoie (roi d'Espagne de 1870 à 1873), puis la Iʳᵉ République (1873-74) et Alphonse XII (roi de 1874 à 1885). Les victoires de Charles VII ne servent à rien, car, pour beaucoup, l'avènement d'Alphonse XII représente un retour à la légalité.

Cependant, le carlisme se maintient en Espagne, représentant un sentiment à la fois traditionaliste et régional.

CARLITTE (le), massif granitique (2 921 m) des Pyrénées-Orientales, au N.-O. de Font-Romeu.

CARLOMAN (715 - Vienne, Dauphiné, 754), fils aîné de Charles Martel. À la mort de son père (741), il devient maire du palais avec son frère Pépin le Bref et administre l'Austrasie. En 747, il se retire dans un monastère.

CARLSBAD, v. des États-Unis, dans le sud-est du Nouveau-Mexique; 26 000 hab. À proximité, long réseau souterrain de grottes. Mines de potasse.

CARLSON (Carolyn), danseuse moderne américaine d'origine finlandaise (Fresno 1942). Émule d'Alwin Nikolais*, elle introduit la « modern dance » à l'Opéra de Paris et poursuit ses investigations gestuelles et dynamiques avec le G. R. T. O. P. (Groupe de recherches théâtrales de l'Opéra de Paris).

CARLUX (24370), ch.-l. de cant. de la Dordogne, à 18 km à l'E. de Sarlat-la-Canéda; 514 hab.

CARLYLE (Thomas), historien et critique anglais (Ecclefechan 1795 - Londres 1881). Marqué par le calvinisme et la pensée allemande (Goethe, Kant), adversaire du rationalisme et du matérialisme (*Sartor Resartus,* 1833-34), il a vu dans les individualités exceptionnelles les éléments moteurs de l'histoire politique et intellectuelle (*les Héros et le culte des héros,* 1841; *Passé et présent,* 1843).

CARMAUX (81400), ch.-l. de cant. du Tarn, à 16 km au N. d'Albi; 13 368 hab. Houille. Industries chimiques.

CARMEL *(mont),* chaînon calcaire de l'État d'Israël, dominant Haïfa; 546 m. Parc national.

CARMÉLITES → CARMES.

Carmen, nouvelle de P. Mérimée (1845), dont il a été tiré un opéra-comique, livret de H. Meilhac et L. Halévy, musique de G. Bizet. Le compositeur hausse ici le genre de l'opéra-comique au niveau du drame passionnel, atteint à une peinture réaliste des personnages, intègre les thèmes populaires dans le grand opéra et utilise un orchestre riche et coloré ainsi que des chœurs, témoins d'une foule pittoresque. Inspiré de Mérimée et de la partition de Bizet, un ballet de Roland Petit, créé en 1949 par Renée Jeanmaire, compte près de 3 000 représentations, ce qui est un record pour une œuvre chorégraphique.

CARMES. — Des ermites se fixent très tôt au mont Carmel, haut lieu de la religion chrétienne. D'un groupe d'ermites occidentaux sort au XIIIᵉ s. un ordre d'ermites qui se répand en Europe et qu'un supérieur général, Simon Stock († 1265), oriente vers un apostolat assimilé à celui des autres ordres mendiants. L'histoire des Carmes et des Carmélites — branche féminine fondée au XVᵉ s. — est traversée de courants réformistes. Le plus important a pour initiateurs deux grands mystiques espagnols, Thérèse* d'Ávila et Jean* de la Croix, fondateurs de la branche rigoriste des Carmes déchaussés (ou déchaux) et des Carmélites déchaussées, qui jouent un grand rôle dans le renouveau spirituel lié à la Réforme catholique du XVIIᵉ s. Subsistent par ailleurs Carmes et Carmélites de l'antique observance (ou chaussés); d'autre part, des fraternités carmélitaines permettent aux laïques de vivre la spiritualité de l'ordre.

CARMONTELLE (Louis CARROGIS, dit), peintre, architecte, graveur et écrivain français (Paris 1717 - *id.* 1806). Ordonnateur des fêtes de Philippe d'Orléans, il aménagea pour celui-ci le parc Monceau à Paris, écrivit des *Proverbes dramatiques* et un *Théâtre de campagne,* fit à la plume de spirituels portraits de contemporains célèbres et inventa les « transparents » (musées de Chantilly et Carnavalet).

CARNAC (56340), comm. du Morbihan, sur la baie de Quiberon, à 13 km au S.-O. d'Auray; 3 735 hab. Station balnéaire à *Carnac-Plage.* Ensemble de monuments mégalithiques.

CARNAP (Rudolf), logicien et philosophe allemand (Wuppertal 1891 - Santa Monica, Californie, 1970). Membre du cercle de Vienne*, il entreprend des recherches sur la philosophie de la logique et sur l'application des méthodes de la logique* symbolique à l'épistémologie*, qu'il poursuit aux États-Unis après avoir fui le régime nazi en 1933. Ses principales publications sont *Der logische Aufbau der Welt* (1928), *Logische Syntax der Sprache* (1934), *Introduction to Semantics* (1942), *Meaning and Necessity* (1947) et *les Fondements philosophiques de la physique* (1966).

CARNASSIERS. — Le chat, le lion, le tigre et le léopard, le chien, le loup et le renard, le blaireau, les diverses espèces d'ours, la loutre, l'hyène, la fouine et la belette, le panda et le raton, voire, pour certains auteurs, les phoques, les morses et les otaries peuvent être rangés dans un même ordre de mammifères : celui des *carnassiers* (ou carnivores). Tous les carnassiers terrestres ont des griffes; celles-ci sont aiguës chez les félidés*, chez qui elles sont rentrées au repos dans une gaine protectrice (griffes rétractiles). La denture est caractérisée par les canines, développées en *crocs* redoutables, et par les molaires, dont au moins les plus antérieures sont tranchantes (denture *sécodonte*). Un strict ajustement du

CARNASSIERS 1. Civette; 2. Ours; 3. Glouton; 4. Blaireau; 5. Lycaon; 6. Petit Panda; 7. Hyène; 8. Loutre; 9. Guépard; 10. Serval; 11. Hermine.

condyle de la mâchoire fait agir ces molaires comme les lames d'une paire de ciseaux. La plupart des carnassiers sont de rapides coureurs digitigrades, quelques-uns (loutre) ont les pattes palmées et nagent, d'autres (ours) sont plantigrades et volontiers bipèdes. Leur alimentation n'est pas toujours purement carnée : les pandas, par exemple, ne se nourrissent que de pousses de bambous. — Pour les carnassiers marins, v. PINNIPÈDES.

Carnavalet *(musée),* musée historique de la Ville de Paris, au Marais. Il occupe l'ancien hôtel Carnavalet, des XVIe et XVIIe s. (sculptures de l'école de J. Goujon), et d'autres bâtiments qui lui ont été adjoints. Les collections comprennent des reconstitutions d'intérieurs parisiens (XVIIIe s. notamment), des peintures et des objets, un cabinet d'estampes et de dessins. Important fonds de l'époque révolutionnaire; souvenirs de Mme de Sévigné, qui y habita.

CARNÉ (Marcel), cinéaste français (Paris 1909). Auteur d'un court métrage remarqué (*Nogent, Eldorado du dimanche,* 1929), assistant de René Clair et de Jacques Feyder, il s'imposa à partir de *Jenny* (1936) comme l'un des meilleurs réalisateurs français et comme l'un des chefs de file du réalisme poétique. Il doit beaucoup à la collaboration du poète Jacques Prévert, qui, à l'exception d'*Hôtel du Nord* (1938), participa comme scénariste ou dialoguiste à ses œuvres le plus justement célèbres : *Drôle de drame* (1937), *Quai des brumes* (1938), *Le jour se lève* (1939), *les Visiteurs du soir* (1942) et surtout *les Enfants* du paradis* (1944). Il est également l'auteur des *Portes de la nuit* (1946), de *la Marie du port* (1949), de *Thérèse Raquin* (1953), des *Tricheurs* (1958).

CARNÉADE, philosophe grec (Cyrène v. 215-Athènes v. 129 av. J.-C.). Scolarque de la Nouvelle Académie*, il fonde un humanisme pratique sur le probable, où il voit le principe, raisonnable mais non scientifique, de toute action.

CARNEGIE (Andrew), industriel et philanthrope américain (Dunfermline, Écosse, 1835-Lenox, Massachusetts, 1919). Après avoir construit le premier pont en fer sur l'Ohio, il fut le premier à utiliser le convertisseur Bessemer et créa le trust de l'acier Carnegie Steel Company, amassant une immense fortune qui lui permit de subventionner de nombreuses œuvres et fondations.

CARNIÈRES (59217), ch.-l. de cant. du Nord, à 7 km à l'E. de Cambrai; 1 155 hab.

CARNIÈRES, anc. comm. de Belgique (Hainaut), à l'E. de Mons, auj. partie de Morlanwelz.

CARNIOLE, nom de la Slovénie* au temps de son appartenance à l'Autriche.

CARNIVORES *(Zool.)* → CARNASSIERS.

CARNIVORES (plantes). — Parmi les très nombreuses plantes qui attirent les insectes, il en est sur lesquelles ceux-ci s'engluent et meurent. Mais on ne peut tenir pour *carnivores* (ou mieux *insectivores*) que les plantes qui, en outre, digèrent les cadavres et en ingèrent la matière nutritive. C'est le cas de quelques petites herbes des marécages, auxquelles le sol n'offre qu'une ration insuffisante de composés azotés (drosera, grassette, dionée), ou encore de certaines lianes de régions chaudes (népenthès, sarracénia). L'utriculaire des étangs, qui capture de petits crustacés, certains champignons du sol qui prennent au collet les nématodes complètent la liste de ces plantes, aux pièges variés, aux mouvements parfois rapides, mais toutes beaucoup trop petites pour causer le moindre danger à l'homme ou aux grands animaux.

CARNON-PLAGE (34280 La Grande Motte), écart de la comm. de Mauguio* (Hérault). Station balnéaire.

CARNOT, famille d'hommes politiques et de savants français. LAZARE (Nolay 1753-Magdeburg 1823) a mérité le titre de **Grand Carnot**. Ingénieur militaire, jacobin, député à la Législative et à la Convention, il est délégué à l'armée des Pyrénées, puis à celle du Nord (1792). Ses convictions stratégiques et son idéal républicain le désignent pour entrer au Comité de salut public (juin 1793). Coordonnant la composition (amalgame) à la marche offensive des armées, vainqueur lui-même à Wattignies (16 oct. 1793), Lazare Carnot devient pour l'histoire l'« organisateur de la victoire ». Membre du Directoire (1795), il est frappé par le coup d'État du 18-Fructidor et s'exile. Ministre de la Guerre au début du Consulat (1800), membre du Tribunat (1802-1807), il s'oppose au pouvoir personnel de Napoléon, mais se met au service de la France

Lazare Carnot, par Louis Léopold Boilly (1813). [Coll. privée.]

Lauros-Giraudon

envahie en 1814 et durant les Cent-Jours (ministre de l'Intérieur). Il quitte ensuite la France.

SADI (Paris 1796 - *id.* 1832), fils aîné de Lazare, dans une brochure intitulée *Réflexions sur la puissance motrice du feu et les machines propres à développer cette puissance,* et publiée en 1824 à ses frais, énonce le principe de thermodynamique qui porte son nom. On a découvert après sa mort qu'il avait également formulé le principe de l'équivalence et donné une valeur assez exacte de l'équivalent mécanique de la calorie. On peut donc le considérer comme le créateur de la thermodynamique. — HIPPOLYTE (Saint-Omer 1801 - Paris 1888), second fils du Grand Carnot, libéral et saint-simonien, est ministre de l'Instruction publique en 1848 : il préconise alors une éducation large, gratuite, obligatoire et éclairée. Il est écarté au profit du clérical Falloux*. — MARIE FRANÇOIS SADI, dit **Sadi-Carnot** (Limoges 1837 - Lyon 1894), fils d'Hippolyte, ingénieur des Ponts et Chaussées, entre dans la vie politique au début de la IIIe République. Député à partir de 1871, ministre des Travaux publics (1880-81) et des Finances (1885), il est élu, le 3 décembre 1887, président de la République. Froid et digne, médiocre orateur, mais esprit clair, il sait gagner à la France républicaine, secouée par de graves difficultés (boulangisme, Panamá, anarchisme), un surcroît de prestige. Il est assassiné à Lyon par un anarchiste italien.

CAROBERT → CHARLES Ier ROBERT.

CAROL → HOHENZOLLERN DE ROUMANIE.

CAROLINE, nom de deux États des États-Unis d'Amérique, se succédant du nord *(Caroline du Nord;* 5 082 000 hab.; capit. *Raleigh)* au sud *(Caroline du Sud;* 2 591 000 hab.; capit. *Columbia)* entre les Appalaches et l'Atlantique. La région, aux étés chauds et humides, aux hivers doux, fut, dans la plaine orientale, un grand domaine de la culture du coton, encore présente, cependant que se sont développées les plantations de tabac, dont la Caroline du Nord est le premier producteur américain. L'extension de ces cultures (surtout celle du coton) explique les fortes minorités de Noirs (le quart de la population totale en Caroline du Nord, plus du tiers en Caroline du Sud).

CAROLINE → BONAPARTE.

CAROLINES *(îles),* archipel de l'Océanie, au N. de la Nouvelle-Guinée; 70 000 hab. — Visité par les Portugais au XVIe s., l'archipel est annexé par les Espagnols en 1686 et vendu à l'Allemagne en 1899. Sous mandat japonais de 1919 à 1945, les Carolines sont placées ensuite sous tutelle de l'O. N. U. avec une administration confiée aux États-Unis.

FORMATION DE L'EMPIRE CAROLINGIEN

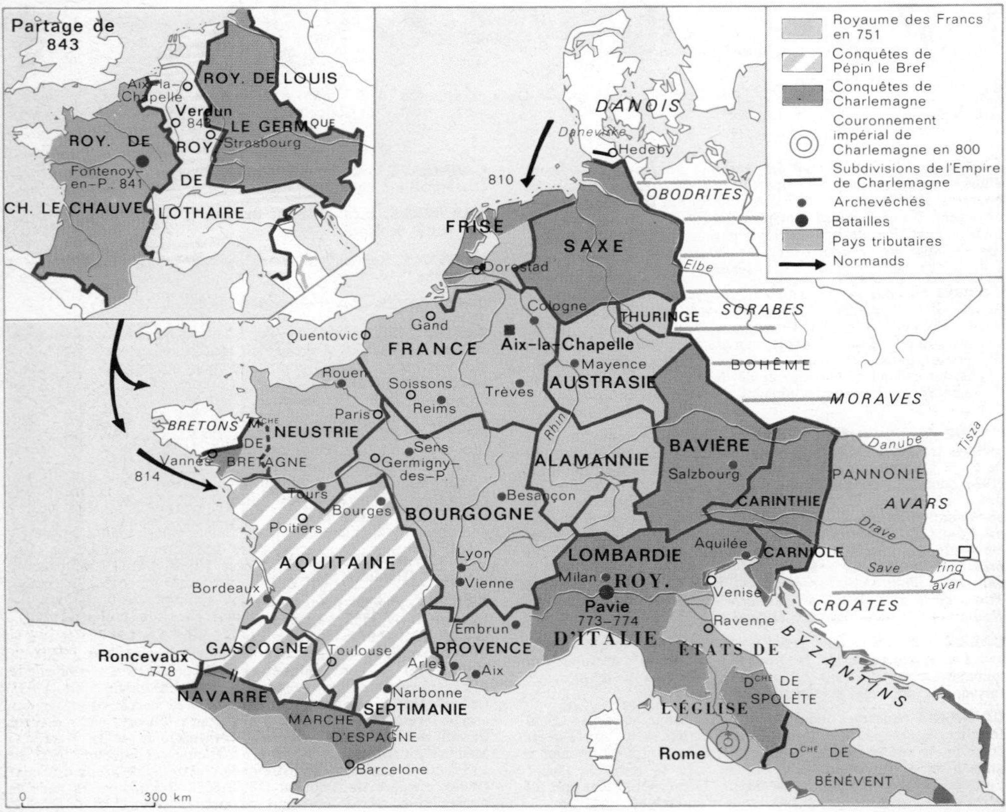

CAROLINGIENS, famille franque qui succéda aux Mérovingiens en 751. Elle est directement issue de celle des Pippinides*, cette grande famille de l'Austrasie qui substitue progressivement son pouvoir à celui des Mérovingiens, en décadence. C'est le fils de Charles Martel, Pépin* le Bref, qui franchit le pas décisif en s'emparant du pouvoir en 751 avec l'accord du pape, qui le sacre à Soissons. Ce fait consacre l'alliance des Carolingiens avec l'Église, événement capital puisque la puissance de la dynastie va en dépendre en grande partie. Cette alliance a pour conséquence l'intervention de Pépin le Bref et de Charlemagne en Italie pour y défendre les intérêts du pape contre les Lombards. Ainsi se trouve amorcée une politique d'expansion qui a pour résultat d'accroître progressivement le *Regnum Francorum* et qui entraîne parallèlement la dilatation de la chrétienté jusqu'à l'Elbe.

C'est vers 755 que commence l'expansion carolingienne, lorsque Pépin le Bref répond à l'appel du pape Étienne II, menacé par les Lombards. Cette politique expansionniste sera poursuivie par son fils Charles. Celui-ci intervient en Italie — où il reçoit la couronne de fer des rois lombards —, en Germanie et en Espagne. La *dilatatio regni,* achevée pour l'essentiel dès la fin du VIIIe s., a pour conséquence de renforcer son prestige. Charles apparaît comme l'unique détenteur du pouvoir dans le monde chrétien; aussi est-il couronné empereur des Romains à Rome en 800, inaugurant ainsi dans l'histoire de l'Europe une phase marquée de plus en plus par l'union de l'Empire à la papauté.

L'Empire est au faîte de sa puissance sous Charlemagne*, mais cette puissance est plus apparente que réelle en raison de l'hétérogénéité des pays qui le constituent, l'unité de l'Empire étant liée à la personne de l'empereur. Si celui-ci est puissant comme Charlemagne, rien ne peut affaiblir l'édifice; par contre, s'il est faible comme Louis Ier* le Pieux, l'Empire est menacé, d'autant plus qu'est maintenue la pratique franque du partage successoral. C'est ainsi que Charlemagne prévoit dès 806 le partage de ses États entre ses trois fils. Fort heureusement, la mort de Pépin en 810 et celle de Charles en 811 font de Louis Ier le Pieux le seul héritier de l'Empire.

Mais, en accordant à un de ses fils, Charles* le Chauve, une part d'héritage, Louis Ier déclenche une crise fatale à l'unité de l'Empire. Par cet acte, en effet, il remet en cause l'*Ordinatio Imperii* de 817, qui reconnaissait Lothaire* comme le seul héritier de la dignité impériale. Le règne de Louis le Pieux est, dès lors, marqué par les révoltes de ses fils, Lothaire, Pépin et Louis le Germanique. Après sa mort, la crise continue et aboutit au traité de Verdun (843) : le vaste Empire est alors divisé en trois royaumes, respectivement attribués à Lothaire, à Louis le Germanique et à Charles le Chauve. Le morcellement de ces royaumes, à travers la décadence des Carolingiens, achemine le monde occidental vers l'émiettement féodal. L'unité de l'Empire est politiquement restaurée à deux reprises, avec l'aide de l'Église, en faveur de Charles le Chauve (875) et de Charles* le Gros (884). Mais il est trop tard, des usurpateurs surgissant dès 879. Le titre impérial, porté épisodiquement par des rois de Germanie ou d'Italie, sera restauré à la fin du Xe s. par la dynastie des empereurs saxons (962). En France, les derniers Carolingiens sont éliminés en 987 à la mort de Louis V* et remplacés par les Capétiens*.

La grande faiblesse des Carolingiens fut leur mode de gouvernement. Sans capitale, se déplaçant de villa en villa, ils s'appuyèrent sur une administration sans organisation, faite de parents et d'amis. Les ordres de l'empereur ou du roi, transmis de bouche à oreille, favorisèrent la constitution d'une société hiérarchisée, déjà féodale. En fait, le principal héritage des Carolingiens fut culturel : ils favorisèrent en effet une véritable Renaissance dite « carolingienne ».

CAROLLES (50740), station balnéaire, à 9 km au S. de Granville, sur la Manche.

CAROLUS-DURAN (Charles DURAND, dit), peintre français (Lille 1837-Paris 1917). Il peignit de nombreux portraits mondains et fut directeur de l'Académie de France à Rome (1905).

CARON (Antoine), peintre et décorateur français (Beauvais 1521-*id.* 1599). Il s'imprégna d'italianisme en travaillant à Fontainebleau* sous le Primatice. Il présente les événements de son temps à travers de complexes allégories, parmi des architectures fantastiques et dans une manière picturale sèche, mais animée de couleurs gaies (*la Sibylle de Tibur,* Louvre). Il organisa des fêtes princières et donna des dessins pour des tapisseries.

CARONÍ (río), riv. du Venezuela, affl. de l'Orénoque (r. dr.); 690 km. Aménagements hydroélectriques.

CARONTE *(étang de),* petit étang des Bouches-du-Rhône, entre le golfe de Fos et l'étang de Berre, qui communiquent par le *canal de Caronte.*

CAROTHERS (Wallace Hume), chimiste américain (Burlington 1896-Philadelphie 1937). Spécialiste des hauts polymères, il a créé le caoutchouc synthétique néoprène (1931) et découvert le Nylon (1937).

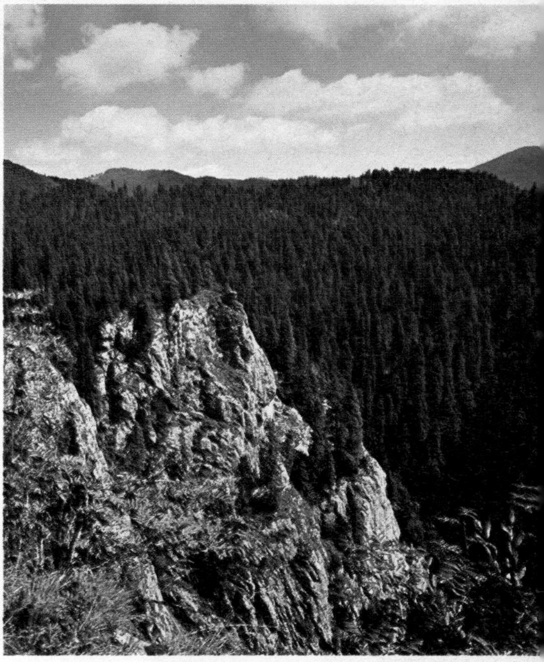

Editura Enciclopedica Romana

Carpates. Le col de Bran (Roumanie), dans les Carpates méridionales.

CAROTIDE. — La sténose de l'artère carotide primitive ou de sa branche interne par une plaque d'athérome peut être responsable d'ischémie cérébrale grave, que la chirurgie vasculaire évitera.

CAROTTAGE → FORAGE et PROSPECTION.

CAROTTE. — La partie comestible de la carotte est sa racine pivotante, qui est charnue, orangée, riche en sucre et en vitamine A notamment. Les racines secondaires, en revanche, sont grêles. Non récoltée, la carotte développe au printemps une tige florifère portant des ombelles de minuscules fleurs blanches (sauf une fleur centrale pourprée, d'ailleurs stérile). Après dispersion des graines, la plante meurt. Au printemps suivant, la graine germe en donnant des feuilles, mais ne fleurit pas : tous ses aliments s'accumulent dans la racine pivotante, qui a pris à l'automne la forme sous laquelle on la récolte. La carotte est donc le type des plantes *bisannuelles* (famille des ombellifères).

CAROUGE, comm. de Suisse, dans la banlieue sud de Genève; 14055 hab.

CARPACCIO (Vittore), peintre italien (Venise 1455?-? 1526). Élève de Gentile Bellini, il a peint des suites narratives où l'observation fidèle, voire anecdotique, est dominée par un souci rigoureux de la composition. Il transpose les scènes de la vie des saints dans une Venise fastueuse ou dans un Orient pittoresque : *Légende de sainte Ursule* (1490-1500, Accademia, Venise), *Histoires de saint Georges, saint Jérôme et saint Triphon* (1502-1507, scuola di S. Giorgio degli Schiavoni), etc. De beaux tableaux isolés marquent la fin de sa carrière, dans un style déjà un peu attardé : les *Deux Dames vénitiennes* (musée Correr, Venise), la *Présentation de Jésus au temple* (Accademia), « conversation sacrée » dans le goût de Giovanni Bellini, l'âpre *Christ mort* (Berlin).

CARPATES, chaîne montagneuse de l'Europe centrale, partagée entre la Tchécoslovaquie, la Pologne, l'U. R. S. S. et la Roumanie.

Les Carpates forment un arc succédant aux Alpes orientales, enserrant le bassin pannonien et s'étirant sur 1500 km, de Bratislava aux Portes de Fer. Au-delà, elles sont prolongées par la chaîne du Balkan. Montagnes de type alpin, elles sont constituées par des noyaux de massifs cristallins anciens (Tatras, massif de Maramureş, Bihor, Alpes de Transylvanie) flanqués de flyschs plissés. En raison de l'altitude modérée (culminant à 2663 m dans les Tatras), l'extension des formes glaciaires y est limitée.

Les Carpates jouent un rôle économique important. L'agriculture y est marquée par l'étagement : les collines sous-carpatiques portent des arbres fruitiers ou des vignes; les pentes sont couvertes par d'épaisses forêts de feuillus ou de conifères; les prairies des hautes surfaces sont le domaine de l'élevage. Mais les Carpates recèlent surtout de nombreux gisements : fer, or, argent, cuivre, plomb, zinc, ainsi que des hydrocarbures (Roumanie). Leur potentiel hydroélectrique est également important. Cependant, le développement industriel n'intéresse guère que les Carpates tchécoslovaques (Tatras) et roumaines.

CARPE. — On a beaucoup exagéré la longévité de la carpe, mais il est vrai que ce poisson peut devenir grand et lourd (50 cm). Nageur lent des eaux vaseuses, calmes et tièdes, la carpe se reconnaît notamment à ses deux paires de barbillons et à ses lèvres épaisses. Elle est l'objet d'un élevage industriel, la *cypriniculture.* Elle est le type de la famille des cyprinidés (« poissons blancs »), dont elle a tous les caractères : une longue dorsale, des pelviennes situées très en arrière, de grandes écailles, des dents pharyngiennes, mais pas de dents maxillaires.

CARPEAUX (Jean-Baptiste), sculpteur et peintre français (Valenciennes 1827 - Courbevoie 1875). Grand prix de Rome en 1854, il sculpte *le Jeune Pêcheur à la coquille* et le groupe d'*Ugolin,* revient en 1861 à Paris, où il obtiendra le soutien de la Cour impériale et des commandes telles que *le Triomphe de Flore* pour une façade du Louvre, *la Danse* pour l'Opéra, la fontaine des *Quatre Parties du monde,* qui reflètent, comme ses nombreux bustes, la gaieté officielle et l'élan de cette époque. Nourri des exemples de la Renaissance, de Michel-Ange, de Rubens, de Rude, son art introduit une spontanéité expressive nouvelle et capte de façon presque impressionniste la sensation de l'instant.

CARPENTARIE *(golfe de),* golfe de la côte nord de l'Australie.

CARPENTIER (Georges), boxeur français (Liévin 1894 - Paris 1975). Boxeur élégant, mais redoutable puncheur, il eut une carrière exceptionnelle, s'étalant sur près de vingt ans. Ses titres de gloire demeurent ses victoires dans le championnat d'Europe des poids moyens en 1913 et dans le championnat du monde des mi-lourds en 1920. Sa défaite dans le premier « combat du siècle » pour le championnat du monde des lourds contre l'Américain Dempsey, en juillet 1921, fut ressentie en France comme un deuil national.

CARPENTIER (Alejo), écrivain cubain (La Havane 1904). Influencé par le surréalisme et marqué par ses études de musicologie (*Histoire de la musique cubaine,* 1946), il s'efforce de retrouver les sources afro-cubaines de la poésie hispano-américaine (*Ecue-Yamba-O!,* 1933) et de définir les composantes religieuses, politiques et culturelles de la civilisation des Antilles (*le Royaume de ce monde,* 1949; *le Partage des eaux,* 1953; *le Siècle des lumières,* 1962; *le Recours de la méthode,* 1975).

CARPENTRAS (84200), ch.-l. d'arr. de Vaucluse, à 23 km au N.-E. d'Avignon; 25 463 hab. *(Carpentrassiens).* Église du XVe s. Palais de justice du XVIIe s. (dans la cour, restes sculptés d'un arc de triomphe du Ier s.). Synagogue et hôtel-Dieu du XVIIIe s. Musée. Constructions mécaniques. Industries alimentaires. Mobilier.

CARPI, v. d'Italie (Émilie-Romagne), au N. de Modène; 57 000 hab. Monuments anciens, musée.

Carpiagne *(camp de),* camp situé à 10 km à l'E. de Marseille et qui est depuis 1967 le siège du centre d'instruction de l'arme blindée.

CARQUEFOU (44470), ch.-l. de cant. de la Loire-Atlantique, à 10,5 km au N.-E. de Nantes; 6 255 hab. Industries mécaniques et électriques.

CARRÀ (Carlo), peintre italien (Quargnento, prov. d'Alexandrie, 1881 - Milan 1966). Il fut l'un des animateurs du futurisme, puis, ayant rencontré De Chirico, devint un prosélyte de la peinture « métaphysique » (1916-1921). Son goût pour Giotto détermine le dépouillement des paysages qui suivent.

CARRACHE, en ital. **Carracci,** nom de deux frères, AGOSTINO (Bologne 1557 - Parme 1602) et ANNIBALE (Bologne 1560 - Rome 1609), et de leur cousin LUDOVICO (Bologne 1555 - *id.* 1619), peintres italiens, auteurs de tableaux religieux, décorateurs et fondateurs à Bologne d'une académie d'art (1585) où travaillèrent G. Reni, F. Albani, le Dominiquin, le Guerchin... Les Carrache ont assuré le passage du maniérisme à l'académisme*, voire au baroque (peintures décoratives du palais Farnèse, à Rome, par Annibale). Leur doctrine picturale comportait l'étude de l'Antiquité, des grands maîtres de la Renaissance (éclectisme*), mais aussi l'observation de la nature et la recherche réaliste de la vérité expressive.

CARRARE, en ital. **Carrara,** v. d'Italie, dans le nord-ouest de la Toscane, près de la Méditerranée; 68 000 hab. Marbre.

CARRÉ DE L'EST → FROMAGE.

CARREL (Armand), journaliste français (Rouen 1800 - Saint-Mandé 1836). Fondateur du *National* (1830), avec Thiers et Mignet, il fait de ce journal un organe républicain très hostile à Louis-Philippe. Il est tué au cours d'un duel par Émile de Girardin.

CARREL (Alexis), physiologiste et chirurgien français (Sainte-Foy-lès-Lyon 1873 - Paris 1944). Il réalisa, aux États-Unis, d'intéressantes expériences sur la suture des vaisseaux sanguins, sur la greffe des tissus et des organes ainsi que sur la survie des cellules en dehors du corps. Il a publié *l'Homme, cet inconnu* (1936). [Prix Nobel de médecine, 1912.]

CARREÑO DE MIRANDA (Juan), peintre espagnol (Avilés 1614 - Madrid 1685). L'un des maîtres du siècle d'or, possédant une culture humaniste, il peignit des tableaux d'autel pour les couvents madrilènes, telle cette *Fondation de l'ordre trinitaire* (1666, Louvre) qui dénote le même sens de l'espace et de l'atmosphère que les grands tableaux de Velázquez. Peintre de la Cour après la mort de Philippe IV (1665), il fit une grande carrière de portraitiste.

CARRERA (Rafael), homme d'État guatémaltèque (Guatemala 1814 - *id.* 1865). Chef de guerre métis, il s'empare du pouvoir en 1839 à la faveur d'une rébellion indienne et fait sortir le Guatemala de la fédération de l'Amérique centrale. Élu président de la République en 1844, il devient bientôt président à vie.

CARRERA ANDRADE (Jorge), diplomate et écrivain équatorien (Quito 1903). Influencé à la fois par Valéry et l'art de l'Extrême-Orient, il cherche à donner dans ses essais et ses recueils poétiques une résonance universelle aux thèmes traditionnels de l'Amérique latine (*Registre du monde,* 1940; *Chronique des Indes,* 1965).

CARRIÈRE → ABATTAGE, EXPLOITATION MINIÈRE *(méthodes d'),* MINE.

CARRIÈRE (Eugène), peintre et lithographe français (Gournay 1849 - Paris 1906). Il a surtout peint des maternités et des portraits, réduisant les couleurs à une sorte de camaïeu fluide de brun, d'où les formes essentielles se dégagent par contraste lumineux.

CARRIÈRES-SUR-SEINE (78420), comm. des Yvelines, à 6 km à l'E. de Saint-Germain-en-Laye, sur la rive droite de la Seine; 11 733 hab. Matériel médical.

CARROLL (Lewis) → DODGSON.

CARROSSERIE. — La carrosserie d'une automobile doit jouer un double rôle : protéger les occupants des intempéries en leur assurant le maximum de confort et participer à la stabilité de la voiture sur sa trajectoire. Tant qu'elle ne fut qu'une enveloppe, toutes les expériences et toutes les études de style étaient permises. Mais l'accroissement continu de la vitesse de translation démontra que la solution châssis-carrosserie séparés était périmée, même si le châssis* présentait une grande rigidité. Cette solution a disparu au profit de la monocoque en tôle, dans laquelle châssis et carrosserie forment un ensemble unique et indéformable, dit *coque autoporteuse.* Théoriquement, la meilleure réalisation est celle qu'illustra André Citroën* en 1934 avec sa traction avant tout acier, où les éléments formant soubassement sont liés aux superstructures de la caisse. Cette formule connut son plein épanouissement lorsqu'on réalisa la carrosserie en ponton, composée d'une plate-forme à membrures longitudinales et transversales, et de deux caissons à l'avant et à l'arrière pour soutenir le moteur et le coffre à bagages, l'habitacle servant de liaison. L'apparition des résines stratifiées polyester* semblait devoir remettre en faveur la formule châssis-carrosserie séparés. On a adopté un compromis en utilisant une plate-forme rigide en caisson ou une structure en treillis en attendant que les caisses possèdent une rigidité propre suffisante pour être incorporées à l'ensemble.

CARROUGES (61320), ch.-l. de cant. de l'Orne, à 17 km à l'E. de La Ferté-Macé; 753 hab. Château (XIVe-XVIIe s.).

CARROZ-D'ARÂCHES (Les) [74300 Cluses], écart de la comm. d'Arâches (Haute-Savoie), à 13 km au S.-E. de Cluses. Station de sports d'hiver (alt. 1 140-1 850 m) entre les vallées de l'Arve et du Giffre.

CARRY-LE-ROUET (13620), comm. des Bouches-du-Rhône, à 31 km à l'O. de Marseille; 3 304 hab. Station balnéaire.

CARSON CITY, v. des États-Unis, capit. du Nevada; 15 000 hab.

CARTAGENA, port de Colombie, sur la mer des Antilles; 242 000 hab. Raffinage du pétrole.

CARTAGO, v. de Colombie, dans la vallée du Cauca; 65 000 hab.

CARTAN (Élie), mathématicien français (Dolomieu 1869 - Paris 1951). La plupart de ses travaux sont consacrés à la théorie des groupes*, prolongeant dans ce domaine l'œuvre de Sophus Lie*. L'apport personnel de Cartan a été considérable, devançant parfois certaines conceptions d'Einstein*.

CARTE → CARTOGRAPHIE.

CARTE À JOUER. — Les cartes à jouer viennent très probablement d'Orient et vraisemblablement de Chine. Elles auraient été introduites en Occident par des voyageurs comme Marco Polo au retour de leur périple. On signale leur présence à Würzburg, en Allemagne, en 1329. À l'origine, il y eut plusieurs séries d'emblèmes : *cimeterre, coupe, grenade, massue* ou *coupe, bâton, denier, épée.* Bientôt, vers la fin du XVe s., la France adopta la série *trèfle, carreau, cœur* et *pique,* et l'Allemagne la série *feuilles, grelots, cœurs* et *glands.* En 1701, les fermiers généraux imposèrent en France l'uniformité des patrons de figures. La signification des noms des personnages a suscité de nombreuses hypothèses. La famille du pique comprend *David* (les Rois représentent les quatre Empires : juif, grec, romain, franc), *Pallas* (série des Femmes fortes, les Preuses; on a imaginé qu'il s'agissait peut-être de Jeanne d'Arc) et *Ogier* (le Danois), celle du cœur *Charlemagne, Judith* et *Lahire* (compagnon de Jeanne d'Arc), celle du carreau *César, Rachel* et *Hector* (Hector de Gallard ou bien le héros troyen), celle du trèfle *Alexandre, Argine* (anagramme de Regina, Marie d'Anjou, femme de Charles VII : dans ce cas, *David* serait Charles VII, *Judith* Isabeau de Bavière et *Rachel* Agnès Sorel) et *Lancelot* (du Lac). Les cartes à deux têtes ont été inventées en Angleterre.

La fabrication et la vente des cartes ont fait, depuis le XVIe s., l'objet d'une rigoureuse taxation, grâce à laquelle fut partiellement financée la fondation de l'École militaire par Louis XV. Jusqu'au 31 décembre 1945, les cartes étaient fabriquées au moyen de papier filigrané vendu par l'État et leur vente était soumise à un droit de timbre. Depuis cette date, la fabrication est devenue libre.

Les variétés de jeux de cartes sont très nombreuses. Parmi les jeux (de 32 ou de 52 cartes) les plus en vogue de nos jours, il faut citer la belote, le bridge, le rami, la canasta, le poker, le whist, la manille. Le tarot se joue, lui, avec un jeu spécial de 78 cartes.

CARTE DE CRÉDIT. — C'est une plaquette en matière plastique de format standard, sur laquelle des renseignements permettent d'identifier le propriétaire. Sur simple présentation au commerçant et moyennant une signature apposée sur une facture, le titulaire peut obtenir un bien ou un service sans paiement immédiat. La carte de crédit est nominative et intransmissible.

Émises par les magasins, les banques, les compagnies pétrolières et des organismes spécialisés, un très grand nombre de cartes de crédit circulent aux États-Unis. En France, ces cartes ont été introduites en 1954 par le Diner's Club, suivi par l'American Express, mais elles demeurent relativement peu utilisées; leur traitement par les banques est pourtant moins coûteux que celui des chèques ou des espèces.

CARTEL. — Ce mot est à peu près synonyme de « comptoir », de « consortium ». Il s'applique à un accord, limité et temporaire, passé entre plusieurs entreprises d'une même branche économique en vue de développer un monopole, total ou partiel, sur un marché* donné. Les secteurs les plus soumis à des accords de cartel sont la sidérurgie, la construction électrique, le ciment, la chimie, le pétrole.

Cartel *(théâtres du),* groupe formé par les théâtres que dirigeaient G. Baty, C. Dullin, L. Jouvet et G. Pitoëff. De 1927 à 1940, tout en sauvegardant leur indépendance artistique, les quatre animateurs se sont solidarisés lorsque les intérêts professionnels ou moraux de l'un d'eux étaient mis en cause.

CARTEL DES GAUCHES. — Coalition des partis de l'opposition contre la majorité de droite du Bloc national lors des élections législatives du 11 mai 1924, le cartel regroupe la gauche radicale, le groupe radical, le groupe radical-socialiste, les républicains socialistes et les socialistes S. F. I. O. La victoire électorale de la gauche entraîne la démission du président de la République A. Millerand. Édouard Herriot, président du parti radical, forme un ministère radical dont la politique (mesures anticléricales, détente avec la Grande-Bretagne et l'Allemagne, reconnaissance de l'U. R. S. S.) suscite la violente hostilité des milieux d'affaires. Aux difficultés financières du gouvernement (emprunts, inflation, baisse du franc, crise de confiance des porteurs de bons du Trésor), ces milieux opposent le « mur d'argent ». La Banque de France refuse le dépassement du plafond de la circulation monétaire qui aurait permis de faire face aux demandes croissantes de remboursement des bons du Trésor, provoquant ainsi la démission d'Herriot (avr. 1925). Les cabinets Painlevé, puis Briand ne parvenant pas davantage à dénouer la crise, Poincaré forme un cabinet d'union nationale (juill. 1926), tandis que la victoire des modérés aux élections d'avril 1928 consacre l'échec du Cartel.

CARTELLIER (Pierre), sculpteur français (Paris 1757-*id.* 1831). Solide représentant du néoclassicisme, il est l'auteur du relief de *la Gloire* à la colonnade du Louvre (1807), d'effigies funéraires, de statues officielles.

CARTE PERFORÉE. — La carte perforée est l'un des supports les plus classiques d'entrée des programmes* ou des données dans un ordinateur*. Elle est, de ce fait, un des symboles de l'informatique*. Dans sa configuration standard, elle se présente sous forme d'un carton rectangulaire de 187 × 83 mm. Elle possède 80 colonnes, qui permettent chacune de coder un caractère. Chaque caractère est défini par une ou plusieurs perforations parmi les douze positions possibles, dites *lignes,* qui existent dans une même colonne. Les cartes perforées sont produites manuellement au moyen de perforatrices. Elles sont lues sur l'ordinateur par des lecteurs* de cartes. Le dessin figurant sur la carte perforée présente de nombreuses variantes; il est souvent choisi en fonction de l'application, mais n'a aucune signification pour l'ordinateur.

CARTER (James Earl, dit **Jimmy**), homme d'État américain (Plains, Georgie, 1924). Sénateur (1962), puis gouverneur de Georgie (1970), il obtient l'investiture démocrate pour les élections présidentielles de novembre 1976 et est élu président des États-Unis, face au républicain G. Ford*.

CARTERET, station balnéaire de la Manche, partie du ch.-l. de cant. *Barneville-Carteret.*

CARTHAGE, v. antique de l'Afrique du Nord, non loin de l'actuelle Tunis.

HISTOIRE. Selon la tradition, Carthage, dont le nom phénicien *Qart Hadasht* signifie la « ville neuve », fut fondée vers 825-819 av. J.-C. par des colons tyriens qui avaient pour chef Elissa (ou Didon*), sœur du roi de Tyr. Elle se développa lentement et poursuivit jusqu'au VIIe s. une politique d'extrême prudence. Au VIe s., elle profita de la décadence de Tyr, prise par Nabuchodonosor II (573), pour imposer sa suzeraineté aux comptoirs phéniciens d'Occident. Du VIe au IVe s., l'impérialisme de Carthage fut servi par des chefs éminents, issus de la puissante famille des Magonides. Magon et ses descendants assurèrent les prérogatives du commerce carthaginois en Espagne, en Sardaigne, en Sicile occidentale, aux Baléares; ils limitèrent l'expansion grecque en Méditerranée : ils chassèrent les Phocéens de Corse (Alalia, 535), mais Syracuse et Agrigente leur infligèrent une écrasante défaite à Himère (480); après ce désastre, les Magonides se replièrent sur l'Afrique, où ils conquirent sur les Libyens une « Terre ferme », puis reprirent leur politique expansionniste en Sicile, où, durant tout le IVe s., ils livrèrent aux Grecs un assaut furieux : après le départ de Pyrrhos II* (275), Carthage pensait venu le moment où allait lui être livrée, avec Messine tant convoitée, toute la Sicile.

L'Empire carthaginois était alors à son apogée : sa puissance était due essentiellement au commerce. Légataire universelle de la colonisation punique en Occident, Carthage rallia autour d'elle les anciens comptoirs phéniciens et développa son héritage : elle contrôlait les côtes de Berbérie (Sousse, Utique...), d'Espagne (Cadix, Málaga), de Sicile occidentale, de Sardaigne, de Malte et des Baléares. Elle se trouvait ainsi à la tête d'une vaste thalassocratie. Dans la recherche de marchés nouveaux, les Carthaginois ne s'arrêtèrent pas aux colonnes d'Hercule, comme en témoignent l'expédition d'Himilcon* vers l'Angleterre et celle d'Hannon* vers l'Afrique tropicale. Carthage, avec son double port, était devenue le plus important centre méditerranéen pour la redistribution des matières premières (or, étain, argent). Commerçants et marins, les Carthaginois ont été aussi d'admirables agriculteurs, mettant en valeur de façon méthodique un pays correspondant à peu près à l'actuelle Tunisie. Le *Traité d'agronomie* de Magon, que les Romains firent traduire après la chute de Carthage, eut dans l'Antiquité un grand renom. Les structures politiques de cette cité mercantile assuraient l'autorité d'une aristocratie de marchands. République oligarchique dirigée par deux magistrats *(suffètes)* assistés d'un sénat de trois cents membres choisis dans la noblesse, Carthage disposait d'une force militaire considérable : son armée était formée de mercenaires, d'alliés numides et de serfs libyens; sa flotte fut aussi célèbre que celle de Tyr.

Pour les contemporains, Carthage était une enclave sémitique en plein Occident. L'influence orientale se manifestait surtout dans la religion; un couple divin prédominait : Baal Hammon et Tanit, protecteurs de la cité; en temps de crise, les Carthaginois continuaient à pratiquer le sacrifice *(molek)* des enfants. Sans parler d'une hellénisation profonde, on ne saurait nier l'influence de l'hellénisme dans la civilisation punique; cette influence est visible même dans la religion : des « interprétations grecques » des dieux puniques sont attestées.

Carthage constituait au IIIe s. av. J.-C. un puissant empire maritime, qui, à plusieurs reprises, de 480 à 270, était entré en conflit avec les colonies grecques, l'unique force alors organisée en Occident. Mais une nouvelle puissance se posait maintenant en rivale en Méditerranée : Rome. Au moment où elle imposait sa domination à l'Italie du Sud, Rome comprit tout l'intérêt commercial et stratégique du détroit de Messine : pour empêcher que Carthage ne s'en emparât, elle attaqua, et ce fut la première d'une série de trois guerres, dites « puniques* ». La première (264-241) se termina par l'abandon à Rome de la Sicile; incapable de régler la solde de ses mercenaires, Carthage soutint contre eux une guerre terrible (v. MERCENAIRES [*guerre des*]). Mais un groupe politique animé par la famille des Barcides releva Carthage et la prépara à une guerre de revanche : Hamilcar* Barca et Hasdrubal* lui donnèrent une solide assise territoriale en Espagne (jusqu'à l'Èbre), où ils fondèrent Carthage la Neuve (Carthagène*). Le nouvel empire, riche en hommes et en argent, était une base de départ vers les Pyrénées, qu'Hannibal franchit pour porter la guerre en Italie (deuxième guerre punique, 218-201). Vaincue, Carthage dut accepter une paix sévère (perte de l'Espagne); elle se releva cependant : Caton* constata avec jalousie ses progrès et en réclama la destruction *(Delenda est Carthago).* Rome la condamna à disparaître : la troisième guerre punique (149-146) s'acheva par la destruction totale de la ville : Carthage fut rasée (146), et il fut formellement interdit d'y bâtir; son territoire devint province d'Afrique (v. AFRIQUE ROMAINE). Cependant, moins de vingt-cinq ans après la destruction de Carthage, le second des Gracques* tenta un premier peuplement sur ce sol maudit (123) : son projet avorta; mais il fut repris par César, puis les triumvirs réalisèrent les plans du dictateur : une colonie fut créée et Octave installa les colons au cœur même de l'ancienne capitale punique (v. 33). Carthage *(colonia Iulia),* dont la flotte assurait le transport des blés à Rome, connut une nouvelle prospérité. Métropole de l'Afrique romaine, elle était la résidence du proconsul : avec ses quelque 300 000 habitants sous les Sévères, elle était la plus grande ville de l'Occident latin après Rome. Mais elle connut, comme les autres cités, les troubles sociaux et politiques qui marquèrent l'histoire de l'Afrique romaine aux IIIe et IVe s. apr. J.-C. : elle fut dévastée en 238 et en 311. L'église chrétienne s'organisa à Carthage, qui eut pour évêque au IIIe s. une personnalité exceptionnelle, saint Cyprien*, dont l'activité donna à la ville un éclat durable.

En 439, Geiséric détruisit la puissance romaine à Carthage, qui subit pendant près d'un siècle le joug des Vandales. Libérée par Bélisaire* (533), la ville ne retrouva jamais sa splendeur passée et fut définitivement anéantie par l'invasion arabe (v. 698).

ARCHÉOLOGIE. Inépuisable carrière avant de devenir un immense chantier de fouilles, la ville a surtout livré plusieurs nécropoles, échelonnées du VIIIe s. à 146 av. J.-C., ainsi que le tophet (aire sacrée où les restes calcinés d'enfants, conservés dans des urnes, étaient enterrés au pied de stèles commémorant le sacrifice à la déesse Tanit et au dieu Baal Hammon). Les tendances artistiques évolueront selon les influences extérieures (Égypte, Perse et hellénisme), tout en gardant profondément l'empreinte des mythes phéniciens. Le fossé de l'enceinte a été repéré grâce à la photographie aérienne, et deux ports artificiels (l'un marchand, l'autre militaire) ont été étudiés. De vastes constructions (thermes, aqueducs, villas, routes, etc.) témoignent du rôle de Carthage comme capitale de l'Afrique romaine.

CARTHAGÈNE, en esp. **Cartagena,** port d'Espagne (région et prov. de Murcie), sur la Méditerranée; 143 000 hab. Raffinage du pétrole. Chimie. — Fondée v. 226 av. J.-C. par Hasdrubal* au cœur de la région argentifère, la ville fut, sous le nom de Carthage la Neuve, la capitale de l'empire carthaginois d'Espagne et devint une importante station navale et commerciale. En 209, elle fut conquise par Scipion l'Africain.

CARTIER (Jacques), navigateur français (Saint-Malo 1491?-*id.* 1557). En 1534, il atteint Terre-Neuve et plante à Gaspé une croix marquant la prise de possession du pays, le futur Canada, par le roi de France. Au cours d'une deuxième expédition (1535-36), il remonte le Saint-Laurent jusqu'à Hochelaga (Montréal) et hiverne près de l'actuelle Québec. Un troisième voyage aura lieu en 1541-42.

CARTIER (*sir* Georges Étienne), homme d'État canadien (Saint-Antoine-sur-Richelieu, Québec, 1814-Londres 1873). Premier ministre avec Macdonald en 1857, il fut l'un des principaux inspirateurs de la Confédération canadienne, proclamée en 1867.

CARTIER, société anonyme française, qui doit son origine à l'atelier fondé en 1847 par LOUIS-FRANÇOIS **Cartier** (1819-1904). Introduit à la Cour impériale, celui-ci crée des bijoux dans le style du XVIIIe s.; prisé par l'impératrice Eugénie, puis, influencé par le percement de l'isthme de Suez, il s'inspire du style égyptien. Avec LOUIS (1875-1942), la maison Cartier, transformée en société, est transférée en 1899 rue de la Paix. Au bijou plat, Louis substitue un bijou en relief, et il ose remplacer l'or par le platine; au début du siècle, il crée pour Santos-Dumont la montre-bracelet et, vers 1928, il lance la broche « clip ». Cartier possède de nombreuses filiales à travers le monde.

CARTIER-BRESSON (Henri), photographe français (Chanteloup 1908). Sa préoccupation essentielle est de fixer le « moment décisif »; d'une extrême simplicité, ses œuvres marquent cependant par leur efficacité suggestive. Attiré par le cinéma, Cartier-Bresson a été assistant, avec J. Becker et A. Zwoboda, de Jean Renoir pour *Une partie de campagne* (1936) et *la Règle du jeu* (1938); en 1945, il réalise un court métrage sur le retour des prisonniers et des déportés français, *le Retour.* Parmi ses publications citons *Danses à Bali* (1954), *D'une Chine à l'autre* (1954), *Vive la France* (1970), *l'Homme et la machine* (1972).

CARTILAGE. — Les cartilages sont des tissus conjonctifs formés de chondrine et de cellules appelées « chondroblastes », qui jouent un rôle dans l'ossification. On les trouve au niveau des surfaces articulaires, des anneaux de la trachée et des bronches, des ménisques du genou, etc. Le cartilage de conjugaison n'existe que chez l'enfant : il assure la croissance en longueur de l'os. Les *ostéochondrites,* ou *ostéochondroses,* peuvent être primitives ou secondaires, post-traumatiques (nécrose de la tête fémorale après fracture du col du fémur), cortisoniques, etc. Les tumeurs faites de tissu cartilagineux sont bénignes *(chondromes)* ou malignes *(chondrosarcomes).*

CARTOGRAPHIE. — Dans la *cartographie topographique* ou *de nomenclature,* la représentation est purement conventionnelle, puisque l'on doit projeter la surface de la Terre, géoïde à la topographie irrégulière, sur une surface généralement plane, la *carte.*

La géodésie permet, par triangulation, le repérage des points par rapport aux directions géographiques fondamentales (latitude et

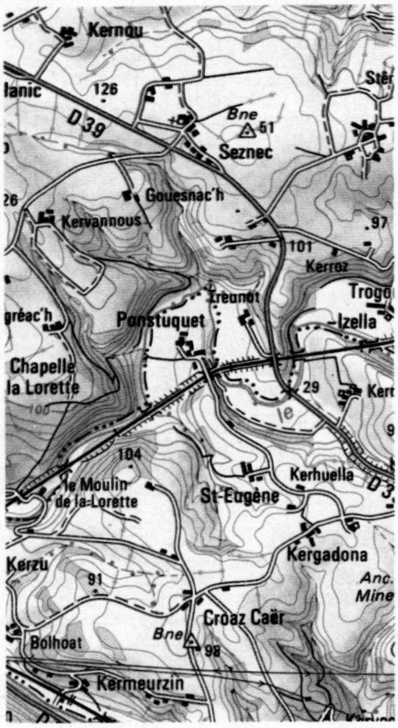

Extrait de la carte de France au 1/50 000.

longitude). Les systèmes de *projection* utilisés, très variés, se rattachent à deux grands types : la projection conforme (inventée par Mercator au XVIe s.) et la projection équivalente (inventée par Nicolas Sanson au XVIIe s.). La première a l'avantage de conserver les angles entre les différents points de la carte, la seconde conserve les surfaces. L'*échelle* est le rapport de la distance entre deux points, mesurée sur la carte, et leur distance réelle. Les cartes à petite échelle permettent la représentation de la totalité ou d'une vaste portion du géoïde. Ainsi, les planisphères et les mappemondes sont des représentations globales de la Terre respectivement sur une surface plane et sur une sphère. Les cartes à grande échelle (1/10 000, 1/25 000 par exemple) permettent au contraire la représentation détaillée d'une aire limitée. Le relief est représenté à l'aide de divers procédés, dont le plus utilisé est la courbe de niveau, établie par hypsométrie*.

La représentation cartographique pose le problème de la généralisation, puisqu'il est techniquement impossible de faire figurer sur une carte toutes les informations. Celles-ci sont sélectionnées, et l'on utilise des signes conventionnels pour situer les faits essentiels.

La *carte topographique* de base est la carte générale la plus détaillée d'un pays, provenant directement des levés photogrammétriques et des opérations de complètement*. La minute complétée est redessinée sur quatre planches séparées qui permettent l'impression du noir, du vert, du bleu et de l'orangé, ou bistre. À partir de la carte de base (1/25 000 pour la France), on peut, sans avoir à effectuer les nouvelles opérations de terrain ou de restitution*, obtenir toute une gamme de cartes.

Les *cartes thématiques* visent à la représentation spatiale d'un phénomène. Elles exigent la compilation de données et le choix de moyens graphiques appropriés. On établit ainsi des cartes géologiques, météorologiques, économiques, routières, politiques, etc. Ces cartes représentent sur un fond topographique des phénomènes localisables de toute nature, qualitatifs ou quantitatifs. Les phénomènes quantitatifs sont représentés par des diagrammes divers : points, cercles, secteurs circulaires, rectangles, etc. Les phénomènes qualitatifs sont, en général, représentés par des couleurs et des poncifs : cartes géologiques, pédologiques, de végétation, d'occupation du sol, etc. Les cartes thématiques sont réalisées à partir de statistiques*, d'inventaires, d'opérations de photo-interprétation* ou de télédétection, contrôlées sur le terrain.

Le *bloc-diagramme* permet la représentation, en perspective et en coupe, d'une région donnée. Un *atlas* est un ouvrage qui regroupe diverses cartes sur un thème donné : il existe des atlas géographiques, historiques, économiques, etc.

Depuis la dernière guerre, la cartographie a considérablement progressé. Pour la topographie, les relevés sur le terrain ont cédé la place aux photos aériennes, qui, utilisées par couples stéréographiques, permettent l'établissement du relief à l'aide d'un appareil restituteur. Le rôle des satellites est devenu essentiel dans la triangulation. En France, l'Institut géographique national a établi une couverture topographique du pays au 1/100 000, les couvertures au 1/50 000 et au 1/25 000 étant en cours d'achèvement. Enfin, la *cartographie automatique* est en plein développement. Elle permet la confection directe par l'ordinateur de documents cartographiques, aussi bien topographiques que thématiques, à partir des données qui y sont introduites. Les grands pays établissent des banques de données susceptibles de regrouper tous les documents disponibles.

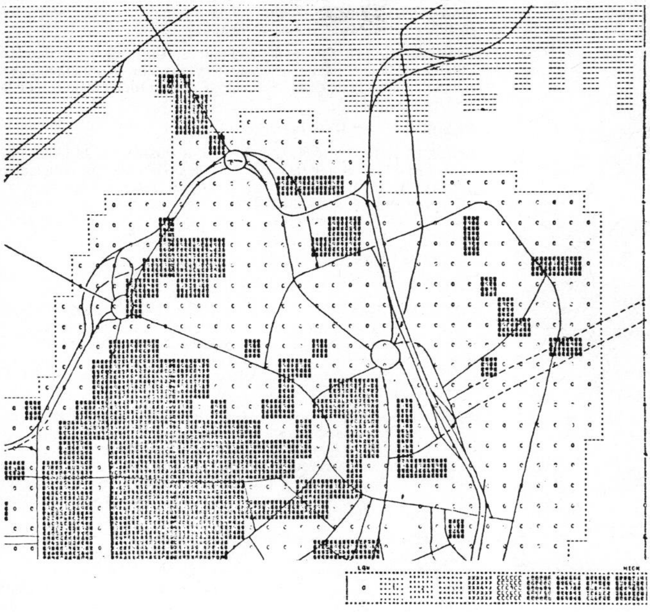

CARTOGRAPHIE

Cartographie automatique : sortie d'imprimante ligne à ligne par procédé Symap. Carte thématique représentant les quartiers de Boston ayant, aux yeux des habitants, une importance culturelle et historique. (D'après Carl Steinitz. M. I. T.)

CARTON. — Le carton est une feuille épaisse, de fort grammage, composée essentiellement de fibres végétales ou provenant de la récupération de vieux papiers. Sa fabrication est analogue à celle du papier*. Pour les cartons épais, on utilise une machine constituée par une suite de formes rondes permettant de faire un carton en plusieurs jets, qui sont ensuite pressés et séchés. On donne ainsi à l'ensemble de la rigidité et l'on arrive à des complexes dont l'intérieur est très ordinaire et la surface plus flatteuse. Les matières premières utilisées sont les pâtes* à papier écrues ou blanchies et les vieux papiers, avec lesquels on fabrique les cartons les plus ordinaires. Le carton a de multiples usages, notamment pour l'emballage* ou le regroupement des produits. C'est un matériau de conditionnement qui permet, lorsque la surface est en matériau noble, une bonne présentation par impression. Sa production en France est de l'ordre de 500 000 t. Il existe des cartons spéciaux, tels que le carton pour valises (celloderme) et les isolants électriques (presspahn).

CARTOUCHE (Louis Dominique), chef de bande français (Paris 1693-*id.* 1721). Auteur de nombreux vols et meurtres, il fut exécuté en place de Grève.

CARTULAIRE. — Livre manuscrit où sont transcrits et collectionnés les privilèges ou les titres d'une personne ou d'une communauté, le cartulaire est très fréquemment utilisé au XIIe et surtout au XIIIe s. Il constitue une source historique précieuse.

CARTWRIGHT (Edmund), inventeur britannique (Marnham, Nottinghamshire, 1743-Hastings 1823). Il transforma l'industrie du tissage en 1785 en y introduisant la machine à vapeur.

CARUSO (Enrico), ténor italien (Naples 1873-*id.* 1921). Il se produisit surtout au Metropolitan Opera de New York. Doué d'une voix puissante et pure, il a laissé une méthode de chant.

CARVIN (62220), ch.-l. de cant. du Pas-de-Calais, à 12 km au N.-E. de Lens; 15 601 hab. Constructions mécaniques.

CARYOPHYLLACÉES. — L'œillet est le type de cette famille de plantes aux feuilles opposées portées par une tige renflée aux nœuds, au calice en forme de cloche d'où émergent des pétales longuement pétiolés. Principaux genres : stellaire, saponaire, silène, céraiste, lychnis, gypsophile, arénaire, œillet.

CARYOTYPE → CHROMOSOME.

CAS. — Le cas est une catégorie grammaticale qui sert à traduire, dans certaines langues, la fonction syntaxique du nom, de l'adjectif ou du pronom dans la phrase. Le nombre des cas d'une langue peut aller de deux (en ancien français) à plus de vingt (en hongrois). On distingue les cas grammaticaux ou abstraits, qui expriment des relations syntaxiques (nominatif, accusatif, etc.), et les cas locaux ou concrets, qui expriment des relations spatiales (locatif, ablatif, élatif, etc.). Le français moderne ne possède de flexion casuelle que pour le pronom personnel *(je/me)* et exprime les relations grammaticales grâce à la place du mot dans la phrase et grâce aux prépositions, qui jouent le même rôle d'indicateur fonctionnel. Le système (ou paradigme) constitué par les cas s'appelle une « déclinaison ».

CAS (grammaire des). — La grammaire des cas est une théorie linguistique élaborée par C. J. Fillmore, qui se situe, en la critiquant, dans le prolongement de la grammaire générative*. Le rôle principal est attribué au verbe, constituant fondamental de la phrase au niveau de la structure profonde.

CASABLANCA ou **DAR EL-BEIDA,** v. du Maroc, sur l'Atlantique; 1 506 000 hab. C'est la métropole économique du pays, la plus grande ville du Maroc et même de l'ensemble du Maghreb; son essor est lié à sa fonction de port, développé par la France au début du siècle. Le trafic annuel avoisine aujourd'hui 20 Mt, avec une nette prépondérance des exportations (phosphates surtout). L'agglomération regroupe approximativement la moitié des salariés industriels du pays : les constructions mécaniques (montage d'automobiles), l'alimentation, le textile, la cimenterie et la chimie sont les principales branches, mais elles ne suffisent pas à assurer le plein-emploi du fait de la croissance démographique rapide, qui explique, à proximité de quartiers modernes, l'apparition de bidonvilles. — Les forces françaises du général Noguès, obéissant à Pétain, s'y opposèrent du 8 au 10 novembre 1942 au débarquement des Américains. Une conférence y réunit du 14 au 24 janvier 1943 Roosevelt et Churchill; à cette occasion eut lieu la première

Holmès - Lebel

Casablanca. La place des Nations-Unies et l'avenue Hassan-II.

rencontre entre de Gaulle et Giraud. (V. GUERRE MONDIALE [*Seconde*].)

Casa de Contratación, chambre de commerce créée par les Rois Catholiques en 1503 à Séville afin de stimuler et de protéger le commerce entre la Castille et l'Amérique; elle fut transférée à Cadix en 1717, et supprimée en 1790.

CASALE MONFERRATO, v. d'Italie (Piémont), sur le Pô; 43 000 hab. Monuments anciens. Cimenterie.

CASALS (Pablo), violoncelliste, compositeur et chef d'orchestre espagnol (Vendrell 1876 - San Juan de Porto Rico 1973). Un des grands violoncellistes de son temps, il forma un célèbre trio (1905) avec A. Cortot et J. Thibaud et créa un festival à Prades, où il s'était installé après la guerre civile espagnole. On lui doit l'oratorio *El Pessebre.*

CASAMANCE (la), fl. côtier du Sénégal méridional; 320 km.

CASANOVA DE SEINGALT (Giovanni Giacomo), aventurier italien (Venise 1725 - Dux, Bohême, 1798), célèbre par ses exploits romanesques — notamment son évasion des Plombs de Venise — et galants, qu'il a contés dans ses *Mémoires.*

CASCADES *(chaîne des),* en angl. **Cascade Range,** chaîne de montagnes de l'ouest de l'Amérique du Nord, de la Colombie britannique à la Californie; 4 391 m au *mont Rainier.*

Case de l'oncle Tom *(la),* roman de Mrs. Beecher-Stowe (1852). Plaidoyer pour l'abolition de l'esclavage, écrit à la suite de la promulgation d'une loi qui imposait la dénonciation des esclaves fugitifs.

CASÉINE → LAIT et PROTÉINIQUE.

CASERTE, v. d'Italie (Campanie), ch.-l. de prov., au N. de Naples; 64 000 hab. Château construit pour Charles III de Bourbon par Luigi Vanvitelli (1700-1773), chef-d'œuvre un peu démesuré de scénographie; parc. À 10 km, cathédrale de Caserta Vecchia (XIIe s., emprunts à l'art musulman). — Les forces allemandes d'Italie et d'Autriche capitulèrent à Caserte le 29 avril 1945.

CASH FLOW → AUTOFINANCEMENT.

CASIER JUDICIAIRE. — Le casier judiciaire a pour objet de définir la situation de chaque individu en ce qui concerne les condamnations pénales dont il est l'objet et les déclarations des faillites et décisions disciplinaires entraînant des incapacités. Le casier fonctionne à l'aide de fiches relevant les condamnations. Le *bulletin nº 1* relatre toutes les condamnations (chaque condamnation est relevée sur une fiche et l'ensemble de ces fiches est repris sur le bulletin nº 1); le *bulletin nº 2* est un relevé expurgé destiné à certaines autorités; le *bulletin nº 3,* encore plus expurgé, est délivré au titulaire du casier sur sa demande.

CASIMIR *(saint),* patron de la Pologne (Cracovie 1458 - Grodno 1484). Fils du roi de Pologne Casimir IV, il vécut volontairement en marge des honneurs. Canonisé en 1521, il fut proclamé patron de la Pologne en 1602.

CASIMIR Ier et II → PIAST.

CASIMIR III le Grand (1310-1370), roi de Pologne (1333-1370). Fils de Ladislas Ier, il fait la paix avec les Teutoniques, annexe la Mazovie et reconquiert sur les Tatars et sur les Lituaniens de vastes territoires, qui sont colonisés par des Polonais. Excellent administrateur, véritable « roi des paysans », il fonde, en 1364, l'université de Cracovie.

CASIMIR IV JAGELLON → JAGELLONS.

CASIMIR V → VASA.

CASIMIR-PERIER (Jean), homme d'État français (Paris 1847 - *id.* 1907), petit-fils de Casimir Perier*. Président du Conseil en 1893, il crée le ministère des Colonies et réprime les attentats anarchistes. Élu président de la République en juin 1894, après l'assassinat de Carnot, il se heurte à l'opposition croissante de la gauche et démissionne en janvier 1895.

CASINO. — Les principaux jeux de casino sont la boule, la roulette, le trente-et-quarante et le black jack. Bien que pratiqué dans les casinos, le baccara (dont il existe deux variétés : le baccara à un seul tableau, ou chemin de fer, et le baccara à deux tableaux, ou banque) fait plutôt partie — avec l'écarté ou le poker — de ce que l'on nomme « jeux de cercle » (jeux sans contrepartie, où le joueur conserve une part d'initiative).

CASPIENNE *(mer),* mer intérieure aux confins de l'Europe et de l'Asie, baignant l'U.R.S.S. (surtout) et l'Iran. Située à 28 m au-dessous du zéro marin, couvrant 430 000 km² (près des quatre cinquièmes de la superficie de la France), c'est la plus vaste mer fermée du globe, secteur le plus déprimé d'un grand bassin étendu au tertiaire jusqu'à la mer Noire. Elle est formée d'une partie septentrionale profonde de quelques mètres seulement et d'une partie méridionale où la profondeur peut dépasser 1 000 m. Située dans une région de climat aride, malgré l'apport de fleuves comme la Volga (réduite, il est vrai, par l'irrigation) et l'Oural, la Caspienne tend à s'assécher.

CASQUE *(Zool.)* → MOLLUSQUES.

Casque d'acier (en allem. *Stahlhelm*), association nationaliste d'anciens combattants allemands, créée en 1918 mais dissoute par Hitler en 1935. (Elle fut reconstituée en 1951.)

Casque d'or, film français de Jacques Becker (1952). Pris de passion pour une séduisante pierreuse, un petit ouvrier pénètre dans le monde des apaches de Belleville, commet un meurtre et finit sous le couteau de la guillotine. Construit autour de plusieurs

Casque d'or. Une scène du film de Jacques Becker.

X (Coll. J.-L. Passek)

faits divers qui défrayèrent, vers 1904, la chronique judiciaire, le film de Becker est une œuvre envoûtante, respectueuse à la fois de l'esprit d'une époque et de la vérité psychologique des principaux personnages. Un itinéraire tragique interprété par deux acteurs dont ce furent sans doute les plus beaux rôles à l'écran : Serge Reggiani et surtout Simone Signoret.

Casques bleus, surnom donné depuis 1956 aux militaires de la force d'urgence des Nations unies (F. U. N. U.). Composée de formations provenant de différents pays, elle est intervenue sur ordre du Conseil de sécurité au Proche-Orient, à l'occasion des guerres israélo-arabes*, au Congo (1960) et à Chypre (1964).

CASSAGNES-BÉGONHÈS (12120), ch.-l. de cant. de l'Aveyron, à 26 km au S. de Rodez; 1136 hab.

CASSANDRE, héroïne troyenne, favorisée du don de prophétie. Ses prédictions sont tournées en dérision par ses concitoyens.

CASSANDRE (v. 354-297 av. J.-C.), fils d'Antipatros*, roi de Macédoine. Écarté de la succession de son père au profit de Polyperchon, il conquiert la Macédoine et une partie de la Grèce avec l'aide d'Antigonos*; puis il se retourne contre ce dernier avec les autres diadoques (315). La mort d'Antigonos à Ipsos* lui permet de conserver son royaume.

CASSANDRE (Adolphe MOURON, dit), peintre et affichiste français (Kharkov 1901-Paris 1968). Il doit sa renommée à ses affiches, d'un style hardiment synthétique (*Nord-Express,* 1927).

CASSATION → VOIES DE RECOURS.

CASSATT (Mary) → IMPRESSIONNISME.

CASSEL (59670), ch.-l. de cant. du Nord, sur le *mont Cassel* (176 m), à 11 km au N.-N.-O. d'Hazebrouck; 2492 hab. — Capitale des Ménapiens, *Castellum Menapiorum* (Cassel) est une ville importante de la Gaule Belgique. Détrônée par Tournai dès le IIIe s., elle ne retrouvera plus sa splendeur passée; cependant, son site remarquable, dominant la plaine des Flandres, en fait un haut lieu militaire, notamment en 1328, quand Philippe VI y vainc les Flamands, et au cours de la Première Guerre mondiale. Demeures des XVIe-XVIIIe s. Musée.

Casse-noisette, ballet-féerie en deux actes et trois tableaux, chorégraphie de Lev Ivanov, livret de Marius Petipa, musique de Tchaïkovski. Créé à Saint-Pétersbourg en 1892. Un des ballets les plus représentés dans le monde (surtout au moment de Noël), l'œuvre a connu de nombreuses versions.

CASSETTE. — La cassette magnétique la plus répandue est la *minicassette,* ou *compact,* mise au point par Philips en 1963. Elle se présente sous la forme d'un boîtier en matière plastique* mesurant 100 × 64 mm, d'une épaisseur de 12 mm et d'une masse de 40 g. La bande* magnétique est en polyester de 3,81 mm de largeur, défilant à la vitesse de 4,76 cm/s. Il existe trois modèles : C 60, durée d'audition 2 × 30 mn; C 90, durée d'audition 2 × 45 mn; C 120, durée d'audition 2 × 60 mn. Les oxydes qui recouvrent ces bandes ont été améliorés d'année en année; les cassettes à l'oxyde de fer* Fe_2O_3 ont une bande passante à − 3 dB de 25 à 12000 Hz; celles au bioxyde de chrome CrO_2 donnent un niveau de lecture plus élevé, pour une bande passante à − 3 dB de 25 à 14000 Hz. Les cassettes vendues vierges peuvent être enregistrées et effacées autant de fois qu'on le désire et ce en monophonie (2 pistes) ou en stéréophonie* (4 pistes). Les minicassettes enregistrées en stéréophonie avec des œuvres musicales ne peuvent être effacées accidentellement, grâce à un contact de sécurité.

CASSIN *(mont),* en ital. **monte Cassino,** colline d'Italie méridionale, près du Liri; 519 m. Saint Benoît y fonda, en 529, un monastère destiné à devenir le berceau de l'ordre des Bénédictins*. Ce monastère, complètement détruit lors des combats de 1944, a été reconstruit. Le mont Cassin a donné son nom à l'une des congrégations bénédictines, la Congrégation cassinaise de la primitive observance.

CASSIN (René), juriste français (Bayonne 1887-Paris 1976). Il fut notamment vice-président du Conseil d'État, membre du Conseil constitutionnel et président de la Cour européenne des droits de l'homme (1965). Ayant pris une part importante à la fondation de l'Unesco, il fit adopter la Déclaration universelle des droits de l'homme. (Prix Nobel de la paix, 1968.)

CASSINI, famille d'astronomes français d'origine italienne. JEAN DOMINIQUE, dit **Cassini Ier** (Perinaldo, Imperia, 1625-Paris 1712), fut tout d'abord astronome au service du Vatican, puis, après une longue négociation entre Clément IX et Colbert*, il vint à Paris en 1669. Il anima, et pratiquement dirigea, l'Observatoire de Paris dès sa mise en activité, mais il n'en fut pas le directeur comme on le croit généralement. Auteur d'innombrables travaux, tant en astronomie* qu'en géodésie, il laissa son nom à l'une des divisions de l'anneau satellite de Saturne*, après avoir découvert cette division en 1675. — Son fils JACQUES, dit **Cassini II** (Paris 1677-Thury, Oise, 1756), dirigea officieusement, comme son père, l'Observatoire de Paris. Il est surtout connu pour ses travaux de géodésie, et la comparaison des valeurs anciennes des latitudes de certaines étoiles* aux valeurs nouvelles, qu'il observait, l'amena à confirmer l'existence de mouvements propres pour les étoiles. — CÉSAR FRANÇOIS *Cassini de Thury,* dit **Cassini III** (Thury 1714-Paris 1784), fils du précédent, fut le premier directeur officiel de l'Observatoire de Paris (1771). Son nom reste attaché à la carte topographique de la France, qu'il commença en 1750 à la demande de Louis XV et que son fils devait terminer en 1815. — JACQUES-DOMINIQUE, dit **Cassini IV** (Paris 1748-Thury 1845), fils du précédent, succéda à son père à la direction de l'Observatoire de Paris, mais en fut chassé à la Révolution.

CASSINO, v. d'Italie, dans le Latium, au S.-E. de Rome, près du *mont Cassin;* 17000 hab. Théâtre de violents combats, de janvier à mai 1944, la ville fut conquise par les Polonais de la VIIIe armée britannique. (V. ITALIE [*campagne d'*].)

CASSIODORE, écrivain et homme d'État romain (Squillace v. 480-monastère de Vivarium, Bruttium, v. 575). Son encyclopédie, *Institutions des lettres divines et séculières,* est un précis des sept arts libéraux qui seront à la base de l'enseignement au Moyen Âge.

CASSIOPÉE, constellation* voisine du pôle Nord, située à l'opposé de la Grande Ourse* par rapport à l'étoile Polaire. Elle contient plusieurs étoiles multiples facilement séparables et quelques étoiles variables.

CASSIRER (Ernst), philosophe allemand (Breslau 1874-Princeton 1945). Membre de l'école de Marburg*, Cassirer s'attache à développer la méthode kantienne à travers l'analyse des concepts et principes mis en œuvre dans les sciences exactes (*Substanzbegriff und Funktionsbegriff,* 1910; *Zur Einsteinschen Relativitätstheorie,* 1921). Élargissant son projet néokantien, il passe de la critique de la raison scientifique à la critique de la culture dans *la Philosophie des formes symboliques* (1923-1929), où il étudie les mythes, les religions, les symboles et les langues.

CASSIS (13260), comm. des Bouches-du-Rhône, à 22 km au S.-E. de Marseille, au fond de la *baie de Cassis;* 5831 hab. Station balnéaire. Cimenterie.

CASSIUS LONGINUS (Caius), l'un des meurtriers de César († 42 av. J.-C.). Questeur de Crassus, il sauva les débris de l'armée romaine lors de la bataille de Carres (53 av. J.-C.). Initiateur du complot tramé contre César (44), il combattit avec Brutus* les «césariens» à Philippes* : battu par Antoine, il se donna la mort.

CAS SOCIAL. — Le fait de recevoir une aide sociale suffit à définir les cas sociaux, soit environ 650000 enfants actuellement en France. Il s'agit d'enfants privés soit d'une famille, soit d'une famille «normale», et pris en charge, à ce titre, par des services médico-sociaux divers; ces enfants ne présentent pas forcément une pathologie psychiatrique. Le niveau d'intervention de ces organismes sociaux est essentiellement curatif : ils proposent des placements hors du milieu familial, dans des établissements réservés le plus souvent aux cas sociaux, ce qui contribue à augmenter la ségrégation qui les caractérise.

CASSOLA (Carlo), écrivain italien (Rome 1917). Représentant du néoréalisme (*Fausto et Anna,* 1952; *la Ragazza,* 1960), il évolue ensuite vers des préoccupations plus psychologiques et plus formelles (*Un cœur aride,* 1961; *le Chasseur,* 1964; *Anna de Volterra,* 1970; *Mario,* 1975).

CASSOULET. — Ce ragoût de haricots blancs et de viande est un plat typique du Sud-Ouest, notamment de l'Aude, de la Haute-Garonne et jusqu'aux confins des Hautes-Pyrénées. Il y a trois types principaux de cassoulet, différenciés par le choix des viandes : celui de Castelnaudary, à base de viande de porc, fraîche et salée; celui de Carcassonne, qui ajoute à ces éléments du gigot de mouton; enfin, celui de Toulouse, caractérisé par la saucisse de Toulouse et le confit d'oie ou de canard.

CASTAGNETTES → INSTRUMENTS DE MUSIQUE.

CASTANET-TOLOSAN (31320), ch.-l. de cant. de la Haute-Garonne, à 10 km au S. de Toulouse; 2998 hab.

CASTE. — Groupes généralement endogames, les castes s'insèrent le plus souvent dans un système fortement hiérarchisé, où elles remplissent, de façon héréditaire, des fonctions différenciées et inégalitaires. En Inde, où le système des castes est le plus structuré, les relations entre les castes sont limitées et formalisées.

CASTEAU, anc. comm. de Belgique (Hainaut), au N.-E. de Mons. Siège, depuis 1967, du commandement suprême des forces du pacte de l'Atlantique Nord en Europe. (Voir S. H. A. P. E.)

CASTELAR Y RIPOLL (Emilio), écrivain et homme politique espagnol (Cadix 1832-San Pedro del Pinatar 1899). Sous la République, il devient chef absolu de l'exécutif (1873-74).

CASTELFIDARDO, v. d'Italie, dans les Marches, au S. d'Ancône; 10 000 hab. Lamoricière, commandant les troupes pontificales, y fut battu en 1860 par les Piémontais de Cialdini.

CASTEL GANDOLFO, comm. d'Italie (Latium), sur le lac d'Albano; 4 400 hab. Résidence d'été du pape, qui fait partie de la Cité du Vatican.

CASTELJALOUX (47700), ch.-l. de cant. de Lot-et-Garonne, à 23 km au S. de Marmande; 5 440 hab. Maisons anciennes.

CASTELLAMMARE DI STABIA, port d'Italie, en Campanie, sur le golfe de Naples; 69 000 hab. Cathédrale. Musée archéologique.

CASTELLANE (04120), ch.-l. d'arr. des Alpes-de-Haute-Provence, sur le Verdon, au pied des *Préalpes de Castellane;* 1 261 hab. Église romane.

CASTELLANE (Boniface, *comte* DE), maréchal de France (Paris 1788 - Lyon 1862). Vétéran des campagnes du premier Empire, il participe au coup d'État du 2 décembre 1851 et est fait maréchal par Napoléon III en 1852.

CASTELLÓN DE LA PLANA, v. d'Espagne (région de Valence), près de la Méditerranée; 94 000 hab. Raffinerie de pétrole. Pétrochimie.

CASTELMORON-SUR-LOT (47260), ch.-l. de cant. de Lot-et-Garonne, à 19 km à l'E. de Tonneins, sur la rive droite du Lot; 1 444 hab.

CASTELNAU (Édouard DE CURIÈRES DE), général français (Saint-Affrique 1851 - Montastruc-la-Conseillère 1944). Commandant la IIe armée en Lorraine (1914), puis le groupe d'armées du Centre (1915), il est ensuite adjoint à Joffre et, à ce titre, prend à Verdun, en février 1916, les mesures qui sauveront la rive droite de la Meuse. Après une mission en Russie, il commande le groupe d'armées de l'Est (1917-18). Député de l'Aveyron en 1919, il fonde la Fédération nationale catholique, qu'il anime jusqu'en 1940.

CASTELNAUDARY (11400), ch.-l. de cant. de l'Aude, à 36 km au N.-O. de Carcassonne, près du canal du Midi; 10 847 hab. Industries alimentaires, mécaniques et textiles. Églises des XIIIe et XIVe s.

CASTELNAU-DE-MÉDOC (33480), ch.-l. de cant. de la Gironde, à 28 km au N.-O. de Bordeaux; 2 169 hab. Vignobles.

CASTELNAU-DE-MONTMIRAL (81140), ch.-l. de cant. du Tarn, à 12 km au N.-O. de Gaillac; 1 037 hab.

CASTELNAU-LE-LEZ (34170), comm. de l'Hérault, dans la banlieue nord-est de Montpellier; 9 491 hab.

CASTELNAU-MAGNOAC (65230), ch.-l. de cant. des Hautes-Pyrénées, à 25 km au N. de Lannemezan; 964 hab.

CASTELNAU-MONTRATIER (46170), ch.-l. de cant. du Lot, à 26 km au S.-O. de Cahors; 2 013 hab.

CASTELNAU-RIVIÈRE-BASSE (65700 Maubourguet), ch.-l. de cant. des Hautes-Pyrénées, près de l'Adour, à 28 km au S.-E. d'Aire-sur-l'Adour; 740 hab. Vestiges médiévaux.

CASTELO BRANCO (Camilo), écrivain portugais (Lisbonne 1825 - São Miguel de Ceide 1890), auteur de récits réalistes (*Amour de perdition,* 1862; *Nouvelles du Minho,* 1877).

CASTELSARRASIN (82100), ch.-l. d'arr. de Tarn-et-Garonne, à 21 km à l'O. de Montauban, sur le canal latéral à la Garonne; 12 204 hab. *(Castelsarrasinois).* Métallurgie. Église (fin du XIIe s.).

CASTERET (Norbert), spéléologue français (Saint-Martory 1897). Il a exploré plus de un millier de grottes, de gouffres et de rivières souterraines, notamment dans le Sud-Ouest et les Pyrénées (reconnaissant la source de la Garonne).

CASTETS (40260), ch-l. de cant. des Landes, à 22 km au N.-O. de Dax; 1 517 hab.

CASTEX (Raoul), amiral français (Saint-Omer 1878 - Villeneuve-de-Rivière 1968). Directeur du Centre des hautes études de défense nationale (1938), il a laissé d'importants ouvrages sur l'histoire de la stratégie (*Théories stratégiques,* 1937).

CASTIFAO-MOROSAGLIA, canton de la Haute-Corse, au N. de Corte. Ch.-l. *Morosaglia.*

CASTIGLIONE (*comte* Baldassare), diplomate et écrivain italien (Casatico, Mantoue, 1478 - Tolède 1529). Il condensa son expérience de la vie raffinée des cours de la Renaissance dans son traité du *Courtisan** (1528).

CASTIGLIONE DELLE STIVIERE, v. d'Italie, en Lombardie, au S.-E. de Brescia; 7 000 hab. Victoire d'Augereau sur les Autrichiens (5 août 1796). [V. ITALIE *(campagnes d').*]

CASTILLAN → ESPAGNOL.

CASTILLE, en esp. **Castilla**, région occupant principalement le centre de la péninsule Ibérique, formée, au N., de la *Vieille-Castille*

Desmarteau - Explorer

(prov. d'Ávila, Burgos, Logroño, Palencia, Santander, Ségovie, Soria et Valladolid; 66 107 km² et 2 154 000 hab.) et, au S., de la *Nouvelle-Castille* (prov. de Ciudad Real, Cuenca, Guadalajara, Madrid et Tolède; 72 363 km²; 5 164 000 hab.), séparées par les hautes terres de la Cordillère centrale ibérique (sierras de Gredos et de Guadarrama).

GÉOGRAPHIE. Isolée des influences maritimes par un pourtour montagneux presque continu (monts Cantabriques et Ibériques, chaîne Bétique), la Castille est une région de hautes plaines et de plateaux, au climat presque aride, marqué par de fortes amplitudes thermiques (étés torrides et hivers rudes, les précipitations tombant surtout aux saisons intermédiaires), et traversée par quelques fleuves tributaires de l'Atlantique (Douro en Vieille-Castille, Tage et Guadiana en Nouvelle-Castille). Ces conditions naturelles expliquent la faible densité moyenne d'occupation, si l'on exclut la région de Madrid, qui regroupe en fait près de la moitié de la population castillane. L'ensemble est demeuré à prépondérance agricole, exploité d'une manière extensive, où l'élevage ovin se juxtapose aux traditionnelles cultures de céréales (à faibles rendements), en dehors d'étroits périmètres favorisés par la richesse des sols ou par l'irrigation (vigne, cultures fruitières et légumières). L'industrie est inexistante, à l'exception de quelques activités (textile, chimie, métallurgie de transformation) implantées dans les principales villes, animées temporairement aussi par le tourisme lié au passé. Cœur géographique et historique de l'Espagne, la Castille n'en est pas le centre économique, malgré l'essor de l'îlot madrilène, capitale nationale d'un État centralisateur plus que métropole régionale.

HISTOIRE. C'est au IXe s. qu'apparaît le comté de Castille, dont la première capitale est Burgos. Annexé en 1028 par la Navarre, il est apanagé par Sanche III de Navarre à son fils Ferdinand (Ier), qui prend le titre de roi (de 1035 à 1065), réunit Castille et León en 1037, puis, partageant ses États entre ses fils, attribue la Castille à Sanche (II). Ce dernier, devenu roi (de 1065 à 1072), regroupe la Castille et le León. Son fils, Alphonse VI (de 1072 à 1109), maintient cet héritage, y ajoute même une partie de la Navarre et prend Tolède aux musulmans (1085) : étape capitale de la *Reconquista* et qui fonde la Nouvelle-Castille. Mais les Almoravides réagissent fortement et bloquent l'action d'Alphonse VI, malgré les exploits de Rodrigo Díaz de Vivar, dit le *Cid**.

Le royaume de Castille passe ensuite à Urraque (de 1109 à 1126), puis à son fils Alphonse VII (de 1126 à 1157) qui se fait couronner empereur de toute l'Espagne (1135). Mais, par testament, Alphonse VII sépare le León et la Castille, celle-ci étant donnée à Sanche III (de 1157 à 1158), dont le fils, Alphonse VIII (de 1158 à 1214), après un échec devant les Almohades (Alarcos, 1195), remporte, avec les autres souverains espagnols, la grande victoire de Las Navas de Tolosa (1212), qui ébranle la puissance musulmane en Espagne.

Ferdinand III le Saint (de 1217 à 1252) poursuit la Reconquête (Cordoue, 1236; Murcie, 1243; Séville, 1248) et unit définitivement le León et la Castille (1230). Alphonse X* (de 1252 à 1284) essaie en vain de s'emparer de la Navarre, mais ce roi humaniste marque profondément la civilisation castillane. Le XIVe s. est ensanglanté en Castille par la lutte que se livrent Pierre Ier le Cruel (de 1350 à 1369), fils légitime d'Alphonse XI (de 1312 à 1350), et son frère

Paysage de Vieille-Castille.

animal utile, ses barrages favorisant la régularité du débit des cours d'eau et le dépôt d'alluvions fertiles.

CASTOR → ÉTOILE.

CASTOR ET POLLUX, version romaine des jumeaux de la mythologie grecque Castor et Polydeukès. (V. DIOSCURES.) Vénérés à Rome sous le nom de *Castores* (« les Castors »), il semble que les jumeaux romains soient le dédoublement, par contagion avec la légende grecque, d'une vieille divinité italique, protectrice des cavaliers et à qui aurait été attribuée la victoire du lac Régille (v. 499 av. J.-C.).

Castor et Pollux, tragédie lyrique en cinq actes, livret de Gentil-Bernard, musique de J.-P. Rameau (1737). Remaniée en 1754, l'œuvre comporte des chœurs dramatiques d'une intense puissance.

CASTRATION *(Psychanal.)* → ŒDIPE *(complexe d').*

CASTRES (81100), ch.-l. d'arr. du Tarn, sur l'Agout, à 42 km au S. d'Albi; 47 527 hab. *(Castrais).* Monuments et demeures anciens. Dans l'hôtel de ville (anc. évêché), musée Jaurès et important musée municipal, dit « musée Goya » (arts décoratifs; peinture espagnole, dont *la Junte des Philippines* et un autoportrait de Goya). Aux confins du Massif central et du bassin d'Aquitaine, Castres est un centre commercial et industriel (chimie, textile, constructions mécaniques).

Fidel Castro.

Keystone

bâtard, Henri II de Trastamare, qui, ayant fait assassiner Pierre, lui succède (de 1369 à 1379). Les désordres internes se poursuivent pendant la minorité d'Henri III (de 1390 à 1406) et celle de Jean II (de 1406 à 1454). La faiblesse politique de la Castille est extrême sous Henri IV l'Impuissant (de 1454 à 1476), fils et successeur de Jean II et à qui succède sa sœur, Isabelle* la Catholique, qui, avant de régner en Castille et en León (de 1474 à 1504), épouse Ferdinand (II), roi d'Aragon de 1479 à 1516. Mais, si l'autorité royale a perdu de son prestige, l'économie castillane est en plein essor (laines, flotte marchande).

L'unité espagnole se réalise sous l'égide des Rois Catholiques Isabelle et Ferdinand. Celui-ci s'empare de Grenade en 1492, ce qui libère complètement l'Espagne des musulmans. Cette même année, Christophe Colomb* prend pied aux Antilles, ouvrant pour la Castille — et donc pour l'Espagne — l'ère atlantique et hispano-américaine. Ferdinand annexe la Navarre en 1512.

Le royaume d'Espagne est juridiquement créé en 1516 par Charles Quint, petit-fils des Rois Catholiques.

CASTILLEJO (Cristóbal DE), poète espagnol (Ciudad Real v. 1490-Vienne 1556), défenseur de la poésie nationale contre l'italianisme.

CASTILLON, barrage et centrale hydroélectrique sur le Verdon (Alpes-de-Haute-Provence), près de Castellane.

CASTILLON-EN-COUSERANS (09800), ch.-l. de cant. de l'Ariège, à 13 km au S.-O. de Saint-Girons; 429 hab.

CASTILLON-LA-BATAILLE (33350), ch.-l. de cant. de la Gironde, à 18 km au S.-E. de Libourne, sur la Dordogne; 3 177 hab. Vignobles.

CASTILLONNÈS (47330), ch.-l. de cant. de Lot-et-Garonne, à 27 km au S. de Bergerac; 1 444 hab.

CASTLEREAGH (Robert STEWART, *vicomte*), homme d'État britannique (Dublin 1769-Londres 1822). Premier secrétaire en Irlande (1798-1801), adversaire, aux côtés de Pitt*, de la Révolution française, il assume plusieurs fois le secrétariat à la Guerre entre 1805 et 1810; il tourne alors toutes les forces de l'Angleterre contre Napoléon. Il se brouille avec Canning, et, en 1812, accède au Foreign Office : son action diplomatique contribue fortement à la défaite de la France; le traité de Chaumont (1814) est son œuvre. Mais, par la suite, il s'oppose à la politique réactionnaire de la Sainte-Alliance.

CASTOR. — La vie sociale et les travaux de ce grand rongeur d'Amérique du Nord et d'Europe sont assez connus pour l'avoir préservé d'une destruction totale, grâce à l'intervention de diverses associations. Sa queue nue et aplatie en battoir, ses pattes postérieures palmées, ses dents tranchantes, sa sécrétion odorante *(castoréum)* — utilisée autrefois en pharmacopée —, ses fortes dimensions (largeur, 80 cm; poids, 30 kg) le distinguent assez pour qu'il forme à lui seul la famille des *castoridés.* Les castors nagent rapidement et peuvent rester 15 mn en plongée. Leurs ouvrages : huttes familiales atteignant 2 m de haut, vastes barrages, canaux longs parfois de 500 m, manifestent une perfection technique rare chez un animal. Ils sont conduits à abattre beaucoup d'arbres, dont l'écorce leur sert d'ailleurs de nourriture. Longtemps tenu pour nuisible, le castor du Canada est maintenant reconnu comme un

CASTRIES (34160), ch.-l. de cant. de l'Hérault, à 12 km au N.-E. de Montpellier; 2 462 hab. Château des XVIe et XVIIe s.

CASTRO (Josue de), économiste brésilien (Recife 1908-Paris 1973), auteur de plusieurs ouvrages concernant le sous-développement : *Géographie de la faim, Géopolitique de la faim* (1952), *Des hommes et des crabes* (1966).

CASTRO (Fidel), homme d'État cubain (Mayarí, prov. d'Oriente, 1927). Issu d'une riche famille de propriétaires terriens, il fait des études d'avocat à l'université de La Havane, où il se lie à la gauche insurrectionnelle. Dès 1947, il participe à un complot contre le dictateur dominicain Trujillo, puis mène la lutte contre Batista. Condamné en 1953, il s'exile ensuite au Mexique et aux États-Unis, d'où il prépare le débarquement de 1956. Après l'échec de cette tentative, il se réfugie dans la Sierra Maestra avec ses partisans (dont Che Guevara*) et organise la guérilla qui aboutit au renversement de la dictature (janv. 1959). Devenu Premier ministre en février, Fidel Castro, qui incarne la révolution cubaine et jouit d'une très grande popularité, entreprend aussitôt une réforme profonde de l'économie, qu'il veut diversifier pour mettre fin à la monoculture sucrière et à l'emprise économique et politique des États-Unis. Dès 1959, il promulgue une réforme agraire et la nationalisation de nombreuses entreprises américaines (raffineries sucrières et pétrolières), ce qui provoque finalement la rupture avec les États-Unis (1961). Les sanctions économiques contre Cuba (embargo) et l'appui américain aux contre-révolutionnaires cubains lors de l'épisode de la baie des Cochons (avr. 1961) radicalisent la révolution, jusque-là essentiellement nationaliste. Fidel Castro affirme désormais son attachement au marxisme et le caractère socialiste du régime, qu'il bâtit sur le modèle soviétique, s'appuyant sur le parti communiste, dont il est le secrétaire général.

Sa politique est alors essentiellement déterminée par des impératifs économiques. La bataille pour la production explique le durcissement progressif du régime à partir de 1965 et les mesures autoritaires prises après l'échec de la « zafra » de 1970, tandis que les progrès économiques, perceptibles à partir de 1973, sont suivis d'un début de normalisation de la vie politique, avec des expériences de démocratisation des pouvoirs locaux (1974) et l'adoption, en 1976, d'une nouvelle constitution.

Parallèlement à cette évolution, confirmée par F. Castro lors du premier congrès du parti communiste en décembre 1975, la politique extérieure du régime s'assouplit. Maintenant des relations privilégiées avec l'U. R. S. S., premier acheteur du sucre cubain et premier fournisseur de pétrole, Fidel Castro noue progressivement des rapports de coopération avec les autres pays socialistes — y compris, en 1973, la Chine —, avec l'Europe de l'Ouest et avec l'Afrique, notamment l'Angola (1976) et l'Éthiopie (1977). En Amérique latine, après avoir proclamé son soutien aux mouvements révolutionnaires, il adopte une politique plus modérée, qui permet à Cuba de sortir peu à peu de son isolement diplomatique, renouant avec la plupart des pays de l'O. E. A., tout en apportant son appui au gouvernement Allende lors de son voyage au Chili en 1971. Cette politique de détente s'affirme avec l'amorce d'un rapprochement entre Cuba et les États-Unis, perceptible à partir de 1971 et qui aboutit, en 1975, à la levée partielle de l'embargo américain.

CASTROP-RAUXEL, v. de l'Allemagne fédérale, dans la Ruhr; 83 000 hab. Métallurgie.

CASTRO Y BELLVÍS (Guillén ou Guilhem DE), auteur dramatique espagnol (Valence 1569-Madrid 1631). Ses *Enfances* et ses *Entreprises de jeunesse du Cid* (1618) inspirèrent Corneille.

CASUARINALES. — Le *casuarina,* grand arbre australien des lieux humides, cultivé en Inde et à Madagascar pour son bois, le *filao* (charpente), se rapproche fortement des gymnospermes par

A. Abbe

Catalogne. Le village de Bellver, en bordure du Segre, près de Puigcerdá.

son mode de reproduction (fécondation simple, graine nue), ce qui lui confère un grand intérêt scientifique.

CASUISTIQUE. — Les morales philosophiques et religieuses confrontées aux problèmes que pose l'action concrète ont élaboré une science qui juge des cas particuliers (latin *casus,* d'où casuistique), en référence à des lois ou principes généraux considérés comme normes de l'action; la prépondérance de la casuistique dans une morale amène au légalisme. Dans l'histoire de la théologie morale chrétienne, il est remarquable que chez les Pères de l'Église les réponses données aux problèmes moraux le soient avant tout en référence aux normes de la foi et à l'imitation de Jésus-Christ. La recherche théologique partie de Vatican II* devra, entre autres, dégager la théologie morale de la gangue légaliste dans laquelle l'excès de casuistique l'a enfermée après le concile de Trente*.

CATABOLISME → MÉTABOLISME.

CATALAN. — Langue romane, le catalan est parlé par environ 6 millions de personnes, sur une aire qui déborde la Catalogne (Roussillon, région de Valence, Aragon oriental, Baléares). Moyen d'expression d'une importante littérature, le catalan fut langue officielle de 1137 à 1716 et de 1931 à 1939. Son déclin au XIXe s. a été suivi au XXe s. d'une renaissance très vivace.

CATALAUNIQUES *(champs),* plaines de Champagne où les Huns d'Attila* furent écrasés, en 451, par les armées coalisées du Romain Aetius* (Francs, Gaulois armoricains, Burgondes) et du Wisigoth Thorismond, fils de Théodoric Ier. Le lieu de cette bataille, dite « des champs Catalauniques », est fixé au *Campus Mauriacus* (Moirey, commune de Dierrey-Saint-Julien), à 20 km à l'ouest de Troyes.

CATALEPSIE. — La catalepsie s'observe dans l'hystérie et dans certaines formes de schizophrénie*.

ÇATAL HÖYÜK, site néolithique de la plaine de Konya, en Turquie, composé de deux tells (colline faite de vestiges accumulés). Le tell Est a été fouillé par J. Mellaart, qui a reconnu près de 13 niveaux (v. 6400 à 5500 av. J.-C.), durant lesquels apparaissent la céramique et l'utilisation du cuivre. L'économie de cette véritable cité, dont la riche civilisation forme un tout homogène, semble avoir été surtout agricole. Près de 40 sanctuaires ont été dégagés et ont livré des peintures murales, des modelages en relief et de nombreuses statuettes féminines.

CATALOGNE, en esp. **Cataluña,** en catalan **Catalunya,** région du nord-est de l'Espagne formée des provinces de Barcelone, Gérone, Lérida et Tarragone; 31 930 km²; 5 123 000 hab.

GÉOGRAPHIE. La région juxtapose des paysages variés : extrémité orientale des Pyrénées, au N.; collines et moyennes montagnes de la Cordillère catalane au-dessus de la plaine côtière, sur la Méditerranée; extrémité aval du bassin de l'Èbre au S. Les précipitations se raréfient dans l'intérieur et vers le S., rareté que pallie fréquemment l'irrigation; cette dernière est développée surtout sur la frange méditerranéenne, partie vitale de la région, cultivant vigne et olivier, céréales dans les bassins continentaux, riz et coton dans le delta de l'Èbre. Mais la Catalogne doit une densité d'occupation, deux fois et demie supérieure à la moyenne espagnole, à la présence du grand foyer industriel de Barcelone*, qui regroupe approximativement la moitié de la population catalane. L'histoire et la langue, un niveau de vie supérieur à la moyenne espagnole, une traditionnelle vocation méditerranéenne expliquent l'individualisme de la Catalogne au sein d'une Espagne centralisatrice.

HISTOIRE. Les Grecs s'installent sur le littoral catalan dès le VIIe s. av. J.-C. Les Romains s'y implantent à l'occasion des guerres puniques. Intégrée au royaume wisigoth de Tolède, la Catalogne tombe aux mains des Arabes en 718, mais, presque aussitôt, les Carolingiens font de cette province une marche (dite « d'Espagne ») destinée à contenir la poussée musulmane. Aux XIe et XIIe s., un puissant comté de Barcelone s'épanouit, notamment sous Raimond Bérenger III le Grand (de 1096 à 1131), qui reçoit en héritage la Cerdagne (1117) et étend sa domination dans le midi de la France. Le mariage de Raimond Bérenger IV avec Pétronille, fille de Ramire II d'Aragon (1150), renforce le comté de Barcelone qui, désormais, sera l'inspirateur de la politique suivie par la puissante confédération catalano-aragonaise (XIIe-XIVe s.). Cependant, tout en constituant un seul royaume, la Catalogne et l'Aragon* conservent leurs propres institutions; l'essor économique profite même à la langue et à la culture catalanes.

Incorporée au royaume d'Espagne, unifié en 1469, la Catalogne s'y maintient comme État autonome. Mais la prédominance castillane provoque maintes révoltes : la *guerra dels segadors* contre la politique de Philippe IV aboutit même à la formation d'une république catalane sous protectorat français (1640-1652). La paix des Pyrénées (1659) reconnaît les Constitutions catalanes de 1652, mais elle donne le comté de Roussillon et une partie de la Cerdagne à la France.

Philippe V (roi de 1700 à 1746) abolit tous les privilèges catalans. En 1873, la Catalogne se proclame de nouveau autonome, mais le centralisme castillan triomphe en 1898, provoquant un vigoureux mouvement nationaliste, dont l'organe directeur est la *Lliga regionalista* (1901). Au lendemain de la dictature de Primo de Rivera (1923-1930), qui a durement réprimé le catalanisme, se crée une organisation de tendance démocratique, la *Esquerra republicana de Catalunya,* avec Francesc Macià et Lluís Companys, qui s'épanouit en 1931 avec la proclamation de la République catalane, puis avec la constitution d'un gouvernement régional autonome *(Generalitat de Catalunya).* Durant la guerre civile (1936-1939), la Catalogne lutte avec les Républicains contre Franco*, qui, vainqueur, abolit son statut d'autonomie. Elle le retrouve en 1977.

CATALYSE. — Un fragment de mousse de platine, introduit dans un mélange d'hydrogène et d'oxygène, provoque à froid la combinaison explosive de ces corps, sans subir aucune altération; c'est un exemple de catalyse. Les phénomènes de catalyse sont très nombreux, et l'industrie en fait souvent l'application. On distingue la *catalyse homogène,* dans laquelle le catalyseur forme une seule phase avec les corps réagissants, et la *catalyse hétérogène,* lorsqu'il forme une phase distincte. La catalyse s'explique parfois par la formation d'un composé intermédiaire, ensuite détruit. Lorsque le catalyseur est solide, le phénomène d'adsorption joue un rôle important, les molécules adsorbées se trouvant activées.

CATAMARAN. — Le catamaran à voiles est une embarcation composée de deux coques parallèles, très fines et munies chacune d'une dérive et d'un gouvernail*. La liaison entre les deux coques est rigide; elle ménage l'emplacement d'un cockpit sur les petites unités de compétition ou bien est constituée par l'habitacle sur les catamarans de croisière*. Elle supporte la mâture. Ce bâtiment est très rapide, car il élimine le lest parasitaire dans la mesure où la seconde coque, source de stabilité, porte la moitié de son poids.

CATAMARCA, v. du nord de l'Argentine, au pied des Andes; 57 000 hab.

CATANE, en ital. **Catana,** port d'Italie, sur la côte est de la Sicile, ch.-l. de prov., au S. de l'Etna; 400 000 hab. Théâtre grec et romain. Château Ursino (musée). Ensemble monumental baroque du XVIIIe s. Chimie.

CATANZARO, v. d'Italie, capit. de la région de Calabre et ch.-l. de prov.; 87 000 hab. Musée provincial.

CATAPLASME → RÉVULSION.

CATAPULTE. — Les avions* embarqués ne disposent pour leur décollage* que de la longueur du pont du porte-avions, généralement insuffisante. Pour compenser cette insuffisance, le porte-avions dispose de catapultes qui fournissent un appoint de puissance à l'avion. Celles-ci fonctionnent par détente de vapeur d'eau sous pression. Des catapultes peuvent être également utilisées pour le lancement de certains missiles*.

CATARACTE. — La cataracte peut être sénile, de gravité variable suivant la région du cristallin atteinte; elle complique parfois le diabète, l'hyperparathyroïdie et certaines affections oculaires graves (myopie, glaucome), etc., ou est de nature congénitale (rubéole congénitale, par exemple). Son traitement chirurgical s'impose lorsque la baisse de l'acuité visuelle est importante, sous réserve d'un bon état général et d'une bonne qualité de la rétine sous-jacente. Le malade opéré de cataracte devient aphake et il ne peut voir correctement qu'à l'aide de verres convergents.

CATARHINIENS. — Les singes* de l'Ancien Monde, avec leurs narines rapprochées (comme chez l'homme), leurs 32 dents (dont une paire de canines dépassantes à chaque mâchoire), leur queue non préhensile et souvent courte, forment le sous-ordre des catarhiniens. On en exclut cependant l'homme et les formes les plus proches de l'homme : gibbon, orang-outan, gorille, chimpanzé.

CATEAU (Le) [59360], anc. **Le Cateau-Cambrésis,** ch.-l. de cant. du Nord, à 24 km au S.-E. de Cambrai, 8 897 hab. *(Catésiens).* Textile. Traités signés en mars-avril 1559 entre la France et l'Angleterre d'une part, entre la France et l'Espagne d'autre part; ils laissaient Calais, les places de la Somme et, *de facto,* les Trois-Évêchés à la France, qui abandonnait toute prétention en Italie. Monuments de la Renaissance au XVIIIe s. Musée H. Matisse.

CATÉCHÈSE. — Le christianisme n'est pas une religion du livre : Jésus* n'a pas écrit et n'a pas incité ses apôtres* à écrire mais à enseigner; c'est seulement avec la deuxième génération chrétienne que cet enseignement, ou catéchèse (du grec *katêkhêsis,* instruction de vive voix), sera mis par écrit. L'enseignement, qui est d'abord un *kérygme,* ou proclamation du message et de la personne de Jésus-Christ à l'usage des non-croyants, s'élargit en catéchèse véritable, qui est explication et approfondissement de la foi à l'usage des croyants. Un renouveau catéchétique se dessine au XXe s., qui insiste sur la nécessaire dimension kérygmatique d'une catéchèse devenue trop livresque et apologétique.

CATÉCHOLAMINE. — Substance chimique du groupe des amines, dont l'action est analogue à celle du système sympathique. Les catécholamines sont au nombre de trois : l'adrénaline*, la noradrénaline et la dopamine. Le taux des catécholamines plasmatiques et urinaires est augmenté au cours des phéochromocytomes (tumeurs surrénales) et de l'administration d'inhibiteurs de la monoamino-oxydase; il est diminué au cours des traitements par la réserpine.

CATÉGORICITÉ. — Si tous les modèles* (toutes les interprétations) d'un système d'axiomes sont isomorphes, ce système est catégorique. Un système d'axiomes non catégorique, par exemple la théorie des groupes, est dit *ambigu.* L'existence d'axiomatiques* non catégoriques est caractéristique des mathématiques « modernes ». (V. ISOMORPHISME.)

CATÉGORIE GRAMMATICALE. — Cette expression peut désigner soit les constituants de la langue selon leur rôle dans la phrase (le nom, le verbe, l'adjectif, etc.), soit les modifications que peuvent subir ces constituants par l'adjonction de morphèmes* ou de marques (le nombre, le genre, le cas, le temps, le mode, la personne, l'aspect, etc.).

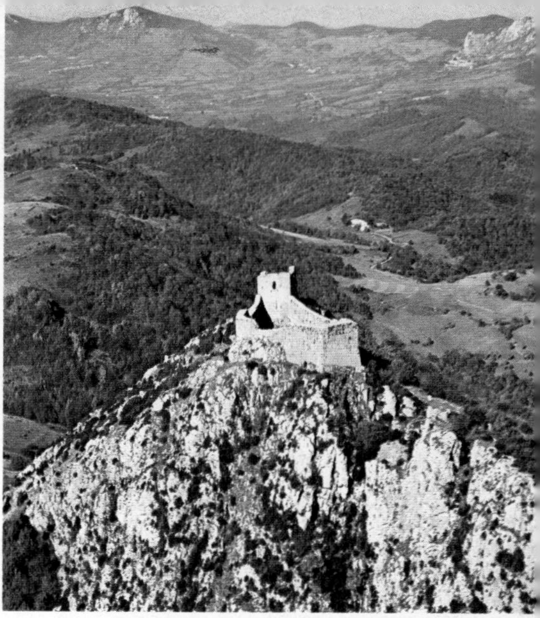

Yan Rapho

Cathares. La citadelle de Montségur, en Ariège.

CATELET (Le) [02420 Bellicourt], ch.-l. de cant. de l'Aisne, à 18 km au N. de Saint-Quentin, près des sources de l'Escaut; 272 hab.

CATÉNAIRE → CAPTAGE.

CATHARES. — Le catharisme, qui trouve, au XIe s., en pays d'oc une terre d'élection, se veut un retour à la pureté des premiers temps du christianisme. Apparu dans le Limousin à la fin du XIe s., il s'étend au siècle suivant dans le midi de la France : Toulouse, Carcassonne, Narbonne, Foix, Béziers en sont les principaux foyers. La doctrine cathare repose sur un dualisme affirmant l'existence de deux principes premiers antagonistes, celui du Bien, créateur du monde spirituel, et celui du Mal, créateur du monde matériel. L'homme en se détachant de la matière échappe à l'emprise de Satan, le dieu du Mal, et s'unit au Dieu bon. La vie des cathares, austère et empreinte de charité évangélique, leur vaut de nombreux adeptes, mais l'Église verra dans le catharisme un danger pour son unité et sa doctrine. La *croisade contre les albigeois* (1209-1229), prêchée par Innocent III* et menée par Simon de Montfort* au profit des Capétiens, désorganise le mouvement cathare, protégé par les grands féodaux du Sud. La chrétienté ne gagnera rien à la répression exercée contre les hérétiques, le patrimoine culturel français sera appauvri. Il y aura un gagnant : la dynastie capétienne.

CATHARTIQUE (méthode). — Cette technique psychothérapique, mise au point par J. Breuer, est à l'origine de la psychanalyse*. Elle est fondée sur la décharge émotionnelle (abréaction) d'affects liés à un traumatisme psychique ancien, qui, refoulés, entravaient le jeu normal de la vie psychique du sujet.

CATHÉDRALE → ÉGLISE et GOTHIQUE *(art).*

CATHELINEAU → VENDÉE *(guerres de).*

CATHERINE *(sainte),* martyre à Alexandrie. Cette sainte, exceptionnellement populaire, patronne des philosophes et des jeunes filles, est de celles que l'Église a éliminées de son calendrier, son histoire étant particulièrement fantaisiste et sa légende d'origine tardive. — Fête traditionnelle le 25 novembre.

CATHERINE de Sienne *(sainte)* [Caterina BENINCASA], religieuse italienne (Sienne 1347-Rome 1380). Membre du tiers ordre de Saint-Dominique, elle joue un rôle éminent dans la vie de l'Église à l'époque où la papauté prolonge son séjour en Avignon : c'est elle qui détermine Grégoire XI à rentrer à Rome (1376). Quand éclate le schisme (1378), Catherine lutte pour y mettre fin, sa vie étant alors partagée entre l'extase douloureuse et une correspondance destinée à supplier tous les grands de l'Europe de restaurer la paix et l'unité de l'Église. Son œuvre mystique, notamment son *Dialogue* (1378), lui vaudra d'être proclamée docteur de l'Église en 1970. — Fête le 29 avril.

CATHERINE Ire (Jakobstadt, Courlande, 1684-Saint-Pétersbourg 1727), femme de Pierre* le Grand, impératrice de Russie (1725-1727). Elle instaure le Haut Conseil secret, présidé par A. D. Menchikov*.

Le Couronnement de Catherine II (1762). Peinture de Stefano Torelli. (Académie des Beaux-arts, Leningrad.)

Caucase. La haute vallée de l'Aragvi (république de Géorgie).

A. P. N.

CATHERINE II (Stettin 1729 - Saint-Pétersbourg 1796), impératrice de Russie (1762-1796). Catherine II a su cultiver sa réputation de « souveraine éclairée », amie des philosophes, tout en menant une politique avant tout opportuniste et empirique pour faire de la Russie une grande puissance admise dans le concert des nations européennes. Sa politique étrangère se solde par l'accès à la mer Noire et l'acquisition de l'Ukraine, de la Biélorussie, de la Lituanie et de la Crimée, à l'issue des trois partages successifs de la Pologne* et des guerres russo-turques de 1768-1774 et 1787-1791 (traités de Kutchuk-Kaïnardji* [1774] et de Iaşi [1792]). En politique intérieure aussi, Catherine II se montre réaliste et empiriste. Elle abandonne les projets de réformes des premières années de son règne et met en œuvre une série de réformes pratiques pour améliorer l'administration et l'économie après les troubles sociaux de 1773-1775. En effet, les serfs acceptent d'autant plus mal leur condition que la noblesse a été libérée de l'obligation de servir en 1762 par Pierre III* et se révoltent (v. POUGATCHEV). La réforme administrative (1775) place toute l'administration provinciale sous l'autorité d'un gouverneur unique. En 1785 sont promulguées la Charte de la noblesse, qui confirme ses privilèges et lui accorde une organisation corporative, et la Charte des villes, qui donne l'autonomie aux communautés urbaines. Le servage est introduit en Ukraine (1783), dont la mise en valeur est confiée à G. A. Potemkine*. Les dernières années du règne sont dominées par les soucis de préserver la Russie (qu'elle engage dans la première coalition*) de la contagion révolutionnaire qui gagne l'Europe depuis 1789.

CATHERINE D'ARAGON (Alcalá de Henares 1485 - Kimbolton 1536), reine d'Angleterre. Fille des Rois Catholiques, elle épouse, en 1509, Henri VIII* d'Angleterre, dont elle a six enfants : un seul, Marie Tudor*, survivra. Le roi, tout à sa passion pour Anne Boleyn, finit par obtenir son divorce d'avec Catherine en 1533.

CATHERINE DE MÉDICIS (Florence 1519 - Blois 1589), reine de France. Fille de Laurent II de Médicis, elle épouse, en 1533, le futur roi de France Henri II*, qui règne de 1547 à 1559, et auquel elle donne dix enfants. Veuve, elle laisse un moment gouverner les Guise; mais, proclamée régente à l'avènement de Charles IX (1560), elle devient la maîtresse du pays, déployant de grandes qualités politiques. Après le massacre de Wassy (1562), elle se montre résolument hostile au calvinisme et, jugeant néfaste l'influence de Coligny sur Charles IX, devenu majeur, elle le fait tuer au cours du massacre de la Saint-Barthélemy (24 août 1572), dont elle porte la responsabilité. Elle est régente encore durant quelques mois, avant l'arrivée de son fils Henri III, en 1574.

CATHÉTÉRISME. — Le cathétérisme est utilisé soit pour dilater un canal, soit pour évacuer le contenu d'une cavité, soit pour explorer un organe creux. Le *cathétérisme cardiaque,* par la mesure des pressions et des concentrations en oxygène dans les cavités du cœur et dans le système artériel, est utile au diagnostic de certaines cardiopathies.

CATHÉTOMÈTRE. — Cet instrument comporte une lunette, d'axe optique horizontal, mobile autour d'un axe vertical. On peut ainsi viser deux points et en déduire la différence de leurs hauteurs, car la lunette glisse le long de l'axe vertical, qui porte une échelle graduée.

CATHODE. — Dans les tubes à vide, on distingue deux types de cathodes : la *cathode froide,* lame métallique émettant des électrons lorsqu'elle est bombardée par les ions positifs du gaz résiduel; la *cathode chaude,* filament chauffé par un courant dans un vide poussé, et qui laisse échapper des électrons par effet thermo-électronique. On fait régner dans le tube, grâce à des anodes, un champ électrique qui accélère les électrons en les éloignant de la cathode.

CATHODIQUES (rayons). — Découverts par Hittorf en 1869, les rayons cathodiques sont les trajectoires d'électrons qui se propagent en ligne droite dans un vide très poussé; ils sont déviés par les champs électriques et magnétiques et excitent la fluorescence de certains corps. Ces propriétés sont utilisées dans les tubes d'oscillographes et de téléviseurs. Ces rayons sont absorbés par la matière, qui émet alors, en général, des rayons X.

La *pulvérisation cathodique* permet de déposer sur une surface une couche métallique très mince; la surface est placée dans un tube à vide dont la cathode est constituée par le métal à déposer.

CATHOLICISME. — Le catholicisme, religion des fidèles de Jésus-Christ (v. CHRISTIANISME) qui reconnaissent le pape comme chef spirituel, fonde son unité sur une communauté de foi, de sacrements* et de vie religieuse (un seul Christ, une seule foi). Toute atteinte à cette unité (hérésies, schismes) provoque une rupture; un rameau se détache de l'arbre « enté sur Jésus-Christ ». Une, la foi catholique repose sur un triple fondement : l'Écriture, qui est parole de Dieu; la Tradition, qui est continuité de l'action divine; l'Église, dépositaire et seule interprète autorisée de la vérité. Le souci d'orthodoxie, c'est-à-dire de pureté de la doctrine, manifesté par le catholicisme, parfois dans un esprit de système et d'intolérance, vient de ce que, à ses yeux, la vérité révélée, reçue de Jésus-Christ, ne saurait être livrée à l'arbitraire de l'interprétation personnelle ou subjective; il ne saurait y avoir plusieurs Églises chrétiennes interprétant de façon différente le message du Christ.

Parallèlement à cette unité de foi, s'est constituée une unité ecclésiale autour du pape*, évêque de Rome, auquel est subordonnée l'autorité des évêques responsables des diocèses (Églises locales). Les initiatives monarchiques de la papauté, au cours de son histoire, auront pour résultat, à partir du XIXe s., un centralisme rigide qu'assouplira le IIe concile du Vatican : moins autoritaire, le régime ecclésial tend à devenir plus collégial et plus ouvert à l'action des chrétiens laïques aux côtés de la hiérarchie.

Le catholicisme compte dans le monde environ 620 millions de baptisés.

CATHOLICISME LIBÉRAL. — Il s'agit d'une famille d'esprit dont les tenants, après 1830, voient le progrès de l'Église catholique dans la symbiose de l'esprit évangélique avec les libertés fondamentales proclamées en 1789.

À l'origine de ce mouvement apparaît Félicité de La Mennais*, véritable prophète des temps modernes, fondateur de *l'Avenir**, qui attire à lui de nombreux jeunes gens, dont certains seront, après sa rupture avec l'Église romaine (1832-1834), les leaders du catholicisme libéral : Philippe Gerbet (1798-1864), Charles de Coux (1787-1864), surtout Lacordaire* et Montalembert*.

Ces derniers, après la condamnation des tendances de *l'Avenir* par Grégoire XVI (encyclique *Mirari vos,* 15 août 1832), quittent le terrain de l'idéologie pour celui de l'action : lutte pour la liberté de l'enseignement, qui aboutit à la loi Falloux (15 mars 1850); reconstitution en France des ordres monastiques; prise de position franche et enthousiaste en faveur de la république démocratique (*l'Ère nouvelle,* 1848-1850), en 1848, avec Frédéric Ozanam* (1813-1853) et l'abbé Henri Maret (1805-1884). Mais très vite la plupart des catholiques libéraux rejoignent les « intégraux » — Louis Veuillot* — dans le conservatisme et l'antisocialisme.

J. Dupaquier - Atlas-Photo

Cependant, le despotisme hypocrite du second Empire donne, par réaction, au catholicisme libéral son second souffle : *le Correspondant,* à partir de 1855, devient pour Montalembert, Frédéric de Falloux, Albert de Broglie*, Félix Dupanloup, évêque d'Orléans, une tribune d'où ils polémiquent, souvent violemment, avec Louis Veuillot et *l'Univers.* « L'Église libre dans l'État libre » redevient leur programme; mais Pie IX freine leur enthousiasme et provoque même leur désaveu en condamnant la société moderne (*Syllabus,* 1864) et en orientant ouvertement le Ier concile du Vatican (1870) vers la reconnaissance solennelle de l'infaillibilité pontificale. La fin douloureuse et la mort de Montalembert (1869) sont une nouvelle épreuve pour les catholiques libéraux, qui voient, après 1870, le catholicisme* social s'opposer vigoureusement au libéralisme sur tous les plans. Le ralliement* à la république, préconisé par Léon XIII, et la formation, par Jacques Piou (1838-1932), d'un groupe d'Action libérale populaire ne peuvent rendre au catholicisme libéral son influence et son rayonnement.

CATHOLICISME SOCIAL. — Sa naissance, comme celle du socialisme*, est liée à l'épanouissement du capitalisme industriel et au développement du prolétariat ouvrier au XIXe s. Avant 1848, on trouve des catholiques préoccupés de la question sociale dans deux milieux différents : d'une part, chez les philanthropes et économistes aristocrates et légitimistes, avant tout préoccupés de lutter contre la pauvreté propre à la vie ouvrière, et dont les deux principaux représentants sont Alban de Villeneuve-Bargemont (1784-1850), auteur d'une *Économie politique chrétienne* (1834), et Armand de Melun (1807-1877), créateur de la Société d'économie charitable; d'autre part, dans les milieux démocrates, qui sécrètent un socialisme chrétien dont l'inspirateur est Philippe Buchez* et l'organe principal le journal ouvrier *l'Atelier* (1840-1850). On peut considérer aussi comme catholiques sociaux des catholiques libéraux comme Charles de Coux et surtout Frédéric Ozanam, fondateur, en 1833, de la société de Saint-Vincent-de-Paul.

Après la courte « idylle » de 1848, le socialisme chrétien est emporté par la réaction qui fait du catholicisme social, sous le second Empire et l'Ordre moral, un mouvement essentiellement charitable et paternaliste; en France du moins, car à l'étranger, et particulièrement en Allemagne avec Mgr von Ketteler*, évêque de Mayence (*la Question ouvrière et le christianisme,* 1864), le catholicisme s'oriente vers une formule plus évoluée de rénovation sociale : le corporatisme chrétien.

C'est d'ailleurs sous l'influence de Mgr Ketteler, et aussi de l'économiste français Frédéric Le Play*, que naît à Paris, après la Commune (1871), un second catholicisme social, dont les chefs sont Albert de Mun* et René de La Tour du Pin*, fondateurs des cercles catholiques d'ouvriers, et inspirateurs — avec l'Union catholique d'études sociales de Fribourg (1884-1891), animée par Mgr Mermillod — de la première encyclique sociale, *Rerum novarum,* signée par Léon XIII le 15 mai 1891. Dans le sillage de ce document novateur se lève une nouvelle génération qui, dans l'ensemble, lie la cause de la démocratie chrétienne au catholicisme social. Mais, malgré l'existence d'un syndicalisme chrétien né en 1887, le catholicisme social, en 1914, apparaît encore comme un mouvement élitaire, auquel échappe la masse ouvrière.

La fondation de la C. F. T. C. en 1919 et de la J. O. C. en 1925, l'action personnelle de Pie XI* (encyclique *Quadragesimo anno,* 15 mai 1931) en faveur de l'Action* catholique spécialisée, l'emprise de plus en plus grande de la démocratie chrétienne sur l'opinion catholique donnent au catholicisme social une nouvelle dimension. Les bouleversements de la Seconde Guerre mondiale, les prises de conscience de l'après-guerre, la déconfessionnalisation du syndicalisme chrétien, l'éclatement de l'Action catholique, le pluralisme politique largement admis par l'Église permettent actuellement aux catholiques d'être beaucoup plus engagés sur le terrain social qu'ils ne l'étaient au XIXe s.

CATILINA (Lucius Sergius), conspirateur romain (108 - Pistoia 62 av. J.-C.). Aristocrate déchu, il veut déchaîner une révolution en Italie et forme une conjuration après son échec au consulat en 63 : autour de lui se groupent toute sorte de mécontents, nobles ruinés, citoyens déçus, anarchistes. Le complot est déjoué par Cicéron, qui prononce contre lui les quatre *Catilinaires :* la violence de ces discours intimide Catilina, qui s'enfuit en Étrurie où il rejoint une armée insurrectionnelle. Ses complices, restés à Rome, sont exécutés; lui-même est vaincu et tué à la bataille de Pistoia (62).

CATINAT (Nicolas), maréchal de France (Paris 1637 - Saint-Gratien 1712). Commandant de l'armée d'Italie, il remporte les victoires de Staffarde (1690) et de La Marsaille (1693). Maréchal de France (1693), il est disgracié en 1702.

CATION → ION.

CATON, en lat. **Marcus Porcius Cato,** surnommé **l'Ancien** ou **le Censeur,** homme d'État romain (Tusculum 234 - 149 av. J.-C.). Issu d'une famille campagnarde et plébéienne, il est le type même du vieux Romain, attaché au *mos majorum,* ennemi né de toute nouveauté. Il commence sa carrière politique comme questeur de Scipion l'Africain, en Sicile (205). Après une brillante campagne en Espagne, il s'adonne aux luttes politiques : homme nouveau parvenu au consulat en 195, il incarne la politique à la fois conservatrice et nationaliste de l'oligarchie sénatoriale : dès 187, il s'attache à briser le pouvoir des Scipions, de Scipion l'Africain en particulier, dont l'ambition et la stature semblaient mettre en péril la République. En 184, il exerce une censure demeurée célèbre par ses outrances et son austérité : adversaire acharné de l'hellénisme, il réagit violemment contre les mœurs grecques, synonymes de mollesse et d'immoralité. Grand politique, Caton fut aussi un des premiers grands écrivains de langue latine : son traité *De re rustica* est riche de renseignements sur la vie rurale en Italie au IIe s. av. J.-C. Dans ses *Origines,* il écrit l'histoire de Rome et de l'Italie, première histoire romaine en latin.

CATON, en lat. **Marcus Porcius Cato,** surnommé **d'Utique** (95 - Utique 46 av. J.-C.). Arrière-petits-fils de Caton l'Ancien, il incarne le type même du sage stoïcien. Tribun de la plèbe en 63, il obtint la condamnation des complices de Catilina. Sénateur intransigeant et défenseur acharné de sa classe, il s'oppose à Pompée puis à César. Après Pharsale*, cependant, il rejoint les Pompéiens d'Afrique et se suicide à Utique pour ne pas assister à la « tyrannie » de César et à la destruction de l'État républicain.

CATROUX (Georges), général français (Limoges 1877 - Paris 1969). Gouverneur de l'Indochine, il rallie dès 1940 de Gaulle, qui le nomme haut-commissaire au Levant (1941). En 1943, il s'entremet entre de Gaulle et Giraud. Ministre du Comité d'Alger (1944), ambassadeur à Moscou (1945-1948). il est grand chancelier de la Légion d'honneur de 1954 à sa mort.

CATTARO → KOTOR.

CATTÉGAT ou **KATTEGAT,** bras de mer entre la Suède et le Danemark (Jylland).

CATTENOM (57570), ch.-l. de cant. de la Moselle, à 9 km au N.-E. de Thionville, près de la Moselle; 2 402 hab.

CATULLE, poète latin (Vérone v. 87 - v. 54 av. J.-C.). Imitateur des alexandrins*, il a laissé des poèmes érudits *(les Noces de Thétis et de Pélée)* et des pièces lyriques qui composent le journal intime de son amour pour Lesbie (la sœur du tribun Clodius, l'adversaire de Cicéron).

CATUS (46150), ch.-l. de cant. du Lot, à 16 km au N.-O. de Cahors; 674 hab. Église des XIe et XIVe s.

CAUCA (le) riv. de Colombie, dont la vallée, peuplée et active, sépare les Cordillères occidentale et centrale, affl. du Magdalena (r. g.); 1 250 km.

CAUCASE, en russe **Kavkaz,** massif montagneux du sud-ouest de l'U. R. S. S., entre la mer Noire et la Caspienne.

Le Caucase forme une barrière rectiligne de plus de 1 200 km de long, culminant à 5 633 m, au mont Elbrous, et ne descendant jamais au-dessous de 2 000 m. Cette chaîne, de type alpin, formée à l'ère tertiaire, est constituée d'une zone axiale cristalline surmontée par des édifices volcaniques (Elbrous, Kazbek), flanquée d'épaisses séries de flysch plissées. L'altitude élevée explique la grande extension des glaciers.

Montagne quasiment infranchissable, seule une route militaire la traverse au centre, le Caucase a longtemps servi de refuge à des populations diverses, qui y pratiquaient l'élevage et une petite polyculture. Mais l'exploitation de ses ressources variées (pétrole, manganèse, bauxite, cuivre), le développement de l'irrigation et de l'hydroélectricité ont permis l'intégration de la bordure caucasienne (Tbilissi, Bakou) dans la vie moderne.

Vers le S., la dépression Rion-Koura sépare le Caucase proprement dit du *petit Caucase,* ensemble de massifs entrecoupés de fossés d'effondrement.

CAUCASIE, nom parfois donné aux régions de l'U. R. S. S. couvertes par le *Grand* et le *Petit Caucase.*

CAUCASIENNES (langues). — La famille caucasienne se divise en un groupe méridional (géorgien, laze, mingrélien, svane, etc.) et un groupe septentrional (abkhaz, tcherkesse, oubykh, tchétchène, avar, lak, etc.). Ces langues sont très diverses, et l'unité de la famille (ainsi que la parenté du basque*) a fait l'objet de longues controverses. Le nombre des locuteurs est peu important (4,5 millions en U. R. S. S.). Le géorgien, parlé par environ 3 millions de personnes, est la seule de ces langues à posséder une riche littérature, écrite au moyen d'un alphabet qui lui est propre.

CAUCHY (*baron* Augustin), mathématicien français (Paris 1789-Sceaux 1857). Avec Gauss*, il domina les mathématiques de la première moitié du XIXe s. Il fut l'un des fondateurs de la théorie des groupes* finis. En analyse infinitésimale, il créa la notion moderne de la continuité* pour les fonctions* de la variable* réelle ou de la variable complexe. Il montra l'importance de la convergence des séries entières, et son nom reste attaché aux suites* de Cauchy. Il précisa la notion d'intégrale* définie et fit de l'*intégrale de Cauchy* un outil remarquable pour l'étude des fonctions de la variable complexe.

CAUDAN (56600 Lanester), comm. du Morbihan, au N.-E. de Lorient; 4 803 hab. Métallurgie.

CAUDEBEC-EN-CAUX (76490), ch.-l. de cant. de la Seine-Maritime, à 12 km au S. d'Yvetot, sur la rive droite de la Seine; 2 729 hab. Église de style gothique flamboyant. Musée dans la maison des Templiers (XIIIe s.).

CAUDEBEC-LÈS-ELBEUF (76320), comm. de la Seine-Maritime, sur la Seine, dans la banlieue est d'Elbeuf; 9 475 hab. Industrie chimique.

CAUDÉRAN, anc. comm. de la Gironde, rattachée à Bordeaux en 1964.

CAUDRON, ingénieurs et aviateurs français. — GASTON (Favières, Somme, 1882 - Lyon 1915) et son frère, RENÉ (Favières, Somme, 1884 - Vron, Somme, 1959), construisirent un planeur qui, remorqué par un cheval, réussit plusieurs vols (1908). On leur doit de nombreux appareils, tant militaires que commerciaux.

CAUDRY (59540), comm. du Nord, à 15 km au S.-E. de Cambrai; 13 633 hab. *(Caudrésiens).* Industries textile (dentelle mécanique) et chimique.

CAULNES (22350), ch.-l. de cant. des Côtes-du-Nord, à 22 km au S.-S.-O. de Dinan, sur la Rance; 2 156 hab.

CAUMONT (Arcisse DE), archéologue français (Bayeux 1802 - Caen 1873), fondateur de la Société française d'archéologie (1834) et auteur de : *Abécédaire* ou *Rudiments d'archéologie* (1850-1862), *Statistique monumentale du Calvados* (1847-1862).

CAUMONT-L'ÉVENTÉ (14240), ch.-l. de cant. du Calvados, à 23 km à l'E. de Saint-Lô; 1 178 hab.

Caures *(bois des)* → VERDUN *(bataille de).*

CAUS (Salomon DE), ingénieur français (pays de Caux v. 1576-Paris 1626). On doit le considérer comme l'inventeur de la machine à vapeur, dont il a donné non seulement le principe (mouvement alternatif du piston), mais encore une véritable description.

CAUSALITÉ. — Comme catégorie philosophique, la causalité, d'après laquelle « tout ce qui arrive a une cause par laquelle il arrive », exprime une tentative pour connaître la raison d'être des choses. Cependant, les exigences internes à la pratique des sciences physiques, surtout à partir de la fin du XIXe s., ont entraîné la ruine de la catégorie de substance sur laquelle se greffait la causalité philosophique. Ces conceptions philosophiques ont fait place au déterminisme* en physique et à la causalité structurale dans les sciences humaines. La causalité structurale ne distingue pas entre un élément cause et un élément effet. La place et la puissance d'un élément appartenant à une structure* dépendent de la structure elle-même. C'est le système des relations entre les divers éléments qui est la raison des variations se produisant dans la structure. (V. CONTRADICTION et STRUCTURALISME.)

Causeries du lundi, de Sainte-Beuve (1851-1862), séries d'études critiques publiées le lundi d'abord dans *le Constitutionnel,* puis dans *le Moniteur* et dans *le Temps,* et consacrées aux auteurs et aux œuvres de la littérature française. Elles furent suivies des *Nouveaux Lundis* (1863-1870).

CAUSSADE (82300), ch.-l. de cant. de Tarn-et-Garonne, à 22 km au N.-E. de Montauban; 5 891 hab. Vieilles maisons.

CAUSSES (les), plateaux du sud *(Grands Causses)* et du sud-ouest *(Causses du Quercy)* du Massif central. Les Grands Causses comprennent le *causse Comtal* et le *causse de Séverac,* entre le haut Lot et l'Aveyron, auxquels succède, à l'E., le *causse de Sauveterre;* les vallées encaissées du Tarn et de ses affluents (Jonte et Dourbie) individualisent le *causse Méjean,* le *causse Noir* et, au S., le *causse de Larzac.* L'élevage ovin (destiné notamment à la production de lait pour la fabrication du fromage de Roquefort) est la ressource essentielle. Villes (Rodez, Mende, Florac, Millau) et cultures se réfugient dans les vallées. Les Causses du Quercy sont formés du *causse de Martel* (entre la Vézère et la Dordogne), du *causse de Gramat* (entre la Dordogne et le Lot moyen) et du *causse de Limogne,* au S. du Lot. Ici aussi l'élevage extensif est la principale activité, relayée très localement par le tourisme (Padirac, Rocamadour).

CAUSTIQUE. — Après avoir traversé un système optique, les rayons issus d'un point objet ne passent pas tous, en général, par un même point, mais ils sont toujours tangents aux deux nappes d'une surface, sur laquelle il y a, par suite, accumulation de lumière, d'où son nom de *caustique.*

CAUTERETS (65110), comm. des Hautes-Pyrénées, à 17 km au S. d'Argelès-Gazost, sur le *gave de Cauterets;* 1 065 hab. Sports d'hiver (alt. 932-2 350 m). Station thermale aux eaux sulfurées pour le traitement des affections respiratoires et dermatologiques.

CAUTÉRISATION → PLAIE.

CAUTIONNEMENT. — Le cautionnement est le contrat aux termes duquel une personne (dénommée *caution*) permet au créancier d'une obligation de voir satisfaire celle-ci, si le débiteur ne s'acquitte pas de lui-même. Il s'agit en principe d'un contrat civil, accessoire d'un contrat principal. Le cautionnement n'est assujetti à aucune forme et peut être donné verbalement.

L'article 2 021 du Code civil permet à la caution d'opposer aux poursuites du créancier le *bénéfice de discussion,* obligeant le créancier à poursuivre en premier lieu le débiteur sur ses biens (sauf si le débiteur est notoirement insolvable ou si la caution s'est engagée solidairement avec le débiteur). S'il y a plusieurs cautions, la caution peut demander le *bénéfice de division.*

Généralement, le cautionnement intervient à la libre initiative des parties. Il y a *caution légale* dans les cas où la loi impose à certains débiteurs de fournir une caution. Le juge peut demander, par ailleurs, l'intervention d'une caution *(caution judiciaire).*

La *caution réelle* est la personne qui engage un de ses biens pour la sûreté de la dette d'autrui : elle ne répond de la dette que sur ce bien.

CAUVERY → KĀVIRI.

CAUX *(pays de),* plateau crayeux de Normandie, au N. de la Seine, occupant l'ouest du départ. de la Seine-Maritime. (Hab. *Cauchois.*) C'est une riche région agricole, où la couverture limoneuse a favorisé le développement des cultures (blé, betterave à sucre) à côté de l'élevage bovin intensif. Le plateau retombe en de hautes falaises sur le littoral de la Manche (notamment vers Étretat).

CAVAIGNAC (Godefroy), homme politique français (Paris 1801-*id.* 1845). Un des chefs de l'opposition républicaine sous Charles X et Louis-Philippe, il prit une part active à la révolution de 1830. — LOUIS EUGÈNE, général et homme politique (Paris 1802 - Ourne, Sarthe, 1857), frère du précédent, se distingua pendant la conquête de l'Algérie. Élu député, il devint ministre de la Guerre en 1848 et réprima durement l'insurrection des ouvriers parisiens en juin, avant d'être nommé chef du pouvoir exécutif par l'Assemblée constituante. Candidat à la présidence de la République, il fut battu par le prince Louis-Napoléon aux élections du 10 décembre.

CAVAILLÉ-COLL (Aristide), facteur d'orgues français (Montpellier 1811 - Paris 1899). Issu d'une dynastie d'artisans du midi de la France, il a tenté, dans ses principaux instruments, une synthèse entre une tradition classique et une conception romantique, cette dernière finissant par l'emporter (orgues de Saint-Denis, la Madeleine, Saint-Vincent-de-Paul, Notre-Dame, Saint-Sulpice de Paris; Saint-Étienne de Caen, Saint-Ouen de Rouen, Saint-Sernin de Toulouse).

CAVAILLÈS (Jean), mathématicien et philosophe français (Saint-Maixent 1903-Arras 1944). Ses travaux en mathématiques, en logique mathématique et en philosophie l'amènent à montrer la spécificité du travail mathématique et de l'histoire des mathématiques. Si les mathématiques sont autonomes, la théorie de la science qui s'y attache ne peut lui être extérieure. Tragiquement interrompues (Cavaillès est fusillé par les nazis en 1944), ses recherches apportent une contribution décisive à l'épistémologie* des mathématiques. Il a notamment publié des *Remarques sur la formation de la théorie abstraite des ensembles* (1938).

CAVAILLON (84300), ch.-l. de cant. de Vaucluse, à 24 km au S.-E. d'Avignon, près de la Durance; 21 530 hab. *(Cavaillonnais).* Anc. cathédrale en partie romane. Synagogue (1774) au décor plein d'exubérance. Musée archéologique. Important marché de fruits (melons) et de primeurs.

CAVALAIRE-SUR-MER (83240), comm. du Var, sur la côte des Maures, près du *cap Cavalaire;* 2 710 hab. Station balnéaire. Port de plaisance.

CAVALCANTI (Guido), poète italien (Florence v. 1255-*id.* 1300). Son amitié pour Dante coïncida avec l'élaboration de l'école poétique florentine du *dolce stil nuovo;* la rupture de cette amitié est fondée sur deux interprétations divergentes de l'aventure amoureuse, ascension dialectique pour Dante (de l'amour humain à l'amour de Dieu), tragédie « statique » pour Cavalcanti.

CAVALERIE. — D'origine très ancienne — elle existait chez les Égyptiens, les Numides, les Perses, les Grecs et les Romains — la cavalerie connut en France sa première organisation permanente avec les compagnies de *gendarmes d'ordonnance* de Charles VII, suivies sous Louis XII par celles de *chevau-légers.* Groupée en régiments à partir du XVIIe s., puis en divisions par Napoléon, elle connut son apogée sous l'Empire. On distinguait la *cavalerie légère* (hussards, chasseurs), chargée de la reconnaissance, de la *cavalerie de ligne* (dragons), pouvant combattre à pied, et de la *cavalerie lourde* (cuirassiers, carabiniers), agissant par la charge et le choc. La campagne d'Algérie vit la création des *chasseurs d'Afrique* (1831) et des *spahis* (1834). En 1914, l'armée française comptait 10 divisions de cavalerie à 3 brigades (1 lourde, 1 légère et 1 de dragons) de 2 régiments. Sauf au début et à la fin du conflit, la guerre de tranchées la contraignit à combattre à pied. Entre les deux guerres, la cavalerie se transforma par l'emploi du moteur, d'abord pour les organes de transport (motorisation) puis pour les engins de combat, mais il existait encore en 1940 de nombreuses unités à cheval. Elles disparaîtront (sauf dans l'armée soviétique) pendant la Seconde Guerre mondiale, qui sera celle des blindés. En France, les chars et la cavalerie ont été réunis en 1942 en une seule arme, dite *arme blindée-cavalerie.* Le cheval a disparu des armées, mais en 1975 on appelle encore en France *cavalerie légère blindée* les unités de blindés légers chargées de missions de renseignements ou de protection. (V. BLINDÉ.)

CAVALIER (Jean) → CAMISARDS.

CAVALIERI (Emilio DE'), compositeur italien (Rome av. 1550-*id.* 1602). Adepte du « stile rappresentativo » ou « recitativo », qui est à l'origine de l'opéra, il participa, à Florence, aux recherches des membres de la Camerata Bardi dans le domaine de la monodie, et il donna, à Rome, les premiers modèles d'oratorios *(Rappresentazione di anima e di corpo).*

CAVALIERI (le R.P. Bonaventura), mathématicien italien (Milan v. 1598-Bologne 1647). Religieux de l'ordre des Jésuates, il est surtout célèbre par sa théorie des « indivisibles » (1635), une des premières systématisations des procédés de cubature et de quadrature d'Archimède*.

Cavaliers *(les),* comédie d'Aristophane (424 av. J.-C.), satire contre le démagogue Cléon.

CAVALLA → KAVÁLA.

CAVALLERO (Ugo), maréchal italien (Casale Monferrato 1880-Frascati 1943), chef d'état-major des forces italiennes de 1941 à 1943.

CAVALLI (Pier Francesco CALETTI, dit **Francesco**), compositeur italien (Crema 1602-Venise 1676). Maître de chapelle de Saint-Marc de Venise, il écrivit pour cette basilique de nombreuses œuvres de musique religieuse. Il est, dans le domaine de l'opéra, le grand successeur de Monteverdi. Appelé par Mazarin à Paris, il y donna ses ouvrages lyriques *Serse* (1654) et *Ercole Amante* (1662).

CAVALLINI (Pietro), peintre et mosaïste qui domine l'école romaine vers 1270-1330. Préfigurant la monumentalité de Giotto, il rejoint, à travers les types byzantins, leurs modèles antiques (*Jugement dernier* peint à S. Cecilia in Trastevere).

CAVÉ (François), industriel français (Le Mesnil, Oise, 1794-Paris 1875). Il fut l'un de ceux qui fondèrent en France la grande industrie moderne de construction mécanique.

CAVELIER DE LA SALLE → LA SALLE.

CAVELL (Edith), héroïne anglaise (Swardeston 1865-Bruxelles 1915). Arrêtée par les Allemands en raison de son activité au service des Alliés, en Belgique occupée, elle fut fusillée.

CAVENDISH (Thomas), navigateur anglais (Trimley Saint Martin v. 1555-† 1592). Au service d'Élisabeth Ire, il dévaste les possessions espagnoles de l'Amérique du Sud et de l'Insulinde.

CAVENDISH (Henry), physicien et chimiste anglais (Nice 1731-Clapham 1810). Recueillant les gaz sur la cuve à mercure, il isola l'hydrogène en 1766, réalisa l'analyse de l'air (1783) et la synthèse de l'eau (1784). En 1798, il mesura, à l'aide de la balance de torsion, la constante d'attraction universelle et en déduisit la densité moyenne de la Terre. En électrostatique, il montra que l'action électrique est nulle à l'intérieur des conducteurs chargés, et il définit le potentiel et la capacité des conducteurs.

CAVENTOU (Joseph Bienaimé), chimiste et pharmacien français (Saint-Omer 1795-Paris 1877). → PELLETIER (Pierre Joseph).

CAVERNICOLE (faune). — Faute de lumière, les cavernes n'abritent aucune plante verte. Mais les infiltrations argilo-terreuses par les fentes des voûtes et surtout le guano déposé par les chauves-souris en hibernation y introduisent un peu de matière organique, base de courtes chaînes alimentaires entre quelques petits animaux (crustacés, insectes, poissons, amphibiens), souvent aveugles, dépigmentés et pourvus de longues antennes ou autres expansions. On distingue les espèces entraînées accidentellement dans les grottes (dans les eaux d'un ruisseau par exemple) de celles qui s'y reproduisent et ne peuvent vivre ailleurs, et de celles qui, comme les chauves-souris, n'y passent qu'une partie de l'année.

CAVES (veines). — Les veines caves supérieure et inférieure collectent respectivement le sang veineux des parties sus- et sous-diaphragmatiques du corps.

Caves du Vatican *(les),* « sotie » (1914) et pièce de théâtre (1951) d'André Gide. Une illustration ironique de l'« acte gratuit ».

CAVIAR. — Les œufs d'esturgeon, qui constituent le caviar, sont retirés du poisson éventré vivant et égrenés sur un tamis spécial pour les laver, les saler et les égoutter. L'Iran et l'U. R. S. S. sont les plus gros producteurs. On distingue : le *caviar malossol* (peu salé), dont les œufs frais sont mis dans des boîtes de fer-blanc; le *caviar frais salé,* préparé avec des œufs de poisson pêché à la saison chaude et conservé en fûts; le *caviar pressé,* masse d'œufs écrasés compacte et noire, fabriqué en fin de pêche.

CAVICORNES → RUMINANTS.

CAVITATION. — La cavitation se produit lorsque, par suite du mouvement, la pression en un point du liquide devient inférieure à la tension de vapeur de celui-ci. Ce phénomène a une grande importance dans les turbines hydrauliques et pour les hélices de bateau tournant à grande vitesse, car il entraîne des pertes de rendement et des destructions.

CAVITE, port des Philippines, dans l'île de Luçon, sur la baie de Manille. Durant la guerre hispano*-américaine de 1898, la flotte espagnole y fut détruite par les Américains.

CAVOUR (Camille BENSO, *comte* DE), homme d'État italien (Turin 1810-*id.* 1861). Fondateur (1847) du journal *Il Risorgimento,* député au Parlement de Turin (1848), ministre de l'Agriculture (1850),

Scala

Cavour, par Francesco Hayez (1791-1881). [Pinacothèque Brera, Milan.]

ministre des Finances (1851), président du Conseil piémontais (1852), il développe un programme en trois points : rénovation de l'État sarde dans une optique libérale, voire anticléricale; diffusion de l'idéal unitaire en Italie; mise en place d'un dispositif militaire et diplomatique permettant de combattre les Habsbourg. Cavour pose la question italienne au congrès de Paris (1856) et finit par emporter, à Plombières (juill. 1858), la décision de Napoléon III, dont les troupes, en 1859, interviennent en Italie contre les Autrichiens. Mais quand, après Solferino (juin), l'empereur des Français s'arrête brusquement et signe l'armistice de Villafranca (11 juill.) — qui entraîne d'ailleurs la remise de la Lombardie au Piémont —, Cavour, ulcéré, démissionne. Revenu au pouvoir dès 1860, il donne son accord tacite aux soulèvements unitaires qui font entrer la plupart des États italiens dans le royaume sarde : celui-ci, le 14 mars 1861, prend d'ailleurs le nom de « royaume d'Italie ». Cavour meurt peu après.

CAWNPORE → Kānpur.

CAXIAS (Luís Alves de Lima y Silva, *duc* de), maréchal brésilien (Vila do Pôrto da Estrêla 1803-Barão de Juparanã 1880). Plusieurs fois ministre de la Guerre et chef du gouvernement, il commanda en chef les forces brésiliennes, uruguayennes et argentines engagées dans le conflit contre le Paraguay (1865-1870).

CAXIAS DO SUL, v. du Brésil (Río Grande do Sul); 108 000 hab. Métallurgie.

CAYENNE (97300), ch.-l. de la Guyane française, au débouché de l'estuaire de la *rivière de Cayenne;* 30 489 hab.

CAYEUX (Lucien), géologue français (Semousies 1864-Mauves-sur-Loire 1944). Il est l'un des fondateurs de la pétrographie des roches sédimentaires, pour l'étude desquelles il utilise le microscope polarisant, et l'auteur d'ouvrages sur les roches ferrifères, siliceuses, carbonatées et phosphatées.

CAYEUX-SUR-MER (80410), comm. de la Somme, à 23 km au N.-E. du Tréport; 2 928 hab. Port (au Hourdel) et plage.

CAYLAR (Le) [34520], ch.-l. de cant. de l'Hérault, à 20 km au N. de Lodève, sur le causse de Larzac; 259 hab.

CAYLEY (*sir* George), inventeur britannique (Brompton Hall, Yorkshire, 1773-*id.* 1857). Il fut le premier à exposer le principe de l'aéroplane et détermina toutes les composantes de l'avion moderne, pour lequel il préconisa, dès le début du XIXe s., l'emploi de l'hélice et du moteur à gaz ou à explosion.

CAYLEY (Arthur), mathématicien britannique (Richmond 1821-Cambridge 1895). On lui doit une théorie des transformations linéaires et la création du calcul matriciel (1858). Il montra que les géométries élémentaires, de dimension 3, se ramènent à la géométrie projective par l'introduction d'une quadrique*, l'*Absolu.*

CAYLUS (82160), ch.-l. de cant. de Tarn-et-Garonne, à 22 km au N.-E. de Caussade, dans les causses du Quercy; 1 460 hab. Camp militaire. Ruines d'un château. Église fortifiée du XIVe s.

CAYLUS (Marthe, *comtesse* de), mémorialiste française (en Poitou 1673-Paris 1729), nièce de Mme de Maintenon, auteur de *Souvenirs* sur la cour de Louis XIV et la maison de Saint-Cyr.

CAYLUS (Anne Claude de Tubières, *comte* de), archéologue et graveur français (Paris 1692-*id.* 1765). Il visita l'Italie et la Grèce d'Asie et devint collectionneur d'antiquités. Membre influent de l'Académie de peinture et de sculpture, puis de l'Académie des inscriptions et belles-lettres (1742), protecteur de divers artistes (Watteau, Bouchardon, Vien), il grava d'après les dessins des collections Crozat et Jullienne et d'après les monnaies et intailles du Cabinet du Roi. Il a publié un grand *Recueil d'antiquités égyptiennes, étrusques, grecques et romaines* (1752-1767).

CAYMAN *(îles)* → Caïmans *(îles).*

CAYOLLE *(col de la),* col des Alpes françaises, entre l'Ubaye et le haut Var; 2 327 m.

ÇAYÖNÜ TEPESI, site néolithique de Turquie orientale, fouillé par Braidwood*. Six niveaux d'occupation ont été dégagés. Des poinçons et des aiguilles, obtenus par abrasion et martelage à partir du cuivre natif, attestent, peu avant 7 000 av. J.-C., la plus ancienne utilisation du métal.

CAYRES (43510), ch.-l. de cant. de la Haute-Loire, à 17 km au S.-S.-O. du Puy; 702 hab.

CAZALS (46250), ch.-l. de cant. du Lot, à 20,5 km au S.-O. de Gourdon; 458 hab.

CAZAUBON (32150), ch.-l. de cant. du Gers, sur la Douze, à 40 km à l'E. de Mont-de-Marsan; 1 638 hab.

CAZAUX, écart de la comm. de La Teste (Gironde), sur la rive nord de l'*étang de Cazaux et de Sanguinet,* à 20 km au S. d'Arcachon. Extraction du pétrole. Base aérienne militaire.

R. Doumic - Atlas-Photo

Cèdre du Liban.

CAZENEUVE (Jean), sociologue et écrivain français (Ussel 1915). Il s'est surtout attaché à analyser les changements dans les civilisations primitives ou modernes (*Bonheur et civilisation,* 1966). Spécialiste des mass media*, il a étudié les effets moraux, sociaux et culturels des nouveaux moyens de communication et de diffusion : *les Pouvoirs de la télévision* (1970), *la Société de l'ubiquité* (1972), *l'Homme téléspectateur* (1974). En 1974, il a été nommé président de la Société de programmation de télévision T. F. 1.

CAZÈRES (31220), ch.-l. de cant. de la Haute-Garonne, à 35 km à l'E.-N.-E. de Saint-Gaudens, sur la Garonne; 3 487 hab.

CAZOTTE (Jacques), écrivain français (Dijon 1719 - Paris 1792), adepte de l'illuminisme, auteur de contes de fées et du récit fantastique *le Diable* amoureux* (1772).

CDU → Christlich-demokratische Union *(Union chrétienne démocrate).*

CEARÁ, État du nord-est du Brésil, sur l'Atlantique; 4 361 000 hab. Capit. *Fortaleza.*

CEAUŞESCU (Nicolae), homme d'État roumain (Scorniceşti 1918). Il entre au parti communiste en 1936 et participe aux luttes contre le régime d'Antonescu et contre la domination hitlérienne. Il devient membre du Comité central du parti des travailleurs roumains en 1952, puis membre du Bureau politique et secrétaire du Comité central à partir de 1954. En 1965, il remplace Gheorghiu-Dej comme premier secrétaire du Comité central, puis, en 1967, il est élu président du Conseil d'État de la République par la Grande Assemblée nationale. Il affirme son attachement aux principes de non-ingérence et le droit de chaque pays à l'indépendance politique et économique, s'efforçant de maintenir une voie originale par rapport à l'U. R. S. S. et pratiquant une diplomatie ouverte vers la Chine, l'Occident et le Proche-Orient. La création, en 1974, d'une présidence de la République, à laquelle il est élu, augmente encore ses pouvoirs.

CÉBAZAT (63100 Clermont Ferrand), comm. du Puy-de-Dôme, à 8 km au N. de Clermont-Ferrand; 5 635 hab.

CEBU, île des Philippines, dans l'archipel des Visayas; 5 088 km^2; 1 634 000 hab. V. princ. *Cebu* (347 000 hab.).

CEBUANO → indonésiennes *(langues).*

CECCHETTI (Enrico), danseur et maître de ballet italien (Rome 1850-Milan 1928). Collaborateur des Ballets russes de Serge de Diaghilev, pédagogue d'une grande autorité, il a contribué à redonner à la danse masculine le brio qu'elle avait perdu sous le règne de l'étoile romantique.

CECIL (William), homme d'État anglais (Bourne 1520 - Londres 1598). Il fut secrétaire d'État de 1550 à 1553 et de 1558 à 1572, grand trésorier de 1572 à 1598 et son nom est inséparable de la gloire élisabéthaine. Grâce à lui, la puissance espagnole ne put rien contre l'Angleterre (désastre de l'Invincible Armada, 1588).

CÉCILE *(sainte),* martyre. L'hagiographie est absolument incapable d'affirmer quoi que ce soit de certain sur cette sainte, pourtant très populaire, qui est restée la patronne des musiciens parce que la légende veut que, le jour de ses noces, elle chanta les louanges de Dieu.

CÉCITÉ. — Les causes de cécité sont *périphériques* (atteinte de l'œil ou du nerf optique) ou *corticales* (atteinte du cortex cérébral). Les cécités corticales s'accompagnent de désorientation, mais elles peuvent régresser.

CEDAR RAPIDS, v. des États-Unis, dans l'est de l'Iowa; 111 000 hab. Électronique. Industries alimentaires.

CÈDRE. — Deux chaînes de montagnes méditerranéennes, le Liban et l'Atlas, sont célèbres par leurs cèdres. Ces arbres sont parmi les plus grands conifères de l'Ancien Monde, et leur feuillage étalé en nappes horizontales leur donne un port imposant. Leur bois est recherché depuis l'époque de Salomon, qui en fit faire la charpente du Temple de Jérusalem.

C.E.E., sigle de *Communauté* économique européenne.*

CEFALÙ, v. et port d'Italie, en Sicile (prov. de Palerme); 12 200 hab. Cathédrale de style siculo-normand à influences arabes, commencée en 1131 (belles mosaïques byzantines).

CEILLAC (05600 Guillestre), comm. des Hautes-Alpes, dans le Queyras, à 14 km à l'E. de Guillestre; 234 hab. Station de sports d'hiver (alt. 1 640-2 500 m).

CELA (Camilo José), écrivain espagnol (Padrón, Galice, 1916). Son art romanesque combine une fascination pour la nature violente des caractères et des paysages espagnols (*la Famille de Pascual Duarte,* 1942; *Voyage en Alcarria,* 1948; *la Ruche,* 1951; *la Catira,* 1955) et une recherche stylistique très élaborée (*Dictionnaire secret,* 1968-1971; *San Camilo del año 1936,* 1969).

CELAN (Paul), poète autrichien d'origine roumaine (Tchernovtsy 1920-Paris 1970). Marqué par le surréalisme, il exprime son angoisse de la solitude et de la mort (*Strette,* 1971).

CELAVO-MEZZANA, canton de la Corse-du-Sud, dans l'intérieur de l'île. Ch.-l. *Bocognano.*

CÉLÉ (le), riv. du Quercy, affl. du Lot (r. dr.); 102 km.

CÉLÈBES ou **SULAWESI,** île d'Indonésie, au S. de la *mer de Célèbes,* séparée de Bornéo par le détroit de Macassar; 189 035 km^2; 8 535 000 hab. L'île est formée surtout de quatre péninsules montagneuses, développant quelque 5 000 km de côtes difficilement accessibles. Le climat est, dans l'ensemble, équatorial, avec des différenciations régionales liées à l'altitude et à l'exposition. La population, relativement dense, composée de groupes variés, se concentre surtout dans les extrémités sud-ouest et nord-est, sites des deux principales villes, Ujungpandang et Manado. — Découverte par les Portugais (1512), convoitée par les Anglais (1607), finalement hollandaise (1667), l'île est entrée dans la république d'Indonésie en 1950.

CÉLERI. — Deux directions évolutives ont été données au céleri par les maraîchers : l'une conduit à une forme bisannuelle à racine charnue comestible, le *célerie-rave,* l'autre à une forme avec pétioles foliaires charnus, le *céleri à côtes* (genre *Apium,* famille des ombellifères).

CÉLESTA. — Grâce à Auguste Mustel (1815-1890), facteur d'harmoniums, les percussions s'enrichissent au XIXe s. de cet instrument, pourvu d'un clavier actionnant des marteaux qui frappent sur des lames d'acier et de cuivre. C'est à sa sonorité suave, très proche de celle de la harpe*, qu'il doit son nom.

CÉLESTIN Ier *(saint),* pape de 422 à 432. Il se montre l'adversaire du pélagianisme et du nestorianisme. On a de lui plusieurs lettres doctrinales.

CÉLESTIN II, III, IV → PAPE.

CÉLESTIN V (Pietro ANGELERI, dit aussi PIETRO DEL MORRONE) [Isernia v. 1215-Castello di Fumone 1296], pape en 1294. Ermite en Pouilles, il jette les bases des ermites de Saint-Damien, appelés plus tard « Célestins ». L'Église romaine traversant une crise grave, les cardinaux vont le chercher dans son ermitage et en font un pape qui prend le nom de Célestin V (5 juill. 1294). Mais sa naïveté et les ambitions de son futur successeur, le cardinal Benoît Caetani (Boniface VIII), déterminent sa démission dès le 13 décembre 1294. On le vénère sous le nom de saint Pierre Célestin, canonisé en 1313.

Célestine *(la),* ou *Tragi-comédie de Calixte et Mélibée* (1499). À une petite pièce, inspirée d'un dialogue en vers latins du XIIe s., Fernando de Rojas, à qui l'œuvre est généralement attribuée, ajouta une vingtaine d'actes, qui relatent les amours d'un jeune homme passionné et d'une jeune fille ignorante, dominée par la Célestine, entremetteuse qui arrange les hasards, mais y succombe. Composée pour une lecture mimée devant des amateurs de belles-lettres, cette œuvre est à la source du roman et de la tragi-comédie.

Célimène, personnage du *Misanthrope,* de Molière; jeune coquette, spirituelle et médisante.

CÉLINE (Louis Ferdinand DESTOUCHES, dit **Louis-Ferdinand**), écrivain français (Courbevoie 1894-Meudon 1961). Il s'est ingénié à tout briser : une carrière de docteur bourgeois pour devenir médecin des banlieues populaires; un personnage de soldat héroïque pour celui de dénonciateur de l'exploitation coloniale; une sensibilité maladive à l'égard des humbles et des opprimés pour un antisémitisme passionnel (*Bagatelles pour un massacre,* 1937; *l'École des cadavres,* 1938); une image de la phrase bien faite et de la belle littérature, pour une syntaxe disloquée et une écriture de survie. Après cela, complice et victime de la catastrophe qu'il avait redoutée et appelée (*Guignol's Band,* 1943), ayant connu l'effondrement de l'Allemagne dans le petit monde dérisoire de la collaboration à Sigmaringen (*D'un château l'autre,* 1957), la prison et l'exil au Danemark, il ne lui restait plus, rentré en France et redevenu médecin des pauvres, qu'à exercer son ironie sur lui-même. C'est dans son œuvre qu'il retrouve son unité (*Voyage* au bout de la nuit,* 1932; *Mort* à crédit,* 1936; *Nord,* 1960; *le Pont de Londres,* 1964), l'unité d'un style : formé sur le rythme et les tics du parler quotidien et populaire, mais recomposé en un flux quasi épique qui transcrit la coulée de la vie dans sa discontinuité et sa trivialité. Céline est à l'une des sources de l'écriture moderne : la structure des êtres et des choses est la structure même du langage; la difficulté de dire et de se dire traduit la difficulté d'être.

CELLAMARE (Antonio, *prince* DE), diplomate espagnol (Naples 1657-Séville 1733). Ambassadeur d'Espagne à Paris, il participe à une conspiration inspirée par le duc et la duchesse du Maine et qui a pour but essentiel de préparer la régence de Philippe V d'Espagne en France (1718). Cette conspiration — dite « de Cellamare » — fut éventée par le cardinal Dubois*.

CELLE, v. de l'Allemagne fédérale (Basse-Saxe), au N.-E. d'Hanovre; 56 000 hab. Maisons et monuments anciens. Métallurgie.

CELLE-SAINT-CLOUD (La) [78170], ch.-l. de cant. des Yvelines, à 7 km au N. de Versailles; 25 696 hab. *(Cellois).* Château des XVIIe et XVIIIe s.

CELLES-SUR-BELLE (79370), ch.-l. de cant. des Deux-Sèvres, à 7 km au N.-O. de Melle; 2 905 hab. Église des XVe et XVIIe s.

CELLINI (Benvenuto), orfèvre, médailleur et sculpteur italien (Florence 1500-*id.* 1571). Ses *Mémoires* font connaître sa vie aventureuse, à Rome, à la cour de France et à Florence. La *Nymphe de Fontainebleau* (bronze, v. 1543, château d'Anet, puis Louvre) marque ses débuts dans la sculpture de grand format, dont il sera le meilleur représentant maniériste en Italie, comme en témoigne le *Persée* de la loggia dei Lanzi (Florence, 1545-1553), plein de tension, de virtuosité et d'élégance.

CELLOPHANE → CELLULOSIQUES *(produits).*

CELLULE *(Aéron.).* — Sur un avion*, la cellule se compose de tout ce qui est réalisé par l'avionneur, c'est-à-dire le fuselage*, la voilure et les empennages*. Du fait de l'importance croissante des équipements* sur les avions modernes, la part de la cellule dans le coût des avions a fortement diminué : sur un intercepteur moderne, elle n'est que de 25 p. 100, contre 57 p. 100 pour les équipements et 18 p. 100 pour le moteur. La construction des cellules fait encore appel pour l'essentiel aux alliages légers à base d'aluminium*; néanmoins, l'accroissement des vitesses de vol implique le recours à des matériaux plus nobles, comme les alliages de titane* et les matériaux composites à base de fibres de carbone* ou de bore*. Les cellules d'avion font également l'objet d'essais très poussés au stade des prototypes : essais statiques, qui garantissent la tenue aux charges maximales rencontrées en vol, et essais de fatigue, qui reproduisent en un temps limité l'ensemble des cycles d'efforts subis par l'avion au cours de sa vie opérationnelle.

CELLULE *(Biol.).* — Tout être vivant, à la seule exception des virus*, est constitué d'une ou de plusieurs unités complexes, les *cellules.* Une cellule contient toujours une ou plusieurs « mémoires » génétiques, les *chromosomes.* Lorsque ceux-ci, entourés d'une membrane commune, forment un *noyau* et sont ainsi nettement séparés du reste de la cellule (qui est le *cytoplasme*), l'espèce est dite *eucaryote.* Chez les bactéries et les cyanophycées, il n'y a pas de membrane nucléaire : ce sont des *protocaryotes.* On distingue trois sortes d'eucaryotes : les *protistes,* organismes unicellulaires; les *animaux,* organismes pluricellulaires aux cellules limitées par une fine membrane cytoplasmique; enfin les *végétaux,* organismes pluricellulaires aux cellules isolées par d'épaisses parois de *cellulose,* subsistant après leur mort. Le cytoplasme contient divers *organites :* ribosomes, chondriosomes, plastes (chez les végétaux), etc., qui font de la cellule un système hautement complexe, présentant de vastes surfaces d'interphase et siège d'intenses échanges d'énergie.

Comme tout être vivant, la cellule assimile, grandit et se multiplie. Diverses cellules animales ingèrent des proies solides

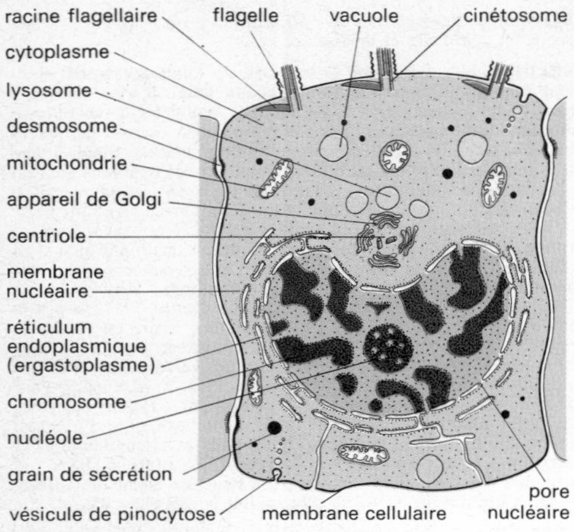

Schéma d'une cellule eucaryote complète.

(phagocytose). Le mode de multiplication le plus usuel est la mitose*.

Isolée en culture sur un milieu favorable, une cellule peut survivre sans vieillir ni mourir. La mort est la rançon des structures pluricellulaires.

CELLULE PHOTOÉLECTRIQUE → PHOTOÉLECTRIQUE *(cellule).*

CELLULITE. — La cellulite des membres inférieurs, fréquente chez la femme, se traduit à la palpation par une crépitation neigeuse avec nodosités douloureuses; elle donne à la peau un aspect capitonné. Son traitement est difficile en dehors de la réduction d'un excès pondéral souvent associé.

CELLULOÏD → CELLULOSIQUES *(produits).*

CELLULOSE. — La cellulose — produit typique du règne végétal, qui forme la paroi des cellules de toutes les parties non ligneuses des plantes — se présente sous forme de fibres, dont chacune est une association de micelles formées par un grand nombre de molécules linéaires, rangées parallèlement et régulièrement suivant deux directions. Chaque molécule est elle-même constituée par plusieurs milliers de molécules de glucose anhydrisées. Pure, elle est blanche, inodore, de densité 1,55; son seul solvant est la liqueur de Schweizer.

La cellulose donne avec les alcalis de l'*alcalicellulose,* propriété mise à profit dans le mercerisage du coton et la fabrication de la viscose. L'acide nitrique fournit des éthers, ou *nitrocelluloses,* employés dans l'industrie des explosifs.

CELLULOSIQUES (produits). — Les produits cellulosiques contiennent comme maillon unitaire une molécule de cellulose*, qui apparaît dans le produit final sous forme d'une macromolécule de cellulose régénérée, d'ester cellulosique ou d'étheroxyde de cellulose.

• La *cellulose régénérée* est préparée en partant de linters de coton ou de pâte de bois qu'on traite par un alcali pour la production d'alcalicellulose; celle-ci, par action du sulfure de carbone, donne le xanthate de cellulose, qu'on dissout dans une solution de soude*, ce qui fournit, après mûrissage, par filage ou coulée, des fils ou des pellicules coagulés par un bain d'acide sulfurique* (rayonne, viscose, Cellophane). La cellulose initiale peut être également traitée par le chlorure de zinc et coagulation (fibre vulcanisée) ou par l'acide sulfurique et lavage à l'eau (papier sulfurisé).

• Les *esters cellulosiques* les plus utilisés sont la nitrocellulose*, l'acétate, le propionate ou le butyrate de cellulose ou les esters mixtes. Obtenus par traitement de cellulose par l'acide correspondant : acide nitrique*, anhydrides acétique ou butyrique, etc., ils sont employés pour la fabrication de poudre* sans fumée, de textiles artificiels, de pellicules d'emballage, de vernis* et de peintures*. Le Celluloïd est de la nitrocellulose plastifiée par du camphre*.

• Les *étheroxydes* de cellulose les plus importants sont l'éthyl-, la méthyl- et la benzylcellulose employées dans la fabrication des poudres à mouler, d'apprêts*, de colles, de peintures à l'eau et d'épaississants.

CELSE, médecin et érudit du temps d'Auguste, auteur d'un ouvrage très précis, *De arte medica.* Nous lui devons de connaître l'histoire de la chimie grecque et romaine depuis Hippocrate.

CELSE, philosophe romain (IIe s.). Il est célèbre par sa critique platonicienne du christianisme, *le Discours véritable,* qu'Origène s'efforcera de réfuter.

CELSIUS (Anders), physicien et astronome suédois (Uppsala 1701-*id.* 1744). Il a observé la variation diurne de la déclinaison magnétique (1740) ainsi que les perturbations produites par les orages polaires. Il compara les éclats lumineux des étoiles. En 1742, il a créé l'échelle thermométrique centésimale.

CELTE *(mer),* nom parfois donné à la partie de l'Atlantique comprise entre l'Irlande et la Bretagne.

CELTES, ensemble de peuples qui occupèrent une partie de l'Europe ancienne et dont étaient membres les Gaulois.

HISTOIRE. Les origines celtiques doivent être recherchées au sud de l'Allemagne occidentale, où se forment, au IIe millénaire av. J.-C., un peuplement et une civilisation protoceltiques. La première vague d'invasion celtique est celle des Goïdels, qui émigrent vers les îles Britanniques v. 1800-1600 av. J.-C. Les Proto-Celtes essaiment vers l'Occident et gagnent la Gaule et l'Espagne entre 1200-800 av. J.-C. Sous l'influence des Cimmériens, la civilisation celtique du premier âge du fer, dite « de Hallstatt » (900-500), se constitue, dont le foyer se trouve en Allemagne du Sud et dans la région rhénane : alors commence la grande expansion des Celtes vers l'Europe occidentale. La période nouvelle, dite « de La Tène » (VIe-Ier s. av. J.-C.), est celle de l'apogée de la civilisation celtique. Par bandes plus ou moins nombreuses, les Celtes s'élancent dans toutes les directions : en Angleterre, les Bretons refoulent les Goïdels; d'autres tribus envahissent l'Aquitaine et pénètrent jusqu'au cœur de l'Espagne, où ils fondent le peuple dit « des Celtibères »; au Ve s., ils occupent l'Armorique et descendent la vallée du Rhône; au IVe s., plusieurs tribus franchissent les Alpes, déferlent dans la plaine du Pô et se répandent en Italie : Rome est prise après le désastre de l'Allia*; la vallée du Pô est tout entière conquise (Gaule Cisalpine). Au début du IIIe s., de nouveaux peuples celtiques, les Belges, pénètrent en Gaule. L'expansion gauloise eut pour conséquence deux nouvelles vagues d'invasions : l'une vers la vallée du Rhône et le Languedoc; l'autre dans les Balkans, puis en Asie Mineure. Les Celtes pillent Delphes (279), s'installent dans la plaine du moyen Danube, où les Scordisques fondent *Singidunum* (Belgrade); certains, sous le nom de « Galates », s'établissent en Asie Mineure. Ainsi, au IIIe s., la puissance des Celtes est devenue considérable. Mais les conquêtes se sont faites de façon désordonnée et les diverses tribus sont demeurées indépendantes. Aussi la décadence est-elle rapide : le IIe s. est marqué par un recul général des peuples celtes. Au nord, sous la pression des Germains, leur domaine est peu à peu réduit aux frontières de la Gaule, tandis que s'organise la défense des peuples méditerranéens. Rome soumet le Picenum, la Gaule Cisalpine, l'Espagne (guerres celtibères, 181-133), la Gaule, la Grande-Bretagne; l'Irlande reste la seule survivance de la puissance celtique.

Les Celtes étaient porteurs d'une civilisation qui en était au stade du clan, avec des princes locaux appuyés sur des clientèles (*ambactes* gaulois, *celi* irlandais); ces chefs de clan étaient très influencés par la classe sacerdotale des druides*, qui représentaient la seule autorité supratribale. Sans cesse troublés par des dissensions intestines, les Celtes n'ont pu former des États puissants ni sauver leur indépendance.

BEAUX-ARTS. La civilisation des Celtes à son apogée — période de La Tène*, Ve s. av. J.-C. — ne conserve que certaines affinités

Art celte. Chaudron de Gundestrup. Argent repoussé. (Nationalmuseet, Copenhague.)

avec celle de Hallstatt*; cependant, par quelques aspects, elle semble en être une sorte de continuation. Conquérante, à l'aire d'expansion très vaste, elle présente une unité culturelle alors que subsiste le morcellement politique. Comme à l'époque précédente, le monde celte entretient d'actives relations avec la Méditerranée. Mais, malgré des influences grecque, orientale, balkanique et scythe*, l'art celte demeure profondément original. Un certain naturalisme hellénique émane des sculptures des sanctuaires d'Entremont* et de Roquepertuse*, alors que le dieu d'Euffigneix et le dieu de Bouray, tous deux porteurs du torque à tampon, témoignent d'une frontalité archaïsante et d'un souci de stylisation. Ce goût de l'abstrait culmine dans le monnayage : dissociation et schématisation du modèle hellénistique sont ici poussées à l'extrême. Le chaudron de Gundestrup (Danemark, v. le Ier s. av. J.-C.) est l'une des pièces essentielles, à notre connaissance, du très complexe panthéon celtique, enrichi par les druides et par certaines assimilations romaines. Excellents artisans et techniciens (ils seront les premiers à ferrer les chevaux), les Celtes possèdent une métallurgie du fer d'un niveau remarquable. Décrites par les Romains, les murailles de leurs oppida, renforcées de charpente interne, attestent leur habileté dans le travail du bois. On leur attribue aussi l'invention de la charrue à roues.

Intimement associée à une abstraction curviligne d'une grande liberté, leur ornementation privilégie un décor animalier puissamment stylisé. Durant le haut Moyen Âge*, en Irlande, on retrouve cette exubérance : entrelacs, rouelles et spirales ornant les miniatures rappellent avec force les ancêtres celtes.

CELTIBÈRES → CELTES.

CELTIQUE. — Branche de l'indo-européen proche de l'italique*, le celtique, qui eut une grande aire d'extension dans l'Europe préhistorique, se subdivise en trois rameaux : le gaulois, langue disparue à la fin de l'Antiquité, qui n'a laissé que quelques traces dans le vocabulaire et la toponymie français; le brittonique (breton*, gallois, cornique), parlé dans les îles Britanniques avant les invasions anglo-saxonnes; le gaélique (irlandais*, écossais, parler de l'île de Man).

CELTIUM → HAFNIUM.

C. E. N., sigle de *Comité européen de normalisation**.

Cénacle, groupe littéraire que formèrent les jeunes romantiques réunis de 1823 à 1828 chez Ch. Nodier ou chez V. Hugo.

CENCI, famille romaine du XVIe s. Le drame de cette famille (Béatrice Cenci, violée par son père, le fait assassiner avec la complicité de son frère et de sa belle-mère, et périt sur l'échafaud par ordre du pape) a notamment inspiré une tragédie de Shelley (*les Cenci,* 1819), une des *Chroniques italiennes* de Stendhal (*les Cenci,* 1839) et l'illustration par Artaud de sa théorie du « théatre de la cruauté » (*les Cenci,* 1935).

CENDRARS (Frédéric SAUSER, dit **Blaise**), écrivain français d'origine suisse (La Chaux-de-Fonds 1887 - Paris 1961). Grand voyageur, il a célébré l'aventure dans ses poèmes (*Pâques à New York,* 1912; *la Prose du Transsibérien et de la petite Jehanne de France,* 1913), qui influencèrent Apollinaire et les surréalistes, et dans ses romans d'inspiration autobiographique (*l'Or,* 1925; *Moravagine,* 1926; *l'Homme foudroyé,* 1945).

CENDRE. — Les cendres des combustibles végétaux sont formées des substances minérales entrant dans la constitution des plantes; on y trouve des carbonates et des phosphates de potassium, de calcium et de magnésium, de la silice, des oxydes de fer et de manganèse.

Cendres et diamant, film polonais d'Andrzej Wajda (1958). Dans la Pologne de 1945, à peine libérée de l'occupant nazi et déchirée entre plusieurs factions politiques, un jeune homme est chargé par un maquis de « droite » d'exécuter le chef communiste local. Wajda brosse le portrait d'un combattant de la clandestinité, déchiré par des contradictions internes, partagé entre l'obéissance et la profonde conviction de l'inutilité d'un héroïsme désormais dépassé. Ce film, réalisé dans un style expressionniste baroque par le plus grand réalisateur polonais de l'après-guerre et interprété par Zbigniew Cybulski, fut en fait le manifeste d'une génération meurtrie par la guerre et incapable de se recycler dans une nouvelle communauté spirituelle et politique.

Cendrillon, héroïne d'un conte de Perrault, dont le thème (l'enfant persécuté par sa marâtre et finalement triomphant) se retrouve dans les mythes de la plupart des aires culturelles. — Le conte de Perrault a inspiré plusieurs chorégraphes. La version de M. Petipa, E. Cecchetti et L. Ivanov, musique de B. Schell, a été créée à Saint-Pétersbourg en 1893; celle de R. de Larrain, musique de Prokofiev, à Paris en 1963.

CENIS (Mont-), massif des Alpes occidentales franco-italiennes, entre la Maurienne et la Doire Ripaire; 3 610 m. Il domine le *col du Mont-Cenis* (départ. de la Savoie), à 2 083 m, utilisé par la route de Lyon à Turin. Au S.-E. du col, est situé le barrage-réservoir, alimentant la centrale hydroélectrique de Villarodin. Le *tunnel ferroviaire* dit *du Mont-Cenis* (long de 13 668 m) passe en fait au S.-O., reliant Modane (France) à Bardonnèche (Italie).

CENON (33150), ch.-l. de cant. de la Gironde, à 4 km à l'E. de Bordeaux; 25 076 hab. *(Cénonnais).*

CENS. — Institué selon la tradition par Servius Tullius, le cens, ou recensement des citoyens d'après leur fortune, était effectué tous les cinq ans, à Rome, par les censeurs*. Lors des opérations du cens, les citoyens étaient répartis dans les tribus, les classes et les centuries. Sous l'Empire le cens ne conditionnait plus le recrutement des légionnaires, mais il fixait le rang des citoyens dans la société impériale : pour faire partie de l'ordre sénatorial il fallait avoir un cens de un million de sesterces, pour l'ordre équestre un cens de 400 000 sesterces.

CENSEUR. — Magistrats curules, les censeurs, au nombre de deux, ont été créés vers 435 av. J.-C. Ils étaient élus pour cinq ans par les comices centuriates, mais ils démissionnaient généralement au bout de dix-huit mois. Leur tâche était triple : ils étaient chargés du recensement et de l'inventaire des biens (cens*) et répartissaient les citoyens entre les tribus d'après le domicile, entre les classes d'après leur richesse; ils aménageaient le budget; enfin, ils dressaient la liste des sénateurs *(album)* et des chevaliers. Mais les censeurs avaient aussi le droit de contrôle sur les mœurs : ils pouvaient « noter d'infamie » qui ils voulaient en raison de sa conduite privée. Inviolables et irresponsables, ils jouissaient d'un prestige particulier. Deux censures sont restées célèbres : celle d'Appius Claudius* (312) et celle de Caton* l'Ancien (184). La censure perdit la plupart de ses attributions vers la fin de la République et disparut sous l'Empire.

CENSURE *(Dr.).* — La censure consiste dans l'examen (préalable ou *a posteriori*) auquel les pouvoirs publics soumettent divers médias — livres, journaux, spectacles, théâtres, films — et dans les mesures par lesquelles ils limitent ou interdisent leur diffusion ou leur utilisation. La charte de 1830 puis la loi du 29 juillet 1881 ont, en France, assuré la liberté de presse; la censure sur le théâtre n'existe plus depuis 1945.

Aux termes d'un décret du 27 janvier 1956, complété par un décret du 18 janvier 1961, les films doivent obtenir un *visa,* délivré par le ministre des Affaires culturelles, après avis d'une commission de contrôle.

CENSURE *(Psychanal.)* → RÊVE.

Cent Ans *(guerre de),* nom donné à une longue série de conflits qui opposèrent, de 1337 à 1475, la France à l'Angleterre. Traditionnellement présentés comme une guerre de succession au trône de France, ces conflits apparaissent surtout comme la suite logique des guerres qui, depuis le XIIe s. jusqu'au traité de Paris (1259), avaient opposé périodiquement les rois de France à ceux d'Angleterre, et comme l'aboutissement d'un lourd contentieux : affaire de l'hommage de Guyenne; conflit d'influence en Bretagne; rivalités économiques à propos de la Flandre; soutien de la France aux Écossais contre l'envahisseur anglais. Son détonateur fut la querelle qui, à partir de 1328, mit face à face Philippe de Valois et Édouard III* d'Angleterre. À la mort du dernier Capétien direct, Charles IV (1328), Édouard, dont la mère, Élisabeth, était fille de Philippe IV* le Bel, brigua la couronne de France, mais l'assemblée des grands du royaume lui préféra Philippe de Valois, petit-fils de Philippe III*, qui devint roi sous le nom de Philippe VI. Dans un premier temps, Édouard III s'inclina et vint prêter au nouveau roi l'hommage pour ses possessions de Guyenne et de Ponthieu (1329). Cependant, l'entente entre les deux rois ne dura pas et, Philippe VI ayant prononcé la confiscation de la Guyenne (1337), Édouard III répliqua par le retrait de son hommage, la revendication du royaume de France (24 mai 1337) et l'ouverture des hostilités. Il détruisit la flotte française à L'Écluse (1340), porta la guerre en Bretagne (1341) et, au cours d'une chevauchée qu'il conduisit de la Normandie au Ponthieu, écrasa l'armée de Philippe VI à Crécy (1346), avant de prendre Calais (1347).

Interrompue peu après, l'offensive anglaise reprenait en 1355 sous la direction du Prince Noir*, qui, le 19 septembre 1356, à Maupertuis, près de Poitiers, infligeait une défaite totale au roi Jean* le Bon. Dévastée par la jacquerie, affaiblie par la révolution parisienne (Étienne Marcel) et les intrigues de Charles de Navarre, la France du dauphin Charles signait le traité de Brétigny (1360), qui, bien que mettant fin aux prétentions d'Édouard III à la couronne de France, abandonnait sans hommage l'Aquitaine au roi d'Angleterre. Devenu roi en 1364, Charles V*, qui avait su s'entourer de chefs militaires habiles (du Guesclin*) et pacifier le royaume (Grandes Compagnies), prononça la confiscation de l'Aquitaine (1368) et, de 1369 à 1375, reprit aux Anglais la presque totalité de leurs possessions continentales, à l'exception de quelques ports. Mais, après la mort de Charles V (1380), la minorité puis la folie de Charles VI*, les émeutes parisiennes et la guerre civile (Bourguignons-Armagnacs) favorisèrent le retour en force des Anglais. En 1413, Henri V* d'Angleterre exigeait le retour aux conditions du traité de Brétigny, ainsi que la main de Catherine, fille de Charles VI. Devant les atermoiements français, il déclencha les hostilités, écrasa l'armée française à Azincourt (1415), conquit la Normandie (1417-1419) et, avec la complicité d'Isabeau* de Bavière et des Bourguignons, imposa le traité de Troyes (21 mai 1420), qui lui donnait en mariage Catherine et déshéritait le dauphin Charles à son profit.

EMPIRE CENTRAFRICAIN

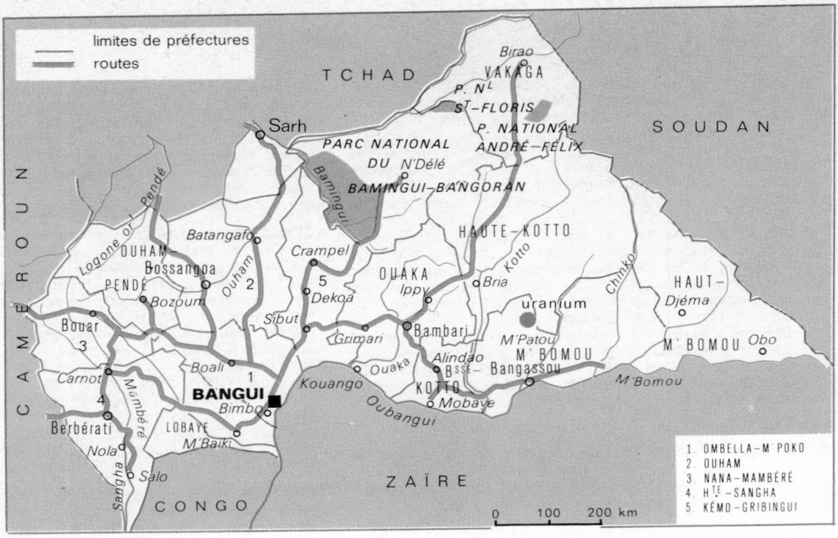

Henri V et Charles VI moururent à deux mois d'intervalle (1422) et, alors que Henri VI*, âgé de quelques mois, était proclamé roi de France, le Dauphin, de son côté, soutenu par le sud du pays, se proclamait roi sous le nom de Charles VII*. En 1428, les Anglais tentèrent d'envahir le Sud et mirent le siège devant Orléans. Mais l'intervention de Jeanne* d'Arc, depuis la délivrance d'Orléans jusqu'au sacre de Reims (1429), retourna la situation en faveur de Charles VII. L'impulsion décisive était donnée et Charles, s'étant assuré de la neutralité bourguignonne (1435), passa à l'offensive (1449) avec une armée réorganisée. Il reconquit la Normandie (Formigny, 14 avr. 1450) et la Guyenne (Castillon, 17 juill. 1453). La folie d'Henri VI et la guerre des Deux-Roses empêchèrent l'Angleterre de réagir. Sur le terrain, le conflit était éteint et, en 1475, le traité de Picquigny, qui suivit une ultime tentative du roi Édouard IV* pour reprendre pied en France, mettait un point final à la guerre de Cent Ans.

La France sortait victorieuse d'un conflit qui l'avait épuisée et conduite au bord de l'abîme; mais l'épreuve avait contribué à créer une cohésion de tout le pays autour d'un pouvoir royal renforcé.

CENTAURE, constellation* de l'hémisphère austral riche en étoiles brillantes, dont les principales sont ***Rigil Kentarus*** et ***Agena.***

CENTAURES, êtres fabuleux de la mythologie grecque, au corps de cheval et au buste d'homme. Leur mythe est le souvenir (transmis par Homère*) des peuplades primitives des montagnes de Thessalie, célèbres par leur indomptable vigueur.

Cent-Jours *(les),* nom généralement donné à la période qui s'étend du 20 mars 1815 — date de l'arrivée à Paris de Napoléon Ier, lors de son retour de l'île d'Elbe — au 22 juin de la même année — date de sa seconde abdication. Durant ce court temps, Napoléon Ier essaie d'instaurer un régime constitutionnel *(Acte* additionnel),* mais, très vite mis au ban des nations par les coalisés, il doit faire

CENTRALES

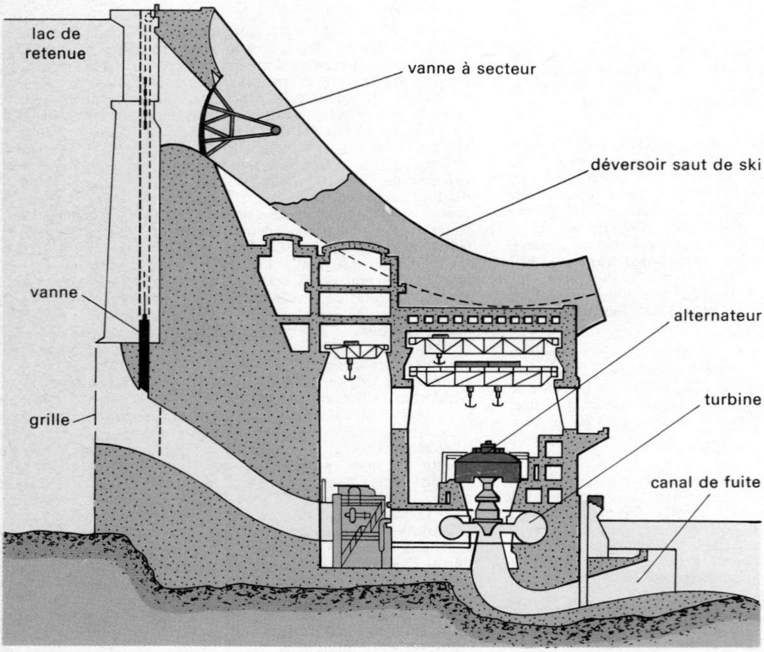

Coupe d'une centrale hydraulique de lac de retenue.

face à ses ennemis. Le désastre de Waterloo (18 juin) l'oblige à abdiquer de nouveau (22 juin); cet acte prélude à la seconde Restauration*.

Cento (sigle de *Central Treaty Organization*), nom du pacte de Bagdad depuis que l'Iraq l'a quitté en 1959. Ce traité de défense et de coopération, conclu en 1955 entre la Turquie, l'Iraq, la Grande-Bretagne, l'Iran et le Pākistān, s'est maintenu avec l'appui actif des États-Unis. Ses institutions comprennent, outre des réunions régulières des ministres des États membres, un comité militaire, créé à Ankara en 1960, et un bureau de développement, siégeant à Téhéran depuis 1966.

CENTRAFRICAIN *(Empire),* État de l'Afrique équatoriale; 617 000 km^2; 1 700 000 hab. *(Centrafricains).* Capit. *Bangui.*

GÉOGRAPHIE. Une ligne de hauteurs orientée O.-S.-O.-E.-N.-E., entre le massif du Yadé et les monts des Bongo, s'abaisse par une série de plateaux vers la cuvette du Tchad au N. et vers la cuvette du Congo au S. L'ensemble du pays est soumis à un climat tropical humide au S., sec au N., qui explique la grande extension de la savane plus ou moins arborée.

La population, très peu dense, est inégalement répartie : elle se concentre surtout dans la région de Bangui. Faiblement urbanisée, elle vit surtout de l'agriculture. À côté des cultures vivrières (manioc, mil, maïs), quelques plantations fournissent du café, du sisal, du tabac, de l'arachide et surtout du coton. Mais le pays tire l'essentiel de ses revenus de ses mines de diamant, principal produit d'exportation. Quelques industries alimentaires et textiles sont développées autour de la capitale. Sans débouché maritime, la République centrafricaine souffre de son isolement. Une voie ferrée vers le port de Douala, au Cameroun, est en projet, mais actuellement l'essentiel du trafic passe par le port fluvial de Bangui, sur l'Oubangui.

HISTOIRE. Pygmées bangas de la forêt et tribus bantoues se succèdent depuis le XVIe s., mais le pays est affaibli et dépeuplé par la traite. À la suite de l'occupation par Savorgnan de Brazza* du bassin du bas Congo (1875-1885), les Français entreprennent de s'ouvrir les routes du Tchad et du Nil. L'Oubangui entre ainsi peu à peu dans la zone d'influence française, la mission Marchand (1896-1898) accélérant le processus de colonisation. En 1905, l'Oubangui-Chari est constitué en colonie; en 1910, il est intégré à l'Afrique-Équatoriale française (A.-É. F.). Le pays est alors livré, sans grand profit pour lui-même, aux sociétés concessionnaires (forêts, coton, or). C'est le prêtre Barthélemy Boganda (1910-1959), député de l'Union française en 1946, qui réveille le nationalisme local en fondant le Mouvement d'évolution sociale de l'Afrique noire (M. E. S. A. N.). Président, en 1958, du gouvernement de l'Oubangui-Chari, devenu République centrafricaine, il mène son pays à l'indépendance en 1960. Le régime s'oriente vers un style de plus en plus personnel avec les présidents David Dacko (1959-1965) et Jean Bedel Bokassa*, qui se proclame empereur en 1976.

CENTRALE ÉLECTRIQUE. — Une centrale hydraulique utilise l'énergie cinétique d'une masse d'eau qui actionne une turbine* hydraulique. Le site d'une telle installation est imposé par la nature et se trouve parfois très éloigné des centres d'utilisation. Le prix de revient de l'aménagement se trouve donc grevé des charges de transport correspondantes, et, dans presque tous les cas, les dépenses d'installation sont supérieures à celles de la centrale thermique. En revanche, la centrale hydraulique ne consomme rien; ses frais d'exploitation et d'entretien sont beaucoup moins élevés que ceux de la centrale thermique. (V. illustration p. 376.)

Dans une centrale thermique ou nucléaire, l'énergie* calorifique est transformée en énergie mécanique, puis en énergie électrique. Dans une centrale thermique, la chaleur provient de la combustion d'un combustible* dit *fossile :* charbon, gaz ou fuel-oil, qui brûle dans le foyer de la chaudière*. Dans une centrale nucléaire, la chaleur provient du phénomène de la fission* d'un combustible dit *fissile :* uranium* (naturel ou enrichi) ou plutonium* dans le réacteur* nucléaire. Dans ce type de centrale, la chaleur produite est emportée par le fluide caloporteur*. La vapeur qui alimente la

Coupe d'une centrale nucléaire : 1. Bâtiment du réacteur; 2. Pont de manutention; 3. Machine à charger; 4. Stockage du combustible; 5. Couvercle formant écran; 6. Piscine de stockage des barreaux épuisés; 7. Piscine de stockage; 8. Monte-charge; 9. Épurateur d'eau; 10. Cuve du réacteur; 11. Mécanisme des barres de contrôle; 12. Sortie de la vapeur; 13. Arrivée de l'eau; 14. Pompes; 15. Piscine de sécurité; 16. Trappe pour le matériel, écran; 17. Caisson en béton du réacteur; 18. Murs faisant écran biologique; 19. Accès à la chambre de la piscine; 20. Sas d'accès au bâtiment du réacteur; 21. Turbines basse pression; 22. Turbine haute pression; 23. Registres de vapeur; 24. Chambre des condenseurs; 25. Réchauffeurs; 26. Réchauffeurs haute pression; 27. Ventilation de la salle des turbines; 28. Traitement de l'eau; 29. Salle des chaudières; 30 et 31. Entrée et sortie de l'eau de réfrigération; 32. Salle des commandes; 33. Équipements électroniques; 34. Salle des transformateurs; 35. Générateurs; 36. Salle des accumulateurs; 37. Centrale d'air comprimé; 38. Traitement des déchets; 39. Stockage des déchets; 40. Bureaux.

ÉLECTRIQUES

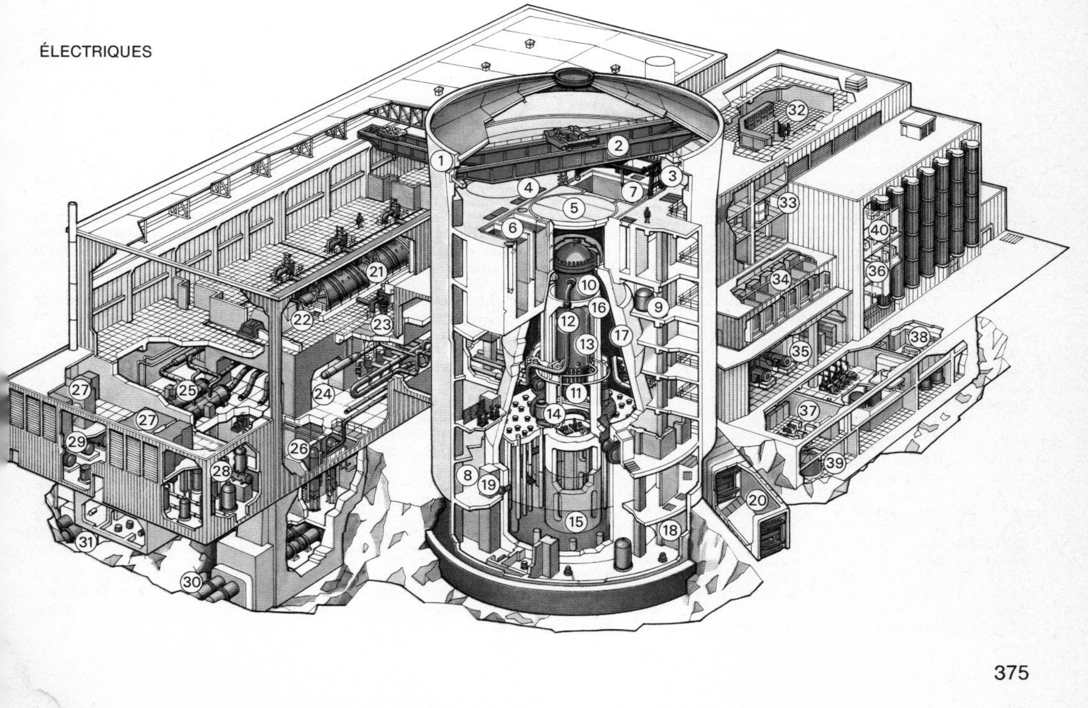

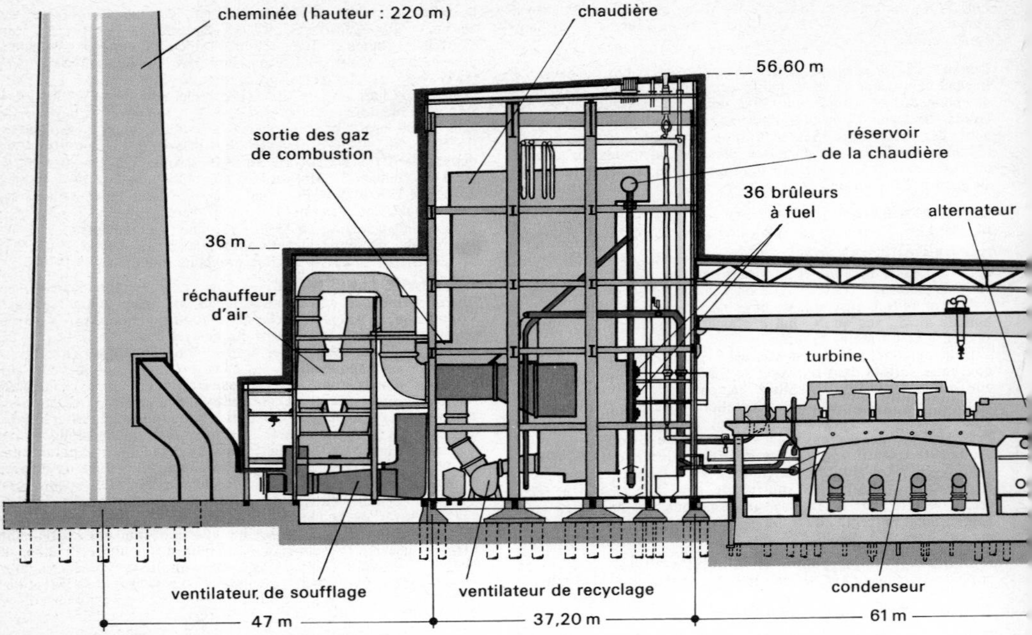

Coupe de la centrale thermique de Porcheville B.

turbine peut être produite soit directement dans le réacteur (cas des réacteurs à eau bouillante BWR), soit par l'intermédiaire d'un échangeur* de chaleur (cas des réacteurs à eau sous pression PWR). Après détente dans la turbine, cette vapeur passe dans un condenseur, où elle est refroidie au contact de tubes dans lesquels passe l'eau prélevée dans la rivière. Le réacteur d'une centrale nucléaire comprend une partie active (le cœur), un dispositif de réglage et de sécurité et un système de chargement et de déchargement du combustible.

De nombreuses différences séparent une centrale thermique d'une centrale nucléaire. Le fonctionnement d'une centrale thermique exige une grande consommation d'oxygène et les gaz de combustion, qui sont rejetés dans l'atmosphère : monoxyde de carbone (CO), bioxyde de carbone (CO_2), anhydride sulfureux (SO_2), anhydride sulfurique (SO_3) constituent un facteur important de la pollution* atmosphérique. Dans une centrale nucléaire, la chaleur du cœur du réacteur est emportée par le fluide caloporteur qui revient à son point de départ : le fonctionnement a lieu en circuit fermé. L'énergie nucléaire est donc propre et moins polluante que l'énergie produite à partir de combustibles fossiles.

D'autre part, le rendement théorique d'une centrale dépend uniquement de la différence entre la température de la source chaude et celle de la source froide. La température de la source chaude est plus élevée dans les centrales thermiques (560 °C) que dans les centrales nucléaires (300 °C), pour la filière* uranium enrichi-eau ordinaire. La température de la source froide dans toutes les centrales est de même ordre de grandeur (une vingtaine de degrés). Le rendement théorique d'une centrale thermique est donc plus élevé que celui d'une centrale nucléaire (sauf toutefois pour les surrégénérateurs*). Enfin, l'importance des stocks de combustibles fissiles dans une centrale nucléaire est négligeable, comparée à celle des stocks de combustibles fossiles nécessaires à la marche d'une centrale thermique : 1 kg d'uranium est équivalent au point de vue énergétique à 18 t de charbon; d'autre part, 1 kg d'uranium 235 entièrement fissionné produirait une chaleur équivalant à celle qui est dégagée par la combustion de 2 600 t de charbon.

CENTRE, Région formée des six départements suivants : Cher, Eure-et-Loir, Indre, Indre-et-Loire, Loir-et-Cher, Loiret; 39 061 km^2; 2 152 500 hab. Capit. *Orléans.* V. princ. *Tours.*

La vallée moyenne de la Loire, sur 250 km, de Briare au-delà de Tours, est l'axe du Centre qui rassemble les anciennes provinces de l'Orléanais, de la Touraine et du Berry, correspondant à des régions naturelles variées, Beauce limoneuse, Perche et Gâtinais argileux au N., Sologne argilo-sableuse au centre, Champagne berrichonne calcaire et Boischaut marneux au S., cependant qu'à l'O. s'individualisent les plateaux tourangeaux. L'ensemble a une topographie plate, où l'entaille des vallées est modeste et possède, grâce à la pénétration des influences atlantiques, un climat modéré : la température moyenne de janvier est de l'ordre de 3 °C, celle de juillet n'atteint pas 20 °C, alors que le total des précipitations avoisine 600 mm, bien réparties sur l'ensemble de l'année.

L'agriculture emploie encore presque le cinquième de la population active, c'est-à-dire une part presque double de la moyenne nationale. Cette extension explique, en contrepartie, la relative faiblesse de la densité de population, guère supérieure à la moitié de la moyenne nationale. Aucun des départements n'a une densité égale à la moyenne nationale. Pourtant, les conditions naturelles ne sont pas toujours défavorables, comme en témoigne l'abondance de la production agricole : blé, orge, maïs (Beauce et Champagne berrichonne surtout), cultures légumières et florales (Val de Loire), vignoble de qualité. L'élevage bovin est développé dans les fonds de vallées et dans l'ensemble du Gâtinais. Le troupeau ovin se maintient sur les plateaux calcaires de la Champagne berrichonne.

L'industrie occupe environ les deux cinquièmes de la population active. Longtemps handicapée par la pauvreté du sous-sol, elle s'est cantonnée dans la valorisation des produits de l'agriculture (industries alimentaires notamment). La politique de décentralisation, l'abondance de la main-d'œuvre disponible (liée à l'excédent démographique naturel, à l'émigration rurale), l'apport énergétique de Lacq ont favorisé l'essor des constructions mécaniques et électriques, le travail du caoutchouc. Ces industries se sont naturellement implantées en priorité dans les grandes villes, surtout à Orléans, capitale régionale, et à Tours, la principale agglomération du Centre, aujourd'hui reliées par autoroute à Paris.

Le secteur tertiaire emploie un peu plus des deux cinquièmes de cette population active, grâce à la traditionnelle importance des commerces, cependant que se sont implantés récemment des services de haut niveau (université) et que s'est accrue la fréquentation touristique qui anime notamment le Blésois et la Touraine, le « pays des châteaux ».

Ayant longtemps souffert dans son développement de la proximité de Paris, stérilisant notamment la croissance de ses principales villes, la Région Centre profite depuis quelques années de cette proximité, recevant activités et aussi migrants, qui, avec l'excédent des naissances sur les décès, expliquent la croissance démographique de la Région; celle-ci se traduit essentiellement par l'essor spectaculaire de ses deux principales agglomérations, qui apparaissent aujourd'hui complémentaires — alors qu'elles furent longtemps rivales —, dans le développement de l'axe vital régional qui les unit, en passant par Blois. (V. cartes p. 378.)

Centre *(canal du),* canal reliant la Saône (Chalon-sur-Saône) à la Loire (Digoin), par les vallées de la Dheune et de la Bourbince, desservant les régions industrielles du Creusot et de Montceau-les-Mines; 114 km.

Les écrans de vaporisation qui constituent les parois intérieures de la chaudière (260 km de tubes) sont chauffés par 36 brûleurs qui transforment, par heure, 1 810 tonnes d'eau en vapeur à 567 °C sous 163 bars. La consommation horaire de chacun de ces brûleurs est de 3,5 tonnes de fuel-oil.
La chaudière, dont le poids est de 10 300 tonnes, est entièrement suspendue à la charpente du bâtiment. La vapeur fournie par le générateur se détend, en passant au travers des 5 corps de la turbine couplée à un alternateur de 600 MW, puis se transforme en eau dans un condenseur. L'eau, réchauffée par son passage dans des échangeurs, sera réadmise dans la chaudière.

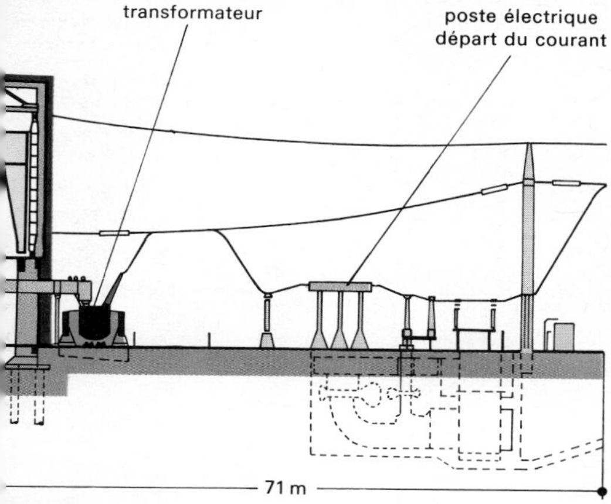

Centre allemand *(le),* en allem., *Zentrum,* groupement politique allemand sous le IIe Reich et la république de Weimar. Fondé en 1870, le parti du Centre, qui prend la succession de la « Fraction catholique » de la Diète prussienne, est exclusivement formé de catholiques. Il mène une longue lutte contre Bismarck à l'époque du Kulturkampf* (1870-1887) et accède au pouvoir après la défaite de 1918. Il s'efforce de faire avorter le mouvement national-socialiste, mais il est dissous peu après l'avènement d'Hitler. En 1945, il se transforme en Christlich*-demokratische Union (CDU).

CENTRE DE CALCUL. — Un centre de calcul est l'organisation des matériels informatiques et du personnel capables de fournir des prestations de service dans le domaine de l'informatique*. Plus le centre de calcul est important, plus il s'adresse à des utilisateurs nombreux et variés, qui se partagent alors les ressources et les compétences du centre de traitement. Un centre de calcul est bâti autour d'une ou de plusieurs salles à accès réservé, qui contiennent les ordinateurs*, les matériels périphériques et les bandothèques. Des installations annexes sont destinées à fournir une alimentation électrique de qualité, parfois même sans coupures, pour garantir la permanence du service de l'ordinateur, et à assurer la climatisation des salles ainsi que le refroidissement des ordinateurs. Ceux-ci sont mis en œuvre par des *opérateurs,* qui assurent l'entrée des cartes* perforées dans les lecteurs* de cartes, la récupération des résultats sur les imprimantes*, le montage et le démontage des bandes* magnétiques. Le pilotage général de l'ordinateur et le suivi de son fonctionnement sont assurés par un *pupitreur,* qui dialogue avec le système* d'exploitation par l'intermédiaire d'une console. Par télétraitement, le système informatique peut avoir des ramifications à très grandes distances. L'entretien des matériels et leurs dépannages sont le plus souvent assurés par les services du constructeur. Un *chef opérateur* organise l'ensemble du travail des opérateurs et des machines, tandis qu'un *chef d'exploitation* a la responsabilité de l'ordonnancement des travaux qui sont confiés au centre de calcul. Des ingénieurs ont la charge de définir, d'organiser, d'adapter et de maintenir le logiciel* général d'exploitation. Un utilisateur a accès à l'ordinateur soit en remettant les paquets de cartes constituant les programmes* au service d'exploitation, qui lui retourne les résultats imprimés, soit en dialoguant directement avec l'ordinateur par l'intermédiaire d'un terminal* conversationnel : c'est le *travail en temps partagé.* Un centre de calcul possède, en général, des équipes d'analystes et de programmeurs à la disposition des utilisateurs qui n'ont pas leurs propres équipes de réalisation d'applications.

Centre démocrate, parti politique français formé en 1966 sur l'initiative de Jean Lecanuet*, ancien président du M.R.P. L'objectif du nouveau parti, défini comme « libéral, social et européen », est de regrouper les divers courants modérés, qui se sont exprimés lors des élections présidentielles de 1965. Sous l'étiquette *Progrès et Démocratie moderne,* les élus centristes jouent alors un rôle d'arbitre entre la majorité gaulliste et l'opposition de gauche.

En juillet 1969, certains d'entre eux, ralliés à la candidature de G. Pompidou, forment le *Centre Démocratie et Progrès* (C. D. P.), tandis que les centristes restés dans l'opposition avec J. Lecanuet s'allient, en novembre 1971, au parti radical de J.-J. Servan-Schreiber, pour constituer le Mouvement réformateur. Après l'élection de V. Giscard d'Estaing à la présidence de la République (mai 1974), le Centre démocrate, qui a soutenu sa candidature, quitte l'opposition et envisage un nouveau regroupement des courants centristes, le C. D. P. (dont les élus sont rassemblés depuis 1973 sous l'étiquette d'*Union centriste*) se réclamant également de la nouvelle majorité. En juin 1975 est constituée la Fédération des réformateurs, qui regroupe le parti radical, le Centre démocrate, le C. D. P. et le Mouvement démocrate socialiste. Elle se présente comme l'aile gauche de la majorité présidentielle, dont elle soutient la politique réformiste. En mai 1976, le Centre démocrate et le C. D. P. fusionnent et constituent, sous la présidence de J. Lecanuet, le Centre des démocrates sociaux.

CENTRE DRAMATIQUE. — Issus des expériences de Firmin Gémier (Théâtre national ambulant, 1911-12), de Copeau en Bourgogne, de Dullin, les centres dramatiques ont été institués, après 1945, pour lutter contre le déséquilibre culturel (en 1945, Paris compte 52 théâtres et le reste de la France 51) et pour tenter de promouvoir un théâtre populaire. De 1947 à 1960, six centres régionaux furent créés (Comédie de l'Est, Comédie de Saint-Étienne, Grenier de Toulouse, Comédie de l'Ouest, Comédie de Provence, Centre du Nord), auxquels s'ajoutèrent notamment le Théâtre de la Cité à Villeurbanne et le Théâtre de l'Est parisien (TEP) à Paris. Subventionnés par l'État et liés aux communes et aux maisons de la culture* par des accords divers, les centres dramatiques s'appuient sur des associations d'amis et diffusent des bulletins de liaison qui font souvent office de programme et de manifestes théoriques. Ils tentent de rénover le répertoire classique et de faire connaître certaines créations contemporaines.

CENTRE HOSPITALIER ET UNIVERSITAIRE (C. H. U.). Groupant un hôpital et des centres d'enseignement et de recherches, cet établissement est l'unité constitutive d'une faculté de médecine, qui en comporte un ou plusieurs.

Centre national d'art et de culture G.-Pompidou, institution groupant dans un édifice de la rue Beaubourg (Paris), achevé en 1977, le nouveau musée national d'Art moderne et ses dépendances (l'ancien musée subsistant avenue Wilson), le Centre de création industrielle (design), l'Institut de recherche et de coordination acoustique-musique, une bibliothèque (architectes Piano et Rogers).

Centre national de la recherche scientifique (C. N. R. S.), organisme créé en 1939, réorganisé en 1959 et chargé de développer et de coordonner les recherches scientifiques.

CENTURIE → COMICES.

CÉPAGE. — Les cépages cultivés en France représentent plusieurs centaines de variétés dont l'inventaire a été dressé par l'Institut des vins de consommation courante et dont la collection est entretenue à Marseillan (Hérault) par l'Institut national de la recherche agronomique. Nous citerons seulement les cépages fins susceptibles de donner des grands vins : mourvèdre (Bas-Languedoc, Roussillon, Provence), muscat blanc à petits grains (Frontignan), syrah (Hermitage), chardonnay (Bourgogne et Champagne), pinot (Bourgogne, Franche-Comté et Alsace), savagnin (Franche-Comté), riesling, pinot gris et gewurztraminer (Alsace), cabernet franc, cabernet sauvignon et sauvignon (vallée de la Loire et bassin aquitain). Les variétés de raisins de table les plus répandues sont le chasselas, le muscat de Hambourg, le gros-vert, le servan, l'Alphonse-Lavalée, le muscat d'Alexandrie, le dattier, le chasselas représentant à lui seul près de la moitié de la production française.

CÈPE. — Le *cèpe de Bordeaux,* nommé aussi *bolet,* est le plus estimé de ces champignons, caractérisés par la disposition en tubes de la surface sporifère (sous le chapeau) et par leur large pied sans anneau ni volve. Le cèpe de pins, ou *pinée,* moins recherché, est très commun.

CÉPHALONIE, la plus grande des îles Ioniennes (Grèce), à l'entrée du golfe de Patras.

CÉPHALOPODES. — Parmi les animaux marins non vertébrés, les céphalopodes, qui constituent une classe de l'embranchement des mollusques, sont les plus grands ou les plus rapides nageurs. Ils n'ont que peu de caractères communs : une couronne de tentacules munis de ventouses entoure leur bec corné, leur face ventrale porte une poche et un entonnoir permettant la nage par réaction. Mais la coquille, inexistante chez le poulpe (ou pieuvre), réduite à une « plume » cornée chez le calmar, conformée en flotteur dorsal calcaire chez la seiche, développée en une superbe spirale

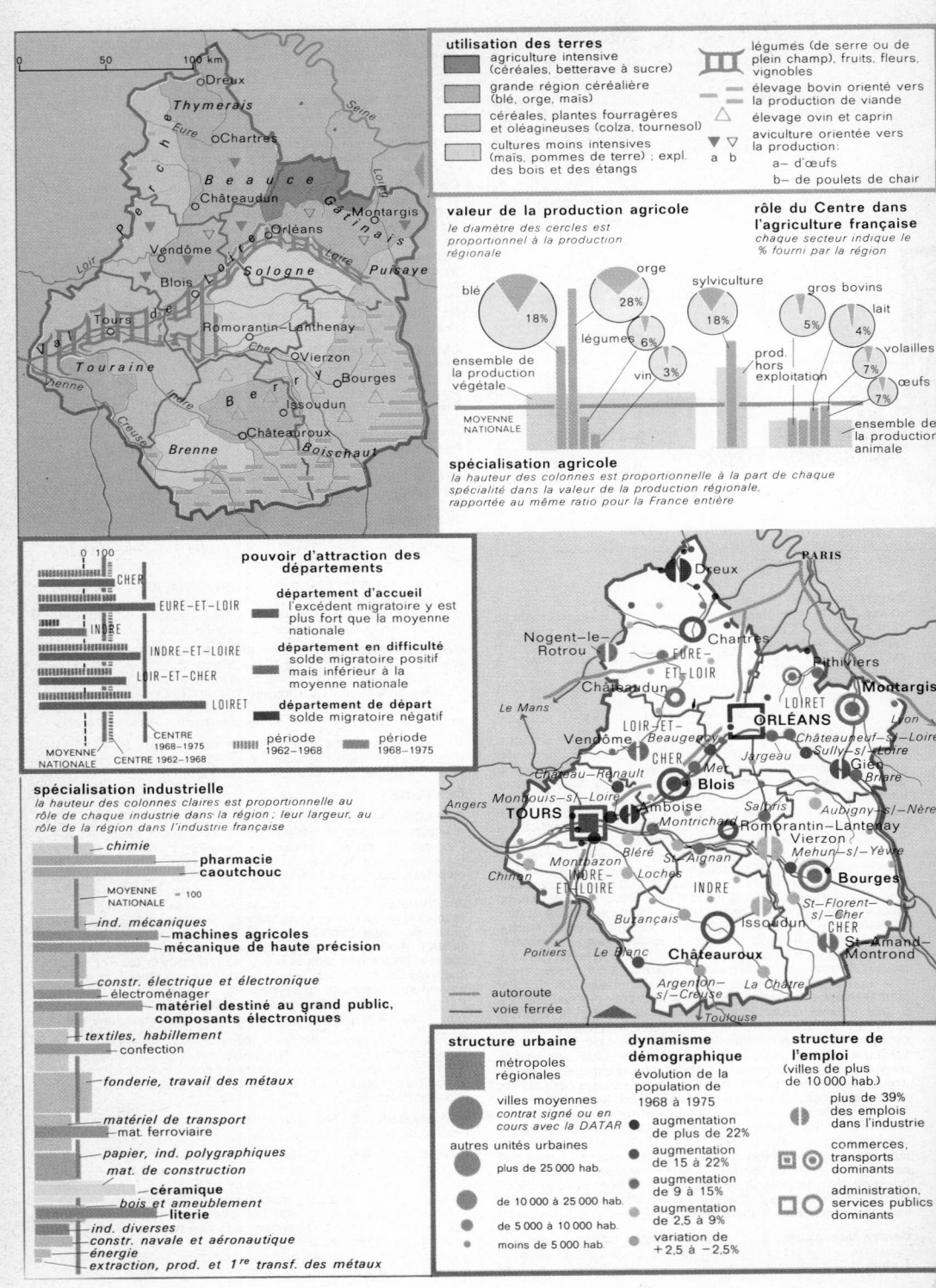

utilisation des terres

- agriculture intensive (céréales, betterave à sucre)
- grande région céréalière (blé, orge, maïs)
- céréales, plantes fourragères et oléagineuses (colza, tournesol)
- cultures moins intensives (maïs, pommes de terre) ; expl. des bois et des étangs
- légumes (de serre ou de plein champ), fruits, fleurs, vignobles
- élevage bovin orienté vers la production de viande
- élevage ovin et caprin
- aviculture orientée vers la production: a b
  - a– d'œufs
  - b– de poulets de chair

valeur de la production agricole

le diamètre des cercles est proportionnel à la production régionale

rôle du Centre dans l'agriculture française

chaque secteur indique le % fourni par la région

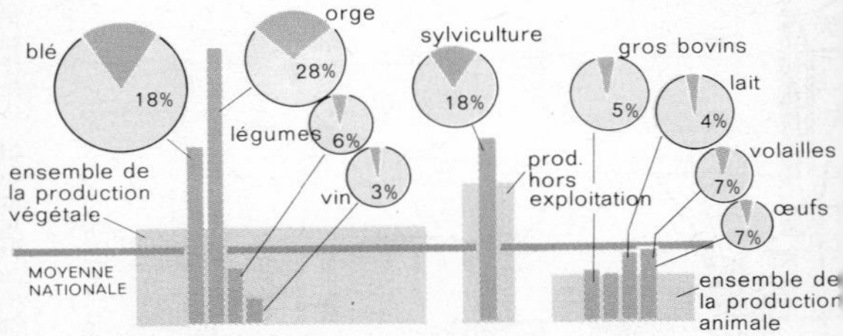

spécialisation agricole

la hauteur des colonnes est proportionnelle à la part de chaque spécialité dans la valeur de la production régionale, rapportée au même ratio pour la France entière

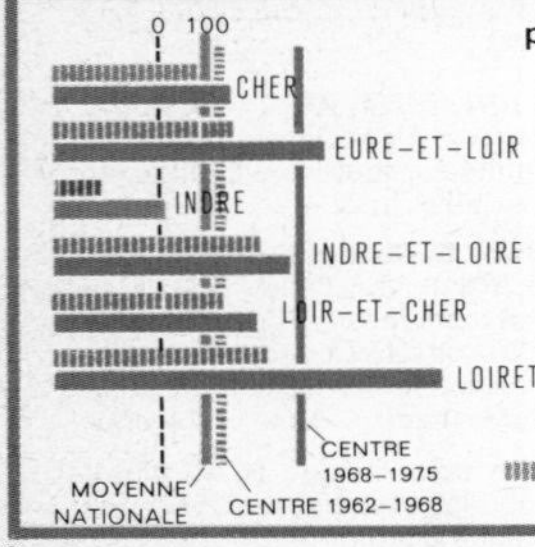

pouvoir d'attraction des départements

- **département d'accueil** l'excédent migratoire y est plus fort que la moyenne nationale
- **département en difficulté** solde migratoire positif mais inférieur à la moyenne nationale
- **département de départ** solde migratoire négatif

période 1962–1968 — période 1968–1975

spécialisation industrielle

la hauteur des colonnes claires est proportionnelle au rôle de chaque industrie dans la région ; leur largeur, au rôle de la région dans l'industrie française

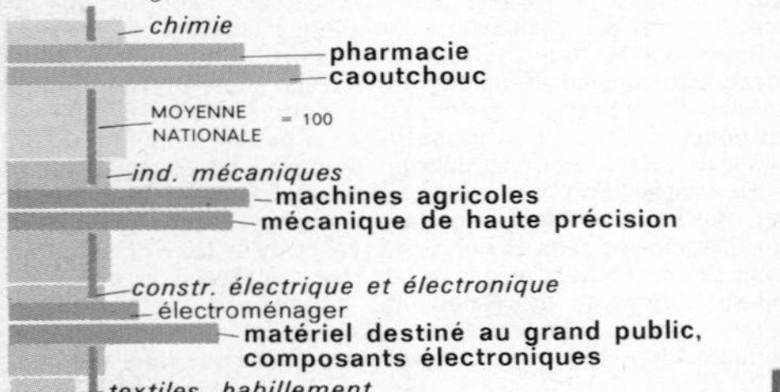

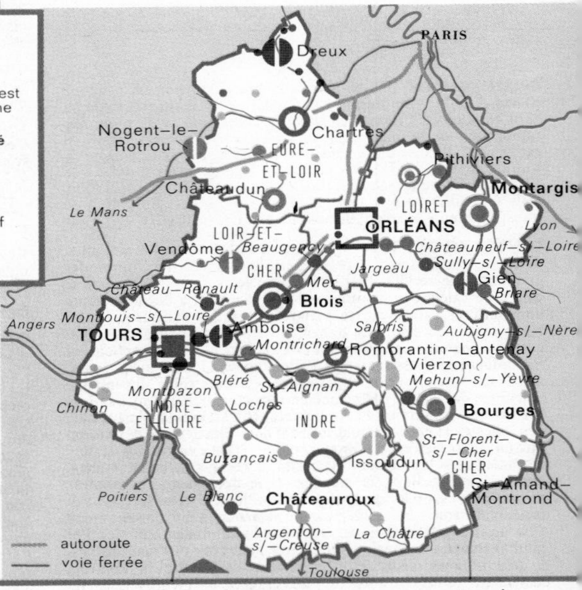

structure urbaine

- métropoles régionales
- villes moyennes *contrat signé ou en cours avec la DATAR*
- autres unités urbaines
  - plus de 25 000 hab.
  - de 10 000 à 25 000 hab.
  - de 5 000 à 10 000 hab.
  - moins de 5 000 hab.

dynamisme démographique

évolution de la population de 1968 à 1975

- augmentation de plus de 22%
- augmentation de 15 à 22%
- augmentation de 9 à 15%
- augmentation de 2,5 à 9%
- variation de +2,5 à −2,5%

structure de l'emploi

(villes de plus de 10 000 hab.)

- plus de 39% des emplois dans l'industrie
- commerces, transports dominants
- administration, services publics dominants

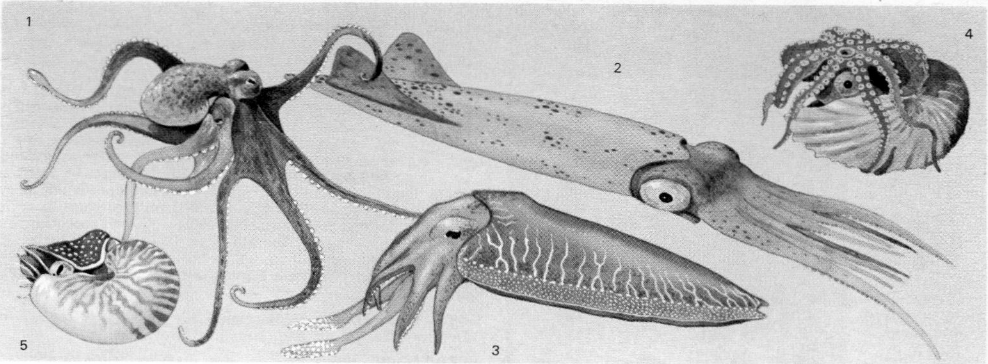

Céphalopodes. 1. Pieuvre; 2. Calmar; 3. Seiche; 4. Argonaute; 5. Nautile.

compartimentée chez l'actuel nautile et chez les ammonites fossiles, les différencie profondément. L'extrême perfection des yeux, le développement du cerveau, les changements rapides de couleur de la peau, les organes lumineux de certaines espèces des grands fonds et bien d'autres perfectionnements rangent les céphalopodes parmi les animaux marins les plus évolués.

CÉPHALO-RACHIDIEN (liquide). — Ce liquide, qui circule entre les cavités des ventricules cérébraux et les espaces méningés, baigne le système nerveux central. Il est limpide, ne contient pas de cellules, peu de protéines (0,30 g/litre) et 0,50 g/1 000 de sucre. Il est prélevé par ponction lombaire ou sous-occipitale pour le diagnostic des méningites et des affections neurologiques.

CÉRAM, île d'Indonésie, dans l'archipel des Moluques, à l'O. de la Nouvelle-Guinée, bordant, au S., la *mer de Céram.*

CÉRAMIQUE. — Les industries de la céramique utilisent la propriété qu'ont les silicates d'aluminium* hydratés, tels que la kaolinite, de former avec l'eau une pâte plastique ou une barbotine durcissant au séchage, permettant de façonner des objets. On incorpore généralement à l'argile ou au kaolin d'autres matières (feldspath*, argile cuite broyée) en vue de faciliter le séchage et la cuisson et de conférer au produit une texture ou des propriétés particulières. La cuisson au-dessus de 700 °C déshydrate la kaolinite et rend la matière plus dure et inaltérable. On recouvre souvent les produits céramiques avec des émaux vitreux pour les rendre imperméables et les décorer. Ces émaux peuvent être appliqués soit sur le produit cru, soit sur le produit cuit; il faut alors vitrifier l'émail par une seconde cuisson.

BEAUX-ARTS. Plusieurs foyers d'invention (Proche-Orient, Turquie...), dont les premières manifestations se situent vers le VIIe millénaire, coexistent. La céramique était considérée, jusqu'aux découvertes récentes de Tell Ramad (Syrie) ou de Jéricho*, comme l'une des caractéristiques du néolithique. Par sa très grande diversité et l'évolution de ses thèmes décoratifs, elle demeure un moyen efficace d'étude des divers faciès culturels (élégants gobelets de Suse*, au décor schématique et peint, du IVe millénaire; spirales peintes ou incisées des cultures néolithiques danubiennes de l'Europe centrale; forme typique et motifs incisés ou imprimés des gobelets campaniformes de l'Europe occidentale, souvent associés à la diffusion de la métallurgie; etc.).

En Égypte*, la céramique apparaît dès la préhistoire avec les cultures badarienne, amratienne puis gerzéenne. Très tôt, les Égyptiens connaissent la faïence*, qu'ils fabriquent à base de quartz; leur célèbre glaçure turquoise est probablement la première glaçure colorée. On retrouve cette technique en Assyrie et chez les Achéménides, dont les constructions monumentales sont recouvertes de briques émaillées. Les civilisations minoenne et mycénienne ont produit une céramique remarquable par l'équilibre de ses formes, la sobriété et la puissance de son décor peint ou en relief. C'est avec les créations attiques, à partir du VIe s. av. J.-C., que la Grèce marque définitivement l'histoire de la céramique. Dans le quartier des potiers (le Céramique), près d'un gisement important d'argile à poterie, la technique se perfectionne à partir de procédés simples d'oxydation et de réduction au cours de la fournée. On distingue deux périodes principales : celle des figures noires sur fond rouge, principalement illustrées par Amasis*, Exékias*, et celle des figures rouges sur fond noir, avec Brygos*, Douris*, Euphronios*, etc.

La céramique des Étrusques suit la même évolution que celle des Grecs, dont la décadence s'amorce vers le IVe s. av. J.-C. Cependant, Tanagra* et Myrina en Grèce, Alexandrie en Égypte produiront pendant quelque temps encore de petites figurines en terre cuite polychrome, aux grâces élégantes et minaudières. Après les Étrusques, les Romains développent la céramique architectonique; en dehors de celle-ci, leurs productions sigillées d'Arezzo sont une création originale, reproduite ensuite dans les centres gaulois de la Graufesenque* et de Lezoux.

Depuis les temps néolithiques, la Chine s'achemine vers la mise au point d'une technique qui aboutit à d'admirables grès et à la porcelaine*. L'emploi des couvertes naturelles à base de cendres végétales est connu dès le milieu du IIe millénaire av. J.-C. et celui des glaçures plombifères ou alcalines à la fin du Ier millénaire. Les formes sont simples et le décor imite celui des bronzes. Les glaçures aux trois couleurs (émaux de basse température) sont typiques des T'ang. L'art du grès (argile cuite à haute température, vitrifiée et colorée par des oxydes de haute température) atteint son apogée sous les Song. Fortement imprégnés de culture chinoise, le Japon* et la Corée* se distinguent aussi dans cette technique.

Les plus anciennes créations de l'islām* remontent au VIIe s. Les formes sont variées et élégantes, l'émail plombeux ou alcalin, parfois stannifère, offre une étendue de couleurs éclatantes. Parmi les principaux centres, citons : Sāmarrā*, Suse*, Raqqa, Nichāpur,

CÉRAMIQUE

Gobelet provenant de Suse (IVe millénaire). Style de Suse I (Musée du Louvre, Paris.)

Réunion des musées nationaux

Bol en céladon de Long-ts'iuan. Décor en forme de pétales de lotus. Époque des Song du Sud (XIIIe s.). [Musée Guimet, Paris.]

Giraudon

Détail du décor du mihrāb de la mosquée de Sokullu Mehmed Paşa (1571), à Istanbul, chef-d'œuvre de la faïence ottomane.

R. Michaud

Samarkand*, Rayy (auj. Rey, en Iran), Kāchān, Isnik et Ispahan*. Les céramiques hispano-moresques se développent à Málaga entre le XIIIe et le XVe s., mais c'est à Valence, entre le XVe et le XVIe s., que la production atteint son apogée.

CERBÈRE (66290), comm. des Pyrénées-Orientales, au N. du *cap Cerbère,* sur la Méditerranée; 1 940 hab. Gare internationale à la frontière espagnole. Station balnéaire. Thalassothérapie.

CERBÈRE, chien monstrueux de la mythologie grecque, gardien du séjour des morts. Orphée* l'apaisa par le son de sa flûte et Hercule* le dompta.

Cercle de craie caucasien *(le),* pièce de B. Brecht, écrite entre 1943 et 1945, représentée en 1948 à Northfield (Minnesota), puis en 1954 à Berlin. Par son thème, et la mise en scène qu'en fit le Berliner Ensemble, elle est un des modèles du « théâtre épique ». Dans un village caucasien détruit par la guerre, deux kolkhozes se disputent une parcelle de terre. Pour trancher la question, le délégué à la reconstruction demande à un poète de la ville de faire le récit d'une vieille légende : lors d'une révolution, l'enfant d'un gouverneur, abandonné par sa mère, est sauvé par une servante, Groucha, qui, cédant à la « tentation de la bonté », lui sacrifie sa vie. Le gouverneur ayant recouvré le pouvoir, sa femme demande au juge que lui soit rendu son fils. Le juge fait tracer un cercle au milieu duquel on place l'enfant; celui-ci appartiendra à la femme qui réussira à le faire sortir du cercle en le tirant par le bras. Groucha refuse de déchirer l'enfant qu'elle a élevé : le juge la reconnaît pour la vraie mère... La représentation de la parabole a dissipé les incertitudes des paysans russes : « Les enfants à celles qui sont maternelles... et la vallée à ceux qui l'irriguent, afin qu'elle donne des fruits. »

CERCY-LA-TOUR (58340), comm. de la Nièvre, à 18 km à l'E. de Decize; 2 322 hab. Constructions mécaniques.

CERDAGNE, région de l'est des Pyrénées, partagée entre la France (Pyrénées-Orientales) et l'Espagne (Catalogne), depuis le traité des Pyrénées (1659). C'est un haut bassin intérieur, d'où divergent les vallées de la Têt et du Sègre, domaine de l'élevage et aussi du tourisme (vers Font-Romeu, et les localités frontalières de Bourg-Madame et Puigcerdá).

CERDAN (Marcel), boxeur français (Sidi-bel-Abbès 1916 - Açores 1949). Poids moyen de petite taille, il se révéla un combattant exceptionnel, doté d'une puissance de frappe dévastatrice. Champion d'Europe des poids moyens en 1947, il conquit l'année suivante le titre mondial aux dépens de l'Américain Tony Zale, contraint à l'abandon. Battu en 1949 par un autre Américain, La Motta, alors qu'il était diminué par une blessure, il périt la même année dans un accident d'avion, tandis qu'il partait reconquérir son titre.

CÈRE *(la),* riv. d'Auvergne, née dans le Cantal, affl. de la Dordogne (r. g.); 110 km. Gorges pittoresques. Aménagements hydroélectriques.

CÉRÉALES. — La production mondiale dépasse largement le

PRODUCTION ET COMMERCE DES CÉRÉALES

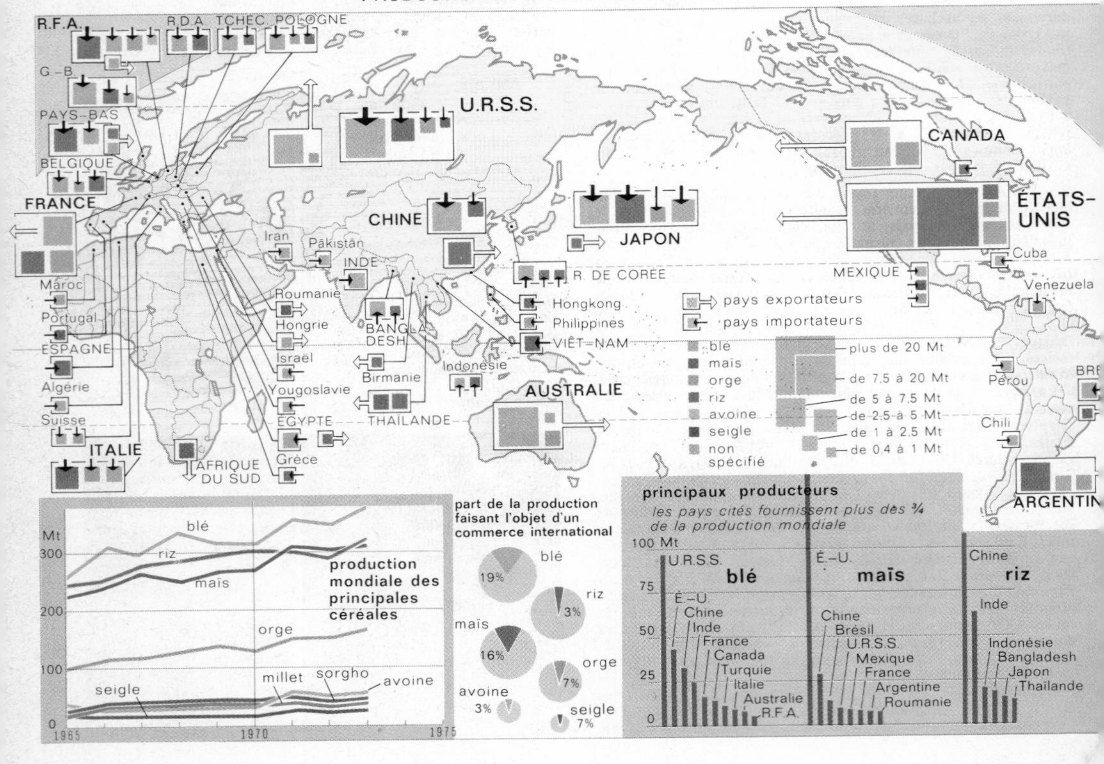

milliard de tonnes, composée en majeure partie de blé*, de riz* et de maïs*. Loin derrière viennent l'orge, l'avoine et le seigle.

CÉRÈS, la première des petites planètes* qui fut découverte. Elle l'a été en 1801 par Giuseppe Piazzi (1746-1826). Elle circule entre Mars et Jupiter. Son diamètre est estimé à 770 ± 40 km.

CÉRÈS, déesse romaine des Moissons, de l'Agriculture et de la Civilisation. Antique déesse italique qui présidait à la croissance du blé, elle fut assimilée à la divinité grecque Déméter*, à la fin du ve s. av. J.-C. Elle avait son temple au pied de l'Aventin et fut la principale divinité des plébéiens, qui célébraient en son honneur des jeux *(Cerealia* ou *ludi cereales).*

CÉRET (66400), ch.-l. d'arr. des Pyrénées-Orientales, sur le Tech, à 29 km au S.-O. de Perpignan; 6 189 hab. *(Cérétans).* Restes de fortifications. Église (XIVe-XVIIIe s.). Musée d'Art moderne.

CERF. — Peu d'animaux sont aussi chassés que le cerf. Ce grand ruminant des forêts tempérées et tropicales (Inde) doit sa beauté à ses cornes rameuses et caduques, portées seulement par le mâle. À l'issue des combats entre mâles, les vainqueurs se constituent une petite troupe de biches, la *harde.* Le jeune est le *faon.* Le cri d'appel sexuel est le *brame.* Outre l'homme, le cerf n'a guère pour ennemi que le tigre. La disparition de ce dernier en Inde a provoqué une forte augmentation du nombre des cerfs, qui ont dû chercher leur nourriture hors des forêts. Type de la famille des cervidés.

CERFEUIL. — La famille des ombellifères comprend plusieurs espèces, parfois de genre différent, dénommées « cerfeuil ». On les cultive pour la valeur aromatique de leurs feuilles.

CERF-VOLANT *(Zool.)* → LUCANE.

CERGY (95000), ch.-l. de cant. du Val-d'Oise, limitrophe de Pontoise, sur l'Oise; 7 748 hab. Sur le territoire de la commune est établie la préfecture du département du Val-d'Oise, noyau de la ville nouvelle *Cergy-Pontoise.*

CERIGNOLA, v. d'Italie, dans la Pouille; 49 000 hab. Près de là, Gonzalve de Cordoue défit les Français (1503).

CÉRILLY (03350), ch.-l. de cant. de l'Allier, à 23 km au N.-O. de Bourbon-l'Archambault; 1 981 hab. Église du XIIe s.

CERISIER. — Comme d'autres arbres fruitiers de la famille des rosacées, le cerisier fait paraître à chaque printemps, avant même les feuilles, ses nombreuses fleurs blanches, qui semblent engainer les rameaux. Le fruit (cerise) est une petite drupe rouge, à noyau lisse, portée au bout d'un long pédoncule, groupée souvent par paires.

CERISIERS (89320), ch.-l. de cant. de l'Yonne, à 19 km au S.-E. de Sens; 823 hab. Église romane.

CERISY-LA-SALLE (50210), ch.-l. de cant. de la Manche, à 19 km au S.-O. de Saint-Lô; 967 hab. Château du XVIIIe s.

CÉRIUM. — Ce métal du groupe des terres rares est l'élément chimique numéro 58, de masse atomique Ce = 140,13; il a été découvert par Berzelius en 1814. C'est un solide gris, dur, de densité 6,7, qui fond à 815 °C. Son principal minerai est la monazite. Un alliage contenant surtout du fer et du cérium (ferrocérium) sert à la confection des pierres à briquet.

CERIZAY (79140), ch.-l. de cant. des Deux-Sèvres, à 14 km à l'O. de Bressuire; 4 688 hab. Industrie automobile.

CERNAY (68700), ch.-l. de cant. du Haut-Rhin, à 6 km à l'E. de Thann; 9 631 hab. *(Cernéens).* Textile. Chimie.

CERNAY-LA-VILLE (78720 Dampierre), comm. des Yvelines, à 12 km au N.-E. de Rambouillet; 969 hab. Aux environs, ruines de l'abbatiale des Vaux-de-Cernay.

CERNUDA (Luis), poète espagnol (Séville 1902 - Mexico 1964), d'un lyrisme romantique et raffiné (*la Réalité et le désir,* 1936-1956).

CERNUSCHI (Enrico), homme politique et économiste italien (Milan 1821 - Menton 1896). Réfugié politique en France (1848), grand voyageur, il légua à la Ville de Paris une importante collection d'objets d'art japonais et chinois ainsi que l'hôtel du parc Monceau qui les abritait, auj. musée municipal Cernuschi (enrichi depuis : haute époque chinoise).

CERRO BOLÍVAR, important gisement minier (fer) du Venezuela, au S. de Ciudad Bolívar.

CERRO DE PASCO, v. du Pérou, dans les Andes, à 4 400 m d'altitude; 76 000 hab. Centre minier (cuivre et zinc notamment).

CÉRUMEN. — Ce produit de sécrétion des glandes sébacées du conduit auditif externe peut s'accumuler (bouchon de cérumen) et être cause de surdité, rapidement guérie par son extraction.

CERUTI (Giacomo), peintre italien actif en Lombardie vers le milieu du XVIIIe s. Il excella dans la représentation des mendiants et des pauvres, fut aussi peintre religieux et bon portraitiste (nombreuses œuvres à Brescia).

P. Castel - Jacana

Cerfs.

Cervantès. *Dulcinée triomphante.*
Lithographie de Salvador Dalí. (Édition Joseph Foret, 1957.)

CERVANTÈS, en esp. **Miguel de Cervantes Saavedra,** écrivain espagnol (Alcalá de Henares 1547 - Madrid 1616). Après des études rendues irrégulières par la vie errante d'un père chirurgien, il embrasse la carrière des armes et combat à Lépante (1571), où il perd un bras, puis en Afrique. Fait prisonnier par les Turcs, il est emmené en captivité à Alger (1575-1580). Rentré à Madrid, il devient commissaire aux vivres, chargé de l'approvisionnement de l'Invincible Armada, et tire de ses aventures les thèmes de plusieurs tragédies et comédies héroïques (*Numance; la Vie à Alger,* v. 1582). Il publie cependant un roman pastoral (*Galatée,* 1585), dans le goût du temps. Accusé d'exactions, un temps excommunié et emprisonné, il devient inspecteur des impôts, suit la cour de Philippe III et trouve dans ses malheurs et son attachement à des idéaux périmés la matière de son *Don* Quichotte,* dont la première partie paraît en 1605. Dès lors célèbre, protégé par de grands seigneurs, il se consacre à la littérature : il donne les *Nouvelles* exemplaires* (1613), forme un recueil de ses meilleures pièces de théâtre (*Huit Comédies et huit intermèdes nouveaux,* 1615) et se fait critique dans le *Voyage au Parnasse* (1614). L'humour fait toutefois place à la satire dans la seconde partie du *Don Quichotte* (1616), et son œuvre s'achève sur un récit encyclopédique, abrégé des connaissances scientifiques et spirituelles de son époque, *les Travaux de Persilès et Sigismonde,* « roman septentrional », publié en 1617.

CERVEAU. — Le cerveau proprement dit est constitué par les deux hémisphères cérébraux et les structures qui les unissent. Il est creusé de cavités, les ventricules cérébraux, où circule le liquide céphalo-rachidien. Chez l'homme, la partie superficielle (cortex) des hémisphères cérébraux, formée de substance grise, est creusée de sillons et de scissures, lesquelles permettent de délimiter pour chaque hémisphère les lobes frontal, pariétal, temporal et occipital. À la partie profonde du cerveau se trouvent les noyaux gris centraux (noyaux caudé et lenticulaire, comprenant le pallidum) et le thalamus (diencéphale). Le reste des hémisphères est formé de substance blanche, dont la capsule interne, en grande partie occupée par des fibres du faisceau pyramidal. L'hypophyse est reliée au cerveau par la tige pituitaire. La région hypothalamo-hypophysaire (diencéphale) est en étroit rapport avec le rhinencéphale, qui intervient dans le contrôle de la vie végétative. Le tronc cérébral est constitué par la réunion du bulbe, de la protubérance et des pédoncules cérébraux. Il est surplombé en arrière par le cervelet, auquel il est relié par les pédoncules cérébelleux. Le tronc cérébral est le siège des centres automatiques de la vie organique et comprend la substance réticulée, qui joue un rôle important dans la vigilance; c'est aussi le lieu d'émergence des nerfs crâniens. Les fonctions dites « supérieures » (langage, intelligence, etc.), la motricité volontaire, l'intégration des informations sensitives et sensorielles ont leur siège au niveau du cortex. Le cerveau peut être atteint d'affections diverses : d'origine infectieuse (encéphalite), traumatique, toxique ou dégénérative, tumorale ou vasculaire (hémorragie ou ramollissement cérébral). [V. NERVEUX *(système)*.]

urbain; elles ont livré un abondant matériel funéraire et constituent l'un des plus anciens centres d'art pictural. (Tombes des boucliers, des chaises, VIIe-VIe s.; tombe des reliefs, fin IVe-déb. IIIe s.; etc.)

CERVIN *(mont),* en allem. **Matterhorn,** sommet des Alpes, à la frontière italo-suisse, au-dessus de la vallée de Zermatt; 4 478 m. La première ascension fut réalisée le 14 juillet 1865 par une caravane comprenant Whymper*.

CERVINIA-BREUIL → BREUIL-CERVINIA.

CERVIONE (20230 San Nicolao), ch.-l. du cant. de Campoloro-di-Moriani (Haute-Corse), à 30 km au N. d'Aléria; 1 450 hab. Anc. cathédrale de 1578. Aux environs, église Sainte-Christine du XVe s. (peintures).

CÉSAIRE d'Arles *(saint),* moine et évêque gaulois (Chalon-sur-Saône 470 ou 471-Arles 543). Moine à Lérins, évêque d'Arles en 503, il travaille à l'établissement de la discipline ecclésiastique et s'attache à développer la vie monastique. Son épiscopat représente

CERVEAU

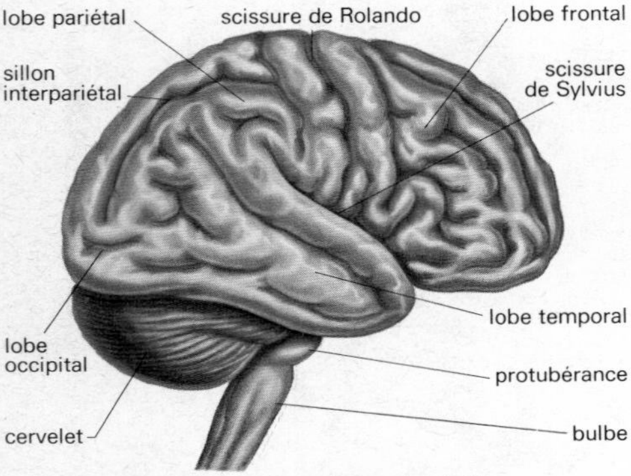

vue externe de l'hémisphère droit

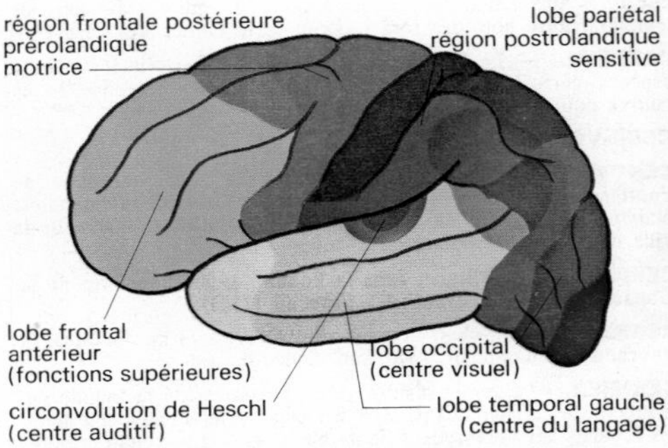

projection des aires motrice, sensitive et sensorielle.

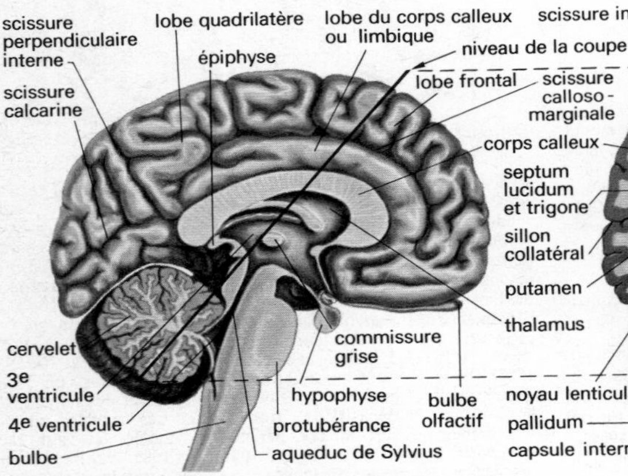

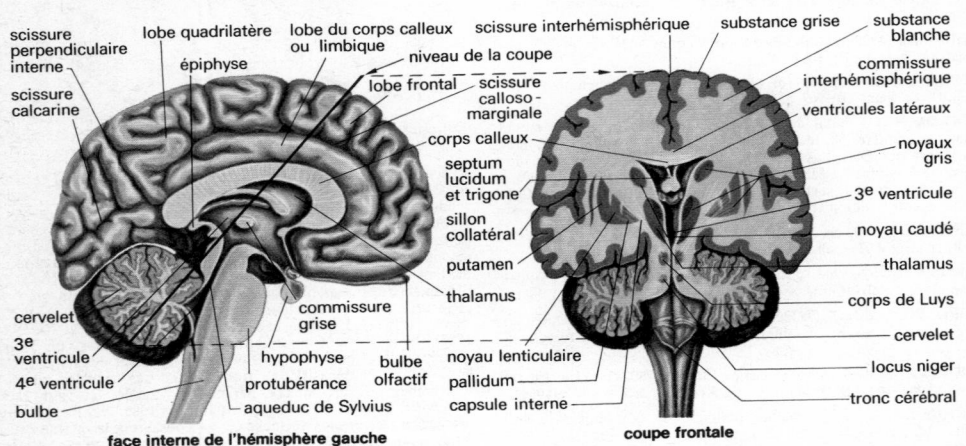

face interne de l'hémisphère gauche

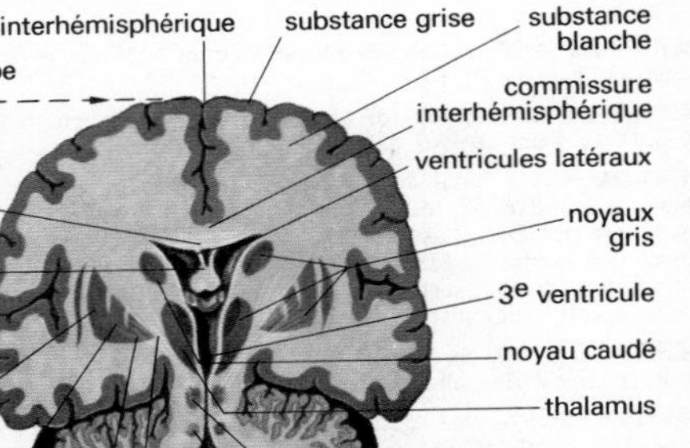

coupe frontale

CERVELET. — Le cervelet est situé dans la fosse cérébrale postérieure, au-dessus et en arrière du tronc cérébral, auquel il est uni par les pédoncules cérébelleux. Il est composé d'une partie centrale, le vermis, qui intervient surtout dans l'équilibration et le tonus postural, et de deux hémisphères, qui permettent de réaliser harmonieusement les mouvements volontaires. C'est pourquoi l'atteinte du cervelet n'entraîne aucun déficit musculaire ou de la sensibilité, mais des troubles de l'équilibre et de la coordination.

CERVETERI, comm. d'Italie (Latium), au N.-O. de Rome; 13 700 hab. Sous le nom de *Chisra,* Cerveteri fut l'une des plus puissantes villes de la Confédération étrusque. Elle tomba, en 351 av. J.-C., sous la domination de Rome, qui n'accorda aucun droit politique aux citoyens de *Caere,* nom latin de Chisra. — Les tombes, creusées ou construites dans la roche et couvertes de tumuli, de ses vastes nécropoles, s'alignent selon un véritable plan

le premier essai durable de normalisation des rapports entre l'Église et les royautés barbares.

CÉSAIRE (Aimé), écrivain et homme politique français (Basse-Pointe, Martinique, 1913). Influencé par le surréalisme (*Soleil cou coupé,* 1948), il fait de la poésie un retour aux sources de la négritude* (*Cahier d'un retour au pays natal,* 1939; *Cadastre,* 1961) et proclame son désir de se libérer des formes de la culture occidentale, dans ses essais et son théâtre (*Et les chiens se taisaient,* 1956; *la Tragédie du roi Christophe,* 1963).

CÉSALPINIACÉES → LÉGUMINEUSES.

CÉSAR. — Le nom de César fut repris, suivant la coutume, par Auguste, fils adoptif de César. Après lui, tous les empereurs romains le portèrent et le terme devint synonyme d'empereur. À partir d'Hadrien, le titre de « césar » fut également attribué à celui qui était désigné pour succéder à l'empereur. Dans le système de la tétrarchie*, Dioclétien adjoignit aux deux augustes deux césars, considérés comme fils adoptifs des augustes et appelés à leur succéder.

CÉSAR (Jules), en lat. **Caius Julius Caesar,** homme d'État romain (Rome 100 ou 101-*id.* 44 av. J.-C.). Il appartenait à la famille patricienne des Iulii, qui prétendait descendre de Iule, fils d'Énée, lui-même fils de Vénus. Très tôt, ce patricien fait connaître son choix politique et s'oppose à Sulla : en 82, il refuse de répudier sa femme, fille de Cinna; pour éviter la proscription il s'enfuit en Orient. Après la mort du dictateur, il rentre à Rome. Questeur en 68, il fait porter les effigies et les portraits de Marius; édile en 65, il gagne la faveur populaire en offrant de magnifiques jeux et relève les statues et les trophées de Marius sur le Capitole : ainsi, dès 65, par des démonstrations tapageuses, il ressuscitait le parti populaire. En 63, il est élu grand pontife : en affectant une certaine clémence à l'égard des agitateurs (Clodius*) et des complices de Catilina, il se concilie le peuple et les derniers tribuns actifs.

Après avoir confirmé son autorité militaire par quelques succès en Espagne (61), il rentre à Rome, réconcilie M. Licinius* Crassus et Pompée* et forme avec eux le premier triumvirat* (60) : ce simple accord privé lui assure le consulat, qu'il revêt en 59. César, consul, reprend le programme des populaires : il fait voter deux lois agraires* et réduit la liberté du sénat en faisant publier les procès-verbaux de ses séances *(Acta senatus).* Politicien heureux, César a besoin aussi de gloire et d'argent : aussi s'assure-t-il un grand commandement (proconsulat de Gaule Cisalpine, d'Illyrie et de Narbonnaise) et une armée qui va lui permettre d'égaler la gloire de Pompée. L'occasion de faire campagne dans les Gaules lui est offerte en 58 par la migration des Helvètes* : César les arrête, puis rejette Arioviste* au-delà du Rhin, qu'il désigne comme frontière entre Celtes et Germains; il étend ensuite le protectorat romain à la quasi-totalité de la Gaule par des campagnes victorieuses menées contre les peuples belges et les Vénètes (56). Son œuvre est menacée en 54-53 par l'insurrection des Éburons et surtout en 52 par la révolte générale des Gaules, dirigée par Vercingétorix qui lui inflige l'échec de Gergovie; mais César obtient à Alésia* la reddition du chef gaulois. Il tire de la guerre des Gaules (58-51) un immense prestige, habilement entretenu par ses *Commentaires* (De bello gallico) :* par ces communiqués, Rome savait tout de ses exploits.

En l'absence de César parti conquérir les Gaules, Rome sombre dans l'anarchie. Privés de tout crédit politique, Pompée et Crassus resserrent leur entente avec César à Lucques (56). Mais de tragiques événements, survenus en 53, ruinent le triumvirat : la mort de Julie (femme de Pompée et fille de César) puis celle de Crassus contribuent à rompre les liens entre Pompée et César, devenus plus rivaux qu'alliés. En 52, l'anarchie force le sénat à nommer Pompée *seul* consul, avec les pleins pouvoirs. César, dont le proconsulat s'achève en 50, demande à conserver son commandement militaire jusqu'à ce que la loi lui permette de revêtir de nouveau le consulat, c'est-à-dire jusqu'en 49. Le sénat le lui refuse et, par décret, lui ôte ses pouvoirs : contraint de choisir entre la guerre civile et l'effacement politique définitif, César se décide à franchir le Rubicon, rivière qui sépare sa province de l'Italie (péninsulaire) [janv. 49], et marche sur Rome. Surpris, Pompée quitte l'Italie pour former, en Orient, l'armée républicaine. César entre à Rome, où il revêt successivement la dictature (49 et 47) et le consulat (48 et 46), magistratures qu'il exerce en même temps en 45 et 44, puis la préfecture des mœurs (46), autrement dit la censure, pour trois ans : la république paraît condamnée. Cette accumulation de magistratures indigne les défenseurs de la tradition, groupés autour de Pompée, les « pompéiens », que César doit combattre dans la plupart des provinces de l'Empire de 49 à 45. Maître de l'Italie moins de deux mois après le passage du Rubicon, vainqueur en Espagne, il se tourne vers l'Orient, où Pompée a réuni une forte armée : Pompée, vaincu à Pharsale (48), s'enfuit en Égypte, où il est assassiné; César, qui le poursuivait, s'assure un solide protectorat en Égypte; de là, il gagne le Pont, où il bat à Zela (47) Pharnace II, fils du grand Mithridate; en Afrique, il écrase les pompéiens à Thapsus (46); enfin, en Espagne, à Munda (45), il anéantit la dernière résistance pompéienne.

Maître absolu de l'Empire, César est comblé d'honneurs par le sénat : il reçoit le droit de guerre et de paix, la sacro-sainteté tribunitienne, le droit de présider les comices électoraux, de nommer les magistrats; enfin, on lui donne une statue au Capitole. En 44, nouvel honneur : la dictature à vie. Dès lors, les pouvoirs de César sont ceux d'un monarque, mais le dictateur refuse ostensiblement le diadème que lui tend Antoine à la fête des lupercales. Il exerce cependant le pouvoir suprême à titre personnel, et il sera assassiné le jour des ides de mars 44 par un groupe de conspirateurs menés par Brutus* et Cassius*, ceux que la postérité a désignés du nom de « libérateurs ».

Après César, que restait-il de la république des *Patres?* Dans le court délai dont il disposa, César bouleversa les institutions de Rome et jeta les bases du régime impérial : ses réformes annulèrent à la fois le sénat et les magistrats. Le pouvoir personnel devenait

Pièce de monnaie romaine en argent, représentant Jules César lauré. (Cabinet des Médailles, B.N., Paris.)

nécessaire; le sénat n'était plus qu'un conseil, assemblée composite par les origines et les conditions de ses 900 membres (patriciens, chevaliers, provinciaux). César affaiblit aussi les magistratures en augmentant le nombre des titulaires. Issu d'une faction populaire, César demeura l'homme des *populares :* une loi agraire distribua à 20 000 familles l'*ager publicus* de Campanie; de nombreuses colonies furent fondées (Corinthe, Carthage...) pour les vétérans et les familles plébéiennes. Dans les provinces, il distribua libéralement le droit de cité (Gaule Cisalpine); les abus des sociétés financières furent réprimés et les impôts directs ne furent plus affermés.

Avec l'appui de son armée, César ruina le pouvoir du sénat et tenta d'instaurer une monarchie militaire. Fort de l'expérience de César, Auguste s'opposera à ses excès d'audace et de précipitation et organisera le principat, qui n'est qu'une monarchie militaire mais habilement cachée par une façade républicaine.

CÉSAR (Caius et Lucius), fils d'Agrippa* et de Julie*, fille d'Auguste. Caius était né en 20 av. J.-C., Lucius en 17, date à laquelle Auguste les adopta en les destinant à l'Empire : ils prirent le nom de Caius César et Lucius César et furent acclamés « princes de la Jeunesse ». Auguste avait ainsi désigné ses successeurs; mais ils moururent, Lucius en 2 apr. J.-C., Caius en 4.

César *(Jules),* drame de Shakespeare (1599). La mort du dictateur et les événements qui la suivent dominés par Brutus.

CÉSAR (César BALDACCINI, dit), sculpteur français (Marseille 1921). Apparenté au nouveau réalisme*, il a surtout travaillé le métal (déchets amalgamés par soudure : *l'Homme de Draguignan,* 1957; *compressions* de voitures, brutes ou « dirigées », à partir de 1960) et le plastique (*empreinte* géante de son pouce, 1966; *expansions,* à partir de 1957). Intuition inventive et lyrisme caractérisent son art.

César Birotteau *(Grandeur et décadence de),* roman de Balzac (1837). L'ambition et le génie inventif du bourgeois se brisent sur les combinaisons du grand capitalisme naissant (Du Tillet, Nucingen).

CÉSARÉE de Cappadoce → KAYSERI.

CÉSARÉE de Mauritanie → CHERCHELL.

CÉSARÉE de Palestine, anc. ville de Palestine, fondée en 22 av. J.-C. par Hérode* le Grand, au nord de Jaffa, résidence des procurateurs romains. Origène*, vers 230, y ouvre une école théologique. Sa bibliothèque, détruite par les Arabes en 640, était la plus riche de l'Antiquité chrétienne. Conquise par les croisés (1101), elle est détruite (1265) par le sultan mamelouk* Baybars.

CESENA, v. d'Italie (Émilie), au N.-O. de Saint-Marin; 88 000 hab. Monuments anciens, dont la bibliothèque Malatestiana (1452).

CÉSIUM → CÆSIUM.

ČESKÉ BUDĚJOVICE, v. de Tchécoslovaquie, ch.-l. de la prov. de Bohême-Méridionale; 77 000 hab.

CESSIEU (38110 La Tour du Pin), comm. de l'Isère, à 6 km à l'O. de La Tour-du-Pin; 1 610 hab. Constructions mécaniques.

CESTAS (33610), comm. de la Gironde, à 15 km au S.-O. de Bordeaux; 6 452 hab.

CESTODES → PLATHELMINTHES et VER.

CÉTACÉS. — Le plus grand animal de tous les temps, la baleine, et l'un des rares animaux présentant une sorte de langage, le dauphin, forment, avec d'autres animaux moins célèbres (cachalots, orques, globicéphales, marsouins), le plus important des trois ordres de mammifères aquatiques, celui des cétacés. Adaptés à la flottaison par leur faible densité (épaisse couche de graisse cutanée), à une nage rapide par leur forme hydrodynamique, leur puissante nageoire caudale aux lobes horizontaux et leurs pattes de devant conformées en nageoires (il n'y a pas de membres postérieurs), adaptés à de longues plongées par les particularités de leurs poumons et de l'appareil cardio-vasculaire, les cétacés sont essentiellement marins et grégaires. Toutes les espèces sont menacées de disparition, du fait d'une chasse abusive.

CÉTONE. — Les cétones sont désignées par le nom de l'hydrocarbure dont elles dérivent et dans lequel l'*e* final est remplacé par la désinence *-one*. Les plus simples sont l'*acétone** CH_3COCH_3 et la *méthyléthylcétone* $CH_3COC_2H_5$. On les extrait des huiles essentielles, mais on les prépare aussi par synthèse.

Leurs propriétés chimiques sont voisines de celles des aldéhydes; l'hydrogénation les transforme en alcools secondaires. Mais elles sont peu réductrices, car leur oxydation en acides ne peut se faire qu'avec rupture de la molécule.

CÉÜSE-GAP, station de sports d'hiver (alt. 1 520-1 820 m) des Hautes-Alpes (comm. de Manteyer), à 23,5 km au S.-O. de Gap.

CÉZALLIER, plateau basaltique d'Auvergne, au N.-E. du massif du Cantal.

CÉZANNE (Paul), peintre français (Aix-en-Provence 1839-*id.* 1906). Plus qu'aux leçons académiques (il suivra néanmoins des cours à l'académie Suisse à Paris), c'est à lui-même (lorsque, par exemple, il s'attache à étudier au Louvre les Vénitiens ou Delacroix) et à ses amis (outre Zola, Pissarro, Guillaumin, Manet) qu'il doit sa formation picturale. Après une période « romantique » (1863-1872), où les couleurs sombres et la matière épaisse révèlent un goût baroque, il rencontre l'impressionnisme au contact de Pissarro : sa palette s'éclaircit, sa touche se raccourcit, et le travail des tons tend à remplacer la recherche du modelé (*la Maison du pendu,* 1873, Louvre).

Sa volonté constructive organise les plans sans perspective, l'intensité est atteinte dans l'adéquation de la couleur et de la forme, la composition est « modulée » par la touche colorée qui rythme et unifie les différents éléments (séries de natures mortes avec des pommes). Avec les paysages peints en Provence (*la Baie de Marseille vue de l'Estaque,* 1884-1886, Metropolitan Museum of Art, New York), la recherche plastique et les exigences organiques du tableau coïncident, dans la transposition du motif, avec une plus grande vérité de la sensation.

CÉZANNE.
La Montagne Sainte-Victoire (v. 1904-1906). [Philadelphia Museum of Art.]

A. J. Wyatt

L'équilibre des tensions, l'harmonie monumentale culminent dans la plénitude classique de toiles comme *les Joueurs de cartes* (v. 1890?, Louvre). À partir de là, et parallèlement à la recherche monumentale des *Grandes Baigneuses* (3 versions), un nouveau lyrisme s'exprime dans des œuvres dont le rythme aboutit à un jeu de taches et de facettes (dernières peintures de *la Montagne Sainte-Victoire*). Née dans l'isolement, et contre le mépris presque général de son temps, l'œuvre de Cézanne trouvera des prolongements dans de nombreux et très divers courants : ainsi le fauvisme, le cubisme ou certaines tendances de l'abstraction.

CEUTA, v. espagnole de la côte d'Afrique, en face de Gibraltar; 67 000 hab. Port franc. Conquis par les Portugais en 1415, cet important port arabe devient préside espagnol en 1640. Il l'est resté depuis, malgré les efforts du gouvernement marocain.

CÉVENNES (les), bordure sud-orientale du Massif central, entre le causse de Larzac au S.-O. et le Vivarais au N.-E.; 1 699 m au mont Lozère. Dominant les plaines du bas Rhône, les Cévennes comportent une succession de massifs granitiques (Tanargue, mont Lozère, Bougès, Aigoual), aux sommets aplanis, auxquels succèdent, vers l'E., des crêtes schisteuses (les serres cévenols), longeant de profondes vallées (Hérault, Gardon, Cèze, Chassezac et Ardèche). Le relief et un climat rude, enneigé l'hiver, expliquent le dépeuplement de la région, où la vie et les activités se réfugient au sortir de la montagne, dans les vallées, sites des villes (Bessèges, Le Vigan et surtout Alès, autrefois centre d'un bassin houiller exploité).

CEYHAN, v. du sud de la Turquie, sur le *Ceyhan* (fl. tributaire de la Méditerranée orientale); 50 000 hab.

CEYLAN → SRI LANKA.

CEYRAC (François), administrateur français (Meyssac, Corrèze, 1912), président du Conseil national du patronat français depuis 1972.

CEYZÉRIAT (01250), ch.-l. de cant. de l'Ain, à 8 km à l'E. de Bourg-en-Bresse; 1 765 hab.

CÈZE (la), riv. née dans les Cévennes, qui rejoint le Rhône (r. dr.), près de Marcoule; 100 km.

C.F.D.T., sigle de *Confédération* française démocratique du travail.*

C.F.T.C., sigle de *Confédération* française des travailleurs chrétiens.*

C.G.C., sigle de *Confédération* générale des cadres.*

C.G.T., sigle de *Confédération* générale du travail.*

C.G.T.-F.O., sigle de *Confédération* générale du travail-Force ouvrière.*

CHA'AB (al-), anc. **al-Ittiḥād,** capit. du Yémen démocratique, près d'Aden; 10 000 hab.

CHAALIS, anc. abbaye cistercienne avec ruines du XIIIe s. et palais du XVIIIe s., par J. Aubert, abritant une importante annexe du musée Jacquemart-André (Paris). Comme ce dernier, le domaine a été légué à l'Institut de France.

CHABANAIS (16150), ch.-l. de cant. de la Charente, sur la Vienne, à 16 km à l'O. de Saint-Junien; 2443 hab. Pont du XVIe s.

CHABAN-DELMAS (Jacques), homme politique français (Paris 1915). Membre de la délégation militaire du gouvernement provisoire de la République française (1943), il participe activement à la Résistance et reçoit le grade de général de brigade en 1944. Inspecteur des finances en 1943, député de la Gironde à partir de 1946 (radical-socialiste, puis gaulliste), maire de Bordeaux à partir de 1947, il est président de la Commission de développement économique régional d'Aquitaine (1964-1969), puis président du Conseil régional d'Aquitaine en 1974. Trois fois ministre sous la IVe République, il est président de l'Assemblée nationale de 1958 à 1969, puis Premier ministre (1969-1972). Sa candidature à l'élection présidentielle de mai 1974, où il se présente comme l'héritier du gaullisme, est un échec. Mais il retrouve la présidence de l'Assemblée nationale en 1978.

CHABAUD (Auguste) → FAUVISME.

CHABEUIL (26120), ch.-l. de cant. de la Drôme, à 11 km au S.-E. de Valence; 3916 hab.

CHABLAIS, massif des Préalpes du Nord (Haute-Savoie), au S. du lac Léman; 2464 m. Élevage.

CHABLIS (89800), ch.-l. de cant. de l'Yonne, à 16 km au S.-O. de Tonnerre, sur le Serein; 2408 hab. Église (fin XIIe s.). Vins blancs.

CHABRIER (Emmanuel), compositeur français (Ambert 1841-Paris 1894). Génie truculent, toujours à la recherche d'harmonies savoureuses, il excelle tant dans les œuvres lyriques (*l'Étoile,* 1877; *le Roi malgré lui,* 1887) que dans la mélodie *(Ballade des gros dindons)* ou le piano *(Pièces pittoresques,* 1881; *Bourrée fantasque,* 1891) et l'orchestre (*España,* 1882).

CHACAL. — Le chacal est extrêmement proche parent du loup, du renard et du chien, avec lesquels il est interfécond. Animal des steppes d'Asie et de l'Afrique du Nord, rusé, omnivore, dévorant les cadavres animaux et humains, mais attaquant souvent les agneaux, il mène une vie surtout nocturne. Invisible, mais remplissant l'espace de ses hurlements sinistres, il avait été promu dieu des Morts par les Égyptiens des temps pharaoniques.

CHACO ou **GRAND CHACO,** région de steppes et de savanes de l'Amérique du Sud, partagée entre l'Argentine *(prov. du Chaco;* ch.-l. *Resistencia)* et le Paraguay (*région du Chaco,* couvrant plus de la moitié du pays).

Chaco *(guerre du),* conflit sanglant qui opposa, en 1928-29 et de 1932 à 1935, la Bolivie au Paraguay. Ces républiques se disputaient la possession du désert du Chaco, riche en pétrole. L'armistice de 1935 et les décisions de la conférence panaméricaine de Buenos Aires (1936) laissèrent les deux adversaires mécontents.

CHACONNE → SUITE DE DANSES.

Chacun sa vérité, pièce en trois actes de Pirandello (1917), tirée d'une de ses nouvelles *(Madame Frola et Monsieur Ponza, son gendre).* Une simple question (Mme Frola est-elle la mère de la première ou de la seconde femme de M. Ponza?), dont l'auteur a réussi à faire une énigme, et la parabole de l'impossibilité de dégager la vérité des opinions et des apparences.

CHADWICK (*sir* James), physicien anglais (Manchester 1891-Cambridge 1974). il a étudié la désintégration artificielle des éléments par les particules alpha et reconnu, en 1932, l'existence du neutron, ce qui lui valut le prix Nobel de physique en 1935.

CHĀFI'ISME. — Une des quatre écoles juridiques de l'islām sunnite*, représentée surtout dans le monde de l'océan Indien et en Égypte; elle a été fondée par al-Chāfi'ī (767-820), qui limite le jugement personnel au raisonnement par analogie exercé sur les textes de la Tradition *(ḥadīth).*

CHAGALL (Marc), peintre français d'origine russe (Vitebsk 1887). Dès ses débuts, à Paris (1910-1913), où il découvre le cubisme, en Russie (1914-1922), où il est commissaire du peuple aux Beaux-Arts à Vitebsk, puis à nouveau en France, il affirme toujours plus un style spontané qui rappelle l'imagerie populaire, avec des thèmes puisés aux sources folkloriques et judaïques. Son art unit, hors de tout contexte rationnel, les souvenirs, les rêves, les prémonitions et de cocasses fragments du réel, mais aborde aussi, avec la guerre, des thèmes dramatiques (crucifixions). La sérénité religieuse s'exprime pleinement dans la suite des grandes peintures du *Message biblique* (Nice) et dans les séries de vitraux pour la cathédrale de Metz ou pour une synagogue de Jérusalem. Outre le nouveau plafond de l'Opéra de Paris (1963), il a réalisé un ensemble de mosaïques, tapisseries et panneaux muraux pour le nouveau Parlement de Jérusalem (1966-1969).

CHAGNY (71150), ch.-l. de cant. de Saône-et-Loire, à 17 km au N.-O. de Chalon-sur-Saône, sur la Dheune, et près du canal du Centre; 5926 hab. *(Chagnotins).* Église en partie du XIIe s. Constructions mécaniques. Industries alimentaires et textiles.

CHAGOS, archipel de l'océan Indien, au S. des Maldives, partie du Territoire britannique de l'océan Indien.

Chāh-nāmè *(le Livre des rois),* épopée persane de Firdūsī (Xe s.), qui conte les exploits du héros mythique Rustam.

CHÂHPUHR → SASSANIDES.

CHAILLAND (53420), ch.-l. de cant. de la Mayenne, à 9,5 km au S.-E. d'Ernée; 1158 hab.

CHAILLÉ-LES-MARAIS (85450), ch.-l. de cant. de la Vendée, à 17 km au S.-E. de Luçon; 1292 hab.

CHAIN (Ernst Boris), physiologiste anglais (Berlin 1906), prix Nobel de physiologie et de médecine en 1945, avec Florey et Fleming, pour sa collaboration à la découverte de la pénicilline.

CHAÎNE (fil de) → ARMURE, BONNETERIE, TISSAGE, TISSU.

CHAÎNE ALIMENTAIRE. — Dans le réseau inextricable des relations entre proies et prédateurs, entre mangés et mangeurs du monde vivant, il est commode d'isoler telle ou telle série de transferts de matière organique et d'énergie, pour étudier le rendement matériel et énergétique de ces transferts, la concentration des substances non métabolisées, etc. D'où la notion de « chaîne alimentaire ». La matière minérale est transformée en aliment par les plantes vertes (*producteurs* ou, mieux, *capteurs d'énergie*), les plantes sont broutées par des *consommateurs* (ou, mieux, *convertisseurs*) primaires, c'est-à-dire par des animaux herbivores, eux-mêmes dévorés par des consommateurs secondaires, voire tertiaires ou quaternaires (animaux carnivores). Mais la chaîne se referme sur elle-même avec les *décomposeurs* (ou, mieux, *récupérateurs*), c'est-à-dire avec les bactéries qui dévorent les excréments et les cadavres, restituant au milieu extérieur la matière minérale (gaz carbonique, eau, sels minéraux), que fixeront à nouveau des plantes vertes.

L'homme, situé tout au bout de la chaîne alimentaire, est exposé de ce fait au risque d'intoxication par les produits de sa propre industrie (insecticides organochlorés, par exemple), lorsque ceux-ci se concentrent le long de la chaîne jusqu'à 1000 ou 10000 fois leur concentration d'épandage. (Quant aux pertes de matière et d'énergie à chaque transfert, elles sont traitées à l'article PYRAMIDE ALIMENTAIRE.)

CHAÎNE DU FROID → FROID.

CHAISE-DIEU (La) [43160], ch.-l. de cant. de la Haute-Loire, à 17 km au S. d'Arlanc; 1049 hab. Ancienne abbatiale, ample monument reconstruit dans un style très pur au milieu du XIVe s. (tombeau de Clément VI, stalles; fresque de *la Danse macabre* [XVe s.], pleine de sarcasme et d'angoisse, au long de la clôture du chœur; tapisseries).

Chaises *(les),* pièce d'E. Ionesco (1952). Un couple de vieillards perdu au milieu des chaises préparées pour la soirée où un « orateur » doit délivrer le message qui donnera un sens à leur vie : mais il ne vient personne et l'orateur est muet. « Le thème de la pièce, a dit Ionesco, c'est le vide métaphysique..., le *rien.* »

CHAKHTY, v. de l'U.R.S.S. (R.S.F.S. de Russie), dans le Donbass; 205000 hab. Houille.

CHALABRE (11230), ch.-l. de cant. de l'Aude, à 25 km au S.-O. de Limoux; 1583 hab. Château et église des XVe-XVIe s.

CHALAIS (16210), ch.-l. de cant. de la Charente, à 16 km au S.-O. de Montmoreau; 2545 hab. Anc. château (XIVe au XVIIIe s.).

CHALAIS (Henri DE TALLEYRAND, *comte* DE), gentilhomme français (1599-Nantes 1626). Maître de la garde-robe du roi (1622), il prend part à un complot contre Richelieu, qui le fait décapiter.

CHALAMONT (01320), ch.-l. de cant. de l'Ain, à 17 km à l'O.-N.-O. d'Ambérieu-en-Bugey; 1307 hab.

CHALAMPÉ (68490 Ottmarsheim), comm. du Haut-Rhin, sur le grand canal d'Alsace, à 14 km au N.-E. de Mulhouse; 873 hab. Industrie chimique.

CHALCÉDOINE, ville de l'Asie Mineure (Bithynie). Colonie grecque fondée au VIIe s. av. J.-C., sa position stratégique à l'entrée du Pont-Euxin lui vaut d'être occupée par les Perses, puis d'être mêlée aux querelles des cités grecques et à celles des successeurs d'Alexandre. À l'ère chrétienne, elle est le siège du IVe concile œcuménique, qui condamne le monophysisme*.

CHALCIDIQUE, presqu'île de la Grèce du Nord, formant trois péninsules, dont celle de l'Athos*.

CHALCIS, en gr. **Khalkis,** v. de Grèce (Eubée); 36000 hab.

CHALCOCONDYLE (Démétrios), grammairien grec (Athènes 1424-Milan 1511). Réfugié en Italie à partir de 1447, il contribua à la renaissance des études grecques (premières éditions d'Homère et d'Isocrate).

CHALCOPYRITE. — La chalcopyrite, dont la formule est $CuFeS_2$, la densité 4,1 à 4,3, est d'une couleur voisine de celle du laiton et possède un vif éclat métallique. Elle cristallise sous de nombreuses formes appartenant au système quadratique. Elle constitue le principal minerai de cuivre, mais sa teneur en ce métal est assez faible et son traitement compliqué.

CHALCOSINE. — La chalcosine, ou chalcosite, de formule Cu_2S, est une substance grise, à cristaux orthorhombiques, qui constitue un minerai de cuivre riche.

CHALDÉENS, peuple apparenté aux Araméens, qui, v. 1000 av. J.-C., s'installe dans l'ancien pays de Sumer* et y fonde plusieurs principautés. Infiltrés dans une Babylone affaiblie par l'invasion étrangère, les Chaldéens, durant le VIIIe s., réussissent, à trois reprises, à occuper pour un temps le trône de Babylone*. L'Empire babylonien devra ses dernières années de splendeur à la dynastie chaldéenne (626-539) fondée par Nabopolassar*.

CHALETTE-SUR-LOING (45120), comm. du Loiret, dans la banlieue nord de Montargis; 13 910 hab.

CHALEUR. — Quand on met en contact des corps à des températures différentes, les plus chauds se refroidissent, tandis que les plus froids s'échauffent. On considère qu'il s'est produit entre ces corps des *échanges de chaleur.* On définit la *quantité de chaleur* reçue par un corps comme une grandeur proportionnelle à la masse de ce corps, qui subit une élévation de température donnée. L'unité de quantité de chaleur, ou *calorie,* est la quantité de chaleur nécessaire pour élever de 14,5 °C à 15,5 °C la température de 1 g d'eau. On définit aussi la *chaleur spécifique,* ou *massique,* d'une substance comme étant la quantité de chaleur nécessaire pour élever de 1 °C la température de l'unité de masse de cette substance.

L'apport d'une quantité de chaleur peut aussi produire non plus une variation de température, mais un changement d'état d'un corps (fusion, vaporisation). On définit une *chaleur latente* comme étant la quantité de chaleur nécessaire pour produire, à température constante, ce changement d'état sur l'unité de masse de la substance.

Les effets précédents peuvent être obtenus sur un corps en l'absence de corps plus chauds ou plus froids, par simple dépense d'énergie mécanique ou électrique. La chaleur doit, par suite, être considérée comme une forme d'énergie, et son unité légale est le joule (1 calorie équivaut à 4,185 joules). Toutes les formes d'énergie peuvent se transformer en chaleur, et réciproquement.

La transmission de la chaleur d'un corps à un autre s'effectue selon trois mécanismes : dans la *conduction,* la chaleur se propage à l'intérieur des corps matériels, des régions chaudes vers les régions froides; dans le *rayonnement,* un corps chaud émet des radiations électromagnétiques qu'absorbent les corps qui lui sont soumis; dans la *convection,* la chaleur, fixée sur un corps mobile, est entraînée par le mouvement de celui-ci.

CHALEURS *(baie des),* partie du golfe du Saint-Laurent, entre la Gaspésie (Québec) et le Nouveau-Brunswick.

CHALGRIN (Jean), architecte français (Paris 1739-*id.* 1811). Élève de Servandoni et de Boullée, il remporta le prix de Rome (1758). Il est l'auteur d'hôtels à Paris et à Versailles, de Saint-Philippe-du-Roule (1774-1784), qui reprend le type basilical et eut une grande influence, des plans de l'arc* de triomphe de l'Étoile, où son néoclassicisme se teinte d'un romantisme grandiose.

CHALIAPINE (Fedor), chanteur russe (Kazan 1873-Paris 1938). Célèbre basse, autodidacte, comédien de génie, il imposa au théâtre lyrique le culte de la vérité dramatique et donna le premier toutes ses dimensions au rôle de Boris Godounov. Il a publié des Mémoires : *Pages from my Life* (1926) et *Man and Mask* (1932).

CHALINDREY (52600), comm. de la Haute-Marne, à 9 km au S.-E. de Langres; 3 377 hab.

CHALK RIVER, localité du Canada (Ontario), près de l'Ottawa; 1 094 hab. Centre de recherches nucléaires.

CHALLANS (85300), ch.-l. de cant. de la Vendée, à 16 km au N.-E. de Saint-Jean-de-Monts; 12 214 hab. *(Challandais).*

CHALLE (Maurice), général français d'aviation (Pontet 1905). Commandant en chef en Algérie (1959-60), il y mène d'importantes opérations contre le F. L. N. Commandant du secteur Centre-Europe de l'O. T. A. N., il démissionne et dirige le putsch du 22 avril 1961 à Alger. Après son échec, il se rend, est condamné à quinze ans de réclusion criminelle et est grâcié en 1966.

CHALLES-LES-EAUX (73190), comm. de la Savoie, au S.-E. de Chambéry; 2 556 hab. Station thermale pour le traitement des affections du nez et de la gorge.

CHALONNAISE *(côte),* région viticole de Bourgogne, entre les vallées de la Dheune et de la Grosne.

CHALONNES-SUR-LOIRE (49290), ch.-l. de cant. de Maine-et-Loire, à 25 km au S.-O. d'Angers, au confluent de la Loire et du Layon; 4 708 hab. Église gothique (XIIe-XIIIe s.).

CHÂLONS-SUR-MARNE (51000), capit. de la Région Champagne-Ardenne, ch.-l. du départ. de la Marne, sur la Marne, à 160 km à l'E. de Paris; 55 709 hab. *(Châlonnais).* Cathédrale reconstruite après 1230 (vitraux du XIIe au XVIe s.). Importante église Notre-Dame-en-Vaux, romane et gothique du XIIe s. Autres églises médiévales. Bâtiments civils du XVIIIe s. Musée. La ville, centre d'une agglomération de plus de 70 000 hab., doit largement son spectaculaire essor démographique récent au développement de l'industrie (appareillage électrique, papiers peints, appareils de levage, bonneterie), s'ajoutant à ses traditionnelles fonctions administrative, commerciale et militaire (camp militaire; siège, de 1953 à 1976, de l'École d'application de l'artillerie).

CHALON-SUR-SAÔNE (71100), ch.-l. d'arr. de Saône-et-Loire, sur la Saône et le canal du Centre; 60 451 hab. *(Chalonnais).* Anc. cathédrale (XIIe-XVe s.) et autres monuments. Musées. Centre commercial (marché viticole), port fluvial notable, la ville est aussi fortement industrialisée (centrale thermique, métallurgie lourde, constructions mécaniques et électriques, produits photographiques) et sa population a beaucoup augmenté récemment.

CHALOSSE, région de collines du sud-ouest de la France, entre le gave de Pau et l'Adour, dans le sud du départ. des Landes, au S. de la forêt landaise. C'est un pays de polyculture et d'élevage.

CHÂLUS (87230), ch.-l. de cant. de la Haute-Vienne, à 35 km au S.-O. de Limoges; 2 456 hab. Donjon du XIIe s.

CHAMALIÈRES (63400), comm. du Puy-de-Dôme, dans la banlieue ouest de Clermont-Ferrand; 18 193 hab. *(Chamaliérois).* Église en partie romane. Imprimerie de la Banque de France.

CHAMANISME. — Ce phénomène religieux est centré sur la personne du chaman, qui a le pouvoir d'entrer en communication directe avec les esprits en utilisant les techniques de l'extase et de la transe. Ses fonctions de guérisseur et d'intermédiaire entre le monde des humains et celui des esprits lui confèrent un statut social privilégié.

CHAMBERLAIN (Joseph), homme politique britannique (Londres 1836-Birmingham 1914). Maire de Birmingham de 1873 à 1876, député libéral en 1876, il devient ministre du Commerce en 1880. Partisan du maintien de l'union entre l'Irlande et la Grande-Bretagne, il démissionne en 1886 et provoque la scission du parti libéral, en regroupant autour de lui les adversaires du Home Rule dans le nouveau parti libéral-unioniste. Ministre des Colonies de 1895 à 1903, il mène une vaste politique d'extension et de consolidation de l'empire, qui l'entraîne à la guerre contre les républiques boers. — Son fils SIR AUSTEN (Birmingham 1863-Londres 1937), député libéral-unioniste en 1892, devient chancelier de l'Échiquier (de 1903 à 1906 et de 1919 à 1921). Ministre des Affaires étrangères de 1924 à 1929, il pratique une politique de détente, dans le cadre de la Société des Nations, signant les accords de Locarno (1925) et favorisant le pacte Briand-Kellogg (1928). — SIR ARTHUR NEVILLE (Birmingham 1869-Heckfield 1940), demi-frère du précédent, devient député conservateur en 1918. Chancelier de l'Échiquier de 1931 à 1937, il reconvertit l'économie britannique après la grande crise et participe à l'élaboration des accords d'Ottawa (1932). Premier ministre en 1937, il s'efforce d'abord de maintenir la paix par des concessions et signe les accords de Munich (1938). Mais il doit finalement déclarer la guerre à l'Allemagne (septembre 1939), puis démissionner, en mai 1940.

CHAMBERLAIN (Owen), physicien américain (San Francisco 1920). Il a réalisé, avec Segrè*, la production de l'antiproton. (Prix Nobel de physique, 1959.)

CHAMBERS (Ephraïm), publiciste anglais (Kendal v. 1680-Islington 1740), auteur d'une encyclopédie qui inspira celle de Diderot.

CHAMBERS (*sir* William), architecte anglais (Göteborg 1723-Londres 1796). Il publia à son retour des Indes et de Chine sa *Dissertation sur les jardins orientaux,* dont il appliqua les conceptions à Kew. Il construisit, dans un esprit néoclassique, de nombreuses demeures, dont la plus vaste est Somerset House (Londres, 1776). Son *Traité d'architecture civile* (1759), assez traditionaliste, fut très suivi durant un siècle.

CHAMBERTIN, vignoble de Bourgogne (Côte-d'Or), dans la comm. de *Gevrey-Chambertin**.

CHAMBÉRY (73000), ch.-l. du départ. de la Savoie, sur la Leysse et l'Albane, à 553 km au S.-E. de Paris; 56 788 hab. *(Chambériens).* Baptistère carolingien (?) de Lémenc. Château médiéval (restauré) avec Sainte-Chapelle. Cathédrale (XVe-XVIe s.). Église Notre-Dame (1636). Musée savoisien, dans l'ancien archevêché, et musée des

Chambre à bulles. En cours de construction au Cern (Organisation européenne pour la recherche nucléaire) à Genève, la grande chambre à bulles à hydrogène liquide « BEBC », mise en service en 1972.

Beaux-Arts. Établie dans la *cluse de Chambéry* (entre les massifs des Bauges et de la Grande-Chartreuse), la ville s'est développée comme centre administratif et politique (ce fut la capitale de la Savoie), mais elle s'est, depuis, industrialisée (verrerie, métallurgie, confection, etc.), ce qui explique, partiellement, le net accroissement de population enregistré récemment.

CHAMBIGES, famille de maîtres d'œuvre français dont les plus connus sont MARTIN († Beauvais 1532), qui donna d'harmonieux compléments à trois cathédrales — un des croisillons du transept de Sens; la façade de Troyes, le transept de Beauvais —, et PIERRE Ier († Paris 1544), qui assura le passage au premier style de la Renaissance dans ses nombreux travaux : Hôtel de Ville de Paris (sous la direction de Dominique de Cortone) et château Vieux de Saint-Germain-en-Laye, notamment, pour François Ier.

CHAMBLEY-BUSSIÈRES (54124), ch.-l. de cant. de Meurthe-et-Moselle, à 26 km au S.-O. de Metz; 477 hab.

CHAMBLY (60230), comm. de l'Oise, à 7 km au N. de L'Isle-Adam; 6 218 hab. Chimie. Église des XIIIe et XIVe s.

CHAMBOLLE-MUSIGNY (21220 Gevrey Chambertin), comm. de la Côte-d'Or, à 17 km au S. de Dijon; 403 hab. Vignobles.

CHAMBON *(lac),* lac d'Auvergne, à l'E. du Mont-Dore.

CHAMBON-FEUGEROLLES (Le) [42500], ch.-l. de cant. de la Loire, à 8,5 km au S.-O. de Saint-Étienne; 20 129 hab. *(Chambonnaires).* Constructions électriques et mécaniques.

CHAMBONNIÈRES (Jacques CHAMPION DE), claveciniste et compositeur français (apr. 1601 - Paris 1672). Ses différentes danses stylisées pour le clavecin en ont fait l'un des créateurs de la suite pour cet instrument.

CHAMBON-SUR-LIGNON (43400), comm. de la Haute-Loire, à 28 km au S.-E. d'Issingeaux; 3 092 hab. Centre touristique.

CHAMBON-SUR-VOUEIZE (23170), ch.-l. de cant. de la Creuse, à 5 km à l'O. d'Évaux-les-Bains; 1 206 hab. Église romane.

CHAMBORD (41250 Bracieux), comm. de Loir-et-Cher, à 18 km à l'E. de Blois; 230 hab. Forêt domaniale de près de 5 000 ha. Le château, œuvre exceptionnelle de la première Renaissance, construit pour François Ier à partir de 1519, conserve un plan de château fort, mais vise à l'agrément autant qu'au prestige et à une noble symétrie. Son « donjon » central est organisé autour du célèbre escalier à claire-voie et double hélice, sommé d'une tour-lanterne qui se détache, entre des terrasses, parmi une forêt de toits aigus, de cheminées et de lucarnes d'un effet féerique.

CHAMBORD (Henri DE BOURBON, *duc* DE BORDEAUX, puis *comte* DE), prince français (Paris 1820 - Frohsdorf 1883). Fils posthume du duc de Berry, second fils de Charles X*, il devient, à la mort de ce dernier (1836), le prétendant légitimiste au trône de France (« Henri V »). Son heure semble sonner en 1871, quand la France est gouvernée par une Assemblée nationale à majorité monarchiste; la fusion entre les légitimistes et les orléanistes (comte de Paris) a même lieu (août 1873), mais, le comte de Chambord ayant déclaré qu'il se refusait à renoncer au drapeau blanc (30 oct.), la Restauration est reculée. Elle n'aura jamais lieu. Avec le comte de Chambord, mort sans héritier, s'éteint la branche aînée des Bourbons.

CHAMBRAY-LÈS-TOURS (37170), comm. d'Indre-et-Loire, banlieue sud de Tours; 5 719 hab.

CHAMBRE *(Min.)* → EXPLOITATION MINIÈRE *(méthodes d')* et FOUDROYAGE.

CHAMBRE *(Phys.).* — La *chambre à traces* permet de détecter les particules élémentaires et à analyser leurs propriétés.

La *chambre à brouillard,* inventée en 1912 par C. T. R. Wilson, contient une vapeur sursaturée. Si une particule chargée la traverse, elle y produit des ions qui provoquent l'apparition de gouttes liquides matérialisant la trajectoire de la particule, et qu'on peut photographier. La *chambre à bulles,* imaginée par Glaser en 1952, matérialise les trajectoires des particules par l'apparition de bulles gazeuses dans un liquide à l'état de surchauffe. Dans la *chambre à étincelles,* la trajectoire d'une particule est rendue visible par la formation d'étincelles à l'emplacement où la particule a créé des ions dans le gaz de remplissage, sous l'action d'un fort champ électrique.

On peut, dans ces appareils, observer l'aptitude d'une particule à traverser des écrans de matière et, grâce à la courbure de sa trajectoire sous l'effet d'un champ magnétique, déterminer ses caractéristiques.

CHAMBRE (La) [73130], ch.-l. de cant. de la Savoie, à 10 km au N. de Saint-Jean-de-Maurienne, sur l'Arc; 874 hab. Chimie.

CHAMBRE (musique de). — Composée pour un petit effectif vocal ou instrumental de solistes, cette musique d'intimité, destinée autrefois à des exécutions privées a trouvé son terrain de prédilection dans la mélodie, le lied et toutes les exploitations de la sonate* à plusieurs instruments, du duo à l'octuor.

CHAMBRE DE COMBUSTION. — Dans une turbomachine* ou dans un moteur-fusée*, la chambre de combustion est l'élément dans lequel s'effectue la transformation de l'énergie chimique du carburant* ou du mélange carburant/comburant* en énergie thermique utilisable pour la propulsion. Elle comporte des injecteurs qui doivent assurer le meilleur mélange air/carburant ou carburant/comburant. Elle supporte des températures élevées et doit être réalisée en alliages* réfractaires.

Chambre de commerce → PROFESSIONNELLES *(organisations).*

Chambre des députés, nom porté, entre 1814 et 1848 (régime censitaire de la Charte) et sous la IIIe République (1875-1940), par la Chambre basse (auj. Assemblée nationale).

Chambre introuvable, nom donné à la Chambre des députés élue en août 1815, qui siégea d'octobre 1815 à avril 1816 et fut dissoute le 5 septembre 1816. Composée en grande majorité d'ultraroyalistes, cette chambre fut déclarée « introuvable » par le roi. Mais, s'étant surtout attachée à voter des lois d'exception, elle fut dissoute par Louis XVIII.

CHAMEAU. — En langage courant, on désigne sous le nom de « chameau » deux ruminants voisins, mais bien distincts : le dromadaire et le chameau de Bactriane. Ce dernier vit dans des

Chameau de Bactriane (nord de l'Afghānistān).

milieux presque aussi arides, mais beaucoup moins chauds que le dromadaire, à savoir les steppes et les déserts de l'Asie centrale et orientale, de la Mongolie jusqu'à l'Iran. Il est revêtu d'un pelage chaud et laineux, qui tombe par plaques à la saison chaude. Il porte deux bosses. Ses pattes plus courtes et son cou plus replié lui donnent un port plus bas que celui du dromadaire. C'est plus un animal de bât qu'une monture. On utilise son poil, son cuir, son lait, la graisse de ses bosses, et même ses excréments. Le dromadaire ou *méhari,* lui, est utilisé par les Touaregs comme animal de bât et comme monture dans les traversées du Sahara. Il n'a qu'une bosse.

CHAMFORT (Nicolas Sébastien ROCH, dit DE), écrivain français (près de Clermont, Auvergne, 1740-Paris 1794). Admiré et redouté pour son esprit, il improvisa dans les salons les éléments de son recueil posthume *Pensées, maximes et anecdotes* (1795-1803). D'abord partisan de la Révolution, il se suicida sous la Terreur.

CHAMĪL, imām du Daguestan de 1834 à 1859 et héros de l'indépendance du Caucase (Bouïnaksk entre 1795 et 1799-Médine 1871). Il appartient à l'ordre derviche des Naqchbandites qui, vers 1830, appelle les montagnards du Daguestan à la guerre sainte contre la dynastie princière avare et les Russes. Après vingt-cinq ans de lutte, Chamīl est fait prisonnier par les Russes.

CHAMISSO DE BONCOURT (Louis Charles Adélaïde, dit **Adalbert** VON), écrivain allemand d'origine française (château de Boncourt, Champagne, 1781-Berlin 1838), auteur romantique de *la Merveilleuse Histoire de Peter Schlemihl* (1814). Il fut directeur du Jardin botanique de Berlin et accompagna une expédition russe (1815-1818) au Kamtchatka.

CHAMITO-SÉMITIQUE (famille). — Les langues chamito-sémitiques forment une importante famille divisée en quatre branches : le sémitique, l'égyptien, le berbère et le couchitique. Son domaine géographique est resté très stable tout au long de l'histoire (nord de l'Afrique, Proche-Orient, Arabie). Toutes ces langues possèdent en commun un certain nombre de traits qui attestent leur parenté : le système vocalique est toujours pauvre, alors que le consonantisme est riche et varié; la notion d'aspect* joue un rôle important; enfin, les racines sont toujours apparentes et formées de consonnes (le plus souvent trois) qui se combinent avec d'autres phonèmes pour exprimer les relations grammaticales.

Robert-Jacana

Chamois.

CHA-MO *(désert de)* → GOBI.

CHAMOIS. — Les alpages d'été situés au-dessus des forêts, voisins des zones d'éboulis et des neiges permanentes, sont la demeure estivale des chamois. Ces ruminants aux cornes en crochets simples, à la course agile et rapide, à la chair savoureuse, sont l'objet d'une chasse excessive et il a fallu instituer des réserves de grande étendue pour éviter leur disparition. (Famille des rupicaprinés. La forme pyrénéenne est l'*isard.*)

CHAMONIX-MONT-BLANC (74400), ch.-l. de cant. de la Haute-Savoie, sur l'Arve, au pied du *mont Blanc;* 9 002 hab. *(Chamoniards).* Important centre d'alpinisme et de sports d'hiver (alt. 1 050-3 842 m). — Au hameau des *Pèlerins* (1 274 m), entrée du tunnel du Mont-Blanc.

CHAMOUN (Camille), homme d'État libanais (Deir el-Kamar 1900). Président de la République libanaise de 1952 à 1958, il fait appel aux Américains lors de la crise de 1958. Il est le leader du Parti national libéral.

CHAMOUX-SUR-GELON (73390), ch.-l. de cant. de la Savoie, à 23 km au S.-O. d'Albertville; 518 hab.

CHAMP *(Épistémol.).* — La catégorie épistémologique de champ, ou horizon idéologique, délimite l'espace où se construit une science. Ainsi, la connaissance de la circulation du sang n'a été acquise par Harvey qu'en allant par-delà les limites du champ que dessinait la métaphore aristotélicienne des canaux d'irrigation.

CHAMP *(Ling.).* — L'étude des champs vise à rechercher les rapports sémantiques et/ou formels à l'intérieur d'un ensemble de mots, en vue de dégager une certaine structure (vocabulaire de la parenté, vocabulaire politique, etc.).

CHAMP (effet de) → PERCEPTION.

CHAMP (théorie du) → LEWIN (Kurt).

CHAMPA, royaume hindouisé d'Indochine fondé au IIIe s. par les Chams. Fortement influencé par l'Inde et le bouddhisme, le royaume dut se replier progressivement devant les premières dynasties nationales du Viêt-nam; il disparut au XVIIe s.

BEAUX-ARTS. L'art se développe entre le VIIe et le XVIIe s. Les vestiges les plus anciens de la cité religieuse de Mi Son remontent au VIIe s. Après l'anéantissement de celle-ci, l'activité artistique se poursuit dans le Sud. La brique est le matériau de base de cette architecture, qui ne connaît pas les grands ensembles du Cambodge*, le grand temple bouddhique de Dong Duong (875) étant une exception. La tour-sanctuaire carrée (kalan), couverte d'une toiture étagée en terrasses bien marquées, est souvent précédée d'un avant-corps; de proportions élégantes, elle est l'une des constructions caractéristiques des Chams.

La décoration, très riche jusqu'au XIe s., devient ensuite plus sobre. Typiques sont les pilastres qui scandent les façades et accentuent la verticalité, ainsi que les arcatures qui dominent portes et fausses portes. L'élan vertical, encore renforcé par les arcatures lancéolées (Po Nagar de Nha Trang), reste la préoccupation essentielle de cette architecture qui, bien que faite d'apports de l'Inde*, de l'Indonésie* et du Cambodge, garde sa propre originalité.

La sculpture oscille entre l'attitude hiératique de la divinité et celles mouvementées des personnages secondaires. Les hauts-reliefs ornant les piédestaux des idoles demeurent le moyen d'expression favori des sculpteurs chams.

CHAMPAGNAC-DE-BELAIR (24530), ch.-l. de cant. de la Dordogne, sur la Dronne, à 6 km au N.-E. de Brantôme; 557 hab.

CHAMPAGNE ou **CAMPAGNE,** nom de diverses régions françaises correspondant à des plaines calcaires, généralement dénudées et consacrées aux cultures (céréales notamment) : *Champagne berrichonne, Campagne de Caen,* etc.

CHAMPAGNE, région historique de l'est du Bassin parisien. Dès l'époque gallo-romaine, Reims et Langres sont d'importantes cités. Dans la Champagne du Nord se fortifie, au VIe s., la puissance de l'Église de Reims; dans le sud, se développe celle des comtes de Troyes, qui, devenus comtes de Champagne, président à la grande époque champenoise (XIIe-XIIIe s.). Les villes s'animent alors et obtiennent des franchises; l'industrie textile (toiles, tapis, draps) connaît un grand essor et la renommée des foires* de Champagne est universelle. Passée en 1284 dans le domaine royal, la Champagne connaît la décadence, accélérée par la guerre de Cent* Ans. Au XVIIe s., les recherches attribuées à dom Pérignon, moine de Hautvillers, sont à l'origine du champagne, vin mousseux universellement connu. Au XIXe s., l'industrie textile (Troyes, Reims) et métallurgique (Haute-Marne, Ardennes) redémarre dans les quatre départements champenois, tandis que les terres sont, ici et là, bonifiées. La Champagne est bouleversée par les combats de 1914-1918. Et c'est encore à Sedan que se joue le sort de la France en mai 1940.

Champagne *(batailles de),* combats de la Première Guerre* mondiale. En mars et en septembre 1915, les Français attaquèrent le front allemand de Champagne, et de violents combats eurent lieu, notamment, à Mesnil-lès-Hurlus, Tahure, Beauséjour, la Main de Massiges, Souain et Perthes-lès-Hurlus. Une autre offensive française y fut déclenchée, en liaison avec celle du Chemin des Dames, en avril 1917. En 1918, l'habile manœuvre de la IVe armée (Gouraud), d'Auberive à Massiges, réussit à contenir l'ultime attaque allemande du 15 juillet 1918.

CHAMPAGNÉ (72470), comm. de la Sarthe, à 12 km à l'E. du Mans; 3 702 hab. Constructions électriques.

CHAMPAGNE-ARDENNE, Région formée des départements suivants : Ardennes, Aube, Marne et Haute-Marne; 25 600 km^2; 1 336 832 hab. Capit. *Châlons-sur-Marne.* V. princ. *Reims.*

Dans l'est du Bassin parisien, la Région s'étend sur la *Champagne,* espace géographique qui occupe principalement les deux départements de l'Aube et de la Marne. Entre le pays d'Othe, au S., et la haute vallée de l'Aisne, au N., la plaine de la Champagne crayeuse se développe sur plus de 100 km, limitée à l'E. par la Champagne humide, argileuse, et à l'O. par la côte de l'Île-de-France, qui porte le vignoble champenois. À la Champagne humide succèdent, au S.-E., la côte des Bars et un ensemble de plateaux et de collines calcaires (interrompu par quelques dépressions, dont le Bassigny) s'élevant vers le plateau de Langres et ouverts par les vallées supérieures de l'Aube et de la Marne. Au N., enfin, au-delà de la vallée de l'Aisne, commence le *massif ardennais,* entaillé par la vallée de la Meuse.

L'ensemble a un climat modéré (plus rude toutefois dans l'Ardenne et sur les hauteurs du sud-est) avec une nuance continentale, apparente surtout dans un maximum de précipitations en été. À Reims, la température moyenne de janvier est de 2 °C, celle de juillet de 19,1 °C, le total annuel des précipitations étant de 598 mm, réparti sur 165 jours.

La Région apparaît, dans l'ensemble, peu peuplée. La densité d'occupation n'est guère supérieure à la moitié de la moyenne nationale, aucun département n'approchant celle-ci, pas même la Marne, qui possède à la fois la capitale régionale (la plus petite de France, à ce niveau administratif) et la principale agglomération. Cette faiblesse d'ensemble tient en partie à l'extension des surfaces agricoles, qui font de la Région une grande productrice de céréales (blé, avoine, maïs) et de betteraves (Champagne crayeuse qui, amendée, a perdu son qualificatif de pouilleuse); la production végétale demeure plus importante que l'élevage (Haute-Marne) et la Région bénéficie aussi de l'apport du vignoble de Champagne (20 000 ha permettent de fournir annuellement environ 100 millions de bouteilles, assurant 15 p. 100 du produit agricole total).

L'industrie occupe près des deux cinquièmes des actifs (plus du double de la proportion employée dans l'agriculture), malgré la pauvreté énergétique et minérale du sous-sol. La métallurgie est la branche dominante, représentée surtout dans la vallée de la Meuse (sidérurgie et métallurgie de première transformation) et dans l'agglomération de Reims (constructions mécaniques). L'industrie

Perrin-Atlas-Photo

Vendange dans le vignoble champenois.

CHAMPAGNE-ARDENNE

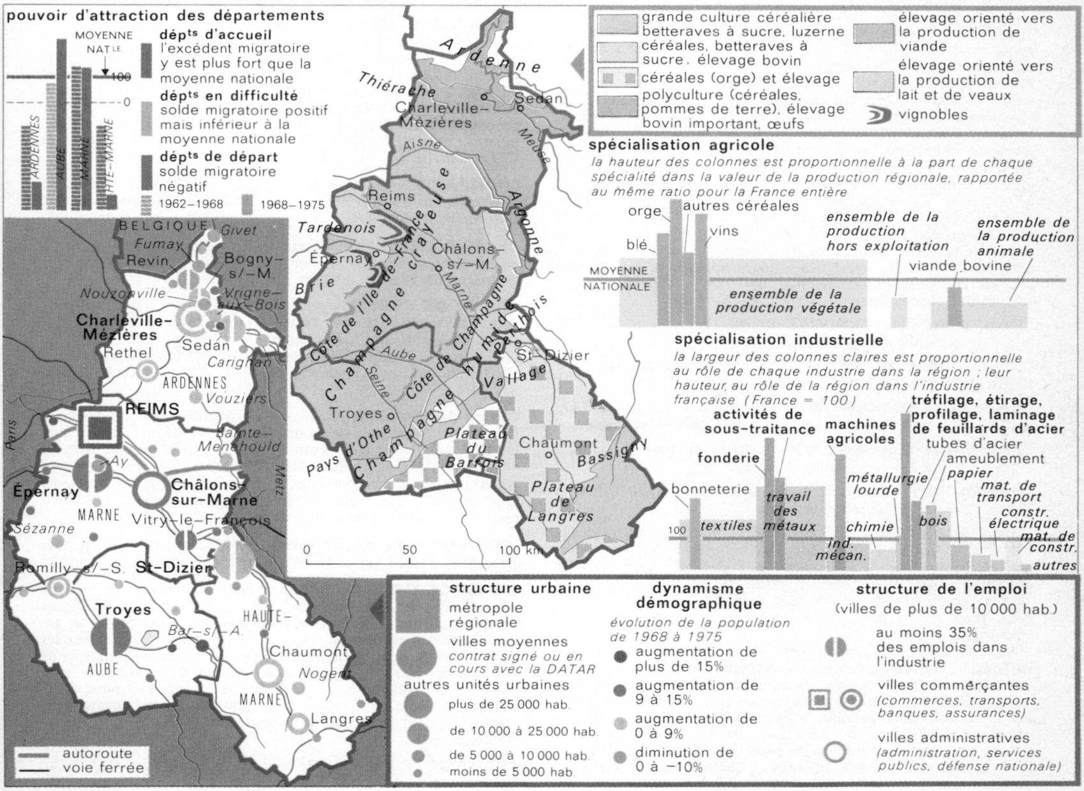

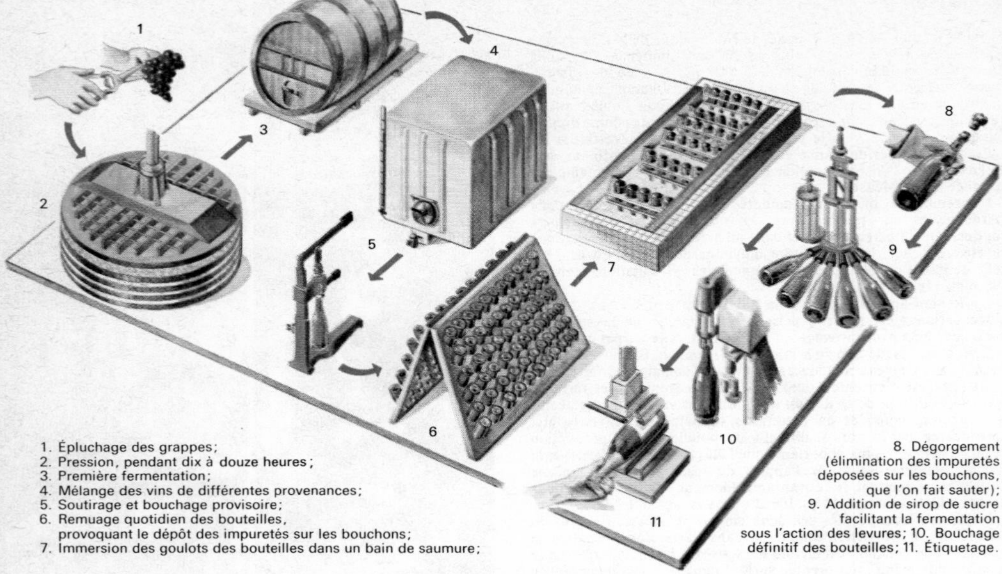

1. Épluchage des grappes; 2. Pression, pendant dix à douze heures; 3. Première fermentation; 4. Mélange des vins de différentes provenances; 5. Soutirage et bouchage provisoire; 6. Remuage quotidien des bouteilles, provoquant le dépôt des impuretés sur les bouchons; 7. Immersion des goulots des bouteilles dans un bain de saumure; 8. Dégorgement (élimination des impuretés déposées sur les bouchons, que l'on fait sauter); 9. Addition de sirop de sucre facilitant la fermentation sous l'action des levures; 10. Bouchage définitif des bouteilles; 11. Étiquetage.

FABRICATION DU CHAMPAGNE

du bois (et l'ameublement), la verrerie (liée notamment au vignoble champenois), l'alimentation et la bonneterie (Troyes) sont encore bien représentées.

Le secteur tertiaire est devenu le premier pour le nombre des emplois procurés, environ 45 p. 100, grâce notamment à l'essor, dans ce domaine, de Reims, dont la création de l'université est un symbole; cependant l'activité touristique reste encore réduite, malgré la création, récente il est vrai, de plans d'eau régularisant le débit de la Seine et de ses affluents (lac d'Orient, réservoir Marne). Aujourd'hui, la partie centrale du département de la Marne, de Reims-Épernay à Vitry-le-François et Saint-Dizier (Haute-Marne) en passant par Châlons-sur-Marne, apparaît comme l'axe privilégié (correspondant essentiellement à la vallée de la Marne) du développement régional, peut-être stimulé aussi par le passage de l'autoroute, au nord de cet axe. À l'extrémité nord de la Région, la vallée de la Meuse est dans une situation marginale, témoignant du caractère souvent artificiel de la construction des Régions administratives, calquée sur un découpage départemental déjà plus administratif que géographico-économique.

CHAMPAGNE-EN-VALROMEY (01260), ch.-l. de cant. de l'Ain, à 20 km au N. de Belley; 687 hab.

CHAMPAGNE-MOUTON (16350), ch.-l. de cant. de la Charente, à 19 km à l'E.-S.-E. de Ruffec; 998 hab.

CHAMPAGNE-SUR-OISE (95660), comm. du Val-d'Oise, à 3 km au S.-O. de Beaumont-sur-Oise; 2 666 hab. Centrale thermique.

CHAMPAGNE-SUR-SEINE (77430), comm. de Seine-et-Marne, à 5 km au N. de Moret-sur-Loing; 5 961 hab.

CHAMPAGNEY (70290), ch.-l. de cant. de la Haute-Saône, à 23 km au N.-O. de Belfort; 3 080 hab.

CHAMPAGNISATION. — On donne ce nom au traitement des vins blancs pour en faire des vins mousseux, mis au point pour la préparation du champagne. Les vins blancs du vignoble champenois sont naturellement pétillants, mais ce n'est qu'au XVIIe s. qu'un bénédictin français, dom Pérignon, tira parti de cette propriété et perfectionna la méthode de préparation du champagne.

La formation de mousse est due au dégagement de gaz carbonique, qui provient de la fermentation alcoolique du sucre naturel du raisin ou du saccharose ajouté au vin. Tous les vins, quelles que soient leur origine ou leur couleur, peuvent être traités par la méthode champenoise. Mais seuls ont droit à l'appellation « champagne » les vins obtenus à partir de certains cépages : pinot noir, pinot blanc (chardonnay), pinot gris (meunier), dans les arrondissements de Reims, Épernay et Châlons-sur-Marne et dans quelques communes du département de l'Aube.

CHAMPAGNOLE (39300), ch.-l. de cant. du Jura, sur l'Ain; 10 714 hab. Industries du bois. Cimenterie.

CHAMPAIGNE (Philippe DE), peintre français d'origine brabançonne (Bruxelles 1602 - Paris 1674). Venu à Paris à dix-neuf ans, il fut peintre de Marie de Médicis (1628; décorations au Luxembourg) et de Richelieu. Des deuils le firent se tourner vers le jansénisme et Port-Royal (*Ex-voto,* chef-d'œuvre de simplicité, 1662, Louvre). Artiste classique, académicien, il a peint de grandes compositions religieuses, mais il excelle surtout dans le portrait, d'apparat ou intime (*Louis XIII couronné par la Victoire,* 1635; *F. Mansart et C. Perrault,* 1656).

CHAMPART. — Dans la société féodale, c'était la redevance, constituée par une quote-part de la récolte, due au propriétaire et seigneur.

CHAMPAUBERT (51270 Montmort Lucy), comm. de la Marne, à 20 km au N. de Sézanne; 114 hab. Victoire de Napoléon pendant la campagne de France* de 1814.

CHAMP DE FORCES. — C'est la région de l'espace où une entité physique possédant certaine propriété est soumise à une force. On peut citer : le champ électrique, où cette entité est une charge électrique; le champ de gravitation, dans lequel il s'agit d'une masse; le champ magnétique, où il s'agit d'une aiguille aimantée.

Champ-de-Mars *(affaire du),* une des journées importantes de la Révolution française. Les Cordeliers ayant déposé, le 17 juillet 1791, sur l'autel de la Patrie, au Champ-de-Mars, une pétition réclamant la déchéance de Louis XVI — revenu de Varennes — et l'établissement de la république, le maire de Paris, Bailly, proclama la loi martiale : l'affrontement des troupes et des pétitionnaires fit une cinquantaine de morts parmi ces derniers.

CHAMPDENIERS-SAINT-DENIS (79220), ch.-l. de cant. des Deux-Sèvres, à 20 km au N. de Niort; 1 580 hab. Église du XIe s.

CHAMP DE TIR. — Les fusées* de lancement des engins spatiaux nécessitent pour leur mise en œuvre des installations spécifiques comprenant, outre les portiques d'assemblage et les postes de tir, des dispositifs de contrôle de la trajectoire et de liaison avec les engins. Toutes ces installations sont groupées sur des champs de tir, dont les plus connus sont ceux de cap Kennedy, aux États-Unis, et de Baïkonour, en U. R. S. S. La France dispose de la base de Kourou, en Guyane, dont la proximité de l'équateur est particulièrement intéressante pour le lancement des satellites* stationnaires.

CHAMPEIX (63320), ch.-l. de cant. du Puy-de-Dôme, à 13 km au N.-O. d'Issoire; 1 106 hab. Église en partie romane.

CHAMP ÉLECTRIQUE. — Lorsque, en un point, une charge électrique q est soumise à une force $\vec{F}$, le champ électrique est un vecteur $\vec{E}$ ayant la direction de la force $\vec{F}$ et dont le module est tel que $\vec{F} = q\vec{E}$. L'unité M.K.S.A. de champ électrique est le volt par mètre.

CHAMPÉRY, comm. de Suisse (Valais), au pied du massif de la Dent-du-Midi; 926 hab. Sports d'hiver (alt. 1 055-1 800 m).

CHAMPFLEURY (Jules HUSSON, dit **Fleury,** puis), écrivain et critique d'art français (Laon 1821-Sèvres 1889), défenseur de l'esthétique réaliste (les Le Nain, Daumier, Courbet), qu'il illustra dans ses romans (*Chien-Caillou,* 1847).

CHAMPIGNEULLES (54250), comm. de Meurthe-et-Moselle, sur la Meurthe, à 5 km au N. de Nancy; 5 997 hab. Brasserie.

CHAMPIGNONS. — N'ayant ni les moyens de nutrition des plantes vertes (chlorophylle) ni ceux des animaux (bouche et mouvement), les 250 000 espèces de champignons forment comme un règne vivant particulier, probablement dérivés des algues, mais proches des bactéries par leurs fonctions de saprophytes ou de parasites. Leur structure : cellules à parois cellulosiques, nombreuses, disposées en files linéaires entremêlées (plectenchyme), noyau bien délimité, fait d'eux des thallophytes eucaryotes. Les formes peu évoluées (oomycètes et zygomycètes) ont une reproduction voisine de celle des algues. Mais les deux groupes supérieurs (ascomycètes* et basidiomycètes*) présentent une particularité extraordinaire : la fusion des cellules de signe sexuel opposé ne concerne que la membrane et le cytoplasme, les deux noyaux restant distincts. Il en résulte un tissu de grand développement, le *mycélium secondaire,* dans lequel les cellules sont des *dicaryons* à deux noyaux. La fusion des noyaux n'a lieu que pour les cellules mères des asques ou des basides, qui donnent chacune 4 ou 8 spores. (V. illustration p. 393.)

On exclut ordinairement du sous-embranchement des champignons le petit groupe des myxomycètes*, qui sont doués de mouvements, et le vaste ensemble des lichens*, association symbiotique d'une algue et d'un champignon. En revanche, les levures, les moisissures, les agents de nombreuses fermentations, ceux des maladies cryptogamiques des plantes ou des *mycoses* animales et humaines sont des champignons.

CHAMPIGNY-SUR-MARNE (94500), ch.-l. de cant. du Val-de-Marne, dans la banlieue sud-est de Paris, sur la rive gauche de la Marne; 80 482 hab. Église des XIIe et XIIIe s. Chimie.

CHAMPIONNET (Jean Étienne), général français (Valence 1762-Antibes 1800). Il s'empara de Rome et occupa Naples (1798), où il organisa la République parthénopéenne.

CHAMPLAIN *(lac),* lac des confins du Canada (Québec) et des États-Unis.

CHAMPLAIN (Samuel DE), colonisateur français (Brouage v. 1570-Québec 1635). Cartographe du sieur de Monts (nommé par le roi lieutenant général pour la Nouvelle-France), il le suit au Canada (1604) mais n'y reste pas. En 1608, Champlain part de nouveau, fonde Québec, s'allie aux Hurons contre les Iroquois et rentre en France (1609). En 1615-16, c'est le grand voyage d'exploration vers l'Ouest canadien, jusqu'au lac Ontario. Lieutenant-gouverneur du Canada, Champlain affermit l'établissement français et seconde l'œuvre d'évangélisation des missionnaires. En 1629, Québec est pris par les Anglais, mais ceux-ci doivent restituer la ville aux Français en 1632.

CHAMPLITTE (70600), ch.-l. de cant. de la Haute-Saône, à 20 km au N. de Gray; 1 487 hab. Hôtel de ville et musée dans le château des XVIe et XVIIIe s. Église de 1791.

CHAMP MAGNÉTIQUE. — Le champ magnétique est caractérisé par deux vecteurs, l'excitation $\vec{H}$ et l'induction $\vec{B}$, dont les unités M.K.S.A. sont respectivement l'ampère par mètre et le tesla. Leurs modules sont liés par la relation $\vec{B} = \mu\vec{H}$, où μ est la perméabilité magnétique. (V. MAGNÉTISME.)

Champmol *(chartreuse de)* → Dijon.

CHAMPOLLION (Jean-François), égyptologue français (Figeac 1790-Paris 1832). Sa passion pour la langue copte, entre autres, l'amène au déchiffrement de l'écriture hiéroglyphique et à la découverte de l'écriture hiératique (déformation cursive signe pour signe des hiéroglyphes). Il étudie la pierre de Rosette* et l'obélisque de Philæ (avec correspondance grecque sur le socle du texte hiéroglyphique), et, en 1822, dans la *Lettre à M. Dacier relative à l'alphabet des hiéroglyphes phonétiques,* il présente ses résultats à l'Académie des inscriptions et belles-lettres.

CHAMPSAUR, région des Hautes-Alpes, dans la haute vallée du Drac.

Champs-Élysées *(avenue des),* l'une des grandes artères de Paris, longue de 1 880 m, entre la place de la Concorde à l'E. et la place Charles-de-Gaulle (anc. place de l'Étoile) à l'O., formée d'abord (dans sa partie orientale) d'un parc-promenade puis, au-delà d'un rond-point, d'une avenue (longue de 1 100 m), site du commerce de luxe et des spectacles.

CHAMPS-SUR-MARNE (77420), comm. de Seine-et-Marne, à 9 km au S.-O. de Lagny-sur-Marne; 5 345 hab. Château de J.-B. Bullet, qui manifeste dans l'articulation des pièces un sens nouveau de la commodité. Il appartient à l'État.

CHAMPS-SUR-TARENTAINE-MARCHAL (15270), ch.-l. de cant. du Cantal, à 7 km à l'E. de Bort-les-Orgues; 1 331 hab.

CHAMPTOCEAUX (49270 St Laurent des Autels), ch.-l. de cant. de Maine-et-Loire, à 10 km au S.-O. d'Ancenis, sur la rive gauche de la Loire; 1 252 hab.

CHAMP VISUEL. — Le champ visuel de l'œil s'étend sur 180°. Le maximum de la sensibilité rétinienne siège dans la région centrale. La tache aveugle, située près du centre optique, représente une zone d'insensibilité totale et correspond à la papille optique (origine du nerf optique).

CHAMROUSSE (38410 Uriage), écart de la comm. de Saint-Martin-d'Uriage (Isère), à 33 km à l'E.-S.-E. de Grenoble. Importante station de sports d'hiver (alt. 1 650-2 250 m).

CHAMS → CHAMPA.

CHAMSON (André), écrivain français (Nîmes 1900). Il peint dans ses romans la nature et la population austères des Cévennes (*Roux le Bandit,* 1925; *les Taillons,* 1974), à la lumière desquelles il évoque les problèmes moraux de l'époque moderne (*la Superbe,* 1967).

CHAN → CHANS *(État des)* et THAÏ.

CHANAC (48230), ch.-l. de cant. de la Lozère, à 16 km au S.-E. de Marvejols; 1 017 hab.

CHANCELADE (24000 Périgueux), comm. de la Dordogne, à 6 km à l'O. de Périgueux; 2 421 hab. Anc. abbaye (XIIe-XVIIe s.). Station préhistorique (paléolithique supérieur).

CHANCELIER. — Si le chancelier n'est encore qu'un simple secrétaire sous l'Empire romain et un scribe à l'époque mérovingienne, sous les Carolingiens il devient l'archichapelain du souverain, puis le chef réel de la chancellerie royale, chargé essentiellement de contrôler la rédaction des actes royaux et d'y apposer le sceau royal qui les authentifie. En France, les responsabilités du chancelier s'élargissent sous les Capétiens et plus encore sous les Valois : le chancelier devient alors, en fait, le représentant officiel du roi en l'absence de ce dernier, le second personnage du royaume. Supprimé en 1789, rétabli par Napoléon Ier, l'office de chancelier, en France, disparaît définitivement en 1848. Mais les États — Allemagne, Autriche — héritiers du Saint Empire romain germanique, où cette charge existait aussi, ont gardé le titre de chancelier, qui est porté par le Premier ministre fédéral.

CHANCELLOR (Richard), navigateur anglais († sur les côtes d'Écosse 1556). À la recherche d'un passage au nord-est du continent européen, il pénètre le premier dans la mer Blanche (1553).

CHANCRE *(Pathol.).* — Cette ulcération cutanée ou muqueuse est le plus souvent d'origine vénérienne. Un chancre apparaît à la phase primaire de la *syphilis**, environ 20 jours après le contact infectant. Il siège le plus souvent sur la muqueuse génitale.

Le *chancre mou,* dû au bacille de Ducrey, est beaucoup plus rare actuellement; il apparaît de 2 à 3 jours après le contact infectant; le traitement par les sulfamides ou la streptomycine est efficace. Le *chancre tuberculeux,* très rare, est dû à une inoculation cutanée accidentelle.

CHANCRE *(Phytopathol.)* → PLANTES *(maladies des).*

CHANDERNAGOR, v. de l'Inde (Bengale-Occidental), au N. de Calcutta; 67 000 hab. Anc. comptoir français, fondé en 1686 par Deslandes-Boureau et cédé à l'Inde en 1951.

CHANDIGARH, ville formant un territoire de l'Inde (114 km^2 et 257 000 hab.) et capit. des États du Pendjab et de l'Haryana. La réalisation de la ville a été confiée en 1950 à Le Corbusier*, qui est parti d'un premier plan établi par l'Américain Albert Mayer et qui s'est adjoint Pierre Jeanneret, son cousin, ainsi que Maxwell Fry et Jane Drew. Ségrégation sociale et immensité d'une trame encore peu remplie de vie ont été reprochées à cet ensemble, fidèle aux principes de la charte* d'Athènes.

CHANDRAGUPTA → MAURYA.

CHANDRAGUPTA Ier → GUPTA.

CHANDRASEKHAR (Subrahmanyan), astronome américain d'origine pakistanaise (Lahore 1910). Auteur de nombreux et importants travaux d'astrophysique stellaire, il a été le premier à donner une solution au problème du transfert du rayonnement dans les atmosphères stellaires. On lui doit également de nombreuses études sur la dynamique des étoiles*.

Coco Chanel.

Kammerman - Rapho

CHANEL (Gabrielle, dite **Coco**), couturière française (Saumur 1883 - Paris 1971). Elle bouleverse la mode au lendemain de la Première Guerre mondiale : à la silhouette étranglée d'alors elle oppose la ligne fluide des années 20, aux soieries le jersey, aux drapés la netteté des lignes, aux diamants les bijoux fantaisie. Cette simplicité s'accompagne d'une élégance discrète et raffinée. La maison qu'elle ouvre rue Cambon sera une des plus importantes de l'entre-deux-guerres (son chiffre d'affaires, en 1930, atteindra 120 millions de l'époque). En 1935, elle crée sa propre usine de jersey. Fermée pendant la Seconde Guerre mondiale, sa maison rouvre ses portes en 1954.

CHANG ou **SHANG,** dynastie qui, selon la tradition, régna sur la Chine de 1766 à 1112 av. J.-C. Elle fut fondée par T'ang le Victorieux, maître de la plaine du Houang-ho et d'une partie du Ho-nan. De là, les Chang étendirent leur domination vers le sud, dans les bassins du Houai-ho et de la Wei. À la suite de révoltes populaires, ils furent remplacés par les Tcheou.

CHANGE → MONNAIE.

CHANGEMENT *(Ling.).* — Le changement est un caractère fondamental du langage : toute langue varie dans le temps; d'autre part, une même langue varie selon les régions, les classes sociales. Le changement affecte tous les secteurs de la langue : il existe des changements phonétiques, phonologiques, syntaxiques, sémantiques.

CHANG-HAI ou **SHANGHAI,** v. de Chine, près de l'embouchure du Yang-tseu-kiang, dans la mer de Chine orientale; 10 820 000 hab.

La rue de Nankin, grande artère commerçante.

M. Pell - Atlas-Photo

La ville, la plus peuplée de Chine et l'une des plus grandes du monde, constitue une municipalité administrée directement par le gouvernement central. Le développement de Chang-hai vient de son ouverture au commerce européen (en 1842), qui entraîna notamment l'essor du travail du coton, auquel se sont ajoutées la sidérurgie, les constructions mécaniques, la chimie. La ville demeure le plus grand centre industriel de Chine, si le port n'a sans doute pas retrouvé le trafic de la période des Concessions internationales.

CHANS *(État des)* ou **ÉTAT CHAN,** État de l'est de la Birmanie; 2 086 000 hab.

CHAN-SI ou **SHĀNXI,** prov. de la Chine du Nord; 150 000 km^2; 18 000 000 hab. Capit. *T'ai-yuan.* À l'E. de la grande boucle du Houang-ho, le Chan-si est formé de hauts plateaux et de montagnes, où l'altitude dépasse presque toujours 1 000 m, entaillés par la vallée du Fen-ho. Blé et millet sont les principales cultures, mais l'économie repose aussi sur la richesse du sous-sol en charbon, qui alimente notamment la sidérurgie (et, en aval, la métallurgie de transformation) et des centrales thermiques.

CHANSON. — Sous ce terme générique, on englobe toutes sortes de compositions musicales profanes de petite dimension. Chantée à une ou à plusieurs voix, la chanson se rapproche d'autres formes vocales comme la villanelle, le madrigal, l'aria, la romance, la mélodie, le lied... De caractère populaire ou savant, elle sert déjà, aux trouvères et aux troubadours, de moyen d'expression. La Renaissance enrichit le thème de la chanson de contrepoints (chanson polyphonique) et lui confie toutes les nuances de sentiments (pastorale, chanson d'amour, d'histoire, de métier, pieuse, satirique...). Le contenu poétique détermine la forme, souvent strophique, avec ou sans refrain. Les Franco-Flamands excellent en ce genre (Dufay, Ockeghem, Josquin Des Prés, Janequin, Costeley, Le Jeune, Lassus, Mauduit, Du Caurroy).

Mais sous l'influence de la cantate et de l'opéra la chanson reprend sa forme monodique avec accompagnement, s'attachant à la traduction de textes raffinés (air de cour, brunette) ou religieux (noël) ou bouffons et grivois (air à boire, vaudeville, chanson du Pont-Neuf) diffusés dans les caveaux : on réunit ces pièces en des recueils appelés « chansonniers ».

En marge des recherches ethnologiques qui feront éclore dans tous les pays d'Europe un mouvement en faveur des chansons régionalistes, le XIXe s. accuse le côté populaire, satirique, voire politique de la chanson, sans toutefois négliger son aspect sentimental (Béranger, Nadaud, Delmet, Chaminade). La chanson acquiert une grande popularité à partir du second Empire. Elle se développe dans les cafés-concerts (où se produiront, vers la fin du siècle, Yvette Guilbert et Mayol) et dans les cabarets artistiques (mis à la mode, vers 1882, par Aristide Bruant). La Première Guerre mondiale accentue le déclin du café-concert et, dès 1920, la chanson dite « de variétés » se réfugie au music-hall (des artistes comme Mistinguett ou Maurice Chevalier deviennent assez rapidement des vedettes internationales). La radio, le disque puis la télévision vont profondément bouleverser l'univers de la chanson. Celle-ci s'industrialise. Dans les music-halls français, Charles Trenet, Tino Rossi, Édith Piaf tiennent pendant de longues années le haut de l'affiche. Après la Seconde Guerre mondiale, Yves Montand, Georges Brassens, Gilbert Bécaud, Juliette Gréco, Léo Ferré, Jacques Brel, Charles Aznavour les imiteront. Mais c'est essentiellement grâce à la diffusion de leurs disques qu'ils consolideront leur célébrité. À la suite du succès d'Elvis Presley aux États-Unis, Johnny Hallyday est, en France, à partir de 1960, le porte-parole de la chanson rock, tandis qu'à la même époque un groupe britannique, les Beatles, donne naissance à la pop music, dont la popularité sera immense dans le monde entier. Parallèlement aux chansons dites « à succès », qui suivent les vicissitudes des modes, on note depuis 1945, dans la plupart des pays, un renouveau de la chanson poétique (dite encore « chanson à textes »), de la chanson contestataire (Joan Baez, Bob Dylan), de la chanson régionaliste et folklorique.

Quant à la musique savante du XXe s., elle n'abandonne pas pour autant la chanson, notamment dans son expression polyphonique (Debussy, Ravel, Schmitt).

Chanson de Roland *(la),* la première des chansons de geste* françaises, composée au début du XIIe s. (la version la plus ancienne, le « manuscrit d'Oxford », fut copiée vers 1125-1150 par un scribe anglo-normand). Elle est composée de décasyllabes groupés en strophes (laisses) assonancées. Le 4 002e et dernier vers donne le nom de « Turoldus », qui pourrait être celui d'un clerc normand, auteur, chanteur ou copiste du poème. Amplifiant un événement historique rapporté par Éginhard (le massacre de l'arrière-garde de l'armée de Charlemagne par des Basques, le 15 août 778), le poème exalte la fidélité au suzerain, l'amour du sol natal, l'enthousiasme religieux de la chrétienté face à l'islām, la gloire des héros, dont la défaite implique nécessairement trahison. Scènes épiques (la mort de Roland et d'Olivier, le combat de Charlemagne et de Baligant, le châtiment de Ganelon) et touchantes

amanite printanière
amanite phalloïde
amanite tue-mouche
amanite panthère
cortinaire montagnard
entolome livide
bolet satan
cêpe de Bordeaux
fistuline
morille
lépiote élevée
oronge vraie
truffe
pied-de-mouton
champignon de couche
mortel
vénéneux
coprin chevelu
girolle
craterelle
D. Baillon
chapeau
lame
anneau
pied
volve
reproduction
spores
mycélium
développement d'un champignon
lames
libre
émarginée
adnée
sinuée
décurrente

(la mort de la belle Aude) ont fait de cette œuvre le modèle du poème héroïque.

CHANSONNIER. — Du XIIe au XIVe s., le terme de « chansonnier » désigne le poète qui écrit des textes destinés à être chantés ou le recueil contenant ces œuvres. À partir du XVIIe s., le chansonnier devient l'auteur complet d'une chanson (paroles et musique), qu'il interprète parfois lui-même. Au XVIIIe s., les caveaux lancent la mode de la chanson littéraire et, au début du XIXe s., les goguettes propagent la chanson sociale et politique. Sous la Restauration, sous Louis-Philippe et au début du second Empire, le chansonnier Béranger acquiert par ses pamphlets une popularité sans égale. Plus tard, sous l'impulsion d'Aristide Bruant notamment, le chansonnier chante ou récite dans des cabarets des couplets humoristiques et satiriques. Les chansonniers montmartrois qui brocardent avec verve et irrespect l'actualité sont les héritiers directs de cette tradition.

CHANT. — Individuel ou collectif, il témoigne soit du besoin spontané de s'exprimer à l'aide de sons modulés, soit d'un asservissement aux règles d'un art dont le but est d'améliorer la couleur vocale (timbre) et son intensité. Il s'associe souvent à un texte littéraire, qu'il peut sacrifier au profit de la virtuosité (bel canto). Sans accompagnement, à une seule voix, il constitue la monodie. À plusieurs voix, il s'appelle polyphonie.

CHANTAL (J.-F. FRÉMYOT DE) → JEANNE DE CHANTAL *(sainte).*

Chant du départ *(le),* chant patriotique français, paroles de M.-J. Chénier, musique de É. Méhul (1794), célébrant le cinquième anniversaire de la prise de la Bastille.

CHANTELLE (03140), ch.-l. de cant. de l'Allier, à 13,5 km au S.-O. de Saint-Pourçain; 1 069 hab. Abbaye et château médiévaux.

CHANTEMERLE, écart de la comm. de Saint-Chaffrey (Hautes-Alpes), à 6 km au N.-O. de Briançon. Centre touristique.

CHANTEMESSE (André), médecin, bactériologiste et hygiéniste français (Le Puy 1851 - Paris 1919), dont les travaux portent sur la dysenterie, la pneumo-entérite des porcs, la pollution microbienne des eaux et la fièvre thyphoïde.

CHAN-T'EOU, ou **SHANTOU,** port de la Chine du Sud (Kouang-tong); 300 000 hab.

Chant général, poème en quinze chants de Pablo Neruda (1950), épopée militante du continent américain à la recherche de son identité et de la liberté.

CHANTIER *(Min.)* → MINE.

CHANTILLY (60500), ch.-l. de cant. de l'Oise, à 10 km à l'O. de Senlis; 10 684 hab. *(Cantiliens).* Château reconstruit, pour l'essentiel, au XIXe s. (sauf le petit château, par J. Bullant, et les écuries, par J. Aubert). Il a été légué, avec ses riches collections d'objets d'art, de miniatures et de peintures (écoles italienne et française), formant le musée Condé, à l'Institut de France. Hippodrome. Forêt au sud-est de la ville. — Siège du grand quartier général français, de novembre 1914 à janvier 1917.

CHAN-TONG ou **SHANDONG,** prov. de Chine, sur la mer Jaune; 150 000 km^2; 55 520 000 hab. Capit. *Tsi-nan.* La province est formée de collines et de moyennes montagnes dans sa partie centrale et péninsulaire, de plaines au S. et sur le littoral du golfe du Po-hai (embouchure du Houang-ho).

C'est une grande région agricole (arachide, patates douces, blé, soja, coton, etc.), où le sous-sol fournit surtout du charbon. La pêche est active sur le littoral. La province est l'une des plus densément peuplées de Chine.

CHANTONNAY (85110), ch.-l. de cant. de la Vendée, à 33 km à l'E. de La Roche-sur-Yon; 7 430 hab. *(Chantonnaisiens).* Église du XIVe s. Industries alimentaires.

Chants de Maldoror, poème en prose, en six chants, de Lautréamont (1868-69). Développement paroxystique de l'écriture romantique, qui reprend pour les parodier tous les stéréotypes, tous les motifs et registres littéraires, de la prose poétique de Chateaubriand aux épisodes mélodramatiques du roman noir.

CHANUTE (Octave), ingénieur américain d'origine française (Paris 1832 - Chicago 1910). Il contribua largement au développement de l'aviation en construisant divers modèles d'appareils que les travaux de Mouillard* lui permirent de perfectionner. Il aida grandement les frères Wright à leurs débuts.

CHANVRE. — La petite famille des cannabinacées ne compte que deux espèces en France, toutes deux cultivées : le chanvre et le houblon*.

Le chanvre est une grande herbe aux feuilles palmées, aux fleurs unisexuées, et dont la tige est utilisée comme textile. Cette tige a une hauteur moyenne de 2 à 4 m et un diamètre de 2 à 3 cm. Après la moisson, le chanvre est séché, effeuillé, égrené, mis en bottes, puis en faisceaux. Ensuite, on procède au rouissage et au teillage afin d'extraire les fibres du liber. La fibre mesure de 5 à 55 mm, son diamètre varie de 16 à 50 μ, sa résistance est de 65 g/tex et son élasticité de 1,5 à 3 p. 100. Le chanvre est utilisé pour la fabrication des bâches, des sacs et en corderie.

La graine du chanvre (chènevis) est donnée aux oiseaux de cage. Les sommités femelles fournissent un stupéfiant d'usage universel, le hachisch (ou marijuana, ou kif), que l'on extrait surtout de l'espèce indienne *Cannabis indica,* dite familièrement « herbe ».

CHANZY (Alfred), général français (Nouart 1823 - Châlons-sur-Marne 1883). Mis par Gambetta à la tête du 16e corps puis de la IIe armée de la Loire* (1870-71), il fut député à l'Assemblée nationale (1871), gouverneur de l'Algérie (1873), puis ambassadeur en Russie (1879).

CHAO-HING ou **SHAOXING,** v. de Chine (Tchö-kiang), au S.-O. de Chang-hai; 131 000 hab.

CHAO PHRAYA → MÉNAM.

CHAOUÏA (la), plaine du Maroc atlantique, arrière-pays de Casablanca.

CHAOUMIAN ou **ŠAUMJAN** (Sebastian Konstantinovitch), linguiste soviétique (né en 1916). D'abord spécialiste de phonologie (*Problèmes de phonologie théorique,* 1962), il s'intéresse aux courants structuraliste puis génératif et situe sa pensée par rapport aux théories de Chomsky. Dans la *Linguistique structurale* (1965), il propose un modèle général du langage inspiré de la logique combinatoire : le « modèle génératif applicatif ». Son dernier ouvrage (*Questions philosophiques de linguistique théorique,* 1971) apporte à ce modèle un certain nombre de retouches et de précisions.

CHAOURCE (10210), ch.-l. de cant. de l'Aube, à 29 km au S. de Troyes; 965 hab. Église avec célèbre *Mise au tombeau,* groupe sculpté de 1515. Fromages.

CHAO-YANG ou **SHAOYANG,** v. de Chine (Hou-nan); 118 000 hab.

CHAPALA, principal lac du Mexique, au S. de Guadalajara; 1 530 km^2.

Chapeaux et Bonnets, nom porté au XVIIIe s. par deux factions suédoises. Les *Bonnets,* prorusses, sont partisans d'une politique prudente, contrairement aux *Chapeaux,* formés d'éléments jeunes, décidés à enlever à la Russie les territoires dont celle-ci s'est emparée. Tour à tour au pouvoir à partir de 1736, ces factions sont éliminées par l'autoritaire Gustave III* à son avènement (1772).

CHAPELAIN (Jean), écrivain français (Paris 1595 - *id.* 1674). Poète médiocre (*la Pucelle,* 1656), raillé par Boileau, il joua un rôle important dans la création de l'Académie française et la formation de la doctrine classique (*Sentiments de l'Académie sur « le Cid »,* 1638). Il établissait la liste des écrivains destinés à recevoir une pension royale.

CHAPELLE-AUX-SAINTS (La) [19120 Beaulieu sur Dordogne], comm. de la Corrèze, à 16 km au N.-E. de Martel; 217 hab. La sépulture d'un paléanthropien — l'un des plus complets du type de Neandertal* — y a été découverte, en 1908, par les abbés L. Bardon, J. et A. Bouyssonie.

CHAPELLE-D'ABONDANCE (La) [74360 Abondance], comm. de la Haute-Savoie, à 33,5 km au S.-E. de Thonon-les-Bains; 538 hab. Sports d'hiver (alt. 1 020-1 750 m).

CHAPELLE-D'ANGILLON (La) [18380], ch.-l. de cant. du Cher, à 32 km au N. de Bourges; 744 hab. Château du XVe s.

CHAPELLE-D'ARMENTIÈRES (La) [59930], comm. du Nord, dans la banlieue sud-est d'Armentières; 6 080 hab.

CHAPELLE-DE-GUINCHAY (La) [71570], ch.-l. de cant. de Saône-et-Loire, à 12 km au S. de Mâcon; 2 147 hab. Vignobles.

CHAPELLE-EN-VERCORS (La) [26420], ch.-l. de cant. de la Drôme, à 40 km au N. de Die; 817 hab.

CHAPELLE-LA-REINE (La) [77760], ch.-l. de cant. de Seine-et-Marne, à 13 km au S.-O. de Fontainebleau; 1 113 hab.

CHAPELLERIE. — Le feutre de laine et le feutre de poil animal (lapin ou lièvre) sont les deux variétés de feutre destinées à la chapellerie. Ils servent à fabriquer des chapeaux de feutre pour hommes ou des formes de feutre pour les chapeaux de femme. Les deux principaux centres français de production sont Esperaza (Aude), pour la laine, et Chazelles-sur-Lyon (Loire), pour le poil. La fabrication du feutre s'opère en milieu humide par projection de fibres sur un cône, sous air pulsé, en présence d'adjuvants et par compression de la masse fibreuse. À la suite d'un mouvement de concentration, trois groupes d'entreprises assurent cette fabrication. Les transformateurs qui façonnent les chapeaux à partir du feutre sont très dispersés et spécialisés dans certains types de chapeaux.

Illustrée avant la Seconde Guerre mondiale par Caroline Reboux, Rose Valois, Agnès, la mode du chapeau a régressé depuis lors. Le nombre des modistes est allé en diminuant et les grands créateurs, à l'image de la haute couture, ont démocratisé leur production : Paulette, en 1972, a présenté une collection de prêt-à-porter et Jean Barthet diffuse certains articles dans un grand magasin.

CHAPELLE-SAINT-LUC (**La**) [10600], comm. de l'Aube, dans la banlieue nord-ouest de Troyes; 15 146 hab. Pneumatiques.

CHAPELLE-SAINT-MESMIN (**La**) [45380], comm. du Loiret, dans la banlieue ouest d'Orléans; 6 484 hab. Église du XIe s. sur crypte mérovingienne. Pneumatiques. Verrerie.

CHAPELLE-SUR-ERDRE (**La**) [44240], ch.-l. de cant. de la Loire-Atlantique, à 10 km au N. de Nantes; 5 916 hab. Château de la Gâcherie (XVe s.).

CHAPITEAU → COLONNE.

CHAPLIN (Charles SPENCER, dit **Charlie**), acteur et cinéaste britannique (Londres 1889 - Corsier-sur-Vevey 1977). Fils d'un chanteur et d'une chanteuse de music-hall, il monte sur les planches à l'âge de six ans. Il fait ensuite partie d'une troupe ambulante, spécialisée dans la pantomime. Au cours d'une tournée, il est remarqué par Mack Sennett, qui lui fait signer — non sans difficulté — un contrat pour Hollywood. Sa personnalité éclate très vite aux yeux de tous : le petit comédien inconnu s'impose non seulement comme acteur, mais aussi comme scénariste, réalisateur puis producteur. En quelques saisons, sa silhouette sera connue du monde entier. Coiffé d'un chapeau melon, affublé d'une moustachette, faussement désinvolte dans son veston étriqué, son pantalon en accordéon et ses chaussures pointure 45, il adopte une démarche en canard et ne se sépare guère de sa canne flexible, qu'il sait utiliser selon les circonstances avec une malicieuse ingéniosité. Le personnage de Charlot, d'abord cousin de Guignol et de Pierrot, devient vite une nouvelle entité burlesque. Le vagabond, toujours berné et humilié mais jamais résigné, est reconnu par les spectateurs comme le symbole de l'homme libre et têtu en lutte contre les incongruités de la vie et les contraintes d'une société conformiste. Au fil des ans, le personnage s'étoffera. Le cœur toujours en écharpe, mais l'esprit frondeur, Charlot délaissera la farce pour la satire du monde contemporain. L'Amérique qui avait applaudi le pitre prend peur devant le pamphlétaire. Sa vie privée ne plaît pas aux puritains, ses opinions politiques irritent les réactionnaires. En 1952, en pleine époque maccarthyste, il quitte définitivement les États-Unis pour s'installer en Suisse. Son œuvre se divise en plusieurs périodes. De 1914 à 1918, il tourne de nombreuses pochades pour les firmes Keystone (*le Roman comique de Charlot et Lolotte,* 1914), Essanay (*Charlot boxeur* [1915]; *Charlot marin* [1915]; *Charlot joue Carmen* [1915]) et Mutual (*Charlot pompier* [1916]; *Charlot patine* [1916]; *Charlot policeman* [1917]), puis il signe un contrat avec la First National (*Une vie de chien* [1918]; *Charlot soldat* [1918]; *le Gosse* [1921]; *Jour de paye* [1922]; *le Pèlerin* [1923]). En 1919, il avait fondé, avec Douglas Fairbanks, D. W. Griffith et Mary Pickford, les Artistes associés. Pour cette compagnie, il mettra en scène ses œuvres les plus achevées : *la Ruée vers l'or** (1925), *le Cirque* (1928); *les Lumières de la ville* (1931); *les Temps modernes* (1935); *le Dictateur* (1940); *Monsieur Verdoux* (1947); *Limelight* (1952). En 1957, il signe *Un roi à New York* et, en 1965 : *la Comtesse de Hong Kong.*

CHAPMAN (George), poète dramatique anglais (Hitchin 1559-Londres 1634), auteur de traductions d'Homère et de Pétrarque et de pièces comiques ou tragiques mettant en scène des événements contemporains (*Bussy d'Amboise,* 1597; *Vers l'Est,* 1605).

CHAPOCHNIKOV (Boris Mikhaïlovitch), maréchal soviétique (Zlatooust 1882 - Moscou 1945). Ancien officier de l'armée tsariste, chef d'état-major de Kamenev (1919-1921), puis de l'armée de terre (1937-1942), il fut jusqu'à sa mort le conseiller militaire très écouté de Staline.

CHAPPE (Claude), ingénieur français (Brûlon 1763 - Paris 1805). Aidé de son frère IGNACE (Laval 1762 - Paris 1829), il fut le premier à réaliser par un système simple la *télégraphie aérienne.*

CHAPTAL (Jean Antoine), comte **de Chanteloup,** chimiste et homme politique français (Nogaret 1756 - Paris 1832). Il a développé l'industrie chimique en France, notamment la teinture du coton, les fabrications de l'acide sulfurique et de l'alun. Ministre de l'Intérieur (1800-1804), il a établi les chambres de commerce, fondé la première école d'arts et métiers et créé de nombreux canaux.

CHAPTALISATION → VIN.

CHAR. — Élément le plus puissant de la gamme des blindés*, le char est toujours un compromis entre les trois facteurs caractéristiques que sont sa mobilité, sa puissance de feu et sa protection. Ses éléments constitutifs comprennent un châssis (ou carcasse) et un train de roulement comportant des chenilles à patins entraînées par deux roues dentées, ou *barbotins.* La puissance des moteurs (à essence, Diesel ou polycarburant) peut atteindre 1 000 ch. L'armement (canon de 90 à 120 mm, mitrailleuse) peut être monté en casemate à l'avant ou, le plus souvent, sous tourelle. Il est parfois complété par des caissons de lancement de missiles et bénéficie de la précision des télémètres lasers (« AMX 30 »). L'essor des charges creuses, auxquelles aucun blindage ne résiste, a mis fin à la lutte du projectile contre la cuirasse, et l'accent est mis aujourd'hui sur la mobilité. L'emploi d'émetteurs infrarouges, illuminant l'objectif, permet le tir de nuit.

CHAR (René), poète français (L'Isle-sur-la-Sorgue 1907). Mêlé au mouvement surréaliste (*le Marteau sans maître,* 1934), il s'oriente vers une poésie militante (*Placard pour un chemin des écoliers,* 1937; *Dehors la nuit est gouvernée,* 1938) et, capitaine d'un maquis provençal pendant l'occupation allemande, tire de son expérience de la lutte la matière d'une poésie humaniste (*Feuillets d'Hypnos,* 1946). Son inspiration se fait alors plus lyrique, plus détachée de l'événement, et traduit en un style elliptique, proche de la maxime morale, l'accord profond des forces naturelles et des aspirations humaines (*Fureur* et mystère,* 1948; *le Soleil des eaux,* 1949; *la Parole* en archipel,* 1962; *Retour amont,* 1966; *la Nuit talismanique,* 1972; *Aromates chasseurs,* 1976).

CHARADRIIFORMES. — Les anciens groupes d'oiseaux nommés « échassiers » et « palmipèdes » sont en général abandonnés, mais bon nombre d'espèces se retrouvent dans l'ordre des *charadriiformes.* Tous les auteurs s'accordent à placer dans ce groupe les huîtriers, pluviers, chevaliers, bécasses, courlis, avocettes, phalaropes, vanneaux, œdicnèmes, pluvians, glaréoles et courvites, tous oiseaux des marais et lieux humides, aux longues pattes, au nid bâti à même le sol, aux mœurs ordinairement migratrices. À ces *charadriidés* proprement dits, de nombreux auteurs associent les *otitidés* (outardes), les *laridés* (labbes, mouettes, goélands, sternes, etc.) et même les *alcidés* (pingouins, guillemots et macareux), c'est-à-dire la majorité des oiseaux de mer ou d'eau douce aux pattes palmées ou allongées. Ce sont des raisons anatomiques peu décisives qui conduisent à ce regroupement de formes très diverses, ce qui explique les désaccords entre les auteurs sur les limites de ce groupe.

CHARALES ou **CHAROPHYTES.** — Deux genres d'« algues » des eaux douces, fixatrices de calcaire, *chara* et *nitella,* présentent de telles particularités anatomiques et morphologiques (rameaux appliqués en spirale autour des tiges, existence d'oogones, etc.) que l'on est conduit à élever ce groupe minuscule au rang d'un ordre, d'une classe ou même d'un embranchement végétal. Il ne s'agit pourtant pas des restes d'un groupe plus important des époques géologiques, les fossiles ne différant guère des formes actuelles.

CHARANÇON. — De nombreux coléoptères végétariens, très communs, souvent nuisibles aux graines ou aux cultures, présentent un long *rostre* portant la bouche à son extrémité, les yeux à sa base et les antennes sur les côtés. Leur aspect particulier les fait nommer *charançons.* La plupart d'entre eux constituent la famille des *curculionidés* (otiorrhynque, cléonines, pissode du pin, anthonome du rosier et du pommier, balanin des noisettes et des glands, orcheste, calandre des greniers, ceutorhynque des galles, etc.), mais les apionidés *(apion)* et de nombreux rhynchites ont un aspect tout à fait voisin.

CHARBON *(Min.).* → ABATTAGE, CONCENTRATION DES MINERAIS ET CHARBONS, EXPLOITATION MINIÈRE *(méthodes d'),* FEU, GAZ, GISEMENT, GRISOU, HOUILLE, LIGNITE, PÉTROLE, POUSSIÈRE.

CHARBON *(Pathol.).* — Cette affection rare, due à la bactéridie charbonneuse, touche surtout les animaux (ovidés, bovidés), mais peu l'homme. Traité par les antibiotiques (pénicilline) au stade d'escarre cutanée noirâtre, accompagnée d'un gros ganglion satellite, le charbon guérit rapidement. Les formes graves, voire mortelles, sont exceptionnelles.

CHARBONNAGE → MINE.

CHARBONNEAU (Robert), écrivain canadien d'expression française (Montréal 1911 - *id.* 1967). Poète (*Petits Poèmes retrouvés,* 1945) et critique, il est le véritable créateur du roman d'analyse au Canada (*Ils posséderont la terre,* 1941; *Fontile,* 1945; *Aucune créature,* 1961).

CHARBONNIÈRES-LES-BAINS (69260), comm. du Rhône, à 8 km à l'O. de Lyon; 3 086 hab. Station thermale. Hippodrome.

CHARCOT (Jean Martin), médecin français (Paris 1825 - lac des Settons 1893), rénovateur de la pathologie nerveuse, dont les leçons à la Salpêtrière eurent une renommée universelle. Il a laissé son nom à plusieurs maladies ou symptômes.

CHARCOT (Jean), explorateur français (Neuilly-sur-Seine 1867 - en mer 1936), fils du précédent. Il s'oriente vers l'exploration et l'océanographie. À bord du *Français* puis du *Pourquoi-pas?* il exécute dans l'Antarctique, puis dans l'Arctique, sur les côtes du Groenland, des voyages très fructueux. Charcot périt en mer avec son navire.

CHARCUTERIE. — La charcuterie consiste à saler et à fumer les viandes — en particulier celle de porc — pour en faire des jambons, boudins, saucisses, etc., et à préparer la chair des galantines, hures et pâtés de foie dans lesquels entre du porc. Certains de ces produits (boudin, saucisse, etc.) peuvent être consommés frais, d'autres sont conservés soit secs, soit enrobés dans de la graisse pour éviter toute fermentation.

Les premiers ateliers de salaison apparurent à la fin du siècle dernier et l'essor vers le stade industriel a été lié à la mise au point des méthodes de pasteurisation et de stérilisation ainsi qu'au développement des procédés de conservation par le froid. Outre la viande porcine, dont la production est passée de 250 000 t en 1927 à plus de 750 000 t en 1962, la charcuterie utilise aussi la viande de bovins. En 1975, on comptait environ 500 entreprises de salaisons industrielles; des regroupements ont eu lieu ainsi que des prises de contrôle : en 1971, la Générale sucrière du Nord a englobé plusieurs salaisonniers de moyenne importance. On compte de 25 000 à 30 000 artisans : en effet, bien que la charcuterie soit distribuée dans les grandes surfaces, le réseau de commerce de détail reste très prisé de la clientèle.

CHARDIN (Jean-Baptiste Siméon), peintre français (Paris 1699 - *id.* 1779). Fils d'un maître menuisier, il est conduit, alors que le « grand style » a lassé les amateurs, à évoquer les objets et les gestes les plus simples de la vie bourgeoise, dans un esprit intimiste qui dérive des écoles flamande et hollandaise. Il est admis à l'Académie royale, en 1728, grâce à l'intervention de Largillière, sur présentation de *la Raie* (Louvre), qui luit encore des glacis d'un

Lauros - Giraudon

Pipes et vases à boire. (Musée du Louvre, Paris.)

Watteau. Chardin multiplie, au long d'une paisible carrière, les natures mortes surtout, mais aussi les scènes d'intérieur où construction savante, matière-couleur franche, lumière chaude doucement modulée se fondent sous l'apparence de la plus grande sobriété pour murmurer un même chant de plénitude (au Louvre : *l'Enfant au toton* [Salon de 1738]; *la Pourvoyeuse; le Bénédicité; Pipes et vases à boire; les Attributs des arts,* dessus de porte [1765]; *Panier de pêches;* etc.). Vers la fin de sa vie, malade, un peu oublié, il se limita au pastel (deux *Autoportraits,* Louvre).

CHARDON. — De nombreuses espèces de plantes des terrains arides, aux feuilles piquantes, aux fleurs réunies en capitules, sont usuellement appelées *chardons.* Les botanistes rangent la plupart de ces espèces dans la famille des composées (ex. : chardon-Marie, cirse, carline, centaurée, chardon bénit, etc.), mais le chardon Roland, ou panicaut *(Eryngium),* est une ombellifère, et la cardère, ou chardon à foulon *(Dipsacus),* est le type de la famille des dipsacacées.

CHARDONNAY → CÉPAGE.

CHARDONNET (*comte* Hilaire BERNIGAUD DE), chimiste et industriel français (Besançon 1839 - Paris 1924). Créateur de l'industrie des textiles artificiels (1891), par emploi de nitrocellulose.

CHAREAU (Pierre), architecte et décorateur-ensemblier français (Le Havre 1883 - New York 1950). Il a conçu des meubles simples et raffinés et il est l'auteur de la première maison française en verre et en acier apparent (rue Saint-Guillaume, Paris, 1931).

CHARENTE (la), fl. de l'ouest de la France; 360 km. Née dans le Limousin (Haute-Vienne), la Charente draîne les deux départements auxquels elle a donné son nom, passant successivement à Ruffec, Angoulême, Cognac, Saintes et Rochefort, avant de rejoindre l'Atlantique par un estuaire envasé, en face de l'île d'Oléron.

CHARENTE (16), départ. de la Région Poitou-Charentes; 5 972 km²; 337 664 hab. *(Charentais).* Ch.-l. *Angoulême.* S.-préf. *Cognac* et *Confolens.*

Correspondant essentiellement à l'ancien pays de l'Angoumois et à la Saintonge méridionale, le département est formé de régions aux caractéristiques naturelles et aux aptitudes agricoles variées. Au N.-E., le Confolentais est un plateau cristallin (fragment du Limousin) humide, herbager, consacré surtout à l'élevage. Au N., les campagnes calcaires de l'Angoumois juxtaposent plateaux boisés (sur les épandages tertiaires) et cultures céréalières (développées surtout à l'O. de la Charente). Au S., la région de Montmoreau fait alterner bois et prairies d'élevage pour le lait. Le vignoble apparaît vers Barbezieux (Petite Champagne), dont l'ouest du département, de Cognac à Châteauneuf-sur-Charente (Grande Champagne), est le domaine privilégié.

L'importance du vignoble (tenant largement à sa valorisation, qui, par la distillation, fournit le cognac) explique partiellement l'importance du secteur agricole, employant encore le quart de la population active (plus du double de la moyenne nationale). L'industrie occupe une part encore supérieure (plus du tiers des actifs), liée en partie à la production agricole (produits laitiers, fabrication de cognac et verrerie), en dehors de la métallurgie de transformation développée surtout dans l'agglomération d'Angoulême, ville de loin la plus importante du département.

L'extension de l'agriculture, la relative faiblesse de l'urbanisation expliquent, à la fois, une population inférieure à celle du milieu du siècle dernier (exode rural), la part encore modeste du secteur tertiaire et, malgré des conditions naturelles assez favorables, une densité moyenne d'occupation, guère supérieure à la moitié de la moyenne nationale. En fait, le département a été handicapé par l'absence de sources d'énergie, de capitaux à investir et surtout par une situation géographique défavorable dans un centre-ouest peu développé.

CHARENTE-MARITIME (17), départ. de la Région Poitou-Charentes; 6 848 km²; 497 859 hab. Ch.-l. *La Rochelle.* S.-préf. *Jonzac, Rochefort, Saintes* et *Saint-Jean-d'Angély.*

Le département est formé de la majeure partie de l'Aunis et de la Saintonge. L'Aunis est une plaine calcaire fréquemment couverte de limon et d'un sol rougeâtre, également fertile, la terre de groie. Ancien pays viticole, l'Aunis est surtout, aujourd'hui, un pays céréalier, malgré le développement de l'élevage laitier (beurre) organisé selon un système coopératif. Au S. de la Charente, dans la Saintonge, alternent bois (sur les sables tertiaires) et champagnes calcaires portant des cultures céréalières, des prairies et, sur les pentes bien exposées, un vignoble (à l'E. de Jonzac) dont la production est destinée à la distillation (cognac). Le littoral est généralement bas, souvent marécageux. La mytiliculture a été développée dans le nord (baie de l'Aiguillon), l'ostréiculture dans le sud (vers Marennes). Le tourisme estival est actif surtout dans le sud (notamment avec Royan, extrémité méridionale de la Côte de Beauté) et aussi dans les deux grandes îles de Ré et d'Oléron.

L'agriculture emploie encore près du quart des actifs (plus du double de la moyenne nationale), ce qui contribue à expliquer une densité moyenne inférieure de un quart à la moyenne française, malgré une urbanisation déjà notable, au moins ponctuellement, dans la vallée de la Charente (Saintes et Rochefort) et sur le littoral, où La Rochelle est la plus importante agglomération du département. Cependant, l'industrie n'est pas très développée (moins du tiers des actifs); elle est surtout représentée par la valorisation de la production agricole, en dehors des villes où domine la métallurgie de transformation (construction automobile et aéronautique, matériel électrique).

Le secteur tertiaire est bien représenté, devenu le principal secteur d'activité, mais tenant plus à l'extension du commerce qu'à la présence de services supérieurs (université, par exemple), rares dans un département (et même une Région) où il n'existe pas de grande métropole urbaine. Malgré cette absence, la croissance démographique, depuis une trentaine d'années, a été marquée, et la Charente-Maritime est, de loin, le département le plus peuplé de la Région Poitou-Charentes.

CHARENTON-DU-CHER (18210), ch.-l. de cant. du Cher, à 11 km à l'E. de Saint-Amand-Montrond; 1 371 hab.

CHARENTON-LE-PONT (94220), ch.-l. de cant. du Val-de-Marne, dans la banlieue sud-est de Paris, au confluent de la Seine et de la Marne; 20 618 hab. *(Charentonnais).* Musée du pain.

CHARETTE DE LA CONTRIE (François DE), chef vendéen (Couffé 1763 - Nantes 1796). Chef des paysans de la région de Machecoul, il combat les républicains dans le Marais poitevin, à partir de 1793. Traqué par Hoche, il est capturé et fusillé.

CHARGE. — Une charge peut être de nature minérale (argile, mica*, talc*, terre à diatomées, silice, bentonite, carbonate de calcium, baryte) ou organique (farine de bois, fibre végétale). Elle doit posséder un faible pouvoir absorbant, une mouillabilité par les résines, une haute résistance tant du point de vue électrique que thermique et une ininflammabilité absolue. De plus, elle ne doit avoir aucune odeur et résister aux produits corrosifs. Les charges sont utilisées pour modifier les caractéristiques physiques, électriques ou mécaniques d'un matériau et pour diminuer le prix de revient des peintures*, des matières plastiques* et du caoutchouc*

CHARGE CREUSE. — Dans les projectiles à charge creuse, apparus au combat en 1942, la charge d'explosif est organisée pour que ses effets soient concentrés vers l'avant et selon son axe. La partie antérieure de la charge étant évidée, la puissance explosive est concentrée vers l'avant en un jet effilé à très grande vitesse (jusqu'à 10 000 m/s) qui pénètre dans la cible (blindage, béton...) avec une énorme puissance. La charge creuse peut s'adapter à des mines antichars, aux missiles et aux obus stabilisés par empennage. On estimait, en 1975, qu'aucun blindage ne pouvait résister à ses effets.

CHARGE NUCLÉAIRE. — Une charge d'explosif nucléaire comprend tous les dispositifs nécessaires à sa mise en œuvre, et notamment un amorçage électrique muni de sécurités empêchant son fonctionnement en stockage ou au tout début de sa trajectoire. Les charges nucléaires peuvent se situer dans la tête d'un missile, dans le corps d'un projectile ou d'une bombe d'avion ou dans une mine atomique. Les États-Unis, en 1969-70, suivis par l'U. R. S. S., en 1974, ont réalisé les charges nucléaires multiples (MIRV) pour missiles dont les éléments peuvent être guidés, chacun de façon indépendante, sur un objectif particulier.

CHARI (le), fl. de l'Afrique équatoriale, tributaire du lac Tchad; 1 200 km.

CHARĪ'A. — Cette loi canonique musulmane régit par le *fiqh,* droit canon, la vie religieuse, politique, sociale, domestique et individuelle. La charī'a est toujours en vigueur, mais de nombreux gouvernements ont, dans le domaine du droit public et pénal, instauré des lois (qānūn) inspirées des codes européens.

CHARISME. — Introduit en sociologie par l'un des fondateurs de la sociologie des religions, Ernst Troeltsch, ce terme est repris et précisé par son ami Max Weber*, qui en fait un des *types* idéaux* de la domination politique.

Le *pouvoir charismatique* est la domination d'une personne qui incarne une sacralité qui la dépasse comme individu mais qui est en elle. Il met en jeu des ressorts à la fois sociaux et psychologiques, qui exigent, pour être compris, de sortir du domaine de la seule explication sociologique au profit de l'explication psychanalytique.

Charité *(Filles de la),* congrégation de religieuses fondée en 1633 par saint Vincent* de Paul et confirmée par le pape en 1668. Ses membres, appelés familièrement les « Saint-Vincent », ne font de vœux ni publics ni perpétuels et se vouent à toutes les tâches charitables. C'est à la fois, dans l'Église catholique, la congrégation la plus nombreuse et la plus populaire.

CHARITES → GRÂCES.

CHARITÉ-SUR-LOIRE (La) [58400], ch.-l. de cant. de la Nièvre, sur la Loire, à 24 km au N.-O. de Nevers, 6 468 hab. *(Charitois).* Belle église romane d'un ancien prieuré clunisien (sculptures).

CHARLEMAGNE ou **CHARLES Ier le Grand,** en lat. **Carolus Magnus** (742-Aix-la-Chapelle 814), roi des Francs (768-814), empereur d'Occident (800-814), fils aîné de Pépin le Bref. À la mort de son père (768), le royaume est partagé entre Charles et son frère Carloman. La mort de ce dernier (771) empêche le conflit d'éclater entre les deux frères et permet à Charles de reconstituer l'unité du *Regnum Francorum.* Seul maître de l'État franc, Charles conquiert la Lombardie, qui menace l'État pontifical et s'oppose à l'expansion franque; en 774, il détient le double titre de *Rex Francorum et Langobardorum,* puis il fait de l'Italie une sorte de vice-royauté, qu'il donne à son jeune fils Pépin. Charles poursuit sa politique d'expansion : en 781, il érige en royaume l'Aquitaine, soumise en 769, en faveur de son fils Louis; ensuite, il s'empare de la Bavière et l'incorpore à l'État franc (788); dès 772, il s'attaque aux Saxons, qui sont finalement vaincus après trente ans de luttes (804); entre-temps, les Frisons et les Avars ont été soumis. Ainsi Charles a-t-il élargi considérablement l'État franc vers l'est et le nord; reste, au sud, l'Espagne, à la conquête de laquelle il renoncera après le massacre de Roncevaux, se contentant de créer, au sud des Pyrénées, une marche frontière qui protégera l'État franc des incursions musulmanes. Une marche de Bretagne est également créée, région qui ne sera jamais définitivement soumise. S'efforçant de donner satisfaction aux particularismes locaux, dans le cadre unificateur du *Regnum Francorum,* Charles mène à bien l'achèvement territorial.

Fixé bientôt à Aix-la-Chapelle, il devient l'arbitre de l'Occident, et c'est à lui que le pape s'adresse pour assurer la défense de l'Église. Le jour de Noël 800, il reçoit du pape la couronne impériale : l'empire d'Occident est ainsi reconstitué au profit d'un Barbare, ce que les Byzantins n'accepteront qu'à la longue et de mauvais gré.

Charlemagne s'efforce d'organiser son empire tout en conservant les institutions franques. L'administration locale est confiée aux comtes et aux évêques, contrôlés par les *missi dominici;* chaque année se tient au palais, centre de toute l'administration, un plaid

Lauros - Giraudon

Charlemagne, par Dürer.
(Germanisches Museum, Nuremberg.)

général. L'empereur tente également de remplacer les ordres oraux par des ordres écrits, dont les plus importants sont les capitulaires.

Charlemagne favorise une véritable renaissance culturelle, dite « renaissance carolingienne », créant une école du palais à Aix-la-Chapelle, pour former des gens lettrés, et faisant appel à des étrangers, dont le plus célèbre est Alcuin. À sa mort, l'unité de l'empire semble assurée, mais elle ne va pas lui survivre longtemps.

CHARLEROI, v. de Belgique (Hainaut) sur la Sambre; 229 202 hab. Quatrième ville belge aujourd'hui, c'est un centre industriel (sidérurgie et métallurgie de transformation, chimie, verrerie, chaussures, confection, céramique) fondé largement sur l'extraction de la houille, aujourd'hui en net recul. — Victoire des IIe et IIIe armées allemandes sur les forces franco-anglaises de Lanrezac et de French (21-23 août 1914).

SAINTS

CHARLES BORROMÉE *(saint),* archevêque de Milan (Arona 1538-Milan 1584). Neveu de Pie IV, cardinal à vingt-deux ans, il joue un rôle décisif dans l'achèvement difficile de l'important concile de Trente (1560-1563). Prêtre (1562), archevêque de Milan, il restaure la discipline ecclésiastique par des visites méthodiques, par la tenue régulière de synodes diocésains et provinciaux, par l'organisation de séminaires et l'enseignement du catéchisme; il devient le modèle du pasteur réformateur dans l'Église romaine. (V. CONTRE-RÉFORME.) Canonisé en 1610.

CHARLES GARNIER *(saint),* missionnaire français (Paris 1606-Saint-Jean, Québec, 1649). Prêtre et jésuite, il part en 1636 pour le Canada, où il est massacré par les Iroquois. Canonisé en 1930 avec ses compagnons.

EMPEREURS

CHARLES Ier → CHARLEMAGNE.

CHARLES II → CHARLES II LE CHAUVE, roi de France.

CHARLES III le Gros (Neidingen 839-*id.* 888), empereur d'Occident (881-887), roi de Germanie (882-887), roi de France (884-887). Fils cadet de Louis le Germanique, il rassemble l'héritage de celui-ci à la mort de ses frères (880-882), avant de reconstituer, théoriquement, l'empire de Charlemagne. Couronné empereur à Rome en 881, il se montre faible à l'égard des féodaux et des envahisseurs normands; il est déposé en 887 à la diète de Tribur (Trebur, Hesse).

Charles Quint, par Christoph Amberger (v. 1500-1561). [Musée des Beaux-Arts, Lille.]

CHARLES IV DE LUXEMBOURG (Prague 1316-*id.* 1378), roi de Germanie (1346-1378), roi de Bohême (CHARLES Ier) [1346-1378], empereur germanique (1355-1378). Fils aîné du roi de Bohême Jean l'Aveugle, il est élu roi des Romains (1346) et couronné empereur à Rome (1355). Il cherche à affranchir le Saint Empire de la tutelle pontificale en codifiant un système électoral, la Bulle d'or* (1356). Roi de Bohême, il fonde l'université de Prague (1347), qui va devenir un centre de rayonnement intellectuel.

CHARLES V ou **CHARLES QUINT** (Gand 1500-Yuste, Estrémadure, 1558), empereur du Saint Empire romain germanique (1519-1556), prince des Pays-Bas (1506-1555), roi d'Espagne (CHARLES Ier) [1516-1556], roi de Sicile (CHARLES IV) [1516-1556], fils de Philippe le Beau, archiduc d'Autriche, et de Jeanne la Folle, reine de Castille. L'habile politique de son grand-père paternel, Maximilien d'Autriche, va le placer à la tête d'un immense empire : en 1506, il reçoit les Pays-Bas et la Franche-Comté et, en 1516, les territoires autrichiens des Habsbourg, les colonies espagnoles d'Amérique ainsi que les royaumes de Castille, d'Aragon, de Naples et de Sicile. Rival victorieux de François Ier*, en 1519, il est élu empereur du Saint Empire romain germanique. Prétendant à la monarchie universelle, il se donne deux objectifs principaux : la lutte contre la France et la lutte contre les hérétiques et les infidèles.

Contre la France, Charles remporte les victoires de La Bicoque (1522) et de Pavie (1525), assuré du soutien de l'Angleterre et du connétable de Bourbon. François Ier est ainsi contraint de signer le traité de Madrid (1526), par lequel il lui cède le Milanais, la Bourgogne et ses droits sur la Flandre et l'Artois.

Malgré la condamnation de Luther* par la diète de Worms (1521), Charles Quint ne peut arrêter la Réforme. Devant faire face aux Ottomans en 1526, il les bat devant Vienne (1529), mais le sac de Rome (1527) par les mercenaires impériaux lui fait perdre l'appui pontifical et, après l'essai de conciliation de la diète d'Augsbourg (1530), les princes allemands s'allient à François Ier, assuré du soutien ottoman. Charles Quint renonce alors à ses prétentions sur la Bourgogne par la paix des Dames (1529). La lutte contre la France reprend, entrecoupée de trêves. Après l'invasion de la Provence et de la Champagne, Charles Quint est vaincu à Cérisoles (1544). La paix de Crépy-en-Laonnois met fin aux hostilités.

La lutte contre les Ottomans entraîne Charles Quint en Afrique du Nord, mais, malgré quelques occupations (Tlemcen, Tunis), il ne parvient pas à vaincre les Barbaresques. Les événements d'Europe l'obligent à renoncer définitivement à sa politique musulmane et méditerranéenne et à se consacrer aux problèmes allemands. En 1555, il signe la paix d'Augsbourg, qui reconnaît la liberté de culte aux princes luthériens. Tous ses projets ayant échoué, il abdique en faveur de son fils, en 1555 comme souverain de Bourgogne puis en 1556 comme roi d'Espagne et de Sicile. Le 12 septembre 1556, il renonce à la dignité impériale en faveur de son frère Ferdinand. Il se retire au monastère de Yuste, en Espagne.

CHARLES VI (Vienne 1685-*id.* 1740), empereur germanique (1711-1740), roi de Hongrie (CHARLES III) [1711-1740] et de Sicile (CHARLES VI) [1711-1738]. Fils de Léopold Ier de Habsbourg, il se révèle un souverain indécis, d'intelligence étroite et d'esprit chimérique, subordonnant toute sa politique à la succession indivisible de ses États en faveur de sa fille Marie-Thérèse (*pragmatique* sanction* de 1713). Entraîné dans la guerre de la Succession* de Pologne, il perd, en 1738, Naples et la Sicile.

CHARLES VII ALBERT (Bruxelles 1697-Munich 1745), Électeur de Bavière (1726-1745), empereur germanique (1742-1745). Gendre de Joseph Ier, il fait valoir, contre Marie-Thérèse*, fille de Charles VI, ses droits à la couronne impériale. Son fils renoncera à la succession autrichienne.

FRANCE

CHARLES MARTEL, prince franc (v. 685-Quierzy 741). Fils de Pépin d'Herstal, il devient, en 719, comme maire du palais, le véritable maître de l'Austrasie et de la Neustrie. Il entreprend en Germanie et en Frise de vastes expéditions de conquête et d'évangélisation. Il stoppe à Poitiers (732) l'invasion musulmane et s'assure la subordination de l'Aquitaine, de la Bourgogne et de la Provence. Avant de mourir, Charles règle sa succession entre ses fils Carloman et Pépin* le Bref.

CHARLES Ier → CHARLEMAGNE.

CHARLES II le Chauve (Francfort-sur-le-Main 823-Avrieux 877), roi de France (840-877) et empereur d'Occident (875-877). Fils de l'empereur Louis Ier* le Pieux et de sa seconde femme, Judith de Bavière, il doit affronter la jalousie de ses frères, Lothaire, Pépin et Louis, nés d'un premier lit. L'empereur lui donne, en 839, les territoires situés à l'ouest d'une ligne suivant le tracé du Rhône, de la Saône et de la Meuse. Louis Ier mort (840), Charles s'allie avec Louis (le Germanique); ils l'emportent sur leurs frères à Fontenoy-en-Puisaye (841); les Serments de Strasbourg confirment cette alliance (842).

En 843, le traité de Verdun divise l'empire en trois : Charles reçoit la *Francia Occidentalis* (France), mais il a du mal à se faire reconnaître en Aquitaine et en Bretagne par les grands féodaux; de plus, ses fils se révoltent et les Normands font des incursions de plus en plus dangereuses. À la mort de Louis II, il acquiert la Provence et il est couronné empereur (875); mais il ne peut imposer son autorité à la Germanie.

CHARLES III le Simple (879-Péronne 929), roi de France (898-923). Fils posthume de Louis II le Bègue, il ne peut régner en fait qu'après la mort du comte de Paris, Eudes (898). Pour obtenir la paix avec les Normands, il leur cède, par le traité de Saint-Clair-sur-Epte, la future Normandie (911). Bientôt, il doit faire face à l'ambition de Robert de France, proclamé roi en 922; mais celui-ci est tué à la bataille de Soissons (923). Cependant, Charles est vaincu et, tandis que Raoul de Bourgogne se fait couronner à son tour, il est emprisonné dans la tour de Péronne, où il mourra.

CHARLES IV le Bel (Clermont 1294-Vincennes 1328), roi de France (1322-1328) et de Navarre (Charles Ier). Troisième fils de Philippe IV* le Bel, il succède à son frère Philippe V (1322). Il mène une politique efficace, mettant de l'ordre dans l'administration et les finances. Ne laissant que des filles, il sera le dernier des Capétiens directs et aura comme successeur son cousin germain Philippe (VI) de Valois.

CHARLES V le Sage (Vincennes 1338 - Nogent-sur-Marne 1380), roi de France (1364-1380). Fils de Jean II le Bon, il assure la régence durant la captivité de son père (1356-1360). Il doit faire face alors à une situation financière et sociale dramatique, aux intrigues de Charles II* le Mauvais, roi de Navarre, et à l'hostilité des bourgeois de Paris à l'égard de son entourage. En 1358, ses meilleurs serviteurs, les maréchaux de Champagne et de Normandie, sont massacrés sur l'ordre du prévôt des marchands, Étienne Marcel*. C'est alors qu'éclate la jacquerie*, qui ravage le nord du royaume. Jean II le Bon rentre (1360), mais c'est pour se constituer à nouveau prisonnier à Londres, où il meurt (1364). Devenu roi, Charles, bien secondé par Bertrand du Guesclin*, impose la paix à Charles le Mauvais (1364) et se débarrasse des Grandes Compagnies, ce qui lui permet de refaire le royaume à l'intérieur : la fiscalité est assainie, un programme architectural est développé, à Paris notamment (Louvre, Bastille, Vincennes...); la cour devient un foyer culturel. Quand Charles meurt, les Anglais n'occupent plus en France que quelques places.

CHARLES VI le Bien-Aimé (Paris 1368 - *id.* 1422), roi de France (1380-1422). Durant sa minorité, les oncles de Charles VI — fils de Charles V — se disputent le pouvoir. Très tôt, le jeune roi est affronté à une situation difficile en raison de la misère du peuple, liée à la guerre, aux épidémies et à la fiscalité. Il doit réprimer de nombreuses révoltes (les *Maillotins,* à Paris), et il bat les Flamands à Rozebeke (1382). Il épouse Isabeau de Bavière (1385) et rappelle (1388) les conseillers de son père (les *Marmousets*), qui remettent de l'ordre dans les finances. Mais, la folie s'emparant de plus en plus fréquemment de lui, le roi doit abandonner le pouvoir à ses oncles, les ducs de Berry et de Bourgogne, et à son frère, Louis d'Orléans. De leurs rivalités naissent les factions des Armagnacs* et des Bourguignons*, dont les luttes conduisent la France à la ruine. Le fond de l'abîme est atteint avec le traité de Troyes (1420), par lequel Philippe le Bon et Isabeau de Bavière livrent la France aux Anglais.

CHARLES VII le Victorieux (Paris 1403 - Mehun-sur-Yèvre 1461), roi de France (1422-1461). Fils de Charles VI et d'Isabeau de Bavière, il n'est reconnu que par une partie de la France («le petit roi de Bourges»); se sentant abandonné, il songe à se réfugier en Écosse, quand l'arrivée et l'épopée de Jeanne* d'Arc (1429-30) lui rendent la conscience de sa légitimité : c'est le point de départ d'une longue «reconquête» du royaume de France sur les Anglais. En 1453, ceux-ci ne tiennent plus que Calais. Parallèlement, Charles VII, bien conseillé, dote la France d'institutions financières durables et d'une armée moderne (compagnies d'ordonnance, 1445). La vie économique reprend son essor, grâce, notamment, à l'activité de Jacques Cœur*. Le clergé passe sous le contrôle du roi par la pragmatique sanction de Bourges (1438). Quant à l'opposition aristocratique (la Praguerie), elle est vigoureusement réprimée.

CHARLES VIII (Amboise 1470 - *id.* 1498), roi de France (1484-1498). Fils de Louis XI, il règne d'abord sous la tutelle (jusqu'en 1494) de sa sœur Anne, et du mari de celle-ci, Pierre de Beaujeu. En 1490, il épouse Anne, héritière du duché de Bretagne, mariage qui prépare l'annexion de cette province à la France. Attiré par l'Italie et ayant assuré ses arrières en payant fort cher la neutralité de ses voisins, Charles VIII, «roi enfant», se livre tout entier à sa grande entreprise, l'aventure napolitaine. Entré à Naples en 1495, il organise son royaume, mais la ligue de Venise, animée par l'empereur, le pape et Ferdinand le Catholique, l'oblige à rentrer en France. Derrière lui, les Aragonais réoccupent le royaume de Naples. Charles VIII meurt accidentellement alors qu'il songe à repartir en Italie.

CHARLES IX (Saint-Germain-en-Laye 1550 - Vincennes 1574), roi de France (1560-1574). Troisième fils d'Henri II et de Catherine* de Médicis, il succède à son aîné, François II, en 1560, mais, durant dix ans, c'est sa mère qui gouverne la France : il n'entre vraiment en scène qu'en 1570, après la paix de Saint-Germain (août) qui met fin à plusieurs années de guerre religieuse. Adversaire résolu des Espagnols, jaloux de son frère Henri, devenu le chef du parti catholique, Charles subit l'influence de l'amiral de Coligny*, chef des protestants. Catherine, qui craint la guerre contre l'Espagne pour une France affaiblie, se débarrasse de Coligny lors du massacre de la Saint-Barthélemy (24 août 1572) auquel le roi ne s'oppose pas.

CHARLES X (Versailles 1757 - Goritz 1836), roi de France (1824-1830). Frère de Louis XVI et du comte de Provence (Louis XVIII), il porte le titre de comte d'Artois avant d'accéder au trône. Ayant émigré dès le 17 juillet 1789, il devient chef de l'armée émigrée et patronne le manifeste de Brunswick* (juill. 1792). Lieutenant général du royaume après la mort de Louis XVI (1793), quand Louis XVIII se fait proclamer roi (1795), «Monsieur» s'efforce, depuis Londres, d'organiser des opérations de débarquement sur le continent. Après une longue période d'inactivité, il passe au premier plan lors de la Restauration* (1814), qu'il prépare. Chef du parti ultraroyaliste durant le règne de Louis XVIII, ses intrigues le rendent peu efficace face à la réaction. Devenu roi

Lauros - Giraudon

Charles X, par Horace Vernet (1789-1863). [Musée municipal, Dunkerque.]

à la mort de Louis XVIII (sept. 1824), il multiplie les mesures désastreuses (loi du sacrilège, milliard des émigrés, sacre à Reims [1825]) qui hérissent la presse libérale et l'opposition, d'autant que l'Église est largement favorisée par le régime.

S'appuyant longtemps sur Villèle* (1824-1828), il se défie de Martignac (1828-29), avant de confier le gouvernement au prince Jules de Polignac* (1829-30), qui incarne la contre-révolution. Les quatre ordonnances royales du 25 juillet 1830 — qui réduisent les libertés — provoquent la révolution dite «des Trois Glorieuses» (27, 28, 29 juill.), qui aboutit à l'abdication du roi (2 août). Réfugié en Écosse, puis en Autriche, Charles X y meurt du choléra en 1836.

AUTRICHE

CHARLES DE HABSBOURG, dit l'archiduc Charles (Florence 1771 - Vienne 1847). Troisième fils de Léopold II, il s'avère l'un des plus redoutables adversaires de Napoléon Ier, notamment à Eckmühl, Essling et Wagram (1809).

CHARLES Ier (Persenbeug 1887 - Funchal 1922), empereur d'Autriche et roi de Hongrie (Charles IV) [1916-1918]. Petit-neveu et successeur de l'empereur François-Joseph Ier, il est le dernier souverain de la monarchie austro-hongroise. Malgré une tentative secrète de rapprochement avec les Alliés, il ne peut empêcher la chute de la monarchie, alliée à l'Allemagne, et s'exile après la proclamation de la République autrichienne.

BELGIQUE

CHARLES DE BELGIQUE, comte de Flandres, second fils du roi Albert Ier (Bruxelles 1903). Il fut régent de Belgique de 1944 à 1950, pendant l'exil de son frère Léopold III.

BOURGOGNE

CHARLES le Téméraire (Dijon 1433 - devant Nancy 1477), duc de Bourgogne (1467-1477). Fils et successeur, comme «grand duc d'Occident», de Philippe* le Bon, il est encore comte de Charolais quand il est amené à réprimer durement les révoltes des Flamands (1452-53) et à obliger Louis XI à rendre à la Bourgogne les villes de la Somme (1465). Devenu duc, il est aux prises avec la révolte de Liège, soutenue par Louis XI* (1468); ce souverain s'avère être son plus redoutable adversaire. S'étant engagé dans des entreprises contre les Suisses et contre le duc de Lorraine, secrètement aidé par la France, Charles subit deux lourdes défaites à Grandson et à Morat (1476), avant de périr devant Nancy. Avec lui s'écroule l'admirable édifice des ducs de Bourgogne de la maison de Valois.

ESPAGNE

CHARLES Ier → Charles V, empereur.

Fleming

Charles II d'Angleterre. Miniature d'après un portrait de S. Cooper (1609-1672). [Victoria and Albert Museum, Londres.]

CHARLES II (Madrid 1661-*id.* 1700), roi d'Espagne et de Sicile (CHARLES V) [1665-1700]. Fils de Philippe IV, il est majeur en 1675. Ce dernier Habsbourg d'Espagne perd plusieurs possessions espagnoles et désigne pour lui succéder Philippe d'Anjou, second petit-fils de Louis XIV : son héritage sera l'occasion de la guerre de la Succession* d'Espagne.

CHARLES III (Madrid 1716-*id.* 1788), roi d'Espagne (1759-1788). Fils de Philippe* V, duc de Parme (1731-1735), puis roi (CHARLES VII) de Naples et de Sicile (1734-1759), il succède en Espagne à son demi-frère Ferdinand VI (1759). En 1761, il conclut avec la France le pacte de Famille. Incarnation du despotisme* éclairé, bien secondé par Pedro d'Aranda* (1765-1776) puis par Floridablanca (1777-78), Charles s'efforce de rénover le pays; il expulse les Jésuites en 1767.

Charles III *(ordre royal de),* ordre de chevalerie espagnol fondé en 1771 par le roi Charles III. Il fut maintenu par le régime de Franco et constitue la plus haute distinction espagnole.

CHARLES IV (Naples 1748 - Rome 1819), roi d'Espagne (1788-1808). Fils et successeur de Charles III, il se soumet à l'influence de son épouse, Marie-Louise de Bourbon-Parme, et du favori de celle-ci, Godoy. À la remorque de la France à partir de 1796, vaincu avec elle à Trafalgar (1805), il se rend impopulaire. Il abdique en faveur de son fils Ferdinand (VII) en mars 1808; dès le mois de mai, ce dernier doit rendre la couronne à Charles IV, qui la cède à Napoléon Ier.

CHARLES DE BOURBON → CARLISME.

GRANDE-BRETAGNE

CHARLES Ier (Dunfermline, Écosse, 1600-Londres 1649), roi d'Angleterre, d'Écosse et d'Irlande (1625-1649). Fils et successeur de Jacques* Ier, il poursuit la guerre contre l'Espagne et, Buckingham* restant tout-puissant, il épouse Henriette-Marie de France. Les dépenses du roi et de la Cour ayant amené Charles à exiger du pays une contribution financière, le Parlement lui remet, en 1628, la pétition du Droit, qui rappelle les limites des prérogatives royales. Charles renvoie le Parlement (1629) et durant onze ans gouverne seul. Après l'assassinat de Buckingham, le roi prend comme conseillers Laud et Strafford qui, comme la reine — catholique —, poussent le souverain à une politique sans compromis. Laud veut étendre à l'Écosse puritaine la liturgie anglicane, aussi les Écossais marchent-ils contre le roi, qui convoque le *Court Parlement* (1640), lequel, ayant exigé des garanties avant d'aider le roi, est dissous. Les Écossais avançant toujours, un *Long Parlement* est convoqué, qui envoie Strafford à la mort (1641). Charles Ier est alors soupçonné d'avoir favorisé, par ses complaisances envers les catholiques, la révolte irlandaise. Le Parlement durcit sa position au point que le roi rompt avec lui (1642) : c'est la guerre civile. L'armée royale écrasée à Naseby (1645), Charles se rend aux Écossais (1646). Livré au Parlement anglais, il s'évade (1647), déclenche une seconde guerre civile, qui est gagnée par l'armée de Cromwell*. Celui-ci obtient du Parlement épuré *(Parlement croupion)* la mise en jugement de Charles, qui, condamné à mort, est exécuté (janv. 1649).

CHARLES II (Londres 1630-*id.* 1685), roi d'Angleterre, d'Écosse et d'Irlande (1660-1685). Fils de Charles Ier, il se fait reconnaître roi par les Écossais, hostiles à Cromwell (1651), mais la victoire de ce dernier l'accule à l'exil. Le conflit entre l'armée et le Parlement, en 1659, l'incite à publier la déclaration de Breda (1660) qui, en donnant tout apaisement à ses anciens adversaires, prépare la restauration des Stuarts; celle-ci a lieu peu après. Mais l'impécuniosité de Charles et sa politique de tolérance se heurtent aux exigences et à la rigueur anglicane du Parlement. Si bien qu'il doit remplacer la Déclaration d'indulgence (1672) par le bill du Test (1673), défavorable aux « papistes ». D'autre part, une guerre contre les Provinces-Unies (1664-1667) coûte cher à l'Angleterre, sans résultat.

Peu à peu prend forme la monarchie constitutionnelle anglaise, un élément d'équilibre étant le mariage de Marie Stuart — nièce du roi — avec Guillaume d'Orange (1677). Mais, en 1678, éclate l'affaire Oates, qui soulève l'Angleterre contre les catholiques; le roi doit s'incliner devant la loi d'*habeas corpus* (1679) et le Bill d'exclusion (1681) : celui-ci vise son frère, le prince héritier Jacques, qui est catholique. Les excès de l'opposition favorisent un revirement de l'opinion envers Charles II, dont Jacques* II est redevenu l'héritier légitime.

CHARLES-ÉDOUARD, dit **le Jeune Prétendant** (Rome 1720-Florence 1788). Fils aîné de Jacques Stuart et petit-fils de Jacques II, il tente une descente en Écosse pour reconquérir le trône des Stuarts. Il est battu à Culloden (1746).

HONGRIE

CHARLES Ier ROBERT ou **CAROBERT** (1291-Visegrád 1342), roi de Hongrie (1301-1342). Couronné en 1301, à la mort d'André III de Hongrie, il ne règne effectivement qu'à partir de 1308. Il donne à la Hongrie une véritable administration et favorise l'essor économique du pays, mais il doit lutter constamment contre les magnats coalisés contre lui. Il impose son protectorat de fait à la Bosnie et à la Slavonie.

CHARLES II → CHARLES III de Sicile.

CHARLES III → CHARLES VI, empereur.

CHARLES IV → CHARLES Ier d'Autriche.

NAVARRE

CHARLES Ier → CHARLES IV le Bel, roi de France.

CHARLES II le Mauvais (1332-1387), roi de Navarre (1349-1387). Fils de Jeanne II de France, reine de Navarre, petit-fils de Louis X le Hutin, roi de France, et époux de Jeanne, fille du roi Jean II le Bon, il intrigue constamment aux côtés des Anglais, contre celui-ci puis contre le dauphin Charles (V), en vue, probablement, de s'emparer de la couronne de France. La révolution parisienne d'Étienne Marcel* (1358) semble annoncer son heure, mais une réaction loyaliste et l'action de Du Guesclin, qui le bat à Cocherel (1364), l'obligent à renoncer à ses projets.

CHARLES III le Noble (Mantes 1361-Olite 1425), roi de Navarre (1387-1425). Fils et successeur de Charles II le Mauvais, il se réconcilie avec les Valois et restaure son royaume, faisant de sa cour un foyer de culture française.

ROUMANIE

CHARLES Ier ou **CAROL Ier, CHARLES II** ou **CAROL II** → HOHENZOLLERN DE ROUMANIE.

SAVOIE ET SARDAIGNE

CHARLES-EMMANUEL Ier (1562-1630), duc de Savoie (1580-1630). Il consacre son règne au renforcement de son État, qu'il aurait voulu faire ériger en royaume. Mais, en oscillant entre les alliances française et espagnole, il échoue dans ses projets d'acquisitions territoriales.

CHARLES-EMMANUEL III (Turin 1701-*id.* 1773), duc de Savoie et roi de Sardaigne (1730-1773). Ses alliances françaises lui valent Novare, Tortone et quelques districts dans le Milanais.

CHARLES-EMMANUEL IV (Turin 1751-Rome 1819), roi de Sardaigne (1796-1802). Chassé de ses États continentaux par les Français (1798), il se retire en Sardaigne et abdique, dès 1802, en faveur de son frère Victor-Emmanuel Ier.

CHARLES-FÉLIX (Turin 1765-*id.* 1831), roi de Sardaigne (1821-1831). Vice-roi de Sardaigne (1799), il succède à contrecœur à son père, Victor-Emmanuel Ier, qui abdique devant la révolution libérale (1821).

CHARLES-ALBERT (Turin 1798-Porto, Portugal, 1849), roi de Sardaigne (1831-1849). Mystique et traditionaliste, il réprime durement l'agitation mazzinienne en 1833-34. Mais, farouchement hostile à l'Autriche et désireux de moderniser ses États, il fait peu à peu figure, dans le *Risorgimento,* de souverain patriote et libéral. En mars 1848, il accorde au Piémont le Statut fondamental ; vaincu par Radetzsky à Custoza (25 juill.), il signe un armistice avec les Autrichiens. Il reprend les armes le 13 mars 1849 : la défaite de

Novare (23 mars) entraîne son abdication en faveur de son fils Victor-Emmanuel II.

SICILE ET NAPLES

CHARLES Ier (1226 - Foggia 1285), roi de Sicile (1266-1285). Dixième fils du roi de France Louis VIII, il devient, par son mariage (1246), comte d'Anjou, du Maine, de Provence et de Forcalquier. Fait prisonnier au cours de la septième croisade avec son frère Saint Louis* (Louis IX), Charles d'Anjou est relâché sur rançon (1248). Il est investi par le pape roi de Sicile (1266) et devient l'arbitre de l'Italie. Poursuivant les projets orientaux de ses prédécesseurs, il se substitue à l'empereur latin d'Orient dans sa lutte contre les Paléologues. Charles prend même le titre de roi d'Albanie (1272) et celui de roi de Jérusalem (1277); il est sur le point d'envahir l'Empire byzantin quand les Vêpres* siciliennes (1282) font de la Sicile insulaire une terre aragonaise. Restant maître de la Sicile péninsulaire, Charles et son neveu Philippe III de France luttent en vain contre l'Aragon.

CHARLES II le Boiteux (1248-1309), roi de Sicile (1285-1309). Fils et successeur de Charles Ier d'Anjou, il ne peut reconquérir la Sicile insulaire sur les Aragonais. Ayant épousé Marie, fille du roi Étienne V de Hongrie (1270), il fait couronner roi de Hongrie son fils aîné, Charles Martel, qui meurt dès 1295, mais dont le fils, Charles Ier Robert, est reconnu roi de Hongrie. En même temps, Charles II maintient l'influence de sa famille en Orient (Durazzo et Épire).

CHARLES III (1345 - Buda 1386), roi de Naples (1381-1386) et roi (CHARLES II) de Hongrie (1385-86). Arrière-petit-fils de Charles II le Boiteux, il se débarrasse, par le meurtre, de Jeanne Ire et se fait reconnaître roi de Naples (1381). Il s'impose aussi aux Hongrois (1385), mais il est assassiné à Buda dès l'année suivante.

CHARLES IV → CHARLES V, empereur.

CHARLES V → CHARLES II d'Espagne.

CHARLES VI → CHARLES VI, empereur.

CHARLES VII → CHARLES III d'Espagne.

Lauros - Giraudon

Charles XII de Suède, par David von Krafft (1655-1724). [Musée de Versailles.]

SUÈDE

CHARLES IX → VASA.

CHARLES X GUSTAVE (Nyköping 1622 - Göteborg 1660), roi de Suède (1654-1660). Fils de Jean-Casimir, successeur de sa cousine Christine*, il conquiert la Pologne (1655) et impose aux Danois la paix de Roskilde (1658).

CHARLES XI (Stockholm 1665 - *id.* 1697), roi de Suède (1660-1697). Fils et successeur de Charles X, il s'allie à Louis XIV contre la Hollande (1674). Battu, il bénéficie de la paix de Saint-Germain (1679) qui applique le *statu quo;* à son pays, ruiné, il impose ensuite un régime d'absolutisme.

CHARLES XII (Stockholm 1682 - Fredrikshald 1718), roi de Suède (1697-1718). Fils et héritier de Charles XI, il montre tout de suite son génie militaire, battant successivement les membres d'une coalition antisuédoise : Danois, Polonais et Russes (victoire de Narva, 1700). Il envahit ensuite la Pologne, où il fait élire Stanislas Leszczyński (1706), puis la Russie, déterminé à marcher sur Moscou (1707); mais il est écrasé par Pierre le Grand à Poltava (1709). Réfugié en Turquie durant cinq ans, Charles s'échappe et regagne Stralsund, puis la Suède (1715), où il trouve un pays ruiné et en plein désordre politique. Il est tué au siège de Fredrikshald, lors d'une guerre contre la Norvège. Charles est resté — grâce notamment à l'*Histoire de Charles XII* de Voltaire (1731) — le type du héros d'épopée et de tragédie.

CHARLES XIII (Stockholm 1748 - *id.* 1818), roi de Suède (1809-1818) et de Norvège (1814-1818). En 1809, il abandonne la Finlande à la Russie. Ayant adopté le maréchal Bernadotte (v. CHARLES XIV), il reçoit, en 1814, la couronne de Norvège, dont l'union avec la Suède est entérinée en 1815.

CHARLES XIV ou **CHARLES-JEAN** (Charles-Jean BERNADOTTE) [Pau 1763 - Stockholm 1844], maréchal français, roi de Suède et de Norvège (1818-1844). Ayant combattu dans les armées de la Révolution, général de division en 1793, ambassadeur à Vienne (1798), ministre de la Guerre (1799), il passe pour un rival possible de Bonaparte. Devenu empereur, celui-ci le fait cependant maréchal (1804) et prince de Pontecorvo (1805). Brouillé avec Napoléon Ier à partir de 1809, Bernadotte accepte sa désignation comme prince héritier par les états de Suède (1810). Officiellement adversaire de la France, il décide de la victoire des Alliés à Leipzig (1813), ce qui lui vaudra l'union de la Suède et de la Norvège. Roi à la mort de Charles XIII (1818), Charles-Jean se consacre tout entier à ses États.

CHARLES XV (Stockholm 1826 - Malmö 1872), roi de Suède (1859-1872). Fils et successeur d'Oscar Ier, il partage les sympathies de ce dernier pour le scandinavisme; sous son règne, la démocratisation du régime politique s'accélère.

CHARLES XVI GUSTAVE (Stockholm 1946), roi de Suède depuis 1973. Petit-fils de Gustave VI Adolphe, il est régent du royaume en 1971 et devient roi en 1973, à la mort de son grand-père.

CHARLES (Jacques), physicien français (Beaugency 1746 - Paris 1823). Il substitua l'hydrogène à l'air chaud pour le gonflement des aérostats (1783) et fit plusieurs ascensions en ballon. En 1798, il étudia la variation de pression des gaz à volume constant. — Sa femme, JULIE **Bouchaud des Hérettes** (Paris 1784 - *id.* 1817), fut l'*Elvire* de Lamartine.

CHARLESBOURG, v. du Canada (Québec), dans la banlieue nord-ouest de Québec; 33 443 hab.

Charles-de-Gaulle *(aéroport),* grand aéroport, au N.-E. de Paris, près de Roissy-en-France*.

Charles-de-Gaulle *(place),* jusqu'en 1970 *place de l'Étoile,* grande place de l'ouest de Paris, occupée en son centre par l'Arc de triomphe et d'où divergent douze grandes avenues.

CHARLESTON, port des États-Unis (Caroline du Sud); 67 000 hab. Centre de la résistance des sudistes pendant la guerre de Sécession* (1862-1865).

CHARLESTON, v. des États-Unis, capit. de la Virginie-Occidentale, à l'O. des Appalaches; 72 000 hab.

CHARLEVILLE-MÉZIÈRES (08000), ch.-l. du départ. des Ardennes, sur la Meuse; 63 347 hab. *(Carolomacériens).* Belle place Ducale (brique, pierre, ardoise), dessinée en 1611 par Clément II Métezeau. Ville administrative et commerciale, rayonnant sur la majeure partie du département, c'est cependant essentiellement un centre industriel, où domine la métallurgie de transformation (matériel de travaux publics notamment).

CHARLEVOIX (Pierre DE), jésuite français (Saint-Quentin 1682 - La Flèche 1761), historien des colonies françaises d'Amérique (*Histoire et description générale de la Nouvelle-France,* 1744).

CHARLIEU (42190), ch.-l. de cant. de la Loire, à 19 km au N.-E. de Roanne; 5 063 hab. *(Charliandins).* Restes d'une abbatiale (XIe-XIIe s.), avec narthex à deux étages (tympans, chefs-d'œuvre tardifs de la sculpture romane bourguignonne) et cloître du XVe s. Église paroissiale du XIIIe s. Anc. couvent des Cordeliers avec cloître des XIVe-XVe s. Confection.

Charlot → CHAPLIN (Charles).

CHARLOTTE, v. des États-Unis (Caroline du Nord); 241 000 hab.

Giraudon

La Charmeuse de serpents,
d'Henri Rousseau. (Musée du Louvre, Paris.)

CHARLOTTE DE NASSAU (château de Berg 1896), grande-duchesse de Luxembourg (1919-1964). Elle a abdiqué en faveur de son fils, le prince Jean.

CHARLOTTETOWN, v. du Canada, capit. de la prov. de l'île du Prince-Édouard; 19 133 hab. Université.

CHARLY (02310), ch.-l. de cant. de l'Aisne, à 15,5 km au S.-O. de Château-Thierry, sur la Marne; 2 116 hab.

CHARME. — Cet arbre forestier, jamais très grand, souvent abondant aux lisières, rejetant vigoureusement de souche — ce qui fait de lui un constituant fréquent des taillis —, se reconnaît à ses feuilles aux nervures secondaires bien parallèles et symétriques, obliquement disposées, et à ses grappes pendantes de petits fruits, associés chacun à une « aile » (bractée) à trois lobes inégaux. On appelle *charmille* une haie de charme taillée. Le bois de charme est utilisé en particulier pour les pièces sujettes aux frottements. (Nom scientifique : *Carpinus betulus;* famille des fagacées.)

CHARMES (88130), ch.-l. de cant. des Vosges, à 25 km au N.-O. d'Épinal, sur la Moselle; 5 959 hab. Église des xve-xvie s. Industries mécaniques et textiles.

CHARMETTES (Les), hameau de Savoie, près de Chambéry, illustré par le séjour qu'y fit J.-J. Rousseau, chez Mme de Warens.

Charmeuse de serpents *(la),* toile d'Henri Rousseau (1,67 × 1,89 m; 1907; Louvre). Exemple de « jungle » rêvée aussi décorative qu'indifférente aux recherches picturales de l'avant-garde contemporaine, l'œuvre allie à un très haut métier d'essence populaire le surgissement des plus profonds symboles d'une communion mystique avec le cosmos.

CHARNAY-LÈS-MÂCON (71000 Mâcon), comm. de Saône-et-Loire; 5 234 hab.

CHARNY (89120), ch.-l. de cant. de l'Yonne, à 27 km au S.-O. de Joigny; 1 626 hab.

CHARNY-SUR-MEUSE (55100 Verdun), ch.-l. de cant. de la Meuse, à 6,5 km au N. de Verdun, sur la Meuse; 412 hab.

CHAROLAIS ou **CHAROLLAIS,** région de la bordure orientale du Massif central, s'étendant principalement dans le département de Saône-et-Loire. Il s'agit de plateaux cristallins *(monts du Charolais),* herbagers, consacrés à l'élevage bovin pour la viande. — Créé en 1316, réuni une première fois à la Couronne en 1477, le *comté de Charolais* fut définitivement rattaché à la France en 1761; il fut alors englobé dans la Bourgogne.

CHAROLLES (71120), ch.-l. d'arr. de Saône-et-Loire, à 13 km à l'E. de Paray-le-Monial; 4 349 hab. *(Charollais).*

CHARON, personnage mythologique qui fait passer aux morts les fleuves infernaux, moyennant une obole. D'où la coutume, chez les Grecs et les Romains, de placer une pièce de monnaie dans la bouche des défunts.

CHARONDAS (Loys LE CARON, dit), jurisconsulte français (Paris 1536-† 1617), auteur du précieux *Grand Coutumier de France* (1598).

CHARONNE, quartier de l'est de Paris (XXe arr.).

CHÂROST (18290), ch.-l. de cant. du Cher, à 12,5 km au N.-E. d'Issoudun; 1 166 hab. Église romane.

CHARPENTE. — Les charpentes anciennes (cathédrales, châteaux) étaient toutes en bois et faisaient appel à la *charpenterie traditionnelle,* caractérisée par des formes simples : poutres prenant appui sur des systèmes de pièces assemblées par chevilles, fermes de types divers à poinçon et contre-fiche, à entrait retroussé, à la Mansart, etc. Toutes ces variantes utilisaient des assemblages « bois sur bois », à tenons et à mortaises, obligeant l'emploi de bois de fortes épaisseurs et demandant des ouvriers très spécialisés. Dès le début du xxe s., sont apparues les *charpentes triangulées,* basées sur les principes des charpentes métalliques : pièces assemblées en triangles accolés par l'intermédiaire de boulons, de broches et de dispositifs de fixation de plus en plus perfectionnés. Ce type de charpente indéformable ne demande qu'une faible quantité de bois, permet de calculer les dimensions exactes de la section des pièces et autorise la fabrication en grande série : fermes en treillis, portiques, arcs à grande portée (de 25 à 50 m). Enfin, on a fait appel à la *charpente lamellée-collée,* grâce à laquelle on peut réaliser des poutres droites ou des arcs, en utilisant le principe de la triangulation, la colle (à base de résorcine) étant le seul élément de fixation. On utilise des planches de 20 à 30 mm d'épaisseur, séchées et rabotées, qui, après encollage, sont superposées et mises sous presse, soit à plat pour les poutres, soit après courbage pour les arcs. Cette technique s'applique à tous les types de charpentes : des charpentes ordinaires jusqu'aux charpentes industrielles présentant plus de 100 m de portée; mais si la réalisation ne présente aucune complication, le transport des éléments préfabriqués peut poser des difficultés.

CHARPENTE MÉTALLIQUE. — Le matériau utilisé en charpente métallique est l'acier* ou, dans certains cas, un alliage* léger à base d'aluminium*.

La *charpente de toiture* se compose essentiellement de fermes à treillis verticales, espacées régulièrement et prenant appui sur des murs*, des poutres ou des poteaux. Sur ces fermes reposent les pannes horizontales, à âmes pleines ou à treillis pour les grandes portées. La couverture* se fixe sur les pannes. Quand les fermes sont de grande portée, on assure la rigidité de l'ensemble de la toiture par des triangulations verticales en forme de croix de Saint-André, disposées de ferme à ferme, dans les plans des pannes. Si les appuis de la charpente ne sont pas encastrés dans des murs suffisamment résistants pour assurer la stabilité générale de la construction sous les poussées du vent, on dispose des pièces de contreventement dans les versants de la toiture, dans le plan des entraits des fermes ou dans les longs pans. Ces dispositifs doivent transmettre les efforts du vent à des poteaux spécialement conçus pour résister.

La *charpente de plancher* se compose de solives parallèles reposant sur des poutres ou des murs. Les trémies des cages d'ascenseur et d'escalier sont renforcées sur leur pourtour par des solives d'enchevêtrure et des chevêtres sur lesquels s'appuie le solivage.

Les assemblages des pièces de charpente se font par boulonnage, rivetage ou soudage. Les différents profilés du commerce peuvent être utilisés concurremment avec des tôles découpées. Mais, pour réaliser des soudures, toutes les natures d'acier ne conviennent pas. Il faut utiliser des aciers de nuance demi-douce, susceptibles d'être soudés à l'arc. On réalise des charpentes en alliages légers à base d'aluminium dans des cas particuliers où la légèreté prévaut sur le prix de revient. De façon générale, les charpentes métalliques conviennent pour l'exécution d'un grand nombre de types d'ouvrages. Elles résistent bien au feu jusqu'à 500 °C.

CHARPENTIÉ (Yvan), syndicaliste français (Bordeaux 1927). Ingénieur chimiste, il est président de la Confédération générale des cadres (C. G. C.) depuis 1975.

CHARPENTIER (Marc Antoine), compositeur français (Paris v. 1634-*id.* 1704). Pour avoir passé trois ans à Rome auprès de Carissimi, il a tenté dans son œuvre une synthèse entre les esthétiques italienne et française. Compositeur au service de Mlle de Guise, du collège de Clermont, de la Sainte-Chapelle, il reste le plus grand musicien religieux du xviie s., tant par ses *Histoires sacrées,* dont il s'est fait le créateur en France *(le Reniement de saint Pierre, David et Jonathas),* que par ses *Leçons de ténèbres,* ses motets concertants, messes polyphoniques ou symphoniques. Collaborateur de Molière *(le Malade imaginaire, le Sicilien),* auteur de cantates *(Orphée),* de divertissements et de pastorales, il a écrit un opéra (*Médée,* 1693).

CHARPENTIER (Gustave), compositeur français (Dieuze 1860-Paris 1956). Grand prix de Rome, auteur d'*Impressions d'Italie* pour orchestre, il a excellé dans le drame naturaliste *(Louise,* roman musical [1900], suivi de *Julien).*

CHARPY (Georges), métallurgiste français (Oullins, Rhône, 1865-

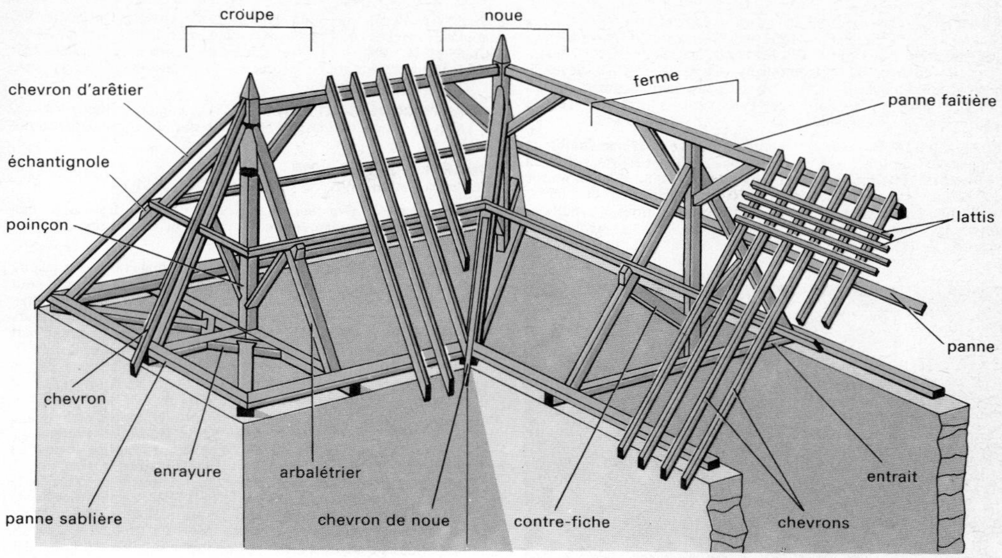

CHARPENTE. Détails d'une charpente en bois.

Paris 1945). Avec Floris Osmond* et Henry Le Chatelier*, il fut l'un des fondateurs de la métallurgie en France. Il inventa un pendule pour mesurer la résilience des métaux.

CHARRAT (Janine), danseuse et chorégraphe française (Grenoble 1924). Créatrice instinctive et inspirée, elle a su conserver le style néo-classique qu'elle acquit de Serge Lifar, tout en y apportant la marque d'une forte personnalité (*Jeu de cartes, les Liens, le Massacre des Amazones, Électre, Concerto* [de Grieg]).

CHARRIAGE. — Un charriage se produit lorsque, sous l'effet de contraintes de compression, une série de couches de terrain passe par-dessus une autre le long d'une surface de glissement dont l'ampleur atteint plusieurs kilomètres de large. La *nappe de charriage* est constituée par les terrains supérieurs, allochtones, reposant en contact anormal sur les terrains inférieurs, autochtones. La tectonique de charriage est particulièrement bien représentée dans la chaîne alpine.

CHARRIER, écart de la comm. de Laprugne (Allier), à 40 km au S.-E. de Vichy. Eaux minérales.

CHARROUX (86250), ch.-l. de cant. de la Vienne, à 11 km à l'E. de Civray; 1 644 hab. Tour-lanterne octogonale formant rotonde au niveau inférieur, seul reste, avec une salle capitulaire auj. musée, de la grande abbaye du VIIIe s. reconstruite à l'époque romane.

CHARRUE → LABOUR.

CHARTE. — La *Grande Charte (Magna Carta)* fut imposée en juin 1215 au roi Jean sans Terre par les barons anglais révoltés. Ses 63 articles énuméraient les privilèges des barons et limitaient l'arbitraire royal. Le roi acceptait le contrôle d'un « Conseil du royaume », en particulier pour la levée des taxes extraordinaires, et s'engageait à respecter les droits seigneuriaux. Le texte n'avait pas un caractère novateur; il renforçait la féodalité et, plus qu'une nouvelle constitution, il était une confirmation des vieilles libertés anglaises. C'est à ce titre que le Parlement se référa à la Grande Charte lors du conflit qui l'opposa à la monarchie au XVIIe s., la faisant apparaître comme l'ancêtre des institutions libérales anglaises.

• La *Charte constitutionnelle,* octroyée par Louis XVIII en juin 1814, établit le nouveau régime de la Restauration*. Élaboré par le Sénat, revu par le roi, le texte apparaît comme un compromis entre l'Ancien Régime, avec lequel il renoue dans la forme, et les acquis de la Révolution et de l'Empire, dont il conserve l'organisation sociale et administrative. Les titres et biens acquis (en particulier les biens nationaux) sont garantis. Le catholicisme est proclamé religion d'État. Inspiré du modèle anglais, le régime est une monarchie constitutionnelle et représentative où le pouvoir royal reste prépondérant, bien que limité par les prérogatives du pouvoir législatif, détenu par deux assemblées, la Chambre des pairs et la Chambre des députés. Les pairs siègent par droit héréditaire ou sont nommés à vie par le roi. Les députés sont élus au suffrage censitaire. Le cens étant élevé, la Chambre est dominée par les grands propriétaires fonciers. Les deux assemblées adoptent les lois, mais le roi, qui détient le pouvoir exécutif, en conserve l'initiative et les sanctionne. Il convoque la Chambre des députés, peut l'ajourner ou la dissoudre, nomme les ministres qui sont responsables devant lui et peut légiférer par ordonnances.

• La *Charte de 1830,* imposée par les députés libéraux au roi Louis-Philippe Ier, est une révision de la Charte de 1814; elle consacre l'affaiblissement du pouvoir royal et l'extension des prérogatives de la Chambre des députés, engageant la monarchie de Juillet* dans la voie du parlementarisme. La Chambre a désormais l'initiative des lois, le droit d'amendement et d'interpellation, et elle soumet les ministres au roi. L'hérédité de la pairie est abolie et le cens électoral abaissé, ce qui double le corps électoral, où la bourgeoisie libérale est alors bien représentée. Le roi détient toujours le pouvoir exécutif et dirige la politique extérieure, mais ses ordonnances ne peuvent plus suspendre les lois. La censure et les juridictions extraordinaires sont abolies et le catholicisme n'est plus religion d'État.

charte d'Athènes, document élaboré à l'issue de la session d'Athènes (1933) des C. I. A. M. (Congrès internationaux d'architecture moderne, fondés en 1928 à La Sarraz et expression du courant dit « style international* »). Remis en forme par le Corbusier dans un petit livre de 1942, il codifie de façon idéale un urbanisme* de l'ère industrielle qui tend à détruire les valeurs, jugées caduques, de la ville ancienne.

chartes *(École nationale des),* établissement d'enseignement supérieur fondé en 1821. Installée depuis 1897 à la Sorbonne, elle assure l'enseignement des sciences auxiliaires de l'histoire (paléographie, diplomatique, histoire du droit, classement des archives et des bibliothèques, archéologie). Après admission au concours d'entrée et trois ans d'études, elle confère le titre d'« archiviste-paléographe » et prépare aux fonctions de bibliothécaires ou d'archivistes.

CHARTIER (Alain), écrivain français (Bayeux v. 1385-Avignon 1433), un des créateurs de la prose oratoire française (*le Quadrilogue invectif,* 1422).

CHARTISME. — Ce puissant mouvement britannique d'émancipation ouvrière naît sous la pression de la paupérisation des travailleurs de l'industrie en Angleterre; son but est d'arracher les leviers de commande à une oligarchie de privilégiés. Ses principaux chefs sont William Lovett (1800-1877), James Bronterre O'Brien (1805-1884), Feargus O'Connor (1794 ou 1796-1855).

La *Charte du peuple,* publiée en 1838, sert de cri de ralliement au mouvement qui, à partir de 1842, est paralysé par les querelles internes. Une nouvelle flambée (1848-1850) n'a pas de durée. Cependant, le chartisme servira de relais au socialisme anglais.

CHARTRES (28000), ch.-l. du départ. d'Eure-et-Loir, sur l'Eure, à 96 km au S.-O. de Paris; 41 251 hab. *(Chartrains).* Noyau d'une agglomération d'environ 75 000 habitants, traditionnel centre administratif, commercial et touristique, Chartres doit au développement de l'industrie (électronique, constructions mécaniques), favorisé par la proximité de Paris, son récent et sensible accroissement démographique.

BEAUX-ARTS. Outre sa cathédrale, la ville conserve de nombreux témoignages de son passé, constructions civiles et religieuses (dont l'église Saint-Pierre, à beaux vitraux du XIVe s.), ainsi qu'un musée des Beaux-Arts dans l'ancien palais épiscopal des XVIIe et XVIIIe s.

L'actuelle cathédrale Notre-Dame conserve surtout, des édifices antérieurs, une vaste crypte du début du XIe s. et une façade occidentale (1134-1150) parée du portail Royal à statues-colonnes,

Candelier - Brumaire

Les saints confesseurs, statues du porche sud de la cathédrale. Première moitié du XIIIe s.

œuvre majeure de transition romano-gothique (Christ de l'Apocalypse au tympan central). Le reste est pour l'essentiel œuvre homogène des années 1194-1260, prototype, par sa structure simple et dynamique, du gothique dans sa maturité classique (sobre harmonie intérieure avec élévation à trois étages, piles rondes composées sans alternance et voûtes quadripartites; la suppression des tribunes a pour corollaire la floraison un peu lourde des arcs-boutants). Exceptionnelle splendeur de la vitrerie (XIIe-XIIIe s.). Qualité de la statuaire des porches du transept, sous l'égide, au nord, du Triomphe de la Vierge et, au sud, du Jugement dernier (environ 1200-1250).

Chartres *(école de),* école fondée par l'évêque Fulbert au XIe s., et qui amorce une renaissance intellectuelle en réactivant l'héritage culturel de l'Antiquité. Bernard de Chartres, Gilbert de La Porrée et Thierry de Chartres se succèdent à la tête de l'école de 1119 à 1150. Thierry est à l'origine d'un pythagorisme* chrétien qui manifeste, comme Anselme*, un souci de comprendre la foi. Guillaume de Conches (v. 1080-v. 1154) et Jean de Salisbury (v. 1115-1180) s'efforcent, à leur tour, de préciser la nature des rapports entre religion et philosophie.

CHARTRES-DE-BRETAGNE (35131), comm. d'Ille-et-Vilaine, à 8 km au S. de Rennes; 3 114 hab. Usine de construction automobile.

CHARTRE-SUR-LE-LOIR (La) [72340], ch.-l. de cant. de la Sarthe, à 15 km à l'E. de Château-du-Loir; 1 901 hab.

Chartreuse *(la Grande-),* massif des Préalpes françaises, au-dessus du Grésivaudan, entre Grenoble et Chambéry; 2 087 m. (V. CHARTREUX.)

Chartreuse de Parme *(la),* roman de Stendhal (1839). Il s'inspire d'une anecdote historique (les amours de Vandozza Farnèse pour le neveu d'un cardinal) et suit le canevas traditionnel du roman romantique (batailles, duels, meurtres, emprisonnements, amours coupables). Âme généreuse, le jeune Fabrice del Dongo prend part à la bataille de Waterloo par admiration pour Napoléon. Rentré en Italie, il se laisse pousser dans la carrière ecclésiastique par sa tante, la duchesse Sanseverina, reine de la cour de Parme, qui s'est éprise de lui. Emprisonné à la suite d'un duel, il parvient à fuir grâce à l'amour de Clélia, la fille de son geôlier, mais il se livre à la police lorsqu'il apprend son mariage. Sauvé par la Sanseverina, qui paie de ses faveurs la grâce du prince de Parme, Fabrice devient un prédicateur célèbre, mais retrouve Clélia, qui, après la perte de son enfant, meurt, torturée par le remords. Fabrice se retire à la chartreuse de Parme. La sensibilité de Clélia, l'enthousiasme de Fabrice, « heureux par privilège », la passion de la Sanseverina, le scepticisme élégant du ministre Mosca s'accordent avec la sublimité des paysages italiens et s'opposent à la vie grotesque des petites cours absolutistes, composant les éléments divers du thème stendhalien fondamental : la « chasse au bonheur ».

CHARTREUX. — Cet ordre religieux est fondé en 1084 par saint Bruno (v. 1030-1101), chanoine et écolâtre de Reims, natif de Cologne, qui ressent un vif désir pour la vie contemplative. C'est Hugues, évêque de Grenoble, qui l'accueille, avec six compagnons, et les installe au désert de la Chartreuse (juin 1084). Ainsi prend naissance un ermitage dont les membres (chartreux) mènent une existence d'ascètes, leur solitude rigoureuse s'équilibrant d'éléments de vie commune. En 1090, un second ermitage est fondé en Calabre. D'autres sont fondés au XIIe s., si bien que des *coutumes,* ou règles, sont adoptées par l'ensemble de l'ordre cartusien en 1127. Un ordre de moniales chartreuses est fondé aussi au XIIe s. En 1371, les Chartreux groupent cent cinquante maisons par toute l'Europe, le prieur de la Grande-Chartreuse étant aussi général de l'ordre. Le supériorat de dom Innocent Le Masson (1675-1703) marque l'apogée de la Grande-Chartreuse et de l'ordre. Après la dispersion et les destructions dues à la Révolution française, la Grande-Chartreuse reprend vie en 1816; au cours du XIXe s., vingt-cinq maisons sont restaurées, dont dix en France. Expulsés en 1903, les religieux de la Grande-Chartreuse rentrent dans leur monastère en 1940. En 1970, on comptait une vingtaine de monastères de chartreux — dont quatre en France — et cinq de moniales — dont deux en France.

CHARVIEU-CHAVAGNEUX (38230 Pont de Chéruy), comm. de l'Isère, à 27 km à l'E. de Lyon; 6 478 hab.

CHARYBDE ET SCYLLA, monstres légendaires gardant le détroit de Messine*; les navigateurs qui échappaient à l'un tombaient dans les pièges de l'autre. La légende a transformé en monstres un tourbillon et un récif redoutés des marins.

CHASE (Lucia), danseuse américaine (Waterbury, Connecticut, 1907), fondatrice de l'American Ballet Theatre (1940).

CHASLES (Michel), mathématicien français (Épernon 1793-Paris 1880). Il créa les mots « homothétie* », et « homographie* » et introduisit le *rapport anharmonique* (aujourd'hui birapport*), qu'il appliqua à l'étude projective des coniques*. En mathématiques élémentaires, son nom est resté attaché à la *relation de Chasles.*

CHASSAGNE-MONTRACHET (21190 Meursault), comm. de la Côte-d'Or, à 18 km au S.-O. de Beaune; 446 hab. Vignobles.

CHASSE. — La chasse, concurremment avec la cueillette, le ramassage et la pêche, est née avec l'homme, qui dut dès son origine se défendre et se nourrir. Les premières armes de chasse, des pierres éclatées au feu, datent du paléolithique inférieur. La chasse aux fauves était un sport pratiqué par les Assyriens et les Perses; la fauconnerie existait chez les Parthes; quant à la chasse à courre, elle a sans doute son origine en Gaule. L'utilisation des premières armes à feu date de la fin du XVe s.

On distingue plusieurs catégories de chasse : la chasse au vol à l'aide de rapaces dressés (c'est la fauconnerie), la chasse à courre de grande vénerie (cerf, chevreuil, sanglier) et de petite vénerie (renard, lièvre), la chasse au fusil (à l'approche, à l'affût, en battue, aux chiens courants ou aux chiens d'arrêt), enfin la chasse aux grands fauves (safaris).

La France comptait plus de 2 200 000 chasseurs en 1974, plus que l'Italie et environ dix fois plus que la Grande-Bretagne et l'Espagne. La loi de finances rectificative pour 1974 a constitué un nouveau type de permis, le *permis de chasser* (remplaçant le permis de chasse à partir du 1er juillet 1975), qui est une autorisation administrative permanente délivrée par le préfet, annuellement visée par le maire de la commune où réside le chasseur.

La recherche et la capture de gibier ont été réglementées par la loi du 3 mai 1844, ultérieurement intégrée au Code rural, législation s'appliquant aux *actes de chasse* et concernant la poursuite d'animaux sauvages quels que soient les lieux (publics ou privés) où s'exerce la chasse. Le *droit de chasse* s'obtient de plusieurs manières, notamment par la propriété ou l'usufruit du terrain sur lequel on chasse, ou encore par l'acquisition, ou la location, de ce droit (droit incorporel et cessible). Les *modes d'exercice de la chasse* sont réglementés (la chasse de nuit étant notamment prohibée) ainsi que la vente et le transport du gibier. Le terme de *braconnage* recouvre, d'une manière assez générale, les diverses infractions.

CHASSE AÉRIENNE. — Elle est née, dès 1914, de la volonté d'empêcher l'action des avions d'observation de l'adversaire en chargeant des avions amis de les attaquer et de les détruire en vol. En 1915, le commandant de Rose crée, en Champagne, la première escadrille dite *de chasse.* La tactique n'existe pas encore et relève de l'exploit individuel (ou *chasse libre*) des as (Guynemer, Fonck, Richthofen) qui s'illustrent dans ses rangs. En 1917 le combat aérien sera presque exclusivement le fait de patrouilles de chasseurs combinant leurs feux. La chasse atteint son plein développement pendant la Seconde Guerre mondiale, où son rôle se diversifie. Durant la guerre éclair, les chasseurs de la Luftwaffe protègent les offensives des bombardiers aussi bien que les colonnes blindées au sol. La bataille d'Angleterre fait, en 1940, de la *chasse d'interception,* réunie sous un même commandement avec les radars de détection et de guidage, l'élément décisif de la défense du territoire. Les chasseurs alliés à grande autonomie « P-47 », « P-51 » assurent ensuite la protection des bombardiers *(chasse d'escorte)* contre les chasseurs allemands. De 1945 à 1960, les chasseurs d'interception, ou intercepteurs, bénéficient de progrès spectaculaires dans leur vitesse (qui passe de 800 à 2 200 km/h) et dans leurs radars de guidage de bord et leur armement en roquettes et en missiles air-air, qui remplacent canons et mitrailleuses. Mais, contre les avions supersoniques à haute altitude, il faudra perfectionner le guidage à partir du sol par des systèmes automatisés (tel le STRIDA français, de 1971). Lorsque apparaissent en 1960 les chasseurs supersoniques, on s'aperçoit que l'excédent de puissance nécessaire pour atteindre mach 2 permet de transporter, avec le même avion, une charge importante de bombes si l'on se contente d'une vitesse subsonique. On en arrive ainsi au concept de l'avion *polyvalent,* capable à la fois de missions d'interception ou d'attaque au sol. L'expérience des Américains au Viêt-nam montrera toutefois qu'un tel avion n'est, en fait, qu'un mauvais chasseur, battu en combat singulier par tout autre intercepteur plus spécialisé. Alors apparaît, au début des années 70, l'avion de *supériorité aérienne* qui, tel le « F-15 » américain, est conçu pour être supérieur à tout autre chasseur adverse.

CHASSELAS → CÉPAGE.

CHASSENEUIL-DU-POITOU (86360), comm. de la Vienne, à 9 km au N. de Poitiers; 2 527 hab. Constructions électriques.

CHASSÉRIAU (Théodore), peintre français (Santa Barbara de Samaná, Saint-Domingue, 1819-Paris 1856). À partir de l'enseignement néoclassique d'Ingres, sensible dans la pureté du graphisme d'œuvres comme le simple et intense *Lacordaire* du Louvre (1841), il va évoluer vers un art plus coloriste. Son goût d'un certain mystère le porte vers des scènes mythologiques, bibliques ou orientales et le rapproche du romantisme (*le Tepidarium,* 1853, Louvre). Il a exécuté plusieurs ensembles décoratifs, telles les peintures murales de la Cour des comptes de Paris (1844-1848), dont il ne reste que des fragments (*la Paix,* Louvre).

CHASSE-SUR-RHÔNE (38670), comm. de l'Isère, à 11 km au N.-O. de Vienne, sur la rive gauche du Rhône; 3 956 hab. Gare de triage. Cimenterie.

CHASSEUR DE MINES. — Depuis 1965, on a donné ce nom, dans la marine française, à un type de bâtiment de 500 t conçu pour la neutralisation des mines de fond. Celles-ci, identifiées par un sonar de coque, sont détruites soit par des charges déposées par des plongeurs-démineurs, soit par un véhicule sous-marin télécommandé porte-charges, dit « poisson autopropulsé ». D'une technique toute différente de celle des dragueurs, ces bâtiments (type *Circé*) sont entrés en service en 1972-73.

CHÂSSIS. — Le châssis constitue l'épine dorsale de la voiture sur laquelle reposent les éléments mécaniques et la carrosserie*. Dès que les techniques de forgeage et d'emboutissage* de la tôle le permirent, le châssis prit la forme autonome d'un cadre réalisé avec deux longerons latéraux réunis par des entretoises dont la résistance était calculée en fonction de la charge à supporter. Cette formule châssis-carrosserie séparés est encore actuellement adoptée, mais elle a connu de nombreuses variantes : la multiplication du nombre de traverses tubulaires ou leur remplacement par un croisillon en X; la substitution de la poutre en caisson fermée, à haut module d'inertie à la flexion et à la torsion, au profilé habituel en U; l'adoption d'une poutre centrale prolongée par des fourches à l'avant pour supporter le moteur et à l'arrière pour l'essieu moteur; etc. Les alliages légers à haute résistance ont conduit au châssis plate-forme, dont les éléments sont assemblés par boulons. Mais la solution moderne demeure la structure monocoque, où la carrosserie fait partie intégrante de l'ensemble et assure une plus grande rigidité.

Chastang, aménagement hydroélectrique (barrage et centrale hydroélectrique), sur la Dordogne supérieure, au N.-E. d'Argentat.

CHASTELLAIN (Georges), écrivain bourguignon (comté d'Alost 1405-Valenciennes 1475), historiographe des ducs de Bourgogne, auteur d'une chronique qui va de 1420 à 1470.

CHAT. — C'est par sa petite taille que le chat domestique, dont l'origine est mal connue, se distingue du chat sauvage et des félidés* voisins tels que le tigre et la panthère. Plus que ses formes, ce sont les traits de son comportement qui font son originalité. Une vie de chasseur au guet, surtout nocturne, favorisée par une excellente vision de nuit, de longues moustaches tactiles et une ouïe très fine, explique les fréquentes siestes de l'animal pendant la journée. Une très forte fixation sur l'homme, dès les premiers jours de sa vie, est la raison de la recherche assidue des caresses et du ronronnement, tandis que l'adoption d'une demeure humaine comme « territoire » est due surtout au besoin intensif de chaleur en hiver. La dépendance à l'égard de l'homme se trouve accrue par l'appétence pour des nourritures que le chat ne veut pas ou ne peut pas se procurer lui-même : poisson, lait, etc. Le chat est le seul félin qui grimpe aux arbres à tout propos sans trop savoir comment en redescendre. Cette triple inadaptation — climatique, alimentaire et locomotrice — ne laisse que peu de chances de survie aux chats *harets,* c'est-à-dire retournés à l'état sauvage.

L'homme accepte le chat à titre de destructeur de souris ou de simple objet d'affection. L'élevage et la sélection méthodique ont produit des races superbes (angora, siamois, persan, chat des chartreux, etc.).

CHÂTAIGNERAIE (La) [85120], ch.-l. de cant. de la Vendée, à 22 km au N. de Fontenay-le-Comte; 2 929 hab.

Chat botté *(le),* conte de Perrault. Le personnage de l'animal subtil qui fait la fortune de son maître apparaît déjà chez l'Italien Straparola (1554) et sera repris par Ludwig Tieck (1797).

CHÂTEAU. — Citadelle, dernier retranchement d'une ville en son point le plus élevé à la fin de l'époque romaine, le château est surtout, dans le Moyen Âge occidental, la demeure fortifiée, isolée, du seigneur féodal. Du XVIe au XIXe s., le maintien du statut juridique de la noblesse conservera au terme son sens de demeure rurale des grands.

Le Moyen Âge organise le château pour les besoins de l'habitation en même temps qu'il amplifie et perfectionne les systèmes de flanquement antiques, crée un réduit qui est le *donjon,* tour de section rectangulaire (Loches, fin XIe s.), puis circulaire (Louvre de Philippe Auguste; Coucy, 1230), dans laquelle, ou au pied de laquelle, se trouve la grande salle des audiences du seigneur. Dès la seconde moitié du XVe s., la paix retrouvée permet en France d'aménager les vieilles forteresses pour les rendre plus habitables. Bien que les progrès de l'artillerie aient rendu inutiles les anciens appareils défensifs, qui, de plus, sont interdits par le pouvoir royal, de nouvelles demeures en maintiennent les dispositifs, au moins dans une intention symbolique. Si le plan en U apparaît — un logis et deux ailes déterminant une cour, le tout entouré de douves —, bien des châteaux conservent une implantation irrégulière, avec tours, escaliers à vis et hautes toitures à lucarnes; mais les ouvertures s'agrandissent et le décor prolifère (comme déjà sur les parties hautes de certaines forteresses du XIVe s.), satisfaisant au souhait d'une vie plus élégante.

Au XVIe s., l'italianisme touche d'abord le décor (Gaillon, 1501), plus tard les plans, incluant l'adoption d'escaliers droits pour desservir les salles d'apparat. La volonté de géométrisme triomphe à Chambord*, la symétrie dans le plan *massé* (sans cour) du château dit « de Madrid », au bois de Boulogne (1528, disparu), entouré de galeries à loggias et exempt de toute apparence militaire. À Bury, dans le Loir-et-Cher (1514, détruit), s'amorce une composition diversifiée autour d'une plate-forme rectangulaire (basse-cour puis cour d'honneur), que complètent, en contrebas du logis, jardin et potager; composition en plan et en niveaux développée par Jacques Ier Du Cerceau* à Verneuil (v. 1565, détruit), modèle à partir duquel S. de Brosse* mettra au point, vers 1610-1620, le thème du château classique français : un corps de logis, avec avant-corps central et pavillons latéraux esquissant un retour d'équerre, occupe désormais la seule partie arrière de la plate-forme, dégagée sur les trois autres faces et mise en valeur par la ceinture des fossés. Il restait à établir entre les éléments des rapports hiérarchiques d'harmonie : ce sera l'œuvre d'un Mansart* à Maisons (1642), d'un Le Vau* au Raincy et à Vaux-le-Vicomte. Longtemps, le jardin* était resté un espace clos, « secret », puis les perspectives des terrasses et des parterres avaient fait du château, sur le modèle italien, un belvédère : ainsi le Richelieu de Lemercier* (1631, détruit), où tout l'espace environnant était subordonné à la *galerie,* local majeur dédié (comme dans le Fontainebleau* de François Ier) à la gloire du propriétaire. Avec Versailles* et Le Nôtre*, les perspectives s'irradient vers l'infini, atteignent à la plénitude d'un espace baroque dont l'orchestration célèbre le prestige du souverain. Tous les princes d'Europe ont voulu avoir l'équivalent, recherche qu'illustre un B. Neumann* à Würzburg, à Bruchsal et à Brühl.

Mais difficile était la réduction d'échelle et, dès le début du XVIIIe s., se fait jour une réaction : le goût de l'exotisme, un besoin d'évasion préparent un nouvel art des jardins, qui s'accorde avec le désir de demeures plus simples et plus confortables. C'est d'Angleterre que vient l'impulsion, où le plan central de la Rotonda de Palladio est adopté par lord Burlington à Chiswick (1727), où le goût de la nature va conduire au jardin paysager et à la simplicité néoclassique. On s'éloigne alors du véritable château : l'élégante demeure portant encore ce nom s'achemine vers la grosse maison bourgeoise du XIXe s.

Château *(le),* roman inachevé de Kafka (1926). Le double échec de l'arpenteur K. de s'intégrer à une mystérieuse bureaucratie et à la communauté villageoise qui en subit la dictature absurde.

CHÂTEAU-ARNOUX (04160), comm. des Alpes-de-Haute-Provence, sur la Durance, à 14 km au S.-E. de Sisteron; 6 240 hab. — À l'écart de *Saint-Auban* (04600), industrie chimique.

CHÂTEAUBOURG (35220), ch.-l. de cant. d'Ille-et-Vilaine, sur la Vilaine, à 20 km à l'E. de Rennes; 2 980 hab. Industrie alimentaire.

CHATEAUBRIAND (François René, *vicomte* DE), écrivain français (Saint-Malo 1768 - Paris 1848). Un être en marge, toute sa vie : cadet réduit à la portion congrue par le droit d'aînesse, il est élevé à la diable dans des collèges bretons alors qu'il faut vivre à Versailles; intéressé par la Révolution commençante, il est malade et dans son lit le jour de la fête de la Fédération, et, lors de la journée du 20 juin 1792, il se promène à l'Ermitage de Montmorency; porte-parole de la monarchie, il affirme hautement qu'il est républicain par goût, royaliste par raison et légitimiste par devoir de fidélité; suspect à son parti, incommode à Louis XVIII et à Charles X, il mène l'opposition ultra-royaliste au nom de principes que ne désavoueraient pas les saint-simoniens; défenseur des droits du duc de Bordeaux, il est porté en triomphe par les jeunes républicains en 1830. Comment cet aristocrate, perpétuellement « à côté », a-t-il pu être salué comme l'incarnation du « mal » de son siècle, et représenter quelque chose pour la jeunesse libérale jusqu'en 1848? C'est qu'en réalité il a su voir, avant Balzac et Stendhal, et sur un autre registre, que son siècle était celui des « illusions perdues ». La figure de *René,* qu'il plante en tête d'une époque qui va connaître la double épopée de la gloire impériale et du capitalisme bourgeois, ce n'est pas par hasard si plusieurs générations se sont reconnues en elle. Le mal du siècle n'est pas né d'une ignorance du monde et d'une préférence romantique pour les chimères, c'est le résultat d'un constat lucide, d'une épreuve réelle. Chateaubriand a vécu et compris l'écroulement de deux grands mythes (celui des valeurs féodales et de la monarchie : il le dira crûment à Louis XVIII rentrant en France; celui d'une terre de liberté : en Amérique, il découvre la double destruction de la société indienne et de la nature); il a vécu et compris le « détournement » de l'Histoire : la croisade révolutionnaire devient conquête impériale; la liberté n'existe plus qu'en termes de « libre concurrence ». Entre un « avenir du monde » qui n'appartient qu'à Dieu, au-delà de révolutions indécises, et un présent de la France bourgeoise régi par la « morale des intérêts », quelle issue a celui qui ne peut trouver sa place dans la société, qui refuse l'opportunisme aussi bien politique (le juste milieu) qu'économique (il n'a ni dépouillé l'Indien des Florides ni fusillé l'ouvrier de la rue Transnonain)? Exilé dans son propre pays, exprimant ainsi pour toute une jeunesse le sentiment tragique de la vie, Chateaubriand n'a d'autre refuge que l'écriture. L'action directe (ses ministères et ses ambassades ne lui permettent pas d'imposer sa politique) ou indirecte (influence sur Bonaparte, éducation du futur Henri V) lui étant refusée, Chateaubriand a dû se contenter de signes : ses grands actes sont littéraires, ou ont une efficacité esthétique. Ainsi le thème de Combourg et de l'enfance, qui apparaît dans l'œuvre lorsque l'avenir se bloque. Ainsi sa tombe sur l'îlot du Grand-Bé, qui est comme le résumé de ses deux grandes fascinations : Rousseau (c'est la sépulture que lui souhaitait Bernardin de Saint-Pierre) et Napoléon (la dalle anonyme à Sainte-Hélène et jusqu'à la réminiscence du testament : « au bord de la mer que j'ai tant aimée »). Mais surtout des œuvres dont l'audace surprend et l'effraie : s'il retient pendant plus de trente ans les orages passionnels des *Natchez,* il ne peut contenir la violence de ses discours politiques à la Chambre des pairs ou de ses articles du *Conservateur.* Petit Breton râblé (1,62 m dit son passeport), capable de « piquer une tête » dans la mer du vaisseau qui l'emmène en Amérique ou de traîner sa blessure et son sac dans la débâcle de l'armée des Princes, pamphlétaire redouté, le Chateaubriand réel est bien différent de l'« Enchanteur » alangui de la légende romantique et de la tradition scolaire. S'il est revenu de tout, ce n'est pas sans luttes : même dans cette pénitence imposée par son confesseur, écrire la *Vie de Rancé,* il a pu donner au réformateur de la Trappe ses passions et ses désenchantements. Avant de se draper et de rouler, lui et son siècle, dans le somptueux mouvement de sa prose poétique, Chateaubriand a semé quelques germes politiques (il a annoncé l'affrontement de la bourgeoisie et du

Giraudon

Chateaubriand, par Girodet-Trioson. 1807. (Musée de Saint-Malo.)

les grandes dates de la vie de Chateaubriand

1768	Naissance dans une famille d'ancienne noblesse ruinée, au blason redoré par son père dans le commerce colonial et la traite des nègres.
1786	Lieutenant au régiment de Navarre.
1791	Voyage en Amérique.
1792	Émigration dans l'armée de Condé, puis en Angleterre : misère.
1797	*Essai sur les révolutions.*
1800	Retour en France.
1801	*Atala**.
1802	*Génie* du christianisme* et *René** : l'œuvre bien-pensante contient son antidote.
1804	Rupture avec Bonaparte après l'assassinat du duc d'Enghien.
1809	*Les Martyrs**.
1814	*De Buonaparte et des Bourbons.*
1823	Ministre des Affaires étrangères; la guerre d'Espagne.
1826	*Les Natchez**; *les Aventures du dernier Abencérage.*
1830	Condamne les ordonnances de Charles X et refuse de se rallier à Louis-Philippe.
1831	*Études historiques.*
1844	*Vie de Rancé**.
1848-1850	*Mémoires* d'outre-tombe.*

prolétariat) et esthétiques qui se développeront bien au-delà du romantisme : il a fini par concevoir la vie sous l'aspect de l'art (c'est ce que disent sa passion du souvenir et la grive de Montboissier que Proust comprendra si bien) et de l'éternité (c'est le dernier mot des *Mémoires*).

CHÂTEAUBRIANT (44110), ch.-l. d'arr. de la Loire-Atlantique; 13 826 hab. *(Castelbriantais).* Restes du Vieux-Château féodal (XIe-XVe s.) et Château-Neuf de la Renaissance (vers 1535). Dans le faubourg de Béré, église du XIe s., à porche de bois du XVe s. Matériel agricole. — En 1941, les Allemands y fusillèrent 27 otages à la suite du meurtre d'un de leurs officiers.

CHÂTEAU-CHINON (58120), ch.-l. d'arr. de la Nièvre, dans le Morvan, à 37 km au N.-O. d'Autun; 2 905 hab. *(Château-Chinonais).* Chaussures.

CHÂTEAU-D'ŒX, v. de Suisse (cant. de Vaud), dans le pays d'Enhaut; 3 203 hab. Centre touristique et station de sports d'hiver (alt. 1 000-1 780 m).

CHÂTEAU-D'OLÉRON (Le) [17480], ch.-l. de cant. de la Charente-Maritime, dans le sud de l'*île d'Oléron;* 3 324 hab.

CHÂTEAU-D'OLONNE (85100 Les Sables d'Olonne), comm. de la Vendée, à 4 km à l'E. des Sables-d'Olonne; 7 701 hab.

CHÂTEAU-DU-LOIR (72500), ch.-l. de cant. de la Sarthe, à 40 km au S. du Mans; 6 155 hab. *(Castéloriens).* Constructions électriques.

CHÂTEAUDUN (28200), ch.-l. d'arr. d'Eure-et-Loir, sur le Loir; 16 113 hab. *(Dunois).* Remarquable château du XVe s. avec donjon remontant au XIIe s., chapelle flamboyante (série de statues de l'art ligérien de la fin du XVe s.) et aile du début du XVIe s. (escalier à loggias). Églises médiévales. Musée. Constructions mécaniques et électriques. — La ville fut incendiée à la suite de la résistance qu'elle opposa aux Allemands en octobre 1870.

Château-Gaillard, forteresse féodale qui domine la Seine aux Andelys. Bâtie vers 1196 par Richard Cœur de Lion, prise par Philippe Auguste en 1204, elle fut démantelée par Henri IV (1603).

CHÂTEAUGIRON (35410), ch.-l. de cant. d'Ille-et-Vilaine, à 16 km au S.-E. de Rennes; 2 343 hab.

CHÂTEAU-GONTIER (53200), ch.-l. d'arr. de la Mayenne, sur la Mayenne, à 29 km au S. de Laval; 8 645 hab. *(Castrogontériens).* Église Saint-Jean avec restes de fresques romanes (v. 1100) et gothiques. Autres églises et maisons anciennes. Musée.

CHÂTEAUGUAY, v. du Canada (Québec), au S. de Montréal; 15 797 hab. Lors de la guerre entre l'Angleterre et les États-Unis, les Canadiens y repoussèrent une attaque américaine (1813).

Château-Haut-Brion, domaine de la comm. de Pessac, dans la banlieue de Bordeaux, fournissant des vins rouges.

Château-Lafite, domaine des comm. de Pauillac et de Saint-Estèphe (Gironde), fournissant des vins rouges (Médoc).

Château-Lagrange, domaine de la comm. de Saint-Julien (Gironde), fournissant des vins rouges (Médoc).

CHÂTEAU-LANDON (77570), ch.-l. de cant. de Seine-et-Marne, à 15 km au S. de Nemours; 3 106 hab. Restes de remparts. Église Notre-Dame et anc. abbaye Saint-Séverin, construites du XIe au XVIe s.

Château-Latour, domaine de la comm. de Pauillac (Gironde), fournissant des vins rouges (Médoc).

CHÂTEAU-LA-VALLIÈRE (37330), ch.-l. de cant. d'Indre-et-Loire, à 17 km au S.-E. du Lude; 1 592 hab.

CHÂTEAULIN (29150), ch.-l. d'arr. du Finistère, dans le *bassin de Châteaulin,* sur l'Aulne, à 28 km au N. de Quimper; 5 668 hab. Chapelle Notre-Dame (XVe-XVIe s.).

Château-Margaux → MARGAUX.

CHÂTEAUMEILLANT (18370), ch.-l. de cant. du Cher, à 17 km à l'E. de La Châtre; 2 431 hab. Église romane. Château du début du XVIe s. Vignobles.

CHÂTEAUNEUF-DE-RANDON (48170), ch.-l. de cant. de la Lozère, à 29 km au N.-E. de Mende; 551 hab.

CHÂTEAUNEUF-D'ILLE-ET-VILAINE (35430), ch.-l. de cant. d'Ille-et-Vilaine, à 14 km au S.-E. de Saint-Malo; 685 hab. Château du XVIIe s.

CHÂTEAUNEUF-DU-FAOU (29119), ch.-l. de cant. du Finistère, à 24 km à l'E. de Châteaulin; 3 924 hab.

CHÂTEAUNEUF-DU-PAPE (84230), ch.-l. de cant. de Vaucluse, à 16 km au N. d'Avignon, près du Rhône; 2 113 hab. Imposantes ruines d'un château des papes (XIVe s.). Vignobles.

CHÂTEAUNEUF-DU-RHÔNE (26200 Montélimar), comm. de la Drôme, près de la rive gauche du Rhône, à 8,5 km au S. de Montélimar; 1 654 hab. Centrale hydroélectrique sur une dérivation du Rhône. Ruines féodales. Église des XIIe et XVe s.

CHÂTEAUNEUF-EN-THYMERAIS (28170), ch.-l. de cant. d'Eure-et-Loir, à 21 km au S.-O. de Dreux; 2 248 hab.

CHÂTEAUNEUF-LA-FORÊT (87130), ch.-l. de cant. de la Haute-Vienne, à 13 km à l'O. d'Eymoutiers; 2 172 hab. Industrie du bois.

CHÂTEAUNEUF-LES-BAINS (63390 St Gervais d'Auvergne), comm. du Puy-de-Dôme, à 9 km à l'E. de Saint-Gervais-d'Auvergne; 453 hab. Station thermale.

CHÂTEAUNEUF-LES-MARTIGUES (13220), comm. des Bouches-du-Rhônes, près de la rive sud de l'étang de Berre; 8 600 hab.

CHÂTEAUNEUF-SUR-CHARENTE (16120), ch.-l. de cant. de la Charente, sur la Charente, à 20 km à l'O. d'Angoulême; 3 503 hab. Église en partie romane (sur la façade, « cavalier Constantin » foulant aux pieds l'hérésie).

CHÂTEAUNEUF-SUR-CHER (18190), ch.-l. de cant. du Cher, à 22 km au N.-O. de Saint-Amand-Montrond, sur le Cher; 1 736 hab. Château reconstruit aux XVe, XVIe et XVIIIe s.

CHÂTEAUNEUF-SUR-LOIRE (45110), ch.-l. de cant. du Loiret, à 25 km à l'E. d'Orléans, sur la rive droite de la Loire; 5 658 hab. *(Castelneuviens).* Vestiges et parc d'un château du XVIIIe s.

CHÂTEAUNEUF-SUR-SARTHE (49330), ch.-l. de cant. de Maine-et-Loire, à 26 km au S.-E. de Château-Gontier; 2 061 hab.

CHÂTEAUPONSAC (87290), ch.-l. de cant. de la Haute-Vienne, à 22 km à l'E. de Bellac; 2 923 hab. Monuments anciens.

CHÂTEAU-PORCIEN (08360), ch.-l. de cant. du départ. des Ardennes, à 10 km à l'O. de Rethel, sur l'Aisne; 1 156 hab.

CHÂTEAURENARD (13160), ch.-l. de cant. des Bouches-du-Rhône, à 11,5 km au S.-E. d'Avignon; 11 027 hab. Important marché de fruits et légumes. Ruines d'un château du XIVe s.

CHÂTEAURENARD (45220), ch.-l. de cant. du Loiret, à 17 km au S.-E. de Montargis; 2 179 hab. Monuments anciens.

CHÂTEAU-RENAULT (37110), ch.-l. de cant. d'Indre-et-Loire, à 26 km au S.-O. de Vendôme, sur la Brenne; 6 048 hab. *(Renaudins).* Ruines d'un château fort. Industries mécaniques et chimiques.

CHÂTEAUROUX (36000), ch.-l. du départ. de l'Indre, sur l'Indre, à 252 km au S.-O. de Paris; 55 629 hab. *(Castelroussins).* Églises des Cordeliers (désaffectée) et Saint-Martial. Musée Bertrand. Constructions mécaniques. Textile. Tabac. — Forêt, au S. de la ville.

CHÂTEAU-SALINS (57170), ch.-l. d'arr. de la Moselle, à 31 km au N.-E. de Nancy; 2 705 hab.

CHÂTEAU-THIERRY (02400), ch.-l. d'arr. de l'Aisne, sur la Marne; 13 856 hab. *(Castrothéodoriciens).* Église des XVe-XVIe s. Maison natale de La Fontaine. Industrie alimentaire. — Objectif principal atteint par l'offensive allemande du 27 mai 1918 (poche de Château-Thierry). [V. GUERRE MONDIALE *(Première).*]

CHÂTEAUVILLAIN (52120), ch.-l. de cant. de la Haute-Marne, à 21 km au S.-O. de Chaumont; 1 604 hab. Restes de fortifications.

Château-Yquem, vignoble bordelais de la région de Sauternes (Gironde), donnant des vins blancs dorés et sucrés.

CHÂTEL (74390), comm. de la Haute-Savoie, à 40 km au S.-E. de Thonon-les-Bains, près de la frontière suisse; 848 hab. Sports d'hiver (alt. 1 100-2 100 m).

CHÂTELAILLON-PLAGE (17340), comm. de la Charente-Maritime, à 12 km au S. de La Rochelle; 5 374 hab. Station balnéaire. Ostréiculture.

CHÂTELARD (Le) [73630], ch.-l. de cant. de la Savoie, à 30 km au S. d'Annecy, dans les Bauges; 569 hab. Ruines d'un château fort. Station d'altitude (757 m).

CHÂTELAUDREN (22170), ch.-l. de cant. des Côtes-du-Nord, à 14 km à l'E. de Guingamp; 1 047 hab. Chapelle des XIVe-XVIe s.

CHÂTELDON (63290 Puy Guillaume), ch.-l. de cant. du Puy-de-Dôme, à 20 km au N. de Thiers; 953 hab. Station thermale.

Châtelet, forteresse parisienne, comprenant le Grand Châtelet, sur la rive droite de la Seine, et le Petit Châtelet, sur la rive gauche. C'était, avant la Révolution, le siège de la justice royale de Paris et aussi une prison.

CHÂTELET, v. de Belgique (Hainaut), à l'E. de Charleroi; 14 752 hab. (en 1970). Métallurgie.

CHÂTELET (Le) [18170], ch.-l. de cant. du Cher, à 23 km au S.-O. de Saint-Amand-Montrond; 1 349 hab.

CHÂTELET-EN-BRIE (Le) [77820], ch.-l. de cant. de Seine-et-Marne, à 12 km au S.-E. de Melun; 2 195 hab.

CHÂTELGUYON (63140), comm. du Puy-de-Dôme, à 6 km au N.-O. de Riom; 3 697 hab. Station thermale aux eaux riches en chlorure de magnésium, utilisées dans le traitement des affections intestinales.

CHÂTELINEAU, anc. v. de Belgique (Hainaut), à l'E. de Charleroi, réunie en 1977 à Châtelet*.

CHÂTELLERAULT (86100), ch.-l. d'arr. de la Vienne, sur la Vienne; 38 282 hab. *(Châtelleraudais).* Restes de l'ancien château (musée). Maison de Descartes et hôtels du XVIe s. Pont Henri-IV. Église Saint-Jacques (XIIe-XIIIe s.). Constructions mécaniques. Industrie du caoutchouc.

CHÂTEL-SUR-MOSELLE (88330), ch.-l. de cant. des Vosges, à 15 km au N. d'Épinal; 1 621 hab. Église du XVe s.

CHÂTELUS-MALVALEIX (23270), ch.-l. de cant. de la Creuse, à 26 km au N.-E. de Guéret; 641 hab. Église des XIIIe-XVe s.

CHÂTENAY-MALABRY (92290), comm. des Hauts-de-Seine, à 8 km au S. de Paris; 30 507 hab. *(Châtenaysiens).* Musée Chateaubriand. Siège de l'École centrale des arts et manufactures.

CHÂTENOIS (88170), ch.-l. de cant. des Vosges, à 15 km au S.-E. de Neufchâteau; 2 112 hab. Mobilier.

CHÂTENOIS-LES-FORGES (90700), ch.-l. de cant. du Territoire de Belfort, à 10 km au S. de Belfort; 2 706 hab.

CHATHAM *(îles),* archipel du Pacifique austral, à l'E. de la Nouvelle-Zélande, dont il dépend.

CHATHAM, port de Grande-Bretagne (Angleterre), au S.-E. de Londres, sur l'estuaire de la Medway; 52 000 hab.

CHÂTILLON (92320) ou **CHÂTILLON-SOUS-BAGNEUX,** ch.-l. de cant. des Hauts-de-Seine, à 3 km au S. de Paris; 26 619 hab. *(Châtillonnais).* Construction aéronautique.

CHÂTILLON-COLIGNY (45230), ch.-l. de cant. du Loiret, à 22 km au S. de Montargis, sur le Loing; 1 766 hab. Restes du château (XIIe-XVe s.).

CHÂTILLON-EN-BAZOIS (58110), ch.-l. de cant. de la Nièvre, à 25 km à l'O. de Château-Chinon; 1 151 hab. Château classique.

CHÂTILLON-EN-DIOIS (26410), ch.-l. de cant. de la Drôme, à 14 km au S.-E. de Die; 505 hab.

CHÂTILLON-SUR-CHALARONNE (01400), ch.-l. de cant. de l'Ain, à 23 km au S.-O. de Bourg-en-Bresse; 3 432 hab. Produits pharmaceutiques.

CHÂTILLON-SUR-INDRE (36700), ch.-l. de cant. de l'Indre, à 22 km au S.-E. de Loches; 3 650 hab. Église des XIe-XIIe s. Restes du château.

CHÂTILLON-SUR-LOIRE (45360), ch.-l. de cant. du Loiret, à 7 km au S. de Briare, sur la rive gauche de la Loire; 2 431 hab.

CHÂTILLON-SUR-MARNE (51700 Dormans), ch.-l. de cant. de la Marne, à 19,5 km à l'O. d'Épernay; 918 hab.

CHÂTILLON-SUR-SEINE (21400), ch.-l. de cant. de la Côte-d'Or, à 33 km au N.-E. de Montbard; 7 931 hab. *(Châtillonnais).* Remarquable église Saint-Vorles, remontant au Xe s., et autres églises médiévales. Hospice Saint-Pierre. Belles maisons de la Renaissance, dont celle qui abrite le musée (antiquités protohistoriques et gallo-romaines; « trésor de Vix* », mobilier d'une tombe à char gauloise, de la fin du VIe s. av. J.-C., dégagée en 1953 sur le mont Lassois et comprenant un monumental cratère de bronze à frise historiée d'origine grecque). — Près de la ville, à Nod, s'opéra le 12 septembre 1944 la jonction entre les forces alliées débarquées en Provence et celles venant de Normandie.

Châtillon-sur-Seine *(congrès de),* conférences tenues du 5 février au 19 mars 1814 entre Caulaincourt, représentant Napoléon, et les Alliés. Ces derniers les firent traîner en longueur jusqu'à ce que soit acquise leur victoire militaire dans la campagne de France*.

Châtiments *(les),* recueil de poésies composées après le 2 décembre 1851 par Victor Hugo, proscrit, et publiées en 1853. C'est une satire violente de Napoléon III et du régime impérial.

CHATON → INFLORESCENCE.

CHATOU (78400), ch.-l. de cant. des Yvelines, à 9 km à l'O. de Paris, sur la Seine; 25 576 hab. *(Catoviens).* Industrie chimique.

CHÂTRE (La) [36400], ch.-l. d'arr. de l'Indre, sur l'Indre, à 36 km à l'E. de Châteauroux; 5 218 hab. *(Castrais).* Confection.

CHATRIAN → ERCKMANN-CHATRIAN.

CHAṬṬ AL-'ARAB (le), fl. formé en Iraq par la réunion du Tigre et de l'Euphrate, qui passe à Bassora et Abādān et se jette dans le golfe Persique, après avoir séparé l'Iraq et l'Iran; 200 km. Sur ses rives s'étire la plus grande palmeraie du monde.

CHATTANOOGA, v. des États-Unis (Tennessee), dans les Appalaches; 305 000 hab. Victoire des fédéraux du général Grant sur les sudistes, en novembre 1863 (v. SÉCESSION [*guerre de*]).

CHATTERJI (Bankim Chandra), écrivain indien d'expression bengali (Kāntālpādā, Bengale, 1838 - Calcutta 1894), auteur de romans sociaux (*l'Arbre empoisonné,* 1873) et psychologiques (*Rajanī,* 1877).

CHATTERTON (Thomas), poète anglais (Bristol 1752 - Londres 1770). Il publia, en 1768, des poèmes imités du Moyen Âge, mais, tombé dans la misère, il s'empoisonna. Ses malheurs ont inspiré à Vigny une des trois parties de *Stello,* ainsi que le drame de *Chatterton* (1835).

CHAUCER (Geoffrey), poète anglais (Londres v. 1340 - *id.* 1400). Élevé à la cour d'Édouard III, il suit en France le roi, qui paie sa rançon lorsqu'il est fait prisonnier. Il découvre cependant la littérature française, traduit le *Roman de la rose* et compose des poèmes allégoriques (*Complainte à Pitié,* v. 1363). Fonctionnaire royal, chargé de missions diplomatiques, il rapporte d'Italie des manuscrits de Boccace et de Pétrarque ainsi que l'inspiration de la *Légende des dames exemplaires* (1385), tout en écrivant ses *Contes* de Cantorbéry,* qui contribuent à fixer la langue et la grammaire anglaises. Premier poète moderne, Chaucer fut le premier écrivain à être inhumé dans l'abbaye de Westminster.

CHAUDES-AIGUES (15110), ch.-l. de cant. du Cantal, à 31 km au S. de Saint-Flour; 1 383 hab. *(Caldaguésiens).* Station thermale aux eaux chaudes (les plus chaudes de France : 81 °C), bicarbonatées sodiques, utilisées pour le traitement des affections rhumatismales.

CHAUDET (Denis Antoine), sculpteur, peintre et dessinateur français (Paris 1763 - *id.* 1810). Auteur néoclassique de groupes élégiaques comme *Cyparisse pleurant un faon* (1796), il reçut de nombreuses commandes officielles sous l'Empire (Napoléon à l'Antique qui surmontait la colonne Vendôme; statue assise de *la Paix,* en argent, Louvre).

CHAUDIÈRE. — Une chaudière est l'un des éléments essentiels de nombreuses machines thermiques, dont elle constitue la source chaude : un liquide, généralement de l'eau, y subit un échauffement, puis un passage à l'état de vapeur* saturante et, souvent, une surchauffe de cette vapeur. Les caractéristiques des chaudières, et notamment leur pression de fonctionnement, dépendent de leur utilisation. Dans l'ordre des pressions croissantes, on trouve la production d'eau chaude (pression de l'ordre du bar), le chauffage* des locaux (pression de 5 à 15 bar), la production de force motrice (pression pouvant atteindre 180 bar). La chaleur nécessaire est fournie par la combustion de combustibles variés, dont les plus employés sont le fuel*-oil et le gaz* naturel. La chaudière doit être conçue de telle sorte qu'il y ait le minimum de chaleur perdue dans les fumées. Certaines chaudières, dites *chaudières de récupération,* sont chauffées par des gaz chauds d'origine industrielle; c'est aussi le cas des chaudières des centrales* nucléaires qui sont chauffées par le fluide de refroidissement du réacteur*. Dans la presque totalité des cas, le circuit eau-vapeur est fermé, bien qu'il y ait de légères pertes qui doivent être compensées par un apport extérieur; il comporte l'économiseur, le vaporisateur, le surchauffeur et le collecteur de départ. Le circuit air-fumées est ouvert, l'air traversant à son arrivée un réchauffeur dans lequel il prélève de la chaleur aux fumées évacuées. Cela permet d'élever le rendement en abaissant la température des fumées entre 140 et 100 °C. Le *rendement d'une chaudière* est le rapport de la chaleur transmise à l'eau à la capacité calorifique du combustible consommé pendant le temps correspondant. Pour les bonnes chaudières, il varie entre 75 et 80 p. 100. Le rendement augmente généralement avec la puissance unitaire, du fait de la diminution relative des pertes de chaleur vers l'extérieur par transmission des parois. Les principes de construction des chaudières doivent tenir compte de la nécessité de résister à des pressions et températures élevées, d'où le recours à des formes cylindriques et à des tubes dont le diamètre diminue quand la pression de fonctionnement augmente. Dans les grandes centrales thermiques, la température de surchauffe est supérieure à 500 °C, ce qui entraîne l'emploi d'acier* austénitique. Enfin, une grande attention doit être portée aux problèmes de corrosion*; pour en réduire le risque, l'eau d'alimentation doit être soigneusement dégazée, et les combustibles utilisés doivent présenter une teneur faible en soufre*. Les chaudières peuvent être classées en deux types : celles à foyer intérieur et celles à foyer extérieur. Les premières présentent un diamètre de corps assez élevé et ne sont utilisées que pour des pressions et des puissances modérées; c'est notamment le cas des chaudières de locomotives et des petites chaudières industrielles. Les secondes sont soit des chaudières *à tubes de fumée,* dans lesquelles le fluide sous pression baigne les tubes où circulent les gaz, soit des chaudières *à tubes d'eau,* dans lesquelles l'eau parcourt intérieurement les tubes de chauffe. Celles-ci sont parfaitement adaptées aux plus hautes pressions et aux grandes dimensions. Lorsque les chaudières font appel à la surchauffe, le surchauffeur consiste en serpentins en acier dans lesquels circule la vapeur issue de la chaudière; ils sont soit placés sur le parcours des fumées, soit partiellement exposés au rayonnement du foyer. Les chaudières modernes comportent généralement des systèmes de régulation* automatique qui maintiennent les divers paramètres à leurs valeurs optimales.

CHAUDRONNERIE. — La chaudronnerie a pour objet la réalisation d'appareils et d'équipements industriels étanches, pouvant être soumis à l'action de la chaleur et de la pression, à partir de produits métalliques plats (tôles) et droits (profilés et tubes). Cette activité fait essentiellement appel à deux familles de techniques de mise en forme : d'une part les techniques de découpage* et de déformation à l'état solide (à chaud ou à froid), d'autre part les techniques d'assemblage. La gamme de fabrication commence par les opérations de *traçage* des produits bruts, dans le but de délimiter le volume des pièces élémentaires à façonner. Puis ces pièces sont découpées, à la cisaille, par oxycoupage, par découpage* au jet de plasma, par grignotage, par sciage, par tronçonnage, etc. Le *découpage* est généralement complété par l'*usinage des bords* (par meulage, ébarbage), le *nettoyage des surfaces* (par sablage, grenaillage, traitement à la bille de verre, décapage chimique) et l'*usinage d'ouvertures* (par poinçonnage, perçage*). Les pièces planes ou droites sont ensuite formées, en vue notamment d'obtenir des surfaces courbes développables ou non développables, en exerçant localement des efforts entraînant dans la matière métallique (froide ou préalablement chauffée) des contraintes supérieures à la limite élastique, mais inférieures à la charge de rupture. Cette opération peut se faire à la main, notamment en soumettant la pièce à une succession de coups rapprochés à l'aide d'un marteau approprié. Le plus souvent, elle se fait à l'aide de presses, de machines à rouleaux ou à galets, etc. Le *formage* est éventuellement complété par des opérations d'*ajustage*. L'*assemblage* est obtenu par *rivetage*, procédé déjà ancien qui est de plus en plus remplacé par le *soudage**, quelquefois par le *brasage**. Le soudage peut se faire manuellement, à l'arc électrique, avec électrodes consommables enrobées, ou sous gaz protecteur (argon*), notamment pour l'acier* inoxydable. Le soudage oxyacétylénique n'est utilisé que pour les pièces de très faible épaisseur. Le soudage sur machine automatique se généralise de plus en plus, sous atmosphère protectrice, avec ou sans métal d'apport, avec flux électroconducteur, ou encore par résistance. Enfin peuvent intervenir différentes opérations de *finition*, telles que traitements thermiques, calibrage, ajustage et traitements de surface. Les assemblages démontables sont réalisés à l'aide de boulons, vis, goujons, étriers, etc.

CHAUFFAGE DES LOCAUX. — Le chauffage des locaux a pour objet de maintenir une température telle que l'énergie* dégagée par le corps humain corresponde exactement à celle qui est absorbée par le milieu ambiant. L'émission de chaleur* peut s'effectuer par introduction d'air chaud ou par rayonnement* et convection*. Dans le second cas, on peut utiliser soit des radiateurs, soit des parois chauffantes, qui sont généralement des sols ou des plafonds; le fluide transportant la chaleur est soit la vapeur à haute ou à moyenne pression (chauffage de locaux industriels), soit l'eau chaude (chauffages individuels d'appartements). L'eau chaude et la vapeur sont produites dans des chaudières* de chauffage central, dont les plus puissantes délivrent 10^6 kcal/h. Dans de nombreux cas, comme pour les grands ensembles ou le chauffage urbain, la chaleur est distribuée à distance à partir d'un nombre limité de chaudières. Le chauffage des locaux fait appel à des systèmes de régulation* qui peuvent être soit réglés *a priori*, soit commandés par des thermostats d'ambiance. Enfin, pour des chauffages localisés, on utilise également des poêles à mazout, des appareils à gaz* ou des appareils électriques fonctionnant par effet Joule*.

CHAUFFAGE TOUT ÉLECTRIQUE. — Une installation de chauffage tout électrique n'est pas plus coûteuse qu'une installation de chauffage classique à condition de respecter un certain nombre d'impératifs : isolation* thermique des bâtiments, utilisation des qualités spécifiques de l'électricité* pour rendre les pertes minimales, utilisation de l'énergie* avec arrêt de la charge pendant les heures de pointe. Le chauffage électrique est *centralisé*, si la production de chaleur est réalisée en un lieu déterminé pour être répartie ensuite par l'intermédiaire d'un fluide secondaire. Il est *décentralisé*, si chaque local dispose de son appareil. D'autre part, si l'installation peut être mise sous tension à n'importe quel moment de la journée et si l'énergie est directement utilisable, la régulation s'effectue à l'aide d'un thermostat d'ambiance par tout ou rien, c'est le chauffage *direct*. Si l'installation se caractérise par une mise sous tension limitée (de huit heures à vingt heures par jour), une partie de l'énergie est stockée pour être utilisée à d'autres moments de la journée : c'est le chauffage par *accumulation*. Le chauffage électrique est dit *intégré* lorsque l'installation de chauffage est conçue au moment de la construction. Le chauffage par plafond donne une émission strictement rayonnante, puisque dirigée vers le bas. Il permet de porter le plafond à des températures plus élevées que le sol, d'où des puissances installées supérieures. Le chauffage par plancher peut être soit un chauffage direct, soit un chauffage par accumulation (chauffage des locaux dont le temps d'occupation est très inférieur à vingt-quatre heures : églises, écoles, chauffage antigel). Le plancher chauffant est en béton avec trame chauffante incorporée constituée de cables isolés. Les câbles sont blindés ou non, à isolation et gaine en matière vulcanisée ou réticulée. Le chauffage électrique est très utilisé dans le domaine agricole : pour le sevrage

CHAUDIÈRE Schéma de principe de la circulation de l'eau et de la vapeur dans une chaudière de centrale thermique.

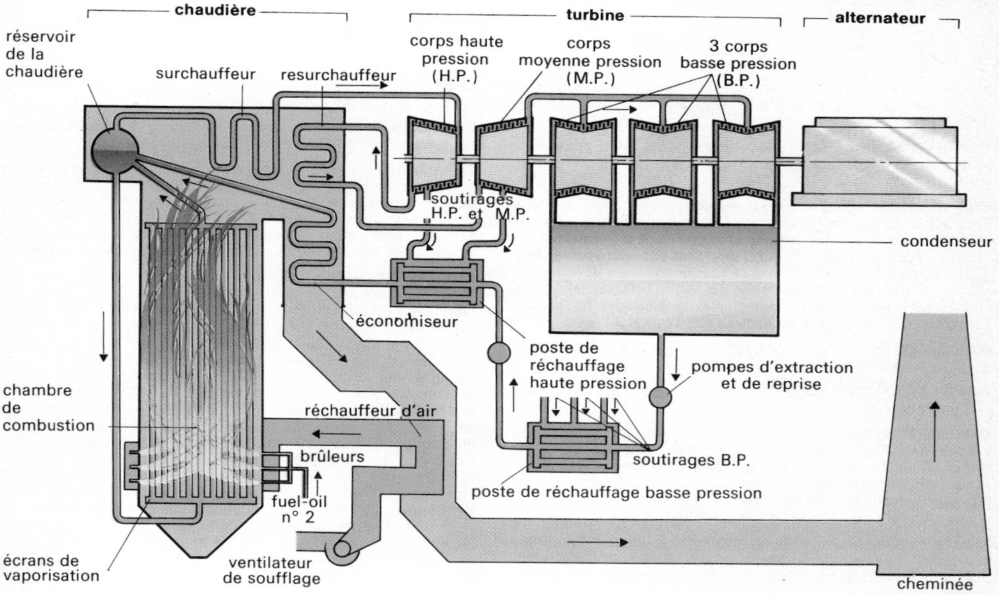

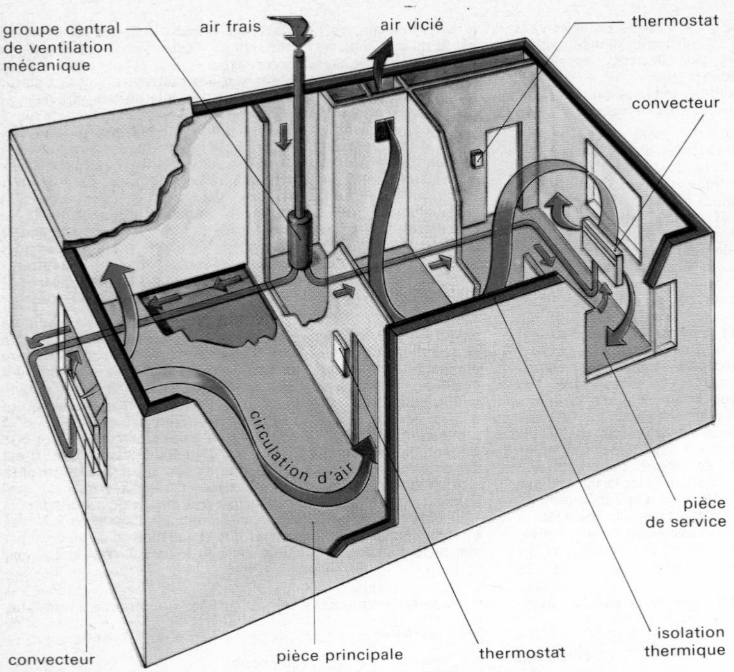

CHAUFFAGE TOUT ÉLECTRIQUE

Installation de chauffage électrique direct à ventilation centralisée par soufflage.

précoce de porcelets, l'élevage des poussins en batterie, le traitement électrique du maïs, l'utilisation des serres en chambres de culture, etc.

CHAUFFAILLES (71170), ch.-l. de cant. de Saône-et-Loire, à 17 km au N.-E. de Charlieu; 5 002 hab. Industries mécaniques et textiles.

CHAULAGE. — Pratique très recommandable pour les sols décalcifiés, le chaulage facilite l'ameublissement des sols compacts et argileux, les rend plus friables et augmente leur perméabilité à l'air et à l'eau; il favorise le développement des micro-organismes qui provoquent la transformation de l'azote organique des fumiers, engrais verts, etc., inassimilable par les végétaux, en azote ammoniacal, puis en azote nitrique, assimilable par les plantes cultivées; enfin, il permet de neutraliser l'acidité des sols.

CHAULNES (80320), ch.-l. de cant. de la Somme, à 17,5 km au S.-O. de Péronne; 1 565 hab.

CHAUMERGY (39230 Sellières), ch.-l. de cant. du Jura, à 21,5 km à l'O. de Poligny, dans la Bresse; 377 hab.

CHAUMETTE (Pierre Gaspard), révolutionnaire français (Nevers 1763 - Paris 1794). Membre du club des Cordeliers et de la Commune du 10 août 1792, il remplace Manuel comme procureur-syndic. Violemment anticatholique, partisan de la Terreur*, il est éliminé, en mars 1794, avec la faction hébertiste.

CHAUMONT (52000), ch.-l. de la Haute-Marne, sur la Marne, à 253 km au S.-E. de Paris; 29 329 hab. *(Chaumontais).* Église des XIIIe-XVIe s. (œuvres d'art). Musée. Ganterie. — Un traité y fut conclu en 1814 entre les Alliés, qui ramenait la France aux limites de 1792.

Chaumont *(buttes),* hauteurs du nord-est de Paris (alt. 128 m), qui ont donné leur nom à un parc, les *Buttes-Chaumont.*

CHAUMONT-EN-VEXIN (60240), ch.-l. de cant. de l'Oise, à 9 km à l'E. de Gisors; 2 027 hab. Église du XVIe s.

CHAUMONT-PORCIEN (08220), ch.-l. de cant. des Ardennes, à 21,5 km au N.-O. de Rethel; 569 hab.

CHAUMONT-SUR-LOIRE (41150 Onzain), comm. de Loir-et-Cher, à 17 km au S.-O. de Blois; 793 hab. Château reconstruit pour l'essentiel entre 1465 et 1510, d'aspect extérieur féodal, mais dont la cour est du style de la première Renaissance.

CHAUNY (02300), ch.-l. de cant. de l'Aisne, sur l'Oise et le canal de Saint-Quentin, à 32 km au N. de Soissons; 14 937 hab. *(Chaunois).* Industrie chimique. Métallurgie.

CHAUSEY *(îles),* groupe d'îlots de la Manche, au large de Granville (dont ils dépendent administrativement). Pêche.

CHAUSSIN (39120), ch.-l. de cant. du Jura, à 19 km au S. de Dole; 1 274 hab.

CHAUSSON (Ernest), compositeur français (Paris 1855 - Limay 1899). Son œuvre marque le trait d'union entre l'école de Franck et Debussy. Il est l'auteur d'une partition lyrique *(le Roi Arthus),* de mélodies *(la Chanson perpétuelle, Poème de l'amour et de la mer),* d'œuvres orchestrales *(Symphonie en « si » bémol, Poème pour violon)* et de musique de chambre (*Concert;* quatuor avec piano).

CHAUSSURE. — Une chaussure est constituée de deux parties : la tige — qui recouvre le pied — et le semelage — en dessous. La fabrication comprend : le découpage à l'emporte-pièce des parties qui forment le dessous de la chaussure et la coupe des peausseries de la tige; le piquage de la tige et de la doublure; enfin, le montage de la tige sur une forme pour la coudre à la semelle. L'industrie de luxe fabrique 3 paires par jour, alors que, pour des articles courants, on arrive à 30 paires par jour. En 1973, la chaussure de luxe (Salamander et Charles Jourdan) a connu des difficultés qui ont abouti à une restructuration de ces sociétés et à une orientation de leur production vers des articles de plus grande diffusion. L'industrie de la chaussure connaît des difficultés dans plusieurs pays d'Europe (Allemagne, France, Suisse) : la concurrence est vive, les prix sont parfois élevés et les ventes sont moins nombreuses. En France, la chaussure de détente a stimulé les ventes pendant dix ans, mais 1974 a marqué une régression générale : bien que la France reste le premier producteur européen de cuir, ses chaussures sont plus chères que celles qui sont importées de l'étranger, notamment de l'Italie. Sur les 3 000 entreprises en activité en 1950 il n'en restait que 550 en 1975.

CHAUTEMPS (Camille), homme politique français (Paris 1885 - Washington 1963). Élu député radical-socialiste en 1919, il est plusieurs fois ministre à partir de 1924. Président du Conseil (nov. 1933) au moment de l'affaire Stavisky, il doit démissionner devant la montée des oppositions (janv. 1934). Après la chute du cabinet Blum, il reprend la direction du gouvernement (juin 1937 - mars 1938) et tente de poursuivre l'expérience du Front populaire, tout en modérant les réformes sociales. Membre du cabinet Reynaud en 1940, Chautemps entre dans le gouvernement Pétain, qu'il quitte dès le 10 juillet 1940.

CHAUVEAU (Pierre Joseph Olivier), écrivain canadien (Québec 1820 - *id.* 1890), organisateur de l'enseignement primaire.

CHAUVE-SOURIS. — Les 200 espèces d'insectivores volants nommées « chauves-souris » ne ressemblent guère à des souris et n'ont de chauve que la membrane des ailes. La plupart des espèces se rendent utiles à l'homme en gobant chaque nuit un nombre énorme d'insectes, qu'elles attrapent en plein vol. Leur vue est très insuffisante, et c'est par un procédé comparable au système sonar, l'*écholocation,* qu'elles évitent les obstacles et localisent les proies. Ce procédé consiste à pousser sans arrêt des cris ultrasonores (suraigus) fortement modulés et à mesurer le temps au bout duquel, de diverses directions, leur en revient l'écho. Les oreilles sont donc très développées (notamment chez l'*oreillard*) et souvent doublées d'un *orillon.* L'organe de vol est une membrane soutenue par la main (dont quatre doigts sont démesurés), par le flanc, par les pattes de derrière (au talon muni d'un tendeur) et, dans de nombreuses espèces, par la queue, ce qui constitue une vaste surface battante. La denture est celle des insectivores*. En Europe, les chauves-souris passent l'hiver dans les grottes de montagne, suspendues tête en bas à la voûte, dans un état de vie ralentie et de refroidissement corporel particulier, l'hibernation*.

Les régions tropicales connaissent de grandes chauves-souris frugivores, les *roussettes* (Java), et de petites chauves-souris buveuses de sang, les *vampires**.

CHAUVIGNY (86300), ch.-l. de cant. de la Vienne, sur la Vienne, à 23 km à l'E. de Poitiers; 6 845 hab. Imposantes ruines féodales. Églises romanes poitevines, dont Saint-Pierre, aux remarquables chapiteaux de sève populaire. Porcelaine.

CHAUVIRÉ (Yvette), danseuse française (Paris 1917), célèbre tant par la pureté de sa technique que par son style raffiné, une des rares « prima ballerina assoluta » de notre temps, dont certaines des interprétations restent exceptionnelles *(le Cygne, Giselle, Roméo et Juliette).* Elle a quitté la scène en 1972.

CHAUX. — Le nom de chaux s'applique à tous les produits résultant de la calcination des calcaires, suivie ou non d'extinction par l'eau. La calcination des calcaires purs peut se faire à une température de l'ordre de 1 000 °C, qui assure la décarbonatation. L'oxyde de calcium* CaO, ou *chaux vive,* est un solide blanc réfractaire. Il est réduit par le carbone au four électrique, avec production de carbure de calcium. Caustique, la chaux vive est très avide d'eau, qui la transforme, avec un grand dégagement de chaleur, en *chaux éteinte,* ou hydratée, $Ca(OH)_2$. Celle-ci est une poudre blanche, dont la solution aqueuse est l'*eau de chaux,* base forte avec laquelle le gaz carbonique donne un précipité de carbonate. Le *lait de chaux* est une bouillie de chaux éteinte délayée dans l'eau. Les chaux de construction sont préparées à partir de calcaires argileux. La cuisson à température plus élevée assure la combinaison des éléments argileux avec une partie de l'oxyde de calcium, combinaison qui permettra le durcissement hydraulique; l'excès de chaux, non combinée, permet la pulvérisation spontanée du produit par extinction à l'eau.

CHAUX-DE-FONDS (La), v. de Suisse (cant. de Neuchâtel), dans le Jura; 42 347 hab. Musées. Industrie horlogère.

CHAVAL (Yvan Le Louarn, dit), dessinateur d'humour français (Bordeaux 1915 - Paris 1968). D'abord peintre et graveur, il débute à *Paris-Match* en 1951. Ses dessins, réunis en une dizaine d'albums (de *99 Dessins sans paroles* [1955] à *l'Homme* [1970]), d'un graphisme économe et incisif, mais sans sécheresse, ont été parmi les premiers à introduire en France un humour qui, dans la demi-teinte, avec une misanthropie tendre, dresse constat de la bêtise, de l'absurde, de l'aliénation.

CHAVANGES (10330), ch.-l. de cant. de l'Aube, à 13 km au N. de Brienne-le-Château; 721 hab. Église des XIIe et XVIe s.

CHÁVEZ (Jorge Chávez, dit **Geo**), aviateur d'origine péruvienne (Paris 1887 - Domodossola 1910). Il fut à la fois le vainqueur et la victime de la première traversée aérienne des Alpes.

CHAVILLE (92370), ch.-l. de cant. des Hauts-de-Seine, à 8 km au S.-O. de Paris; 19 145 hab. *(Chavillois).*

CHAVÍN DE HUANTAR, petit village des Andes, dans le nord du Pérou, site éponyme de la première des hautes cultures andines, qui se développe entre le début du Ier millénaire et le IIIe s. av. J.-C. et qui abrite les ruines, en granit, du centre sacrificiel le plus important. Il représente l'épanouissement de cette période caractérisée par de nouvelles croyances religieuses dont les thèmes

CHAUX

Schéma de fabrication de la chaux. Usine de chaux hydratée pour une production de 30 à 60 t par jour et coupe d'un four à chaux (en bas à gauche).

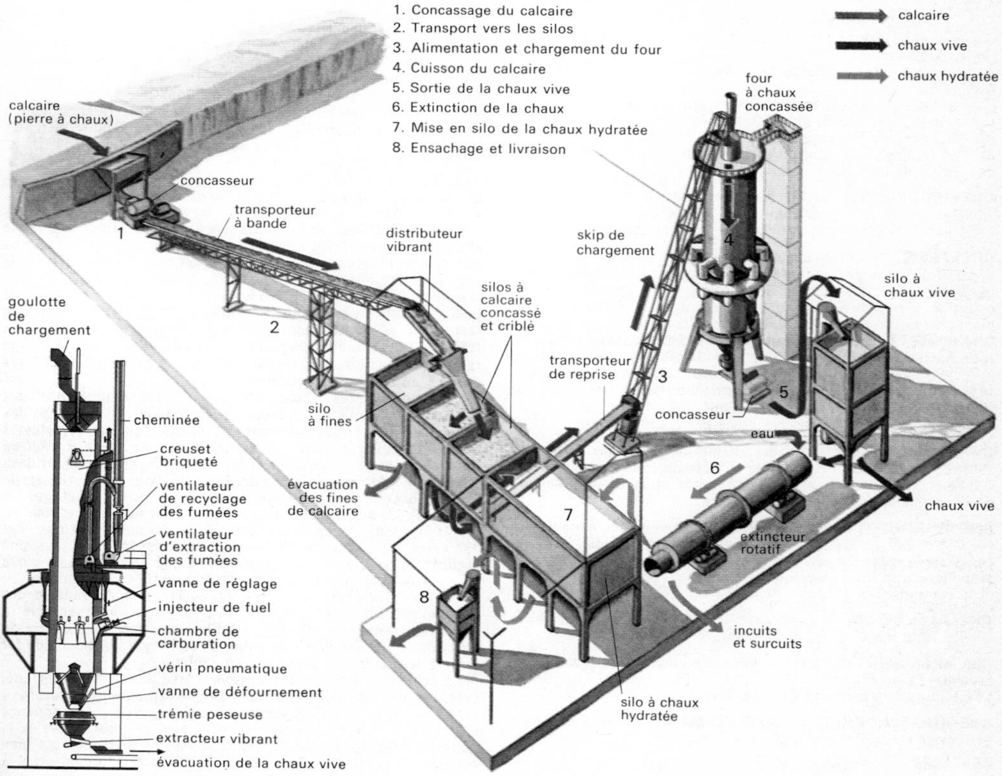

iconographiques les plus fréquents sont : la divinité semi-humaine à crocs de félin (El Lanzón, grand monolithe sculpté en bas relief), le rapace, et le jaguar. Agriculture, irrigation artificielle, habitat dispersé, belles poteries, tissus de coton, parures d'or et inhumations en fosse profonde sont les constituantes de cet « horizon Chavín », dont l'aire d'influence s'est étendue de manière homogène sur toute la côte du Pérou, avant de laisser la place à des cultures dont les différenciations locales seront marquées.

La culture de Cerro Sechín est comparable à celle de Chavín, alors que celles de Cupisnique (côte nord) et Ancón-Supe (côte centrale) en sont une émanation; celle de Kotosh, vers le IXe s., en est l'apparition la plus méridionale.

CHAWQĪ (Aḥmad), écrivain égyptien d'expression arabe (Le Caire 1868 - *id.* 1932). Il appliqua son cosmopolitisme littéraire à l'expression dramatique (*la Princesse d'Andalousie,* 1919; *'Alī Bey le Grand,* 1932) et lyrique (*Al-Chawqiyyāt,* 1925-1943) du renouveau culturel et politique de son pays.

CHAZELLES-SUR-LYON (42140), ch.-l. de cant. de la Loire, à 33 km au N. de Saint-Étienne; 5 387 hab. Constructions mécaniques. Ancien centre de la chapellerie.

CHECK-UP. — Cet examen médical comporte un ensemble d'épreuves pratiquées systématiquement. Il permet d'apprécier l'état des organes et leur fonctionnement, mais n'autorise pas de prévisions certaines pour l'avenir.

CHEDDAR → FROMAGE.

CHEDDE, localité de Haute-Savoie (comm. de Passy). Aluminium.

CHEF. — La plus importante typologie concernant le chef (ou leader) remonte à Max Weber qui distingue le chef traditionnel, le chef charismatique et le chef technocratique. Depuis, la notion de chef a été élargie, puisqu'elle inclut désormais les manifestations diverses du leadership : autorité, pouvoir réel, ascendance, prestige. Le comportement du chef se caractérise par deux fonctions : agir sur la possibilité d'atteindre le but plus facilement en prenant l'initiative de la structuration du groupe; renforcer la motivation des membres du groupe pour maintenir la cohésion de celui-ci.

L'influence du chef ou la mesure de l'efficacité même du leadership au sein du groupe peut s'apprécier selon deux méthodes :
— la méthode de l'observation des individus du groupe, notamment à l'aide de catégorisations, dont la plus connue est celle de R. F. Bales;
— la mesure quantitative de l'influence (méthode de Sherif, par exemple).

Actuellement les études portent sur l'attitude réelle du leader et sur les motifs personnels qui en font un leader. Il apparaît que l'un des facteurs les plus importants, lié à la structure du groupe, dépend fondamentalement du rôle de la communication ou de la circulation de l'information au sein du groupe.

CHEF-BOUTONNE (79110), ch.-l. de cant. des Deux-Sèvres, sur la *Boutonne* (affl. de la Charente), à 16 km au S.-E. de Melle; 2 704 hab. Monuments du Moyen Âge et de la Renaissance.

CHEFFERIE. — Cette organisation politique traditionnelle, sans appareil d'État mais à autorité permanente, est la première forme de société traditionnelle où le politique se constitue en tant qu'instance relativement autonome (les rapports de parenté n'y étant plus l'expression générale des rapports sociaux). La chefferie se distingue de l'État en ce sens que le système politique n'y est ni totalement autonome (les rapports avec le système religieux ou/et avec le système de parenté sont encore très étroits) ni complètement différencié (absence de distinction constante entre le judiciaire, l'administratif et l'exécutif). [Le terme a désigné également l'unité administrative créée par le colonisateur.]

CHEHAB (Fouad), officier et homme d'État libanais (Ghazir 1903 - Djounyé 1973). Président de la République libanaise de 1958 à 1964, il défend l'unité nationale du Liban et promeut une politique de développement économique et social.

CHE HOUANG-TI ou **SHI HUANGDI,** premier empereur de Chine (de 221 à 210 av. J.-C.). Fondateur de la dynastie des Ts'in, il conquiert l'espace chinois, entreprend la construction de la Grande Muraille contre les Hiong-nou et commence l'unification politique et la centralisation administrative de l'empire.

CHE-JU ou **ČE-ČU,** île de la Corée du Sud; 1 820 km²; 365 000 hab. Ch.-l. *Che-ju* (ou *Če-ču*), 106 000 hab.

Che ki ou **Shiji** *(Mémoires historiques),* compilation rédigée par Sseu-ma Ts'ien (v. 145-v. 86 av. J.-C.); elle mène l'histoire de la Chine jusqu'à la première dynastie Han.

CHE-KIA-TCHOUANG ou **SHIJIAZHUANG,** v. de Chine (Ho-pei), au S.-O. de Pékin; 598 000 hab. Textiles.

Che king ou **Shijing,** un des cinq « classiques » chinois : anthologie de l'ancienne poésie chinoise, rassemblant des chansons d'amour et des hymnes religieux.

CHÉLIF (le), le plus long fl. d'Algérie, qui rejoint la Méditerranée, à l'E. d'Oran; 700 km.

CHELLES (77500), ch.-l. de cant. de Seine-et-Marne, sur la Marne, à 8,5 km à l'O. de Lagny-sur-Marne; 36 576 hab. *(Chellois).* Station préhistorique. Église des XIIe et XVe s.

CHELMSFORD, v. de Grande-Bretagne, au N.-E. de Londres, dans l'Essex; 40 000 hab.

CHÉLOÏDE → CICATRISATION.

CHELSEA, quartier de l'ouest de Londres, sur la Tamise.

CHELTENHAM, v. de Grande-Bretagne (Angleterre), dans le comté de Gloucester; 75 000 hab. Station thermale.

CHÉMERY (41700 Contres), comm. de Loir-et-Cher, à 28 km à l'O. de Romorantin-Lanthenay; 1 021 hab. Réservoir souterrain de gaz naturel.

CHEMILLÉ (49120), ch.-l. de cant. de Maine-et-Loire, à 22 km au N.-E. de Cholet; 5 128 hab. Deux églises médiévales.

CHEMIN (39120 Chaussin), ch.-l. de cant. du Jura, à 18 km au S.-O. de Dole; 294 hab.

CHEMIN DE FER. — Le chemin de fer est né des recherches faites pour assurer aux véhicules traînés ou remorqués une direction déterminée et une faible résistance au roulement. Ces caractéristiques apparaissent dans la seconde moitié du XVIIIe s. d'une part avec les rails* métalliques et le cerclage des roues des chariots remorqués par des chevaux, d'autre part avec l'utilisation de la machine à vapeur. Après l'apparition de la première locomotive*, conçue en 1804 par Richard Trevithick*, il faut attendre que la *Rocket* de George Stephenson* remporte la victoire au concours de Rainhill, en 1829, pour que la locomotive à vapeur devienne l'instrument incontesté de la traction ferroviaire. La première grande ligne spécialisée dans le transport des voyageurs et des marchandises est inaugurée en 1830 sur les 58 km séparant Liverpool de Manchester; elle marque le début du développement des chemins de fer dans le monde. En 1835, il existe 1 574 km de voies ferrées, dont 1 290 aux États-Unis. On en compte 7 700 en 1840, 790 000 en 1900 et environ 1 200 000 à l'heure actuelle. Elles sont très inégalement réparties sur le globe.

Des réseaux ferrés denses, formés d'une armature de lignes principales sur lesquelles se greffent des relations secondaires, n'existent que dans les régions industrielles peuplées (Europe, États-Unis, Japon). Dans le reste du monde, des lignes isolées parcourent d'immenses espaces et servent de base à la formation des réseaux locaux dans les régions où s'épanouissent les activités humaines. Les lignes continuent de se développer dans les États en cours d'industrialisation, tandis que la tendance est à la réduction dans les pays qui furent les premiers équipés. Longtemps exploités par des organismes privés, de nombreux réseaux sont nationalisés depuis la Première Guerre mondiale en raison des difficultés financières résultant de la concurrence routière. Grâce à la faible résistance au roulement des roues en acier sur les rails eux-mêmes en acier, le chemin de fer est le transport terrestre qui présente la plus faible résistance à l'avancement. La présence des dénivellations prend dans ces conditions une grande importance en raison de la composante de la pesanteur* parallèle à la voie* qui s'ajoute à la résistance à l'avancement. Cette particularité a entraîné des travaux considérables pour l'aménagement des voies, car une rampe de 3 p. 100, négligeable dans le cas de la route, est très difficile en traction ferroviaire.

Cette difficulté est encore accrue par la faible adhérence* des roues, qui limite l'effort moteur des locomotives. Le guidage des véhicules par les rails a permis des vitesses qui sont longtemps restées inégalées dans le domaine des transports. La *Rocket* de Stephenson avait déjà atteint 47 km/h en 1829, et les progrès dans ce domaine furent tels que, dès la fin du XIXe s., la vitesse de 180 km/h était déjà dépassée. Grâce à la traction électrique, la vitesse de 200 km/h fut obtenue, dès 1903, par une automotrice, et, en 1955, deux locomotives électriques françaises atteignaient 331 km/h. Le guidage mécanique des véhicules offre, de plus, une sécurité de roulement ainsi qu'une possibilité d'automatisation que ne possède aucun autre moyen de transport, et la régularité de circulation des chemins de fer, pratiquement indépendante des conditions atmosphériques, en fait un outil indispensable à l'économie d'un pays. Placé aujourd'hui devant la concurrence de plus en plus sévère de l'automobile et de l'avion, le chemin de fer tente d'accélérer le rythme de son évolution.

En dehors du domaine des transports urbains de grande capacité, qu'il est le seul à pouvoir satisfaire, c'est dans les liaisons à moyenne distance qu'il présente un intérêt certain. L'expérience des chemins de fer nationaux japonais, avec la construction de la nouvelle ligne du Tokaido*, a montré que ce domaine était bien celui du rail et plusieurs pays européens et américains envisagent la

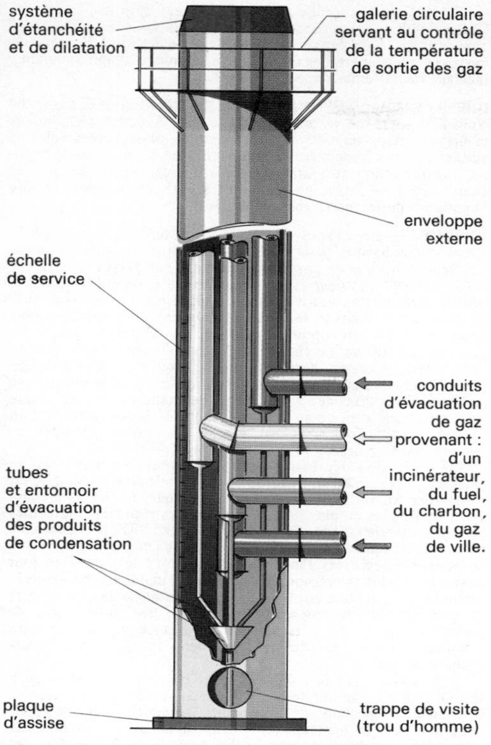

Coupe d'une cheminée multiconduits limitant la pollution.

construction de nouvelles lignes sur lesquelles les trains circuleront à des vitesses comprises entre 250 et 300 km/h.

Chemin des Dames (le), route de crêtes entre l'Aisne et l'Ailette. Cette ancienne voie romaine, utilisée par les filles de Louis XV (d'où son nom), fut le théâtre de violents combats pendant la Première Guerre mondiale. Le 16 avril 1917, notamment, la tentative de rupture dirigée par Nivelle sur le front du Chemin des Dames se termina par un échec après quelques succès à Laffaux, à Hurtebise et à Berry-au-Bac (premier emploi des chars français). En 1918, l'offensive allemande de Ludendorff en direction de la Marne déboucha le 27 mai du Chemin des Dames.

CHEMINÉE *(Constr.).* — En principe, une cheminée est constituée par une canalisation verticale, dont la section et la hauteur permettent d'évacuer dans l'atmosphère la totalité des fumées ou des gaz de combustion et d'assurer le tirage nécessaire au fonctionnement des foyers ainsi que le renouvellement de l'air comburant. La combustion complète d'un combustible contenant du carbone* et de l'hydrogène* donne de l'anhydride carbonique CO_2 et de la vapeur d'eau. Seul l'anhydride CO_2 peut être nocif à partir d'une certaine concentration. Mais, si le combustible contient du soufre*, il se forme des anhydrides sulfureux SO_2 et sulfurique SO_3, irritants à l'état gazeux, acides et corrosifs en solution aqueuse. La combustion incomplète de ce même combustible transforme le carbone en monoxyde de carbone CO, toxique très dangereux. Les produits de combustion des fuel*-oils peuvent provoquer des condensations acides dans les régions les plus froides du circuit, si la combustion est incomplète. Ces condensations forment avec les imbrûlés des pellicules grasses, qui, en se détachant, donnent des *fumerons.* Le tirage des cheminées de faible hauteur est sensible à l'action des vents sur leur orifice de sortie : on cherche à l'améliorer en coiffant ces cheminées d'aspirateurs statiques, utilisant la dépression due au vent; leur principal intérêt est de faire obstacle au refoulement par les vents plongeants. Quand on ne peut donner à la cheminée la hauteur nécessaire on recourt à un *tirage forcé.*

CHEMINÉE *(Min.)* → MINE.

CHEMINÉE DE FÉE → RUISSELLEMENT.

CHEMINEMENT → TACHÉOMÉTRIE, TOPOGRAPHIE et TOPOMÉTRIE.

Chemises noires (les), membres des formations militarisées du parti fasciste italien à partir de 1919. (V. FASCISME.)

Chemises rouges (les), volontaires garibaldiens, ainsi nommés en raison de leur uniforme. Ils luttèrent en Sicile et dans le royaume de Naples, combattirent en France pendant la guerre de 1870-71, dans la région de Dijon, et pendant la Première Guerre mondiale, en Argonne. Ils militèrent pour l'entrée en guerre de l'Italie aux côtés de la France.

CHEMULPO → INCHON.

CHENĀB (la), une des cinq grandes rivières du Pendjab; 1 210 km.

CHENARD (Ernest), industriel français (Nanterre 1861 - Chamalières 1922). Associé avec Walcker, il devint l'un des pionniers de l'industrie automobile. Il fut le premier à réaliser des carrosseries profilées.

CHÊNE. — Les chênes (espèces du genre *Quercus*) dominent par le nombre et par la taille les forêts de l'Europe occidentale et centrale, tant dans les très rares lambeaux de forêt primaire (c'est-à-dire naturelle) que dans les forêts exploitées en tenant compte de l'avenir. Le sol et le climat local de nos grands massifs forestiers, les strates les plus basses de leur végétation sont l'œuvre millénaire des chênes.

Les deux espèces principales du domaine atlantique, *chêne rouvre* et *chêne pédonculé,* se ressemblent par leur écorce crevassée, leurs branches tordues, leurs feuilles lobées typiques, leurs fruits (glands) enchâssés dans une cupule. À l'automne, les feuilles meurent sans se détacher (feuilles *marcescentes*). Le bois de chêne, lourd et dur, présentant un cœur et un aubier bien distincts, est le matériau idéal des charpentes, de la menuiserie et du meuble.

Le chêne pédonculé se reconnaît à ses glands portés par un pédoncule relativement long. Une autre variété, le *chêne pubescent,* porte des feuilles couvertes de poils sur les deux faces, à l'état jeune; c'est un arbre du Midi, beaucoup plus petit que les deux précédents.

Le *chêne tauzin,* aux feuilles plus découpées, n'abonde en France que près des côtes atlantiques, de la Charente aux Pyrénées.

L'*yeuse,* ou chêne vert, croît dans les zones semi-arides du Midi et de l'Ouest, surtout sur sol calcaire. Ses feuilles, qui ressemblent à celles du houx (d'où le nom latin : *Quercus ilex*), persistent en hiver et restent jusqu'à trois ans sur l'arbre. Ses glands sont doux et comestibles.

Le *chêne-liège* des régions méditerranéennes fournit le liège du commerce, que l'on récolte tous les huit à dix ans par écorçage. Il est commun en Afrique du Nord.

Le *chêne kermès,* provençal lui aussi, n'est qu'un arbrisseau des régions pierreuses, souvent infesté par une cochenille (d'où son nom : *Quercus coccifera*); on récoltait autrefois ce parasite pour en extraire une teinture rouge.

Chêne pédonculé.

J. Six

En Périgord et dans la Drôme, notamment, on cultive diverses variétés de chêne pour la truffe, champignon souterrain que nourrissent ses racines. On parle alors de *chênes truffiers.*

Les feuilles du chêne sont souvent porteuses de galles sphériques dues à la piqûre d'un insecte *(Cynips).* En revanche, l'infestation par le gui est rare chez le chêne, d'où la valeur religieuse attribuée au gui de chêne par les druides.

CHÊNEDOLLÉ (Charles LIOULT DE), poète français (Vire 1769 - Le Coisel 1833), auteur d'un poème philosophique (*le Génie de l'homme,* 1807), il fut l'objet de l'amour sans espoir de Lucile, sœur de Chateaubriand.

CHÊNÉE, anc. comm. de Belgique, dans la banlieue sud-est de Liège, intégrée à Liège en 1977.

CHÉNÉRAILLES (23130), ch.-l. de cant. de la Creuse, à 18 km au N. d'Aubusson; 687 hab. Église du XIIIe s.

CHÉNIER (André DE), poète français (Constantinople 1762 - Paris 1794). Mêlé au mouvement révolutionnaire, il protesta contre les excès de la Terreur et mourut sur l'échafaud. Il ne put achever les grands poèmes dans lesquels il voulait concilier son admiration pour la poésie grecque et son intérêt pour la philosophie moderne. Lyrique élégiaque *(la Jeune Captive),* il a laissé avec ses *Iambes* un des chefs-d'œuvre de la satire politique. — Son frère, MARIE-JOSEPH (Constantinople 1764 - Paris 1811), membre de la Convention, est l'auteur de la tragédie *Charles IX ou l'École des rois* (1789), qui contribua à créer le climat de la Révolution commençante, et des paroles du *Chant du départ.*

CHENILLE. — Si la larve des papillons a reçu un nom particulier, c'est parce qu'elle ne ressemble en rien à l'adulte. Les chenilles sont des animaux charnus, vermiformes, annelés, leur tête possède un appareil buccal broyeur, qu'elles utilisent pour dévorer, avec un énorme appétit, l'espèce végétale sur laquelle elles sont nées, souvent à l'exclusion de toute autre. Trois paires de petites pattes articulées annoncent le thorax de l'adulte, mais l'abdomen, long, porte des pattes larvaires membraneuses, faisant ventouse, et qui disparaîtront à la métamorphose. Deux modes de déplacement : la marche normale (qui ressemble à une reptation à cause de la brièveté des pattes) et l'arpentage, propre à la famille des *géométridés.*

À force de manger, la chenille peut atteindre 2 000 fois son poids d'éclosion, comme chez le ver à soie. Elle prépare alors sa métamorphose, soit en tissant un cocon (la soie est issue des glandes salivaires), soit en s'attachant simplement à un rameau. La mue qui intervient alors donne une forme immobile, ne se nourrissant pas, la *chrysalide,* dans les tissus de laquelle s'effectuent les transformations décisives. Quelques jours après (ou au printemps suivant si la chrysalide a hiverné) naîtra le papillon.

Leur régime herbivore et leur énorme appétit rendent les chenilles de certaines espèces très nuisibles aux plantes de culture et aux arbres. Les processionnaires du pin et du chêne, les piérides du chou, les pyrales de la vigne, ou « tordeuses » (elles tordent les feuilles autour d'elles), les colonies de culs-bruns dans leur bourse de soie et bien d'autres sont parmi les parasites les plus redoutés, tandis que nos vêtements de laine attirent les *mites,* chenilles de minuscules papillons (et mieux nommées *teignes*).

Mais les chenilles ont d'autres ennemis que l'homme, en particulier les *ichneumons,* insectes hyménoptères qui pondent leurs œufs dans leur corps. Les larves dévorent la chenille au ralenti, en commençant par les organes non vitaux pour ne pas tuer leur hôte, ce qui les priverait d'une nourriture ultérieure.

CHENNEVIÈRES-SUR-MARNE (94430), ch.-l. de cant. du Val-de-Marne, à 12 km à l'E.-S.-E. de Paris; 17 571 hab.

CHENONCEAUX (37150 Bléré), comm. d'Indre-et-Loire, à 12 km au S.-E. d'Amboise; 316 hab. Élégant château construit de 1513 à 1522 au bord du Cher; Diane de Poitiers y ajouta un pont, sur lequel Catherine de Médicis fit élever, vers 1580, deux étages de galeries.

CHÉNOPODIACÉES. — Cette famille comprend diverses espèces aux feuilles comestibles, généralement consommées cuites : arroche, épinard, bon-henri, des plantes propres aux terrains salifères (salicorne, suéda, salsola), enfin et surtout une espèce de grande culture, la betterave*, dont les variétés maraîchères sont cultivées pour leurs feuilles au large pétiole, comestibles, et vendues sous les noms de *bette, blette* et *poirée.*

CHENÔVE (21300), ch.-l. de cant. de la Côte-d'Or, à 3 km au S.-O. de Dijon; 21 548 hab.

CHEN-SI ou **SHǍNXI,** prov. de Chine; 190 000 km^2; 20 770 000 hab. Capit. *Si-ngan.* Un bassin d'effondrement sépare une région de plateaux au N., dans la boucle du Houang-ho, d'un ensemble de moyennes montagnes (partie des Ts'in-ling) au S. La province fournit du charbon et possède une importante industrie textile (coton).

CHEN TCHEOU ou **SHEN ZHOU,** peintre chinois, le plus important de l'école Wou (amateurs lettrés de Sou-tcheou) [1427-1509]. Maître probe, fécond et divers d'un art fondé sur l'interprétation des œuvres du passé, et qui deviendra éclectisme conventionnel chez certains peintres de la fin des Ming, il a exécuté des paysages élaborés, mais aussi des croquis d'album spontanés incluant fleurs, animaux, scènes familières.

CHEN-YANG ou **SHENYANG,** anc. **Moukden,** v. de la Chine du Nord-Est, capit. de la prov. du Leao-ning; 3 200 000 hab. Monuments impériaux du XVIIe s. C'est l'une des plus grandes villes et surtout l'un des principaux centres industriels du pays (métallurgie de transformation surtout, puis industries textiles, chimiques et alimentaires). — Enjeu, en février-mars 1905, de la bataille la plus importante de la guerre russo-japonaise*.

CHÈQUE. — Le chèque est un titre transmissible par lequel le client d'une banque (titulaire d'un compte dans celle-ci) donne l'ordre à la banque de payer une somme à une personne désignée sur le chèque. Le *tireur* est la personne qui a établi le chèque, le *bénéficiaire* celle au profit de qui le chèque est tracé; le *tiré* est le banquier qui doit payer, le terme de *provision* désignant les fonds déposés au nom du tireur chez le tiré et destinés à assurer le paiement du chèque. Le *chèque au porteur* n'indique pas le nom du bénéficiaire; le *chèque barré* est un chèque qui n'est payé qu'à une personne connue du banquier; le *chèque endossé* est un chèque que le bénéficiaire transmet à une autre personne ou à une banque moyennant une écriture au dos du chèque; le *chèque certifié* est un chèque dont le paiement est garanti, l'approvisionnement du compte étant assuré.

Une législation répressive tend à prévenir les incidents de paiement, essentiellement causés par le défaut de provision. Ainsi s'est créée un véritable droit pénal du chèque, le chèque prenant une part de plus en plus importante dans les règlements effectués par les particuliers. Les dispositions prises en 1975 précisent que, en cas de manque de provision au compte de l'émetteur du chèque, la banque enregistrera l'incident au plus tard le quatrième jour ouvrable suivant la présentation du chèque; une lettre est envoyée au titulaire du compte et un délai de régularisation de quinze jours en principe lui est proposé. Le banquier, en cas de refus de régularisation, en avise la Banque de France qui, à son tour, communique au parquet les renseignements mensuels relatifs aux chèques impayés.

La *contrefaçon* et la *falsification* de chèques forment un délit spécial réprimé par une loi de 1972 (ce sont tous les procédés de faux matériels portant sur la signature, la somme indiquée sur le chèque, le nom du bénéficiaire, l'inculpé ayant agi de mauvaise foi, c'est-à-dire frauduleusement); la loi punit les contrefacteurs et falsificateurs, ceux qui, sciemment, font usage de l'effet falsifié ou contrefait, ou ceux qui acceptent, en connaissance de cause, de recevoir ou d'endosser un chèque contrefait ou falsifié.

Les peines relatives à l'usage irrégulier du chèque sont celles de l'escroquerie, des peines complémentaires pouvant être prononcées par le tribunal correctionnel. Les pénalités sont atténuées pour les tireurs ayant manifesté leur bonne foi ou qui, dans les dix jours de la présentation du chèque, en acquittent le montant.

Chèque postal → POSTE.

CHER (le), affl. de la Loire (r. g.); 320 km. Né dans le nord-ouest du Massif central, il passe à Montluçon, Vierzon et Tours.

CHER (18), départ. de la Région Centre; 7 228 km^2; 316 350 hab. Ch.-l. *Bourges.* S.-préf. *Saint-Amand-Montrond.* Situé dans le sud du Bassin parisien, le département est formé de parties des anciennes provinces du Berry, du Bourbonnais, du Nivernais et de l'Orléanais. Au centre, la Champagne berrichonne, table calcaire, est une terre à céréales (blé, orge, maïs), cependant que s'est rapidement développée la culture du colza; le traditionnel élevage ovin est aujourd'hui destiné à la production de la viande. Le sud, plus élevé, argileux et marneux, est surtout voué à l'élevage bovin, du Boischaut à l'O. jusqu'à la vallée de Germigny à l'E.; localement (vers Châteaumeillant) apparaît le vignoble, qui constitue la ressource essentielle des collines du Sancerrois au N.-E. Au N.-O., le département occupe une partie de la Sologne, où sont juxtaposés élevage bovin, réserves de chasse et pisciculture.

L'agriculture emploie encore plus du cinquième de la population active (part nettement supérieure à la moyenne nationale), sensiblement moins que le secteur industriel (plus des deux cinquièmes de la population active), développé naturellement dans les principales villes. Celles-ci jalonnent les cours d'eau, entaillant notamment la Champagne berrichonne, Cher, Auron, Yèvre. Bourges et Vierzon, de loin les agglomérations les plus importantes, sont des centres de la métallurgie, des constructions mécaniques, du travail du caoutchouc. Cependant, dans l'ensemble, le département est peu densément peuplé, la densité d'occupation est même inférieure à la moitié de la moyenne nationale, et l'accroissement démographique a été modeste. À l'écart des grandes voies de circulation, séparé par la Sologne de l'actif et riche Val de Loire et adossé à un Massif central peu actif, le Cher souffre d'un certain isolement, des difficultés aussi rencontrées par certaines de ses industries, de l'absence et même de l'éloignement d'une métropole susceptible de l'animer.

CHERBOURG (50100), ch.-l. d'arr. du départ. de la Manche; 34 637 hab. *(Cherbourgeois).* Église du XVe s. Musée de peinture (J. F. Millet...). Siège d'un important arsenal spécialisé dans la construction des sous-marins et, depuis 1958, de l'École d'application militaire de l'énergie atomique. Noyau d'une agglomération d'environ 80 000 hab., Cherbourg s'est développée comme port militaire, fonction attestée par l'importance de l'arsenal, toujours, et de loin, le premier employeur. Les constructions électriques et mécaniques sont les autres activités notables avec la fonction de port de voyageurs vers l'Angleterre.

HISTOIRE. Fortifiée par Vauban en 1686, la ville bénéficie, à partir de 1858, d'une longue et large digue qui protège la grande rade. Port d'escale après 1865, Cherbourg est dotée, en 1933, d'une gare maritime en liaison avec l'Angleterre. Au début de la bataille de Normandie* (1944), la ville est l'enjeu de violents combats; elle est alors victime de destructions importantes.

CHERBULIEZ (Victor), écrivain français d'origine suisse (Genève 1829 - Combs-la-Ville 1899), illustrateur du cosmopolitisme littéraire par ses romans (*le Comte Kostia,* 1863) et ses essais (*l'Art et la nature,* 1892).

CHERCHELL, v. d'Algérie, sur la Méditerranée, à l'O. d'Alger; 18 000 hab. Ruines romaines. Intéressant musée (coll. de mosaïques). Résidence principale de Juba II*, qui lui donne le nom de *Caesarea* (Césarée) en 25 av. J.-C., la ville devient un foyer de culture grecque et latine avant même son annexion par Rome (42 apr. J.-C.), qui en fait la capitale de la Mauritanie* Césarienne.

CHÉREAU (Patrice), metteur en scène français (Lézigné, Maine-et-Loire, 1944). Directeur depuis 1972, avec Roger Planchon* et Robert Gilbert, du Théâtre national populaire, il cherche à donner au répertoire classique ou contemporain une dimension sociale et politique à travers une conception plastique du mouvement des acteurs et du décor.

CHÉRET (Jules), peintre et affichiste français (Paris 1836 - Nice 1932). De son atelier sortirent un millier d'affiches* fraîches, primesautières, élégantes, qui se souviennent de Tiepolo et de Fragonard. Beaucoup sont consacrées au spectacle (*la Loïe Fuller,* 1893). Il est bien représenté au musée Jules-Chéret de Nice.

CHEROKEES → INDIENS.

CHÉRONÉE, ville de Béotie, théâtre de plusieurs batailles dont deux sont célèbres. En 338 av. J.-C., Philippe II* de Macédoine y triomphe des Athéniens et des Thébains alliés, et son fils Alexandre* se distingue en détruisant le bataillon sacré de Thèbes*; cette victoire consacre le triomphe de la Macédoine* sur la Grèce. En 86 av. J.-C. Sulla* l'emporte sur Mithridate VI*, roi du Pont.

CHÉROY (89690), ch.-l. de cant. de l'Yonne, à 22 km à l'O. de Sens; 763 hab.

CHERRAPUNJI ou **TCHERRAPOUNDJI,** localité de l'Inde, dans l'Assam, au S. de Shillong. C'est l'un des points les plus arrosés du globe (plus de 12 m de pluies par an).

CHERSONÈSE, nom donné à plusieurs péninsules, entre autres : *la Chersonèse de Thrace* (auj. péninsule de Gallipoli), sur la rive nord des Dardanelles*, que se sont disputée, à cause de sa position stratégique, Athènes et Philippe II* de Macédoine; *la Chersonèse Taurique,* ancien nom de la Crimée*.

CHERTAL → HERSTAL.

Chérubin, personnage du *Mariage de Figaro,* de Beaumarchais; type de l'adolescent qui s'éveille à l'amour, mais plus dans la perspective du libertinage que du romantisme.

CHERUBINI (Luigi), compositeur italien (Florence 1760 - Paris 1842). Établi à Paris à partir de 1787, il y connut le succès avec ses opéras *(Médée, Anacréon, les Abencérages),* avant de devenir directeur du Conservatoire (1822). On lui doit aussi de nombreuses pages de musique religieuse.

CHESAPEAKE, baie profonde des États-Unis (Maryland et Virginie), sur l'Atlantique, franchie notamment par un grand pont routier. Sur sa rive nord-ouest est établi Baltimore.

CHESELDEN (William), chirurgien et oculiste anglais (Somerby, Leicestershire, 1688 - Bath 1752), resté célèbre pour une intervention sur un aveugle-né qui fournit des indications précieuses sur la genèse des sensations visuelles.

CHESHIRE, comté d'Angleterre, au S. de Liverpool et de Manchester.

CHESNAY (Le) [78150], ch.-l. de cant. des Yvelines, dans la banlieue nord de Versailles; 24 825 hab. Ensemble résidentiel.

CHESNE (Le) [08390], ch.-l. de cant. des Ardennes, à 17 km au N. de Vouziers, sur le canal des Ardennes; 1 047 hab.

CHESTER → FROMAGE.

CHESTER, v. d'Angleterre (Cheshire), au S.-E. de Liverpool; 61 000 hab. Remparts remontant à l'époque romaine. Maisons et monuments médiévaux.

CHESTERFIELD, v. d'Angleterre, au S. de Sheffield; 67 000 hab.

CHESTERTON (Gilbert Keith), écrivain anglais (Londres 1874 - *id.* 1936). Après avoir bataillé contre l'impérialisme anglais, l'Allemagne luthérienne, la civilisation industrielle, il consacra son humour à des romans d'inspiration fantastique (*le Napoléon de Notting Hill,* 1904) et à des nouvelles policières qui ont pour héros le père Brown, « détective du Bon Dieu » (*Histoires du Père Brown,* 1911).

CHE T'AO ou **SHI TAO,** peintre, calligraphe, poète et théoricien chinois (actif dans la seconde moitié du XVIIe s. et au début du XVIIIe s.), le plus inventif des « individualistes » du début de l'époque Ts'ing, en révolte contre le traditionalisme de son temps. Il entra très jeune dans un monastère (sous le nom de Tao Tsi), à la suite de la chute des Ming, auxquels il était apparenté. La spontanéité et l'économie de son maniement du pinceau lui servaient à mettre le paysage en consonance avec son état d'esprit.

CHE-TCHAI-CHAN ou **SHIZHAISHAN,** site archéologique de Chine, dans le Yun-nan. Une vingtaine de tombes (fouillées entre 1955 et 1960), remontant aux Han antérieurs, ont livré de très nombreux bronzes, qui révèlent l'influence de la Chine du Nord, mais aussi celle de l'Ordos (v. STEPPES), qui, par le Yun-nan, atteindra ensuite l'Indochine.

CHEVAGNES (03230), ch.-l. de cant. de l'Allier, à 18 km au N.-E. de Moulins; 711 hab.

CHEVAL. — La domestication du cheval, très ancienne, n'a produit ni les altérations de la race sauvage ni la diversification évolutive que l'on observe chez le chien, par exemple. Plus grand que le zèbre, dépourvu de rayures, porteur d'une queue vertébrale très courte, mais que prolongent de longs poils, le cheval se reconnaît aussi à ses courtes oreilles dressées et à sa crinière retombante. Pour le reste, c'est le type même des équidés, avec ses pattes à un seul doigt, énorme, terminé par un sabot qui pèse parfois jusqu'à 500 g. Herbivore et granivore, coureur des steppes, le cheval n'a d'ailleurs aucune autre arme que ses sabots, mais sa vitesse de fuite lui évite en général les affrontements. La femelle (jument) engendre, après onze mois de gestation, un seul petit (poulain). La durée de la vie atteint parfois soixante ans, mais on ne commercialise que des chevaux de moins de huit ans.

La motorisation de l'agriculture et des transports a provoqué une très forte régression de l'effectif des chevaux de trait (percheron, boulonnais, breton, ardennais, trait comtois, trait du Nord, etc.), qui ne suffisent d'ailleurs plus à assurer les besoins de la boucherie : d'où la nécessité qui s'est imposée d'élever des chevaux spécialement en vue de la production de viande.

Par contre, l'intérêt s'est accru en ce qui concerne les chevaux de selle (pur-sang anglais, pur-sang arabe, anglo-arabe, cheval de selle français, trotteur français), tant pour les compétitions sur les hippodromes que pour la pratique de l'équitation (manèges, sociétés hippiques rurales, etc.).

CHEVAL (Ferdinand) → PALAIS IDÉAL *(le).*

CHEVAL-D'ARÇONS ou **CHEVAL-ARÇONS** → GYMNASTIQUE.

CHEVALERIE. — Ce terme désigne une catégorie de la société médiévale formée de spécialistes du combat à cheval, que l'évolution de l'art de la guerre a révélés être les plus efficaces sur le champ de bataille. Dans le monde germanique, tout homme libre est, par définition, un soldat. Mais la féodalité naissante a conduit à la formation d'un groupe plus restreint de guerriers professionnels, attachés à des chefs qui les nourrissent et, le plus souvent, leur donnent un chasement (terre accordée à titre viager). Progressivement, ce groupe acquiert une conscience aiguë de ce qui le sépare du peuple sans armes et se forme en classe sociale, avec son genre de vie spécifique et ses privilèges. Il se ferme rapidement à ceux qui ne sont pas à la fois bien nés (descendants de chevaliers) et assez fortunés pour supporter la charge de l'armement.

Le jeune noble entre dans la chevalerie par l'adoubement, antique cérémonie qui, oubliée en certaines régions, se généralise au XIe s. Il reçoit ses armes (épée, lance) et son équipement (haubert, éperons d'or, etc.) des mains d'un autre chevalier, son parrain, qui lui donne la paumée, ou colée, coup violent asséné sur la nuque. Puis il démontre son adresse : il s'élance à cheval et court une quintaine, transperçant de sa lance des mannequins. De bonne heure, l'empreinte religieuse fait son apparition dans le rituel (bénédiction des armes), et l'adoubement prend bientôt le caractère d'un sacrement (adoubement par l'évêque). Par ce biais, l'Église réussit à exercer une puissante action sur ce groupe, souvent enclin à abuser de sa force au détriment du peuple. À partir du XIe s. (paix de Dieu, croisades*), elle impose aux chevaliers des obligations morales (loyauté, vaillance, protection des pauvres, respect de la femme) et un but, celui du combat pour le Christ. Elle provoque, ainsi, la fondation d'ordres militaires (Templiers, Hospitaliers), dont les membres se consacrent à la défense des chrétiens contre les infidèles. Mais cette éthique ne tarde pas à laisser place, aux XIVe et XVe s., à l'idéal raffiné du chevalier qui, conformément à un code de l'honneur devenu subtil et complexe, doit accomplir les exploits les plus extravagants pour l'amour d'une dame (romans courtois). C'est le signe que, dans sa fonction même, la chevalerie s'est désacralisée. Elle est alors sur son déclin. Au XVe s., l'évolution de l'art militaire lui fait perdre son rôle primordial dans la conduite de la guerre, mais elle survit encore longtemps (Bayard) et, peu à peu, se transforme en degré de noblesse*.

CHEVALIER → ÉQUESTRE *(ordre).*

CHEVALIER (Michel), économiste français (Limoges 1806 - Montplaisir 1879). Adepte du saint-simonisme, libre-échangiste, il se rallie à Napoléon III. Sénateur, professeur au Collège de France, il est, de concert avec Cobden*, le principal instigateur du traité de commerce avec l'Angleterre (1860).

CHEVALIER (Maurice), chanteur et comédien français (Paris 1888 - *id.* 1972). Après avoir débuté au café-concert et brillé aux Folies-Bergère comme partenaire de Mistinguett, il devint dans les music-halls du monde entier l'ambassadeur de la chanson française. Au cinéma, il obtint ses meilleurs rôles dans les films d'Ernst Lubitsch (*Parade d'amour,* 1928; *la Veuve joyeuse,* 1934) et de René Clair (*Le silence est d'or,* 1947).

Chevalier au lion → YVAIN.

Chevauchée fantastique *(la),* film américain de John Ford (1939). Dans ce western, qui conte avec un sens aigu de l'observation et du mouvement le voyage périlleux d'une diligence à travers le Nouveau-Mexique en 1885, John Ford a donné à un genre, jusqu'alors tenu pour mineur, ses lettres de noblesse. Bien que l'anecdote centrale rappelle le roman de Maupassant *Boule-de-Suif,* le film reste constamment fidèle aux thèmes favoris du cinéaste (exaltation de la solidarité humaine face au danger, description chaleureuse de l'Amérique des « grands espaces »). Une des pages « classiques » de la légende filmée du Far West.

CHEVELURE DE BÉRÉNICE, petite constellation* de l'hémisphère boréal.

CHEVERNY (Cour-) [41700 Contres], comm. de Loir-et-Cher, à 14 km au S.-E. de Blois; 715 hab. Château construit et décoré d'un seul jet dans la première moitié du XVIIe s. (beau décor intérieur Louis XIII, avec peintures de Jean Mosnier, de Blois, et tapisseries de Vouet). En 1953, au château de la Borde, a été fondée une clinique psychiatrique, dont les conceptions ont eu une grande influence en France.

CHEVEU. — Les cheveux sont implantés obliquement dans le cuir chevelu, où ils occupent les follicules pilo-sébacés. Le cheveu se renouvelle tout au long de la vie et son évolution passe par trois stades : croissance (anagène) [environ trois ans]; involution (catagène) [environ trois semaines]; élimination (télogène) [de trois à quatre mois]. Près de 85 p. 100 des cheveux sont au stade anagène. La chute normale quotidienne de cheveux est de 20 à 50.

CHEVIGNY-SAINT-SAUVEUR (21800 Quetigny), comm. de la Côte-d'Or, à 7 km à l'E. de Dijon; 5 647 hab. Matières plastiques.

CHEVILLON (52170), ch.-l. de cant. de la Haute-Marne, à 21,5 km au S.-E. de Saint-Dizier; 1 532 hab.

CHEVILLY-LARUE (94150 Rungis), comm. du Val-de-Marne, à 7 km au S. de Paris; 17 867 hab. Industrie chimique.

CHEVIOT, hautes collines de Grande-Bretagne, aux confins de l'Angleterre et de l'Écosse; 810 m au *mont Cheviot.*

CHEVIRÉ, anc. île formée par la Loire, près de Nantes. Centrale thermique.

CHÈVRE. — À l'image du bouc, autrefois symbole de la luxure puis de l'esprit du mal (que l'on identifiait au diable), à celle de la chèvre maléfique, capricieuse et fantasque, auteur de la dégradation de la couverture végétale des sols (dont l'homme insouciant, par le surpâturage qu'il pratique, est le véritable responsable), il convient de substituer celle, plus réaliste, d'un animal doué d'une plasticité remarquable, qui lui confère un intérêt incontestable dans des situations aussi opposées que celles du pastoralisme des zones arides et de l'agriculture moderne en train de s'industrialiser à un rythme accéléré. Les performances laitières de la chèvre sont exceptionnelles : sans être un animal hors série, une chèvre de 50 kg de poids vif peut fournir 5 kg de lait par jour, soit l'équivalent de son poids en 10 jours!

Aussi le cheptel caprin mondial est-il en accroissement : 371 millions de têtes en 1961 et 396 millions en 1972 (statistiques F.A.O.), l'Asie venant en tête avec plus de la moitié.

Le cheptel français est essentiellement constitué par trois races : l'alpine, la saanen (d'origine suisse) et la poitevine.

CHÈVRE (la) → ÉTOILE.

CHÈVREFEUILLE. — Les arbrisseaux grimpants de ce genre, très communs, portent, au bout de longues tiges flexueuses et rougeâtres aux feuilles opposées, un bouquet de longues fleurs tubulaires très parfumées; la corolle, composée de deux lèvres dont l'inférieure est enroulée, est blanche ou jaunâtre. Ce genre, cultivé comme ornemental (nom latin : *Lonicera*), sert de type à la famille des *caprifoliacées.*

CHEVREUIL. — Nos forêts abritent encore une population assez importante de chevreuils. Plus petits que les cerfs, pourvus de cornes beaucoup plus modestes, les chevreuils ne portent que jusqu'à l'âge de six mois la livrée à taches blanches popularisée par l'imagerie, puis ils deviennent roux à l'exception d'une tache blanche aux fesses. Il n'y a guère de vie familiale durable chez les chevreuils, qui ne forment pas de bandes. Le mâle est le *brocard,* la femelle la *chevrette,* les jeunes sont des *faons* comme chez le cerf.

CHEVREUL (Eugène), chimiste français (Angers 1786 - Paris 1889). On lui doit l'analyse des corps gras et la découverte des bougies stéariques, ainsi qu'une théorie des couleurs, fondée sur l'emploi des cercles chromatiques. Directeur des teintures aux Gobelins en 1824, il publia, en 1839, *De la loi du contraste simultané des couleurs et de l'assortiment des objets colorés* [...], sur lequel devait s'appuyer le néo-impressionnisme*.

CHEVREUSE (78460), ch.-l. de cant. des Yvelines, à 19 km au N.-E. de Rambouillet; 4 198 hab. *(Chevrotins).* Église et ruines du château des XIIe-XVe s. La *vallée de Chevreuse* est un centre d'excursion et de résidence au S.-O. de Paris.

CHEVREUSE (Marie DE ROHAN-MONTBAZON, *duchesse* DE) [1600-Gagny 1679]. Sa vie est un tissu d'intrigues amoureuses et politiques; elle se mêla notamment aux diverses conspirations contre Richelieu et Mazarin, ce qui lui valut plusieurs exils.

CHEVRIER (Antoine) → PRADO.

CHEVROTAIN. — L'intérêt scientifique de ce petit ruminant (hauteur au garrot, de 20 à 30 cm) est grand, car il s'agit d'un type très primitif : pattes de devant conformées comme celles des porcins (quatre métacarpiens distincts), pattes de derrière plus évoluées avec les deux métatarsiens médians soudés en un *os canon,* pas de cornes, canines supérieures très développées, estomac divisé seulement en trois poches (pas de feuillet). Les chevrotains forment deux genres, l'un en Inde et Indonésie *(Tragulus),* l'autre *(Dorcatherium)* en Afrique.

CHEVTCHENKO, localité de l'U.R.S.S. (Kazakhstan), sur la Caspienne. Centrale nucléaire (surrégénérateur).

CHEVTCHENKO (Tarass), poète ukrainien (Morintsy 1814 - Saint-Pétersbourg 1861), défenseur des idées démocratiques et fédératives et créateur de la littérature nationale ukrainienne (*Kobzar,* 1840).

CHEYENNE, v. des États-Unis, capit. du Wyoming, au N. de Denver; 41 000 hab.

CHEYENNES → INDIENS.

CHEYLARD (Le) [07160], ch.-l. de cant. de l'Ardèche, sur l'Eyrieux, à 48 km au N.-O. de Privas; 4 559 hab.

CHEYNEY (Peter SOUTHOUSE-CHEYNEY, dit **Peter**), écrivain anglais (Londres 1896 - *id.* 1951). Ses romans policiers remplacèrent le type traditionnel du détective par celui de l'aventurier séduisant et brutal (Lemmy Caution).

CHÈZE (La) [22210 Plémet], ch.-l. de cant. des Côtes-du-Nord, à 10 km au S.-E. de Loudéac; 606 hab.

CHIANGMAI ou **CHIENGMAI,** v. de la Thaïlande septentrionale; 82 000 hab. Détruite en 1773, la ville a été reconstruite à la fin du XVIIIe s. et abrite de nombreux monuments religieux, ainsi qu'un important musée où sont présentées des œuvres des royaumes de Haripuñjaya (env. VIIIe-XIIIe s.) et du Lan Na (fin XIIIe-XIXe s.). Importantes fouilles archéologiques dans les environs concernant les cultures mésolithiques et néolithiques.

CHIANTI, région d'Italie, en Toscane, au N.-E. de Sienne, formée de collines couvertes de vignobles.

CHIAPAS, État de l'extrémité sud-est du Mexique sur le Pacifique; 1 569 000 hab.

CHIASMA. — L'entrecroisement des fibres des nerfs optiques venant de l'œil droit et de l'œil gauche repose sur le toit de la loge de l'hypophyse. Des angles postérieurs du chiasma s'échappent les bandelettes optiques qui se rendent aux tubercules quadrijumeaux antérieurs et aux corps genouillés, situés dans le diencéphale. À ce niveau les voies optiques font relais et le neurone suivant va dans le cortex occipital correspondant. L'atteinte du chiasma, dont la cause habituelle est une tumeur de l'hypophyse, se traduit par un trouble visuel, l'hémianopsie bitemporale.

CHIASSO, comm. de Suisse (Tessin), à la frontière italienne; 8 868 hab. Importante gare frontière sur la ligne empruntant le Saint-Gothard.

CHIBA, port du Japon (Honshū), sur le littoral oriental de la baie de Tōkyō, ch.-l. de préf.; 482 000 hab. Sidérurgie. Pétrochimie.

CHIBCHAS, ancien peuple de l'Amérique du Sud, riche d'une remarquable technique de l'orfèvrerie. Il fut décimé par les Espagnols à partir de 1538. (V. carte INDIENS.)

CHIBOUGAMAU, v. du Canada (Québec), près du *lac Chibougamau;* 9 701 hab. Cuivre.

CHICAGO, v. des États-Unis (Illinois), sur le lac Michigan; 3 367 000 hab.

GÉOGRAPHIE. La ville est le centre d'une agglomération d'environ 7 millions d'habitants, débordant sur l'Indiana (jusqu'à Gary), la troisième du pays, à la croissance ralentie, après un essor démographique extraordinaire en un siècle : 350 habitants seulement en 1833, plus de 3 millions en 1930. Symbole, aujourd'hui dépassé, de la ville-champignon, Chicago a dû sa fortune à sa position de nœud de communications (surtout ferroviaire) et à sa fonction de marché, au contact de l'Est urbanisé et des Grandes Plaines alors en voie de développement. Bon nombre de quartiers d'avant 1900 sont dégradés, les immenses abattoirs ont presque disparu, mais l'agglomération demeure le deuxième foyer industriel américain (dominé par la métallurgie [sidérurgie, matériel ferroviaire et agricole], devançant les industries alimentaires, la chimie [liée au raffinage du pétrole]), bien desservi par l'eau (le trafic total des ports de l'agglomération est de l'ordre de 100 Mt), le rail, la route et l'avion (aéroports de Midway et O'Hare). Chicago demeure la métropole incontestée de la région des Grands Lacs.

ARCHITECTURE ET ART. Après le gigantesque incendie de 1871, Chicago a été, vers 1880-1900, le foyer d'une école d'architecture novatrice, qui, profitant de la mise au point du laminage de l'acier (ossatures résistant à la traction comme à la compression), du chauffage central, des ascenseurs, fut à l'origine du *gratte-ciel.* Ses principaux représentants furent William Le Baron Jenney (1832-1907), William Holabird (1854-1923), associé à Martin Roche (1855-1927), et Louis Henry Sullivan (1856-1924). Ce dernier proclamait que «la forme suit la fonction», sans pour autant renoncer à disposer, en des points soigneusement choisis du revêtement des immeubles, une ornementation d'un style proliférant qui annonce l'Art nouveau. Le fonctionnalisme et l'affirmation de la réalité constructive comme fondement de l'architecture furent de courte durée à Chicago, qui connut, dès la fin du siècle, et pour près de cinquante ans, le reflux de l'éclectisme académique.

La ville possède, avec son Art Institute, un des plus importants complexes muséologiques des États-Unis.

CHICHÉN ITZÁ, site archéologique du Mexique dans le nord du Yucatán. Fondée à la fin du classique récent, cette cité maya* connut une véritable renaissance durant le postclassique ancien (950-1250), avant d'être abandonnée entre 1204 et 1224. Vers le xe s. s'y développa une architecture qui unit les traditions mayas à celles des Toltèques* venus de Tula*, et qui est caractérisée par son ampleur et ses vastes proportions (temple des guerriers aux mille colonnes, jeu de balle, pyramide surmontée d'un temple, dite «le Castillo», etc.).

CHICHESTER, v. d'Angleterre, dans l'ouest du Sussex, près de la Manche; 21 000 hab. Importante cathédrale (chœur gothique des xiie-xiiie s.). Aux environs, vestiges romains de Fishbourne.

CHICLAYO, v. du Pérou septentrional, près du Pacifique; 299 000 hab.

CHICORÉE. — Cette herbe, aux capitules bleus qui s'ouvrent et se ferment selon le degré de lumière qui les atteint, aux segments raides et anguleux, est récoltée, voire cultivée, pour sa racine qui fournit un succédané du café, et la culture maraîchère en a sélectionné diverses variétés vendues pour leurs feuilles comme salades : frisée, barbe de capucin, scarole. Une espèce voisine est l'*endive,* amère, consommée crue ou cuite. (Famille des composées.)

CHICOUTIMI, v. du Canada (Québec), au confluent de la *Chicoutimi* et du Saguenay; 33 893 hab.

CHIEN. — Il est devenu impossible de décrire «le» chien, en raison des différences extraordinaires introduites entre les diverses races par l'élevage et la sélection. La taille et le poids vont du chihuahua (de 16 à 20 cm, 1 500 g) au saint-bernard (près de 1 m au garrot, 100 kg), le poil peut être très long (épagneul, barbet) ou ras (dalmatien), le museau allongé (lévrier) ou aplati (bouledogue), les oreilles dressées (berger) ou pendantes (pointer), etc. Enfin, le profil et les proportions du corps sont des plus variables. Mais tous les chiens ont la même formule dentaire (42 dents en tout) et les mêmes pattes à 5 doigts (l'un des doigts arrière, atrophié, est l'*ergot*), aux griffes non rétractiles. Tous les chiens domestiques aboient.

Titus - C. E. D. R. I.

Chicago. Le *North Side,* partie de la ville située au nord de la rivière de Chicago, près de North Michigan Avenue.

On croit que le chien est un dérivé du loup et du chacal, espèces avec lesquelles il est parfaitement interfécond. Il est moins proche du renard.

La reproduction du chien est rapide : deux mois de gestation, six semaines d'allaitement, denture définitive à cinq mois, reproduction à un an (2 périodes fécondes par an : août et janvier en général), mais la durée de la vie peut atteindre vingt ans.

L'homme a domestiqué le chien dès la préhistoire, puis, au cours des siècles, a spécialisé les races dans les fonctions les plus diverses : garde (le chien a un sens très aigu du «territoire»), surveillance des troupeaux, chasse sous diverses formes (arrêt, course, terrier), attelage (chiens de traîneau), conduite des aveugles, compétition (courses de lévriers), ou simple agrément de la vie domestique. On peut *dresser* les chiens aux activités les plus diverses : nager, sauter, approcher une proie silencieusement, identifier une odeur individuelle, etc., et c'est sur le chien que Pavlov a établi les lois de conditionnement des réflexes. Mais l'existence d'un «cimetière des chiens», à Asnières, suffit à montrer que la dépendance n'est pas unilatérale.

CHIEN (Grand), constellation* de l'hémisphère austral, au bord de la Voie* lactée, et comprenant plusieurs étoiles doubles, notamment le système de *Sirius* ainsi que quelques amas* stellaires visibles à l'œil nu.

CHIEN (Petit), constellation* de l'hémisphère boréal, près de l'équateur, au bord de la Voie* lactée, et dont l'étoile α est *Procyon.*

Chien du jardinier *(le),* comédie en trois actes de Lope de Vega. Une aristocrate amoureuse de son secrétaire s'interdit de le lui avouer pour ne pas déchoir mais s'oppose à ce qu'il en épouse une autre.

CHIERS (la), riv. de Lorraine, affl. de la Meuse (r. dr.); 112 km. Née au Luxembourg, elle arrose, en France, Longwy et Montmédy.

CHIETI, v. d'Italie, dans la région des Abruzzes, ch.-l. de prov., à proximité de l'Adriatique; 53 000 hab. Musée d'archéologie.

CHIGASAKI, v. du Japon (Honshū), au S.-O. de Yokohama; 130 000 hab.

CHIHUAHUA, v. du Mexique septentrional, capit. de *l'État de Chihuahua;* 257 000 hab. Centre minier.

CHĪ'ISME. — Une fraction importante de l'opposition au régime omeyyade resta fidèle au parti *(chī'a)* de 'Alī* (de 656 à 661) et revendiqua le pouvoir en faveur des 'Alīdes*. Ce parti politico-religieux sut par la suite mobiliser les mécontentements sociaux et nationaux, et il élabora des doctrines religieuses qui l'ont considérablement éloigné de l'islām sunnite. La doctrine de l'imāmat, qui confère la direction de la communauté à un imām appartenant à la descendance de ʿAlī, a peu à peu évolué. L'imām est considéré comme un continuateur de la mission de Mahomet*, puis comme un porteur de lumière divine, impeccable et infaillible. Le dernier imām de la communauté disparaît du monde visible et devient l'imām caché, qui reviendra sur terre et ouvrira une ère de justice et de paix. Les chīʿites identifient donc l'imām caché avec le mahdī* de tous les musulmans. Les ismaéliens* reconnaissent sept imāms; les duodécimains, qui représentent la tendance centriste et majoritaire, en reconnaissent douze. Le chīʿisme duodécimain est devenu la religion nationale de l'Iran depuis le XVIe s. Les chīʿites se rendent en pèlerinage sur les tombes de ʿAlī à Nadjaf et de Ḥusayn à Karbalā'* et commémorent chaque année la Passion de Ḥusayn. Les différentes sectes chīʿites (druzes*, ʿalawītes*, zaydites du Yémen, ismaéliens, duodécimains) se différencient, en outre, par l'interprétation plus ou moins allégorique du Coran* et par le développement d'idées néoplatoniciennes qui conduisent certaines d'entre elles à un syncrétisme plus ou moins large.

CHIKAMATSU MONZAEMON (NOBUMORI SUGIMORI, dit), auteur dramatique japonais (Kyōto 1653-Osaka 1724). Il aurait été élevé au monastère de Kinshōji, où il aurait acquis la vaste culture bouddhique et classique que révèlent ses œuvres. Il commença à écrire pour le théâtre de *kabuki** en 1677, puis, après son association avec le musicien et directeur de théâtre Gidayū (1651-1714), pour le théâtre de poupées *(bunraku*)*. Parmi les cent soixante-dix pièces qui lui ont été attribuées, on distingue des pièces historiques, ou *jidaimono* (*les Batailles de Coxinga,* 1715), et des drames bourgeois, ou *sewamono,* dont le dénouement le plus fréquent est le suicide à deux, ou *shinjū* (*Double Suicide par amour à Sonezaki,* 1703; *Meurtre d'une femme dans la boutique infernale d'un marchand d'huile,* 1721).

CHILDEBERT → MÉROVINGIENS.

Childe Harold *(le Pèlerinage de),* poème en quatre chants, de Byron (1812-1818). L'auteur mêle ses impressions de voyageur romantique à l'expression de l'insatisfaction d'une âme qui passe de l'enthousiasme à l'amertume. En 1825, Lamartine donna au poème une suite dans laquelle il continue d'identifier le héros avec Byron et où il raconte sa mort en Grèce *(le Dernier Chant de Childe Harold).*

CHILDÉRIC → MÉROVINGIENS.

CHILI, État de l'Amérique du Sud, sur l'océan Pacifique; 756 945 km²; 10 405 000 hab. *(Chiliens).* Capit. *Santiago.*

GÉOGRAPHIE. Étiré sur 4 200 km de long, sa largeur n'excédant jamais 350 km, le Chili s'étend sur la partie méridionale des Andes. Au N., la chaîne côtière et les Andes proprement dites encadrent la dépression de la Vallée centrale; au S., elles se rejoignent en une chaîne unique qui s'abaisse jusqu'à la Terre de Feu. Fortement nuancé par l'altitude, le climat varie avec la latitude : désertique au N. (Atacama), il devient méditerranéen au centre, puis océanique de plus en plus froid vers le S., la forêt disparaissant progressivement.

La population est composée de métis (65 p. 100), de Blancs (25 p. 100) et d'Indiens (10 p. 100). Initialement, les immigrants européens étaient surtout espagnols, mais, à la fin du XIXe s., les nationalités se sont diversifiées. 80 p. 100 de la population se concentrent dans la région centrale. Fortement urbanisée, cette population est marquée par un accroissement très rapide.

L'agriculture n'est guère favorisée par des conditions naturelles médiocres, alors que se maintient, au moins localement, la grande propriété, exploitée extensivement. Les productions sont variées. La riche région centrale fournit du blé, des fruits et du vin, tandis que dans le Sud, à côté de la culture des pommes de terre, domine l'élevage (bovin et ovin).

Mais le Chili tire l'essentiel de ses ressources de son sous-sol. Les nitrates ont perdu leur importance devant le cuivre (900 000 t, troisième rang mondial) et le fer (6 Mt). Les minerais représentent 80 p. 100 des exportations. Ils ont également permis un timide démarrage de l'industrie (sidérurgie, biens de consommation), mais le pays reste un gros importateur de biens d'équipement. La Vallée centrale, autour de Santiago et du port de Valparaíso, concentre l'essentiel de ces activités. Cela contribue à accentuer le déséquilibre entre le reste du pays, à prépondérance agricole, et cette zone réduite, où la population s'entasse souvent dans des conditions misérables.

HISTOIRE. C'est en 1541 que Pedro de Valdivia fonde Santiago, mais les Indiens araucans se débarrassent de lui. La lutte entre Espagnols et Araucans se prolongera durant trois siècles et l'Araucanie* ne sera vraiment soumise qu'à la fin du XIXe s. Cependant, les Espagnols s'installent dans tout le reste du pays, et les Jésuites jouent un rôle important dans la mise en valeur du Chili. En 1811, à la tête d'une junte patriotique, José Miguel Carrera se proclame dictateur, mais, malgré l'héroïsme de Bernardo O'Higgins, les Espagnols rétablissent leur pouvoir (1814). Toutefois, en 1817, ils sont écrasés par San Martín à Chacabuco et O'Higgins devient « directeur suprême » du Chili. La victoire de Maipú (1818) libère définitivement le pays, qui, après la dictature d'O'Higgins (1817-1823), connaît dix ans d'anarchie, conservateurs et libéraux s'affrontant. La Constitution de 1833 lui rend l'équilibre, tandis que les visées boliviennes pour englober le Chili dans un Grand Pérou

CHILI

sont réduites à néant par la victoire chilienne de Yungay (1839). Les conservateurs gardent le pouvoir de 1830 à 1871, puis une coalition de libéraux et de radicaux gouverne le Chili jusqu'en 1891. À la suite d'une guerre — dite « du Pacifique » — avec la Bolivie et le Pérou (1880-1883), le Chili s'empare des provinces de Tacna et de Tarapacá, riches en salpêtre, ce qui enlève toute façade maritime à la Bolivie mais fait du Chili la première puissance du Pacifique. Une sanglante guerre civile oppose, en 1891, le Congrès au président José Manuel Balmaceda : elle se termine par le triomphe — pour trente et un ans — du régime parlementaire sur le régime présidentiel. Le Chili connaît sa période la plus prospère entre 1915 et 1920 avec le président Juan Luis Sanfuentes. Mais les lendemains de la Première Guerre mondiale s'avèrent difficiles sur le plan économique et social; aussi le président Arturo Alessandri, élu en 1920, doit-il démissionner, en 1925, devant une junte militaire antiparlementaire, qui gouverne de 1927 à 1931 avec le colonel Carlos Ibáñez, progressiste et nationaliste. L'instabilité endémique du Chili contemporain s'explique par l'entrée dans la vie politique des classes moyennes et populaires (ouvrières surtout) et par l'emprise économique américaine. D'où, entre la gauche et la droite, la formation d'un centre qui penche tantôt d'un côté, tantôt de l'autre. Aussi le Chili fait-il l'expérience de régimes très divers : Front populaire (1938-1948), oligarchie sous Jorge Alessandri (1958-1963), démocratie chrétienne sous la présidence d'Eduardo Frei (1964-1970), qui amorce une réforme agraire et la « chilénisation » des richesses minières, Union populaire (1970-1973) avec le président Salvador Allende (1909-1973), dont la politique de nationalisations heurte les intérêts de la grande bourgeoisie et des sociétés étrangères et qui, le 11 septembre 1973, est éliminé par une junte militaire dirigée par le commandant en chef de l'armée, le général Augusto Pinochet Ugarte. Celui-ci, devenu « chef suprême de la nation » puis président de la République (déc. 1974), instaure un régime d'exception qui est affronté à une situation économique très difficile.

CHILLÁN, v. du Chili, dans la Vallée centrale; 88 000 hab.

CHILLY-MAZARIN (91380), ch.-l. de cant. de l'Essonne, à 16 km au S. de Paris; 16 237 hab. *(Chiroquois).* Agglomération résidentielle. Produits pharmaceutiques.

CHILOÉ, île du Chili méridional.

CHILPÉRIC Ier → MÉROVINGIENS.

CHIMBORAZO, volcan éteint des Andes (Équateur); 6 272 m.

CHIMBOTE, port du Pérou, au N.-O. de Lima; 103 000 hab. Pêche et farine de poisson. Sidérurgie.

Chimène, héroïne de la poésie castillane (femme qui accepte les règles de la société violente et féodale du XIVe s., dans les romances du *Cantar de Rodrigo;* déchirée entre l'amour et l'honneur dans *les Enfances du Cid* [1618], de Guillén de Castro) que Corneille reprit dans *le Cid** (la « gloire » est l'épreuve obligée de l'amour).

CHIMÈRE (la), animal fabuleux, tenant de la chèvre et du lion. Passée des légendes orientales à la mythologie grecque, elle est souvent représentée dans l'art grec; dans l'art chrétien elle symbolise l'esprit du mal.

CHIMÈRE. — Les botanistes nomment « chimère » un rameau né d'un bourrelet de greffe et dans lequel se mêlent les cellules du greffon et du sujet. Les zoologistes, quant à eux, appellent « chimère » un poisson des mers froides, voisin des requins, mais muni d'opercules, et dont l'aspect est rendu étrange par un museau tronqué, un aiguillon dorsal précédant la nageoire, un long filament caudal. Ce poisson n'a pourtant aucun caractère d'hybride. Il sert de type au groupe (restreint) des *holocéphales.*

Chimères *(les),* suite de douze sonnets de Nerval, regroupés en 1854 dans le volume des *Filles du feu.* La quête de l'identité de l'être et de l'intelligibilité de son destin à travers l'opposition de deux systèmes mythiques et temporels : l'un linéaire et historique, l'autre cyclique et cosmique.

CHIMIE. — Cette science étudie les diverses actions que les corps purs exercent entre eux lorsqu'ils sont mis en contact, actions qui ont pour résultat des modifications profondes et permanentes dans la nature de ces corps; elle étudie les changements de composition qu'ils subissent sous l'influence des agents physiques (chaleur, lumière, électricité, etc.); elle formule enfin les lois qui président à ces actions. La chimie est une science partiellement descriptive, par l'énumération des propriétés caractéristiques des substances qu'elle examine. Tandis que la physique s'intéresse aux phénomènes les plus généraux de la matière en s'attachant aux propriétés universelles des corps sans tenir compte de leur nature, la chimie étudie chaque matière en particulier, en recherchant son origine et ses modes de formation, en se préoccupant de ce qu'elle devient dans les diverses conditions où elle peut être placée.

Malgré ces différences capitales, la physique et la chimie n'en sont pas moins deux sciences voisines, ayant des rapports continuels, et dont certaines branches arrivent à se confondre. L'une et l'autre tirent leur interprétation de la connaissance de la structure atomique de la matière.

On connaît aujourd'hui la nature des liaisons qui unissent les atomes dans une molécule. Aussi pourrait-on dire que relèvent de la chimie les phénomènes au cours desquels les électrons des atomes (et surtout leurs électrons périphériques) sont échangés ou mis en commun.

CHIMILUMINESCENCE → LUMINESCENCE.

CHIMIOTACTISME → TACTISME.

CHIMIOTHÉRAPIE. — La chimiothérapie utilise les affinités chimiques très diverses de nombreux corps pour traiter des maladies très diverses : les antibiotiques, les anticoagulants, les anticancéreux, les diurétiques, les antidiabétiques, les psychotropes entrent dans ce cadre thérapeutique.

CHIMIOTROPISME → TROPISME.

CHIMIQUE (guerre). — L'expression, qui recouvre et remplace celle de « guerre des gaz », désigne l'emploi contre un adversaire de toute substance chimique ayant des effets toxiques sur l'homme, les animaux ou les plantes. Apparue en 1915 sous forme de vague de chlore lancée par les Allemands sur le front d'Ypres, elle connut un important développement pendant la Première Guerre mondiale, où furent surtout employés les bombardements à obus chargés de gaz plus agressifs encore (phosgène, ypérite). Condamnés par le protocole de Genève de 1925, les gaz de combat ne furent pas employés pendant la guerre de 1939-1945. Mais les recherches poursuivies en ce domaine aboutirent à l'invention des produits chimiques encore plus dangereux : les neurotoxiques (trilons) et les incapacitants (L. S. D.), qui perturbent de façon temporaire le comportement des individus. On notera enfin l'emploi par les Américains, au Viêt-nam, de produits *défoliants* capables de détruire la végétation. En 1969 les États-Unis déclaraient renoncer à employer les premiers l'arme chimique et l'O. N. U. adoptait une résolution confirmant et étendant le protocole de Genève de 1925. En 1970, l'Organisation mondiale de la santé demandait l'arrêt des recherches dans le domaine de la guerre chimique.

CHIMISORPTION → ADSORPTION.

CHIMPANZÉ. — Du point de vue des facultés psychiques, aucun animal n'est plus proche de l'homme que le chimpanzé, qui est l'objet de prédilection des observations faites soit en pleine nature (Koehler, Kortland, Van Lawick, etc.), soit en cage par les éthologistes et les psychologues. C'est, notamment, le seul animal capable d'emmancher bout à bout deux bâtons trop courts ou d'empiler des caisses l'une sur l'autre pour atteindre une banane accrochée. Mais le chimpanzé ne saurait être un ancêtre de l'homme, car son adaptation physique est orientée vers le grimper, non vers la marche bipède. De longs bras pendant jusqu'au niveau du tibia, des mains à quatre longs doigts mais avec un pouce très court et difficilement opposable, de très longs pieds à l'orteil principal, lui, franchement opposable, une colonne vertébrale à courbure cervicale *vers l'avant* (et non vers l'arrière comme chez l'homme), rendent la marche assez fatigante (jambes toujours pliées) mais favorisent énormément le grimper, et plus encore la *brachiation,* mode de déplacement obtenu en se balançant sous les branches et en sautant de l'une à l'autre.

Quant à la tête, son profil est presque opposé à celui de l'homme : aucune saillie du front, du nez ni du menton, mais une forte saillie des mâchoires (prognathisme) et un fort bourrelet sus-orbitaire, surtout au-dessus des tempes. La mandibule est allongée et anguleuse, les dents sont plus grosses que celles de l'homme, les canines sont dépassantes aux deux mâchoires. Le crâne, de faible capacité, peut présenter des crêtes osseuses pour l'insertion des muscles. Les chimpanzés, bien que couverts d'un chaud pelage, ne peuvent vivre que dans la forêt dense équatoriale, où ils mènent en petits groupes une vie arboricole, se nourrissant un peu de tout (régime omnivore). Une forte ritualisation des attitudes et une structure sociale hiérarchique établissent des liens précis et individualisés entre les membres du groupe.

CHINARD (Joseph), sculpteur français (Lyon 1756-*id.* 1813). Il étudia les Antiques à Rome, fut le décorateur des fêtes républicaines lyonnaises, puis devint le portraitiste attitré de la famille Bonaparte. Son œuvre comporte de nombreux médaillons et statuettes, mais on se souvient surtout du buste ingénieux de *Mme Récamier* (v. 1802, marbre au musée de Lyon), qui tranche sur la banalité des effigies de l'époque.

CHINCHILLA. — Parce qu'il porte la plus belle des fourrures, ce petit rongeur des Andes a été pourchassé presque jusqu'à l'extermination, mais il est actuellement élevé dans des fermes. Il n'est pas plus grand qu'un écureuil, auquel il ressemble quelque peu, mais ses oreilles sont très développées.

CHINDWIN (le), riv. de Birmanie, principal affluent de l'Irrawaddy (r. dr.); 800 km.

CHINE *(république populaire de),* en chin. **Tchong-houa jen-min kong-he-kouo,** État de l'Asie orientale; 9 550 000 km^2; environ 850 millions d'hab. *(Chinois).* Capit. *Pékin.*

GÉOGRAPHIE. Vaste pays aux ressources variées, la Chine, à la veille de la révolution, était encore très attardée sur le plan économique et social. Les progrès énormes accomplis depuis ont permis d'assurer à ses habitants des conditions de vie décentes.

• *Le milieu naturel.* La Chine est un pays immense aux paysages divers. Une ligne orientée S.-O.-N.-E., qui va du Yun-nan au Grand Khingan, la partage en deux ensembles très différents.

La *Chine occidentale* est caractérisée par son aridité. Toute la partie méridionale est occupée par les chaînes (dont les sommets dépassent fréquemment 6 000 m) de l'Himālaya et des K'ouen-louen, qui encadrent les hauts plateaux du Tibet, parsemés de nombreux lacs. Vers le N.-O. se succèdent une série de dépressions plus ou moins profondes encadrées par des chaînons montagneux (Nan-chan, T'ien-chan, Altaï) orientés O.-E. : le Tsaidam, les cuvettes du Koukou Nor, du Tarim, de Tourfan et de Dzoungarie. Vers le N.-E., la Chine possède la bordure méridionale des plateaux de Mongolie. Ces régions, à l'abri des influences maritimes, sont marquées par un climat aride aux contrastes de températures très nets et aux très faibles précipitations. Les déserts y occupent de vastes surfaces : Takla-makan, Dzoungarie, désert de Gobi. L'hydrographie en est fortement marquée. À l'exception de ceux qui descendent de la bordure orientale du Tibet, les fleuves se perdent dans les sables.

La *Chine orientale,* au relief plus morcelé, est un ensemble de plaines et de collines. Au N.-E., la Mandchourie correspond à un vaste bassin remblayé par des alluvions récentes, encadré à l'O. par les hauteurs du Grand Khingan et à l'E. par les Tch'ang-pai-chan et le Leao-tong. Les immenses plateaux de lœss qui forment la partie centrale du pays sont découpés par les rivières qui descendent vers la mer de Chine. À l'E., ils sont limités par la vaste plaine alluviale du Houang-ho. Enfin au S., à partir de la vallée du Yang-tseu-kiang, s'étend un ensemble de collines au relief confus, troué par des dépressions (Bassin rouge). La Chine orientale reçoit les influences maritimes venues de l'E. et échappe de ce fait à l'aridité. Au N. règne un climat continental aux hivers froids et aux étés humides, permettant la croissance de la forêt tempérée (bouleaux, chênes, mélèzes). Le reste du pays est sous l'influence de la mousson et de plus en plus chaud et humide vers le S. La végétation naturelle, très particulière, est caractérisée par l'interpénétration d'essences tempérées et tropicales : c'est la forêt chinoise. L'hydrographie est dominée par deux énormes fleuves : au N. le Houang-ho (fleuve Jaune), aux crues d'été très violentes, qui charrie de grosses quantités de limons; au S., le Yang-tseu-kiang (fleuve Bleu), au débit plus important, mais aux crues moins dramatiques.

climatologie

station	températures moyennes janvier	températures moyennes juillet	précipitations annuelles (en mm)
Tourfan	– 7 °C	33 °C	20
Pékin	– 5 °C	25 °C	603
Wou-han	4 °C	29 °C	1 238
Canton	14 °C	28 °C	1 619

• *La population.* La Chine est le pays le plus peuplé du monde. Mais sa densité moyenne, d'environ 90 habitants au kilomètre carré, recouvre une très forte inégalité dans la répartition, puisque 90 p. 100 de la population se concentrent sur le tiers du territoire. Les conditions naturelles extrêmement rudes expliquent le très faible peuplement de la Chine occidentale, l'essentiel de la population se regroupant en Chine orientale, particulièrement dans les vallées et sur la côte. Les Han, Chinois proprement dits, représentent plus de 90 p. 100 des habitants, mais une cinquantaine de minorités ethniques sont réparties à l'O. : Tibétains, Ouïgours, etc.

La population s'accroît sans doute de 10 à 15 millions d'unités par an en raison d'un taux de natalité encore élevé par rapport à un taux de mortalité qui a beaucoup baissé, surtout grâce aux progrès de l'hygiène. Ainsi s'explique la jeunesse des habitants : plus de 40 p. 100 ont moins de dix-huit ans. Le gouvernement cherche à limiter cet accroissement en favorisant le contrôle des naissances.

La population est aux quatre cinquièmes rurale. Cependant, la Chine compte d'énormes agglomérations urbaines, dont le développement a coïncidé avec le démarrage de l'industrie, et possède également un important réseau de villes moyennes. Aussi, en valeur absolue, la population urbaine de la Chine est l'une des plus nombreuses du monde, et son importance relative augmente régulièrement.

Cet accroissement rapide de la population constitue certainement une charge, car il exige une augmentation de la production agricole, mais est aussi un atout dans un pays où le développement économique repose sur l'abondance de la main-d'œuvre.

• *L'économie.* Elle a connu un total bouleversement après la révolution de 1949. La Chine, à l'agriculture archaïque et à l'industrie inexistante, entreprit alors son développement sur des bases socialistes. La réforme agraire se traduisit dans un premier temps par le partage des terres, puis par le développement des coopératives et la création des communes populaires, qui, regroupant la population de plusieurs villages, sont des unités à la fois administratives, économiques, sociales et militaires. L'organisation collectiviste a suscité certaines oppositions, et le rôle des communes populaires a diminué devant celui des brigades et des équipes de production, de taille beaucoup plus réduite.

L'agriculture occupe environ les deux tiers de la population et demeure le fondement de l'économie. Les progrès spectaculaires effectués depuis la révolution sont liés à l'amélioration des techniques agricoles (mécanisation, emploi d'engrais) et à la maîtrise des eaux. L'aménagement du Houang-ho et du Yang-tseu-kiang, par la construction de gigantesques réseaux de digues et de barrages, a permis le contrôle de leur débit. La limitation des inondations ainsi que le développement de l'irrigation ont contribué à un fort accroissement des surfaces cultivables, pour l'essentiel en Chine orientale. Les principales productions vivrières demeurent le blé (40 Mt) au N. du Yang-tseu-kiang et surtout le riz (120 Mt), dont la Chine est le premier producteur mondial, au S. Le maïs, l'avoine et le sorgho sont les autres céréales les plus répandues. Le soja et l'arachide sont les principaux oléagineux. Le pays fournit également du thé, du coton (3 Mt), du sucre de canne et de betterave, de la soie, etc. L'élevage est également en expansion, mais reste orienté vers le petit bétail (porcs, volaille). Malgré la progression constante de la production agricole, l'équilibre alimentaire reste

les provinces

régions, provinces et grandes municipalités	capitale
NORD-EST	
Leao-ning	Chen-yang
Hei-long-kiang	Harbin
Ki-lin	Tch'ang-tch'ouen
Mongolie-Intérieure (1)	Houhehot
NORD	
Ho-pei	Che-kia-tchouang
Chan-si	T'ai-yuan
T'ien-tsin (2)	—
Pékin (2)	—
EST	
Chan-tong	Tsi-nan
Kiang-sou	Nankin
Ngan-houei	Ho-fei
Tchö-kiang	Hang-tcheou
Fou-kien	Fou-tcheou
Chang-hai (2)	—
CENTRE-SUD	
Ho-nan	Tcheng-tcheou
Hou-nan	Tch'ang-cha
Kouang-tong	Canton
Hou-pei	Wou-han
Kouang-si (1)	Nan-ning
Kiang-si	Nan-tch'ang
SUD-OUEST	
Sseu-tch'ouan	Tch'eng-tou
Yun-nan	Kouen-ming
Kouei-tcheou	Kouei-yang
Tibet (1)	Lhassa
NORD-OUEST	
Chen-si	Si-ngan
Kan-sou	Lan-tcheou
Ning-hia (1)	Yin-tch'ouan
Sin-kiang (1)	Ouroumtsi
Ts'ing-hai	Si-ning

(1) Région autonome.
(2) Municipalité relevant directement de l'Administration centrale.

CHINE
villes classées selon l'importance de leur population
voies ferrées
réseau routier dans les zones non desservies par la voie ferrée
canaux
municipalités relevant de l'administration centrale
zones contestées
100 km
CHEN-YANG (MOUKDEN)
FOU-CHOUEN
Fou-sin
Pei-p'iao
LEAO-NING
Kin-tcheou
Leao-yang
Pen-k'i
NGAN-CHAN
Ying-k'eou
Ngan-tong
Kalgan
Siuan-houa
Houai-lai
Tch'eng-t'ö
GRANDE MURAILLE
PÉKIN
T'ong-tcheou
Hou-lou-tao
GOLFE DU LEAO-TONG
Péninsule du Leao-tong
Ts'in-houang-tao
T'ang-chan
HO-PEI
Han-kou
Pao-ting
T'ang-kou
BAIE DE CORÉE
T'IEN-TSIN
MER DU PO-HAI
GOLFE DU PO-HAI
TA-LIEN (DAIREN)
Liu-chouen (Port-Arthur)
LIU-TA
Ta-ts'ing
canal
Ts'ang-tcheou
Pai-t'eou
Che-kia-tchouang
Long-k'eou
Yen-t'ai (Tche-fou)
Wei-hai
Grand canal
Tö-tcheou
Houang-ho
Péninsule du Chan-tong
CHAN-TONG
Lin-ts'ing
Tseu-po
Wei-fang
TSI-NAN
MER JAUNE
40°
124°
120°
130°
U. R. S. S.
Gd Khingan
Pt Khingan
HEI-LONG-KIANG
Tsitsihar
HARBIN
MANDCHOURIE
TCH'ANG-TCH'OUEN
Ki-lin
CHEN-YANG (MOUKDEN)
LEAO-NING
FOU-CHOUEN
Pen-k'i
Ngan-tong
Ngan-chan
T'ang-chan
CORÉE DU NORD
LIU-TA
CORÉE DU SUD
PÉKIN
T'IEN-TSIN
Kalgan
Houhehot
MONGOLIE INTÉRIEURE
Pao-t'eou
Che-kia-tchouang
T'AI-YUAN
CHAN-SI
HO-PEI
CHAN-TONG
Yen-t'ai
TS'ING-TAO
Tsi-nan
M. JAUNE
Siu-tcheou
KIANG-SOU
NANKIN
CHANG-HAI
Ho-fei
NGAN-HOUEI
Hang-tcheou
TCHÖ-KIANG
MER DE CHINE ORIENTALE
Ryūkyū
70°
90°
100°
L. BALKHACH
U.R.S.S.
Frounze
Alma-Ata
Altaï
MONGOLIE
Karamai
DZOUNGARIE
Ourouumtsi
Tourfan
Ha-mi
Désert de Gobi
T'ien-chan
Tarim
Kachgar
KACHGARIE
SIN-KIANG
Yarkand
Takla-makan
Khotan
Altyntagh
centre de lancement de missiles
Désert
KAN-SOU
d'Ho-lan-chan
Yu-men
Nan-chan
NING-HIA
Yin-tch'ouan
Tsaidam
KOUKOU NOR
Si-ning
LAN-TCHEOU
Indus
K'ouen-louen
PLATEAU CHANG-TANG
TS'ING-HAI
Baian-Khara
Pao-ki
CHEN-SI
TCHENG-TCHEOU
SI-NGAN
HO-NAN
Houang-ho
Himalaya
TIBET
SSEU-TCH'OUAN
TCH'ENG-TOU
Alpes
WOU-HAN
HOU-PEI
INDE
Gange
NÉPAL
Lhassa
Tchamdo
TCH'ONG-K'ING
du Sseu-tch'ouan
Yi-pin
Yang-tseu-kiang
Tch'ang-cha
Nan-tch'ang
Katmandou
Everest 8 880
Tsangpo
BHOUTAN
Brahmapoutre
KOUEI-TCHEOU
HOU-NAN
KIANG-SI
Fou-tcheou
FOU-KIEN
ASSAM
Nan-ling
T'AI-WAN
Dacca
Kouen-ming
Kouei-yang
Amoy
tropique du Cancer
YUN-NAN
KOUANG-SI
KOUANG-TONG
CANTON
BIRMANIE
Mékong
Nan-ning
Hongkong (G.-B.)
Macao (Port)
Mandalay
Hanoi
Tchan-kiang
LAOS
MER DE CHINE MÉRIDIONALE
VIÊT-NAM
Hai-nan
PHILIPPINES
0
500 km
THAÏLANDE
30
20
tropique
CANTON
Houang-p'ou
Fo-chan (Fatchan)
Tchong-chan
Kowloon (G.-B.)
Macao (Port.)
Hongkong
M. DE CHINE MÉRIDIONALE
Sin-yang
HO-NAN
Siang-fan
Tchen-kiang
Nan-t'ong
NANKIN
KIANG-SOU
Ho-fei
Tch'ang-tcheou
Wou-si
Ma-ngan-chan
Sou-tcheou
32°
MER DE CHINE ORIENTALE
HOU-PEI
HAN-K'EOU
HAN-YANG
WOU-TCH'ANG
Wou-hou
NGAN-HOUEI
CHANG-HAI
LAC T'AI-HOU
Yi-tch'ang
WOU-HAN
T'ong-ling
Han
Ngan-k'ing
Hang-tcheou
Cha-che
Houang-che
Iles Tcheou-chan
RÉSERVOIR DU KIN-KIANG
Ta-ye
T'ouen-k'i
Chao-hing
Ning-po
HOU-NAN
Kieou-kiang
KIANG-SI
TCHÖ-KIANG
LAC TONG-T'ING
King-tö-tchen
Tch'ang-tö
100 km

précaire en raison de la population très dense. La Chine doit, notamment, parfois importer du blé.

En 1949, les seules industries notables étaient celles qui furent abandonnées par les Japonais en Mandchourie. Parti quasiment de rien, le pays a accompli un remarquable effort d'industrialisation.

Les abondantes ressources du sous-sol ont été mises en valeur. Le charbon fourni par les gisements du Ho-pei, du Chen-si, du Chan-si et de Mandchourie place la Chine au troisième rang mondial (400 Mt). L'exploitation du pétrole (75 Mt), amené des gisements de la Chine occidentale par de grands oléoducs, est en progression. L'électricité est surtout d'origine thermique, mais de grands aménagements hydroélectriques sont en cours de réalisation sur les principaux fleuves. Le sous-sol recèle en outre des métaux variés : fer, tungstène, antimoine, manganèse, bauxite.

La priorité a été donnée à l'industrie lourde. De grands complexes sidérurgiques ont été créés d'abord dans le nord du pays, à proximité des gisements de charbon, puis dans le sud. Ils alimentent des constructions mécaniques orientées vers la production de biens d'équipement (matériels agricole et ferroviaire, construction navale). L'industrie chimique est surtout orientée vers la fourniture d'engrais. Chang-hai reste toujours la première ville textile du pays. Enfin, dans le domaine nucléaire, la Chine paraît avoir comblé son retard par rapport aux grandes puissances mondiales.

Pour favoriser son développement industriel, elle doit importer des matières premières. Elle a également besoin de biens d'équipement et parfois accepte l'implantation d'usines entières. L'U. R. S. S. est longtemps restée son partenaire privilégié, mais, depuis le différend politique qui oppose les deux pays, la Chine s'est tournée vers l'Occident. Pour compenser les importations, elle exporte des produits textiles et agricoles ainsi que des minerais. Les échanges ont lieu principalement par les ports de Chang-hai, de T'ien-tsin et de Canton. À l'intérieur, la création de nouvelles voies ferrées et de routes a permis de rendre les communications plus faciles.

Ainsi, en un quart de siècle, la Chine a accompli une révolution économique de grande ampleur. La modernisation de l'agriculture a mis fin, grâce à l'augmentation des rendements, à la menace constante de famine qui pesait sur les paysans. Elle a également permis la disponibilité d'une abondante main-d'œuvre pour l'industrie et l'équipement. De grands travaux (construction de routes, de voies ferrées, de barrages, de combinats industriels) ont pu ainsi être réalisés malgré le manque de capitaux. Actuellement, par le niveau de sa production, la Chine se place, dans de nombreux domaines, au tout premier rang. Mais elle doit souvent cette situation à son effectif élevé de population et, rapporté aux normes occidentales, le niveau de vie moyen reste faible.

HISTOIRE

● *Des origines aux Han.* Le territoire chinois est très anciennement occupé, puisque le sinanthrope, découvert en 1921, a dû y vivre il y a 500 000 années. Au néolithique, les cultures se développent d'abord dans les vallées boisées de la Chine du Nord et dans le bassin du fleuve Jaune; de là elles s'étendent vers l'est (Ho-pei) et l'ouest (Kan-sou). Vers le commencement du IIe millénaire a lieu la « révolution technique », liée à l'emploi du bronze; elle s'accompagne de la mise en place de la dichotomie fondamentale qui caractérisera toute l'histoire de la Chine : d'un côté la paysannerie et de l'autre l'aristocratie, installée dans les cités-palais et ralliée à un souverain qui est en même temps chef religieux (« fils du ciel ») et garant de l'ordre cosmique (dynasties des Chang [1766-1112] et des Tcheou [1111-249 av. J.-C.]). La civilisation chinoise fait un nouveau progrès avec l'apparition de la fonte du fer qui permet à l'agriculture de se développer et de se bonifier (période des Royaumes combattants, v-IIIe s. av. J.-C.). En même temps, dans la plupart des royaumes, les fiefs nobles cèdent peu à peu le pas à des circonscriptions administratives aux mains de fonctionnaires révocables. Ces transformations profondes du monde chinois s'accompagnent d'un grand progrès de la réflexion philosophique. C'est alors que naît la pensée de Confucius*.

La première unification du pays a lieu à partir de la fin du IVe s. av. J.-C. par le fait des princes de Ts'in, dont le plus remarquable est Che Houang-ti, le premier empereur (de 221 à 210 av. J.-C.), fondateur de la dynastie des Ts'in (221-206 av. J.-C.) : celui-ci entreprend la construction de la Grande Muraille et impose à la Chine une centralisation dont la lourdeur provoque des révoltes populaires et l'avènement d'une nouvelle dynastie, celle des Han (206 av. J.-C. - 220 apr. J.-C.), dont l'empire est essentiellement caractérisé par un progrès considérable de l'agriculture, lié à l'emploi quasi généralisé d'un bon outillage en fer, le brûlis étant remplacé par la culture irriguée. Naît alors dans un pays qui, à l'époque de Jésus-Christ, compte 52 millions d'habitants une classe de grands propriétaires fonciers, tandis que s'accroît la production artisanale et que s'enrichit la classe des marchands. Les conquêtes vers le sud et l'ouest mettent la Chine en contact avec les pays voisins : c'est ainsi que le bouddhisme* s'introduit dans le pays dès le Ier s. apr. J.-C. La dynastie Han culmine avec l'empereur Wou-ti (de 140 à 87 av. J.-C.), qui renforce le pouvoir central et poursuit l'expansion territoriale de la Chine.

Un moment menacée par l'usurpateur Wang Mang (23 apr. J.-C.), la dynastie Han s'écroule sous les coups des « Turbans jaunes », mouvement populaire se réclamant du taoïsme.

● *Des Han aux Mandchous.* La Chine se divise alors, pour trois siècles (IIIe-VIe s. apr. J.-C.), en trois régions, ou royaumes, individualisées : le moyen fleuve Jaune, le bas Yang-tseu, le bassin du Sseu-tch'ouan. Les terres chinoises sont réunifiées par les Souei, représentés notamment par Yang-ti (de 605 à 616), qui fait creuser le Grand Canal. Dès 618, une famille d'officiers, les Li, prend le pouvoir, et fonde la dynastie des T'ang (618-907). Celle-ci atteint son apogée avec le règne de Li Che-min, ou T'ai-tsong (de 627 à 649); on assiste alors à l'essor d'une économie monétaire, tandis que la culture chinoise connaît son premier « âge d'or », grâce notamment aux monastères bouddhiques. Mais l'institution de la gabelle est à l'origine d'un soulèvement populaire qui emporte les T'ang (907).

De 907 à 960, l'espace chinois est une fois de plus partagé avec les « cinq dynasties ». En 960 est fondée la dynastie des Song (960-1280), qui transfèrent leur capitale à Hang-tcheou afin de rassembler sous leur autorité les provinces du Centre et du Sud. Mais bientôt les Djurchets occupent la Chine du Nord, laissant aux Song le Sud. Cependant, sous les Song, la culture chinoise atteint un nouveau sommet (imprimerie, boussole, poudre), un néoconfucianisme en étant le moteur.

Mais voici que les Mongols*, commandés par Kūbīlāy* khān, petit-fils de Gengis khān, envahissent la Chine et la réunifient au bénéfice d'une dynastie non chinoise, les Yuan, dynastie mongole (1279-1368). La capitale est fixée à Khānbalik (l'actuelle Pékin). L'espace chinois — au sein d'un empire immense — s'élargit; les expéditions mongoles vers l'ouest et le sud contribuent à l'essor commercial urbain, tandis que la culture chinoise profite du cosmopolitisme et des apports étrangers, musulmans surtout.

Des catastrophes naturelles répétées provoquent dans les campagnes des révoltes (celle, notamment, des « Turbans rouges »), qui imposent, face aux Mongols, une dynastie nationale : celle des Ming (1368-1644). La Chine connaît alors un grand essor : les travaux d'irrigation sont repris; le commerce maritime est très actif; mais le renforcement du pouvoir central et le développement de la grande propriété au détriment des paysans libres provoquent des crises, qui se multiplient au XVIIe s., si bien qu'en 1644 les Mandchous prennent Pékin et éliminent les Ming.

Sous les premiers empereurs de la dynastie mandchoue des Ts'ing, notamment sous K'ang-hi (de 1661 à 1722) et K'ien-long (de 1736 à 1796), la Chine connaît un nouveau moment d'apogée; l'émigration s'accroît, le protectorat chinois s'étend sur la Mongolie et le Tibet (1696), tandis que le Yun-nan (1681) et Formose (1683) sont conquis; la classe des marchands continue à progresser et à s'enrichir; enfin, la culture chinoise connaît aux XVIIe et XVIIIe s. un nouvel âge d'or (influence des Jésuites).

● *L'intrusion étrangère et la République.* Mais, dès la fin du règne de K'ien-long, l'autorité des Mandchous faiblit au profit des favoris et des eunuques. Comme autrefois, l'opposition se regroupe en sociétés secrètes. Et bientôt, la Chine, affaiblie, devient l'objet de la convoitise des Européens : les Anglais surtout, qui provoquent la guerre de l'Opium (1839-1842). Celle-ci se termine par la défaite chinoise et le traité de Nankin (1842), qui ouvre aux Anglais cinq ports chinois et l'îlot de Hong-kong. Les Français, eux, favorisent l'implantation de missions catholiques.

En 1851 éclate la formidable révolte des T'ai-p'ing*, qui fondent un empire autour de Nankin. Les Européens contribuent à l'élimination des T'ai-p'ing (1864), ce qui leur permet d'imposer leurs volontés aux Mandchous (expédition franco-anglaise de 1860), qui sont obligés de leur ouvrir onze nouveaux ports. À la suite d'une guerre sino-japonaise (1894-95), le Japon participe au « dépeçage » de la Chine.

Quelques grands mandarins essaient d'ouvrir la Chine au modernisme européen : ils gagnent à leurs idées l'empereur Kouang-siu (de 1875 à 1908), mais l'impératrice douairière Ts'eu-hi fait séquestrer ce dernier et élimine les modernistes. L'action des sociétés secrètes xénophobes (les Boxeurs* en 1900, notamment) devient de plus en plus violente, cependant qu'une nouvelle forme d'opposition s'organise autour de jeunes intellectuels ayant fait leurs études en Europe. C'est ainsi que Sun* Yat-sen réussit à catalyser les forces d'opposition autour de son mouvement de libération et de modernisation : le Kouo-min-tang.

En 1911, Sun provoque l'abdication de la dynastie mandchoue et devient président de la République. Mais, dès 1912, il doit s'effacer devant Yuan Che-k'ai, qui, éliminant le Kouo-min-tang, exerce la dictature sans pouvoir empêcher l'anarchie et les sécessions dans les provinces. Yuan Che-k'ai mort (1916), Sun Yat-sen réorganise le Kouo-min-tang, tandis que naît le parti communiste chinois (1921). Quand il meurt (1925), c'est Tchang* Kaï-chek qui instaure un régime totalitaire : il se rend maître du Nord (Pékin) de 1928 à 1933 et combat le parti communiste, qui, dirigé par Mao* Tsö-tong, crée dans le Kiang-si (1931) une république soviétique chinoise. Délogés

DÉFENSE ET ARMÉES

- *1927 :* naissance de l'*armée rouge,* devenue VIIIe armée en 1937, *armée populaire de libération* en 1946 et *armée populaire chinoise* en 1950.
- *1950 :* traité d'alliance sino-soviétique.
- *1959 :* rupture entre la Chine et l'U. R. S. S. (frontière sino-soviétique : 7 000 km).
- *1964 :* 1re explosion nucléaire, suivie, en 1967, d'une explosion thermonucléaire.

LES FORCES CHINOISES EN 1977.

- *Forces stratégiques :* de 70 à 80 missiles* « MRBM » ou « IRBM », 1 sous-marin type « G » soviétique et 60 bombardiers stratégiques « Tu-16 ».
- *Forces principales :* de 3 à 4 millions d'hommes.

Armée : env. 200 divisions de types divers, dont 10 blindées, 4 aéroportées et 121 d'infanterie et 40 d'artillerie.

Marine : encore très limitée; env. 50 sous-marins de 1 000 à 1 500 t et 6 destroyers.

Aviation : env. 4 000 avions de combat.

- *Forces paramilitaires :* milice armée, env. 5 millions d'hommes; milice populaire, plusieurs dizaines de millions d'hommes et de femmes.

par les nationalistes, les communistes se réfugient dans le Chen-si à l'issue de la « Longue Marche » (oct. 1934-oct. 1935).

- *Vers la république populaire.* C'est alors que se développe un grave danger : les Japonais qui, de 1931 à 1935, s'emparent de la Mandchourie et, de là, s'infiltrent en Chine du Nord. En 1937, ils sont à Pékin, puis à Nankin. Alors communistes et nationalistes chinois font front contre les Japonais, qui sont finalement vaincus en 1945. La disparition de l'ennemi commun laisse les deux camps chinois en présence; en quatre ans, les communistes l'emportent : le 1er octobre 1949, la république populaire de Chine est proclamée à Pékin.

Les structures de la Chine sont alors fondamentalement bouleversées : les terres sont collectivisées (communes populaires) et l'économie est planifiée; en même temps, tout déviationnisme idéologique est combattu et rectifié. À partir de 1966 se développe la grande révolution* culturelle prolétarienne, dont certains aspects semblent remis en cause après la mort de Mao Tsö-tong, remplacé par Houa* Kouo-fong à la présidence du parti (1976).

À l'extérieur, la Chine populaire étend son protectorat sur le Tibet, appuie militairement la Corée du Nord (1950-1953) et le Viêt-nam (1947-1974). Parallèlement, elle rompt progressivement avec l'U. R. S. S.

LA PENSÉE CHINOISE. La Chine ancienne a été dominée principalement par trois courants de pensée qui se sont réciproquement influencés : le taoïsme*, le confucianisme*, puis le bouddhisme*. La pensée chinoise s'affirme au crépuscule de l'ordre féodal établi sous les Tcheou, quand le vaste espace chinois se désagrège en de multiples États ou royaumes. Les premiers problèmes qui se posent aux lettrés sont surtout d'ordre éthique et politique. De nombreuses écoles se forment alors autour d'un maître, et, parmi elles, certaines se remarquent soit par leur originalité, soit par l'audience qu'elles connaissent : l'école confucianiste, l'école taoïste, l'école de Mo-tseu*, l'école des lois*, l'école des noms* et l'école yin-yang (v. YIN ET YANG).

La pensée chinoise continue à se développer en dépit des troubles politiques et des invasions étrangères, dans la mesure où elle s'assimile plus les divers courants auxquels elle est confrontée qu'elle ne s'y soumet. À partir de la fin du XIXe s., elle devient plus perméable aux influences étrangères. Cette pénétration idéologique, celle de l'Occident surtout, apparaît avec la naissance de mouvements artistiques et littéraires, comme le « Mouvement du 4 mai » (1919). Depuis l'instauration de la république populaire, la lutte idéologique s'est considérablement intensifiée. Désormais, l'objectif désigné aux « intellectuels » est de contribuer à la formation d'un homme nouveau. Dans cette optique révolutionnaire, il s'agit de ne retenir du riche passé culturel d'une part, et des sciences et de la technologie occidentales d'autre part, que ce qui est susceptible d'accélérer la formation de cet homme nouveau. Les « intellectuels » ont pour mission de mettre en œuvre une dialectique* matérialiste où le passé n'est étudié qu'en vue du nouveau et les théories qu'en vue de la pratique.

L'ART CHINOIS. L'homme de Pékin, découvert à Tcheou-k'eou-tien*, aurait quelque 500 000 années d'âge, mais, depuis 1963, le gisement de Lan-t'ien a livré le plus ancien archanthropien, qui vivait il y a quelque 600 000 ans. Au paléolithique supérieur, certains sites attestent la survivance d'un outillage primitif à base d'éclats, alors que d'autres permettent de constater une très nette évolution, notamment dans les niveaux supérieurs de Tcheou-k'eou-tien.

Le néolithique*, apparu vers le IVe millénaire dans la région du cours moyen du fleuve Jaune, voit les cultures se diversifier rapidement. Identifiée en 1920 dans le Kan-sou, la culture de Yang-chao* connaît un développement remarquable à Pan-p'o, dans le Chen-si. En argile fine, peinte avant cuisson, la poterie, rouge et ornée de motifs géométriques, suppose des fours très améliorés. Caractérisée par une poterie noire à surface polie faite au tour, la culture de Long-chan (Chan-tong) est très évoluée : villages entourés de murs en terre, perfection des formes de la céramique annonçant celles du métal.

Le Ho-nan devient le point de rencontre de ces cultures néolithiques et la base de toute la civilisation chinoise avec la dynastie Chang, dont Tcheng-tcheou*, découverte en 1951, était la capitale vers les XVIe-XVe s. av. J.-C. Le bronze apparaît vers le IIe millénaire. Réservés à l'usage rituel, les vases de bronze de Tcheng-tcheou possèdent déjà les formes codifiées, dont l'usage est strictement défini. Leur décor géométrique est encore gravé, alors qu'à Ngan-yang*, capitale fondée vers le XIVe s. av. J.-C., l'art des bronziers a atteint son plein épanouissement. Les motifs décoratifs sont d'une grande variété, incisés ou traités en relief; une faune extraordinaire leur est associée, dont le t'ao-t'ie (monstre aux yeux globuleux dépourvu de mâchoire inférieure et portant des cornes) est l'un des plus typiques. Le déchiffrement des inscriptions oraculaires a fourni de précieux renseignements sur l'administration des souverains alors que la fouille des tombes de ces derniers confirmait le raffinement de leur civilisation (céramique considérée comme protoporcelaine, sculpture de jade et de marbre blanc, etc.) ainsi que leur cruauté : ces demeures de l'au-delà, outre des chars et du bétail, contenaient de nombreuses victimes sacrifiées.

Les Tcheou, qui succèdent aux Chang, conservent les artisans de ceux-ci, et leur civilisation est la continuation de la précédente. Les inscriptions des vases sont plus longues et explicites. Les habitations, demeures rectangulaires à cloisons mobiles et aux importantes toitures, qui existaient déjà sous les Chang, de même que les piliers porteurs, persistent.

CHINE

Vase à vin « lei », orné de masques *(t'ao-t'ie);* bronze provenant de Tcheng-tcheou ; époque Chang.

Lauros-Giraudon

C'est sous les Royaumes combattants, période de grands bouleversements, qu'apparaît le fer et que l'agriculture se développe. Les motifs décoratifs, au contact d'influences étrangères, s'enrichissent de savants jeux de courbes et d'entrelacs; l'incrustation d'or et d'argent est souvent utilisée.

L'unification de ces forces dispersées se fera sous les Ts'in (capit. Si-ngan*), à qui l'on doit la construction de la Grande Muraille au nord du pays.

La brillante civilisation des Han (206 av. J.-C.-220 apr.) rayonne au-delà des frontières (Viêt-nam*, Corée* et jusqu'à Begram*) et, dans le pays, elle s'étend jusqu'à la périphérie, comme l'attestent les découvertes de Che-tchai-chan* et de Man-tch'eng*, dont les objets conservent un caractère autochtone, alors que, sous les Han orientaux, ceux-ci disparaissent (tombe de Man-tch'eng*). L'art classique des Han voit les premiers reliefs ciselés, les briques estampées, un grand développement des laques et des statuettes funéraires. Avec réalisme, celles-ci nous présentent l'architecture et la vie quotidienne, également présentes sur les dalles gravées ornant les tombes. Les influences étrangères suscitent les premières sculptures monumentales. La peinture prend son essor grâce à l'art funéraire. Les couleurs sont délicates, et le modelé est ample; une ligne cerne personnages et objets d'un contour fin et égal. L'impression d'espace existe grâce à la perspective aérienne. Devenu indépendant des conventions et du symbolisme, le peintre

Atkins Museum

Sculpture provenant de la grotte de Pin-yang, à Long-men (Ho-nan central). Début du VIe s., dynastie des Wei du Nord. (Atkins Museum, Nelson Gallery, Kansas City.)

dépeint l'homme avec spontanéité, le paysage ne jouant qu'un rôle secondaire.

Après la chute des Han, le pays est divisé en trois royaumes, et c'est pendant ces années agitées que, sous l'impulsion de Wang Hi-tche, naît la calligraphie*. Kou K'ai-tche* (IVe s.) est encore proche du style des Han, mais la composition est fluide et les calligraphies alternent harmonieusement avec les dessins. Vers le Ve s., Sie Ho établit les « Six Principes », qui sont restés la base de toute la critique artistique chinoise.

Sous la dynastie des Wei, l'art bouddhique connaît son apogée avec les sanctuaires rupestres de Touen-houang* (fondé dès 366), de Yun-kang*, de Mai-tsi-chan et de Long-men*. D'abord fruste, portant l'empreinte de Bāmiyān*, le style des Wei devient typiquement chinois, au graphisme linéaire et raffiné. Les visages, allongés, esquissent un sourire mystique, et une très haute spiritualité émane des œuvres des Ve et VIe s., notamment des bronzes dorés.

La civilisation cosmopolite des T'ang peut être considérée comme le triomphe de l'équilibre classique. L'architecture est grandiose : la capitale, Tch'ang-ngan*, est construite en damier, les pavillons sont édifiés selon des plans variés, la toiture à tuile prend une grande importance et le système de consoles — supportant les poutres de charpente superposées de longueur décroissante et les bords du toit en saillie — atteint son plein épanouissement. Les édifices sont ornés d'un décor de laque polychrome. Jusqu'en 712, la statuaire est de très haute qualité : les bodhisattva de cette époque resteront le modèle jusqu'au XIVe s. Ensuite, la recherche du mouvement amène un réalisme corporel parfois outrancier (représentation des lokapāla, ou gardiens de temple). Objets d'un commerce lointain, les tissus (v. TOURFAN) tout comme la céramique — dont l'usage se généralise avec celui du thé — sont produits en grande quantité. Le décor reprend certains thèmes sassanides*, et les effets de glaçure aux trois couleurs sont très réussis. La porcelaine* pure est inventée vers le Xe s.

C'est vers la seconde moitié du VIIIe s. que le lavis devient une discipline privilégiée de l'élite. Le bouddhisme tch'an, lié à la mystique taoïste, contribue à l'essor du paysage, notamment grâce à Wang* Wei, qui le premier associe intimement les traditions littéraires aux traditions artistiques.

Une magnifique explosion créatrice caractérise la période Song. Le stūpa* bouddhique a inspiré en Chine la pagode*; édifiée dès les T'ang, sous les Song son plan devient hexagonal ou octogonal, et la construction élégante et légère. L'interpénétration des cultures chinoise et japonaise permet de voir au Japon* les plus belles pagodes conservées de nos jours. Avec l'encre et le pinceau, les peintres traduisent leurs émotions devant la nature, et l'homme est ramené à sa véritable échelle. De toutes ces compositions se dégage une impression d'austérité et de puissance, dont témoignent les œuvres de Fan* K'ouan, dit le *Maître des Hauteurs et des Lointains,* qui tire son inspiration du taoïsme. À la fin de la période des Song du Nord, Li* T'ang, dont on possède une œuvre signée et datée de 1124, s'avère être le descendant direct de Fan K'ouan. Mi* Fou peint pour son plaisir et, très indépendant, note ses émotions

Held - Ziolo

Les Six Kakis. Lavis de Mou-k'i (XIIIe s.). [Daitokuji Collection, Kyōto.]

propres. Son style influence tous les paysagistes de l'académie des Song du Sud. Sous les Song, en dehors du paysage, un autre courant s'attache à représenter les fleurs et certains animaux. La secte bouddhique tch'an influence l'art d'une manière directe surtout à partir des XIIe-XIIIe s. (œuvres de Mou-k'i* et de Leang* K'ai). Hia* Kouei et Ma* Yuan ont tous deux été honorés par la cour des Song du Sud.

La céramique, le grès et la porcelaine parviennent à un très haut degré de perfection, attesté particulièrement par des céladons aux lignes pures, qui influencent puissamment les œuvres coréennes. En sculpture, certaines kouan-yin (formes féminines chinoises du bodhisattva Avalokiteśvara) en bois gardent la souplesse du modelé et la grâce des meilleures œuvres t'ang.

On doit aux Yuan le travail des émaux cloisonnés et celui des tapis. Sous leur hégémonie, plusieurs peintres sont importants par l'ascendant qu'ils exerceront sur les artistes ultérieurs, dont

Houang* Kong-wang, Wan* Mong, Wou* Tchen, Ni* Tsan et Tchao* Mong-fou.

Un nouvel élan créateur surgit sous les Ming; il provoque de nombreuses constructions à Pékin* (grands tombeaux des empereurs) et un essor de la porcelaine, qui se répand en Europe avec les célèbres bleu et blanc, les familles rose et verte. Les grands peintres, dont Che* T'ao, Pa-ta* chan-jen et Chen* Tcheou, se tiennent éloignés de la Cour. Avant de succomber, à partir du XVIIIe s., sous l'influence de l'Occident, l'art chinois, sous la pression confucéenne, s'enferme dans l'immobilisme.

LA MUSIQUE CHINOISE. Utilisée dès l'Antiquité par les souverains, qui la composaient eux-mêmes pour influencer les sentiments de leur peuple, elle agrémentait les cérémonies religieuses ou civiles, enrichie par la danse (civile ou militaire) de caractère symbolique. Les instruments de musique, classés suivant la matière dont ils sont formés (métal, pierre, soie, bambou, terre, cuir, bois), se rapprochent toutefois des catégories instrumentales occidentales (cordes, vents, percussions). Le théâtre chinois, qui réunit chant, déclamation et pantomime, organisé tout d'abord en l'honneur des divinités, servit plus tard aux divertissements de cour. La poésie, chantée en vers symétriques *(che)* ou non *(ts'eu)*, tient un rôle important en représentant un genre autonome et en devenant un des éléments du théâtre.

CHINE *(mer de)*, mer bordière de l'océan Pacifique, s'étendant le long des côtes de la Chine et de l'Indochine, comprenant la *mer de Chine orientale*, limitée aussi par le Japon méridional, l'archipel des Ryūkyū et T'ai-wan, et la *mer de Chine méridionale*, bordée par les Philippines et le nord de Bornéo.

CHINJU ou **ČIN-ČU,** v. de la Corée du Sud, à l'O. de Pusan; 122 000 hab.

CHINON (37500), ch.-l. d'arr. d'Indre-et-Loire, sur la rive droite de la Vienne; 8 303 hab. *(Chinonais)*. Forteresse en partie ruinée, longue de 400 m, comprenant le château Saint-Georges (XIIIe s.), le château du Milieu (XIIe-XVe s.), avec son Grand-Logis où Charles VII reçut Jeanne d'Arc en 1429, le château de Coudray (Xe-XIIIe s.). Églises (X^{e}-XVe s.) et maisons anciennes. — À 12 km au N.-O., sur la comm. d'Avoine, en bordure de la Loire, *centrale nucléaire* (dite souvent) *de Chinon*.

CHIO, île grecque de la mer Égée, près de la Turquie; 54 000 hab. V. princ. *Chio* (24 000 hab.).

CHIOGGIA, v. d'Italie (Vénétie), au S. de la lagune de Venise; 51 000 hab.

CHIPPENDALE (Thomas), ébéniste et ornemaniste anglais (Otley, Yorkshire, v. 1718 - Londres 1779). Il ouvrit un atelier à Londres en 1749, mais sa réputation repose surtout sur un recueil de modèles pour l'ameublement publié en 1754 et plusieurs fois réédité, le *Guide des gens de qualité et des ébénistes,* qui devint la grammaire du *style Chippendale.* Celui-ci combine avec une fantaisie parfois capricieuse des sources anglaises (gothique, palladienne), françaises (la rocaille), hollandaises et chinoises.

CHIRAC (Jacques), homme politique français (Paris 1932). Élu député U. N. R. en 1967, il est successivement secrétaire d'État aux Affaires sociales, à l'Économie et aux Finances (1968), puis ministre chargé des Relations avec le Parlement (1971), ministre de l'Agriculture (1972) et de l'Intérieur (1974). Il soutient la candidature de V. Giscard d'Estaing à la présidence de la République. Il devient Premier ministre en mai 1974 et démissionne en août 1976. Quelques mois plus tard, il constitue, à la place de l'U. D. R., le Rassemblement* pour la République (R. P. R.); dont il est élu président. En mars 1977 il est élu maire de Paris.

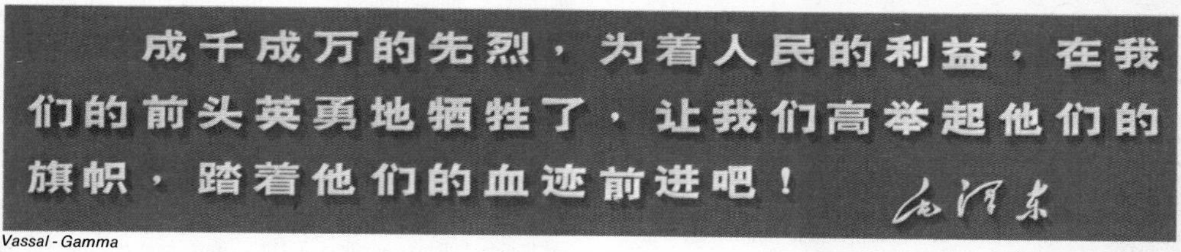

Vassal - Gamma

Écriture chinoise.

CHINNAMPO ou **ČIN-NAM-P'O,** port de la Corée du Nord, au sud-ouest de Pyongyang, dont il constitue le débouché; 82 000 hab.

CHINOIS. — Apparenté au tibétain et au birman (famille sino-tibétaine), le chinois est parlé, sous des formes variées, par plus de 800 millions d'hommes. Il se présente sous des aspects assez différents : d'une part, la langue écrite, qui est la même partout, qui n'a que peu varié depuis vingt siècles et qui est incompréhensible à l'audition, a été un remarquable instrument d'unification et de civilisation; il existe d'autre part des langues parlées, dites « dialectes », dont la principale, le mandarin (langue de Pékin), aujourd'hui langue officielle de la république populaire, est parlé par environ 70 p. 100 de la population. Les autres dialectes importants sont ceux des régions côtières du Sud-Est : le Wou (65 millions de locuteurs) au Tchö-kiang, le min (40 millions) au Fou-kien, le cantonais (40 millions) et le hakha (25 millions) au Kouang-tong et au Kouang-si, le siang (40 millions) au Hou-nan, le gan (20 millions) au Kiang-si.

Langue écrite et langue parlée possèdent en commun un certain nombre de traits fondamentaux : le chinois est monosyllabique, en ce sens que chaque syllabe est une unité de sens, mais il existe de nombreux mots dissyllabiques (mots composés). Le mot est invariable, et sa valeur grammaticale dépend de sa place dans la phrase. Enfin, chaque mot est affecté d'un ton musical qui peut être continu, montant, brisé ou descendant.

L'écriture chinoise, attestée depuis le IIe millénaire av. J.-C., n'est pas alphabétique : le signe graphique reste indépendant du phonème, et chaque caractère représente un mot. À l'origine, purement idéographique (chaque caractère représentait seulement un sens), l'écriture s'est enrichie en combinant les caractères. Dans la plupart des cas, le signe est formé de deux éléments : l'un qui se rapporte au son, l'autre au sens. Ce second élément, appelé « clef » (il y en a actuellement 214), sert à classer les caractères dans les dictionnaires. Malgré les graves inconvénients pratiques que présente cette écriture (apprentissage, imprimerie), les tentatives pour la remplacer par un système alphabétique n'ont pas abouti. Cependant, le gouvernement chinois a proposé en 1958 un système de transcription en caractères latins, le *pinyin,* visant à remplacer les multiples systèmes élaborés par les sinologues occidentaux.

CHIRĀZ, v. d'Iran, dans le Zagros; 336 000 hab. La ville abrite de nombreux tombeaux vénérés, en particulier ceux des poètes Sa'dī et Ḥāfiẓ; elle doit aussi sa célébrité à une école de miniaturistes dont l'épanouissement se situe au XVe s., sous les Tīmūrides. Tapis. Industries électriques et chimiques.

HISTOIRE. Éclipsée dans l'Antiquité par les grandes cités du nord du Fārs, Chirāz prend son essor après la conquête arabe (VIIe s.). Au Xe s., les Buwayhides la dotent de tant de monuments qu'elle rivalise avec Bagdad. La ville se développe à l'époque séfévide (XVIe-XVIIIe s.) et devient la capitale de la Perse sous la dynastie Zand (1750-1794).

CHIRIAEFF (Ludmila), danseuse d'origine lituanienne (Riga 1924), fondatrice des Grands Ballets canadiens (1956).

CHIROPRACTIE. — Les méthodes de manipulations vertébrales sont utilisées dans le traitement de certaines affections vertébrales douloureuses; elles doivent être pratiquées uniquement par les médecins et fondées sur des diagnostics précis.

CHIRURGIE. — La chirurgie permet de modifier le cours de blessures ou de maladies là où la thérapeutique médicale est insuffisante ou inefficace. Elle peut être appliquée à des états variés : traumatismes, infections, affections tumorales, malformations, troubles fonctionnels. À côté de la chirurgie générale existent différentes spécialités : chirurgie orthopédique, chirurgie gynécologique, chirurgie cardiaque, neurochirurgie, qui s'exerce sur des lésions intracrâniennes ou intrarachidiennes, psychochirurgie, qui vise à traiter des troubles mentaux (la section des fibres blanches unissant le lobe frontal aux formations cérébrales profondes [lobotomie] en est un exemple). La chirurgie plastique vise à corriger les disgrâces congénitales ou acquises, et l'on distingue la chirurgie réparatrice, qui corrige les pertes de substance, et la chirurgie esthétique, qui s'efforce de corriger les imperfections d'aspect du corps.

CHISRA → CERVETERI.

CHITTAGONG, principal port du Bangladesh, sur le golfe du Bengale; 469 000 hab. Aciérie.

CHIUSI, bourg d'Italie, en Toscane (prov. de Sienne), à l'extrémité sud du Val di Chiana; 8 850 hab. C'est l'antique *Clusium* (forme étrusque *Clevsia* ou *Chamars*), située sur l'emplacement d'une puissante cité étrusque. Selon la tradition, son roi, Porsenna, aurait tenté de s'emparer de Rome pour rétablir Tarquin* le Superbe. La ville tomba sous la domination romaine vers la fin du IVe s. av. J.-C. — Les urnes funéraires du IXe s. av. J.-C. voisinent, dans cette importante nécropole, avec les tombes architecturales du VIIe s. av. J.-C., décorées de peintures murales d'inspiration orientale, et les chambres funéraires du Ve s. av. J.-C., où apparaissent les influences ioniennes (tombe du Singe).

CHIVU STOICA, homme politique roumain (Smeeni 1908 - Bucarest 1975). Président du Conseil de 1955 à 1961, il est secrétaire du parti communiste à partir de 1961, puis chef de l'État de 1965 à 1967. Éliminé du secrétariat du parti en 1969, il est alors déchargé de la plupart de ses responsabilités.

CHIZÉ (79170 Brioux sur Boutonne), comm. des Deux-Sèvres, à 30 km au S. de Niort; 769 hab. Forêt domaniale.

CHLODION → MÉROVINGIENS.

CHLORAL. — Découvert par Liebig en 1832, le chloral se prépare par action du chlore sur l'alcool. C'est un liquide huileux d'odeur pénétrante, bouillant à 97 °C. Il donne avec l'eau l'hydrate de chloral $CCl_3CH(OH)_2$, qui forme de gros cristaux fondant à 57 °C et qu'on emploie comme soporifique.

CHLORAMPHÉNICOL → ANTIBIOTIQUES.

CHLORATE. — Les chlorates, sels de l'acide $HClO_3$, sont des solides cristallisés. Ils sont décomposés par la chaleur avec production d'oxygène et forment avec les corps combustibles des mélanges explosifs (amorces, pétards, cheddites). Le chlorate de sodium est employé comme désherbant.

CHLORE. — Découvert par Scheele en 1774, le chlore est l'élément chimique n° 17, de masse atomique Cl = 35,46. C'est un gaz jaune verdâtre, d'odeur suffocante et toxique. De densité 2,5, il se liquéfie à − 35 °C et se stocke sous forme liquide. Il est assez soluble dans l'eau (eau de chlore).

Il est doué d'une grande activité chimique. À la lumière, il se combine explosivement à l'hydrogène pour donner du gaz chlorhydrique HCl; il détruit par suite la plupart des composés hydrogénés. Avec l'eau, à froid, il forme de l'acide hypochloreux HClO, peu stable, ce qui explique les propriétés oxydantes de l'eau de chlore. Il se combine à la plupart des métalloïdes et attaque de nombreux métaux. Son action sur la soude diluée fournit un mélange de chlorure et d'hypochlorite de sodium, dont la solution est l'eau de Javel.

On trouve le chlore dans la nature sous forme de chlorures, dont le plus important est le sel de sodium NaCl (sel marin, sel gemme). C'est de ce corps que le chlore est extrait, en même temps que la soude, par électrolyse.

Le chlore est employé comme désinfectant et comme décolorant (blanchiment du lin, du coton, du papier). Il sert également à la préparation de l'acide chlorhydrique, de chlorures métalliques et de dérivés organiques chlorés.

CHLORELLES. — Parmi les espèces vivantes chlorophylliennes unicellulaires que l'on rattache aux algues, les chlorelles se caractérisent par leur association constante (symbiose) avec des animaux aquatiques. L'avantage principal est pour l'animal (hydre verte, convolute ou autre), qui cultive ses chlorelles dans son propre organisme, en digère quelques-unes chaque jour, les expose à la lumière pour leur permettre de fixer le gaz carbonique et respire l'oxygène que dégagent les algues. Celles-ci, en retour, tirent parti de divers composés azotés élaborés par l'animal. Ce type d'association n'est pas sans rappeler un lichen*.

CHLORHYDRIQUE (acide). — Le chlorure d'hydrogène HCl est un gaz incolore, d'odeur piquante, de densité 1,27, assez facile à liquéfier, très soluble dans l'eau. La solution commerciale, dite *acide chlorhydrique,* en contient 37 p. 100.

Très stable, ce corps est décomposé par l'oxygène au rouge; les oxydants (bioxyde de manganèse, chlorure de chaux) en libèrent le chlore. Sa solution attaque la plupart des métaux, notamment le zinc à froid, avec production d'hydrogène. L'acide chlorhydrique est un acide très fort, qui agit sur les bases et sur les alcools.

Sa préparation industrielle se fait par action à chaud de l'acide sulfurique sur le chlorure de sodium ou par synthèse, grâce à l'action directe de l'hydrogène sur le chlore.

L'acide chlorhydrique sert à préparer les chlorures métalliques, à décaper les métaux et à extraire l'osséine des os.

CHLOROFORME. — Découvert en 1831, simultanément par Liebig, Soubeiran et Guthrie, ce corps, de formule $CHCl_3$, est un liquide incolore, d'odeur aromatique. Il est préparé par action de l'hypochlorite de calcium sur l'alcool ou l'acétone. Ses propriétés anesthésiques, découvertes par Flourens, ont été fréquemment utilisées en chirurgie. (V. ANESTHÉSIE.)

CHLOROMÉTRIE. — Ce dosage du chlore actif dans une substance se fait par oxydation d'une quantité connue d'anhydride arsénieux, l'indigo servant d'indicateur de fin de réaction.

CHLOROPHYCÉES. — Au sens le plus large du terme, les chlorophycées rassemblent toutes les algues pluricellulaires n'ayant aucun autre pigment que la chlorophylle, et présentant de ce fait une couleur verte. Mais ce n'est pas là un groupe naturel, et l'on tend aujourd'hui à en exclure les volvocales *(Volvox),* les conjuguées *(Spirogyra)* et divers autres groupes. On y laisse toutefois un nombre important d'espèces marines (ulve, entéromorphe, bryopsis, codium, cladophore, caulerpe), d'eau douce (œdogonium) ou terrestres (vauchérie), très diverses par leur mode de reproduction comme par leurs dimensions. Aucune algue verte ne pousse en profondeur, car les rayons lumineux de grande longueur d'onde (les seuls que les plantes vertes utilisent) sont rapidement absorbés par l'eau de mer.

CHLOROPHYLLE. — La chlorophylle, ou pigment assimilateur des plantes, est verte par réflexion, du fait qu'elle absorbe l'énergie lumineuse principalement dans la région rouge du spectre, complémentaire du vert pour l'œil humain. Elle possède des bandes spectrales d'absorption moins intenses dans le jaune, le bleu et le violet. Distribuée dans des organites particuliers de la cellule végétale, les *chloroplastes,* ou *graines de chlorophylle,* elle assure la première phase de la suite complexe de transformations qui constitue la photosynthèse*, à savoir la transformation d'énergie rayonnante en énergie chimique par « excitation » électronique. Chez les algues des grandes profondeurs, qui ne reçoivent pas de lumière rouge, son action est préparée par celle de *pigments secondaires* capables d'absorber les rayons lumineux de courte longueur d'onde. De telles algues, ramenées à la surface, paraissent rouges ou brunes, mais elles sont noires dans leurs stations en profondeur.

La chlorophylle est soluble dans l'alcool et plus encore dans la benzine. Chimiquement, c'est un tétrapyrrole magnésien associé à une longue chaîne latérale. L'organisme des herbivores peut utiliser le tétrapyrrole des herbes à la fabrication de l'hémoglobine* de leur sang.

La fabrication de la chlorophylle par la plante nécessite d'une part un programme génétique normal (en l'absence duquel s'observent les variétés à feuilles *panachées,* en partie privées de chlorophylle) et d'autre part certaines conditions de milieu : éclairement (feuilles jaunes *étiolées* du centre des salades), présence de fer dans le sol, etc.

CHLOROPICRINE. — Ce corps, de formule CCl_3NO_2, qui s'obtient par action du chlorure de chaux sur l'acide picrique, est un liquide huileux, bouillant à 110 °C, fortement lacrymogène et suffocant; on l'emploie comme insecticide et pour l'étouffage des cocons de ver à soie. (Syn. NITROCHLOROFORME.)

CHLORURE. — Les *chlorures métalliques* sont les sels de l'acide chlorhydrique. Solides, ils sont solubles dans l'eau, à l'exception des sels cuivreux, mercureux et d'argent. Les chlorures de sodium, de potassium et de magnésium sont répandus dans la nature et servent dans l'industrie de matières premières.

Les *chlorures de métalloïdes* sont décomposés par l'eau. On peut mentionner le chlorure de soufre S_2Cl_2, employé dans la vulcanisation du caoutchouc, et les chlorures de phosphore PCl_3 et PCl_5, chlorurants énergiques.

Les *chlorures alcooliques,* comme le chlorure d'éthyle C_2H_5Cl, sont des éthers.

Les *chlorures d'acides* dérivent des oxacides par substitution d'un atome de chlore à un groupement hydroxyle. Ceux des acides organiques ont pour formule générale RCOCl.

Le nom commercial de *chlorures décolorants* est donné au chlorure de chaux $CaOCl_2$ et à l'eau de Javel, utilisés pour le blanchiment et la désinfection.

CHOC. — Les états de choc s'observent essentiellement après un traumatisme (écrasement, plaie hémorragique), une intervention chirurgicale, un accouchement. Ils peuvent aussi être dus à l'introduction dans l'organisme d'allergènes auxquels celui-ci est sensibilisé. Quelles que soient les causes, le choc se manifeste immédiatement ou peu après l'agression initiale. On observe une diminution de la sensibilité allant jusqu'au coma, un effondrement de la tension artérielle et une accélération du pouls (collapsus cardio-vasculaire), une accélération du rythme respiratoire et un effondrement de la température centrale. À ces premiers symptômes s'ajoutent des perturbations métaboliques (acidose, anoxie, accumulation de déchets et de catécholamines, baisse du taux de certaines enzymes, etc.) qui doivent être rapidement corrigées sous peine d'une évolution fatale irréversible.

CHOCANO (José Santos), poète péruvien (Lima 1875 - Santiago, Chili, 1934). Disciple de Hugo et rival de Whitman, il célébra la nature sud-américaine (*Alma America,* 1906). Il mourut assassiné.

CHOCOLAT. — Le chocolat a été importé en Europe par les Espagnols lors de la conquête du Nouveau Monde. Ce sont eux qui eurent l'idée d'adjoindre du sucre à la bouillie de cacao consommée, alors, par les indigènes. Importé en Espagne dès le XVIe s., le chocolat se répandit en Europe dès le XVIIe, et notamment en France à la suite du mariage d'Anne d'Autriche avec Louis XIV. En 1778 apparut la première machine hydraulique pour broyer et mélanger la pâte; en 1819, Pelletier construisit la première usine à vapeur, et, en 1824, A. Menier la première chocolaterie mondiale à l'échelle industrielle. C'est au Hollandais C. Van Houten que l'on doit, en 1828, l'invention de la poudre de cacao et à D. Peter, en 1878, celle du chocolat au lait. À partir de 1850, l'industrie du chocolat se développa dans le monde entier.

La fabrication du chocolat comporte le triage des fèves de cacao, qui sont ensuite torréfiées, concassées, puis broyées en une pâte onctueuse. Celle-ci, une fois mélangée au sucre, sera soumise au broyage, au raffinage, au conchage (combinaison du malaxage et de la chaleur pour en développer l'arôme) et enfin au moulage. Les confiseurs préparent des chocolats au miel, aux amandes ou aux noisettes.

CHOCÓN, aménagement hydroélectrique (barrage-réservoir et centrale) d'Argentine, sur le río Limay, dans le nord de la Patagonie.

CHOCQUES (62920), comm. du Pas-de-Calais, à 5 km à l'O. de Béthune; 3 450 hab. Église en partie romane. Industrie chimique.

CHODERLOS DE LACLOS → LACLOS.

Choéphores *(les),* tragédie d'Eschyle (458 av. J.-C.), qui forme la partie centrale de *l'Orestie,* entre *Agamemnon* et *les Euménides.* Elle a pour sujet le meurtre de Clytemnestre et d'Égisthe par Oreste et Électre.

CHŒUR *(Littér.).* — Dans la Grèce ancienne, les hymnes primitifs qui accompagnaient les cérémonies du culte étaient chantés par des chœurs (ainsi le dithyrambe*, exécuté par des choreutes costumés en satyres). Le prélude narratif qui précédait le chœur se développa pour devenir un véritable rôle, et cet élément dramatique grandit aux dépens du lyrisme choral pour former la tragédie*. Face à la démesure du héros tragique, le chœur, évoluant sous la direction d'un *coryphée,* traduit les réactions de bon sens des citoyens de la cité. Dans le drame satyrique et la comédie, il intervenait dans l'action par des plaisanteries et des évolutions burlesques. Chez les Latins, le chœur tragique faisait entendre pendant les entractes des chants qui se rattachaient, de manière assez lâche, au thème de la pièce.

Les humanistes du XVIe s., soucieux d'imiter les Anciens, placèrent un chœur à la fin de chaque acte de leurs tragédies (*Cléopâtre captive* de Jodelle, *les Juives* de Garnier). Malgré les stances du *Cid* et de *Polyeucte,* et les tentatives de Racine pour revenir à une forme inspirée des Grecs *(Esther, Athalie),* l'élément lyrique disparut de la tragédie au XVIIe s. pour se réfugier dans l'opéra. À l'époque moderne, le chœur a été parfois remplacé par une ou plusieurs voix, symbolisant le sentiment populaire ou commentant l'action de la pièce (Musset, Cocteau, Anouilh).

CHŒUR *(Mus.).* — Certaine expression musicale collective, qui constitue la totalité ou seulement des fragments d'une œuvre, est confiée par le compositeur à un ensemble de voix, dans une écriture qui se rattache à la polyphonie*.

On donne également ce nom au groupe vocal, parfois mêlé d'instrumentistes, qui l'interprète, que l'on appelle aussi « maîtrise » ou « chorale ».

CHŌFU, v. du Japon (Honshū), dans la banlieue ouest de Tōkyō; 157 000 hab.

CHOISEUL (Étienne, *duc* DE), homme d'État français (1719 - Paris 1785). Comte de Stainville, il suit d'abord la carrière militaire. La protection de Mme de Pompadour le pousse dans la diplomatie. Ambassadeur à Rome (1754) et à Vienne (1757), puis fait duc, Choiseul devient secrétaire d'État aux Affaires étrangères (1758-1761) : après avoir renforcé l'alliance avec l'Autriche et signé le pacte de Famille (1761), il prend le portefeuille de la Guerre (1761-1770) et de la Marine (1761-1766), avant de redevenir ministre des Affaires étrangères (1766-1770). En fait, il dirige la politique de la France de 1758 à 1770, réformant profondément l'armée et la marine de guerre. Ami des encyclopédistes, il obtient la suppression des Jésuites (1764). C'est à lui que la France doit l'acquisition de toute la Lorraine (1766) et de la Corse (1768).

CHOISY-LE-ROI (94600), ch.-l. de cant. du Val-de-Marne, à 8 km au S. de Paris, sur la Seine; 38 800 hab. *(Choisyens).* Constructions mécaniques. Verrerie. Traitement des eaux.

CHOIX (axiome du). — Formulé par Zermelo* dès 1904, l'axiome du choix postule que, pour tout ensemble disjoint M d'ensembles non vides, il existe un ensemble E formé en prenant un élément et un seul dans chacun des éléments de M.

CHOLÉCYSTECTOMIE. — L'ablation de la vésicule biliaire et du canal cystique est le traitement des lithiases biliaires. La perméabilité du canal chlolédoque en cours d'intervention est systématiquement vérifiée (radiomanométrie biliaire).

CHOLÉCYSTITE. — Cette inflammation, aiguë ou chronique, de la vésicule biliaire est presque toujours due à des calculs. Elle se manifeste par des douleurs de l'hypochondre droit, de la fièvre et parfois des vomissements. Le traitement médical (antibiotiques, antispasmodiques) permet de préparer à la cholécystectomie.

CHOLÉDOQUE (canal) → BILE ET VOIES BILIAIRES.

CHOLEM ALEICHEM (Cholom RABINOVITCH, dit), écrivain d'expression yiddish (Pereïaslav, Ukraine, 1859 - New York 1916). Double héritier de l'esprit critique des Lumières et de la piété hassidique, il a écrit pour le peuple, dans la langue du peuple, l'épopée de la condition juive et du déracinement, à travers la peinture de la vie des ghettos d'Europe centrale (*Tévié le laitier,* 1899-1911).

CHOLÉRA. — Cette toxi-infection intestinale aiguë, limitée à l'espèce humaine, est due à un bacille, le *vibrion cholérique.* Très contagieuse, elle se transmet par l'ingestion d'eau ou d'aliments infestés. Après une incubation de deux à cinq jours, elle se manifeste par des douleurs abdominales violentes, des vomissements et une forte diarrhée. La mort est possible par déshydratation. Le diagnostic est fait grâce à l'étude bactériologique des selles. Le traitement utilise les sulfamides, les antibiotiques et une réhydratation intense. La prophylaxie comporte la déclaration obligatoire, l'isolement et le traitement des malades, ainsi que la vaccination pour des sujets allant dans des zones d'endémie.

CHOLESTÉROL. — Le cholestérol est synthétisé dans le foie, puis une partie passe dans le plasma sanguin et une autre partie dans la bile, soit telle quelle, soit sous forme de sels biliaires. Dans la corticosurrénale, le cholestérol sert à la synthèse des corticoïdes. Le taux de cholestérolémie normal est de 1,5 g à 2,5 g/1 000. Lors de certains états pathologiques, la cholestérolémie peut être augmentée (obstruction biliaire, hypercholestérolémie congénitale) ou abaissée (insuffisance hépatique). L'hypercholestérolémie est l'un des facteurs responsables de l'athérosclérose, touchant principalement les artères coronaires, rénales et cérébrales.

CHOLET (49300), ch.-l. d'arr. de Maine-et-Loire, sur la Moine; 54 017 hab. *(Choletais).* Industries électriques et mécaniques. Confection. Chaussures. Caoutchouc. — La ville, relativement récente, fut, durant la guerre de Vendée*, le théâtre de violentes actions militaires.

CHOLOKHOV (Mikhaïl Aleksandrovitch), écrivain russe (Kroujiline, Ukraine, 1905). Son œuvre, présentée comme un des modèles du réalisme* socialiste, déborde en réalité, tant par sa diversité stylistique que par sa résonance tragique, l'orthodoxie esthétique dont elle se réclame (*le Don* paisible,* 1928-1940; *Terres défrichées,* 1932-1960; *le Destin d'un homme,* 1957). [Prix Nobel, 1965.]

CHO LON, banlieue de Saigon-Hô-Chi-Minh.

CHOLTITZ (Dietrich VON), général allemand (Schloss Wiese 1894 - Baden-Baden 1966). Commandant les forces allemandes de Paris, il se rendit le 25 août 1944 au général Leclerc après avoir éludé l'ordre de Hitler de détruire la capitale.

CHÔMAGE. — On distingue plusieurs types de chômage, parmi lesquels, notamment : le *chômage frictionnel,* dû au fait que les travailleurs disponibles ont des caractéristiques ne correspondant pas à celles qui sont recherchées par les employeurs; le *chômage structurel,* réalisé lorsque les « poches » de chômage tendent à devenir permanentes en certaines régions; le *chômage conjoncturel,* dû à des circonstances économiques transitoires, caractérisées essentiellement par l'insuffisance de la demande; le *chômage déguisé,* inapparent, car caractérisé par l'existence de travailleurs employés à des tâches qui sont improductives (situation fréquente dans les pays en voie de développement).

La définition internationale du « chômage » a été élaborée au cours de la 8e Conférence internationale des statisticiens du travail à Genève, en novembre-décembre 1954. Au sens que retient le B. I. T., est au chômage toute personne qui est sans emploi pendant la semaine de référence, recherche un emploi salarié, a fait un acte effectif de recherche pendant le mois précédant l'enquête, est disponible pour un travail dans un délai de 15 jours maximal.

Au terme de la législation française sont considérés comme chômeurs : les travailleurs disponibles, dont le contrat d'emploi a pris fin ou a été temporairement interrompu et se trouvant sans emploi et en quête d'un emploi; les personnes mises à pied temporairement ou pour une durée indéfinie sans rémunération; les personnes capables de travailler qui n'ont jamais eu d'emploi antécédemment ou n'étaient pas dans la position de travailler (par exemple les anciens employeurs).

L'*assurance chômage,* instituée par la convention du 31 décembre 1958 entre le C. N. P. F. et les syndicats, est gérée dans le cadre des A. S. S. E. D. I. C. (Associations pour l'emploi dans l'industrie et le commerce), regroupées en une Union nationale

Frédéric Chopin, par Ary Scheffer (1795-1858). [Musée de Versailles.]

Lauros - Giraudon

interprofessionnelle pour l'emploi dans l'industrie et le commerce (U. N. E. D. I. C.), qui joue un rôle d'organe de compensation. Les ressources ont comme origine une contribution sur les salaires, contribution à charge des employeurs (80 p. 100) et des salariés (20 p. 100).

L'accord du 14 octobre 1974, instituant une *allocation supplémentaire d'attente* pour les salariés licenciés pour motif économique, concerne les travailleurs âgés de moins de 60 ans inscrits comme demandeurs d'emploi et n'ayant pas refusé de suivre une formation professionnelle ni d'assumer un emploi proposé sans raisons valables. L'indemnité, versée jusqu'au reclassement ou jusqu'à 60 ans, est versée pendant une année à dater de la rupture du contrat. L'allocation supplémentaire est égale à la différence entre 90 p. 100 du salaire net et le total des *allocations d'aide* encaissées par le travailleur (A. S. S. E. D. I. C., et, le cas échéant, aide publique).

CHOMBART DE LAUWE (Paul Henry), sociologue français (Cambrai 1913). Fondateur du Centre d'ethnologie sociale et de psychosociologie, il élabore une théorie des « aspirations » collectives en s'inspirant de la théorie d'Halbwachs*. Ses travaux portent également sur la sociologie des villes, des jeunes et des femmes (*Pour une sociologie des aspirations,* 1969; *Pour l'université. Avant, pendant et après mai 1968,* 1968).

CHOMÉRAC (07210), ch.-l. de cant. de l'Ardèche, à 7,5 km au S. de Privas; 1 824 hab.

CHOMSKY (Avram Noam), linguiste américain (Philadelphie 1928). Professeur à l'Institut de technologie du Massachusetts depuis 1955, Chomsky a subi l'influence de Harris* et de Jakobson*. Dans son premier livre publié (*Structures syntaxiques,* 1957), il remet en question les fondements de la linguistique structurale et inaugure le mouvement de la grammaire générative* : il propose un nouveau modèle de description linguistique, le modèle transformationnel, qui permet de rendre compte de certains aspects du langage négligés par ses prédécesseurs (la créativité, l'ambiguïté). Dans son ouvrage fondamental, *Aspects de la théorie syntaxique* (1965), il modifie et perfectionne son modèle transformationnel dans le cadre théorique plus élaboré de la grammaire générative. Il réintroduit au centre de la réflexion linguistique le problème des rapports entre langage et pensée : postulant le caractère inné du langage et l'existence d'universaux linguistiques au niveau des structures profondes, il s'oppose à la tradition béhavioriste et empiriste, et se rattache au courant rationaliste : *la Linguistique cartésienne* (1966) et *le Langage et la pensée* (1968) constituent un examen de la tradition rationaliste et de ses rapports avec sa propre théorie (la Grammaire* de Port-Royal, les travaux de W. von Humboldt*).

CHOMUTOV, v. de Tchécoslovaquie, dans le nord-ouest de la Bohême, 44 000 hab. Lignite.

CHONDROBLASTE → CARTILAGE.

CHONDROME et **CHONDROSARCOME** → CARTILAGE.

CHONGJIN ou **Č'ŎNG-ČIN,** port de la Corée du Nord, sur la mer du Japon; 210 000 hab.

CHONGJU ou **Č'ŎNG-ČU,** v. de la Corée du Sud, au S.-E. de Séoul; 88 000 hab.

CHONJU ou **ČŎN-ČU,** v. de la Corée du Sud, au S. de Séoul; 144 000 hab.

CHOOZ (08600 Givet), comm. du départ. des Ardennes, à 5 km au S. de Givet, sur la Meuse; 809 hab. Centrale nucléaire.

CHOPIN (Frédéric), compositeur polonais (Żelazowa Wola, près de Varsovie, 1810 - Paris 1849). D'un père français de naissance, il vit jusqu'en 1830 en Pologne, où il acquiert une culture musicale internationale. Il s'installe à Paris, fréquente les milieux littéraires et artistiques, se lie avec George Sand et se fait connaître comme professeur, pianiste et compositeur. Ami de Liszt, de Berlioz, de Delacroix, il entreprend des tournées de concerts en Europe et meurt prématurément, atteint de phtisie.

Il peut être considéré comme un des maîtres de la musique pour piano au XIXe s. Il allie à une rigueur de forme et d'écriture issue de la connaissance de l'œuvre de Bach une volubilité ornementale, inspirée par le bel canto italien (Bellini), un sens de la danse, qu'il aimait chez les Français, un goût pour la musique populaire polonaise, qui lui venait de son enfance, et une attirance pour la virtuosité, à laquelle son instrument, alors à son apogée, le poussait (préludes, études, ballades, nocturnes, impromptus, scherzos, mazurkas, polonaises, valses, sonates).

CHORAL. — Ce cantique monodique en langue profane de l'Église réformée, issu tant des chants liturgiques que des chansons populaires et destiné à la foule, répond à un idéal de simplicité, en réaction contre le répertoire savant de l'Église romaine.

Il deviendra vite un matériau de base chez les compositeurs luthériens. Dans leurs œuvres religieuses, ceux-ci le citeront *(cantus* firmus),* l'harmoniseront, le varieront, l'enrichiront de contrepoints, d'ornementations et finalement l'adapteront à l'instrument, à l'orgue notamment (J.-S. Bach).

CHORÉGRAPHIE. — Dès le début du XVe s., certains auteurs commencent à décrire des ballets et à établir des répertoires de pas très précis.

De arte saltandi et choreas ducendi (v. 1416), de Domenico da Ferrara, est le premier ouvrage qui traite des problèmes techniques et esthétiques de la danse. La première notation systématique des pas et des figures est due au chanoine Jehan Tabourot*, de Langres, qui, en 1588, publie son *Orchésographie,* dans laquelle il utilise les lettres de l'alphabet. Le danseur et maître à danser Charles Louis Beauchamp* tente, à son tour, de noter des danses, idée dont s'inspire R. Feuillet dans sa *Chorégraphie ou l'Art de décrire la danse* (1700) [la traduction anglaise de John Weaver parut sous le titre d'*Orchesography,* 1706]. En 1852, le danseur et maître de ballet Arthur Saint-Léon publie une *Sténochorégraphie.* Un Russe, V. Stepanov (1866-1896), invente un système de notation qu'utilise Aleksandr Gorski (1871-1924) à l'École impériale de Saint-Pétersbourg. S'inspirant du système de Feuillet, R. von Laban édifie une *Notation du mouvement* (1928), dont l'usage s'est répandu d'abord aux États-Unis, puis en Europe (v. NOTATION).

La chorégraphie avait une utilité limitée et ne permettait pas de conserver la totalité du répertoire, même dans ses œuvres essentielles. Le film a rapidement offert un moyen de transmettre les ballets dans leur intégralité, renforçant ainsi les traditions orales et d'exécution. L'ambiguïté du mot « chorégraphie » s'est estompée, et, aujourd'hui, la composition des ballets dépend du chorégraphe (qui n'est plus uniquement le technicien capable d'écrire les pas d'un ballet), qui a une connaissance approfondie de la technique de la danse, une réelle formation musicale et un sens précis de l'espace, des couleurs et de la mise en scène. (V. BALLET, DANSE.)

CHORGES (05230), ch.-l. de cant. des Hautes-Alpes, à 17 km à l'E. de Gap, au-dessus du lac de Serre-Ponçon; 1 242 hab. Site gallo-romain. Église des XIIe-XVe s.

CHORLEY (Richard John), géographe britannique (Minehead, Somerset, 1927). Il est l'un des initiateurs de l'application des méthodes quantitatives en géographie physique (dans l'étude des réseaux hydrographiques notamment).

CHOROÏDE → ŒIL.

CHORZÓW, v. de Pologne, en haute Silésie; 153 000 hab. Houille. Sidérurgie.

CHOSE JUGÉE (autorité de la). — Une sentence, une fois rendue, a l'« autorité de la chose jugée » et met fin au litige porté devant le juge. En principe, les arrêts de la Cour de cassation, juridiction suprême, sont revêtus de l'autorité de la chose jugée, les juridictions inférieures rendant, de leur côté, des décisions à l'égard desquelles des recours sont possibles : en ce qui concerne les décisions de ces juridictions, l'autorité de la chose jugée ne leur est acquise que lorsque sont écoulés les délais pour former ces recours. En matière civile, les décisions contradictoires ont l'autorité de la chose jugée, ainsi que les jugements par défaut, les sentences arbitrales, les jugements sur renvoi. La chose jugée en matière criminelle éteint l'action publique, mais n'éteint pas l'action civile. Un individu jugé en matière pénale ne peut pas être jugé une seconde fois pour le même fait, qu'il y ait eu condamnation, relaxe ou acquittement. (V. JUGEMENT.)

CHŌSHI, port du Japon (Honshū), à l'E. de Tōkyō, sur le Pacifique; 95 000 hab.

CHOSTAKOVITCH (Dmitri), compositeur soviétique (Saint-Pétersbourg 1906 - Moscou 1975). Personnalité complexe et tourmentée, à la fois artiste officiel et rebelle plus ou moins non conformiste, il a su retrouver, sur le tard, l'indépendance d'esprit et les audaces qui l'avaient rendu célèbre à vingt ans (opéra *Katerina Izmailova,* cantates, quinze symphonies, musique de chambre, dont quinze quatuors).

Chota Roustaveli, ballet en quatre actes, chorégraphie de S. Lifar, musique de Honegger, créé à Monte-Carlo en 1946 par le Nouveau Ballet de Monte-Carlo.

CHOTT → DÉSERTIQUE *(relief).*

CHOU. — L'espèce végétale (*Brassica oleracea,* famille des crucifères) d'où provient le chou ne ressemble en rien, à l'état sauvage, à ce que la culture en a fait. C'est une herbe aux fleurs jaunes à quatre pétales, très voisine de la moutarde. Sélection et mutations ont fait apparaître en culture des variétés aux feuilles nombreuses et serrées (chou de Milan), aux bourgeons latéraux comestibles (chou de Bruxelles), aux pédoncules floraux et aux boutons gorgés de matières nutritives (chou-fleur) ou, enfin, à racine principale tubéreuse (chou-rave, rutabaga). Une espèce très voisine *(Brassica napa)* fournit, selon les variétés, le *colza,* aux graines oléagineuses, le *navet,* à racine comestible, le *chou rouge,* dont on mange les feuilles crues, etc.

CHOUANS. — Ces paysans royalistes de l'ouest de la France (bas Maine, Bretagne) prennent les armes contre la France révolutionnaire à la suite, surtout, des mesures prises, à partir de mai 1792, par l'Assemblée législative, à l'encontre des prêtres non jureurs. La levée en masse (août 1793) et la Terreur (5 sept.) étendent la révolte, qui ne se développe jamais, comme en Vendée*, en de grandes batailles, mais par une guérilla d'embuscades et de coups de main. Les chefs les plus populaires sont Jean Cottereau, dit Jean Chouan (1757-1794), Georges Cadoudal* et le comte Joseph de Puisaye (1755-1827). À une première pacification par Hoche (avr. 1795) succède une seconde chouannerie, qui se termine par la paix de Beauregard (14 févr. 1800).

CHOUCROUTE. — Le chou utilisé dans la préparation de la choucroute est conservé, finement émincé, dans une saumure aromatisée de baies de genièvre. Cette fermentation prive le chou d'une partie de ses matières nutritives, le rendant ainsi plus digestible. La choucroute est garnie de diverses viandes : soit du porc, soit du plat de côtes de bœuf, soit de l'oie fumée et de la charcuterie (saucisses de Strasbourg ou saucisses de Francfort).

CHOU EN-LAI → TCHEOU NGEN-LAI.

CHOUÏSKI (Vassili) → TROUBLES *(temps des).*

Chou-king ou **Shujing** *(Classique des documents),* l'un des cinq classiques chinois. Les considérations historiques et politiques qui y sont consignées ont influencé considérablement la pensée chinoise, notamment K'ong-tseu* (Confucius).

CHOU-KOU-TIEN → TCHEOU-K'EOU-TIEN.

CHOU-TEH → TCHOU TÖ.

CHRÉTIEN (Henri), physicien français (Paris 1879 - Washington 1956). On lui doit l'invention des catadioptres et celle de l'objectif anamorphoseur « Hypergonar » (1925), employé dans le procédé Cinémascope.

CHRÉTIEN DE TROYES, poète français (v. 1135 - v. 1183). Clerc lettré, protégé par Marie de Champagne et le comte de Flandre, il fit une carrière d'écrivain mondain. Il commença par des chansons d'amour imitées des troubadours, puis s'inspira des romans antiques (v. CYCLE) et donna plusieurs adaptations d'Ovide. Les cinq romans qui subsistent de lui se rattachent tous au cycle d'Arthur* : *Érec et Énide* (v. 1170) décrit l'épanouissement d'un jeune chevalier par l'aventure héroïque et un mariage heureux; *Cligès,* « anti-Tristan », unit les thèmes byzantins aux thèmes bretons; *Lancelot,* composé à la demande de Marie de Champagne, illustre les formes les plus irrationnelles de l'amour courtois; *Yvain* ou le Chevalier au lion* mêle le merveilleux celtique à l'analyse psychologique; *Perceval* ou le Conte du Graal,* interrompu par la mort de l'auteur, élève la courtoisie jusqu'à l'amour mystique.

CHRIST → JÉSUS.

Christ *(ordre du),* ordre militaire et religieux portugais, fondé en 1318 et approuvé en 1319 par le pape Jean XXII. Il donna naissance à l'ordre pontifical dit du *Christ romain,* qui est une simple distinction.

CHRISTALLER (Walter), géographe allemand (Berneck, Bavière, 1893 - Königstein, Hesse, 1969). Il a été l'initiateur des recherches sur la théorie des lieux centraux (villes, marchés), à la base de multiples recherches sur l'organisation des espaces territoriaux.

CHRISTCHURCH, v. de la Nouvelle-Zélande, sur la côte est de l'île du Sud; 276 000 hab. Industries alimentaires. Caoutchouc.

CHRISTIAN Ier (1426 - Copenhague 1481), roi de Danemark (1448), de Norvège (1450) et de Suède (1457). Premier souverain danois de la lignée des Oldenbourg, il renforce les liens de la Norvège avec le Danemark, mais la Suède, elle, rompt l'union. En 1460, Christian Ier, devient duc de Slesvig et comte de Holstein.

CHRISTIAN IV (Frederiksborg 1577 - Copenhague 1648), roi de Danemark et de Norvège (1588-1648). Il lance son pays dans la guerre de Trente* Ans; battu par Tilly, il doit traiter (1629). Par la suite, une guerre avec la Suède (1643-1645) prive le Danemark de plusieurs territoires.

CHRISTIAN IX (Guttorp 1818 - Copenhague 1906), roi de Danemark (1863-1906). En montant sur le trône, il confirme une décision de Frédéric VII incorporant le Slesvig au Danemark, ce qui provoque l'intervention austro-prussienne et la guerre de 1864, laquelle enlève les Duchés au Danemark.

CHRISTIAN X (Charlottenlund 1870 - Amalienborg 1947), roi de Danemark (1912-1947) et d'Islande (1918-1944). Neutre en 1914-1918, le Danemark obtient en 1919 la restitution du Slesvig septentrional. L'année précédente, l'Islande a formé un État indépendant uni au Danemark par un lien personnel, rompu en 1944. Durant l'occupation allemande (1940-1944), Christian X résiste de tout son pouvoir à l'envahisseur et à son idéologie.

CHRISTIANISME. — Le christianisme, au point de départ secte issue du judaïsme, s'affirme comme une religion révélée, c'est-à-dire d'origine divine, mais avec cette particularité que Jésus*, son fondateur, n'est pas un simple intermédiaire entre Dieu et l'humanité, mais Dieu lui-même. La révélation de Jésus-Christ, annonce de la venue salvatrice de Dieu parmi les hommes, est appelée « évangile » (terme grec qui signifie « bonne nouvelle ») en raison de l'espérance qu'elle actualise : le message que l'évangile chrétien apporte à l'humanité est un message nouveau, celui d'un Dieu qui construit l'histoire avec l'homme et non sans lui. La morale chrétienne ne saurait donc être un légalisme, mais un appel au dépassement de soi et à la sainteté en conformité et en union avec la personne même de Jésus-Christ. Le christianisme transcende la notion d'institutions et de techniques religieuses (encore que celles-ci soient nécessaires); il est engagement pour l'accomplissement de l'œuvre rédemptrice du Christ. Les divisions des confessions chrétiennes (chrétiens catholiques, chrétiens protestants, chrétiens orthodoxes), qu'expliquent les conditions historiques, ne sont pas un accident de parcours, mais une infidélité à l'Évangile, qui est en lui-même une force de rassemblement. L'ampleur prise au XXe s. par le mouvement d'union des Églises, ou œcuménisme*, montre l'urgence ressentie par les chrétiens de repenser les structures d'un christianisme à qui des siècles dits « de chrétienté » ont fait perdre son unité visible et profonde.

christianisme *(Génie du)* → GÉNIE DU CHRISTIANISME.

CHRISTIE (Agatha), femme de lettres anglaise (Torquay 1891 - Wallingford, près d'Oxford, 1976). Ses romans policiers mettent en scène des détectives désuets et savoureux (Hercule Poirot, Miss Marple) comme la société dans laquelle ils évoluent *(le Meurtre de Roger Ackroyd, Dix Petits Nègres, Bertram Hôtel).*

CHRISTINE (Stockholm 1626 - Rome 1689), reine de Suède (1632-1654). Fille de Gustave-Adolphe*, elle succède à son père sous la tutelle du chancelier Oxenstierna. Elle hâte les négociations des traités de Westphalie (1648).

Très cultivée, elle fait de sa cour un foyer d'humanisme où se rencontrent les plus grands esprits, dont Descartes*. Dès 1654, elle abdique en faveur de son cousin Charles-Gustave. Elle voyage beaucoup, embrasse le catholicisme et achève sa vie à Rome, où elle a fondé l'Académie des Arcades.

CHRISTINE DE PISAN, femme de lettres française (Venise v. 1364 - † v. 1430). Elle a laissé des ballades, des écrits historiques *(Livre des faits et bonnes mœurs du roi Charles V)* ainsi qu'un poème, *Ditié de Jeanne d'Arc,* témoignage sur l'état des esprits lors de la guerre de Cent Ans.

christlich-demokratische Union (CDU), en franç. *Union chrétienne démocrate,* parti politique de l'Allemagne fédérale se référant à l'idéologie de la démocratie* chrétienne. La CDU naît après la Seconde Guerre mondiale, de l'initiative des leaders de l'ancien Zentrum (Centre* allemand), dont elle prend la succession. À la différence du Zentrum, elle étend son recrutement aux protestants, regroupant les militants chrétiens unis dans l'opposition au national-socialisme et désireux de reconstruire l'Allemagne sur des structures économiques et sociales nouvelles. Marquée au départ par une certaine idéologie de gauche, elle est dominée dès 1949 par la tendance conservatrice et, évoluant vers le centre droit, abandonne son programme socialisant initial pour la défense de la société libérale, face à l'idéologie communiste. Bénéficiant du prestige du chancelier Adenauer, son fondateur et son président (de

1949 à 1965), elle devient le premier parti de l'Allemagne fédérale. Elle dispose de la majorité absolue au Bundestag de 1953 à 1961 et exerce le pouvoir sans interruption jusqu'en 1969. Dans l'opposition depuis sa défaite aux élections de 1969, puis de 1972, elle reste, face au parti social-démocrate (SPD), un des deux partis qui dominent la vie politique en Allemagne fédérale.

CHRISTMAS *(île),* île de l'océan Indien, au S. de Java, dépendance de l'Australie; 135 km^2; 2 700 hab. Importante exploitation de phosphates.

CHRISTOPHE *(saint),* martyr, patron des voyageurs et des automobilistes. Ce saint, très populaire au Moyen Âge, a été écarté du calendrier romain en 1970, son histoire ne relevant que de la légende.

CHRISTOPHE (Henri), roi d'Haïti (La Grenade 1767 - Port-au-Prince 1820). Esclave affranchi, il s'oppose aux Français. Président d'Haïti (1807), vainqueur de son compétiteur Pétion, il se fait proclamer roi en 1811 (Henri Ier). Sa cruauté le rendra très impopulaire.

CHRISTUS (Petrus), peintre flamand († Bruges 1472), franc-maître à Bruges en 1444. Formé sous l'influence de J. Van Eyck, empruntant à Van der Weyden et à Bouts, il est l'auteur de petits panneaux soignés, compositions religieuses ou portraits.

CHROMATIQUE (intervalle) → THÉORIE MUSICALE.

CHROMATOGRAPHIE. — Imaginée par Tswett en 1906 pour séparer les pigments des végétaux, cette méthode d'analyse immédiate a été généralisée et considérablement développée. Elle consiste à faire passer une solution du mélange à analyser au travers d'une poudre fine (alumine, silice, amidon); les diverses substances sont absorbées en zones distinctes (visibles lorsqu'elles sont colorées), et on peut les extraire par lavage avec des solvants. La chromatographie sur papier permet, avec de très petites quantités du mélange, d'obtenir une séparation bidimensionnelle.

Méthode de séparation de différentes matières colorantes, en chimie. 1. Tube avant coloration ; 2. Après passage du liquide à étudier, les substances sont absorbées en zones distinctes.

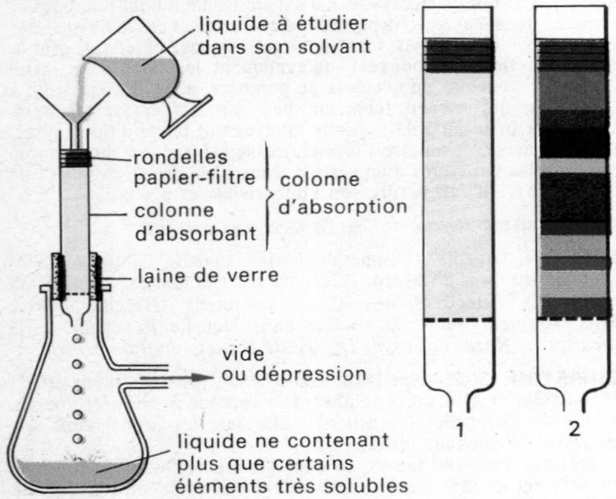

CHROME. — Découvert par Vauquelin en 1797, le chrome est l'élément chimique n° 24, de masse atomique Cr = 52,01. C'est un solide blanc bleuté, qui peut prendre un beau poli. De densité 7,1, il ne fond que vers 1 600 °C. Il est très dur et demeure inoxydable à l'air.

Parmi ses composés, on peut citer : l'*oxyde chromeux* CrO, auquel correspondent les sels du chrome bivalent, à solutions bleues, très oxydables; l'*oxyde chromique* Cr_2O_3, dont dérivent les sels du chrome trivalent, violets ou verts; l'*anhydride chromique* CrO_3, dont la solution est un acide. À cet acide correspondent les *chromates,* tel K_2CrO_4 (le jaune et le rouge de chrome sont des chromates de plomb), et les *bichromates,* comme $K_2Cr_2O_7$. Ce dernier, mélangé à l'acide sulfurique, est employé comme oxydant; il sert en teinturerie comme rongeant et dans le tannage des peaux.

En traitant la chromite ($FeCr_2O_4$) par les procédés de métallothermie ou par réduction directe au four* électrique à arc, on obtient soit le chrome métallique, soit des ferrochromes. Le chrome, qui a une bonne tenue à la corrosion et à l'usure, s'emploie sous forme de revêtement* de surface déposé électrolytiquement (chromage) ou par diffusion thermique (chromisation). Élément d'alliage, il favorise la résistance à l'oxydation à chaud et la tenue au fluage (alliages nickel*-chrome, aciers* et fontes* réfractaires); il augmente la résistance aux milieux corrosifs (aciers inoxydables 18-8) et améliore les caractéristiques mécaniques (aciers spéciaux).

CHROMOSOME. — Les hélices d'acide désoxyribonucléique, qui portent dans chaque cellule le programme génétique de l'individu entier, constituent des filaments constants en nombre et en forme

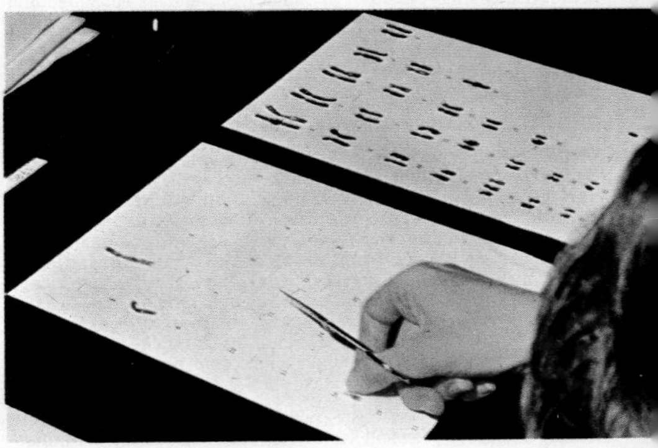

C.N.R.I.

Typage des caryotypes. On découpe une microphoto des chromosomes obtenus à partir d'une cellule, puis on aligne les découpes correspondant aux chromosomes par groupes, pour constituer le caryotype, qui entre dans le dossier médical.

dans une espèce donnée, les *chromosomes.* Dans les cellules ordinaires, dites *cellules somatiques,* les chromosomes se présentent par paires (structure *diploïde*), tandis que, dans les *cellules germinales* (gamètes, cellules reproductrices) des animaux et dans les spores et les tissus provenant des spores chez les végétaux, l'on ne retrouve qu'un seul chromosome de chaque paire (structure *haploïde*). Chez l'homme, les cellules somatiques, diploïdes, possèdent 44 chromosomes, qui se rangent par paires identiques (autosomes), et 2 chromosomes sexuels (gonosomes), dissemblables chez l'homme (X et Y) et semblables chez la femme (XX). Les cellules germinales (ovule, spermatozoïde), haploïdes, n'ont que 22 autosomes et 1 gonosome.

On appelle *méiose* la suite de deux divisions à l'issue desquelles la lignée cellulaire devient haploïde, tandis que la *fécondation,* ou fusion de deux cellules haploïdes, provenant en général d'individus différents, rétablit la formule diploïde. Tout chromosome est constitué d'un nombre immense de *gènes,* porteurs chacun d'un trait particulier du patrimoine héréditaire. Chaque gène correspond à un segment de la spirale d'acide désoxyribonucléique. L'expression visible (phénotype) d'un gène résulte de l'interaction des gènes paternel et maternel allèles (correspondants). Le caryotype permet d'identifier les chromosomes et leur nombre. Les anomalies chromosomiques résultent soit d'aberrations de nombre (trisomie 21), soit d'altérations de structure. Les translocations sont des remaniements complexes affectant deux chromosomes. Elles peuvent être héréditaires. (V. CELLULE, CODE GÉNÉTIQUE, GÉNÉTIQUE.)

CHROMOSPHÈRE → SOLEIL.

Chronique des Pasquier, roman en dix volumes de G. Duhamel (1933-1945), histoire d'une famille bourgeoise parisienne au début du XXe s.

Chroniques *(livres des),* ouvrage biblique divisé en deux parties et qui forme un tout avec les livres d'Esdras* et de Néhémie*. Écrits entre 350 et 300, ils retracent l'histoire d'Israël des origines à la prise de Jérusalem en 587 av. J.-C., dans la perspective religieuse du judaïsme d'après l'Exil.

Chroniques de Saint-Denis ou **Grandes Chroniques de France,** histoire officielle des rois de France des origines à la fin du XVe s. Rédigées d'abord en latin, puis en français, ces Chroniques furent imprimées à la fin du XVe s. Il en existe un manuscrit enluminé par Jean Fouquet.

CHRONOGRAPHE → CHRONOMÈTRE.

CHRONOLOGIE *(Géol.).* — La reconstitution de l'histoire de la Terre* nécessite la définition d'une échelle de temps. Il existe deux manières de mesurer le temps en géologie : l'une relative, l'autre absolue.

La *chronologie relative* cherche à établir l'âge des terrains les uns par rapport aux autres. La stratigraphie étudie leur disposition, leurs caractères lithologiques et paléontologiques. Elle permet de choisir des couches repères, les stratotypes, définissant les étages qui correspondent aux plus petites unités de l'échelle du temps. Plusieurs étages constituent une période; les périodes sont regroupées en ères, entre lesquelles les coupures correspondent à des étapes fondamentales de l'évolution des espèces. On aboutit ainsi à l'échelle stratigraphique internationale, qui recouvre toute l'histoire de la planète.

La *chronologie absolue,* ou géochronologie, permet de mesurer l'âge réel des terrains. Elle est fondée sur la radioactivité naturelle. Certains éléments chimiques contenus dans les minéraux constitutifs des roches possèdent en infime quantité des isotopes radioactifs instables, qui se désintègrent petit à petit. La mesure du rapport entre ces isotopes instables et le produit de leur désintégration permet d'évaluer l'âge de la roche qui les contient. On utilise le rapport potassium/argon ou rubidium/strontium pour les roches anciennes et le carbone 14 pour les roches récentes. Très utilisée par la datation des roches endogènes qui ne contiennent pas de fossiles, la géochronologie donne des résultats qu'il faut critiquer avec sérieux, les sources d'erreur étant multiples.

CHRONOMÈTRE. — En Angleterre, George Graham (1673-1751) crée en 1726 une petite pendule marquant les tierces et lui donne le nom de *chronometer.* La construction des chronomètres, ou chronographes, est encouragée par la Grande-Bretagne et par la France, qui cherchent à résoudre le problème du transport de l'heure en mer afin de déterminer la longitude de façon précise. John Harrison (1693-1776) construit entre 1736 et 1749 des chronomètres célèbres, qu'il essaie à la mer. Ferdinand Berthoud (1727-1807), après d'énormes « horloges à longitude » (1760), invente des horloges marines, qui seront utilisées en 1776 par Charles de Borda (1733-1799) : la précision atteint ± 16 secondes en 24 heures. Pierre Le Roy* et Abraham Louis Breguet* sont des chronométriers prestigieux. En 1820, Rieussec réalise à Paris le compte-secondes à goutte d'encre. Dès 1866, les chronomètres mécaniques donnent une précision de ± 5 secondes par mois. Depuis 1885, les chronomètre subissent les épreuves et les essais officiels, contrôlés par les observatoires.

CHRONULE. — Cette forme thérapeutique, absorbée par voie orale, permet de libérer dans l'organisme un principe actif de façon continue, régulière et prolongée.

CHRYSALIDE → CHENILLE.

CHRYSANTHÈME. — La fixation de la fête des morts aux 1er et 2 novembre a conduit les horticulteurs à cultiver les rares espèces florales susceptibles d'être en fleurs à cette date tardive. Ils ont opté pour le chrysanthème, dont ils ont sélectionné des variétés de toutes couleurs, aux fleurs composées riches en languettes. À l'état sauvage, la plante, une composée radiée aux capitules jaunes et de faibles dimensions, ne se fait remarquer que par l'extrême découpure de ses feuilles. On ne la rencontre que dans la région méditerranéenne.

CHRYSIPPE, philosophe grec (Soli, Cilicie, 281 av. J.-C.-Athènes 205 av. J.-C.). D'abord influencé par la Nouvelle Académie*, il devient l'une des grandes figures du stoïcisme*. Soucieux d'articuler très rigoureusement les arguments développés par Zénon* de Citium, Cléanthe ou lui-même, il contribue pour beaucoup à la systématisation de la pensée stoïcienne. Surnommé « colonne du Portique », il rédige 705 traités, dont la plupart ont totalement disparu.

CHTCHEDRINE → SALTYKOV-CHTCHEDRINE.

CHUJOY (Anatole), écrivain et critique de danse américain d'origine lituanienne (Riga 1894-New York 1969), fondateur de revues *(Dance Magazine, Dance News),* éditeur *(Dance Encyclopedia),* traducteur en anglais des *Fondements de la danse classique* (d'Agrippina Vaganova*). Ses écrits font autorité.

CHUNCHON ou **Č'UN-Č'ŎN,** v. de la Corée du Sud, au N.-E. de Séoul; 91 000 hab.

CHUQUET (Nicolas), mathématicien français (Paris v. 1445-† v. 1500). Dans son *Triparty en la science des nombres* (1484), resté manuscrit et le plus ancien traité d'algèbre* écrit par un Français, figurent déjà la notation cartésienne des exposants et les principes de leur calcul, l'emploi de ces mêmes exposants dans la résolution des équations*, les signes algébriques, la règle des signes et même le germe des logarithmes*.

CHUQUICAMATA, v. du Chili septentrional; 25 000 hab. Extraction et traitement du minerai de cuivre.

CHUR, nom allem. de COIRE.

CHURCH (Alonzo), logicien américain (Washington 1903). La logique combinatoire dont il est l'auteur permet de démontrer que certains substituts formels de la calculabilité peuvent fonctionner comme autant d'équivalents constitutifs d'une récursivité générale. Il est l'auteur de *The Calculi of lambda-Conversion* (1941).

CHURCHILL (le), fl. du Canada (Saskatchewan et Manitoba), tributaire de la baie d'Hudson; 1 600 km. À son embouchure est établi le petit *port de Churchill.*

CHURCHILL (*sir* Winston Leonard SPENCER), homme politique britannique (Blenheim Palace, Oxfordshire, 1874-Londres 1965). Il est élu député conservateur en 1900, puis rejoint les libéraux. Sous-secrétaire d'État aux Colonies (1906-1908), ministre du Commerce (1908-1910), puis de l'Intérieur (1910-11), il est nommé Premier lord de l'Amirauté en 1911 et prépare la flotte britannique en prévision de la guerre, qu'il estime inévitable. Il démissionne en 1915 après l'échec de l'expédition des Dardanelles, qu'il avait proposée. Il est ensuite ministre des Munitions (1917), puis de la Guerre et de l'Air (1919-1921) et revient au parti conservateur en

U.S. Army

Winston Churchill accueillant le président F. D. Roosevelt au Québec, en août 1943.

1924. Il est alors nommé ministre des Finances (1924-1929). Conscient de la montée du danger nazi, il conseille en vain le réarmement du pays et une politique de fermeté contre les régimes totalitaires. Les événements justifiant ses prévisions, il est nommé une nouvelle fois Premier lord de l'Amirauté en 1939, puis Premier ministre le 10 mai 1940. S'affirmant alors comme un grand chef de guerre et un grand homme d'État, il assume avec une rare énergie la conduite de la guerre contre l'Allemagne, rassemblant toutes les forces du pays dans un seul objectif : « la victoire à tout prix ». Il conclut l'alliance avec les États-Unis et, malgré un anticommunisme virulent, engage une coopération militaire avec le gouvernement soviétique. En dépit de l'immense prestige conféré par la victoire, il doit se retirer après le succès des travaillistes aux élections de 1945. Gardant une influence considérable sur la politique internationale, il défend des thèses favorables à la coopération européenne et à une association des pays anglo-saxons face aux ambitions soviétiques. De nouveau Premier ministre après la victoire des conservateurs aux élections de 1951, il démissionne en 1955 pour des raisons de santé. De son œuvre d'écrivain se détachent les *Mémoires de guerre* (1948-1954). [Prix Nobel de littérature, 1953.]

CHURRIGUERA, famille de sculpteurs et d'architectes espagnols, dont les principaux sont trois frères : JOSÉ BENITO (Madrid 1665-*id.* 1725), sculpteur du retable de S. Esteban de Salamanque et créateur de la ville de Nuevo Baztán, près de Madrid; JOAQUÍN (Madrid 1674-Salamanque? 1724), actif à Salamanque (collège de Calatrava...); ALBERTO (Madrid 1676-Orgaz? 1750?), qui donna les plans de la majestueuse Plaza Mayor de Salamanque. Le terme de *churrigueresque,* qualifiant une architecture chargée d'un décor prolixe, s'applique mieux à l'œuvre d'un P. de Ribera* qu'à la leur propre : celle-ci reflète simplement une originalité qui puise sa sève dans la pratique artisanale et que la dictature académique fera disparaître à la fin du XVIIIe s.

CHUTE DES CORPS. — Comme l'a montré Newton, tous les corps tombent dans le vide suivant la verticale avec une même vitesse. Dans les conditions habituelles, les différences de mouvement sont dues à la résistance de l'air.

Dans le vide, ce mouvement est uniformément accéléré. Cette seconde loi, trouvée par Galilée à l'aide de son plan incliné, s'exprime par les relations

$$v = gt \quad \text{et} \quad e = \frac{1}{2}gt^2,$$

où *g* est l'accélération de la pesanteur, *t* le temps compté depuis le début de la chute, *v* la vitesse acquise et *e* la distance parcourue.

Chute d'un ange *(la)* → JOCELYN.

CHUTEUR → PARACHUTISTE.

CHYLE. — Le chyle, formé dans l'intestin grêle, est drainé vers la veine sous-clavière gauche par les vaisseaux chilifères et le canal thoracique : il transporte une grande partie des graisses alimentaires absorbées.

CHYME. — Le chyme gastrique, très acide, franchit le pylore et excite la muqueuse duodénale, provoquant la formation de sécrétine, hormone qui déclenche les sécrétions pancréatique et biliaire. Il est ensuite alcalinisé par la bile.

CHYPRE, État insulaire de la Méditerranée orientale; 9 251 km^2; 660 000 hab. *(Chypriotes* ou *Cypriotes).* Capit. *Nicosie.*

GÉOGRAPHIE. La chaîne du Nord, prolongée par le Karpas, est séparée de l'imposant massif ophiolitique du Tróodhos (1 953 m), au S., par la plaine centrale de la Mésorée, énorme accumulation de flysch couverte de remblaiements quaternaires. L'ensemble de l'île jouit d'un climat méditerranéen nuancé par l'altitude.

La population, en accroissement rapide, est caractérisée par la juxtaposition de deux communautés : les Turcs, de religion musulmane, et les Grecs, largement majoritaires (80 p. 100 de la population), de religion chrétienne.

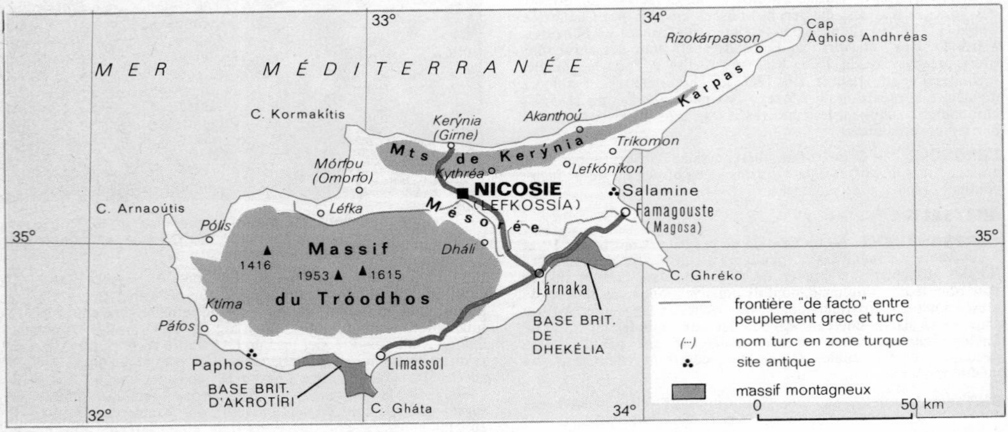

CHYPRE

L'agriculture demeure le secteur essentiel de l'économie. L'assainissement des plaines a permis le développement des cultures de céréales, de pommes de terre et d'agrumes. Sur les collines subsistent les cultures traditionnelles de la vigne (vins, raisins secs) et de l'olivier. L'élevage des chèvres et des moutons apporte un complément de ressources.

En dehors de l'extraction minière (le Tróodhos recèle des pyrites de fer et du cuivre), l'activité industrielle est peu développée. Les principales villes — Nicosie, Famagouste et Limassol — abritent des industries alimentaires, et l'artisanat traditionnel y est actif. Le développement du tourisme a été arrêté par le conflit récent.

HISTOIRE. Chypre, dont l'occupation humaine est attestée depuis le VIe millénaire, est connue dans l'Antiquité comme l'île du cuivre (d'où son nom de Kypros). Elle s'hellénise à partir du IIe millénaire av. J.-C. (colonies mycéniennes, puis achéennes), et, dès le VIIIe s. av. J.-C., la langue, la religion et la culture de Chypre sont grecques, malgré les établissements fondés par les Phéniciens et les occupations successives des Assyriens, des Égyptiens et des Perses (v. MÉDIQUES [*guerres*]). Évagoras Ier, roi de Salamine (v. 410-v. 374), réussit à étendre sa domination sur presque toute l'île. Chypre, qui faisait partie du domaine des Lagides* d'Égypte, est annexée par les Romains en 58 av. J.-C., et devient une province sénatoriale en 22. Maintes fois prise par les Arabes et reconquise par les Byzantins entre 632 et 965, elle connaît aux XIe-XIIe s. une grande prospérité au sein de l'Empire romain d'Orient. Elle est conquise par Richard* Cœur de Lion, qui la remet en 1192 à Gui de Lusignan. Sous les Lusignan*, elle sert aux Francs de base pour leurs contre-attaques contre les musulmans. Le commerce aux mains des Génois et des Vénitiens est florissant. Les Génois se font céder Famagouste* en 1384, et Venise gouverne toute l'île à partir de 1489. Les Ottomans* s'emparent de Chypre, qui devient une province de leur empire (1571-1914). La Grande-Bretagne, qui occupe et administre l'île depuis 1878, fait de Chypre une colonie de la Couronne (1925). Les Chypriotes obtiennent leur indépendance en 1960 après quatre ans de guerre civile. Makários III*, président de la République, est assisté d'un vice-président turc. Les affrontements entre Grecs, partisans de l'*Enôsis* (union avec la Grèce), et Turcs (1963, 1965, 1967) aboutissent au conflit de 1974, auquel prend part la Turquie. En février 1975, les Chypriotes turcs proclament unilatéralement que les territoires situés au nord de la ligne de démarcation établie par l'O. N. U. en août 1974 constituent un « État autonome laïque et fédéré ». À la mort de Makários (1977), Spyros Kyprianou devient président de la République.

CIA, sigle de *Central Intelligence Agency,* nom donné depuis 1947 au service de renseignement américain. La CIA a remplacé l'*Office of Strategic Services (OSS),* créé en 1942 par Roosevelt. Subordonnée au Conseil national de sécurité, elle dispose d'unités militaires spéciales (les *bérets verts*).

CIALDINI (Enrico), duc **de Gaète,** général italien (Castelvetro di Modena 1811 - Livourne 1892). Il se battit dans l'armée piémontaise en 1848-49, commanda une brigade en Crimée (1855), s'illustra à Gaète (1860) et fut ambassadeur à Madrid (1870-1873), puis à Paris (1873-1881).

CIANO (Galeazzo), comte **de Cortellazzo,** homme politique italien (Livourne 1903 - Vérone 1944). Gendre de Mussolini, il devient ministre des Affaires étrangères en 1936, puis ambassadeur auprès du Saint-Siège en 1943. Hostile à la poursuite de la guerre, il prend position contre Mussolini le 25 juillet 1943, ce qui lui vaut d'être fusillé comme traître quelques mois plus tard.

CIANS (le), torrent des Alpes du Sud, affl. du Var (r. g.); 25 km. Gorges pittoresques.

CIBLE → PUBLICITÉ.

CIBOURE (64500 St Jean de Luz), comm. des Pyrénées-Atlantiques, sur la Nivelle, en face de Saint-Jean-de-Luz; 6 373 hab. Ville ancienne et pittoresque. Station balnéaire. Pêche.

CICATRISATION. — La cicatrisation nécessite une détersion (nettoyage) de la lésion et une bonne vascularisation du tissu lésé, associées à un état nutritionnel et à un état neuro-endocrinien satisfaisants pour assurer la prolifération cellulaire. Elle peut aboutir à la réfection complète de la région lésée, mais elle laisse le plus souvent un tissu fibreux, cause de sténoses (rétrécissements) au niveau du tube digestif et de troubles variables au niveau des viscères. Les cicatrices cutanées peuvent se faire d'emblée lorsque la plaie n'est pas souillée; ailleurs, elles se font après une phase de suppuration, de détersion et de bourgeonnement, et elles sont alors souvent fragiles et inesthétiques. La *chéloïde,* souvent cicatricielle et prurigineuse, a l'aspect d'une tumeur indurée, saillante et boursouflée; son traitement est décevant.

CICÉRON, en lat. **Marcus Tullius Cicero,** homme politique et orateur latin (Arpinum 106 - Formies 43 av. J.-C.). Issu d'une famille provinciale et plébéienne entrée dans l'ordre équestre, il suit à Rome les leçons des maîtres de l'éloquence latine (L. Crassus,

Scaevola) et les conférences des orateurs grecs (Molon de Rhodes). Il aborde la vie publique en simple avocat, mais se pousse au premier plan de l'actualité en attaquant Sulla à travers un de ses affranchis (*Pro Roscio Amerino,* 79). Bien que soutenu par la puissante famille des Metelli, il préfère s'éloigner après ce coup d'audace et part pour Athènes, où il s'initie aux grands courants de la pensée hellénique et resserre ses liens avec la noblesse sénatoriale. Rentré en Italie, nommé questeur en Sicile, il se fait une réputation de justice, et les habitants de l'île le chargent d'attaquer leur ancien gouverneur Verrès. Cicéron le fait avec habileté : s'opposant avec fermeté au consul et avocat célèbre Hortensius, intimidant le tribunal par le nombre des témoins à charge, il contraint Verrès à s'enfuir sans avoir à prononcer sa plaidoirie, qu'il publie (*les Verrines,* 70). Reconnu comme le premier orateur de Rome (*Pro Cluentio,* 66; *Pro Archia,* 62), il s'impose dès lors à l'aristocratie (édile en 69, prêteur en 66, consul en 63) et obtient pour Pompée des pouvoirs exceptionnels (*Pro lege Manilia,* 66). Triomphant de Catilina (*Catilinaires,* rédigées en 63), il se croit le premier homme d'État à Rome, mais, abandonné par le triumvirat (Pompée, Crassus, César) à la rancune d'un tribun de la plèbe, Clodius, il est condamné à l'exil. Rappelé, il tente une vengeance timide (*Pro Milone,* rédigé en 52) et part gouverner la Cilicie. Il hésite au milieu de la guerre civile, penche pour Pompée, mais se réconcilie avec César et se consacre aux lettres, écrivant des traités rhétoriques (*De oratore,* 55), politiques (*De republica,* 54-51; *De legibus,* 52), philosophiques surtout (*De finibus,* 45; *Tusculanes,* 45; *De officiis,* 44-43), qui acclimatent dans la littérature latine la métaphysique et la morale grecques, et où il confronte la pensée théorique aux nécessités de l'action. À la mort de César, il rentre cependant dans la vie politique et commet l'erreur de vouloir dresser Octave contre Antoine (*Philippiques,* 44-43). Les deux adversaires, réconciliés, portent Cicéron sur la liste des proscrits et le font assassiner. En 34, Octave, dans sa lutte contre Antoine, obtint du fils de Cicéron et de son ami Atticus la publication de la correspondance de l'orateur : cette manœuvre politique révéla un des chefs-d'œuvre de la littérature épistolaire (*Ad Atticum; Ad familiares).*

CID CAMPEADOR (Rodrigo DÍAZ DE VIVAR, dit **le**), héros espagnol (Vivar, près de Burgos, v. 1043 - Valence 1099). La vaillance qu'il montra en combattant les Maures le fit surnommer par les musulmans *Sidi* (le « Cid », le « Seigneur »). Figure centrale de la littérature épique espagnole, il apparaît dans un grand nombre d'œuvres littéraires : le *Romancero espagnol,* deux drames de Guillén de Castro* et une tragédie de Corneille, *le Cid**.

Cid *(le),* tragi-comédie de P. Corneille (1636/37). Le sujet est tiré des *Enfances du Cid* de Guillén de Castro. Rodrigue est obligé, pour venger l'honneur de son propre père, de tuer le père de Chimène, sa fiancée. Celle-ci poursuit le meurtrier, mais sans cesser de l'aimer; l'accomplissement du devoir ne peut, en effet, qu'accroître l'amour que ces deux âmes généreuses éprouvent l'une pour l'autre. Accueilli avec enthousiasme par le public, *le Cid* fut critiqué par l'Académie sous prétexte que les règles de la tragédie n'y étaient pas observées.

CIDAMBARAM, anc. capit. des Colas, dans l'Inde* du Sud. Nombreux temples parmi les plus anciens et les plus typiques du style dravidien.

CIDRE. — Le cidre est une boisson alcoolisée fabriquée à partir de pommes. Les variétés de pommes à cidre européennes donnent des jus plus riches en *tanin* et plus astringents que les pommes à couteau. Après lavage et triage, les pommes sont transformées en pulpe par râpage, puis pressées : on obtient d'une part des marcs, encore riches en sucre, et qui sont épuisés par macération dans l'eau, et d'autre part un moût. Ce dernier est mis à fermenter sous l'action de levures. Le sucre se transforme en alcool et en gaz carbonique. Suivant les conditions de la fermentation, on obtient soit du cidre doux (5 degrés d'alcool total), soit du cidre sec (quantité de gaz carbonique inférieure à 4 g/l), soit du cidre mousseux (quantité de gaz carbonique supérieure à 5 g/l).

CIEGO DE ÁVILA, v. du centre de Cuba; 61 000 hab.

CIEL → CONSTELLATION.

CIÉNAGA, port de Colombie, sur la mer des Antilles; 168 000 hab.

CIENFUEGOS, port de Cuba, sur la côte méridionale; 108 000 hab. Exportation de sucre.

CIGALE. — Pendant sa courte existence adulte (quelques semaines), la cigale, insecte commun dans le midi de la France, vit sur les branches des arbres, qu'elle perce de sa longue trompe piqueuse pour en boire la sève. Le mâle, par temps chaud, « chante » en frottant deux pièces ventrales l'une contre l'autre, cessant tout bruit lorsqu'on approche de lui. La cigale possède quatre ailes transparentes, ce qui est exceptionnel chez les homoptères, parmi lesquels on la range. Ses yeux sont très écartés. La larve vit dans le sol, se nourrissant de la sève des racines. Dans une espèce américaine, la vie larvaire dure dix-sept ans (quatre ans seulement dans l'espèce française).

CIGARE. — Créé avant la cigarette*, le cigare offre sur celle-ci l'avantage de permettre de fumer du tabac* pur au prix d'une dépense légèrement supérieure. Connu au XVIIIe s. en Espagne et en Hollande, il n'est devenu d'usage courant en France que vers 1823, puis il fut très en vogue entre 1848 et 1895. Après une éclipse notable d'une cinquantaine d'années, il a retrouvé la faveur de nombreux fumeurs. Il comprend trois parties : un intérieur en tabacs hachés en brins assez gros, une sous-cape maintenant en forme cet intérieur et une cape enroulée en spirale, qui donne à l'ensemble l'aspect et l'étanchéité souhaitables. Pour que le cigare brûle bien en pointe, la combustibilité doit être croissante de l'intérieur vers l'extérieur. L'*intérieur* est composé de tabacs aromatiques provenant surtout de Cuba (Havane), du Brésil, de Saint-Domingue, des Philippines (Manille) et de Java. La *sous-cape* est surtout faite avec des tabacs de Java. La *cape* est constituée de tabacs de Sumatra et du Cameroun, aux feuilles particulièrement fines, peu nervurées, combustibles et de belles nuances. Le cigarillos est un petit cigare sans sous-cape.

CIGARETTE. — L'idée de fumer du tabac* enveloppé d'un petit cylindre de papier semble être née fortuitement en Turquie en 1827. En 1830, plusieurs pays la connaissent. En France, la création officielle de la cigarette date de 1843. Apparue entre 1861 et 1875, la confection mécanique a été industrialisée entre 1880 et 1889 en France, en Allemagne et aux États-Unis, puis vers 1900 en Grande-Bretagne. Le tube, jadis formé préalablement, est fabriqué à partir d'une bande de papier en bobine qui s'enroule autour d'un boudin continu de tabac distribué régulièrement sur un ruban tissé, en déplacement rapide, ou sous un ruban perforé, sur lequel il s'applique par une aspiration faite au-dessus de lui. Il fut d'abord collé, puis serti entre deux molettes dentées. À l'heure actuelle, il est de nouveau collé, mais à l'aide de colles utilisées en pellicules extrêmement minces pour donner une grande adhésivité. La combustion du papier étant plus nettement responsable de la production de goudrons particulièrement nocifs pour la santé que celle du tabac, on a cherché à rendre cette combustion plus totale en transformant en acide carbonique tout le carbone du papier. De plus, on a muni les cigarettes de petits filtres composés de matières absorbantes destinées à retenir les goudrons des fumées.

CIGARILLOS → CIGARE.

CIGOGNE. — Ce grand échassier migrateur, aux pattes et au bec rouge, au plumage noir et blanc, est connu et aimé dans toute l'Europe centrale, où d'aimables légendes se racontent à son sujet. En France, ce n'est qu'en Alsace, et de moins en moins, que la cigogne édifie ses vastes nids de brindilles sur les cheminées. Dépourvue de tout cri, elle communique avec ses congénères par des claquements du bec. Elle atteint 2 m d'envergure et un poids de 4 à 5 kg. La migration conduit les cigognes de l'Europe occidentale jusqu'aux grands lacs africains, par le Maroc, tandis que les cigognes de l'Europe centrale s'y rendent en passant par l'Égypte.

CIL → PAUPIÈRE.

CILIAIRES (muscles) → ŒIL.

CILICIE, région du sud de la Turquie d'Asie, sur la Méditerranée, en face de Chypre. Au IIe millénaire av. J.-C., la Cilicie constitue un royaume sous protectorat hittite*. Au IXe s. av. J.-C., soumise aux Assyriens, pour qui elle constitue une tête de pont vers la région du Taurus, elle est, au VIe s. av. J.-C., au pouvoir des Perses. Après la conquête d'Alexandre*, elle passe aux Ariarathês de Cappadoce* avant de devenir romaine, puis byzantine et enfin ottomane. Ses villes les plus connues sont Adana, Sélinonte* et Tarse, dont la tradition fait la patrie de l'apôtre Paul*.

CILIÉS. — La forme unicellulaire de la vie animale atteint son plus haut degré de perfectionnement chez les ciliés (autrefois nommés *infusoires*). Une paramécie, par exemple, possède des organes nageurs (cils) aux mouvements coordonnés, une sensibilité thermique et chimique qui dirige ses déplacements, une bouche, un appareil digestif, un anus, une sorte de double vessie urinaire et deux noyaux cellulaires, l'un grand et l'autre petit. La multiplication se fait par une simple duplication, mais, parfois, un phénomène parasexuel, la *conjugaison,* au cours duquel deux individus échangent leur petit noyau, assure une sorte de rajeunissement.

Il existe des ciliés de toutes dimensions : les plus gros sont visibles à l'œil nu; d'autres ne dépassent guère le centième de millimètre. La *vorticelle* s'attache aux plantes par un long pédoncule, qu'elle rétracte brusquement pour créer un courant d'eau attirant les proies. La *stylonychie* chemine sur des sortes de pattes formées de cils agglomérés. Les ciliés abondent dans les eaux douces où pourrissent des débris végétaux, se nourrissant des bactéries qui y pullulent. Mais les grandes espèces de ciliés dévorent les petites. On rencontre aussi des ciliés en abondance dans la panse des ruminants, où ils contribuent à la digestion des herbes.

CIMA (Giovanni Battista), peintre italien (Conegliano v. 1459-*id.* 1517/18). Fixé à Venise, influencé par les Vivarini, par Giovanni Bellini, puis par Giorgione, il est l'auteur de compositions religieuses d'une fraîche et harmonieuse sérénité, se détachant souvent sur de délicats paysages de la Vénétie (*Adoration des bergers,* 1510, église du Carmine).

CIMABUE (Cenni DI PEPO?, dit), peintre italien (Florence? v. 1240/1250-Pise? v. 1302). Son œuvre, aussi mal connue que sa vie, marque le début de l'affranchissement vis-à-vis de la peinture d'inspiration byzantine, conventionnelle et symbolique. Cimabue s'éloigne du hiératisme pour atteindre à une conception humaine des personnages. Ce qu'il apporte à la peinture du duecento — sentiment de l'espace, modelé des figures, mouvement, expression et vérité humaines — s'épanouira chez son élève Giotto. Outre les *Crucifix* de S. Domenico d'Arezzo (v. 1270?) et de S. Croce de Florence (auj. aux Offices) ainsi que les fresques exécutées à Assise vers 1278-1285, son œuvre la plus célèbre est la *Maestà* (Vierge en majesté) de S. Trinita de Florence (1285?, Offices).

CIMAROSA (Domenico), compositeur italien (Aversa, près de Naples, 1749-Venise 1801). Grâce à ses ouvrages lyriques, il remporta de grands succès tant dans les villes italiennes (Naples, Rome, Turin) qu'à Saint-Pétersbourg, au service de Catherine II (1787), ou à Vienne, où triompha son *Mariage secret.*

CIMBRES → GERMAINS.

CIMENT. — Le ciment se présente sous la forme d'une matière pulvérulente fine formant avec l'eau une pâte plastique, liante, susceptible d'agglomérer, en durcissant par hydratation, des présence d'eau, avec formation de composés stables : silicates et aluminates de calcium*. Les *propriétés pouzzolaniques* correspondent à l'aptitude à fixer la chaux*, à la température ordinaire, en présence d'eau et à former des composés ayant des propriétés hydrauliques. Le ciment portland artificiel est obtenu en cuisant, à haute température, un mélange artificiel, dosé et homogénéisé, de calcaire et d'argile, et en broyant finement le *clinker* ainsi produit. C'est le plus usuel, d'un emploi quasi universel, mais, pour des raisons soit techniques, soit économiques, on y ajoute souvent des produits hydrauliques et pouzzolaniques : laitiers de haut fourneau, pouzzolanes naturelles ou artificielles, argiles cuites, cendres de certaines centrales thermiques. Le premier ciment artificiel fabriqué en Angleterre avait la teinte de la pierre de la ville de Portland; d'où son nom. La cimenterie est, en général, au voisinage de la carrière de calcaire, la fabrication utilisant environ trois fois plus de calcaire que d'argile; pour l'implantation d'une nouvelle usine, c'est la région de consommation qui détermine l'emplacement. Le mélange de calcaire et d'argile, convenablement dosé et homogénéisé, est cuit jusqu'à une température de l'ordre de 1 450 °C, qui assure la combinaison intégrale de l'oxyde de calcium avec la silice*, l'alumine et l'oxyde de fer. La cuisson peut se faire par voie humide, par voie semi-sèche ou par voie sèche, celle-ci étant plus favorable au point de vue du bilan thermique. Les fours rotatifs utilisés peuvent assurer des productions atteignant 3 000 t de clinker par 24 heures. La cuisson est suivie d'un broyage à grande finesse : plus de 50 p. 100 du poids du ciment est composé de grains dont la plus grande dimension est inférieure à 30 μ. Un ciment est caractérisé par sa catégorie — portland, haut fourneau, laitier au clinker, alumineux, etc. — et par ses résistances à la compression à 2, 7 et 28 jours d'âge sur éprouvette en mortier normal : les ciments

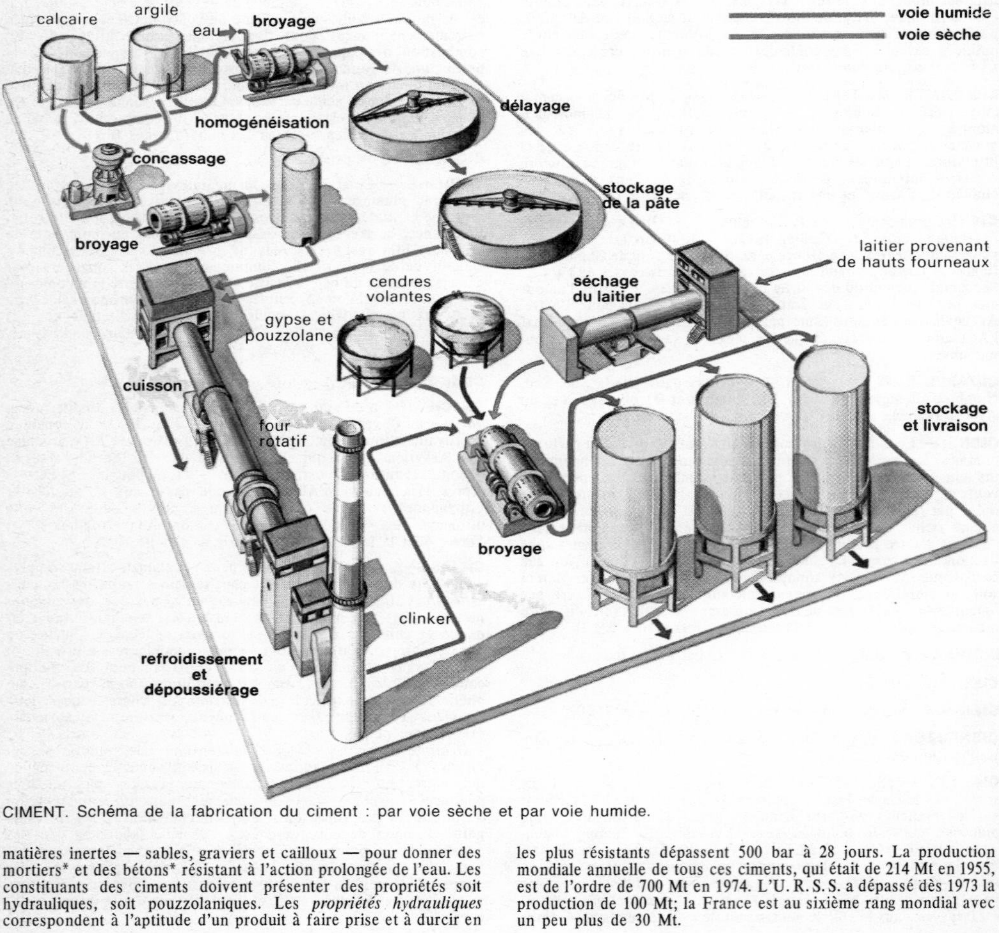

CIMENT. Schéma de la fabrication du ciment : par voie sèche et par voie humide.

matières inertes — sables, graviers et cailloux — pour donner des mortiers* et des bétons* résistant à l'action prolongée de l'eau. Les constituants des ciments doivent présenter des propriétés soit hydrauliques, soit pouzzolaniques. Les *propriétés hydrauliques* correspondent à l'aptitude d'un produit à faire prise et à durcir en

les plus résistants dépassent 500 bar à 28 jours. La production mondiale annuelle de tous ces ciments, qui était de 214 Mt en 1955, est de l'ordre de 700 Mt en 1974. L'U. R. S. S. a dépassé dès 1973 la production de 100 Mt; la France est au sixième rang mondial avec un peu plus de 30 Mt.

Cimetière marin *(le),* poème de P. Valéry (1920), méditation lyrique et métaphysique où le poète unit les thèmes de la mort et de la mer.

CIMMÉRIENS, peuplade nomade d'origine thrace, qui, au VIIe s. av. J.-C., envahit l'Asie Mineure. Les Cimmériens se heurtent aux Assyriens, aux Phrygiens, puis, vers 660, attaquent la Lydie et les cités grecques d'Ionie; vers 600, Alyatte, père de Crésus*, les chasse d'Asie Mineure.

CIMON, homme d'État athénien (v. 510-449 av. J.-C.). Sa carrière militaire est brillante : vainqueur de la flotte perse à l'embouchure de l'Eurymédon* en 468, il commande en 450 les opérations navales de Chypre qui permettront aux Grecs de négocier avec les Perses une paix honorable (v. MÉDIQUES [*guerres*]). Mais sa carrière politique sera moins heureuse; en politique intérieure, il s'oppose à l'extension à tous les citoyens des droits des grands propriétaires fonciers et, en politique étrangère, il prône un partage entre Sparte* et Athènes de l'hégémonie sur la Grèce, réservant à sa patrie la suprématie maritime. Mis en échec par Éphialtès*, il sera frappé d'ostracisme en 461.

CINABRE. — Le cinabre HgS, de densité 8, est un corps translucide, d'un beau rouge de cochenille. Il est formé de petits cristaux rhomboédriques doués de pouvoir rotatoire. C'est le principal minerai de mercure. Ses gisements les plus connus sont ceux d'Almadén en Espagne et d'Idrija en Yougoslavie.

CINCINNATI, v. des États-Unis (Ohio), sur l'Ohio; 451 000 hab. Important musée. Machines-outils. Chimie.

CINÉ-CLUB. — Les premiers ciné-clubs naquirent en France vers 1920 à l'initiative du cinéaste Louis Delluc et du critique Ricciotto Canudo. Initialement, ils se proposèrent d'attirer le public intellectuel, qui nourrissait jusqu'alors une certaine réserve vis-à-vis du « septième art », puis, le succès aidant, ils se donnèrent pour mission de propager la culture cinématographique en présentant hors des circuits normaux de diffusion certains films inédits, interdits parfois par la censure ou plus difficiles d'accès. L'une des branches des ciné-clubs, en se commercialisant, donna naissance aux salles spécialisées (les premières à Paris furent les Ursulines, le Vieux-Colombier et le Studio 28), dont certaines se groupèrent plus tard en cinémas d'art et d'essai. En 1945 fut fondée la Fédération française des ciné-clubs et en 1946 la Fédération internationale des ciné-clubs.

CINÉMA. — La première projection publique du cinématographe Lumière eut lieu le 28 décembre 1895 dans les sous-sols du Grand Café, boulevard des Capucines à Paris. L'appareil des frères Lumière (à la fois caméra, projecteur et tireuse) est l'aboutissement ingénieux d'une longue série de recherches touchant à la stroboscopie, à la photographie et à la projection des images animées, effectuées tout au long du XIXe s. par des savants et des chercheurs comme Plateau, Horner, Niepce, Daguerre, Muybridge, Marey, Reynaud et Edison. Très vite, cet « art nouveau » ne se contente plus de faire revivre sur pellicule la « nature prise sur le vif », mais s'aventure dans les chemins de l'illusion. Grâce à quelques poètes magiciens comme Georges Méliès, le passage du documentaire à la fiction, voire à la science-fiction est rapide. Comme est rapide l'évolution artistique et économique d'une forme de spectacle qui, sous l'impulsion des Américains, s'industrialise (fondation de trusts, guerre des brevets, apparition des premiers grands producteurs, naissance de Hollywood). La technique cinématographique échappe petit à petit à l'emprise des tabous du théâtre. L'expression filmique se développe. Les premiers créateurs apparaissent : Louis Feuillade, Max Linder, Abel Gance et Louis Delluc en France, Giovanni Pastrone en Italie, Victor Sjöström et Mauritz Stiller en Suède, Carl Dreyer au Danemark, F. W. Murnau, Fritz Lang, Ernst Lubitsch et G. W. Pabst en Allemagne, S. M. Eisenstein, Vsevolod Poudovkine, Dziga Vertov et Aleksandr Dovjenko en U. R. S. S. Aux États-Unis, David Wark Griffith codifie le langage de l'image dans *Naissance d'une nation* (1914) et *Intolérance* (1916), tandis que Mack Sennett invente le cinéma burlesque — qui vivra son âge d'or entre 1914 et 1930 avec Charlie Chaplin, Buster Keaton, Harold Lloyd. Le star-system est tout-puissant dès 1918. Hollywood devient « La Mecque du cinéma » et attire de grands cinéastes étrangers, qui vont tourner certains de leurs meilleurs films en terre américaine (notamment Erich von Stroheim et Josef von Sternberg).

En octobre 1927 est projeté à New York un film sonore parlant et chantant, *le Chanteur de jazz.* C'est une révolution. Malgré la grave crise économique de 1929, le cinéma américain assure sa suprématie dès les premiers temps du cinéma parlant. La comédie musicale part à la conquête des écrans. Le cinéma chante avec Jeanette MacDonald et danse avec Fred Astaire. Peu à peu s'imposent également la comédie légère (Frank Capra), le film de gangsters (*Scarface* de Howard Hawks en 1932), le film de guerre, le western, qui, avec *la Chevauchée fantastique* (1939) de John Ford, gagne ses lettres de noblesse, et la superproduction (Cecil B. De Mille et *Autant en emporte le vent* de Victor Fleming [1939]). Des réalisateurs comme John Ford, Raoul Walsh, George Cukor, William Wyler, King Vidor entament une carrière prolifique, tandis que brillent au fronton des salles les noms des grandes « vedettes » (Greta Garbo, Marlène Dietrich, Mae West, Bette Davis, Gary Cooper, Cary Grant, Humphrey Bogart). En Europe, où l'Italie a connu le déclin dès 1920, la Suède dès 1925 et l'Allemagne vers 1932, la France (René Clair, Marcel Carné, Jean Vigo, Jean Renoir) occupe avec l'U. R. S. S. une position privilégiée.

La couleur fait son apparition sur les écrans dès 1934 (bien que diverses tentatives aient eu lieu antérieurement); le dessin animé se popularise (Walt Disney), et, en 1941, Orson Welles révolutionne la technique de ce qu'on appelle désormais le « septième art » dans *Citizen Kane.*

La Seconde Guerre mondiale consolide la position privilégiée du cinéma américain dans le monde. Pourtant, Hollywood va être secouée quelques années après la fin du conflit par une crise morale (le « maccarthysme » de 1947 à 1952) et une crise économique grave (pour lutter contre la concurrence très vive de la télévision, on lance sur le marché, en 1952-53, de nouveaux procédés : cinéma en relief, Cinémascope, Cinérama).

Sur le plan artistique, les metteurs en scène les plus en vue sont toujours John Ford, mais également John Huston, Nicolas Ray, Billy Wilder, Stanley Donen, Vincente Minnelli, Joseph Mankiewicz, Alfred Hitchcock, Elia Kazan.

Le cinéma échappe cependant au monopole américain. L'Italie de l'après-guerre découvre le néoréalisme (Roberto Rossellini, Vittorio de Sica). La France n'a pas d'écoles, mais des individualités (H. G. Clouzot, René Clément, Jacques Becker, Jacques Tati, Max Ophuls), comme la Grande-Bretagne (David Lean et Carol Reed).

Les années 1955-1970 consacrent plusieurs grands réalisateurs : les Italiens Michelangelo Antonioni, Federico Fellini, Luchino Visconti, l'Espagnol Luis Buñuel, le Suédois Ingmar Bergman, les Japonais Kenji Mizoguchi (tardivement découvert en Europe) et Akira Kurosawa, l'Indien Satyajit Ray, les Français Alain Resnais et Jean-Luc Godard, les Américains Joseph Losey et Stanley Kubrick. Le cinéma n'est plus le fait d'un club fermé, réservé aux seuls grands pays producteurs. Œil ouvert sur le monde, il est dans plusieurs contrées du globe une arme idéologique, politique et sociale, et s'ouvre à toutes les tendances esthétiques (*free cinema* en Grande-Bretagne, *nouvelle vague* en France, *cinema novo* au Brésil, écoles de l'Europe centrale — notamment en Pologne [Andrzej Wajda] et en Hongrie [Miklós Jancsó]). Le cinéma, en se diversifiant (des films de prestige, superproductions puissamment aidées par d'habiles campagnes de presse, aux films à petits budgets, voire aux films tournés en 16 mm et super-huit), cherche à freiner la crise de fréquentation qui a éclaté vers 1960. (V. FILM.)

CINÉMASCOPE. — Grâce à une lentille hémisphérique nommée « Hypergonar », le Cinémascope comprime l'image à la prise de vues et l'agrandit sur écran large à la projection. Due au Français Henri Chrétien*, l'invention de l'Hypergonar (1927) fut rachetée et commercialisée en 1953 par le président de la Twentieth Century Fox Spyros Skouras. Le premier film tourné en Cinémascope fut *la Tunique* d'Henry Koster (1953). Sur le plan artistique, les premières réalisations importantes furent celles de Nicholas Ray (*la Fureur de vivre,* 1955) et d'Elia Kazan (*À l'est d'Eden**, 1955).

CINÉMATHÈQUE. — En 1919 s'imposa pour la première fois la nécessité de mettre certains films à l'abri de la destruction et de l'usure. Ainsi fut fondée la *Cinémathèque de la ville de Paris,* qui, cependant, ne se soucia que de la préservation des films documentaires à caractère didactique. Plus tard, en 1936, Henri Langlois, Georges Franju et P. A. Harlé, en créant la *Cinémathèque française,* furent les premiers à vouloir sauvegarder le film, en considérant celui-ci comme une œuvre d'art appartenant au patrimoine culturel mondial. Une cinémathèque idéale devrait comprendre une bibliothèque, un musée du cinéma, un local pour la conservation des films et des archives, enfin des salles de projection. Outre la Cinémathèque française, d'autres institutions semblables existent dans de nombreux pays (notamment le *British Film Institute* en Grande-Bretagne, le *Museum of Modern Arts* aux États-Unis, la *Reichfilmarchiv* en Allemagne).

CINÉMATIQUE. — • *Cinématique du point.* Si un point M décrit une trajectoire (S), deux vecteurs, la *vitesse* et l'*accélération,* sont liés à M. Si le mouvement est rectiligne et uniforme, le vecteur vitesse est constant en grandeur, en direction et en sens; il vaut $v = \frac{x}{t}$, quotient de la longueur du chemin que parcourt le point M par le temps employé à le parcourir. Si le mouvement est curviligne, la valeur algébrique du vecteur est $v = \frac{ds}{dt}$; elle est dirigée suivant la tangente en M à la courbe (S). Si, par un point quelconque, on mène un vecteur équipollent à la vitesse, son extrémité P décrit une courbe, l'*hodographe* du point M. Le point P a une vitesse qui est la *vitesse de la vitesse* de M; le vecteur équipollent à cette vitesse de P, mené par M, est l'*accélération* Γ de M; on peut décomposer celle-ci en accélération tangentielle γ_t et en accélération normale γ_n. Dans le mouvement rectiligne, le vecteur accélération a pour valeur algébrique $\Gamma = \frac{dv}{dt} = \frac{d^2x}{dt^2}$. Dans le mouvement circulaire uniforme, $\gamma_t = \frac{dv}{dt} = 0$ et $\gamma_n = \frac{v^2}{R} = \omega^2 R$, ω étant la vitesse angulaire $\frac{2\pi}{T}$ (T = durée d'une révolution) et R le rayon du cercle parcouru par le point M.

• *Cinématique d'un solide invariable*. Il y a trois mouvements principaux d'un solide invariable : la translation, la rotation et le mouvement hélicoïdal. Dans le mouvement de *translation*, les trajectoires des différents points du solide sont équipollentes; il en est de même pour les vitesses et les accélérations. Dans la *rotation* autour d'un axe (yy'), tous les points situés à la même distance de l'axe yy' ont même vitesse et même accélération $\left(v = \omega R \text{ et } \Gamma = \frac{v^2}{R} = \omega^2 R = \omega v\right)$.

Le *mouvement hélicoïdal* d'un solide est réalisé quand celui-ci glisse, le long d'un axe zz', d'une longueur proportionnelle à l'angle dont il tourne autour de l'axe zz'; quand il a fait un tour complet, la valeur du glissement est le *pas* d'hélice. La vitesse d'un point est la somme géométrique de la vitesse de glissement et de la vitesse de rotation ωR.

Le mouvement absolu d'un mobile M par rapport à un système (A) est la résultante du mouvement de M par rapport à un système (S) [mouvement relatif] et du mouvement d'entraînement de (S) par rapport à (A). On a $\overrightarrow{V_a} = \overrightarrow{V_r} + \overrightarrow{V_e}$ (somme géométrique des deux vitesses), mais $\overrightarrow{\Gamma_a} = \overrightarrow{\Gamma_r} + \overrightarrow{\Gamma_e} + 2\,u$ (u étant l'*accélération complémentaire de Coriolis**).

CINÉRAMA. — Ce procédé cinématographique, inventé par Fred Waller en 1935, utilise trois caméras et trois projections rigoureusement synchronisées, donnant une impression de relief et augmentant considérablement le champ de vision. La première projection sur triple écran avec sept pistes sonores eut lieu au Broadway Theater de New York le 30 septembre 1952 sous le titre de *This is Cinerama*.

CINÉTIQUE. — La *force* d'inertie* d'un point en mouvement est le produit de sa masse* m par l'accélération; c'est une force fictive dirigée en sens contraire de l'accélération. Les problèmes de dynamique* se ramènent à des problèmes de statique*, à condition d'adjoindre aux forces appliquées les forces d'inertie $\left(-\frac{d^2x}{dt^2}\right)$, $\left(-\frac{d^2y}{dt^2}\right)$, $\left(-\frac{d^2z}{dt^2}\right)$. Le moment d'inertie I d'un corps de masse M autour d'un axe de rotation a pour valeur $\Sigma\, m r^2$, m étant la masse d'un point quelconque du corps considéré et r sa distance à l'axe. Son *énergie* cinétique* totale est $\Sigma\, m r^2 \frac{\omega^2}{2}$, ω étant la vitesse angulaire. Le moment I′ par rapport à un axe distant de h de l'axe de rotation est $I' = I + Mh^2$ $(M = \Sigma m)$. La *quantité de mouvement* est le produit $\overrightarrow{Mv}$ de la masse par la vitesse. L'*impulsion* élémentaire d'une force F étant dt, la différentielle* de la quantité de mouvement projetée sur un axe est égale à l'impulsion de la projection de la force $d\left(m\frac{dx}{dt}\right) = X\,dt$. L'accroissement de la quantité de mouvement est égal, en projection, à la somme des impulsions élémentaires. Le *moment cinétique* n'est autre que le moment de la quantité de mouvement. La dérivée* du moment cinétique par rapport à un axe est égale au moment de la force par rapport à cet axe. Si l'on joint un point M à un point O de son plan, le vecteur $\overrightarrow{OM}$ balaye une aire élémentaire dA dans le temps dt; la vitesse aréolaire du point M est $\frac{dA}{dt}$. La longueur du vecteur $\overrightarrow{OM}$ étant r et ω la vitesse angulaire, on a $\frac{dA}{dt} = \frac{1}{2} r^2 \omega$; v étant la vitesse et p la distance de O à la tangente, on a aussi $\frac{dA}{dt} = \frac{1}{2} pv$; en projection sur un plan perpendiculaire à un axe fixe, le double produit de la masse par l'accroissement de la vitesse aréolaire est égal à l'intégrale des moments des impulsions de la force. L'*énergie cinétique* est la demi-force vive $\frac{1}{2} Mv^2$; elle représente l'énergie de mouvement d'un corps.

Le théorème des forces vives (ou de l'énergie cinétique) spécifie que la demi-variation de la force vive, ou variation de l'énergie cinétique, est égale, à chaque instant, à la somme des travaux élémentaires des forces appliquées. L'énergie totale est constante et a pour valeur la somme de l'énergie cinétique et de l'énergie

potentielle (énergie de position, ou altitude, et énergie de pression, ou hauteur piézométrique).

CINÉTIQUE (art). — Née dans les années 50, mais annoncée par certains travaux à partir des années 20 (Gabo, Tatline, Marcel Duchamp, Moholy-Nagy, Albers), cette forme d'art non figuratif se caractérise par la recherche de mouvement, réel ou apparent. On peut distinguer d'une part les œuvres animées mécaniquement ou manuellement (le Belge Pol Bury [né en 1922], Tinguely*) et les réalisations *luminocinétiques* (Schöffer*) et d'autre part le cinétisme virtuel, qui utilise les phénomènes optiques (d'où la dénomination américaine d'*op art*) pour créer un mouvement qui n'appartient pas à l'œuvre, mais qui naît du rapport objet-spectateur (Vasarely*, le Vénézuélien Jesús Raphaël Soto [né en 1923]). Ces réalisations prennent souvent un caractère d'environnement (l'Israélien Yaacov Agam [né en 1928], le Vénézuélien Carlos Cruz-Diez [né en 1923], le Groupe* de recherche d'art visuel, Soto [annexe du palais de l'Unesco, Paris, 1970]).

CINÉTIQUE CHIMIQUE. — Beaucoup de réactions chimiques ne sont pas instantanées, et l'objet de la cinétique chimique est l'étude des facteurs qui influent sur leurs vitesses. En milieu homogène, la vitesse de réaction est proportionnelle aux concentrations des corps réagissants. Elle augmente très rapidement avec la température. Elle est souvent sensible à l'action des radiations ainsi qu'à celle des catalyseurs.

CINÉTIQUE DES GAZ (théorie). — Inaugurée par D. Bernoulli, elle pose que les gaz sont formés de molécules en mouvement incessant. Dans les conditions habituelles, leur vitesse est de quelques centaines de mètres par seconde, et le nombre moyen de chocs que subit chaque molécule par seconde est de l'ordre du milliard. Cette théorie, qui explique le mouvement brownien, permet d'interpréter la pression du gaz sur les parois comme résultant du choc des molécules et sa température comme représentant leur énergie cinétique moyenne.

CINEY, v. de Belgique (prov. du Namur), au N.-E. de Dinant; 7 536 hab. (en 1970). Église avec parties des XIe-XIIIe s.

CINGHALAIS → INDO-ARYEN.

CINNA (Lucius Cornelius), général romain († Ancôme 84 av. J.-C.). Consul en 87, il voulut faire voter une loi pour répartir les citoyens également entre toutes les tribus. Cn. Octavius, son collègue au consulat, s'y opposa, le destitua, puis le bannit. Cinna rassembla une armée; ses troupes et celles de Marius* ravagèrent l'Italie et prirent Rome en 86. Chef du parti populaire après la mort de Marius, Cinna régna tyranniquement sur l'Italie. Il fut assassiné en 84, alors qu'il se préparait à combattre Sulla* en Orient.

Art cinétique. Environnement de Jesús Raphaël Soto, réalisé en 1970 pour le palais de l'Unesco, à Paris.

A. Morain

CINNA (Cneius Cornelius), arrière-petit-fils de Pompée. Il fut accusé d'avoir conspiré contre Auguste; son complot est resté célèbre par l'attitude du prince que Corneille devait immortaliser : Auguste pardonna à Cinna, qu'il nomma même consul en 5 apr. J.-C.

Cinna ou *la Clémence d'Auguste,* tragédie en cinq actes et en vers de P. Corneille (1640-41). Des conjurés qui ne savent comment concilier l'amour et la politique; un dictateur qui éprouve que la volupté du pouvoir absolu est dans le refus de son exercice : mais la clémence est aussi un bon moyen de gouverner.

CINNAMIQUE. — L'*acide cinnamique* $C_6H_5—CH=CH—CO_2H$ existe à l'état d'esters dans les baumes de Tolú et du Pérou. L'*aldéhyde cinnamique* correspondant est un constituant de l'essence de cannelle. L'*alcool cinnamique,* contenu dans le styrax, possède une odeur de jacinthe.

CINO DA PISTOIA, jurisconsulte et poète italien (Pistoia 1270-*id.* 1337), ami de Dante et l'un des représentants du *dolce stil nuovo.*

Cinq *(groupe des),* groupe de musiciens russes. C'est une prise de conscience nationale qui incita, vers 1858, quelques musiciens russes à se rassembler sous l'égide de M. Balakirev : C. Cui, A. Borodine, M. Moussorgski, N. Rimski-Korsakov. Réunis dans une commune admiration pour Glinka et A. Dargomyjski, guidés par les idées patriotiques du poète V. Stassov, ils puisèrent aux sources religieuses et populaires de leur pays, non sans s'inspirer parfois de certains compositeurs occidentaux (Berlioz, Schumann, Liszt, Wagner).

Cinq-Cents *(Conseil des),* une des deux assemblées créées par la Constitution de l'an III (1795). Le Conseil des Cinq-Cents formait sous le Directoire*, avec le Conseil des Anciens*, le Corps législatif (1795-1799). Composé de cinq cents membres âgés d'au moins trente ans, élus au suffrage universel à deux degrés, il avait l'initiative des projets de lois et votait des « résolutions » soumises à l'approbation des Anciens.

CINQ-MARS (Henri Coiffier de Ruzé, *marquis* de), gentilhomme français (1620-Lyon 1642). Favori de Louis XIII, grand écuyer de France, Cinq-Mars pousse le roi contre Richelieu et va jusqu'à s'allier avec l'Espagne. Trahi par son complice Gaston* d'Orléans, il est décapité à Lyon en même temps que son ami de Thou.

Cinq-Mars, roman historique d'Alfred de Vigny (1826).

CINTEGABELLE (31550), ch.-l. de cant. de la Haute-Garonne, à 27 km au N. de Pamiers, sur l'Ariège; 1921 hab.

CINTO *(monte),* point culminant de la Corse; 2710 m.

Ciompi, nom donné, au xive s., aux ouvriers florentins, notamment à ceux qui n'appartenaient à aucune corporation, ou « art », et qui, en juillet 1378, se soulevèrent et s'emparèrent de Florence.

CIOTAT (**La**) [13600], ch.-l. de cant. des Bouches-du-Rhône, à 33 km au S.-E. de Marseille; 32033 hab. *(Ciotadens).* Église du xviie s. Chantiers navals. Station balnéaire.

cipayes *(guerre des),* conflit qui, en 1857-58, opposa aux Anglais les cipayes de la compagnie des Indes. Limitée à la moyenne vallée du Bengale, la révolte, dirigée par le prince Nānā Sāhib (1825-1862), échoua après la reprise, par les Anglais, de Delhi (1857), puis de Lucknow (1858).

CIPRIANI (Amilcare), homme politique italien (Anzio 1844-Paris 1918). Lieutenant de Garibaldi, il lutta pour l'indépendance de l'Italie. Il prit part à la fondation de l'Internationale* (1864) et fut l'un des chefs de la Commune de 1871.

CIRCÉ, magicienne qui, dans *l'Odyssée,* change en pourceaux les compagnons d'Ulysse. Son personnage a connu de multiples interprétations de Plutarque *(Œuvres morales)* à Joyce (chapitre xv d'*Ulysse*), en passant par Thomas Corneille (*Circé,* 1675) ou Pascoli (*Poèmes conviviaux,* 1904).

CIRCONCISION. — Attestée dans l'Égypte ancienne et répandue chez certains peuples sémites et les Arabes préislamiques, la pratique de l'ablation du prépuce paraît avoir été primitivement un rite de passage marquant l'arrivée d'un garçon à l'âge nubile et une initiation au mariage et à la vie du clan. Chez les Hébreux*, qui ont hérité cette coutume des Cananéens*, elle prend un sens religieux distinctif : la marque de l'alliance avec Dieu.

CIRCUIT ÉCONOMIQUE. — La notion de circuit implique que les faits économiques résultent d'enchaînements d'opérations interdépendantes et non de processus parallèles et séparés. Quesnay* imagine le premier (ou l'un des premiers) le circuit dans son *Tableau.* Les entrepreneurs consomment des « inputs » pour produire des « outputs ». Ils vendent ces « outputs » à des consommateurs, qui, eux-mêmes, ont vendu du travail aux producteurs. Le « circuit » est, ainsi, bouclé. Irving Fisher introduit la notion en matière monétaire, dans ses travaux sur les prix*, où il attire l'attention sur la circulation de la monnaie : la « vitesse » de la circulation doit être prise en ligne de compte.

CIRCUIT ÉLECTRONIQUE. — Un circuit électronique peut être soit actif, soit passif. Dans le premier cas, il comprend des sources d'alimentation, alors que, dans le second, il n'en comporte pas. Un système passif participe plus de l'électrotechnique que de l'électronique, mais, quel que soit son usage, les caractéristiques de ses composants doivent être fixées (filtres, amorçages, adaptations d'impédances, etc.).

À l'origine, les circuits électroniques dits « de la première génération » étaient des systèmes passifs. La deuxième génération comprenait des tubes* électroniques, diodes et amplificateurs*; certaines calculatrices* électroniques possédaient plusieurs milliers de tubes divers. Malgré des résultats remarquables, les effets thermiques comme les dimensions d'encombrement étaient trop importants.

La troisième génération a pris naissance lors de l'apparition des semi-conducteurs*, diodes et transistors* remplaçant presque tous les tubes électroniques. La généralisation de ce système avait des avantages considérables. Non seulement les effets thermiques étaient extrêmement réduits, mais il devenait possible de grouper les divers composants sur des plaquettes de *circuits imprimés,* les connexions étant assurées au préalable par photogravure*. Un autre avantage était la réduction d'encombrement des circuits, chaque plaquette pouvant comprendre plusieurs montages individuels. De plus, il était économique de remplacer une plaquette plutôt que de chercher à réparer ou à changer un composant défectueux.

La quatrième génération est celle de la *microélectronique.* Grâce à certaines méthodes physico-chimiques (injections de porteurs, implantations ioniques, etc.), il est aujourd'hui possible d'inclure un amplificateur complet à plusieurs étages dans un volume aussi restreint que celui d'une tête d'épingle. C'est ce qu'on appelle un *circuit intégré.*

CIRCULATION ATMOSPHÉRIQUE. — L'atmosphère qui entoure la planète est animée de mouvements divers dont l'ensemble constitue la circulation atmosphérique. Les mouvements de masses d'air, ou vents*, sont déterminés par les différences de pression* existant d'un secteur à l'autre.

La zone intertropicale est caractérisée par la permanence de vents, les alizés, qui soufflent des hautes pressions subtropicales vers les basses pressions équatoriales. Déviés par la rotation de la Terre, ces vents sont de direction N.-E.-S.-O. dans l'hémisphère Nord et S.-E.-N.-O. dans l'hémisphère Sud. Ils s'affaiblissent au niveau de l'équateur, le long de la zone de convergence intertropicale, souvent marquée par l'existence de vastes étendues de vents faibles ou de calmes équatoriaux, les doldrums. La zone tempérée

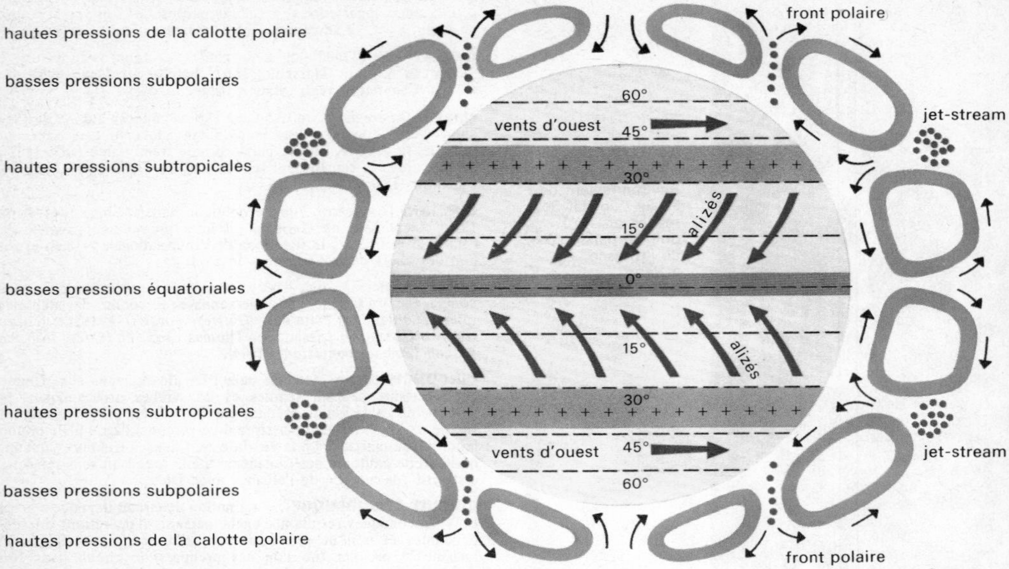

CIRCULATION ATMOSPHÉRIQUE

CIRCULATION DU SANG.
1. Veines jugulaires; 2. Artère carotide; 3. Aorte; 4. Cœur gauche; 5. Cœur droit; 6. Foie; 7. Veine porte; 8. Intestin.

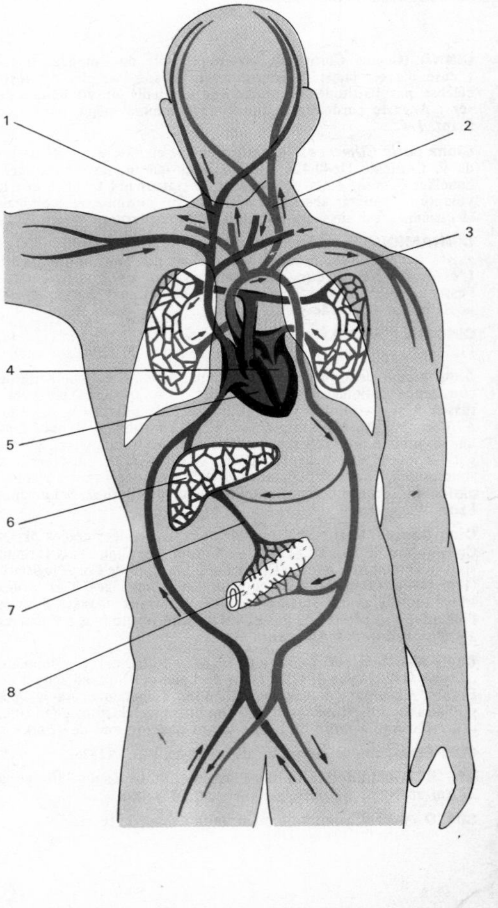

est marquée par une circulation d'ouest, les westerlies, continus dans l'hémisphère Sud, mais gênés dans l'hémisphère Nord par la présence de barrières continentales. Des hautes pressions polaires s'échappent des vents d'est qui soufflent sur les hautes latitudes.

Ce schéma d'ensemble de la circulation atmosphérique subit des variations saisonnières. La zone des alizés connaît une remontée vers le nord pendant l'été boréal et inverse pendant l'hiver. Mais l'été est surtout caractérisé par le phénomène de la mousson, particulièrement marqué en Asie orientale. Attiré par les basses pressions qui se créent au-dessus du bloc asiatique, l'alizé de l'hémisphère Sud franchit l'équateur et devient la mousson*, qui souffle du sud sur l'hémisphère Nord.

En altitude, la circulation atmosphérique, qui n'est plus gênée par les obstacles continentaux, se simplifie considérablement. Elle est dominée par un puissant flux d'ouest qui recouvre l'essentiel de la planète et comporte des courants très violents (environ de 200 à 300 km/h), les jet-streams, localisés au-dessus des zones tempérées des deux hémisphères vers 10 km d'altitude.

Le mécanisme de la circulation atmosphérique est fondamental tant dans l'étude du climat* que dans la prévision météorologique.

CIRCULATION DU SANG. — On distingue la *petite circulation,* qui se fait entre le ventricule droit et l'oreillette gauche par le poumon, la *grande circulation,* qui se fait entre le ventricule gauche et l'oreillette droite par tous les autres organes, et la *circulation porte,* dérivation de la précédente, qui recueille le sang provenant de l'intestin et le conduit au foie, d'où il retourne à l'oreillette droite.

CIRCULATION ROUTIÈRE. — En raison du développement de la circulation automobile, il est devenu nécessaire d'améliorer et de développer le réseau routier, de créer des parcs de stationnement dans les agglomérations et d'imposer des mesures de sécurité adaptées aux nouvelles conditions du trafic. Les règles de circulation et de signalisation sont données par le code de la route. La signalisation se présente sous trois formes : des *panneaux préventifs,* des *marques* tracées sur le sol et des *signaux lumineux.* Enfin, la limitation de vitesse, le contrôle technique des véhicules, les opérations de régulation du trafic et les pénalisations qui sanctionnent les infractions contribuent, dans une large mesure, à assurer la sécurité.

CIREBON ou **TJIREBON**, port d'Indonésie, sur la côte nord de Java; 179 000 hab.

CIREUSE. — La cireuse est un appareil ménager à moteur électrique, muni d'un distributeur de cire et d'un jeu de brosses pour faire briller les parquets. On distingue les *cireuses à plateaux* (brosses cylindriques à axe vertical) et les *cireuses à rouleaux* (brosses cylindriques à axe horizontal). Certains modèles se rattachent à l'aspirateur *(cireuse aspirante),* absorbant les poussières au fur et à mesure du travail de dépoussiérage effectué par les brosses. Il existe des brosses à décaper, à cirer et à polir.

CIREY-SUR-BLAISE (52110 Blaiserives), comm. de la Haute-Marne, à 24 km au N.-E. de Bar-sur-Aube; 181 hab.

CIREY-SUR-VEZOUZE (54480), ch.-l. de cant. de Meurthe-et-Moselle, à 33 km à l'E. de Lunéville; 2 279 hab. Verrerie.

CIRQUE. — C'est en Angleterre que se situe le berceau du cirque moderne. En 1769, un ancien écuyer, Philip Astley, présente à Londres un spectacle d'exhibitions équestres dans une sorte de manège qu'il fera, dix ans plus tard, cerner de gradins et qu'il nommera l'Astley Royal Amphitheater of Arts. En 1883, il ouvre à Paris une succursale qui connaît un vif succès. Au cours du XIXe s., la France est l'un des pays du monde où les jeux de la piste se développent avec éclat. Antonio Franconi et ses fils fondent les trois Cirques olympiques. Louis Dejean fait édifier le cirque des Champs-Élysées, ou cirque d'Été (1841-1898), puis le cirque Napoléon, ou cirque d'Hiver (inauguré en 1852 et géré par la famille Bouglione à partir de 1934). C'est encore à Paris que seront bâtis le cirque Fernando (1873, qui deviendra le cirque Medrano), le cirque Oller (1875, plus connu à partir de 1886 sous le nom de Nouveau-Cirque et qui fermera ses portes en 1926), le cirque Métropole, ou cirque de Paris (1906-1930), ainsi que plusieurs « hippodromes », dont le dernier en date fera place au cinéma Gaumont-Palace.

Aux États-Unis, grâce à plusieurs pionniers, comme John William Ricketts, Aaron Turner et Gilbert Spaulding, le cirque trouve en la personne de Phineas Taylor Barnum un imprésario de génie, qui lui apporte dynamisme et gigantisme.

Les cirques voyageurs ont progressivement annexé les ménageries, naguère encore spectacles forains, et, de nos jours, les grands cirques juxtaposent les jeux de la piste et la visite de la ménagerie (ainsi, en France, les cirques Pinder, Amar ou Bouglione).

Chaque pays a des cirques de grand renom : Ringling (États-Unis), Busch, Hagenbeck et Krone (Allemagne), Bertram Millo (Angleterre), Orfei et Togni (Italie), Knie (Suisse), Strassburger (Hollande), De Jonghe (Belgique), Cirque de Moscou (U. R. S. S.), Humberto (Tchécoslovaquie), Price (Espagne), Kozo Kinoshita (Japon).

Les arts du cirque comprennent l'équilibre, l'acrobatie, le jonglage, le funambulisme, les exercices aériens, l'art équestre, l'évolution sur roues, l'art clownesque, les épreuves de force, le dressage-domptage.

CIRQUE GLACIAIRE → GLACIAIRE *(relief).*

CIRRHOSE. — Quelle que soit sa cause, la cirrhose aboutit à la destruction progressive des cellules du foie. Souvent latente au début, elle se traduit rapidement par l'existence d'un foie dur, augmenté de volume, avec signes biologiques d'inflammation hépatique. Plus tard, le foie s'atrophie et apparaissent des signes d'insuffisance hépatique grave et d'hypertension portale, de pronostic sévère. Le traitement associe le régime sans sel strict, les diurétiques, les ponctions d'ascite et parfois une anastomose porto-cave en cas d'hémorragies digestives.

Les cirrhoses sont d'origine alcoolique, biliaire (destruction des voies biliaires), cardiaque, posthépatitiques (après hépatite), liées à une hémochromatose, ou encore d'origine nutritionnelle non alcoolique (fréquentes dans les pays sous-développés), voire d'origine inconnue. Citons les cirrhoses infantiles, métaboliques, posthépatitiques ou malformatives.

CIRRIPÈDES. — L'anatife, le pouce-pied, la balane et la coronule, animaux marins qui, à l'état adulte, vivent fixés, sont protégés par une sorte de coquille aux nombreuses pièces d'où ne dépassent que les pattes. Celles-ci s'agitent sans arrêt pour créer les courants d'eau qui apportent à l'animal nourriture et oxygène. Seule la connaissance de leur larve a permis de classer ces *cirripèdes* parmi les crustacés.

CIRRUS → NUAGE.

CISALPINE *(république),* État que Bonaparte constitua dans l'Italie continentale et dont l'Autriche dut reconnaître l'existence au traité de Campoformio (1797). Formée de la Lombardie, agrandie de la république Cispadane, de la moitié de la république de Venise, puis (1800) de Novare, la république Cisalpine, dont la capitale était Milan, devint en 1802 la République italienne (royaume d'Italie en 1804).

CISJORDANIE, partie de la Jordanie située à l'O. du Jourdain.

CISKEI, État bantou (Bantoustan) de l'Afrique du Sud, dans la partie orientale de la province du Cap; 12 075 km²; 530 000 hab.

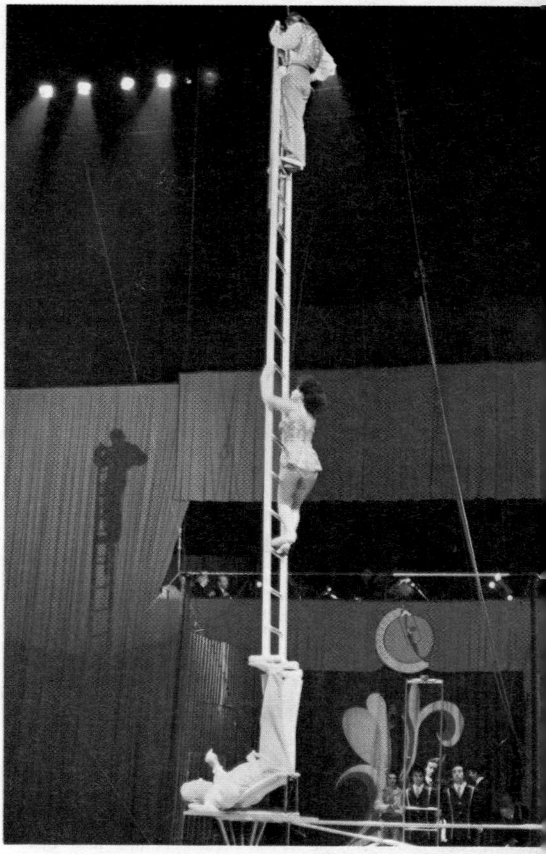

Lauros

Représentation du Cirque de Moscou, à Paris, en 1973 : les équilibristes.

CISLEITHANIE ou **PROVINCES CISLEITHANES,** partie autrichienne de l'Empire austro-hongrois, désignée ainsi à partir de 1867 et jusqu'à l'effondrement de l'Empire en 1918, par opposition à la partie hongroise, appelée *Transleithanie.* Elle englobait les pays situés à l'O. de la *Leitha* et les dépendances de la couronne d'Autriche au N.-E. et au S.-E. de cette rivière.

CISNEROS (Francisco JIMÉNEZ DE), prélat espagnol (Torrelaguna 1436 - Roa 1517). Franciscain, il devient le confesseur d'Isabelle la Catholique. Archevêque de Tolède (1495), primat d'Espagne, chancelier de Castille, cardinal (1507), Grand Inquisiteur, il réduit les privilèges nobiliaires et accélère indûment la conversion des Maures. Régent en 1516, il facilite l'avènement de Charles d'Autriche (Charles Quint). Il joue un rôle capital dans le développement de l'humanisme et de la Réforme catholique en Espagne. Fondateur de l'université d'Alcalá de Henares (1498), il fait entreprendre la Bible polyglotte.

CISPADANE *(république),* État éphémère (1796-97) formé par Bonaparte en Italie par les duchés de Modène et de Reggio, les légations de Ferrare et de Bologne ainsi que la Romagne. Cette république fut rapidement unie à la république Cisalpine*.

CISTERCIENS. — Les Cisterciens constituent une famille monastique issue de l'abbaye de Cîteaux, près de Dijon, fondée en 1098 par Robert de Molesmes et quelques moines. Quittant l'obédience de Cluny*, abbaye mère bénédictine accusée par eux de laxisme, les Cisterciens cherchèrent leur voie jusqu'au moment où saint Bernard* de Clairvaux, entré à Cîteaux en 1112, donna à l'ordre — dont les maisons sont autonomes sous le contrôle du chapitre général et de l'abbé de Cîteaux — un essor extraordinaire en France et dans toute l'Europe. « Bénédictins blancs », les Cisterciens veulent observer exactement la règle de saint Benoît par une plus grande austérité dans la nourriture et l'habillement ainsi que par l'exercice du travail manuel.

Dans les années qui suivent la Réforme protestante, l'ordre subit une crise de ferveur, ce qui provoque à l'abbaye Notre-Dame de la Trappe, à Soligny (Normandie), une réforme due à l'abbé Armand de Rancé (1626-1700) : ses disciples, les cisterciens de la stricte observance, ou *trappistes,* mettent l'accent sur le côté pénitentiel de la vie monastique. Actuellement, on compte, dans 37 pays, 216 abbayes cisterciennes d'hommes et de femmes (trappistes et cisterciens de la commune observance).

CITÉ. — Au VIIIe s. av. J.-C. apparaît dans le monde grec une création politique originale, la *polis,* terme que traduit approximativement le mot « cité ». La cité grecque est un État indépendant formé par la réunion (synœcisme) de bourgs ou de villages ruraux, ayant pour centre une agglomération, siège des institutions et du culte, centre commercial et lieu de refuge en cas de danger. Le territoire dont elle dispose est restreint : Athènes, avec ses 2 500 km^2, fait figure de grand État. Mais la cité n'a pris sa forme idéale qu'après une succession de conflits internes marquant les étapes de son évolution, qui, du régime monarchique, en passant par l'oligarchie, conduit à l'établissement de la démocratie, souvent après une période transitoire de tyrannie*.

CITÉ (droit de). — À Rome, le droit de participer aux prérogatives des citoyens s'acquérait par la naissance, par la naturalisation et, pour les esclaves, par l'affranchissement*. Le droit de cité romaine, possédé par ceux qui résidaient à Rome ou dans l'*Ager Romanus,* ou encore dans une colonie romaine, se transmettait héréditairement. La citoyenneté romaine *(civitas)* se composait de plusieurs droits publics et privés : le *jus suffragii* (droit de vote), le *jus honorum* (éligibilité aux magistratures), le *jus militiae* (droit de servir dans une légion), le *jus provocationis* (droit d'appel au peuple dans les procès criminels), le *jus census* (droit de figurer sur les registres du cens), le *jus connubii* (droit de mariage légitime), le *jus commercii* (droit de faire des actes juridiques). Seuls ceux qui possédaient toutes ces prérogatives étaient des citoyens de pleins droits *(civis optimo jure),* ou ingénus. Ceux qui n'avaient pas tous ces droits était dits « citoyens incomplets » *(civis minuto jure) :* ainsi les affranchis n'avaient pas le *jus honorum.*

À l'égard de ses sujets italiens, Rome n'accorda aux Latins qu'une fraction du statut complet : les citoyens latins *(jus Latii)* avaient les droits civils et pouvaient acquérir *(jus commercii);* en droit public, ils ne pouvaient voter à Rome que lorsqu'ils y étaient de passage, mais n'avaient pas le droit d'être élus ni celui de servir dans les légions. Quant aux cités alliées, le statut de chaque communauté dépendait des traités d'alliance *(foedus),* qui stipulaient la fraction de droit de cité accordée à chacune. Après la révolte des alliés *(socii)* [guerre sociale*, 91-89/88 av. J.-C.], pour obtenir le droit de cité complet, Rome accorda la citoyenneté à tous les Italiens. Fidèle à la notion de cité-État, la République n'avait donc octroyé le droit de cité romaine qu'à l'Italie. César et les empereurs qui lui succédèrent prodiguèrent plus généreusement ce droit de cité, qui fut reconnu progressivement à tous les provinciaux : la citoyenneté de droit romain fut concédée soit individuellement (membres des curies municipales), soit collectivement (César l'accorda à tous les Gaulois de Cisalpine en 49 av. J.-C.). Peu à peu, les provinciaux passèrent du statut d'étrangers (pérégrins*) à celui de citoyens, statut qui fut accordé en 212 à l'ensemble des habitants de l'Empire par Caracalla* *(Constitution antonine* ou *Édit de Caracalla).*

CITÉ *(île de la),* île de la Seine, qui fut le berceau de Paris. S'y localisent notamment Notre-Dame de Paris, le Palais de justice et la Sainte-Chapelle, la Préfecture de police, l'Hôtel-Dieu.

Cité antique *(la),* œuvre de Fustel de Coulanges (1864). L'auteur y met en évidence le rôle joué par la religion dans l'évolution politique et sociale de la Grèce et de Rome.

CÎTEAUX → CISTERCIENS.

Cité de Dieu *(la),* ouvrage de saint Augustin (entre 413 et 427), première ébauche d'une théologie de l'histoire. Deux cités se partagent le monde, fondées sur deux amours : « l'amour de soi jusqu'au mépris de Dieu, l'amour de Dieu jusqu'au mépris de soi ». Mais la cité de Dieu n'est pas l'antithèse ou le refus de la cité humaine : toutes deux coexistent dans le cours de l'histoire comme dans le cœur de l'homme; la séparation définitive des deux empires n'aura lieu qu'à la fin des temps.

CITHARE → INSTRUMENTS DE MUSIQUE.

Citizen Kane, film américain d'Orson Welles (1941). Une date essentielle dans l'histoire du cinéma. En brossant, sous la forme d'un puzzle psychologique, le portrait d'un richissime magnat de la presse, Orson Welles (auteur, metteur en scène et interprète principal) s'interroge sur l'illusion de la réussite sociale, les secrets du « moi » profond, les ambiguïtés des transferts psychanalytiques. Ce film de visionnaire bouleversa la plupart des règles de la grammaire cinématographique, notamment dans le domaine de la prise de vues (utilisation à des fins dramatiques de la profondeur de champ, cadrages insolites) et du montage.

R. K. O. (coll. J.-L. Passek)

Citizen Kane (1941), d'Orson Welles.

CITLALTÉPETL ou **VOLCAN D'ORIZABA***, montagne volcanique à l'E. de Mexico, point culminant du Mexique; 5 700 m.

CITRIQUE (acide). — C'est un triacide-alcool $C_6H_8O_7$, qui existe à l'état libre ou sous forme de sel dans de nombreux fruits et végétaux. Il cristallise en prismes incolores, de saveur acide agréable, très solubles dans l'eau. Il sert comme rongeant en teinture et entre dans la composition des limonades.

CITROËN (André), ingénieur et industriel français (Paris 1878 - *id.* 1935). Après avoir acquis et développé le brevet des engrenages à chevrons qui symbolisent sa marque, et augmenté la production d'obus pendant la Première Guerre mondiale, il fut le premier en Europe à construire des automobiles en grande série. Son sens de l'innovation et du progrès lui permirent d'édifier l'une des plus grandes affaires de construction automobile.

CITRONNIER. — Cet arbrisseau, voisin de l'oranger, est cultivé dans les régions chaudes pour son bois (tabletterie, mobilier) et pour son fruit, jaune et acide, aux usages alimentaires multiples. (Famille des rutacées.)

CIUDAD BOLÍVAR, v. du Venezuela, capit. de l'*État de Bolívar,* sur l'Orénoque; 104 000 hab. Métallurgie.

CIUDAD GUAYANA, v. du Venezuela, au confluent de l'Orénoque et du Caroni; 100 000 hab. Sidérurgie.

CIUDAD JUÁREZ, v. du Mexique, à la frontière des États-Unis, sur le río Grande, en face d'El Paso; 407 000 hab.

CIUDAD OBREGÓN, v. du nord-ouest du Mexique; 114 000 hab.

CIUDAD OJEDA → LAGUNILLAS.

CIUDAD REAL, v. d'Espagne, en Nouvelle-Castille, ch.-l. de prov., au S. de Madrid; 42 000 hab. Cathédrale gothique.

CIUDAD VICTORIA, v. du Mexique, capit. de l'État de Tamaulipas, au pied de la sierra Madre orientale; 84 000 hab.

ÇIVA → ŚIVA.

CIVIDALE DEL FRIULI, v. d'Italie (Frioul-Vénétie Julienne), à l'E.-N.-E. d'Udine; 10 800 hab. Centre actif dès l'époque romaine (Musée archéologique), centre religieux et politique du Ve au XIe s., avec d'importantes créations artistiques (Musée chrétien). Oratoire S. Maria in Valle (VIIIe ou IXe s., décor de stucs). Cathédrale du début du XVIe s., par P. Lombardo.

CIVILIS (C. Julius), chef batave du Ier s. apr. J.-C. Citoyen romain et préfet d'auxiliaires, il affecte d'agir en faveur de Vespasien, rival de Vitellius (69 apr. J.-C.) : il soulève son peuple et chasse les Romains du pays batave (situé aux embouchures du Rhin). Cessant de jouer le jeu de Vespasien, il dévoile ses projets d'indépendance nationale : fonder un « empire des Gaules » qui dominerait la Germanie et la Gaule; Lingons et Trévires se rallient à lui. Mais le vieux réflexe antigermanique réapparaît en Gaulle, où le congrès de Reims décide de rester fidèle à Rome. Cerealis, envoyé en Gaule par Vespasien, contraint Civilis à passer le Rhin (70 apr. J.-C.).

CIVITAVECCHIA, v. d'Italie (Latium), sur la mer Tyrrhénienne, au N.-O. de Rome; 45 000 hab.

CIVRAY (86400), ch.-l. de cant. de la Vienne, à 17 km au N.-E. de Ruffec, sur la Charente; 3 508 hab. Ruines féodales. Église romane poitevine (trop restaurée) à riche façade « écran » historiée.

C.I.W.L.T., sigle de *Compagnie internationale des wagons-lits et du tourisme.*

CLADEL (Léon), romancier français (Montauban 1835 - Sèvres 1892), peintre des paysages et des paysans du Quercy (*le Bouscassié,* 1869).

CLAESZ (Pieter), peintre hollandais (Burgsteinfurt, Westphalie, 1597 - Haarlem 1661). À Haarlem dès 1617, il est l'auteur de natures mortes qui deviennent plus sobres et ordonnées sous l'influence de son rival Willem Claesz. Heda (1594 - 1680), mais qui refusent les glacis précieux de celui-ci. Il adopte des camaïeux de gris vers 1630, puis progresse en rigueur tout en faisant chanter quelques notes de couleur dans des compositions vigoureuses (*Nature morte au crabe,* 1644, musée de Strasbourg).

CLAIN (le), riv. du Poitou, passant à Poitiers, affl. de la Vienne (r. g.); 125 km.

CLAIR (René), cinéaste français (Paris 1898). Ses premiers films, fantaisistes, ironiques, élégants, révélèrent un auteur à la fois poétique et populiste, qui marqua profondément le cinéma français notamment dans les premières années du cinéma parlant : *Entr'acte* (1924), *Un chapeau de paille d'Italie* (1927), *Sous les toits de Paris* (1930), *le Million* (1931), *À nous la liberté* (1931), *14-Juillet* (1932), *Fantôme à vendre* (1935), *Ma femme est une sorcière* (1942), *Le silence est d'or* (1947), *les Belles de nuit* (1952), *les Grandes Manœuvres* (1955), *Porte des Lilas* (1957).

CLAIRANCE. — La clairance rénale de certaines substances (urée, créatinine, mannitol, etc.) permet d'apprécier le fonctionnement des glomérules et des tubules rénaux. Les clairances de nombreuses substances sont utilisées pour étudier le fonctionnement de différents autres organes (foie, moelle osseuse, etc.).

CLAIRAUT (Alexis), mathématicien français (Paris 1713 - *id.* 1765). En 1736, il fut envoyé en Laponie avec Maupertuis pour y déterminer l'aplatissement de la Terre. On lui doit une théorie de la Lune* ainsi que des études sur le mouvement des comètes* et sur les objectifs* des lunettes*.

CLAIRE (rivière), riv. du nord du Viêt-nam, affl. du fleuve Rouge (r. g.); 400 km.

CLAIRE *(sainte),* fondatrice d'ordre (Assise 1193 ou 1194 - *id.* 1253). Au contact de la sainteté de François* d'Assise, elle décide d'entrer en religion. Elle jette à Assise les bases des Pauvres Dames, dites « Clarisses », ordre féminin semblable à l'ordre des Frères mineurs et dont la règle s'inspire de la pratique d'une pauvreté absolue. Les Clarisses sont reconnues par le pape en 1216. Canonisée en 1255.

CLAIROIX (60200 Compiègne), comm. de l'Oise, banlieue nord de Compiègne; 1 842 hab. Pneumatiques.

CLAIRON → TROMPETTE.

CLAIRVAUX, écart de la comm. de Ville-sous-la-Ferté (Aube), dans le Barrois. L'abbaye de Clairvaux est fondée en 1115 par Étienne, abbé de Cîteaux*. Le premier abbé en est saint Bernard*, qui en fait un extraordinaire foyer de ferveur (700 religieux) et la maison mère d'un nombre impressionnant de monastères cisterciens. Fermée en 1790, l'abbaye est transformée en maison centrale de détention en 1808. (V. CISTERCIENS.)

CLAIRVAUX-LES-LACS (39130), ch.-l. de cant. du Jura, à 24 km au S.-E. de Lons-le-Saunier; 1 379 hab.

CLAMART (92140), ch.-l. de cant. des Hauts-de-Seine, à 3 km au S.-O. de Paris; 53 361 hab. *(Clamartois).* Industries mécaniques.

CLAMECY (58500), ch.-l. d'arr. de la Nièvre, au confluent de l'Yonne et du Beuvron, et sur le canal du Nivernais; 6 145 hab. *(Clamecycois).* Église des XIIIe-XVe s. Vieilles maisons. Musée. Industries électriques et chimiques.

CLAN. — Groupe social fondé sur la parenté, le clan rassemble tous les individus descendant en ligne directe, mais, selon une généalogie plus ou moins précise, d'un ancêtre généralement mythique (ce qui le différencie du lignage, où l'ancêtre est connu). Il peut être à descendance patrilinéaire, matrilinéaire ou bilinéaire. Il est d'usage d'en recenser quatre caractères : le totémisme, l'unité territoriale, l'exogamie et le nom. En fait, seul ce dernier est présent dans toutes les sociétés claniques.

CLAPE *(montagne de la),* petit chaînon littoral de l'Aude, près de la Méditerranée, à l'E. de Narbonne; 214 m.

CLAPEYRON (Émile), ingénieur et physicien français (Paris 1799 - *id.* 1864). Il participa à la construction du chemin de fer de Paris à Saint-Germain. Il sauva de l'oubli la brochure de Carnot et établit des formules de thermodynamique.

CLAPPERTON (Hugh), voyageur écossais (Annan 1788 - au Nigeria 1827). De Tripoli, il gagne le lac Tchad (1823). Par la suite, il explore le Bornou, le Bénin et le Sahara.

CLAQUETTES ou **DANSE À CLAQUETTES.** — Issues du zapateado espagnol, des danses des Noirs d'Afrique entrés comme esclaves en Amérique et de la *clog dance* irlandaise, les claquettes (en anglais *tap dance*) connurent une grande vogue au début du XXe s., surtout aux États-Unis, où elles s'emparèrent des rythmes du jazz naissant. Les chaussures des danseurs, munies de plaques métalliques, la pointe et le talon frappant alternativement le sol, jouent le rôle d'instruments à percussion. Le danseur suit la musique ou improvise en solo au cours de « breaks », où il déploie souvent une étonnante maîtrise. Fred Astaire*, Bill Robinson, Eleanor Powell, Paul Draper*, Jacques Bense s'illustrèrent tout particulièrement. La *soft shoe dance,* ou *claquettes silencieuses,* trouva en Gene Kelly son plus grand virtuose. Ce style de danse, délaissé vers 1950, connaît un renouveau depuis 1970.

CLARENDON (Edward HYDE, *comte* DE), homme politique anglais (Dinton 1609 - Rouen 1674). Membre du *Long Parlement* (1640), il devient l'un des chefs du parti royaliste modéré; il suit Charles II en exil et devient son principal conseiller. Premier ministre au début de la Restauration* (1660), il est débordé, dans sa politique de tolérance, par le zèle anglican du Parlement. Après le désastre anglais de 1667 face aux Provinces-Unies, il doit s'exiler.

Clarendon *(Constitutions de),* acte, présenté par Henri II, à Clarendon Park, en 1164. Il réglait les rapports entre l'Église et l'État au profit de ce dernier.

CLARENS, hameau de Suisse (comm. de Montreux), sur le lac Léman, célèbre par le séjour qu'y fit J.-J. Rousseau.

CLARET (34270 St Mathieu de Tréviers), ch.-l. de cant. de l'Hérault, à 31 km au N. de Montpellier; 476 hab.

CLARINETTE. — Inventée vers 1690 par un luthier allemand de Nuremberg (Johann Christoph Denner), elle fut introduite dans la musique française au XVIIIe s. L'instrument est en bois, composé d'un tube cylindrique creux percé de trous obstrués par des clés. On en joue en soufflant sur une anche libre et simple ajustée à un bec, assimilable à celui de la flûte à bec.

Clarisse Harlowe *(Histoire de),* roman épistolaire de Richardson (1747-48). Symétrique et inverse de *Pamela,* qui montrait le triomphe de la vertu, c'est l'histoire d'une jeune fille vertueuse qui se confie à un libertin séduisant et sans scrupule, Lovelace.

CLARISSES → CLAIRE *(sainte).*

CLARK (John Bates), économiste américain (Providence 1847-New York 1938), représentant de l'école marginaliste américaine.

CLARK (Eliot R.), biologiste américain (Shelburne 1881 - Philadelphie 1963). On lui doit d'importantes observations sur la circulation du sang, la régénération et la cicatrisation des tissus, etc., chez les animaux vivants, réalisées par une technique originale (implantation de « fenêtres » transparentes).

CLARK (Mark Wayne), général américain (Madison Barracks 1896). Négociateur avec Darlan des accords franco-américains du 22 novembre 1942, il commanda la Ve armée en Tunisie et en Italie (1942-43), le 15e groupe d'armées en Italie (1944-45), puis les forces des Nations unies en Corée (1952-53).

CLARK (Colin Grant), économiste britannique (né en 1905). Il est l'auteur de travaux sur le revenu national qui ont servi de base aux recherches effectuées dans les pays occidentaux en ce domaine.

CLARKE (Samuel), philosophe et théologien anglais (Norwich 1675 - Londres 1729). Influencé par Descartes*, il écrit des sermons, réunis dans une *Démonstration de l'existence et des attributs de Dieu.* Mais il doit sa célébrité à sa correspondance avec Leibniz à propos des conceptions de l'espace et du temps développées par Newton*.

CLARKE (Henri), comte **d'Hunebourg,** duc **de Feltre,** maréchal de France (Landrecies 1765 - Neuwiller 1818). Général en 1793, il fut ministre de la Guerre de Napoléon de 1807 à 1814. Il se rallia à Louis XVIII, qui le maintint à son poste (1815) et le nomma maréchal (1816).

CLARY (59225), ch.-l. de cant. du Nord, à 20 km au S.-E. de Cambrai; 1 221 hab.

CLASSE *(Log.).* — En logique mathématique, une classe logique peut être caractérisée en l'associant à une fonction propositionnelle qui contient une seule variable libre. Elle constitue alors l'extension de la fonction propositionnelle. (V. ENSEMBLES [*théorie des*] et TYPE.)

CLASSE *(Sc. nat.).* — Zoologistes et botanistes désignent par ce mot une très grande subdivision du monde vivant, correspondant assez souvent à un nom du langage courant, du moins pour la plupart des espèces rangées dans la classe. Les oiseaux, les poissons, les insectes, les crustacés, les oursins, les mousses, les fougères, les algues, les champignons constituent des classes. Mais on élève souvent une classe au rang de sous-embranchement pour pouvoir la diviser elle-même en plusieurs classes.

CLASSE D'ÂGE. — Toutes les sociétés groupent les individus en fonction de leur âge. Le système de classe d'âge peut être plus ou moins formalisé. L'entrée dans une classe d'âge est souvent marquée par des rites de passage. Remplissant des fonctions diverses, économiques (organisation de travaux collectifs), militaires, voire de simple police, les classes d'âge sont complémentaires ou concurrentes de l'organisation lignagère selon l'importance qu'occupe celle-ci dans la société.

CLASSE SOCIALE. — Aujourd'hui encore, la notion de classe sociale est inséparable de la représentation marxiste de l'histoire. En faisant de la lutte* des classes, le moteur de l'histoire, Karl Marx concentre l'attention sur une opposition, à ses yeux inéluctable en régime capitaliste, entre les bourgeois, détenteurs des moyens de production, et les prolétaires, qui composent la classe exploitée.

C'est dire que, dans la tradition marxiste, la classe sociale ne se confond pas avec une simple strate, pas plus qu'elle ne s'identifie à un groupe professionnel à proprement parler. Sujet de l'histoire, le prolétariat est engagé dans une lutte contre la bourgeoisie dont il sortira vainqueur. Ainsi, la conscience de classe constitue un critère décisif; en d'autres termes, celle-ci fait partie intégrante de la réalité historique et historiquement significative que constitue une classe sociale.

À la suite de Max Weber, la tradition nominaliste préfère mettre l'accent sur la « situation de classe », entendue comme conjonction de conditions qui permettent des conduites et des convictions communes. De façon nuancée, Joseph Schumpeter examine les mécanismes sociaux qui président à la survivance des comportements et à la constitution de groupes sociaux relativement clos. D'un point de vue plus empirique, Maurice Halbwachs insiste sur des critères aisément identifiables comme la participation aux activités sociales et la formation des besoins matériels ou psychosociaux.

La sociologie contemporaine oscille en permanence entre ces deux pôles opposés : tantôt elle prête à l'une des classes sociales vocation pour accomplir pleinement l'histoire, tantôt elle étudie des groupes sociaux dont la singularité principale réside dans leur capacité à se reproduire, perpétuellement identiques à eux-mêmes.

classes sociales *(Études sur les)* [1966], œuvre de Georges Gurvitch dans laquelle celui-ci considère que la compréhension de la réalité sociale passe par l'examen des classes sociales. Il définit ainsi les classes par la convergence de plusieurs critères : elles sont suprafonctionnelles, incompatibles entre elles, réfractaires à la pénétration par la société globale et structurables.

CLASSICISME. — Élevé en norme par l'institution scolaire et présenté comme la perfection et le critère absolu de l'expression littéraire, le classicisme s'est en réalité dégagé comme notion et comme époque au cours de deux crises de la conscience esthétique : au XVIIIe s., où l'on s'efforce d'exprimer une sensibilité nouvelle dans des formes héritées de Molière et de Racine, que l'on considère à la fois comme modèles et comme inimitables (*le Siècle de Louis XIV,* de Voltaire); au début du XIXe s., lorsque les romantiques rejettent règles et principes du XVIIe s. français au nom d'un idéal de liberté et de nouveauté (*Racine et Shakespeare,* de Stendhal; *Préface de « Cromwell* »*, de Hugo).

Incarné par la génération de 1660-1680 (La Fontaine, Molière, Racine, Boileau, Bossuet), le classicisme littéraire rassemble non pas les partisans d'une école groupés autour d'un manifeste, mais des écrivains unis par une communauté de goûts. De la même manière que la théorie de la monarchie absolue et de la divinisation de l'institution royale ne trouve sa formulation explicite qu'après l'événement qui l'a rendue possible (la Fronde et son échec), la codification de l'esthétique classique dans *l'Art poétique* (1674) de Boileau n'apparaît qu'après les grandes œuvres qui l'illustrent (l'ensemble du théâtre de Molière, mort en 1673; les six premiers livres des *Fables,* de La Fontaine; *Andromaque, Britannicus, Bérénice, Bajazet,* de Racine; le *Sermon sur la mort* et l'*Oraison funèbre d'Henriette d'Angleterre,* de Bossuet). Le classicisme est d'ailleurs l'aboutissement d'une triple évolution.

Évolution littéraire : préparée par des écrivains (comme Malherbe et Guez de Balzac) qui réagissent contre le pédantisme de la Pléiade, les excès du baroque*, les influences espagnole et italienne, et par des théoriciens (comme Chapelain ou l'abbé d'Aubignac) qui cherchent à définir les règles du bon et du mauvais « goût ».

Évolution sociale et politique : derrière le souci proclamé de vérité humaine et d'analyse morale se profile le désir de trouver un point d'équilibre qui permette de comprendre (et d'éviter à l'avenir) les troubles religieux et politiques qui, des guerres de Religion à la Révolution d'Angleterre et à la Fronde, hantent l'esprit des contemporains; derrière l'exigence d'élégance et de pureté de la langue et du style transparaît l'action des salons précieux, qui ont plié une société guerrière, violente et bigarrée, à la politesse et aux « bienséances » d'une aristocratie parisienne rassemblée autour de quelques femmes d'esprit.

Évolution scientifique enfin : la géométrie classique, qui reprend

Belzeaux - Rapho

celle de Milet (théorie des ombres, notion de centre et de « point stable », etc.), trouve son application en peinture, au théâtre, dans toutes les formes de *représentation;* l'étiquette et les bosquets de Versailles rejoignent, dans une même conception de l'espace et de la mécanique qui s'y déploie, les pièces à machines, les règles de Vaugelas, la théologie de Bossuet, la musique de la Chapelle royale.

Ce climat global, qui définit le classicisme et qui s'exprime dans sa plus grande rigueur à travers la clôture de l'espace tragique et la *règle des trois unités**, explique à la fois la position excentrique d'un Corneille, d'un Descartes et d'un Pascal (vivant et écrivant dans une époque de luttes, où l'aventure personnelle a encore un sens, et fondant leur éthique et leur esthétique sur le doute et l'angoisse) et que la mise en cause du classicisme par les libertins* ou les burlesques ait eu des implications politiques et religieuses (Saint-Évremond). Et la véritable rupture d'équilibre, qui, à travers La Bruyère et Fénelon, aboutit à la querelle des Anciens* et des Modernes, est contemporaine du grand bouleversement de l'astronomie (*Principes mathématiques de la philosophie naturelle,* 1687, de Newton) : la « pluralité des mondes » (c'est ce que retient l'idéologie de l'époque, plus que l'absolu du temps et de l'espace) ne peut plus se contenter d'un goût unique et d'une seule vérité; l'expression littéraire sera désormais inséparable de la conscience critique*.

BEAUX-ARTS. Les premiers maîtres de l'art classique sont les grands Italiens de la seconde Renaissance*, les architectes Bramante* et A. da Sangallo* l'Ancien, puis Palladio*, le peintre Raphaël*, suivis, après la crise du maniérisme, par les Carrache* et leurs élèves, créateurs de l'académisme* pictural. Deux siècles plus tard, une meilleure connaissance de l'Antiquité conduit au néoclassicisme*. Entre ces deux époques, l'influence de la seconde Renaissance italienne aboutit, alors que l'Italie même donne une nouvelle impulsion qui est celle du baroque*, au classicisme de divers pays d'Europe du Nord, dont l'Angleterre (avec le « palladianisme ») et plus encore la France, où il tend à s'imposer en même temps que l'ordre monarchique absolu.

Lescot* et Delorme* annoncent, dès le milieu du XVIe s., ce classicisme, dont les premiers grands maîtres sont F. Mansart* ainsi que Poussin* et Claude Lorrain*, établis à Rome. L'effort de coordination mené par Le Brun*, par les Académies royales (de peinture et de sculpture, fondée en 1648; d'architecture, en 1671) et par Colbert va l'ériger en doctrine officielle à partir de 1660. Un de ses manifestes est la « colonnade » du Louvre, œuvre d'une haute qualité technique et plastique, exécutée à partir de 1667 sur un projet, semble-t-il, du médecin Claude Perrault*, traducteur de Vitruve* en 1673. À Versailles*, les jardins de Le Nôtre* reçoivent une grande part de leur statuaire, avec la contribution majeure de Girardon*, avant même la grande campagne d'agrandissements et de régularisation confiée, en 1678, à J. Hardouin-Mansart*. Par-delà l'époque rocaille*, le classicisme architectural français trouvera dans le troisième quart du XVIIIe s., avec J.-A. Gabriel*, son suprême accomplissement de mesure, de vivace harmonie et de délicatesse.

MUSIQUE. Désignant plus particulièrement l'école versaillaise et l'école viennoise de la seconde moitié du XVIIIe s., le terme de « classicisme » évoque également, pour toute époque, une tendance esthétique caractérisée par le sens des proportions, la justesse et l'équilibre de l'expression.

Classicisme.
L'aile Gaston-d'Orléans (façade de la cour intérieure) du château de Blois, construite par François Mansart à partir de 1635.

Paul Claudel.
Représentation de la pièce de Paul Claudel *le Pain dur* à la Comédie-Française, en 1969. Mise en scène de J.-M. Serreau.

CLASSIFICATION (société de). — De nombreuses personnes étant intéressées à connaître l'état des navires : affréteurs, assureurs, chargeurs, acheteurs éventuels, divers organismes se sont créés pour répertorier ceux-ci, leur donner une cote en fonction de critères techniques, contrôler périodiquement leur état et délivrer aux armateurs des *certificats de classification.* Il s'agit du Lloyd's Register, du Bureau Veritas, de l'American Bureau of Shipping, etc. Un ensemble de signes conventionnels figurant dans le registre de la société à laquelle l'armateur a *abonné* ses navires donne les renseignements essentiels les concernant. Ces inscriptions n'ont aucun caractère obligatoire, mais elles peuvent éviter certains contrôles techniques officiels. Quelques-unes de ces sociétés étendent leurs activités hors du domaine maritime en assurant le contrôle des matériels industriels, de réalisations de génie civil, etc.

CLASSIQUE (école) [*Écon. pol.*]. — Si un certain nombre de précurseurs annoncent cette école (Boisguillebert* [1646-1714], William Petty [1623-1687], Condillac* [1714-1780], Cantillon* [1680-1734]), la pensée classique s'épanouit essentiellement avec l'école anglaise d'Adam Smith* (1723-1790), Malthus* (1766-1834), Ricardo* (1772-1823), et, en France, avec J.-B. Say* (1767-1832) et C. F. Bastiat* (1801-1850). Les postulats essentiels de l'école classique sont : la croyance en la coexistence des intérêts particuliers et de l'intérêt général; la division du travail, qui assure une efficacité de plus en plus grande de la production, la concurrence parfaite, qui harmonise les intérêts privés. À ces thèmes optimistes s'ajoutent ceux, pessimistes, de Malthus, qui voit une humanité se multiplier plus rapidement que les subsistances, pessimisme également manifesté par Ricardo et menant des auteurs comme Stuart Mill* (1806-1873) à un certain réformisme. Les écoles socialistes s'opposeront au courant de pensée classique, dont certaines idées seront reprises par l'école marginaliste après 1870.

CLAUDE Ier, en lat. **Tiberius Claudius Caesar Augustus Germanicus** (Lyon 10 av. J.-C.-Rome 54 apr. J.-C.), empereur romain (41-54). Frère de Germanicus* et seul représentant de la famille d'Auguste après la mort de Caligula, il fut proclamé empereur par les prétoriens (41). Longtemps tenu à l'écart de la vie politique, le nouvel empereur était un intellectuel dont l'œuvre politique fut excellente. Il se montra novateur en développant l'étatisme et l'administration centrale : il créa des bureaux (aux archives, à la correspondance, aux requêtes, aux finances), véritables ministères qu'il confia à des affranchis, Narcisse*, Pallas*, Calliste, Polybe, hommes cupides et ambitieux, mais capables, qui contribuèrent à accroître les pouvoirs de l'empereur aux dépens du sénat. Envers les provinciaux, Claude fut généreux du droit de cité romaine et les appela de plus en plus aux hautes charges de l'État et même au sénat. Sa politique extérieure fut brillante : il s'illustra dans la conquête de la Bretagne (actuelle Grande-Bretagne) [43]; en Afrique, il créa les deux provinces procuratoriennes de Mauritanie Césarienne et de Mauritanie Tingitane (42); en Orient, il annexa la Judée et la Lycie. Après la mort de Messaline*, Claude avait épousé sa nièce, Agrippine*. Désireuse de placer sur le trône son fils, le futur Néron, elle le fit adopter par l'empereur, qui déshéritait ainsi son propre fils, Britannicus*. Craignant de voir ses plans déjoués, Agrippine empoisonna Claude (54).

CLAUDE II le Gothique, en lat. **Marcus Aurelius Claudius Augustus** (v. 214-270), empereur romain (268-270). Originaire d'Illyrie, il fut proclamé empereur par l'armée en 268. Il combattit les Alamans (lac de Garde, 268) et les Goths, négligeant l'Empire gaulois et le royaume de Palmyre, qui suffisaient à contenir les dangers barbares : en 269, à Naissus (Niš), en Serbie, il infligea une écrasante défaite aux Goths, qui avaient envahi les Balkans et menaçaient de s'installer durablement dans l'Empire.

CLAUDE (Georges), physicien et industriel français (Paris 1870-Saint-Cloud 1960). Il préconisa de transporter l'acétylène dissous dans l'acétone (1897), mit au point un procédé de liquéfaction de l'air (1902), imagina les tubes luminescents au néon (1910), réalisa, avec d'Arsonval*, les explosifs à l'air liquide (1913), découvrit le pouvoir absorbant du charbon poreux aux basses températures et fit des recherches sur l'énergie thermique des mers (1926).

CLAUDEL (Paul), diplomate et écrivain français (Villeneuve-sur-Fère, Aisne, 1868-Paris 1955). Déçu par la philosophie de ses maîtres universitaires, il découvre en 1886 la poésie, à la lecture de Rimbaud, et la foi, aux vêpres de Notre-Dame. Cette double illumination marque ses premiers essais littéraires (*Tête* d'or,* 1890), tandis qu'il fréquente les mardis de Mallarmé. Reçu, cependant, au concours des Affaires étrangères, il est consul à New York et à Boston, où il compose *l'Échange* (1893), puis en Chine (1895). Un séjour de quatorze ans dans ce pays, entrecoupé de retours en France — au cours de l'un desquels il songe à se faire moine à Ligugé (1901) —, lui découvre une civilisation accordée à

Bernand

son être (*Connaissance de l'Est,* 1900-1907; *Art poétique,* 1907; *Cinq Grandes Odes,* 1910). Il y vit également le drame d'un amour interdit, qui dominera sa vie créatrice et dont *Partage* de midi* (1905) est le premier témoignage. C'est à son retour en Europe que s'épanouissent son lyrisme (*la Cantate à trois voix,* 1911) et son génie dramatique (*l'Annonce* faite à Marie,* 1912; *l'Otage** 1914). Pendant la Première Guerre mondiale, il achève une traduction de *l'Orestie* (1916), ainsi que *le Pain dur* (1918) et *le Père humilié* (1920). Ambassadeur à Tōkyō (1821-1927), il y compose *le Soulier* de satin,* puis retrouve les États-Unis, où il écrit *le Livre de Christophe Colomb* (1929). Après une dernière ambassade à Bruxelles, il partage son existence entre Paris et son château de Brangues, commentant son credo poétique et religieux (*Conversations dans le Loir-et-Cher,* 1935), « homme de conquête et de désir » jusqu'au dernier jour d'une vie éruptive, unissant, « parabole vivante », la méditation sur la Passion du Christ au miracle créateur de l'écrivain.

CLAUDIEN, poète latin (Alexandrie, Égypte, v. 370-Rome v. 404). Poète officiel d'Honorius et de Stilicon, il fut l'un des derniers représentants de la poésie latine.

CLAUDIUS (Appius), patricien romain (IVe-IIIe s. av. J.-C.). Sa personnalité domine la vie politique de la Rome primitive. Il eut une carrière très brillante : deux fois consul (307 et 296), dictateur et censeur, il prit des mesures favorables à la plèbe urbaine, dont il répartit les membres dans toutes les tribus; il tint compte pour déterminer le cens de la fortune mobilière et non plus seulement foncière; il favorisa les affranchis, qu'il répartit dans les tribus rustiques, et inscrivit au sénat des hommes nouveaux, notamment des fils d'affranchis. Sa politique, qui portait un coup terrible à la noblesse patricio-plébéienne, n'eut guère de suite. On lui doit la construction du premier aqueduc romain *(aqua Appia)* et de la *via Appia* (312-310), route qui menait de Rome à Brindisi. Grand seigneur cultivé, il fut un des esprits les plus ouverts de son temps.

CLAUDIUS MARCELLUS (Marcus), général romain (v. 268-208 av. J.-C.). Consul en 222, il triompha sur les Insubres à

Clastidium (auj. Casteggio), victoire qui permit la conquête de la plaine du Pô. Après Cannes, il opéra comme préteur, proconsul et consul (216-214) en Campanie, où il empêcha Hannibal d'occuper Nola. En 213, il fut envoyé contre Syracuse, alliée de Carthage : la ville, défendue par Archimède, fut prise en 212. Consul en 210 et proconsul en 209, il dirigea à nouveau les opérations en Apulie et dans le Samnium contre Hannibal, qu'il contraignit à se retirer dans le Bruttium. Rome lui dut son salut.

CLAUS (Hugo), écrivain belge d'expression néerlandaise (Bruges 1929). Traditions réaliste et expressionniste s'unissent dans ses poèmes (*Cavalier peint,* 1961; *Monsieur Sanglier,* 1971), ses romans (*la Chasse au canard,* 1950; *À propos de Dédé,* 1963; *l'Année du cancer,* 1972) et son théâtre (*Sucre,* 1958; *Dent pour dent,* 1970) pour mettre en question toutes les conventions esthétiques et sociales.

Claus *(procédé)* → SOUFRE.

CLAUSEL (Bertrand, *comte*), maréchal de France (Mirepoix 1772-Secourrieu 1842). Général en 1802, il combattit en Allemagne (1809-1813) et s'exila en 1815. Gouverneur de l'Algérie en 1830, fait maréchal en 1831, il revint en Algérie comme commandant en chef en 1835-36.

CLAUSEWITZ (Carl VON), général et théoricien militaire prussien (Burg 1780-Breslau 1831). Après avoir participé, avec Scharnhorst, à la réorganisation de l'armée prussienne (1806-1810) et lutté contre Napoléon au sein de l'armée russe puis de l'armée prussienne, il est nommé par Gneisenau, en 1818, directeur de l'École de guerre générale de Berlin. Son traité (*De la guerre**), longue méditation sur la guerre — et notamment sur son étroite subordination à la politique —, fut publié après sa mort, en 1832. Il eut une grande influence sur la doctrine de l'état-major allemand et sur la doctrine marxiste de la guerre (Engels, Lénine).

CLAUSIUS (Rudolf), physicien allemand (Köslin, Poméranie, 1822-Bonn 1888). Il introduisit en thermodynamique la notion d'entropie (1850) et fut l'un des créateurs de la théorie cinétique des gaz.

CLAVECIN. — Né au XVe s., il disparaît à la fin du XVIIIe s. devant le piano-forte, avec lequel il n'a de commun que les cordes et le clavier. Instrument à cordes pincées par un bec de plume ou de cuir durci porté par un sautereau, il coexiste longtemps avec l'épinette (Italie, France) et la virginale (Angleterre), qui en appellent au même principe. Il suscite, notamment entre 1650 et 1750, une littérature abondante et de qualité (les Couperin, Rameau, Händel, D. Scarlatti, les Bach). De nos jours, l'action conjuguée des musicologues, des artistes et des facteurs d'instruments assure la renaissance du clavecin, dont on redécouvre les richesses expressives, permises par sa registration.

CLAVELÉE → ÉPIZOOTIE.

CLAVICORDE → PIANO.

CLAVICULE. — Les fractures de la clavicule, très fréquentes, ont un traitement généralement orthopédique (réduction suivie de bandage). Ces fractures, bénignes, laissent souvent des cals vicieux inesthétiques ou des pseudarthroses peu gênantes.

CLAVIER → INSTRUMENTS DE MUSIQUE.

Clavier bien tempéré *(le) ou* **le Clavecin bien tempéré,** œuvre didactique de J.-S. Bach qui groupe deux recueils de pièces pour instruments à clavier (1722, 1742), composés chacun de vingt-quatre préludes et fugues s'échelonnant suivant les demi-tons de la gamme. Bach entendait prouver que l'on pouvait jouer dans toutes les tonalités sur un clavier accordé suivant le tempérament* égal.

CLAY (Cassius), boxeur américain (Louisville 1942). Il a adopté le nom « musulman » de *Mohamed Ali* en 1964, année où il est devenu champion du monde des poids lourds (après avoir enlevé, en 1960, le titre olympique des mi-lourds). Personnage pittoresque, ayant le sens de la publicité, mais aussi boxeur très brillant et doté d'un remarquable jeu de jambes, il a conservé le titre jusqu'en 1967, où il fut déclaré déchu pour avoir refusé de faire son service militaire. Il a réussi un étonnant retour sur le ring en reprenant son titre en 1974, dix ans après l'avoir conquis.

CLAYE-SOUILLY (77410), ch.-l. de cant. de Seine-et-Marne, à 15 km à l'O. de Meaux, sur le canal de l'Ourcq; 5947 hab. Électroménager.

CLAYES-SOUS-BOIS (Les) [78340], comm. des Yvelines, à 11 km à l'O. de Versailles; 14695 hab.

CLAYETTE (La) [71800], ch.-l. de cant. de Saône-et-Loire, à 20 km au S. de Charolles; 2965 hab. Constructions mécaniques.

CLEAR, base américaine de défense aérienne installée de 1960 à 1970 dans l'île Montague, en Alaska.

CLÉARQUE, général spartiate († 401 av. J.-C.). À la tête d'un contingent de mercenaires grecs, il se met au service de Cyrus le Jeune, révolté contre son frère Artaxerxès* V; après la bataille de Counaxa* (401), il sera mis à mort par Tissapherne*.

CLÉ DE CONTRÔLE *(Inform.).* — Toute information* entrée dans un ordinateur* doit pouvoir être garantie contre toute altération. Si, par malheur, cette information se trouve partiellement détruite ou déformée, on demande au moins au système informatique de reconnaître l'existence de cette détérioration. Pour ce faire, on ajoute à toute information, nombres ou caractères alphanumériques, par voie naturelle ou automatique, un chiffre ou une lettre appelé *clé de contrôle,* qui se déduit de l'ensemble des chiffres ou des lettres de l'information par une loi mathématique. La redondance introduite permet de détecter l'altération de l'information. Lorsqu'on a affaire à des chaînes d'informations binaires on parle de *clé de contrôle de parité.*

CLÉDER (29221 Plouescat), comm. du Finistère, à 9 km à l'O. de Saint-Pol-de-Léon; 3958 hab.

CLEF → NOTATION MUSICALE.

CLEFMONT (52240), ch.-l. de cant. de la Haute-Marne, à 12 km au N. de Montigny-le-Roi; 235 hab.

CLÉGUÉREC (56480), ch.-l. de cant. du Morbihan, à 11 km au N.-O. de Pontivy; 2679 hab.

Clélie, roman de Mlle de Scudéry, en dix volumes (1654-1660), publié sous le nom de son frère Georges. Il a pour sujet la guerre de Tarquin contre Rome après son expulsion, mais la plus grande partie du roman est faite de portraits de la société précieuse et de thèmes de conversations galantes. On y trouve la « carte du Tendre ».

CLELLES (38930), ch.-l. de cant. de l'Isère, au pied du mont Aiguille, à 32 km au S.-O. de La Mure; 285 hab.

CLEMENCEAU (Georges), homme politique français (Mouilleron-en-Pareds, Vendée, 1841-Paris 1929). Député de la Seine (1875-1885), puis du Var (1885-1893), chef de l'extrême gauche radicale, il provoque la chute de plusieurs cabinets, ce qui lui vaut

Harlingue - Roger-Viollet

Georges Clemenceau.

le surnom de « tombeur de ministères ». Il s'oppose en particulier à Gambetta et à Jules Ferry, dont il attaque la politique coloniale. Compromis dans l'affaire du scandale de Panamá, il est battu aux élections de 1893. Il devient l'un des principaux collaborateurs du journal *l'Aurore,* dans lequel il mène la campagne pour la réhabilitation de Dreyfus. Sénateur du Var en 1902, ministre de l'Intérieur en mars 1906, il devient président du Conseil en octobre. Il entreprend des réformes sociales (congé hebdomadaire, création d'un ministère du Travail), mais il réprime sévèrement les troubles sociaux, ce qui provoque la rupture avec les socialistes. Sa tentative d'instituer l'impôt sur le revenu rencontre l'hostilité de la droite, et il est renversé en 1909. Retourné à l'opposition, il fonde le journal *l'Homme libre* (1913), qui devient *l'Homme enchaîné* au début de la guerre. Membre de la commission sénatoriale de l'armée, Clemenceau revient à la présidence du Conseil en 1917 et, luttant contre le défaitisme (arrestation de Caillaux et de Malvy), il se consacre à la poursuite de la guerre. Soutenant l'action de Foch, il contribue à la victoire et bénéficie d'une immense popularité. Président de la conférence de Paris, Clemenceau négocie le traité de Versailles (1919), mais son intransigeance et son anticléricalisme lui ont valu des adversaires nombreux, et il est écarté de la présidence de la République au profit de Paul Deschanel, en 1920.

CLÉMENT de Rome *(saint)*, pape, auteur d'une *Épître aux Corinthiens*, écrite de Rome v. 96 pour mettre un terme aux dissensions de la communauté chrétienne de Corinthe. La tradition chrétienne fixe son pontificat entre les années 88 et 97 ou 92 et 101.

CLÉMENT II → PAPE.

CLÉMENT III (Paolo SCOLARI) [† 1191], pape de 1187 à 1191. Il attacha son nom à la préparation de la troisième croisade, imposant au clergé d'y participer financièrement (dîme saladine).

CLÉMENT IV → PAPE.

CLÉMENT V (Bertrand DE GOT) [Villandraut - Roquemaure 1314]. Archevêque de Bordeaux (1299), élu pape en 1305, il préside le concile de Vienne (1311-12), où est aboli l'ordre des Templiers*. Il fut le premier pape établi à Avignon*.

CLÉMENT VI → PAPE.

CLÉMENT VII (Jules DE MÉDICIS) [Florence 1478 - Rome 1534], pape de 1523 à 1534. Allié de François Ier, il subit le sac de Rome par les Impériaux (1526-27). Son règne fut celui d'un prince de la Renaissance.

CLÉMENT VIII, IX, X → PAPE.

CLÉMENT XI (Gianfrancesco ALBANI) [Urbino 1649 - Rome 1721], pape de 1700 à 1721. Il publia contre les jansénistes la bulle *Unigenitus* (1713), qui ne fit pas l'unanimité et ne réduisit pas le jansénisme.

CLÉMENT XII, XIII, XIV → PAPE.

CLÉMENT d'Alexandrie, en lat. **Titus Flavius Clemens,** père de l'Église grecque (Athènes v. 150 - v. 213). Élève puis disciple de Pantène, à Alexandrie, Clément y fonde une école, v. 190, où il enseigne jusqu'à ce que les persécutions de Septime Sévère l'obligent à fuir en Cappadoce. Influencé par le moyen platonisme*, Clément étudie les rapports entre christianisme et philosophie grecque *(Stromates)*.

CLÉMENT (Jean-Baptiste), révolutionnaire français (Boulogne-sur-Seine 1836 - Paris 1903). Ouvrier, chansonnier populaire (*le Temps des cerises* [1866]), journaliste républicain à la fin de l'Empire, il est membre de la Commune* de Paris (1871), s'occupant du ravitaillement de la ville. Réfugié à Londres, condamné à mort par contumace (1874), il rentre en France en 1880 et milite ensuite dans les rangs des socialistes possibilistes.

CLÉMENT (Adolphe), industriel et ingénieur français (Pierrefonds 1855 - Paris 1928). Il fut l'un des premiers constructeurs d'automobiles et s'intéressa à l'aéronautique.

CLÉMENT (René), cinéaste français (Bordeaux 1913). Il est l'auteur de *la Bataille du rail* (1945), *les Maudits* (1946), *Jeux interdits* (1952), *Monsieur Ripois* (1954), *Gervaise* (1956), *Plein Soleil* (1960), *le Passager de la pluie* (1969).

CLÉMENT-DESORMES (Nicolas), physicien et chimiste français (Dijon 1779 - Paris 1842). Avec son beau-père Desormes, il a précisé l'action catalytique des oxydes de l'azote dans la préparation de l'acide sulfurique (1793) et mesuré le rapport des chaleurs spécifiques des gaz (1819).

CLEMENTI (Muzio), compositeur italien (Rome 1752 - Evesham, Worcestershire, 1832). Établi à Londres, il y fit carrière de pianiste, avant de s'adonner à l'édition musicale et à la facture de piano. De nombreuses tournées à l'étranger (France, Allemagne, Russie) consolidèrent sa réputation de virtuose, de compositeur (sonates) et de pédagogue *(Gradus ad Parnassum)*.

CLÉON (76410), comm. de la Seine-Maritime, sur la rive droite de la Seine, à 3 km au N.-E. d'Elbeuf; 3 163 hab. Usine de construction automobile.

CLÉON, homme d'État athénien († 422 av. J.-C.). Partisan de la lutte à outrance contre Sparte, durant la guerre du Péloponnèse*, il réprime brutalement les révoltes des alliés, remporte la brillante victoire de Sphactérie (425) et meurt en essayant de reprendre Amphipolis* aux Spartiates. Il fut vilipendé par Aristophane* et Thucydide*, ses détracteurs les plus acharnés.

CLÉOPÂTRE VII (Alexandrie 69 - *id.* 30), reine d'Égypte (51-30). Dernière descendante des Lagides*, elle domine l'Égypte pendant vingt et un ans, d'abord au nom de ses frères-époux, Ptolémée XIV et Ptolémée XV, puis au nom du fils qu'elle a eu de César*, Ptolémée XVI Césarion, à la naissance duquel elle s'installe à Rome (46). À la mort de César (44), elle regagne l'Égypte et s'attache à faire la conquête d'Antoine*, qui l'épousera (36). La défaite d'Actium* (31) ruine ses projets de rétablir la suprématie de l'Égypte en Méditerranée et, faute d'avoir pu apitoyer Octave*, elle se donne la mort.

Cléopâtre captive, tragédie de Jodelle (1553), première tragédie française imitée de l'Antiquité.

CLEPSYDRE → HORLOGERIE.

CLÉRAMBAULT (Louis Nicolas), compositeur français (Paris 1676 - *id.* 1749). Organiste de Saint-Sulpice et de la maison royale de Saint-Louis à Saint-Cyr, il a laissé un livre de clavecin et un livre d'orgue, des chants et des motets à l'usage des dames de Saint-Cyr et un certain nombre de cantates qui connurent un grand succès au Concert spirituel.

CLÈRES (76690), ch.-l. de cant. de la Seine-Maritime, à 25 km au N. de Rouen; 1 091 hab. Parc zoologique.

CLERFAYT ou **CLAIRFAYT** (Charles DE CROIX, *comte* VON), maréchal autrichien (Bruille 1733 - Vienne 1798). Commandant un corps d'armée à Valmy et à Jemmapes (1792), il fut battu par Jourdan à Wattignies (1793).

CLERGET (Pierre), ingénieur français (1875-1943). Il fut l'un des premiers constructeurs de moteurs spéciaux pour l'aviation (1895) et réalisa le premier moteur français à huile lourde.

CLÉRISSEAU (Charles Louis), architecte, peintre et décorateur français (Paris 1721 - Auteuil 1820). Grand prix d'architecture en 1746, il parcourt l'Italie — faisant découvrir les antiquités de Rome à Robert Adam*, qu'il accompagne à Split —, est mêlé au mouvement d'idées qui suit les découvertes d'Herculanum, s'intéresse aux monuments romains du midi de la France, fournit des dessins à Catherine II de Russie. Il a notamment donné des plans pour le château Borély, à Marseille (1767).

CLERMONT (60600), ch.-l. d'arr. de l'Oise, à 26 km à l'E. de Beauvais; 8 679 hab. *(Clermontois)*. Église et hôtel de ville en partie du XIVe s. Industries alimentaires et chimiques.

CLERMONT-EN-ARGONNE (55120), ch.-l. de cant. de la Meuse, à 15 km à l'E. de Sainte-Menehould; 1 763 hab. Église et chapelle de la Renaissance.

CLERMONT-FERRAND, capit. de la Région Auvergne et ch.-l. du départ. du Puy-de-Dôme, à 382 km au S. de Paris; 161 203 hab. *(Clermontois)*.

Loïc - Jahan

Clermont-Ferrand. La vieille ville. Se détachant derrière les flèches de la cathédrale Notre-Dame, le puy de Dôme.

GÉOGRAPHIE. Délaissée par les grandes voies de communication au milieu du XIXe s., la ville se développe avec l'essor du travail du caoutchouc, à la fin de ce siècle et au début du XXe s. Après une phase de stagnation, la croissance a repris, et Clermont-Ferrand est aujourd'hui le centre d'une agglomération d'environ 260 000 habitants, la seule métropole de l'intérieur du Massif central. Le caoutchouc (pneumatiques) est toujours l'activité industrielle dominante, mais se sont aussi développées les constructions mécaniques, l'imprimerie, l'alimentation et surtout la fonction tertiaire, intéressant l'administration, le commerce, la culture (université et tourisme). L'extension du rayonnement de Clermont-Ferrand sur la totalité de l'Auvergne est toujours freinée par l'insuffisance des relations autres que les liaisons vers Paris. Malgré la richesse agricole du bassin de la Limagne, site de la ville, Clermont-Ferrand souffre des conditions naturelles, du cloisonnement du relief et apparaît surimposée, comme un îlot de prospérité — au moins relative — dans une région globalement beaucoup moins dynamique.

HISTOIRE. La ville romaine d'*Augustonemetum,* devenue Clermont, reçut une charte de franchise en 1198, mais se libéra difficilement de l'emprise temporelle de l'évêque. Elle passa au domaine royal en 1551. Un édit de 1630 l'unit à Montferrand, mais elle ne se développa vraiment qu'après 1880.

BEAUX-ARTS. Cathédrale en lave noire homogène, entreprise par Jean Deschamps, du côté du chœur, en 1248, continuée au XIVe s. (crypte, v. 950; façade de Viollet-le-Duc, substituée à la façade romane). Église romane Notre-Dame-du-Port, du XIIe s. : parfaite ordonnance auvergnate des chapelles rayonnantes du chevet, du massif du transept et du clocher (refait, comme la façade, au XIXe s.); intérieur majestueux (chapiteaux du chœur). Demeures gothiques et Renaissance (notamment à Montferrand), hôtels classiques. Musées.

CLERMONT-L'HÉRAULT (34800), ch.-l. de cant. de l'Hérault, à 18 km au S.-E. de Lodève; 5 551 hab. *(Clermontais).* Église fortifiée du XIVe s.

CLÉROUQUE. — En 506 av. J.-C., Athènes inaugure une politique d'expansion territoriale qui constitue une forme originale de colonisation. Elle envoie en pays alliés, ou soumis, des citoyens athéniens pauvres, à qui elle attribue un lot de terre (en grec *cléros,* d'où leur nom de « clérouques ») prélevé sur le territoire de la population locale. L'ensemble des clérouques forme une *clérouquie,* qui exerce sur le pays une mission de surveillance; mi-paysans, mi-soldats, les clérouques conservent leur citoyenneté athénienne.

CLERVAL (25340), ch.-l. de cant. du Doubs, sur le Doubs, à 15 km au N.-E. de Baumes-les-Dames; 1 187 hab.

CLERVAUX, ch.-l. du cant. luxembourgeois du même nom, dans l'Ardenne; 1 500 hab.

CLÉRY-SAINT-ANDRÉ (45370), ch.-l. de cant. du Loiret, à 15 km au S.-O. d'Orléans; 2 027 hab. Basilique Notre-Dame reconstruite par Louis XI, qui s'y fit enterrer.

CLEVELAND, v. des États-Unis (Ohio), sur le lac Érié; 751 000 hab. (2 064 000 hab. pour l'aire métropolitaine). Important musée d'Art, fondé en 1916, aux collections quasi universelles. Sidérurgie. Constructions électriques et mécaniques.

CLEVELAND, comté de Grande-Bretagne, correspondant approximativement à l'estuaire de la Tees.

CLEVELAND (Stephen Grover), homme d'État américain (Caldwell 1837-Princeton 1908). Avocat, membre du parti démocrate, il devient, en 1882, gouverneur de l'État de New York. Son honnêteté et son indépendance lui valent d'être élu président des États-Unis en 1884. Adversaire du protectionnisme traditionnel et des grandes « machines » politiques, il n'est pas réélu en 1888, mais il est de nouveau président en 1892. Il doit faire face à de violentes crises sociales et mécontente les républicains impérialistes en refusant d'annexer Hawaii (1893). McKinley lui succède en 1897.

CLÈVES *(duché de)* → JULIERS.

CLICHERIE. — Les travaux de clicherie utilisent trois techniques : la stéréotypie, la galvanoplastie et le moulage de caoutchouc* ou de plastique*. En *stéréotypie,* on prend, sur la forme typographique, une empreinte en carton souple, ou *flan,* et, sur cette empreinte, on obtient par coulée dans un moule un *cliché* en alliage de plomb*. En *galvanoplastie,* on fait sur une empreinte un dépôt électrolytique de cuivre*, mince coquille qui est ensuite doublée de plomb. Quant au *moulage de caoutchouc* ou *de plastique,* il se fait sur une matrice, par pression à chaud; les clichés ainsi obtenus, bon marché, légers et souples, sont largement utilisés en flexographie* et en typographie*.

CLICHY (92110), ch.-l. de cant. des Hauts-de-Seine, limitrophe (au N.-O.) de Paris; 47 956 hab. *(Clichiens).* Industries électriques, mécaniques et chimiques.

CLICHY-SOUS-BOIS (93390), comm. de la Seine-Saint-Denis, à 11 km au N.-E. de Paris; 22 423 hab. *(Clichois).*

CLICQUOT, célèbre dynastie de facteurs d'orgues français, originaire de Reims. Facteurs d'orgues du roi, ROBERT (Reims v. 1645-Paris 1719), LOUIS-ALEXANDRE (Reims v. 1682-Paris 1760) et FRANÇOIS HENRI (Paris 1732-*id.* 1790) se sont vu confier l'érection et parfois la restauration de certains des plus grands instruments du royaume.

CLIENT. — Dès les origines romaines, la gens* comprenait « une masse énorme de clients » dont le fond primitif était composé d'anciens parents déchus. Les clients pouvaient être aussi des étrangers ou des esclaves affranchis. Le lien qui unissait le client à son patron *(patronus)* était fondé sur la notion de *fides :* le patron avait le devoir de protéger et d'aider celui qui s'était remis à sa foi; en retour, le client lui devait respect et dévouement. À l'époque républicaine, la notion de client perdit son caractère quasi sacré : le lien de clientèle, jadis fort strict, devint plus lâche et pouvait être dissous : dès lors, la clientèle se traduisait surtout pour le client par l'obligation de venir chaque matin saluer son patron, qui lui faisait remettre la sportule (repas), souvent remplacée par une somme d'argent. Parasites, généralement oisifs, les clients devenaient en période d'élection un instrument non négligeable. À la fin de la République, une clientèle nombreuse était un signe de puissance.

CLIFFORD (William), mathématicien britannique (Exeter 1845-Madère 1879). Il s'intéressa aux algèbres non commutatives et, en géométrie elliptique de dimension 3, il découvrit les droites équidistantes non coplanaires (parallélisme de Clifford).

CLIGNANCOURT, quartier du nord de Paris (XVIIIe arr.).

CLIGNOTANT. — Le Ve plan français avait mis en œuvre des indicateurs d'alerte baptisés « clignotants », dont certains étaient mensuels (prix, production industrielle, emploi) et certains semestriels (P. I. B.). Ces indicateurs n'ayant pas fonctionné de manière satisfaisante, le VIe plan a élaboré un autre ensemble d'indicateurs et la publication de *tableaux de bord* économiques prévisionnels.

CLIMAT. — Le climat d'une région est caractérisé par différents paramètres dont on établit les variations au cours de l'année : la température, les précipitations, l'humidité de l'air, la nébulosité, la direction et la force du vent, etc. La *climatologie* étudie les rapports entre ces paramètres dans le but de définir les différents types de climats et d'en comprendre les mécanismes.

Le globe terrestre est marqué par l'existence de grandes zones climatiques à peu près parallèles dans l'hémisphère Nord et dans l'hémisphère Sud. La zone intertropicale est caractérisée par des climats chauds : le climat équatorial* règne au-dessus de l'équateur; par diminution du volume des précipitations, il passe au climat tropical* puis au climat aride* sous les tropiques. Cependant, la façade orientale des continents, principalement de l'Asie, connaît un climat de mousson*, caractérisé par une inversion saisonnière de la circulation atmosphérique qui perturbe la distribution zonale. Dans la zone tempérée dominent trois grands types de climat : le climat océanique* affecte les façades occidentales des continents, sous l'influence directe des vents d'ouest; quand cette influence diminue, au centre et sur les façades orientales des continents, le climat devient continental*; aux plus basses latitudes de la zone tempérée, le climat méditerranéen* subit les influences subtropicales. Un climat polaire* règne au voisinage des pôles. La répartition zonale des climats est perturbée par les conditions locales du relief. Ainsi, en altitude, règne un climat de montagne*, marqué par un abaissement de la température. Enfin, des microclimats* affectent des secteurs très localisés.

CLIMATISATION → CONDITIONNEMENT D'AIR et GAZ.

CLIMATISME. — Le climatisme, depuis le recul de la tuberculose, s'est orienté dans de nouvelles voies, l'action du climat étant dès lors associée, selon le cas, à la rééducation, au régime ou à la cure thermale. Les séjours en sanatorium, préventorium, colonie sanitaire (pour enfants convalescents ou déficients), centre spécialisé sont, en règle générale, pris en charge par la Sécurité sociale, après accord.

CLIMATOLOGIE → CLIMAT.

CLIMAX. — Abandonnée à elle-même depuis l'origine sans aucune intervention de l'homme, ou après une intervention locale et restreinte, une formation végétale évolue, par étapes successives, vers un paysage (généralement une forêt) dans lequel le maximum possible de matière vivante est porté par chaque unité de surface. On appelle une telle formation le *climax.* Après dégradation par l'homme, la nature ne peut pas toujours reconstituer le climax, elle s'oriente alors vers un *paraclimax* moins productif (lande arborée, par exemple).

CLIMAX, localité des États-Unis (Colorado), au S.-O. de Denver. Importante mine de molybdène.

CLINIQUE (psychologie). — La psychologie clinique se différencie de la psychologie pathologique en ce sens que, contrairement à ce que suggère son étymologie, elle ne s'intéresse pas uniquement à l'homme réputé malade. Elle se distingue également de la psychologie expérimentale dont le but est la découverte des lois générales qui règlent le comportement* humain en ne tenant pas compte des différences individuelles. L'investigation en profondeur de la personnalité considérée comme une singularité, but que s'assigne la psychologie clinique, repose essentiellement sur l'entretien non directif, sur l'observation de la conduite de l'individu dans des situations concrètes et, accessoirement, sur des tests*. L'intuition du psychologue joue donc un grand rôle. Le psychologue clinicien se propose non seulement de diagnostiquer mais également d'aider le patient aux prises avec un problème; aussi travaille-t-il le plus souvent en relation avec un médecin dans le cadre d'un hôpital ou d'une consultation médico-psychologique d'un dispensaire.

CLINKER → CIMENT.

CLIO, dans la mythologie grecque, muse* de l'Histoire.

Clio, *dialogue de l'histoire et de l'âme païenne,* de Charles Péguy (1917). Premier élément d'un diptyque dont le second volet *(Véronique, dialogue de l'histoire et de l'âme chrétienne)* ne fut jamais composé : une interrogation sur l'impuissance de l'histoire à rendre compte de la réalité vécue et sur la dimension du temps inséparable de toute création et de toute signification esthétique.

CLION-SUR-MER (Le), écart de la comm. de Pornic*. Station balnéaire.

CLIPPERTON *(île),* îlot français du Pacifique, au large du Mexique. Il fut découvert en 1715 et annexé en 1858 par la France; celle-ci dut défendre ses droits contre des Mexicains qui s'y installèrent en 1907 pour exploiter le guano.

CLISSON (44190), ch.-l. de cant. de la Loire-Atlantique, à 29 km au S.-E. de Nantes, sur la Sèvre Nantaise; 4663 hab. Ruines du château fort (XIIIe-XVIe s.).

CLISSON (Olivier IV, *sire* DE), gentilhomme breton (Clisson 1336-Josselin 1407). Aux côtés de Bertrand du Guesclin, il lutte contre les Anglais et devient connétable de France en 1380.

CLISTHÈNE, homme politique athénien de la fin du VIe s. av. J.-C. Initiateur d'importantes réformes, il établit à Athènes de nouvelles divisions territoriales de façon à renforcer, par un brassage des citoyens, l'unité de la cité; il réforme le calendrier, l'armée et oriente définitivement les institutions athéniennes vers une véritable démocratie. On lui attribue l'introduction à Athènes de l'ostracisme*.

CLITIAS, peintre et céramiste grec du VIe s. av. J.-C. C'est avec le potier Ergotimos qu'il réalisa le « vase François » (découvert dans une tombe étrusque de Chiusi*), véritable chef-d'œuvre du style attique à figures noires, par l'ampleur de sa composition — 250 personnages y sont figurés — et par la sûreté du tracé, malgré la persistance d'un certain archaïsme.

CLITORIS → GÉNITAL *(appareil).*

CLIVAGE *(Minér.).* — Dans beaucoup de cristaux (mica, gypse, etc.), il est relativement facile de fractionner le solide en lames parallèles dont les faces ont des orientations particulières, dites « plans de clivage ». Cette propriété, qui s'interprète par la structure réticulaire des cristaux, est mise à profit par les cristallographes pour la recherche des systèmes cristallins.

CLIVAGE *(Psychan.).* — La notion de clivage du moi a été dégagée par S. Freud à partir de l'interprétation du fétichisme* et de certains processus propres aux psychoses*. Le fétichiste sait bien que les femmes n'ont pas de pénis*, mais, en même temps, une autre partie de son moi répudie cette réalité (déni de la réalité) et choisit alors un fétiche qui remplace symboliquement le pénis. La dissociation et l'ambivalence, symptômes majeurs de la schizophrénie* selon Bleuler*, sont également interprétées par Freud en terme de clivage du moi. Chez Freud, la notion de clivage du moi implique donc la coexistence de deux attitudes contradictoires, indépendantes l'une de l'autre, et qui se manifestent toujours toutes les deux. Ce type de coexistence est conforme à la logique de l'inconscient*. Au-delà de processus pathologiques, Freud fait reposer la constitution de la personnalité sur de multiples clivages : entre le conscient et l'inconscient*, les instances, moi*, ça* et surmoi*.

Avec Melanie Klein*, la notion de clivage subit une extension considérable, elle apparaît alors comme un processus qui permet à l'enfant, dès les premiers mois de son existence, au moment de la position schizoparanoïde*, de sortir du chaos et d'organiser l'univers. Le clivage initial se fait entre bon et mauvais objet, un même objet pouvant être perçu alternativement comme bon et/ou mauvais. Le clivage sert de base à ce qui sera plus tard le refoulement*, mais, sous une forme moins excessive et rigide, il n'en continue pas moins à fonctionner comme tel toute la vie. C'est, par exemple, le clivage qui est à l'œuvre lorsque l'attention privilégie tel ou tel objet, ou qu'un contenu émotionnel est mis provisoirement entre parenthèses, pour essayer d'apprécier intellectuellement telle ou telle situation.

CLIVE DE PLASSEY (Robert, *baron*), administrateur britannique (Styche 1725-Londres 1774). Au sein de la Compagnie des Indes orientales, il contrecarre efficacement l'influence française en Inde. Gouverneur du Bengale (1764), il fonde un véritable empire au profit de la Compagnie.

CLODION (Claude MICHEL, dit), sculpteur français (Nancy 1738 - Paris 1814). Élève de son oncle L. S. Adam et de Pigalle, ayant séjourné à Rome, il obtiendra un immense succès — du moins jusqu'à la Révolution — avec ses terres cuites de bacchantes, faunesses et satyres, pleines de vie et de sensualité.

CLODIUS (Publius Appius), démagogue romain (93-52 av. J.-C.). Issu de la gens patricienne Claudia, il se fit adopter par un plébéien pour être élu tribun (58). César, qui facilita son passage à la plèbe, comptait sur lui pour tenir en échec le sénat et Cicéron et entretenir l'agitation. De 58 à 52, il domina la vie politique de Rome, où ses bandes armées firent régner la terreur. Il bafoua le sénat et Pompée; il fit exiler Cicéron pour l'exécution sans jugement des complices de Catilina et se débarrassa de Caton. Il prit l'initiative des lois populaires (distributions gratuites de grain). Après le retour de Cicéron, ses bandes s'opposèrent à celles de Milon, défenseur de l'oligarchie; Clodius fut tué par Milon en 52.

CLODOALD → CLOUD.

CLODOMIR → MÉROVINGIENS.

CLÈTE (Stuart), écrivain sud-africain d'expression anglaise (Paris 1897), auteur de récits d'inspiration historique (*le Grand Trek,* 1937; *les Haillons de la gloire,* 1963).

CLOHARS-CARNOËT (29121), comm. du Finistère, à 8 km au S. de Quimperlé; 3327 hab. Station balnéaire au Pouldu.

CLOISON. — Les cloisons se différencient des murs*, ainsi que des contre-murs, par leur nature ou leur destination. Leurs rôles d'isolations* thermique et phonique, le plus souvent recherchés, ne peuvent être assurés qu'au moyen de matériaux et de dispositifs spéciaux. Les revêtements en plâtre*, en plasterboard ou à base de laine de verre* constituent une bonne isolation thermique. On obtient des résultats supérieurs en construisant des doubles cloisons parallèles séparées par un vide d'air de quelques centimètres d'épaisseur, rempli éventuellement d'un isolant. La double cloison constitue aussi une bonne isolation phonique, à condition qu'entre les deux faces internes il n'existe pas de liaisons rigides capables de transmettre les vibrations d'une paroi à l'autre. L'emploi de matériaux denses, imperméables à l'air, s'impose chaque fois qu'on veut réaliser une isolation phonique élevée des cloisons. Mais il faut toutefois se prémunir contre l'hydrophilie de certains matériaux, l'imprégnation par l'eau étant préjudiciable à l'isolation tant thermique que phonique. (V. PANNEAU.)

CLOOTS (Jean-Baptiste DU VAL-DE-GRÂCE, *baron* DE), homme politique prussien (Gnadenthal 1755-Paris 1794). « Citoyen de l'humanité » au sein du club des Jacobins, il est naturalisé français en 1792 et se fait appeler ANACHARSIS CLOOTS. Député à la Convention, fanatique de l'antichristianisme, il est emporté avec les hébertistes lorsque Robespierre se débarrasse de ceux-ci.

CLOPORTE. — Le groupe, typiquement aquatique, des crustacés comprend cependant quelques formes parfaitement adaptées à la vie terrestre. Les plus communes de ces formes sont les *cloportes* (ordre des isopodes), petits animaux des sols, de forme ovale, aux nombreuses pattes, mangeurs de détritus variés. Certains sols steppiques de l'Asie centrale hébergent d'énormes populations de cloportes, qui y jouent le même rôle d'aération fertilisante que les vers de terre dans nos régions.

La respiration de ces animaux est assurée par des branchies, mais si enfouies sous la carapace qu'elles peuvent fonctionner comme des poumons.

CLOSTERMANN (Pierre), officier aviateur français (Curitiba, Brésil, 1921). Engagé dans les Forces aériennes françaises libres, il devint le premier as français de la Seconde Guerre mondiale avec trente-trois victoires. Il fut député de 1946 à 1958, puis de 1962 à 1973. Auteur du *Grand Cirque* (1948).

Clos-Vougeot, vignoble renommé de la Bourgogne, dans la *côte de Nuits.*

CLOTAIRE → MÉROVINGIENS.

CLOTILDE *(sainte),* princesse burgonde (v. 475-Tours 545). Nièce de Gondebaud, roi des Burgondes, elle épouse Clovis* Ier, roi des Francs, qu'elle convertit au catholicisme. Elle meurt dans un monastère de Tours. — Fête le 3 juin.

CLOUD ou **CLODOALD** *(saint),* prince mérovingien (v. 522-v. 560). Troisième fils de Clodomir, roi d'Orléans, il échappe au massacre perpétré par ses oncles et où tous ses frères périssent. Il se voue alors à la vie religieuse et meurt au monastère de *Novientum,* aujourd'hui Saint-Cloud, qu'il avait fondé.

CLOUET, peintres français d'origine flamande : JEAN (Pays-Bas du Sud v. 1475-Paris 1540 ou 1541) et son fils FRANÇOIS (Tours? v. 1520-Paris 1572). Peintres du roi, ils représentent un art spécifiquement français et qui connaît une grande faveur, notamment sous François Ier : le portrait dessiné, appelé « crayon » (pierre noire souvent rehaussée de sanguine et de craie). Le réalisme, l'acuité psychologique et la précision font la qualité des dessins et des peintures (*François Ier*, Louvre) de Jean, dont le style associe des influences italiennes à l'héritage franco-flamand, comme de François, lui aussi marqué par le portrait italien (*Pierre Quthe*, 1562, Louvre), mais également par l'école de Fontainebleau (*le Bain de Diane*, musée de Rouen).

CLOUZOT (Henri Georges), cinéaste français (Niort 1907 - Paris 1977). Il est l'auteur de : *L'assassin habite au 21* (1942), *le Corbeau* (1943), *Quai des Orfèvres* (1947), *Manon* (1948), *le Salaire de la peur* (1953), *les Diaboliques* (1954), *le Mystère Picasso* (1956), *la Vérité* (1960), *la Prisonnière* (1968).

CLOVIS Ier ou **CHLODOVECHUS** [c'est-à-dire Louis] (465 - Paris 511), roi des Francs (481-511). À la mort de son père, Childéric Ier (481), il devient roi des Francs Saliens de Tournai. Ayant conquis le royaume de Syagrius (bataille de Soissons, 486), il lutte contre les Alamans (496). Après sa victoire sur les Burgondes (500), il bat les Wisigoths à Vouillé (507) et s'empare de l'Aquitaine. Les Francs Ripuaires une fois soumis (v. 509), son royaume s'étend du Rhin aux Pyrénées à la fin de son règne. Sous l'influence de sa femme, Clovis se convertit au catholicisme, et cette conversion (v. 496) est un fait majeur de son règne puisqu'il voit ainsi son pouvoir légitimé. Devenu le seul roi barbare catholique, il obtient l'appui du clergé gallo-romain, grâce auquel il occupe pacifiquement le pays situé entre Seine et Loire. Seul roi de toute la Gaule, Clovis reçoit de l'empereur d'Orient le titre de « patrice ». Protecteur du catholicisme, il fait réorganiser l'Église des Gaules par le concile d'Orléans (511), peu avant sa mort. Son royaume sera partagé entre ses quatre fils, Thierry, Clodomir, Childebert et Clotaire.

CLOVIS II → MÉROVINGIENS.

CLOWN. — À l'origine, le clown était écuyer et acrobate. L'évolution du personnage se matérialisa au fil des ans par un dédoublement de sa personnalité, ce qui donna naissance à deux types distincts d'amuseurs de piste : le faire-valoir à la face blanche et aux costumes pailletés et son partenaire, le pitre au maquillage outrancier et aux vêtements grotesques, nommé *auguste*. Parmi les clowns les plus célèbres, citons Antonet et Beby, Ilès et Loyal, Foottit et Chocolat, les frères Fratellini, Charlie Cairoli, Charlie Rivels, Popov, Porto, Rhum, Zavatta. Proches des clowns sont les *excentriques*, dont les numéros, parfois plus élaborés, sont également applaudis au music-hall (ainsi Grock).

CLOYES-SUR-LE-LOIR (28220), ch.-l. de cant. d'Eure-et-Loir, à 12 km au S.-E. de Châteaudun; 2 552 hab. Chapelle d'Yron (XIIe s.).

CLUJ, v. de Roumanie, en Transylvanie; 208 000 hab. Cathédrale du XIVe s. Musées. Industries métallurgiques et chimiques.

CLUNY (71250), ch.-l. de cant. de Saône-et-Loire, à 24 km au N.-O. de Mâcon; 4 620 hab. École d'arts et métiers. Travail du bois.

HISTOIRE. En 910, Guillaume d'Aquitaine, propriétaire d'une villa à Cluny, en Bourgogne, en fait don aux moines bénédictins à condition que le monastère ainsi fondé soit *exempt*, c'est-à-dire libre de toutes ingérences épiscopales, seigneuriales ou royales, ne dépendant donc que du pape. Un peu plus tard (931), Jean XI décide de mettre sous l'autorité de l'abbé de Cluny toutes les abbayes et prieurés fondés par lui. Trois grands abbés, Mayeul (948-994), Odilon (994-1049) et Hugues (1049-1109), donnent à Cluny un rayonnement universel : en 1109, l'ordre clunisien compte en effet 1 184 maisons. Jusqu'au milieu du XIIe s., Cluny domine l'Occident : par son art spécifique et fortement symbolique; par le prestige intellectuel et spirituel de ses moines, dont beaucoup jouent un rôle de premier plan au niveau de l'épiscopat et même du souverain pontificat; par l'autorité qui permet aux clunisiens d'imposer des institutions de paix à la rude société féodale; par la pratique de l'hospitalité et de l'aumône.

Malgré plusieurs tentatives de réforme, la congrégation clunisienne décline. En 1790, elle est moribonde.

BEAUX-ARTS. De l'abbatiale de Cluny III (fin XIe - début XIIe s., le plus grand édifice de la chrétienté médiévale), exploitée comme carrière de pierre au début du XIXe s., subsistent le croisillon sud du grand transept (33 m sous voûte), surmonté du clocher « de l'Eau bénite », et les élégants chapiteaux du rond-point du chœur, présentés dans le grenier à farine du XIIIe s. Bâtiments divers de l'abbaye (XVe-XVIIIe s.). Maisons romanes ou gothiques. À quelques kilomètres, ancien prieuré de Berzé-la-Ville, dont la chapelle haute possède des peintures qui dateraient du temps de l'abbé Hugues (fond bleu et coloris saturé, influence byzantine).

Cluny (*hôtel* et *musée de)*, rue Du-Sommerard à Paris. Ancienne résidence parisienne des abbés de Cluny, rebâti à la fin du XVe s., il est devenu au XIXe s. un important musée des arts appliqués du Moyen Âge et de la Renaissance, prolongement du musée du Louvre (tapisseries de *la Dame à licorne*). Les restes des thermes de Lutèce communiquent avec lui (sculptures gallo-romaines).

CLUPÉIDÉS. — Cette famille de poissons osseux comprend trois espèces de grande pêche : le hareng*, la sardine* et le sprat*.

CLUSAZ (La) [74220], comm. de Haute-Savoie, à 26 km au S. de Bonneville; 1 695 hab. Station de sports d'hiver (alt. 1 100-2 600 m).

CLUSE → JURASSIEN *(relief)*.

CLUSERET (Gustave Paul), socialiste français (Paris 1823 - Hyères 1900). Officier, il démissionne sous l'Empire et prend part à la guerre de Sécession, comme général nordiste. Rentré en France, il adhère à l'Internationale et participe à la Commune de Paris (1871).

CLUSES (74300), ch.-l. de cant. de Haute-Savoie, à 15 km à l'E. de Bonneville, dans la cluse de l'Arve; 15 268 hab. *(Clusiens)*. École d'horlogerie. Décolletage.

CLUSIUM → CHIUSI.

CLWYD, comté du nord du pays de Galles.

CLYDE (la), fl. d'Écosse, qui passe à Glasgow et se jette dans la mer d'Irlande; 170 km.

CLYTEMNESTRE → ATRIDES.

CNIDE, ville grecque d'Asie Mineure, sur la côte méridionale de la mer Égée, près de laquelle l'Athénien Conon*, en 394, vainquit la flotte lacédémonienne. Célèbre par une Aphrodite de Praxitèle.

CNOSSOS ou **KNOSSÓS**, principale cité de la Crète minoenne, occupée par les Achéens au XVe s. av. J.-C. Après les grandes invasions des XIIIe-XIIe s. av. J.-C., qui mettent fin à la civilisation crétoise, Cnossos devient, à l'époque grecque, une modeste cité dont Auguste fera une colonie romaine.

Le site est occupé, dès la fin du néolithique, mais c'est au début du IIe millénaire que sont érigés les premiers palais. Les vestiges actuels découverts par Evans* permettent d'étudier les diverses étapes de la construction. Des bâtiments plus ou moins vastes, aux fonctions diverses (appartements, salles de réception, magasins, etc.), sont ordonnés autour d'une grande cour centrale. Vers 1700 av. J.-C., le palais, endommagé, est rebâti sur un plan plus complexe et plus vaste. Il comporte plusieurs étages (3 pour l'aile occidentale, à caractère officiel et religieux, 5 pour l'aile orientale), avec pièces d'apparat, escaliers monumentaux, puits de lumière et cours intérieures.

À partir de 1600, salles et passages sont ornés de fresques nombreuses dont le style évolue dans le temps : figurations animales et végétales précédant les représentations humaines (Prince aux lis), puis ensembles plus stylisés avec scènes de tauromachies plus fréquentes. Vers le XVe s., une destruction due à l'occupation des Mycéniens semble probable. Le palais — lieu de résidence, mais aussi sanctuaire et centre économique — engendre l'établissement, à proximité, d'un vaste centre urbain, abandonné au début de l'âge du fer, avant de rester l'une des rares cités organisées à l'époque grecque.

C. N. P. F., sigle de *Conseil national du patronat* français.*

C. N. R., sigle de *Conseil* national de la Résistance.*

C. N. R. S., sigle de *Centre* national de la recherche scientifique.*

COAGULATION. — Nécessaire à l'hémostase, la coagulation du sang met en jeu de nombreux facteurs. Elle débute par la formation d'une enzyme, la thromboplastine, qui scinde la prothrombine en thrombine; la thrombine hydrolyse ensuite le fibrinogène, libérant la fibrine, qui enferme les globules et constitue le caillot; puis le caillot se rétracte, laissant exsuder le sérum.

Le sang peut être hypercoagulable (maladie thromboembolique [v. THROMBOSE]) ou hypocoagulable (syndromes hémorragiques). L'exploration de la coagulabilité sanguine globale utilise divers tests (temps de coagulation, taux de prothrombine, temps de Howell, thromboélastogramme, etc.) qui permettent de suivre les effets des traitements anticoagulants. Le dosage des différents facteurs de la coagulation permet de préciser le diagnostic des anomalies de la coagulation.

COALITIONS. — De 1793 à 1815, la France doit faire face à sept coalitions formées contre elle par les puissances européennes.

● La *première coalition* (1793-1797) se constitue contre une France qui, déjà en guerre depuis le 20 avril 1792 avec le Saint Empire et la Prusse, a été sauvée de l'invasion par les victoires de Dumouriez à Valmy et à Jemmapes (20 sept. et 3 nov. 1792). Formée, après l'exécution de Louis XVI, par la crainte qu'inspire à l'Europe la conquête par la France de la Belgique, de la rive gauche du Rhin et de la Savoie, elle rassemble l'Angleterre, la Russie, l'Espagne, la Sardaigne et Naples, qui se joignent à la Prusse et à l'Autriche. D'abord vaincus (Neerwinden) et refoulés à la frontière, les Français arrêtent l'invasion à Hondschoote (sept. 1793), réoccupent la Belgique (victoire de Jourdan à Fleurus, juin 1794), la Hollande et la Rhénanie. La Prusse et l'Espagne signent les traités de Bâle, la Hollande (devenue République batave) le traité de La Haye (1795). Restent l'Autriche, contrainte, par la campagne d'Italie* de Bonaparte, de traiter à Campoformio (1797), et l'Angleterre, qui, seule, continue la lutte. (La France cherche à l'atteindre en occupant l'Égypte [1798-99].)

• La *deuxième coalition* (1799-1802), suscitée par l'Angleterre pour répondre à la politique d'expansion du Directoire, groupe autour d'elle la Russie, l'Autriche, la Turquie et les Deux-Siciles. D'abord menacée par les forces de l'archiduc Charles et de Souvorov, la France est sauvée par la victoire de Masséna à Zurich (sept. 1799), qui entraîne la défection de la Russie, et par les victoires de Bonaparte à Marengo et de Moreau à Hohenlinden (juin et déc. 1800), qui amènent l'Autriche à signer la paix de Lunéville (1801). L'Angleterre, maîtresse des mers, et la France, maîtresse du continent, toutes deux épuisées, finissent par signer la paix d'Amiens (mars 1802).

• Dès 1803, l'Angleterre, refusant d'évacuer Malte, provoque la rupture de la paix d'Amiens. Napoléon, décidé à l'attaquer en son île, rassemble en 1804 autour de Boulogne l'*armée des côtes de l'Océan.* Il doit la transférer d'urgence sur le Rhin pour répondre à la création de la *troisième coalition* (Angleterre, Autriche, Russie). Après la capitulation des Autrichiens à Ulm (oct. 1805), Napoléon bat les Austro-Russes à Austerlitz (2 déc. 1805) et leur impose le traité de Presbourg, qui scellait la fin du Saint Empire romain germanique. Mais la flotte française avait été anéantie par Nelson à Trafalgar (21 oct. 1805).

• La *quatrième coalition,* fomentée en 1806 par la Prusse avec l'Angleterre et la Russie, aboutit à la destruction foudroyante des forces prussiennes à Iéna et à Auerstedt (14 oct. 1806) et à l'occupation quasi totale du pays par les Français. Après les défaites russes d'Eylau et de Friedland (févr. et juin 1807), Napoléon, qui a décrété à Berlin le blocus du continent pour l'Angleterre, impose le traité de Tilsit à la Prusse (juill. 1807) et tente de gagner l'alliance du tsar (entrevue d'Erfurt, en 1808).

• Tandis que l'application du Blocus continental entraîne Napoléon à intervenir en Espagne, où il se heurte pour la première fois à un soulèvement national (capitulation d'une force française à Bailén, juill. 1808) soutenu par les Anglais, l'Autriche forme avec Londres une *cinquième coalition* (1809). L'archiduc Charles est battu à Wagram (juill.) et l'Autriche doit accepter le traité de Vienne (oct.) qui marque l'apogée de l'empire de Napoléon, illustré par son mariage avec l'archiduchesse Marie-Louise (1810).

• Seules l'Angleterre et l'Espagne insurgée continuent la lutte. Mais, après l'échec de la campagne de Russie*, marquée par la retraite de la Grande Armée, la Russie est rejointe dans une *sixième coalition,* d'abord par la Prusse, puis, après l'habile négociation de Metternich au congrès de Prague, par l'Autriche et la Suède.

S'il a vaincu les Prussiens à Lützen et à Bautzen (mai 1813), Napoléon est lui-même battu par les coalisés à Leipzig (oct. 1813), puis, après une remarquable résistance, dans la fameuse campagne de France* (1814), qui entraîne son abdication (avr.) et la signature du traité de Paris.

• Le retour de Napoléon de l'île d'Elbe provoque la reconstitution immédiate, en mars 1815, d'une *septième coalition,* qui n'est en fait que le prolongement de la précédente. Elle aboutit à la défaite décisive de Napoléon, par Wellington et Blücher, à Waterloo (18 juin 1815) et à la signature du second traité de Paris (20 juill. 1815).

En ces vingt-trois années de guerre, on estime à environ 1 570 000 le nombre des Français réquisitionnés aux armées de 1792 à 1799 et à 1 350 000 celui des hommes enrôlés par Napoléon de 1800 à 1815.

COARRAZE (64800 Nay), comm. des Pyrénées-Atlantiques, sur le gave de Pau, à 19 km au S.-E. de Pau; 2 064 hab. Industrie du bois.

COAST RANGE («Chaîne côtière»), nom donné à un ensemble de montagnes de l'Amérique du Nord, s'étirant sur près de 4 000 km, en bordure du Pacifique, de la Colombie britannique à la Californie.

COATBRIDGE, v. de Grande-Bretagne (Écosse), à l'E. de Glasgow; 52 000 hab. Métallurgie.

COBALT. — Isolé par Brandt en 1756, le cobalt est l'élément chimique n° 27, de masse atomique Co = 58,94. C'est un solide blanc, de densité 8,8, fondant vers 1 490 °C; il est ferromagnétique. Il est bivalent dans ses sels, dont les solutions, roses, deviennent bleues par chauffage. Ces sels peuvent former de nombreux complexes ammoniacaux. Ses composés servent à la préparation de peintures et d'émaux. Le *smalt* est un silicate de potassium et de cobalt.

Les minerais complexes de cobalt, toujours associés sous forme de sulfures ou d'oxydes* à des minerais de fer*, de cuivre* ou de nickel*, sont traités, au cours de l'élaboration de ces derniers, principalement par concentration*, lixiviation et extraction électrolytique ou réduction* par l'hydrogène* ou par le carbone*. Peu utilisé à l'état pur (catalyseur, cobaltage, source radioactive), le cobalt entre dans la composition d'alliages* magnétiques (aimants* permanents), d'alliages réfractaires (soupapes, ailettes de turbines* à gaz ou de réacteurs), d'alliages résistant à la corrosion*, à l'abrasion, à l'usure (outils de coupe, pièces de forage, carbures durs) et d'alliages particuliers (prothèse chirurgicale, appareils scientifiques et de métrologie).

La «bombe au cobalt», utilisée pour le traitement des tumeurs cancéreuses, contient l'isotope radioactif de nombre de masse 60.

COBALTOTHÉRAPIE. — La cobaltothérapie permet la destruction des tumeurs malignes, en particulier celles qui ne sont pas extirpables.

COBAYE. — Si l'on qualifie de «cobaye» un homme ou un groupe humain sur lequel est tentée une expérience de haut risque, c'est à cause de l'usage important de ces petits rongeurs américains dans les laboratoires de recherche. Faciles à nourrir, se reproduisant abondamment (2 ou 3 portées par an, de 2 à 6 petits chacune), très maniables du fait de leur petite taille (30 cm; poids 800 g), les cobayes ont en outre des réactions immunitaires et sérologiques assez voisines de celles de l'homme. Ce sont des animaux courts et trapus, sans queue ni cou; il doivent à leur origine péruvienne leur autre nom de *cochons d'Inde.*

Cobb-Douglas *(fonction de),* fonction mise en valeur, en 1928, par Charles W. Cobb et Paul H. Douglas, professeurs à l'université de Chicago, et délimitant les rapports (au niveau de la firme et au niveau de la communauté économique globale) entre la production* (output) et les apports de travail* et de capital* (inputs).

L'expression mathématique de cette fonction est

$$P = b.\ L^k.\ C^j$$

(P = le produit, L le travail et C le capital) où b, k et j sont des constantes et où la somme des exposants $(k + j) = 1$, soit

$$P = b.\ L^k.\ C^{1-k}.$$

COBBETT (William), homme politique et publiciste britannique (Farnham 1762 - Guildford 1835). Fondateur, en 1802, du *Weekly Political Register,* il évolue du torysme au radicalisme, dont il devient le chef de file; il est élu au Parlement en 1832.

COBDEN (Richard), industriel, économiste et homme politique britannique (Dunford Farm, Heyshott, Sussex, 1804 - Londres 1865). Fervent partisan du libre-échange, qu'il considère comme une source de prospérité non seulement pour la bourgeoisie industrielle mais aussi pour la classe ouvrière, il est un des fondateurs, en 1838, de l'Anti-Corn-Law League et mène une vaste campagne contre le protectionnisme. Élu au Parlement en 1841, Cobden prône la non-intervention de l'État dans l'économie du pays et obtient l'abolition des lois sur les blés en 1846. En politique extérieure, il se fait le défenseur de la paix, qu'il estime liée au libre développement du commerce international et qui doit être assurée par une politique de conciliation et de non-intervention. Il négocie le traité de commerce franco-britannique de 1860, qui abaisse les barrières douanières et introduit la clause de la nation la plus favorisée.

COBENZL (Ludwig), homme d'État autrichien (Bruxelles 1753 - Vienne 1809). Ambassadeur à Saint-Pétersbourg (1779-1797), il négocie les partages de la Pologne. Vice-chancelier en 1801, il lance l'Autriche dans la troisième coalition : il doit démissionner après Austerlitz (1805).

COBLENCE, en allem. **Koblenz,** v. d'Allemagne fédérale (Rhénanie-Palatinat), au confluent du Rhin et de la Moselle; 120 000 hab. Château de la fin du XVIIIe s. Pneumatiques. — Ancien camp romain, Coblence est réunie au Saint Empire en 978. Point de ralliement de l'émigration en 1792, chef-lieu du département de Rhin-et-Moselle de 1798 à 1813, la ville devient prussienne en 1815. De 1919 à 1929 elle est le centre de la Haute-Commission interalliée.

COBOL. — Ce langage* symbolique de programmation, universellement adopté pour la programmation d'applications de gestion, est standardisé par des normes internationales. Un programme* cobol est composé de plusieurs parties appelées «divisions» : une *division d'identification,* en début de programme, pour reconnaître ce dernier, son nom, son auteur, etc.; une *division d'équipement,* qui précise certaines caractéristiques du matériel et du logiciel* avec lesquels le programme sera compilé, puis exécuté; une *division de données,* qui sert à décrire la structure des données et des fichiers* qui seront traités dans le programme; une *division de traitement,* qui décrit sous forme d'instructions* les traitements devant être réalisés et constituant le programme proprement dit. L'investissement mondial en programmes cobol est considérable.

Cobra, mouvement artistique du XXe s. L'impact de ce serpent communautaire artistique, qui relia *Co*penhague, *Br*uxelles et *A*msterdam, en partie via Paris, dépasse de beaucoup sa brève existence en tant que mouvement organisé (1948-1951). Issu de groupes expérimentaux préexistants (notamment danois), fondé à l'initiative du poète belge Christian Dotremont, il fut le révélateur d'aspirations que tendent toujours à bafouer les formes classiques, «cultivées», que prend l'art officiel. Profitant des précédents du surréalisme et surtout de l'expressionnisme, les œuvres nées dans et autour de Cobra montrent en effet l'admiration de leurs auteurs pour toutes les formes spontanées de création : arts primitifs et populaires, art brut*, dessins d'enfants. Citons, parmi les membres de Cobra devenus illustres : le peintre danois Asger Jorn

Cobra. *La Lune et les animaux* (1950), de Asger Jorn. (Coll. privée.)

(1914-1973), esprit aigu, aux initiatives multiples, qui a développé, à la limite de l'informel, une mythologie d'une richesse et d'une concentration extrêmes; le peintre et sculpteur néerlandais Karel Appel (né en 1921), qui applique un chromatisme impétueux à l'évocation de monstres truculents et familiers; le peintre belge Pierre Alechinsky (né en 1927), que son humour caustique et ses dons de coloriste, joints à la connaissance de la calligraphie japonaise, ont conduit aux étranges métamorphoses de ses grands panneaux à l'acrylique (depuis 1965).

COCAÏNE. — La cocaïne est un puissant anesthésique local utilisé en ophtalmologie et en oto-rhino-laryngologie. Administrés par voie générale, la cocaïne et ses sels sont des stupéfiants inscrits au tableau B. L'intoxication aiguë peut entraîner des convulsions ou un coma mortels. L'intoxication chronique se manifeste par des troubles psychiques et elle conduit à la toxicomanie*.

COCANĀDA → KĀKINĀDA.

COCCYX → VERTÈBRE.

COCHABAMBA, v. de Bolivie, au S.-E. de La Paz; 150 000 hab.

COCHER, constellation* de l'hémisphère boréal comprenant trois beaux amas* stellaires : M 36, M 37 et M 38. Son étoile ε variable (entre 3,3 et 4,6) est une supergéante exceptionnelle dont le diamètre est égal à 2 000 fois celui du Soleil.

COCHEREL, hameau de l'Île-de-France, à l'O. de Vernon. — Le 16 mai 1364, du Guesclin* battit une armée anglo-navarraise commandée par Jean de Grailly, captal de Buch, qui se serait proposé de marcher sur Reims afin d'y troubler les cérémonies du sacre de Charles V*.

COCHET (Henri), joueur français de tennis (Villeurbanne 1901). Moins régulier que René Lacoste, moins populaire que Jean Borotra, il a sans doute été le plus doué des « mousquetaires français », qui remportèrent la coupe Davis de 1927 à 1932. Cochet a participé à ces six victoires consécutives (ne perdant alors que deux simples sur douze disputés), qui s'ajoutèrent à ses succès en simple à Wimbledon (1927 et 1928), aux championnats de France (cinq titres) et des États-Unis (1928).

COCHIN, port de l'Inde (Kerala), sur la côte de Malabār; 439 000 hab. Industries métallurgiques et chimiques.

COCHIN, famille de graveurs français, dont les principaux sont : NICOLAS *le Vieux* (Troyes 1610 - Paris 1686), imitateur de Callot; CHARLES NICOLAS *le Père* (Paris 1688 - *id.* 1754), excellent graveur de reproduction; CHARLES NICOLAS *le Fils* (Paris 1715 - *id.* 1790), dessinateur et graveur des Menus-Plaisirs en 1739 (représentations des fêtes de la Cour), qui fut le maître à dessiner de Mme de Pompadour; il accompagna en Italie (1749) le futur surintendant Marigny, frère de celle-ci, puis, titulaire de divers postes officiels, il contribua fortement par son action et ses écrits (exprimant une admiration circonspecte pour l'antique) à détourner les arts de l'époque du goût rocaille.

COCHINCHINE, région du Viêt-nam méridional qui s'étend principalement sur le cours inférieur et sur le delta du Mékong. V. princ. *Saigon,* auj. *Hô Chi Minh.* — C'est là, sous le second Empire, que les Français s'installèrent d'abord avant de poursuivre leurs conquêtes en Indochine*.

COCHON → PORC.

COCHRANE (Thomas), amiral britannique (Annsfield 1775 - Kensington 1860). Après vingt ans dans la Royal Navy (1793-1813), il passa au service du Chili et du Brésil (1817-1825), puis commanda la flotte des insurgés grecs (1827-28).

COCKCROFT (*sir* John Douglas), physicien anglais (Todmorden 1897 - Cambridge 1967). Avec E. T. S. Walton, il a utilisé des particules artificiellement accélérées pour obtenir des transmutations (1932) et développé la production d'énergie nucléaire en Angleterre. (Prix Nobel de physique, 1951.)

COCOS *(îles)* ou **KEELING,** archipel de l'océan Indien, dépendance de l'Australie, au S.-O. de Java; 625 hab.

COCOTIER. — Les atolls d'origine « corallienne » (ou mieux *récifale*) du Pacifique ne portent guère d'autre espèce arborescente que le cocotier. L'explication est simple : le fruit *(noix de coco)* peut flotter près de deux ans sans mourir, ce qui lui donne chance d'aborder même sur des rivages très isolés. Le cocotier est un palmier au stipe (tronc) long et flexueux, portant une couronne de grandes feuilles pennées et des bouquets de fruits. La noix de coco, très dure sous son enveloppe fibreuse, est tapissée intérieurement d'une graisse comestible, le *coprah,* issue de l'évolution d'un albumen liquide, le *lait de coco.* La culture du cocotier n'est rentable qu'au bord de la mer, les embruns salés étant nécessaires à un bon développement.

COCTEAU (Jean), écrivain français (Maisons-Laffitte 1889 - Milly-la-Forêt 1963). Mêlé à tous les mouvements d'avant-garde, fréquentant aussi bien Proust que la troupe des Ballets* russes, porte-parole du groupe des Six* (*le Coq et l'Arlequin,* 1918), il est tour à tour futuriste, dadaïste, cubiste (*Plain-Chant,* 1923). Cette primauté qu'il donne à la poésie marque ses romans (*le Potomak,* 1919; *Thomas l'Imposteur,* 1923; *les Enfants terribles,* 1929) et son théâtre, où, renouvelant les grands thèmes de la mythologie (*Orphée,* 1927), de la littérature (*Renaud et Armide,* 1943) et du drame bourgeois (*les Parents terribles,* 1938), il cherche l'évasion dans la féerie (*les Mariés de la tour Eiffel,* 1924). Musicien, acteur, cinéaste, il met en scène *le Sang d'un poète* (1930), participe à la réalisation de *l'Éternel Retour* (1943) et tourne ensuite *la Belle et la Bête* (1946), *Orphée* (1949), *le Testament d'Orphée* (1960). Dessinateur et peintre, il a illustré certains de ses ouvrages et décoré plusieurs chapelles, notamment à Villefranche-sur-Mer et à Milly-la-Forêt. Sa vie de virtuose et d'esthète, métamorphose ininterrompue, apparaît comme la réponse à l'exhortation qu'en 1913 lui avait adressée Diaghilev : « Étonne-moi. »

CODA. — Qu'elle exploite ou non les éléments thématiques d'une pièce musicale, la coda est un épisode plus ou moins long et travaillé qui vient clore celle-ci.

CODE *(Dr.).* — « Il sera fait un code de lois civiles commun à tout le royaume. » Ainsi en avait décrété l'Assemblée nationale constituante le 2 septembre 1791, mais ni la Législative, ni la Convention, ni le Directoire ne purent élaborer le Code auquel ces régimes consacrèrent des travaux préparatoires. La commission de préparation (où Portalis joua un rôle majeur) dut concilier coutumes, droit écrit et droit intermédiaire. Bonaparte présida de nombreuses séances; 36 lois furent préparées et votées de 1801 à 1803. Le 21 mars 1804, 2 281 articles furent réunis dans le « Code civil des Français », qui, en 1807, devint le « Code Napoléon ».

D'autres codes furent promulgués sous l'Empire. Le *Code de commerce* fut édicté le 15 septembre 1807 : si le Code civil est une œuvre remarquable, le Code de commerce s'avéra peu original, reprenant nombre de dispositions de l'Ancien Régime. Le *Code pénal* fut décrété le 12 février 1810; il édictait des peines sévères, mais la fixité de celles-ci se trouvait atténuée par un minimum et un maximum et il était prévu des circonstances atténuantes. Les peines étaient réparties en peines de police, peines correctionnelles et peines criminelles. L'Empire promulgua encore un *Code de procédure civile* et un *Code d'instruction criminelle* (le second est devenu de nos jours *Code de procédure pénale*).

À ces codes, fruits de la période impériale, s'ajoutent un certain nombre de textes réunis en ensembles appelés (parfois d'une manière impropre) « codes » : le *Code de justice militaire pour l'armée de terre* et le *Code de justice militaire pour l'armée de mer,* qui ont été remplacés par un *Code de justice militaire,* applicable aux militaires des trois armes (terre, mer et air); le *Code du travail;* le *Code administratif;* le *Code général des impôts,* qui a été mis à jour; le *Code du domaine de l'État,* qui a été révisé. Ont fait l'objet de nouvelles rédactions : le *Code électoral,* le *Code des pensions civiles et militaires,* etc. Un nouveau *Code de l'urbanisme* a été publié en 1973.

CODE *(Inform.).* — La représentation des données dans un ordinateur* ou sur une voie de transmission utilise des systèmes rigoureux de notation. Une même information pouvant être transmise, écrite ou mémorisée pour des supports très divers, il existe des jeux de codes variés, mais le passage d'une forme de représentation de l'information à une autre est nécessairement rigoureux. Le *code Morse* est l'exemple d'un code ancien. Au sein même de l'ordinateur, sur disque* ou sur bande* magnétique, on utilise un code binaire*, qui n'emploie que les chiffres 0 et 1. Pour des raisons de commodité on regroupe logiquement les bits par paquets de trois ou de quatre, qui correspondent respectivement au code octal (système de numération à base 8) et au code hexadécimal* (à base 16). Une codification sur 8 bits permet de représenter 256 combinaisons, soit 256 caractères différents : elle est utilisée dans la plupart des ordinateurs dont la structure élémentaire d'information est bâtie sur l'octet* (code EBCDIC). Le code ASCII à 7 éléments, auxquels peut s'ajouter un bit de parité, est une norme internationale fondamentale pour l'échange d'informations. Certains codes, complexes, permettent de détecter des altérations de l'information représentée, grâce à une structure redondante. Dans certains cas, il est même possible de corriger l'éventuelle dégradation et de reconstituer alors l'information d'origine. Par extension, on appelle souvent *code d'ordres,* ou *d'instructions**, l'ensemble du jeu d'instructions d'un ordinateur, et un programme* lui-même porte parfois le nom de « code ».

CODE *(Ling.)* → COMMUNICATION et MESSAGE.

CODE GÉNÉTIQUE. — Comparable à la carte perforée introduite dans un ordinateur, la structure fine des chromosomes* contenus dans les noyaux cellulaires de tous les êtres vivants détermine la synthèse des protéines* qui en seront à la fois la matière constitutive et le guide physiologique. Un chromosome est, en effet, formé de deux hélices parallèles et complémentaires, unies par des « barreaux ». Ce sont ces barreaux, dissymétriques, de deux types (adénine-thymine et guanine-cytosine), qui constituent les quatre « lettres » du code, car c'est un *codon* (succession de trois « bases » sur la même hélice, ce qui entraîne une succession définie de trois autres bases sur l'autre hélice) qui détermine la synthèse d'un amino-acide, et ce sont la nature et l'ordre des amino-acides (vingt types possibles) qui déterminent toutes les propriétés, enzymatiques et autres, de la protéine. On a pu comparer le message chromosomique à une suite de mots de trois lettres écrites avec un alphabet de quatre lettres. Cela fournit soixante-quatre « mots » possibles, donc plus qu'il n'en faut pour exprimer vingt « commandes » de fabrication, nombre égal à celui des acides aminés utilisables.

CODÉINE. — La codéine est utilisée pour ses propriétés antitussives et sédatives. Elle est toxique à forte dose, surtout chez l'enfant et chez l'insuffisant respiratoire.

Code of Terpsichore, ouvrage de Carlo Blasis (1828), énonçant, en particulier, les bases de la technique de la danse classique.

COECKE (Pieter), dit **Van Aelst,** peintre, architecte et décorateur flamand (Alost 1502-Bruxelles 1550). Élève de Van Orley, ayant séjourné à Rome, il passa du maniérisme gothique anversois à l'italianisme dans ses tableaux religieux, ses cartons de tapisseries et ses vitraux. Mais, l'un des premiers esprits « universels » de la Renaissance flamande, c'est comme traducteur de Vitruve (1539) et de Serlio (1545) qu'il exerça la plus grande influence sur l'art néerlandais de son siècle.

CŒDÈS (Georges), historien français (Paris 1886-Neuilly 1969). Directeur de l'École française d'Extrême-Orient en 1929, il publia de nombreux documents inédits sur l'Asie du Sud-Est. On lui doit une étude d'ensemble sur les États hindouisés d'Indochine et d'Indonésie (1948).

COEHOORN (Menno, *baron* VAN), ingénieur militaire hollandais (Britsum 1641-La Haye 1704). Surnommé le *Vauban hollandais,* il dessina les fortifications de Nimègue, de Breda et de Berg op Zoom.

CŒLACANTHE. — Il a fallu que la connaissance des poissons fossiles de l'ère primaire atteigne un niveau élevé pour que les zoologistes, puis les pêcheurs comoriens, malgaches et sud-africains découvrent le grand intérêt scientifique du *cœlacanthe,* dont la présence sur les marchés était exceptionnelle mais non rarissime. Ce très gros poisson (1,65 m, 80 kg), aux œufs énormes (9 cm de diamètre, 320 g) se caractérise par son mode de natation : la propulsion est assurée par la seconde dorsale et par l'anale, qui agissent comme des godilles, les pectorales permettant sans doute les démarrages rapides. Mais il est surtout remarquable par la conformation du crâne, des nageoires paires (type crossoptérygien), du poumon (dégénéré, rempli de graisse, il ne peut servir à respirer), etc. Ces caractères rapprochent le cœlacanthe des crossoptérygiens, qui furent les ancêtres directs de tous les vertébrés terrestres au dévonien. Ce poisson est un « fossile vivant ».

CŒLENTÉRÉS. — Les anémones de mer et les méduses, le corail rouge et les polypiers constructeurs suffisent à montrer l'importance de l'embranchement animal des cœlentérés. Leur définition générale — animaux diploblastiques (c'est-à-dire sans autres tissus continus que la peau et la paroi digestive) ayant une seule bouche et n'ayant aucun anus — recouvre une infinie variété de formes. L'individu peut rester fixé toute sa vie (actinie), nager ou flotter toute sa vie (certaines méduses) ou vivre fixé à l'état jeune mais flotter à l'état adulte (grandes méduses : pélagie, aurélie). Il peut rester entièrement mou (hydre) ou acquérir un squelette calcaire (fongie). Il peut conserver un sac digestif de forme simple ou le subdiviser par de nombreuses cloisons. Enfin il peut, par multiplication asexuée, se transformer en une *colonie* aux nombreux individus, soit tous pareils (polypiers constructeurs), soit différenciés (physalie). Comme la plupart de ces alternatives sont indépendantes, le nombre de combinaisons existant réellement est élevé. Mais le seul caractère sur la base duquel on partage les cœlentérés en deux sous-embranchements, d'ailleurs très inégaux, est la présence ou l'absence des organes urticants, ou *nématocystes :* ces petits harpons venimeux permettent aux *cnidaires* (l'immense majorité) de capturer leurs proies, tandis que les *cténaires** (béroé) en sont dépourvus.

CŒLIOSCOPIE → ENDOSCOPIE.

CŒLENTÉRÉS. 1. Hydre d'eau douce; 2. Physalie; 3. Béroé; 4. Méduse; 5. Corail rouge; 6. Anémone de mer; 7. Gorgone.

COERCITIF (champ). — C'est la valeur minimale du champ magnétique dans lequel on doit placer un corps préalablement aimanté pour détruire son aimantation.

Coëtquidan *(camp de),* camp militaire dans la commune de Guer (Morbihan), à 45 km au S.-O. de Rennes. Siège de l'École spéciale militaire interarmes en 1946, et, depuis 1961, de l'École spéciale militaire de Saint-Cyr et de l'École militaire interarmes.

CŒUR. — • ANATOMIE. Le cœur est placé dans la cavité thoracique, où il occupe le médiastin. Il se compose d'une tunique musculaire épaisse *(myocarde),* d'une membrane qui revêt la surface interne du myocarde et limite les cavités cardiaques *(endocarde)* et d'une membrane fibreuse qui revêt la surface externe du myocarde *(péricarde).* Il est divisé en cavités droites et cavités gauches : les deux *oreillettes* et les deux *ventricules.* L'oreillette et le ventricule droits sont séparés de l'oreillette et du ventricule gauches par les cloisons interauriculaire et interventriculaire. Les ventricules sont en forme de pyramide triangulaire dont la base est occupée par deux sortes d'orifices circulaires : les orifices *auriculo-ventriculaires* — droit, dit « tricuspide », muni d'une valvule à trois valves, et gauche, dit « mitral », muni d'une valvule à deux valves (valvule mitrale) — font communiquer les oreillettes avec les ventricules; les *orifices artériels* font communiquer, à gauche, le ventricule gauche avec l'aorte, à droite, le ventricule droit avec l'artère pulmonaire; ces orifices sont munis de valvules à trois valves (valvules sigmoïdes). L'oreillette droite

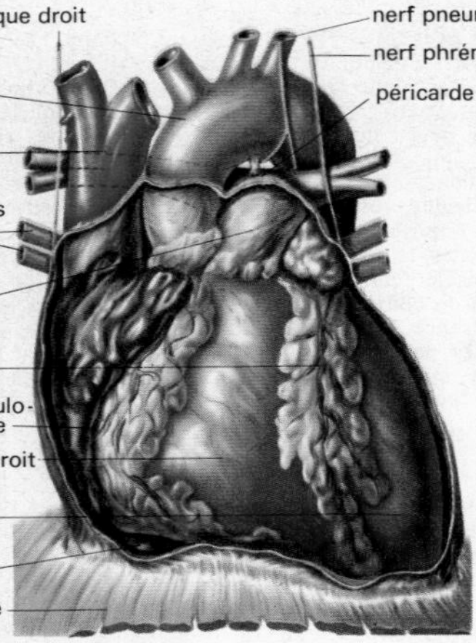

Vue antérieure après résection du plastron sterno-costal et du péricarde.

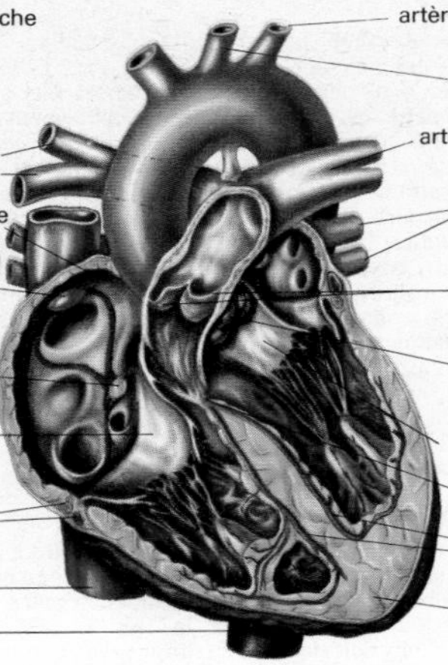

Vue en coupe frontale passant par les oreillettes, les ventricules et l'artère pulmonaire.

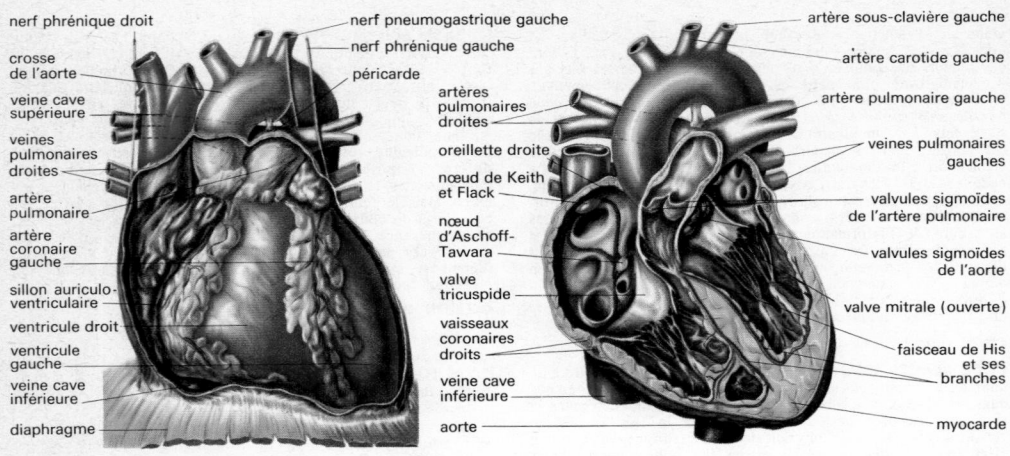

CŒUR

possède les orifices des veines caves supérieure et inférieure et du sinus des veines coronaires. L'oreillette gauche reçoit les quatre veines pulmonaires (deux pour chaque poumon).

Les artères et les veines coronaires* assurent la vascularisation du cœur. La propagation de l'influx nerveux dans le myocarde utilise un système de fibres nerveuses situées dans le muscle cardiaque et dont le point de départ est le nœud sinusal de Keith et Flack, placé dans l'oreillette droite. Le faisceau de His, qui relie les oreillettes aux ventricules, commence au nœud d'Aschoff-Tawara; son tronc longe la cloison interventriculaire et se divise en deux branches, droite et gauche. Le cœur reçoit des rameaux des nerfs pneumogastriques et sympathiques. Il existe ainsi un système nerveux intrinsèque, qui assure les contractions du cœur et le synchronisme auriculo-ventriculaire, et un système nerveux extrinsèque, qui assure l'adaptation du travail du cœur aux besoins de l'organisme.

• Physiologie. La régulation de la circulation du sang est assurée par la propulsion que provoquent les contractions cardiaques et par la résistance qu'oppose le tonus des vaisseaux périphériques à son écoulement. Chez l'adulte normal, le cœur se contracte de 60 à 80 fois par minute, chassant en même temps vers les poumons le sang du cœur droit et vers le reste de l'organisme le sang du cœur gauche. Chacune de ces révolutions cardiaques comprend trois temps : la *systole auriculaire* (contraction des oreillettes); la *systole ventriculaire* (contraction des ventricules), qui assure la chasse du sang dans l'artère pulmonaire et l'aorte (c'est le temps capital); la *diastole,* qui est le temps de remplissage du cœur. Le stimulus normal de la contraction cardiaque part du nœud sinusal de Keith et Flack : il assure la contraction successive des oreillettes selon le rythme normal sinusal. Le faisceau de His transmet le stimulus des oreillettes aux ventricules. Le pneumogastrique provoque un ralentissement du cœur, le sympathique fournit au cœur des fibres accélératrices. Certaines substances sont indispensables au bon fonctionnement du cœur, notamment les ions calcium et potassium.

• Exploration. Le cœur peut être exploré de différentes manières : la palpation, l'auscultation, l'électrocardiogramme, la radiographie sous diverses incidences permettent déjà d'apprécier l'état cardiaque. Des explorations plus complexes (angiocardiographie, cathétérisme cardiaque, balistocardiographie) sont parfois nécessaires.

• Pathologie. *Les malformations cardiaques,* ou cardiopathies congénitales. Elles peuvent être cyanogènes (maladies bleues) ou non. Les principales malformations cyanogènes sont la *tétralogie de Fallot,* qui comporte une communication interventriculaire, une dextroposition aortique, une anomalie de l'artère pulmonaire et une hypertrophie du ventricule droit, et la *trilogie de Fallot,* qui est caractérisée par une anomalie de l'artère pulmonaire, une communication interauriculaire et une hypertrophie du ventricule droit. Ces deux malformations peuvent être améliorées par des interventions chirurgicales. Les cardiopathies non cyanogènes comprennent les communications interventriculaire et interauriculaire, et certaines dextrocardies.

Les maladies acquises. Elles sont d'origine inflammatoire ou infectieuse (péricardites et endocardites), ou, exceptionnellement, tumorale. L'origine vasculaire des lésions du cœur (coronarite) est fréquente et aboutit aux infarctus du myocarde.

Toutes ces maladies peuvent aboutir à une *insuffisance cardiaque.* Le cœur peut également subir le retentissement des maladies du poumon : *cœur pulmonaire aigu,* en général provoqué par une embolie pulmonaire, et *cœur pulmonaire chronique* survenant au cours de l'évolution des pneumopathies chroniques.

Les traumatismes du cœur. Consécutifs à une blessure par arme blanche ou, surtout, par balle, ils provoquent des hémorragies parfois mortelles; plus souvent la plaie entraîne la formation d'un hémopéricarde qui nécessite un geste chirurgical d'urgence.

Les troubles du rythme cardiaque. Ce sont des anomalies de fonctionnement du cœur qui peuvent être consécutives à une des maladies décrites ci-dessus ou relever de troubles neurovégétatifs ou endocriniens. Il existe ainsi des tachycardies, des bradycardies, des arythmies, des fibrillations, avec participations variables des oreillettes et des ventricules. (V. rythme cardiaque.)

• Traitement des maladies du cœur. Il utilise les tonicardiaques (digitaline et ses dérivés, strophantus, etc.), les modérateurs de l'excitabilité cardiaque (quinine, spartéine, sympatholytiques), les anticoagulants et les vasodilatateurs coronariens. Une bonne hygiène de vie, la suppression du tabac, la lutte contre l'hyperlipémie et contre le diabète sont essentielles. Certains troubles graves du rythme peuvent être traités par stimulation électrique des contractions cardiaques avec des stimulateurs (ou pacemakers) placés dans le thorax au prix d'une intervention chirurgicale minime.

• Chirurgie. La chirurgie cardiaque dispose de deux méthodes.

Dans la méthode à *cœur fermé,* on opère un cœur qui fonctionne dans des conditions normales : la commissurotomie, qui sectionne au doigt les valvules soudées de l'orifice mitral, en est le meilleur exemple.

Dans la chirurgie à *cœur ouvert,* les cavités cardiaques doivent être vides de sang pendant toute l'intervention. Une circulation extracorporelle est installée et assure le maintien de la vie. Les interventions complexes et longues (malformations congénitales, prothèses valvulaires) bénéficient d'une telle technique.

La *transplantation du cœur* est réalisée depuis plusieurs années, mais pose des problèmes immunologiques encore imparfaitement résolus.

CŒUR (Jacques), grand bourgeois de la fin du Moyen Âge (Bourges 1395 [?]-Chio 1456). Fils d'un pelletier de Bourges, Jacques Cœur réussit, par son mariage avec l'héritière du maître des Monnaies de la ville (1420), à s'associer au groupe chargé de battre la monnaie de Charles VII*, qui a fait de Bourges sa capitale provisoire. Il spécule sur les métaux précieux et acquiert rapidement une immense fortune qu'il investit dans le commerce levantin. Devenu le fournisseur de la Cour, il met sa puissance financière au service du roi de France, qui, en contrepartie, provoque son ascension politique. Nommé, en 1435, maître de la Monnaie de Bourges, J. Cœur devient, en 1440, argentier de France et réussit à rétablir la confiance dans la monnaie; anobli en 1441, membre du Conseil royal en 1442, il est chargé de missions diplomatiques près les monarchies orientales et le Saint-Siège (1448). Sa puissance est alors considérable : au commerce méditerranéen, il joint l'exploitation de mines de plomb (Lyonnais) et le contrôle du commerce du sel (Languedoc). Mais, créancier du roi, jalousé par ses contemporains, il est arrêté en 1451 et ses biens sont confisqués. Il s'échappe en 1454, gagne Rome, où le pape lui confie une flotte pour combattre les Turcs. Il meurt au cours de l'expédition.

COËVRONS, collines gréseuses et boisées du bas Maine, aux confins des départements de la Mayenne et de la Sarthe, au nord-ouest du Mans.

COGNAC → EAU-DE-VIE.

COGNAC (16100), ch.-l. d'arr. de la Charente, à 42 km à l'O. d'Angoulême; 22 612 hab. *(Cognaçais).* Monuments des XIIe-XVIe s. Musée. École de pilotage de l'armée de l'air. Centre de la commercialisation du *cognac.* Verrerie.

COGNASSIER. — Ce petit arbre aux fleurs plus grandes et plus tardives que chez les rosacées voisines, aux feuilles duveteuses en dessous, est cultivé pour son gros fruit en forme de poire, le *coing,* immangeable à l'état cru mais qui fournit, une fois cuit, pâte et gelée sucrées très savoureuses.

COGNIN (73160), comm. de la Savoie, banlieue ouest de Chambéry; 5 753 hab.

COGOLIN (83310), comm. du Var, près de la Méditerranée, à 9 km à l'O. de Saint-Tropez; 4 606 hab.

COHEN (Hermann), philosophe allemand (Coswig 1842 - Berlin 1918). Fondateur de l'école de Marburg*, H. Cohen analyse l'étroite liaison qui rapproche la philosophie transcendantale de Kant des sciences exactes et montre que la théorie kantienne de l'expérience est une méthode de la connaissance scientifique (*Kants Theorie der Erfahrung,* 1871; *la Logique de la connaissance pure,* 1902). Il achève ce « retour à la pensée kantienne » en réévaluant l'esthétique et la philosophie pratique de Kant dans *Kants Begründung der Ästhetik* (1889) et *Die Ethik des reinen Willens* (1904).

COHEN (Marcel), linguiste français (Paris 1884 - Viroflay 1974). Élève d'A. Meillet, c'est un spécialiste des langues sémitiques, en particulier de l'amharique. Il s'est également intéressé à la classification des langues, aux problèmes de linguistique française (*Histoire d'une langue, le français,* 1947), aux rapports entre langage et société (*Pour une sociologie du langage,* 1956), à l'écriture (*la Grande Invention de l'écriture et son évolution,* 1959).

COHÉREUR. — Le cohéreur, imaginé en 1890 par Branly pour la détection d'ondes hertziennes, est constitué par un tube de verre fermé par deux électrodes et contenant de la limaille métallique. Au passage des ondes, la limaille devient plus cohérente et peut être traversée par un courant électrique.

COHÉSION → MÉCANIQUE DES SOLS.

COHL (Émile COURTET, dit **Émile**), cinéaste français (Paris 1857 - Villejuif 1938). Il fut l'un des grands pionniers du dessin animé (*Fantasmagorie,* 1908; *Drame chez les Fantoches,* 1909; série des *Snookum,* 1912-1914, aux États-Unis; *les Pieds nickelés,* 1918, en collaboration avec Benjamin Rabier).

COIMBATORE, v. de l'Inde, dans l'ouest du Tamil Nadu; 356 000 hab.

COIMBRA, v. du Portugal central, sur le Mondego; 56 000 hab. Université. Dans la ville haute, Vieille Cathédrale du XIIe s., romane, université (chapelle manuéline à *azulejos,* bibliothèque du XVIIIe s.), musée ethnographique, riche musée Machado de Castro, occupant l'ancien palais épiscopal. Dans la ville basse, monastère de Santa Cruz, rebâti par Manuel Ier (cloître), et autres monuments.

Cointrin, aéroport de Genève (Suisse), au N.-O. de la ville.

COIRE, en allem. **Chur,** v. de Suisse, ch.-l. du cant. des Grisons, sur le Rhin; 31 193 hab. Ville haute entourée de murailles, sur l'emplacement de la cité romaine : cathédrale romane, palais épiscopal de 1730.

COIRON (le), plateau basaltique de la bordure orientale du Massif central, dans les monts du Vivarais.

COÏT. — Principale manifestation de la sexualité* génitale, le coït, dans son déroulement normal ou perturbé, relève du physiologique et du psychologique. Comme dans tout ce qui touche à la sexualité, les frontières sont confuses entre le normal et le pathologique, bien que la vogue actuelle de la sexologie* tende à une normalisation de toutes les conduites sexuelles.

Le déroulement du coït s'effectue en quatre phases minutieusement étudiées en laboratoire par les sexologues américains W. Masters et V. Johnson chez des couples volontaires. Ils distinguent notamment l'*excitation préliminaire,* dont l'érection est la principale manifestation biologique, due à un afflux de sang artériel dans les tissus érectiles de la verge et du clitoris. La phase suivante est le *plateau;* elle serait plus prolongée chez la femme que chez l'homme, si bien que l'ensemble des phénomènes qui amènent la femme à l'orgasme dure en moyenne dix minutes, alors que l'homme est en général plus rapide (deux ou trois minutes). La *phase orgasmique* est marquée par une intensification très brève de la volupté. La verge est turgescente au maximum et le méat urétral expulse le sperme en trois ou quatre jets saccadés *(éjaculation).* Chez la femme, l'orgasme, qui ne s'accompagne d'aucun phénomène sécrétoire, est plus difficile à objectiver, si bien que pendant longtemps on a douté de la réalité de l'orgasme chez elle. Après vient la phase de *détente :* l'homme est inexcitable pendant environ une demi-heure, alors que la femme peut éprouver plusieurs orgasmes successifs lors d'un unique coït.

En ce qui concerne la fréquence et la durée du coït il n'y a pas de critère de normalité bien établi. La fréquence dépendrait du style de vie (plus fréquent en milieu urbain, le coït y étant un exutoire à la nervosité), de l'âge. Au-delà de 65 ans, 70 p. 100 des sujets ont encore des rapports sexuels. La ménopause* ne signifie pas pour la femme la fin de sa vie sexuelle, bien qu'un grand nombre d'entre elles y renoncent, par difficulté à trouver un partenaire. Chez les adolescentes, le premier rapport sexuel est de plus en plus précoce, en partie grâce aux progrès réalisés par les méthodes contraceptives et à la disparition du tabou de la virginité.

Le coït vaginal hétérosexuel n'est pas la seule forme de rapport sexuel, mais les autres formes sont considérées par la tradition culturelle et éthique comme des perversions*. Le coït interrompu, très frustrant pour les partenaires, est surtout utilisé dans un but contraceptif.

L'inhibition provoquant l'*impuissance peut* survenir à toutes les phases de l'acte sexuel : érection, intromission, orgasme, éjaculation (absente ou précoce), et, plus rarement, au niveau même de l'absence de libido*. On distingue l'impuissance primaire (le sujet n'a jamais eu un rapport sexuel satisfaisant) ou l'impuissance secondaire, temporaire ou sélective (elle ne se produit qu'avec certains partenaires). L'impuissance est le symptôme d'une maladie organique (diabète*, cirrhose*) ou psychique; elle est toujours vécue, par rapport à l'idéal de virilité et de combativité de notre civilisation, comme étant extrêmement dévalorisante. Cependant, les cas où l'on peut incriminer une cause organique sont relativement rares par rapport aux causes d'origine psychique. Les psychanalystes ont montré que celles-ci étaient liées au complexe de castration* ou à des perturbations plus sévères, de l'ordre de la psychose* ou de la névrose* grave.

L'absence d'orgasme chez la femme, ou *frigidité,* est un problème complexe. Chez elle, l'orgasme est plus tardif au cours de la vie sexuelle que chez l'homme; selon Kinsey, 37 p. 100 des femmes ne connaîtraient pas l'orgasme après un an de pratique hétérosexuelle suivie, proportion qui tombe à 15 p. 100 au bout de vingt ans. Les femmes des générations actuelles seraient moins souvent frigides que celles des générations précédentes, ce qu'expliqueraient la libéralisation de la sexualité pour les femmes, les progrès de la contraception. La frigidité a un grand nombre de variantes : absence totale de désir (anaphrodisie), retard de l'orgasme par rapport à celui de l'homme (or nous avons vu que c'est physiologiquement le cas le plus fréquent), orgasme obtenu en dehors du coït par les activités du partenaire ou par la masturbation, absence d'orgasme mais recherche de l'amour physique. La frigidité peut s'accompagner de dyspareunie (douleur au moment du coït) ou de vaginisme (spasme douloureux du vagin rendant impossible la pénétration du pénis). La frigidité est presque toujours d'origine psychique. En effet, le développement libidinal est soumis à plus de vissicitudes chez la fille que chez le garçon, ce dont témoignent les recherches de Freud*. La crainte de la grossesse ou, au contraire, la vie sexuelle exclusivement orientée vers la procréation, le statut socio-économique et culturel de dominée qui est celui de la femme dans notre société sont des facteurs importants de frigidité.

COKE → AROMATIQUES *(hydrocarbures),* CRAQUAGE, GAZ, GRISOU, RAFFINAGE DU PÉTROLE.

COLBERT (Jean-Baptiste), homme d'État français (Reims 1619 - Paris 1683). D'une famille de marchands drapiers, il devient l'intendant de la fortune personnelle de Mazarin*, et il est recommandé par celui-ci à Louis XIV, qui le fait entrer au conseil d'En-Haut en 1661. Dès lors, Fouquet* étant écarté, les charges s'accumulent sur les épaules de Colbert. Surintendant des Bâtiments (1664), contrôleur général des Finances (1665), secrétaire d'État à la Maison du roi (1668) et à la Marine (1668), il conserve la plupart de ses fonctions jusqu'à sa mort. Cette pérennité permet à ce grand travailleur, peu soucieux de plaire, de marquer le règne de Louis XIV en maints domaines essentiels.

Reprenant à son compte les théories mercantilistes (v. MERCANTILISME) de Barthélemy de Laffemas*, d'Antoine de Montchrestien* et de Richelieu*, Colbert favorise de toutes manières, notamment par la création de manufactures privilégiées et par le protectionnisme douanier, le développement de la production industrielle. Pour étendre les moyens d'action du commerce français, il encourage le développement de la marine marchande : primes à la construction, fondation de compagnies royales de colonisation (Compagnies des Indes occidentales et orientales, 1664; du Levant, 1670; du Sénégal, 1673), organisation de l'inscription maritime (1668), la construction d'une forte flotte de guerre assurant la protection des bateaux marchands.

Lauros - Giraudon

Jean-Baptiste Colbert. Peinture de l'école française du XVIIe s. (Musée du château de Versailles.)

Parallèlement, Colbert s'efforce d'améliorer la fiscalité en réduisant les impôts directs; mais les guerres et les dépenses fastueuses de Louis XIV l'obligent à recourir à des expédients qu'il déplore. Soucieux d'ordre et d'efficacité, il publie une série d'ordonnances (ordonnances civile, 1667; des Eaux et Forêts, 1669; criminelle, 1670; du Commerce, 1673; de la Marine, 1681) destinées à uniformiser et à rationaliser la législation selon les principes de la centralisation monarchique. Interprète de la volonté du roi et mécène-né, Colbert, véritable directeur des Beaux-Arts, multiplie les institutions destinées à donner aux lettres et aux arts, sous le contrôle royal, un grand rayonnement; la France lui doit notamment : les Académies des inscriptions (1664), des sciences (1666), de musique (1669), d'architecture (1671). Lui-même membre de l'Académie française (1667), il reconstitue l'Académie de peinture (1663) et accroît les collections de la Bibliothèque royale.

COLBERTISME → MERCANTILISME.

COL BLANC → EMPLOYÉS, et COLS BLANCS *(les).*

COLCHESTER, v. de Grande-Bretagne (Angleterre), au N.-E. de Londres; 77 000 hab.

COLCHICINE. — La colchicine est utilisée dans le traitement de l'accès de goutte à la dose de 0,5 à 1 mg par jour. L'apparition d'une diarrhée est le premier signe d'intolérance. Le rôle frénateur de la colchicine sur les mitoses cellulaires la fait également employer dans le traitement de certaines tumeurs malignes.

COLCHIDE, contrée de l'actuelle Géorgie*, sur la côte orientale du Pont-Euxin*. Les mines d'or et d'argent, exploitées dès le xe s. av. J.-C. par les Cariens, sont sans doute à l'origine de la légende de la Toison d'or que Jason* va conquérir en Colchide. Colonisée par les Grecs de Milet* en 630 av. J.-C., la région fera partie du royaume du Pont*, avant d'être soumise à la suzeraineté de Rome (65 av. J.-C.).

COLCHIQUE. — On ne connaît généralement que la fleur, souvent isolée, qui sort à l'automne du bulbe de cette plante rose violacé; montrant six pétales allongés au bout d'un long tube de même couleur, elle fleurit surtout dans les prés. C'est seulement au printemps suivant que paraissent les feuilles, dont l'activité permettra la formation souterraine d'un nouveau bulbe à fleur.

COLEMAN (Ornette), saxophoniste alto, trompettiste, violoniste, compositeur et chef d'orchestre américain (Fort Worth, 1930). Bouleversant, au début des années 60, en compagnie du trompettiste Don Cherry, les principes d'improvisation traditionnels, il peut être considéré comme l'un des initiateurs du mouvement free jazz.

COLÉOPTÈRES. — On peut s'étonner que les coléoptères, qui ne constituent qu'un ordre de la classe des insectes, représentent à eux seuls près de la moitié du nombre total des espèces animales. En outre, la population de certaines espèces compte des centaines de milliards d'individus. Pourquoi un tel succès? Probablement parce que les coléoptères sont les seuls animaux capables à la fois de voler avec aisance, de cheminer sans péril sur les terrains épineux ou rocailleux et de fouir le sol. Ils doivent ce triple pouvoir à la différente spécialisation des deux paires d'ailes : les antérieures, ou *élytres,* sont des couvercles protecteurs, durs et lisses, emboîtant parfaitement le corps au repos et s'écartant largement pour le vol; les postérieures, ou *ailes membraneuses,* deux fois plus longues que les élytres, s'abritent pourtant, au repos, entièrement sous ceux-ci, grâce à un coude qui leur permet de se replier. L'appareil buccal est de type broyeur. Les métamorphoses sont complètes, avec une larve plus ou moins vermiforme.

Principaux types : cicindèle, carabe, dytique, gyrin, staphylin, coccinelle, hydrophile, bupreste, taupin, ténébrion, cantharide, bruche, capricorne, charançon, scolyte, scarabée, hanneton, lucane, etc.

COLERIDGE (Samuel Taylor), écrivain anglais (Ottery Saint Mary, Devon, 1772-Londres 1834). Enthousiasmé par la Révolution française, il écrivit, avec Southey, un drame, *la Chute de Robespierre,* puis, avec Wordsworth, il contribua à la définition et à l'illustration de l'esthétique romantique (*Ballades lyriques,* 1798), à travers les thèmes du fantastique et de l'étrange (*Kubla Khan,* 1816).

COLET (Louise), née REVOIL, femme de lettres française (Aix-en-Provence 1810-Paris 1876), auteur de poèmes et de romans, amie de Flaubert.

COLETTE *(sainte),* religieuse picarde (Corbie 1381-Gand 1447). Recluse en la collégiale de Corbie, elle se voue ensuite à la réforme de l'ordre des Clarisses*, qui, grâce à elle, reviennent à leur idéal primitif de «pauvres dames».

COLÉOPTÈRES. 1. Antenne; 2. Mandibule; 3. Prothorax; 4. Aile; 5. Écusson; 6. Palpe;
7. Élytre; 8. Charnière; 9. Abdomen.

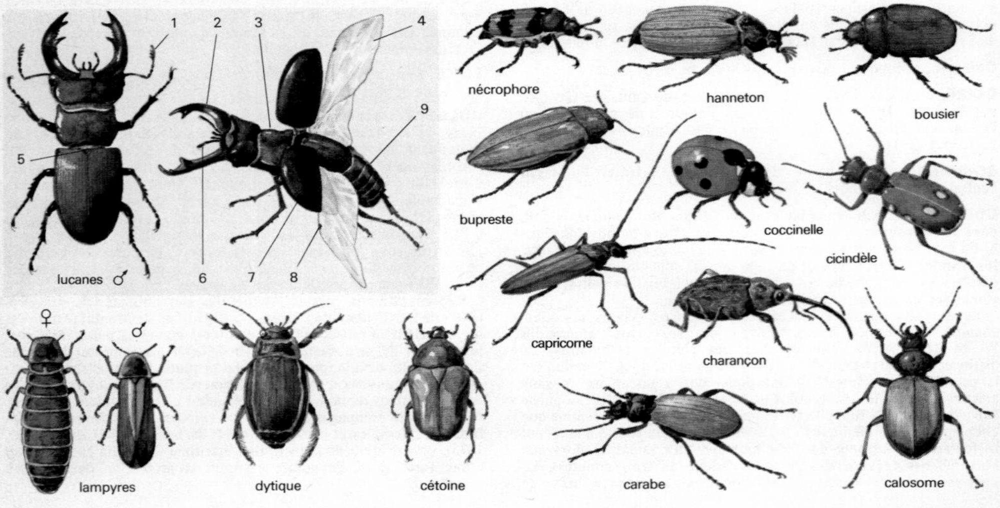

COLETTE (Sidonie Gabrielle), femme de lettres française (Saint-Sauveur-en-Puisaye 1873 - Paris 1954). Élevée aux confins de la Bourgogne et du Nivernais, elle garde pour la campagne un amour durable, qui lui fournit le meilleur de son inspiration : la série des *Claudine* (1900-1903), publiée sous le nom de son premier mari, l'écrivain Willy. Avide de naturel et de liberté, elle divorce deux fois, fait du journalisme, monte sur les planches du music-hall et exalte dans ses romans, en un style imagé et sensuel, l'âme de la femme (*la Vagabonde,* 1910; *le Blé en herbe,* 1923; *Duo,* 1934). Puis elle revient peu à peu à l'évocation de son enfance, de ses parents, du charme de la nature qui forme son univers familier (*Sido,* 1930; *l'Étoile Vesper,* 1947).

COLI (François), aviateur français (Marseille 1881 - dans l'Atlantique 1927). Il disparut avec Nungesser le 8 mai 1927, au cours du premier essai de liaison sans escale Paris-New York.

COLIBACILLE. — Ce bacille Gram négatif est un commensal normal de l'intestin de l'homme et des animaux. Les localisations extra-intestinales sont pathologiques et constituent la *colibacillose.* Elles sont le plus souvent urinaires ou biliaires — dans ces cas, l'infection colibacillaire se surajoute souvent à une anomalie fonctionnelle (dyskinésie) — ou encore organique (malformation, calcul, tumeur). La colibacillose peut aussi provoquer des méningites, des pleurésies, des septicémies, etc. Chez le nourrisson, certaines variétés de colibacilles peuvent déterminer des diarrhées.

COLIBRI. — Les colibris sont aussi appelés *oiseaux-mouches,* à cause de la petite taille de certaines espèces (le calypte d'Hélène n'est pas plus grand qu'un bourdon), mais aussi, et surtout, à cause de leur vol bourdonnant (jusqu'à 50 battements par seconde chez le pygmornis du Brésil), qui permet d'étonnantes performances : vol sur place, migrations de grande ampleur à une moyenne de 200 km/h, etc. Les colibris mangent énormément, soit des insectes, soit le nectar des fleurs, que leur langue tubuleuse, protégée par un très long bec, peut aspirer comme une paille. Cette boulimie est rendue nécessaire par leur petite taille, qui les expose au froid en dépit d'un plumage superbe, et par leurs pattes, atrophiées comme celles du martinet, et qui les obligent à se déplacer exclusivement au moyen du vol, donc au prix d'une forte dépense musculaire. Contrairement à une opinion courante, il y a des colibris dans les régions froides (Canada, plateaux andins), mais ils n'y restent que l'été et migrent vers l'Amérique centrale ou l'Amazonie pour l'hiver.

COLIGNY (01270), ch.-l. de cant. de l'Ain, à 22 km au N.-E. de Bourg-en-Bresse; 1 077 hab. Église des XVe-XVIe s.

COLIGNY (Gaspard DE), homme d'État français (Châtillon-sur-Loing 1519 - Paris 1572). Amiral (1552), il se distingue lors du siège de Saint-Quentin (1557). Passé à la Réforme, il devient rapidement l'un des chefs du parti protestant. Artisan de la paix de Saint-Germain (1570), il prend un tel ascendant sur Charles IX* que Catherine de Médicis, craignant une guerre contre l'Espagne, s'en débarrasse lors du massacre de la Saint-Barthélemy (24 août 1572).

COLIGNY (François DE), seigneur **d'Andelot** (Châtillon-sur-Loing 1521 - Saintes 1569). Frère de l'amiral Gaspard de Coligny, calviniste comme lui, il prend une part active aux grandes batailles engagées contre les catholiques.

COLIMA, État du Mexique, sur le Pacifique. Des fouilles ont livré une poterie du classique ancien (300-600 apr. J.-C.), qui atteste un sens aigu de l'observation et présente de nombreux personnages dans des scènes de la vie quotidienne, comme celles de Jalisco* et de Nayarit*, dont seul le style se différencie.

COLIN (Paul), peintre, affichiste et décorateur de théâtre français (Nancy 1892). Il est célèbre pour les affiches au style ramassé, très plastique, qu'il a produites en grand nombre depuis celle de la *Revue nègre* (1925).

COLIN MUSET, trouvère du XIIIe s., d'origine champenoise.

Colisée, amphithéâtre de Rome, construit par les Flaviens à la fin du Ier s. Il doit son nom (Colosseo) à la proximité d'une statue colossale de Néron. De forme elliptique (527 m de circonférence pour une hauteur de 57 m), il pouvait accueillir près de 50 000 spectateurs. Sa façade grandiose, à trois rangées d'arches, aux ordres superposés, avec son couronnement de pilastres, deviendra l'idéal de bien des architectes de la Renaissance.

COLLADON (Daniel), physicien suisse (Genève 1802 - *id.* 1893). Il mesura, avec Sturm, la vitesse du son dans l'eau (1827) et imagina l'emploi d'air comprimé pour le percement des tunnels.

COLLAGE. — Le terme s'entend selon deux niveaux de signification. L'un recouvre une démarche esthétique générale, dont le principe est la confrontation « créatrice », explosive, entre des éléments préexistants de nature hétérogène : de la prédication de Lautréamont (« beau comme la rencontre fortuite sur une table de dissection d'une machine à coudre et d'un parapluie ») au *cut-up* littéraire de Burroughs et à l'incorporation de bruits ou de citations musicales *ready-made* dans la musique actuelle, en passant par les collages surréalistes (v. ci-dessous) et les assemblages* hétérogènes de l'art du XXe s.

L'autre sens, étroit, recouvre les œuvres à deux dimensions dont la technique consiste en la fixation à la colle, sur un support, de papiers (colorés, imprimés...) qui forment la composition ou y participent. Si le but est surtout réaliste ou plastique (des *papiers collés* de Braque, depuis l'été 1912, aux *papiers découpés* de Matisse), ces œuvres ne relèvent pas du niveau de signification défini plus haut. Elles en relèvent au contraire dans le cas des *photomontages* inaugurés par dada*-Berlin (et repris notamment par Rodtchenko) et des *collages* d'images imprimées préexistantes exécutés par Max Ernst dès 1919; de ceux-ci a découlé une longue production de collages plus ou moins surréalistes, auxquels on peut assimiler telles œuvres *peintes* (de Magritte à Rosenquist [v. POP ART] ou à l'Islandais Erró [né en 1932]) qui agissent par le même heurt d'images inconciliables selon la logique quotidienne.

COLLAPSUS → CHOC.

COLLE → CHARPENTE, PANNEAU DE FIBRES ET DE PARTICULES et PAPIER.

COLLECTIVISME. — Dans les pays d'économie socialiste, le système collectiviste vise à la réalisation d'une activité économique stable menant à l'abondance et à la satisfaction des besoins de la population. Système de gestion collective (v. AUTOGESTION), fondé sur la *propriété collective* des moyens de production — par opposition à la *propriété privée* du système capitaliste —, il a pour but de faire prédominer les intérêts de la classe ouvrière. En supprimant la plus-value capitaliste, la collectivisation permettrait aux travailleurs d'obtenir le produit intégral de leur travail et entraînerait une répartition des biens de consommation en fonction de leur travail. Le collectivisme n'est pas nécessairement d'État. Il peut être décentralisé au niveau local ou régional (groupements semi-publics, groupes de travailleurs dans l'entreprise...).

COLLECTIVITÉS TERRITORIALES. — Elles sont constituées par des parties du territoire d'un État jouissant d'une autonomie de gestion, au moins partielle. Les collectivités territoriales sont soit un *État fédéré* (dans le cadre d'un État fédéral ou confédéral), soit une *collectivité locale* (dans un État unitaire); leur autonomie de gestion est, de ce fait, selon les cas, très variable. En France, les collectivités territoriales de base sont le *département* et la *commune,* auxquelles il faut ajouter de nos jours la *Région.*

• La *commune* est gérée par un conseil municipal élu tous les six ans, composé au moins de 9 membres et au plus de 37 (à l'exception de Paris, Lyon et Marseille qui bénéficient d'un certain nombre de conseillers dérogatoires). Le conseil se réunit au moins une fois par trimestre; il délibère sur tous les sujets intéressant la commune et émet des avis et des vœux; il procède à diverses nominations, vote le budget, crée des services municipaux, gère le domaine privé et le domaine public de la commune, s'occupe de l'urbanisme, etc.

Le maire est à la fois agent de la commune et agent de l'État dans la commune. Avec ses adjoints, en nombre variable, il constitue la municipalité.

• Le *département,* collectivité dotée depuis 1871 de la personnalité juridique, constitue à la fois une collectivité territoriale et le cadre d'une circonscription administrative de l'État. La France compte 96 départements (dont l'un est un département-ville, Paris).

Le conseil général, assemblée élue, comprend autant de membres que le département a de cantons. Il tient deux sessions annuelles mais peut être convoqué en session extraordinaire. Il gère les biens du département, vote le budget, crée et organise des services départementaux, peut faire participer le département à des entreprises industrielles ou commerciales, répartit entre les communes les contributions directes. Il lui est interdit d'émettre des vœux de nature politique. Il désigne en son sein une *commission départementale* qui siège à la préfecture au moins une fois par mois.

Le préfet est le représentant de l'État et le chef de la plupart des administrations dans le département, à l'exception de quelques-unes d'entre elles cependant.

• La *Région* a été dotée, par la loi du 28 avril 1972, d'un *conseil régional,* à compétence délibérative, d'un *comité économique et social,* consultatif, le *préfet de région* étant l'organe d'exécution des délibérations du conseil régional.

COLLÈGE. — D'abord destinés, au Moyen Âge, à loger les étudiants pauvres qui fréquentent l'Université, les collèges devinrent des établissements d'enseignement (l'Université ne possédant pas de local fixe et les maîtres venant donner leurs cours dans les collèges) : ainsi, le collège de Sorbon abrita la faculté de théologie et devint la Sorbonne. Le déclin de l'Université du XVIe s. fit des collèges, dirigés par les Jésuites ou les Oratoriens, les grands centres d'enseignement jusqu'à la Révolution. L'organisation impériale donna le nom de « collèges » à des établissements créés dans des villes dont la moindre importance ne justifiait pas l'implantation d'un lycée*. Aujourd'hui les collèges d'enseignement secondaire (C. E. S.) et les collèges d'enseignement général (C. E. G.) dispensent l'enseignement dit de « premier cycle » (de la 6e à la 3e).

Collège de France, établissement d'enseignement fondé à Paris en 1529, sous le nom de *Collège du roi,* par François Ier, à l'instigation de Guillaume Budé. Placé en dehors de l'Université, il eut à se défendre contre les attaques de la Sorbonne, mais il ne cessa jamais de dispenser son enseignement jusqu'à nos jours. Les cours, ouverts à tous, sont confiés aux maîtres les plus éminents, universitaires ou non, qui y donnent un enseignement relatif aux résultats obtenus dans les recherches où ils sont spécialisés. Des laboratoires sont rattachés au Collège de France.

COLLEONI (Bartolomeo), condottiere italien (Solza, Bergame, 1400-Malpaga 1475). Il commence par se louer tantôt à Venise, tantôt à Milan. En 1448, Venise lui offrant un pont d'or, il combat pour elle jusqu'à la paix de Lodi (1454). À Venise, sa statue équestre, chef-d'œuvre de Verrocchio, l'immortalise.

COLLERYE (Roger DE), poète français (Paris v. 1470-† v. 1540). Béranger l'a popularisé sous son surnom de *Roger Bontemps.*

COLLE-SUR-LOUP (La) [06480], comm. des Alpes-Maritimes, à 7 km au S. de Vence; 3700 hab.

COLLET-D'ALLEVARD (le), station de sports d'hiver (alt. 1450-2000 m) de l'Isère, à 10 km à l'E. d'*Allevard**.

COLLETET (Guillaume), poète français (Paris 1598-*id.* 1659), protégé de Richelieu (*Poésies diverses,* 1656).

COLLETT (Camilla), femme de lettres norvégienne (Kristiansand 1813-Christiania 1895), sœur du poète Wergeland* et auteur de romans psychologiques qui expriment des revendications sociales et féministes (*les Filles du préfet,* 1855).

COLLIN D'HARLEVILLE (Jean-François), écrivain français (Maintenon 1755-Paris 1806), auteur de comédies moralisatrices (*le Vieux Célibataire,* 1792).

COLLINÉE (22330), ch.-l. de cant. des Côtes-du-Nord, à 20 km au S. de Lamballe; 722 hab.

Colline inspirée *(la),* roman de M. Barrès (1913). À partir de l'aventure des frères Baillard, trois prêtres illuminés qui avaient fait de la colline de Sion-Vaudémont un centre religieux, une méditation sur les «lieux où souffle l'esprit».

COLLINGWOOD (Cuthbert), amiral britannique (Newcastle-upon-Tyne 1750-devant Minorque 1810). L'un des meilleurs adjoints de l'amiral Nelson, auquel il succéda en 1805 à la tête de la flotte de la Méditerranée.

COLLINS (William), poète anglais (Chichester 1721-*id.* 1759), auteur d'*Odes sur des sujets descriptifs et allégoriques* (1747), où il se révèle un initiateur du romantisme.

COLLINS (Wilkie), écrivain anglais (Londres 1824-*id.* 1889), auteur de romans de mœurs et l'un des précurseurs du roman policier (*la Pierre de lune,* 1868).

COLLINS (Michael), homme politique et chef militaire irlandais (Clonakilty, Cork, 1890-Bandon, Cork, 1922). Membre du Sinn* Féin, il devient l'un des chefs du mouvement nationaliste. Ministre des Finances après la proclamation de la République en 1918, il joue un rôle décisif dans les négociations de 1920-21 avec la Grande-Bretagne et assure la présidence du gouvernement provisoire de l'État libre. Collins doit faire face à l'opposition des républicains extrémistes, hostiles au traité de Londres, et ne parvient pas à empêcher la guerre civile, au cours de laquelle il est tué.

COLLINS (Michael), astronaute et officier américain (Rome 1930). Au cours de la mission «Apollo XI», il resta aux commandes des modules de service et de manœuvre qui gravitaient sur une orbite lunaire, pendant que Armstrong* et Aldrin* débarquaient sur la Lune*.

COLLIOURE (66190), comm. des Pyrénées-Orientales, à 3 km au N. de Port-Vendres; 2691 hab. Anc. ville forte. Église de la fin du XVIIe s. (beaux retables). Station balnéaire. Pêche. Vins. Gisement de feldspath.

COLLO, port d'Algérie, près de Skikda, au pied de la *Kabylie de Collo;* 12000 hab.

COLLOBRIÈRES (83610), ch.-l. de cant. du Var, à 39 km au N.-E. de Toulon, dans les Maures; 1135 hab. Vieilles maisons.

COLLODION. — Cette solution d'un produit cellulosique dans un solvant volatil est un liquide sirupeux et incolore. Elle fait prise, par suite de l'évaporation du solvant, quand on l'étale sur une surface.

COLLOÏDE. — Les colloïdes sont des substances de natures très diverses, organiques ou minérales, constituées par des particules très petites chargées électriquement, qui ne peuvent traverser les membranes de collodion, au contraire des sels dissous, ou *cristalloïdes.* Ces particules, appelées *micelles,* forment avec le liquide une pseudo-solution, ou *sol,* plus ou moins stable, qui peut se coaguler (floculation). Elles sont soumises au mouvement brownien. Les colloïdes sont très nombreux dans la nature, notamment dans les substances solides constitutives des organismes vivants, végétaux et animaux.

COLLONGES (01550), ch.-l. de cant. de l'Ain, à 11,5 km au N.-E. de Bellegarde-sur-Valserine, près du Rhône; 969 hab.

Colloques, série de dialogues (en latin) par Érasme, dirigés contre les impostures et les superstitions du temps (1518).

COLLOT D'HERBOIS (Jean-Marie), homme politique français (Paris 1750-Sinnamary, Guyane, 1796). Membre de la Commune de Paris au 10 août 1792, député à la Convention, membre du Comité de salut public en 1793, il noie dans le sang l'insurrection royaliste de Lyon et joue un rôle décisif dans la chute de Robespierre (1794). En avril 1795, il est déporté en Guyane.

COLLUTOIRE. — Les collutoires sont appliqués par badigeonnage ou par pulvérisation sur les muqueuses buccales et pharyngées. Ils permettent d'utiliser localement des antiseptiques, des antibiotiques, des anesthésiques, etc., dans le traitement des angines, pharyngites, stomatites et gingivites.

COLLYRE. — Les collyres permettent d'apporter des substances médicamenteuses sur la conjonctive. Ils sont stériles et isotoniques aux larmes. Ils peuvent contenir des antiseptiques, des vasoconstricteurs, des anesthésiques, etc. Aucun collyre ne doit être employé sans avis médical.

COLMAN (George), dit **l'Aîné,** auteur dramatique anglais (Florence 1732-Londres 1794), auteur de comédies à succès (*la Femme jalouse,* 1761). — Son fils GEORGE, dit **le Jeune** (Londres 1762-*id.* 1836), composa également des farces et des comédies (*John Bull,* 1803).

COLMAR (68000), ch.-l. du départ. du Haut-Rhin, sur la Lauch (affl. de l'Ill), à 442 km à l'E. de Paris; 67410 hab. *(Colmariens).*

GÉOGRAPHIE. En moyenne Alsace, au contact de la plaine rhénane et des collines sous-vosgiennes, au débouché de la vallée de la Fecht et des cols de la Schlucht et du Bonhomme, Colmar est une ville administrative, commerciale (négoce des vins d'Alsace),

La vieille ville. Au fond, la tour de l'église Saint-Martin.

Lauros - Atlas-Photo

touristique, où le textile, presque disparu, a été remplacé par d'autres activités développées surtout vers Neuf-Brisach, à l'E., en bordure du grand canal d'Alsace (roulements à billes, aluminium, papeterie).

HISTOIRE. Ville impériale en 1226, Colmar doit défendre son indépendance contre les évêques de Strasbourg et les nobles alsaciens. Devenue république, elle est incluse dans la Décapole* alsacienne (1354). Louis XIV en fait la capitale judiciaire de l'Alsace devenue française (1698). Du 20 janvier au 7 février 1945, la ville est l'enjeu d'opérations conduites par le général de Lattre pour libérer la haute Alsace et dégager Strasbourg.

BEAUX-ARTS. Églises Saint-Martin (XIIIe-XIVe s.; vitraux, *Vierge au buisson de roses* de Schongauer), des Dominicains (vitraux du XIVe s.) et des Franciscains (jubé du XVe s.). Ancienne douane et remarquables demeures du Moyen Âge (à pans de bois) et de la Renaissance. Musée d'Unterlinden dans l'ancien couvent des Dominicaines, des XIIIe-XIVe s. (art populaire et histoire locale; primitifs rhénans, dont le célèbre polyptyque de Grünewald).

COLMARS (04370), ch.-l. de cant. des Alpes-de-Haute-Provence, sur le Verdon, à 44 km au S. de Barcelonnette; 311 hab.

COLMIANE, station de sports d'hiver (alt. 1 500-1 800 m), à 8 km à l'O. de Saint-Martin-Vésubie.

COLOGNE, en allem. **Köln,** v. de l'Allemagne fédérale (Rhénanie-du-Nord-Westphalie), sur le Rhin; 846 000 hab.

GÉOGRAPHIE. La plus grande ville rhénane allemande, située au S. de la Ruhr, Cologne est une métropole aux fonctions très variées : centre commercial (foires internationales), financier, culturel (université), touristique et aussi industriel (construction automobile, machines, constructions électriques, chimie, confection, alimentation), bien desservie notamment par le réseau autoroutier et le port fluvial.

HISTOIRE. Ancien camp militaire romain, qui doit son nom à la colonie de vétérans fondée sous Claude* en 50 apr. J.-C., Cologne est prise par les Francs en 462 et devient la capitale des Ripuaires. Ville impériale à partir du XIIIe s., elle joue un rôle économique considérable jusqu'aux guerres de Religion, qui compromettent sa prospérité. Le 30 mai 1942, elle est ravagée par le premier grand bombardement allié sur l'Allemagne, et elle tombe, le 6 mars 1945, aux mains des Américains.

BEAUX-ARTS. Vestiges romains. Majestueuses églises, très remaniées et restaurées, des époques ottonienne (S. Pantaleon, Xe s., avec massif occidental d'esprit carolingien) et romane (S. Maria im Kapitol, prototype du roman rhénan au XIe s., avec chœur-transept triconque surmonté d'une coupole), souvent édifiées sur les restes d'édifices antérieurs. Grandiose cathédrale, reconstruite en gothique français de 1248 au XIXe s. (vitraux, statues, *Adoration des mages* de Lochner, trésor). Églises et monuments civils, mutilés, du XIIIe au XVIIIe s. Belles églises postérieures à 1945. Importants musées, dont le Romano-Germanique et le Wallraf-Richartz (peintures de l'école colonaise du XVe s., de Leibl, de l'expressionnisme allemand, de Max Ernst...; pop art et avant-garde).

COLOGNE (32430), ch.-l. de cant. du Gers, à 15 km au N.-O. de L'Isle-Jourdain; 591 hab.

COLOMB (Christophe), navigateur et premier explorateur du Nouveau Monde (Gênes v. 1451 - Valladolid 1506). La jeunesse de ce fils de tisserand génois est mal connue. Ses origines mêmes, et les circonstances qui le conduisirent à projeter le grand voyage pour atteindre, par l'ouest, les rivages de l'Asie, ont fait l'objet d'hypothèses variées. Cependant, il paraît certain que ce projet habitait Christophe Colomb dès 1483-84. Pendant des années, il tente en vain d'obtenir l'appui du roi du Portugal, puis celui de l'Espagne. Enfin, en 1492, les souverains catholiques d'Espagne lui donnent des subsides pour former une flottille de trois caravelles et le font vice-roi de ses futures découvertes. Parti de Palos le 3 août 1492, il atteint, trois mois plus tard, les Grandes Antilles et découvre Haïti, qu'il nomme Hispaniola, ainsi que Cuba. De retour à Palos en mars 1493, et confirmé dans ses fonctions de vice-roi, Colomb repart, en septembre 1493, pour un voyage de trois ans au cours duquel il va découvrir la Guadeloupe, Porto Rico, la Jamaïque et la côte sud-ouest de Cuba. Sa troisième expédition (1498-1500) le conduit au delta de l'Orenoque, aux îles de la Trinité, de Tobago et de Grenade. Ayant pris parti en faveur des indigènes, victimes des mauvais traitements des conquistadores, il perd tout crédit auprès du roi d'Espagne. En 1502, il repart une dernière fois pour les Antilles et, jusqu'en 1504, il explore le rivage de l'Amérique centrale. Deux ans après, il meurt pauvre et délaissé, croyant avoir réalisé son objectif originel, celui d'atteindre l'Asie par l'océan Atlantique.

COLOMBA *(saint),* abbé d'Iona (en Irlande 521 - Iona 597). Prêtre, il parcourt l'Irlande, fondant de nombreux monastères. D'Iona, il part évangéliser l'Écosse. Colomba est le plus populaire des saints irlandais avec saint Patrick*.

Colomba, nouvelle de P. Mérimée (1840), récit dramatique d'une vendetta corse.

COLOMBAN *(saint),* moine (dans le Leinster, Irlande, v. 540 - Bobbio 615). De Bangor, il part pour le continent à la tête d'un groupe de moines scots, qui attirent de nombreux disciples. Colomban fonde de nombreux monastères, notamment Luxeuil (590) et Bobbio (614). Sa règle, plus dure que celle des Bénédictins, insiste beaucoup sur les pratiques ascétiques.

COLOMB-BÉCHAR → BÉCHAR.

COLOMBE (Michel), sculpteur français (v. 1430 - v. 1514). Actif sans doute à Bourges, puis à Moulins, installé à Tours en 1496, il est le plus illustre sculpteur français de son temps, maître du style ligérien apaisé de la fin du gothique. La plus grande partie de son œuvre reste inconnue (attributions hypothétiques), mais le tombeau de François II de Bretagne et de Marguerite de Foix (1502-1507), à la cathédrale de Nantes, en exprime l'ultime achèvement, tout en accueillant les nouveautés du répertoire décoratif italien. Il eut de nombreux disciples, dont son neveu, Guillaume Regnault († 1532), qui reprit l'atelier de Tours. — Le miniaturiste JEAN COLOMBE († Bourges apr. 1529), continuateur de Fouquet, était peut-être son frère.

COLOMBELLES (14460), comm. du Calvados, dans la banlieue nord-est de Caen; 5 568 hab. Cimenterie.

COLOMBES (92700), ch.-l. de cant. des Hauts-de-Seine, à 5 km au N.-O. de Paris, sur la rive gauche de la Seine; 83 518 hab. Stade (site des jeux Olympiques de 1924). Pneumatiques.

COLOMBEY-LES-BELLES (54170), ch.-l. de cant. de Meurthe-et-Moselle, à 17 km au S. de Toul; 816 hab.

COLOMBEY-LES-DEUX-ÉGLISES (52330), comm. de la Haute-Marne, à 15 km à l'E. de Bar-sur-Aube; 713 hab. Tombeau du général de Gaulle et mémorial (croix de Lorraine).

COLOMBIE, en esp. **Colombia,** État du nord-ouest de l'Amérique du Sud; 1 139 000 km²; 24 720 000 hab. *(Colombiens).* Capit. *Bogotá.*

GÉOGRAPHIE. Vaste pays ouvert à la fois sur l'Atlantique et le Pacifique, la Colombie s'étend sur deux domaines très différents. Dans l'Ouest, la haute chaîne des Andes se divise en trois cordillères — occidentale, centrale (5 754 m) et orientale —,

séparées par les fossés tectoniques du Cauca et du Magdalena. Elle est bordée par les plaines littorales du Chocó, à l'O., et de la mer des Antilles, au N. L'est du pays correspond à un ensemble de plaines drainées par les affluents de l'Orénoque et de l'Amazone et couvertes par la forêt dense ou la savane. Le climat, chaud et humide dans les régions basses, se tempère avec l'altitude. On distingue : jusqu'à 900 m, les *terras calientes* (terres chaudes); de 900 à 2 000 m, les *terras templadas* (terres tempérées); au-dessus, les *terras frias* (terres froides).

La population se concentre dans les Andes, région vitale du pays, les plaines orientales étant quasiment vides. Composée de métis (70 p. 100), de Blancs (20 p. 100), de Noirs et d'Indiens (10 p. 100), elle est caractérisée par un accroissement démographique très élevé (plus de 3 p. 100 par an), qui explique son extrême jeunesse. Cette augmentation, avec l'exode rural, contribue à l'expansion rapide des villes. La population urbaine représente 60 p. 100 du total et le pays compte quatre grandes agglomérations : Bogotá, Medellín, Cali et Barranquilla.

L'agriculture occupe près de la moitié de la population active. Les productions s'étagent avec l'altitude : café, surtout, cacao, bananes au-dessous de 2 000 m, maïs au-dessus. Les plaines orientales sont le domaine d'un élevage bovin extensif.

Les Andes recèlent de nombreuses richesses : fer, charbon et surtout pétrole (près de 10 Mt). Mais leur exploitation n'a guère favorisé le développement industriel. La sidérurgie reste peu importante devant les industries légères, textiles et alimentaires notamment. Le pays importe des biens d'équipement et exporte café et pétrole, principalement vers les États-Unis. L'équilibre demeure précaire en raison de la fluctuation des cours mondiaux et de l'accroissement rapide de la population.

HISTOIRE. Territoire de la Nouvelle-Castille, puis (1717) vice-royaume de Nouvelle-Grenade, la future Colombie se révolte en 1813 contre les Espagnols, mais ceux-ci prennent rapidement le dessus. En 1817, Bolívar* reprend la lutte et s'empare de la Nouvelle-Grenade (1819) : une Grande Colombie, groupant la Colombie proprement dite, le Venezuela et l'Équateur, est créée, mais, en 1830, elle se dissout, le Venezuela et l'Équateur se séparant de la Colombie. Celle-ci est dirigée pendant vingt ans (1830-1849) par le parti conservateur, qui, appuyé sur les oligarchies locales, s'efforce de moderniser le pays. Les libéraux, qui prennent ensuite le pouvoir, se heurtent d'abord, dans l'application de leur programme de démocratisation et d'anticléricalisme, aux divisions internes; ils finissent, sous la présidence de Tomás Cipriano de Mosquera (de 1861 à 1864), par imposer la confiscation des biens de l'Église et le vote d'une constitution fédérale. Suivent des années de troubles. Le calme revient avec le conservateur Rafael Nuñez, trois fois président entre 1880 et 1888, qui renoue avec l'Église (concordat de 1883) et met fin au fédéralisme (Constitution unitaire de 1886). En fait, ces mesures renforcent la république oligarchique. Le parti conservateur reste au pouvoir jusqu'en 1930 : durant cette période, la Colombie perd Panamá (1903) au profit des Américains. La parenthèse libérale (1930-1948) est marquée par l'échec du réformisme et par le passage au pouvoir (1946-1948) du libéral marxisant Jorge Eliecer Gaitán dont l'assassinat (9 avr. 1948) prélude à une période d'anarchie sanglante. Celle-ci prend fin avec l'arrivée au pouvoir du Front national (1958), qui porte à la présidence, alternativement, un libéral et un conservateur, mais qui doit compter avec l'importance de la guérilla d'inspiration castriste.

Les élections de 1970 démontrent l'hostilité de la population au monopole des deux partis historiques : l'alternance est alors sauvegardée de justesse. Désormais, le Front national doit compter avec l'Alliance nationale populaire (ANAPO), d'inspiration populiste, fondée par le général Rojas Pinilla.

COLOMBIE BRITANNIQUE, province de l'ouest du Canada, sur le Pacifique; 948 596 km²; 2 291 000 hab. Capit. *Victoria.* Vaste (presque deux fois la superficie de la France), la province s'étend sur le système montagneux de l'Ouest américain, formé de chaînes tertiaires surtout à l'O. (Coast Range) et à l'E. (Selkirk Mountains), encadrant de hauts plateaux entaillés de puissants fleuves (Fraser). Le climat est doux et humide sur la frange littorale (Vancouver : 3,1 °C en janvier et 18 °C en juillet, avec un total annuel de précipitations de 1 325 mm); ces conditions sont favorables à la forêt de conifères, présente aussi dans l'intérieur, au climat beaucoup plus rigoureux. La majeure partie de la population, en accroissement rapide (surtout par immigration), se concentre sur la bordure du Pacifique et, en particulier, dans l'agglomération de Vancouver, qui regroupe pratiquement la moitié de la population de la province. Hors de Vancouver, l'économie est fondée sur l'exploitation (éventuellement la première transformation) des ressources naturelles : sylviculture (papeterie), produits du sous-sol (cuivre, charbon, molybdène), pêche, hydroélectricité (ayant favorisé l'essor de l'électrométallurgie [aluminium]) et aussi tourisme.

Colombine, personnage de la comédie italienne, soubrette à l'esprit vif.

COLOMBO, capit. de Sri Lanka, sur la côte ouest de l'île; 562 000 hab.

Colombo *(plan de),* projet établi à Colombo au cours de deux conférences, en 1950 et 1951, et qui envisage les moyens de venir en aide aux régions de l'Asie du Sud-Est les plus défavorisées et de financer leur développement économique.

COLOMBO (Joe), architecte et designer italien (Milan 1930-*id.* 1971). Tout en s'intéressant à la peinture et à la sculpture, il étudie l'architecture à Milan et se spécialise dans l'architecture intérieure et le design. Auteur de lampes et de mobilier primés, dès 1964, à la XIIIe triennale de Milan, il collabore avec de grands magasins, à Milan, à New York et à Paris, « pour rendre le design accessible à tous », et il oriente ses recherches sur les structures modulaires combinables en sièges, en lits, en tables, etc. Ses œuvres sont présentées dans plusieurs musées d'Europe et des États-Unis.

COLOMIERS (31170), comm. de la Haute-Garonne, à 10 km à l'O. de Toulouse; 20 275 hab. Industries aéronautiques et électriques.

CÔLON → INTESTIN.

COLÓN, port de Panamá, sur la mer des Antilles, à l'entrée du canal interocéanique, établi dans une enclave de la zone du canal; 68 000 hab. Zone franche.

COLONAT. — Fermier libre sous le Haut-Empire, le colon tombe à la condition de quasi-serf au IVe s. En 371, Valentinien déclare : « Nous estimons que les colons n'ont pas la liberté de quitter le champ auquel les attachent leur condition et leur naissance. » Le colon est réputé de condition libre, mais « esclave de la terre ». Le plus souvent inscrit à côté de son maître sur les registres du cens, le colon est très dépendant de lui : il lui doit des corvées et un fermage en nature très élevé. Ainsi apparaît, au IVe s., une classe héréditaire nouvelle, le colonat, qui n'est que l'aspect agraire de la politique sociale des empereurs au Bas-Empire*.

Colonel Chabert *(le),* roman de Balzac (1832). Porté mort à Eylau, où il a décidé de la victoire, le colonel Chabert revient dix ans après pour retrouver sa femme remariée et qui refuse de le reconnaître : il abandonnera volontairement nom, famille et fortune et finira à l'hospice de Bicêtre. Une occasion pour l'avoué Derville, l'une des consciences de *la Comédie humaine,* d'une réflexion sur la société.

COLONIALISME. — La domination des sociétés les unes par les autres n'est pas un phénomène récent : elle plonge ses racines dans la nuit des temps. Toutefois, l'expansion européenne du XIXe s., issue de la révolution politico-industrielle, devait conférer à ce phénomène de domination une dimension et une singularité exceptionnelles. Dimension qu'explique la conjonction de trois formes différentes d'intervention : les visées missionnaires, les entreprises économiques et les actions militaires ou administratives. Singularité parce que le transfert de souveraineté au profit des capitales métropolitaines se fit pour la première fois au nom d'une doctrine, le colonialisme, où se mêlent les considérations politiques et les justifications morales.

Amorcée après 1945, la décolonisation se poursuit au début des années 60. Comme doctrine, le colonialisme est dénoncé, au moins verbalement, au nom de l'équivalence en dignité des cultures et du principe de la non-ingérence. Mais la réalité a substitué, aux formes brutales de la prise de possession, des ingérences qui, si elles respectent officiellement les souverainetés, ne leur ôtent pas moins, dans de nombreux cas, les moyens leur permettant de s'exercer. (V. IMPÉRIALISME.)

COLONIE ANIMALE. — La notion de « colonie animale » s'oppose à celle d'une simple « foule » rassemblée par le hasard pour une courte période. Les individus d'une colonie ont des interactions, subissent des « effets de groupe » qui leur interdisent de se disperser, s'accouplent entre eux, acquièrent rapidement des liens de parenté s'ils ne les avaient dès l'origine, etc. Mais ces sociétés animales ne sont pas hiérarchisées ou diversifiées comme celles des mammifères ou comme celles des insectes sociaux. Toutefois, chez les cœlentérés et chez les tuniciers en particulier, une colonie est plus que cela : c'est un ensemble d'individus nés les uns des autres par une multiplication asexuée et qui restent anatomiquement rattachés les uns aux autres. Dans le cas des polypiers constructeurs, il y a communication des appareils digestifs et la nourriture des uns profite aux autres. On parle alors de colonie, même lorsque les individus ont acquis des spécialités (ex. : la physalie, du groupe des siphonophores).

COLONISATION. — Outre le fait, pour un gouvernement, d'installer des colons sur un territoire distinct du pays d'origine, la colonisation implique l'établissement d'une domination sous plusieurs aspects. D'une part, elle se caractérise par une appropriation du sol au détriment des indigènes et par une exploitation des richesses du territoire colonisé au seul bénéfice de la mère patrie. D'autre part, elle implique toujours que les populations locales deviennent sujettes de la métropole, qui leur impose sa culture, sa langue et sa religion.

Ainsi définie, la colonisation apparaît comme un phénomène relativement récent. Certes, les sociétés antiques connurent de formes variées de migrations accompagnées d'appropriations de territoires : comptoirs phéniciens, doriens et grecs de la Méditerranée, qui, le plus souvent, se formèrent en cités indépendantes (Carthage, Syracuse, etc.); clérouquies athéniennes et « colonies » romaines, qui demeurèrent sujettes de leurs métropoles. De même, au Moyen Âge, certaines cités de l'Italie du Nord (Gênes, Venise) installèrent dans le monde méditerranéen des comptoirs commerciaux qui furent parfois à l'origine d'une colonisation politique.

Cependant, c'est surtout à partir des grandes découvertes que l'occupation territoriale, assortie d'une exploitation économique et d'une domination politique et culturelle, s'est trouvée érigée en système d'expansion par certaines puissances européennes, qui ont vu dans l'aventure coloniale le moyen de pallier l'incapacité des vieux circuits commerciaux à leur fournir toutes les matières premières dont elles avaient besoin. Le Portugal, dont les navigateurs ont tracé la route des Indes, l'Espagne, qui doit aux siens la découverte des rivages d'Amérique, ont, les premiers, ouvert la voie à la colonisation de l'époque moderne. Constitué dans la première moitié du XVIe s., l'Empire portugais, axé sur le commerce des épices, s'est essentiellement caractérisé par l'existence de comptoirs disséminés autour de l'océan Indien ou sur les rives occidentales de l'Afrique. Celui de l'Espagne, organisé dès le milieu du XVIe s., a été, dès l'origine, plus homogène et davantage orienté vers l'occupation territoriale. La pénétration en profondeur du continent sud-américain, l'exploitation directe des matériaux précieux et la recherche d'une productivité ont, d'une part, impliqué une administration solide, calquée sur le modèle métropolitain et placée sous le contrôle du conseil des Indes, et, d'autre part, nécessité le recours à la main-d'œuvre locale (Indiens), puis importée (esclaves d'Afrique), maintenue dans une situation de totale dépendance à l'égard du colonisateur.

L'Angleterre, les Pays-Bas et la France, qui n'ont pas accepté le partage du monde entre Espagne et Portugal, se sont lancés dans la colonisation en employant une méthode différente, celle de la compagnie à charte. Moyennant la concession d'une zone d'exploitation (à conquérir) et de privilèges commerciaux, la compagnie garde un lien étroit avec la métropole : elle doit lui assurer l'exclusivité du profit provenant de l'exploitation de la colonie; elle s'engage à peupler cette dernière, à l'administrer et à l'évangéliser. Mais la méthode de la compagnie n'exclut pas la colonisation directe (Canada français, colonie de la Couronne en 1663), et la variété des solutions adoptées témoigne de l'absence, dans ces pays, d'un plan d'ensemble d'expansion colonisatrice.

Au XIXe s., alors que s'effondrent les vieux Empires portugais (indépendance du Brésil, 1822) et espagnol (indépendance de l'Amérique latine, 1809-1826) et que le libéralisme tend à limiter les monopoles octroyés aux compagnies, la révolution industrielle et l'expansion démographique de l'Europe vont provoquer l'extension des Empires coloniaux français et anglais. Entre 1860 et 1914, s'opère un véritable partage du monde (en Afrique et en Asie essentiellement) qui ne va pas sans créer des rivalités entre vieux pays colonisateurs (France et Angleterre : Fachoda, 1898) ou des revendications de la part de nouveaux venus (Allemagne, Italie). Des solutions très diverses sont apportées aux problèmes d'administration posés par la colonisation. On voit le colonisateur osciller entre la domination pure et simple, la concession d'une autonomie (dominions britanniques), l'assimilation, limitée dans la mesure où elle n'établit pas une parfaite égalité civique entre indigènes et colons, ou encore l'association (protectorat), habile camouflage d'une domination effective par le maintien des institutions locales.

Mais, dès la Première Guerre mondiale, des mouvements de libération se développent. En Angleterre comme en France, on esquissera des solutions politiques pour tenter de limiter l'extension du phénomène (Commonwealth, 1931; Union française, 1946). Cependant, le mouvement d'émancipation, qui s'est accéléré après la Seconde Guerre mondiale, aboutit à la fin des empires. Si le système colonial des temps modernes a laissé d'innombrables séquelles (problème des frontières, des minorités raciales; néocolonialisme), la quasi-totalité du globe est maintenant formée d'États souverains.

COLONNA, famille romaine qui joua un rôle considérable dans l'histoire de l'Église. Elle fournit un pape, plusieurs cardinaux et hommes de guerre. Elle compta parmi ses membres : SCIARRA, sénateur romain († 1329), qui combattit Boniface VIII* et dirigea l'attentat d'Anagni (1303); ODDONE, pape sous le nom de Martin V; PROSPERO (1452-1523), célèbre condottiere, qui servit l'Aragon et s'illustra par les victoires de Vicence sur les Vénitiens (1513) et de La Bicoque sur les Français (1522); POMPEO (Rome 1479-Naples 1532), cardinal en 1517, défenseur de Naples contre les Français; VITTORIA (Marino 1490-Rome 1547), marquise **de Pescara,** poète de talent, qui suscita chez Michel-Ange* une passion aussi ardente que platonique.

COLONNE. — Se distinguant des *piles* et des *piliers* (aux structures complexes et moins codifiées) par sa section circulaire et en ce qu'elle est généralement soit faite de tambours superposés, soit monolithe, la colonne appartient à toutes les civilisations — depuis l'utilisation d'un simple tronc d'arbre comme support. Son fût (souvent galbé, cannelé, etc.) repose en général sur une *base* et est surmonté d'un *chapiteau (corbeille* et *abaque* ou *tailloir),* qui fait la transition entre le fût, vertical, et l'élément supporté, soit plate-bande ou architrave (horizontaux : Égypte, Grèce, Rome), soit arc* (Rome, Byzance, arts roman et gothique). Les colonnes lotiformes ou papyriformes de l'Égypte avaient des fûts fasciculés et étaient polychromes. La Perse achéménide a créé un type monumental de colonne, surmontée de deux avant-trains de taureaux ou de griffons, entre lesquels s'insérait une poutre du plafond. Mais c'est l'architecture grecque qui donna progressivement à la colonne un véritable code de formes et de mesures, suivie par Rome et par l'Europe classique. (V. ORDRES.)

colonne *(cinquième),* nom donné pendant la guerre civile espagnole de 1936-1939 aux éléments nationalistes demeurés dans Madrid pendant le siège de la capitale et dont l'action s'ajoutait aux quatre colonnes lancées par Franco à l'attaque de Madrid. L'expression désigne depuis cette époque les partisans clandestins que chacun des adversaires compte dans les rangs de l'autre.

COLONNE (Édouard), violoniste et chef d'orchestre français (Bordeaux 1838-Paris 1910). Il a fondé, en 1873, le Concert national, qui prit ensuite son nom, et s'est donné pour tâche de travailler à la propagation de la musique symphonique française (*la Damnation de Faust,* de Berlioz).

COLONNES D'HERCULE, nom que les Anciens donnaient aux deux promontoires, le mont Calpé, au nord, et le rocher Abyla, au sud, qui marquaient à l'est, c'est-à-dire du côté de la Méditerranée, l'entrée du détroit de Gibraltar. D'après Strabon, l'expression « Colonnes d'Hercule » désignait aussi l'île de Gadès et même des lieux plus éloignés que cette île.

COLONNE VERTÉBRALE → VERTÈBRE.

COLOPHANE. — Masse résineuse plus ou moins ambrée, soluble dans l'alcool et dans l'éther, la colophane sert à la fabrication de vernis, de poix de calfatage et d'isolants; les musiciens l'utilisent pour faciliter l'attaque des cordes par l'archet. Elle est surtout formée d'acides résiniques, dont les dérivés ont de nombreuses applications.

COLOPHON, ville grecque d'Asie Mineure, en Ionie*, sur la mer Égée. Elle fut prise par Gygès*, roi de Lydie, puis par les Perses; ses habitants furent déportés à Éphèse par Lysimaque, en 299 av. J.-C. La cité était célèbre par sa douceur de vivre.

COLORADO *(río),* fl. d'Argentine, né dans les Andes, tributaire de l'Atlantique; 1 300 km.

COLORADO *(rio),* grand fleuve de l'ouest des États-Unis; 2 250 km. Né dans les Rocheuses, dans l'État du Colorado, il traverse ensuite l'Utah, puis l'Arizona, où il entaille les célèbres cañons dans une partie des vastes *plateaux du Colorado.* Barré, en aval, par le Hoover Dam, il est utilisé pour la production d'électricité et l'irrigation, avant de rejoindre le Pacifique au fond du golfe de Californie.

COLORADO *(rio),* fl. du Texas, qui passe à Austin, tributaire du golfe du Mexique; 1 400 km.

COLORADO, État de l'ouest des États-Unis; 269 998 km^2; 2 357 000 hab. Capit. *Denver.* Vaste comme la moitié de la France, l'État est encore faiblement peuplé, malgré un très net accroissement démographique. Les conditions naturelles ne sont pas très favorables (relief montagneux dans la partie la plus élevée des Rocheuses, climat aride), en dehors de l'attrait touristique (estival et hivernal) qu'elles suscitent. L'élevage (bovin et ovin) l'emporte sur les cultures (liées à l'irrigation), alors que le sous-sol fournit surtout du molybdène (à Climax), mais aussi de l'argent, du plomb, du zinc, etc. Plus de la moitié de la population se concentre dans l'agglomération de Denver.

COLORADO SPRINGS, v. des États-Unis (Colorado), en bordure des Rocheuses, au S. de Denver; 135 000 hab. Centre touristique. Siège de l'École de l'air américaine et du commandement unifié américano-canadien de la Défense aérienne de l'Amérique du Nord (NORAD).

COLORANT. — Une matière est dite « colorante » lorsqu'elle permet de teindre une matière incolore — c'est-à-dire de lui donner la propriété d'être durablement colorée —, par une opération telle que les deux produits primitifs ne peuvent plus être séparés par un simple triage; cette définition conduit à réserver le nom de « couleurs » aux pigments minéraux et celui de « colorants » aux produits servant à la teinture des fibres textiles naturelles ou artificielles. Les premiers colorants employés étaient d'origine naturelle (garance, indigo, cochenille); actuellement, presque tous les colorants sont des dérivés des hydrocarbures contenus dans les goudrons de houille. (V. ESSENCE, IMPRESSION, MATIÈRE COLORANTE, PRÉTRAITEMENT, TEINTURE.)

COLORIMÉTRIE. — La colorimétrie étudie l'équivalence des diverses compositions de lumière qui donnent une même sensation colorée. Elle permet d'évaluer les trois grandeurs physiques qui définissent une couleur : sa *luminance,* concernant une intensité plus ou moins grande; sa *tonalité,* indiquant de quelle couleur pure elle se rapproche le plus; son *facteur de pureté,* traduisant l'écart qu'elle présente avec cette couleur pure.

COLOT, famille de chirurgiens français qui garda pendant plus d'un siècle le secret de l'opération de la taille vésicale (pour enlever les calculs de la vessie, ou « maladie de la pierre »). Le plus célèbre de la famille, LAURENT, fut chirurgien de Henri II (1556).

COLPORTAGE (littérature de). — De la généralisation de l'imprimerie (XVIe s.) à l'apparition de la presse à bon marché (1880), le colportage a été le moyen le plus efficace de diffusion du livre auprès d'un public provincial, campagnard et populaire. Des merciers ambulants ou des camelots plus ou moins vagabonds proposent à une clientèle de plus en plus populaire (bourgeoisie terrienne et bourgeoisie de robe au XVIe s., paysans aisés à partir du XVIIIe s., ouvriers des villes au XIXe s.) des livres de petit format, dont le nombre dépasse chaque année, sous le second Empire, 9 millions d'exemplaires. Sévèrement contrôlée par la police (pour des raisons économiques sous l'Ancien Régime, et notamment pour la défense des privilèges des libraires; pour des raisons politiques au XIXe s., le second Empire rendant obligatoire l'estampillage des livres au siège de la préfecture de chaque département), cette production rassemble deux types d'ouvrages. Le premier, utilitaire et didactique, comprend des livres de piété, des vies de saints, des almanachs*, des guides pratiques d'agriculture ou de médecine élémentaire; le second, de fiction et de divertissement, regroupe, à côté de recueils de chansons, de vaudevilles ou d'adaptations de contes oraux *(le Bonhomme Misère),* un fonds romanesque issu d'une triple origine : les romans de chevalerie médiévaux *(l'Histoire des quatre fils Aymon, Pierre de Provence et la belle Maguelonne, Robert le Diable);* les contes de fées (Perrault, Mme d'Aulnoy); les romans sentimentaux et pastoraux de la fin du XVIIIe s. (*Paul et Virginie,* de Bernadin de Saint-Pierre; *Estelle et Némorin,* de Florian). Les derniers grands succès de la littérature de colportage, les romans de Ducray-Duminil *(Victor ou l'Enfant de la forêt, les Petits Orphelins du hameau, Lolotte et Fanfan)* annoncent les thèmes du roman-feuilleton* et du mélodrame*.

COLROY-LA-GRANDE (88490 Provenchères sur Fave), comm. des Vosges, à 15 km au N.-E. de Saint-Dié; 618 hab. Textile.

Cols blancs *(les)* [1951], œuvre de Wright Mills, dans laquelle il observe, sous un angle critique, la société américaine au lendemain de la Seconde Guerre mondiale. Le sociologue renouvelle l'approche traditionnelle des classes et des stratifications sociales. Il distingue l'ancienne classe moyenne, composée de petits entrepreneurs et de petits propriétaires, d'une nouvelle classe moyenne de « cols blancs », comprenant un nombre croissant d'employés de bureau et de salariés non manuels. La singularité des cols blancs réside dans leur refus d'être assimilés, subjectivement ou symboliquement, au monde des ouvriers manuels, dont ils partagent la condition de salariés.

COLT (Samuel), ingénieur américain (Hartford, Connecticut, 1814-*id.* 1862). Il inventa un pistolet à barillet dit « revolver » (1835) et se spécialisa dans la fabrication d'armes portatives.

COLTRANE (John), saxophoniste de jazz noir américain (Hamlet, Caroline du Nord, 1926-Huntington, État de New York, 1967). Après avoir joué avec Dizzie Gillespie (1949-1951), Johnny Hodges (1953-54) et dans le quintette de Miles Davis (1955-1960), il constitue son propre quartette en 1960, s'imposant désormais au saxophone ténor et au saxophone soprano (qu'il remet en honneur dans le jazz moderne) comme un instrumentiste inventif et véhément, habile dans l'art de concilier les recherches du free jazz et celles de son propre mysticisme incantatoire.

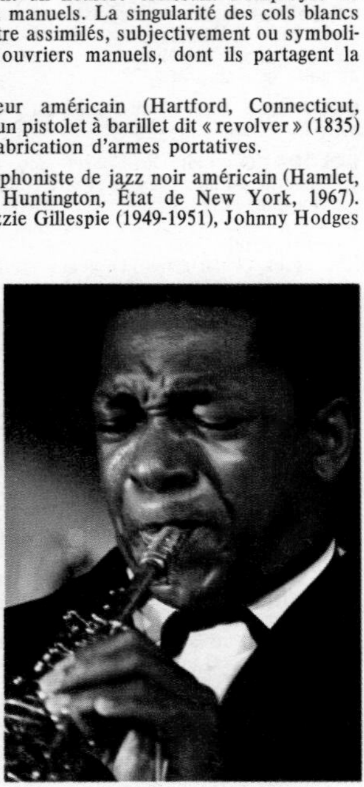

John Coltrane.

Leloir

COLUMBIA, anc. **Oregon,** fl. de l'Amérique du Nord; 1 953 km. Né dans les Rocheuses canadiennes, il sépare ensuite les États américains du Washington et de l'Oregon, avant de rejoindre le Pacifique, en aval de Portland. Il est coupé d'importants aménagements hydroélectriques (dont celui de Grand Coulee).

COLUMBIA, v. des États-Unis, capit. de la Caroline du Sud; 114 000 hab.

COLUMBIA *(district de),* district fédéral des États-Unis, correspondant à la ville de Washington*; 174 km²; 748 000 hab.

COLUMBUS, v. des États-Unis, dans l'ouest de la Géorgie; 154 000 hab.

COLUMBUS, v. des États-Unis, capit. de l'Ohio; 540 000 hab. Université. Métallurgie.

COLUMELLE, écrivain latin du Ier s., auteur d'un traité d'agronomie.

COLZA. — Originaire de Chine, le colza est cultivé dans les zones tempérées (Chine, Canada, Inde, France). Il vient en tête des productions oléagineuses françaises. Sa production dans le monde est de l'ordre de 8 Mt, et l'huile de colza occupe la troisième place dans la consommation mondiale d'huile. (V. CHOU.)

COMA. — Lors du coma, la profondeur de l'altération de la conscience est variable, allant de la torpeur profonde de l'apoplexie au coma vigile (sujet presque conscient), et la sévérité de l'atteinte s'exprime par différents signes : abolition du réflexe cornéen, troubles de la déglutition, incontinence sphinctérienne, troubles de la respiration, de la tension artérielle.

Les causes des comas sont multiples : il peut s'agir d'une atteinte localisée du cerveau (hémorragie cérébrale) ou d'une atteinte cérébrale due à une intoxication (barbiturique) ou encore à un trouble métabolique (diabète). Des mesures thérapeutiques curatives (apport hydroélectrolytique par voie veineuse, maintien de la liberté des voies aériennes) sont nécessaires. Le traitement de la cause du coma est poursuivi conjointement lorsque cela est possible.

Le *coma dépassé,* diagnostiqué par l'électroencéphalogramme (encéphalogramme « plat ») correspond à la mort clinique. On ne prélève des organes essentiels en vue de la transplantation que sur des sujets en état de coma dépassé.

COMBE → JURASSIEN *(relief).*

COMBEAUFONTAINE (70120), ch.-l. de cant. de la Haute-Saône, à 27 km au N.-O. de Vesoul; 366 hab.

COMBE DE SAVOIE, partie nord du Sillon alpin, au pied du massif des Bauges.

COMBES (Émile), homme politique français (Roquecourbe, Tarn, 1835-Pons 1921). D'origine modeste, séminariste, docteur en théologie (1860), il rompt avec le catholicisme à la suite d'une crise de conscience et fait sa médecine à Paris. En 1875, il est élu maire de Pons, puis devient sénateur radical en 1885. Vice-président du Sénat (1894-95), Combes assure les fonctions de ministre de l'Instruction publique dans le cabinet Léon Bourgeois (nov. 1895-avr. 1896). En mai 1902, la poussée radicale au sein du « Bloc républicain » le conduit à la tête du gouvernement. Menant alors une vigoureuse politique anticléricale, il fait respecter strictement la loi de 1901 sur les congrégations et, en 1904, interdit à celles-ci d'enseigner. Cette politique aboutit à la rupture avec le Saint-Siège (30 juill. 1904) et à la naissance d'une république laïque. Affaibli par le scandale « des fiches », son gouvernement démissionne le 19 janvier 1905.

COMBINATOIRE (analyse). — L'analyse combinatoire désigne les méthodes de dénombrement faisant appel aux notions de combinaison et d'arrangement.

• *Combinaison*. On appelle combinaison de n éléments pris p à p, pour $0 \leqslant p \leqslant n$, toute partie non ordonnée à p éléments pris parmi les n. On désigne par C_n^p ou $\binom{n}{p}$ le nombre de ces parties.

$C_n^0 = 1$, quel que soit n, car, quelle que soit la nature des éléments considérés, on a toujours une partie à zéro élément qu'on appelle la *partie vide*.

$C_n^1 = n$: on peut former n parties à un élément avec les n éléments de l'ensemble considéré.

Quel que soit p, $0 \leqslant p \leqslant n$, on a $C_n^p = C_n^{n-p}$, car, dans un ensemble E de cardinal* n (contenant n éléments), à toute partie de cardinal p correspond une partie de cardinal $n - p$, et inversement. Le *triangle de Pascal* permet de calculer, de proche en proche, les coefficients C_n^p. Il montre comment on peut passer des dénombrements dans un ensemble de cardinal $n - 1$ aux dénombrements dans un ensemble de cardinal n :

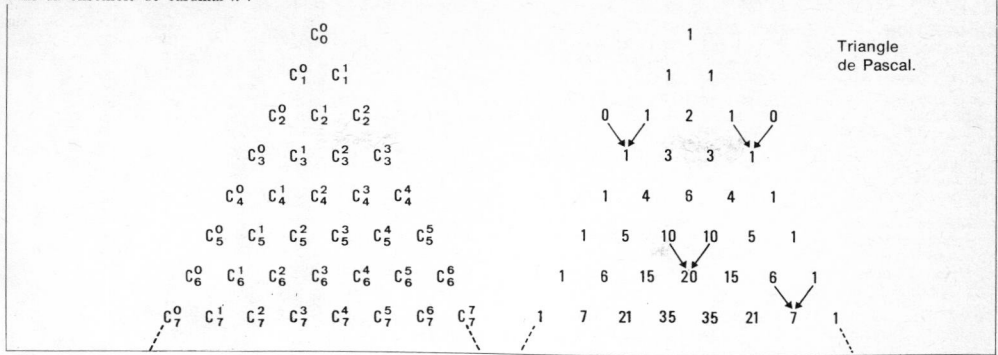

$$
\begin{array}{ccccccccccccccc}
 & & & & & & & C_0^0 & & & & & & & \\
 & & & & & & C_1^0 & & C_1^1 & & & & & & \\
 & & & & & C_2^0 & & C_2^1 & & C_2^2 & & & & & \\
 & & & & C_3^0 & & C_3^1 & & C_3^2 & & C_3^3 & & & & \\
 & & & C_4^0 & & C_4^1 & & C_4^2 & & C_4^3 & & C_4^4 & & & \\
 & & C_5^0 & & C_5^1 & & C_5^2 & & C_5^3 & & C_5^4 & & C_5^5 & & \\
 & C_6^0 & & C_6^1 & & C_6^2 & & C_6^3 & & C_6^4 & & C_6^5 & & C_6^6 & \\
C_7^0 & & C_7^1 & & C_7^2 & & C_7^3 & & C_7^4 & & C_7^5 & & C_7^6 & & C_7^7
\end{array}
$$

$$
\begin{array}{ccccccccccccccc}
 & & & & & & & 1 & & & & & & & \\
 & & & & & & 1 & & 1 & & & & & & \\
 & & & & (0) & 1 & & 2 & & 1 & (0) & & & & \\
 & & & & 1 & & 3 & & 3 & & 1 & & & & \\
 & & & 1 & & 4 & & 6 & & 4 & & 1 & & & \\
 & & 1 & & 5 & & 10 & & 10 & & 5 & & 1 & & \\
 & 1 & & 6 & & 15 & & 20 & & 15 & & 6 & & 1 & \\
1 & & 7 & & 21 & & 35 & & 35 & & 21 & & 7 & & 1
\end{array}
$$

Triangle de Pascal.

Chaque coefficient s'obtient en faisant la somme des deux coefficients qui sont situés sur la ligne supérieure et qui encadrent le coefficient considéré.

Ainsi : $C_3^2 = C_2^1 + C_2^2$ ou $3 = 2 + 1$; $C_4^3 = C_3^2 + C_3^3$, $4 = 3 + 1$.

De façon générale, $C_n^p = C_{n-1}^{p-1} + C_{n-1}^p$, relation qui permet, de proche en proche, d'engendrer le triangle de Pascal. On peut exprimer aussi C_n^p en fonction de n et P :

$$C_n^p = \frac{n(n-1)\dots(n-p+1)}{p\,!}.$$

EXEMPLES :
1° $C_7^3 = \frac{7 \cdot 6 \cdot 5}{1 \cdot 2 \cdot 3} = 35$; $C_{12}^4 = \frac{12 \cdot 11 \cdot 10 \cdot 9}{1 \cdot 2 \cdot 3 \cdot 4} = 445.$
2° Combien existe-t-il de couples de cartes choisies parmi les 32 cartes d'un jeu? Il en existe $C_{32}^2 = \frac{32 \cdot 31}{1 \cdot 2} = 496.$

• *Arrangement simple*. On appelle arrangement simple ou sans répétitions de n éléments pris p à p pour $0 \leqslant p \leqslant n$ toute disposition de p éléments pris parmi les n. On désigne par A_n^p le nombre de ces arrangements;

$$A_n^p = n(n-1)\dots(n-p+1) = p\,!\,C_n^p,$$

chaque combinaison donnant p ! arrangements. Deux arrangements à p éléments peuvent différer par la nature des éléments qui les composent ou simplement par l'ordre de leurs éléments : (1, 2, 3) et (2, 1, 3) sont deux arrangements distincts.

• *Arrangement avec répétitions*. On appelle arrangement avec répétitions de n éléments pris p à p toute disposition ordonnée de p éléments où ne figurent que des éléments identiques à certains des n éléments considérés, un même élément pouvant figurer jusqu'à p fois. C'est ainsi que (*aabc*) est un arrangement avec répétitions de trois éléments a, b, c pris quatre à quatre. Il n'y a aucune restriction sur p, qui peut être supérieur à n puisqu'il y a des répétitions. Le nombre α_n^p des arrangements avec répétitions de n éléments pris p à p est égal à n^p. Par exemple, un numéro de téléphone à sept chiffres est un arrangement avec répétitions de 10 symboles pris 7 à 7, les symboles étant les chiffres 0, 1, 2, ..., 9. Il y a $10^7 = 10\,000\,000$ numéros possibles dans un réseau à sept chiffres.

COMBINÉ → GIRAVIATION.

COMBLANCHIEN (21700 Nuits St Georges), comm. de la Côte-d'Or, à 11,5 km au N.-E. de Beaune; 641 hab. Pierre de taille.

COMBLES (80360), ch.-l. de cant. de la Somme, à 11,5 km au N.-O. de Péronne; 669 hab. Théâtre de violents combats pendant la bataille de la Somme (1916) et en 1918.

COMBLOUX (74700 Sallanches), comm. de la Haute-Savoie, à 10 km à l'O. de Saint-Gervais-les-Bains; 1 219 hab. Station de sports d'hiver (alt. 1 000-1 760 m).

COMBOURG (35270), ch.-l. de cant. d'Ille-et-Vilaine, à 24 km au S.-E. de Dinan; 4 719 hab. Château (XIe-XVe s.) où Chateaubriand passa une partie de sa jeunesse.

COMBRAILLE ou **COMBRAILLES** (la), plateau du nord-ouest du Massif central, aux confins du Puy-de-Dôme et de la Creuse.

COMBRONDE (63460), ch.-l. de cant. du Puy-de-Dôme, à 12 km au N. de Riom; 1 949 hab.

COMBS-LA-VILLE (77380), comm. de Seine-et-Marne, sur l'Yerres, à 5 km au S.-O. de Brie-Comte-Robert; 11 100 hab.

COMBURANT. — Un comburant est un corps chimique qui, injecté dans la chambre* de combustion d'un moteur-fusée* avec un carburant*, donne naissance à une réaction exothermique fournissant l'énergie nécessaire à la propulsion. Les principaux comburants sont : dans le domaine des propergols* liquides, l'oxygène* liquide, le peroxyde d'azote N_2O_4, l'alcool éthylique, et, dans le domaine des propergols solides, des nitrates et des perchlorates de métaux alcalins et d'ammonium*.

COMBUSTIBLE NUCLÉAIRE. — Le combustible employé dans les centrales* nucléaires est un combustible *fissile*, c'est-à-dire qui est susceptible de subir une fission* nucléaire par absorption d'un neutron* thermique. Les combustibles fissiles actuellement employés sont l'uranium* et le plutonium*. Un combustible *fertile* est un nucléide susceptible d'être transformé directement ou indirectement en un combustible fissile; ainsi, l'uranium 238 est un combustible fertile, car, par irradiation, il peut donner du plutonium 239, qui est fissile.

• L'*uranium* naturel existe en proportions variables dans les minerais naturels. La couche terrestre en contient de 3 à 4 g/t, l'eau de mer 0,001 g/t. Or sont considérés comme rentables les gisements contenant 1 kg/t. L'uranium naturel comprend deux isotopes* principaux : l'uranium 235, dans la proportion de 0,7 p. 100, et l'uranium 238, dans la proportion de 99,3 p. 100. Dans les réacteurs* nucléaires, l'uranium est employé soit sous sa forme naturelle (filière* graphite-gaz), soit sous une forme enrichie (réacteur à eau ordinaire). L'enrichissement de l'uranium consiste à séparer les deux isotopes 235 et 238 de façon à augmenter la proportion d'uranium 235. Pour les réacteurs nucléaires à eau ordinaire (à eau sous pression ou à eau bouillante), l'enrichissement est de l'ordre de 3 à 4 p. 100; pour les engins nucléaires, l'enrichissement doit dépasser 90 p. 100.

Les procédés d'enrichissement jouent sur les différences de propriétés physiques, car tous les isotopes d'un corps ont mêmes propriétés chimiques. Parmi les procédés industriels d'enrichissement de l'uranium, les plus courants sont la *diffusion gazeuse* et l'*ultracentrifugation;* tous deux utilisent un intermédiaire gazeux : l'hexafluorure d'uranium (UF_6). Sur le plan national, il existe trois divisions uranifères où l'on extrait l'uranium (Vendée, Limousin, Forez); le minerai, qui a subi sur place une préconcentration chimique, est envoyé à Malvesi (Aude); l'enrichissement par diffusion gazeuse s'effectue à Pierrelatte (Drôme), qui est une usine militaire; pour satisfaire les besoins civils, compte tenu du développement du programme électronucléaire, on construit une usine, fondée sur le même principe, au Tricastin, à côté de Pierrelatte. L'uranium naturel est utilisé dans les réacteurs sous forme de barreaux, pleins ou creux, d'uranium métallique, de quelques centimètres de diamètre et de quelques dizaines de centimètres de longueur. L'uranium enrichi est mis en œuvre à l'état d'oxyde d'uranium (UO_2) sous forme de petits cylindres de quelques millimètres de diamètre et d'une quinzaine de millimètres de longueur empilés dans des tubes métalliques. Pour retenir les produits de fission qui se forment dans le combustible, on entoure celui-ci d'une gaine parfaitement étanche, qui le protège de la corrosion ainsi que de l'érosion par le fluide caloporteur* et qui constitue un support mécanique.

• Le *plutonium* est un métal* artificiel, car il n'existe pas de minerais de plutonium dans la nature; on le produit en irradiant des barreaux d'uranium naturel dans un réacteur nucléaire; par transmutations* successives, l'uranium 238 se transforme en plutonium 239, que l'on sépare en jouant sur des différences de propriétés chimiques. Sur le plan national, il existe deux usines de production de plutonium : à Marcoule et au cap de la Hague. Le plutonium a surtout été utilisé pour la fabrication des engins nucléaires; ce sera également le combustible fissile par excellence des réacteurs du type surrégénérateur*.

COMBUSTION. — Le terme s'applique aux phénomènes qui se manifestent quand un corps s'unit à l'oxygène en dégageant de la chaleur. Si la réaction est assez rapide, le débit de chaleur est suffisant pour que le corps combustible soit porté à l'incandescence, il y a *combustion vive* (hydrogène, phosphore, carbone, hydrocarbures). Si l'oxydation est assez lente pour que l'échauffement soit peu sensible, il y a *combustion lente* (phosphore blanc à froid, fer dans l'air humide). On étend souvent le nom de combustion à des réactions accompagnées de chaleur et de lumière sans que l'oxygène intervienne; ainsi le phosphore brûle dans le chlore, le fer dans la vapeur de soufre.

CÔME, en ital. **Como,** v. d'Italie, en Lombardie, ch.-l. de prov., à l'extrémité sud-ouest du *lac de Côme;* 99 000 hab. Églises romanes. Belle cathédrale en marbre (fin XIVe-XVIIIe s.). Musée. Œuvres du « style international » par l'architecte Guiseppe Terragni (1904-1943). Textiles.

CÔME *(lac de),* l'un des grands lacs subalpins italiens, en Lombardie, traversé par l'Adda; 146 km^2. Il se termine par deux branches, dites « de Côme » et « de Lecco ».

CÔME et **DAMIEN,** martyrs (à une date indéterminée). Probablement médecins en Cilicie, ils subirent d'horribles supplices. Leur culte se répandit très vite en Orient comme en Occident : leur nom passa même au canon de la messe.

Comecon, sigle de *Concil for Mutual Economic Assistance* (en russe SEV : *Soviet ekonomitcheskoï vzaimopomochtchi*). Ce Conseil d'aide économique mutuelle, créé en 1949, comprenait, à l'origine, l'U. R. S. S., la Tchécoslovaquie, la Hongrie, la Roumanie et la Pologne. La R. D. A. y fut admise en 1950, la république populaire de Mongolie en 1962 et Cuba en 1972. L'Albanie en fit partie de 1949 à 1961. La Yougoslavie participe depuis 1964 aux travaux de certaines commissions. Cet organisme s'efforce, depuis la fin des années 50, de mettre en place un système de complémentarité économique, en proposant à chaque État membre une spécialisation dans des types de production, mais il rencontre la résistance des différents nationalismes à l'influence prépondérante de l'U. R. S. S.

COMÉDIE. — Si, comme la tragédie*, elle se rattache au culte de Dionysos, la comédie n'est pas aussi nettement ni aussi tôt définie — peut-être parce qu'elle se présente moins comme une *représentation* de la vie que comme sa manifestation naturelle dans son aspect le plus spontané et le plus populaire : le concours de comédie ne date, à Athènes, que de 460 av. J.-C., soit trois quarts de siècle après l'institution du concours tragique. C'est pourtant en Attique que, après une naissance dorienne (dans le Péloponnèse, à Mégare), le genre se développe à travers trois périodes : la *comédie ancienne,* satire violente de l'actualité, illustrée par Aristophane*; la *comédie moyenne,* qui tend à supprimer l'élément lyrique, traite de sujets de mœurs ou s'inspire de la mythologie (c'est la dernière manière d'Aristophane); la *comédie nouvelle,* de l'époque hellénistique, qui crée des types — le fils de famille, l'esclave rusé, la courtisane (Ménandre).

Cet héritage constitue le fonds du théâtre comique latin (la *comoedia palliata,* jouée par des acteurs portant le vêtement grec, le *pallium*), avec Plaute et Térence. La comédie consacrée à la peinture de mœurs romaines (*comoedia togata,* jouée en toge) n'atteignit jamais le succès de la farce, l'*atellane,* supplantée à son tour, dès l'époque de Cicéron, par le *mime,* dont la faveur dura pendant l'époque impériale, qui vit l'échec de la comédie bourgeoise *(comoedia trabeata).*

La tradition des jongleurs et le goût du divertissement parodique chez les clercs s'expriment au Moyen Âge dans une grande diversité de pièces (farces, sotties, moralités), de caractère satirique et didactique, que l'humanisme de la Renaissance rejettera comme vulgaires. Au début du XVIe s., le Bibbiena donne, avec ses imitations de Plaute et de Térence, les premiers modèles de la comédie « régulière », suivis, avec plus de souplesse, par l'Arétin ou Machiavel *(la Mandragore)* et, avec plus de rigueur, par Trissino. Très vite, la comédie italienne échappe à ce classicisme, à travers Giordano Bruno *(le Chandelier)* et Ruzzante, qui compose en dialecte padouan des scènes réalistes et populaires, et trouve son style dans l'improvisation de la *commedia* dell'arte.*

C'est cette influence populaire qui prévaudra en Espagne : plus que les copies de l'antique dues à Villalobos, Timoneda ou aux Argensolas, le public soutient les farces de Castillejo, les pièces de Lope de Rueda et de Juan de la Cueva, jouées dans des cours, sans appareil scénique. La comédie espagnole expérimente tous les types d'intrigue avec Cervantès, Lope de Vega, Calderón, Moreto, Rojas, et inaugure, avec Alarcón, la « comédie de caractère », qui inspirera directement Corneille *(le Menteur).*

Combinée avec le succès inépuisable de l'ancienne farce, l'imitation du genre espagnol, dans le style fantastique et burlesque, domine la scène française aux dépens des laborieuses copies de

Comédie musicale. *Hair,* de Gérome Ragni et James Rado. Adaptation de Jacques Lanzmann, mise en scène de Bertrand Castelli. (Théâtre de la Porte-Saint-Martin, Paris, 1969.)

Bernand

pièces latines des écrivains de la Renaissance (Jodelle, Larivey), et jusqu'à Molière, qui impose la comédie de mœurs et de caractère : celle-ci va servir de modèle, même aux auteurs anglais, qui abandonnent la truculence et la bouffonnerie du théâtre élisabéthain* pour les artifices d'un Congreve. Intrigue et peinture sociale se combinent chez Regnard, Lesage, Dancourt et Marivaux, ou alternent chez Beaumarchais *(le Barbier de Séville, le Mariage de Figaro).* Mais « larmoyante » avec Nivelle de La Chaussée, « sérieuse » avec Diderot et Sedaine, sentimentale et romanesque avec Lessing, la comédie s'enracine de plus en plus dans l'actualité : c'est dire qu'elle se fond dans le drame* romantique ou se fige dans les conventions du théâtre du Boulevard*, avant de prendre les formes inquiétantes d'un théâtre de l'illusion et de l'hallucination (Pirandello) ou du dérisoire et de l'absurde* (Beckett, Ionesco).

Comédie-Française, société des Comédiens-Français (on disait autrefois *les Français,* par opposition aux *Italiens*) et, par extension, du Théâtre-Français, géré par cette société. En 1680, Louis XIV ordonna la fusion de la troupe de Molière avec les acteurs du Marais et de l'Hôtel de Bourgogne*, pour former une troupe unique face aux Comédiens-Italiens. La Comédie-Française a survécu jusqu'à nos jours sans autre interruption que celle de 1792 à 1804. De nombreux décrets, dont le plus célèbre est celui que signa Napoléon Ier à Moscou (15 oct. 1812), ont précisé les rapports entre la société et l'État, qui la subventionne. Établie d'abord rue Mazarine, dans la salle du théâtre Guénégaud, puis rue des Fossés-Saint-Germain (1687-1770), aux Tuileries (1771-1782), à l'Odéon* (1782-1792), la Comédie-Française s'installa en 1804 dans le local qu'elle occupe encore au Palais-Royal.

Comédie humaine *(la),* titre général sous lequel H. de Balzac a réuni ses romans à partir de l'édition de 1842.

Comédie-Italienne, nom sous lequel on désigne les diverses troupes venues d'Italie en France du XVIe au XVIIe s. À l'occasion du grand développement de la *commedia* dell'arte* en Italie dans la seconde moitié du XVIe s., de nombreuses troupes de comédiens franchirent les Alpes, appelées par les Valois, par Marie de Médicis et, plus tard, par Mazarin. Malgré l'hostilité des acteurs de l'Hôtel de Bourgogne*, le public parisien applaudit les *comici confidenti* (« confiants » dans l'indulgence du public), *comici gelosi* (« jaloux » de plaire) ou *comici fideli* (« fidèles »). La seconde moitié du XVIIe s. fut la grande époque, à Paris, des Comédiens-Italiens avec « Arlequin » (Biancolelli), « Pulcinella » (Argieri) et le décorateur Giacomo Torelli. Expulsés de France en 1697 pour une pièce qui attaquait Mme de Maintenon, les Comédiens-Italiens revinrent en 1716 et jouèrent bientôt presque exclusivement en français : Lesage et Marivaux leur confièrent de nombreuses pièces. En 1762, la Comédie-Italienne fusionna avec l'Opéra*-Comique, né de la Foire*.

COMÉDIE MUSICALE. — Sur les écrans, la comédie musicale devient un genre privilégié dès l'apparition du cinéma sonore (*le Chanteur de jazz,* d'Alan Crosland, 1927). Pendant une quinzaine

d'années, la mode est aux opérettes filmées (aux États-Unis, Ernst Lubitsch rend célèbre le couple Jeanette MacDonald-Maurice Chevalier; en Allemagne, Lilian Harvey s'impose aux côtés d'Henri Garat ou de Willy Fritsch), aux somptueuses revues de music-hall (dont les ballets de goût baroque sont souvent réglés par le chorégraphe Busby Bekerley), aux films de danse (où triomphent Fred Astaire et Ginger Rogers).

De 1943 à 1956, la comédie musicale vit son âge d'or grâce à des réalisateurs comme Stanley Donen et Vincente Minnelli et grâce à des acteurs et danseurs comme Gene Kelly et Judy Garland. À partir de 1956, la comédie musicale tente de survivre en adaptant certains succès de Broadway (*West Side Story,* de Robert Wise, 1961; *My Fair Lady,* de George Cukor, 1964; *Funny Girl,* de William Wyler, 1968), mais, en essayant de retrouver à tout prix le sens du spectaculaire, elle a indubitablement perdu une part de son charme et de sa spontanéité.

COMÉDIEN. — La fonction de comédien, d'acteur déborde largement celle du théâtre. Réinterprétant la tradition des origines religieuses du théâtre, où l'acteur est un célébrant et un initié, les anthropologues et les sociologues modernes tentent de délimiter la frontière entre les rôles que la division du travail et les structures sociales imposent dans la vie quotidienne et ceux qui trouvent leur forme dans un espace et une société imaginaires et transitoires : le théâtre. Il semble que cette limite passe, dans les sociétés primitives, par la fête, moment particulier où la communauté se donne, à travers les évolutions symboliques de danseurs masqués, le spectacle de ses propres structures mythiques. Cette mise à distance des puissances divines et naturelles s'accompagne de la concentration passagère de leur pouvoir sur quelques individus, à la fois privilégiés et maudits (tabous), qui les représentent. C'est là l'origine profonde de la mise à l'écart, au ban de la société, du comédien. On a voulu y voir aussi la raison de l'exclusion de la femme d'une fonction sociale et sacrée (bien que le culte de Dionysos, présent aux sources de tout théâtre organisé, du moins dans la culture occidentale, ait fait une large place aux bacchantes).

Il est d'ailleurs nécessaire de distinguer les types de société et de civilisation dans lesquels s'inscrit le comédien. Quels sont les rapports entre l'artiste qui joue Sophocle dans l'Athènes du Ve s., Frédérick Lemaître dans le mélodrame romantique ou l'acteur du nō japonais? Il semble que l'acteur se soit fixé, techniquement et socialement, en Europe comme en Orient, avec l'apparition de la *ville,* puis du *texte* dramatique : de résonateur errant d'une réalité collective dont il agrémente localement et spontanément le canevas rituel, le comédien devient l'interprète soumis d'une vision particulière du monde incarnée dans un texte écrit. À cette nuance près que la constitution de troupes régulières d'acteurs précède la création dramatique : Comédiens-Italiens ou troupe du Marais composent un espace collectif où viendra se tisser le texte littéraire. C'est (non pas paradoxalement comme on le dit, mais logiquement dans une société régie par les valeurs bourgeoises) la Révolution qui brisera cette existence collective : libéré de la protection et du contrôle du prince, l'acteur ne dépend plus que du public. Il doit donc doublement réussir, techniquement et commercialement. D'où la nécessité de se composer un personnage, de jouer son rôle dans la vie comme sur la scène : le comédien retrouve le mythe, l'acteur reprend le contact avec la société, non pour mettre au jour les relations humaines et sociales diffuses, mais pour imposer, à travers l'image de la « vedette », du « monstre sacré », son propre modèle. Le comédien n'établit plus un pont, il creuse l'écart entre les infinies possibilités de son univers imaginaire et l'existence rétrécie des spectateurs : l'identification passagère avec le héros costumé est alors l'expression la plus forte de l'aliénation.

On comprend donc l'importance de la réflexion sur l'art du comédien, de Diderot *(Paradoxe* sur le comédien)* à Brecht* *(Écrits sur le théâtre).* Le comédien montre-t-il ou démontre-t-il? S'efforce-t-il de comprendre de l'intérieur, d'éprouver les passions qu'il représente, ou doit-il maintenir une constante « indifférence », une distance ? Doit-il jouer le « sous-texte », comme le voulaient Stanislavski* et, après lui, l'Actor's* Studio de Strasberg, ou se soumettre à la royauté transparente de « sire le mot »?

Il semble que les plus récentes expériences (happening*, action du Living* Theatre, théâtre-laboratoire de Grotowski*) fassent de nouveau du comédien, et, selon un vœu d'Artaud *(le Théâtre* et son double),* le catalyseur d'une nouvelle communauté dramatique anonyme qui, au-delà des mots, s'exprime dans un « théâtre physique ».

Comédies et proverbes, titre général sous lequel sont réunies les pièces d'Alfred de Musset. Les principales : *les Caprices de Marianne, Fantasio, On ne badine pas avec l'amour, Lorenzaccio,* ont été publiées dans *Un spectacle dans un fauteuil,* puis dans *la Revue des Deux Mondes* de 1832 à 1851.

COMÉDON. — Le comédon s'observe essentiellement au cours de l'acné juvénile. Il est formé de débris cellulaires et de sébum amassés dans un follicule pileux. Son expression doit se faire aseptiquement.

COMENIUS (Jan Amos Komenský, en lat.), humaniste tchèque (près d'Uherský Brod, Moravie, 1592 - Amsterdam 1670). Défenseur de la Réforme, il fut aussi un rénovateur de la pédagogie, notamment dans l'apprentissage des langues (*Grande Didactique,* 1657).

COMÈTE. — Les comètes ont de tout temps surpris les hommes par leur apparition souvent inattendue et parfois spectaculaire. Ce

La comète Morehouse (1908 III).

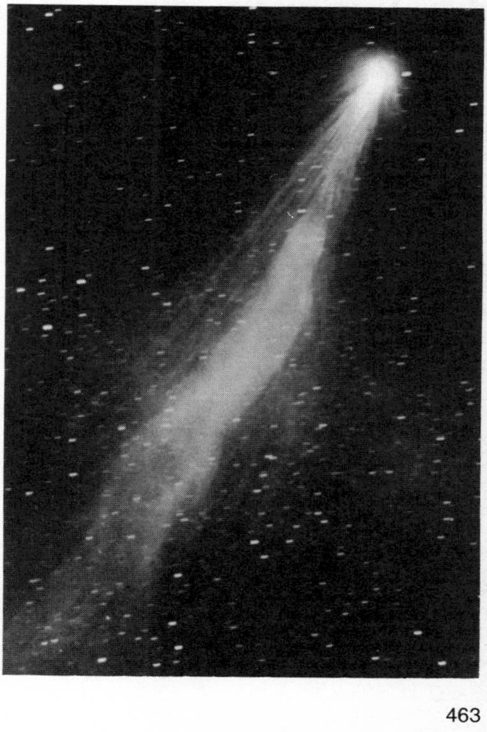

sont de petits corps célestes de quelques kilomètres de dimension, appartenant au système solaire et y décrivant des orbites généralement très allongées, qui les amènent tantôt près du Soleil* et de la Terre*, tantôt aux confins du système solaire. Elles sont probablement constituées d'un noyau solide formé de glaces et de poussières. Loin du Soleil, elles sont invisibles, mais lorsqu'elles s'en approchent, le Soleil chauffe et évapore la glace, libère et souffle la poussière, qui se développe alors pour former la queue caractéristique des comètes. L'étude du spectre* de la lumière* des comètes a pu mettre en évidence de nombreuses molécules* simples et des radicaux* chimiques, provenant de molécules plus complexes emprisonnées dans la glace du noyau, libérées par la chaleur du Soleil et cassées par ses rayons ultraviolets*. Une douzaine de comètes sont observées en moyenne chaque année, mais rares sont celles qui sont assez lumineuses pour être visibles à l'œil nu. Certaines comètes décrivent des orbites à courte période et sont observées périodiquement, comme la comète de Halley*, tous les 76 ans, ou la comète d'Encke, tous les 3 ans. D'autres ont des périodes si longues qu'elles ne seront probablement jamais réobservées, comme la comète de Kohoutek, apparue en 1973-74. L'orbite d'une comète n'est pas immuable. Si elle vient à passer près d'une grosse planète* comme Jupiter*, la perturbation créée par le champ de gravitation* de la planète modifie l'orbite de la comète. Dans certains cas, l'orbite peut même devenir hyperbolique, et la comète quitte alors définitivement le système solaire. Phénomènes imprévisibles, les comètes ont autrefois été interprétées par les hommes comme des signes divins annonciateurs de catastrophes.

COMICES. — Les comices sont, à Rome, l'organe de la souveraineté populaire. Sous la République, ces assemblées du peuple sont l'un des trois organes de l'État romain avec les magistrats* et le sénat*. Au cours des premiers siècles de l'histoire de Rome, plusieurs types de comices sont apparus. Les plus anciens, les *comices curiates,* remontent à l'époque royale : ils comprennent les patriciens, groupés selon la naissance en trente curies. Cette assemblée confère l'*imperium* au roi, détient le pouvoir législatif et décide de la guerre ou de la paix. Sous la République, les comices curiates conservent le monopole de la collation de l'*imperium* aux magistrats, mais ils perdent rapidement leur pouvoir. Après 509, sont apparus les *comices centuriates :* ils reposent sur l'organisation militaire et fiscale en classes censitaires et en centuries, attribuée par la tradition à Servius Tullius. Le corps social était divisé selon la richesse foncière en cinq classes subdivisées en cent quatre-vingt-treize centuries. Les comices centuriates élisent les magistrats *cum imperio,* votent des lois proposées par les consuls et jugent, en dernier ressort, les condamnés à mort qui leur font appel par la *provocatio.* Mais une grande part de leur pouvoir législatif passe aux *comices tributes :* ces derniers sont issus des *concilia plebis,* assemblées de la plèbe groupée dans les cadres locaux que constituent les tribus serviennes (quatre tribus urbaines et dix-sept tribus rustiques). À partir du IIIe s. av. J.-C., les comices tributes représentent le véritable organe de la souveraineté populaire : ils élisent les tribuns de la plèbe, les questeurs, les édiles curules, les tribuns militaires et, à partir de 287, votent les lois.

Dès la fin de la République, la compétence judiciaire des comices fut réduite par la création de jury permanent. Auguste leur enleva leurs capacités judiciaires et la puissance législative fut transférée du peuple au sénat. Les comices ont voté leur dernière loi sous Nerva, mais l'institution était déjà morte.

COMINES (59560), comm. du Nord, sur la rive droite de la Lys, à la frontière belge; 10 485 hab. Centrale thermique.

COMINES, en néerl. **Komen,** comm. de Belgique (Hainaut), sur la Lys, qui la sépare de la comm. française; 8 192 hab. (en 1970).

COMITÉ D'ENTREPRISE. — Institué par l'ordonnance du 22 février 1945 — modifiée par des lois ultérieures —, le comité d'entreprise (C. E.), présidé par le chef d'entreprise ou son représentant, comprend une délégation du personnel, un représentant de chaque syndicat dans l'entreprise pouvant y figurer, en plus, avec une voix consultative.

Le comité d'entreprise, dont les attributions sont essentiellement consultatives et d'ordre social, s'occupe de la contribution de la firme à l'effort de construction, de la formation professionnelle, de la gestion des œuvres sociales de l'entreprise; il est consulté et informé sur les questions concernant l'organisation, la gestion et la marche générale de l'entreprise. Une fois par an au moins, le chef d'entreprise lui soumet un rapport d'ensemble sur l'activité de celle-ci.

Le comité d'entreprise prend part aux séances du conseil d'administration (ou de surveillance) en y déléguant (avec voix consultative) de deux à quatre membres. À l'instar des délégués* du personnel, les membres du comité d'entreprise bénéficient de règles de protection particulières en matière de licenciement.

Comité de salut public, organisme institué par la Convention* le 6 avril 1793 et doté de pouvoirs sans cesse accrus. Le Comité de salut public avait comme mission de surveiller et d'accélérer l'action des ministres et de prendre dans les circonstances urgentes des mesures de défense générale intérieure et extérieure. Le « Grand Comité de salut public », de septembre 1793 à juillet 1794, fut dominé par le triumvirat Robespierre, Couthon et Saint-Just, avec Carnot à la Guerre et Jean Bon Saint-André à la Marine. Le Comité disparut avec la Convention en octobre 1795.

Comité de sûreté générale, organisme, institué par la Convention* le 2 octobre 1792, et qui avait dans ses attributions tout ce qui est relatif aux personnes et à la police générale. Il dirigeait en fait la justice révolutionnaire, au point de devenir une sorte de « ministère de la Terreur ». Il disparut avec la Convention (1795).

COMMA → TEMPÉRAMENT.

COMMAGÈNE, province du royaume séleucide* de Syrie; capit. *Samosate**. Elle fut érigée en royaume indépendant par son gouverneur Ptolémée (162 av. J.-C.); son importance militaire amena Rome à imposer son protectorat (64 av. J.-C.). Annexée en 17, sous Tibère*, la Commagène retrouva en 38 une indépendance passagère, qu'elle perdit définitivement en 72.

COMMANCHES → INDIENS.

COMMANDEMENT → CHEF.

COMMANDEMENTS → DÉCALOGUE.

COMMANDEUR *(îles du),* archipel soviétique, à l'E. du Kamtchatka.

COMMANDITE → SOCIÉTÉ.

COMMEDIA DELL'ARTE. — Née en Italie, la *comédie de l'art,* c'est-à-dire de « métier scénique », de technique d'acteurs et de jeu, s'opposait primitivement à la « comédie soutenue » *(commedia sostenuta),* qui était écrite, apprise et récitée, et qui représentait un art « littéraire » du théâtre. La *commedia dell'arte* comportait, surtout en ses premières époques, de longues parties improvisées par les comédiens sur des canevas fixés à l'avance. Elle exigeait de l'acteur un jeu plastique très souple et expressif, presque dansant et souvent acrobatique. Elle comportait des personnages conventionnels, des types humains dont le caractère et le costume étaient fixés de manière permanente, et dont chacun restait la spécialité d'un comédien. Les principaux de ces personnages types étaient Arlequin, Pedrolino (qui devint le Pierrot français), Scaramouche,

Scène de la commedia dell'arte. Peinture de l'école de Fontainebleau, XVIe s.

Lauros - Giraudon

le vieux Pantalone, le fanfaron Capitan, Pulcinella, le polichinelle napolitain, Colombine. Des « comédiens de l'art » vinrent à plusieurs reprises à Paris et y travaillèrent longtemps (v. COMÉDIE-ITALIENNE). Ils eurent une grande influence sur les farceurs français du Pont-Neuf et de l'Hôtel de Bourgogne*, sur Molière acteur et auteur, et sur Marivaux, qui écrivit pour eux une partie de son œuvre.

Comme il vous plaira, comédie en cinq actes, de Shakespeare (1599).

COMMENDE. — À l'origine (VIe s.), cette pratique, qui consistait, dans l'Église, à confier provisoirement *(in commendam)* un évêché ou une abbaye, avait pour seuls bénéficiaires des prélats. Mais, rapidement, la royauté se mit à distribuer, à titre viager, les abbayes dont elle avait le patronage, les bénéficiaires en étant des clercs ou des laïques, qui se contentaient de toucher les revenus du monastère sans être astreints à y résider (XIIIe-XVIIIe s.).

COMMENSALISME. — Lorsqu'un petit animal dévore les restes des repas d'un animal plus grand d'une autre espèce, le petit est qualifié de « commensal » du grand. Il peut se borner à rôder autour de la bouche de son hôte (poissons-pilotes autour du requin), y pénétrer (oiseau pluvian dans la bouche du crocodile), ou s'installer sur l'hôte et se faire non seulement nourrir mais transporter (tels les nombreux commensaux des pagures, éponges, vers et anémones de mer, fixés sur la coquille que ces crustacés traînent derrière eux). Le commensal est toléré, qu'il rende ou non de menus services à son hôte, auquel il n'est jamais nuisible, car, contrairement au parasite, il ne s'attaque pas à ses tissus.

COMMENSURABLES (grandeurs). — Deux grandeurs sont commensurables si on peut les mesurer avec la même unité. Ainsi on dit qu'une longueur AB mesure 3 m et qu'une longueur CD en mesure 4 : AB et CD sont commensurables. De façon générale, deux grandeurs dont le rapport est rationnel sont commensurables. Dans l'exemple ci-dessus, $AB = \frac{3}{4} CD$: il suffit donc de prendre pour unité le quart de CD pour que AB soit mesuré par le nombre 3. Il existe des grandeurs de même nature qui ne sont pas susceptibles d'être mesurées avec la même unité. Il en est ainsi du côté d'un carré et de sa diagonale : si le côté a pour mesure 1, la diagonale est mesurée par $\sqrt{2}$, nombre dont le carré vaut 2, qui est irrationnel et dont on ne peut connaître que des valeurs approchées. Il en est ainsi du rayon d'un cercle et de la longueur de sa circonférence : si l'un vaut R, l'autre vaut $2\pi R$, π étant irrationnel.

Commentaires, mémoires historiques de César sur la guerre des Gaules et sur la guerre civile (Ier s. av. J.-C.).

COMMENTRY (03600), ch.-l. de cant. de l'Allier, à 14 km au S.-E. de Montluçon; 10 203 hab. *(Commentryens).* Industrie chimique. Aliments du bétail.

COMMERCE → ÉCHANGES INTERNATIONAUX.

COMMERCE MARITIME. — Son volume annuel mondial oscille entre 2 500 et 3 000 Mt, constitué pour plus de moitié par le pétrole (essentiellement du brut). Loin derrière viennent encore des produits primaires, minerais (fer, en tête) et des denrées alimentaires (blé, articles tropicaux). La géographie des échanges traduit la structure de ce commerce et son orientation spatiale.

COMMERCY (55200), ch.-l. d'arr. de la Meuse, sur la Meuse; 8 180 hab. *(Commerciens).* Important château du XVIIIe s.

COMMINGES, petite région des Pyrénées. Sa capitale, Saint-Bertrand-de-Comminges, fut, du VIe s. à la Révolution, siège d'un évêché. Apparu au Xe s., le comté de Comminges fut rattaché au domaine de la Couronne en 1454. Il est actuellement dispersé entre les départements de l'Ariège, de la Haute-Garonne, du Gers et des Hautes-Pyrénées.

COMMISSAIRE DE POLICE → POLICE.

COMMISSAIRE-PRISEUR. — Le commissaire-priseur est l'officier ministériel chargé de l'estimation et de la vente aux enchères publiques de meubles et d'effets mobiliers corporels; il exerce, par ailleurs, la mission d'*expert* en matière d'estimations mobilières. Des textes de 1945 et le décret du 21 novembre 1956 réglementent la profession. À Paris, où les commissaires-priseurs ont un privilège exclusif pour la vente des meubles corporels, les ventes publiques de meubles doivent être effectuées impérativement par eux; dans les départements, ils ont ce privilège au chef-lieu de leur résidence; ailleurs, ils sont en concours avec les notaires, les greffiers d'instance et les huissiers de justice.

commissaires du peuple *(Conseil des)* → SOVNARKOM.

Commissariat à l'énergie atomique (C. E. A.), organisme public créé par l'ordonnance du 18 octobre 1945. Placé sous l'autorité du ministère de l'Industrie et de la Recherche, il est dirigé par un administrateur général délégué, assisté d'un haut-commissaire conseiller scientifique et technique. Le décret du 29 septembre 1970 a précisé son orientation nouvelle pour tenir compte des développements du secteur nucléaire : outre les missions traditionnelles qui lui avaient été initialement confiées, le Commissariat peut prolonger certaines de ses activités de recherche et de développement dans des domaines non nucléaires, soit à des fins économiques, soit pour participer à des programmes d'intérêt général. Son budget est alimenté par des subventions provenant du budget de l'État, par ses ressources propres (ventes de produits, prestations de service, etc.), éventuellement par des emprunts.

Commission des opérations de Bourse (C. O. B.), organisme créé par une ordonnance du 28 septembre 1967 et chargé de surveiller les opérations du marché financier. Il remplace le comité des Bourses de valeurs et doit très particulièrement contrôler l'information donnée aux porteurs de valeurs mobilières.

COMMISSIONNAIRE. — Le commissionnaire est un courtier* qui s'engage en son propre nom ou au nom de son commettant. Il intervient personnellement au contrat en qualité de mandataire, responsable de l'exécution du contrat pour lequel il s'est porté ducroire. Il en est ainsi à la Bourse* de commerce de Paris pour les *commissionnaires agréés,* lesquels ont le monopole des négociations sur les marchés réglementés à terme.

COMMISSUROTOMIE → CŒUR.

COMMODE, en lat. **Marcus Aurelius Commodus.** (Lanuvium 161-Rome 192), empereur romain (180-192), fils de Marc* Aurèle, qui l'associa dès l'âge de quinze ans à son pouvoir. Son incapacité militaire, le manque de moyens financiers autant que la hâte de jouir du pouvoir à Rome l'amènent à abandonner la grande politique de Marc Aurèle sur le Danube et à conclure la paix avec les Germains. Avide de régner avec une puissance absolue, il renforce son pouvoir en s'opposant au sénat : il s'appuie d'abord sur les chevaliers, que le préfet du prétoire, Perennis, nomme aux postes importants; en 185, il confie le pouvoir à un affranchi, M. Aurelius Cleander, avec qui triomphe la domesticité impériale. Rome vécut une période de terreur sous son règne, dont les dernières années furent marquées par les extravagances et les excès de sa propre divinisation : sectateur des dieux traditionnels, il s'identifie à Hercule; mais il est aussi le premier empereur qui fut initié au culte de Mithra. Il favorise les cultes orientaux et annonce ainsi l'époque des Sévères. Ses excès provoquèrent des complots; le dernier réussit : il fut assassiné en 192.

Commonwealth of nations, groupement politique fondé en 1931 par le statut de Westminster. Le Commonwealth est une société internationale rassemblant, en 1976, trente-six États ou dominions, issus de l'Empire britannique, et le Royaume-Uni, dont la souveraineté s'exerce encore sur quelque soixante-dix territoires ayant conservé le statut de colonies, de territoires sous tutelle ou de protectorats. Dès la fin du XIXe s., plusieurs colonies de fort peuplement britannique (Canada, Australie, Nouvelle-Zélande, Terre-Neuve) s'étaient vu reconnaître le statut de dominion, qui leur donnait un gouvernement propre, encore que soumis à la tutelle de la métropole dans les domaines interne et international. Mais entre les deux guerres, ce statut évolua : le dominion acquit une totale liberté au plan interne et s'émancipa au plan international. Seule demeurait l'allégeance symbolique envers la Couronne : le roi d'Angleterre était le chef d'État de tous les dominions. En 1947, l'indépendance de l'empire des Indes a marqué le début de l'émancipation des principales colonies britanniques. Les nouveaux États sont, pour la plupart, devenus des dominions, membres du Commonwealth. Mais, ayant adopté le système républicain, ils ont refusé, en général, l'allégeance envers la Couronne. Désormais, le Commonwealth, qui traduit davantage une communauté d'intérêts qu'une véritable association, se caractérise par une coopération très souple dans le respect de la libre détermination de chaque État membre.

Quatre pays du Commonwealth reconnaissent la reine d'Angleterre comme chef de l'État : la Grande-Bretagne, le Canada, l'Australie, la Nouvelle-Zélande. Ont accédé à l'indépendance, après la Seconde Guerre mondiale, dans le cadre du Commonwealth : Inde et Pākistān (1947); Ceylan (1948); Ghāna, Malaisie (1957); Nigeria, Chypre (1960); Sierra Leone, Tanganyika (1961); Samoa occidentale, Jamaïque, Trinité et Tobago, Ouganda (1962); Kenya, Zanzibar (1963); Malawi, Zambie, Malte (1964); Gambie, Singapour (1965); Barbade, Botswana, Guyane, Lesotho (1966); île Maurice, Swaziland, Nauru (1968); Tonga, îles Fidji (1970); Bangladesh (1972); Bahamas (1973); Grenade (1974), Papouasie-Nouvelle-Guinée (1975), Seychelles (1976).

L'Afrique du Sud (1961) et le Pākistān (1972) ont quitté le Commonwealth. Zanzibar et le Tanganyika ont fusionné en 1964 pour former la Tanzanie, pays membre du Commonwealth.

COMMUNAUTÉ. — Opposant la société, machine constituée d'une juxtaposition d'individus différents, à la communauté, organisme vivant formant un tout homogène et harmonieux, l'analyse de Ferdinand Tönnies* a profondément marqué la philosophie sociale allemande et bon nombre de sociologues anglo-saxons. Ces derniers, tel Robert Morrison MacIver, appellent « communauté » tantôt des groupements de localité, tantôt certains groupements à dominante affective et de dimension réduite (famille, classe d'école). L'analyse des auteurs français, tel F. Perroux, fait prévaloir le groupement réel (nation, famille, métier).

Ces analyses, qui mettent en jeu les relations de la communauté avec les éléments de nature, d'intégration* et d'adhésion, restreignent le champ de la communauté aux seuls types de groupement dont tout homme fait nécessairement partie. Or, la communauté, telle que l'envisage d'ailleurs G. Gurvitch*, est une forme de sociabilité, une manière d'être dans les groupes sociaux, une unité au sein de laquelle les forces de cohésion l'emportent sur les forces de dissolution.

Communauté. — Association d'États créée en 1958 pour remplacer l'Union* française et qui regroupait, à côté de la République française, douze anciennes colonies membres de l'Union et jouissant de l'autonomie interne : la République malgache et onze républiques africaines (République centrafricaine, Congo, Côte-d'Ivoire, Dahomey, Gabon, Mauritanie, Niger, Sénégal, Soudan, Tchad, Haute-Volta).

COMMUNAUTÉ → MARIAGE.

Communauté économique européenne (C. E. E.), l'une des principales institutions européennes. Robert Schuman propose, en 1950, de placer l'ensemble de la production de charbon et d'acier de France et d'Allemagne sous une haute autorité commune : en 1951 naît la Communauté européenne du charbon et de l'acier (C. E. C. A.), forme initiale de la future C. E. E. Le 25 mars 1957, le traité de Rome crée la Communauté économique européenne et l'Euratom, groupant six pays (Allemagne fédérale, Belgique, France, Italie, Luxembourg, Pays-Bas), auxquels se joignent trois autres en 1973, l'Angleterre, l'Irlande et le Danemark. En juillet 1967, la C. E. E. se dote d'un *Conseil des ministres* (1 ministre par État adhérent), où les décisions sont prises à la majorité pondérée, d'une *Commission exécutive* (9 membres, indépendants des États), où les décisions sont prises à la majorité simple et qui suscite et amorce l'action de la Communauté, d'un *Parlement européen* (142 membres élus au sein des parlements nationaux, la Commission exécutive étant responsable devant lui), d'une *Cour de justice* (7 juges, 2 avocats généraux) et de divers organes législatifs.

Depuis le 1er juillet 1968, les droits de douane intérieurs au Marché commun ont été supprimés, et les capitaux et travailleurs circulent (en principe) librement d'un pays à un autre.

COMMUNAUTÉ THÉRAPEUTIQUE. — Surtout représentée dans les pays anglo-saxons, cette tendance de la psychiatrie contemporaine considère le collectif formé par les soignants et les soignés d'un hôpital psychiatrique comme l'agent thérapeutique principal, à condition que les rapports sociaux traditionnels entre les uns et les autres soient modifiés, et qu'en particulier les rapports hiérarchiques soient abolis. Cette modification repose sur une analyse constante, à l'aide de réunions, des relations entre les personnes et des activités, ce qui permet leur utilisation à des fins thérapeutiques.

COMMUNE → COLLECTIVITÉS TERRITORIALES.

COMMUNE MÉDIÉVALE. — Au Moyen Âge, on donne le nom de « communes » à certaines villes du nord de la France (au sud : « villes franches », « villes de consulat ») ayant réussi à acquérir une certaine autonomie et une personnalité juridique vis-à-vis de leurs seigneurs. Les principales causes du mouvement communal résident dans le développement du commerce (début du XIIe s.) et dans la formation, au sein des villes, d'une classe de marchands pour qui la soumission à un seigneur et les multiples redevances qu'ils lui doivent apparaissent vite comme une entrave à l'essor de leurs affaires. Ces marchands cherchent donc à limiter leurs obligations et, afin de faire valoir leurs revendications avec plus de force, ils s'unissent en une *communio* par un serment d'entraide et de défense. Puis ils font pression sur leur seigneur et en obtiennent parfois une charte définissant leur statut ainsi que les prérogatives de leur commune. Ces prérogatives varient d'une commune à l'autre. Dans le meilleur cas, elles font de la commune une entité autonome : présidée par un maire, administrée par des échevins, celle-ci est titulaire de seigneurie avec des pouvoirs d'ordre judiciaire, administratif, fiscal, militaire, qu'elle exerce sur ses membres (bourgeois), sur les manants (résidants non assermentés) et sur les forains (étrangers de passage). Enfin elle s'intègre dans la hiérarchie féodale et devient vassale du seigneur concédant. Commencé sous Louis VI, le mouvement d'émancipation se développe, non sans heurts (Laon, Vézelay), durant tout le Moyen Âge. Il a été favorisé par certains rois (Philippe Auguste, Louis VIII), qui y ont vu le moyen d'affaiblir les grands féodaux.

Commune *(la)*, tentative révolutionnaire, faite par les milieux ouvriers, à Paris principalement, pour assurer, dans un cadre municipal, et sans recours à l'État, la gestion des affaires publiques. Éphémère (18 mars-28 mai 1871), cette tentative reste cependant un chapitre capital de l'histoire de la révolution prolétarienne.

Les origines de la Commune plongent dans le second Empire — période de prospérité mais aussi de misère et d'oppression — et dans la guerre franco-allemande de 1870-71, plus particulièrement dans le dur siège de Paris dont les souffrances ont touché surtout les petites gens. Le gouvernement de la Défense nationale, en décidant de capituler, mécontente les 384 000 hommes (254 bataillons) qui constituent la garde nationale parisienne; en prenant, aussitôt après le siège, des mesures impopulaires (suspension des moratoires, suppression aux gardes nationaux non indigents de la solde...), il exaspère l'ensemble de la population ouvrière; cependant que Paris se sent humilié par l'entrée des Allemands et par l'installation à Versailles d'une Assemblée* nationale formée d'une majorité d'aristocrates et de ruraux très hostiles à la « ville rouge ».

Lauros-Giraudon

Commune de Paris. *Combats devant la tour Saint-Jacques.* Tableau signé Boulanger. 1871. (Musée Carnavalet, Paris.)

Quand Thiers*, le matin du 18 mars 1871, veut faire enlever les canons achetés par souscription par les Parisiens, ceux-ci s'insurgent, et le Comité central de la garde nationale devient le maître de Paris, tandis que le gouvernement se replie à Versailles. Des élections municipales libres amènent à l'Hôtel de Ville un conseil communal (la Commune) dont les 90 membres appartiennent à des familles d'esprit diverses : blanquistes, jacobins, marxistes, indépendants. Cette diversité des opinions, le flou des options et l'autorité parallèle du Comité central de la garde nationale expliquent la faiblesse de la Commune, qui ne peut réaliser que des réformes sociales partielles et qui est rapidement affrontée à l'hostilité sans compromis des versaillais. En province — Lyon, Saint-Étienne, Le Creusot, Toulouse, Marseille —, des mouvements communalistes se créent parallèlement, mais ne peuvent se développer.

Dès la fin d'avril 1871, Paris est entouré de baïonnettes : versaillais, prêts à l'assaut, ou Allemands, neutres officiellement, mais en fait hostiles aux « communards ». Devant cette menace, la Commune se divise, et la majorité jacobine impose la formation d'un Comité de salut public qui manque d'autorité et de moyens. Entre le moment où les versaillais entrent dans Paris (21 mai) et la reddition des derniers fédérés (28 mai), il s'écoule une semaine — la semaine sanglante —, marquée par toutes sortes d'excès. La répression de Thiers sera tellement impitoyable que le mouvement ouvrier français sera privé de chefs jusqu'à l'amnistie de 1880.

Commune de Paris, nom porté par le gouvernement municipal de Paris de 1789 à 1794. Créée le 16 juillet 1789, avec Bailly* comme maire, la Commune parisienne légale fut remplacée, le 10 août 1792, par une Commune insurrectionnelle, qui participa à la chute de la royauté. Devenue jacobine dans sa presque totalité, elle fut l'organe essentiel du gouvernement, instaurant une véritable dictature à Paris et en province. Robespierriste sous la législative, hébertiste sous la Convention, la Commune joua un rôle moteur dans l'orientation de la Révolution. Décimée après la chute de Robespierre (juill. 1794), qu'elle avait vainement essayé de sauver, la Commune disparut peu après.

communes *(Chambre des)*, chambre législative formée des représentants élus du peuple en Grande-Bretagne. Née au XIVe s., la Chambre des communes, noyautée par les Tudors*, retrouve son agressivité face aux Stuarts*. La succession hanovrienne, au début du XVIIIe s., renforce ses positions, Walpole* reconnaissant en elle le partenaire principal du gouvernement. L'élargissement du corps électoral au XIXe s., puis l'instauration du suffrage universel (1918) confirment la primauté de la Chambre des communes, pratiquement unique détentrice de l'autorité souveraine depuis l'effacement de la Chambre des lords en 1911.

COMMUNICATION *(Ling.)*. — Le langage est un cas particulier (mais fort élaboré) d'un processus beaucoup plus général, celui de la communication, dont l'étude fait l'objet de la cybernétique et de la théorie de l'information élaborée vers 1940 par des ingénieurs des télécommunications.

La communication est le fait qu'une information (ou message) est transmise, par l'intermédiaire d'un canal, entre un émetteur (ou source) qui procède à l'opération d'encodage et un récepteur (ou destinataire) qui décode le message. Une langue est une variété de code, c'est-à-dire à la fois un répertoire de signaux spécifiques (les phonèmes et les morphèmes) et un ensemble de règles de combinaison de ces signaux (la grammaire). Les trois phases essentielles du processus (émission, transmission, réception) sont affectées par des perturbations diverses appelées « bruits »; et la langue, comme tout système de communication, dispose d'un certain degré de « redondance » (écart entre la capacité théorique du code et la quantité d'information transmise) qui lui permet de fonctionner.

COMMUNICATION *(Psychol.)* → GROUPE.

COMMUNICATION DE MASSE. — Dans la pratique, on range parmi les moyens de communication de masse, ou mass media, ceux qui ont pour support technique la radio, la télévision, la grande presse, les divers moyens publicitaires à grande diffusion, les disques à fort tirage, les bandes dessinées et même, parfois, les livres de poche. La communication de masse est caractérisée par la diffusion de messages divers à un public vaste et sans grande cohésion, au moyen de techniques de type industriel. D'après la célèbre formule de H. D. Lasswell* « Qui dit quoi, à qui, par quels moyens et avec quels effets? », il faut analyser l'émetteur, le message, le récepteur, le canal et la modification produite par l'ensemble du processus.

Dans certaines sociétés, l'État exerce à la fois un monopole et un contrôle sur les services de diffusion; ailleurs, c'est la publicité qui sert de support aux moyens de diffusion; un troisième système consiste à combiner le principe de la communication de masse conçue comme un service public avec celui d'une indépendance relative des producteurs. Dans tous les cas, il est difficile de maintenir à la fois l'objectivité de l'information et les exigences de l'intérêt public.

Si les analyses de contenu* des messages diffusés ont une faible portée, l'étude des récepteurs (le public) au moyen des panels* ou des enquêtes* par sondages est plus avancée.

À la suite des travaux de P. F. Lazarsfeld*, on a pu établir que la communication interindividuelle vient relayer la communication de masse et a une influence plus décisive grâce aux *leaders d'opinion* (v. CHEF), qui répandent autour d'eux les messages de mass media et déterminent ainsi les courants d'opinion.

Quant à McLuhan*, il s'est efforcé de montrer que les effets de la communication dépendent principalement des procédés naturels ou techniques utilisés pour la transmission. Il semble aujourd'hui que l'ensemble des moyens de diffusion ne vont plus dans le sens d'une information du public, mais, par le foisonnement des émetteurs et par leur concurrence dans une situation de saturation, tendent plutôt à faire prévaloir les appels aux particularités individuelles.

COMMUNISME. — L'idée d'une organisation économique et sociale reposant sur la propriété collective des biens et des moyens de production, sans discrimination de classe, apparaît au XVe s. avec le mouvement taborite, en Bohême. Selon Babeuf*, « tous les biens doivent être mis en commun; la terre n'est à personne, les fruits sont à tous ». Il est le premier à fonder le communisme sur une conception matérialiste de l'histoire.

À travers tout le socialisme dit « utopique » — celui d'Owen*, de Fourier*, de Louis Blanc*, de Proudhon*, de Cabet*... —, le communisme s'exprime plus ou moins confusément jusqu'à ce que Karl Marx* le dote à la fois d'une doctrine — analyse scientifique de la société capitaliste et de ses contradictions — et d'un programme d'action, lequel trouve son premier appui dans la Ire Internationale*, fondée à Londres le 28 septembre 1864 (v. MARXISME) : pour les marxistes, le communisme se définit comme le stade ultime, venant après le socialisme, dans lequel il n'y aura plus d'opposition entre le travail manuel et le travail intellectuel, ni classes sociales, ni État. Cependant, la tendance marxiste, avant de s'imposer, doit longtemps lutter contre l'anarchisme* et ses théoriciens, notamment Proudhon et Bakounine*. Le marxisme l'emporte, à partir de 1880, sur les autres idéologies du mouvement ouvrier; il s'implante dans presque toute l'Europe, mais son autonomie n'est pas partout dégagée par rapport aux autres familles socialistes. En Allemagne, le puissant parti social-démocrate finit par glisser dans l'opportunisme, son aile gauche, authentiquement révolutionnaire, disparaissant avec le spartakisme* (1919). En France, la gauche marxiste s'individualise difficilement, étant bloquée par le syndicalisme révolutionnaire, de filiation proudhonienne, et ce n'est qu'en 1905 que se forme un parti socialiste unifié (S. F. I. O.). Dans le même temps, se fonde en Angleterre le Labour Party (1900); en Italie, le courant anarchiste, quoique fort, ne peut empêcher la création d'un parti ouvrier (1881); en Russie, les mencheviks, majoritaires, se heurtent violemment à Lénine et au parti bolchevik, constitué en 1912. La IIe Internationale (1891) reflète ces luttes de tendances : le problème de l'intervention des socialistes dans la guerre (1914) la déchire au point de la mener à la « faillite », selon Lénine.

La révolution d'Octobre 1917, qui voit la victoire du marxisme-léninisme en Russie, oblige le mouvement ouvrier à se redéfinir par rapport à l'Union soviétique : la IIIe Internationale est constituée sous la direction du parti bolchevik (1919). Cet événement capital provoque l'apparition de nombreux partis communistes; encore que, comme en France (congrès de Tours, 1920), une minorité refuse parfois de se rallier au bolchevisme. Dès 1921, la IIIe Internationale comprend plus de 60 sections et près de 3 millions de membres. Elle s'oriente vers une politique de « bolchevisation », marquée par la rigueur du centralisme démocratique (1923-24). Puis les « déviationnismes » étant écartés, les partis communistes pratiquent une tactique « classe contre classe » (1928-1933), mais, devant la montée du fascisme, tout en continuant à proclamer le rôle dirigeant de la classe ouvrière, ils se montrent bientôt partisans de « fronts populaires » constitués avec les autres forces de gauche.

Après la mort de Staline (1953) et la condamnation du stalinisme (XXe Congrès du parti communiste de l'Union soviétique, 1956), le communisme est marqué par l'apparition de certaines tendances centrifuges et, surtout, par la déchirure qui sépare les deux plus grands pays qui se réclament du marxisme-léninisme, l'Union soviétique et la Chine maoïste.

COMMUNISME *(pic)*, anc. **pic Staline,** point culminant de l'U. R. S. S. (Tadjikistan), dans le Pamir; 7 495 m.

communiste français *(parti)*, parti formé en décembre 1920 (sous le nom de « section française de l'Internationale communiste », ou « S. F. I. C. »), à la suite du ralliement, lors du congrès de Tours, de la majorité des membres de la S. F. I. O. aux thèses du marxisme-léninisme. Devenu officiellement « parti communiste français » (P. C. F.) en 1922, il applique la tactique « classe contre classe » (en particulier aux élections de 1928, où il obtient plus de un million de voix). En 1934, il contribue, sous la direction de Maurice Thorez, à l'élaboration de la ligne politique antifasciste du Front populaire. Au lendemain de la Seconde Guerre mondiale, au cours de laquelle il a pris une part active à la Résistance (« le parti des fusillés »), il obtient 26 p. 100 des suffrages exprimés et participe au gouvernement (1945-1947). Après de longues années d'isolement, le P. C. F., dirigé par Waldeck Rochet, puis par Georges Marchais, se rapproche des autres formations de gauche et, le 27 juin 1972, signe avec les socialistes et les radicaux de gauche un programme commun de gouvernement. Réprouvant l'intervention militaire en Tchécoslovaquie (1968) et certaines atteintes à la liberté commises en U. R. S. S., il décide, en 1976, de ne plus faire figurer la dictature* du prolétariat parmi les objectifs du parti.

communiste italien *(parti)*, parti né en janvier 1921. Presque aussitôt contraint à une longue clandestinité par l'instauration de la dictature mussolinienne, le parti communiste italien (P. C. I.) devient le principal animateur de la résistance au fascisme. Après la guerre, il s'implante en force dans le centre et le nord du pays : son secrétaire général, Palmiro Togliatti, se montre partisan du polycentrisme, c'est-à-dire de la possibilité pour chaque parti communiste national de garder sa personnalité. À partir des années 60, ses dirigeants (en particulier Enrico Berlinguer, son secrétaire général) proposent le « Compromis historique » aux socialistes et principalement aux démocrates-chrétiens, que ces derniers refusent, notamment après les élections de juin 1976.

COMMUTATION TÉLÉPHONIQUE. — On groupe sous ce terme l'ensemble des opérations qui permettent au titulaire d'un poste téléphonique d'entrer en communication à distance avec un autre titulaire. Le raccordement de n postes deux à deux par lignes individuelles permanentes nécessiterait la mobilisation d'un nombre invraisemblablement élevé de jonctions (en fait sensiblement $\frac{n^2}{2}$), le coefficient d'utilisation de chaque ligne étant par ailleurs très faible, de l'ordre de 1 p. 100. Aussi dispose-t-on dans un réseau téléphonique des commutateurs qui permettent d'établir à la demande, et pour le temps limité à la conversation, une mise en présence de deux abonnés au service téléphonique. On distingue dès lors deux types de jonctions : d'une part, une jonction individuelle appelée *ligne d'abonné,* à faible rendement, qui permet le rattachement de l'utilisateur au commutateur (structure en étoile), d'autre part, une jonction banalisée appelée *circuit,* à haut rendement, permettant d'assurer entre commutateurs un flux permanent de communications successives (structure maillée).

• Le premier type de commutateur met en œuvre une *commutation manuelle* assurée par une opératrice, et constituée de différents organes. Les *organes de connexion* comprennent, d'une part, les *jacks* d'abonné et de circuit, sorte de prises sur lesquelles aboutissent les lignes individuelles et les circuits, d'autre part, les *dicordes,* jonctions mobiles possédant à chacune de leurs extrémités une fiche connectable aux jacks. Les *organes de signalisation* associés au jack d'abonné groupent les lampes d'appel, permettant aux abonnés demandeurs de signaler leur demande, et les lampes d'occupation, permettant de connaître l'état des abonnés demandés. Enfin, les *organes de signalisation et de commande,* associés aux dicordes, réunissent les clés d'émission de l'appel vers les abonnés demandés, les clés d'écoute et les lampes de signalisation de fin de communication permettant de libérer la jonction. L'ensemble des dispositifs de commutation est groupé dans ce que l'on nomme un *standard manuel.* Associés, les standards constituent un *meuble multiple.*

La commutation est réalisée suivant le processus suivant : l'opératrice balaie du regard l'ensemble des lampes d'appel placées devant elle et repère celle de l'abonné demandeur qui s'est allumée; elle entre en contact avec celui-ci par enfichage d'une des extrémités d'un dicorde libre; elle note sa demande; puis, suivant la nature de la communication demandée, communication locale ou communication interurbaine, elle recherche une ligne de sortie, soit une ligne d'abonné, soit un circuit dans la direction convenable; le jack de sortie, une fois repéré, l'opératrice enfiche la deuxième extrémité de dicorde dans ce jack; elle lance un appel à l'abonné demandé, ou bien signale sa présence à une deuxième opératrice au commutateur d'arrivée, plusieurs opératrices pouvant ainsi intervenir en cascade; si l'abonné demandé est libre, l'opératrice met en présence les deux correspondants, sinon elle informe le demandeur de l'occupation; le raccrochage des postes des abonnés demandeur et demandé se signale sur la lampe de fin de communication du dicorde, ce qui amène l'opératrice à déficher les deux extrémités du dicorde; la durée et la destination de la communication permettent une évaluation de la taxe globale, calculée par l'opératrice à partir de la taxe de base.

• Le second type de commutateur fait appel à des moyens automatiques qui se substituent aux opératrices. Différentes phases de la commutation demeurent, mais elles ont été *traduites* en termes d'automatisme. Les jacks et les dicordes ont été remplacés par des commutateurs électromécaniques à contacts métalliques. Ces commutateurs sont soit rotatifs (système Strowger ou Rotary), soit à barres croisées (système Crossbar). Les indications orales de l'abonné demandeur sont transformées en impulsions du cadran du poste téléphonique, et l'enregistrement de la demande se fait sur des mémoires, soit électromécaniques, soit statiques. Ces indications commandent, directement ou indirectement, les positions des machines du réseau de connexion appelées *sélecteurs.* Les fonctions d'appel, de mise en présence, de connexion se font également par voie automatique.

On tend à supprimer de plus en plus les organes mécaniques, et il existe à l'heure actuelle des dispositions partiellement, ou totalement, électroniques, dans lesquels les deux grandes fonctions, la fonction connexion et la fonction logicielle (interprétation, commande, contrôle), tendent à être complètement dissociées. Le commutateur moderne se compose d'un réseau de connexion, électromécanique ou non, commandé par une unité centrale s'apparentant à un petit ordinateur* qui, à ce titre, peut être programmé à la demande.

COMMUTATRICE → CONVERTISSEUR.

COMMYNES, COMMINES ou **COMINES** (Philippe DE), chroniqueur français (Renescure, près d'Hazebrouck, 1447 - Argenton 1511). Successivement au service de Charles le Téméraire, de Louis XI, de Charles VIII et de Louis XII, il a laissé des *Mémoires,* où, par l'humour, l'acuité psychologique et la vivacité de la langue, il apparaît, selon le mot de Sainte-Beuve, comme «le premier écrivain vraiment moderne».

COMNÈNES, grande famille de l'aristocratie byzantine qui joua un rôle considérable aux XIe et XIIe s. et donna à Byzance six empereurs : ISAAC Ier **Comnène,** général de l'armée d'Asie, fut proclamé basileus (de 1057 à 1059) par la noblesse militaire, mécontente des humiliations que Michel IV lui infligeait. Il tenta de juguler la crise financière, mais, incapable d'arbitrer le conflit entre partisans du gouvernement civil et tenants de l'aristocratie militaire, il abdiqua en faveur de Constantin X Doukas; ALEXIS Ier*, son neveu, fut basileus de 1081 à 1118; JEAN II (basileus de 1118 à 1143), fils d'Alexis Ier, diplomate et administrateur de génie, remarquable chef militaire, pacifia les Balkans et s'efforça d'empêcher l'extension de la Hongrie vers l'Adriatique. En Orient, il parvint à reconquérir la Cilicie (1137-38) et imposa la suzeraineté de Byzance à la principauté d'Antioche*. À la fin de son règne, il entreprit de lutter contre le royaume normand de Sicile, créé en 1130; MANUEL Ier (basileus de 1143 à 1180), son fils, hérita des qualités de Jean II. Il tenta en vain d'abattre la puissance grandissante des Normands de Sicile. S'il réussit à s'implanter en Bosnie et en Dalmatie, et à imposer sa suzeraineté au royaume de Jérusalem, ses entreprises trop vastes inquiétèrent l'Occident et épuisèrent Byzance; ALEXIS II (basileus de 1180 à 1183), son jeune fils, subit les conséquences de la politique paternelle. La régence de sa mère, Marie d'Antioche, marquée par une politique pro-occidentale maladroite, provoqua la rébellion de la noblesse, dirigée par Andronic Comnène, cousin de Manuel Ier, qui déposa et fit étrangler Alexis; ANDRONIC Ier (basileus de 1183 à 1185), dont le court règne débuta par le massacre général des Latins de Byzance (1182), lutta énergiquement contre la corruption et l'injustice fiscale, mais ne put faire face à une nouvelle révolte de la noblesse. Son assassinat (1185), survenu au moment où Normands et Hongrois envahissaient ses États, marqua le début de la décomposition de l'Empire byzantin. Après la prise de Byzance par les Latins (1204), son petit-fils, ALEXIS, créa l'empire byzantin de Trébizonde*, et fut le fondateur de la dynastie des «Grands Comnènes».

COMODORO RIVADAVIA, v. de l'Argentine, en Patagonie, sur l'Atlantique; 73 000 hab. Extraction du pétrole et du gaz naturel.

COMORES (les), État insulaire de l'océan Indien, dans l'hémisphère Sud, au N.-O. de Madagascar; 1 797 km²; 252 000 hab. Capit. *Moroni.* L'*archipel des Comores* est formé de quatre îles principales : la Grande Comore, Anjouan, Mohéli et Mayotte, dont la dernière constitue une dépendance française.

GÉOGRAPHIE. D'origine volcanique, les Comores possèdent un climat constamment chaud (plus de 25 °C en moyenne), où les précipitations varient largement selon l'orientation d'un relief montagneux. La population est dense pour un État exclusivement agricole, où moins de la moitié de la superficie totale est cultivée. À côté des cultures vivrières (manioc, maïs, riz, patate) existent quelques cultures commerciales (vanille, sisal), bases d'exportations inférieures de moitié aux importations.

HISTOIRE. Découvertes au XVIe s. par des navigateurs portugais, les Comores sont ensuite envahies par les Arabes, qui y introduisent l'islām; elles connaissent aux XVIIe et XVIIIe s. une période de prospérité commerciale, avant d'être ravagées au début du XIXe s. par les invasions malgaches. La France s'y implante à partir de 1841, après avoir fait l'acquisition de Mayotte, qu'elle annexe officiellement en 1843. En 1886, elle établit son protectorat sur Mohéli, Anjouan et la Grande Comore. Les quatre îles sont rattachées au gouvernement de Madagascar en 1912, puis dotées, en 1946, du statut de territoire d'outre-mer, qu'elles choisissent de conserver en 1958. En 1961, l'archipel bénéficie de l'autonomie interne, qu'un nouveau statut élargit encore en 1968. À partir de 1973, les autorités locales engagent avec la France des pourparlers sur l'accession à l'indépendance, en faveur de laquelle la grande majorité de la population se prononce lors du référendum de décembre 1974, à l'exception de Mayotte, qui souhaite rester française. L'indépendance est proclamée unilatéralement par les Comores, en juillet 1975, mais les dirigeants du pays, qui souhaitent unifier l'archipel, ne peuvent empêcher l'organisation à Mayotte d'un nouveau référendum, par lequel la grande majorité de la population se prononce en faveur du maintien de l'île dans la République française (févr. 1976).

COMORIN *(cap),* cap du sud de l'Inde.

COMOTINI → KOMOTINÍ.

Compagnie de Jésus → JÉSUS *(Compagnie de).*

Compagnies *(Grandes),* au XIVe s., bandes composées de mercenaires de toutes nationalités, qui combattaient à la solde des princes. Fréquemment désœuvrées à cause des nombreuses trêves de la guerre de Cent Ans, elles se livraient au brigandage, semant la terreur sur leur passage. Après la paix de Brétigny (1360), elles ravagèrent le centre de la France. Du Guesclin* les conduisit en Espagne pour les mettre au service d'Henri de Trastamare, prétendant au trône de Castille (1364).

COMPAGNONNAGE. — À la fin du Moyen Âge, la solidarité entre ouvriers d'un même métier commença à se manifester, dans une vue d'instruction professionnelle et d'assistance mutuelle, sous la forme du compagnonnage. Distinct des corporations et des confréries, le compagnonnage était divisé en deux clans rivaux : les «devoirants» (du «Devoir»), fidèles au passé, et les «gavots» (qui deviendront, en 1804, «Devoir de liberté»), plus ouverts aux nouveautés. Chacune de ces familles se référait à des traditions fort lointaines et possédait un rituel. Dans l'une comme dans l'autre, l'ouvrier n'était admis qu'après un temps de probation et devait subir une initiation. Leur finalité première étant l'aide au compagnon durant son tour de France, les compagnonnages constituaient des associations interurbaines, dont les membres étaient accueillis dans chaque grande ville par d'autres compagnons. La «mère» les hébergeait et le «rôleur» leur trouvait du travail. À peine toléré sous l'Ancien Régime, combattu par la Révolution, le compagnonnage retrouva sa vigueur sous la Restauration. Mais la naissance de la grande entreprise et le développement du syndicalisme, davantage tourné vers l'action de masse, affaiblirent son impact sur le monde ouvrier. Il subsiste cependant et connaît depuis peu un nouvel essor.

COMPARATEUR → RÉTROACTION.

COMPARÉE (grammaire). — Avec la grammaire comparée, méthode qui apparaît au début du XIXe s., la linguistique entre dans sa phase scientifique. La découverte du sanskrit fait comprendre la parenté du grec et du latin (seules langues jusque-là étudiées), puis de l'ensemble des langues indo-européennes. Le mouvement, inauguré par Franz Bopp*, Rasmus Rask* et Jakob Grimm*, est poursuivi par les travaux de Georg Curtius (1820-1885), d'August Pott (1802-1887), de Friedrich Max Müller (1823-1900), et, surtout, d'August Schleicher*. Il est continué à la fin du siècle par l'école des néogrammairiens*.

Les comparatistes conçoivent la langue comme un organisme vivant qu'il est possible d'étudier avec la même rigueur scientifique que tout phénomène naturel. L'étude porte surtout sur l'évolution phonétique, pour laquelle des lois de plus en plus précises sont formulées (lois de Grimm [1822], de Verner [1875]).

COMPARÉE (littérature). — Née avec le cosmopolitisme romantique et la prise de conscience des caractères nationaux, la littérature comparée a cherché ses modèles et ses méthodes dans la zoologie, la physiologie et l'histoire, qui se constituaient en sciences au début du XIXe s. C'est dire que la littérature comparée est, depuis lors, tributaire des thèses et des pratiques dominantes dans les sciences exactes et humaines, et qu'elle se définit moins par son objet que par ses méthodes. La littérature comparée n'est pas la comparaison des littératures, et la comparaison ne suffit pas à fonder une méthode : menée de trop haut et de trop loin, la comparaison établit des parentés arbitraires et superficielles sans qu'il soit possible d'en saisir les raisons ni d'en établir les lois. D'où la recherche d'un angle d'attaque particulier, qui permette, par exemple, de reconnaître la diversité des courants et des formes à une époque donnée, ou l'évolution d'un même thème à travers des périodes et des civilisations différentes. La littérature comparée étudie ainsi les échanges entre grandes aires linguistiques et culturelles, à travers les instruments de ces échanges (voyageurs, critiques, traductions), et leur influence sur la création (influence du *Don Quichotte* sur le roman français, imitation de Molière dans l'Europe du XVIIe s.), en s'inspirant des procédés de la sociologie et de l'anthropologie (définition de l'identité culturelle, saisie des phénomènes de distorsion dans le processus d'intégration d'un élément étranger dans une littérature nationale). Elle peut tenter de décrire la littérature de zones ethniques et linguistiques à une époque donnée (la littérature française du XVIIIe s.), ou de dégager des formes permanentes (le baroque, le romantisme) de la vision littéraire. La littérature comparée a tendu ainsi à privilégier une étude « thématique » : elle étudie l'évolution d'un mythe (Orphée, Œdipe), d'un personnage (Don Juan), d'un lieu ou d'un décor (la ville, le fleuve), d'un type social ou psychologique. Elle est amenée à mettre en rapport une forme littéraire avec une symbolique rituelle et des références sociologiques et historiques, découvrant ainsi des « archétypes », à la fois narratifs et imaginaires. La littérature comparée fait alors appel aussi bien aux travaux des folkloristes et des ethnographes que des psychanalystes et des linguistes. Elle voit dans la littérature à la fois une fonction spécifique de l'esprit et la totalisation historique des situations humaines. C'est ainsi qu'E. Auerbach a proposé dans *Mimesis* (1946) une analyse culturelle et stylistique de la notion de réalité dans la littérature occidentale : la littérature n'est alors pas autre chose que le moyen de définir la réalité telle qu'elle apparaît dans les conduites (la pratique) de l'Occident et les représentations de ces conduites (les idéologies).

COMPAS. — Le compas est un instrument de navigation qui permet aux navires et aux avions de connaître leur orientation*. Il comprend essentiellement une aiguille aimantée qui, flottant sur un liquide et pivotant autour d'un axe vertical, s'oriente d'elle-même suivant les lignes de force du champ* magnétique terrestre. L'angle que fait l'axe du navire ou de l'avion avec la direction de l'aimant* est dénommé *cap compas;* pour obtenir le cap vrai, c'est-à-dire l'orientation par rapport au nord géographique, il faut ajouter la déclinaison*. Le compas magnétique présente certains inconvénients, notamment celui d'être sensible au champ magnétique créé par le mobile, et d'être d'un emploi difficile dans les régions polaires. Il tend de plus en plus à faire place au *compas gyroscopique,* dans lequel l'aiguille aimantée est remplacée par un gyroscope à axe vertical qui conserve une orientation fixe par rapport à la Terre*.

COMPATIBILITÉ. — En *algèbre,* deux équations sont compatibles si elles admettent au moins une solution commune. C'est le cas des deux équations : $2x + y = 1$, $-x + 2y = -3$, qui ont la solution $x = 1$, $y = -1$, puisque chacune est vérifiée pour ces valeurs. C'est le cas pour les quatre équations : $x = a$, $y = mz$, $z = \lambda$, $y = \mu x$ si $\mu a = m\lambda$. Cette relation $\mu a = m\lambda$ traduit la compatibilité du système des quatre équations.

En *théorie des événements,* qui conduit au calcul des probabilités*, deux événements sont compatibles s'ils ont au moins une éventualité commune. Ainsi, si dans un jeu de trente-deux cartes, on tire une carte, on peut envisager deux événements A et B : la carte tirée est un pique (A); la carte tirée est une figure (B). Les événements A et B sont compatibles. Ils admettent trois éventualités communes : la carte est le roi, la dame ou le valet de pique.

En algèbre, comme en probabilité, on définit aussi la notion d'*incompatibilité.*

COMPÉTENCE. — La compétence et la performance sont des concepts élaborés par N. Chomsky* pour définir le comportement linguistique d'un locuteur. La compétence, ou savoir linguistique, est le système de règles (intériorisé par le sujet parlant) qui permet de produire et de comprendre un nombre infini de phrases grammaticales. La performance est la réalisation concrète de ce savoir dans les actes de parole et constitue les données observables qui forment le corpus de l'analyse linguistique.

COMPIÈGNE (60200), ch.-l. d'arr. de l'Oise, sur l'Oise, à 76 km au N.-E. de Paris; 40 720 hab. *(Compiégnois).* La ville est établie sur la bordure nord de la *forêt de Compiègne* (entre les vallées de l'Aisne, de l'Oise et de l'Authonne), qui couvre près de 15 000 ha. Cité historique, touristique, possédant également d'importantes industries (verrerie, chimie), établies aussi dans sa banlieue.

HISTOIRE. Napoléon III fit de Compiègne sa résidence préférée. En 1917-18, la ville fut le siège du Grand Quartier général français. Les armistices de 1918 et de 1940 furent signés sur le territoire de Compiègne, près de Rethondes. De 1940 à 1944, les Allemands installèrent à Royallieu, près de Compiègne, un camp de transit pour les détenus politiques.

BEAUX-ARTS. Église Saint-Jacques des XIIIe-XVe s. Hôtel de ville gothique du début du XVIe s. Musée Vivenel (vases grecs, objets d'art) dans un hôtel du XVIIIe s. Le château royal, rebâti dans un style sévère à partir du milieu du XVIIIe s. (J.-A. Gabriel), présente des appartements Napoléon Ier et Napoléon III, abrite un musée du second Empire et un musée de la Voiture.

COMPILATEUR. — Les programmes* destinés à être exécutés sur ordinateur* sont écrits dans des langages* symboliques, tels que Fortran* pour le scientifique et Cobol* pour la gestion, langages qui sont dans leur usage beaucoup plus proches du langage habituel des techniciens de l'application, scientifiques ou gestionnaires, que du langage binaire interne de l'ordinateur. Toutefois, la machine ne sait exécuter que du code* binaire. C'est pourquoi il existe, dans les systèmes* d'exploitation des ordinateurs, des programmes* particuliers dont le rôle est de traduire les programmes écrits en langage symbolique dans le langage interne de la machine : ce sont les compilateurs. Un *compilateur* se présente comme un traducteur d'une langue dans une autre, le programme à compiler étant le texte à traduire. Le programme d'origine *(programme source)* et le programme résultant *(programme objet)* représentent strictement le même algorithme* : cela est indispensable, puisque le premier décrit ce que le programmeur veut faire réaliser par l'ordinateur et que le second est ce que l'ordinateur exécutera réellement. Cette traduction rigoureuse n'est possible que parce que, contrairement aux langages naturels, les langages de programmation ont une syntaxe très rigoureuse et une signification sémantique précise.

COMPLAISANCE (pavillon de). — Le premier pavillon de complaisance fut, en 1930, un pavillon panaméen, la flotte marchande panaméenne comprenant alors 75 000 t. Elle comptait en 1975 environ 11 Mt, avec 1 700 navires. La totalité de la flotte de complaisance représente 23 p. 100 de l'ensemble de la flotte mondiale. Faisant souvent fi des règlements de navigation internationaux, violant le droit du travail et les règles de sécurité maritime, la complaisance fait figure d'accusée et a la réputation d'un véritable fléau.

COMPLÉMENTARITÉ (principe de). — Ce principe de physique quantique a été énoncé par N. Bohr en 1927 : « Il est impossible au moyen d'un seul dispositif expérimental de mesurer avec toute la précision que l'on souhaite l'ensemble des grandeurs qui caractérisent un objet atomique. Il existe des grandeurs complémentaires qui ne peuvent être définies sans ambiguïté qu'en utilisant des expériences distinctes, s'excluant mutuellement. Les grandeurs mesurées dans ces conditions sont complémentaires, en ce sens que seul l'ensemble des phénomènes observés épuise l'information possible sur l'objet atomique, bien qu'ils ne puissent pas être rassemblés dans une description unique. » C'est ainsi que les deux aspects, corpusculaire et ondulatoire, de la lumière ou des particules en mouvement sont des formes complémentaires d'une même réalité.

COMPLÈTEMENT DE LEVÉS. — Le complètement intervient après la restitution* photogrammétrique qui aboutit à l'établissement de la stéréominute-planimétrie*. Du fait même de son établissement, il manque sur la stéréominute tout ce qui est invisible ou peu visible sur les photographies aériennes : limites administratives, toponymie, détails ponctuels ou de très faible superficie (borne, croix), détails linéaires (lignes électriques, téléphériques, clôtures métalliques), détails cachés par la végétation. L'addition de ces détails est confiée à un topographe compléteur qui opère sur le terrain.

COMPLEXE *(Chim.).* — Un complexe est une combinaison chimique dans laquelle plusieurs molécules ou ions, saturés en apparence, sont unis les uns aux autres, et dans laquelle les propriétés de ces molécules ou de ces ions sont plus ou moins dissimulées. Le cobalt, le chrome forment de très nombreux sels complexes, dont la constitution a été établie par le chimiste suisse A. Werner.

COMPLEXE *(Psychanal.)*. — Ce terme est devenu très populaire et son extension témoigne de l'impact de la psychanalyse* dans notre culture, même si S. Freud*, qui l'a fort peu employé, ne lui reconnaissait pas de valeur théorique satisfaisante. Dans l'œuvre de S. Freud, on ne rencontre guère, en effet, que le complexe d'Œdipe* (qui joue un rôle central dans la théorie analytique) et le complexe de castration* qui en dérive. C. G. Jung, par contre, a différencié de très nombreux complexes, le complexe étant pour lui un ensemble de représentations, dont l'origine est un traumatisme émotionnel, qui vient perturber le fonctionnement normal du conscient, ce que les expériences d'associations libres permettent de mettre en évidence. Il est souvent fait référence au complexe d'infériorité pour expliquer tout sentiment d'insuffisance; le complexe d'infériorité a été défini à l'origine, par A. Adler*, comme un ensemble de sentiments qui surgissent en réaction à l'infériorité d'une fonction organique.

COMPLOT → SÛRETÉ DE L'ÉTAT *(atteinte à la)*.

COMPONENTIELLE (analyse). — Il s'agit d'une procédure d'analyse sémantique qui, sur le modèle de l'analyse phonologique, vise à réduire l'ensemble d'un lexique à un petit nombre de traits de signification (ou sèmes), organisés en système d'oppositions. Ce type d'analyse s'est révélé fructueux dans l'étude de champs conceptuels limités (religion, parenté, etc.). Son application au vocabulaire général n'en est encore qu'à ses débuts.

COMPORTEMENT. — Il est assigné comme objet d'étude à la psychologie par le béhaviorisme*. Chez Watson, il recouvre toutes les réactions adaptatives d'un organisme en réponse à une stimulation venue de son milieu extérieur ou intérieur, et il peut être décomposé en une somme de relations élémentaires (S) → (R). Cependant, le courant néobéhavioriste, représenté par B. F. Skinner* notamment, pense qu'un tel morcellement ne peut que faire perdre sa nature au comportement. Pour analyser celui-ci, il propose de tenir compte, désormais, de variables intermédiaires entre (S) et (R), lesquelles peuvent être de nature organique ou psychologique, tels que les besoins, les tendances ou les motivations*.

COMPORTEMENTALE (thérapie) → BÉHAVIORISME.

COMPOSANTE → STATIQUE.

COMPOSÉES ou **COMPOSACÉES.** — Avec plus de 20 000 espèces, les composées (ou synanthérées) constituent le groupe (ordre ou famille, selon les auteurs) le plus important parmi les plantes à fleurs. Les fleurs des composées sont toujours de petite taille et forment une inflorescence extérieurement serrée, le *capitule**, qui simule souvent une fleur unique. Le calice est réduit, la corolle est soit en tube, soit étalée en une *ligule* qui ressemble à un pétale unique. Les étamines (quand elles existent, car il y a des fleurs purement femelles) sont soudées entre elles, formant une sorte de manchon autour du style. Il y a deux stigmates, écartés. Les feuilles, parfois groupées en couronne à la base d'un pédoncule floral, ont les formes les plus diverses.
Principaux types : *fleurs toutes en tubes* (divers chardons, artichaut, centaurée, bleuet, carline, bardane); *fleurs toutes en languettes* (chicorée, salsifis, pissenlit, laitue, épervière); *fleurs en tubes au centre, en languettes sur les bords* (composées-radiées : tussilage, aster, pâquerette, arnica, séneçon, armoise, tanaisie, marguerite, chrysanthème, camomille, soleil, achillée, topinambour, immortelle, edelweiss).

COMPOSITION *(Impr.)*. — La composition des textes destinés à la confection de formes d'impression* est réalisée par assemblage manuel, mécanique ou photographique des caractères* et de leurs éléments d'accompagnement. Ce travail part de la *copie,* ou manuscrit fourni par l'auteur.

• *Composition avec caractères en alliage de plomb**.
— En *composition manuelle,* le compositeur typographe, ou *typo,* placé devant sa casse, prend successivement chaque lettre dans son cassetin et la place dans le composteur, afin d'assembler les caractères pour en faire des mots, des lignes, des pages. Cette façon de faire n'est plus utilisée que pour de petits travaux de fantaisie, et le typo s'occupe surtout de la préparation, de la correction et de la mise en pages.
— En *composition mécanique,* on emploie deux types de machines. L'ensemble *Monotype,* qui produit des caractères séparés, se compose de deux machines : le *clavier,* où l'on perfore une bande de papier, et la *fondeuse,* où cette bande commande le déplacement d'un *châssis porte-matrices.* Les machines *lignes-blocs* (Linotype, Intertype) ont comme matrices des plaquettes en cuivre; la frappe des touches d'un clavier commande leur alignement devant un moule, où la ligne est coulée en une seule fois.

• *Composition sans plomb, ou composition froide.* On utilise des machines à écrire que l'on a modifiées de façon à obtenir des épreuves utilisables pour la photographie ou la copie sur métal : Varityper, Multipoint IBM.

• Dans la *composition photographique,* on insole papier ou film à travers des matrices négatives ou positives, sur film ou sur verre. Sur les appareils les plus simples, *phototitreuses,* l'assemblage se fait manuellement, l'insolation s'effectuant lettre par lettre ou ligne par ligne. Les véritables *photocomposeuses* utilisent des solutions électriques ou électroniques; certaines sont commandées par claviers, la plupart par bandes perforées obtenues sur claviers perforateurs indépendants; un calculateur reçoit les instructions en code et commande l'unité photographique. La troisième génération de photocomposeuses, celles qui utilisent des rayons cathodiques, possède des matrices digitales de caractères, dont l'image, juxtaposition de points lumineux, est projetée sur écran ou directement sur film. Ces photocomposeuses sont commandées par bandes magnétiques issues d'ordinateurs*, dont l'utilisation permet la composition programmée, mécanique ou photographique.

COMPOSITION (loi de). — Une loi de composition interne, pour un ensemble* E, permet, à partir de deux éléments de cet ensemble, d'obtenir un troisième élément du même ensemble. L'opération peut être notée par les signes de l'addition ou de la multiplication ordinaire, $+$, $\times$ ou ., par une étoile $\bigstar$, par les signes $\top$ ou $\perp$, ou par tout autre symbole, ou, si possible, par l'absence de signe, ce qui est le plus commode, comme dans le cas de la multiplication : $c = ab$. L'addition, la multiplication sont des opérations internes pour l'ensemble $\mathbb{N}$ des entiers naturels. Il en est de même de la recherche du plus grand commun diviseur ou de celle du plus petit commun multiple. Une loi de composition interne peut être associative. Il en est ainsi si, quels que soient les éléments x, y et z de l'ensemble E, on a : $x(yz) = (xy)z$. Elle peut être commutative, si, quels que soient les éléments x et y dans l'ensemble E, $xy = yx$. Il se peut qu'il existe dans l'ensemble E un élément neutre e tel que, pour tout élément x de l'ensemble E, on ait : $xe = ex = x$. Enfin, si l'élément neutre e existe, certains éléments de l'ensemble E peuvent avoir un symétrique : x' est symétrique de x si $xx' = x'x = e$. L'étude des lois de composition interne conduit à l'étude des structures algébriques.

COMPOST → ENGRAIS.

COMPOSTELLE → SAINT-JACQUES-DE-COMPOSTELLE.

COMPRESSEUR → FRIGORIFIQUE *(machine)* et TURBOMACHINE.

COMPRESSIBILITÉ. — À température constante, le volume d'une masse gazeuse varie en raison inverse de sa pression. C'est la loi de Mariotte (1676) ou de Boyle, seulement approchée pour les gaz réels, et qui caractérise les « gaz parfaits ». Les solides et les liquides sont peu compressibles. On définit pour eux un *coefficient de compressibilité* égal à la contraction que subit l'unité de volume pour un accroissement de pression égal à l'unité; ce coefficient est toujours très petit.

COMPRESSION → MÉCANIQUE DES SOLS.

COMPRIMÉ. — Les comprimés permettent l'absorption orale de médicaments solides. Ils résultent de l'agglomération par compression de poudres actives (substances chimiques, plantes sèches, etc.), auxquelles on ajoute un excipient inerte. Leur poids est en général de 0,50 g. Les comprimés glutinisés ne libèrent leurs composants que dans l'intestin.

COMPS-SUR-ARTUBY (83840), ch.-l. de cant. du Var, à 28 km au S. de Castellane; 206 hab. Église gothique.

COMPTABILITÉ DES ENTREPRISES. — L'article 35 de la loi du 24 juillet 1867 définissait le bilan comme le résumé de l'inventaire. Aux termes des articles 8 et 9 du Code de commerce, modifiés par le décret du 22 septembre 1953, toute personne ayant la qualité de commerçant doit dresser annuellement un inventaire des éléments actifs et passifs de son entreprise.

Les opérations commerciales sont, au point de vue de la comptabilité, de trois catégories bien distinctes :
— *les opérations ne modifiant pas la situation nette du bilan,* mais seulement la structure interne de celui-ci (par exemple, le règlement, par la trésorerie, d'un créancier de l'entreprise : un élément d'actif et un élément de passif se compensent);
— *les opérations enregistrant une augmentation de la situation nette,* dites *« produits »* (par exemple, le paiement d'une prestation de service fait à l'entreprise);
— *les opérations de « charges »,* qui diminuent la situation nette de l'entreprise (par exemple, la paie du personnel d'une entreprise arrêtée).

Par ailleurs, à chaque poste du bilan correspond un tableau appelé *compte.*

Un projet de plan comptable a été élaboré en 1947, et, par arrêté du 11 mai 1957, un plan comptable général révisé a été substitué au plan comptable de 1947.

Ne peuvent porter les titres d'experts-comptables ou de comptables agréés que les membres de l'ordre des experts-comptables et comptables agréés, créé en 1942.

COMPTABILITÉ NATIONALE. — L'objectif essentiel de la comptabilité nationale est : la connaissance chiffrée de l'activité économique du pays, de la formation et de la distribution des revenus ainsi que des modifications qui, d'une période à une autre, peuvent affecter ces grandeurs; l'établissement de comptes prévisionnels et de plans de développement économique; la comparaison des économies des différents pays entre elles.

Un des ancêtres des comptables nationaux fut le médecin français François Quesnay*, qui, en 1758, publia un *Tableau économique,* première tentative de représentation comptable de l'économie nationale. Si le XIXe s. semble peu soucieux de réaliser une comptabilité nationale, la grande dépression de 1929, puis la guerre incitent à chercher des « compteurs » de l'activité économique et font accomplir des progrès en ce domaine.

Le *Livre blanc* britannique (1941), puis, après la guerre, des systèmes multiples de comptes nationaux font naître la Comptabilité nationale. L'Organisation des Nations unies, en 1953, aboutit au *Système de comptabilité nationale (S. C. N.)* des Nations unies, soutenu par les pays membres, qui fournissent leurs comptes dans des cadres définis. Il existe en France, depuis 1976, un *Système élargi de comptabilité nationale,* les pays socialistes ayant, de leur côté, un type différent de comptabilité nationale.

Les *secteurs* de la comptabilité nationale française sont les sociétés, les institutions de crédit et d'assurances, les administrations publiques et privées, les ménages et le « reste du monde ». Les *opérations* sont des opérations « sur biens et services », des « opérations de répartition », des « opérations financières ». Les *tableaux* retraçant les opérations sur biens et sur services sont le « tableau entrées-sorties » (imaginé par Leontieff), le « tableau des opérations financières » et enfin le « tableau économique d'ensemble ».

COMPTABILITÉ PUBLIQUE. — La comptabilité publique recouvre le domaine des obligations et des responsabilités des *ordonnateurs* et des *comptables publics* ainsi que l'ensemble des règles s'appliquant à leurs missions respectives.

Les *ordonnateurs* prescrivent le paiement des dépenses qui sont à la charge de l'État ou des collectivités publiques. L'ordonnateur « primaire » est le ministre lui même.

Les ordonnateurs sont chargés des trois premières phases de la dépense publique : l'*engagement,* à partir duquel l'État ou la collectivité publique devient débiteur; la *liquidation,* qui consiste à chiffrer le montant de la dette et à en fixer l'exigibilité; l'*ordonnancement,* qui est l'ordre donné à un comptable de payer la dépense pour un objet justifié, ordre appuyé sur des pièces précises. (Le *paiement,* dernière phase de la dépense, fait intervenir le comptable.)

Les *comptables* effectuent le maniement des deniers publics. Le comptable a compétence pour exécuter, au nom de l'État, d'une collectivité publique ou d'un établissement public, des opérations de recettes et de dépenses; celles-ci lui font effectuer des opérations *en deniers,* des opérations *en matière* et des opérations *d'ordre,* les premières étant les plus importantes cependant.

Le trésorier-payeur général, dont la charte constitutive est un décret du 21 novembre 1865, est, dans chaque département, le comptable de l'État et du département ainsi que des offices et des établissements publics.

Les *percepteurs* exercent leurs fonctions dans des circonscriptions dont l'étendue est déterminée par le ministre des Finances. Ils recouvrent les contributions directes et taxes assimilées, les amendes et certaines créances de l'État.

La comptabilité des *administrateurs* fait l'objet de règles particulières en ce qui concerne les engagements et les ordonnancements de dépenses ainsi que la comptabilité des créances.

Les règles essentielles de la comptabilité des comptables sont le principe de l'unité de caisse et celui de l'unité de comptabilité par poste comptable.

Les comptables publics sont soumis à des incompatibilités et à des interdictions précises en vertu du statut général des fonctionnaires. Ils ne peuvent exercer d'activité privée. Ils doivent établir une rigoureuse séparation entre les deniers publics qu'ils manient et leurs deniers personnels.

Le comptable ne peut être ordonnateur et réciproquement : le cumul des fonctions d'ordonnateur et de comptable est l'exception.

Le comptable public doit constituer un cautionnement. Soumis à l'obligation de rendre compte, il se voit imposer le contrôle de ses supérieurs hiérarchiques, et ses comptes sont soumis au jugement de la Cour des comptes et aux vérifications de l'Inspection des finances.

COMPTE À REBOURS. — Le lancement d'un engin spatial présuppose l'exécution d'un grand nombre de vérifications et de contrôles ainsi que l'exécution de certains travaux particuliers, comme le remplissage des réservoirs d'ergols sur les engins propulsés par des fusées* à liquides. L'ensemble de ces opérations est programmé en calculant pour chacune d'elles le temps qui doit la séparer de la mise à feu de l'engin. C'est la succession de ces temps comptés négativement qui constitue le compte à rebours.

COMPTEUR DE GEIGER. — Inventé en 1913, perfectionné par Müller (1928), il sert à dénombrer les particules électrisées d'un rayonnement. C'est, en principe, un cylindre métallique rempli de gaz raréfié, dans l'axe duquel est tendu un fil métallique; entre tube et fil est établie la différence de potentiel maximale possible sans

Principe du compteur de Geiger.

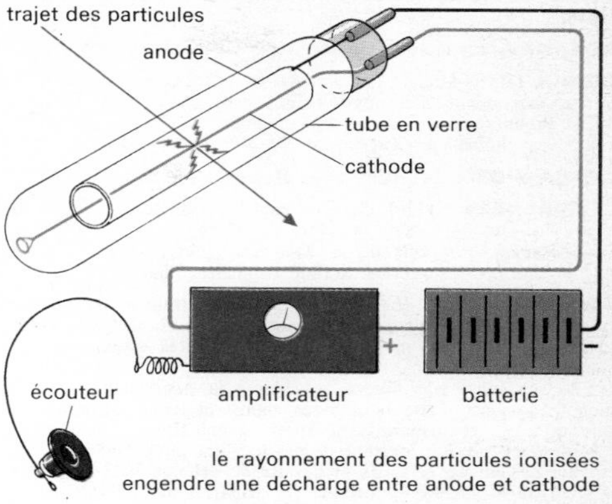

qu'éclate l'étincelle. Il suffit, alors, qu'une particule chargée traverse l'appareil pour que se produise une décharge; celle-ci, amplifiée, est associée à un système de comptage qui enregistre le nombre des particules.

COMPTON (Arthur Holly), physicien américain (Wooster, Ohio, 1892 - Berkeley 1962). L'*effet Compton,* qu'il a découvert en 1923, est l'accroissement de longueur d'onde que subissent les rayons X lorsqu'ils sont diffusés par des atomes légers. En 1934, Compton remarqua l'existence de deux groupes dans les rayons cosmiques. (Prix Nobel de physique, 1927.)

COMPTON-BURNETT (Ivy), femme de lettres anglaise (Londres 1892 - *id.* 1969). Le style de ses romans, dans sa précision et son impassibilité, mime le comportement de l'aristocratie et de la haute bourgeoisie edwardiennes, où la politesse et l'élégance des manières cachent des passions monstrueuses et des conflits inexpiables (*Parents and Children,* 1941; *The Present and the Past,* 1953; *The Mighty and Their Fall,* 1961).

COMPULSION → OBSESSION.

COMTAT VENAISSIN ou **COMTAT** (le), région de l'ancienne France, entre le Rhône, la Durance et le mont Ventoux. Cédé par Philippe III le Hardi au pape Grégoire X, le pays fut réuni à la France en 1791 en même temps qu'Avignon*.

COMTE. — Déjà usité au Bas-Empire pour qualifier les hauts dignitaires impériaux, le titre de comte désigne, au haut Moyen Âge, des fonctionnaires révocables par le roi et chargés d'administrer des circonscriptions appelées *pagi.* Sous les derniers Carolingiens, la fonction devient héréditaire, et le comte exerce désormais les droits régaliens à son seul profit. Mais la restauration de l'autorité royale consacre la fin de ses pouvoirs (XVe s.). Le titre comtal devient alors purement honorifique et s'intègre dans la hiérarchie nobiliaire. Supprimé par la Révolution, il réapparaît sous l'Empire.

COMTE (Auguste), philosophe français (Montpellier 1798 - Paris 1857). Polytechnicien, il commence par enseigner les mathématiques, puis devient le secrétaire de Saint-Simon* et entreprend alors d'écrire son *Cours de philosophie positive* (1830-1842). Cette philosophie qu'il élabore se présente comme une philosophie des sciences. D'une part, Comte procède à une classification des sciences selon un ordre de complexité croissante et, d'autre part, il formule la loi de l'histoire de l'esprit humain, ou « loi des trois états ». Ces trois états successifs (théologique, métaphysique, positif) constituent trois étapes du développement de l'esprit humain, et « seul l'esprit positif représente une véritable mutation de l'esprit aussi bien dans l'objet de la recherche que dans la méthode ». Le positivisme consiste alors à appliquer les méthodes utilisées en mathématiques et dans les sciences expérimentales aux phénomènes sociaux et politiques afin de dégager les lois qui régissent la structure et le développement des sociétés. Auguste Comte fonde ainsi une « physique sociale », ou sociologie, qu'il classe parmi les sciences d'observation. Mais, dans la mesure où le réel que la sociologie s'efforce d'expliquer est l'humanité même, l'analyse des phénomènes sociaux doit permettre l'avènement d'un ordre plus conforme aux aspirations humaines. Formulée notamment dans le *Système de politique positive* (1852-1854) et le *Catéchisme positiviste* (1852), cette exigence d'une réforme de l'humanité s'achève dans une religion de l'humanité dont Comte s'institue le grand prêtre au soir de sa vie.

COMTÉ → FROMAGE.

Comte de Monte-Cristo *(le)*, roman d'Alexandre Dumas père (1846).

CONAKRY, capit. de la Guinée, sur l'Atlantique; 197 000 hab.

CONAN (Marie-Louise Félicité ANGERS, dite **Laure**), femme de lettres canadienne d'expression française (La Malbaie 1845 - *id.* 1924). Première femme de lettres canadienne-française, auteur d'un roman psychologique (*Angéline de Montbrun*, 1884).

CONCA-D'ORO (La), cant. de la Haute-Corse; ch.-l. *Oletta*.

CONCARNEAU (29110), ch.-l. de cant. du Finistère, à 23 km au S.-E. de Quimper, sur la côte de Cornouaille; 19 040 hab. *(Concarnois)*. Remparts de la *Ville-close* (xve-xviie s.). Port de pêche (thon). Conserveries. Station balnéaire. Thalassothérapie.

CONCENTRATION *(Écon.)*. — La concentration est un des processus par lesquels peut se réaliser la croissance* des entreprises* : elle est le mode de réalisation de la croissance dite « croissance externe ».

Elle se réalise par divers procédés : la *fusion*, au terme de laquelle une ou plusieurs sociétés apportent leurs patrimoines à une nouvelle et disparaissent après la constitution de celle-ci; l'*absorption*, où une entreprise reçoit d'une autre entreprise la totalité des éléments actifs et passifs de celle-ci; l'*apport partiel d'actif*, où la société apporteuse ne disparaît pas du fait de cet apport; la *fusion-scission*, où la société apporteuse fait apport à diverses autres de ses éléments actifs et passifs, et disparaît, les actionnaires obtenant en échange de leurs apports des actions des diverses sociétés ayant reçu ceux-ci.

On distingue encore la concentration *verticale* et la concentration *horizontale*.

La première traduit un regroupement d'entreprises adonnées à un même processus de production, mais exercé à des stades différents de celle-ci. — La concentration de type horizontal (réalisé notamment dans les *conglomérats*) est constituée par des groupes d'entreprises ayant des activités parfois diverses et qui peuvent ne pas être réunies par un concept commun. Elle répond à un souci de diversification des risques.

La concentration (horizontale ou verticale) peut encore se réaliser par des formules moins tranchées, comme des prises de participation (parfois croisées), des créations de filiales communes, des échanges d'administrateurs, etc.

CONCENTRATION *(Phys. et Chim.)*. — En physique, la concentration d'une solution est le quotient de la masse du corps dissous par le volume de la solution. En chimie, on utilise la *concentration molaire*, égale au nombre de moles du corps dissous par unité de volume (litre) de la solution.

CONCENTRATION (camps nazis de). — Dès 1933, au lendemain de la prise du pouvoir par Hitler, un décret du 28 février permet la détention, dite « de protection » *(Schutzhaft)*, de toute personne pour une durée illimitée et sans possibilité de jugement ni de réclamation. Confiés à la garde des S. S., les premiers camps sont ouverts à Böyermoor et à Dachau en 1933. Les détenus sont des opposants au régime mêlés de façon sciemment équivoque à des condamnés de droit commun, souvent chargés de leur encadrement. Après celui d'Oranienburg naissent les camps de Buchenwald (1937), de Mauthausen et de Neuengamme (1938) ainsi que celui de Ravensbrück (1939), réservé aux femmes, si bien qu'au début de la Seconde Guerre mondiale le système concentrationnaire nazi est déjà très au point. En 1937 est créée la première des entreprises S. S. chargée de la construction des camps; camouflées en sociétés privées, de telles entreprises connaîtront un grand essor jusqu'en 1945. Permettant à la Gestapo*, qui, depuis 1938, a le monopole de l'arrestation des « suspects », d'étendre le système à tous les territoires contrôlés par le Reich, le conflit qui s'ouvre en 1939 va multiplier le nombre des camps, désormais peuplés d'étrangers de toute nationalité. En septembre 1941 est pratiquée pour la première fois au camp d'Auschwitz l'extermination collective de malades et de prisonniers soviétiques par le gaz cyclon B. Le 7 décembre 1941, Keitel signe la fameuse ordonnance *Nacht und Nebel* (« Nuit et Brouillard »), qui ordonne de remettre à la Gestapo, pour envoi dans les camps, tous ceux « qui intentent à la sécurité de l'armée allemande ». En 1942, l'accent est mis sur la promotion des camps comme réservoir de main-d'œuvre pour travaux « épuisants ». Ainsi s'organise, avec la création de nombreux commandos, une véritable extermination par le travail des détenus, dont la « location » par les firmes allemandes procure aux S. S. des revenus considérables. À partir de 1943-44, le système concentrationnaire et le projet hitlérien de génocide massif des Juifs par les chambres à gaz (dit *la solution finale*), distincts à l'origine, finissent par se réunir en une même entreprise de destruction humaine. Malgré la difficulté de toute statistique, on estime que l'appareil concentrationnaire a atteint 1,5 million de personnes, dont plus de 500 000 sont mortes dans les camps. À cet ensemble s'ajoute environ 1 million de Juifs, que les impératifs du travail préserveront paradoxalement des chambres à gaz, où périrent de 5 à 6 millions d'entre eux.

CONCENTRATION DES MINERAIS ET CHARBONS. — Le minerai* brut sortant de la mine* est rarement utilisable tel quel. Il contient en général des impuretés stériles qu'il faut éliminer par un processus physique dans un *lavoir* (charbon) ou une *laverie* (minerai). Le charbon brut contient des pierres provenant des épontes et des barres stériles de la couche. Pour des minerais de faible teneur, la quantité de gangue stérile est de 20 à 100 fois celle du minéral pur. Par concassage, puis par broyage, on réduit les morceaux à la dimension des fragments purs. On procède ensuite à la séparation minéral/stérile. Si la dimension de libération est très petite (par exemple 0,15 mm), la concentration est faite par *flottation*. À l'aide d'une turbine qui injecte de l'air, on fait mousser la pulpe constituée par le mélange d'eau et de minerai broyé, après l'avoir additionnée d'un agent moussant, comme l'huile de pin, et d'un autre composé organique appelé *collecteur*, qui se porte sélectivement sur les grains du minéral et les fait adhérer à la mousse, le stérile restant inerte. On épuise la pulpe dans une série de *cellules de flottation*. Les concentrés contenus dans les mousses sont débarrassés de leur eau sur un filtre continu. Dans la *flottation différentielle*, employée pour des minerais complexes, on utilise successivement des dépresseurs et des activateurs afin d'agir sélectivement sur les différents minéraux. On peut trier les gros morceaux pour récupérer ceux qui sont franchement minéralisés et pour éliminer ceux qui sont pratiquement stériles; le *triage à main* est artisanal; le *triage mécanique*, fondé sur des différences physiques — magnétisme*, radioactivité, couleur, etc. —, ne convient qu'à certains minerais. Pour les dimensions intermédiaires, on utilise une *liqueur dense*, ou *médium*, c'est-à-dire de l'eau dans laquelle sont maintenues en suspension de fines particules d'un corps très dense, comme la magnétite ou le ferrosilicium, en proportion convenable pour donner à la liqueur une densité* intermédiaire entre celles des deux produits à séparer : la gangue, plus légère (ou le charbon), flotte et se sépare des minerais, plus denses, qui tombent au fond, où ils sont extraits. Les produits ainsi séparés sont rincés sur des cribles pour récupérer le médium, qui, lui-même étant magnétique, est séparé de l'eau trop abondante par un dispositif aimanté permettant de reconstituer la densité voulue de la liqueur. La liqueur dense peut être utilisée pour des produits fins par cyclonage; la force centrifuge produite par le tourbillonnement du liquide dans le « cyclone » augmente la différence apparente de densité et réduit l'influence de la viscosité. Le *bac à piston* utilise la différence de vitesse de chute dans l'eau de morceaux de dimensions comparables, les morceaux les plus denses tombant plus vite. Le mélange à séparer arrive avec de l'eau sur la table perforée du bac, dont un pistonnage mécanique ou pneumatique fait alternativement monter et descendre l'eau à travers la table; le produit le plus lourd reste sur le fond, alors que le produit le plus léger, par exemple le charbon, sort avec le courant d'eau à la partie supérieure. Le *lavage*

Broyeurs de l'usine de concentration du minerai de cuivre de Kamoto (province du Shaba, république du Zaïre).

Gécomines

à l'air utilise le même principe que le bac à piston, avec pulsations par courant d'air, mais le rapport entre les densités apparentes des produits est plus faible que dans l'eau; d'où une séparation moins précise. Certains appareils de concentration font appel au phénomène d'*alluvionnement,* fondé sur la différence des vitesses de sédimentation dans l'eau. On utilise alors soit des rigoles au fond desquelles il y a des seuils retenant les minéraux lourds, soit des couloirs en spirale et, pour les produits plus fins, des tables à secousses garnies d'une série de baguettes parallèles. La *lixiviation* consiste dans l'attaque, par de l'acide dilué, plus rarement par une base, du minerai préalablement concassé pour en dissoudre les minéraux recherchés; elle est utilisée pour les minerais oxydés de cuivre* et pour ceux d'uranium*.

CONCENTRÉ (lait) → LAIT.

CONCEPCIÓN, v. du Chili, au S. de Santiago; 178 000 hab.

CONCEPT. — Par rapport à la diversité et à la multiplicité des phénomènes, les concepts scientifiques élémentaires constituent une rupture dans la mesure où ils rassemblent en une définition ce qui est identique et analogue. Le processus de formation des concepts scientifiques se fait par bonds successifs : il *crée* les faits scientifiques et trace en même temps les limites de l'efficacité des concepts à l'intérieur d'une problématique. En faisant travailler les concepts, ce processus de formation et de rectification articule le rapport dialectique* théorie-pratique aux liens, dialectiques, qui se nouent entre les concepts à l'intérieur d'une problématique.

CONCEPTISME. — Défini par Balthasar Gracián (*Finesse et art du bel esprit,* 1642-1648), illustré par Alonso de Ledesma, Vélez de Guevara et Quevedo, le conceptisme est à la recherche d'un raffinement dans le jeu même des idées. Il se distingue du cultisme*.

CONCEPTUALISME → UNIVERSAUX *(querelle des).*

CONCEPTUELLES DANS L'ART CONTEMPORAIN (tendances). — Affirmant la primauté de l'*idée* sur la réalisation matérielle, ce courant, apparu dans l'art occidental vers 1967-1969, s'attache à cerner le concept d'art à travers le processus même d'une création qui veut refuser tout appel à l'esthétique (déjà Léonard de Vinci avait déclaré la peinture « cosa mentale » et Marcel Duchamp avait méprisé l'« art rétinien »). Un tel projet englobe, dans un sens large, des démarches fort variées, étapes d'une recherche (l'Américain Dennis Oppenheim, né en 1938) ou courants divers : l'*art pauvre* (qui refuse l'esthétique des matériaux nobles, avec l'Allemand Joseph Beuys [né en 1921], divers artistes italiens, les Américains Robert Morris* ou Richard Serra [né en 1939]), le *land art* (qui nomme « œuvres » des *interventions* en pleine nature et les documents graphiques ou photographiques s'y rapportant : l'Américain Michael Heizer [né en 1944], l'Anglais Richard Long [né en 1945]), l'*art corporel* (où l'artiste prend son propre corps comme outil et matériau de sa création : Vito Acconci [né en 1940] aux États-Unis, Gina Pane [née en 1939] en France). Mais plus purement conceptuels sont les travaux des Américains Joseph Kosuth (né en 1945) ou Lawrence Weiner (né en 1940), du groupe anglais « Art-Language » (T. Atkinson et M. Baldwin) : dépersonnalisés et froids, ils s'en tiennent à des textes, à des documents, à des analyses d'ordre scientifique; la question que l'art pose sur sa propre nature, et elle seule, forme l'œuvre.

CONCERT. — La manifestation publique ou privée d'interprétation d'œuvres musicales a toujours existé, qu'elle ait lieu en plein air, dans des salons ou dans des salles spécialement aménagées, qu'elle soit organisée par des particuliers ou par des associations, qu'on y joue de la musique religieuse ou profane, vocale ou instrumentale, que les exécutants y soient en grand ou en petit nombre (l'audition d'un seul interprète s'appelant de préférence un récital).

En France, ce terme peut aussi désigner la forme que les Italiens appellent « concerto ».

CONCERTO. — Dérivé du dialogue, voire de l'opposition entre plusieurs parties musicales, le style concertant devient dès le XVIIe s., sous le nom de « concerto », un genre instrumental aux règles établies, supposant à la fois la rivalité et la fusion des plans sonores en présence. Ce jeu d'écriture consiste à faire passer les thèmes d'un camp à un autre : d'un groupe de solistes *(concertino)* à un ensemble d'instrumentistes *(ripieno)* chargé de leur donner la réplique (c'est le *concerto grosso)* ou d'un seul soliste à un tutti d'orchestre (c'est le *concerto solo*).

L'articulation en quatre ou en cinq mouvements (alternés vifs et lents à la manière d'une suite*), adaptée aussi bien au concerto de type religieux *(concerto da chiesa)* qu'à celui de type profane *(concerto da camera),* tendra à se réduire à trois mouvements (vif, lent, vif), notamment dans le concerto pour soliste.

Initiateurs en ce genre, les Italiens (Corelli, Torelli, A. Scarlatti, Vivaldi, Locatelli) le répandront dans toute l'Europe (Bach, Händel, Telemann, Leclair). Si le *concerto grosso* disparaît vers 1760 (en dépit de sa survie en France sous le nom de « symphonie concertante »), le *concerto solo* se développe à la fin du siècle et pendant tout le romantisme, où s'intensifient l'expressivité du mouvement lent et le rôle virtuose du soliste dans les cadences écrites ou improvisées (Mozart, Beethoven, Mendelssohn, Schumann, Liszt, Tchaïkovski, Brahms). Le XXe s. réussira à enrichir encore ce genre déclinant de quelques chefs-d'œuvre (Prokofiev, Ravel, Bartók).

Concerto, pas de deux (1951) de Janine Charrat (musique de Grieg).

CONCHES-EN-OUCHE (27190), ch.-l. de cant. de l'Eure, à 18 km au S.-O. d'Évreux; 3 785 hab. Donjon du XIIe s. Église Sainte-Foy, des XVe et XVIe s. (magnifiques vitraux du XVIe).

CONCILE. — Au IVe s., lorsque le christianisme est reconnu dans tout l'Empire romain par l'empereur Constantin*, se fait sentir la nécessité de décisions prises par l'Église tout entière pour éviter l'émiettement de la foi et de la discipline. D'où ces assemblées d'évêques et de théologiens représentatifs de toute la chrétienté, appelées « conciles généraux » ou « œcuméniques », qui sont à distinguer des « conciles nationaux » ou « provinciaux », qui ont une audience restreinte et ne peuvent légiférer en matière de foi.

Les vingt et un conciles œcuméniques qui jalonnent l'histoire de l'Église peuvent être ainsi répartis :

— les *conciles de l'Antiquité* (IVe-IXe s.), les plus importants, surtout les quatre premiers, qui établissent les dogmes fondamentaux du christianisme : Nicée* (325), Constantinople* I (381), Éphèse* (431), Chalcédoine* (451), Constantinople II (553), Constantinople* III (680-81), Nicée* (787), Constantinople* IV (869-70);

— les *conciles médiévaux* (XIIe-XIVe s.) : Latran* I (1123), Latran* II (1139), Latran III (1179), Latran IV (1215), Lyon* I (1245), Lyon II (1274), Vienne* (1311-12);

— les *conciles unitaires* (XVe s.) : Constance* (1414-1418), Bâle* (1431-1442);

— les *conciles modernes;* Latran V (1512-1517), Trente* (1545-1563), Vatican I* (1869-70), Vatican II* (1962-1965).

Les Églises orientales ne reconnaissent que les sept premiers conciles œcuméniques, auxquels elles ajoutent le synode* de Constantinople de 692, dit « concile *in Trullo* ».

Les protestants rejettent l'autorité des conciles en matière de foi.

CONCILIATION. — Les parties à l'instance peuvent se concilier elles-mêmes ou à l'initiative du juge. La conciliation est tentée aux moment et lieu que le juge estime favorables. Les parties peuvent demander au juge de constater leur conciliation.

CONCINI (Concino), aventurier italien (Florence? - Paris 1617). Fils d'un notaire italien, époux de Leonora Galigaï, ce personnage avide et impopulaire gagne les bonnes grâces de Marie de Médicis, qui le comble de titres et de fiefs. Maréchal de France (1613), véritable maître de la France durant trois ans, il est assassiné par Vitry, capitaine des gardes de Louis XIII.

CONCLAVE. — Au XIIIe s., afin de préserver l'élection du pape des pressions extérieures et de limiter le délai de vacance du siège pontifical, on enferma dans un palais les cardinaux* électeurs. L'usage en est resté. La réglementation actuelle, qui date du XVIe s. mais que Pie X et Pie XII précisèrent et modernisèrent, prévoit que les électeurs du pape doivent entrer en conclave (bas latin *conclava,* chambre fermée à clé) avant le dix-neuvième jour qui suit la mort du pape; une clôture rigoureuse est imposée aux conclavistes (électeurs du pape et personnel attaché à leur service). Le pape est élu à la majorité des deux tiers plus une voix. Depuis Paul VI*, les patriarches catholiques orientaux et les membres du conseil du synode* des évêques sont électeurs du pape avec les cardinaux âgés de moins de quatre-vingts ans.

CONCLUSIONS → PROCÉDURE.

CONCORD, v. des États-Unis, capit. du New Hampshire, sur le Merrimack; 30 000 hab.

CONCORDANCE et **DISCORDANCE.** — Des couches géologiques en *concordance* témoignent d'une sédimentation continue lors d'un cycle unique. Au contraire, l'existence d'une *discordance* entre deux séries de couches sédimentaires témoigne d'un épisode intermédiaire (reprise d'érosion, déformation tectonique) séparant deux cycles de sédimentation.

CONCORDAT *(Dr.)* → FAILLITE.

CONCORDAT *(Hist.).* — Le concordat prend sa forme juridique actuelle au XIIe s. avec, notamment, le concordat de Worms (23 sept. 1122), qui, signé par Calixte II et l'empereur Henri V, met fin à la querelle des Investitures.

En France, les relations de l'État avec la papauté sont réglées successivement par : le concordat de 1472, qui limite les prétentions de la pragmatique* sanction de Bourges de Charles VII; le concordat de 1516, qui fait du roi le vrai maître de l'Église gallicane; le concordat de 1801, qui reconstitue l'Église de France après la tourmente révolutionnaire (ce concordat est dénoncé par l'État français en 1905). Au XIXe et au XXe s., de nombreux concordats sont signés par les papes : dans la majorité des cas, il s'agit d'accords passés avec des États catholiques.

Concorde *(place de la),* à Paris, ancienne place Louis-XV, à l'entrée des Champs-Élysées. Elle fut conçue et bordée au nord de deux palais, de 1753 à 1775, par J.-A. Gabriel (décor remanié au XIXe s. : obélisque de Louqsor, 1836).

CONCORDIA, v. d'Argentine, sur l'Uruguay; 72 000 hab. Industries alimentaires.

CONCRÈTE (intelligence) → INTELLIGENCE.

CONCRÈTE (musique). — Sous l'impulsion de Pierre Schaeffer s'est développée à Paris, à partir de 1948, une musique dont l'appellation n'a rien d'esthétique, mais qui correspond à l'origine du matériau utilisé : éléments préexistants empruntés à n'importe quel objet sonore, puis enregistrés, manipulés et transformés à l'aide de la bande magnétique, le tout sous-tendu par une volonté de composition sans le secours, devenu impossible, de la notation traditionnelle.

CONCRÉTION. — Une concrétion se forme par ségrégation d'un élément, au départ dispersé dans un sédiment. Il se produit une attraction de cet élément à partir d'un germe (généralement débris de fossile ou de matière organique) qui s'accroît par auréoles successives. On observe par exemple des concrétions de fer, de silice (silex), de calcaire (poupées de lœss).

CONCURRENCE. — La concurrence est une situation économique réalisée lorsque, sur un marché donné, une multiplicité de vendeurs se trouve face à une pluralité d'acheteurs.

En science économique, la notion de concurrence a été l'objet d'une notable évolution. Montesquieu affirmait déjà que la concurrence conférait un juste prix* aux marchandises; pour les physiocrates, le libre contrat permettait le juste prix, compromis entre celui dont peut bénéficier le consommateur (acheteur) pour la meilleure marchandise et celui qui est retiré par le vendeur (producteur). Les classiques reprendront, dans l'ensemble, les idées des physiocrates et souligneront à la fois l'existence de la concurrence et son bien-fondé.

Une découverte importante faite par Proudhon révèle que la compétition entre entrepreneurs aboutit en réalité au *monopole,* cependant que Stuart Mill* reproche aux économistes de son temps de vanter les mérites de la concurrence. Aux yeux de l'école classique, pour laquelle il y a ou concurrence ou monopole, celui-ci est la situation exceptionnelle et la concurrence la situation courante.

Les économistes modernes tendent à démontrer que l'opposition entre deux situations aussi « pures » est en fait une abstraction. Dans un article important de 1926, l'économiste Piero Straffa souligne l'extrême diversité des produits de l'industrie, aboutissant à un morcellement des marchés, chaque producteur se trouvant, de ce fait, dans une situation de maîtrise de son propre marché. Chamberlin et Mrs. J. Robinson achèvent de mettre en lumière la *concurrence monopolistique,* beaucoup plus proche de la réalité que la concurrence « parfaite ». Chamberlin généralise la notion voisine d'« oligopole », caractérisée par la présence d'un nombre relativement limité de producteurs ayant une influence possible sur leurs stratégies réciproques et le sachant.

Une des formes les plus subtiles (et probablement les plus perverties) de la concurrence contemporaine n'est plus la concurrence par le prix, mais la *concurrence par l'innovation,* qui tend à faire apparaître une obsolescence psychologique des biens, chacun obligeant l'autre à innover sans cesse.

CONDAMINE (La), quartier de la principauté de Monaco. Jardin exotique.

CONDAT (15190), ch.-l. de cant. du Cantal, à 32 km à l'E. de Bort-les-Orgues; 1 626 hab.

CONDAT-SUR-VÉZÈRE → LARDIN-SAINT-LAZARE *(Le).*

CONDÉ, famille française, issue d'une branche cadette de celle des Bourbons*. — LOUIS Ier (Vendôme 1530 - Jarnac 1569), premier prince de Condé, frère d'Antoine de Bourbon, roi de Navarre, oncle d'Henri IV, inaugure la double tradition familiale de grand capitaine et de rebelle. Chef calviniste, adversaire des Guises, il périt peu après la bataille de Jarnac. — HENRI Ier (La Ferté-sous-Jouarre 1552 - Saint-Jean-d'Angély 1588), fils du précédent, chef du parti protestant, est éclipsé par Henri de Navarre (Henri IV). — HENRI II (Saint-Jean-d'Angély 1588 - Paris 1646), fils posthume du précédent, catholique intransigeant, a des démêlés avec la régente Marie de Médicis. Il meurt gouverneur de Bourgogne et possesseur du château de Chantilly. — LOUIS II (Paris 1621 - Fontainebleau 1686), **le Grand Condé,** fils du précédent, encore duc d'Enghien, se couvre de gloire contre les Espagnols : Rocroi (1643), Fribourg (1644), Nördlingen (1645), Lens (1648) jalonnent une carrière prestigieuse. Devenu prince de Condé (1646), il se jette au milieu des intrigues de la Fronde*, n'hésitant pas à s'allier aux Espagnols; la paix des Pyrénées (1659) le sauve et le rétablit dans ses honneurs et ses dignités. Son génie militaire s'impose encore durant la guerre de Dévolution, en Franche-Comté (1668) et en Hollande (1672-1674). Son oraison funèbre est due à Bossuet : celui-ci a idéalisé un personnage qui, s'il fut un grand capitaine, fut aussi un grand seigneur libertin. — LOUIS HENRI (Versailles 1692 - Chantilly 1740), arrière-petit-fils du Grand Condé, Premier ministre de Louis XV (1723-1726), prépare le mariage du roi avec Marie Leszczyńska et relève le titre de « duc de Bourbon ». — LOUIS JOSEPH (Paris 1736 - *id.* 1818), fils du précédent, émigre un des premiers en 1789. Sur le Rhin, il constitue une armée d'émigrés, dite « armée de Condé ». — LOUIS ANTOINE HENRI (Chantilly 1772 - Vincennes 1804, **duc d'Enghien,** petit-fils du précédent, émigré en 1789, se bat avec l'armée de Condé. Installé en 1801 dans le pays de Bade, il est enlevé, en mars 1804, par les émissaires de Bonaparte et, après un jugement sommaire, fusillé dans les fossés du château de Vincennes.

CONDÉ-EN-BRIE (02330), ch.-l. de cant. de l'Aisne, à 15,5 km au S.-E. de Château-Thierry; 653 hab. Château des XVIe et XVIIIe s.

CONDENSATEUR. — Un condensateur est constitué par deux armatures métalliques séparées par une faible épaisseur d'isolant. Lorsqu'on établit une différence de potentiel entre les armatures, celles-ci prennent des charges électriques opposées, dont la valeur est proportionnelle à la différence de potentiel. C'est le quotient de ces deux grandeurs qui détermine la capacité* du condensateur. Les condensateurs céramiques ont remplacé aujourd'hui les condensateurs à lame de mica ou de stéarite dans la plupart de leurs usages.

CONDENSATION. — L'air humide suit les lois des gaz* parfaits tant que le point de rosée t^o_r n'est pas atteint; la pression de la vapeur dans un volume d'air V s'ajoute à la pression de l'air seul. Au-dessous de t^o_r, il y a *condensation* de vapeur et formation de microgouttelettes liquides (brume, brouillard, nuages). Le *degré hygrométrique* ε est le rapport $\varepsilon = \frac{p}{P}$ de la pression de vapeur p dans l'air à la pression P de vapeur saturante à la même température. La pression P croît beaucoup plus vite que la température de l'air. Sa valeur, exprimée en centimètres de mercure, est de 0,46 à 0 ^{0}C, de 1,79 à 20 ^{0}C, de 5,50 à 40 ^{0}C, de 35,50 à 80 ^{0}C et de 76,00 à 100 ^{0}C; d'où les condensations bien plus fortes pour un même abaissement $-\Delta t^o_r$ du point de rosée l'été que du point de rosée l'hiver : l'été, les caves sont humides et, l'hiver, elles sont sèches. La condensation a des effets néfastes pour les constructions, notamment par l'humidification des parois intérieures des locaux habités : on lutte contre elle par l'établissement de murs à faible conductibilité thermique.

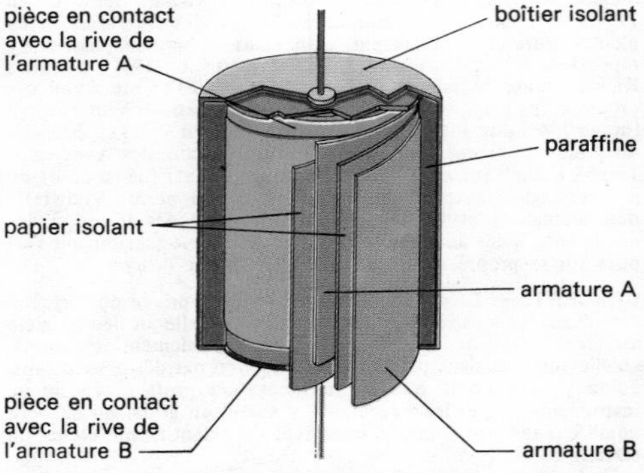

Condensateur électrique.

pression de la vapeur d'eau en fonction de la température

température en ^{0}C	*pression en centimètres de hauteur de mercure*	*température en ^{0}C*	*pression en centimètres de hauteur de mercure*
0	0,458	70	23,37
10	0,920	80	35,52
20	1,753	90	52,59
30	3,181	95	63,40
40	5,532	99	73,82
50	9,252	100	76,00
60	14,940	101	78,77

CONDENSEUR → FRIGORIFIQUE *(machine),* RÉFRIGÉRATION *(tour de),* TURBINE.

CONDÉ-SUR-L'ESCAUT (59163), ch.-l. de cant. du Nord, à 14 km au N.-E. de Valenciennes; 13 994 hab. Monuments des XVe-XVIIIe s. Industrie chimique.

CONDÉ-SUR-NOIREAU (14110), ch.-l. de cant. du Calvados, à 12 km au N. de Flers; 7 514 hab. Constructions mécaniques.

CONDÉ-SUR-VIRE (50890), comm. de la Manche, à 10 km au S. de Saint-Lô, sur la Vire; 3 117 hab. Produits laitiers.

CONDILLAC (Étienne BONNOT DE), philosophe français (Grenoble 1714-abbaye de Flux 1780). Influencée par Locke*, sa pensée, qui consiste surtout en une analyse de la genèse des idées (*Traité des sensations,* 1754), a influencé les conceptions des idéologues*. Le sensualisme, dont il se fait le théoricien, le conduit à placer les besoins au point de départ de l'économie (*le Commerce et le gouvernement considérés relativement l'un à l'autre,* 1776).

CONDIMENT. — On distingue, selon leur saveur, les *condiments salés* (le sel, le seul qui soit d'origine minérale, et le salpêtre, utilisé dans les salaisons), les *condiments acides* (vinaigre, verjus [utilisés dans la préparation de la moutarde], câpres, cornichons, citron) et les *condiments âcres* (ail, oignon, échalote, etc.). Il faut citer aussi les *épices âcres* (poivre, curry, gingembre, muscade, girofle), les *piments doux* (poivrons) et les *herbes aromatiques* (persil, cerfeuil, thym, etc.). Il existe également des condiments sucrés (sucre et miel) et des condiments composés industriellement, tels que les moutardes composées, les sauces anglaises, etc.

Condition humaine *(la),* roman d'A. Malraux (1933), qui obtint le prix Goncourt. À Chang-hai, en 1927, les communistes chinois font éclater la révolution, triomphent, mais, sur l'ordre de l'Internationale, rendent leurs armes à Tchang Kaï-chek, qui les fait périr dans les tortures : pris entre la conscience révolutionnaire et son désir d'être, entre sa volonté de puissance et sa quête de la liberté, l'homme ne peut jamais dépasser son destin.

CONDITIONNEMENT → CARTON.

CONDITIONNEMENT *(Psychol.)* → APPRENTISSAGE.

CONDITIONNEMENT D'AIR. — On distingue généralement la *climatisation,* qui vise à réaliser une ambiance agréable et favorable à la santé et à l'activité de l'homme, et le *conditionnement d'air industriel,* destiné à maintenir des produits, des appareils, etc., dans des conditions favorables à leur conservation ou à leur fonctionnement. Le conditionnement d'air agit sur la température, l'humidité, la vitesse, la teneur en poussières et en germes, etc. La purification comprend au minimum un dépoussiérage par filtration; si besoin est, on élimine les germes par action de rayons ultraviolets*, d'ozone*, d'aérosols. On agit sur la température et la teneur en eau de l'air, séparément ou simultanément, en lui faisant traverser des batteries de tuyaux (parcourus soit par de l'eau chaude ou de la vapeur, soit par de l'eau froide ou un frigorigène), des «laveurs d'air» (pluie d'eau) ou des couches de matériaux absorbant l'humidité. La climatisation s'est rapidement répandue, même en climat tempéré, dans les immeubles de bureaux à grandes surfaces vitrées, surtout là où le bruit et la pollution* atmosphérique conduisent à maintenir les fenêtres fermées.

Schéma d'une centrale de conditionnement d'air.

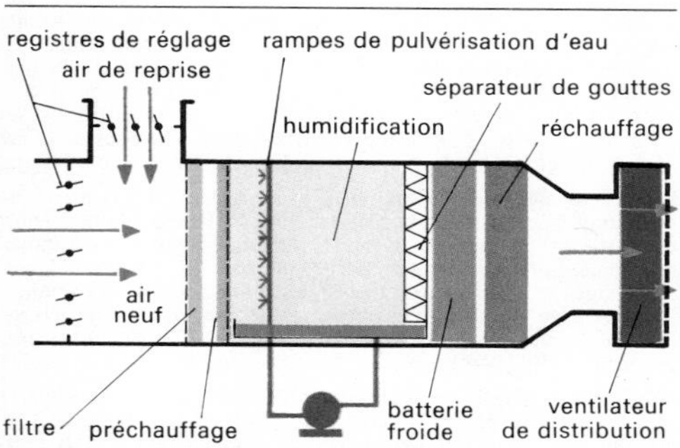

CONDOM (32100), ch.-l. d'arr. du Gers, à 38 km au S.-O. d'Agen, sur la Baïse; 8 076 hab. *(Condomois).* Ancienne cathédrale, cloître et évêché (auj. hôtel de ville) du XVIe s. Eaux-de-vie.

CONDORCET (Marie CARITAT, *marquis* DE), philosophe et homme politique français (Ribemont 1743-Bourg-la-Reine 1794). Grand mathématicien, il entre à l'Académie des sciences dès 1769 et à l'Académie française en 1782. Ami de Voltaire et de D'Alembert, il collabore à l'*Encyclopédie,* où il traite d'économie politique. Considéré comme le chef du «parti philosophique», il est élu à l'Assemblée législative (1791), puis à la Convention (1792), où il présente un plan grandiose d'organisation de l'instruction publique. Ami des Girondins, il est traqué après juillet 1793 et s'empoisonne dans sa prison.

CONDOTTIERE. — Dans l'Italie du Moyen Âge et de la Renaissance, les condottieri étaient des chefs mercenaires qui, par contrat *(condotta),* s'engageaient au service des villes et des principautés italiennes avec leurs propres armées. Ils intervinrent notamment dans les luttes entre cités (Venise, Milan) ou lors de conflits plus vastes, telles les guerres entre Angevins et Aragonais. Leur ambition personnelle et la réussite politique de certains d'entre eux (François Sforza à Milan en 1450) accrurent souvent les rivalités entre cités.

CONDRIEU (69420), ch.-l. de cant. du Rhône, à 11 km au S. de Vienne, sur la rive droite du Rhône; 3 190 hab.

CONDROZ (le), région de la Belgique, entre la Meuse, l'Ourthe et la Lesse. (Hab. *Condrusiens.*)

CONDYLE → ARTICULATION.

CONDYLIS → KONDHÝLIS.

CONDYLOME. — Les condylomes sont dus le plus souvent à la prolifération de verrues des muqueuses génitales. Ils se contractent par contact, génital ou non. La résine de podophyllin, la cryothérapie, l'électrocoagulation permettent de les détruire.

CÔNE DE DÉJECTIONS → TORRENT.

Confédération athénienne ou **ligue de Délos,** organisation groupant des cités grecques sous la direction d'Athènes (477-404 av. J.-C.). Dès l'hiver 478-477, Athènes* organisa, avec les cités grecques et les îles du littoral de l'Asie Mineure, une ligue destinée à libérer la mer Égée de la domination des Perses, chassés de la Grèce continentale après Salamine* (480) et Platées (479). Elle mettait sa flotte à la disposition de la ligue, moyennant une contribution financière, et assurait le commandement des forces confédérées; officiellement, la capitale de la Confédération était Délos, mais le centre réel était Le Pirée*. Lorsque fut assurée la sécurité des cités grecques en mer Égée (victoire de l'Eurymédon*, 468), la domination athénienne sur les alliés s'accentue; ceux-ci, devenus sujets et mis à la raison par de rudes répressions, furent contraints de lutter aux côtés d'Athènes dans la guerre du Péloponnèse*. La capitulation d'Athènes devant Sparte en 404 entraîna la dislocation de la Confédération.

Confédération athénienne *(seconde),* confédération reconstituée par Athènes (378-338 av. J.-C.). Athènes, remise de sa défaite dans la guerre du Péloponnèse*, tenta de reconstruire sa puissance avec l'aide d'anciens alliés; une nouvelle confédération se forma, qui associa sur un pied d'égalité Athènes et ses partenaires. Mais cette restauration fut de courte durée; les alliés, spoliés, soumis aux pressions thébaines et perses, se révoltèrent (357); l'intervention de Philippe* II de Macédoine, victorieux à Chéronée* (338), sonna le glas de la seconde Confédération.

Confédération de l'Allemagne du Nord, union voulue par Bismarck* après Sadowa (1866) et qui succéda à la Confédération* germanique. Elle groupait, outre la Prusse, vingt et un États de l'Allemagne du Nord. Caduque dès 1871, lors de la création de l'Empire allemand, elle traça les cadres essentiels qui servirent à édifier le IIe Reich.

Confédération du Rhin, union politique créée par Napoléon le 12 juillet 1806 et qui groupait, à l'origine, seize États du sud et de l'ouest de l'Allemagne. Elle s'élargit après Tilsit (1807) au point de grouper tous les États allemands, sauf la Prusse. «Protecteur» de la Confédération du Rhin, l'Empereur des Français en confia la direction à Dalberg*, prince-primat de Germanie. La Confédération du Rhin ne survécut pas à la défaite française de Leipzig (1813); bien qu'éphémère, elle marqua une étape importante dans la marche de l'Allemagne vers l'unité.

Confédération française démocratique du travail (C. F. D. T.), centrale syndicale française. Une majorité se dégagea au sein de la C. F. T. C., lors de son congrès de novembre 1964, pour déconfessionnaliser les statuts de la centrale; elle constitue la Confédération française démocratique du travail. Sous la direction d'Eugène Descamps, puis (1971) d'Edmond Maire, elle se dote, en 1970, d'un programme préconisant l'autogestion, et faisant référence à la lutte des classes, et elle conclut plusieurs accords unitaires avec la C. G. T. Elle compte près de 1 million d'adhérents en 1976.

Confédération française des travailleurs chrétiens (C.F.T.C.), centrale syndicale française née en 1919. La C. F. T. C., qui se réclame de la doctrine sociale chrétienne, s'est, en 1964, scindée en deux organisations syndicales distinctes, la C. F. D. T. et la C. F. T. C. maintenue; les dirigeants de cette dernière (J. Tessier, président, et J. Bornard, secrétaire général) ont décidé de sauvegarder trois grands principes d'action : la référence chrétienne, l'apolitisme et les méthodes de conciliation et d'arbitrage dans les conflits sociaux.

Confédération générale des cadres (C. G. C.), centrale syndicale française créée en octobre 1944. La C. G. C., qui regroupe des cadres, des agents de maîtrise et des V. R. P., est dirigée par Y. Charpentié, qui a succédé à A. Malterre en 1975.

Confédération générale des petites et moyennes entreprises (P. M. E.), organisation créée en 1944 et qui regroupe les entreprises n'employant pas plus de 250 salariés. L'action de la Confédération, animée par Léon Gingembre, est orientée vers la défense des P. M. E. contre le dirigisme étatique.

Confédération générale du travail (C. G. T.), centrale syndicale française créée en 1895. Cette organisation syndicale a constitué jusqu'en 1919 (création de la C. F. T. C.) la seule force du syndicalisme ouvrier français. Très vite, s'est posé le problème de son unité, dû à l'opposition, en son sein, d'un courant révolutionnaire préconisant l'action dure et directe et d'une tendance réformiste plus favorable à un dialogue avec patronat et gouvernement : d'où la scission de 1921 (formation de la C. G. T. U. [Confédération générale du travail unitaire], procommuniste) et celle de 1947-48 (formation de la C. G. T.-F. O., réformiste). Dissoute en 1940, clandestinement reconstituée au sein de la Résistance, la centrale a pour secrétaire général Georges Séguy, qui a succédé en 1967 à Benoît Frachon. Elle s'est rapprochée de la C. F. D. T. et a entamé avec elle une série d'actions unitaires. Elle comptait 2 400 000 adhérents en 1975.

Confédération générale du travail - Force ouvrière (C. G. T. - F. O.), centrale syndicale française issue d'une scission au sein de la C. G. T., créée en 1948 par une minorité hostile aux options communistes des dirigeants cégétistes. La stratégie de cette centrale, dont le secrétaire général est André Bergeron, se caractérise par le refus de tout engagement politique et par le recours au dialogue avec le patronat et le gouvernement.

Confédération germanique, union politique qui groupa, de 1815 à 1866, trente-huit États allemands souverains placés sous la présidence honorifique de l'empereur d'Autriche; son organe essentiel était la diète de Francfort. La confédération ne survécut pas à la défaite autrichienne de Sadowa (1866), défaite qui consacra la primauté de la Prusse en Allemagne.

Conférence des Nations unies pour le commerce et le développement (C. N. U. C. E. D.) → ORGANISATIONS INTERNATIONALES.

CONFESSION → PÉNITENCE.

Confessions, œuvre autobiographique de saint Augustin, écrite entre 397 et 401. Les *Confessions* constituent une nouveauté dans la littérature chrétienne : saint Augustin* y décrit son évolution religieuse jusqu'à sa conversion et la mort de sa mère (387), et son livre est non seulement l'aveu de ses propres faiblesses, mais aussi une profession de foi et une exaltation de la grâce divine.

Confessions *(les),* œuvre autobiographique de Jean-Jacques Rousseau, publiée après sa mort, en 1782 et en 1789. L'auteur décide de s'y peindre « dans toute la vérité de sa nature » et donne de précieux renseignements sur l'élaboration de ses ouvrages.

CONFINEMENT *(Biol.).* — Dans tout milieu clos (le type le plus parfait en est une mare ou un étang), les êtres incapables de s'en échapper et d'en faire échapper leurs descendants (plantes sans graines, animaux aquatiques pondant dans l'eau) subissent ordinairement une régulation naturelle qui limite leur nombre. Il en va de même du nombre de végétaux occupant 1 m^2 de terrain, par exemple. Mais certains milieux sont sujets à diminution de volume (étang que l'on vide partiellement, mare que la sécheresse estivale assèche sur les bords). Leur population se trouve alors en état de « confinement ». C'est aussi le cas sur certaines îles envahies par la mer. Généralement, la taille des individus et surtout leur pouvoir reproducteur diminuent alors fortement. Dans les lagunes salées, le confinement s'accompagne d'une élévation de la concentration en sel, ce qui entraîne la mise en sommeil de certaines espèces *(Tigriopus)* et des changements de forme chez d'autres *(Artemia salina).*

CONFINEMENT D'UN PLASMA *(Phys.).* — Cette opération a pour effet de maintenir, pendant un temps suffisant, les particules constitutives à distance des parois du récipient qui les renferme. Dans ce dessein, on utilise l'action d'un champ magnétique sur les particules électrisées, animées d'une certaine vitesse. Le passage d'un courant d'intensité suffisante détermine une striction du faisceau, et la stabilité du plasma est augmentée par l'emploi de miroirs magnétiques.

CONFIRMATION. — La théologie catholique considère la confirmation comme complémentaire du baptême. Ce sacrement* donne au baptisé, avec la plénitude des dons du Saint-Esprit, la grâce nécessaire pour s'acquitter de sa mission apostolique dans le monde : la confirmation est pour chaque chrétien une Pentecôte* personnelle.

La théologie protestante ne donne pas à la confirmation une valeur sacramentelle : elle la conçoit comme l'affirmation (confirmation) solennelle de l'engagement pris au baptême.

CONFISERIE. — La confiserie est l'art de travailler le sucre et de le transformer en toutes sortes de friandises. Si, à côté du sucre, d'autres denrées sont utilisées (lait, chocolat, café), c'est toutefois le sucre qui demeure la principale. Celui-ci doit être amené à un degré de cuisson différent (lissé, perlé, soufflé, boulé, cassé) selon les préparations telles que bonbons, sirops, confitures, conserves de fruits, etc. Outre les dragées, les plus anciens bonbons, la confiserie prépare les *bonbons au sucre cuit* (bonbons durs, caramels durs, sucres d'orge), les *fondants* (caramels mous, nougat, pralines) et les *sirops* pour les fruits confits ou glacés.

L'histoire de la confiserie est en rapport avec les matières premières dont on disposait : le miel, qui caractérisait les confiseries de l'Antiquité, entre toujours dans les confiseries orientales; les épices, rapportées des croisades, furent enrobées de sucre fondu. Dragées, épices, confitures, fruits et fleurs confits sont connus au Moyen Âge; les confiseurs artisanaux, nombreux aux XVIIe et XVIIIe s., sont le rendez-vous des classes élégantes. L'industrialisation de la profession s'opéra au XIXe s.

CONFLANS-EN-JARNISY (54800 Jarny), ch.-l. de cant. de Meurthe-et-Moselle, à 28 km au N.-O. de Metz; 2 601 hab.

CONFLANS-SAINTE-HONORINE (78700), ch.-l. de cant. des Yvelines, à 8 km au S. de Pontoise, sur la Seine, peu en amont du confluent de l'Oise; 31 069 hab. *(Conflanais).* Église des XIIe-XVe s.

CONFLENT (le), région des Pyrénées-Orientales, correspondant à la vallée de la Têt. V. princ. *Prades.*

CONFLITS (tribunal des) → JUSTICE *(organisation de la).*

CONFLITS COLLECTIFS DU TRAVAIL → GRÈVE et TRAVAIL *(droit du).*

CONFOLENS (16500), ch.-l. d'arr. de la Charente, au confluent de la Vienne et du Goire; 3 200 hab. Monuments des XIe-XVe s.

CONFRÉRIE. — Associations pieuses constituées au Moyen Âge (XIe-XIIe s.) en marge des corporations, les confréries avaient pour raison d'être d'organiser la vie religieuse de leurs membres, d'assister les plus pauvres d'entre eux, d'aider les veuves et les orphelins. Si, ordinairement, elles regroupaient les gens d'un même métier, certaines furent communes à plusieurs professions. À l'inverse, la pluralité des confréries au sein d'un même métier traduisit parfois un clivage social entre patrons et employés : apprentis et compagnons formèrent des confréries distinctes de celles des maîtres. Trop indépendantes vis-à-vis du pouvoir et de l'Église, les confréries furent souvent dissoutes (XVIe s.) par l'État.

Confrérie de la Passion, au Moyen Âge, association qui se consacrait à la représentation des mystères*. Formée de bourgeois et d'artisans de Paris, la Confrérie obtint en 1402 un véritable monopole. Lorsqu'un arrêt du parlement, en 1548, interdit de jouer des drames sacrés, les Confrères de la Passion firent alors exploiter leur privilège par des comédiens professionnels (v. BOURGOGNE [*hôtel de*]), moyennant un droit fixe, jusqu'en 1676, date à laquelle leur société fut dissoute.

CONFUCIANISME. — La pensée de K'ong-tseu* (Confucius) semble dominée par un intérêt pratique; les méditations de son disciple Mong-tseu* (Mencius) ont, en revanche, un aspect plus spéculatif. En effet, la notion de *jen* ou *ren* (vertu ou bonté caractérisant la nature humaine), qui demeurait peu élaborée par K'ong-tseu, devient le fondement de l'idéalisme confucianiste dans la philosophie de Mong-tseu. La vertu, ou bonté, tire son sens de la pitié qu'éprouve l'homme et de la connaissance qu'il a du bien et du mal. Ces principes éthiques sont l'essence de l'univers. Ainsi, l'homme accompli est celui dont la nature morale est pleinement développée : il est le lettré qui vit en conformité avec la vertu et donc, par là même, celui qui a compris le monde.

Siun-tseu*, le troisième grand penseur confucianiste, considère, au contraire, que la nature brute de l'homme est mauvaise; la bonté humaine ne peut exister que par la culture. L'éducation joue par conséquent un rôle très important, dans la mesure où c'est elle qui rend possible la vie en société. Ce réalisme conduit Siun-tseu à penser qu'il n'est de morale authentique qu'efficace et qu'il faut rejeter les superstitions religieuses pour leur substituer une véritable connaissance du monde. L'homme doit alors créer sa culture en utilisant ce que le monde lui offre.

À la fin de l'époque des Royaumes combattants (453-221 av. J.-C.), le confucianisme s'enrichit de deux chapitres du classique *Li-ki (Mémoire des rites) :* la « Grande Étude » *(Ta-hiue)* et la « Doctrine du milieu » *(Tchong-yong),* qui approfondissent et l'aspect politique du confucianisme et la spéculation sur la nature humaine.

Sous les Han (IIe s. av. J.-C. - IIe s.), le confucianisme devient la doctrine officielle de l'État; désormais, le recrutement des fonctionnaires se fait sur la base de la connaissance de cette doctrine. Tong Tchong-chou (v. 179-104 av. J.-C.) s'efforce alors d'opérer la synthèse du confucianisme et des courants de pensées et de croyances qui ont cours dans l'Empire du Milieu. Il construit ainsi une cosmologie qui, s'appliquant à l'homme, se présente comme une justification de l'ordre naturel et de l'ordre socio-politique établi. Au Ier s. de notre ère, Wang Tch'ong (26?-100) critique cette conception d'une interaction entre la nature et la société, tandis qu'un culte confucéen commence à se répandre. Puis le confucianisme perd de son influence au profit du bouddhisme* pendant les IIIe et IVe s.

Le néoconfucianisme naît dans la seconde moitié du Xe s. L'école de l'Esprit, fondée par Tch'eng Hao (1032-1085), et l'école des Principes, instituée par Tch'eng Yi (1033-1077), relancent les spéculations sur la nature humaine et sur la place de l'homme dans la société. Sous la dynastie des Ts'ing, les lettrés poursuivent d'importantes recherches historiques et philologiques sur les classiques afin de restaurer un confucianisme dont l'« orthodoxie » est, selon eux, battue en brèche par la théorie de l'action élaborée par Yen Yuan (1635-1704) et la métaphysique song, comme celle qu'imagina Tchou Hi (1129-1200).

Violemment critiqués en tant que politique réactionnaire depuis l'instauration de la république populaire, le confucianisme et le néoconfucianisme comptent aujourd'hui fort peu d'adeptes.

CONFUCIUS → K'ONG-TSEU.

CONFUSION MENTALE. — Elle est considérée comme la plus médicale des affections psychiques, car elle représente un mode de réaction de l'encéphale à des agressions variées, dues aux toxiques (alcool, hallucinogènes, urée), aux maladies infectieuses, aux lésions (tumeur cérébrale, traumatisme crânien) ou à des chocs émotionnels.

Le malade atteint de confusion mentale se présente comme un égaré : il est désorienté dans le temps et dans l'espace, ses opérations intellectuelles sont ralenties et ses troubles mnésiques sont importants. Il est souvent en proie à un onirisme terrifiant; il paraît alors être plongé dans un cauchemar, comme dans le delirium tremens. La confusion mentale est un état transitoire qui régresse souvent et dont le pronostic dépend de la cause déclenchante. Quelle que soit son origine, la période de confusion mentale est toujours recouverte par une amnésie plus ou moins profonde.

CONGAR (Yves), religieux dominicain et théologien français (Sedan 1904). Ses travaux sur l'Église, l'œcuménisme, le rôle et le développement de la théologie ont fait de lui un des principaux théologiens catholiques contemporains.

CONGÉLATEUR. — Le congélateur est un appareil frigorifique destiné à congeler rapidement des denrées fraîches en transformant en glace, à une température de − 23 à − 35 °C, l'eau contenue dans leurs tissus. Il peut offrir la forme d'un coffre à parois intérieures réfrigérées ou à air froid pulsé, propagé dans tout le meuble par un ventilateur. Il existe également des congélateurs de type armoire, dont les clayettes sont des plateaux refroidis. Parmi les plus courants, les congélateurs ont une capacité qui varie de 120 à 850 litres. La plupart des réfrigérateurs sont équipés d'un compartiment de congélation avec soit un système unique frigorifique, soit deux systèmes complètement séparés.

CONGÉLATION. — La congélation de produits alimentaires effectuée rapidement et à température suffisamment basse est dénommée « surgélation ». Tous les produits alimentaires, crus ou cuits, peuvent être surgelés; la faculté de conservation (plusieurs mois, souvent plus d'un an) est d'autant plus longue que la température d'entreposage est plus basse. La congélation s'effectue selon trois catégories de procédés : par *soufflage d'air froid* (de − 30 à − 40 °C) à grande vitesse dans des chambres, ou « tunnels », ou dans des appareils à « lit fluidisé », où le produit en vrac est mis en suspension dans le courant d'air froid; par *contact* avec des surfaces métalliques (plaques) refroidies; par *immersion* ou *aspersion,* à l'aide d'un liquide froid (saumure ou solution organique ou azote* liquide à − 195 °C).

CONGÉLATION FRACTIONNÉE. — C'est la séparation des constituants d'un mélange liquide par refroidissement, grâce à la différence de leurs points de fusion.

CONGESTION. — La *congestion passive* est due à un ralentissement du débit des veines, lié à un obstacle (caillot, compression) ou à un défaut de vidange de l'oreillette droite. Elle se traduit par une augmentation de volume de l'organe atteint, puis par une exsudation du sérum dans les tissus ou les cavités avoisinantes (œdème, ascite, etc.).

La *congestion active* est due à une augmentation du débit artériolo-capillaire en réponse à une agression d'origine variable. En apportant localement les matériaux (globules blancs, anticorps) destinés à lutter contre les agents agresseurs, elle constitue un phénomène de défense. Parfois disproportionnée à la cause, elle peut être source d'hémorragies de gravité variable, de compressions.

La *congestion pulmonaire* peut être active, premier signe d'une pneumopathie aiguë, ou passive, au cours de certaines cardiopathies.

Le terme de *congestion cérébrale* est employé à tort pour désigner des accidents vasculaires cérébraux tels que l'ischémie, cause de ramollissement (qui est en réalité de la congestion), et l'hémorragie cérébrale (qui est plus qu'une congestion).

CONGLOMÉRAT *(Écon.)* → CONCENTRATION.

CONGLOMÉRAT *(Géol.).* — Roches grossières constituées de fragments rocheux cimentés, les conglomérats sont de deux types. Dans les brèches, qui se forment généralement en milieu continental, les éléments anguleux témoignent d'un court transport. Les éléments émoussés des poudingues témoignent, au contraire, d'un long transport par les rivières ou par la mer.

CONGO ou **ZAÏRE,** grand fleuve de l'Afrique équatoriale; 4 640 km.

Le Congo prend sa source sur le plateau du Katanga (auj. Shaba) sous le nom de Lualaba. Son cours est d'abord orienté S.-N. et le Congo reçoit la Luapula. En aval de Kisangani, le fleuve décrit un vaste arc de cercle vers l'O., recevant à droite l'Oubangui et la Sangha, et à gauche le Kasaï. Son cours s'élargit en une succession de biefs dans lesquels le Congo se divise en multiples bras jusqu'au Stanley Pool (auj. Pool Malebo), vaste zone marécageuse au niveau d'eau variable. Au-delà, il traverse les monts de Cristal par une série de rapides se succédant sur 300 km et va se jeter dans l'océan Atlantique en un large estuaire.

La localisation de son bassin, à cheval sur l'équateur, lui assure un débit abondant (40 000 m^3/s en moyenne au Stanley Pool) et régulier. Il constitue au cœur de l'Afrique une large voie navigable entre Kisangani et le Stanley Pool (sur les rives duquel sont implantées Kinshasa et Brazzaville).

CONGO *(république populaire du)* ou **CONGO-BRAZZAVILLE,** État de l'Afrique équatoriale; 342 000 km^2; 1 300 000 hab. *(Congolais).* Capit. *Brazzaville.*

GÉOGRAPHIE. Le pays s'étend sur une partie de la cuvette alluviale, marécageuse, du Congo, bordée au N.-O. par une succession de plateaux et de collines. La chaîne côtière du Mayombé sépare l'étroite frange littorale du reste du pays. Le climat équatorial explique la grande extension de la forêt dense.

La population, peu nombreuse, se concentre dans le sud-ouest du pays, à proximité de Brazzaville* et de Pointe-Noire*.

L'agriculture reste le secteur fondamental de l'économie. À côté de cultures traditionnelles aux faibles rendements se sont développées des plantations de canne à sucre, de café, de coton, de palmiers à huile, etc. Mais l'exploitation de la forêt apporte les plus substantiels revenus. Les ressources du sous-sol sont variées (phosphates, fer, or, plomb, diamants), mais peu abondantes, à l'exception du pétrole, exploité depuis peu, et l'industrie se limite à la transformation des produits agricoles. Le pays doit importer des biens d'équipement. La France reste le principal partenaire d'un commerce extérieur déficitaire, effectué par le port de Pointe-Noire. (Voir carte p. 478.)

HISTOIRE. Au sein du Congo français (1891), puis de l'A.-É. F. (1910), le pays constitue la colonie du Moyen-Congo. La pénétration européenne est lente; les Français, imitant le système léopoldien, inaugurent en 1899, pour trente ans, un système d'exploitation concessionnaire, qui aboutit au pillage et au maintien de la population dans le dénuement. La résistance à l'oppression coloniale se manifeste, de 1928 à 1935, par la grande révolte du pays baya. Le Moyen-Congo se rallie à la France libre dès le 28 août 1940 sous l'impulsion du gouverneur Félix Éboué, et c'est à Brazzaville, au cours d'une conférence célèbre, tenue par Charles de Gaulle (1944), que sont jetées les bases de l'Union française (1946). La fondation, en 1956, par l'abbé Fulbert Youlou, de l'Union démocratique de défense des intérêts africains (U. D. D. I. A.) prélude à la création, en 1958, de la république du Congo, dont F. Youlou est le premier président (1959), puis à l'indépendance complète du pays (1960). Après le remplacement de F. Youlou par Alphonse Massemba-Debat, le Congo confirme son option socialiste, qui l'isole de ses partenaires de l'Union douanière africaine et n'empêche pas le maintien des difficultés économiques graves. En 1970, le pays — dirigé de 1969 à 1977 par Marien Ngouabi — devient la république populaire du Congo, officiellement marxiste. En 1977, Joachim Yhombi-Opango succède à Ngouabi, assassiné lors d'un coup d'État militaire.

CONGO *(royaume du),* ancien royaume africain aux confins du bas Congo et de l'Angola septentrional. Probablement fondé au XIVe s., il impressionna par sa cohésion les Portugais, qui y implantèrent le christianisme et y pratiquèrent la traite des Noirs sur une telle échelle que l'État du Congo disparut vers 1665, laissant la place à un ensemble disparate de clans inorganisés.

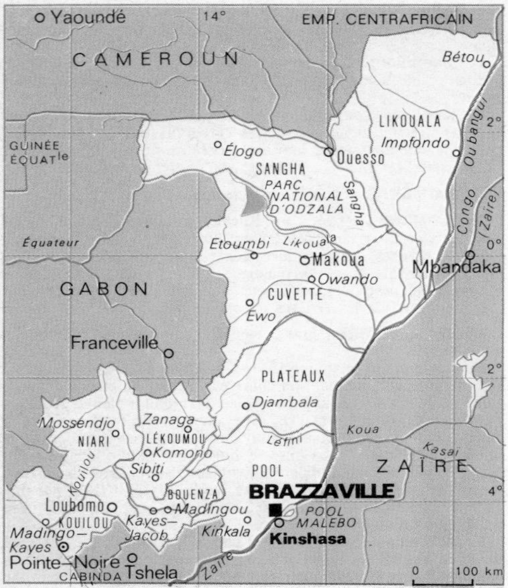

CONGO
(RÉPUBLIQUE POPULAIRE DU)

CONGO-KINSHASA → ZAÏRE.

Congo-Océan, ligne ferroviaire, longue de 511 km, reliant Brazzaville à Pointe-Noire.

CONGRÉGATION. — Pris au sens large, le terme de « congrégation » désigne l'ensemble des ordres religieux masculins et féminins. Le Code de droit canonique, promulgué par Benoît XV (1917), restreint cette acception en désignant sous le nom de « congrégations » les associations religieuses dont les membres ne font que des vœux simples (non solennels), soit temporaires, soit perpétuels. Les plus anciennes de ces associations ne remontent pas au-delà du XVIIe s.

Congrégation *(la),* association religieuse qui groupa, sous la Restauration, de nombreux membres des classes dirigeantes désireux de s'adonner à des œuvres de charité. Si l'opposition libérale l'a présentée comme un gouvernement occulte, c'est qu'elle la confondait avec l'organisation secrète des Chevaliers de la foi, qui fut au gouvernement avec Villèle* (1824-1826).

Congrès, aux États-Unis, réunion des deux chambres législatives : Chambre des représentants et Sénat. Le Congrès exerce le pouvoir, légiférant dans une stricte séparation des pouvoirs d'avec l'exécutif (qui n'est pas responsable devant lui, sauf le cas, exceptionnel, d'impeachment*).

CONGRÈS, réunion à Versailles des deux assemblées françaises pour opérer une révision constitutionnelle.

Congrès national indien, parti politique indien. Fondé en 1885 en vue d'obtenir des Anglais un certain nombre de concessions politiques, le Congrès est d'abord un parti nationaliste modéré, qui se radicalise progressivement après la Seconde Guerre mondiale. Dirigé par Nehru à partir de 1929 et soutenu par la grande majorité des électeurs, il lutte désormais pour l'indépendance totale de l'Inde, qu'il obtient en 1947. Il accède alors au pouvoir, ses dirigeants successifs étant également chefs du gouvernement (Nehru jusqu'en 1964, Lal Bahādur Shastri de 1964 à 1966, Indira Gāndhī à partir de 1966). Tout en conservant le monopole du pouvoir, il enregistre après 1951 un recul électoral, dû aux divisions qui opposent les traditionalistes, hostiles aux réformes économiques et sociales, aux partisans de Nehru et de ses successeurs. En 1969, après l'adoption du programme socialisant de Bangalore, ces divisions aboutissent à une scission : l'aile droite, Congrès de l'opposition ou Vieux Congrès, se sépare de l'aile gauche, Congrès gouvernemental ou Nouveau Congrès, favorable à Indira Gāndhī. Bien qu'affaibli par cette scission, le Nouveau Congrès conserve une forte majorité électorale, qu'il perd cependant aux élections de mars 1977. Il se scinde de nouveau peu après.

CONGREVE (William), écrivain anglais (Bardsey, près de Leeds, 1670-Londres 1729), auteur de drames héroïques et de comédies (*Ainsi va le monde,* 1700) qui témoignent de la réaction contre l'austérité puritaine.

CONGREVE (sir William), général britannique (Woolwich 1772-Toulouse 1828). Il inventa la fusée qui porte son nom (1804) et perfectionna la fabrication de la poudre.

CONGRUENCE ARITHMÉTIQUE. — Les congruences arithmétiques désignent l'étude de la théorie des restes dans la division euclidienne des entiers relatifs par un entier naturel. Si n est un entier naturel non nul, les deux nombres entiers x et x' sont *congrus* modulo n si la différence $x - x'$ est un multiple de n, ce que l'on note $x \equiv x'(n)$. Pour qu'il en soit ainsi, il faut et il suffit que les nombre x et x' aient le même reste dans la division euclidienne par n : $r = r'$ dans

$$x = nq + r, \quad 0 \leqslant r < n \quad \text{et} \quad x' = nq' + r', \quad 0 \leqslant r' < n.$$

Les restes étant compris, au sens large, entre 0 et $n - 1$, on peut ranger tous les entiers relatifs composant l'ensemble* $\mathbb{Z}$ dans un ensemble noté $\mathbb{Z}/n\mathbb{Z}$ comportant les n éléments $0, 1, 2, ..., n - 1$. Cet ensemble

$$\mathbb{Z}/n\mathbb{Z} = \{0, 1, 2, ..., n - 1\}$$

peut être muni d'une addition, notée $\oplus$, et d'une multiplication, notée $\otimes$, telles que, si x et y appartiennent à $\mathbb{Z}/n\mathbb{Z}$, on a :

$$x \oplus y = x + y \quad \text{si} \quad x + y \in \mathbb{Z}/n\mathbb{Z};$$

$$x \oplus y = x + y - kn, \quad k \in \mathbb{Z}, \quad x + y - kn \in \mathbb{Z}/n\mathbb{Z}$$

$$\text{si} \quad x + y \notin \mathbb{Z}/n\mathbb{Z}.$$

On a une définition analogue pour la multiplication.

Pour $n = 4$, $\mathbb{Z}/4\mathbb{Z} = \{0, 1, 2, 3\}$. On peut obtenir la table d'addition et la table de multiplication, qui montrent que les opérations $\oplus$ et $\otimes$ sont des opérations internes pour $\mathbb{Z}/4\mathbb{Z}$.

$\oplus$	0	1	2	3
0	0	1	2	3
1	1	2	3	0
2	2	3	0	1
3	3	0	1	2

$\otimes$	1	2	3
1	1	2	3
2	2	0	2
3	3	2	1

On remplit ces deux tables en gardant le résultat obtenu s'il est inférieur à 4 et en lui retranchant 4 ou 8, suivant le cas, pour ramener le résultat à un nombre compris entre 0 et 3 inclus. Ainsi, $3 \oplus 1 = 4 - 4 = 0$ et $3 \otimes 3 = 9 - 8 = 1$. L'ensemble $\mathbb{Z}/4\mathbb{Z}$ muni des opérations notées $\oplus$ et $\otimes$ est un anneau*. On peut calculer sur les congruences comme sur les nombres. Ainsi, si $x \equiv x'$ et $y \equiv y'\ (n)$, on a

$$x + x' \equiv y + y' \quad \text{et} \quad x \, . \, x' \equiv y \, . \, y'\ (n).$$

Pour des problèmes portant sur la divisibilité par le nombre n, on peut donc remplacer les nombres entiers étudiés par leurs restes dans la division par n.

CONI → CUNEO.

CONIFÈRES. — Presque tous les représentants actuels du sous-embranchement des *gymnospermes* sont des conifères, les autres classes ayant surtout des représentants fossiles. Un conifère est un arbre souvent résineux, aux feuilles plus ou moins conformées en *aiguilles* et généralement persistantes, au port très variable mais rarement arrondi, aux fruits constitués par une spirale d'écailles serrées, le *cône.* À maturité, le cône s'ouvre et libère les graines, souvent munies d'une aile. Les conifères, supportant bien le froid, laissant glisser la neige le long de leurs branches sans casser, dominent les forêts des montagnes et des régions froides (Sibérie, Canada). À l'exception du cèdre, ils ne fournissent qu'un bois médiocre, mais on exploite leur résine (Landes). Leur croissance rapide explique la préférence que leur donnent certains forestiers impatients, en dépit de l'action dégradante qu'ils exercent sur le sol (podzolisation). Principaux genres : pin, cèdre, épicéa, sapin, mélèze, cyprès, séquoia, genévrier, if, araucaria.

CONIQUE. — Une conique est une courbe dont l'équation cartésienne est du second degré. Cette conique peut être une *ellipse,* une *hyperbole* ou une *parabole*.

- L'*ellipse,* rapportée à ses axes de symétrie, a pour équation $\frac{x^2}{a^2} + \frac{y^2}{b^2} = 1$. Le point O est *centre de symétrie*. Le grand axe AA' a pour longueur $2a$: $OA = OA' = a$. Le *petit axe* est $BB' = 2b$: $OB = OB' = b$. L'ellipse est une courbe fermée dont tous les points sont situés à une distance finie de O. Il existe deux points F et F' situés sur $x'x$ tels que $BF = BF' = a$ et appelés les *foyers* de

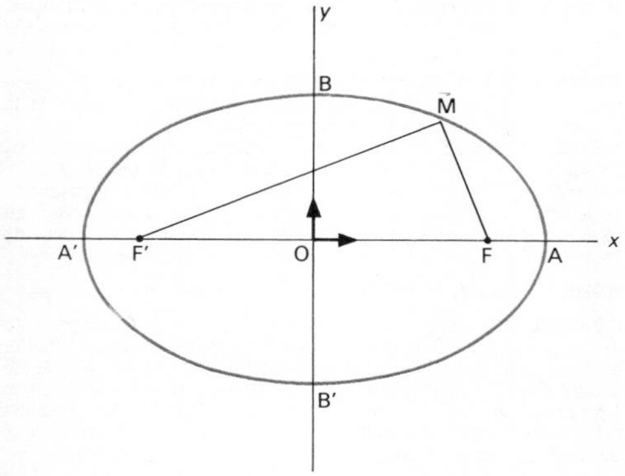

Ellipse.

l'ellipse. L'ellipse est l'ensemble des points tels que $MF + MF' = 2a$. Cette propriété permet de tracer l'ellipse à l'aide d'un fil de longueur $2a$, dont les extrémités sont fixées en F et F' et que l'on maintient tendu.

- L'*hyperbole,* rapportée à ses axes de symétrie, a pour équation $\frac{x^2}{a^2} - \frac{y^2}{b^2} = 1$. Le point O est *centre de symétrie*. L'*axe transverse,* c'est-à-dire celui qui coupe l'hyperbole, est l'axe AA'; A et A' sont les *sommets* de l'hyperbole.

Il existe deux droites X et Y passant par O et appelées *asymptotes* de l'hyperbole, telles que, quand un point M situé sur l'une des branches de l'hyperbole s'éloigne à l'infini, la distance MH de M à l'asymptote correspondante tend vers zéro. Les asymptotes sont symétriques l'une de l'autre par rapport à $x'x$ ou $y'y$.

Il existe deux points F et F' situés sur $x'x$ et appelés les *foyers* de l'hyperbole, tels que

$$OF = OF' = c = \sqrt{a^2 + b^2}$$

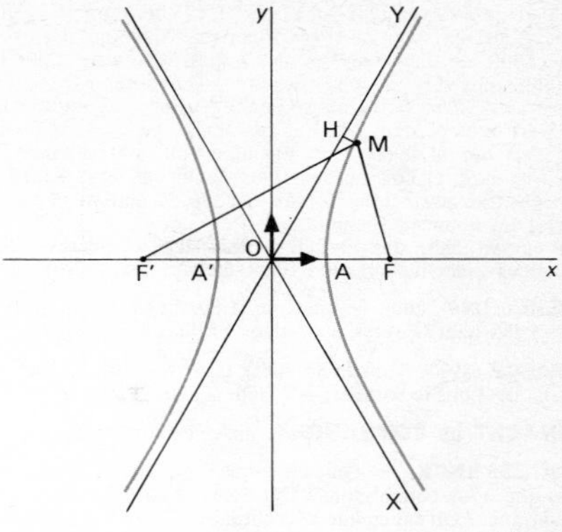

Hyperbole.

et qui permettent de définir géométriquement l'hyperbole. La branche entourant le foyer F est l'ensemble des points tels que $MF' - MF = 2a$; celle qui entoure le point F' est l'ensemble des points tels que $MF - MF' = 2a$.

- La *parabole,* rapportée à son axe de symétrie et à sa tangente au sommet, a pour équation $y^2 = 2px$, l'axe de symétrie étant Ox. La longueur p est égale à deux fois la distance de F au sommet O de la

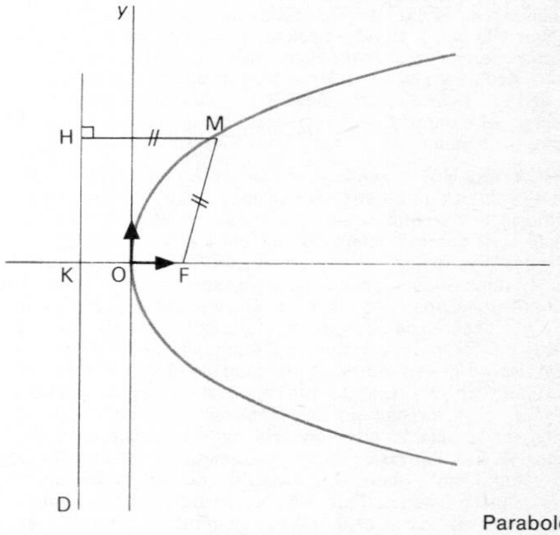

Parabole.

parabole; c'est le *paramètre* de la parabole. La courbe est entièrement située du côté des abscisses positives, puisque, dans l'équation $y^2 = 2px$, $y^2 \geqslant 0$ et $p > 0$, d'où $x \geqslant 0$. La courbe admet un point à l'infini dans la direction de Ox; les deux parties de la courbe, quand x tend vers l'infini, prennent la direction de Ox. Le point F situé sur Ox est le *foyer* de la parabole. Il existe une droite D parallèle à Oy et coupant Ox en K tel que $FK = p$, K et F étant de part et d'autre du sommet O. La droite D est la *directrice* de la parabole. La parabole est l'ensemble des points équidistants de F et de D : $MH = MF$. Cette définition géométrique permet une construction par points de la parabole. Les coniques ont été obtenues la première fois comme des sections planes d'un cône de révolution.

CONJONCTIF (tissu). — Le tissu conjonctif sert de lien, de soutien ou d'enveloppe à tous les viscères. Il participe à de nombreux phénomènes pathologiques : inflammations, collagénoses, processus cicatriciels et tumoraux, etc.

CONJONCTIVE. — L'inflammation de la conjonctive, appelée « conjonctivite », se traduit par une sensation de brûlure avec hypersécrétion de la muqueuse oculaire. Les conjonctivites peuvent être dues à des bactéries variées, à des virus ou sont d'origine allergique.

CONJONCTURE → CRISE et CYCLE ÉCONOMIQUE.

CONJUGAISON → CILIÉS.

CONJUGUÉES. — Un petit nombre d'espèces d'algues vertes des eaux douces *(Spirogyra, Mougeotia, Zygnema...)* se distinguent des autres algues vertes (chlorophycées*) par leur mode original de reproduction. Ces plantes sont formées de filaments unisériés (une seule cellule de diamètre), les uns mâles, les autres femelles, qui lancent les uns vers les autres des ponts cellulaires à l'aide desquels le contenu de deux filaments se joint et fusionne. Tantôt l'œuf ainsi formé est hébergé dans l'un des filaments, qui est alors qualifié de « femelle », tantôt il se forme au milieu du pont cellulaire; il y a alors *isogamie,* et l'on ne peut plus distinguer deux sexes. L'œuf peut être transporté loin de son lieu de formation et germer en donnant un nouveau filament.

Les *desmidiées,* qui abondent dans les tourbières, sont des conjuguées unicellulaires non filamenteuses (ex. : *Closterium*).

CONLIE (72240), ch.-l. de cant. de la Sarthe, à 22 km au N.-O. du Mans; 1 485 hab. Œuvres d'art dans l'église.

CONLIÈGE (39000 Lons le Saunier), ch.-l. de cant. du Jura, à 4 km au S.-E. de Lons-le-Saunier; 847 hab. Église des XIVe-XVIIe s.

CONNACHT ou **CONNAUGHT,** prov. de l'ouest de l'Irlande.

CONNAISSANCE. — Qu'est-ce que connaître? Quels sont les objets que nous connaissons? Déterminent-ils différents genres de connaissance? Qu'est-ce que la certitude? N'y a-t-il de connaissance qu'historique ou individuelle? Quelle est la nature du sujet de la connaissance? Telles sont les questions que n'a cessé de poser la philosophie dans le cadre d'une problématique : la problématique du fondement (être* et sujet* le plus souvent), qui garantirait la validité des connaissances humaines. Bien qu'elles les formulent différemment, les sciences humaines reconduisent souvent ces questions et, implicitement, la problématique du fondement. La psychologie évacue toute question portant sur la valeur des connaissances pour ne s'intéresser qu'au problème de leur acquisition. À ce titre, elle n'est pas plus une gnoséologie que la sociologie de la connaissance. La logique mathématique, en revanche, ne s'interroge que sur la validité des relations qui lient les connaissances et exclut la problématique du fondement.

L'épistémologie* prend les sciences comme objets et ne cherche la signification des connaissances que dans des sciences déterminées. Discourant sur une science à partir de cette science même, et non de l'extérieur, l'épistémologie s'efforce d'en embrasser tous les aspects, au contraire des sciences humaines, qui étudient un « même » phénomène à travers toutes les sciences.

CONNAISSANCE (sociologie de la). — En distinguant trois états dans l'évolution de l'humanité, Auguste Comte* ouvre la voie à la sociologie de la connaissance. Il établit en effet un lien entre la société et le genre de connaissance qui s'y développe, définissant ainsi, les uns par rapport aux autres, l'état théologique, l'état métaphysique et l'état positif. Dans un esprit différent et se gardant de toute philosophie de l'histoire, Lévy-Bruhl oppose la connaissance et l'expérience des « primitifs » à celles des civilisés, tant en ce qui concerne les notions du temps et de l'espace que les catégories de la causalité et de la connaissance d'autrui. Bien que Marx* ait émis des réserves sur l'application trop mécaniste de ce schéma, le marxisme incline également la sociologie de la connaissance vers la mise en évidence de la détermination des idéologies par l'infrastructure économique. « Dépassant » Marx, Karl Mannheim*, dans son analyse de la sociologie de la connaissance, distingue l'idéologie de chacun des protagonistes de la lutte des classes et celle qui est commune à tous les membres d'une société donnée, à un moment précis de son histoire.

Reste que le principe selon lequel les idées, d'une façon ou d'une autre, sont influencées par le contexte social appelle deux remarques, dont la sociologie de la connaissance n'a pas toujours une claire conscience. D'un côté, ce secteur particulier de la sociologie tend, si l'on n'y prend garde, vers l'histoire des sciences elles-mêmes. Toute une tradition philosophique, qui va d'Épicure à Comte et Marx en passant par Saint-Simon et Spinoza, n'a-t-elle pas déjà développé l'idée que les conditions d'existence déterminent la conscience? D'un autre côté, mettre en lumière l'enracinement de toute connaissance expose immanquablement aux suspicions opposées du scepticisme et du nihilisme. À ce point, le sociologue doit renvoyer à l'épistémologie* la question de la relativité des genres de connaissance.

CONNAISSANCE (théories de la) → ÉPISTÉMOLOGIE.

Connaissance par les gouffres, d'Henri Michaux (1961). Un bilan de son expérience de la drogue et des rapports qu'il perçoit entre le drogué, le malade mental et le poète.

CONNECTICUT (le), fl. du nord-est des États-Unis, tributaire de la baie de Long Island; 553 km.

CONNECTICUT, État du nord-est des États-Unis; 12 973 km²; 3 082 000 hab. Capit. *Hartford.* En Nouvelle-Angleterre, sur l'Atlantique, c'est un des plus petits, mais aussi un des plus densément peuplés des États de l'Union. Il est drainé par la partie aval du *fleuve Connecticut.* Fortement urbanisé, il est aussi très industrialisé (constructions mécaniques et électriques notamment).

CONNÉTABLE. — À l'origine, simple officier domestique des Carolingiens, chargé de leurs écuries *(comes stabuli),* le connétable devint, à partir du XIIIe s., le chef suprême des armées et le plus prestigieux des grands officiers royaux. Les dangers politiques que représentèrent certains connétables pour la royauté aux XIVe et XVIIe s. conduisirent Louis XIII à supprimer cet office (1627).

CONNOTATION. — Emprunté à la logique formelle, le concept de connotation s'oppose à celui de dénotation. Alors que ce dernier terme désigne la définition du signe linguistique telle que peut la transcrire le dictionnaire, la connotation est l'ensemble des valeurs affectives que peut prendre le signe en telle ou telle circonstance. Ainsi, le signe *rouge* dénoterait une certaine longueur d'onde et connoterait des notions telles que « danger », « révolution », etc.

CONON, général athénien (v. 444-390 av. J.-C.). Responsable du désastre d'Aigos-Potamos* (405) et n'osant pas revenir à Athènes, il se met au service des Perses; à la tête d'une de leurs flottes, il bat les Spartiates à Cnide* (394) : ce succès lui vaut un retour triomphal à Athènes.

CONON → PAPE.

CONON de Béthune, trouvère artésien (v. 1150-1219). Il joua un rôle important dans la quatrième croisade et fut régent de l'Empire latin d'Orient. Il est l'auteur de chansons courtoises.

CONQUES (12320 St Cyprien sur Dourdou), ch.-l. de cant. de l'Aveyron, à 37 km au N.-O. de Rodez; 432 hab. Superbe abbatiale (milieu du XIe s.-début du XIIe), apparentée au roman auvergnat et aux églises de pèlerinage du type de Saint-Sernin de Toulouse (célèbre tympan sculpté du Jugement dernier). Trésor, le plus important qui ait été conservé en France (« Majesté » de sainte Foy, statue reliquaire du chef de la sainte, Ve?-XVIe s.).

CONQUES-SUR-ORBIEL (11600), ch.-l. de cant. de l'Aude, à 8 km au N.-E. de Carcassonne; 1 692 hab. Église gothique.

CONQUET (Le) [29217], comm. du Finistère, à 24 km à l'O. de Brest; 1 881 hab. Pêche. Station balnéaire.

CONQUISTADOR. — Ce mot espagnol, qui signifie « conquérant », désigne en fait les aventuriers — espagnols en majorité — qui, au XVIe s., se lancèrent à la conquête de l'Amérique centrale et méridionale. Les plus célèbres d'entre eux sont Cortés*, Pizarro* et Almagro*.

CONRAD Ier († 918), roi de Germanie (911-918). Petit-fils, par sa mère, du dernier empereur carolingien, Arnoul, il est élu roi le 10 novembre 911, mais il n'est pas reconnu par les ducs nationaux. Il tente alors de faire de la hiérarchie ecclésiastique le soutien de son royaume.

CONRAD II le Salique (990 [?]-Utrecht 1039), empereur germanique (1027-1039). Élu roi de Germanie en 1024, fondateur de la dynastie franconienne, il devient roi d'Italie en 1026 et reçoit la couronne impériale en 1027. Il doit faire face à plusieurs révoltes en Italie, dont celle des Milanais, qu'il ne peut réduire (1037). Cependant, il réussit à vaincre les Polonais (1032) et à imposer son autorité à la Bohême (1035); dans l'affaire de la succession au royaume de Bourgogne, il triomphe de son rival le comte Eudes de Blois (1037).

CONRAD III, IV, V DE HOHENSTAUFEN → HOHENSTAUFEN.

CONRAD Ier, marquis de Montferrat (v. 1145-1192), seigneur de Tyr et roi de Jérusalem (1192). Il délivra Tyr, qu'assiégeait Saladin, et, lors de la troisième croisade, participa au siège de Saint-Jean-d'Acre (1192). Ayant épousé Isabelle, sœur du roi Baudouin* IV le Lépreux, il succéda à Guy de Lusignan sur le trône de Jérusalem (1192), alors occupé par Saladin*. Il fut assitôt tué par les membres de la secte des assassins.

CONRAD (Józef Konrad KORZENIOWSKI, dit **Joseph**), écrivain anglais d'origine polonaise (Berditchev, Ukraine, 1857-Bishopsbourne, Kent, 1924), auteur de romans qui font de l'aventure maritime ou exotique (*Lord Jim,* 1900; *Typhon,* 1903) une quête initiatique à travers l'épreuve de la volonté.

CONRAD VON HÖTZENDORF (Franz, *comte*), feld-maréchal autrichien (Penzing 1852-Mergentheim 1925). Il est chef de l'état-major austro-hongrois de 1906 à 1911, puis de 1912 à 1917. Maréchal en 1916, il doit accepter d'être subordonné au commandement allemand. En 1917-18, il commande le groupe d'armées austro-allemand du Tyrol et vainc les Italiens à Caporetto (1917).

CONRART (Valentin), écrivain français (Paris 1603-*id.* 1675). Sans rien publier, il était considéré par ses contemporains comme un maître de la langue et du style : il réunissait chez lui les futurs membres de l'Académie française, dont il devint le premier secrétaire perpétuel.

CONSALVI (Ercole), cardinal et homme d'État romain (Rome 1757-Anzio 1824). Fait cardinal par Pie VII, dont il a favorisé l'élection (1800), il négocie avec Bonaparte le concordat* de 1801.

CONSCIENCE → INCONSCIENT et VIGILANCE.

CONSCIENCE (Hendrik), écrivain belge d'expression néerlandaise (Anvers 1812-Bruxelles 1883). Auteur de récits historiques (*le Lion de Flandre,* 1838) et de romans de mœurs (*Maître Gansendonck,* 1850), il inaugura la renaissance des lettres flamandes.

Conseil constitutionnel, organisme créé par la Constitution de 1958. Il a pour mission de veiller à la régularité des élections et des référendums, et de se prononcer sur la conformité à la Constitution des dispositions législatives. Il est composé de neuf membres nommés pour neuf ans (auxquels s'ajoutent les anciens présidents de la République) et est renouvelé par tiers tous les trois ans.

CONSEIL D'ADMINISTRATION → SOCIÉTÉS.

CONSEIL DE FAMILLE → TUTELLE.

Conseil de la République, dans la Constitution de 1946, qui fonda la IVe République*, seconde chambre du Parlement. Héritier diminué du Sénat de la IIIe République, il représentait les collectivités communales et départementales.

Conseil de l'Europe, organisme de coopération entre pays européens, institué le 5 mai 1949 et composé d'une *Assemblée parlementaire,* constituée de représentants désignés par les Parlements des pays membres, et d'un *Comité des ministres,* qui, comprenant un ministre par État membre, délibère sur les recommandations formulées par l'Assemblée.

CONSEIL DE PRUD'HOMME → JUSTICE *(organisation de la).*

CONSEIL DE SURVEILLANCE → SOCIÉTÉ.

Conseil d'État → JUSTICE *(organisation de la).*

Conseil du roi, institution de la monarchie d'Ancien Régime. Issu de la *Curia regis* (XIIIe s.) et, à l'origine, composé de princes du sang et de légistes choisis par le roi, le Conseil du roi donne son avis sur toutes les questions de gouvernement et d'administration. Au roi revient la décision. À partir du XVIe s., il se spécialise et se scinde en Conseil d'en haut (grandes affaires), Conseil d'État (politique), Conseil des dépêches (administration), Conseil des finances, Conseil des parties (justice), Conseil de conscience (religion).

Conseil économique et social, organisme consultatif institué par la Constitution de 1958. Il est saisi par le gouvernement de demandes d'avis et d'études ainsi que de certains projets de lois (lois de programme ou de plan à caractère économique et social). Il peut attirer l'attention du gouvernement sur certaines réformes à réaliser dans les domaines économique, professionnel et social. Ses membres, désignés pour cinq années, se réunissent en section et en assemblée plénière.

CONSEIL GÉNÉRAL → COLLECTIVITÉS TERRITORIALES.

CONSEIL MUNICIPAL → COLLECTIVITÉS TERRITORIALES.

Conseil national de la Résistance (C. N. R.), organisme constitué par Jean Moulin en 1943 et formé de représentants de mouvements de résistance, de partis politiques et de centrales syndicales. Il s'efforça d'unifier les forces armées clandestines et d'établir un programme de réformes à effectuer après la Libération, qui fut à l'origine des mesures de nationalisation.

Conseil national du patronat français (C. N. P. F.) → PATRONAT FRANÇAIS *(conseil national du).*

Conseil supérieur de la magistrature, organisme créé par la Constitution de 1946 et maintenu par la Constitution de 1958. Présidé par le président de la République, il est consulté, en ce qui concerne le droit de grâce, sur les recours concernant une peine* de mort et, éventuellement, sur les autres; il fait des propositions au président de la République pour certaines nominations de magistrats, statue comme conseil de discipline des magistrats du siège, etc.

CONSENSUS. — Tacite ou explicite, il résulte soit de l'acceptation de règles communes, soit d'un désir commun de parvenir à résoudre un conflit et il conduit à exécuter solidairement un ensemble d'activités. Plus sensible dans les associations volontaires et dans les sociétés primitives, la *cohésion,* ou solidarité de groupe, tend à devenir aléatoire à mesure que se développent les organes de la société. Si la dégradation du consensus dans une société globale indique l'inadéquation d'une institution à une situation donnée ou la dégénérescence d'une culture, il se peut, également, que se dessine un large consensus en faveur du changement : des institutions nouvelles se développent alors à tous les niveaux, ce qui permet d'aboutir à une meilleure *intégration** sociale.

conservateur *(parti),* un des grands partis britanniques. C'est après la réforme électorale de 1832 que le terme de *tory** est officiellement remplacé par celui de *conservateur.* Robert Peel*, le premier leader du parti conservateur (de 1832 à 1846), veut élargir le recrutement, traditionnellement aristocratique, de celui-ci en atteignant les classes moyennes; mais les membres du parti sont divisés. Au pouvoir avec Peel en 1834-35 et de 1841 à 1846, puis trois fois avec lord Derby entre 1852 et 1868, les conservateurs trouvent un rénovateur génial en la personne de Benjamin Disraeli*, qui, leader du parti de 1868 jusqu'à sa mort (1881), Premier ministre en 1868 et de 1874 à 1880, réussit à renforcer l'impérialisme et le nationalisme britanniques tout en gagnant une part importante de l'électorat ouvrier. Lord Salisbury*, leader du parti et Premier ministre de 1885 à 1902, essaie de poursuivre l'œuvre de Disraeli. Puis, durant vingt ans, les conservateurs — qui subissent une lourde défaite lors du *Parliament Act* de 1911 — sont dans l'opposition. Entre les deux guerres et durant la Seconde Guerre mondiale — avec Winston Churchill*, leader du parti de 1940 à 1955 —, ils président de nouveau aux affaires du pays. Leur défaite électorale de 1945 les stimule et les oriente vers un torysme progressiste, qui leur permet de reprendre le pouvoir avec Anthony Eden (de 1955 à 1957), Harold Macmillan (de 1957 à 1963), F. Douglas Home (de 1963 à 1964) et Edward Heath (de 1970 à 1974). En 1975, c'est une femme, Margaret Thatcher, qui devient leader du parti.

CONSERVATION. — Les denrées alimentaires sont toutes des produits fermentescibles susceptibles de s'altérer à plus ou moins brève échéance sous l'action des germes microbiens les plus divers, sous l'action d'enzymes ou même sous l'effet de la lumière. Elles peuvent également être attaquées par des insectes, des rongeurs, etc. Les protéger contre ces diverses sources d'altération, tel est le but de la conservation.

Les procédés que l'on peut mettre en œuvre diffèrent suivant la nature du produit à conserver : procédés chimiques (antiseptiques), procédés thermiques (chaleur et froid).

• *Antiseptiques.* Les antiseptiques sont ou bien additionnés dans les denrées à conserver (sel, antioxydant, acide acétique, etc.) ou bien obtenus en faisant fermenter ces dernières (acide lactique dans la choucroute et les fromages, alcool dans la bière et les vins). La législation sur les produits conservateurs est très variable suivant les pays. En France, l'Académie de médecine et le Conseil supérieur de l'hygiène publique n'en autorisent, à juste titre, qu'un nombre limité.

• *Procédés physiques. Le froid.* Il n'a pas d'effet bactéricide. Même à très basse température, les germes microbiens subsistent, mais leur développement est arrêté. D'autre part, le froid ralentit les actions enzymatiques. On distingue la *réfrigération,* où l'eau contenue dans la denrée reste liquide, la *congélation,* où l'eau libre contenue dans la denrée est transformée en glace, et la *surgélation,* où les produits sont soumis à une congélation très rapide aussitôt que possible après leur récolte.

La chaleur. Suivant la température à laquelle sont portées les denrées à conserver, on distingue la *pasteurisation,* appliquée surtout aux boissons (lait, bière, vin) et qui détruit les microbes pathogènes éventuellement présents et la majeure partie des autres espèces microbiennes, et la *stérilisation,* appliquée à certains types de boissons (lait stérilisé, lait concentré non sucré), aux légumes et aux fruits, à la viande et aux poissons, et qui détruit toute la flore microbienne.

C'est cette technique qui a donné naissance à l'importante industrie de la conserverie.

D'autre part, l'action de la chaleur, combinée souvent à celle du vide, permet de réduire plus ou moins complètement la teneur en eau des denrées : *concentration, dessiccation, lyophilisation.* L'eau est indispensable à la vie microbienne, et la dessiccation rend impossible le développement des microbes.

CONSERVATION (principes de). — Ils indiquent que certaines grandeurs demeurent invariables au cours des transformations. On peut citer parmi eux le principe de conservation des éléments chimiques et le principe de conservation de la masse au cours des réactions. Le principe de conservation de l'énergie exprime que l'énergie totale d'un système isolé de l'extérieur reste constante. Ces principes ont été réunis par la théorie de la relativité en un principe unique : dans un système isolé, la somme de l'énergie totale et du produit mc^2, où m est la masse totale et c la vitesse de la lumière dans le vide, reste constante quelles que soient les transformations que subit le système.

CONSERVATOIRE → MUSICAL *(enseignement).*

CONSIDÉRANT (Victor), homme politique français (Salins, Jura, 1808-Paris 1893). Disciple de Fourier*, il précise la notion de droit au travail, qui devient l'une des idées principales des socialistes français de 1848. Sa participation à l'insurrection du 13 juin 1849 le contraint à l'exil.

Considérations sur les causes de la grandeur des Romains et de leur décadence, ouvrage historique et philosophique de Montesquieu (1734). L'auteur y fait l'apologie de l'oligarchie sénatoriale, seule responsable de la grandeur de Rome. Cette grandeur, selon lui, cessa avec l'Empire, régime qui ôta toute liberté aux *optimates.* Dans le destin de Rome, Montesquieu ne voit ni une suite de hasards, ni la manifestation visible des desseins de Dieu, mais l'évolution nécessaire d'une situation historique et d'un système politique : l'histoire, pour lui, est rationnelle.

CONSIDÈRE (Armand), ingénieur français (Port-sur-Saône, Haute-Saône, 1841 - Paris 1914), l'un des pionniers de l'emploi des métaux dans la construction.

CONSIGNATAIRE. — La complexité et l'importance des opérations à assurer lors de l'escale d'un navire ne permettant généralement pas au capitaine de les diriger lui-même, l'armateur (ou l'affréteur) en charge un mandataire permanent ou occasionnel : le *consignataire.* Parmi les nombreuses interventions de celui-ci figurent la commande du pilotage, du remorquage*, de la manutention*, les avances au capitaine, les achats d'approvisionnement, la réception des marchandises à charger et la délivrance de celles d'entre elles qui sont à répartir entre les destinataires. Ceux-ci peuvent, toutefois, de leur côté, désigner un mandataire unique pour en prendre livraison : le *consignataire de la cargaison.*

CONSIGNE → CYBERNÉTIQUE, RÉGULATION AUTOMATIQUE, RÉTROACTION.

CONSISTANCE. — En logique mathématique, la consistance est la propriété d'une théorie T dans laquelle, pour toute formule E, la formule $E \wedge \neg E$ (E et non-E) n'est pas un théorème de T.

CONSOLIDATION DES COMPTES. — C'est une technique comptable représentant le fait, pour une société, d'englober dans son bilan et son compte de pertes et profits les résultats des sociétés dans lesquelles elle possède une participation importante. Si cette participation est de plus de 50 p. 100, les résultats de la filiale sont additionnés aux résultats propres de la société mère. S'il s'agit d'une participation minoritaire, les résultats ne sont intégrés qu'au prorata du pourcentage de la participation dans ladite société. (V. CONCENTRATION.)

CONSOMMATION. — La notion de consommation est proche de celle de demande*, dont elle se distingue néanmoins. La consommation est liée à des facteurs psychologiques, car elle est un acte social, en proie à des tentations et à des motivations diverses, comme l'*effet de démonstration,* la *consommation ostentatoire,* etc. C'est la réduction de la longévité des biens de consommation qui semble une des caractéristiques essentielles de la consommation contemporaine. Il est difficile de porter un jugement de valeur sur le fait, mais certains économistes en font une des caractéristiques de la détérioration de la qualité de la vie.

L'*obsolescence psychologique* est une des érosions les plus frappantes dont sont atteints les biens contemporains; la dévalorisation qui s'attache à l'ancien bien est caractéristique, notamment dans l'industrie des médicaments.

CONSONANCE → THÉORIE MUSICALE.

CONSONNE. — Une consonne est un type de son résultant (au contraire des voyelles*) d'une obstruction, totale ou partielle, en un ou en plusieurs points, du canal buccal. On classe les consonnes selon le degré (mode d'articulation*) et l'emplacement (point d'articulation) de cette obstruction. C'est ainsi qu'on distingue d'une part les occlusives (fermeture totale), les fricatives, ou constrictives (fermeture partielle), les nasales (fermeture seulement buccale), les latérales (occlusion centrale et écoulement sur les côtés), les vibrantes (écoulement interrompu par une série d'occlusions). On distingue d'autre part, d'après le point d'articulation, les labiales (lèvres), les dentales, les alvéolaires (alvéoles), les palatales, les vélaires (voile du palais), les uvulaires (luette), les pharyngales, les laryngales et les glottales. Une consonne peut être voisée ou non voisée selon que les cordes vocales vibrent ou non. (V. ALPHABET PHONÉTIQUE, Tableau.)

Conspiration des poudres, complot organisé en 1605 par quelques catholiques anglais dans le dessein de faire sauter le Parlement et le roi Jacques Ier. Il échoua.

CONSTABLE (John), peintre anglais (East Bergholt, Suffolk, 1776 - Londres 1837). Créateur du paysage romantique avec Turner et Bonington, plus naturaliste qu'eux, il peignit des études en plein air vers 1810, commençant à juxtaposer les tons purs et à diviser la touche pour traduire les variations de l'atmosphère et de la lumière. Sa *Charrette à foin* (1821, National Gallery) fut, pour les artistes français, la révélation du Salon parisien de 1824. Constable ne fut élu à la Royal Academy de Londres qu'en 1829. Ses aquarelles et ses petites études à l'huile transmettent un sentiment lyrique que l'effort des grandes compositions contrarie parfois. Son œuvre constitue un trait d'union entre le paysage hollandais, puis anglais, et l'école de Barbizon*.

CONSTANCE, en allem. **Konstanz,** v. de l'Allemagne fédérale (Bade-Wurtemberg), sur le *lac de Constance;* 57 000 hab.

Constance *(concile de),* dix-septième concile œcuménique, qui se tint à Constance (1414-1418). Il mit fin au grand schisme d'Occident et condamna les « hérésies » de John Wycliffe* et de Jan Hus*.

CONSTANCE *(lac de),* en allem. **Bodensee,** lac formé par le Rhin, entre la Suisse, l'Autriche et l'Allemagne fédérale; 540 km^2.

CONSTANCE Ier CHLORE, en lat. **Marcus Flavius Valerius Constantius** (v. 225 - Eboracum, auj. York, 306), empereur romain en 305-306. En 293, Dioclétien* l'adjoint comme collaborateur à Maximien*. La tétrarchie*, fruit d'une nécessité militaire, assurait en outre la succession de Maximien par l'octroi du titre de césar à Constance. De Trèves, Constance s'occupe des affaires de Gaule et de Bretagne, qu'il reconquit en 296. Païen monothéiste, mais sans fanatisme, il n'applique que mollement l'édit de persécution de 303. Lors de l'abdication de Dioclétien et de Maximien (305), il devient auguste avec Galère*; il doit adopter comme césar un officier illyrien, Sévère, et ne peut s'associer son fils Constantin*. Mais, le jour même de sa mort (306), l'armée, préférant la filiation naturelle à la filiation adoptive de la tétrarchie, proclame auguste Constantin.

CONSTANCE II (317-361), empereur romain de 337 à 361, deuxième fils de Constantin Ier*. Après la mort de Constantin (337), l'Empire fut divisé entre ses trois fils : Constance II régnait seul en Orient; l'Occident était dominé par Constantin II (de 337 à 340); Constant Ier (de 337 à 350), placé d'abord sous la tutelle de son aîné, réclama sa part, se rendit maître de l'Italie, où Constantin II, venu réaffirmer son autorité, fut tué (340). L'Empire n'eut plus que deux maîtres : Constant Ier maintint la paix en Occident; Constance II, en Orient, fut accaparé par la guerre contre les Perses. Les querelles entre les deux empereurs vinrent des questions religieuses : Constant soutenait l'orthodoxie nicéenne, tandis que Constance défendait l'arianisme. Un équilibre intervint en 346, qui fut rompu par l'usurpation d'un officier, Magnence (de 350 à 353), qui fit tuer Constant en 350; Constance rétablit l'unité impériale après avoir battu l'usurpateur à Mursa (351).

Comme son père, Constance choisit Constantinople et il est avec lui à la tête de la lignée des empereurs byzantins : il perfectionne les instruments du despotisme et octroie au sénat de Constantinople les honneurs qui le font l'égal de celui de Rome. Il se pose en dominateur universel et se consacre aux affaires religieuses : il persécute les orthodoxes et prétend imposer sa volonté aux conciles, ce qui fait de lui le premier tenant du césaropapisme. Absorbé par la guerre perse, il lutte aussi contre les Alamans (354) et contre les Sarmates (357). Pour faire face aux périls, il s'associe à deux reprises des césars : Gallus en 351, puis Julien en 355, qu'il délègue en Gaule. Mais, en 360, Julien* prend la pourpre à Lutèce : Constance se porte contre lui et meurt en cours de route (361).

CONSTANT Ier → CONSTANCE II.

CONSTANT II Héraclius → HÉRACLIDES.

CONSTANȚA ou **CONSTANTZA,** principal port de Roumanie, sur la mer Noire; 180 000 hab. Chantiers navals.

CONSTANT DE REBECQUE (Benjamin), homme politique et écrivain français (Lausanne 1767 - Paris 1830). Initié à la pensée germanique à l'université d'Erlangen, à la culture britannique à Édimbourg et à l'esprit français dans les salons parisiens, il révèle en politique et en littérature une personnalité divisée : au service du Directoire, membre du Tribunat, puis hostile au despotisme impérial, il rédige cependant, en avril 1815, l'Acte additionnel aux Constitutions de l'Empire, accepte la monarchie restaurée, mais contribue à la révolution de 1830. Il attend la gloire de son essai *De la religion* (1824-1831), auquel il travaille pendant trente ans, hésitant entre une analyse historique et un traité de philosophie Mais, plus qu'à ses écrits politiques, il doit sa réputation à son roman *Adolphe** (1816) et à ses *Journaux intimes* (publiés en 1952), où il se révèle dans la peinture de ses aventures sentimentales, notamment de sa liaison tumultueuse avec Mme de Staël, un des maîtres de l'analyse psychologique.

CONSTANTIN Ier, II → PAPE.

CONSTANTIN Ier le Grand, en lat. **Caius Flavius Valerius Aurelius Constantinus** (Naissus [Niš] v. 280 - Nicomédie 337), empereur romain de 306 à 337. Le jour même de la mort de son père, Constance Ier* Chlore, Constantin est proclamé empereur par l'armée. Reconnu comme césar par Galère*, il règne sur la Bretagne et la Gaule en souverain légitime subordonné à Sévère*. Peu après, Maxence*, fils de Maximien*, prend la pourpre à Rome : ainsi, la révolte des héritiers du sang, Constantin et Maxence, ruine la tétrarchie*; de monarchie multipliée, le pouvoir se transforme en une monarchie de plus en plus divisée, une anarchie. Il faudra à Constantin près de quinze années de lutte pour rétablir à son profit l'unité de l'Empire. Dès 310, alors que l'on compte sept empereurs, Constantin entreprend une campagne en Provence qui sera fatale à Maximien. En 312, au pont Milvius, il est vainqueur de Maxence, avec qui il partageait l'Occident. À partir de 320, il entre en conflit avec son dernier rival, Licinius*, maître de l'Orient, qu'il bat à Andrinople, puis à Chrysopolis (324). L'Empire n'a plus qu'un seul maître; cette restauration de l'unité politique, perdue depuis 285, marque d'autant plus la fin d'une époque que Constantin se convertit au christianisme* : la politique de tolérance décidée lors de son entrevue à Milan avec Licinius en 313 évolue aussitôt en un sens favorable au christianisme; l'empereur fonde la juridiction épiscopale et donne à l'Église le droit de recevoir des legs,

Constantin le Grand. Bronze; première moitié du IVe s. (Musée national de Belgrade.)

Lauros - Giraudon

d'affranchir les esclaves *in ecclesia...* Mais, considérant l'Église comme un des principaux soutiens de l'État, il intervient dans les querelles religieuses (donatisme*, arianisme*) : ainsi se pose le problème des rapports de l'Église et de l'État.

La conversion et la politique religieuse de Constantin, premier empereur chrétien, ne sont que l'aspect le plus voyant de sa politique novatrice. Qualifié par l'empereur Julien de « novateur et violateur des anciennes lois », Constantin n'a pas en effet, comme Dioclétien, le respect du passé romain. Il justifie sa domination incontestée sur un Empire unifié par une « théologie politique » : son autorité lui vient de Dieu, et le pouvoir impérial apparaît comme une image terrestre de la monarchie divine. La cour, sous son règne, devient le centre de l'État. L'administration centrale se développe : elle comprend la chancellerie, le consistoire et les grands services. La chancellerie, dont le chef est le maître des offices, contrôle toute la haute administration par la schole des *agentes in rebus,* corps nouveaux de postiers et de policiers (v. BAS-EMPIRE); le consistoire est l'ancien conseil impérial, où se réunissent les amis de l'empereur et les chefs des bureaux centraux. Constantin multiplie le nombre de ses « fidèles », comtes et patrices. Il accroît le nombre des préfets du prétoire, véritables vice-empereurs, qu'il dote de vastes ressorts territoriaux (Gaule, Italie, Orient). Dans le domaine fiscal, il ajoute à la *jugatio-capitatio* de Dioclétien des « superimpôts », qui frappent les marchands *(chrysargyre),* les sénateurs *(gleba)* et les décurions *(or coronaire).* Il crée une forte monnaie d'or, le *solidus.* Avec lui, la société tend de plus en plus à se hiérarchiser et à se figer en caste : Constantin étend l'hérédité des fonctions aux soldats, aux curiales, et une loi de 332 attache le colon à la glèbe; une importante réforme permet à l'ancien ordre sénatorial d'accéder aux hauts postes administratifs. Contantin affaiblit l'armée frontalière pour organiser une puissante force d'intervention, le *comitatus.* Grand chef militaire, il consolide la frontière danubienne par ses victoires et conclut un traité avec les Goths (332); la guerre éclate avec les Perses, en 337 : Constantin meurt au milieu de ses préparatifs de guerre. Ce fut essentiellement pour mieux surveiller la frontière du Danube et celle des Perses qu'il fonda en 330 Constantinople* sur le site de Byzance. Mais, en fondant Constantinople, il donnait à l'hellénisme un « centre politique, intellectuel (université) et religieux (patriarche) qui polarisa ses énergies » : il a ainsi préparé la voie au démembrement de l'Empire et à la naissance de l'Empire byzantin*.

CONSTANTIN II → CONSTANCE II.

CONSTANTIN IV → HÉRACLIDES.

CONSTANTIN V, VI → ISAURIENS.

CONSTANTIN VII, VIII, IX → MACÉDONIENNE *(dynastie).*

CONSTANTIN X DOUKAS → DOUKAS.

CONSTANTIN XI → PALÉOLOGUES.

CONSTANTIN Ier (Athènes 1868 - Palerme 1923), roi de Grèce de 1913 à 1917 et de 1920 à 1922, fils de Georges Ier. Son attitude hostile à l'Entente l'oblige à abdiquer dès 1917. À la mort de son fils Alexandre (1920), il remonte sur le trône, mais il doit le quitter après les défaites grecques en Anatolie (1922).

CONSTANTIN II (Psychiko 1940), roi de Grèce (1964-1974). Fils et successeur de Paul Ier, il doit s'exiler en décembre 1967. Il est déchu officiellement en 1974.

CONSTANTIN Pavlovitch, grand-duc de Russie (Tsarskoïe Selo 1779 - Vitebsk 1831). Frère cadet d'Alexandre Ier, il devient en 1816 le commandant en chef de l'armée du royaume de Pologne. Sa renonciation au trône de Russie (1822) est tenue secrète jusqu'à l'intronisation de son jeune frère Nicolas Ier* (déc. 1825) : situation qui est mise à profit par les décabristes*.

CONSTANTINE, v. de l'est de l'Algérie, ch.-l. de départ.; 244 000 hab. *(Constantinois).* Dans un site exceptionnel, sur un rocher presque complètement entouré par les gorges de Rummel, la ville s'est développée comme centre militaire, administratif et commercial, où l'industrie (constructions mécaniques, textile) occupe encore peu de place.

HISTOIRE. Comptoir carthaginois, la ville est, sous le nom de Cirta, la capitale de la Numidie*. César y installe une colonie romaine. Détruite par les soldats de Maxence (311), Cirta est reconstruite par Constantin, qui lui donne son nom. Chef-lieu d'un des trois *beyliks* établis par les Turcs en Algérie, Constantine est conquise par les Français en 1837.

CONSTANTINOIS → ALGÉROIS.

CONSTANTINOPLE, ancien nom d'Istanbul*.

HISTOIRE. Fondée en 330 par Constantin Ier* sur le site de l'antique Byzance, Constantinople joua très vite un rôle essentiel dans toutes les activités de l'Empire romain. Constantin, qui en avait fait sa principale résidence, l'avait dotée d'une enceinte, de remarquables monuments (palais impérial, forum, hippodrome) et d'un statut qui la privilégiait à l'égal de Rome. Centre universitaire renommé, siège d'un patriarcat dont l'influence s'étendait à toutes les Églises d'Orient, capitale politique de l'empire d'Orient du Ve s., Constantinople devint aussi la plaque tournante du commerce entre l'Orient et l'Occident ainsi que le premier entrepôt des produits orientaux. Rapidement, l'activité industrielle de l'Empire byzantin* se concentra dans ses murs. Au Moyen Âge, ses textiles de luxe, ses broderies d'or et d'argent, ses émaux, ses pierres et ses ivoires taillés inondèrent les marchés d'Europe, favorisant l'afflux des espèces monétaires et l'installation de colonies de marchands étrangers (vénitiens, génois). Mais la prise de Constantinople par les croisés en 1204 compromit cette prospérité. Après la restauration de l'Empire grec (1261), la ville ne retrouva pas le dynamisme qu'elle avait connu jusqu'à la fin du XIIe s. Le 29 mai 1453, au terme d'une résistance héroïque menée par le dernier empereur byzantin, Constantin XI, elle tomba aux mains du sultan des Ottomans, Mehmed II*, qui en fit sa capitale.

Quatre conciles œcuméniques se sont tenus à Constantinople (ainsi que de nombreux synodes et conciles nationaux) : *Constantinople I* (2e, œcuménique), en 381, liquide l'arianisme*; *Constantinople II* (5e, œcuménique), en 553, condamne des écrits suspects de nestorianisme*; *Constantinople III* (6e, œcuménique), en 680-81, condamne le monothélisme*; *Constantinople IV* (8e, œcuménique), en 869-70, dépose Photios*. L'œcuménicité de ce huitième concile a fait l'objet de controverse.

ARCHÉOLOGIE. Occupée dès le néolithique, la ville prend sa véritable dimension sous le règne de Constantin. Sur le plan politique et urbain, son organisation est calquée sur celle de Rome, et, dans un premier temps, ses monuments sont inspirés par l'architecture romaine. De cette époque datent l'hippodrome, dont seul subsiste le tracé, la colonne serpentine, ramenée de Delphes par Constantin, deux obélisques, dont celui de Théodose, l'aqueduc de Valens et la citerne des mille et une colonnes. Saint-Jean-de-Stoudios (Ve s.) garde le type classique de la basilique des forums, couverte en charpente. Sous Justinien, un esprit nouveau apparaît dans les techniques de construction : emploi de la brique, coupoles contre-butées par des voûtes en berceau inscrites dans un plan plus ou moins carré (Sainte-Sophie*, Saints-Serge-et-Bacchus, Sainte-Irène). Récemment dégagée, l'église Saint-Polyeucte (édifiée entre 524 et 527) a livré un décor d'une extrême richesse (colonnes incrustées de dessins géométriques en pâte de verre et en améthyste). L'ornement décoratif sculpté marque les grandes lignes des édifices; chapiteaux et frises sont traités à plat, et le relief est obtenu par le jeu d'ombre et de lumière. Devenues des mosquées, les églises des Xe, XIe et XIIIe s., construites sous les empereurs macédoniens et les Comnènes, gardent leur forme typiquement byzantine, articulée sur la croix grecque (Saints-Pierre-et-Marc, Pantocrator, Sainte-Théodosie, etc.). L'église Saint-Sauveur-in-Chora (VIe s., restaurée au XIe) est l'une des seules à conserver son iconographie byzantine avec des peintures et des mosaïques du XIVe s. Vers la Corne d'Or, il ne subsiste des palais impériaux que les restes de ceux qui furent reconstruits au XIIIe s. pour les Paléologues. L'imposante enceinte de la ville demeure visible en quelques endroits.

CONSTANTZA → CONSTANȚA.

CONSTELLATION. — La position des étoiles* sur la voûte céleste est un effet de perspective. Des étoiles paraissant voisines peuvent très bien être à des distances fort différentes et n'avoir absolument aucun rapport entre elles. Grouper les étoiles en constellations sur la base d'un voisinage qui n'est qu'apparent ne

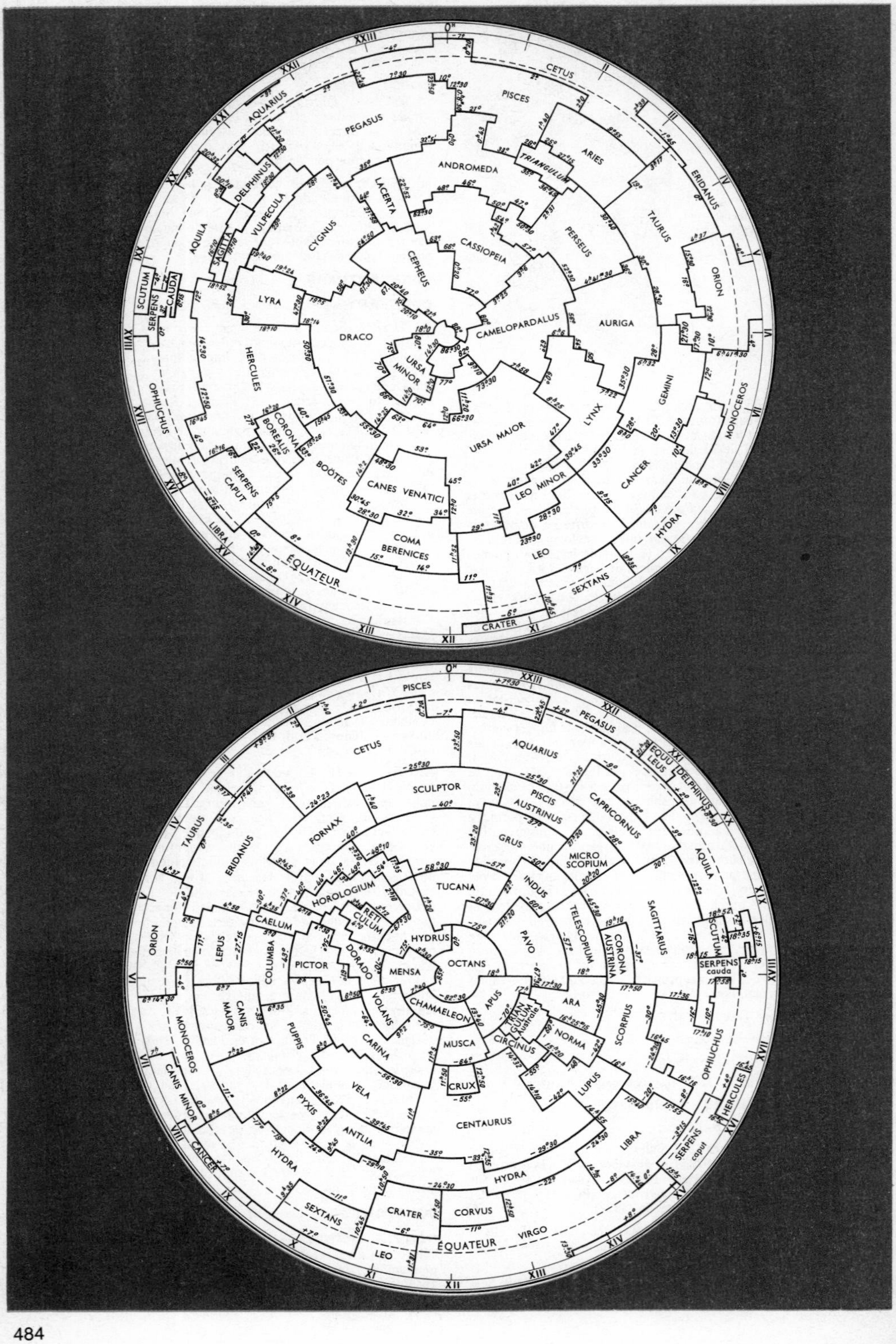
Oʰ
CETUS
PISCES
AQUARIUS
PEGASUS
ARIES
TRIANGULUM
ANDROMEDA
ERIDANUS
DELPHINUS
VULPECULA
LACERTA
TAURUS
AQUILA
SAGITTA
CYGNUS
CEPHEUS
CASSIOPEIA
PERSEUS
ORION
SCUTUM
SERPENS
CAUDA
LYRA
DRACO
CAMELOPARDALUS
AURIGA
HERCULES
URSA MINOR
OPHIUCHUS
GEMINI
LYNX
MONOCEROS
CORONA BOREALIS
URSA MAJOR
SERPENS CAPUT
BOOTES
CANES VENATICI
LEO MINOR
CANCER
HYDRA
LIBRA
COMA BERENICES
LEO
ÉQUATEUR
SEXTANS
CRATER
Oʰ
PISCES
PEGASUS
CETUS
AQUARIUS
EQUULEUS
DELPHINUS
SCULPTOR
PISCIS AUSTRINUS
CAPRICORNUS
TAURUS
FORNAX
ERIDANUS
GRUS
MICROSCOPIUM
AQUILA
HOROLOGIUM
TUCANA
INDUS
RETICULUM
SAGITTARIUS
ORION
CAELUM
HYDRUS
PAVO
TELESCOPIUM
CORONA AUSTRINA
SCUTUM
LEPUS
COLUMBA
PICTOR
DORADO
MENSA
OCTANS
SERPENS cauda
CANIS MAJOR
CHAMAELEON
APUS
ARA
MONOCEROS
PUPPIS
VOLANS
TRIANGULUM Australe
CARINA
MUSCA
CIRCINUS
NORMA
SCORPIUS
OPHIUCHUS
CANIS MINOR
VELA
CRUX
LUPUS
PYXIS
CENTAURUS
HERCULES
ANTLIA
LIBRA
SERPENS caput
CANCER
HYDRA
SEXTANS
CRATER
CORVUS
VIRGO
ÉQUATEUR
LEO

correspond donc à aucune réalité astronomique. Mais c'est un moyen très commode pour se repérer dans le ciel et reconnaître les étoiles. Il a été employé depuis des temps immémoriaux, et les noms actuels des constellations datent, pour la plupart, de l'Antiquité. Il faut cependant un peu de bonne volonté parfois pour reconnaître dans une constellation le personnage, l'animal ou l'objet dont elle porte le nom. L'Union astronomique internationale a normalisé le découpage de la sphère céleste en quatre-vingt-huit constellations, de telle sorte que tout point du ciel appartienne obligatoirement à l'une d'entre elles.

N	Andromeda (ae) [And]	Andromède
S	Antlia (ae) [Ant]	Machine pneumatique
S	Apus (odis) [Aps]	Oiseau de Paradis
E	Aquarius (ii) [Aqr]	Verseau
E	Aquila (ae) [Aql]	Aigle
S	Ara (ae) [Ara]	Autel
E	Aries (ietis) [Ari]	Bélier
N	Auriga (ae) [Aur]	Cocher
E	Bootes (is) [Boo]	Bouvier
S	Caelum (i) [Cae]	Burin
N	Camelopardalus (i) [Cam]	Girafe
E	Cancer (cri) [Cnc]	Cancer ou Écrevisse
N	Canes (um) venatici (orum) [C Vn]	Chiens de chasse
E	Canis (is) major (is) [C Ma]	Grand Chien
E	Canis (is) minor (is) [C Mi]	Petit Chien
E	Capricornus (i) [Cap]	Capricorne
S	Carina (ae) [Car]	Carène
N	Cassiopeia (eiae) [Cas]	Cassiopée
S	Centaurus (i) [Cen]	Centaure
N	Cepheus (ei) [Cep]	Céphée
E	Cetus (i) [Cet]	Baleine
S	Chamaeleon (ontis) [Cha]	Caméléon
S	Circinus (i) [Cir]	Compas
S	Columba (ae) [Col]	Colombe
E	Coma (ae) Berenices [Com]	Chevelure de Bérénice
S	Corona (ae) Australis (is) [Cr A]	Couronne australe
N	Corona (ae) Borealis (is) [Cr B]	Couronne boréale
E	Corvus (i) [Crv]	Corbeau
E	Crater (eris) [Crt]	Coupe
E	Crux (cis) [Cru]	Croix du Sud
N	Cygnus (i) [Cyg]	Cygne
E	Delphinus (i) [Del]	Dauphin
S	Dorado (us) [Dor]	Dorade
N	Draco (onis) [Dra]	Dragon
E	Equuleus (ei) [Equ]	Petit Cheval
E	Eridanus (i) [Eri]	Eridan
S	Fornax (acis) [For]	Fourneau
E	Gemini (orum) [Gem]	Gémeaux
S	Grus (uis) [Gru]	Grue
N	Hercules (is) [Her]	Hercule
S	Horologium (ii) [Hor]	Horloge
E	Hydra (ae) [Hya]	Hydre femelle
S	Hydrus (i) [Hyi]	Hydre mâle
S	Indus (i) [Ind]	Indien
N	Lacerta (ae) [Lac]	Lézard
E	Leo (nis) [Leo]	Lion
N	Leo (nis) minor (is) [L Mi]	Petit Lion
E	Lepus (oris) [Lep]	Lièvre
E	Libra (ae) [Lib]	Balance
S	Lupus (i) [Lup]	Loup
N	Lynx (cis) [Lyn]	Lynx
N	Lyra (ae) [Lyr]	Lyre
S	Mensa (ae) [Men]	Table
S	Microscopium (ii) [Mic]	Microscope
E	Monoceros (otis) [Mon]	Licorne
S	Musca (ae) [Mus]	Mouche
S	Norma (ae) [Nor]	Équerre
S	Octans (antis) [Oct]	Octant
E	Ophiuchus (i) [Oph]	Ophiucus ou Serpentaire
E	Orion (is) [Ori]	Orion
S	Pavo (onis) [Pav]	Paon
E	Pegasus (i) [Peg]	Pégase
N	Perseus (ei) [Per]	Persée
S	Phoenix (icis) [Phe]	Phénix
S	Pictor (oris) [Pic]	Chevalet du Peintre
E	Pisces (ium) [Psc]	Poissons
S	Piscis (is) Austrinus (i) [Ps A]	Poisson austral
S	Puppis (is) [Pup]	Poupe
S	Pyxis (idis) [Pyx]	Boussole
S	Reticulum (i) [Ret]	Réticule
E	Sagitta (ae) [Sge]	Flèche
E	Sagittarius (ii) [Sgr]	Sagittaire
E	Scorpius (ii) [Sco]	Scorpion
S	Sculptor (oris) [Scl]	Atelier du Sculpteur
E	Scutum (i) Sobiescianum (i) [Sct]	Écu de Sobieski
E	Serpens (tis) [Ser]	Serpent
E	Sextans (tis) [Sex]	Sextant
E	Taurus (i) [Tau]	Taureau
S	Telescopium (ii) [Tel]	Télescope
N	Triangulum (i) [Tri]	Triangle
S	Triangulum (i) Australe (is) [Tr A]	Triangle austral
S	Tucuna (ae) [Tuc]	Toucan
N	Ursa (ae) major (is) [U Ma]	Grande Ourse
N	Ursa (ae) minor (is) [U Mi]	Petite Ourse
S	Vela (orum) [Vel]	Voiles
E	Virgo (inis) [Vir]	Vierge
S	Volans (antis) [Vol]	Poisson volant
E	Vulpecula (ae) [Vul]	Petit Renard

La lettre N ou S ou E indique que le point moyen de la constellation a une déclinaison supérieure à $+30^0$ (calotte polaire Nord), inférieure à -30^0 (calotte polaire Sud), ou comprise entre $+30^0$ et -30^0 (bande équatoriale). L'indication placée entre crochets concerne l'abréviation officiellement adoptée par l'Union astronomique internationale.

CONSTIPATION. — Affection fréquente chez la femme, la constipation a des causes organiques (tumeurs, brides péritonéales, fissure anale, etc.) ou fonctionnelles (trouble de la défécation ou inflammation colique, souvent aggravée par les traitements laxatifs intempestifs). En dehors de la suppression des causes organiques, le traitement vise à rééduquer la défécation, à administrer des mucilages et parfois des laxatifs non irritants.

CONSTITUANT. — Introduite par L. Bloomfield*, la théorie de la structure en constituants immédiats pose le principe que toute phrase n'est pas une simple suite d'éléments discrets, mais une *structure* hiérarchisée de constituants : la phrase est donc décomposée en ses constituants immédiats, eux-mêmes décomposables jusqu'à ce que l'analyse atteigne le niveau des morphèmes.

constituante *(Assemblée nationale),* une des assemblées révolutionnaires. L'Assemblée nationale est proclamée le 17 juin 1789 par le tiers état. Elle est définitivement constituée le 9 juillet par la réunion des délégués aux États* généraux de la noblesse, du clergé et du tiers état. Transférée de Versailles à Paris le 6 octobre 1789, elle s'installe (1 200 membres) à la salle du manège aux Tuileries. En l'espace de deux ans, elle vote un nombre considérable de réformes, dont l'abolition des privilèges féodaux (4 août 1789), la mise à la disposition du pays des biens du clergé, devenus biens nationaux* (2 nov. 1789), la Constitution civile du clergé (12 juill. 1790), la Constitution de septembre 1791, qui jette les bases d'une monarchie constitutionnelle. Elle se sépare le 30 septembre 1791 pour faire place à l'Assemblée législative*.

CONSTITUTION. — Les constitutions de la France furent, depuis la révolution de 1789, les suivantes (à l'exception des constitutions totalement inappliquées) : Constitution du 3 septembre 1791 et Constitution de 1795 (an III); les Constitutions du Consulat et de l'Empire (22 frimaire an VIII [1799], sénatus-consulte du 16 thermidor an X [1802] et sénatus-consulte de l'an XII [1804]); Charte du 4 juin 1814, octroyée par Louis XVIII; Acte additionnel aux Constitutions de l'Empire (23 avr. 1815); Charte du 9 août 1830; Constitution du 4 novembre 1848; Constitution du 14 janvier 1852 et sénatus-consultes des 7 novembre 1852 et 21 mai 1870; Lois constitutionnelles de 1875; Loi constitutionnelle du 10 juillet 1940; Constitution du 27 octobre 1946; Constitution du 4 octobre 1958.

Constitution civile du clergé, nom donné au décret, voté par l'Assemblée constituante* le 12 juillet 1790 et sanctionné par Louis XVI le 24 août, qui organisait le clergé séculier selon les normes de l'organisation administrative et dans une optique résolument gallicane. (V. ÉGLISE CONSTITUTIONNELLE.)

constitutionnel-démocrate *(parti),* parti russe né en octobre 1905. Ce parti (dit *K. D.* ou plus couramment *Cadet*) obtient la majorité des sièges de la première douma* (1906) et réclame l'institution d'une monarchie constitutionnelle libérale ainsi qu'une réforme agraire et financière. Les Cadets, recrutés surtout dans la bourgeoisie, sont influents dans le premier gouvernement provisoire (mars 1917), puis sont éliminés par les socialistes et les bolcheviks.

constitutionnelle *(Église)* → ÉGLISE CONSTITUTIONNELLE.

CONSTRUCTION. — La conception générale d'une construction est représentée sur les *plans d'architecture,* qui précisent toutes les

◁ Délimitation scientifique des constellations.

formes et les dimensions à réaliser. Les procédés et les matériaux de construction doivent être choisis pour assurer dans chaque cas la pérennité de l'ouvrage et permettre son utilisation normale. Les *devis descriptifs* de chaque corps d'état donnent toutes précisions utiles à leur sujet.

Le choix des procédés et des matériaux à utiliser sur un chantier dépend, en plus du montant des crédits disponibles et des obligations d'esthétique, d'un certain nombre d'impératifs techniques, dont les principaux, pour le gros œuvre, sont les suivants : la stabilité et la résistance, notamment celles des fondations*, dont le type dépend non seulement des charges de la construction, mais aussi de la nature du sol; l'étanchéité à l'eau des façades et des toitures; l'isolation* thermique des murs*, pour éviter les pertes de calories et les condensations* intérieures; l'isolation phonique, protégeant les occupants de la gêne due aux bruits provenant de l'extérieur ou de l'intérieur de la construction. L'industrialisation du bâtiment et la préfabrication* en usine des éléments de la construction nécessitent des moyens de fabrication, de transport et de mise en œuvre importants, mais permettent de réaliser des économies de main-d'œuvre appréciables.

CONSTRUCTION (droit de la). — La législation sur la construction, extrêmement complexe, encadre les activités liées à la construction, mais également à l'urbanisme et, aujourd'hui, concerne pour une bonne part l'environnement : son domaine est immense, et l'on ne peut repérer que ses lignes essentielles. (V. URBANISME.)

Le *permis de construire* fait l'objet de réglementations précises, le rendant obligatoire, en principe, pour toute construction nouvelle ou toute modification à apporter aux constructions anciennes. La demande est adressée au maire de la commune et au directeur départemental de l'équipement, qui procède à l'instruction de la demande (ce pouvoir pouvant, cependant, être délégué au maire).

La profession de promoteur est réglementée, notamment par la loi-cadre sur la construction du 7 août 1957. Le contrat de promotion immobilière est la convention au terme de laquelle une personne, le « promoteur » immobilier, s'oblige envers le « maître de l'ouvrage » à réaliser un programme de construction donné.

CONSTRUCTION NAVALE. — Artisanale à l'origine, la construction navale a été totalement transformée au XIXe s. par l'apparition de la propulsion mécanique à vapeur et de la construction métallique. Depuis cette époque, et parallèlement au développement général de l'industrie, les méthodes de construction se sont profondément modifiées. Depuis la Seconde Guerre mondiale, le soudage* a pratiquement remplacé le rivetage pour la construction des coques en acier*, qui sont désormais montées par éléments préfabriqués en atelier. Des ordinateurs sont maintenant utilisés pour la programmation des fabrications, ainsi que pour le traçage, le découpage et le soudage des tôles. À ce progrès des méthodes correspond un développement quantitatif considérable, le tonnage construit dans le monde ayant pratiquement décuplé au cours du dernier quart de siècle. L'augmentation la plus spectaculaire est celle du Japon, pour lequel le tonnage construit a été multiplié par 40 pendant cette période et correspond aujourd'hui à plus de la moitié du tonnage total construit dans le monde. Venant après le Japon, l'Allemagne fédérale, la Suède et l'Espagne, la France, pratiquement à égalité avec la Grande-Bretagne, occupe le cinquième rang mondial, exportant une partie importante de sa production.

CONSTRUCTIVISME. — Russe à l'origine, le mouvement est de nature spirituelle et esthétique chez les frères Pevsner* et Gabo, auteurs du *Manifeste réaliste* de 1920, ainsi que chez Malevitch* à la même époque, qui, tous, recherchent dans des constructions sculpturales ou picturales de lignes et de plans l'expression d'une essence de l'univers; il est, au contraire, tourné vers les réalisations matérielles, appelées à transformer l'environnement humain, chez Tatline* (qui a préludé avec ses *reliefs picturaux* de 1914) et Rodtchenko*, que Malevitch et Lissitski* rejoignent vers 1923 dans un même souci d'applications à l'architecture, au décor, aux arts graphiques. En Occident, des mouvements comme De Stijl* et le Bauhaus* relèvent du constructivisme, au sens large, de même qu'une grande partie de la sculpture abstraite de tendance géométrique et du design; l'idée d'un art cinétique* en est issu.

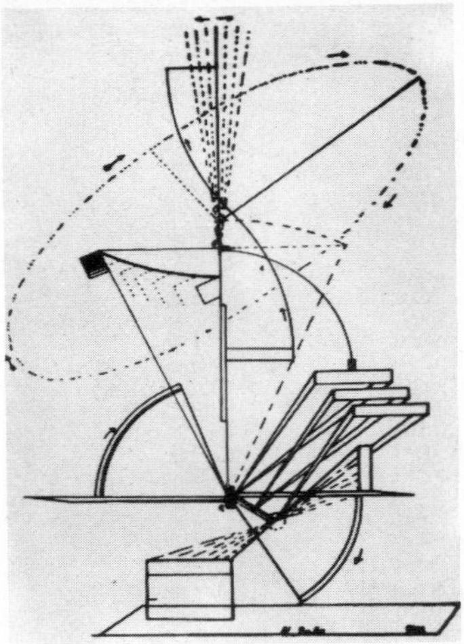

Dessin de Naum Gabo pour une sculpture cinétique. 1915.

Larousse

CONSUBSTANTIATION → EUCHARISTIE.

CONSUL. — Né à Rome au lendemain de la proclamation de la république, le consulat est la principale des magistratures ordinaires de l'État romain. Deux consuls, élus chaque année par les comices centuriates, détiennent l'essentiel du pouvoir civil, avec droit de convocation et de présidence du sénat et des comices, dont ils exécutent les décisions, et le pouvoir militaire : commandement de l'armée, nomination des officiers. Mais l'annualité de la charge, la collégialité, assortie du droit d'opposition *(intercessio)* d'un consul aux décisions de son collègue, limitent dans les faits l'*imperium* dont disposent ces magistrats. À partir du principat, le consulat, progressivement dépouillé de ses principales fonctions, devient purement honorifique.

la construction navale dans le monde de 1938 à 1975
tonnage des navires mis à l'eau d'après les statistiques du Lloyd's Register of Shipping
(en milliers de tonneaux de jauge brute*)

	1938	1951	1954	1958	1962	1966	1970	1972	1973	1974	1975
Japon	442	434	413	2 067	2 183	6 685	10 746	12 866	15 673	17 609	17 987
Allemagne fédérale	481	318	963	1 429	1 010	1 184	1 687	1 606	1 979	2 151	2 549
Suède	166	404	544	720	841	1 161	1 711	1 814	2 517	2 206	2 461
Espagne	?	40	49	145	125	398	926	1 142	1 568	1 428	1 638
Grande-Bretagne et Irlande du Nord	1 030	1 341	1 409	1 402	1 073	1 084	1 237	1 233	1 018	1 281	1 304
France	47	223	267	451	481	443	960	1 129	1 134	1 349	1 301
Norvège	55	94	137	259	376	537	639	975	1 071	1 012	1 029
États-Unis	201	164	477	732	449	167	338	611	890	801	1 004
Danemark	158	115	130	250	230	411	514	905	920	1 125	961
Pays-Bas	240	217	411	556	418	284	461	761	896	723	951
Italie	94	112	162	551	348	422	598	948	754	1 028	847
Yougoslavie	?	3	24	138	148	276	393	453	616	774	639
Pologne	?	?	?	162	189	387	463	575	550	657	608
Autres pays	120	174	265	408	504	868	1 287	1 696	2 934	2 480	2 619
Total mondial**	3 034	3 639	5 251	9 270	8 375	14 307	21 960	26 714	32 520	34 624	35 898

* Les pays sont classés dans l'ordre décroissant du tonnage lancé en 1975.
** Les valeurs ne peuvent être obtenues pour la république populaire de Chine, la Roumanie et l'U. R. S. S.

Consulat, régime issu du coup d'État des 18 et 19 brumaire an VIII (9-10 nov. 1799) et qui prit fin le 18 mai 1804. Le soir du 19 brumaire, les députés du Conseil des Cinq-Cents et du Conseil des Anciens, qui se sont regroupés, nomment trois « consuls » provisoires : Sieyès, Ducos et Bonaparte*, qui a la réalité du pouvoir. Bientôt la Constitution de l'an VIII (15 déc.) donne pour dix ans au Premier consul, Bonaparte, tous les pouvoirs d'un président à l'américaine : mais il est indéfiniment rééligible. Ses deux collègues, Cambacérès et Lebrun, ne sont que des conseillers. Quatre assemblées — le Conseil d'État, le Tribunat, le Corps législatif et le Sénat — se partagent le travail législatif, cependant que le suffrage universel est édulcoré par le système des listes de notabilités. La Constitution de l'an VIII est ratifiée par un plébiscite (janv.-févr. 1800). Dès lors, Bonaparte s'attelle à un travail prodigieusement efficace, dont les résultats fondent la France moderne : l'Administration est fortement hiérarchisée et centralisée, et elle est confiée à des fonctionnaires — préfets notamment — venus de tous les horizons politiques, le Premier consul pratiquant une large réconciliation et rappelant la plupart des proscrits; des hiérarchies semblables sont établies dans les domaines financier, judiciaire, religieux, universitaire; le Concordat* de 1801 assure définitivement la paix religieuse; le traité d'Amiens avec les Anglais (27 mars 1802) semble assurer la paix extérieure, alors qu'en ses débuts le Consulat a dû affronter la vieille Europe aristocratique : mais la seconde campagne d'Italie (1800) a forcé de nouveau celle-ci à jeter les armes (paix de Lunéville, févr. 1801).

Cette double paix vaut à Bonaparte d'être proclamé — puis plébiscité — consul à vie (Constitution de l'an X). Mais la guerre reprend dès 1803, et le royalisme semble se réveiller; alors Bonaparte force le destin : en faisant exécuter le duc d'Enghien et en se faisant proclamer empereur (1804), il met un abîme entre lui et l'Ancien Régime.

CONTACT (verres de) → VERRES CORRECTEURS.

CONTACTEUR → COUPURE *(appareil de),* PROTECTION ÉLECTRIQUE, VÉHICULE ÉLECTRIQUE.

CONTAGIEUSES (maladies) → ÉPIZOOTIE.

CONTAGION → INFECTION.

CONTAMINATION → RADIOBIOLOGIE.

CONTAMINES-MONTJOIE (Les) [74190 Le Fayet], comm. de la Haute-Savoie, à 9 km au S. de Saint-Gervais-les-Bains, dans le massif du Mont-Blanc; 853 hab. Station de sports d'hiver (alt. 1 164-2 500 m).

CONTE. — Le conte représente une des plus anciennes formes de littérature populaire de transmission orale, dont les travaux des ethnologues modernes révèlent la pérennité. Les littératures négro-africaines connaissent ainsi un grand nombre de contes à personnages animaux ou surnaturels, sortes de fables à moralité ou de récits donnant une explication humoristique de phénomènes physiques ou naturels. Le merveilleux* en est un des éléments les plus caractéristiques *(l'Âne d'or,* d'Apulée; *les Mille* et une Nuits),* sans en constituer l'essence : le Moyen Âge occidental préfère le conte satirique ou réaliste (*le Décaméron*,* de Boccace; les *Contes* de Cantorbéry,* de Chaucer). Cette veine, cultivée par la Renaissance *(Cent Nouvelles nouvelles, l'Heptaméron*),* se prolonge chez La Fontaine *(Contes*)* et Balzac *(Contes drolatiques).* La forme du conte offre alors une relative permanence : œuvre narrative, limitée à une action unique ou à une suite d'épisodes facilement isolables, conservant la liberté d'allure du récit parlé, le conte, qui serait fondamentalement l'expression de mythes humains universels, trahit la présence constante de l'auteur, dont l'imagination anime le récit. Il se distingue ainsi du roman* et de la nouvelle*, et il se révèle un moyen particulièrement souple et efficace de la polémique philosophique (*Zadig, Candide,* de Voltaire). À ce stade, il a souvent pour objet sa propre parodie, mais il trouve un nouvel essor dans le récit fantastique, qui reprend la tradition des contes de fées (Mme d'Aulnoy, Charles Perrault) et qui s'épanouit à l'époque du romantisme français (*la Fée aux miettes,* de Nodier) et surtout allemand (Brentano, les frères Grimm, E. T. A. Hoffmann). Les conteurs français sont de tempérament plus réaliste (Daudet, sinon Maupassant), de même que les anglais (Dickens) et, malgré Edgar Poe, les américains (Mark Twain, O. Henry). Le succès d'Andersen (*Contes*,* 1835-1872) est peut-être dans la maîtrise avec laquelle il unit les deux inspirations, saveur populaire et charme du rêve.

CONTÉ (Nicolas Jacques), chimiste et mécanicien français (près de Sées 1755-Paris 1805). Il fut l'un des fondateurs du Conservatoire des arts et métiers et découvrit la plombagine artificielle pour la fabrication des crayons.

Contemplations *(les),* recueil de poésies de V. Hugo (1856). « C'est une âme qui se raconte dans ces deux volumes : *Autrefois, Aujourd'hui.* Un abîme les sépare », la mort de sa fille Léopoldine.

CONTENEUR. — Le transport par conteneurs présente de multiples avantages : aucune rupture de charge entre le lieu de chargement et le lieu de destination, quels que soient les moyens de transport utilisés; facilité de manutention* et d'arrimage à bord des navires du fait de l'identité des conteneurs; en conséquence, plus grande sécurité de la marchandise, réduction du temps de séjour des navires au port et diminution des coûts de transport. Les conteneurs normalisés par l'I. S. O. (International Organization for Standardization) ont (en mesure anglaise) une hauteur de 8 pieds et une largeur de 10, de 20, de 30 ou de 40 pieds, auxquelles correspondent des masses brutes de 10, de 20, de 25 ou de 30 t et des capacités de 15, de 30, de 45 ou de 60 m^3. Les plus utilisés sont ceux de 20 et de 40 pieds de longueur. On distingue les navires *porte-conteneurs purs,* sur lesquels les conteneurs sont embarqués verticalement, généralement à l'aide de grues de quai, dans des cellules constituées dans les cales par des glissières, et les *porte-conteneurs rouliers,* sur lesquels les conteneurs sont placés sur des remorques ou embarqués au moyen d'engins roulants spéciaux. Certains navires sont mixtes, du type cellulaire à l'avant et du type roulier à l'arrière. Tous les porte-conteneurs transportent en outre un grand nombre de conteneurs en pontée généralement sur quatre plans. (V. aussi EMBALLAGE.)

CONTENU (analyse de ou du). — Ayant pris son essor après 1925, l'analyse de contenu a d'abord été une méthode d'analyse de la propagande ennemie aux États-Unis pendant la guerre. Utilisée aujourd'hui dans divers secteurs (tests projectifs, comptes rendus d'interviews cliniques...), elle joue un rôle de premier plan dans l'étude des messages* véhiculés par les moyens de communication* de masse. La technique consiste à décomposer le message (écrit ou audio-visuel) en *unités de signification,* que l'on classe en *catégories* au moyen d'indices de catégorie, que l'on détermine. On dénombre ainsi les éléments de signification et on calcule leur fréquence.

Si l'analyse de contenu a fait ses preuves auprès des politologues, des propagandistes ou des publicitaires, elle demeure avant tout une technique d'observation par laquelle les chercheurs essaient d'obtenir le bon équilibre entre la rigueur scientifique et la fécondité des résultats.

CONTES (06390), ch.-l. de cant. des Alpes-Maritimes, à 33 km au N. de Nice; 4 215 hab. Cimenterie. Église du XVIe s. (retables).

Contes, de La Fontaine (1665-1682), recueil de contes en vers, dont les sujets sont dans la tradition licencieuse de Boccace.

Contes, de Ch. Perrault, publiés en 1697 sous le nom du fils de l'auteur, Perrault d'Armancour, âgé de dix-neuf ans. L'ouvrage, connu aussi sous le titre de *Contes de ma mère l'Oye,* rassemble des récits en vers et en prose, dont la plupart appartiennent à la tradition populaire *(Peau d'Âne, la Belle au bois dormant, le Petit Chaperon rouge, Barbe-Bleue, le Chat botté, Cendrillon, le Petit Poucet).*

Contes *(Trois),* de Flaubert → TROIS CONTES.

Contes, de H. C. Andersen, publiés de 1835 à 1872. L'auteur reprend des thèmes folkloriques, des légendes locales ou des souvenirs personnels *(le Vilain Petit Canard, la Petite Sirène, la Petite Fille aux allumettes, le Vaillant Soldat de plomb, les Nouveaux Vêtements de l'empereur).*

Contes cruels, recueil de vingt-sept contes de Villiers de L'Isle-Adam (1883). À l'angoisse personnelle de l'auteur se mêle l'influence de Byron et d'Edgar Poe *(Véra, l'Intersigne).*

Contes de Cantorbéry, recueil de contes en vers de Chaucer (v. 1390). L'auteur présente un groupe de pèlerins se rendant au tombeau de saint Thomas Becket et qui, pour égayer leur voyage, entreprennent de raconter à tour de rôle deux histoires à l'aller et deux au retour. Mêlant la tradition courtoise à la veine populaire, l'ouvrage, bien qu'inachevé, constitue le premier chef-d'œuvre de la littérature anglaise.

Contes de la lune vague après la pluie, film japonais de Mizoguchi Kenji (1953). Dans ce film, qui évoque par sa perfection formelle les plus beaux lavis extrême-orientaux, Mizoguchi s'inspire d'un conte classique pour décrire le destin de deux villageois victimes de leurs illusions (l'un, qui rêve d'être samouraï, est confronté avec les horreurs de la guerre; l'autre succombe sous la séduction d'une princesse-fantôme). Le raffinement classique au service des fantasmes de l'irréel.

Contes de Noël, de Charles Dickens (1843-1846), récits populaires par leur humour (*le Chant de Noël* [*Christmas Carol*]) ou leur émotion *(le Grillon du foyer).*

Contes de pluie et de lune, recueil de neuf contes d'Ueda Akinari (1776). Reprenant des thèmes traditionnels de légendes populaires japonaises ou chinoises, Akinari en fait un exercice de style : il cherche à égaler la densité et l'élégance de la prose de l'an mille, tout en manifestant son goût pour la réflexion morale et philosophique *(Shiramine, Carpes telles qu'en songe..., l'Impure Passion d'un serpent).* Ce classique de la littérature japonaise a été

Contes de la lune vague après la pluie (1953), de Mizoguchi Kenji.

Unijapan - Daiei (coll. J.-L. Passek)

popularisé par le film de Mizoguchi (*Contes* de la lune vague après la pluie,* 1953).

Contes des frères Sérapion, de E. T. A. Hoffmann (1819-1821), récits où l'imagination la plus fantastique se mêle au réalisme le plus minutieux *(Casse-Noisette et le roi des rats, les Mines de Falun).*

Contes d'Hoffmann *(les),* opéra en trois actes, livret de M. Carré et J. Barbier, musique de J. Offenbach (1881). Cette partition, de caractère fantastique, témoigne chez l'auteur d'une certaine recherche dramatique.

Contes drolatiques, de H. de Balzac (1832-1837), écrits dans le style du XVIe s. et illustrés par G. Doré.

Contes du chat perché, recueil de Marcel Aymé (1934), complété par les *Autres Contes du chat perché* (1950) et les *Derniers Contes du chat perché* (1958). La naïveté de Delphine et de Marinette à travers des « histoires simples, sans amour et sans argent », pour reposer les lecteurs de « deux siècles de littérature satanique ».

Contes du lundi, par A. Daudet (1873), récits inspirés, pour la plupart, par la guerre de 1870.

Contes et Nouvelles, de Guy de Maupassant, publiés dans des journaux de 1880 à 1890. Un panorama de la misère et de la solitude humaines à travers les drames dérisoires de l'amour, de la guerre, des difficultés quotidiennes ou de la raison hallucinée (*la Maison Tellier,* 1881; *Contes de la bécasse,* 1883; *la Petite Roque,* 1886; *le Horla,* 1887).

Contes racontés deux fois, recueil de nouvelles de Nathaniel Hawthorne (1837). Légendes héroïques ou récits symboliques dans l'atmosphère puritaine et morbide de la Nouvelle-Angleterre.

CONTI *(maison de),* famille constituant la branche cadette de la maison de Condé*. Elle fut représentée notamment par : ARMAND **de Bourbon,** prince **de Conti** (Paris 1629 - Pézenas 1666), frère cadet du Grand Condé, protecteur de Molière; LOUIS-FRANÇOIS **de Bourbon,** prince **de Conti** (Paris 1717 - *id.* 1776), qui commanda en 1744 l'armée du Piémont et gagna la victoire de Coni; il protégea les gens de lettres.

CONTINENT → TERRE.

CONTINENTAL (climat). — Ce climat de type tempéré affecte les régions des latitudes moyennes privées de l'influence adoucissante des vents d'ouest, c'est-à-dire le centre et les façades orientales des continents. Il est caractérisé par des hivers rigoureux et des étés chauds et humides aux fréquentes manifestations orageuses. Le total des précipitations est variable : très faible à l'intérieur des continents, il devient important sur les façades orientales, se répartissant sur toute l'année.

CONTINGENCE → ASSOCIATION *(Stat.).*

CONTINU. — Le continu désigne, dans la théorie des ensembles*, la puissance de l'ensemble des nombres réels. L'« hypothèse du continu » formulée par Cantor stipule que la puissance du continu est celle qui suit immédiatement la puissance de l'ensemble N des entiers naturels.

CONTINUITÉ. — La continuité est une propriété que présente éventuellement une fonction* d'une ou de plusieurs variables*.

Une fonction numérique f d'une variable réelle est continue au point $x_0 \in \mathbb{R}$ si, quel que soit le nombre $\varepsilon > 0$ arbitrairement petit, on peut trouver un nombre $\alpha > 0$ tel que l'inégalité $|x - x_0| < \alpha$ entraîne $|f(x) - f(x_0)| < \varepsilon$.

Sous une autre forme, $x_0 - \alpha < x < x_0 + \alpha$ entraîne

$$f(x_0) - \varepsilon < f(x) < f(x_0) + \varepsilon.$$

Cela suppose implicitement que la fonction f est définie au point x_0 : on peut choisir x suffisamment près de x_0 de façon que $f(x)$ soit aussi près de $f(x_0)$ qu'on veut. En topologie, on dira que f est continue au point x_0 si, étant donné un voisinage V de $f(x_0)$, on peut trouver un voisinage W de x_0 tel que, si x appartient à W, $f(x)$ appartient à V.

CONTRACEPTION. — La contraception fait appel à diverses méthodes. Les *méthodes d'abstinence périodique,* fondées sur la date des dernières règles et la durée présumée du cycle menstruel (méthode d'Ogino-Knaus) ou sur le décalage thermique témoignant de l'ovulation, possèdent des taux d'échec élevés. Le *préservatif masculin,* en vente libre, est une méthode sûre, mais parfois mal tolérée. Les *préservatifs féminins* (capes, diaphragmes) sont d'usage complexe. Les *contraceptifs intra-utérins* (stérilets) sont souvent utilisés chez les femmes multipares ou lorsque la contraception orale (pilule) est contre-indiquée. Les *spermicides chimiques* (ovules, tablettes, etc.) donnent de mauvais résultats. La *contraception orale* (« la pilule* ») est une méthode simple, sûre, d'usage très répandu; ses principales contre-indications sont le diabète et les troubles circulatoires (varices, phlébites, maladie thrombo-embolique).

Peuvent être exclusivement vendus les objets, les produits, les médicaments à usage contraceptif ayant fait l'objet d'une autorisation de mise sur le marché, accordée par le ministre de la Santé publique. La délivrance en est faite en pharmacie et sur prescription médicale. Ces contraceptifs sont remboursés par la Sécurité sociale ou pris en charge au titre de l'aide médicale, et peuvent être délivrés gratuitement, dans les centres de planification ou d'éducation familiale habilités à en délivrer, aux mineurs désirant garder le secret ou aux personnes ne bénéficiant pas des prestations maladie. L'insertion de contraceptifs intra-utérins ne peut être assurée que par un médecin, soit au lieu où il exerce, soit dans un établissement hospitalier ou dans un centre de soins agréé. La publicité commerciale des contraceptifs est interdite, sauf dans les publications destinées aux médecins et pharmaciens.

CONTRACTION → MUSCLE.

CONTRACTURE → MUSCLE.

CONTRADICTION. — Au principe logique de contradiction qui pose que rien ne peut en même temps être et ne pas être, Hegel substitue une logique dialectique où « toutes les choses sont contradictoires en soi ». La contradiction est le moteur du développement de la pensée et du réel. « Nous appelons « dialectique » le mouvement rationnel supérieur à la faveur duquel ces termes en apparence séparés [les contraires] passent les uns dans les autres, spontanément, en vertu de ce qu'ils sont » *(Science de la logique).* La dialectique hégélienne exprime ainsi le devenir de la nature et celui de la raison dans l'histoire.

Dans un mode* de production, l'économie est, selon Marx, l'instance déterminante des autres instances (droit, politique) en dernière analyse. Mais elle ne constitue en aucun cas l'essence qui exprime la totalité d'un mode de production. Il n'existe pas une contradiction générale repérable à chaque niveau de la totalité socio-historique, mais des contradictions spécifiées (antagoniques ou non, principales ou secondaires). Si la contradiction « fondamentale » du mode de production capitaliste oppose les rapports* de production aux forces* productives, le moteur de l'histoire est la lutte* des classes. Ainsi, en soulignant la spécificité des différentes instances, Marx distingue l'instance déterminante de l'instance dominante. Sa dialectique est donc matérialiste en ce qu'elle désigne l'articulation, toujours concrète, des différentes instances d'une formation sociale historiquement déterminée et non le devenir de l'histoire en général. « Le principe fondamental de la dialectique est qu'il n'existe pas de vérité abstraite, la vérité est toujours concrète » (Lénine).

contradiction *(De la),* œuvre de Mao Tsö-tong (1937), dans laquelle il démontre que la contradiction est la loi fondamentale de la dialectique matérialiste et expose ainsi « les fondements mêmes de la dialectique matérialiste ».

CONTRAINTE → ÉLASTICITÉ et RÉSISTANCE DES MATÉRIAUX.

CONTRAT. — Est appelé « contrat » l'accord de volontés faisant naître une ou plusieurs obligations, ou créant ou transférant un ou des droits réels. (Le mot est pratiquement synonyme de « convention ».)

On distingue les *contrats synallagmatiques* et les *contrats unilatéraux,* les premiers faisant naître des obligations réciproques (par exemple la vente, le louage, le contrat de société), les autres n'en faisant naître qu'à la charge d'un des contractants (par exemple le cautionnement).

Les contrats sont, en principe, la loi des parties, les contractants pouvant y insérer toutes les clauses qu'ils souhaitent y voir figurer, sauf celles qui dérogeraient aux dispositions concernant l'ordre public et les bonnes mœurs. Les conditions d'existence et de validité du contrat concernent le *consentement* de la (ou des) partie(s) qui s'engage(nt), la *capacité* de passer des contrats, l'*objet*, matière du contrat, enfin la *cause* de l'obligation.

Le consentement peut être vicié par l'*erreur* (sur la substance ou sur la personne), par le *dol* (manœuvres d'une partie destinée à induire en erreur et à obtenir le consentement de l'autre) et par la *violence*. Les incapables (v. CAPACITÉ) ne peuvent valablement contracter. L'objet du contrat doit être *certain, possible, licite*, et il ne doit pas y avoir d'inégalité telle, dans les obligations réciproques, qu'il y ait *lésion*. La cause du contrat, enfin (le *but* en vue duquel chacune des parties assume son obligation), doit être réellement existante : la *fausse cause* ou l'*absence de cause* affecteraient le contrat de nullité.

En cours d'exécution, les parties peuvent décider de mettre fin à leurs rapports contractuels : c'est la *résiliation* volontaire du contrat. Le contrat peut être également *prorogé*. Le contrat synallagmatique peut être *résolu* dès lors que l'une des deux parties n'exécute pas l'obligation qui lui incombe, et ce par sa faute. La résolution doit généralement être prononcée par le juge.

Pour différents contrats, voir MARIAGE, SOCIÉTÉ, TRANSPORT, TRAVAIL, etc.

contrat social *(Du)*, œuvre de J.-J. Rousseau (1762), dans laquelle il établit que le fondement légitime de la société repose sur un contrat qui lie le peuple à lui-même. Opposant ce qui peut être (la justice comme norme) à ce qui est (le droit), l'auteur montre comment le peuple constitue la seule origine possible d'un gouvernement légitime.

CONTRAVENTION. — Les contraventions sont les infractions punies d'une peine légère, dite « peine de police » (la peine elle-même est qualifiée souvent de « contravention »), c'est-à-dire l'emprisonnement de faible durée, l'amende, la confiscation d'objets saisis.

C'est le tribunal de police qui connaît des contraventions, mais il existe, depuis la loi du 3 janvier 1972, une *procédure simplifiée*, au terme de laquelle n'est pas exigée la comparution devant la juridiction de jugement : le juge statue par une *ordonnance pénale*, qu'il n'est pas tenu de motiver, mais qui ne peut comporter qu'une condamnation à une peine pécuniaire, à l'exclusion de toute autre sanction.

La *procédure de l'amende pénale fixe*, applicable pour les infractions au Code de la route, implique le paiement d'une amende forfaitaire au moment de la constatation de l'infraction, ou après, grâce à l'envoi d'un timbre-amende au service compétent.

La durée maximale de l'emprisonnement pour les contraventions est de deux mois, et le montant maximal de la peine pécuniaire de 2 000 francs.

CONTRE-AIGUILLE → AIGUILLAGE.

CONTREBASSE → VIOLON.

CONTREBASSON → HAUTBOIS.

CONTRECŒUR, localité du Canada (Québec), sur le Saint-Laurent, en aval de Montréal; 2 694 hab. Sidérurgie.

CONTRE-CULTURE. — Les notions de « nouvelle culture », de culture marginale, d'underground ou de contre-culture sont surtout employées depuis mai 1968 aussi bien par leurs partisans que par leurs censeurs. Contestation et remise en question permanente de la société actuelle (travail, famille, femme, loisirs...), la contre-culture valorise l'initiative individuelle, la critique partielle et aiguë, l'action locale parfois isolée. Révolte contre les institutions (contraignantes, répressives et inhibantes), les valeurs, les habitudes, les hiérarchies et les traditions de la société, elle s'efforce d'instaurer des changements radicaux et, à défaut, l'espérance de ces changements.

CONTRE-DON → DON.

CONTRE-PLAQUÉ. — Le contre-plaqué est formé de plusieurs placages*, ou plis, en okoumé, en hêtre ou en peuplier, de 1,2 à 4 mm d'épaisseur. Ces placages sont encollés de résines* synthétiques à base d'urée* ou de phénol*-formol, puis empilés en nombre impair (3, 5, 7, etc.) de manière que le fil de l'un soit croisé à 90° du précédent. Soumises à l'action d'une presse chauffante à des températures variant de 100 à 150 °C suivant les résines et sous des pressions de 10 à 25 bar, ces piles donnent des panneaux* de grandes dimensions de 5 à 25 mm d'épaisseur et plus stables que le bois. Les contre-plaqués « urée » sont destinés à des emplois intérieurs, et les contre-plaqués « phénol » à des emplois extérieurs. Le panneau latté est un contre-plaqué trois plis à âme épaisse (lattes de bois de 15 à 40 mm d'épaisseur) et est surtout utilisé pour la fabrication des meubles. Les contre-plaqués ont de nombreux emplois dans la construction (coffrage du béton, murs-rideaux, construction préfabriquée, cloisons*, etc.), la charpente* (poutre), l'emballage* (conteneur), l'ameublement*.

CONTREPOINT → ÉCRITURE MUSICALE.

CONTRE-RÉACTION → AMPLIFICATEUR.

Contre-Réforme, terme auquel on préfère souvent celui de *Réforme catholique* et qui désigne l'ensemble des réformes entreprises par l'Église romaine en réponse à la Réforme protestante. Les étapes principales de ce mouvement réformiste catholique sont : la reconstitution du tribunal de l'Inquisition* (1542); la création de la congrégation de l'Index* (1543); la réunion et les décisions capitales du concile de Trente* (1545-1563), tant sur le plan dogmatique que sur le plan disciplinaire; la création de séminaires diocésains; la parution et l'usage étendu à toute l'Église du catéchisme romain (1566), du bréviaire romain (1568), du missel romain (1570); l'action rénovatrice de multiples évêques, à l'imitation de saint Charles* Borromée; la réforme (Carmel) et la création (Compagnie de Jésus*, 1540; Oratoire, 1575...) d'ordres religieux; le renouveau spirituel et mystique, qui s'épanouit particulièrement en France (Bérulle*, Port*-Royal...) au XVIIe s.

CONTRES (41700), ch.-l. de cant. de Loir-et-Cher, à 21 km au S.-E. de Blois; 2 811 hab.

CONTRE-TRANSFERT → TRANSFERT.

CONTRETYPE. — Après avoir monté et étalonné le négatif original d'un film, on tire un positif spécial sur une pellicule à grain fin. Ce positif, appelé *lavande* ou *marron* (selon la teinte du support), permet d'établir des doubles négatifs sur une pellicule particulière, dite « duplicating ». De ces doubles du négatif original, on tire de nouvelles copies positives, dites « contretypes ».

CONTREXÉVILLE (88140), comm. des Vosges, à 5,5 km au S.-O. de Vittel; 4 598 hab. Établissement de l'armée de l'Air. Station thermale aux eaux ionisées, sulfatées calciques, radioactives, utilisées dans le traitement de lithiases biliaires et urinaires, de la goutte et de l'obésité.

CONTRIBUTION → TAXE.

CONTRÔLE DES ARMÉES. — Créés d'abord dans chacune des armées de terre (1882), de mer (1902) et de l'air (1933), les trois corps militaires des contrôles des armées ont été unifiés (1964), puis fusionnés en 1966. Recrutés par voie de concours en grande majorité parmi les officiers, les contrôleurs, dont le statut a été précisé en 1974, relèvent directement du ministre. Leur mission s'étend à tous les organismes militaires et à ceux qui sont placés sous tutelle du ministre. Elle a pour objet de vérifier l'observation des lois et des décisions ministérielles, de sauvegarder les intérêts du Trésor et les droits des personnes, et de proposer toute mesure visant à améliorer l'efficacité des dépenses ou à en réduire le coût. En fait, le corps du contrôle, organe d'études administratif et financier autant que d'inspection, mais non de commandement, est associé à la préparation des décisions et des programmes qui engagent la gestion et l'avenir des armées.

CONTRÔLE JUDICIAIRE. — La loi française du 17 juillet 1970, qui modifie le régime de la détention provisoire, institue le « contrôle judiciaire », qui soumet l'inculpé à des mesures de surveillance tout en le laissant bénéficier de sa liberté. (V. DÉTENTION.)

CONTRÔLE STATISTIQUE. — Cette opération fait appel à des méthodes de jugement sur échantillons pour contrôler la stabilité de la qualité d'un processus technique (*contrôle en cours* de fabrication) ou la qualité d'une certaine quantité d'un produit (*contrôle final* d'une production ou *contrôle de réception* d'un lot). Le caractère contrôlé peut être quantitatif (*contrôle par mesures* ou par variables) ou qualitatif (*contrôle par attributs :* pièce bonne ou mauvaise, nombre de défauts d'une pièce, nombre de défectueux d'un échantillon). Selon le résultat obtenu sur un échantillon, la décision est prise soit de continuer la fabrication et d'en modifier le réglage, soit d'accepter ou de refuser le lot d'où provient l'échantillon. Des plans de contrôle, calculés à l'avance, permettent de déterminer dans chaque cas l'effectif de l' (ou des) échantillon(s) et le critère de décision.

CONTUSION. — Les contusions de l'abdomen, même sans plaie visible, nécessitent une mise en observation de quelques jours en raison de la possibilité de rupture d'organes internes : foie, reins, rate. Les contusions cérébrales nécessitent également une surveillance stricte : des phénomènes de compression du cerveau peuvent se produire plusieurs heures après l'accident, par hémorragie intracrânienne; même en l'absence d'hémorragie, des séquelles peuvent persister (absences, crises d'épilepsie, etc.).

CONTY (80160), ch.-l. de cant. de la Somme, à 21,5 km au S. d'Amiens; 1 569 hab. Église des XVe-XVIe s. (sculptures).

CONURBATION → AGGLOMÉRATION.

CONVALESCENCE. — La convalescence est une période de moindre résistance où le patient doit se reposer et avoir un régime alimentaire riche et varié. Dans les maladies de longue durée (tuberculose, suites de poliomyélite, etc.), la rééducation motrice et la réadaptation fonctionnelle y jouent un grand rôle.

CONVECTION ou **CONVEXION.** — Ce mode de transport de chaleur* se produit lorsqu'un corps chaud est plongé dans un fluide, ce qui détermine des courants dans le fluide, par suite de son échauffement.

Les mouvements de convection assurent un brassage vertical de l'air. D'origine thermique, ils sont déclenchés par l'instabilité de l'air surchauffé au contact du sol; d'origine orographique, ils sont liés à la rencontre d'obstacles topographiques par les masses d'air. La convection est l'un des mécanismes provoquant le déclenchement des précipitations*.

CONVENTION INTERNATIONALE. — On nomme « convention », en droit international, un accord écrit conclu entre des États ou entre des organisations internationales gouvernementales et tendant à fixer les rapports qu'ils auront entre eux. (Le terme est pratiquement synonyme de *traité*.)

La convention de Vienne de 1969 a codifié les règles, d'origine coutumière, concernant l'élaboration et l'application des traités bilatéraux; elle rappelle que les traités en vigueur doivent être exécutés par les parties *de bonne foi*. Le consensualisme règne donc dans ce domaine comme dans celui du droit privé.

Le traité produit des effets en *droit interne,* c'est-à-dire à l'intérieur du pays qui y est partie, primant même la loi nationale; ce principe a été rappelé par la Constitution américaine de 1787 et, ultérieurement, dans un grand nombre de textes constitutionnels. On peut citer les conventions internationales du travail, œuvre de l'Organisation internationale du travail (O. I. T.), les conventions de Genève de 1949 sur les victimes de la guerre, etc.

Une convention internationale, d'abord *négociée* et *signée,* est ensuite soumise à l'échange ou au dépôt des *ratifications.* La ratification est un acte du pouvoir exécutif confirmant la signature donnée par ses plénipotentiaires. Elle est déterminante pour l'entrée en vigueur du traité (il existe cependant des accords internationaux non soumis à ratification).

Les traités multilatéraux, intervenant entre plusieurs États, dont le but est de régler les rapports politiques, économiques, sociaux entre ceux-ci, ont introduit en droit international la notion de « traités-lois », qui peuvent intervenir dans toutes sortes de domaines particuliers.

Convention nationale, assemblée révolutionnaire française qui fonda la Ire République et gouverna le pays du 21 septembre 1792 au 26 octobre 1795.

L'Assemblée législative* ayant été dissoute à la suite de la chute de la royauté (août-sept. 1792), une Convention nationale de 749 membres est élue au suffrage universel en vue d'élaborer une nouvelle constitution : l'atmosphère troublée ayant multiplié les abstentions d'électeurs, c'est une minorité de révolutionnaires résolus qui impose ses élus. Le groupe le plus influent et le plus nombreux est formé par les Girondins, ou Brissotins, décentralisateurs appuyés sur la province; s'opposent à eux rapidement les Montagnards, ou Jacobins*, forts de l'appui de la Commune* de Paris et des sans-culottes; entre les deux, une Plaine, ou Marais. Les Girondins dominent jusqu'au 2 juin 1793; la royauté abolie (21 sept. 1792) et la république proclamée (22 sept.), ils s'affrontent aux Jacobins et enregistrent une première défaite morale avec le procès et la mort (21 janv. 1793) de Louis XVI. La crise économique et sociale et la coalition antifrançaise en Europe renforcent les positions montagnardes, tout en provoquant un vaste soulèvement dans l'Ouest, en Vendée* notamment. Les Montagnards obtiennent alors de la Convention le renforcement de l'autorité centrale : création d'un Comité* de salut public (6 avr. 1793), cours forcé de l'assignat (11 avr.), maximum des prix (4 mai). La Gironde réagit, mais elle est finalement éliminée par l'action concentrée de la Montagne et de la Commune (31 mai-2 juin 1793). Triomphent alors les Enragés, qui développent une politique violemment révolutionnaire, anticléricale et même antireligieuse. Le 27 juillet 1793, l'entrée de Robespierre au Comité de salut public prélude à l'instauration de la Terreur*, ou despotisme de la liberté, tandis que les armées de la Révolution, rénovées par Carnot*, emportent leurs premiers succès contre la coalition (Wattignies, 16 oct.) et écrasent les Vendéens (23 déc.). Les dangers s'estompant, les factions s'accusent : Robespierre se débarrasse successivement des Hébertistes, ou Enragés (14-24 mars 1794), puis des Dantonistes, ou Indulgents (30 mars-4 avr.); durant près de trois mois, il est le vrai maître du pays; désireux de purger la Convention et la nation des derniers éléments douteux, il renforce la justice révolutionnaire et donc la Terreur (« Grande Terreur »). Mais, tandis que les victoires extérieures (Fleurus, 26 juin) rendent moins nécessaire le régime d'exception, les Corrompus se retournent contre Robespierre et ses amis et se débarrassent d'eux (27 juill. 1794, 9 thermidor an II).

La Convention thermidorienne relâche les tensions et pratique même la réaction à l'encontre des Montagnards de gauche, ce qui favorise un retour offensif du royalisme. Les succès extérieurs (traités de La Haye [16 mai] et de Bâle [5 avril et 22 juill. 1795]) facilitent la détente, permettant à la Convention de préparer la Constitution de l'an III (v. DIRECTOIRE) et de mener à bien un travail immense d'ordre scientifique et éducatif. Cependant, la réaction antimontagnarde revêt des formes tellement ostentatoires, voire violentes (« Terreur blanche »), que la Convention, sur le point de se séparer (26 oct. 1795), prend des mesures énergiques contre les royalistes (13 vendémiaire). Elle lègue au Directoire une république bourgeoise incapable de résoudre les problèmes soulevés par la misère des sans-culottes, c'est-à-dire du petit peuple.

CONVENTIONS COLLECTIVES → TRAVAIL.

CONVENTUELS → FRÈRES MINEURS.

CONVERSION → HYSTÉRIE.

CONVERTISSEUR. — La conversion du courant* alternatif en courant continu se fait à l'aide de plusieurs types de machines.

• Les *convertisseurs tournants électromagnétiques* se composent de groupes de deux machines accouplées mécaniquement : une machine réceptrice à courant alternatif fonctionnant en moteur* synchrone ou asynchrone, entraînant une génératrice à courant continu; les *commutatrices* réunissant en une même machine le moteur et le générateur; celles-ci ont un rendement moyen élevé, une capacité de surcharge et, dans certains cas, la possibilité de fournir en surexcitation de l'énergie réactive au réseau.

• Les *soupapes électriques statiques* comprennent les *soupapes ioniques* (redresseurs à vapeur de mercure), les *redresseurs* thermioniques** et les *redresseurs secs.*

Les *redresseurs à vapeur de mercure,* appelés aussi *mutateurs statiques,* groupent : les redresseurs à réglage manuel de tension, destinés à l'alimentation soit de poste émetteur, soit de réseau de distribution ou encore de moteur dont la mise sous tension doit être progressive (suppression du rhéostat de démarrage); les redresseurs à tension constante, destinés à l'alimentation des réseaux de traction d'éclairage et de force motrice; et les redresseurs anticompound utilisés dans l'alimentation des bacs à électrolyse*.

Les principaux *redresseurs thermioniques* n'ont pas de grilles commandées : l'*ignitron,* plus petit qu'un redresseur à vapeur de mercure, peut supporter pendant un temps court de fortes surcharges; le *phanotron,* redresseur à cathode chaude, sert à la charge de batteries* d'accumulateurs, à l'alimentation de centraux téléphoniques. Le *thyratron** est une soupape thermionique à grille commandée; il est utilisé en convertisseur réglable d'énergie.

Les redresseurs secs à semi-conducteurs (sélénium, silicium) servent à l'alimentation des bacs d'électrolyse et à la charge d'accumulateurs.

CONVOLUTE. — Au bout de plusieurs mois d'élevage en laboratoire, la convolute continue à monter à la surface du sable de son aquarium marin ou à s'y enfouir en suivant le rythme des marées. Elle agit ainsi pour donner aux chlorelles* qu'elle héberge et cultive dans ses tissus la lumière qui leur permettra d'effectuer la photosynthèse, donc de se développer. L'animal, un ver plat voisin des planaires (turbellarié), est en effet dépourvu de tube digestif et ne peut se nourrir qu'en digérant, chaque jour, quelques chlorelles. Il vit, en somme, de ses cultures maraîchères portatives.

CONVOLVULACÉES. — Le liseron est le type de cette famille, qui comprend des plantes à très longue tige rampante ou grimpante, souvent volubile, c'est-à-dire capable de s'enrouler autour des supports. Les fleurs sont en forme de vase, aux pétales entièrement soudés, souvent même sans aucune découpure. On cultive *Ipomoea batatas* pour son tubercule, la *patate douce,* équivalent de la pomme de terre dans les régions chaudes. Les ipomées ont d'ailleurs de grandes fleurs ornementales, dénommées à tort *volubilis.*

CONVOYEUR → MOTEUR LINÉAIRE.

CONVULSIONS. — Les crises convulsives peuvent être l'expression d'une « crise de nerfs », d'une épilepsie motrice de traduction clinique variable (crise généralisée avec perte de conscience, crise localisée), d'une spasmophilie*, d'une fièvre élevée. Le diagnostic de la cause est facilité par l'électroencéphalogramme et l'électromyogramme.

COOK (James), navigateur anglais (Marton 1728 - îles Hawaii 1779). Géographe de l'armée anglaise au Canada, auteur d'importants levés hydrographiques, il amorce, en 1768, une série de voyages de circumnavigation qui l'amènent à découvrir et à explorer notamment Tahiti (1769), la Nouvelle-Zélande (1770), l'Antarctique (1773), la Nouvelle-Calédonie (1775), les îles Sandwich, ou Hawaii, où il trouve la mort.

COOK *(îles),* archipel d'Océanie, entre les Tonga et Tahiti; 241 km^2; 21 000 hab. Capit. *Avarua,* dans l'île de Rarotonga, la plus grande île qui regroupe la moitié de la population totale de l'archipel.

COOK *(mont),* point culminant de la Nouvelle-Zélande, dans l'île du Sud; 3 764 m.

COOK (Thomas) → AGENCE DE VOYAGES.

COOLIDGE (Calvin), homme d'État américain (Plymouth, Vermont, 1872-Northampton, Massachusetts, 1933). Républicain, élu vice-président des États-Unis en 1921, il remplace en 1923 le président Harding, mort en cours de mandat, et est élu à la présidence en 1924. Il se retire en 1929.

COOLIDGE (William David), physicien américain (Hudson 1873-Schenectady 1975). Il a réussi, en 1906, à préparer le tungstène sous forme de filaments et a inventé, en 1913, le tube à cathode chaude pour la production des rayons X.

COOPER (James Fenimore), romancier américain (Burlington 1789-Cooperstown, New York, 1851). Il créa dans ses récits d'aventures, notamment dans la série des *Contes de bas de cuir,* une image épique de la lutte entre les Peaux-Rouges et les pionniers, et introduisit dans le roman l'exotisme de la grande forêt (*le Dernier* des Mohicans,* 1826; *la Prairie,* 1827; *Tueur de daims,* 1841).

COOPER (Frank J. COOPER, dit **Gary**), acteur de cinéma américain (Helena, Montana, 1901-Los Angeles 1961). Cavalier émérite, doté d'une élégante prestance, il sut plier son jeu quelque peu nonchalant aux règles de la comédie ou du drame et se hissa dès le début du cinéma parlant parmi les grandes stars d'Hollywood : *Cœurs brûlés* (1930), *Peter Ibbetson* (1935), *l'Extravagant M. Deeds* (1936), *le Cavalier du désert* (1940), *Sergent York* (1941), *Le train sifflera trois fois* (1952), *Vera Cruz* (1954), *la Colline des potences* (1959).

COOPER (Leon N.), physicien américain (New York 1930). Il a partagé avec Bardeen* et Schrieffer* le prix Nobel de physique en 1972, pour leur théorie commune de la supraconductibilité.

COOPER (David G.) → ANTIPSYCHIATRIE.

coopération *(service de la),* service, d'une durée de seize mois, institué en 1965, et qui est une forme particulière du *service* national.* Il s'applique à des jeunes gens qualifiés et volontaires pour contribuer au développement des États étrangers qui en font la demande.

COOPÉRATIVE. — En 1936, il y avait en France 400 coopératives ouvrières; leur nombre devait passer, en 1974, à 640 (employant environ 35 000 personnes). Il se crée actuellement une trentaine de coopératives par année (mais le taux de disparition est important). Les coopératives ont généralement la taille d'une petite ou d'une moyenne entreprise.

L'Italie détient le record européen des coopératives ouvrières, avec 2 000 coopératives employant plus de 200 000 salariés. En Europe de l'Est, les coopératives sont largement implantées, notamment en Pologne.

En France, l'organisation courante d'une coopérative ouvrière est la suivante : les sociétaires élisent 12 des leurs au conseil d'administration, lequel désigne le président-directeur général. Les bénéfices sont — théoriquement — répartis entre les salariés, les « sociétaires » (rémunération du capital) et l'entreprise (réserves, financement des investissements). Les actifs sont propriété collective. S'il y a faillite, c'est une autre coopérative qui récupère les actifs mis en vente.

Les coopératives de consommation, pour un chiffre d'affaires de 11 milliards de francs en 1974, représentent 2,4 p. 100 de la distribution totale française et 7 p. 100 de l'épicerie en particulier.

COORDINENCE. — Cette liaison chimique a lieu par mise en commun d'électrons provenant d'un seul des deux atomes unis.

COORDONNÉE. — Les coordonnées permettent de repérer un point dans le plan ou dans l'espace.

• Dans le *plan euclidien,* on utilise un repère orthonormé $O\vec{i}\,\vec{j}$ ou Oxy, les vecteurs $\vec{i}$ et $\vec{j}$ étant unitaires et orthogonaux, l'angle $(\vec{i},\vec{j})$ direct. Les *coordonnées cartésiennes* de M sont : $x = \overline{OH}$, $y = \overline{OK}$, mesures algébriques comptées respectivement sur $\vec{i}$ et $\vec{j}$. Les *coordonnées polaires* de M sont : $\theta = [\vec{i},\vec{u}]$, mesure, à $2k\pi$ près, de l'angle $(\vec{i},\vec{u})$, $\vec{u}$ étant un vecteur unitaire porté par OM; $\rho = \overline{OM}$, mesure algébrique comptée sur $\vec{u}$; la quantité ρ est algébrique.

$$\rho^2 = x^2 + y^2, \qquad \operatorname{tg}\theta = \frac{y}{x}, \qquad x = \rho\cos\theta, \qquad y = \rho\sin\theta,$$

relations qui permettent de passer d'un système de coordonnées à l'autre. Dans le plan, une équation de la forme $f(x, y) = 0$ caractérise une *courbe.*

• Dans l'*espace euclidien,* on utilise un repère orthonormé $O\vec{i}\,\vec{j}\,\vec{k}$ ou $Oxyz$, les vecteurs $\vec{i}, \vec{j}, \vec{k}$ étant unitaires, et deux à deux orthogonaux, le trièdre $O\vec{i}\,\vec{j}\,\vec{k}$ étant direct. Les coordonnées cartésiennes du point M sont : $x = \overline{LM}$, $y = \overline{KM}$, $z = \overline{HM}$, mesures algébriques comptées respectivement sur les vecteurs $\vec{i}$, $\vec{j}$ et $\vec{k}$. On

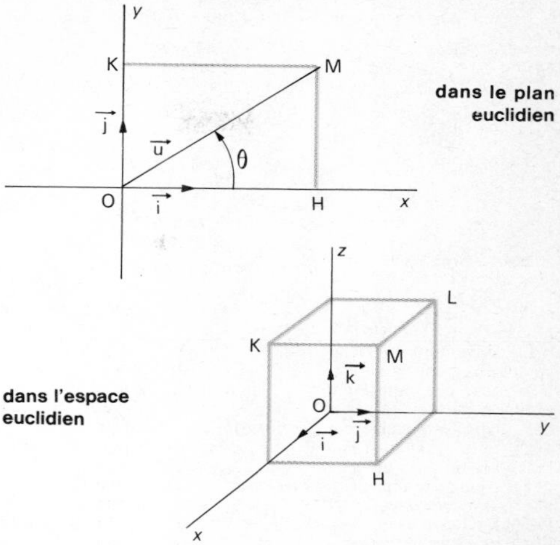

COORDONNÉES

peut aussi repérer le point M par ses coordonnées semi-polaires ou cylindriques (r, θ, z), r et θ étant les coordonnées polaires du point H, projection orthogonale de M sur le plan xOy. Toute surface dans l'espace est caractérisée par une équation cartésienne $f(x, y, z) = 0$, une courbe par deux équations de surfaces.

Copacabana, quartier de Rio de Janeiro. Station balnéaire.

COPÁN, site archéologique du Honduras, à la frontière du Guatemala. L'un des principaux centres religieux de l'ancien Empire maya*, abandonné vers le IXe s. (nombreuses stèles admirablement sculptées représentant des scènes rituelles).

COPEAU (Jacques), acteur, directeur de théâtre et écrivain français (Paris 1879-Beaune 1949). Un des fondateurs de la *Nouvelle Revue française,* il créa et dirigea le théâtre du Vieux-Colombier (1913-1924), où il s'efforça de renouveler la technique théâtrale, notamment dans une recherche synthétique de la mise en scène. Il adjoignit à son théâtre une école de comédiens, puis se retira en Bourgogne avec un groupe de disciples, les *Copiaux,* pour tenter de retrouver les sources d'un théâtre populaire.

COPENHAGUE, en danois **København,** capit. du Danemark, sur la côte orientale de l'île de Sjaelland; 596 000 hab. (1 393 000 hab. pour l'agglomération, la plus grande de Scandinavie, avec celle de Stockholm).

GÉOGRAPHIE. Sur le Sund, passage le plus fréquenté entre la mer du Nord et la Baltique, Copenhague est le premier port danois et aussi la métropole politique, culturelle (université), touristique (parc d'attractions de Tivoli) et surtout industrielle (métallurgie [chantiers navals], constructions mécaniques et électriques, chimie, édition, alimentation [brasseries]) du pays, dont elle regroupe plus du quart de la population totale, proportion inégalée en Europe. L'agglomération a largement débordé son cadre initial, occupant notamment la moitié septentrionale de l'île d'Amager (site de l'aéroport de Kastrup) reliée par ponts à Sjaelland.

HISTOIRE. Devenue une importante cité marchande au XIIe s., Copenhague doit compter avec l'hostilité de la Ligue hanséatique. Capitale du Danemark (1443), elle s'assure, au XVIe s., le contrôle du Sund et résiste, au XVIIe s., aux attaques suédoises. Très prospère au XVIIIe s., dominant le commerce en Baltique, Copenhague devient alors une place financière internationale, en même temps qu'elle contrôle l'exploitation coloniale de l'Islande, du Groenland et des Antilles danoises. Durant les guerres du Consulat et de l'Empire, alors que le Danemark est l'allié de Napoléon Ier, la ville et le port sont bombardés par les Anglais (1801 et 1807).

BEAUX-ARTS. Bourse (1619) et château de Rosenborg (1606, collections royales), de style Renaissance hollandaise. Château baroque de Charlottenborg (1672, auj. Académie des beaux-arts). Place et palais d'Amalienborg, par Nicolai Eigtved (1701-1754), introducteur du rococo français. Cathédrale néoclassique par Christian Frederik Hansen (v. 1756-1845) [sculptures de Thorvaldsen*]. Église de Grundtvig (1921). Manufacture royale de porce-

Lenars - Atlas - Photo

Copenhague. Le boulevard H. C. Andersen. À droite, la tour carrée de l'hôtel de ville. À gauche, surmontée d'une coupole, la glyptothèque Carlsberg.

laine. Musée national, fondé en 1807, dans un palais de N. Eigtved; musées des Beaux-Arts, des Arts décoratifs, glyptothèque Carlsberg (surtout archéologie antique).

COPÉPODES. — Innombrables sont les espèces de ces minuscules crustacés, marins ou d'eau douce, libres ou parasites. L'espèce la plus connue est le *cyclope* des ruisseaux, ainsi nommé à cause de son œil unique et médian, et qui présente les formes typiques de l'ordre : grandes antennules et fourche caudale plumeuses, assurant la natation; cinq paires de pattes thoraciques; deux sacs d'œufs appendus sur les côtés chez la femelle, après la ponte. Citons aussi le calanus marin, aux expansions parfois démesurées, et des formes parasites très dégradées, chez lesquelles le mâle est parfois nain ou meurt précocement : *Caligus, Lernæa, Argulus.*

COPERNIC (Nicolas), astronome polonais (Toruń 1473 - Frombork 1543). S'il n'est pas l'inventeur de l'héliocentrisme, son grand ouvrage *De revolutionibus* orbium coelestium libri VI* (1543) fut le premier traité d'astronomie héliocentrique capable de rivaliser avec l'*Almageste* de Ptolémée*, qui régissait l'astronomie depuis quatorze siècles. Dans le système copernicien, le centre du monde est occupé par le Soleil*, autour duquel circulent Mercure*, Vénus*, la Terre* — planète parmi les autres planètes —, Mars*, Jupiter* et Saturne*. Au-dessus des orbes planétaires se trouve l'orbe immobile des étoiles* fixes. La Terre boucle, en un an, sa révolution autour du Soleil et, en vingt-quatre heures, sa révolution sur elle-même. Mais, dans la cosmologie copernicienne, le principe du mouvement circulaire uniforme, cher aux anciens, reste intangible. Il faudra attendre Kepler* pour découvrir que les orbites planétaires sont des ellipses. Copernic rédigea également un petit traité sur la monnaie, écrit à l'occasion de la crise monétaire qui sévissait en Europe centrale vers 1515.

COPPÉE (François), poète français (Paris 1842 - *id.* 1908). Auteur de comédies et de drames d'inspiration romantique, il se fit, dans ses recueils lyriques (*les Humbles,* 1872), le peintre prosaïque de la vie du petit peuple.

Coppélia ou *la Fille aux yeux d'émail,* ballet-pantomime en deux actes et trois tableaux, chorégraphie de A. Saint-Léon, musique de L. Delibes, créé à l'Opéra de Paris en 1870.

COPPER CLIFF, v. du Canada (Ontario), à l'O. de Sudbury; 4 089 hab. Traitement du cuivre et du nickel.

COPPET, village de Suisse (Vaud), sur la rive droite du lac Léman, non loin de Genève. Son château a appartenu à Necker, puis à Mme de Staël.

COPPI (Fausto), coureur cycliste italien (Castellania, prov. d'Alexandrie, 1919 - Novi Ligure 1960). Exceptionnellement doué, remarquable rouleur et grand grimpeur, il s'est constitué, malgré la Seconde Guerre mondiale, un palmarès très brillant, remportant notamment le Tour de France (1949 et 1952), le Tour d'Italie (1940, 1947, 1949, 1952 et 1953), le championnat du monde sur route (1952) et la plupart des grandes classiques (dont Paris-Roubaix et Milan-San Remo). En 1942, il porta le record du monde de l'heure à 45,798 km.

COPROPRIÉTÉ. — La loi française du 10 juillet 1965 organise la copropriété, fixant le statut applicable à tout immeuble ou groupe d'immeubles lotis, dont la propriété est répartie entre plusieurs individus, comprenant des parties privatives et des quotes-parts de parties collectives (copropriété verticale ou horizontale). La copropriété est régie par un « règlement de copropriété », et le groupement des propriétaires est réalisé au sein d'un syndicat, dont l'agent est le syndic et l'organe délibérant l'assemblée générale. La copropriété se distingue de l'indivision par son caractère organisé.

COPTE. — Langue morte depuis le XIIe s., le copte fut la dernière forme de l'égyptien* ancien. C'est un ensemble de dialectes, dont le plus important, le bohaïrique, est encore employé comme langue liturgique. Il s'écrit grâce à l'alphabet grec augmenté de sept caractères empruntés au démotique.

COPTES, nom donné à l'origine aux Égyptiens (altération du grec *aigyptios*) par les conquérants arabes. Le terme est progressivement passé de la race à la religion : à la conquête arabe de nombreux Coptes s'étant convertis à l'islām, le mot finit par désigner l'Église monophysite* d'Égypte — et, abusivement, celle d'Éthiopie (v. ÉGLISES ORIENTALES). Organisée au début du VIIe s. et affaiblie au cours des siècles suivants par la pression musulmane, elle connaît aujourd'hui, avec ses deux millions de fidèles, un renouveau spirituel. Depuis le XVIIIe s., une minorité de fidèles s'est ralliée à Rome; Léon XIII* a créé pour eux un patriarcat autonome.

L'art des premiers chrétiens d'Égypte prend naissance vers le IIe s. et persiste jusqu'au XIIe s. La période de formation (IIe s. - première moitié du Ve s.) correspond à l'assimilation de thèmes hellénistiques et surtout alexandrins, auxquels sont adjoints des sujets chrétiens. Les églises sont souvent construites selon l'antique plan basilical avec nef et bas-côtés (Le Caire, chapelle Saint-Serge). Peintures et portraits trahissent encore le naturalisme gréco-romain des portraits du Fayoum*, alors que, dans les reliefs traités selon la manière douce, déjà le canon diffère. Peu à peu, les monastères s'organisent et se multiplient (Deir el-Abiad, Deir el-Ahmar, près de Sohag, Saqqarah, Baouît, Ouadi Natroun*, Sainte-Catherine, dans le Sinaï, fondé au IVe s., etc.). Entre le Ve et le VIIe s., l'idée et le concept l'emportent, et la stylisation des feuillages et des rinceaux devient presque monotone. L'opposition des pleins et des vides est violemment accusée par la façon rude dont le bas-relief est travaillé. La peinture reflète la même évolution et, si l'intensité du regard demeure, la schématisation domine les compositions (l'abbé Ména, provenant de Baouît, Louvre; peintures murales de Saqqarah...). Parmi les arts mineurs, la tapisserie est l'un des moyens d'expression privilégié des Coptes et qu'ils continueront à pratiquer après la conquête arabe. Les motifs végétaux régissent les galons, et les motifs géométriques les bandes. Les sujets sont toujours inspirés par l'art antique, mais le traitement des formes cernées par un trait foncé et le hiératisme voulu sont typiquement coptes. Après la conquête, quelques monastères survivent, mais la communauté des fidèles est trop réduite et c'est plus au sud, à Faras*, au Soudan, que l'art chrétien persiste et se déploie sous l'ascendant de l'art byzantin*.

Coq d'or *(le),* ballet en un acte de M. Fokine, musique de Rimski-Korsakov, d'après un conte de Pouchkine, créé, en 1914, par les Ballets russes de Serge de Diaghilev à l'Opéra de Paris, dans des décors et des costumes somptueux de Natalia Gontcharova.

COQUE → CARROSSERIE et HYDROPTÈRE.

COQUELUCHE. — La coqueluche, très contagieuse, est sévère chez le nourrisson. Elle se traduit souvent par un tableau de rhino-pharyngite avec toux nocturne tenace suivie d'une période de quintes évoquant le chant du coq. Ces quintes, par leur répétition et leur durée, peuvent provoquer l'asphyxie; les vomissements qu'elles entraînent causent une dénutrition importante. La coqueluche peut, en outre, se compliquer de pneumonie et d'encéphalite, ce qui justifie sa prévention par la vaccination précoce, dès l'âge de trois à quatre mois.

COQUILHATVILLE → MBANDAKA.

COQUILLE. — Parmi les nombreux organes durs que les animaux forment autour de leur corps pour se protéger, les *coquilles* se définissent par leur nature calcaire, leur position totalement externe, leur grande étendue d'un seul tenant. On rencontre une coquille chez la plupart des mollusques et chez les brachiopodes. Les mollusques dont la coquille est faite de deux valves articulées (égales ou inégales) forment la classe des *bivalves :* on distingue chez eux une valve gauche et une valve droite. La coquille des brachiopodes est également bivalve, mais avec une valve dorsale et une valve ventrale, toujours différentes. Seuls, les mollusques gastropodes ont une coquille hélicoïdale, d'ordinaire à enroulement dextre autour d'un axe, la *columelle.* Quant aux céphalopodes, ils peuvent avoir, comme le nautile, une belle coquille spirale compartimentée. L'argonaute élabore un nid d'aspect coquillier, et le tube protecteur de certaines annélides marines (spirorbes) ressemble parfois à une coquille de gastropode. Une couche de nacre peut revêtir intérieurement les coquilles.

COQUILLE SAINT-JACQUES → PEIGNE.

COQUIMBO, port du Chili septentrional; 53 000 hab. Engrais.

COR *(Méd.)* → PIED.

COR *(Mus.).* — Admis à l'orchestre après 1750, cet instrument de la famille des cuivres était auparavant réservé pour la chasse. Perfectionné, il se compose d'un tuyau contourné en forme de cercle et se termine par un pavillon. Les sons s'obtiennent au moyen de l'action des lèvres sur l'embouchure (sorte de petit godet). Afin d'augmenter les ressources d'exécution, on y adapta des pistons permettant de jouer tous les demi-tons.

CORACOÏDE (apophyse) → OMOPLATE.

CORAÏ ou **KORAÍS** (Adhamándios), écrivain grec (Smyrne 1748-Paris 1833). Il aida au développement du philhellénisme en Europe et préconisa l'usage d'une langue nationale mi-populaire, mi-savante.

CORAIL. — Les récifs et attols dits « coralliens » ne sont jamais dus à l'activité constructrice du vrai *corail,* car celui-ci ne forme que de très petites colonies isolées. On le récolte surtout en Méditerranée et dans la mer Rouge. Il doit sa valeur commerciale à la beauté de son squelette rouge et branchu. (Ordre des *octocoralliaires,* ainsi nommés à cause de la symétrie d'ordre 8 de leurs cloisons digestives.)

CORAIL *(mer de),* partie du Pacifique, au N.-E. de l'Australie. — Les Américains y remportèrent une importante victoire aéronavale sur les Japonais (4-8 mai 1942). [V. GUERRE MONDIALE *(Seconde).*]

CORALLIEN (récif). — Les littoraux des mers tropicales sont souvent précédés par des récifs (constitués par les squelettes de madrépores, octocoralliaires, hydrocoralliaires, etc.), disposés en forme de barrière et interrompus par de rares passes. Les atolls, récifs en forme d'anneau enserrant un lagon, sont généralement construits sur des îles volcaniques qui s'enfoncent par subsidence sous le poids des coraux. La présence de roches coralliennes fossiles en un point donné témoigne de l'existence de mers chaudes au moment de leur formation.

CORALLI PERACINI (Jean), danseur et chorégraphe français (Paris 1779-*id.* 1854). Certains de ses ballets connurent de grands succès *(le Diable boiteux, la Péri, la Tarentule),* mais c'est surtout *Giselle ou les Wilis* (1841), une des œuvres chorégraphiques les plus achevées du XIXe s., toujours dansée de nos jours, qui lui confère sa célébrité.

Coran, livre sacré des musulmans. C'est la réunion des récitations *(qur'ān)* de Mahomet*, apportant aux hommes la parole de Dieu transmise par l'archange Gabriel. Le calife ʿUthmān ibn ʿAffān (de 644 à 656) fit établir une recension officielle des versets coraniques. Les cent quatorze surates (chapitres) du Coran sont rangés par ordre de grandeur décroissante.

Le Coran constitue un monument de la littérature arabe; sa prose, rythmée et rimée *(sadjʿ),* est réputée inimitable; elle consacre la langue arabe classique comme véhicule de la Révélation divine et est le fondement de la culture médiévale arabo-islamique. On distingue quatre couches de textes coraniques, correspondant à quatre périodes de la vie du Prophète : trois périodes mekkoises et une période médinoise (622-632). À La Mecque, Mahomet annonce l'imminence du jugement dernier et appelle ses contemporains à une réforme sociale et religieuse. Il affirme l'unicité de Dieu, unicité absolue qu'ont trahie les juifs et les chrétiens, accusés d'« associer » Dieu au sein de la Trinité. Mahomet se définit comme le dernier des prophètes que Dieu a envoyés à l'humanité infidèle avec la mission de restituer dans sa pureté originelle le message d'Abraham. À Médine, les appels à l'obéissance à Allāh* et à son Prophète se mêlent à un ensemble de prescriptions destinées à régler la vie de la communauté : prescriptions rituelles (prière, jeûne, pèlerinage) ou sociales (mariage, héritage). Le Coran fonde le dogme et la loi *(charīʿa*)* de l'islām*.

CORAZZINI (Sergio), poète italien (Rome 1886-*id.* 1907). Influencé par Verlaine et Laforgue, il est l'un des principaux représentants du lyrisme intimiste (*Le Dolcezze,* 1904).

CORBEAU. — Les vols de corbeaux aux aguets, évoqués par tant de légendes, de poèmes et de superstitions, leur cri lugubre, leur plumage noir vont de pair avec une vie très sociale, un régime largement omnivore : insectes, graines, cadavres, petits mammifères, et avec une intelligence remarquable. En fait, ces animaux sauvent plus de grains qu'ils n'en dévorent, grâce à leur forte consommation d'insectes, et l'on devrait les tenir pour utiles. Le *grand corbeau* atteint 60 cm de long; plus communs sont la *corneille noire,* le *freux* (qui niche jusque dans les villes), le *crave* au bec rouge, le *chocard* au bec jaune (ces deux espèces vivent dans les montagnes), la *corneille mantelée* et surtout le *choucas,* hôte habituel des vieilles églises. (Type de la famille des *corvidés,* qui comprend aussi la pie*, le geai* et le casse-noix des forêts de pins.)

CORBEHEM (62112), comm. du Pas-de-Calais, à 3,5 km au S. de Douai; 2 611 hab. Papeterie et cartonnerie. Sucrerie.

CORBEIL-ESSONNES (91100) ch.-l. de cant. de l'Essonne, au confluent de la Seine et de l'*Essonne,* à 35 km au S. de Paris; 39 223 hab. *(Corbeillessonnois).* Église Saint-Spire, reconstruite du XIIe au XVe s. Constructions aéronautiques. Électronique. Imprimerie. Papeterie. Industrie alimentaire.

CORBIE (80800), ch.-l. de cant. de la Somme, sur la Somme, à 17 km à l'E. d'Amiens; 5 566 hab. Bonneterie. La ville fut, au Moyen Âge, le siège d'une importante abbaye bénédictine, fondée par la reine Bathilde vers 657. Sainte Colette*, réformatrice des Clarisses, y naquit en 1380. Elle fut prise par les Espagnols en 1636; durant la Première Guerre mondiale elle fut en partie détruite.

CORBIER (le), station de sports d'hiver (alt. 1 550-2 220 m) de la Savoie, à 17 km au S.-O. de Saint-Jean-de-Maurienne.

CORBIÈRE (Édouard Joachim, dit **Tristan**), poète français (près de Morlaix 1845-*id.* 1875). « Poète maudit », révélé par Verlaine, il unit dans ses *Amours* jaunes* (1873) l'attitude byronienne, souffrance et sarcasme, à la virtuosité du jeu verbal.

CORBIÈRES (les), avant-pays des Pyrénées, dominant la plaine languedocienne et s'étendant principalement dans le département de l'Aude. La région est partiellement couverte de vignobles.

CORBIGNY (58800), ch.-l. de cant. de la Nièvre, à 30 km au S. de Clamecy; 2 529 hab. Église gothique du XVIe s.

CORBY, v. de Grande-Bretagne (Northamptonshire); 42 000 hab. Sidérurgie.

CORCIEUX (88430), ch.-l. de cant. des Vosges, à 20 km au S.-S.-O. de Saint-Dié; 1 790 hab.

CORCYRE → CORFOU.

CORDAGE → JUTE.

CORDAY (Charlotte DE) [Saint-Saturnin-des-Ligneries, Normandie, 1768-Paris 1793]. Admiratrice des Girondins*, elle décida, après la proscription de ces derniers (mai-juin 1793), de tuer Marat*. Elle accomplit ce meurtre le 13 juillet 1793 et fut guillotinée.

Cordeliers *(club des),* club révolutionnaire fondé à Paris en juillet 1790. Installé dans le couvent désaffecté des Cordeliers, il est dominé par les chefs de la Montagne : Danton, Desmoulins, Marat, Hébert... De recrutement plus populaire que celui des Jacobins*, ce club joue un rôle déterminant dans le mouvement révolutionnaire, notamment après l'arrestation du roi à Varennes (juin 1791). Il ne survit pas à l'élimination des hébertistes (mars 1794).

CORDEMAIS (44360 St Étienne de Montluc), comm. de la Loire-Atlantique, sur la rive nord de l'estuaire de la Loire, à 14 km au S.-E. de Savenay; 1 817 hab. Grande centrale thermique.

CORDES → INSTRUMENTS DE MUSIQUE.

CORDES (81170), ch.-l. de cant. du Tarn, à 25 km au N.-O. d'Albi; 1 067 hab. Ancienne bastide fondée en 1222, la ville a gardé son aspect médiéval (portes fortifiées, église, halle et maisons gothiques).

CORDÉS. — On reconnaît une parenté zoologique à toutes les espèces qui présentent dorsalement, au-dessous d'un axe nerveux, une baguette cartilagineuse ou osseuse, divisée ou non en vertèbres, la *corde dorsale.* Ces espèces forment le phylum des *cordés,* ou *chordés,* divisé en cinq embranchements : *stomocordés* (corde localisée au voisinage de la bouche : balanoglosses, ptérobranches), *pogonophores, procordés* (tuniciers), *céphalocordés* (amphioxus), enfin *vertébrés**, infiniment plus nombreux et plus variés.

Tous ces animaux ont un axe nerveux dorsal, une corde, un tube digestif muni de replis pharyngiens, un cœur dorsal, ou au moins certains de ces caractères.

CORDES VOCALES → LARYNX.

CORDE VIBRANTE. — Quand on provoque les vibrations transversales d'une corde, elle vibre en formant un fuseau dont les extrémités sont les points fixes de la corde. Elle émet alors le son fondamental, ou premier partiel, dont la fréquence est

$$N = \frac{1}{2l}\sqrt{\frac{F}{\mu}},$$

où l représente la longueur de la corde, F sa tension, et μ sa masse par unité de longueur. Mais une corde peut également vibrer en formant plusieurs fuseaux. Elle rend alors des sons, nommés partiels, qui s'écartent peu des harmoniques du son fondamental.

CÓRDOBA, v. d'Argentine, dans l'intérieur du pays, au pied de la *sierra de Córdoba;* 782 000 hab. Église des Jésuites. Cathédrale baroque de la première moitié du XVIIIe s. Industrie automobile.

CORDON LITTORAL → RÉGULARISATION.

CORDON OMBILICAL → OMBILIC.

CORDOUAN, rocher au large de l'estuaire de la Gironde. Phare.

CORDOUE, en esp. **Córdoba,** v. d'Espagne (Andalousie), sur le Guadalquivir; 236 000 hab. Cimenterie.

HISTOIRE. La ville, dont on attribue généralement la fondation aux Carthaginois, est la capitale de l'Espagne Ultérieure puis de la Bétique*, à l'époque romaine. Elle est conquise par les Arabes en 711. L'émirat omeyyade de Cordoue, fondé par ʿAbd al-Raḥmān Ier (de 756 à 788) atteint son apogée sous ʿAbd al-Raḥman III* (de 912 à 961). Ses souverains portent le titre de calife de 929 à 1031. Malgré les nombreuses révoltes qui secouent l'Andalousie, l'émirat de Cordoue est un État prospère et un grand centre de culture. Son déclin commence après les conquêtes d'al-Manṣūr* († 1002); la ville est reconquise par les chrétiens en 1236.

BEAUX-ARTS. Grande Mosquée omeyyade, auj. cathédrale, commencée en 785 et agrandie jusqu'à la fin du Xe s. L'immense salle de prières (19 nefs, arcs de brique et pierre à double volée reposant sur plus de 800 colonnes de granite, de marbre ou de jaspe) a été coupée par la construction, au XVIe s., d'un vaste chœur de style composite puis plateresque. Églises mudéjars et gothiques. Synagogue du XIVe s. à décor intérieur mudéjar. Palais de la Renaissance. Importants musées.

CORÉ → PERSÉPHONE.

CORÉE, péninsule de l'Asie orientale, entre la mer Jaune et la mer du Japon, partagée en deux États, *Corée du Nord* et *Corée du Sud.*

HISTOIRE. L'histoire légendaire veut que le fondateur de la Corée (« Pays du matin calme ») ait été un certain Tan-gun. En fait, le pays est très tôt occupé par les Chinois, qui y établissent des commanderies : celles-ci réussissent parfois (Ier s. av. J.-C.) à se rendre autonomes, voire à se constituer en États (Ier-VIIe s. de notre ère). En 668, l'État de Silla (Sil-la) unifie toute la Corée, après avoir vaincu les deux États voisins, Koguryo (Ko-gŭ-ryŏ) et Paikche (Päk-če); il s'allie avec la Chine, ce qui a pour conséquence la pénétration des idées, de la civilisation et de l'administration chinoises et aussi du bouddhisme*. En 935, un chef de bande, Wang Gŏn (Wanggeun), réussit à éliminer la dynastie de Silla et à fonder la dynastie Koryo (Ko-ryŏ); en 1392, celle-ci est remplacée par la dynastie Li (ou I), dont les membres régneront sur la Corée jusqu'en 1910. Les Li adoptent le néoconfucianisme; cependant, leur pouvoir est constamment remis en cause par des luttes intestines. Cette faiblesse incite les Japonais, dès le XVIe s., à transiter par la Corée pour attaquer la Chine; mais, lors de la grande invasion japonaise de 1592-93, les Coréens, aidés par les Ming*, réussissent à rejeter les envahisseurs; l'amiral coréen Li Sun-sin (1545-1598) réussit encore, en 1598, à détruire la flotte japonaise.

Au XVIIe s., la dynastie chinoise mandchoue des Ts'ing impose le protectorat chinois à la Corée; bientôt, comme la Chine, celle-ci s'ouvre à la science occidentale et aussi au catholicisme, qui, malgré une dure répression, fait de grands progrès à partir de 1831. Après le Meiji*, la menace japonaise se fait plus précise et plus dangereuse; un traité d'« amitié » est imposé en 1876 à la Corée par les Japonais, qui s'infiltrent sous prétexte de moderniser le pays. Les nations occidentales en profitent pour signer des traités semblables (1882-1902). L'affrontement sino-japonais (1894-95), que clôt le traité de Shimonoseki (1895), élimine la Chine de la Corée. À l'issue de la défaite russe (1905), le Japon conclut avec la Corée un traité de protectorat; en 1910, l'annexion de la Corée par le Japon est officialisée, et la dynastie nationale s'efface. Durant trente-cinq ans (1910-1945) se poursuit la « japonisation » politique et économique du pays : elle provoque soulèvements et répressions sanglantes. En 1919, au sein de la concession française de Chang-hai, se constitue, autour de Li Seung-man (Syngman Rhee*), un gouvernement libre provisoire.

Syngman Rhee, soutenu par les Américains, rentre en 1945 dans une Corée divisée, les Soviétiques ayant entériné l'existence d'une Corée du Nord qui, en 1948, avec Kim Il-sŏng à sa tête, devient république populaire. La sanglante guerre de Corée (1950-1953) [v. art. suiv.] ne change rien à la situation : Kim Il-sŏng reste le maître de la Corée du Nord, où il développe une révolution marxiste et culturelle spécifique; dans le Sud, Syngman Rhee — accusé de corruption — est écarté en 1960; son successeur Čang Myŏn, chef du parti démocratique, est incapable d'assainir une situation économique catastrophique. Ce qui provoque le coup d'État de 1961, qui amène au pouvoir le général Pak Čŏng-hi (Park Chung-hee).

En 1972 s'amorce un mouvement pour la réunification pacifique des deux Corées.

ART. Dès le IIIe millénaire, les premiers habitants venus de l'Asie du Nord-Est vivent de chasse et de pêche et produisent une céramique décorée au peigne. Deux types de poteries viennent ensuite : l'une grossière et sans décor, l'autre rouge et fine, proche de la poterie peinte de la Chine du Nord. Le nord de la Corée est plus perméable aux influences de la Chine, qui amèneront la métallurgie du bronze dans le courant du Ier millénaire.

À partir du IIIe s., la Chine domine toutes les productions artistiques. La commanderie chinoise de Iuolang (Lo-lang) livre un abondant et riche matériel d'époque Han. L'ascendant chinois s'étend et gagne presque l'ensemble du pays. L'époque des Trois Royaumes voit d'une part la persistance d'apports chinois du Nord (Wei), notamment dans les œuvres sculptées du royaume de Koguryo, qui, le premier, accueille le bouddhisme et dont les grandes tombes en dalles de pierre ornées de peintures, dans la tradition des Han, demeurent célèbres. Au sud-ouest, dans le royaume de Paikche, ce sont les rapports avec Nankin que l'on

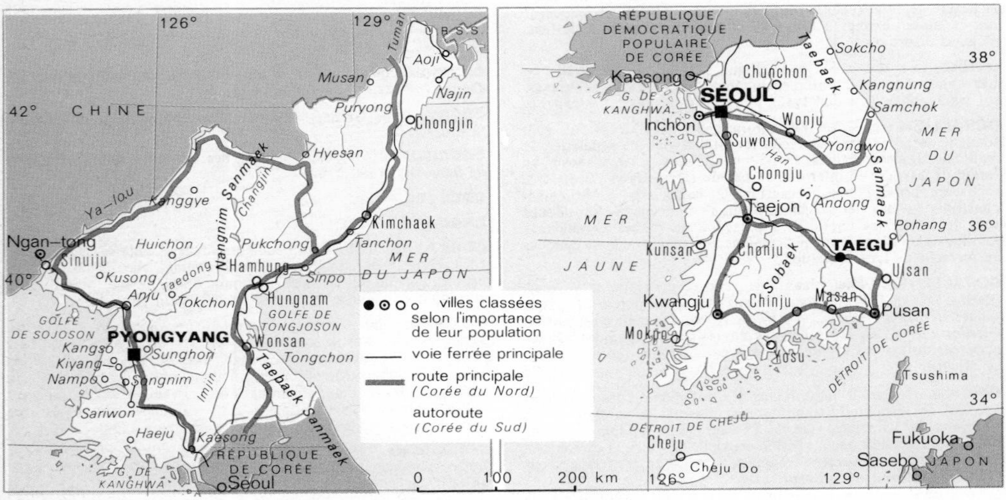

CORÉE

Un immortel jouant du cheng Peinture sur soie de Kim Hong-do. XVIIIe s. (Musée national de Séoul.)

R. Michaud

reconnaît dans la statuaire : visages pleins et souriants et souples drapés des vêtements. Les briques de pavement estampées sont de véritables paysages chinois. Le royaume de Silla, au sud-est, possède un art plus original. Ses magnifiques objets de parures reflètent l'influence de l'art des nomades. Moins raffinées que celles d'obédience chinoise, les créations sont ici d'une grande vitalité. Après l'unification du pays, réalisée en 668 par l'État de Silla, l'art se concentre dans la capitale de Kyongju (Kyŏng-ču) construite selon le plan de Tchang-ngan*. L'architecture T'ang inspire celle du monastère de Pul-kuk-sa et du sanctuaire rupestre de Syökkulam (Sŏk-kul-am), tous deux fondés en 751. Les bas-reliefs de ce dernier sont de grande qualité et rappellent ceux de Long-men*. La chute de T'ang entraîne celle de Silla, et l'époque Koryo (935-1392), d'abord imprégnée par l'art des Song, devient renommée pour sa poterie, qui surpasse certaines des plus belles créations chinoises. Les céladons bruts, apparus au xe s., ont atteint la perfection un siècle plus tard. Souvent leurs formes élégantes diffèrent des chinoises et des techniques originales typiquement coréennes, céladons peints ou à décor incrusté, sont mises au point. Au XIIIe s., une certaine décadence se manifeste et, après 1392, entièrement sous l'autorité de la Chine, le pays perd sa personnalité. Il faut attendre le XVIIIe s. pour voir des peintres comme Čong-Son (1676-1759) évoquer dans un style original le charme de son pays, ou Kim Hong-do (1760-?) et Sin Yun-bok (1758-1840) décrire des scènes populaires avec humour et verve.

Corée *(guerre de),* conflit qui opposa les deux Corées de 1950 à 1953. Répondant à l'appel des Nations unies, qui avaient condamné l'agression de la Corée du Sud par la Corée du Nord (juin 1950), le président Truman engage aussitôt les forces américaines en soutien des Sud-Coréens. Ces forces furent bientôt rejointes sous le pavillon de l'O.N.U. par des contingents britanniques, belges, hollandais, français et turcs, tandis qu'en novembre 1950 la Corée du Nord recevait l'appui militaire de la Chine populaire. Pour éviter un conflit avec cette dernière, Truman remplace en 1951 MacArthur par Ridgway. La guerre prit fin après les laborieux pourparlers de Panmunjom (oct. 1951-juill. 1953).

CORÉE *(république de)* ou **CORÉE DU SUD,** État de l'Asie orientale, occupant la partie méridionale de la péninsule de Corée; 98 400 km^2; 35 860 000 hab. *(Sud-Coréens).* Capit. *Séoul* (Sŏ-ul).

La Corée du Sud est un État montagneux dans sa partie orientale, mais plaines et collines occupent de vastes surfaces dans sa partie occidentale. Le climat continental est fortement influencé par la mousson, et la végétation comprend des espèces déjà tropicales.

Plus petit que la Corée du Nord, cet État est pourtant nettement plus peuplé. Sa densité est de l'ordre de 320 habitants au kilomètre carré et il compte de nombreuses villes importantes, Séoul, Pusan, Taegu.

L'agriculture reste le principal secteur de l'économie. Le riz constitue la base de l'alimentation, mais les cultures de fruits, de tabac et de coton sont en plein développement. L'élevage des volailles et de porcs est également actif. Cependant, l'agriculture souffre de l'exiguïté de terres par rapport à la densité de population et les ressources complémentaires apportées par la pêche restent insuffisantes.

Contrairement à sa voisine du Nord, la Corée du Sud est peu favorisée par son sous-sol. L'industrie lourde, fondée sur la production de charbon, est peu développée, et la production d'acier demeure très faible. L'activité industrielle est surtout spécialisée dans les branches légères, telles que le textile (coton et soie), et se localise principalement dans les grandes villes.

La Corée du Sud doit donc importer des biens d'équipement et exporter des produits manufacturés. Ses partenaires principaux sont le Japon et les États-Unis. La croissance récente de l'économie a été sensible. L'élévation du niveau de vie est cependant ralentie par le trop rapide accroissement de la population.

CORÉE *(république démocratique populaire de)* ou **CORÉE DU NORD,** État de l'Asie orientale, occupant la partie septentrionale de la péninsule de Corée; 120 500 km^2; 16 250 000 hab. *(Nord-Coréens).* Capit. *Pyongyang* (P'yŏng-yang).

Le pays s'étend sur un ensemble montagneux très morcelé dont l'altitude s'abaisse de l'est, dominant l'étroite côte de la mer du Japon, vers l'ouest, plus largement ouvert sur la mer Jaune, notamment dans la plaine de Pyongyang. Le climat, de type continental, subit l'influence de la mousson : les hivers sont très froids et secs, les étés chauds et humides; les montagnes portent des forêts de conifères.

Depuis 1945, la Corée du Nord a organisé son économie sur des bases socialistes. Ce pays, moins densément peuplé que la Corée du Sud et peu favorisé par des conditions naturelles rudes, a mis l'accent sur l'industrialisation. Les gisements de charbon, de lignite, de fer et de métaux non ferreux, ainsi que les aménagements hydroélectriques (vallée du Ya-lou), ont facilité le développement industriel déjà amorcé pendant l'occupation japonaise. Les activités sont localisées dans les principales villes : Pyongyang, Chongjin (Č'ŏng-čin), Wonsan (Wŏn-san), Sinuiju (Sin-eui-ču).

La sidérurgie alimente des industries mécaniques diverses. L'industrie chimique est spécialisée dans la production d'engrais. Des usines textiles sont dispersées dans tout le pays. Les surfaces cultivables ne représentent que le sixième du territoire. Le riz ne peut être cultivé que dans l'Ouest, plus doux, l'Est étant voué à la culture du blé et de l'avoine. La pêche est l'une des bases de l'alimentation. Enfin, l'exploitation de la forêt apporte un complément de ressources.

Favorisée par l'aide de l'U.R.S.S. et, à un moindre degré, par celle de la Chine, l'économie a accompli de gros progrès depuis l'indépendance.

CORÉEN. — Parlé par environ 50 millions de personnes, le coréen est apparenté au japonais*. Il s'écrit depuis le XVe s. grâce à un alphabet particulier.

CORELLI (Arcangelo), violoniste et compositeur italien (Fusignano 1653-Rome 1713). Très influencé par son séjour à Bologne, il s'installe en 1671 à Rome, où son talent le désigne, entre autres, comme maître de chapelle de Saint-Louis-des-Français et comme directeur de l'orchestre du cardinal Ottoboni. Des violonistes de toute l'Europe vinrent profiter de ses leçons. Ses sonates et ses concertos servirent de modèles pendant près d'un siècle.

CORFOU, en gr. **Kérkyra,** île grecque du nord de la mer Ionienne; 93 000 hab. Ch.-l. *Corfou* (29 000 hab.). Port. Vins. Tourisme. — Son temple d'Artémis, au célèbre fronton orné de la Gorgone, constitue l'une des premières manifestations (v. 600) de l'architecture et de la sculpture grecques archaïques. (Importants fragments au musée.)

HISTOIRE. Corfou est la *Corcyre* des Anciens, fondée par des colons d'Eubée au début du VIIIe s. av. J.-C., et occupée par les Corinthiens en 733 av. J.-C. Son conflit avec Corinthe*, en 433 av. J.-C., est une des causes de la guerre du Péloponnèse*. Après une période de décadence, Corcyre, devenue Corfou, est au Moyen Âge un port important de l'Empire byzantin, dont la détachent en 1081 les Normands de Robert Guiscard. Son histoire se confond ensuite avec celle des îles Ioniennes*, avec lesquelles elle redevient grecque en 1864. — Le *pacte de Corfou,* en juillet 1917, conclut l'union politique des Serbes, des Croates et des Slovènes.

CORI (Carl Ferdinand), biochimiste tchèque, naturalisé américain (Prague 1896), prix Nobel de physiologie et de médecine avec sa femme Gerty Theresa (Prague 1896-Saint Louis, Missouri, 1957), en 1947, pour leurs travaux sur le métabolisme des hydrates de carbone.

CORINDON. — Le corindon, qui cristallise dans le système rhomboédrique, est, après le diamant, le plus dur des minéraux naturels. Il est généralement transparent ou translucide, avec un éclat vitreux. Diverses variétés colorées sont connues en joaillerie sous le nom de gemmes orientales. L'émeri est un corindon ferrifère. Le corindon artificiel est fabriqué au four électrique, en chauffant un mélange de bauxite et de coke. Il sert à la fabrication de meules pour affûtage.

CORINNE, poétesse grecque, qui vécut à Thèbes ou à Tanagra (fin du VIe s. av. J.-C.), rivale de Pindare.

Corinne ou l'Italie, roman de Mme de Staël (1807). Poétesse italienne célèbre, Corinne s'éprend d'un jeune lord mélancolique et meurt d'être abandonnée. Ce roman, véritable guide à travers l'histoire et l'art de l'Italie, fut pour toute une génération l'expression de l'idéal amoureux et reste une confidence de Mme de Staël sur elle-même : « La gloire pour une femme ne saurait être qu'un deuil éclatant du bonheur. »

CORINTH (Lovis), peintre allemand (Tapiau, Prusse-Orientale, 1858-Zandvoort, Hollande, 1925). Il est l'auteur de nombreuses compositions à sujets mythologiques ou religieux, d'un art rude et froid qui tente de concilier naturalisme et académisme. Installé à Berlin en 1900, il exécute portraits et paysages dans un style véhément, d'une grande liberté de touche.

CORINTHE, v. de Grèce, à l'extrémité occidentale du *canal de Corinthe* (6,3 km), qui perce l'isthme unissant l'Attique et le Péloponnèse et relie la mer Égée au *golfe de Corinthe* (dépendance de la mer Ionienne bordant, au N., le Péloponnèse); 21 000 hab.

HISTOIRE. D'abord soumise à la tutelle d'Argos, la cité acquiert son indépendance au VIIIe s. av. J.-C. Elle est alors dirigée par une oligarchie terrienne, le clan des Bacchiades : sous le gouvernement de ceux-ci (VIIIe-VIIe s. av. J.-C.), Corinthe fonde des colonies et développe son commerce. Mais, en 657, Cypsélos renverse les oligarques et institue une tyrannie que continuent, après lui, Périandre* et Psammétique. La cité vit sous les Cypsélides (657-582) la période la plus brillante de son histoire; elle intensifie son effort colonial et développe son commerce et son industrie (céramique, bronze, tissus). À la chute de la tyrannie, victime de la crise économique — en partie causée par la concurrence d'Athènes —, Corinthe ne peut retrouver sa puissance. Affaiblie par la guerre du Péloponnèse* et sa lutte contre l'hégémonie de Sparte*, elle demeure à l'écart dans les démêlés qui opposent les Grecs à Philippe II* de Macédoine. À l'époque hellénistique, elle retrouve un peu de son importance comme siège de la ligue Achéenne. Mais, en 146, le Romain Lucius Mummius* saccage la ville et tue ou déporte ses habitants pour faire un exemple. Après un siècle d'abandon, César, en 44, la restaure. Capitale de la province d'Achaïe, elle redevient une ville riche mais dissolue : au Ier s. de notre ère, la corruption des Corinthiens est proverbiale. Entre 50 et 58, l'apôtre Paul* y prêche à plusieurs reprises. Pillée par les Barbares lors des grandes invasions, Corinthe entre, au Moyen Âge, dans un nouveau déclin.

ARCHÉOLOGIE. La ville fut occupée dès le néolithique récent, et les premiers témoins de sa prospérité remontent à l'époque archaïque. Corinthe était alors le plus productif centre de céramique. Les fouilles ont mis au jour plusieurs routes, les vestiges du temple archaïque d'Apollon, une ville romaine, le sanctuaire de Lerna, d'importantes installations portuaires et, récemment, un sanctuaire d'Isis et un édifice absidial aux intéressantes mosaïques de verre.

CORINTHIEN → ORDRE.

Coriolan, drame de Shakespeare (v. 1607). Un patricien ivre d'orgueil et un peuple crédule et versatile : un conflit historique qui illustre l'éternelle vanité humaine.

CORIOLIS (Gustave Gaspard), ingénieur et mathématicien français (Paris 1792-*id.* 1843). Il est surtout connu pour son théorème sur la composition des accélérations d'un mobile à un instant donné et auquel son nom est resté attaché.

CORK, en gaélique **Corcaigh,** port d'Irlande, sur la côte sud de l'île; 129 000 hab. Industrie automobile. Raffinage du pétrole.

CORLAY (22320), ch.-l. de cant. des Côtes-du-Nord, à 35 km au S.-O. de Saint-Brieuc; 1 215 hab.

CORLISS (George Henry), ingénieur américain (Easton, New York, 1817-Providence 1888). Il inventa la machine à vapeur (1849) et le système de distribution de vapeur qui portent son nom.

CORMEILLES (27260), ch.-l. de cant. de l'Eure, à 17 km au S.-O. de Pont-Audemer; 1 163 hab.

CORMEILLES-EN-PARISIS (95240), ch.-l. de cant. du Val-d'Oise, à 12 km au N.-O. de Paris; 14 309 hab. *(Cormeillais).* Cimenterie.

CORMONTAIGNE (Louis DE), ingénieur militaire français (Strasbourg 1697-Metz 1752). Élève et continuateur de Vauban, il fortifia Metz et Thionville.

CORNARO, grande famille vénitienne qui donna quatre doges à Venise, et CATHERINE **Cornaro** (1454-Venise 1510), qui épousa, en 1468, Jacques II de Lusignan, roi de Chypre. Devenue veuve en 1473, elle gouverna l'île jusqu'en 1489, date à laquelle elle abdiqua en faveur de Venise.

CORNE. — On ne trouve d'animaux portant une paire de cornes que parmi les ruminants. Creuses, persistantes, non ramifiées, soutenues par un *cornillon* osseux chez les bovidés*, rameuses, caduques et formées sous la peau chez les cervidés, très réduites enfin chez les girafes, les cornes peuvent être d'égal développement dans les deux sexes (vache, chèvre) ou n'exister que chez le mâle (mouton, cerf).

Les rhinocéros peuvent présenter sur l'os du nez une ou deux cornes médianes pointues, assez différentes des précédentes.

On appelle également *corne* la matière constitutive non seulement des cornes, mais encore des ongles, griffes et sabots, des poils et des plumes, des écailles de tortues, etc. (syn. *kératine*).

CORNES 1. Mouflon; 2. Cerf; 3. Chamois; 4. Buffle; 5. Antilope cervicapre; 6. Girafe; 7. Bœuf watusi; 8. Rhinocéros; 9. Bouquetin; 10. Oryx; 11. Kob.

CORNE D'OR (la), baie du Bosphore, à Istanbul.

CORNÉE. — La cornée est une membrane épaisse, richement innervée mais non vascularisée. Son inflammation, ou kératite, peut être soit superficielle, d'origine microbienne ou virale (herpès souvent récidivant, notamment), entraînant une ulcération douloureuse, soit profonde, d'origine syphilitique, tuberculeuse, herpétique, etc.

CORNEILLE *(saint),* pape de 251 à 253. Il succéda, après une longue vacance, au pape saint Fabien*. Dans sa lutte contre le schisme de Novatien, il fut soutenu par l'évêque de Carthage, saint Cyprien*.

CORNEILLE de Lyon, peintre français d'origine hollandaise (La Haye?-Lyon v. 1574). On attribue à ce peintre de la Cour et des grands, peut-être élève de Jean Clouet, de nombreux petits portraits sur bois, d'une facture fine, où les visages se détachent en clair sur des fonds souvent verts ou bleus.

CORNEILLE, famille de peintres et de graveurs français : MICHEL Ier **le Père** (Orléans v. 1601-Paris 1664), élève de Vouet et l'un des douze fondateurs de l'Académie de peinture et de sculpture; son fils MICHEL II **l'Aîné** (Paris 1642-*id.* 1708), élève de Le Brun, qui collabora aux grandes entreprises de décoration du règne de Louis XIV; JEAN-BAPTISTE (Paris 1649-*id.* 1695), frère du précédent, qui donna de nombreuses eaux-fortes d'après les Carrache ou d'après ses propres compositions.

CORNEILLE (Pierre), auteur dramatique français (Rouen 1606-Paris 1684). Figé dans l'éternelle jeunesse du *Cid,* Corneille l'est depuis toujours, c'est-à-dire depuis les premiers succès de Racine. De ses trente-deux pièces, ses contemporains ne retenaient déjà que quatre chefs-d'œuvre *(le Cid, Horace, Cinna, Polyeucte* — auquel on préférait parfois *la Mort de Pompée),* et, avec La Bruyère, transformèrent bientôt sa concurrence avec l'auteur de *Bérénice* et de *Phèdre* en « parallèle » : Corneille peint les hommes tels qu'ils devraient être, Racine les peint tels qu'ils sont. Or, Racine recevant Thomas Corneille à l'Académie, trois mois après la mort de son frère, faisait justice par avance de cette réduction stérilisante : il mettait l'accent à la fois sur l'*unité politique* du théâtre de Corneille (« Combien de rois, de princes, de héros de toutes nations nous a-t-il représentés, toujours tels qu'ils doivent être, toujours uniformes avec eux-mêmes... ») et sur sa *diversité fonctionnelle* (« ... et jamais ne se ressemblant les uns les autres »). Il est remarquable que seuls des opposants intellectuels et politiques au classicisme* et au système du Roi-Soleil aient été capables de comprendre l'ensemble de l'œuvre et son évolution (Bayle, Saint-Évremond) : Corneille passe de l'expression des mouvements de la nature humaine à la description de leur mécanisme; du sentiment à la conscience; du trouble à la lucidité. Rien ne justifie moins sa légende, sinon peut-être son inscription profondément concrète dans son temps : il fait de l'universel au jour le jour, et le XVIIe s. a été plutôt sensible à la discontinuité, à l'opportunisme de l'œuvre. Corneille a toujours tenu compte des possibilités des troupes qui le jouaient, il a su avec ses comédies répondre à la demande d'un public bourgeois et féminin, il a médité les critiques des « doctes » sur *le Cid.* Il était à l'écoute de son siècle, mais son siècle n'entendait que sa voix la plus lointaine, celle de sa jeunesse « héroïque ». Il en était pleinement conscient d'ailleurs, et dans l'édition de 1660 de son théâtre il mit en tête de chacune de ses pièces un « examen », en même temps qu'il publiait trois *Discours* sur la tragédie. Réflexion et création allaient chez lui de pair et il en avait donné dès le début la « figure » dramatique avec *l'Illusion comique,* spectacle total et théâtre dans le théâtre où, un an avant *le Cid,* Matamore offre la parodie de Rodrigue. C'est là peut-être la raison du malaise de ses contemporains : la limite est indécise entre l'héroïque et le burlesque et, par suite, le vrai lieu de l'héroïsme est l'indécis, l'instable, la lutte, le déchirement. Mais lutte et déchirement dont le héros sort purifié, au terme d'une ascèse où, à force de volonté, il a triomphé de son « amour-propre ». On voit comme la « gloire » du héros cornélien est proche de l'arrachement et de l'abnégation de l'*Imitation de Jésus-Christ* (dans sa traduction de l'œuvre de Thomas a Kempis, Corneille donne à la méditation abstraite le rythme du dialogue dramatique). L'opposition entre devoir et passion, autre image légendaire du débat cornélien, se situe à un niveau tout aussi superficiel que le fameux « parallèle ». Au vrai, Corneille n'a jamais traité qu'un seul sujet, mais il en a constamment varié la « disposition ». À preuve, aux deux extrémités de l'œuvre, l'alliance de la passion et de l'héroïsme : dans *le Cid* (1637) comme dans *Suréna* (1674), l'héroïsme se nourrit et se fortifie de la passion, qui n'est pas obstacle mais catalyseur dans l'accomplissement du devoir. Corneille ou la passion du devoir. Ainsi réduire Corneille au *Cid* est-il à la fois une mauvaise et une bonne lecture. Mauvaise, parce que c'est se donner un thème sans en entendre les variations; bonne, parce que, négligeant les modes passagères et les cadrages successifs, c'est retenir la donnée tragique fondamentale, la clé, au

le théâtre

COMÉDIES : *Mélite* (1629); *la Veuve* (1632); *la Galerie du Palais* (1633); *la Suivante* (1634); *la Place Royale* (1634); *l'Illusion comique* (1636); *le Menteur** (1643).

COMÉDIES HÉROÏQUES ET TRAGI-COMÉDIES : *Clitandre* (1631); *le Cid** (1637); *Don Sanche d'Aragon* (1649); *Tite et Bérénice* (1670); *Pulchérie* (1672).

TRAGÉDIES : *Médée** (1639); *Horace** (1640); *Cinna** (1640-41); *Polyeucte** (1641); *Rodogune** (1644); *Théodore* (1646); *Héraclius* (1647); *Nicomède** (1651); *Pertharite** (1652); *Œdipe* (1659); *Sertorius** (1662); *Sophonisbe** (1663); *Othon* (1664); *Agésilas* (1666); *Attila* (1667); *Suréna* (1674).

PIÈCES À MACHINES : *Andromède* (1650); *la Toison d'Or* (1661); *Psyché* (1671).

sens musical, de l'œuvre : la conscience de l'identité de l'accomplissement et de l'anéantissement humain dans une réalité plus haute. Ce qui explique que « héros de vice » (« en même temps qu'on déteste ses actions, on admire la source dont elles partent », « Examen » de *Rodogune*) et « héros de vertu » puissent donner la même leçon et la même émotion tragique. Au fond, la leçon du héros cornélien est une leçon d'humilité.

CORNEILLE (Thomas), poète dramatique français (Rouen 1625 - Les Andelys 1709), frère de Pierre Corneille. Il connut le succès

M. Veilhan

Corneille. Représentation d'*Horace* par la Comédie de l'Est au Théâtre national de Strasbourg (1969).

avec des comédies imitées du théâtre espagnol et sa tragédie de *Timocrate* (1656), puis se consacra à des travaux lexicographiques (*Dictionnaire des termes d'arts et de sciences,* 1694).

CORNELIUS (Peter VON) → NAZARÉENS.

CORNELIUS NEPOS, historien latin (Pavie v. 99 av. J.-C. - † 24 av. J.-C.?). Il composa des livres historiques, une *Chronique,* une vie de Cicéron, une vie de Caton et une vie d'Atticus, et *De excellentibus ducibus,* dont il reste une partie. Les personnages de ce compilateur sont des symboles édifiants.

CORNER BROOK, v. du Canada, sur la côte ouest de Terre-Neuve; 26 309 hab. Papier.

CORNET À BOUQUIN. — Instrument à vent favori du XVIe s., surtout en Italie du Nord, il doit son nom au bocal, ou « bouquin » en ivoire ou en bois, qui lui sert d'embouchure; celle-ci s'adapte à l'extrémité la plus étroite de son corps, conique et recourbé, en bois recouvert de cuir.

Cornet à dés *(le),* recueil de poèmes en prose et de textes autobiographiques de Max Jacob (1917). Poésie visionnaire et saisie parodique des événements quotidiens s'amalgament en une nouvelle réalité *(Poème en forme de boîte oblongue; Poème sans forme avec consistance molle; Gloire, cambriolage ou révolution).*

CORNET À PISTON → TROMPETTE.

CORNIGLIANO LIGURE, v. d'Italie, dans la banlieue de Gênes; 24 000 hab. Centre sidérurgique.

CORNIMONT (88310), comm. des Vosges, à 20 km au S. de Gérardmer; 5 225 hab. Industrie textile.

CORNOUAILLE, région du sud-ouest de la Bretagne. V. princ. *Quimper.*

CORNOUAILLES → CORNWALL.

CORNU (Alfred), physicien français (Orléans 1841 - La Chansonnerie, près de Romorantin, 1902). Il a utilisé la plaque photographique à l'étude de l'ultraviolet et mesuré la vitesse de la lumière (1874).

CORNUS (12540), ch.-l. de cant. de l'Aveyron, à 34 km au S.-S.-E. de Millau; 510 hab.

CORNWALL, en fr. **Cornouailles,** comté de l'extrémité sud-ouest de l'Angleterre.

CORNWALL, v. du Canada (Ontario), sur le Saint-Laurent; 47 116 hab.

CORNWALLIS (Charles, *marquis*), général britannique (Londres 1738 - Ghāzīpur, Inde, 1805). Pendant la guerre d'Indépendance américaine, il dut capituler à Yorktown (1781). Gouverneur général et commandant en chef aux Indes (1786), il vainquit Tipū Sāhib (1792). Vice-roi d'Irlande, il domina la rébellion de 1798. En 1805, il fut envoyé de nouveau aux Indes.

CORO, v. du nord-ouest du Venezuela; 69 000 hab.

COROGNE **(La),** en esp. **La Coruña,** port d'Espagne sur l'Atlantique, en Galice, ch.-l. de prov.; 190 000 hab. Pêche. Raffinage du pétrole. Aluminium.

COROMANDEL *(côte de),* littoral oriental de l'Inde péninsulaire, sur le golfe du Bengale.

CORONAIRE. — Les *artères coronaires,* branches de l'aorte, sont les artères nourricières du cœur. Les *veines coronaires* drainent le sang en provenance du muscle cardiaque vers l'oreillette droite par le sinus coronaire. Les affections coronariennes dites « coronarites » sont avant tout l'expression de l'athérosclérose des artères coronaires : l'angine de poitrine correspond à une insuffisance coronarienne aiguë passagère; l'infarctus du myocarde à une insuffisance prolongée, voire à une oblitération, qui sont cause d'ischémie et de nécrose du myocarde. L'opacification radiologique des artères coronaires, ou « coronarographie », permet de préciser l'aspect et le calibre des artères coronaires en vue d'une correction chirurgicale éventuelle.

L'artère coronaire stomachique est une branche du tronc cœliaque et irrigue la petite courbure de l'estomac.

CORONARITE → CORONAIRE.

CORONAROGRAPHIE → CORONAIRE.

CORONÉE, ville de Grèce antique, en Béotie. En 447 av. J.-C., les Béotiens y vainquirent les Athéniens; en 394, Agésilas* y remporta une victoire sur les troupes thébaines et alliées.

CORONOGRAPHE → ÉCLIPSE.

COROT (Camille), peintre, dessinateur et graveur français (Paris 1796-*id.* 1875). Préférant la peinture au commerce, il obtient en 1822 le soutien de ses parents, devient l'élève des paysagistes néoclassiques Achille Etna Michallon (1796-1822), puis Victor Bertin (1775-1842). Il pratiquera toute sa vie le paysage d'après nature, en Italie (1825-1828, 1834, 1843) et en France (Ville-d'Avray, Mantes, forêt de Fontainebleau, Normandie, Arras et Douai, etc.). L'exemple des Hollandais du XVIIe s. et des « pleinairistes » anglais contemporains lui apprend à saisir les variations atmosphériques. L'Italie développe son acuité, son sens des valeurs et d'une harmonie sereine, qu'il applique aussi au paysage « composé » (*le Pont de Narni,* Salon de 1827, Ottawa) ou « historique » (*Homère et les bergers,* Salon de 1845, Saint-Lô). Sous le second Empire, son succès s'étend à un vaste public avec des paysages recréés à l'atelier, aux ramures frémissantes, aux brumes idylliques (*Souvenir de Mortefontaine,* 1864, Louvre), qui furent très imités. D'autres vues, jusqu'à la fin (*Sens, intérieur de la cathédrale,* 1874, Louvre), représentent le Corot objectif, de même que la longue série des figures (*l'Odalisque romaine,* dite *Marietta,* 1843, Petit Palais, Paris; *l'Atelier de Corot, jeune femme en robe de velours noir,* 1870, Lyon), d'une riche et subtile variété de facture.

Lauros - Giraudon

Le Pont de Narni. 1826. (Musée du Louvre, Paris.)
Étude spontanée, très différente du tableau d'Ottawa.

CORPORATION. — Quels que puissent être les antécédents (collèges romains du Bas-Empire, guildes et hanses des marchands du haut Moyen Âge), c'est au XIe s., avec le renouveau du commerce et l'essor des villes, qu'apparaissent les corporations, associations d'artisans d'un même métier, parfois appelées « métiers jurés » parce que, à l'instar des communes, certaines d'entre elles sont fondées sur un serment, une *conjuratio* entre égaux. Aux XIIe et XIIIe s., le mouvement gagne toute l'Europe, et les corporations s'organisent dans un cadre statutaire, soit par la volonté de leurs membres, soit encore par décision du pouvoir (Livre des métiers d'Étienne Boileau, prévôt royal, v. 1260). Ces statuts réglementent l'exercice des métiers : ils définissent les modalités de fabrication des produits et exigent une certaine qualité, souvent garantie par l'interdiction du travail nocturne; enfin ils déterminent les conditions d'accès à la profession, ainsi qu'une hiérarchie dans le métier. À la fin du XIIIe s., presque tous les statuts distinguent trois catégories de travailleurs : les apprentis, astreints à un temps d'apprentissage non payé; les valets, ouvriers salariés appelés, à partir du XVe s., « compagnons »; enfin, les maîtres, sous l'étroite dépendance desquels sont apprentis et compagnons. La communauté de métier est soumise à un collège restreint de « jurés », élus par les maîtres et les compagnons et dont la mission est de faire respecter les statuts. À l'origine, l'accès à la maîtrise est ouvert à tout compagnon ayant passé l'épreuve du chef-d'œuvre devant les jurés du métier. En fait, assez rapidement, cette promotion finit par être réservée, par hérédité, à la seule classe des maîtres. Aussi, à partir du XVe s., un clivage social de plus en plus profond sépare maîtres et salariés, provoquant révoltes et grèves de compagnons (XVIe s.). En France, la fin du XVIe s. connaît pourtant un nouvel essor des corporations, dû essentiellement à la prise en main du système par la royauté, qui tente de l'étendre à tout le pays (édits de 1581 et 1597). C'est, cependant, en dehors de ces organismes trop figés que se fait le décollage industriel de l'Europe. Dès lors apparaissent les signes de déclin. Les corporations vont peu à peu perdre leur dynamisme et subir l'attaque en règle des penseurs et des physiocrates du XVIIIe s. Après une première tentative d'abolition par Turgot (édit du 5 févr. 1776), elles sont balayées par la Révolution (décrets des 2 et 17 mars 1791). Cependant, à la fin du XIXe s., certains catholiques sociaux préconiseront un retour au régime corporatif.

CORPS *(Chim.).* — On nomme *corps pur* une espèce chimique, ayant des propriétés parfaitement définies, que les procédés d'analyse immédiate ne permettent pas de fractionner en parties de propriétés différentes. Parmi les corps purs, on distingue les *corps simples,* qui ne contiennent qu'un élément chimique, et les *corps composés,* formés par l'union de plusieurs éléments chimiques différents.

CORPS *(Psychanal.).* — Le problème du corps dans notre culture a longtemps été inséparable de celui de l'âme*, à cause du dualisme âme-corps posé par la philosophie idéaliste et rationaliste.

La dissection de cadavres, dont la pratique se généralisa à partir de la Renaissance italienne, est à l'origine de la représentation anatomique du corps humain, référence fondamentale du regard médical. Ainsi fixé dans l'espace, le corps perd de son mystère, la mort et la sexualité en sont évacuées. L'anatomie et les investigations qui la prolongent (histologie, physiologie, biochimie) ignorent le plaisir et la douleur : tout ce qui précisément fait la spécificité de la psychanalyse.

C'est à partir du déchiffrage des symptômes corporels des hystériques que Freud découvre le corps exclu par la médecine : le corps imaginaire du désir* et, à côté de l'anatomie des médecins, une anatomie fantasmatique. Par ailleurs, les étapes du développement libidinal montrent l'importance des zones érogènes ainsi que la succession de leur prévalence au cours du temps qui organise toute l'activité du sujet. Freud (1903) définit une zone érogène comme « une région de l'épiderme ou de la muqueuse qui, excitée d'une certaine façon, procure une sensation de plaisir d'une qualité particulière ». Le but de la sexualité est la satisfaction obtenue par l'excitation de la zone érogène appropriée à chaque âge. Les images du corps libidinal se succèdent donc et à chacune correspond une problématique fantasmatique différente, ce qui confère à chaque névrose sa structure particulière.

Cependant, l'unité de l'image du corps, et avec elle la constitution du sentiment d'identité de la personne, n'est pas un donné, elle ne se construit qu'au moment du stade du miroir (entre 8 et 18 mois) décrit par Jacques Lacan* (1936). Elle se manifeste par la jubilation de l'enfant lorsqu'il se reconnaît dans un miroir, elle marque un moment fondamental dans la structuration du sujet*. La référence au corps est donc centrale en psychanalyse*.

CORPS (38970), ch.-l. de cant. de l'Isère, à 25 km au S.-E. de La Mure; 465 hab. Pèlerinage de *la Salette.*

CORPUS. — Un corpus est un ensemble d'énoncés (oraux ou écrits) que l'on a réunis en vue d'une analyse linguistique. Un corpus doit être homogène (socialement et synchroniquement défini) et représentatif de l'ensemble étudié. Notion fondamentale de la linguistique structurale, le corpus est un concept uniquement descriptif et ne peut rendre compte de la créativité* du langage.

CORPUS CHRISTI, port des États-Unis (Texas), sur le golfe du Mexique; 205 000 hab. Métallurgie.

CORRECTIONNEL (tribunal) → JUSTICE *(organisation de la).*

CORRÈGE (Antonio ALLEGRI, dit **il Correggio,** en franç. *le*), peintre italien (Correggio, près de Parme, v. 1489-*id.* 1534). Son coloris précieux doit quelque chose aux peintres de Ferrare (Dosso Dossi), sa science des volumes et de la perspective à l'art de Mantegna, connu à Mantoue. Dès sa jeunesse, il adoucit les formes héritées du quattrocento par un clair-obscur emprunté à Léonard. En 1518, il connaît, à Rome, les œuvres de Michel-Ange et de Raphaël. Fixé à Parme, il donne toute sa mesure dans les fresques de l'église S. Giovanni Evangelista (1520-1523), notamment *la Vision de saint Jean* de la coupole, avec son effet nouveau d'un espace céleste infini où flotte le Christ. Selon le même principe, mais avec plus de hardiesse et de virtuosité, il exécute de 1526 à 1530 son chef-d'œuvre, l'*Assomption* de la coupole de la cathédrale de Parme. D'une grâce exquise sont ses grands tableaux d'autel (*Madonna di san Girolamo,* Galerie nationale, Parme) et les tableaux mythologiques des dernières années (*Io* et *Ganymède,* pour le duc de Mantoue, Kunsthistorisches Museum, Vienne). Son œuvre eut un retentissement immense.

Le Corrège. Fresque de la coupole de l'église Saint-Jean-l'Évangéliste à Parme, *la Vision de saint Jean*. 1520-1523.

CORREGIDOR, îlot fortifié des Philippines, à l'entrée de la baie de Manille. Les Américains y résistèrent aux Japonais jusqu'en mai 1942. (V. PHILIPPINES [*bataille des*].)

CORRÉLATION. — Deux variables*, observées sur chaque individu ou élément d'un ensemble, sont dites en corrélation lorsque l'on constate une certaine interdépendance entre les deux valeurs d'un même couple : elles ont tendance, en général à s'écarter de leurs moyennes* respectives soit dans le même sens *(corrélation positive),* soit en sens contraire *(corrélation négative).* Cette corrélation est généralement caractérisée par le *coefficient de corrélation linéaire,* calculé en fonction des écarts des observations à leurs moyennes :

$$r = \frac{\Sigma(x - \bar{x})\,(y - \bar{y})}{\sqrt{\Sigma(x - \bar{x})^2 \cdot \Sigma(y - \bar{y})^2}}.$$

Ce coefficient est toujours compris entre − 1 et + 1; un coefficient voisin de 1 en valeur absolue est l'indice d'une liaison presque linéaire entre les deux variables considérées.

CORRESPONDANCE *(Automat.)* → RÉGULATION AUTOMATIQUE.

CORRESPONDANCE *(Littér.).* — Le « genre » de la correspondance est ambigu. En effet, s'il suppose l'existence d'un *lecteur,* bien connu de l'auteur et dont les caractéristiques culturelles et géographiques modèlent *a priori* le message qui lui est destiné, il n'est pas absolument certain qu'il ait un *public.* Ce que tendrait à prouver le *roman par lettres :* il n'entre dans le circuit traditionnel de la littérature romanesque qu'au moment où la lettre n'est plus qu'un artifice de style et non le document authentique, objet de la fascination du lecteur. L'intérêt pour la correspondance est ancien; dès le XVIe s., on publiait les lettres de Cicéron, de Sénèque ou de Pline, ou encore d'érudits italiens contemporains : on y cherchait la chronique d'une époque, une leçon de morale, un modèle de style et d'esprit. Mais la manière de considérer la correspondance changea avec la place que l'auteur — avec sa vision et son style — prit dans la conception générale de la littérature : les *Lettres portugaises* (1669) de Guilleragues passionnent parce qu'on croit encore à la publication d'un « document », et on les donne comme des modèles de « naturel »; avec Mme de Sévigné, c'est l'écrivain qui s'impose à travers la peinture savoureuse de son temps. *La Nouvelle Héloïse, les Liaisons dangereuses* comptent parmi les œuvres majeures qui mettent le « moi » au cœur de la création littéraire. En même temps, on ne cherche plus dans la lettre l'éloquence ou la virtuosité, l'exercice de style, mais l'expression immédiate de la personnalité. Spontanéité et discontinuité font désormais tout le prix de la correspondance, dans laquelle toute une tradition littéraire et universitaire va chercher une réalité plus profonde et plus vraie que celle que l'écrivain a livrée dans ses œuvres. Cette conception n'a guère de pertinence que pour ceux qui ont mis leur génie dans leur vie plutôt que dans leurs livres; la correspondance des créateurs (Diderot, Balzac, Flaubert, Mallarmé) éclaire et confirme, au niveau des coulisses ou du chantier quotidien, l'architecture monumentale, dont elle fait mieux sentir, par toutes ses ruptures et ses dissonances, l'irréductible unité.

Correspondance littéraire, chronique adressée de Paris par l'abbé Raynal, puis par Grimm, Diderot et Meister à des souverains étrangers de 1754 à 1790.

CORRETTE (Michel), compositeur français (Rouen 1709-Paris 1795). Organiste de métier, il a écrit quantité de vaudevilles pour la foire, des concertos de symphonies et des concertos comiques qui sacrifient à l'italianisme et au style élégant de son temps.

CORRÈZE (la), riv. de l'ouest du Massif central, qui arrose le *département de la Corrèze.* Elle passe à Tulle et à Brive, avant de rejoindre la Vézère (r. g.); 85 km.

CORRÈZE (19), départ. de la Région Limousin; 5 860 km^2; 240 363 hab. *(Corréziens).* Ch.-l. *Tulle.* S.-préf. *Brive-la-Gaillarde* et *Ussel.*

Il s'étend principalement sur la partie occidentale du Massif central (Limousin méridional), atteignant le bassin d'Aquitaine, au S.-O. (bassin de Brive, aux confins du Périgord). L'altitude dépasse 900 m dans le nord, au plateau de Millevaches. Le paysage dominant de lourds plateaux cristallins n'est guère aéré que par l'entaille, souvent profonde, des vallées, sites de villes (Brive, la plus grande du département, et la préfecture Tulle sont établies sur la Corrèze) ou d'importants aménagements hydroélectriques (sur la Dordogne se succèdent Bort-les-Orgues, Marèges, L'Aigle, Le Chastang et Argentat). L'hiver, le climat est humide, froid et enneigé dans le nord, plus doux dans le sud, où pénètrent les influences aquitaines. Les conditions naturelles ne favorisent pas un intense peuplement : la densité d'occupation n'est guère supérieure à 40 habitants au kilomètre carré, soit nettement moins de la moitié de la moyenne nationale. La population du département est numériquement stagnante depuis une vingtaine d'années; l'excédent naturel, réduit, est compensé par l'exode rural, qui ne profite que partiellement aux villes de la Corrèze, à l'exception de Brive-la-Gaillarde, qui a connu un sensible accroissement démographique. L'agriculture occupe toujours une place importante; employant encore plus du quart de la population active, elle est fondée sur l'élevage (bovins et aussi ovins) surtout dans le nord, les cultures (céréales, fruits et légumes) se concentrant dans le fertile bassin de Brive. L'industrie utilise moins du tiers des actifs et est dominée par la métallurgie, qui précède les industries du bois et le travail du cuir. La part des emplois dans le tertiaire est voisine de celle dans l'industrie, c'est-à-dire bien inférieure à la moyenne nationale; cette faiblesse est due à l'absence de très grande ville et à la rareté des villes moyennes; les services supérieurs (dont l'université) sont absents. À l'écart des grandes voies modernes de communication, loin de toute métropole urbaine (hormis Limoges), la Corrèze est toujours une terre d'émigration, alimentée par la persistance d'un important secteur primaire et les difficultés de certaines branches industrielles.

CORRÈZE (19800), ch.-l. de cant. de la Corrèze, à 20 km au N.-E. de Tulle, sur la *Corrèze;* 1 678 hab.

CORRIENTES, v. d'Argentine, sur le haut Paraná; 137 000 hab.

CORROSION. — La corrosion est le plus grand destructeur de biens dans le monde, l'eau en étant l'agent naturel le plus actif. Qu'elle soit d'origine chimique (attaque acide, oxydation* à chaud) ou d'origine électrochimique (pertes de courant*, effet de pile* entre les différentes parties d'une pièce ou les constituants d'un alliage*, différence de potentiel entre les milieux environnants), elle se manifeste soit par un effet uniforme et généralisé en surface de la pièce, soit par une agression superficielle localisée formant des piqûres, ou bien encore par une attaque intercristalline avec fissuration progressive à l'intérieur de la pièce et désagrégation de la structure. Cette dernière forme de corrosion est particulièrement dangereuse et difficile à détecter, car elle détruit la cohésion des cristaux sans manifestation évidente en surface de la pièce. La protection de l'acier* se fait principalement par peinture* antirouille ou par revêtements métalliques, tels que la galvanisation au zinc*. Les bétons* subissent des corrosions au contact d'eaux non calcaires, d'eaux acidifiées, d'eau de mer ou d'eaux séléniteuses. On les protège par des ciments* spéciaux en leur donnant une forte compacité et en les traitant par des hydrofuges de surface. Les bois sont corrodés par des micro-organismes. On les protège par des fongicides ou par imprégnations à la créosote, au sulfate de cuivre* ou au bichlorure de mercure*.

CORSAIRE. — Le corsaire n'est pas un pirate, car il est autorisé par une « lettre de marque », signée de son souverain, à courir sus aux navires de commerce ennemis. Les plus célèbres corsaires — Jean Bart* et Duguay-Trouin* — appartiennent d'ailleurs à la marine royale. La *course* — qui est l'activité du corsaire — a connu son bel âge aux XVIIe et XVIIIe s., et aussi, avec Surcouf* notamment, sous la Révolution, le Consulat et l'Empire. Elle fut supprimée par le congrès de Paris de 1856.

Corsaire *(le)*, ballet en trois actes et cinq tableaux, musique de A. Adam, chorégraphie de Mazilier, d'après le poème de lord Byron, créé à Paris, au théâtre impérial de l'Opéra (1856). La version de Marius Petipa (1859), très populaire encore de nos jours en U. R. S. S., a été revue par Rudolf Noureïev (1966).

CORSE, île française de la Méditerranée, constituant une Région administrative; 8 681 km^2; 289 842 hab. *(Corses).* Avant 1975, la Corse formait un seul département (20), dont le chef-lieu était Ajaccio. Aujourd'hui, elle comprend deux départements : la *Corse-du-Sud* ([2 A], correspondant aux anciens arrondissements d'Ajaccio et de Sartène; 128 634 hab.; ch.-l. *Ajaccio*) et la *Haute-Corse* ([2 B], formée des anciens arrondissements de Bastia, de Calvi et de Corte; 161 208 hab.; ch.-l. *Bastia*).

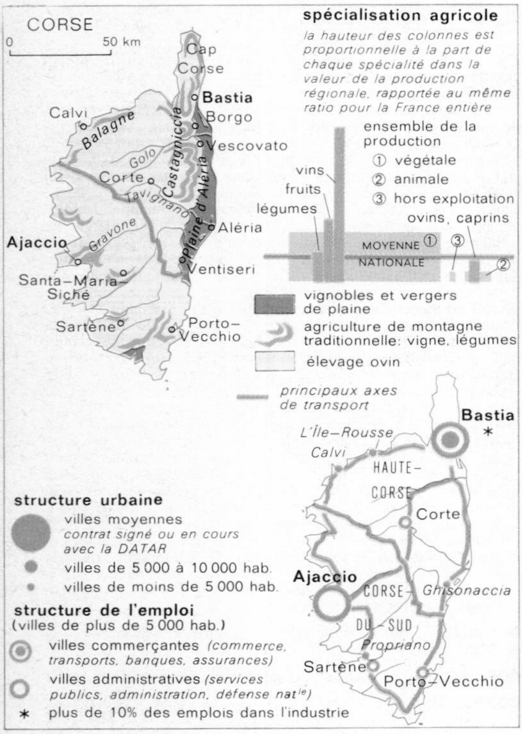

Corse. La vieille ville de Corte, que domine la citadelle.

GÉOGRAPHIE. Montagneuse (avec plusieurs sommets dépassant 2 000 m), l'île est surtout constituée de roches cristallines dans le centre et le sud, de schistes mis récemment en relief dans la partie septentrionale. Le relief est aéré par l'entaille des vallées, dirigées notamment vers le littoral occidental, rocheux, où alternent saillants et rentrants (le Porto rejoint le golfe du même nom; le Liamone, le golfe de Sagone; le Gravone et le Prunelli, le golfe d'Ajaccio; le Taravo, le golfe de Valinco). Vers le littoral oriental, rectiligne et bas, bordé dans sa partie centrale par la plaine d'Aléria, dévalent quelques torrents (Golo, Tavignano, Fium'Orbo). Les cours d'eau sont alimentés par des précipitations hivernales assez abondantes, en partie liées à l'altitude fréquemment élevée. Sur les hauteurs se maintient une couverture végétale de forêts mixtes ou de résineux, du moins là où l'action de l'homme n'a pas provoqué l'extension du maquis.

Le caractère tourmenté du relief ainsi que la longue sécheresse estivale ne sont pas des conditions favorables à une dense occupation humaine, du moins aujourd'hui. La montagne a, en effet, longtemps servi de refuge à des populations face aux menaces venues de la mer. Aujourd'hui, elle n'a plus qu'une vocation forestière, pastorale ou touristique. La population est descendue vers la mer, notamment vers les deux principales villes de l'île, Ajaccio et Bastia, incapables, cependant, du fait de la faiblesse de l'industrialisation, de retenir les ruraux qui y affluent. La Corse ne dispose pas de sources d'énergie locales (si l'on excepte quelques modestes aménagements hydroélectriques), et les capitaux étrangers sont peu disposés à s'investir sur un marché restreint. On s'explique la longue et intense émigration qui sévit depuis un siècle, difficile à chiffrer cependant, comme d'ailleurs la population de l'île, en raison de la traditionnelle imprécision locale des statistiques. On s'explique aussi la répartition de la population active : le quart seulement est occupé dans l'industrie; largement liée à la valorisation des produits du sol, c'est-à-dire d'une agriculture qui emploie une part approximativement équivalente d'actifs. L'économie a été longtemps fondée sur l'élevage ovin (avec fabrication de fromages expédiés à Roquefort pour affinage); l'exploitation du bois et localement le vignoble. La mise en valeur récente (en particulier par irrigation) de la plaine orientale d'Aléria, réalisée surtout par des colons repliés de l'Afrique du Nord, a permis notamment l'extension des cultures fruitières (agrumes) et du vignoble. Surtout, plus généralement, mais plus temporairement aussi, la Corse a été revivifiée par un intense tourisme estival, favorisé par la chaleur et l'ensoleillement de l'été, la beauté des paysages du littoral et aussi de l'intérieur. Le renouveau agricole et touristique ne suffit pas, cependant, à enrayer l'émigration. L'île compte en réalité probablement moins de 200 000 habitants et a donc une densité inférieure à 25 habitants au kilomètre carré, c'est-à-dire de l'ordre du quart seulement de la moyenne nationale. La poursuite de cette émigration signifie le vieillissement de la population, le dépeuplement de l'île, en dehors de la plaine d'Aléria et surtout des deux centres urbains littoraux, qui doivent concentrer déjà approximativement la moitié de la population insulaire.

HISTOIRE. Occupée dès le néolithique, l'île est envahie successivement par des guerriers venus de la mer (les Torréens, milieu du IIe millénaire av. J.-C.), les Phéniciens, les Phocéens (qui fondent Alalia, v. 565 av. J.-C.), les Étrusques et les Carthaginois, qui s'établissent sur les côtes. Après une longue résistance (238-162 av. J.-C.), elle est entièrement conquise et colonisée par les

Romains, puis elle subit les invasions barbares (Ve s.) et reste sous la domination byzantine du VIe au VIIe s. La protection du Saint-Siège, à partir du IXe s., ne la garantit pas contre les incursions des Sarrasins. En 1077, le Saint-Siège confie l'administration de la Corse aux Pisans, auxquels les Génois se substituent progressivement au cours du XIIe s. À partir de 1347, les Génois, vainqueurs des Pisans à la Meloria, occupent toute l'île et la soumettent à une véritable exploitation par l'intermédiaire de sociétés privées, comme la Maona, qui détient le monopole du commerce avec le continent. En 1358 éclate une vaste révolte populaire. À la fin du XIVe s., des relations s'établissent entre le royaume de France et la Corse : à l'appel de la république de Gênes, Charles VI délègue dans l'île le maréchal Jean II Boucicaut, qui la gouverne de 1396 à 1409. Conquise par la France en 1553, la Corse est restituée en 1559 aux Génois, contre lesquels se développe une violente opposition.

En 1736, Théodore Neuhof tente l'aventure d'un royaume corse. Cependant, la révolte s'organise : dirigée par Pascal Paoli (élu général en chef en 1755), elle aboutit à la création, par celui-ci, d'une république éphémère; une université est alors fondée à Corte, la capitale. Lorsque Gênes transfère ses droits sur l'île à la France par le traité de Versailles (1768), Paoli poursuit la lutte contre les Français, mais, battu à Ponte-Novo (ou Pontenuovo) en 1769, il doit quitter l'île. En 1789, l'Assemblée nationale constituante décrète que l'île fait partie intégrante de la France. De 1793 à 1796, Paoli mène, avec l'aide des Anglais, une ultime tentative de sécession, qui est brisée par Bonaparte. L'assimilation à la France s'effectue alors progressivement. Mais, malgré un régime fiscal et douanier privilégié, l'île subit à partir du XIXe s. une grave crise économique; de nombreux Corses s'exilent vers la France et les territoires d'outre-mer. En septembre 1943, la Corse est le premier département français libéré par les troupes françaises d'Afrique, à la suite du soulèvement des patriotes de l'île.

Les progrès intervenus dans la seconde moitié du XXe s. restent insuffisants : le retard économique et la conscience toujours vivante de l'existence d'une « nation » corse favorisent le développement et la radicalisation des tendances autonomistes.

CORSE *(cap)*, péninsule du Nord de la Corse.

CORTÁZAR (Julio), écrivain argentin (Bruxelles 1914). L'inspiration fantastique de ses romans et de ses nouvelles disloque aussi bien les catégories de l'espace et du temps que les structures de l'écriture (*Marelle,* 1963; *62-Maquette à monter,* 1968; *Livre de Manuel,* 1974; *Octaèdre,* 1975).

CORTE (20250), ch.-l. d'arr. de la Haute-Corse, dans le centre de l'île; 6062 hab. *(Cortenais).* Citadelle. Musée d'histoire corse. Université.

CORTEMAGGIORE, comm. d'Italie, en Émilie, au S.-O. de Crémone; 4700 hab. Gaz naturel.

CORTES. — D'abord assemblées de caractère local, les Cortes deviennent générales en Castille au XIVe s. Si elles jouent un rôle important dans la politique espagnole du XVe au XVIIe s., elles perdent peu à peu leur influence sous les Bourbons centralisateurs. Au XIXe s., elles s'identifient avec le Parlement.

CORTÉS (Hernán), conquistador espagnol (Medellín, Estrémadure, 1485-Castilleja de la Cuesta 1547). Il participe à la conquête de Cuba (1511) avant de prendre la tête d'une expédition contre le Mexique (1518). Il marche contre la ville de Tenochtitlán (Mexico), capitale de la puissance aztèque* : l'empereur Moctezuma, effrayé, préfère reconnaître la suzeraineté espagnole (1519). Mais les relations entre les Espagnols et les Aztèques se tendent, et Cortés est, d'autre part, considéré comme rebelle par le gouverneur de Cuba, Diego Velázquez. Le conquistador défait une troupe espagnole envoyée contre lui, puis se tourne contre les Aztèques révoltés et occupe Tenochtitlán (1521); il fera exécuter le dernier empereur aztèque, Cuauhtémoc, en 1524. Gouverneur général de la Nouvelle-Espagne (1522), il entreprend l'organisation et l'exploitation des territoires conquis. Rentré en Espagne (1541), il y meurt dans une demi-disgrâce.

CORTEX → CERVEAU et SURRÉNALES *(glandes).*

CORTICOSTÉROÏDES. — Les corticostéroïdes sont des corps naturels (hormones de la corticosurrénale) ou synthétiques.

La *cortisone* et l'*hydrocortisone,* glucocorticoïdes, jouent un rôle dans le métabolisme des glucides.

L'*aldostérone,* minéralocorticoïde, joue un rôle essentiel dans l'équilibre hydrominéral en favorisant, au niveau du tubule rénal, la réabsorption de l'eau et du sodium et l'élimination du potassium.

Les corticostéroïdes anti-inflammatoires (cortisone, hydrocortisone, deltacortisone, fluorocortisone, etc.) sont utilisés dans le traitement de certaines maladies rhumatismales (rhumatisme articulaire aigu, polyarthrite chronique évolutive) et des affections allergiques. Contre-indiqué chez les malades ayant des antécédents d'ulcère gastro-duodénal, leur emploi nécessite un régime sans sel et peut entraîner des complications (diabète, ostéoporose, fonte musculaire, etc.).

Bibliothèque nationale

Hernán Cortés marchant sur Tenochtitlán (1519). Peinture aztèque, XVIe s. (Bibliothèque nationale, Paris.)

CORTICOSURRÉNAL. — Les hormones corticosurrénales sont représentées par les corticostéroïdes* et par des androgènes. La surrénale sécrète des androgènes, chez la femme comme chez l'homme; discrètement virilisantes, ces substances favorisent l'anabolisme protidique. On en administre dans certains états de dénutrition. (V. SURRÉNALES [*glandes*].)

CORTINA D'AMPEZZO, comm. d'Italie, en Vénétie, dans les Dolomites; 7900 hab. Station de sports d'hiver (alt. 1224-3243 m).

CORTISONE → CORTICOSTÉROÏDES.

CORTONE (Pietro BERRETTINI DA CORTONA, dit **Pierre** DE), peintre et architecte italien (Cortona 1596-Rome 1669). Héritier du maniérisme, fixé à Rome en 1620, il devint le grand maître baroque des décors commandés par la cour pontificale, la haute société, les congrégations (plafond du palais Barberini, 1631-1639; coupole de S. Maria in Vallicella, 1647-1651; tableaux d'autel; etc.). Il travailla aussi à Florence, au palais Pitti (allégories des quatre âges de l'humanité, etc.). La virtuosité et l'ampleur de son style, la souplesse de son dessin, sa palette chatoyante (qui doit au Véronèse) devaient inspirer tout un courant de l'art baroque (le P. Pozzo*).

CORTOT (Alfred), pianiste français (Nyon, Suisse, 1877-Lausanne 1962). Virtuose de renommée internationale, wagnérien passionné, il joua pendant un demi-siècle un rôle de premier plan dans la vie musicale française. Fondateur, avec J. Thibaud et P. Casals, d'un célèbre trio (1905) ainsi que de l'École normale de musique (1920), il a donné des cours d'interprétation demeurés légendaires.

ÇORUM, v. de Turquie, au N.-E. d'Ankara; 56000 hab.

CORVÉE. — On désigne sous le nom de « corvées » les services auxquels le paysan du Moyen Âge et de l'Ancien Régime est astreint par son seigneur. Tout homme, serf ou libre, doit assurer gratuitement l'exploitation du domaine seigneurial, ou réserve, et l'entretien du château. Au Moyen Âge, le serf est corvéable à merci. Sous Louis XIV apparaît la corvée royale, astreignant les paysans à participer à la construction et à l'entretien des routes. Toutes les corvées sont abolies au début de la Révolution (nuit du 4 août 1789, loi du 15 mars 1790).

CORVETTE. — Autrefois simple barque pontée, la corvette est devenue au XIXe s. un vaisseau de ligne en miniature qui servait de bâtiment de servitude aux escales. Le terme a été repris depuis 1965 par la marine française pour désigner un bâtiment de 3000 à 5000 t à vocation anti-sous-marine (type *Georges-Leygues,* lancé en 1975) ou antiaérienne.

CORVIN → MATHIAS Ier CORVIN.

CORVISART (*baron* Jean), médecin français (Dricourt, Ardennes, 1755-Paris 1821). Éminent clinicien, premier médecin de l'empereur Napoléon, il vulgarisa et compléta la méthode de la percussion dans les affections de la poitrine.

CORYZA. — Le coryza spasmodique périodique, ou *rhume des foins,* survient, chez certaines personnes allergiques, à l'époque de la floraison des graminacées. La désensibilisation spécifique nécessite d'assez longs délais.

COS, en gr. **Kós** ou **Kó,** île grecque de la mer Égée, près de la Turquie. Ch.-l. *Cos.* Vestiges d'un fameux sanctuaire d'Asclépios.

COSAQUES. — Le mot « cosaque » *(kazak),* lorsqu'il apparaît en russe au XVe s., désigne à la fois des mercenaires turcs utilisés par les princes de la Russie centrale contre les peuples de la steppe et la population des confins méridionaux, qui se russifie par l'arrivée de nombreux paysans fuyant les contraintes du servage. Les cosaques du Don et les cosaques du Dniepr, auxquels appartiennent les Zaporogues, c'est-à-dire ceux d'au-delà les rapides *(porogui)* du fleuve, couvrent les frontières russes et polonaises du côté des Turcs et des Tatars. Bogdan Khmelnitski* soulève les cosaques d'Ukraine, qui reconnaissent la suzeraineté de la Russie en 1654. Les cosaques, qui ont encadré militairement les révoltes paysannes de la Russie des XVIIe et XVIIIe s. (I. I. Bolotnikov, Stenka Razine*, K. A. Boulavine, Pougatchev*), perdent leur indépendance au cours du XVIIIe s. et sont progressivement enrôlés par le régime tsariste. Ils forment une paysannerie privilégiée, qui fournit au tsar de fidèles soldats, répartis en 1914 en onze *voïska* (armées). Ils se rangent en majorité dans le camp des Blancs pendant la guerre civile (1918-1920).

COSENZA, v. d'Italie, ch.-l. de prov., en Calabre; 102 000 hab. Château fort, cathédrale romane et gothique, et autres monuments.

COSGRAVE (William Thomas), homme d'État irlandais (Dublin 1880-*id.* 1965). Membre du Sinn Féin, il suit en 1921 la fraction modérée du parti nationaliste, dont il devient le chef. Président du Conseil exécutif de 1922 à 1932, il affermit la position internationale du nouvel État et restaure les finances et l'économie. Il conserve jusqu'en 1944 la direction de son parti, rebaptisé Fine Gael et devenu le principal parti d'opposition.

COSMIQUES (rayons). — Découverts par Hess en 1911, ils sont formés de particules diverses et de photons, dont l'énergie peut largement dépasser celle des rayonnements radioactifs. On les étudie à l'aide de la chambre de Wilson ou de la chambre à bulles, qui permettent de matérialiser leurs trajectoires, à l'aide du compteur de Geiger-Müller, qui sert à les dénombrer, et à l'aide de la plaque photographique. Ces rayons provoquent, en traversant l'atmosphère, divers effets. Ils déterminent une ionisation de l'air par suite de l'arrachement d'électrons aux atomes et peuvent désintégrer des noyaux atomiques en provoquant des gerbes de rayons secondaires ainsi que des radiations lumineuses, des rayons X et gamma. Leurs photons peuvent aussi se matérialiser en une paire positon-négaton. La plus grande partie d'entre eux est ainsi absorbée par l'atmosphère, 1 p. 100 seulement parvenant jusqu'au sol; d'où l'intérêt de les étudier à grande altitude.

L'origine de ce flux continu de particules* n'est pas encore bien établie. Celui-ci pourrait provenir de l'explosion d'étoiles* à la fin de leur vie (supernovae) ou de sources extérieures à la Galaxie* (quasars* par exemple). Le rayonnement cosmique est surtout constitué de noyaux d'hydrogène* et d'hélium*. La présence de lithium*, de béryllium*, de bore*, éléments relativement rares dans l'Univers, provient de la fragmentation des atomes de carbone*, d'azote* ou d'oxygène* contenus dans le rayonnement cosmique lors des chocs avec les atomes* rencontrés sur leur trajectoire.

COSMOGONIE. — Les descriptions multiples de la genèse de l'Univers commencent par être des mythes (v. CRÉATION [*mythes de la*]). Liant la recherche des lois générales qui régissent l'Univers à l'histoire supposée de celui-ci, c'est-à-dire cosmologie* et cosmogonie, les philosophies de la nature prennent la place des mythes de la création ou les intègrent dans leurs discours. Mais la domination progressive de l'idée de monde clos par celle d'Univers infini à partir de la Renaissance ruine, de fait, les prétentions des philosophes. Et, dès lors, ce sont les travaux scientifiques qui sont à la base des cosmologies et des cosmogonies modernes.

COSMOLOGIE. — L'Univers* connu était limité au système solaire jusqu'au XVIe s. et à la Galaxie* jusqu'en 1923. La mise en service, à cette époque, de télescopes* plus puissants a permis d'établir l'existence d'objets extérieurs à cette Galaxie : les galaxies*. Dès 1930, l'astronome américain Hubble* établit la loi d'expansion de l'Univers : plus un objet est éloigné, plus sa vitesse est grande. Cette loi est la base de la plupart des théories cosmologiques qui tentent de prévoir le futur de l'Univers et de décrire son passé. La théorie de la relativité* générale, que des tests expérimentaux ont permis de vérifier, est un outil précieux pour les cosmologistes, les équations d'Einstein* reliant la structure géométrique de l'espace dans lequel on vit à son contenu matériel. Les théories de cosmologie moderne doivent rendre compte de deux faits expérimentaux très importants : d'une part le fait que les galaxies s'éloignent d'autant plus vite qu'elles sont plus lointaines et d'autre part la découverte récente d'un rayonnement radio isotrope, donc en provenance de tout l'Univers, interprété comme un rayonnement vestige du début de l'Univers. En effet, si les galaxies s'éloignent les unes des autres, cela signifie qu'il y a environ dix à douze milliards d'années toute la matière et le rayonnement constituant l'Univers étaient plus concentrés et que la température de celui-ci était très élevée. D'une façon très schématique, on pense qu'en explosant l'Univers s'est refroidi : la matière s'est alors regroupée en donnant naissance aux galaxies, et le rayonnement primitif s'est dilué.

COSNE-COURS-SUR-LOIRE (58200), anc. **Cosne-sur-Loire,** ch.-l. d'arr. de la Nièvre, sur la rive droite de la Loire; 12 312 hab. *(Cosnois).* Deux églises médiévales. Constructions mécaniques.

COSSA (Francesco DEL) → FERRARE.

COSSÉ-LE-VIVIEN (53230), ch.-l. de cant. de la Mayenne, à 18 km au S.-O. de Laval; 2 626 hab.

COSTA (Lorenzo) → FERRARE.

COSTA (Lúcio), architecte brésilien (Toulon 1902). Introducteur des conceptions modernes dans son pays, il a réalisé le ministère de l'Éducation à Rio de Janeiro (1937) et établi à partir de 1956 le plan de Brasília.

COSTA BRAVA, littoral méditerranéen du nord-est de l'Espagne (Catalogne), entre la frontière française et l'embouchure du río Tordera. Tourisme balnéaire.

COSTA DEL SOL, partie méridionale du littoral méditerranéen de l'Espagne, de part et d'autre de Málaga. Tourisme balnéaire.

COSTA GOMES (Francisco DA), général et homme d'État portugais (Chaves 1914). Commandant des forces armées en Angola en 1970, il est nommé chef de l'état-major général en 1972. Il est destitué en mars 1974 après s'être désolidarisé de la politique gouvernementale en Afrique et se montre favorable au coup d'État du 25 avril, à la suite duquel il retrouve ses fonctions. En septembre 1974, il succède au général de Spínola à la présidence de la République; en juillet 1976, le général Ramalho Eanes lui succède.

COSTA RICA, État de l'Amérique centrale; 51 000 km^2; 2 millions d'habitants. *(Costariciens).* Capit. *San José.*

GÉOGRAPHIE. La Vallée centrale, zone vitale du pays, est encadrée par deux cordillères montagneuses qui l'isolent de l'étroite côte du Pacifique à l'O. et de la côte plus basse de la mer des Antilles à l'E. Le climat tropical humide est tempéré par l'altitude.

La population, composée d'Indiens, de Noirs et surtout de Blancs d'origine espagnole, s'accroît à un rythme très rapide. Elle est concentrée dans la Vallée centrale, autour de la capitale.

L'agriculture reste le secteur primordial de l'économie. À côté d'une petite polyculture vivrière dominent les plantations, contrôlées par les Américains, qui fournissent café, bananes, cacao et canne à sucre. L'industrie, sans bases locales énergétiques et minérales, se limite à la transformation des produits agricoles. Le Costa Rica doit importer des produits fabriqués et exporte surtout des bananes et du café, principalement vers les États-Unis, dont son économie est étroitement dépendante.

HISTOIRE. Peuplé surtout de Blancs, le Costa Rica se proclame indépendant de l'Espagne en 1821 et devient l'une des cinq républiques des États-Unis de l'Amérique centrale (1824), avant d'être un État souverain (1839). Sa prospérité économique est surtout liée à la culture du café, qui profite à de nombreux petits propriétaires : si bien que le Costa Rica apparaît comme une « démocratie exemplaire ». Menacé par l'intervention d'une armée internationale dirigée par un aventurier yankee, William Walker, qu'il parvient à repousser (1857), le pays bénéficie ensuite d'une continuité démocratique. Mais l'intrusion américaine, par l'intermédiaire de l'United Fruit Company (1871), qui développe la culture du bananier, fait passer le pays dans la dépendance économique des États-Unis. De 1949 à 1978, la vie politique est dominée par la personnalité de José Figueres Ferrer et le parti de libération nationale (social-démocrate). En 1978, la droite arrive au pouvoir avec l'élection de Rodrigo Carazo à la présidence de la République.

COSTELEY (Guillaume), compositeur français (Pont-Audemer v. 1531-Évreux 1606). Organiste et valet de chambre de Charles IX et d'Henri III, il a fondé le concours musical du Puy d'Évreux. Ses chansons polyphoniques marquent un lien entre la chanson dite « parisienne » et l'air et la chanson « mesurés à l'antique ».

COSTES (Dieudonné), aviateur français (Septfonds 1892-Paris 1973). Il effectua en 1927-28 le tour du monde avec Le Brix et en 1930 la première liaison aérienne sans escale Paris-New York avec Bellonte.

CÔTE *(Géogr.).* — Les côtes élevées dominent la mer par des falaises rocheuses qui ont tendance à reculer sous l'action de l'érosion littorale*. Les côtes basses correspondent à des secteurs abrités où la mer, par l'intermédiaire des courants, accumule des alluvions qui forment des plages. Par érosion des parties saillantes et accumulation dans les baies, le profil des côtes a tendance à se régulariser.

CÔTE *(Méd.).* — L'ensemble des côtes forme le gril costal, qui délimite la cage thoracique avec le sternum et les vertèbres. Les mouvements de rotation des côtes sur la colonne vertébrale permettent la respiration. Les fractures de côtes se traduisent par des douleurs, surtout à la toux, qui nécessitent la prescription d'antalgiques; elles consolident spontanément en dehors des cas où, multiples, elles peuvent réaliser un « volet costal » se traduisant par une détresse respiratoire aiguë; elles se compliquent rarement de lésions pleuro-pulmonaires, spléniques (rupture de rate) ou d'ostéite. Les tumeurs des côtes ne sont pas rares (cancer secondaire des os, myélome, tumeurs bénignes, etc.).

CÔTE (relief de) → CUESTA.

COTEAU (Le) [42120], comm. de la Loire, sur la Loire, en face de Roanne; 8494 hab. *(Costellois).*

CÔTE D'ARGENT, littoral français de l'Atlantique, entre la Gironde et la Bidassoa.

CÔTE D'AZUR, nom donné d'abord au littoral français de la Méditerranée, de Cannes à Menton, puis, par extension, à l'ensemble de la côte des départements du Var et des Alpes-Maritimes, à l'E. de Cassis ou de Toulon jusqu'à la frontière italienne. C'est d'abord au climat — doux en hiver (surtout dans la partie orientale abritée du mistral), chaud (sans excès) et fortement ensoleillé en été (les précipitations tombant, en peu de jours, surtout en automne) — que la Côte d'Azur doit sa vocation de plus importante région touristique française (Paris excepté). Fréquentée surtout alors en hiver, notamment par les Anglais, dès le XIXe s. (avec l'avènement de la voie ferrée), la Côte d'Azur est devenue le site d'un tourisme de masse après 1930. L'afflux croissant des visiteurs explique l'extension vers l'O. des aménagements balnéaires, parallèlement à la densification des équipements de l'est, déjà fortement urbanisé. L'opposition se maintient encore ainsi entre le littoral varois (au moins à l'O. de Saint-Tropez), possédant de nombreux terrains de camping, accueillant des colonies de vacances, et celui des Alpes-Maritimes, où dominent la clientèle plus aisée et la fréquentation hôtelière, notamment dans les deux principaux centres urbains, Cannes et surtout Nice. (V. illustration cartographique *Provence-Alpes-Côte d'Azur.*)

CÔTE-DE-L'OR → GHĀNA.

CÔTE D'ÉMERAUDE, littoral français de la Manche, entre Cancale et le cap Fréhel, englobant notamment les localités de Saint-Malo et de Dinard.

CÔTE-D'IVOIRE, État de l'Afrique occidentale, sur la côte nord du golfe de Guinée; 322500 km²; 5 millions d'habitants *(Ivoiriens).* Capit. *Abidjan.*

GÉOGRAPHIE. Le pays s'étend sur un ensemble de plateaux s'abaissant progressivement jusqu'à la côte, basse, ourlée de lagunes que des cordons littoraux isolent de la pleine mer. Le climat, tropical humide dans la région littorale, couverte par la forêt dense, s'assèche petit à petit vers le N., la végétation passant à la forêt claire, puis à la savane.

La population est composée de diverses ethnies, les Européens ne représentant plus que 1 p. 100 du total.

L'agriculture occupe la majeure partie de la population active et permet d'importantes exportations de café, d'ananas, de bananes, d'huile de palme, etc. L'exploitation de la forêt est également active (acajou).

La pauvreté du sous-sol (qui ne recèle qu'un peu de manganèse) n'a guère favorisé le développement industriel. Les quelques usines se concentrent autour d'Abidjan, liées au marché urbain.

Malgré la faiblesse de l'industrie, la Côte-d'Ivoire apparaît comme un pays relativement prospère. La balance commerciale est légèrement excédentaire (la France perd progressivement son rôle de principal partenaire). La croissance récente de l'économie a été spectaculaire, et le niveau de vie moyen est l'un des plus élevés de l'Afrique tropicale. Cependant demeurent de fortes inégalités sociales et spatiales.

De Forceville - Ruyant Production

Côte d'Azur. Le port de plaisance et la cité lacustre de Port-Grimaud, sur le golfe de Saint-Tropez (Var).

CÔTE-D'IVOIRE

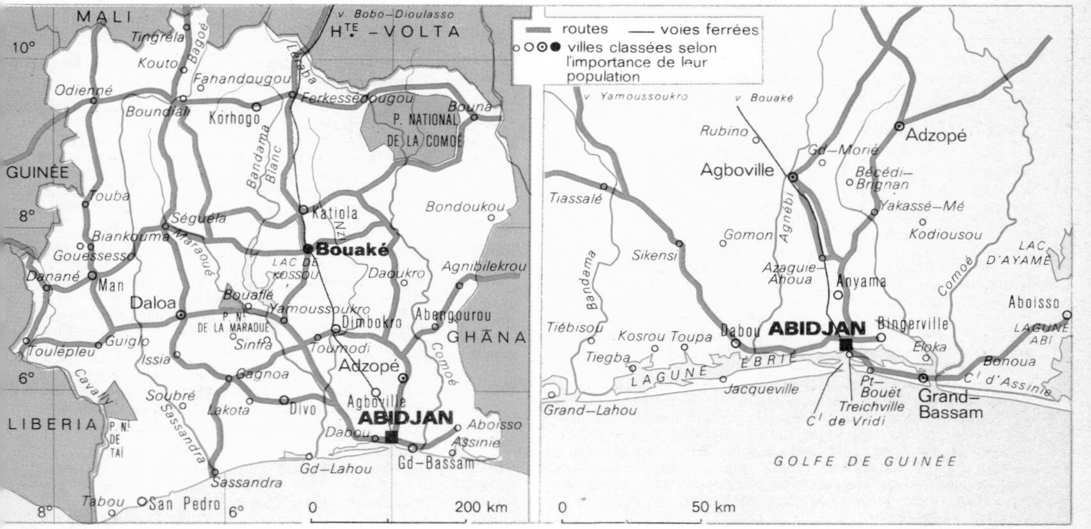

HISTOIRE. Dans ce pays, où il est aujourd'hui difficile de distinguer les autochtones, comme les Sénoufos, des envahisseurs mandingues, akans ou baoulés, les Européens ne font pas de tentative sérieuse d'installation avant 1842, quand les Français découvrent l'intérêt des sites lagunaires de Grand-Bassam et d'Assinie. La domination française s'étend progressivement sous le second Empire. La création officielle d'une colonie française de la Côte-d'Ivoire est liée au décret du 10 mars 1893; mais le premier gouverneur, Binger, et le colonel Monteil mettent des années (1893-1898) à vaincre Samory*, maître des savanes. La Côte-d'Ivoire sera intégrée à l'A.-O. F. (créée en 1895). Les dernières résistances sont brisées par le gouverneur Angoulvant (1908-1915), qui renforce la centralisation administrative coloniale. Les liaisons ferroviaires réalisées à partir de 1912 en fonction d'Abidjan — capitale en 1934 — expliquent en partie le rattachement de la Haute-Volta à la Côte-d'Ivoire de 1932 à 1947.

À partir de 1944, un jeune médecin, Félix Houphouët-Boigny, prend la tête du syndicat agricole africain, premier mouvement ivoirien dépassant le cadre des résistances ethniques. Élu à l'Assemblée nationale française (1945), il fonde le Rassemblement démocratique africain. Quand la Côte-d'Ivoire, d'abord république autonome (1958), devient État indépendant (1960), il est élu président de la République.

CÔTE-D'OR (21), départ. de la Région Bourgogne; 8 765 km²; 456 070 hab. Ch.-l. *Dijon.* S.-préf. *Beaune* et *Montbard.*

C'est l'un des plus vastes départements français, constitué de régions naturelles variées. Le nord-ouest (Châtillonnais, Auxois) appartient aux plateaux sédimentaires du Bassin parisien, et l'est aux plaines de la Saône. Le centre est formé d'une bande de terres plus hautes, au N. du Morvan (Côte d'Or et plateau de Langres). La partie occidentale, ouverte aux influences atlantiques, est plus humide que l'est, dans une position d'abri, notamment la célèbre Côte d'Or, qui égrène les vignobles les plus prestigieux de la Bourgogne, du sud de Dijon à Meursault, en passant notamment par Gevrey-Chambertin, Nuits-Saint-Georges, Beaune et Pommard. Derrière la vigne, de loin la principale production agricole en valeur, vient l'élevage, développé notamment dans l'Auxois, alors que les cultures (blé, betterave à sucre) dominent dans les plaines de la Saône. L'agriculture n'emploie guère plus, aujourd'hui, du dixième de la population active, occupée pour plus d'un tiers dans l'industrie; celle-ci est présente surtout dans l'agglomération de Dijon, qui regroupe en fait près de la moitié de la population du département et dont le poids démographique et économique (équipement commercial, universitaire) explique l'importance du secteur tertiaire, de loin dominant, puisqu'il emploie environ la moitié de la population active. La densité moyenne d'occupation est cependant faible, de l'ordre seulement de 50 habitants au kilomètre carré, c'est-à-dire approximativement la moitié de la moyenne nationale. Cette faiblesse, malgré une sensible augmentation récente, tient à l'émigration (surtout vers Paris), qui a sévi dans les régions de l'ouest; le vide des hauteurs du centre (en grande partie forestières) contraste avec la vitalité de la région géographique de la Côte d'Or, d'une étendue très limitée, mais qui s'affirme de plus en plus comme l'axe vital du département.

CÔTE D'OR, ligne de hauteurs de Bourgogne, au-dessus de la vallée de la Saône, entre la Dheune et l'Ouche, comprenant notamment la côte de Nuits et la côte de Beaune, et couvertes de vignobles réputés.

COTENTIN (le), nom donné à la presqu'île de la Normandie occidentale qui s'avance dans la Manche (départ. de la Manche).

CÔTE-RÔTIE, nom d'un vignoble des Côtes du Rhône.

CÔTE-SAINT-ANDRÉ (La) [38260], ch.-l. de cant. de l'Isère, à 25 km au S. de Bourgoin-Jallieu; 4 448 hab. Musée Berlioz.

CÔTE-SAINT-LUC, v. du Canada (Québec), dans la banlieue sud de Montréal; 24 375 hab.

CÔTES-DU-NORD (22), départ. de la Région Bretagne; 6 878 km²; 525 556 hab. Ch.-l. *Saint-Brieuc.* S.-préf. *Dinan, Guingamp* et *Lannion.* Appartenant entièrement au Massif armoricain, le département est formé de plateaux et de collines, plus élevés au S. (extrémité orientale des monts d'Arrée, plateau de Rohan, landes du Méné), plus bas au N., dominant un littoral surtout rocheux, découpé, où alternent saillants (Trégorrois à l'O.) et rentrants (baie de Saint-Brieuc). L'ensemble a un climat océanique assez doux, relativement plus rude dans le sud, où l'altitude dépasse, exceptionnellement, 300 m.

Après une longue période (près d'un siècle) de déclin, la population s'accroît de nouveau; l'exode rural se ralentit, alors que se maintient ou presque le traditionnel excédent naturel. La densité de population est, cependant, encore inférieure aux moyennes nationale et bretonne. Cela tient en partie à l'absence de grande ville : seule la préfecture compte plus de 20 000 habitants. L'agriculture occupe toujours une place importante, employant encore approximativement le tiers des actifs (le triple de la moyenne nationale); la polyculture (céréales, pommes de terre) est fréquemment associée à l'élevage (bovins, ovins et aussi aviculture). La pêche, déclinante, est une ressource moins importante que le tourisme estival, développé sur l'ensemble du littoral (Val-André, Perros-Guirec, Erquy, etc.). L'industrie n'occupe encore que le tiers des actifs; elle est liée largement à l'agriculture en dehors des branches urbaines (métallurgie de transformation à Saint-Brieuc) et de l'exceptionnel Centre national d'études des télécommunications, implanté près de Lannion, à Pleumeur-Bodou. Le secteur tertiaire est aussi peu développé, situation en rapport avec la faiblesse de l'urbanisation et le maintien d'un important secteur agricole. Au total, l'avenir démographique du département est lié à la poursuite de l'industrialisation, seule susceptible d'absorber le surplus de population rurale, dont le maintien s'explique par la persistance de la petite exploitation, de moins en moins compatible avec les exigences de compétitivité.

CÔTE VERMEILLE, littoral français de la Méditerranée (Pyrénées-Orientales) de Collioure à Cerbère. Le *canton de la Côte-Vermeille* a pour chef-lieu *Port-Vendres.*

CÔTIÈRE (la), bordure de la Dombes.

COTIGNAC (83570 Carcès), ch.-l. de cant. du Var, à 24 km au N.-E. de Brignoles; 1 636 hab.

COTON. — Le coton est une fibre textile naturelle d'origine végétale qui recouvre les graines d'un arbuste, le cotonnier *(Gossypium),* de la famille des malvacées. La taille de cet arbuste varie de 0,50 à 7 m. Le fruit (coque ou gousse) s'ouvre par 3, 4 ou 5 valves, contenant chacune en moyenne sept graines. La récolte, ou « cueillette », faite jadis à la main, est maintenant effectuée mécaniquement. Ensuite, on sépare les fibres de coton des graines par égrenage. Les fibres ainsi obtenues, appelées *coton brut,* sont mises en balles pour être acheminées vers les ports d'embarquement. On classe le coton, selon la longueur de ses fibres, en coton longues fibres (supérieures à 32 mm), en coton moyennes fibres (de 25 à 32 mm) et en coton courtes fibres (inférieures à 25 mm). On le classe également selon sa propreté. La résistance de la fibre peut varier de 27 à 44 g/tex, sa finesse de 11,5 à 22 μ, et son élasticité de 5 à 10 p. 100, le plus souvent de 7 à 8 p. 100. Le coton trouve de nombreuses utilisations sous forme de *bourre* pour la ouaterie* et les nontissés*, de *fils* pour la couture, de *tissus** pour le linge de maison, la lingerie, la bonneterie*, le vêtement de travail, de sport et d'habillement, etc., et pour les emplois industriels.

Malgré l'essor récent des textiles synthétiques, le coton demeure, de loin, la fibre la plus utilisée. La production mondiale, en accroissement constant, approche 14 Mt. Trois producteurs émergent, fournissant chacun entre 2 et 3 Mt (U. R. S. S., États-Unis et Chine), précédant l'Inde (1,2). Loin derrière vient un groupe de producteurs moyens, avec environ 0,5 Mt (Égypte, Brésil et Mexique, Pākistān, Turquie), dont une grande partie de la récolte est exportée vers les États industrialisés de l'Europe occidentale et surtout le Japon, qui possèdent une puissante industrie de transformation qui les situe après les quatre grands producteurs de fibre.

COTONOU, principal port et plus grande ville du Bénin (Dahomey); 120 000 hab. Industries alimentaires.

COTOPAXI, volcan des Andes de l'Équateur; 5 897 m.

COTRE → VOILIER.

COTTBUS, v. d'Allemagne, ch.-l. de district, sur la Sprée; 88 000 hab. Industrie textile.

COTTE (Robert DE), architecte français (Paris 1656 - Passy 1735). Élève et protégé de J. H.-Mansart, il fut l'un des créateurs du style Régence, eut une profonde influence sur l'architecture française de son temps et une grande part dans le rayonnement de celle-ci à l'étranger. Il acheva diverses entreprises du règne de Louis XIV, construisit ou transforma des hôtels à Paris (« galerie dorée » de l'hôtel de La Vrillière, 1713), éleva le château des Rohan à Strasbourg (1728), donna des plans pour l'Allemagne, etc.

COTTEREAU → CHOUANS.

COTTON (Aimé), physicien français (Bourg-en-Bresse 1869 - Sèvres 1951). Il a découvert le dichroïsme circulaire (1896) et, avec H. Mouton, la biréfringence des liquides placés dans des champs magnétiques intenses. Il a imaginé une balance électromagnétique.

COTY (René), homme d'État français (Le Havre 1882 - *id.* 1962). Président du groupe des indépendants à la Chambre à partir de 1946, vice-président du Conseil de la République en 1949, il est élu président de la République en 1953. Lors de la crise du 13 mai 1958, il préconise le retour au pouvoir du général de Gaulle et lui transmet ses fonctions en 1959.

COU. — Le cou contient le corps thyroïde, les ganglions sympathiques cervicaux; il est traversé par les conduits laryngo-trachéal et pharyngo-œsophagien, par les vaisseaux destinés à l'irrigation de la tête (artères carotides et veines jugulaires) et par de nombreux nerfs issus du crâne qui sont destinés à l'ensemble du corps. Les plaies du cou sont graves, parfois d'emblée mortelles ou souvent compliquées secondairement d'infection. Les anévrismes carotidiens du cou, d'origine souvent traumatique, sont de traitement chirurgical complexe.

COUBERTIN (Pierre DE), sportif français (Paris 1863-Genève 1937). Rénovateur des jeux Olympiques, dont il est à l'origine de la résurrection en 1896, Coubertin a dirigé pendant près de trente ans (de 1896 à 1925) le Comité international olympique.

COUBRE *(pointe de la),* cap de la péninsule d'Arvert (Charente-Maritime), formant l'extrémité nord de l'estuaire de la Gironde.

COUCHE *(Hortic.)* → HORTICULTURE.

COUCHE *(Min.)* → EXPLOITATION *(méthodes d'),* GISEMENT, MINE, REMBLAYAGE.

COUCHE LIMITE. — La notion de couche limite a été introduite en mécanique des fluides par Prandtl en 1904; elle s'applique à une sorte d'enveloppe pelliculaire que forme un fluide en mouvement le long d'une paroi solide. Elle doit son existence aux frottements engendrés par la viscosité du fluide. La vitesse relative du fluide y varie très rapidement d'une valeur nulle jusqu'à une valeur finie, qui est celle du fluide libre. Dans le cas d'une aile d'avion, l'épaisseur de la couche limite est de quelques millimètres. L'écoulement du fluide dans la couche limite, d'abord *laminaire,* devient *turbulent* au-delà d'un certain point, dit *point de transition.*

COUCHES (71490), ch.-l. de cant. de Saône-et-Loire, à 16 km au N.-E. du Creusot; 1599 hab. Château du XVe s.

COUCHITIQUE. — Issues du chamito-sémitique, les langues couchitiques (somali, afar, galla, bedja) sont parlées en Afrique orientale (Érythrée, Somalie, une partie de l'Éthiopie).

COUCOU. — Le cri de cet oiseau, que son nom reproduit assez bien, est l'appel sexuel printanier du mâle. Le couple, de courte durée, ne construit pas de nid, et la femelle pond dans le nid d'une autre espèce un œuf unique, dont elle se désintéresse ensuite. On a observé que les diverses espèces du groupe des coucous ne pondaient pas des œufs de la même couleur, mais que l'œuf était toujours pondu au milieu d'une ponte de même couleur que lui, ce qui facilite son adoption par l'espèce parasitée. Le jeune coucou élimine très tôt ses rivaux et réclame une énorme ration d'insectes. Plus tard, le coucou dévorera les chenilles, même les plus venimeuses (processionnaires), ce qui fait de lui un oiseau utile.

COUCOURON (07470), ch.-l. de cant. de l'Ardèche, à 20,5 km au N.-E. de Langogne, dans le Velay; 710 hab.

COUCY-LE-CHÂTEAU-AUFFRIQUE (02380), ch.-l. de cant. de l'Aisne, à 17 km au N. de Soissons; 1207 hab. Restes d'un des plus puissants châteaux forts du XIIIe s.

COUDEKERQUE-BRANCHE (59210), comm. du Nord, dans la banlieue sud de Dunkerque; 25100 hab. *(Coudekerquois).*

COUDENHOVE-KALERGI (*comte* Richard), diplomate autrichien (Tōkyō 1894-Schruns, Autriche, 1972). Fondateur du Mouvement paneuropéen, il inspire les premières réalisations unitaires en Europe. Il est à l'origine du Conseil de l'Europe en 1949.

COUDRAY-SAINT-GERMER (Le) [60990], ch.-l. de cant. de l'Oise, à 14 km au S.-E. de Gournay-en-Bray; 415 hab.

COUDRE (machine à). — La machine à coudre, inventée en 1830, réalisait le point de chaînette. En 1846, elle fut dotée d'une petite navette travaillant en liaison avec l'aiguille. Dans les machines modernes, dérivées de ce type, l'aiguille forme sous l'étoffe une boucle, traversée par la navette et resserrée par l'aiguille lorsque celle-ci remonte. Ces machines sont équipées d'un moteur électrique. L'enfilage de l'aiguille, le réglage du fil, le changement du pied de biche sont automatiques; le concours d'éléments électroniques ou de cartes perforées permet de prérégler le travail automatiquement. De volume réduit, les machines à coudre sont, souvent, transportables.

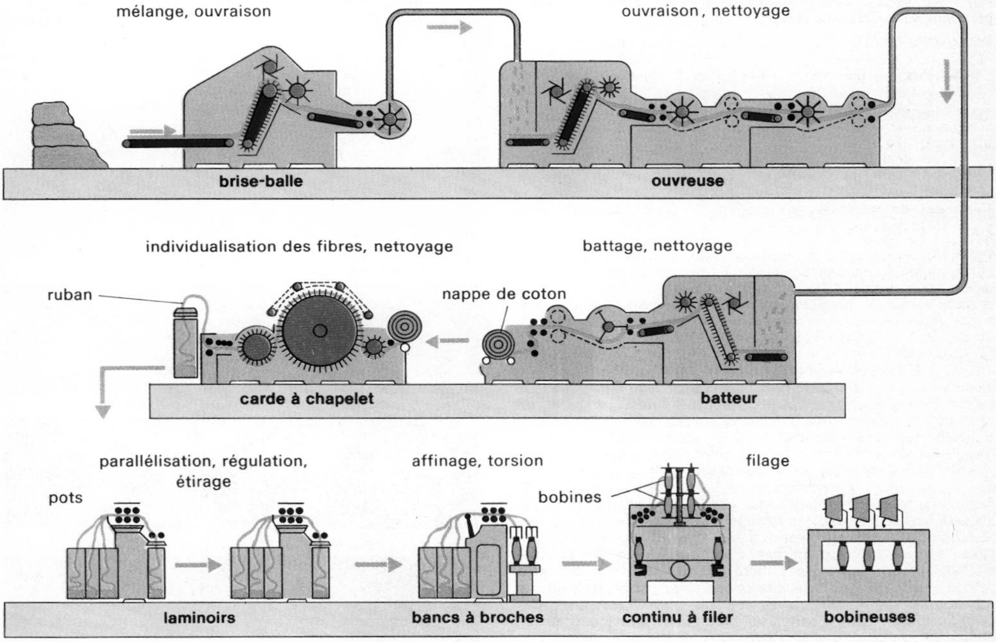

SCHÉMA DE LA TRANSFORMATION DU COTON

COUÉ (Émile), pharmacien et psychothérapeute français (Troyes 1857-Nancy 1926), créateur d'une méthode de thérapie par l'autosuggestion.

COUËRON (44220), comm. de la Loire-Atlantique, à 13 km à l'O. de Nantes; 13396 hab. Métallurgie.

COUESNON (le), fl. côtier qui rejoint la baie du Mont-Saint-Michel, où il sépare la Bretagne de la Normandie; 90 km.

COUHÉ (86700), ch.-l. de cant. de la Vienne, à 36 km au S. de Poitiers; 2129 hab.

COUILLET, anc. comm. de Belgique (Hainaut), intégrée depuis 1977 à Charleroi.

COUIZA (11190), ch.-l. de cant. de l'Aude, à 15 km au S. de Limoux, sur l'Aude; 1314 hab. Château du XVIe s.

COULEURS

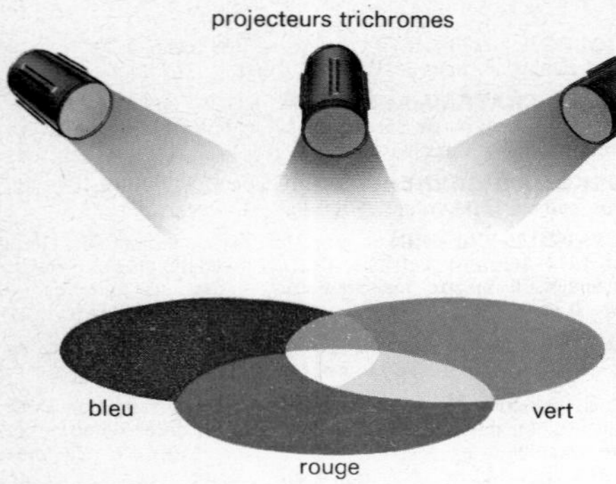

synthèse additive

Synthèse additive des couleurs par projection de lumières colorées sur écran blanc.

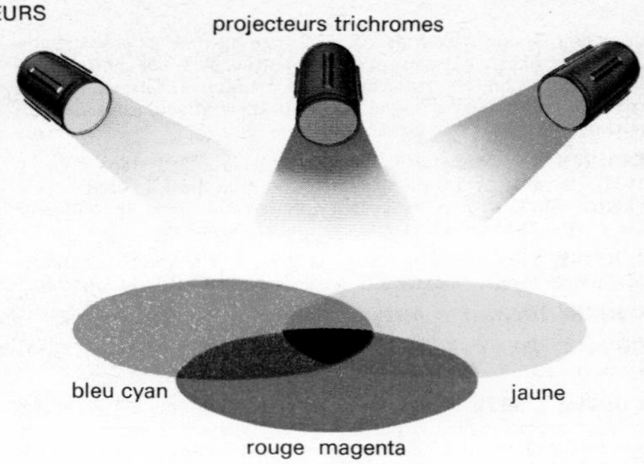

synthèse soustractive

Synthèse soustractive des couleurs par superposition de disques colorés transparents ou d'encres colorées sur fond lumineux blanc.

COULAINES (72190), comm. de la Sarthe, banlieue nord du Mans; 7 425 hab.

COULANGES (Philippe Emmanuel, *marquis* DE), gentilhomme et chansonnier français (Paris 1633-*id.* 1716), cousin de Mme de Sévigné, auteur de chansons à succès et de *Mémoires.*

COULANGES-LA-VINEUSE (89580), ch.-l. de cant. de l'Yonne, à 17 km au S. d'Auxerre; 1 125 hab. Vignobles.

COULANGES-SUR-YONNE (89480), ch.-l. de cant. de l'Yonne, à 8 km au N. de Clamecy; 609 hab.

COULÉE. — Suivant la nature du moule, la coulée est dite *en sable* ou *en coquille* (moule métallique ou lingotière). Le remplissage du moule par le métal* en fusion* peut s'effectuer de diverses façons, selon la nature du métal, la forme et les dimensions des pièces, la pureté recherchée pour le moulage (coulée sous vide) et la quantité de pièces à couler. Dans le procédé le plus simple, la *coulée en chute,* ou *coulée directe,* le métal liquide s'écoule par gravité dans le moule, alors que, par la *coulée en source,* dans laquelle le moule est alimenté par sa partie inférieure, le métal liquide remonte dans le moule. Pour régulariser la coulée et limiter la turbulence du jet, qui entraîne des défauts* dans le moulage, on pratique une coulée plus tranquille par retournement du moule ou par adjonction d'éléments dans le jet de coulée (filtre, spirale, entonnoir et bassin). Pour des pièces de révolution (tuyaux, tubes, chemises de cylindres), on fait appel à la *coulée par centrifugation* horizontale ou verticale, en mettant le moule en rotation. La *coulée sous pression* d'alliages d'aluminium* ou de zinc* s'emploie pour le moulage en grandes séries de pièces généralement de petites dimensions, ne nécessitant pas d'usinage ultérieur (pièces d'automobiles ou de matériel électroménager). Appliquée d'abord aux alliages de plomb* et à ceux d'aluminium, puis aux alliages de cuivre*, la coulée continue est utilisée en sidérurgie*. On obtient ainsi directement des semi-produits (billettes, barres, tubes, bandes) sans procéder aux opérations conventionnelles d'ébauchage de ces produits.

COULEUR. — C'est à Newton que l'on doit la théorie de la couleur des corps. Comme le montre son analyse par le prisme, la lumière solaire est formée par une infinité de radiations, allant du rouge au violet. Or, une surface frappée par l'ensemble de ces radiations peut soit les diffuser toutes également (alors la surface apparaît *blanche*), soit en absorber plus ou moins certaines (d'où une coloration due à la superposition des radiations renvoyées). Les corps *noirs* sont ceux qui absorbent toute la lumière incidente. On comprend par suite que la couleur des corps dépend non seulement de leur nature, mais aussi de la composition de la lumière qui les éclaire. Pour ce qui est des corps transparents, ils agissent comme des filtres qui ne laissent passer que certaines radiations.

COULEUVRE. — La France héberge sept espèces différentes de couleuvres. Une seule, la *couleuvre de Montpellier,* qui peut atteindre 2,50 m, sécrète un venin, mais elle ne peut l'inoculer qu'à une proie déjà engagée dans la bouche, de sorte qu'elle est inoffensive. Les six autres ne produisent aucun venin. Toutes se rendent utiles en détruisant des rongeurs. Cependant, la plus commune, la couleuvre à collier *(Natrix),* passe beaucoup de temps dans les ruisseaux et les mares à la recherche des grenouilles. Les couleuvres se distinguent aisément des vipères par leur tête ovale, leur pupille ronde, leur longue queue effilée, leurs larges plaques entre les yeux et leur habitat, souvent situé dans les lieux humides.

COULMIERS (45130 Meung sur Loire), comm. du Loiret, à 23,5 km à l'O. d'Orléans; 301 hab. Victoire de la Ire armée de la Loire* sur les Bavarois (9 nov. 1870).

Quelques couleurs des peintres.

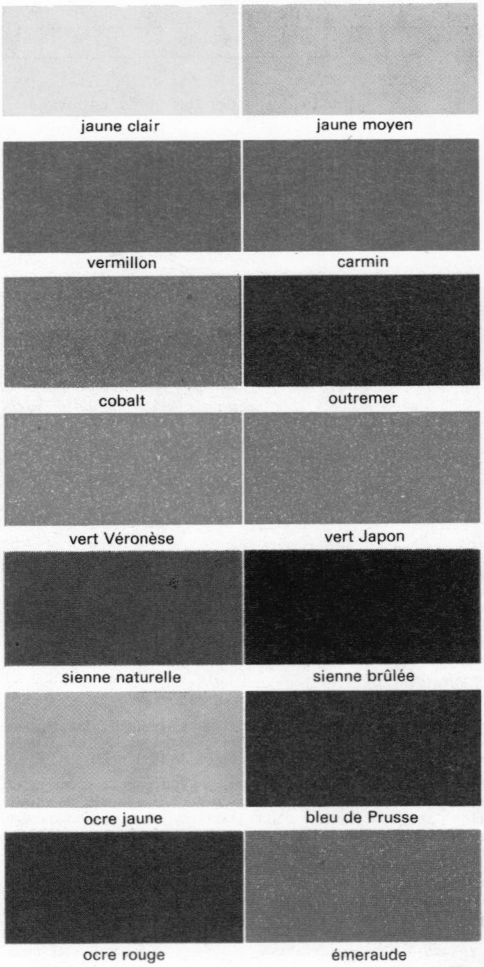

COULOGNE (62100 Calais), comm. du Pas-de-Calais, banlieue sud de Calais; 5 228 hab.

COULOMB → UNITÉ.

COULOMB (Charles DE), physicien français (Angoulême 1736-Paris 1806). Il étudia le frottement et la torsion, et énonça la loi de l'inverse carré en électrostatique et en magnétisme. Il découvrit l'électrisation superficielle des conducteurs et l'effet d'écran électrique produit par les conducteurs creux.

COULOMMIERS → FROMAGE.

COULOMMIERS (77120), ch.-l. de cant. de Seine-et-Marne, à 29 km au S.-E. de Meaux, sur le Grand Morin; 11 989 hab. *(Columériens).* Parc et ruines du château du XVIIe s. Industrie alimentaire.

COULONGES-SUR-L'AUTIZE (79160), ch.-l. de cant. des Deux-Sèvres, à 18 km à l'E. de Fontenay-le-Comte; 2 030 hab.

COULOUNIEIX-CHAMIERS (24000 Périgueux), comm. de la Dordogne, dans la banlieue sud-ouest de Périgueux; 8 495 hab.

COUNAXA, v. de l'Empire perse, près de Babylone. Victoire, en 401 av. J.-C., du roi achéménide Artaxerxès II sur son frère Cyrus le Jeune, révolté contre lui (v. DIX MILLE [*retraite des*]).

coup de dés jamais n'abolira le hasard *(Un),* poème de Mallarmé, publié en 1897 dans la revue *Cosmopolis.* Empruntant à la musique une méthode de composition et usant d'artifices typographiques (texte imprimé en divers caractères et disposé sur une double page), le poème, à la fois idéogramme et symphonie, apparaît comme un fragment du *Livre* absolu rêvé par son auteur et comme son testament poétique.

COUP DE GRISOU → GRISOU.

Coup de lance *(le),* surnom d'une toile de Rubens, *le Christ entre les deux larrons,* exécutée en 1620 pour le maître-autel des Récollets d'Anvers (4,29 × 3,11 m, musée royal des Beaux-Arts, Anvers). Comme *l'Adoration des mages* (1624) du même musée, mais sur un mode sombre et pathétique, il traduit le thème de l'émotion humaine devant la majesté divine. Le dynamisme baroque de Rubens, exprimé par des rythmes formels et chromatiques qui n'excluent pas la dissonance, s'y déploie de façon spectaculaire pour atteindre la sensibilité du spectateur.

COUP DE POUSSIÈRE → POUSSIÈRE.

COUPE → DISTILLATION DU PÉTROLE et ESSENCE.

Coupe d'or *(la),* roman d'Henry James (1904). Reprise réfléchie de tous les procédés techniques et de tous les raffinements psychologiques mis en œuvre dans ses récits précédents.

COUPE GÉOLOGIQUE. — La réalisation est fondée sur la disposition relative des différents types de roches sur la carte géologique. La coupe renseigne sur la structure et l'histoire géologique de la région. Simple à effectuer dans les bassins sédimentaires, elle est beaucoup plus délicate dans les régions plissées et particulièrement en présence de nappes de charriage*.

COUPERIN, nom d'une dynastie de musiciens français originaires de la Brie. — LOUIS, violiste, claveciniste, organiste (Chaumes-en-Brie v. 1626-Paris 1661), a laissé, outre quelques fantaisies pour viole, un grand nombre de pièces de clavecin d'une sévère grandeur (préludes libres, chaconnes, sarabandes) et soixante-dix pages (fantaisies, versets) pour orgue. — Son neveu FRANÇOIS, dit **le Grand** (Paris 1668-1733), organiste de Saint-Gervais à partir de 1685, puis de la chapelle royale (1693), professeur de clavecin des enfants du roi, ordinaire de la musique de la chambre pour le clavecin (1717), a laissé, outre une œuvre de musique religieuse (petits motets pour la chapelle du roi, *Leçons de ténèbres*), deux Messes pour orgue, quatorze Concerts royaux, destinés au divertissement du prince à Versailles, quatre livres de pièces de clavecin (1713, 1717, 1722, 1730), un *Art de toucher le clavecin* (1716, enrichi de six préludes), de nombreuses sonates à trois (*les Nations,* 1726; *Apothéose de Corelli,* 1724; *Apothéose de Lully,* 1725), des suites pour viole, des *Airs sérieux.* Il s'est efforcé, tout au cours de cette œuvre, à réunir les deux goûts, c'est-à-dire les esthétiques française et italienne. Son œuvre de clavecin (240 pièces) témoigne d'une absolue maîtrise.

COUPEROSE. — Dilatation des capillaires cutanés des pommettes et du nez, la couperose traduit une fragilité des vaisseaux. Elle peut être observée au cours de l'alcoolisme chronique, mais elle existe souvent en l'absence de toute consommation d'alcool. Associée à l'acné, elle constitue l'acné rosacée.

COUPLE → STATIQUE.

COUPLEUR. — ● Un coupleur *hydrocinétique* ou *hydraulique* se présente essentiellement sous la forme d'un ensemble de deux rotors coaxiaux, pratiquement identiques, placés face à face et formant une tore à section circulaire. Ces rotors sont solidaires l'un de l'arbre moteur, ou primaire, l'autre de l'arbre entraîné, ou secondaire. Le premier, appelé *pompe, couronne motrice* ou *impulseur,* est complété par un carter qui se referme sur l'autre, appelé *turbine* ou *couronne réceptrice.* Tous deux sont munis d'aubes sensiblement planes et radiales, qui divisent leurs volumes respectifs en une succession d'alvéoles dont les ouvertures sont disposées en face les unes des autres. L'ensemble est rempli à 90 p. 100 environ d'huile minérale légère. Un coupleur est réversible. Si la turbine tourne plus vite que la pompe, le couple moteur devient *couple de freinage.*

● Un coupleur *électromagnétique à poudre* comprend deux rotors coaxiaux cylindriques, respectivement solidaires de l'arbre entraîné

Giraudon

Le Coup de lance, de Rubens.
(Musée royal des Beaux-Arts, Anvers.)

Coupleur hydrocinétique (d'après un document Ferodo). Quand la pompe commence à tourner, l'huile contenue entre ses aubes est entraînée dans ce mouvement. Elle est donc soumise à la force centrifuge qui la rejette vers la zone périphérique du tore, où elle est entraînée vers la turbine et commence à faire tourner celle-ci dans le même sens que la pompe. Un débit équivalent d'huile est aspiré de la turbine vers la pompe, dans la zone centrale (près de l'axe du coupleur) où la force centrifuge est plus faible. L'huile est donc animée d'un mouvement complexe, composé d'un mouvement de rotation autour de l'axe du coupleur et d'un mouvement de rotation dans la section droite du tore, autour du cercle moyen.

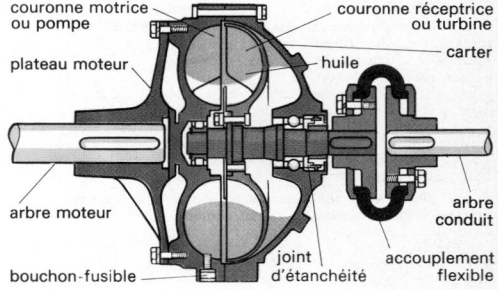

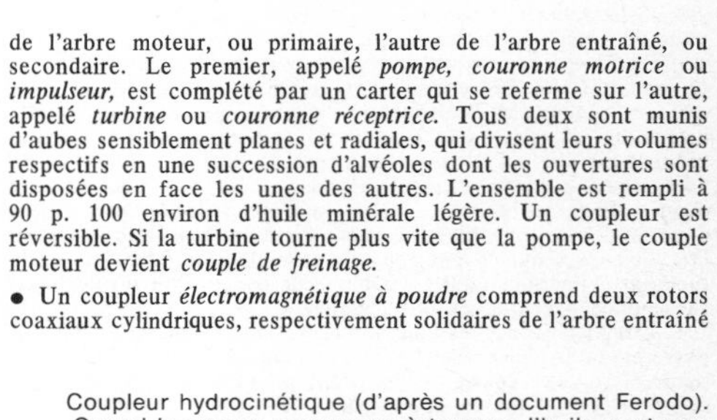

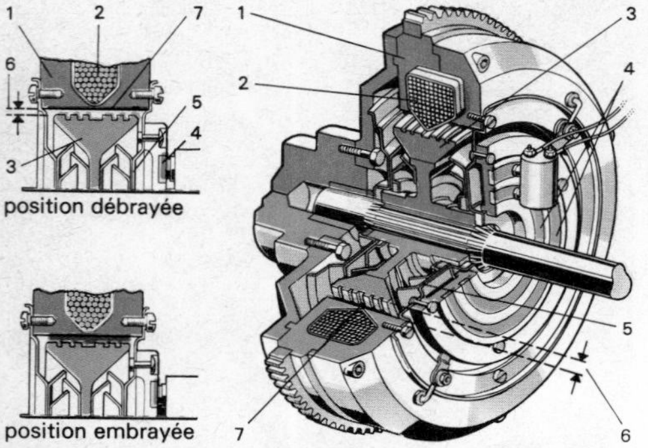

Coupleur électromagnétique à poudre. 1. Électroaimant; 2. Bobine; 3. Masse polaire interne; 4. Bagues; 5. Joue de retenue de la poudre magnétique; 6. Entrefer; 7. Shunt magnétique.

et de l'arbre moteur. Celui-ci comporte une bobine avec deux bagues latérales pour la circulation d'un courant inducteur, dont la variation de l'intensité permet de régler le couple transmis : car, sous l'action du champ magnétique variable produit par cette bobine, la poudre magnétique disposée entre les deux rotors se comporte comme un fluide dont la viscosité* varie en fonction du courant inducteur.

Les coupleurs sont essentiellement utilisés pour résoudre des problèmes d'embrayage, de freinage, de transmission et de limitation de couple dans les équipements industriels et dans les véhicules de grande puissance.

COUPOLE. — Calotte hémisphérique (ou inférieure à la demi-sphère, ou parabolique, ou ovale, parfois côtelée ou polygonale) composée d'anneaux appareillés concentriques, elle couronne tout naturellement les constructions circulaires et souvent, quel que soit son plan, la partie centrale, prééminente d'édifices plus complexes (la multiplication des coupoles est possible : art byzantin). Dans les constructions quadrangulaires, on passe au cercle par quatre dispositifs d'angles, soit *pendentifs,* soit *trompes.* La coupole proprement dite est la voûte intérieure de l'édifice, tandis que le *dôme* en est la partie extérieure, l'ensemble étant composé de deux coques distinctes dans les grands édifices. Un *lanternon* peut apporter à la coupole un éclairement axial; des baies peuvent aussi être disposées sur le pourtour de celle-ci, à sa base ou sur le *tambour* cylindrique qu'il est habituel de construire pour l'exhausser (monde byzantin, Europe classique).

L'Antiquité connut les coupoles. De Rome (Panthéon), celles-ci passèrent à Byzance (Sainte-Sophie), puis revinrent en Occident (Saint-Marc de Venise, Saint-Front de Périgueux). L'Europe classique (et baroque) les a multipliées. (V. planches ARCHITECTURE.)

COUPTRAIN (53140 Pré en Pail), ch.-l. de cant. de la Mayenne, sur la Mayenne, à 16 km au S.-E. de Bagnoles-de-l'Orne; 219 hab.

COUPURE (appareil de). — En électricité, les appareils de coupure ont deux fonctions bien distinctes : la *manœuvre* et la *protection.* La coupure d'un circuit électrique produit un *arc* qui présente de nombreux inconvénients : il faut donc couper le courant le plus vite possible. Les appareils de coupure sont définis par la *tension* et le *pouvoir de coupure.*

• Les *sectionneurs* assurent la coupure dans l'air des circuits à vide ou hors tension. Ils n'ont pas de pouvoir de coupure : ce sont des appareils de protection. Ils sont généralement basculants et quelquefois coulissants.

• Les *interrupteurs* sont destinés à la coupure en charge des réseaux* et des transformateurs*, à l'ouverture des réseaux bouclés, à la coupure à vide des lignes* ou des câbles*. Ils sont définis par leur pouvoir de coupure. Ils possèdent des couteaux principaux et des couteaux auxiliaires, un soufflage à air comprimé dans le cas de coupure de fortes intensités ou de tensions élevées et une chambre en matériau réfractaire pour réaliser l'allongement ainsi que le refroidissement de l'arc. L'interrupteur est manuel. Lorsqu'il est manœuvré automatiquement, il s'appelle *contacteur.* Les interrupteurs sont uniquement des appareils de manœuvre.

• Les *disjoncteurs* sont des interrupteurs dont l'ouverture est asservie à un paramètre du circuit alimenté. En basse tension, le disjoncteur est conçu pour s'ouvrir directement à l'aide de relais par exemple; c'est un appareil de protection. Il est *différentiel* lorsqu'on ajoute une bobine* qui provoque son ouverture par déséquilibre des tensions entre conducteurs. Ses caractéristiques essentielles sont, d'une part, le temps d'intervention (temps s'écoulant entre le moment où le défaut est détecté et le moment où, par ouverture du disjoncteur, le courant commence à décroître) et, d'autre part, la surtension maximale admissible.

COUPURE ÉPISTÉMOLOGIQUE. — Selon G. Bachelard*, la coupure, ou rupture, épistémologique est la discontinuité radicale qui s'instaure entre la connaissance commune et la connaissance scientifique du fait des progrès des sciences. L. Althusser* réévalue ce concept pour montrer comment Marx, en se démarquant de Hegel, a élaboré le matérialisme* historique comme science de l'histoire dans ses œuvres d'après 1845.

COURANTE → SUITE DE DANSES.

COURANT ÉLECTRIQUE. — Un conducteur est traversé par un courant électrique lorsqu'on peut observer les trois phénomènes suivants : 1° le conducteur est le siège d'un dégagement de chaleur (effet calorifique); 2° une aiguille aimantée placée près du conducteur est soumise à des forces, et, réciproquement, un aimant exerce une action sur le conducteur (effet électromagnétique); 3° si l'on coupe le conducteur et si l'on plonge ses deux extrémités dans une solution saline, celle-ci subit une décomposition chimique (effet électrolytique).

• *Nature du courant.* 1. Dans les conducteurs métalliques, il existe des électrons libres, qui se déplacent d'un mouvement désordonné entre les atomes. Si l'on applique une différence de potentiel entre deux points du conducteur, on établit un champ électrique qui imprime à ces électrons une translation d'ensemble en sens inverse du champ.

2. Dans les électrolytes, le courant est lié à un double mouvement d'ions, atomes ou groupements d'atomes ayant perdu des électrons (cations) ou en ayant gagné (anions). Au contact des électrodes, ces ions se transforment en atomes ordinaires.

3. Dans certaines circonstances (haute température dans l'effet thermoélectronique, lumière dans l'effet photoélectrique), des électrons sont libérés dans un vide poussé. Soumis à un champ électrique, ils se mettent en mouvement (rayons cathodiques).

4. Dans les gaz sous faible pression, le courant est dû à la circulation, dans les deux sens, d'ions positifs ou négatifs.

Quel que soit le sens réel du déplacement des particules électrisées, le courant est équivalent à un déplacement de charges positives, qui définit le *sens du courant.*

• *Intensité du courant.* Si l'on désigne par dq la charge positive transportée pendant un temps infinitésimal dt, l'intensité du courant est $i = \frac{dq}{dt}$.

COURANT PORTEUR. — Un signal téléphonique est une association complexe de signaux d'amplitude, de fréquence et de phase variées. La bande de fréquence utilisée va de 300 à 3 400 Hz. Afin de rentabiliser au maximum les investissements faits dans les lignes de transmission, on a cherché à accroître le nombre de voies téléphoniques transmissibles sur une même ligne. Pour cela, chaque voie téléphonique de largeur de 300 à 3 400 Hz est *mélangée* à une onde à fréquence pure F, de fréquence supérieure à 3 400 Hz. Chaque fréquence f du signal téléphonique se trouve transposée en une multitude de fréquences f', ou images, telles que $f' = mF + nf$, où m et n sont des nombres entiers positifs, négatifs ou nuls. Un filtre électrique permet de sélectionner l'une ou l'autre des deux images $F + f$ ou $F - f$. Si l'on veut transmettre deux voies téléphoniques, de 300 à 3 400 Hz, sur un même conducteur, on prendra pour fréquence pure F la valeur de 4 000 Hz; la première voie sera transmise sans intervention du mélangeur, appelé encore *modulateur;* l'encombrement de la gamme de fréquence est donc, pour cette première voie, de 300 à 3 400 Hz; la seconde voie sera modulée par la fréquence F = 4 000 Hz. Un filtre sélectionnera l'image f' telle que $f' = F + f$, et l'encombrement de la gamme de fréquence sera de 4 300 à 7 400 Hz. Aucun chevauchement n'est à redouter : les deux voies téléphoniques pourront être transmises simultanément sur le même conducteur, la seconde voie étant, en quelque sorte, portée par la fréquence F; d'où le nom de système *multiplex à courants porteurs.*

Si l'on dispose d'une panoplie de fréquences porteuses, on pourra, de modulation en modulation, placer les voies téléphoniques transposées les unes après les autres dans la gamme de fréquence disponible sur la ligne de transmission. Plus cette gamme est étendue, plus la capacité du système multiplex est grande. En pratique, on définit un groupe de base, ou *groupe primaire,* de 12 voies transposées. L'association de cinq groupes primaires donne un *groupe secondaire* de 60 voies; l'association de cinq groupes secondaires donne un *groupe tertiaire* de 300 voies. Le maximum atteint est actuellement de 2 700 voies téléphoniques simultanées. La largeur de bande nécessaire pour la transmission d'un tel multiplex est de 12,5 MHz. Cette transmission nécessite l'utilisation de lignes de structure toute spéciale : câble* coaxial, faisceau* hertzien, guide* d'onde.

COURANTS OCÉANIQUES. — Les courants locaux agissent à

une échelle limitée. Ils sont engendrés par les vagues, les marées ou des différences de densité dues à d'inégales salinités.

Les courants généraux à l'échelle de la planète ont des débits considérables. Ils sont déclenchés par le vent, qui, en soufflant sur la mer, déplace les particules d'eau. Les mouvements ainsi déterminés en surface sont contrebalancés en profondeur par des courants de compensation. Compte tenu de la circulation atmosphérique et de la répartition des terres et des mers, un système de courants généraux est établi. La zone intertropicale est caractérisée par deux courants est-ouest, les courants nord- et sud-équatorial, entre lesquels s'établit un écoulement de compensation en sens inverse. L'eau chaude remonte de l'équateur vers les pôles le long des façades orientales des continents, mouvement compensé par des courants froids qui descendent vers l'équateur le long des façades occidentales. Dans l'hémisphère Sud, il existe un courant circumpolaire continu d'ouest en est. Dans l'hémisphère Nord, la présence des masses continentales l'empêche de s'établir, et des courants froids descendent le long des façades orientales jusqu'aux

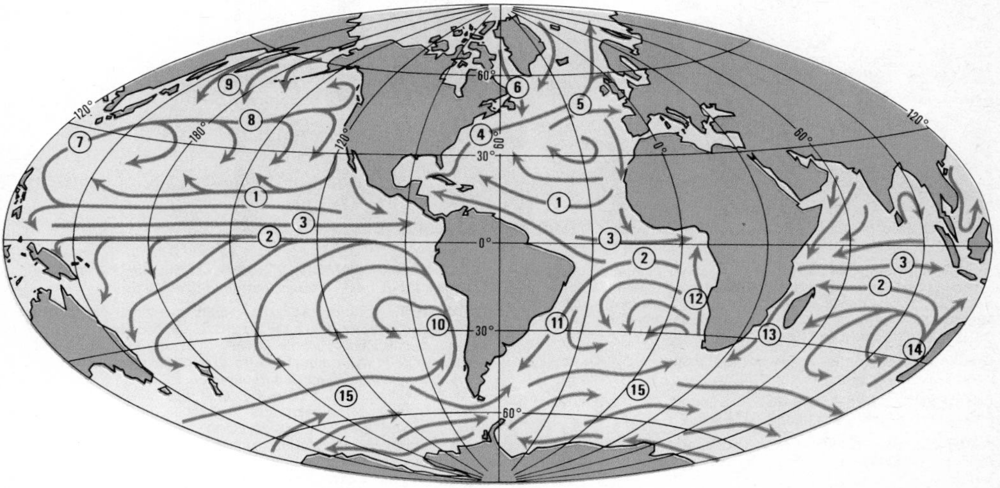

COURANTS OCÉANIQUES 1. Courant nord-équatorial; 2. Courant sud-équatorial; 3. Contre-courant équatorial; 4. Gulf Stream; 5. Dérive nord-atlantique; 6. Courant du Labrador; 7. Kuroshio; 8. Dérive nord-pacifique; 9. Oyashio; 10. Courant de Humboldt; 11. Courant du Brésil; 12. Courant de Benguela; 13. Courant de Mozambique; 14. Courant ouest-australien; 15. Courant circum-antarctique.

latitudes tempérées, faisant dévier les courants chauds vers le nord-est.

L'existence des courants est capitale, car ceux-ci assurent un brassage permanent des eaux, dont ils permettent l'oxygénation, indispensable à la vie.

COURBE DE CHANGE, COURBE D'OFFRE. — Ce sont des graphiques exprimant la liaison — en une période donnée — entre les quantités échangées de produits ou de services et les prix. Il s'agit d'outils de recherche économique pour les études de marché des produits et des services.

COURBE DE NIVEAU → HYPSOMÉTRIE.

COURBET (Gustave), peintre français (Ornans 1819 - La Tour-de-Peilz, Suisse, 1877). En 1840, il vient à Paris pour faire son droit, en vérité pour peindre. Après des études dans plusieurs ateliers parisiens, il commence, vite maître de son métier, par peindre dans une manière romantique (*Courbet au chien noir,* 1842, Petit Palais, Paris). Avec la monumentale scène villageoise qu'est l'*Enterrement* à Ornans* (1850-51), avec des paysages d'une réalité précise où s'intègrent des figures (*la Rencontre,* 1854, Montpellier), il aborde la recherche de la vérité des personnages et des situations. « Faire de l'art vivant, tel est mon but », écrit-il en 1855. Son réalisme*, dont il propose une synthèse allégorique avec *l'Atelier* (1854-55, Louvre), mais aussi sa liberté d'opinion (il participera à la rédaction de l'ouvrage de Proudhon *Du principe de l'art et de sa destination sociale,* 1865) déplaisent : à l'Exposition universelle de 1855, si ses *Cribleuses de blé* (Nantes) sont admises, ses grands tableaux-manifestes sont exclus des cimaises officielles. Néanmoins, avec ses morceaux de nature d'une admirable matière-couleur, riche et grasse (*la Remise des chevreuils,* 1866, Louvre), avec les moins provocantes de ses figures féminines aussi, Courbet force le succès. Mais, à la Légion d'honneur, qu'il refuse en 1870, il préfère le combat avec les communards et la présidence de la commission des Beaux-Arts que ceux-ci lui offrent. L'écrasement de la Commune le mène en prison, pour avoir poussé au renversement de la colonne Vendôme. Condamné à payer les frais de restauration du symbole impérial, privé de tous ses biens et œuvres, Courbet s'exile et va mourir en Suisse.

COURBET (Amédée), amiral français (Abbeville 1827 - les Pescadores 1885). Successeur du commandant Rivière au Tonkin, il établit le protectorat français sur l'Annam (1883) et combattit les Pavillons-Noirs. Luttant ensuite contre les Chinois, il bombarda Fou-tcheou (1884), occupa Formose et s'empara des Pescadores. Il mourut au lendemain de la signature de la paix.

COURBEVOIE (92400), ch.-l. de cant. des Hauts-de-Seine, sur la Seine, à 3 km au N.-O. de Paris; 54578 hab. *(Courbevoisiens).*

COURBURE. — La courbure d'un cercle de rayon R est égale, en chaque point du cercle, à la quantité $\frac{1}{R}$. En un point ordinaire M d'une courbe (Γ), on définit un cercle particulier, qu'on appelle *cercle osculateur* en M à la courbe. Le centre I du cercle osculateur est le *centre de courbure* à la courbe en M. La courbure en M est l'inverse, $\frac{1}{R}$, du rayon du cercle osculateur. Le centre de courbure I

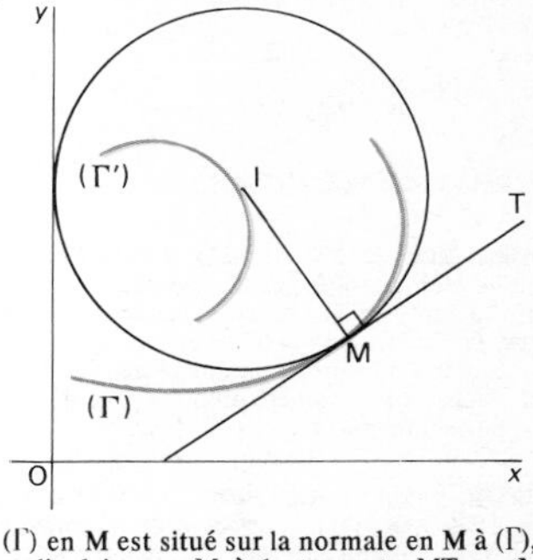

à la courbe (Γ) en M est situé sur la normale en M à (Γ), c'est-à-dire sur la perpendiculaire en M à la tangente MT en M à (Γ). Au voisinage de M, les deux courbes sont tangentes et presque confondues, et elles présentent en M la même courbure.

Si $y = f(x)$ est l'équation de (Γ) au voisinage de M, le rayon de courbure R en M est donné par

$$R = \frac{(1 + y'^2)^{3/2}}{y''}.$$

Daspet

Le Couronnement de la Vierge, de E. Quarton. (Hospice de Villeneuve-lès-Avignon.)

Si, en tout point, la courbe (Γ′) admet un centre de courbure, l'ensemble décrit par le centre de courbure I quand M décrit (Γ) s'appelle la *développée* de la courbe (Γ). C'est une courbe (Γ′) tangente en I à IM, et cela en chacun de ses points. La courbe (Γ) est une *développante* de (Γ′).

COURCELLES, comm. de Belgique (Hainaut), au N.-O. de Charleroi; 17015 hab. (en 1970).

COURCELLES-LÈS-LENS (62970), comm. du Pas-de-Calais, à 6 km à l'E. d'Hénin-Beaumont; 5874 hab.

COURCHEVEL (73120), station de sports d'hiver (alt. 1850-2735 m) de la Savoie (comm. de Saint-Bon-Tarentaise), dans la Vanoise.

COURÇON (17170), ch.-l. de cant. de la Charente-Maritime, à 30 km au N.-E. de La Rochelle; 965 hab.

COUR D'APPEL, COUR D'ASSISES, COUR DE CASSATION → JUSTICE *(organisation de la).*

COUR DES COMPTES → COMPTABILITÉ PUBLIQUE.

COUR DE SÛRETÉ DE L'ÉTAT → JUSTICE *(organisation de la).*

COURIER (Paul-Louis), écrivain français (Paris 1772-Véretz 1825). Il abandonna une carrière militaire pour étudier les manuscrits grecs des bibliothèques italiennes, puis, rentré en France, appuya de ses pamphlets les critiques de l'opposition libérale (*Pétition aux deux Chambres,* 1816; *le Pamphlet des pamphlets,* 1824); mais, en butte à la haine des paysans de son entourage, il fut assassiné dans la forêt de Larçais. Il a laissé un recueil de *Lettres* écrites de France et d'Italie.*

COUR INTERNATIONALE DE JUSTICE → ORGANISATIONS INTERNATIONALES.

COURLANDE, région de la Lettonie* (U. R. S. S.) entre la Baltique et la Dvina. Elle était peuplée par la tribu balte des Koures, qui lui donnèrent son nom. Les chevaliers Porte-Glaive* occupèrent le pays du début du XIIIe s. à 1561 (dissolution de l'ordre); alors, leur grand maître érigea à son profit en duché héréditaire la Courlande et le Zemgale, sous la suzeraineté polonaise; ce duché entretint au XVIIe s. une puissante marine. La Courlande fut rattachée à la Russie lors du troisième partage de la Pologne (1795).

COURMAYEUR, comm. d'Italie, dans le val d'Aoste, au pied du mont Blanc; 2500 hab. Important centre de sports d'hiver (alt. 1224-3456 m) et d'alpinisme près du débouché du tunnel du Mont-Blanc.

COURNAND (André), médecin américain d'origine française (Paris 1895), prix Nobel de médecine en 1956 pour ses recherches sur l'insuffisance ventriculaire droite.

COURNEUVE (La) [93120], ch.-l. de cant. de la Seine-Saint-Denis, à 3 km au N.-E. de Paris; 37958 hab. Industries mécaniques et électriques.

COURNON-D'AUVERGNE (63800), comm. du Puy-de-Dôme, à 11 km au S.-E. de Clermont-Ferrand; 12652 hab.

COURNOT (Antoine Augustin), mathématicien, économiste et philosophe français (Gray 1801-Paris 1877). Ses *Recherches sur les principes mathématiques de la théorie des richesses* (1838) et ses *Principes de la théorie des richesses* (1863) font de lui un précurseur de l'école mathématique (en économie), qui atteindra son apogée avec L. Walras et V. Pareto. Ces études le conduisent à élaborer une épistémologie* à partir des mathématiques. La théorie de la connaissance* que Cournot développe utilise les mathématiques pour rectifier les spéculations philosophiques. En poursuivant des recherches sur les probabilités et le calcul infinitésimal, Cournot vise moins une « extension de la science positive » qu'un « perfectionnement philosophique de la théorie » (*Théorie élémentaire des fonctions et du calcul infinitésimal,* 1841; *Exposition de la théorie des chances et des probabilités,* 1843). Profondément enracinée dans le rythme d'une science au travail, son épistémologie a une situation radicalement nouvelle par rapport aux philosophies de la science conçues au XIXe s.

COURONNE, nom donné à deux constellations*, l'une dans l'hémisphère austral, la *Couronne australe,* l'autre dans l'hémisphère boréal, la *Couronne boréale.* Dans cette dernière apparut en 1866, puis en 1946, une étoile temporaire, ou nova, dont la magnitude est passée, dans ces deux circonstances, de 11 à une valeur comprise entre 2 et 3.

COURONNE (La) [16400], ch.-l. de cant. de la Charente, à 8 km au S.-O. d'Angoulême; 6568 hab. Restes d'une abbaye des XIIe-XVIIIe s. Cimenterie.

Couronne de chêne *(ordre de la),* ordre luxembourgeois créé en 1841.

COURONNE DENTAIRE → PROTHÈSE.

Couronnement de la Vierge *(le),* de Villeneuve-lès-Avignon, peinture commandée en 1453 à Enguerrand Quarton (ou Charonton) par les chartreux de Villeneuve (bois, 1,83 × 2,20 m, auj. dans la chapelle de l'hospice). L'iconographie précise, didactique, de ce témoignage tardif du culte de la Vierge à l'époque gothique a été dictée au peintre, sur contrat, par le commanditaire. Chérubins, séraphins, archanges, saints et élus révèrent la Vierge, que couronne la Trinité, « où du Père au Fils, il n'y a nulle différence ». Tout en bas, la résurrection des morts, le purgatoire et l'enfer (où sont des hommes « de tous états »). Au registre terrestre, le Christ en croix avec un chartreux en adoration, à droite Jérusalem, à gauche Rome, la messe de saint Grégoire, Moïse et le Buisson ardent. Facture franche, nerveuse et délicate, hardiesse d'une composition qui harmonise des modes de figuration très dissemblables (hiératisme décoratif du groupe central, étagement conventionnel des adorateurs, mise en perspective du paysage).

COURONNE SOLAIRE → ÉCLIPSE, SOLEIL.

COURPIÈRE (63120), ch.-l. de cant. du Puy-de-Dôme, à 16 km au S. de Thiers, sur la Dore; 4602 hab. Église romane.

COURRÈGES (André), couturier français (Pau 1923). Il s'imposa en lançant, en 1965, la minijupe, et en instaurant la vogue du blanc et un type de vêtement très architecturé, caractéristique de la mode jusqu'en 1970. Il opta, alors, pour l'ensemble-pantalon et, en 1974, il présenta le « maillot-short », sorte de combinaison de jersey à culotte couvrant le haut des cuisses. Sa mode est conçue à l'intention des filles jeunes et sportives. En 1967, lors de la réouverture de sa maison, fermée pendant deux ans, il créa une collection de prêt-à-porter; en 1973, il inaugura ses modèles pour hommes et, en 1975, il ouvrit une boutique à leur intention.

COURRIER (Robert), médecin français (Saxon-Sion, Meurthe-et-Moselle, 1895) qui a orienté ses travaux essentiellement endocrinologiques sur les métabolismes de la progestérone et de l'œstradiol.

COURRIÈRES (62710), comm. du Pas-de-Calais, à 4 km au N. d'Hénin-Beaumont; 12493 hab. Gisement houiller. Centrale thermique. En 1906, une terrible catastrophe minière fit plus de un millier de victimes.

COURROIE. — En matière de transmission, la courroie *trapézoïdale* associée à des poulies à gorge a, en grande partie, remplacé les anciennes courroies plates et rondes, généralement en cuir, plus rarement en tissus imprégnés, lesquelles sont réservées à des applications très spéciales. Elle est constituée par une armature formée de cordons torsadés en textile, placée au voisinage de la fibre neutre et destinée à transmettre l'effort de traction. Cette armature est complétée d'une part, à la partie externe, par une zone en caoutchouc* rigide en largeur et qui peut s'allonger en longueur tout en diminuant d'épaisseur, et d'autre part, à la partie interne, par une zone de caoutchouc capable de se comprimer en longueur et de s'étendre en largeur pour se serrer entre les deux faces latérales des gorges des poulies. Le tout est enrobé par un tissu caoutchouté résistant à l'usure. La courroie *crantée,* associée à des poulies également crantées, réalise une transmission rigoureusement *desmodromique,* comme une transmission par engrenages ou par chaîne et pignon. La transmission par courroie crantée est silencieuse et ne nécessite aucune lubrification, car elle ne comporte pas de zone de contact entre pièces métalliques. Elle est de plus en plus utilisée, notamment pour entraîner les arbres à cames des moteurs* à explosion.

COURSAN (11110), ch.-l. de cant. de l'Aude, à 7 km au N.-E. de Narbonne, sur l'Aude; 3335 hab. Église gothique.

Cours de linguistique générale, œuvre de F. de Saussure, publiée en 1916, trois ans après sa mort, par C. Bally* et A. Séchehaye d'après des notes d'élèves. Le *Cours de linguistique générale* contient les concepts fondamentaux de la linguistique structurale. La langue, conçue comme un système de différences, une structure, est opposée à la parole qui en est la manifestation individuelle. L'aspect synchronique (perspective du sujet parlant) est privilégié par rapport à l'aspect diachronique (perspective historique). Le signe linguistique est rigoureusement défini comme une unité, arbitraire et linéaire, constituée d'un signifiant (l'image acoustique) et d'un signifié (le concept). Enfin, la langue n'est qu'un système de signes parmi d'autres et Saussure fonde ainsi le projet d'une sémiologie, science générale des signes. Le *Cours de linguistique générale* a exercé une influence capitale sur la linguistique, la sémiologie et, plus récemment, sur l'ensemble des sciences humaines.

COURSE-CROISIÈRE. — Une course-croisière est une régate* à voile qui se déroule en mer, d'un port à un autre ou avec retour au point de départ. Le développement du yachting* suscite la multiplication de ces courses-croisières, appelées le plus souvent *courses au large.* À côté des épreuves traditionnelles, généralement disputées sur des parcours relativement courts, on tend à organiser des régates à travers les océans et même autour du monde. Les architectes sont ainsi conduits à dessiner des yachts spécialement conçus pour la course-croisière, et même parfois pour une épreuve particulière; la construction fait appel, pour la coque, le gréement et la voilure, aux matériaux les plus modernes. Lorsque les bateaux participant à des courses-croisières sont de taille et de déplacement différents, ils sont classés selon un système de handicap fondé sur leur puissance (« rating ») exprimée par un certificat de jauge; si, tout en étant d'un dessin différent, ils ont le même rating, ils sont classés sans correction de temps.

COURSEGOULES (06140 Vence), ch.-l. de cant. des Alpes-Maritimes, à 16 km au N. de Vence; 155 hab.

COURSES DE CHEVAUX. — Disputées au trot (attelé) ou au galop (avec ou sans obstacles), les courses de chevaux suscitent principalement l'intérêt par les paris qui leur sont associés. En France, annuellement, sont joués plus de 12 milliards de francs, dont plus de la moitié dans le célèbre *tiercé,* qui consiste à découvrir, si possible dans l'ordre d'arrivée, les trois premiers chevaux d'une course. Le succès du tiercé a donné naissance au *quarté* (recherche des quatre premiers arrivants), cependant qu'existent aussi le *couplé* (les deux premiers) et les *paris simples* (sur un seul cheval).

COURSEULLES-SUR-MER (14470), comm. du Calvados, à 18 km au N. de Caen; 2553 hab. Station balnéaire. Port de plaisance. — Les Canadiens y débarquèrent le 6 juin 1944. (V. NORMANDIE [*bataille de*].)

COURS-LA-VILLE (69470), comm. du Rhône, à 9,5 km au N. de Thizy; 5556 hab. *(Coursiauds).* Industrie textile (couvertures).

COURSON-LES-CARRIÈRES (89560), ch.-l. de cant. de l'Yonne, à 19 km au N. de Clamecy; 701 hab. Église du XVIe s.

COURT-CIRCUIT. — Un court-circuit se produit quand sont réunis par une résistance très faible deux points entre lesquels existe une différence de potentiel. Ce phénomène peut être volontaire (mise hors circuit d'un galvanomètre, allumage d'une lampe à arc), mais, quand il est accidentel (fils qui se touchent, par ex.), l'intensité peut prendre une valeur dangereuse pour les appareils, d'où l'emploi de fusibles, de disjoncteurs, etc.

COURTELINE (Georges MOINAUX, dit **Georges**), écrivain français (Tours 1858-Paris 1929), auteur de récits (*le Train de 8 heures 47,* 1888) et de comédies (*Boubouroche,* 1893; *la Paix chez soi,* 1903), qui tournent en ironie l'absurdité de la vie familiale et administrative.

COURTENAY (45320), ch.-l. de cant. du Loiret, à 25 km à l'E. de Montargis; 2576 hab. Église du XVIe s.

COURTENAY, famille issue du frère cadet de Louis VII. PIERRE **de France** (1125-1182), devint seigneur de Courtenay par son mariage avec Élisabeth, dame de Courtenay et parente de Josselin de Courtenay, comte d'Édesse († 1131). — PIERRE II (v. 1167-1217), son fils aîné, devint, par son mariage avec Agnès de Nevers, comte de Nevers, d'Auxerre et de Tonnerre; un second mariage avec Yolande de Flandre le fit empereur latin de Constantinople (1217), mais, fait prisonnier par les Grecs, il mourut sans avoir pris possession de son trône (1217). — BAUDOUIN (1217-1273), son fils, empereur latin d'Orient, perdit Constantinople en 1261. — CATHERINE (1283-1307), petite-fille de Baudouin, apporta ses droits à l'empire à son époux, Charles de Valois, frère de Philippe IV le Bel.

COURTIER. — Depuis la loi du 18 juillet 1866, la profession de courtier en marchandises est libre. C'est un commerçant patenté qui a pour rôle de mettre en présence un vendeur et un acheteur. Il n'intervient pas au contrat, dont les suites lui sont étrangères, sauf dol de sa part. Les ventes publiques de marchandises, certaines expertises et surtout la constatation officielle des cours sur les marchés libres sont réservées aux *courtiers assermentés,* choisis par le tribunal de commerce. Sur les marchés réglementés, où les opérations se font publiquement, les courtiers assermentés relèvent les cotations faites conformément aux règlements des marchés à terme.

COURTIER MARITIME. — Les capitaines des navires en escale dans un port étranger, ignorant souvent la langue et les usages locaux, ont besoin d'être assistés dans l'accomplissement des formalités qui leur incombent auprès des autorités publiques. En France, ce concours leur est donné, en vertu d'un privilège exclusif pour les navires étrangers, par des officiers ministériels propriétaires de leurs charges, les *courtiers maritimes,* officiellement dénommés « courtiers interprètes et conducteurs de navires ».

COURTINE-LE-TRUCQ (La) [23100], ch.-l. de cant. de la Creuse, à 20 km au N. d'Ussel; 1364 hab. Camp militaire. Une brigade russe, qui avait combattu en Champagne, s'y mutina en 1917 à l'annonce de la Révolution.

Courtisan *(le),* traité en quatre livres de Baldassarre Castiglione (1528). À la manière de Platon, quatre dialogues fictifs à la cour d'Urbino permettent de définir les qualités physiques, spirituelles et pratiques que doit réunir le parfait courtisan.

COURTOIS (Jacques), dit **il Borgognone,** peintre français (Saint-Hippolyte 1621-Rome 1676). Fixé à Rome vers 1640, il se fit une brillante réputation comme peintre de batailles, dont il saisit, de l'intérieur, les épisodes les plus fougueux.

COURTOIS (Bernard), chimiste et pharmacien français (Dijon 1777-Paris 1838). Il isola la morphine de l'opium et, en 1811, il découvrit l'iode.

COURTOISE (littérature). — Au début du XIIe s. apparaît dans les petites cours seigneuriales du midi de la France un nouveau thème littéraire qui, en moins de deux générations, donne naissance à l'art élaboré de la « courtoisie ». Peut-être influencée par l'Espagne mozarabe, empruntée à une tradition humaniste ou inspirée du service féodal, cette forme lyrique se développe à partir d'une situation dont seul le détail varie : la séparation de la dame, soucieuse de sa dignité, et du poète, devant qui s'élève un obstacle matériel, social ou psychique. Le poète chante son amour et son effort pour parvenir à la « joie » dans des vers tissus d'expressions figées et hermétiques, forme suprême du *trobar,* l'art du troubadour*. Conception aristocratique et adultère de l'amour, le service de la dame, la *fin'amor,* est la marque distinctive du chevalier accompli. Elle est surtout l'expression d'une contradiction vécue entre un idéal de passion et la réalité de l'Occident chrétien et féodal (d'où le thème de l'*amor de lonh,* de Jaufré Rudel : l'amour ne peut être qu'au loin, au terme d'une quête qui trouve son accomplissement dans la mort). L'esprit courtois inspira la poésie des trouvères et des minnesänger*, les romans de Chrétien* de Troyes, le lyrisme mystique de Dante.

COURTOMER (61390), ch.-l. de cant. de l'Orne, à 15 km à l'E. de Sées; 699 hab.

COURTRAI, en néerl. **Kortrijk,** v. de Belgique (Flandre-Occidentale), sur la Lys; 44 961 hab. (en 1970). Monuments du XIIIe au XVe s. (églises, hôtel de ville, pont fortifié). Textile. — Le 11 juillet 1302, la chevalerie française, envoyée en Flandre, sous le commandement de Robert II, comte d'Artois, afin d'écraser la révolte de Bruges, fut battue près de Courtrai par les milices flamandes dirigées par Guillaume de Juliers.

COURVILLE-SUR-EURE (28190), ch.-l. de cant. d'Eure-et-Loir, à 19 km à l'O. de Chartres, sur l'Eure; 2 055 hab. Église du XVIe s.

COUSCOUS. — Ce mets arabe est spécifique des pays d'Afrique du Nord. Il se prépare avec de la semoule de blé dur garnie de viandes diverses (mouton, poulet) et de légumes (pois chiches, carottes et navets). La semoule est cuite à l'étuvée dans un récipient en terre percé de trous — ou couscoussier — qui s'adapte à la marmite où l'on met à bouillir de l'eau ou du bouillon. Le couscous marocain se fait à partir de semoule de blé dur. Les viandes sont préparées à part, sautées dans de la graisse et saupoudrées de poudre de piment rouge.

COUSERANS (le), région des Pyrénées centrales (Ariège), dans le bassin supérieur du Salat.

COUSIN (le), riv. du Morvan, affl. de la Cure (r. dr.); 64 km.

COUSIN (Jean), dit **le Père,** peintre français (Soucy-lès-Sens? v. 1490 - Paris? v. 1561). Aujourd'hui mal connu, il a travaillé dans un style proche de l'école de Fontainebleau*, mais personnel et monumental (*Eva Prima Pandora,* Louvre). Il a donné des cartons de tapisseries (*Vie de saint Mammès,* 1543, cathédrale de Langres et Louvre) et de vitraux, des peintures décoratives pour les entrées à Paris de Charles Quint (1540) et d'Henri II (1549), et a écrit deux traités théoriques. — À JEAN **le Fils** (Sens? v. 1522 - Paris? v. 1594), un de ses huit enfants, auteur d'un recueil d'emblèmes, le *Livre de fortune* (1568), sont attribués des dessins et quelques tableaux (*le Jugement dernier,* Louvre) d'un maniérisme plus affecté.

COUSIN (Victor), philosophe français (Paris 1792 - Cannes 1867). Membre de l'Académie française (1830), ministre de l'Instruction publique (1840), Victor Cousin s'efforce d'administrer la philosophie afin de mieux la rabaisser sur le sens commun et d'en faire la servante de la monarchie constitutionnelle. Son éclectisme procède d'un amalgame de philosophie écossaise, de Maine de Biran, d'idéalisme post-kantien et de théologie chrétienne (*Du Vrai, du Beau, du Bien,* 1853).

Cousine Bette *(la),* roman de Balzac (1846). Parente pauvre, Bette, aigrie et envieuse, met une perversité démoniaque à se venger du baron Hulot et de sa femme en les entraînant vers la dégradation et la ruine.

COUSIN-MONTAUBAN (Charles), comte **de Palikao,** général français (Paris 1796 - Versailles 1878). Commandant les troupes françaises en Chine, il fut vainqueur au pont de Palikao (1860). Successeur d'Ollivier, il présida le dernier gouvernement de Napoléon III (9 août - 4 sept. 1870).

Cousin Pons *(le),* roman de Balzac (1847), histoire d'un amateur d'art que sa famille méprise tant qu'elle le croit pauvre, mais qu'elle dépouille sans pitié quand se révèle la valeur de sa collection.

COUSSER ou **KUSSER** (Johann Sigismund), compositeur allemand d'origine hongroise (Presbourg 1660 - Dublin 1727). Après avoir travaillé six ans avec Lully à Paris, il occupa en Allemagne différents postes de directeur de la musique avant de gagner l'Angleterre. On lui doit des opéras et des oratorios. Il a implanté en Allemagne un opéra de style en partie français.

COUSSEY (88300 Neufchâteau), ch.-l. de cant. des Vosges, à 11 km au N. de Neufchâteau, sur la Meuse; 619 hab.

COUSSIN D'AIR → AÉROGLISSEUR, AÉROTRAIN.

COUSTEAU (Jacques-Yves), officier de marine, océanographe et cinéaste français (Saint-André-de-Cubzac 1910). Inventeur d'un scaphandre autonome, il a dirigé plusieurs campagnes du navire océanographique la *Calypso* et réalisé des expériences de vie sous-marine. Il a tourné plusieurs films, notamment *le Monde du silence* (1955) et *le Monde sans soleil* (1964).

Larousse

Les Coustou. Un des deux *Chevaux de Marly,* de Guillaume Coustou. 1740-1745. Ces sculptures se trouvent aujourd'hui place de la Concorde, à Paris.

COUSTOU, famille de sculpteurs français dont les principaux sont deux frères, NICOLAS (Lyon 1658 - Paris 1733) et GUILLAUME (Lyon 1677 - Paris 1746), neveux de Coysevox, tous deux prix de Rome puis académiciens. Ils travaillèrent ensemble à Versailles, aux Invalides, à Notre-Dame de Paris et surtout à Marly (*Apollon et Daphné, la Seine et la Marne,* attribués à Nicolas, auj. aux Tuileries; les deux *Chevaux de Marly,* de Guillaume, 1740-1745, auj. place de la Concorde). Ils furent aussi portraitistes. Les premières œuvres de Marly s'éloignent de Coysevox par leur mouvement frémissant, leur instabilité, tandis que les *Chevaux* apparaissent romantiques avant la lettre.

COUTANCES (50200), ch.-l. d'arr. de la Manche, à 27 km au S.-O. de Saint-Lô; 11 920 hab. *(Coutançais).* Cathédrale de la première moitié du XIIIe s., très élancée, avec magnifique tour lanterne. Église Saint-Pierre (XVe-XVIe s.). Travail du cuir.

COÛT DE LA VIE. — L'expression est née d'un certain nombre d'évolutions propres aux XIXe et XXe s., la diversification de la consommation et l'inflation, notamment. Jusqu'au milieu du XIXe s., les budgets des classes laborieuses restent essentiellement sensibles à l'élévation du prix des produits alimentaires, et, particulièrement, des grains (les dernières crises « frumentaires », comme la disette irlandaise de pommes de terre, sont un peu antérieures au milieu du siècle). La notion de « coût de la vie » (proche de celle de « pouvoir d'achat ») s'affine ensuite du fait de l'extension et de la diversification des dépenses des individus et des ménages, avec l'amélioration des conditions de vie du plus grand nombre.

La mesure du coût de la vie pose un certain nombre de problèmes : pendant longtemps on a privilégié l'or pour servir de mesure de référence, mesure d'une valeur en principe invariable. On a tendance aujourd'hui à concevoir des *indices de prix à la consommation :* la France a, au cours des vingt-cinq dernières années, connu différents « paniers » de biens servant de référence (213, 250, 259 articles, selon les époques). Mais l'évolution, très rapide aujourd'hui, du mode de vie, incite à introduire périodiquement de nouveaux éléments qui viennent modifier les composants de l'indice général.

COUTHON (Georges), homme politique français (Orcet 1755 - Paris 1794). Avocat auvergnat, député à la Législative (1791), puis à la Convention (1792), Montagnard, membre du Grand Comité de salut public (1793), il lie son sort à celui de Robespierre et de Saint-Just et est éliminé avec eux en thermidor (juill. 1794).

COUTRAS (33230), ch.-l. de cant. de la Gironde, à 17 km au N.-E. de Libourne, sur la Dronne; 6 145 hab. *(Coutrasiens* ou *Coutrillons).*

COUTUMIER (droit). — Traditionnellement opposé et historiquement antérieur au droit législatif qui émane d'un pouvoir organisé, le droit coutumier se définit comme un corps de règles juridiques directement issu du groupe social qu'il régit. La coutume résulte à la fois d'une habitude collective d'agir face à une situation donnée et d'une prise de conscience, par les membres du groupe, du caractère obligatoire de ce comportement. Le droit coutumier repose donc sur la tradition. Cependant, les coutumes qui le composent, transmises oralement, manquent souvent de précision. Dans l'ancienne France, où l'on opposait les pays coutumiers, situés au nord, aux pays de droit écrit ou romain, situés au sud, mais où, nulle part, l'application de l'un de ces systèmes n'excluait le recours à l'autre, on procédait à des enquêtes *per turbam* pour connaître l'usage. Aussi, dès la fin du Moyen Âge, la nécessité s'imposa de fixer par écrit les multiples droits coutumiers que connaissait le pays (ordonnance royale de Montil-lès-Tours, 1453).

COUTURE. — La *couture création,* ou *haute couture,* est ainsi homologuée lorsqu'elle présente deux collections par an d'au moins 100 modèles. La mise en œuvre d'un modèle stimule bon nombre de métiers annexes (tissage, broderie, plumes, etc.). La chambre syndicale, qui date de 1868, préserve les droits à l'exclusivité de la couture création : elle réglemente l'accès au salon des professionnels : acheteurs et journalistes.

Les couturiers ne créent pas la mode* mais concrétisent, avec des moyens d'expression personnels, les courants — techniques, sociologiques, artistiques — qui convergent pour lui donner naissance. Les couturiers antérieurs à la Première Guerre mondiale — Callot, Doucet, M. Vionnet, Doeuillet, Redfern — n'habillaient que l'aristocratie, dans le style ondoyant d'alors; après la guerre, leur clientèle s'élargit à la haute bourgeoisie et aux gloires nouvelles du cinéma. L'intérêt manifesté par l'Amérique, vers 1920, pour les créations françaises mit en valeur l'importance économique de la haute couture : cette expansion, bénéfique aux maisons en activité (Lanvin, Poiret, Chanel), fut à l'origine de maisons nouvelles : Patou, Lelong, Balenciaga, Paquin, etc., et, après la Seconde Guerre mondiale, P. Balmain, C. Dior, P. Cardin, etc. L'appui financier qu'apporta Marcel Boussac à C. Dior était le signe avant-coureur de l'alliance entre couture et industrie dont nous sommes les témoins et qui donna naissance à un prêt-à-porter griffé. La diminution des acheteurs et de la clientèle particulière fut compensée par le pouvoir d'achat des classes moyennes. Cette mutation s'effectua, surtout, sous l'impulsion d'une équipe de jeunes couturiers de l'après-guerre (L. Féraud, E. Ungaro, P. Cardin, A. Courrèges, Y. Saint-Laurent, Ted Lapidus, etc.). Fait sans précédent, en 1972, onze couturiers participèrent au Salon international du prêt-à-porter et, depuis 1973, il existe une section de prêt-à-porter couture au sein de la chambre syndicale. Ce prêt-à-porter, généralement fabriqué sous la surveillance de la maison de couture, par des industriels sous licence, bénéficie d'un vaste réseau de distribution : boutiques, grands magasins, etc. Il joue, avec le parfum, le rôle de locomotive pour la maison de couture. Le couturier habille aujourd'hui l'homme et la femme de pied en cap. La haute couture ne pouvait ignorer le processus de démocratisation de l'industrie de luxe, ce qui lui permet de faire un chiffre annuel de 300 millions de francs.

COUTURE (Thomas), peintre français (Senlis 1815 - Villiers-le-Bel 1879). Académiste éclectique, il devint célèbre avec ses *Romains de la décadence* (1847, Louvre) et accueillit de nombreux élèves dans son atelier. Ses portraits, ses études à la touche directe

Couture. Modèle de la collection 1976-1977, de Yves Saint-Laurent.

X

témoignent d'un don d'observation qui se perd dans l'idéalisation des grands sujets.

COUTURE-BOUSSEY (La) [27750], comm. de l'Eure, à 26 km au S.-E. d'Évreux; 967 hab. Instruments de musique.

COUVAISON → INCUBATION.

COUVE DE MURVILLE (Maurice), diplomate français (Reims 1907). Commissaire aux finances du Comité français de libération (1945), il représente la France en diverses capitales avant d'être ministre des Affaires étrangères (1958-1968), ministre de l'Économie et des Finances (1968), Premier ministre (1968-69).

COUVERTURE. — Les couvertures d'immeubles s'exécutent le plus souvent en tuile ou en ardoise, et quelquefois en zinc*, en plomb* ou en cuivre*. Dans les constructions industrielles on utilise de préférence l'aluminium*, l'acier* galvanisé ou inoxydable

COUVERTURE

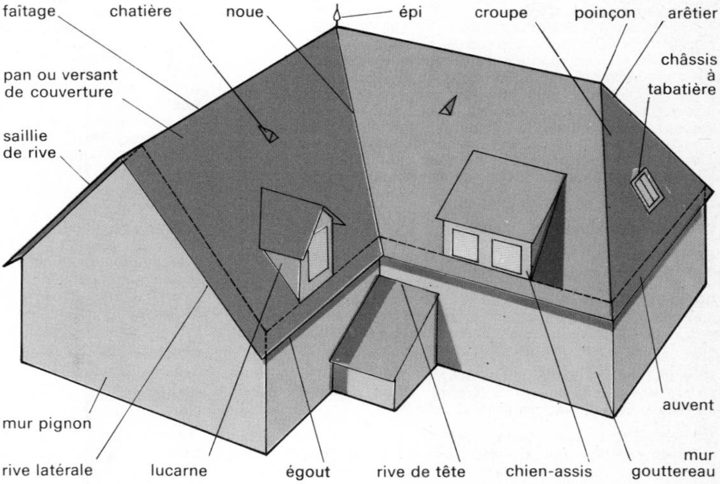

Éléments de la couverture.

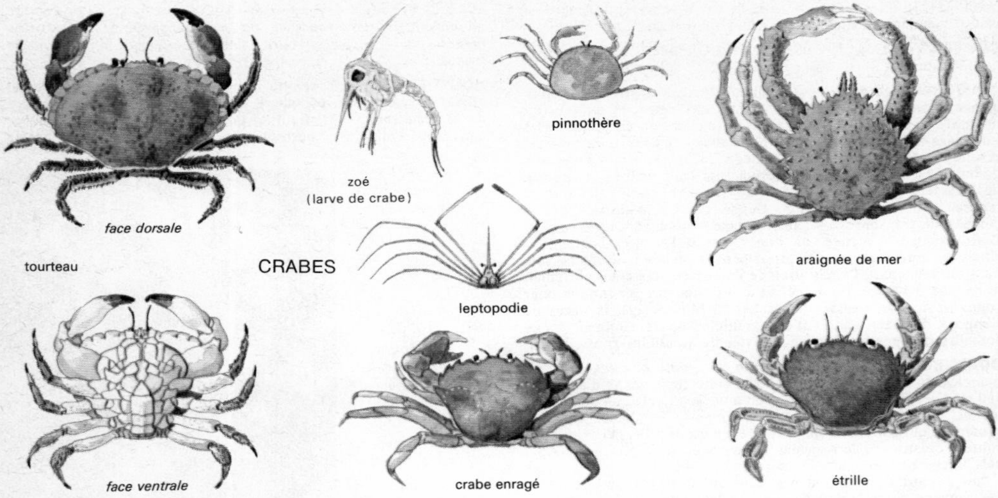

et l'amiante-ciment*. Les couvertures sont toujours inclinées pour permettre à l'eau de s'écouler et éventuellement à la neige de glisser.

Les *tuiles* et les *ardoises* sont fixées sur des supports de bois : lattis pour les tuiles, voliges pour les ardoises. Les tuiles les plus utilisées sont des *tuiles mécaniques,* en produit céramique*, dont les formes permettent des assemblages par emboîtements et recouvrements. Les qualités essentielles des tuiles sont leur étanchéité et leur résistance aux intempéries, notamment au gel. Le produit céramique qui constitue les tuiles ne doit pas contenir de grains de chaux vive ou de matière expansive qui, en atmosphère humide, s'hydratent en gonflant et provoquent la désagrégation de la matière. Les raccords de la couverture avec les murs* et les souches nécessitent une exécution soignée, car ce sont les parties les plus délicates de la toiture. Dans les couvertures en ardoises, plus légères que les toitures en tuiles, les ardoises sont clouées sur un voligeage, notamment quand les pentes de la toiture sont importantes. Sinon, elles sont fixées par des crochets aux liteaux. Les recouvrements entre les éléments varient selon l'importance des pentes et les conditions climatiques, de façon que l'eau ne risque pas, sous la poussée du vent et par effet de capillarité, de s'infiltrer entre les ardoises et d'humidifier le dessous de la couverture.

Les *éléments en tôle ondulée* portent de panne à panne, auxquelles ils sont fixés, par boulons à crochets, si la charpente* est en acier, et par vis, si elle est en bois.

Les *toitures-terrasses* doivent être pourvues de pente pour l'écoulement des eaux pluviales et comporter une protection d'étanchéité et un isolant thermique. Afin d'éviter que les déformations de la terrasse ne provoquent des désordres dans les maçonneries qui sont en contact avec elles, on coule sur le dernier plancher une dalle flottante en béton, en ayant soin de l'isoler du gros œuvre par l'interposition d'une couche de sable et la création de joints verticaux, qui lui permettront de glisser librement. Le revêtement étanche peut être soit une couche d'asphalte pur protégée par une chape d'asphalte sablé, soit un produit multicouche (feutres bitumés). L'étanchéité doit alors être protégée superficiellement soit par une couche de gravillon, soit par un dallage, ou bien encore par un carrelage exécuté sur une couche isolante de sable ou des feuilles de papier kraft.

COUVEUSE → INCUBATEUR [*Pédiatr.*].

COUVOIR → INCUBATEUR [*Zootechn.*].

COUVROT (51300 Vitry le François), comm. de la Marne, à 6 km au N.-O. de Vitry-le-François; 840 hab. Cimenterie.

COVALENCE. — C'est la liaison de deux atomes dans une molécule, qui se fait par mise en commun d'électrons provenant de chacun des deux atomes. Dans la molécule, les deux atomes jouent donc le même rôle; la liaison est dite *homopolaire.*

Covent Garden, théâtre de Londres, ouvert en 1732. Il est le siège du Royal Opera depuis 1858 et abrite le Sadler's Wells Ballet (devenu le Royal Ballet en 1956) depuis 1946.

COVENTRY, v. de Grande-Bretagne (Angleterre), à l'E. de Birmingham; 335 000 hab. Industrie automobile. — Objectif d'un puissant raid des bombardiers allemands pendant la bataille d'Angleterre (nov. 1940). Ruines de l'ancienne cathédrale (XIVe s.) et nouvelle cathédrale (1955-1960).

COVILHÃ (Pêro DA), voyageur portugais (Covilhã - † en Éthiopie v. 1545). Ambassadeur du roi Jean II de Portugal auprès du Prêtre-Jean, il gagna l'Inde puis l'Éthiopie, où il vécut auprès du négus.

COWES, port d'Angleterre, sur la côte nord de l'île de Wight; 17 000 hab. Régates internationales.

COWLEY (Abraham), poète anglais (Londres 1618 - Chertsey 1667). Secrétaire de la reine Henriette, qu'il suivit en exil en France, il est l'auteur de poèmes anacréontiques, d'odes à la manière de Pindare et d'essais (*Essai sur moi-même,* 1656).

COWPER (William), poète anglais (Great Berkhamsted, Hertfordshire, 1731 - East Dereham, Norfolk, 1800), auteur d'un poème descriptif et moralisateur sur les charmes de la campagne et du foyer (*la Tâche,* 1784).

COXALGIE → HANCHE.

COXARTHROSE → HANCHE.

COXCIE ou **COXIE** (Michiel), peintre flamand (Malines 1499 - *id.* 1592). Élève de Van Orley, influencé à Rome par Raphaël, il fut le peintre en titre de Charles Quint, exécuta des compositions religieuses, des portraits, des cartons de tapisseries et de vitraux.

COYNE (André), ingénieur français (Paris 1891 - Neuilly-sur-Seine 1960). Il apporta de nombreux perfectionnements à la technique des barrages-voûtes, imagina le déversoir en « saut de ski » et inventa les témoins sonores pour la détermination des contraintes à l'intérieur des constructions.

COYPEL, famille de peintres français officiels, nés et morts à Paris, comprenant : NOËL (1628-1707), qui évolua d'un classicisme strict vers plus de liberté (décors pour Versailles); ANTOINE (1661-1722), son fils, qui préfigura le goût rococo dans ses décors du Palais-Royal (détruits) et son plafond de la chapelle de Versailles (1708); NOËL NICOLAS (1690-1734), frère du précédent, précurseur de Boucher dans ses sujets mythologiques; CHARLES ANTOINE (1694-1752), fils d'Antoine, célèbre pour ses cartons de la tenture de *Don Quichotte* (Gobelins, 1716-1726) et également écrivain.

COYSEVOX (Antoine), sculpteur français (Lyon 1640 - Paris 1720). Il travailla pour Versailles (salon de la Guerre), puis pour Marly (*Chevaux* de l'abreuvoir, auj. place de la Concorde à Paris), exécuta statues décoratives et tombeaux (Mazarin, 1693, Institut de France), donna de nombreux bustes et fut le portraitiste par excellence de Louis XIV. Par-delà l'art baroque de Pujet et le classicisme de Girardon, il annonce la sculpture du XVIIIe s.

COZES (17120), ch.-l. de cant. de la Charente-Maritime, à 17 km au S.-E. de Royan; 1 711 hab. Église romane.

CRABBE (George), poète anglais (Aldeburgh, Suffolk, 1754 - Trowbridge 1832). Fidèle au classicisme de Pope, il décrit avec réalisme la vie des paysans et des pêcheurs (*le Village,* 1783; *le Bourg,* 1810).

CRABE. — Les quelque 2 000 espèces de crabe connues ne constituent qu'un sous-ordre de crustacés décapodes, les *bra-*

chyoures, ainsi nommés, à cause de l'extrême réduction de l'abdomen, qui est ordinairement replié sous un vaste céphalothorax. Les crabes sont surtout des marcheurs aquatiques rapides, munis de quatre paires de pattes locomotrices et d'une paire de fortes pinces, qu'ils utilisent presque comme des mains. Leurs yeux, mobiles au bout d'un pédoncule, leur permettent une vision panoramique. Certaines espèces au thorax plus large que long marchent de côté, d'autres (« araignées de mer ») vers l'avant. Mais il y a des crabes nageurs (dernière paire de pattes aplatie en rames), des crabes fouisseurs et guetteurs, des crabes mimétiques ou revêtus d'algues, des crabes maniant une arme (actinie venimeuse) à bout de bras, des crabes commensaux (pinnothère de la moule). Le système respiratoire (branchies profondément enfouies) fonctionne aussi bien hors de l'eau que dans l'eau, et l'on connaît des crabes terrestres dont la ponte seule a lieu dans l'eau. La mangrove héberge des crabes très dissymétriques *(Uca).* Les dimensions des crabes vont de 1 cm (pinnothère) à un bras de 2,50 m (*Macrocheira* du Japon). Tous sont carnivores, et la plupart très batailleurs.

Crac *(baron de),* type du hâbleur qui ne recule jamais devant l'invraisemblance des aventures qu'il s'attribue. Ce personnage a été créé par Collin d'Harleville à l'imitation du *baron von Münchhausen.*

CRACOVIE, en polon. **Kraków,** v. du sud de la Pologne, sur la haute Vistule; 668 000 hab. Centre religieux (archevêché), culturel (université), touristique, Cracovie est aussi, avec le complexe sidérurgique de Nowa Huta, dans sa banlieue, une importante ville industrielle.

HISTOIRE. Sa situation géographique favorable fait de Cracovie un centre commercial florissant dès le Xe s. Premier centre catholique de la Pologne, la ville est le siège d'un évêché à partir du XIe s. et la capitale de la Pologne du XIVe au XVIe s. Avec la création, en 1364, d'une université bientôt célèbre, elle devient un foyer intellectuel important. Érigée en république semi-autonome au traité de Vienne, en 1815, Cracovie est annexée par l'Autriche en 1846 et redevient polonaise en 1918.

BEAUX-ARTS. Vaste place (Rynek Główny) entourée d'édifices historiques : église Notre-Dame, haute construction en brique du XIVe s. (retable de W. Stwosz*), halles et beffroi. Bâtiments anciens (XVe s.) de l'université. Wawel, château des rois, transformé en palais à l'italienne à partir de 1507 (riches décors), jouxtant la cathédrale, gothique pour l'essentiel (chapelle Sigismond, mausolée royal du XVIe s.). Églises nombreuses, palais, musées.

CRAIE → CALCAIRE.

CRAIG (Edward Gordon), acteur, metteur en scène et écrivain britannique (Londres 1872 - Vence 1966). Par ses mises en scène et son enseignement à l'école de théâtre qu'il créa à Florence, il s'efforça d'illustrer sa théorie du spectacle total, plaçant texte, décors, éclairages, musique et direction des acteurs sous la responsabilité d'un seul artiste (*l'Art du théâtre,* 1911).

CRAIOVA, v. de la Roumanie méridionale, près du Jiu; 183 000 hab. Industries chimiques. Matériel ferroviaire.

CRAMER (Gabriel), mathématicien suisse (Genève 1704 - Bagnols-sur-Cèze 1752). Connu par son *Introduction à l'analyse des courbes algébriques* (1750), l'un des premiers traités de géométrie analytique, il a laissé son nom aux systèmes d'équations affines, dits *systèmes de Cramer.*

CRAMPE. — Les crampes musculaires peuvent survenir au repos ou lors de l'exercice musculaire. Elles se rencontrent au cours des polynévrites et des artérites, dans les conditions de fatigue musculaire intense. Les myorésolutifs et, dans une certaine mesure, la quinine permettent de les atténuer.

CRAMPTON (Thomas Russell), ingénieur britannique (Broadstairs 1816 - Londres 1888). Il imagina un type de locomotive de vitesse à grandes roues et travailla au premier câble sous-marin Calais-Douvres.

CRANACH (Lucas), dit **l'Ancien,** peintre et graveur allemand (Kronach, près de Bamberg, 1472 - Weimar 1553). Il fut appelé en 1504 à la cour de l'Électeur de Saxe, à Wittenberg, où il fonda un atelier fécond et devint le grand portraitiste de la Réforme. On lui doit aussi des tableaux religieux et de nombreux nus à prétexte mythologique ou historique : Nymphes, Vénus, Dianes, Lucrèces, dont un graphisme maniéré et un coloris précieux définissent le type particulier, d'un charme subtil et érotique. — Après sa mort, son fils LUCAS **le Jeune** (Wittenberg 1515 - Weimar 1586) dirigea sans démériter l'atelier familial.

CRANE (Stephen), écrivain américain (Newark, New Jersey, 1871 - Badenweiler 1900). L'un des créateurs de la nouvelle *(short story)* contemporaine, il unit dans ses romans une angoisse romantique à la description réaliste (*Maggie, fille des rues,* 1893 ; *la Conquête du courage,* 1895).

CRÂNE

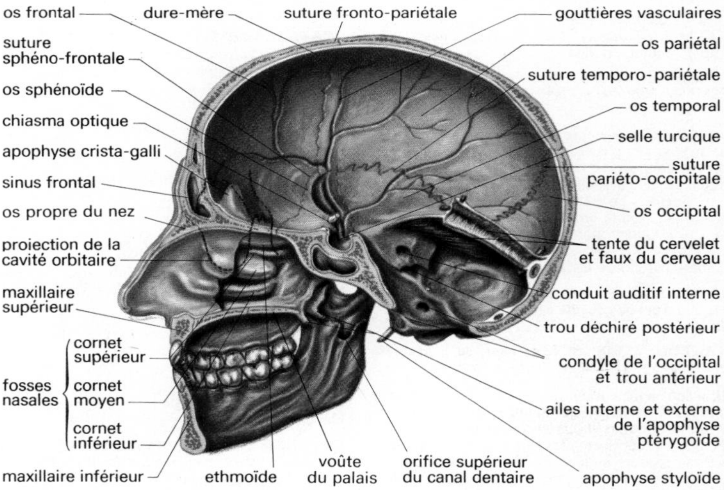

crâne osseux (coupe médiane antéro postérieure)

CRANE (Hart), poète américain (Garettsville, Ohio, 1899 - mer des Caraïbes 1932). Influencé par le transcendantalisme d'Emerson, les théories dionysiaques de Nietzsche et le panthéisme de Tagore, reconnaissant pour maîtres Blake, Rimbaud et Whitman, il tenta de réconcilier la poésie et la civilisation industrielle américaine (*Blanches Constructions,* 1926; *le Pont*,* 1930; *la Tour brisée,* 1932).

CRÂNE. — Les os du crâne forment la boîte crânienne, dans laquelle est contenu l'encéphale. Quatre os impairs et médians participent à la constitution du crâne : le frontal en avant; le sphénoïde et l'ethmoïde qui séparent la boîte crânienne des cavités de la face; l'occipital en arrière. Deux os pairs et symétriques sont disposés latéralement : les os pariétaux et temporaux. Tous ces os sont unis entre eux par des sutures. Le bregma est constitué par le point de jonction des sutures sagittale (entre les pariétaux) et fronto-pariétale. À la naissance, ces sutures ne sont pas fermées et laissent entre elles des espaces importants : les fontanelles. Alors que la convexité du crâne est lisse, sa base a un relief irrégulier et est creusée de nombreux trous qui livrent passage aux nerfs crâniens, à la moelle épinière, aux artères et aux veines irriguant le cerveau.

Les *fractures du crâne* sont de gravité variable selon qu'elles touchent la voûte du crâne ou la base. Dans ce dernier cas, les complications résultent de la compression ou de la section des nerfs crâniens et/ou des vaisseaux.

Des *traumatismes crâniens* sans fracture peuvent entraîner des hémorragies intracrâniennes qui compriment le cerveau et nécessitent une intervention chirurgicale urgente.

Toutes les lésions traumatiques du crâne peuvent avoir des séquelles neurologiques, qui se manifestent surtout sous forme de crises d'épilepsie.

CRAN-GEVRIER (74000 Annecy), comm. de la Haute-Savoie, dans la banlieue ouest d'Annecy; 12 662 hab. *(Gévriens).*

CRANKO (John), danseur et chorégraphe sud-africain (Rustenburg, Transvaal, 1927 - en vol, près de Dublin, 1973). Brillant chorégraphe *(Harlequin in April, The Prince of the Pagodas, Antigone, Roméo et Juliette, Eugène Onéguine, la Mégère apprivoisée),* il a, après avoir collaboré entre autres avec le Sadler's Wells Ballet — auj. le Royal Ballet —, dirigé le ballet de l'Opéra de Stuttgart (1961-1973), l'imposant au niveau international.

CRANMER (Thomas), théologien anglican et archevêque de Canterbury (Aslacton, Nottinghamshire, 1489 - Oxford 1556). Il joua un rôle prépondérant dans l'établissement de la Réforme* en Angleterre; il fut mis à mort durant la Contre-Réforme catholique, sous le règne de Marie Ire* Tudor.

CRANSAC (12110 Aubin), comm. de l'Aveyron, à 3 km à l'E. d'Aubin; 2 930 hab. Ses vapeurs sulfureuses sont utilisées pour le traitement des affections rhumatismales.

CRANS-SUR-SIERRE, station de sports d'hiver (alt. 1500-3 000 m) de Suisse, dans le Valais, au N.-E. de Sion, près de *Sierre.*

CRAON (53400), ch.-l. de cant. de la Mayenne, à 19 km à l'O. de Château-Gontier; 4 763 hab. *(Craonnais).* Élégant château des XVIIIe et XIXe s. Race de porc renommée, dite *craonnaise.*

CRAONNE (02160 Beaurieux), ch.-l. de cant. de l'Aisne, à 23 km au S.-E. de Laon; 96 hab. Victoire de Napoléon, en mars 1814. Combats en 1917 et 1918.

CRAPAUD. — Il est aisé de distinguer le crapaud de la grenouille : la peau est verruqueuse et grisâtre, les formes lourdes, le saut court (chez l'adulte), les pattes courtes, les yeux superbement dorés. De mœurs beaucoup moins aquatiques que la grenouille, le crapaud chemine dans les lieux humides en été et s'enfouit dans la vase en hiver. Sa peau sécrète un venin, mais il n'y a aucun organe d'inoculation; le crapaud est donc inoffensif et il se rend utile en dévorant des limaces. Diverses espèces de crapauds sont incubatrices ou usent des soins parentaux les plus attentifs.

CRAPONNE (Adam DE), ingénieur français (Salon 1527 - Nantes 1576). Il construisit le canal qui irrigue une partie de la Crau à partir de la Durance (1558).

CRAPONNE-SUR-ARZON (43500), ch.-l. de cant. de la Haute-Loire, à 39 km au N. du Puy; 3 298 hab. Église du XVIe s.

CRAQUAGE. — Procédé indispensable à l'obtention de l'indice d'octane* des carburants*, le craquage modifie, par la même occasion, la proportion de produits légers et lourds présents dans le pétrole* brut naturel, au détriment des résidus. En effet, les hydrocarbures saturés, à ossature moléculaire de longues chaînes* droites d'atomes de carbone*, sont brisés pour donner des molécules non saturées plus courtes (oléfines*), qui, à leur tour, se polymérisent, se cyclisent ou se recombinent entre elles sous forme d'isoparaffines ou d'aromatiques*.

• En l'absence de catalyseur, le *craquage thermique* utilise l'effet simultané de la température (450 °C) et de la pression (20 bar) pour fluidifier certains résidus par réduction de viscosité ou pour fabriquer du coke de pétrole.

• Mais c'est surtout le *craquage catalytique* du gas-oil* et le reformage* des essences*, qui en est une adaptation particulière, qui contribuent au schéma fondamental du raffinage*. La présence du catalyseur, composé d'oxydes métalliques granuleux, zéolites* ou autres aluminosilicates, stimule les réactions de craquage du gas-oil et évite l'emploi de la pression, à condition de le régénérer en continu par un brûlage contrôlé de la pellicule de carbone qui a tendance à s'y déposer.

• Dans le procédé d'*hydrocraquage,* plus récent, cette régénération permanente n'est plus nécessaire grâce à l'action de l'hydrogène* d'appoint fourni à la réaction : en opérant à des pressions élevées (200 bar), ce craquage transforme les sous-produits lourds du raffinage en un pétrole synthétique désulfuré, aux multiples emplois.

L'intérêt économique du craquage, malgré son coût d'investissement et d'exploitation élevé, est de fabriquer des produits nobles (carburants, lubrifiants*) ou pétrochimiques à partir de matières de faible valeur.

CRASHAW (Richard), poète anglais (Londres v. 1613 - Loreto, Italie, 1649). Bien qu'influencé par le marinisme et les mystiques espagnols, il est un des meilleurs représentants de l'école métaphysique anglaise (*les Marches du Temple,* 1640).

CRASSULACÉES. — Ce sont les « plantes grasses » des milieux alpins et rocailleux : joubarbe, sédum. De petite taille, promptes à se multiplier par stolons, elles se reconnaissent à l'aspect charnu de leurs feuilles et à leurs fleurs aux nombreux pétales, dont la structure les apparente aux rosacées.

CRASSUS (Licinius) → LICINIUS CRASSUS.

CRATÈRE → VOLCAN.

CRATINOS, poète comique athénien (Ve s. av. J.-C.), un des créateurs de la comédie ancienne, célèbre pour sa violence satirique (*la Bouteille,* 423).

CRAU (la), région de l'ouest de la Provence (Bouches-du-Rhône), entre le bras principal du delta du Rhône et les Alpilles. Ancien delta de la Durance, autrefois aride et caillouteux, la Crau, amendée, irriguée, porte des cultures légumières, fruitières, fourragères, quelques rizières.

CRAU (La) [83260], ch.-l. de cant. du Var, à 7 km au N.-O. d'Hyères ; 6 156 hab. *(Craurois).*

CRAWL → NATATION.

CRAWLEY, v. d'Angleterre, au S. de Londres; 60 000 hab. Électronique. Chimie.

CREANGĂ (Ion), écrivain roumain (Humuleşti, Moldavie, 1837 - Iaşi 1889), membre du groupe *Junimea* (« Jeunesse ») et auteur de *Souvenirs d'enfance* (1881).

Schéma de CRAQUAGE catalytique.

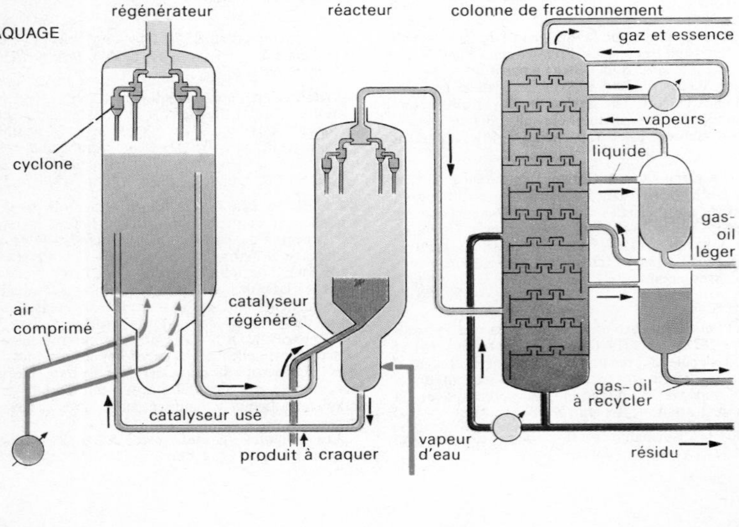

CRÉATINE. — La créatine joue un rôle important dans la contraction musculaire (v. MUSCLE). Les dosages de la créatine et de son produit de catabolisme, la *créatinine,* sont utilisés pour apprécier le fonctionnement rénal et dans le diagnostic des myopathies.

Création *(la),* oratorio en langue allemande de Haydn (1798), d'après un poème de Lidley tiré du *Paradis perdu* de Milton. Cette œuvre, en partie descriptive et d'une grandeur épique, fit bénéficier le style vocal de son génie de symphoniste et donna à l'oratorio allemand ses lettres de noblesse.

CRÉATION (mythes de la). — Les mythes cosmogoniques peuvent être classés selon quatre types :
— ceux qui décrivent la création du monde par la pensée, la parole ou l'échauffement d'un dieu ;
— ceux pour qui la création résulte du plongeon d'un dieu, d'un animal ou d'un être mythique dans un océan primordial ;
— ceux qui présentent la création comme l'aboutissement de la division d'une matière primordiale, qui peut être le couple ciel-terre, le chaos, un œuf ;
— ceux pour qui la création provient du démembrement d'un géant anthropomorphe ou d'un monstre aquatique. Ce démembrement résulte soit de l'immolation d'un être primordial anthropomorphe, soit du combat victorieux d'un dieu contre un monstre.

CRÉATIVITÉ *(Ling.).* — Concept fondamental de la grammaire générative*, la créativité est l'aptitude du sujet parlant à produire et à comprendre un nombre infini de phrases. C'est, selon N. Chomsky*, le fait essentiel dont la théorie linguistique doit se préoccuper et auquel les méthodes distributionnelles sont inaptes à donner une réponse.

CRÉATIVITÉ *(Psychol.).* — Cette capacité d'invention se distingue de l'intelligence, au sens classique du terme. La créativité se décompose en un certain nombre de modalités, dont les plus importantes sont l'originalité, la fluidité et la flexibilité, et de traits de personnalité, qui varient suivant les domaines où elle s'exerce (arts ou sciences). Le système éducatif actuel est souvent accusé de pénaliser l'originalité et de réprimer la créativité. Du point de vue expérimental, la créativité est explorée par des tâches exigeant l'invention d'une solution. Les psychosociologues ont mis en évidence une créativité de groupe qu'ils étudient à l'aide de petits problèmes pratiques dont la solution nécessite une collaboration entre tous les membres du groupe. Ces situations permettent de différencier parmi les membres du groupe un créateur d'un organisateur.

CRÉBILLON (Prosper JOLYOT, sieur de CRAIS-BILLON, dit), poète dramatique français (Dijon 1674 - Paris 1762). Il multiplia dans ses tragédies, que ses admirateurs opposèrent aux pièces de Voltaire, les effets pathétiques et les coups de théâtre (*Rhadamiste et Zénobie,* 1711 ; *Catilina,* 1748). — Son fils, CLAUDE (Paris 1707 - *id.* 1777), est l'auteur de romans de mœurs (*les Égarements du cœur et de l'esprit,* 1736) et de contes licencieux (*le Sopha,* 1742).

CRÉCHY (03150 Varennes sur Allier), comm. de l'Allier, sur l'Allier, à 20 km au N. de Vichy ; 331 hab. Cimenterie.

CRÉCY-EN-PONTHIEU (80150), ch.-l. de cant. de la Somme, à 18,5 km au N. d'Abbeville ; 1 595 hab. Église des XVe et XVIe s. — Le 26 août 1346 eut lieu à Crécy le premier revers français de la guerre de Cent Ans. Les archers anglais écrasèrent la chevalerie de Philippe VI, qui s'enfuit avec les débris de son armée, laissant à Édouard III la route libre vers Calais.

CRÉCY-LA-CHAPELLE (77580), ch.-l. de cant. de Seine-et-Marne, sur le Grand Morin, à 14 km au N.-O. de Coulommiers ; 2 193 hab.

CRÉCY-SUR-SERRE (02270), ch.-l. de cant. de l'Aisne, à 14 km au N. de Laon ; 1 594 hab.

CRÉDIT. — L'évolution du crédit en France, au cours des années 1945-1975, se caractérise par un certain nombre de traits :
— la *concentration,* marquée par la disparition de nombreuses banques locales, par des fusions d'établissements et par la croissance considérable de la taille des établissements de crédit ;
— le *passage de la banque spécialisée à la banque « à tout faire »,* rendant la quasi-totalité des services que peut assurer un établissement de crédit (depuis 1966, la distinction est pratiquement supprimée entre « banques de dépôts » et « banques d'affaires ») ;
— une plus grande hardiesse, caractérisée par l'acceptation des risques dus à la *transformation de ressources à court terme (dépôts)* en *emplois à long terme (prêts);*
— une *multitude d'inventions,* effectuées par les banquiers, visant à personnaliser les formes du crédit (crédit personnel, leasing, etc.).

CRÉDIT-BAIL → LEASING.

CREEP. — Le creep (ou *creeping*), forme de glissement du sol, affecte les matériaux meubles, soumis à l'action de la pesanteur. Il est dû au travail des racines, des animaux fouisseurs, ou aux variations de volume résultant des alternances de température.

CREIL (60100), ch.-l. de cant. de l'Oise, sur l'Oise; 34 236 hab. *(Creillois).* Centrale thermique. Métallurgie. Industrie chimique.

CRÉMAZIE (Octave), écrivain canadien d'expression française (Québec 1827 - Le Havre 1879), auteur de poèmes d'inspiration patriotique (*le Drapeau de Carillon,* 1858) et religieuse.

CRÈME → BEURRE.

CRÉMIEU (38460), ch.-l. de cant. de l'Isère, à 35 km à l'E. de Lyon; 2 488 hab. Restes de fortifications. Halle du XVe s. Hôtel de ville dans un ancien prieuré. *L'île Crémieu,* ou *plateau de Crémieu,* est un petit massif isolé dans un coude du Rhône.

CRÉMIEUX (Adolphe), homme politique français (Nîmes 1796 - Paris 1880). Avocat à la Cour de cassation (1830), il est député centre gauche de 1842 à 1851. Ministre de la Justice en 1848, il combat le coup d'État de 1851 et est incarcéré. Député de Paris en 1869, il siège à l'extrême gauche et devient ministre de la Justice dans le gouvernement de la Défense* nationale en septembre 1870. Il obtient alors que la nationalité française et le droit de vote soient accordés aux juifs d'Algérie (décrets Crémieux, 24 oct. 1870).

CREMONA (Luigi), mathématicien italien (Pavie 1830 - Rome 1903). Il jeta les bases de la géométrie algébrique en édifiant la théorie générale des transformations algébriques birationnelles, dites *crémoniennes* (1863), et créa le calcul graphique.

CRÉMONE, en ital. **Cremona,** v. d'Italie, en Lombardie, ch.-l. de prov., près du Pô; 82 000 hab. Belle piazza del Comune, avec cathédrale reconstruite depuis l'époque romane (cycles de fresques du début du XVIe s.), haut campanile (dit *Torrazzo,* fin XIIIe s.) et baptistère. Églises. Palais à décors de terre cuite. Musées.

HISTOIRE. Colonie latine, érigée en commune au XIIe s., Crémone fut réunie au duché de Milan et suivit dès lors le sort du Milanais*, devenu définitivement italien en 1859. La ville était célèbre par ses luthiers, dont Stradivarius*.

CRÉNOTHÉRAPIE → THERMALISME.

CRÉOLE. — Comme les sabirs et les pidgins, les créoles sont des parlers nés d'un contact de langues; ils ont ceci d'original qu'ils sont devenus des langues maternelles et ont même pu donner naissance, comme à Haïti, à une expression littéraire. Il existe des créoles à base française (Haïti, Antilles, Louisiane, Réunion, etc.), anglaise (Jamaïque, Guyane, etc.), portugaise (Casamance, Curaçao), espagnole, néerlandaise. Dans tous les cas, le vocabulaire provient en quasi-totalité de la langue base, mais il a subi de profondes transformations phonétiques.

CRÉON (33670), ch.-l. de cant. de la Gironde, à 24 km au S.-E. de Bordeaux; 1 842 hab. Aux env., ruines de l'abbaye de La Sauve.

CRÉON, nom donné à deux personnages légendaires de l'Antiquité grecque. L'un est roi de Corinthe : sa fille Créüse, donnée en mariage à Jason*, meurt victime de la jalousie de Médée*. L'autre est roi de Thèbes dans le mythe d'Œdipe*. Frère de Jocaste, il gouverne Thèbes après la mort de Laïos; mais il doit laisser à Œdipe son trône, qu'il retrouvera lorsque Étéocle* et Polynice* se seront entre-tués; il sera tué par Thésée. Sophocle* le présente comme un être violent et orgueilleux.

Crépuscule des dieux *(le)* → TÉTRALOGIE.

CRÉPY-EN-VALOIS (60800), ch-l. de cant. de l'Oise, à 23 km à l'E. de Senlis; 10 920 hab. *(Crépynois).* Ville ancienne et pittoresque. Métallurgie.

CRÉSILAS, sculpteur crétois du Ve s. av. J.-C. Venu à Athènes, il y côtoie Phidias* et Polyclète*. Son portrait de Périclès (copie romaine) témoigne de son habileté et de sa maîtrise technique, mais aussi du souci d'idéalisme de l'époque classique.

CRÉSOL. — Les trois crésols, ortho, méta et para $CH_3—C_6H_4—OH$, sont contenus dans les goudrons de bois et de houille, d'où on les retire en épuisant à la soude les huiles moyennes. Ils sont peu solubles dans l'eau, ont une odeur rappelant celle du phénol et possèdent, comme ce dernier, des propriétés antiseptiques. Leur mélange avec des savons forme la *crésoline* et le *lysol.* Le dérivé trinitré du métacrésol est la *crésylite,* explosif brisant.

CRESPIN (59154), comm. du Nord, à 15 km au N.-E. de Valenciennes; 5 328 hab. Métallurgie.

CRESSENT (Charles), ébéniste français (Amiens 1685 - Paris 1768), le plus renommé de son temps. D'abord sculpteur, il exécuta pour la famille d'Orléans et les amateurs parisiens de précieux meubles ornés de marqueterie et de bronzes, d'un style rocaille retenu.

CRESSIER, comm. de Suisse (cant. de Neufchâtel); 1 530 hab. Raffinerie de pétrole.

CRESSON. — On mange crues, pour accompagner les viandes, les feuilles de cette crucifère, que l'on cultive dans les bassins à eau courante installés sur le parcours des ruisseaux, les *cressonnières.*

Riche en vitamines et de saveur agréable, le cresson peut, en revanche, héberger la larve de la douve du foie.

CREST (26400), ch.-l. de cant. de la Drôme, à 28 km au S.-E. de Valence, sur la Drôme; 7 992 hab. *(Crestois).* Donjon du XIIe s.

CREST-VOLAND (73590 Flumet), comm. de la Savoie, à 16 km au S.-O. de Megève; 282 hab. Sports d'hiver (alt. 1 230-1 950 m).

CRÉSUS, dernier roi de Lydie* (de 560 à 546 env. av. J.-C.). Il impose son protectorat aux cités grecques de l'Asie Mineure et se pose, par sa politique d'hellénisation, comme le souverain de tous les Grecs d'Asie; ses munificences, qui lui valent l'amitié admirative des Grecs, sont favorisées par les richesses de son royaume, ses mines d'or et là convergence vers les ports égéens, qu'il contrôle, des routes commerciales. Crésus forme contre Cyrus II* le Grand une coalition comprenant Babylone, l'Égypte et Sparte, mais il est battu en 547 ou en 546, et son royaume passe sous la domination perse. Crésus paraît avoir été le premier souverain à battre monnaie d'or et d'argent.

CRÊT → JURASSIEN *(relief).*

CRÉTACÉ → SECONDAIRE *(ère).*

CRÈTE, île grecque de la Méditerranée orientale, au S.-E. du Péloponnèse; 8 336 km^2; 457 000 hab. *(Crétois).*

GÉOGRAPHIE. D'une superficie presque égale à celle de la Corse, la Crète possède un relief en majeure partie montagneux (chaînes calcaires ouvertes par des bassins intérieurs et bordées de plaines littorales discontinues) et une économie presque exclusivement agricole, de type méditerranéen (blé, vigne, olivier, élevage ovin), comme le climat (chaud et sec en été); ce dernier favorise le tourisme, lié aussi à l'histoire. La densité d'occupation est encore élevée, mais le relatif essor des villes littorales (Hêraklion, La Canée) ne suffit pas à absorber la totalité de l'exode rural, dirigé aussi vers Athènes et l'Europe occidentale.

HISTOIRE. Peuplée dès le VIIe millénaire par des immigrants anatoliens qui s'installent à l'est, la Crète inaugure au début du IIIe millénaire la période la plus brillante de son histoire. Le peuplement se déplace vers le centre, des palais surgissent, des villes naissent : Cnossos*, Mália, Phaistos, témoins de la riche civilisation dite « minoenne* » (de Minos*, nom ou titre de légendaires souverains crétois); le commerce et l'industrie se développent. Les destructions du XVIIe s. av. J.-C. (séismes?) n'arrêtent pas l'essor de la puissance crétoise. Le déclin commencera au XVe s. av. J.-C. avec l'arrivée des Achéens*, sera accéléré par de nouvelles catastrophes (v. 1400 av. J.-C.) et consommé à la fin du IIe millénaire avec les invasions des Doriens*.

Du VIIe au IVe s. av. J.-C., la Crète, partagée entre une foule de cités sans cesse en conflit, ne joue aucun rôle dans la marche du monde grec; elle ne reprend un peu d'importance qu'à l'époque hellénistique (VIe-Ier s. av. J.-C.) comme base ou escale pour les navires de guerre et de commerce. La période romaine (Ier s. av. J.-C.-IVe s. apr. J.-C.) sera une ère de prospérité tranquille. Au partage de l'Empire en 395, la Crète devient un avant-poste byzantin; et sauf l'intermède arabe (825/26-960/61), elle restera byzantine jusqu'à la quatrième croisade. Successivement vénitienne et turque, elle revient finalement en 1913 à la Grèce*.

CRÊTE-DE-COQ → VERRUE.

CRÉTEIL (94000), ch.-l. du Val-de-Marne, sur la Marne, à 7 km au S.-E. de Paris; 59 248 hab. *(Cristoliens).* Constructions mécaniques. Industrie alimentaire.

CRÉTINISME. — Idiotie associée à un nanisme avec infantilisme, le crétinisme est provoqué par une insuffisance thyroïdienne, qui se manifeste dans la première enfance. Cette insuffisance endocrinienne peut être due à une agénésie (absence de formation) ou à une aplasie (absence de développement) de la glande thyroïde, entraînant un myxœdème congénital, ou à une insuffisance d'apport iodé dans l'alimentation (cas de certaines régions montagneuses). Le traitement par l'hormone thyroïdienne dès les premiers mois de la vie — si le diagnostic est fait assez tôt — permet un développement psychique normal.

CREULLY (14480), ch.-l. de cant. du Calvados, à 13 km à l'E. de Bayeux; 692 hab. Église du XIIe s. Château des XIIe-XVIe s.

CREUS *(cap),* cap du nord-est de l'Espagne, en Catalogne.

CREUSE (la), riv. du nord-ouest du Limousin et du Berry, affl. de la Vienne (r. dr.); 255 km.

CREUSE (23), départ. de la Région Limousin; 5 559 km^2; 146 214 hab. *(Creusois).* Ch.-l. *Guéret.* S.-préf. *Aubusson.*

Dans le nord-ouest du Massif central, le département est formé d'une série de plateaux cristallins s'abaissant vers le N. Au S., dans le Limousin, l'altitude dépasse 800 m; elle demeure au-dessus de 500 m dans le centre (plateaux de la Marche et de la Combrailles), ne descendant qu'exceptionnellement au-dessous de 300 m aux confins du Berry, notamment dans la vallée de la Creuse. Le climat est humide et rude pendant l'hiver, fréquemment enneigé, surtout sur les hauteurs.

Les conditions naturelles contribuent à expliquer la faiblesse du peuplement et le déclin démographique du département. La densité moyenne d'occupation est inférieure à 30 habitants au kilomètre carré, guère supérieure au quart de la moyenne nationale. La population a diminué d'une manière continue, de près de moitié depuis le début du siècle, et ce déclin s'est même accéléré récemment. Cette évolution tient aussi à la faiblesse de l'urbanisation (seule la préfecture dépasse 10 000 habitants), de l'industrialisation (le cinquième seulement de la population active, soit la moitié de la moyenne nationale) et du secteur tertiaire (moins du tiers des actifs). En contrepartie l'agriculture occupe une place prépondérante (près de la moitié des actifs) : l'élevage (bovins, ovins et porcins) domine dans le centre; le sud est souvent le domaine de la lande, alors que cultures céréalières et fourragères apparaissent dans le nord. L'ampleur exceptionnelle du secteur primaire laisse prévoir une poursuite de l'exode rural et du déclin démographique du département, lié aussi au vieillissement de la population.

CREUSOT (Le) [71200], ch.-l. de cant. de Saône-et-Loire; 33 480 hab. *(Creusotins).* « Écomusée » (musée de l'homme et de l'industrie) de la communauté urbaine du Creusot-Monceau-les-Mines. Métallurgie.

CREUTZWALD (57150), comm. de la Moselle, à 15 km au N. de Saint-Avold; 15 689 hab. Constructions électriques et mécaniques.

CREVASSE. — Les crevasses des mains apparaissent sur une peau épaissie et sont favorisées par le froid. Les crevasses du sein (ou fissures, gerçures du mamelon) surviennent souvent au début de l'allaitement : la tétée devient douloureuse, et les crevasses peuvent s'infecter; l'application de pommades et la diminution de la durée des tétées les guérissent et évitent le sevrage; la prévention repose sur une hygiène stricte du sein au cours de l'allaitement.

CREVAUX (Jules), explorateur français (Lorquin 1847-dans le Chaco 1882). Il étudia les bassins de l'Amazone et de l'Orénoque, et fut tué par les Indiens.

CRÈVECŒUR-LE-GRAND (60360), ch.-l. de cant. de l'Oise, à 22 km au N. de Beauvais; 2 981 hab. Château du XVe s.

CREVEL (René), poète français (Paris 1900-*id.* 1935). L'un des plus systématiques représentants du surréalisme : son œuvre et son suicide témoignent à la fois de son déchirement et de sa rigueur (*Détours,* 1924; *la Mort difficile,* 1927; *les Pieds dans le plat,* 1933).

CREVETTE. — Les crustacés décapodes du groupe des crevettes ne diffèrent que peu des langoustes par leur forme, mais leur taille est beaucoup plus petite, et la nage s'effectue aussi bien vers l'avant que vers l'arrière. Certaines espèces (bouquet) ont de très longues antennes; d'autres (hippolyte) ont un remarquable pouvoir de camouflage. Vivant par troupes, ces animaux marins du littoral sont l'objet d'une pêche intensive.

CREWE, v. d'Angleterre, au S.-E. de Liverpool; 53 000 hab. Constructions ferroviaires. Automobile.

CRÉZANCY (02650), comm. de l'Aisne, à 9 km à l'E. de Château-Thierry; 1 159 hab. Constructions mécaniques.

CRIB. — Cette longue cage grillagée est utilisée pour le séchage naturel des épis de maïs.

CRICK (Francis Harry Compton), biologiste britannique (Northampton 1916). Prix Nobel de physiologie et de médecine en 1962 avec J. D. Watson et M. H. F. Wilkins pour ses travaux sur l'acide désoxyribonucléique.

CRICOÏDE → LARYNX.

CRIEL-SUR-MER (76910), comm. de la Seine-Maritime, à 8,5 km au S. du Tréport; 2 108 hab. Station balnéaire à *Criel-Plage.*

CRILLON (Louis BALBIS DE BERTON DE), homme de guerre français (Murs 1543-Avignon 1615). Il mit constamment son épée au service d'Henri III, puis d'Henri IV.

CRIME. — Est qualifié « crime », dans la législation pénale française, l'infraction punie d'une peine* afflictive et infamante, par opposition au *délit,* puni d'une peine correctionnelle, et à la *contravention**, punie d'une peine de « police ».

Les peines applicables aux crimes sont les plus élevées de la hiérarchie des peines : la mort, la réclusion criminelle à perpétuité ou à temps, la détention criminelle à perpétuité ou à temps.

Le jugement des crimes est précédé d'une phase d'information (ou instruction* préparatoire) confiée au juge d'instruction, à la suite de laquelle l'affaire est confiée à la chambre d'accusation (par le procureur général), qui a qualité pour renvoyer l'inculpé devant la cour d'assises (v. JUSTICE). La seule voie de recours à l'encontre des arrêts de la cour d'assises est le *pourvoi en cassation.*

CRIMÉE, en russe **Krym,** presqu'île de l'U. R. S. S. (Ukraine), sur la côte nord de la mer Noire, qu'elle sépare de la mer d'Azov.

Couvrant plus de 25 000 km^2 et peuplée de près de 2 millions d'habitants, c'est une péninsule, montagneuse au S. (1 545 m), dont le climat doux a favorisé l'essor touristique du littoral (Yalta).

HISTOIRE. Les Grecs fondent à partir du VIIe s. av. J.-C. des colonies sur la côte sud de la Crimée, qu'ils appellent *Chersonèse Taurique* et qui est peuplée de Cimmériens. Face à la menace scythe, le royaume du Bosphore* cimmérien, constitué à la fin du Ve s. av. J.-C., se met sous la protection du royaume du Pont (IIe s. av. J.-C.) et passe, à la fin du Ier s. av. J.-C., sous le protectorat romain. Les Goths* occupent la péninsule au milieu du IIIe s. apr. J.-C., bientôt submergés par les Huns*. Les Byzantins contrôlent la côte méridionale avec Chersonèsos, tandis que les plaines du Nord sont occupées par les Khazars (VIIIe s.), puis par les Polovtses (XIe s.). Du XIIIe au XVe s., la Crimée est sous la domination des Mongols de la Horde* d'Or, qui sont assimilés par les Turcs indigènes et adoptent l'islām. Le khānat de Crimée se rend indépendant v. 1430. Sous la suzeraineté des Ottomans de 1475 à 1774, il est annexé par la Russie en 1783. La république autonome socialiste soviétique de Crimée, proclamée en 1921, est intégrée en 1945 à la R. S. F. S. R., et les Tatars* sont déportés en raison de leur attitude durant la Seconde Guerre mondiale. Depuis 1954 la Crimée est rattachée à l'Ukraine.

Crimée *(guerre de),* conflit occasionné par les prétentions du tsar Nicolas Ier sur l'Empire ottoman et qui opposa à la Russie une coalition formée de la France, de l'Angleterre, de la Turquie et du Piémont (1854-55). Les Alliés, aux ordres de lord Raglan et du général de Saint-Arnaud (remplacé par Canrobert, puis par Pélissier), débarquèrent en Crimée. Après avoir bousculé les Russes à l'Alma, ils mirent le siège devant Sébastopol qui résista onze mois et finit par se rendre après la prise de la tour Malakoff par Mac-Mahon. Au cours du siège, les Alliés repoussèrent plusieurs attaques russes, notamment à Balaklava et à Inkerman (1854). La défaite de la Russie fut entérinée par le traité de Paris du 30 mars 1856, qui garantit l'intégrité de l'Empire ottoman.

Crime et châtiment, roman de Dostoïevski (1866). Un étudiant pauvre, Raskolnikov, qui a tué une vieille usurière, finit par avouer son crime à une fille des rues, Sonia, puis à la police. Sonia l'accompagne en Sibérie, où l'amour achève leur régénération.

CRIMINALISTIQUE. — Le terme s'applique à un ensemble de disciplines tendant à découvrir et interpréter les indices permettant d'établir la preuve des crimes*.

La criminalistique recouvre notamment la *médecine légale,* la *police scientifique* (qui est la recherche, l'étude et l'interprétation des traces, et qui, notamment, fait appel à la *dactyloscopie,* à *l'anthropométrie* [mesures de certaines longueurs osseuses], à la balistique, etc.), la *police technique,* science du constat criminel, des modes opératoires délictueux et des méthodes de recherche du coupable et de l'administration des preuves.

CRIMINOLOGIE. — Cette science a pour objet le fait social qu'est le crime*; elle recherche ses causes et envisage les méthodes de traitement des individus qui s'en rendent coupables. Comme elle étudie les facteurs de la criminalité (et de la délinquance), elle fait appel en réalité à un grand nombre de disciplines voisines (biologie criminelle, psychologie criminelle, sociologie criminelle, statistique criminelle, etc.).

CRINOÏDES. — De véritables prairies sous-marines sont constituées de « lys de mer », animaux fixés au fond par des crampons et épanouissant, au bout d'une tige aux articles calcaires, un calice branchu à symétrie pentagonale entourant une bouche. Ces échinodermes, dont les débris ont constitué les « calcaires à entroques » du trias et du jurassique, forment la classe des crinoïdes.

CRIPPS (*sir* Stafford), homme politique et économiste britannique (Londres 1889 - Zurich 1952). Il est élu en 1931 aux Communes, où il représente l'extrême gauche du parti travailliste, et est l'un des fondateurs de la Ligue socialiste (1932-1937). Ambassadeur à Moscou, il négocie en 1941 le pacte anglo-soviétique. Il dirige ensuite le ministère de la Production aéronautique (1942-1945), puis devient ministre du Commerce dans le cabinet Attlee (1945-1947). Ministre des Affaires économiques et chancelier de l'Échiquier (1947-1950), il met en place un programme d'austérité qui permet le redressement de la production et des finances nationales.

CRIQUET. — On confond souvent, sous le nom de « sauterelles », la plupart des insectes orthoptères sauteurs, tels que les éphippigères (sauterelles vertes) et les criquets. Les criquets se distinguent des sauterelles par leurs antennes courtes, leurs tarses composés de trois articles (au lieu de quatre) et leur absence de tarière. Si l'on rencontre dans le midi de la France, sur les buissons, dans un endroit chaud, un criquet au corps brun cendré, pubescent *(Anacridium ægyptium),* ce sont les criquets migrateurs (criquet pèlerin et criquet marocain) qui comptent parmi les plus grands fléaux des cultures.

Il existe pour chaque espèce de criquet une région d'habitat *permanente,* constituée de terres incultes, de hauts plateaux et de déserts; les régions voisines envahies par les larves sont dites *subpermanentes;* enfin, dans des régions *momentanées* (vallées et plaines fertiles, terres cultivées, etc.) se produisent les invasions des insectes parfaits (vols de sauterelles).

Si les procédés les plus divers ont été employés pour lutter contre les criquets (fossés, lance-flammes, chloropicrine, etc.), c'est le son empoisonné, répandu durant les périodes d'accouplement et de ponte sur les lieux occupés par les criquets, qui a donné les meilleurs résultats.

CRIQUETOT-L'ESNEVAL (76280), ch.-l. de cant. de la Seine-Maritime, à 16,5 km au S.-O. de Fécamp, dans le pays de Caux; 1 394 hab. Monuments anciens.

CRIŞ, en hongr. **Körös,** nom de trois rivières nées dans l'ouest de la Roumanie, confluant avant de rejoindre la Tisza (r. g.).

CRISE. — On nomme « crise », au sens strict du terme, le point de renversement de la conjoncture économique, faisant transiter l'économie d'une période de croissance vers une phase de dépression. D'une manière plus large, on entend aussi par « crise » l'ensemble de la période de décroissance de l'économie, caractérisée très particulièrement par une baisse de la production, une baisse de la demande et une situation de chômage marquée.

Les crises apparaissent dans toute leur ampleur dès l'épanouissement de la révolution industrielle, et quelques-unes d'entre elles peuvent être rappelées : 1825, 1836, 1847 (celle-ci causée à l'origine par une crise agricole), 1857, 1866, etc. La crise de 1929 fut la plus profonde, la plus longue et celle qui créa le plus de ravages dans l'économie des pays occidentaux; elle fut suivie d'une très longue période de dépression, ne s'achevant pratiquement qu'en 1937.

À partir de 1974, les États-Unis, l'Europe occidentale et le Japon ont été touchés par une crise économique grave, la première depuis la Seconde Guerre mondiale.

Cris et chuchotements, film suédois d'Ingmar Bergman (1972). Au chevet d'une agonisante, ses deux sœurs et une fidèle servante. Quatre portraits de femmes auxquelles l'obsédante présence de la mort sert de révélateur psychologique. Dans l'atmosphère automnale et le décor feutré d'une vaste demeure familiale, un huis clos qui est une subtile méditation sur les forces de vie, l'amour, l'égoïsme, la résignation, la tendresse apaisante et l'angoisse de l'au-delà. Superbement photographiée par l'opérateur Sven Nykvist, cette œuvre fut reconnue dans le monde entier comme l'une des plus abouties du célèbre réalisateur suédois.

U.G.C.-C.F.D.C.

Liv Ullmann et Ingrid Thulin dans *Cris et chuchotements.*

CRISPI (Francesco), homme politique italien (Ribera, Sicile, 1818 - Naples 1901). Il participe en 1848 à l'insurrection de Palerme et doit s'exiler après la restauration des Bourbons (1849). Rejoignant Mazzini, il fait campagne en faveur de l'unité italienne, prépare l'expédition des Mille, confiée à Garibaldi, et entre dans le gouvernement provisoire sicilien organisé par Garibaldi (1860). Après la proclamation de l'unité italienne, il siège à l'extrême gauche du Parlement italien (1861) puis, se séparant des mazziniens, se rallie à la dynastie de Savoie en 1865 et devient le chef du radicalisme constitutionnel. Il est président de la Chambre (1876), ministre de l'Intérieur (1877-78) et président du Conseil (1887). Admirateur de Bismarck, hostile à la France, il resserre alors les liens avec la Triple-Alliance, signe un accord naval avec la Grande-Bretagne (1887) et engage l'Italie dans la voie de l'expansion coloniale. Le traité d'Ucciali (1889) lui permet de créer la colonie d'Érythrée (1890), puis de prétendre à l'établissement d'un protectorat sur l'Éthiopie, après avoir élargi les possessions italiennes de Somalie. À l'intérieur, Crispi doit faire face au développement de l'opposition socialiste et anarchiste, qu'il réprime durement. Revenu au pouvoir après une brève interruption (1891-1893), il ne parvient pas à défendre les territoires conquis en Éthiopie et doit démissionner après le désastre d'Adoua (1896).

CRISTAL. — Les cristaux se distinguent des solides amorphes non seulement par une forme géométrique régulière, mais aussi par l'anisotropie de leurs propriétés et par l'existence d'éléments de symétrie. Comme l'a montré l'étude de leur structure grâce à la diffraction des rayons X, ils sont formés par l'assemblage de particules disposées régulièrement suivant un motif, lui-même reproduit, en forme et en orientation, dans tout le cristal, qui forme ainsi un réseau tridimensionnel. Ces particules peuvent être des

Atlas-Photo

Complexité de la structure d'un cristal de neige fortement agrandi, contrastant avec l'apparente simplicité de l'élément de base, l'eau.

atomes liés par covalence (diamant, métaux), des molécules (iode, soufre) ou des ions unis par électrovalence (chlorure de sodium Na^+Cl^-).

Il existe certains liquides anisotropes dénommés parfois « cristaux liquides », mais plutôt « corps mésomorphes ».

CRISTAL *(monts de),* massif montagneux de l'Afrique équatoriale, près de l'Atlantique, de part et d'autre de l'embouchure du Congo (Zaïre).

CRISTALLIN. — Lentille optique biconvexe, transparente, placée entre l'iris et l'humeur vitrée, le cristallin est entouré d'une capsule; il est maintenu en place par des fibres qui lui transmettent les contractions du muscle ciliaire et lui font jouer un rôle important dans l'accommodation.

L'élasticité du cristallin diminue avec l'âge, provoquant une impossibilité de voir nets les objets rapprochés : c'est la presbytie, qui nécessite le port de verres convergents.

L'opacification du cristallin, ou cataracte*, est une affection fréquente, favorisée par le diabète.

CRISTALLINES (roches) → ROCHE.

CRISTALLISATION *(Littér.).* — Ce travail d'imagination par lequel l'amant rapporte à la femme aimée ses joies et ses rêveries comme autant de perfections réelles est défini par Stendhal dans son essai *De l'amour*.* Il compare ce processus du sentiment amoureux au rameau d'arbre qui, dans les mines de sel de Salzbourg, se couvre peu à peu de cristaux brillants.

CRISTALLISATION *(Minér.).* — L'obtention de cristaux peut être réalisée par fusion et solidification (soufre, bismuth), par sublimation et condensation (iode, arsenic), par dissolution et évaporation (sel marin), par dissolution à chaud et refroidissement (nitrate de potassium).

CRISTALLOGRAPHIE. — Le milieu cristallin est homogène, mais il est *anisotrope;* certaines de ses propriétés dépendent de la direction suivant laquelle on les observe (cohésion mécanique — d'où existence de *plans de clivage* —, dilatation thermique, conductibilité, vitesse de propagation de la lumière, attaque par un réactif chimique — d'où existence de *figures de corrosion*). Cette anisotropie est discontinue, c'est-à-dire qu'il existe dans un cristal des directions de plans et de droites possédant en exclusive certaines propriétés. Il en résulte que les angles dièdres que font entre elles les faces des cristaux d'une même substance sont constants.

Les cristaux présentent, en outre, des éléments de *symétrie.* Par exemple, un axe de symétrie d'ordre *n* est une direction telle que, après une rotation d'un *n*-ième de tour autour de cette direction, le cristal devienne parallèle à ce qu'il était avant ce déplacement.

La considération des éléments de symétrie permet de distinguer sept *systèmes cristallins,* dont chacun porte le nom d'une forme type. Ce sont le système *cubique* (cube), le système *quadratique* (prisme droit à base carrée), le système *orthorhombique* (prisme droit à base losange), le système *hexagonal* (prisme droit à base hexagone), le système *rhomboédrique* (rhomboèdre), le système *clinorhombique* (prisme oblique à base losange), le système *triclinique* (parallélépipède quelconque). Les diverses formes d'un même cristal peuvent s'obtenir par *troncatures,* soit sur les sommets, soit sur les arêtes de la forme type.

Ces propriétés s'interprètent par la connaissance de la *structure réticulaire* des cristaux (v. CRISTAL).

CRITIAS, homme politique athénien (450-404 av. J.-C.). Disciple de Socrate*, parent de Platon*, qui donne le nom de *Critias* à l'un de ses dialogues; membre du gouvernement des Trente* Tyrans, il se montre violent et sans scrupule; il est tué en 404 (ou 403). Il est l'auteur de tragédies et de traités politiques dont ne restent que quelques fragments.

CRITICISME → KANT.

CRITIQUE. — Le terme de « critique » est ambigu. En effet, quel que soit le domaine auquel il s'applique, il recouvre deux fonctions : 1° une *fonction d'information — le* critique décrit et juge les produits esthétiques récents (livre, pièce de théâtre, tableau, œuvre musicale) afin d'éclairer le choix des lecteurs, des spectateurs ou des auditeurs (cette activité, liée au développement de la presse — écrite, parlée ou télévisée — et au rythme de la mode, répond à l'appétit de curiosité immédiate du public et aux conditions du marché de l'art); 2° une *fonction d'analyse — la* critique (pratique érudite et universitaire) étudie une œuvre dans sa forme, son contenu, son environnement spatial et temporel afin de déterminer les causes de son *apparition* et de saisir les modalités de son *fonctionnement.*

Lorsque la critique se spécialise et devient « littéraire », l'ambiguïté est redoublée. En effet, cette critique est deux fois « littéraire » : d'abord parce que l'objet de son étude est la littérature; ensuite parce que ses moyens et ses manifestations font partie de la littérature.

Enfin, la critique, traditionnellement « discours d'escorte » de la création, prend aujourd'hui le pas, du moins en France et en Europe occidentale, sur toute autre forme d'écriture. On peut en chercher l'explication dans une crise existentielle profonde. Si le langage « imite » les choses, si l'écriture « joue » le monde, la critique interprète le langage tenant le lecteur à distance à la fois du monde et des mots : cette attirance pour le reflet d'un reflet traduit moins un désir de lucidité perpétuellement insatisfait que le besoin de se donner dans le domaine de l'espace la perspective temporelle qui fait défaut à notre génération. Une écriture qui se contemple elle-même, se reprend et se replie trahit une résurgence de l'esthétique baroque du miroir et un attrait mallarméen pour le vertige et le naufrage.

Il n'en a pas toujours été ainsi, et l'activité critique s'est longtemps ordonnée autour de quelques principes unanimement admis : 1° l'*objectivité critique est possible* (l'œuvre, existant en dehors du lecteur, peut être traitée comme un objet de science; le langage de l'œuvre a une signification littérale, déterminable par des moyens lexicographiques; l'œuvre peut avoir des significations symboliques élucidables et transmissibles en un langage universellement compréhensible); 2° il existe une faculté, aiguisée par l'expérience et la culture, de discerner les beautés et les défauts de l'œuvre : le *goût* (fondé sur le *naturel* et la *raison,* il consiste à saisir le « point de perfection » de l'œuvre, à juger de l'adéquation des genres et du langage, à dénoncer les incompatibilités); 3° l'œuvre est une forme privilégiée, qui se détache sur un fond composé d'éléments psychologiques, sociaux, littéraires, etc., et le dénombrement de ces éléments conduit à une connaissance plus intime et *plus vraie* de l'œuvre.

En réalité, cette conception traditionnelle de la critique ne repose pas sur des évidences universelles et intemporelles : elle est simplement l'héritière de deux courants de pensée, classique et positiviste, figés en attitudes mentales.

Lorsqu'elle suppose un lien étroit de l'éthique et de l'esthétique, la critique remonte à la pensée aristotélicienne : la réalité sensible est l'image du monde idéal; l'art imitant la réalité, sous l'aspect formel de la beauté, atteint à une signification spirituelle. À l'art ainsi conçu comme *représentation* correspond une critique qui recherche le sens profond et caché de l'œuvre : critique soucieuse de précision et d'authenticité (les Alexandrins), commentaire jamais achevé qui se prolonge à travers les gloses et la symbolique médiévale, les compilations et les « livres sur les livres » (Montaigne, *Essais*, III, 13) de la Renaissance. L'art est reflet et respect. Ce double principe, imitation de la Nature, imitation des Anciens, forme le critère absolu du classicisme, qui parle de l'œuvre en termes de vérité et d'exactitude. La critique se réfère au modèle et juge : c'est un tribunal.

La seconde partie de l'héritage de la critique traditionnelle provient de deux découvertes du XIXe s. : celle de l'histoire, avec le romantisme, puis celle de la science. L'art et la littérature sont les fonctions naturelles de l'homme, « animal d'espèce supérieure » (Taine); l'étude des influences de la race, du moment, du milieu, la reconstitution minutieuse de la vie de l'écrivain permettent de le classer dans une « famille d'esprits » (Sainte-Beuve). Cette conception de la critique relève en réalité plus de l'histoire naturelle que de la science et, cherchant le secret de l'œuvre en dehors d'elle, manque le plus souvent son but : Balzac est le seul à comprendre Stendhal, et Baudelaire *(l'Art romantique)* est plus perspicace que Sainte-Beuve.

De l'échec de la méthode, l'époque moderne tire deux conclusions contraires : 1° la critique littéraire ne peut être scientifique et doit se contenter de traduire des impressions (J. Lemaitre) ou comprendre la création par un « effort du cœur » (Proust); 2° elle doit emprunter à la science une méthode plus rigoureuse. Cette méthode, elle la demandera à la psychanalyse (Sartre avec son *Baudelaire,* Bachelard et ses « rêveries » sur les éléments, Charles Mauron et sa *psychocritique),* à la sociologie (L. Goldmann, J. Duvignaud) et surtout à la *linguistique,* à travers les recherches des formalistes* russes, du *new criticism* anglo-américain, du structuralisme de R. Jakobson et de Lévi-Strauss et la redécouverte de la rhétorique*. Ces recherches, dont on peut dégager quelques points communs (préférence accordée à l'œuvre au détriment de l'auteur; saisie d'une *totalité* et recherche de l'unité profonde d'une œuvre à travers ses divers niveaux ou manifestations; souci de dégager les structures d'une expérience littéraire), concourent à la constitution d'une future « science de la littérature » qui suppose une culture anthropologique. À l'image de la physique moderne, la critique contemporaine ne peut se contenter d'une causalité linéaire et d'un univers euclidien : à l'œuvre saisie comme une succession de phénomènes fixés et isolables dans un espace littéraire plan, elle substitue la notion d'une création continue et indéterminée

quelques grands jalons sur l'évolution de la critique littéraire

Aristote : *la Poétique* (IVe s. av. J.-C.).
Horace : *Épître aux Pisons* (v. 15 av. J.-C.).
Boileau : *l'Art poétique* (1674).
Abbé Du Bos : *Réflexions critiques sur la poésie et la peinture* (1719).
Sainte-Beuve : *Portraits littéraires* (1832).
Taine : *Essais de critique et d'histoire* (1858).
Proust : *Contre Sainte-Beuve* (1908-1910; publié en 1954).
Gustave Lanson : *la Méthode de l'histoire littéraire* (1911).
Boris Tomachevski : *Théorie de la littérature* (1925).
Leo Spitzer : *Études de style* (1928).
Gaston Bachelard : *la Psychanalyse du feu* (1938).
Georges Poulet : *Études sur le temps humain* (1951).
Lucien Goldmann : *le Dieu caché* (1956).
René Girard : *Mensonge romantique et vérité romanesque* (1961).
Roland Barthes : *Critique et vérité* (1966).
Henri Meschonnic : *Pour la poétique* (1970-1973).

sécrétant une *constellation de significations;* le rapport classique de cause à effet cède la place à la notion de *champ;* la critique découvre enfin ses *relations d'incertitude :* les méthodes appliquées à l'étude d'un phénomène altèrent la nature même du phénomène observé. C'est sur ce point, d'ailleurs, que les plus lucides des critiques font porter leur réflexion : la critique littéraire doit d'abord connaître ses moyens, être une autocritique. « Bricoleur intellectuel », le critique a pour fonction « de faire du sens avec l'œuvre des autres, mais aussi de faire son œuvre avec ce sens » (G. Genette). La critique n'est souvent qu'un test projectif qui dessine en creux son auteur : celui-ci sait bien qu'il ne peut accéder à la grâce du « pur lecteur », qui seul aime assez l'œuvre pour se laisser aller au « plaisir du texte » et ne pas lui préférer sa propre parole.

CRITIQUE CHORÉGRAPHIQUE. — C'est à partir de 1922, date à laquelle André Levinson* commença à publier une série d'articles dans *Comœdia,* que la notion de critique en matière de danse s'est substituée au « billet » ou au compte rendu mondain traditionnel. Théophile Gautier, Stendhal, Anna de Noailles, Jean Cocteau, Jules Romains, Francis de Miomandre et beaucoup d'autres hommes de lettres et de théâtre ont parlé de la danse et des danseurs; ils ont donné leurs impressions, ils ont analysé l'émotion esthétique de l'« amateur » et non la technique de l'interprète, moins encore l'œuvre dans sa composition et les motivations du chorégraphe. Des critiques musicaux, de théâtre ou d'art abordaient le ballet dans leurs chroniques, mais toujours *par rapport* à la musique, à l'action et à la mise en scène, aux décors... Le critique contemporain connaît la technique et les problèmes de la danse, et peut, dès lors, expliquer, commenter l'œuvre elle-même. Il peut aussi détailler, disséquer une interprétation. Son rôle devient ainsi considérable : non seulement il rend compte d'un spectacle et oriente le choix du public — si ce n'est son goût —, mais il peut faire ou défaire une renommée...

Journaux et revues artistiques français et étrangers s'assurent désormais la collaboration régulière de critiques chorégraphiques (D. Maggie, P. Bourcier, A. Livio, I. Lidova, M. Fleuret, C. Barnes, W. Terry, C. Crisp, A. Testa, K. Koegler...), qui rendent compte des spectacles de danse, classique et moderne, et de ballet ainsi que des grandes manifestations chorégraphiques internationales.

CRITIQUE D'ART. — Si l'on excepte, d'une part, une réflexion avant tout philosophique qui est celle de l'*esthétique** et de la *science de l'art,* et, d'autre part, une attitude qui, dans l'essai littéraire, ne prend l'œuvre d'art que comme prétexte, le discours sur l'art, en Occident, a concurremment été tenu par les artistes eux-mêmes (Alberti*, Léonard*, Vasari*, les professeurs des académies, Delacroix*, etc.), par les « amateurs » (collectionneurs, « archéologues » comme Winckelmann*, « connaisseurs » qui, en France, ont donné les critiques des Salons, de Diderot* à Baudelaire*) et par certains historiens des civilisations (comme Taine* ou Jacob Burckhardt*). Du deuxième groupe est issue la *critique* journalistique, attachée au présent et au devenir de l'art et jouant, dans les meilleurs cas, un rôle précieux d'entraînement (exemple : Félix Fénéon* et le postimpressionnisme). Du deuxième et du troisième groupe est sortie l'*histoire de l'art* moderne, souvent liée à l'enseignement universitaire et où les grands noms abondent : l'Autrichien Alois Riegl (1858-1905), Émile Mâle*, spécialiste de l'iconographie* médiévale, Wölfflin*, Berenson*, les Italiens Adolfo et Lionello Venturi* ainsi que Roberto Longhi (1890-1970), M. J. Friedländer*, Focillon*, Panofsky*, Francastel*, pour nous limiter à quelques auteurs de grandes synthèses à caractère non spécifiquement philosophique. Le rôle des amateurs *écrivains d'art* s'est poursuivi, de Ruskin* à Élie Faure* ou à Malraux*. Aujourd'hui, le divorce s'accentue entre historiens d'art, qui intègrent mal les nouveautés contemporaines dans leurs théories, et critiques de l'art présent (rejoints par de nombreux artistes théoriciens), chez qui dominent les choix subjectifs. Des tentatives se font jour pour une étude *sémiologique* de l'œuvre.

Critique de la raison pratique, œuvre de Kant (1788), dans laquelle il se demande comment la moralité comme impératif catégorique, c'est-à-dire comme loi *a priori,* peut constituer le principe déterminant de l'action entreprise par un sujet volontaire.

Critique de la raison pure, œuvre de Kant (1781, 2e éd. en 1787), dans laquelle il analyse le pouvoir de la raison en général en déterminant son étendue et ses limites à partir de principes *a priori* afin de répondre à la question « que puis-je savoir? ».

CRIVELLI (Carlo), peintre italien (Venise v. 1430/1435 - ? av. 1501). Formé par les Vivarini et averti de l'art d'un Mantegna, exilé dans les Marches peut-être à la suite d'une condamnation, il peignit des polyptyques d'autel souvent encore à fonds d'or, d'une qualité décorative précieuse : nervosité et relief des figures, émail éclatant des couleurs (retable de la cathédrale d'Ascoli-Piceno, 1473).

CRNA GORA (« Montagne noire »), nom serbo-croate du Monténégro.

CROATIE, république fédérée de la Yougoslavie; 56 538 km^2, 4 469 000 hab. *(Croates).* Capit. *Zagreb.*

GÉOGRAPHIE. Formée de régions naturelles variées (plaines de la Save, montagnes Dinariques et plus grande partie du littoral adriatique yougoslave, précédé d'îles), la Croatie est, avec la Serbie, la république la plus riche, productrice de céréales, d'énergie (hydroélectricité et un peu de pétrole) et surtout d'articles élaborés (textile, alimentation, chimie); les industries sont représentées surtout à Zagreb, deuxième ville du pays, et dans les ports (Rijeka notamment) d'une côte dont la fréquentation touristique internationale (Split, Dubrovnik, etc.) s'est accrue rapidement.

HISTOIRE. Le premier État croate apparaît avec Tomislav († 928), roi en 925, qui réunit la Croatie pannonienne et la Croatie dalmate. Après une période de déclin, due aux menaces bulgares, il connaît un nouvel essor avec le roi Pierre Krešimir IV (de 1058 à 1074), mais il est déchiré par les luttes entre partisans du rite latin et partisans de la liturgie slave, et ce jusqu'à ce que, en 1102, les nobles croates reconnaissent comme roi de Croatie le roi de Hongrie*. À partir de 1527, quand les nobles croates élisent pour roi Ferdinand Ier de Habsbourg, les confins militaires de la Croatie sont rattachés directement à l'Autriche, la Croatie civile étant dirigée par un ban nommé par le roi et assisté d'une diète. Au XVIIIe s., l'absolutisme autrichien provoque un rapprochement entre nobles hongrois et nobles croates. Déjà se développe chez les Croates une prise de conscience nationale. Soumise, après 1815, à une forte politique de magyarisation, la Croatie devient le centre de l'*illyrisme*, mouvement de renaissance yougoslave. La révolution de 1848, au cours de laquelle les Croates appuient l'Autriche contre la révolution hongroise, ne profite pas à la Croatie, qui, de 1849 à 1868, est soumise à la politique absolutiste de l'Autriche et à la germanisation; le parti national (ancien illyrien) trouve alors un chef ardent dans l'évêque Josip Štrosmajer (Strossmayer*). Le compromis austro-hongrois de 1867 donne la Croatie-Slavonie à la Hongrie, la Dalmatie restant autrichienne; un an plus tard, un compromis *(nagodba)* entre la Hongrie et la Croatie donne à cette dernière une autonomie factice, qui n'empêche pas une nouvelle politique de magyarisation, la Hongrie jouant en même temps sur l'opposition entre Croates et Serbes. À partir de 1903, le yougoslavisme s'affirme; il triomphe en décembre 1918, quand est créé le royaume des Serbes, Croates et Slovènes. Mais, au sein de cet État yougoslave, l'opposition entre Croates fédéralistes et Serbes centralistes empoisonne rapidement la vie politique, provoquant la formation de sociétés secrètes, dont l'*Oustacha* d'Ante Pavelić* : le terrorisme pratiqué par cette dernière culmine avec l'assassinat du roi Alexandre Ier en 1934. En avril 1941, un État croate autonome fasciste, satellite du IIIe Reich, est créé, avec Pavelić comme chef du gouvernement. Libérée en mai 1945, la Croatie, y compris la Dalmatie, devient une république fédérée de la Yougoslavie : au sein de ce dernier État, l'antagonisme serbo-croate se révèle de nouveau.

CROCE (Benedetto), historien et critique italien (Pescasseroli, Abruzzes, 1866-Naples 1952). Fondateur de la revue *La Critica* (1903), sénateur (1910), il fut ministre de l'Instruction publique (1920-21), mais refusa de donner sa caution au fascisme (il rédigea le manifeste des intellectuels antifascistes, sans être inquiété par Mussolini). Président du parti libéral en 1947, il créa à Naples l'Institut italien d'études historiques. Sa pensée, qui témoigne de l'influence de Hegel et de Vico, suppose l'identité de l'histoire et de la philosophie, et ramène la logique traditionnelle à une doctrine de la connaissance historique (*l'Esthétique comme science de l'expression,* 1902; *la Logique comme science du concept pur,* 1909; *l'Histoire comme pensée et action,* 1938). Affirmant l'irréductibilité de l'art à toute finalité intellectuelle ou morale, Croce condamne toute forme d'irrationalisme et d'esthétisme, et cherche à séparer dans toute œuvre l'expression pure du contenu idéologique (*Bréviaire d'esthétique,* 1913; *Aristote, Shakespeare et Corneille,* 1920; *la Poésie de Dante,* 1921). Il a contribué à définir la notion d'art baroque* (*Histoire du baroque en Italie,* 1929).

CROCHE → NOTATION MUSICALE.

CROCODILE. — Les seuls survivants des grands reptiles du secondaire, aux dents implantées dans des alvéoles, sont les crocodiles. On n'en connaît que peu d'espèces : crocodile du Nil, caïman, alligator, gavial. Les crocodiles sont des « lézards géants » par leur forme, mais ils vivent dans les fleuves, les uns noyant et dévorant les antilopes qui viennent boire, les autres chassant les poissons. La position élevée des narines et des yeux leur permet de s'immerger presque entièrement. À terre, ces animaux ne courent pas très vite, mais, dans l'eau, ils sont dangereux pour l'homme.

On les a presque anéantis pour leur cuir, de grand intérêt en maroquinerie. Actuellement, des fermes entreprennent l'élevage des crocodiles (Louisiane, Madagascar).

CROCQ (23260), ch.-l. de cant. de la Creuse, à 19,5 km à l'E. de Felletin; 844 hab. Pelleterie. Fortifications et monuments anciens.

CROISADES. — On désigne sous ce nom les expéditions militaires organisées de 1195 à 1291, sous l'impulsion du Saint-Siège, d'abord pour porter secours aux chrétiens d'Orient opprimés par l'islām, ensuite pour défendre le Royaume latin de Jérusalem fondé par la première de ces expéditions.

Lorsque, au concile de Clermont (nov. 1095), Urbain II exhorta l'Occident à secourir l'Orient chrétien contre l'envahisseur turc, des milliers d'hommes répondirent à cet appel, sans doute parce que, depuis le mouvement de paix du XIe s., l'idéal chevaleresque imposait au guerrier le devoir de défendre le peuple de Dieu contre ses oppresseurs, mais aussi parce que, dans cette société, le pèlerinage vers le tombeau du Christ avait valeur de rédemption. Ces hommes prirent pour emblème la croix : d'où les noms de « croisés » et de « croisades ».

Prêchée par Pierre l'Ermite, la *première croisade* (1095-1099) vit deux expéditions distinctes prendre le chemin de l'Orient : l'une,

LES PREMIÈRES CROISADES, XIe-XIIe s.

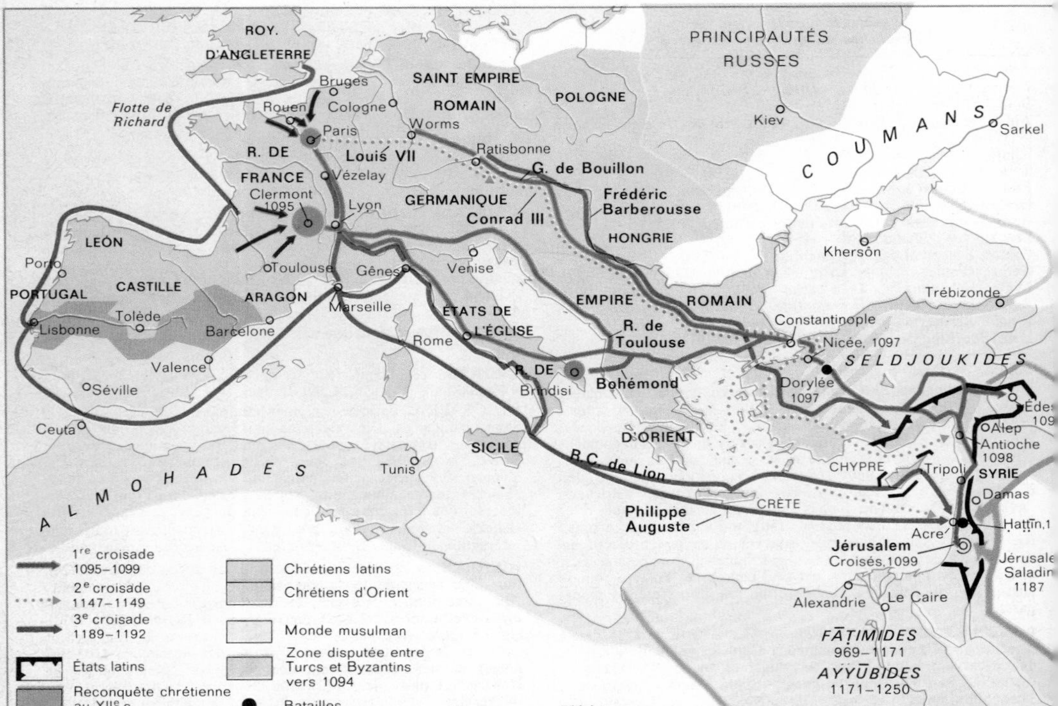

formée de pèlerins dépourvus de vivres et mal armés, arriva affaiblie en Syrie, où elle fut décimée par les Turcs; l'autre, celle des seigneurs (Godefroi de Bouillon, Raimond de Toulouse, Bohémond de Tarente), s'empara de Nicée et écrasa l'armée turque à Dorylée (1097). Puis elle occupa Édesse (1097), Antioche (1098) et enfin prit Jérusalem (1099), dont Godefroi de Bouillon fut proclamé roi. Les autres chefs se partagèrent les territoires conquis. Mais, très vite, les princes durent défendre leurs conquêtes face à la contre-offensive de l'islām; pendant deux siècles, l'Europe chrétienne leur envoya périodiquement des renforts.

Ainsi, la chute d'Édesse (1144) provoqua la *deuxième croisade* (1147-1149), conduite par Conrad III et Louis VII, qui échouèrent devant Damas.

En 1187, la prise de Jérusalem par Saladin fut à l'origine d'une *troisième croisade* (1189-1192), dirigée par Frédéric Barberousse, Philippe Auguste et Richard Cœur de Lion. Mais, si ces deux derniers, qui entrèrent bientôt en rivalité, prirent Acre (1191), le roi d'Angleterre ne parvint pas, après le départ de Philippe Auguste, à prendre Jérusalem.

L'objectif de la *quatrième croisade* (1202-1204), décidée par Innocent IV et conduite par Boniface de Montferrat, était l'Égypte, dont le sultan tenait la Palestine. Mais les croisés furent entraînés, par leur alliance avec Venise, vers la côte adriatique, puis vers Constantinople; s'étant mêlés aux querelles dynastiques qui agitaient l'Empire byzantin, ils finirent par s'emparer de Constantinople et fondèrent l'Empire latin.

Si la *cinquième croisade* (1217-1221), menée contre l'Égypte par Jean de Brienne, roi de Jérusalem, ne donna aucun résultat, la *sixième croisade* (1228-29), conduite par Frédéric II, aboutit à la restitution de la Ville sainte aux Francs.

Mais, dès 1244, Jérusalem retombait aux mains de l'Égypte, et ni la *septième croisade* (1248-1254), conduite par Louis IX, qui, après avoir pris Damiette, fut défait et pris à Mansourah (1250), ni la *huitième croisade* (1270), menée contre Tunis, où Louis IX mourut de la peste, n'empêchèrent les dernières villes franques de Palestine de tomber aux mains des Sarrasins. Une ultime croisade, décidée par Nicolas IV, ne réussit pas à sauver Acre (1291).

Si, au point de vue militaire, les croisades se terminèrent par un échec, elles eurent un rôle considérable dans l'évolution du monde européen. Indirectement, elles accélérèrent l'émancipation des villes, en forçant les seigneurs à vendre leurs fiefs pour se procurer les sommes nécessaires à ces expéditions. Elles permirent en outre une meilleure connaissance du monde asiatique et facilitèrent les échanges commerciaux, intellectuels, artistiques entre les deux rives de la Méditerranée.

CROISETTE *(cap),* cap des Bouches-du-Rhône, au S. de Marseille.

CROISEUR. — Bâtiment rapide et bien armé de 5 000 à 10 000 t, le croiseur a été conçu pour éclairer les cuirassés. De 1910 à 1918, son tonnage augmente et, dans le *croiseur de bataille* (*Lion* anglais et *Deerflinger* allemand de 27 000 t), approche celui du cuirassé, mais avec une vitesse supérieure (de 26 à 29 nœuds). Le tonnage des croiseurs sera limité à 10 000 t par les accords de Washington (1922). Depuis 1945, on a construit des croiseurs antiaériens (*Sverdlov* soviétique de 20 000 t, 1952; *Colbert* français de 9 000 t, 1959) ou lance-missiles (*Long Beach* américain de 14 000 t à propulsion nucléaire, 1961; *Kresta* soviétique, 1967) ou porte-hélicoptères (*Jeanne-d'Arc* français de 10 000 t, 1964; *Moskva* soviétique de 20 000 t, 1967). Ces bâtiments sont utilisés pour l'escorte et le commandement des forces navales, pour la lutte anti-sous-marine et anti-aérienne ainsi que pour le transport d'assaut des forces terrestres.

CROISIC (Le) [44490], ch.-l. de cant. de la Loire-Atlantique, à 10 km à l'O. de La Baule-Escoublac; 4 305 hab. *(Croisicais).* Port de pêche et station balnéaire.

CROISIC *(pointe du),* promontoire de la Loire-Atlantique, au N. de l'embouchure de la Loire.

CROISIÈRE. — Une croisière est un voyage sur mer ou en rivière effectué pour le seul plaisir de la navigation et des escales. Les yachts de croisière à voile se différencient principalement des yachts de course-croisière* par le confort plus grand des installations intérieures, la nature de l'accastillage et le nombre moindre des jeux de voiles. Seuls les yachts de croisière appelés *fifty-fifties,* qui allient à part sensiblement égale voile et moteur comme moyens de propulsion, sont inadaptables à la course. Les croisières touristiques connaissent certaines difficultés : plusieurs compagnies européennes ont dû réduire leur flotte de tourisme, et, en France, après le désarmement du paquebot *France* en 1974, il ne reste plus que trois paquebots en service, uniquement pendant la saison touristique. Cependant, 60 000 Français sont partis en 1973 sur des navires étrangers en raison des prix plus avantageux, et, en 1974, environ 2 000 croisières ont été proposées dans le monde. En tête de ce marché se placent les États-Unis, suivis par l'Europe qui a pour pôle d'attraction le bassin méditerranéen, dont le trafic est saisonnier. L'expansion dépend des formules nouvelles : croisières courtes ou vendues « par tronçons », animation, etc.

CROISILLES (62128), ch.-l. de cant. du Pas-de-Calais, à 17 km au S.-E. d'Arras; 825 hab.

CROISSANCE *(Physiol.).* — La période de croissance commence pendant la vie fœtale et se termine entre vingt et vingt-cinq ans. La croissance se fait par à-coups et se traduit par une augmentation de la taille, du poids, du volume des viscères, par une maturation des viscères, du cerveau, du psychisme et par l'apparition de fonctions nouvelles (spermatogenèse, menstruation). Sa vitesse est variable suivant les individus (sexe, race, famille, etc.) et peut être entravée au cours de nombreuses affections : anomalies constitutionnelles (mongolisme, achondroplasie, etc.) ou affections intercurrentes (carence alimentaire, maladies graves, insuffisances thyroïdienne, hypophysaire, etc.).

CROISSANCE DE L'ENTREPRISE. — La croissance de l'entreprise se réalise par deux processus différents : la *croissance interne,* qui résulte d'une augmentation des actifs propres de l'entreprise (par autofinancement, par endettement ou par augmentation de capital), et la *croissance externe,* qui se réalise par le rapprochement ou la fusion de firmes originellement étrangères l'une à l'autre. Cette dernière croissance diminue le nombre des entreprises et, donc, celui des centres de décision.

La croissance peut encore se réaliser sur le plan *vertical,* quand elle rapproche des entreprises se consacrant à des stades successifs de la production, ou sur le plan *horizontal,* quand elle regroupe des entreprises ou des établissements s'adonnant à des activités semblables ou diverses. Les opérations de concentration horizontale en France de 1970 à 1972 constituèrent environ 60 p. 100 de l'ensemble des opérations.

CROISSANCE ÉCONOMIQUE. — L'économiste S. Kuznets* définit la croissance moderne selon les caractéristiques suivantes : accroissement rapide de la population, accroissement de la production et de la productivité, changements structurel (exode rural) et social (urbanisation intensive), révolution dans les transports et dans les communications. Cette croissance est inégale selon les nations.

L'« industrialisme » (qui caractérise cette croissance) est différent du capitalisme*, qui ne lui est pas intrinsèquemet nécessaire, des économies socialisées pouvant connaître cette même croissance.

Le terme de « croissance » apparaît dans la théorie économique vers 1940 (se différenciant de celui de « développement* » et de celui de « progrès* »). Le concept de « croissance équilibrée » est élaboré par R. F. Harrod en 1946 et par E. D. Domar en 1947 : il s'agit d'« une norme impliquant que le progrès d'une période soit égal au progrès de la période précédente » (Dupriez). Le caractère dominant de cette croissance équilibrée se trouve être la stabilité du rythme de la croissance et l'affaiblissement des variations (constituant des troubles), particulièrement souhaitable dans ce processus.

Une période de très forte croissance économique s'est manifestée de 1948 à 1973, la production industrielle mondiale progressant, pendant ces vingt-cinq années, à une allure exceptionnellement rapide : cette production a été multipliée par 3,5, soit en augmentation au taux moyen de 5 p. 100 par an (avec des fléchissements de ce taux en 1954, en 1958 et en 1970-71). Pendant un quart de siècle, les pays industrialisés ont connu le plein-emploi. Mais, en 1974, on a enregistré une croissance nulle, et, aux États-Unis, le P. N. B. fut en baisse de 2 p. 100 par rapport à 1973. Le Japon vit son P. N. B. fléchir de 3 p. 100.

On peut mettre en avant les causes suivantes de la prolongation, pendant un quart de siècle, de la croissance dans un grand nombre de pays :

— l'existence d'un mouvement cyclique de longue durée (Kondratiev), correspondant à la période de 1945-1970, et s'intégrant dans l'alternance normale de tels cycles;

— l'accroissement de la propension mondiale à l'investissement et le maintien d'une forte demande de consommation (reconstruction, société de bien-être);

— le perfectionnement intensif de nombreuses techniques de crédit* (alors que leur évolution de 1860 à 1940 avait été très faible), cependant que l'économie mondiale s'est trouvée inondée de liquidités en provenance des États-Unis, entraînant un climat de lente mais persistante inflation*;

— les réserves potentielles de main-d'œuvre de certains secteurs de la production (mines et agriculture notamment);

— l'offre abondante, après la guerre de Corée*, de matières premières industrielles à prix stables ou même en baisse (accroissant d'ailleurs le fossé entre les pays producteurs et les nations consommatrices, fortement gagnantes à cet « échange inégal »).

Le thème de la « nouvelle croissance » est une des remises en question fondamentales posées à la société occidentale dans les années 70.

La critique de la croissance classique (le modèle de croissance depuis l'école libérale anglaise), rejoignant parfois celle du capitalisme, révèle les mécanismes non satisfaisants des sociétés capitalistes. Une moindre consommation et un moindre gaspillage sont prônés. Des satisfactions non financières (équipements collectifs, protection de l'espace) sont, par ailleurs, exigées, prenant le pas sur les avantages purement monétaires donnés aux individus; l'inflation, enfin, doit être jugulée par l'adoption de politiques appropriées. Une nouvelle conception du monde (le « Vaisseau spatial Terre ») mène les économistes à désirer la préservation des ressources naturelles, et, notamment, de l'espace, et à l'élimination des nuisances occasionnées par une croissance sans conditions.

Croissant-Rouge (le), dans les pays musulmans, organisation ayant les mêmes fonctions que la Croix-Rouge.

CROISSY (Charles COLBERT, *marquis* DE), homme d'État français (Paris v. 1626-† 1696). Frère de Colbert*, il joue un rôle éminent dans la diplomatie avant d'assumer, à partir de 1679, le secrétariat d'État aux Affaires étrangères. Sa connaissance de l'Alsace le désigna naturellement pour y mener à bien, au nom de Louis XIV, la politique de « réunions ».

CROISSY-SUR-SEINE (78290), comm. des Yvelines, sur la rive droite de la Seine, en face de Bougival; 6845 hab. *(Croissillons).*

CROIX (59170), comm. du Nord, entre Lille et Roubaix; 20196 hab. *(Croisiens).* Matériel agricole.

CROIX-DE-FER *(col de la),* col des Alpes, entre les vallées de l'Eau-d'Olle et de l'Arvan; 2087 m.

Croix-de-Feu (les), ligue de droite composée d'anciens combattants, fondée en 1927 et présidée par le lieutenant-colonel de La Rocque. Diffusant son idéologie antiparlementaire et nationaliste par l'intermédiaire du *Petit Journal,* cette organisation, puissante et disciplinée, eut une audience politique importante. Elle participa à des manifestations de masse violentes, dont celles du 6 février 1934, avant d'être dissoute en 1936 par le gouvernement de Front populaire. Ses partisans se regroupèrent autour de La Rocque dans le *parti social français.*

CROIX DU SUD, constellation* de l'hémisphère austral, contenant onze étoiles formant une croix, dont la grande branche est orientée vers le pôle Sud. Son étoile α, elle-même double, située à une distance de 220 al, est la treizième des étoiles les plus brillantes du ciel.

Croix-Rouge (la), société fondée à l'instigation d'Henri Dunant, à la suite de la convention de Genève (1863), pour venir en aide aux blessés et aux victimes de la guerre.

CROIX-ROUSSE (la), quartier de Lyon.

CRO-MAGNON, site de la Dordogne (comm. des Eyzies-de-Tayac-Sireuil), qui a donné son nom à une race préhistorique d'homme appartenant au paléolithique supérieur.

CROMMELYNCK (Fernand), auteur dramatique belge d'expression française (Paris 1886-Saint-Germain-en-Laye 1970), auteur de comédies (*le Cocu magnifique,* 1921) qui mêlent le paroxysme des passions à l'imprévu des situations.

CROMWELL (Thomas), homme politique anglais (Putney? v. 1485-Londres 1540). Chancelier de l'Échiquier (1533) et secrétaire du roi (1534), il exécute la politique religieuse d'Henri VIII et l'infléchit vers l'alliance avec les réformés allemands. Le divorce du roi avec Anne de Clèves provoque sa disgrâce et sa mort.

CROMWELL (Olivier), homme d'État anglais (Huntingdon 1599-Londres 1658). Gentilhomme puritain, il est élu au Court, puis au Long Parlement (1640), où il appuie le parti puritain contre l'arbitraire royal et contre l'épiscopat anglican. Lors de la première guerre civile (1642), il apparaît comme un chef politique et militaire exceptionnel; ce sont ses « Côtes de fer » qui décident de la victoire de Marston Moor (juill. 1644); Cromwell force encore la victoire à Naseby (juin 1645). En fait, modéré, adversaire des *Niveleurs*,* il devient un adversaire décidé de Charles Ier* quand celui-ci, par sa duplicité, déchaîne la seconde guerre civile (1648). Décidé à couper court aux intrigues, il épure le Parlement, qui devient le Parlement croupion, fait condamner le roi à mort et brise les *Niveleurs* (1649).

Véritable maître du pays, il est entraîné vers une dictature militaire, le *Commonwealth,* dont il est à la fois le chef et le modérateur, et qu'il impose par la force à l'Irlande, puis à l'Écosse (1650-51). D'autre part, en faisant voter l'Acte de navigation* (1651), il se trouve entraîné dans une guerre contre les Provinces-Unies (1652-1654), guerre qui contribue à faire de l'Angleterre une grande puissance navale.

Ayant pratiquement éliminé le Parlement Barebone (1653), il reçoit le titre de lord-protecteur et partage avec un Conseil d'État les pouvoirs souverains, le pouvoir législatif étant confié à un Parlement élu pour trois ans par les classes moyennes et l'aristocratie puritaine. En fait, seule sa forte personnalité sauve le Commonwealth, taraudé par la désunion des groupes au pouvoir et la division des trois royaumes (Angleterre, Écosse, Irlande). En 1655, le régime vire à la dictature militaire, mais le lord-protecteur refuse la couronne (1657). Il n'en accomplit pas moins une œuvre considérable sur le plan économique. À l'extérieur, on recherche

Olivier Cromwell. Portrait attribué à Gaspar de Crayer (1582-1669). [Musée du château de Versailles.]

Lauros-Giraudon

son alliance : allié de la France, Cromwell annexe Dunkerque (1658). Quand il meurt, épuisé, son fils RICHARD (1626-1712) lui succède comme lord-protecteur, mais, incapable d'assumer un tel héritage, il démissionne dès 1659. La voie est alors ouverte à la Restauration*.

Cromwell, drame historique de V. Hugo (1827), dont la *Préface* fut considérée comme le manifeste du théâtre romantique. Hugo distingue dans l'histoire de l'humanité trois âges, auxquels correspondent trois formes de poésie : les « temps primitifs » s'expriment dans le *lyrisme* de la Genèse; les « temps antiques » s'incarnent dans l'*épopée* homérique; les « temps modernes » doivent au christianisme le *drame,* qui, comme la vie, réunit les contraires, le beau et le laid, le grotesque et le sublime. Hugo condamne la distinction classique des genres et rejette la règle des trois unités, mais il juge indispensable une « unité d'ensemble » et défend contre Stendhal *(Racine* et Shakespeare)* le vers, qui permet les développements lyriques et épiques.

CRONOS, fils d'Ouranos* (le Ciel) et de Gaia* (la Terre), père de Zeus* et des dieux olympiens. Les Romains l'assimileront à Saturne*.

CRONSTADT → KRONCHTADT.

CROOKES (*sir* William), physicien et chimiste anglais (Londres 1832-*id.* 1919). Il découvrit le thallium en 1861, imagina le radiomètre et inventa les tubes électroniques à cathode froide pour la production de rayons X. En 1878, il élucida la nature des rayons cathodiques en déviant ceux-ci par le champ d'un aimant.

CROS (Charles), savant et poète français (Fabrezan, Aude, 1842-Paris 1888). Il découvrit le procédé indirect de la photographie des couleurs (1869) en même temps que Ducos* du Hauron, mais indépendamment de lui, et eut l'idée du phonographe en 1877, avant Edison*. Il dut à ses poèmes désespérés et insolites (*le Coffret de santal,* 1873) d'être salué comme un précurseur par les surréalistes.

CROSKILL → LABOUR.

CROSNE (91560), comm. de l'Essonne, à 2 km au S. de Villeneuve-Saint-Georges, sur l'Yerres; 6069 hab.

CROSS (Henri) → NÉO-IMPRESSIONNISME.

CROSS-COUNTRY. — Littéralement « course à travers la campagne », ce sport se pratique en hiver; il est réservé aux coureurs à pied de demi-fond et surtout de fond, pour lesquels il constitue un but ou simplement une préparation à la saison estivale sur piste. Le « cross des Nations », épreuve annuelle, ouvert essentiellement aux pays européens et nord-africains, est la compétition la plus importante.

CROSSOPTÉRYGIENS. — Parmi les poissons fossiles de l'ère primaire, seuls les crossoptérygiens présentent des nageoires paires susceptibles, par évolution de leur squelette, de devenir des pattes. Comme ces animaux avaient en outre un poumon, et certains d'entre eux de nombreuses ressemblances avec les premiers vertébrés terrestres (*Ichthyostega* du dévonien), il est raisonnable de reconnaître parmi eux nos ancêtres. Mais le cœlacanthe* actuel a évolué dans un sens différent à partir de cette souche.

CROTONE, v. d'Italie, en Calabre, sur le golfe de Tarente; 54000 hab. Métallurgie. — Crotone, célèbre dans l'histoire du pythagorisme*, fut fondée v. 710 av. J.-C., par des Grecs d'Achaïe; en 510, sa victoire sur sa voisine Sybaris* lui assura la domination de l'Italie grecque. Elle fut conquise en 277 av. J.-C. par les Romains.

CROTOY (Le) [80550], comm. de la Somme, à 26 km au N.-O. d'Abbeville, sur la baie de Somme; 2 429 hab. Port de pêche et station balnéaire.

CROUP → DIPHTÉRIE.

CROÛTE → TERRE.

CROUZILLE (La), hameau de la comm. de Saint-Sylvestre (Haute-Vienne, à 19 km au N. de Limoges). Extraction du minerai d'uranium.

CROWFOOT-HODGKIN (Dorothy), chimiste anglaise (Le Caire 1910). Elle a déterminé, par diffraction des rayons X, les structures de la pénicilline et de la vitamine B12. (Prix Nobel de chimie, 1964.)

CROWS → INDIENS.

CROYDON, agglomération, banlieue sud de Londres, qui fut le site d'un aéroport international.

CROZAT (Antoine), financier français (Toulouse 1655 - Paris 1738). Il reçut le privilège du commerce avec la Louisiane (1712-1717). — Son frère PIERRE, également financier (Toulouse 1665 - Paris 1740), réunit la plus belle collection de dessins de l'époque (19 000 pièces, cataloguées par P. J. Mariette en 1741), et fut un protecteur de Watteau.

CROZET *(îles),* archipel français de l'océan Indien, au S. de Madagascar.

CROZIER (Michel), sociologue français (Sainte-Menehould 1922). Dans ses ouvrages sur le monde du travail, il analyse les phénomènes de mobilité professionnelle. Il fait ressortir, notamment, le facteur de résistance au changement qui caractérise la *bureaucratie** et dénonce une constante solidification des attitudes professionnelles de base, facilitant la politique du pouvoir en place (*le Phénomène bureaucratique,* 1964; *le Monde des employés de bureau,* 1965; *la Société bloquée,* 1970).

CROZON (29160), ch.-l. de cant. du Finistère, dans la *presqu'île de Crozon;* 7 812 hab. *(Crozonnais).*

CRUAS (07350), comm. de l'Ardèche, à 14 km au N. de Montélimar, sur la rive droite du Rhône; 1 638 hab. Intéressante église romane à crypte du XIe s. Cimenteries.

CRUCIFÈRES. — La flore des régions tempérées et froides est riche en crucifères. Dans cette famille, les fleurs ont quatre pétales égaux disposés en croix (d'où son nom), six étamines, dont deux plus petites que les autres, et le fruit est une *silique,* c'est-à-dire un fruit sec à trois valves, celle du milieu portant les graines. Il s'agit toujours de plantes herbacées annuelles. Plusieurs sont l'objet d'une culture importante (moutarde, colza, chou, radis, cresson, cardamine, lépidium), d'autres sont ornementales (giroflée, monnaie-du-pape, ibéris) ou tinctoriales (pastel). La minuscule bourse-à-pasteur *(Capsella)* est une des rares plantes qui se rencontrent dans le monde entier.

CRUE → DÉBIT.

CRUIJFF (Johan), footballeur néerlandais (Amsterdam 1947). Il s'est révélé dans l'équipe d'Ajax d'Amsterdam avec laquelle il a remporté trois coupes d'Europe (des clubs champions), consécutivement (1971, 1972 et 1973), avant d'opérer en Espagne, à Barcelone. Attaquant inspiré, aux redoutables changements de rythme, il a été l'atout maître de l'équipe néerlandaise, finaliste de la Coupe du monde en 1974.

CRUIKSHANK, famille de caricaturistes anglais, dont le plus célèbre est GEORGE (Londres 1792 - *id.* 1878), dessinateur et graveur cultivant le grotesque, qui débuta dans la satire politique, donna des chroniques de la vie populaire et illustra notamment Dickens.

CRUMB (Robert), dessinateur américain (Philadelphie 1943). Travaillant en Californie, il a pris pour cible l'Amérique conservatrice dans des bandes dessinées dont le style graphique et narratif, d'une grossièreté délibérée, d'une truculence drolatique, a fait de lui un chef de file du dessin de contestation en Occident.

CRUSEILLES (74350), ch.-l. de cant. de la Haute-Savoie, à 18 km au N. d'Annecy; 1 954 hab.

CRUSTACÉS. — Par le nombre de leurs espèces, mais plus encore par le nombre immense d'individus de certaines espèces, en particulier des formes microscopiques du plancton, les *crustacés* dominent la faune marine. Leur part dans le peuplement des eaux douces et même de certains sols est loin d'être négligeable et quelques-uns sont adaptés au parasitisme. Il s'agit donc d'un monde extrêmement divers. On rassemble dans cette classe d'arthropodes des animaux à tégument chitineux imprégné de sels calcaires, à 2 paires d'antennes, à respiration branchiale, ayant au maximum 21 segments et 19 paires d'appendices. Principaux groupes (sous-classes, super-ordres ou ordres selon le cas) : phyllopodes (artémia, daphnie), copépodes (cyclope), cirripèdes (anatife, balane), isopodes (cloporte), amphipodes (gammare, puce de mer), schizopodes (euphausia, constituant le « krill » dont se nourrissent les baleines), décapodes (écrevisse, homard, langouste, crabes, bernard-l'ermite, crevettes).

CRUSTACÉS

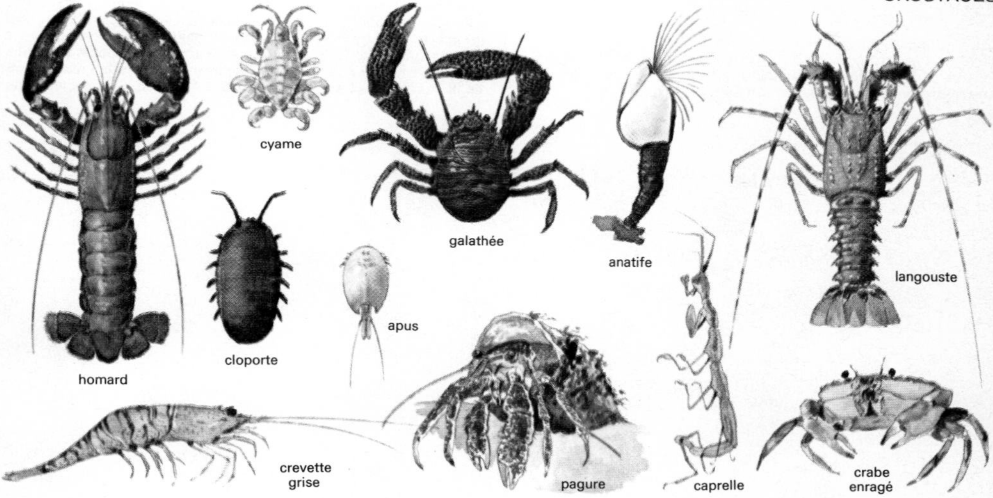

CRUVEILHIER (Jean), médecin et anatomiste français (Limoges 1791 - Sussac, près de Limoges, 1874). Élève de Dupuytren, il décrivit l'ulcère de l'estomac.

CRUZ (Juana Inés DE LA), surnommée **la Religieuse de Mexico** (San Miguel Nepantla 1651 - Mexico 1695). Créole, dame d'honneur de la femme du vice-roi, elle se retira au couvent des Hiéronymites de Mexico, où elle s'occupa de musique, de poésie, de sciences avant de renoncer à toute étude et à toute création par pénitence. Dans son théâtre (*El divino Narciso,* 1689), ses poèmes *(Primero sueño)* et son autobiographie (*Respueta a sor Filotea de la Cruz,* 1691), elle unit le goût baroque* de son temps et le conceptisme* de Quevedo à l'accent des mystiques espagnols.

CRUZ (Ramón DE LA), auteur dramatique espagnol (Madrid 1731 - *id.* 1795), dont les comédies peignent le peuple des bas quartiers de Madrid.

CRUZINI-CINARCA, canton de la Corse-du-Sud. Ch.-l. *Sari-d'Orcino.*

CRUZY-LE-CHÂTEL (89740), ch.-l. de cant. de l'Yonne, à 18,5 km à l'E. de Tonnerre; 351 hab.

CRYOCLASTIE → PÉRIGLACIAIRE.

CRYOLITE ou **CRYOLITHE.** — La cryolite Na_3AlF_6, que l'on trouve principalement au Groenland, est utilisée dans la métallurgie de l'aluminium.

CRYOLOGIE. — Cette discipline englobe l'ensemble des disciplines scientifiques et techniques intéressées par les très basses températures (en principe au-dessous de 120 K, soit environ − 150 °C). Son domaine industriel le plus important est la *liquéfaction* des gaz** : séparation de l'air (pour obtenir oxygène*, azote* et « gaz rares »); séparation des gaz riches en hydrogène* (en vue de la synthèse de l'ammoniac*); liquéfaction du gaz naturel (utilisé comme combustible), en vue de son transport et de son stockage*. L'azote liquide (77 K) est utilisé comme « cryogène » pour congeler et transporter des produits alimentaires, conserver des substances biologiques (sperme, sang, organes pour greffes), en cryochirurgie, etc. L'hydrogène liquide (20 K) est employé dans les grandes chambres à bulles utilisées dans la physique des particules et sert de combustible dans les fusées* spatiales. L'hélium* liquide (4 K) est surtout utilisé pour refroidir des conducteurs électriques jusqu'au stade de la supraconductivité* (annulation de la résistivité* électrique), propriété appliquée à la construction d'aimants très puissants (10^5 Œ) et susceptible de développements importants en électrotechnique et électronique.

CRYOLUMINESCENCE → LUMINESCENCE.

CRYOSCOPIE. — La température de congélation commençante de la solution d'un solide est inférieure à la température de congélation du solvant pur. Cet abaissement est donné par la loi de Raoult : $t = k\frac{C}{M}$, où C est la concentration (rapport des masses du soluté et du solvant), M la masse moléculaire du corps dissous et *k* la *constante cryoscopique* ou *cryométrique,* du solvant. Cette loi, valable pour les solutions étendues non électrolysables, permet la détermination des masses moléculaires.

CSONTVÁRY KOSZTKA (Tivadar), peintre hongrois (Kisszeben, auj. Sabinov, Tchécoslovaquie, 1853 - Budapest 1919). Autodidacte, reconnu après sa mort, il a élaboré des compositions lyriques et symboliques que transfigure la liberté du coloris.

CTÉNAIRES. — Le groupe minuscule des cœlentérés dépourvus d'organes urticants, les cténaires, est constitué d'espèces marines présentant une particularité unique dans le monde animal : la symétrie à la fois bilatérale et dorsiventrale. Principaux types : béroé, cydippe, ceste de Vénus.

CTÉSIAS, historien grec (fin du Vᵉ s. - début du IVᵉ s. av. J.-C.). Son œuvre principale, dont il ne reste que des fragments, est une *Histoire de la Perse* des origines à 398 av. J.-C.; elle permet d'utiles comparaisons avec Hérodote* pour l'histoire des guerres médiques*.

CTÉSIPHON, ancienne ville parthe* au S.-E. de Bagdad, capitale des Arsacides* et des Sassanides*. Les Arabes, après l'avoir conquise en 637, y trouveront le matériau pour l'édification de Bagdad (762). Ruines du palais de Châhpuhr Iᵉʳ (Sapor), avec une voûte en brique de plus de 30 m de haut.

CUAUHTÉMOC → AZTÈQUES.

CUBA, État de l'Amérique centrale, formé sur la plus grande île des Antilles; 114 524 km²; 9 460 000 hab. *(Cubains).* Capit. *La Havane.*

GÉOGRAPHIE. En dehors de la chaîne montagneuse de la sierra Maestra, qui occupe la partie sud-est de l'île, le pays s'étend sur un ensemble de plaines et de plateaux calcaires modelés par l'érosion karstique. Le climat tropical humide permet la croissance de la forêt dense, mais celle-ci a souvent été dégradée en savane.

La population est principalement composée de Blancs d'origine espagnole, descendants des anciens colons, mais elle compte également des Noirs et des mulâtres. Fortement urbanisée, elle se concentre dans les principales villes, telles Santiago de Cuba, Camagüey, Santa Clara, et surtout dans la capitale, La Havane, qui groupe le cinquième des habitants du pays.

L'agriculture reste le principal secteur de l'économie. Cette île, aux sols très riches, est depuis longtemps vouée à la monoculture de la canne à sucre, destinée à l'exportation. L'avènement du régime socialiste a mis fin à la grande propriété, dont les terres, passées sous le contrôle de l'État, sont exploitées dans le cadre de grandes exploitations, facilitant la modernisation (mécanisation, emploi d'engrais). Le sucre (6 Mt, deuxième rang mondial) reste la principale production, mais les plantations fournissent également du café, du tabac, des agrumes, etc. Une politique de reboisement est systématiquement menée. Cependant, la production vivrière demeure insuffisante et un déficit alimentaire subsiste.

Les ressources du sous-sol sont modestes, à l'exception du nickel, et l'industrialisation reste limitée. Quelques activités de transformation (sucreries, manufactures de tabac, appareillage mécanique) sont localisées dans les principales villes et surtout à La Havane.

L'économie est tributaire du commerce international, effectué surtout avec les pays socialistes. Le principal partenaire commercial est l'U. R. S. S., qui envoie également des techniciens et des cadres.

CUBA

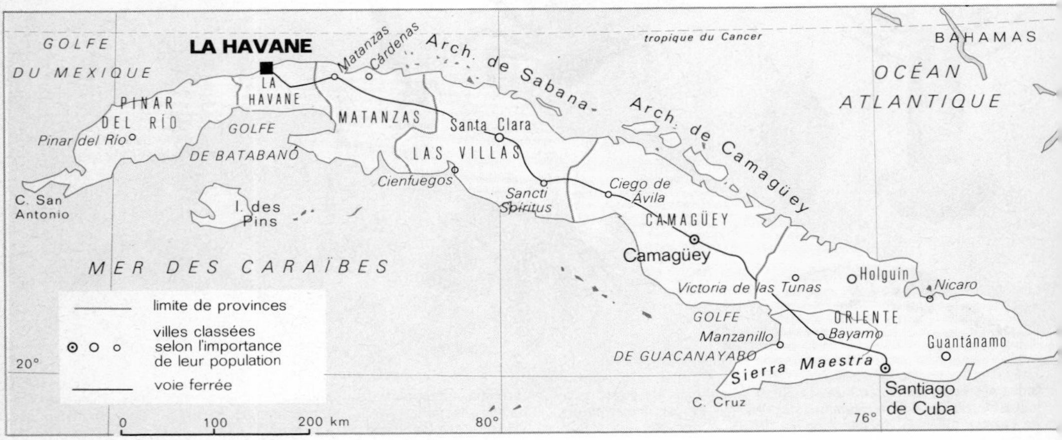

CRYOTHÉRAPIE → FROID.

CRYOTURBATION → PÉRIGLACIAIRE.

CSEPEL, île du Danube, au S. de Budapest. Métallurgie.

CSIKY (Gergely), auteur dramatique hongrois (Pankota, Roumanie, 1842 - Budapest 1891). Il passa des tragédies à thèmes antiques aux drames sociaux (*les Prolétaires,* 1880).

CSOKONAI VITÉZ (Mihály), poète hongrois (Debrecen 1773 - *id.* 1805), l'un des grands représentants du lyrisme magyar par ses poèmes anacréontiques, philosophiques ou d'inspiration populaire (*Dorothée ou le Triomphe des dames sur le Carnaval,* 1804).

CSOKOR (Franz Theodor), écrivain autrichien (Vienne 1885 - *id.* 1969), auteur de drames influencés par l'esthétique de Strindberg et par l'expressionnisme (*le Général de Dieu,* 1938; *le Fils perdu,* 1946).

CUBISME

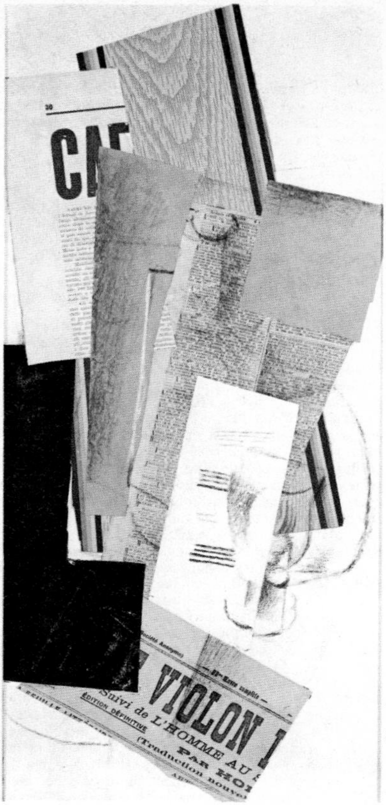

Lauros - Giraudon

Le Violon, « papier collé » de Georges Braque. 1913-1914. (Coll. privée, Bâle.)

HISTOIRE. Découverte en 1492 par Christophe Colomb, l'île est occupée par les Espagnols à partir de 1511; presque aussitôt, des esclaves noirs y sont importés. Après avoir dépendu de la capitainerie générale de Porto Rico, elle est constituée en capitainerie particulière en 1777; la culture de la canne à sucre devient la ressource essentielle. Ayant acquis de l'Espagne la liberté de commerce en 1765 et de nouveau en 1818, Cuba ne peut cependant se libérer politiquement; les révoltes sont surtout le fait des Noirs, qui connaissent un sort très dur sous la forme du « patronat » — esclavage déguisé. Cependant, en 1868, créoles et Noirs se soulèvent : dix ans de luttes aboutissent à une certaine autonomie et, en 1880, l'esclavage est aboli. Un nouveau soulèvement, dirigé par José Martí et Máximo Gómez a lieu en 1895 : il sera suivi d'une terrible répression.

Cependant, les Américains, qui contrôlent le marché du sucre cubain, convoitent l'île. L'explosion du cuirassé *Maine,* en rade de La Havane (févr. 1898), provoque la guerre hispano-américaine, qui aboutit à la défaite de l'Espagne; celle-ci, le 22 décembre, signe le traité de Paris par lequel elle doit renoncer à Cuba. La République cubaine reçoit, dès 1901, une constitution de type présidentiel, mais reste étroitement dépendante des Américains sur les plans diplomatique et économique, la parité étant instituée entre le peso et le dollar. En 1906, en 1912 et en 1917, les États-Unis, qui considèrent Cuba comme un protectorat, interviennent dans la petite république. De 1925 à 1933, le pays est dirigé par un dictateur, Gerardo Machado. La période qui suit est dominée par la personnalité de Fulgencio Batista y Zaldívar qui, nommé chef d'état-major, exerce la réalité du gouvernement de 1933 à 1940, et accède à la présidence de la République en 1940. Batista quitte le pouvoir en 1944, mais il y revient à la suite du coup d'État du 10 mars 1952 : il se proclame alors chef de l'État et suspend la Constitution. Les réformes sociales qu'il applique ne pouvant compenser l'arbitraire et la corruption qui caractérisent son régime, l'opposition — celle des intellectuels et des paysans notamment — trouve un chef, dès 1953, en Fidel Castro*. Ayant éliminé le régime de Batista en 1959, celui-ci entreprend une politique de nationalisations qui provoque l'embargo des États-Unis sur le commerce cubain. Les Américains tentent vainement de se défaire de Castro (échec de la baie des Cochons, 1961), qui réalise de profondes réformes de caractère socialiste et qui se montre de plus en plus favorable à l'U. R. S. S.; en 1962, l'installation de fusées soviétiques dans l'île provoque une crise internationale. En raison du soutien militaire apporté par Cuba aux Angolais (à partir de 1976), puis aux Éthiopiens contre les Somaliens (1977-78), les relations avec les États-Unis restent difficiles.

CUBISME. — Ce mouvement, en abandonnant à l'aube du XXe s. le réalisme traditionnel ainsi que la conception de l'espace pictural héritée de la Renaissance, va bouleverser la peinture. La leçon de Cézanne et la découverte de l'art nègre et des arts primitifs ont ouvert la voie aux travaux de Picasso* (*les Demoiselles* d'Avignon,* 1907) et de Braque* (*Grand Nu,* 1908, coll. priv.). Devant leurs paysages « cézanniens » de 1908, un critique parle de « bizarreries cubiques ». Avec la période « analytique » (à partir de 1910), le cubisme pousse l'exploration plus avant : il adopte une multiplicité d'angles de vue pour atteindre une vision totale et créer un « objet esthétique extrêmement structuré ». Cette nouvelle conception de l'espace pictural et de la forme favorise le monochromatisme et l'étude de la lumière (*Portrait de D. H. Kahnweiler,* de Picasso, 1910, Art Institute, Chicago; *le Portugais,* de Braque, 1911, Kunstmuseum, Bâle; *Hommage à Picasso,* de Juan Gris*, 1911-12, Chicago). Accentuant l'ambiguïté entre l'apparence et l'essence du réel ainsi qu'entre l'image concrète et le concept abstrait, les cubistes introduisent des chiffres, des lettres, des objets peints en trompe l'œil, qui amènent les *collages* et *papiers collés,* véritables morceaux de réalité intégrés au tableau (*Nature morte à la chaise cannée,* de Picasso, 1912, coll. priv.; *Compotier et verre,* de Braque, 1912, coll. priv.). Progressivement, la synthèse de l'image à partir d'éléments choisis remplace la démarche analytique : la phase « synthétique » du cubisme (à partir de 1912-13) est celle de l'organisation du tableau en un tout cohérent avec quelques signes essentiels, géométriques, et des éléments tirés du réel : sable, fragments de journaux, de papiers peints, etc. (*Composition à l'as de trèfle,* de Braque, 1913, musée national d'Art moderne, Paris; *la Bouteille de Banyuls,* de Juan Gris, 1914, Bâle). La couleur reprend de l'importance, particulièrement avec le « cubisme orphique » de Delaunay* (*la Ville de Paris,* 1912, musée national d'Art moderne). Mais le développement des multiples recherches cubistes est interrompu par la guerre : les grands maîtres (Picasso, Braque, Gris, Léger*, Delaunay) vont poursuivre une voie personnelle, tandis qu'Albert Gleizes (1881-1953) et Jean Metzinger (1883-1956) [théoriciens du mouvement avec *Du cubisme,* paru en 1912, et animateurs de la « Section d'Or »] ainsi que Louis Marcoussis (Ludwik Markus, 1878-1941), Henri Le Fauconnier (1881-1946), André Lhote* tentent d'infléchir le cubisme vers une conception plus sensible du réel, non sans parfois succomber au décoratif. Enfin, dans la suite des découvertes picturales, la sculpture a su interpréter en trois dimensions les principes cubistes avec, après Picasso lui-même, Brâncuşi*, Archipenko*, Joseph Csáky (1888-1971), Duchamp-Villon*, Laurens*, Lipchitz*, Zadkine*.

CUBITUS → AVANT-BRAS.

CUCQ (62780), comm. du Pas-de-Calais, à 6 km au S. du Touquet; 4 163 hab. Électronique.

CUCURBITACÉES. — La famille des courges (melon, potiron, courge, calebasse, concombre, courgette, cornichon) comprend des plantes rampantes ou grimpantes, aux tissus assez mous, aux fleurs à pétales soudés, généralement unisexuées, aux fruits souvent très gros, riches en graines et comestibles. La bryone a des racines toxiques et la momordique projette ses graines au loin comme avec un ressort.

CÚCUTA ou **SAN JOSÉ DE CÚCUTA,** v. du nord de la Colombie, dans la Cordillère orientale; 175 000 hab.

CUDDALORE, port de l'Inde (Tamil Nadu), sur la côte de Coromandel; 101 000 hab.

CUEILLETTE → AGRICULTURE.

CUENCA, v. d'Espagne, ch.-l. de prov. de Nouvelle-Castille, sur le Júcar; 34 000 hab. Dans la vieille ville, cernée de deux gorges profondes, cathédrale du XIIIe s. (riches décors postérieurs), nombreuses églises, hôtel de ville baroque, musée d'Art abstrait.

CUENCA, v. de l'Équateur andin; 61 000 hab.

CUÉNOT (Lucien), biologiste français (Paris 1866-Nancy 1951). On lui doit la vérification des lois de Mendel sur plusieurs groupes d'animaux, la découverte du facteur létal (1905), la théorie de la préadaptation.

CUERS (83390), ch.-l. de cant. du Var, à 20 km au N.-E. de Toulon; 5 576 hab.

CUESTA ou **CÔTE (relief de).** — Ce type de relief monoclinal se développe dans des terrains sédimentaires faiblement inclinés, présentant une alternance de couches dures et de couches tendres. Le plateau du revers correspond à la surface structurale d'une couche dure qui forme corniche au-dessus de la dépression subséquente déblayée dans les roches tendres sous-jacentes. Le tracé du front de côte est plus ou moins rectiligne; il est souvent précédé par des buttes témoins, qui montrent son ancienne extension. Dans un relief de cuesta, le réseau hydrographique doit s'adapter. Seules les rivières les plus puissantes coulent selon le pendage général (rivières conséquentes); elles franchissent le front de côte en percées conséquentes. Les rivières secondaires coulent parallèlement au front (rivières subséquentes) ou le ravinent (rivières obséquentes). Les cuestas caractérisent la morphologie des bassins sédimentaires, tel le Bassin parisien.

CUEVAS (George DE PIEDRABLANCA DE GUANA, *marquis* DE), mécène et directeur de compagnie de ballet (Santíago du Chili 1885 - Cannes 1961). De 1944 à 1960, il consacre sa vie à la danse et à la compagnie de ballet qui porta son nom. Au cours de ces années fertiles en créations *(le Prisonnier du Caucase, Idylle, Piège de lumière, la Belle au bois dormant...),* la troupe révéla de grands artistes (Rosella Hightower, Serge Golovine, George Skibine, Marjorie Tallchief...).

CUFFIES (02200 Soissons), comm. de l'Aisne, dans la banlieue nord de Soissons; 1 770 hab. Verrerie.

CUGNAUX (31270), comm. de la Haute-Garonne, à 10 km au S.-O. de Toulouse; 9 789 hab. *(Cugnalais).* Base aérienne de Francazal.

CUGNOT (Joseph), ingénieur du génie militaire français (Void, Lorraine, 1725 - Paris 1804). Il construisit, en 1770, la première voiture automobile à vapeur et, en 1771, un second modèle, appelé *fardier,* pour le transport des canons ou de lourdes charges.

CUI (César), compositeur russe (Vilna 1835 - Petrograd 1918). Associé au groupe des Cinq*, il a subi l'influence de Dargomyjski, Il est l'auteur de mélodies originales et de partitions dramatiques *(Angelo).*

CUIABÁ, v. du Brésil, capit. de l'État de Mato Grosso; 101 000 hab.

CUINCY (59500 Douai), comm. du Nord, banlieue nord-ouest de Douai; 6 192 hab.

CUIR → MAROQUINERIE.

CUIRASSE → FERRALITIQUE *(sol).*

CUIRASSÉ. — Les premiers bâtiments protégés par un blindage apparaissent au milieu du XIXe s. en France (la *Gloire,* 6 000 t, 1859) et en Angleterre (le *Warrior,* 1861). À partir de 1870, leur tonnage augmente et le cuirassé, qui est un compromis entre la puissance de sa protection, celle de son armement et sa vitesse, constitue le bâtiment de ligne par excellence. En 1906, les Anglais réalisent le *dreadnought* qui, imité de toutes les marines, sera l'élément de base des escadres de 1914-1918 (de 20 000 à 25 000 t, de 8 à 12 pièces de 300 à 400 mm sous tourelle, vitesse de 20 à 23 nœuds). De 1920 à 1945 l'accent est mis sur la protection, ce qui conduit à des cuirassés de 40 000 à 50 000 t (type *Missouri* américain). Mais la Seconde Guerre mondiale révèle leur fragilité sous les coups de l'aviation, si bien que, depuis 1945, aucun cuirassé n'a plus été mis en chantier. En 1960 tous étaient retirés du service. (Seule l'US Navy a réarmé en 1968 le *New Jersey,* cuirassé de 45 000 t, comme base d'artillerie flottante au Viêt-nam.)

Cuirassé « Potemkine » *(le),* film soviétique de Serguei Mikhaïlovitch Eisenstein (1925). Réalisé par un jeune metteur en scène de vingt-sept ans, ce film est né d'une commande du gouvernement soviétique, qui entendait commémorer les événements révolutionnaires de l'année 1905. En 1 300 plans, Eisenstein reconstitua avec ferveur et conviction l'un des épisodes les plus significatifs de cette période prérévolutionnaire : la mutinerie du cuirassé *Potemkine**, qui mouillait en rade d'Odessa. L'œuvre se déroule comme une tragédie classique : à l'unité de temps correspond une double unité de lieu et d'action. Le rythme de l'action (dû à un montage ingénieux), l'utilisation adroite de *gros plans* à des fins symboliques, la rigueur très « construite » des séquences ont permis à cet hymne vibrant d'être considéré, lors de plusieurs référendums internationaux, comme l'un des meilleurs films du monde. Certaines scènes sont passées à la légende, notamment celle de la fusillade de la foule par les gardes blancs sur le grand escalier d'Odessa.

F. F. C. C. (coll. J.-L. Passek)

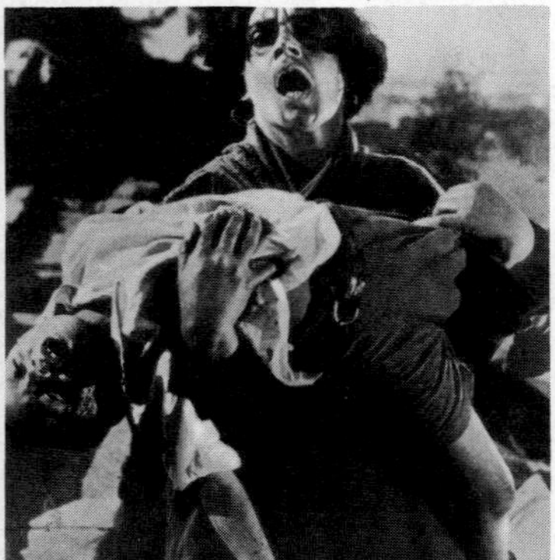

Le Cuirassé « Potemkine ». Une scène du film de S. M. Eisenstein.

CUISEAUX (71480), ch.-l. de cant. de Saône-et-Loire, à 25 km au S.-O. de Lons-le-Saunier; 1 816 hab. Industrie alimentaire.

CUISERY (71290), ch.-l. de cant. de Saône-et-Loire, à 7 km à l'E. de Tournus; 1 583 hab. Église des XIIIe-XVIe s. (œuvres d'art).

CUISINE. — La cuisine a pour but d'accommoder les aliments destinés à nourrir l'homme tout en flattant son palais. Son évolution a été liée à l'histoire de la production. Le progrès de l'agriculture a élargi le choix des matières premières : de la culture des céréales découla la confection de la pâte; l'instauration par Jean de La Quintinie (1626-1688) de la culture maraîchère dans les jardins du roi, à Versailles, fit passer les légumes sur les tables princières. Conquêtes territoriales et relations commerciales s'accompagnèrent de l'apparition de produits nouveaux : les croisades amenèrent les épices en Europe, et la découverte du Nouveau Monde fit connaître le maïs, la canne à sucre, le chocolat et la pomme de terre (adoptée seulement à la fin du XVIIIe s.). De nos jours, la rapidité des échanges provoque une sorte d'internationalisation de la production sur les marchés des pays industrialisés.

Partie de techniques de cuisson simples — ébullition et grillade — la cuisine, de l'Antiquité à la Renaissance, a été dominée par le souci de la quantité plus que par celui de la qualité : amoncellement de mets disparates relevés d'épices ou associant la saveur aigre-douce. Avec la Renaissance, cette association disparaîtra — sauf en Europe du Nord, où elle subsiste toujours. Les légumes italiens remplaceront les pois chiches et les fèves, et le veau et la volaille les pièces de venaison. La cuisine moderne est née au XVIIe s. et se poursuit au XVIIIe s. avec le souci de simplification dans le traitement de chaque mets pour lui-même (préparation spéciale pour les légumes, rôtis servis à part). Le XIXe s. voit l'épanouissement de la cuisine bourgeoise : simplification des recettes, menus allégés. Aujourd'hui, la cuisine est le produit de la tradition et de l'industrialisation. Elle donne lieu, sur le plan national, à des variations autour d'un produit dominant : poisson en Scandinavie, bœuf en Argentine, mouton au Moyen-Orient, cuisine à la bière en Belgique, etc.

La cuisine, au service d'une société hiérarchisée, sera elle-même hiérarchisée : elle ne se développera, pour des raisons financières évidentes, sous la forme savante que dans les classes riches. Seigneurs et monarques cherchent à éblouir par le luxe de leur table et par le renom de leur chef. Aujourd'hui encore, grande cuisine et cuisine bourgeoise s'adressent à des catégories sociales différentes.

CUISINIÈRE. — Cet appareil de cuisson se compose d'une table de cuisson et d'un four jumelés. Si ces deux éléments sont dissociés, on parle, alors, de *cuisinière éclatée.* Elle est le plus souvent électrique ou au gaz. Électrique, la cuisinière a des foyers constitués par des résistances tubulaires aplaties ou noyées dans des plaques de fonte (plaques de cuisson) ou encore encastrées dans des tables de cuisson en vitro-céramique. Les plaques de cuisson comportent en leur milieu un palpeur thermostatique, en contact avec le récipient. Son four chauffe à la voûte par rayonnement infrarouge et à la sole par convection. Les brûleurs au gaz sont à flamme directe. Les deux types de cuisinière peuvent être équipés d'une régulation thermostatique et d'un programmateur pour le temps de cuisson.

CUISSE. — Le squelette de la cuisse est constitué par le fémur sur lequel s'insèrent de nombreux muscles. En avant, la cuisse est traversée par l'artère fémorale, en arrière par le nerf grand sciatique, qui peuvent être lésés dans le cas de certaines plaies. Le *fémur* est un os long comprenant une diaphyse solide. Son extrémité supérieure comporte une surface articulaire sphérique, la tête, reliée par une partie rétrécie, le col, à deux apophyses, les grand et petit trochanters, où s'insèrent des muscles. L'extrémité inférieure comprend deux surfaces articulaires du genou, les condyles, qui s'articulent avec le tibia. Les *fractures du col du fémur* sont fréquentes chez les personnes âgées, provoquées parfois par un traumatisme minime. Elles sont graves car elles entraînent, par le repos au lit qu'elles nécessitent, des complications circulatoires (escarres, congestion pulmonaire, etc.). Elles peuvent aboutir à une nécrose ischémique de la tête fémorale. Leur traitement est le plus souvent opératoire (ostéosynthèse par clou, vis-plaque ou prothèse, c'est-à-dire remplacement de la tête du fémur par une tête métallique de même forme). Les fractures de la tête du fémur sont parfois associées à une luxation traumatique de la hanche*. Les fractures de la diaphyse fémorale succèdent toujours à un

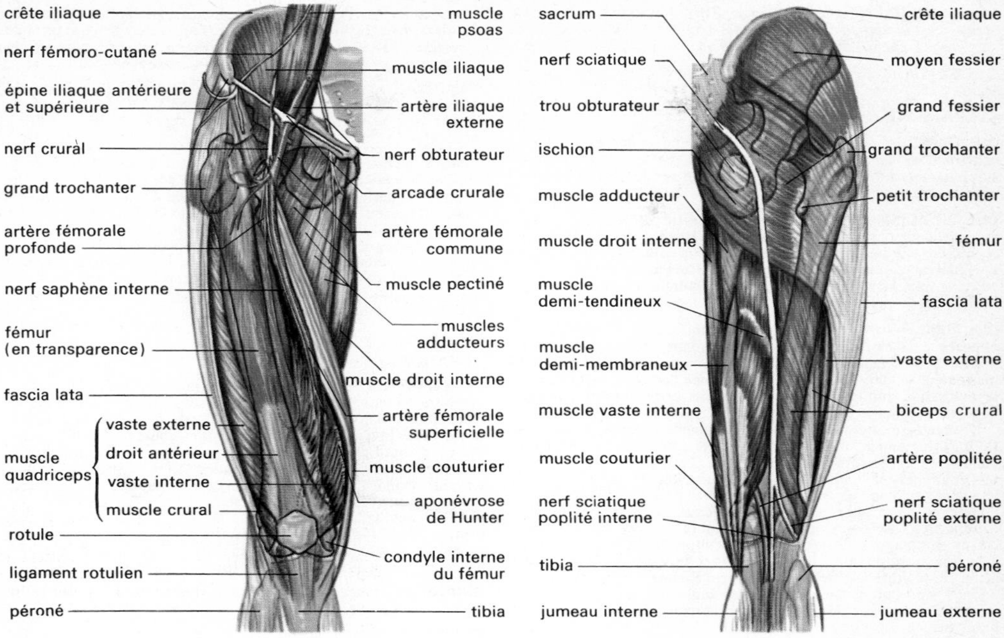

vue antérieure **vue postérieure**

CUISSE

traumatisme violent : elles entraînent un état de choc sévère; elles se compliquent parfois d'ostéite et de pseudarthrose. Les fractures de l'extrémité inférieure du fémur se compliquent souvent de raideurs du genou.

CUIVRE. — Le cuivre, métal connu dès le Ve millénaire en Égypte, est l'élément chimique no 29, de masse atomique Cu = 63,54. D'une couleur rouge caractéristique, il a pour densité 8,9 et fond à 1 084 °C. Il est, après l'argent, le meilleur conducteur de la chaleur et de l'électricité. De dureté moyenne, il est très malléable et ductile. À l'air, il se recouvre d'une couche mince de carbonate basique, le vert-de-gris. Ce corps étant toxique, les ustensiles en cuivre servant à la cuisine doivent être étamés ou tenus très propres. Le cuivre est facilement attaqué par l'acide nitrique.

Parmi les composés *cuivreux,* dans lesquels le cuivre est univalent, citons l'oxyde Cu_2O, rouge, qui sert à colorer les verres, et le chlorure CuCl, dont la solution dans l'ammoniaque est le réactif de l'acétylène. Parmi les composés *cuivriques,* plus importants, dans lesquels le métal est bivalent, citons l'oxyde CuO, noir, qui sert à colorer les verres en vert, le sulfate $CuSO_4$, bleu, employé en électrométallurgie, en galvanoplastie, en teinture et en agriculture (bouillies cupriques, pour la vigne).

Bien qu'existant dans de nombreux minerais oxydés ou sulfurés, c'est à partir de la *chalcopyrite* $CuFeS_2$ que le cuivre est le plus souvent extrait. Le traitement par *voie sèche* consiste à éliminer la gangue, le fer et le soufre* par des opérations successives de concentration, de grillage (matte) et de convertissage, conduisant à du cuivre brut à 99 p. 100. Des opérations d'affinage, soit thermique, soit électrolytique, permettent d'atteindre une pureté courante supérieure à 99,9 p. 100. Le cuivre est utilisé dans la proportion de 80 p. 100 à l'état pur ou faiblement allié (moins de 1 p. 100 d'éléments) — en raison de sa haute conductibilité électrique et thermique, de sa bonne tenue à certaines corrosions* courantes et de sa facilité de mise en forme et d'assemblage — dans la construction électrique (moteurs, matériel), le transport d'électricité (câbles, barres, conducteurs), le bâtiment (tubes), la construction automobile et l'équipement électroménager. Les nombreux cupro-alliages sont utilisés dans la plupart des industries, par suite de la variété de leurs propriétés : les *laitons* (alliages de cuivre et de zinc*) se forment et s'usinent aisément (barres, profilés, laminés); les *bronzes* (alliages de cuivre et d'étain*) ont d'intéressantes qualités de fonderie*, associées à leurs caractéristiques mécaniques et de frottement (moulages, pièces mécaniques); les *cupro-aluminiums* ainsi que les *cupro-nickels* résistent bien à l'oxydation* et à certains agents corrosifs. Des applications particulières sont également réservées aux *Monel, maillechort* et autres cupro-alliages (chrome*, manganèse*, béryllium*, silicium*).

La production mondiale, en accroissement constant, est de l'ordre de 8 millions de tonnes (métal contenu) et apparaît assez concentrée géographiquement. Les États-Unis et l'U. R. S. S. fournissent chacun près de 15 p. 100 de ce total. Le Chili, le Canada, la Zambie et le Zaïre forment un groupe de producteurs « moyens », fournissant chacun entre 0,5 et 1 million de tonnes, c'est-à-dire que six États assurent plus des deux tiers de la production mondiale.

CUIVRES → INSTRUMENTS DE MUSIQUE.

CUJAS (Jacques), juriste français (Toulouse 1522 - Bourges 1590), le plus important représentant de l'école historique. Il créa à Toulouse, en 1547, un cours d'*Institutes,* et enseigna dans de nombreuses universités. On lui doit des *Observationes,* des *Paratitla,* ses *Recitationes* et un *Tractatus ad Africanum.*

CUKOR (George), cinéaste américain (New York 1899). Il fut l'un des grands directeurs d'acteurs (et surtout d'actrices) de Hollywood : *David Copperfield* (1935); *le Roman de Marguerite Gautier* (1936); *Indiscrétions* (1940); *Hantise* (1944); *Comment l'esprit vient aux femmes* (1950); *Une étoile est née* (1953); *les Girls* (1957); *le Milliardaire* (1961); *My Fair Lady* (1964).

CULBUTEUR → GRAISSAGE.

CULIACÁN, v. du Mexique, au pied de la sierra Madre occidentale, capit. de l'État de Sinaloa; 168 000 hab.

CULLBERG (Birgit Ragnhild), danseuse et chorégraphe suédoise (Nyköping 1908). Dotée de la double formation classique et moderne, elle joue un rôle primordial dans la vie artistique suédoise tant auprès du Ballet royal de l'Opéra qu'au Théâtre de la ville de Stockholm et à la télévision. Elle dirige sa propre troupe depuis 1967. Elle est l'auteur, notamment, de *Mademoiselle Julie* (d'après Strindberg), *Médée, Eurydice est morte.*

CULLMANN (Oscar), théologien protestant français (Strasbourg 1902). Auteur de nombreux travaux portant sur l'exégèse du Nouveau Testament et sur l'histoire du christianisme primitif, Oscar Cullmann, soucieux de dialogue œcuménique, fut, à la demande du pape Jean XXIII, observateur officiel au deuxième concile du Vatican*. Ses œuvres principales sont : *le Culte dans l'Église primitive, Christ et le temps, Saint Pierre, Christologie du Nouveau Testament.*

CULLODEN, localité d'Écosse (Inverness), où le prétendant Charles Édouard fut vaincu par le duc de Cumberland (1746).

CULMANN (Karl), ingénieur allemand (Bergzabern 1821 - Riesbach 1881). Il est le véritable créateur de la statique graphique ébauchée par Gabriel Lamé (1795-1870) en 1826.

CULOZ (01350), comm. de l'Ain, à 27 km au N.-E. de Belley, sur le Rhône; 2 523 hab. Nœud ferroviaire.

CULPABILITÉ *(Psychanal.)* → SURMOI.

CULTISME. — Ce maniérisme de l'écriture, qui est fait de constructions complexes, de ruptures de style, de métaphores surprenantes, a été distingué, par Gracián, du conceptisme* et a eu pour maître Góngora*.

CULTURALISME. — Les travaux de cette école (représentée essentiellement par R. Benedict*, M. Mead*, A. Kardiner et R. Linton) ont montré l'influence de la culture sur le comportement de l'individu. Cependant, négligeant l'existence d'une interaction entre le psychisme et la culture, le culturalisme ne va jamais au-delà des contenus manifestes.

CULTURE. — Pour la philosophie occidentale, la culture est opposée à la nature dès le XVIIIe s. L'homme paraît ainsi s'être dégagé de l'animalité, en forgeant les moyens d'une plus parfaite maîtrise de la nature. Avec l'évolutionnisme du XIXe s., la culture et la civilisation sont identifiées pour désigner cette étape décisive où l'humanité échappe à la barbarie.

L'ethnologie confère une acception nouvelle au terme de culture. E. B. Tylor entend par culture ce « tout complexe qui inclut les connaissances, les croyances religieuses, l'art, la morale, le droit, les coutumes et toutes les autres capacités et habitudes que l'homme acquiert en tant que membre de la société ». Sous l'influence des anthropologues américains des années 50, le culturalisme* se donne pour objet de rechercher à la fois la caractérisation des différentes aires culturelles et l'examen des échanges entre cultures différentes. Avec le structuro-fonctionnalisme, la culture est moins envisagée comme un ensemble de normes modelant la personnalité des individus que comme une structure de valeurs dont le maintien permet à la société de « se perpétuer en son être ».

CULTURE (maisons de la). — Témoignant de la reconnaissance par l'État, dans le domaine de la culture, d'une obligation qui prolonge celle qu'il assume dans le domaine de l'enseignement, les maisons de la culture répondent au double souci de décentralisation et de création. Gérée conjointement par l'État (secrétariat des Affaires culturelles) et la collectivité locale, la maison de la culture doit en principe offrir, par un matériel et des ateliers appropriés, les moyens d'une initiation à l'expression tant plastique que musicale ou littéraire. En pratique, les maisons de la culture ont été implantées dans les villes où les centres* dramatiques avaient atteint un développement satisfaisant. Pour coordonner leur action, il existe depuis 1967 une Association technique pour l'action culturelle (A. T. A. C.). Avec des moyens moins importants et des objectifs moins ambitieux, les *maisons des jeunes et de la culture,* qui relèvent du ministère de la Jeunesse et des Sports, jouent le même rôle dans les petites villes de province, les banlieues urbaines, certaines zones rurales.

CULTURE DE MASSE. — L'expression a connu une singulière fortune tout au long des années 60, aux États-Unis d'abord, en Europe ensuite. Elle est censée désigner l'ensemble des comportements, des mythes ou des représentations collectives qui sont produits et diffusés massivement par les mass media. À l'encontre de cette néoculture, surgie principalement du cinéma et de la télévision, les chefs d'accusation sont nombreux : on lui reproche d'être à la fois standardisée, médiocre et euphorisante. Les sociologues n'ont pas manqué de souligner les ambiguïtés de cette notion. Si on la définit par l'étendue de son public, l'examen révèle que la culture de masse n'est en réalité qu'une partie seulement de la culture des masses. Définie négativement par rapport à une culture « académique », elle exprime un jugement de valeurs parfaitement subjectif. Au total, la notion de culture de masse pourrait bien constituer un mythe. Un mythe utile en ce sens qu'il permettrait surtout à ceux qui dénoncent la médiocrité des mass media d'attester, au moins par le symbole, leur appartenance à la classe des gens véritablement « cultivés ».

CULTUROLOGIE. — Ce terme est adopté par certains anthropologues (E. B. Tylor [1832-1917], L. A. White [né en 1900]) qui considèrent que la culture ne peut être expliquée par les diverses sciences humaines, mais par une science qui lui serait propre.

CUMANÁ, v. du Venezuela, à l'E. de Caracas, capit. de l'État de Sucre; 120 000 hab.

CUMBERLAND *(massif du),* hauteurs du nord-ouest de l'Angleterre, dont la partie méridionale est parsemée de lacs *(Lake District).*

CUMBERLAND (William Augustus, duc DE), prince britannique (Londres 1721 - *id.* 1765). Troisième fils de George II, chef de l'armée alliée des Pays-Bas, il est vaincu à Fontenoy (1745) et près de Maastricht (1747); chargé d'écraser le soulèvement jacobite écossais (1745-46), il mérite, par sa cruauté, le surnom de « boucher »; il l'emporte sur Charles Édouard à Culloden (1746).

CUMBRIA, comté du nord-ouest de l'Angleterre, sur la mer d'Irlande, correspondant essentiellement à l'ancien comté de *Cumberland* et s'étendant notamment sur le *massif du Cumberland**.

CUMES, colonie grecque de l'Italie méridionale, en Campanie. Fondée au milieu du VIIIe s. av. J.-C. par des Grecs d'Eubée, elle s'oppose victorieusement aux Étrusques en 474 av. J.-C., grâce à l'aide de Hiéron* de Syracuse. Passée sous la domination samnite en 421 av. J.-C., elle est conquise par les Romains en 334 av. J.-C. — Les tombes de la nécropole s'échelonnent du IXe s. av. J.-C. à l'époque impériale. Le célèbre antre de la sibylle, comportant plusieurs galeries et une vaste pièce rectangulaire voûtée (entièrement creusée dans le tuf), a été dégagé; vestiges des temples d'Apollon et de Jupiter (Ve s. av. J.-C.).

CUMULUS → NUAGE.

CUNAULT → TRÈVES-CUNAULT.

CUNÉIFORME. — Déchiffrée dans la première moitié du XIXe s., l'écriture cunéiforme doit son nom à ses caractères en forme de clous tracés dans l'argile fraîche à l'aide d'un roseau à pointe triangulaire. Inventée par les Sumériens au cours du IIIe millénaire, elle est d'abord pictographique (les signes représentent des objets), puis elle évolue vers une schématisation et une abstraction de plus en plus grandes : les caractères (550 environ dans sa forme classique) peuvent représenter soit un concept, soit (le plus souvent) une syllabe. Véhicule de la culture suméro-akkadienne, l'écriture cunéiforme servit à transcrire d'autres langues (l'élamite, le hittite, etc.). Malgré sa complication, elle ne fut que très lentement supplantée par les 22 signes de l'alphabet* phénicien.

CUNEO, en franç. **Coni,** v. d'Italie (Piémont), au S. de Turin; 55 000 hab. Églises, surtout du XVIIIe s. Musée. Pneumatiques.

CUNHA (Tristão ou Tristan DA), navigateur portugais (Lisbonne 1460 - en mer 1540). Compagnon d'Albuquerque, il découvre l'archipel de l'Atlantique (Tristan da Cunha) qui porte son nom.

CUNLHAT (63590), ch.-l. de cant. du Puy-de-Dôme, à 28,5 km au N.-O. d'Ambert; 1 507 hab. Église des XIIe et XVe s.

CUNNINGHAM (Andrew Browne), amiral britannique (Dublin 1883 - Londres 1963). Commandant la flotte de la Méditerranée en 1939, signataire, en juillet 1940, de l'accord sur l'internement de l'escadre française d'Alexandrie, il attaque la flotte italienne à Tarente (1940), puis au cap Matapan (1941). En 1942, il commande les forces navales du débarquement allié en Afrique du Nord et devient Premier Lord de la mer de 1943 à 1946. Auteur de l'*Odyssée d'un marin* (1956). — Son frère, *sir* ALAN GORDON (Dublin 1887), battit les Italiens en Afrique orientale (1940-41), commanda la VIIIe armée en Libye (1941) et fut, de 1945 à 1948, le dernier haut-commissaire britannique en Palestine.

CUNNINGHAM (Merce), danseur et chorégraphe moderne américain (Centralia, Washington, 1915 ou 1919). Après avoir débuté avec la Martha Graham Dance Company, il est devenu un des chorégraphes les plus représentatifs de l'avant-garde américaine, dont les recherches formelles et spatiales tendent à créer des gestes et des mouvements parfaitement maîtrisés et libres de toute anecdote (*Summerspace,* 1958).

CUPIDON, divinité romaine de l'Amour, assimilée à l'Éros* des Grecs.

CUPRO-ALLIAGE → CUIVRE.

CUPRO-AMMONIACALE (liqueur) ou **CUPRO-AMMONIAQUE.** — C'est une solution dans l'ammoniaque d'oxyde cuivrique, qui dissout la cellulose. Obtenue par la réaction de l'ammoniaque concentrée sur la tournure de cuivre en présence d'un courant d'air, elle contient l'hydroxyde complexe $Cu(NH_3)_4(OH)_2$. On l'emploie dans la fabrication du carton, pour l'imperméabilisation du papier et de la toile à voile, la conservation des cordages et du bois, la fabrication de certaines fibres textiles artificielles.

CUPULIFÈRES. — C'est parmi les arbres qui portent des *chatons* (inflorescences pendantes de petites fleurs toutes du même sexe) que l'on rencontre ceux dont le fruit est enchâssé dans une petite coupe, ou *cupule.* Il s'agit souvent d'essences de la forêt tempérée : hêtre, châtaignier, chêne, noisetier, charme. De nombreux auteurs rangent les espèces précédentes dans l'ordre des *fagales* et y joignent, pour former le super-ordre des *amentifères,* les saules, peupliers, platanes, aulnes, bouleaux et noyers.

CUQ-TOULZA (81470), ch.-l. de cant. du Tarn, à 20 km au S.-E. de Lavaur; 515 hab.

CURAÇAO, principale île des Antilles néerlandaises, au N. du

Venezuela; 472 km²; 149 000 hab. Ch.-l. *Willemstad.* Grande raffinerie de pétrole. Pétrochimie.

CURARE. — L'inoculation de ce poison végétal (par blessure) ou son injection provoquent une paralysie musculaire progressive, allant jusqu'à l'asphyxie mortelle, en diminuant les mouvements respiratoires.

Le curare est utilisé en anesthésie car il permet une résolution musculaire parfaite, facilitant la réduction des fractures et la chirurgie abdominale. La respiration assistée et l'oxygénothérapie sont nécessaires pendant l'intervention, et la surveillance de l'opéré doit être poursuivie jusqu'au retour complet à la normale.

CURATELLE → INCAPABLE MAJEUR.

CURBANS (05110 La Saulce des Alpes), comm. des Alpes-de-Haute-Provence, à 22 km au S. de Gap; 136 hab. Centrale hydroélectrique sur la Durance.

CURCULIONIDÉS → CHARANÇON.

CURE. — Le terme a des usages variés. La cure radicale des hernies est l'opération chirurgicale qui supprime l'orifice herniaire. Les cures médicamenteuses consistent en certains traitements prolongés par antibiotiques, anti-inflammatoires, etc. Les cures thermales groupent les traitements effectués dans les stations hydrominérales. (V. THERMALISME.)

CURE (la), riv. de Bourgogne, affl. de l'Yonne (r. dr.); 112 km. Elle forme le réservoir du lac des Settons.

CURE CLIMATIQUE → CLIMATISME.

CUREL (François DE), écrivain français (Metz 1854-Paris 1928), auteur de drames inspirés par les conflits d'idées et les problèmes sociaux de son temps (*le Repas du lion,* 1897).

CURIACES → HORACES.

Curia regis, au Moyen Âge, entourage royal, formé de la famille du roi et des grands feudataires, qui, à titre de vassaux du souverain, sont tenus de le conseiller. Cette cour féodale, d'abord imprécise dans ses tenues et ses attributions, va se structurer avec l'affermissement du pouvoir royal et se diviser en organes spécialisés (Parlement, Chambre des comptes, Conseil du roi), formés en majorité de juristes.

CURIE *(Énerg. nucl.)* → ACTIVITÉ.

CURIE *(Hist. anc.)* → COMICES.

CURIE (Pierre), physicien français (Paris 1859-*id.* 1906). Avec son frère, PAUL JACQUES **Curie** (1855-1941), il a découvert la piézo-électricité (1880). Il a énoncé le principe de symétrie (1894), selon lequel les éléments de symétrie des causes doivent se retrouver dans leurs effets. Il a indiqué que le ferromagnétisme disparaît au-dessus d'une certaine température, dite *point de Curie* (1895). Enfin, avec sa femme, il se consacra à la radioactivité, et tous deux

Pierre et Marie Curie.

Gribayedoff-Agence Photo Nouvelle

découvrirent le polonium puis le radium (1898). [Prix Nobel de physique, 1903.] — Sa femme, MARIE **Skłodowska,** physicienne française, d'origine polonaise (Varsovie 1867-Sallanches 1934), s'occupa de radioactivité, dès la découverte de H. Becquerel; elle isola le radium à l'état métallique et créa l'Institut du radium. (Prix Nobel de chimie, 1911.)

CURIE ROMAINE. — C'est Sixte Quint qui, en 1588, donna à l'ensemble des organismes administratifs du Saint-Siège sa contexture moderne en créant des organismes spécialisés : les congrégations* romaines. Paul VI, en 1963, amorça une réforme profonde de la curie : il lui ôta son caractère trop bureaucratique et trop italien en y associant des évêques résidentiels du monde entier et en y introduisant un esprit de collégialité.

CURIETHÉRAPIE. — Appelée également « radiumthérapie », elle utilise le rayonnement γ (gamma) du radium dans le traitement des tumeurs malignes. La curiethérapie s'applique par divers procédés : implantation d'aiguilles contenant du radium ou un autre corps radioactif dans la tumeur à détruire (curiepuncture des cancers de la langue, des épithéliomas cutanés, etc.), disposition de tubes de métal contenant du radium dans les cavités naturelles (traitement de certains cancers du col de l'utérus, du vagin, etc.), curiethérapie externe utilisant des foyers de corps radioactifs (radium, cobalt 60) situés à une petite distance (cancers cutanés, adénopathies malignes, etc.) ou à une grande distance de la région à traiter (cancers profonds).

CURITIBA, v. du Brésil méridional, capit. de l'État de Paraná; 608 000 hab. Industries alimentaires, métallurgiques et chimiques.

CURSUS HONORUM. — La notion de cursus honorum (suite des honneurs), désignant l'ordre dans lequel devait s'effectuer la carrière publique, apparut dans la législation romaine au début du IIe s. av. J.-C. Jusqu'à cette période, et malgré l'établissement coutumier d'une hiérarchie dans les magistratures, un citoyen romain pouvait se présenter aux plus hautes fonctions sans avoir jamais rempli de magistratures subalternes. La *lex Villia annalis,* votée en 180 av. J.-C., mit fin à cette pratique. Elle légalisa la hiérarchie : questure, édilité curule, préture, consulat, censure; elle imposa un âge d'entrée dans la magistrature (27 ans) et un intervalle de deux ans entre chaque charge. Transgressé dès la fin du IIe s., le cursus fut modifié par Sulla qui repoussa l'éligibilité à la questure à 29 ans et à la préture à 40 ans. Auguste réorganisa les carrières et abaissa les âges d'accès; mais, progressivement, les empereurs prirent l'habitude de décerner à leur guise les magistratures, devenues purement honorifiques.

CURTEA DE ARGEŞ, v. de Roumanie, au pied méridional des Alpes de Transylvanie, au N.-O. de Bucarest; 18 000 hab. Monuments de filiation byzantine : église princière du XIVe s. et originale église épiscopale du XVIe (très restaurée), destinée à la sépulture des princes valaques (décor externe sculpté des murs et des petites coupoles, peintures).

CURTIUS (Georg) → COMPARÉE *(grammaire).*

CURZOLA → KORČULA.

Curzon *(ligne),* ligne de démarcation proposée en 1919 par lord Curzon of Kedleston (1859-1925), ministre anglais des Affaires étrangères, comme frontière orientale de la Pologne. Passant par Suwałki, Grodno, Brzść Liteswki (Brest), le cours moyen du Bug et l'est de Przemyśl, elle correspond à peu près à la frontière polonaise de 1945.

CUSCUTE. — Parmi les très rares espèces de plantes à fleurs devenues exclusivement parasites, la plus redoutable est la cuscute, liane sans chlorophylle, sans feuilles, presque sans racines, qui s'enroule autour des plantes vertes et, au moyen de suçoirs, se nourrit de leurs sèves. La vigne, les légumineuses, les plantes textiles et beaucoup d'espèces non cultivées sont victimes de ses attaques. Ses graines sont parfois difficiles à distinguer et à séparer de celles de ses hôtes.

CUSHING (Harvey Williams), neurochirurgien américain (Cleveland 1869-New Haven, Connecticut, 1939), fondateur de la neurochirurgie. Il a démontré que l'ablation de l'hypophyse guérit de la maladie des glandes surrénales (hypercorticisme) qui porte son nom.

CUSSET (03300), ch.-l. de cant. de l'Allier, à 3 km à l'E. de Vichy; 14 507 hab. *(Cussetois).* Constructions mécaniques.

CUSTOZA ou **CUSTOZZA,** bourg d'Italie, près de Vérone, où les Autrichiens battirent les Piémontais en 1848 et en 1866.

CUT-BACK → BITUME.

CUTI-RÉACTION. — La cuti-réaction est dite « négative » si elle ne produit aucune réaction inflammatoire; elle est dite « positive » s'il apparaît une rougeur (érythème) et un léger gonflement (papule) au niveau de la scarification. Une scarification « témoin », faite sans déposer de produit, permet d'éviter une lecture incorrecte. Si un doute persiste, on pratique généralement une intradermoréaction.

La cuti-réaction à la *tuberculine* est négative chez les sujets indemnes de tout contact avec le bacille de Koch; elle est positive après primo-infection tuberculeuse ou après administration du B.C.G., et elle témoigne alors de la réaction de défense de l'organisme.

Des cuti-réactions avec des *allergènes variés* (poussière de maison, plumes, poils, etc.) sont pratiquées dans le diagnostic des affections allergiques (asthme, rhinites spasmodiques, eczémas, etc.).

On pratique également des cuti-réactions avec la *toxine diphtérique* et avec une *toxine streptococcique* pour la recherche des sujets pouvant contracter la diphtérie ou la scarlatine. Dans ces cas, c'est la cuti-réaction *négative* qui témoigne de l'immunité.

CUTTACK, v. de l'Inde (Orissa), dans le delta de la Mahānadī; 194 000 hab.

CUVIER (Georges), naturaliste français (Montbéliard 1769 - Paris 1832). Dès que la prise de Montbéliard par les troupes de la Convention eut fait de lui un Français, Georges Cuvier s'engage, grâce à l'appui d'Étienne Geoffroy Saint-Hilaire, dans une brillante carrière universitaire : membre de l'Institut à vingt-six ans, pair de France à sa mort, il a, entre ces deux dates, servi tous les régimes, obtenu et assumé les plus hautes fonctions scientifiques et politiques, évincé tous ses rivaux et brillamment illustré la science. Ses *Recherches sur les ossements fossiles* (1812-1824) ont fondé la paléontologie; l'ouvrage collectif *le Règne animal* (1817) est resté irremplaçable pendant plus d'un siècle. Cuvier a énoncé le principe de *corrélation des caractères,* qui permet de deviner la structure des pattes d'un mammifère d'après la denture, par exemple. C'était un fixiste intransigeant.

CUVILLIÉS (François DE), architecte et ornemaniste allemand, d'origine hainuyère (Soignies 1695 - Munich 1768). Nain à la cour de Bavière, il fut envoyé étudier l'architecture à Paris (1720-1724) et devint le maître du rococo bavarois : pavillon d'Amalienburg dans le parc de Nymphenburg (1734), aux stucs d'une exubérance raffinée, faits de motifs végétaux, de figures et de cartouches chantournés; théâtre de la Résidence de Munich (1750). Il publia à partir de 1738 des suites gravées d'ornements qui répandirent son style en Europe.

CUXHAVEN, v. d'Allemagne fédérale (Basse-Saxe), à l'embouchure de l'Elbe; 50 000 hab. Pêche. Avant-port d'Hambourg.

CUYP (Albert), peintre et dessinateur néerlandais (Dordrecht 1620 - *id.* 1691). Membre le plus illustre d'une famille de peintres, il se distingua surtout par des paysages aux lointains rayonnants de soleil, fermement étayés par les animaux ou les figures qui se détachent, en clair-obscur, au premier plan; ces œuvres réalisent une alliance des conceptions nordique et italianisante, de la réalité vécue et du rêve.

CUZA (Alexandre-Jean Ier), premier prince des principautés unies roumaines de Moldavie et de Valachie (Galați 1820 - Heidelberg 1873). En 1859 il fut élu prince par l'assemblée de Moldavie et par celle de Valachie. Les importantes réformes qu'il entreprit pour moderniser le pays (réforme agraire, développement des communications, sécularisation des biens d'Église) suscitèrent contre lui une coalition qui l'obligea à abdiquer en 1866.

CUZCO, v. du Pérou, dans les Andes, à 3 650 m d'altitude; 131 000 hab. Cette ville du Pérou méridional fut le point de départ de l'expansion des Incas* et la capitale de leur empire, avant de devenir l'un des grands centres de l'Amérique espagnole. Seuls des fragments, pour la plupart soubassements d'édifices coloniaux, témoignent de l'ampleur des constructions incas et de la beauté de leur appareil (temple du dieu-soleil Viracocha, incorporé dans le couvent des Dominicains). La forteresse de Sacsahuamán (XVe s.), dominant la ville de son triple rempart en zigzag, est aussi un remarquable exemple de la maçonnerie mégalithique des Incas. La plupart des édifices coloniaux ont été très largement reconstruits, après le séisme de 1650, dans le style baroque ibérique. Foisonnante, la décoration est caractérisée au XVIIIe s. par de nombreuses colonnes torses. Principaux monuments : cathédrale (1582-1654), église de la Compañía, église du Triunfo (1729), façade de l'université (ancien collège des Jésuites). Intéressante école de peinture hispano-américaine.

CYANAMIDE. — La ou le cyanamide $NCNH_2$ est l'amide de l'acide carbamique. La *cyanamide calcique,* ou chaux azotée NCNCa, obtenue au four électrique par action de l'azote sur le carbure de calcium, est employée comme engrais.

CYANHYDRIQUE (acide). — L'acide cyanhydrique HCN a été d'abord retiré du bleu de Prusse, d'où son nom usuel d'*acide prussique.* C'est un liquide incolore, à odeur d'amandes amères, bouillant à 26 °C, soluble dans l'eau. C'est un poison très violent. Il donne avec les bases des sels, les *cyanures,* également très toxiques, qui peuvent former des complexes, comme le ferrocyanure de potassium. Il constitue le nitrile de l'acide formique.

CYANIQUE (acide). — L'acide cyanique, ou plutôt *isocyanique,* OCNH, isomère de l'acide fulminique, est un liquide incolore, volatil, instable au-dessus de 0 °C; il lui correspond des sels et des dérivés isocyaniques OCNR.

CYANOGÈNE. — Le cyanogène C_2N_2, dinitrile de l'acide oxalique, est un gaz incolore, d'odeur forte, toxique, se liquéfiant à − 21 °C. Présentant des analogies avec les halogènes, il s'unit à l'hydrogène et aux métaux.

CYANOPHYCÉES. — Ces plantes chlorophylliennes très primitives ne sont plus rangées parmi les algues (on les nommait « algues bleues »), car elles se rapprochent davantage des bactéries par leurs cellules au noyau non séparé du cytoplasme. Un pigment complémentaire leur donne une teinte bleuâtre. Elles ont le pouvoir de fixer l'azote atmosphérique à titre de source exclusive d'azote organique. Les sols argileux portent une forme gélatineuse, le *nostoc,* ou « crachat de lune », tandis que les eaux douces renferment des filaments *(oscillaires)* animés de lents mouvements.

CYANOSE. — La cyanose, qui est due à un trouble de l'oxygénation du sang, apparaît lorsque le taux d'hémoglobine réduite est supérieur à 5 p. 100. Elle se rencontre dans les insuffisances respiratoires importantes et dans les cardiopathies congénitales cyanogènes. La cyanose des extrémités *(acrocyanose)* est une manifestation chronique dont l'origine est rarement connue et dont le traitement est difficile.

CYAXARE → MÈDES.

CYBÈLE, déesse phrygienne. Dite la *Grande Mère,* ou la *Mère des dieux,* Cybèle a un parèdre adolescent : Attis*. Son culte connut une grande diffusion en Asie Mineure et dans l'Empire romain; en 204 av. J.-C., la pierre noire, symbole de la déesse, fut apportée de Pessinonte à Rome pour détourner la menace qu'Hannibal faisait peser sur la ville. Religion à mystères, le culte de Cybèle comprenait des cérémonies initiatiques comportant notamment un repas sacré et un baptême de sang, le taurobole.

CYBERNÉTIQUE. — Méthodologie consacrée aux problèmes de l'antihasard, la cybernétique comprend une partie « classique », qui étudie les mécanismes de la finalité, c'est-à-dire du but à atteindre, et une cybernétique beaucoup moins connue, qui s'attache à l'élaboration du but, c'est-à-dire de la finalité qui commandera l'évolution d'un système. Un système est finalisé lorsqu'il évolue vers un nouvel état antérieurement défini, quelles que soient les péripéties imprévisibles qui accompagnent cette évolution. Il y a naturellement une limite à de telles variations au-delà de laquelle le système s'avère impuissant à maintenir sa finalité et même sa structure. La poursuite d'une finalité peut se faire par deux mécanismes : celui de la rétroaction* et celui de la mémoire*.

• Un *mécanisme de rétroaction* mesure la « valeur » d'un des effets qui caractérisent le système dynamique *(capteur),* la compare à une valeur de référence, ou *consigne (comparateur),* qui constitue en fait la finalité du système, puis envoie le signal de différence entre la consigne et la valeur actuelle à un *modulateur* qui fait varier le débit d'entrée des facteurs du système. Cette variation peut se faire en sens inverse du signal d'erreur. Il s'agit d'une régulation en constance et la finalité du système est de maintenir son « comportement ». Si la variation est dans le même sens, la régulation tend à faire croître la valeur du signal d'erreur (en tendance), ce qui a pour effet d'amener la valeur de l'effet soit à un maximum, soit à zéro. En biologie, on voit souvent, dans un but d'efficacité, des rétroactions en tendance contrôlées par des rétroactions en constance. Un des concepts fondamentaux de la cybernétique est qu'il est inutile d'analyser les causes de variation de l'environnement pour mettre en œuvre un mécanisme efficace d'antihasard.

• Un *mécanisme de mémoire* utilise les étapes d'une stratégie antérieure efficace qui a mené au but actuellement recherché. Lorsque le système de mémoire est suffisamment efficace pour pouvoir combiner les éléments de plusieurs stratégies antérieures (mémoire active), le signal d'erreur déclenche l'élaboration d'une nouvelle stratégie. En réalité, les deux types de mécanismes de finalisation agissent conjointement.

Tant que les variations de l'environnement n'excèdent pas les possibilités des dispositifs de régulation*, la poursuite d'une finalité n'est pas remise en cause. Quand un organisme évolué se trouve dans une situation qui excède ses possibilités, et qu'il en est informé par ses capteurs, il peut alors faire varier par action interne les caractéristiques de son but et ainsi dominer, mais d'une autre façon, les agressions de son environnement. Les mécanismes mis en œuvre sont également des systèmes de rétroaction et des systèmes de mémoire.

Cybernétique *(la),* ouvrage de Norbert Wiener (1948), dans lequel l'auteur définit l'information en fonction de la notion d'entropie : « Plus un message est probable, moins il fournit d'information. » Il est à l'origine des travaux sur la communication sociale.

CYCAS. — Les arbres de l'ordre des cycadales, gymnospermes des pays chauds, au port de palmier, intéressent les botanistes par leur mode de reproduction très primitif, qui rappelle celui des formes de l'ère primaire. Citons les genres *Cycas, Zamia, Encephalartos,* dont la moelle est comestible (sagou).

CYCLADES, en gr. **Kyklades,** archipel grec de la mer Égée, au S.-E. d'Athènes, formant un cercle *(kyklos)* autour de *Délos.* Ch.-l. *Hermoupolis.* Les autres principales îles sont *Ándhros, Náxos, Páros, Santorin, Sýros, Milo, Mýkonos.* Siège, dès le IIIe millénaire, d'une brillante civilisation.

CYCLANE. — Les principaux cyclanes, hydrocarbures saturés à chaîne fermée, sont les polyméthylènes, dont le cycle comporte *n* groupes CH_2.

CYCLE *(Littér.).* — Chez les Grecs, le cycle désigne, suivant l'expression de Zénodote d'Éphèse (IIIe s. av. J.-C.), l'ensemble des poèmes posthomériques concernant les légendes héroïques. Ces épopées, qui ne sont connues que par un résumé, dû à Photios, de la *Chrestomathie* de Proclus, avaient trait à la guerre de Troie (*les Retours* [*Nostoi*]) et aux légendes thébaines *(les Épigones).* La littérature du Moyen Âge connaît également des groupes de poèmes et de romans auxquels on donne le nom de « cycles ». Les chansons de geste se rassemblent dans le *cycle du roi,* dont Charlemagne est le héros principal, dans le *cycle de Garin de Monglane,* dont la figure centrale est Guillaume d'Orange, et dans le *cycle de Doon de Mayence,* que domine Renaut de Montauban. On réunit dans le *cycle breton* les textes qui relatent les faits d'armes du roi Arthur*, les aventures des chevaliers voués à la quête de Graal*, les amours de Tristan* et Iseut. On donne parfois le nom de *cycle classique* ou *antique* aux romans du XIIe s. qui traitent des thèmes empruntés à l'Antiquité sur le mode de l'épopée médiévale, mais en faisant une place plus importante à l'érudition et au lyrisme *(le Roman de Thèbes, Eneas, le Roman de Troie).*

CYCLE *(Thermodynam.).* — Dans un cycle, transformation d'un système de corps qui revient à son état initial, le volume, la pression et la température sont des variables liées par la relation $f(v, p, t) = 0$, équation qui représente une surface dont chaque point caractérise un état du système. Dans un cycle, ce point décrit une courbe fermée.

Le cycle de fonctionnement du moteur* à explosion, dit « cycle de Beau* de Rochas », détermine les phases successives par où passent les gaz carburés au cours d'une opération complète.

Diagrammes (réel et théorique) du cycle de Beau de Rochas.

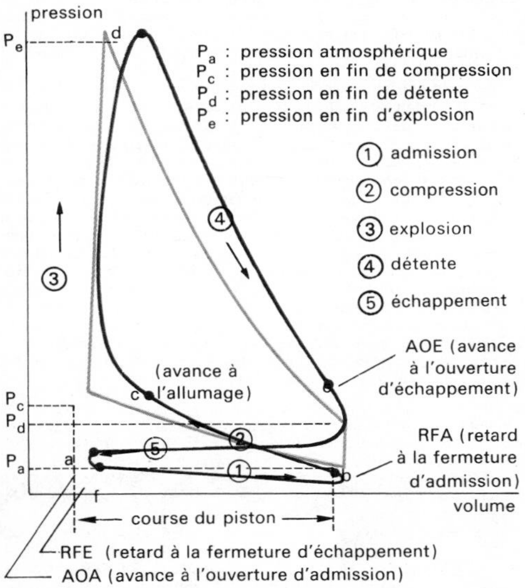

L'habitude s'est prise de le désigner par *cycle à quatre temps,* ce qui est impropre, car le moteur à deux temps obéit aux mêmes lois. En réalité, il ne s'agit que de phases.

Première phase : admission. La soupape d'admission est ouverte et la soupape d'échappement fermée. Le piston est en haut de sa course. En descendant dans le cylindre, il aspire, par dépression, la masse gazeuse carburée.

Deuxième phase : compression. Les deux soupapes sont fermées. Le piston est au bas de sa course. En remontant, il comprime la masse carburée contenue dans le cylindre.

Troisième phase : explosion-détente. Les deux soupapes sont closes. Le piston est en haut de sa course. Une étincelle jaillit entre les électrodes de la bougie, et le mélange s'enflamme en poussant le piston vers le bas. Les gaz commencent à se détendre.

Quatrième phase : échappement. La soupape d'admission est fermée et la soupape d'échappement ouverte. Le piston est en bas de sa course. En remontant, il pousse les gaz brûlés qui s'échappent dans l'atmosphère.

Pour améliorer le rendement, on donne de l'avance à l'ouverture et des retards à la fermeture des soupapes ainsi que de l'avance à l'allumage*. On dit que la distribution est *croisée.*

CYCLE D'ÉROSION. — En période de stabilité, l'évolution du relief passe par trois stades — jeunesse, maturité et vieillesse —, au cours desquels les irrégularités de la topographie s'atténuent progressivement. La *surface d'érosion* est l'aboutissement du cycle : elle résulte de l'aplanissement total du relief. La notion de « cycle d'érosion », due au géomorphologue américain W. M. Davis*, est largement combattue car il paraît peu probable que l'écorce terrestre reste stable suffisamment longtemps pour qu'il ait le temps de se dérouler entièrement.

CYCLE ÉCONOMIQUE. — La notion de « cycle de période longue » est associée au nom du Russe Kondratiev, celle de « cycle de période moyenne » (environ dix ans) à celui de l'économiste français Juglar; les cycles de période courte (environ 40 mois) sont dénommés « cycles Kitchin » par référence à l'économiste anglo-saxon qui les a mis en évidence.

Les cycles longs de Kondratiev impliquent des périodes favorables d'une durée de 20 à 30 ans, et d'autres, d'une durée analogue, dont la « pente » générale est défavorable. Ainsi, peut-on repérer dans l'histoire économique de l'Occident : une dépression après 1825, jusqu'en 1848; une croissance de 1850 à 1873; une dépression de 1873 à 1895; une période de nouveau favorable de 1895 à 1914; la grande dépression de 1929 à 1936; une phase ascendante de 1945 à 1973 (d'une exceptionnelle intensité) après le second conflit mondial.

Pour certains auteurs, les années 70 marqueraient le début d'un Kondratiev « à la baisse » après un Kondratiev (particulièrement long, de presque trente années) de hausse, ayant soutenu, depuis 1945, la croissance de très nombreux pays d'économie capitaliste ou centralisée.

CYCLE REPRODUCTIF. — D'une génération à l'autre, d'une graine à l'autre, d'un œuf à l'autre, la même suite de phénomènes se déroule éternellement. Ils constituent les éléments du cycle reproductif. Les deux principaux sont la *méiose* et la *fécondation.* Lors de la méiose, les futures cellules reproductrices ne conservent plus chacune que la moitié du nombre (pair) de chromosomes de leur espèce. La lignée cellulaire est passée de la phase à $2n$ chromosomes (phase diploïde, diplophase) à la phase à n chromosomes (phase haploïde, haplophase). La fécondation, union de deux noyaux cellulaires haploïdes d'origine différente, l'un mâle et l'autre femelle, donne le *zygote,* ou œuf fécondé (la notion d'œuf, ici, s'applique même aux plantes), origine d'un nouvel être vivant généralement diploïde. Chez les animaux, les gamètes (cellules reproductrices) résultent directement de la méiose, il n'y a pratiquement pas d'haplophase. Chez les plantes, le cycle reproductif est beaucoup plus variable. En effet, les cellules issues de la méiose peuvent dans bien des cas se multiplier, s'organiser, édifier des structures complexes avant que la phase haploïde aboutisse à la formation des gamètes. Généralement, la méiose donne des *tétraspores,* qui germent en donnant un *gamétophyte,* ou *prothalle,* porteur de gamètes, unisexué ou bisexué. Les spores des champignons, des mousses et des fougères, les grains de pollen des plantes à fleurs sont des tétraspores. Chez les mousses, la plante principale est haploïde et le sporange seul est à $2n$ chromosomes.

Parmi les complications possibles, nous signalerons la *phase dicaryotique* des champignons supérieurs, chez qui une fécondation inachevée donne des cellules à deux noyaux, qui se multiplient sous cette forme pour donner l'appareil sporifère, la fusion des noyaux étant aussitôt suivie de la formation des spores.

CYCLES BIOSPHÉRIQUES. — La vie brasse éternellement les mêmes atomes. Les déplacements du carbone, de l'azote, du phosphore, etc., d'un vivant à un autre, leur saisie dans le monde inerte ou leur rejet vers celui-ci après usage s'inscrivent donc schématiquement dans des cercles fermés, ou « cycles ».

• *Cycle du carbone.* La réserve mondiale est formée par le gaz carbonique (CO_2) de l'air et des eaux, alimentée par la respiration animale, les fermentations, les feux et combustions industrielles, les émanations volcaniques, mais exploitée par l'activité des plantes vertes à la lumière (v. PHOTOSYNTHÈSE). Le carbone passe des plantes aux animaux herbivores, puis aux carnivores, se retrouve dans les excréments et les cadavres, est restitué à l'atmosphère par les microbes. Mais une partie échappe au cycle, principalement par la voie des ossements et des coquilles, donnant des sédiments calcaires et finalement des roches calcaires (12 p. 100 de carbone en poids). Charbons et pétroles ne sont remis en circuit que par l'intervention humaine.

• *Cycle de l'azote.* Il diffère du précédent par l'incapacité générale des êtres vivants à utiliser l'azote atmosphérique, malgré l'énorme masse de celui-ci. Les rares bactéries et plantes vertes « fixatrices

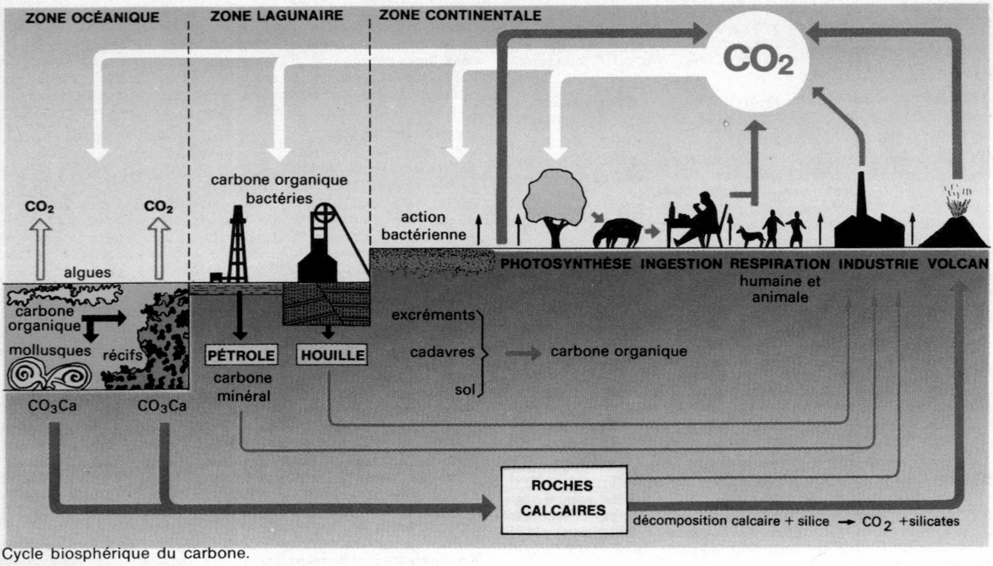

Cycle biosphérique du carbone.

d'azote» jouent de ce fait un rôle irremplaçable. En revanche, aucune formation massive de roches azotées ne vient amputer le stock d'azote circulant.

• *Cycles du soufre, du phosphore, du calcium, de l'oxygène, de l'eau.* On n'évoquera ici que le rejet de composés soufrés et de soufre natif par les volcans, le risque dramatique de manque de phosphore, la solidarité habituelle du calcium avec le carbone, le rôle de véhicule joué par l'oxygène dans le transport des autres éléments, enfin la très faible part de l'eau planétaire incluse à chaque instant dans les êtres vivants, mais aussi son extrême rapidité de renouvellement à travers les organismes.

CYCLIQUE (musique). — C'est dans le dessein d'établir un lien thématique ou psychologique entre les différentes sections d'une œuvre que les compositeurs utilisèrent une cellule génératrice («idée fixe» chez Berlioz) engendrant des variations («leitmotiv» chez Wagner) ou assurant l'unification d'un cycle de mouvements (Liszt, Franck).

CYCLISME. — Il existe deux grands types de compétitions, sur route et sur piste. Parmi les premières, de loin les plus populaires aujourd'hui, on distingue les épreuves par étapes et les épreuves disputées en une seule journée, sur un parcours de ville à ville, les courses en ligne ou classiques. Les grandes classiques internationales sont Paris-Roubaix et Paris-Tours, Milan-San Remo et le Tour de Lombardie, le Tour des Flandres, la Flèche wallonne et Liège-Bastogne-Liège. Il faut y ajouter le championnat du monde sur route, dont le parcours change chaque année. Parmi les courses par étapes, les grandes compétitions sont le Tour de France (créé en 1903), le Tour d'Italie (Giro) et le Tour d'Espagne (Vuelta). D'autres tours nationaux existent (Belgique et Suisse, notamment), ainsi que d'autres courses à étapes, d'un retentissement moindre que les trois courses citées, dont Paris-Nice, le Critérium du «Dauphiné libéré», le Tour de Sardaigne, etc. Il existe des épreuves spécialisées, les *courses de côte,* disputées sur un parcours réduit, mais à forte déclivité, et surtout les *courses contre la montre* (Grand Prix des Nations et Grand Prix de Lugano), compétitions individuelles où les coureurs partent les uns après les autres à intervalles réguliers. Il faut placer à part Bordeaux-Paris, course très longue (près de 600 km) où les coureurs, sur la seconde moitié du parcours, sont entraînés par des cyclomoteurs.

Toutes ces compétitions sont ouvertes aux professionnels; en Europe occidentale, principalement en Belgique, en Italie et en France, coexistent professionnels et amateurs, alors que tous les coureurs de l'Europe de l'Est sont des amateurs. Il se dispute également chaque année un Championnat du monde sur route des amateurs et un Tour de l'avenir, réplique adoucie du Tour de France des professionnels.

Parmi les compétitions sur piste, la plus connue est la *vitesse,* qui consiste à départager des coureurs sur une distance de 1 000 mètres, mais qui se joue en réalité le plus souvent par un sprint dans les 200 derniers mètres. La *poursuite* oppose deux coureurs (sur 5 km pour les professionnels et sur 4 km pour les amateurs) placés au départ en deux points de la piste diamétralement opposés : l'enjeu consiste pour chacun des concurrents à rejoindre l'autre ou du moins à réduire l'écart qui l'en sépare. Le *demi-fond* se dispute derrière des motos, augmentant considérablement, par effet d'entraînement, la vitesse des coureurs. Toutes ces épreuves sont disputées séparément par des professionnels et des amateurs.

Sur piste existent encore d'autres types d'épreuves, dont les Six Jours, opposant des équipes de deux coureurs, et, en fait, limitées aujourd'hui à des courses de 3 ou 4 heures par jour. C'est sur piste aussi qu'est établi le *record de l'heure,* dont le détenteur actuel est Eddy Merckx, qui a couvert la distance de 49,431 95 km.

Sport aux rebondissements souvent dramatiques, popularisé, amplifié par les grands moyens d'information (presse, radio et télévision), le cyclisme a fait entrer plusieurs de ses champions, surtout les routiers, dans la légende du sport : les Français Antonin Magne, Jacques Anquetil* et Louison Bobet*, les Italiens Alfredo Binda, Gino Bartali et Fausto Coppi*, les Belges Philippe Thys, Rik Van Looy et surtout Eddy Merckx*, le plus grand coureur de tous les temps, si l'on s'en rapporte au palmarès. Sur piste demeurent célèbres les noms de sprinters : le Belge Jeff Scherens, l'Italien Antonio Maspes et les Français Lucien Michard et Daniel Morelon, ce dernier, pourtant amateur, étant certainement le meilleur coureur de vitesse des dix dernières années.

Ascension d'un col, menée par E. Merckx, au cours d'une étape de montagne du Tour de France 1969.

Azoulay - Match

CYCLOHEXANE. — Le cyclohexane C_6H_{12} est le plus important des cyclanes*; c'est un liquide à odeur éthérée, bouillant à 81 °C, obtenu par hydrogénation catalytique du benzène.

CYCLOMOTEUR → MOTOCYCLETTE.

CYCLONE → PRESSION ATMOSPHÉRIQUE.

CYCLONE TROPICAL. — Les cyclones tropicaux, appelés aussi « typhons », sont des dépressions atmosphériques très creuses qui se forment exclusivement au-dessus des mers chaudes. L'œil du cyclone est marqué par une zone de subsidence où les vents sont faibles, mais de la périphérie soufflent des vents très violents qui peuvent atteindre 300 km/h. Les cyclones se déplacent à la surface des océans à une vitesse de 20 à 50 km/h. Leur trajectoire, d'abord est-ouest, s'incurve vers les latitudes tempérées, où ils s'affaiblissent progressivement. Accompagnés de pluies catastrophiques, les cyclones provoquent des ravages sur les côtes qu'ils atteignent.

Cyclope *(le),* drame satyrique d'Euripide (seconde moitié du Ve s. av. J.-C.), le seul exemple restant de ce genre littéraire. Il évoque l'épisode d'Ulysse chez Polyphème.

CYCLOPES, génies de la mythologie grecque, forgerons de la foudre divine et bâtisseurs des monuments mégalithiques de l'antiquité. Chez Homère, ils apparaissent comme des êtres monstrueux n'ayant qu'un seul œil au milieu du front : le plus célèbre est Polyphème*.

CYCLOSTOMES → AGNATHES.

CYCLOTRON. — Imaginé vers 1931 par l'Américain E. O. Lawrence, le cyclotron se compose d'une chambre à vide cylindrique, dans l'axe de laquelle règne un champ magnétique intense, produit par un électro-aimant. Dans cette boîte se trouvent deux électrodes creuses, en forme de D, auxquelles est appliquée une tension alternative de haute fréquence. Des particules électrisées (protons, deutons, etc.), injectées dans la boîte, passent d'une électrode dans l'autre au moment où cette tension est maximale; elles subissent ainsi une accélération et décrivent des trajectoires circulaires de rayons croissants, avec une vitesse qui augmente constamment. Lorsqu'elles ont acquis une énergie suffisante, elles sont déviées vers une cible matérielle, où elles produisent des réactions nucléaires.

Les possibilités du cyclotron sont limitées par la rupture du synchronisme qui se produit lorsque les particules, animées de grandes vitesses, voient leur masse croître de façon appréciable, selon les théories relativistes. On remédie à cet effet dans le *synchrocyclotron* et dans le *synchrotron.*

CYGNE, constellation* boréale en pleine Voie* lactée, comprenant une cinquantaine d'étoiles visibles à l'œil nu ainsi que d'assez nombreuses étoiles doubles ou multiples. L'une d'elles, 61 *Cygni,* est la première étoile dont la distance à la Terre (11 al) ait été mesurée.

Cygne *(le)* ou **la Mort du cygne,** solo chorégraphique que Michel Fokine composa pour Anna Pavlova sur l'andante (solo de violoncelle) du *Carnaval des animaux* de Saint-Saëns. Il fut créé à Saint-Pétersbourg en 1905. Galina Oulanova, Alicia Markova, Yvette Chauviré et Maïa Plissetskaïa s'illustrèrent dans cette interprétation.

CYNEWULF, poète anglo-saxon du VIIIe s., auteur de poèmes religieux.

CYNIQUES. — Pauvres et méprisés des citoyens athéniens, les cyniques soutiennent que la science est inutile et que l'essentiel est de devenir maître de soi-même en ne s'attachant à aucun bien matériel, ni à aucune opinion, ni à personne sinon par amitié. Outre Antisthène*, le fondateur de l'école au IVe s. av. J.-C., les principaux cyniques sont : Diogène de Sinope, Cratès de Thèbes et Onésicrite.

CYNOSCÉPHALES, collines de Thessalie, entre Pharsale et Lárissa. La victoire que remporta, en 197 av. J.-C., le consul T. Quinctius* Flamininus sur Philippe V, roi de Macédoine*, près des collines des Cynoscéphales, permit à Rome de libérer les cités grecques du joug macédonien : Philippe V dut évacuer les Détroits, la Grèce et la Thessalie, livrer tous ses navires sauf cinq bâtiments, et payer un tribut de mille talents.

CYPÉRACÉES. — Au voisinage des roseaux, au bord des étangs et des cours d'eau, croissent ces herbes, dont la tige présente une section triangulaire. Les innombrables espèces de *Carex,* la linaigrette, le souchet, le scirpe sont rangés, pour cette raison notamment, dans la famille des cypéracées, qui comprend aussi le papyrus d'Égypte.

CYPHO-SCOLIOSE → CYPHOSE.

CYPHOSE. — La cyphose peut, par l'exagération de sa courbure, devenir pathologique dans la région dorsale. Elle est toujours pathologique dans la région lombaire. Cliniquement, l'inspection note sa forme; la radiologie en précise la cause et permet de suivre son évolution sous traitement. La cyphose peut coexister avec une scoliose : c'est la *cypho-scoliose.*

Chez l'enfant, les « attitudes cyphotiques » souples doivent être traitées pour éviter leur fixation ultérieure.

Les causes de cyphose sont multiples : citons les cyphoses héréditaires ou traumatiques, la tuberculose vertébrale et les fractures vertébrales. Chez les jeunes, les cyphoses d'origine rachitique ou dues à une épiphysite des adolescents (maladie de Scheuermann) sont fréquentes.

La prévention des cyphoses par une bonne hygiène de vie associée à un sommeil sur un matelas assez dur est essentielle. Le traitement des cyphoses repose sur la kinésithérapie active. La mise en coquille plâtrée ou le port d'un corset sont parfois indispensables.

CYPRÈS. — Le cyprès se reconnaît de très loin à son port fastigié, c'est-à-dire en colonne étroite, et à son feuillage dense, qui le distingue du peuplier. Ce conifère orne surtout les cimetières et les demeures isolées des régions méditerranéennes, et on en forme des haies serrées pour arrêter le vent, notamment dans la vallée du Rhône. Des variétés au feuillage plus étalé se voient dans le sud-ouest de la France.

CYPRIEN *(saint),* Père de l'Église latine (Carthage v. 200 - *id.* 258). Rhéteur converti au christianisme (v. 240), il devient, en 248 ou 249, évêque de Carthage et s'impose dès lors comme le chef de l'Église d'Afrique. D'abord, dans le règlement de l'important problème posé par la réintégration des *lapsi*,* c'est-à-dire des chrétiens, qui, durant la persécution de Decius (250), avaient plus ou moins faibli dans l'affirmation de leur foi. Ensuite, dans le conflit soulevé par la validité du baptême donné par les hérétiques et qui l'oppose au pape Étienne Ier (254-257) : le différend les conduit au bord de la rupture; mais la persécution de Valérien (257-258), au cours de laquelle les deux antagonistes subiront le martyre, termine la controverse (qui ne trouvera une solution positive qu'avec la conclusion du donatisme*). Dans les personnes d'Étienne et de Cyprien s'affrontent en fait deux conceptions de l'Église : le courant monarchique et le courant collégial. Œuvres principales de Cyprien : *Sur les lapsi, De l'unité de l'Église.*

CYPRINIDÉS. — La plupart des poissons qui peuplent nos rivières de plaine, aux eaux calmes et relativement chaudes, sont rangés dans la famille des cyprinidés, dits aussi « poissons blancs ». Ce sont des poissons à une seule dorsale, aux écailles plutôt grandes, aux dents ne siégeant qu'au niveau du pharynx, aux nageoires pelviennes implantées vers l'arrière. Citons la carpe*, le poisson rouge (importé d'Orient), le barbeau, le goujon, la tanche, la bouvière, le vairon, les divers gardons, la brème et l'ablette. Les loches leur sont apparentées.

CYRANKIEWICZ (Józef), homme d'État polonais (Tarnów 1911). Secrétaire général du parti socialiste polonais en 1945, il devient secrétaire du Comité central du parti des travailleurs unifié, en 1948. Il est président du Conseil de 1947 à 1952, puis de 1954 à 1970, et président du Conseil d'État (chef de l'État) de 1970 à 1972.

CYRANO DE BERGERAC (Savinien DE), écrivain français (Paris 1619 - *id.* 1655). Auteur d'une tragédie (*la Mort d'Agrippine,* 1653) et d'une comédie (*le Pédant joué,* 1654), il a exprimé sa philosophie matérialiste, ses vues sur la nature et la politique dans des récits de voyages imaginaires à travers les planètes (*Histoire comique des États et Empires de la Lune,* 1657; *Histoire comique des États et Empires du Soleil,* 1662).

Cyrano de Bergerac, comédie héroïque en cinq actes, en vers, d'Edmond Rostand (1897). — Ballet de R. Petit (1959).

CYRÉNAÏQUE → LIBYE.

CYRÉNAÏQUES. — Les principaux représentants de l'école cyrénaïque, fondée par Aristippe* au IVe s. av. J.-C. en Libye, sont : Aretê, fille d'Aristippe, Aristippe le Jeune, Théodore l'Athée et Hégésias. Ce courant philosophique se caractérise principalement par sa morale dont le principe directeur est le plaisir.

CYRÈNE, ville principale de l'ancienne Cyrénaïque (Libye). Issue d'une colonie grecque fondée en 631 av. J.-C., elle connaît une grande prospérité au temps des huit rois Battiades (VIIe-Ve s.). Passée au IVe s. sous la domination des Ptolémées*, elle est constituée en royaume indépendant par des dynastes aventuriers, dont le dernier la cède aux Romains en 96 av. J.-C.

CYRILLE de Jérusalem *(saint),* Père de l'Église grecque (Jérusalem v. 315 - *id.* 386), évêque de Jérusalem (v. 348-386). Plusieurs fois exilé à cause de son opposition à l'arianisme*, il reprend possession de son siège après la mort de l'empereur Valens et prend une part déterminante au concile de Constantinople (381), qui liquide l'arianisme. Ses *Catéchèses baptismales* sont un document de grand intérêt sur la catéchèse* chrétienne et l'histoire de la liturgie du baptême au IVe s.

CYRILLE d'Alexandrie *(saint),* Père de l'Église grecque (Alexandrie entre 376 et 380 - *id.* 444), évêque d'Alexandrie (412-444).

Adversaire du nestorianisme*, qu'il contribue à faire condamner au concile d'Éphèse*, il fait proclamer le dogme de la maternité divine de la Vierge Marie. Si son style sans attraits ne lui donne pas une place éminente parmi les écrivains de la littérature grecque chrétienne, la richesse de sa pensée sur le dogme trinitaire et l'unité de la personne du Christ en fait un théologien important dans l'histoire du dogme chrétien. Enfin, grâce à la réfutation qu'il en a faite, nous pouvons avoir une idée du traité, aujourd'hui disparu, de Julien* l'Apostat, *Contre les Galiléens*.

CYRILLE *(saint)* et **MÉTHODE** *(saint)*, apôtres des Slaves. Constantin (en religion *Cyrille*) [Thessalonique 827 ou 828 - Rome 869] et son frère, Méthode (Thessalonique v. 825 - Velehrad 885), traduisirent, en vue de l'évangélisation des Slaves, la Bible et les livres liturgiques dans le parler slave de Thessalonique. Le patriarche de Constantinople les envoya en Khazarie (861), puis en Moravie (863); ils s'y heurtèrent aux missionnaires germaniques de rite latin, malgré le soutien du pape, qui nomma Méthode archevêque de Moravie et Pannonie.

CYRILLIQUE. — Issu d'un alphabet qui aurait été conçu, à partir du grec, par saint Cyrille et remanié par saint Clément, l'alphabet cyrillique sert à transcrire le russe, le serbe et le bulgare.

CYRUS II, roi achéménide* (v. 556-530 av. J.-C.), fondateur de l'Empire perse*. Après s'être libéré de la suzeraineté des Mèdes* (v. 550), il se proclame roi des Mèdes et des Perses et étend sa souveraineté sur la Lydie, les cités ioniennes, les territoires iraniens du Turkestan et de l'Afghānistān; la prise de Babylone, en 539, porte sa puissance à son apogée. Il trouve la mort en 530 au cours d'une expédition contre une peuplade scythe, les Massagètes. Son sens politique, son attitude libérale à l'égard des peuples conquis assurent à son empire une stabilité que compromettra la rigueur de ses successeurs. La Bible exalte Cyrus pour avoir accordé aux Juifs, déportés en Babylonie, le droit de retourner à Jérusalem et de reconstruire le Temple (édit de 538).

CYRUS le Jeune, prince achéménide* († 401), frère d'Artaxerxès* II, contre lequel il se révolte avec l'aide de mercenaires grecs et asiatiques. Il trouve la mort à la bataille de Counaxa*. (V. Dix Mille [*retraite des*].)

CYSOING (59830), ch.-l. de cant. du Nord, à 14,5 km au S.-E. de Lille; 3 531 hab.

CYSTITE → VESSIE.

CYSTOGRAPHIE → VESSIE.

CYTHÈRE, île grecque de la mer Égée, entre le Péloponnèse et la Crète; 10 000 hab. Relais du trafic maritime vers l'Afrique et la Méditerranée orientale, Cythère, comptoir phénicien au Xe s. av. J.-C., est par la suite possession d'Argos* et de Sparte*. Sa célébrité littéraire lui vient de son sanctuaire d'Aphrodite*.

CYTOLOGIE. — Depuis l'invention du microscope classique, puis du microscope électronique, il est devenu relativement aisé d'obtenir des images de ce minuscule constituant universel des êtres vivants, la *cellule**. Ces images ont révélé une extrême complexité de structure et un fonctionnement vital lui aussi très complexe. Une science nouvelle, la cytologie, s'est donné pour objet l'étude de la cellule morte et fixée, puis l'étude de la cellule vivante et des mouvements intracellulaires, enfin l'étude expérimentale des réactions de la cellule à diverses interventions (micromanipulations), tandis que la biochimie cellulaire, la physiologie cellulaire, la génétique, l'analyse des macromolécules chromosomiques donnaient à la cytologie une place de plus en plus centrale parmi les sciences de la vie.

CYZIQUE, ville de Phrygie, fondée par des colons de Milet en 675 av. J.-C.; Alcibiade* y bat la flotte sparte en 410. Centre commercial à l'époque hellénistique, Cyzique prend parti pour Rome contre Mithridate VI et perd toute importance après le règne de Dioclétien.

CZARTORYSKI (Adam Jerzy, *prince*), homme d'État polonais (Varsovie 1770 - Montfermeil 1861). Condamné à mort par Nicolas Ier, à la suite de la révolution de 1830, il se réfugie à Paris, d'où il ne cesse de défendre, devant l'Europe, la cause de l'indépendance polonaise.

CZERNY (Karl), pianiste et compositeur autrichien (Vienne 1791 - *id.* 1857). L'un des plus grands virtuoses de son époque, il a laissé des œuvres pédagogiques dont la valeur reste indiscutable *(l'Art de délier les doigts, Études)*.

CZĘSTOCHOWA, v. de la Pologne méridionale, en haute Silésie, sur la Warta; 192 000 hab. Industrie métallurgique et textile. Autour d'un monastère fondé en 1382 se constitua, à partir du XVIIe s., un centre national de pèlerinage marial.

ALPHABET CYRILLIQUE

alphabet russe et bulgare					
majuscules	minuscules	valeur	majuscules	minuscules	valeur
А	а	a	Р	р	r
Б	б	b	С	с	s
В	в	v	Т	т	t
Г	г	g	У	у	ou
Д	д	d	Ф	ф	f
Е	е	ié, é	Х	х	kh
Ж	ж	j	Ц	ц	ts
З	з	z	Ч	ч	tch
И	и	i	Ш	ш	ch
Й	й	ï	Щ	щ	chtch
К	к	k	Ъ	ъ	*(signe dur)*
Л	л	l	Ы	ы	y *(i dur)*
М	м	m	Ь	ь	*signe de mouillure de consonne*
Н	н	n	Э	э	e
О	о	o	Ю	ю	iou
П	п	p	Я	я	ia

lettres particulières			
majuscules	minuscules	valeur	
І	і	i *(dev. voy.)*	lettres actuellement inusitées
Ѣ	ѣ	ié, é	lettres actuellement inusitées
Ѳ	ѳ	f	lettres actuellement inusitées
Ѵ	ѵ	i *(slavon)*	lettres actuellement inusitées
Ѫ	ѫ	ă *(eu)*	lettres actuellement inusitées
Ђ	ђ	dj ou đ	lettres particulières à l'alphabet serbe
Љ	љ	lj	lettres particulières à l'alphabet serbe
Њ	њ	nj	lettres particulières à l'alphabet serbe
Ћ	ћ	ć *(t mouillé)*	lettres particulières à l'alphabet serbe
Џ	џ	dž *(dj)*	lettres particulières à l'alphabet serbe

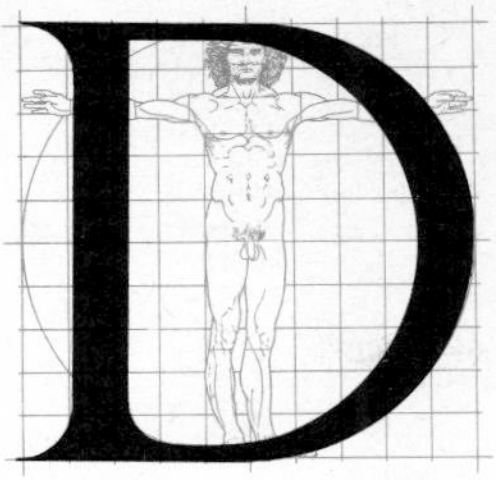

DABIT (Eugène), écrivain et peintre français (Paris 1898 - Sébastopol 1936). Membre du groupe pictural dit « du Pré-Saint-Gervais », il a donné avec *Hôtel* du Nord* (1929), l'un des meilleurs romans de l'école populiste.

DĄBROWA GÓRNICZA ou **DOMBROWA,** v. de Pologne, en haute Silésie; 63 000 hab. Houille. Métallurgie.

DĄBROWSKA ou **DOMBROWSKA** (Maria), femme de lettres polonaise (Rusow 1889 - Varsovie 1965). Elle peignit dans ses romans la vie paysanne et la société polonaise traditionnelle (*Gens de là-bas,* 1925; *les Nuits et les Jours,* 1932-1934), et manifesta sa sympathie pour l'évolution de la Pologne nouvelle (*les Aventures d'un homme qui réfléchit,* 1961).

DĄBROWSKI ou **DOMBROWSKI** (Jan Henryk), général polonais (Pierszowice 1755 - Winagóra 1818). Il commanda les légions polonaises engagées au service de la France de 1797 à 1814.

DĄBROWSKI ou **DOMBROWSKI** (Jarosław), révolutionnaire polonais (Jitomir 1836 - Paris 1871). Il prit part à l'insurrection polonaise de 1863 et à la Commune de Paris de 1871; il mourut sur les barricades.

DA CAPO. — Cette locution musicale italienne signifie que l'interprète doit reprendre l'exécution du morceau *derechef,* c'est-à-dire depuis sa « tête » jusqu'au mot *fin* ou *fine.* Ce modèle de structure ternaire, préconisant le retour du prélude en guise de postlude (ABA), a été souvent utilisé par les Italiens au XVIIIe s. dans l'air* (aria da capo).

DACCA, capit. du Bangladesh, sur la bordure orientale du delta du Gange; 962 000 hab. Université. Capitole de L. I. Kahn (v. 1965).

DACHAU, v. d'Allemagne fédérale (Bavière), au N.-O. de Munich; 34 000 hab. Camp de concentration* allemand (1933-1945).

DACIE, pays qui s'étendait dans l'Antiquité sur la rive gauche du bas Danube et qui correspondait à une grande partie de l'actuelle Roumanie et à une partie de l'actuelle Hongrie. Au Ier s. av. J.-C., les tribus daces furent unifiées par le roi Burebista, qui fit pression sur les confins de la province romaine de Mésie*. Vers la fin du Ier s. apr. J.-C., les Daces constituèrent, sous Décébale, un puissant royaume, qui organisa de fréquentes incursions au sud du Danube : Domitien conclut en 89 une paix avec Décébale, qui devint prince client de l'Empire. Mais le roi dace ne désarma pas : pour conjurer cette menace sur les Mésies, Trajan entreprit en 101 la conquête de la Dacie, qui devint province romaine (107). L'antique capitale du royaume dace, Sarmizegetusa (Grădiştea Muncelului), devint, sous le nom d'Ulpia Trajana, la capitale de la nouvelle province. La Dacie fut divisée en trois provinces en 124; elle fut progressivement occupée par les Barbares, sous Gallien, et évacuée en 275 par Aurélien, qui en transféra l'administration au sud du Danube.

DACIER (Anne LEFEBVRE, Mme), philologue et femme de lettres française (Saumur 1647 - Paris 1720), traductrice de *l'Illiade* (1699) et de *l'Odyssée* (1708), partisane des Anciens* dans leur querelle contre les Modernes (*Des causes de la corruption du goût,* 1714).

DACRYOADÉNITE → LACRYMAL *(appareil).*

DACRYOCYSTITE → LACRYMAL *(appareil).*

DADA. — Mouvement international d'artistes et d'intellectuels, il se caractérise par un refus subversif des contraintes idéologiques (artistiques, morales, politiques, sociales) au moment même où les contradictions de l'époque éclatent avec la Première Guerre mondiale. Déjà, l'absurdité du monde avait été stigmatisée par Arthur Cravan, poète et boxeur, qui édite en 1913 la revue *Maintenant.* Mais à Zurich, en 1916, au cabaret Voltaire, Hugo Ball, Tristan Tzara*, Marcel Janco, Richard Huelsenbeck, Hans Arp*, Hans Richter (1888-1976, créateur du cinéma abstrait et peintre qui passera de l'expressionnisme à une abstraction construite) animent des manifestations où se mêlent divers modes d'expression et qui prennent, avec le nom de « dada », un tour de plus en plus provocant. Simultanément, se développe un autre épicentre à New York, où Marcel Duchamp* (installé aux États-Unis depuis 1915, après avoir signé à Paris, en 1913-14, les premiers *ready-mades*), Francis Picabia* (qui réalise ses œuvres mécanomorphes) et Man Ray* se regroupent autour de la revue *291* du photographe Alfred Stieglitz. La période révolutionnaire qui secoue l'Allemagne à la fin de la guerre trouve dada : à Berlin, où Huelsenbeck, Johannes Baader, George Grosz* et les trois créateurs du *photomontage,* Raoul Hausmann (1886-1970), John Heartfield (1891-1968) et Hannah Höch (née en 1889) multiplient tracts, affiches et manifestations collectives; à Cologne avec Max Ernst*, qui pratique le collage*, Johannes Baargeld et Arp; puis à Hanovre avec Kurt Schwitters* et son œuvre « Merz ».

C'est à Paris que dada, en tant que mouvement, connaît son apogée et sa fin, à partir de la rencontre, en 1920, de Tzara avec André Breton*, Philippe Soupault et Louis Aragon* (groupés autour de la revue *Littérature*). Ils organisent des manifestations qui font grand scandale. Mais des dissensions, provoquées ou accentuées

Dada. *Katharina ondulata d.i. frau wirtin an der lahn...* (1920), de Max Ernst. Collage avec gouache et crayon. (Coll. privée, Londres.)

Giraudon

Dakar.
Le quartier résidentiel.
À l'arrière-plan, les bassins du port.

Salvador Dalí.
Cannibalisme d'automne.
1936-1937.
(Tate Gallery, Londres.)

M. Behier-Atlas-Photo

par les futurs surréalistes, apparaissent lors du « procès Barrès » (1921), s'amplifient en 1922 avec la polémique à propos d'un congrès (sur les orientations et les perspectives de l'esprit moderne) que Breton veut réunir et que Tzara désavoue, et aboutissent à la fin de dada lors de la soirée du « Cœur à barbe » (1923), qui voit les dadaïstes s'affronter avec ceux qui, victorieux, vont constituer le groupe surréaliste. Il n'en reste pas moins que dada, par sa virulence « anti-art », a nettoyé le terrain pour les avant-gardes à venir (outre le surréalisme*, le happening*, le pop' art*, le nouveau réalisme*, l'art conceptuel*...), même si celles-ci sont infidèles à sa signification initiale.

DADDAH (Moktar Ould Mohamedoun), homme d'État mauritanien (Boutilimit 1924). Premier ministre du gouvernement de la république islamique de Mauritanie proclamée en 1958, il est président de la République depuis 1961.

DAGENHAM, agglomération de la banlieue est de Londres, au N. de la Tamise. Industrie automobile.

DAGERMAN (Stig), écrivain suédois (Älvkarleby 1923 - Stockholm 1954). Influencé par Kafka et les romanciers américains, il a peint dans ses nouvelles, son théâtre (*le Condamné à mort,* 1946) et ses romans (*le Serpent,* 1945; *l'Enfant brûlé,* 1948) l'angoisse de la jeunesse qui a grandi pendant la Seconde Guerre mondiale.

DAGO → KHIOUMA.

DAGOBERT Ier (v. 600 - Saint-Denis, près de Paris, 638?), roi des Francs (629-638). Fils de Clotaire II, nommé roi d'Austrasie du vivant de son père (v. 623) et placé sous la tutelle de Pépin de Landen et d'Arnould de Metz, Dagobert se fait reconnaître roi de Neustrie et de Bourgogne à la mort de Clotaire, et rétablit l'unité du *Regnum Francorum* pour la seconde fois depuis Clovis. D'une forte personnalité, il s'entoure d'hommes de valeur (saint Ouen, saint Éloi) et s'efforce d'arrêter la décomposition de la monarchie franque. Il restaure l'ordre dans son royaume, soumet Gascons et Bretons, mais ne peut empêcher la constitution du royaume slave de Samo (632-33). À sa mort, la division du royaume entre ses deux fils, Sigebert III et Clovis II, favorise le retour à l'anarchie.

DAGOBERT II → MÉROVINGIENS.

DAGRON (René), chimiste français (Beauvoir, Sarthe, 1819 - Paris 1900). Inventeur de la photographie microscopique, il organisa, à Tours et à Bordeaux, en 1870, le service des pigeons voyageurs et fit passer à Paris de longues dépêches microphotographiques.

DAGUERRE (Louis Jacques Mandé), inventeur français (Cormeilles-en-Parisis 1787 - Bry-sur-Marne 1851). Peintre de décors, il inventa, en 1822, le diorama, puis il s'associa avec Nicéphore Niepce et parvint, après la mort de ce dernier, à développer l'image photographique (1835), puis à la fixer (1837). Il obtint, en 1838, les premiers daguerréotypes.

DAGUERRÉOTYPIE. — Ce procédé, inventé par Nicéphore Niepce, fut mis au point et perfectionné par Daguerre* de 1829 à 1838. Le *daguerréotype* est une plaque métallique sensibilisée à l'iodure d'argent que l'on révèle sous l'action des vapeurs de mercure et que l'on fixe à l'hyposulfite de sodium, après un temps de pose assez long (de 15 à 30 mn).

DAGUESTAN, république autonome de l'U. R. S. S. (R. S. F. S. de Russie), dans le Caucase oriental, sur la Caspienne; 1 429 000 hab. Capit. *Makhatchkala.*

DAHCHOUR → PYRAMIDE.

DAHLIA. — Plante mexicaine, le dahlia n'existe en France que sous ses formes cultivées, très différentes de la souche sauvage. Ces formes ont des capitules aux nombreuses fleurs semi-tubulaires vivement colorées, formant boule. Très ornementales, elles sont l'objet d'expositions et de concours. (Famille des composées.)

DAHOMEY → BÉNIN.

DAIMLER (Gottlieb), ingénieur allemand (Schorndorf, Wurtemberg, 1834 - Cannstatt 1900). Après avoir réalisé un moteur léger au gaz de pétrole, breveté en France en 1887, il s'associa avec Panhard* et Levassor.

DAIMYŌ. — Jusqu'au XVIIe s., le daimyō est un noble japonais mandaté par l'empereur à la tête d'une juridiction territoriale. Après l'instauration du régime shōgunal, on voit des daimyō jouer un rôle politique déterminant.

DAIREN → TA-LIEN.

DAISNE (Herman THIERY, dit **Johan**), écrivain belge d'expression néerlandaise (Gand 1912). Il poursuit dans ses poèmes (*le Livre des sept voyages,* 1947), ses romans (*l'Homme au crâne rasé,* 1948) et son théâtre (*le Bonheur,* 1966) l'exploration d'un monde magique derrière la réalité quotidienne.

DAKAR, capit. du Sénégal; 650 000 hab.

GÉOGRAPHIE. Dans la péninsule du Cap-Vert, à l'extrémité occidentale du continent africain, Dakar s'est développé comme centre commercial et portuaire, puis comme escale aérienne, lien entre la France, ses dépendances de l'ouest de l'Afrique et aussi l'Amérique du Sud. Le rôle international de la ville a décru, mais Dakar demeure la plus grande ville francophone de l'Afrique occidentale, la métropole politique, commerciale (exportation d'arachides, de phosphates) et industrielle (raffinerie de pétrole, branches liées à la production agricole et au marché de consommation) du Sénégal, dont l'agglomération regroupe près du cinquième de la population totale.

HISTOIRE. La capitale du Sénégal fut fondée en 1857. Sa situation géographique lui valut de jouer un rôle important au cours de la Seconde Guerre mondiale : en septembre 1940, de Gaulle, à bord d'une escadre anglaise, tenta vainement d'y débarquer pour rallier l'Afrique-Occidentale française à la France libre. Dans le cadre des accords de défense franco-sénégalais de 1960, la France entretint une base militaire à Dakar, qu'elle remit au Sénégal en 1974; elle ne conserve depuis qu'une petite garnison au Cap-Vert, tandis que l'arsenal de Dakar est transformé en société d'économie mixte gérée par le Sénégal et par la France.

DAKOTA, nom des deux États unis d'Amérique, dans le nord-ouest des Grandes Plaines, dont le nom vient d'un groupe d'Indiens. Le *Dakota du Nord* couvre 183 022 km^2 et compte 618 000 hab. (capit. *Bismarck*). L'État est surtout agricole (céréales, élevage bovin), mais le sous-sol fournit du pétrole. Le *Dakota du Sud* couvre 199 511 km^2, compte 666 000 hab. (capit. *Pierre*). L'élevage bovin est la principale ressource de l'État, qui est le premier producteur d'or du pays.

J. Webb

DALADIER (Édouard), homme politique français (Carpentras 1884-Paris 1970). Élu député en 1919, il devient président du parti radical-socialiste en 1927. Plusieurs fois ministre à partir de 1924, il accède en 1933 à la présidence du Conseil, où il est rappelé en 1934 pour faire face à l'opposition des groupements nationalistes d'extrême droite. Daladier déplace alors le préfet de police Jean Chiappe, mais il doit lui-même démissionner après la journée du 6 février* 1934. Il contribue ensuite à la formation du Front* populaire et devient ministre de la Défense nationale dans le cabinet Blum (1936-37). De nouveau président du Conseil (1938-1940), il signe l'accord de Munich; cependant, il doit finalement déclarer la guerre à l'Allemagne en septembre 1939. Il démissionne le 20 mars 1940, mais entre dans le cabinet Paul Reynaud, assumant la Défense nationale puis les Affaires étrangères. Arrêté par le gouvernement de Vichy, il est déporté en Allemagne de 1943 à 1945; il est réélu député de 1946 à 1958, et redevient président du parti radical en 1957-58.

DALAÏ-LAMA (trad. mongole du tibétain *gyamtso,* océan). — Dalaï-lama est le titre que porte le chef du bouddhisme* tibétain, considéré comme le représentant d'Avalokiteśvara*. En 1642, Gushi khān offre le pouvoir politique au cinquième dalaï-lama. De cette époque à 1912, sauf entre 1726 et 1750, treize dalaï-lamas exerceront un pouvoir théocratique (v. TIBET). Le dernier dalaï-lama s'est réfugié en Inde en 1959.

DALAT, v. du Viêt-nam méridional, sur les hauts plateaux; 90 000 hab. Station climatique.

DALBERG (Karl Theodor, baron VON), homme d'État allemand (Herrnsheim 1774-Ratisbonne 1817). Dernier archevêque-électeur de Mayence, il est transféré à Ratisbonne (1803), puis à Francfort (1806), par Napoléon Ier, qui fait de lui l'archichancelier de la Confédération* du Rhin, le président de la Diète et un grand-duc. Dalberg applique dans ses États les réformes révolutionnaires; il abdique en 1813.

DALE (*sir* Henry Hallett), médecin anglais (Londres 1875-Cambridge 1968), prix Nobel de médecine en 1936, avec Otto Loewi, pour ses études sur le rôle des échanges chimiques dans le système nerveux.

DALÉCARLIE, région historique de la Suède centrale.

DALHOUSIE, port du Canada (Nouveau-Brunswick), sur la baie des Chaleurs; 6 255 hab. Papier.

DALHOUSIE (James RAMSAY, 1er *marquis* DE), homme politique britannique (Dalhousie Castle, Écosse, 1812-*id.* 1860). Membre du Parlement, partisan de Peel*, il devient gouverneur général de l'Inde (1848-1856) : il y accomplit une œuvre considérable, coordonnant notamment l'administration de territoires disparates et en annexant de nouveaux (Pendjab, 1848; Pegu, 1853; Aoudh, 1856). Mais sa politique, contraire aux traditions du pays, prépare en fait la révolte des Cipayes (1857).

DALÍ (Salvador), peintre, graveur et écrivain espagnol (Figueras, 1904). Il devient, en 1929, à Paris, un des plus fougueux animateurs du groupe surréaliste, dont il sera exclu dix ans plus tard en raison du goût affiché par lui pour le fascisme et pour l'argent. Il collabore avec Buñuel*, élabore sa « méthode paranoïaque critique » (« libre interprétation des associations délirantes ») et transcrit ses hantises dans une peinture dont l'académisme du faire recouvrira par la suite la stupéfiante invention onirique (*Six Apparitions de Lénine sur un piano,* 1933, musée national d'Art moderne). Dans les rodomontades clownesques et l'autocélébration de l'artiste semble se résoudre la contradiction entre son apport aux vertus subversives du surréalisme et ses appels à l'« ordre » moral et politique.

DALILA → SAMSON.

DALLAPICCOLA (Luigi), compositeur italien (Pisino d'Istria 1904-Florence 1975). Il fut un des premiers, à la suite de l'école viennoise, à évoluer vers le dodécaphonisme, d'abord partiellement *(Vol de nuit),* puis globalement *(le Prisonnier, Job),* et se montra très préoccupé par les problèmes artistiques et éthiques fondamentaux *(Ulysse, Chants de libération).*

DALLAS, v. des États-Unis, dans le nord du Texas; 844 000 hab. Musée des Beaux-Arts. Électronique. Raffinage du pétrole et pétrochimie. — Le président Kennedy y fut assassiné en 1963.

DALLE → BITUME.

DALLOZ (Désiré), juriste français (Septmoncel, Jura, 1795-Paris 1869), auteur (avec son frère ARMAND [1797-1867]) d'un *Répertoire de législation, de doctrine et de jurisprudence* et d'un *Recueil périodique de jurisprudence générale.*

DALMATIE, région de l'ouest de la Yougoslavie, en Croatie, dont le littoral sur l'Adriatique est précédé d'îles *(archipel dalmate)* et connaît une importante fréquentation touristique estivale (de Zadar à Dubrovnik).

HISTOIRE. Incluse pendant plus de cinq siècles dans l'Empire romain, auquel elle donne un grand empereur, Dioclétien*, ravagée par les invasions barbares au Ve s., la Dalmatie oscille longtemps entre les influences byzantines et slaves. À la fin du Moyen Âge, elle tombe, en grande partie, sous la domination de Venise, qui s'y maintient jusqu'en 1797. Après la disparition de l'État vénitien, la Dalmatie passe sous la domination autrichienne, avant que le traité de Presbourg (1805) en fasse une des Provinces Illyriennes de l'Empire napoléonien. En 1814, elle retombe sous la coupe de l'Autriche et n'en sort qu'en 1918, pour s'intégrer dans l'État yougoslave, nouvellement créé. Depuis la formation de la Fédération yougoslave (1945), la Dalmatie appartient à la république de Croatie.

DALOU (Jules), sculpteur français (Paris 1838-*id.* 1902). Formé à l'École des beaux-arts, éclectique, mais magnifique praticien, il a préservé dans son œuvre une sève populaire qu'il devait à son origine ouvrière. On voit de lui, à Paris, le tombeau de Victor Noir (au Père-Lachaise), le monument à Eugène Delacroix (au Luxembourg) et le *Triomphe de la République* (1879-1899, bronze, place de la Nation). Il a modelé de nombreuses figurines d'après sa femme, ainsi que plus de cent remarquables esquisses (Petit Palais, Paris) pour un *Monument aux travailleurs* qu'il ne put réaliser.

DALTON (John), physicien et chimiste anglais (Eaglesfield, Cumberland, 1766-Manchester 1844). Il reprit aux Anciens l'hypothèse de l'indivisibilité de la matière, mais donna à la théorie atomique une base scientifique et une forme quantitative. On lui doit la loi des proportions multiples en chimie et celle du mélange des gaz en physique (1801). Il étudia sur lui-même la perversion du sens des couleurs, appelée, depuis, *daltonisme.*

DALTONISME → VISION.

DALUIS (06470 Guillaumes), comm. des Alpes-Maritimes, à 20 km au N.-O. de Puget-Théniers; 185 hab. Gorges du Var.

DAM (Henrik Carl Peter), biochimiste danois (Copenhague 1895-*id.* 1976). Il a découvert la vitamine K et son rôle dans certaines maladies hémorragipares; il a reçu le prix Nobel de physiologie et de médecine en 1943, avec Doisy.

DAMAN. — Communs en Afrique et dans le Proche-Orient, les damans ont la taille et les mœurs du lapin et vivent, comme celui-ci, en groupes. On distingue parmi eux deux genres, l'un adapté à la vie sur les sols rocheux, l'autre capable de grimper aux arbres. Ils sont herbivores. Leur denture (incisives inférieures couchées) les rapproche des rongeurs et des porcins, mais leurs doigts (5 à l'avant, 3 à l'arrière, à chaque patte) se terminent par des sabots, ce qui les apparente au tapir et au rhinocéros.

DAMANHOUR ou **DAMANHŪR,** v. d'Égypte, sur la bordure occidentale du delta du Nil; 146 000 hab.

DAMAS, en ar. **Dimachq al-Chām,** capit. de la Syrie; 923 000 hab. *(Damascènes).* La ville s'est développée comme centre régional de la Rhūṭa, région irriguée par les eaux dérivées du Baradā, dans le sud-ouest de l'actuelle Syrie. Damas est aujourd'hui encore essentiellement une cité commerciale, une capitale politique, intellectuelle et religieuse, alors que son industrialisation est toujours modeste.

HISTOIRE. Capitale d'un royaume araméen (XIe-VIIIe s. av. J.-C.),

J.-C. Chabrier - Atlas-Photo

Damas. Le quartier chrétien, à l'est de la ville.

Damas est pendant toute l'Antiquité un centre notable, dont le rôle ne dépasse pas cependant le cadre régional. Après la conquête arabe (635-36), elle devient la capitale de l'Empire omeyyade* (660-750). Elle joue, au XIIe s., le rôle de métropole du sunnisme*. Sous les Ayyūbides* (1176-1260) et les Mamelouks* (1260-1516), Damas est la deuxième ville de l'empire après Le Caire. À la fin de l'occupation ottomane (1516-1918), elle est l'un des foyers du nationalisme arabe.

BEAUX-ARTS. Foyer de la pensée et de la culture islamiques, la ville joue un rôle essentiel dans la divulgation de l'art omeyyade. Commencée en 705, en un lieu où les cultes se sont succédé depuis des millénaires (temple du dieu syrien Hadad, de Jupiter, basilique byzantine Saint-Jean-Baptiste), la Grande Mosquée déploie, aujourd'hui encore, ses proportions harmonieuses et la splendeur de ses matériaux; ses mosaïques, d'un style très réaliste empreint de fantaisie et de grâce, sont supérieures aux productions hellénistiques, romaines ou byzantines. La coupole est construite en 1082 par les Seldjoukides. Les madrasa se multiplient et sont souvent associées au tombeau de leur fondateur (madrasa ʿĀdiliyya, Muʿazzamiyya). Parmi les monuments du XIIIe s. élevés en pierre de taille, citons les madrasa Ẓahīriyya, Ṣalāḥiyya et ʿAzīziyya avec le tombeau de Saladin. La ville connaît un nouvel épanouissement architectural au cours de la période ottomane, où prédomine l'influence d'Istanbul* (Takkiyya Sulaymāniyya, 1555; Palais ʿAẓm, 1749; etc.). Importants musées.

DAMASE Ier *(saint),* prélat d'origine espagnole (né v. 305), pape de 366 à 384. Il charge saint Jérôme* de réviser la Bible latine (v. VULGATE); son pontificat marque une étape importante dans l'affermissement de la primauté romaine.

DAMASE II → PAPE.

DAMASKINOS ou **DHAMASKINÓS** (Dhimítrios Papandhréou), primat de Grèce (Dorvitsa, Thessalie, 1889-près d'Athènes 1949). Archevêque d'Athènes, il s'opposa à l'occupation allemande et fut régent de 1944 à 1946.

DAMAZAN (47160), ch.-l. de cant. de Lot-et-Garonne, à 17,5 km au S.-O. de Tonneins; 1 313 hab. Ancienne bastide du XIIIe s.

DAMBACH-LA-VILLE (67650), comm. du Bas-Rhin, à 11,5 km au N. de Sélestat; 2 051 hab. Bourg pittoresque. Industrie textile.

Dame aux camélias *(la),* roman (1848) et drame en cinq actes (1852) d'A. Dumas fils.

Dame de pique *(la),* nouvelle de Pouchkine (1834). Un jeune homme veut arracher à une vieille comtesse la formule qui lui permet de gagner au jeu; il la fait mourir de frayeur, mais son spectre lui donne le secret des trois cartes : il gagne avec les deux premières, perd avec la troisième et devient fou. Éléments fantastiques issus du romantisme et réalisme psychologique composent une allégorie de la destinée humaine : le secret de la fortune et de la création est dans la folie et la mort.

DAMES (jeu de). — Originaire d'Orient, ce jeu fut importé en Europe à l'époque des croisades et connut (sous le nom de « jeu de table ») une grande vogue en Europe dès le XIIIe s. Il se pratique à deux, sur un damier divisé en cent cases noires et blanches, avec vingt pions pour chaque joueur. Il faut pour gagner éliminer successivement tous les pions de l'adversaire, opération rendue plus aisée si l'on parvient à « aller à dame », c'est-à-dire à conduire un pion sur une des cases de la première ligne du joueur adverse (le pion devient ainsi une « dame » et peut se déplacer sur toute la longueur de la diagonale et non plus seulement de case en case).

DAMIEN (*saint* Pierre) → PIERRE DAMIEN *(saint).*

DAMIEN (Joseph DE VEUSTER, en religion **Père**), religieux belge (Tremelo 1840-Molokai, Hawaii, 1889). Membre de la congrégation missionnaire de Picpus, il se voue à l'apostolat et au soin des lépreux d'Océanie; il meurt de leur maladie.

DAMIENS (Robert François) [La Tieuloy, Artois, 1715-Paris 1757]. Domestique de ferme, ce déséquilibré se crut désigné pour rappeler Louis XV à ses devoirs. Ayant porté au roi une légère blessure, il fut torturé et écartelé.

DAMIETTE, v. d'Égypte, près de la Méditerranée; 86 000 hab. Port stratégique situé à l'embouchure du Nil, Damiette fut occupée, en 1218, par Jean de Brienne, puis, le 6 juin 1249, par Louis IX, qui, capturé à Mansourah, restitua la ville à l'Égypte en échange de sa liberté.

DAMMARIE-LES-LYS (77190), comm. de Seine-et-Marne, banlieue sud de Melun; 19 844 hab. Métallurgie.

DAMMARTIN-EN-GOËLE (77230), ch.-l. de cant. de Seine-et-Marne, à 21 km au N.-O. de Meaux; 3 476 hab. Église Notre-Dame, des XIIIe et XVe s. (tombeau; stalles et grilles d'époque classique).

Damnation de Faust *(la)* → FAUST.

DAMOCLÈS, familier de Denys* l'Ancien, tyran de Syracuse. Pour lui montrer combien était fragile le bonheur que donne le pouvoir, Denys, au cours d'un banquet, fit suspendre au-dessus de la tête de Damoclès une lourde épée retenue seulement par un crin de cheval.

DĀMODAR (la), riv. de l'Inde, tributaire de l'Hooghly (r. dr.); 545 km. L'exploitation des gisements houillers de sa vallée a permis le développement d'une importante région d'industrie lourde (centrales thermiques et surtout sidérurgie), à proximité relative de Calcutta.

DAMPIER (William), navigateur anglais (East Coker 1652-Londres 1715). Capitaine dans la flibuste, au service de l'Angleterre puis des Provinces-Unies, il pille les établissements espagnols d'Amérique (1678-1691) avant d'entreprendre un important voyage d'exploration en Océanie.

DAMPIERRE (39700 Orchamps), ch.-l. de cant. du Jura, à 20 km au N.-E. de Dole, sur le Doubs; 676 hab. Constructions électriques.

DAMPIERRE (Auguste PICOT, *marquis* DE), général français (Paris 1756-Valenciennes 1793). Il se distingua à Valmy et à Jemmapes (1792). Successeur de Dumouriez à la tête de l'armée de Belgique (1793), il fut tué au cours du dégagement de la place de Condé.

DAMPIERRE-EN-BURLY (45570 Ouzouer sur Loire), comm. du Loiret, à 13 km au N.-O. de Gien; 553 hab. Centrale nucléaire en construction.

DAMPIERRE-SUR-SALON (70100 Gray), ch.-l. de cant. de la Haute-Saône, à 14 km au N.-E. de Gray; 1 205 hab. Métallurgie.

DAMPREMY, anc. comm. de Belgique (Hainaut), incorporée depuis 1977 à Charleroi.

DAMREMONT (Charles, *comte* DE), général français (Chaumont 1783-Constantine 1837). Successeur de Clausel à la tête de l'armée française en Algérie, il fut tué à l'assaut de Constantine.

DAMVILLE (27240), ch.-l. de cant. de l'Eure, à 20 km au S.-O. d'Évreux, sur l'Iton; 1 478 hab. Église des XVe-XVIe s.

DAMVILLERS (55150), ch.-l. de cant. de la Meuse, à 26 km au N. de Verdun; 697 hab.

DAN, tribu d'Israël. Elle avait son territoire dans le Sud-Ouest palestinien, mais elle ne put s'y maintenir et émigra dans le Nord; elle disparut au temps de David*.

DANAÏDES, nom des cinquante filles de Danaos, roi mythique d'Argos*. Durant la nuit de leurs noces, elles tuèrent leurs époux, à l'exception d'une seule. En châtiment de leur crime, elles furent condamnées à remplir dans les Enfers un tonneau sans fond.

DA NANG, anc. **Tourane,** port du Viêt-nam; 438 000 hab.

DANCOURT (Florent CARTON, *sieur* D'ANCOURT, dit), acteur et écrivain français (Fontainebleau 1661 - Courcelles-le-Roi, Gâtinais, 1725), auteur de comédies de mœurs (*le Chevalier à la mode,* 1687; *les Bourgeoises de qualité,* 1724).

Dandin → GEORGE DANDIN.

DANDOLO, famille vénitienne qui donna à la République plusieurs doges, dont le plus célèbre fut ENRICO (Venise v. 1108 - Constantinople 1205). Devenu doge en 1192, ce dernier sut remarquablement défendre les intérêts vénitiens en Orient : il parvint même à détourner les chefs de la quatrième croisade (1198-1204) vers la péninsule adriatique, puis vers Byzance.

DANDRIEU (Jean-François) → ANDRIEU *(d').*

DANDURAND (Raoul), homme politique canadien (Montréal 1861 - Ottawa 1942). Président du Sénat (1905-1909), ministre d'État, il représenta le Canada à la Société des Nations, qu'il présida en 1925.

DANDYSME. — S'il peut se prévaloir d'exemples anciens (Alcibiade, Catilina, César) ou exotiques (donnés par Chateaubriand dans *les Natchez*), le dandysme de stricte observance est né dans la haute société anglaise un peu avant 1815; c'est d'abord une mode vestimentaire et esthétique associée à une attitude faite d'esprit et d'impertinence (« le plaisir aristocratique de déplaire »). Se recommandant à la fois de George Brummell et de Byron, le dandysme gagna la France, où il s'incarna dans l'élégance du comte d'Orsay (« Il doit vivre et dormir devant un miroir ») et les héros balzaciens, qui, selon l'expression de leur créateur, « tiennent le haut du pavé de la fashion ». Le dandysme deviendra plus agressif avec Musset et plus esthétique avec Baudelaire, qui y rattache explicitement l'éveil de sa sensibilité (« J'aimais ma mère pour son élégance. J'étais donc un dandy précoce », *Fusées*) et sa conception de la poésie, avant que Barbey d'Aurevilly donne l'histoire et la physiologie du phénomène (*Du dandysme et de George Brummell,* 1845).

Danebrog *(ordre du),* ordre de chevalerie civil et militaire danois, fondé au XIVe s.

DANEMARK, en dan. **Danmark,** État de l'Europe du Nord; 43 000 km^2; 5 060 000 hab. *(Danois).* Capit. *Copenhague.*

GÉOGRAPHIE. Ce pays plat (culminant à 173 m) s'étend sur la partie septentrionale de la péninsule du Jylland (ou Jutland) et sur les îles qui jalonnent l'entrée de la mer Baltique (Sjaelland, Fionie, Lolland, Falster, Bornholm). Il est constitué de terrains sédimentaires recouverts de dépôts morainiques abandonnés par les glaciers quaternaires. Le climat, de type océanique, est frais en raison de la latitude.

Le Danemark est un pays fortement peuplé; plus de 100 habitants au kilomètre carré. La population, assez également répartie, est fortement urbanisée, et le pays compte un important réseau de villes moyennes, dominé par la capitale, dont l'agglomération concentre plus du quart de la population totale du pays.

L'agriculture, qui n'occupe plus que le dixième de la population active, reste cependant un secteur important de l'économie. La mécanisation très poussée et l'utilisation massive d'engrais permettent d'obtenir des rendements très élevés. La grande extension des herbages reflète la priorité donnée à l'élevage bovin, pour le lait (beurre, fromage) et la viande. L'élevage du porc est en plein essor. La culture est axée sur la production de céréales (blé, orge, avoine) et de légumes. Cependant, la production agricole reste insuffisante pour l'alimentation du pays en dépit du complément apporté par la pêche.

Malgré des ressources naturelles peu abondantes, le Danemark est devenu un grand pays industriel. Grâce aux importations de minerais et de sources d'énergie, il s'est spécialisé dans les activités de transformation. Celles-ci sont en partie liées à l'agriculture (matériel agricole, engrais, conserveries, brasseries), mais le pays compte aussi des industries mécaniques, électroniques, textiles et des chantiers navals.

L'économie repose sur les échanges, favorisés par l'existence d'une grande flotte marchande. Le pays importe des matières premières et exporte des produits agricoles et manufacturés. Sa récente entrée dans le Marché commun devrait consolider un équilibre qui lui permet d'assurer à sa population un niveau de vie parmi les plus élevés d'Europe.

HISTOIRE. Les Danois forment, avec les Norvégiens, le groupe des Vikings*, qui, au IXe s., ravagent les côtes de l'Europe occidentale; ils constituent même un royaume en Angleterre orientale. Cette expansion est la conséquence d'un essor économique certain. L'unification du Danemark et l'introduction du christianisme s'opèrent au Xe s. : le puissant roi Sven ou Svend Ier (v. 986 à 1014 env.) s'empare de toute l'Angleterre (1013), si bien que son fils Knud Ier* le Grand (de 1018 à 1035) règne sur un vaste empire anglo-danois qui déborde même en Suède et connaît un début d'urbanisation et d'économie monétaire. Mais l'Angleterre se sépare du Danemark dès 1042.

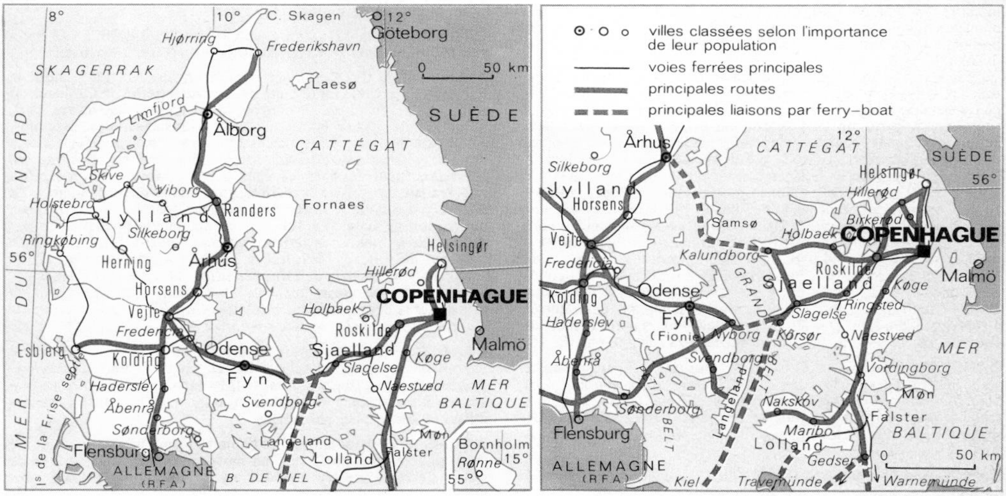

DANEMARK

Au XIIe s., s'implante au Danemark le régime féodal en même temps que l'influence romaine y multiplie églises et monastères. L'ère des Valdemar (1157-1241) marque l'apogée de la civilisation médiévale (Copenhague est fondée en 1167); elle est suivie d'une période de faiblesse, tant sur le plan économique que sur le plan politique, les villes hanséatiques concurrençant le commerce danois et s'opposant à toute monarchie forte. Le redressement s'opère avec Valdemar IV (de 1340 à 1375) et surtout avec sa fille, Marguerite, qui assure l'union — dite de Kalmar — des trois pays scandinaves sous la domination danoise (1397). Cette union ne se maintient que difficilement au cours du XVe s., la Suède prétendant à l'indépendance : celle-ci est acquise en 1523 quand Gustave Vasa se fait proclamer roi de Suède; le Danemark conserve cependant la Norvège et ses dépendances (Islande, Groenland, îles Féroé).

Le XVIe s. est caractérisé par l'hégémonie culturelle allemande, l'introduction de la réforme luthérienne — devenue religion d'État (1536) — et l'affermissement d'une bourgeoisie commerçante particulièrement prospère dans les ports (Copenhague, Bergen,

Arhus). Christian III (de 1534 à 1559) établit une monarchie puissante, qui doit toutefois affronter constamment l'ambitieuse Suède, l'enjeu de la compétition étant la possession dite « des détroits »; la guerre dano-suédoise de sept ans (1563-1570) consacre cependant la position du Danemark comme gardien de la Baltique et la ruine de la Hanse.

Il est vrai qu'au XVIIe s. les Provinces-Unies apparaissent comme un adversaire redoutable : alliés aux Suédois, les Hollandais battent les Danois, à qui la paix de Brömsebro (1645), puis celle de Roskilde (1658) font perdre la prééminence en Baltique et en Scandinavie au profit de la Suède.

En revanche, au XVIIIe s., à l'issue de la Guerre du Nord, le Danemark acquiert le Slesvig (1720), puis le Holstein (1746). Ce siècle est marqué, au Danemark, par un vaste mouvement humaniste influencé par la philosophie française et animé, principalement, par l'Allemand Friedrich Struensee*. Parallèlement, le libéralisme économique provoque une réforme sociale profonde au profit des paysans : au début du XIXe s., la moitié des ruraux sont propriétaires des terres.

D'abord neutre au cours des guerres de la Révolution et de l'Empire, le Danemark, menacé par les Anglais (bombardements de Copenhague en 1801 et 1807), passe dans le camp français en 1807 : mais l'alliance avec Napoléon Ier coûte cher aux Danois : d'une part, le Blocus continental met l'État au bord de la banqueroute; d'autre part, le congrès de Vienne enlève au Danemark la Norvège, qui est donnée à la Suède (1814). Cependant le Danemark garde l'Islande et le Groenland et reçoit le Lauenburg, en territoire allemand.

Frédéric VII (de 1848 à 1863) doit tenir compte du mouvement libéral qui, en 1849, lui impose une constitution démocratique et parlementaire. Son fils, Christian IX (de 1863 à 1906), doit affronter le problème des Duchés* (Slesvig, Holstein, Lauenburg) : la guerre dite « des Duchés » — que lui imposent la Prusse et l'Autriche (1864) — se termine par la perte de ces territoires (le Slesvig du Nord reviendra au Danemark en 1919). Échec cruel qui explique le maintien au pouvoir, jusqu'en 1901, des conservateurs, lesquels d'ailleurs favorisent, dans un sens très moderne, l'élevage et ses produits, qui constituent désormais l'essentiel des exportations danoises.

Cependant, la formation d'une classe ouvrière fortement encadrée par les syndicats contribue, en 1901, à la chute des conservateurs et à l'arrivée au pouvoir d'une majorité radicale et socialiste. À partir de 1924, le pouvoir est presque constamment entre les mains des sociaux-démocrates : la législation sociale place dès lors le Danemark à la tête du mouvement social et éducatif.

Au cours de la Seconde Guerre mondiale, le roi Christian X (de 1912 à 1947) donne l'exemple de la résistance à l'occupant. En 1944, l'Islande — indépendante depuis 1918 — se détache complètement du Danemark. Dans les années qui suivent, le parti social-démocrate, dirigé par J. O. Krag, domine la scène politique : mais, à partir de 1970, il perd du terrain au profit, notamment, du parti social populaire, fondé en 1958, cela, en raison des difficultés économiques et de l'inflation. Cette situation explique les hésitations du Danemark à entrer dans le Marché commun : cette entrée a cependant lieu le 22 janvier 1972, quelques jours après la mort de Frédéric IX (de 1947 à 1972), à qui succède sa fille, Marguerite II.

DANGEAU (Philippe DE COURCILLON, *marquis* DE), mémorialiste français (Chartres 1638 - Paris 1720), auteur d'un *Journal* dont Saint-Simon se servit pour la rédaction de ses *Mémoires.* — Son frère, LOUIS DE COURCILLON, abbé **de Dangeau** (Paris 1643 - *id.* 1723), grammairien, réunit les manuscrits du *fonds Dangeau* de la Bibliothèque nationale.

DANGÉ-SAINT-ROMAIN (86220), ch.-l. de cant. de la Vienne, à 14 km au N. de Châtellerault, sur la Vienne; 2 574 hab.

DANGLEBERT (Jean Henri) → ANGLEBERT *(d').*

Daniel *(livre de),* livre biblique composé v. 165 av. J.-C. pendant la persécution d'Antiochos IV* Épiphane (v. MACCABÉES [*révolte des*]) et écrit en partie en hébreu, en partie en araméen. Les récits et les visions qu'il apporte ont un sens caché, dont la clé est à chercher dans les événements contemporains de l'auteur; le livre est un message d'espoir à l'adresse des Juifs persécutés. Il inaugure un genre littéraire nouveau : le genre apocalyptique (v. APOCALYPSE).

DANIELL (John Frederic), physicien anglais (Londres 1790 - *id.* 1845). Il a inventé un hygromètre à condensation (1820), un pyromètre (1830) et la pile électrique à deux liquides qui porte son nom (1836).

DANIÉLOU (Jean), théologien français (Neuilly-sur-Seine 1905 - Paris 1974). Entré dans la Compagnie de Jésus, professeur, puis doyen (1962) à la faculté de théologie de l'Institut catholique de Paris, il s'attache au renouvellement de la théologie patristique. Son œuvre essentielle est la *Théologie du judéo-christianisme* (1958). Cardinal en 1969, il est élu à l'Académie française en 1972.

DANJON (André), astronome français (Caen 1890 - Paris 1967). Directeur de l'Observatoire de Paris, il fut l'artisan du renouveau de l'astronomie française après la Seconde Guerre mondiale. On lui doit un astrolabe d'un type nouveau qui a remplacé la lunette* méridienne dans de nombreux observatoires.

Hoa-Qui

Danse rituelle de Haute-Volta (région de Nouna).

DANJOUTIN (90400), ch.-l. de cant. du Territoire de Belfort, dans la banlieue sud de Belfort; 3 703 hab.

DANNEMARIE (68210), ch.-l. de cant. du Haut-Rhin, à 10,5 km à l'O. d'Altkirch, sur le canal du Rhône au Rhin; 1 965 hab.

D'ANNUNZIO (Gabriele), écrivain italien (Pescara 1863 - Gardone Riviera 1938). Unissant le culte de la beauté, hérité de Carducci, au raffinement symboliste, il conçoit sa vie comme une œuvre d'art, à l'image de Byron et du héros de Huysmans, des Esseintes. Adultères, duels et performances sportives se mêlent à l'éclectisme de ses admirations littéraires (les préraphaélites, Dostoïevski, Nietzsche) pour dessiner les deux lignes de force de son œuvre : raffinement du lyrisme, célébration du mythe du surhomme, qu'il illustre par sa vie mondaine et publique (passion pour la Duse, occupation de Fiume en 1919) et par une œuvre poétique (*Laudes du ciel, de la mer, de la terre et des héros,* 1902-1912), romanesque (*l'Enfant de volupté,* 1889; *le Feu,* 1900) et dramatique (*la Fille de Jorio,* 1904; *le Martyre de saint Sébastien,* 1911), le tout s'achevant, à travers les honneurs officiels et la gloire nationale, dans la solitude et le désenchantement (*Cent et Cent Pages du livre secret de Gabriele d'Annunzio, tenté de mourir,* 1935).

DANOIS. — Issu du nordique* oriental, dont il s'est différencié par un processus de simplification et par des emprunts considérables (allemand, anglais, français), le danois ressemble beaucoup sur le plan graphique au suédois et au norvégien, mais en est très différent sur le plan phonétique.

DANSE. — Premier langage de l'homme primitif, la danse (mot qui pourrait être lui-même issu d'un mot sanskrit signifiant « désir de vie ») s'est manifestée d'abord par des actes spontanés, des mimiques instinctives, puis par des gestes, des mouvements et des pas. Expression gestuelle et corporelle, la danse est devenue, sous sa forme la plus élaborée, danse classique ou académique (dite encore « danse d'école »); parallèlement a pris naissance, dans les années 1920-1930, le courant défini depuis comme « moderne ». De la préhistoire à l'Antiquité, du Moyen Âge au Grand Siècle, du romantisme à l'expressionnisme, de la danse libre à la *modern dance,* le corps humain a été l'instrument privilégié de cette forme de langage, du langage de l'inexprimé. Apparentée aux gestes les plus élémentaires de la vie — proches des mouvements des animaux —, la danse primitive s'est vite forgé ses rites et ses rythmes. Plus même que « désir de vie », danser était vivre. Danser c'était transcender le quotidien, c'était aussi s'initier aux mystères de la vie, de la mort, de la fertilité de la Terre et de tous les êtres vivants... Païennes, religieuses, guerrières, orgiaques, les danses participaient à la vie de l'homme. Leitmotiv incantatoire, puis phrase dont l'éloquence peu à peu se déverse et se diversifie, la danse s'enrichit de formules, de constructions qui deviennent des pas, aussi nombreux que des mots, qui s'enchaînent, qui traduisent des situations, des états d'âme. Utilisant les battements de mains, puis les frappements de pieds comme accompagnement, la danse s'est ensuite emparée de la musique. Leur union fut si parfaite que rien ne fut plus divertissant pour l'homme que de participer à cette harmonie, soit seul, soit avec une compagne, ou encore en groupe.

Paolo Bortoluzzi dans *Nomos Alpha*. Chorégraphie de Maurice Béjart, musique de Xénakis. (Espace Cardin, Paris, 1975.)

Bernand

Novosti

Nadejda Pavlova (née en 1956), médaille d'or au concours international de ballet de Moscou en 1973.

Danse de société, danse théâtrale, deux rameaux issus de la même expression originelle vont rapidement se distinguer. Les danses de société, populaires et nobles, connaîtront des vogues plus ou moins longues, des succès plus ou moins grands, depuis le branle, la pavane, la chaconne, le menuet jusqu'à la mazurka, la valse, le tango, le jerk... La danse théâtrale — d'abord danse de cour exécutée sur une scène dans le but de divertir —, pour vivre et s'enrichir, se plia à des règles sévères. Les premiers maîtres à danser imposèrent des normes dès le XIVe s. Mais les véritables règles n'apparaissent qu'au XVIIe s. (Beauchamp* codifie le premier les positions* fondamentales des pieds). Plus tard (1700), Feuillet* fera siennes les premières définitions de Beauchamp. Carlo Blasis* donne à la danse (1820 et 1830) ses véritables fondements; son enseignement se transmet encore aujourd'hui à travers celui que prodiguent les grands maîtres de la tradition. Avant lui, Jean Georges Noverre* étudie les multiples problèmes posés par la danse et le ballet dans ses fameuses *Lettres* (1760). Expressivité ou virtuosité, narration ou abstraction, la danse peut-elle être à elle seule expression théâtrale et manifestation de « l'art pour l'art »? Héritage du romantisme, *la Sylphide* et *Giselle,* ballets blancs aux arguments sans doute naïfs, touchent encore le cœur du public. Les ballets abstraits de Balanchine*, architecture de corps et de lignes, séduisent le regard et l'esprit... Refusant les conventions arbitraires de la danse d'école, Isadora Duncan*, avec ses improvisations de « danse libre », eut une influence sensible sur Michel Fokine*, qui exposa ses grands principes sur la danse dans sa lettre adressée au *Times* en 1914. La grande vague expressionniste émigra vers les États-Unis à peu près au moment même où les Ballets russes de Serge de Diaghilev, après le dangereux assoupissement d'une fin de siècle décadente, redonnaient à la danse une place primordiale dans le spectacle européen. La période entre les deux guerres mondiales connut de grands moments; les grands Russes firent école dans le monde. De nombreuses écoles s'ouvrent un peu partout, tandis qu'aux États-Unis se précise le nouveau courant qui va avoir pour initiatrices quatre femmes, Martha Graham, Ruth Saint Denis, Doris Humphrey et Agnes De Mille. (V. MODERN DANCE.)

Séance de travail et d'entraînement du danseur, la « classe de danse » comporte une barre* et des exercices au milieu* (adage*, batterie*, tours*, pointes*...). Il existe un nombre considérable de poses, de positions et de combinaisons possibles, très souvent complexes. Le vocabulaire de la danse classique est très étendu et l'ensemble de ses termes est, la plupart du temps, employé dans sa langue originelle, le français. Une des cinq positions* fondamentales est toujours à l'origine de tout pas ou mouvement (assemblé, attitude, arabesque, battement, dégagé, développé, glissade, relevé, rond de jambe, tous les pas de bourrée, de basque...). Au cours d'une classe, on peut travailler plus particulièrement certaines séries (équilibres, assemblés, tours...), composer une variation*. Les pas à terre s'exécutent avec ou sans parcours; les temps sautés comportent les temps simples (soubresaut, petits et grands jetés...) et la batterie*. Un certain nombre de pas (piqués, déboulés, tours) peuvent être exécutés en diagonale ou en manège (autour de la salle ou de la scène). Les emplois occupés par les danseurs, qui étaient, jusqu'au XVIIIe s., ceux de danseur *noble* (en raison de son allure), de *caractère* (danses du — ou inspirées du — folklore*), de *demi-caractère* (danses classique et de caractère), comportent des genres nouveaux déterminés par la nature même des œuvres interprétées (burlesque, grave ou sérieux, humoristique, romantique, comique, tragique...).

Si, à différentes reprises, l'anonymat des interprètes joua en faveur d'un « collectif scénique », la danse, comme beaucoup d'arts, a succombé de tous temps au vedettariat : de Louis XIV aux grandes romantiques (Maria Taglioni*, Fanny Elssler*...), en passant par la Camargo*, Beauchamp*, Duport, les Vestris*, Dupré*..., des Ballets russes (Karsavina*, Nijinski*) à notre époque contemporaine (Margot Fonteyn*, Yvette Chauviré*, Rudolf Noureïev*, Paolo Bortoluzzi*).

Le public de la danse s'est totalement renouvelé; à côté des balletomanes inconditionnels, du ballet* classique, un public jeune est venu à la danse parce qu'il voit en elle un moyen d'expression illimité et multiple, à la mesure des préoccupations contemporaines, s'ouvrant sur un monde où chacun découvre le rêve ou la réalité qu'il poursuit.

L'enseignement de la danse, en France, est donné à l'école de danse de l'Opéra de Paris (qui dispose aujourd'hui d'un internat), au Conservatoire national supérieur de musique, où plusieurs classes sont ouvertes aux filles et aux garçons. Un certain nombre d'écoles privées (École supérieure d'études chorégraphiques, Académie internationale de danse) préparent au métier de danseur ou à celui de professeur de danse, professorat régi par une loi de 1965 dont il n'y a, à ce jour, aucun décret d'application. Stages, rencontres, séminaires, conférences élargissent les connaissances et les rapports entre les différents styles et disciplines.

Danse de mort *(la),* drame de Strindberg (composé en 1900). Sous les dehors réalistes d'une tragédie du couple, un dialogue allégorique de la haine et de l'amour.

DANSE MODERNE → MODERN DANCE.

Dans le labyrinthe, roman d'A. Robbe-Grillet (1959). La marche au hasard des rues d'un soldat perdu dans une ville ensevelie sous la neige : la démarche même du nouveau roman.

DANTE ALIGHIERI, poète italien (Florence 1265 - Ravenne 1321). Issu d'une famille de la bourgeoisie ou de la petite noblesse guelfe, élève de Brunetto Latini, il mène d'abord la vie de la jeunesse aristocratique, marquée par le double exercice des rites chevaleresques et poétiques : il échange avec ses amis (Guido Cavalcanti*,

Lapo Gianni, Cino* da Pistoia) des chansons, des ballades et des sonnets, cherchant une forme lyrique *(dolce stil nuovo)* qui échappe à la lourdeur de la littérature savante traditionnelle. S'il se marie avec Gemma Donati, qui lui donnera au moins trois enfants, il sacrifie à l'amour courtois* à travers sa passion pour Béatrice Portinari, qu'il connaît dès l'âge de neuf ans et qui mourra en 1290 : cette épreuve personnelle jointe à l'étude de la philosophie (Aristote, Cicéron, Boèce) chez les Dominicains de Santa Maria Novella et les Franciscains de Santa Croce le conduit à faire de son aventure amoureuse une expérience littéraire : la *Vita* Nuova* (v. 1294) désincarne l'amour et l'érige en connaissance philosophique. Dante, qui s'est inscrit à la corporation des médecins afin de pouvoir participer aux charges publiques, devient membre du Conseil des Cent (1296) et est chargé de missions diplomatiques. Désireux de mettre un terme aux luttes entre les guelfes « noirs » et les guelfes « blancs », il fait bannir les chefs des deux partis, mais, en 1301, l'entrée à Florence de Charles de Valois fait triompher le parti des « noirs ». Dante est condamné à l'exil. Il commence une vie errante, à Vérone, à Rimini, à Ravenne, tout en poursuivant son itinéraire philosophique et poétique : *le Banquet* (v. 1306-1308) édicte des préceptes politiques, éthiques et théologiques; *le Traité de l'éloquence vulgaire* (v. 1307), écrit en latin, sous le titre *De vulgari eloquentia,* établit l'excellence de l'idiome italien; *les Épîtres,* en latin, et *la Monarchie (De monarchia)* [v. 1310-1312] rappellent, à l'intention de l'empereur Henri VII, les principes qui devraient régir les rapports de l'Empire et de la papauté. Mais les épreuves du poète nourrissent avant tout l'inspiration de *la Divine* Comédie,* qu'il écrit en toscan, probablement à partir de 1307, et qui transfigure sur le plan poétique non seulement sa propre vie, mais tout l'univers contemporain. Si son espoir de rentrer à Florence fut déçu (il mourut à Ravenne le 14 sept. 1321), Dante acquit la certitude de la grandeur de son œuvre, « le poème sacré auquel ciel et terre ont mis leur main ».

Dante Alighieri, par Andrea del Castagno (v. 1450). [Ancien couvent de S. Apollonia, Florence.]

Scala

DANTON (Jacques), homme politique français (Arcis-sur-Aube 1759 - Paris 1794). Avocat champenois installé à Paris, il fonde, en 1790, le club des Cordeliers*, s'affirmant d'emblée comme un meneur de masses populaires. Membre de la Commune* (janv. 1790) et du directoire du département de Paris (janv. 1791), il prend la tête de l'agitation républicaine. Substitut du procureur de la Commune, ministre de la Justice et membre du Conseil exécutif provisoire, au lendemain du 10 août 1792, Danton est en fait le chef du gouvernement insurrectionnel : en cette qualité, il fait face à l'invasion prussienne tout en pratiquant la terreur à l'égard de milliers de suspects. Député de Paris à la Convention* (sept. 1792), un des chefs des Montagnards, il est violemment attaqué par les Girondins*, qui l'accusent de concussion. Instigateur, au début de 1793, de la levée en masse et créateur du Tribunal révolutionnaire, membre du Comité de salut public, il cherche à démembrer la coalition en négociant (avr.-juill. 1793), mais, n'ayant pas su réduire les insurrections et juguler la vie chère, il se voit écarté au profit de Robespierre, auquel, bientôt, chef des Indulgents, il reproche sa politique intransigeante et de terreur. Robespierre et Saint-Just, au nom de la Vertu, se débarrassent de lui et de ses amis en les décrétant d'arrestation. La popularité de Danton ne peut l'empêcher d'être guillotiné le 5 avril 1794.

Danton. Portrait anonyme. (Musée des beaux-arts, Troyes.)

Lauros - Giraudon

DANTZIG → GDAŃSK.

DANUBE (le), fleuve de l'Europe centrale, le deuxième d'Europe, après la Volga, par sa longueur (2 850 km).

Le Danube prend sa source dans la bordure orientale de la Forêt-Noire. Pendant sa traversée du Jura souabe et du plateau bavarois, il reçoit des affluents alpins (Lech, Isar, Inn) et conserve un régime montagnard. Il s'élargit au-delà de Bratislava en pénétrant dans le Bassin pannonien, où il reçoit la Tisza à gauche, la Drave et la Save à droite. Il franchit l'extrémité méridionale des Carpates par les Portes de Fer et pénètre dans la plaine valaque, où il coule dans une large vallée alluviale, avant de se jeter dans la mer Noire en un vaste delta à trois branches.

Le régime complexe s'explique par la vaste taille du bassin (805 000 km^2), qui réunit des affluents de types variés. À l'embouchure, le débit moyen est de 6 000 m^3/s, mais il peut être triplé lors des crues.

Ce fleuve constitue, en Europe centrale, une artère navigable vitale puisqu'il réunit notamment Linz, Vienne, Bratislava, Budapest et Belgrade. Il est jalonné d'importants ports fluviaux et son aménagement hydroélectrique est en cours. Ses eaux servent également à l'irrigation de la Grande Plaine hongroise et de la Valachie. Cependant, son trafic, qui atteint 40 Mt, reste bien inférieur à celui du Rhin.

DAOUGAVPILS ou **DAUGAVPILS,** v. de l'U. R. S. S., en Lettonie, sur la Dvina occidentale; 100 000 hab.

Le Danube en Autriche, près de l'abbaye de Melk.

Chris Kutschera

DAOULAS (29224), ch.-l. de cant. du Finistère, à 21 km au S.-E. de Brest, sur la rade de Brest; 1 083 hab. Église et cloître romans.

DAPHNÉ, nymphe du Parnasse*, aimée d'Apollon* et métamorphosée en laurier.

DAPHNIE. — Ce minuscule crustacé des eaux douces, extrêmement commun, est connu pour la vaste carapace sous laquelle sont abrités les œufs, puis les jeunes, et pour sa nage saccadée produite par de grandes antennules plumeuses. La parthénogenèse est fréquente. On vend des daphnies desséchées pour nourrir les poissons d'aquarium.

Daphnis et Chloé, roman pastoral grec en quatre livres, attribué à Longus (IIIe-IVe s. apr. J.-C.) et popularisé, en France, par la traduction d'Amyot, puis par celle de P.-L. Courier.

Daphnis et Chloé, ballet en un acte et trois tableaux, musique de Ravel, livret et chorégraphie de Michel Fokine, décors et costumes de Léon Bakst. Créé en 1912 à Paris par les Ballets russes de S. de Diaghilev, ce ballet ne fut consacré « chef-d'œuvre » qu'en 1914 à Londres, puis à l'Opéra de Paris en 1921; l'année de sa création, il avait souffert de celle de *l'Après-midi d'un faune,* puis en 1913 de celle du *Sacre du printemps.* — De cette œuvre a été tirée une version de concert en deux suites d'orchestre. L'instrumentation rutilante de la partition culmine dans le *Lever du jour* et la *Bacchanale.*

DAPSANG → K2.

DAQUIN (Louis Claude) → AQUIN *(d').*

DARBHANGA, v. de l'Inde, dans le nord du Bihār; 132 000 hab.

DARBOUX (Gaston), mathématicien français (Nîmes 1842 - Paris 1917). Il s'intéressa à la théorie des fonctions*, aux intégrales* définies, aux équations aux dérivées* partielles et à la géométrie infinitésimale.

DARBOY (Georges), prélat français (Fayl-Billot 1813 - Paris 1871). Évêque de Nancy (1859), archevêque de Paris (1863), il est, lors du premier concile du Vatican, l'un des chefs des anti-infaillibilistes. Il est fusillé comme otage à la fin de la Commune* (mai 1871).

DARCET ou **D'ARCET** (Jean), médecin et chimiste français (Audignon, Gascogne, 1725 - Paris 1801). Il découvrit un alliage à bas point de fusion (95 °C), formé de bismuth, de plomb et d'étain.

DARD. — Les animaux les plus divers peuvent présenter un organe impair destiné à piquer leur proie, et situé soit à l'avant, soit à l'arrière du corps. Cet organe est appelé indifféremment *dard* ou *aiguillon.* Le dard des abeilles et des guêpes injecte un venin, de même que celui des scorpions. Le dard des moustiques déverse une salive irritante, mais joue aussi le rôle de trompe suceuse, aspirant le sang de la proie; cette double fonction s'exerce aussi chez les « punaises » d'eau douce : nèpe, notonecte, ranatre, etc.
Lorsque l'organe venimeux ou suceur est pair, on le nomme *crochets* (vipère, mille-pattes, larve de dytique ou de fourmi-lion).

DARDANELLES *(détroit des),* détroit de Turquie, entre l'Europe et l'Asie, unissant la mer de Marmara et la mer Égée.

Dardanelles *(expédition des)* [1915], expédition franco-britannique, entreprise à la demande de l'Angleterre poussée par Churchill, pour forcer les Dardanelles. Elle avait pour objectif de tendre la main aux Russes et d'isoler les Turcs qui venaient de réussir un raid offensif sur Suez (févr. 1915). Après avoir tenté, en vain, de forcer les détroits avec leur flotte (bataille de Çanakkale, le 18 mars), les Alliés débarquent dans la presqu'île de Gallipoli (25 mars), mais ils ne peuvent en déboucher (mars-août). La reprise des opérations navales s'étant, elle aussi, traduite par un échec (2 cuirassés et 8 sous-marins coulés), l'évacuation est décidée (déc.). Le repli des troupes sur Salonique (Thessalonique), où elles formeront le noyau de l'armée alliée d'Orient, s'achève en janvier 1916. (V. GUERRE MONDIALE [*Première*].)

DARDANOS, fondateur mythique de Troie, originaire de Samothrace dans la légende grecque. La légende italienne le fait venir de Cortone, en Étrurie, afin d'établir les origines latines d'Énée*.

Dardanus, tragédie lyrique en cinq actes, livret de La Bruère, musique de J.-P. Rameau (1739). On admire dans cette partition la somptuosité des danses et la richesse polyphonique des chœurs.

DAR EL BEÏDA, anc. **Maison-Blanche,** localité d'Algérie, proche de la capitale, site de son aéroport.

DAR EL-BEIDA, nom arabe de CASABLANCA.

DAR ES-SALAAM ou **DAR ES-SALAM,** principale ville et port de Tanzanie, sur l'océan Indien; 273 000 hab. Université. Raffinerie de pétrole.

DARFOUR, région de plateaux et de volcans de l'ouest du Soudan.

DARGILAN, grotte du causse Noir, en Lozère.

DARGOMYJSKI (Aleksandr Sergueïevitch), compositeur russe (Dargomyj 1813 - Saint-Pétersbourg 1869). Sous l'influence de M. Glinka, il s'adonne au théâtre lyrique en puisant dans le folklore russe et en poussant ses recherches dans le domaine du récit dramatique *(le Convive de pierre).*

DARIÉN *(golfe de),* golfe de la mer des Antilles (Colombie et Panamá).

Daphnie.

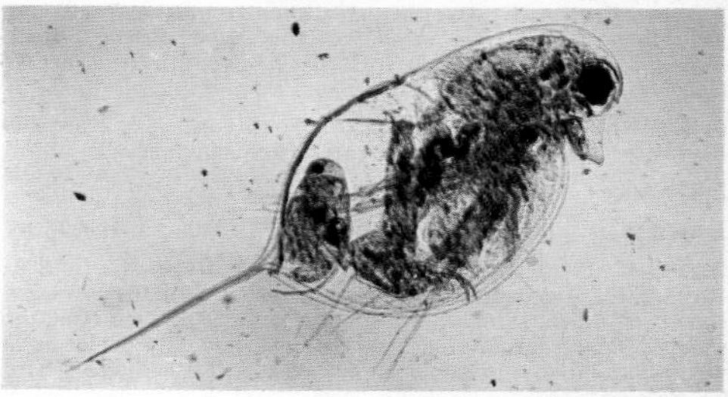

Chaumeton - Jacana

DARÍO (Félix Rubén GARCÍA-SARMIENTO, dit **Rubén**), poète nicaraguayen (Metapa 1867 - León 1916). Mêlant à la tradition espagnole l'imitation de l'école parnassienne et du symbolisme français, il est à l'origine du mouvement « moderniste » en Amérique latine (*Azur,* 1888; *Chants de vie et d'espérance,* 1905).

DARIOS Ier ou **DARIUS Ier,** roi achéménide* (de 522 à 486). Successeur de Cambyse* II, il est considéré comme le second fondateur, après Cyrus* II, de l'Empire perse*. Son avènement, peut-être grâce à une conjuration qui aurait éliminé l'héritier en ligne directe, est suivi d'une période de troubles. Son autorité une fois rétablie, Darios procède à la réorganisation du royaume sur les bases jetées par Cyrus II, mais avec une rigueur qui contraste avec la magnanimité de celui-ci. Persépolis*, qu'il a fondée, témoigne de la grandeur de son règne.

DARIOS II et **III** → ACHÉMÉNIDES.

DARJEELING, station climatique de l'Inde (Bengale-Occidental), sur les flancs de l'Himālaya, à 2 185 m d'altitude.

DARKHAN, v. de Mongolie, au N. d'Oulan-Bator; 30 000 hab. Centre industriel.

DARLAN (François), amiral français (Nérac 1881 - Alger 1942). Chef d'état-major et commandant de la flotte française de 1936 à 1940, il est nommé par Pétain ministre de la Marine (1940), puis chef du gouvernement et successeur désigné du chef de l'État après le renvoi de Laval en 1941. Le 28 mai 1941, il signe un protocole de collaboration militaire avec les Allemands en Afrique, rejeté par le gouvernement de Vichy. Au retour de Laval, Darlan devient commandant en chef des forces armées. Lors du débarquement allié en Afrique, il conclut un armistice, puis un accord avec les Américains (nov. 1942) et fait reprendre le combat par les forces françaises aux côtés des Alliés contre les forces de l'Axe, mais il est assassiné à Alger.

DARLING (le), riv. du sud-est de l'Australie, principal affluent du Murray (r. dr.); 2 450 km.

DARLINGTON, v. d'Angleterre (comté de Durham); 84 000 hab. Constructions mécaniques.

DARMSTADT, v. d'Allemagne fédérale (Hesse), au S. de Francfort-sur-le-Main; 142 000 hab. Édition. Chimie. Électronique.

DARNÉTAL (76160), ch.-l. de cant. de la Seine-Maritime, dans la banlieue est de Rouen; 11 801 hab. Industrie textile.

DARNEY (88260), ch.-l. de cant. des Vosges, à 38 km au S.-O. d'Épinal, sur la Saône; 2 029 hab. Monuments du XVIIIe s.

DARNLEY (Henry STUART, *baron*), prince écossais (Temple Newsam 1545 - Édimbourg 1567). Deuxième époux de Marie Stuart*, père du futur Jacques Ier d'Angleterre, il fut assassiné avec la complicité de la reine.

DARRACQ (Alexandre), industriel français (Bordeaux 1855 - Monaco 1931). L'un des pionniers de l'industrie automobile, il eut le premier l'idée de la construction en série et fut le premier à fonder une école de pilotes pour ses voitures de course.

DARŚANA. — Les écoles de pensées ou doctrines (darśana) qui constituent l'enseignement classique de la philosophie brahmanique sont : la pūrvamīmāṃsā et le vedānta*, le sāṃkhya et le yoga*, le nyāya et le vaiśeṣika.

La pūrvamīmāṃsā est le premier système, il est aussi le plus général. Il traite de la disposition des choses (dharma), du rapport du sens et de la parole (donc des prières) et des actes rituels. Le sāṃkhya dresse l'inventaire des réalités psychologiques qui constituent tout le monde des existants. Le nyāya est une théorie du raisonnement et de l'argumentation et le vaiśeṣika l'étude de ce qui est propre aux choses diverses et aux notions qui leur correspondent.

DARSONVAL (Alice Perron, dite **Lycette**), danseuse et chorégraphe française (Coutances 1917). Technicienne hors de pair, dont les dons expressifs lui permettent d'aborder tous les rôles d'un vaste répertoire *(Oriane et le Prince d'amour, Sylvia, Giselle, Coppélia, Joan de Zarissa, la Tragédie de Salomé...),* elle a incarné le type de la danseuse classique française.

DARTMOUTH, port du Canada, sur la côte est de la Nouvelle-Écosse, près de Halifax; 64 770 hab. Pétrochimie.

DARTRE → DERMATOSE.

DARWIN, v. d'Australie, capit. du Territoire du Nord; 41 000 hab.

DARWIN (Charles), naturaliste britannique (Shrewsbury 1809-Down 1882). De famille scientifique (il est le petit-fils d'Érasme Darwin [1731-1802] et le cousin germain de Francis Galton), Charles Darwin fait la preuve de ses qualités d'observateur de la nature lors du voyage autour du monde auquel il participe à bord du *Beagle* (1831-1836). Membre de la Royal Society dès 1839, il passera tout le reste de sa vie dans sa maison de Down. Sur la base de ses observations personnelles et des communications scientifiques qui lui parviennent de toute part, Darwin édifie la grandiose théorie de l'évolution* des espèces par *sélection naturelle* et *survivance du plus apte.* Mais, patient et scrupuleux, il retarde sans cesse la publication de ses travaux, lorsqu'il reçoit des Moluques (18 juin 1858) une note d'Alfred Russel Wallace qui, à l'autre bout du monde, a élaboré la même théorie. C'est pour lui l'occasion de rédiger pour le grand public son « résumé » *Sur l'origine des espèces* (paru et épuisé le 24 novembre 1859) qui le rendra célèbre. L'enthousiasme des uns, le scandale des autres, les polémiques, la gloire, rien ne détourne Charles Darwin de ses autres travaux, sur des sujets aussi variés que l'expression des émotions, l'origine des atolls, la fécondation des orchidées, les mouvements des plantes, etc.

Darwin n'a pas véritablement expliqué la cause première des variations novatrices (cet honneur reviendra à Hugo De Vries), mais il a analysé les lois du succès ou de l'échec des novations, de l'évolution des populations, de la concurrence vitale (notion de lutte pour la vie, *struggle for life*). Il a eu contre lui les théologiens qui l'accusaient de contredire la Bible, les sentimentaux qui lui reprochaient de ternir leur image idyllique de la nature, les linnéens qui voyaient leur pénible effort de classification des espèces menacé de dérision si ces espèces n'étaient pas éternelles. Il a eu pour lui l'autorité d'un auteur qui ne cesse de s'adresser à lui-même toutes les objections imaginables, puis de les réfuter avec rigueur et modestie.

DASSAULT (Marcel), homme d'affaires français (Paris 1892). Il a fondé un puissant holding industriel, commercial et financier, comprenant des activités aéronautiques, des sociétés immobilières, une compagnie de transports aériens et une banque.

DATATION *(Archéol.).* — En archéologie*, seule la datation rigoureuse permet d'étayer les hypothèses que suscite la découverte d'un objet. Par référence à d'autres objets du même type (tessons de poterie, industrie lithique ou osseuse, mobilier de bronze, etc.), la typologie est indispensable, surtout si l'objet est découvert isolément. La stratigraphie* permet de le situer dans le contexte des autres trouvailles. Liées à sa stratigraphie, diverses méthodes scientifiques permettent de préciser la chronologie relative d'un site, en traitant chaque trouvaille selon sa nature intrinsèque. La palynologie (étude des pollens) dévoile le paysage local, mais aussi les conditions climatiques au moment du dépôt et, par comparaison de certaines séquences, elle rend possible la chronologie des vestiges. Dans le même esprit, la dendrochronologie (étude des cercles de croissance annuelle des arbres) permet d'établir une échelle de comparaison et de datation. Depuis une trentaine d'années, la chimie et la physique nucléaire sont à la disposition du chercheur. Par le dosage de la teneur en fluor, on établit la durée de séjour dans le sol de certains ossements; d'après le contenu en substances radioactives ou en produits de filiation, l'analyse du carbone 14 autorise des datations assez précises jusque vers − 40 000. Une technique similaire utilise la transformation du potassium radioactif en argon. Actuellement la thermorémanence liée au magnétisme terrestre et la thermoluminescence se révèlent de précieuses auxiliaires de la recherche archéologique.

DATATION *(Géol.)* → CHRONOLOGIE.

DATTIER *(Bot.).* — Ce palmier est l'objet d'une culture intensive dans les pays du Maghreb et en Égypte pour ses fruits charnus et sucrés, les dattes. Haut de 15 à 30 m, l'arbre est dioïque, ce qui oblige les cultivateurs à féconder les pieds femelles en secouant sur leurs fleurs le pollen des pieds mâles.

DATTIER *(Œnol.)* → CÉPAGE.

DAUBENTON (Louis Jean-Marie), naturaliste français (Montbard 1716-Paris 1800). À ce compatriote et ami de Buffon, on doit la création du troupeau français de moutons *mérinos,* de valeur lainière incomparable.

DAUBERVAL (Jean Bercher, dit **Jean**), danseur et chorégraphe français (Montpellier 1742-Tours 1806), élève et disciple de Noverre. Sa carrière se déroula à l'Académie royale de musique (futur Opéra) et au Grand Théâtre de Bordeaux, où fut créé, en 1789, son ballet de *la Fille mal gardée,* modèle de la comédie dansée, la plus ancienne œuvre chorégraphique qui soit encore dansée de nos jours.

DAUBIGNY (Charles François), peintre et graveur (Paris 1817-*id.* 1878), le plus connu d'une famille de peintres français. Paysagiste, ami de Corot, il peint avec une touche plus légère que la plupart des peintres de Barbizon, préférant des motifs où l'eau joue le rôle principal. Le manque de « fini » de ses toiles lui vaut certaines critiques aux Salons (sans l'exclure des honneurs officiels), mais aussi l'admiration des impressionnistes, qu'il aidera.

DAUDET (Alphonse), écrivain français (Nîmes 1840-Paris 1897). Bien qu'il se soit rattaché à l'école naturaliste, il mêle la fantaisie à la peinture réaliste de la vie quotidienne dans ses romans (*le Petit Chose,* 1868; *Tartarin* de Tarascon,* 1872; *Sapho,* 1884), mais surtout dans ses contes* et ses nouvelles (*Lettres* de mon moulin,* 1866; *Contes* du lundi,* 1873). — Son fils, Léon (Paris 1867-Saint-Rémy-de-Provence 1942), écrivain et journaliste, fonda le journal *l'Action française,* avec Charles Maurras (1908).

DAUGAVPILS → DAOUGAVPILS.

DAUMAL (René), écrivain français (Boulzicourt, Ardennes, 1908-Paris 1944). Il forma, avec R. Gilbert-Lecomte, Roger Vailland et Josef Sima, un groupe parallèle aux surréalistes et qui, à travers la revue *le Grand* Jeu,* se livra aux expériences les plus risquées de « transposition de conscience » (sommeil hypnotique, drogue, asphyxie, etc.). Marquée par l'occultisme, les religions orientales, et sa rencontre avec Gurdjieff, son œuvre poétique et critique évolua dans le sens d'une ascèse mystique (*la Grande Beuverie,* 1938; *Poésie noire, poésie blanche,* 1952; *le Mont analogue,* 1952).

DAUMESNIL (Pierre), général français (Périgueux 1776-Vincennes 1832). Vétéran des campagnes napoléoniennes, il défendit brillamment Vincennes contre les Alliés en 1814.

DAUMIER (Honoré), peintre, graveur et sculpteur français (Marseille 1808-Valmondois 1879). Très tôt, à Paris, il s'adonne au dessin : croquis vivants dans la rue, études dans les salles du Louvre. Avec la lithographie, il trouve son moyen d'expression et de subsistance : quatre mille caricatures, parues pour la plupart dans *la Caricature* et *le Charivari* (par exemple, séries des *Types parisiens* [1840], des *Gens de justice* [1845-1848]), témoignent de son « génie de la satire de l'actualité », de son « sens du caractère humain » et de son aptitude exceptionnelle à « saisir le trait durable sous l'attitude quotidienne de chacun » (J. Adhémar). Pour stigmatiser la société bourgeoise, Daumier révèle le réel en le déformant, sous une lumière qui contraste fortement avec les zones d'ombre. Souvent, avant de réaliser ses lithographies, il modèle en terre cuite ses personnages (ainsi la série de petits bustes d'hommes politiques de 1832), et l'on peut reconnaître à ses dessins et à ses peintures un caractère sculptural. Son art culmine avec *Ratapoil* (bronze de 1851) et dans ses tableaux, aux dominances brunes et grises, aux masses hardiment simplifiées (*Un wagon de troisième classe,* Metropolitan Museum, New York; *Crispin et Scapin,* Louvre).

DAUNOU (Pierre Claude), homme politique français (Boulogne-sur-Mer 1761-Paris 1840). Oratorien, prêtre constitutionnel, il quitte les ordres. Député à la Convention, il joue un rôle important dans l'organisation de l'instruction publique, puis de l'Institut de France. Archiviste de l'Empire (1804), il est destitué en 1815. À partir de 1819, il se consacre à l'érudition historique.

DAUPHIN *(Hist.).* — Cet ancien surnom *(delphinus)* fut porté à partir du XIIe s. par les chefs de la principauté de Viennois (Dauphiné). Après l'achat du Dauphiné par la couronne de France (1349), le titre delphinal échut à Jean, fils aîné de Philippe V, puis, lorsque Jean devint roi, au futur Charles V. Depuis lors et jusqu'à la fin de l'Ancien Régime, il servit à désigner le fils aîné du roi, héritier du trône.

DAUPHIN *(Zool.).* — Ce grand cétacé, très commun, doit à ses formes hydrodynamiques (qui le font ressembler à un grand poisson) une nage extrêmement rapide et aisée. Il se reconnaît à son « bec », séparé du front par un pli bien marqué. Les observations scientifiques tirées de son élevage permettent de lui attribuer un système de communication par ultrasons qui s'apparente à un véritable langage. Des conduites de jeu, d'entraide, etc., indiquent un psychisme élevé, lié à un cerveau de grandes dimensions par rapport à la longueur de l'animal (2,50 m). Certaines armées envisagent l'utilisation militaire du dauphin. La science des dauphins *(delphinologie)* est en plein essor. Les dauphins (genres *Tursiops, Steno,* etc.) forment la famille des delphinidés.

DAUPHINÉ, région de France, au S.-E. de Lyon, s'étendant essentiellement sur le département de l'Isère, le nord de la Drôme et des Hautes-Alpes. On donne le nom de *haut Dauphiné* à la partie alpestre de cet ensemble, dont les plaines, entre les vallées de l'Isère et du Rhône, constituent le *bas Dauphiné.*

HISTOIRE. Colonisé par les Romains (IIe s.), dominé par les Burgondes (Ve s.), puis par les Francs avant d'être inclus dans le royaume de Lothaire (843), le pays n'acquiert son identité qu'à partir du XIe s., sous l'action des comtes d'Albon. Ceux-ci, maîtres du sud du Viennois depuis 1029, possesseurs de biens épars dans la région, unifient le pays et prennent au XIIe s. le titre de dauphin*. La nouvelle principauté, désormais appelée *Dauphiné,* passe aux maisons de Bourgogne (1162) et de La Tour du Pin (fin du XIIIe s.). En 1349, Humbert II de La Tour vend son État à la France, à la condition que celui-ci sera gouverné par l'héritier du trône, qui désormais portera le titre de dauphin. Définitivement intégré au royaume au XVIe s., le Dauphiné est, en 1788, le théâtre d'une révolte de notables qui marque le début de la Révolution.

DAURADE ou **DORADE.** — Plusieurs poissons de la famille des sparidés sont vendus sous le nom de *daurade* ou de *dorade.* La « vraie » daurade doit son nom à la couleur dorée des flancs et du ventre, contrastant avec un dos bleuté. Carnivore, vivant volontiers dans les eaux saumâtres, elle atteint 50 cm de longueur. La daurade commune, ou *pagel,* ou *rousseau,* de même taille, se pêche sur les fonds sableux du plateau continental.

DAURAT (Didier), aviateur français (Montreuil-sous-Bois 1891 - Toulouse 1969). Pilote de chasse en 1914-1918, il fut chez Latécoère, puis à l'Aéropostale l'un des pionniers de l'aviation de ligne. Il dirigea le centre d'exploitation d'Air France à Orly de 1945 à 1953.

DAUSSET (Jean), médecin hématologiste français (Toulouse 1916), auteur de travaux fondamentaux sur les groupes tissulaires et leucocytaires, qui trouvent leurs applications directes dans les problèmes de greffes et de transplantations.

DAUTRY (Raoul), ingénieur et administrateur français (Montluçon 1880 - Lourmarin 1951). Après avoir instauré de nouvelles méthodes de direction dans les chemins de fer français, dont il prépara la fusion dans la Société nationale des chemins de fer français (1938), il fut ministre de l'Armement (1939-40), ministre de la Reconstruction et de l'Urbanisme (1944-45), puis administrateur général du Commissariat à l'énergie atomique (1946).

DAUVERGNE (Antoine) → AUVERGNE (Antoine *d'*).

DAVAO, port des Philippines, sur le *golfe de Davao,* et principale ville de l'île de Mindanao; 439 000 hab.

DAVID, deuxième roi des Hébreux* (1010 - v. 970 av. J.-C.). Proclamé roi, après la mort de Saül*, par les tribus du Sud, il règne bientôt sur la Palestine tout entière, qu'il libère du joug des Philistins*; les cités cananéennes encore indépendantes sont soumises à son autorité, parmi lesquelles Megiddo* et Jérusalem*, dont il fait sa capitale (v. 1000). Après une suite de campagnes contre les Ammonites*, les Araméens* et les Édomites*, David se trouve à la tête d'un petit empire qui étend son protectorat jusqu'à Damas. La tradition juive et chrétienne le considère comme un grand poète et lui attribue la composition de chants liturgiques et de psaumes*.

David, marbre de Michel-Ange (hauteur > 4 m, 1501-1504, galerie de l'Académie de Florence). Créée à partir d'un bloc un peu mince qu'Agostino di Duccio avait travaillé déjà, puis abandonné, l'œuvre obtint d'emblée l'honneur d'être placée devant le Palazzo Vecchio et fit de Michel-Ange l'artiste le plus en vue de Florence. C'est que la statue incarne les idéaux de la Renaissance florentine en même temps que la doctrine civique républicaine. Elle exprime les vertus de *force* et de *colère* du citoyen-guerrier, protecteur de la ville contre l'ennemi extérieur. Son anatomie, d'une grande précision, reflète l'esprit de recherche scientifique; le visage, fier et noble, exprime l'homme en tant que créature libre et maîtresse de son destin. Ce thème s'annonçait déjà au XVe s. dans le *Saint Georges* de Donatello (plus que dans son fin *David* de bronze), mais Michel-Ange lui donne une ampleur insurpassée. Type sans doute inspiré d'une représentation antique d'Hercule (patron de Florence, protecteur, lui, de la sécurité *intérieure* de l'État), le jeune homme se présente au repos, fermement appuyé sur la jambe droite et portant nonchalamment sa fronde sur l'épaule gauche; toute la structure des organes suggère la virtualité de l'action : tension superbe dans l'harmonie d'un calme apparent.

DAVID Ier Comnène → TRÉBIZONDE.

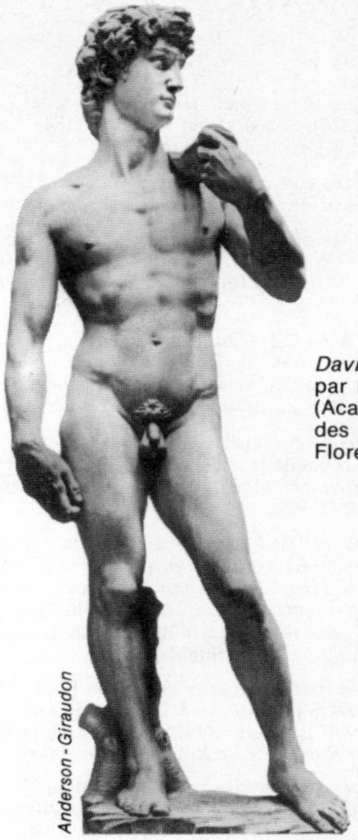

David, par Michel-Ange. (Académie des beaux-arts, Florence.)

DAVID Ier (1084 - Carlisle 1153), roi d'Écosse de 1124 à 1153. Il consolida l'unité de son royaume, le réorganisa sur le modèle anglo-normand et le fit sortir de son isolement en établissant des liens avec la papauté et l'Occident. Il sut profiter de la crise que connut l'Angleterre sous Étienne de Blois pour étendre son autorité vers le sud, jusqu'à la Tees et la Ribble (1139).

DAVID II BRUCE (Dumfermline 1324 - Édimbourg 1371), roi d'Écosse de 1329 à 1371. Fils et successeur de Robert Ier, il ne put empêcher l'Angleterre d'établir sa tutelle sur l'Écosse (1357). La fin de son règne fut marquée par une forte opposition nobiliaire dirigée par les Stuarts.

DAVID (Gerard), peintre des anciens Pays-Bas (Oudewater v. 1460 - Bruges 1523). Dernier des grands primitifs brugeois, formé en Hollande, puis à Bruges, il se signale par une monumentalité tranquille, l'alliance de la spiritualité et du réalisme, la beauté de son modelé et de ses couleurs saturées (le *Triptyque de Jean des Trompes,* Bruges; *la Vierge entre les vierges,* 1509, Rouen; *le Repos pendant la fuite en Égypte,* au beau paysage, Lisbonne; etc.).

DAVID (Louis), peintre français (Paris 1748 - Bruxelles 1825). Représentant le plus illustre du néoclassicisme* pictural, parti du classicisme du XVIIe s., il a établi une esthétique par rapport à laquelle les courants postérieurs de la peinture française devront se déterminer — par adhésion ou par rejet. Élève de J. M. Vien, sans précocité particulière, il n'obtient le prix de Rome qu'à sa quatrième tentative, en 1774. Son séjour en Italie (1775-1780) est capital, lui révélant la dignité et la rigueur de l'Antiquité romaine (*Bélisaire,* 1880, musée de Lille). Dès son retour, son atelier commence à être un pôle d'attraction pour les jeunes artistes. En 1784, David entre à l'Académie royale de peinture et entreprend, au cours d'un nouveau séjour romain, *le Serment des Horaces* (Louvre), œuvre monumentale qui affirme la primauté de la ligne sur la couleur et le mouvement, et qui sera saluée au Salon de 1785 comme le manifeste de la nouvelle école. Militant révolutionnaire, Conventionnel, il entreprend *le Serment du Jeu de paume* (inachevé, Louvre) et *la Mort de Marat* (Musées royaux de Bruxelles). Ses portraits le montrent magnifique observateur et peintre. Rallié à Bonaparte, qu'il admire (*le Passage du Grand-Saint-Bernard,* 1801, plusieurs versions), David commémore les fastes de l'Empire (*le Sacre de Napoléon,* 1806-1807, Louvre), sans renoncer à l'Antiquité *(Léonidas aux Thermopyles, ibid.).* Au retour des Bourbons, il s'exile en Belgique, donnant des toiles mythologiques, comme *l'Amour et Psyché* (1817, Cleveland), au coloris audacieux, et des portraits dont la qualité ne se dément pas.

DAVID d'Angers (Pierre Jean), sculpteur français (Angers 1788 - Paris 1856). Sa carrière fut particulièrement féconde de 1830 à 1848. David pratiqua la statuaire, le buste, le bas-relief, mais on retient surtout les cinq cents médaillons qu'il modela d'après les personnages remarquables de son époque (musée d'Angers).

DAVID (Félicien), compositeur français (Cadenet 1810-Saint-Germain-en-Laye 1876). Son oratorio *le Désert* (1844) a donné une nouvelle impulsion à l'exotisme musical.

David Copperfield, roman de Charles Dickens (1849), histoire d'un jeune orphelin maltraité qui arrive enfin au bonheur.

DAVID-WEILL (David), collectionneur français (San Francisco 1871-Neuilly-sur-Seine 1952). Il fit des donations considérables aux musées français et fut un des fondateurs de la Cité universitaire de Paris.

DAVILER ou **D'AVILER** (Charles), architecte français (Paris 1653 - Montpellier 1700). Il étudia à Rome, collabora avec J. H.-Mansart et se fixa en Languedoc (arc de triomphe du Peyrou, Montpellier, 1691). Il a publié un *Cours d'architecture.*

DAVIS (John), navigateur anglais (Sandridge v. 1550-détroit de Malacca 1605). Au cours de plusieurs voyages, il découvre les côtes occidentales du Groenland (1585), puis les îles Cumberland (1587) et les îles Falkland (1592).

DAVIS (Jefferson), officier et homme politique américain (Fairview, Kentucky, 1808-La Nouvelle-Orléans 1889). Ministre de la Guerre en 1853, puis sénateur, il poussa à la sécession et fut élu en 1861 président de la confédération des États du Sud. Il anima le combat de ceux-ci pendant la guerre de Sécession, mais il fut fait prisonnier après la chute de Richmond (1865).

DAVIS (William Morris), géographe américain (Philadelphie 1850-Pasadena 1934). Son nom reste lié à la définition de la notion de *cycle d'érosion,* qui fit de lui, à la fois, l'un des maîtres et l'un des auteurs les plus controversés de la géographie physique.

DAVIS (Stuart), peintre américain (Philadelphie 1894-New York 1964). Ayant expérimenté très tôt certaines structures du cubisme et de l'abstraction, admirateur de Gris, de Léger, il a, toute sa vie, évoqué la réalité urbaine de son pays dans des peintures rythmées et monumentales, en général dépourvues de troisième dimension, faites de schèmes visuels fragmentés intégrant chiffres et lettres. Il a influencé le pop' art.

DAVIS (Miles Dewey), trompettiste de jazz noir américain (Alton, Illinois, 1926). Remarqué par Charlie Parker, il s'imposa au début des années 50 comme le virtuose du style cool. Ses recherches sonores, sa décontraction rythmique, son inspiration mélodique, son refus du vibrato lui ont donné une place primordiale dans le jazz contemporain.

DAVISSON (Clinton Joseph), physicien américain (Bloomington, Illinois, 1881-Charlottesville, Virginie, 1958). Il a reçu le prix Nobel de physique en 1937 pour sa découverte, avec L. H. Germer, de la diffraction des électrons (1927), confirmant la théorie de la mécanique ondulatoire.

DAVOS, comm. de Suisse (Grisons); 10238 hab. Importante station d'été et de sports d'hiver (alt. 1560-2844 m).

DAVOUT (Louis), duc **d'Auerstedt** et prince **d'Eckmühl,** maréchal de France (Annoux 1770-Paris 1823). Sorti de l'école de Brienne, sous-lieutenant à quinze ans, général à vingt-sept, il fit toutes les campagnes de la Révolution et se battit aussi en Égypte. Considéré comme le meilleur lieutenant de Napoléon, commandant en 1805 le 3ᵉ corps de la Grande Armée, il permit en 1806, par sa victoire d'Auerstedt, conjuguée avec celle d'Iéna, la destruction de l'armée prussienne. Son rôle fut aussi décisif à Eckmühl (1809). Défenseur de Hambourg en 1814, il fut ministre de la Guerre pendant les Cent-Jours.

DAVY (*sir* Humphry), chimiste et physicien anglais (Penzance 1778-Genève 1829). Grâce à l'électrolyse, il a isolé le sodium et le potassium (1807), puis le baryum, le strontium et le calcium. Il a découvert l'arc électrique (v. 1811) et les propriétés catalytiques du platine divisé (1817). On lui doit l'invention de la lampe de sûreté des mineurs à toile métallique.

DAVY (Georges), sociologue français (Bernay 1883-Coutances 1976). Très influencé par Durkheim*, il a étudié dans son ouvrage principal, *la Foi jurée* (1922), le potlatch* et la formation du contrat à partir des relations statutaires. Sociologue du droit et des institutions, il a également examiné la formation du pouvoir politique à partir du clan totémique (*l'Homme : le fait social et le fait politique,* 1973).

DAWES (Charles Gates), homme politique et financier américain (Marietta, Ohio, 1865-Chicago 1951). Il présida en 1923 la commission chargée de résoudre le problème des réparations* dues par l'Allemagne. Le *plan Dawes,* qui préservait l'équilibre économique et financier de l'Allemagne tout en garantissant les intérêts des pays créanciers, entra en vigueur en 1924 et fut relayé par le plan Young en 1930. Titulaire du prix Nobel de la paix (1925), Dawes fut vice-président des États-Unis de 1925 à 1929.

DAWSON, anc. **Dawson City,** v. du Canada (Yukon), créée en 1898 lors de la ruée vers les mines d'or, aujourd'hui épuisées, du Klondike; 762 hab. Elle comptait 27000 hab. au début du XXᵉ s.

DAWSON CREEK, v. du Canada, dans l'est de la Colombie britannique; 11185 hab. Terminus méridional de la route de l'Alaska.

DAX (40100), ch.-l. d'arr. des Landes, sur l'Adour; 20294 hab. *(Dacquois).* Cathédrale (XVIIᵉ-XIXᵉ s.). Musée. Station thermale aux eaux hyperthermales et radioactives, chlorurées et sulfatées calciques et sodiques, employées en bains et pour la confection de boues thermales par leur mélange au limon végéto-minéral de l'Adour (traitement des rhumatismes chroniques [arthroses] et des suites de traumatismes).

DAYAKS → BORNÉO.

DAYAN (Moshé), général israélien (Degania 1915). Engagé dans la Haganah*, il est colonel en 1948 et participe à la première guerre d'indépendance. Général (1953), chef d'état-major de l'armée, il dirige la campagne du Sinaï contre l'Égypte en 1956, mais démissionne de l'armée en 1958 et se consacre à la politique. Nommé ministre de la Guerre en 1967, pendant la troisième guerre israélo-arabe*, il accepte de négocier, mais se refuse à évacuer les territoires conquis. Il conduit encore les opérations lors du conflit israélo-arabe de 1973, mais, rendu responsable d'avoir laissé surprendre ses forces, il quitte le gouvernement en 1974. En 1977, il est nommé ministre des Affaires étrangères.

DAYTON, v. des États-Unis, dans l'ouest de l'Ohio; 243000 hab.

DÉ. — Bien que les dés à jouer aient été connus en Égypte et en Orient, la légende en attribue l'invention à Palamède, un des chefs grecs de la guerre de Troie. Au Moyen Âge, les dés étaient en bois dur, en os ou en ivoire. Leur fabrication était confiée à des artisans spécialistes, les *déciers,* et surveillée de près de façon à prévenir les fraudes et les tricheries.

DEÁK (Ferenc), homme politique hongrois (Söjtör 1803-Pest 1876). Député en 1832, ministre de la Justice en 1848, il publia en 1865 le célèbre article dit «de Pâques», qui fut à l'origine du compromis austro-hongrois. Il fut le principal artisan de la Constitution dualiste de 1867.

DE AMICIS (Edmondo), écrivain italien (Oneglia 1846-Bordighera 1908). Il fit les délices de la bourgeoisie fin de siècle par ses romans sentimentaux (*Cuore,* 1884).

DEARBORN, v. des États-Unis (Michigan), banlieue de Detroit; 112000 hab. Industrie automobile.

DÉAT (Marcel), homme politique français (Guérigny 1894-San Vito, près de Turin, 1955). Il est parmi les dissidents néosocialistes qui fondent le parti socialiste de France en 1933. Après la défaite de juin 1940, il dirige le journal *l'Œuvre* et fonde le parti collaborateur du Rassemblement national populaire. Secrétaire d'État au Travail et aux Affaires sociales dans le gouvernement de Vichy (1944), il est condamné à mort par contumace après la Libération.

DEATH VALLEY → MORT *(Vallée de la).*

DEAUVILLE (14800), comm. du Calvados, sur la Manche; 5743 hab. Grande station balnéaire. Port de plaisance.

DE BAKEY (Michael Ellis), chirurgien américain (Lake Charles, Louisiane, 1908). Il a travaillé à la mise au point d'un cœur artificiel.

DÉBARQUEMENT. — Après une histoire déjà longue, les opérations de débarquement ont connu un essor considérable pendant la Seconde Guerre mondiale tant sur le théâtre occidental que dans le Pacifique. Précédé par ceux d'Afrique du Nord et d'Italie, le débarquement le plus spectaculaire fut celui de Normandie*, qui mit en œuvre environ 5000 navires et exigea à Arromanches la création d'un véritable port artificiel. Les navires de débarquement de 1944 étaient de deux types. Les uns, légers (*Landing Craft Infantery* [LCI]), de 250 à 400 t, possédaient à l'avant une rampe abattable pour le débarquement du personnel et du matériel. Les autres, dits *Landing Ship Tank* (LST), étaient de vrais bâtiments de haute mer de 2000 à 4000 t. Dans les années 1960-1975, la nécessité de disposer de forces amphibies à très longue distance a donné une grande importance aux navires transporteurs de chalands de débarquement. Construits autour d'une cale immergeable ou *radier,* pouvant communiquer avec la mer, ces navires sont des bâtiments de gros tonnage, tels l'*Intrepid* anglais (11000 t, 1967) ou l'*Ouragan* français (5800 t, 1965, radier de 120 m). Ce dernier peut transporter soit 2 engins de débarquement d'infanterie et de chars (250 t), soit 18 chalands de transport de matériel. Dans cette famille, les États-Unis ont mis en service en 1976 le *Tarawa,* bâtiment dit *Landing Helicopter Assault* (LHA), de 40000 t, qui, en liaison avec 2 LST, peut débarquer un groupement de 1800 marines avec tout son matériel et disposera de 30 hélicoptères.

DEBENEY (Marie Eugène), général français (Bourg-en-Bresse 1864-*id.* 1943). Brillant chef de la Ire armée en Picardie (1918), commandant l'école de guerre de 1919 à 1924, il fut chef d'état-major de l'armée de 1924 à 1930. Il est l'auteur de *la Guerre et les hommes* (1937), synthèse de ses réflexions sur l'armée nationale.

DEBIERNE (André), chimiste français (Paris 1874-*id.* 1949). Il a isolé, avec Marie Curie, le radium pur et il a découvert l'actinium (1900).

DÉBILITÉ MENTALE → ARRIÉRATION MENTALE.

DÉBIT. — Le débit d'un fleuve en un point donné est égal au produit de la surface de la section mouillée par la vitesse du courant. Il se mesure généralement en mètres cubes par seconde. Il dépend de l'alimentation du cours d'eau, de l'évaporation, de l'infiltration, etc. Il varie au cours de l'année, l'ensemble de ses variations caractérisant le régime* du cours d'eau. On précise généralement le débit moyen ainsi que le débit minimal, ou étiage (basses eaux), et le débit maximal, ou crue (hautes eaux). Lors des crues, si le débit devient supérieur à la capacité du lit mineur, le cours d'eau déborde, provoquant des inondations.

DÉBITMÈTRE. — Les principaux débitmètres sont constitués par des déversoirs dans le cas de canaux ou de rivières, par des tubes de Venturi, des orifices calibrés ou des compteurs volumétriques lorsqu'il s'agit d'un liquide ou d'un gaz s'écoulant dans une conduite. (V. RADIOACTIVITÉ.)

DE BONO (Emilio), maréchal italien (Cassano d'Adda 1866-Vérone 1944). Rallié au fascisme dès 1922, il commanda les forces italiennes engagées contre l'Éthiopie en 1935. Ministre d'État en 1942, il précipita la chute de Mussolini (1943), qui, plus tard, le fit arrêter et exécuter.

DÉBOUCHÉS (loi des). — Aux termes de cette loi, formulée par J.-B. Say, *toute production vendue crée un débouché pour une autre.* Le montant de la vente d'un produit effectuée par un agent économique étant employé en achats faits à d'autres agents économiques, ceux-ci bénéficient à leur tour de débouchés : « les produits s'échangent contre des produits » ou encore l'offre* d'un bien crée instantanément la demande* d'un autre bien.

Cette loi, foncièrement optimiste, a eu un grand succès au XIXe s.; mais, opérant une simplification outrancière, elle élimine les interférences des prix*, de la monnaie*, de l'épargne* et du capital*.

DEBRAY (Henri), chimiste français (Amiens 1827-Paris 1888). Collaborateur de H. Sainte-Claire Deville, il a étudié les dissociations thermiques, le béryllium et les métaux du groupe du platine.

DEBRÉ (Robert), médecin français (Sedan 1882). D'abord bactériologiste, puis pédiatre de renommée internationale, il a été le promoteur de la réforme des études médicales de 1960.

DEBRÉ (Michel), homme politique français (Paris 1912), fils du précédent. Secrétaire général aux Affaires allemandes et autrichiennes (1947-48), membre du Conseil de la République (1955-1958), il contribue au retour au pouvoir du général de Gaulle, qui le désigne comme Premier ministre dès janvier 1959. Démissionnaire en 1962, il assume ensuite différents portefeuilles, dont, notamment, celui des Affaires étrangères (1968-69) et celui des Armées (1969-1973).

DEBRECEN, v. de l'est de la Hongrie; 173 000 hab. Église Sainte-Anne et petit temple réformé baroques. Grand temple, collège réformé et hôtel de ville néoclassiques. Musée. Industries mécaniques et alimentaires.

DE BROSSES (Charles), magistrat et écrivain français (Dijon 1709-Paris 1777). Président au parlement de Dijon, exilé deux fois pour son indépendance frondeuse, il réédita Salluste, tenta une reconstitution de l'*Histoire de la République romaine dans le cours du VIIe siècle* (1777), étudia les problèmes de formation du langage (*Traité de la formation mécanique des langues,* 1765) et les coutumes exotiques (*Histoire des navigations aux terres australes,* 1756; *Du culte des dieux fétiches,* 1760), mais fut écarté de l'Académie française par l'opposition de Voltaire, à la suite d'un différend d'intérêts. Sa curiosité d'esthète et d'épicurien anime ses *Lettres familières écrites d'Italie en 1739 et 1740,* l'un des guides sentimentaux et esthétiques de Stendhal.

DEBUCOURT (Philibert Louis), peintre et graveur français (Paris 1755-Belleville 1832). Il se consacra à partir de 1785 à l'aquatinte en couleurs, donnant des mœurs du temps un tableau plein de verve satirique (*la Promenade de la Galerie du Palais-Royal,* 1787).

DEBURAU (Jean-Gaspard, dit **Jean-Baptiste**), mime français (Kolín, Bohême, 1796-Paris 1846). Il connut le succès à Paris au théâtre des Funambules en créant le personnage de *Pierrot* et devint l'une des gloires du boulevard du Crime en interprétant de nombreuses pantomimes. — Son fils JEAN-CHARLES (Paris 1829-Bordeaux 1873) lui succéda dans le même emploi.

DEBUSSY (Claude), compositeur français (Saint-Germain-en-Laye 1862-Paris 1918). Dès l'époque où il prépare le prix de Rome et après plusieurs voyages, notamment en Russie, il se montre préoccupé par le renouvellement de la forme et de l'harmonie. Il admire Rameau, Wagner, Moussorgski, s'intéresse à la musique exotique, fréquente les poètes, aime les peintres impressionnistes.

Claude Debussy, par H. Pinta. 1886. (Villa Médicis, Rome.)

Giraudon

Avec lui, le piano devient l'instrument de la nuance, de l'évocation (*Images,* 1906-1908; *Préludes,* 1909-1913). L'orchestre de Debussy, riche et frémissant, s'attache à la qualité du timbre (*Prélude à l'après-midi* d'un faune,* 1894; *Nocturnes,* 1899; *la Mer,* 1905; *Jeux,* 1912). Debussy confie à la voix une déclamation subtile (*Ariettes oubliées,* 1888; *Chansons de Bilitis,* 1897), allant parfois jusqu'au maniérisme (*le Martyre de saint Sébastien,* 1911). Son œuvre majeure reste *Pelléas* et Mélisande,* partition lyrique où se conjuguent le symbolisme et la passion en un récitatif libre et poétique soutenu par une orchestration à la fois somptueuse et discrète. Debussy a ouvert au XXe s. un large champ de recherche à la musique.

DEBYE (Peter), physicien américain, d'origine néerlandaise (Maastricht 1884-Ithaca 1966). Il a analysé les poudres cristallines par diffraction des rayons X, déterminé les dimensions des molécules gazeuses et étudié l'état solide aux basses températures. (Prix Nobel de chimie, 1936.)

DÉCABRISTES. — Le 26 (14 anc. style) décembre 1825 eut lieu à Saint-Pétersbourg une tentative de complot contre Nicolas Ier*. Des sociétés secrètes s'étaient formées en Russie depuis 1816 : elles rassemblaient des nobles, en général des officiers, qui voulaient abattre l'autocratie et abolir le servage. Ces officiers essayèrent de persuader les soldats, qui avaient déjà prêté serment à Constantin* Pavlovitch, de refuser le serment à Nicolas Ier. Trois mille soldats seulement se rallièrent à eux, et ils furent dispersés par l'artillerie du tsar. Dans le Sud, le régiment de Tchernigov se mutina. Les cinq principaux leaders furent pendus, et cent vingt décabristes furent déportés en Sibérie. Le souvenir de cet épisode, peu important en lui-même, fut exalté par les révolutionnaires des générations suivantes.

DÉCADENTS. — Les décadents n'ont constitué ni une école ni une doctrine; la « décadence » est la manifestation d'un climat moral et artistique. « Mal de fin de siècle », expression d'une fatigue de vivre et d'une lassitude créatrice, elle apparaît aux alentours de 1880 avec les réunions des Hydropathes, des Hirsutes et des Zutistes et elle s'incarne dans les mystifications et les vers macabres d'Alphonse Allais et de Maurice Rollinat. Définie par Paul Bourget (*Théorie de la décadence,* 1881), illustrée par Verlaine (*les Poètes maudits,* 1884) et Huysmans (*À* rebours,* 1884), parodiée par Gabriel Vicaire et Henri Beauclair (*les Déliquescences d'Adoré Floupette,* 1885), elle inspire les délires sensuels de Gustave Moreau, le fantastique d'Odilon Redon. Mais, malgré Robert de Montesquiou (*les Chauves-Souris,* 1892), qui le cultivera jusqu'en 1914, l'esprit décadent se fond dans le symbolisme.

DÉCALCIFICATION → DÉMINÉRALISATION.

DÉCALOGUE. — La Bible donne deux recensions des « dix paroles » (en grec *deka logoi*), ou dix commandements de Dieu (Exode, XX, 1-17; Deutéronome, V, 6-21), que Moïse* reçut, selon la tradition, sur le mont Sinaï*; la première version est la plus ancienne. Synthèse de la loi mosaïque, le décalogue couvre le champ de la vie religieuse : Dieu et le prochain. Jésus en rappelle l'observance fondamentale, mais, sortant du légalisme, il intègre et surbordonne les préceptes mosaïques au commandement suprême de l'amour.

Décaméron, recueil de contes composés par Boccace entre 1349 et 1353. Au plus fort de la peste de 1348, sept jeunes femmes et trois jeunes hommes se retirent dans une villa des environs de Florence : à tour de rôle, au cours des dix journées qu'ils passent ensemble, chacun conte une histoire. Nouvelles sentimentales ou tragiques, récits d'aventures, épisodes satiriques et licencieux peignent la vie du XIVe s. en un style calqué sur la phrase latine et qui fut pendant des siècles le modèle de la prose italienne.

DECAMPS (Alexandre), peintre français (Paris 1803-Fontainebleau 1860). Un voyage en Orient (1828) le révéla à lui-même, et ses tableaux de mœurs exotiques connurent un immense succès. Un romantisme sincère, une richesse de lumière et de matière — non sans artifices — s'allient dans ses toiles à la qualité de l'observation (*Enfants turcs près d'une fontaine,* Chantilly).

DÉCAPODES. — Bien que les décapodes ne constituent qu'un seul ordre de la classe des crustacés, ils comprennent la plupart des grandes et des moyennes espèces commercialisées : marcheurs à l'abdomen normal (écrevisses, langoustes, langoustines, homards), réduit (crabes*) ou mou (pagures ou bernard-l'ermite) et nageurs (crevettes). Tous ces animaux ont cinq paires de grandes pattes thoraciques, d'où leur nom. La première paire est souvent développée en pinces, parfois dissymétriques (pagures, crabe *Uca*) ou de faible taille (langoustes, crevettes). Les quatre autres paires servent à la marche, voire à la nage (pattes arrière du crabe *étrille*).

DÉCAPOLE, nom donné, dans l'histoire, à plusieurs districts ou groupes de « dix villes ». Il faut retenir en particulier : la *Décapole palestinienne,* confédération située à l'est du Jourdain (Ier s. av. J.-C.-IIe s. apr. J.-C.), dont les cités furent mêlées à l'histoire de la Judée et du christianisme primitif; la *Décapole alsacienne* (XIVe s.), qui resta jusqu'à la guerre de Trente* Ans une des puissances de l'Alsace*.

DÉCATHLON → ATHLÉTISME.

DECAUVILLE (Paul), industriel français (Petit-Bourg, Seine-et-Oise, 1846-Neuilly 1922). On lui doit un système de matériel de petits chemins de fer transportables à voie étroite (de 0,40 à 0,60 m de large).

DECAZES (Élie, *duc*), homme politique français (Saint-Martin-de-Laye 1780-Decazeville 1860). Avocat, il se rallie aux Bourbons et est ministre de la Police en 1815. Les excès de la *Terreur blanche* font de lui l'un des chefs du groupe des constitutionnels, partisans de l'application loyale de la Charte. Favori de Louis XVIII, il devient président du Conseil en 1819; violemment attaqué par les ultraroyalistes, il doit démissionner après l'assassinat du duc de Berry (févr. 1820). Duc et pair, il consacre le reste de sa vie à l'exploitation moderne des mines et des forges de la ville qui lui doit son nom, Decazeville.

DECAZES (Louis, *duc*), homme politique français (Paris 1819-château de Graves 1886). Fils du duc Élie, diplomate de carrière, il est élu en 1871 à l'Assemblée nationale, où il dirige le centre droit. Ministre des Affaires étrangères (1873-1877), il pratique vis-à-vis de l'Allemagne de Bismarck* une politique de « recueillement », tout en cherchant à sortir la France vaincue de son isolement.

DECAZEVILLE (12300), ch.-l. de cant. du nord de l'Aveyron, près du Lot; 10 547 hab. *(Decazevillois).* Houille. Sidérurgie et métallurgie.

DECCA → NAVIGATION.

DECCAN ou **DEKKAN,** région péninsulaire constituant le sud de l'Inde. Formé de roches anciennes partiellement recouvertes de dépôts sédimentaires, limité au N. par la plaine du Gange, le Deccan est un ensemble de plateaux bordé par des reliefs dominant le golfe du Bengale (Ghâts orientaux), et surtout la mer d'Oman (Ghâts occidentaux). Ceux-ci opposent une barrière à la mousson et expliquent la relative aridité de l'intérieur, défavorable à l'agriculture et partiellement responsable, avec la moindre fertilité des sols, d'une densité d'occupation bien inférieure à celle de l'Inde septentrionale.

DÉCÉBALE → DACIE.

DÉCÉLÉRATION → FREINAGE.

décembre 1851 *(coup d'État du 2),* coup d'État qui permit à Louis Napoléon Bonaparte, alors président de la République, d'éliminer l'opposition parlementaire et de préparer le rétablissement de l'Empire. Refusant la révision de la Constitution, l'Assemblée législative, en majorité monarchiste, empêchait la réélection de Louis Napoléon Bonaparte à la présidence de la République. En décidant, dans la nuit du 1er au 2 décembre 1851, l'arrestation des chefs de l'opposition parlementaire et l'occupation du Palais-Bourbon par la troupe, Louis Napoléon mit fin au conflit qui l'opposait depuis 1849 au pouvoir législatif.

Le 2 décembre, jour anniversaire du sacre de Napoléon Ier et de la victoire d'Austerlitz, un décret présidentiel annonce la dissolution de l'Assemblée législative et le rétablissement du suffrage universel. Les tentatives de résistance des républicains et des socialistes sont sévèrement réprimées. La restauration de l'Empire s'effectue alors progressivement; le plébiscite organisé le 20 décembre maintient le chef de l'État au pouvoir et l'autorise à réviser la Constitution. La nouvelle Constitution, promulguée en janvier 1852, élargit les pouvoirs du président, dont le mandat est porté à dix ans. Institué par le sénatus-consulte de novembre 1852, qui est approuvé par un nouveau plébiscite, l'Empire est proclamé le 2 décembre 1852.

DÉCHARGE. — La décharge électrique est dite *conductive* lorsqu'elle se produit à travers un corps conducteur et *disruptive* lorsqu'elle traverse un corps isolant, tel que l'air; elle se fait alors brusquement et s'accompagne de phénomènes sonores et lumineux.

DÉCHAUMEUSE → LABOUR.

DÉCHET RADIOACTIF. — Lors de l'extraction, de la fabrication, du traitement ou de la manipulation de matériaux ou de produits radioactifs, il se forme à l'état solide des matières qui constituent des déchets qui peuvent être dangereux. Dans la production *normale,* ces déchets apparaissent dans le cycle des réacteurs* nucléaires. Dans la production dite *irrégulière,* ils se rencontrent toutes les fois que des produits radioactifs sont utilisés à des fins de production et de recherche. Mais la production normale est beaucoup plus importante que la production irrégulière.

Pour traiter les déchets radioactifs, on procède par compression, par incinération ou par enrobage. On cherche avant tout à réduire le volume à stocker par solidification des produits de fission*; le procédé le plus prometteur est la vitrification, qui ramènerait le volume des déchets de 20 m^3 à 4 m^3 par an environ pour une tranche nucléaire de 1 000 MWe. Le vrai problème des déchets radioactifs se ramène à celui du stockage. Situés, la plupart du temps, loin des centres de production, les dépôts posent des difficultés d'ordre économique et d'ordre psychologique, difficultés qui entraînent une réglementation officielle. Deux solutions sont possibles : d'une part l'*immersion,* qui consiste, après enrobage des déchets dans des conteneurs* en béton ou dans des fûts métalliques, à immerger les blocs, ainsi constitués, dans des bas-fonds marins; d'autre part l'*enfouissement,* soit dans des mines de sel, soit dans des entrepôts industriels aménagés et refroidis à cet effet. Certains spécialistes envisagent aussi le stockage dans des formations géologiques profondes, l'envoi sur le Soleil ou encore l'éjection hors du système solaire. On estime que le volume cumulé total dû à l'ensemble des industries nucléaires dans le monde serait de l'ordre de $46 . 10^6$ m^3 en l'an 2000.

DE CHIRICO (Giorgio), peintre italien (Volo, Grèce, 1888). Reconnu dès 1911 par Apollinaire, il est considéré par les surréalistes comme un grand précurseur. Sa « peinture métaphysique » a pour thème des villes imaginaires aux vastes perspectives, baignées de mélancolie, habitées de statues de plâtre ou de mannequins hétéroclites (*les Muses inquiétantes,* 1916-17); elle aborde parfois le portrait, tel celui, prémonitoire, de *Guillaume Apollinaire* (1914). Mais brusquement, en 1919, De Chirico s'éprend de la peinture classique et tombe dès lors dans une sorte

Scala

Giorgio De Chirico : *les Muses inquiétantes.* 1916-1917. (Coll. privée, Milan.)

Arts décoratifs. Le salon de musique du pavillon royal de Brighton, résidence d'été du prince régent (futur George IV), conçue par J. Nash dans un esprit de féerie orientale (1815-1823).

The Royal Pavilion, Brighton

d'académisme. Il a publié un roman, *Hebdomeros* (1929), et des Mémoires.

DECHY (59187), comm. du Nord, banlieue sud-est de Douai; 6 693 hab. Centrale thermique.

DÉCIDABILITÉ FORMELLE. — La décidabilité formelle est la propriété d'une formule E telle que, dans un système formel S, on a $E \vee \neg E$ (E ou non-E sont démontrables dans S). Un système formel où toute formule est formellement décidable est dit simplement « complet ».

DÉCIME. — Au Moyen Âge, ce terme désigne les contributions levées par la papauté sur les églises pour financer les croisades. À partir de la seconde moitié du XVIe s., le clergé de France, qui consent à la royauté une contribution annuelle en vue d'amortir la dette publique, lève à cet effet des impôts réguliers, appelés *décimes ecclésiastiques,* sur tous ses membres.

DĚČIN, v. de Tchécoslovaquie dans le nord de la Bohême; 47 000 hab. Métallurgie et chimie.

DÉCINES-CHARPIEU (69150), comm. du Rhône, banlieue est de Lyon; 20 031 hab. Industrie chimique.

DÉCISION *(Cybern.)* → AUTONOMIE.

DECIUS [Caius Messius Quintus Decius Valerianus Trajanus], en fr. **Dèce** (Bubalia, Pannonie, 201 - Abryttos [auj. Aptaak], Dobroudja, 251), empereur romain de 248 à 251. Sénateur et militaire à la fois, il est, malgré lui, proclamé par l'armée de Mésie (248) et devient ainsi le premier empereur illyrien. Devant la montée du danger barbare, il partage le pouvoir, se réservant les fonctions militaires et confiant l'administration civile au sénat et au futur empereur Valérien*. Pour affermir l'unité romaine autour de la religion, il entreprend la première persécution contre les chrétiens : en 250, il ordonne à tous les citoyens la participation à un sacrifice général; beaucoup de chrétiens sacrifient, mais les martyrs sont nombreux, tel le pape Fabien. L'Église, violemment troublée, devra résoudre par la suite le problème de la réintégration des *lapsi**. En 251, Dèce se porte contre les Goths, qui ont envahi la Thrace et la Mésie : il meurt au combat.

DECIZE (58300), ch.-l. de cant. de la Nièvre, à 34 km au S.-E. de Nevers, sur la Loire; 7 713 hab. Restes de monuments anciens. Industrie du caoutchouc. Céramique.

Déclaration du clergé de France ou **Déclaration des Quatre Articles** (1682), déclaration qui constitua la charte de l'Église gallicane (v. GALLICANISME) sous l'Ancien Régime. Rédigée par Bossuet*, elle fut acceptée le 19 mars 1682, à la demande de Louis XIV, par l'assemblée du clergé de France. Bonaparte, dans un article organique ajouté au concordat de 1801, prétendra en imposer l'enseignement aux professeurs de séminaire.

DÉCLINAISON *(Ling.)* → CAS.

DÉCLINAISON MAGNÉTIQUE. — Elle représente la correction qu'on doit apporter à la direction de l'aiguille aimantée pour obtenir celle du nord. Les cartes magnétiques comportent le tracé des *lignes isogones,* qui joignent les points où la déclinaison est la même. La déclinaison magnétique varie lentement avec le temps.

DÉCOLLAGE. — Le décollage est l'opération qui permet à un avion* de quitter le sol. Il s'effectue lorsqu'on communique à l'avion une vitesse supérieure à la vitesse minimale de sustentation au niveau du sol, c'est-à-dire telle que la portance aérodynamique devienne supérieure au poids. La longueur du roulement au décollage dépend de cette vitesse et de la force motrice. Pour la réduire, on est parfois amené à accroître la force motrice par un moyen d'appoint : le décollage est alors dit *assisté.*

DÉCOLONISATION. — On donne ce nom au processus de disparition de la domination des métropoles sur leurs colonies et d'accession de celles-ci à la souveraineté. Le monde moderne a connu deux grandes vagues de décolonisation. La première s'est située à la fin du XVIIIe s. et au début du XIXe, avec l'accession à l'indépendance des colonies anglaises, espagnoles et portugaises du continent américain. Mais c'est au XXe s., après la Seconde Guerre mondiale, que le mouvement a pris toute son ampleur. Née d'une prise de conscience par les indigènes de leur état d'exploités, cette « révolution coloniale », parfois violente (Indochine, Algérie), plus souvent dialoguée (Afrique noire), a été favorisée par la faiblesse de l'Europe de l'après-guerre et par la pression exercée sur les métropoles par les deux superpuissances.

DÉCOMPRESSION → CAISSONS *(maladie des).*

DÉCONTAMINATION → RADIOBIOLOGIE.

DÉCORATEUR DE CINÉMA. — Le décorateur de cinéma, à la fois ensemblier et architecte, est chargé de créer l'atmosphère d'un film. Il joue un rôle essentiel dans l'équipe de réalisation, en étroite collaboration avec le metteur en scène et le directeur de la photographie. S'apparentant, à l'époque de Méliès, à la toile de fond pour photographe et au décor de théâtre, le décor de cinéma évolua rapidement grâce à l'emploi, notamment, du contre-plaqué, qu'on ornementa de moulures de staff. De même, on remplaça bientôt les peintures en trompe l'œil par des découvertes fixes et l'on utilisa d'autres matériaux, comme le fer, le verre ou le ciment. Les premiers grands décorateurs furent ceux qui collaborèrent aux superproductions italiennes (*Cabiria,* 1914) ou américaines (*Intolérance,* 1916) des années 10 et ceux de l'école expressionniste allemande. Parmi les plus connus, il faut citer Enrico Guazzoni (également réalisateur), Hermann Warm, Walter Röhrig, Otto Hunte, Hans Dreier, Cedric Gibbons, Ievgueni Eneï, Lazare Meerson, Alexandre Trauner, Georges Wakhevitch, Max Douy, Piero Gherardi.

DÉCORATIFS (arts). — Rendre attractives, par un travail ornemental, les choses utiles dont il s'entoure semble avoir été de tout temps une aspiration de l'homme, même si magie et symbolique ont une part très grande dans la manière dont sont travaillés les objets dans les cultures primitives.

Très tôt apparaissent la céramique*, le travail des métaux, la bijouterie*, les tissus. L'Égypte, puis la Grèce archaïque élaborent un vocabulaire d'*ornements* qu'elles intègrent à l'architecture, à la peinture décorative, au meuble*... Émaillerie*, mosaïque*, tapisserie* ont des origines non moins anciennes. Le haut Moyen Âge européen combine l'héritage des Celtes et des Barbares nomades venus de l'est, admirablement doués pour la stylisation des formes, voire l'abstraction (décor des bijoux, des armes), avec la tendance naturaliste de la civilisation gréco-romaine classique. Le Moyen Âge rétablit un primat de l'architecture qui a pour corollaire la floraison du vitrail*, de la tapisserie, de la ferronnerie*. L'immense essor de la production et du commerce en Occident, du XVe s. au XIXe s., conduit à la diversification dans tous les domaines, par exemple ceux du mobilier et de la céramique (faïence*, vieille technique vivifiée par l'islām, et plus tard porcelaine*, imitée de la Chine).

Mieux que les arts* avant tout d'expression (peinture, sculpture), les arts décoratifs — comme l'architecture — se prêtent à la constitution de *styles,* synthèses de formules heureuses qui satisfont l'usager pendant une période donnée et ne pâtissent pas d'être copiées de façon plus ou moins étroite (d'où la circulation d'innombrables recueils de *modèles* servant aux praticiens). Le XIXe s., pourtant, voit se modifier les données. L'industrie ne semble pas avoir, comme les vieux métiers, la vertu de revivifier à chaque époque les formules empruntées au passé. L'artisanat lui-même s'enlise dans l'éclectisme. Il faut attendre l'Art* nouveau pour voir naître, fugitivement, des formules originales. Quant au XXe s., il se partage entre la médiocrité de la production industrielle de masse, la lente montée du *design** fonctionnel et les maigres chances laissées à une réaction qui mettrait en jeu la créativité de chacun à travers une production individuelle « sauvage ».

décoratifs *(École nationale supérieure des arts),* établissement d'enseignement supérieur situé à Paris, rue d'Ulm.

décoratifs *(musée des Arts),* musée installé dans l'aile du pavillon de Marsan, au Louvre. Propriété de l'État, il est géré par l'Union centrale des arts décoratifs, qui l'a fondé en 1882. Ses collections se composent d'objets, de tapisseries, de peintures et surtout de meubles du Moyen Âge au XXe s.

DÉCORATION. — Depuis l'Antiquité, les souverains ou les États ont décerné aux civils comme aux militaires, aux hommes comme aux femmes des décorations à titre de récompense ou de distinction honorifique. Dès l'origine, le port d'une marque extérieure (croix, ruban, étoile, collier, médaille, plaque, etc.) permettait de signaler à tous la qualité de l'hommage reçu. La Grèce donnait des couronnes; Rome offrait des colliers, des plaques, des armes d'honneur. La constatation des services rendus ou acquis dans le passé n'entraînait aucune obligation pour l'avenir. Tout à fait différente à l'origine fut l'appartenance aux ordres* de chevalerie de l'époque féodale, qui devinrent très nombreux pendant les croisades. L'admission dans ces ordres à vocation religieuse et militaire était, en effet, liée à l'exécution de missions. Les hospitaliers de Saint-Jean, prédécesseurs des chevaliers de Malte*, ou les Templiers* devaient, par exemple, soigner les pèlerins et participer à la conquête, puis à la garde des Lieux saints. Avec la disparition de ces missions, l'entrée dans un ordre devint simplement honorifique, et la notion d'« ordre de mérite » rejoignit celle de décoration. C'est ainsi que l'*ordre royal et militaire de Saint-Louis,* créé par Louis XIV en 1693, fut très proche d'une simple décoration avant même d'être officialisé comme tel par Louis XVI en 1791, année de l'abolition de tous les ordres de mérite par la Constituante. Napoléon Ier institua l'ordre de la *Légion* d'honneur* et distribua des armes d'honneur; Napoléon III créa la *médaille* militaire* et présida à la mise au point du système de récompense, qui ne sera réformé qu'en 1962 avec la publication des nouveaux codes de la Légion d'honneur et de la médaille militaire et qu'en 1963 avec l'institution d'un unique *ordre national du Mérite**, supprimant seize distinctions.

Les décorations sont actuellement attribuées pour des motifs très variés, allant de l'appartenance à ces ordres de mérite, comme la Légion d'honneur ou l'ordre de la Libération*, au seul fait d'avoir participé à un événement ou à une campagne (médailles commémoratives). Elles englobent aussi bien des distinctions destinées à reconnaître un long exercice de fonctions ou de services (médailles d'honneur ou du travail) que celles qui récompensent un acte d'héroïsme ou de mérite particulier *(médaille militaire, croix de guerre*, médaille de sauvetage).* L'ordre dans lequel les décorations doivent être portées sur l'uniforme est réglementé, et le port illicite de celles-ci est réprimé par la loi.

DÉCORATION INTÉRIEURE. — Cet aménagement de l'espace intérieur en vue d'un type de vie (familial ou professionnel) constitue une expression concrète de la personnalité de l'individu ou du groupe qui l'habite : le décor est devenu pour l'homme le signe de sa position sociale. Monarques et puissants en ont fait la démonstration par le luxe de leurs palais.

L'actualité historique ou le simple phénomène de mode participent au décor : la découverte de Pompéi au XVIIIe s. et la campagne d'Égypte sous le Directoire redonnèrent vie au style antique; l'aventure spatiale a suscité des sièges de forme ronde plus ou moins dérivés de la cabine lunaire. L'influence de l'art est tout aussi marquante : répercussion de l'Art nouveau sur le décor, fait de lignes souples, ou encore du cubisme, qui marqua le meuble de ses masses aux arêtes vives. Les facteurs économiques ont aussi joué un rôle.

Au milieu du XIXe s., l'industrialisation de la production allait aboutir à un amalgame incohérent de styles; d'où une réaction de mouvements artistiques : l'*Arts and Crafts Movement,* en Angleterre avec W. Morris*, l'*Art* nouveau* en France, *De Stijl** en Hollande et le *Bauhaus** en Allemagne. L'association entre l'art et l'industrie va s'opérer, illustrée dans la première moitié du siècle par des décorateurs (E. J. Ruhlmann*, M. Dufrène) réservés à une clientèle fortunée. Aujourd'hui, bien des « architectes d'intérieur » marquent de leur griffe le mobilier de série (Marc Held*, P. Paulin*, O. Mourgue*, etc.). Aux États-Unis, Knoll International ou Hermann Miller éditent un mobilier conçu par des architectes ou des designers. La décoration intérieure contemporaine traduit le souci de la forme et du dépouillement (A. Aalto*, A. Jacobsen*, C. Eames*), clef du succès de la production scandinave dans les années 50. Le plastique moulé suscita des formes inédites (J. Colombo*, R. Loewy), notamment dans le domaine des sièges. La mousse de plastique a inspiré des lits en mousse rigide ou des éléments de siège juxtaposables.

Les dimensions réduites de l'appartement moderne entraînent une redistribution de l'espace. Comme le souhaitait Le Corbusier, le mobilier est souvent intégré à l'architecture sous forme de placards ou d'éléments fixes. L'espace libéré devient disponible pour un mobilier volant, escamotable, démontable, roulable ou superposable, bref, pour un type de mobilier ludique, à l'opposé du mobilier structuré, intangible.

DE COSTER (Charles), écrivain belge d'expression française (Munich 1827 - Ixelles 1879). Attiré par le passé et les traditions de son pays (*Légendes flamandes,* 1858; *Contes brabançons,* 1861), il a évoqué la vie des Pays-Bas du XVIe s. dans une sorte de poème en prose qui fait figure d'épopée nationale (*la Légende et les aventures d'Uylenspiegel et de Lamme Goedzak,* 1867).

DECOUFLÉ (Anatole), industriel français (1835-1908). Il inventa de multiples machines pour la fabrication des tabacs, notamment pour la confection des cigarettes, et imagina le tube agrafé sans colle (1885).

DÉCOUPAGE *(Cin.).* — Le découpage permet la transcription en langage cinématographique d'un scénario littéraire. La fragmentation des scènes en divers plans est consignée sur une brochure dont les pages sont séparées en deux colonnes, l'une étant destinée à l'image et l'autre au son. Le tournage du film suit ordinairement les indications précises du découpage. Cependant, certains cinéastes préfèrent la spontanéité d'un tournage faisant plus largement appel à l'improvisation, notamment en ce qui concerne le jeu des comédiens.

DÉCOUPAGE *(Mécan.).* — Le découpage de matériaux métalliques, organiques et minéraux s'effectue à l'aide de techniques très diverses, faisant appel à des phénomènes physiques différents, dont la mise en œuvre conduit à des outils et à des machines très variés. Les *cisailles* (manuelles ou mécaniques) servent au découpage des tôles et, éventuellement, des profilés. Les *grignoteuses* sont plus spécialement utilisées pour le découpage progressif, en petite série, des contours curvilignes. Le *détourage,* ou *découpage au gabarit* de contours curvilignes, s'effectue soit à l'aide d'une fraise, par enlèvement de copeaux, soit à l'aide d'un outil spécial monté sur une presse. Le *découpage à la presse,* ou *poinçonnage,* est le procédé le plus utilisé pour les fabrications en grande série de pièces en tôles ou en profilés et est réalisé à l'aide de poinçons et de matrices montés sur des presses hydrauliques ou mécaniques. Le *sciage* s'effectue à l'aide d'une scie alternative, d'une scie circulaire ou d'une scie à ruban. Le sciage *thermique* permet le découpage des aciers* trempés ainsi que des matières minérales et réfractaires (granit, quartz*, céramique*). Analogue à une scie à ruban de très grande puissance, la lame de scie est animée d'une vitesse linéaire exceptionnellement grande de 200 m/s environ. Le frottement qui en résulte produit très localement la fusion de la matière à découper. Le découpage de plaques en acier peu allié s'effectue par *oxycoupage* à l'aide d'un chalumeau oxyacétylénique spécial. Les aciers très alliés et réfractaires se découpent au *jet de plasma** également par fusion locale : le flux thermique nécessaire est obtenu à partir d'un arc* électrique produit dans une tuyère parcourue par un courant de gaz réducteur ou neutre (hydrogène*, argon*) et projeté sur la plaque à découper. Des découpages très fins sont également réalisés à l'aide d'intenses faisceaux de photons* obtenus par des lasers* et à l'aide de faisceaux d'électrons* produits sous vide *(bombardement électronique).* Les découpages de précision de matériaux conducteurs très durs (carbures métalliques) ou de matériaux semi-conducteurs* et isolants (verre*, quartz, céramique) s'effectuent respectivement par *électro-érosion* ou par *ultrasons**.

DÉCOUVERTE → EXPLOITATION MINIÈRE *(méthodes d').*

découvertes *(grandes),* vaste mouvement de reconnaissance entrepris à travers le monde par les Européens aux XVe et XVIe s. Il fut rendu possible par les progrès accomplis dans l'art de la navigation hauturière : invention de l'astrolabe nautique, généralisation de la boussole, construction d'un navire léger et rapide, la caravelle. Sa principale cause fut sans doute la nécessité pour l'économie européenne, alors en pleine expansion, de rechercher les matières premières et l'or dont elle avait besoin. Il fallait, pour cela, contourner l'Empire ottoman, qui contrôlait le commerce terrestre vers les Indes, et trouver de nouvelles routes maritimes. Aussi les grands voyages se multiplièrent-ils à partir de 1450. Sous l'impulsion d'Henri le Navigateur, les Portugais choisirent la route vers l'est : ils longèrent les côtes de l'Afrique et doublèrent le cap de Bonne-Espérance (1486); en 1497, Vasco de Gama* atteignit les Indes. Au service des Espagnols, Christophe Colomb* rechercha les Indes par l'ouest et découvrit l'Amérique (1492). Vingt-huit ans plus tard, Magellan* entreprit le premier tour du monde (cap Horn, 1520), que son lieutenant El Cano boucla en 1525. Ces découvertes précipitèrent le déclin de la civilisation moyenâgeuse, accélérèrent les mutations sociales et firent entrer l'Europe dans une ère d'économie précapitaliste.

DECOUX (Jean), amiral français (Bordeaux 1884-Paris 1963). Gouverneur général de l'Indochine en 1940, il dut négocier avec les Japonais, mais réussit à maintenir tant bien que mal la souveraineté de la France jusqu'au coup de force de 1945, où il fut arrêté par les Nippons. Traduit en haute cour à son retour en France, il bénéficia d'un non-lieu en 1949. Il a publié *À la barre de l'Indochine* (1949) et *Adieu Marine* (1957).

DÉCRET → RÉGLEMENTAIRE *(pouvoir).*

DÉCROCHAGE. — Le décrochage est le phénomène qui se produit lorsque l'incidence de vol d'un avion* dépasse la valeur correspondant au coefficient de portance* maximale. La portance de l'avion subit alors une réduction brutale et n'est plus suffisante pour équilibrer le poids de l'avion; cette réduction est due, au décollement, aux grandes incidences de l'écoulement d'air autour de l'aile*. On dit alors que l'avion décroche. La vitesse correspondante est dite *vitesse de décrochage;* elle croît en même temps que l'altitude de vol. Pour éviter le décrochage, un avion doit toujours voler à une vitesse présentant une marge de sécurité par rapport à la vitesse de décrochage. On peut retarder le décrochage au moyen de certains dispositifs aérodynamiques, comme les becs de bord d'attaque.

DÉCROISSANCE RADIOACTIVE. — L'activité d'une source radioactive n'est pas constante : elle diminue avec le temps. La courbe de l'activité*, c'est-à-dire du nombre de désintégrations par unité de temps ou encore du nombre de noyaux* radioactifs présents

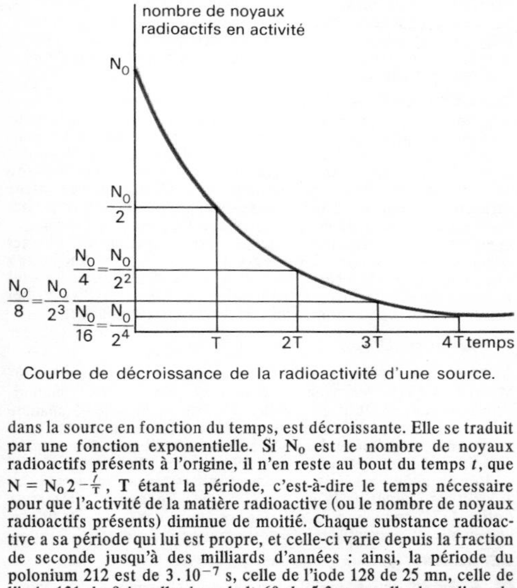

Courbe de décroissance de la radioactivité d'une source.

dans la source en fonction du temps, est décroissante. Elle se traduit par une fonction exponentielle. Si N_0 est le nombre de noyaux radioactifs présents à l'origine, il n'en reste au bout du temps t, que $N = N_0 2^{-\frac{t}{T}}$, T étant la période, c'est-à-dire le temps nécessaire pour que l'activité de la matière radioactive (ou le nombre de noyaux radioactifs présents) diminue de moitié. Chaque substance radioactive a sa période qui lui est propre, et celle-ci varie depuis la fraction de seconde jusqu'à des milliards d'années : ainsi, la période du polonium 212 est de $3 \cdot 10^{-7}$ s, celle de l'iode 128 de 25 mn, celle de l'iode 131 de 8 j, celle du cobalt 60 de 5,3 ans, celle du radium de 1 620 ans et celle de l'uranium 238 de $4{,}5 \cdot 10^9$ ans. Aucun traitement physique ou chimique ne peut modifier le processus de la décroissance radioactive, ni agir sur la durée de la période.

DECROLY (Ovide), médecin et pédagogue belge (Renaix 1871-Uccle 1932). Pionnier de l'éducation nouvelle, il assigne à l'école le but de préparer l'enfant à la vie sociale. Pour intéresser l'enfant, l'école doit partir de ce qui est proche et familier (centre d'intérêts primaires) pour s'étendre progressivement à ce qui est éloigné dans le temps et dans l'espace. La méthode globale que Decroly préconise permet de rattacher l'apprentissage de la lecture* et de l'orthographe* au centre d'intérêt traité.

Décumates *(champs),* territoire compris entre la rive droite du Rhin et le Danube, annexé à l'Empire romain par Domitien. La région fut peuplée de colons soumis à une dîme (*decuma,* d'où le nom de « champs Décumates ») et protégée par un *limes* allant du nord de Coblence à Ratisbonne. En 260, les Alamans percèrent le *limes* et envahirent les champs Décumates, que Gallien fit évacuer.

DÉDALE, héros légendaire athénien, type de l'artiste universel, sculpteur, architecte et inventeur. Les Grecs lui attribuent les premières œuvres d'art. Premier homme-oiseau, Dédale fabriqua des ailes avec des plumes et de la cire, et réussit avec son fils Icare* à se transporter dans les airs.

DEDEKIND (Richard), mathématicien allemand (Brunswick 1831-*id.* 1916). Il introduisit en analyse la théorie des *coupures* définissant les nombres réels à partir des nombres rationnels. Sa correspondance scientifique avec Georg Cantor* permit à ce dernier de préciser la notion d'ensemble*.

DÉDIFFÉRENCIATION. — La cicatrisation des plaies, un jeûne prolongé ou simplement la nécessité des métamorphoses (têtards, larves d'insectes) peuvent provoquer le retour de certains tissus déjà spécialisés à un état antérieur quasi embryonnaire indifférencié. Cette dédifférenciation est suivie d'une nouvelle différenciation, semblable ou non à la précédente.

DÉDUCTION. — Soit les hypothèses $H_1, ..., H_n$. On dit qu'une liste de formules $A_1, ..., A_m$ est une déduction de A_m à partir des hypothèses H_i si chaque formule de la liste peut être définie par l'un des trois énoncés suivants :
(i) c'est l'un des axiomes du système formel dans lequel la déduction s'effectue;
(ii) c'est l'une des hypothèses $H_1, ..., H_n$;
(iii) elle résulte de deux formules situées antérieurement dans la liste.

DEERLIJK, comm. de Belgique (Flandre-Occidentale), au N.-E. de Courtrai; 10 166 hab. (en 1970).

DÉFAUT *(Métall.).* — En dehors des défauts de forme, de dimensions ou de conception, les pièces et les produits métallurgiques peuvent présenter des défauts aux différents stades de leur élaboration* :

- *hétérogénéités de composition chimique* dues à la qualité des métaux d'origine ou à leur contamination au cours des opérations (inclusions métalliques ou non métalliques [silicate, oxyde, laitier], ségrégations des constituants, structures anormales [gros grains, alignements de constituants]);
- *défauts d'élaboration et de fonderie** (retassures à la solidification, porosités, soufflures, criques, gouttes, flocons, dartres, etc.);
- *défauts de formage* mécanique* (incrustations, pailles, déchirures, bavures, aspect de surface défectueux);
- *défauts de traitements* thermiques* (brûlures, tapures), *défauts de traitements de finition* (cloques, décollements de revêtements) ou *défauts d'assemblage* (criques de soudage*).

DÉFÉCATION. — Elle est le résultat de mécanismes involontaires (contraction du côlon et relâchement du sphincter recto-sigmoïdien) et volontaires (contraction des muscles abdominaux et du muscle releveur de l'anus, et relâchement du sphincter anal). Elle peut être difficile (dyschésie) ou involontaire (incontinence secondaire à une lésion neurologique ou à une lésion du sphincter anal).

DÉFENSE *(Mil.).* — Couramment employé dans le vocabulaire de la politique et de la stratégie, ce mot recouvre aujourd'hui des réalités très diverses. Aussi vieux que l'homme, il apparaît au niveau de l'individu comme à celui du groupe comme la réponse instinctive du « vouloir vivre » à toute menace mettant en cause son existence. Le droit dit de *légitime défense,* considéré comme une prérogative de tout État, est reconnu comme tel par les instances internationales. Tout problème de défense comporte :
— la définition de la *communauté humaine* qui en est l'objet, précisant notamment le territoire et les intérêts vitaux (matériels et moraux) qui conditionnent son existence;
— la présence ou l'éventualité d'une *menace* visant cette communauté, aussi bien dans l'aspect objectif de cette menace que dans la façon subjective avec laquelle elle est perçue par l'ensemble des membres de la communauté;
— la *volonté* de faire face à cette menace, qui repose sur la conscience d'appartenir à cette communauté et d'assurer l'avenir de ses membres;
— enfin la traduction de cette volonté par les pouvoirs publics en une *politique de défense* qui se donne les moyens concrets (militaires et autres) capables de prévenir toute menace ou, au pire, d'y faire face (v. STRATÉGIE).

Ces composantes permanentes de la défense se sont évidemment compliquées tant avec l'évolution politique et sociale qu'avec celle des armements, qui agissent aussi bien comme intruments de menace que comme instruments de défense. Aujourd'hui, les problèmes qui se posent en ce domaine résultent de la conjugaison des deux grandes mutations qu'a connues le phénomène de la guerre depuis la fin du XVIIIe s. :
— l'apparition, liée à la Révolution française, de la guerre des peuples, d'où est née la conception moderne de la *défense nationale* qui, atteignant son apogée lors des deux guerres mondiales de 1914-1918 et de 1939-1945, est fondée sur la mobilisation de plus en plus totale des ressources militaires, humaines et économiques des nations;

— l'avènement, depuis 1945, de l'âge atomique, qui, par sa nature même, rend la défense étroitement dépendante des facteurs industriels et *technologiques,* la peur qu'il fait peser sur l'humanité entière accroissant par ailleurs l'importance des facteurs *psychologiques.* De ces deux caractères résultent l'immense compétition d'ordre scientifique et d'ordre financier dont seul un petit nombre de nations est capable ainsi que le poids d'opinions publiques rendues très vulnérables par la puissance de moyens d'information toujours capables de se transformer en moyens de propagande.

Mais cette généralisation du facteur nucléaire n'a pas fait disparaître les autres formes de menace. Celles-ci s'expriment dans l'ordre politique, économique, idéologique, voire révolutionnaire et se sont révélées dans tous les conflits limités (Indochine, décolonisation, Moyen-Orient...), qui n'ont guère cessé depuis 1945. Ainsi s'explique le fait que, même pour les puissances dites « nucléaires », les systèmes de défense comprennent encore les forces militaires de type classique, destinées à répondre à toutes ces menaces non atomiques (V. ARMÉE).

Face à une telle complexité, toute politique de défense doit constamment s'adapter et implique une mise en œuvre coordonnée d'activité intéressant tous les secteurs de l'État : diplomatie, armées, économie, recherche, information... Aussi la politique de défense tend-elle à se confondre avec la politique générale. Dans sa finalité, elle traduit une certaine conception du destin national; dans son application, elle est toujours un compromis empirique entre le but poursuivi et le prix que le pays accepte de consentir au profit de sa défense. Dans les années 1970-1975, la politique de défense s'oriente vers un domaine plus vaste que la seule perspective de faire face à un conflit armé. Traduisant la capacité d'une nation de résister aux pressions de tous ordres qui pèsent sur son existence, elle est directement ordonnée au maintien ou au rétablissement de l'état d'équilibre et de sécurité nécessaire aux besoins comme aux aspirations de la communauté nationale.

DÉFENSE *(Psychanal.).* — Pour lutter contre les dangers résultant des exigences Ça* ou contre tout ce qui peut être générateur d'angoisse*, le Moi* dispose de mécanismes de défense. L'utilisation, inconsciente en grande partie, de tel ou tel mécanisme de défense dépend du degré de différenciation du Moi et de la nature des tensions dont il doit se protéger.

À côté de mécanismes reposant sur des démarches intellectuelles complexes, comme l'isolation, l'annulation, le refoulement* ou la sublimation*, d'autres sont plus primaires et jouent un rôle précoce fondamental, tels l'introjection*, la projection*, l'identification* projective et le clivage*, sur lesquels M. Klein* a attiré l'attention. La nosographie psychanalytique est fondée sur la spécificité de l'utilisation des mécanismes de défense dans les affections psychonévrotiques.

Défense et illustration de la langue française, ouvrage de Joachim du Bellay (1549). C'est le manifeste de la Pléiade* : l'auteur condamne la poésie de Marot et des rhétoriqueurs, les genres à forme fixe (rondeau, ballade) hérités du Moyen Âge; il recommande l'imitation des Anciens, l'enrichissement de la langue par des emprunts au grec, au latin, aux dialectes provinciaux, au langage des métiers et célèbre la mission du poète.

Défense nationale *(gouvernement de la),* gouvernement provisoire qui succéda au second Empire et dirigea la France de septembre 1870 à février 1871.

La défaite de Sedan provoque la révolution parisienne du 4 septembre 1870, qui consacre la déchéance de l'Empire et entraîne la formation, par les députés de Paris, d'un gouvernement républicain modéré, dont les révolutionnaires sont exclus. Présidé par le général Trochu, le nouveau gouvernement a pour membres principaux Jules Favre, Léon Gambetta, Jules Ferry, Adolphe Crémieux, Jules Simon. Il abolit le Sénat, dissout le Corps législatif et engage la « guerre à outrance » contre l'Allemagne. Refusant toute cession territoriale, il se prépare à soutenir le siège de Paris, après l'échec des négociations de Ferrières entre Bismarck et Jules Favre, ministre des Affaires étrangères (19 et 20 sept.). Gambetta, ministre de l'Intérieur, est chargé d'organiser la résistance en province et, le 7 octobre, rejoint par ballon la délégation gouvernementale installée à Tours afin d'assurer la direction du pays, dont le gouvernement de Paris est désormais coupé. Il développe l'effort de guerre, conclut des emprunts à l'étranger et lève de nouvelles troupes, qu'il dirige sur Paris. Mais, après la capitulation de Metz (27 oct.) et l'échec de l'entrevue de Thiers et de Bismarck à Versailles (1er-4 nov.), la délégation doit se replier à Bordeaux, tandis que les armées de Gambetta sont battues successivement. L'échec de Buzenval (19 janv. 1971) et l'annonce des négociations avec l'ennemi provoquent la révolte des Parisiens (22 janv.), qui accusent les dirigeants de trahison. Après la signature de l'armistice par J. Favre (28 janv.), Gambetta lance un dernier appel à la résistance, mais doit démissionner. Le 12 février, le gouvernement de la Défense nationale remet ses pouvoirs à l'Assemblée nationale, élue le 3 février à Bordeaux, conformément aux conditions de l'armistice. (V. FRANCO-ALLEMANDE [*guerre*].)

DÉFÉRENT (canal) → GÉNITAL *(appareil).*

DEFFAND (Marie DE VICHY-CHAMROND, *marquise* DU), femme de lettres française (château de Chamrond, Bourgogne, 1697-Paris 1780), célèbre pour son salon, fréquenté par les écrivains et les philosophes, et sa passion, à soixante-huit ans, pour Horace Walpole. Ses *Lettres,* au style pittoresque, font d'elle l'héritière consciente de Mme de Sévigné.

DÉFIBREUR → PANNEAU.

DÉFICIT → BUDGET.

DÉFILEMENT → SATELLITE.

DÉFINITION. — D'Aristote à la *Logique** de Port-Royal, on distingue entre deux sortes de définitions. Les définitions de choses (ou encore définitions réelles) expliquent la nature d'une chose par ses attributs essentiels (ex. : l'homme est un animal raisonnable). Au contraire, les définitions de noms (ou nominales) établissent une simple convention relative à l'usage d'un terme. (I) est un exemple de définition nominale :

(I) $$p \Rightarrow q =_{Df} \neg p \vee q.$$

Son membre de gauche (definiendum) est posé arbitrairement comme identique au membre de droite (definiens). Il va de soi que cette définition, étant arbitraire, ne saurait être vraie ou fausse.

Un type particulier de définition nominale est usité en mathématiques : la *définition par induction,* dont (II) est un exemple :

(II) $$a \,.\, 0 = 0$$
$$a \,.\, x' = a \,.\, x + a$$

Il est clair que (II) définit la multiplication sur les entiers naturels avec $x' = x + 1$.

DÉFLAGRATION. — Dans la déflagration, la propagation de l'explosion* se fait par le jeu de la conductibilité* thermique : les gaz chauds provenant de la réaction d'une couche de matière portent la couche suivante à une température telle que celle-ci réagit à son tour. La vitesse de déflagration, qui augmente beaucoup avec la pression, reste cependant toujours plus de mille fois moindre que la vitesse de détonation*.

DÉFLATION *(Écon.).* — Toute politique économique tendant à ponctionner une partie des signes monétaires en circulation (afin de résoudre les problèmes posés par la situation inverse, l'inflation*) peut être qualifiée de « déflationniste ». Le but de la déflation est essentiellement de restaurer le pouvoir d'achat de la monnaie*, soit *en fait,* soit *en droit* (par la définition d'une nouvelle parité officielle de cette monnaie). Les voies et les moyens peuvent être variés : restrictions de crédit*, relèvement du taux de l'escompte, compression des dépenses publiques, augmentation des charges fiscales, amputation des traitements (France, 1935); le franc belge a fait l'objet d'un *blocage* en 1945 et le mark allemand de mesures déflationnistes en 1948, par annulation de créances privées. Les mesures de déflation sont délicates, rares et impopulaires.

DÉFLATION *(Géogr.)* → ÉOLIENNE *(érosion).*

DEFOE ou **DE FOE** (Daniel), écrivain anglais (Londres v. 1660-Moorfields 1731). Voyageur, commerçant en mercerie, armateur, banqueroutier, il écrit des pamphlets en faveur de Guillaume d'Orange. Arrêté, exposé au pilori (1703), il passe au service de la reine Anne, mais, déçu dans ses ambitions politiques, il se tourne vers la littérature. Brusquement célèbre avec *Robinson* Crusoé* (1719), il publie une série de récits réalistes (*Moll Flanders,* 1722; *Journal de l'année de la peste,* 1722; *Lady Roxana ou l'Heureuse Catin,* 1724), puis son inspiration se dilue dans des essais sur l'économie et l'occultisme (*Histoire politique du diable,* 1726).

DÉFOLIANT (produit) → CHIMIQUE *(guerre).*

DE FOREST (Lee), ingénieur américain (Council Bluffs, Iowa, 1873-Hollywood 1961). En 1906, il créa la lampe *triode,* appelée alors *audion,* en ajoutant à la lampe diode de Fleming une troisième électrode, la *grille.*

DÉFORMATION → ÉLASTICITÉ.

DÉFRICHEMENT. — Si le défrichement des prairies temporaires et artificielles ainsi que des terrains cultivés laissés en jachère pendant une ou deux années est une opération simple, il n'en est pas de même en ce qui concerne les terrains engazonnés, les landes et les terrains boisés.

Les terrains engazonnés sont souvent envahis de chiendent, d'avoine à chapelets et d'autres plantes à rhizomes : leur défrichement demande en général plusieurs années de jachère cultivée.

Dans les landes, les parties souterraines des végétaux se décomposent souvent lentement et sont difficiles à extraire; dans certains cas, on peut recourir à la destruction par le feu, ou écobuage. Enfin, dans les terrains boisés, après enlèvement des bois coupés et destruction de la végétation par écobuage, il est nécessaire de procéder à l'essouchage, soit à l'aide de moyens mécaniques, soit par le feu ou grâce à des explosifs.

• Sur le plan historique, les défrichements, rendus nécessaires par la poussée démographique et possibles par les progrès de l'outillage, ont été d'abord dus à des initiatives marginales de la paysannerie du XIe s. Ils s'amplifièrent au XIIe s. sous l'impulsion de l'Église et des seigneurs. Ceux-ci attirèrent les « hôtes » vers les zones à défricher en leur garantissant un statut privilégié. Ainsi, de véritables villages sont créés (Villeneuve, Bastide, Essart). Au XIIIe s., le mouvement s'essouffla. Il n'en contribua pas moins au recul de la famine en France.

DEGAS (Edgar), peintre français (Paris 1834-*id.* 1917). Issu d'un milieu bourgeois cultivé, il s'initie à la peinture dans l'atelier d'un élève d'Ingres, étudie au cabinet des Estampes Mantegna, Véronèse, Dürer et Rembrandt, et va copier les maîtres de la Renaissance en Italie. Fortement impressionné par Ingres, mais aussi plein d'admiration pour Delacroix, il découvre avec l'estampe japonaise de nouvelles possibilités (composition décentrée, raccourcis elliptiques, gros plans, contre-jour). Lié aux impressionnistes et exposant avec eux, mais leur ressemblant peu par la technique picturale, il est aussi influencé par l'esthétique naturaliste (*Repasseuse à contre-jour,* Metropolitan Museum, New York). Toujours en quête du mouvement, il développe les thèmes des courses, de la danse (*la Classe de danse,* 1874, Louvre), puis du nu féminin (particulièrement les femmes à leur toilette) dans ses peintures, mais aussi dans plusieurs séries de petites sculptures et dans d'âpres et lumineux pastels, technique mieux adaptée à sa vue déclinante (*Après le bain,* 1898, Louvre).

DÉGASOLINAGE → GAZ.

DE GASPERI (Alcide), homme d'État italien (Pieve Tesino, Trentin, 1881-Sella di Valsugana 1954). Né sujet autrichien, il devient, étudiant puis professeur de droit, l'un des leaders de l'irrédentisme*. Après la réunion du Trentin à l'Italie (1919), il s'impose, auprès de Don Sturzo*, comme l'un des chefs du jeune parti populaire italien, qui se réclame de la démocratie chrétienne. Déchu de son mandat de député par Mussolini (1926), il revient à la surface en 1944, après la chute du fascisme*. Il fonde alors le parti démocrate-chrétien et, dès 1945, est président du Conseil, poste qu'il gardera pratiquement jusqu'en 1953. De Gasperi a rendu à son pays sa place en Europe et amorcé son « miracle économique ».

DE GHELDERODE (Michel), auteur dramatique belge d'expression française (Ixelles-Bruxelles 1898-Bruxelles 1962). Son théâtre exalte les mystères de la création, de la vie et de la mort, à travers une truculence expressionniste qui mêle le fantastique pictural à la Jérôme Bosch au découpage cinématographique, la bouffonnerie de carnaval au mysticisme des autos* sacramentales (*Barrabas,* 1929; *Hop signor!,* 1942; *Fastes d'enfer,* 1949; *Mademoiselle Jaïre,* 1949).

DÉGLUTITION → DIGESTION.

DE GRAAF (Reinier), médecin et physiologiste hollandais (Schoonhoven, près d'Utrecht, 1641-Delft 1673). On lui doit les premiers travaux scientifiques sur le suc pancréatique, et il a laissé son nom aux follicules ovariens.

DEGRELLE (Léon), homme politique belge (Bouillon 1906). Théoricien du rexisme, doctrine qui préconisait un système politique autoritaire et corporatif, et mouvement politique qui remporta des succès électoraux en 1936, Léon Degrelle collabora avec l'occupant nazi durant la Seconde Guerre mondiale; aussi dut-il s'exiler en 1944.

Degrés, roman de Michel Butor (1960). Le journal d'une classe considérée de trois « points de vue », ceux de deux professeurs et d'un élève, leur neveu. « Livre à facettes » qui fait miroiter les aspects changeants du réel derrière une superficielle unité et qui donne, à travers l'emploi scolaire des citations, une image de l'imbrication des moments et des espaces.

DE HAAS (Wander Johannes), physicien néerlandais (Lisse 1878-Bilthoven 1960). Il a réalisé de très basses températures grâce à la désaimantation de sels paramagnétiques et étudié la supraconductibilité.

DE HAVILLAND (*sir* Geoffrey), industriel britannique (Haslemere, Surrey, 1882-Watford 1965). Ingénieur et pilote, il fut dès 1918 l'un des premiers constructeurs à entrevoir l'avenir de l'aviation commerciale. De 1909 à 1954, il réalisa cent douze prototypes d'avions civils et militaires, et notamment le premier avion commercial à réaction (le *Comet,* 1952).

DEHÉRAIN (Pierre), agronome français (Paris 1830-*id.* 1902). Professeur au Muséum et à l'École de Grignon, il fut l'auteur de divers ouvrages d'agronomie pratique et de chimie agricole.

DEHMEL (Richard), poète allemand (Wendisch-Hermsdorf 1863-Blankenese, près de Hambourg, 1920), influencé par Nietzsche, auteur de recueils lyriques et de poèmes d'inspiration sociale (*la Femme et le monde,* 1896).

DEHRA DŪN, v. de l'Inde (Uttar Pradesh), au N. de Delhi; 166 000 hab.

Giraudon

Edgar Degas. *Les Repasseuses.* V. 1884. (Musée du Louvre, Paris.)

DEIMOS → SATELLITE.

DEIR EL-BAHARI, site de la région de Thèbes*, face à Karnak*. En parfaite harmonie avec le paysage environnant, l'ensemble funéraire de Mentouhotep Ier (XIe dynastie), de Hatshepsout et de Thoutmosis III (XVIIIe dynastie) constitue l'un des grands moments de l'art égyptien*. Lorsque Senenmout, le chancelier architecte et favori de la reine, établit les plans de son temple — étagé en terrasses bordées de portiques et reliées par de vastes rampes d'accès —, il s'inspire de celui de Mentouhotep. Dégagé par Mariette* et Naville au XIXe s., le temple de la reine abrite des bas-reliefs (expédition maritime au pays de Pount, etc.), remarquables par leur qualité et leur intérêt historique, tout comme ceux du temple de Thoutmosis III, dégagés entre 1962 et 1967.

DEIR EL-MEDINEH, site de la rive occidentale du Nil entre Thèbes* et la Vallée des Rois. Ouvriers et artisans, qui travaillaient aux tombeaux royaux, peuplaient ce village, qui se développa sous la XVIIIe dynastie et s'agrandit sous la XIXe et la XXe dynastie, et dont on a dégagé les vestiges et la nécropole. Celle-ci a livré certains des monuments les plus intéressants de la peinture égyptienne* du Nouvel Empire.

DEIR EZ-ZOR, v. de Syrie, sur l'Euphrate; 72 000 hab. Égrenage du coton.

DÉJECTIONS (cône de) → TORRENT.

DEKKAN → DECCAN.

DEKKER (Thomas), écrivain anglais (Londres v. 1572-*id.* 1632). Il écrivit, seul ou en collaboration avec Massinger et Webster, des comédies (*la Fête du cordonnier,* 1599; *le Vieux Fortunatus,* 1600), des drames (*la Courtisane honnête,* 1604) et fit, dans ses poèmes et ses récits en prose, une peinture réaliste du peuple des bas-fonds et des boutiques (*les Sept Péchés capitaux de Londres,* 1606).

DE KOONING (Willem), peintre américain d'origine néerlandaise (Rotterdam 1904). Autodidacte, il part en 1926 pour New York et s'affirme vers la fin des années 40 comme un des grands représentants de l'expressionnisme abstrait. Ses peintures conservent en général une attache figurative, par excellence celle du corps féminin, que la fulgurance du geste dissèque et recompose au profit d'une puissance purement plastique.

DELACROIX (Eugène), peintre français (Saint-Maurice, Val-de-Marne, 1798-Paris 1863). Représentant majeur du romantisme pictural, bien que refusant d'en être le chef d'école, précurseur de la peinture moderne, il s'opposa à Ingres et fut très discuté de son vivant (il n'entra à l'Académie qu'en 1857). Issu de la grande bourgeoisie parisienne, il fait de solides études classiques, puis se forme, comme son ami Géricault, dans l'atelier de Pierre Guérin ainsi qu'au Louvre, devant les maîtres. *Dante et Virgile aux Enfers* (Salon de 1822, Louvre), puis les *Scènes des massacres de Scio* (Salon de 1824, *ibid.*) révèlent son génie de créateur visuel et de coloriste. Plutôt que l'Italie, Delacroix visite l'Angleterre, prenant un contact plus intime avec sa littérature (Shakespeare, Byron...) et ses peintres (Bonington...). Il expose *la Mort de Sardanapale* (Louvre) en 1828, *La Liberté guidant le peuple (ibid.)* en 1831. Un voyage en Afrique du Nord (1832) lui inspire *les Femmes d'Alger (ibid.),* où il atteint à un raffinement extrême dans les accords chromatiques, la fragmentation de la touche et les jeux de lumière.

À partir de 1833 (grâce à Thiers) et jusqu'à la fin de sa vie, Delacroix reçoit des commandes officielles pour de grands tableaux ou des décors pariétaux d'édifices parisiens (Palais-Bourbon, Sénat, Louvre, église Saint-Sulpice). Son triomphe est complet à l'Exposition universelle de 1855. Dessinateur, lithographe (pour le *Faust* de Goethe), aquarelliste, Delacroix s'est essayé à tous les genres. Sa correspondance et son *Journal* sont riches d'enseignements et montrent la clarté de sa pensée, aspect classique d'un grand esprit qui fut romantique par l'imagination et par « cette nécessité d'avoir la fièvre ».

DELAGE (Yves), zoologiste français (Avignon 1854 - Sceaux 1920). Successeur de Lacaze-Duthiers à la direction du laboratoire maritime de Roscoff (1901), il dota cet établissement d'un équipement de premier ordre. Ses nombreux travaux portent notamment sur la parasitologie, la zoologie systématique et la parthénogenèse expérimentale.

DELAGE (Louis), ingénieur et industriel français (Cognac 1874 - Le Pecq 1947). Pionnier de l'industrie automobile, il se spécialisa dans la voiture de grand luxe, puis mit au point des voitures de course à moteur surcomprimé.

DELAGOA *(baie),* baie de l'océan Indien, au Mozambique.

DELALANDE (Michel Richard), compositeur français (Paris 1657 - Versailles 1726). Organiste de Saint-Jean-en-Grève, claveciniste, professeur des enfants du roi, il est nommé en 1683 sous-maître de la Chapelle royale. Durant une quarantaine d'années, il sera le directeur absolu de la musique à la Cour, comme compositeur et surintendant.

Son œuvre comporte d'une part de nombreuses pages de musique instrumentale groupées sous forme de divertissements et de ballets (*Ballet de la jeunesse,* 1713; *Ballet de l'inconnu,* 1720; *les Folies de Cardenio,* 1720), dont il a emprunté certaines pour les réunir en suites d'orchestre *(Symphonies pour les soupers du roi),* et d'autre part soixante-dix grands motets, chefs-d'œuvre du genre, qui ont été joués pendant tout le XVIIIe s. Introduits par une symphonie, ces motets comportent récitatifs, airs, chœurs de cinq à huit voix et réalisent une parfaite fusion entre l'esthétique française et l'esthétique italienne (*De profundis,* 1689). Ils ont tous été écrits pour la Chapelle royale.

DELAMARRE-DEBOUTEVILLE (Édouard), industriel et inventeur français (Rouen 1856 - Montgrimont, Seine-Maritime, 1901). Avec l'aide du chef mécanicien de sa filature, Léon Malandin, il réalisa la première voiture automobile qui, actionnée par un moteur à explosion, ait roulé en vitesse sur une route (1883).

DELAMBRE (Jean-Baptiste), astronome et géodésien français (Amiens 1749 - Paris 1822). Son nom, avec celui de Méchain*, reste attaché à la vérification et à la prolongation de la méridienne de Paris (1792-1798). Cette opération était destinée, selon les vœux de l'Assemblée constituante, à déterminer un étalon métrique qui fût égal à la quarante millionième partie d'un méridien terrestre.

DELAROCHE (Paul), peintre français (Paris 1797 - *id.* 1856). Éclectique, il tenta de concilier classicisme et romantisme dans des sujets d'histoire au caractère théâtral, qui lui valurent des succès officiels.

DELAUNAY (Louis), ingénieur et industriel français (Corbeil 1843 - Cannes 1912). Il s'associa avec Belleville, fabricant de machines à vapeur et de chaudières, pour construire des automobiles à moteur à essence, dont il réalisa de nombreux modèles de luxe.

DELAUNAY, peintres français, ROBERT (Paris 1885 - Montpellier 1941) et sa femme SONIA (près d'Odessa 1885). Sous la dénomination d'« orphisme », due à Apollinaire, Robert, parti du néo-impressionnisme, apporte au cubisme les contrastes de couleurs et de lumières qui brisent et recomposent les formes (série des *Tours Eiffel,* 1909-10). Cette recherche, poursuivie avec la série des *Fenêtres* (1911-12), le conduit à l'abstraction du premier *Disque simultané* (1913, Museum of Modern Art, New York), puis des diverses séries de *Rythmes* à partir de 1927. Menant les mêmes recherches sur la couleur pure (*Prismes électriques,* 1913, musée national d'Art moderne), Sonia a joué un rôle déterminant dans l'application de l'abstraction à l'art décoratif (ameublement, théâtre, mode). Les deux artistes sont bien représentés au musée national d'Art moderne.

DE LAVAL (Gustaf), ingénieur suédois (Orsa, Dalécarlie, 1845 - Stockholm 1913). Pionnier de la grande industrie suédoise, il inventa en 1883 la turbine à vapeur à action à arbre flexible pour de très grandes vitesses de rotation (30 000 tr/mn).

DELAVIGNE (Casimir), écrivain français (Le Havre 1793 - Lyon 1843). Salué par les libéraux comme un poète national pour ses élégies patriotiques (*les Messéniennes,* 1818), il s'imposa au théâtre à une génération de spectateurs en adoptant progressivement les audaces romantiques (*les Vêpres siciliennes,* 1819; *les Enfants d'Édouard,* 1833).

DELAWARE (la), fl. de l'est des États-Unis, né dans les Appalaches, qui passe à Philadelphie; 406 km. Son estuaire, sur l'Atlantique, forme la longue *baie de la Delaware.*

DELAWARE, État de l'est des États-Unis, sur l'Atlantique; 5 328 km²; 548 000 hab. Capit. *Dover.* Petit, mais densément peuplé, cet État est fortement industrialisé (notamment chimie à Wilmington, la plus grande ville).

DELCASSÉ (Théophile), homme politique français (Pamiers 1852 - Nice 1923). Député radical en 1889, il devient ministre des Colonies (1894-95), puis des Affaires étrangères (1898-1905). Dans la perspective d'une guerre avec l'Allemagne, il s'efforce de renforcer la position de la France en Europe et mène une politique d'expansion coloniale active. Il resserre l'alliance franco-russe (1900), rapproche la France de l'Italie (accords de 1898 et de 1902) et surtout établit l'« Entente cordiale » avec la Grande-Bretagne (1904), mettant ainsi fin aux différends coloniaux entre les deux puissances et délimitant les zones d'influence respective de celles-ci en Égypte et au Maroc, aux dépens de l'Allemagne. Cette politique lui vaut l'hostilité violente de Guillaume II : Delcassé s'opposant à la réunion d'une conférence internationale sur le Maroc à Algésiras, l'empereur menace de faire la guerre à la France, et le ministre français doit démissionner. Titulaire du portefeuille de la Marine de 1911 à 1913, puis ambassadeur à Saint-Pétersbourg (1913-14), Delcassé est une nouvelle fois ministre des Affaires étrangères d'août 1914 à octobre 1915.

DELEDDA (Grazia), femme de lettres italienne (Nuoro, Sardaigne, 1871 - Rome 1936). Ses premiers romans se rattachent à l'école du vérisme* et peignent les mœurs archaïques de son pays natal (*Récits sardes,* 1893). Elle se consacra ensuite à l'analyse psychologique dans des récits d'inspiration mystique (*le Secret de l'homme solitaire,* 1921). [Prix Nobel, 1926.]

DÉLÉGUÉ DU PERSONNEL. — Les délégués du personnel, déjà prévus par les accords de Matignon de 1936, la loi du 24 juin 1936 et le décret-loi du 12 novembre 1938, ont été définitivement instaurés par les lois du 16 avril 1946 et du 11 février 1950. Le cadre de l'institution est l'« établissement », et le nombre des délégués varie de un à neuf selon les effectifs du personnel (au-delà de 1 000 personnes employées, un délégué supplémentaire par tranche supplémentaire de 500 salariés). Chaque délégué est doublé par un délégué suppléant. Les attributions portent essentiellement sur les réclamations, individuelles ou générales, relatives au personnel. Les délégués se réunissent avec la direction à intervalle régulier ou sur leur demande. Le compte rendu de leurs activités fait l'objet d'un affichage.

DÉLÉGUÉ SYNDICAL → SYNDICAT.

DELÉMONT, v. de Suisse (cant. de Berne), dans le Jura; 11 797 hab.

DELESCLUZE (Charles), homme politique français (Dreux 1809 - Paris 1871). Républicain d'extrême gauche, il dirige à la fin du second Empire (1868) le journal *le Réveil,* qui lui vaut plusieurs condamnations. Membre de la Commune, animateur du Comité de salut public, il se fait tuer sur les barricades, par les versaillais, le 25 mai 1871.

DELESSERT, famille de financiers français. — ÉTIENNE (Lyon 1735 - Paris 1816) fonda la première compagnie française d'assurance contre l'incendie (1782) et la première banque d'escompte. — Son fils BENJAMIN (Lyon 1773 - Paris 1847) installa à Passy la première filature de coton (1801) et créa une usine pour la fabrication du sucre de betterave. Il fonda de nombreuses institutions, notamment la Société d'encouragement pour l'industrie, et surtout les caisses d'épargne.

DELESTRAINT (Charles), général français (Biache-Saint-Waast 1879 - Dachau 1945). Commandant un groupement de chars en 1940, organisateur de la résistance dans la région de Lyon, il est mis par de Gaulle à la tête de l'Armée secrète en 1942. Arrêté à Paris en juin 1943 et déporté, il est abattu par les Allemands.

DELEUZE (Gilles), philosophe français (Paris 1925), professeur de philosophie à Paris-VIII depuis 1970. Son œuvre très diverse (il écrit sur Hume, Kant, Spinoza, Proust, Sacher-Masoch et, surtout, sur Nietzsche) est axée sur le concept de différence. La différence est, pour lui, le lieu où se situe « le vrai commencement de la philosophie » (*Différence et répétition,* 1968). *L'Anti-Œdipe** (1972) tente de restaurer, contre l'institution psychanalytique, la puissance révolutionnaire du désir et des productions inconscientes.

DELFT, v. des Pays-Bas (Hollande-Méridionale), au S. de La Haye; 88 000 hab. Pittoresque, la ville est riche en édifices historiques, dont l'hôtel de ville (reconstruit au XVIIe s., beffroi gothique), la Vieille Église (XIIIe-XIVe s., tombeaux), la Nouvelle Église (XIVe-XVe s., mausolée de Guillaume le Taciturne). École de peinture au XVIIe s. (Hoogh*, Vermeer*). Faïenceries de grand rayonnement, surtout aux XVIIe et XVIIIe s. (musée Lambert Van Meerten).

G. Boutin - Atlas-Photo

Un quartier de New Delhi.

DELGADO, cap. du Mozambique, sur l'océan Indien.

DELHI, v. de l'Inde, capit. du *territoire de Delhi* (1 485 km^2; 4 066 000 hab.), sur la Jamna; 3 288 000 hab. Englobant New* Delhi (capitale de l'Inde depuis 1911), Delhi est la troisième ville du pays, sur un seuil entre les hauteurs prolongeant le Deccan et l'avant-pays himalayen, entre le Pendjab (et, au-delà, l'Asie moyenne) et la plaine du Gange. Son essor est dû à sa situation géographique et à son histoire : elle fut la capitale des souverains musulmans de l'Inde de 1211 à 1858 (déposition du dernier Grand Moghol*), mis à part une période d'éclipse (xve s.-milieu du xviie s.) durant laquelle Agrā* ou Lahore* lui furent préférées. Peu industrialisée, elle demeure une ville tertiaire, dominée par la fonction politique.

BEAUX-ARTS. De nombreux monuments témoignent du goût des souverains successifs qui dominèrent et embellirent la cité. La colonne de fer portant des inscriptions dues au roi gupta* Candragupta (Chandragupta) II atteste une étonnante maîtrise de la métallurgie du fer. Le réemploi des matériaux de temples anciens et les placages de marbre blanc annoncent déjà le style dit « indo-musulman » (mosquée Quwwat al-Islām), alors que le style officiel se dégage du célèbre Quṭb mīnār (1226), à la fois tour et minaret. Avec Agrā*, la cité est l'un des hauts lieux de l'architecture moghole* : tombe de Humāyūn, commencée en 1564 et où apparaissent déjà les caractères fondamentaux de la nouvelle école; Grande Mosquée ou mosquée du Vendredi (1644-1658); Fort Rouge; mosquée de la Perle ou Mōtī Masdjid (1662-63); observatoire Jantar Mantar (1724); mausolée de Safdār Djang (v. 1754), dernier exemple de la tombe jardin.

DELHI *(sultanat de),* principal royaume musulman de l'Inde du Nord de 1206 à 1526. Des esclaves turcs renversent les Rhūrides* en 1206. Chams al-Dīn Iltutmich (de 1211 à 1236) fonde le sultanat de Delhi et établit sa suprématie sur l'Inde musulmane. La dynastie afghane des Khaldjī (1290-1320) soumet au tribut des États du sud de l'Inde. Le règne de Muḥammad ibn Turhluq (de 1325 à 1351) marque l'apogée du sultanat de Delhi et inaugure une politique de peuplement musulman du sud de l'Inde. Mais c'est sur un fond de désintégration politique qu'a lieu l'invasion de Tīmūr Lang (Tamerlan, 1398), qui précipite la décomposition du sultanat. En 1526, Bāber* fonde l'empire des Grands Moghols*, qui incorpore en 1556 les derniers vestiges du sultanat de Delhi.

DELIBES (Léo), compositeur français (Saint-Germain-du-Val 1836 - Paris 1891). Très attiré par la scène, il écrit de nombreuses opérettes, puis des opéras-comiques (*Le roi l'a dit,* 1873; *Lakmé*,* 1883), qui dénotent un don mélodique évident, et enfin des ballets (*Coppélia**, 1870), qui s'intègrent dans le renouveau du ballet en Europe. Professeur de composition au conservatoire de Paris (1881), il est élu à l'Académie des beaux-arts en 1884.

DELILLE (*abbé* Jacques), poète français (Aigueperse 1738 - Paris 1813). Célèbre pour une traduction en vers des *Géorgiques* de Virgile (1769) et ses poèmes descriptifs (*les Jardins,* 1782; *l'Homme des champs,* 1800), honoré de son vivant comme un écrivain de génie, il n'est plus aujourd'hui considéré que comme un habile versificateur, mais il avait eu l'ambition, déjà romantique, de saisir entre le monde et l'homme « la correspondance éternelle que la nature a établie entre eux » (*l'Imagination,* 1806).

DÉLINQUANCE. — Pour qu'il y ait délinquance, il faut qu'il y ait l'accomplissement d'un délit connu et interprété comme tel par la société. Depuis 1945, on ne reconnaît plus aux mineurs de responsabilité pénale, et parler de « délinquance juvénile » apparaît comme un abus de langage, les psychiatres préférant les expressions « comportement asocial » ou comportement « dissocial ».

La forme prise par le délit évolue avec le temps; à l'heure actuelle, les vols d'engins à moteur, les vols dans les grandes surfaces et l'usage de substances considérées comme des stupéfiants sont les plus fréquents. La délinquance en bande, qui s'est développée à partir de 1960 dans tous les pays fortement urbanisés, représente le passage de la révolte individuelle à la révolte collective contre la société des adultes. En effet, dans ces pays, l'industrialisation a modifié le cadre de vie traditionnel dans la mesure où elle s'appuie sur un déracinement et une migration des travailleurs, diminuant la cohésion du groupe social. Ce phénomène se traduit spécifiquement au niveau de la famille : 64 p. 100 des délinquants sont issus d'un foyer dissocié.

Certains ont attribué l'augmentation de la délinquance à l'adoucissement des mesures de répression. Cependant — et ce phénomène a été de nouveau souligné par M. Foucault* dans *Surveiller et punir* (1975) —, on sait que la récidive est favorisée par la prison, qui organise un milieu de délinquants et par les conditions qui sont faites aux détenus libérés (casier judiciaire notamment). Selon M. Foucault, cet échec de la prison, maintes fois souligné, sert, en fait, à produire « une sorte d'illégalisme subordonné et dont l'organisation en délinquance, avec toutes les surveillances que cela implique, garantit la docilité. La délinquance, illégalisme maîtrisé, est un agent pour l'illégalisme des groupes dominants ».

Sur le plan juridique, la « délinquance » peut s'entendre, d'une manière restreinte, comme tout ce qui concerne l'infraction particulière appelée « délit » et désigner, au sens large, tout ce qui touche aux infractions à la loi pénale en général, qu'il s'agisse des contraventions*, des délits ou des crimes*. Le principe général, en droit pénal, est qu'il n'y a délit pénal que prévu et réprimé par une loi.

Au sens restreint, les principaux « délits » concernent des *atteintes à la chose publique* (notamment l'attroupement, la rébellion, l'outrage à magistrat, les violences sur la personne d'un officier ministériel, le faux, l'usurpation de fonction...), des *infractions contre les personnes* (coups et blessures volontaires ou involontaires, abstention de porter secours, adultère...) et *contre les biens* (vol sans violence, escroquerie, abus de confiance, banqueroute simple ou frauduleuse, etc.).

Les juridictions compétentes pour juger les délits sont, normalement, le tribunal correctionnel et, en appel, les chambres des appels correctionnels de la cour d'appel. Les arrêts et les jugements en dernier ressort peuvent faire l'objet d'un recours devant la Cour de cassation (Chambre criminelle). [V. JUSTICE *(organisation de la),* PEINE.]

DÉLIQUESCENCE. — Ce phénomène provient de ce que le corps solide forme avec l'eau une combinaison dont la pression de dissociation est, aux températures ordinaires, inférieure à la pression de la vapeur d'eau dans l'atmosphère.

DÉLIRE. — Une idée délirante est une idée fausse, c'est-à-dire en opposition manifeste avec la réalité ou choquant le bon sens, mais qui entraîne néanmoins la conviction de celui qui l'émet et qui résiste à la critique ou à l'évidence. Pour qu'il y ait délire, il faut que l'idée délirante se maintienne sans être critiquée. Le délire est un désordre de la pensée sous-tendu par une altération massive de la personnalité* qui peut être plus ou moins durable. La présence d'un délire est un des critères qui suffisent à ranger un trouble psychique dans le registre de la psychose*.

Les idées délirantes sont très variées; cependant, celles qui sont à thème de persécution sont les plus fréquentes. Les hallucinations*, l'imagination, l'intuition et l'interprétation sont les principaux mécanismes d'édification des délires. Les épisodes délirants peuvent éclater brutalement et disparaître rapidement sans laisser de trace (on parle alors de bouffée délirante ou de confusion* mentale lorsque les troubles de la conscience sont importants) ou bien être durables (délire chronique). Le délire est partie intégrante de la personnalité du délirant, qui pense et organise sa vie en fonction de sa conviction délirante : devant une réalité pénible, le Moi* la nie en produisant un délire agréable compensateur. Entrent dans le cadre des délires chroniques la paranoïa* (délire chronique systématisé), les délires fantastiques (paraphrénie), les psychoses hallucinatoires chroniques et la schizophrénie* pour certains.

DÉLIT → DÉLINQUANCE.

DÉLIT POLITIQUE. — Les délits politiques portent, par nature, atteinte à l'organisation et au fonctionnement des pouvoirs publics : crimes et délits contre la sûreté de l'État, offense contre le chef de l'État, délits de réunion ou d'attroupement, etc.

De tels délits sont soumis à une forme de procédure particulière (les mandats* d'arrêt ou de dépôt n'étant pas applicables) et sont punis de peines* spéciales, notamment la détention criminelle (à perpétuité ou à temps), le bannissement, la dégradation civique. Il n'existe pas de peines correctionnelles en matière politique. Les délits politiques ne donnent pas lieu à l'extradition.

DELL'ABATE (Nicolo), peintre italien (Modène v. 1506/1512-Fontainebleau? 1571?). Influencé par le Parmesan, ce fresquiste virtuose réalisa de brillantes décorations de palais à Bologne (1547-1552) avant de venir travailler à Fontainebleau* auprès du Primatice (*l'Enlèvement de Proserpine* [Louvre], au vaste panorama imaginaire magnifié par la lumière). Ses dessins vibrent de toute la grâce bellifontaine.

DELLA PORTA (Giambattista), physicien italien (Naples v. 1538-*id.* 1615). Il a découvert la chambre noire et inventé la lanterne magique.

DELLA PORTA (Giacomo), architecte italien (? v. 1540-Rome 1602). Il termina à Rome les grands édifices laissés inachevés par Michel-Ange, donna leur façade au Gesù de Vignole et à l'église Saint-Louis-des-Français. On lui doit aussi des fontaines, la villa Aldobrandini à Frascati, etc.

DELLA ROBBIA (Luca), sculpteur et céramiste italien (Florence 1400-*id.* 1482). À partir de 1431, il exécuta en marbre une des tribunes de choristes *(cantoria)* de la cathédrale de Florence (reliefs de jeunes chanteurs, alliant réalisme et harmonie classique). Il est le créateur de la sculpture en terre cuite émaillée (médaillons, panneaux à sujets religieux), dont son neveu ANDREA (Florence 1435-*id.* 1525) ainsi que les fils de celui-ci, GIOVANNI (Florence 1469-† apr. 1529) et GIROLAMO (Florence 1488-Paris 1566), continueront le genre.

DELLA ROVERE, famille italienne qui a fourni deux papes, Sixte IV et Jules II*. Elle détint le duché d'Urbino de 1508 à 1631, notamment avec FRANCESCO MARIA Ier (1490-1538), général en chef des troupes vénitiennes, et GUIDOBALDO II (1514-1574), préfet de Rome.

DELLA SCALA, famille italienne qui régna sur la seigneurie de Vérone entre 1259 et 1387. Elle compta parmi ses membres : MASTINO Ier († Vérone 1277), podestat de Vérone en 1259 et capitaine du peuple en 1261; CANGRANDE Ier (Vérone 1291-Trévise 1329), son neveu, qui reçut de l'empereur Henri VII le titre de vicaire impérial, lutta contre Padoue et dirigea la ligue gibeline de Lombardie.

DELLE (90100), ch.-l. de cant. du Territoire de Belfort, à 18 km à l'E. de Montbéliard, à la frontière suisse ; 7 381 hab. *(Dellois).* Constructions mécaniques.

DELLUC (Louis), cinéaste français (Cadouin 1890-Paris 1924). Théoricien du cinéma, écrivain, journaliste, il peut être considéré comme l'un des fondateurs de la critique cinématographique et des cinéclubs. Il tourna comme metteur en scène quelques films (*Fièvre,* 1921; *la Femme de nulle part,* 1922; *l'Inondation,* 1924), qui influencèrent profondément les jeunes réalisateurs de son époque.

DELME (57590), ch.-l. de cant. de la Moselle, à 13 km au N.-O. de Château-Salins; 620 hab.

DELMENHORST, v. de l'Allemagne fédérale (Basse-Saxe), à l'O. de Brême; 66 000 hab.

DELORME (Philibert), architecte français (Lyon v. 1510-Paris 1570). Constructeur et théoricien, il fut sans doute, par sa personnalité et son influence, le plus grand des architectes de la seconde Renaissance en France. Il connut les « antiques » dans le midi de la France et à Rome (1533-1536), se fixa à Paris en 1540, construisit le château d'Anet, régit l'architecture officielle sous le règne d'Henri II (nombreuses œuvres perdues). En 1564, il éleva encore le corps principal des Tuileries pour Catherine de Médicis. Fier de ses compétences, il les a exaltées dans ses traités : *Nouvelles Inventions pour bien bâtir et à petits frais* (1561), *Premier Tome de l'Architecture* (1567).

DÉLOS, petite île des Cyclades*, lieu légendaire de la naissance d'Apollon* dont l'important sanctuaire, dès le VIIe s. av. J.-C., fera la richesse de l'île. À partir du VIe s. s'exerce sur Délos l'hégémonie d'Athènes, qui en fera au Ve s. le siège de la première Confédération* athénienne. Du IVe au Ier s., l'île connaît une ère de grande prospérité, à laquelle vient mettre fin en 88 le sac de Mithridate VI* Eupator; les ravages des pirates durant les décennies suivantes achèveront de la ruiner.

Ce grand centre religieux panhellénique possédait de nombreux sanctuaires et trésors (temple de Zeus et d'Athéna, hieron d'Apollon avec trois temples, allée des lions naxiens). Le développement de la cité, libérée des Athéniens, est attesté aux IIIe et IIe s. par plusieurs quartiers d'habitations aux demeures fastueuses, ornées de très belles mosaïques. De nombreux témoignages sculptés (statue colossale d'Apollon, *Nikê* attribuée à Achermos, corés et couroi, copie du *Diadumène, le Galate blessé,* etc.) ont été recueillis, lors des fouilles, par l'École française d'Athènes.

DELPHES, v. de la Grèce antique, en Phocide, centre religieux le plus important du monde grec. Dans le sanctuaire qui lui était consacré, Apollon* rendait ses oracles par la bouche de sa prêtresse, la Pythie*; du VIIe au IVe s. av. J.-C., ce sanctuaire oraculaire consacra la puissance de Delphes. Tous les quatre ans, les *jeux Pythiques* réunissaient, à l'égal des jeux Olympiques, les habitants des villes grecques. Le contrôle du riche sanctuaire, que se disputaient des factions rivales, déclencha les guerres sacrées*. Le prestige de Delphes commença à décliner à la fin de l'époque hellénistique et disparut au début de notre ère, ruiné par l'indifférence religieuse et l'ostracisme chrétien.

De nombreux ex-voto des VIIIe et VIIe s. av. J.-C. attestent le développement du culte d'Apollon. Dans son état actuel, le temple (qui remontait au VIIe s. av. J.-C.) date, comme le théâtre, du IVe s. av. J.-C. Le long de la « voie sacrée » menant au sanctuaire d'Apollon, diverses villes (Corinthe au VIIe s., Sicyone au VIe, Athènes au Ve, Thèbes au IVe, etc.) ont fait élever des chapelles votives, ou *trésors,* dont le trésor des Athéniens est l'un des plus beaux exemples. Sur la route de Delphes à Thèbes se trouvait le sanctuaire d'Athéna, qui conserve une énigmatique *tholos* en marbre. Fouillé depuis 1969, l'Antre corycien était occupé dès le néolithique, la période de fréquentation la plus intense de ce lieu dédié à Pan se situant entre le VIe et le IIe s. av. J.-C. Le musée conserve de nombreux témoignages artistiques, dont l'ex-voto du tyran Polyzalos, l'*Aurige,* l'un des fleurons du génie classique grec. De l'époque romaine datent une agora et des thermes.

Delphine, roman épistolaire de Mme de Staël (1802).

DELSARTE (François), pédagogue français (Solesmes, Nord, 1811-Paris 1870). Après avoir étudié le chant et la diction, il se consacre à des recherches sur le dynamisme et l'expression, sur le geste et la parole ainsi que sur les interactions qui peuvent naître de la combinaison des phénomènes mentaux, émotionnels et physiques. Ses travaux et les principes qui en découlent sont à l'origine des déductions « eurythmiques » d'Émile Jaques-Dalcroze* et influenceront les théories de Rudolf von Laban* et le style de Kurt Jooss*. Le système de F. Delsarte fait de celui-ci le précurseur de la « modern dance ».

DEL SARTO → ANDREA DEL SARTO.

DELTA. — Lorsque l'érosion littorale n'évacue pas complètement les alluvions qu'un fleuve dépose à son embouchure, par suite de la diminution de la vitesse du courant, il y a formation d'un delta. Ce phénomène se produit dans les mers à faibles marées (deltas du Rhône, du Nil, du Mississippi) ou dans les golfes abrités (deltas du Gange, du fleuve Rouge), où l'action des houles et des courants de marée est limitée.

Delta *(plan),* nom donné aux travaux, en cours d'achèvement, qui relient par des digues les îles des provinces néerlandaises de la Hollande-Méridionale et de la Zélande, et concernent l'ensemble des bouches du Rhin, de la Meuse et de l'Escaut. Né de la tempête marine de 1953, qui provoqua une inondation catastrophique, le plan Delta recherche notamment la protection des terres basses, la constitution de réserves d'eau douce et, accessoirement, le gain (environ 15 000 ha) de surfaces cultivables.

DELTOÏDE → ÉPAULE.

DÉLUGE. — L'inondation universelle qui, selon la Bible (livre de la Genèse*), fit périr l'humanité pécheresse, sauf Noé* et sa famille, est un mythe que l'on retrouve chez les Sumériens et les Akkadiens (épopée de Gilgamesh*). Le récit biblique ne dépend pas directement des textes suméro-akkadiens, mais puise à un fonds mythique commun que l'auteur biblique repense en fonction de ses conceptions religieuses; des inondations catastrophiques dans les vallées du Tigre et de l'Euphrate ont pu être le point de départ de ces légendes.

DELVAUX (Paul), peintre belge (Antheit 1897). Il ne trouve sa voie, surréalisante, qu'avec la découverte de De Chirico et de Magritte en 1934. D'une technique impersonnelle, ses tableaux installent des personnages hiératiques — songeuses femmes nues, hommes distraits, étriqués ou vieux savants en redingote, voire squelettes — dans un cadre — ville à l'antique, quai de gare désuet — qui semble le miroir glacé de leurs inhibitions.

DELYANNIS (Théodore) → DHILIGHIÁNNIS.

DEMANDE *(Écon.).* — Le concept est d'une importance majeure en science économique, comme sous-tendant la réalité du « marché* » et de la formation des prix*. La « loi » de l'offre* et de la demande est à la base de l'explication de l'échange dans le cadre économique libéral.

La demande est un aspect du « besoin* », qui devient une demande dès lors qu'il s'exprime par un pouvoir d'achat. Mais la notion de demande est considérablement enrichie par celle d'*utilité** et par celle d'*utilité marginale,* dégagée dès 1870 par Walras*, Menger* et Jevons*, le principe de l'utilité marginale décroissante étant mis en valeur par ces auteurs. Le concept de

demande est, dès lors, déterminant pour l'explication de la valeur*.
La demande est perçue, dès l'école classique, comme décroissant avec le prix du bien demandé. Cournot* établit sous une forme mathématique la relation fonctionnelle entre la demande et le prix. Walras et Marshall* reprennent l'approche, le dernier introduisant la notion d'« élasticité* » de la demande, c'est-à-dire la façon dont la demande se comporte en fonction d'une variation du prix. La demande est fonction non seulement du prix, mais également du revenu et des diverses propensions* à consommer, à investir. Le « prix de demande » est le prix auquel une certaine quantité du bien concerné peut être écoulée sur le marché.

DEMANDE *(Psychanal.)* → DÉSIR.

DEMANGEON (Albert), géographe français (Gaillon 1872-Paris 1940). L'un des maîtres de la géographie humaine, qu'il relia étroitement à l'histoire, il étudia l'Europe du Nord-Ouest.

DÉMARREUR. — Cet appareil doit être capable d'assurer le démarrage à froid du moteur* dans de mauvaises conditions de température (par − 15 °C). Pour la voiture, le démarreur indépendant est le plus généralement employé. Il se compose d'un moteur électrique branché en série sur la batterie* avec un dispositif

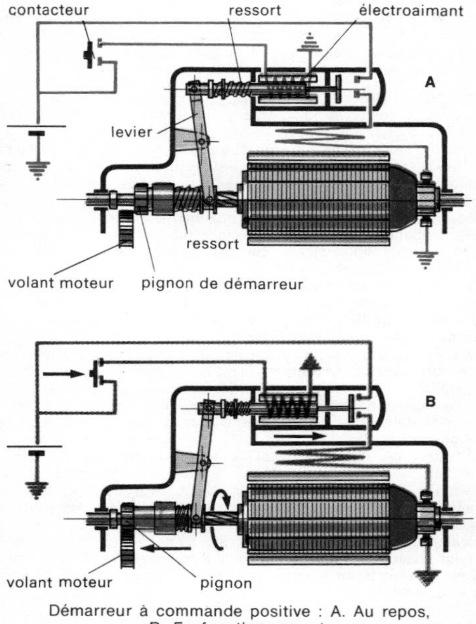

Démarreur à commande positive : A. Au repos, B. En fonctionnement.

mécanique qui permet d'enclencher son pignon avec une couronne dentée portée par le volant-moteur. L'avancement du pignon est réalisé soit par un système à tirette et à levier, soit par le déplacement longitudinal de l'induit, ou bien encore par l'action d'un solénoïde.

DÉMATÉRIALISATION. — Ce phénomène se produit lors de la rencontre de deux antiparticules, qui disparaissent simultanément, avec production d'un rayonnement gamma.

DEMĀVEND, point culminant de l'Elbourz (et de l'Iran), au N.-E. de Téhéran; 5 604 m.

DÈME. — Clisthène*, pour briser les cadres aristocratiques de la cité, divisa le territoire athénien en une centaine de circonscriptions, de façon à renforcer par un brassage des citoyens l'unité de la cité. L'assemblée du dème élisait le *démarque,* équivalent, toutes proportions gardées, du maire de nos communes; chaque dème avait son budget, ses sanctuaires et ses fêtes religieuses.

DÉMENCE. — La définition psychiatrique de la démence est plus restrictive que dans le langage populaire, où elle désigne tous les désordres un peu spectaculaires du comportement, ou que dans le langage juridique. Pour le Code pénal est dément « tout individu agité, impulsif ou délirant ». Depuis Esquirol*, pour le psychiatre, la démence est un affaiblissement intellectuel acquis, global et progressif sous-tendu par un processus organique.

La mémoire et le jugement sont les processus les plus touchés : le dément est devenu incapable non seulement d'acquérir des connaissances nouvelles, mais aussi de raisonner logiquement, alors qu'il peut conserver certains automatismes.

Par suite de ce trouble fondamental de l'intelligence, l'affectivité et le comportement social sont perturbés. Des idées délirantes mal structurées et absurdes ne sont pas rares, ainsi que l'agitation nocturne, la malpropreté.

Les démences séniles, plus fréquentes chez les femmes, surviennent au-delà de soixante-dix ans. Elles sont attribuées à des lésions dégénératives du tissu cérébral lui-même ou de ses éléments vasculaires.

Les démences préséniles surviennent plus tôt (50 ou 55 ans); elles sont attribuées à une atrophie cérébrale diffuse (maladie d'Alzheimer) ou, plus rarement, localisée au lobe frontal (maladie de Pick).

La paralysie générale est un état démentiel qui survient, dans le cadre de la syphilis*, de quinze à vingt-cinq ans après le chancre d'inoculation s'il n'y a pas eu de traitement. L'intoxication alcoolique chronique et l'hypertension artérielle peuvent, également, conduire à l'installation d'un état démentiel.

DÉMÉTER, déesse grecque de la fertilité, divinisation de la terre nourricière, dont le sanctuaire le plus important était à Éleusis*. Son culte, à caractère mystique et initiatique, lui associait sa fille Perséphone*. Les Romains assimilèrent la déesse à Cérès.

DÉMÉTRIOS Ier Poliorcète (« le preneur de villes ») [336-282 av. J.-C.], fils d'Antigonos* Ier Monophthalmos. Après la défaite d'Ipsos* (301), où son père trouva la mort, il se réfugie en Macédoine, dont il se proclame roi en 294. Ayant tenté sans succès de rétablir à son profit l'empire de son père, il est vaincu par Séleucos Ier* en 286 et meurt en captivité.

DÉMÉTRIOS II → ANTIGONIDES.

DE MILLE (Cecil Blount), cinéaste américain (Ashfield, Massachusetts, 1881-Hollywood 1959). Réalisateur dès 1912 *(The Squaw Man),* il devint l'une des grandes figures de Hollywood, se spécialisant dans les grandes reconstitutions historiques ou bibliques et dans les films d'aventures spectaculaires. Parmi ses principaux films, citons *Forfaiture* (1915), qui marque le début de l'utilisation à des fins dramatiques de gros plans d'objets ou d'acteurs, *les Dix Commandements* (1923; remake en 1956), *le Roi des rois* (1927), *le Signe de la croix* (1932), *les Croisades* (1935), *Pacific Express* (1939), *l'Odyssée du Dr Wassel* (1944), *les Conquérants d'un nouveau monde* (1947), *Sous le plus grand chapiteau du monde* (1952).

DE MILLE (Agnes), danseuse, chorégraphe et écrivain de la danse américaine (New York 1909), nièce du précédent. Elle est considérée comme un des « pionniers » du ballet américain. Elle a su trouver un style libéré de la tradition du ballet classique et auquel elle donna des accents populaires *(Rodeo, Harvest According, Fall* River Legend...).* Elle est l'auteur de *The Book of the Dance* (1963), de *Speak to me. Dance with me* (1973).

DÉMINÉRALISATION. — La perte par le squelette de ses éléments minéraux (phosphore et calcium), ou *décalcification,* entraîne des troubles divers : rachitisme, ostéoporose, ostéomalacie, etc. Elle se rencontre au cours de certaines carences alimentaires, de troubles du fonctionnement de la glande parathyroïde, de carences en vitamine D, etc.

DEMIREL (Süleyman), homme politique turc (Islâmköy, près d'Isparta, 1924). Président du parti de la Justice depuis 1964, Premier ministre de 1965 à 1971, il doit démissionner lorsque l'armée exige la formation d'un gouvernement fort. Il a présidé un gouvernement de coalition de 1975 à 1977.

démocrate *(parti),* l'un des grands partis des États-Unis. Né presque en même temps que la république des États-Unis d'Amérique, le parti démocrate rassemble d'emblée tous les adversaires de la ploutocratie du Nord et de la centralisation. Il est au pouvoir de 1829 à 1837 avec Andrew Jackson*, et, quand éclate la guerre de Sécession, les États sécessionnistes du Sud sont tous démocrates.

La défaite du Sud porte un rude coup au parti, qui, face aux républicains, ne retrouve une large audience qu'avec Woodrow Wilson*, président de 1912 à 1920. Si la prospérité de l'après-guerre joue contre les démocrates, la crise de 1929 les ramène au pouvoir avec Franklin D. Roosevelt*, président de 1932 à 1945, puis avec Harry S. Truman*(de 1945 à 1953) et surtout avec John F. Kennedy* (de 1960 à 1963). Après la disparition tragique de ce dernier, le parti démocrate — qui est loin d'être monolithique — cherche un leader suffisamment écouté pour le ramener à la tête du pays; il le trouve en Jimmy Carter, élu président des États-Unis en 1976.

DÉMOCRATIE. — La démocratie est une forme d'organisation dans laquelle le pouvoir effectif est, en principe, détenu par le peuple au lieu de l'être par un seul (monarchie, dictature) ou par une minorité (aristocratie, oligarchie).

Le gouvernement du peuple par le peuple et pour le peuple remonte à l'Antiquité. L'*élection,* principe de base de la démocratie, n'y occupait pourtant qu'une place secondaire. On préférait avoir recours au tirage au sort pour désigner les magistrats et les hauts fonctionnaires, pour une durée généralement courte, afin de permettre aux citoyens, par une rotation des fonctions, d'exercer à tour de rôle une fonction gouvernementale. Les gouvernés, siégeant régulièrement en Assemblée générale du peuple, avaient ainsi une participation directe aux décisions gouvernementales. Au XVIIIe s., le principe de l'élection fut renforcé par la théorie de la *représentation* nationale, mais ce n'est qu'au XIXe s. que le combat pour les idées démocratiques s'est confondu avec le combat pour le suffrage universel. Dès lors, démocratie et élection devenant indissolubles, on a associé régime libéral à démocratie : un régime où les citoyens bénéficient de façon égale des libertés publiques fondamentales. Mais la réalité est autre, car, si, en droit, la démocratie a acquis une légitimité incontestable, en fait elle aboutit à des systèmes politiques différents, sinon opposés.

On a coutume de distinguer plusieurs formes de démocratie : modérée, concurrentielle, totalitaire et technocratique. En voie de disparition, la démocratie *modérée* n'est plus guère représentée que par certains traits de la vie politique anglaise. La démocratie *concurrentielle* s'exerce dans le cadre d'un pluralisme de partis politiques et fonctionne d'autant mieux qu'il existe une constitution. L'opinion publique n'est plus que l'opinion la plus forte, celle d'une « majorité tyrannique dans une démocratie bourgeoise » (Tocqueville); d'où le développement des groupes de pression (lobbies) exerçant un pouvoir de fait à l'encontre des gouvernants.

Dans une société d'abondance, l'égalité économique est le dénominateur commun des démocraties totalitaire et technocratique. Dans une société d'abondance *totalitaire,* elle se trouve réalisée si les hommes ont de tout à volonté, mais s'ils savent se contenter de peu. Ils réalisent ainsi l'idéal démocratique par un effort et un travail constants; d'où l'institution d'un parti unique, car le progrès auquel tend cette société ascétique est à sens unique. A l'inverse, dans une démocratie *technocratique,* les revendications matérielles des individus constituent le but de la société elle-même.

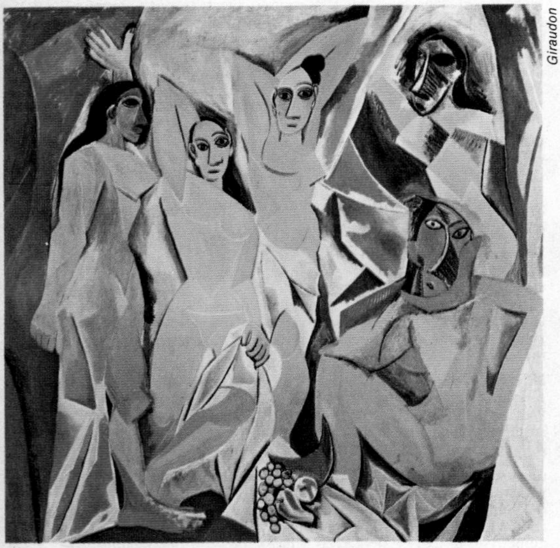
Giraudon

Les Demoiselles d'Avignon, de Picasso.
(Musée d'Art moderne, New York.)

Marx et les marxistes appellent « démocratie bourgeoise » la forme de régime politique où la réalité du pouvoir est aux mains de la classe bourgeoise minoritaire, qui est, en même temps, propriétaire des moyens de production et d'échange.

DÉMOCRATIE CHRÉTIENNE. — La démocratie chrétienne ne s'affirma que tardivement, les catholiques ayant longtemps lié leur idéal aux régimes monarchiques et cléricaux. En France, la démocratie chrétienne compte, à la fin du XIXe s. et au début du XXe, deux pionniers, qui, tous deux, doivent affronter l'hostilité de la majorité de leurs pairs; ce sont l'abbé Jules Lemire (1853-1928), député du Nord de 1893 à sa mort, et Marc Sangnier* (1873-1950), créateur du Sillon, mouvement personnaliste, républicain et catholique, qui est désavoué par Pie X en 1910, mais qui n'en sera pas moins la matrice d'une démocratie chrétienne. Celle-ci, avec le parti démocrate populaire (P. D. P.) après la Première Guerre mondiale et surtout avec le Mouvement républicain populaire (M. R. P.) après la Seconde Guerre mondiale, prendra une place de plus en plus large et reconnue dans la vie politique française.

Un processus semblable se développe en Italie avec don Luigi Sturzo* (1871-1959), fondateur, en 1919, du parti populaire italien (P. P. I.), qui, après la chute du fascisme (1944), renaîtra, grâce à Alcide De Gasperi*, sous la forme d'un puissant parti démocrate-chrétien (P. D. C.). En Allemagne, avec la Christlich-Demokratische Union (CDU), en Autriche, avec le parti populiste, et en Belgique, avec le parti social-chrétien (P. S. C.), les anciens partis catholiques ont pris une nette coloration démocrate-chrétienne. En Amérique latine (Brésil, Chili, Venezuela notamment), des formations politiques se réclament aussi de la démocratie chrétienne. Celle-ci est d'ailleurs, en France particulièrement, en passe de se dissocier, les engagements politiques et sociaux des chrétiens s'inspirant d'un pluralisme très diversifié.

DÉMOCRITE, philosophe grec (Abdère, Thrace, v. 460-v. 370 av. J.-C.). Disciple de Leucippe, Démocrite développe l'atomisme* élaboré par son maître dans le cadre d'une philosophie matérialiste. Il y insère ses conceptions sur la morale, les arts et les techniques. Dans cette optique mécaniste, l'âme humaine n'est qu'un composé d'atomes, bien qu'elle soit le principe de vie. Soucieuse de sérénité et d'équilibre, la morale que Démocrite prône fait de celui-ci un partisan de la démocratie en matière politique.

DÉMOGRAPHIE. — En France, la Fondation française pour l'étude des problèmes humains, créée en 1941 à l'initiative d'Alexis Carrel, comptait une section de démographie. L'I. N. E. D. (Institut national d'études démographiques) a pris sa suite en 1945. Mais, en réalité, le terme de « démographie » et les premières préoccupations démographiques remontent à une période très antérieure : le vocable semble utilisé pour la première fois par Achille Guillard en 1855, qui lui donne le sens d'« histoire naturelle et sociale de l'espèce humaine », de « connaissance mathématique des populations, de leurs mouvements généraux, de leur état physique, civil, intellectuel et moral ».

La démographie implique le concours de la sociologie, de l'histoire, de la génétique, de la psychologie et s'avère, en ce sens, un savoir pluridisciplinaire. Des méthodes propres lui donnent cependant son aspect spécifique.

L'objet de la démographie est de mesurer un certain nombre de grandeurs affectant le comportement des populations (la nuptialité, la natalité, la fécondité, la divortialité, la mortalité). Le démographe recense les mariages, les naissances, les divorces, les décès, puis essaie de déterminer les taux permettant de mesurer l'intensité de ces phénomènes.

Le *taux* est une fréquence d'événements ramenés à l'année, affectant une population donnée, soit pour l'ensemble d'une population (taux brut), soit pour une partie réduite de celle-ci, généralement un « groupe d'âge », l'âge différenciant classiquement les populations entre elles. Les taux peuvent, à leur tour, servir à calculer des *tables* (tables de mortalité, de nuptialité, de fécondité).

Pour chaque phénomène étudié, le démographe étudie l'*intensité* du phénomène (seule la mort, inévitable, a une intensité de 1), mais aussi le *moment* de son apparition (l'âge du mariage, par exemple), ou « calendrier ».

Les bases de la recherche démographique sont essentiellement statistiques, le *recensement* fournissant un état de la population à une période donnée; les enregistrements effectués au niveau de l'état civil peuvent être, également, utilisés. Parfois des enquêtes en profondeur sur des groupes restreints sont, par ailleurs, effectuées.

Une fois les données démographiques brutes appréhendées et transformées en données suffisamment élaborées, le démographe s'efforce de trouver les causes des phénomènes observés et d'imaginer des évolutions : le chercheur s'efforce de cerner les raisons qui expliquent les faits démographiques pour permettre l'élaboration des « politiques » adaptées à une situation donnée, politiques qui agiront au niveau des causes (par exemple les politiques sanitaires). La grande difficulté de la recherche des causes en démographie provient du changement permanent (et très rapide aujourd'hui) des conditions au sein desquelles jouent les faits démographiques.

DEMOISELLES *(grotte des),* grotte du Languedoc (Hérault), au-dessus des gorges de l'Hérault.

Demoiselles d'Avignon *(les),* surnom d'une toile-manifeste exécutée en 1906-07, à Paris, par Picasso (2,44 × 2,33 m, musée d'Art moderne de New York). Prenant pour prétexte le souvenir d'une maison close de la rue d'Avignon à Barcelone, l'œuvre, précédée par de nombreuses études, marque le départ du cubisme*, c'est-à-dire d'une esthétique nouvelle qui ne vise plus à la *représentation,* mais à une construction plastique arbitraire prenant comme matériaux les éléments disséqués du visible. On y décèle l'influence de Cézanne *(Grandes Baigneuses)* et du Greco, de la sculpture ibérique primitive dans les figures de gauche, de la sculpture nègre, découverte en 1907, dans les figures de droite, peintes en dernier.

DEMOLDER (Eugène), écrivain belge d'expression française (Bruxelles 1862 - Essonnes 1919). Il a transposé dans ses romans et ses contes l'inspiration pittoresque des peintres anciens (*la Route d'émeraude,* 1899).

DEMOLON (Albert), agronome et biologiste français (Lille 1881 - Paris 1954), auteur de travaux sur les végétaux, la pédologie ainsi que sur l'action du soufre et des colloïdes en botanique.

Démon *(le),* poème de Lermontov (1841). Dans le décor sauvage du Caucase, les amours romantiques et maladroites d'un démon pour une princesse géorgienne qu'il arrache à son fiancé et au couvent.

Démons *(les),* ou *les Possédés,* roman de Dostoïevski (1871-72). Dans une ville de province, des conspirateurs veules et hypocrites sont dominés par leur chef, Verkhovenski, qui a reporté son besoin d'idolâtrie sur un intellectuel décadent, Stavroguine, qui s'est joint à eux pour trouver une distraction à son ennui. Sentant les conjurés lui échapper, Verkhovenski les persuade qu'ils vont être dénoncés par l'un des leurs, qu'ils assassinent. Mais le crime risquant d'être découvert, un des membres du groupe, Kirilov, accepte de se suicider pour attirer sur lui les soupçons et initier ses compagnons à un acte de liberté totale. Cette dénonciation du nihilisme, de l'athéisme et de l'influence de l'intellectualisme occidental sur les révolutionnaires russes étonna les contemporains, qui y virent un reniement des idées pour lesquelles Dostoïevski avait combattu et souffert, et que dérouta l'aspect satanique des conjurés. Le roman fut, plus tard, éclairé par la publication de la *Confession de Stavroguine,* passage censuré par l'éditeur et qui met au cœur de l'action humaine la volupté de l'humiliation et de la souffrance.

DÉMONSTRATION. — Une liste de formules $A_1, ..., A_m$ est une démonstration de A_m si chaque formule de la liste peut être définie par l'un des deux énoncés suivants :
(i) c'est l'un des axiomes du système formel dans lequel la démonstration s'effectue ;
(ii) elle résulte de deux formules situées antérieurement dans la liste.

DE MORGAN (Augustus), logicien et mathématicien britannique (Madura, prov. de Madras, 1806 - Londres 1871). Dans *Formal Logic* (1847), il pose, en même temps que Boole*, les bases de l'algèbre de la logique* et formule les lois de la dualité*, ou lois de De Morgan. Son œuvre donne une impulsion décisive à la logique des classes* et des relations*.

DÉMOSTHÈNE, orateur et homme politique athénien (Athènes 384 av. J.-C. - Calaurie 322). À force d'étude et de ténacité, il réussit à surmonter ses déficiences physiques et à acquérir un remarquable talent oratoire, qu'il emploie d'abord comme logographe (il écrit des plaidoyers pour des particuliers), puis contre Philippe de Macédoine. Ayant fait échouer son action contre Byzance, Démosthène, devant la poursuite, par le Macédonien, de sa politique d'envahissement, assume la direction des affaires (340-338) et obtient l'alliance de Thèbes, mais les confédérés athéniens et thébains sont écrasés à Chéronée (338). Un moment exilé, Démosthène n'admet pas la soumission de la Grèce par Alexandre, à la mort duquel il encourage les Grecs révoltés. Devant l'échec de l'insurrection, il s'empoisonne. Son œuvre oratoire, considérée comme un modèle, comprend des plaidoyers civils et surtout des harangues politiques : les quatre *Philippiques* (351-340) ; les trois *Olynthiennes* (349-348) ; *Sur la couronne* (330), où il se défend contre Eschine*.

DEMPSEY (William HARRISON, dit **Jack**), boxeur américain (Manassa, Colorado, 1895). Redoutable frappeur, il conquiert le titre mondial des poids lourds en 1919 et le conserve jusqu'en 1926, le défendant notamment victorieusement contre Georges Carpentier* en 1921.

DEMUTH (Charles) → PRÉCISIONNISTES.

DENAIN (59220), ch.-l. de cant. du Nord, sur l'Escaut ; 26 254 hab. *(Denaisiens).* Sidérurgie. Constructions mécaniques. Verrerie. Le 24 juillet 1712, Villars* y infligea aux Austro-Hollandais du Prince Eugène une défaite qui sauva la France.

DENDÉRAH, site archéologique de Haute-Égypte, sur la rive ouest du Nil. C'est l'un des plus anciens centres du culte de la déesse Hathor (traces de l'activité constructrice de Khéops, de Pepi Ier, de Pepi II et, plus tard, de Thoutmosis III). Riche nécropole de l'ancien Empire. L'ensemble sacral, très complet, qui subsiste, s'étend de la XXXe dynastie à l'époque romaine. Sa décoration est du plus haut intérêt pour l'étude des pratiques rituelles. L'un des deux mammisis (chapelle de la naissance divine), achevé par Nectanebo Ier, est le plus ancien actuellement connu. Le plafond de l'une des chapelles du temple majeur, orné du zodiaque, est conservé au Louvre.

DENDERLEEUW, comm. de Belgique (Flandre-Orientale), à l'O. de Bruxelles ; 16 251 hab. (en 1977).

DENDERMONDE → TERMONDE.

DENDRE (la), en néerl. **Dender,** riv. de Belgique, affl. de l'Escaut (r. dr.) ; 65 km.

DENEB → ÉTOILE.

DENFERT-ROCHEREAU (Pierre) → BELFORT *(siège de).*

DENGUE. — Affection virale transmise par la piqûre d'un moustique, la dengue se rencontre dans les régions chaudes. Elle se traduit par une fièvre élevée avec éruption et laisse une asthénie importante. Son traitement est surtout prophylactique (protection contre les moustiques).

DENGYŌ DAISHI ou **SAICHŌ,** bouddhiste japonais (767-822). Il a formulé une doctrine du salut universel selon laquelle tous les êtres sont capables d'atteindre l'illumination (bodhi) et a formé la secte tendai (du nom d'un monastère chinois T'ien-t'ai, où il s'était retiré). [V. BOUDDHISME.]

DEN HAAG → HAYE *(La).*

DÉNI DE LA RÉALITÉ *(Psychanal.)* → CLIVAGE.

DENIER. — Monnaie d'argent apparue à Rome au IIIe s. av. J.-C., le denier pesait à l'origine 4,55 g, soit 1/72 de la livre romaine. Au long des siècles, il se déprécia, au point de n'être plus qu'une simple monnaie de compte à la fin de l'Empire. Il resta, cependant, répandu chez les peuples de Germanie (Francs, Alamans) et devint à partir de Charlemagne la principale monnaie d'espèce. Mais les réformes monétaires qui se succédèrent en France à partir du XIIIe s. réduisirent le denier, dont on restreignit la teneur en argent, à la valeur d'une monnaie d'appoint. Comme monnaie de billon, le denier subsista jusqu'à la Révolution.

DENIKINE (Anton), général russe (1872 - Ann Arbor, Michigan, 1947). À la tête des « forces armées du sud de la Russie » (150 000 hommes), il lutta contre les bolcheviks et remporta d'importants succès en Ukraine en 1919. Abandonné par les cosaques, il passa le commandement à Wrangel (1920) et se retira en Angleterre, puis aux États-Unis.

DENIS ou **DENYS** *(saint),* premier évêque de Paris (IIIe s.). Selon Grégoire de Tours, il fut l'un des sept évêques missionnaires envoyés sous Dèce († 251) en Gaule. Il devint évêque de Paris, ville où son culte — lié à un martyre probable — fut très tôt populaire. Dagobert fonda vers 630 une abbaye près de la basilique qui lui était dédiée, abbaye qui fut la sépulture des rois de France.

DENIS le Libéral → BOURGOGNE *(dynastie de).*

DENIS (Maurice), peintre et théoricien français (Granville 1870 - Paris 1943). Il appartint au groupe des nabis* et fonda en 1919 les Ateliers d'art sacré. Séduit par les primitifs florentins, influencé par le symbolisme et par Cézanne, il a peint des scènes intimes et religieuses aux couleurs douces et claires, organisées dans les deux dimensions de la toile, ainsi que de grandes décorations. Cultivé, souhaitant concilier art moderne et tradition classique, il a notamment publié un recueil de *Théories* (1912).

DENIZLI, v. du sud-ouest de la Turquie, près du site de Laodicée-du-Lycus ; 84 000 hab.

DENJOY (Arnaud), mathématicien français (Auch 1884 - Paris 1974). Son œuvre mathématique se rapporte à la théorie des fonctions et à celle des figures formées par des ensembles quelconques de points. Sa théorie de la totalisation résout des problèmes devant lesquels l'intégrale de Lebesgue* se révélait impuissante.

DENNERY, puis **D'ENNERY** (Adolphe PHILIPPE, dit), auteur dramatique français (Paris 1811 - *id.* 1899). Il a écrit d'innombrables mélodrames (*les Deux Orphelines,* 1874), des livrets d'opéra (*Si j'étais roi,* 1852), et légué à l'État une collection d'objets d'art d'Extrême-Orient (musée d'Ennery, à Paris).

DENNEWITZ, village de l'Allemagne orientale, au N.-E. de Wittenberg, où Ney fut vaincu par les Prussiens en 1813.

DÉNOMBRABLE. — Dans la théorie des ensembles, on appelle « dénombrable » la puissance de l'ensemble N des entiers naturels.

DENON (Dominique Vivant, *baron*), graveur, diplomate et administrateur français (Givry 1747 - Paris 1825). Il accompagna Bonaparte en Égypte et en rapporta le grand album : *Expédition d'Égypte.* Nommé directeur général des musées, il fut le premier organisateur du Louvre.

DÉNOTATION *(Ling.)* → CONNOTATION et RÉFÉRENCE.

DENSIMÈTRE. — Les densimètres sont des aréomètres dont la tige est directement graduée en densité.

DENSITÉ. — On confond souvent *densité* et *masse spécifique* (ou *volumique*), bien que la première soit une grandeur abstraite, alors que la seconde nécessite le choix d'une unité. Dans le cas des solides et des liquides, leurs valeurs numériques sont sensiblement les mêmes, si la masse spécifique est évaluée en grammes par centimètre cube, car 1 centimètre cube d'eau à 4 °C pèse à peu près 1 gramme. En revanche, les masses spécifiques, évaluées en kilogrammes par mètre cube, ont des valeurs 1 000 fois plus grandes. Pour les gaz et les vapeurs, la masse spécifique est le produit de la densité par la masse spécifique de l'air, prise dans les mêmes conditions de température et de pression.

densité de quelques corps solides et liquides à 20 °C

Alcool éthylique	0,79	Lithium	0,53
Aluminium	2,70	Magnésium	1,74
Antimoine	6,71	Manganèse	7,2
Argent	10,50	Mercure	13,55
Benzène	0,88	Nickel	8,92
Bismuth	9,80	Or	19,32
Calcium	1,55	Phosphore rouge	2,2
Chrome	7,14	Pierres de	
Cobalt	8,70	construction (moy.)	2,6
Cuivre	8,89	Platine	21,45
Diamant	3,52	Plomb	11,34
Eau	1,00	Potassium	0,86
Étain gris	5,85	Sel gemme	2,17
Éther sulfurique	0,71	Silicium	2,4
Fer	7,86	Sodium	0,97
Glycérine	1,26	Soufre	2,07
Houille	1,3	Tungstène	19,32
Huile d'olive	0,92	Uranium	18,7
Iode	4,93	Verre	2,53
Iridium	22,64	Zinc	7,14

densité de quelques gaz

Air	1	Hélium	0,14
Ammoniac	0,60	Hydrogène	0,07
Argon	1,38	Krypton	2,87
Azote	0,97	Néon	0,70
Butane	2	Oxyde de carbone	0,97
Chlore	2,49	Oxygène	1,10
Gaz carbonique	1,53	Ozone	1,72

DENT. — • *Anatomie et physiologie.* La bouche des animaux les plus divers porte des pointes plus ou moins alignées et destinées à retenir ou même à sectionner les proies. De tels *denticules,* ou de telles *indentations,* s'observent sur les pièces buccales des crustacés et des insectes ou sur la langue et le bec des oiseaux (oie). Les dents sont plus différenciées chez divers reptiles, amphibiens et poissons osseux. Chez les poissons cartilagineux

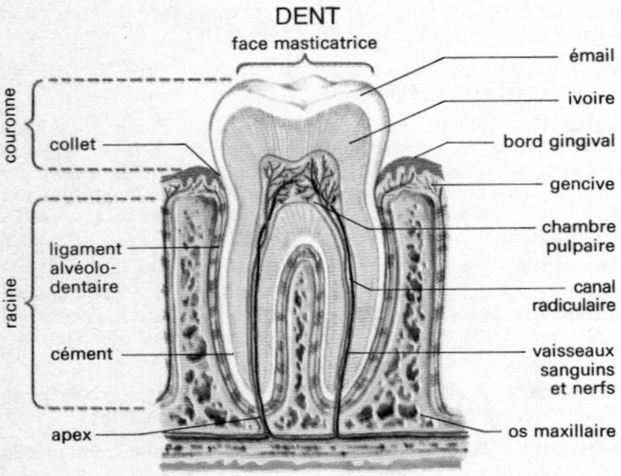

(raies et, surtout, requins), elles peuvent former plusieurs rangées de remplacement en cas d'usure ou de rupture. Chez la plupart des serpents*, une paire de dents de la mâchoire supérieure forme les *crochets* venimeux. Chez les crocodiles, les dents sont toutes de même forme, mais plantées chacune dans une *alvéole* dentaire. Cette disposition caractérise les dents des mammifères, en général, et des grands reptiles de l'ère secondaire. Selon les espèces, la croissance de la dent est continue (lapin) ou limitée dans le temps (carnassiers).

Le nom attribué aux diverses dents dépend de leur forme, de leur position relative et de la partie du squelette des mâchoires où siégeait leur germe avant leur éruption (sortie). Comme ces trois facteurs ne vont pas toujours de pair, des ambiguïtés subsistent. (V. DENTITION, DENTURE.)

La première dentition de l'enfant correspond à l'éruption de 20 dents de lait qui apparaissent entre 6 mois et 34 mois. La dentition définitive, qui survient entre 6 et 12 ans environ, correspond à l'éruption de 28 dents permanentes qui remplacent les précédentes et qui comprennent 8 incisives, 4 canines, 8 prémolaires et 8 molaires. Entre 16 et 30 ans, 4 dents de sagesse viennent s'ajouter à la deuxième dentition. Ainsi, la denture complète comprend 32 dents.

Chaque dent comporte une partie visible, la *couronne,* séparée par le *collet* de la *racine,* qui est logée dans l'alvéole de l'os maxillaire. Elle est unie à l'alvéole par le *ligament alvéolo-dentaire.* La racine est traversée par un paquet vasculo-nerveux qui s'épanouit dans une cavité centrale de la dent en formant la *pulpe dentaire.* Cette cavité, ou *chambre pulpaire,* est entourée par l'*ivoire,* ou *dentine,* qui est recouvert par l'*émail* au niveau de la couronne et par le *cément* au niveau de la racine.

• *Embryologie.* Pour chaque mâchoire, les ébauches dentaires proviennent d'une lame dentaire d'où naissent et se séparent les bourgeons dentaires des dents de lait. Une deuxième lame dentaire de remplacement se détache de la première : elle formera les bourgeons dentaires des dents permanentes.

La denture joue un rôle important dans la mastication, dont le but est de préparer le bol alimentaire (préhension et coupe des aliments par les incisives, lacération par les canines, broyage et trituration par les molaires et par les prémolaires). Elle joue également un rôle dans la phonation et a une fonction esthétique.

• *Les maladies des dents.* Les accidents d'évolution (ou d'éruption) sont le fait de l'enfance et de l'adolescence. Au cours de la première dentition, peuvent survenir des phénomènes inflammatoires locaux, accompagnés parfois de fièvre élevée avec troubles digestifs (« fièvres de lait »). Au cours de la deuxième dentition, les dents de sagesse inférieures sont le plus souvent responsables d'inflammation locale pouvant se compliquer d'infections loco-régionales (abcès, adénites, etc.), d'algies dentaires, de stomatite ou de complications mécaniques (déplacement des dents voisines notamment).

Les dysmorphies dentaires sont des anomalies de nombre, de forme ou de position des dents, dont le traitement relève de l'orthopédie dento-faciale.

Les dystrophies dentaires peuvent être « fixées, non évolutives » : ce sont des dysplasies congénitales ou acquises, atteignant la dent dans son ensemble (nanisme, gigantisme) ou partiellement, parfois associées à d'autres malformations ; elles peuvent être « actives, évolutives » : citons la mélanodontie infantile, où les dents deviennent noires, et qui aboutit à une véritable fonte des dents de lait. Les lésions traumatiques des dents comprennent les déplacements dentaires, les alvéolyses traumatiques, les arthrites consécutives à des pressions trop fortes, les luxations, les enfoncements, les fêlures et, surtout, les fractures. Les fractures coronaires sont très douloureuses lorsque la pulpe est atteinte ; les fractures radiculaires obligent souvent à l'extraction de la dent.

La *carie** dentaire peut se compliquer de pulpite, de monoarthrite alvéolo-dentaire aiguë, avec parfois abcès gingival (parulie), ostéite maxillaire, ou gangrène pulpaire avec abcès chronique et formation d'un granulome entourant l'apex (pointe de la racine). Lorsque la pulpe dentaire est atteinte, une pulpectomie ou dévitalisation dentaire est le plus souvent indispensable. Citons les parodontoses* qui aboutissent, en l'absence de traitement, à la destruction progressive du parodonte (cément, ligament alvéolo-dentaire, alvéole et gencive) et les tumeurs dentaires (odontomes respectant ou non la forme de la dent).

DENTELLE. — Ce tissu léger et aéré, issu de la broderie, est le produit de différentes techniques. À l'origine, il y eut les *dentelles de transition* (jours à fils tirés, dentelle sur tulle) et les *dentelles nouées et tissées* (macramé), et l'on distingue encore : la *dentelle à l'aiguille,* exécutée sur parchemin avec un fil de lin blanc selon toutes les variantes du point de feston (dentelle d'Alençon) ; la *dentelle aux fuseaux,* exécutée au carreau, en fils de couleur et de matière diverses (dentelle de Chantilly, de Valenciennes, de Malines) ; la *dentelle à la navette,* exécutée sur les doigts avec une ou deux navettes, et qui utilise un cordonnet fin ou un coton perlé ; la *dentelle au métier,* ou de Ténériffe, qui s'exécute en tendant les fils sur les dents d'un petit métier de métal.

Aujourd'hui, presque toutes les dentelles à la main peuvent être copiées et fabriquées mécaniquement, soit sur des métiers d'artisanat, soit, à grande échelle, sur des machines automatiques. Il existe, également, des dentelles mixtes avec des éléments préparés à la machine puis assemblés et rebrodés au métier (dentelle de Calais). La dentelle mécanique s'est imposée par son prix et par sa solidité due à l'emploi de fil de Nylon.

DENTIER → PROTHÈSE.

DENTITION. — On appelle « dentition » la mise en place d'une *denture**, c'est-à-dire d'un ensemble de dents* faites pour fonctionner ensemble. Chez les mammifères, il y a le plus souvent deux dentitions, l'une *(lactéale)* apparaissant dès le sevrage, l'autre *(adulte)* s'achevant lorsque les mâchoires cessent de grandir. La poussée des dents adultes provoque la résorption, par phagocytose, des racines des dents de lait, qui tombent. Mais les germes des deux séries de dents sont formés dans l'épaisseur des mâchoires dès l'embryon. Chez les éléphants, les molaires sont à remplacement « oblique » et continu. Chez les édentés et les cétacés, les dents, toutes pareilles, sortent en une seule poussée.

DENTURE. — Trop souvent appelée à tort « dentition », la denture s'exprime par la *formule dentaire* du jeune ou de l'adulte, chez les mammifères à dents de plusieurs sortes. Pour les besoins de cette formule, on distingue sur chaque demi-mâchoire, et en partant du milieu de l'arcade dentaire, les catégories suivantes : de 0 à 3 *incisives* (i), à couronne souvent tranchante, 0 ou 1 *canine* (c), parfois pointue et dépassant (croc), de 2 à 7 *molaires* (m), à couronne tout à fait variable mais généralement large, et dont les dernières ont chacune plusieurs racines.

Chez le porc, la denture est dite « complète » :

$$\frac{3}{3}\text{I} + \frac{1}{1}\text{C} + \frac{4}{4}\text{PM (prémolaires)} + \frac{3}{3}\text{M},$$

soit 22 dents par demi-bouche ou 44 dents en tout.

Chez le bœuf, la denture n'est pas la même en haut et en bas :

$$\frac{0}{3}\text{I} + \frac{0}{1}\text{C} + \frac{3}{3}\text{PM} + \frac{3}{3}\text{M}.$$

La canine a d'ailleurs exactement la forme et la fonction d'une quatrième incisive, on peut donc aussi noter :

$$\frac{0}{4}\text{I} + \frac{0}{0}\text{C} + \frac{3}{3}\text{PM} + \frac{3}{3}\text{M}.$$

Chez certains carnassiers, l'une des molaires est plus grosse que les autres et sépare deux sortes de molaires : tranchantes à l'avant, broyeuses à l'arrière. Par exemple, chez le chien :

$$\frac{3}{3}\text{I} + \frac{1}{1}\text{C} + \frac{3}{4}\text{PM (molaires tranchantes)}$$
$$+ \frac{1}{1}\text{K (carnassière)} + \frac{2}{2}\text{M (molaires broyeuses)}.$$

Chez le narval, toutes les dents avortent, sauf l'incisive supérieure gauche du mâle qui se développe en une défense cannelée de 2 à 3 m de long.

Des défenses à peine moins importantes existent chez les éléphants (incisives supérieures) et des défenses beaucoup plus petites chez les sangliers et les morses (canines).

DÉNUTRITION → NUTRITION.

DENVER, v. des États-Unis, capit. du Colorado, au pied oriental des Rocheuses ; 515 000 hab. (1 228 000 hab. dans l'aire métropolitaine). Constructions mécaniques et aéronautiques.

DENYS *(saint)* → DENIS et PAPE.

DENYS d'Halicarnasse, historien et critique grec du temps d'Auguste. Venu à Rome vers 29 av. J.-C., il y accomplit une œuvre importante de rhéteur, de critique littéraire et d'historien : dans ses *Antiquités romaines,* il écrit une histoire de Rome depuis sa fondation jusqu'à la première guerre punique.

DENYS l'Aréopagite *(saint),* martyr athénien (Ier s.). Il serait le membre de l'Aréopage que saint Paul convertit lors de son passage à Athènes. On lui a attribué faussement plusieurs ouvrages, et on l'a longtemps confondu avec saint Denis*, premier évêque de Paris.

DENYS l'Ancien (Syracuse v. 430-*id.* 367 av. J.-C.), tyran de Syracuse (405-367). Il lutte contre les Carthaginois, dont il limite la zone d'influence à l'ouest de la Sicile*, étend son hégémonie à l'Italie du Sud et fait de Syracuse* un centre économique important. L'intérêt que Denys porte aux lettres attire à sa cour poètes et philosophes, parmi lesquels Platon, dont la visite n'est pas appréciée par Denys.

DENYS le Jeune → SYRACUSE.

DÉOLS (36130), comm. de l'Indre, banlieue nord de Châteauroux ; 10 693 hab. Clocher roman, reste d'une importante abbaye fondée en 917. Église paroissiale à cryptes du Xe s.

DÉONTOLOGIE. — Il existe, en France, un code de déontologie médicale, qui est moins un traité de morale médicale qu'un recueil des devoirs du médecin conformes aux usages et aux traditions. Ce code souligne notamment la nécessité du respect de la vie humaine, du secret professionnel et de la liberté de prescription du médecin ; il indique ce que doivent être les rapports des médecins entre eux et avec leurs patients, etc. Ces dispositions constituent un

DENTURE

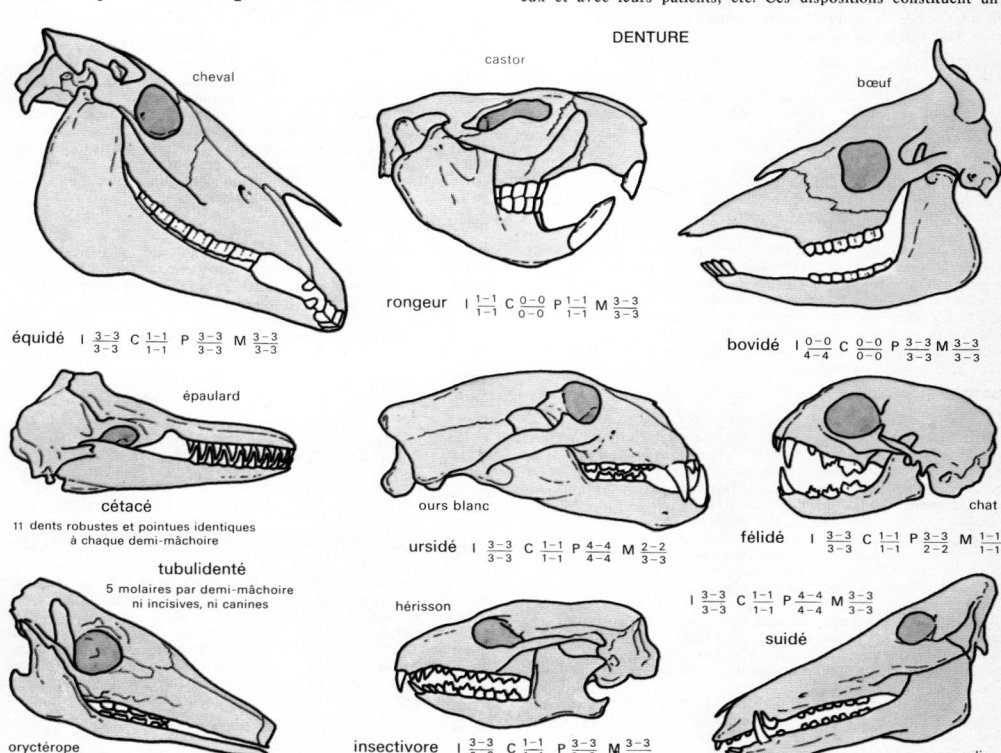

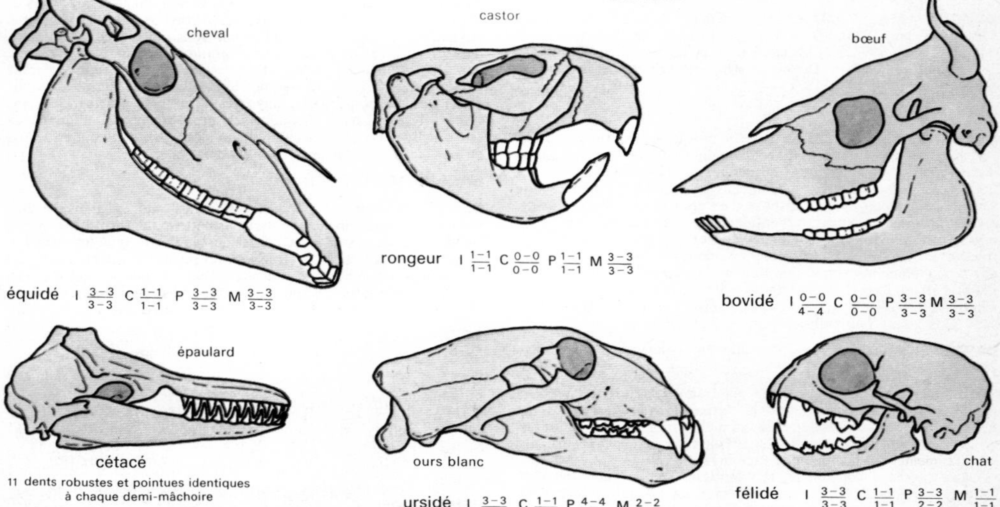

règlement intérieur de la profession et non des textes législatifs auxquels seraient tenus de se conformer les tribunaux civils et répressifs, qui en tiennent compte, cependant.

DÉPARTEMENT → COLLECTIVITÉS TERRITORIALES, FRANCE.

DÉPENDANCE. — Un certain nombre d'effets pharmacodynamiques communs permettent de définir avec précision les types de dépendance qui caractérisent les groupes de substances suivants : opiacés*, barbituriques*, alcool*, cocaïne*, amphétamines*, hallucinogènes* et cannabis*. Certaines substances n'engendrent qu'une dépendance psychique, qui se manifeste par un besoin uniquement psychique d'absorber plus ou moins régulièrement la substance en question pour en ressentir du plaisir ou éloigner une sensation de malaise. D'autres (drogues dures) déterminent une dépendance physique, caractérisée par l'apparition de troubles physiques (douleurs, agitation, tachycardie, vomissement, etc.), lorsque le sujet est soumis à un sevrage forcé ou lorsque l'action de la drogue est annulée par une substance antagoniste spécifique. Ce syndrome d'abstinence cesse dès la reprise de l'intoxication par la substance ou par un produit ayant une action pharmacologique analogue.

DÉPHASAGE *(Électr.).* — Si l'on convient qu'un décalage d'une période entière est représenté par une circonférence, tout décalage d'une fraction de période sera représenté par un angle proportionnel, appelé *angle de déphasage.* Lorsqu'il s'agit du déphasage d'un courant alternatif par rapport à la tension qui le produit, l'angle de déphasage a pour cosinus un nombre, plus petit que 1, qui est dit « facteur de puissance ». Ce nombre a une grande importance parce que la puissance active transmise par un courant alternatif lui est proportionnelle, en même temps qu'au produit de l'intensité efficace par la tension efficace : $W = UI \cos \varphi$, où φ est l'angle de déphasage.

Dépit amoureux *(le),* comédie en vers, de Molière (1658).

DÉPOLARISATION. — La dépolarisation d'une pile est généralement obtenue par un procédé chimique, par exemple en combinant l'hydrogène au fur et à mesure de sa formation par action de corps oxydants, tels que l'acide nitrique (pile Bunsen), les chromates (pile au bichromate), le bioxyde de manganèse (pile Leclanché), l'air dissous dans les couches supérieures de l'électrolyte (pile Féry). On peut aussi utiliser deux électrodes différentes, chacune au contact d'une solution d'un sel du métal dont elle est constituée (piles Daniell et Weston) ; dans ces dernières piles, dites *impolarisables,* la cathode se recouvre d'un dépôt de métal ne modifiant pas la nature des contacts.

DEPORT (Albert), officier et ingénieur français (Saint-Loup 1846-Houlgate 1926). Directeur de l'atelier de Puteaux, il a commencé, de 1892 à 1894, la réalisation du canon de 75 modèle 1897, dont Sainte-Claire Deville et Rimailho achevèrent la mise au point.

DÉPÔT BANCAIRE → BANQUE.

DÉPÔT DE CHEMIN DE FER. — À chaque dépôt de chemin de fer sont attachés un effectif de locomotives* et un personnel réparti entre deux services. Le *service de l'entretien* assure les opérations périodiques ou accidentelles nécessaires au maintien en service des locomotives. Il dispose d'un atelier muni des engins de levage nécessaires aux interventions importantes. Le *service du mouvement* satisfait aux demandes de l'exploitation en moyens de traction et gère les agents de conduite, dont l'utilisation est prévue par des roulements. La disparition de la vapeur a profondément modifié le nombre et la physionomie des dépôts. Les locomotives électriques et Diesel* exigent moins d'entretien, et leur banalisation rend plus aisées leur utilisation et leur affectation.

DÉPRESSION *(Géogr.)* → PERTURBATION ATMOSPHÉRIQUE, PRESSION ATMOSPHÉRIQUE.

DÉPRESSION *(Psychiatr.).* — Ce syndrome recouvre des réalités cliniques très diverses. Entre la forme la plus profonde, la mélancolie, et les dépressions réactionnelles ou névrotiques, toutes les gradations peuvent se voir. L'unité de tous ces états repose sur le pessimisme et l'inappétence face à la vie.

Dans l'accès mélancolique, le ralentissement de l'activité physique et intellectuelle est marqué, sauf en ce qui concerne la recherche de la mort. Le suicide* est patiemment prémédité. La douleur morale domine la vie affective, elle se traduit par des auto-accusations de fautes imaginaires ou exagérément grossies.

Une tristesse permanente, mais vague, remplace dans les dépressions névrotiques la douleur morale, et la dévalorisation des autres et de soi, l'auto-accusation et la culpabilité délirantes. La mort y est évoquée ou souhaitée de façon velléitaire. L'inhibition se traduit sur le plan somatique par une sensation de fatigue et des difficultés de mise en train.

Les psychanalystes, surtout S. Freud* et M. Klein*, ont souligné la parenté entre le deuil et la mélancolie, qu'ils interprètent comme deux réactions à la perte d'un objet d'amour, à la seule différence que, dans la mélancolie, le sujet ne sait pas consciemment de quoi il est en deuil. L'inhibition de la mélancolie serait le résultat d'un processus analogue au travail de deuil et qui est le retrait de la libido* d'un objet perdu, l'auto-accusation y représente des reproches dirigés contre l'objet d'amour et que le sujet a reversés sur son propre moi. Ce retournement est possible parce que la libido, au lieu de s'investir sur un autre objet, s'est retirée sur le moi et y sert à établir une identification avec l'objet abandonné. L'objet aimé reconstitué dans le moi est le but de violentes attaques de la part du surmoi* (idéal du moi) ; ce sont les reproches que le mélancolique s'adresse à lui-même.

La manie* est une autre tentative pour résoudre ce même conflit, ce dont on peut voir la preuve dans l'alternance d'accès maniaques et d'accès mélancoliques chez un même sujet (psychose* maniaco-dépressive).

DEPRETIS (Agostino), homme d'État italien (Mezzana Corti 1813-Stradella 1887). Garibaldien, chef de l'extrême gauche, il est au pouvoir presque sans discontinuer de 1876 à sa mort. Opportuniste en politique intérieure, il oriente l'Italie vers la Triplice.

DEPREZ (Marcel), physicien et électricien français (Aillant-sur-Milleron, Loiret, 1843-Vincennes 1918). Il créa, en 1882, avec d'Arsonval*, le galvanomètre classique à cadre mobile et réalisa, en 1883, le premier transport industriel d'énergie électrique, entre Vizille et Grenoble (14 km).

DÉPUTÉ → PARLEMENTAIRE *(régime).*

DE QUINCEY (Thomas), écrivain anglais (Greenheys, Manchester, 1785-Édimbourg 1859). Au cours de ses études à l'université d'Oxford, il prend du laudanum pour calmer les névralgies dont il souffre et ne se déshabituera plus de l'usage de l'opium. Il se lie cependant avec les poètes lakistes* et commence sa carrière littéraire en publiant les *Confessions d'un mangeur d'opium* (1821). Tous les essais qu'il donnera ensuite sont marqués de la même fantaisie romantique, qui séduisit Nerval et Baudelaire, mélange de dilettantisme et de lucidité, qui pousse l'analyse intérieure jusqu'aux limites du subconscient (*De l'assassinat considéré comme un des beaux-arts,* 1827).

DÉRAILLEUR → BICYCLETTE.

DERAIN (André), peintre français (Chatou 1880-Garches 1954). Une exposition Van Gogh l'impressionne, en 1901, en même temps que son ami Vlaminck ; ensemble ils commencent à peindre, à Chatou, à l'aide de couleurs pures — avec, chez Derain, plus de circonspection et de raffinement — et ils sont bientôt, aux côtés de Matisse, les initiateurs du fauvisme*. Puis Derain, esprit inquiet, misanthrope, s'en éloigne rapidement, sous l'influence de Cézanne, de l'art nègre et de Picasso, pour pratiquer un art plus construit, aux tons austères, voire d'un anguleux hiératisme (période « gothique », 1911). Après la guerre, il se retourne vers les valeurs classiques, peint portraits, paysages et natures mortes dans une gamme retenue où s'affirment les bruns-rouges. Il a donné de remarquables bois gravés en couleurs (pour *Pantagruel*), des décors de théâtre, des modelages, des céramiques.

DÉRAPAGE → TENUE DE ROUTE.

DÉRATISATION. — La destruction des rats est indispensable pour éviter les maladies qu'ils transmettent (leptospiroses, peste, typhus, etc.) et les dégâts causés lorsqu'ils rongent les canalisations. Elle comporte la destruction des résidus d'aliments laissés à leur portée et la pose de grillages évitant la pénétration des rats dans les immeubles. La lutte offensive utilise les animaux ratiers, les pièges et les toxiques (anticoagulants, gaz toxiques).

DERBY, v. d'Angleterre, au S. de Sheffield, ch.-l. du *comté de Derby;* 218 000 hab. Constructions aéronautiques. Textiles.

DERBY (Edward STANLEY, 14e *comte* DE), homme politique britannique (Knowsley 1799-*id.* 1869). Secrétaire aux Colonies (1833-34 et 1841-1844), Premier ministre (1852, 1858, 1866-1868), il se conduisit en protectionniste acharné. — Son fils, EDWARD STANLEY, 15e *comte* **de Derby** (Knowsley 1826-*id.* 1893), s'opposa, comme ministre des Affaires étrangères (1866-1868, 1874-1878), à la politique impérialiste de Disraeli*.

DÉRIVATION. — Le terme de « dérivation » désigne traditionnellement le processus de création, à l'aide d'affixes*, de nouvelles unités lexicales : il s'agit de la suffixation qui change la catégorie grammaticale du mot dérivé *(grand → grandeur)* et de la préfixation qui ne la change pas *(voir → prévoir).*

En grammaire générative, la dérivation désigne le processus (ainsi que la suite de symboles qui décrit ce processus) menant des propositions de base aux phrases réalisées : *On a construit la maison / cela a duré six mois → la construction de la maison a duré six mois.*

DÉRIVATION (boîte de) → RACCORDEMENT.

DÉRIVE DES CONTINENTS. — La théorie de la dérive des

continents a été émise en 1912 par le géophysicien allemand A. Wegener*. Constatant le fait que l'Amérique du Sud paraît s'emboîter dans le golfe de Guinée, il a imaginé qu'autrefois les continents ne formaient qu'une masse unique, le continent de Gondwana (Amérique du Sud, Afrique, Madagascar, Deccan, Australie, Antarctique), flanqué au nord du continent nord-atlantique (Amérique du Nord, Eurasie). Cette masse se serait fragmentée à partir du début du secondaire, les continents migrant jusqu'à leur position actuelle à la manière de radeaux de sial sur le sima visqueux et plus dense. Wegener s'appuyait sur des arguments à la fois structuraux (structure géologique identique dans des régions actuellement séparées par des milliers de kilomètres), paléontologiques et paléoclimatiques. Cette théorie, à l'époque, partagea le monde scientifique en deux camps : les mobilistes (partisans de la dérive) et les fixistes (adversaires). Tombée un peu en désuétude, elle a repris une nouvelle vigueur dans les années 60 avec la théorie des plaques*.

DÉRIVÉE. — La dérivée d'une fonction* numérique f de la variable* réelle x en un point $x_0 \in \mathbb{R}$ est la limite, si elle existe, du rapport

$$u = \frac{f(x) - f(x_0)}{x - x_0}$$

quand x tend vers x_0. Si u a une limite quand x tend vers x_0 à droite (resp. *à gauche*), on dit que f est *dérivable à droite* (resp. *à gauche*). La fonction f est donc dérivable en x_0 si les dérivées, à droite et à gauche, existent et sont égales. Une fonction dérivable en tout point d'un domaine D est dite « dérivable sur D » : elle admet sur D une fonction dérivée. Ainsi, $f : x \mapsto x^2 + 2x$ admet comme fonction dérivée, en tout point de $\mathbb{R}$, la fonction notée f' telle que $f'(x) = 2x + 2$.

Si la fonction f admet, dans un domaine D, une dérivée positive, la fonction f est croissante sur D. Si, sur D, la dérivée est négative, la fonction f est décroissante.

DERJAVINE (Gavriil Romanovitch), poète russe (Kazan 1743-Saint-Pétersbourg 1816). Auteur d'odes officielles (*Felitsa,* 1783), religieuses ou satiriques, il est le meilleur représentant du classicisme russe.

DERMATOLOGIE. — Cette spécialité médicale s'adresse aussi bien aux états pathologiques qu'aux imperfections de l'esthétique de la peau. Les différentes anomalies peuvent être limitées au revêtement cutané, mais bien souvent elles participent à un processus pathologique qui affecte plusieurs organes, voire l'ensemble de l'organisme. Ainsi la dermatologie fait-elle appel à toutes les autres disciplines médicales, notamment à l'endocrinologie, à la gastro-entérologie, à la neurologie, à la bactériologie et, également, à la chirurgie pour supprimer les causes et corriger les conséquences des affections de la peau.

DERMATOSE. — Affections cutanées, en principe non inflammatoires, de nature non tumorale, les dermatoses sont classées en plusieurs groupes suivant leurs aspects cliniques et histologiques. C'est ainsi que l'on distingue des dermatoses érythémateuses (coups de soleil), érythémato-squameuses (psoriasis, dartres), papuleuses (lichen plan, syphilides papuleuses), vésiculeuses (eczéma), bulleuses (pemphigus), pustuleuses (impétigo), végétantes (tuberculose végétante, syphilides végétantes).

Parmi les *dermatoses professionnelles,* seules certaines sont reconnues par la loi et indemnisables, tel l'eczéma des cimentiers.

DERME → PEAU.

DERMITE. — Affections de la peau, en principe inflammatoires, les dermites atteignent surtout le derme, partie profonde du revêtement cutané. Parmi les diverses dermites, citons : les *dermites caustiques* des ménagères, qui atteignent la face palmaire des mains et sont dues à l'usage des divers produits ménagers ; les *dermites fessières* du nourrisson ; la *dermite de contact* (ou eczéma de contact) ; la *dermite ocre,* qui siège sur les jambes, réalise des placards brunâtres, ocres, et qui s'associe à une insuffisance veineuse profonde.

L'*érysipèle* est le type le plus connu des dermites streptococciques : il se manifeste par une plaque rouge, épaisse, sèche et chaude, et par de la fièvre ; les antibiotiques le guérissent rapidement, mais les récidives sont possibles.

Dernier des Mohicans *(le),* roman de Fenimore Cooper (1826). Amours romantiques et tragiques au milieu des combats qui opposent Français et Anglais et leurs alliés indiens dans leur dernière guerre au nord de l'Amérique.

DÉROGEANCE. — Sous l'Ancien Régime, le noble qui n'observait pas le genre de vie lié à sa qualité perdait ses privilèges et retournait à l'état de roture. La dérogeance sanctionnait notamment le fait de se livrer à certaines activités considérées comme avilissantes, telles que le travail manuel et le commerce. Bien qu'assouplie, cette notion subsista jusqu'à la Révolution, contribuant à maintenir le fossé entre noblesse et tiers état.

DÉROULAGE → PLACAGE.

DÉROULÈDE (Paul), homme politique français (Paris 1846-Mont-Boron 1914). Fondateur de la Ligue des patriotes (1882), il devient l'un des partisans les plus ardents de Boulanger* (1887-88). Député (1889-1892, 1898-99), il tente, en 1899, d'entraîner l'armée contre l'Élysée. Condamné à dix ans de bannissement (1900), il rentre en 1905 et se consacre à la propagande nationaliste.

DERRICK → FORAGE, OFFSHORE.

DERRIDA (Jacques), philosophe français (El-Biar, Algérie, 1930). Ses travaux sur la notion d'écriture* l'ont conduit à élaborer une stratégie de déconstruction du logocentrisme. Œuvres principales : *l'Écriture et la différence* (1967), *De la grammatologie* (1967), *la Dissémination* (1972), *Glas* (1974).

DERVAL (44590), ch.-l. de cant. de la Loire-Atlantique, à 25 km au S.-O. de Châteaubriant ; 2 880 hab. Industrie alimentaire.

DERVICHE. — Les derviches, membres des confréries religieuses musulmanes *(ṭarīqa),* doivent croire que la foi professée par leur ordre est l'essence ésotérique de l'islām et adhérer au rituel de leur ordre, qui tend en général à provoquer des états d'exaltation ou d'extase. Les premières confréries apparaissent au XIIe s. alors que le soufisme* se développe. Les ordres de derviches sont nombreux tant dans l'Orient arabe, persan ou turc (derviches tourneurs de Konya) qu'au Maghreb (Senousis* du Sahara).

DÉRY (Tibor), écrivain hongrois (Budapest 1894-*id.* 1977). Militant communiste, emprisonné aussi bien par le régime de Horthy avant 1940 que par celui de Kadar après 1956, il passe dans ses romans et ses nouvelles d'une peinture réaliste de la société (*la Phrase inachevée,* 1947; *la Réponse,* 1948-1952) à l'évocation ironique de la dégradation de toutes choses et de la solitude humaine (*l'Amour,* 1963 ; *l'Excommunicateur,* 1966 ; *Cher Beau-Père,* 1973).

DESAIX (Louis Charles Antoine DES AIX, dit), général français (près de Riom 1768-Marengo 1800). Sous-lieutenant en 1789, il se distingua à l'armée du Rhin (1796). Commandant l'avant-garde de l'armée d'Orient, il conquit et administra la Haute-Égypte (1798-1800). Son intervention décida de la victoire de Marengo, où il fut tué.

DE SANCTIS (Francesco), critique italien (Morra Irpina 1817-Naples 1883). S'inspirant de Hegel et de Vico, son œuvre, qui marque l'aboutissement de la culture romantique, étudie la formation de la littérature et de la conscience politique italiennes, à travers des couples d'opposition exemplaires (Dante/Pétrarque, Manzoni/Leopardi) : *Histoire de la littérature italienne* (1870-1871).

DESANTI (Jean-Toussaint), épistémologue français (Ajaccio 1914). Sa critique des philosophies de la science, et de la philosophie (Qui parle ? et d'où ?), s'enracine dans l'épistémologie* mathématique à laquelle il apporte, à la suite de J. Cavaillès*, une importante contribution. Œuvres principales : *les Idéalités* mathématiques* (1968), *la Philosophie silencieuse* (1975).

DESARGUES (Gérard ou Gaspard), mathématicien et ingénieur français (Lyon 1593-*id.* 1662). Il fut l'un des fondateurs de la géométrie projective, dans laquelle il introduisit les notions de points et de droites à l'infini. Connaisseur en stéréotomie, il pratiqua l'architecture (Paris, Lyon...).

DÉSARMEMENT. — Les efforts pour prévenir ou limiter les effets des conflits sont aussi anciens que la guerre. Au Moyen Âge, c'est l'Église qui les incarne par les notions de *paix,* ou *trêve de Dieu,* tandis que ses conciles proscrivent l'emploi des armes considérées comme les plus destructrices. En 1815, la Sainte-Alliance veut organiser la sécurité de l'Europe. Au milieu du XIXe s. naissent les congrès pacifistes internationaux et la Croix-Rouge. En 1899, la conférence de La Haye prône la réduction des armées et l'arbitrage obligatoire par une Cour permanente de justice, installée en 1901. En 1919, le traité de Versailles crée une *Société des Nations,* dont l'action en faveur de la paix sera fondée sur la trilogie *arbitrage-sécurité-désarmement.* Ces efforts sont réduits à néant par l'attitude de l'Allemagne qui, quittant la S. D. N. en 1933, entame la série des coups de force qui conduira à la Seconde Guerre mondiale.

L'Organisation des Nations unies prévoit dans sa charte (1945) la limitation et le contrôle des armements, auxquels l'ouverture de l'ère nucléaire donne une dimension nouvelle. Pendant près de vingt ans, comités et conférences de désarmement réunis à Lancaster House (1954-1956), puis à Genève s'enlisent en d'interminables discussions. En 1961-62, la crise de Cuba révèle le danger né de la parité atteinte dans le domaine nucléaire par les deux grandes puissances antagonistes, les États-Unis et l'U. R. S. S. Aussi, Washington et Moscou entament-ils désormais des pourparlers directs ; ils aboutissent à une série d'accords limités qui, tout en consacrant leurs positions de superpuissance, instaurent un climat de détente et aboutissent à quelques mesures concrètes en matière de désarmement :

René Descartes, par Frans Hals (v. 1580-1666). [Musée du Louvre, Paris.]

Giraudon

— le traité de Moscou* (5 août 1963) interdit les expériences nucléaires dans l'atmosphère ;
— le traité sur l'utilisation pacifique de l'espace (27 janv. 1967) interdit la militarisation des astres et planètes comme la mise sur orbite d'armes nucléaires ;
— le traité de Tlatelolco (14 févr. 1967) instaure une certaine dénucléarisation de l'Amérique latine ;
— le traité de non-prolifération des armes nucléaires (1er juill. 1968) vise à empêcher les pays non nucléaires de fabriquer ou de se procurer des armes nucléaires ;
— le traité de dénucléarisation des fonds marins (7 déc. 1970) interdit le dépôt d'armes nucléaires sur le fond des mers au-delà de 12 milles nautiques des côtes ;
— la convention du 10 avril 1972 interdit la production et le stockage d'armes biologiques et toxiques.

À ces accords, qui intéressent un grand nombre d'États, s'ajoutent les négociations menées directement depuis 1969 entre les États-Unis et l'U.R.S.S. sur la limitation des armements stratégiques. Connues sous le nom de SALT*, elles ont abouti aux traités signés à Moscou le 26 mai 1972 et le 3 juillet 1974 par Nixon et Brejnev. Dans ce cadre, un nouvel accord américano-soviétique signé le 28 mai 1976 limitait à 150 kt la puissance des essais nucléaires souterrains réalisés à des fins pacifiques. On notera enfin qu'en 1973 s'ouvraient à Helsinki et à Vienne des négociations sur la sécurité européenne et sur la réduction mutuelle et équilibrée des forces militaires en Europe. Les premières aboutirent à la signature à Helsinki, le 1er août 1975, par tous les États européens, sauf l'Albanie, d'un acte consacrant les frontières de 1945 et affirmant la volonté des signataires de fonder leurs relations sur le respect de leur indépendance et de leur liberté.

DÉSASSIMILATION. — Il ne faut pas confondre les insuffisances de l'absorption intestinale, responsables des diarrhées, avec la désassimilation, destruction normale ou pathologique des tissus usés, qui se traduit par le renouvellement permanent de la peau, de la paroi intestinale et des globules rouges du sang comme par la chute des cheveux ou des dents, ou par l'amaigrissement, la fonte musculaire ou la déminéralisation des os.

DESAULT (Pierre Joseph), chirurgien français (Vouhenans, Franche-Comté, 1738 - Paris 1795), fondateur de la première clinique chirurgicale qui ait existé en France.

DES AUTELS (Guillaume), poète français (manoir de Vernoble, Bourgogne, 1529 - † 1581). Il se rattache à la Pléiade par son imitation de Pétrarque et de Ronsard (*Amoureux Repos,* 1553), mais défend contre du Bellay les rhétoriqueurs et les poètes de l'école lyonnaise.

DÉSAVEU DE PATERNITÉ → FILIATION.

DESBORDES-VALMORE (Marceline), femme de lettres française (Douai 1786 - Paris 1859). Son lyrisme dut aux épreuves de sa vie une vérité qui influença Verlaine (*Élégies et romances,* 1819 ; *Bouquets et prières,* 1843).

DESCAMPS (Eugène), syndicaliste français (Lomme, Nord, 1922). Ouvrier métallurgiste, il milite au sein de la Jeunesse ouvrière chrétienne (J.O.C.) avant de se lancer dans l'action syndicale comme militant de la C.F.T.C., confédération dont il devient secrétaire général en 1961 et qu'il contribue à déconfessionnaliser, lors du congrès de 1964 : après quoi, et jusqu'en 1971, il assure le secrétariat général de la C.F.D.T.

DESCARTES (37160), ch.-l. de cant. d'Indre-et-Loire, sur la Creuse, à 23 km au N.-E. de Châtellerault ; 4481 hab. Papeterie.

DESCARTES (René), philosophe et savant français (La Haye [auj. Descartes], Touraine, 1596 - Stockholm 1650). Élève des Jésuites au collège de La Flèche, il s'engage dans diverses armées princières et parcourt l'Europe, abandonnant entre-temps le métier des armes. Le souci d'éviter trop de difficultés avec les autorités à l'occasion de ses écrits autant que le goût de l'aventure l'amènent à changer souvent de résidence, en Hollande même, où il séjourne près de vingt ans. Invité à Stockholm par la reine Christine de Suède, Descartes y meurt à la suite d'un refroidissement. Principaux écrits : *Règles pour la direction de l'esprit* (écrit vers 1628, publié en latin en 1701), *Discours* de la méthode* (1637), *Méditations** (1641), les *Principes de la philosophie* (1644), les *Passions de l'âme* (1649). L'œuvre de Descartes s'étend à tous les domaines : mathématique, physique, médecine, philosophie ; mais elle a pour souci premier de fonder la science de la méthode. « Toutes les sciences ne sont rien d'autre que la sagesse humaine, qui demeure toujours une et toujours la même » : cette « règle » lui sert de base pour développer l'idée d'une *mathesis universalis,* à savoir « la science générale expliquant tout ce qu'on peut chercher touchant l'ordre et la mesure sans application à une matière particulière ». En ce sens, cette méthode s'applique à toutes les sciences de l'univers, et la question métaphysique n'en est pas le fondement nécessaire, même si Dieu n'en est pas absent. Descartes s'apprête à publier *le Monde,* un traité de physique critiquant la scolastique, quand la condamnation de Galilée* intervient, ce qui l'oblige à renoncer à sa publication. Le *Discours de la méthode,* qu'il publie alors, est une tentative pour concevoir l'unité des recherches qu'il a entreprises sur la *Dioptrique,* les *Météores,* la *Géométrie,* et *le Monde* (traités qu'il a écrits). Cette conception de la connaissance va avoir sur l'histoire des sciences une influence considérable, en ce qu'elle rend valide la liaison entre l'expérience et la connaissance. Pour Descartes, la métaphysique, notamment la preuve rationnelle de l'existence de Dieu, qui existe parce qu'Il rend possible cette preuve, fonde la validité de sa méthodologie. Les *Méditations* jouent un rôle décisif dans l'histoire de la philosophie occidentale. Descartes y développe en effet une métaphysique qui fonde à la fois la rationalité de l'homme et la nécessité de Dieu, qui la garantit, tout comme dans les *Principes* il garantira la rationalité du monde physique, biologique et moral. Dans un premier temps, il est nécessaire de douter de tout, absolument, sauf du doute lui-même, ce qui implique qu'il y a, face au monde mis en question, une pensée, le « cogito ». S'il y a pensée, il y a être qui pense ; mais l'objectivité de ce qu'il pense, à savoir le monde ou lui-même, ne peut être fondée que par Dieu. Les conceptions physiques cartésiennes dépendent étroitement de sa métaphysique : la rationalité du monde physique et biologique s'exprime en termes de cause et d'effet exclusivement, conception que certains ont appelée « mécanisme », mais dont les fondements sont de la même nature rationnelle que ceux de l'esprit humain tel que le conçoit Descartes. Descartes a énoncé les lois de l'optique géométrique relatives à la réflexion et à la réfraction. En mathématiques, il a créé l'algèbre des polynômes et, avec Fermat*, la géométrie analytique. Il a énoncé les propriétés fondamentales des équations algébriques et simplifié les notations algébriques.

DESCENDERIE. — Galerie* inclinée descendant vers des travaux souterrains, la descenderie permet d'en remonter la production. Lorsqu'elle débouche au jour, elle remplace un puits*, avec l'avantage de permettre une extraction continue à très gros débit par convoyeur à bande. Pour que les produits ne glissent pas sur la bande, la pente doit être limitée à environ 30 p. 100. Pour la descente du personnel et du matériel, un chariot relié par un câble à un treuil circule sur une voie latérale, mais souvent un puits de service assure ces fonctions. Si la pente de la descenderie ne dépasse pas 10 p. 100, des camions gros porteurs peuvent remonter directement au jour les produits extraits.

DESCHAMPS (Eustache), poète français (Vertus, Champagne, v. 1346 - v. 1406). Élevé par Guillaume de Machaut et mêlé à la cour et aux campagnes de Charles V et de Charles VI, il a laissé une œuvre poétique importante (lais, rondeaux, ballades) et surtout cherché à définir ses principes esthétiques dans l'*Art de dictier* (1392), premier art poétique écrit en français.

DESCHAMPS (Émile DESCHAMPS DE SAINT-AMAND, dit **Émile**), poète français (Bourges 1791 - Versailles 1871), l'un des premiers adeptes du romantisme, auteur d'études sur les littératures étrangères. — Son frère, ANTOINE, dit **Antony** (Paris 1800 - *id.* 1869), traduisit *la Divine Comédie* et publia des *Études sur l'Italie* (1834).

DESCHANEL (Paul), homme d'État français (Schaerbeeck-lès-Bruxelles 1855 - Paris 1922). La majorité du Bloc national le fit élire à la présidence de la République (18 févr. 1920), mais il dut, pour raison de santé, se démettre de ses fonctions le 21 septembre 1920.

DESCOMBEY (Michel), danseur et chorégraphe français (Bois-Colombes 1930). Formé à l'école de danse de l'Opéra de Paris, maître de ballet (1963-1969), il affirme sa modernité dans ses créations chorégraphiques *(Zyklus, Gymnopédies).* Mais c'est au sein du Ballet-Théâtre contemporain qu'il donne la mesure de son talent original avec des œuvres sobres, d'une construction et d'un langage rigoureux *(Déserts, Violostries, Thrène, le Huitième Jour).*

DÉSENSIBILISATION. — La désensibilisation essaie de faire disparaître l'intolérance de certains individus vis-à-vis de certaines substances. Cette méthode permet le traitement des manifestations de l'allergie, surtout l'asthme, mais aussi l'urticaire et l'eczéma constitutionnel. On distingue deux types de désensibilisation.

• La *désensibilisation spécifique* n'est possible que lorsque l'allergène est connu. On s'efforce de provoquer une accoutumance à l'allergène, par injections à doses progressivement croissantes de celui-ci. Le contrôle médical doit être strict, car des réactions parfois dangereuses peuvent survenir.

• La *désensibilisation non spécifique* est aveugle et d'efficacité limitée car elle est entreprise lorsque l'allergène n'est pas connu. Elle fait appel à l'injection de protéines, de sels de calcium, d'hyposulfites par voie veineuse ainsi qu'à l'injection de gammaglobulines d'origine humaine.

DÉSÉQUILIBRE → PSYCHOPATHIE.

DÉSERT. — Tout milieu est désert lorqu'il est défavorable aux êtres vivants. Les *déserts froids* caractérisent les régions des hautes latitudes. Les températures trop basses (souvent en dessous de 0 °C) empêchent la croissance de la végétation, et ces secteurs sont vides d'hommes (Antarctique, Canada septentrional). Les *déserts chauds* sont situés sous les tropiques. La sécheresse en est le caractère dominant, les températures pouvant présenter des variations très marquées. En présence d'eau (que l'on va chercher en profondeur par différents systèmes de puits), la culture y est possible, ponctuellement, dans les oasis.

Les plantes des déserts chauds s'adaptent par un double processus : utilisation maximale de l'eau lorsqu'il y en a, réduction extrême des pertes d'eau. De nombreuses espèces demeurent à l'état de graine jusqu'à une pluie, à la suite de laquelle elles germent, grandissent, fructifient et disséminent leurs graines en moins de quinze jours. Ce sont les *éphémérophytes.* D'autres plantes, les cactus par exemple, ont des tissus charnus qui retiennent l'eau grâce à une forte pression osmotique, et elles réservent leurs échanges gazeux aux heures nocturnes, une photosynthèse d'un type spécial leur permettant une utilisation retardée du gaz carbonique de l'air. D'autres enfin *(cryptophytes)* ont un vaste réseau de racines et une partie aérienne minuscule. Quant aux animaux, ils obtiennent les mêmes résultats par d'autres moyens : enfouissement dans un sous-sol relativement frais et humide, capacité de boire beaucoup d'eau en peu de temps, lutte contre la transpiration et même contre l'excrétion d'eau par voie urinaire, rejet direct de sel chez certains lézards, sommeil estival chez la gerboise. En outre, les animaux du désert sont d'excellents coureurs, capables de parcourir de grandes distances à la recherche de l'eau. Bien entendu, d'autres difficultés sont à vaincre : rareté de la nourriture, sol sableux meuble et brûlant, etc. La faune et la flore des déserts sont, de ce fait, aussi pauvres en espèces que chaque espèce est, à son tour, pauvre en individus.

DÉSERTINES (03100 Montluçon), comm. de l'Allier, banlieue nord-est de Montluçon; 4593 hab.

DÉSERTIQUE (climat) → ARIDE *(climat).*

DÉSERTIQUE (relief). — Dans les régions de climat aride*, en l'absence de couverture végétale, la désagrégation des roches résulte principalement de phénomènes mécaniques (alternances de température, corrosion par les grains de sable, etc.). Le rôle du vent est essentiel. Il exerce un tri dans les particules détritiques, laissant les plus grossières, qui tapissent les regs caillouteux, et soulevant les plus fines, qu'il va accumuler en champs de dunes* dans les ergs. Dans les hamadas, la surface structurale affleure à nu, formant de vastes plateaux. Mais le rôle de l'eau est loin d'être négligeable. Lors des rares pluies, elle se concentre dans les oueds, cours d'eau intermittents au pouvoir érosif intense, qui vont se perdre dans les sebkhas, lacs salés au niveau variable, parties les plus déprimées des chotts. Elle peut aussi ruisseler en nappes d'épandage, qui façonnent des pédiments, ou glacis d'érosion, au pied des reliefs se dressant en inselbergs.

DÉSÉTABLISSEMENT. — Ce terme (en anglais *disestablishment*) correspond assez bien à ce que, en France, on appelle « séparation des Églises et de l'État ». En fait il ne s'applique pas à l'Église d'Angleterre et à l'Église d'Écosse, qui sont des Églises établies, mais à l'Église anglicane d'Irlande, désétablie depuis 1869, et à celle du pays de Galles, désétablie depuis 1920.

DÉSHERBAGE → SOL.

DESHOULIÈRES (Antoinette DU LIGIER DE LA GARDE, Mme), femme de lettres française (Paris 1637-*id.* 1694), auteur de poésies pastorales qui opposent au raffinement de la société de son temps la simplicité de la nature primitive.

DÉSHYDRATATION. — La *déshydratation cellulaire* se traduit par une soif avec sécheresse des muqueuses, perte de poids et asthénie. Elle se rencontre dans le diabète insipide, au cours de vomissements répétés, etc. Elle est souvent associée à la *déshydratation extracellulaire* qui se manifeste par une asthénie avec sécheresse des téguments, une hypotension artérielle et une oligurie consécutives à des pertes d'eau et de sel, qui sont proportionnelles.

DE SICA (Vittorio), cinéaste italien (Sora 1901-Paris 1974). Comédien de théâtre puis jeune premier à l'écran, il aborda la mise en scène cinématographique en 1939. À partir de 1946 *(Sciuscia),* il fut l'un des leaders du néo-réalisme et signa en étroite collaboration avec le scénariste Zavattini ses meilleurs films : *le Voleur de bicyclette* (1948), *Miracle à Milan* (1950), *Umberto D* (1952). Il réalisa ensuite, notamment, *l'Or de Naples* (1954), *le Toit* (1956), *la Ciociara* (1960), *Hier, aujourd'hui, demain* (1964), *Mariage à l'italienne* (1964), *le Jardin des Finzi Contini* (1971), tout en continuant sa propre carrière d'acteur (*le Général Della Rovere,* de R. Rossellini, 1959).

DESIGN. — À travers les travaux des Arts and Crafts (créés en 1888 par W. Morris*) et du Deutscher Werkbund (fondé en 1907), les recherches du Bauhaus*, puis les techniques de « styling » des esthéticiens industriels (R. Loewy, né en 1893), la problématique du design s'est centrée progressivement sur la fonction de l'objet dans l'environnement et sur la primauté de la structure par rapport à la forme. Sans renoncer aux critères esthétiques, le designer est amené à réaliser, en collaboration avec les spécialistes de la fabrication et de la vente, une synthèse des impératifs industriels et des besoins sociaux. L'objet apparaît alors comme un ensemble de messages (selon ses formes, son maniement, ses fonctions), auquel correspondent des codes conventionnels : le designer organise la cohérence de l'objet à l'intérieur d'un système de communication.

Les pays industriels, confrontés aux problèmes de production et de consommation, forment les designers les plus importants. En premier lieu, les États-Unis (C. Eames*, G. Nelson [né en 1908]), mais aussi l'Italie, plus particulièrement portée vers les objets usuels et l'aménagement intérieur (M. Nizzoli*, J. Colombo*, B. Munari [né en 1907], artiste autant que designer, G. Pesce [né en 1939], à la démarche contestataire), les pays scandinaves, spécialisés dans le métal et le bois (A. Jacobsen*, E. Saarinen*, V. Panton*), la Grande-Bretagne (groupes d'avant-garde Pentagram et Archigram), l'Allemagne (H. Gugelot [1920-1965], longtemps professeur à la célèbre école d'Ulm, fondée par M. Bill*), la France aussi avec R. Tallon*, P. Paulin*, M. Held*, O. Mourgue*, le studio Technès, le groupe Mafia, Quasar*. L'U. R. S. S. aborde les mêmes problèmes avec des instituts créés au début des années 60. Aujourd'hui, le développement de la production industrielle et l'extension toujours accrue des champs d'application du design conduisent à son internationalisation et, en même temps, à sa diversification en fonction des secteurs concernés : industrie, architecture, urbanisme, environnement, publicité.

DÉSINFECTION. — La désinfection des locaux ou des instruments chirurgicaux utilise la chaleur sèche ou humide, les désinfectants (formol, eau de Javel, lait de chaux, crésol, etc.) ou les rayons ultraviolets. La désinfection des locaux d'habitation et des déjections (urines, selles, etc.) est obligatoire au cours et à la fin de certaines maladies contagieuses.

DÉSINTÉGRATION *(Phys. nucl.).* — La désintégration est spontanée dans le radium et les autres radioéléments, naturels ou artificiels; elle peut aussi être provoquée par un bombardement corpusculaire, en particulier grâce aux accélérateurs* de particules. La *fission** est un cas particulier de désintégration.

DÉSINTOXICATION. — Les cures de désintoxication sont pratiquées chez les éthyliques et les toxicomanes. Nécessitant la coopération du malade, les modalités diverses de sevrage associent parfois des cures de dégoût. Leurs résultats sont inégaux.

DÉSIR. — Avec Jacques Lacan*, la notion de désir et les notions corrélatives de demande et de besoin sont au premier plan de la théorie analytique. Le désir est le propre de l'ordre inconscient, il marque l'altérité fondamentale du conscient et de l'inconscient. « Cette force, ainsi que l'écrit S. Leclaire, qui donne sa cohérence inéluctable et aveugle au système inconscient porte un nom : le désir. »

Le besoin est de l'ordre du biologique, il est orienté vers un objet propre à le combler. Cependant, chez l'homme, le besoin n'est pas uniquement l'expression d'une nécessité vitale, il peut aussi être l'expression d'un désir, par laquelle Lacan définit la demande. Ainsi le symptôme névrotique exprime une demande correspondant au désir refoulé, ce qui au niveau même de la conduite de la cure analytique fait que « le thérapeute ne doit pas répondre naïvement à la demande du patient, car il risque de méconnaître ce qui de l'ordre du désir cherche à se faire reconnaître », écrit M. Mannoni (1970); en effet, « une réponse trop rapide à la demande colmate ce qui en est du désir ».

DÉSIRADE (la) [97127], île des Antilles françaises, dépendance de la Guadeloupe; 1682 hab. Ch.-l. *Grande-Anse.*

DESJARDINS (Martin VAN DEN BOGAERT, dit), sculpteur français d'origine hollandaise (Breda 1640 - Paris 1694). Il fit une brillante carrière officielle, travaillant pour Versailles (à partir de 1670) et surtout pour Paris : monument à la gloire de Louis XIV, achevé en 1686, place des Victoires, et dont il ne reste que les bas-reliefs en bronze (Louvre; dans le même musée, énergique buste en marbre de P. Mignard).

DESLANDRES (Henri), astronome français (Paris 1853 - *id.* 1948). On lui doit l'invention du spectrohéliographe qui permet d'observer en tout temps la chromosphère et les protubérances solaires.

DESMARETS (Nicolas), seigneur **de Maillebois,** homme politique français (Paris 1648 - *id.* 1721). Neveu de Colbert*, il fit face, comme contrôleur général des Finances (1708-1715), à la grande crise financière et économique qui marqua la fin du règne de Louis XIV.

DESMARETS DE SAINT-SORLIN (Jean), écrivain français (Paris 1595 - *id.* 1676). Célèbre par la verve caricaturale de sa comédie *les Visionnaires* (1637), il ouvrit la querelle des Anciens* et des Modernes avec son traité *De la comparaison de la langue et de la poésie française avec la grecque et la latine* (1670), puis devint un adversaire acharné des jansénistes.

DE SMET (Gustave) → EXPRESSIONNISME.

DESMICHELS (Louis, *baron*), général français (Digne 1779 - Paris 1845). Il combattit en Algérie contre Abd el-Kader puis signa un traité avec lui en 1834.

DES MOINES, v. des États-Unis, capit. de l'Iowa, sur la *rivière Des Moines* (658 km), affl. du Mississippi (r. dr.); 201 000 hab.

DESMOULINS (Camille), homme politique français (Guise 1760 - Paris 1794). Avocat, il prend une part prépondérante au soulèvement populaire de juillet 1789. Journaliste *(les Révolutions de France et de Brabant),* clubiste aux Cordeliers*, il contribue à la chute de la royauté (10 août 1792). Député de Paris à la Convention, fondateur et animateur du *Vieux Cordelier* (1793), C. Desmoulins excite la défiance de Robespierre quand il soutient Danton* et les Indulgents; aussi est-il enveloppé dans la disgrâce des Dantonistes et exécuté avec eux (5 avr. 1794). — Sa femme, LUCILE (Paris 1771 - *id.* 1794), fut exécutée peu après.

DESNOS (Robert), poète français (Paris 1900 - mort en déportation à Terezín, Tchécoslovaquie, 1945). Membre du groupe surréaliste, il pratiqua assidûment le sommeil hypnotique, proclamant son refus des conventions sociales et littéraires (*la Liberté ou l'Amour,* 1927), puis il évolua, à travers la reprise de thèmes traditionnels, vers la constitution d'un « langage poétique, à la fois populaire et exact » (*Corps et biens,* 1930; *Fortunes,* 1942; *Domaine public,* 1953).

DÉSOXYRIBONUCLÉIQUE → NUCLÉIQUE.

DES PÉRIERS (Bonaventure), écrivain français (Arnay-le-Duc v. 1510 - v. 1544), auteur des dialogues du *Cymbalum mundi* (1537), satire des connaissances et des croyances humaines coupées de la « vraie charité », et des *Nouvelles Récréations et joyeux devis* (1558), recueil de contes où l'on trouve, à travers une peinture réaliste des mœurs du temps, une véritable « philosophie de la joie ».

DESPIAU (Charles), sculpteur français (Mont-de-Marsan 1874 - Paris 1946). Influencé par Lucien Schnegg (1867-1909), un élève classicisant de Rodin, il est l'auteur de bas-reliefs et de statues, mais surtout de nombreux bustes au modelé délicat, longuement élaborés.

DESPORTES (Philippe), poète français (Chartres 1546 - Bonport, Normandie, 1606). Poète de cour, préféré à Ronsard par Henri III, il imita les Italiens et les Espagnols et fut le chef de file des néopétrarquistes. Il émonda la langue de la Pléiade de ses néologismes et mit la mythologie à la portée des dames (*Premières Œuvres,* 1573). Mais son inspiration ne répondit pas à son ambition (*Psaumes,* 1591) et lui valut les critiques de Malherbe.

DESPORTES (François), peintre français (Champigneul?, diocèse de Reims, 1661 - Paris 1743). Animalier de formation, il est reçu à l'Académie en 1699 avec son *Autoportrait en chasseur* (Louvre), devient le peintre des chasses et des chenils royaux et acclimate en France, en la tempérant, la tradition des riches natures mortes à la Snyders. Les Gobelins lui demandent en 1735 les huit cartons des *Nouvelles Indes.* Ses études à l'huile d'après les sites de l'Île-de-France (Compiègne) annoncent le paysage du XIXe s.

DESPOTAT. — Au Moyen Âge on donna ce nom aux principautés gouvernées par de hauts personnages investis du titre byzantin de « despote ». Certains despotats furent des apanages créés au profit de princes de la famille impériale (despotat de Mistra, 1348-1460), mais la plupart furent de véritables États indépendants fondés à la faveur des désordres qui ébranlèrent l'Empire au XIIIe s. Dès le lendemain de la prise de Constantinople (1204) apparut le despotat d'Épire (1205-1418), dont les premiers souverains furent assez puissants pour étendre leur influence jusqu'aux portes de Byzance et convoiter le titre de « basileus ». L'état d'anarchie qui persista après la restauration byzantine de 1261 favorisa la création d'autres despotats : Valachie (1271-1318), Romanie (1274-1383).

DESSALEMENT DES EAUX. L'eau salée à traiter est chlorée, puis décantée, avant de servir au refroidissement du condenseur de l'unité de distillation sous vide. Entrée dans l'unité de distillation à 25 °C, puis portée à 94,2 °C. par son passage dans un réchauffeur, elle est ensuite dirigée sur la base de l'unité de distillation où, passant d'élément en élément, elle entre en ébullition et se vaporise. Le condensat de la vapeur est de l'eau douce qu'il suffit d'aérer pour la rendre consommable.

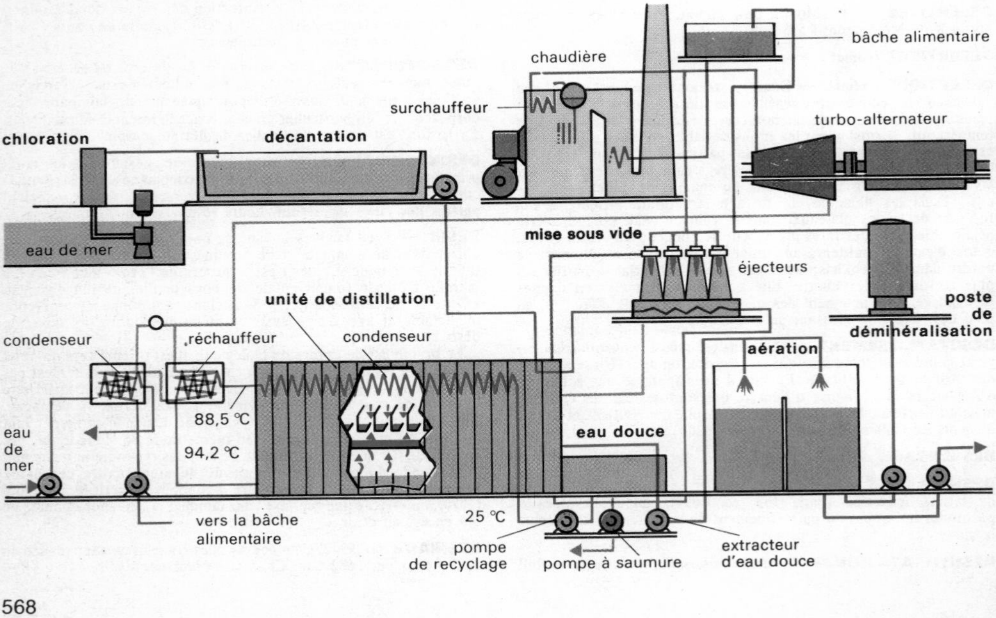

DESPOTISME ÉCLAIRÉ. — Au siècle des lumières, il s'agit du gouvernement autoritaire d'un État que son souverain entend faire progresser en appliquant, pour le plus grand bien de la communauté, les théories politiques des philosophes du temps. Le despotisme éclairé trouva en Europe des points d'application : en Prusse, avec Frédéric II*; en Russie, avec Catherine II*; en Autriche, avec Marie-Thérèse* et Joseph II*; à Naples puis en Espagne, avec Charles III*; en Suède, avec Gustave III*. Quelques ministres, surtout dans les petits États, se firent les tenants du despotisme éclairé, notamment : Pombal* au Portugal, Du Tillot à Parme, Tanucci* à Naples, Struensee* au Danemark.

DES PRÉS (Josquin), compositeur français (Beaurevoir v. 1440-Condé-sur-Escaut 1521 ou 1524). Il résidera longtemps en Italie, comme chantre, notamment à Milan, à Rome à la chapelle papale et à Ferrare, avant de rentrer en France et de s'installer à Saint-Quentin. En ses messes et motets, devenu maître de l'écriture contrapuntique savante telle qu'on la pratiquait dans les pays flamands, il a su y joindre une effusion mélodique acquise au contact des musiciens qu'il a fréquentés en Italie. La limpidité de sa polyphonie, l'expressivité de ses voix horizontales, en lesquelles il insère des thèmes de plain-chant (messe *Pange lingua*), se retrouvent en ses chansons. Son œuvre connaîtra un grand rayonnement pendant plusieurs siècles.

DESQUAMATION. — À l'état normal, il existe une desquamation permanente de la peau, fine, superficielle et invisible. Elle peut être accentuée par l'application de produits caustiques. Au cours de nombreux états pathologiques, la desquamation devient visible sous forme de squames sur le corps (ichtyose, psoriasis) ou sur le cuir chevelu (pityriasis sec du cuir chevelu, psoriasis). La desquamation en larges lambeaux marque la fin de l'évolution de la scarlatine.

DESROCHERS (Alfred), écrivain canadien d'expression française (Saint-Élie-d'Orford 1901). Il passe, dans ses recueils poétiques, d'une esthétique parnassienne à un lyrisme d'inspiration mystique (*À l'ombre de l'Orford,* 1929).

DESROSIERS (Léo Paul), écrivain canadien d'expression française (Berthierville 1896-Montréal 1967). Auteur de contes rustiques et de romans de mœurs (*Sources,* 1942), il reste l'un des meilleurs représentants du roman historique québécois (*les Engagés du Grand Portage,* 1938).

DESSALEMENT DES EAUX. — Devant les besoins considérables de l'humanité en eau*, tant pour des usages personnels que pour des usages industriels, il a paru nécessaire d'envisager le traitement des eaux salées et saumâtres; pour ce faire, plusieurs méthodes sont employées. Le *procédé de distillation* par détentes successives,* appelé aussi *multiflash* ou encore *procédé éclair à effets multiples ou polyétagé,* consiste à faire passer l'eau de mer dans une série de chambres, la pression et la température diminuant d'une chambre à l'autre; l'eau se vaporise de façon très rapide dès son entrée dans chaque chambre, en raison de la diminution de pression. Le *procédé des longs tubes verticaux* consiste à vaporiser l'eau de mer dans une série de tubes, la pression et la température diminuant d'un tube à l'autre, chacun des tubes étant chauffé par la vapeur produite dans le précédent. Le *procédé d'électrodialyse** fait appel à un champ* électrique qui permet de faire passer les sels dissous à travers des membranes sélectives que les molécules d'eau ne peuvent pas traverser. Le *procédé d'osmose* inverse* utilise au contraire la pression pour que les molécules d'eau traversent une membrane* semi-perméable que les sels dissous ne peuvent pas franchir. L'énergie* nucléaire peut être également utilisée dans les opérations de dessalement.

DESSALINES (Jean-Jacques), empereur d'Haïti (en Guinée av. 1758-Jacmel, Haïti, 1806). Maître de Haïti après le départ des Français en 1803, il se fait proclamer empereur sous le nom de Jacques Ier (1804); il est assassiné par ses rivaux Christophe* et Pétion*.

DESSAU, v. de l'Allemagne orientale, au sud-ouest de Berlin; 100 000 hab. Constructions mécaniques et électriques.

DESSICCATION. — Pour opérer la dessiccation des substances chimiques solides ou liquides, on les place, par exemple, sous une cloche de verre hermétiquement close, en même temps qu'un vase rempli d'acide sulfurique concentré ou d'un produit quelconque très avide d'eau (chaux vive, chlorure de calcium, etc.). On active la dessiccation en faisant le vide sous la cloche. Quand ces moyens sont insuffisants, on chauffe les corps dans des étuves spéciales. On combine souvent l'action de la chaleur avec celle du vide. Pour dessécher les gaz, on les fait passer dans des tubes en U contenant des matières avides d'eau et présentant une grande surface, telles que du chlorure de calcium desséché, de l'anhydride phosphorique, des fragments de pierre ponce imbibés d'acide sulfurique.

DESSIÉ ou **DESSYE,** v. d'Éthiopie, au N.-E. d'Addis-Abeba; 47 000 hab.

DESSIN *(Bx-Arts).* — Capable depuis les époques primitives d'exprimer les *valeurs* autant que les *contours,* le dessin ne se sépare de la peinture* par aucune solution de continuité précise, ni dans la démarche des artistes qui le pratiquent (soit pour lui-même, soit à titre de projet d'une œuvre peinte ou sculptée), ni par les techniques qu'il met en jeu (le *lavis* est une peinture monochrome, le *pastel* une peinture sèche). Sa spécificité se trouve dans le caractère de « gestualité » immédiate qu'il présente le plus souvent, dû à la relative simplicité de ses instruments, qui, de tout temps, ont été comme le prolongement naturel de la main humaine : pointes de métal, bois carbonisé, fragments de roches colorantes, plume et pinceau. Dès la préhistoire, des pointes ont été utilisées pour graver, le doigt lui-même et des pinceaux trempés dans un liquide coloré pour tracer des formes sur une paroi rocheuse, puis sur de la céramique. L'Antiquité connaît le dessin *linéaire,* mais aussi en *hachures* et en *modelé* (par l'ombre et la lumière), preuve d'une évolution parallèle à celle de la peinture. Le Moyen Âge occidental insiste sur le contour, la circonscription des formes, utilisant la *pointe d'argent* — à laquelle succéderont la *mine de plomb,* puis, aux XVIIIe et XIXe s., le *graphite* et le crayon du type « Conté » — et, surtout, la *plume.* L'*encre* et le *bistre* sont utilisés non seulement à la plume, mais en *lavis,* dilution étalée au *pinceau,* dès le XVe s. (au XVIIe, Poussin, Rembrandt...), comme les rehauts d'aquarelle*, et comme la *sépia* à partir du XVIIIe s. Le pinceau n'est pas la seule technique qui permette à la fois le trait et le modelé : c'est aussi le propre de la *sanguine* — utilisée, en Italie, surtout à partir du XVIe s. —, de la *pierre noire,* ou *pierre d'Italie,* et du *fusain.* La libre combinaison des techniques conduit à des variantes inépuisables (Léonard de Vinci, le Véronèse...), mais certaines alliances sont codifiées, telle la polychromie aux *trois crayons (pierre noire, sanguine, craie)* que Watteau et le XVIIIe s. ont amplifiée à partir d'exemples antérieurs (les Clouet). L'usage des papiers teintés, de la gouache, du fusain traité en hachures ou travaillé à l'*estompe* multiplie la richesse des effets picturaux, de Titien à Prud'hon. Le pastel, connu dès le XVe s., a surtout pris de l'importance depuis le XVIIIe s., en même temps que progressaient les procédés de *fixation* (La Tour, Degas...).

Au XXe s., la ligne, la hachure, le frottis, la tache, étudiés par Kandinsky ou par Klee comme un véritable vocabulaire expressif, sont au service de l'automatisme* abstrait comme des formes renouvelées du réalisme.

DESSIN *(Psychol.).* — Le dessin chez l'enfant évolue par étapes successives, en relation avec celles de l'intelligence*.

À partir de deux ans, l'enfant cherche à représenter quelque chose par son dessin, mais ses intentions changent brusquement au cours de la réalisation. Un peu plus tard, il cherche à représenter tout ce qu'il sait d'un objet et non pas ce qu'il en voit. Il le représente comme s'il était transparent, ne tenant pas compte de la perspective ni des proportions relatives des détails : tous ceux qui ont une signification affective pour lui sont surestimés, et les autres sont simplifiés. Ce stade correspond à celui du syncrétisme du développement intellectuel. La justesse des proportions et le nombre des détails représentés augmentent avec l'âge, si bien que de nombreux psychologues ont eu l'idée d'évaluer le niveau intellectuel en fonction de ces caractéristiques. Le test du bonhomme de Florence Goodenough est fondé sur ce principe. Le dessin peut également être étudié comme une manifestation de la vie affective, et, en tant que tel, il joue un très grand rôle dans la psychanalyse des enfants, au même titre que les associations libres et le jeu. Expression des conflits inconscients, le dessin est aussi un moyen de les résoudre, en permettant l'extériorisation de l'angoisse et la représentation active d'une situation traumatisante subie passivement.

DESSIN SATIRIQUE ET D'HUMOUR. — Déjà présent dans certaines figures sculptées des cathédrales du Moyen Âge, l'art de charger un personnage ou une situation pour dénoncer ou railler a inspiré des « têtes d'expression » (visages grimaçants...) à Léonard de Vinci, des portraits composés de légumes et de fruits à Arcimboldi, des profils caricaturaux aux Carrache, etc.

Au XVIIIe s. s'ouvre en Angleterre une grande période pour la satire avec Hogarth*, moraliste désespéré, suivi — au moment où Goya, en Espagne, traite certains portraits avec une cruauté caricaturale — de Rowlandson*, observateur impitoyable des mœurs anglaises, de James Gillray (1757-1815), spécialisé dans la caricature politique, puis, au XIXe s., de George Cruikshank*, plus humoriste. Mais l'héritage de la satire graphique passe à Paris, pour y trouver son plein épanouissement. La lithographie, technique directe et rapide, bien adaptée aux tirages importants des journaux spécialisés *(la Caricature, le Charivari),* devient une arme contre les tares de la société; c'est alors que naissent des « types » comme Robert Macaire et Ratapoil (Daumier*), Joseph Prudhomme (Monnier*), Thomas Vireloque (Gavarni*). Plus fantaisiste, l'humour inspire l'Allemand Wilhelm Busch (1832-1908) et le Suisse Rodolphe Toepffer*. Avec la relative liberté de presse accordée par les institutions républicaines, une nouvelle génération d'artistes peut aborder directement les questions politiques (affaire Dreyfus) et sociales (injustice, colonialisme, militarisme). Ce sont Forain*, Caran d'Ache*, Steinlen* et beaucoup d'autres, travaillant pour des journaux comme *l'Assiette au beurre* ou *le Rire.* Plus violent, le dessin satirique allemand porte alors la marque de l'expressionnisme dans les œuvres de George Grosz* et des collaborateurs du journal *Simplicissimus.*

Après la Seconde Guerre mondiale, le dessin satirique et humoristique prend un caractère souvent plus aimable d'information et d'illustration, mais aussi se donne pour cible sans cesse renouvelée le monde moderne et ses absurdités, avec Steinberg* et l'équipe du *New Yorker,* Chaval*, Mose (né en 1917), Jean Bosc

C. Gaspari - Galerie Maeght

Dessin de Saul Steinberg. v. 1964-65. (Galerie Maeght.)

(1924-1973)... Truculent avec Ronald Searle*, insolent avec David Levine (né en 1926), il sait être aussi poétique avec Maurice Henry (né en 1907), ami des surréalistes. Aujourd'hui, il rejoint certains thèmes de contestation et de révolte avec Siné (né en 1928), Georges Wolinski (né en 1934), Jean-Marc Reiser (né en 1941), ou participe à une « nouvelle culture » *Underground,* tant sur le plan du dessin que sur celui des idées, avec Crumb*.

Des souris et des hommes, roman de Steinbeck (1937). Deux journaliers agricoles rêvent de posséder une ferme : un petit homme inquiet et un géant, à l'âge mental d'un enfant, qui broie ce qu'il caresse — ce qu'il fait de la jolie fermière qui l'a provoqué; son compagnon le tue pour lui éviter d'être lynché, sans cesser d'évoquer leur rêve commun. « Les plans les mieux conçus des souris et des hommes, il arrive souvent qu'ils ne se réalisent pas », a dit le poète Robert Burns.

DESTELBERGEN, comm. de Belgique (Flandre-Orientale), près de Gand; 8 005 hab. (en 1970).

DESTOUCHES (André Cardinal), compositeur français (Paris 1672-*id.* 1749). Cet ancien mousquetaire, grand voyageur, travaille avec Campra. Inspecteur (1713), puis directeur (1728) de l'Académie de musique, il devient en même temps surintendant de la musique royale (1726). Il écrit des divertissements (*Issé,* 1697; *le Carnaval et la Folie,* 1704) et des tragédies lyriques (*Omphale,* 1701; *Callirhoé,* 1712). Son art prolonge celui de Lully et de Campra.

DESTOUCHES (Philippe NÉRICAULT, dit), auteur dramatique français (Tours 1680-Fortoiseau, près de Melun, 1754). Il dut à ses comédies moralisatrices une célébrité précoce mais passagère (*le Glorieux,* 1732).

Destour, parti politique tunisien. Le parti libéral constitutionnel est fondé en 1920 par les nationalistes tunisiens qui réclament une constitution *(al-dustūr).* En 1934 a lieu la scission entre le *Vieux Destour,* panarabe et musulman, et le *Néo-Destour,* partisan du nationalisme tunisien et de la laïcité, animé par Bourguiba*. Le Néo-Destour lutte pour introduire des réformes démocratiques et sociales dans le cadre du protectorat. Devant l'échec des négociations, il réclame en 1952 l'indépendance, qui sera accordée en 1956. En 1964, il devient le *parti socialiste destourien.*

DESTRÉE (Jules), écrivain et homme politique belge (Marcinelle 1863-Bruxelles 1936). Député socialiste (1894), il devint ministre des Sciences et des Arts et fonda l'Académie de langue et de littérature françaises (1920). Il combattit l'influence flamande (*Wallons et Flamands,* 1923) et fut un ardent promoteur du mouvement intellectuel et politique wallon.

DESTUTT DE TRACY (Antoine Louis Claude, *comte*), philosophe français (Paris 1754-*id.* 1836). Parallèlement à sa carrière politique, il développe une philosophie sensualiste dans *Éléments d'idéologie* (1804), qui a influencé le mouvement des idéologues*.

DÉSULFURATION. — Le pétrole* brut contient de 1 à 4 p. 100 de soufre* sous forme d'hydrogène sulfuré H_2S ou de mercaptans*, qui sont des combinaisons du soufre avec un hydrocarbure*, corrosives et malodorantes.

• La *désulfuration des carburants**, en éliminant ces composés, supprime les facteurs agressifs et facilite l'action des additifs antidétonants, car l'efficacité du plomb tétraéthyle pour améliorer l'indice d'octane* d'une essence* est très diminuée en présence de soufre. De nombreux procédés de raffinage* sont utilisés pour « adoucir » les carburants, c'est-à-dire ramener leur teneur en soufre à moins de 0,1 p. 100; le plus répandu consiste d'abord en un lavage à la soude* caustique, pour retenir l'hydrogène sulfuré, suivi d'une extraction des mercaptans à l'aide de réactifs solubilisants ou catalytiques.

• La *désulfuration des essences spéciales* (white spirit), du pétrole lampant (kérosène, carburéacteurs) et du gas-oil* (carburant Diesel et fuel-oil* domestique) se fait par hydrogénation*, grâce à l'hydrogène disponible dans les raffineries en provenance du reformage*. Cette *hydrodésulfuration,* qui s'applique à la quasi-totalité des produits pétroliers, transforme les composés sulfurés en hydrogène sulfuré, en présence d'un catalyseur, sous l'effet conjugué de la température (de 300 à 400 °C) et de la pression (de 30 à 70 bar), la sévérité des conditions opératoires augmentant lorsque l'on passe des charges légères et peu sulfureuses aux gas-oils dont il faut abaisser la teneur en soufre de 1,2 à 0,1 p. 100. Le procédé, légèrement endothermique, nécessite un four* suivi du réacteur de désulfuration qui contient le catalyseur; constitué d'oxydes de cobalt* et de molybdène* sur un support d'alumine*, ce dernier peut être aisément régénéré par une combustion « in situ » de la couche de coke déposée à la longue sur les granules. Pour lutter contre la pollution* atmosphérique, la teneur en soufre du gas-oil est limitée à 0,5 p. 100 environ : le produit raffiné est obtenu par un mélange de bases désulfurées ou non. La

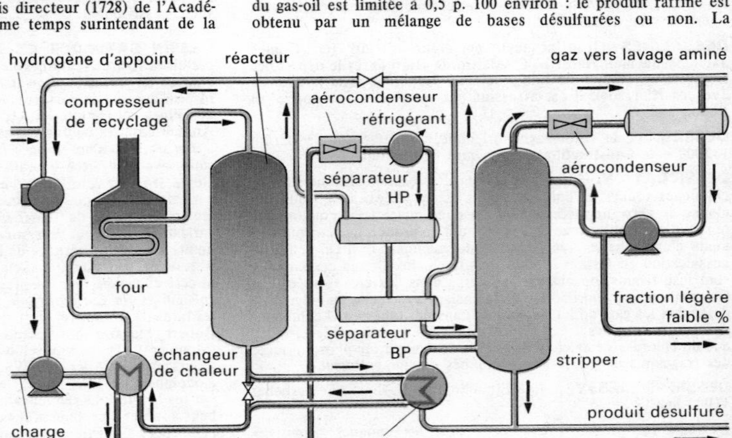

DÉSULFURATION. Schéma type d'une unité d'hydrodésulfuration.

désulfuration des fuel-oils lourds, opération très onéreuse qui s'apparente à un hydrocraquage, n'est encore pratiquée que dans certaines zones de protection spéciale contre la pollution, notamment au Japon. Il en est de même pour la désulfuration des fumées issues des fours et des chaudières industriels, qui peuvent être dépolluées à l'aide d'un réactif chimique ou d'un absorbant, mais au prix d'une baisse notable du rendement énergétique qui limite pour le moment la généralisation de ces procédés.

DESVRES (62240), ch.-l. de cant. du Pas-de-Calais, à 19 km au S.-E. de Boulogne-sur-Mer; 5 860 hab. Cimenterie. Céramique.

DÉTAILLANT → DISTRIBUTION.

DÉTECTION. — Sur le plan militaire, les problèmes de détection, qui recouvrent toutes les techniques ayant pour but de déterminer la position exacte d'un engin adverse, ont pris une importance considérable dans les domaines aérien et sous-marin.

La *détection aérienne* a été transformée depuis 1940 par l'emploi généralisé du radar* qui bénéficie aujourd'hui de longueurs d'onde allant du millimètre au décamètre. Les longueurs d'onde de l'ordre du décimètre, qui sont les plus employées pour les radars de veille aérienne lointaine, donnent une portée de 250 à 300 km. Mais, du fait de la rotondité de la Terre, un radar ne peut « voir » les objets sous l'horizon optique. Cette limite explique pourquoi les avions, pour échapper au radar, emploient le vol à très basse altitude. Depuis les années 1960-1970, la détection aérienne a recours à des équipements nouveaux (ou senseurs) à base d'infrarouge, de laser, etc.

Durant la guerre 1939-1945, la *détection sous-marine* avait été également transformée par l'emploi de l'asdic, ancêtre du sonar*. Depuis les années 60, les marines utilisent les sonars remorqués et les avions le système dit « MAD » *(Magnetic Anomaly Detection)* qui permet de localiser un sous-marin par la masse magnétique qu'il représente (ce système équipe depuis les années 70 le plus grand nombre des aéronefs anti-sous-marins). Mais la détection sous-marine demeure lourdement tributaire des conditions météorologiques et bathymétriques. (V. ANTI-SOUS-MARINE [*lutte*].)

DÉTENDEUR → FRIGORIFIQUE *(machine).*

DÉTENTE *(Phys.).* — La détente d'un gaz, qui peut se faire avec ou sans travail extérieur, est un procédé de refroidissement du gaz, employé notamment dans la production de l'air liquide.

DÉTENTION PROVISOIRE. — La loi française du 17 juillet 1970, tendant à renforcer la protection des droits individuels, a modifié le régime de la « détention préventive » (qui devient « détention provisoire ») en en faisant une mesure exceptionnelle. Elle peut être prescrite, en matières correctionnelle et criminelle, lorsqu'il s'agit : de faciliter l'instruction*; d'assurer l'ordre public; de garantir la protection de l'inculpé ou d'empêcher le renouvellement de l'infraction; de garantir le maintien de l'inculpé à la disposition de la justice ou d'empêcher que l'inculpé ne se soustraie au contrôle* judiciaire.

Prescrite, sauf infraction flagrante, par le juge d'instruction, elle ne peut, en principe, excéder quatre mois. Elle s'accomplit dans une maison d'arrêt, mais à des conditions sensiblement plus douces que celles de l'emprisonnement, ne comportant notamment pas le port du costume pénal. Une indemnisation est prévue en cas de décision de non-lieu clôturant la procédure, ou de décision de relaxe ou d'acquittement, lorsqu'un préjudice particulièrement grave a été souffert par le détenu.

DÉTERGENCE. — La détergence est le processus selon lequel les salissures ou les souillures d'une surface sont enlevées et mises en solution ou en suspension. Les détergents, dont les plus anciens sont les savons*, ont des emplois multiples car ils sont destinés à assurer la propreté corporelle comme celle de l'environnement immédiat : vaisselle, tissus, linge, surfaces, etc. Ils sont commercialisés sous l'aspect de mélanges plus ou moins complexes contenant à la fois des produits organiques, des produits minéraux ou des enzymes. Ils se présentent sous la forme solide de poudre, de pain, de barre ou sous la forme de liquide. En solution aqueuse, les détergents sont des composés ionisés, anioniques ou cationiques, ou des composés non ioniques. Le savon appartient au groupe des anioniques. Les produits de synthèse se divisent en deux groupes, suivant leur structure chimique. Le premier groupe comprend les alcoylarylsulfonates résultant de la combinaison d'une chaîne aliphatique droite ou ramifiée, d'un noyau cyclique (benzène* ou naphtalène*) et d'un groupe sulfonique. Le second groupe rassemble les alcoylsulfates ou esters sulfuriques d'alcools* aliphatiques, d'origine naturelle ou synthétique, obtenus à partir d'oléfines* de longue chaîne fournies par l'industrie pétrolière. Les composés cationiques, dont le principal est le cétyltriméthylammonium, sont réservés à des utilisations spéciales, en particulier aux produits de rinçage. Les détergents non ioniques sont solubles dans l'eau. On les obtient par condensation de l'oxyde d'éthylène* sur des alcools, des acides gras et des phénols* alcoylés. Ils constituent une gamme de produits ayant des propriétés tensioactives très différentes en rapport avec le nombre de molécules d'oxyde d'éthylène entrant dans leur composition; ce nombre peut varier de 3 à 50.

DÉTERGENT → DÉTERGENCE, ÉTHYLÈNE.

DÉTERMINANT. — La notion de déterminant a été introduite en algèbre linéaire, notamment pour la résolution des équations* linéaires.

Un déterminant d'ordre deux est un tableau carré à deux lignes et deux colonnes : $\begin{vmatrix} a & b \\ a' & b' \end{vmatrix} = ab' - ba'$, la règle de calcul étant indiquée par le second membre. Si $ab' - ba' \neq 0$, la solution du système linéaire de deux équations à deux inconnues

$$\begin{aligned} ax + by &= c \\ a'x + b'y &= c' \end{aligned}$$

est : $$x = \frac{\begin{vmatrix} c & b \\ c' & b' \end{vmatrix}}{\begin{vmatrix} a & b \\ a' & b' \end{vmatrix}} \qquad y = \frac{\begin{vmatrix} a & c \\ a' & c' \end{vmatrix}}{\begin{vmatrix} a & b \\ a' & b' \end{vmatrix}}.$$

Un déterminant d'ordre trois est un tableau carré à trois lignes et trois colonnes, que l'on développe par la règle suivante :

$$\begin{vmatrix} a & b & c \\ a' & b' & c' \\ a'' & b'' & c'' \end{vmatrix} = a\,(b'c'' - c'b'') - b\,(a'c'' - c'a'') + c\,(a'b'' - b'a'') = \Delta.$$

Chaque terme, produit de trois facteurs, contient un élément de chaque ligne et de chaque colonne. Si le déterminant ci-dessus est non nul, la solution du système :

$$\begin{aligned} ax + by + cz &= d \\ a'x + b'y + c'z &= d' \\ a''x + b''y + c''z &= d'' \end{aligned}$$

est : $$x = \frac{\begin{vmatrix} d & b & c \\ d' & b' & c' \\ d'' & b'' & c'' \end{vmatrix}}{\Delta}, \quad y = \frac{\begin{vmatrix} a & d & c \\ a' & d' & c' \\ a'' & d'' & c'' \end{vmatrix}}{\Delta}, \quad z = \frac{\begin{vmatrix} a & b & d \\ a' & b' & d' \\ a'' & b'' & d'' \end{vmatrix}}{\Delta}.$$

DÉTERMINISME. — Le déterminisme est une hypothèse générale suivant laquelle tous les événements de l'univers sont liés ensemble de sorte que, s'il était possible de les connaître tous et intégralement, on constaterait qu'ils sont à la fois nécessairement conditionnés par les événements antérieurs et conditions nécessaires de tous les événements à venir. Cette hypothèse a été infirmée par Bohr* et Heisenberg*. En mécanique quantique, le corpuscule n'a absolument rien de la substance douée de qualités chère à l'idéalisme*. La position et la quantité de mouvement d'un corpuscule ne sont mesurables que dans des expérimentations qui perturbent l'ordre de grandeur que l'on veut mesurer. C'est pourquoi Heisenberg soutient qu'il est *physiquement* impossible de prévoir l'état futur d'un système corpusculaire, sauf en termes de probabilités. (V. COMPLÉMENTARITÉ [*principe de*].)

DÉTONATEUR → ARTIFICE.

DÉTONATION. — Lors de sa détonation, un explosif* est parcouru par une onde* de choc, accompagnée de réaction chimique. La vitesse de cette onde, qui peut atteindre 9 000 m/s, est toujours plus grande que la vitesse du son* dans les gaz de l'explosion*. La compression très brutale que subit une couche quand elle est abordée par l'onde de choc l'échauffe à la température où elle subit la réaction chimique d'explosion. Derrière le front de détonation, les gaz chauds produits sont lancés dans le même sens que l'onde de détonation, et leur densité est supérieure à celle de la matière qui n'a pas encore été touchée.

célérité de la détonation de divers mélanges explosifs

composition	célérité de la détonation	composition	célérité de la détonation
$2H_2 + 2O_2$	2 328 m/s	$C_2H_4 + 2O_2$	2 581 m/s
$2H_2 + O_2 + 5N_2$	1 822 m/s	$C_2H_4 + 6O_2$	2 118 m/s
$2H_2 + O_2 + 6N_2$	3 532 m/s		

DÉTOXICATION. — La détoxication physiologique est assurée essentiellement par le foie. Les procédés permettant d'activer l'élimination de toxiques sont fonction des substances responsables; ils font, pour la plupart, intervenir des enzymes.

DÉTREMPE → PEINTURE.

DETROIT, v. des États-Unis (Michigan), sur la *rivière de Detroit* (qui relie le lac Saint-Clair au lac Érié); 1 493 000 hab.

2001 : l'Odyssée de l'espace (1968), de Stanley Kubrick.

M. G. M. (Coll. J.-L. Passek)

(4 164 000 hab. pour l'aire métropolitaine). Musées. Principale ville du Michigan et cinquième agglomération américaine, Detroit est toujours la capitale mondiale de l'industrie automobile, animant aussi des cités satellites (dont Windsor sur la rive canadienne de la rivière de Detroit). La ville possède d'autres industries (sidérurgie, construction de machines, chimie) et remplit d'importantes fonctions, commerciales, financières et portuaires.

DÉTROITS (les), ensemble formé par le Bosphore et les Dardanelles, reliant la Méditerranée à la mer Noire.

DÉTROITS (GOUVERNEMENT DES), en angl. **Straits Settlements,** ancienne colonie britannique, constituée en 1867. Elle était composée de plusieurs territoires — dont Malacca et Singapour — annexés par les Britanniques depuis la fin du XVIIIe s. et dont la position stratégique commandait à l'Angleterre qu'ils fussent réunis sous son autorité. À partir de 1946, le statut des *Straits Settlements* éclata, chacune des parties constituantes évoluant vers l'indépendance ou l'intégration dans les États malais.

DE TROY, famille de peintres français originaire du Languedoc. FRANÇOIS (Toulouse 1645 - Paris 1730) s'installa à Paris, devint académicien (1674) et fut un des portraitistes préférés de la haute bourgeoisie, particulièrement à l'aise dans des images familières d'écrivains et d'artistes (*Racine,* Langres). — Son fils JEAN-FRANÇOIS (Paris 1679 - Rome 1752), à la vie agitée, fit une carrière officielle (couronnée, en 1738, par le directorat de l'Académie de France à Rome) comme peintre d'histoire au style facile et brillant (*Histoire d'Esther,* traduite en tapisseries par les Gobelins) et comme peintre de genre (*le Déjeuner d'huîtres,* 1735, Chantilly).

DETTE PUBLIQUE → TRÉSOR PUBLIC.

DEUIL → DÉPRESSION.

DEUIL-LA-BARRE (95170), comm. du Val-d'Oise, à 11 km au N. de Paris ; 15 715 hab. *(Deuillois).*

deuil sied à Électre *(Le),* pièce d'O'Neill (1931). Reprise de la légende d'Oreste dans le cadre de la Nouvelle-Angleterre, à l'époque de la guerre de Sécession et dans une tonalité freudienne.

DEÛLE (la), riv. du nord de la France, en partie canalisée (le canal de la Deûle relie la Lys à la Scarpe), qui passe à Lille, et affl. de la Lys (r. dr.) ; 68 km.

DEURNE, comm. de Belgique, dans la banlieue est d'Anvers; 80 766 hab. (en 1970).

DEUTÉRIUM. — Le deutérium a été découvert en 1932 par le chimiste américain Urey. C'est un corps gazeux, deux fois plus dense que l'hydrogène ordinaire, possédant les mêmes propriétés chimiques. On l'obtient par décomposition de l'eau lourde.

Deutéronome, cinquième livre du Pentateuque*, code de lois civiles et religieuses, charte de la réforme religieuse de Josias* (622 av. J.-C.). Le livre met l'accent sur l'élection d'Israël et l'obéissance à la loi, condition du bonheur du peuple élu. La pensée deutéronomique est à l'origine d'un important mouvement littéraire qui produira les grands livres historiques d'Israël (livres de Josué*, des Juges*, de Samuel* et des Rois*).

DEUTSCH DE LA MEURTHE (Henry), industriel et philanthrope français (Paris 1846 - Ecquevilly 1919). Passionné par le problème de la navigation aérienne, pour laquelle il créa de multiples prix, il fit étudier et construire à ses frais le dirigeable *Ville-de-Paris* (1901). L'un des fondateurs de l'Automobile-Club, puis de l'Aéro-Club de France, il créa l'Institut aéronautique à Saint-Cyr (1909), qu'il offrit à l'Université de Paris.

DEUX-ALPES (les) [38860], centre de sports d'hiver (alt. 1 660-3 270 m) de l'Isère, en bordure du massif de l'Oisans, au S.-E. du Bourg-d'Oisans, formé des stations de l'Alpe-de-Vénosc et de l'Alpe-de-Mont-de-Lans.

2001 : l'Odyssée de l'espace, film américain de Stanley Kubrick (1968, d'après un récit d'Arthur C. Clarke). Étape importante dans les tentatives jusqu'alors peu convaincantes de traduire à l'écran le monde de la science-fiction, ce film, « documentaire magique en plusieurs volets », propose une vision scientifique, prophétique, cosmique et métaphysique de l'humanité depuis les temps reculés où l'Homme n'était qu'un primate jusqu'à un futur à la fois proche et inquiétant. Au centre de cette fresque, remarquable par l'utilisation habile des maquettes, la subtilité des trucages et des effets spéciaux et le relief de la bande sonore, l'épisode le plus marquant reste la lutte que se livrent à bord d'un vaisseau spatial en route vers Jupiter un cosmonaute et un ordinateur doué de réflexion et de parole.

DEUX-PONTS, en allem. **Zweibrücken,** v. de l'Allemagne fédérale (Rhénanie-Palatinat), à l'E. de Sarrebruck ; 38 000 hab. À partir du Moyen Âge, la ville fut le siège d'un comté, puis d'un duché. Aux XVIIe et XVIIIe s., la maison des ducs de Deux-Ponts-Neubourg s'illustra en donnant à la Suède trois rois : Charles X, Charles XI et Charles XII. Cédé à la France en 1801 (paix de Lunéville), l'ancien duché fut annexé, en 1815, pour partie à la Bavière et pour partie à la Prusse.

Deux-Roses *(guerre des),* nom donné au conflit qui de 1455 à 1485 opposa les maisons d'York* (rose blanche) et de Lancastre* (rose rouge) pour la possession de la couronne d'Angleterre. Depuis 1399, les Lancastre, descendants du troisième fils d'Édouard III*, occupaient le trône. Mais la folie du roi Henri VI* et les échecs qu'essuyèrent les Anglais à partir de 1435 provoquèrent la formation d'un parti favorable à Richard, duc d'York, descendant par les femmes du second fils d'Édouard III. En 1453, arguant de l'incapacité d'Henri VI, Richard réclama le gouvernement du royaume, et, devant la résistance de la reine, Marguerite d'Anjou, déclencha les hostilités. En décembre 1460, Richard fut battu et tué à Wakefield ; mais, quatre mois plus tard, la victoire de Towton (mars 1461), remportée par le comte de Warwick*, donnait la couronne au fils de Richard, Édouard IV*. En 1470, le ralliement de Warwick au parti lancastrien provoqua une brève restauration d'Henri VI. Cependant, l'année suivante, Édouard IV battait Warwick à Barnet et à Tewkesbury et retrouvait son trône. Si Édouard sut se faire accepter par ses sujets, le règne sanglant de son frère Richard III* fut fatal à la cause yorkiste : en 1485, Richard III fut battu et tué à Bosworth par Henri Tudor, duc de Richemond et dernier représentant des Lancastre. Proclamé roi sous le nom de Henri VII, ce dernier épousa Élisabeth d'York, fille d'Édouard IV, et rétablit la paix dans le royaume. Il inaugura le pouvoir fort qui devait caractériser la monarchie anglaise jusqu'aux révolutions du XVIIe s.

DEUX-SEVI *(canton des),* canton du départ. de la Corse-du-Sud. Ch.-l. *Piana.*

DEUX-SÈVRES → SÈVRES *(Deux-)*

DEUX-SICILES *(royaume des),* nom donné, à certaines époques (1442-1458; 1816-1861), à l'ensemble politique formé par la Sicile et le sud de la péninsule italienne. Au début du XIIe s., et pour la première fois, ces deux régions furent réunies sous l'autorité du roi normand de Sicile, Roger II. Elles passèrent d'abord aux Hohenstaufen, puis, en 1266, à Charles d'Anjou, frère de Saint Louis. Mais, dès 1282, la dynastie angevine perdit la Sicile, conquise par Pierre III d'Aragon, époux d'une héritière des Hohenstaufen. Un siècle et demi plus tard, en 1442, Alphonse V d'Aragon chassait le roi René de Naples et prenait le titre de roi des Deux-Siciles. À sa mort, le royaume se disloqua : la Sicile resta aragonaise; Naples fut, un temps, française (1500), mais revint finalement à l'Aragon (1504). Longtemps gouvernées par des vice-rois pour le compte de l'Espagne, Naples et la Sicile échurent, en 1735, à don Carlos de Bourbon, duc de Parme, qui, devenu héritier du trône d'Espagne (1759), les donna à son second fils Ferdinand. Chassé de Naples par les Français en 1806, restauré en 1815, Ferdinand réunit les deux royaumes en un seul et reprit à son compte le titre de roi des Deux-Siciles (1816). Mais secoué par trois grandes révolutions (1820, 1848, 1860), le royaume se désintégra rapidement. En septembre 1860, les Bourbons furent chassés de Naples par Garibaldi et le 22 octobre un plébiscite rattacha Naples et la Sicile au nouveau royaume d'Italie.

DEUX-SORRU *(canton des),* canton du départ. de la Corse-du-Sud. Ch.-l. *Vico.*

DE VALERA (Eamon), homme d'État irlandais (New York 1882-Dublin 1975). Un des dirigeants du soulèvement de Pâques 1916, leader du mouvement nationaliste Sinn* Féin, il devient chef du gouvernement révolutionnaire en 1918. Refusant de reconnaître le traité de Londres de 1921, il rassemble autour de lui l'opposition républicaine lors de la guerre civile, puis, rompant avec les extrémistes, il fonde le Fianna Fáil, qui obtient la majorité aux élections de 1932. De Valera accède alors au pouvoir, qu'il conserve pratiquement sans interruption jusqu'en 1959, d'abord comme président du Conseil exécutif de l'État libre (1932-1937), puis comme Premier ministre (1937-1948). Il renforce l'indépendance nationale, rompt progressivement les liens qui subsistent avec le Royaume-Uni et fait voter la Constitution de 1937, qui remplace l'État libre par un État souverain, l'Eire. Par la suite, il développe une politique de modération à l'égard du Royaume-Uni et condamne l'activité terroriste de l'IRA (1939). Pendant la Seconde Guerre mondiale, il maintient l'Irlande dans une stricte neutralité. De nouveau à la tête du gouvernement de 1951 à 1954 et en 1957, il est élu président de la République en 1959, et conserve ses fonctions jusqu'en 1973.

DE VALOIS (Edris STANNUS, dite **Ninette**), danseuse et chorégraphe britannique (Blessington, Irlande, 1898). Fondatrice et directrice (1928-1963) du Sadler's Wells Ballet, devenu le Sadler's Wells Theatre Ballet, puis enfin le Royal Ballet en 1956. Si son nom reste attaché à plusieurs œuvres vigoureuses et intéressantes *(Job, The Rake's Progress, Checkmate),* c'est sa forte personnalité d'organisatrice et son intelligente direction de la première troupe de Grande-Bretagne qui lui font avoir une influence considérable sur la vie chorégraphique anglaise.

DÉVALUATION. — Les conditions de réussite d'une dévaluation, dans le schéma de pensée traditionnel, sont généralement présentées comme devant être les suivantes :
— la stabilité des prix* intérieurs doit être assurée;
— l'influence du facteur prix pour les consommateurs étrangers doit être importante (élasticité demande/prix élevée); l'abaissement de prix des produits nationaux à l'égard des acheteurs étrangers, obtenu du fait de la dévaluation, entraîne ainsi un relèvement des exportations;
— une situation de sous-emploi des facteurs de la production est souhaitable, pour qu'une «réponse» de l'appareil de production puisse se manifester face à l'accroissement de la demande créé par la dévaluation.

DEVANĀGARĪ. — Écriture du sanskrit, la devanāgarī («écriture des dieux»), ou nāgarī, sert à transcrire actuellement le hindī et d'autres langues de l'Inde. Elle comprend 49 signes représentant 10 voyelles, 4 diphtongues, 32 consonnes, 2 semi-voyelles et 1 signe nasalisant.

DÉVELOPPEMENT *(Biol.).* — La notion de développement s'applique à tout être vivant n'ayant pas atteint l'âge adulte. Elle recouvre donc les phénomènes de multiplication* cellulaire, de croissance*, de différenciation*, d'organogenèse, éventuellement de métamorphose*, enfin de gamétogenèse (formation des cellules reproductrices) et d'accession à la maturité sexuelle (floraison* chez les plantes supérieures, par exemple).

Le développement est dit *embryonnaire* tant qu'il se poursuit à l'abri d'un système d'enveloppes (graine, œuf, utérus, etc.). Il est dit *indirect* lorsque la période embryonnaire est suivie d'une période larvaire (v. LARVE). Il est important de rappeler que le développement part d'une cellule unique, le *zygote,* ou *œuf fécondé,* mais qu'il s'accompagne toujours du développement parallèle d'organes nutritifs et d'organes protecteurs, ayant la provenance la plus diverse d'ailleurs, mais qui disparaîtront à un stade précoce de la vie libre (annexes embryonnaires, albumen des plantes, etc.).

DÉVELOPPEMENT *(Écon.).* — Le concept de développement s'est différencié de la notion de croissance*, à une période relativement récente, avec une acception qualitative que n'implique pas celle-ci et en relation avec les problèmes économiques des pays du tiers monde (dits «en voie de développement»). Le problème du «développement», en ce sens, est la réplique de celui du «sous-développement».

Les économistes et les géographes dégagent un certain nombre de caractéristiques impliquant un non-développement ou un développement insuffisant de certains pays. Leurs critères concernent les échanges* internationaux, la production et la consommation d'énergie, la productivité dans l'agriculture et, également, des indicateurs sociaux, culturels et humains (croissance démographique trop forte ou trop faible, nutrition insuffisante, surpopulation rurale, etc.).

Les causes de la croissance peuvent être considérées comme multiples (explication de Rostow* qui privilégie les facteurs péri-économiques) ou monistes (explication par la religion, par l'innovation, par les exportations).

DÉVELOPPEMENT MUSICAL → ÉCRITURE MUSICALE.

DÉVELOPPEMENT PHOTOGRAPHIQUE. — Le développement est constitué par deux opérations successives qui permettent de transformer une image photographique latente en image visible stable. La surface sensible impressionnée est tout d'abord immergée dans un révélateur pendant une durée déterminée, qui dépend de la composition du bain et de sa température. L'image photographique étant obtenue, on plonge après rinçage la surface sensible dans un bain fixateur.

DEVENIR → CONTRADICTION.

DEVENTER, v. des Pays-Bas (Overijssel), sur l'IJssel; 64000 hab.

DEVÉRIA (Achille), peintre et graveur français (Paris 1800-*id.* 1857). Il est surtout l'auteur de portraits lithographiés (Hugo, Lamartine, Liszt...) et d'œuvres qui témoignent de la vie élégante à l'époque du romantisme. — Son frère, EUGÈNE (Paris 1805-Pau 1865), fit sensation au Salon de 1827 avec sa vaste *Naissance de Henri IV,* mais soutint mal par la suite cette réputation.

DÉVERS → VOIE.

DEVÈS (le), massif volcanique du Velay (Haute-Loire); 1423 m.

DÉVILLE-LÈS-ROUEN (76250), comm. de la Seine-Maritime, banlieue nord-ouest de Rouen; 13155 hab. Métallurgie. Confection.

De viris illustribus urbis Romae, par Lhomond (v. 1775), ouvrage d'enseignement, en latin, qui contient un abrégé de l'histoire romaine.

Dévolution *(guerre de),* première guerre engagée par Louis XIV, qui, lors de la mort de Philippe IV d'Espagne, fit valoir les prétentions de sa femme, Marie-Thérèse d'Autriche, à une part de

DÉVELOPPEMENT

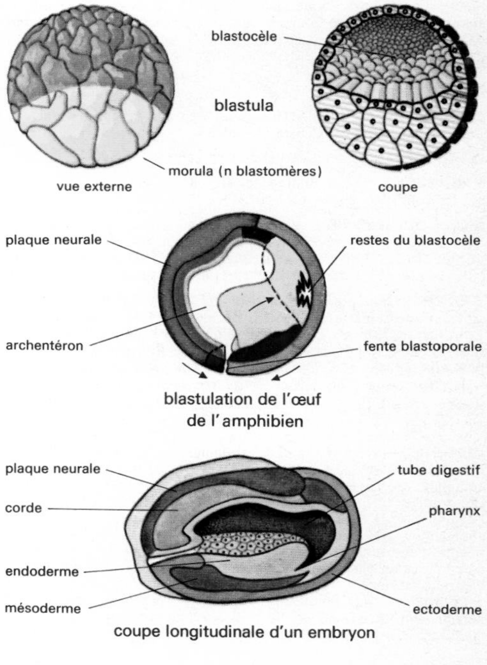

la succession d'Espagne, aux Pays-Bas, en vertu du droit local de dévolution. La campagne, menée rapidement, par le roi de France et Turenne, en Flandre (1667) et en Franche-Comté (1668), valut à la France, lors de la signature du traité d'Aix-la-Chapelle, onze places flamandes, dont Lille et Douai.

DÉVOLUY, massif des Hautes-Alpes, au nord-ouest de Gap; 2 793 m à l'Obiou.

DEVON ou **DEVONSHIRE,** comté du sud-ouest de l'Angleterre; 921 000 hab.

DÉVONIEN → PRIMAIRE *(ère).*

Dévotion à la Croix *(la),* drame en trois « journées », de Calderón (1634). Eusebio, enfant trouvé, aime Julia, la fille du comte Curzio, qui s'oppose à leur union. Eusebio tue le frère de Julia et se fait bandit de grand chemin, tout en conservant une profonde dévotion à la Croix. Il songe à enlever Julia du couvent où son père l'a enfermée, mais la vue de la croix que porte la jeune fille le fait renoncer à son projet. Poursuivi, Eusebio est tué en duel par Curzio, en qui il reconnaît son père. Dieu le ressuscite juste assez de temps pour qu'il se confesse à un prêtre. Cette pièce, où le merveilleux se mêle naturellement à l'action, est une des plus caractéristiques de tout le théâtre espagnol.

DE VRIES (Hugo), botaniste néerlandais (Haarlem 1848 - Lunteren 1935). On lui doit la redécouverte des lois de Mendel*, de nombreux travaux de génétique et de biométrie, et surtout l'introduction dans la science de la notion de *mutation**, qui est l'une des bases des théories modernes de l'évolution des espèces. Chose curieuse, l'espèce *Œnothera lamarckiana,* sur laquelle De Vries a découvert les mutations, devait ses variations à des maladies virales et à des recombinaisons génétiques, nullement à des mutations.

DEWAR (*sir* James), physicien britannique (Kincardine-on-Forth, Écosse, 1842 - Londres 1923). Il imagina les vases isolants à double paroi de verre argenté et sous vide et réussit le premier à liquéfier l'hydrogène.

DEWEY (Melvil), bibliographe américain (Adams Center, New York, 1851 - Lake Placid 1931), inventeur de la classification décimale utilisée dans les bibliothèques.

DEWEY (John), philosophe et pédagogue américain (Burlington 1859 - New York 1952). À la base de sa théorie est l'importance de l'expérience vécue, dans tous les processus d'acquisition des connaissances et d'épanouissement de la personne. J. Dewey pose la démocratie comme la force directrice de l'éducation.

DEXTRINE. — Cette substance gommeuse, de formule $(C_4H_{10}O_5)_n$, résulte d'une dépolymérisation de l'amidon ou de la fécule. Le produit commercial est un mélange de plusieurs corps, ayant la forme d'une gomme amorphe, hygroscopique et soluble dans l'eau; elle sert à préparer une colle pour le papier.

DEZFUL → DIZFUL.

DHAFNÍ → ATHÈNES.

DHAHRĀN, port de l'Arabie Saoudite, sur le golfe Persique; 15 000 hab. Aéroport. Centre pétrolier.

DHAULĀGIRI, sommet de l'Himālaya central, au Népal; 8 172 m.

DHEUNE (la), riv. de Bourgogne, affl. de la Saône (r. dr.), suivie par le canal du Centre; 65 km.

DHILIGHIÁNNIS (Theódhoros), homme d'État grec (Kalavryta 1826 - Athènes 1905). Plusieurs fois ministre des Affaires étrangères de 1862 à 1897, il essaya de réaliser en Thessalie des visées impérialistes. Président du Conseil (1904), il fut assassiné.

DHORME (Édouard), orientaliste français (Armentières 1881 - Roquebrune-Cap-Martin 1966). Il déchiffra, en 1930, les textes de Ras Shamra-Ougarit*. De son œuvre d'assyriologue et de bibliste, il faut retenir : *le Livre de Job* (1926), *la Religion des Hébreux nomades* (1934), *les Religions d'Assyrie et de Babylonie* (1945), une traduction de la *Bible* (1956-1959, 2 vol.).

DHŪLIA, v. de l'Inde (Mahārāshtra), au N.-E. de Bombay; 137 000 hab.

DIABÈTE. — Employé seul, ce terme désigne le *diabète sucré avec hyperglycémie,* maladie métabolique complexe, très répandue, aux complications sévères, mais qui comporte un traitement efficace. Le *diabète insipide* traduit une lésion du lobe postérieur de l'hypophyse : il se manifeste par une soif intense et des urines très abondantes mais ne contenant pas de sucre. Le *diabète rénal* résulte d'une atteinte des tubules du rein qui fait baisser le seuil d'excrétion du glucose, et le sucre sanguin passe dans les urines, bien que la glycémie soit normale.

Le trouble fondamental du diabète, l'hyperglycémie, est dû à un dérèglement du mécanisme de la glycorégulation, qui normalement maintient le taux du glucose sanguin, ou glycémie, à une valeur fixe (1 g/l chez l'homme). Cette anomalie est attribuée, dans la plupart des cas et notamment dans le *diabète maigre* des sujets jeunes, à une insuffisance de sécrétion de l'insuline par les îlots de Langerhans du pancréas; c'est pourquoi le diabète hyperglycémique est également appelé *diabète pancréatique.* Toutefois, le diabète de l'âge mûr, ou *diabète gras,* ne semble pas, avec les méthodes de dosage actuelles de l'insuline, s'accompagner toujours d'une baisse de cette hormone. Il s'agirait alors, soit d'une anomalie d'utilisation de l'insuline au niveau des cellules dans lesquelles elle facilite la pénétration du glucose, soit d'une anomalie structurelle de la molécule d'insuline elle-même.

La présence de sucre dans les urines, ou *glycosurie,* est le signe fondamental du diabète. Elle s'observe lorsque le taux de glucose sanguin (glycémie) dépasse 1,40 g/l. Des hyperglycémies plus faibles (entre 1,10 et 1,40 g/l) peuvent témoigner d'un état diabétique : l'épreuve dite « d'hyperglycémie provoquée », qui consiste à faire ingérer 50 g de glucose et à mesurer la glycémie toutes les demi-heures, permettra alors d'établir le diagnostic et de faire l'évaluation de la gravité du diabète. L'augmentation du volume urinaire (polyurie) entraîne une soif accrue (polydipsie) et la prise de boissons abondantes. La faim augmente, amenant les malades à manger plus (polyphagie), ce qui est la cause de l'obésité fréquente des diabétiques adultes, alors que le diabète infantile et celui des jeunes n'entraînent pas d'augmentation de poids.

Les complications du diabète sont nombreuses et graves. Les infections (abcès, furoncles, impétigos, etc.) sont fréquemment observées et constituent souvent le signe d'alarme qui fait dépister le diabète. Les affections artérielles grèvent lourdement les fonctions organiques et l'espérance de vie des diabétiques : les artères coronaires, celles de l'œil, des reins, des membres inférieurs sont les plus souvent atteintes. L'œil est de plus menacé par la cataracte. Le *coma diabétique,* précédé de somnolence et d'une odeur acétonique de l'haleine, correspond à un trouble grave de métabolisme s'ajoutant à l'hyperglycémie et entraînant une acidose et une cétose (présence de corps cétoniques dans le sang et dans les urines). Sans traitement intensif, ce coma aboutit à la mort.

Le traitement du diabète comprend un régime bien adapté à chaque cas et des médicaments hypoglycémiants. La ration alimentaire doit comporter une quantité précise de glucides, fixée par le médecin, et qui ne doit être ni augmentée ni réduite. Le nombre de calories nécessaires est apporté par les lipides et les protides, dont les quantités seront fixées en tenant compte des autres caractéristiques de l'individu (lipémie, azotémie). Les hypoglycémiants de synthèse (sulfamides ou biguanides) sont employés par la bouche dans les diabètes gras de l'adulte. L'insuline est nécessaire dans le diabète de l'enfant et les diabètes avec dénutrition, ainsi que dans le coma diabétique ou dans les menaces de coma.

Le diabète, dont l'incidence sociale a tendance à s'accroître, est une maladie dont la transmission héréditaire est fréquente, mais il peut survenir en l'absence d'ascendance diabétique. Le fait que les enfants diabétiques puissent être soignés et menés à l'état adulte et au mariage, donc à la procréation, accroît le risque actuel d'extension de la maladie.

Diable amoureux *(le),* conte de Cazotte (1772). Le thème médiéval et théologique du pacte avec le diable devient littéraire et offre l'un des premiers modèles du récit fantastique*.

Diable au corps *(le),* roman de Radiguet (1923), popularisé par le film d'Autant-Lara (1947) interprété par Gérard Philipe et Micheline Presle. L'initiation à la solitude et à l'amour des adolescents dans un monde sans adultes, entre 1914 et 1918.

Diable boiteux *(le),* roman satirique de Lesage (1707), tiré d'une nouvelle de l'Espagnol Guevara, *El diablo cojuelo :* le héros en est le démon Asmodée.

DIABLERETS (les), massif des Alpes de Suisse, aux confins des cantons de Vaud, du Valais et de Berne; 3 222 m. Station de sports d'hiver (alt. 1 150-3 010 m) au N.

Diaboliques *(les),* recueil de six nouvelles de Barbey d'Aurevilly (1874), qui se proposent de « terroriser le vice » par la peinture réaliste d'aventures criminelles et démoniaques *(le Rideau cramoisi, le Plus Bel Amour de Don Juan, la Vengeance d'une femme).*

DIACHRONIE → SYNCHRONIE.

DIACIDE. — En chimie organique, les diacides possèdent deux groupements CO_2H. Suivant la position relative des deux fonctions, on distingue les diacides α β, γ, etc., les deux carboxyles étant voisins ou séparés par 1, 2, etc., atomes de carbone. Parmi les diacides saturés de la série grasse, l'acide oxalique $CO_2H—CO_2H$ est un diacide α; l'acide malonique $CO_2H—CH_2—CO_2H$, un diacide β. Il existe également des diacides non saturés et des diacides aromatiques.

DIACONAT. — C'est l'office ou ordre du diacre, ministre sacré qui, à l'origine du christianisme, avait pour mission d'aider les responsables des communautés sur le plan matériel. Peu à peu, les fonctions diaconales furent exercées par des prêtres, et le diaconat devint seulement un échelon — le dernier — sur la route du sacerdoce. Le deuxième concile du Vatican* (1962-1965), tenant compte de la raréfaction des vocations sacerdotales, revivifia les fonctions du diacre, qui est devenu un membre actif de l'équipe sacerdotale. Paul VI, en rétablissant le diaconat permanent (1967), en a ouvert l'accès aux hommes mariés.

DIADOQUE. — À la mort d'Alexandre* (323 av. J.-C.), ses généraux se posent en successeurs (en grec, *diadokhoi*) du conquérant, et se disputent son empire, à la construction duquel ils ont participé. Ce sont Perdiccas*, Antigonos* avec son fils Démétrios*, Séleucos*, Lysimaque*, Ptolémée* et Antipatros* avec son fils Cassandre*. Ces luttes se terminent par la constitution des trois grandes dynasties hellénistiques : les Lagides* d'Égypte, les Antigonides* de Macédoine et les Séleucides* de Syrie, qui se partagent le domaine d'Alexandre.

DIAGENÈSE. — Un sédiment meuble, après son dépôt, est progressivement transformé en une roche cohérente par le phénomène de la diagenèse. L'eau en est évacuée par la compaction exercée par le poids des sédiments qui se sont déposés ultérieurement. Les grains détritiques sont cimentés par cristallisation des substances en solution dans l'eau interstitielle. Sous l'effet d'une augmentation de la température, il peut s'opérer des recristallisations, c'est-à-dire que les minéraux préexistants sont dissous et que des minéraux nouveaux, en équilibre avec les conditions du milieu, apparaissent. Ce type de recristallisation* est un prélude au métamorphisme*.

DIAGHILEV (Serge DE), organisateur de spectacles et mécène russe (caserne Selistchev, près de Novgorod, 1872-Venise 1929). Fondateur de la revue *Mir Iskousstva (le Monde de l'art),* il s'emploie le premier à faire connaître en Europe l'art et la musique de son pays. Dilettante, enthousiaste et éclairé, étonnant découvreur de talents, il s'est consacré à la troupe des Ballets* russes de 1909 à sa mort.

DIAGNOSTIC. — Les moyens mis en œuvre pour faire le diagnostic des maladies se sont considérablement améliorés au XXe s. du fait de l'utilisation des découvertes des sciences fondamentales (physique, biochimie, cytologie, etc.). Toutefois, les données fournies par la clinique restent indispensables. L'interrogatoire minutieux permet de connaître les antécédents familiaux et personnels du patient, de préciser l'histoire de la maladie.

L'examen clinique pratiqué avec les seuls sens du médecin — vue (inspection), toucher (palpation), ouïe (percussion, auscultation) et même olfaction —, apporte toujours des renseignements irremplaçables, le plus souvent une orientation précise et parfois la clé d'un diagnostic certain.

S'il n'en est pas ainsi, ou simplement pour confirmer le diagnostic clinique, on fait des examens complémentaires de laboratoire, portant sur le sang, les urines, les sécrétions, les cellules ou les tissus prélevés (biopsies), et des explorations radiologiques et électriques (électrocardiogramme, électroencéphalogramme, etc.), des endoscopies, des cathétérismes, des recherches utilisant les isotopes radioactifs (gammagraphie, dosage de corps radioactifs fixés par les tissus, etc.). On établit ainsi le *diagnostic positif* d'une affection (l'affirmation de son existence), son *diagnostic différentiel* (qui consiste à la différencier des maladies voisines) et son *diagnostic étiologique* (qui concerne la recherche de la cause et des circonstances d'apparition).

Un diagnostic précoce étant la condition d'un traitement efficace dans la plupart des maladies, on s'oriente vers la pratique d'examens systématiques (check-up), appliqués individuellement ou dans les collectivités, pour dépister, à leur début, les maladies graves (tuberculose, cancers, affections cardiovasculaires, etc.), mettre en évidence les facteurs de risques (états prédiabétiques, hyperlipémies, imprégnation alcoolique, tabagisme) et tenter d'y remédier.

DIAGONALE (méthode cantorienne de la). — Ce raisonnement fondamental de la théorie des ensembles* est tenu par Cantor pour démontrer l'impossibilité d'une bijection entre deux ensembles donnés (par exemple entre $\mathbb{N}$ et l'ensemble des réels compris entre 0 et 1).

DIAGRAPHIE → PROSPECTION.

DIALECTE. — Les dialectes sont des variantes d'une langue utilisées dans une aire géographique et sociale plus restreinte que celle-ci. Il n'existe pas de différence linguistique entre une langue et un dialecte : dans les deux cas, on se trouve en présence d'un système lexical, syntaxique et phonétique complet. La différence est d'ordre social, politique, culturel : pour des raisons historiques diverses, un dialecte a acquis le statut de langue nationale (ou langue commune) ; ainsi, le dialecte de l'Île-de-France, le haut allemand, le dialecte de la région de Londres, etc. Il y a eu ensuite fixation d'une norme écrite et orale, diffusion de la langue par la littérature et l'enseignement. Les dialectes se trouvent donc concurrencés par la langue commune et reculent devant elle. Ils peuvent alors dégénérer au point de devenir des patois, c'est-à-dire des parlers qui ne sont plus utilisés que pour les besoins de la vie quotidienne dans des milieux très restreints, généralement ruraux. Ce ne sont plus que des systèmes incomplets, sans créativité lexicale, voués à une disparition plus ou moins rapide.

DIALECTIQUE → CONTRADICTION.

DIALOGUE HOMME-MACHINE. — L'ordinateur* ne fait preuve d'aucune intelligence : il ne fait que ce pour quoi il a été programmé. Sa performance réside dans la rapidité avec laquelle il peut enchaîner des actions élémentaires, mais il manque le plus souvent de possibilités de traitements parallèles. En revanche, à chaque instant, l'ensemble des sens de l'homme capte des quantités énormes d'informations que ses centres nerveux trient et intègrent très vite. Une interaction entre l'homme et la machine peut être alors bénéfique aussi bien à l'un qu'à l'autre, l'homme disposant avec l'ordinateur d'un outil analytique puissant, la machine bénéficiant du jugement et des capacités de synthèse rapide de l'homme. Pour que le dialogue puisse s'instaurer dans des conditions favorables, on utilise des unités périphériques* qui permettent l'interaction entre des programmes* spécifiquement conçus et un utilisateur : machine à écrire, écran avec clavier, etc. Le programme est prévu pour travailler étape par étape, posant des questions à l'utilisateur, installé à son terminal*, qui répond. La réponse est interprétée par le programme, qui poursuit en conséquence le dialogue.

Ces techniques sont mises en œuvre lorsqu'on veut obtenir des informations à travers l'emploi d'un ordinateur. Les systèmes de réservation de places en sont un exemple : l'opérateur questionne l'ordinateur, c'est-à-dire dialogue avec un programme ayant accès aux mémoires* de masse de la machine pour connaître les disponibilités de places sur un certain transport. Après réponse sur le terminal, la place peut être réservée ; elle est alors enregistrée et le terminal spécialisé peut même produire le billet. Dans les systèmes scientifiques, le dialogue homme-machine offre une aide à la mise au point rapide des programmes aussi bien qu'à l'exploitation de résultats. En utilisant des terminaux de dialogue très puissants, comme les écrans à possibilités graphiques, le programme peut faire des propositions dessinées, interprétées et modifiées par l'utilisateur ; on applique ces techniques aux études de structures moléculaires, au dessin industriel automatique, à l'interprétation de phénomènes physiques, etc. Si le programme a été conçu pour acquérir une sorte de mémoire et d'expérience au cours du dialogue, on aborde le domaine de la recherche en *intelligence* artificielle,* auquel peuvent se raccrocher des programmes comme ceux de parties d'échecs.

Dialogues → PLATON.

Dialogues des morts, ouvrage de Lucien (IIe s. apr. J.-C.). Des dieux, des héros, des personnages illustres se retrouvent aux Enfers et constatent la vanité des grandeurs terrestres anéanties par la mort. Ces *Dialogues* ont été imités par Fontenelle et par Fénelon.

DIALYSE. — Certaines substances possèdent la propriété de traverser facilement les membranes poreuses ; on les désigne sous le nom de « cristalloïdes ». D'autres substances (colloïdes) sont au contraire retenues par ces membranes. La dialyse a pour objet d'utiliser ces propriétés pour séparer les substances. Cette méthode d'analyse, imaginée par Graham, sert à la séparation des sucres et des gommes, au dosage de l'urée contenue dans l'urine, à la recherche des poisons solubles, etc.

DIAMAGNÉTISME. — C'est la propriété des substances dont l'aimantation induite, en général très faible, est de sens contraire à celui du champ inducteur. Cette propriété, découverte sur le bismuth, est celle de tous les corps qui ne sont ni ferro-, ni paramagnétiques.

DIAMANT. — Le diamant est une variété de carbone cristallisé, appartenant au système cubique. Il a pour densité 3,5 et est le plus dur des minéraux naturels. On trouve dans la nature : le *diamant incolore,* considéré comme la première des pierres précieuses; le *bort,* à faces courbes, qui sert au polissage du précédent; le *carbonado,* de couleur noire, employé pour le forage des roches dures.

Le diamant taillé fournit de beaux effets de lumière *(feux),* en raison des valeurs élevées de son indice de réfraction et de son pouvoir dispersif. Les gisements les plus célèbres sont ceux de l'Inde, du Brésil et du Cap. On a réussi à le reproduire artificiellement, mais toujours en cristaux très petits, en opérant sous des pressions extrêmement fortes. (V. FORAGE.)

DIANE, déesse italique, protectrice de la nature sauvage, identifiée à l'Artémis* grecque.

DIANE DE POITIERS (1499-Anet 1566). Fille du comte de Saint-Vallier, épouse de Louis de Brézé (mort en 1531), grand sénéchal de Normandie, elle devint la favorite d'Henri II (1536) qui lui donna le duché de Valentinois (1548) et lui fit construire le château d'Anet. Célèbre par sa beauté et son intelligence, elle marqua fortement son époque.

DIANE DE VALOIS ou **DE FRANCE** (en Piémont 1538-Paris 1619). Fille naturelle d'Henri II, elle épousa le duc de Castro, puis François de Montmorency. En 1582, elle reçut le duché d'Angoulême. Pendant les guerres de Religion, elle joua un rôle conciliateur dans le conflit qui opposa Henri III à Henri de Navarre.

DIAPHANOSCOPIE → SINUS.

DIAPHRAGME *(Méd.).* — Le diaphragme, en forme de coupole, qui sépare le thorax de l'abdomen est constitué d'une partie centrale fibreuse, le centre phrénique, et d'une couronne musculaire périphérique commandée par les nerfs phréniques. Il est percé d'orifices pour l'aorte, l'œsophage, la veine cave inférieure, le canal thoracique et les nerfs sympathiques et parasympathiques. La contraction des fibres musculaires du diaphragme abaisse la coupole et agrandit la cavité thoracique : le diaphragme est ainsi le principal muscle respiratoire.

Des hernies du contenu de l'abdomen peuvent se produire par les orifices du diaphragme, notamment au niveau de l'hiatus œsophagien (hernies hiatales), mais aussi à travers le muscle aminci (éventrations diaphragmatiques).

DIAPHRAGME *(Phot.).* — Le diaphragme à iris (plus souvent employé que le diaphragme à vanne) consiste en un ensemble de lamelles métalliques circulaires très minces fixées par une extrémité à la monture d'objectif, et commandées à l'autre extrémité par une bague qui les rapproche ou les éloigne du centre, réglant ainsi l'exposition désirée par le photographe. La profondeur de champ augmente au fur et à mesure que l'on ferme le diaphragme. La luminosité, elle, diminue proportionnellement.

DIAPHYSE → OS.

DIAPIR. — La formation d'un diapir est due à la faible densité et à la grande plasticité des couches de sel qui leur permettent de traverser les terrains susjacents. Les plis diapirs, qui se forment généralement dans les régions non orogéniques, se traduisent en surface par un bombement ou par une légère dépression si le dôme a été partiellement évidé.

DIAPOSITIVE. — Une diapositive se regarde dans une visionneuse ou se projette sur un écran. Pour faciliter son maniement, elle est protégée par une lame de verre ou plus généralement montée dans un cadre cartonné.

DIARRHÉE. — Des diarrhées peuvent s'observer à l'occasion de lésions du tube digestif (colites, diverticulites, tumeurs, pancréatite), d'infections locales (entérites et entérocolites) ou générales (typhoïde, choléra), d'intoxications exogènes (alimentaires ou accidentelles) et endogènes (urémie ou hyperazotémie). La dysenterie* bacillaire (due aux bacilles de Shiga) et la dysenterie amibienne (v. AMIBIASE) sont causes de diarrhées spécifiques graves.

Les diarrhées des nourrissons sont sévères par la déshydratation intense qu'elles peuvent provoquer et par les toxines microbiennes élaborées dans l'intestin, qui passent dans le sang et vont toucher les centres nerveux (toxicoses).

DIARTHROSE → ARTICULATION.

DIAS (Bartolomeu), navigateur portugais (en Algarve v. 1450-au large du cap de Bonne-Espérance 1500). Il attacha son nom à diverses explorations sur les côtes méridionales de l'Afrique et à la découverte du cap des Tempêtes (cap de Bonne-Espérance).

Diaspora, ensemble des communautés juives qui se sont établies hors de Palestine, pour des raisons politiques (déportations) ou économiques (émigrations). La Diaspora (terme grec qui signifie « dispersion ») a été un facteur important dans l'évolution de la religion mosaïque ; de plus, les communautés juives de l'Empire romain ont joué un grand rôle dans la pénétration du christianisme, les synagogues ayant été les premiers endroits où les prédicateurs chrétiens, juifs d'origine, ont annoncé le christianisme.

DIASTASE → ENZYMES.

DIASTOLE → CŒUR.

DIATHERMIE. — Les courants de haute fréquence sont utilisés pour produire un échauffement des tissus en profondeur dans le traitement des douleurs rhumatismales, des séquelles de traumatismes, des adhérences péritonéales. L'emploi des ondes courtes permet d'éloigner les électrodes de la peau et d'avoir une répartition plus homogène de la chaleur.

Avec des électrodes de faibles dimensions (aiguilles, pointes, petites boules) appliquées sur la zone à traiter, on obtient un courant très dense qui coagule les lésions (électrocoagulation) ou sectionne les tissus (bistouri électrique).

DIATOMÉES. — Parmi les êtres unicellulaires sécrétant une coquille, les diatomées sont de beaucoup les plus originales. Leur coquille siliceuse (plus souvent nommée *test,* ou *frustule*) est faite de deux valves, rondes ou allongées, finement striées, emboîtées

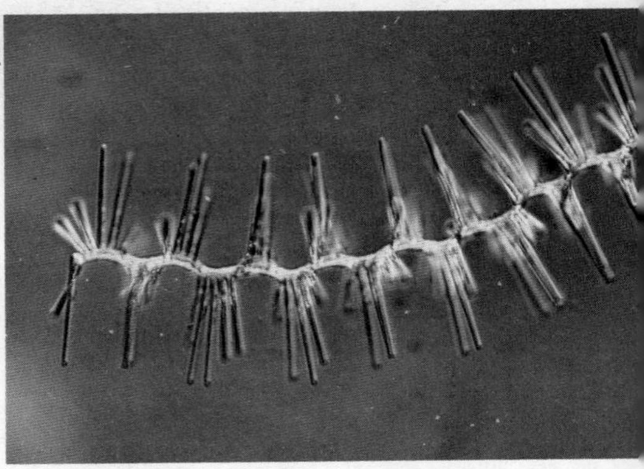

Crumeyrolles

Diatomée pennée planctonique. Les frustules restent associées en une chaîne spiralée par des coussinets de substance gélatineuse (× 25).

l'une dans l'autre comme une boîte et son couvercle. La partie vivante est une cellule pigmentée rappelant certaines algues. Fait unique, la multiplication végétative se fait avec diminution de la taille (la « boîte », devenue couvercle, élabore une boîte plus petite, etc.), ce qui nécessite périodiquement une phase sexuée suivie d'une croissance rapide.

La pullulation, saisonnière ou permanente, des diatomées, fait d'elles un constituant important des vases sous-marines, dont la consolidation donne la *diatomite.*

En général, les diatomées des eaux douces sont allongées et celles des océans sont rondes. Dans les deux cas, leur ornementation sert à tester la qualité des objectifs des microscopes.

DIATONIQUE (intervalle) → THÉORIE MUSICALE.

DÍAZ (Porfirio), général et homme d'État mexicain (Oaxaca 1830-Paris 1915). À la tête des troupes républicaines engagées contre l'empereur Maximilien, il remporte une série de victoires et prend Mexico le 15 juillet 1867. Président de la République de 1876 à 1880, puis de 1884 à 1911, il établit un régime autoritaire (le porfiriat), assainit les finances et pose les bases d'une économie moderne au Mexique, créant notamment de nombreuses voies ferrées et favorisant le commerce extérieur. La révolution dirigée par Francisco Madero le contraint à s'exiler en 1911.

DIAZ (Armando), maréchal italien (Naples 1861-Rome 1928). Commandant en chef en 1917-18, il vainquit les Autrichiens à Vittorio Veneto (1918). Ministre de la Guerre (1922-1924), il fut promu maréchal en 1924.

DIAZ de la Peña (Narcisse Virgile) → BARBIZON *(école de).*

DIAZOÏQUES (sels). — Les sels diazoïques, ou sels de diazonium, découverts en 1858 par l'Allemand Griess, ont pour formule générale ArN_2^+, Ac^-, où Ar représente un radical aryle (C_6H_5, par ex.) et Ac un reste acide (Cl, HSO_4, etc.). Ce sont des corps cristallisés incolores, mais brunissant à l'air et peu stables. Ils se prêtent à de nombreuses réactions, en se transformant notamment en colorants azoïques par condensation avec des arylamines ou des phénols.

DIB (Mohammed), écrivain algérien (Tlemcen 1920). Ses romans (*l'Incendie,* 1954 ; *le Talisman,* 1966 ; *le Maître de chasse,* 1973), son théâtre et ses poèmes (*Ombre gardienne,* 1961 ; *Formulaires,* 1970) évoquent les problèmes humains et quotidiens que pose la constitution de la nouvelle personnalité politique et culturelle de son pays.

DIBAY → DUBAYY.

DICHROÏSME. — Dans un milieu biréfringent, les vibrations lumineuses parallèles aux différentes directions sont inégalement absorbées. Donc, l'intensité et la nature de la lumière transmise varient non seulement avec l'épaisseur (comme dans les milieux isotropes), mais encore selon l'orientation suivant laquelle on les observe. Par exemple, le zircon (cristal uniaxe) est brun dans la direction de l'axe et gris bleuâtre dans une direction perpendiculaire.

DICKENS (Charles), romancier anglais (Landport, Portsmouth, 1812-Gad's Hill, Rochester, 1870). Fils d'un modeste employé, il connaît une enfance difficile. Son père est emprisonné pour dettes, et Charles devient, à douze ans, ouvrier dans une fabrique de cirage. Il poursuit cependant ses études, est un moment clerc de notaire, puis entre comme sténographe-reporter au *Morning Herald* (1831). Le succès de ses chroniques (*Esquisses de Boz*, 1835) lui vaut la commande d'un ouvrage, publié par livraisons (*les Aventures de M. Pickwick**, 1837), qui fait de lui un des romanciers les plus populaires. De sa jeunesse malheureuse, il tire la matière de récits à la fois sensibles et humoristiques (*Olivier Twist*, 1838; *Nicolas Nickleby*, 1839; *le Magasin d'antiquités*, 1840). Déçu par l'Amérique (*Martin Chuzzlewit*, 1843), il affirme sa révolte sociale (*Contes* de Noël*, 1843) et voyage en Europe. Obsédé cependant par ses souvenirs (*David* Copperfield*, 1849-50; *la Petite Dorrit*, 1857), il tombe amoureux de l'actrice Ellen Ternan, quitte sa femme, mais connaît bientôt une désillusion qu'il exprime dans *les Grandes Espérances* (1861) et *Notre ami commun* (1864). N'évitant ni la caricature ni la sensiblerie, son œuvre, grouillante de personnages pittoresques, a fait rire et pleurer toute une génération.

DICKINSON (Emily), femme de lettres américaine (Amherst 1830-*id.* 1886). Son œuvre, ignorée de son vivant et composée de petits poèmes introspectifs (*Poems*, 1890-1896; *Bolts of Melody*, 1945), a exercé une profonde influence sur la poésie moderne américaine, de Hart Crane à Robert Lowell.

DICOTYLÉDONES. — Les plantes supérieures (angiospermes) se divisent en deux groupes inégaux : les monocotylédones*, qui constituent un groupe naturel dont les membres ont de nombreux caractères communs, et les dicotylédones, qui n'ont qu'une seule ressemblance : la plantule contenue dans la graine présente deux expansions symétriques comparables à des feuilles, les *cotylédons*. Il ne s'agit donc nullement d'un groupe naturel, mais d'un ensemble défini de façon négative. La plupart des espèces, toutefois, ont des feuilles à nervures ramifiées, une fleur munie de sépales verts et de pétales colorés, et les espèces vivaces présentent des « formations secondaires », par exemple les cercles annuels de bois des arbres, qui existent aussi chez les gymnospermes (conifères) mais non chez les monocotylédones.

DICTATURE (*Hist. rom.*). — Instituée vers la fin du VIe s. av. J.-C., la dictature était à Rome une magistrature militaire extraordinaire, échappant à la règle de la collégialité. En cas de grave danger pour l'État, le Sénat pouvait inviter les consuls à nommer un dictateur, choisi parmi les personnages consulaires, pour une période de six mois; son entrée en fonction suspendait l'exercice des autres magistratures. Son *imperium* était illimité; cependant, il devait s'adjoindre un maître de la cavalerie (*magister equitum*), qui abdiquait ses fonctions en même temps que lui. En fait, la dictature fut assez rare : encore utilisée en 216, au lendemain du désastre de Cannes*, elle tomba en désuétude et ne réapparut qu'au Ier s., pour légaliser le pouvoir personnel de Sulla et de César.

DICTATURE DU PROLÉTARIAT. — La dictature du prolétariat désigne, chez Marx comme chez Lénine, le régime politique transitoire mis en place par et pour le prolétariat afin d'assurer le passage du capitalisme au communisme, car « la lutte des classes mène nécessairement à la dictature du prolétariat ». Celle-ci est « l'organisation de l'avant-garde des opprimés en classe dominante [...]. En même temps qu'élargissement considérable de la démocratie, devenue pour la première fois démocratie pour les pauvres, démocratie pour le peuple et non pour les riches, la dictature du prolétariat apporte une série de restrictions à la liberté pour les oppresseurs, les exploiteurs, les capitalistes » (Lénine, *l'État et la révolution*).

DICTIONNAIRE. — Un dictionnaire est un objet culturel qui présente un lexique d'une manière organisée (généralement l'ordre alphabétique) de façon à répondre à un certain nombre de questions. Genre littéraire, le dictionnaire a ceci de particulier qu'il ne donne pas lieu à une lecture suivie mais à une consultation ponctuelle.

En fonction du type d'information dispensé, on distingue les dictionnaires multilingues (généralement bilingues) et les dictionnaires monolingues. Parmi ceux-ci, deux options sont possibles : d'une part, les dictionnaires encyclopédiques (ou « dictionnaires de choses »), qui ont pour but de décrire et de commenter les concepts désignés par les mots; d'autre part, les dictionnaires de langue (ou « dictionnaires de mots »), qui fournissent des informations d'ordre linguistique (prononciation, étymologie, significations, constructions, synonymes, etc.). Une grande variété existe d'ailleurs à l'intérieur de ces deux grands secteurs selon l'extension du lexique traité, selon la perspective synchronique ou diachronique dans laquelle on se place.

Les débuts de la lexicographie française, à l'époque de la Renaissance, sont issus des dictionnaires plurilingues, dont le plus célèbre, celui d'Ambrogio Calepino (v. 1440-1510), met en présence deux langues dans sa première édition (1502) et onze dans celle de 1588. Le *Dictionnaire français-latin* (1539) de Robert Estienne est en réalité le premier dictionnaire de français : au cours des rééditions, l'aspect monolingue l'emporte de plus en plus jusqu'à la réédition faite en 1606 par Jean Nicot sous le titre de *Thrésor de la langue françoyse*. Époque de fixation et de diffusion du français commun, le XVIIe s. est le siècle d'or des dictionnaires de langue : le *Dictionnaire françois* (Genève, 1680) de César Pierre Richelet (1631-1698), le *Dictionnaire universel* (Rotterdam, 1690) d'Antoine Furetière et le *Dictionnaire de l'Académie française* (1694; nouvelles éditions en 1718, 1740, 1762, 1798, 1835, 1877, 1932-1935). Époque des lumières, le XVIIIe s. est le siècle des grandes entreprises encyclopédiques : outre l'*Encyclopédie**, il faut citer le *Dictionnaire de Trévoux*, œuvre des Jésuites, qui se présente comme un enrichissement du dictionnaire de Furetière (3 vol. en 1704, 8 vol. en 1771). Ces deux directions (mots/choses) connaissent leur aboutissement au XIXe s. avec, d'une part, le *Dictionnaire de la langue française* d'Émile Littré (4 vol. 1863-1873, 1 suppl. 1877), et, d'autre part, le *Grand Dictionnaire universel du XIXe siècle* de Pierre Larousse (1866-1876, 15 vol., 2 suppl. 1878 et 1888).

DIDACTIQUE. — En toute rigueur, toute œuvre littéraire écrite pour donner un enseignement appartient au genre didactique : ainsi, les livres *canoniques (king)* chinois, les *sūtras* de l'Inde, les fables d'Ésope ou de La Fontaine, les ouvrages d'éducation comme *les Aventures de Télémaque* de Fénelon, le théâtre de Brecht. Mais le terme s'applique plus spécialement à la poésie qui se propose l'exposé d'une doctrine philosophique ou de connaissances scientifiques et techniques. Si la concision et le rythme du vers en font un instrument pédagogique et mnémotechnique privilégié, caractère marqué de la poésie grecque ancienne (Pythagore, Hésiode), le souci de l'œuvre d'art l'emporte rapidement sur l'intention d'enseigner. Les chefs-d'œuvre latins mis à part (*De natura rerum* de Lucrèce, *les Géorgiques* de Virgile), la poésie didactique, de Ronsard et du Bartas à Sully Prudhomme, s'embarrasse dans les périphrases et s'épuise dans les longueurs descriptives. Sa grande période reste le siècle des Lumières, avec Voltaire (*Épître sur la philosophie de Newton)*, Delille *(les Jardins)*, Roucher *(les Mois)*, Chénier *(l'Amérique)* : la rupture avec le romantisme qui lui succède n'en est que plus profonde. En imposant l'expression du moi comme objet essentiel de la poésie, le romantisme a fait de la *poésie didactique* une expression commode pour désigner ce qui précisément n'appartient pas à la poésie.

DIDELOT (Charles), danseur et chorégraphe français (Stockholm 1767-Kiev 1837). Élève de Dauberval et d'Auguste Vestris, en dépit de ses succès à Londres ou en France, sa carrière se déroule surtout à Saint-Pétersbourg, où, précurseur du romantisme, il exercera une grande influence sur le ballet russe. À côté de son œuvre majeure *Flore et Zéphyre* (1796; le premier ballet « volant »), il compose de nombreux grands ballets *(Raoul de Créqui, le Prisonnier du Caucase)*, dans lesquels il met en pratique les théories de son maître Noverre*.

DIDEROT (Denis), écrivain et philosophe français (Langres 1713-Paris 1784). Fils d'un coutelier régnant sur sa famille en patriarche, il reçoit la tonsure, à treize ans, afin de recueillir les bénéfices d'un oncle chanoine. Mais il s'enfuit du collège des Jésuites de sa ville natale et gagne Paris. Maître ès arts (1732), il se refuse à prendre une profession régulière, glisse dans la bohème, se lie avec Mably, Condillac, Rousseau. Il s'éprend de la fille de sa blanchisseuse, l'épouse malgré son père et, pour vivre, s'épuise en travaux de librairie. Sa traduction de l'*Essai sur le mérite et la vertu* de Shaftesbury lui permet de préciser ses idées, qu'il exprime avec éclat dans les *Pensées philosophiques* (1746). Diderot s'interroge toutefois sur le sens à donner à sa vie *(Promenade du sceptique)*, compose un roman licencieux (*les Bijoux indiscrets*, 1747), mais entreprend d'établir un rapport entre les découvertes scientifiques et la spéculation métaphysique (*Lettre sur les aveugles*, 1749). Incarcéré à Vincennes, puis libéré après s'être humilié, il va consacrer l'essentiel de son activité à la direction de l'*Encyclopédie**. Il crée cependant la critique d'art (*Salons**, 1759-1781), collabore à la *Correspondance* littéraire* de Grimm, esquisse la

Bernand

Adaptation dramatique du *Neveu de Rameau* au théâtre de l'Œuvre (Paris, 1964), avec Pierre Fresnay et Julien Bertheau.

théorie d'un matérialisme dynamique (*le Rêve* de D'Alembert,* publié en 1830), réfléchit sur l'esthétique théâtrale *(Paradoxe* sur le comédien),* qu'il illustre avec *le Fils* naturel* (1757, joué en 1771) et *le Père de famille* (1758, joué en 1761). Il accumule dans ses tiroirs des romans (*la Religieuse, Jacques* le Fataliste,* publiés en 1796), fait le portrait de son génie multiple dans *le Neveu* de Rameau* (publié en 1821), et revit, dans sa correspondance, son existence tumultueuse *(Lettres à Sophie Volland).* En 1773, il se rend en Russie pour remercier Catherine II, qui lui a acheté sa bibliothèque en lui en laissant l'usage. Déçu par le despotisme éclairé, il n'attaque cependant pas la tsarine : il reporte son ressentiment sur Frédéric II (*Principes de politique des souverains,* 1774) et fait l'apologie de Sénèque (*Essai sur les règnes de Claude et de Néron,* 1779-1782). Et, tandis que sa vie privée s'embourgeoise, sa pensée politique se fait, dans ses dernières années, plus hardie (*Lettre apologétique de l'abbé Raynal,* 1781).

D'une curiosité universelle, causeur merveilleux, Diderot fut pour le XVIIIe s. le « philosophe » par excellence. C'est peut-être par sa capacité de dialogue qu'il reste si moderne, par sa vigueur dramatique (il est remarquable que, si son théâtre, application trop consciente et systématique d'une théorie, a vieilli, des textes comme *le Neveu de Rameau* ont connu un immense succès dans leur adaptation à la scène). Sa réflexion passe par le geste, le corps, la pantomime : c'est dire que ses idées naissent et se déploient moins selon le schéma d'une rhétorique que suivant la logique, perpétuellement réajustée, du vivant.

DIDIER, dernier roi des Lombards († apr. 774). Couronné en 757, grâce au pape Étienne II, il ne tient pas ses engagements vis-à-vis de ce dernier, qui lui oppose Charlemagne : celui-ci l'oblige à capituler en 774. Didier meurt dans un monastère.

DIDON ou **ÉLISSA,** princesse tyrienne, sœur du roi de Tyr Pygmalion. Elle aurait fondé Carthage* v. 825-819. Selon une tradition rapportée par Timée, Élissa était accompagnée de Chypriotes et de notables tyriens que la légende considère comme fugitifs. Elle est plus connue sous le surnom poétique de « Didon » que lui donna Virgile, lequel célèbre dans *l'Énéide* ses amours malheureuses et sa mort.

Didon et Énée, opéra en trois actes, livret de N. Tate d'après Virgile, musique de H. Purcell (1689). Destinée à un collège de jeunes filles, cette partition réalise une heureuse synthèse entre l'esthétique de Lully et l'art vocal italien, joint à un lyrisme anglais très personnel. Le point culminant de l'œuvre reste la scène de la mort de Didon.

DIDOT, famille de libraires (depuis 1713) et d'imprimeurs parisiens, dont les membres les plus célèbres sont : FRANÇOIS AMBROISE (Paris 1730-*id.* 1804), qui fit fabriquer le papier vélin, établit la désignation des caractères typographiques en points et créa de nouveaux caractères simples et légers qui éliminaient tout ce qui tenait au tracé calligraphique ; FIRMIN (Paris 1764 - Le Mesnil-sur-l'Estrée 1836), inventeur de la stéréotypie ; AMBROISE FIRMIN (Paris 1790-*id.* 1876), qui procéda à la refonte du *Thesaurus graecae linguae* d'Henri Estienne.

DIE (26150), ch.-l. d'arr. de la Drôme, sur la Drôme ; 4 191 hab. *(Diois).* Vestiges gallo-romains. Anc. cathédrale romane restaurée au XVIIe s. Musée. Vins blancs (clairette).

DIEFENBAKER (John George), homme politique canadien (Newstadt, Ontario, 1895). Président du parti conservateur (1956-1967), il fut Premier ministre du Canada de 1957 à 1963.

DIÉGO-SUAREZ, port du nord de Madagascar, sur la *baie de Diégo-Suarez ;* 43 000 hab. Base navale utilisée par la France jusqu'en 1975 et remise à cette date à la République malgache.

DIEKIRCH, ch.-l. de cant. du Luxembourg, sur la Sûre ; 5 100 hab.

DIÉLECTRIQUE. — La *constante diélectrique* est le rapport de la capacité d'un condensateur formé d'un diélectrique donné à sa capacité quand il est vide. On appelle *polarisation diélectrique* la séparation, sous l'action d'un champ électrique, des charges positives et négatives à l'intérieur d'un diélectrique. La *rigidité diélectrique* est la valeur minimale du champ électrique capable de provoquer la décharge par étincelle dans un diélectrique.

DIELS (Otto), chimiste allemand (Hambourg 1876-Kiel 1954). Auteur en 1928, avec son élève Kurt Alder*, de la « synthèse diénique », qui a trouvé de nombreuses applications. Tous deux ont obtenu le prix Nobel de chimie en 1950.

DIÊN BIÊN PHU *(cuvette de),* petite plaine du Viêt-nam septentrional. Les forces françaises y installèrent en 1953 un point d'appui dont la garnison, assiégée en février 1954 par huit divisions du Viêt-minh, dut cesser le combat le 7 mai 1954. (V. INDOCHINE [*guerre d'*].)

DIENCÉPHALE → CERVEAU.

DIÈNE. — On distingue les *diènes cumulés,* dans lesquels les doubles liaisons sont séparées par un seul atome de carbone et dont le type est l'allène $CH_2=C=CH_2$, les *diènes conjugués,* dans lesquels deux atomes de carbone séparent les doubles liaisons et dont le type est l'érythrène $CH_2=CH-CH=CH_2$, et les *diènes éloignés.* Les diènes conjugués subissent, sous l'action du sodium ou des peroxydes, une polymérisation indéfinie qui conduit à des caoutchoucs artificiels.

DIEPENBEEK, comm. de Belgique (Limbourg), au S.-E. d'Hasselt ; 12 459 hab. (en 1970).

DIEPPE (76200), ch.-l. d'arr. de la Seine-Maritime, sur la Manche ; 26 111 hab. *(Dieppois).* Château des XVe-XVIIe s. (musée : salles de marine, ivoirerie dieppoise, salle C. Saint-Saëns, etc.). Églises Saint-Jacques (XIIIe-XVIe s., à décor sculpté flamboyant) et Saint-Remy (XVIe-XVIIe s.). Port de pêche, de voyageurs et de commerce (bananes). Matériel téléphonique. Horlogerie. Construction automobile. — Théâtre d'une opération amphibie anglo-canadienne le 19 août 1942.

DIERGOL → PROPERGOL.

DIERX (Léon), poète français (la Réunion 1838 - Paris 1912), qui se rattache à l'esthétique parnassienne *(les Lèvres closes,* 1867).

DIÈSE → NOTATION MUSICALE.

DIESEL. — Le moteur* Diesel, de formes semblables à celles du moteur à essence dit « à explosion », en diffère par la carburation*, le mode d'allumage* et la nature du combustible employé. La carburation est assurée par injection* directe du carburant* dans la culasse, un peu avant la fin du temps de compression. L'air introduit dans la chambre de combustion au temps précédent est alors fortement comprimé, ce qui porte sa température aux environs de 600 °C. Dès que le mélange gazeux carburé est formé, il s'enflamme spontanément. La progressivité de cette inflammation permet de considérer la pression comme pratiquement inchangée. Le diesel est caractérisé par une combustion à pression constante, alors que, pour le moteur à explosion, elle est à volume constant. Le carburant employé est du gas*-oil, produit intermédiaire entre l'essence* et l'huile, provenant de la distillation du pétrole*. Sa température d'inflammabilité est supérieure à 70 °C. On distingue trois groupes de diesels différenciés par la forme de la chambre de combustion. Dans le premier groupe, on injecte directement le carburant dans la culasse. L'allumage a lieu uniquement par compression, ce qui implique une haute précision de la pompe

DIESEL

Types de chambre de combustion : 1. Injection directe avec chambre de turbulence; 2. Chambre de précombustion dans laquelle débite l'injecteur et débouche la bougie de préchauffage pour les départs à froid; 3. Dispositif comportant une antichambre placée, dans la culasse, en face de l'injecteur.

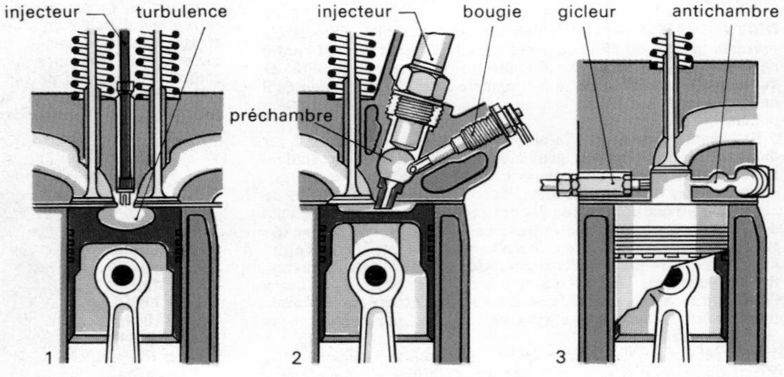

d'injection qui doit assurer des pressions d'injection voisines de 300 bar. Dans le second groupe, l'injection est pratiquée dans une petite chambre, maintenue à haute température, qui communique avec la culasse. Dès le début de l'inflammation de la charge carburée, il se crée dans la chambre de combustion une violente turbulence des gaz, qui garantit l'homogénéité absolue du mélange et la progressivité de la combustion. Cette pratique de la turbulence se retrouve dans les moteurs du troisième groupe, caractérisés par la présence dans le fond du piston d'une petite chambre à réserve d'air, qui amorce la turbulence dès que le carburant est injecté dans son centre. Pour ces deux groupes, la pression d'injection est ramenée à 100 bar. La pompe d'injection, commandée par l'accélérateur, envoie le carburant aux injecteurs (un par cylindre) par un distributeur rotatif. Un régulateur lui permet de subir les variations incessantes du régime du moteur. L'injecteur est muni d'une aiguille sous tension d'un ressort de rappel qui libère l'orifice au moment de l'injection.

DIESEL (Rudolf), ingénieur allemand (Paris 1858 - † lors d'une traversée entre Anvers et l'Angleterre 1913). On lui doit la conception et la réalisation du moteur à combustion interne (1893-1897) auquel son nom est resté attaché.

DIEST, v. de Belgique, dans le nord-est du Brabant ; 9 499 hab. (en 1970). Grand-Place avec église (XVe-XVIe s.), halle (XIVe s.), hôtel de ville (musée) et maisons anciennes. Béguinage demeuré intact (église du XIVe s., jolies maisons des XVIe-XVIIIe s.).

DIÈTE *(Hist.).* — Ce nom a été donné jadis aux assemblées délibérantes de certains pays : Saint Empire, Pologne, Hongrie, Confédération helvétique, Suède, etc. La diète la plus célèbre fut celle du Saint Empire, issue en droite ligne de la tradition franque. Convoquée par l'empereur, elle discutait des problèmes de politique générale (guerre, paix, impôts) et prenait des décisions, appelées *recez de l'Empire.* Elle comportait trois collèges : celui des Électeurs, chargés de désigner l'empereur, celui des princes et celui des villes d'Empire. Chaque collège délibérait séparément et disposait d'un droit de veto.

DIÈTE *(Méd.).* — La *diète absolue* est appliquée rarement et seulement pendant de très courtes périodes (avant une intervention chirurgicale par exemple). La *diète hydrique* (avec absorption de liquides aqueux) peut être poursuivie plusieurs jours, surtout si elle s'accompagne d'une alimentation parentérale (perfusions). La *diète mitigée* comporte un apport calorique minimal sous forme de lait, de farines, de jus de fruits, de boissons sucrées et de spécialités apportant une ration de 600 à 800 calories, suffisante pour un sujet alité.

DIÉTÉTIQUE. — Les règles de la diététique, qui découlent des progrès réalisés dans la connaissance des phénomènes physiologiques et pathologiques, s'appliquent aussi bien aux sujets sains qu'aux malades. Pour ceux-ci, les diététiciens déterminent, sous contrôle médical, les rations alimentaires, établissent la liste des aliments permis et défendus pour chaque cas ainsi que les quantités à prendre. Des régimes sont ainsi établis pour les diabétiques, les insuffisants rénaux, les hypertendus, les cardiaques, les convalescents, etc. La diététique apporte des directives essentielles pour l'alimentation des sportifs, des militaires, des explorateurs (pays tropicaux, pays froids, montagnes, etc.) et des astronautes. Enfin, tout sujet sain devrait acquérir des notions de diététique pour conserver la santé : avoir une alimentation variée, prendre des proportions équilibrées de protéines (viandes), de lipides (graisses) et de glucides (sucres), penser à un apport vitaminique quotidien (manger des fruits) et toujours proportionner les aliments aux besoins réels, pour maintenir un poids adapté à la taille.

DIETIKON, comm. de Suisse, à l'ouest de Zurich, dans la vallée de la Limmat ; 22 705 hab.

DIETRICH (Maria Magdalena VON LOSCH, dite **Marlène**), actrice américaine d'origine allemande (Berlin 1902). Après avoir tourné une vingtaine de films en Allemagne, elle est révélée par le film *l'Ange bleu* de Josef von Sternberg en 1930. Sous la direction de ce dernier, elle tourne ensuite dans *Cœurs brûlés* (1931), *Blonde Vénus* (1932), *Shanghai Express* (1932), *l'Impératrice rouge* (1934), *la Femme et le pantin* (1935), puis paraît dans des films de F. Borzage, d'E. Lubitsch, de R. Clair, de B. Wilder, d'A. Hitchcock, de F. Lang et d'O. Welles. Sa voix sensuelle et sa présence fascinante lui ont permis de mener également une grande carrière de chanteuse de music-hall.

DIEU. — La polémique qui a longtemps opposé athées et déistes paraît à notre époque sans grande signification : l'ère de l'apologétique est révolue. L'idée de Dieu sous sa forme traditionnelle est un produit de l'esprit humain, auquel on accorde une valeur dogmatique, bien qu'un abîme sépare le Dieu des philosophes du Dieu des religions. Seul ce dernier entre dans la sphère de l'existence : on n'engage pas sa vie sur la conclusion positive ou négative d'un syllogisme. Un courant apparaît qui cherche Dieu non dans un raisonnement de l'esprit, mais dans le domaine du religieux vécu et qui refuse de le penser à travers le filtre d'institutions et de formules. Les « théologies de la mort de Dieu » se veulent en fait (au-delà des constructions les plus hasardeuses) une dénonciation des faux visages de Dieu, une interpellation lancée aux Églises, un appel à ce que la religion a de plus authentique et de plus vivant. (V. ATHÉISME, THÉOLOGIE.)

DIEUDONNÉ Ier, II → PAPE.

DIEULEFIT (26220), ch.-l. de cant. de la Drôme, à 27 km à l'E. de Montélimar ; 2 919 hab. Poteries.

DIEULOUARD (54380), comm. de Meurthe-et-Moselle, à 7 km au S. de Pont-à-Mousson, sur la Moselle ; 5 372 hab. *(Déicustodiens).* Église de 1504, chapelle de l'ancien château. Métallurgie.

DIEUZE (57260), ch.-l. de cant. de la Moselle, à 20 km à l'E. de Château-Salins, sur la Seille ; 5 197 hab. Salines.

DIEZ (Friedrich), linguiste allemand (Giessen 1794 - Bonn 1876). Spécialiste de linguistique historique, il appliqua à l'ensemble des langues romanes les méthodes de la grammaire comparée (*Grammaire des langues romanes,* 1836-1838 ; *la Formation des mots dans les langues romanes,* 1875).

DIFFERDANGE, v. du sud-ouest du Luxembourg ; 18 000 hab. Sidérurgie.

DIFFÉRENCIATION. — La différenciation cellulaire tient le milieu entre une simple *prolifération* de cellules toutes pareilles et l'*organisation* qui édifie les organes d'un être vivant. Il y a différenciation lorsque certaines cellules vivantes en engendrent d'autres, qui sont à la fois différentes de la cellule mère et différentes les unes des autres. Gouvernée par le programme génétique inclus dans la cellule initiale (œuf), la différenciation repose sur une interaction très complexe des cellules voisines, et la science est encore loin d'en connaître toutes les lois.

DIFFÉRENTIEL. — Le différentiel, accolé au couple conique de transmission*, permet aux roues motrices, lorsqu'elles sont engagées dans un virage, de rouler à des vitesses différentes l'une de l'autre. Il est composé d'un porte-satellites solidaire d'une coquille fixée à la grande couronne du renvoi d'angle de la transmission et

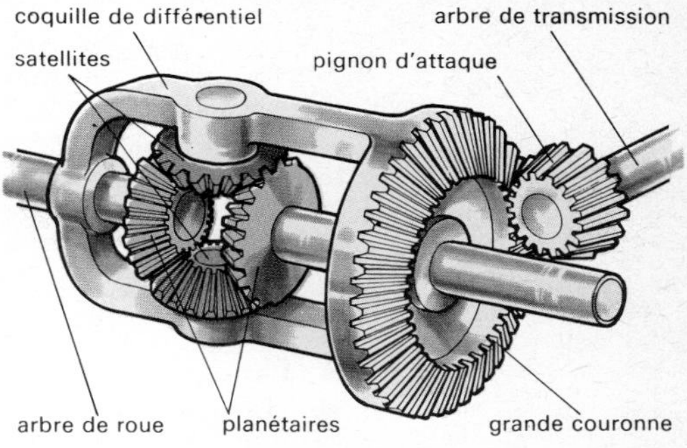

Éléments constitutifs d'un différentiel.

contenant deux pignons coniques dits *planétaires,* reliés chacun à un arbre de roue. Deux satellites sont insérés entre les planétaires de telle manière qu'ils puissent rouler autour de leur axe respectif. Ils sont solidaires du boîtier du pont arrière. En virage, la roue située à l'intérieur est partiellement freinée, et son planétaire correspondant tourne plus lentement. Les satellites roulent sur lui, et l'autre planétaire est entraîné à une vitesse plus grande. Cet appareil ne peut fonctionner que si la vitesse du porte-satellites est égale à la demi-somme des vitesses des planétaires. Si l'une des roues perd toute adhérence, l'autre roue s'arrête, à moins que l'on n'utilise un dispositif à blocage automatique.

DIFFÉRENTIELLE **(psychologie)** → TEST.

DIFFÉRENTIELLE. — La différentielle d'une fonction* réelle d'une variable* réelle est égale au produit de la dérivée* de cette fonction par un accroissement de la variable.

Si f est la fonction, dérivable au point $x \in \mathbb{R}$, $\mathrm{d}x$ désignant un accroissement de la variable x et $\mathrm{d}y$ la différentielle de $y = f(x)$, on a $\mathrm{d}y = f'(x)\,\mathrm{d}x$, f' étant la dérivée de la fonction f. Si M est le point de coordonnées $[x, y = f(x)]$, P le point de coordonnées $[x + \mathrm{d}x, f(x + \mathrm{d}x)]$ et T le point d'intersection de la tangente en M à la courbe représentative des variations de la fonction f autour de x avec la projetante PK de P sur $x'x$, on a

$$f(x + \mathrm{d}x) = f(x) + \Delta y = y + \Delta y = \overline{\mathrm{KL}} + \overline{\mathrm{LP}}; \quad \Delta y = \overline{\mathrm{LP}}.$$

La différentielle $dy = f'(x)dx$ est égale à LT, puisque la pente de la tangente MT est $f'(x)$. Il y a donc une différence entre dy et Δy :

$$\Delta y - dy = \overline{TP}.$$

Ainsi, la différentielle d'une fonction au voisinage du point M ne représente pas l'accroissement Δy de la fonction correspondant à l'accroissement Δx de la variable. Cependant, si dx est très petit, la

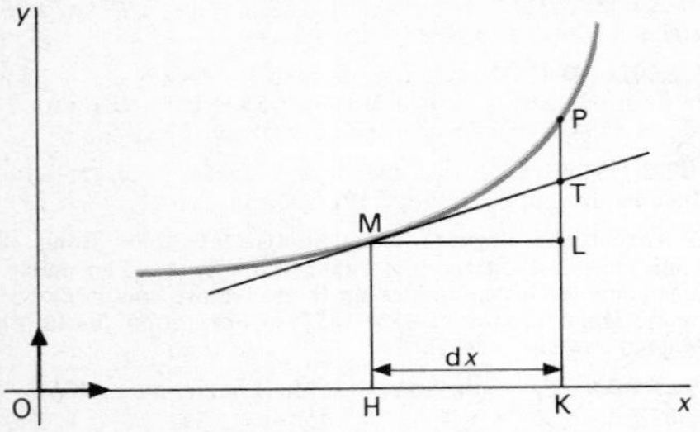

courbe et sa tangente, au voisinage de M, sont très voisines, et la différence $\Delta y - dy$ peut être considérée comme négligeable. On confond, au premier ordre, l'accroissement de la fonction avec sa différentielle. Ce résultat est utilisé dans de nombreuses disciplines, notamment pour les calculs d'erreurs*.

DIFFRACTION. — Lorsqu'on utilise une source lumineuse très fine, le contour de l'ombre portée par un corps opaque n'est pas net, mais bordé de franges, c'est-à-dire de bandes alternativement sombres et brillantes. Ce phénomène, observé par Grimaldi, a été

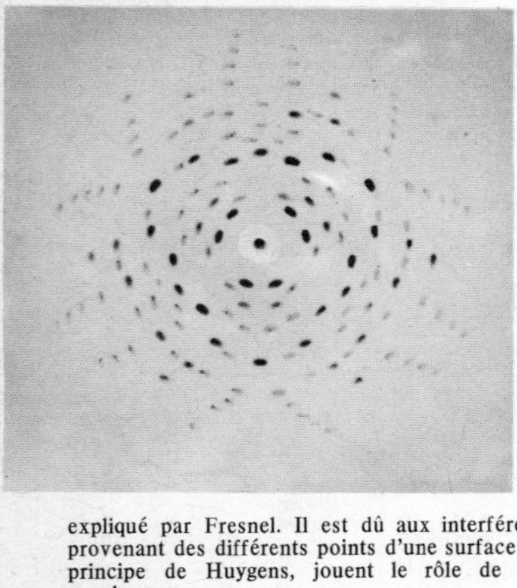

Diffraction des rayons X.

expliqué par Fresnel. Il est dû aux interférences des vibrations provenant des différents points d'une surface d'onde, qui, selon le principe de Huygens, jouent le rôle de sources ponctuelles synchrones.

La diffraction limite les possibilités des instruments d'optique : dans un microscope, par exemple, l'image d'un point n'est jamais un point, mais une petite tache, d'autant plus étendue que l'ouverture de l'objectif est plus petite.

Les rayons X peuvent également se diffracter dans les corps cristallisés, ainsi, d'ailleurs, que les électrons et les neutrons, et le diagramme obtenu permet de connaître la position des atomes dans le réseau cristallin.

DIFFUSEUR *(Mécan. des fl.)*. — Pour des vitesses inférieures à la vitesse du son dans le fluide, un diffuseur est divergent, qu'il s'agisse d'un gaz ou d'un liquide. Les augmentations de section, qui entraînent le ralentissement du fluide, doivent être progressives pour éviter des phénomènes de décollement pouvant désamorcer le diffuseur.

DIFFUSION DE LA LUMIÈRE. — Les ondes lumineuses ou calorifiques qui tombent sur la surface d'un corps mat sont renvoyées dans toutes les directions. Cela tient à ce que la surface d'un corps dépoli présente, en chacun de ses éléments, un grand nombre de petites facettes ayant toutes les orientations. C'est cette lumière diffuse qui nous permet de voir les objets non lumineux par eux-mêmes.

DIFFUSION DES GAZ. — Deux gaz qui n'exercent aucune action chimique l'un sur l'autre se mélangent, chacun d'eux se comportant comme s'il était seul et, par suite, occupant tout l'espace qui lui est offert. La diffusion a encore lieu quand les deux gaz sont séparés par une cloison poreuse, mais les vitesses de diffusion sont inversement proportionnelles aux racines carrées des densités des deux gaz.

DIFFUSION DES SOLUTIONS. — Comme les molécules gazeuses, les molécules (ou les ions) des substances dissoutes tendent, par suite de leurs mouvements, à se répandre uniformément dans le volume du solvant.

DIFFUSIONNISME. — Réagissant contre l'évolutionnisme* du XIXe s., cette école a montré l'importance de la mise en contact des sociétés pour la transformation des cultures. Ainsi, dans chaque société, certains traits culturels seraient inventés alors que d'autres seraient empruntés à d'autres sociétés (diffusion). Allant plus loin, l'hyperdiffusionnisme (Rivers*, Smith, Graebner, etc.) insiste sur la très faible capacité inventive de l'homme ; toutes les cultures seraient issues de la civilisation égyptienne.

DIGESTION. — La digestion est une fonction animale et végétale purement chimique. Elle consiste en une *hydrolyse enzymatique,* ce qui signifie que les aliments (ou les réserves internes de l'organisme), mis en présence de sucs digestifs très actifs (*enzymes**), sont décomposés, par fixation d'eau, en très petites molécules, solubles, susceptibles de circuler dans le sang des animaux ou la sève des végétaux et de s'incorporer aux cellules.

La digestion peut porter sur les *réserves nutritives* contenues dans le foie et le derme des animaux, dans les graines et les tubercules des plantes, etc., ou sur les *aliments* prélevés à l'extérieur. Dans ce dernier cas, la digestion est *externe* lorsque l'organisme diffuse des sucs digestifs autour de lui (bactéries, plantes insectivores, divers animaux [étoiles de mer, insectes piqueurs, araignées]) et *interne* lorsqu'elle a entièrement lieu dans un appareil digestif (sac ou tube). La digestion dans un tube peut se faire par étapes successives, chacune préparant la suivante. Dans tous les cas, la digestion doit être suivie par l'absorption*, la circulation* et l'assimilation*.

Chez l'homme et la plupart des animaux supérieurs, les

DIGESTION

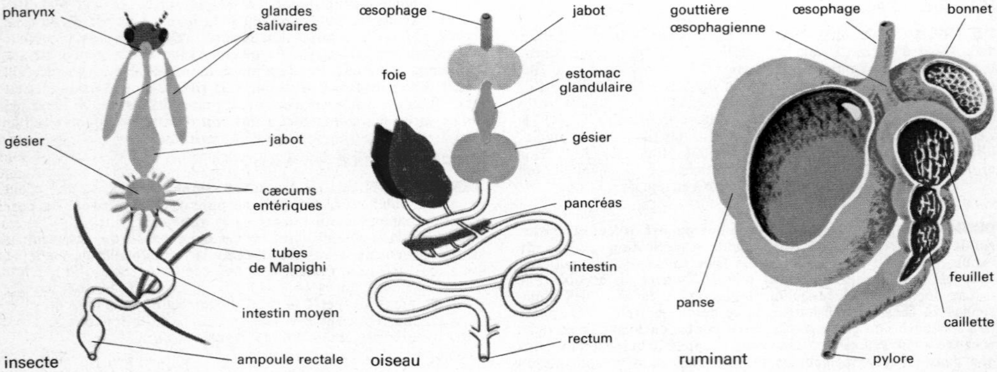

phénomènes chimiques de la digestion ne peuvent se faire qu'à la faveur d'actions mécaniques : morcellement et écrasement des aliments dans la bouche par la mastication, puis progression du bol alimentaire dans le tube digestif, commençant par la déglutition et se poursuivant grâce aux mouvements péristaltiques. Ces mécanismes permettent dans la bouche le contact des aliments avec la salive, dont l'amylase commence la digestion des glucides. Dans l'estomac, le contact alimentaire avec la muqueuse déclenche, par l'intermédiaire de la gastrine, la sécrétion de l'acide chlorhydrique et de la pepsine, qui attaquent les protéines. Le chyme ainsi formé passe dans l'intestin, puis l'érepsine et la trypsine terminent la digestion des protéines, alors que l'amylase pancréatique complète celle des glucides et que la lipase digère les lipides préalablement émulsionnés par la bile.

La digestion difficile, ou *dyspepsie,* peut être le fait d'une insuffisance de sécrétions et de contractions de l'estomac et de l'intestin, cause de flatulences (gaz, ballonnements, éructations, etc.), ou, au contraire, celui d'un excès de sécrétion d'acide chlorhydrique (hyperchlorhydrie), entraînant des brûlures gastriques.

DIGITALE. — À l'état sauvage, la digitale (famille des scrofulariacées) orne souvent les clairières et les coupes de bois de ses hampes, fleuries de grandes cloches violettes ou roses. Elle ne croît guère que sur un sol siliceux ; en dehors de la période de floraison, elle se reconnaît à ses feuilles cotonneuses.

La digitale pourprée *(Digitalis purpurea)* et la digitale laineuse *(Digitalis lanata)* contiennent des glucosides très toxiques, mais doués, à faibles doses, de remarquables propriétés tonicardiaques. La *digitaline* (isolée de *D. purpurea)* renforce, ralentit et régularise les contractions cardiaques, et elle calme l'irritabilité du myocarde, sur lequel elle s'accumule (d'où la nécessité de doses très précises). La *digoxine* (isolée de *D. lanata*) a des actions analogues, mais plus rapides et plus brèves, et elle s'accumule moins. Ces produits sont employés dans le traitement de certains troubles du rythme du cœur et dans le cas d'insuffisance cardiaque, sous contrôle médical strict.

DIGNE (04000), ch.-l. des Alpes-de-Haute-Provence, au pied des *Préalpes de Digne,* à 756 km au S.-E. de Paris ; 15 778 hab. *(Dignois).* Anc. cathédrale romane (v. 1200). Cathédrale de la fin du XVe s. Musée. Centre commercial (lavande).

DIGOIN (71160), ch.-l. de cant. de Saône-et-Loire, sur la Loire; 11 402 hab. *(Digoinais).* Céramique.

DIGUE. — • La *digue fluviale* a pour objet essentiel de régulariser et d'endiguer un cours d'eau; aussi est-elle construite dans une direction sensiblement parallèle au courant. Elle reçoit en général une section transversale triangulaire à pente plus adoucie du côté du fleuve (1 pour 4) que du côté opposé (1 pour 2). Sa hauteur doit lui écarter tout risque de submersion. La plate-forme du couronnement est aménagée en chemin de circulation. Les digues fluviales sont établies sur un sol ferme et doivent être aussi imperméables que possible. En général, un fossé de drainage des eaux infiltrées est établi en pied de talus.

• La *digue de mer* s'oppose à la transmission de l'énergie* de la houle et du train de vagues qu'elle comporte. Elle est conçue :
— soit pour arrêter la propagation des vagues par un mur vertical massif et solidement ancré, de hauteur telle que soit assurée, en eau profonde, une réflexion totale de ces vagues ou, en eau peu profonde, une réflexion partielle accompagnée d'un déferlement qui absorbe une partie de leur énergie;
— soit pour s'opposer au train de vagues par un massif en forme de talus, qui, par le frottement imposé au flot qui monte, absorbe progressivement toute l'énergie. Lorsque le fond marin est très affouillable et que l'agitation des eaux est très grande, on construira de préférence une digue à talus. Celle-ci est d'ailleurs la solution classique. C'est un massif composé de moellons, de blocs de maçonnerie* ou de blocs de béton* dont les talus montent progressivement jusqu'au niveau de l'eau. S'il s'agit de grands fonds — auquel cas le volume de la digue à talus deviendrait excessif — ou si l'étendue du marnage est importante, le choix se portera au contraire sur une digue verticale constituée par une muraille épaisse, verticale, qui oppose une barrière étanche à la houle. Cette muraille peut être en maçonnerie de moellons, mais elle est le plus souvent en béton compact à très fort dosage en ciment* résistant aux attaques de l'eau de mer. Elle peut, également, être édifiée en blocs artificiels, de grande dimension, ou au moyen de caissons descendus par havage; on utilise aussi des caissons que l'on échoue sur l'assise de fondation et que l'on remplit de blocs de béton coulé sous l'eau. Si le fond est rocheux, la digue peut y reposer directement avec un encastrement suffisant; mais, plus généralement, la muraille repose sur un lit de fondation en matériaux pierreux et en enrochements formant un massif qui répartit les pressions sur une large base.

DIGESTION

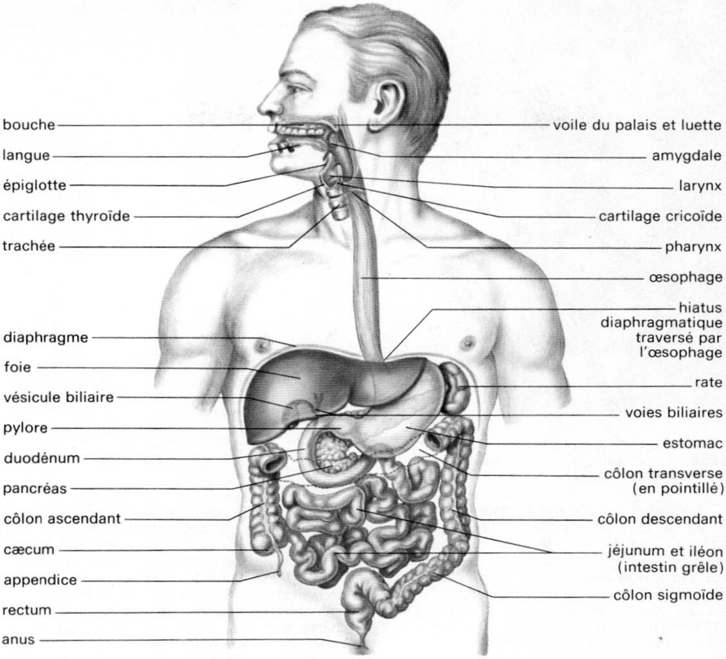

DIJON (21000), capit. de la Région Bourgogne et ch.-l. du départ. de la Côte-d'Or, sur l'Ouche et le canal de Bourgogne, à 309 km au S.-E. de Paris; 150 791 hab. *(Dijonnais).*

GÉOGRAPHIE. Capitale historique, puis important nœud ferroviaire, Dijon est devenue plus récemment une grande ville

Dijon. L'église Notre-Dame (XIIIe s.) et l'ancien palais des ducs de Bourgogne (à droite), qui abrite aujourd'hui l'hôtel de ville et le musée des Beaux-Arts.

industrielle. Aux traditionnelles branches alimentaires (moutarde, pain d'épice) se sont notamment ajoutées les constructions mécaniques (industrie automobile) et électriques. L'essor du secteur secondaire explique en partie la rapide croissance démographique récente d'une ville qui demeure encore surtout un centre tertiaire avec des fonctions commerciales, intellectuelles (université) et touristiques, au sein d'une agglomération qui dépasse aujourd'hui 210 000 habitants, de loin la plus grande de la Bourgogne, atteinte récemment par le réseau autoroutier.

HISTOIRE. C'est au XIIe s. que la ville, pourvue d'une charte et devenue centre d'une foire, prend de l'importance. Elle connaît son apogée au XVe s., au temps des ducs de Bourgogne de la maison de Valois, notamment sous Philippe le Bon. Louis XI, devenu maître du duché de Bourgogne (1477), confirme les privilèges de Dijon, qui, sous les rois de France, devient le siège d'un parlement et des états de Bourgogne, et qui, au XVIIIe s., connaît une période brillante (académie). Dijon, devenue chef-lieu du département de la Côte-d'Or (1790), doit au chemin de fer (P. L. M.) un nouvel essor au XIXe s.

BEAUX-ARTS. Cathédrale Saint-Bénigne, des XIIIe-XIVe s. (crypte, reste de la rotonde orientale à trois étages du début du XIe s.). Église Notre-Dame, typique du gothique bourguignon (XIIIe s.), à originale façade. De la grande époque des ducs de la maison de Valois, qui vit l'arrivée d'artistes néerlandais, il ne subsiste guère, hors des musées, qu'une partie des bâtiments du palais ducal et quelques restes de la chartreuse de Champmol (« puits de Moïse » de Sluter*). Viennent ensuite l'église Saint-Michel, aux beaux portails de la Renaissance, le palais de justice, ancien parlement de Bourgogne (décors sculptés : clôture de bois de la chapelle par H. Sambin*), les divers agrandissements du palais ducal — devenu palais des États (auj. hôtel de ville et musée des Beaux-Arts) — à la fin du XVIIe s. et au XVIIIe s. Maisons gothiques et renaissantes, hôtels particuliers des XVIIe et XVIIIe s. sont nombreux. Le musée des Beaux-Arts s'ordonne autour de la salle des Gardes (tombeaux des ducs, retables sculptés de Champmol), du salon Condé et de la salle des Statues (consacrés au XVIIIe s.); il renferme de vastes collections d'objets d'arts, de sculptures (Carpeaux, Rude*, Pompon*) et de peintures (des primitifs suisses, de Campin et de Broederlam* au XXe s. en passant par Prud'hon*, élève, comme Rude, de l'Académie fondée par le peintre François Devosge [1732-1811]). La ville possède d'autres musées : archéologique (dans l'ancienne abbaye Saint-Bénigne), Magnin (peintures), Perrin-de-Puycousin (collections bourguignonnes), etc.

DIKTONIUS (Elmer), poète finlandais d'expression suédoise (Helsinki 1896 - *id.* 1961). Influencé par les poètes américains et les idées socialistes, il est un des principaux représentants de l'esthétique « moderniste » (*Chansons dures,* 1922; *Fort mais sombre,* 1930; *Herbe et granit,* 1936).

DILATATION. — Les changements de volume subis par les corps sous l'effet d'une variation de température sont plus grands pour les liquides que pour les solides et encore plus grands pour les gaz.

Pour les solides, on définit un coefficient de *dilatation linéaire* λ par la formule $l = l_0 (1 + \lambda t)$, où l_0 est la longueur du solide à 0 °C et l sa longueur à t °C, et un coefficient de *dilatation cubique* k, tel que $v = v_0 (1 + kt)$, où v_0 et v sont les volumes à 0 °C et à t °C. On démontre que, pour les solides isotropes, $k = 3\lambda$.

Pour les liquides, on définit un coefficient de *dilatation absolue* δ, tel que $v = v_0 (1 + \delta t)$, mais, habituellement, comme le liquide

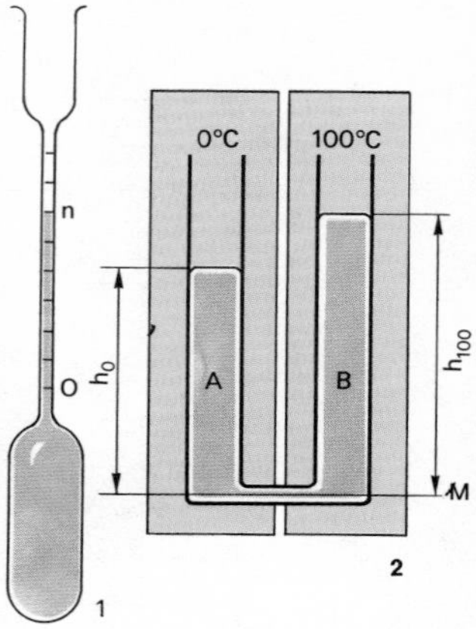

DILATATION
1. Dilatomètre à tige;
2. Méthode de Dulong et Petit.

est contenu dans un vase, on n'observe que sa *dilatation apparente,* dont le coefficient a est tel que $v_a = v_0 (1 + at)$, où v_a est le volume apparent, lu sur l'enveloppe graduée à 0 °C. On a $a = \delta - k$, k étant le coefficient de dilatation cubique du vase.

Pour les gaz, dont le volume dépend à la fois de la température et de la pression, on considère un coefficient de *dilatation à pression constante,* ou *dilatation isobare* α, tel que $v = v_0 (1 + \alpha t)$ pour une même pression p_0, et un coefficient de *dilatation à volume constant,* ou *dilatation isochore* β, tel que $p = p_0 (1 + \beta t)$ pour un même volume v_0. Pour tous les gaz, on a sensiblement $\alpha = \beta = 1/273$.

DILBEEK, comm. de Belgique (Brabant), à l'O. de Bruxelles; 15 108 hab. (en 1970).

DILI, capit. de la partie orientale de l'île de Timor; 6 800 hab.

DILLINGEN, v. de l'Allemagne fédérale, dans l'ouest de la Sarre; 22 000 hab. Sidérurgie.

DILLON (John), homme politique irlandais (Blackrock 1851 - Londres 1927). Nationaliste ardent, député à partir de 1880, il s'oppose à la politique de Parnell, qu'il trouve trop modérée. Mais il se montrera satisfait du projet de *Home Rule* et sera, dès lors, dépassé par le mouvement Sinn Féin, plus intransigeant.

DILTHEY (Wilhelm), philosophe allemand (Biebrich 1883 - Seis, Tyrol, 1911). Il s'est efforcé de fonder la psychologie, la métaphysique et les conceptions du monde sur l'histoire. *Der Aufbau der geschichtlichen Welt in den Geisteswissenschaften* (1910), son œuvre principale, a influencé l'historisme.

DILUANT. — C'est généralement un hydrocarbure ou un mélange d'hydrocarbures qu'on ajoute au solvant* d'une peinture* pour diluer celle-ci, faciliter son application par un réglage de sa consistance et en réduire le prix. Ce n'est pas un solvant vrai des constituants solides de la peinture, mais son addition peut être tolérée dans certaines limites, qu'on définit par le *rapport de dilution.* Celui-ci est faible pour les hydrocarbures aliphatiques et élevé pour les hydrocarbures aromatiques. L'ensemble solvant et diluant constitue le *dilutif.*

DILUTIF → DILUANT.

dimanche d'été à la Grande Jatte *(Un),* toile de Georges Seurat (2,05 × 3,05 m, 1884-1886, Art Institute, Chicago). Généralement considérée comme le chef-d'œuvre de cet artiste mort jeune, dont l'apport est toujours discuté, mais que les cubistes, entre autres, ont beaucoup admiré, l'œuvre a été réalisée, à la suite de nombreuses études d'après nature, sur des bases qui se veulent scientifiques (vieux schémas du nombre d'or; divisionnisme [v. NÉO-IMPRESSIONNISME]). Elle réalise une sorte de synthèse de l'impressionnisme et d'un classicisme à la Piero della Francesca, tendant la

Un dimanche d'été à la Grande Jatte, de Georges Seurat. (The Art Institute of Chicago.)

The Art Institute of Chicago

première, par sa stylisation géométrique, à reconstruire selon une harmonie non académique la forme que Monet dissolvait.

DÎME. — Apparue au IVe s. et généralisée sous les Carolingiens, cette taxe qui, à l'origine, représentait le dixième des récoltes, était perçue par l'Église sur les paysans pour financer la mission sociale dont elle était investie. Elle fut rapidement détournée et gaspillée par le haut clergé, qui ne laissa aux curés des paroisses que la portion congrue. Très lourde pour la paysannerie, elle fut supprimée en 1789 (nuit du 4 août).

DIMITRI, dit **le Faux Dimitri** → TROUBLES *(temps des).*

DIMITRI DONSKOÏ → MOSCOVIE.

DIMITROV (Georgi), homme politique bulgare (Radomir 1882-Moscou 1949). Communiste, il est arrêté en 1933 par les nazis, qui l'accusent d'avoir incendié le Reichstag. Libéré en 1934, il gagne l'U. R. S. S., où il devient secrétaire général du Komintern. Après la libération de la Bulgarie par l'armée soviétique et la proclamation de la république, il devient le premier président du Conseil du nouveau régime (1946-1949).

DIMITROVGRAD, v. de Bulgarie, sur la Marica; 42 000 hab. Industries chimiques.

DIMORPHISME SEXUEL. — Lorsque, dans une espèce vivante, les individus mâles et femelles sont distincts (animaux *gonochoriques,* plantes *dioïques*), il est rare que leur aspect extérieur ne dépende pas de leur sexe, tout au moins à l'âge adulte. Mais on ne parle de dimorphisme sexuel que lorsque les différences portent sur des organes qui n'interviennent pas dans la reproduction. Ces *caractères sexuels secondaires* sont soit des organes propres au mâle (plumes caudales érectiles du paon, bois du cerf, incisive cannelée du narval, etc.), soit des organes propres à la femelle (mamelles), ou bien une différence de taille en faveur de la femelle (*mâle nain* de divers poissons, crustacés, vermidiens, etc.), ou encore, au contraire, un aspect infantile de la femelle (papillon *psyché*) ou simplement une différence d'ornementation (nombreux papillons). Mais les espèces dépourvues de dimorphisme sexuel restent la grande majorité, tant chez les plantes dioïques que chez les animaux.

Dimorphisme sexuel.
Paon mâle faisant la roue devant une femelle.

J. Six

DINAN (22100), ch.-l. d'arr. des Côtes-du-Nord, sur la Rance; 16 367 hab. *(Dinannais).* Remparts. Château fort des XIIIe-XVe s. (musée). Église Saint-Sauveur, romane et gothique flamboyante. Ensemble homogène de vieilles maisons (XVe-XVIe s.). Industries mécaniques et textiles.

DINANT, v. de Belgique (prov. de Namur), sur la Meuse; 12 302 hab. Collégiale Notre-Dame reconstruite pour l'essentiel au XIIIe s. (sculptures, dinanderies). Citadelle reconstruite à partir du XVIe s.

DINARD (35800), ch.-l. de cant. d'Ille-et-Vilaine, en face de Saint-Malo, à l'entrée de l'estuaire de la Rance; 9 588 hab. *(Dinardais).* Station balnéaire.

DINARIQUES → ALPES DINARIQUES.

DINDIGUL, v. de l'Inde, dans le centre du Tamil Nadu; 127 000 hab.

DINDON. — Ce gallinacé, vivant à l'état sauvage en Amérique du Nord, a été domestiqué par les Indiens, puis introduit en Europe au début du XVIIIe s. Il est exploité uniquement pour la chair (dinde rôtie des fêtes de fin d'année). Par sélection et croisement des diverses lignées, et en faisant appel à l'insémination artificielle, on est arrivé à produire « hors saison » des dindes que l'on conserve par congélation ou que l'on désosse pour faire de la charcuterie de dinde. Les États-Unis, la Grande-Bretagne et Israël sont à la fois les plus gros producteurs et les plus gros consommateurs de dinde (de 3 à 5 kg par habitant et par an).

DINKELSBÜHL, v. de l'Allemagne fédérale (Bavière), au S.-O. de Nuremberg; 8 000 hab. Église S. Georg, bel exemple d'église-halle tardive (seconde moitié du XVe s.), où l'unification de l'espace se lit dans la continuité du réseau complexe des nervures.

DINOSAURES ou **DINOSAURIENS.** — La place des dinosaures dans le bestiaire imaginaire du public est à la mesure de l'importance que ces reptiles ont eue dans la faune de l'ère secondaire, avant qu'une disparition rapide et mal expliquée leur confère un surcroît de mystère.

Beaucoup de dinosaures, tant bipèdes que quadrupèdes, avaient une longue queue, un long cou et une tête relativement petite, mais

Dinosaures. (Leur véritable couleur est inconnue.)

une colonne vertébrale puissante au niveau dorsal. Les formes carnivores avaient des griffes et des dents redoutables; certains herbivores (diplodocus, brontosaure) atteignaient 30 m de long; d'autres (iguanodon) étaient des bipèdes au bec corné. Enfin, les cératopsiens rappellent quelque peu les rhinocéros par leur tête armée de cornes.

On ne classe pas les grands reptiles aquatiques (plésiosaures, mosasaures) dans le groupe des dinosauriens malgré quelques ressemblances de forme.

DINSLAKEN, v. de l'Allemagne fédérale, dans la Ruhr; 56 000 hab. Raffinerie de pétrole.

DIOCÈSE *(Hist. rom.).* — Après avoir fractionné les provinces (104), Dioclétien les regroupa au sein de circonscriptions nouvelles, les diocèses, au nombre de douze, placés sous l'autorité des vicaires, chevaliers perfectissimes. Cette réforme avait pour objet d'affaiblir les pouvoirs des préfets du prétoire.

DIOCÈSE *(Hist. relig.).* — À la fin du IVe s., le mot « diocèse » est employé pour désigner une circonscription ecclésiastique, parallèlement au mot « paroisse ». Mais, dès le XIIe s., il tend à être réservé au territoire soumis à la juridiction d'un évêque, la paroisse devenant la subdivision d'une église locale.

DIOCLÉTIEN, en lat. **Caius Aurelius Valerius Diocletianus** (en Dalmatie v. 245-près de Salone, auj. Split, 313), empereur romain (284-305). Après la crise violente du IIIe s., Dioclétien restaura l'Empire romain, dont il assura la défense contre les Barbares et la sécurité contre les usurpateurs. Officier dalmate, proclamé empereur par ses soldats en 284, il s'adjoint dès 286 un collègue, Maximien*, qu'il envoie en Gaule combattre les bagaudes*. En 293, la situation de l'Empire devenant tragique (usurpation de Carausius en Bretagne, guerre perse...), il désigne deux nouveaux césars, Constance* Chlore et Galère*. Ainsi est fondé le pouvoir à quatre, appelé « tétrarchie* », qui assure la permanence du pouvoir et permet une meilleure répartition des efforts militaires : Dioclétien, premier auguste, s'occupe de l'Orient, Maximien, deuxième auguste, de l'Afrique, de l'Espagne et de l'Italie, le césar Galère de l'Illyrie et le césar Constance de la Gaule et de la Bretagne. La défense de l'Empire contre les Barbares est brillamment assurée par les tétrarques, et Dioclétien renforce partout le *limes,* où il installe l'essentiel des forces. À partir de 297, les frontières de l'Empire connaissent une réelle sécurité, ce qui permet à l'empereur d'opérer de profondes réformes. Les innovations de Dioclétien n'ont souvent été que des « méthodes révolutionnaires de conservation ». Mais s'affirme alors une conception théocratique et totalitaire du pouvoir : Dioclétien présente l'empereur comme fils d'un dieu (Jupiter ou Hercule) et introduit à la Cour le rite de l'*adoratio* (proscynèse), emprunté à l'Orient; pour renforcer l'action du pouvoir, il fractionne les provinces (104), qu'il regroupe ensuite en diocèses*; poursuivant l'œuvre des Sévères et de Gallien, il achève de militariser les bureaux et sépare les carrières civile et militaire; il systématise, sous la forme de *jugatio-capitatio,* l'annone, impôt foncier évalué et perçu en nature; pour arrêter la hausse des prix, il publie en 301 un édit du maximum; enfin, il place toutes les classes sociales au service de l'État. Il applique le même totalitarisme conservateur dans le domaine religieux : fidèle à l'ancien paganisme, il persécute le manichéisme (297) et déclenche contre les chrétiens la « grande persécution » (303-04). En 305, il abdique avec Maximien et se retire à Split, où il se fait construire un palais immense : de là il put observer l'échec de son système tétrarchique, qui avait rejeté le principe de l'hérédité. Mais, en vingt ans de règne, il avait repoussé le danger barbare, rétabli et renforcé le pouvoir impérial ainsi que celui de l'Administration : avec Constantin*, il a été l'auteur du redressement du Bas*-Empire romain.

DIODE → CIRCUIT ÉLECTRONIQUE.

DIODORE Cronos, philosophe grec de l'école de Mégare* (Iasos, Carie, ?-296 av. J.-C.). Par sa critique de la logique stoïcienne et des notions de possible et de mouvement, il prend part aux controverses sur l'être, qui, depuis Héraclite*, ont dominé les philosophies grecques et hellénistiques.

DIODORE de Sicile, historien grec du Ier s. av. J.-C. Il est l'auteur d'une *Bibliothèque historique,* monumentale histoire universelle dont il nous reste d'importants fragments. Son œuvre est celle d'un compilateur sans originalité, mais elle est utile à consulter.

DIOGÈNE Laërce, écrivain grec (Cilicie, IIIe s. apr. J.-C.), auteur des *Vies des philosophes illustres,* ouvrage anecdotique sans grande authenticité, mais qui contient de nombreuses citations d'ouvrages aujourd'hui perdus.

DIOGÈNE le Cynique, philosophe grec (Sinope 413 - † 327

av. J.-C.). Disciple d'Antisthène le cynique, il prône la libération à l'égard du monde et de toutes les passions humaines. Son personnage lui valut de Platon le surnom de « Socrate en délire ».

DIOIS, massif des Préalpes, dans la Drôme, au S. de *Die;* 2051 m.

DIOMÈDE, prince d'Argos*. Fidèle compagnon d'Ulysse* et renommé pour sa bravoure durant la guerre de Troie*, il ne doit pas être confondu avec *Diomède,* roi de Thrace, dont les juments dévoraient les étrangers et qui fut tué par Hercule.

DION (Albert, *marquis* DE), industriel et pionnier français de l'automobile (Carquefou, près de Nantes, 1856 - Paris 1946). Associé en 1881 avec Bouton et Trépardoux, constructeurs de moteurs à vapeur, il fit breveter un moteur à explosion (1889) et fut l'un des fondateurs de l'Automobile-Club de France. On lui doit l'idée de la voiture militaire blindée (1905).

DION CASSIUS, historien grec (Nicée v. 155 - *id.* v. 235). Auteur d'une *Histoire romaine* dont ne subsiste qu'une partie couvrant l'époque qui va de 68 av. J.-C. à 47 apr. J.-C., c'est un historien consciencieux et bien informé.

DION de Syracuse, homme d'État syracusain (Syracuse 409 - *id.* 354 av. J.-C.). Banni par son neveu Denys* le Jeune en 366, il rentre en Sicile (357) appuyé par Carthage et prend le pouvoir, mais il meurt assassiné.

DIONYSIES → DIONYSOS.

DIONYSOS, dieu grec de la Végétation, et plus spécialement de la Vigne et du Vin, connu aussi sous le nom de *Bakkhos,* latinisé en *Bacchus*. Son culte était un des plus importants de la Grèce antique.

Le rituel dionysiaque comportait des processions animées par des chœurs de chant et de la danse, qui exécutaient en l'honneur du dieu un hymne d'un genre spécial, le dithyrambe*. Les participants du cortège processionnel étaient saisis, par l'effet des chants et des danses ainsi que d'excitants physiques, d'un délire mystique qui créait une union intime entre l'homme et le dieu. Les fêtes de Dionysos, les *dionysies* (les plus importantes, les grandes dionysies, étaient célébrées au printemps), donnaient lieu à des concours de représentations théâtrales qui ont grandement contribué au développement de la tragédie* grecque et de l'art lyrique. Le culte de Dionysos, introduit à Rome (v. BACCHANALES*), subit l'influence du mysticisme oriental.

Dionysos est le symbole de l'affirmation, du rire et de la danse, que Nietzsche oppose à la métaphysique, à la religion et à la morale nihilistes.

DIOPHANTE, mathématicien grec de l'école d'Alexandrie (IIIe s. apr. J.-C.). S'il a emprunté ses méthodes aux travaux d'Hipparque*, sa théorie toute nouvelle des équations du premier degré et de celles du second degré font de lui un novateur dans ce domaine. Elle le fait considérer comme un précurseur des algébristes des XVIe et XVIIe s.

DIOPTRIE. — C'est la vergence d'un système optique qui a une distance focale de 1 m; la vergence d'une lentille ayant une distance focale de f mètres est de $\frac{1}{f}$ dioptries. Communément, on évalue en dioptries le degré de myopie ou d'hypermétropie, qui correspond à la vergence, positive ou négative, des verres correcteurs.

DIOR (Christian), couturier français (Granville 1905 - Montecatini 1957). Sa maison de couture, ouverte en 1947 grâce à l'appui financier de Marcel Boussac, illustra l'alliance nouvelle entre couture et industrie, qui se poursuit aujourd'hui avec Moët-Hennessy. Dès 1947, Dior s'imposa avec le style « new look », au succès immédiat : nouveau par la ligne — taille de guêpe et jupe longue en corolle — ce style l'était aussi par la réaction qu'il incarnait à l'égard des restrictions de la guerre. Dior disparu, la réalisation des collections incomba à Y. Saint-Laurent, puis à Marc Bohan. Le prêt-à-porter Dior concerne la femme (Miss Dior, 1967) et l'homme (Monsieur Dior, 1970). La Société de parfum Dior diffuse aussi des produits de maquillage.

DIORI (Hamani), homme d'État nigérien (Soudouré 1916). Président du gouvernement en 1958 et président de la République lors de l'accession du Niger à l'indépendance (1960), il est renversé par un coup d'État militaire en avril 1974.

DIORITE. — Cette roche plutonique est constituée de plagioclase (andésine) et de minéraux colorés tels que l'amphibole, la biotite ou, plus rarement, le pyroxène. Sur le terrain, elle est tantôt associée à des granites (dont elle constitue des faciès de bordure), tantôt à des gabbros.

DIORS (36130 Déols), comm. de l'Indre, à 11 km à l'E. de Châteauroux; 266 hab. Métallurgie.

DIOSCORE → PAPE.

DIOSCURES, nom donné à Castor et à Polydeukes, fils jumeaux de Zeus* et de Léda*. Leur légende est faite d'épisodes guerriers. Héros protecteurs de Sparte et des marins, ils sont invoqués dans les expéditions dangereuses. À une époque tardive, on les identifia à la constellation des Gémeaux. Le culte des jumeaux, latinisés en Castor* et Pollux, a été introduit très tôt à Rome.

DIPHTÉRIE. — Cette maladie grave, due au bacille de Klebs-Löffler, est en régression presque totale depuis l'introduction de la vaccination antidiphtérique. Elle se manifeste par une forte angine blanche, caractérisée par des fausses membranes très adhérentes qui envahissent la gorge, par un gonflement des ganglions du cou et par une atteinte sévère de l'état général, due à la toxine du bacille, qui se propage aux différents organes (cœur, foie, surrénales, système nerveux). L'extension des fausses membranes au larynx constitue le *croup* (diphtérie laryngée), qui entraîne la mort par asphyxie. La diffusion de la toxine au système nerveux provoque des paralysies du voile du palais, des muscles de l'œil et des muscles des membres inférieurs.

Le sérum antidiphtérique à haute dose est la base du traitement; on y ajoute les antibiotiques et les corticoïdes dans les formes graves, l'intubation ou la trachéotomie en cas de croup.

DIPLOMATIQUE. — Cette science étudie les règles de forme présidant à l'établissement des écrits constatant soit des actes juridiques (chartes ou titres), soit des faits juridiques (rapport, correspondance administrative, etc.). Une étude approfondie des caractéristiques externes (support de l'écrit) ou internes (langue et teneur du texte) du document permet aux diplomatistes de porter un jugement sur l'authenticité de ce document et, éventuellement, d'en connaître la date et l'auteur. Inséparable de l'histoire dans la mesure où l'historien doit connaître la valeur des documents d'archives qu'il utilise, la diplomatique n'a connu son plein essor qu'à partir du XVIIe s., grâce aux travaux de dom Mabillon*.

DIPLOPIE → VISION.

DIPNEUSTES. — Ce petit groupe de poissons, qui existe depuis l'ère primaire, n'a jamais compté de nombreuses espèces. Celles qui subsistent aujourd'hui *(Ceratodus, Lepidosiren, Protopterus)* sont localisées sur des continents différents (respectivement Australie, Amazonie, Afrique tropicale). Les dipneustes sont des animaux très allongés, aux nageoires à squelette penné, aux dents soudées en plaques, mais caractérisés surtout par la possession de *deux* appareils respiratoires : branchies et poumon. Le protoptère s'enveloppe, en cas de sécheresse, dans un cocon fait de mucus et de vase, où il demeure à l'état de vie ralentie.

DIPOLAIRE (moment). — C'est le produit de la charge électrique (ou de la masse magnétique) d'un pôle par la distance des deux pôles.

DIPPEL (Johann Konrad), médecin et alchimiste allemand (château de Frankenstein, près de Darmstadt, 1673 - château de Wittgenstein, Berleburg, 1734). Il découvrit le bleu de Prusse et l'huile empyreumatique, qui porte son nom.

DIPTÈRES. — Les mouches, les moucherons et les moustiques s'opposent à tous les autres insectes par l'absence de la seconde paire d'ailes, qui est remplacée par de simples organes d'équilibration, les *balanciers.* Parfois, un *cuilleron,* ressemblant à une aile réduite et immobile, est associé au balancier.

Innombrables, mais en général de très petite taille, les espèces de diptères sont divisées en deux sous-ordres : les moustiques, ou *nématocères,* aux formes grêles (longues pattes, longues antennes) et à la larve souvent aquatique; les mouches, ou *brachycères,* beaucoup plus trapues et à la larve souvent terrestre (asticot).

Tous les diptères sont des suceurs de liquides, mais les uns piquent, puis aspirent le sang ou la sève et les autres (mouche domestique) déversent sur leurs aliments une salive dissolvante et aspirent le résultat de cette sorte de digestion externe.

La nymphe, ou *pupe,* des mouches est immobile, contrairement à la nymphe libre des moustiques.

DIRAC (Paul), physicien anglais (Bristol 1902). Il introduisit la relativité en mécanique ondulatoire et fut l'un des fondateurs de la mécanique quantique, dont il donna une interprétation statistique. Dès 1930, il avait prévu l'existence d'un électron positif. (Prix Nobel de physique, 1933.)

DIRECTION *(Autom.).* — La direction permet de modifier la trajectoire d'une voiture en faisant pivoter les fusées des roues avant autour d'un axe vertical situé dans le plan médian des roues. Elle est composée d'un *volant de direction,* qui communique le mouvement de rotation, imprimé par le conducteur, aux roues directrices par l'intermédiaire d'une *colonne de direction.* Celle-ci porte à son extrémité inférieure un *boîtier,* qui contient un *système d'engrenages démultiplicateurs.* Celui-ci augmente la valeur du couple de rotation tout en diminuant celle de l'effort exercé. Si l'essieu avant est rigide, le mouvement actionne un levier, dit *bielle pendante,* qui commande un second levier, ou *levier de commande,* actionnant la *timonerie de direction,* solidaire du *pivot* de la roue. Une *barre d'accouplement* permet de faire pivoter de la même quantité les deux roues, auxquelles elle est reliée par des *leviers* *d'accouplement.* Avec la généralisation des roues avant à suspension* indépendante, on supprime cette barre d'accouplement en la coupant en un certain nombre d'éléments réunis par articulations souples. Avec la direction à crémaillère, la colonne de direction porte un pignon cylindrique qui engrène avec la crémaillère. Sur certaines voitures très pesantes, il est nécessaire d'assister la direction par un servomoteur attaquant la bielle pendante.

DIRECTION *(Organ.)* → MANAGEMENT.

DIRECTOIRE → SOCIÉTÉ.

Directoire, régime qui gouverna la France entre le 26 octobre 1795 (4 brumaire an IV, fin de la Convention) et le coup d'État du 9 novembre 1799 (18 brumaire an VIII), qui marqua le début du Consulat*.

À la base de ce régime, il y a la Constitution bourgeoise de l'an III, votée par la Convention* : tout en conservant le régime républicain créé en 1792, cette Constitution supprime le suffrage universel au profit d'un suffrage censitaire. Le pouvoir législatif est confié à deux assemblées : le Conseil des Cinq-Cents et le Conseil des Anciens, renouvelables chaque année par tiers. Le pouvoir exécutif est exercé par un directoire de cinq membres; les directeurs sont élus pour cinq ans par les conseils législatifs et renouvelables par cinquième tous les ans; les ministres ne dépendent que d'eux.

Le Directoire poursuit d'abord la politique antijacobine de la Convention thermidorienne et, en matière économique, en revient au libéralisme intégral. Sur le plan de l'enseignement secondaire (écoles centrales) et de l'enseignement supérieur (École polytechnique, Archives nationales, Institut...), un effort considérable est fait; une certaine paix religieuse est fondée par la séparation des Églises et de l'État. Mais le régime fonctionne mal, du fait de la séparation trop absolue des pouvoirs et de la corruption de trop de ses membres.

Aussi la courte histoire du Directoire est-elle jalonnée de coups d'État. Celui du 18 fructidor an V (4 sept. 1797) est fomenté par les Jacobins, désireux de freiner la montée du courant modéré; l'armée domine alors la vie politique; ainsi, Bonaparte, à l'issue de sa belle campagne d'Italie (1796-97), impose de son chef aux Autrichiens le traité de Campoformio (18 oct. 1797). Le 22 floréal an VI (11 mai 1798), un nouveau coup d'État annule les élections favorables aux Jacobins; et, tandis que Bonaparte se laisse enfermer en Égypte, les armées françaises perdent en Italie l'essentiel des conquêtes précédentes et doivent affronter une nouvelle coalition. Ces défaites expliquent le coup d'État du 30 prairial an VII (18 juin 1799), qui a pour conséquence une vague jacobine, violemment antiroyaliste et anticléricale. À l'extérieur, grâce à Masséna, la situation est rétablie; cependant, à l'intérieur, la situation financière, économique et sociale reste précaire. Si bien que la bourgeoisie d'affaires — dont le porte-parole est Sieyès* — ne voit de salut que dans le recours aux militaires. Bonaparte, revenu d'Égypte (9 oct. 1799), se présente à point nommé : mais, les 18 et 19 brumaire an VIII, au lieu d'être simplement un « sabre » au service de la bourgeoisie, il s'impose comme le maître du pays sur les ruines du Directoire.

DIRÉDAOUA, v. de l'est de l'Éthiopie; 51 000 hab. Textile.

DIRICHLET (Gustav LEJEUNE-), mathématicien allemand (Düren 1805-Göttingen 1859). Ses travaux portèrent sur la théorie des nombres ainsi que sur celle des séries trigonométriques, dont il étudia la convergence.

DIRIGEABLE → AÉROSTATION.

DISCOPATHIE → DISQUE INTERVERTÉBRAL.

DISCORDANCE *(Géol.)* → CONCORDANCE ET DISCORDANCE.

DISCORDANCE *(Psychiatr.)* → SCHIZOPHRÉNIE.

DISCOURS. — Le discours est le processus par lequel le sujet parlant actualise la « langue » (le code) en « parole ». On peut définir comme discours tout énoncé supérieur à la phrase. Analyser la phrase et ses constituants, c'est analyser la langue comme système de signes. L'analyse de la phrase comme unité de discours vise le langage comme instrument de communication; elle consiste à formuler les règles qui commandent la production des suites de phrases structurées. Cette « linguistique de la parole » est relativement récente : il faut citer la méthode de Z. S. Harris*, qui part de la phrase et de ses distributions, et la théorie des fonctions du langage de R. Jakobson*, qui part du schéma général de la communication.

Discours *(les),* poèmes de Ronsard (1562-1563), œuvre de polémique contre les réformés.

DISCOURS (parties du). — Le classement des mots en parties du discours a été élaboré entre le IVe et le IIe s. av. J.-C. dans le cadre de la logique aristotélicienne et a été jusqu'au XXe s. une notion de base de la grammaire traditionnelle. En se fondant sur des critères tantôt syntaxiques, tantôt sémantiques, on distingue traditionnellement neuf parties du discours (ou espèces de mots) : les noms, les pronoms, les verbes, les adjectifs, les articles, les adverbes, les prépositions, les conjonctions et les interjections. Cette notion a été remise en question par les théories structuralistes au profit des concepts de phonème et de morphème, qui sont plus rigoureusement définis et qui ont une valeur universelle.

Discours de la méthode pour bien conduire sa raison et chercher la vérité dans les sciences, ouvrage de Descartes (1637). En plus de l'exposé de sa méthode, dont il tire une morale par provision, Descartes présente ses idées sur Dieu, l'âme, la physique et la médecine.

Discours sur l'origine et le fondement de l'inégalité parmi les hommes, ouvrage de J.-J. Rousseau (1755). Ce discours est la réponse formulée par Rousseau à la question posée par l'académie de Dijon : « Quelle est l'origine de l'inégalité parmi les hommes et si elle est autorisée par la loi naturelle ? » En confrontant l'homme produit par l'histoire à l'homme de l'état de nature, qu'il pose comme norme anhistorique, Rousseau montre l'origine *réflexive* de cette inégalité.

Discours sur les sciences et les arts, première œuvre publiée par J.-J. Rousseau, sur un sujet proposé par l'académie de Dijon (1750). Réquisitoire contre la civilisation, dont les progrès favorisent l'immoralité.

Discours sur l'universalité de la langue française, ouvrage de Rivarol (1784). Apologie de la langue française et du génie national.

DISCRÉTIONNAIRE (pouvoir). — En droit administratif, on parle de pouvoir discrétionnaire lorsque l'Administration n'est pas limitée, dans la (ou les) mesure(s) qu'elle prend, par des dispositions bridant sa liberté d'action. (On l'oppose à la notion [également utilisée par le droit administratif] de « compétence liée ».)

DISHARMONIE → PLI.

DISJONCTEUR. — Un disjoncteur comprend essentiellement un châssis métallique et des pôles isolés formant un ensemble indépendant. Les contacts principaux sont généralement en argent massif, et les contacts pare-étincelles en alliage à base de tungstène. Un disjoncteur peut être unipolaire, bipolaire, tripolaire ou tétrapolaire, chaque pôle pouvant comporter des organes de déclenchement automatique. Ses caractéristiques sont sa tension nominale, son courant nominal et son pouvoir de coupure. Un disjoncteur à manque de tension fonctionne lorsque la tension qui l'alimente est supprimée. Un disjoncteur à maximum de courant fonctionne lorsque le courant qui le parcourt dépasse une certaine valeur. Un disjoncteur à minimum de courant fonctionne lorsque le courant qui le parcourt descend au-dessous d'une valeur prédéterminée. (V. COUPURE [*appareil de*], POSTE, PROTECTION ÉLECTRIQUE, SURTENSION.)

DISNEY (Walter Elias, dit **Walt**), cinéaste et producteur américain (Chicago 1901-Burbank 1966). Dessinateur publicitaire et caricaturiste, il s'intéressa dès 1921 à la technique du dessin animé, mettant notamment au point la caméra multiplane. Inventeur de petits personnages aussi célèbres, dans la mythologie enfantine, que la souris *Mickey,* le canard *Donald* ou le chien *Pluto* (400 courts métrages de 1928 à 1939), il imposa son style à la fois réaliste et féerique dans plusieurs longs métrages (*Blanche-Neige et les sept nains,* 1937; *Pinocchio,* 1939; *Fantasia,* 1940; *Dumbo,* 1941; *Bambi,* 1942; *Alice au pays des merveilles,* 1951; *la Belle au bois dormant,* 1959; *les 101 Dalmatiens,* 1961; *Merlin l'enchanteur,* 1964). On lui doit aussi plusieurs documentaires sur les animaux (série *C'est la vie*) et la création d'un vaste parc d'attraction, *Disneyland* (ouvert au public en 1955).

DISON, comm. de Belgique (prov. de Liège), dans la banlieue nord de Verviers; 8 466 hab. (en 1970).

DISPERSION *(Opt.).* — Un prisme décompose la lumière blanche en ses diverses radiations, la déviation allant en croissant depuis le rouge jusqu'au violet. Il est caractérisé par son *pouvoir dispersif,* rapport $\frac{\Delta n}{n-1}$, où Δn représente la variation de l'indice de réfraction de la substance entre les limites du spectre visible et n l'indice pour les radiations moyennes.

DISQUE *(Électroacoust.).* — L'invention de l'enregistrement et de la reproduction des sons est due au Français Charles Cros* et à l'Américain Thomas Edison*. En 1887, Berliner enregistra le premier disque. Le disque microsillon moderne a été lancé par Columbia aux États-Unis en 1947 en 30 cm, 33 1/3 tr/mn et par R. C. A. pour le disque de 17,5 cm en 45 tr/mn. Afin de limiter les stocks, tous les disques actuels sont en gravure universelle compatible, c'est-à-dire gravés en stéréophonie*, mais en freinant la réduction éventuelle de la largeur du sillon, afin qu'ils puissent être

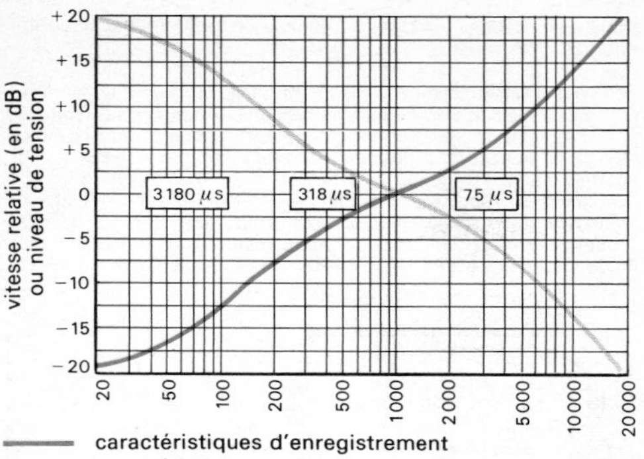

caractéristiques d'enregistrement
caractéristiques de lecture
fréquence (Hz)

Caractéristiques d'enregistrement et de reproduction d'un disque. À l'enregistrement, les sons graves sont atténués et les sons aigus amplifiés. À la lecture, le phénomène inverse se produit. Les constantes de temps indiquées sont celles de trois paramètres intervenant dans la détermination de la courbe.

lus sans difficulté par un appareil monophonique équipé d'une pointe entre 15 et 18 μm. La compatibilité est ainsi satisfaisante.

DISQUE *(Sport)* → ATHLÉTISME.

DISQUE INTERVERTÉBRAL. — Les disques intervertébraux ont une périphérie fibreuse et une zone centrale gélatineuse contenant un noyau plus dur, le *nucleus pulposus.* Les *discopathies* (atteintes des disques) les plus fréquentes sont les pincements (diminution de hauteur, due généralement à l'arthrose), parfois accompagnés d'une pénétration du nucleus pulposus dans le corps vertébral (hernie intraspongieuse) et de la formation d'ostéophytes ou becs-de-perroquet (discarthrose). Mais l'affection la plus redoutable est la *hernie discale,* qui correspond à la pénétration, par effraction, du nucleus pulposus dans le canal rachidien (situé en arrière des corps vertébraux et des disques) à la faveur d'un effort violent d'extension de la colonne vertébrale. Il s'ensuit une sciatique grave, qui cloue le sujet au lit et nécessite le plus souvent une intervention chirurgicale.

DISQUE MAGNÉTIQUE. — Les disques magnétiques sont des mémoires* auxiliaires qu'on trouve sur la plupart des systèmes informatiques. Le support magnétique et le principe physique d'enregistrement* sont assez semblables à ceux des bandes* magnétiques. La différence fondamentale réside dans l'organisation du support en cellules adressables permettant un accès direct aux informations* enregistrées. Une pile de disques se présente comme un ensemble de disques superposés et tournant en permanence autour du même axe. Des têtes de lecteur et d'écriture sont placées sur les bras d'un peigne qui pénètre plus ou moins profondément entre les disques de la pile afin d'atteindre les diverses pistes concentriques d'enregistrement. Le peigne est fixe lorsqu'il existe une tête de lecture/écriture par piste. Les disques sont dits alors *à têtes fixes.* Les disques *à têtes mobiles* sont en général amovibles, comme les bandes magnétiques. Une pile de disques amovibles présente couramment une capacité de 200 millions d'octets, un débit de 500 000 octets par seconde et un temps d'accès à une quelconque information de quelques dizaines de millisecondes. Il existe également des disques souples, d'un maniement très simple pour les petits systèmes informatiques.

DISRAELI (Benjamin), comte **de Beaconsfield,** homme politique britannique (Londres 1804-*id.* 1881). D'origine juive, il reçoit en 1817 le baptême anglican, écrit quelques romans brillants (*Vivian Grey,* 1826; *Coningsby,* 1844; *Sybil,* 1845) et devient député conservateur en 1837. Défenseur du protectionnisme contre R. Peel, partisan du libre-échange, il va s'imposer peu à peu comme le chef du parti tory (1868). Chancelier de l'Échiquier en 1852, en 1858 et de 1866 à 1868, il fait adopter, en l'élargissant, le projet de réforme électorale des libéraux (1867). Il devient Premier ministre en février 1868, mais, quelques mois plus tard, la victoire des libéraux l'écarte du pouvoir jusqu'en 1874. De nouveau chef du gouvernement (1874-1880), Disraeli réalise de nombreuses réformes sociales (lois sur le travail et la santé publique) et mène à l'extérieur une politique de prestige et d'expansion impérialiste. Cette politique se traduit par l'achat d'une importante participation à la Compagnie du canal de Suez (1875), tandis qu'en 1876 Disraeli fait proclamer la reine Victoria impératrice des Indes. Soutenant l'Empire ottoman contre la Russie, il met en échec l'expansion russe dans les Balkans au congrès de Berlin (1878), puis obtient la cession de Chypre par la Turquie. L'élévation à la pairie et le titre de lord consacrent en 1876 sa brillante carrière politique, qui prend fin avec la défaite électorale des conservateurs en 1880, défaite liée à l'échec (Afrique du Sud, Afghānistān) partiel de sa propre politique impérialiste.

DISSÉMINATION. — Les plantes ne peuvent se déplacer, et c'est en dispersant leurs semences qu'elles conquièrent de nouveaux territoires. L'organe qui quitte la plante mère est la *diaspore.* Il s'agit souvent de la graine seule (fruits déhiscents), parfois du fruit tout entier. L'agent du transport peut être la plante elle-même (plantes qui lancent leurs graines au loin : momordique, sablier, impatiente), le vent (plantes *anémochores,* aux graines ailées : pin, orme, érable, clématite, cotonnier, pissenlit, etc.), les cours d'eau (plantes *hydrochores*), les pattes des oiseaux de marais (plantes de la vase), le tube digestif des animaux frugivores (plantes *zoochores,* au fruit comestible : pomme, raisin, etc.), la toison des moutons (bardane), etc.

Il est fréquent que la graine ne puisse germer qu'un certain temps après sa dissémination.

DISSOCIATION *(Chim.).* — Un grand nombre de composés chimiques, stables à froid, subissent, quand on les porte à une température élevée, une décomposition limitée par la réaction inverse de recombinaison. C'est le cas, par exemple, du carbonate de calcium :

$$CaCO_3 \leftrightarrows CaO + CO_2,$$

ou de la vapeur d'eau :

$$H_2O \leftrightarrows H_2 + 1/2\ O_2.$$

Ces réactions de dissociation, découvertes en 1864 par H. Sainte-Claire Deville, obéissent aux lois générales des équilibres chimiques.

DISSOCIATION *(Psychiatr.).* → SCHIZOPHRÉNIE.

DISSOLUTION *(Géogr.).* — L'attaque des roches par la dissolution consiste en la mise en solution directe d'un minéral par les eaux météoriques ou en sa transformation en un minéral plus soluble (cas du calcaire transformé en bicarbonate de calcium par l'eau chargée de gaz carbonique). Ce type d'érosion chimique prédomine dans l'évolution des roches calcaires.

DISSOLUTION *(Phys.).* — Une substance solide, liquide ou gazeuse se dissout dans un liquide mis à son contact quand elle disparaît dans la masse de ce liquide pour donner un tout homogène. La dissolution est un phénomène physique : lorsqu'on dissout du sucre dans l'eau, il suffit d'évaporer la solution pour retrouver le sucre solide. C'est à tort que l'on parle de la « dissolution » d'un métal dans un acide, car il s'agit alors d'une réaction chimique. Une solution est dite *saturée* quand, à la température à laquelle elle se trouve, elle renferme la plus grande quantité possible de substance dissoute ; elle se trouve alors en équilibre avec un excès du corps non dissous. En général, la solubilité des solides augmente quand la température s'élève. Le refroidissement d'une solution amène donc normalement une partie du corps dissous à se solidifier ; cependant, parfois, la solidification ne se produit pas, et la solution est *sursaturée.* On peut définir une chaleur de dissolution, analogue aux chaleurs latentes de changements d'état.

La solubilité des gaz dans les liquides diminue quand la température s'élève ; elle est sensiblement proportionnelle à la pression du gaz.

DISSONANCE → THÉORIE MUSICALE.

DISSONANCE COGNITIVE. — La théorie de la dissonance cognitive, élaborée à partir de 1957 par le psychosociologue américain Leon Festinger (New York 1919), élève de K. Lewin*, a eu un grand impact à la fois dans le domaine de la recherche expérimentale et dans celui de la pratique.

Fleming

Benjamin Disraeli. Portrait par sir John Everett Millais (1829-1896). [National Gallery, Londres.]

Elle part de la reconnaissance d'un besoin fondamental chez tout être humain, qui est celui de la cohérence des éléments de son univers cognitif. L'existence d'une dissonance cognitive engendre des pressions qui tendent sinon à la réduire, du moins à en éviter l'accroissement. Plus les éléments dissonants sont importants et nombreux, plus forte est la dissonance, et plus l'ampleur de la pression tendant à la réduire croît. Pour réduire la dissonance, l'individu peut modifier son comportement, ses opinions ou encore utiliser des informations nouvelles. Toute prise de décision entraîne une dissonance, car elle conduit à rejeter des éléments positifs et à conserver des éléments négatifs ; les éléments positifs rejetés sont alors sous-estimés. La réduction de la dissonance apparaît donc comme un processus de rationalisation au service de la défense* du moi. À l'appui de la théorie de la dissonance cognitive, Festinger cite l'exemple suivant : une secte américaine prédisait pour le 21 décembre 1954 la fin du monde par le déluge, mais que les membres de la secte seraient sauvés quelques jours auparavant par une soucoupe volante. La soucoupe ne vint pas le jour prévu, les adeptes de la secte dirent qu'elle avait été retardée par une panne et que c'était une épreuve supplémentaire que Dieu leur envoyait pour tester leur foi. Comme le déluge ne vint pas non plus, ils en déduisirent alors que leur foi avait été assez forte pour l'empêcher.

La théorie de la dissonance cognitive permet de rendre compte d'un grand nombre de processus en psychologie sociale : formation des attitudes*, changement, conformisme social, etc. On lui a reproché d'être trop vague, de rendre compte de processus très différents et que sa validation expérimentale n'est pas indépendante des contenus manipulés dans chaque expérience.

DISSUASION. — On désigne sous ce nom, dans le vocabulaire de la stratégie* moderne, toute action menée par un État en vue de décourager un éventuel adversaire d'entreprendre contre lui un acte d'agression, en lui prouvant que la valeur de l'enjeu qu'il convoite est inférieure à celle des dommages que l'État menacé est déterminé à lui infliger.

Pour être crédible, la dissuasion suppose la possession d'une force de frappe, aujourd'hui nucléaire, maintenue constamment en état d'agir sous forme de représailles.

DI STEFANO (Alfredo), footballeur espagnol d'origine argentine (Buenos Aires 1926). C'est en Espagne que cet international argentin connut la consécration : il fut le principal artisan des cinq victoires consécutives du Real Madrid en coupe d'Europe des clubs (1956-1960) et, naturalisé espagnol, porta plus de trente fois les couleurs de son nouveau pays. Avant-centre nominal, et bien que redoutable buteur, il a surtout joué un rôle de stratège, d'animateur, couvrant un champ énorme pour prêter souvent aide à sa défense et surtout à son milieu de terrain.

DISTHÈNE. — Le disthène, dont la formule est Al_2SiO_5, se présente ordinairement en cristaux lamellaires allongés, appartenant au système triclinique. Il est transparent ou translucide, le plus souvent bleu saphir.

DISTILLATION *(Phys.)*. — La distillation consiste à vaporiser un liquide, ordinairement en le chauffant à l'ébullition, et à liquéfier sa vapeur par refroidissement. On utilise cette opération pour purifier les corps à l'état liquide. Au laboratoire, on chauffe le liquide à purifier dans un ballon, et la vapeur produite est condensée dans le tube d'un réfrigérant. Dans l'industrie, on emploie un alambic.

Lorsqu'on veut séparer des liquides inégalement volatils, on opère par *distillation fractionnée,* en recueillant successivement, dans une colonne à distiller, les liquides, qui passent à des températures de plus en plus élevées (pétroles, goudrons de houille...). Certains mélanges de liquides distillent comme des corps purs. (V. AZÉOTROPE.)

DISTILLATION *(Industr. agr.)*. — En ce qui concerne les produits de l'agriculture, la distillation s'applique à des denrées susceptibles, par fermentation, de donner un alcool* (alcools industriels ou alcools de bouche, ces derniers plus couramment désignés sous le nom « d'eau-de-vie* »).

L'alcool éthylique, ou éthanol, est le plus important des alcools industriels tant sur le plan de ses utilisations que sur le plan économique. C'est un liquide volatil, incolore, pratiquement sans odeur, quand il est pur. C'est un solvant de beaucoup de composés organiques ou minéraux. Les plus grandes quantités d'alcool éthylique sont obtenues par distillation, mais cet alcool peut être également fabriqué par synthèse chimique.

Unité de DISTILLATION du pétrole sous vide.

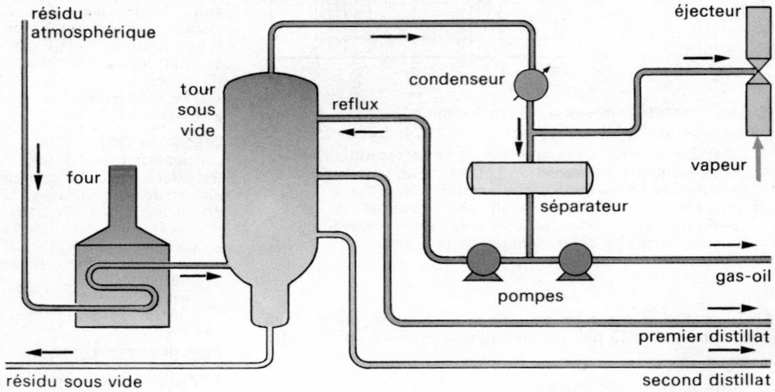

En France, la matière première la plus couramment utilisée pour la fabrication d'alcool industriel est la betterave. Mais on utilise également les *mélasses* de sucrerie. Dans d'autres pays, l'alcool industriel peut être extrait du sorgho, du maïs vert, des cosses de pois, du topinambour, des feuilles d'agave et des sérums de fromagerie ou de caséinerie. Toutes les substances riches en glucides peuvent, par fermentation, donner des jus plus ou moins riches en alcool.

Dans les distilleries, qui sont implantées dans les grandes régions betteravières et dont, en France, le nombre s'est singulièrement réduit entre 1950 et 1970, la betterave, après un lavage destiné à éliminer la terre qui y adhère, est découpée en fragments (cossettes) dans un coupe-racines. Le sucre contenu dans les cossettes est extrait dans une batterie de diffusion. À la sortie du diffuseur, on obtient des jus sucrés, sans matière en suspension. On ajuste l'acidité, la température et le pH de ce jus sucré en fonction des exigences de la levure qui va y être ensemencée, qui va transformer le sucre en alcool en un temps qui varie de 30 à 60 heures.

La distillation de l'alcool industriel est effectuée dans des colonnes à distiller, dont la marche est continue et qui peuvent avoir des débits importants. Une colonne à distiller est composée d'un grand cylindre vertical, divisé par des plateaux horizontaux. D'un plateau à l'autre circulent à contre-courant les jus alcooliques et les vapeurs d'alcool. On recueille à la base de la colonne les jus épuisés, ou vinasses, et à la partie supérieure les flegmes, riches en alcool. Pour de nombreux usages, les flegmes doivent subir une purification, ou rectification, qui est obtenue par leur passage dans une série de colonnes permettant d'éliminer les impuretés de début (tête de distillation), de fin (queue de distillation) et d'obtenir l'alcool rectifié.

DISTILLATION DU PÉTROLE. — Le pétrole* brut est un mélange de milliers d'hydrocarbures contenant en dissolution de nombreux produits qui, normalement, seraient gazeux (propane, butane) ou solides (bitume*, paraffine*). L'opération fondamentale du raffinage* consiste à séparer cet ensemble complexe en une dizaine de coupes, ou fractions, pétrolières : gaz*, essences*, pétrole lampant ou kérosène, gasoils* et résidu (fuel-oil* ou mazout). Elle se pratique dans une installation de *distillation* atmosphérique,* c'est-à-dire sans pression, appelée « topping », dans laquelle le brut est successivement préchauffé dans des échangeurs* de chaleur, dessalé sous l'action d'un puissant champ électrostatique qui précipite les gouttelettes d'eau de mer, porté à ébullition dans un four* et introduit dans une grosse tour de 50 m de haut. C'est la *colonne de fractionnement,* appareil distillatoire continu comportant une cinquantaine de plateaux sur lesquels s'effectue le contact, à contre-courant, des vapeurs ascendantes et du liquide descendant : chaque plateau est percé d'orifices (cheminées) surmontés de coupelles, de calottes ou de clapets, ce qui oblige les vapeurs à se diviser en bulles pour traverser le liquide, qui coule vers un déversoir latéral. Comme dans tout alambic*, les vapeurs quittant la colonne en tête sont condensées et renvoyées en grande partie, sous forme liquide, sur le plateau supérieur : c'est ce qu'on appelle le *reflux*. Une fois la distillation bien réglée, il ne reste plus qu'à soutirer les coupes en les prélevant au plateau correspondant à la qualité désirée. Une raffinerie de pétrole comprend de nombreuses autres tours de fractionnement, servant à redistiller soit les mélanges obtenus en première distillation, soit les mélanges issus des procédés secondaires (craquage*, reformage*, etc.), par exemple pour la séparation des gaz liquéfiés, propane et butane, à l'état presque pur. La température de distillation, fonction inverse de la volatilité, doit rester inférieure à 400 °C, sous peine de voir apparaître le craquage des produits lourds : on a donc recours à la *distillation sous vide* pour séparer ces derniers (lubrifiants*, paraffine, bitumes).

Distinguished Service Order (DSO), Distinguished Service Cross → SERVICE DISTINGUÉ.

DISTOMATOSE. — Ce nom a été donné à diverses maladies parasitaires provoquées par la présence de douves dans l'organisme, principalement chez les ruminants. Les plus grands ravages sont provoqués par la grande douve et la petite douve, qu'on trouve dans le foie des ruminants, principalement des moutons ; ceux-ci contractent la maladie, connue autrefois sous le nom de « cachexie aqueuse », en consommant les larves enkystées dans les feuilles des plantes des prairies humides ou inondées.

DISTORSION *(Électron.)* → AMPLIFICATEUR.

DISTORSION *(Opt.)*. — L'image d'un quadrillage régulier dans une lentille diaphragmée est formée de courbes ; selon que le diaphragme est en avant ou en arrière de la lentille, la distorsion est en barillet ou en croissant.

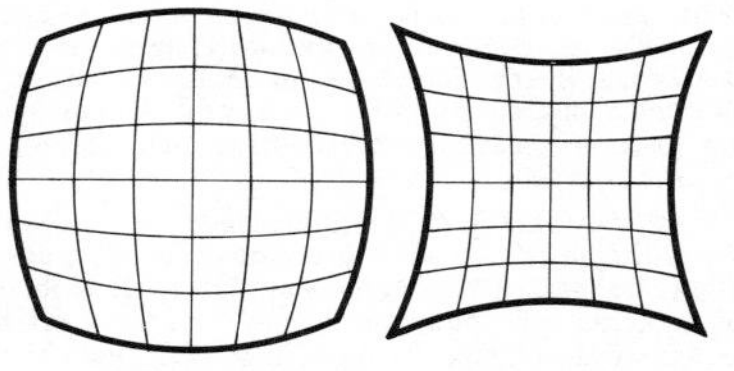

Distorsion en barillet (à gauche) et distorsion en croissant (à droite).

DISTRIBUTION *(Écon.)*. — Le rôle de la distribution est de mettre à la portée des utilisateurs et des consommateurs les biens et les services dont ils ont besoin, quel que soit l'éloignement des centres de production. Entre producteurs et consommateurs plusieurs intermédiaires interviennent ; selon leur nombre, on parle de circuits courts ou de circuits longs de distribution. Pour presque tous les produits, les *grossistes* assurent à la place du fabricant un fractionnement des commandes, offrent aux détaillants un assortiment plus varié que celui qui est proposé par tel ou tel fournisseur et lui garantissent une plus grande rapidité de livraison. Les *détaillants* permettent aux consommateurs de trouver les produits dont ils ont besoin sur leur lieu d'habitation ou de loisir. Depuis plusieurs années, les méthodes de vente* ont été profondément modifiées : les surfaces de vente sont de plus en plus grandes, le libre-service s'est développé, les unités de vente se sont concentrées entre les mains de gros groupes financiers. Cependant, le commerce indépendant et traditionnel représente toujours, en France tout au moins, la plus grosse partie des ventes au détail.

DISTRIBUTION *(Électr.)* → POSTE et RÉSEAU.

DISTRIBUTIONNELLE (analyse). — L'analyse distributionnelle apparaît vers 1930 aux États-Unis (*Language* de L. Bloomfield*). Fortement influencée par la psychologie béhavioriste, c'est une théorie mécaniste et antimentaliste : la langue, comme tout comportement, obéit au schéma stimulus-réponse.

L'analyse part de la constitution d'un corpus* ; puis on s'attache, par des procédures de segmentation et de substitution, à identifier les éléments de la langue en fonction de leurs environnements, sans tenir compte du sens. La somme des environnements d'un élément linguistique (phonème, morphème, syntagme) constitue sa distribution. Cette méthode a été appliquée par Z. Harris* à des énoncés longs (analyse de discours). La linguistique distributionnelle présente un certain nombre d'insuffisances (caractère fini du corpus face à la créativité, infinie, du langage ; incapacité de rendre compte des ambiguïtés syntaxiques), dont l'analyse par N. Chomsky* a donné naissance à la grammaire générative.

DISTRIBUTION STATISTIQUE. — Une distribution à un caractère définit la correspondance existant entre, d'une part, les modalités d'un caractère qualitatif (attribut) ou les valeurs d'un caractère quantitatif (variable*) et, d'autre part, les effectifs ou les fréquences des unités qui leur correspondent. Dans une distribution, on peut être amené à considérer les *distributions marginales* de l'un des caractères pour l'ensemble des valeurs de tous les autres et les *distributions conditionnelles* d'un ou de plusieurs caractères, les autres étant fixés. Lorsque le nombre des observations est grand, ce qui est fréquemment le cas, on obtiendra un tableau résumé de la distribution en subdivisant le domaine de variation de chaque variable observée en un certain nombre de classes successives. L'information fournie par une distribution statistique pourra être précisée par le calcul, à partir des observations, de certaines caractéristiques de position (moyenne*, médiane, mode, médiale, fractile), de dispersion (variance* et écart type, écart moyen, intervalle inter-quartile, étendue) ou de forme (asymétrie, aplatissement).

DITHYRAMBE. — Cantique consacré à Dionysos, le dithyrambe était chanté et dansé par des choristes déguisés en satyres sous la conduite d'un coryphée. Dès le VIIe s. av. J.-C., il évolua dans son contenu (célébration de héros) et dans sa forme (rythme plus rapide et plus syncopé) pour constituer la forme poétique d'où sortira la tragédie*.

DIURÉTIQUE. — Les diurétiques modernes, très actifs, agissent sur les différents étages du tube rénal, ou néphron. Certains augmentent la filtration du plasma sanguin par le glomérule ; d'autres s'opposent à la réabsorption du sodium (et donc de l'eau) au niveau du tubule rénal : d'où augmentation de la quantité d'urine émise. On sait, en effet, que toute absorption ou élimination de sodium entraîne une absorption ou une élimination d'eau proportionnelle. Mais la plupart des diurétiques provoquent également une élimination de potassium, ce qui peut provoquer les accidents de l'hypokaliémie (baisse du potassium sanguin). Aussi est-il nécessaire de surveiller l'ionogramme lors des traitements diurétiques et d'administrer du potassium selon les besoins. Les diurétiques sont employés dans le traitement des œdèmes et des épanchements séreux des cardiaques, des insuffisants rénaux et des cirrhotiques ainsi que dans celui de l'hypertension artérielle. Ils sont inefficaces, voire dangereux dans le traitement de l'obésité.

DIVAN. — Dans le monde culturel arabe, on rassemble souvent sous ce titre l'ensemble de l'œuvre poétique d'un écrivain, mêlant ainsi des inspirations et des formes d'expression très diverses (poèmes strophiques, distiques, quatrains, odes, panégyriques, élégies, etc.).

DIVERTICULE. — Les diverticules peuvent être observés au niveau de tous les étages du tube digestif (œsophage, estomac, intestin grêle, côlon) et au niveau de la vessie. Généralement bien tolérés, ils ne provoquent le plus souvent des symptômes que lorsqu'ils s'infectent (diverticulites) ou se compliquent de tumeurs. Le diverticule de Meckel, situé sur l'intestin grêle, est dû à la persistance du canal omphalomésentérique, qui, chez l'embryon, relie l'intestin au placenta. Son infection peut être confondue avec l'appendicite. Les diverticules du côlon sont souvent très nombreux (diverticulose) et peu gênants, sauf s'ils s'infectent, s'ulcèrent ou se compliquent de tumeurs. Les diverticules de la vessie sont le résultat de rétention chronique d'urine.

DIVERTISSEMENT MUSICAL. — À l'époque classique, on donne ce nom à un ensemble de quelques pièces vocales, instrumentales ou chorégraphiques intercalées dans un ouvrage lyrique, dont elles arrêtent momentanément l'action. Les Italiens appellent aussi *intermezzo* ce divertissement qui perdra vite son caractère d'incise pour prendre son indépendance et qui deviendra soit un petit opéra, soit, dans la seconde moitié du XVIIIe s., une suite instrumentale (divertimento, sérénade, cassation).

DIVES (la), fl. de Normandie, né dans le Perche, qui rejoint la Manche ; 100 km.

DIVES-SUR-MER (14160), comm. du Calvados, sur la Manche, à l'embouchure de la *Dives*, en face de Cabourg ; 6 175 hab. Église des XIVe-XVe s. Métallurgie du cuivre.

DIVINATION. — Dans les sociétés dites « primitives », la divination est liée à la pratique thérapeutique. Le devin-guérisseur, l'*homme-médecine*, est le personnage central de la vie magico-religieuse de la communauté. Dans l'Inde et la Chine antiques, le devin, haut dignitaire de la Cour, pratique son art au nom du roi. Un des traits communs des sociétés sémitiques, en Babylonie, dans l'ancien Israël, en Arabie, est l'apparition de corporations ou d'associations de devins et de prophètes. Dans l'Égypte hellénisée comme à l'époque impériale romaine, les astrologues jouent un rôle politique important par leurs conseils et leurs prévisions. Le devin étrusque *(haruspex)* est à la fois un interprète des avertissements des dieux par des signes, un théologien et un prêtre célébrant des sacrifices rituels immuables. À Rome, la science augurale, fondée sur des formulaires et des rites compliqués, était conservée dans les archives du « collège des augures publics du peuple romain ».

Ceux-ci assistaient les magistrats durant leurs consultations des *auspices,* qui furent d'abord les signes donnés par l'observation des oiseaux. Techniquement, la divination comporte en général trois phases : la *préparation magico-religieuse,* l'*apparition* ou la *production des signes* et l'*interprétation symbolique.* Les procédés peuvent être classés en cinq groupes : le *prophétisme,* les *techniques hallucinatoires,* les *tirages aléatoires* et les *combinaisons de figures et de nombres,* les *analogies des comportements des animaux ou des phénomènes naturels,* les *systèmes divinatoires ou oraculaires codifiés.* Ces procédés constituent les supports des deux formes principales de la divination : *intuitive* ou *inspirée, inductive* ou *raisonnée.* Dans ce dernier cas, son principe est l'*induction analogique* des similitudes entre la partie et le tout, l'interdépendance des phénomènes permettant d'observer l'homologie de leur succession et de la prévoir.

Divine Comédie *(la),* poème de Dante (v. 1307 - v. 1321). Il se compose de 100 chants répartis en 1 prologue et 3 parties *(l'Enfer, le Purgatoire, le Paradis)* de 33 chants chacune. Chaque chant comporte de 130 à 140 vers environ, disposés en *terza rima* (rimes ordonnées par groupes de 3 vers, de telle sorte que le vers central rime avec le 1er et le 3e du groupe suivant). Le thème du poème consiste en une vision que Dante situe durant la semaine sainte de l'année 1300. Guidé par Virgile, le poète accède au monde de l'au-delà et traverse les neuf cercles de l'Enfer. Puis il fait seul l'ascension de la montagne du Purgatoire, au sommet de laquelle il rencontre Béatrice, qui le conduit au Paradis. L'œuvre, qui mêle le réalisme le plus cru au lyrisme le plus mystique, forme la synthèse spirituelle et poétique du Moyen Âge.

DIVION (62460), comm. du Pas-de-Calais, à 3 km au S.-O. de Bruay-en-Artois; 8 588 hab. *(Divionnais).*

DIVISIBILITÉ. — La relation de divisibilité dans l'ensemble* $\mathbb{N}$ des entiers naturels est une relation d'ordre partiel. Dans l'ensemble $\mathbb{N}$, a divise b si $b = aa'$, $a' \in \mathbb{N}$. Cette relation est *réflexive* (a divise a), transitive (si a divise b et si b divise c, a divise c) et *antisymétrique* (si a divise b et si b divise a, alors $a = b$). Cet ordre n'est que partiel : en général, les deux nombres a et b étant quelconques, a ne divise pas b et b ne divise pas a.

Le problème de la divisibilité est le problème essentiel de l'arithmétique : recherche des caractères de divisibilité, nombres premiers, diviseurs d'un nombre, décomposition d'un nombre en produit de facteurs premiers, recherche des diviseurs communs à plusieurs nombres, multiples d'un nombre et multiples communs à plusieurs nombres.

Un caractère de divisibilité est un moyen qui permet de savoir si un nombre est divisible par un autre.

- Un nombre est divisible par 2 si et seulement s'il se termine par 0, 2, 4, 6 ou 8.
- Un nombre est divisible par 5 si et seulement s'il se termine par 0 ou 5.
- Un nombre est divisible par 3 (resp. par 9) si et seulement si la somme de ses chiffres est divisible par 3 (resp. par 9).
- Un nombre est divisible par 11 si et seulement si la différence entre la somme de ses chiffres de rang pair et la somme de ses chiffres de rang impair est égale à 11 ou un multiple de 11 : le nombre 5 564 537 est divisible par 11, car $7+5+6+5=23$ et $3+4+5=12$, $23-12=11$.

La recherche des caractères de divisibilité est facilitée par la théorie des restes ou des congruences*.

DIVISION DU TRAVAIL. — Mise en évidence par Adam Smith*, le père de l'économie politique, la division du travail, que Durkheim* analysa dans son ouvrage fondamental *De la division* du travail social,* reste au cœur des recherches de la sociologie du travail. C'est Marx qui, le premier, a abordé ce problème sous l'angle du *système économique (le Capital)* et en a étudié les effets sociaux : la *structure* d'exploitation dans les sociétés industrielles engendre irrévocablement le phénomène d'*aliénation,* car cette division technique « condamne le travailleur au geste absurde et répétitif qui ne lui permet jamais de pouvoir reconnaître dans l'objet fabriqué son œuvre ». Or, pendant longtemps, les sociologues envisagèrent le problème sous son seul aspect *technique,* en axant leurs analyses sur les systèmes technologiques, indépendamment des impératifs du système économique. Ce fut seulement en 1947, avec *Machinisme et humanisme,* que Georges Friedmann*, à son tour, incita les chercheurs à étudier les conséquences de la transformation des techniques de production sur la nature et la répartition des catégories professionnelles. Au lendemain de la révolution fordiste, les études sur la spectaculaire parcellisation des tâches et la multiplication des ouvriers spécialisés, dues à l'apparition du travail à la chaîne, connurent un regain d'intérêt avec l'essor de l'automatisation vers les années 50. Certains sociologues se sont attachés alors à l'évolution de la qualification ouvrière, tel A. Touraine*, qui a abordé dans ce cadre le problème de la conscience de classe; l'entrée dans le système technique semble la condition d'apparition de la *conscience ouvrière* (affirmation de soi comme principe de revendication, opposition à celui qui détient le pouvoir sur le travail et contestation d'une société fondée sur les rapports de classe). Aux États-Unis, W. F. White et surtout L. Sayles mirent en relief le rôle de la technologie sur le comportement des groupes, mais ce sont les recherches de J. Woodward, en Angleterre, qui réalisèrent une union entre les différents courants d'analyse.

division du travail social *(De la)* [1893], œuvre d'E. Durkheim, dans laquelle il distingue deux types de sociétés, fondés sur la solidarité*, qui varie selon le degré de modernité de la société : les sociétés à solidarité mécanique, sociétés les plus simples, où la solidarité naît de l'identité d'un individu à l'autre et qui réalisent leur cohésion par la force de leur conscience collective; les sociétés à solidarité organique, sociétés modernes, où la division* du travail constitue en individualités différenciées les hommes qui, solidaires parce qu'ayant chacun une *fonction spécialisée,* dépendent les uns des autres pour la satisfaction complète de leurs besoins. Le passage d'un type de société à l'autre est dû à un changement social provoqué par une augmentation de la « densité matérielle et morale » et de la société. L'auteur est alors amené à se demander si la division du travail dans les sociétés contemporaines n'aurait pas pour fonction d'intégrer le corps social et d'en assurer l'unité.

DIVISIONNISME → NÉO-IMPRESSIONNISME.

DIVONNE-LES-BAINS (01220), comm. de l'Ain, à 8 km au N.-E. de Gex, près de la frontière suisse; 4 240 hab. Casino. Station thermale aux eaux froides, oligométalliques, utilisées dans le traitement des maladies nerveuses et gynécologiques.

DIVORCE. — On distingue, dans la législation française, plusieurs cas de divorce.

- *Le divorce par consentement mutuel.* Les époux demandent d'un commun accord le divorce, sans avoir à en faire connaître la cause, ou l'un des époux seulement demande le divorce, l'autre acceptant.
- *Le divorce pour rupture de la vie commune.* L'un des époux peut demander le divorce pour rupture prolongée de la vie commune, lorsque les époux vivent séparés de fait depuis six ans ou lorsque les facultés mentales du conjoint se trouvent, depuis six ans, si gravement altérées qu'aucune communauté n'existe plus et ne pourra se reconstituer dans l'avenir.
- *Le divorce pour faute.* Il peut être demandé par un des époux si des faits constituent une violation grave ou renouvelée des devoirs et obligations du mariage et s'ils rendent intolérable le maintien de la vie commune ou si l'époux contre lequel le divorce est demandé a été condamné à la peine de mort, à la réclusion criminelle à perpétuité ou à temps.

LES EFFETS DU DIVORCE. Le lien matrimonial est dissous; en principe, la femme reprend son nom de jeune fille; cependant, elle peut continuer à porter le nom de son mari, notamment lorsqu'elle justifie qu'un intérêt particulier s'y attache pour elle-même ou pour les enfants.

En ce qui concerne les biens des époux, le régime matrimonial est liquidé. L'un des époux peut être condamné au versement d'une pension alimentaire et d'une provision pour frais d'instance à son conjoint; l'époux qui n'a pas la garde des enfants mineurs sera tenu de verser à l'autre une contribution pour leur entretien et leur éducation; l'un des époux peut être tenu de verser à l'autre une prestation destinée à compenser la disparité que la rupture du mariage crée dans les conditions de vie respective (sauf en cas de divorce pour rupture de la vie commune);

En cas de divorce pour rupture de la vie commune, le devoir de secours est maintenu : lorsque le divorce est prononcé aux torts exclusifs de l'un des époux, celui-ci peut être condamné à verser des dommages et intérêts à son ex-conjoint; l'époux aux torts exclusifs de qui le divorce est prononcé pourra obtenir une indemnité à titre exceptionnel, compte tenu de la durée de la vie commune et de la collaboration apportée à la profession de l'autre époux.

Sur les enfants mineurs, les effets de la filiation légitime subsistent; la garde des enfants mineurs est confiée généralement à l'un des époux, l'autre époux conservant en principe un droit de visite et d'hébergement.

DĪWĀNIYYA, v. d'Iraq, au S.-E. de Bagdad; 61 000 hab.

Dix *(conseil des),* assemblée provisoire athénienne, composée de dix magistrats, qui, en 403 av. J.-C., remplaça le régime oligarchique des Trente, installé à Athènes après la victoire de Sparte (404). Elle ne gouverna que quelques mois, jusqu'au rétablissement de la Constitution démocratique.

DIX (Otto), peintre et graveur allemand (près de Gera, 1891 - Singen 1969). Influencé par l'expressionnisme et le futurisme (scènes de la guerre), puis par dada, il en vient en 1920 au style de mordante satire de la « nouvelle réalité » (scènes de mœurs, portraits). Persécuté par les nazis, il se réfugie dans une peinture de paysages dont la minutie rappelle les vieux maîtres allemands.

DIXENCE (la) riv. de Suisse (Valais), affl. de la Borgne (r. g.); 17 km. Important aménagement hydroélectrique.

Dix-Huit Leçons sur la société industrielle (1963), œuvre dans laquelle Raymond Aron, comparant la société soviétique aux sociétés américaine et européenne, soutient que le seul régime de la propriété des moyens de production ne suffit pas à définir une société, sous son double aspect économique et politique. « L'Europe, vue d'Asie, n'est pas composée de deux mondes fondamentalement hétérogènes : le monde soviétique et le monde occidental. Elle est faite d'une seule réalité, la civilisation industrielle. » Ainsi, la société industrielle constitue-t-elle un type singulier de société, avec ses caractéristiques propres. De cette analyse, le sociologue n'imaginait pas que l'on serait enclin, quelques années plus tard, à négliger les différences entre les régimes et à imaginer la convergence des sociétés euro-américaine et soviétique vers un modèle unique baptisé « socialisme démocratique ». Souhaitant dissiper le malentendu, il soulignera, trois ans après la parution de cet ouvrage, que les différences entre les régimes idéologiques opposés continuent de prévaloir sur leurs ressemblances.

Dix Mille *(retraite des)*, retraite effectuée à travers les montagnes d'Arménie et le long de la mer Noire par le corps des mercenaires grecs regagnant leur pays d'origine après l'échec de l'expédition entreprise par Cyrus* le Jeune contre son frère Artaxerxès* II (défaite de Counaxa* en 401 av. J.-C.). Xénophon*, qui y prit part comme stratège, a décrit dans l'*Anabase* cet héroïque retour.

DIXMUDE, en néerl. **Diksmuide,** v. de Belgique (Flandre-Occidentale), sur l'Yser; 6 669 hab. (en 1970). Combats en 1914 et en 1918. (V. FLANDRES [*batailles des*].)

DIYĀLĀ (la), riv. d'Iraq, affl. du Tigre (r. g.); 442 km.

DIYARBAKIR, v. du sud-est de la Turquie; 139 000 hab.

DIZFUL ou **DEZFUL,** v. du sud-ouest de l'Iran; 84 000 hab.

DJABRĀN KHALĪL DJABRĀN, écrivain libanais (Becharré 1883-Beyrouth 1931). Émigré aux États-Unis, il fut un des principaux représentants de la renaissance des lettres arabes (*les Ailes brisées,* 1912).

DJĀHIẒ (Abū ʿUthmān ʿAmr ibn Baḥr **al-**), écrivain arabo-iraqien (Bassora v. 776-*id.* 868 ou 869). Ses essais, liés à l'actualité politique *(la Précellence des Noirs, les Mérites des Turcs),* et ses traités, où la réflexion philosophique et théologique se mêle à l'anecdote pittoresque *(Livre des avares, Livre du langage, Livre des animaux),* ont marqué la formation de l'esprit d'*adab** et de la prose littéraire arabe.

DJAJAPURA → JAYAPURA.

DJAKARTA → JAKARTA.

DJALĀLĀBĀD ou **JALALABAD,** v. de l'Afghānistān oriental; 47 000 hab. Centre commercial. Université.

DJALĀL AL-DĪN RŪMĪ, poète persan (Balkh, Khurāsān, 1207-Konya 1273). Il fonda la mawlawiyya, l'ordre des derviches tourneurs (*mevlevi,* en turc), et donna dans le *Mathnawī (les Distiques spirituels),* vaste poème comportant des paraboles, des anecdotes édifiantes et des versets mystiques, l'expression achevée du soufisme*.

DJAMĀL PACHA (Aḥmad) ou **CEMAL PAŞA** (Ahmed), général et homme politique ottoman (Mytilène 1872-Tiflis 1922). Membre du comité « Union et Progrès », il participe à la révolution des Jeunes-Turcs* (1908-09) et fait partie du triumvirat (avec Enver* et Talat*) qui s'empare du pouvoir en 1913.

DJAMBOUL, v. de l'U. R. S. S., dans le sud du Kazakhstan; 187 000 hab.

DJĀMĪ (Nūr al-Dīn ʿAbd al-Raḥmān), écrivain persan (Khardjird, près de Djām, Khurāsān, 1414-Harāt 1492). Ses poèmes lyriques, inspirés de Saʿdī et de Ḥāfiẓ *(Jardin de printemps),* et épiques, influencés par Niẓāmī et Firdūsī *(la Sagesse d'Alexandre, Yūsuf et Zulaykha),* sont surtout un moyen de traduire ses croyances mystiques et morales.

DJARĪR, poète arabe († v. 728). Auteur de panégyriques des califes omeyyades et de poèmes satiriques, il est célèbre pour sa querelle avec al-Farazdaq.

DJEBILET *(gara),* montagne du Sahara algérien occidental. Minerai de fer.

DJEDDA, v. de l'Arabie Saoudite, sur la mer Rouge; 300 000 hab. Port des villes saintes de La Mecque et de Médine. Siège de missions diplomatiques étrangères.

DJEM (El-), localité de Tunisie, entre Sousse et Sfax; 7 000 hab. L'ancienne *Thysdrus,* important centre commercial romain, se développa surtout aux IIe et IIIe s. Remarquable amphithéâtre, aux dimensions analogues à celles du Colisée*. Mosaïques du IIIe s., encore empreintes de réalisme.

DJEMDET-NASR, site archéologique de Mésopotamie*, près de Kish, qui a donné son nom à une phase (3300-3000) de la protohistoire mésopotamienne caractérisée par une poterie peinte.

DJEMILA, localité d'Algérie, au N.-E. de Sétif; 11 000 hab. L'antique *Cuicul* de Numidie présente l'aspect classique du splendide urbanisme des colonies romaines d'Afrique. Les temples hellénistico-romains se substituèrent aux sanctuaires puniques, mais le style et le rythme décoratif de la mosaïque africaine sont une innovation étrangère à l'hellénisme.

DJENNÉ, v. du Mali, au N.-E. de Bamako; 7 000 hab. Ancienne capitale de l'Empire songhaï, prise par Archinard en 1893.

DJERACH → GERASA.

DJERBA, île de Tunisie, à l'entrée du golfe de Gabès. Pêche. Centre touristique.

DJÉRID *(chott el-)*, dépression de la Tunisie méridionale, en bordure du Sahara, occupée par d'immenses lagunes plus ou moins desséchées.

DJÉZIREH, en ar. **al-Djazīra** (« l'île »), région du Proche-Orient, s'étendant de la frontière sud-est de la Turquie aux environs de Bagdad, sur le nord-est de la Syrie et le nord-ouest de l'Iraq, correspondant au centre et au nord de l'ancienne Mésopotamie.

DJIBOUTI, capit. de la *République de Djibouti* (anc. Territoire français des Afars* et des Issas), sur l'océan Indien, à proximité de l'entrée de la mer Rouge; 62 000 hab. Port. Tête de ligne du chemin de fer menant à Addis-Abeba.

DJIDJELLI, port d'Algérie, au N.-O. de Constantine; 34 000 hab.

DJOKJAKARTA → JOGJAKARTA.

DJOUBA (le), fl. d'Éthiopie et de Somalie, tributaire de l'océan Indien; 880 km.

DJOUNGARIE → DZOUNGARIE.

DJURDJURA ou **DJURJURA,** chaîne de montagnes calcaires d'Algérie, sur la bordure méridionale de la Grande Kabylie; 2 308 m au pic de Lalla Khadīdja.

DMOWSKI (Roman), homme politique polonais (Varsovie 1864-Drozdovo 1939). Fondateur du parti national-démocrate (1897), il lutte pour le rétablissement de l'État polonais. Il le représente avec Paderewski, à la Conférence de la paix (1919).

DNIEPR (le), grand fleuve de la partie européenne de l'U. R. S. S., tributaire de la mer Noire; 1 950 km. Né à l'O. de Moscou, il draine trois républiques soviétiques (extrémité occidentale de la R. S. F. S. de Russie, ouest de la Biélorussie et centre de l'Ukraine, dont il traverse la capitale, Kiev). Son cours inférieur est coupé de grands aménagements hydroélectriques.

DNIEPRODZERJINSK, v. de l'U. R. S. S. (Ukraine), sur le *Dniepr;* 227 000 hab. Centrale hydroélectrique.

DNIEPROPETROVSK, v. de l'U. R. S. S. (Ukraine), sur le *Dniepr;* 862 000 hab. Sidérurgie et métallurgie. Travail du bois. Industries alimentaires.

DNIESTR (le), fl. de l'U. R. S. S., né dans les Carpates, séparant partiellement l'Ukraine et la Moldavie, tributaire de la mer Noire; 1 411 km.

DÖBLIN (Alfred), écrivain allemand (Stettin 1878-Emmendingen 1957). Influencé par l'expressionnisme* (la revue *Sturm** publie ses premières nouvelles) et les idées socialistes, il se veut le peintre des masses à travers une épopée en vers (*Manas,* 1927) et des romans qui mêlent le mythe et l'histoire (*les Trois Bonds de Wang-Lun,* 1915) ou les différents plans de la réalité et de l'écriture (*Berlin*, Alexanderplatz,* 1929). Exilé sous le régime nazi, il évolua vers des préoccupations morales et religieuses (*l'Homme immortel,* 1945).

DOBRO POLJE, sommet de Yougoslavie, à l'E. de Bitola (Monastir); 1 875 m. Objectif principal de l'offensive franco-serbe du 15 septembre 1918. (V. MACÉDOINE [*campagnes de*].)

DOBROUDJA, en roum. **Dobrogea,** en bulgare **Dobrudža,** région d'Europe orientale comprise entre la mer Noire et le cours inférieur du Danube, partagée entre la Bulgarie et la Roumanie. — Région du Grand Empire bulgare, la Dobroudja est conquise par les Turcs en 1396. Attribuée partiellement à la Roumanie en 1878, elle lui revient entièrement en 1913. Les Roumains doivent rétrocéder la Dobroudja du Sud aux Bulgares en 1947.

DOCÉTISME. — Cette hérésie est née de la difficulté à concevoir comment Dieu, qui est inaccessible à la souffrance et à la mort, a pu en Jésus-Christ souffrir et mourir. Divers courants de pensée des IIe et IIIe s., que l'on a groupés sous le terme de docétisme (du grec *dokein,* paraître), ont professé que le corps du Christ a été une pure apparence. C'était nier la réalité de l'Incarnation*.

DOCIMOLOGIE → EXAMEN.

Docteur Jekyll et M. Hyde, roman de R. L. Stevenson (1886). Un paisible médecin découvre le moyen de se dédoubler en un monstre de laideur et de cruauté, qui finit par imposer sa personnalité exclusive.

Docteur Jivago *(le),* roman de B. Pasternak (publié en italien en 1957 ; en anglais et en français, puis en russe — hors de l'U. R. S. S. — en 1958). Un « témoignage d'artiste » sur l'évolution de la Russie depuis le début du siècle qui fut ressenti comme un pamphlet anticommuniste : contre la culture officielle, Pasternak montre à travers l'odyssée professionnelle et sentimentale d'un médecin, pendant la guerre et les premières années de la révolution, que « c'est seulement dans la mauvaise littérature que les vivants sont divisés en deux camps ». Ce roman valut à son auteur le prix Nobel et l'exclusion de l'Union des écrivains soviétiques.

DOCTORAT. — Le grade le plus élevé de l'Université médiévale, puis napoléonienne, subsiste dans l'organisation actuelle de l'enseignement : outre les doctorats en droit, en médecine, en pharmacie, en art vétérinaire qui couronnent ces études dans les facultés correspondantes, on distingue essentiellement dans les disciplines littéraires et scientifiques le *doctorat de 3e cycle,* obtenu au terme de deux années d'études après la maîtrise et portant sur une discipline nettement spécialisée, et le *doctorat d'État,* exigé de tout candidat à un poste de professeur dans une faculté.

DOCTRINAIRES. — Ralliés à la philosophie politique du juste milieu élaborée par Royer-Collard et Guizot, les doctrinaires constituaient, sous la Restauration, un parti restreint mais influent, hostile tant à la réaction aristocratique qu'à la souveraineté populaire. Royalistes modérés, ils s'appuyaient sur la Charte constitutionnelle de 1814 et prônaient la participation de la classe moyenne au gouvernement du pays.

DOCUMENTAIRE. — Ce genre cinématographique exclut généralement de son propos toute fiction pour ne s'attacher qu'à la description de la réalité. On distingue plusieurs catégories de documentaires : scientifique, artistique, biographique, historique, social, géographique, pédagogique, ethnographique, touristique, d'exploration, d'alpinisme, etc. On peut également classer parmi les documentaires des films utilisant des documents d'archives (actualités, films de montage) et certaines œuvres mêlant à la réalité du document filmé la fantaisie du cinéaste (essais, cinépoèmes). Certains films suivant de près ou de loin un scénario peuvent parfois être considérés comme des documents romancés. Parmi les grands documentaristes, il faut citer les noms des frères Lumière, de Robert Flaherty, John Grierson, Joris Ivens, Walter Ruttmann, Dziga Vertov, Jean Rouch, Frédéric Rossif.

DODDS (Alfred), général français (Saint-Louis, Sénégal, 1842-Paris 1922). Il conquit le Dahomey en y réduisant en 1893 la résistance du roi Béhanzin.

DODÉCANÈSE, archipel grec du sud de la mer Égée, au large des côtes turques et dont Rhodes est la principale île. Soumis aux Turcs, l'archipel est occupé par l'Italie en 1912, puis rattaché à la Grèce en application du traité de Paris (1947).

DODÉCAPHONISME. — En 1923, avec la valse de sa *Suite pour piano,* op. 23, Schönberg publia la première page de musique dodécaphonique au sens habituellement adopté pour ce terme, c'est-à-dire utilisant les douze sons de l'échelle chromatique tempérée, systématisée depuis Bach et Rameau selon un principe d'égalité obtenu à la fois par la structure sérielle et par l'abandon de la tonalité, de la hiérarchie tonale.

DODERER (Heimito VON), écrivain autrichien (Weidlingen 1896-Vienne 1966). Son œuvre romanesque, qui compose à la fois un panorama historique et une analyse spectrale de la société austro-hongroise finissante, montre comment la réalité profonde d'un destin personnel ou national se manifeste dans des événements discontinus et apparemment insignifiants (*le Secret de l'Empire,* 1930 ; *l'Escalier du Strudelhof,* 1951 ; *les Démons,* 1956).

DODGSON (Charles Lutwidge), connu sous le nom de **Lewis Carroll,** écrivain et logicien anglais (Daresbury, Cheshire, 1832-Guildford 1898). Il doit à sa faculté de passer à sa guise de l'un à l'autre côté du « miroir » d'être à la fois l'un des plus populaires écrivains pour enfants et l'un des précurseurs du surréalisme. Professeur pendant quarante ans à Oxford (*Curiosa Mathematica,* 1888-1893), l'un des premiers logiciens mathématiques après George Boole, il occupait ses loisirs à raconter des histoires, au cours de longues promenades, aux petites filles de son doyen. Paradoxalement, il réussit à maintenir rigoureusement séparées les deux faces de son personnage (le logicien/l'écrivain de l'absurde*, du « non-sense »), alors que la logique de ses récits (*Alice* au pays des merveilles,* 1865 ; *De l'autre côté du miroir,* 1872 ; *la Chasse au Snark,* 1876) est, au fond, plus proche de la théorie des jeux ou des nombres imaginaires que de la spontanéité enfantine. Contrairement à ce que pensait André Breton, Lewis Carroll ne déplace pas les bornes du réel ; il en révèle les connexions profondes : associations de fantasmes, télescopages d'idées, d'attitudes, de mots ne sont pas l'envers de la science, mais la transposition imagée de la thermodynamique et de la mécanique statistique. Derrière le double masque de ce professeur timide, passionné de miroirs et de reflets (il fut un remarquable photographe), se dessine une démarche d'une inquiétante et fascinante unité.

DODOMA, v. de la Tanzanie, future capitale du pays, sur les hautes terres de l'intérieur ; 24 000 hab.

DODONE, sanctuaire oraculaire de Zeus, en Épire, fréquenté dès l'époque homérique. Le dieu y rendait ses oracles par le bruissement du feuillage des chênes du bois sacré.

DOEL, anc. comm. de Belgique (Flandre-Orientale), sur l'Escaut, en aval d'Anvers, intégrée à Beveren. Centrale nucléaire.

DOGE. — À l'origine, le doge (duc) de Venise est un représentant de l'Empire byzantin choisi par le basileus. Mais l'indépendance progressive de Venise (VIIIe-IXe s.) va faire du doge un chef national, élu par l'assemblée du peuple et investi d'un pouvoir quasi absolu. À partir du Xe s. son autorité est peu à peu réduite. Assujetti à l'aristocratie qui désormais le nomme (collège de 40 électeurs), il est privé de ses pouvoirs les plus importants. Du XIVe s. jusqu'à la disparition de la République (1797), le doge ne sera plus que le premier magistrat de Venise, nommé à vie, chargé de l'exécution des décisions du conseil des Dix.

DOGONS → AFRIQUE.

DOHA → DŪḤA *(al-).*

DOHNÁNYI (Ernö), pianiste et compositeur hongrois (Bratislava 1877-New York 1960), auteur des *Variations sur une chanson d'enfant,* fondées sur le célèbre « Ah, vous dirai-je, maman ».

DOIGT. — Les doigts sont formés par trois phalanges, sauf le pouce qui n'en a que deux. La face postérieure de la dernière phalange est occupée par l'ongle et sa matrice. Les doigts, articulés avec les métacarpiens, doivent leur mobilité aux muscles fléchisseurs et extenseurs (situés dans l'avant-bras), agissant par de longs tendons, et aux muscles interosseux (situés entre les métacarpiens), pour les mouvements de latéralité. Le pouce, opposable aux autres doigts, forme avec ceux-ci une « pince de préhension ».

Les doigts sont fréquemment le siège de plaies (qui peuvent sectionner les tendons des muscles), de sections, d'écrasements, de fractures et de piqûres, causes de panaris. Toutes ces lésions sont notamment observées au cours des accidents du travail.

DOIRE, en ital. **Dora,** nom de deux rivières d'Italie (Piémont) issues des Alpes et affl. du Pô (r. g.). La *Doire Baltée* (160 km) passe à Aoste. La *Doire Ripaire* (125 km) rejoint le Pô à Turin.

DOISY (Edward Adelbert), biochimiste américain (Hume, Illinois, 1893), prix Nobel de médecine en 1943 pour ses travaux sur l'insuline, les hormones, les antibiotiques et pour la synthèse de la vitamine K.

Dolce Vita *(La),* film italien de Federico Fellini (1960). En suivant les errances d'un journaliste dans le monde du cinéma et dans celui de l'aristocratie romaine, Federico Fellini brosse en une suite de séquences savamment désordonnées, le portrait au vitriol d'une société décadente et veule que les valeurs morales ont désertée. À la fois « témoignage et confession » selon son auteur, ce film amer et cruel fit scandale, notamment dans son pays d'origine, et provoqua, tout comme *L'Avventura* d'Antonioni, d'âpres polémiques par la nouveauté de son écriture et de sa composition.

DOL-DE-BRETAGNE (35120), ch.-l. de cant. d'Ille-et-Vilaine, à 29 km au S.-E. de Saint-Malo ; 5 042 hab. Anc. cathédrale (XIIIe-XIVe s.) à la nef majestueuse. Confection.

DOLDRUMS → CIRCULATION ATMOSPHÉRIQUE.

DOLE (39100), ch.-l. d'arr. du Jura, sur le Doubs ; 30 498 hab. *(Dolois).* Intéressants monuments des XVIe et XVIIe s. : église Notre-Dame, collège de l'Arc, hôpital Pasteur. Industries mécaniques, textiles et alimentaires.

DOLET (Étienne), imprimeur et humaniste français (Orléans 1509-Paris 1546). Poète, philosophe (*Commentaires de la langue latine,* 1536-1538), il fut pendu et brûlé pour ses opinions hérétiques et athées.

DOLIN (Patrick HEALEY-KAY, dit **Anton**), danseur et chorégraphe britannique (Slinfold, Sussex, 1904). Ayant débuté avec les Ballets russes de Diaghilev, il s'impose bientôt comme le plus grand danseur anglais (et le plus célèbre « Albert », le prince de *Giselle*) de la première moitié du XXe s. Partenaire d'Alicia Markova et fondateur avec elle de la troupe (1935-1938) qui porta leurs deux noms, puis, dès 1949, du futur London's Festival Ballet, devenu un des principaux éléments de la vie chorégraphique de Grande-Bretagne, il a aussi à son actif, entre autres, la reconstitution du célèbre *Pas de quatre* de Jules Perrot et la publication de divers ouvrages *(Pas de deux, Art of the Partnering).* Ayant cessé de danser (1959), il s'est consacré à l'enseignement.

DOLINE → KARSTIQUE *(relief).*

DOLLAR. — Le premier Congrès fédéral américain avait décidé l'émission d'une monnaie de papier, le dollar, appelé « continental » pour le distinguer du *dolero* qui circulait aux Antilles. Cette monnaie de papier était émise à cours forcé et était inconvertible en métal. Après une période où le dollar se déprécia sans cesse, le Congrès, en 1787, lui donna un statut, la Constitution remettant au pouvoir fédéral le droit de battre monnaie. Le dollar fut défini par un poids de 24,3 g d'argent, puis de 1,60 g d'or ou de 24,06 g d'argent (rapport or-argent = 15). Le dollar valut ensuite 1,50 g d'or. La guerre de Sécession créa une fantastique inflation, faisant perdre une très grande partie de sa valeur de fait à la monnaie des États-Unis (1861-1865).

Au cours du XXe s., le dollar prend la relève des monnaies européennes, les règlements internationaux étant couramment effectués en dollars. Il joue alors un rôle prééminent et devient une unité de référence : c'est entre 1945 et 1955 que ce rôle connaît son apogée. Mais les États-Unis commencent alors d'acheter plus qu'ils ne vendent; les dollars s'accumulent en Europe, et donnent naissance aux eurodollars* (dépôts en dollars effectués dans des banques non américaines), cependant que des ventes de dollars font baisser cette monnaie sur les marchés des changes. Le 15 août 1971, les États-Unis décident la non-convertibilité du dollar. C'est une date cruciale de l'histoire monétaire contemporaine.

Le 18 décembre 1971, après dévaluation, la convertibilité du dollar est rétablie à taux fixe, mais non la convertibilité en or. Le 12 février 1973, le dollar est de nouveau dévalué; le 13 mars 1973, les banques centrales européennes décident de ne plus acheter de dollars. Les années postérieures sont caractérisées par la baisse du dollar sur les marchés des changes mais, malgré ces problèmes, 60 p. 100 du commerce mondial sont encore réglés en dollars.

DOLLARD-DES-ORMEAUX, v. du Canada (Québec), dans la banlieue ouest de Montréal; 25 217 hab.

DOLLERN (la), riv. d'Alsace, affl. de l'Ill (r. g.); 42 km.

DOLLFUSS (Engelbert), homme d'État autrichien (Texing 1892-Vienne 1934). Catholique, chancelier d'Autriche en 1932, il développe une politique hostile au parlementarisme et réorganise l'État sur la base de principes autoritaires et corporatifs, à l'exemple des fascistes italiens. Appuyé par le parti social-chrétien et les conservateurs, il interdit le parti national-socialiste en 1933, tout en combattant la social-démocratie. Il est assassiné par les nazis en juillet 1934.

DÖLLINGER (Johann Ignaz VON), ecclésiastique allemand (Bamberg 1799-Munich 1890). Adversaire du pouvoir temporel des papes, il refuse, après le premier concile du Vatican* (1870), de reconnaître l'infaillibilité pontificale. Excommunié, il devient le chef des catholiques dissidents dits « vieux-catholiques* ».

DOLOMIE. — Blanche quand elle est pure, la dolomie (qui doit son nom au géologue *Dolomieu,* 1750-1801) cristallise dans le système rhomboédrique. Elle sert à la préparation de la magnésie et au revêtement des fours. (V. BOUTEILLE, CALCAIRE et VERRE.)

DOLOMITES ou **ALPES DOLOMITIQUES,** partie des Alpes orientales, en Italie, quadrilatère délimité par les vallées de l'Adige à l'O., de la Rienza au N., du Piave à l'E. et au S.-E. et de la Brenta au S.-O.; 3 342 m à la *Marmolada.* L'originalité de la région vient d'un paysage ruiniforme pittoresque, dû à la nature de la roche calcaire, la *dolomie,* attirant touristes et sportifs (alpinistes en été, skieurs en hiver), notamment à Cortina d'Ampezzo.

DOLTO (Françoise), médecin et psychanalyste français (Paris 1908). Elle s'est surtout intéressée à la psychanalyse des enfants. Elle est l'auteur de *Psychanalyse et pédiatrie* (1939, nouv. éd. 1971) et du *Cas Dominique* (1971).

DOMAGK (Gerhard), biochimiste allemand (Lagow, Brandebourg, 1895-Burberg, Forêt Noire, 1964), prix Nobel de médecine en 1939 pour ses recherches en cancérologie et pour la mise au point de la chimiothérapie par les sulfamides.

DOMAINE. — Font partie du domaine les biens appartenant à l'État et aux collectivités publiques. Le régime juridique spécial de ces biens est la *domanialité.*

Il faut distinguer le *domaine public* et le *domaine privé :* les biens et droits (mobiliers et immobiliers) qui, appartenant à l'État et aux collectivités publiques, ne sont pas susceptibles d'une propriété privée (en raison de leur nature ou de la destination qui leur est attribuée), sont du domaine public, les autres constituent le domaine privé. Le domaine public est soumis au droit administratif (v. JURIDIQUES [*sciences*]) et est de la compétence des juridictions administratives, le domaine privé étant régi par le droit privé et soumis au contentieux judiciaire.

DOMAINE ROYAL. — Sous les Mérovingiens et les Carolingiens, l'expression désignait l'ensemble épars des *villae* possédées en propre par les rois et dont les revenus formaient, en sus de l'impôt, l'essentiel des moyens d'existence de la royauté. Pour une grande part, ces deux dynasties durent leur chute à la perte de la majeure partie de ces biens, concédés aux *vassi regales.* Plus cohérent et plus concentré (région de Paris, de Compiègne, d'Étampes, d'Orléans), malgré sa faible étendue et les multiples enclaves qu'il comportait, le domaine des ducs robertiens, devenu en 987 domaine royal, fut le noyau autour duquel s'élabora lentement l'unité française. Commencé sous Robert le Pieux, le mouvement de rassemblement des terres s'amplifia à partir de Philippe Auguste et se poursuivit sous les trois lignées capétiennes. Considéré comme inaliénable depuis le XVe s., le domaine du roi, qui englobait non seulement le domaine foncier et ses revenus, mais aussi les droits éminents du roi sur les fiefs qui en dépendaient, finit par coïncider avec les dimensions du royaume.

DOMART-EN-PONTHIEU (80620), ch.-l. de cant. de la Somme, à 21 km à l'E. d'Abbeville; 1 244 hab.

DOMAT → EMS [Suisse].

DOMAT (Jean), jurisconsulte français (Clermont-Ferrand 1625-Paris 1696). On lui doit des *Lois civiles dans leur ordre naturel* (1689-1694). Sa pensée influencera le code civil.

DOMBASLE (Christophe Joseph Alexandre MATHIEU DE), agronome français (Nancy 1777-*id.* 1843). Inventeur d'une charrue, il perfectionna les méthodes de culture et montra l'importance du chaulage dans les terres argileuses. Il fonda, en 1822, une école d'agriculture à Roville, près de Nancy.

DOMBASLE-SUR-MEURTHE (54110), comm. de Meurthe-et-Moselle, à 15,5 km au S.-E. de Nancy; 10 318 hab. *(Dombaslois).* Mine de sel. Soude.

DOMBES, région occupant le sud-ouest du départ. de l'Ain. La couverture argileuse explique l'humidité du sol et la présence de nombreux étangs — pisciculture, principale ressource de la Dombes avec l'élevage —, cependant qu'à proximité de Lyon se sont multipliées résidences secondaires et réserves de chasse.

DOMBROWA → DĄBROWA GÓRNICZA.

DOMBROWSKI → DĄBROWSKI.

DÔME → COUPOLE.

DÔME *(monts)* ou **CHAÎNE DES PUYS,** ensemble de volcans éteints du nord de l'Auvergne (départ. du Puy-de-Dôme), dominant la Grande Limagne, à l'O. de Clermont-Ferrand, qui se trouve au pied du point culminant, le *puy de Dôme* (1 465 m), site d'un observatoire météorologique.

DOMÈNE (38420), ch.-l. de cant. de l'Isère, à 10,5 km à l'E. de Grenoble; 5 297 hab. Papeterie. Constructions électriques.

DOMENICO VENEZIANO, peintre italien († Florence 1461). Sans doute originaire de Venise, actif à Florence à partir de 1439, il est averti des innovations tant flamandes que florentines en matière de perspective, donne réalisme et monumentalité à ses figures, harmonie légère et précieuse à son coloris (*Vierge avec quatre saints* du retable de S. Lucia dei Magnoli, v. 1445, Offices).

DOMÉRAT (03410), comm. de l'Allier, à 5 km à l'O. de Montluçon; 7 144 hab.

DOMESTICATION. — La pratique, extrêmement ancienne, de la domestication, ne consiste pas à tenir un animal en captivité par la contrainte, mais à dresser l'animal à rechercher la présence de l'homme ou en tout cas de sa demeure, à attendre de lui une partie au moins de sa nourriture, à se montrer docile au dressage que l'homme lui impose pour le rendre utile, enfin à se reproduire sous son contrôle, ce qui permet la sélection et l'amélioration des races. Ainsi définie, la domestication s'applique au cheval, au chien, aux animaux de ferme, à la rigueur au chat, et, de façon moins fréquente, aux animaux les plus variés. Elle rend souvent l'animal domestique incapable de survivre en cas de retour à la vie sauvage.

DOMÈVRE-EN-HAYE (54380 Dieulouard), ch.-l. de cant. de Meurthe-et-Moselle, à 16 km au N. de Toul; 178 hab.

DOMFRONT (61700), ch.-l. de cant. de l'Orne, à 20 km au S. de Flers; 4 518 hab. Vestiges féodaux. Église Notre-Dame-sur-l'Eau (XIe s.).

DOMICILE. — Le domicile d'une personne est le lieu où celle-ci a sa demeure habituelle et le centre de ses activités principales. Il est un moyen d'individualisation et se rattache à l'état des personnes.

En principe, le domicile est *fixe,* et, en cela, il se distingue de la résidence, cette dernière pouvant n'être qu'un lieu d'habitation momentané; il est *unique,* c'est-à-dire que l'on ne peut avoir simultanément plusieurs domiciles. Il est, enfin, *nécessaire,* même dans les professions ambulantes (nomades, bateliers). Les personnes morales sont domiciliées généralement à leur siège social. La femme mariée a, en principe, le domicile de son mari, le mineur non émancipé a le même domicile que ses parents. Le domicile détermine le lieu de l'ouverture de la succession des personnes, quel que soit l'endroit réel où est survenu le décès.

DOMINANCE. — En génétique, on dit d'un caractère qu'il est *dominant* lorsqu'il apparaît chez *tous* les produits d'un couple dont *un seul* des deux parents présente ce caractère. En présence d'un sujet (plante ou animal) qui présente un caractère dominant, il est donc impossible de savoir s'il ne possède dans son patrimoine transmissible que ce caractère (sujet *homozygote*) ou aussi le caractère opposé, à l'état latent (sujet *hétérozygote*). Dans ce dernier cas, le caractère latent (ou *récessif*) peut apparaître chez certains descendants.

DOMINÉ (Marc), officier français (Vitry-le-François 1848 - Vertus 1921). Il s'illustra avec le sergent Bobillot dans la défense de Tuyên Quang (1885) contre les Chinois.

DOMINICAINE *(république),* État de l'Amérique centrale, occupant la partie orientale de l'île d'Haïti, dans les Antilles; 48400 km^2; 4432000 hab. *(Dominicains).* Capit. *Saint-Domingue.*

GÉOGRAPHIE. La partie occidentale de la république Dominicaine est constituée d'une succession de chaînes montagneuses (3175 m dans la Cordillère centrale) séparées par des fossés d'effondrement (dépressions du Cibao et de La Vega Real). La partie orientale, plus basse, est un ensemble de plaines et de collines. Le climat, tropical, est localement nuancé par l'exposition.

La population, en rapide accroissement, reste beaucoup moins dense que dans la république d'Haïti. Composée principalement de métis, elle vit surtout de l'agriculture. Les plantations de canne à sucre, de café et de cacao fournissent les principaux produits d'exportation. Le riz, destiné à l'alimentation, est en plein essor, de même que l'élevage bovin. Le sous-sol recèle d'importants gisements de bauxite (1 Mt), qui, exportée brute vers les États-Unis, n'a guère favorisé le développement de l'industrie. Celle-ci se limite à la transformation des produits agricoles et est localisée à Saint-Domingue. L'économie demeure fragile car elle repose sur les échanges avec l'extérieur. Par ailleurs, le rapide essor démographique annule les timides progrès de la production.

HISTOIRE. En 1492, Christophe Colomb* atteint l'île d'Hispaniola et, en 1496, son frère Barthélemy y fonde l'actuelle Saint-Domingue, embryon de l'Empire ibéro-américain. D'abord exploitée d'une manière catastrophique par les Espagnols, qui y pratiquent une agriculture de plantations fondée sur le travail forcé, l'île est pratiquement dépeuplée et bientôt abandonnée aux aventuriers de toute sorte. Au XVIIe s., les Français s'installent dans la partie occidentale (Haïti*). La partie orientale, espagnole de langue et de culture, connaît au XVIIIe s. sa révolution économique avec la mise en valeur de la canne à sucre, mais la traite des Noirs y provoque des révoltes, tout comme à Haïti, où éclate la première révolution de l'Amérique latine, qui chasse les Français (1809). Mieux, la république noire d'Haïti maintient sa domination sur l'ensemble de l'île jusqu'en 1844. Cette domination diminue ensuite jusqu'à ce que Pedro Santana (1801-1864), en 1861, proclame le retour de la république Dominicaine à l'Espagne. Mais celle-ci, restée esclavagiste, doit renoncer dès 1869 à sa mainmise sur un pays qui, de 1870 à 1916, est secoué par de multiples coups d'État et finit par tomber sous la coupe des États-Unis. Ceux-ci, de 1916 à 1924, mènent une politique de mise en ordre qui facilite l'arrivée au pouvoir de Rafael Leonidas Trujillo*, tyran absolu, véritable propriétaire de l'île de 1924 à sa mort — par assassinat — en 1961.

Ensuite, la république Dominicaine connaît une explosion révolutionnaire qui provoque l'intervention américaine en 1965. Depuis, le président Joaquín Balaguer maintient un semblant d'unité nationale et de démocratie dans un pays où l'inégalité socio-économique, engendrée par la dictature trujilliste, reste fondamentale. (V. carte HAÏTI.)

DOMINICAINS. — C'est le nom habituellement donné à l'ordre mendiant des Frères prêcheurs, fondé au XIIIe s. par saint Dominique*. Dès l'origine, ce dernier oriente sa communauté vers une forme de vie entièrement commandée par la prédication de la parole de Dieu. Fondé sur la pauvreté, l'idéal des prêcheurs s'exprime en un régime communautaire très démocratique, adapté aux structures des communes urbaines.

L'ordre connaît dès le XIIIe s. un grand essor — il compte 13000 moines en 1390 — et joue un rôle capital, notamment avec Albert* le Grand, Thomas* d'Aquin et Maître Eckart*, dans le renouveau théologique et dans la lutte contre l'hérésie. Au XIVe s., des signes de décadence s'annoncent, qui suscitent des mouvements de réforme : Catherine* de Sienne et Savonarole* sont parmi les hautes figures des réformateurs. Secoué à l'époque de la Réforme*, l'ordre connaît au XVIIe s. un grand essor missionnaire, mais c'est une institution sclérosée que démantèle la Révolution française.

La résurgence la plus féconde est la branche française, quand, en 1839, Lacordaire* entre dans l'ordre qu'il réimplante en France et à qui il contribue à rendre une vitalité qui correspond aux besoins du temps. En 1973, les Dominicains étaient au nombre de 7000, auxquels il faut ajouter 5000 moniales dominicaines et 40000 religieuses du tiers ordre régulier, appartenant à de multiples congrégations apostoliques. De plus, dès l'origine s'est formé un tiers ordre constitué de laïques associés à la vie et à l'idéal des Frères prêcheurs.

DOMINION → COMMONWEALTH.

DOMINIQUE (la), île des Petites Antilles, entre la Guadeloupe et la Martinique; 751 km^2; 74000 hab. Capit. *Roseau* (13000 hab). Production de fruits (bananes, citrons) et de coprah.

DOMINIQUE *(saint),* fondateur de l'ordre des Frères prêcheurs (Caleruega v. 1170 - Bologne 1221). Clerc du chapitre d'Osma, il accompagne son évêque, Diego de Acevedo, chargé d'une mission au Danemark. Traversant les territoires du sud de la France, Dominique y observe l'influence des vaudois et des cathares*. Aussi le pape Innocent III l'oriente-t-il vers les champs apostoliques du Toulousain et de la Narbonnaise. Face aux hérétiques, il témoigne en faveur de la vérité par le colloque et l'exemple de la pauvreté; des disciples le rejoignent, avec qui il jette les bases de la communauté des Frères prêcheurs (dits Dominicains*), dont la fondation est confirmée par Honorius III en 1217. Quand Dominique meurt, l'ordre compte déjà huit provinces. Canonisé en 1234.

Dominique, roman d'E. Fromentin (1863), qui mêle l'autobiographie à l'analyse psychologique sur le thème de l'impossible amour.

DOMINIQUIN (Domenico ZAMPIERI, dit **le**), peintre italien (Bologne 1581 - Naples 1641). Élève et collaborateur des Carrache*, il ouvrit à son tour, à Rome, une académie de dessin où l'on insistait sur la théorie de l'expression des figures et que Poussin fréquenta avec profit. Il fut un décorateur abondant d'églises et de palais, à l'élégance raffinée, excellant dans le paysage (*la Chasse de Diane,* v. 1620, galerie Borghèse), parfois bridé par les contraintes de l'éclectisme (*la Dernière Communion de saint Jérôme,* 1614, Vatican, très admirée pendant deux siècles).

DOMINO. — Probablement d'origine chinoise, les dominos furent introduits en Europe au XIVe s. Le jeu de dominos se compose de prismes rectangulaires dont le dos est noir (en ébène ou en bois teint) et dont la face blanche (en os, en ivoire ou en matière plastique) est divisée en 2 parties égales, portant chacune un nombre de points allant de 0 à 6. Toutes les combinaisons du double-blanc au double-six sont données par les 28 dominos du jeu. Le joueur doit se débarrasser de ses dominos en les disposant de telle sorte qu'une des moitiés du domino que l'on joue soit semblable à une des moitiés d'un domino déjà placé.

DOMITIEN, en lat. **Titus Flavius Domitianus** (Rome 51 - *id.* 96), empereur romain (81-96). Il est le fils cadet de Vespasien, auquel il succède après son frère Titus. Tacite et Pline le Jeune ont dénoncé les excès de sa « tyrannie ». Mais Domitien a été réhabilité pour sa bonne administration : en effet, il réorganise le Conseil impérial et les bureaux, et contrôle étroitement les gouverneurs de province. Aux frontières il lutte sans relâche contre les Barbares : sur le Rhin, il refoule les Chattes (83 et 89) et améliore les positions défensives de l'Empire en organisant les champs Décumates*, protégés par un *limes;* sur le Danube, il mène plusieurs campagnes contre les Daces (v. DACIE). Cependant, avec Domitien, le régime bourgeois des premiers Flaviens* s'oriente vers l'absolutisme : il refuse de gouverner avec le sénat; il s'appuie sur les chevaliers, l'armée et les provinciaux; il se fait appeler « dieu et maître », s'octroyant un consulat décennal et une censure perpétuelle (85). L'opposition est réduite au silence : l'empereur décime le sénat, tandis que philosophes et chrétiens sont persécutés. En 96, un complot, organisé par les préfets du prétoire et des sénateurs, aboutit à son assassinat.

DOMITIUS AHENOBARBUS (Cneius), consul en 122 av. J.-C. Il vainquit avec Q. Fabius Maximus le roi des Arvernes*, Bituit (121), occupa le Languedoc et construisit la *via Domitia,* route qui reliait le Rhône aux Pyrénées.

DOMME (24250), ch.-l. de cant. de la Dordogne, à 11 km au S. de Sarlat-la-Canéda, au-dessus de la Dordogne; 891 hab. Remparts.

DOMODOSSOLA, v. d'Italie (Piémont), au débouché du tunnel ferroviaire et sur la route du Simplon; 1700 hab. Gare frontière.

DOMONT (95330), ch.-l. de cant. du Val-d'Oise, à 5 km au N. de Montmorency; 10898 hab.

DOMPAIRE (88270), ch.-l. de cant. des Vosges, à 19 km au N.-O. d'Épinal; 906 hab.

DOMPIERRE-SUR-BESBRE (03290), ch.-l. de cant. de l'Allier, à 18 km au S.-O. de Bourbon-Lancy; 4121 hab. Fonderie.

DOMRÉMY-LA-PUCELLE (88300 Neufchâteau), comm. du nord-ouest du départ. des Vosges, en Lorraine, sur la Meuse, à 10 km au N. de Neufchâteau; 267 hab. Patrie de Jeanne d'Arc.

DON, CONTRE-DON. — Forme non marchande de l'échange*, le don traduit l'importance, dans les sociétés dites « primitives », des effets de la sphère sociale sur les transactions économiques. En effet, ce type d'échange, qui implique l'obligation de donner, de recevoir et de rendre, établit (ou renforce) des liens entre les personnes concernées, qui sont principalement des individus jouissant d'un haut prestige politique et social. Selon B. Malinowski*, ce mode de distribution des biens est primordial dans les économies dites « primitives », sans relation avec la transaction économique de subsistance.

DON (le), fl. de l'U. R. S. S.; 1 967 km. Né au S. de Moscou, il arrose la partie méridionale de la grande plaine russe, coule près de la Volga (à laquelle un canal le relie), avant de rejoindre la mer d'Azov, en aval de Rostov-sur-le-Don. Ses eaux sont utilisées pour la production d'électricité et l'irrigation, pour la navigation aussi sur le cours inférieur.

DONAT → DONATISME.

DONATELLO (Donato DI BETTO BARDI, dit), sculpteur italien (Florence 1386 - *id.* 1466). Selon Vasari, il alla, vers 1409, étudier les antiques à Rome en compagnie de Brunelleschi. À Florence, il reçoit notamment commande du *Saint Georges* (1416) d'Orsammichele, dont le piédestal donne le premier exemple de ce modelé écrasé *(schiacciato)* capable d'exprimer la perspective par d'infimes différences de relief, puis de statues de marbre de prophètes (v. 1415-1440) pour le campanile de la cathédrale, parmi lesquelles le *Zuccone,* au réalisme tendu jusqu'à l'expressionnisme. Il travaille pour Sienne, Prato, Rome, donne à Florence l'*Annonciation* de Santa Croce et le *David* de bronze du palais des Médicis (Bargello), imprégnés de classicisme, ainsi que la *cantoria* de la cathédrale (musée de l'Œuvre), à l'accent dionysiaque. Un long séjour à Padoue (v. 1443-1453) voit l'exécution du célèbre *Gattamelata** et, pour le grand autel de la basilique du Santo, d'un ensemble de statues et de reliefs de bronze aussi remarquables par l'organisation de l'espace que par le sens dramatique. Lorsqu'il rentre à Florence (chaires de San Lorenzo), le goût y a évolué au profit du style doux, harmonieux de Luca Della Robbia et des élèves de Ghiberti : l'écho direct de son art se trouvera plutôt à Padoue ou à Sienne.

DONATION. — C'est un contrat* par lequel une personne, le donateur, se dépouille, actuellement et irrévocablement, de la chose donnée en faveur d'un donataire qui, de son côté, l'accepte. La donation se distingue de la succession* en ce qu'elle représente une dévolution de biens faite par une personne *vivante.*

Elle est dite *en avancement d'hoirie,* si elle est faite en faveur d'une personne qui sera héritière, par avance donc sur ses droits futurs.

Des donations peuvent être faites *aux époux* ou *par les époux entre eux* par le contrat de mariage, ou pendant le mariage par les époux entre eux.

La *donation-partage* est celle que les parents ou l'un d'entre eux font à leurs enfants ou descendants à la condition que ceux-ci effectuent entre eux immédiatement le partage des biens donnés. On l'appelle encore « partage d'ascendant ».

DONATISME. — Ce schisme — qui n'est pas une hérésie car il ne s'agit pas d'oppositions doctrinales mais de questions disciplinaires —, est né de la persécution de Dioclétien* (303). Les donatistes déniaient toute valeur aux sacrements administrés par des évêques qui avaient livré les livres saints aux agents impériaux; l'évêque schismatique de Carthage, Donat, fut l'organisateur de cette Église de l'intransigeance. Condamné par divers synodes, durement réprimé par le pouvoir impérial, le donatisme trouva en saint Augustin* un adversaire énergique et efficace (conférence de Carthage en 411); il se maintint, affaibli par l'invasion vandale (429), jusqu'à la conquête arabe.

DONAU, nom allemand du DANUBE.

DONBASS (le), région industrielle de l'U. R. S. S. développée entre le cours inférieur du Donets et le littoral nord-est de la mer d'Azov. Elle s'étend principalement en Ukraine, débordant cependant à l'E. sur le territoire de la R. S. F. S. de Russie. Le Donbass doit son développement à la présence d'importants gisements houillers, qui ont donné naissance à la sidérurgie et à la métallurgie de transformation. Comptant plus de 7 millions d'habitants et donc très densément peuplé (600 hab. en moyenne au km^2), parsemé de grandes villes (dont Donetsk, Jdanov, Makeïevka, Vorochilovgrad, Gorlovka), le Donbass fournit approximativement le tiers des productions soviétiques de houille et d'acier, une part encore supérieure pour le matériel ferroviaire et le gros équipement.

Don Carlos, drame historique de Schiller (1787).

DONCASTER, v. d'Angleterre, au N.-E. de Sheffield; 86 000 hab.

DONETS (le), **DONETZ** ou **DONETS DU NORD,** riv. de l'U. R. S. S. (R. S. F. S. de Russie, est de l'Ukraine), affl. du Don (r. dr.); 1 016 km. Né au S. de Koursk, il traverse le grand bassin houiller du Donbass (anciennement *bassin du Donets*).

DONETSK, v. de l'U. R. S. S., dans le Donbass; 879 000 hab.

DONGES (44480), comm. de la Loire-Atlantique, à 17 km à l'E. de Saint-Nazaire, sur la rive nord de l'estuaire de la Loire; 6 285 hab. Raffinage du pétrole.

DÔNG SON, village du Viêt-nam, au N.-E. de Thanh Hoa, site éponyme d'une culture du bronze final. Son aire d'expansion s'étend à l'ensemble de l'Asie du Sud-Est, avec une influence plus directe sur le Cambodge, la Malaisie, et l'Indonésie vers le sud, et sur le sud du Yun-nan vers le nord. Cette culture est divisée en trois phases; la seconde (500-250 av. J.-C.) correspond à l'apparition de la métallurgie du fer et à l'épanouissement de celle du bronze, avec des pièces très variées, fondues à cire perdue, ornées d'un décor géométrique associé à des représentations animées et qui évoque des croyances totémiques et des rites agraires et funéraires. Cette culture disparut vers le Ier s.

DONIAMBO *(pointe),* cap de la Nouvelle-Calédonie. Fonderie de nickel.

DÖNITZ (Karl), amiral allemand (Grünau 1891). Commandant des sous-marins depuis 1935, il dirige la guerre sous-marine de 1939 à 1942, puis remplace en 1943 l'amiral Raeder à la tête de la marine allemande. Successeur de Hitler en mai 1945, il accepte la capitulation du Reich, est condamné à dix ans de prison par le tribunal de Nuremberg et est libéré en 1956. Il a publié *Dix Ans, vingt jours* (1959) et *Ma vie tourmentée* (1969).

DONIZETTI (Gaetano), compositeur italien (Bergame 1797 - *id.* 1848). Après avoir été directeur du Théâtre royal de Naples, il s'installa à Paris en 1838. En dépit de certaines facilités de style, il a excellé dans le bel canto et a réussi la fusion des esthétiques dramatique et bouffe (*l'Élixir d'amour,* 1832; *Lucie de Lammermoor,* 1835; *la Favorite,* 1840).

DONJON → CHÂTEAU.

DONJON (Le) [03130], ch.-l. de cant. de l'Allier, à 23 km au S.-O. de Digoin; 1 447 hab.

Don Juan, personnage légendaire, dont les aventures semblent avoir pour origine un fait réel rapporté par la *Chronique de Séville :* don Juan Tenorio, meurtrier du commandeur Ulloa, après avoir enlevé sa fille, est attiré dans le couvent de franciscains où est enterrée sa victime, et assassiné. Les moines font alors courir le bruit que la statue du commandeur a entraîné en enfer don Juan, qui venait l'insulter sur son tombeau. Ce châtiment exemplaire d'un séducteur impie a inspiré, depuis la comédie édifiante de Tirso de Molina (*le Trompeur de Séville et le Convié de pierre,* v. 1625), de nombreuses œuvres littéraires, notamment : les comédies italiennes de Giliberto et Cicognini (v. 1650); sous le titre de *Festin de pierre,* les pièces de Villiers (1659), Dorimond (1661), Rosimon (1669), Thomas Corneille (1677); le *Don* Juan* de Molière; le poème de Byron *Don Juan* (1819); la tragédie de Pouchkine *le Convive de pierre* (1830); la nouvelle de Mérimée *les Âmes du purgatoire* (1834); le poème dramatique de Lenau *Don Juan* (1844); le drame de Zorilla *Don Juan Tenorio* (1844); *Miguel Mañara* (1911-12) de Milosz; *l'Homme de cendres* (1949) d'A. Obey; *Don Juan* (1958) de H. de Montherlant.

Être de métamorphose, Don Juan passe d'un rôle de trompeur ou de séducteur brutal à un personnage angoissé, en quête d'infini et de pureté. S'il accumule instants et passions éphémères, c'est, dans la vision romantique du mythe, par désir profond de salut et de durée : Don Juan tend alors à rejoindre Tristan*. S'il est susceptible d'interprétations aussi variées, c'est qu'il est, pour Camus, l'incarnation même de la représentation, le comédien absolu : contre la délivrance aléatoire du temps par le renoncement et l'ascèse, Don Juan propose une « éthique de la quantité », l'infinie possibilité des amours rendant la vie inépuisable. Mais il est aussi un être de rupture, qui brise le cycle de l'échange et de la circulation des femmes (il les veut toutes) et de l'argent (il refuse de payer ses dettes). Mythe du désir et de la mort, qui s'appuierait sur un fonds archaïque mis en lumière par la psychanalyse (le déflorateur sacré, le double et sa culpabilité, le rapport entre Éros et Thanatos), le mythe de Don Juan traduirait l'obsession la plus profonde de l'homme, celle d'unité et d'union, face à la réalité de la division des sexes et de la rupture entre le temps vécu et l'éternité postulée.

Don Juan *(Don Giovanni, ossia Il Dissoluto punito),* « dramma giocoso » en deux actes, livret de L. Da Ponte d'après Tirso de Molina, musique de W. A. Mozart (1787). Passant avec aisance d'un style comique, tendre ou bouffe à un style d'une grande intensité dramatique, le compositeur use alternativement d'un récitatif preste, proche du parler, et d'airs en appelant au bel canto et appropriés au caractère de chaque personnage. La scène de la disparition du séducteur dans l'abîme est restée célèbre.

Don (ou *Dom*) **Juan** *ou le Festin de pierre,* comédie de Molière en cinq actes et en prose (1665). Première grande comédie en prose qui, sur le ton de la farce paysanne ou de la méditation grave, pose le problème de l'athéisme. Un Don Juan, « grand seigneur » et « méchant homme », capable de jouer tous les rôles, même celui du converti; un valet, Sganarelle, double bouffon de son maître, esclave merveilleusement complice, toujours prêt à apporter, par ses raisons absurdes et ses conduites maladroites, la preuve des thèses du libre penseur.

DONLEAVY (James Patrick), romancier américain (New York 1926). Il dépeint, à travers des récits cocasses et des héros dérisoires, les obsessions de la société américaine moderne (*l'Homme de gingembre,* 1955; *les Béatitudes bestiales de Balthazar B.*, 1968; *Mangeurs d'oignons,* 1975).

DONNE (John), poète et théologien anglais (Londres 1572-*id.* 1631). Élevé dans la religion catholique, puis fervent anglican (*le Pseudo-Martyr,* 1610), il fut un prédicateur célèbre et le principal représentant de la poésie métaphysique *(Sonnets sacrés).*

DONNEAU DE VISÉ (Jean), écrivain français (Paris 1638-*id.* 1710). Il critiqua *l'École des femmes* de Molière et fonda *le Mercure galant.*

DONNEMARIE-DONTILLY (77520), ch.-l. de cant. de Seine-et-Marne, à 17 km au N.-E. de Montereau; 1 823 hab. Église des XIIe-XIIIe s.

Donner à voir, poèmes et essais d'Eluard (1939). Recueil de textes écrits ou publiés entre 1919 et 1938 : célébration de la vision surréaliste et de l'amour comme moyen de réalisation personnelle et de communion sociale.

Donneurs de sang *(insigne des),* distinction française créée en 1949 pour les titulaires du diplôme de donneur de sang.

DONON (le), sommet du nord des Vosges (Bas-Rhin) [1 009 m], dominant le *col du Donon* (727 m).

Don paisible *(le),* roman en quatre livres de Cholokhov (1928-1940). Une œuvre foisonnante, inspirée de *Guerre et Paix* de Tolstoï, qui peint la double tragédie d'un couple et du peuple cosaque, déchirés entre les traditions familiales et politiques et le double appel de l'amour librement choisi et de la révolution.

Don Quichotte de la Manche *(l'Ingénieux Hidalgo),* roman en deux parties (1605-1615), de Cervantès. Un gentilhomme campagnard passe son temps à lire des romans de chevalerie et finit par s'identifier aux héros de ses légendes favorites. Revêtu de vieilles armes, il part à l'aventure, mais il est rossé par des muletiers à qui il a voulu persuader qu'une paysanne des environs, qu'il a élue dame de ses pensées sous le nom de « Dulcinée », était la plus belle du monde. Il est ramené chez lui, où le curé, aidé du barbier, brûle solennellement ses livres. Mais sa folie est incurable : toujours monté sur son vieux cheval Rossinante, il reprend le cours de ses exploits, accompagné de son fidèle serviteur Sancho Pança, dont le bon sens s'efforce de remédier aux désastres nés de la folle imagination de son maître. Vaincu, à la fin, en combat singulier par le bachelier Carrasco, contraint par serment de renoncer à l'aventure, il découvre la vanité de ses chimères et meurt, laissant à Sancho la réalité peu enviable d'une existence dépourvue d'héroïsme et de poésie.

La critique contemporaine date du *Don Quichotte* l'apparition du roman* moderne. Cela peut étonner si l'on songe au déroulement épique de l'œuvre, même sur le mode parodique, au procédé traditionnel d'inclusion de récits dans le récit *(le Curieux mal avisé* et *le Captif),* au propos apparent et daté de l'ouvrage : la critique des romans de chevalerie n'est-elle pas monnaie courante à l'époque où écrit Cervantès, et ne se bat-il pas là, comme son héros, contre des moulins à vent? En réalité, Cervantès met en cause toute la littérature de fiction, à travers une interrogation sur ses propres illusions et ses principes esthétiques (chapitre 47 de la première partie). Défenseur en politique d'idéaux périmés (l'Espagne de son temps n'est plus celle de la conquête du monde, mais de la bureaucratie), méprisant les littérateurs à la mode (il croit à la mission de l'écrivain), il entreprend des actions qu'il sait vouées à l'échec : Cervantès, comme Don Quichotte, ne peut s'empêcher d'accorder aux êtres et aux choses une confiance qui résiste aux moqueries et aux coups. C'est par là qu'il ouvre la quête désespérée des valeurs que le héros moderne poursuit dans un monde dégradé. Le réel est désormais « impossible » pour le héros, inaccessible directement, sinon par l'entremise d'un médiateur qui lui désigne l'objet à désirer et le chemin pour y parvenir (Amadis de Gaule et les rites de la chevalerie) : mais, au bout de ce chemin, le réel n'est pas au rendez-vous. Don Quichotte inaugure ainsi la figure triangulaire (héros-médiateur-objet du désir) du désir médiatisé, expression de l'aliénation moderne, qui jusqu'à Dostoïevski (par le thème du double) et Proust (par le snobisme) compose la structure profonde du roman occidental. — Le roman de Cervantès a servi de thème à un ballet en quatre actes et huit tableaux. La production la plus connue en est la version d'Aleksandr Gorski (1902; mus. de Minkus) dont un extrait — pas de deux — est dansé encore très fréquemment de nos jours (Vladimir Vassiliev et Ekaterina Maximova; Mikhaïl Barichnikov et Gelsey Kirkland...).

Don Sanche d'Aragon, comédie héroïque de P. Corneille (1649-1650).

DONSKOÏ (Mark), cinéaste soviétique (Odessa 1901). Célèbre par la trilogie qu'il réalisa à partir des romans autobiographiques de Gorki — *l'Enfance de Gorki* (1938), *En gagnant mon pain* (1939), *Mes universités* (1940) —, il tourna également plusieurs autres œuvres importantes : *Et l'acier fut trempé* (1941), *l'Arc-en-ciel* (1944), *Varvara ou l'Éducation des sentiments* (1947), *la Mère* (1956), *Le cheval qui pleure* (ou *Au prix de sa vie*) [1957], *Thomas Gordeïev* (1960), *le Cœur d'une mère* (1965), *Chaliapine* (1970).

DONY (*abbé* Jean-Jacques Daniel), chimiste et industriel belge (Liège 1759-*id.* 1819). Ayant réussi, en 1805, à isoler le zinc de ses minerais, il obtint la concession des mines de la Vieille-Montagne et créa l'industrie du zinc.

DONZENAC (19270), ch.-l. de cant. de la Corrèze, à 9,5 km au N. de Brive-la-Gaillarde; 1 796 hab. Église des XIIe-XIIIe s.

DONZÈRE (26290), comm. de la Drôme, à 13 km au S. de Montélimar; 3 369 hab. Vestiges féodaux. Église romane. Le canal de dérivation du Rhône, dit *de Donzère-Mondragon,* alimente la plus productive des centrales hydrauliques françaises (à Bollène).

DONZY (58220), ch.-l. de cant. de la Nièvre, à 17 km au S.-E. de Cosne-Cours-sur-Loire; 1 939 hab. Église Saint-Martin-du-Pré, romane du XIIe s. (tympan) et autres témoins du passé.

DOOLITTLE (James Harold), général d'aviation américain (Alameda, Californie, 1896). Il conduisit, en avril 1942, le premier bombardement stratégique sur Tōkyō, puis il commanda en Angleterre la 8e flotte aérienne américaine, de 1944 à 1946.

Doon de Mayence *(geste de),* un des trois grands cycles épiques du Moyen Âge. Les principales chansons *(Raoul de Cambrai, Doon de Mayence, le Chevalier Ogier, Renaud de Montauban, Girart de Roussillon)* peignent des féodaux qui se révoltent contre leur suzerain pour venger une injure reçue.

DOPE → BITUME.

DOPPLER (Christian), physicien autrichien (Salzbourg 1803-Venise 1853). Il découvrit, en 1842, la variation de fréquence du son perçu par un observateur, lorsque la source sonore est en mouvement par rapport à celui-ci, phénomène qui fut, par la suite, étendu à l'optique par Fizeau*.

DORAT (Le) [87210], ch.-l. de cant. de la Haute-Vienne, à 12 km au N. de Bellac; 2 581 hab. Remarquable église, typique du roman limousin (XIIe s.).

DORAT (Jean DINEMANDI, dit), poète et humaniste français (Limoges 1508-Paris 1588). Il eut pour élèves Ronsard et du Bellay, composa des poésies latines (*Poematia,* 1586) et fit partie de la Pléiade.

D'ORBAY (François), architecte français (Paris 1634-*id.* 1697). Entré à quinze ans dans l'agence de Le Vau*, il en deviendra le principal dessinateur. À la mort de son maître, il fait fonction de premier architecte du roi, pour s'effacer en 1678 derrière J. H.-Mansart. Son apport personnel reste difficile à mesurer.

DORDOGNE (la), riv. du sud-ouest de la France; 472 km. Née en Auvergne, au pied du puy de Sancy, elle passe à La Bourboule, puis s'écoule vers le sud-ouest. Son cours amont, initialement en gorges, est aujourd'hui barré par de multiples aménagements hydroélectriques (Bort-les-Orgues, Marèges, L'Aigle, Chastang). En aval de Souillac, entaillant les plateaux du Périgord, la Dordogne se dirige vers l'ouest, passe à Bergerac, puis à Libourne (où elle reçoit son principal affluent, l'Isle), avant de rejoindre la Garonne, au bec d'Ambès, à la tête de l'estuaire de la Gironde.

DORDOGNE (24), départ. de la Région Aquitaine; 9 184 km²; 373 179 hab. Ch.-l. *Périgueux.* S.-préf. *Bergerac, Nontron* et *Sarlat-la-Canéda.*

La majeure partie du département correspond au Périgord et son centre porte le nom de *Périgord blanc,* formé de plateaux et de collines entaillés par les vallées de la Dordogne, de l'Isle et de leurs affluents (Dronne, Auvézère et Vézère). L'extrémité occidentale du département (le Landais entre Dordogne et Isle, la Double entre Dronne et Isle) est boisée; l'extrémité orientale (vers Terrasson-Lavilledieu) appartient au bassin de Brive, alors que, au nord, le Nontronnais est une partie du Limousin.

Villes et activités se concentrent dans les vallées. L'agriculture occupe toujours une part importante, encore près du tiers, de la population active. L'élevage domine dans le Nontronnais et les clairières de la Double. Les cultures sont importantes dans les vallées; à côté des céréales viennent les fruits, les primeurs, localement la vigne (notamment vers Bergerac et Monbazillac) et le tabac. L'industrie emploie un nombre de salariés à peine égal à celui des agriculteurs; elle est liée largement aux produits de l'agriculture (alimentation), en dehors de l'agglomération de Périgueux, de loin la plus importante du département. L'insuffisance de l'industrialisation, cause et effet de l'absence de véritable grande ville, explique aussi la densité d'occupation assez basse, puisque sensiblement inférieure à la moyenne nationale. Le tourisme est assez actif dans les vallées de la Dordogne et surtout de la Vézère (sites préhistoriques de Lascaux, des Eyzies-de-Tayac, etc.), mais évidemment très ponctuel et temporaire. Les plateaux se dépeuplent, une partie de l'exode rural est absorbée par les villes dans les vallées, une partie aussi se dirige vers Bordeaux ou Paris, voire Limoges. Le département, qui a perdu le quart de sa population en un siècle, voit celle-ci stagner depuis une quinzaine d'années.

DORDRECHT, port des Pays-Bas (Hollande-Méridionale), à l'embouchure de la Meuse; 101 000 hab. Belle église en gothique brabançon (XIVe-XVe s.). Vieilles maisons à pignons. Musées. Industrie chimique.

DORE (la), riv. d'Auvergne, affl. de l'Allier (r. dr.); 140 km.

DORE *(monts)* → MONT-DORE *(massif du).*

DORÉ (Gustave), dessinateur, graveur et peintre français (Strasbourg 1832 - Paris 1883). Il a illustré, avec une imagination fertile qui prolonge le romantisme, plus de cent vingt œuvres, dont celles de Rabelais (1854 et 1873), de Perrault (1862), les *Contes drolatiques* de Balzac (1855), *l'Enfer* de Dante (1861), *Don Quichotte* (1863), la *Bible* (1866). La plupart de ces gravures, bois souvent de grand format, étaient esquissées par lui et terminées par des praticiens.

DÖRFEL (Georg Samuel), astronome allemand (Plauen, Saxe, 1643 - Weida 1688). Le premier, il pensa que les comètes* pouvaient avoir des orbites paraboliques ayant le Soleil* pour foyer commun de leurs trajectoires.

DORGELÈS (Roland), écrivain français (Amiens 1885 - Paris 1973). Il participa à l'existence bohème des peintres et des poètes de Montmartre (*le Château des brouillards,* 1932), et publia des récits sur son expérience de la guerre (*les Croix de bois,* 1919) et des voyages (*Sur la route mandarine,* 1925).

DORIA, famille noble de Gênes. Au XIIIe s., elle soutint le parti des gibelins contre les guelfes. En 1270, elle partagea le pouvoir avec les Spinola et rétablit la paix à Gênes. Elle donna de grands amiraux, dont le condottiere ANDREA **Doria** (Oneglia 1466 - Gênes 1560), qui, après avoir servi François Ier, combattit à la solde de Charles Quint contre les Turcs (victoire de Pianosa, 1519) et la France; devenu maître de Gênes en 1528, Andrea instaura une « république aristocratique ».

DORIDE, nom désignant un district de la Grèce centrale ancienne au nord du Parnasse et une région de l'Asie Mineure sur la côte de Carie; les deux territoires doivent leur dénomination à la migration des Doriens*.

DORIENS, envahisseurs indo-européens qui, à la fin du IIe millénaire av. J.-C., se répandent dans le monde grec. Leur arrivée accélère le déclin de la civilisation créto-mycénienne, provoqué par les invasions des Peuples* de la mer (qui ont détruit l'équilibre politique et économique du Proche-Orient), et amène une migration vers les côtes anatoliennes, plus riches. La tradition leur attribue deux innovations : l'introduction des techniques du fer et, dans le domaine artistique, la céramique géométrique. L'organisation sociale des Doriens est un type de société guerrière dont la Sparte* de l'âge classique donne une idée approchante.

DORIOT (Jacques), homme politique français (Bresles, Oise, 1898 - en Allemagne 1945). Député et maire communiste de Saint-Denis à partir de 1924, il est exclu du parti en 1934. Il fonde en juin 1936 le parti populaire français (P. P. F.), d'orientation fasciste, et combat le Front populaire. Pendant l'Occupation, il collabore avec l'Allemagne et combat les Russes sur le front de l'Est comme dirigeant de la Légion des volontaires français.

DORIQUE → ORDRE.

DORMANS (51700), ch.-l. de cant. de la Marne, à 25 km à l'O. d'Épernay, sur la Marne; 2 975 hab. Chapelle commémorative des deux victoires de la Marne (1914 et 1918).

DORNES (58390), ch.-l. de cant. de la Nièvre, à 18 km au N. de Moulins; 1 295 hab.

DORNIER (Claudius), industriel allemand (Kempten, Bavière, 1884 - Zug 1969). Principal collaborateur du comte von Zeppelin*, il fonda ses propres ateliers de construction à Friedrichshafen et réalisa de nombreux prototypes d'avions et d'hydravions.

DORSALE → OCÉANIQUES *(fonds).*

DORSALE GUINÉENNE, ligne de hauteurs de l'Afrique occidentale, prolongeant vers le S.-E. le Fouta-Djalon. Importants gisements miniers (fer, bauxite et diamants).

DORSALE TUNISIENNE, ligne de hauteurs du nord de la Tunisie, orientée du S.-O. (prolongeant les monts de Tébessa) au N.-E. (région de Tunis).

DORSET, comté du sud de l'Angleterre, sur la Manche.

DORTMUND, v. de l'Allemagne fédérale (Rhénanie-du-Nord-Westphalie), dans la Ruhr; 642 000 hab. Églises médiévales. Musées. Port fluvial. Industries métallurgiques et chimiques. Le canal *Dortmund-Ems* (280 km) relie la Ruhr à la mer du Nord.

DORURE. — Lorsque la forme actuelle de prisme quadrangulaire fut adoptée pour le livre, vers le Ve s., le cuir s'imposa comme la matière de recouvrement la plus appropriée, et le problème de sa décoration se posa. L'ébauche d'un travail ornemental apparut d'abord sur la couverture de peau des manuscrits coptes. Au XIe s., la ciselure grava le dessin à l'aide d'un poinçon. Puis l'estampage utilisa la pression de blocs de buis gravés, remplacés par les blocs de cuivre employés à l'heure actuelle : de petites dimensions ce sont les *petits fers;* mobiles autour d'un axe, ce sont les *roulettes;* enfin, les *plaques* sont des rectangles de métal épais de 7 mm, couvrant une partie plus ou moins grande de la surface de la couverture. Sur le cuir imbibé, le doreur « pousse » le petit fer chauffé ou la roulette, qui donne un brillant en creux distinguant le dessin de la surface du cuir et appelé traditionnellement le *froid.* S'il s'agit de dorure, il dépose dans la première trace un apprêt, puis « couche » une mince feuille d'or* et pousse de nouveau son fer exactement dans la trace en exerçant une pression verticale : l'or reste fixé dans le creux, et les bavures sont enlevées avec une brosse. Pour décorer en couleurs, on utilise l'incrustation d'un morceau de cuir aminci et collé ou une couleur en feuilles qu'on fixe sur le cuir de la même façon qu'une feuille d'or. La plaque gravée est appliquée à l'aide d'une presse qui porte la température de la plaque de 80 à 120 °C. La pression écrase le cuir, et la chaleur ajoute cet aspect brillant, que l'on appelle le *froid* des travaux manuels. En interposant entre la plaque et la couverture une feuille d'or fin, de bronze imitant l'or ou de couleur, on réalise les projets les plus complexes des maquettistes. Ces procédés de décoration, toujours employés, se sont parfois soit effacés devant des formules plus luxueuses (les reliures religieuses de l'époque médiévale sont offertes à la vénération des fidèles sous de plus somptueux ornements), soit accommodés, au contraire, de l'emploi de matières de recouvrement moins coûteuses que le cuir : tissus, autrefois velours et soies* d'origines lointaines, actuellement toiles de coton* et textiles artificiels apprêtés, teints, parfois enduits et gaufrés (percalines). La décoration s'opère industriellement avec les mêmes plaques gravées, mais elle peut être également réalisée par l'impression offset* ou la sérigraphie*. Le papier* a été utilisé pour recouvrir les petits formats (agendas du XVIIIe s.) ainsi que les livres scolaires. Les progrès réalisés dans la fabrication de supports à fibres longues, imprégnés, puis enduits, teints, vernis et gaufrés, permettent d'offrir des matières de recouvrement d'aspects très variés et d'une résistance éprouvée, sur lesquelles les procédés de décoration prévus pour la toile sont employés. La tendance à ranger les livres debout a amené à indiquer au dos des volumes les mentions d'identification : nom de l'auteur, titre, etc., par les mêmes procédés de décoration que pour les plats. Sur les volumes en cuir, des caissons, les *entre-nerfs,* sont ménagés, limités par des bandes horizontales en relief, les *nerfs,* qui, autrefois, marquaient l'emplacement des fils de la couture manuelle.

DORVAL, v. du Canada (Québec), au S.-O. de Montréal; 20 469 hab. Aéroport.

DORVAL (Marie), actrice française (Lorient 1798 - Paris 1849). Elle interpréta les héroïnes romantiques et fut aimée d'A. de Vigny.

DORYPHORE. — Insecte de la famille des chrysomélidés, importé des États-Unis avec des pommes de terre pendant la Première Guerre mondiale dans la région de Bordeaux, le doryphore a envahi progressivement toute la France et causé de gros ravages aux cultures de pommes de terre. Il est en très nette régression depuis plusieurs années grâce à des applications d'insecticides sur les larves, en pulvérisation ou en poudrage.

DOSE. — Dès le début de l'utilisation de la radioactivité*, on a cherché à déterminer les doses, c'est-à-dire les quantités d'énergie*, d'un rayonnement ionisant nécessaires pour obtenir un effet déterminé. L'unité de *dose d'exposition* est le *röntgen* (R). C'est la quantité de rayonnement X ou γ telle que l'émission corpusculaire qui lui est associée dans 0,001 293 g d'air produise, dans l'air, des ions* transportant une quantité d'électricité de l'un ou l'autre signe égale à $3^{-1} \cdot 10^{-9}$ C. Elle correspond à une énergie absorbée de $88{,}5 \cdot 10^{-4}$ joule par kilogramme d'air. L'unité de *dose absorbée* est le *gray* (Gy). Toute irradiation se traduisant par un transfert d'énergie du rayonnement à la matière, la notion de dose absorbée, ou rapport de l'énergie communiquée par les rayonnements dans un élément de volume donné de matière à la masse de celle-ci contenue dans l'élément de volume considéré, a été retenue. Le gray représente une énergie absorbée de 1 joule par kilogramme de substance irradiée quelconque, quelle que soit la nature du rayonnement ionisant et indépendamment du temps qu'il a fallu pour céder cette énergie. Il a remplacé (juin 1975) le rad, qui était égal au centième de gray. L'unité d'*équivalent de dose* est le *rem.* L'efficacité de la dose absorbée varie avec la nature du rayonnement et les conditions de l'irradiation. Pour les besoins de la protection, on a été amené à définir l'équivalent de dose, numériquement égal au produit de la dose absorbée, exprimée en gray, par un facteur d'équivalence. Le gray est une unité d'action physique, alors que le rem est une unité biologique.

DOSIMÈTRE → RADIOACTIVITÉ.

DOS PASSOS (John Roderigo), écrivain américain (Chicago 1896 - Baltimore 1970). Il exprime d'abord sa révolte esthétique (*l'Initiation d'un homme,* 1920), puis, utilisant les méthodes du reportage américain, intercalant dans ses récits des poèmes en prose, des articles de journaux, des refrains à la mode, il décrit le comportement de héros en lutte contre un capitalisme « sauvage » (*Manhattan Transfer,* 1925; la trilogie *U. S. A. : 42ᵉ Parallèle,* 1930; *1919,* 1932; *la Grosse Galette,* 1936). Critique de la vie américaine, il évolue, à la suite de désillusions politiques (*le Grand Dessein,* 1949), vers une acceptation désenchantée de la vie moderne.

DOSSO DOSSI → FERRARE.

DOSTOÏEVSKI (Fedor Mikhaïlovitch), écrivain russe (Moscou 1821 - Saint-Pétersbourg 1881). Pour toute une critique contemporaine, l'œuvre de Dostoïevski marque l'aboutissement du roman* moderne tel qu'il apparaît avec le *Don* Quichotte* de Cervantès : expression de l'accord désormais impossible entre le héros et le monde, de l'absence de tout désir véritable et immédiat, l'homme ne saisissant le réel que par le détour de modèles (sociaux, idéologiques, rhétoriques) qui lui désignent l'objet de son désir et, en même temps, lui interdisent de l'atteindre. Les romans de Dostoïevski dessinent en effet fortement cette structure triangulaire (sujet désirant - modèle fascinateur - objet du désir), en mettant tout particulièrement l'accent sur la relation sujet-modèle : ce qui explique l'insistance, dans l'œuvre, du thème du *double* et, très logiquement, le constat de l'inutilité de l'objet dans la naissance du désir (le petit bureaucrate médiocre n'achète des gants et un col de castor que pour bousculer convenablement sur la perspective Nevski le bel officier qu'il voudrait être). Il n'est pas difficile de superposer à cette figure celle du triangle œdipien cher à la psychanalyse (enfant-père-mère) et de montrer que, dans la vie réelle de Dostoïevski, elle s'est révélée dans la tonalité qui sera celle de l'œuvre romanesque : disparition précoce d'une mère phtisique, heurts violents avec un père ivrogne et brutal que ses moujiks assassineront (« Je suis innocent de la mort de mon père, mais j'accepte d'expier parce que j'avais envie de le tuer », Dmitri Karamazov). Le modèle déçoit toujours son disciple, soit qu'il se révèle d'une perfection inaccessible, soit — le plus souvent — qu'il démente l'image idéale que le héros a de lui. Mais le besoin d'admiration est toujours plus fort que l'épreuve de la réalité : le héros se dépréciera lui-même plutôt que de reconnaître que son idolâtrie est mal placée. D'où la nécessité de l'humiliation, présente d'un bout à l'autre de l'œuvre, et qui n'est pas perversion gratuite, mais la raison même de l'existence, enfer qui justifie Dieu, « souterrain » dans lequel on rêve à la lumière, symétrie qui assure l'équilibre du système (bourreau/victime, maître/esclave, aimé/amant), d'autant plus nécessaire que le rapport, jouant dans l'espace plus ou moins clos de la famille *(l'Adolescent, les Frères Karamazov),* s'intériorise jusqu'à devenir narcissique (le Stavroguine des *Démons*). Ainsi s'explique ce qu'on croit relever comme les « contradictions » de Dostoïevski : la valeur de type de ses personnages, qui l'emporte sur leur vérité sociale et psychologique, alors qu'il a la préoccupation constante (réfléchie et explicite dans ses *Carnets*) du « petit fait qui fasse vrai »; les sautes d'humeur et les retournements d'action, qu'on met rapidement sur le compte de l'âme slave et du tempérament russe; la coexistence, dans un même être, de l'extrême sentimentalité et de l'extrême cruauté; l'affirmation que le salut ne peut venir que des créatures les plus dépravées.

la vie de Dostoïevski

1821	Naissance à Moscou le 30 octobre.
1828	Entrée à l'École supérieure des ingénieurs militaires. Son père est assassiné par ses serfs.
1843	Ingénieur à la Direction du génie.
1846	La critique (Nekrassov et Belinski) et le public font un accueil enthousiaste aux *Pauvres Gens* (Dostoïevski est fêté dans les salons), puis éreintent *le Double* et *la Logeuse* (Dostoïevski devient la risée de la capitale).
1849	Arrestation avec un groupe de jeunes libéraux. Condamnation à mort, commuée sur le lieu d'exécution en quatre années de bagne.
1850-1854	Le bagne.
1854	Incorporé dans un régiment sibérien. Mariage avec une jeune veuve tuberculeuse.
1859	Retour à Pétersbourg.
1862-1874	Voyages à travers l'Europe : villes d'eaux, passion du jeu; mort de sa femme (1864); passion pour Polia Souslova; remariage (1867) avec une jeune sténographe à qui il a dicté *le Joueur,* Ania Snitkine.
1878	Le tsar lui demande de rencontrer ses enfants, « sur lesquels il pourrait avoir une heureuse influence ».
1880	Discours pour l'inauguration du monument Pouchkine à Moscou : triomphe et enthousiasme populaire.
1881	27 janvier : mort à Saint-Pétersbourg. 31 janvier : foule immense à ses obsèques solennelles.

Volupté du crime et volupté du châtiment (« Là où la faute abonde, la grâce surabonde »). Acceptation forcenée de l'appareil de l'Église qui n'a plus besoin de la foi (le Grand Inquisiteur d'Ivan Karamazov jette en prison le Christ revenu sur terre) ou adhésion viscérale au Dieu crucifié (« Si quelqu'un me démontrait que le Christ est hors de la vérité, et qu'en effet la vérité n'est pas dans le Christ, je préférerais rester avec le Christ plutôt qu'avec la vérité », lettre à Mᵐᵉ Fonvizine) : la solution n'est pas d'abord une théorie, elle est vécue, c'est le baiser d'Aliocha à Ivan *(les Frères Karamazov),* le pardon au bourreau, mais, contrairement à ce que l'on dit couramment, elle est rationnelle, car le bourreau est nécessaire : l'offense est indispensable au pardon, la souffrance à la rédemption — ce qui vaut pour le salut individuel, comme pour celui du peuple russe. Dans le jeu physique et mathématique des passions contraires, le christianisme vient ainsi s'insérer à sa place, comme la dernière pièce d'un puzzle. D'où l'inanité de la question sur la réalité du christianisme de Dostoïevski (« La question principale [...] dont j'ai souffert consciemment ou inconsciemment toute ma vie, l'existence de Dieu », lettre à Maïkov sur les *Frères Karamazov*). « Dieu est nécessaire, dit Kirilov dans *les Démons* avant de se suicider, et par conséquent il doit exister, mais je sais qu'il n'existe pas [...] » : l'homme s'est inventé Dieu comme raison de vivre; si l'homme se tue, Dieu meurt du même coup. Dieu vit dans l'écriture de Dostoïevski comme le lien nécessaire entre la souffrance innocente et la connaissance de la vérité. Dieu d'angoisse et de souffrance. C'est dire que l'œuvre de Dostoïevski n'est pas le lieu d'une certitude, mais celui du doute qui l'appelle désespérément.

Dostoïevski. Adaptation dramatique de *Crime et Châtiment* au théâtre de l'Atelier (Paris, 1972).

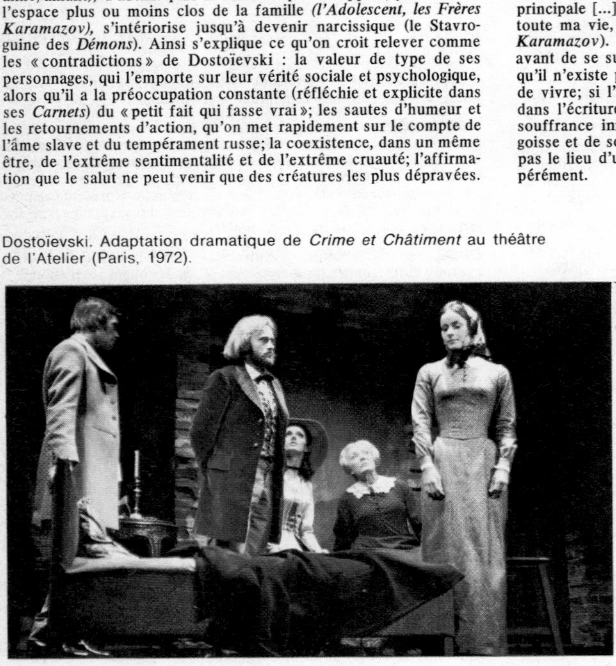

Bernand

l'œuvre

les Pauvres Gens (1846)
le Double (1846)
la Logeuse (1846)
Un cœur faible (1848)
Nuits blanches (1848)
Netotchka Nezvanov (1849)
Souvenirs de la maison des morts* (1861)
Mémoires écrits dans un souterrain* (1864)
Humiliés et offensés* (1866)
Crime et châtiment* (1866)
*le Joueur** (1866)
*l'Idiot** (1868-69)
l'Éternel Mari (1869)
*les Démons** (1871-72)
l'Adolescent (1875)
Journal d'un écrivain* (1873-1881)
les Frères Karamazov* (1880)

DOU (Gerard), peintre néerlandais (Leyde 1613-*id.* 1675). Il travaille de 1628 à 1632 dans l'atelier de Rembrandt, pastiche celui-ci, puis se spécialise dans une peinture de genre fondée sur le clair-obscur, une facture lisse et froide, une extrême finesse (*la Femme hydropique,* 1663, Louvre).

DOUAI (59500), ch.-l. d'arr. du Nord, sur la Scarpe et le canal de la Sensée; 47 570 hab. *(Douaisiens).* [L'agglomération a 213 195 hab.] Hôtel de ville avec beffroi des XIVe-XVe s. Église gothique Notre-Dame. Collégiale Saint-Pierre, reconstruite aux XVIe-XVIIIe s. (tableaux). Musée dans l'ancienne chartreuse (archéologie, objets d'art, collection de peintures, dont le grand polyptyque de Jean Bellegambe*). Industrie houillère. Construction automobile.

DOUALA, port et principale ville du Cameroun, sur l'estuaire du Wouri; 250 000 hab. Aéroport. Industries alimentaires, textiles et chimiques. Travail du cuir.

DOUARNENEZ (29100), ch.-l. de cant. du Finistère, à 22 km au N.-O. de Quimper, sur la rive sud de la *baie de Douarnenez;* 19 311 hab. *(Douarnenistes).* Deux églises du XVIe s., dont celle de Ploaré, au beau clocher. Port de pêche. Conserveries.

DOUAUMONT (55100 Verdun), comm. de la Meuse, à 9 km au N.-E. de Verdun; 8 hab. Le village et le fort de Douaumont furent le théâtre de violents combats pendant la bataille de Verdun* en 1916. Un ossuaire, dominé par une tour de 45 m, y fut inauguré en 1932; il contient les restes non identifiés d'environ 300 000 soldats français morts devant Verdun.

DOUBLAGE. — Les premières expériences de films en *version doublée* eurent lieu vers 1931. Elles étaient destinées à faciliter la tâche des spectateurs, qui, depuis le parlant, s'étaient déshabitués de la contrainte de lire les sous-titres des films étrangers. La traduction du dialogue de la version originale est inscrite sur une *bande pilote* spéciale, qui (avec une mire repère) défile horizontalement sur l'écran en auditorium. Cette bande est lue et *jouée* par les acteurs de la version doublée devant un micro d'enregistrement, alors que les images du film se déroulent sur l'écran. Les films étrangers qui doivent être doublés sont envoyés sous forme de *lavande* ou de *marron* avec bande son et musique distincte de la bande paroles.

DOUBLE (la), région boisée du Périgord, entre les vallées de l'Isle et de la Dronne.

DOUBLE FLUX → TURBOMACHINE.

Double Inconstance *(la),* comédie de Marivaux (1723).

DOUBS (le), riv. de France et de Suisse, affl. de la Saône (r. g.); 430 km. Né dans le sud du département auquel il a donné son nom, le Doubs coule d'abord vers le N.-E., traverse les lacs de Saint-Point, puis de Chaillexon (d'où il sort par le *saut du Doubs*), sert ensuite de frontière entre la France et la Suisse, pousse une pointe en Suisse avant de revenir définitivement en France, longeant l'extrémité nord-ouest du Jura, passant à Besançon, puis Dole et rejoignant la Saône au N. de Chalon.

DOUBS (25), départ. de la Région Franche-Comté; 5 228 km^2; 471 082 hab. *(Doubistes).* Ch.-l. *Besançon.* S.-préf. *Montbéliard* et *Pontarlier.*

Le département, qui, vers le S., s'étend en majeure partie sur le Jura plissé, est surtout formé de plateaux dont l'altitude dépasse presque toujours 500 m. À l'O., il correspond à une étroite bande plus basse de collines et de plaines, entre le Doubs et l'Ognon. Abrité des influences maritimes, il possède un climat assez rude, plus humide et froid sur les hauteurs du sud-est, dépassant parfois 1 000 m.

Malgré des conditions naturelles assez peu favorables, il est densément peuplé, avec une densité d'occupation voisine de la moyenne nationale, et surtout connaît une vigoureuse croissance démographique. Cette situation résulte de l'importance de l'urbanisation et de l'industrialisation. Celle-ci est ancienne dans le Jura, liée à l'exploitation de la forêt (travail du bois) et à l'élevage (industrie laitière), mais elle est surtout représentée dans les deux agglomérations majeures jalonnant la vallée du Doubs : Montbéliard au N. et Besançon au S., qui, ensemble, regroupent plus de la moitié de la population du département. L'industrie (construction automobile et horlogerie notamment) emploie plus de la moitié de la population active, alors que l'agriculture, fondée sur l'élevage dans la montagne, sur une médiocre polyculture dans l'extrémité occidentale, qui se rattache aux plaines de la Saône, n'en occupe plus qu'à peine le dixième. La part du secteur tertiaire est encore relativement faible; il est vrai qu'à proximité de Belfort et de Mulhouse l'agglomération de Montbéliard est presque exclusivement industrielle. Besançon, ville historique, centre intellectuel, chef-lieu départemental et capitale régionale, offre une structure plus équilibrée.

DOUCET (Jacques), couturier et amateur d'art français (Paris 1853-Neuilly-sur-Seine 1929). Il dirigea en 1871 la maison de couture créée par son grand-père comme extension à son commerce de dentelles. Très épris du XVIIIe s., il créa pour les femmes de son temps — dont Réjane — des toilettes précieuses et raffinées où la dentelle jouait un rôle primordial. Il dispersa en 1912 une importante collection d'art du XVIIIe s. pour acquérir des peintures modernes (Manet, Van Gogh, Cézanne, Picasso). Il légua à l'université de Paris sa bibliothèque d'art et d'archéologie, répartie par la suite entre l'Institut d'art et d'archéologie et la bibliothèque Sainte-Geneviève.

DOUCHANBE ou **DIOUCHAMBE,** v. de l'U. R. S. S., capit. du Tadjikistan; 374 000 hab. Industrie textile. Travail du cuir.

DOUCHY-LES-MINES (59282), comm. du Nord, à 2 km au S. de Denain; 11 121 hab.

DOUDART DE LAGRÉE (Ernest), marin français (Saint-Vincent-de-Mercuze 1823-dans le Yun-nan 1868). Après avoir préparé l'établissement du protectorat français au Cambodge, il remonte le cours du Mékong (1866), mais il succombe, laissant à F. Garnier* la tâche de ramener la mission à Saigon.

DOUDEVILLE (76560), ch.-l. de cant. de la Seine-Maritime, à 13 km au N. d'Yvetot; 2 173 hab.

DOUÉ-LA-FONTAINE (49700), ch.-l. de cant. de Maine-et-Loire, à 17 km au S.-O. de Saumur; 6 501 hab. Arènes et galeries souterraines. Restes de la collégiale Saint-Denis (XIIe s.).

DOUGGA, localité de Tunisie près de Téboursouk, à une centaine de kilomètres au S.-O. de Tunis; 5 000 hab. Colonie romaine florissante au IIe s., l'antique *Thugga,* punique à l'origine, conserve de nombreux vestiges de sa splendeur et de sa prospérité économique, insérés dans le cadre composite de l'ancienne ville numide (théâtre, capitole, temples, forum, arcs monumentaux, etc.). La mosaïque y suit le schéma des peintures hellénistiques, alors qu'une expressivité brutale émane des sculptures.

DOUGLAS, ch.-l. de l'île de Man, sur la côte est; 19 000 hab. Station balnéaire.

DOUGLAS, famille écossaise, qui se signala aux XIVe et XVe s. dans la lutte d'indépendance menée par les rois d'Écosse contre l'Angleterre. Elle dut sa puissance à JAMES *le Bon,* 2e seigneur **de Douglas** (1286-1330), qui fut le fidèle compagnon de Robert* Ier Bruce et mourut en Andalousie en luttant contre les Maures d'Espagne.

DOUGLAS-HOME (Alexander Frederick), homme politique britannique (Londres 1903). Député conservateur, il succède à Macmillan comme Premier ministre (1963-64); il préside le parti conservateur de 1963 à 1965. Ministre des Affaires étrangères dans le cabinet Heath (1970), il se retire de la vie politique en 1974.

DOUGLAS POINT, site du Canada (Ontario), sur le lac Huron. Centrale nucléaire.

DOUGLASS (Frederick), abolitionniste américain (Tuckahoe v. 1817-Anacostia 1895). Esclave noir, il s'enfuit et mène une violente campagne antiesclavagiste aux États-Unis et en Grande-Bretagne.

DOUHET (Giulio), général d'aviation et théoricien militaire italien (Caserte 1869-Rome 1930). Dans ses ouvrages (*la Maîtrise de l'air,* 1921; *Prophéties de Cassandre,* 1931), il fut le premier à concevoir un emploi massif de l'aviation, capable, selon lui, d'emporter à elle seule la décision stratégique d'un conflit.

DOUKAS, illustre famille byzantine, qui prétendait descendre d'un duc de Constantinople, parent de l'empereur Constantin Ier. Apparue dans la vie politique au IXe s., elle donna à Byzance plusieurs empereurs. CONSTANTIN X **Doukas** (empereur de 1059 à 1067), qui succéda à Isaac Ier Comnène*, ne put juguler l'offensive des Turcs Seldjoukides vers la Cappadoce. — Son fils, MICHEL VII **Doukas Parapinakès** (empereur de 1071 à 1078), s'empara du pouvoir à l'encontre de l'empereur Romain IV Diogène (de 1068 à 1071), époux de sa mère, alors captif des Turcs. Incapable d'empêcher la conquête de l'Italie byzantine par les Normands et l'installation des Turcs en Cappadoce, il fut renversé par un stratège de l'Asie Mineure, Nicéphore Botanéiatès. Au XIIe s., les Doukas jouèrent encore un grand rôle dans la vie politique de l'empire. À la veille de la chute de Constantinople (13 avr. 1204), l'un deux, ALEXIS V **Doukas Murzuphle,** gendre de l'empereur Alexis III, reprit possession du trône l'espace de deux mois (févr.-avr.).

DOULAINCOURT-SAUCOURT (52270), ch.-l. de cant. de la Haute-Marne, à 34 km au N. de Chaumont; 1 271 hab.

DOULEUR. — La douleur, qui renseigne sur une anomalie de fonctionnement d'un organe ou sur une agression extérieure, constitue en médecine un symptôme fondamental, utile pour le diagnostic de la plupart des affections. Elle se présente comme une sensation pénible ou insupportable engendrant un état de souffrance. Un abord plus objectif du phénomène douloureux est difficile à cause du polymorphisme des sensations (torsion, brûlure, broiement, transfixion, etc.), du polymorphisme des stimuli capables de le déclencher, d'une part, et à cause de ses grandes variations en fonction de l'état émotionnel du sujet, d'autre part.

Les théories concernant la physiologie de la douleur se partagent en deux courants. Pour le premier, la douleur serait, comme n'importe quelle sensation, extéro- ou proprioceptive : elle aurait ses récepteurs propres (terminaisons libres), qui transmettent les influx nociceptifs par des fibres de petit diamètre non myélinisées. Cependant, actuellement, on s'accorde à penser que n'importe quelle stimulation peut devenir sensation douloureuse si son intensité dépasse un certain seuil, dont la situation dépend de multiples interactions au niveau du système nerveux central.

C'est au niveau de la formation réticulée du mésencéphale (premier système de vigilance*) que les influx nociceptifs provoquent des réactions violentes d'éveil du système nerveux et sont à l'origine des réponses motrices, neurovégétatives et hormonales à la douleur. L'intensité même de ces réactions d'éveil met en jeu des structures supérieures non spécifiques : rhinencéphale, cortex frontal. C'est seulement à ce niveau que la douleur est intégrée à la vie mentale en tant que douleur et qu'elle envahit toute la vie émotionnelle, engendrant des comportements de défense plus adaptés.

La réactivité variable de ces systèmes de vigilance permet de comprendre la susceptibilité individuelle à la douleur. À chacun de ces niveaux correspond un type d'analgésie. C'est ainsi que la morphine diminue l'intensité des réactions motrices et neurovégétatives à la douleur spontanée, qu'elle modifie en outre le caractère des sensations douloureuses qui, bien que perçues, ne sont plus ressenties comme telles.

Le meilleur traitement de la douleur est la suppression de sa cause, mais cela n'est pas toujours possible, et le délai nécessaire peut être long. C'est pourquoi on emploie les antalgiques (morphine et dérivés) et les analgésiques (aspirine, phénacétine, amidopyrine, etc.) pour calmer la douleur au plus tôt.

DOULLENS (80600), ch.-l. de cant. de la Somme, à 30 km au N. d'Amiens, sur l'Authie; 8 500 hab. *(Doullennais).* Monuments médiévaux et classiques. Papeterie. Articles pour enfants. — Siège, le 26 mars 1918, d'une conférence franco-anglaise, où le commandement unique fut confié à Foch (v. GUERRE MONDIALE [*Première*]).

DOUMA. — Divers conseils de la Moscovie et de la Russie portent le nom de « douma » avant que ce terme désigne l'Assemblée législative, dont le tsar promet la création à l'issue de la révolution* de 1905. La première douma (avr.-juill. 1906), dominée par le parti constitutionnel-démocrate*, essaie d'exercer ses droits (interpellations et blâmes du gouvernement) et est renvoyée par le tsar. La deuxième douma (mars-juin 1907) est également dissoute. P. A. Stolypine* fait remanier la loi électorale, et la troisième douma (1907-1912) est en majorité favorable au gouvernement. La quatrième douma (1912-1917) réclame en vain un ministère possédant la confiance du pays et forme pendant la révolution de février 1917 un Comité provisoire, auquel succède le gouvernement provisoire.

DOUMER (Paul), homme d'État français (Aurillac 1857 - Paris 1932). Élu député radical en 1888, il devient ministre des Finances (1895-96). Gouverneur général de l'Indochine (1897-1902), il est de nouveau ministre des Finances (1921-22 et 1925-26) avant d'être élu président du Sénat en 1927 et président de la République en 1931. Il meurt assassiné.

DOUMERGUE (Gaston), homme politique français (Aigues-Vives 1863 - *id.* 1937). Député, puis sénateur radical-socialiste à partir de 1893, il assume divers ministères avant d'être président du Conseil (déc. 1913 - juin 1914). Président du Sénat (1923), il est porté à la présidence de la République (1924-1931). Rappelé au lendemain du 6 février 1934, il constitue un gouvernement d'« Union nationale », qui démissionne dès le 8 novembre.

DOUNREAY, localité de Grande-Bretagne, sur la côte nord de l'Écosse. Centrale nucléaire.

DOUR, comm de Belgique (Hainaut), au S.-O. de Mons; 10 059 hab.

DOURA-EUROPOS, v. de Mésopotamie sur l'Euphrate (Syrie), fondée au IIIe s. av. J.-C. Colonie fortifiée des Séleucides*, elle passe sous la domination des Parthes Arsacides*, puis sous celle des Romains; elle est conquise et détruite en 256 par le Sassanide Châhpuhr Ier. Les fouilles ont permis de restituer l'image de la cité ancienne (sanctuaire de Mithra, synagogue ornée de fresques représentant des scènes de l'Ancien Testament, chapelle et baptistère chrétiens).

DOURBIE (la), riv. du Massif central, affl. du Tarn (r. g.); 80 km.

DOURDAN (91410), ch.-l. de cant. de l'Essonne, à 17 km au N.-O. d'Étampes, sur l'Orge; 7 487 hab. *(Dourdannais).* Château des XIIIe et XVe s. Église des XIIe-XVIe s. Forêt.

DOURGES (62119), comm. du Pas-de-Calais, banlieue nord-est d'Hénin-Beaumont; 5 402 hab.

DOURGNE (81110), ch.-l. de cant. du Tarn, à 13 km au N.-E. de Revel; 1 284 hab. Église du XVIe s.

DOURINE → ÉPIZOOTIE.

DOURIS, peintre de vases grec (fin du VIe s. - début du Ve av. J.-C.). Parmi les trois cents œuvres qu'on lui attribue, trente-neuf portent sa signature et confirment plus son talent de dessinateur que celui de peintre. Malgré une certaine raideur, ses coupes attiques, pour la plupart à figures rouges, illustrent — par la fluidité des drapés et le goût du sentiment mesuré — la transition vers l'âge classique.

DOUR-KOURIGALZOU, capitale des Kassites, fondée au XVe s. av. J.-C. (auj. Aqarquf) et dont les ruines ont été dégagées à l'ouest de Bagdad. Temples-ziggourats parmi les mieux conservés. Palais abritant des fresques qui annoncent les décorations sculptées de l'Assyrie*.

DOURO (le), en esp. **Duero,** fl. de la péninsule Ibérique; 850 km. Né sur le versant méridional des monts Ibériques, il s'écoule vers l'O., traversant la Vieille-Castille, avant de séparer l'Espagne et le Portugal, puis rejoint l'Atlantique immédiatement en aval de Porto. Son cours, partiellement en gorges, est coupé d'importants aménagements hydroélectriques.

DOUR-SHARROUKÊN, anc. ville d'Assyrie* (auj. Khursabād), à 16 km au N.-N.-E. de Mossoul, découverte par Botta*. Créée de toutes pièces par Sargon II et entourée d'une puissante enceinte trapézoïdale percée de sept portes, elle révèle mieux qu'aucune autre la maîtrise des architectes assyriens par son ampleur et l'ordonnance de ses proportions. Édifié sur une terrasse artificielle, le palais (près de 200 salles et une trentaine de cours) a livré de nombreux bas-reliefs (Louvre), témoins du gigantisme ornemental assyrien glorifiant le souverain.

DOUVAINE (74140), ch.-l. de cant. de la Haute-Savoie, à 16 km au S.-O. de Thonon-les-Bains; 2 279 hab.

DOUVE. — La grande et la petite douve sont des vers plats, parasites, à l'état adulte, du foie du mouton, auquel elles infligent une grave maladie. Leur larve vit dans les marécages, en parasite d'un mollusque, la limnée*, puis gagne à la nage les herbes que broutera le mouton. Pendant toute la vie larvaire, la multiplication végétative est intense, ce qui compense les énormes pertes lors de la ponte (tout œuf qui ne tombe pas dans l'eau meurt). Les douves sont le type de la classe des trématodes. (V. DISTOMATOSE.)

DOUVRES, en angl. **Dover,** port de Grande-Bretagne, sur le *pas de Calais,* au pied des falaises de craie; 35 000 hab. Port de voyageurs.

DOUVRES-LA-DÉLIVRANDE (14440), ch.-l. de cant. du Calvados, à 13 km au N. de Caen; 2 665 hab. Pèlerinage.

DOUVRIN (62138 Haisnes), comm. du Pas-de-Calais, à 12 km au N. de Lens; 4 742 hab. Industrie automobile.

DOUZE (la), riv. du bassin d'Aquitaine; 110 km. À Mont-de-Marsan, confluant avec le Midou, elle forme la *Midouze.*

Douze Tables *(loi des),* code de lois rédigé à Rome vers 451 av. J.-C. Une commission de dix membres (décemvirs), investie des pleins pouvoirs, fut chargée d'élaborer la première législation écrite des Romains afin d'étendre la connaissance du droit aux plébéiens. Une mission se serait rendue en Grèce pour étudier la législation de Solon. Mais, ayant abusé de leur autorité, les décemvirs furent chassés par le peuple. Les consuls une fois rétablis firent adopter la loi des Douze Tables par les comices centuriates. Celle-ci reconnaissait l'égalité civique entre patriciens et plébéiens. Elle ne nous est pas parvenue dans son intégralité.

DOVER, v. des États-Unis, capit. du Delaware; 17 500 hab.

DOVJENKO (Aleksandr Petrovitch), cinéaste soviétique (Sosnitsa, Ukraine, 1894 - Moscou 1956). Il a chanté dans ses films, en vastes fresques lyriques, la beauté de sa terre natale et sa foi en l'homme nouveau, fécondé par la Révolution (*Zvenigora,* 1928; *Arsenal,* 1929; *la Terre,* 1930; *Aerograd,* 1935; *Chtchors,* 1939). Après avoir réalisé *Mitchourine* (1948), il rencontra certaines difficultés pour tourner ses scénarios. Trois de ceux-ci seront dirigés par sa femme, Iouliia Solntseva, après sa mort : *le Poème de la mer* (1958), *le Dit des années de feu* (1960) et *la Desna enchantée* (1965).

DOWDING (*sir* Hugh) → ANGLETERRE *(bataille d').*

DOWLAND (John), luthiste et compositeur anglais (v. 1563-Londres 1626). Converti au catholicisme, il séjourna en Allemagne, puis en Italie avant de regagner Londres comme luthiste de la Cour. Il a écrit des airs à plusieurs voix avec accompagnement de luth, expressifs et souvent élégiaques, ainsi que des fantaisies, des danses et des variations pour luth et divers instruments.

DOWNS, ligne de coteaux calcaires *(North Downs* et *South Downs)* du sud-est de l'Angleterre, encadrant la dépression du Weald.

DOYLE (*sir* Arthur CONAN), écrivain britannique (Édimbourg 1859 - Crowborough, Sussex, 1930). Médecin et passionné de spiritisme, il publia des pièces et des romans historiques (*Rodney Stone,* 1896), mais il doit sa célébrité à ses romans policiers qui ont pour héros Sherlock Holmes (*les Aventures de Sherlock Holmes,* 1892; *le Chien des Baskerville,* 1902).

DOZULÉ (14430), ch.-l. de cant. du Calvados, à 25 km au N.-E. de Caen; 1 309 hab.

DRAA ou **DRA** *(oued),* fl. de l'Afrique du Nord-Ouest, né dans le Haut Atlas; env. 1 000 km. Son cours, souvent intermittent et en majeure partie dans le Sud marocain, est parsemé d'oasis.

DRAC (le), riv. des Alpes françaises, qui rejoint l'Isère (r. g.) immédiatement en aval de Grenoble; 150 km. Né dans le Champsaur, le Drac alimente d'importants aménagements hydroélectriques (dont Monteynard).

DRACH (Jules), mathématicien français (Sainte-Marie-aux-Mines 1871 - Cavalaire-sur-Mer 1949). Tout au long de sa carrière scientifique, il chercha à étendre aux problèmes les plus généraux des mathématiques la théorie d'Évariste Galois* et l'idée essentielle du groupe de rationalité.

DRACHMANN (Holger), écrivain danois (Copenhague 1846 - Hornbaek, Sjaelland, 1908), auteur de poèmes, de pièces et de romans d'inspiration tour à tour sociale et romantique (*Pacte avec le diable,* 1890).

DRACON, législateur athénien, qui rédigea en 621 av. J.-C. un code resté célèbre par sa sévérité. Les lois draconiennes imposaient l'autorité de l'État en matière judiciaire et réduisaient la puissance et l'arbitraire des clans familiaux.

DRAGONNADES. — Procédé de persécution imaginé contre les protestants par Louvois* : il consistait à imposer aux seules familles huguenotes la charge du logement des dragons royaux, « missionnaires bottés » qui vivaient à discrétion chez l'habitant.

DRAGUE. — Les *dragues à benne preneuse* sont munies de grues à benne articulée, qui déversent les produits de dragage dans des puits se vidant par des clapets sur la coque. Les *dragues à cuiller* sont pourvues de pelles mécaniques, qui évacuent les déblais dans des chalands ou directement à terre. Les *dragues à godets* sont équipées d'une chaîne sans fin à godets, mue par la machine propulsive et qui se déplace le long d'un bras articulé, l'*élinde.* Celle-ci porte à son extrémité un tambour sur lequel tourne la chaîne. Les déblais sont déversés latéralement dans des engins d'évacuation ou directement à terre. Les *dragues aspirantes* possèdent un tuyau d'aspiration immergé, qui porte aussi le nom d'*élinde.* Les produits de dragage sont mis en suspension dans un courant d'eau et refoulés pour décantation, au moyen d'une pompe, soit dans le puits de la drague, soit dans des chalands, ou bien encore à terre.

DRAGUIGNAN (83300), ch.-l. d'arr. du Var, sur la Nartuby; 22 406 hab. *(Dracenois).* Restes de fortifications. Musée dans l'ancien palais des évêques de Fréjus (XVIIIe s.). En 1976, l'École d'application d'artillerie a été transférée de Châlons-sur-Marne à Draguignan.

DRAIN. — Les drains qu'on place dans les plaies chirurgicales ou dans les abcès incisés ont pour objet de faciliter l'évacuation du sang et des produits pathologiques (pus) ainsi que d'activer la cicatrisation à partir de la profondeur. On emploie des tubes de caoutchouc ou de plastique percés de trous à leur extrémité, des lames de caoutchouc planes ou ondulées, des mèches, etc. Le drain aspiratif de Redon empêche le décollement des tissus et remet en contact les différents plans anatomiques (aponévroses, muscles, peau).

DRAIS (Karl Friedrich), baron **von Sauerbronn,** ingénieur badois (Karlsruhe 1875 - *id.* 1851). Il imagina la *draisienne* (1816), ancêtre de la bicyclette.

DRAKE *(détroit de),* détroit entre la Terre de Feu et l'Antarctique, entre l'Atlantique et le Pacifique.

DRAKE (*sir* Francis), marin anglais (près de Tavistock v. 1540 - en mer 1596). Dès 1570, la reine Élisabeth Ire lui donne ses lettres de course : Drake ravage alors les colonies espagnoles (1570-1572); quand les hostilités reprennent avec l'Espagne, il détruit la flotte adverse dans le port de Cadix (1587), avant de contribuer à l'échec de l'Invincible Armada (1588).

DRAKE (Edwin Laurentine, dit **le Colonel**), industriel américain (Greenville, New York, 1819 - Bethlehem, Pennsylvanie, 1880). Il réalisa la première exploitation industrielle du pétrole (1859) en forant un puits avec un tube métallique comme sonde.

DRAKENSBERG, massif montagneux de l'est de la république d'Afrique du Sud et du Swaziland, au-dessus de l'étroite plaine côtière sur l'océan Indien; 3 482 m.

Dramaturgie de Hambourg *(la),* recueil d'articles de critique dramatique de Lessing (1768), qui condamne le théâtre classique français et recommande l'imitation de Shakespeare.

DRAME. — Le drame répond à l'une des exigences permanentes du théâtre : le besoin de pouvoir représenter une action sans la contraindre à la stylisation propre à la tragédie ou à la comédie.

Dès l'origine du théâtre grec, entre tragédie et comédie s'élabore un genre hybride, le *drame satyrique,* qui dans les représentations officielles organisées en concours doit accompagner la trilogie tragique présentée par chaque poète; on y voit, à côté du héros, des personnages traditionnels : Silène, satyres, bacchantes, animant des scènes bouffonnes, héritage du dithyrambe* originel. Ignoré des Latins, le drame reparaît au Moyen Âge sous la forme du *drame liturgique,* mise en action de textes sacrés, et surtout dans les mystères*, où la verve populaire se mêle à l'inspiration religieuse.

De ton moins disparate est, au XVIIe s., la tragi-comédie*, drame romanesque laissant place à l'observation comique, mais qui finit par disparaître à mesure que le goût classique impose une stricte séparation des genres.

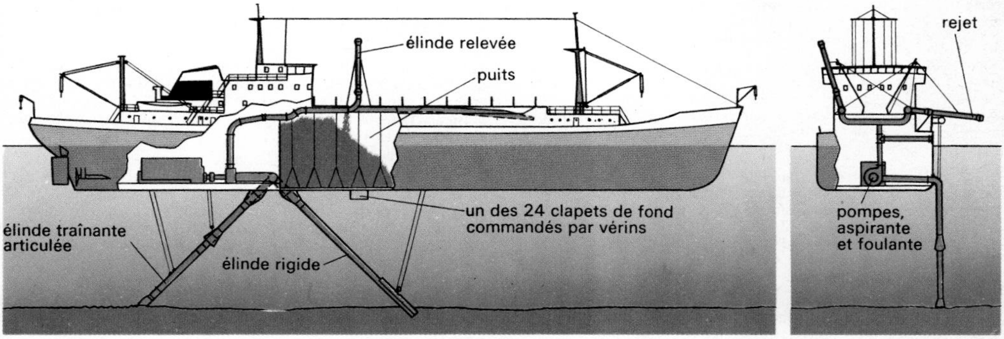

Drague suceuse aspirante.

Vers la même époque fleurit en Espagne, à côté du *drame sacré* de Calderón, le genre très riche de la *comedia,* avec Lope de Vega, Cervantès : à la fois drame de l'honneur et de l'amour et peinture satirique des mœurs. Cependant, en Angleterre, le *drame élisabéthain** produit ses chefs-d'œuvre avec les pièces de Shakespeare, où, des rois aux savetiers, les types humains les plus divers servent à la représentation totale de la vie et de ses passions. En France, le souci de renouveler les traditions classiques par plus de réalisme, l'influence étrangère et celle de la bourgeoisie grandissante donnèrent naissance, au XVIIIe s., au *drame bourgeois,* ou « genre sérieux », défini par Diderot : drame en prose visant à la vérité dans le ton, cherchant le mouvement et le pathétique, représentant les conditions et les conflits de la vie privée, avec une intention moralisante, dont se distingue à peine la « comédie larmoyante » de Nivelle de La Chaussée. Après la Révolution, les traditions du théâtre populaire de spectacle et d'action, sans prétentions littéraires, s'épanouissent dans le mélodrame*, dont la vogue, au début du XIXe s., avec Pixerécourt et Ducange, se prolongera même après Eugène Sue.

Les idées dramatiques de Diderot furent reprises en Allemagne par Lessing dans sa *Dramaturgie* de Hambourg* (1768) et ses drames bourgeois ou philosophiques *(Nathan le Sage).* Dans le même sens et par protestation contre les contraintes classiques, Goethe compose son drame *Götz de Berlichingen,* alors que Schiller se fait plutôt l'imitateur de Shakespeare dans *les Brigands.* Sous ces influences combinées de Shakespeare, du drame allemand, du mélodrame et des théories dramatiques de l'Italien Manzoni s'élabore en France le drame romantique, dont, après Stendhal (*Racine* et Shakespeare,* 1823) et avant Vigny (préface du *More de Venise,* 1829), V. Hugo donne la définition dans la *Préface de Cromwell** (1827). Théâtre d'action complexe, plus lyrique que psychologique, substituant les sujets modernes aux sujets antiques, épris d'histoire et de « couleur locale », mêlant les genres et rejetant les règles classiques, le drame romantique s'impose dès 1830 (bataille d'*Hernani*) pour une quinzaine d'années, avec les œuvres de V. Hugo *(Marion Delorme, Marie Tudor, Ruy Blas),* d'A. Dumas père *(Henry III et sa cour, Antony),* de Vigny *(la Maréchale d'Ancre, Chatterton).* Si l'échec des *Burgraves* de Hugo (1843) marque la fin du théâtre romantique, le drame, devenu un genre aux contours mal définis et supplantant la tragédie disparue, continuera de vivre comme à peu près la seule forme d'expression, très diverse, du théâtre « sérieux » : ainsi le drame bourgeois et réaliste renaît-il dans la « pièce à thèse » d'A. Dumas fils *(la Dame aux camélias, la Question d'argent)* ainsi que dans le théâtre naturaliste d'Henry Becque* *(les Corbeaux)* et d'Octave Mirbeau *(Les affaires sont les affaires),* prolongeant encore sa carrière à travers l'œuvre d'H. Bataille, de Bernstein, d'H. R. Lenormand. Mais c'est à l'étranger que le drame donne ses œuvres les plus fortes, avec Ibsen en Norvège, Strindberg en Suède, Tchekhov en Russie, G. Hauptmann en Allemagne, Synge en Irlande, Pirandello en Italie. L'exemple du *drame musical* de Wagner engage le symbolisme dans la voie du drame poétique (Maeterlinck), qui conduira au théâtre de P. Claudel.

Aujourd'hui, le tragique des « comédies » de Beckett ou d'Ionesco et la bouffonnerie du théâtre de l'absurde* permettent de voir dans ces œuvres un dernier avatar du drame, mais interdisent surtout de tracer une limite précise entre les formes dramatiques.

DRAMMEN, v. de Norvège, au S.-O. d'Oslo; 51 000 hab.

DRANCY (93700), ch.-l. de cant. de la Seine-Saint-Denis, à 5 km au N.-E. de Paris; 64 494 hab. *(Drancéens).* Constructions mécaniques et électriques. — Les Allemands y organisèrent de 1941 à 1944 un camp d'internement et de transit pour les Israélites avant leur transfert dans les camps d'extermination (surtout celui d'Auschwitz). Le dernier convoi quitta Drancy le 17 août 1944.

DRANEM (Armand MÉNARD, dit), chanteur de café-concert (Paris 1869-*id.* 1935). Son répertoire, volontairement niais et malicieux, lui valut une grande renommée de chanteur comique. Dranem fut également l'interprète de nombreuses revues et opérettes, et il fonda la maison de retraite des artistes lyriques de Pont-aux-Dames.

DRAPEAU. — Dérivé de l'enseigne féodale, le drapeau a d'abord eu un sens exclusivement militaire et désigne l'emblème autour duquel se rassemble une troupe. Au XVIIIe s., le nombre des drapeaux est ramené de 3 à 2, puis à 1 (1776) dans les régiments d'infanterie français : leur seule uniformité réside, depuis le XVIe s., en une croix blanche. Les trois couleurs adoptées pour le drapeau pendant la Révolution sont uniformisées en 1812 dans leur disposition actuelle en trois bandes verticales. Les étendards des régiments autrefois montés ne diffèrent des drapeaux que par leur dimension plus petite.

Quant au *drapeau national,* il apparaît sous la Convention pour symboliser la nation, jusqu'à présent représentée par le roi. Le drapeau tricolore est devenu l'emblème de la France, sauf (comme pour le drapeau militaire) pendant la Restauration, où fut adopté le drapeau blanc à fleur de lis. Au XIXe s., l'usage du drapeau national se répandit dans tous les États.

Drapeau rouge *(ordre du),* ordre militaire soviétique, créé en 1918.

DRAPER (Henry), astronome américain (Prince Edward County, Virginie, 1837-New York 1882). Riche amateur, il permit à l'observatoire américain de Harvard de terminer et de publier, de 1918 à 1928, le *Henry Draper Catalogue,* qui contient plus de 200 000 spectres stellaires. Ce catalogue a servi de base à la classification stellaire de Harvard, qui, améliorée et affinée, est toujours universellement adoptée.

DRAPER (Paul), danseur à claquettes américain (Florence 1909), célèbre par ses compositions sans musique *(Sonata for Tap Dancer).*

DRAVE (la), riv. née dans les Alpes italiennes, affl. du Danube (r. dr.); 707 km. Elle draine le sud de l'Autriche, entre en Yougoslavie, qu'elle sépare, sur une partie de son cours, de la Hongrie.

DRAVEIL (91210), ch.-l. de cant. de l'Essonne, sur la Seine, à 15 km au S.-S.-E. de Paris; 28 900 hab. Constructions électriques.

DRAVIDIENNES (langues). — Parlées dans le sud de l'Inde par près de 140 millions de personnes, les langues dravidiennes forment une famille homogène, mais dont les origines restent mal connues. Quatre de ces langues (une vingtaine au total) ont une grande importance politique et culturelle : le tamoul (45 millions de locuteurs), langue officielle du Tamil Nadu, est également parlé au Sri Lanka, en Malaisie, en Afrique du Sud, etc.; le telugu (49 millions) est la langue officielle de l'Andhra Pradesh; le kannara (ou canara) [25 millions] celle du Karnātaka (anc. Mysore); le malayālam (20 millions) celle du Kerala. Ces quatre langues possèdent une expression littéraire riche et variée, dont les origines remontent, pour le tamoul, à près de 2 000 ans.

DRAYTON (Michael), poète anglais (Hartshill, Warwickshire, 1563-Londres 1631), auteur de poésies lyriques et historiques (*Poèmes lyriques et pastoraux,* 1606) ainsi que d'une géographie poétique de l'Angleterre (*Poly-Olbion,* 1613-1622).

DRDA (Jan), écrivain thèque (Příbram 1915-Dobříš, Bohême, 1970), auteur de comédies, de nouvelles et de romans d'inspiration patriotique et sociale (*la Petite Ville dans le creux de la main,* 1940; *l'Eau vive,* 1941).

DREES (Willem), homme politique néerlandais (Amsterdam 1886). Député en 1933, il devient chef du parti socialiste. Pendant l'Occupation, il joue un rôle important au sein du Comité patriotique et de la Commission de liaison clandestine. Il élabore la législation sociale d'après-guerre et dirige le gouvernement de 1948 à 1958.

DREISER (Theodore), écrivain américain (Terre Haute, Indiana, 1871-Hollywood 1945). Fondateur du naturalisme américain, il joint à une peinture cruelle de la société la vision grandiose des forces fatales qui dominent le destin des hommes (*Sœur Carrie,* 1900; *Jennie Gerhardt,* 1911; *Une tragédie américaine,* 1925).

DRENTHE, prov. du nord-est des Pays-Bas; 2 647 km^2; 394 000 hab. Ch.-l. *Assen.*

DREPANUM, anc. ville de Sicile, au pied du mont Éryx (auj. *Trapani*). En 249 av. J.-C., lors de la première guerre punique*, le Carthaginois Adherbal y vainquit le consul romain Publius Claudius Pulcher : cette bataille rendit à Carthage la maîtrise des mers.

DRESDE, en allem. **Dresden,** v. de l'Allemagne orientale, ch.-l. de district, sur l'Elbe; 505 000 hab. Industries mécaniques et textiles.

HISTOIRE. Dresde est modernisée et développée au XVIIIe s. par Frédéric-Auguste Ier, Électeur de Saxe et roi de Pologne; elle devient alors un grand centre artistique. En 1813, Napoléon Ier y arrête un moment l'avance des Alliés. La ville est anéantie par plusieurs raids consécutifs des bombardiers anglais et américains du 13 au 16 février 1945.

BEAUX-ARTS. Le XVIIIe s. a fait de Dresde une capitale baroque : palais du Zwinger (restauré), enceinte monumentale destinée aux fêtes en plein air, par Matthäus Daniel Pöppelmann (1662-1736), avec sculptures mouvementées de B. Permoser*; église de la Cour; palais Japonais dans la ville neuve, sur la rive droite de l'Elbe. Prestigieuse galerie de peinture dans une aile ajoutée pour elle au Zwinger par G. Semper*, architecte de l'Opéra (1837, plusieurs fois restauré). Aux environs, château de Pillnitz, par Pöppelmann.

DRESDEN, localité des États-Unis (Illinois), au S.-O. de Chicago. Centrale nucléaire.

DREUX (28100), ch.-l. d'arr. d'Eure-et-Loir, sur la Blaise (affl. de l'Eure); 34 025 hab. *(Drouais).* Église des XIIIe-XVIe s. (vitraux, buffet d'orgues). Beffroi du XVIe s. Chapelle royale Saint-Louis (1816). Musée. Constructions électriques et mécaniques. Produits pharmaceutiques. Matières plastiques.

DREYER (Johan Ludwig Emil), astronome danois (Copenhague 1852-Oxford 1926). Il est l'auteur du *New General Catalogue of Nebulae and Clusters of Stars,* qui, publié en 1888, donne la position de plus de 10 000 nébuleuses observées visuellement.

DREYER (Carl), cinéaste danois (Copenhague 1889-*id.* 1968). Son œuvre, marquée dans son inspiration par un profond mysticisme, allie la profondeur de la démarche spirituelle et l'élégance formelle d'un style rigoureux, dépouillé, proche de l'expressionnisme. Dreyer est l'auteur de *Feuillets du livre de Satan* (1920), de *la Quatrième Alliance de dame Marguerite* (1920), de *Michael* (1924), du *Maître du logis* (1925), de *la Passion de Jeanne d'Arc* (1928), de *Vampyr* (1931), de *Dies irae* (ou *Jour de colère,* 1943), d'*Ordet* (1954), de *Gertrud* (1964).

Dreyfus (Affaire), scandale judiciaire et politique qui divisa l'opinion française de 1898 à 1906.

L'Affaire débute en 1894 par la condamnation pour espionnage d'un officier israélite, le capitaine Alfred Dreyfus. Victime de préjugés raciaux, celui-ci est accusé à tort d'avoir communiqué des documents à l'attaché militaire allemand à Paris, condamné à la détention perpétuelle, puis dégradé et déporté en Guyane. En 1897, on découvre le vrai coupable, le commandant Esterházy, qui est cependant acquitté par un conseil de guerre en 1898. Zola rend le scandale public en publiant dans *l'Aurore* une lettre ouverte au président de la République (« J'accuse »), où il dénonce l'état-major, coupable, selon lui, d'avoir porté une condamnation sans preuve. L'opinion se passionne désormais pour l'Affaire et se partage en deux camps, qui s'affrontent avec violence : la gauche, qui regroupe les dreyfusards dans la Ligue des droits de l'homme, demande la révision du procès et mène une campagne antimilitariste et anticléricale, tandis que les antidreyfusards se rassemblent autour de la droite dans la Ligue de la patrie française, qui développe une campagne antisémite et s'oppose à la révision du procès au nom de l'honneur de l'armée. Le procès de Zola provoque une émeute, et les manifestations antidreyfusardes se multiplient. Le seul élément accablant du dossier se révélant être un faux, le gouvernement décide de faire réviser le procès, mais Dreyfus est de nouveau condamné, avec des circonstances atténuantes, par le conseil de guerre (1899), puis gracié. Après une nouvelle révision du procès, il est réhabilité en 1906.

DRIANT (Émile), officier et écrivain français (Neufchâtel-sur-Aisne 1855 - devant Verdun 1916). Gendre du général Boulanger, député de Nancy (1910), il fut tué à la tête de deux bataillons de chasseurs en défendant le bois des Caures au nord de Verdun le 22 février 1916. Sous le pseudonyme de CAPITAINE DANRIT, il avait publié de nombreux ouvrages d'aventures et d'histoire militaires.

DROCOURT (62320 Rouvroy), comm. du Pas-de-Calais, à 3 km au S.-O. d'Hénin-Beaumont; 3 035 hab. Cokerie. Chimie.

DROGUE → TOXICOMANIE.

DROIT *(Philos.).* — Les théories du droit naturel distinguent, à côté du droit positif, qui régit une société historiquement déterminée, un droit idéal, qu'elles identifient à la justice; la nature constitue la norme qui confère sa légitimité à la légalité du droit positif. D'autres philosophes, comme Hobbes, Spinoza, Hegel et Nietzsche, considèrent que le droit n'est que l'expression de la force. Pour les marxistes, le droit a nécessairement un caractère de classe et, de ce fait, il est appelé à dépérir, comme l'État, lors de la réalisation du communisme. (V. JURIDIQUES [*sciences*].)

DROITS. — On peut distinguer les *droits patrimoniaux,* qui sont censés donner à leur titulaire un avantage matérialisable et qui peuvent être transmis, et les *droits extrapatrimoniaux,* qui ne peuvent pas être cédés (droit au nom, droit en matière de propriété littéraire, etc.). Les droits patrimoniaux se subdivisent en *droits réels* et en *droits personnels;* ces derniers s'exercent à l'encontre d'une personne, les droits réels, exerçables contre toute personne, donnant l'avantage de jouir d'une chose et étant opposables à tous.

Toute personne a la *jouissance,* en principe, de ses droits civils, c'est-à-dire l'aptitude à acquérir un de ces droits; les étrangers n'ont pas la jouissance de tous leurs droits, certains étant réservés aux nationaux. Le préambule de la Constitution de 1946 fait disparaître toutes les inégalités juridiques entre l'homme et la femme.

Il existe des condamnations pénales privant les condamnés de la *jouissance de leurs droits civils* (dégradation nationale par ex.). Le titulaire d'un droit est tenu à certaines limites dans l'*exercice* de celui-ci, à défaut de quoi il peut y avoir « abus de droit ».

droits *(Déclaration des)* [*Bill of Rights*], texte constitutionnel anglais de 1689, voté par le *Parlement convention* à l'encontre des visées absolutistes de Jacques* II, roi catholique.

droits de l'homme *(Déclaration internationale des),* texte adopté par l'Organisation des Nations unies (O. N. U.) le 10 décembre 1948. Cette déclaration, fortement inspirée par la Déclaration française de 1789, tout en rappelant les principes de morale internationale bafoués durant la guerre, précise les règles qui doivent présider aux relations sociales et internationales; elle condamne particulièrement le racisme.

droits de l'homme et du citoyen *(Déclaration des),* déclaration, en 17 articles précédés d'un préambule, votée par l'Assemblée constituante le 26 août 1789. Elle est beaucoup plus qu'une préface à la Constitution de 1791 : c'est une déclaration de principe, qui prétend définir les droits naturels, inaliénables et sacrés de l'homme, fondés sur l'application la plus large possible de la liberté, de l'égalité et de la séparation des pouvoirs. En fait, c'est une œuvre de circonstance, rédigée par et pour la bourgeoisie. Cependant, malgré ses insuffisances, elle se présente comme un document de valeur universelle, auquel se réfèrent, depuis deux siècles, tous les hommes et tous les peuples épris de liberté.

DROMADAIRE → CHAMEAU.

DRÔME (la), riv. du sud-est de la France, née dans les Alpes, affl. du Rhône (r. g.); 110 km.

DRÔME (26), départ. de la Région Rhône-Alpes; 6 525 km^2; 361 847 hab. *(Drômois).* Ch.-l. *Valence.* S.-préf. *Die* et *Nyons.*

À l'est, le département occupe une partie des massifs préalpins du Nord (Vercors) et du Sud (Diois et Baronnies), séparés par la vallée de la Drôme. L'extrémité nord appartient au bas Dauphiné. L'ouest correspond à la vallée du Rhône, où se succèdent défilés et secteurs plats plus élargis. L'ensemble a un climat assez rude : l'ouest, abrité, est sec, mais souffre fréquemment du mistral; l'est, plus élevé, est plus arrosé et enneigé l'hiver. La médiocrité des conditions naturelles contribue à expliquer la faiblesse relative de la densité d'occupation, inférieure de plus d'un tiers à la moyenne nationale. L'agriculture emploie environ le sixième de la population active. Sur les hauteurs de l'est dominent l'exploitation de la forêt ainsi que l'élevage bovin (Vercors) et l'élevage ovin (Diois [où sur quelques versants bien exposés vient la vigne, vers Die] et Baronnies). Les cultures se concentrent dans les régions basses de l'ouest : fruits, légumes et vigne dans la vallée du Rhône. L'industrie (constructions mécaniques, textile, chaussure, alimentation) occupe plus des deux cinquièmes de cette population active, représentée surtout dans la vallée du Rhône (régions de Valence, seule grande ville du département, et de Montélimar). Jalonnée aussi par de grands aménagements hydroélectriques (Bourg-lès-Valence, le Logis-Neuf, Châteauneuf-du-Rhône), site encore de l'important centre nucléaire de Pierrelatte* et surtout grande artère de communication fluviale, routière et ferroviaire, la vallée du Rhône constitue de plus en plus l'axe fondamental du département, accueillant une partie des ruraux quittant la partie orientale, déjà fortement dépeuplée. Son importance croissante explique la progression démographique récente du département.

DRONGEN → TRONCHIENNES.

DRONNE (la), riv. du Périgord, affl. de l'Isle (r. dr.); 189 km.

DROPT (le), riv. de l'Aquitaine, affl. de la Garonne (r. dr.); 125 km.

DROUAIS, famille de peintres français. FRANÇOIS HUBERT (Paris 1727 - *id.* 1775), académicien, transposa dans le portrait mondain les grâces d'un Boucher. — Son fils GERMAIN JEAN (Paris 1763 - Rome 1788), élève et ami de David, très doué, remporta le prix de Rome en 1784 : son œuvre, interrompue par la maladie, s'inscrit dans le courant sévère du néoclassicisme issu de Poussin (*la Résurrection du fils de la veuve de Naïm,* versions de 1783 [Le Mans] et de 1788 [Aix-en-Provence]).

DROUÉ (41270), ch.-l. de cant. de Loir-et-Cher, à 23 km au S.-O. de Châteaudun; 1 291 hab.

DROUET (Jean-Baptiste), comte **d'Erlon,** maréchal de France (Reims 1765 - Paris 1844). Vétéran des campagnes de la Révolution et de l'Empire, il se distingue à la tête du 1er corps à Waterloo et doit s'exiler. Rappelé en 1830, gouverneur de l'Algérie en 1834-35, il crée les bureaux arabes et est fait maréchal en 1843.

DROUET (Julienne GAUVAIN, dite **Juliette**), actrice française (Fougères 1806 - Paris 1883), compagne de Victor Hugo à partir de 1833.

DROUOT (Antoine, *comte*), général français (Nancy 1774 - *id.* 1847). Il s'illustra notamment à Wagram et à la Moskova. Surnommé le *Sage de la Grande Armée,* il accompagne Napoléon à l'île d'Elbe et se bat encore à Waterloo.

DRUIDE. — Sur la foi de Pline l'Ancien, on a longtemps compris ce mot dans le sens de « homme du chêne ». L'étymologie véritable est « le très savant », car les druides, dans la religion des Celtes*, sont non seulement des prêtres dont une des principales attributions est le sacrifice, mais aussi des doctes enseignant la science des dieux; en même temps devins, magiciens et médecins, ils jouent aussi un rôle social important en tant qu'ambassadeurs, conseillers et juges. En Gaule, ils seront l'âme de la résistance à Rome. L'institution, apparue au IIe s. av. J.-C., est attestée jusqu'au VIe s.

DRULINGEN (67320), ch.-l. de cant. du Bas-Rhin, à 24 km au N.-O. de Saverne; 1 217 hab.

DRUMEV (Vasil), prélat et écrivain bulgare, métropolite de Tărnovo sous le nom de **Clément** (Šumen v. 1838 - Tărnovo 1901). Auteur d'un drame historique *(Ivanko),* il joua un rôle important dans le parti russophile.

DRUMMONDVILLE, v. du Canada (Québec), sur le Saint-François; 31 813 hab.

DRUMONT (Édouard), journaliste et polémiste français (Paris 1844 - *id.* 1917). Antisémite, il se fait connaître par un violent pamphlet, *la France juive* (1886), qui aura 200 éditions. Fondateur et directeur de *la Libre Parole* (1892-1910), il joue un rôle prépondérant dans le lancement de l'affaire Dreyfus*.

DRUON (Maurice), écrivain français (Paris 1918). Auteur de romans historiques, il a été ministre des Affaires culturelles (1972-1974).

DRUSUS (Marcus Livius) → LIVIUS DRUSUS.

L. Goldman - Rapho

Vue générale de Dublin.

DRUSUS (Nero Claudius), frère de Tibère et fils de Livie (38-9 av. J.-C.). Il eut une brillante carrière militaire et fut chargé par Auguste de grandes opérations : il acheva avec Tibère la conquête des pays alpins et atteignit le Danube (15); leurs campagnes aboutirent à la création de provinces en forme de glacis protecteurs (Rhétie, Vindélicie, Norique). En 12, Drusus envahit la Germanie; il mourut au retour d'une campagne qui l'avait mené jusqu'à l'Elbe (9).

DRUZE *(djebel),* massif volcanique au S. de la Syrie; 1 799 m.

DRUZES, population du Proche-Orient (Syrie, Liban, Israël), pratiquant une religion initiatique issue du chī'isme ismaélien* des Fāṭimides*. Dans les dernières années de son règne, le calife al-Ḥakīm (de 996 à 1021) est considéré comme une incarnation de la divinité par un certain nombre d'adeptes (dont le Turc al-Darazī et le Persan Ḥamza). Ceux-ci deviennent nombreux au Liban et en Syrie. Les bons rapports qu'entretiennent longtemps les Druzes avec leurs voisins (v. FAKHR AL-DĪN) dégénèrent au XIXe s. (massacres de maronites en 1840-1842, 1860).

DRYDEN (John), écrivain anglais (Aldwinkle, Northamptonshire, 1631 - Londres 1700). Malgré ses origines puritaines (*Stances héroïques sur la mort de Cromwell,* 1659), il contribua à faire renaître le goût du théâtre (*Essai sur la poésie dramatique,* 1668) par ses tragi-comédies et ses tragédies héroïques (*Almanzor et Almahide ou la Conquête de Grenade,* 1669-70). Poète lauréat et historiographe du roi, il se lança dans la satire politique (*Absalon et Achitophel,* 1681-82), puis se convertit au catholicisme (*la Biche et la Panthère,* 1687). Privé de ses pensions par la révolution de 1688, il traduisit les satiriques latins (Juvénal, Perse), publia des *Fables* (1700), imitées de Chaucer et de Boccace, et des odes *(Ode pour la Sainte-Cécile),* qui firent de lui le principal représentant de l'esprit classique en Angleterre.

D. T. S. (sigle de *droits de tirage spéciaux*). — À la réunion annuelle du Fonds monétaire international de 1967 (Rio de Janeiro), le principe fut arrêté de la création d'un nouvel instrument de réserve, les droits de tirage spéciaux (D. T. S.). Il se manifestait alors un manque de liquidités internationales dans le monde.

Les droits de tirage spéciaux se distinguent des droits de tirage ordinaires. Ils confèrent à des pays la possibilité de disposer de devises convertibles. Le Fonds monétaire a l'initiative de les octroyer, pour une période déterminée, en tranches annuelles, et un pays peut les utiliser en cas de difficultés survenant dans sa balance des paiements.

Le pays (créditeur) qui reçoit des D. T. S. doit céder, en échange, au pays cédeur (débiteur) des devises convertibles (franc, livre, dollar, franc belge, mark, lire, peso mexicain, florin).

Jusqu'à l'année 1974, les D. T. S. étaient liés à l'or, ils sont fondés maintenant sur les monnaies les plus importantes du monde, qui servent de base de calcul au Fonds monétaire international pour définir chaque jour la valeur des D. T. S.

DUALISME *(Écon.).* — Dans le langage économique (et particulièrement en économie du développement), ce terme désigne la juxtaposition de deux systèmes économiques étrangers l'un à l'autre; notamment (dans un même pays) la coexistence d'un système capitaliste et d'un système précapitaliste, ou même la coexistence de deux mondes présentant des valeurs sociales et culturelles irréductibles les unes aux autres.

DUALISME *(Philos.)* → ONTOLOGIE.

DUALITÉ. — La dualité est, en logique mathématique, une relation de réciprocité entre connecteurs logiques. La relation entre les connecteurs $\wedge$ («et») et $\vee$ («ou») associés à la négation $\urcorner$ est un exemple de dualité. On a :

$$\urcorner(p \vee q) \equiv \urcorner p \wedge \urcorner q$$
$$\urcorner(p \wedge q) \equiv \urcorner p \vee \urcorner q.$$

DUARTE *(pic),* anc. **pic Trujillo,** point culminant de l'île d'Haïti, dans la république Dominicaine; 3 175 m.

DUBAIL (Augustin), général français (Belfort 1851 - Paris 1934). Il commanda la Ire armée en 1914, puis le groupe des armées de l'Est en 1915-16. Grand chancelier de la Légion d'honneur de 1918 à sa mort, il créa la société (1921) et le musée (1925) de la Légion d'honneur.

DUBAN (Félix Jacques), architecte français (Paris 1797 - Bordeaux 1870). Il fit une carrière officielle tant de restaurateur que de constructeur (par ex. au Louvre, 1848-1851). Éclectique, désireux de synthétiser le passé et le présent, il intégra des vestiges de Gaillon, d'Anet et de l'hôtel parisien de la Trémoille à l'École des beaux-arts de Paris (1833-1862).

DUBARLE (Dominique), religieux et philosophe français (Biviers, Isère, 1907). Dominicain, professeur, depuis 1945, à la faculté de philosophie de l'Institut catholique de Paris, dont il est doyen de 1967 à 1973, il contribue à l'élaboration d'une théologie de la science.

DUBAYY ou **DIBAY,** l'un des Émirats arabes* unis, sur le golfe Persique; 59 000 hab. Capit. *Dubayy* (principale ville et port des Émirats arabes unis). Importants gisements de pétrole.

DUBČEK (Alexander), homme politique tchécoslovaque (Uhrovec, près de Topol'čany [Slovaquie], 1921). Premier secrétaire du parti communiste tchécoslovaque en janvier 1968, il prend la tête du vaste mouvement de libéralisation du régime qu'est le «printemps de Prague». Sous sa direction, le parti, rénové, cherche à définir un «socialisme à visage humain», garantissant la démocratie et les libertés individuelles. Dubček doit cependant capituler devant l'intervention militaire soviétique (août 1968) et accepter les concessions imposées par l'U. R. S. S. pour limiter le mouvement. La «normalisation» l'élimine d'ailleurs rapidement de la vie politique. Remplacé par Husák en avril 1969, il est finalement exclu du parti en juin 1970, après avoir refusé de faire son autocritique.

DÜBENDORF, comm. de Suisse, à l'E. de Zurich; 19 639 hab. Terrain militaire de l'aéroport de Zurich.

DUBILLARD (Roland), acteur et écrivain français (Paris 1923). Son théâtre (*Naïves Hirondelles,* 1961; *la Maison d'os,* 1962; *Où boivent les vaches,* 1972) et ses nouvelles (*Olga ma vache,* 1974), qui mêlent le burlesque à l'absurde, composent une méditation insolite sur la condition humaine.

DUBLIN, en irland. **Baile Átha Cliath,** capit. de la république d'Irlande, sur la mer d'Irlande; 568 000 hab. (680 000 hab. pour l'agglomération, qui regroupe près du quart de la population du pays).

GÉOGRAPHIE. Capitale politique, culturelle, commerciale (premier port irlandais), Dublin est aussi la métropole industrielle (textile, chimie, alimentation, métallurgie de transformation, papier et édition) de la République, dont elle regroupe au total la moitié du potentiel dans ce secteur secondaire.

HISTOIRE. C'est à partir du XIIe s. que Dublin devient le centre le plus actif du commerce irlandais avec l'Angleterre. Au XVIIIe s., la ville prend figure de capitale nationale; au XIXe s., elle devient le centre principal de l'activité politique irlandaise, en attendant d'être la capitale officielle de l'Irlande libre.

BEAUX-ARTS. Château (chapelle gothique). Cathédrale protestante Saint Patrick. Trinity College (précieux manuscrits enluminés irlandais des VIIe et VIIIe s.). Musée national (antiquités irlandaises) et Galerie nationale.

DUBOIS (Ambroise) → FONTAINEBLEAU.

DUBOIS (Guillaume), prélat et homme d'État français (Brive-la-Gaillarde 1656 - Versailles 1723). Prêtre, il est le précepteur de Philippe d'Orléans qui, devenu régent, le fait entrer au Conseil d'État (1715). Ministre secrétaire d'État aux Affaires étrangères en 1718, Premier ministre en 1722, après avoir été archevêque de Cambrai (1720) et fait cardinal (1722), ce prélat vénal et intrigant assure seul, durant près de dix ans, la direction de la politique étrangère. Il est notamment le créateur de la Quadruple-Alliance (France - Angleterre - Hollande - Autriche), qui, élaborée à partir de 1717, assure à la France une assez longue paix.

DU BOIS (William Edward BURGHARDT), sociologue et écrivain noir américain (Great Barrington, Massachusetts, 1869 - Accra, Ghāna, 1963). Il a consacré sa vie à militer en faveur de l'égalité des droits entre Noirs et Blancs et fut l'un des fondateurs du panafricanisme.

DU BOIS-REYMOND (Emil), physiologiste allemand (Berlin 1818 - *id.* 1896), un des créateurs de la physiologie expérimentale.

DUBOS ou **DU BOS** (Jean-Baptiste, *abbé*), écrivain français (Beauvais 1670 - Paris 1742). Célèbre pour sa passion de l'opéra et son goût du luxe, négociateur de la paix d'Utrecht, conseiller du cardinal Dubois et de Voltaire, il appliqua son esprit critique à l'histoire (son *Histoire critique de l'établissement de la monarchie française dans les Gaules,* 1734, fait du système absolutiste l'héritier non des Francs mais du cadre de l'Empire romain) et à l'esthétique (*Réflexions* critiques sur la poésie et la peinture,* 1719) dont il est un des maîtres au XVIIIe s.

DU BOS (Charles), écrivain français (Paris 1882 - La Celle-Saint-Cloud 1939). Ses essais critiques (*Approximations,* 1922-1937) et son *Journal* (1946-1962) affirment la primauté des valeurs spirituelles et morales dans la genèse de l'œuvre littéraire.

DU BOURG (Anne), magistrat français (Riom 1521 - Paris 1559). Professeur de droit à l'université d'Orléans, puis conseiller clerc au Parlement de Paris en 1557, il s'opposa avec force à la répression exercée contre les protestants. Arrêté sur l'ordre d'Henri II, il fut condamné à mort pour hérésie et exécuté.

DU BREUIL (Toussaint) → FONTAINEBLEAU.

DUBROVNIK, anc. **Raguse,** port de Yougoslavie (Croatie), sur la côte dalmate; 26 000 hab. Centre touristique. Derrière ses murailles, remontant aux XIIe-XIIIe s., la ville a conservé son plan rationnel et ses monuments, auxquels ont travaillé Italiens et Croates : chapelles romanes; couvents; palais gothico-renaissants (notamment le palais des Recteurs, auj. musée) et baroques; cathédrale et église Saint-Blaise, baroques.

HISTOIRE. Fondée au VIe s., Raguse* oscilla longtemps entre les dominations byzantine et vénitienne et connut plusieurs siècles de prospérité (X^e-XIVe s.). Devenue hongroise en 1358, la république de Raguse se plaça en 1526 sous la protection du Sultan. Accroissant son commerce dans le bassin méditerranéen, elle connut aussi une intense activité culturelle. Protectorat français en 1806, rattachée au royaume d'Italie en 1808, elle retrouva son indépendance en 1813 avant de tomber sous la domination autrichienne (1815). En 1919, elle fut rattachée à la Yougoslavie et prit le nom de Dubrovnik.

DUBUFFET (Jean), peintre et sculpteur français (Le Havre 1901). Se consacrant à l'art à partir de 1942, il s'inspire des graffiti et du dessin d'enfants, puis de textures diverses (sols, vieux murs), utilisant des matériaux imprévus dans ses peintures aux pâtes épaisses; il est, en même temps, le théoricien de l'art brut*. Son cycle de *l'Hourloupe* (1962-1974 : peintures, sculptures, voire petites architectures) stabilise sa veine ironique dans une technique plus froide (appel aux matières plastiques, exécution par des aides). Il a écrit le pamphlet *Asphyxiante Culture* (1968).

DUBY (Georges), historien français (Paris 1919). Titulaire, depuis 1970, de la chaire d'histoire des sociétés médiévales au Collège de France, il a posé les principes d'une histoire des mentalités.

DU CAMP (Maxime), écrivain français (Paris 1822 - Baden-Baden 1894), ami de Flaubert, avec qui il écrivit *Par les champs et par les grèves* (1885) et parcourut le Proche-Orient, dont il rapporta un des premiers grands reportages photographiques.

DU CAURROY (Eustache), compositeur français (Beaurevoir, près de Beauvais, 1549 - Paris 1609). Surintendant de la musique d'Henri IV, il a laissé des messes, des motets et des chansons à plusieurs voix, utilisant aussi bien un contrepoint traditionnel qu'une polyphonie verticale « mesurée à l'antique ». On lui doit aussi des *Fantaisies* instrumentales.

DUCCIO di Buoninsegna, peintre italien (Sienne, milieu du XIIIe s. - *id.* v. 1318). Encore très imprégné de la tradition byzantine (*Madone Rucellai,* 1285, Offices, Florence), il évolue vers une nouvelle sensibilité d'esprit gothique, faite d'élégance et de naturalisme (petite *Madone avec trois franciscains,* pinacothèque de Sienne). Sa grande *Maestà,* avec scènes de la vie du Christ (1311, musée de l'Œuvre, Sienne), est traditionnelle par son schéma général, symétrique et monumental, mais les figures y prennent du volume, un modelé sensible dans un espace lumineux plus proche du réel. Il a exercé sur l'école siennoise une influence profonde.

DU CERCEAU (Jacques Ier ANDROUET), architecte, théoricien et graveur français (Paris ? v. 1510 - Annecy v. 1585). Représentatif d'une seconde Renaissance encore pleine de fantaisie, baroquisante, ayant fait le voyage d'Italie (1533), il eut une grande influence par ses publications (trois *Livres d'architecture,* les précieux *Plus Excellents Bâtiments de France* [1576-1579], etc.), par son œuvre bâtie (le somptueux château neuf — disparu — de Verneuil-en-Halatte) ainsi qu'au travers des réalisations de ses nombreux descendants, dont son petit-neveu S. de Brosse*.

DUCEY (50220), ch.-l. de cant. de la Manche, à 11 km au S.-E. d'Avranches; 2 079 hab.

DUCHAMP (Marcel), artiste français (Blainville 1887 - Neuilly-sur-Seine 1968). La démarche de ce peintre de tendance fauve, puis cubiste, se rapproche du futurisme lorsqu'il réalise le *Nu descendant un escalier* (1912), dont le mouvement décomposé en phases successives tente d'exprimer le temps et l'espace. Mais très vite Marcel Duchamp s'écarte de la peinture : il signe dès 1913 ses premiers *ready-mades,* objets pris tels quels et promus dérisoirement œuvres d'art (*Séchoir à bouteilles,* 1914; urinoir intitulé *Fontaine,* 1917), ou encore « aidés » ou « rectifiés » (*la Joconde L. H. O. O. Q.,* 1919). Objets « anti-art », ils se présentent comme « le développement original du principe de banalité » (Marcel Jean) et s'inscrivent dans le courant dada, qui va s'amplifiant, à New York, après l'arrivée de Duchamp en 1915. L'esthétique devient éthique, l'art un geste qui affirme la responsabilité morale de l'artiste. Tandis qu'avec sa dernière toile, *Tu m'* (1918), il congédie toutes les tentatives avant-gardistes, il entame la réalisation du « grand verre », intitulé *la Mariée* mise à nu par ses célibataires, même,* son œuvre majeure. Il s'intéresse aux jeux optiques et anticipe sur certaines recherches cinétiques avec la *Rotative demi-sphère,* puis avec les *Rotoreliefs* de 1935. Là cesse à peu près complètement sa contribution, capitale, à l'art moderne, exception faite d'un environnement travaillé secrètement de 1946 à 1966 et révélé après sa mort *(Étant donnés : 1° la chute d'eau, 2° le gaz d'éclairage).* Mais sa tentative de ruiner à la fois le culte de l'objet d'art et de l'artiste a été utilisée, dans ses différents aspects, à revivifier l'art d'après-guerre : le happening, le pop art, l'art conceptuel sont parmi ses héritiers, même si c'est au prix de quelques trahisons. L'essentiel de son œuvre appartient au musée de Philadelphie.

DUCHAMP-VILLON (Raymond DUCHAMP, dit), sculpteur français (Damville 1876 - Cannes 1918). S'attachant à modeler ses sujets par grands volumes géométrisés (*Maggy,* 1912), puis à les articuler selon un dynamisme inspiré du futurisme (*le Cheval,* 1914), il a joué un rôle important dans la genèse de la sculpture moderne.

DUCHARME (Réjean), écrivain canadien d'expression française (Saint-Félix-de-Valois, Québec, 1941). L'angoisse de ses héros adolescents devant un monde qui échappe à leur prise s'exprime dans les ruptures de rythme d'un langage qui mime la diversité et l'inattendu du réel (*l'Avalée des avalés,* 1966; *le Nez qui voque,* 1967; *l'Océantume,* 1968; *l'Hiver de force,* 1973).

DUCHÉ. — Au haut Moyen Âge, le mot *ducatus* désignait un vaste territoire englobant plusieurs comtés et soumis à l'autorité politique d'un personnage investi du titre, à l'origine purement militaire, de « duc ». Dès l'époque mérovingienne, plusieurs duchés nationaux apparurent aux frontières du *Regnum Francorum* (Saxe, Bavière). Mais c'est surtout à la faveur du déclin carolingien que les duchés se multiplièrent dans toute l'Europe. En France, lorsque la monarchie eut restauré son autorité sur ces grandes seigneuries, le terme de « duché » ne désigna plus qu'une terre exiguë, assise symbolique d'un titre devenu purement honorifique. En Allemagne et en Italie, de nombreux duchés subsistèrent comme États autonomes juqu'à l'unification de ces deux pays (XIXe s.).

DUCHENNE (Guillaume Benjamin), dit **Duchenne de Boulogne,** médecin électrologiste français (Boulogne-sur-Mer 1806 - Paris 1875), initiateur de l'électricité médicale.

Duchés *(guerre des),* conflit qui opposa en 1864 le Danemark aux États de la Confédération germanique pour la possession des duchés de Slesvig, de Holstein et de Lauenburg, possessions personnelles du roi de Danemark. Bismarck*, avec l'appui de l'Autriche, déclara la guerre au Danemark et fit envahir le Slesvig par les troupes austro-prussiennes, qui prirent Düppel et Fredericia. Le Danemark demanda la paix et la convention de Gastein (1865) partagea l'administration des duchés entre la Prusse (qui annexait Kiel) et l'Autriche. Le différend survenu à ce sujet entre les deux puissances fut l'occasion de la guerre austro-prussienne* de 1866.

DUCHESNE (Louis), prélat et érudit français (Saint-Servan 1843 - Rome 1922). Professeur à l'Institut catholique de Paris, puis (1895) directeur de l'École française de Rome, il renouvela fondamentalement les connaissances portant sur les origines du christianisme.

DUCIS (Jean-François), poète français (Versailles 1733 - *id.* 1816). Il traduisit les drames de Shakespeare en les soumettant aux règles de la tragédie classique.

DUCLAIR (76480), ch.-l. de cant. de la Seine-Maritime, sur la Seine, à 20 km à l'O. de Rouen; 2 977 hab. Église des XIe-XVIe s.

DUCLAUX (Émile), biochimiste français (Aurillac 1840 - Paris 1904). Successeur de Pasteur à la direction de l'Institut Pasteur, il étudia les fermentations et les maladies microbiennes. Il est l'auteur d'une théorie de la capillarité, dans laquelle il a assimilé la surface des liquides à une membrane élastique tendue (1872).

DUCLOS (Charles PINOT), écrivain français (Dinan 1704 - Paris 1772). Moraliste sceptique, auteur de romans et d'essais (*Considérations sur les mœurs de ce siècle,* 1754), il favorisa, en qualité de secrétaire perpétuel (1755), l'entrée à l'Académie d'écrivains du parti philosophique.

DUCLOS (Jacques), homme politique français (Louey, Hautes-Pyrénées, 1896 - Montreuil 1975). Ouvrier pâtissier, combattant de la Première Guerre mondiale, il entre en 1921 au parti communiste, où il joue rapidement un rôle important comme membre du comité central, dès 1926; en 1931, il devient secrétaire du bureau politique. Chargé des services de propagande, il participe activement à la formation du Front populaire (1936), puis assure, avec Benoît Frachon, la direction clandestine du parti pendant l'Occupation. Député de la Seine (1926-1932, 1936-1939 et 1945-1958), vice-président de l'Assemblée nationale (1936-1939 et 1946-1948), il préside le groupe parlementaire communiste de 1946 à 1958. Sénateur à partir de 1959, il est candidat à la présidence de la République en 1969 et obtient plus de 20 p. 100 des voix.

DUCOS (Roger), homme politique français (Dax 1747 - près d'Ulm 1816). Député montagnard à la Convention (1792), membre du Directoire exécutif après le coup d'État du 30 prairial an VII, il devient, le soir du 19 brumaire an VIII, l'un des trois consuls provisoires. Sénateur, pair aux Cent-Jours (1815), il mourra en exil comme régicide.

DUCOS DU HAURON (Louis), physicien et inventeur français (Langon 1837 - Agen 1920). Il découvrit en 1868 le procédé « trichrome » qu'il appliqua à la photographie et, en 1891, la stéréoscopie par anaglyphes.

DUCRAY-DUMINIL (François Guillaume), écrivain français (Paris 1761 - Ville-d'Avray 1819), auteur de romans populaires qui fournirent la matière de nombreux mélodrames* (*Victor ou l'Enfant de la forêt,* 1796).

DUCRETET (Eugène), industriel et inventeur français (Paris 1844 - *id.* 1915). Il conçut et réalisa le premier dispositif français de télégraphie sans fil d'emploi pratique (1897), qu'il perfectionna en l'adaptant au principe de la résonance.

DUCROT (Auguste), général français (Nevers 1817 - Versailles 1882). Commandant de division à Frœschwiller en 1870, il fut fait prisonnier à Sedan, s'évada et commanda un corps pendant le siège de Paris.

DUDELANGE, v. du sud du Luxembourg; 15 000 hab. Sidérurgie.

DUDLEY, v. de Grande-Bretagne, à l'O. de Birmingham; 64 000 hab.

DUDLEY (John), comte **de Warwick,** duc **de Northumberland,** homme politique anglais (1502 ? - Londres 1553). Sous Édouard VI, il prit un grand ascendant, luttant pour enraciner une monarchie absolutiste qu'il comptait dominer. En même temps, il orientait plus nettement l'Église anglaise — dont il poursuivait la domestication — vers le protestantisme. L'avènement de Marie Tudor (1553) précipita sa fin.

DUDOK (Willem Marinus), architecte néerlandais (Amsterdam 1884). Travaillant pour diverses villes des Pays-Bas, il a notamment donné à Hilversum (dont il devient directeur des travaux publics en 1928) l'hôtel de ville et plusieurs quartiers, construits en brique selon un rythme rigoureux des volumes.

DUFAY (Guillaume), compositeur français (Soignies [?] v. 1398-Cambrai 1474). Après avoir séjourné plusieurs fois en Italie et en Savoie, il s'installa définitivement à Cambrai. Son œuvre vocale religieuse et profane le situe au sommet du mouvement polyphonique de son époque. Dans ses messes « unitaires », ses motets et ses chansons, il a su créer un langage neuf, synthèse entre des éléments français, flamands et italiens.

DU FAY (Charles François DE CISTERNAY), physicien français (Paris 1698 - *id.* 1739). Il découvrit l'existence des électrisations positive et négative (1733) et observa la transmission de l'électricité par les conducteurs.

DUFFEL, comm. de Belgique (prov. d'Anvers), au N. de Malines; 13 802 hab. (en 1970).

DUFOUR (Guillaume Henri), général suisse (Constance 1787 - Genève 1875). Il servit dans l'armée française jusqu'en 1815, réorganisa l'armée suisse (1832) et, en 1847, réduisit avec humanité la révolte des cantons catholiques du *Sonderbund.* Il présida en 1864 la conférence au cours de laquelle fut adoptée la première Convention de Genève.

DUFY (Raoul), peintre français (Le Havre 1877 - Forcalquier 1953). Élève, en compagnie de Friesz et de Braque, de Charles Lhullier (1824-1898) au Havre, successivement impressionniste, fauve, influencé par le cubisme, il trouve vers 1920 sa véritable personnalité, que caractérisent un graphisme elliptique très sûr et un coloris clair librement distribué, au service d'une vision toute de joie et de fraîcheur. Il a laissé une œuvre importante de graveur, de dessinateur, d'aquarelliste et d'artiste décorateur.

DUGAS (Marcel Henri), écrivain canadien d'expression française (Saint-Jacques-de-l'Achigan, Québec, 1883 - Montréal 1947). Influencé par les symbolistes français, il a publié des essais critiques et des recueils de prose lyrique (*Feux de Bengale à Verlaine glorieux,* 1915; *Paroles en liberté,* 1944).

DUGHET (Gaspard), dit **le Guaspre Poussin,** peintre français (Rome 1613 - Florence 1675). De mère italienne, devenu en 1630 le beau-frère de Poussin, il produisit, tantôt sous l'influence de ce dernier, tantôt sous celle de Claude Lorrain, des paysages aux effets tourmentés et pittoresques. Il fut aussi graveur et peintre décorateur.

DUGNY (93440), comm. de la Seine-Saint-Denis, à 9 km au N.-E. de Paris; 8 787 hab.

DUGOMMIER (Jacques François COQUILLE, dit), général français (Basse-Terre, Guadeloupe, 1738 - près de Figueras 1794). Chef des gardes nationales de la Martinique (1790), député à la Convention, il se distingue au siège de Toulon (1793) et sera tué en Catalogne, comme commandant de l'armée des Pyrénées-Orientales.

DUGUAY-TROUIN (René), corsaire français (Saint-Malo 1673 - Paris 1736). Dès 1689, il mène l'existence des corsaires, luttant notamment contre les Hollandais. Son plus grand exploit se situe en 1711, quand il s'empare de Rio de Janeiro avec une faible flotte.

DUGUIT (Léon), juriste français (Libourne 1859 - Bordeaux 1928). On lui doit notamment : *Transformations générales du droit privé* (1912), *Transformations générales du droit public* (1913), *Traité de droit constitutionnel* (1911-1925), *Leçons de droit public général* (1926), etc.

DŪHA (al-) ou **DOHA (al-),** capit. du Qaṭar, sur le golfe Persique; 50 000 hab.

DUHAMEL (Georges), écrivain français (Paris 1884 - Valmondois, Val-d'Oise, 1966), docteur en médecine, membre du groupe de l'Abbaye*, auteur de deux cycles romanesques (*Vie et aventures de Salavin,* 1920-1932; *Chronique* des Pasquier,* 1933-1945).

DUHEM (Pierre), physicien et philosophe français (Paris 1861-Cabrespine, Aude, 1916), créateur de la théorie de l'énergétique et auteur d'études sur l'histoire des sciences.

DUILIUS (Caius), consul romain en 260 av. J.-C. Commandant la première flotte de Rome lors de la première guerre punique*, il équipe ses navires de « corbeaux » (grappins qui permettent de monter à l'abordage des vaisseaux ennemis), ce qui lui vaut une écrasante victoire à Mylae (Milazzo*, 260). Cette première victoire navale de Rome fut commémorée par l'érection d'une colonne rostrale au Forum.

DUISBURG, v. de l'Allemagne fédérale (Rhénanie-du-Nord-Westphalie), dans l'ouest de la Ruhr; 449 000 hab. Importante église gothique. Musée W. Lehmbruck (art moderne). Porte et débouché de la Ruhr, étirée en bordure du Rhin, sur lequel elle constitue le port fluvial le plus important (trafic de houille, de minerais et produits sidérurgiques), Duisburg est un centre universitaire et bancaire, mais la fonction industrielle (liée au port) domine nettement (sidérurgie et métallurgie de transformation essentiellement).

DUJARDIN (Karel), peintre et graveur néerlandais (Amsterdam v. 1622 - Venise 1678). Il passa quelques années en Italie entre 1640 et 1650, y retourna en 1675. Son œuvre, influencée par celles de N. Berchem et de P. Potter, se compose de portraits et surtout de paysages d'une grande luminosité, aux premiers plans animés de personnages ou d'animaux.

DUJARDIN (Albert), ingénieur français (Lille 1847 - † 1903). Il introduisit en France (1902) la distribution par pistons-valves équilibrés, permettant l'emploi dans les chaudières des hautes pressions et des températures de surchauffe élevées.

DUKAS (Paul), compositeur français (Paris 1865 - *id.* 1935). Tout en admirant les architectures des classiques, il subit une double attraction, apparemment contradictoire, entre l'art de Wagner et celui de son ami Debussy. Il traite le piano avec ampleur (sonate), atteint la perfection de la forme et de l'écriture dans *l'Apprenti* sorcier* et laisse l'un des chefs-d'œuvre de la variation avec *la Péri**. Un chant intense et une orchestration colorée marquent sa partition lyrique *Ariane et Barbe-Bleue* (1907). Il fut l'un des grands professeurs de composition au Conservatoire et un critique musical écouté.

Dulcinée, personnage du *Don Quichotte,* de Cervantès, paysanne dont le héros fait la « dame de ses pensées ».

DULCITE. — La dulcite (ou le dulcitol) est une hexite $C_6H_{14}O_6$, isomère de la mannite. Extraite de la manne de Madagascar, elle cristallise en prismes fondant à 188 ^0C.

DULLES (John Foster), avocat et homme politique américain (Washington 1888-*id.* 1959). Républicain, spécialiste de droit international, il est un des principaux experts de la Conférence de la paix (1919) et participe aux grandes conférences internationales de l'après-guerre. Conseiller du département d'État en 1950, il est chargé par Truman de préparer le traité de paix avec le Japon (1951). En 1952, le président Eisenhower le nomme secrétaire d'État aux Affaires étrangères. Véritable responsable de la diplomatie américaine jusqu'en 1959, J. F. Dulles mène une lutte acharnée contre le communisme et l'U. R. S. S., et contribue au développement de la guerre froide.

DULLIN (Charles), acteur français et directeur de théâtre (Yenne, Savoie, 1885-Paris 1949). Collaborateur de Copeau, puis de Gémier, il fonda le théâtre de l'Atelier (1922) et fut membre du Cartel*. Il a renouvelé l'interprétation dramatique des répertoires classique (*Volpone,* de Ben Jonson; *l'Avare,* de Molière) et moderne (Pirandello).

DULONG (Pierre Louis), physicien français (Rouen 1785-Paris 1838). En collaboration avec Petit*, il énonça, en 1819, la loi relative aux chaleurs spécifiques des solides et mesura le coefficient de dilatation du mercure. Il imagina le cathétomètre.

DULUTH, port des États-Unis (Minnesota), à l'extrémité ouest du lac Supérieur; 101 000 hab. Exportation de minerai de fer. Métallurgie.

DUMAS (Jean-Baptiste), chimiste et homme politique français (Alès 1800-Cannes 1884). Il imagina une méthode de mesure des densités de vapeur et détermina de façon précise la composition de l'air, de l'eau et du gaz carbonique, en déduisant les masses atomiques de l'hydrogène et du carbone. Il créa l'analyse organique et, à la suite d'une étude de l'alcool amylique, il définit les fonctions chimiques. Il découvrit les amines et l'anthracène et établit la théorie des substitutions. Il fut ministre de l'Agriculture et du Commerce (1850) et président du conseil municipal de Paris (1859).

DUMAS (Alexandre), écrivain français (Villers-Cotterêts 1802-Puys, près de Dieppe, 1870), fils du général Dumas (Alexandre Davy de La Pailleterie, 1762-1806). Clerc de notaire, commis au secrétariat du duc d'Orléans, directeur de journaux, fastueux et toujours ruiné, esprit curieux et truculent (*Impressions de voyages,* 1834-1837), il est la meilleure incarnation des outrances romantiques. Auteur dramatique (*Henri III et sa cour,* 1829; *Antony,* 1831; *la Tour de Nesle,* 1832; *Kean,* 1836), possédant la science du coup de théâtre et servi par des interprètes exceptionnels (Dorval, Lemaître), il fut par ses romans historiques, composés grâce à maints collaborateurs, le plus populaire des écrivains de son temps (*les Trois Mousquetaires,* 1844; *Vingt Ans après,* 1845; *le Vicomte de Bragelonne,* 1850; *le Comte de Monte-Cristo,* 1845; *la Dame de Montsoreau,* 1846) : il signa près de trois cents ouvrages. — Son fils naturel, ALEXANDRE, dit **Dumas fils** (Paris 1824-Marly-le-Roi 1895), débuta par des poèmes et un roman (*la Dame aux camélias,* 1848), qui, transposé à la scène (1852), décida de sa carrière dramatique. Il se fit alors l'apôtre d'un « théâtre utile », d'inspiration sociale (*le Demi-Monde,* 1855; *la Question d'argent,* 1857; *le Fils naturel,* 1858).

DUMAZEDIER (Joffre), sociologue français (Taverny 1915). Il est l'un des initiateurs de la sociologie du loisir.

DU MERSAN (Théophile MARION), auteur dramatique et numismate français (château de Castelnau, près d'Issoudun, 1780-Paris 1849). Conservateur adjoint du cabinet des Médailles, auteur de comédies satiriques et de vaudevilles (*les Saltimbanques,* 1831).

DUMÉZIL (Georges), philologue et mythologue français (Paris 1898). Professeur au Collège de France, utilisant une méthode comparative, il établit l'existence de rapports étroits entre, d'une part, le langage et les mythes et, d'autre part, l'organisation sociale des sociétés indo-européennes. Principales publications : *l'Idéologie tripartite des Indo-Européens,* 1958; *Mythe et épopée,* 1968-1973).

DUMONSTIER ou **DUMOU(S)TIER,** famille de peintres, miniaturistes et dessinateurs français, dont les plus importants sont : GEOFFROY († 1573), actif à Rouen et à Fontainebleau entre 1535 et 1547, proche du Rosso; PIERRE Ier (v. 1524-1604), l'un de ses fils, spécialiste du portrait dessiné de cour (fin du règne de Henri III), de même que DANIEL (Paris 1574-*id.* 1646), un des neveux de Pierre Ier, dont la technique aux crayons de couleur fit le portraitiste favori des cours de Henri IV et de Louis XIII.

DU MONT (Henry DE THIER, dit), compositeur wallon (Villers-l'Évêque, près de Liège, 1610 - Paris 1684). Organiste à Paris, sous-maître de la Chapelle royale, compositeur de Louis XIV, il a contribué à l'éclosion du grand motet concertant en France, utilisant le double chœur et la basse continue.

DUMONT (René), agronome et écologiste français (Cambrai 1904), spécialiste des problèmes agricoles du développement. On lui doit de nombreux ouvrages, notamment *L'Afrique noire est mal partie* (1962), *l'Utopie ou la Mort* (1973), *l'Agronomie de la faim* (1974).

DUMONT D'URVILLE (Jules), amiral et navigateur français (Condé-sur-Noireau 1790-Meudon 1842). Au cours d'un voyage autour du monde de 1822 à 1825, il explore les côtes de la Nouvelle-Guinée et de la Nouvelle-Zélande. Capitaine de frégate sur l'*Astrolabe* (1826-1829), il retrouve à Vanikoro, dans les îles Salomon, des restes de l'expédition où périt La Pérouse en 1788. De 1837 à 1840 il explore les régions antarctiques et découvre les terres Louis-Philippe, Joinville et Adélie. Il a fait la relation de ses voyages.

DUMOULIN (Charles), juriste français (Paris 1500-*id.* 1566). Il a publié des ouvrages concernant les coutumes et le droit romain; il fut très intimement lié aux querelles religieuses et politiques de son temps. Il commenta les coutumes de Paris.

DUMOURIEZ (Charles DU PÉRIER, dit), général français (Cambrai 1739-Turville Park, près d'Oxford, 1823). Après avoir servi, sous Louis XV et Louis XVI, dans l'armée ou la diplomatie, il s'inscrit au club des Jacobins en 1790. De tendance girondine, il est nommé, le 10 mars 1792, ministre des Affaires étrangères : il décide Louis XVI à la guerre, mais il doit démissionner le 16 juin. Commandant en chef de l'armée du Nord après le 10 août, il décide de la victoire de Valmy (20 sept. 1792). De nouveau vainqueur à Jemappes (6 nov.), il occupe la Belgique. Mais battu à Neerwinden (18 mars 1793) et rappelé à Paris, il préfère, pour éviter une probable arrestation, passer dans les rangs autrichiens.

DUNA, nom hongrois du DANUBE.

DUNANT (Henri), philanthrope suisse (Genève 1828 - Heiden 1910). La tuerie de Solferino* (24 juill. 1859) éveille son humanitarisme : c'est grâce à lui qu'est signée, le 22 août 1864, la Convention de Genève relative aux blessés de guerre. On le considère comme le père de la Croix-Rouge*. (Prix Nobel de la paix, 1901.)

DUNAÚJVÁROS, v. de Hongrie, sur le Danube, au S. de Budapest; 49 000 hab. Sidérurgie.

DUNBAR (William), poète écossais (Salton v. 1460-v. 1520), disciple de Chaucer, auteur de poèmes satiriques et allégoriques (*le Chardon et la Rose,* 1503).

DUNCAN Ier († à Bothngouane, auj. Pitgaveny, près d'Elgin 1040), roi d'Écosse de 1034 à 1040, petit-fils et successeur de Malcolm II. Ses défaites face aux Scandinaves et son attirance pour la civilisation anglo-saxonne provoquèrent une violente réaction celtique qui conduisit à son assassinat par le comte de Moray, Macbeth.

DUNCAN (Isadora), danseuse américaine, d'origine irlandaise (San Francisco 1878-Nice 1927). Sans véritable formation, mais avec un sens inné de la musique, elle bouleversa la danse et ses traditions avec ses improvisations empreintes d'hellénisme. Critiquée et admirée tout à la fois, elle ne fut pas sans influencer Michel Fokine* et donna une notable impulsion au courant moderniste dont naîtra la *modern* dance.*

DUNDAS, v. du Canada (Ontario), au N.-O. de Hamilton; 17 208 hab.

DUNDEE, port de Grande-Bretagne, en Écosse, sur l'estuaire du Tay; 183 000 hab. Industrie textile et alimentaire. Constructions mécaniques et électriques.

DUNE. — Dans les régions où le sol n'est pas fixé par une couverture végétale (littoraux, déserts), le vent soulève les particules fines, qu'il transporte et accumule en dunes pouvant atteindre plusieurs centaines de mètres de haut. Ces dunes sont caractérisées par la dissymétrie de leurs versants : celui qui est exposé au vent est doux, celui qui est sous le vent, raide. Elles ont tendance à migrer dans le sens du vent dominant et, pour éviter l'ensablement, on tente de les fixer avec des clayonnages, des herbes traçantes (oyat), puis de la végétation arborescente (par exemple des pins, dans les Landes). Dans les déserts, les dunes s'ordonnent en champs, les *ergs,* ou forment de grands édifices isolés en croissant, les *barkhanes.*

DUNEDIN, port de Nouvelle-Zélande, sur la côte sud-est de l'île du Sud; 111 000 hab. Université. Industries alimentaires.

Dunes *(bataille des),* nom porté par la bataille qui se déroula dans les dunes, près de Dunkerque, le 14 juin 1658. Elle opposa Turenne à l'armée espagnole, dont la défaite ouvrit aux Français le chemin des Pays-Bas.

DUNFERMLINE, v. de Grande-Bretagne, en Écosse, au N.-O. d'Édimbourg; 52 000 hab. Anc. résidence des rois d'Écosse.

DUNGENESS, cap du sud-est de l'Angleterre (Kent), sur le pas de Calais. Centrale nucléaire.

DUNKERQUE, ch.-l. d'arr. du Nord, sur la mer du Nord; 83 759 hab. *(Dunkerquois).* Musée (beaux-arts, marine).

GÉOGRAPHIE. Centre d'une agglomération qui compte environ 185 000 habitants, Dunkerque est le troisième port français, le premier même si l'on exclut le trafic des hydrocarbures qui ne représente guère ici que le tiers d'un trafic total de l'ordre de 35 Mt. Pourtant, il existe deux raffineries, mais la fonction industrielle est aujourd'hui dominée par la sidérurgie, alimentée par du charbon et du fer importés. Reliée à l'arrière-pays par l'autoroute et la voie d'eau à grand gabarit, l'agglomération dunkerquoise a connu récemment un impressionnant accroissement démographique dont la poursuite est liée à celle de l'aménagement du port, dirigé vers le sud-ouest (vers Gravelines).

HISTOIRE. Dunkerque devient un poste et une place forte importante sous les dominations bourguignonne et espagnole. Fortifiée par Vauban, après 1662, elle est un point de départ pour les corsaires (Jean Bart*) qui ravagent le commerce anglais. Les franchises dont elle jouit jusqu'à la Révolution contribuent à sa prospérité; leur suppression explique la lenteur de son relèvement au XIXe s. Déjà fréquemment bombardée pendant la Première Guerre mondiale, la ville est, pendant la seconde, l'enjeu d'une violente bataille, du 27 mai au 4 juin 1940, pour permettre le rembarquement vers l'Angleterre d'une partie des forces alliées repliées de Hollande et de Belgique (218 000 Anglais, 120 000 Français). À la fin du conflit, la « poche » allemande de Dunkerque résistera jusqu'à la capitulation du 8 mai 1945.

DÚN LAOGHAIRE, anc. **Kingstown,** v. de la république d'Irlande, sur la mer d'Irlande; 53 000 hab.

DUN-LE-PALESTEL (23800), ch.-l. de cant. de la Creuse, à 18 km au N.-E. de La Souterraine; 1 330 hab.

DUNLOP (John Boyd), vétérinaire et inventeur écossais (Dreghorn, Ayrshire, 1840 - Dublin 1921). Il réalisa le premier pneumatique (1887) en gonflant avec une pompe un tube en caoutchouc qu'il enferma dans une enveloppe de toile.

DUNOIS (Jean D'ORLÉANS, comte DE LONGUEVILLE et DE), dit **le Bâtard d'Orléans** (Paris 1403 - L'Hay 1468), fils naturel de Louis d'Orléans et de Mariette d'Enghien. Grand capitaine des armées de Charles VII, il s'illustra dans la lutte contre les Anglais (Orléans, Patay, 1429) aux côtés de Jeanne d'Arc et fut l'artisan des victoires de Chartres, de Saint-Denis et de Meulan (1435). Il participa aux conquêtes de la Normandie (1449) et de la Guyenne (1451). Entraîné dans la ligue du Bien public contre Louis XI (1465), il se réconcilia ensuite avec le roi.

DUNOYER DE SEGONZAC (André), peintre et graveur français (Boussy-Saint-Antoine 1884 - Paris 1974). Il est l'auteur de paysages de l'Île-de-France et de la Provence, ainsi que de figures et de natures mortes. Aquafortiste de grand talent, il a notamment illustré les *Géorgiques.*

DUNS SCOT (John), philosophe et théologien écossais (Duns, Écosse, v. 1266 - Cologne 1308). Devenu franciscain, il enseigne à Oxford, Paris et Cologne. La conception de l'être que professe Duns Scot est beaucoup plus unifiante que celle de Thomas* d'Aquin : il considère la métaphysique comme la science de l'*étant,* celle qui remonte du sensible vers Dieu, et qui l'atteint malgré l'imperfection du monde, car la création est une. Il justifie d'ailleurs l'existence de la « philosophie chrétienne », en ce sens qu'il affirme, au nom de la foi en Dieu, le réalisme de la connaissance.

DUNSTABLE (John), compositeur anglais († 1453). On lui doit des messes et des motets, isorythmiques ou non, qui sont à la source d'une transformation du langage musical en Europe, à la fin de l'Ars* nova.

DUN-SUR-AURON (18130), ch.-l. de cant. du Cher, à 21 km au N.-E. de Saint-Amand-Montrond; 4 211 hab. Église romane.

DUN-SUR-MEUSE (55110), ch.-l. de cant. de la Meuse, sur la Meuse, à 13 km au S. de Stenay; 782 hab.

DUO → SONATE.

DUODÉNUM → INTESTIN.

DUPANLOUP (Félix), prélat français (Saint-Félix, Savoie, 1802 - château de Lacombe, Savoie, 1878). Longtemps directeur de séminaire, il est considéré comme l'un des chefs du catholicisme libéral. Évêque d'Orléans en 1849, député à l'Assemblée nationale de 1871, il contribue fortement à la préparation et au vote des lois scolaires de 1850 (loi Falloux) et de 1875, favorables à l'Église. Durant le Ier concile du Vatican, Mgr Dupanloup est l'un des principaux représentants de la minorité qui considère comme inopportune la définition de l'infaillibilité pontificale.

DUPARC (Henri FOUQUES-), compositeur français (Paris 1848 - Mont-de-Marsan 1933). Élève de C. Franck, admirateur de Wagner, il a contribué, dans les œuvres rares, mais de qualité, qui subsistent de lui, à rénover le style de la mélodie française. Ses poèmes vocaux vont de la romance à la cantate; tour à tour narratifs, méditatifs, dramatiques, ils sont soutenus par un riche commentaire pianistique *(l'Invitation au voyage, la Vie antérieure, Phydilé, la Vague et la cloche).*

DUPERRÉ (Victor Guy, *baron*), amiral français (La Rochelle 1775 - Paris 1846). Commandant l'expédition d'Alger en 1830, il décida le débarquement de Sidi-Ferruch. Fait amiral par Louis-Philippe, il fut plusieurs fois ministre de 1834 à 1843.

Dupes *(journée des)* → MARIE DE MÉDICIS.

DUPETIT-THOUARS (Abel AUBERT), amiral français (près de Saumur 1793 - Paris 1864). Neveu d'Aristide Aubert Dupetit-Thouars (1760-1798) tué comme commandant du *Tonnant* à la bataille d'Aboukir, il effectue sur la *Vénus* un voyage autour du monde (1836-1839), chasse de Tahiti le missionnaire anglais Pritchard et y établit le protectorat français (1842).

DU PHLY (Jacques), compositeur français (Rouen 1715 - Paris 1789). Claveciniste et organiste, il est l'auteur de quatre livres de pièces de clavecin, qui comptent parmi les meilleures après celles de Rameau.

DUPIN (*baron* Charles), économiste et mathématicien français (Varzy, Nivernais, 1784 - Paris 1873). On lui doit la détermination de la surface dont toutes les lignes de courbure sont des cercles et que l'on a appelée la *cyclide de Dupin.* Il contribua à la création des services statistiques français.

DUPLEIX (Joseph François), administrateur français (Landrecies 1696 - Paris 1763). Gouverneur de Chandernagor (1730), puis (1741) de la Compagnie des Indes, il bat les Anglais sur le territoire indien durant la guerre de la Succession d'Autriche, posant ainsi les bases d'un Empire français. Mais, rappelé en France en 1754 pour rendre compte de sa gestion, Dupleix ne peut rien pour éviter l'effondrement de l'Inde française durant la guerre de Sept Ans.

DUPLESSIS (Maurice LE NOBLET), homme politique québecois (Trois-Rivières 1890 - Schefferville 1959). Leader des conservateurs québécois à partir de 1933, il fonde l'Union nationale, qui triomphe aux élections de 1936. Au pouvoir de 1936 à 1939, puis de 1944 à sa mort, M. Duplessis établit un régime conservateur.

DUPLOYÉ (*abbé* Émile), ecclésiastique français (Notre-Dame-de-Liesse, Aisne, 1833 - Saint-Maur-des-Fossés 1912), inventeur d'une méthode de sténographie.

DUPONT de l'Étang (Pierre Antoine, *comte*) → BAILÉN.

DUPONT de l'Eure (Jacques Charles), homme politique français (Le Neubourg 1767 - Rouge-Perriers 1855). Avocat, membre du Conseil des Cinq-Cents sous le Directoire, il est député d'opposition pendant la Restauration. Il participe à la révolution de 1830 et devient ministre de la Justice. En 1848, il est désigné comme président du gouvernement provisoire.

DUPONT (Pierre), poète et chansonnier français (Lyon 1821 - *id.* 1870). Auteur de chants républicains et socialistes (*le Chant des ouvriers,* 1846) admirés par Baudelaire, mais qui le firent condamner à la déportation, il se consacra ensuite à la chanson d'inspiration rustique *(les Bœufs).*

DU PONT DE NEMOURS (Pierre Samuel), économiste et homme politique français (Paris 1739 - Eleutherian Mills, près de Wilmington, Delaware, 1817). Disciple de Quesnay*, il employa le premier l'expression de *physiocratie.* Membre de l'Assemblée nationale de 1789, puis du Conseil des anciens, proscrit après le 18-Fructidor, il se réfugia aux États-Unis. — Son fils, ELEUTHÈRE IRÉNÉE, chimiste français (Paris 1771 - Philadelphie 1834) étudia avec Lavoisier la fabrication de la poudre. Menacé par la Révolution, il émigra aux États-Unis et fonda en 1802, près de Wilmington, une poudrerie qui fut le point de départ de la firme Du Pont De Nemours. — Le petit-fils du précédent, PIERRE SAMUEL (Wilmington, Delaware, 1870 - *id.* 1954) organisa le complexe industriel Du Pont De Nemours.

DUPONT-SOMMER (André), orientaliste français (Marnes-la-Coquette 1900). Professeur à la Sorbonne, puis au Collège de France, il se spécialisa dans les études araméennes (*les Araméens,* 1949). Ses traductions et commentaires des manuscrits de la mer Morte* font autorité (*les Écrits esséniens découverts près de la mer Morte,* 1949 et 1968). Épigraphiste, il a publié d'importantes inscriptions palmyréniennes, phéniciennes et araméennes.

DU PORT (Adrien), homme politique français (Paris 1759 - Appenzell 1798). Député de la noblesse aux États généraux, il se rallie à la cause du tiers état, et forme, avec Barnave* et Lameth*, un triumvirat libéral. Mais, rallié à la cause royale après Varennes (1791), Du Port doit s'exiler après le 10 août 1792.

DUPRAT (Antoine), homme politique et prélat français (Issoire 1463 - Nantouillet 1535). Premier président au Parlement de Paris (1508), chancelier (1515), il entre dans les ordres et devient, dès 1525, archevêque de Sens tout en gardant la chancellerie. Négociateur du concordat de Bologne en 1516, il reçoit en 1527 le chapeau de cardinal.

DUPRÉ (Guillaume) → NUMISMATIQUE.

DUPRÉ (Louis), « danseur noble » français (Rouen 1697 - † 1774). Son style et sa technique servirent de modèles à tous les danseurs de son temps.

DUPRÉ (Jules), peintre français (Nantes 1811 - L'Isle-Adam 1889). Ami de Th. Rousseau, admirateur des Hollandais et ayant connu en 1835, à Londres, la peinture d'un Constable, c'est un paysagiste plus romantique que ses pairs de l'école de Barbizon*. Mélancolique, il a une prédilection pour les motifs crépusculaires.

DUPRÉ (Marcel), compositeur français (Rouen 1886 - Meudon 1971). Prix de Rome, organiste virtuose, il succéda à son maître Ch.-M. Widor à Saint-Sulpice, en 1934. Remarquable improvisateur, on lui doit de nombreuses pages pour orgue, entre autres des préludes et fugues, une *Symphonie-Passion, le Chemin de la Croix,* des chorals et *le Tombeau de Titelouze.* Un temps directeur du conservatoire de Paris, il a été élu à l'Académie des beaux-arts en 1954.

DUPUY DE LÔME (Henri), ingénieur français (Ploëmeur 1816 - Paris 1885). Ingénieur du génie maritime, il construisit le *Napoléon* (1850), premier navire rapide à hélices armé de quatre-vingt-dix canons, puis il dressa les plans des premiers cuirassés* *Gloire* (1859), *Invincible* et *Normandie.* Pendant le siège de Paris, en 1870, il s'occupa des aérostats et en fit sortir soixante de la capitale.

DUPUYTREN (Guillaume), chirurgien français (Pierre-Buffière, Limousin, 1777 - Paris 1835), attaché à Louis XVIII, puis à Charles X. Il rénova l'anatomie pathologique et mit au point les interventions pour les fistules lacrymales, les anus artificiels et la taille de la vessie. Il a laissé son nom à un type de fracture des os de la jambe et à la rétraction de l'aponévrose palmaire.

DUQUE DE CAXIAS, v. du Brésil, banlieue nord de Rio de Janeiro; 431 000 hab.

DUQUESNE (Abraham, *marquis*), marin français (Dieppe 1610 - Paris 1688). À partir de 1627, il participe à toutes les grandes opérations navales de la France durant les guerres de Trente Ans et de Hollande (victoires des Lipari et de Syracuse, 1676). De 1681 à 1684, il mène des expéditions punitives contre Tripoli et Alger et contre Gênes, alliée aux Espagnols.

DURANCE (la), cours d'eau des Alpes françaises du Sud; 305 km. Née près du col du Montgenèvre, la Durance s'écoule vers le sud-ouest, passe à Briançon, reçoit le Guil (r. g.), puis atteint Embrun, avant de recevoir l'Ubaye (r. g.). Elle se dirige, en aval, vers le sud, rejointe par le Buech (r. dr.), puis la Bléone (r. g.) et surtout le Verdon (r. g.). En aval de ce dernier confluent, elle coule vers l'ouest, vers le Rhône qu'une partie de ses eaux rejoint au S. d'Avignon, l'autre partie étant détournée vers l'étang de Berre. Variant autrefois considérablement d'une saison à l'autre, le débit de la Durance a été en grande partie régularisé par le grand barrage de Serre-Ponçon, commandant l'alimentation d'un très grand nombre de centrales hydroélectriques (dont celles de Serre-Ponçon même, Curbans, Sisteron, Oraison, Saint-Estève-Janson et Saint-Chamas, d'amont en aval, sont les plus productives). En année moyenne, la Durance, dont l'équipement est achevé, fournit de 6 à 8 TWh, apport approximativement équivalent à celui du grand canal d'Alsace*.

DURANGO, v. du Mexique, au pied de la sierra Madre occidentale, capit. de l'*État de Durango;* 151 000 hab.

DURANTE (Francesco), compositeur italien (Frattamaggiore 1684 - Naples 1755). Pédagogue, il a formé au conservatoire de Naples quantité de disciples. On lui doit des œuvres religieuses (messes, motets, *Magnificat*) et instrumentales (sonates, concertos).

DURANTY (Louis Edmond), écrivain et critique d'art français (Paris 1833 - *id.* 1880). Ami et admirateur de Degas, il fut le premier à consacrer des études aux impressionnistes (*la Nouvelle Peinture,* 1876) et publia des romans réalistes (*le Malheur d'Henriette Gérard,* 1860).

DURÃO (José DE SANTA RITA), poète brésilien (Cata Preta, Minas Gerais, 1722 - Lisbonne 1784), auteur d'une épopée en vers, *Caramuru* (1781), première œuvre nationale ou « indianiste ».

DURAS (47120), ch.-l. de cant. de Lot-et-Garonne, à 23 km au N. de Marmande; 1 245 hab.

DURAS (Marguerite), femme de lettres française (Gia Dinh, Indochine, 1914). Ses romans (*le Marin de Gibraltar,* 1952; *l'Après-midi de Monsieur Andesmas,* 1962; *l'Amante anglaise,* 1967; *Détruire, dit-elle,* 1969; *l'Amour,* 1972), ses nouvelles (*Des journées entières dans les arbres,* 1954) et son théâtre (*les Viaducs de Seine-et-Oise,* 1960; *le Shaga,* 1968) mettent en scène des personnages qui tentent d'échapper à une aliénation amoureuse ou sociale et à la solitude par le voyage, le crime, la mort. Elle a participé à (ou réalisé elle-même) l'adaptation cinématographique de plusieurs de ses romans (*Barrage contre le Pacifique,* écrit en 1950, film de René Clément en 1958; *Moderato cantabile,* écrit en 1958, film de Peter Brook en 1960; *Jaune le soleil,* film tiré, en 1972, de *Abahn, Sabana, David,* 1970; *India Song,* 1975; *Vera Baxter,* 1976).

DURBAN, principal port de l'Afrique du Sud (Natal), sur l'océan Indien; 843 000 hab. Raffinage du pétrole.

DURBAN-CORBIÈRES (11360), ch.-l. de cant. de l'Aude, à 27,5 km au S.-O. de Narbonne; 564 hab.

DURÉE → NOTATION MUSICALE.

DURE-MÈRE → MÉNINGE.

DÜREN, v. de l'Allemagne fédérale (Rhénanie-du-Nord-Westphalie), à l'O. de Cologne; 54 000 hab. Industrie automobile.

Durendal ou **Durandal,** nom que porte l'épée de Roland dans les chansons de geste.

DÜRER (Albrecht), peintre et graveur allemand (Nuremberg 1471 - *id.* 1528). Fils d'un orfèvre nurembergeois d'origine hongroise, il entre en apprentissage en 1486 chez le peintre et graveur Wolgemut. De 1490 à 1494, il effectue son tour de compagnon, s'arrêtant notamment à Colmar, où il recueille l'héritage graphique de Schongauer, à Bâle, à Strasbourg, et passant peut-être par les Pays-Bas. Il peint son premier autoportrait, en fiancé (Louvre), se marie à Nuremberg et fait un premier voyage à Venise, exécutant en route d'admirables aquarelles. Ses premiers burins, v. 1495, reflètent la connaissance de Mantegna, tandis que les xylographies (*Apocalypse,* en quinze planches, 1498) sont d'un graphisme fougueux et bouillonnant, encore médiéval. Pénétré du statut nouveau de l'artiste, il fréquente le milieu humaniste de Nuremberg et travaille pour l'Électeur de Saxe Frédéric le Sage. Le *retable Paumgartner* (Munich) et l'*Adoration des Mages* (1504, Offices, Florence) montrent sa maîtrise de la construction spatiale et du traitement monumental des figures, en même temps que son attention aux détails (flore, faune...). Un second séjour à Venise (1505-06), triomphal, complète son assimilation du langage de la Renaissance (*Fête du Rosaire,* 1506, Prague; *Adam* et *Ève,* 1507, Prado, Madrid). En 1511 sont édités les bois de la *Grande Passion,* de la *Petite Passion* et de la *Vie de la Vierge;* suivent les cuivres de la *Petite Passion* et de chefs-d'œuvre comme *le Chevalier, la Mort et le diable* et la *Melancolia*.* De 1515 à 1519, il travaille pour l'empereur Maximilien. En 1520, un voyage aux Pays-Bas confirme sa gloire (portrait de B. Van Orley, fusain, British Museum). De retour à Nuremberg, il se passionne pour les théories sur l'art, publiant son *Instruction sur la manière de mesurer* (1525), que suivra, en 1528, le *Traité des proportions du corps humain.* Après des portraits peints ou gravés (Melanchthon, etc.), d'une acuité saisissante, cette œuvre, où la puissance plastique a succédé à la beauté linéaire, s'achève sur le testament des *Quatre Apôtres* (1526, Munich), d'une couleur dense, majestueux et graves.

DURG, v. de l'Inde, dans le sud du Madhya Pradesh; 245 000 hab. (avec le centre sidérurgique voisin de Bhilai).

DURGAPUR, v. de l'Inde (Bengale-Occidental), dans la vallée de la Dāmodar; 207 000 hab. Centre industriel (aciérie, métallurgie de transformation, chimie).

DURHAM, comté du nord de l'Angleterre, sur la mer du Nord. Élevage qui a produit une race bovine réputée. Son chef-lieu, *Durham,* possède une majestueuse cathédrale en roman normand, aux bas-côtés voûtés de croisées d'ogives dès les environs de 1100, à chapelle absidiale en gothique primitif.

DURILLON → PIED.

DURKHEIM (Émile), sociologue français (Épinal 1858 - Paris 1917). Héritier du positivisme, il fut le premier à présenter des modèles sociologiques scientifiques et à tracer la voie aux développements futurs de la sociologie. Partant de l'affirmation « les faits sociaux doivent être traités comme des choses », il donne ainsi une définition du normal et du pathologique applicable à chaque société (*Règles de la méthode sociologique,* 1894). Le normal, c'est ce qui est à la fois obligatoire pour l'individu et supérieur à lui. C'est dire que la société et la conscience collective sont des entités morales, avant même d'avoir une existence tangible. Cette prépondérance morale de la société sur l'individu doit permettre l'épanouissement de celui-ci s'il parvient à s'intégrer dans cette structure. Pour qu'un certain consensus* règne dans cette société, il faut favoriser le développement d'une solidarité* entre ses membres. Mais, comme Durkheim l'expose dans son ouvrage *De la division* du travail social,* la solidarité variant selon le degré de modernité de la société, la norme morale tend à devenir une norme juridique, car il faut définir dans une société moderne des règles de coopération et d'échange de services entre participants au travail collectif.

À partir du normal, Durkheim analyse le pathologique. Les sociétés modernes sont malades car atteintes d'anomie*. Elles sont soumises à un changement social si brutal que la connaissance collective n'a pas le temps de mettre au point un corps de réglementation adéquate. Face à l'immense masse d'hommes que représente une nation moderne, l'individu ne peut se sentir que solitaire : la mort volontaire procède de causes sociales et non individuelles (*le Suicide**, 1897). La sociologie s'est fortifiée grâce à Durkheim, mais aussi par l'apport de toute une équipe de chercheurs groupés autour de lui dans la rédaction d'une revue *l'Année sociologique,* qui affirma la prééminence dans le monde entier de l'école durkheimienne.

DUROC (Christophe Michel), duc **de Frioul,** général français (Pont-à-Mousson 1772-près de Görlitz 1813). Ancien aide de camp et ami de Bonaparte, il devient grand maréchal du palais (1804) et sera tué en Silésie peu après la bataille de Bautzen.

DURRELL (Lawrence), écrivain britannique (Darjeeling, Inde, 1912). Marqué par l'influence d'Henry Miller et attiré par le monde grec et les paysages méditerranéens, il cherche à créer dans ses poèmes, son théâtre *(Un Faust irlandais)* et ses romans un « univers héraldique », où la mouvance de la vie se transpose en un objet esthétique délivré du temps (*le Carnet noir,* 1938 — le « Quatuor d'Alexandrie » : *Justine,* 1957; *Balthazar,* 1958; *Mountolive,* 1958; *Clea,* 1960 — *Cefalu,* 1960; *Monsieur ou le prince des ténèbres,* 1976) et où les seules crises profondes sont celles de la sensibilité plastique et littéraire (*Tunc,* 1968; *Nunquam,* 1970). Sous le pseudonyme d'OSCAR EPFS, il a peint des aquarelles et des gouaches.

DÜRRENMATT (Friedrich), écrivain suisse d'expression allemande (Konolfingen, cant. de Berne, 1921). Romancier (*le Juge et son bourreau,* 1952; *le Soupçon,* 1953; *la Panne,* 1956), il est avant tout auteur dramatique, dans une œuvre dont il s'efforce de définir l'esthétique (*Écrits sur le théâtre,* 1955-1972) et qui l'apparente à Max Frisch* et à Brecht* (dont il refuse cependant le style épique et le didactisme révolutionnaire). Sa conscience de protestant et son humour baroque s'unissent pour une critique toujours reprise des illusions et des oppressions humaines, dans les tonalités différentes du drame expressionniste *(les Fous de Dieu,* 1947; repris en 1967 sous le titre *les Anabaptistes),* de la parabole historique (*Romulus le Grand,* 1949; *Un ange* vient à Babylone,* 1953; *les Physiciens,* 1961), de la comédie de mœurs (*le Mariage de Monsieur Mississippi,* 1952; *la Visite* de la vieille dame,* 1956) ou de la parodie d'opéra (*Frank* V,* 1959).

DURRËSI, port d'Albanie, sur l'Adriatique; 55 000 hab.

DURTAL (49430), ch.-l. de cant. de Maine-et-Loire, sur le Loir, à 13 km à l'O. de La Flèche; 3 255 hab. Château des XVe et XVIIe s. Église romane.

DURUY (Victor), historien et homme politique français (Paris 1811-*id.* 1894). Maître de conférences à l'École normale, inspecteur général, il est, de 1863 à 1869, ministre de l'Instruction publique. Il accomplit alors une œuvre importante, à contre-courant de l'opinion conservatrice : rétablissement de la licence de philosophie, introduction de l'histoire contemporaine dans l'enseignement, création d'un enseignement secondaire spécial, ouverture de cours spéciaux pour jeunes filles; il oriente un enseignement supérieur somnolent vers la recherche par la création de l'École pratique des hautes études (1867). Par la suite, Duruy se consacre à une monumentale *Histoire des Romains* (1879-1885).

DU RYER (Pierre), écrivain français (Paris 1605-*id.* 1658). Il tenta de faire triompher sa conception de la tragi*-comédie sur celle de la tragédie régulière (*Argénis et Poliarque,* 1629; *Nitocris,* 1650).

DUŠAN → ÉTIENNE IX UROŠ IV.

Du sang, de la volupté et de la mort, recueil de M. Barrès (1893), complété en 1904 et 1909. L'exaltation de la personnalité cherchée dans la grandeur (la Castille) ou l'intimité (Bruges) des paysages, dans la splendeur des villes d'art (Tolède, Sienne, Florence), dans la rigueur de la dévotion et de l'exercice créateur.

DUSE (Eleonora), tragédienne italienne (Vigevano 1858-Pittsburgh, Pennsylvanie, 1924), interprète d'Ibsen et de D'Annunzio.

DUSSAUD (Frantz), physicien suisse (Genève 1870-Paris 1953). Il présenta à la Sorbonne le premier phonographe électrique à pick-up (1896).

DUSSEK (Johann Ladislas) ou **DUSÍK** (Jan Ladislav), pianiste et compositeur originaire de Bohême (Časlav 1760-Saint-Germain-en-Laye 1812). Pédagogue et virtuose du piano, il est l'auteur de nombreuses sonates et variations qui annoncent l'ère romantique.

DÜSSELDORF, v. de l'Allemagne fédérale, capit. de la Rhénanie-du-Nord-Wesphalie, sur le Rhin; 650 000 hab. Musée d'art (arts décoratifs; sculptures; peintures, dont celles des « nazaréens* » Cornelius et Schadow et de leurs héritiers). Au S.-O. de la Ruhr, entre Duisburg et Cologne, la ville est d'abord un centre tertiaire (commercial, financier, siège de nombreuses sociétés internationales), bien desservi par l'eau (port fluvial), la route, le rail et l'air (important aéroport), où l'industrie tient cependant une place notable (métallurgie lourde et constructions mécaniques, chimie, verrerie, etc.).

DŪST MUHAMMAD → AFGHĀNISTĀN.

DUTERT (Ferdinand) → FER *(architecture du).*

DUTILLEUX (Henri), compositeur français (Angers 1916). Sans refuser la tradition, il s'est forgé un langage personnel et complexe (deux symphonies, *Métaboles, Tout un monde lointain*).

DUTRA (Enrico), général et homme d'État brésilien (Cuiabá 1885-Rio de Janeiro 1974). Ministre de la Guerre de 1936 à 1945, il organisa la force expéditionnaire qui combattit en Italie dans les rangs alliés (1944) et fut président du Brésil de 1946 à 1951.

DUTROCHET (René Joachim Henri), physiologiste français (Néons 1776-Paris 1847). Précurseur de la méthode expérimentale en physiologie et en biologie, il a découvert le phénomène de l'osmose*, observé la structure cellulaire et la diapédèse des globules blancs, pressenti les sécrétions internes, décrit la reviviscence chez les rotifères et suivi le développement embryonnaire de nombreuses espèces.

DUTUIT, collectionneurs français : EUGÈNE (Marseille 1807-Rouen 1886) et son frère AUGUSTE (Paris 1812-Rome 1902). Ils ont légué à la ville de Paris leur importante collection d'objets d'art, de céramiques, de livres, d'estampes (œuvres complètes de Dürer et de Rembrandt) et de peintures, auj. exposée au Petit Palais.

DUUN (Olav), écrivain norvégien (Fosnes, Nord-Tröndelag, 1876-Tönsberg 1939). Ses romans, marqués par la psychologie d'Ibsen, peignent, dans une tonalité épique, la nature et les habitants des fjords (*Gens de Juvik,* 1918-1923; *les Hommes et les forces,* 1938).

DUVAL (Émile Victor, dit **le général**), membre de la Commune de Paris (Paris 1841-*id.* 1871). Officier de la garde nationale en 1870, il fut l'un des chefs militaires de la Commune, dirigea l'attaque de Châtillon, fut fait prisonnier et fusillé.

DUVALIER (François), homme d'État haïtien (Port-au-Prince 1909-*id.* 1971). Médecin, il devient ministre de la Santé publique et s'oppose, en 1954, au président Magloire, qu'il contraint à l'exil. Il est élu président de la République avec l'aide de l'armée en 1957; réélu en 1963, il se fait nommer président à vie en 1964. S'appuyant sur une garde policière, il exerce une véritable dictature et réprime durement toute opposition. Un amendement de la Constitution lui permet de désigner comme successeur son fils, JEAN-CLAUDE (Port-au-Prince 1951), qui devient président à vie le 22 avril 1971.

DUVERGER (Maurice), juriste et sociologue français (Angoulême 1917). Ses travaux sur *l'Influence des systèmes électoraux sur la vie politique* (1950) ont largement contribué à l'essor de la sociologie électorale*. L'analyse des phénomènes politiques l'ont conduit à étudier plus spécialement les partis politiques en tant qu'objet sociologique (*Sociologie politique,* 1968).

DU VERGIER DE HAURANNE (Jean), dit **Saint-Cyran,** théologien français (Bayonne 1581-Paris 1643). Très lié à Jansénius*, il est nommé, en 1620, abbé de Saint-Cyran. Étant entré en relation avec la famille Arnauld*, il devient, en 1636, le directeur spirituel des religieuses de Port-Royal des Champs : la hardiesse de ses doctrines, notamment en matière de salut, et ses accointances avec le parti dévot lui attirent l'inimitié de Richelieu, qui le fait interner à Vincennes. (V. JANSÉNISME.)

DUVERNOY (Georges Louis), anatomiste et zoologiste français (Montbéliard 1777-Paris 1855), auteur, avec Cuvier, des *Leçons d'anatomie comparée.*

DUVET (Jean), orfèvre, médailleur et graveur français (Langres v. 1485-*id.* v. 1570). Actif à Dijon, Langres et Genève, il est surtout connu pour ses burins, qui doivent à Dürer et aux Italiens tout en gardant quelque chose de gothique dans la surabondance et l'étrangeté (*Apocalypse,* 24 planches, 1545-1556; *Histoire de la licorne,* allégorie se rapportant peut-être à Diane de Poitiers).

DUVIGNAUD (Jean AUGER), sociologue français (La Rochelle 1921). On lui doit surtout des ouvrages sur le rôle social de l'art, du théâtre et du comédien (*Sociologie de l'art,* 1967).

DU VIGNEAUD (Vincent), chimiste américain (Chicago 1901). Il a déterminé la structure et réalisé la synthèse d'hormones polypeptidiques. (Prix Nobel de chimie, 1955.)

DVINA OCCIDENTALE (la), fl. de l'ouest de l'U. R. S. S., qui se jette dans la Baltique (golfe de Riga); 1 024 km.

DVINA SEPTENTRIONALE (la), fl. du nord-ouest de l'U. R. S. S., qui se jette dans la mer Blanche, à Arkhangelsk; 1 293 km.

DVOŘÁK (Antonín), compositeur tchèque (Nelahozeves 1841-Prague 1904). Professeur aux conservatoires de Prague et de New York, il a utilisé les folklores tchèque et slave dans une esthétique romantique, tant dans sa musique de chambre que dans sa musique symphonique (concertos, poèmes symphoniques, 3 symphonies, dont celle du *Nouveau Monde,* 1893). Il est l'auteur d'un célèbre *Stabat Mater.*

DYKE → VOLCANIQUE *(relief).*

DYLE (la), riv. de Belgique, qui se joint à la Nèthe pour former le Rupel; 86 km. Elle passe à Louvain et à Malines.

DYNAMIQUE. — La dynamique comprend la dynamique du point et la dynamique des systèmes, qui en est la généralisation, c'est-à-dire l'étude des systèmes de points, soit libres, soit soumis à des liaisons. La dynamique est fondée sur trois principes : le *principe de l'inertie* (si le point est seul dans un espace défini par trois axes fixes, son accélération est nulle); le *principe de l'indépendance des effets des forces** (si un point est soumis à plusieurs forces, son accélération résultante est la somme géométrique des accélérations que chacune de ces forces produirait séparément); le *principe de l'invariabilité de la masse** d'un point matériel (c'est le rapport constant de toute force F appliquée à ce point à l'accélération γ qu'elle lui imprime : $\frac{F}{\gamma} = m$ ou $F = m\gamma$. Un champ de forces est un champ de vecteurs; les lignes de force sont tangentes en chacun de leurs points à la force appliquée en ce point. Si un corps P exerce une charge normale N sur un plan, son mouvement exige une force T telle que $T = fN$; f est le *coefficient de frottement* qui est la tangente d'un angle φ. Le travail est la notion qui a le plus d'importance en pratique. Le travail d'une force F, pour un déplacement élémentaire MM′, est le produit

$$F \times MM' \times \cos \widehat{(F, MM')};$$

c'est donc le produit du déplacement par la projection de la force (ou le produit de la force par la projection du déplacement). On en déduit que, si le déplacement MM′ est la somme géométrique de plusieurs déplacements, le travail d'une force $\vec{F}$ correspondant au déplacement résultant MM′ est la somme algébrique des travaux de cette même force F correspondant aux déplacements composants; de même, le travail total d'une force résultante est égal à la somme algébrique des travaux totaux des forces composantes. Analytiquement, si X, Y, Z sont les projections de la force $\vec{F}$ sur trois axes, et dx, dy, dz les projections du déplacement élémentaire (MM′), le travail est

$$d\mathcal{C} = X dx + Y dy + Z dz.$$

Si X, Y et Z sont les dérivées partielles

$$\frac{\partial \varphi}{\partial x}, \quad \frac{\partial \varphi}{\partial y}, \quad \frac{\partial \varphi}{\partial z}$$

d'une fonction $\varphi(x, y, z)$, on a $d\mathcal{C} = d\varphi$; $d\mathcal{C}$ est une différentielle* totale; φ est une fonction de forces; le travail de A en B est le même, quel que soit le trajet suivi. Il existe un potentiel de forces U tel que $U + \varphi = 0$ ou $U = -\varphi$. U, de même que φ, est indépendant du système de coordonnées*. Les surfaces de niveau sont données par φ = constante. Si dn est la distance entre deux surfaces de niveau, le travail de F sur cette distance est $d\varphi = F\,dn$ ou $F = \frac{d\varphi}{dn}$.

DYNAMIQUE DES FLUIDES → AÉRODYNAMIQUE et HYDRODYNAMIQUE.

DYNAMITE → EXPLOSIF.

DYNAMO. — Une dynamo, ou *machine dynamoélectrique*, est une machine tournante à induction transformant l'énergie mécanique en courant électrique continu. Éventuellement, elle peut réaliser la transformation inverse et servir de moteur à courant continu. Une dynamo comprend essentiellement :

1. un *inducteur* fixe, électroaimant qui comporte un nombre pair de pôles et qui est excité soit par une source indépendante, soit par le courant de la dynamo après amorçage;
2. un *induit*, enroulement fermé sur lui-même, régulièrement bobiné sur une armature formée de tôles au silicium et qui tourne dans la cavité comprise entre les pièces polaires, l'armature portant des dents et des encoches où sont disposés, parfaitement isolés, les *conducteurs actifs* de l'induit;
3. un système permettant de redresser et de recueillir les courants induits dans la machine (commutation). Ce système comprend un *collecteur* en cuivre, solidaire de l'induit, et un ensemble de *balais*, fixes dans l'espace, de même nombre que les pôles, et qui transmettent le courant à la plaque à bornes de la machine.

Dans un même secteur polaire, tous les conducteurs actifs de l'induit coupent les lignes d'induction de même sens et sont le siège de forces électromotrices de même signe. Le collecteur et les balais assurent la commutation et le redressement, les forces électromotrices changeant de sens lorsque les conducteurs actifs changent de secteur polaire. La force électromotrice de l'ensemble est proportionnelle à la vitesse de l'induit, au nombre total de conducteurs périphériques et au flux magnétique inducteur.

DYNAMOMÈTRE. — Dans la plupart des dynamomètres, on fait équilibre à la force à évaluer par la tension d'un ressort; celui-ci affecte, d'ailleurs, des formes très diverses. Tantôt c'est une lame d'acier repliée sur elle-même, tantôt un ressort à boudin, tantôt un ensemble de deux lames d'acier légèrement cintrées, réunies par deux tiges articulées à leurs extrémités, etc. Il existe des dynamomètres de *traction* et des dynamomètres de *compression*, ainsi que des dynamomètres de *torsion*, qui mesurent un couple.

Certains dynamomètres sont enregistreurs, c'est-à-dire qu'ils indiquent la série continue des valeurs par lesquelles passe, pendant un temps donné, un effort variable.

DYSCHROMATOPSIE → VISION.

DYSENTERIE. — Les causes de dysenterie sont diverses et leurs manifestations d'importance variable. On peut rappeler les syndromes dysentériques observés au cours de l'amibiase* intestinale, du choléra* et de la typhoïde*, pour insister sur la *dysenterie bacillaire*, ou *shigellose* (due aux bacilles de Shiga). C'est une maladie infectieuse, contagieuse, surtout rencontrée dans les pays non développés.

Sur le plan clinique, la dysentrie bacillaire associe à un syndrome infectieux des douleurs abdominales, avec diarrhée mucosanglante de gravité variable. Son diagnostic repose sur l'examen des selles et sur la coproculture. Les sulfamides et les antibiotiques sont efficaces.

DYSIDROSE ou **DYSHIDROSE** → SUEUR.

DYSLEXIE → LECTURE.

DYSMÉNORRHÉE → MENSTRUATION.

DYSORTHOGRAPHIE → ORTHOGRAPHE.

DYSPAREUNIE → COÏT.

DYSPEPSIE → DIGESTION.

DYSPNÉE → RESPIRATION.

DYSPROSIUM. — C'est l'élément chimique n° 66, de masse atomique Dy = 162,46. Il a été découvert, en 1886, par Lecoq de Boisbaudran, grâce à l'analyse spectrale. C'est un métal blanc, fondant vers 1 500 °C, donnant des sels aux solutions vert pâle. Très rare, il n'a pas d'applications particulières.

DYSPROTÉINÉMIE. — Les protéines plasmatiques peuvent subir des variations quantitatives, comme au cours des syndromes néphrotiques, des cirrhoses, et des variations qualitatives (présence de protéines anormales), comme dans le myélome (tumeur de la moelle osseuse) et dans la macroglobulinémie de Waldenström (où une globuline de fort poids moléculaire [macroglobuline] apparaît dans le sang).

DYSTOCIE → ACCOUCHEMENT.

DYSTONIE → NEURO-VÉGÉTATIF *(système)* et MUSCLE.

DYSTROPHIE. — Troubles de la nutrition des tissus, les dystrophies aboutissent à des modifications de forme, de volume et de fonctionnement des organes. L'atrophie et l'hypertrophie en sont des modalités particulières. Des dystrophies peuvent s'observer au niveau de la plupart des organes : seins, ovaires, poumons, muscles, tissu cellulaire et aponévroses, peau, os et articulations.

DYTIQUE. — Les coléoptères aquatiques sont relativement peu nombreux, et le dytique est l'un des plus communs. Cet insecte ovale, lisse, parfaitement hydrodynamique, de la taille d'un hanneton, nage avec aisance grâce à ses pattes postérieures aplaties et frangées. Une provision d'air ventrale lui permet de longues plongées, on pense même que des échanges d'oxygène avec l'eau peuvent avoir lieu. Le dytique est un carnassier redoutable. L'accouplement a lieu dans l'eau, et le mâle possède à cette fin de curieuses ventouses sur les pattes de devant. La larve, allongée, très différente de l'adulte, perce les proies de ses mandibules creuses et crochues et aspire par la même voie leur chair liquéfiée, de sorte qu'elle n'a pas de bouche. Elle chasse encore plus activement que l'adulte.

DZERJINSK, v. de l'U. R. S. S. (R. S. F. S. de Russie), à l'O. de Gorki; 221 000 hab.

DZERJINSKI (Feliks Edmoundovitch), homme politique soviétique (Vilnious 1877-Moscou 1926). Militant révolutionnaire, il organise en 1900 la « social-démocratie du royaume de Pologne et de Lituanie ». Après la révolution d'octobre 1917, dont il est l'un des organisateurs, il dirige la Tcheka (1917-1922), puis la Guépéou. Commissaire du peuple aux Transports (1921), il devient, en 1924, le président du Conseil économique suprême.

DZOUNGARIE ou **DJOUNGARIE,** région du nord-ouest de la Chine, dans le Sin-kiang, entre les chaînes de l'Altaï et du T'ien-chan. C'est une vaste dépression aride qui, à l'ouest, est reliée au Kazakhstan soviétique par la *porte de Dzoungarie.* — Les Européens ont donné son nom à l'empire, fondé au XVIIe s. par les Mongols occidentaux (appelés Oïrats ou Kalmouks* ou Dzoungars), qui s'étendait de la Sibérie russe au khānat de Boukhara et à la Chine. Les Dzoungars établirent leur protectorat sur la Kachgarie musulmane et dominèrent Lhassa, métropole du bouddhisme tibétain, qu'ils pratiquaient. Ils ne parvinrent pas à dominer les Mongols orientaux, alliés aux Ts'ing* de Chine, qui détruisirent leur empire en 1755-1759.

E = mc², ballet de Joseph Lazzini, musique d'Alexandre Mossolov *(Musique pour machines),* créé à Marseille en 1964, par la troupe de l'Opéra de Marseille. Empruntant la célèbre formule d'Einstein pour titrer son ballet, l'auteur, dans sa manière de visionnaire, pressent la destruction de l'homme par la matière qu'il a créée.

EALING, quartier résidentiel de l'ouest de Londres; 293 000 hab.

EAMES (Charles), architecte et designer américain (Saint Louis, Missouri, 1907). Il a eu un rôle de précurseur et d'inventeur dans le mobilier, avec de nouveaux assemblages : bois et métal pour une table; bois, plastique et métal pour des éléments de rangement; joints en caoutchouc pour les sièges qu'il traita en bois ou en polyester moulé.

EANES (Antonio dos Santos Ramalho), général et homme d'État portugais (Alcains, district de Casteló Branco, 1935). Chef d'état-major de l'armée de terre, il est élu président de la République en juin 1976.

EASTBOURNE, station balnéaire d'Angleterre, sur la Manche, au S. de Londres; 65 000 hab.

EAST KILBRIDE, v. nouvelle d'Écosse, près de Glasgow; 64 000 hab. Constructions aéronautiques. Électronique.

EAST KILDONAN, v. du Canada (Manitoba); 30 152 hab.

EAST LONDON, port de l'Afrique du Sud (prov. du Cap), sur l'océan Indien; 118 000 hab. Construction automobile.

EASTMAN (George), industriel américain (Waterville, New York, 1854-Rochester, New York, 1932). Il prépara les premières plaques au gélatino-bromure d'argent (1878), fonda la maison Kodak (1880) et créa une pellicule photographique en papier (1884), ainsi que le film transparent de nitrocellulose (1889).

EASTON (David), sociologue canadien (Toronto 1917). Spécialiste de sciences politiques, il a rompu l'analyse statique traditionnelle des systèmes politiques. Son analyse systémique porte uniquement sur les « transactions » entre le système politique et son « environnement » (*A Systems Analysis of Political Life,* 1965).

EAU. — CHIMIE. Considérée par les Anciens comme un élément, l'eau est une combinaison d'hydrogène et d'oxygène, de formule H_2O. Cavendish reconnut en 1781 qu'elle se formait dans la combustion de l'hydrogène; Carlisle et Nicholson effectuèrent son analyse électrolytique (1800), Gay-Lussac et Humboldt sa synthèse eudiométrique (1805) et Dumas sa synthèse pondérale (1843).

Liquide incolore et sans saveur, l'eau présente diverses anomalies dans ses propriétés physiques, dues à un changement de structure moléculaire. Elle possède un maximum de densité, sensiblement 1 g/cm³, à 4 °C; sa chaleur spécifique, de 1 à 15 °C (par définition de la calorie), passe par un minimum. Elle prend facilement les deux autres états physiques; par définition de l'échelle thermométrique centésimale, elle se congèle à 0 °C et bout à 100 °C, sous la pression atmosphérique normale. Elle dissout un grand nombre de substances, solides, liquides ou gazeuses.

La vapeur d'eau est un gaz incolore, de densité 5/8 par rapport à l'air. L'eau solide, ou glace, est formée de cristaux hexagonaux; plus légère que l'eau, elle a pour densité 0,92.

Formée avec un grand dégagement de chaleur à partir de ses éléments, l'eau est un composé stable; sa vapeur commence à se dissocier vers 1 300 °C. Elle peut néanmoins être décomposée par les corps avides de l'un ou l'autre de ses éléments. Le fluor ou le chlore fixent l'hydrogène et libèrent l'oxygène. Le phosphore, le carbone, de nombreux métaux s'unissent à l'oxygène et libèrent l'hydrogène. En faisant passer un courant de vapeur d'eau à travers du coke porté au rouge, on obtient le *gaz à l'eau,* mélange

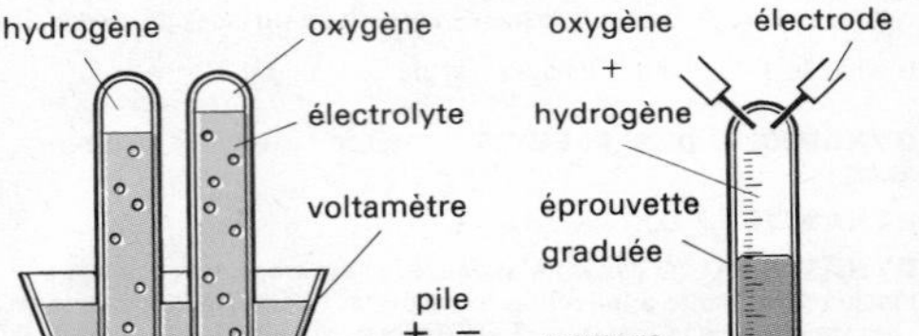

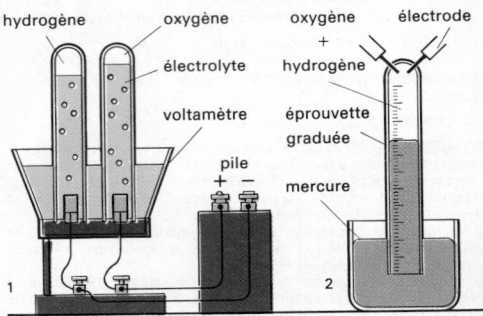

1. Analyse électrolytique; 2. Synthèse eudiométrique.

Synthèse de l'eau par l'appareil de Dumas.

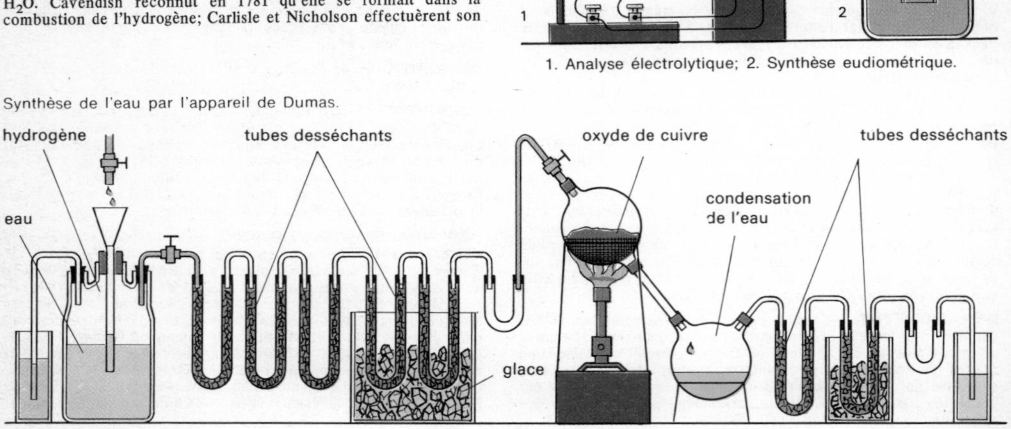

d'hydrogène et d'oxyde de carbone; les métaux alcalins décomposent l'eau à froid, le fer agit sur la vapeur d'eau au rouge.

Dans d'autres décompositions, nommées *hydrolyses*, la molécule d'eau se coupe en H et OH; ce phénomène a lieu avec les sels des acides ou des bases faibles, les esters, les chlorures d'acides, certains carbures métalliques, etc. Enfin, l'eau donne de nombreuses réactions d'addition, en fournissant des hydrates.

PHYSIOLOGIE ET PATHOLOGIE. L'eau est de beaucoup le constituant le plus important des êtres vivants quant à la masse et au volume. Considérée à un instant donné, la masse d'eau se répartit en *eau circulante* (sang, sève), en *eau non circulante libre* (lymphe interstitielle, etc.) et en *eau liée aux protéines,* difficile à libérer par des moyens purement physiques. Par ailleurs, le taux de renouvellement de l'eau est des plus variables. Il atteint son maximum chez les plantes croissant en air sec sur sol humide (évapotranspiration), son minimum chez les animaux et les plantes des déserts. La dessiccation provoque presque toujours la mort, sauf chez les organismes (lichens, mousses, petite faune des mousses) capables d'entrer en vie ralentie par *anhydrobiose* et de reprendre la vie active au retour de l'humidité *(reviviscence).*

Chez l'homme, l'eau totale correspond à 60 à 70 p. 100 du poids du corps; l'eau plasmatique à 4,5 p. 100, l'eau extracellulaire à 16 p. 100. Le bilan hydrique quotidien comporte des pertes cutanées et pulmonaires (de 800 à 1 000 ml), des pertes urinaires (de 1 000 à 1 500 ml), des pertes fécales (100 ml). Ces pertes doivent être compensées par l'eau alimentaire (eau de boisson ou contenue dans les aliments). Les états de *déshydratation* ont une traduction clinique variable suivant leur prédominance dans le secteur intra- ou extracellulaire. La déshydratation extracellulaire se marque par une tendance au collapsus (chute de la tension artérielle) et une sécheresse cutanée, la déshydratation intracellulaire par de la soif et de la fièvre. L'*hyperhydratation* (excès d'eau) *extracellulaire* se marque par une tendance à l'hypertension artérielle et par des œdèmes. L'*hyperhydratation intracellulaire* entraîne des céphalées, des nausées, des vomissements.

INDUSTRIE. Les eaux de consommation sont captées soit dans des nappes souterraines et profondes à l'abri de la pollution, soit en rivière ou dans des lacs artificiels ou naturels. Quand la nappe affleure sous forme de sources à flanc de coteau ou émerge dans un fond de vallée, l'eau est recueillie dans des galeries ou des chambres de captage en maçonnerie* perméable, d'où elle est reprise par pompage. En absence de source, on construit des puits en maçonnerie que l'on fore jusqu'à la couche imperméable sur laquelle se situe la nappe, et que l'on fonde sur une assise en matériaux perméables. Le fût de ces puits doit être imperméable jusqu'à sa base, pour éviter les infiltrations d'eaux souvent polluées qui proviennent de la surface ou de la nappe phréatique traversée. Dans les captages en lac et en rivière, les prises se font en amont des agglomérations, à l'abri des déversements nocifs. Une telle eau doit être traitée avant d'être livrée à la consommation. Elle est décantée, puis filtrée sur des matières poreuses qui la clarifient et en éliminent les germes anaérobies. Enfin, elle est stérilisée au chlore*, à l'ozone* ou aux rayons ultraviolets*, qui tuent les germes pathogènes. Certaines eaux doivent être traitées chimiquement. Quand elles sont dures, notamment trop riches en sel de calcium*, on les adoucit à l'aide de zéolites* qui abaissent leur degré hydrotimétrique. Quand elles sont trop acides, par excès de gaz carbonique*, on les traite au lait de chaux*. L'eau potable est distribuée aux agglomérations à partir de réservoirs* qui jouent le rôle de volant de capacité permettant d'assurer, grâce au volume de leur cuve et à leur altitude, un service d'eau continu sous une pression suffisante pour atteindre les points les plus élevés à desservir. Les conduites de distribution sont en fonte*, en acier*, en béton* armé ou précontraint ou en matière plastique*. Elles doivent résister aux pressions intérieures, aux coups de bélier, aux charges extérieures et au gel. Elles comportent des obturateurs

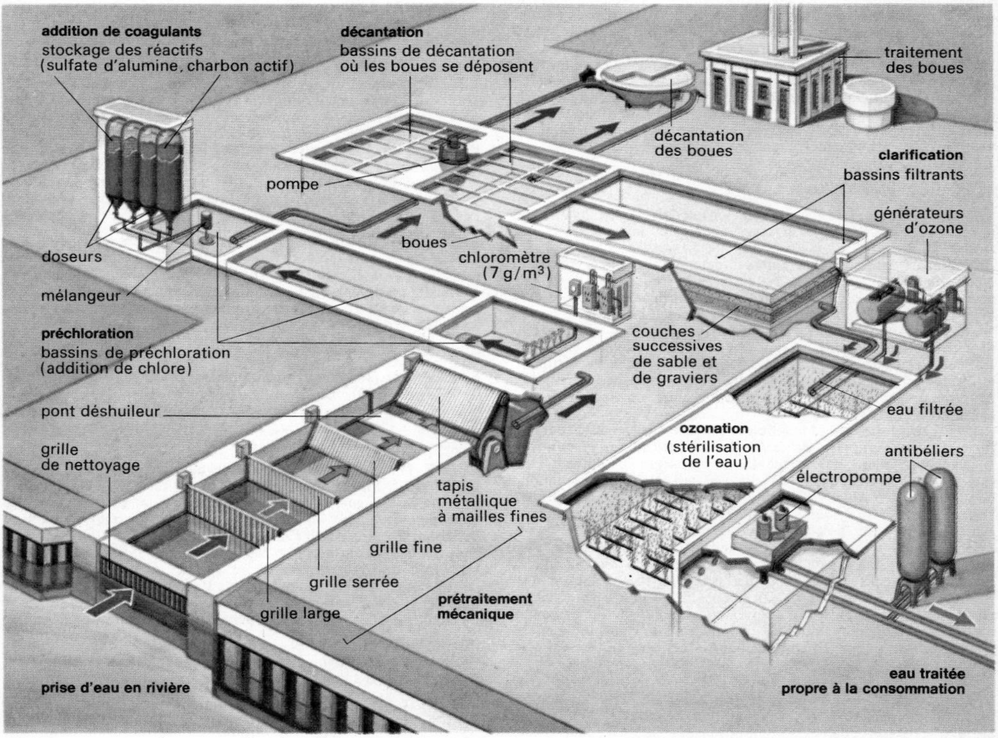

L'ÉPURATION DE L'EAU destinée à la consommation. Après dégrillage, déshuilage et tamisage, pour retenir les corps solides en suspension, l'eau, additionnée de chlore gazeux, de sulfate d'alumine et de charbon actif, est envoyée dans des bassins de décantation où les boues se déposent avant d'être ultérieurement traitées. Puis l'eau est clarifiée dans des bassins filtrants, à travers des couches successives de sable et de graviers. Épurée, elle est ensuite soumise à une stérilisation par l'ozone, puis refoulée dans les canalisations d'alimentation.

automatiques permettant d'isoler les tronçons accidentés et sont en général enterrées dans le sol à au moins un mètre de profondeur.

Évacuation des eaux pluviales et usées.

• Les *eaux pluviales* qui tombent sur une toiture inclinée sont recueillies dans des gouttières ou dans des chéneaux fixés aux «rives basses» de la couverture*. Les «gouttières pendantes», en zinc, de forme semi-circulaire, sont suspendues par des crochets aux chevrons. Les chéneaux, en tôle galvanisée, de section triangulaire ou polygonale, reposent sur des chanlattes clouées sur les chevrons, sans déborder de la couverture. La pente des gouttières et des chéneaux est au moins de 5 mm/m. Les moignons de raccordement aux «descentes pluviales» sont pourvus de grilles pour éviter l'engorgement par des déchets végétaux. La section utile d'une descente exprimée en centimètres carrés est au moins égale à la surface de couverture qu'elle dessert évaluée en mètres carrés. Les eaux qui tombent sur les toitures-terrasses s'écoulent dans les moignons en plomb, scellés aux points bas de la terrasse. Un moignon se compose d'une collerette, soudée au revêtement étanche, et d'une «pipe» engagée dans la descente pluviale.

• Les *eaux ménagères et usées* s'écoulent par les collecteurs d'appareils dans des «chutes» en fonte ou en grès vernissé. Les collecteurs d'appareils sont munis de siphons dont le désamorçage est évité grâce aux ventilations «secondaires». Les parties hautes des chutes constituent les ventilations «primaires», qui débouchent à l'air libre au-dessus de la toiture. Ces souches de ventilation sont calorifugées pour éviter la condensation des vapeurs émanant des effluents. À la base des descentes et des chutes, les eaux s'écoulent vers le collecteur d'égout dans des canalisations en grès ou en fonte dont la pente ne doit pas être inférieure à 3 mm/m. Celles-ci sont munies de «tampons de visite», fermés par des hermétiques, pour pouvoir être nettoyés facilement par tringlage.

EAUBONNE (95600), ch.-l. de cant. du Val-d'Oise, à 15 km au N. de Paris; 23 670 hab. *(Eaubonnais).*

EAU-DE-VIE. — Les eaux-de-vie (ou alcools* de bouche) sont obtenues par distillation de diverses matières premières : fruits, jus sucrés, grains.

La plupart des fruits sont traités directement pour la préparation d'eaux-de-vie qui portent leur nom : prune, mirabelle, quetsche, prunelle, cerise (ou kirsch), poire, pêche, abricot, framboise, etc.

La distillation de boissons alcoolisées obtenues à partir de jus de fruits fermentés (pommes, poires, raisins) donne respectivement l'eau-de-vie de cidre (ou calvados), l'eau-de-vie de poiré ainsi que les eaux-de-vie de vin (armagnac, cognac, etc.). Mais, en distillant les marcs de raisin fermenté, on obtient des eaux-de-vie qui portent en général l'indication de leur origine : marc de Bourgogne, de Champagne, du Jura, etc.

Le jus sucré (ou vesou) obtenu par broyage des cannes à sucre et les mélasses de sucrerie de canne donnent les rhums et tafias.

Quant aux grains, les féculents qu'ils renferment doivent être transformés préalablement en glucose, qui, après fermentation, donne l'alcool : whisky (Écosse, Irlande), bourbon (États-Unis), vodka (U.R.S.S.), schiedam (Pays-Bas), gin (Royaume-Uni), genièvre (France et Belgique), saké (Japon), etc.

La distillation des eaux-de-vie se fait en général dans des installations artisanales ou semi-industrielles, au moyen d'alambics. Les produits de tête ou de queue de distillation sont plus ou moins éliminés, mais, à la différence des alcools industriels, il n'y a pas de rectification. En effet, le goût des eaux-de-vie est dû à la présence d'esthers, d'éthers ou d'huiles essentielles qui, dans les alcools industriels, sont éliminés au cours de la rectification.

EAU-FORTE → ESTAMPE.

EAU LOURDE. — Composé de formule D_2O, c'est un liquide incolore, de densité 1,106, se congelant à 3,8 °C et bouillant à 101,4 °C. Existant dans la proportion de 1/5 000 dans l'eau ordinaire, elle se concentre dans les résidus de l'électrolyse. Elle est employée comme ralentisseur de neutrons dans les réacteurs nucléaires et pour la préparation du deutérium.

EAU OXYGÉNÉE. — Découverte en 1818 par Thenard, c'est une solution diluée de bioxyde d'hydrogène H_2O_2. Ce corps pur est un liquide sirupeux incolore, à saveur métallique, de densité 1,46, se congelant à − 1 °C. Peu stable, il se décompose facilement en eau et oxygène. L'eau oxygénée commerciale, dite à 10 volumes, car elle peut libérer 10 fois son propre volume d'oxygène, en contient de 2 à 3 p. 100. Elle est douée de propriétés oxydantes, d'où ses usages comme antiseptique et décolorant. On la prépare par électrolyse du sulfate de potassium.

EAUX-BONNES (64440 Laruns), comm. des Pyrénées-Atlantiques, à 42 km au S. de Pau; 421 hab. Station thermale aux eaux sulfurées radioactives, utilisées dans le traitement des maladies respiratoires et des rhumatismes chroniques. Station de sports d'hiver (Gourette*).

EAUX-CHAUDES, station thermale de la comm. de Laruns* (Pyrénées-Atlantiques). Eaux sulfureuses, utilisées dans le traitement des rhumatismes et des affections gynécologiques et névralgiques.

EAUX MINÉRALES. — Elles proviennent de sources naturelles et sont douées de propriétés thérapeutiques. Elles sont utilisées dans le traitement des affections rhumatismales, digestives, rénales, circulatoires, cutanées, etc. Chaque source a des caractères physiques (température, radioactivité) et chimiques différentes. Les eaux minérales sont classées en France en trois catégories, suivant leur minéralisation : faible (Évian), forte (Vichy), spéciales (eaux cuivreuses de Saint-Christau, eaux séléniées de La Roche-Posay). Les indications thérapeutiques sont adaptées à leurs caractères spécifiques. (V. THERMALISME.)

EAUX TERRITORIALES → MER.

EAUZE (32800), ch.-l. de cant. du Gers, à 29 km au S.-O. de Condom; 4 479 hab. *(Élusates).* Église gothique (v. 1500). Armagnac.

EBAN (Abba), homme politique israélien (Le Cap 1915). Ambassadeur aux États-Unis en 1950, il est plusieurs fois ministre avant de succéder à Golda Meir comme ministre des Affaires étrangères (1966-1974). En juin 1967, il justifie devant l'O.N.U. la position d'Israël dans la guerre israélo-arabe.

EBBINGHAUS (Hermann), psychologue allemand (Barmen 1850-Halle 1909). Son étude rigoureuse de la mémoire à partir des principes expérimentaux de Fechner* fait de lui un des fondateurs de la psychologie expérimentale.

EBBON, archevêque de Reims (775-Hildesheim 851). Fils d'un serf et de la nourrice de Louis le Pieux, il passa sa jeunesse auprès de ce prince, qui, devenu empereur, le nomma archevêque de Reims. Mais, gagné par Lothaire, fils aîné de Louis, il déposa l'empereur à l'assemblée de Compiègne (833). Déchu de ses fonctions après la restauration de Louis le Pieux (835), rétabli par l'empereur Lothaire en 840, il fut de nouveau destitué par Charles le Chauve (841) et gagna la Germanie, où le roi Louis lui offrit l'évêché d'Hildesheim.

ÉBÈNE. — L'ébène, le seul bois dont la teinture naturelle soit le noir, a été recherché du XIIIe à la fin du XVIe s. pour le placage des meubles (d'où le nom d'*ébénistes* primitivement appliqué aux menuisiers de placage), puis, au XVIIe s., pour l'usage massif. Les arbres du genre *Diospyros,* qui fournissent les ébènes, croissent en Inde, en Afrique et à Célèbes.

ÉBÉNISTERIE → MEUBLE.

EBERHARD (Johann August), philosophe allemand (Halberstadt 1739-Halle 1809). Disciple de C. von Wolff*, il s'oppose aux dogmes du christianisme et au criticisme kantien dans deux journaux qu'il fonde : *Das Philosophische Magazin* et *Philosophisches Archiv* (1787-1795).

EBERT (Friedrich), homme d'État allemand (Heidelberg 1871-Berlin 1925). Président du parti socialiste allemand (1913), il vote les crédits de guerre (1914), mais contribue à l'abdication de Guillaume II (1918). Chancelier, il réduit le spartakisme tout en préparant les élections à l'Assemblée nationale. Le 11 février 1919, il devient président de l'État allemand; la Constitution de Weimar lui octroie de larges pouvoirs dont il use avec fermeté au cours de la crise que traverse l'Allemagne de l'après-guerre. Mais l'occupation de la Ruhr par les Français (janv. 1923), en exaspérant le nationalisme allemand, rend inopérante sa politique de conciliation.

EBERTH (Karl Joseph), médecin et bactériologiste allemand (Würzburg 1835-Berlin-Halensee 1926), connu pour sa description du bacille de la typhoïde*.

EBF. — Les «expressions bien formées» du calcul des propositions* (v. LOGIQUE) sont les expressions obtenues à partir des règles de formation suivantes :

(i) une lettre propositionnelle (p, q...) est une ebf;

(ii) si p, q sont des ebf, alors les expressions du type $\neg p$ («non-p»), $p \wedge q$ («p et q»), $p \vee q$ («p ou q»)... sont des ebf;

(iii) seules les expressions formées à l'aide des règles (i) et (ii) sont des ebf.

ÉBLÉ (Jean-Baptiste) → BEREZINA.

ÉBLOUISSEMENT → VISION.

ÉBONITE → CAOUTCHOUC.

ÉBOUÉ (Félix), homme politique français (Cayenne 1884-Le Caire 1944). Il fut le premier Noir gouverneur des colonies, à la Guadeloupe (1936), puis au Tchad (1938). Rallié à la France libre, il devint gouverneur de l'Afrique-Équatoriale française (1940).

ÉBOULEMENT → REMBLAYAGE.

ÉBOULIS. — Les éboulis se forment au pied des corniches qui se fragmentent sous l'effet de processus mécaniques, en particulier sous l'action du gel. Ils s'entassent au bas du versant avec une pente limite de 35°, et présentent souvent un classement selon la taille : les plus gros débris ont tendance à rouler le plus loin. Les éboulis sont un trait constant du paysage des régions froides et des hautes montagnes.

ÈBRE (l'), en esp. **Ebro,** fl. du nord de l'Espagne; 930 km. Né dans les monts Cantabriques, l'Èbre s'écoule vers le sud-est, dans un bassin s'élargissant vers l'aval, bordé par les monts Ibériques au S., la chaîne des Pyrénées au N. L'Èbre draine l'Aragon (passant à Saragosse) et rejoint la Méditerranée, en formant un delta, dans le sud de la Catalogne. Ses eaux sont surtout utilisées pour l'irrigation.

ÉBREUIL (03450), ch.-l. de cant. de l'Allier, sur la Sioule, à 10 km à l'O. de Gannat; 1 316 hab. Belle église du XIe s., anc. abbatiale, avec clocher-porche (v. 1125), chœur gothique, peintures romanes (XIIe s.) et gothiques (XIIIe et XVe s.).

ÉBROÏN, maire du palais de Neustrie, sous Clotaire III et Thierry III († v. 683). Il fut l'un des principaux acteurs de la lutte que se livrèrent les royaumes de Neustrie et d'Austrasie dans la seconde moitié du VIIe s. Chassé par l'aristocratie neustrienne et bourguignonne pour lui avoir imposé le roi Thierry III, frère de Clotaire III († 673), il revint au pouvoir en 675 et vainquit en 680 Pépin II, maire d'Austrasie. Son assassinat (v. 683) marqua la fin de l'hégémonie neustrienne sur le *Regnum Francorum.*

ÉBULLIOSCOPIE. — Lorsqu'on veut déterminer la température d'ébullition d'un mélange, on doit condenser les vapeurs produites et les faire retomber dans le mélange, afin que la composition de celui-ci ne varie pas. Cette mesure, effectuée sur les solutions diluées, permet, d'après la loi de Raoult, de déterminer la masse moléculaire du corps dissous.

ÉBULLITION. — L'ébullition d'un corps pur est soumise aux lois suivantes :

1. Sous une pression donnée, un liquide pur entre en ébullition à une température déterminée *(point d'ébullition),* qui reste constante pendant toute la durée de l'ébullition.
2. La température d'ébullition est celle pour laquelle la pression de vapeur saturante du liquide est égale à la pression qui s'exerce sur lui.

La température d'ébullition *normale* est celle qui correspond à la pression de 76 cm de mercure. Mais la température d'ébullition varie beaucoup avec la pression. Elle croît avec celle-ci jusqu'à une valeur limite, la *température critique,* au-delà de laquelle l'état liquide n'existe plus. Inversement, quand la pression diminue, la température d'ébullition s'abaisse et peut atteindre la température du *point triple,* avec apparition de la phase solide.

quelques températures d'ébullition normale

acétone	56,1 °C	éther	34,5 °C
acétylène	– 83,6 °C	glycérine	290 °C
acide acétique	118,1 °C	hélium	– 268,9 °C
acide nitrique	86 °C	hydrogène	– 252,8 °C
acide sulfurique	330 °C	iode	184 °C
alcool éthylique	78,5 °C	mercure	356,9 °C
alcool méthylique	64,5 °C	naphtalène	217,9 °C
aldéhyde acétique	20,2 °C	néon	– 246 °C
aniline	184,4 °C	or	2 600 °C
azote	– 195,8 °C	oxygène	– 183 °C
benzène	79,6 °C	platine	4 300 °C
brome	58,8 °C	plomb	1 620 °C
butane	0,6 °C	propane	– 42,2 °C
chlore	– 34,6 °C	soufre	444,7 °C
chloroforme	61,2 °C	sulfure de carbone	46,3 °C
chlorure de méthyle	– 23,7 °C	toluène	110,5 °C
cyanogène	– 20,5 °C	zinc	907 °C
eau	100 °C		

EÇA DE QUEIRÓS → QUEIRÓS.

ÉCAILLE. — On qualifie d'écailles les organes animaux et végétaux les plus variés : plaques cornées dorsales des tortues (dont la matière est l'*écaille* au singulier), valves des huîtres (ouvertes par les *écailleurs*), plaquettes microscopiques des ailes de papillons (dont une espèce est elle-même nommée *écaille martre*), plaques cutanées des poissons (écailles ganoïdes, cycloïdes ou cténoïdes selon l'espèce), feuilles ou bractées réduites et scarieuses, éléments des cônes du sapin, tuniques des oignons. Le seul point commun à tous ces organes est de former des plaques externes recouvrant le reste de l'organisme.

ÉCARPIÈRE ou **ESCARPIÈRE (l'),** écart de la comm. de Gétigné (Loire-Atlantique). Usine de concentration de l'uranium.

ÉCART *(Automat.)* → RÉGULATION AUTOMATIQUE et SERVOMÉCANISME.

ÉCART *(Stat.)* → AJUSTEMENT et CORRÉLATION.

ECBATANE, capitale de l'Empire mède* et, à partir du VIe s. av. J.-C., une des capitales de l'Empire achéménide*, plus tard résidence royale des Arsacides* et des Sassanides*. Son site (auj. Hamadhān* en Iran) est pratiquement inexploré.

Ecce homo, ballet (argument et chorégraphie) de Joseph Lazzini, sans décors ni costumes; musique de José Berghmans; créé à Marseille en 1967 par la troupe de l'Opéra de Marseille. Transcription chorégraphique de la Passion, à travers laquelle le chorégraphe glorifie la souffrance humaine.

ECCHYMOSE. — Les ecchymoses du tissu sous-cutané se caractérisent d'abord par une coloration rouge de la peau; celle-ci devient progressivement noirâtre, bleue, verdâtre, puis jaune pâle; la coloration disparaît en deux ou trois semaines. La plupart des ecchymoses sont traumatiques. Elles peuvent être spontanées, lors de certaines maladies : fragilité capillaire du scorbut, baisse du nombre des plaquettes sanguines au cours des hémopathies ou lors des troubles de la coagulation (hémophilie). Les ecchymoses profondes, parfois viscérales (foie, rein), peuvent être source de complications générales ou locales graves.

ECCLES (*sir* John Carew), neurophysiologiste australien (Melbourne 1903), prix Nobel de physiologie et de médecine en 1963 avec Hodgkin et Huxley pour leurs découvertes concernant l'électrophysiologie.

ECCLÉSIA. — Dans les cités grecques, l'exercice du pouvoir est partagé entre l'assemblée des citoyens (ecclésia), le conseil (boulê*) et les magistrats*. L'ecclésia, ou assemblée du peuple, groupe tous les citoyens jouissant de leurs droits politiques; elle se réunit régulièrement et tous les citoyens qui y ont accès disposent d'une entière liberté de parole. L'assemblée contrôle l'action des magistrats et du conseil et se prononce sur toutes les affaires importantes par des décrets votés à main levée.

Ecclésiaste (l'), livre de la Bible (IIIe s. av. J.-C.). L'auteur y développe une philosophie de la vie, dont il souligne le caractère précaire : « tout est vanité », mais tout vient de la main de Dieu.

Ecclésiastique (l'), livre de la Bible, appelé aussi le *Siracide* (v. 200 av. J.-C.). Recueil de maximes et de sentences que termine une galerie de portraits des grands ancêtres, c'est l'illustration de l'action de la Sagesse divine dans l'histoire du peuple juif.

ECCLÉSIOLOGIE. — Communauté des chrétiens fondée par Jésus* de Nazareth, l'Église, au cours des siècles, s'est désunie; aussi l'ecclésiologie, qui est la partie de la théologie ayant rapport à l'Église, est-elle différente selon les confessions. Tandis que l'Église catholique insiste sur la succession apostolique depuis les douze apôtres, non seulement dans sa doctrine, mais aussi dans les sacrements et dans les ministères, les protestants considèrent l'Église surtout comme un don de grâce, l'effet de l'annonce de l'Évangile, si bien que l'Église réformée s'identifie avec toute communauté chrétienne où l'Évangile est authentiquement annoncé. Pour l'ecclésiologie orthodoxe, l'Église est un mystère, manifesté dans la célébration de l'eucharistie : au plan visible, elle n'a d'autre structure que d'être la communion des Églises locales.

ECEVIT (Bülent), homme politique turc (Istanbul 1925). Secrétaire général du parti républicain du peuple (1966 - 1972), il en est élu président en 1972. Il dirige en 1974, puis en 1978 un gouvernement de coalition avec le parti islamique de salut national.

ÉCHANGE. — Considéré comme phénomène universel (parce que naturel) par les économistes classiques et par la première école de l'anthropologie* économique (formalisme), l'échange renferme une réalité au contenu bien différent selon les sociétés. En effet, l'anthropologie économique substantiviste et l'anthropologie marxiste ont montré que, contrairement à ce qui se passe dans les sociétés marchandes et capitalistes, où la production se réalise par et pour l'échange, les biens échangés dans les sociétés dites « primitives » ont, avant tout, un contenu social (la circulation des biens s'effectuant en fonction du statut et des réseaux de parenté et d'alliance).

ÉCHANGES INTERNATIONAUX. — Selon certains économistes, l'expansion de l'économie mondiale s'est faite, jusqu'en 1870, autour d'un important développement des échanges internationaux, l'Angleterre (qui pratiquait le système de la division du travail à l'échelon mondial) jouant le rôle d'atelier industriel pour le monde entier. Le taux de croissance du commerce international était alors supérieur au taux de croissance du produit national, tant de l'Angleterre que des autres parties du monde. Mais les politiques protectionnistes des grands États (Allemagne, France, Russie, États-Unis) ont abouti ensuite à des taux de croissance du produit des grandes économies nationales supérieurs à celui des échanges internationaux (zones de préférence, empires coloniaux, etc.), ce qui a fait reculer le concept et la réalité de l'« échange international ».

Dès 1943, des experts, américains notamment, eurent la certitude qu'il serait impossible à l'Europe de se reconstruire sans la création d'une Europe des échanges, le traité de Rome (1957) faisant partiellement entrer ces prédictions dans la réalité. Les échanges internationaux se sont considérablement développés durant la période 1945-1975 : de 1960 à 1970, le commerce mondial a progressé de 9 p. 100 l'an en moyenne, 1973 connaissant une progression de 12,5 p. 100 en volume et de 37 p. 100 en valeur.

ÉCHANGEUR DE CHALEUR. — Un échangeur de chaleur* sert à transmettre la chaleur d'un fluide* à un autre à travers une paroi solide, délimitant deux capacités distinctes. Les fluides circulent généralement d'une manière continue, le plus chaud se refroidissant et le plus froid s'échauffant tout au long du parcours. Les parois peuvent être constituées de plaques parallèles ou de faisceaux de tubes. Le plus souvent, les deux fluides circulent à contre-courant, leurs températures* évoluant dans le même sens le long de la paroi. On utilise cependant parfois des circulations parallèles, afin de réduire le niveau de la température de paroi. La transmission de chaleur entre les fluides et la paroi de séparation s'effectue par convection*. Pour l'améliorer, on peut augmenter la surface de contact avec les fluides en soudant à la paroi des ailettes qui contrarient la circulation des fluides. Il existe également des échangeurs cycliques, dans lesquels la surface d'échange n'est pas en contact simultanément avec les deux fluides, comme dans le cas d'un tambour en rotation se présentant successivement sur le trajet du gaz chaud et du gaz froid. Les échangeurs de chaleur sont surtout utilisés dans l'industrie chimique.

ÉCHANGEUR D'IONS. — Les échangeurs d'ions sont des composés macro-ioniques, minéraux, comme certains silico-aluminates (zéolites), et le plus souvent organiques — résines obtenues par des réactions de polymérisation et de polycondensation — capables d'échanger par contact leurs ions avec ceux d'une solution. Ainsi peut être réalisée la séparation des aminoacides provenant de l'hydrolyse de protéines naturelles sur une résine échangeuse de cations ou celle de dérivés nucléiques sur une résine échangeuse d'anions. L'adoucissement des eaux naturelles, par élimination de leurs ions calcium et magnésium, s'effectue aussi sur de tels échangeurs d'ions, qui, lorsqu'ils sont saturés, peuvent être aisément régénérés.

ÉCHANTILLON → CONTRÔLE STATISTIQUE, ÉCHANTILLONNAGE, ESTIMATION STATISTIQUE, SONDAGE.

ÉCHANTILLONNAGE. — L'enquête* par sondage est née du rapprochement de deux techniques utilisées séparément pendant fort longtemps. Le questionnaire en constitue, si l'on veut, la technique psychologique : les questions doivent être pertinentes, directes et sans équivoque. A cette fin, elles sont préalablement testées. L'échantillonnage constitue la technique mathématique de l'enquête par sondage : il s'agit de désigner les personnes qui seront soumises au questionnaire, afin que les résultats obtenus puissent être étendus à une population beaucoup plus vaste. La représentativité est donc la qualité première d'un échantillon. Il existe deux procédés de désignation d'un échantillon. Le premier consiste à tirer au hasard les personnes qui seront interrogées, à partir d'une liste complète des membres de la population considérée : baptisée *probabiliste,* cette méthode est la plus rigoureuse, mais elle requiert l'obtention de listes exhaustives. Le second procédé, ou *méthode des quotas,* consiste à désigner un échantillon structuré à l'image de la population d'ensemble. Disposant d'un modèle réduit de celle-ci, l'enquêteur choisit lui-même les individus qu'il soumettra au questionnaire. La représentativité d'un tel échantillon dépend des principes retenus pour la construction du modèle réduit. Moins rigoureux, ce procédé est aussi moins onéreux.

ÉCHAPPEMENT → HORLOGERIE.

ÉCHASSIERS. — Cet ancien superordre d'oiseaux est généralement abandonné, les oiseaux aux longues pattes n'ayant par ailleurs aucune parenté générale. Il se répartit dans les ordres des ardéiformes (ibis, cigogne, héron), ralliformes (grue), charadriiformes (échasse, avocette) et ansériformes (flamant). Ce sont souvent des oiseaux des marais, qui s'aident de leurs longues jambes dans l'exploration des étendues d'eau peu profonde.

ÉCHECS. — Connu en Inde dès le Ve s. de notre ère, le jeu d'échecs fut perfectionné par les Arabes, qui l'introduisirent en Europe au IXe s. Les règles modernes furent définitivement fixées à l'époque de la Renaissance. Le jeu se joue sur un échiquier de 64 cases alternativement blanches et noires, au moyen de 32 pièces de forme différente, disposées au départ dans un ordre donné et se déplaçant selon des règles précises. Chaque joueur dispose donc de 16 pièces (2 tours, 2 cavaliers, 2 fous, 1 dame, 1 roi et 8 pions). L'objet du jeu est de mettre « échec et mat » le roi de l'adversaire. À la fois science et art, les échecs font largement appel à la réflexion et à l'ingéniosité. Parmi les grands noms des champions d'échecs il faut citer ceux de Adolf Anderssen, Wilhelm Steinitz, Emanuel Lasker, José Raúl Capablanca, Alexandre Alekhine, Machgielis Euwe, Mikhaïl Botvinnik, Vassili Smyslov, Tigran Petrossian, Boris Spasski et Bobby Fischer.

ECHEGARAY Y EIZAGUIRRE (José), mathématicien, auteur dramatique et homme politique espagnol (Madrid 1832 - *id.* 1916), il triompha au théâtre avec des comédies et des drames qui recherchent l'effet (*le Grand Galeoto,* 1881). [Prix Nobel, 1904.]

ÉCHELLE *(Cartogr.).* — Une échelle est un rapport que l'on choisit, par commodité, pour représenter des grandeurs mesurables. Il en est ainsi des distances que l'on veut reporter sur une carte et qu'il est évidemment impossible de reproduire en grandeur nature. Le rapport choisi indique par quelle longueur, sur la carte, une distance réelle est représentée. Par exemple, pour une échelle de 1/50 000, une distance de 1 km, soit 1 000 m ou 100 000 cm, est représentée par $\frac{100\,000}{50\,000} = 2$ cm. Cela permet, en mesurant en centimètres et en millimètres une distance sur la carte, de trouver la distance réelle sur le terrain, puisque 1 km est représenté par 2 cm et 100 m par 2 mm.

Les échelles utilisées dépendent essentiellement de l'ordre de grandeur des longueurs à représenter. Ainsi, pour l'exécution des plans d'une maison individuelle, on adoptera facilement l'échelle de $\frac{1}{50}$, où 1 m est représenté par 2 cm. Pour le relevé topographique d'une parcelle de terrain, on prendra l'échelle de $\frac{1}{200}$, où 20 m mesurés sur le terrain sont représentés par une longueur de 10 cm sur la carte. Un changement d'échelle se traduit par un changement sur le nombre qui mesure une grandeur donnée.

ÉCHELLE MOBILE DES SALAIRES. — Dans une économie capitaliste, ce système devrait permettre aux revenus salariaux d'évoluer parallèlement au coût de la vie. L'application de ce système, qui se justifie économiquement par la part décroissante prise par les salaires dans le coût de la production, nécessiterait un autre mode de calcul des prix.

Échelles *(les),* terme (syn. d'ESCALE) qui désigna, à partir du XVIe s., certains ports (Smyrne, Tripoli, Beyrouth, Alexandrie...) de l'Empire ottoman, où les Français, d'abord (XVIe s.), puis les Européens purent se livrer au commerce international et bénéficier, à cet effet, des Capitulations. Ces privilèges, octroyés, par le Sultan, donnaient aux commerçants européens certaines garanties telles que la liberté du culte chrétien, l'inviolabilité du domicile et la possibilité de transmettre leurs biens. Le système des Échelles favorisa la pénétration économique (puis politique) du Moyen-Orient et la réouverture des circuits commerciaux, en grande partie abandonnés lors de la chute de Constantinople et du raz de marée turc sur la péninsule balkanique (XVe-déb. XVIe s.).

ÉCHELLES (Les) [73360], ch.-l. de cant. de la Savoie, à 23 km au S.-O. de Chambéry; 1 197 hab. Constructions mécaniques.

ECHEVERRÍA ÁLVAREZ (Luis), homme d'État mexicain (Mexico 1922). Ministre de l'Intérieur (1964-1969), il succède à Díaz Ordaz à la présidence de la République en 1970. Il s'efforce de réduire l'emprise économique des États-Unis sur le Mexique et relance l'idée d'une large coopération économique entre les États d'Amérique latine. Il quitte le pouvoir en 1976.

ÉCHEVIN. — À l'époque carolingienne, on appelait *scabini* les notables désignés par le peuple pour assister le comte au sein du *mallus,* c'est-à-dire dans l'exercice de son pouvoir juridictionnel. Ce même terme fut repris, à partir du XIIe s., pour désigner les représentants élus de la bourgeoisie des villes de communes, chargés d'assister le maire (mayeur) et de remplir diverses fonctions municipales.

ÉCHINOCOQUE → VER.

ÉCHINODERMES. — Aucun embranchement du règne animal n'est aussi isolé, aussi « hors série » que celui des échinodermes. Seuls animaux à présenter une symétrie radiale d'ordre 5 (quitte à l'effacer sous une symétrie bilatérale surimposée), les oursins, étoiles de mer, ophiures, encrines et holothuries peuplent exclusivement les mers. Tous ont des *ambulacres,* ou *podia,* sortes de ventouses rétractiles. Les oursins y ajoutent des piquants basculants et de minuscules pinces venimeuses, les *pédicellaires.* Le sac digestif réversible des étoiles de mer, qui digèrent leurs proies à l'extérieur de leur corps, la manière dont les holothuries sucent leurs bras ambulacraires où se sont engluées des proies, la respiration rectale de ces mêmes animaux, la danse nuptiale des ophiures, les « prairies » de lis de mer, tout chez les échinodermes est insolite.

ÉCHIROLLES (38130), ch.-l. de cant. de l'Isère, à 6 km au S. de Grenoble; 33 394 hab. Constructions mécaniques.

ÉCHO. — Les ondes sonores se réfléchissent sur les obstacles rigides. Un observateur qui émet un son bref devant un obstacle entend le son une seconde fois au bout du temps que mettent les ondes pour parcourir deux fois la distance séparant l'observateur de l'obstacle. Ce second son, perçu après le premier, constitue l'écho.

Pour que l'écho soit distingué du premier son, il faut qu'il s'écoule entre eux environ un dixième de seconde; ce temps correspond à un obstacle situé à 17 m. Pour des distances plus faibles, l'écho n'est pas distingué du son direct; il le prolonge simplement. Pour des distances plus grandes, l'écho peut répéter plusieurs sons successifs. Lorsqu'il existe plusieurs obstacles, on peut percevoir un *écho multiple.*

ÉCHOGRAPHIE → ULTRASON.

ÉCHOLOCATION. — Ce mode singulier de perception de l'espace est propre aux animaux des grottes : chauves-souris, oiseau *guacharo* des Andes, qui ne peuvent faire usage de la vue. Il consiste à émettre un chant ultrasonore modulé qui se répercute sur les parois rocheuses et autres obstacles autour de l'animal, puis revient à ses oreilles diversement altéré et déformé selon les déplacements de l'animal par rapport à ces obstacles. Par ce moyen, les chauves-souris peuvent percevoir et éviter des obstacles du diamètre d'un fil de fer ou repérer une proie de la taille d'un papillon. Des animaux marins, comme les dauphins, se guident sous les eaux par un procédé analogue, et certains poissons engendrent autour d'eux un champ électrique dont les perturbations leur permettent de localiser les obstacles; une telle *électrolocation* s'apparente de près à l'écholocation.

ECHTERNACH, ch.-l. de cant. du Luxembourg, sur la Sûre; 3400 hab. Pèlerinage dansant. Textiles synthétiques. — La ville a pour origine l'abbaye fondée, en 698, par saint Willibrord, évangélisateur des Frisons, et dont les abbés furent, jusqu'en 1793, princes du Saint Empire.

ÉCIJA, v. d'Espagne (Andalousie), à l'E. de Séville; 50000 hab. Ville pittoresque, d'origines grecque et romaine, aux nombreuses églises à haut campanile, aux palais dont les styles s'échelonnent du mudéjar au churrigueresque.

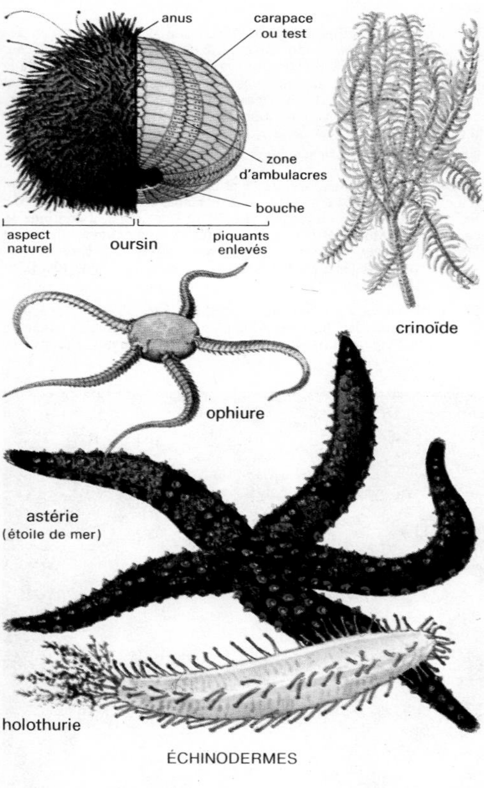

ÉCHINODERMES

ECKART (Johann, dit **Maître**), philosophe et mystique allemand (Hochheim, Thuringe, v. 1260-Avignon v. 1327). Dominicain, il enseigne la théologie à Paris, Strasbourg et Cologne. Inquiété pour ses idées, il se rend en Avignon devant le pape; mais il est condamné. Il affirme que Dieu est tout, l'homme néant; rien ne peut être dit de Dieu, sauf qu'il est au commencement, alors que la création est soumise au temps; un reflet de Dieu se trouve en l'âme de l'homme : elle doit donc laisser Dieu agir à sa place. Œuvres latines : *Opus tripartitum.* Œuvres allemandes : *Instructions spirituelles, Livre de la consolation divine, De l'homme noble.*

ECKMÜHL, village de Bavière, au S. de Ratisbonne, où Napoléon l'emporta sur les Autrichiens le 22 avril 1809.

ÉCLAIR. — Les photographies d'éclairs ont permis d'identifier leurs formes : ramifiée, sinueuse, en chapelet, etc. Un éclair se compose de décharges partielles (de 3 à 40) séparées par des intervalles de 1/100 de seconde. Les décharges sont descendantes, ascendantes, ou formées d'un trait aller et retour. Cette structure complexe explique les roulements du tonnerre. L'énergie développée atteint plusieurs milliards de joules, d'où les effets violents de la foudre.

ÉCLAIRAGE *(Autom.).* — L'éclairage de la route devant une voiture en marche comporte deux obligations : le même appareil doit assurer, d'une part, un maximum d'éclairement en utilisation normale (projecteurs à longue portée), et, d'autre part, un faisceau lumineux suffisamment rabattu vers le sol pour ne pas éclairer le conducteur venant en sens inverse (projecteurs code). On adopte une lampe* à deux filaments dont l'un, situé au foyer du miroir parabolique, donne l'éclairage route et dont l'autre, qui est excentré par rapport au premier, ne laisse passer que les rayons situés dans la moitié supérieure du projecteur, grâce à la présence d'une coupelle qui occulte les autres. L'éclairage code est facilité par le faisceau européen de croisement, dont la coupure est relevée, sur la droite, d'un angle de 15°, ce qui permet au conducteur de voir le bas-côté de la route. Il existe des équipements à quatre projecteurs, dont deux produisent l'éclairage route, l'autre paire donnant l'éclairage code. Cette disposition est intéressante lorsqu'on emploie des lampes à vapeur d'iode, plus brillantes que les lampes classiques, mais qui se prêtent difficilement à l'éclairage code. La lumière jaune est obligatoire en France.

ÉCLAIRAGE *(Opt.).* — Tout objet placé dans une chambre noire n'est pas perceptible par l'œil; il ne devient visible que s'il est éclairé. Mais, selon la qualité et la quantité de lumière* reçue, selon la nature de celle-ci qu'elle soit diffuse ou dirigée, blanche ou colorée, faible ou intense, l'objet apparaît de façons fort différentes. Aussi l'éclairage doit-il être considéré comme une technique complexe et délicate qui ne saurait se contenter d'utiliser des lampes*, mais qui nécessite un choix ainsi qu'une étude de leur constitution et de leur répartition. Un premier souci est le confort visuel, qui implique de bien éclairer le sujet et de réaliser un accord de luminance et de couleur* avec son environnement; un autre souci est de guider vers la performance visuelle de l'observateur, laquelle dépend de l'éclairement, c'est-à-dire du nombre de lux produits sur la surface éclairée. Enfin, l'éclairage étant essentiellement destiné au profit de l'homme, les problèmes esthétiques et psychologiques, dans lesquels lumière* et couleur interviennent de manière très directe, sont importants.

ÉCLAIREMENT. — L'éclairement d'une surface est le quotient du flux lumineux qu'elle reçoit par la valeur de cette surface. L'unité d'éclairement est le *lux* (lx) : c'est l'éclairement d'une surface de 1 m^2 recevant un flux de 1 lumen, uniformément réparti; on emploie aussi le *phot,* valant 1 lumen par centimètre carré, soit 10000 lux.

ÉCLAMPSIE → TOXÉMIE.

ÉCLARON-BRAUCOURT-SAINTE-LIVIÈRE (52290), ch.-l. de cant. de la Haute-Marne, à 9 km au S.-O. de Saint-Dizier; 2006 hab. Métallurgie.

ÉCLECTISME EN ART. — Cette tendance, qui veut réunir les qualités des styles artistiques du passé pour en former un ensemble harmonieux, se développe dans les pays occidentaux de 1830 environ au début du XXe s., dans une époque en quête d'un « juste milieu » entre les divers systèmes philosophiques (Victor Cousin) et, plus généralement, d'un *modus vivendi* entre l'ancien et le nouveau, la monarchie et la démocratie. À l'opposé de l'éclectisme des Carrache au XVIIe s., brillant académisme* qui tente une synthèse de l'apport des différents maîtres de la Renaissance, l'éclectisme pictural du XIXe s., défenseur des principes et du « métier » académiques, n'arrive guère à dépasser une laborieuse imitation de ses modèles du XVIe au XVIIIe s. : peintres tels que Delaroche*, Couture*, Meissonier, Cabanel*, Gérome*, Bouguereau, Baudry, que la fin du siècle baptisera « pompiers ». En architecture, l'éclectisme, appelé aussi *historicisme,* prend un sens moins superficiel. Confrontés aux progrès techniques, à l'évolution des matériaux et des besoins sociaux, les architectes tentent d'allier les moyens modernes à des formes monumentales anciennes (gothiques, Renaissance, byzantines...) : ainsi Charles Barry au Parlement de Londres, Eduard Van der Nüll, puis Theophil von Hansen à Vienne, Henry Hobson Richardson aux États-Unis; ainsi, à Paris, Louis Charles Boileau, qui utilise le fer* pour évider l'espace intérieur aux magasins du Bon Marché, et surtout Charles Garnier avec le théâtre de l'Opéra*. Mais l'Art* nouveau, puis le fonctionnalisme allaient apporter la preuve que l'architecture pouvait se dégager des motifs et des partis académiques.

ÉCLIMÈTRE → TACHÉOMÉTRIE.

ÉCLIPSE. — Si l'orbite de la Lune* était dans le même plan que l'orbite de la Terre*, la Lune passerait devant le Soleil* à chacune de ses révolutions et il y aurait une éclipse de Soleil (et aussi de Lune) tous les mois environ. Mais l'orbite de la Lune est quelque peu inclinée par rapport à celle de la Terre; les éclipses de Soleil sont donc des coïncidences qui se produisent assez rarement.

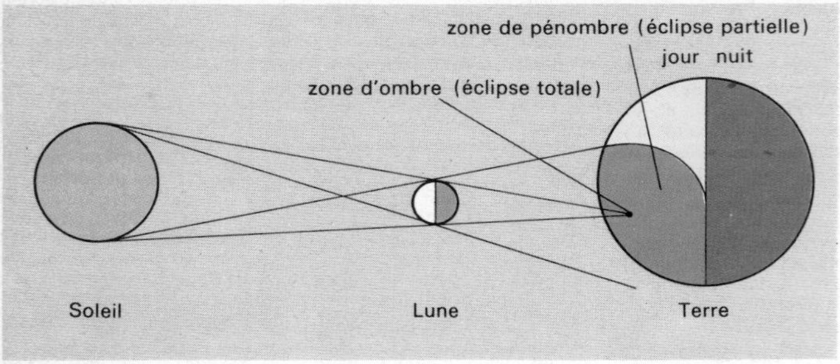

ÉCLIPSE DE SOLEIL

Encore plus rares sont les éclipses totales, où le Soleil est entièrement caché par la Lune. Elles ne sont totales que pour une région restreinte de la Terre et ne durent que quelques minutes. En un point donné du globe, si l'on peut assister à une éclipse partielle tous les deux ans, il faudrait attendre plusieurs siècles en moyenne avant d'observer une éclipse totale. Les astronomes doivent donc se déplacer et installer des observatoires provisoires, car une éclipse totale permet d'observer de nombreux phénomènes d'ordinaire invisibles. C'est ainsi que la couronne solaire est des millions de fois moins lumineuse que le disque solaire et même moins lumineuse que le bleu du ciel, donc inobservable en plein jour; une éclipse totale est nécessaire pour la révéler. Un instrument, le *coronographe,* permet, en cachant le Soleil par un disque métallique, de se rapprocher des conditions d'une éclipse et d'étudier à toute époque les parties les plus brillantes de la couronne. La possibilité récente de pouvoir observer les éclipses à bord d'un avion supersonique a permis d'augmenter la durée d'observation des éclipses.

ÉCLIPTIQUE → ANNÉE, ZODIAQUE.

ÉCLISSE → RAIL.

ÉCLOSION. — Un jeune oiseau qui brise son œuf et en sort éclôt; il en va de même d'une branche ou d'une fleur lors de l'ouverture du bourgeon ou du bouton; un kyste, une spore, une nymphe d'insecte éclosent lorsque ces formes immobiles s'ouvrent et laissent sortir un être (ou un organe) actif. En somme, l'éclosion est le passage d'un état enclos et inerte à un état libre et actif par rupture d'une enveloppe protectrice. Il en résulte que la *germination* des graines, la *naissance* d'un enfant sont des éclosions, augmentées d'autres phénomènes.

ÉCLUSE (L'), nom français de **Sluis,** port néerlandais où eut lieu, en 1340, une grande bataille navale au cours de laquelle la flotte d'Édouard III d'Angleterre anéantit la flotte française de Philippe VI.

ECO (Umberto), critique italien (Alexandrie 1932). Auteur d'études sur la pensée esthétique du Moyen Âge (*le Problème esthétique chez saint Thomas,* 1956), il consacre ses recherches aux rapports de la création artistique et des moyens de communication de masse et réfléchit sur l'ambiguïté de l'œuvre d'art, vécue par les créateurs contemporains non comme une limite mais comme une valeur (*l'Œuvre ouverte,* 1962; *Structure absente,* 1968).

ÉCOBUAGE → DÉFRICHEMENT.

ÉCOCHARD (Michel), architecte et urbaniste français (Paris 1905). Il a créé les services d'habitat et d'urbanisme du Maroc (1946-1953). Expulsé par le protectorat pour excès de zèle social, il continue sa carrière au Moyen-Orient (plans directeurs de Beyrouth et de Damas; collèges au Liban, 1955-1960; musée du Koweït), en Afrique (universités de Brazzaville, Yaoundé, Abidjan [1968]), et étudie l'aménagement de la Corse.

École d'Athènes *(l'),* fresque de Raphaël (base : 7,70 m), exécutée en 1509-10 dans la Chambre de la Signature, au Vatican. Située en face de la *Dispute du saint sacrement,* consacrée à la vérité *révélée,*

Garanger - Giraudon

L'École d'Athènes. Détail de la fresque (semi-circulaire) de Raphaël.

l'œuvre exalte, selon le programme fixé par Jules II, la recherche *rationnelle* du vrai. Dans une architecture grandiose (inspirée des projets de Bramante pour Saint-Pierre ?) sont réunis, autour de Platon et d'Aristote, les philosophes et les savants d'une Antiquité dont se nourrit la Renaissance. Platon, tenant le *Timée* d'une main et montrant le ciel de l'autre, a les traits de Léonard de Vinci, Zoroastre ceux de Pietro Bembo, Héraclite, au premier plan, ceux de Michel-Ange, etc.; à l'extrême droite (hors du présent cliché) figurent Raphaël et le Sodoma : ainsi est revendiquée la fonction primordiale des arts et des lettres dans le développement de la civilisation. À gauche, une tablette tenue par un jeune garçon devant Pythagore figure l'échelle musicale élaborée par celui-ci, base de l'harmonie universelle définie par Platon dans son *Timée.*

École de la médisance *(l'),* comédie de Sheridan (1777). L'intrigue est fondée sur l'opposition de deux frères, l'un franc, l'autre hypocrite; ce dernier est démasqué à la fin de la pièce, qui présente un tableau pittoresque d'un petit monde intrigant et cancanier.

École des femmes *(l'),* comédie en cinq actes et en vers, de Molière (1662). Arnolphe, décidé à épouser sa pupille Agnès, l'élève dans une complète ignorance. Mais la jeune fille remarque le jeune Horace. La pièce se poursuit par les ruses qu'imaginent Horace et Agnès pour se rencontrer, ruses toujours réduites à néant par la naïveté d'Horace, qui, ne connaissant pas la véritable identité d'Arnolphe, le prend pour confident. Finalement, le retour inespéré du père d'Agnès réunit les deux amants. La pièce, qui pose le problème de l'éducation morale des jeunes filles, eut un très grand succès et valut à Molière des ennemis : Donneau de Visé, Boursault, qui lui reprochèrent son ignorance des règles, ses grossièretés, son impiété même. Molière riposta par *la Critique de l'École des femmes* et *l'Impromptu de Versailles* (1663).

École des maris *(l'),* comédie en trois actes et en vers, de Molière (1661), qui fait de Sganarelle un tuteur jaloux et dupé.

École militaire, monument élevé à Paris, à l'extrémité du Champ-de-Mars, par l'architecte Gabriel, pour y recevoir des élèves officiers. Ouverte en 1760, elle servit de caserne après 1787 et abrite aujourd'hui plusieurs établissements d'enseignement militaire supérieur (Institut des hautes études de défense, Écoles supérieures de guerre, École supérieure de l'intendance...).

Écoles chrétiennes *(Frères des),* congrégation religieuse laïque — prototype de nombreuses autres — fondée en 1680 par saint Jean-Baptiste* de la Salle, chanoine de Reims, pédagogue lucide et novateur, pour l'instruction des enfants pauvres. Elle fut approuvée par Benoît XIII en 1725. Rapidement populaire, cet institut fut reconstitué dès 1808, et protégé par Bonaparte; avec environ 15 000 frères en exercice dans toutes les parties du monde, il reste la plus importante congrégation religieuse enseignante.

ÉCOLOGIE. — L'« histoire naturelle » de nos grands-parents, science d'observation et de terrain, attentive à l'environnement de chacun des êtres qu'elle étudiait, reconquiert rapidement, sous le nom d'*écologie,* le statut d'une véritable science. L'écologie peut se donner plusieurs programmes : elle peut en effet *(autoécologie)* choisir un seul animal ou une seule plante pour examiner ses conditions de développement (climatiques et autres), sa fécondité, ses proies et ses prédateurs, mais elle peut aussi *(synécologie, mésologie)* choisir un biotope, un lieu délimité, à l'intérieur duquel toutes les relations entre espèces seront étudiées (notions de *biocénose* et d'*écosystème*). Il existe également une *écologie humaine* qui analyse l'action de l'homme sur son environnement et de l'environnement sur l'homme : les conclusions terriblement inquiétantes d'une telle enquête scientifique ont conduit à de véritables cris d'alarme et à l'engagement militant du « mouvement écologique » jusque dans l'arène politique.

ÉCOLOGISME. — Les tenants de l'écologisme veulent montrer que le progrès technique procède par destructions massives et que, étant producteur d'entropie, il est perpétuellement à la recherche de nouveaux déséquilibres dont il puisse extraire de l'énergie, mais au prix de nouvelles destructions. La croissance industrielle ne doit plus être considérée comme le fondement de l'ordre et de la régulation de la société moderne, mais comme une manifestation de désordre, un déchaînement de forces non seulement créatrices mais aussi destructrices. L'écologisme souhaite donc une réorientation de la civilisation occidentale et une révision de certains de ses principes organisateurs. C'est la prise de conscience la plus globale de la rupture instaurée par l'homme entre lui et le milieu naturel par le développement d'un type de civilisation qui risque d'amener l'espèce humaine à sa perte par destruction de l'environnement.

ÉCOMMOY (72220), ch.-l. de cant. de la Sarthe, à 21 km au S. du Mans; 4 071 hab.

ÉCONOMÉTRIE → ÉCONOMIQUE *(science)* et MODÈLE.

ÉCONOMIE *(Ling.)* → REDONDANCE.

Économie et société, œuvre inachevée de Max Weber (1922), parue après sa mort, et publiée, en France, en 1971. Fidèle à sa conception de l'« idéal type », l'auteur l'applique à l'étude du commerce médiéval, de l'économie urbaine des cités, de l'artisanat... Il considère que l'introduction de la monnaie a fait passer l'économie du stade purement domestique au stade politique, en transformant radicalement la notion d'acquisition. Aux simples besoins se sont greffées la notion de profit et, indirectement, celle de capital en tant qu'accumulation de richesses pour un usage indéfini. Outre ses analyses sur le protestantisme comme cause psychosociale de la naissance du capitalisme industriel, Weber souligne une cause plus directement économique : la séparation entre « foyer » et « métier » engendrée par le déclin des corporations, prenant de plus en plus un caractère juridique, a favorisé la spécialisation. C'est un des phénomènes propres à la civilisation occidentale qui caractérise le capitalisme moderne. La complexité des causes du capitalisme, dont toutes ne sont pas connaissables, indique qu'il n'y a pas de capitalisme unique, et c'est pourquoi Weber, préférant parler de « l'esprit du capitalisme », recommande au sociologue d'élaborer des « idéal-types » de ce phénomène afin d'éviter les généralisations hâtives.

ÉCONOMIES EXTERNES, ÉCONOMIES INTERNES. — « Économie » est ici à peu près synonyme d'« avantages » ou de « moindres coûts ». Au terme de la distinction, introduite par A. Marshall*, les économies externes proviennent du développement général de l'industrie, les économies internes dépendent des entreprises elles-mêmes, de l'efficacité de leur management. Les économies externes expliquent la naissance dans le monde de « pôles de développement » (l'est ou le nord de la France, par exemple, lors de la révolution* industrielle), la proximité d'entreprises complémentaires les unes des autres y créant des conditions particulièrement propices à l'essor économique (« économies d'échelle », etc.).

ÉCONOMIQUE (science). — Il est plusieurs définitions possibles de la science économique : science des « biens rares et utiles » (R. Barre); « science qui étudie le comportement humain comme une relation entre des fins et des moyens rares qui ont des usages alternatifs » (Lionel Robbins); pour certains, l'économie n'est qu'un rameau de la sociologie, une science morale, voire politique. En fait, l'objectif de la science économique est de comprendre les mécanismes de la vie économique et d'établir des politiques permettant de bénéficier de conditions optimales pour réaliser le bien matériel de l'homme et de la société.

Le terme « science économique » tend à supplanter celui, jadis exclusivement utilisé, d'« économie politique », employé par Montchrestien, dès 1615, dans son *Traité d'économie politique.* Dès l'origine, la science économique a fait l'objet de deux conceptions différentes : pour les uns, il s'agissait d'une science normative, tendant à définir quelles devaient être les mesures à prendre pour obtenir un bon fonctionnement de l'économie; pour d'autres (Say Smith), « science » et « politique » devaient être radicalement séparées, la science économique cherchant essentiellement à éclairer les mécanismes de la formation des richesses et s'en tenant strictement à cet objectif.

Très rapidement, des divisions scindèrent le domaine de la science économique. Walras* répartissait son domaine, notamment en *économie pure,* tendant à expliquer le système des échanges et les mécanismes de la détermination des prix dans un régime de libre concurrence, et en *économie appliquée,* qui, procédant d'une recherche historique et inductive, formule des « lois » à partir de l'observation. En réalité, les deux méthodes s'interpénètrent et se complètent l'une l'autre.

La division de l'économie a semblé, ultérieurement, passer par la distinction entre la *microéconomie* et la *macroéconomie;* l'étude microéconomique est fondée sur les comportements individuels du consommateur, de l'entrepreneur, du travailleur, du capitaliste, etc.; l'analyse macroéconomique, de son côté, cherche l'éclairage de la vie économique dans l'étude de quantités globales (agrégats*) et s'attache à découvrir les relations existant entre ces quantités (investissement, épargne, consommation, emploi, etc.).

On distingue aussi l'*analyse statique* et l'*analyse dynamique;* la première permet d'éliminer l'*effet de temps* en étudiant les phénomènes économiques en un point donné de l'histoire (ou, du moins, en une période assez précise de celle-ci); l'étude dynamique offre les moyens d'étude des relations entre les phénomènes économiques à travers le temps.

La science économique connaît encore une distinction entre l'*économie générale,* ou science économique proprement dite, et une partie de l'économie répondant à des critères de méthodologie et de pédagogie particuliers, l'*économie d'entreprise,* qui analyse les objectifs, les structures, les politiques des entreprises. L'*économétrie,* enfin, est une branche de la science économique qui permet de vérifier empiriquement des théories économiques par la prise en compte d'un nombre élevé de variables, rigoureusement repérées.

Certains économistes, comme H. Guitton, se montrent volontiers pessimistes quant au caractère scientifique de la science économique. L'économie, pour ces auteurs, ne porte le nom de science

« que par analogie ». En réalité, il faut faire le départ entre les sciences exactes et les sciences de l'homme; celles-ci ne dégagent que des lois d'analogie qui (par le caractère vivant et pensant des êtres humains dont elles étudient le comportement) éclairent des enchaînements de faits non inéluctables, mais qui, au contraire, peuvent être surmontés (André Marchal).

ÉCONOMISME. — Les marxistes appliquent ce terme à une pratique qui consiste à réduire les phénomènes sociaux à leur aspect économique, c'est-à-dire dans un régime capitaliste à laisser jouer les lois de l'économie et dans un régime socialiste à donner la priorité aux faits économiques sur la lutte de classes.

ÉCORCE → LUNE, PLANÈTE.

ÉCORCE TERRESTRE. — C'est l'ensemble des couches superficielles du globe terrestre, dont les propriétés, au lieu de ne dépendre que de la profondeur, comme pour les couches plus profondes, sont aussi fonction, dans une large mesure, de la situation géographique des éléments considérés. On admet que son épaisseur est de l'ordre de 35 km et que sa densité est comprise entre 2,7 et 3.

ÉCOS (27630), ch.-l. de cant. de l'Eure, à 11,5 km au N.-E. de Vernon; 418 hab.

ÉCOSSE, en angl. **Scotland,** partie septentrionale de la Grande-Bretagne; 77180 km^2; 5 228 000 hab. *(Écossais).* Capit. *Édimbourg.* V. princ. *Glasgow.*

GÉOGRAPHIE. Une série de massifs anciens, orientés N.-E.-S.-O., se disposent du sud au nord : Cheviot, Southern Uplands, puis, au-delà du fossé des Lowlands, monts Grampians, séparés des North West Highlands par le fossé du Glen More. La prédominance des terrains cristallins et le climat océanique froid expliquent la grande pauvreté des sols de ce pays de landes et de tourbières, où l'empreinte des glaciers quaternaires reste forte (lochs).

La rudesse des conditions naturelles entraîne une faible densité moyenne de la population, qui se concentre dans les Lowlands. Les montagnes, domaine de l'élevage ovin extensif, ont tendance à se dépeupler. La pêche est active. La culture (avoine, orge), associée à l'élevage laitier, n'est pratiquée que dans les Lowlands, qui sont surtout une importante région industrielle. Le charbon y a permis le développement de la sidérurgie, qui alimente des chantiers navals (vallée de la Clyde) et des constructions mécaniques diverses. La pétrochimie (Grangemouth) et l'électronique (Dundee) sont en progrès. L'industrie textile (laine, textiles artificiels) reste modeste. Glasgow et Édimbourg dominent cette région, qui souffre actuellement de son éloignement de Londres et de la vétusté de ses installations industrielles, mais qui attend, surtout dans la région d'Aberdeen, un renouveau de l'exploitation des gisements d'hydrocarbures de la mer du Nord.

HISTOIRE. C'est avec la conquête romaine de l'île de Bretagne (Ier s.) que la future Écosse entre dans l'histoire. Elle est alors habitée par les Pictes, peuple celte que les légions romaines ne parviendront jamais à soumettre. Mais la colonisation des Scots ulstériens (IVe-VIe s.), qui s'établissent dans l'ouest du pays, l'implantation des *Brittones* dans la région de la Clyde (Strathclyde) et l'invasion anglo-saxonne dans le Sud (Lothians) [Ve s.] refoulent les Pictes vers les Highlands. L'évangélisation chrétienne du VIe s., avec saint Colomba, et les raids scandinaves du VIIIe s. accélèrent la fusion de ces nations. En 844, le roi scot Kenneth MacAlpin unifie les pays des Scots et des Pictes (royaume de Scone). Au XIe s., ses successeurs étendent leur autorité sur les Lothians (v. 1016) et le Strathclyde (1034) et réalisent l'union des quatre peuples (Scots, Pictes, Angles et Bretons). Sous l'action de grands rois (David Ier, de 1124 à 1153), cet État, purement celte par son organisation sociale (tribale) et par sa langue (gaélique), emprunte à l'Angleterre sa structure féodale et sa culture, tout en défendant avec efficacité son intégrité territoriale contre les ambitions dominatrices de sa voisine. Cependant, la mort (1286) sans héritiers du dernier de ces grands monarques, Alexandre III, permet l'intervention d'Édouard Ier d'Angleterre, qui impose son protectorat sur le pays (1292) avant de l'annexer (1296). Mais il se heurte à une réaction nationale, qui, sous le règne du faible Édouard II, fait triompher la cause écossaise (Bannockburn, 1314).

L'Écosse, redevenue indépendante (1328), s'engage avec les Stuarts dans l'alliance française, qui contribue à desserrer pour deux siècles l'étau anglais, mais qui n'empêche pas le pays d'entrer dans une longue période de convulsions internes. Le désastre de Flodden (1513) subi par les Écossais affaiblit l'autorité royale, qui ne parvient pas à empêcher le ralliement de la noblesse et du peuple à la Réforme, prêchée par le presbytérien John Knox. La reine Marie Stuart, restée catholique, doit chercher refuge (1568) auprès de sa cousine Élisabeth Ire, qui la fera exécuter. En 1603, la mort sans postérité d'Élisabeth donne la couronne d'Angleterre au roi Jacques VI d'Écosse, fils de Marie. Mais il faut attendre 1707 pour que l'union personnelle des deux couronnes se transforme en fusion des royaumes d'Écosse et d'Angleterre *(Acte d'union).* Dès lors, l'histoire politique de l'Écosse se confond avec celle du « Royaume-Uni » de Grande-Bretagne.

Écosse.
Eilan Donan Castle, forteresse construite en 1220 au bord du loch Alsh (côte occidentale de l'Écosse).

Ph. Bertot - Atlas-Photo

ÉCOUCHÉ (61150), ch.-l. de cant. de l'Orne, à 9 km au S.-O. d'Argentan, sur l'Orne; 1 457 hab. Intéressante église du XVIe s.

ÉCOUEN (95440), ch.-l. de cant. du Val-d'Oise, à 13 km au N. de Paris; 4 450 hab. Église (vitraux du XVIe s.). Important château Renaissance, de 1530-1535 environ, remanié par Jean Bullant (portique d'ordre colossal) quelque vingt ans plus tard.

ÉCOULEMENT *(Phys.).* — Pour un *liquide,* supposé sans viscosité, qui s'écoule par un étroit orifice percé dans une paroi mince, la vitesse d'écoulement est donnée par la formule $v = \sqrt{2gh}$, où h représente la charge, définie par la distance verticale de l'orifice à la surface libre. La *dépense,* ou volume de liquide passant dans l'unité de temps par un orifice de section s, est théoriquement égale à vs. En réalité, il y a contraction de la veine, d'où une diminution de la dépense. Dans les tuyaux, il y a lieu de tenir compte de la viscosité et des frottements, qui déterminent une perte de charge.

L'écoulement des *gaz* sous faible pression suit les mêmes lois, et sa vitesse est, en outre, inversement proportionnelle à la racine carrée de la densité du gaz (loi de Graham). Les *solides* fortement comprimés peuvent s'écouler par un orifice étroit (fabrication des tuyaux de plomb, des tubes d'étain, etc.).

ÉCOULEMENT EN NAPPE *(Géomorphol.)* → RUISSELLEMENT.

ÉCOULEMENT PAR GRAVITÉ *(Géomorphol.)*. — Lors d'une orogenèse, le soulèvement d'un massif profond peut engendrer le glissement des terrains sédimentaires qui le recouvrent et qui sont ainsi plissés. Dans les Alpes, on attribue généralement le plissement des Préalpes occidentales à ce style de tectonique, sous l'effet du soulèvement des massifs cristallins de la zone axiale.

ÉCOUVES *(forêt domaniale d')*, forêt de Normandie (Orne), au N. d'Alençon; 15 000 ha. Elle porte l'un des points culminants du Massif armoricain (417 m).

ÉCRAN *(Phys.)*. — C'est l'enveloppe ou la paroi destinée à protéger une portion d'espace contre certaines actions électriques, magnétiques ou autres : un conducteur creux mis au sol forme écran contre les actions électrostatiques.

ÉCRÉMEUSE → BEURRE.

ÉCREVISSE. — Il n'y a dans les eaux douces que peu d'espèces de crustacés supérieurs. L'écrevisse est la plus commune de ces formes. Hantant les ruisseaux suffisamment calcaires pour minéraliser sa carapace, mangeant un peu de tout, notamment des cadavres, l'écrevisse est connue pour ses longues antennes, ses fortes pinces, sa marche lente vers l'avant et ses brusques sauts natatoires en arrière, obtenus par rabattement de la palette caudale. On la pêche à la « balance » (sorte de filet); la cuisson lui donne une teinte rougeâtre. Devenue rare à l'état naturel, l'écrevisse est maintenant élevée dans des établissements d'*astaciculture.*

ÉCRINS *(barre des)*, point culminant du massif du Pelvoux; 4 103 m. Parc national.

ÉCRIT/ORAL. — Une langue se présente généralement sous une forme écrite et sous une forme orale, dont les codes peuvent présenter des différences importantes. Par exemple, en français, certaines marques de nombre de l'écrit n'apparaissent pas à l'oral : *enfant/enfants* [ɑ̃fɑ̃], *crie/crient* [kri]. D'autre part, il existe entre langue écrite et langue parlée des écarts lexicaux et syntaxiques notables. D'une manière générale, la forme écrite d'une langue est beaucoup plus stable que la forme parlée et a souvent servi de base à la formation et à la diffusion des langues nationales (allemand, italien).

Écrits, ouvrage de Jacques Lacan publié en 1966, où passe l'essentiel de son expérience et de son enseignement depuis 1936. Ce qui fait l'unité de ces textes, c'est la volonté d'un retour à Freud, qui conduit Lacan à une série de recherches sur la fonction du langage dans la constitution du sujet*.

ÉCRITURE. — L'écriture est un code de communication qui permet de représenter la langue parlée de manière concrète et durable. Alors qu'il est impossible de savoir quelque chose touchant l'origine du langage, l'écriture, qui a pour support l'espace, se trouve conservée : les fouilles ont permis de retrouver des graphismes préhistoriques remontant au moustérien.

Les systèmes d'écriture évoluent vers une abstraction et une économie de plus en plus grandes. À l'origine, les pictogrammes figurent le contenu du message sans qu'il y ait de rapport avec l'énoncé oral. L'idéogramme révèle la prise de conscience de mots distincts dans la chaîne parlée : chaque dessin représente un signifié. Comme ce système est très peu économique, il évolue : les signes deviennent polysémiques, certains signes en se combinant acquièrent une nouvelle valeur, l'emploi de déterminatifs sert à lever certaines ambiguïtés. À ce type appartiennent les écritures maya (non encore déchiffrée), mésopotamienne (cunéiformes*), égyptienne (hiéroglyphes*), chinoise*.

L'évolution conduit à noter non plus le mot mais la syllabe : l'idéogramme perd sa valeur symbolique pour acquérir une valeur phonétique. On aboutit ainsi à l'écriture alphabétique* : les signes ont rompu tout lien avec le sens du mot et un minimum de signes (représentant en gros les phonèmes de la langue) permet de transcrire le message.

Traditionnellement, la philosophie fait de l'écriture la représentation de la parole. Le signe écrit est ontologiquement déchu, dérivé de la parole originelle qui recèle la présence de l'être. Dans *De la grammatologie* J. Derrida* soutient une thèse différente : l'antériorité de l'écriture sur la parole.

ÉCRITURE MUSICALE. — À la base de l'édification d'une œuvre se situe le choix de la succession des notes (mélodie), de leurs transformations rythmiques et mélodiques. Ce travail s'effectue suivant les règles de l'*harmonie* ou du *contrepoint.* L'harmonie repose sur la résonance naturelle d'un son générateur qui produit des harmoniques. Celles-ci, considérées simultanément, constituent une agrégation verticale, ou accord. Le contrepoint obéit aux exigences d'une écriture polyphonique qui prône la progression horizontale et successive des parties musicales à divers intervalles.

Ecriture musicale. Les accords et leurs renversements.

Une des formes du contrepoint est représentée par le *canon,* dans lequel les voix reprennent le même thème à distance (imitation), en un jeu de questions et réponses traitées en augmentation ou en diminution, en mouvement rétrogade ou renversé. Le procédé qui consiste à disposer les voix à un intervalle de tierce ou sixte se nomme le *faux-bourdon.* Le *ricercar* appelle le même type d'écriture, mais se compose d'épisodes successifs en imitation sur un ou plusieurs motifs. En s'organisant, il évolue vers la *fugue*.* Le *développement* permet d'exploiter le sujet dans les tons voisins. Chaque exposition du sujet peut être séparé par un *divertissement.*

ÉCROUELLES. — Depuis le XIe s., les rois de France et d'Angleterre passaient pour posséder le pouvoir de guérir les malades scrofuleux en les touchant à l'endroit de leurs plaies. En France, cette croyance et le cérémonial du toucher (jour du sacre, grandes fêtes religieuses) persistèrent jusqu'à la Révolution.

ÉCROUISSAGE → ACIER, FORMAGE MÉCANIQUE, MÉTAL, PLASTICITÉ.

ÉCROÛTEUSE → LABOUR.

ÉCROUVES (54200 Toul), comm. de Meurthe-et-Moselle, à 4 km à l'O. de Toul; 6 798 hab. Église des XIIe et XIIIe s.

ECTHYMA → IMPÉTIGO.

ECTOPIE → TESTICULE.

ECTROPION → PAUPIÈRE.

ÉCU. — Le terme apparaît au XIIIe s. pour désigner la monnaie d'or créée sous Saint Louis et sur laquelle figurait un bouclier (*scutum,* écu) fleurdelisé. Par la suite, ce nom fut porté par différentes monnaies d'or ou d'argent (écu à la croisette de François Ier; écu blanc [argent] de Louis XIV).

ÉCUEILLÉ (36240), ch.-l. de cant. de l'Indre, à 20 km au N.-E. de Châtillon-sur-Indre; 1 760 hab.

ÉCULLY (69130), comm. du Rhône, dans la banlieue ouest de Lyon; 18 421 hab.

Écume des jours *(l')*, roman de Boris Vian (1947). Toutes les manifestations traditionnelles des surprises de l'amour et de la vie quotidienne, au rythme d'un « pianococktail » repris de l'« orgue des liqueurs » de Des Esseintes, et dans une gamme qui va de la parodie du roman décadent à la poésie-fiction.

ÉCUREUIL. — Nos régions tempérées ne connaissent guère d'autres rongeurs arboricoles que les écureuils; les uns roux (France), les autres gris (États-Unis, Angleterre), tous ont une longue queue bouffante qui les soutient dans leurs sauts tendus

Grossa - Jacana

d'un arbre à l'autre. Ils se nourrissent volontiers de glands et de noisettes, qu'ils tiennent avec leurs pattes de devant. A l'automne, ils constituent des réserves à demi enterrées, puis ils entrent en sommeil hibernal sur une fourche d'arbre, se réveillant de temps à autre pour aller dévorer un peu de leurs provisions. On les croit maintenant plus utiles que nuisibles, car ils favorisent la dispersion des graines. (Type de la famille des sciuridés.)

ÉCURY-SUR-COOLE (51240 La Chaussée sur Marne), ch.-l. de cant. de la Marne, à 9,5 km au S. de Châlons-sur-Marne; 370 hab.

ECZÉMA. — L'eczéma est la plus fréquente des dermatoses. L'eczéma aigu se caractérise par une plage érythémato-œdémateuse simple (rougeur et gonflement) qui se recouvre de vésicules. Celles-ci se rompent très vite et donnent alors un suintement important, puis des croûtelles se forment, offrant un aspect érythémato-croûteux (rougeur et croûtes) à la lésion. Enfin, après une phase de desquamation, l'épiderme redevient normal. Chacun de ces stades est accompagné d'un prurit important. L'eczéma lichénifié ou chronique est la conséquence du grattage : les plages d'eczéma deviennent épaissies, quadrillées.

L'eczéma peut atteindre la totalité du tégument (eczéma érythrodermique).

• L'*eczéma atopique* (ou constitutionnel) est une dermatose autonome, souvent familiale, qui débute habituellement vers 3 ou 4 mois, siège d'abord sur le visage, évolue par poussées successives et s'étend sur les plis de flexion. Il s'associe à d'autres manifestations : asthme, rhinite spasmodique. Une élévation importante du taux des immunoglobines E signe la maladie atopique.

• L'*eczéma de contact* résulte d'une allergie à un produit entré en contact avec la peau (ciment, vernis à ongles, etc.). La pratique des tests épicutanés (cuti-réactions) aux allergènes en cause permet de confirmer le diagnostic.

• Une infection candidosique, staphylococcique ou streptococcique est toujours retrouvée à l'origine des *eczémas microbiens,* tels les eczémas « variqueux » et « séborrhéiques » du nouveau-né.

• L'*eczéma séborrhéique* de l'adulte est très fréquent et touche les zones normalement séborrhéiques : cuir chevelu, régions des narines, du sternum.

Le traitement de l'eczéma ne peut être codifié, car il dépend des diverses variétés précitées. Les classiques bains de permanganate, les colorants antiseptiques gardent encore de leur utilité. La corticothérapie locale bien prescrite permet d'apporter un confort rapide au patient. Les antihistaminiques par voie générale constituent un bon appoint thérapeutique. La corticothérapie générale n'est qu'exceptionnellement indiquée.

EDAM → FROMAGE.

EDAM, v. des Pays-Bas, au N. d'Amsterdam; 18 000 hab. Église des XIVe et XVIIe s. Fromages.

Edda, nom donné à deux recueils des traditions mythologiques et légendaires des anciens peuples scandinaves. L'*Edda en prose,* attribué à Snorri Sturluson, est un art poétique (v. 1220). L'*Edda poétique* est un ensemble de poèmes anonymes, du VIIe au XIIIe s., se rapportant aux légendes héroïques.

EDDINGTON (*sir* Arthur Stanley), astronome et physicien britannique (Kendal 1882 - Cambridge 1944). Auteur de travaux fondamentaux sur la constitution et l'évolution des étoiles*, il est également connu pour ses théories cosmologiques : en même temps que Mgr Georges Lemaître*, il proposa, en 1927, d'interpréter le décalage vers le rouge des spectres* des nébuleuses extragalactiques comme un effet Doppler* dû à l'expansion de l'Univers*.

EDDY (Mary BAKER), fondatrice du mouvement Science chrétienne (Bow, New Hampshire, 1821 - Newton, Massachusetts, 1910). Sa doctrine est synthétisée dans son livre *Science et santé avec la clé des Écritures* (1875).

EDE, v. du sud-ouest du Nigeria; 163 000 hab.

EDE, v. des Pays-Bas (Gueldre), à l'E. d'Utrecht; 78 000 hab.

ÉDÉA, v. du Cameroun, sur la Sanaga; 23 000 hab. Centrale hydroélectrique et production d'aluminium.

EDEGEM, comm. de Belgique (prov. d'Anvers), dans la banlieue sud d'Anvers; 19 365 hab. (en 1970).

EDELWEISS. — Sa rareté, sa beauté propre et celle des sites de haute montagne où on la trouve encore en ont fait un symbole. Le botaniste, lui, voit dans cette plante le point culminant de l'évolution des composées* : ici ce sont de simples feuilles qui ont forme et position de pétales, et de petits capitules groupés, aux fleurs minuscules, qui « simulent » de grosses étamines.

EDEN (Anthony), comte **d'Avon,** homme politique britannique (Windlestone Hall, Durham, 1897 - Alvediston, Wiltshire, 1977). Député conservateur à partir de 1923, il est nommé ministre des Affaires étrangères en 1935, mais, partisan d'une politique de fermeté à l'égard de l'Italie et de l'Allemagne, il démissionne en 1938. De nouveau ministre des Affaires étrangères de 1940 à 1945, puis de 1951 à 1955, il collabore activement avec W. Churchill, multipliant les liens avec les États-Unis et renforçant l'alliance russe. En 1954, il joue un rôle important à la conférence de Londres sur le statut de l'Allemagne et lors des accords de Genève, qui mettent fin à la guerre d'Indochine. En 1955, il succède à Churchill comme Premier ministre et comme chef du parti conservateur, mais démissionne à la suite de l'échec de Suez (1957).

ÉDENTÉS. — Certains zoologistes rassemblent dans cet ordre tous les mammifères terrestres aux dents d'un seul type, survenant en une seule poussée et plutôt mal implantées, ou entièrement dépourvus de dents. Il s'agit toujours d'animaux de l'Amérique du Sud qui ont survécu à l'invasion de leur continent par la faune

ÉDENTES

nord-américaine : fourmiliers* (v. TAMANOIR), paresseux*, tatous*, pangolins*. La plupart des auteurs isolent cependant les pangolins dans l'ordre des *pholidotes,* leur habitat afro-asiatique suggérant une lignée ancestrale entièrement indépendante.

ÉDESSE, v. de la Mésopotamie du Nord, capit. de la Syrie chrétienne avant l'invasion arabe. Sous l'impulsion de saint Éphrem*, elle devint le siège d'une importante école théologique qui vira au nestorianisme*.

ÉDESSE *(comté d'),* principauté latine d'Orient fondée en 1098 par Baudouin Ier de Boulogne, frère de Godefroi de Bouillon, et qui fut le plus extrême rempart chrétien contre les Turcs. Quand, en 1100, Baudouin Ier monta sur le trône de Jérusalem, il laissa son comté à son cousin Baudouin II du Bourg (de 1100 à 1118), qui, devenu, à son tour, roi de Jérusalem, remit Édesse à son parent Jocelin Ier de Courtenay (de 1119 à 1131). Celui-ci réussit à sauvegarder sa principauté. Mais, en 1144, le comté, échu à son fils Jocelin II, fut ravagé par les Turcs. La chute d'Édesse provoqua la deuxième croisade.

EDFOU, v. d'Égypte, sur le Nil, au N. d'Assouan; 18 000 hab. Les travaux de dégagement de l'immense temple d'Horus — l'un des mieux conservés d'Égypte — sont dus à Mariette*. Construit selon un plan classique malgré l'époque tardive (237-57 av. J.-C.), ce temple fournit, par ses bas-reliefs et ses innombrables inscriptions, une véritable somme de renseignements sur la mythologie et les rites cultuels de l'Égypte ancienne.

EDGAR le Pacifique (944-975), roi des Anglo-Saxons de 959 à 975. Fils d'Edmond Ier († 946), il succéda à son frère Eadwig en 959. Il dut, comme ses prédécesseurs, lutter contre les Danois. Ses réformes administratives (généralisation des comtés) consolidèrent l'unité du royaume.

EDGAR the Aetheling, prince anglo-saxon (v. 1050 - v. 1125), petit-fils du roi Edmond II Côtes de Fer. Prétendant au trône d'Angleterre, il s'opposa à l'usurpateur Harold II en 1066, puis à Guillaume le Conquérant. Réconcilié avec ce dernier, il fut chargé du commandement du corps expéditionnaire normand en Apulie (1086). En 1097, il renversa le roi Donald Bane au profit d'Edgar, fils de Malcolm III. Il soutint le duc normand Robert Courteheuse contre le roi Henri Ier Beauclerc. La bataille de Tinchebray (1106), où il fut fait prisonnier, marqua la fin de sa vie politique.

ÉDILE. — À Rome, à côté des deux édiles plébéiens, élus depuis 493 av. J.-C. par les assemblées de la plèbe pour assister les tribuns, furent créés en 367 av. J.-C. deux édiles curules, élus par les comices tributes; ces édiles curules étaient chargés de la police de la ville et des marchés, et préposés à l'organisation des jeux. Sous l'Empire, leurs attributions furent progressivement limitées à la police des marchés.

ÉDIMBOURG, en angl. **Edinburgh,** capit. de l'Écosse, près de l'estuaire du Forth; 453 000 hab. Université. Château (parties des XIIe et XIVe s.). Cathédrale (XIVe-XVe s.). Église (XIIIe s.) et palais (XVIIe s.) de Holyrood. Demeures du XVIIe s. Quartiers neufs fin XVIIIe-début XIXe s. Musées, dont la National Gallery (peinture européenne). Constructions électriques. Édition.

ÉDIMBOURG (*prince* Philippe DE GRÈCE, *duc* D') → PHILIPPE.

ÉDIRNE, v. de la Turquie d'Europe, en Thrace; 55 000 hab. Très belles mosquées, dont la Selimiye (1569-1574), chef-d'œuvre de Sinan*. Anciennement appelée *Hadrianopolis (Andrinople)* en l'honneur de l'empereur Hadrien, qui la reconstruisit vers 125, la ville fut le théâtre de deux batailles décisives : en 324, Constantin y battit Licinius; en 378, l'empereur Valens y fut vaincu et tué par les Goths. Conquise par les Turcs en 1362, elle devint au XVe s. le siège de la Cour ottomane. Elle demeura jusqu'au XVIIIe s. un lieu de résidence et de divertissement des sultans.

EDISON (Thomas), inventeur américain (Milan, Ohio, 1847 - West Orange, New Jersey, 1931). Autodidacte, il réalisa de multiples inventions, notamment un télégraphe *duplex* permettant de faire passer simultanément sur un même fil deux dépêches en sens inverse, le phonographe (1877), le microtéléphone (1877), la lampe électrique à incandescence (1878), des appareils télégraphiques quadruplex et sextuplex, le *Kinétoscope* (1894). On lui doit la découverte de l'émission d'électrons par les métaux incandescents (1883), qui est à l'origine de la lampe diode. Edison construisit dans sa propre propriété le premier studio de prises de vues cinématographiques, le Black Maria, et fonda en 1898 l'Edison Film Co., première société de production de films aux États-Unis avec la Vitagraph et la Biograph.

ÉDIT. — À Rome, ce mot servait à désigner la déclaration solennelle faite par certains magistrats lors de leur entrée en fonction; ceux-ci y énonçaient les règles de procédure qu'ils se proposaient de suivre dans leur administration (édit du préteur). La monarchie capétienne emprunta ce terme pour désigner, à côté des ordonnances à portée générale, les actes législatifs du roi réglementant une question spécifique ou applicable à une partie du royaume.

EDJELÉ, gisement pétrolifère du Sahara algérien, près de la frontière libyenne. Pipe-line vers La Skhirra (Tunisie).

EDMOND RICH *(saint)* [Abingdon v. 1175 - Soisy 1240], archevêque de Canterbury en 1233. Il s'opposa au roi Henri III à propos de la collation des bénéfices ecclésiastiques et s'exila en France, d'abord à Pontigny, puis à Soisy, près de Provins. Il fut canonisé par le pape Innocent IV en 1246.

EDMOND II Côtes de Fer (v. 980-1017), roi des Anglo-Saxons de 1016 à 1017, fils et successeur d'Ethelred (ou Aethelraed) II. À la convention de Deerhus, l'envahisseur danois Knud le Grand le reconnut roi du Wessex. Mais Edmond mourut quelques mois plus tard, ne laissant que des enfants en bas âge. Conformément au traité, la couronne passa à Knud.

EDMONTON, v. du Canada, capit. de l'Alberta; 437 116 hab. Raffinage du pétrole et chimie.

EDMUNSTON, v. du Canada (Nouveau-Brunswick), sur la rivière Saint-Jean; 12 365 hab. Industries du bois.

ÉDOMITES, tribus sémitiques établies dès le XIIIe s. av. J.-C. au sud-est de la mer Morte et soumises par David*. Au VIe s. av. J.-C. les Édomites occupent le sud de la Palestine, et leur territoire à l'époque gréco-romaine prend le nom d'*Idumée.* Hérode* le Grand en est originaire.

ÉDOUARD *(lac)* → IDI-AMIN-DADA.

ÉDOUARD le Confesseur *(saint)* [Islip, Oxfordshire, av. 1000-Westminster 1066], roi des Anglo-Saxons de 1042 à 1066. Fils du roi détrôné Ethelred (ou Aethelraed) II et d'Emma de Normandie, il monta sur le trône à la faveur de l'anarchie qui suivit la mort de son demi-frère, Harold Hardeknud (ou Hardicanute) [fils du Danois Knud* et d'Emma]. Très pieux et peu enclin à la violence, il laissa son beau-père, le comte Godwin, exercer le pouvoir. À sa mort, l'Angleterre, divisée, ne résista pas longtemps à l'assaut des envahisseurs normands (1066). Édouard sera canonisé par Alexandre III le 7 février 1161.

ÉDOUARD Ier (Westminster 1239 - près de Carlisle 1307), roi d'Angleterre de 1272 à 1307, fils et successeur d'Henri III. Ce prince énergique parvint à restaurer l'autorité royale, fortement compromise par l'octroi de la Grande Charte (1215) et des provisions d'Oxford (1258). Administrateur de génie, il fut aussi un remarquable chef militaire. Il conquit le pays de Galles (1282-1284) et fit reconnaître sa suzeraineté sur l'Écosse (1292) avant d'en entreprendre la conquête (1296). Il fut moins heureux en France, où Philippe le Bel s'empara d'une partie de ses domaines aquitains.

ÉDOUARD II (Caernarvon Castle 1284 - Berkeley Castle 1327), roi d'Angleterre de 1307 à 1327, fils d'Édouard Ier. Roi faible, il laissa gouverner ses favoris, dont l'incompétence et l'avidité provoquèrent la révolte des barons (1311). Battu par les Écossais en 1314 (Bannockburn), trahi par sa femme, Isabelle de France, il ne put faire face à l'insurrection générale du printemps de 1326. Fait prisonnier, il abdiqua sous la pression du Parlement (janv. 1327) en faveur de son fils; il fut assassiné sur l'ordre de la reine (sept.).

ÉDOUARD III (Windsor 1312 - Sheen 1377), roi d'Angleterre (de 1327 à 1377), fils d'Édouard II et d'Isabelle de France. En 1330, il se débarrasse de la tutelle de sa mère. Sept ans plus tard, il revendique le trône capétien et déclenche les hostilités contre la France (1337). Son armée est d'abord victorieuse des Français à Crécy (1346), puis à Poitiers (1356), et Édouard est en mesure d'imposer à Jean le Bon la paix de Brétigny (1360). Mais, à partir de 1369, il subit plusieurs échecs militaires en France (du Guesclin). Durant les dernières années de son règne — pendant lequel le Parlement (et surtout les Communes) a pris un rôle de plus en plus important —, il laisse gouverner son fils Jean de Gand. Son petit-fils Richard II héritera d'un royaume affaibli par la guerre et la peste noire.

ÉDOUARD IV (Rouen 1442 - Westminster 1483), roi d'Angleterre de 1461 à 1483. Fils du duc d'York Richard et héritier des droits de ce dernier à la couronne d'Angleterre (v. DEUX-ROSES [*guerre des*]), Édouard fut proclamé roi par ses partisans en mars 1461. Peu après, il écrasait les lancastriens à Towton. La première partie de son règne fut marquée par une révolte du comte de Warwick, son ancien protecteur, et par le rétablissement éphémère du lancastrien Henri VI (1470-71). Vainqueur, Édouard réorganisa son royaume et signa avec Louis XI le traité de Picquigny (1475), qui mit fin à la guerre de Cent Ans.

ÉDOUARD V (Westminster 1470 - tour de Londres 1483), roi d'Angleterre en 1483. Fils et successeur d'Édouard IV, il est séquestré et tué, en même temps que son frère Richard, par leur oncle Richard de Gloucester.

ÉDOUARD VI (Hampton Court 1537 - Greenwich 1553), roi d'Angleterre et d'Irlande de 1547 à 1553, fils d'Henri VIII et de Jeanne Seymour. Son court règne — important dans l'histoire anglaise — est en fait dominé par deux personnalités redoutables : Edward Seymour, duc de Somerset, oncle du roi, maître des affaires de l'État jusqu'en 1550, puis John Dudley, duc de Northumberland. Le protestantisme s'enracine alors officiellement en Angleterre, notamment par les deux « Livres de prières » officiels de 1549 et de 1552, et par le bill des « quarante-deux articles » (1553), qui supprime la messe. Sur le plan économique et social, la situation se dégrade rapidement, l'État étant acculé à la banqueroute en 1553. C'est un royaume aux prises avec les pires difficultés que Marie* Tudor prendra en charge.

ÉDOUARD VII (Londres 1841 - *id.* 1910), roi de Grande-Bretagne et d'Irlande de 1901 à 1910. Fils et successeur de la reine Victoria*, il arrive tard au pouvoir. Attiré surtout par la politique extérieure, il est l'instrument déterminant qui permet de liquider le contentieux franco-anglais et de sceller en 1904 l'Entente* cordiale.

ÉDOUARD VIII (Richmond, Surrey, 1894 - Paris 1972), roi de Grande-Bretagne en 1936, fils aîné de George V. Sa décision d'épouser une Américaine divorcée, Mrs. Simpson, provoqua une crise constitutionnelle à laquelle le roi mit fin en abdiquant (1936). Il reçut alors le titre de **duc de Windsor**.

ÉDOUARD le Prince Noir (Woodstock 1330 - Westminster 1376), fils aîné d'Édouard III, prince de Galles. Remarquable stratège, il dirigea plusieurs chevauchées en France et remporta la victoire de Poitiers (1356). Devenu duc d'Aquitaine en 1362, il combattit contre le prétendant au trône de Castille Henri de Trastamare (Nájera 1367). Mêlé à la politique anglaise à partir de 1371, il soutint les partisans d'une monarchie tempérée et réformiste contre les tenants d'un pouvoir fort.

EDRISI (el-) → IDRĪSĪ *(al-)*.

ÉDUCATION. — Eric Weil donne du philosophe la définition suivante : « Il est celui qui doit agir — philosophiquement — pour rendre l'humanité raisonnable. Ainsi l'ambition du philosophe est-elle, avant tout, d'éduquer les autres hommes. Dans *la République,* Platon distinguait trois formes de « paideia » : l'enseignement encyclopédique, l'enseignement du langage et la formation du bon citoyen. Pour Rousseau, c'est « le plus beau traité d'éducation qu'on ait jamais écrit ».

Dans le domaine de l'éducation, le plus grand bouleversement fut marqué par l'institution et la généralisation de l'école gratuite et obligatoire, œuvre accomplie à la fin du XIXe s. dans les sociétés européennes les plus riches. Parallèlement à la famille, l'école constituait un milieu au sein duquel les enfants étaient censés acquérir de nouvelles manières de penser et d'agir. C'est dire que les plus grandes controverses, depuis le début du XXe s., ont concerné l'école et le système scolaire dans son ensemble. Comme institution, l'école est chargée de transmettre l'héritage du passé en même temps qu'elle constitue un facteur de transformation sociale. Dans une société vouée à l'industrialisation, elle doit, également, avoir le souci d'assurer le plus parfaitement possible l'adéquation de la formation des hommes à la prévision des emplois et des métiers. En compensant, dans une certaine mesure, les handicaps sociaux, elle peut enfin être considérée comme un instrument privilégié dans la lutte contre les inégalités sociales. À notre époque, la controverse autour de l'éducation concerne toujours l'importance qu'il convient d'accorder respectivement à chacune de ces trois formations. Car, au-delà du renouvellement pédagogique et des désillusions de l'école pour tous, on trouve toujours ce lien entre la société et l'éducation, posé il y a plusieurs millénaires par la philosophie grecque.

ÉDUCATION PERMANENTE → FORMATION CONTINUE.

Éducation sentimentale *(l'),* roman de Flaubert (1869). « Histoire d'un jeune homme », dit le sous-titre, qui connaît tour à tour la passion platonique, sensuelle et ambitieuse, et qui accepte finalement l'échec d'une vie consacrée à un amour impossible. Œuvre type de la « méthode » de Flaubert en littérature : c'est la reprise de plusieurs ébauches (dans *Mémoires d'un fou* et *Novembre*) et d'un premier récit avorté (première *Éducation sentimentale,* 1843-1845); c'est l'épanouissement dans l'écriture d'un des événements fondateurs de son mythe personnel, la rencontre, en 1836, à Trouville, d'Élisa Schlésinger; c'est, avec le personnage de Marie Arnoux, l'aboutissement d'un idéal féminin, qui, de la Maria des *Mémoires d'un fou* en passant par Emma Bovary, devient un type obsessionnel; c'est un document sociologique sur la génération de 1848; c'est, enfin, une somme de la philosophie flaubertienne de la vie : l'échec d'un amour romantique, vécu par un anti-héros, est l'image et le modèle de l'échec d'une jeunesse qui s'est trompée de révolution.

ÉDUENS, un des plus puissants peuples gaulois qui disputaient aux Arvernes* la domination de la Gaule (IIe-Ier s. av. J.-C.). Alliés des Romains, les Éduens habitaient la région correspondant à une partie du Nivernais et de la Bourgogne. Leur capitale était Bibracte (mont Beuvray), qui fut remplacée vers 15-10 av. J.-C. par Autun.

EEKHOUD (Georges), écrivain belge d'expression française (Anvers 1854-Bruxelles 1927), poète, fondateur de la revue *le Coq rouge* (1895), peintre réaliste, dans ses romans, du petit peuple campinois (*Kermesses,* 1885).

EEKLO, v. de Belgique (Flandre-Orientale), au N.-O. de Gand; 19 499 hab. (en 1977). Hôtel de ville du XVIIe s.

EFFET *(Phys.).* — On désigne sous le nom d'« effets » un grand nombre de phénomènes physiques particuliers. L'*effet Compton* est l'accroissement de longueur d'onde que subissent les rayons X lorsqu'ils sont diffusés par des atomes légers. L'*effet Doppler-Fizeau* est la modification de la fréquence du son ou de la radiation perçus lorsque la source sonore ou lumineuse se déplace par rapport à l'observateur. L'*effet d'écho* est l'apparition d'un signal parasite créé sur chaque spire d'une bande magnétique enroulée par les signaux enregistrés sur les spires voisines. L'*effet Hall* est la déviation que, sous l'action d'un champ magnétique, subit la trajectoire d'un courant électrique dans un semi-conducteur. L'*effet Joule* est le dégagement de chaleur que produit le passage d'un courant électrique dans un conducteur homogène. L'*effet Kelvin,* ou *effet de peau,* est l'augmentation de la densité de courant vers la surface des conducteurs parcourus par des courants de haute fréquence. L'*effet Larsen* est l'oscillation spontanée qui prend naissance lorsque la sortie d'un système électroacoustique réagit sur son entrée. L'*effet Peltier* est le dégagement ou l'absorption de chaleur produits par le passage d'un courant électrique à travers la jonction de deux métaux différents. L'*effet photoélectrique* est un phénomène d'interaction entre le rayonnement et la matière, caractérisé par l'absorption de photons et l'émission consécutive d'électrons. L'*effet photovoltaïque* est l'apparition d'une force électromotrice au contact d'une électrode et d'un électrolyte, ou entre un métal et un semi-conducteur. L'*effet thermoélectrique* est l'émission d'électrons résultant de l'agitation thermique. L'*effet Thomson* est le dégagement ou l'absorption de chaleur produits par le passage d'un courant électrique à travers la jonction de deux pièces d'un même métal ayant des températures différentes. L'*effet Tyndall* est la diffusion de la lumière par les particules d'une suspension colloïdale.

EFFET DE COMMERCE. — Les effets de commerce regroupent les billets à ordre, les lettres de change, les chèques, les warrants, documents constatant l'obligation de payer une somme d'argent, transmissibles par voie d'endossement et (ou) susceptibles d'escompte, auxquels on peut assimiler la récente institution des factures* protestables.

La lettre de change, ou traite, est un écrit aux termes duquel une personne, appelée « tireur », donne l'ordre à un tiré de payer une somme à un bénéficiaire à une date déterminée, l'échéance. Elle est normalement présentée chez le tiré, mais on a pris l'habitude de la « domicilier », c'est-à-dire d'en prévoir le paiement chez un banquier. (La banque du tiré la paiera sur avis du tiré.) La traite est « acceptée » si le tiré a porté sur elle le terme « accepté », ce qui l'engage irrévocablement à la payer.

Les échanges d'effets représentent des volumes considérables. En 1974, 1 200 millions de chèques, effets, avis de prélèvement et virements interbancaires sont passés par la chambre de compensation des banquiers de Paris et les 219 chambres de compensation de province, sur les places où la Banque de France dispose d'un comptoir. Ces chiffres ne représentent d'ailleurs pas l'ensemble des chèques, des effets, des avis et des virements émis en France en une année.

EFFICACE *(Électr.).* — L'*intensité efficace d'un courant alternatif* est l'intensité du courant continu qui produit, dans un même conducteur et pendant le même temps, le même dégagement de chaleur que le courant alternatif. La *tension efficace* est la tension continue qui produit, dans un circuit alimenté en courant alternatif, le passage d'un courant ayant pour intensité l'intensité efficace du courant alternatif.

La valeur efficace d'une grandeur sinusoïdale est le quotient de sa valeur maximale par $\sqrt{2}$.

EFFICIENCE → APTITUDE.

EFFLORESCENCE. — L'efflorescence d'un hydrate salin cristallisé se produit quand la pression de dissociation de celui-ci est supérieure à la pression de la vapeur d'eau dans l'atmosphère; il y a alors formation d'une variété moins hydratée, ou même anhydre, et le départ des molécules d'eau amène un changement dans la structure du sel, qui tombe en poussière.

EFFLUENT RADIOACTIF. — Lors de l'extraction, de la fabrication ou du traitement de produits radioactifs, il se produit, sous forme liquide ou gazeuse, des matières douées de radioactivité* et appelées « effluents radioactifs ». Dans la production dite *normale,* des effluents apparaissent dans le cycle des réacteurs* nucléaires : avant le réacteur, on trouve surtout le radon dans les mines d'uranium*; dans le réacteur, il y a des gaz comme l'argon 41, le krypton 85, le xénon 133, l'iode 131 et des liquides provenant des vidanges des circuits et de la piscine de stockage; après le réacteur, ce sont surtout le strontium 90 et le césium 137. Dans la production dite *irrégulière,* les effluents gazeux sont généralement produits dans les laboratoires, et les effluents liquides proviennent des ateliers de contamination, des laboratoires, etc. Le traitement des effluents radioactifs se fait de différentes façons. On agit pour les gaz par *dispersion* et pour les liquides par *contention,* par *concentration,* par *évaporation,* par *précipitation chimique* ou par *échange d'ions**. Les effluents liquides de haute activité sont constitués par des solutions aqueuses de dissolution du combustible* irradié; ils contiennent plus de 99 p. 100 de produits de fission*. Ces solutions, dont l'importance est de l'ordre de 20 à 30 m^3 par an pour une tranche nucléaire de 1 000 MWe, sont actuellement stockées dans des réservoirs en acier inoxydable, placés dans des casemates blindées et ventilées. Pour l'avenir, on envisage de les enrober (vitrification) et de les considérer comme des déchets* solides. Les effluents liquides de faible et de moyenne activité font l'objet de dispersion et de dilution en mer.

EFFLUVE ÉLECTRIQUE. — C'est une forme particulière de décharge, se manifestant par un flux d'électricité obscur ou faiblement lumineux lorsque les conducteurs sont séparés par un isolant et que la différence de potentiel est trop faible pour provoquer une décharge disruptive. Dans le cas des lignes de transport d'énergie, l'effluve porte le nom d'*effet couronne.*

EFFORT → RÉSISTANCE DES MATÉRIAUX.

EFFUSION *(Phys.).* — Les vitesses de passage des gaz à travers les petites ouvertures ou les cloisons poreuses sont en raison inverse des racines carrées de leurs densités (loi de Graham).

EGAS (Enrique), architecte espagnol d'ascendance flamande († v. 1534). Il fut l'un des maîtres du style plateresque, adaptant les motifs décoratifs de la première Renaissance italienne à des structures gothiques : hôpital royal de Saint-Jacques-de-Compostelle (1501), hôpital de la Santa Cruz à Tolède (1504). Il travailla pour diverses cathédrales, dont celle de Grenade.

ÉGATES *(îles),* groupes d'îles italiennes de la côte occidentale de la Sicile. En 241 av. J.-C., le proconsul romain C. Lutatius Catulus y remporta une victoire qui décida Carthage à traiter (fin de la première guerre punique*).

EGBERT → WESSEX.

ÉGÉE *(mer),* partie de la Méditerranée entre la Grèce et la Turquie.

ÉGÉE, roi légendaire d'Athènes. Sous le coup de la douleur causée par la fausse nouvelle de la mort de son fils Thésée*, parti pour la Crète combattre le Minotaure*, il se noya dans la mer qui, depuis, porte son nom.

ÉGÉENNE (civilisation). — Les civilisations préhelléniques des îles et des peuples riverains de la mer Égée (IIIe-IIe millénaire av. J.-C.) constituent le substrat culturel de la civilisation grecque : le point de départ de la civilisation égéenne est l'île de Crète* et la civilisation minoenne*, dont l'art, raffiné, rayonne en Méditerranée orientale. Enrichie de l'apport minoen, la civilisation mycénienne* sera diffusée au XIIIe s. av. J.-C. par les Achéens* sur les côtes de l'Asie Mineure et nourrira la civilisation de l'époque d'Homère*, que submergera l'invasion des Doriens*.

EGER, nom allemand de l'OHŘE.

EGER, v. de Hongrie, au pied des monts Mátra; 51 000 hab. Restes de la cathédrale romane, du palais épiscopal et du château fort gothiques. Ensemble d'édifices baroques du XVIIIe s. (églises, palais, hôtel de ville...), aux belles ferronneries. Cathédrale néoclassique (1831). — Vignobles aux environs.

ÉGÉRIE, nymphe du Latium, conseillère du roi Numa*, à la mort duquel elle versa tant de larmes qu'elle fut changée en fontaine. Déesse des Sources, son culte était lié à celui de la Diane* de Némi.

ÉGINE, île de Grèce, au S.-O. d'Athènes; 10 000 hab. Puissance maritime dès le VIIe s. av. J.-C., elle se débarrassa de la tutelle d'Argos et imposa son système monétaire au monde grec; la *tortue* d'Égine eut cours de l'Asie Mineure à l'Égypte et pénétra en Italie et dans la Perse achéménide. Au Ve s. av. J.-C., Égine déclina et devint possession d'Athènes. Parmi les divers sanctuaires qui témoignent du passé de l'île, celui d'Athéna Aphaia est l'un des plus beaux exemples de l'archaïsme finissant; la décoration sculptée (Munich, Glyptothèque), malgré d'importantes restaurations, marque le passage du style ionisant au style sévère.

EGINHARD, lettré de l'époque carolingienne (Maingau, vallée du Main, v. 770 - Seligenstadt 840). Passionné de mathématiques et d'architecture, il parut à la cour de Charlemagne en 796. On lui doit une *Vita Caroli regis,* véritable apologie du règne de Charlemagne, écrite vers 830, sur le modèle des *Vies des douze césars* de Suétone.

ÉGISTHE → ATRIDES.

ÉGLANTIER. — Cet arbrisseau, assez voisin du rosier* pour lui servir de porte-greffe, se distingue de celui-ci par ses fleurs simples (5 pétales seulement) et par son aptitude normale à produire des fruits. De couleur orangée, de forme ovoïde, ce « fruit » est un réceptacle charnu et creux contenant les fruits au sens botanique du mot, et formant une sorte de bourre. La fleur est l'*églantine.*

ÉGLETONS (19300), ch.-l. de cant. de la Corrèze, à 32 km au N.-E. de Tulle; 5 885 hab. *(Égletonnais).* Industrie alimentaire.

ÉGLISE. — L'édifice du culte catholique est un lieu sacré, *autel* entouré d'un espace assez vaste pour accueillir les fidèles lors de la célébration du sacrifice. L'aspect social l'emporte dans sa dénomination, puisque le mot *église* désigne d'abord l'assemblée des chrétiens (il en est de même pour la mosquée* des musulmans, et la source est commune : la synagogue judaïque).

Destination et parti architectural de la synagogue annoncent largement ceux de l'église, notamment lorsque cette dernière adopte un plan de *basilique**. Mais une fonction particulière apparaît dans la chrétienté primitive, spécialement après la paix de l'Église : triomphant de la persécution, celle-ci va honorer ses martyrs en plaçant leurs reliques à l'intérieur des autels. Cette fonction de *martyrium* invite à adopter le *plan centré* des mausolées païens : les édifices voûtés circulaires, carrés ou en croix grecque connaissent ainsi une grande faveur dans les pays byzantins*. Toutefois, l'église basilicale, en longueur et longtemps charpentée, de construction plus facile, finira par l'emporter, quitte à ce que la création du *transept* introduise une combinaison des deux types. Le sol du sanctuaire est surélevé et entouré d'un *chancel* (clôture dont la façade tendra à l'*iconostase* oriental et au *jubé*), pour affirmer la prééminence de l'autel. Les prêtres prennent place dans l'*abside,* les notables latéralement (dans le transept s'il y en a un), et les fidèles dans la *nef* (certains peuvent être tenus à l'écart dans un *narthex,* lieu de préparation en avant de la nef). Au haut Moyen Âge, dans quelques grands monastères, l'extension du culte des reliques conduit à superposer l'autel à une *crypte* qui abrite celles-ci; des *déambulatoires* entourent abside et crypte, s'ajoutant aux bas-côtés de la nef dans le cycle de procession des pèlerins. En Rhénanie, l'établissement d'une seconde abside, vers l'ouest, accentue la combinaison des plans centré et linéaire.

Même si l'église médiévale, édifice public majeur, a des fonctions multiples, y compris civiles, la sacralisation des autels tend à s'étendre à l'édifice entier, en ce sens maison de Dieu comme le temple antique : tradition vivifiée par la vision apocalyptique de la Jérusalem céleste, qui se concrétisera lorsque le progrès technique permettra de faire passer les représentations figurées de l'opacité du mur peint roman* à la lumineuse vitrerie gothique*.

Par la suite, l'église catholique se résigne peu à peu à ses seules fonctions cultuelles. Au symbolisme imagé du Moyen Âge, l'époque baroque* substitue des modes de persuasion plus subtils, notamment une scénographie empruntée à l'architecture laïque. Toutefois, il faut attendre le XIXe s. et les progrès de l'archéologie pour voir la liturgie remise en cause. Pour raviver la foi, l'Église recourt aux styles du passé, gothique, roman, byzantin..., étouffant toute religiosité sous la sécheresse des volumes et d'un mobilier commercialisé. C'est seulement depuis le concile de Vatican II qu'une réponse satisfaisante commence à être donnée au besoin de renouveau liturgique, que l'insolite du cadre (qu'il soit passéiste ou d'avant-garde) ne saurait satisfaire.

Église catholique ou romaine, portion — la plus considérable — de l'Église chrétienne, qui reconnaît le magistère suprême du pape*, lequel réside à Rome (v. VATICAN). Se sont séparées d'elle, d'une part, les Églises orientales* dites « orthodoxes », issues pour l'essentiel du schisme consommé en 1054, et, d'autre part, les Églises protestantes*, nées de la Réforme luthérienne et calviniste du XVIe s.

Face à ces « séparées », l'Église romaine adopte d'abord, et pour longtemps, une attitude anathématisante. Elle-même, d'ailleurs, consciente de la nécessité d'une « réformation » profonde, liée aux abus ecclésiastiques et à la nécessité — vivement ressentie dans la chrétienté — d'un retour à l'esprit évangélique, se livre, à partir du concile de Trente* (1545-1560), à un puissant travail de réforme (v. CONTRE-RÉFORME), qui a pour résultat un renouveau spirituel intense, sensible surtout au XVIIe s., mais aussi un renforcement de la centralisation et de l'autoritarisme romains. Quand, à partir du XVIIIe s., monte et s'étend la vague des idées nouvelles — philosophie, laïcisme, rationalisme, libéralisme, scientisme, matérialisme, positivisme, socialisme... —, elle s'arrête d'abord à des positions défensives, elle seule représentant la vérité, l'« erreur » étant le mal. Le *Syllabus* de Pie IX (1864) et l'esprit du premier concile du Vatican* (1869-70) constituent la forme la plus aiguë de ce rejet. Peu à peu, cependant, notamment après 1890, des catholiques de plus en plus nombreux prennent conscience de la possibilité et même de la nécessité d'allier une vie chrétienne authentique et une fidélité vivante à l'Église, à une diversité de plus en plus grande de prises de position et d'engagements politiques et sociaux ainsi qu'à un œcuménisme enrichissant. Le deuxième concile du Vatican (1962-1965), de ce point de vue, constitue une étape décisive. Quoique secouée par tous les courants de la civilisation contemporaine, voire contestée par une partie notable de l'opinion, l'Église catholique apparaît de plus en plus crédible au fur et à mesure qu'elle reprend, selon l'expression de Jean XXIII, « les traits les plus simples et les plus purs de ses origines ».

Église constitutionnelle, l'ensemble des évêques et des prêtres qui adhérèrent à la Constitution* civile du clergé, décrétée en 1790 par l'Assemblée constituante. Le véritable chef de cette Église fut l'abbé Henri Grégoire (1750-1831), évêque de Loir-et-Cher, qui, durant la période de déchristianisation et de déprêtrisation qui coïncida avec la Terreur (1793-94), maintint les évêques et les prêtres non abdicataires dans la foi. Après Thermidor (juill. 1794), l'Église constitutionnelle connut un temps de renouveau par des recherches et des tentatives dans le sens de la collégialité et du presbytérianisme. Mais elle ne survécut pas à la signature du concordat* de 1801.

Églises orientales, nom donné aux Églises qui se sont constituées en dehors de la zone d'influence de l'Empire latin d'Occident et de la dépendance du Siège apostolique de Rome.

Le fractionnement entre le christianisme d'Orient et celui d'Occident commence au Ve s. avec le nestorianisme* et le monophysisme*, qu'adoptent, malgré l'anathème fulminé par les conciles d'Éphèse (431) et de Chalcédoine (451), des communautés chrétiennes moins immédiatement soumises à l'influence de la culture byzantine et du pouvoir impérial de Constantinople. Cependant, l'ensemble de l'Orient chrétien reste fidèle à la doctrine « orthodoxe » définie par les quatre grands conciles fondamentaux (Nicée, Constantinople I, Éphèse et Chalcédoine). La rupture définitive avec l'Occident chrétien (provoquée par des conflits d'influence plus que de doctrine) se fait en deux étapes : à la fin du IXe s. sous le patriarcat de Photios* et en 1054 sous le patriarche Michel Keroularios*. Cependant, à l'intérieur du christianisme oriental, hérésies et schismes ne compromettent pas l'unité : l'hérésie, ou dite telle, est en fait souvent plus verbale que réelle.

Les Églises orientales constituent au point de vue doctrinal deux groupes principaux, que démarquent l'acceptation ou le refus de la doctrine chalcédonienne :

— les *Églises chalcédoniennes,* groupe de beaucoup le plus important, qui comprend les Églises orthodoxes*, ou Églises gréco-slaves, les Églises grecques catholiques et l'Église maronite*, exclusivement catholique;

— les *Églises non chalcédoniennes,* nestoriennes* et monophysites* (les Églises copte*, éthiopienne, jacobite*, arménienne).

De nombreuses communautés chrétiennes, dites *Églises uniates* (ruthènes*, melkites*, etc.), se sont ralliées à la communion romaine, tout en gardant leurs rites et leurs institutions.

Églises protestantes, ensemble des Églises et des communautés chrétiennes issues de la Réforme*.

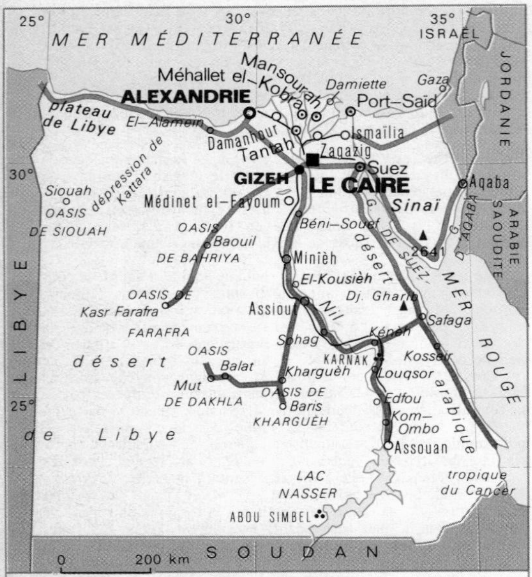

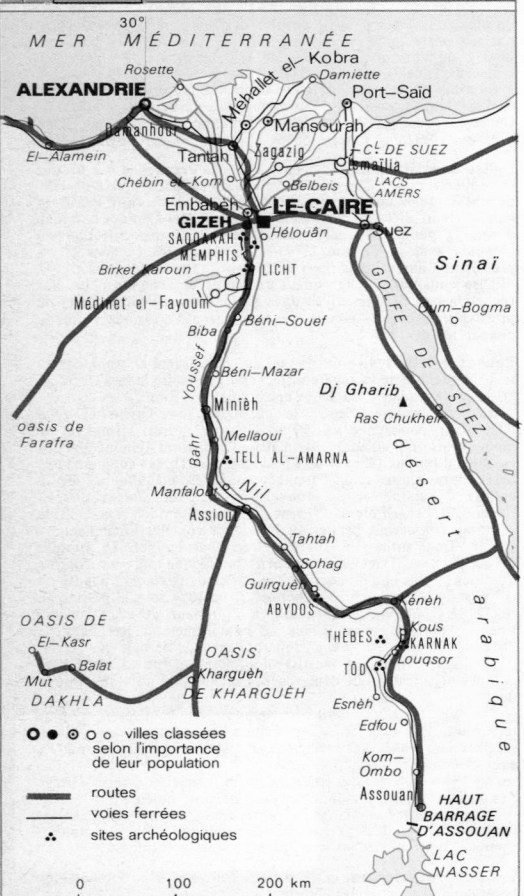

Les grands réformateurs du XVIe s. n'entendaient pas, initialement, fonder une nouvelle Église, mais seulement réformer l'Église existante. Cependant, une fois atteint le point de non-retour de la « protestation », la pensée réformée s'organise en trois courants principaux : le *luthéranisme* (v. LUTHER), le *calvinisme* (v. CALVIN) et l'*anglicanisme**, qui fixent la Réforme dans de solides cadres dogmatiques, institutionnels et politiques.

Cependant, le protestantisme n'en est pas resté à ces trois grandes familles spirituelles : d'autres dénominations sont nées à partir d'elles.

Les *Églises congrégationalistes* refusent toute dépendance à l'égard du pouvoir politique et ne reconnaissent comme autorité ecclésiale que celle de la communauté religieuse locale. Établies aux États-Unis dès le XVIIe s., elles eurent une influence considérable sur la constitution des traditions politiques et spirituelles américaines.

Les *Églises baptistes**, variété importante du congrégationalisme, tirent leur nom de leur position particulière sur la doctrine du baptême. Elles sont à l'origine du mouvement missionnaire protestant.

Les *Églises méthodistes* (v. MÉTHODISME), nées sous l'influence du piétisme* allemand, en réaction contre un ritualisme assoupissant, sont marquées par leur souci d'évangélisation et de formation spirituelle méthodique : d'où leur nom.

Avec les trois grandes branches originelles du protestantisme, ces trois groupes d'Églises se sont répandues dans le monde. Mais, à côté de ces Églises « historiques », et souvent en réaction contre elles, sont nés des courants minoritaires — quakers*, Armée du salut*, pentecôtistes* et autres mouvements (v. SECTES) — qui se présentent comme des protestations et des interpellations adressées aux Églises établies; communautés parfois marginales, elles témoignent, dans leur déviance, de la vitalité et de la liberté de la foi en Jésus-Christ.

EGMONT (Lamoral, *comte* D'), prince **de Gavre,** gentilhomme du Hainaut (La Hamaide 1522 - Bruxelles 1568). Capitaine général des Flandres et conseiller d'État, il fut condamné à mort et exécuté à la suite d'une révolte des Pays-Bas contre Philippe II. Il est le héros de la tragédie en cinq actes et en prose de Goethe, *le Comte d'Egmont* (1787), pour laquelle Beethoven composa une musique de scène (1810).

EGO → MOI.

EGOROVA (Lioubov), princesse **Troubetskoï,** danseuse et pédagogue russe (Saint-Pétersbourg 1880 - Sainte-Geneviève-des-Bois 1972). Prima ballerina du Théâtre impérial de Saint-Pétersbourg et aux Ballets russes de Serge de Diaghilev, elle se fixe à Paris, où elle ouvre (1923) une école de danse qui forme dans la plus pure tradition la plupart des grands danseurs classiques contemporains.

ÉGOUT. — Les réseaux d'égouts recueillent et évacuent, d'une part les eaux* pluviales et de nettoiement des voies publiques qui sont peu souillées, et d'autre part les eaux usées et les eaux vannes ou industrielles qui sont nocives. Un *système unitaire* recueille et mélange les eaux de toutes origines dans un seul réseau. Un *système séparatif* comporte deux réseaux indépendants, l'un réservé aux eaux pluviales, l'autre aux eaux nocives. Les canalisations d'égouts sont enterrées. Leur forme, circulaire ou ovoïde, et leur section dépendent du débit à assurer. Le plus souvent, les canalisations sont exécutées en béton* étanche, résistant à l'attaque des eaux agressives, ou en maçonnerie* protégée par un enduit de ciment* spécial. Leur pente doit pouvoir assurer l'écoulement rapide des eaux pendant les orages les plus violents. Les regards et, dans certains cas, des « chasses d'eau » permettent d'assurer le nettoyage des canalisations. Les eaux pluviales, non polluées, sont déversées dans les fleuves ou en mer. Les eaux polluées doivent être traitées dans des stations d'épuration avant d'être rejetées. Une station d'épuration comprend des ouvrages de *prétraitement* (dégrillage, dessablage, écrémage) et des ouvrages de *décantation.* Les boues qui sortent des décantations sont répandues et séchées telles quelles, ou après un traitement de digestion, sur des champs d'épandage, où elles se transforment en engrais. Les effluents liquides qui sortent des décanteurs sont épurés par fermentation aérobie sur des lits bactériens ou par insufflation d'air.

ÉGUZON-CHANTÔME (36270), ch.-l. de cant. de l'Indre, à 20 km au N.-E. d'Argenton-sur-Creuse; 1 527 hab. Centrale hydroélectrique sur la Creuse.

ÉGYPTE, en ar. **Misr,** officiellement **république arabe d'Égypte** (**R. A. E.**), État de l'Afrique septentrionale; 1 million de km^2; 38 millions d'hab. *(Égyptiens).* Capit. *Le Caire.*

GÉOGRAPHIE

• *Le milieu naturel.* Le pays s'étend sur la partie orientale du Sahara et, à l'exception d'une étroite frange septentrionale méditerranéenne, subit un climat désertique (au Caire, la température moyenne de janvier est de 14 °C, celle de juillet de 29 °C, et les précipitations annuelles sont de 42 mm). Les déserts, arabique à l'E. et libyque à l'O., ensembles de lourds massifs et de plateaux calcaires et gréseux, encadrent la vallée du Nil. Le fleuve, au cours encaissé dans la partie amont, mais s'élargissant dans la partie aval, a apporté l'eau et les limons fertiles permettant la vie végétale; il se jette dans la Méditerranée en un vaste delta après avoir traversé du S. au N. le pays, dont il constitue l'artère vitale.

• *La population.* La population se concentre dans la vallée du Nil, sur 3,5 p. 100 du territoire. Là, la forte densité (plus de 1 000 hab. au km^2) est aggravée par un accroissement naturel rapide, qui résulte d'un taux de natalité élevé. Le reste du pays est jalonné par de petites oasis. L'urbanisation est moyenne : près de la moitié des habitants résident dans des villes. Celles-ci, dont Le Caire et Alexandrie sont les plus importantes, s'échelonnent le long du fleuve.

• *La vie économique.* L'agriculture occupe plus de la moitié de la population active. Pratiquée par les paysans, ou fellahs, groupés en coopératives, elle n'est possible que dans la vallée du Nil, qui apparaît comme une longue oasis traversant le désert. Longtemps, le fleuve a rythmé la vie agricole par ses crues annuelles d'août à septembre, la culture n'étant possible que lors de la décrue. L'accroissement rapide de la population a conduit à augmenter les surfaces cultivables par la réalisation d'une série de barrages qui régularisent le débit et qui, grâce à l'irrigation, permettent la culture tout au long de l'année, avec souvent plusieurs récoltes. En particulier, le haut barrage d'Assouan alimente en eau plus d'un million d'hectares de terres. Les barrages ont cependant l'inconvénient de priver les surfaces autrefois inondables des limons fertilisants qui ont fait la richesse de la vallée du Nil.

À côté des traditionnelles cultures de céréales (blé, millet, maïs) se sont développées des productions commerciales : canne à sucre et surtout coton (plus de 500 000 t). Le riz domine dans les terres marécageuses du delta, et la culture des fruits (agrumes) et des légumes est en progression.

Le développement de l'industrie est récent. Il est favorisé par la présence de pétrole (11 Mt) dans le Nord-Est et par l'hydroélectricité fournie par Assouan. Les productions restent cependant limitées. L'industrie textile (coton) domine. Une faible sidérurgie alimente des constructions mécaniques, tandis que l'industrie chimique est orientée vers la production d'engrais. Des industries alimentaires sont dispersées dans les principales villes.

Malgré des progrès notables, la production industrielle reste insuffisante. Le pays importe des biens d'équipement et exporte des produits agricoles (coton). L'essentiel des échanges avec l'extérieur passe par le port d'Alexandrie, à partir duquel les bateaux remontent le Nil jusqu'au Caire. Le tourisme et le canal de Suez* apportent un complément de devises, mais le niveau de vie moyen de la population reste faible, aggravé par la démographie galopante et les charges d'un lourd budget militaire.

HISTOIRE

• *L'Égypte ancienne.* Peuplée dès l'époque préhistorique, l'Égypte entre dans l'histoire en 3200 av. J.-C.

Trente dynasties, selon les listes chronologiques de Manéthon*, présideront aux trois mille ans de l'Égypte pharaonique. L'*Ancien* Empire* (de 3200 à 2280) voit naître et s'affirmer la civilisation égyptienne; c'est l'ère des grandes pyramides, qu'illustrent les noms de Djoser et de son génial ministre, Imhotep, de Snefrou, de Kheops, de Khephren et de Mykerinus. Après une période confuse (de 2280 à 2052), le *Moyen* Empire* (de 2052 à 1770), ou premier Empire thébain, amène, avec l'avènement d'une monarchie moins centralisée, la promotion des classes moyennes; les Mentouhotep, les Amenemhat et les Sésostris étendent leur puissance jusqu'à la Nubie* et la Syrie*. L'affaiblissement de leurs successeurs permet à des envahisseurs sémites, les Hyksos*, de s'emparer du pouvoir. À cette deuxième période obscure (de 1770 à 1580) mettra fin le *Nouvel* Empire,* ou deuxième Empire thébain (de 1580 à 1085); moins libéral que le premier, le second règne des souverains de Thèbes conquiert et maintient pendant cinq siècles le plus prestigieux des empires d'Orient : le contrôle de l'Égypte s'étend en effet jusqu'au Soudan et à l'Euphrate. Les pharaons du Nouvel Empire, qui portent les noms d'Ahmosis, d'Aménophis, de Thoutmosis, de Ramsès, seront les derniers grands rois du royaume du Nil. Une longue époque de décadence, la *Basse* Époque* (de 1085 à 332), met un terme définitif au prestige de l'Égypte pharaonique, qui, en 525, sera soumise à l'Empire perse avant de tomber sous la domination d'Alexandre* le Grand (332).

Avec le conquérant macédonien, l'Égypte pénètre dans le monde grec. L'histoire de l'Égypte hellénistique (332-30 av. J.-C.) est celle du règne des Lagides*, qui, durant trois siècles, sera une exploitation de l'héritage pharaonique au profit des Grecs. La capitale des Lagides, Alexandrie*, s'impose comme la métropole intellectuelle et commerciale de la Méditerranée orientale.

L'Égypte romaine (30 av. J.-C. - 395 apr. J.-C.) après Actium* (31 av. J.-C.), longtemps grenier à blé de l'Empire, passera en 395, à la mort de Théodose*, dans le domaine byzantin*.

• *L'Égypte arabe.* Les Arabes conquièrent l'Égypte entre 639 et 642. Les Égyptiens acceptent avec indifférence, sinon avec soulagement, cette nouvelle domination, qui se traduit par la levée de l'impôt au profit du califat et le versement d'un fort tribut de blé. L'Égypte, au sein de l'Empire musulman (omeyyade, puis ʿabbāsside*), développe ses activités agricoles et artisanales. Les Arabes imposent leur religion, l'islām — qui progresse d'autant plus vite que les chrétiens sont frappés d'impôts supplémentaires — et leur langue. Le clergé copte* lui-même emploie l'arabe dès le xᵉ s. Avec les Ṭūlūnides* (de 868 à 905), l'Égypte s'affranchit de la tutelle ʿabbāsside et garde pour elle-même le produit de l'impôt; d'où une plus grande prospérité. Les Fāṭimides* sont les maîtres de l'Égypte de 969 à 1171. Ils fondent Le Caire*, centre du califat chīʿite ismaélien*. Le vizir Saladin* s'empare du pouvoir en 1171 et rétablit le sunnisme en Égypte. Il fonde la dynastie ayyūbide*, qui gouverne l'Égypte (de 1171 à 1250) et la Syrie, et qui se pose en protectrice de l'islām, menacé par les croisades*. Les Ayyūbides sont renversés par leurs anciens esclaves, en majorité turcs. Les Mamelouks* (de 1250 à 1517) s'érigent en caste militaire dominante, qui fournit au pays ses sultans. Ils recueillent au Caire le calife ʿabbāsside, arrêtent les Mongols à ʿAyn Djālūt (1260), libèrent la Syrie et la Palestine des Francs. Les Ayyūbides, puis les Mamelouks développent le commerce avec les États occidentaux. L'Égypte devient l'entrepôt des denrées en provenance de l'Arabie et de l'Extrême-Orient. La découverte de la route des Indes à la fin du xvᵉ s. entraîne la décadence de l'activité commerciale. Sous toutes ces dynasties, la paysannerie mène une existence précaire, soumise aux exactions des administrateurs, des percepteurs ou des grands propriétaires.

Tête de Djoser, roi de la IIIᵉ dynastie (entre 2780 et 2720 av. J.-C.). [Musée du Caire.]

Giraudon

• *L'Égypte coloniale.* L'Égypte devient une province de l'Empire ottoman* en 1517. Elle est administrée par un pacha et des beys, choisis parmi les Mamelouks, qui demeurent les maîtres du pays. La campagne d'Égypte (1798-1801) [v. art. spécial] offre à ce pays, occupé par les troupes françaises, le spectacle des techniques occidentales et lui fait prendre conscience de son retard, au moins technique, sur l'Occident. Méhémet-Ali*, pacha d'Égypte à partir de 1805, décapite la puissance des Mamelouks et entreprend une vaste politique de modernisation avec le concours des chrétiens ou des étrangers qu'il nomme beys ou ministres. Il conquiert le Soudan* (1820-1823) et, avec son fils Ibrāhīm* pacha enlève aux Ottomans la Syrie. Après l'intervention des puissances occidentales (1840) en faveur des Ottomans, il ne conserve que le Soudan et l'Égypte, à laquelle la Porte consent une certaine autonomie, confirmée par le firman de 1867, qui accorde aux souverains égyptiens le titre de khédives (vice-rois). Saʿīd* pacha (de 1854 à 1863) et Ismāʿīl* pacha (de 1867 à 1879) dotent l'Égypte d'infrastructures modernes. En 1869 est inauguré le canal de Suez*. Le pays a contracté de nombreux emprunts et, en 1876, il doit accepter le contrôle de ses finances par la France et la Grande-Bretagne, qui instituent la Caisse de la dette publique. Sous le khédive Tawfīq* (de 1879 à 1892), la Grande-Bretagne anéantit le mouvement nationaliste d'ʿUrābī* et occupe militairement l'Égypte (1882). La convention de 1899 établit un condominium anglo-égyptien sur le Soudan. L'Égypte conserve cependant une fiction d'indépendance jusqu'à l'établissement formel du protectorat britannique (1914), qui met fin à la suzeraineté ottomane. Les nationalistes égyptiens se regroupent autour de Saʿd Zarhlūl, qui dirige en 1919 une délégation *(wafd)* chargée de négocier avec les Britanniques. L'Égypte obtient son indépendance en 1922, et le roi Fuʾād Iᵉʳ* (de 1922 à 1936) accorde au pays une constitution de type parlementaire. Le Wafd*, devenu un parti politique présidé par Naḥḥās* pacha, lutte pour l'indépendance complète de l'Égypte. Le traité de 1936 ne libère pas le pays des troupes britanniques et ne règle pas la question du Soudan. Sous Farouk Iᵉʳ* (de 1936 à 1952), la situation se détériore (troubles sociaux, émeutes des étudiants et des ouvriers contre les Britanniques), surtout après la défaite de l'armée égyptienne engagée en 1948 en Palestine.

● *La république arabe d'Égypte.* L'armée s'empare du pouvoir en 1952. En 1953, les partis politiques sont dissous et la république est proclamée. Néguib*, président de la République jusqu'en 1954, est éliminé par Nasser*, qui devient le véritable maître de l'Égypte. La nationalisation du canal de Suez en 1956 est un pas décisif vers l'indépendance économique du pays; les réformes agraires (1952, 1961, 1969), la nationalisation des biens des étrangers et des banques engagent l'Égypte dans la voix du socialisme. Mais la tension permanente avec Israël l'oblige à consacrer une grande part du revenu national à la défense du pays, pour laquelle l'Union soviétique fournit armements et conseillers. Nasser devient le champion du nationalisme arabe (union avec la Syrie en une République arabe unie, 1958-1961). La défaite de la guerre israélo-arabe* de 1967 plonge le pays dans un profond désarroi, qu'accentue la disparition de Nasser en 1970. Sous la présidence de Sadate*, l'Égypte s'engage dans la quatrième guerre israélo-arabe (1973) et renoue des relations diplomatiques avec les États-Unis. Elle entreprend la réouverture du canal de Suez en 1975.

En 1977, l'Égypte, condamnée par la majorité des pays arabes, entame de difficiles négociations pour la paix avec Israël.

DÉFENSE ET ARMÉES

● LES FORCES ÉGYPTIENNES EN 1977. Budget : 4 859 millions de dollars (22,8 p. 100 du P. N. B.). Effectifs : 342 000 hommes (plus 120 000 hommes de forces paramilitaires). Matériels en majorité soviétiques.

Armée : 295 000 hommes, 11 divisions, 11 brigades.

Marine : 17 000 hommes, 12 sous-marins, 8 destroyers et 49 vedettes.

Aviation : 30 000 hommes, 500 avions de combat (« Mig-15 », « Mig-17 », « Mig-21 », « Mig-23 », « Mirage III »).

L'ART ÉGYPTIEN. Encore peu connu, le paléolithique* a livré une belle industrie lithique et, dès la phase supérieure, de nombreuses gravures rupestres, notamment en Nubie. Le néolithique* correspond à l'établissement de villages ainsi qu'à la fabrication de tissages, de vanneries et de céramiques. Les deux phases de la culture de Nagada, ou prédynastique, avec les céramiques amratienne et gerzéenne, précèdent la période thinite, qui s'ouvre avec la célèbre palette de Narmer. Celle-ci nous enseigne que, vers 3200, le royaume des « Deux Terres » a été unifié par Narmer-Ménès et que l'on y pratique l'écriture et l'irrigation. Les matériaux de base de cette architecture des origines (bois, roseaux, nattes) n'ont pas laissé de traces. C'est par leur représentation sur des stèles admirablement sculptées (stèle du roi serpent, Louvre) que nous connaissons les premiers palais et les premières tombes thinites. Plusieurs inscriptions nous révèlent que de nombreux temples ont été édifiés. Dès cette époque reculée, les caractères fondamentaux de l'art égyptien — entièrement axé sur le monde divin, la survie dans l'au-delà et la gloire du souverain — sont en place. Mais cette certitude de la survie et de son éternité suscite l'emploi de la brique crue avant celui de la pierre, et les premiers mastabas d'Abydos* et de Saqqarah* apparaissent. Ils sont composés généralement d'un caveau creusé en puits et surmontés d'une superstructure pleine — de plan carré aux murs légèrement inclinés —, dans laquelle est réservée une chapelle accessible aux vivants; bientôt, plusieurs magasins funéraires y seront adjoints. L'ensemble est entouré d'un mur extérieur orné de saillants et de rentrants. Le mobilier funéraire — notamment les innombrables vases en pierre dure — atteste le degré de raffinement de cette période. Mais l'art classique de l'Égypte connaît son apogée durant l'Ancien Empire (de 3200 à 2280). Djoser et son génial chancelier-architecte, Imhotep, créent l'architecture monumentale avec le vaste complexe funéraire de Saqqarah. Les constructions d'Imhotep sont de véritables transpositions dans la pierre de la précédente architecture de bois et de vannerie. La colonne n'est-elle pas le rappel de la gerbe de papyrus retenue par un lien et dont le chapiteau évoque l'épanouissement floral. Qu'ils soient palmiformes (fût monolithique circulaire et chapiteau de palmes), lotiformes (fût fasciculé et chapiteau en bouton de lotus fermé ou ouvert) ou papyriformes (fût étranglé à nervures et chapiteau à fleur fermée ou, plus tard, fût lisse et fleur ouverte), toutes les colonnes sont d'origine végétale, jusqu'au type composite employé à l'époque ptolémaïque.

Après la pyramide à degré de Saqqarah, on peut considérer que les pyramides de Meidoum* et Dahchour sont des étapes vers les réussites parfaites que sont les pyramides à arêtes rectilignes de la IVe dynastie à Gizeh*, où, comme à Saqqarah, elles ne sont que l'un des éléments du complexe funéraire, constitué de cours, de bâtiments sacrificiels factices ou non et du temple funéraire, et entouré d'une enceinte comprenant les barques funéraires. Les notables se groupent autour du pharaon, et leurs mastabas — de plan d'abord simple, puis qui se complique peu à peu — s'amplifient, alors que la sépulture royale devient plus modeste.

Le sculpteur reproduit fidèlement les traits de son modèle. Son œuvre doit perpétuer l'image du défunt dans l'éternité, et la statuaire civile de l'Ancien Empire — malgré les impératifs du canon et l'attitude hiératique — est d'une vie étonnante. La statuaire royale, tout en restant fidèle, idéalise et synthétise les traits du pharaon, mais accentue sa majesté et sa grandeur. Peu à peu, cet art ne retient plus que les conventions, surtout pendant la Ve et la VIe dynastie. Les nombreux reliefs des mastabas nous montrent la vie quotidienne et familière du défunt, qui, elle aussi, se poursuit pour l'éternité. Scènes de chasse, de pêche, de récolte et de banquets succèdent aux scènes d'offrandes ou à celles où le défunt exerce ses fonctions officielles.

À partir de la fin de la Ve dynastie et pendant la VIe, les pyramides royales sont ornées de très beaux hiéroglyphes, qui constituent le « texte des Pyramides ».

British Museum

Peinture murale provenant de la tombe de Neb Amon à Thèbes, représentant une scène de banquet. Nouvel Empire, XVIIIe dynastie. (British Museum, Londres.)

Porteuse d'offrandes. Statue en bois. Moyen Empire, XIe dynastie. (Musée du Louvre, Paris.)

Giraudon

La première période intermédiaire, époque de troubles et de décadence, ne connaît pas de grandes créations artistiques.

Le Moyen Empire (de 2052 à 1770) correspond à un renouveau artistique, et, même si l'on possède peu de vestiges de l'architecture sacrée à cause des réemplois successifs, l'architecture militaire, avec les forteresses de Nubie*, témoigne de la puissance des pharaons, de même que leurs travaux dans le Fayoum*. L'architecture funéraire associe la pyramide, souvent en briques crues, et la tombe rupestre. D'impressionnantes réalisations, comme le temple de Mentouhotep à Deir el-Bahari*, sont construites.

Deux écoles de sculpture se distinguent : celle du Nord, idéaliste, s'inspire des œuvres de l'Ancien Empire; celle du Sud pratique un réalisme brutal, dont témoigne la série de portraits du pharaon Sésostris III (Louvre et musée du Caire). La statuaire privée s'humanise aussi, tout en restant proche des créations de l'Ancien Empire, et elle n'a plus une fonction exclusivement funéraire. L'art du relief atteint les sommets avec les sculptures qui ornent la chapelle blanche de Sésostris Ier à Karnak*.

Une liberté d'invention, un goût du détail pittoresque, des couleurs subtiles caractérisent les peintures de Beni-Hassan, où se décèle l'influence minoenne*. Bijoux et parures confirment par leur somptuosité la maîtrise technique des orfèvres.

Interrompue pendant deux siècles durant la seconde période intermédiaire, l'évolution artistique reprend avec le Nouvel Empire (de 1580 à 1085). L'architecture connaît un essor grandiose. Le temple divin atteint des proportions colossales, et, derrière le pylône, trois parties essentielles se succèdent (v. ill. ARCHITECTURE) : une cour souvent entourée de portiques, une grande salle hypostyle, parfois deux, au plafond soutenu par des colonnes, et le sanctuaire proprement dit, avec la salle de la barque solaire et la statue du dieu. Un nombre divers de chapelles et de salles de culte s'ouvrent sur cette salle.

Thèbes* devient la capitale, et, dans ses environs, Karnak et Louqsor* bénéficient de la piété et du faste des pharaons, qui étendent leur activité architecturale, tels Aménophis III, à la lointaine Soleb*, ou Ramsès II à Abou-Simbel*, où il fait creuser un temple (spéos) dans la falaise.

L'architecture funéraire voit des réalisations gigantesques : le temple d'Hatshepsout à Deir el-Bahari, le temple funéraire de Ramsès II (Ramesseum) et celui de Ramsès III à Médinet Habou. Le temple est complètement dissocié de la sépulture. La montagne thébaine abrite les sépultures pharaoniques dans la Vallée des Rois; les reines et les notables ont aussi leur vallée, mais le Nouvel Empire accueille les artisans dans l'au-delà, et Deir el-Medineh* a livré leur village, mais aussi leur nécropole.

Le canon s'est allongé, et la statuaire est remarquable d'élégance et de délicatesse. Les échanges de l'Égypte avec ses voisins orientaux stimulent le goût du luxe, et l'artiste rend avec sensibilité les coiffures, les vêtements fins et les parures.

Le relief, qui est traité avec un très grand soin — comme en témoigne la décoration en calcaire fin de la tombe de Ramose, dans la nécropole thébaine —, suit la même évolution que la statuaire, et à la fin du Nouvel Empire, seuls demeurent l'habileté et le conventionnel.

La multiplication des sépultures et la mauvaise qualité de la paroi rocheuse provoquent l'emploi de plus en plus fréquent de la décoration peinte. Les thèmes principaux dans les sépultures royales sont toujours les mythes et le symbolisme, alors que la liberté règne dans les tombes privées, où les scènes de la vie quotidienne sont représentées avec fantaisie et aisance.

On connaît peu de vestiges architecturaux de la période amarnienne (de 1370 env. à 1314). Akhenaton érige une nouvelle capitale, Amarna*. Il dédie à Aton, le dieu solaire, un grand temple presque à ciel ouvert, dont les cours, munies d'autels, sont séparées par des pylônes. Mais cette crise religieuse amène un brusque retour au réel. L'artiste s'insurge et bannit l'extrême suavité atteinte sous Aménophis III. Il décrit la réalité d'abord avec outrance, puis, tout en conservant la vérité, il privilégie la douceur et la séduction de son modèle (portraits de Nefertiti, des jeunes princesses, mais aussi colosses d'Akhenaton, musées du Caire, de Berlin et Louvre).

L'influence amarnienne persiste encore pendant quelque temps dans la statuaire, mais l'art de la fin du Nouvel Empire (de 1314 à 1085) est marqué par le goût du monumental, et l'éternelle répétition des thèmes affadit statues et reliefs.

Avec la XXVe dynastie, on assiste à une certaine renaissance vers le VIIIe s. Les artistes trouvent leur inspiration dans un passé lointain, les tendances archaïsantes dominent la production, et une émouvante vigueur se dégage de certains portraits saïtes; l'art animalier reste de grande qualité.

Mais l'architecture ne connaît un nouvel essor qu'à l'époque ptolémaïque, avec de nombreuses réalisations comme Edfou*, Dendérah* ou Philae* et des innovations comme les mammisi (temples de la naissance), élevés dans l'enceinte des grands temples. Les colonnes couvertes d'inscriptions liturgiques, comme à Esnah, livrent de précieux renseignements. La sculpture ne connaît pas de telles réussites, et l'esthétique grecque retire à l'artiste égyptien son originalité, qu'il avait jusque-là préservée. Celle-ci est encore déchiffrable dans les portraits du Fayoum* et surtout dans l'épanouissement de l'art copte*, qui ne sera pas sans influence sur l'art byzantin*.

- Pour l'art islamique, voir ISLĀM.

Égypte *(campagne d')* [1798-1801]. Après la dislocation de la première coalition*, le Directoire, pour atteindre l'Angleterre, porte la guerre en Égypte. Un corps expéditionnaire conduit par Bonaparte prend Malte (juin), s'empare d'Alexandrie et détruit les mamelouks de Murād bey près des Pyramides (21 juill.). La flotte française ayant été défaite par Nelson devant Aboukir (1er août), Bonaparte organise la conquête et avec les membres de la Commission des sciences et arts qu'il a emmenés avec lui, fonde l'Institut d'Égypte. Par deux fois, en Syrie (Saint-Jean-d'Acre, mai 1799) et en Égypte (Aboukir, juill. 1799), il se heurte aux Turcs. Peu après, il regagne secrètement la France. Son successeur, Kléber, ayant été assassiné au Caire (juin 1800), est remplacé par le général Jacques Menou (1750-1810), qui, en 1801, évacue le pays avec l'accord des Anglais.

ÉGYPTIEN. — Branche de la famille chamito-sémitique, l'égyptien est connu par des textes qui remontent à 3200 av. J.-C.; il ne survit aujourd'hui que dans le copte*. Trois systèmes d'écriture ont servi à le transcrire : les hiéroglyphes* constituent l'écriture des monuments; l'écriture hiératique, celle des scribes et des papyrus, résulte d'une simplification des hiéroglyphes; l'écriture démotique, qui apparaît vers le VIIe s. av. J.-C., est une schématisation du hiératique, qu'elle remplace dans tous les usages autres que religieux.

ÉGYPTOLOGIE. — Deux dates marquent la fondation des études sur l'ancienne civilisation égyptienne : l'expédition de Bonaparte en Égypte en 1798 et le déchiffrement des hiéroglyphes par Champollion* en 1822, que suivent les premières fouilles et publications de textes. Les noms d'E. de Rougé (1811-1872), d'A. Mariette* (1821-1882), de G. Maspéro* (1846-1916) illustrent cette période avec K. R. Lepsius*, H. K. Brugsch, S. Birch et W. M. Flinders Petrie. Des institutions sont fondées, françaises (École du Caire, 1880), allemandes, anglaises, grâce auxquelles sort de terre la splendeur de la civilisation égyptienne. Mais le travail est de longue haleine : trois mille ans d'histoire sont à explorer.

EHRENBOURG (Ilia Grigorievitch), écrivain soviétique (Kiev 1891-Moscou 1967). Converti progressivement au socialisme (*l'Été,* 1925; *le Second Jour de la création,* 1934), il exploita les thèmes patriotiques (*la Chute de Paris,* 1942; *le Neuvième Flot,* 1952), avant de donner le signal de la déstalinisation littéraire (*le Dégel,* 1954).

EHRLICH (Paul), savant allemand (Strehlen, Silésie, 1854-Bad Homburg 1915). Ses études portèrent sur la sérologie et la pharmacologie. En 1909, il mit au point avec le Japonais Hata un médicament actif contre la syphilis, l'arsénobenzène. (Prix Nobel de médecine, 1908.)

EHRWALD, localité d'Autriche (Tyrol); 2 200 hab. Station de sports d'hiver (alt. 996-2 950 m) au pied de la Zugspitze.

EICH (Günter), écrivain allemand (Lebus, Brandebourg, 1907). Son œuvre marqua le renouveau poétique dans l'Allemagne de l'après-guerre (*Abgelegene Gehöfte,* 1948; *Botschaften des Regens,* 1955).

EICHENDORFF (Joseph, *baron* VON), écrivain allemand (Lubowitz, Haute-Silésie, 1788-Neisse 1857), auteur de drames et de nouvelles qui mêlent romantisme et ironie (*Scènes de la vie d'un propre à rien,* 1826).

EIFEL, partie nord-ouest du Massif schisteux rhénan (Allemagne fédérale).

EIFFEL (Gustave), ingénieur français (Dijon 1832-Paris 1923). L'un des plus grands spécialistes mondiaux de la construction métallique, il édifia une série de ponts et de viaducs : pont métallique de Bordeaux (1858), viaducs à piles métalliques de la Sioule et de Neuvial (1868), viaduc de Garabit (1882), et à Paris, la tour qui porte son nom (1887-1889). Il fut aussi l'un des créateurs de l'aérodynamique moderne.

EIGEN (Manfred), chimiste allemand (Bochum 1927). Grâce à une brusque élévation de température, il a déterminé le mécanisme de réactions très rapides. (Prix Nobel de chimie, 1967.)

EIGER, sommet des Alpes bernoises, au S.-E. d'Interlaken; 3 975 m.

EIJKMAN (Christiaan), physiologiste hollandais (Nijkerk 1858-Utrecht 1930), prix Nobel de médecine en 1929 pour ses travaux sur les vitamines.

EILAT ou **ELATH,** port d'Israël, sur la mer Rouge, au fond du golfe d'ʿAqaba; 13 000 hab. Pipeline vers Haïfa.

EINAUDI (Luigi), économiste et homme politique italien (Carru, Piémont, 1874-Rome 1961). Il fut professeur aux universités de Turin et de Milan, gouverneur de la banque d'Italie, président de la République (1948-1955). On lui doit d'importants travaux d'économie financière.

EINDHOVEN, v. des Pays-Bas, à proximité de la Belgique; 194 000 hab. Musée municipal Van Abbe (art moderne). « Evoluon » de la société Philips. Constructions électriques. Industrie automobile.

EINSIEDELN, v. de Suisse (cant. de Schwyz); 10 020 hab. Abbaye superbement reconstruite au XVIIIe s. par l'architecte autrichien Kaspar Moosbrugger (1656-1723). Pèlerinage.

EINSTEIN (Albert), physicien allemand, puis suisse (Ulm 1879-Princeton 1955), naturalisé américain en 1940. Reçu en 1896 à

Karch-Camera Press-Parimage

Albert Einstein.

l'Institut polytechnique de Zurich, il entre à l'Office fédéral des brevets et profite de ses loisirs pour réfléchir aux problèmes de la physique moderne. Trois découvertes, faites coup sur coup, vont le rendre célèbre. Utilisant le calcul des probabilités à propos du mouvement brownien*, Einstein en établit la théorie et obtient une valeur du nombre d'Avogadro (1905). Appliquant, la même année, la théorie des quanta à l'énergie rayonnante, il parvient à l'hypothèse des photons*; il peut ainsi expliquer l'effet photoélectrique et en découvrir les lois. Mais il est surtout connu pour sa création de la théorie de la relativité*, comportant trois parties : la relativité restreinte (1905), qui modifie les lois de la mécanique newtonienne et introduit l'équivalence de la masse et de l'énergie; la relativité généralisée (1916), théorie de la gravitation concernant un univers à quatre dimensions, courbe et fini; enfin un essai de théorie du champ unitaire. Épris de tolérance et de justice, il est intervenu souvent en faveur d'une paix durable. (Prix Nobel de physique, 1921.)

EINSTEINIUM. — Cet élément, de nombre atomique 99 (symb. E), découvert en 1955, n'existe pas dans la nature, car il est instable. Il est produit par irradiations successives de l'uranium ou au cours de réactions thermonucléaires.

EINTHOVEN (Willem), physiologiste hollandais (Semarang, Java, 1860-Leyde 1927), prix Nobel de médecine en 1924 pour sa découverte de l'électrocardiographie.

ÉIRE, nom gaélique de l'IRLANDE.

EISENACH, v. de l'Allemagne orientale, à l'O. d'Erfurt; 51 000 hab. Château de la Wartburg (XIIe-XIXe s.) et château ducal (XVIIIe s.), auj. musées. Églises médiévales. Maisons-musées de Luther et de Bach. Musée Richard Wagner. Construction automobile.

EISENERZ, v. d'Autriche (Styrie); 12 000 hab. Métallurgie à proximité des mines de fer de l'Erzberg.

EISENHOWER (Dwight David), général et homme d'État américain (Denison, Texas, 1890-Washington 1969). Il dirige le débarquement allié en Afrique du Nord (1942), puis en Sicile et en Italie (1943). Nommé commandant en chef des forces alliées en Europe à Noël 1943, il prépare et conduit le débarquement de Normandie et la campagne qui aboutit à la capitulation de la Wehrmacht en 1945. En 1950, il devient le premier commandant en chef des forces alliées du Pacte atlantique en Europe. Élu comme candidat républicain en 1952, il sera président des États-Unis de 1953 à 1960. Après avoir mis fin à la guerre de Corée, il se consacre, avec son secrétaire d'État, Foster Dulles, à l'affermissement de la politique américaine en Europe, au Moyen-Orient et dans le Sud-Est asiatique. En recevant Khrouchtchev (1959), il cherche à établir un contact direct avec les dirigeants soviétiques. Il a publié des Mémoires de Guerre (1948), puis ses souvenirs, traduits en français sous le titre de *Mes années à la Maison-Blanche* (1965).

Elliot-Erwitt-Magnum

Dwight D. Eisenhower recevant Nikita Khrouchtchev en visite officielle aux États-Unis (1959).

EISENHÜTTENSTADT, v. de l'Allemagne orientale, sur l'Oder; 47 000 hab. Sidérurgie.

EISENSTADT, v. d'Autriche, capit. du Burgenland; 10 000 hab. Château (XVIIe s.).

EISENSTEIN (Sergueï Mikhaïlovitch), cinéaste soviétique (Riga 1898-Moscou 1948). Après avoir expérimenté dans un premier film (*la Grève,* 1924) ses théories sur le *montage-attraction,* il tourne en 1925 *le Cuirassé* Potemkine,* qui fera date dans l'histoire du cinéma à la fois par l'évidente sincérité de son message révolutionnaire et par la profonde originalité de sa facture. Dans le même esprit seront réalisés en 1928 *Octobre* et en 1929 *la Ligne générale.* Le montage final de la vaste fresque qu'il entreprend ensuite au Mexique, *Que viva Mexico* (1931-32), lui échappera, et les images enregistrées par l'opérateur E. Tissé seront ultérieurement exploitées sans l'accord du réalisateur dans *Tonnerre sur le Mexique* (1933), *Kermesse funèbre* (1933) et *Time in the Sun* (1939). À son retour en U.R.S.S., Eisenstein se heurte à l'incompréhension de certains responsables culturels et ne peut achever *le Pré de Bejine* (1936). Néanmoins, en 1938, il reprend le chemin des studios après avoir enseigné à l'Institut du cinéma de Moscou et tourne *Alexandre Nevski* (1938) et *Ivan* le Terrible* (1942-1946), ce dernier film pouvant être, à juste titre, considéré comme son testament artistique. Au même titre que ses films, ses écrits sur le montage, sur les rapports du son et de l'image ainsi que sur l'esthétique du cinéma eurent une influence considérable sur les cinéastes du monde entier.

EITOKU → KANŌ.

ÉJACULATION → COÏT.

EK (Niklas), danseur suédois (Stockholm 1943), fils de Birgit Cullberg*. Son assimilation des styles classique et moderne (Martha Graham* et Merce Cunningham*) lui a permis de s'imposer comme un des meilleurs danseurs modernes européens (*Summerspace,* de M. Cunningham, 1967; *le Marteau sans maître,* de Maurice Béjart*, 1973).

EKELÖF (Gunnar), poète suédois (Stockholm 1907-Sigtuna 1968). Il unit les recherches du surréalisme à l'expression des thèmes lyriques traditionnels (*Tard sur la terre,* 1932).

EKELUND (Vilhelm), poète suédois (Stehag 1880-Saltsjöbaden 1949). Influencé par Nietzsche et les symbolistes français, il est le précurseur de la poésie moderne suédoise (*Sur le rivage de la mer,* 1922).

EKEREN, comm. de Belgique (prov. d'Anvers), sur l'Escaut, au N. d'Anvers; 30 097 hab. (en 1977).

EKIBASTOUZ, centre d'extraction houillère de l'U.R.S.S., dans le Kazakhstan, au N.-E. de Karaganda.

EKOFISK, gisement de pétrole et de gaz naturel de la mer du Nord, dans la zone norvégienne.

EL, le plus ancien nom sémitique de la divinité, très employé dans les noms théophores : Élie, Ismaël, Israël, etc.

ÉLABORATION. — Pour élaborer les métaux* et leurs alliages* à partir des minerais*, on fait appel à des traitements* métallurgiques successifs très divers : physiques, physico-chimiques, chimiques ou électrolytiques. Ces traitements comportent trois stades d'inégale importance suivant les métaux et leur origine.

• La *préparation des minerais* facilite les traitements ultérieurs de ceux-ci en les divisant (concassage, broyage, criblage), en séparant la gangue ou les parties stériles (séparation magnétique, flottation, triage physique), puis en agglomérant et en enrichissant les particules par des traitements physico-chimiques (grillage partiel sur chaîne Dwight Lloyd, préréduction ou bouletage).

• Les *processus d'élaboration* des métaux résultent de la succession d'opérations élémentaires ou de procédés fondés sur des réactions physico-chimiques caractéristiques. Le choix de ces opérations ou de ces procédés dépend de la nature du métal, du comportement chimique de certains de ses composés, de la nature de la gangue, de la nature et de la quantité d'impuretés, de la richesse du minerai, de l'utilisation du métal brut d'élaboration et de conditions économiques particulières (prix du combustible, problèmes d'approvisionnements locaux, main-d'œuvre, etc.).

Les procédés d'élaboration par *voie sèche* ou de *pyrométallurgie* se pratiquent grâce à un apport thermique notable extérieur (fours* pour réactions endothermiques) ou interne aux produits (réactions exothermiques) : la *calcination* décompose un hydrate, un carbonate ou un sulfate* en oxyde* sous le seul effet de la chaleur; le *grillage* transforme, le plus souvent par oxydation, un sel* métallique en oxyde; le grillage n'est pas toujours oxydant (cuivre*), il peut être parfois réducteur (tungstène*) ou magnétisant (oxyde de fer magnétique); la *fusion** d'un métal*, d'un alliage* ou d'un produit intermédiaire, tel qu'une matte (sulfure*) ou un speiss (arséniure ou antimoniure), s'accompagne de réactions diverses : oxydation (convertisseur d'aciérie), réduction (haut fourneau), carburation, sulfuration, scorification (addition de silice formant une scorie d'épuration avec une impureté); la *volatilisation* et la *sublimation** se pratiquent avec des métaux ou des composés à point d'ébullition relativement bas (mercure*, zinc*, cadmium*, magnésium*, tétrachlorure de titane*, carbonyle de nickel*), sous atmosphère particulière ou sous vide, et sont accompagnées de réactions telles que la réduction ou l'oxydation; la *métallothermie* conduit à la réduction d'un oxyde ou d'un autre composé métallique par un métal particulièrement avide d'oxygène au cours d'une réaction exothermique (aluminothermie, calciothermie, magnésiothermie); l'*électrométallurgie** permet soit des fusions avec réactions à hautes températures (aciers* « électriques », ferro-alliages, métaux réfractaires), soit des élaborations sous enceinte gazeuse (azote, argon) ou sous vide afin d'éviter la contamination de métaux spéciaux pour applications nucléaires ou spatiales (titane, zirconium*).

Les procédés d'élaboration par *voie humide* ou d'*hydrométallurgie* comprennent la mise en solution de composés métalliques, ou lixiviation (acide, oxydante, cyanurante), la précipitation chimique ou par déplacement de métal (cémentation) et les différents procédés d'électrolyse.

• Les *opérations d'affinage* permettent d'obtenir industriellement des métaux à haute pureté. On opère par affinage *électrolytique* en solution ou en bain de sels fondus, par affinage *thermique* avec réactions sélectives ou encore par affinage par *action physique* (liquation, filtration, sublimation, etc.). Le procédé de *fusion par zone,* fondé sur la différence de solubilité d'une impureté dans le métal liquide et dans le métal solidifié, conduit à des métaux pratiquement exempts de toute impureté.

ÉLAGABAL (Marcus Aurelius Antoninus, dit) [204-Rome 222], empereur romain de 218 à 222. Grand prêtre du célèbre Baal solaire d'Émèse (Homs*), il fut proclamé empereur à quatorze ans à la suite d'une intrigue fomentée par sa grand-mère Julia Moesa (Julie*), qui le fit passer pour fils adultérin de Caracalla*. Il laissa l'administration de l'Empire à Julia Moesa et se consacra à l'organisation d'une religion solaire; il voulut introduire à Rome le culte de son dieu, Soleil Élagabal (dont il prit le nom), et imposer un « syncrétisme de superposition ». Ses extravagances et ses folies inquiétèrent Julia Moesa, qui l'obligea à adopter son cousin Sévère* Alexandre (221). Ce dernier le supplanta très vite. Élagabal fut assassiné par les prétoriens en 222.

ÉLAM, nom désignant la plaine de la Susiane* et les montagnes qui la dominent (sud-ouest de l'Iran). L'Élam (capit. Suse*) est surtout connu par la littérature des peuples voisins (Sumer*, Akkad*, Assyrie*, Babylonie*), auxquels l'opposèrent des rivalités. Soumis par Sargon d'Akkad (XXIVe s.), les Élamites, libérés de la tutelle akkadienne (v. 2160), provoquèrent (v. 2025) la chute de la IIIe dynastie d'Our*. L'apogée de la royauté se situe au XIIIe s. et au XIIe s., en particulier avec la prise de Babylone en 1153. L'essor de l'Assyrie aux VIIIe-VIIe s. occasionne des conflits que termine, vers 646, le sac de Suse. L'Élam est incorporé à l'Empire médo-perse après la destruction de l'Assyrie (612).

J.-C. Berrier-Atlas-Photo

Élan.

ÉLAN. — L'élan, qu'il ne faut pas confondre avec l'*éland* du Cap, est un grand cerf des régions froides de l'Europe et de l'Amérique du Nord (c'est l'*orignal* du Canada), au nez fortement busqué, aux pattes blanches, atteignant 2,10 m au garrot et fréquentant surtout les plaines marécageuses. Les bois du mâle forment des palettes larges et courtes.

ÉLANCOURT (78310 Maurepas), comm. des Yvelines, à 4 km à l'O. de Trappes; 10 639 hab.

ÉLASTICIMÉTRIE. — Les mesures des contraintes subies par un solide et des déformations qui en résultent se font en général en observant le déplacement relatif de deux points rapprochés, sous l'action des forces qui lui sont appliquées. On peut aussi signaler les mesures de contraintes par rayons X et la méthode des vernis craquants, dans laquelle un vernis, déposé sur la pièce étudiée, se fissure perpendiculairement aux directions d'allongement maximal, traçant ainsi un faisceau de lignes isostatiques.

ÉLASTICITÉ *(Écon.).* — Le concept a été dégagé par A. Marshall * et exprime le rapport existant entre les variations de deux phénomènes économiques : l'élasticité de la *demande* d'un bien ou d'un service en fonction du *prix* s'exprime par le rapport entre le pourcentage de variation de la quantité demandée et le pourcentage de variation du prix proposé. Cette élasticité est considérée comme très faible quand le pourcentage de variation de la quantité demandée est presque nul et que le pourcentage de variation du prix est, quant à lui, important.

ÉLASTICITÉ *(Phys.).* — C'est la propriété que possède un solide, déformé momentanément par l'action d'une force extérieure, de

ÉLASTICITÉ L'ellipsoïde de Lamé (ellipsoïde des contraintes) ayant pour équation $\frac{X^2}{a^2}+\frac{Y^2}{b^2}+\frac{Z^2}{c^2}=1$, on porte sur l'axe $O\tau$ des contraintes tangentielles la trace SOS' de l'élément plan considéré, dont il existe une triple infinité autour du point O. Sur l'axe des contraintes normales $O\nu$, on porte, à partir du point O, les trois contraintes principales $OA = a$, $OB = b$, $OC = c$. En supposant $a > b > c$, on trace les trois cercles de diamètre AB, BC, AC (tricercle de Mohr); le cercle extérieur de diamètre AC est le *cercle principal de Mohr :* il est indépendant de la contrainte intermédiaire OB. Une contrainte OM quelconque du solide en O a son extrémité M à l'intérieur de la zone de couleur, ou, à la limite, sur son pourtour. La plus forte contrainte dans une direction quelconque OM a toujours son extrémité sur la circonférence du grand cercle principal de Mohr.

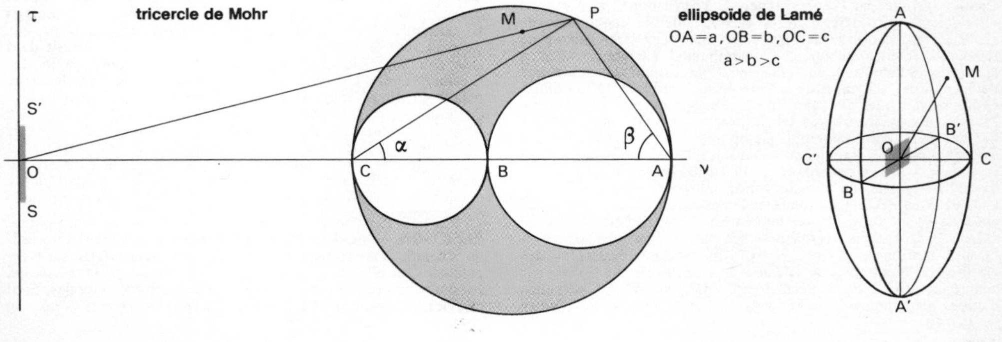

recouvrer sa forme première dès que la force a cessé d'agir. On la définit pour les efforts de traction, de compression, de torsion et de flexion.

La notion d'équilibre interne et la loi de Hooke* sont les bases de l'étude des déformations élastiques en fonction des contraintes appliquées; cette loi précise qu'il y a proportionnalité entre la contrainte exercée et la déformation qui en résulte pour toute contrainte inférieure à une valeur dite *limite d'élasticité,* de l'ordre de 5 hbar pour de l'aluminium* pur recuit et de 130 hbar pour un acier* nickel-chrome traité. Cette propriété est caractérisée par le *module d'élasticité,* rapport de la contrainte à l'unité de section divisée par l'allongement unitaire. Suivant le mode de sollicitation, on considère le module d'élasticité en traction ou en compression, ou *module de Young* (E) [6700 hbar pour l'aluminium, 21000 pour l'acier et 35000 pour le tungstène], le module d'élasticité en torsion, ou *module de Coulomb* (G), et le module d'élasticité en flexion. La loi de Hooke généralisée définit un tenseur* de contraintes composé en chaque point d'une triple infinité de vecteurs* dont les extrémités sont sur un ellipsoïde de Lamé (1795-1870); les contraintes suivant les trois axes de référence sont dites *principales;* elles sont normales à leur élément de surface associée. On peut remplacer ce système dans l'espace par un système plan : le *tricercle de Mohr.* Analytiquement, on obtient un système d'équations différentielles, en général non intégrales; mais on peut déterminer l'équilibre d'une pièce prismatique longue (théorème d'Adhémar Barré, comte de Saint-Venant*) en considérant la fibre moyenne et la section droite, dans laquelle les efforts normaux se répartissent suivant une fonction linéaire des coordonnées (base de la résistance* des matériaux). Lorsque la déformation n'est plus parfaitement proportionnelle à la contrainte suivant la loi de Hooke, le matériau possède une certaine *anélasticité.*

ÉLASTOMÈRE. — La recherche de produits synthétiques ayant les qualités du caoutchouc* naturel pour remplacer celui-ci, dont la production devenait insuffisante, ou pour réaliser des caoutchoucs améliorés, a fourni tout d'abord des substances ayant une structure chimique voisine de celle de l'isoprène $CH_2{=}C(CH_3){-}CH{=}CH_2$, maillon unitaire de la gomme naturelle. Ces substances ont été ensuite améliorées par l'incorporation de copolymères. Finalement, on est parvenu à des produits d'une constitution chimique différente.

• *Élastomères à structure identique ou voisine de celle du caoutchouc naturel.*
— Le caoutchouc d'isoprène, à structure identique à celle de la gomme naturelle, a pu être préparé grâce à des catalyseurs stéréospécifiques permettant la polymérisation* de l'isoprène suivant un ordonnancement identique à celui qui existe dans le caoutchouc d'hévéa.
— Le caoutchouc de polybutadiène, obtenu par polymérisation du butadiène $CH_2{=}CH{-}CH{=}CH_2$, est un produit de qualité moyenne. On améliore ses performances par incorporation d'autres monomères*, tels que le caoutchouc de butadiène-styrène, à vieillissement amélioré et dont les propriétés dépendent des proportions de styrène introduit (de 20 à 85 p. 100), et le caoutchouc de nitrile-butadiène, obtenu par copolymérisation de butadiène avec 20 à 45 p. 100 de nitrile acrylique, qui résiste remarquablement à l'action des huiles, des solvants*, de la chaleur et de la lumière.
— Le butylcaoutchouc, copolymère d'isobutylène et d'une petite proportion d'isoprène, est remarquable par sa basse perméabilité à l'air et aux gaz.
— Le caoutchouc de chloroprène, obtenu par polymérisation de chlorobutadiène $CH_2{=}CCl{-}CH{=}CH_2$, présente une résistance élevée aux huiles, aux solvants et à la chaleur.

• *Élastomères à structure différente de celle du caoutchouc naturel.* Les principaux sont : le caoutchouc acrylique, à base de nitrile acrylique, qui présente une bonne résistance aux huiles et aux lubrifiants; le caoutchouc de polyéthylène chlorosulfoné, remarquable surtout par sa résistance à l'oxydation*, aux rayons ultraviolets*, aux acides* forts et oxydants; le caoutchouc de silicone*, qui conserve ses propriétés dans une large gamme de température; le caoutchouc de polyuréthanne*, à haute résistance à la rupture, à l'abrasion, aux huiles et à l'oxydation*; le caoutchouc de polysulfure, polymère de sulfure de sodium résistant aux huiles et aux solvants, le caoutchouc d'éthylène*-propylène*, copolymère de ces deux hydrocarbures saturés, qui ne peut être vulcanisé que par des peroxydes, mais qui, incorporé à un tiers polymère non saturé, donne un caoutchouc vulcanisable, remarquable par sa résistance à la lumière solaire et au vieillissement; le caoutchouc d'éthylène-acétate de vinyle, utilisé principalement pour l'isolement, la confection de joints et l'imperméabilisation des tissus; enfin le caoutchouc fluoré, obtenu par modification des caoutchoucs hydrocarbonés et remarquable par sa résistance aux huiles et aux lubrifiants jusqu'à 200 °C. On fabrique également des élastomères thermoplastiques*, dont le moulage peut se réaliser par simple coulée. Leur molécule* est constituée d'une séquence d'unités de l'un des monomères, alors que celles de l'autre monomère forment des blocs séparés à chacune des extrémités de la macromolécule.

ÉLATÉE, ville grecque de Phocide. Située près des Thermopyles, elle était tenue pour la clef de la Grèce; sa prise par Philippe II* de Macédoine en 339 provoqua chez les Athéniens une grande panique.

ÉLATÉRIDÉS. — Les taupins sont de curieux coléoptères aux pattes courtes, pourvus d'un dispositif de saut perfectionné en vue de se remettre en position normale lorsqu'ils sont tombés sur le dos. Les genres les plus communs sont le *Lacon* (très nuisible), le *Corymbites,* le *Limonius,* l'*Athous;* ils forment la famille des *élatéridés.*

ELATH → EILAT.

ELAZAR (David), général israélien (Sarajevo 1925-Tel-Aviv 1976). Commandant le front nord pendant la guerre des « six jours » (1967), il devient chef d'état-major de l'armée israélienne (1971), conduit celle-ci au combat lors de la guerre israélo-arabe de 1973 et démissionne en 1974.

ELÂZIĞ, v. de la Turquie orientale; 108000 hab.

ELBASANI ou **ELBASAN,** v. de l'Albanie centrale; 45000 hab. Centre, avec Berati, aux XVIe et XVIIe s., d'une originale école de peinture religieuse monumentale.

ELBE (l'), en tchèque **Labe**, fl. de Tchécoslovaquie et d'Allemagne; 1100 km. Né dans le nord de la Bohême, l'Elbe draine l'ouest de la Tchécoslovaquie, recevant la Vltava (r. g.), avant de pénétrer en Allemagne orientale, où il passe à Dresde, puis à Magdeburg et reçoit la Saale (r. g.). Il sert ensuite de frontière entre les deux Allemagnes, dont la partition a réduit son rôle économique de grande voie navigable, avant d'atteindre Hambourg à la tête de son long estuaire sur la mer du Nord.

ELBE *(île d'),* île italienne de la Méditerranée, à l'E. de la Corse. Minerai de fer. — Disputée longtemps entre Génois et Florentins, espagnole de 1596 à 1709, puis napolitaine, française sous Napoléon Ier, l'île d'Elbe est surtout célèbre pour le séjour forcé (4 mai 1814-26 févr. 1815) qu'y fit l'Empereur des Français après sa première abdication et avant les Cent*-Jours. Donnée à la Toscane en 1815, elle est italienne depuis 1860.

ELBÉE (Maurice GIGOST D') → VENDÉE *(guerre de).*

ELBEUF (76500), ch.-l. de cant. de la Seine-Maritime, à 18 km au S. de Rouen, sur la rive gauche de la Seine; 19506 hab. *(Elbeuviens).* Deux églises des XVIe et XVIIe s. Industrie lainière.

ELBLĄG, v. de Pologne, près de la Baltique; 93000 hab.

ELBOURZ, massif montagneux du nord de l'Iran, au S. de la Caspienne; 5604 m au Demāvend.

ELBROUS ou **ELBROUZ,** point culminant du Caucase, formé par un volcan éteint; 5633 m.

ELCHE, v. d'Espagne, au S.-O. d'Alicante; 124000 hab. Palmeraie. — Découvert en 1897, le buste de la *Dame d'Elche* (V^e-IIIe s. av. J.-C, musée du Prado) a suscité de vives controverses; on le rattache à l'art ibérique d'influence grecque. Église S. Maria (XVIIe s.).

ELCHINGEN ou **OBERELCHINGEN,** village de Bavière, près d'Ulm, où Ney l'emporta sur les Autrichiens le 14 octobre 1805.

ELDORADO, terme qui désigne traditionnellement une contrée fabuleuse de l'Amérique, que les conquistadores* plaçaient entre l'Amazone et l'Orénoque, et qui, selon eux, regorgeait d'or.

ÉLÉATISME → ÉLÉE *(école d').*

ÉLECTEUR. — En 1138, un collège, formé des archevêques de Mayence, de Cologne, de Trèves et des quatre ducs nationaux de Germanie (Saxe, Souabe, Franconie, Bavière), se constitua pour proposer à la diète son candidat à l'Empire : le premier Hohenstaufen. Ainsi apparurent les sept Électeurs principaux, qui, pendant tout le Moyen Âge, allaient jouer un rôle décisif dans l'élection impériale. Au cours de l'histoire du Saint Empire, les Électeurs varièrent : celui de Franconie fut remplacé par le comte palatin du Rhin (1150), celui de Bavière par le roi de Bohême, celui de Souabe par le margrave de Brandebourg (XIIIe s.). Les sept Électeurs assuraient les fonctions de grands officiers de la Couronne; dans leur principauté, ils avaient le statut de roi et exerçaient une justice souveraine. À partir de 1438, l'Empire fut transmis dans la famille des Habsbourg, et les Électeurs (dont le nombre fut porté à huit au XVIIe s.) cessèrent d'influer sur le choix de l'empereur.

ÉLECTION. — Sont électeurs les Français et les Françaises âgés de dix-huit ans accomplis, jouissant de leurs droits civils et politiques, et n'étant dans aucun cas d'incapacité prévu par la loi. Ils doivent, de plus, être inscrits sur les listes électorales. Sont éligibles les Français et les Françaises âgés de vingt-trois ans (de vingt et un ans en ce qui concerne l'éligibilité aux conseils généraux et aux conseils municipaux), et nul ne peut être élu s'il ne justifie avoir satisfait aux obligations militaires. (V. SCRUTIN.)

ÉLECTORALE (sociologie). — Dans tout système démocratique, l'élection est le moteur de la vie politique, puisqu'elle désigne directement ou indirectement les titulaires de l'autorité politique. Indice du soutien dont bénéficient les élus, les statistiques électorales permettent également la description et l'interprétation des faits électoraux. Développée aux États-Unis sous l'impulsion de Lazarsfeld* et en France sous celle d'André Siegfried*, la sociologie électorale retient aujourd'hui l'attention de tous les spécialistes de sciences politiques (M. Duverger*, F. Goguel*...). En 1914, A. Siegfried avait déjà interprété les faits électoraux en termes géographiques et retenu trois facteurs principaux du comportement électoral des Français : le régime foncier, la religion et l'histoire. Aujourd'hui, grâce aux progrès du traitement mathématique des données, les élections sont quantifiables. Le développement rapide des enquêtes* par sondage, l'introduction du panel*, le recours aux échelles d'attitude appliquées aux résultats d'enquêtes permettent des études plus approfondies du corps électoral. Si l'on constate généralement une moindre participation chez les femmes, les jeunes et les vieillards, on note une forte influence des sentiments religieux sur le « vote de classe », notamment en France. L'influence du statut socioéconomique sur le comportement des électeurs semble découler naturellement de la vocation des partis à exprimer et à promouvoir des intérêts collectifs. Toutefois, l'interprétation du choix électoral démontre que c'est moins l'appartenance objective à une classe sociale que la conscience de cette appartenance qui forme l'opinion. Entre le statut social réel et le statut ressenti, les groupes intermédiaires jouent le rôle de catalyseurs (organisations professionnelles, syndicats...). Cette socialisation par les groupes intermédiaires est d'abord assurée par la famille, premier foyer de transmission des orientations politiques. Il faut souligner une diminution de l'abstentionnisme et un accroissement de la politisation des individus ces dernières années en France. Chez les jeunes, l'une des causes de cette évolution semble être — outre l'« entrée de la politique » dans les universités depuis 1968 — l'accès aux études supérieures d'un plus grand nombre issus de milieux socioculturels plus diversifiés.

La sociologie électorale actuelle a été conduite à mettre l'accent sur le *changement* plus que sur la stabilité en raison non seulement des mutations économiques et sociales, mais aussi de l'évolution des forces politiques. Avec le suffrage universel, le référendum, l'abaissement de l'âge de la majorité, le dualisme des consultations municipales et législatives, force est de constater le « glissement » des électorats.

ÉLECTRE, fille d'Agamemnon et de Clytemnestre; avec son frère Oreste, elle venge son père : cet épisode de la légende des Atrides* a notamment inspiré Eschyle (avec sa tragédie *les Choéphores* [458 av. J.-C.], qui fait partie de *l'Orestie*), Sophocle (v. 425 av. J.-C.), Euripide (v. 413 av. J.-C.) et J. Giraudoux (*Électre,* 1937).

ÉLECTRICITÉ. — Le phénomène le plus anciennement connu est la propriété que l'ambre jaune (en gr. *êlektron*) acquiert par frottement d'attirer les corps légers; le fait est cité par Thalès au VIIe s. av. J.-C. Lorsqu'on frotte en effet deux corps l'un contre l'autre, il y a formation de deux espèces d'électricité, l'une positive, l'autre négative, chacune d'elles se manifestant sur l'un des corps frottés. Le développement de ces charges électriques est dû au fait que les atomes sont formés d'un noyau central, électrisé positivement, entouré d'électrons, corpuscules d'électricité négative. Ces charges, de signes contraires, se compensent pour les corps électriquement neutres; mais un excès d'électrons détermine une charge négative, et un défaut laisse subsister une charge résiduelle positive. L'électricité ainsi développée, en équilibre sur les corps, est dite « statique », et son étude est l'objet de *l'électrostatique.*

La découverte, en 1800, de la pile de Volta à la suite des expériences de Galvani sur les contractions des muscles d'une grenouille par le contact de deux métaux, a montré que les charges électriques pouvaient se déplacer dans les conducteurs, constituant le courant électrique. Les effets chimiques et thermiques du courant ont été tout aussitôt observés : en 1800, Carlisle et Nicholson ont réalisé l'électrolyse de l'eau, et, en 1801, Thenard a montré que le courant peut porter un fil à l'incandescence. L'étude des courants est l'objet de *l'électrocinétique,* dont la loi fondamentale a été formulée par Ohm en 1827.

C'est en 1820 qu'Œrsted découvre qu'un courant dévie l'aiguille aimantée, créant ainsi *l'électromagnétisme**. L'action réciproque des champs magnétiques sur les courants est étudiée par Laplace, et Ampère, observant l'action d'un courant sur un autre et assimilant un solénoïde à un aimant, crée *l'électrodynamique**.

Enfin, *l'électronique** s'est développée après la découverte, par Hittorf, en 1868, des rayons cathodiques.

L'électricité est une forme d'énergie d'un emploi particulièrement commode en raison de l'aisance avec laquelle elle peut être transportée. Il est, d'autre part, facile de la transformer en une autre sorte d'énergie : mécanique dans les moteurs, thermique dans les résistances de chauffage, lumineuse dans l'éclairage électrique, chimique dans l'électrolyse. Aussi ses applications industrielles et domestiques n'ont-elles cessé de se développer.

La production mondiale d'électricité est de l'ordre de 7 000 TWh, en progression rapide et constante. Elle est assurée en majeure partie par un petit nombre de pays : pour plus du quart par les États-Unis et pour plus du dixième par l'U. R. S. S. Suivent, dans l'ordre, le Japon, l'Allemagne fédérale, le Canada, la Grande-Bretagne et la France. Ces sept pays fournissent près des deux tiers de la production mondiale, et le classement des producteurs, très proche de celui des grandes puissances économiques, confirme la relation entre production d'électricité et niveau de développement. Quelques pays, plus petits, ont une consommation annuelle par habitant (synonyme ici de production dans la mesure où le commerce international de l'électricité est encore presque négligeable) exceptionnellement élevée, telle la Norvège (près de 20 000 kWh, le double de celle qui est enregistrée aux États-Unis), en raison de la présence de branches industrielles, comme la métallurgie de l'aluminium, aux besoins énormes. Dans les pays développés, l'industrie est en effet, et souvent de loin, le principal débouché de l'électricité, malgré une croissance fréquemment plus rapide, aujourd'hui, du marché domestique, équipé en appareils électroménagers et faisant de plus en plus appel à l'électricité pour le chauffage des appartements.

La production d'électricité a trois origines essentielles, d'importances, cependant, inégales : l'énergie de l'eau courante ou turbinée sous une forte chute — c'est *l'hydroélectricité;* la combustion d'une source d'énergie fossile (charbon, lignite, gaz naturel ou pétrole raffiné et transformé en fuel lourd) — c'est la *thermoélectricité,* que l'on tend à qualifier de *classique* pour la distinguer de la troisième origine, la fission du noyau de l'uranium 235, qui conduit à la *thermoélectricité nucléaire.* (V. CENTRALE ÉLECTRIQUE.) L'électricité d'origine hydraulique et nucléaire constitue *l'électricité primaire* par opposition à la *thermoélectricité classique, secondaire.*

Aujourd'hui, à l'échelle mondiale, la thermoélectricité classique est largement prépondérante. Elle a longtemps été presque exclusive dans les États riches en charbon et pauvres en chutes d'eau aménageables, comme la Grande-Bretagne et l'Allemagne, et a progressé sensiblement dans les pays montagneux, traditionnels domaines de l'hydroélectricité, où elle a été stimulée par la croissance de la demande globale et, longtemps, par les facilités d'importation d'un pétrole à bon marché. L'hydroélectricité a ainsi perdu sa primauté au Japon, en France, en Espagne et a reculé (en valeur relative) aussi dans les pays alpins (Suisse, Autriche), ne conservant guère une nette prépondérance que dans les pays nordiques. Aux États-Unis et en U. R. S. S., malgré des aménagements spectaculaires, la part de l'hydraulique dans la production totale d'électricité est seulement de l'ordre du dixième.

L'électricité d'origine nucléaire est un apport encore marginal, mais qui se développe rapidement, en particulier dans les pays industrialisés, stimulé principalement par la hausse récente considérable des prix du pétrole, dont ces États sont presque tous de grands importateurs. Cependant, le développement du thermonucléaire électrique est hypothéqué moins par le gigantisme des investissements nécessaires et les difficultés techniques liées au caractère relativement nouveau de la production et à la variété des filières utilisées que par les obstacles écologiques considérables suscités par les « environnementalistes » et divers groupes de pression. (V. illustration p. 634.)

ÉLECTRICITÉ ANIMALE. — Des poissons sans aucune parenté entre eux (torpille, silure, anguille électrique, maloptérure, etc.) sont capables de paralyser leurs proies par une décharge électrique atteignant parfois une puissance de 180 W sous 650 V chez les plus grandes torpilles. D'autres poissons (gymnotes, mormyres) produisent des décharges rythmées, beaucoup plus faibles, qui leur servent à repérer les obstacles (v. ÉCHOLOCATION). Dans tous les cas, l'organe électrique, constitué comme une pile, est une masse musculaire modifiée.

Électricité de France (E. D. F.), établissement public français. La loi du 8 avril 1946 a nationalisé toutes les entreprises privées de production, de transport et de distribution d'électricité, à l'exception d'un certain nombre d'établissements, et a transféré ainsi plus d'un millier d'entreprises à Électricité de France. Cet organisme à caractère industriel et commercial est autonome et géré par un conseil d'administration. Par la même loi était créé Gaz* de France, le personnel des deux établissements bénéficiant du même statut.

ÉLECTRIFICATION. — Le courant* électrique continu utilisé pour alimenter les lignes de tramways* et les réseaux urbains établis au début du XXe s. est aussi adopté pour l'électrification des grandes lignes. Il permet d'utiliser le moteur* série, qui offre un couple important au démarrage et peut supporter de fortes surcharges. Mais la tension d'alimentation de la ligne est limitée (de 1 à 3 kV), et le transport d'une puissance importante exige des conducteurs de forte section ainsi que des stations d'alimentation nombreuses et coûteuses. Certains réseaux utilisent le courant

évolution de la part de l'électricité primaire dans la production totale d'électricité,
par source d'énergie (en % de la production nationale)

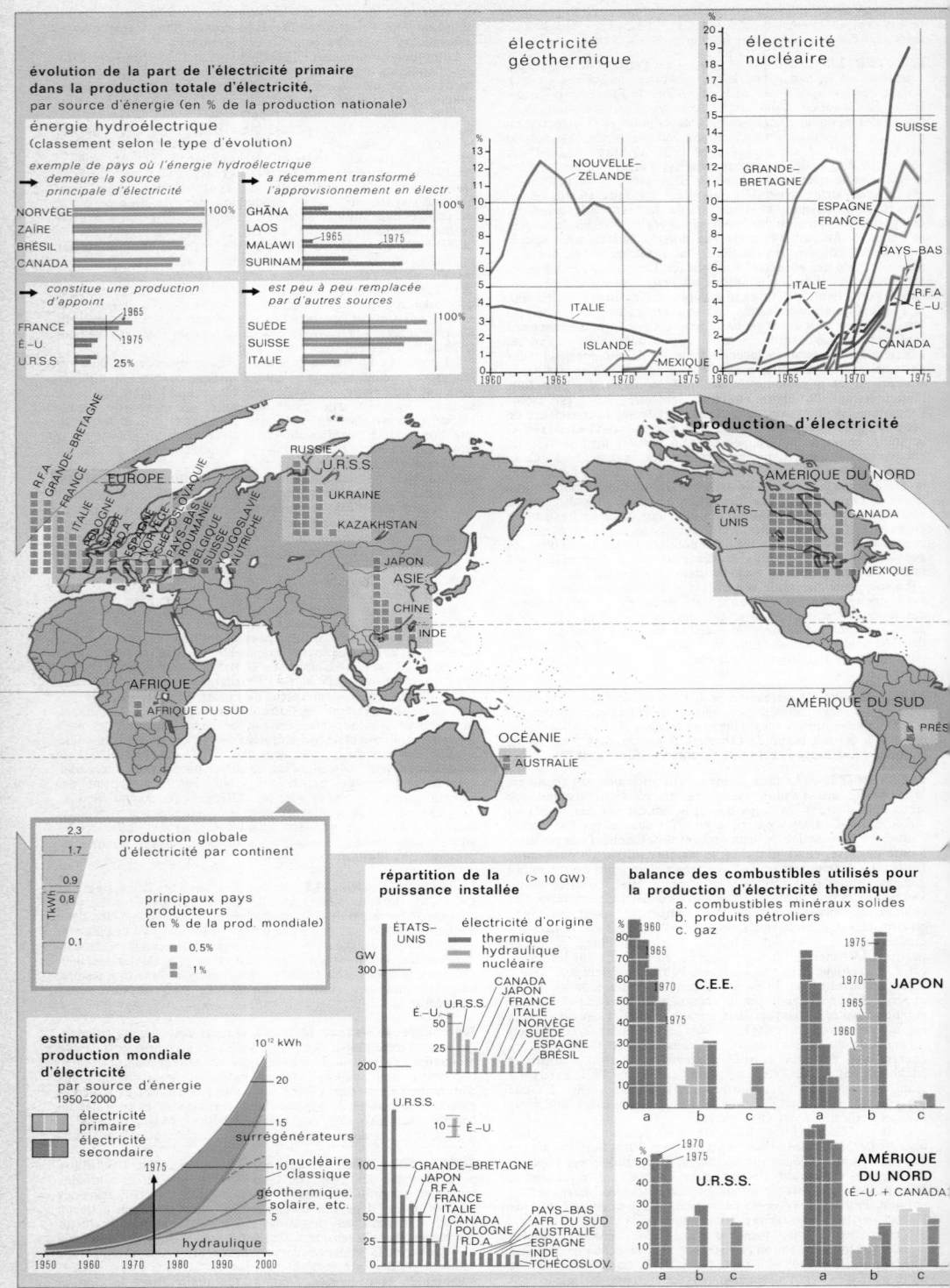

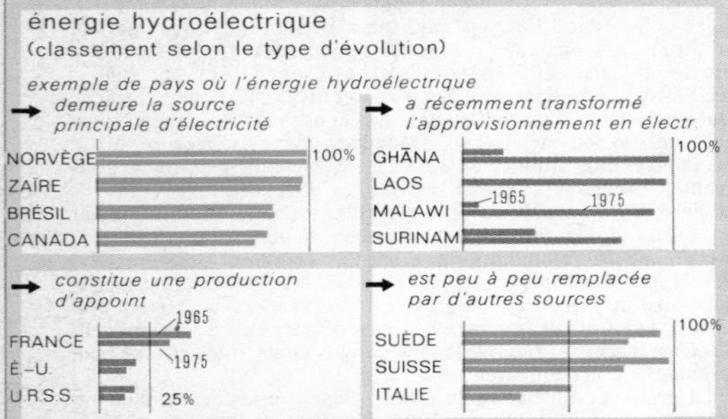

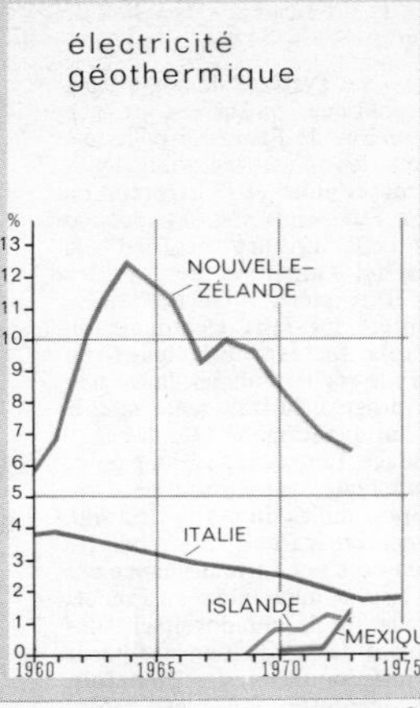

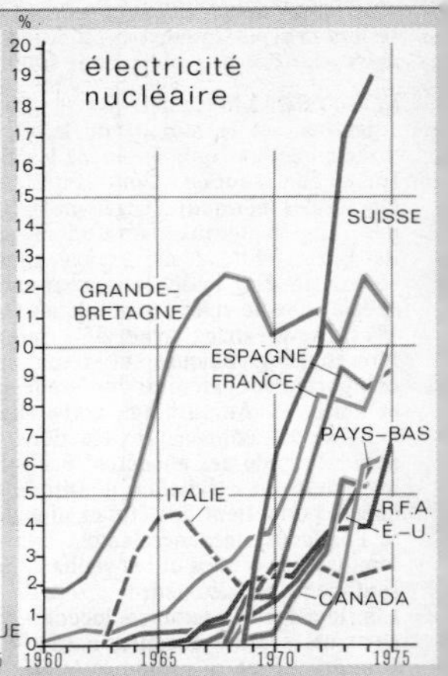

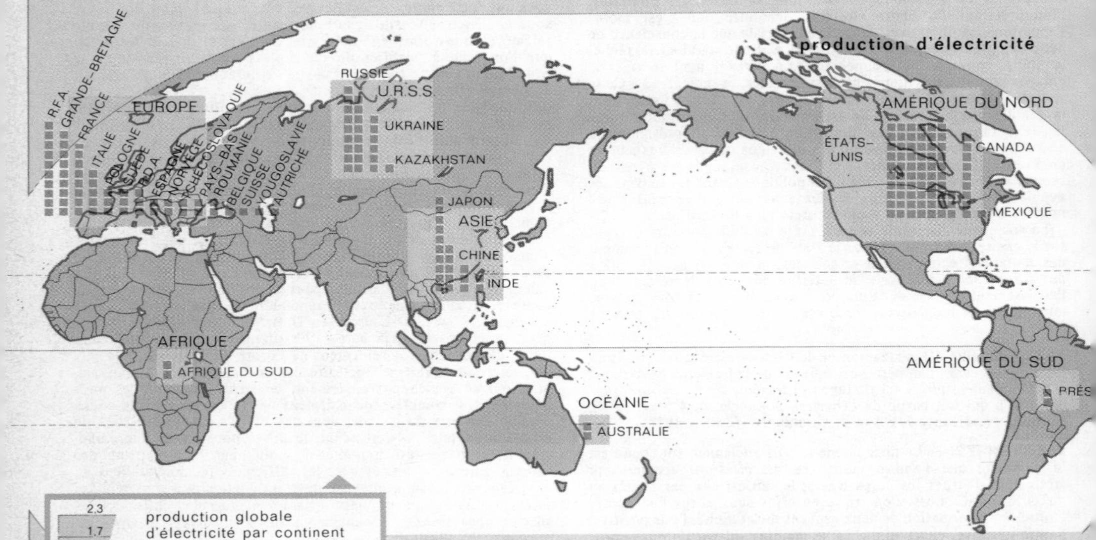

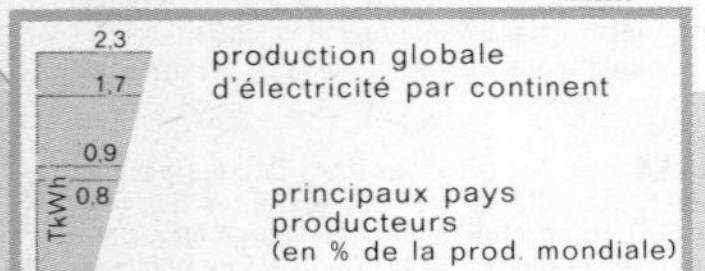

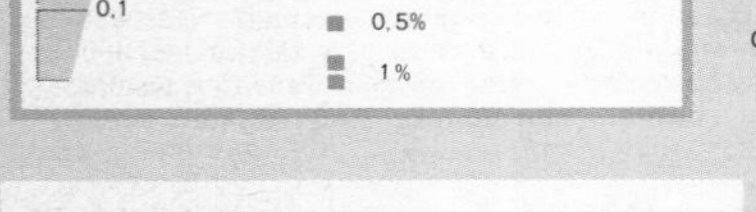

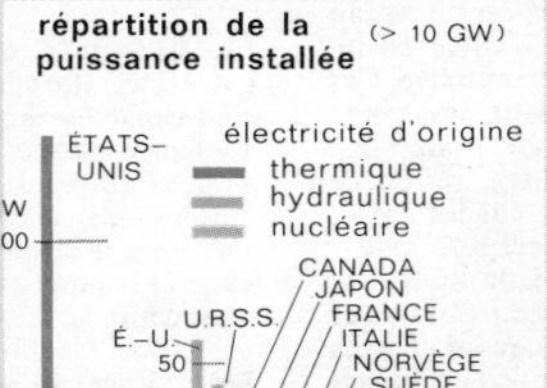

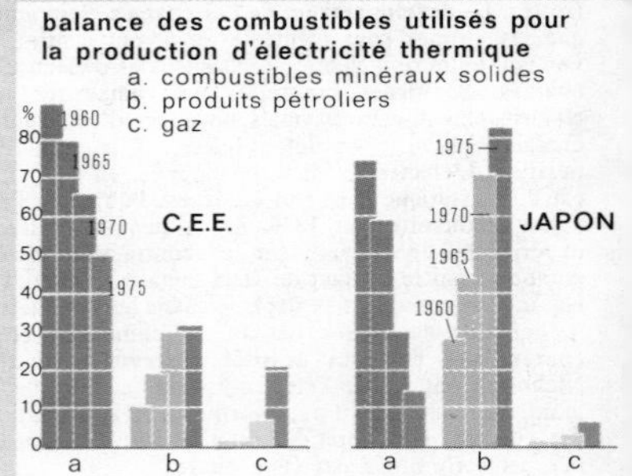

monophasé à fréquence* spéciale (16 $^2/_3$ ou 25 Hz), qui permet d'alimenter la ligne sous une tension plus élevée (de 15 à 25 kV), qu'on abaisse à la tension de fonctionnement des moteurs par un transformateur* placé sur chaque engin moteur. Les pertes en ligne sont réduites, mais l'emploi de moteurs monophasés conduit à des difficultés de commutation. Développée en France depuis 1955, l'électrification en courant monophasé à fréquence industrielle (50 ou 60 Hz) permet de bénéficier des avantages du moteur série et d'une alimentation à haute tension (25 kV) grâce à l'emploi des redresseurs modernes disposés avec le transformateur sur la locomotive*. Plus économique, ce système est maintenant très répandu dans le monde.

ÉLECTROACOUSTIQUE. — L'électroacoustique étudie les méthodes et les dispositifs servant à traduire des sons par des courants électriques (microphones) ou, au contraire, à transformer les courants en sons (haut-parleurs). Elle traite des divers appareils de musique électronique permettant d'engendrer directement des sons à partir d'oscillations électriques. Enfin, elle embrasse tous les domaines d'enregistrement électrique des sons sur disques ou sur bandes magnétiques. De surcroît, elle étudie les divers moyens électriques permettant de modifier à volonté les timbres ou les rapports d'intensité des sons, d'en effectuer le mélange et d'en altérer la réverbération (écho artificiel), toutes ces techniques étant largement utilisées en radiodiffusion ainsi que dans l'enregistrement phonographique.

ÉLECTROACOUSTIQUE (musique). — En 1956 fut entendue la première œuvre faisant usage à la fois des techniques concrètes et électroniques : *Gesang der Jünglinge (Chant des adolescents)* de K. Stockhausen. Depuis, les deux sortes de techniques sont réunies sous le concept global de musique électroacoustique.

ÉLECTROAFFINITÉ. — On peut chiffrer l'électroaffinité tant pour les éléments électropositifs que pour les éléments électronégatifs. Dans le premier cas, du zinc, par exemple, placé dans une solution de sulfate de cuivre se substitue à ce métal selon la réaction $CuSO_4 + Zn \rightarrow ZnSO_4 + Cu$. On peut mesurer l'énergie libérée par cette réaction et l'on trouve 50 kcal par mole. On dit que le zinc a une électroaffinité supérieure de 50 kcal à celle du cuivre. On peut alors classer les métaux d'après leur électroaffinité décroissante et l'on trouve la liste suivante : potassium, calcium, sodium, magnésium, aluminium, zinc, fer, nickel, plomb, hydrogène, cuivre, argent, mercure, or. C'est dans cet ordre que les métaux se déplacent l'un l'autre dans leurs combinaisons; cette suite correspond aussi à une altérabilité décroissante au contact de l'air ou de l'eau.

ÉLECTROAIMANT. — Un électroaimant est constitué par un circuit magnétique de fer doux, ou *culasse,* terminé par deux *pièces polaires,* entre lesquelles est ménagé un *entrefer* étroit. L'aimantation est produite par des bobines fixées sur la culasse; dans l'entrefer règne un champ magnétique intense. Parmi les électroaimants à entrefer invariable, on peut citer les gros appareils fixes, destinés à la production des champs de grande intensité, ceux qui servent dans les accélérateurs de particules ainsi que les lentilles magnétiques des tubes électroniques. Dans les appareils de levage et les relais, l'entrefer est variable. La fermeture du circuit magnétique est assurée par une *armature* mobile, qui est attirée par la culasse quand on excite les bobines et qui s'en écarte quand on coupe le courant.

ÉLECTROCARDIOGRAMME (E. C. G.). — Les courants d'action du cœur* sont transmis à la peau par les différents tissus. De la peau, où ils sont recueillis par des électrodes, ils parviennent à l'appareil enregistreur : l'électrocardiographe. L'électrocardiogramme est un graphique des variations du courant cardiaque en fonction du temps. Les tracés obtenus dépendent des points où sont placées les électrodes. Le tracé électrocardiographique humain normal est formé d'une série d'ondes désignées par des lettres : l'onde P correspond à l'envahissement des oreillettes par l'onde d'excitation venant du nœud sinusal de Keith et Flack; elle est arrondie; sa durée n'est pas supérieure à 0,12 s, et son amplitude varie de 1 à 3 mm. L'intervalle PR (ou PQ) va de la fin de l'onde P au début du complexe QRS et correspond à la pause entre le début de l'excitation auriculaire et le début de l'excitation ventriculaire : il n'est pas supérieur à 0,20 s. Le complexe QRS résulte de l'activation des deux ventricules; sa durée est en moyenne de 0,08 s, et son amplitude de 10 mm. Le segment RT ou ST correspond à la période pendant laquelle les ventricules sont excités. L'onde T, traduisant le retrait de l'excitation des ventricules, est lente et normalement positive dans les dérivations standards. Les modifications du tracé électrocardiographique apportent des renseignements essentiels dans l'étude de la plupart des maladies du cœur, notamment dans les troubles du rythme*, les anomalies de la conduction nerveuse intracardiaque, les troubles de la circulation dans les artères coronaires et leur complication, l'infarctus du myocarde.

ÉLECTROCARDIOGRAMME

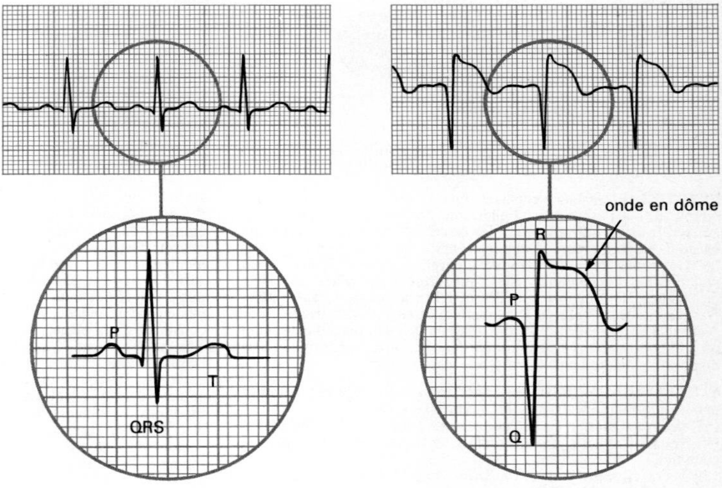

À gauche, électrocardiogramme normal : P, onde de l'oreillette; QRS, complexe ventriculaire; T, onde de repolarisation. À droite, électrocardiogramme d'infarctus du myocarde : onde en dôme (de Pardee) et onde Q profonde.

ÉLECTROCHIMIE. — C'est l'étude des réactions chimiques produisant un courant électrique ou produites par lui. Ces réactions mettent en jeu des électrolytes, le plus souvent solutions salines ou sels fondus, et des électrodes conductrices, souvent métalliques. Dans les électrodes, le courant est dû au mouvement des électrons; dans l'électrolyte, il est dû à celui des ions positifs et négatifs qu'il renferme. Les réactions électrochimiques sont le résultat d'un échange d'électrons entre les électrodes et les ions; ce sont des réactions d'oxydoréduction. Ce courant produit l'électrolyse*.

Le fonctionnement des piles à liquide est dû à l'existence d'une différence de potentiel entre un conducteur métallique et un solvant ionisant, tel que l'eau, dans lequel il est plongé. Cette différence de potentiel s'interprète comme résultant du passage en solution de cations métalliques, laissant dans le métal un excès d'électrons.

ÉLECTROCINÉTIQUE → ÉLECTRICITÉ.

ÉLECTROCOAGULATION → DIATHERMIE.

ÉLECTROCUTION. — L'électrocution se produit à la suite de mécanismes divers (sidération des centres nerveux, contracture musculaire, fibrillation ventriculaire). Elle entraîne la mort si une réanimation n'est pas immédiatement entreprise. Certains facteurs interviennent : tension, intensité et fréquence du courant, durée de l'exposition. L'état du sujet joue un rôle dans les risques d'électrocution (la peau humidifiée aggrave l'accident).

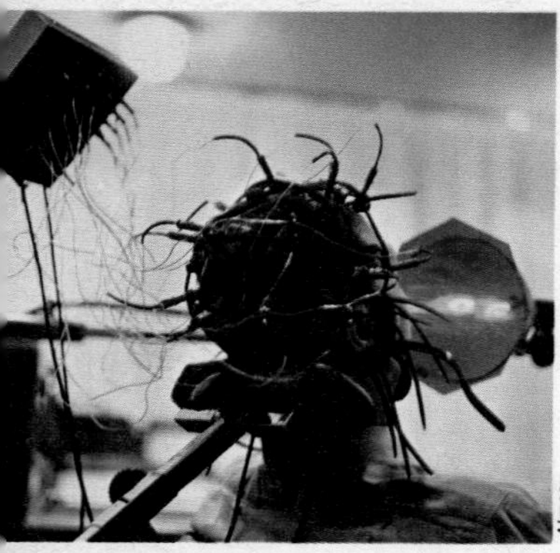

Enregistrement d'un électro-encéphalogramme.

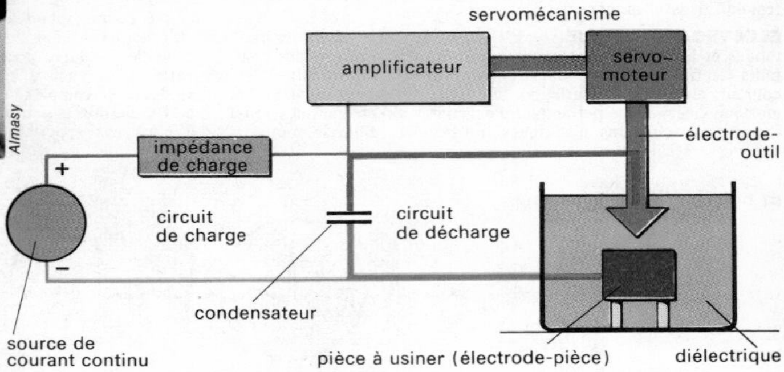

Principe de l'usinage par électroérosion.

ÉLECTRODE. — Les électrodes ont des formes très variables et appropriées à l'usage auquel elles sont destinées. En chimie, dans l'électrolyse, on utilise surtout des électrodes de platine, de fer, de charbon et de mercure. Dans les fours à arc d'électrométallurgie, les électrodes sont en carbone amorphe (coke et liant) ou en graphite. En thérapeutique, elles sont formées d'aiguilles, de lames, de plaques, de tampons mouillés et reliés à l'un et à l'autre pôle. Dans les tubes à vide ou à gaz employés en radioélectricité, elles servent à émettre des électrons (cathode), à les recueillir (anode) ou à en modifier la vitesse (grille). Leur nombre, leur forme et leur disposition déterminent la catégorie des tubes.

ÉLECTRODIAGNOSTIC. — L'électrodiagnostic permet d'étudier par les courants électriques les nerfs et les muscles.

L'*électrodiagnostic de détection* mesure les variations de potentiel spontanées des organes (électromyogramme, électrocardiogramme).

L'*électrodiagnostic de stimulation* apprécie les modifications quantitatives et qualitatives des réponses musculaires à des courants aux caractéristiques précises fournis par un générateur spécial.

L'électrodiagnostic est utile pour apprécier les lésions des neurones périphériques et établir un pronostic dans les différents cas de paralysies (centrales, périphériques) et dans les atteintes musculaires.

ÉLECTRODIALYSE. — Si, dans une cuve à trois compartiments limités par deux membranes semi-perméables, on introduit dans les compartiments extrêmes deux électrodes et si l'on fait passer un courant continu, il y a déplacement des anions et des cations vers les électrodes correspondantes. En balayant les compartiments extrêmes par un courant d'eau, on réalise une déminéralisation de l'eau du compartiment central. Le rendement de l'opération est accru si l'on utilise des membranes permsélectives, qui n'autorisent que le passage des anions ou des cations, les ions libérés ne risquant plus de retourner dans le compartiment médian. Cette technique est utilisée aujourd'hui dans les installations de dessalement des eaux.

ÉLECTRODYNAMIQUE. — C'est l'étude des actions d'un courant électrique sur un autre par l'intermédiaire du champ magnétique produit. L'étude de ces champs magnétiques constitue l'électromagnétisme*. C'est ainsi que deux courants rectilignes et parallèles s'attirent ou se repoussent mutuellement, selon que les courants y circulent dans le même sens ou en sens contraires.

ÉLECTRODYNAMOMÈTRE. — Cet appareil est formé de deux bobines parcourues par des courants. L'une des bobines est placée dans le champ magnétique créé par l'autre; elle est alors soumise à des forces proportionnelles au produit des intensités qui traversent les deux bobines. Si les deux bobines sont parcourues par le même courant, l'appareil permet une mesure absolue de son intensité.

ÉLECTROENCÉPHALOGRAMME (E. E. G.). — L'activité des neurones du cortex cérébral entraîne des variations du champ électrique dont l'enregistrement, au niveau du cuir chevelu, est sans danger et indolore. L'E. E. G. normal fait apparaître différents types d'ondes qui s'observent soit au repos complet et en l'absence de stimulation sensorielle, soit à l'occasion de stimulations diverses.

L'E. E. G. est utile pour mettre en évidence des signes de souffrance cérébrale que traduit l'existence de rythmes caractéristiques, et notamment pour le diagnostic de l'épilepsie*.

ÉLECTROÉROSION. — L'usinage par électroérosion sert à façonner, par enlèvement de matière, des matériaux conducteurs de très grande dureté (carbures métalliques, stellites, aciers réfractaires, aciers trempés, etc.) à l'aide d'électrodes-outils, réalisés en matériaux bons conducteurs de la chaleur et de l'électricité, peu durs et faciles à usiner (cuivre, laiton, graphite, etc.). La pièce à traiter, immergée dans un liquide diélectrique, très fluide, est reliée à l'un des pôles d'un générateur d'impulsions de courant, polarisées, dont la tension maximale de sortie à vide est généralement inférieure à 100 V. Reliée à l'autre pôle, l'électrode-outil est fixée dans un servomécanisme, mécanique ou hydraulique, pour être maintenue à une distance moyenne constante de la pièce, distance qui varie de 0,02 à 0,8 mm environ suivant le régime d'usinage choisi : finition ou ébauche. Sous l'action d'une succession très rapprochée de décharges électriques polarisées de courte durée (de l'ordre de quelques microsecondes) se succédant très rapidement (quelque 10^3 impulsions par seconde), produites localement dans les zones les plus rapprochées des électrodes en présence, l'électrode-outil pénètre très progressivement dans la pièce, indépendamment de la dureté du matériau travaillé. La vitesse d'avance est faible : en régime d'ébauche, elle est généralement de quelques dixièmes de millimètre par minute. Localement, les décharges électriques créent des forces de pression quasi instantanées, très élevées, mais l'effort entre électrode et pièce reste très faible. La forme de l'électrode est reproduite en creux dans la pièce façonnée, et l'on retrouve la matière enlevée à l'état de petites sphérules en suspension dans le liquide diélectrique. La polarité des électrodes dépend du type de générateur utilisé et des matériaux constituant la pièce à usiner et l'électrode outil.

Dans cette méthode d'usinage, la vitesse d'usinage est pratiquement indépendante de la dureté du matériau travaillé. Ne subissant aucun effet mécanique de la part de l'électrode, la pièce usinée ne se déforme absolument pas. De plus, elle ne subit pas de choc thermique. Enfin, l'état de surface en régime de finition est excellent et l'usinage est automatique. En revanche, la vitesse d'usinage est relativement faible et l'usure de l'électrode-outil non négligeable.

ÉLECTROFORMAGE → ÉLECTROLYSE.

ÉLECTROLOGIE → ÉLECTRORADIOLOGIE.

ÉLECTROLUMINESCENCE. — Le courant électrique peut passer entre deux électrodes placées dans un tube contenant un gaz fortement raréfié. Il est alors accompagné d'une émission de lumière à froid. Les tubes de Geissler en furent une première réalisation, qui demeura une présentation de laboratoire. La couleur de la lumière produite dépend de la nature du gaz. Les tubes à vapeur de mercure donnent de la lumière bleu-vert, les tubes à l'azote ou à l'argon, des lueurs violettes; les tubes au néon, réalisés par G. Claude, qui fournissent une lumière rouge très vive, se développèrent particulièrement dans les usages publicitaires. Des corps métalliques qui se volatilisent au cours du fonctionnement permettent aussi de réaliser des lampes avec émission de lumière intense, jaune pour le sodium, rouge pour le cadmium, verte pour le zinc. Pour l'éclairage, on utilise le plus souvent des *tubes fluorescents,* dans lesquels les radiations ultraviolettes émises par le gaz excitent la fluorescence des substances formant le revêtement du tube. On parvient ainsi à obtenir une lumière blanche, avec un rendement supérieur à celui des lampes à incandescence. (V. LUMINESCENCE.)

ÉLECTROLYSE. — Les corps pouvant subir l'électrolyse, dénommés *électrolytes,* sont les sels, les acides et les bases, en solution dans l'eau ou fondus. Les produits de la décomposition n'apparaissent qu'à la surface des électrodes. La molécule de l'électrolyte est séparée en deux tronçons : l'un, le cation, apparaissant à la cathode, est le métal ou l'hydrogène de l'acide; l'autre, l'anion, est formé du reste de la molécule. Mais il se produit souvent des réactions secondaires entre ces ions et les électrodes ou l'électrolyte. Pour un électrolyte déterminé, la masse décomposée est proportionnelle à la quantité d'électricité qui l'a traversé et, pour les différents électrolytes, il faut 96 490 C pour isoler 1 valence-gramme du cation (loi de Faraday). L'électrolyse s'explique par la théorie d'Arrhenius, suivant laquelle les molécules de l'électrolyte sont dissociées en ions, atomes ou radicaux porteurs de charges électriques, que la différence de potentiel entre les électrodes met en mouvement.

On utilise l'électrolyse dans les traitements* des produits métallurgiques, notamment pour l'extraction des métaux* en solutions aqueuses, ou dans l'électrolyse ignée de bains de sels* fondus; pour la purification des métaux bruts par des procédés d'affinage dans lesquels le métal impur est placé en anodes solubles, tandis que le métal affiné se dépose en cathodes (pureté courante 99,95 p. 100); pour le revêtement* superficiel de pièces par galvanoplastie; pour l'électroformage, ou obtention de pièces minces par dépôt électrolytique; pour le polissage électrolytique de pièces mécaniques ou leur usinage par électroérosion; pour la fabrication de poudres* métalliques, etc.

ÉLECTROMAGNÉTIQUE (onde). — Il s'agit d'une perturbation progressive de l'espace, caractérisée par l'existence, sur le front d'onde, d'un champ électrique et d'un champ magnétique oscillant dans des directions perpendiculaires l'une à l'autre et normales à la direction de propagation. Les ondes électromagnétiques comprennent : les ondes radioélectriques ($\lambda > 1$ mm), les ondes infrarouges ($\lambda > 0{,}8\ \mu$), les ondes lumineuses ($\lambda > 0{,}4\ \mu$), les ondes ultraviolettes ($\lambda > 100$ Å), les rayons X ($\lambda > 0{,}1$ Å) et les rayons γ (λ étant leur longueur d'onde dans le vide).

ÉLECTROMAGNÉTISME. — C'est l'étude des deux phénomènes suivants :

1. Au voisinage d'un circuit parcouru par un courant électrique existe un champ magnétique, dont le vecteur induction, proportionnel à l'intensité du courant, peut être déterminé, en direction et grandeur, par la loi de Biot et Savart, qui donne l'induction magnétique créée par un élément de courant.
2. Un circuit parcouru par un courant et placé dans un champ magnétique est soumis à des forces, proportionnelles à l'intensité du courant et à l'induction du champ, dont la direction et la grandeur sont fournies par la loi de Laplace, relative à un élément de courant.

De ces phénomènes résulte l'action mutuelle de deux courants, dont l'étude est l'objet de l'électrodynamique*.

ÉLECTROMÉNAGER. — L'ensemble des appareils ménagers qui fonctionnent électriquement tendent à faciliter — voire à supprimer — les tâches de la ménagère, tant sur le plan culinaire que sur celui de l'entretien de la maison. L'équipement robotisé de nos cuisines modernes est issu de l'évolution qui s'amorça au XIXe s. avec l'application des sciences expérimentales au domaine domestique : des prototypes de fourneaux électriques sont fabriqués en 1890 et, déjà en 1915, on connaît le principe de la régulation thermostatique. Dès les années 30, aux États-Unis, de grandes firmes électriques mènent campagne pour répandre la cuisine à l'électricité. L'ancêtre de notre réfrigérateur est celui à gaz ammoniac créé par F. Carre, en 1863, pour le transport des viandes d'Australie en Grande-Bretagne. Les premiers réfrigérateurs à usage domestique sont présentés à l'Exposition des arts ménagers en 1925. Des machines à laver mécaniques ont précédé les machines électriques, qui sont commercialisées aux États-Unis à la veille de la Seconde Guerre mondiale : elles étaient à cuve verticale avec un axe vertical muni de pales. L'apparition des lessives synthétiques favorisera l'extension des machines à laver actuelles, ou lave-linge. Il en a été de même pour l'implantation du lave-vaisselle qui a bénéficié de la découverte, en 1932, d'un détergent approprié, le Calgon. Le lave-vaisselle à moteur électrique date de 1912, l'automatique de 1940. Adopté alors aux États-Unis, il sera exporté vers l'Europe vingt ans après, mais il ne sera vraiment lancé en France qu'en 1969. Quant à l'aspirateur, issu du « vacuum cleaner » mis au point en 1901, il devient portatif en 1925 et ne cesse de se perfectionner depuis 1960. Au total, l'équipement électroménager est issu de prototypes conçus au départ pour l'industrie. L'automaticité cède, aujourd'hui, la place à la notion de productivité : le réfrigérateur-congélateur, la machine à laver adaptable à tous les textiles, la cuisinière électrique à douze allures de chauffe rendent des services accrus. Le petit appareillage électrique évolue dans le même sens : un seul bloc moteur, associé à divers accessoires, accomplit une multiplicité d'opérations. Le souci d'éviter la fatigue prime avec le four autonettoyant, l'aspirateur à tube télescopique et la machine à laver qui restitue le linge essoré. Les appareils électriques sont vérifiés par le Laboratoire central des industries électriques. En 1975, 85 p. 100 des ménages français avaient un réfrigérateur, 65 p. 100 une machine à laver, et seulement 33 p. 100 un lave-vaisselle.

ÉLECTROMÉTALLURGIE. — L'ensemble des procédés électrométallurgiques se répartit en deux groupes : l'électrothermie, qui représente la grande majorité des procédés, et l'électrolyse* ignée.

• L'*électrothermie* joue un rôle considérable dans l'élaboration des métaux* et des alliages*, grâce au contrôle qu'elle autorise de l'atmosphère ou du vide* dans les traitements thermiques et thermochimiques.

— Le *chauffage par résistance électrique* est réservé à l'échauffement de pièces ou de produits semi-finis, lors de leur traitement thermique, de leur formage* à chaud ou de leur élaboration par frittage.

— Le *chauffage à l'arc* électrique,* en raison des hautes températures atteintes, plus de 3 000 °C, s'emploie pour l'élaboration des aciers* fins et spéciaux dits « électriques », des fontes* réfractaires et des ferro-alliages. Le procédé à électrode consommable constituée par le métal à fondre ou à purifier s'applique à l'élaboration de métaux spéciaux (zirconium*, titane*).

— Le *chauffage par induction à basse fréquence* s'utilise pour l'élaboration de métaux non ferreux, alors que le chauffage par induction à moyenne ou haute fréquence (de 500 à 50 000 Hz) intéresse l'élaboration de métaux à haute pureté, l'obtention de monocristaux semi-conducteurs et le traitement superficiel de durcissement de certaines pièces en acier.

— Le *chauffage par bombardement électronique,* le *chauffage par plasma** (plasma d'arc ou plasma d'induction à haute fréquence) ainsi que le *chauffage par laser** se développent dans les industries aéronautique et spatiale en raison de leur spécificité ponctuelle à très haute température.

• L'*électrolyse ignée,* qui permet la décomposition électrolytique de sels fondus électroconducteurs, a pour illustration typique l'élaboration de l'aluminium* à partir d'un bain fondu d'alumine* et de fluorures complexes.

ÉLECTROMÈTRE. — Les électromètres sont généralement des condensateurs dont une armature est mobile, soit par translation, soit par rotation. Lorsqu'on établit entre les armatures une différence de potentiel V, l'armature mobile est soumise à une force ou à un couple, proportionnels au carré de la différence de potentiel. Il suffit d'équilibrer la force ou le couple par un poids ou par la déformation d'un ressort pour connaître V. Si le coefficient de proportionnalité est calculable en fonction des dimensions des armatures, l'appareil permet une mesure absolue.

ÉLECTROMOTRICE (force). — La force électromotrice d'un générateur de courant est le quotient de la puissance totale qu'il fournit au circuit qu'il alimente par l'intensité du courant : $E = \frac{P}{I}$.

Lorsque le générateur ne débite pas de courant, la différence de potentiel entre ses bornes est sa force électromotrice. L'unité de force électromotrice est le volt. On définit de même la *force*

ÉLECTROLUMINESCENCE Structure et principe de fonctionnement d'un tube fluorescent.

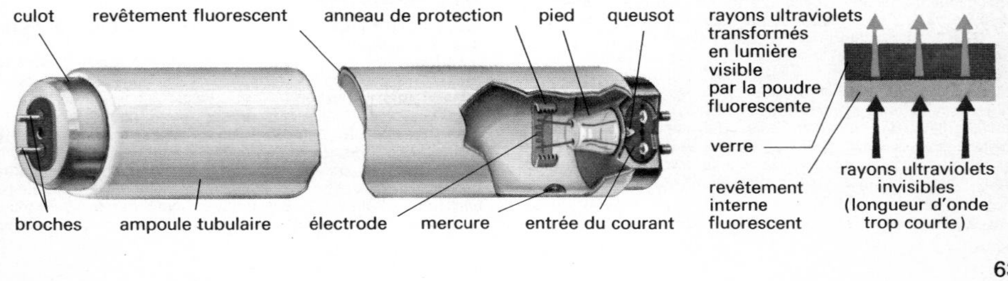

contre-électromotrice d'un récepteur comme le quotient de la puissance qu'il absorbe par l'intensité du courant qui le traverse.

ÉLECTRON. — La théorie atomique de la matière entraîne nécessairement l'existence d'une structure granulaire de l'électricité. L'électron, particule élémentaire d'électricité négative, de charge $e = 1{,}602.10^{-19}$ C (Millikan, 1912) et de masse $m = 9.10^{-28}$ g, est l'un des constituants universels de la matière. La partie extérieure de tous les atomes est formée de couches d'électrons, dénommées K, L, M, ..., de plus en plus éloignées du noyau. Le nombre et la disposition des électrons de la couche périphérique sont en corrélation avec les propriétés chimiques de l'élément considéré, en particulier avec sa valence*. Dans de nombreux phénomènes, ces électrons, sortis de la matière, peuvent être mis en mouvement par un champ électrique et se propager dans le vide à plus ou moins grande vitesse. Signalons : les rayons cathodiques, obtenus dans un tube à vide; les rayons bêta des éléments radioactifs; l'émission par les métaux sous l'action de la lumière (effet photoélectrique) ou de l'incandescence (effet thermoélectronique), etc.

Les électrons en mouvement ont leurs trajectoires déviées par les champs électriques ou magnétiques, et l'étude de cette double déviation permet la détermination de leurs caractéristiques. Selon la mécanique ondulatoire, ils présentent également le caractère d'une onde, comme l'ont montré les expériences de diffraction.

L'existence d'*électrons positifs,* ou *positons,* de même masse que les électrons ordinaires, ou *négatons,* mais de charge électrique opposée, a été mise en évidence dans le rayonnement cosmique (Anderson, 1932). Leur production est due à la matérialisation d'un photon; leur disparition, très rapide, est due au processus inverse.

ÉLECTRONÉGATIVITÉ. — Il est possible d'attribuer à chaque élément un nombre qui représente en valeur relative son électronégativité; l'échelle ainsi constituée va du fluor, le plus électronégatif des éléments, au cæsium. Elle permet d'apprécier la stabilité d'une liaison entre deux atomes, ainsi que le caractère partiellement ionique d'une liaison covalente; ces deux caractères augmentent avec la distance des atomes dans cette échelle.

ÉLECTRONIQUE. — L'électronique se réfère à tous les phénomènes résultant d'interactions des porteurs électrisés soit entre eux, soit avec la matière. Ces porteurs peuvent être des *électrons** libres à charge négative, des *ions** à charge positive ou des *molécules** à charge positive ou négative. Il existe aussi des ions négatifs et des électrons positifs, mais leurs applications sont moins nombreuses. Du fait de sa charge* électrique ($1{,}602 \cdot 10^{-19}$ C), un électron peut réagir sous l'influence d'un champ* électrique ou d'un champ magnétique. Normalement, et sauf en radioactivité, les électrons font partie du système atomique et sont répartis sur plusieurs couches autour du noyau*, chacune d'elles étant équilibrée avec la charge électrique du noyau. L'énergie* de chaque couche par rapport au noyau est dite *potentiel* d'ionisation* et s'exprime en électrons-volts. Si l'on soumet l'atome à un champ électrique extérieur de valeur supérieure au potentiel d'ionisation, l'électron considéré est extrait et devient alors un électron *libre.* Dans ce cas, on parle de *travail de sortie.* Il existe plusieurs méthodes pour obtenir des électrons libres. L'application d'un champ électrique en est une. Une autre, très importante, consiste à soumettre certains métaux à une énergie thermique; il suffit que celle-ci soit supérieure au travail de sortie. Il en est de même du fait de l'agitation mutuelle des atomes. Le même phénomène s'obtient en bombardant un métal à faible travail de sortie (métal alcalin) avec un faisceau d'électrons ou d'ions lourds, ce qui constitue l'*émission secondaire.* Il y a enfin l'action photoélectrique. Un porteur électrisé peut revêtir un aspect corpusculaire ou un aspect ondulatoire, mais non simultanément, et un porteur en mouvement peut être assimilé à un « élément », le photon* possédant une fréquence propre. C'est ainsi que l'impact d'un faisceau électronique sur une cible produit des rayonnements de fréquences correspondant à l'énergie du faisceau. Sur ce principe fonctionnent les tubes à rayons X*, qui émettent des rayons durs ou des rayons mous suivant la valeur de la tension appliquée au tube. Inversement, un faisceau lumineux, donc de photons, appliqué à une cible de matière convenable à faible travail de sortie, peut donner lieu à une émission électronique : c'est le principe de base des cellules photoélectriques.

Un champ magnétique appliqué à un faisceau électronique ou ionique tend à l'enrouler autour de son axe, qui joue alors le rôle de guide. C'est ainsi que l'on utilise le champ magnétique créé par des bobinages pour assurer les déviations du faisceau dans les tubes à rayons cathodiques, dans les microscopes* électroniques (lentilles magnétiques), dans les bêtatrons et dans les accélérateurs* de particules (cyclotrons, synchrotrons et dérivés). Dans les systèmes piézoélectriques, une charge mécanique fait apparaître une charge électrique dans un cristal, solide ou liquide. Enfin, en microélectronique, les circuits* intégrés sont des amplificateurs comportant un grand nombre de composants dans un volume qui ne dépasse guère celui d'une tête d'épingle.

• *Les applications militaires de l'électronique.* En France, les premières datent de la guerre de 1914-1918, quand le général Gustave Ferrié (1868-1932) créa une radiotélégraphie militaire et en développa l'efficacité. Mais il fallut attendre la fin de la Seconde Guerre mondiale pour que ces applications prennent une place de plus en plus importante jusqu'à représenter, en 1976, près du quart du budget de l'armement Devenue indispensable dans les armées en raison des caractéristiques que son emploi entraîne (faible poids, encombrement très réduit, absence de délai, fiabilité), l'électronique intervient dans tous les domaines liés de près ou de loin à l'information, qu'il s'agisse de sa recherche, de son acquisition, de sa transmission, de son traitement, de sa présentation ou de sa diffusion. On trouve notamment :
— *des matériels d'acquisition,* qui amplifient ou même remplacent les sens (vue, ouïe, toucher), tels que les radars*, les microphones, les sonars*, les détecteurs de température, de pression ou de rayonnement, les lasers* et les matériels à infrarouge* (qui ont notamment transformé les données du combat de nuit);
— *des matériels de transmission* et de télécommande,* permettant, par exemple, l'asservissement et le pointage des armes, le guidage des aéronefs et leur pilotage automatique, le téléguidage des missiles et leur autoguidage sur l'objectif par tête chercheuse;
— *des matériels de traitement,* destinés à rendre exploitable l'information, tels que les ordinateurs, modulateurs et calculateurs de toute sorte, utilisés aussi bien pour la gestion du personnel ou des stocks que pour la *recherche opérationnelle* (choix des moyens de combat, élaboration de décisions, etc.);
— *des matériels de présentation et de diffusion* de l'information, traitée ou non, comme les écrans radars, les imprimantes, la télévision, etc.

Le bon fonctionnement de plusieurs de ces matériels intégrés dans un ensemble conditionne l'efficacité de tous les *systèmes* d'armes* modernes permettant une attaque ou une riposte immédiate. Enfin, la sécurité du fonctionnement de ces systèmes exige en outre une protection spéciale contre le brouillage. C'est pourquoi, l'électronique militaire a été peu à peu considérée comme une véritable arme offensive ou défensive (dispositifs de brouillage ou d'antibrouillage) et a nécessité l'emploi de mesures dites de *guerre électronique.*

ÉLECTRONIQUE (musique). — En 1951, fut créé à la radio de Cologne, par H. Eimert, bientôt rejoint par K. Stockhausen, le premier studio de musique électronique : musique faite de sons produits électroniquement, de toutes pièces, à partir de générateurs électroniques, puis enregistrés et manipulés sur bandes magnétiques. Elle permit à certains créateurs d'inclure le paramètre *timbre* dans le processus compositionnel, au sens le plus fort.

ÉLECTRON-VOLT. — Cette unité d'énergie utilisée couramment en physique nucléaire est l'énergie acquise par un électron accéléré sous une différence de potentiel de 1 volt dans le vide et vaut $1{,}602.10^{-19}$ joule.

ÉLECTRO-OSMOSE. — Si une différence de potentiel est appliquée de part et d'autre d'un diaphragme poreux placé dans la partie horizontale d'un tube en U plein d'eau, il s'établit une différence de niveau entre les deux côtés du tube. Si ce tube est recourbé pour permettre l'écoulement de l'eau, celle-ci s'écoule continuellement. Ce procédé permet de déplacer l'eau contenue dans une matière humide et est utilisé pour le séchage de l'argile et de la tourbe, le tannage du cuir et l'assèchement des maçonneries.

ÉLECTROPHORÈSE. — Les granules en suspension dans un liquide portent une charge électrique dont le signe et la grandeur dépendent de la nature du liquide. Si leur charge est positive, ils se déplacent vers la cathode *(cataphorèse);* si elle est négative, ils se déplacent vers l'anode *(anaphorèse).* Le mécanisme de cette action est analogue à celui de l'électrolyse, mais les ions colloïdaux sont beaucoup plus gros que les molécules, d'où un rendement bien supérieur. Cette technique est surtout utilisée pour le dépôt d'aluminium sur les tôles et des peintures dans l'industrie automobile.

L'électrophorèse sert en biologie clinique pour la séparation des protéines ou de molécules plus petites chargées électriquement. L'immunoélectrophorèse des protéines permet d'identifier les protéines sériques en combinant leur séparation électrophorétique et leur précipitation par des anticorps spécifiques.

ÉLECTROPHOTOGRAPHIE → REPROGRAPHIE.

ÉLECTRORADIOLOGIE. — Cette spécialité médicale comprend deux branches distinctes.

L'*électrologie* étudie les affections neuromusculaires (électrodiagnostic*) et applique les traitements électriques multiples, tels que galvanisation, ionisation (électrothérapie*).

La *radiologie* utilise les rayons X en radiodiagnostic et en radiothérapie. Elle comporte aussi les applications diagnostiques et thérapeutiques des corps radioactifs naturels (rayons alpha, bêta, gamma du radium) et des corps radioactifs artificiels (isotopes). L'emploi des électrons à haut pouvoir énergétique produits par le bêtatron et l'utilisation des neutrons émis par le cyclotron sont beaucoup plus récents et nécessitent d'importantes installations.

Éléphant. Une femelle et son petit (Afrique).

J. Six

ÉLECTROSCOPE. — L'électroscope à feuilles d'or se compose d'une tige métallique verticale, portant à sa partie supérieure une boule ou un plateau et à sa partie inférieure deux feuilles d'or très légères, qui pendent librement. La tige est fixée, par l'intermédiaire d'un bouchon isolant, au haut d'une cage métallique mise au sol et munie de glaces transparentes. Si un corps électrisé est approché de la boule, la tige s'électrise par influence, et les feuilles, chargées d'électricité de même signe que celle du corps, s'écartent; elles retombent si l'on éloigne le corps.

ÉLECTROSTATIQUE → ÉLECTRICITÉ.

ÉLECTROTHÉRAPIE. — L'électrothérapie utilise les courants électriques dont elle met à profit :
— les *effets excitomoteurs* sur les nerfs et les muscles, pour le traitement des paralysés par galvanisation (courants continus ou rectangulaires);
— les *effets destructeurs* (destruction des tumeurs superficielles par une électrode métallique);
— les *effets sédatifs,* le courant continu diminuant l'excitabilité au pôle positif, agissant sur les arthralgies et les névralgies;
— les *effets thermiques,* quand, à partir de générateurs de courants de haute fréquence, on peut provoquer un échauffement en profondeur des tissus, sans aucun autre effet (diathermie*).

ÉLECTROTHERMIE → ÉLECTROMÉTALLURGIE.

ÉLECTROVALENCE. — L'électrovalence d'un élément ou d'un radical est le nombre d'électrons qu'il a cédés (électrovalence positive) ou qu'il a captés (électrovalence négative) pour passer de l'état neutre à l'état d'ion.

Élée *(école d'),* école philosophique grecque, fondée au ve s. av. J.-C. en Grande-Grèce et dont les principaux représentants sont Parménide*, Zénon* et Mélissos. L'école d'Élée est la première à élaborer une ontologie radicale dans laquelle l'être est pensé comme absolu éternel. Cette métaphysique parménidienne conduit Zénon à montrer l'impossibilité de penser logiquement le mouvement et, ainsi, à développer une dialectique dont le principe de contradiction est le fondement.

ÉLÉGIE. — Dans l'Antiquité grecque, l'élégie, définie par sa forme métrique (alternance d'hexamètres et de pentamètres), peut exprimer les sentiments les plus divers. Guerrière avec Tyrtée, plaintive avec Mimnerme, politique et morale avec Solon et Théognis, philosophique avec Xénophane, l'élégie chante avec les Alexandrins* les joies et les douleurs de l'amour. C'est sous cette forme qu'elle inspire les poètes latins Catulle, Tibulle, Properce et Ovide. Au XIIe s., l'élégie latine de l'Italien Arrigo da Settimello, traduite plus tard en toscan, marque le retour vers le lyrisme antique, qui inspire Pétrarque et Sannazzaro, imités en France par les poètes de la Pléiade. Si les rigueurs de Malherbe favorisent peu le développement du genre, les œuvres de Milton influent profondément sur la poésie anglaise, qui, avec Young et Gray, prépare l'éclosion de la sensibilité romantique. Tandis que les poètes de la fin du XVIIIe s. unissent la mélancolie aux raffinements issus de l'alexandrinisme, l'élégie, avec Lamartine, Hugo et Musset, prend définitivement sa forme moderne de dévoilement d'une âme, tout en gardant, de Goethe à Rilke et à Brecht, son caractère de méditation sur la destinée humaine.

Élégies de Buckow, recueil poétique de Brecht (1950). Un commentaire de son expérience quotidienne à travers l'évocation des joies immédiates au contact des objets et de la nature, et dans le désir de participer à l'œuvre et à l'existence d'une collectivité pacifique.

Élégies de Duino, recueil de dix poèmes de R. M. Rilke (1923). L'impuissance à être, la vie comme théâtre, la création poétique et la mort comme épreuves de l'« Invisible » : aboutissement de l'expérience vécue et bilan esthétique du poète.

ELEKTROSTAL, v. de l'U. R. S. S. (R. S. F. S. de Russie), à l'E. de Moscou; 123 000 hab.

ÉLÉMENT. — Cherchant le principe des phénomènes de la nature, l'*élément originel,* les premiers philosophes grecs crurent le découvrir d'abord dans l'eau, puis dans l'air, la terre et le feu. Empédocle* soutint que les quatre éléments constituaient ensemble les bases physiques de l'Univers*, composant ou décomposant les formes par l'amour ou la discorde qui les unit ou les sépare. Platon*, Aristote* et les stoïciens admirent et développèrent la *théorie des éléments,* qui pèse sur la science antique et médiévale en Occident. En Orient et en Extrême-Orient, des systèmes analogues tentèrent d'expliquer ainsi tous les phénomènes et de les classer selon leurs similitudes et leurs relations mutuelles. Ces théories exercèrent une influence importante sur les cosmogonies magico-religieuses et sur les structures des institutions sociales.

ÉLÉMENT CHIMIQUE. — Il est le principe commun aux diverses variétés d'un même corps simple ainsi qu'aux combinaisons de ce corps avec d'autres corps. Il est représenté par un atome, c'est-à-dire caractérisé par l'ensemble de ses électrons, donc par son numéro atomique et par sa formule électronique. Deux atomes ne différant que par le nombre de neutrons de leurs noyaux constituent des isotopes d'un même élément. (V. tableau p. 640.)

ÉLÉONORE D'AQUITAINE → ALIÉNOR D'AQUITAINE.

ÉLÉPHANT. — L'éléphant (de l'ordre des proboscidiens) est le plus grand animal terrestre subsistant actuellement, sa hauteur au garrot atteignant parfois 3,5 m dans l'espèce africaine, qui peut peser jusqu'à 7 t (l'espèce asiatique est nettement moins grande). La longévité atteint probablement cent ans. La masse alimentaire va de 100 à 400 kg de fourrage par jour. Les pattes, reposant sur des coussinets élastiques, portent un nombre inconstant d'ongles. Les oreilles sont immenses dans l'espèce africaine. Les dents sont très peu nombreuses : une paire d'incisives (à la mâchoire supérieure seulement), une seule molaire (par demi-mâchoire). Mais elles sont géantes : les incisives, ou *défenses,* qui pointent vers l'avant, pèsent encore actuellement jusqu'à 20 kg chacune, malgré la chasse sélective des plus forts porteurs d'ivoire. En 1900, elles atteignaient souvent 60 kg. Quant à la molaire, rapidement usée mais remplacée à mesure par une autre molaire, c'est un véritable pavé pesant de 3 à 4 kg. La table d'usure de la molaire forme des crêtes transversales, en losanges chez l'éléphant d'Afrique *(Loxodonta),* en rubans chez celui d'Asie *(Elephas).* Les parties molles du nez sont allongées en une trompe préhensile — terminée par deux doigts opposés chez le loxodonte, par un seul doigt chez l'asiatique —, dont ces animaux se servent comme de main et par laquelle ils peuvent aussi boire comme à l'aide d'une paille.

Une chasse excessive menace d'extinction l'éléphant d'Afrique, en dépit des parcs nationaux destinés à sa protection. L'éléphant d'Asie est domestiqué, ce qui garantit sa survie.

ELEPHANTA GHARAPURI, petite île indienne au centre du golfe de Bombay. Cavernes ornées du VIIe s. dont l'une abrite le buste colossal de Śiva, à trois visages, remarquable d'équilibre et d'harmonie, traits caractéristiques de la période postgupta.

ÉLÉPHANTIASIS. — L'éléphantiasis est dû à une perturbation de la circulation lymphatique. Responsable de déformations parfois considérables, intéressant surtout les membres et le scrotum, il est fréquent dans les pays tropicaux, où il est dû à des lésions provoquées par des filaires lymphatiques (filaires de Bancroft et de Malaisie), et il est alors souvent surinfecté. Dans les pays tempérés, il est plus rare et dû, alors, à des infections streptococciques répétées, parfois à une anomalie congénitale des vaisseaux lymphatiques. Il peut aussi être consécutif à l'ablation ou à la compression des ganglions lymphatiques et des vaisseaux lymphatiques correspondants.

ÉLÉPHANTINE *(île),* île d'Égypte sur le Nil, en face de la moderne Assouan*. Des papyrus araméens et grecs y ont été découverts, qui nous font connaître la vie d'une colonie juive schismatique établie dans l'île à l'époque perse.

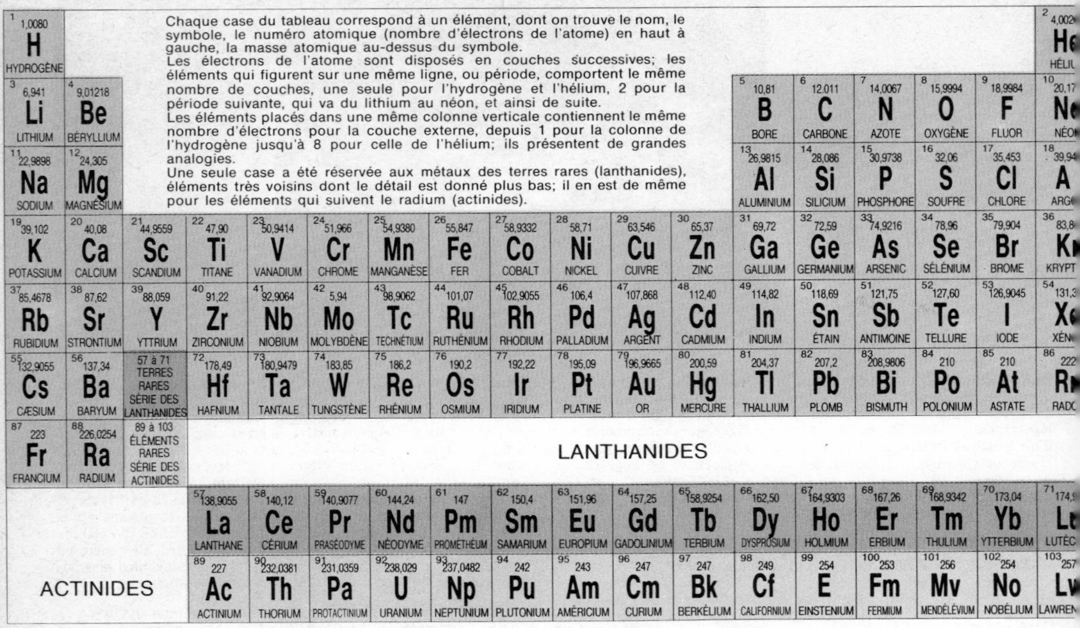
Chaque case du tableau correspond à un élément, dont on trouve le nom, le symbole, le numéro atomique (nombre d'électrons de l'atome) en haut à gauche, la masse atomique au-dessus du symbole.
Les électrons de l'atome sont disposés en couches successives; les éléments qui figurent sur une même ligne, ou période, comportent le même nombre de couches, une seule pour l'hydrogène et l'hélium, 2 pour la période suivante, qui va du lithium au néon, et ainsi de suite.
Les éléments placés dans une même colonne verticale contiennent le même nombre d'électrons pour la couche externe, depuis 1 pour la colonne de l'hydrogène jusqu'à 8 pour celle de l'hélium; ils présentent de grandes analogies.
Une seule case a été réservée aux métaux des terres rares (lanthanides), éléments très voisins dont le détail est donné plus bas; il en est de même pour les éléments qui suivent le radium (actinides).
1 1,0080 H HYDROGÈNE
2 4,002 He HÉLIU
3 6,941 Li LITHIUM
4 9,01218 Be BÉRYLLIUM
5 10,81 B BORE
6 12,011 C CARBONE
7 14,0067 N AZOTE
8 15,9994 O OXYGÈNE
9 18,9984 F FLUOR
10 20,17 Ne NÉO
11 22,9898 Na SODIUM
12 24,305 Mg MAGNÉSIUM
13 26,9815 Al ALUMINIUM
14 28,086 Si SILICIUM
15 30,9738 P PHOSPHORE
16 32,06 S SOUFRE
17 35,453 Cl CHLORE
18 39,94 A ARG
19 39,102 K POTASSIUM
20 40,08 Ca CALCIUM
21 44,9559 Sc SCANDIUM
22 47,90 Ti TITANE
23 50,9414 V VANADIUM
24 51,966 Cr CHROME
25 54,9380 Mn MANGANÈSE
26 55,847 Fe FER
27 58,9332 Co COBALT
28 58,71 Ni NICKEL
29 63,546 Cu CUIVRE
30 65,37 Zn ZINC
31 69,72 Ga GALLIUM
32 72,59 Ge GERMANIUM
33 74,9216 As ARSENIC
34 78,96 Se SÉLÉNIUM
35 79,904 Br BROME
36 83,8 Kr KRYPT
37 85,4678 Rb RUBIDIUM
38 87,62 Sr STRONTIUM
39 88,059 Y YTTRIUM
40 91,22 Zr ZIRCONIUM
41 92,9064 Nb NIOBIUM
42 5,94 Mo MOLYBDÈNE
43 98,9062 Tc TECHNÉTIUM
44 101,07 Ru RUTHÉNIUM
45 102,9055 Rh RHODIUM
46 106,4 Pd PALLADIUM
47 107,868 Ag ARGENT
48 112,40 Cd CADMIUM
49 114,82 In INDIUM
50 118,69 Sn ÉTAIN
51 121,75 Sb ANTIMOINE
52 127,60 Te TELLURE
53 126,9045 I IODE
54 131,3 Xe XÉN
55 132,9055 Cs CÆSIUM
56 137,34 Ba BARYUM
57 à 71 TERRES RARES SÉRIE DES LANTHANIDES
72 178,49 Hf HAFNIUM
73 180,9479 Ta TANTALE
74 183,85 W TUNGSTÈNE
75 186,2 Re RHÉNIUM
76 190,2 Os OSMIUM
77 192,22 Ir IRIDIUM
78 195,09 Pt PLATINE
79 196,9665 Au OR
80 200,59 Hg MERCURE
81 204,37 Tl THALLIUM
82 207,2 Pb PLOMB
83 208,9806 Bi BISMUTH
84 210 Po POLONIUM
85 210 At ASTATE
86 222 Rn RADC
87 223 Fr FRANCIUM
88 226,0254 Ra RADIUM
89 à 103 ÉLÉMENTS RARES SÉRIE DES ACTINIDES
LANTHANIDES
57 138,9055 La LANTHANE
58 140,12 Ce CÉRIUM
59 140,9077 Pr PRASÉODYME
60 144,24 Nd NÉODYME
61 147 Pm PROMÉTHÉUM
62 150,4 Sm SAMARIUM
63 151,96 Eu EUROPIUM
64 157,25 Gd GADOLINIUM
65 158,9254 Tb TERBIUM
66 162,50 Dy DYSPROSIUM
67 164,9303 Ho HOLMIUM
68 167,26 Er ERBIUM
69 168,9342 Tm THULIUM
70 173,04 Yb YTTERBIUM
71 174,9 Lu LUTÉC
ACTINIDES
89 227 Ac ACTINIUM
90 232,0381 Th THORIUM
91 231,0359 Pa PROTACTINIUM
92 238,029 U URANIUM
93 237,0482 Np NEPTUNIUM
94 242 Pu PLUTONIUM
95 243 Am AMÉRICIUM
96 247 Cm CURIUM
97 247 Bk BERKÉLIUM
98 249 Cf CALIFORNIUM
99 254 E EINSTENIUM
100 253 Fm FERMIUM
101 256 Mv MENDÉLÉVIUM
102 254 No NOBÉLIUM
103 257 Lw LAWREN

TABLEAU PÉRIODIQUE DES ÉLÉMENTS CHIMIQUES

ÉLEUSIS, v. de Grèce (Attique), au N.-O. d'Athènes; 13 000 hab. Sidérurgie. — On y célébrait des mystères* liés au culte de Déméter*; l'initiation éleusienne garantissait à l'homme le salut dans la vie future, répondant ainsi à une aspiration de survie personnelle à laquelle les religions officielles donnaient une solution ambiguë.

Les agrandissements successifs du *Télestérion* (vaste salle hypostyle de plan carré, en partie taillée dans le roc et servant à l'initiation) confirment le succès de ce lieu de culte, fréquenté de la plus haute époque au IVe s. apr. J.-C. (bas-relief, sans doute de l'atelier de Phidias, au musée d'Athènes).

ÉLEUTHÈRE *(saint)* → PAPE.

ÉLEVAGE. — Forme d'utilisation de l'espace beaucoup plus extensive que la culture, l'élevage est développé en priorité dans les États les plus vastes et dont la densité moyenne de population est relativement faible, du moins là où les conditions climatiques le permettent, c'est-à-dire surtout aux latitudes tempérées, favorables à l'herbe. Un froid trop constant (zone polaire), une sécheresse trop grande (désert) et, au contraire, une chaleur et une humidité constantes (zone équatoriale) l'interdisent pratiquement.

L'*élevage extensif,* pratiqué dans les régions naturellement pauvres, se limite bien souvent à la garde des troupeaux, qui se contentent des ressources naturelles. L'*élevage intensif,* au contraire, vise à l'obtention qualitative et surtout quantitative de viande, de lait, de laine, d'œufs; il fait appel à la sélection et à l'alimentation rationnelle du bétail.

L'effectif du cheptel mondial de bovins est de l'ordre de 1,2 milliard de têtes, de 1 milliard en excluant l'Inde, où l'élevage ne revêt pas une grande signification économique. Les États-Unis et l'U. R. S. S. dépassent chacun le seuil des 100 millions de têtes, le Brésil, l'Argentine, la Chine, l'Australie ont aussi des troupeaux de plus de 30 millions de têtes, niveau jamais atteint en Europe occidentale (même en France : de 20 à 25 millions), où l'élevage bovin est souvent associé aux cultures et dispose de superficies trop restreintes. Le troupeau ovin mondial dépasse largement le milliard de têtes; l'Australie et la Nouvelle-Zélande en concentrent plus du cinquième, l'U. R. S. S., le septième. L'Afrique du Sud, la Chine, la Turquie et, en Europe, la Grande-Bretagne, possèdent des effectifs oscillant entre 25 et 75 millions de têtes; le troupeau ovin français est de l'ordre de 10 millions de têtes. L'élevage porcin occupe une place importante, en Europe centrale (Allemagne, Pologne) et orientale (U. R. S. S.), et surtout en Chine, qui doit concentrer le tiers de l'effectif mondial porcin, compris entre 650 et 700 millions de têtes; cette place est moindre en Europe occidentale (de 10 à 12 millions de têtes en France). Hormis l'aviculture, pour laquelle manquent les statistiques, les autres élevages n'ont qu'un intérêt marginal à l'échelle mondiale. L'effectif des chevaux est inférieur à 65 millions de têtes, chiffre encore supérieur à celui de l'ensemble des ânes et des mulets.

ELGAR (*sir* Edward), compositeur anglais (Broadheath 1857 - Worcester 1934). Représentant typique de l'époque d'Édouard VII, maître de la musique du roi en 1924, il fut le premier compositeur anglais de stature internationale depuis Purcell (*Enigma* Variations, le Rêve de Gerontius, Falstaff,* deux symphonies).

ELGIN (James BRUCE, 8e *comte* D'), homme politique anglais (Londres 1811 - Dharmsala, Pendjab, 1863). Fils de Thomas BRUCE, 7e *comte* **d'Elgin** (1766-1841), qui, ambassadeur en Turquie (1799-1802), récupéra, au profit du British Museum, un nombre important d'objets d'art athéniens, James fut gouverneur du Canada de 1846 à 1854 et le premier vice-roi des Indes en 1858.

ELIADE (Mircea), écrivain et historien roumain (Bucarest 1907), spécialiste de l'histoire des religions et de l'étude des mythes, dans lesquels il voit des manifestations essentiellement religieuses, « histoires vraies » et sacrées d'une société qui y reconnaît des structures fondamentales, par opposition aux contes et aux fables, « histoires fausses » et profanes qui ne modifient pas profondément l'image que l'homme a de lui-même (*Retour du paradis,* 1934; *Aspects du mythe,* 1963; *le Sacré et le profane,* 1965; *Religions australiennes,* 1972).

ÉLIDE, province grecque du Péloponnèse*, dont la capitale était *Elis.* Le rôle important qu'elle joua dans le monde grec tient au fait qu'elle avait dans son territoire le sanctuaire panhellénique d'Olympie*.

ÉLIE, prophète hébreu du IXe s. av. J.-C., qui exerça son ministère dans le royaume d'Israël*. Il apparaît comme le porte-parole inspiré de la volonté divine dans les affaires publiques et le champion de la religion de Yahvé* face aux cultes naturistes cananéens. (V. PROPHÉTISME BIBLIQUE.)

ÉLIE DE BEAUMONT (Léonce), géologue français (Canon, Calvados, 1798 - *id.* 1874). À partir de 1823, il établit avec Dufrénoy la carte géologique de la France au 1/500 000, première couverture systématique du pays.

ÉLIMINATION. — L'élimination d'une ou de plusieurs variables* est un problème que l'on rencontre en algèbre et dans de nombreuses applications en géométrie analytique, par exemple.
Dans le système

$$2x + 3y = 1 \qquad (1)$$
$$-3x + 4y = 7 \qquad (2)$$

on élimine x entre les équations* (1) et (2) en calculant x en fonction de y dans chacune des équations et en écrivant que les deux expressions trouvées sont égales :

$x = \frac{1}{2}(1 - 3y) = \frac{1}{3}(4y - 7)$, ou $3 - 9y = 8y - 14$, ou $17y = 17$, soit $y = 1$, d'où $x = -1$.

Le système considéré admet une solution $x = -1$, $y = 1$. En éliminant x, on a exprimé que les équations (1) et (2) étaient compatibles.

ELIOT (Mary Ann Evans, dite **George**), femme de lettres anglaise (Arbury Farm, Warwickshire, 1819 - Londres 1880). Elle s'enthousiasma pour la philosophie rationaliste, traduisit Strauss et Feuerbach, et manifesta son mépris des conventions sociales en devenant la compagne du journaliste George Lewes. Celui-ci l'encouragea à développer son talent de conteuse (*Scènes de la vie cléricale,* 1857). Les récits qu'elle écrivit alors peignent avec réalisme la vie rurale et provinciale anglaise (*Adam Bede,* 1859; *le Moulin sur la Floss,* 1860; *Silas Marner,* 1861; *Middlemarch,* 1872) et contribuèrent à orienter le roman vers la naturalisme.

ELIOT (Thomas Stearns), écrivain anglais d'origine américaine (Saint Louis, Missouri, 1888 - Londres 1965). Influencé par les symbolistes français et les poètes métaphysiques anglais (*la Chanson d'amour de J. Alfred Prufrock,* 1917), il se fait, dans ses essais (*le Bois sacré,* 1920) et son poème de *la Terre* Gaste* (1922), le chantre des mythes et des rites antiques par opposition à la vanité de la vie moderne. Salué par Ezra Pound comme un maître de la nouvelle école poétique anglo-américaine, Eliot s'établit en Angleterre, se convertit au catholicisme et poursuit sa méditation mystique à travers les odes des *Quatre Quatuors* (1935-1943) et le lyrisme de sa tragédie, *Meurtre dans la cathédrale* (1935), qui le révèle au grand public. Ses pièces « profanes » (*la Réunion de famille,* 1939; *Cocktail-Party,* 1950) et ses études critiques (*Essais élisabéthains,* 1934; *l'Idée d'une société chrétienne,* 1939; *Poésie et théâtre,* 1951) approfondissent sa réflexion sur l'attitude de l'homme face au destin que Dieu lui a assigné. (Prix Nobel, 1948.)

ÉLISABETH *(sainte),* parente de la Vierge Marie. Femme de Zacharie et mère de Jean-Baptiste, précurseur du Christ, elle reçut, étant enceinte, la visite de Marie : c'est ce que la liturgie chrétienne appelle la « Visitation ».

ÉLISABETH de Hongrie *(sainte),* princesse hongroise (1207 - Marburg 1231). Veuve du landgrave de Thuringe et de Hesse Louis IV, elle se retira dans un hôpital qu'elle avait fondé à Marburg. Elle fut canonisée quatre ans seulement après sa mort.

Élisabeth Ire d'Angleterre. Peinture anonyme. 1575. (National Gallery, Londres.)

H. Josse

ÉLISABETH Ire (Greenwich 1533 - Richmond 1603), reine d'Angleterre de 1558 à 1603. Fille de Henri VIII et d'Anne Boleyn, elle succède à sa demi-sœur, Marie Tudor. Très cultivée, remarquablement intelligente, aimant le pouvoir au plus haut point, elle évitera toujours de se marier pour garantir son indépendance d'action. Dès 1559, son premier souci est de régler le problème religieux. Par politique, elle va soutenir les protestants, victimes des terribles répressions dirigées par la précédente reine, surnommée « Marie la sanglante ». Par l'Acte de suprématie (1559) et le bill des Trente-Neuf Articles (1563), Élisabeth dote l'Angleterre d'une religion unique (anglicanisme) et soumet l'Église à l'État. Aussi se heurte-t-elle à une double opposition : celle des puritains, calvinistes, et celle des catholiques, soutenus par sa cousine, Marie Stuart, reine d'Écosse. Élisabeth pourchasse cruellement les puritains, enferme (1568), puis fait décapiter (1587) Marie Stuart.

ÉLEVAGE

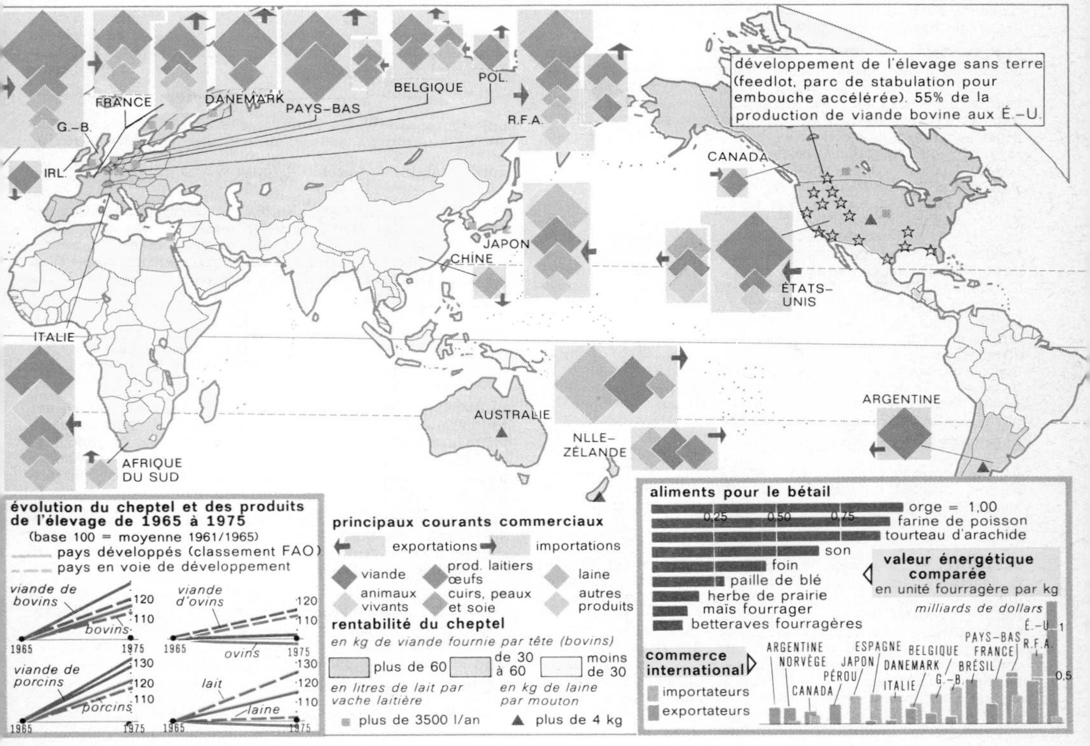

Cette exécution déclenche les hostilités entre l'Angleterre et l'Espagne catholique. En 1588, Philippe II lance contre l'Angleterre l'« Invincible Armada », qui, dispersée par les navires de Drake, est anéantie par la tempête. La guerre se poursuit jusqu'à la fin du siècle (prise de Cadix, 1596), avec des ramifications en France, où Élisabeth soutient Henri de Navarre. Cette lutte a pour effet de consacrer la suprématie maritime de l'Angleterre et d'encourager l'expansionnisme de celle-ci (Compagnie des Indes, 1599). L'ère élisabéthaine aura en effet permis à l'Angleterre d'affirmer, outre sa puissance politique et économique, la richesse de sa culture (Shakespeare, Thomas More).

ÉLISABETH II (Londres 1926), fille aînée de George VI, reine de Grande-Bretagne et chef du Commonwealth depuis 1952. Elle a épousé Philippe d'Édimbourg en 1947.

ÉLISABETH (Kolomenskoïe 1709 - Saint-Pétersbourg 1762), impératrice de Russie (1741-1762). Fille de Pierre Ier* le Grand et de Catherine Ire*, elle réagit contre l'ingérence des Allemands, rétablit les organes de gouvernement (Sénat et collèges) mis en place par son père, renforce les privilèges de la noblesse au détriment des serfs et encourage l'industrie et le commerce (suppression des douanes intérieures, 1754). Élisabeth engage la Russie dans la guerre de Sept* Ans (1756-1763), mais l'avènement de Pierre III* sauve Frédéric II de la défaite.

ÉLISABETH, reine des Belges (Possenhofen 1876 - Bruxelles 1965), fille du duc de Bavière Charles Théodore. Elle épousa, en 1900, le futur roi des Belges, Albert Ier.

ÉLISABETH (Neuwied 1843 - Bucarest 1916), reine de Roumanie. Princesse de Wied, elle épouse, en 1869, Charles de Hohenzollern, qui devient roi de Roumanie en 1881. Elle s'est fait un nom (CARMEN SYLVA) dans la littérature d'imagination.

ÉLISABETH DE FRANCE (Philippine Marie Hélène, dite **Madame**) [Versailles 1764 - Paris 1794]. Sœur de Louis XVI, elle vit dans l'intimité de celui-ci; elle est guillotinée le 10 mai 1794.

ÉLISABETH FARNÈSE, reine d'Espagne (Parme 1692 - Madrid 1766). Seconde épouse de Philippe V d'Espagne (1714), elle domine son mari, l'obligeant à remonter sur le trône à la mort de son fils, Louis Ier (1724). Elle fait de son fils Charles (III) un roi de Naples, et de son fils Philippe un duc de Parme.

ÉLISABETH DE WITTELSBACH, impératrice d'Autriche (Possenhofen, Bavière, 1837 - Genève 1898). Petite-fille du roi Maximilien Ier de Bavière, elle épousa l'empereur François-Joseph Ier.

ÉLISABÉTHAIN (théâtre). — Si le nom de la fille d'Henri VIII a été donné à des manifestations dramatiques diverses et qui débordent de beaucoup son règne, c'est qu'elle symbolise, comme dans les domaines politique et spirituel, l'indépendance de l'Angleterre et l'épanouissement de ses caractéristiques nationales : dépassant la farce médiévale, les « interludes » des divertissements royaux et les adaptations universitaires des tragiques ou des comiques latins, la scène anglaise a fait preuve, pendant plus de trois quarts de siècle (de la représentation de *Gorboduc,* de Sackville et Norton, en 1562, à la fermeture des théâtres par le Parlement puritain, en 1642), de vitalité et d'originalité. Succès commercial et populaire (en 1629, Londres compte dix-sept théâtres jouant tous les jours, contre un seul à Paris), œuvre d'une multiplicité d'auteurs (George Peele, R. Greene, G. Chapman, C. Marlowe, T. Kyd, J. Marston, Ben Jonson, T. Dekker, F. Beaumont et J. Fletcher, J. Webster, J. Ford, J. Lyly), dominés par la stature de Shakespeare, qui semble les résumer tous, le théâtre élisabéthain laisse apparaître, dans son exubérance et sa diversité, quelques lignes de force : stylisation du décor, imbrication du tragique et du bouffon, prédilection pour la violence et le thème de la vengeance, angoisse métaphysique dissimulée sous un appétit forcené de jouissance et de connaissance, mélange de truculence verbale et de raffinement poétique.

ÉLISABETHVILLE → LUBUMBASHI.

ÉLISÉE, prophète hébreu du IXe s. av. J.-C. Disciple et successeur du prophète Élie*, il poursuit l'œuvre politique et religieuse de son maître, dont il n'a, cependant, ni la personnalité ni l'influence.

ÉLISSA → DIDON.

ÉLITISME. — La démocratie proclame son attachement à l'idéal de l'autogouvernement du peuple. L'examen des réalités fait surgir une question au cœur de la sociologie politique. Qui détient la réalité du pouvoir? Rien de surprenant si la réponse donne prise aux controverses polémiques et idéologiques. Selon l'interprétation marxiste, le pouvoir est entre les mains d'une classe dominante dont l'emprise sur la société est masquée par l'idéologie de la démocratie bourgeoise. Pour les tenants de la démocratie pluraliste de type occidental, il existe plusieurs classes dirigeantes qui tantôt coopèrent et tantôt s'affrontent; elles finissent par s'équilibrer, le pouvoir de l'une constituant une limitation pour celui de l'autre. La thèse élitiste renvoie dos à dos l'une et l'autre des deux interprétations. Elle considère en effet que le pouvoir appartient en réalité à une élite, groupe clos et homogène. Aucune constitution ni aucune révolution n'est capable de dessaisir l'élite du pouvoir de fait qu'elle exerce sur l'ensemble de la société. Inspirée par des sociologues comme W. Mills, cette thèse ne doit pas être confondue avec la doctrine du même nom selon laquelle les sociétés ne sont jamais mieux gouvernées que par une élite.

ELIZABETH, port des États-Unis (New Jersey), à l'O. de New York; 113 000 hab.

ELKINGTON (George Richards), inventeur britannique (Birmingham 1801 - Pool Park, Denbighshire, 1865). On lui doit les procédés industriels d'argenture et de dorure par l'électrolyse (1840), ainsi que l'affinage électrolytique du cuivre.

ELLESMERE *(terre d'),* grande île de l'archipel arctique canadien (Territoires du Nord-Ouest), au N.-O. du Groenland et recouverte en grande partie de glaces.

ELLICE → TUVALU *(îles).*

ELLINGTON (Edward KENNEDY, dit **Duke**), pianiste, compositeur et chef d'orchestre de jazz américain (Washington 1899 - New York 1974). Il fut, avec Armstrong, le plus important des créateurs du jazz. À la tête d'un orchestre qui, né en 1924, devait s'agrandir au fil des ans et accueillir les solistes les plus inventifs du jazz contemporain, il évolua avec aisance du *jungle style* des années 30 (sons rauques des cuivres, rythme syncopé) aux œuvres descriptives et impressionnistes des années 50, souvent interprétées en des tempos nonchalants. Parmi ses enregistrements les plus célèbres : *Mood Indigo* (1930), *Solitude* (1934), *Ko-Ko* (1940), *Concerto for Cootie* (1940), *Black, Brown and Beige* (1944), *Liberian Suite* (1947), *Diminuendo and Crescendo in Blue* (1954), *Segue in C* (1961), *Virgin Islands Suite* (1966), *New Orleans Suite* (1970).

ELLIOT LAKE, région minière du Canada (Ontario), près du lac Huron. Gisements d'uranium.

ELLIOTT (Herbert), athlète australien (Perth 1938). Sa carrière, courte mais exceptionnelle, a été couronnée par un titre olympique sur 1 500 m, obtenu à Rome en 1960 dans un temps (3 mn 35 s 6/10) qui constitua un nouveau record du monde. Exceptionnellement doué, menant sa course sans se soucier de ses adversaires, Elliott a été la figure marquante du demi-fond mondial de l'après-guerre.

ELLIPSOÏDE DE RÉFÉRENCE. — Depuis le XVIIIe s., on tente de représenter au mieux le géoïde* (surface du niveau moyen des mers) par une surface mathématique, qui est un ellipsoïde de révolution aplati aux pôles. L'ellipsoïde d'Hayford, dit *international* (1924), est défini par son demi grand axe : $a = 6\,378\,388$ m, et son aplatissement : $\alpha = \frac{a-b}{a} = \frac{1}{297}$, b étant le demi petit axe. L'analyse des trajectoires de satellites a permis d'améliorer les valeurs précédentes; le système géodésique de référence 1967 est caractérisé, notamment, par la valeur de α prise égale à $\frac{1}{298{,}247}$.

ELLORĀ, site archéologique au N.-O. d'Aurangābād*, célèbre par ses deux temples creusés dans le rocher et consacrés à Śiva (Kailāsa, VIIIe s.), et surtout par la trentaine de sanctuaires rupestres (Ve-IXe s.) relevant du bouddhisme, du brahmanisme et du jaïnisme. Très belle décoration en haut relief.

ELLORE → ELURU.

ELNE (66200), comm. des Pyrénées-Orientales, à 14 km au S.-E. de Perpignan; 6 019 hab. *(Illibériens).* Église romane du XIe s., anc. cathédrale, voûtée et fortifiée au XIIe s.; cloître des XIIe-XIVe s., aux remarquables chapiteaux romans et gothiques.

ÉLODÉE. — Depuis l'année 1836, l'élodée du Canada (famille des hydrocharidacées) a envahi les cours d'eau d'Europe, après l'introduction imprudente de quelques pieds mâles. La multiplication asexuée, par bouturage naturel, est en effet très rapide. La plante peut éliminer les espèces concurrentes et gêner la navigation; elle a été tôt surnommée la « peste d'eau ».

Éloge de la folie, ouvrage latin d'Érasme (1511). Reprenant le thème traité par Brant dans *la Nef* des fous,* Érasme fait une critique hardie du clergé et de la société. Les premières éditions ont été illustrées par Holbein.

ÉLOI *(saint),* évêque de Noyon (Chaptelat? v. 588 - Noyon 660). Cet orfèvre de Limoges fut chargé de la trésorerie des rois Clotaire II et Dagobert Ier. Évêque de Noyon en 641, il fonda de nombreux monastères et s'employa à convertir les païens de son diocèse. Saint Éloi est le patron des orfèvres et des métallurgistes.

ELORN, fl. côtier de Bretagne, qui rejoint la rade de Brest; 51 km.

ÉLOYES (88510), comm. des Vosges, sur la Moselle, à 10 km au N. de Remiremont; 3 289 hab. Textile.

EL PASO, v. des États-Unis (Texas), à la frontière du Mexique, sur la rive gauche du Rio Grande ; 322 000 hab. Raffinage du cuivre.

ELSENEUR, en danois **Helsingør,** port du Danemark, sur le Øresund; 54 000 hab. Chantiers navals. Château Renaissance de Kronborg (XVIe s.), où Shakespeare situe l'action d'*Hamlet.*

ELSHEIMER (Adam), peintre et graveur allemand (Francfort-sur-le-Main 1578 - Rome 1610). Fixé à Rome vers 1600, il peignit de petits paysages à figures d'une technique minutieuse, à effets luministes nocturnes, qui ont influencé l'art du paysage historique (*Tobie et l'ange, la Fuite en Égypte,* Munich).

ELSKAMP (Max), écrivain belge d'expression française (Anvers 1862 - *id.* 1931). Ses poèmes s'inspirent de l'art et des traditions populaires (*Enluminures,* 1898), puis de la pensée extrême-orientale (*Aegri somnia,* 1924).

ELSSLER (Franziska, dite **Fanny**), danseuse autrichienne (Vienne 1810 - *id.* 1884). Une des grandes interprètes de l'époque romantique, elle fut, durant toute sa carrière, la rivale de Marie Taglioni, dont le style n'avait pourtant rien de comparable au sien. Ses interprétations de « caractère » firent date, telles la « cachucha » (1836) et la « cracovienne » (1839). — Elle eut sa sœur, THERESE (Vienne 1808 - Méran 1876), pour partenaire, qui dansait en « travesti » comme c'était l'usage à l'époque.

ELSTER, nom de deux rivières de l'Allemagne orientale. L'*Elster,* ou *Elster blanche* (195 km), passe à Leipzig, avant de rejoindre la Saale (r. dr.). L'*Elster noire* (188 km) est un affluent de l'Elbe (r. dr.).

ELUARD (Eugène GRINDEL, dit **Paul**), poète français (Saint-Denis 1895 - Charenton-le-Pont 1952). Un poète entendu de tous, parce qu'il semble parler à chacun son langage — dadaïste (*les Animaux et leurs hommes,* 1920), surréaliste (*Mourir de ne pas mourir,* 1924; *Capitale* de la douleur,* 1926; *l'Amour* la Poésie,* 1929; *la Vie immédiate,* 1932), résistant (*Poésie et Vérité,* 1942; *Au rendez-vous allemand,* 1944), militant communiste (*Poèmes politiques,* 1948; *Une leçon de morale,* 1949) — et surtout parce qu'un thème traverse toute sa vie et son œuvre, auxquelles il donne une tonalité sensuelle et ambiguë : l'amour (le fameux poème *Liberté* devait, primitivement, s'achever sur un nom de femme). Son écriture poétique, fortement marquée par la peinture et l'appréhension visuelle du monde (*les Yeux fertiles,* 1936), dont témoignent le regard qu'il porte sans cesse sur son œuvre achevée et sa passion des anthologies (*Donner* à voir,* 1939), unit dans la simplicité d'une même ligne mélodique les « trouvailles » du surréalisme au lyrisme plastique des mots et des objets quotidiens (*le Dur Désir de durer,* 1946; *Poésie ininterrompue,* 1946-1953).

ELURU ou **ELLORE,** v. de l'Inde (Andhra Pradesh); 127 000 hab.

ÉLUVION → SOL.

ELVEN (56250), ch.-l. de cant. du Morbihan, à 16 km au N.-E. de Vannes; 2 929 hab. Aux environs, « tours d'Elven », vestiges de la forteresse de Largoët (donjon du XIVe s.).

ELY, v. d'Angleterre, au N.-E. de Cambridge; 10 000 hab. Magnifique cathédrale dont les styles s'échelonnent du roman normand au gothique *decorated.*

ÉLY (Paul), général français (Thessalonique 1897 - Paris 1975). Il fut chef d'état-major des forces armées, puis de la Défense nationale de 1953 à 1961, sauf en 1954 et en 1955, où, après Diên Biên Phu, il commanda les forces françaises en Indochine. Il a laissé deux volumes de Mémoires : *l'Indochine dans la tourmente* (1964) et *Suez... le 13 mai* (1969).

Élysée *(palais de l'),* résidence historique parisienne, édifiée en 1718 et affectée en 1848 et à partir de 1873 à la présidence de la République.

ELYTIS (Odysseus), poète grec (Hêraklion, Crète, 1911). À partir de la réalité marine et insulaire de son pays, de l'exploration de l'inconscient dans une perspective surréaliste et de l'évocation des conflits sociaux et politiques de la Grèce moderne, il compose une nouvelle mythologie dionysiaque et libératrice (*Soleil, le premier,* 1943; *Axion Esti,* 1959; *Six et Un Remords pour le ciel,* 1960).

ÉLYTRE. — Chez divers insectes orthoptères et chez tous les coléoptères*, la première paire d'ailes ne peut que se rabattre sur le dos ou s'écarter, mais ne peut vibrer. Dépourvue de rôle moteur, cette paire d'élytres contribue à l'équilibre et à la sustentation pendant le vol, mais c'est surtout au repos qu'elle joue un rôle capital de protection à l'égard des ailes motrices, ce qui explique l'immense succès des insectes à élytres dans la nature.

ÉMAIL → DENT.

ÉMAILLERIE D'ART. — Après les émaux sertis à froid des Égyptiens (pectoraux) et des Celtes de La Tène, et les quelques émaux *champlevés,* sans doute iraniens, exhumés en Europe centrale, c'est Byzance qui porte l'émaillerie à son sommet avec la technique des émaux transparents *cloisonnés* d'or (médaillons de la *pala d'oro* de Saint-Marc de Venise, fin du Xe s.). L'Occident leur substitue au XIIe s. le *champlevé,* dont les ateliers mosans, puis ceux de Limoges se firent une spécialité; le cuivre évidé, matériau moins noble, remplaçant les alvéoles bordés de lamelles d'or, on adopte des émaux opaques (châsses, appliques, objets liturgiques, plaquettes d'oratoire...). L'émaillerie en « basse taille », translucide, est mise au point à la fin du XIIIe s. à Paris et domine aux XIVe et XVe s., surtout en Italie.

La peinture *en* émail apparaît au XVe s. (autoportrait de J. Fouquet, Louvre) et fleurit à Limoges (familles des Pénicaud*, des Limosin*, des Courteys : portraits et scènes religieuses en couleurs ou en grisaille, souvent à fond noir et rehauts d'or), puis en Italie du XVIe au XVIIIe s.

Dès le XVIIe apparaît une peinture plus libre, aux couleurs plus variées, appliquées *sur* un lit d'émail blanc. Expérimentée à Paris et dans le Blésois, cette technique conduit à de véritables petits tableaux, comme ceux de Jean Petitot*, et aux miniatures formant le couvercle de boîtes et de tabatières.

Les vieux procédés sont réhabilités à partir du milieu du XIXe s., l'Occident imitant notamment les admirables émaux cloisonnés produits par la Chine depuis l'époque Ming.

ÉMANCIPATION → MAJORITÉ.

Émaux et Camées, recueil de Théophile Gautier (1852). Dans de petits poèmes formés de quatrains d'octosyllabes et composés pendant les journées de 1848, Gautier, indifférent aux luttes politiques, s'efforce de réaliser l'esthétique de « l'art* pour l'art » : atteindre la beauté absolue par la perfection de la forme.

EMBA, fl. de l'U. R. S. S., dans l'ouest du Kazakhstan, tributaire de la Caspienne; 600 km. Il a donné son nom à une importante région pétrolifère entre l'Oural et la Caspienne.

EMBABÈH ou **IMBABA,** v. d'Égypte, près du Caire; 341 000 hab.

EMBALLAGE. — Un emballage destiné à protéger un produit et à assurer sa manutention, son transport, son stockage et, éventuellement, sa vente* doit faire appel à un matériau léger résistant aux chocs ainsi qu'aux intempéries et, de plus, inerte sur le plan chimique. Avec les techniques modernes de vente, l'emballage doit faciliter les manutentions en regroupant par exemple plusieurs petits colis en un seul. Il doit attirer l'œil des clients sur les étagères des magasins. Il doit prévenir l'utilisateur lorsqu'il s'agit de produits dangereux (précautions à prendre, « étiquette rouge » des produits pharmaceutiques, etc.). Il doit informer dans le cas de produits nouveaux (recettes, modes d'emploi, conseils), dont il lui faut, également, faciliter l'utilisation (bec verseur). Enfin, il doit être doté de biodégradabilité* ou pouvoir être détruit sans difficulté pour éviter la pollution.

EMBARRAS GASTRIQUE → ESTOMAC.

EMBIEZ *(îles des),* petit archipel de la côte varoise. Tourisme.

EMBOLIE. — Les embolies sont dues surtout à l'arrêt, dans le système artériel, de caillots sanguins partis de veines thrombosées. Mais il peut s'agir de bactéries ou de bulles de gaz (embolies gazeuses). Les *embolies artérielles des membres* se manifestent par une douleur vive et une pâleur de la région intéressée. Si un traitement d'urgence médical (anticoagulants) ou chirurgical (embolectomie) n'est pas institué, une paralysie des muscles atteints et une gangrène du membre peuvent survenir, exigeant l'amputation.

Les *embolies cérébrales* sont responsables de ramollissements cérébraux et provoquent des phénomènes déficitaires (paralysies) ou irritatifs (spasmes, contractures), définitifs ou régressifs, suivant l'étendue du ramollissement.

Les *embolies pulmonaires* ont pour origine soit une phlébite des membres inférieurs (obstétricale, postopératoire), soit une complication de cardiopathie. Leurs manifestations sont très variables. La forme typique (infarctus de Laennec) se traduit par un point de côté, une gêne respiratoire, de la toux, des crachats sanglants, de la fièvre, ainsi que par des signes cliniques et électrocardiographiques d'insuffisance cardiaque* ventriculaire droite. Le traitement préventif et curatif est fondé essentiellement sur l'emploi des anticoagulants.

EMBOUAGE → FEU.

EMBOUTISSAGE. — L'emboutissage permet de fabriquer des pièces de forme courbe, en tôle, à partir de pièces planes, préalablement découpées et appelées *flans.* L'opération s'effectue par déformation de la matière à l'état solide, à froid, plus rarement à chaud, sauf pour les tôles de grande épaisseur (plus de 5 mm environ). Les pièces ainsi obtenues ont généralement des formes non développables. Cette opération de formage s'accompagne de l'écrouissage de la matière. Si la déformation doit être importante (emboutissage profond), il faut procéder à chaud ou à des recuits intermédiaires, afin de rendre au métal sa ductilité.

• L'*emboutissage manuel,* appelé *chaudronnage à la main,* s'effectue en maintenant la tôle sur un outil de forme concave ou convexe (tas à boule, enclume à main, forme en bois, etc.) et en lui portant une succession de coups rapprochés à l'aide d'un marteau approprié à la forme à donner au flan (marteau à boule, marteau à rétreindre, batte à planer, etc.). On amène ainsi la tôle à prendre des formes à double courbure. Pour cela, la contrainte locale imposée au métal, à chaque frappe, doit être supérieure à la limite élastique, mais inférieure à la charge de rupture afin d'éviter de déchirer la tôle.

Cette opération manuelle, qui est longue et qui est réalisée par des ouvriers professionnels, appelés *tôliers,* est réservée aux réalisations à l'unité ou en petite série : elle est coûteuse.

• L'*emboutissage mécanique,* ou *emboutissage à la presse,* s'effectue sur des presses spéciales à l'aide de *matrices* d'emboutissage constituées, d'une part, par un *poinçon* épousant la forme intérieure de la pièce à emboutir et, d'autre part, par une *matrice* proprement dite, dont l'entrée est une section plane du poinçon dans sa plus grande section, augmentée de l'épaisseur de la tôle. Cette matrice est fixée sur la table de la presse, et le poinçon est fixé au coulisseau de celle-ci. Placé entre la matrice et le poinçon, le flan à former est maintenu sur la matrice, dans sa zone périphérique, à l'aide d'un cadre appelé serre-flan. Celui-ci, appuyé sur le flan par un système élastique, empêche la tôle de se plisser lors de la descente du poinçon. Lorsqu'il n'y a pas de serre-flan, l'emboutissage est dit *libre.* Sous l'effort de fermeture très

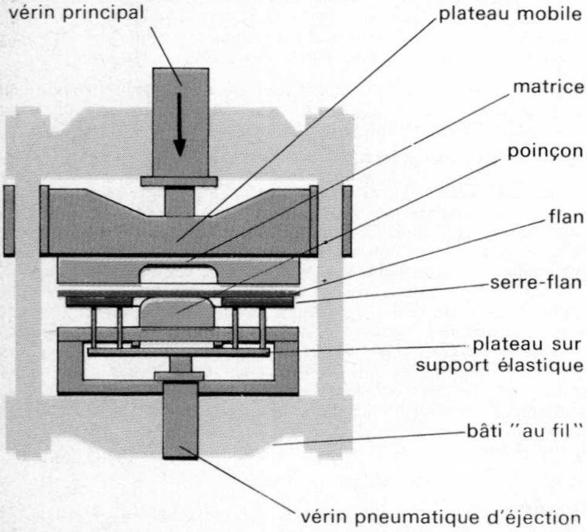

EMBOUTISSAGE
Presse hydraulique à simple effet, équipée d'un plateau sur support élastique (ressorts ou vérin pneumatique).

important de la presse, le poinçon rentre dans le creux de la matrice et la tôle vient épouser la forme du poinçon. Lors du mouvement de retour de la presse, des *extracteurs* et *éjecteurs* libèrent la pièce formée pour éviter qu'elle reste soit dans le creux de la matrice, soit sur le poinçon. Les presses utilisées sont soit mécaniques, soit hydrauliques.

L'emboutissage mécanique est une opération très rapide (de l'ordre de quelques secondes), ne nécessitant pas de main-d'œuvre qualifiée et qui peut être automatique si l'on utilise des systèmes d'alimentation et d'évacuation appropriés. Les matrices, généralement en acier, usinées avec précision, sont coûteuses : pour chaque pièce de forme différente, il faut une matrice différente. Mais elles permettent d'emboutir très économiquement de très grandes séries de pièces identiques.

EMBRANCHEMENT. — Cette subdivision des règnes vivants a perdu beaucoup de son importance en classification. Quelques grands groupes aux contours précis — plantes à graines, spongiaires, cœlentérés, échinodermes, platodes, nématodes, annélides, mollusques, arthropodes et vertébrés — sont encore couramment désignés comme des embranchements; c'est aussi le cas de certains groupes minuscules, aux yeux de quelques classificateurs, mais l'accord sur ce niveau taxinomique est loin d'être unanime.

EMBRAYAGE. — L'embrayage mécanique à disque est composé d'une des faces du volant moteur, sur lequel vient s'appuyer un disque muni de garnitures de friction et dont le moyeu est monté à cannelures sur l'arbre primaire de transmission*. En position normale, un plateau de serrage, sous tension de ressorts, assure la liaison sans glissement de l'ensemble disque-volant moteur. Lorsqu'il est nécessaire de désolidariser le moteur des roues motrices (changement de vitesses et démarrage), le conducteur

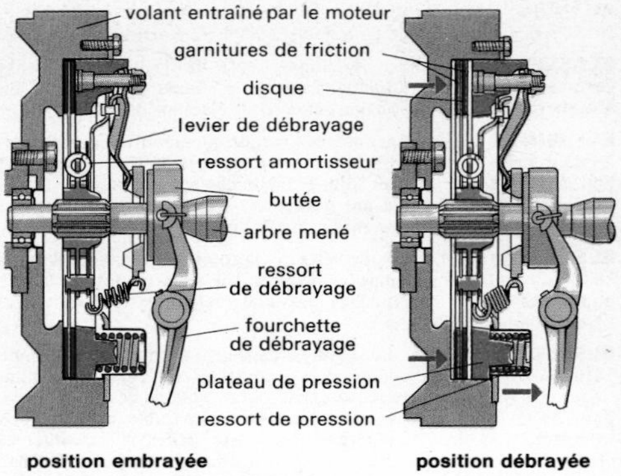

Éléments constitutifs d'un embrayage monodisque en position : embrayée, débrayée.

appuie sur la pédale d'embrayage, mettant en action un système de tringlerie qui, en s'arc-boutant sur une butée, comprime les ressorts, qui libèrent le disque. On s'est préoccupé d'automatiser la manœuvre de l'embrayage, mais les progrès accomplis sur la transmission automatique ont fait abandonner ces recherches. Cependant subsistent encore quelques modèles équipés d'un embrayage semi-automatique, dont la mise en action est effectuée par le moteur dès qu'il tourne à un régime déterminé. Le débrayage est alors assuré manuellement.

EMBRAYEUR *(Ling.)* → ÉNONCIATION.

EMBRUN (05200), ch.-l. de cant. des Hautes-Alpes, sur la Durance, à 38 km à l'E. de Gap; 4 985 hab. *(Embrunais).* Station touristique. Église romane, anc. cathédrale, de la fin du XIIe s. (porche de type lombard; trésor). Vieilles maisons.

EMBRUNAIS, région des Alpes du Sud, autour d'*Embrun,* au-dessus du lac de Serre-Ponçon.

EMBRYOLOGIE. — L'embryologie est la science des processus de différenciation organique ou, si l'on préfère, des processus de réalisation du programme génétique. Elle étudie non seulement le développement embryonnaire normal des animaux et des plantes, mais aussi les malformations et les monstruosités obtenues expérimentalement, ainsi que les phénomènes de régulation, qui conduisent souvent vers une structure normale un embryon lésé. De cet ensemble de données se dégagent les lois du développement, d'une diversité surprenante selon les espèces.

EMBRYON. — L'embryon humain prend naissance aux dépens du bouton embryonnaire de l'œuf dès le huitième jour après la fécondation. Les cellules de ce bouton embryonnaire se multiplient et se différencient en deux feuillets embryonnaires : l'*endoblaste,* à l'origine de la muqueuse intestinale et des glandes annexes, et l'*ectoblaste,* à l'origine du revêtement cutané du système nerveux central et des nerfs périphériques. À la fin de la deuxième semaine, certaines cellules de l'ectoblaste se modifient et constituent un troisième feuillet; le *mésoblaste,* qui sera à l'origine des tissus de soutien, des muscles, des organes génito-urinaires et du système cardio-vasculaire. Pendant la quatrième semaine, le corps de l'embryon se constitue progressivement. Les membres apparaissent vers le début de la cinquième semaine. À la huitième semaine, l'embryon mesure environ 30 mm et a déjà une apparence humaine.

Pendant la vie embryonnaire, des influences nocives peuvent déterminer des malformations. Les dérivés de l'ectoderme sont plus sensibles que ceux des autres feuillets, surtout lorsqu'ils sont à leur maximum d'activité proliférative : ainsi, le virus de la rubéole, agissant entre la sixième et la septième semaine, peut être responsable de malformations cardiaques et auditives graves.

EMBRYONNAIRE (état). — L'état embryonnaire se définit au niveau des cellules mieux qu'à celui de l'organisme tout entier. Une cellule animale ou végétale est à l'état embryonnaire lorsqu'elle est encore capable non seulement de proliférer, mais aussi d'engendrer des cellules différentes d'elle-même (maturation) et les unes des autres (différenciation). Le noyau d'une telle cellule est gros par rapport au cytoplasme. Une cellule embryonnaire peut être *dormante* jusqu'au moment où une influence extérieure la stimule (par exemple : germes dentaires de l'enfant), ce qui permet aux organismes adultes de conserver des stocks de cellules embryonnaires, telles les cellules souches des globules du sang.

EMDEN, port de l'Allemagne fédérale (Basse-Saxe), à l'embouchure de l'Ems; 49 000 hab. Raffinage du pétrole. Automobiles.

ÉMERAUDE. — De formule $Be_3Al_2Si_6O_{18}$, elle a une densité de 2,67 à 2,75 et une dureté de 7,5 à 8; elle appartient au système hexagonal. Elle doit sa couleur à des traces d'oxyde de chrome.

ÉMERGENCE → MODÈLE *(Cybern.).*

ÉMERI → ABRASIF.

EMERSON (Ralph Waldo), essayiste américain (Boston 1803-Concord, Massachusetts, 1882). Auteur d'une philosophie « transcendantaliste », il prône le mépris des richesses matérielles et un amour de Dieu fondé sur la joie.

ÉMERY (Michel PARTICELLI, *sieur* D'), financier français (Lyon v. 1595-Paris 1650). Contrôleur général (1643-1647), puis surintendant des Finances (1647-48, 1649-50), il se rendit impopulaire par sa politique fiscale et son amoralité.

ÉMERY (Jacques André, dit **Monsieur**), sulpicien français (Gex 1732-Issy-les-Moulineaux 1811). Supérieur général de la Compagnie de Saint-Sulpice (1782), il fut, durant la Révolution française, le guide éclairé et écouté du clergé français.

ÉMÈSE → HOMS.

ÉMIGRÉS. — Ce terme sert surtout à désigner les personnes, généralement des aristocrates, qui, entre 1789 et 1799, quittèrent la France pour échapper à la Révolution française. Les émigrés furent assez nombreux pour rassembler en Rhénanie une armée, dite « de Condé », qui participa à toutes les campagnes de la coalition (1793-1795), et pour organiser à Coblence une petite cour, dont l'agitation factice ne laissa pas d'inquiéter la Législative, puis la Convention : aussi ces assemblées établirent-elles contre les émigrés, leurs biens et leurs familles une législation très sévère. Commencé clandestinement après 1795, le retour des émigrés s'accéléra sous le Consulat, Bonaparte pratiquant une très large amnistie. La Restauration (1825) fit voter une indemnité de 650 millions — dite « milliard des émigrés » — destinée à secourir les plus pauvres des spoliés.

Émile *ou De l'éducation,* roman pédagogique de J.-J. Rousseau (1762). Cherchant la solution du conflit entre la nature et la culture, Rousseau imagine l'éducation naturelle d'un homme destiné à vivre dans la société du XVIIIe s. Faisant table rase des contingences (les parents de l'enfant disparaissent, mais leur fortune est conservée au profit de leur fils), il laisse le jeune Émile en tête à tête avec son gouverneur. « Tout est bien sortant des mains de l'Auteur des choses » : le projet du gouverneur est donc non de former l'enfant, mais de préserver sa croissance naturelle. L'éducation est d'abord négative. Mis en présence non du devoir, mais de la nécessité, Émile est initié au monde par des méthodes « actives » : l'astronomie lui est révélée au cours d'une promenade en forêt; un joueur de gobelet le met sur la voie de la physique; le spectacle de la nature lui fait pressentir la religion *(Profession de foi du vicaire savoyard).* Heureux, mais solitaire, Émile voyage en Europe pour mieux connaître les hommes : il rencontre Sophie, élevée, elle aussi, selon la nature, et l'épouse. Utopique dans sa conception, l'ouvrage atteint dans le détail certaines vérités essentielles. Les idées de Rousseau, malgré la Sorbonne et les philosophes, enthousiasmèrent ses contemporains et influencèrent profondément les méthodes éducatives : pour l'élève, pratique des expériences personnelles et, de la part de l'éducateur, respect de la personnalité de l'enfant.

ÉMILIE-ROMAGNE, région d'Italie, au S. du Pô, sur l'Adriatique; 22 123 km^2; 3 899 000 hab. Capit. *Bologne.* Cette région est formée de huit provinces : Bologne, Ferrare, Forli, Modène, Parme, Plaisance, Ravenne et Reggio nell'Emilia. Les plaines occupent la moitié de sa superficie, qui forme un triangle entre le Pô, l'Apennin et le littoral. L'Émilie-Romagne est une grande productrice de blé, de vin, de betterave à sucre et de fruits, et l'élevage (bovins et surtout porcins) est également très développé. L'industrie est partiellement liée à l'agriculture (alimentation), mais s'est diversifiée (constructions mécaniques et chimie). Le tourisme anime le littoral (Rimini) et aussi les villes historiques de l'intérieur (Bologne, Ferrare, Parme et Ravenne notamment). Fortement urbanisée, bien desservie par le rail et la route, l'Émilie-Romagne appartient à la partie septentrionale, développée, de l'Italie.

EMINESCU (Mihai), écrivain roumain (Ipoteşti 1850-Bucarest 1889). Auteur de nouvelles et de contes populaires, il est, par son génie romantique, le grand poète national de la Roumanie *(Poésies,* 1883).

ÉMIRATS ARABES UNIS → ARABES UNIS *(Fédération des Émirats).*

ÉMISSION *(Électron.)* → ÉLECTRONIQUE.

ÉMISSION *(Phys.).* — Le spectre des radiations émises par un solide ou un liquide incandescent comporte une large gamme de longueurs d'onde avec une intensité variable selon la température. Le maximum d'intensité se trouve dans l'infrarouge pour des températures inférieures à 500 °C, dans le rouge aux environs de 600 °C, et, pour 1 100 °C, on a le spectre lumineux complet. À plus haute température, ce maximum se déplace vers l'ultraviolet. La puissance rayonnée par un corps parfaitement absorbant *(corps noir)* varie comme T^4, T étant la température thermodynamique, et la longueur d'onde de la radiation émise avec le maximum d'intensité varie en raison inverse de cette température.

Un corps quelconque rayonne toujours moins que le corps noir à la même température; sa luminance est égale à la luminance du corps noir multipliée par un coefficient dit *pouvoir émissif.* Le pouvoir émissif des métaux polis est plus faible que celui des substances mates. C'est pourquoi l'on garde les liquides chauds ou froids dans des vases métalliques polis.

ÉMISSION *(Télécomm.).* — Un oscillateur à haute fréquence* relié à une antenne* émet un rayonnement hertzien qui se propage dans toutes les directions grâce aux champs* électrique et magnétique produits. La portée de cette émission est fonction de la longueur d'onde* et de la puissance du signal. Ce rayonnement hertzien peut être constitué soit par un signal haute fréquence modulé en amplitude (radiodiffusion en ondes longues, en ondes moyennes et en ondes courtes) ou en fréquence (bande FM), soit par un signal vidéofréquence* (télévision*).

Les émissions sur les ondes longues se propagent de jour comme de nuit en fonction de leur puissance. Les ondes moyennes se propagent en ligne droite et ne sont reçues de jour qu'en portée directe de l'émetteur, environ 100 km. En revanche, de nuit, elles sont réfléchies par les couches ionisées de la haute atmosphère (de 25 à 100 km) et sont de nouveau audibles à partir de 300 km de l'émetteur. Plus la fréquence d'émission augmente, plus les conditions de propagation sont dictées par les réflexions sur les couches ionisées; ces phénomènes sont particulièrement sensibles en ondes courtes. Enfin, pour les gammes métriques et au-dessus (bandes FM et télévision), seule la propagation directe de l'émission peut être utilisée. Sa portée dépend de la hauteur de l'antenne, de la puissance de l'émetteur et du relief de la région; même un immeuble important constitue un obstacle à la propagation de ce rayonnement hertzien.

EMMANUEL (Maurice), compositeur et musicologue français (Bar-sur-Aube 1862-Paris 1938). Très exigeant envers lui-même, il fit un riche usage de l'écriture modale et de ses recherches folkloriques dans ses *Trente Chansons bourguignonnes,* ses deux symphonies, sa musique de chambre, ses ouvrages lyriques *Prométhée enchaîné* et *Salamine.* On lui doit une thèse de doctorat sur *la Danse grecque antique* et une *Histoire de la langue musicale* en deux volumes.

EMMANUEL (Noël MATHIEU, dit **Pierre**), écrivain français (Gan, Pyrénées-Atlantiques, 1916), auteur d'essais et de recueils lyriques *(l'Évangéliaire,* 1961; *Sophia,* 1973) où il confronte sa foi chrétienne aux problèmes du monde moderne et de la culture.

EMMANUEL-PHILIBERT (Chambéry 1528-Turin 1580), duc de Savoie (1553-1580). Il s'efforça, avec l'aide de saint François* de Sales, de restaurer le catholicisme dans ses États et de rendre ceux-ci indépendants de leurs voisins. Il échoua dans sa tentative d'annexer Genève.

EMMAÜS, village des environs de Jérusalem, où la tradition évangélique situe une apparition du Christ ressuscité à deux disciples.

EMMEN, v. des Pays-Bas (Drenthe), au S.-E. de Groningue; 83 000 hab. Textiles synthétiques.

EMMEN, comm. de Suisse (cant. de Lucerne), au N. de Lucerne; 22 040 hab.

EMMENTAL ou **EMMENTHAL,** vallée de la Suisse, drainée par la *Grande Emme* (affl. de l'Aar), à l'E. de Berne. Importante région d'élevage bovin laitier qui a donné son nom à un fromage* réputé *(emmenthal).*

ÉMOSSON, barrage-réservoir de Suisse (Valais), au N. de Chamonix-Mont-Blanc, alimentant une centrale hydraulique suisse et une centrale française.

ÉMOTION. — L'émotion, comportement complexe, répond à une situation caractérisée par l'insolite, le brutal, le nouveau et, très souvent, par la frustration et le conflit. Elle apparaît comme une forme d'action sur autrui ou par le moyen d'autrui, et J.-P. Sartre voit là un retour aux conduites magiques. Elle comporte deux aspects concomitants : un bouleversement affectif et un bouleversement physiologique (élévation du débit cardiaque, de la tension artérielle, du métabolisme des glucides).

Le comportement émotif dépend de deux circuits nerveux. La formation réticulée du tronc cérébral en constitue le premier niveau, elle est responsable de la vigilance de base et, au niveau comportemental, elle ne détermine que des réponses assez frustes : attaque ou défense; l'adrénaline est le médiateur chimique de ce système. Le second niveau correspond au thalamus et au rhinencéphale (cortex archaïque), il intervient dans la production de réponses émotionnelles plus élaborées; l'acétylcholine est son médiateur chimique.

La répétition des chocs émotionnels soumet à des décharges d'adrénaline fréquentes les organes de la vie végétative. Anormalement excités, ceux-ci ont un fonctionnement perturbé et deviennent, à la longue, de véritables foyers d'excitation émotionnelle (névrose d'organe). Il se crée ainsi des troubles psychosomatiques* qui constituent de véritables maladies physiques à point de départ psychique.

EMPATHIE. — Ce mode de connaissance d'autrui repose sur la capacité, variable d'individu à individu, de se mettre à la place d'autrui. L'empathie peut revêtir trois aspects : aptitude à se voir avec les yeux d'autrui, aptitude à voir les autres avec les yeux d'autrui et aptitude à regarder les autres avec leurs propres yeux. Elle joue un grand rôle dans le courant non directiviste de la psychologie représenté par Carl Rogers*.

EMPATTEMENT → CARACTÈRE D'IMPRIMERIE.

EMPÉDOCLE, philosophe grec (Agrigente ve s. av. J.-C.). Il fut médecin, législateur et vainqueur olympique. Son système marque une date chez ceux qu'on classe parmi les présocratiques. Empédocle concevait le monde comme le mélange d'éléments fondamentaux (air, terre, feu, eau) et unis diversement suivant les interventions de deux principes antagoniques (amour et discorde). Il reste de lui des fragments de poèmes, dont les *Purifications.*

EMPENNAGE. — Pour assurer sa stabilité autour de son centre de gravité, un avion* comporte généralement deux surfaces portantes, montées à l'arrière du fuselage* : l'*empennage vertical,* encore appelé *dérive,* qui assure la stabilité en lacet, et l'*empennage horizontal* pour la stabilité en tangage. Chacun de ces empennages porte des gouvernes* permettant de piloter l'avion : *gouverne de direction* pour l'empennage vertical et *gouverne de profondeur* pour l'empennage horizontal. Sur de nombreux avions supersoniques, c'est tout l'empennage horizontal qui sert de gouverne; il est alors entièrement mobile et est appelé *empennage monobloc.* Enfin, sur quelques avions à aile delta, il est monté à l'avant du fuselage; de tels avions sont dits « canards ».

EMPEREUR. — Dans la Rome républicaine, on désignait sous le nom d'*imperator* le chef militaire (consul, proconsul) vainqueur qui, ayant été acclamé par son armée, célébrait son triomphe. Après la victoire de Munda (45), César prit le titre d'imperator et le conserva malgré l'usage, qui voulait que le triomphateur l'abdiquât au lendemain de la cérémonie du triomphe. Auguste fit d'*imperator* son prénom, et ses successeurs le conservèrent jusqu'à la fin de l'Empire romain. Lorsque Charlemagne en 800, et Otton Ier, en 962, prétendirent restaurer l'Empire, ce fut ce titre prestigieux qu'à côté du surnom d'Auguste ils empruntèrent à la terminologie romaine.

EMPHYSÈME. — L'*emphysème sous-cutané* est dû à une solution de continuité dans les voies aériennes. Il se manifeste par une tuméfaction plus ou moins importante et donne à la palpation une impression de crépitation neigeuse.

L'*emphysème pulmonaire* peut être localisé ou diffus. Localisé, il est dû à une cause locale (tuberculose, tumeur). Diffus, il est d'origine discutée; l'asthme, les bronchites chroniques, les fibroses pulmonaires peuvent en être responsables; cet emphysème se traduit essentiellement par de la dyspnée (essoufflement), qui devient de plus en plus importante.

L'évolution se fait progressivement vers une insuffisance respiratoire chronique. Le traitement vise à réduire les facteurs d'aggravation de l'insuffisance respiratoire (suppression du tabac, traitement des infections bronchiques, etc.) et à faciliter la mécanique respiratoire (kinésithérapie, gymnastique respiratoire).

Empire *(premier),* gouvernement de la France de 1804 à 1814. Proclamé le 18 mai 1804 pour répliquer à la conspiration royaliste (v. CADOUDAL), codifié par la Constitution de l'an XII, elle-même ratifiée par plébiscite, l'Empire fait du consul Napoléon Bonaparte, devenu Napoléon Ier*, un souverain héréditaire aux pouvoirs quasiment illimités. Sacré par Pie VII à Paris le 2 décembre 1804,

L'EUROPE NAPOLÉONIENNE EN 1811

Napoléon ne bénéficie pas seulement du sort heureux des armes : son gouvernement s'établit sur l'Europe dans un moment de prospérité, ce qui contribue à maintenir l'adhésion de la bourgeoisie et, malgré la conscription, satisfait les masses populaires. Jusqu'en 1810, c'est dans ce contexte que se développe l'épopée impériale.

Épopée militaire d'abord, puisque la troisième coalition se clôt sur l'éclatante victoire d'Austerlitz (2 déc. 1805) et la paix de Presbourg, laquelle réduit encore les positions autrichiennes et fait de la presque totalité de l'Italie — dont Napoléon Ier est roi — une terre soumise directement ou indirectement à la France. Parallèlement, Napoléon élimine les Habsbourg de l'Allemagne en supprimant le Saint Empire romain germanique et en créant la Confédération du Rhin, dont il est le protecteur; son frère Louis devient roi de Hollande. La défaite de la quatrième coalition est plus cuisante encore, du moins en ce qui concerne la Prusse, qui, battue à Iéna et à Auerstedt (14 oct. 1806), est durement éprouvée au traité de Tilsit (7 juill. 1807), signé aussi avec le tsar; celui-ci, battu à Eylau (8 févr. 1807) et surtout à Friedland (14 juin), devient, au moins nominalement, l'allié de la France, tandis que la Pologne reprend vie sous la forme de grand-duché de Varsovie.

Reste l'Angleterre, vainqueur des franco-espagnols sur mer à Trafalgar (21 oct. 1805). Pour l'atteindre dans son économie, Napoléon déclenche le Blocus* continental (1806-07), qui l'amène à occuper Rome (1808) — le pape étant ainsi spolié — et à intervenir au Portugal, puis en Espagne (1808) : aventure sanglante et finalement inutile, qui soulève contre lui les Ibériques, soutenus par les Anglais. Une cinquième coalition se forme d'ailleurs sur ses pas : elle est fomentée par l'Autriche (1809), qui oblige l'Empereur à refaire la campagne de 1805; mais, si Napoléon entre à Vienne pour la seconde fois (13 mai 1809), la victoire de Wagram sur l'archiduc Charles est loin d'être décisive. Cependant, l'Autriche traite (14 oct. 1809), perdant de nouveaux territoires au profit de l'Empire français. Mieux, en 1810, Napoléon épouse Marie-Louise, fille de l'empereur d'Autriche; il en a un fils, le roi de Rome, né en 1811. À ce moment, le Grand Empire (130 départements) s'étend de l'Elbe au Tibre et à l'Adriatique.

Au cœur de cet Empire est la France, la « grande nation », riche en hommes (15 p. 100 de la population de l'Europe) : pays où se développent les conséquences de la révolution bourgeoise de 1789, mais qui reste essentiellement agricole. Cependant, la ruine du grand commerce atlantique déplace les axes commerciaux vers l'est de la France, où Napoléon fait entreprendre de grands travaux (routes du Simplon, du Mont-Cenis...). D'autre part, le blocus a comme effet de faire de la France une puissance industrielle (coton, bâtiment, métallurgie); mais cet essor a comme envers, dans une société à économie « libérale », les dures conditions de travail et de vie des ouvriers, monde surveillé par un pouvoir méfiant (livret, interdiction des coalitions). C'est que l'Empereur favorise surtout les nouveaux notables — militaires et fonctionnaires — et la « bourgeoisie conquérante », celle des affaires. Ce sont eux qui entrent dans la noblesse impériale, profitent des lycées et des grandes écoles, des prébendes et des distinctions officielles. Grâce à leur adhésion, le despotisme impérial se développe : la police, renforcée, est partout; la liberté d'opinion devient lettre morte; l'Université est fortement centralisée, la direction des esprits étant complétée par la mainmise totale sur l'Église (catéchisme impérial), comblée d'honneurs, elle aussi, mais de plus en plus réticente au fur et à mesure que Napoléon veut imposer à Pie VII, son prisonnier en 1812, sa volonté. L'art lui-même doit s'inspirer du goût de Napoléon pour l'antique.

La dure crise économique de 1811, l'éveil des nationalités dans les pays soumis — en Allemagne notamment, où la Prusse fait figure de libérateur — et l'aventure espagnole rendent ce despotisme de moins en moins tolérable. Aussi les défaites successives enregistrées par la Grande Armée en Russie en 1812 et en Allemagne en 1813 acculent-elles l'Empereur à l'abdication : celle-ci est signée à Fontainebleau le 4 avril 1814 à l'issue d'une campagne de France admirable, mais finalement inutile, la France étant envahie par les Alliés, maîtres de Paris dès le 31 mars.

Souverain de l'île d'Elbe, Napoléon tente sa chance en débarquant en France le 1er mars 1815, cette fois dans un contexte très différent : c'est la France jacobine, humiliée par les Bourbons, qui l'accueille. Mais l'épisode de l'Empire restauré ne dure que trois mois (v. CENT-JOURS). Après le désastre de Waterloo (18 juin 1815), l'Empereur abdique de nouveau (22 juin); il n'est plus, dès lors, qu'un prisonnier que les Anglais laisseront mourir (5 mai 1821) à Sainte-Hélène. Mais plus forte que le destin est déjà la légende napoléonienne, dont les grossissements ne peuvent faire oublier que le premier Empire, sous l'impulsion d'un homme exceptionnel, a consolidé en France et en Europe l'œuvre politique et sociale de la Révolution.

Empire *(second),* gouvernement de la France de 1852 à 1870. S'étant débarrassé de l'Assemblée législative par le coup d'État du 2 décembre 1851, Louis Napoléon Bonaparte, largement plébiscité, instaure, par la Constitution du 14 janvier 1852, une « démocratie autoritaire » : celle-ci appelle tout naturellement l'Empire, qui est rétabli par le sénatus-consulte du 7 novembre 1852 et est consacré par le plébiscite du 21 novembre. Jusqu'en 1858, Napoléon III* est un souverain absolu, les ministres et les grands corps de l'État ne dépendant pratiquement que de lui, le Corps législatif lui-même étant rempli de ses créatures par le jeu efficace des candidatures officielles. Le despotisme propre au premier Empire est de nouveau appliqué dans tous les domaines; l'opposition, notamment celle des « rouges », est réduite au silence. L'empereur est d'autant plus fondé à agir ainsi que, de son mariage avec Eugénie de Montijo (1853), il a un fils, le prince impérial, né en 1856, qui assure la continuité dynastique.

La France, d'ailleurs, dans sa masse, accepte ce régime, qui lui assure une prospérité sans précédent, prospérité qu'illustrent grands travaux, édilité audacieuse, équipement bancaire moderne, réseau ferroviaire, modernisation de l'industrie textile et métallurgique... À l'extérieur, Napoléon III apparaît comme le tenant et le défenseur des nationalités : la guerre de Crimée (1854-1856) et la campagne d'Italie (1859) consacrent même le retour de la prépondérance française sur le continent au détriment de la Russie et de l'Autriche.

Mais, après l'attentat d'Orsini et l'amnistie (1858), Napoléon III évolue vers une certaine libéralisation politique, qui, en réalité, fait le jeu des tenants d'un bonapartisme parlementaire et surtout celui des républicains, qui entrent, de plus en plus nombreux, au Corps législatif à la faveur des élections de 1857, de 1863 et de 1869. D'autre part, la question italienne, bientôt réduite à la question romaine, aliène au régime les gens d'Église, tandis que la signature d'un traité de commerce avec la Grande-Bretagne (23 janv. 1860) éloigne de lui les industriels, généralement protectionnistes. La classe ouvrière, un moment favorable à l'Empire, se tourne de plus en plus vers la République et connaît déjà l'attraction d'un socialisme incarné dans la Ire Internationale* (1864); le droit de coalition, octroyé en 1864, lui est surtout prétexte à des grèves de plus en plus importantes. Quant à la politique extérieure de l'Empire, elle dévie en des impasses, comme l'aventure du Mexique (1862-1867), ou en des rêves fumeux, comme la « politique des pourboires », dont Bismarck abuse la France impériale, privée ainsi d'alliés. Au début de 1870, l'empereur fait prendre à son régime un tournant qu'il croit décisif en appelant Émile Ollivier à constituer un véritable ministère, reflet de la majorité parlementaire. Il semble qu'il ait vu juste, puisque le plébiscite du 8 mai ratifie largement l'orientation prise, encore que l'extrême gauche républicaine et socialiste se montre de plus en plus violente.

La guerre franco-allemande, dans laquelle l'Empire, avec une légèreté scandaleuse et une impréparation totale, jette le pays le 19 juillet 1870, brise d'un coup le mouvement vers un Empire parlementaire; le désastre de Sedan (2 sept.) et la captivité de l'empereur déterminent même la chute du régime, qui, le 4 septembre, est déclaré déchu par les fondateurs de la IIIe République*.

Empire britannique. En 1600, la création de la Compagnie des Indes orientales marque la volonté de l'Angleterre de ne pas laisser aux Ibériques le monopole du commerce intercontinental. Très vite, les Anglais s'imposent sur tous les océans. En Inde, ils s'installent à Madras (1639), à Bombay (1662) et créent Calcutta (1690). Au XVIIIe s., ils s'emparent du comptoir français de Chandernagor (1757), conquièrent une partie de la province du Bengale et chassent les Français du Deccan (1761). En Amérique, on les trouve dès le XVIIe s. dans les Antilles et surtout en Amérique du Nord (Virginie, Maryland, les deux Carolines). La conquête des territoires hollandais (Nouvelle-Amsterdam, 1664) achève la formation en un seul bloc des colonies anglaises d'Amérique. Au XVIIIe s., le traité d'Utrecht (1713) donne à l'Angleterre l'Acadie, Terre-Neuve et les Territoires de la baie d'Hudson; celui de Paris (1763) lui assure la maîtrise du Canada, de la vallée de l'Ohio et de la Louisiane orientale. Mais la perte des treize colonies d'Amérique (traité de Versailles, 1783, qui consacre l'indépendance des États-Unis) marque la fin de la première phase de la colonisation anglaise.

La seconde phase s'ouvre au tournant du XIXe s. avec l'expansion vers le Pacifique (Australie, Nouvelle-Zélande), la Méditerranée (Malte, 1800), l'Afrique du Sud (Le Cap), l'Arabie méridionale et Ceylan. Elle se poursuit tout au long du XIXe s. : en Asie, par la conquête du Pendjab (1849) et de la Birmanie (1852), et surtout en Afrique, où, à la fin du siècle, les Britanniques s'implantent au Soudan, au Kenya, en Afrique du Sud et en Afrique occidentale (Nigeria, Côte-de-l'Or). À son apogée (1918), l'Empire britannique compte plus de 32 millions de kilomètres carrés. C'est vers cette époque que la métropole accorde l'autonomie à ses colonies blanches (Canada, Australie, Nouvelle-Zélande, Afrique du Sud), dont elle finira par reconnaître l'indépendance dans le cadre du Commonwealth. Mais, en 1947, l'indépendance de l'Inde marque le début de la décolonisation. La plupart des nouveaux États issus de l'Empire souverain ont choisi de s'intégrer dans le Commonwealth*.

Empire colonial espagnol. C'est avec le premier voyage de Colomb que débute l'expansion de l'Espagne (1492, occupation d'Hispaniola). En 1494, le traité hispano-portugais de Tordesillas ouvre la voie à la pénétration des conquistadores sur le vaste continent sud-américain. L'effondrement de l'Empire aztèque (1521) permet l'expansion à travers l'Amérique centrale (1522-1581); celui de l'empire des Incas du Pérou (1532) inaugure la conquête de l'Amérique méridionale (sauf le Brésil, qui revint au Portugal). Terre de peuplement et d'exploitation, le continent sud-américain est très tôt administré sur le modèle métropolitain. Sa production (métaux précieux, produits agricoles) est soumise au régime de l'exclusif et du monopole d'exploitation.

Mais, à partir de 1780, l'indépendance des colonies américaines, les révolutions européennes et l'effondrement provisoire des Bourbons d'Espagne favorisent les mouvements d'indépendance. De 1810 à 1824, l'Espagne perd la plupart de ses colonies d'Amérique; en 1898, les États-Unis lui enlèvent les Philippines, Cuba et Porto Rico. La politique africaniste de l'Espagne (Ifni, 1860; Río de Oro, 1886; Rif, 1912) donne de maigres résultats face aux ambitions concurrentes de la France et de Grande-Bretagne, et elle débouche sur l'abandon du Rif, puis du Sahara espagnol (1976).

Empire colonial français. Du XVIIe au XXe s., la France a connu deux empires coloniaux successifs. La première phase de la colonisation débute en 1608, avec la fondation de Québec par Samuel Champlain; sous l'action de Richelieu, puis de Colbert, l'expansion se poursuit au Canada. Aux Antilles, les Français prennent le contrôle de la Martinique, de la Guadeloupe, d'Haïti; en Amérique du Nord, celui de la Louisiane, tandis qu'en Afrique est créé en 1659 Saint-Louis du Sénégal. En Asie, la Compagnie des Indes s'implante à Sūrat (1668), à Pondichéry (1701), puis sur toute la péninsule du Deccan (1741-1754). Cependant, le XVIIIe s. voit la ruine de cet empire, cédé dans sa majeure partie aux Anglais.

À la différence du premier, essentiellement américain et indien, le second empire français (1830-1958) se forme en Afrique et en Extrême-Orient. Sous Louis Philippe, les Français occupent l'Algérie et annexent plusieurs régions côtières de l'Afrique noire (Côte-d'Ivoire, Gabon). La politique d'annexion se poursuit sous le second Empire en Afrique (Sénégal) et en Extrême-Orient (Cochinchine). Mais c'est sous la IIIe République que la France lance un véritable défi à sa rivale la Grande-Bretagne, explorant systématiquement l'Afrique tropicale et l'Afrique équatoriale, et établissant son protectorat sur le Tonkin, le Cambodge et le Laos. Entre les deux guerres, l'Empire colonial français est à son apogée : peuplé de 70 millions d'habitants, il s'étend sur plus de 12 millions de kilomètres carrés et sur tous les continents extra-européens. Mais l'échec de l'assimilation et la défaite de la France (1940) contribuent largement à la formation de mouvements locaux pour l'indépendance. Commencée dès 1945, la décolonisation débouche sur l'indépendance de la quasi-totalité des anciennes colonies.

Empire colonial italien. La croissance démographique, les menaces de sous-emploi et l'émigration croissante que connaît l'Italie à la fin du XIXe s. sont sans doute les causes principales des premières revendications coloniales dont témoigne le gouvernement de Rome (Crispi*) en installant des garnisons sur les rives de la mer Rouge, à Assab (1881) et à Massaoua (1885), puis en créant les colonies d'Érythrée (1890) et de Somalie. Mais ses tentatives contre l'Éthiopie se soldent par le désastre d'Adoua (mars 1896). En 1911-12, le conflit italo-turc est motivé par les ambitions italiennes sur la Libye, que lui attribue le traité de paix d'Ouchy (1912). Si Mussolini parvient à réaliser le vieux rêve d'expansion vers l'Éthiopie, conquise en 1936 par le général Badoglio, la Seconde Guerre mondiale met fin à l'Empire colonial italien (perte de l'Éthiopie en 1941 et de la Libye en 1943; reconnaissance, en 1947, du droit à l'indépendance de la Somalie, effective en 1960).

Empire colonial néerlandais. L'originalité de la colonisation hollandaise est d'avoir été presque exclusivement conduite par deux grandes compagnies (celle des Indes orientales, créée en 1602, et celle des Indes occidentales, créée en 1621), chacune d'elles s'étant vue accorder, dans sa zone d'activité, le monopole du commerce, le droit d'occuper des territoires et de posséder à cet effet une véritable armée. Ainsi, au XVIIe s., se constitue un vaste empire englobant l'Insulinde, les colonies du Cap et de Guinée, une partie du Brésil enlevée aux Portugais et d'anciennes positions espagnoles de la mer des Antilles. Malgré bien des vicissitudes et la perte de plusieurs de ses territoires, l'Empire colonial hollandais, dont le principal élément reste l'Indonésie, se maintiendra jusqu'en 1945 (indépendance de l'Indonésie). Il se trouve maintenant limité à ses territoires des Antilles.

Empire colonial portugais. L'expansion portugaise débute dès le XVe s., le long des côtes de l'Afrique. La découverte du Brésil (1500), de la route des Indes (1487-1498) et le traité de Tordesillas (1494), qui assure au Portugal le monopole des conquêtes à venir dans l'océan Indien, jettent les bases d'un immense empire, dont la fin du XVIe s. marque l'apogée. Cet empire comprend alors une multitude d'établissements et de postes fortifiés jalonnant la route orientale des Indes (îles de Madère, des Açores, du Cap-Vert, Guinée, Angola, Delagoa, Sofala, Mozambique, Madagascar, Ormuz) ainsi que les grands comptoirs d'Asie (Diu, Cochin, Ceylan, Pegu, Malacca, Macao). Cependant, la colonisation portugaise, axée sur le commerce des épices et des métaux précieux, est caractérisée par l'absence d'une politique de peuplement et de pénétration des continents abordés (sauf pour le Brésil, le Mozambique et l'Angola); cela explique en grande partie la fragilité de l'Empire colonial portugais, qui, aux XVIIe et XVIIIe s., se trouve amputé de la plupart de ses possessions orientales au profit des Anglais et des Hollandais. En 1808, l'indépendance du Brésil fait des possessions africaines de l'Angola, du Mozambique et de la Guinée le dernier bastion colonial, qui disparaît en 1974-75 avec l'accession de l'Afrique portugaise à l'indépendance.

EMPIRE DES INDES → INDE.

EMPIRISME. — L'empirisme est d'abord une doctrine philosophique de la connaissance élaborée par Locke* et Hume*. Selon cette doctrine, les principes qui légifèrent sur la raison et l'entendement sont eux-mêmes le résultat de l'expérience dans la mesure où c'est dans le donné même de l'expérience* qu'apparaissent les conditions d'appréhension de ce donné. Cependant, si toutes nos connaissances commencent avec les sensations, elles ne s'y réduisent pas, car la nature du sujet de la connaissance, le moi, qui est soumis à des dispositions et à des désirs naturels, est pris en compte. Ainsi, la connaissance dérive d'une double perception : la perception des objets du monde réel et la perception de l'activité du moi.

Depuis Hume, l'empirisme s'est transformé : il est moins une doctrine qu'un courant philosophique. Renouvelé par J. S. Mill* et W. James*, il contribue à l'élaboration de la psychologie expérimentale (v. PSYCHOLOGIE). Concevant la vérité comme adéquation des tendances du sujet et des sensations au monde réel, il est à la source de la critique de la philosophie par le positivisme* logique.

EMPLOI. — Keynes* a placé au centre des questions économiques le problème de l'emploi, sur lequel la crise* économique, sévissant dans le monde occidental depuis 1929, attirait l'attention. La crise traversée par l'Europe occidentale, les États-Unis et le Japon en 1974-75 a de nouveau rendu aigu ce problème. À ne s'en tenir qu'à la France, la progression des demandes d'emploi non satisfaites s'est accélérée au milieu de l'année 1974, passant de 450 000 à la fin de juin à 660 000 à la fin décembre et continuant ensuite à s'accroître.

La France a mis en place au cours des récentes années une politique de l'emploi assortie d'un certain nombre d'organismes destinés à l'appliquer. Créée par l'une des « ordonnances sociales » du 13 juillet 1967, l'*Agence nationale pour l'emploi,* établissement public à caractère administratif placé sous l'autorité du ministre du Travail, constitue l'instrument d'une politique de l'emploi tracée par le ministre du Travail et l'ensemble du gouvernement; elle doit acquérir la « maîtrise du marché de l'emploi ».

Les *commissions paritaires de l'emploi,* créées par l'accord interprofessionnel sur la sécurité de l'emploi du 10 février 1969 (modifié par avenant le 21 novembre 1974), ont pour tâche de permettre l'information relative à la situation de l'emploi, d'étudier l'évolution prévisible de la situation, de faire toutes études sur les problèmes de l'emploi, etc. Elles connaissent des problèmes de licenciement collectif d'ordre économique.

Le travailleur sans emploi bénéficie des indemnités légales de chômage total (allocation d'aide publique), régime complété par un régime d'allocations complémentaires, dit « régime U. N. E. D. I. C. ». Ce régime, alimenté par les contributions des employeurs et des salariés, est géré par les A. S. S. E. D. I. C. (Associations pour l'emploi dans l'industrie et le commerce), gérées paritairement (il existe 39 A. S. S. E. D. I. C. en province et 7 dans la région parisienne), contrôlées par l'U. N. E. D. I. C. (Union nationale interprofessionnelle pour l'emploi dans l'industrie et le commerce).

Les salariés privés d'emploi à partir de l'âge de soixante ans bénéficient d'une « garantie de ressources », qui leur permet d'obtenir jusqu'à soixante-cinq ans un montant égal à 70 p. 100 du salaire de référence.

Les salariés « licenciés pour cause économique » âgés de moins de soixante ans et privés de leur emploi pour des raisons conjoncturelles ou structurelles bénéficient d'une « allocation supplémentaire d'attente ». L'aide publique, les allocations U. N. E. D. I. C. et l'allocation supplémentaire d'attente, additionnées, représentent 90 p. 100 du salaire brut (perçu au maximum pendant une année).

Emploi du temps *(l'),* roman de Michel Butor (1956). Le récit du séjour d'un employé français dans une ville anglaise : un inventaire de l'espace et du passé à travers une superposition de plus en plus complexe des moments et des itinéraires, inspirée du « dialogue entre deux temps » mené par Kierkegaard dans son « Récit de souffrances » *(Étapes sur le chemin de la vie).*

EMPLOYÉS. — Ces « cols blancs », ou « ronds de cuir » méprisés du XIXe s., sécrétés par l'État bourgeois capitaliste selon les marxistes, sont devenus l'apanage de la société de consommation. En effet, la montée de cette nouvelle catégorie sociale née du progrès économique (grands magasins, centrales d'achat, etc.), accrue par le progrès technique et scientifique, et favorisée par l'éclosion et le développement de nouveaux secteurs d'activité (informatique, marketing...), pose deux problèmes : celui de la condition d'employé et celui de savoir si l'on assiste à l'établissement d'une nouvelle classe sociale. La rationalisation des tâches ayant multiplié les activités à mi-chemin entre l'ouvrier et l'employé aux écritures, on se trouve en présence de travailleurs dont la situation matérielle et professionnelle se rapproche sensiblement de celle des ouvriers. Cela a suscité le débat, toujours ouvert, de l'appartenance sociale des employés — qui rejoint ici le problème des cadres* — : faut-il les assimiler à la classe ouvrière ou, au contraire, les considérer comme de « petits bourgeois » cherchant à s'intégrer à la classe « supérieure » en adoptant ses valeurs, ou encore admettre l'apparition d'une nouvelle classe intermédiaire moyenne avec sa propre originalité. C'est ce qui explique qu'au plan politique il soit toujours plus difficile de localiser un vote employé.

Mais, alors que le travail de bureau est un facteur de mobilité sociale ascendante en raison de sa possibilité d'intellectualisation croissante, il n'en est pas encore de même pour le travail en usine. Cette mobilité sociale se double d'une mobilité culturelle intergénération. La famille d'employés est souvent le lieu d'incompréhensions entre parents et enfants, car ces derniers, poussés aux études, vivent très tôt la contestation des modèles de conduite proposés par leurs parents.

Une autre caractéristique du monde employé est la rapide et récente féminisation du travail de bureau et de vente. Moins payées et moins promues que les hommes, les femmes voient leur travail non valorisé, car il est considéré comme un salaire d'appoint à celui du mari. C'est faire souvent abstraction de la condition de la femme, qui, pour un travail égal au travail masculin, perçoit un salaire inférieur et se trouve de surcroît obligée de faire face aux obligations ménagères et familiales. Ce problème est aujourd'hui relancé par les théoriciennes et les militantes des mouvements de libération de la femme (v. FÉMINISME).

EMPOISONNEMENT → TOXICOLOGIE.

EMPRUNT *(Dr.).* — Ce terme désigne, au sens large, tout procédé d'endettement d'un individu, d'une entreprise, d'un ménage et, au sens restreint, le procédé (opposé à l'impôt*) par lequel l'État ou une collectivité locale demande, pour une durée plus ou moins longue, aux épargnants une contribution aux charges publiques par une émission réalisée aux guichets des banques et par les soins des comptables publics.

En 1973 a été émis un grand emprunt d'État (le 7 p. 100 « Giscard ») d'un montant de 6,5 milliards de francs à *garantie de change,* parallèlement à un autre emprunt, le « 4,5 p. 100 1973 » (« Pinay-Giscard »), *lié à l'or.* En 1974, la politique d'émission d'obligations du secteur public a été beaucoup plus modeste (15 milliards de francs au lieu de 25 milliards en 73 [État et secteur public et semi-public]).

EMPRUNT *(Ling.).* — L'emprunt est le procédé par lequel une langue intègre un élément d'une autre langue. Cette intégration est le plus souvent lexicale (*camping* [angl.], *patio* [esp.]) mais elle peut aussi affecter la grammaire et le phonétisme. Quand il n'y a pas répétition de la forme du trait étranger, mais utilisation d'un élément indigène, on parle de calque *(réaliser* au sens de « comprendre » d'après l'angl. *to realize).* Un mot qui provient, par une évolution normale et inconsciente, d'une autre langue (dite langue mère) n'est pas un emprunt, mais un héritage (le français *fils* du lat. *filius*). L'emprunt peut jouer un rôle considérable dans l'évolution des langues.

EMS, fl. de l'Allemagne fédérale, longeant la frontière des Pays-Bas, tributaire de la mer du Nord; 320 km.

EMS, en romanche **Domat,** comm. de Suisse (Grisons), à l'O. de Coire; 5 701 hab. Industries chimiques.

EMS ou **BAD EMS,** v. de l'Allemagne fédérale, près de Coblence; 10 000 hab. Station thermale.

ÉNANTHÈME → ÉRUPTION.

En attendant Godot, pièce en deux actes de Samuel Beckett (1953). Sur une route de campagne, deux vagabonds, Vladimir et Estragon, attendent un certain Monsieur Godot, avec lequel ils croient avoir rendez-vous : ils apprennent qu'il ne pourra venir, mais qu'ils le rencontreront le lendemain. Le second acte répète exactement le même canevas. Les vagabonds croisent cependant un autre couple, Pozzo et Lucky, maître et esclave, qui se dégradent progressivement au cours des deux actes. Dans chaque acte également, Vladimir et Estragon tentent vainement de se suicider. Cette pièce, qui accumule les pitreries dérisoires, les gestes manqués, les lambeaux de conversation, reste une des manifestations les plus significatives du théâtre de l'absurde*.

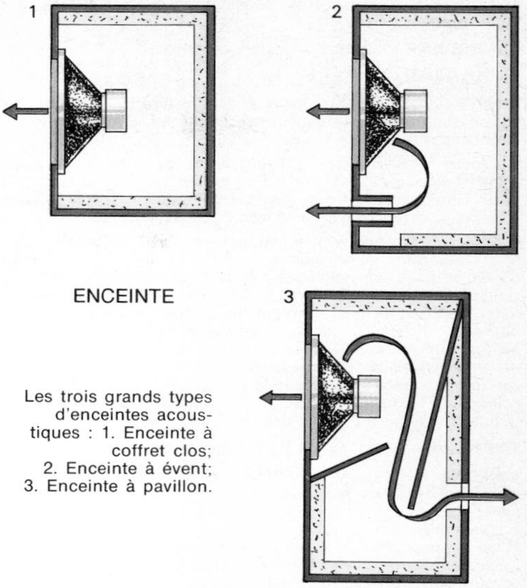

ENCEINTE

Les trois grands types d'enceintes acoustiques : 1. Enceinte à coffret clos; 2. Enceinte à évent; 3. Enceinte à pavillon.

ENCAUSSE-LES-THERMES (31160 Aspet), comm. de la Haute-Garonne, à 9 km au S. de Saint-Gaudens; 548 hab. Station thermale.

ENCEINTE ACOUSTIQUE. — Un haut-parleur* ne peut pas être utilisé seul, car la pression acoustique sur une face de la membrane vient combler la dépression de l'autre face; il faut les séparer. On utilise pour cela des baffles, des pavillons et des enceintes acoustiques. En haute fidélité, il existe trois grandes catégories d'enceintes acoustiques.

Le *coffret clos,* de petites dimensions, connaît un succès mérité à la faveur du développement des haut-parleurs à fréquence* de résonance très basse et à grande élongation de la membrane. Le coffret, tapissé de laine de verre, doit être absolument clos, sans fuite acoustique.

L'*enceinte ouverte,* à évent, dite « Bass Reflex », constitue une formule encore très répandue. On récupère l'énergie rayonnée par la face arrière de la membrane grâce à un évent frontal accordé sur une plage de fréquence. Il en résulte un rendement amélioré, mais aussi des résonances difficiles à maîtriser.

L'*enceinte à pavillon* s'accorde mal des petites dimensions et peut rarement donner une adaptation acoustique correcte dans toute la gamme des fréquences. Ce type est en nette régression.

ENCÉPHALE. — Parmi les affections multiples touchant les organes composant l'encéphale (v. NERVEUX [*système*]), l'*encéphalite* est une maladie de nature infectieuse, dont les lésions inflammatoires, non suppurées, peuvent être localisées ou disséminées, ce qui explique le polymorphisme clinique des atteintes. Dans les encéphalites primitives, l'infection responsable est strictement localisée à l'encéphale; les encéphalites secondaires peuvent accompagner une maladie infectieuse (maladie éruptive par exemple) ou être d'origine allergique, comme l'encéphalite après vaccination antivariolique.

L'*encéphalographie gazeuse* est une technique radiologique qui permet de visualiser les ventricules cérébraux, les espaces périméningés et les citernes de la base du crâne. Elle est utilisée pour le diagnostic d'affections diverses : atrophie cérébrale, tumeur cérébrale, etc.

ENCÉPHALITE, ENCÉPHALOGRAPHIE → ENCÉPHALE.

ENCINA (Juan DEL), poète et musicien espagnol (La Encina, près de Salamanque, 1468 - León 1529), auteur de poèmes dramatiques *(Eglogas),* considérés comme les œuvres les plus anciennes du théâtre profane espagnol.

ENCLOSURE. — Ce mot d'origine anglaise, désignant la clôture édifiée autour des terres des propriétaires fonciers, s'applique aussi au vaste mouvement européen qui, du XVIe au XVIIIe s., fait passer l'économie agraire du type communautaire à un type individualiste et qui provoque une refonte totale du paysage campagnard. Ce phénomène prend toute son ampleur en Angleterre, où l'on voit apparaître les *closed fields,* parcelles provenant du partage des communaux entre les riches propriétaires, qui les clôturent. Ainsi disparaît le droit de vaine pâture pour les troupeaux des paysans *(yeomen).* Ruinés, ces derniers vendent à bon prix leurs terres aux grands fermiers et constituent une main-d'œuvre à bon marché pour l'industrie naissante.

ENCOLLAGE *(Industr. du bois)* → CHARPENTE.

ENCOLLAGE *(Text.)* → TISSAGE.

ENCRE *(Industr.).* — On distingue deux catégories d'encres : les encres à écrire (en solution) et les encres d'imprimerie (en dispersion).

• L'*encre à écrire* type est constituée essentiellement d'une solution d'acide gallique*, de sulfate ferreux, d'acide tartrique* et d'un colorant soluble (encre permanente) ou d'une simple solution d'un colorant (encre non permanente et lavable).

• L'*encre d'imprimerie* contient des matières* colorantes (pigments* minéraux ou organiques, laques*), un liant (vernis* à base d'huile ou de résine synthétique) et des agents destinés à régler sa stabilité et sa viscosité. Il existe des encres pour impression* en relief (typographie* ou flexographie*), pour impression à plat (lithographie*, offset*) ou pour impression en creux (taille douce, héliogravure*). S'ajoutent des encres modernes dites *heat set* ou *moisture set,* qui sèchent par apport de chaleur ou d'humidité. Le contrôle des encres porte sur la finesse de broyage, le pouvoir colorant, la viscosité*, la vitesse de séchage ainsi que sur la tenue à la lumière et aux produits chimiques.

ENCRE *(Phytopathol.)* → PLANTES *(maladies des).*

ENCRINE. — Les fonds marins peuvent être couverts, par places, d'animaux ayant une morphologie de plantes, avec des « racines », une « tige » et des « rameaux » : ces animaux sont les *encrines,* échinodermes fixés, dont la bouche s'ouvre entre cinq bras ramifiés et qui se nourrissent de plancton (régime microphage). Les anneaux calcaires qui soutiennent les tiges d'encrines ont pu s'accumuler dans les anciennes mers au point de former une roche, le *calcaire à entroques* du trias et du jurassique.

ENCYCLIQUE. — L'encyclique n'est pas un document qui engage d'une manière infaillible l'autorité du pape; elle s'inscrit dans l'histoire de l'Église, y actualisant et y interprétant la tradition vivante. Cependant, tout en laissant intacts le libre arbitre du chrétien et sa capacité de réflexion et de discussion, elle réclame de lui une attention respectueuse, étant le plus souvent — surtout à l'époque contemporaine — le résultat d'une longue réflexion et de recherches collectives attentives aux grands problèmes posés par l'évolution des civilisations.

Encyclopédie *ou Dictionnaire raisonné des sciences, des arts et des métiers* (1751-1772). Conçue par le libraire Le Breton comme une opération de librairie, l'*Encyclopédie* devait se présenter comme la traduction de la *Cyclopaedia* de Chambers. À l'initiative du premier directeur, l'abbé De Gua de Malves, puis de Diderot (1747), elle devint un ouvrage original. La publication des 35 volumes (17 de texte, 11 de planches, 4 de supplément, 2 d'index et 1 de supplément de planches) réunit 150 collaborateurs (Voltaire, Montesquieu, Rousseau, Helvétius, Condillac, d'Holbach, Daubenton, Marmontel, Dumarsais, Quesnay, Turgot, le chevalier de Jaucourt, etc.), nécessita la collaboration de 4 libraires (Le Breton, Briasson, David, Laurent Durand) et fit vivre 1 000 ouvriers pendant vingt-cinq ans. L'entreprise répondait au besoin de connaissances modernes de la classe éclairée, c'est-à-dire possédante. Diderot et ses collaborateurs étaient moins préoccupés, à l'encontre des dictionnaires traditionnels, de traiter de l'héraldique que de la fabrication des souliers ou du commerce des grains. Les encyclopédistes appartenaient au secteur d'activité où s'élaborait le nouvel ordre économique et social : parmi les 4 000 souscripteurs, s'il n'y avait pas de négociant, on comptait des médecins, des possesseurs de revenus fonciers, des fonctionnaires des Finances et des Ponts et Chaussées. La noblesse de cour et le clergé, les jésuites tentèrent d'interdire la publication de l'ouvrage : arrêt interdisant les deux premiers volumes (1752); action du Parlement exigeant la censure des volumes parus (1759); interdiction de la poursuite de la publication (1759). Mais, grâce à des concessions de détail, à l'habileté du libraire Le Breton, grâce surtout à l'énergie de Diderot et à la compréhension de Malesherbes, directeur de la Librairie, l'*Encyclopédie,* malgré la défection de d'Alembert (1759), auteur du *Discours préliminaire,* était achevée en 1772. De 1776 à 1780, le libraire Panckoucke publia, indépendamment de Diderot, 5 volumes de supplément et les 2 volumes de la *Table analytique et raisonnée,* concernant aussi bien le supplément que l'*Encyclopédie* elle-même. Dévoilant les secrets du monde du travail et des corporations, portant le progrès économique au premier plan des préoccupations, l'*Encyclopédie,* comme en témoigne l'émerveillement de Stendhal devant son père, dévot et avare, acquérant l'ouvrage de Diderot (un volume qui avait coûté 1 000 francs aux premiers souscripteurs se vendait de 13 000 à 15 000 francs dès 1768), insinua la « philosophie » dans les esprits les plus réticents et fut rééditée, complétée ou imitée dans toute l'Europe.

EN-DEHORS. — Principe fondamental de la danse classique (ou académique), l'en-dehors est une position artificielle qui maintient les pieds anormalement ouverts sur une même ligne (angle plat de 180° pour la seconde position), les pointes tournées vers l'extérieur, les talons joints. L'articulation de la hanche ayant pivoté vers l'extérieur, toutes les élévations — avant, arrière et latérale —, limitées lorsque les pieds sont dans leur position normale de marche (c'est-à-dire parallèles), sont désormais possibles. Clé des positions* fondamentales de la danse classique, l'en-dehors permet, entre autres, des enchaînements aisés et les pas de grande et de petite batterie*.

ENDÉMIE → ÉPIDÉMIE.

ENDIVE. — Ce légume est une variété de chicorée (la witloof) dont on consomme la pousse encore blanche et resserrée. On mange celle-ci en salade ou cuite au jus.

ENDOCARDE, ENDOCARDITE → CŒUR.

ENDOCRINOLOGIE. — L'endocrinologie étudie le système des glandes à sécrétion interne, dites *endocrines* (pancréas endocrine, thyroïde, parathyroïde, glandes surrénales et génitales et hypophyse, qui contrôle les fonctions de la plupart de ces glandes). Les glandes endocrines sécrètent des hormones qui, répandues dans le sang, vont modifier à distance les organes récepteurs. La diminution ou l'augmentation de sécrétion d'une hormone entraînent des perturbations importantes (diabète, maladies d'Addison, de Basedow, etc.).

La biochimie est inséparable de l'endocrinologie pour l'analyse et la synthèse des hormones ainsi que pour la synthèse de corps voisins employés concurremment avec celles-ci dans le traitement des insuffisances hormonales.

ENDOGAMIE. — L'endogamie et son corollaire, l'exogamie, reposent sur des règles désignant les partenaires avec lesquels le mariage est prescrit. Ces partenaires peuvent ou bien faire partie du groupe (lignage, clan*) auquel l'individu appartient, et, dans ce cas, il y a endogamie, ou bien se situer à l'extérieur du groupe, et l'on parle alors d'exogamie. Les atteintes à ces règles sont plus ou moins sévèrement réprimées selon les sociétés.

ENDOGÈNE → ROCHE.

ENDOMÈTRE, ENDOMÉTRITE → UTÉRUS.

ENDORÉISME → HYDROLOGIE ET HYDROGRAPHIE.

ENDOSCOPIE. — L'examen visuel des cavités naturelles est possible grâce à l'introduction d'un tube optique, muni d'un système d'éclairage. Les endoscopies permettent aussi de faire de petites interventions (biopsie, ablation de corps étrangers). La plupart des cavités ont des endoscopes adaptés à leur conformation et donnent la possibilité de réaliser des œsophagoscopies, des bronchoscopies, des cœlioscopies, etc. Certains appareils sont flexibles grâce à l'emploi de faisceaux de fibre de verre synthétique souples (fibroscopes) : ainsi peut-on accéder à des régions jusqu'alors inaccessibles. Ces appareils flexibles sont surtout employés en gastroscopie et permettent même d'atteindre le duodénum. Les examens endoscopiques nécessitent souvent une anesthésie locale, parfois une anesthésie générale. Ils ne présentent aucun danger lorsque leurs indications et leur technique sont correctes.

ENDOSMOSE. — Lorsqu'une membrane sépare une solution du solvant pur, il s'établit un passage du solvant vers la solution, sous l'action de la pression osmotique; c'est l'*endosmose.* Il se produit souvent aussi un passage de la solution en sens inverse, l'*exosmose.* Les cloisons semi-perméables ne permettent que l'endosmose.

ENDUIT. — • Les *enduits de plâtre** sont aujourd'hui réservés exclusivement aux revêtements intérieurs. Ils se gâchent en versant le plâtre dans l'eau. D'une épaisseur qui varie de 15 à 20 mm, ils sont appliqués sur la maçonnerie* ou le béton* en deux couches. La première est en plâtre gros, la seconde en plâtre fin.

• Les *enduits au mortier** de liants hydrauliques se composent de sable et de ciment* ou de chaux* (éventuellement d'un mélange de ces deux liants dans le cas des mortiers bâtards) que l'on gâche avec de l'eau. Ils s'appliquent en trois couches. La première, relativement fluide, de quelques millimètres d'épaisseur et dosée à 600 ou 700 kg/m^3 de liant, est la *sous-couche d'accrochage* au subjectile. La deuxième, de 10 à 15 mm d'épaisseur, un peu moins dosée, mais gâchée plus « ferme » que la sous-couche, est appliquée sur cette dernière après sa prise. Enfin, la troisième, de 5 ou 6 mm d'épaisseur, est la *couche de parement,* qui est lissée, talochée, projetée à l'italienne ou lavée. En aucun cas, il ne faut appliquer en milieu humide un mortier de ciment sur un subjectile qui contient du plâtre, car ce dernier, au contact de l'eau, réagit chimiquement sur le ciment en désagrégeant l'enduit.

ENDURANCE → RÉSISTANCE DES MATÉRIAUX.

ÉNÉE, héros troyen, fils d'Anchise et d'Aphrodite (Vénus), dont Virgile a fait le sujet de son *Énéide**. Fuyant Troie qui s'abîmait dans les flammes, Énée, accompagné de son fils Ascagne (ou Iule*), aborde après un long périple à l'embouchure du Tibre : il fonde, avec l'amitié du roi Latinus, la ville de Lavinium, où il établit les pénates (dieux tutélaires) qu'il a sauvés de Troie. La légende d'Énée, peut-être apportée par les Phocéens, fut adoptée par les Étrusques puis par les Romains, qui reconnurent en Énée leur grand ancêtre. La fable troyenne procurait à Rome ses lettres de noblesse en faisant remonter sa race jusqu'aux dieux puisque Romulus était un descendant d'Énée. Le héros troyen figurait parmi les ancêtres de la gens Julia*, à laquelle appartenaient César et, par adoption, Auguste.

Énéide *(l'),* poème épique de Virgile, en douze chants. Commencé en 29 av. J.-C., le poème était inachevé lorsque Virgile mourut. Auguste s'opposa au désir du poète, qui était de détruire son œuvre, et fit publier le manuscrit. *L'Énéide* raconte l'établissement en Italie des Troyens, qui prépare la fondation de Rome. Les six premiers chants, à travers les épisodes des amours de Didon et de la descente d'Énée aux Enfers, s'inspirent de *l'Odyssée.* Les six autres se rapprochent plutôt des récits guerriers de *l'Iliade.* L'influence d'Homère, mais aussi des poètes alexandrins (Apollonios de Rhodes), est sensible dans cette célébration de l'idéal moral romain, qui apparut aussitôt aux contemporains d'Auguste comme leur grande épopée nationale. Enseignée dans les écoles dès le Iᵉʳ s. apr. J.-C., *l'Énéide* marqua de son influence la littérature du Moyen Âge (les romans antiques, Dante) et de la Renaissance (la Pléiade).

ÉNERGIE. — L'énergie revêt diverses formes : mécanique, thermique, électrique, rayonnante, chimique, qui peuvent se transformer entre elles; ainsi le frottement (énergie mécanique) provoque un dégagement de chaleur (énergie thermique). L'énergie est dite *mécanique* lorsqu'elle est fournie par le travail d'une force. Un poids placé à une certaine hauteur est une source d'énergie mécanique dite *potentielle.* Lorsque le poids tombe en chute libre, cette énergie se transforme en énergie *cinétique.* C'est le principe de conservation de l'énergie mécanique : dans tout système qui n'échange pas d'énergie avec l'extérieur, la somme de l'énergie potentielle et de l'énergie cinétique reste constante. Ce principe se généralise à toutes les formes d'énergie : l'énergie totale d'un système isolé reste constante *(conservation de l'énergie).* On ne peut créer de l'énergie, ni faire disparaître une énergie existante. On ne peut que la transformer; mais, par ses formes successives allant jusqu'à la chaleur, elle se dégrade en devenant de moins en moins apte à produire du travail mécanique *(dégradation de l'énergie);* la chaleur, en effet, ne peut se transformer intégralement en travail (principe de Carnot).

Du principe de relativité résulte qu'il y a équivalence entre masse et énergie, et tout système qui dégage de l'énergie subit une perte de masse; cette équivalence est mise en évidence dans les transformations radioactives. On peut d'ailleurs matérialiser de l'énergie rayonnante en créant des particules élémentaires, et dématérialiser ces particules en les transformant en énergie.

On appelle *énergie interne* d'un système immobile la somme de la quantité de chaleur et du travail mécanique qu'il peut fournir.

LES FORMES D'ÉNERGIE. La quantité d'énergie dont l'homme dispose pour ses besoins les plus divers est un facteur important de son degré de civilisation. Depuis le milieu du XIXᵉ s., on assiste à une demande de plus en plus grande de l'énergie, sous ses différentes formes, que l'on appelle *l'énergie primaire.* Si l'on représente par 1 la quantité d'énergie mise à la disposition de l'homme sous l'Empire romain, elle était de 3 sous Napoléon Iᵉʳ, elle est maintenant de l'ordre de 500. Jusqu'à présent, le monde couvrait ses besoins énergétiques au moyen des combustibles* dits *fossiles :* charbon, pétrole et gaz. Pour chaque pays, le total énergétique s'obtient en ajoutant ces différentes formes d'énergie, et l'on utilise comme unité de mesure soit la *tonne d'équivalent charbon* (1 tec = 8.10^6 kcal), soit la *tonne d'équivalent pétrole* (1 tep = 1,5 tec). En prenant comme unité le million de tonnes équivalent charbon (Mtec), l'homme a consommé, sur le plan mondial, 700 en 1900, dix fois plus en 1970, 9 000 en 1975 et, si l'on adopte une augmentation annuelle de 5 p. 100, on arrivera à 12 000 en 1980, à 15 000 en 1985 et à 30 000 en l'an 2000. Sur le plan national, le Français consomme un peu plus de 5 tec/an (alors que l'Américain consomme 13 tec/an), ce qui correspond à un total de 260 Mtec. On estime que la consommation individuelle en l'an 2000 sera de 10 tec/an. Pour 70 millions d'habitants, on arrivera à un total de 700 Mtec; il faudra donc trouver, d'ici à l'an 2000, 440 Mtec.

• L'*énergie éolienne,* qui utilise le vent, semble être la moins intéressante. Il faudrait en effet un millier d'éoliennes avec des pales de 30 m de diamètre, placées sur des pylônes d'une quarantaine de mètres, pour produire une énergie électrique de 1 000 MWe. Cette forme d'énergie peut servir à extraire, comme c'est très souvent le cas, l'eau des puits, bien que son développement s'accompagne de sujétions considérables d'exploitation et de nuisances (bruit).

• L'*énergie géothermique* fait appel à la chaleur issue des profondeurs de la terre, qui se transmet par conduction vers la surface de celle-ci. L'élévation de température que l'on observe quand on s'enfonce dans le sol et qui est de 1 °C pour une trentaine de mètres s'appelle le *gradient* géothermique.* La géothermie de haute énergie utilise différents types de gisements, par exemple des ressources hydrothermales à vapeur dominante comme à Larderello en Italie, ou à eau dominante comme à Cerro Prieto au Mexique. La géothermie de basse énergie offre deux possibilités, soit l'exploitation directe, c'est-à-dire la mise en œuvre des eaux chaudes pour usages domestique, agricole ou industriel, soit la production d'électricité à partir de gisements de vapeur.

• L'*énergie marémotrice* met à profit le mouvement des marées. On estime que l'on pourrait totaliser, sur le plan mondial, un potentiel énergétique de l'ordre de 60 000 à 70 000 MW. En France, l'usine marémotrice de la Rance (puissance : 240 MW; production annuelle : 550.10^6 kWh; coût 500 millions de francs) fonctionne, depuis 1969, d'une façon très satisfaisante. Aux îles Chausey, devant Granville, et aux îles Minquiers, on a calculé qu'une dépense de 20 milliards répartie sur vingt ans permettrait de construire une centrale marémotrice produisant annuellement une trentaine de milliards de kilowatts-heures; pour la même dépense, on pourrait avoir 15 à 20 tranches nucléaires de 1 000 MWe qui, fonctionnant 6 000 h/an, produiraient quatre fois plus d'électricité.

• L'*énergie nucléaire* exploite la fission* des noyaux lourds d'uranium 235 ou de plutonium 239. Cette forme d'énergie présente un certain nombre d'avantages :

ÉNERGIE

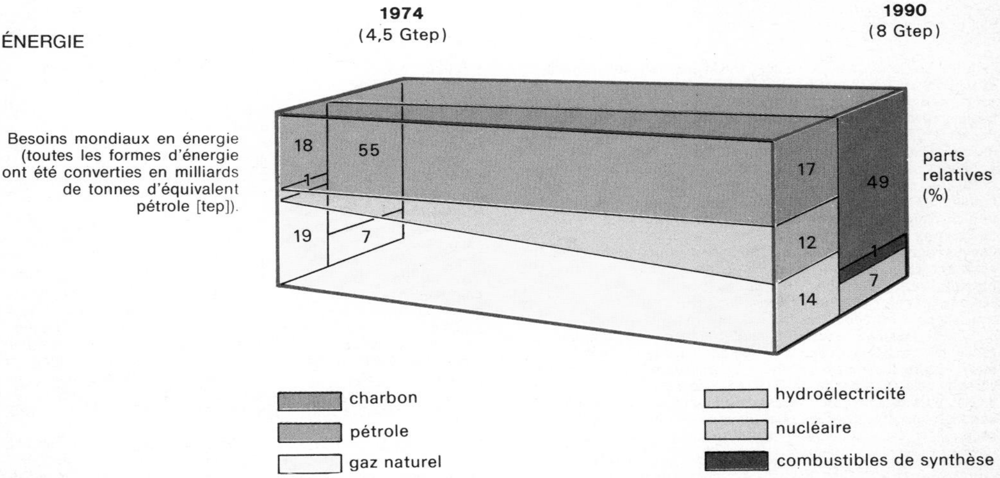

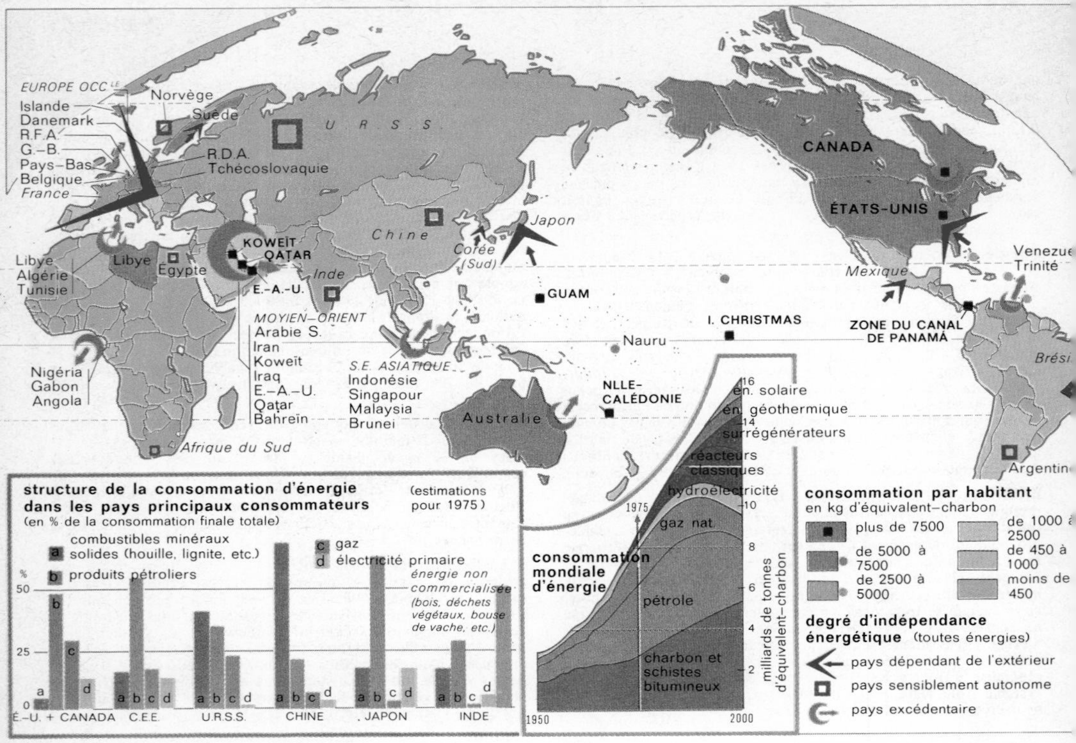

ÉNERGIE

1. Elle est fiable. Les centrales* nucléaires ont connu quelques difficultés de fonctionnement à l'origine, mais actuellement elles sont au point. La production d'électricité à partir de centrales nucléaires dans le monde avait atteint 1 022 TWh au début de l'année 1975; il y avait à cette époque 170 tranches correspondant à une puissance totale de 68 000 MWe. La France a été l'une des premières nations à produire de l'électricité d'origine nucléaire. Elle occupe actuellement le troisième rang, derrière les États-Unis et la Grande-Bretagne, et on estime que l'énergie nucléaire assurera, sur le plan national, la moitié de ses besoins avant la fin du siècle.

2. Le prix du kilowatt-heure est compétitif. Si le prix de construction des centrales nucléaires est supérieur à celui des centrales classiques, en revanche le coût de l'énergie produite exprimé en combustible* est de moitié moindre : l'économie réalisée sur le combustible compense largement le coût de construction des centrales nucléaires.

3. Elle permet une sécurité d'approvisionnement. L'uranium renferme une grande quantité d'énergie sous un faible volume. Une tonne de combustible nucléaire pour réacteurs* à eau ordinaire correspond à 80 000 t de charbon de bonne qualité.

4. Elle permet à la France d'assurer une indépendance énergétique nationale en raison des réserves importantes d'uranium dans son sous-sol.

• L'*énergie solaire* que la Terre reçoit, pendant un certain temps, représente 10 000 fois environ la consommation actuelle de l'homme dans le même temps. La quantité d'énergie sur un site dépend de la latitude de celui-ci et des conditions météorologiques qui y règnent : sous les tropiques, la quantité moyenne mesurée s'évalue à environ 2 500 kWh/m^2/an, et, dans le sud de la France, à 1 350 kWh/m^2/an. Cette énergie coûte très cher et est très difficile à capter, à concentrer et à conserver. Sa forme d'utilisation la plus intéressante semble être le chauffage domestique. Pour que cette forme d'énergie prenne un développement important, il faudrait mettre au point un procédé de stockage, soit à l'aide d'un système de photopiles, soit au moyen d'une transformation chimique intermédiaire, dans laquelle l'hydrogène pourrait intervenir. Avec un système de photopiles au silicium* (rendement de 10 à 12 p. 100) ou au cadmium* (rendement de 5 à 6 p. 100), la surface de captage est très importante : pour produire la même quantité d'énergie qu'une tranche nucléaire de 1 000 MWe, il faut pouvoir disposer d'une superficie de 3 000 à 6 000 ha. À court terme, la fourniture énergétique ne peut être assurée que par la fission nucléaire; à moyen terme, les énergies dites « nouvelles » pourront apporter une solution; enfin, à long terme, on peut avoir quelques espérances sur la fusion* nucléaire.

LA PRODUCTION. Le charbon (lignite et surtout houille), largement prépondérant au début du siècle, a perdu sa primauté au milieu des années 60. Le pétrole est aujourd'hui de loin la première source d'énergie, dont il représente plus de 40 p. 100 de la production globale, précédant le charbon (30 p. 100) et le gaz naturel, dont la progression récente a été rapide (25 p. 100). Les hydrocarbures (pétrole et gaz naturel) assurent donc un peu plus des deux tiers de la production totale. À l'échelle mondiale, l'apport de l'électricité primaire, c'est-à-dire d'origine hydraulique et nucléaire, est encore marginal.

On distingue traditionnellement l'*énergie primaire,* c'est-à-dire consommée en l'état, regroupant la totalité des combustibles minéraux fossiles (charbon, pétrole et gaz naturel) et l'électricité primaire, et l'*énergie secondaire,* résultant d'une transformation physique d'une source d'énergie primaire, englobant essentiellement la thermoélectricité classique et surtout les produits pétroliers raffinés, accessoirement les gaz de haut fourneau et de cokerie. La production énergétique globale est la somme de l'énergie secondaire et de la partie de l'énergie primaire directement utilisée.

La production énergétique globale est considérée comme un bon critère de la puissance économique d'un pays. On comprend alors que les États-Unis assurent plus du quart de la production mondiale d'énergie, et l'U. R. S. S., plus d'un huitième. Derrière ces géants viennent dans l'ordre : le Japon, l'Allemagne fédérale, la Grande-Bretagne, le Canada, la France, c'est-à-dire tous les grands États industrialisés. Par habitant existent des inégalités marquées de niveau de consommation : celui-ci dépasse 10 tec par an aux États-Unis, oscille autour de 5 tec dans la majeure partie des États d'Europe (pays socialistes inclus), il est en revanche inférieur à 1 tec dans la majeure partie des pays d'Asie et même à 0,1 tec dans de nombreux pays de l'Afrique tropicale.

En réalité, le niveau de la consommation a souvent peu de rapport avec celui de la production primaire, qui mesure le degré d'indépendance ou de dépendance énergétique d'un État, notion dont l'importance a été révélée par la crise pétrolière de 1973. Seuls des pays cités, l'U. R. S. S. et le Canada possèdent un bilan énergétique équilibré, c'est-à-dire que leur production primaire peut satisfaire leurs besoins. Aux États-Unis, la consommation s'est récemment accrue plus rapidement que la production primaire, mais la dépendance est encore limitée et beaucoup moins grande que dans la majeure partie des États de l'Europe occidentale (France et Italie notamment) ou au Japon.

La crise pétrolière a provoqué un regain d'intérêt pour le charbon (notamment aux États-Unis) et, surtout, a stimulé, au moins localement, le développement de l'électricité nucléaire (France), mais la prépondérance des hydrocarbures est aujourd'hui bien établie. Partout en Europe occidentale, même dans les grands pays houillers que sont l'Allemagne fédérale et la Grande-Bretagne, ils assurent nettement plus de la moitié des besoins énergétiques. Il en est de même au Japon. Connaissant l'importance vitale dans l'économie et le niveau de vie individuel du secteur de l'énergie, on conçoit l'inquiétude née d'une trop grande dépendance extérieure dans ce domaine, le surcroît de charge financière (déséquilibre de la balance commerciale) qu'elle peut imposer.

ÉNERGIE PSYCHIQUE → LIBIDO.

ENESCO ou **ENESCU** (George), compositeur et violoniste roumain (Liveni, près de Dorohoi, 1881 - Paris 1955), auteur de l'opéra *Œdipe* (1914-1936), de symphonies et de sonates pour violon. Il fut également pianiste et chef d'orchestre de renom.

ENFANT. — Au Moyen Âge et à l'époque classique, l'enfant, considéré comme un adulte en miniature, apprenait la vie directement au contact des «grandes personnes». L'enfance est une découverte du XXe s., ainsi qu'en témoigne la multiplication des sciences et des spécialistes qui la concernent. Deux événements apparaissent comme décisifs dans ce domaine : d'une part, le test de Binet et Simon (1908), qui, destiné à dépister les enfants inaptes à recevoir l'enseignement élémentaire, a ouvert la voie aux recherches sur le développement de l'enfant, et, d'autre part, la découverte de l'importance de la sexualité infantile par S. Freud* (1905). Notre société fait des enfants des objets hautement valorisés destinés à venir compenser les frustrations qu'elle impose aux adultes.

Le nouveau-né est sous la dépendance absolue d'autrui, sa mère le plus souvent, pour satisfaire ses besoins vitaux. Son équipement neurologique est encore très incomplet : seules la bouche et les lèvres peuvent répondre à une stimulation par un comportement utile à la survie; de plus, elles lui procurent une sensation de plaisir proche de l'orgasme, dans laquelle S. Freud voit la première manifestation de la sexualité infantile (stade oral). Le visage humain est le premier objet que l'enfant individualise dans l'univers chaotique qui l'entoure; dès le troisième mois, il lui sourit, le suit des yeux lorsqu'il se déplace. Premiers et seuls moyens d'échange, les émotions* sont organisées en un langage infraverbal que le nourrisson utilise pour amener les autres à effectuer ce qu'il est encore incapable de faire lui-même.

Au cours du deuxième semestre, l'enfant reconnaît sa mère entre toutes les personnes de son entourage et en manifeste sa satisfaction, alors qu'en présence d'étrangers il a peur et il pleure (c'est l'angoisse des 8 mois, de R. Spitz*).

De 1 an à 3 ans, l'essentiel de l'activité de l'enfant est tourné vers l'exploration active de l'univers au moyen de la marche et de la manipulation des objets. La recherche d'un objet caché, l'utilisation d'un instrument pour en atteindre un autre hors de sa portée sont des manifestations d'une intelligence* pratique que l'on retrouve également chez les singes supérieurs; cependant, la faculté de faire semblant (dans laquelle J. Piaget* voit une manifestation de la fonction symbolique) les distingue. L'enfant faisant comme s'il dormait en suçant le coin de son oreiller montre par là qu'il différencie acte réel et acte simulé. Le langage* est une autre acquisition fondamentale au cours de la deuxième année. L'enfant de 18 mois ne dispose que d'une vingtaine de mots différents, et à 20 mois d'environ cent mots : ce sont des mots-phrases, que l'on ne peut comprendre qu'à partir du contexte d'émission. L'apparition du «non» est capitale, car elle suppose que l'enfant est désormais capable de simplifier son refus par un symbole, et ainsi de s'affirmer en tant que distinct des autres.

L'acquisition de la propreté, que les parents cherchent en général à obtenir à l'époque de la marche, est un moment crucial dans l'éducation. L'essentiel des relations de l'enfant avec les adultes passe par le langage des excréments et son activité est centrée sur sa zone anale (c'est le stade anal des psychanalystes).

Vers l'âge de 3 ans l'enfant traverse une crise d'opposition, «crise des 3 ans», selon H. Wallon*, au cours de laquelle il contredit et affronte son entourage pour imposer son autonomie. Sur le plan du langage elle se traduit par l'utilisation du *je* et du *mien* opposés au *tu* et au *tien*. La prise de conscience de son propre sexe est un moment important dans cette prise de conscience de soi.

De la quatrième à la sixième année s'éveille un grand intérêt pour les questions sexuelles. Les questions incessantes sur le pourquoi et le comment de toute chose sont des substituts de questions plus directes sur la sexualité. Les psychanalystes appellent cette période phase phallique pour montrer l'importance qu'acquièrent le gland ou le clitoris. Désormais la sexualité du petit garçon et de la petite fille diffèrent complètement, ainsi qu'en témoigne le destin différent du complexe d'Œdipe* chez l'un et chez l'autre.

À partir de 6 ans, la vie de l'enfant est bouleversée : il doit prendre conscience de ce que la société exige de lui pour l'admettre dans son sein. Lecture*, orthographe*, écriture, calcul sont les premiers impératifs sociaux auxquels il doit se soumettre. Ces apprentissages sont facilités par une diminution relative des intérêts sexuels (phase de latence des psychanalystes). Se dégageant de ses racines affectives, la pensée de l'enfant peut alors opérer sur des signes et des symboles abstraits, permettant une connaissance relativement objective du monde. Sur le plan affectif, l'école représente la première séparation réelle d'avec un milieu protégé, la famille, et la nécessité de s'intégrer à un nouveau groupe, celui des enfants du même âge.

Bien que l'évolution ne soit pas terminée au moment de l'entrée dans l'adolescence*, les grandes lignes en sont très précocement fixées dans les quatre ou cinq premières années de la vie.

ENFANT *(Dr.)* → FILIATION.

ENFANTIN (Barthélemy Prosper), dit **le Père Enfantin,** utopiste français (Paris 1796 - *id.* 1864). Polytechnicien, il est gagné au saint-simonisme. En 1828, il transforme, avec Bazard*, le mouvement en Église. La communauté modèle qu'il crée à Ménilmontant ayant été dissoute (1832), Enfantin s'oriente vers les activités industrielles et les grands travaux (Suez, Chemin de fer de Lyon).

Enfants du paradis *(les),* film français de Marcel Carné (1944). À travers la rivalité de deux hommes : l'acteur Frédérick Lemaître (Pierre Brasseur), un extraverti hâbleur, et le mime Deburau (Jean-Louis Barrault), un doux rêveur, qui convoitent la même femme, la belle et mystérieuse Garance (Arletty), le film est une saisissante évocation des années 1840 à Paris, sur le boulevard du Crime. La mise en scène pittoresque et habile de Carné est admirablement épaulée par les dialogues pétillants et caustiques de Jacques Prévert et l'excellence de l'interprétation. Ce film qui entendait étudier les rapports de la vie et du théâtre en recréant l'ambiance mythologique d'une époque romantique et romanesque fut entrepris sous l'occupation allemande et projeté seulement après la Libération. Il marqua le renouveau du cinéma français et fut sans conteste la réussite la plus populaire de l'équipe Carné-Prévert.

Les Enfants du paradis (1945), de Marcel Carné.

Pathe (coll. J.-L. Passek)

ENFER. — La cosmographie antique divisait le monde en trois étages : le disque terrestre, au-dessus la voûte des cieux, et au-dessous le séjour des morts (d'où le nom d'*enfer,* du lat. *inferus,* ce qui est au-dessous); un voyage au séjour des morts est donc «une descente aux enfers» (Virgile, Dante).

Dans les mythes antiques, les âmes désincarnées des morts habitent, sous forme d'ombres, dans une région souterraine où elles mènent une existence qui n'est qu'une répétition appauvrie de la vie terrestre. Peu à peu, en relation avec la notion de châtiment et de rétribution, la conception de l'autre monde se précise et se dédouble en enfer et en paradis : l'enfer, royaume de l'ombre, reste dans les profondeurs de la terre; le paradis, lié à l'idée de lumière, est situé dans la sphère céleste. Cette représentation dualiste — enfer et paradis, châtiment et rétribution — a son origine dans le désir de justice que l'être humain porte en lui; ce qui est objet d'incompréhension ou de refus, c'est l'éternité du châtiment, l'enfer éternel, et cette protestation s'élève au nom de la constante aspiration de l'humanité au salut universel.

ENFIELD, v. de Grande-Bretagne, dans la banlieue nord de Londres; 265 000 hab.

ENGADINE, partie suisse (Grisons) de la vallée alpine de l'Inn. Tourisme.

ENGAGEMENT. — Le débat sur l'*engagement* de l'écrivain, abondamment nourri par ses contempteurs divers (J. Benda, *la Trahison des clercs,* 1927; B. Péret, *le Déshonneur des poètes,* 1945) et ses tenants non moins passionnés (Jean-Paul Sartre, *Qu'est-ce que la littérature?,* 1947), est moins simple que ne le laisse supposer l'opposition traditionnelle : « art* pour l'art » ou choix politique. En effet, ou le contenu politique fait partie intégrante de la vision de l'écrivain, et donc de ses modes d'expression, ou l'écrivain « s'engage » avec plus ou moins de prudence ou de résolution dans un domaine qui n'est pas originellement le sien, et pénètre alors dans un univers modelé par des événements et des idéologies qui ne relèvent pas entièrement de la nécessité intérieure de son écriture : dans ce cas, poète parnassien et intellectuel de gauche disent tous les deux la même chose, à savoir la séparation de la vie et de l'imaginaire. Et si l'écrivain a besoin de signer des manifestes et des pétitions, c'est que son écriture « professionnelle » n'est pas vraiment un acte, ou que cet acte lui échappe, et qu'il doit corriger sa pratique par sa théorie, ou inversement : ainsi l'exemple fameux de Balzac, qui prétend écrire « à la lumière de deux vérités éternelles, la Monarchie et la Religion » (il quête les suffrages légitimistes) et qui appartient par son œuvre « à la forte race des écrivains révolutionnaires » (écrivant *les Chouans* en pleine Restauration, il arrive à faire du commandant républicain le personnage sympathique!). En revanche, Byron s'engageant aux côtés des insurgés grecs ne fait que confirmer la révolte qui court par toute son œuvre. L'engagement de l'écrivain est d'ailleurs compris le plus souvent comme un *engagement contre* un pouvoir dont on conteste la nature et les modalités; mais c'est oublier l'allégeance réclamée et obtenue des artistes — à quelques rares exceptions près — par la France de Louis XIV comme par la Russie soviétique ou la Chine de la « révolution culturelle ». S'engager, c'est alors « donner des gages » ou « être aux gages », seule attitude que, depuis Platon, toute « république » (c'est-à-dire tout pouvoir organisé) peut tolérer du poète, quand elle ne le bannit pas sur sa seule qualité. La manière la plus féconde de poser le problème de l'engagement est peut-être d'y voir l'établissement d'un nouveau rapport entre l'auteur et le lecteur, entre l'écrivain et la communauté à laquelle il appartient et qui le reçoit. Entre l'écrivain-mage et prophète, selon une conception romantique toujours vivante, et l'écrivain qui se dissout dans un collectif populaire (les écrivains prolétariens chinois, mais déjà Lautréamont : « la poésie doit être faite par tous, non par un »), l'écrivain engagé marque une étape intermédiaire : acteur encore privilégié, à l'écoute de ses propres pulsions, mais qui prête l'oreille aux désirs des autres, et qui, consciemment, cherche à ces deux aventures la note et le rythme communs.

ENGEL (Ernst), statisticien allemand (Dresde 1821 - Oberlössnitz, Radebeul, près de Dresde, 1896). À partir d'observations sur des budgets belges, il étudia les variations de la demande* en fonction du revenu*, nota la diminution relative des dépenses d'alimentation au fur et à mesure qu'augmente le revenu, la stabilité du pourcentage des dépenses d'habillement et des dépenses de logement, l'augmentation du poste « dépenses diverses » en fonction de l'accroissement du revenu.

ENGELBERG, comm. de Suisse (cant. d'Untervald), au pied du Titlis; 2 841 hab. Station de sports d'hiver (alt. 1 050-3 020 m).

ENGELBREKT ENGELBREKTSSON, héros de la libération suédoise (v. 1390 - lac Hjälmar 1436). En 1434, ce noble dalécarlien prit la tête de la révolte suédoise contre l'autoritarisme du roi danois Erik XIII. Il convoqua en 1435 une assemblée de nobles, d'ecclésiastiques et de roturiers qui le désigna comme régent, mais il fut assassiné l'année suivante.

ENGELS, v. de l'U. R. S. S. (R. S. F. S. de Russie), sur la Volga; 130 000 hab.

ENGELS (Friedrich), militant et théoricien socialiste allemand (Barmen 1820 - Londres 1895). Étudiant en philosophie, il participe aux réunions des hégéliens de gauche (v. HÉGÉLIANISME) qui visent « la destruction de la religion traditionnelle et de l'État existant », c'est-à-dire l'État féodal prussien. En 1842, il part travailler dans une filature que son père possède à Manchester. Il y fait la connaissance de nombreux militants ouvriers et mène une enquête sur les effets du capitalisme sur le prolétariat anglais *(la Situation* de la classe laborieuse en Angleterre).* De passage à Paris en 1844, Engels rencontre Marx* et se lie d'amitié avec lui dans les tâches militantes, qui les conduisent tous deux à tisser des liens de plus en plus profonds avec les organisations ouvrières de Paris et de Bruxelles. Ils rédigent ensemble *la Sainte Famille* (1845), *l'Idéologie allemande* (1845-46) et le *Manifeste* du parti communiste.* Engels participe au congrès de la Ligue des justes, qui se transforme en Ligue des communistes en juin 1847 à Londres. L'année suivante, il prend part à l'insurrection allemande, dont il interprétera l'échec dans *Révolution et contre-révolution en Allemagne* (1851-52). De retour à Manchester, il dirige la filature de l'entreprise Ermen et Engels et entretient Marx et sa famille, qui, fuyant les polices du continent, émigrent à Londres et y vivent dans la misère. Cette expérience quotidienne du monde du travail lui permet d'analyser en profondeur les formes de développement du mode de production capitaliste*. Ses résultats seront utilisés par Marx dans *le Capital**, dont Engels publiera les livres II et III. Dans les préfaces de ces livres, Engels fait œuvre d'historien des sciences en montrant l'immense révolution théorique opérée par Marx. Auparavant, Engels a publié des articles sur la situation des partis ouvriers, la question paysanne et les guerres de colonisation. Sa contribution à la *New American Cyclopaedia* à propos des guerres en fait un continuateur de Clausewitz* et un précurseur de Lénine* et de Mao Tsö-tong*. Il écrit alors *l'Anti-Dühring** et *la Dialectique de la nature* (1873-1883), puis il publie, en 1884, *l'Origine de la famille, de la propriété et de l'État,* dans laquelle il montre les relations déterminantes qu'exercent les rapports* de production sur les formes de la parenté.

Friedrich Engels.

Tous les écrits d'Engels sont le reflet d'une pratique militante ininterrompue. Il a contribué à la fondation de la Ire Internationale, à la formation des partis socialistes français et allemand (*Critique des programmes de Gotha et d'Erfurt,* en collab. avec Marx, 1875) et, ainsi, à la naissance de la IIe Internationale.

ENGHIEN, en néerl. **Edingen,** v. de Belgique (Hainaut), au N. de Soignies; 4 115 hab. Églises (XIVe-XVIIe s.) abritant des œuvres d'art.

ENGHIEN (*duc* D') → CONDÉ.

ENGHIEN-LES-BAINS (95880), ch.-l. de cant. du Val-d'Oise, à 8,5 km au N. de Paris; 10 713 hab. Station thermale aux eaux froides sulfureuses, utilisées dans le traitement des affections respiratoires et dermatologiques. Casino.

ENGOULEVENT. — Voisin du martinet, l'engoulevent doit son nom à sa bouche largement ouverte pendant le vol en vue de gober les moucherons. C'est le seul de tous les oiseaux qui présente le phénomène d'hibernation*, c'est-à-dire de sommeil hivernal avec abaissement de la température centrale.

ENGRAIS. — Incorporés au sol, les engrais participent à l'alimentation des végétaux en complétant ce que le sol offre aux racines de par sa composition propre, d'une part, en compensant ce que les récoltes exportent, d'autre part.

Les engrais sont soit organiques, soit minéraux.

Les engrais organiques comportent :

— les engrais verts, végétaux cultivés sur le sol même auquel ils vont être incorporés, aux fins d'amélioration et de fermentation;

— les engrais organiques proprement dits, à base de résidus organiques divers, provenant soit de l'exploitation agricole (fumier, purin), soit des industries agricoles (drêches de brasserie, pulpes de sucrerie, tourteaux, tourteaux d'oléagineux, résidus d'équarrissage, sang desséché, etc.), ou bien encore des résidus des villes (ordures ménagères à l'état brut [gadoues vertes] ou à l'état fermenté [composts], boues d'égouts, vidanges).

Les engrais organiques jouent un rôle indispensable pour l'entretien de la vie microbienne dans le sol, auquel s'ajoute un rôle chimique de restitution à la terre d'une partie de ce que les végétaux en avaient soustrait.

Les engrais minéraux (azotés, phosphatés, potassiques) représentent un apport complémentaire dû à l'initiative industrielle ou minière, afin de faire face aux besoins principaux des récoltes en éléments fertilisants.

À côté de ces engrais « classiques », il faut citer le soufre et un certain nombre d'oligo-éléments (bore, chlore, fer, cuivre, zinc, manganèse, molybdène, etc.) dont l'insuffisance dans le sol se manifeste par les maladies dites « de carence ».

ENGRENAGE. — L'engrenage est utilisé pour transmettre un mouvement, généralement de rotation, entre deux arbres dont les positions relatives sont invariables. Le rapport des vitesses de rotation de ces deux arbres, appelé *rapport de transmission,* est constant et inversement proportionnel au nombre de dents de chacune des deux roues de l'engrenage. Les deux éléments d'un engrenage sont appelés *roues d'engrenage,* ou encore *roues,* quelquefois et improprement *engrenages.* La roue solidaire de l'arbre moteur est la *roue menante,* l'autre, solidaire de l'arbre conduit, est la *roue menée.* La plus petite des roues d'un engrenage porte le nom de *pignon.* Lorsque les axes des arbres solidaires des deux roues de l'engrenage sont parallèles, celui-ci est appelé *engrenage cylindrique.* Il est dit *extérieur* lorsque les arbres tournent en sens opposés, *intérieur* dans le cas contraire. Les surfaces qui viennent au contact des dents d'un engrenage, appelées *flancs actifs,* sont des surfaces mathématiquement conjuguées. Elles ont même plan tangent commun et, dans chaque section droite perpendiculaire aux deux axes, la normale commune passe par le centre instantané de rotation qui est fixe.

Le *profil* est la section du flanc actif des dents. Les engrenages utilisés dans l'industrie ont soit des *profils épi- et hypocycloïdaux,* soit des *profils en développante de cercle.* Les premiers, utilisés en horlogerie et dans les appareils de mesure, ne peuvent transmettre que des couples très faibles. Dans l'industrie mécanique (automobile, machines-outils), les engrenages employés sont presque

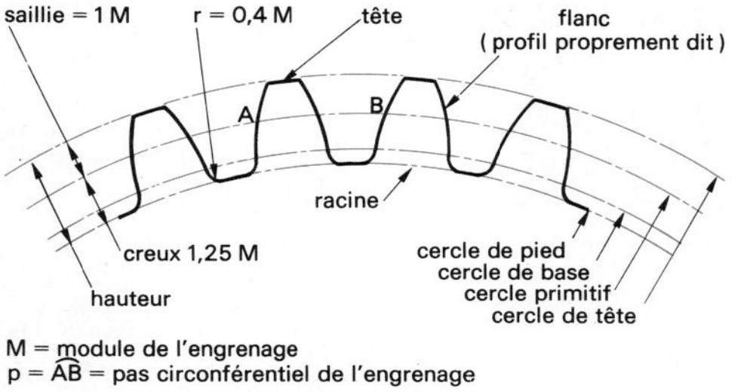

Terminologie normalisée des engrenages à profil en développante de cercle.

toujours à profils en développante de cercle, notamment à cause de leur plus grande robustesse. Le *module,* qui caractérise la dimension des dents d'un engrenage, est égal au quotient du diamètre du cercle primitif par le nombre de dents. Des roues d'engrenages cylindriques à profils en développante de cercle, de même module, engrènent correctement entre elles à condition que le nombre de dents ne soit pas inférieur à une certaine limite qui, suivant les cas, varie de 17 à 14. Ces roues sont entièrement définies par leur module, le nombre de dents et la largeur des roues. Le diamètre primitif est égal au produit du module par le nombre de dents. La hauteur de la dent est égale à 2,25 fois le module. Le rendement de ces engrenages est excellent, avoisinant 0,98. La forme de l'ensemble des dents d'un engrenage est appelée *denture.* Lorsque les dents sont cylindriques à génératrice parallèle à l'axe de rotation, l'engrenage est dit à *denture droite.* Lorsque ces dents ont la forme d'une hélice ayant pour axe celui de la roue, l'engrenage est dit à *denture hélicoïdale.* Les engrenages à *denture en chevrons* ont la forme de deux engrenages hélicoïdaux, de pas contraire, accolés, afin d'annuler l'effort axial dû à l'inclinaison de la résultante des forces transmises dans la zone de contact. Les *engrenages coniques* sont utilisés pour transmettre un mouvement entre deux arbres d'axes concourants. Les *engrenages gauches* servent à transmettre un mouvement entre deux arbres d'axes quelconques, non concourants. Les plus utilisés sont les engrenages du type vis + roue, à axes perpendiculaires, non concourants, employés pour obtenir de très grands rapports de transmission dans un encombrement réduit.

La *crémaillère* est un segment d'engrenage dont l'axe de rotation est à l'infini.

ENHARMONIE, ENHARMONIQUES *(notes)* → TEMPÉRAMENT.

Enigma Variations, ballet en un acte, chorégraphie de Frederick Ashton, musique d'Edward Elgar, décors et costumes de Julia Trevelyan Oman, créé à Londres, Covent Garden, par le Royal Ballet. À l'aide d'une série de quinze variations — qui apporte enfin le succès (1899) à leur auteur, Elgar —, le chorégraphe, dans un style original, avec un vocabulaire dépouillé, brosse le portrait des proches de l'artiste et dégage dans des scènes de la vie quotidienne les rapports existant entre eux, le compositeur et son œuvre.

Enlèvement au sérail *(l'),* singspiel en trois actes, livret de S. Le Jeune d'après Bretzner, musique de W. A. Mozart (1782). Plus qu'un simple divertissement, cette turquerie pénètre musicalement la psychologie de chaque personnage.

ENNA, v. d'Italie, ch.-l. de prov. dans le centre de la Sicile; 29 000 hab. Restes du château, dans un site magnifique. Cathédrale des XIVe-XVIe s. Hydrocarbures.

Ennéades *(les),* titre sous lequel Porphyre a publié les œuvres de Plotin. Composé de six parties, l'ouvrage traite successivement de la morale, du monde, de l'âme, de l'intelligence et de l'Un, ou intelligence universelle, qui existe en et par elle-même.

ENNEZAT (63720), ch.-l. de cant. du Puy-de-Dôme, à 9 km à l'E. de Riom; 1 344 hab. Église typique du roman auvergnat (fin XIe s.), avec chœur du XIIIe s. et peintures du XVe.

ENNIUS (Quintus), poète latin (Rudiae, Calabre, 239-Rome 169 av. J.-C.), d'origine grecque, auteur de poésies *(Saturae)* philosophiques et morales et d'*Annales* en vers qui racontaient l'histoire de Rome.

ENNS, riv. des Alpes autrichiennes, affl. du Danube (r. dr.); 225 km.

ÉNOCH → HÉNOCH.

Enoch Arden, poème d'A. Tennyson (1864). Un marin porté disparu revient chez lui, trouve sa femme remariée et heureuse, et s'éloigne sans se faire reconnaître.

ÉNONCIATION. — L'énonciation désigne l'acte d'utilisation de la langue par un locuteur particulier, dans des circonstances spatiales et temporelles données; on appelle « énoncé » le résultat de cet acte. L'analyse des énoncés (forme de l'analyse de discours*) consiste à étudier les éléments du code linguistique dont le sens varie d'une énonciation à l'autre. Ces éléments, appelés « embrayeurs » par R. Jakobson (ils « embrayent » le message sur la situation linguistique), sont certains pronoms personnels *(je, tu),* certains adverbes *(ici, maintenant),* le mode, le temps, la personne, etc.

ENQUÊTE *(Dr.).* — C'est la procédure grâce à laquelle est administrée en justice la *preuve par témoins.* Le décret du 17 décembre 1973, dans le cadre de la réforme de la procédure* civile, a remanié le régime de l'enquête. Celle-ci peut être réclamée par l'une ou l'autre des parties, ou ordonnée d'office par le juge; la décision ordonnant l'enquête doit mentionner les faits sur lesquels elle devra porter, le nom des personnes dont est réclamée l'audition, le jour et l'heure de cette audition, la formation de jugement devant laquelle cette audition sera assurée.

Les témoins déclarent leur identité et prêtent serment de dire la vérité. Ils font leur déposition en présence des parties, et le juge peut les interroger sur tous les faits dont la preuve est admise par la loi. Un procès-verbal d'enquête est rédigé.

En matière pénale, l'*enquête de police judiciaire* représente l'ensemble des moyens mis en œuvre par la police judiciaire sous la direction du parquet pour constater une infraction, en réunir les preuves et en découvrir les auteurs.

ENQUÊTE *(Sociol.).* — Née aux États-Unis dans les années 30, l'enquête sociologique a connu un développement spectaculaire, favorisé par l'essor des enquêtes par sondages (création de l'Institut Gallup aux États-Unis dès 1935, de l'I. F. O. P. en France en 1938) et des mesures quantitatives des attitudes*. C'est à Lazarsfeld* que l'on doit la première codification des règles de l'analyse rigoureuse des observations collectées auprès des individus et des groupes. L'enquête a recours à différentes techniques (observation, expérimentation, entretien), parmi lesquelles l'*enquête par sondages* mérite une attention particulière. Celle-ci est le procédé le plus couramment utilisé aujourd'hui pour appréhender méthodiquement l'opinion ou le comportement d'une population sur un problème particulier (politique, économique, religieux, sexuel, culturel...). Les sondages d'opinion combinent deux techniques : le *questionnaire** écrit ou oral — dans ce dernier cas, il s'agit d'*interview* unique ou répétée (v. PANEL), ou d'*entretien* entre l'enquêteur et l'enquêté —, qui aboutit à une *standardisation* des informations recueillies; l'*échantillonnage**, qui permet d'obtenir la *représentativité* de ces informations. Le traitement des observations s'effectue alors au moyen d'un codage. On a ainsi une présentation quantifiée et une analyse statistique des résultats.

L'intérêt de ce procédé est d'obtenir rapidement et à peu de frais une représentation des opinions et des comportements de grandes populations à un moment donné. Inversement, on lui reproche son caractère statique et surtout la non-représentativité des « extrêmes » de la hiérarchie sociale ou des minorités marginales.

L'enquête par sondages s'est vu attribuer une importance démesurée, notamment en période électorale. En France, certains hommes politiques ont demandé l'interdiction de la publication de sondages avant une élection; cette revendication n'a pas été satisfaite car ce n'est pas le sondage qui fait l'opinion. (V. OPINION PUBLIQUE et SONDAGE.)

ENRAGÉS. — C'est le nom que l'on a donné à un parti de révolutionnaires extrémistes qui préconisaient des mesures radicales en faveur des pauvres et dont les chefs furent, à Paris, l'ancien vicaire Jacques Roux et le commis des postes Varlet. Ils furent éliminés à l'automne de 1793, mais leur relève fut assurée par les hébertistes (v. HÉBERT [*Jacques*]).

ENREGISTREMENT *(Électroacoust.).* — L'enregistrement des sons et des images est extrêmement développé; il permet de constituer la majeure partie des programmes de distraction, de documentation et d'enseignement.

• L'*enregistrement des sons,* ou phonogramme, est effectué sur disque* ou sur bande* magnétique. La France produit environ 100 millions de disques par an. Les bandes magnétiques peuvent être vendues soit enregistrées, principalement sous la forme de cassettes*, soit vierges et permettant une grande souplesse d'utilisation : enregistrements professionnels effectués par la radiodiffusion, la presse, les organismes d'enseignement, etc., enregistrements d'amateurs, événements familiaux, accompagnement de films ou de photographies de vacances, soirées dansantes, souvenirs divers, etc.

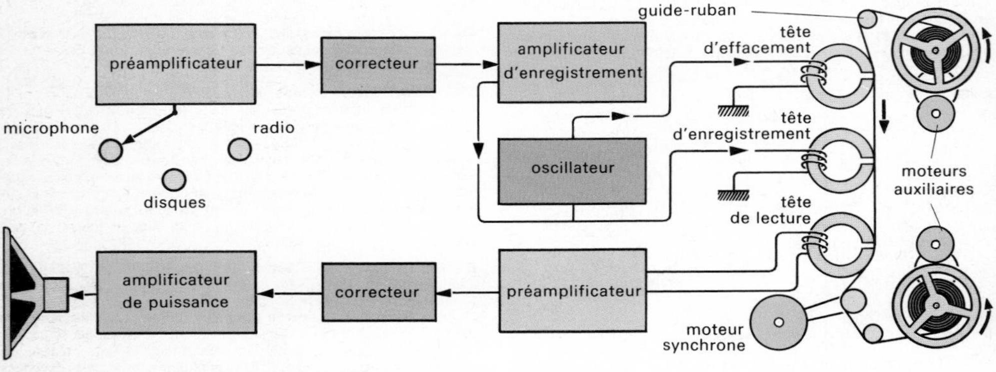

Éléments constitutifs d'un appareil d'enregistrement magnétique à haute fidélité.

• L'*enregistrement des images,* ou vidéogramme, est réalisé principalement sur bande magnétique par des professionnels pour les besoins de la télévision* et de l'enseignement. Les vidéocassettes* ne sont pas encore très répandues.

ENREGISTREMENT *(Inform.).* — Les informations* stockées sur les mémoires* auxiliaires d'un ordinateur*, disques* ou bandes* magnétiques, sont organisées en enregistrements.

• Un *enregistrement physique* est un ensemble d'informations constituant une unité pour leur stockage ou pour leur transmission. La quantité d'information qu'il regroupe, pratiquement un certain nombre de caractères, est définie par des considérations technologiques : structure de la mémoire, fiabilité des transferts, capacité des zones de mémoire tampon pour l'émission ou la réception, etc. Un enregistrement physique est repéré par sa position par rapport à la tête de lecture sur une bande magnétique; il possède une adresse sur un disque. L'ensemble des caractères d'un enregistrement physique est généralement complété par une information de contrôle qui permet aux organes de lecture-écriture d'identifier toute dégradation éventuelle de l'information significative enregistrée.

• Un *enregistrement logique* constitue une unité fonctionnelle pour un programme*, comme la fiche d'une personne dans le fichier* du personnel d'une entreprise, par exemple. On l'appelle aussi *article.* Un enregistrement logique n'est pas nécessairement contenu d'une façon stricte dans un enregistrement physique : il peut être aussi bien plus petit que plus grand.

ENRICHISSEMENT DES TÂCHES. — On désigne sous ce vocable l'ensemble des mesures appliquées à l'organisation du travail* pour augmenter la responsabilité et l'épanouissement personnel du salarié dans l'accomplissement de ses tâches.

La solution consiste à apporter des facteurs de motivation et de satisfaction. En France, la loi du 27 décembre 1973, relative à l'amélioration des conditions du travail, associe le comité d'entreprise à la recherche d'améliorations dans ce domaine. Aux États-Unis, les travaux d'A. H. Maslow ont approfondi également cette voie.

ENRIQUES (Federigo), mathématicien italien (Livourne 1871-Rome 1946). Ses travaux sur les problèmes généraux de la science et de la connaissance scientifique représentent la contribution de la pensée italienne au vaste mouvement qui aboutit plus tard à la théorie de la relativité* générale, formulée par E. Einstein.

ENSCHEDE, v. de l'est des Pays-Bas, près de la frontière allemande; 143 000 hab. Pneumatiques.

ENSEIGNEMENT → ÉDUCATION, FORMATION CONTINUE, FORMATION PROFESSIONNELLE, LYCÉE, PÉDAGOGIE, UNIVERSITÉ.

enseignement *(Ligue française de l'),* association fondée en 1866, par Jean Macé, pour favoriser la diffusion de l'instruction dans les classes populaires. En 1967, elle a pris le nom de *Ligue de l'enseignement et de l'éducation permanente.*

ENSEMBLES (théorie des). — « Par ensemble j'entends toute collection M d'objets bien distincts *m* de notre perception ou de notre pensée (ces objets seront appelés « éléments de M ») » [Cantor]. La théorie des ensembles, fondée à la fin du XIXe s. par le mathématicien allemand Georg Cantor*, occupe aujourd'hui une place centrale dans les mathématiques. Elle s'est développée très rapidement sur le plan naïf (intuitif) jusqu'à la découverte des antinomies*, au tournant du siècle, date à partir de laquelle se développe l'axiomatisation de la théorie.

Un ensemble est constitué d'éléments qui lui appartiennent. Il est désigné par une grande lettre E, ses éléments par une petite lettre *x, y,...* On écrit $x \in E$ (*x* appartient à E), $y \in E$,... La notion d'éléments est, comme la notion d'ensemble, une notion première qu'il ne faut pas chercher à définir par référence à une autre notion. Une partie de l'ensemble E ou un sous-ensemble de E sont constitués d'éléments qui appartiennent à l'ensemble E. Si A est inclus dans E, on note $A \subset E$ (A inclus dans E), cette inclusion n'excluant pas l'égalité. Par exemple, si $E = \{1, 2, 3, 4, 5, 6\}$ et si $A = \{1, 3, 4\}$, $A \subset E$, avec $A \neq E$. Toutes les parties que l'on peut former avec les éléments de l'ensemble E, y compris la partie vide, notée $\varnothing$, et l'ensemble E, constituent un ensemble, noté $\mathcal{P}(E)$, que l'on appelle *ensemble des parties de l'ensemble* E. Par exemple, si $E = \{1, 2, 3\}$,

$$\mathcal{P}(E) = \left\{ \varnothing, \{1\}\{2\}\{3\}\{1,2\}\{2,3\}\{3,1\}\{1,2,3\} \right\}.$$

Le nombre d'éléments de $\mathcal{P}(E)$, son *cardinal**, est égal à $8 = 2^3$. De façon générale, si le cardinal de l'ensemble E est égal à *n*, celui de $\mathcal{P}(E)$ est égal à 2^n.

Dans l'ensemble $\mathcal{P}(E)$, on définit des opérations qui, à l'aide de deux parties, permettent d'en obtenir une troisième. Si A et B sont deux parties de l'ensemble de E :

1° l'*intersection* de A et B, notée $A \cap B$ (A inter B), est formée des éléments de l'ensemble E qui appartiennent à la fois à A et à B (ensemble des éléments communs);

2° l'*union* ou la *réunion* de A et B, notée $A \cup B$ (A union B), est formée des éléments de l'ensemble de E qui appartiennent à A ou à B (à au moins l'un des deux);

3° la *différence* entre A et B, notée $A - B$ (A moins B), est formée des éléments de A qui n'appartiennent pas à B;

4° la *différence symétrique* de A et B, notée $A \Delta B$ (A delta B), est formée des éléments de E qui appartiennent à l'une des deux parties A ou B et à une seule.

L'intersection est, comme la réunion, commutative et associative :

$$A \cap B = B \cap A \quad \text{et} \quad A \cap (B \cap C) = (A \cap B) \cap C = A \cap B \cap C$$

$$A \cup B = B \cup A \quad \text{et} \quad A \cup (B \cup C) = (A \cup B) \cup C = A \cup B \cup C,$$

A, B et C étant trois parties quelconques de l'ensemble E. La différence ne possède pas ces propriétés, mais E − A, formée des éléments de l'ensemble E qui n'appartiennent pas à A, est une partie de l'ensemble E appelée *partie complémentaire de* A. On note $E - A = \complement_E A$ ou, plus simplement, $\overline{A}$, quand il n'y a pas d'ambiguïté possible sur l'ensemble de référence E. La différence symétrique est commutative et associative. On peut exprimer $A \Delta B$ à l'aide de l'union, de l'intersection et des complémentaires de A et B :

$$A \Delta B = (A \cap \overline{B}) \cup (\overline{A} \cap B) = (A \cup B) \cap (\overline{A} \cup B).$$

L'intersection est distributive par rapport à l'union; l'union est distributive par rapport à l'intersection :

$$A \cap (B \cup C) = (A \cap B) \cup (A \cap C)$$

et

$$A \cup (B \cap C) = (A \cup B) \cap (A \cup C).$$

Ces deux opérations sont liées par la loi d'absorption qui se traduit par

$$A \cap (A \cup B) = A \quad \text{et} \quad A \cup (A \cap B) = A.$$

Enfin, l'intersection est distributive par rapport à la différence symétrique :

$$A \cap (B \Delta C) = (A \cap B) \Delta (A \cap C).$$

La théorie des ensembles est utilisée dans bien des branches des mathématiques. En particulier, en probabilité, l'écriture ensembliste se prête très bien à la symbolisation d'événements composés à partir d'événements simples, bien que le langage soit probabiliste.

L'introduction du concept fondamental d'équipotence* de deux ensembles a permis de mener à bien une investigation systématique sur l'infini par l'élaboration d'une arithmétique des nombres cardinaux transfinis (v. INFINI).

ENSÉRUNE *(montagne d')*, plateau calcaire du bas Languedoc, près de Béziers. Le site est occupé vers le milieu du VIe s. av. J.-C. par une population primitive à laquelle viennent ensuite s'adjoindre des Ibères (reconnus grâce à leurs nombreux graffiti). Une véritable agglomération urbaine s'organise au IVe s. av. J.-C. sous l'influence massaliote. Une troisième période semble dominée par une aristocratie gauloise (monnaies, armes et parures de La Tène*). Abandonné au tournant de l'ère chrétienne, le site a livré de nombreux vases attiques, exposés au musée d'Ensérune.

ENSILAGE. — Ce procédé de conservation des fourrages* consiste à les entasser, lorsqu'ils sont frais ou légèrement préfanés, dans un silo où ils subissent, dans des conditions définies, une fermentation à la suite de laquelle leurs qualités nutritives et leur saveur sont sauvegardées d'une façon durable avec un minimum de pertes.

Le terme d'« ensilage » s'applique à la fois au procédé lui-même et au fourrage ainsi conservé. Il existe différentes méthodes d'ensilage, à chaud (à peu près abandonnée partout) ou à froid, et divers procédés basés respectivement sur l'élimination de l'air, sur l'enrichissement en glucides, sur l'élévation du taux de matière sèche ou sur l'acidification (procédé Virtanen*).

ENSISHEIM (68190), ch.-l. de cant. du Haut-Rhin, sur l'Ill, à 14 km au N. de Mulhouse; 5 685 hab. Hôtel de ville du XVIe s. Chaussures.

ENSOLEILLEMENT → INSOLATION.

ENSOR (James), peintre et graveur belge (Ostende 1860-*id.* 1949). De 1879 à 1882 se succèdent les chefs-d'œuvre de sa « manière sombre », intimités bourgeoises que dramatisent les empâtements. Puis sa palette s'éclaircit en même temps que sa fantaisie se débride. Dessin turbulent et scintillement des tons président à l'intrusion des masques ou des squelettes dans la vie quotidienne. Les natures mortes et les paysages d'une facture subtile sont le contrepoint du virulent pamphlet social de l'*Entrée du Christ à Bruxelles* (1888, en dépôt au musée d'Anvers), ancêtre de l'expressionnisme par sa liberté picturale. Cocasserie et angoisse marquent une production très intense jusqu'en 1900 (peintures, dessins, eaux-fortes à partir de 1886) et qui se ralentit ensuite, devant une incompréhension persistante, au profit d'écrits sarcastiques et ubuesques. Le rôle de précurseur d'Ensor ne sera pleinement reconnu que vers 1920.

ENTEBBE, v. de l'Ouganda, sur le lac Victoria; 11 000 hab. Aéroport.

Entente *(Petite-)*, nom donné à l'alliance résultant des accords bilatéraux signés, en 1920 et 1921, entre la Tchécoslovaquie, la Yougoslavie et la Roumanie, dans le dessein d'empêcher la formation d'une fédération danubienne favorable aux Austro-Hongrois. Cette alliance, qui reçut l'appui décidé de la France, fut fortement ébranlée par la montée du nazisme et disparut avec la Tchécoslovaquie en 1939.

Entente *(Triple-)*, nom donné au système élaboré par Delcassé*, ministre des Affaires étrangères français, et fondé sur les accords bilatéraux conclus, de 1892 à 1905, entre la France, l'Angleterre et la Russie en vue de contrebalancer la Triple-Alliance*.

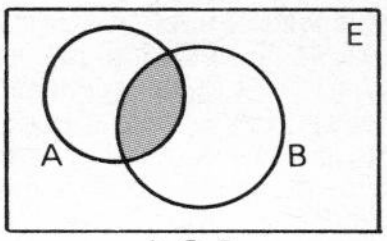

$A \cap B$

Intersection
de deux parties A et B de E

$x \in A \cap B \iff (x \in A \text{ et } x \in B)$

Si $A \cap B = \emptyset$, A et B sont disjoints

Si $A \subset B$, $A \cap B = A$

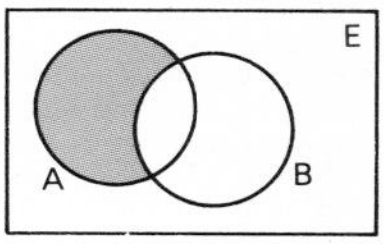

$A - B$

Différence de A et B

$x \in A - B \iff (x \in A \text{ et } x \notin B)$

Si $B = E$, $A - B = A - E = \emptyset$

car $A \subset E$

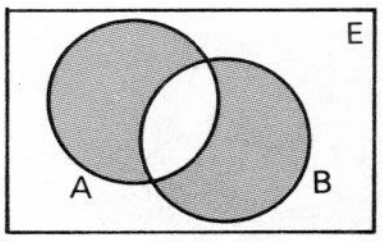

$A \Delta B$

Différence symétrique
de A et de B

c'est l'ensemble des éléments de E
qui appartiennent à l'une des deux
parties A ou B et à une seule

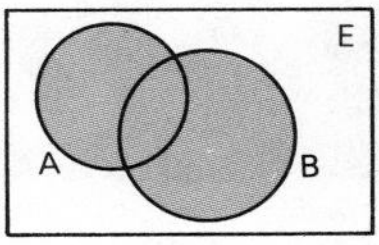

$A \cup B$

Union
de deux parties A et B de E

$x \in A \cup B \iff (x \in A \text{ ou } x \in B)$

$(x \in A \cup B \text{ et } x \notin A) \Longrightarrow x \in B$

on a toujours $A \cap B \subset A \cup B$

Si $A \subset B$, $A \cup B = B$

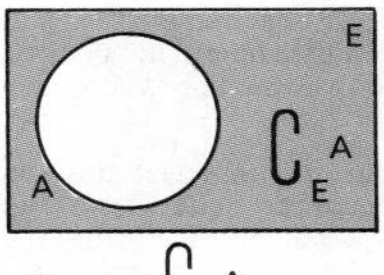

$\complement_E A$

Complémentaire
de A dans E

$E - A = \complement_E A$

on a :

$A \cap \complement_E A = \emptyset$ et $A \cup \complement_E A = E$

ENSEMBLES

Entente cordiale, nom donné au rapprochement intervenu entre la France et la Grande-Bretagne sous le règne de Louis-Philippe et de la reine Victoria. L'accord entre les deux pays resta cependant superficiel, et l'expression fut reprise pour désigner les accords franco-britanniques de 1904. Souhaité par la France, qui cherchait à sortir de l'isolement diplomatique où la maintenait la Triplice (v. ALLIANCE [*Triple-*]), ce nouveau rapprochement fut l'œuvre de Delcassé*, ministre des Affaires étrangères, de Paul Cambon, ambassadeur à Londres et d'Édouard VII*. Les accords de 1904 réglèrent les questions coloniales litigieuses entre les deux puissances, qui délimitèrent leurs zones d'influence respectives au Maroc et en Égypte. L'Entente cordiale fut une étape décisive dans la constitution de la Triple-Entente* et s'affirma contre l'Allemagne lors de la Conférence d'Algésiras (1906) et de l'affaire d'Agadir (1911), puis au cours des deux guerres mondiales.

ENTÉRITE → INTESTIN.

ENTÉROCOQUE → BACTÉRIE.

enterrement à Ornans *(Un),* toile manifeste (3,15 × 6,68 m; Louvre) peinte par Courbet à Ornans, en 1849, exposée par lui au Salon de 1850-51 et dans l'« exhibition » particulière de ses œuvres qu'il organise en marge de l'Exposition universelle de 1855, où elle a été refusée par le jury. Elle marque l'orientation nouvelle de Courbet, classé chef de l'école réaliste pour avoir eu l'audace de traiter une scène populaire, « de genre » selon les catégories académiques, avec l'ampleur monumentale d'une peinture « d'histoire ». Très mal accueillie (un critique parle d'« ignobles caricatures inspirant du dégoût et provoquant le rire »), elle entend simplement fixer, avec une objectivité plutôt empreinte de sympathie, les attitudes véridiques des villageois devant la mort, des différentes formes d'égoïsme à l'affliction sincère.

Enterrement du comte d'Orgaz *(l'),* toile du Greco (1586; 4,80 × 3,60 m), à l'église S. Tomé de Tolède. Commémorant une légende selon laquelle, lors de l'enterrement de Gonzalo Ruiz, seigneur d'Orgaz († 1323), qui avait financé la reconstruction de S. Tomé, saint Étienne et saint Augustin seraient descendus du ciel pour l'ensevelir, c'est une des œuvres qui témoignent le mieux de cette exaltation plastique qui ne fait qu'un avec l'approfondissement spirituel du peintre, contemporain des grands mystiques espagnols. Au-dessus de la scène, que contemplent des notables — véritable galerie de portraits aux expressions variées —, un ange emporte l'âme du mort, dans le second registre de cet espace tout intellectuel, vers l'assemblée céleste.

Nimatallah-Ziolo

L'Enterrement du comte d'Orgaz, du Greco. (Église Santo Tomé, Tolède.)

Giraudon

Un enterrement à Ornans, de Gustave Courbet. (Musée du Louvre, Paris.)

ENTHALPIE. — C'est la fonction d'état d'un fluide ayant pour expression $H = U + pv$, dans laquelle U est l'énergie interne, p la pression et v le volume. La diminution d'enthalpie d'un système représente la chaleur que dégage sa transformation à pression constante.

ENTOMOLOGIE. — L'étude scientifique des insectes* tire son importance du nombre immense d'espèces de cette classe (un million environ) et des ravages que beaucoup d'entre eux infligent à l'agriculture et à l'élevage, voire à la santé humaine. Son application la plus récente est l'élevage systématique d'espèces susceptibles de dévorer les insectes nuisibles. Les coccinelles, par exemple, détruisent les pucerons. Cette *lutte biologique* évite les graves dangers de pollution consécutifs à l'application des insecticides.

ENTORSE. — Les entorses résultent d'un mouvement brutal de distorsion articulaire avec élongation ou rupture des ligaments.

Les *entorses bénignes* se traduisent par une vive douleur à la mobilisation et une tuméfaction articulaire. L'immobilisation par un bandage élastique maintenu de dix à douze jours est généralement suffisante.

Les *entorses graves* sont caractérisées par des mouvements anormaux très douloureux. Elles correspondent à un arrachement ligamentaire. L'examen radiographique précise si des lésions osseuses compliquent la lésion ligamentaire.

ENTRAYGUES-SUR-TRUYÈRE (12140), ch-l. de cant. de l'Aveyron, au confluent du Lot et de la Truyère; 1 590 hab. Ville pittoresque par son site et ses constructions anciennes.

ENTRECASTEAUX (Joseph Antoine BRUNI, *chevalier* D'), navigateur français (château d'Entrecasteaux, Provence, 1737 - en mer, près de Java, 1793). Contre-amiral (1789), il est chargé de retrouver La Pérouse* : au passage, il reconnaît plusieurs terres océaniennes.

ENTRE-DEUX-MERS, région viticole du Bordelais, comprise entre la Garonne et la Dordogne.

ENTRÉE-SORTIE. — Un ordinateur* possède des moyens d'accès qui lui permettent d'échanger des informations* avec le monde extérieur. Il reçoit des données (entrées) et émet des résultats (sorties). Le transfert d'informations se fait par les unités particulières de la machine, qui sont les *organes d'entrée-sortie.* Les *organes d'entrée* classiques sont : les lecteurs* de cartes* perforées, les lecteurs de caractères magnétiques, les lecteurs de documents, les lecteurs de ruban* perforé, les claviers, les capteurs. Les *organes de sortie* sont : les imprimantes*, les écrans, les machines à écrire, les systèmes à réponse vocale, les perforateurs de cartes et de ruban. Les dérouleurs de bandes* magnétiques et les disques* sont aussi des organes d'entrée-sortie : ils permettent de transférer des informations d'un type de mémoire* à un autre. Une entrée d'information revient toujours à transférer des données depuis une unité d'entrée ou une mémoire auxiliaire vers une zone de la mémoire centrale; une sortie d'information est l'opération inverse.

Bien que les vitesses de transfert puissent atteindre plusieurs millions de caractères par seconde, une opération d'entrée-sortie reste lente, le plus souvent, par rapport aux performances de calcul de l'unité centrale; aussi le transfert est-il confié en général à un processeur spécialisé appelé *canal* ou *unité d'échange.* Tandis que un ou plusieurs transferts de données s'exécutent, l'unité centrale continue de dérouler son programme de calcul. Lorsque l'opération d'entrée-sortie est terminée, l'unité d'échange en informe immédiatement l'unité centrale. Les organes d'entrée-sortie eux-mêmes sont en général rattachés à l'unité d'échange par l'intermédiaire d'une *unité de contrôle,* spécialisée dans un type de périphérique*. Cette unité reçoit et exécute les ordres que lui donne l'unité centrale, contrôle le transfert des informations ainsi que le bon fonctionnement des unités périphériques et rend compte de ce qui se passe à l'unité centrale.

ENTREMONT, vallée de la Suisse (Valais), au pied du Grand-Saint-Bernard.

ENTREMONT *(plateau d'),* site archéologique de Provence (Bouches-du-Rhône), au N. d'Aix-en-Provence. Capitale des Salyens, l'oppidum d'Entremont fut ruiné par les Romains, qui fondèrent à peu de distance Aix (*Aquae Sextiae,* 123 av. J.-C.). Les fouilles, commencées après la Seconde Guerre mondiale, ont confirmé une occupation remontant à la première moitié du IIIe s. av. J.-C. Le sanctuaire de la partie haute (tout comme celui de Roquepertuse*) a livré plusieurs sculptures. Elles attestent un contact avec l'hellénisme, mais restent profondément celtiques par leur stylisation graphique et leur caractère fantastique (dernière phase de La Tène*).

ENTRE-NERFS → DORURE.

ENTREPRENEUR. — Le terme recouvre une réalité assez complexe, celle de l'agent économique créant ou/et animant une entreprise*, qu'il en soit le propriétaire (c'est-à-dire l'individu fournissant le capital* social ou en héritant) ou qu'il ne le soit pas.

Jusqu'à une période récente, l'entrepreneur était souvent confondu avec le capitaliste : cette situation était réalisée (en Europe occidentale, au moins) dans les petites et moyennes entreprises, mais elle ne l'est plus dans les grandes, où une dichotomie s'est opérée entre le capital et la direction de l'entreprise. Dès Walras*, l'entrepreneur est défini par sa « fonction », mais c'est J. Schumpeter* qui approche le plus près la réalité de l'entrepreneur, lorsqu'il envisage celui-ci comme créant des combinaisons nouvelles des facteurs de production* (entrepreneur « innovateur »).

François Perroux* définit l'entrepreneur par rapport à l'entreprise, lui reconnaissant comme trait fondamental de supporter le risque : dans une société anonyme l'entrepreneur serait formé en ce sens par les actionnaires.

L'importance du comportement du chef d'entreprise ne cesse de grandir dans l'économie moderne. Les qualités d'organisateur doivent se joindre au sens du commandement et, souvent, du compromis; les fonctions « humaines » du chef d'entreprise paraissent devenir de plus en plus déterminantes.

ENTREPRISE. — L'entreprise est un organisme permettant, grâce à un ensemble de moyens humains et matériels, d'atteindre un (ou des) objectif(s) économique(s), essentiellement la production de biens ou de services destinés à un marché* et soumis, en principe, à la loi de la concurrence*. (Une communauté religieuse n'est pas une entreprise, de même qu'un homme de lettres ne représente pas à lui seul une entreprise.)

Selon la nature de ses propriétaires (ou de son actionnaire principal), l'entreprise sera *privée* ou *publique* (entreprises nationales). Selon leur forme juridique, les entreprises se diversifient en entreprises individuelles, entreprises sociétaires et entreprises coopératives.

Mais, par-delà ces différences juridiques, les entreprises se caractérisent par un certain nombre de traits communs. L'entreprise est un être qui naît, qui vit, qui croît et qui meurt; elle doit, essentiellement, produire à un prix de revient inférieur au prix du marché, sous peine d'être appelée à périr. Elle est une expression de la volonté de son chef (l'entrepreneur*), qui assume la fonction de prise de décisions dans l'entreprise. L'entreprise reçoit des informations de toute nature en provenance de l'extérieur. Elle est dotée d'une *structure* lui permettant de remplir un certain nombre de « fonctions », confiées à des équipes qui doivent les assumer (fonctions achat, production, vente, finances, relations humaines).

ENTRETIEN *(Ch. de fer)* → DÉPÔT DE CHEMIN DE FER.

ENTRETIEN *(Organ.).* — Les missions du service d'entretien dans une entreprise sont multiples. Celle à laquelle on pense le plus spontanément est le *dépannage,* mais il faut aussi prévenir les pannes en pratiquant un entretien préventif. Parmi ses autres missions figurent l'exécution des travaux neufs, l'exploitation des services généraux d'eau, de gaz, de vapeur, d'électricité, de chauffage, d'air comprimé, etc. Les effectifs des services d'entretien sont plus ou moins importants selon qu'on a constitué des équipes permanentes ou opérationnelles.

ENTREVAUX (04320), ch.-l. de cant. des Alpes-de-Haute-Provence, sur le Var supérieur, à 7 km à l'O. de Puget-Théniers; 686 hab. Fortifications. Église reconstruite au XVIe s.

ENTROPIE *(Écon.).* — Ce concept de thermodynamique a été appliqué à l'économie (dans le cadre de la théorie des systèmes). Aux termes du principe d'entropie, il y a « désorganisation » progressive des systèmes fermés, tendant à l'uniformisation de leurs éléments. Lorsque l'évolution est complète, le système atteint l'état d'« équilibre ». Tout système fermé voit se dégrader son énergie : la quantité d'énergie libre diminue, et, lorsque toute l'« énergie libre » est devenue de l'« énergie liée », il y a équilibre.

Dans le domaine des sciences de la matière, l'entropie est inéluctable. Les sciences du vivant rendent compte aussi d'une entropie mais relative, les systèmes vivants pouvant lutter contre celle-ci, sans l'éliminer toutefois. L'inflation* sera, ainsi, un moyen de lutte contre la tendance à l'entropie. Les systèmes économiques fonctionnant le mieux (les plus éloignés de l'entropie) seraient constitués de groupes sociaux possédant de fortes différences entre eux. La pérennité des déséquilibres représenterait, ainsi, une tentative pour éviter au *système* un état fatal de paralysie. La lutte du système économique contre l'entropie fournit une base aux explications que donnent certains penseurs de l'essence du capitalisme.

ENTROPIE *(Phys.).* — C'est la fonction thermodynamique $S = \int \frac{dQ}{T}$, dans laquelle dQ est la quantité de chaleur fournie à un système lors d'une transformation infinitésimale réversible, et T la température absolue à laquelle cette chaleur a été cédée. L'entropie d'un système reste constante lorsqu'il revient à son état initial par une transformation réversible; elle augmente si la transformation est irréversible. L'entropie, qui caractérise le degré de désordre du système, tend donc à croître, ce qui traduit la dégradation de son énergie.

ENTROPION → PAUPIÈRE.

ENTZHEIM (67960), comm. du Bas-Rhin, dans la banlieue sud de Strasbourg; 2027 hab. Aéroport.

ENUGU, v. du Nigeria oriental; 167000 hab.

ÉNURÉSIE. — Le contrôle sphinctérien des mictions n'est possible qu'à partir d'un certain degré de maturation du système nerveux (pas avant l'âge de la marche). Il fait intervenir un apprentissage qui a pour but de faire renoncer l'enfant à uriner où et quand il lui plaît, à un âge où le développement affectif (stade sadique-anal* des psychanalystes) est centré sur le plaisir d'expulsion-rétention. Aussi ne peut-on parler d'énurésie qu'après 3 ans et en l'absence d'une atteinte organique. On distingue l'énurésie primaire (l'enfant n'a jamais été propre), qui peut être en rapport avec une conduite inconsistante ou trop coercitive des parents vis-à-vis du contrôle sphinctérien, de l'énurésie secondaire (pendant plus de un an, il y a eu contrôle vésical), plus rare, qui traduit souvent un conflit affectif plus profond.

ENVALIRA *(col* ou *port d'),* col des Pyrénées orientales, en Andorre; 2407 m.

ENVERMEU (76630), ch.-l. de cant. de la Seine-Maritime, à 14,5 km à l'E. de Dieppe; 1488 hab. Église du XVIe s.

ENVER PAŞA, général turc (Istanbul 1881-près de Boukhara 1922). Ministre de la Guerre en 1914, il commande l'armée turque du Caucase, puis la défense des Dardanelles (1915). Envoyé au Turkestan pour rétablir la paix entre les bolcheviks et les musulmans, il prend parti pour ces derniers et est tué dans un combat contre les Soviétiques.

ENVIRONNEMENT. — Les progrès de la physiologie et de l'éthologie* animales nous permettent parfois de mieux savoir dans quel univers sensoriel de vibrations, de rayonnements et de messages chimiques vivent les diverses espèces animales. Cet univers est leur environnement. Elles y réagissent par des comportements adaptés : attaque, fuite, immobilisation, conduite de cour, nutrition des jeunes, etc. Contrairement au milieu, réalité objective incluant la température, la teneur en oxygène, l'éclairement, les ressources alimentaires, l'environnement est une réalité subjective, composée seulement des réalités connaissables par l'animal. Les plantes ont donc un milieu, mais pas, ou presque pas, d'environnement. L'étude de l'*environnement humain* retient l'attention des urbanistes et des sociologues. (V. ÉCOLOGIE.)

ENZENSBERGER (Hans Magnus), écrivain allemand (Kaufbeuren 1929). Son œuvre poétique, critique (*Culture ou mise en condition?,*

1963) et romanesque (*l'Interrogatoire de La Havane,* 1970; *le Bref Été de l'anarchie,* 1974) compose une analyse satirique de la société contemporaine et de ses modes d'expression.

ENZO ou **ENZIO** (v. 1220-Bologne 1272), fils naturel de l'empereur Frédéric II, qui lui donna le titre de roi de Sardaigne (1239). Enzo combattit contre les guelfes, s'empara de Ferrare et remporta la victoire navale de Montecristo ou de la Meloria (1241). Mais, vaincu à Fossalta (1249), il fut livré aux Bolonais. Il fut l'un des représentants de l'école littéraire sicilienne.

ENZYMES. — Les enzymes sont synthétisées par les organismes vivants à partir de modèles, variables d'une espèce à l'autre, mais constants et transmis héréditairement à l'intérieur d'une même espèce. Certaines maladies héréditaires peuvent s'expliquer par l'altération de l'un de ces modèles. Les enzymes multiplient les étapes des réactions biochimiques de l'organisme, de telle manière que chaque étape ne produit qu'une petite quantité d'énergie compatible avec l'équilibre vital. Chaque enzyme ne peut agir que sur une substance déterminée. C'est pourquoi il existe un grand nombre de systèmes enzymatiques dans l'organisme. Outre les enzymes intervenant dans la digestion* (amylase, pepsine, trypsine, etc.), citons les *oxydases,* dont la principale est la cytochrome-oxydase, qui intervient dans la respiration cellulaire. Les *phosphatases* libèrent de l'acide phosphorique à partir de ses esters. Le dosage de certaines phosphatases sériques est d'un grand intérêt : le taux des *phosphatases alcalines* est élevé lors des réactions ostéoblastiques ou des syndromes de rétention biliaire; celui des *phosphatases acides,* lors des cancers de la prostate. Une augmentation du taux sérique des *transaminases* glutamo-acétiques et glutamo-pyruviques traduit une lésion des tissus riches en transaminases (foie, muscles [cardiaque, en particulier]). De nombreuses enzymes sont utilisées en thérapeutique. Ce sont des ferments issus du métabolisme de divers organismes végétaux ou animaux. Ainsi, la zymase et la maltase, diastase constituée principalement par une amylase et qui transforme l'amidon en dextrine et maltose. La pepsine est utilisée comme adjuvant de la digestion; la streptokinase possède une action fibrinolytique et est employée pour dissoudre les caillots.

ÉOCÈNE → TERTIAIRE *(ère).*

ÉOLE, dans la légende grecque, maître des vents, qu'il tenait enfermés dans une outre ou une caverne et libérait selon la volonté de Zeus.

ÉOLIE ou **ÉOLIDE,** région du sud-ouest de l'Asie Mineure, éclipsée politiquement et économiquement par l'Ionie*. Patrie de la poésie lyrique, avec Alcée* et Sappho*, elle doit son nom à ses premiers habitants, les *Éoliens,* peuplade balkanique qui, de Grèce, émigra en Asie Mineure au XIe s. av. J.-C.

ÉOLIENNE (érosion). — Le rôle érosif du vent n'est sensible que dans les régions qui ne sont pas protégées par une couverture végétale (zones arides, littoraux). Le vent soulève les particules fines qu'il transporte et accumule en dunes. Chargé de sable, il mitraille les reliefs, où il sculpte des alvéoles; il polit des facettes sur les cailloux des déserts; dans les roches meubles, telles que les limons, il peut creuser des dépressions fermées, de dimensions réduites, par déflation. Mais son pouvoir érosif reste limité et, même dans les déserts, l'essentiel du modelé est dû à l'eau.

ÉOLIENNES ou **LIPARI** *(îles),* archipel italien de la mer Tyrrhénienne, au N. de la Sicile, formé de sept îles volcaniques (*Lipari* [la plus grande], Salina, Vulcano, Stromboli, Alicudi, Filicudi et Panarea [ou Panaria]).

ÉOSINOPHILIE → LEUCOCYTE.

EÖTVÖS (Loránd, *baron*), physicien hongrois (Budapest 1848-*id.* 1919). Il utilisa, le premier, le pendule de torsion pour les mesures gravimétriques (1888).

ÉPAMINONDAS, général et homme d'État thébain (Thèbes v. 418-Mantinée 362). Il concourt avec Pélopidas* à libérer Thèbes* du joug spartiate et révèle son génie militaire par sa réforme de l'armée béotienne, grâce à laquelle il remporte la victoire de Leuctres (371) sur les hoplites lacédémoniens. Il est tué à Mantinée en 362; l'hégémonie thébaine ne lui survivra pas.

ÉPANDAGE (champ d') [*Géogr.*]. — Dans les régions arides, l'absence de couverture végétale permet un écoulement en nappe qui, selon une surface faiblement inclinée, étale au pied des reliefs les débris qui leur sont arrachés par l'érosion, formant un champ d'épandage. Les formes de relief tendent ainsi à disparaître par le phénomène de l'ennoyage sous l'accumulation de leurs propres débris.

ÉPANDAGE (champ d') [*Industr.*] → ÉGOUT.

ÉPARGES (Les) [55160 Fresnes en Woëvre], comm. du départ. de la Meuse à 23 km au S.-E. de Verdun; 43 hab. L'*éperon des Éparges,* sur les côtes de Meuse (350 à 380 m), fut le théâtre de violents combats en 1914-15 (guerre des mines).

ÉPARGNE. — On appelle épargne la part des disponibilités monétaires des particuliers, des ménages, des entreprises, des institutions qui n'est pas affectée à des dépenses de consommation* ou de fonctionnement.

La science économique a pu, selon les époques et selon les écoles de pensée, faire le procès ou l'apologie de l'épargne. L'épargne a été condamnée du fait qu'elle apparaît stérile, et donc ne présentant aucun intérêt économique, soit qu'il s'agisse de thésaurisation, soit que, même non thésaurisée, elle implique une faiblesse de la consommation (et soit, de ce fait, nuisible au bon fonctionnement du circuit économique [Keynes]). Par contre, elle est prônée par tous ceux qui y perçoivent l'indispensable apport de la communauté nationale à l'équipement productif du pays, qu'il s'agisse d'investissements* réalisés par des entreprises privées (auquel cas l'épargne leur est apportée par les dépôts du circuit bancaire ou par l'intermédiaire du marché financier) ou d'équipements réalisés par l'État et les collectivités publiques (l'épargne est alors apportée par l'emprunt*), ou encore de l'épargne réalisée par les entreprises réservant une fraction de leur flux financier à leur propre équipement (autofinancement*).

Au nombre des institutions collectant l'épargne des particuliers, les caisses d'épargne occupent une place prépondérante. On distingue : l'*épargne nette* (épargne sur livrets), composée de l'épargne collectée à laquelle il faut ajouter les intérêts capitalisés; l'*épargne logement;* les *bons d'épargne.* Les caisses d'épargne ordinaires et la Caisse nationale d'épargne représentent 39,34 p. 100 de l'épargne collectée; les banques 34,73 p. 100; les mutuelles 17,62 p. 100; le trésor 8,31 p. 100 (chiffres de 1973). [V. POSTE.]

ÉPAULE. — Cette articulation unit la tête de l'humérus à la cavité glénoïde de l'omoplate. Les surfaces articulaires sont maintenues en place par une capsule épaissie en ligaments gléno-huméraux et renforcée par les ligaments coraco-huméral et coraco-glénoïdien et par les tendons des muscles péri-articulaires rotateurs de l'humérus. Le muscle deltoïde, qui recouvre le moignon de l'épaule et les muscles péri-articulaires de l'épaule, permet l'abduction du bras.

Les *luxations* de l'épaule sont fréquentes. La plus courante est la luxation antéro-interne sous-coracoïdienne, dont la réduction doit être faite aussi rapidement que possible, sous anesthésie générale si nécessaire. Les luxations compliquées peuvent être dues à une désinsertion du bourrelet glénoïdien ou à une malformation de la tête humérale.

La *périarthrite* de l'épaule, responsable de douleurs et, parfois d'ankylose, régressive en une période allant de quelques semaines à plusieurs mois, peut être secondaire à un traumatisme de l'épaule; elle s'observe au cours d'affections coronariennes; elle peut survenir sans cause évidente. Le traitement associe le repos, les antalgiques, des infiltrations de corticoïdes, la kinésithérapie.

ÉPÉE → ESCRIME.

ÉPÉE (Charles, *abbé* DE L'), ecclésiastique français (Versailles 1712-Paris 1789). Il voua toute sa vie à l'éducation des sourds-muets.

ÉPERNAY (51200), ch.-l. d'arr. de la Marne, à 24 km au S. de Reims; 31 108 hab. *(Sparnaciens).* Vins de champagne. Matériel ferroviaire et viticole. Industries du bois.

ÉPERNON (28230), comm. d'Eure-et-Loir, à 13 km au S.-O. de Rambouillet; 4 200 hab. Église des XVe-XVIe s. Ancien cellier du XIIIe s. Vieilles maisons. Industries chimiques.

Éperons *(journée des)* → GUINEGATTE.

ÉPHÉBIE. — Les jeunes Athéniens appartenant aux classes censitaires étaient soumis de 18 à 20 ans à un service militaire, l'éphébie, dont la première année était consacrée à un entraînement physique et à une formation civique et militaire; la deuxième année, ils étaient envoyés en garnison dans les places fortes.

ÉPHÉLIDES. — Les taches de rousseur, ou éphélides, sont dues à une surcharge de la couche basale de l'épiderme en pigment mélanique. Surtout fréquentes chez les sujets roux ou blonds, elles apparaissent souvent dans la seconde enfance et s'atténuent ou disparaissent à l'âge adulte. Elles s'accentuent après exposition solaire.

ÉPHÉMÈRE. — Rivières et ruisseaux hébergent un grand nombre des larves d'éphémère : ce sont des animaux allongés, fouisseurs, au dos couvert de belles branchies externes au battement rythmique. L'adulte ne vit que les quelques heures nécessaires pour s'accoupler et pour pondre : par milliers, les éphémères dansent alors au-dessus des eaux, soutenus par deux paires d'ailes très inégales et par les trois longs cerques de l'abdomen. Leurs cadavres attirent le poisson, d'où leur usage (ou celui de leurres les imitant) dans la pêche à la ligne.

ÉPHÈSE, ville grecque d'Ionie, fondée v. 1000 av. J.-C. Dès le VIIIe s. av. J.-C., elle devient un des grands centres commerciaux et financiers de la côte de l'Asie Mineure. Son importance religieuse sera considérable du fait de son temple d'Artémis* et de l'ancienneté de sa communauté chrétienne : saint Paul y séjournera à deux reprises (54-57 et 65). Éphèse fut, en 431, le siège du troisième concile œcuménique, qui condamna le nestorianisme*.

Le temple d'Artémis *(Artemision)* fut élevé à la place de constructions plus modestes, avec l'aide de Crésus, entre 570 et 560 av. J.-C.; il marque une étape importante de l'architecture grecque vers la conception monumentale. Il fut détruit au IIIe s. av. J.-C.; seul son plan a pu être restitué, mais d'intéressants reliefs ont été recueillis. Importants vestiges hellénistiques, romains et byzantins, parmi lesquels l'ensemble des Sept Dormants.

ÉPHIALTÈS, homme d'État athénien (Athènes v. 495-*id.* 457 av. J.-C.). Il fit voter diverses réformes dont la principale fut la loi privant l'Aréopage* de ses pouvoirs politiques; ceux-ci furent répartis entre les divers organismes démocratiques.

ÉPHORE. — Cinq magistrats, ou éphores, c'est-à-dire surveillants, élus tous les ans, étaient chargés à Sparte de contrôler à la fois l'action de ceux qui détenaient le pouvoir et l'observation par les citoyens de la discipline sociale. L'institution, devenue tyrannique, fut supprimée au IIIe s. av. J.-C.

ÉPHRAÏM, tribu israélite établie en Palestine centrale et qui joua un rôle important dans le schisme des douze tribus, à la mort de Salomon*, en 931 av. J.-C.

ÉPHREM *(saint),* docteur de l'Église (Nisibis v. 306 - Édesse 373), le grand théologien de l'Église syriaque. Exégète, prédicateur, poète, il a jeté les bases de l'*école théologique d'Édesse**, ou « école des Perses », dans la ligne de l'*école d'Antioche**.

EPHRUSSI (Boris), généticien français d'origine russe (Moscou 1901), dont les études ont ouvert la voie aux travaux actuels sur l'acide désoxyribonucléique (A. D. N.).

ÉPI *(l')* → ÉTOILE.

ÉPICÉA. — L'arbre nommé usuellement « sapin » est presque toujours un épicéa. Les deux espèces se reconnaissent pourtant : l'épicéa porte des aiguilles moins plates et dépourvues de bandes blanches longitudinales, le feuillage est d'un vert plus clair, le tronc roux et non gris clair. Enfin, et surtout, les cônes de l'épicéa sont pendants et tombent sans s'être écaillés. L'épicéa, qui reste plus petit que le sapin, s'accommode de plus de sécheresse et peut être planté à peu près dans toute la France.

ÉPICTÈTE, philosophe stoïcien (Hiérapolis, Phrygie, v. 50-Nicopolis, Épire, v. 125). Esclave, il est affranchi et banni de Rome par Domitien. Il se retire alors à Nicopolis, où il se consacre à la philosophie. Bien qu'il se réclame de Chrysippe*, il simplifie le stoïcisme* en en faisant principalement une morale qui, pour s'appuyer sur la logique, n'en délaisse pas moins la physique. Dans ses *Entretiens* et son *Manuel,* rédigés par l'un de ses disciples, il fonde sa morale sur la distinction entre ce qui dépend de nous et ce qui n'en dépend pas. Or l'homme n'est libre que de bien utiliser ses idées, il doit donc donner son assentiment à tout ce qui est et se détacher de ce qui le dépasse. Insistant sur les valeurs d'effort, d'ascèse et de détachement, cette morale nie le problème du mal* et confond, d'après Hegel, la « liberté vivante » et le « concept de liberté ».

ÉPICURE, philosophe grec (Samos 341 av. J.-C. - Athènes 270 av. J.-C.). Il suit les cours de Nausiphanès de Téos à Athènes, puis y fonde, en 306, une école philosophique, le « jardin ». La majeure partie de l'œuvre d'Épicure est perdue, et sa pensée, hormis les lettres (sur la physique, l'astronomie et la morale) et un *Recueil de sentences,* nous est surtout connue par Lucrèce* et Diogène* Laërce.

Le problème principal de la canonique, ou théorie de la connaissance, élaborée par Épicure, est celui des critères de la connaissance. Est vrai, d'après lui, tout ce que nos sens confirment ou n'infirment pas. Reprenant et transformant l'atomisme* développé par Démocrite*, Épicure situe la cause du mouvement des atomes en eux-mêmes et récuse ainsi toute idée de finalité dans la nature. Mais si, en physique, il n'existe pas de déterminisme strict, alors l'homme est libre.

Le critère principal de la connaissance, la sensation, est aussi un critère moral : le plaisir lié aux sensations constitue la fin et le principe du bonheur. Afin d'éviter toutes sortes de troubles qui transformeraient le plaisir en douleur, Épicure sélectionne les plaisirs. Ne sont retenus que ceux qui viennent de la satisfaction des désirs naturels et nécessaires : essentiellement les plaisirs du corps. L'idéal de liberté et d'ataraxie* qu'il prône le conduit à critiquer la société génératrice de désirs, qui, comme le luxe et les honneurs, ne sont ni naturels ni nécessaires, et à conclure : « Pour vivre heureux, vivons cachés. »

ÉPICURISME. — Hormis le « jardin », où Hermarque succéda à Épicure, l'épicurisme s'est répandu en Asie Mineure (à Lampsaque avec Métrodore, Idoménée et Colotès; à Mytilène) et en Italie (à Naples avec Philodème de Gadara et Zénon de Sidon). Mais c'est Lucrèce* qui contribua le plus à son enrichissement.

ÉPIDAURE, cité d'Argolide, célèbre par son temple d'Asclépios* et les guérisons qui s'y opéraient. Des tessons de l'helladique ancien confirment la date reculée du sanctuaire, qui atteint la notoriété avec le dieu Asclépios au VIe s. av. J.-C., mais qui se développe surtout au IVe s. en provoquant l'essor de la ville, dont le magnifique théâtre reste un des principaux témoins. Vestiges divers (tholos...) et nombreux ex-voto.

ÉPIDÉMIE. — Une maladie survenant par épidémie frappe rapidement un grand nombre d'individus : elle prend un caractère extensif. L'épidémie se termine soit par la disparition complète de la maladie, soit par sa persistance à l'état d'endémie : les cas restants, isolés, peuvent être alors à l'origine d'une nouvelle épidémie ou devenir les facteurs de dispersion de la maladie, à distance de son foyer originel. Les principales maladies épidémiques sont la peste, le choléra, le typhus, la variole, la poliomyélite, la grippe.

ÉPIDERME. — On réserve le nom d'*épiderme* au tissu à cellules jointives qui recouvre le corps des animaux et des plantes. Il est habituel que l'épiderme produise extérieurement des *phanères* protecteurs (poils, plumes, replis écailleux, voire écailles) ou qu'il élabore une *coquille* (mollusques) ou s'indure en un tégument *chitineux* (arthropodes). Des sécrétions muqueuses, parfois venimeuses (crapaud), des graisses (oiseaux aquatiques), de la sueur peuvent le recouvrir. L'épiderme est capable de changer de couleur dans diverses espèces, soit rapidement (turbot, caméléon) pour rendre l'animal moins visible, soit lentement (bronzage humain) par adaptation aux fortes lumières. Il possède également une vive sensibilité tactile, thermique et douloureuse. Souple, imperméable à l'air, à l'eau et aux microbes, il joue un rôle protecteur d'une importance vitale. Chez les végétaux, il contrôle les échanges d'eau et de gaz par ses stomates* au niveau des feuilles. Il y constitue à lui seul le tégument, tandis que l'homme et de nombreux animaux ont en outre un *derme* et un *hypoderme.* (V. PEAU.)

ÉPIDIDYME → GÉNITAL *(appareil).*

ÉPIGASTRE → ABDOMEN.

ÉPIGÉNIE → SURIMPOSITION.

ÉPIGLOTTE → LARYNX.

ÉPIGONES, nom donné dans le cycle thébain aux fils des Sept* Chefs, qui, dix ans après, vengèrent l'échec de leurs pères.

ÉPIGRAMME. — Chez les Grecs, l'épigramme n'est d'abord qu'une inscription, souvent en vers, gravée sur un tombeau, une statue, un monument public : l'histoire a ainsi retenu l'épigramme de Simonide de Céos célébrant les Spartiates tués aux Thermopyles. Mais, à l'époque alexandrine, l'épigramme devient un genre autonome, une courte élégie* en vers, dont les maîtres sont Léonidas de Tarente et Méléagre de Gadara. Sa concision plaît aux Romains, qui, avec Catulle et Martial, découvrent dans sa brièveté vigoureuse l'arme par excellence de la satire. C'est sous cette forme que Marot reprend le genre. Au XVIIe et au XVIIIe s., les polémiques d'écrivains font fleurir l'épigramme, mais la futilité de leurs prétextes la condamnent bientôt à n'être plus, selon Boileau, qu'un bon mot orné de deux rimes.

ÉPIGRAPHIE. — Cette science auxiliaire de l'histoire s'attache à l'étude des inscriptions sur matières durables (pierre, argile, métal, bois) et se distingue ainsi de la paléographie, consacrée à l'étude des inscriptions sur matières périssables (papyrus, parchemin). Elle est particulièrement utile pour la connaissance de l'histoire des civilisations antiques, dont la plupart des documents périssables ont disparu. L'épigraphiste décrit les inscriptions, les recopie et les estampe : ensuite il cherche à les déchiffrer, à en compléter les lacunes et à les dater; enfin il en assure le répertoriage et la publication. Parmi les textes les plus importants étudiés par l'épigraphie figurent le code d'Hammourabi*, découvert en 1902 sur l'acropole de Suse et qui révéla la législation la plus remarquable que connut l'Antiquité préromaine, ou encore les *Res gestae Divi Augusti,* connues grâce à l'inscription latine dont la découverte, à Antioche de Pisidie (1924), modifia la conception que les historiens du siècle dernier s'étaient forgée du principat augustéen.

ÉPILEPSIE. — L'épilepsie n'est qu'un symptôme qui peut témoigner d'affections extrêmement diverses. Le processus épileptique consiste en une décharge électrique anormale d'un groupe de neurones et qui a pour caractéristiques d'être rythmique, excessive, extensive et autoentretenue.

Les crises d'expression généralisées (grand mal et petit mal) ne peuvent, cliniquement, être rapportées à un foyer localisé, et, à l'électroencéphalogramme, elles se traduisent par une perturbation synchrone, bilatérale et symétrique des rythmes recueillis. Lors de la crise de *grand mal,* manifestation la plus spectaculaire et la plus anciennement connue de l'épilepsie, le sujet perd brutalement conscience et tombe. Pendant quelques secondes, tous ses muscles sont contracturés (phase tonique). Puis débute la phase clonique, faite de convulsions (relâchement intermittent de la contracture), suivie d'un coma postcritique qui peut durer une demi-heure et qui se dissipe progressivement. Les absences constituent la principale manifestation du *petit mal.* Elles se voient essentiellement chez les enfants. Au cours d'une absence, l'enfant pâlit, cesse son activité, mais ne tombe pas. L'absence a une durée très brève, de l'ordre de quelques secondes, et se termine brusquement, l'enfant reprenant son activité là où il l'avait laissée. Les crises de grand comme de petit mal ne laissent aucun souvenir, mais peuvent se répéter au cours d'une même journée.

Les crises focales ou partielles ont une expression clinique qui permet d'incriminer certaines zones du cerveau. Les plus caractéristiques sont les crises motrices (mouvement invincible d'une partie du corps, alors que le sujet reste conscient); elles témoignent d'une souffrance de la frontale ascendante. Les crises sensitives (sensations anormales : picotements, fourmillements, localisées dans une partie du corps) traduisent, elles, une lésion de la pariétale ascendante. Les crises focales peuvent se généraliser secondairement : il y a alors perte de conscience. Les lésions qui en sont responsables sont le plus souvent des tumeurs cérébrales primitives (méningiome, gliome) ou secondaires (métastases) ou des malformations vasculaires.

L'épilepsie généralisée d'emblée apparaît souvent comme la séquelle d'une affection : encéphalopathie infantile, traumatisme crânien, éthylisme. Parfois on ne peut lui retrouver aucune cause : on parle alors d'épilepsie essentielle, qui débute habituellement dans l'enfance par des crises de petit mal.

En plus de l'action spécifique sur la cause, quand il y en a une, le traitement symptomatique de l'épilepsie est fondé essentiellement sur la prise de barbituriques, qui doit être régulière, prolongée même en l'absence de nouvelles crises.

ÉPINAC (71360), ch.-l. de cant. de Saône-et-Loire, à 19 km au N.-E. d'Autun; 2 893 hab.

ÉPINAL (88000), ch.-l. du départ. des Vosges, à 366 km à l'E. de Paris, sur la Moselle; 42 810 hab. *(Spinaliens).* Basilique romane et gothique. Musée départemental des Vosges (archéologie, beaux-arts, faïences d'Épinal et importante section d'imagerie*, dont la ville fut un centre au XIXe s. surtout, avec la fabrique Pellerin*). Industries mécaniques et textiles.

ÉPINARD. — On consomme les feuilles de cette plante (famille des chénopodiacées) pour leur teneur élevée en fer et en chlorophylle. Ce sont des feuilles en fer de flèche; cueillies et entassées, elles fermentent rapidement avec un fort dégagement de chaleur.

ÉPINAY (Louise DE LA LIVE D') femme de lettres française (Valenciennes 1726-Paris 1783). Un moment protectrice de J.-J. Rousseau, elle a laissé des Mémoires, des essais de morale et des ouvrages d'éducation.

ÉPINAY-SOUS-SÉNART (91800 Brunoy), comm. de l'Essonne, au N.-E. de la *forêt de Sénart;* 14 867 hab.

ÉPINAY-SUR-ORGE (91360), comm. de l'Essonne, à 17 km au S. de Paris; 9 459 hab.

ÉPINAY-SUR-SEINE (93800), ch.-l. de cant. de la Seine-Saint-Denis, à 8 km au N. de Paris; 46 578 hab.

ÉPINE. — Cet organe végétal protège les plantes, surtout dans les régions arides, de la dent des animaux herbivores. Lorsqu'il se substitue aux feuilles, les pertes d'eau par évaporation sont diminuées (cactus). Certaines épines, mieux nommées *aiguillons,* sont de simples expansions pointues de l'écorce (rosier) et se détachent aisément en laissant une cicatrice. Les épines proprement dites sont des rameaux ou des feuilles adaptés à leur fonction protectrice par une forme pointue et une consistance dure.

ÉPINETTE → CLAVECIN.

ÉPINE-VINETTE. — C'est surtout dans les régions calcaires que pousse ce buisson épineux aux fleurs jaunes en petites grappes pendantes. La proportion de feuilles qui se transforment en épines croît avec l'aridité du lieu. Fait rare, la fleur pratique l'autofécondation, les étamines venant brusquement s'appliquer contre le stigmate. La plante héberge parfois l'une des phases du cycle reproductif de la « rouille du blé », ce qui rend son voisinage dangereux pour les champs de céréales. (Type de la famille des *berbéridacées,* proches des renonculacées.)

Épinicies, nom générique des *Odes triomphales* de Pindare (Ve s. av. J.-C.), poésies dédiées aux athlètes vainqueurs et réparties en *Olympiques,* en *Pythiques,* en *Néméennes* et en *Isthmiques.*

ÉPINOCHE. — Ce petit poisson des eaux douces doit son nom à la rangée d'épines qui remplace chez lui la première nageoire dorsale (la seconde étant normale). Le mâle se pare de vives couleurs lors de la reproduction, construit un nid, détermine les femelles à y pondre, puis féconde, ventile et garde les œufs. L'espèce est carnassière et vorace. (Famille des gastérostéidés.)

ÉPIPHANE *(saint),* écrivain grec chrétien (près d'Éleuthéropolis v. 315-en mer 403), évêque de Salamine de Chypre. Il fut le défenseur maladroit de l'orthodoxie, en particulier dans sa campagne contre l'origénisme (v. ORIGÈNE). Son œuvre, prolixe et superficielle, contient d'utiles renseignements.

ÉPIPHANIE. — En Orient, la fête de l'Épiphanie, ou « manifestation du Seigneur », est la fête du baptême du Christ dans le Jourdain. En Occident, elle est celle de la triple manifestation du Christ à l'occasion des noces de Cana, du baptême et de l'adoration des Mages (qui est la première manifestation de Jésus aux païens); c'est ce dernier aspect qu'a retenu la tradition populaire.

ÉPIPHYSE. — Les épiphyses, ou extrémités des os longs, se développent à partir d'un point d'ossification qui est séparé de celui de la diaphyse par le cartilage de conjugaison. Celui-ci persiste jusqu'à la fin de l'accroissement de l'os. À ce moment, les épiphyses sont réunies à la diaphyse.

La *glande pinéale,* également appelée *épiphyse,* formation nerveuse impaire et médiane, est située en haut et en arrière du troisième ventricule du cerveau, au-dessus des tubercules quadrijumeaux. Son rôle est mal connu.

ÉPIPHYTE. — Aux fourches de leurs branches, les arbres de la sylve équatoriale accumulent suffisamment de terreau et de poussières minérales pour constituer un milieu favorable à la germination des graines et des spores. Certaines espèces (fougères, broméliacées, orchidacées) colonisent ce milieu, qui leur assure un accès à la lumière qu'elles n'auraient pas au sol. L'adaptation anatomique la plus remarquable chez ces épiphytes est celle des orchidacées, qui laissent pendre de longues « racines-voiles », dans les tissus spongieux desquelles se condense la vapeur d'eau atmosphérique.

On n'appelle pas *épiphytes* les plantes comme le gui, qui parasitent l'arbre sur lequel elles vivent; mais les lichens des troncs d'arbre sont des épiphytes, de même que, dans les océans, les algues qui vivent sur d'autres algues. Les *lianes,* qui sont enracinées dans le sol, ne sont pas des épiphytes.

ÉPIPLOON → PÉRITOINE.

ÉPIRE, région montagneuse à l'extrémité nord-ouest de la Grèce. Isolée de la Grèce par le massif du Pinde, l'Épire resta longtemps à l'écart du monde grec; à la fin du Ve s. av. J.-C., les tribus épirotes se groupèrent en un seul royaume qui prit de l'importance avec Pyrrhos II*, après le règne duquel l'Épire, constituée en fédération démocratique, ne tarda pas à tomber sous le joug romain (168 av. J.-C.).

ÉPIRE *(despotat d'),* principauté fondée en 1205 par Michel Ier Ange, cousin de l'empereur byzantin Alexis III Ange, et formée, à l'origine, de l'Épire, de l'Étolie, de l'Acarnanie et d'une partie de la Thessalie. Amputé dès 1271 de la Thessalie, qui forma le despotat de Blaquie, puis d'une partie du littoral adriatique, qui tomba aux mains des princes de Tarente, le despotat d'Épire passa aux Orsini, comtes de Céphalonie (1318), avant d'être reconquis par l'empereur byzantin Andronic III Paléologue (1328-1341).

ÉPIROGÉNIQUE (mouvement). — Un tel mouvement affecte toute une portion de continent, qui subit un soulèvement d'ensemble. Ce style tectonique caractérise en particulier les socles (trop rigides pour être plissés), où il est accompagné de fractures.

ÉPISTAXIS → HÉMORRAGIE.

ÉPISTÉMOLOGIE. — Née au XIXe s., l'épistémologie s'oriente vers deux problématiques distinctes : la problématique de l'unité de la connaissance à travers la pluralité des disciplines (positivisme* de Comte et de Meyerson, qui cherchent à élaborer une philosophie des sciences) et la problématique de la théorie de la connaissance*, qui s'expose en termes d'objet et de sujet (Husserl*, spiritualisme*, Piaget* ultérieurement). Toutes deux partagent le présupposé idéaliste d'un sujet* de la science.

En ruinant les prétentions de fonder la science sur un sujet et en faisant apparaître l'historicité propre à chaque discipline scientifique, la crise de la théorie des ensembles* et la naissance de la mécanique* quantique contraignent l'épistémologie à se transformer. Dans un premier temps, elle s'attache à élucider les propositions scientifiques et les conditions de leur validité (positivisme* logique, Russell*, cercle de Vienne*, Carnap*, Popper*). Dans un second temps, elle fait une place plus large à l'histoire des sciences.

L'épistémologie contemporaine est à la fois régionale et historique. Chaque science produit à chaque moment de son histoire ses propres normes de vérité, et, de ce fait, l'épistémologie doit analyser les procédures opératoires particulières à chaque pratique scientifique, la « vie interne de la science » (J. Cavaillès*) pour « produire le discours rigoureux qui, se déployant au plus près de l'activité scientifique, enchaîne et éclaire les motivations qui lui sont propres » (J.-T. Desanti*). Inauguré par G. Bachelard* et A. Koyré*, renouvelé par G. Canguilhem*, M. Foucault* et L. Althusser*, le point de vue historique aboutit à montrer les discontinuités qui s'instaurent entre connaissance commune et connaissance scientifique, d'une part, et entre les différentes étapes de la pensée scientifique, d'autre part.

L'épistémologie historique se propose, aujourd'hui, de penser les idéologies* théoriques (M. Pécheux), la « production » spécifique des concepts et des théories de chaque science (M. Fichant), voire une « critique de l'épistémologie » (D. Lecourt) qui débouche sur la remise en question du caractère historique de cette épistémologie (J.-T. Desanti).

ÉPITAXIE → ADHÉRENCE *(Mécan.)*

ÉPITHÉLIOMA → ÉPITHÉLIUM.

ÉPITHÉLIUM. — Parmi les tissus animaux de « type épithélial », c'est-à-dire aux cellules jointives et sans substance interstitielle, les épithéliums proprement dits se définissent par leur disposition en une ou en plusieurs assises étendues de cellules à polarité très marquée séparant l'organisme du monde extérieur (épiderme de la peau) ou d'une cavité organique (épithéliums intestinal, bronchique, glandulaire). En conséquence, les cellules de l'épithélium sont alimentées *par une seule face,* celle qui est tournée vers l'organisme. Lorsque l'épithélium est unistratifié (formé d'une seule couche), la face externe peut porter des cils vibratiles (bronches), un appareil filtrant (intestin) ou rejeter une sécrétion (glandes). Lorsqu'il est pluristratifié (peau), elle engendre de nouvelles cellules, de plus en plus mal nourries à mesure que des cellules plus jeunes les refoulent vers le dehors en les éloignant du sang, de sorte qu'elles finissent par mourir et par tomber (pellicules).

Chez l'homme, les épithéliums de recouvrement externe (tels l'épiderme de la peau et les muqueuses des orifices naturels) sont formés de plusieurs couches de cellules aplaties et disposées comme des pavés (épithéliums pavimenteux). Les épithéliums du tube digestif et des glandes sécrétoires sont formés de cellules cubiques ou cylindriques (épithéliums glandulaires cylindriques ou cubiques). Les tumeurs cancéreuses des tissus épithéliaux, ou *épithéliomas,* se classent en deux groupes : les épithéliomas indifférenciés, formés par des cellules qui ne rappellent aucun tissu reconnaissable, et les épithéliomas différenciés. L'épithélioma spino-cellulaire, analogue à la couche de cellules de Malpighi de la peau, entre dans cette dernière catégorie. Les épithéliomas de la peau et des muqueuses peuvent survenir sur une peau ou une muqueuse saines, mais aussi sur des lésions préexistantes, dites précancéreuses, telles que la kératose sénile, la leucoplasie labiale des fumeurs, les radiodermites. Le pronostic des épithéliomas est très variable et fonction du siège et du type de la tumeur. Le traitement est chirurgical ou radiothérapique.

Épîtres, d'Horace (30-8 av. J.-C.). Sur un ton familier, un traité de la morale et du goût. La dernière, l'*Épître aux Pisons,* constitue un art poétique.

Épîtres, de Boileau, publiées (au nombre de douze) de 1669 à 1695. Tantôt elles prennent le ton de l'épopée (IVe épître, *Au roi,* sur le passage du Rhin), tantôt traitent de morale ou de critique littéraire.

Épîtres du Nouveau Testament, nom donné aux vingt et une lettres attribuées par la tradition aux Apôtres et insérées comme telles dans le Nouveau Testament*. Elles se répartissent en quatorze épîtres de saint Paul* et sept épîtres dites « catholiques », imputées aux apôtres Jacques*, Pierre* (deux), Jean* (trois) et Jude*. L'authenticité de certaines est mise en question.

ÉPIZOOTIE. — La lutte contre les épizooties a eu pour conséquence l'établissement d'une liste des maladies réputées légalement contagieuses, qui n'est pas limitative. C'est par décret ministériel que sont ajoutées ou, éventuellement, retranchées les maladies à déclaration obligatoire. Actuellement, ce sont :
— la rage et la fièvre charbonneuse dans toutes les espèces;
— la peste bovine et la fièvre catarrhale chez tous les ruminants;
— les gales chez tous les ruminants et les équidés;
— la brucellose et la fièvre aphteuse chez tous les ruminants et les porcins;
— la tuberculose bovine et la péripneumonie contagieuse chez les bovins;
— la clavelée chez les ovins;
— la morve, la dourine, l'anémie infectieuse et la peste équine chez les équidés;
— le rouget, la peste classique, la peste africaine, la salmonellose, la paralysie contagieuse chez les porcins;
— la tularémie, la myxomatose infectieuse chez tous les rongeurs;
— la peste aviaire, la psittacose, l'ornithose chez tous les oiseaux;
— la loque, l'acariose et la nosémose chez les abeilles.

ÉPLUCHEUSE. — Cette machine à éplucher les légumes-racines comporte une cuve cylindrique à revêtement intérieur abrasif ainsi qu'un disque abrasif actionné par un moteur électrique. L'épluchage se fait par la projection des légumes contre la paroi.

ÉPÔNE (78680), comm. des Yvelines à 9 km à l'E. de Mantes-la-Jolie; 5015 hab.

ÉPONGE. — L'embranchement animal des éponges, ou spongiaires, est le plus primitif des groupes d'animaux à plusieurs cellules, et certains auteurs différencient les spongiaires, sous le nom de *parazoaires,* des autres métazoaires. De fait, une minuscule bouture peut reconstituer en entier un tel être (on ne sait s'il faut dire l'« animal » ou la « colonie »). D'une symétrie nulle (ou axiale et d'ordre infini), percée d'innombrables « bouches » (pores inhalants, pour l'entrée de l'eau) et de plusieurs « anus » (pores exhalants, pour la sortie de l'eau), une éponge est un réseau de canaux unissant des cavités bordées de cellules vivantes à fouet et à collerette, caractéristiques de l'embranchement. Le battement synchrone des fouets crée un courant d'eau, qui entraîne des proies microscopiques. Au passage, des cellules amiboïdes saisissent ces proies et en nourrissent l'organisme. Celui-ci élabore toujours un squelette, formé soit de pièces, ou *spicules,* calcaires ou siliceuses,

ÉPONGES

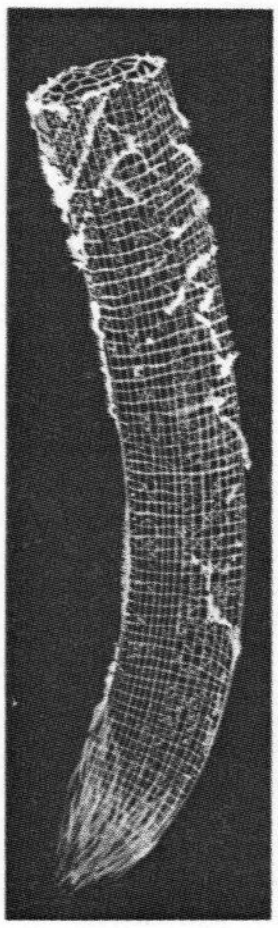

éponge de toilette

éponge en forme de coupe

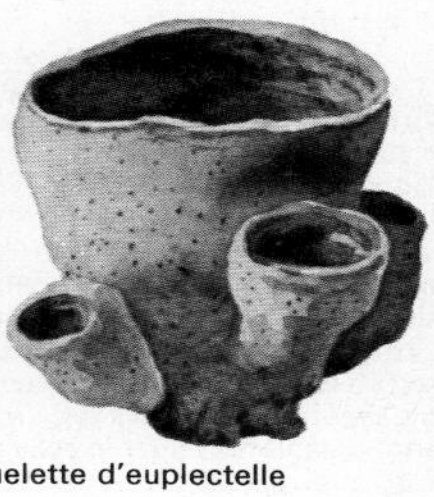

squelette d'euplectelle

dont la forme caractérise chaque espèce, soit d'un réseau de matière organique (spongine), comme c'est le cas pour l'éponge de toilette.

Un produit industriel décoré du nom très zoologique de *Spongia textilis* tend à supplanter l'éponge naturelle dans tous ses usages et à faire disparaître le métier épuisant de pêcheur d'éponges.

ÉPOPÉE. — Qu'on la prenne dans le sens étroit de la poésie grecque (où elle n'est qu'un poème écrit en vers de six pieds) ou dans le sens large de la littérature française (où elle finit par désigner tout récit d'aventures un peu extraordinaires), l'épopée remonte aux origines de toute littérature. On ne croit plus aujourd'hui, comme au XIXe s. et à la suite de F. A. Wolf (*Prolegomena ad Homerum,* 1795), à l'existence d'épopées populaires spontanées : toute épopée suppose une élaboration littéraire, fût-elle orale, due à un travail personnel et conscient, même s'il s'exerce sur des mythes* connus de tous. Cependant, l'épopée comporte bien un aspect collectif, dans la mesure où elle transmet un corps de récits traditionnels relatifs à l'ordre du monde et de la communauté, ordre dont l'existence et la stabilité sont le fruit des exploits de puissances divines ou de héros exceptionnels : cette présence d'éléments surnaturels, du *merveilleux*,* n'est pas, comme on l'a cru aux XVIIe s.-XVIIIe s., un ornement artificiel; ce grossissement des faits et des acteurs originels est une nécessité structurelle d'un récit qui ne se veut nullement une reconstitution historique, mais un modèle de comportements publics et privés. Le merveilleux fonctionne, en outre, dans les deux sens : il fait de divinités primitives des héros littéraires (ainsi Batraz et Soslan-Sozyryko dans l'épopée Narte du Caucase du Nord, qui prolongent respectivement un dieu guerrier et un dieu solaire des Scythes); il donne à Charlemagne, dans les chansons de geste* françaises, ou à Dietrich von Bern, dans les épopées germaniques, des dimensions légendaires. Nombre de héros et de situations de cette conscience collective qu'est l'épopée semblent, d'ailleurs, correspondre à certaines images ou structures repérées par la psychanalyse dans l'inconscient personnel. Dans sa *Théorie du roman* (1920), Lukács propose de voir dans l'épopée le genre littéraire qui exprime l'accord primitif de l'homme et du monde. Univers sans dissonance ni nostalgie, l'épopée n'est que la transposition directe et lyrique d'une culture et d'une nature « écologiquement » accordées. D'où l'aspect de *somme* qu'elle revêt dès le récit de la quête du héros assyrien Gilgamesh* et même si le poème ne s'affirme pas comme spécifiquement didactique* : Homère est lu pour son savoir tout autant qu'Hésiode. D'où également, lorsque ces conditions de cohérence entre les valeurs humaines et le monde réel ne sont plus remplies, l'affadissement inévitable de l'épopée en tableaux érudits et rhétoriques (les poètes alexandrins*). Si elle est présente dans toutes les cultures, l'épopée n'en est donc qu'un moment : celui où l'« âge d'or » (c'est-à-dire d'un équilibre) vient de se terminer, où la conscience de cette fin affleure et où l'on croit, contre toute espérance, retenir, répéter le passé dans une poésie à la fois mnémonique et incantatoire (*Sagas** scandinaves, *Chāh-nāmè* de Firdūsī*, *Divine* Comédie* de Dante). On comprend aussi pourquoi l'épopée appartient encore aux époques de « renaissance » et de conquête (le *Roland furieux* de l'Arioste, *la Jérusalem délivrée* du Tasse, *les Lusiades* de Camões, *le Paradis perdu* de Milton, *la Messiade* de Klopstock). C'est ainsi que le romantisme, par son goût des traditions populaires et la primauté qu'il accorde à l'imagination, a pu recréer un climat favorable à l'épopée, dont Hugo a donné avec sa *Légende des siècles* le chef-d'œuvre moderne. L'inspiration épique subsiste aujourd'hui dans la littérature sous une forme critique et parodique, dont l'expression la plus achevée reste l'*Ulysse** de James Joyce.

ÉPOXYDE. — Cette fonction chimique résulte de la réaction de l'épichlorhydrine du glycol* sur un polyalcool, comme le diphénylopropane, en présence de soude* vers 100 °C, réaction suivie de la réticulation de la macromolécule obtenue à l'aide d'un composé réagissant avec les groupes époxy $-\underbrace{C-C}_{O}-$ formés. Les produits obtenus sont visqueux ou solides suivant leur poids moléculaire. Ils possèdent une résistance chimique exceptionnelle. Avant réticulation, ce sont des produits thermoplastiques*, qu'on peut transformer en thermodurcissables*, et qui, sous cette forme, se caractérisent par leurs propriétés mécaniques, leur stabilité dimensionnelle, leurs qualités diélectriques*, leur inertie à l'égard des solvants* et de nombreux produits chimiques. Les époxydes sont utilisés comme résines à couler, qui sont durcies après application pour l'exécution d'appareillage électrique et l'enrobage de bobinages, comme résines pour vernis* et laques* destinés à la protection du matériel ménager, des métaux, du matériel électrique et à la fabrication de peintures anticorrosion après modification, par estérification* ou réticulation, de la résine pour la rendre feuillogène, et comme résines pour stratifiés*, avec renforcement en fibres de verre* fournissant des matériaux dont les propriétés mécaniques sont supérieures à celles des stratifiés polyesters*. Ces résines sont surtout employées pour le collage métal sur métal, bois sur métal, verre sur métal, verre sur verre, aluminium sur aluminium et pour le collage des matières plastiques* (Araldite).

EPPEVILLE (80400 Ham), comm. de la Somme, sur la Somme, à 1 km à l'O. de Ham; 2 261 hab. Sucrerie. Tréfilerie.

EPSOM, v. d'Angleterre, au S. de Londres; 71 000 hab. Station thermale. Depuis 1779 y a lieu une célèbre course de chevaux (le *Derby*).

EPSOMITE. — De formule $MgSO_4$, $7H_2O$, l'epsomite forme des cristaux orthorhombiques, blancs ou rouge pâle.

EPSTEIN (*sir* Jacob), sculpteur britannique d'origine russo-polonaise (New York 1880 - Londres 1959). À Paris en 1902 (puis en 1911), fixé à Londres en 1905, il s'inspire des arts primitifs et de l'avant-garde contemporaine (*Rock Drill,* 1913), choque le public par son expressionnisme brutal, puis s'impose notamment avec ses bustes, plus réalistes.

EPSTEIN (Jean), cinéaste français (Varsovie 1897 - Paris 1953). Auteur de plusieurs films, dont *l'Auberge rouge* (1923), *Cœur fidèle* (1923), *l'Affiche* (1924), *la Chute de la maison Usher* (1928), *Finis Terrae* (1929), *l'Or des mers* (1932), il fut également un théoricien et un esthéticien subtil et passionné du septième art (*Bonjour cinéma,* 1921; *l'Intelligence d'une machine,* 1946; *le Cinéma du diable,* 1947; *Esprit de cinéma,* 1955).

EPTE, riv. de Normandie, affl. de la Seine (r. dr.); 100 km.

ÉPURATION *(Industr.)* → ÉGOUT.

ÉPURATION *(Méd.).* — L'épuration extrarénale permet l'élimination des déchets et autres substances nocives lorsque le rein est incapable de s'en charger. Elle est obtenue par une dialyse péritonéale, mais surtout par des appareillages dits « reins artificiels ». Ceux-ci permettent l'épuration extracorporelle du sang comme le ferait un rein (hémodialyse). Deux types d'indication justifient la mise en œuvre de l'épuration extrarénale.

1. *Les néphropathies aiguës.* On utilise cette technique au cours des anuries, qu'elles soient toxiques, infectieuses, postopératoires, ou postabortum, au rythme d'une séance tous les deux ou trois jours pendant deux ou trois semaines.
2. *Les néphropathies chroniques.* L'épuration a lieu au rythme de deux séances par semaine (hémodialyse périodique). Celles-ci peuvent se faire soit dans des centres spécialisés, soit au domicile même du malade.

L'exsanguino-transfusion peut, également, être considérée comme une méthode d'épuration extrarénale.

ÉQUATEUR

ÉQUATEUR, en esp. **Ecuador,** république de l'Amérique du Sud, sur le Pacifique; 270 670 km²; 7 310 000 hab. *(Équatoriens).* Capit. *Quito.*

GÉOGRAPHIE. Les Andes, qui occupent la partie centrale du pays, sont divisées en deux chaînes surmontées de grands volcans encadrant un haut plateau au climat tempéré par l'altitude. Elles séparent les plaines de l'Est, qui se rattachent au bassin de l'Amazone et sont couvertes par la forêt équatoriale, de la plaine côtière, au climat chaud et surtout humide au N.

La population, composée principalement d'Indiens et de métis, s'accroît à un rythme très rapide. Elle se concentre dans les Andes, surtout autour de Quito, et, à un moindre degré, sur la côte pacifique, autour de Guayaquil.

L'agriculture reste le secteur essentiel de l'économie. La culture vivrière domine dans les Andes. Pratiquée dans le cadre de petites propriétés, elle fournit maïs, orge et blé, tandis que les bovins parcourent les hauts versants. Sur la côte, des cultures commerciales (cacao, banane, canne à sucre) sont pratiquées dans de grandes exploitations souvent contrôlées par les Américains.

L'industrialisation a longtemps été limitée à la transformation des produits agricoles. Elle peut être stimulée par l'exploitation récente d'importants gisements de pétrole.

HISTOIRE. En 1809, le vice-roi de la Nouvelle-Grenade écrase une conspiration aristocratique qui a renversé le président-intendant de l'*audiencia* de Quito (créée en 1563). Celle-ci est, cependant, libérée des forces royalistes par le général Sucre en 1822. En 1830, Quito fait sécession de la Grande-Colombie, fondée par Bolívar, pour former l'Équateur. Cependant, jusqu'en 1845, le pays est dominé politiquement par des généraux d'origine vénézuélienne, et en particulier par le général Juan José Flores (1801-1864) : ces militaires se taillent des fiefs dans la sierra, tout en arbitrant l'opposition entre les planteurs et les commerçants de Guayaquil et les notables de la montagne, riches de leur domination sur les Indiens endettés. Après une guerre civile provoquée par une expédition mal organisée par l'Espagne, les libéraux s'installent au pouvoir (1845-1859). Leur succède Gabriel García Moreno (1821-1875), qui, de 1859 à 1875, exerce une dictature progressiste et théocratique, et qui modernise le pays. Après son assassinat, les conservateurs traditionnels — en fait l'oligarchie de la sierra — gardent le pouvoir (1875-1895) jusqu'à ce que le caudillo libéral Eloy Alfaro (1842-1912) applique à l'Équateur un libéralisme autoritaire et anticlérical, les structures sociales du pays restant inchangées et l'empire de l'étranger s'accentuant sur l'économie. La permanence et la gravité des problèmes favorisent après 1932 la pérennité du chef charismatique José María Velasco Ibarra, qui, contesté par l'armée, est porté cinq fois au pouvoir, mais qui ne peut mener à son terme qu'un seul de ses mandats (1952-1956). Le vélasquisme incarne une espérance de changement face aux partis liés aux intérêts de classe, face aussi à des groupes révolutionnaires sans audience populaire. Renversé une nouvelle fois en 1972, après avoir établi un régime dictatorial (1970), Velasco Ibarra est remplacé par le général Guillermo Rodríguez Lara, qui instaure un régime « nationaliste, militaire et révolutionnaire ». Rodríguez Lara est à son tour déposé en 1976 par une junte militaire.

ÉQUATION. — Une équation est une égalité dans laquelle figurent une ou plusieurs inconnues et que l'on cherche à vérifier pour des valeurs convenables de ces inconnues. L'équation $x^2 - 1 = 0$, que l'on veut résoudre dans l'ensemble* $\mathbb{Z}$ des entiers relatifs, a comme solutions $x = 1$ et $x = -1$, car $(-1)^2 = 1^2 = 1$. Une équation peut donc être considérée comme une question que l'on pose. Quand on écrit $x^2 - 1 = 0$, cela veut dire : existe-t-il une ou plusieurs valeurs de x pour lesquelles $x^2 - 1 = 0$ est satisfaite? Il est essentiel de préciser l'ensemble dans lequel on cherche les solutions; on l'appelle le *référentiel*. Ainsi, les solutions $x = 1$ et $x = -1$ appartiennent à l'ensemble $\mathbb{Z}$. Si, *a priori,* l'on se fixe comme référentiel l'ensemble $\mathbb{N}$ des entiers naturels, l'équation $x^2 - 1 = 0$ n'a qu'une solution, $x = 1$, car $x = -1$ n'appartient pas à $\mathbb{N}$.

L'équation $x^2 - 1 = 0$ est une équation du second degré à une inconnue. Le *degré* d'une équation est le degré du monôme de plus haut degré figurant dans l'équation. Les équations

$$ax + 0 = 0, \quad ax^2 + bx + c = 0 \quad \text{et} \quad x^3 + px + q = 0$$

— les coefficients étant des nombres réels — sont des équations de degrés respectifs un, deux et trois. La résolution des équations de degré inférieur ou égal à quatre peut se faire à l'aide de radicaux arithmétiques.

ÉQUATORIAL (climat). — Il est marqué par des températures toujours élevées (plus de 20 °C), avec des amplitudes diurnes et annuelles très faibles, n'excédant guère quelques degrés. La pluie tombe, sous forme d'averses violentes, tous les jours, avec des maximums aux passages du soleil au zénith. Chaleur et humidité conjuguées permettent la croissance de la forêt dense.

ÉQUESTRE (ordre). — Sous la République romaine, le chevalier est un citoyen qui doit à sa richesse d'appartenir à une des dix-huit centuries équestres de l'assemblée centuriate. À l'origine, sénateurs et patriciens figurent au premier rang des chevaliers. Mais, à côté d'eux, on trouve les grands propriétaires fonciers et, à partir du IIIe s., des hommes d'affaires enrichis, qui, ne faisant pas partie de la noblesse patricienne, n'ont que rarement accès aux honneurs. À la fin de la République, on a l'habitude de considérer les deux dernières catégories comme formant un *ordo equester* distinct de la classe sénatoriale et venant juste après cette dernière. Les chevaliers ont droit à des honneurs particuliers : port de l'anneau d'or et de la *trabea* (toge blanche à bande de pourpre), sièges spéciaux au théâtre et, depuis les Gracques jusqu'à Sulla, admission aux *quaestiones perpetuae,* tribunaux criminels. Le Haut-Empire instaure un *cursus* équestre distinct du *cursus* sénatorial et crée quatre échelons de cens, dont seul le plus élevé (300 000 sesterces) ouvre aux chevaliers les postes les plus éminents. L'ordre équestre disparaît au Bas-Empire.

ÉQUESTRES (sports). — Ils comportent trois disciplines fondamentales : le concours hippique, le concours complet et le dressage. Le *concours hippique* (ou jumping) consiste, sur un parcours clos, dans le franchissement d'obstacles de nombre et de hauteur variés, le classement s'effectuant généralement en tenant compte à la fois des obstacles renversés (amenant une pénalisation) et du temps réalisé. Le *concours complet* associe le même cavalier et le même cheval dans trois épreuves : dressage, parcours de fond (plusieurs kilomètres souvent sur un terrain accidenté) et épreuve d'obstacles (qui est un concours hippique normal). Un système de notation permet d'additionner les points acquis dans chacune des trois épreuves, faisant du concours complet l'épreuve la plus probante pour le cavalier et le cheval. Le *dressage,* pratiqué sur un terrain rectangulaire, est constitué de plusieurs « figures imposées », les reprises. Il est inscrit aux jeux Olympiques depuis 1900, le concours hippique l'étant depuis 1912 et le concours complet depuis 1920. Ces trois disciplines font l'objet de compétitions individuelles et par équipes (généralement de quatre cavaliers).

ÉQUEURDREVILLE-HAINNEVILLE (50120), ch.-l. de cant. de la Manche, dans la banlieue nord-ouest de Cherbourg; 12 955 hab.

ÉQUIDÉS → ÂNE, CHEVAL, ZÈBRE.

ÉQUILIBRATION. — Les êtres vivants, qu'ils bougent ou qu'ils restent immobiles, se situent dans le champ de la pesanteur, qui tend à les faire tomber. Seules les formes fixées (plantes terrestres, animaux marins du fond rocheux) peuvent résister à la chute sans dispositifs spéciaux. Les formes aquatiques s'assurent souvent une densité voisine de celle de l'eau (vessie gazeuse de nombreux poissons) ou assurent leur orientation verticale par des flotteurs (algues : fucus, ascophylle). Les oiseaux planeurs s'équilibrent dans l'air par le triple appui des deux ailes et de la queue. Les animaux terrestres qui courent, sautent ou grimpent trouvent un équilibre dynamique qui disparaîtrait dans l'immobilité. Ces performances exigent la perception différentielle du « haut » et du « bas ». Hors de l'eau, la *baresthésie* (sensation orientée du poids) y suffit; dans l'eau des organes spéciaux, les *statocystes**, assurent cette fonction.

ÉQUILIBRE ÉCONOMIQUE. — C'est une des notions centrales autour de laquelle s'est construite la théorie économique : elle implique, pour l'essentiel, que ne se manifeste, dans une économie donnée, aucun facteur perturbant qui dépasse un certain degré de gravité. (Un chômage intense, une inflation galopante, des difficultés sociales graves formeraient autant de *déséquilibres.*) Aujourd'hui, on préfère au concept d'équilibre (qui peut, souligne Keynes*, se réaliser dans le sous-emploi) celui de « croissance équilibrée ».

La notion est ancienne. Déjà soulignée par Turgot, elle fut réellement dégagée par les économistes du XIXe s., qui lui consacrèrent une grande part de leurs recherches. Walras et Pareto analyseront l'existence d'une interdépendance générale des marchés*, sur laquelle se fonde l'équilibre (dans un état de *concurrence** parfaite, en présence d'une *monnaie* neutre* et face à un marché du travail* considéré comme parfaitement fluide). En réalité, l'analyse repose sur un degré d'abstraction en désaccord avec l'évolution réelle de l'activité économique. Keynes renouvellera la théorie de l'équilibre en montrant, notamment, que la monnaie n'est pas neutre, en introduisant le facteur temps (qui va à l'encontre de la notion d'équilibre spontané), en révélant, enfin, la spécificité du marché du travail; pour Keynes, l'équilibre fondamental est un équilibre « final » (entre l'investissement et l'épargne) dont il est souhaitable qu'il s'établisse à un niveau de plein emploi.

ÉQUINOXE → ANNÉE, SAISON.

ÉQUIPEMENT ÉLECTRIQUE. — L'équipement électrique d'une automobile comporte essentiellement la batterie* d'accumulateurs, source d'énergie, la dynamo*, chargée de la maintenir en bon état de marche, et les différentes connexions et les différents câblages nécessaires pour faire fonctionner les nombreux accessoires dont le véhicule est pourvu. La dynamo est équipée d'un régulateur de tension et d'un régulateur d'intensité du courant débité ainsi que d'un conjoncteur-disjoncteur, qui n'autorise le passage du courant que lorsque les tensions de la batterie et de la dynamo sont égales. On lui reproche de ne pouvoir supporter le large éventail de régimes du moteur, ce qui oriente les recherches vers l'adaptation de l'alternateur. Mais celui-ci donne un courant alternatif qui doit être redressé. Les inducteurs sont fixés aux masses polaires, divisées en deux branches présentant alternativement des polarités contraires. L'inducteur, pourvu, à sa périphérie, de dents semblables à celles des masses polaires, tourne de telle manière que, pour un demi-pas de déplacement, un induit recevant un flux d'une des branches est traversé par un flux de sens contraire provenant de l'autre branche.

ÉQUIPEMENTS D'UN AVION. — Ils englobent tous les systèmes qui, en sus des moteurs, concourent à la mise en œuvre de l'avion. Ils comprennent d'une part les *équipements de bord,* qui fournissent toutes les indications nécessaires au pilotage* de l'avion (altitude, vitesse, cap, orientations autour des axes de tangage et de roulis), et d'autre part les *équipements de navigation,* qui permettent de déterminer la position de l'avion par rapport au sol et de tracer la route suivie. Ils sont complétés par des systèmes d'aide à l'atterrissage*, grâce auxquels les avions peuvent atterrir dans des conditions de visibilité faible, voire nulle. Sur les avions modernes, ces deux types d'installations sont intégrés dans le pilote automatique. Les équipements comprennent encore les *systèmes de conditionnement* d'air,* pour l'entretien de l'atmosphère dans les cabines, les *systèmes de dégivrage* et les *systèmes énergétiques,* qui produisent l'énergie de servitude sous forme électrique, hydraulique ou pneumatique.

ÉQUIPOTENCE. — En logique mathématique, on appelle *équipotence* la propriété de deux ensembles entre lesquels il est possible d'établir une correspondance bijective. L'ensemble N des entiers naturels et l'ensemble $N - \{o\}$ sont, par exemple, équipotents : à tout n appartenant à N on associe $n + 1$. La notion d'équipotence se confond avec celle d'égalité numérique pour les ensembles finis. (V. FONCTION.)

ÉQUISÉTALES → PRÊLE.

ÉQUITATION → ÉQUESTRES *(sports).*

ÉQUIVALENCE (principe de l') → THERMODYNAMIQUE.

ÉQUIVALENT DE DOSE → DOSE.

ÉQUIVALENT DE SABLE → GRANULAT.

ÉRABLE. — La feuille d'érable qui figure dans les armoiries du Canada témoigne de la place de cet arbre dans les forêts des hautes latitudes de l'Amérique du Nord, mais plusieurs espèces d'érables occupent une place notable dans la forêt tempérée européenne, et le *sycomore,* qui est un érable, se rencontre jusqu'en Palestine. Ces arbres sont surtout connus pour leurs feuilles à plusieurs pointes, rappelant celles du platane, et pour leur fruit jumelé à deux ailes *(disamare).* La sève des espèces américaines fournit un sirop. Le bois est dur : d'où le nom latin d'*Acer* (type de la famille des *acéracées*).

ÉRARD (Sébastien), le plus célèbre membre d'une famille de facteurs de pianos et de harpes (Strasbourg 1752 - Passy 1831). Il fut le promoteur de l'industrie du piano en France. Il s'installa à Paris en 1768 et obtint la protection de la duchesse de Villeroy, après avoir construit un clavecin mécanique. La Révolution l'amena à passer en Angleterre, où il fonda une succursale, qu'il confia à son neveu Pierre Érard à son retour en France (1815). Il créa l'*échappement* pour le piano et le double-mouvement pour la harpe. La marque Érard (prônée par Liszt au XIXe s.) a porté au plus haut point le prestige de la facture française.

ÉRASME, en lat. **Desiderius Erasmus Roterodamus,** humaniste hollandais d'expression latine (Rotterdam v. 1469 - Bâle 1536). Enfant naturel dépouillé de son avoir par ses tuteurs, religieux au monastère des Augustins de Steyn, il mène une vie mouvementée : étudiant à Paris et en Angleterre, docteur ès arts à Bologne, collaborateur à Venise d'Alde Manuce, qui publiera ses *Adages* (1508), il obtient à Rome la dispense de ses vœux et professe la théologie à Cambridge, avant de devenir conseiller de Charles Quint et de se fixer à Bâle, ville où le catholicisme et la Réforme se tolèrent mutuellement, image imparfaite de la nouvelle communauté humaine qu'il appelle de ses vœux. Si son œuvre littéraire unit esprit socratique et vigueur satirique (*Colloques**, 1518) dans une même préoccupation didactique (*Éloge* de la folie,* 1511), son œuvre théologique est plus d'un moraliste soucieux de piété concrète que d'un mystique (*Manuel du soldat chrétien,* 1504; *Institution du prince chrétien,* 1515). Son édition critique du *Nouveau Testament* (1516) et les préfaces qui l'accompagnent constituent la théorie et l'illustration de la nouvelle théologie humaniste.

ÉRATO, muse de la Poésie lyrique, surtout amoureuse.

ÉRATOSTHÈNE, mathématicien, astronome et géographe grec (Cyrène v. 275 - Alexandrie v. 195). Membre de l'école d'Alexandrie, dont il dirigea longtemps la bibliothèque, il s'intéressa à des domaines aussi variés que la grammaire, la philosophie, la littérature, les mathématiques et l'astronomie. Le premier, il détermina avec assez de précision la longueur d'un méridien terrestre (39 690 km pour 40 010 km). Il est aussi l'auteur des premières cartes géographiques. En arithmétique, il est connu pour son célèbre *crible,* qui permet de déterminer empiriquement les nombres premiers successifs. Enfin, en astronomie, son nom reste attaché à une bonne évaluation de l'obliquité de l'écliptique (23° 51').

ERCILLA Y ZÚÑIGA (Alonso DE), écrivain espagnol (Madrid 1533 - *id.* 1594). Il prit part à une expédition au Chili, qui inspira son épopée l'*Araucana**.

ERCKMANN-CHATRIAN, nom sous lequel ont publié deux écrivains français : ÉMILE **Erckmann** (Phalsbourg 1822 - Lunéville 1899) et ALEXANDRE **Chatrian** (près d'Abreschviller, Moselle, 1826 - Villemomble 1890). Ils ont écrit ensemble un grand nombre de contes, de romans et d'œuvres dramatiques *(l'Ami Fritz, Histoire d'un conscrit de 1813, les Rantzau),* qui forment une sorte d'épopée populaire de l'ancienne Alsace.

ERDRE, affl. de la Loire (r. dr.), qu'il rejoint à Nantes; 105 km.

EREBUS, volcan de l'Antarctique, dans l'île de Ross; 4 023 m.

Érechthéion → ACROPOLE.

ÈRE GÉOLOGIQUE → CHRONOLOGIE.

EREĞLI, port de Turquie, sur la mer Noire; 19 000 hab. Sidérurgie.

EREMBODEGEM, anc. comm. de Belgique auj. intégrée à Alost. Industrie chimique.

ÉREPSINE → DIGESTION.

EREVAN ou **ERIVAN,** v. de l'U. R. S. S., capit. de la république d'Arménie, au S. du Caucase; 767 000 hab. Constructions mécaniques et électriques.

ERFURT, v. du sud-ouest de l'Allemagne orientale, sur la Gera; 201 000 hab. Cathédrale et diverses églises gothiques. Constructions mécaniques et électriques.

Erfurt *(entrevue d'),* négociations — relevées de fêtes grandioses — que Napoléon Ier, sur le point de partir pour l'Espagne, où ses armées étaient mises en échec, mena du 27 septembre au 14 octobre 1808 avec son allié le tsar Alexandre Ier, dont il voulait faire le surveillant de l'Autriche durant son absence. Ce fut un échec, puisque le tsar n'empêcha pas la formation, en 1809, de la 5e coalition.

ERG → DUNE.

ERGOL → FUSÉE (MOTEUR-).

ERGONOMIE. — L'ergonomie, étude scientifique du système homme-travail, est née au XXe siècle. Elle nécessite l'application conjointe de plusieurs disciplines assez différentes : technologie, physiologie humaine, psychologie et sociologie. Un poste de travail individuel constitue un système homme-machine qui, pour être correctement analysé, doit être considéré comme un sous-système d'un ensemble plus vaste constitué par le groupe social et les normes formelles ou informelles qui régissent celui-ci. L'ergonomie s'intéresse aux machines non pas pour les connaître du point de vue technique, mais pour déterminer les exigences de la machine envers l'homme afin de les adapter aux variables comportementales de l'homme et d'accroître l'optimum de leur adaptation mutuelle et, par là, le rendement.

ERGOT *(Méd.).* — Ce champignon parasite du seigle et d'autres graminacées (V. PLANTES [*maladies des*]) contient des substances vasoconstrictives; c'est un toxique responsable de troubles cardio-respiratoires et d'ischémie (cause de gangrène) des extrémités. La dose de 1 g est mortelle.

En thérapeutique, on s'est servi de l'ergot sous forme d'extrait (ergotine), mais ce sont surtout les alcaloïdes de l'ergot qui sont utilisés actuellement : ainsi, le tartrate d'ergotamine est un hémostatique puissant qui jugule certaines hémorragies utérines; la dihydroergotamine et le méthylsergide entrent dans le traitement de fond des migraines.

La dihydroergotoxine (mélange de plusieurs alcaloïdes) est employée dans le traitement des troubles circulatoires cérébraux.

ERHARD (Ludwig), économiste et homme d'État de l'Allemagne fédérale (Fürth 1897 - Bonn 1977). Professeur d'économie politique, député démocrate-chrétien au Bundestag en 1949, ministre de l'Économie (1949-1963), il assure le redressement économique de l'Allemagne fédérale après la guerre. Il succède à Adenauer comme chancelier en 1963, puis comme président du parti démocrate-chrétien en 1966. Ses échecs en politique extérieure, joints à la récession économique et aux difficultés sociales, ayant terni sa popularité, il est remplacé par Kiesinger à la chancellerie (1966) et à la présidence du parti démocrate-chrétien (1967).

ÉRICACÉES. — Outre les bruyères*, cette famille de plantes comprend les airelles, les myrtilles, l'arbousier, la busserole, le rhododendron. Il s'agit toujours d'arbustes ou d'arbrisseaux ligneux, vivaces, aux fleurs à pétales soudés.

ERICSSON, famille d'ingénieurs suédois. NILS (Långbanshyttan 1802 - Stockholm 1870) construisit les écluses du canal de Trollhätte ainsi que les canaux du Saimaa au golfe de Fionie et de Dalsland. — Son frère JOHAN (Långbanshyttan 1803 - New York 1889) imagina un propulseur hélicoïdal pour navire (1836) et l'éprouvette hydrostatique (1851) pour la mesure du volume des fluides sous pression. Il construisit le cuirassé à tourelles *Monitor* (1862), qui s'illustra à la bataille de Hampton Roads.

ÉRIDAN, constellation* très étendue de l'hémisphère austral, se présentant sous la forme d'une longue ligne sinueuse d'étoiles.

ERIDOU, anc. ville de Mésopotamie, qui a fourni une stratigraphie très complète de la poterie de la période d'Obeïd*, depuis sa phase la plus ancienne (VIe millénaire). Les vestiges de plusieurs temples successifs de ce centre essentiellement religieux ont été dégagés.

ERIE, port des États-Unis (Pennsylvanie), sur la rive sud du *lac Érié;* 129 000 hab.

ÉRIÉ *(lac),* l'un des cinq Grands Lacs américains, entre le lac Huron et le lac Ontario; 25 800 km². Il est relié à l'Hudson par le *canal de l'Érié* (590 km).

ÉRIGÈNE (Jean) → SCOT ÉRIGÈNE.

ERIK le Rouge, explorateur norvégien (Jaeren v. 940 - † v. 1010). Parti d'Islande, il découvre vers 982 la côte ouest du Groenland. De retour en 988, il repart avec plusieurs navires de colons pour cette « terre verte », où il s'installe à Brattalid.

ERIK DE POMÉRANIE (1382 - Rügenwalde 1459), roi de Norvège (1389-1442), de Danemark et de Suède (1396-1439). Fils d'un duc de Poméranie et petit-neveu de Marguerite de Danemark, qui le fit élire roi, il réalisa l'union des trois États scandinaves (diète de Kalmar, 1397). Mais son autoritarisme provoqua la révolte des Suédois (1434) ainsi que sa destitution par les nobles danois et suédois (1439), puis par la Norvège (1442).

ERIK XIV, roi de Suède → VASA.

ÉRINYES, déesses grecques de la Vengeance et du Châtiment, les *Furies* de la mythologie romaine. On les appelait par antiphrase les *Euménides* (les Bienveillantes), pour conjurer leurs maléfices.

ERLANGEN, v. de l'Allemagne fédérale (Bavière), sur la Regnitz; 85 000 hab. Hôtel de ville et château du XVIIIe s. Université. Constructions électriques.

ERLANGER (Joseph), savant américain (San Francisco 1874 - Saint Louis 1965), prix Nobel de médecine en 1944 avec Herbert Spencer Gasser pour ses études sur les différenciations fonctionnelles des fibres nerveuses.

ERLANGER (Théodore D'), juriste et musicologue russe (Moscou 1890 - Paris 1971), fondateur, à Paris, de l'École supérieure d'études chorégraphiques (1955).

ERMENONVILLE (60440 Nanteuil le Haudoin), comm. de l'Oise, à 13 km au S.-E. de Senlis; 604 hab. Église des XIIIe et XVIe s. Château et parc paysager du XVIIIe s. « Désert de sable » et forêt.

ERMITAGE ou **HERMITAGE** *(l')*, coteau couvert de vignobles de la Drôme (comm. de *Tain-l'Hermitage*), sur la rive gauche du Rhône.

Ermitage *(l')*, à Leningrad, ensemble de palais construits pour abriter les collections de Catherine II, amplifié au XIXe s. et auj. vaste musée (archéologie [trésors scythes], arts décoratifs, riche galerie de peinture occidentale).

Ermitage *(l')*, chalet de la vallée de Montmorency, propriété de Mme d'Épinay, où J.-J. Rousseau résida en 1756-57.

ERMOLAÏEV (Alekseï), danseur et chorégraphe soviétique (Saint-Pétersbourg 1910-Moscou 1975). Sans doute le meilleur danseur de sa génération, il contribua pour une large part à l'évolution du style de l'école russe. Toutes les classes masculines du Bolchoï ont bénéficié de son enseignement.

ERMONT (95120), ch.-l. de cant. du Val-d'Oise, à 14 km au N.-O. de Paris; 25 560 hab.

ERNAKULAM, partie de l'agglomération de Cochin (Inde, Kerala).

ERNE, fl. d'Irlande, tributaire de l'Atlantique; 115 km. Il traverse les deux *lacs d'Erne.*

ERNÉE (53500), ch.-l. de cant. de la Mayenne, à 20 km au S.-E. de Fougères, sur l'*Ernée;* 5 998 hab.

ERNEST-AUGUSTE de Brunswick-Lunebourg → HANOVRE *(royaume de).*

ERNEST-AUGUSTE Ier (Londres 1771-Hanovre 1851), roi de Hanovre de 1837 à 1851. Cinquième fils de George III* d'Angleterre, il porte d'abord le titre de duc de Cumberland et se distingue contre les armées françaises de la Révolution et de l'Empire. Roi de Hanovre en 1837, il n'accorde que tardivement (1848) à ses sujets des réformes libérales, auxquelles il renonce en 1850.

ERNST (Max), peintre français d'origine allemande (Brühl 1891-Paris 1976). Son œuvre s'affirme à la fois comme « rappel à l'enfantillage et désir de créer un univers pictural à la mesure de la situation tragique de l'homme d'aujourd'hui ». Il refuse la création ex nihilo et puise dans les formes banales et existantes les éléments d'une mythologie personnelle, qui fait de lui, après l'expérience dada (Cologne, 1919), un des premiers peintres surréalistes (il rejoint le groupe à Paris en 1922) : peintures dans l'esprit « métaphysique » de De Chirico (*l'Éléphant Célèbes,* 1921, Tate Gallery, Londres), *collages** et romans-collages (*la Femme 100 têtes,* 1929; *Une semaine de bonté,* 1934), *frottages* (sortes « d'équivalents de l'écriture automatique » : *Histoire naturelle,* 1926), sculptures comme *Jeu de constructions anthropomorphes* (1935). Après l'inquiétude étouffante et tragique de la période de la guerre (*décalcomanies* et peintures telles que *l'Europe après la pluie,* exécutée en 1940-1942 aux États-Unis, où il trouve refuge), son œuvre, plus construite, plus aérée, retrouve l'humour et prend une dimension cosmique avec les thèmes permanents de la forêt, de la lune et de l'oiseau, tandis que les objets, assemblés et intégrés au tableau, réapparaissent.

ERODE, v. de l'Inde (Tamil Nadu); 104 000 hab.

ÉROGÈNE (zone) → CORPS.

ÉRÔME (26600 Tain l'Hermitage), comm. de la Drôme, sur le Rhône, à 6,5 km au N. de Tain-l'Hermitage; 624 hab. Porcelaine.

ÉROS, dieu grec de l'Amour. Platon distingue l'*Éros* supérieur, qui conduit à l'amour divin, et l'*Éros* inférieur, qui est l'amour humain. La philosophie chrétienne a repris cette idée avec l'*Éros,* l'amour sous son aspect de désir passionnel, et l'*Agapè,* l'amour sous son aspect spirituel et divin.

ERÔS, petite planète* découverte par Witt à Berlin en 1898. Son orbite a été utilisée pour calculer les masses de la Terre et de Vénus ainsi que la parallaxe du Soleil.

ÉROSION. — Le relief terrestre tend à se modifier sous l'action des agents météoriques, l'ensemble des processus étant désigné sous le nom d'« érosion ». Les roches sont ameublies par l'*érosion mécanique,* ou fragmentation sous l'effet des variations de température (alternance du gel et du dégel notamment); l'*érosion chimique,* par attaque préférentielle de certains de leurs minéraux, détruit également leur cohésion. Les débris ainsi formés sont pris en charge par différents agents de transport : la pesanteur, qui les fait rouler au bas des versants (éboulis, solifluxion), le ruissellement, les cours d'eau, les glaciers, la mer, le vent. Lorsqu'ils ne peuvent être évacués, il y a accumulation.

Les divers processus qui concourent à l'élaboration du relief d'une région donnée constituent un *système d'érosion,* ou système morphogénétique. Chaque système est caractérisé par le rôle relatif que jouent les différents facteurs. En particulier, selon les climats, les systèmes sont très différents, à tel point que l'on parle de systèmes morphoclimatiques. Dans les régions tempérées et tropicales, la couverture végétale continue joue un rôle protecteur, et l'érosion chimique domine. Dans les régions désertiques ou montagneuses, le sol est souvent à nu, et l'érosion mécanique devient prépondérante. Dans les deux cas, les paysages qui en résultent sont très différents, et il est souvent possible de retrouver dans le modelé d'une région les traces de climats passés. Théoriquement, le relief de l'écorce terrestre a tendance à s'aplanir par attaque des parties élevées et comblement des parties basses, évolution systématisée par W. M. Davis* dans sa théorie du *cycle* d'érosion.* Quoique souvent sensible même à l'échelle humaine (recul des falaises, progression des deltas, etc.), l'érosion est un phénomène lent, mais qui peut être accéléré par l'intervention de l'homme (v. ANTHROPIQUE [*érosion*]).

ÉROTISME *(Littér.).* — L'érotisme diffère la réalisation du désir pour en prolonger l'intensité : sa fin n'est pas la perfection de l'acte, mais la pérennité du désir. Il y a donc érotisme dès qu'il y a décalage, détour, duplicité. La littérature, qui mime tous les actes et, du même coup, les tient tous à distance, est donc, en ce sens (et comme tout acte de connaissance et de création, cf. Platon et Freud), fondamentalement érotique : l'érotisme commence quand l'idée du désir devient plus excitante que son objet, quand à l'aventure amoureuse on préfère le roman d'amour. C'est dire que le lieu de l'érotisme n'est pas la sensualité directe, mais l'imagination, autre terrain favori de la littérature. Mais l'imagination n'est jamais si vive que lorsqu'elle se heurte à la contrainte, à l'interdit : l'érotisme fait de tout vice vertu, ce qui, en littérature, signifie que l'on exprime à la fois le tabou et sa transgression (Sacher-Masoch*, Bataille*), et que l'on désire faire durer ce moment rare et délicieux; d'où le rôle irremplaçable de l'écrit (Sade*), qui ajoute à l'intensité ponctuelle du plaisir la dimension de la durée — preuve supplémentaire que ce n'est pas tant au corps qu'à l'esprit que s'adresse l'érotisme littéraire.

Érotisme *(l')*, essai de Georges Bataille (1957). C'est une analyse des multiples manifestations de l'érotisme, à travers ses interdits (liés à la mort, à la reproduction, au travail, à l'idéologie chrétienne) et ses diverses transgressions (meurtre, sacrifice, guerre), ainsi qu'une recherche de leur inscription dans une même démarche (expérience d'un état limite) et une « unité de l'esprit humain » (un mysticisme de la « consumation », de la dépense des énergies et de la vie, sur les plans physique et spirituel).

ERQUY (22430), comm. des Côtes-du-Nord, sur la rive est de la baie de Saint-Brieuc, à 23 km au N. de Lamballe; 3 347 hab. Station balnéaire.

ERREUR *(Dr.)* → CONTRAT.

ERREUR *(Métrol.).* — Le résultat d'une mesure n'est jamais rigoureusement *exact,* c'est-à-dire qu'il diffère de la valeur vraie de la grandeur mesurée. La différence est appelée l'*erreur* ou l'*erreur absolue,* pour la distinguer de l'*erreur relative,* qui s'exprime en pourcentage. On essaie d'en évaluer un *majorant,* c'est-à-dire un nombre plus grand que la valeur absolue de l'erreur, mais aussi petit que possible, ce qui permet de donner un *encadrement* de la mesure cherchée. On connaît ainsi la *précision* de la mesure. Mesurer une longueur de 12,5 m à 1 dm près signifie que la mesure de cette longueur est comprise entre 12,4 m et 12,6 m. Toute mesure doit être accompagnée de la précision qu'on a pu obtenir, c'est-à-dire de l'erreur dont la mesure est entachée. Si l'on répète la même opération de mesure un grand nombre de fois, les résultats se répartissent autour d'une valeur *moyenne.* Si celle-ci s'écarte de la valeur vraie, elle comporte une erreur *systématique* qui subsiste dans toutes les opérations. Si les résultats sont étroitement groupés autour de la valeur moyenne, on dit que la mesure est *précise* ou *fidèle,* même si la moyenne est fausse. Les écarts par rapport à la moyenne sont les *erreurs aléatoires* ou *accidentelles,* qui se répartissent souvent selon une loi de probabilité de Gauss* représentée par une *courbe en cloche.*

ERSTEIN (67150), ch.-l. de cant. du Bas-Rhin, sur l'Ill, à 22,5 km au S. de Strasbourg; 7 496 hab. Sucrerie. Constructions mécaniques.

ÉRUPTION *(Méd.).* — Une éruption peut être constituée de macules érythémateuses rouges, de papules, de vésicules ou de bulles. Sa durée est très variable : lorsqu'elle est très fugace (de 12 à 24 heures), l'éruption est désignée sous le terme de « rash ». Qu'elle se manifeste par un *exanthème* (qui touche la peau) ou par un *énanthème* (qui touche les muqueuses), ou par les deux associés, elle est toujours pathologique : elle est la conséquence soit d'une maladie infectieuse éruptive (rougeole, rubéole, scarlatine, varicelle), soit d'une intoxication, ou encore d'une réaction d'intolérance à un médicament (pénicilline, sulfamides) ou à une substance alimentaire.

ÉRUPTION VOLCANIQUE → VOLCAN.

ÉRUPTIVES (roches). — Encore appelées « ignées » ou « magmatiques », les roches éruptives se forment à partir d'un liquide, le magma, résultant de la fusion partielle de l'écorce terrestre. Le magma peut cristalliser en profondeur, formant des intrusions de roches plutoniques, qui refroidissent lentement. La structure de ces roches, dont la plus répandue est le granite, est grenue : les minéraux qui les constituent sont visibles à l'œil nu. Mais le magma peut s'épancher en surface, formant des coulées de roches volcaniques au refroidissement rapide. Ces roches, en particulier le basalte, présentent une structure microlitique : leurs minéraux constitutifs sont très fins, non identifiables à l'œil nu, et le verre y est fréquent.

ERVY-LE-CHÂTEL (10130), ch.-l. de cant. de l'Aube, à 24 km au N. de Tonnerre; 1198 hab. Église des XVᵉ et XVIᵉ s. Vieilles maisons. Constructions mécaniques.

ÉRYSIPÈLE. — Cette affection légèrement contagieuse, due au streptocoque β hémolytique, siège préférentiellement à la face. La maladie débute brutalement par une fièvre à 39 ou à 40 °C. Une sensation de cuisson vive au visage précède l'apparition de la plaque rouge caractéristique, surélevée par l'œdème, chaude, douloureuse, entourée d'un bourrelet périphérique et accompagnée d'une adénopathie satellite (ganglion). L'évolution spontanée se fait vers la guérison en sept à douze jours. Des rechutes sont possibles. Des formes beaucoup plus graves, des complications en particulier septicémiques peuvent s'observer chez les sujets fragiles (diabétiques, vieillards). La pénicillinothérapie permet une guérison plus rapide de l'érysipèle; elle évite l'apparition des complications et des rechutes.

ÉRYTHÈME. — L'érythème se caractérise par une rougeur de la peau, non infiltrée, s'effaçant à la vitropression (pression de la peau avec un verre de montre permettant de voir à travers), à la différence du purpura. Dû à une vasodilatation des artérioles du derme, il est rarement pur et, le plus souvent, s'accompagne d'autres signes cutanés (nouures, squames, etc.). Les causes en sont nombreuses. Lorsqu'il est généralisé, l'érythème est le plus souvent d'origine infectieuse (rougeole, scarlatine), mais il peut être dû à une intolérance médicamenteuse (sulfamides). Localisé, il est le plus souvent l'expression d'une maladie dermatologique : citons l'érythème fessier du nourrisson, l'érythème des dermites artificielles secondaire à l'application de caustiques, le psoriasis, qui associe un érythème et une desquamation, l'érythème noueux, qui se manifeste par des nouures (des boules) rouges et qui reconnaît de nombreuses causes (primo-infection tuberculeuse, streptococcie, etc.).

ÉRYTHRÉE, région de l'Afrique orientale, sur la mer Rouge. Dépendant du royaume d'Aksoum* au début de l'ère chrétienne, l'Érythrée devient une des provinces de l'empire d'Éthiopie. Les Italiens s'y installent à partir de 1882 et en font une colonie (1890), qui leur sert de base pour envahir l'Éthiopie en 1935. Occupé, en 1940, par les troupes anglaises qui refoulent les Italiens au cours de la campagne d'Éthiopie (1940-41), le territoire reste sous l'administration britannique jusqu'en 1952. À cette date, entre en vigueur le statut fixé par l'O. N. U., qui rattache l'Érythrée à l'Éthiopie sous la forme d'un État fédéré largement autonome, disposant d'une assemblée et d'un gouvernement local. Cependant, un vote favorable du parlement érythréen permet à l'Éthiopie, en 1962, d'annexer le territoire, qui devient province éthiopienne. Cette annexion suscite parmi la majorité musulmane, hostile à l'emprise des dirigeants amharas sur le pays, une violente opposition, qui se concrétise autour d'un mouvement nationaliste et séparatiste, le Front de libération de l'Érythrée. Soutenu par plusieurs gouvernements arabes progressistes, le F. L. E. mène depuis 1962 une guérilla qui s'est amplifiée à la faveur du changement de régime intervenu en Éthiopie en 1974. Incapable de trouver une solution au problème érythréen, le nouveau régime militaire s'est engagé dans une véritable guerre contre le F. L. E.

ERZBERG, montagne d'Autriche, en Styrie; 1534 m. Minerai de fer.

ERZBERGER (Matthias), homme politique allemand (Buttenhausen, Wurtemberg, 1875-près de Griesbach, Bade, 1921). L'un des chefs du centre catholique, il obtient du Reichstag le vote de la résolution de paix (1917) puis est nommé président de la commission d'armistice à Rethondes (1918). Erzberger fait accepter le traité de Versailles par le ministère Bauer, où il entre comme ministre des Finances (1919), avant d'être assassiné par les nationalistes.

ERZGEBIRGE, en franç. **monts Métallifères,** en tchèque **Krušné Hory,** massif montagneux aux confins de la Tchécoslovaquie (extrémité nord-ouest de la Bohême) et de l'Allemagne orientale; 1244 m. Il doit son nom à la présence de nombreux minerais (plomb, zinc, cuivre, argent, uranium) dont certains furent exploités dès le Moyen Âge, donnant naissance à une tradition industrielle toujours vivante, représentée aujourd'hui surtout par la métallurgie de transformation et le textile.

ERZURUM ou **ERZEROUM,** v. de la Turquie orientale; 135000 hab. Grande medersa de Çifteminare, très bel exemple du style seldjoukide, et monuments divers. Industries alimentaires. — La situation de la ville sur la principale voie de passage entre la Turquie et l'Iran en a fait, depuis l'Antiquité (*Garin* ou *Karin* des Arméniens, *Theodosiopolis* des Byzantins), un important centre commercial et militaire, conquis par les Seldjoukides* en 1201. La ville fut annexée par les Ottomans* en 1514.

ESAKI (Leo), physicien américain d'origine japonaise (Ōsaka 1925). En 1957, il a obtenu l'effet «tunnel» dans les semi-conducteurs. (Prix Nobel de physique, 1973.)

ESAÜ, personnage biblique, fils aîné d'Isaac*, supplanté par son frère Jacob*. Il est le symbole de la civilisation nomade qui doit céder la place à la civilisation pastorale.

ESBJERG, port du Danemark, sur la côte occidentale du Jylland; 77000 hab. Pêche.

ESBO → ESPOO.

ESCALADE → STRATÉGIE.

ESCANDE (Léopold), physicien français (Toulouse 1902). Il s'est surtout intéressé à la mécanique des fluides, au calcul des barrages et à la technique des modèles réduits.

ESCANDORGUE, plateau basaltique du Massif central, au S. du causse Larzac.

ESCARBOT. — Les coléoptères de la famille des histéridés, couramment nommés *escarbots,* au corps large, ovale et aplati, aux antennes coudées en massue, aux pattes fouisseuses, partagent avec les scarabées (dont ils portent le nom déformé) l'exploitation des excréments et des cadavres. Le genre *Hister* est le plus commun.

ESCARÈNE (L') [06440], ch.-l. de cant. des Alpes-Maritimes, à 21 km au N.-E. de Nice; 1553 hab.

ESCARGOT. — Le vaste groupe des escargots rassemble la plupart des mollusques terrestres munis d'une coquille. Celle-ci, toujours spirale à enroulement dextre, peut aisément abriter en entier l'animal, rétracté pendant l'hibernation à l'abri d'un opercule muqueux, l'*épiphragme.* Lorsque la plus grande partie du corps s'en est retirée, elle abrite encore la seconde moitié de l'appareil digestif, le cœur et le poumon. Dans ce cas, elle prend place sur le dos, tandis que l'animal rampe sur une sole ventrale parcourue d'ondes de contraction et qui sécrète un mucus adhésif. La tête, bien différenciée, porte deux paires de tentacules rétractiles (les plus grands se terminent par les yeux), une bouche aux mâchoires cornées, une langue *(radula)* couverte de dents râpeuses. L'orifice génital perce le cou du côté droit. Les escargots sont hermaphrodites, la fécondation est mutuelle et chaque adulte pond des œufs dans une cavité du sol. Les escargots des grandes espèces supportent très mal la sécheresse et ne «sortent» que pendant et après les pluies. Mais des espèces de petite taille vivent jusqu'aux confins du Sahara.

ESCARPIÈRE (L') → ÉCARPIÈRE (L').

ESCARRES. — Les escarres apparaissent aux points d'appui (fesses, sacrum, talons). Elles sont précédées d'une phase de blancheur de la peau, puis une croûte noirâtre se forme, résultant de la nécrose des tissus. Cette croûte se détache et laisse une plaie atone, profonde, ayant tendance à s'infecter, longue à cicatriser. L'escarre survient lorsque des causes locales (paralysie, appui prolongé sur un point du corps) s'ajoutent à une altération de l'état général.

ESCAUDAIN (59124), comm. du Nord, à 4 km à l'O. de Denain; 10673 hab.

ESCAUT, en néerl. **Schelde,** fl. de l'Europe du Nord-Ouest; 430 km. Né en France (départ. de l'Aisne), l'Escaut coule vers le N., passe à Cambrai, Denain, Valenciennes, pénètre en Belgique, où il arrose successivement Tournai, Gand (où il reçoit la Lys) et Anvers, à la tête de son delta. La majeure partie de ce delta *(Escaut occidental)* appartient aux Pays-Bas. On donne le nom d'*Escaut oriental* à un bras de mer (bientôt barré) situé plus au N., dans l'archipel de la Zélande. Fleuve au régime régulier, canalisé et relié notamment à la Meuse et au Rhin, l'Escaut est une importante artère de navigation fluviale, notamment dans son cours inférieur, en aval d'Anvers.

ESCAUTPONT (59278), comm. du Nord, à 8 km au N.-E. de Valenciennes, sur l'*Escaut;* 5252 hab.

ESCHATOLOGIE. — Le destin ultime de l'homme et de l'univers a préoccupé l'humanité de tous les temps et les religions ont cherché une réponse à cette interrogation : migration des âmes ou métempsycose, nirvāna, existence future dans un monde meilleur. Durant les années qui précèdent et suivent le début de notre ère, on assiste, dans les religions méditerranéennes, à un extraordinaire développement de l'eschatologie, dont sont témoins, d'une part, la fortune dans le monde gréco-romain des religions à mystères*, dans lesquelles les spéculations sur l'autre monde jouent un grand rôle, et, d'autre part, l'abondance dans les religions juive et chrétienne de la littérature apocalyptique (v. APOCALYPSE), axée sur les événements des derniers temps. Ce courant de pensée aura une influence déterminante dans le Nouveau Testament*, où le Christ apparaît comme le Seigneur de l'histoire; avec lui, le temps historique atteint son point final.

ESCHENBACH (Wolfram VON) → WOLFRAM.

ESCHINE, orateur athénien (v. 390-314 av. J.-C.). Il se fit d'abord partisan d'un congrès panhellénique contre Philippe, mais, ayant échoué, il devint partisan de la paix et l'adversaire de Démosthène, qui l'emporta dans le procès *Sur la couronne* et qui le contraignit à l'exil. Ses discours *(Sur l'ambassade, Contre Ctésiphon, Contre Timarque)* sont des exemples d'élégance attique.

ESCH-SUR-ALZETTE ou **ESCH-ALZETTE,** ch.-l. de cant. du sud du Luxembourg, sur l'*Alzette;* 27 600 hab. Métallurgie.

ESCHYLE, poète tragique grec (Éleusis v. 525 - Géla, Sicile, 456 av. J.-C.). Frère de Cynégire, héros de Marathon, il combat lui-même à Marathon et à Salamine. Il commence très tôt à écrire pour le théâtre (*les Suppliantes,* parmi les sept pièces qui nous sont restées, dateraient de 490), mais ne remporte son premier succès qu'en 484. Le triomphe des *Perses* (472) consacre sa gloire et attire l'attention de Hiéron, tyran de Syracuse. Eschyle vit désormais tantôt à Athènes, tantôt en Sicile, faisant jouer près de quatre-vingt-dix drames, qui exploitent le domaine des vieux mythes (*Prométhée enchaîné,* entre 467 et 458), la théogonie, le cycle troyen, l'histoire des Argonautes, les légendes thébaines et argiennes (*les Sept contre Thèbes,* 467; l'*Orestie* [*Agamemnon, les Choéphores, les Euménides*], 458). La légende attribue sa mort à la chute d'une tortue qu'un aigle aurait laissé tomber sur son crâne. Véritable fondateur de la tragédie* grecque, il lui a donné sa forme (introduction d'un second acteur, alternance du dialogue et des parties lyriques, détermination des costumes) et son esprit; la démesure *(hybris)* conduit l'homme à l'erreur, mais la vengeance divine *(némésis)* rétablit la justice, garant de l'équilibre naturel et social. Le lyrisme d'Eschyle excite chez le spectateur un sentiment d'angoisse, mais lui présente la solution harmonieuse des conflits, qui réside dans la modération, fondement de la morale athénienne.

ESCLANGON (Ernest), astronome français (Mison, Basses-Alpes, 1876-Eyrenville 1954). On lui doit la mise au point, en 1932, de l'horloge parlante.

ESCLAVAGE. — La plupart des peuples de l'Antiquité ont connu l'esclavage. Quatre mille ans avant notre ère, les Sumériens l'ont pratiqué; dans l'Égypte pharaonique les esclaves, peu nombreux, sont la propriété du pharaon. Mais c'est surtout en Grèce et à Rome qu'à partir du IVe s. av. J.-C. l'institution connaît une véritable ampleur. Dans l'Europe du Moyen Âge, l'action de l'Église et, plus encore, peut-être, les transformations techniques (attelage) et économiques (économie domaniale) favorisent le déclin de l'esclavage, que remplace peu à peu le servage*. Il subsiste cependant dans l'islām et, dans une moindre mesure, sur les rives nord de la Méditerranée, où l'on voit des chrétiens faire le commerce d'autres chrétiens (slaves surtout, d'où le terme « esclaves »). Mais c'est au XVIe s., avec la découverte de l'Amérique, que débute l'une des plus grandes migrations forcées qui aient jamais existé. De 1 à 3 millions de Noirs africains sont transportés en Amérique et vendus aux planteurs du Brésil, des Antilles et du sud des États-Unis. Si une réaction antiesclavagiste et abolitionniste se dessine dès la fin du XVIIIe s., la suppression de l'esclavage ne se réalise que très lentement, sous l'impulsion des abolitionnistes anglais (Wilberforce). Tardivement (1850), le mouvement gagne les États-Unis qui, au terme de la guerre de Sécession (1865), libèrent leurs esclaves. Mais il faut attendre le XXe s. pour voir la société mondiale condamner l'esclavage (Convention de Genève, 25 sept. 1926; Déclaration universelle des droits de l'homme, 10 déc. 1945), qui n'a cependant pas disparu dans certains États arabes de la mer Rouge et du golfe Persique.

ESCLAVE *(Grand Lac de l'),* lac du Canada (Territoires du Nord-Ouest), alimenté par la *rivière de l'Esclave* (section du Mackenzie, qui est aussi l'émissaire du lac); 27 800 km^2.

ESCLAVES *(côte des),* nom donné autrefois à la partie de la côte d'Afrique baignée par le golfe de Guinée.

ESCOBAR Y MENDOZA (Antonio), jésuite espagnol (Valladolid 1589-*id.* 1669). Le nom de ce casuiste est devenu synonyme de fourberie depuis que Pascal l'a attaqué dans ses *Provinciales.*

ESCOFFIER (Auguste), cuisinier et gastronome français (Villeneuve-Loubet 1847-Monte-Carlo 1935). Il dirigea les cuisines du Savoy Hotel (1890) et du Carlton Hotel, à Londres (1898). On lui doit la création de la pêche Melba Sa maison natale est devenue un musée d'art culinaire.

ESCOMPTE. — C'est l'acquisition par un banquier d'un effet* de commerce moyennant une somme payée au détenteur de l'effet, égale à la valeur nominale de celui-ci moins l'*agio* (ou escompte) et la *commission d'endos* qui rémunère le service rendu par le banquier. L'escompte réalise une véritable mobilisation de créance (et permet donc à un fournisseur d'accorder crédit* à son client), plus qu'un prêt proprement dit, la jurisprudence fluctuant, néanmoins, sur cette question.

Le banquier qui a escompté un effet de commerce peut le faire réescompter par une autre banque, très particulièrement la Banque de France, se refinançant ainsi en mobilisant la créance qu'il détient. Le banquier peut remettre également des effets « en pension ».

Escorial *(el)* ou **Escurial** *(l'),* palais et monastère d'Espagne, au pied de la sierra de Guadarrama, au N.-O. de Madrid. Accomplissement d'un vœu de Philippe II, après la victoire de Saint-Quentin, conçu comme nécropole royale et centre d'études au service de la Contre-Réforme, il fut élevé de 1563 à 1584 par Juan Bautista de Toledo, l'Italien Giambattista Castello et Juan de Herrera* dans un style classique sévère, inhabituel en Espagne. On y voit de nombreuses œuvres d'art : bronzes des Leoni père et fils (Leone et Pompeo), peintures de primitifs flamands, de Titien, du Greco, de Ribera, Velázquez, Claudio Coello, fresques de Luca Giordano, tapisseries de Goya, etc.

ESCORTEUR. — On désigne sous ce nom, depuis 1945, dans la marine française, un type de bâtiment de 1 300 à 4 000 t qui a succédé au contre-torpilleur et est analogue au destroyer. Destiné d'abord aux missions d'escorte, son rôle s'est étendu à la protection des communications maritimes. En 1976, la marine française comptait 15 *escorteurs d'escadre* de 2 750 t, construits de 1953 à 1960, dont certains *(d'Estrées, Guépratte* et *Duperré)* ont été refondus de 1968 à 1972 pour la lutte anti-sous-marine, 16 *escorteurs rapides* (type le *Corse*) de 1 250 t, et 9 *avisos escorteurs* (type *Commandant Rivère*) de 1 750 t. Les escorteurs doivent être remplacés par les nouveaux types de corvettes et de frégates.

ESCOUCHY (Mathieu D'), chroniqueur français (Le Quesnoy v. 1420-1482), continuateur de E. de Monstrelet. On lui doit d'importantes chroniques couvrant les années 1444-1461.

ESCOURGEON → ORGE.

ESCRIME. — L'escrime, sport universellement pratiqué, figure aux jeux Olympiques depuis leur première édition (1896). Elle est régie par une Fédération internationale, créée en 1913, et comporte trois armes. Le *fleuret* est sans doute la plus célèbre. C'est l'arme la plus légère (moins de 500 g), longue au maximum de 110 cm, comportant à son extrémité, comme l'épée, un bouton qui permet un contrôle électrique des touches portées par les deux adversaires. L'*épée* pèse au maximum 770 g et a une longueur égale à celle du fleuret. Le *sabre* est léger (moins de 500 g également), long de 105 cm, avec son extrémité légèrement recourbée (le contrôle électrique n'est pas appliqué ici). La surface de touche reconnue varie selon les armes : le corps entier pour l'épée, le buste, les bras et la tête pour le sabre, la partie du corps délimitée par la cuirasse métallique protégeant l'escrimeur pour le fleuret. Les matches se disputent selon une durée fixée (de 6 à 12 mn de combat effectif, arrêts déduits) ou sur un nombre délimité de touches (le vainqueur étant celui qui atteint le premier ce nombre). Le fleuret est ouvert aux hommes et aux femmes (elles sont exclues des deux autres armes). Les compétitions se disputent individuellement et par équipes (de quatre escrimeurs).

ESCUDERO (Vicente), danseur et pédagogue espagnol d'origine gitane (Valladolid 1892). Un des plus grands danseurs flamencos, partenaire de la Argentina (*l'Amour sorcier,* 1925), il a énoncé les règles de la danse masculine dans son *Décalogue.*

ESCULAPE, dieu romain de la Médecine, identifié à l'Asclépios* grec.

ESCULINE → VITAMINE.

ESCUROLLES (03110), ch.-l. de cant. de l'Allier, à 8,5 km au N.-E. de Gannat; 705 hab.

ESDRAS, prêtre juif (Ve s. av. J.-C.), restaurateur de la religion juive et du Temple après l'Exil de Babylone. Il a joué un rôle capital dans la fixation de la loi mosaïque et est, avec Néhémie*, le fondateur du judaïsme. (V. HÉBREUX.) Le livre biblique dit *livre d'Esdras* (fin du IVe s.) relate les événements de la période postexilique.

ESHKOL (Levi), homme politique israélien (Oratov, Ukraine, 1895-Jérusalem 1969). Il émigre en Palestine dès 1913. Secrétaire du Mapai (parti socialiste) de 1944 à 1948, député à la Knesset à partir de 1949, il devient ministre de l'Agriculture (1951-52), puis des Finances (1952-1963), et succède à Ben Gourion comme Premier ministre (1963-1969).

ESHNOUNNA, v. de l'ancienne Mésopotamie (actuel Tell Asmar en Iraq) fouillée par H. Frankfort (1930-1936). D'importants vestiges architecturaux de l'époque dynastique archaïque (v. 2800-

2500) ont été dégagés ainsi qu'un groupe de statues d'orants provenant du temple du dieu Abou.

ESKILSTUNA, v. de Suède, près du lac Mälaren; 93 000 hab. Métallurgie.

ESKIMOS → ESQUIMAUX.

ESKIŞEHIR, v. de Turquie, à l'O. d'Ankara; 216 000 hab.

ESKOLA (Pentti Eelis), géologue finlandais (Lellainen 1883 - Helsinki 1964). Il s'est principalement consacré à la pétrologie des roches métamorphiques : on lui doit notamment la notion de faciès métamorphique. Il a également travaillé sur l'origine de la croûte terrestre et sur la circulation des fluides à l'intérieur des roches.

ESMEIN (Jean-Paul Hippolyte Emmanuel, dit **Adhémar**), juriste français (Touvérac 1848 - Paris 1913). On lui doit d'importants travaux consacrés au droit public et à l'histoire du droit.

ESNAULT-PELTERIE (Robert), ingénieur français (Paris 1881 - Nice 1957). Parmi ses nombreuses inventions, figurent le premier moteur d'avion en étoile à nombre impair de cylindres ainsi que le dispositif de commande des gouvernes appelé *manche à balai*. Il établit la théorie de la navigation interplanétaire au moyen de la fusée à réaction, prévoyant même l'utilisation de l'énergie nucléaire comme moyen de propulsion.

ESNÈH, v. d'Égypte, dans la vallée du Nil, au N.-O. d'Edfou; 30 000 hab. Depuis très longtemps lieu de culte du dieu-bélier Khnoum, l'ancienne Senet ou Latopolis des Grecs ne conserve aujourd'hui que l'hypostyle d'un grand temple élevé à l'époque romaine. Gravés sur les colonnes, des textes liturgiques rendent l'édifice du plus haut intérêt, malgré sa construction tardive.

ÉSOPE, fabuliste grec (VIIe-VIe s. av. J.-C.). Personnage à demi légendaire, esclave bègue et bossu, d'après Plutarque, il fut mis à mort par les Delphiens. Sa figure n'a été fixée qu'au XIVe s. par le moine Planude *(Vie d'Ésope)*, et le recueil des *Fables ésopiques* est dû pour l'essentiel à Démétrios de Phalère (IVe s. av. J.-C.).

ÉSOTÉRISME. — L'exposition publique d'une doctrine mystique ou d'un enseignement religieux aux profanes, c'est-à-dire, au sens littéral, à « ceux qui sont devant le temple », est nécessairement *extérieure* par rapport à ce qui en est révélé ou transmis à l'*intérieur* d'une assemblée sacrée ou par des mystères initiatiques. Toutes les grandes religions, quelles que soient leurs positions dogmatiques à cet égard, ont été fondées sur un double enseignement et une double interprétation, externe et interne, exotérique et ésotérique, littérale et spirituelle, apparente et cachée. Tout mystère suppose une initiation* et toute initiation un ésotérisme.

ESPADON. — Cet énorme poisson des mers chaudes et tempérées, dont le poids atteint parfois la demi-tonne, se singularise par son rostre osseux, aplati en sabre, et qui peut atteindre 1,50 m de long. Les formes, pour le reste du corps, rappellent celles du thon. La nage est des plus rapides, généralement en surface, et, en l'absence de dents, le rostre est une arme redoutable pour les sardines et maquereaux dont l'espadon se nourrit. (Type de la famille des xiphiidés.)

ESPAGNE, en esp. **España,** État de l'Europe méridionale; 504 750 km^2 (497 477 km^2, en excluant les Canaries); 35 470 000 hab. *(Espagnols).* Capit. *Madrid.*

GÉOGRAPHIE. Pays de l'Europe méditerranéenne, l'Espagne a longtemps souffert de conditions naturelles peu favorables tant à l'agriculture qu'au développement industriel. Depuis quelques années, elle a accompli de sérieux progrès, mais son essor économique reste fragile.

• *Le milieu naturel.* L'Espagne occupe la majeure partie de la péninsule Ibérique, qu'elle partage avec le Portugal. C'est un ensemble de hautes terres où les plaines sont peu étendues. Les plateaux de la Meseta, séparés en deux (Vieille-Castille et Nouvelle-Castille) par les lourdes chaînes des sierras de Gredos et de Guadarrama, occupent le centre du pays. Ils correspondent à des massifs hercyniens rabotés par l'érosion, et sont bordés à la périphérie par des bourrelets montagneux : monts Cantabriques au N., monts Ibériques à l'E. et sierra Morena au S. La plaine de l'Èbre, au N., sépare cet ensemble de la chaîne récente des Pyrénées (3 404 m au pic d'Aneto), qui forme la frontière avec la France et dont l'Espagne ne possède que le lourd versant méridional. Au S., les plaines du Guadalquivir, ouvertes sur l'Atlantique, séparent la Meseta des chaînes alpines de la cordillère Bétique (3 478 m dans la sierra Nevada). D'étroites plaines côtières (Valence, Murcie, Alicante) jalonnent le littoral méditerranéen.

Tout le Nord-Ouest est sous l'influence de l'Atlantique et connaît un climat océanique humide, permettant la croissance de forêts de feuillus. Le reste du pays subit l'influence méditerranéenne. Mais si le climat est doux près des côtes, dans les plateaux de l'intérieur l'altitude et l'éloignement de la mer expliquent les tendances continentales se manifestant par des hivers rigoureux. La durée de la sécheresse estivale augmente du N. au S. Elle permet seulement la croissance de la forêt méditerranéenne (chênes verts, chênes-lièges), voire seulement de la steppe dans les secteurs les plus arides.

climatologie

stations	températures moyennes (en °C) janvier	juillet	précipitations annuelles (en mm)
La Corogne	9,8	18,6	730
Madrid	7,3	23,0	355
Murcie	11,5	26,1	231

les régions

Galice	Nouvelle-Castille
Asturies	Estrémadure
León	Andalousie
Vieille-Castille	Murcie
Provinces basques et Navarre	Valence
Aragon	Baléares
Catalogne	Canaries

• *La population.* Elle est composée de différents groupes (Andalous, Castillans, Catalans, Basques), qu'opposent des idées particularistes. La densité moyenne reste peu élevée (67 hab. au km^2) malgré un accroissement démographique rapide, dû surtout à l'abaissement de la mortalité, qui a caractérisé les cinquante dernières années. Cet accroissement a provoqué un fort courant d'émigration — vers les États-Unis et la France, puis vers l'Allemagne fédérale —, qui s'est ralenti progressivement. Aujourd'hui le taux d'accroissement est stabilisé autour de 1 p. 100 par an. Parallèlement, s'est opérée une redistribution de la population à l'intérieur du pays. À l'exception de la région de Madrid, les plateaux du Centre, très pauvres, ont été délaissés au profit des régions périphériques, en particulier la Catalogne, le Pays basque, la région de Valence. La population urbaine ne cesse de croître par suite de l'exode rural et le réseau urbain comprend une trentaine de villes de plus de 100 000 habitants, dominé par les agglomérations rivales de Madrid et de Barcelone.

villes principales
(nombre d'habitants)

Madrid	3 146 000	Saragosse	480 000
Barcelone	1 745 000	Bilbao	410 000
Valence	654 000	Málaga	374 000
Séville	548 000	Murcie	244 000

• *L'économie.* L'*agriculture* occupe désormais moins du quart de la population active. Elle n'est guère favorisée par les conditions naturelles et souffre en particulier de la pauvreté des sols et de la sécheresse estivale. Dans le Nord dominent les petites exploitations, qui atteignent à peine le seuil de la rentabilité, tandis que le Sud est partagé en grands domaines, les latifundia, exploités d'une manière peu intensive. Dans les deux cas, le type d'exploitation constitue un frein à la modernisation, qui ne s'opère que très lentement.

Les différents types de cultures sont imposés par les conditions climatiques et les possibilités d'irrigation. Les plateaux et les plaines du Centre sont le domaine de la culture sèche, ou *secano.* On y pratique la culture extensive du blé (4 Mt pour l'ensemble du pays), dont le faible rendement est encore abaissé par le maintien fréquent de la jachère. Les plantations d'oliviers alimentent la fabrication de l'huile d'olive (0,5 Mt), dont l'Espagne est le premier producteur mondial, mais qui souffre de la concurrence des autres huiles moins chères. La culture de la vigne (40 Mhl de vin) a tendance à se concentrer et à s'améliorer, toutefois l'exportation du vin est difficile. Les secteurs les plus arides restent les terrains de parcours des troupeaux de moutons (17 M de têtes au total). Dans les plaines périphériques notamment (Guadalquivir, Valence, Murcie), on pratique la culture irriguée, ou *regadio.* Les productions sont variées : riz, agrumes (2 Mt), légumes, coton, tabac, betterave à sucre. Enfin, dans le Nord-Ouest, les influences océaniques permettent la culture du maïs et des arbres fruitiers, associés à l'élevage bovin laitier et à l'élevage porcin. Malgré le complément apporté par la pêche (1,5 Mt), active surtout sur l'Atlantique, la production agricole reste insuffisante pour nourrir la population.

L'*industrie* est devenue le secteur essentiel de l'économie. Son développement a été lent et a souffert en particulier de l'insuffisance des moyens de communication, due aux obstacles du relief.

GOLFE DE GASCOGNE
FRANCE
Montpellier
Toulouse
GOLFE DU LION
Perpignan
ANDORRE
C. de Creus
Gérone
El Ferrol el Caudillo
La Corogne
Avilés
Gijón
Oviedo
Langreo
ASTURIES
Santander
Reocin
Bilbao
PR. BASQUES
Saint-Sébastien
Lugo
Cord. Cantabrique
St-Jacques-de-Compostelle
GALICE
Pontevedra
Orense
Mts de León
León
LEÓN
Vitoria
Pampelune
NAVARRE
Logroño
Pyrénées
Huesca
CATALOGNE
Burgos
VIEILLE-CASTILLE
Palencia
Cordillère
Soria
ARAGON
Manresa
Sabadell
Lérida
Zamora
Valladolid
Duero
Ebre
Saragosse
BARCELONE
Hospitalet
Ibérique
Tarragone
Salamanque
Ségovie
Guadalajara
Tortosa
C. Tortosa
Ávila
El Escorial
centrale
MADRID
Alcalá de Henares
Teruel
Getafe
Pinto
Aranjuez
Cordillère
PORTUGAL
Tage
Tolède
Cuenca
MER Baléares
Minorque
Castellón de la Plana
Majorque
Monts de Tolède
GOLFE DE VALENCE
Palma de Majorque
Cáceres
NOUVELLE-CASTILLE
ESTRÉMADURE
LA MANCHE
Valence
Iles
VALENCE
Guadiana
Júcar
Ibiza
Mérida
Badajoz
Ciudad Real
Albacete
Almadén (mercure)
Alcoy
C. de la Nao
MÉDITERRANÉE
Puertollano
MURCIE
Alicante
Sierra Morena
La Carolina
Elche
Linares
Cordoue
Murcie
Tharsis (pyrites)
Jaén
La Unión
Rio Tinto (pyrites)
Guadalquivir
ANDALOUSIE
Bétique
C. de Palos
Carthagène
Séville
Grenade
Alquife (fer)
Huelva
Sierra Nevada
Jerez de la Frontera
Cordillère
Almería
G. DE CADIX
Málaga
C. de Gata
Cadix
La Línea
Algésiras
Gibraltar (G.-B)
0 km 100
4°
8°
0°
GOLFE DE GASCOGNE
Santander
Laredo
Castro Urdiales
Santurce
Guecho
Zumaya
Zarauz
St-Sébastien
Irún
Camargo
Sestao
Torrelavega
Portugalete
Bilbao
Deva
Rentería
SANTANDER
Baracaldo
BISCAYE
Eibar
Hernani
Durango
GUIPÚZCOA
Tolosa
Mondragón
(BISC.)
ÁLAVA
Vitoria
(BURGOS)
Miranda de Ebro
BURGOS
LOGROÑO
Logroño
Burgos
0 50 km
2°
Perpignan
FRANCE
Port-Bou
C. de Creus
Figueras
Cadaqués
Ripoll
Rosas
Olot
GÉRONE
COSTA BRAVA
Manlleu
Bañolas
Gérone
Vich
Palafrugell
42°
Playa de Ara
Palamós
S'Agaró
BARCELONE
Tossa de Mar
S. Feliu de Guixols
Manresa
Blanes
Lloret de Mar
Igualada
Sabadell
Granollers
Tarrasa
Mataró
MER
Santa Coloma de Gramanet
Badalona
Valls
Hospitalet
BARCELONE
TARRAGONE
Sitges
MÉDITERRANÉE
Villanueva y Geltrú
Tarragone
0 50 km
Guadalquivir
0 50 km
MURCIE
Jaén
Jódar
JAÉN
Baena
Martos
Lorca
Alcalá la Real
Cabra
CORDOUE
Baza
Águilas
Lucena
GRENADE
Osuna
Grenade
Guadix
Sa de los Filabres
SÉVILLE
MÁLAGA
Loja
Sierra Nevada
ALMERÍA
Carboneras
Antequera
Mulhacén 3478
Lebrija
Níjar
Bétique
Lanjarón
Sa de Gádor
Alora
Dalías
Las Negras
Sanlúcar de Barrameda
Arcos de la Frontera
Ronda
Vélez-Málaga
Nerja
Motril
Almería
Sa de Ronda
Cordillère
Coín
Almuñécar
Adra
Roquetas
C. de Gata
Jerez de la Frontera
Málaga
Torremolinos
Fuengirola
Benalmádena
Marbella
Puerto Real
Cadix
S. Pedro de Alcantara
Chiclana de la Frontera
Estepona
COSTA DEL SOL
CADIX
Barbate de Franco
MER
La Línea
Algésiras
GIBRALTAR
MÉDITERRANÉE
Tarifa
6°
4°
2°
villes classées selon l'importance de leur population
voies ferrées
autoroutes
routes

La vétusté des réseaux routier et ferroviaire commence à être combattue par des travaux de modernisation. Cependant, le taux de croissance industrielle a beaucoup progressé depuis 1960, grâce aux investissements étrangers, en particulier américains, et l'industrie apparaît maintenant comme un secteur dynamique. Les sources d'énergie sont pourtant peu abondantes. Le charbon des Asturies et du León (10 Mt au total), de médiocre qualité, est en crise et le développement de l'hydroélectricité (Miño, Duero, Tage) est handicapé par la sécheresse d'été (l'hydroélectricité ne représente guère que le tiers d'une production totale d'électricité dépassant 80 TWh). De plus, le pays doit importer tout son pétrole. Les gisements de plomb, de zinc, de cuivre, d'uranium et de mercure alimentent une métallurgie de première transformation des métaux non ferreux. La sidérurgie est surtout implantée dans le Nord-Ouest, à proximité des mines de fer (Asturies, Pays basque). La production d'acier (11 Mt) satisfait les besoins de la métallurgie de transformation, au sein de laquelle les constructions navales et automobiles apparaissent comme les secteurs de pointe. L'industrie textile, ancienne, est localisée autour de Barcelone (coton, laine). Les industries chimiques (engrais, pétrochimie) sont en plein essor, de même que le bâtiment.

Cependant, la production industrielle reste insuffisante. En plus de certaines matières premières, le pays doit importer des biens d'équipement et sa balance commerciale est largement déficitaire. Ses principaux partenaires sont les pays du Marché commun et les États-Unis : le déficit n'est compensé qu'en partie par le tourisme, bien que les plages de la Costa Brava, de la Costa del Sol et des Baléares accueillent chaque année 30 millions de touristes (de France et d'Europe du Nord-Ouest), qui apportent, au moins temporairement, des devises et procurent des emplois pour la population. À cela s'ajoutent encore les revenus des travailleurs à l'étranger, dont le nombre dépasse le million. Toutefois, la balance des paiements est encore déficitaire.

Malgré son développement récent assez spectaculaire, l'Espagne demeure l'un des pays les plus pauvres de l'Europe, puisqu'elle se classe dans les derniers rangs par son produit par habitant (environ 2 500 dollars). De plus, le faible niveau de vie moyen recouvre des inégalités régionales marquées. La misère règne encore dans les plateaux de l'intérieur et le développement des villes périphériques n'évite pas un chômage important. La croissance plus rapide du Nord (côte cantabrique et Catalogne, autour de la métropole économique de Barcelone) est, en partie, à l'origine d'antagonismes régionaux qui compliquent encore les problèmes. Les progrès récents de l'ensemble du pays restent fragiles car ils sont étroitement dépendants de la situation internationale, par l'intermédiaire des investissements étrangers et des revenus du tourisme et des travailleurs émigrés. L'Espagne ne pourra consolider sa situation qu'en équilibrant sa balance commerciale.

HISTOIRE.

• *Des origines à Charles Quint.* Les Ibères s'installent dans le pays à l'époque néolithique; d'autres peuples — des Celtes notamment — suivent. Mais, très tôt, les côtes espagnoles attirent les peuples marchands : les Phéniciens, qui, dès 1100 av. J.-C., fondent des colonies prospères (Cadix, Málaga, Algésiras); les Grecs, attirés par les gisements métallifères, qui installent des comptoirs aux Baléares ainsi que dans l'est et le sud du pays (Alicante, Ampurias); les Carthaginois, qui, au VIIe s. av. J.-C., fondent Ibiza et occupent, au VIe s., pratiquement toute la côte méridionale de l'Espagne, où Hasdrubal crée, au IIIe s. av. J.-C., la ville de *Carthago Nova* (Carthagène). À la suite des guerres puniques, les Romains prennent le relais des Carthaginois, qu'ils ont vaincus, mais ils doivent faire face à de nombreux soulèvements indigènes, si bien que la péninsule ne leur est soumise entièrement que sous Auguste (19 av. J.-C.). Profondément romanisée, l'Espagne est christianisée dès le IIIe s. Envahi, après 395, successivement par les Vandales (installés en Vandalucía [Andalousie]), les Suèves (Galice), les Alains (Lusitanie et Carthagène), le pays tombe, en 410, sous la domination des Wisigoths, qui y fondent un puissant royaume, à la civilisation originale et féconde, Tolède et Séville étant d'intenses foyers de culture chrétienne.

Mais les Arabes d'Afrique convoitent l'Espagne, qui, à partir de 711, passe sous leur domination, sauf les montagnes du Nord, où les partisans de Rodrigue, dernier roi wisigoth, organisent un bastion d'où partira la Reconquête (*Reconquista**). L'Espagne musulmane n'en devient pas moins un centre extraordinairement vivant de civilisation (art, philosophie, science), les Arabes servant d'intermédiaires entre les civilisations anciennes et l'Occident. L'émirat indépendant de Cordoue (756), devenu califat en 929, est au cœur de cette civilisation mozarabe; sa décadence, après la mort d'al-Manṣūr (1002), se marque par la formation de petits États (*taifas*) qui doivent faire face aux offensives de plus en plus puissantes des princes chrétiens. Ceux-ci, du VIIIe au XIe s., ont réussi à constituer, au nord de la péninsule, des petits royaumes indépendants, embryons d'États importants : León*, puis Castille*, Navarre*, Catalogne*, Aragon*. En 1212, la victoire des rois chrétiens, à Las Navas de Tolosa, sur les Almohades* venus au secours des *taifas,* marque une étape décisive de la *Reconquista :* celle-ci est achevée, en 1492 (prise de Grenade), par les Rois Catholiques, Ferdinand V d'Aragon et Isabelle Ire de Castille. La même année, Christophe Colomb* prend pied en Amérique, où l'Espagne des conquistadores* va se tailler un immense empire, source de revenus considérables.

• *De Charles Quint (Charles Ier) à Charles IV.* C'est le petit-fils des Rois Catholiques et de Maximilien d'Autriche, Charles Quint*, reconnu roi d'Espagne (Charles Ier) par les Cortes en 1517, qui fonde la puissance espagnole : celle-ci s'appuie sans doute sur les territoires ibériques, mais aussi sur les colonies américaines, les comptoirs africains, les conquêtes aragonaises en Méditerranée (Sardaigne, Sicile, Naples), sur l'héritage bourguignon (Pays-Bas, Luxembourg, Franche-Comté) et sur l'héritage autrichien, assuré en 1519, année de l'élection de Charles Quint comme empereur. En fait, moins espagnol que néerlandais, Charles Quint est surtout pris par ses préoccupations continentales, qui le conduisent à poursuivre avec la France de François Ier une guerre interminable. Sa méconnaissance des problèmes castillans déclenche d'ailleurs la révolte des *comuneros* (« communes »), qui est écrasée dans le sang (1520-21). Finalement, ses échecs en France et en Allemagne amènent l'empereur à abdiquer (1556) en faveur de son fils, Philippe II, dont le règne (de 1556 à 1590) connaît tout à la fois l'apogée du « siècle d'or » espagnol (Cervantès, le Greco, Ignace de Loyola, Thérèse d'Ávila...) et les prémices de la décadence. La domination espagnole en Italie, la victoire de Lépante (1571) sur les Turcs, l'annexion (1580) du Portugal ont comme contrepoids l'échec de l'*Invincible Armada* devant les Anglais (1588), la révolte des Pays-Bas et la sécession des Provinces-Unies*, le dépeuplement de l'Espagne et son appauvrissement, l'expulsion des morisques, qui prive le pays d'artisans précieux. D'autre part, la concurrence néerlandaise et anglaise s'intensifie sur mer.

Au XVIIe s., qui est marqué en Espagne par une seconde renaissance culturelle (Lope de Vega, Vélasquez...), les successeurs de Philippe II — Philippe III (de 1598 à 1621), Philippe IV (de 1621 à 1665), Charles II (de 1665 à 1700) — connaissent des difficultés grandissantes, d'autant plus que, dominés par leur entourage, ils sont incapables d'arrêter une décadence que la raréfaction des métaux précieux américains rend dramatique.

La puissance française s'impose alors en Europe aux dépens de l'Espagne, si bien qu'à la mort de Charles II, le dernier Habsbourg d'Espagne, la couronne passe au petit-fils de Louis XIV, le duc d'Anjou, devenu Philippe V (de 1700 à 1746); en refusant de renoncer à ses droits sur la France, celui-ci provoque la guerre de la Succession* d'Espagne (1701-1714), qui affaiblit encore l'Espagne, réduite en Europe à ses frontières naturelles. Philippe V et ses successeurs — Ferdinand VI (de 1746 à 1759) et Charles III (de 1759 à 1788) — pratiquent une politique à la française, centralisatrice, oublieuse des privilèges locaux (catalans, notamment). Une stérile politique italienne et une dépendance de fait à l'égard de la diplomatie française soulignent alors l'impuissance de l'Espagne à retrouver son rang. À l'intérieur, Charles III, adepte du despotisme* éclairé, tente cependant une relative rénovation économique d'un pays dont la stagnation va devenir endémique.

Charles IV (de 1788 à 1808), lui, est un incapable, dominé par Godoy*, l'amant de la reine Marie-Louise de Bourbon-Parme. Un moment adversaire (1793-1795) de la France révolutionnaire, l'Espagne rentre bientôt dans l'alliance française; à côté de bénéfices mineurs (Minorque), cette alliance se solde par le désastre naval franco-espagnol de Trafalgar (1805), qui anéantit à tout jamais la puissance maritime espagnole. Napoléon Ier croit dès lors qu'il lui sera facile de mettre la main sur la péninsule Ibérique : en fait, en acculant Charles IV et son fils Ferdinand (VII) à abdiquer, et en plaçant son frère, Joseph Bonaparte, sur le trône d'Espagne (1808), il déclenche une guerre atroce (1808-1814), où le sentiment national espagnol s'exalte aux dépens d'une France qui ne tire que mécomptes de cette aventure.

• *De Ferdinand VII à Juan Carlos.* À peine débarrassée des Français, l'Espagne est affrontée à d'autres problèmes : à l'extérieur, la révolte des colonies américaines, bientôt indépendantes (Amérique latine); à l'intérieur, la révolte provoquée par le despotisme anachronique de Ferdinand VII; il faut d'ailleurs l'intervention des Français, instruments de la Sainte-Alliance, pour rétablir l'autorité du roi (1823). Quand meurt Ferdinand VII (1833), de nouveaux troubles surgissent, liés à la décision du roi de laisser le trône à sa fille Isabelle II (de 1833 à 1868), au détriment de son frère don Carlos. Trois guerres carlistes (v. CARLISME) vont, durant des années, ensanglanter un pays taraudé par la pauvreté et considéré en Europe comme une puissance de seconde zone. D'autre part, le règne d'Isabelle II est marqué par de multiples scandales, cause d'instabilité politique, les anciens bénéficiaires du Pacte colonial, rendu caduc par la perte de l'empire, cherchant des compensations en accaparant le gouvernement. Quant aux masses populaires, elles se heurtent aux intérêts d'une bourgeoisie plus foncière qu'industrielle.

En 1868, le général Juan Prim destitue la reine; le gouvernement provisoire qui se forme alors offre la couronne à Léopold de Hohenzollern; la candidature de ce dernier étant contestée par la

France, on se tourne vers Amédée de Savoie, qui ne règne que trois ans (de 1870 à 1873); il est remplacé par une république éphémère (1873), puis par Alphonse XII* (de 1874 à 1885), fils d'Isabelle II, qui meurt prématurément, laissant un fils à naître, Alphonse XIII*.

La régence de Marie-Christine est assombrie par la guerre hispano-américaine (1898), qui se solde par la perte, pour l'Espagne, de Cuba, des Philippines et de Porto Rico. À l'intérieur, l'anarchie et le désordre ne s'arrêtent pas avec le règne personnel d'Alphonse XIII (1902). De guerre lasse, le roi, en 1923, abandonne la réalité du pouvoir au général Primo de Rivera, qui instaure un régime dictatorial : s'il pacifie le Maroc et rétablit le crédit de l'Espagne, celui-ci ne peut éviter une grave crise sociale qu'amplifient de forts mouvements autonomistes (en Catalogne, notamment). La force ne pouvant venir à bout de cette situation, Primo de Rivera démissionne (1930); un an plus tard, Alphonse XIII quitte l'Espagne et la république est proclamée. Mais le régime démocratique, laïque et socialisant qui est alors instauré se heurte à l'opposition de l'armée et aux intérêts des grands propriétaires, si bien que la nette victoire du Front populaire *(Frente popular),* aux élections du 18 février 1936, provoque une révolte militaire de grande envergure dont la direction est assurée par le général F. Franco*, considéré bientôt comme le chef des nationalistes. Entre ceux-ci et les républicains, une terrible guerre civile se développe (v. ESPAGNE [*guerre civile d'*]), qui ne se termine que le 1er avril 1939, par la défaite des républicains.

Maître du pays jusqu'à sa mort en 1975, Franco — le *caudillo* — dote l'Espagne d'un régime autoritaire, centralisateur et corporatiste, appuyé sur les forces conservatrices : armée, phalange, police, Église, classes privilégiées. Après des années d'isolement, l'Espagne, autour de 1950, rentre dans le concert des nations par la grâce des États-Unis, qui y installent des bases stratégiques; le « miracle économique » qu'elle connaît après 1960, en mettant fin à une longue stagnation et en attirant les capitaux étrangers, accélère cette reprise diplomatique; mais la lutte que le franquisme — avec des moyens souvent brutaux — doit mener contre les oppositions lui aliène une part notable de l'opinion mondiale. L'avènement, en 1975, de Juan Carlos Ier (né en 1938), petit-fils d'Alphonse XIII, est suivi très vite d'une transformation totale du régime, qui aboutit à la démocratisation de l'Espagne : après la libéralisation de la vie politique, l'élection, en 1977, de deux assemblées au suffrage universel marque un succès pour l'Union du centre, dirigée par le Premier ministre, Adolfo Suárez. La même année, la Catalogne retrouve son autonomie.

DÉFENSE ET ARMÉES

- *1953 :* accords militaires hispano-américains renouvelés en 1970 et 1976 (emploi par les États-Unis des bases navale de Rota et aériennes de Saragosse, Torrejón de Ardoz et Morón de La Frontera).
- LES FORCES ESPAGNOLES EN 1977. Budget : 1 766 millions de dollars (1,8 p. 100 du P. N. B.). Effectifs : 302 000 hommes (dont 213 000 appelés), service militaire de dix-huit mois, 65 000 gardes civils.

Armée : 220 000 hommes (dont environ 25 000 en Afrique), 3 divisions d'intervention, 2 de montagne et 16 brigades indépendantes.

Marine : 47 000 hommes, 11 sous-marins, 1 porte-hélicoptères, 34 escorteurs.

Aviation : 35 000 hommes, 205 avions de combat.

Espagne *(guerre civile d'),* conflit qui opposa, de 1936 à 1939, le gouvernement républicain espagnol à une insurrection militaire et nationaliste. Le 13 juillet 1936, l'assassinat de Calvo Sotelo, leader de la droite aux Cortes, est l'occasion d'un soulèvement militaire dont le général Franco* prend bientôt la tête. Ainsi débute une guerre qui oppose durant trente-deux mois le gouvernement républicain de *Frente popular,* soutenu par les autonomistes catalans et basques et bénéficiant de l'appui de l'U. R. S. S. (brigades internationales), de la France et du Mexique, aux nationalistes (ou franquistes), regroupant autour de l'armée la phalange et les *requetés* carlistes de Navarre et qui recevront une aide militaire de l'Italie et de l'Allemagne (légion Condor).

Marquée par son aspect révolutionnaire et par de nombreuses atrocités dans les deux camps, cette guerre prend la forme d'un conflit classique avec des fronts où sont menées de véritables opérations militaires (environ 800 000 hommes sont engagés de part et d'autre). Dès octobre 1936, l'Espagne est coupée en deux : l'Ouest étant contrôlé par Franco, qui établit un gouvernement à Burgos, l'Est restant fidèle aux républicains, demeurés maîtres de Madrid, de Barcelone et de Valence, ainsi que de la poche basque allant de Bilbao à Gijón. Après la prise de Málaga (févr. 1937), qui lui donne un port sur la Méditerranée, Franco conquiert le front nord (prise de Bilbao en juin, de Santander en août et de Gijón en octobre). 1938 voit la percée des troupes franquistes en Catalogne, qui coupe en deux, à Vinaroz (avr.), le territoire républicain. Après la chute de Barcelone (25-26 janv. 1939), les troupes de Franco rejettent l'armée républicaine en France, où elle est internée (févr.), et la guerre se termine avec la reddition de Madrid, où les franquistes entrent le 28 mars. Marqué par de violentes batailles (Brunete, Guadalajara, Terruel, Bilbao...) et par des épisodes dramatiques (Alcazar de Tolède, bombardement de Guernica), ce conflit, qui conditionnera durant près de quarante ans l'avenir de l'Espagne, aura coûté à ce pays environ 636 000 morts.

ESPAGNOL. — Langue romane, l'espagnol est issu du latin vulgaire apporté par les conquérants romains (IIe et Ier s. av. J.-C.). Ce parler subit de profondes influences germaniques (période wisigothique) et surtout arabes. Les chrétiens ayant été refoulés au VIIIe s. dans les montagnes du nord de la péninsule, leur langue se diversifie en dialectes, dont les frontières sont orientées nord-sud : le catalan*, l'aragonais, le navarrais, le castillan, le léonais, le galicien. Les hasards de l'histoire ont fait du castillan la langue du royaume d'Espagne et de son empire colonial (Amérique du Sud, Philippines, etc.). L'espagnol s'enrichit et se fixe en partie aux XVIe et XVIIe s. (période classique) au travers d'une littérature prestigieuse. Il connaît alors des influences italiennes et surtout françaises. Parlé par environ 200 millions de personnes, l'espagnol est aujourd'hui la troisième langue du monde par le nombre des locuteurs.

ESPALION (12500), ch.-l. de cant. de l'Aveyron, sur le Lot, à 32 km au N.-E. de Rodez; 4 807 hab. Intéressant ensemble de constructions anciennes.

ESPARTERO (Baldomero), général et homme d'État espagnol (Granátula 1793-Logroño 1879). Chef des troupes fidèles à Isabelle II (1833), il battit les carlistes (1838-39). Régent de 1841 à 1843, il fut écarté du pouvoir par une coalition de modérés et de progressistes.

ESPÈCE. — « L'espèce est la collection des descendants d'un même couple et de tous les individus qui leur ressemblent autant qu'ils se ressemblent entre eux. » Cette ancienne définition n'est pas acceptable lorsqu'il existe des races géographiques endogamiques, comme chez l'homme et chez le chien. « L'espèce est l'ensemble des individus susceptibles, en s'accouplant, de donner des produits indéfiniment féconds » : voilà, en revanche, une définition trop large, qui mettrait chien et loup dans la même espèce. En fait, aucune définition générale de l'« espèce » n'est parfaite. Au contraire, il est aisé de décrire une espèce avec assez de précision pour en délimiter l'extension. La science universelle admet comme espèce nouvelle une forme décrite d'après un individu conservé en collection, le *type,* baptisée d'un nom générique et d'un nom spécifique en latin, insérée dans les cadres généraux de la systématique (classe, ordre, famille...) et dont le cycle reproductif est suffisamment connu pour que l'on soit assuré qu'il ne s'agit pas d'une forme juvénile, sénile ou anormale d'une espèce déjà enregistrée.

Est-ce à dire que « la nature ne connaît que des individus »? Ce serait fort exagéré : la majorité des espèces animales et végétales peuvent être identifiées par une imposante série de caractères qui leur sont propres, et les plus communes ont reçu un nom bien avant l'essor de la science, même dans les langues des chasseurs-ramasseurs au mode de vie préhistorique. D'ailleurs, les réactions sérologiques, le cortège parasitaire, l'aspect des chromosomes cellulaires, l'appétence sexuelle et mille autres traits proclament la réalité de cette insaisissable notion.

ESPELETTE (64250 Cambo les Bains), ch.-l. de cant. des Pyrénées-Atlantiques, à 5,5 km au S.-O. de Cambo-les-Bains; 1 188 hab.

ESPÉRANCE MATHÉMATIQUE. — L'espérance mathématique d'une variable* aléatoire X encore appelée moyenne* de X, notée E(X) ou $\overline{X}$ (on lit X barre), est une moyenne pondérée qui rend compte globalement des valeurs que peut prendre X en faisant intervenir les probabilités* correspondantes. Si X est une variable *discrète,* c'est-à-dire une variable susceptible de prendre des valeurs isolées en nombre fini ou infini, l'espérance mathématique de X est

$$E(X) = p_1x_1 + p_2x_2 + ... + p_ix_i + ... + p_nx_n,$$

$x_1, x_2, ..., x_i, ..., x_n$ désignant les valeurs que peut prendre la variable X, et $p_1, p_2, ..., p_i, ..., p_n$, les probabilités correspondantes. On note

$$E(X) = \sum_{i=1}^{n} p_ix_i.$$

Si le nombre des valeurs est infini, on écrit

$$E(X) = \sum_{i=1}^{\infty} p_ix_i.$$

EXEMPLE. Au jeu de dé en un coup, X désigne le résultat obtenu et peut prendre les valeurs 1, 2, 3, 4, 5 et 6, avec des probabilités toutes égales à $\frac{1}{6}$.

$$E(X) = \frac{1}{6}(1 + 2 + 3 + 4 + 5 + 6) = \frac{21}{6} = \frac{7}{2} = 3,5.$$

Cette valeur n'appartient pas à la série des valeurs que peut prendre X : ce n'est pas ce que l'on peut *espérer* obtenir en lançant le dé. C'est une indication globale sur la série, avec des probabilités égales à $\frac{1}{6}$. L'espérance est un *paramètre de position* pour une variable aléatoire.

ESPÉRANTO → ARTIFICIELLES *(langues).*

ESPÉRAZA (11260), comm. de l'Aude, sur l'Aude, à 19 km au S. de Limoux; 2 529 hab. Chapellerie. Matières plastiques.

ESPÉROU (l') ou **LESPÉROU,** sommet des Cévennes (Gard), au S. de l'Aigoual; 1 422 m. Station touristique au *col de l'Espérou* (1 230 m).

ESPINEL (Vicente), écrivain espagnol (Ronda 1550 - Madrid 1624), auteur de *Marcos de Obregón* (1618), prototype de *Gil Blas.*

ESPINOSA, famille de danseurs classiques d'origine espagnole, qui se fixa à Londres (1872) et dont plusieurs membres devinrent des pédagogues réputés : ÉDOUARD (Moscou 1871 - Worthing 1950), fils de LEON (1825-1903), cofondateur de la Royal Academy de la British Ballet Organization (1930), et ses sœurs JUDITH (1876-1949), LEA (1883-1966) et RAY (1885-1934).

ESPINOUSE, monts de la partie sud du Massif central; 1 126 m.

ESPIONNAGE → SÛRETÉ DE L'ÉTAT *(atteintes à la).*

ESPÍRITO SANTO, État du Brésil, sur l'Atlantique; 1 600 000 hab. Capit. *Vitória.*

Espoir *(l'),* roman (1937) et film (1939) de Malraux. Une chronique de la guerre d'Espagne et de l'expérience qu'en a tirée l'auteur : l'espoir de l'homme, c'est la fraternité des combattants.

ESPOO ou **ESBO,** v. de la Finlande méridionale; 97 000 hab.

esprit *(De l'),* traité en quatre discours d'Helvétius (1758) : les idées naissent de l'expérience sensible, et l'inégalité de l'éducation.

esprit des lois *(De l'),* ouvrage de Montesquieu* (1748), dans lequel il étudie les rapports que les lois politiques entretiennent avec la constitution des États, les mœurs, la religion, le commerce, le climat et la nature des sols des pays.

ESPRIU (Salvador), écrivain espagnol d'expression catalane (Santa Colonna de Farnès 1913). Ses poèmes et ses récits expriment sur le mode lyrique ou satirique le difficile destin de son pays (*Cimetière de Cinera,* 1946; *la Fin du labyrinthe,* 1955; *la Peau de taureau,* 1960).

ESPRONCEDA Y DELGADO (José DE), écrivain espagnol (Almendralejo 1808 - Madrid 1842), poète romantique, auteur du *Diable-Monde* (1840).

ESQUILIN *(mont),* la plus vaste des sept collines de Rome, située à l'E. de la ville, sur la rive gauche du Tibre. L'Esquilin devint, sous l'Empire, un des quartiers les plus aristocratiques de Rome; c'est là que Mécène établit ses célèbres jardins.

ESQUIMAUX ou **ESKIMOS,** ethnie estimée à 52 000 personnes, installées sur les rives du détroit de Béring et de la baie d'Hudson, en Alaska, au Groenland et au Labrador. Unis linguistiquement et culturellement, les Esquimaux vivent des fruits de la pêche (poissons, phoques, morses) et de la chasse, de leur exploitation (huile, ivoire) et de leur échange. Le climat les contraint à alterner deux types d'habitat (la tente, l'été, la « longue maison » en bois ou creusée dans la neige, l'hiver), qui exercent une influence prépondérante sur l'organisation familiale et religieuse et sur les régimes de propriété et d'échange des produits de leur économie.

Les langues parlées par les Esquimaux sont mal connues. On les répartit en trois groupes dialectaux (inupik, yupik et aléoute), qui constituent la famille esquimau-aléoute.

Les origines de l'art esquimau se situent dans les cultures préhistoriques de Denbigh en Alaska (env. 2000 av. J.-C. à 800 apr. J.-C.), et du Prédorset dans la baie d'Hudson et la terre de Baffin d'une part (env. 2000 à 500 av. J.-C.), au Labrador et au Groenland d'autre part (env. 2000 à 800 av. J.-C.). La culture de Dorset (500 av. J.-C. à env. 800 apr. J.-C.) leur succède. L'industrie dite « de Thulé » apparaît vers 800 apr. J.-C. en Alaska et, plus tard, dans les autres régions; elle persiste jusqu'à environ 1300.

Les premières représentations figurées (petites sculptures en ivoire de morse) remontent à 800 av. J.-C. et annoncent le talent animalier des artistes ultérieurs. Les œuvres réalistes de la culture de Dorset se rapprochent de certains masques en bois ou en os de baleine de l'Alaska, région où l'art s'épanouit encore à l'époque moderne dans la réalisation de masques à fonction sacrée. Dans la baie de l'Hudson, l'ornementation d'objets usuels domine la production artistique moderne; au Groenland, l'art du masque n'est qu'un passe-temps, alors que, dans les îles Aléoutiennes, il atteint une puissance d'expression extrêmement violente.

ESQUIROL (Jean Étienne Dominique), médecin français (Toulouse 1772 - Paris 1840). Élève de Ph. Pinel*, il est, avec ce dernier, considéré comme l'un des fondateurs de la clinique et de la nosographie psychiatriques.

ESSAI. — « Le mot *essai* est récent, disait, en 1612, en tête de ses *Essays,* F. Bacon, mais la chose est ancienne » : il faisait référence aux *Épîtres à Lucilius* de Sénèque. Il aurait pu tout aussi bien se recommander de Lao-tseu ou de Théophraste, de Confucius ou des aphorismes de la Bible *(Ecclésiastique* ou *Proverbes).* Il semble que l'essai ait gardé de cet ancien patronage deux caractères principaux : la liberté de la démarche, alliée à la densité de l'expression, et la préoccupation morale, sous son aspect didactique ou critique. D'où deux formes contradictoires : l'essai « familier » à la Montaigne, qui, à travers un autoportrait intellectuel et physique et au gré d'une démarche qui a pour règles l'humeur et le plaisir esthétique, prend pour sujet l'homme dans sa totalité (W. Temple, Addison, Lamb, Hazlitt, Azorín, Unamuno, Ortega y Gasset, Remy de Gourmont, Alain); l'essai « scientifique », qui, pour des raisons de méthode, limite volontairement son objet et la portée de ses conclusions.

Essais, de Montaigne, publiés en deux volumes en 1580, réimprimés en 1582; deuxième édition comportant un troisième livre en 1588; dernière édition augmentée et posthume, publiée en 1595 par Pierre de Brach et Mlle de Gournay. Une méditation sur l'« humaine condition » saisie dans un dialogue entre un Moi intime, étalant ses humeurs, ses goûts et ses doutes, et des « modèles » fascinants (La Boétie, la théologie de Raymond de Sebonde, les cultures exotiques — les « cannibales » — découvertes par les conquérants et les explorateurs de son siècle) enchâssés au cœur de l'autoportrait. L'écriture des *Essais* traduit rigoureusement l'articulation de ces « motifs », les réflexions et les commentaires de Montaigne englobant des citations d'écrivains antiques et proliférant à partir d'elles, technique qui rappelle à la fois les « collages » des peintres modernes et les arabesques des compositions maniéristes.

ESSAIS MÉTALLURGIQUES. — Ces essais interviennent aux différents stades des fabrications métallurgiques, soit pour réceptionner les matières premières, soit pour contrôler les opérations au cours des traitements successifs, soit encore pour vérifier la qualité des produits finis ou semi-finis ou pour étudier les caractéristiques des métaux* et des alliages* dans les conditions d'utilisation des pièces. Ils se classent en *essais physiques* (dilatométrie, photoélasticité*, thermomagnétométrie, analyse thermique, radiographie, gammagraphie, ressuage, magnétoscopie et examen aux ultrasons*); en *essais mécaniques* (traction, compression, flexion, torsion, fatigue, fluage, dureté, choc, etc.); en *essais physico-chimiques* (micrographie* et macrographie pour l'étude et le contrôle des structures, essais de coulabilité, de trempabilité et essais particuliers aux sables de fonderie et aux poudres* métalliques); en *essais chimiques de corrosion** ou *d'analyse.* Ces différents essais se pratiquent sur des éprouvettes usinées, sur des fragments de pièces ou de produits prélevés, ou encore sur les semi-produits ou les pièces finies.

Essai sur les mœurs et l'esprit des nations, œuvre historique de Voltaire (1756). Ce rapide panorama de l'évolution des civilisations depuis Charlemagne jusqu'au XVIIe s. montre les progrès de l'humanité, qui se libère de la superstition et de l'erreur.

ESSAOUIRA, anc. **Mogador,** port du Maroc, sur l'Atlantique; 30 000 hab. Pêche. Conserveries.

ESSARTS (Les) [85140], ch.-l. de cant. de la Vendée, à 19,5 km au N.-E. de La Roche-sur-Yon; 3 385 hab.

ESSEN, v. de l'Allemagne fédérale (Rhénanie-du-Nord-Westphalie), au cœur de la Ruhr; 692 000 hab. Cathédrale, anc. abbatiale à deux chœurs opposés, remontant au début du XIe s. (trésor). Musée Folkwang (impressionnisme, expressionnisme...). Centre houiller et métallurgique. Siège des usines Krupp, fondées en 1812.

ESSEN, comm. de Belgique (prov. d'Anvers), au N. d'Anvers; 10 795 hab. (en 1970).

ESSENCE *(Industr.).* — Les stations-service proposent à l'automobiliste le choix entre une *essence ordinaire* et un ou, dans certains pays, plusieurs *supercarburants* capables d'augmenter légèrement les performances de son moteur. Cela tient en particulier à une meilleure résistance aux phénomènes de cliquetis et d'autoallumage, qualité mesurée par l'indice d'octane*, dont le minimum est fixé en France à 90 pour l'ordinaire et à 97 pour le super; à l'œil nu, les deux carburants* se distinguent par l'adjonction d'un colorant respectivement jaune et rouge. Toutes les caractéristiques des essences pour automobiles font l'objet d'une réglementation très stricte, notamment leur volatilité, qui doit être suffisante pour les départs à froid, tout en évitant l'étouffement du moteur au ralenti à chaud (vapor-lock). Dans la pratique, les carburants doivent distiller entièrement entre 40 et 210 ^{0}C, et ne pas dépasser une tension de vapeur en vase clos de 0,8 bar (0,65 en été), mesurée à 37,8 ^{0}C (100 ^{0}F). Quant à leur teneur en soufre*, elle doit être inférieure à 0,005 p. 100. Mélanges complexes d'hydrocarbures

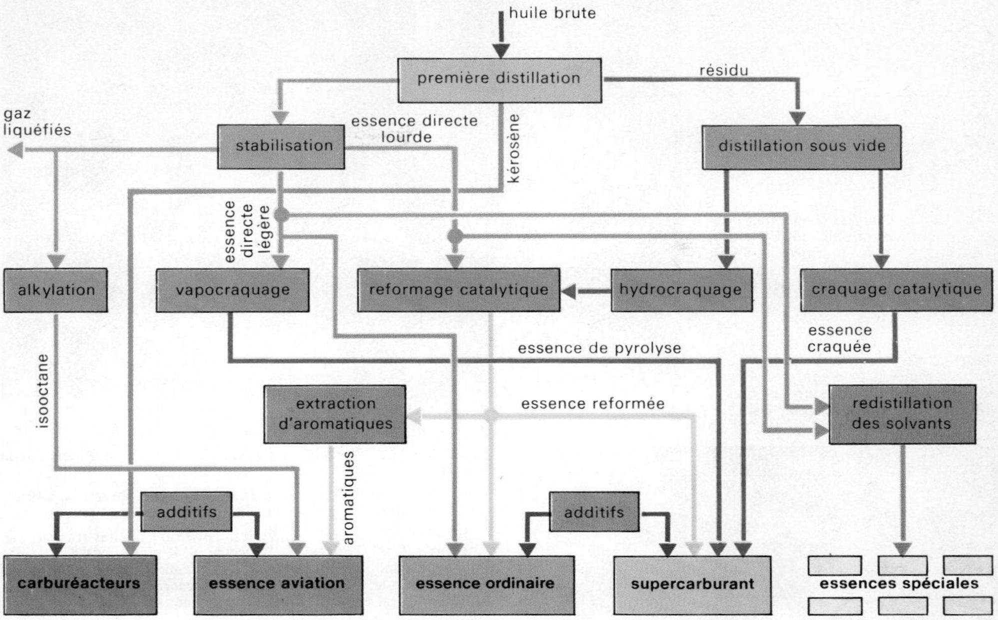

FABRICATION DES ESSENCES ET CARBURANTS

naturels et de synthèse, allant des C_4 (butane, isobutane, butylènes) aux C_8 (octane*, isooctane, octènes, etc.), les essences constituent le produit clé du raffinage* pétrolier. L'essence de premier jet, obtenue au cours de la distillation* directe du brut, n'a qu'un indice d'octane faible et ne peut être utilisée que très partiellement dans le carburant ordinaire; elle doit donc subir un craquage* spécial — décomposition et réassemblage des molécules* longues —, qui est obtenu sous l'effet de la température (500 °C), de la pression (25 bar) et d'un catalyseur métallique (platine) : c'est le *reformage**. De nombreuses raffineries augmentent encore le rendement global de l'essence tirée du pétrole* brut grâce au craquage catalytique du gasoil*. De toute manière, la fabrication des carburants doit être complétée par une désulfuration* poussée et par l'incorporation de divers *additifs :* colorants, antigivrants et surtout antidétonants; remarquablement efficaces pour relever l'indice d'octane, ces derniers sont à base de plomb* tétraéthyle toxique, si bien que leur emploi tend à être limité à une concentration maximale de 0,5 p. 1 000. L'*essence d'aviation,* destinée aux moteurs à pistons, n'est plus fabriquée qu'en quantité assez faible pour subvenir aux besoins du tourisme, car les carburants à très haut indice d'octane, 130 et 140, exigés par l'aviation commerciale et l'aviation militaire il y a quelques années sont remplacés aujourd'hui par les *carburéacteurs :* destinés aux turbopropulseurs et aux réacteurs d'avion, ces derniers sont des kérosènes ou des mélanges d'essence et de kérosène fluides jusqu'à − 60 °C.

Employées comme solvants et à des usages industriels et domestiques divers, les *essences spéciales* sont des coupes pétrolières étroites, aux limites distillatoires précises : par exemple, le white-spirit, utilisé surtout comme diluant* de peinture*, est une essence lourde de 140 à 200 °C. Ces produits doivent être désodorisés, désulfurés et, dans certains cas, spécialement désaromatisés.

ESSENCE *(Philos.)* → ONTOLOGIE.

ESSÉNIENS, secte juive (IIe s. av. J.-C.-Ier s. apr. J.-C.), dont les membres formaient des communautés menant la vie ascétique. Le problème de l'influence de l'essénisme sur le christianisme naissant a été renouvelé par la découverte des manuscrits de Qumrān* (v. MORTE [*manuscrits de la mer*]).

ESSENINE (Sergueï Aleksandrovitch), poète russe (Konstantinovo, gouvern. de Riazan, 1895-Leningrad 1925). Chantre de la vie paysanne (*Transfiguration,* 1919), il se rapprocha du groupe des « Scythes » et célébra la révolution d'Octobre (*le Pays d'ailleurs,* 1918) dans des recueils dont les outrances verbales le placent à la tête de l'école « imaginiste », héritière du futurisme* (*les Juments-navires,* 1919; *la Chanson du pain,* 1921), mais sans pouvoir trouver autrement que dans le suicide l'unité d'une personnalité déchirée (*Pougatchev,* 1921; *Poèmes de l'homme à scandales,* 1923; *l'Homme noir,* 1925). Il avait épousé la danseuse Isadora Duncan.

ESSEQUIBO, fl. de la Guyana; 750 km. Bauxites dans son bassin.

ESSEX, comté d'Angleterre, sur la mer du Nord, au N. de l'estuaire de la Tamise. Ancien royaume saxon fondé dans la première moitié du VIe s. et tombé successivement sous l'hégémonie du Kent (fin du VIe s.-début du VIIe), de la Mercie (VIIIe s.) et du Wessex (IXe s.), l'Essex devient, sous les monarchies anglo-saxonne et anglo-normande, le siège d'un comté *(shire)* administré par un représentant du roi *(sheriff).* Il s'étend aujourd'hui de l'estuaire de la Tamise à la rivière Stour.

ESSEX (Robert DEVEREUX, *comte* D'), homme politique anglais (Netherwood 1566-Londres 1601). Rival de Raleigh* dans les faveurs d'Élisabeth Ire, il dirigea les affaires de 1585 à 1600, date de sa disgrâce. Ayant alors fomenté un complot contre la reine, il fut exécuté.

ESSEY-LÈS-NANCY (54270), comm. de Meurthe-et-Moselle, dans la banlieue est de Nancy; 8 655 hab. Église des XIIe-XVe s. Aéroport.

ESSIEU. — L'essieu d'un véhicule ferroviaire est un ensemble rigide comprenant l'*axe d'essieu* proprement dit et les deux *roues de roulement.* Celles-ci sont constituées d'un corps de roue autour duquel est placé le bandage ou, plus souvent, elles sont d'une seule pièce. Le profil particulier de la roue permet d'assurer le guidage de l'essieu par rapport à la voie* grâce au boudin venant buter sur la face intérieure du rail*. La charge du véhicule repose sur les fusées par l'intermédiaire des boîtes d'essieu faisant office de paliers. Les essieux moteurs possèdent en outre des organes particuliers, destinés à transmettre le couple moteur : tourillons sur les roues ou roues dentées calées sur l'axe d'essieu.

ESSLING, village d'Autriche, dans la banlieue est de Vienne. Théâtre, du 20 au 22 mai 1809, d'une violente bataille entre les Autrichiens et les Français, commandés par Masséna et par Lannes, qui y fut mortellement blessé.

ESSLINGEN, v. de l'Allemagne fédérale (Bade-Wurtemberg), sur le Neckar; 88 000 hab. Monuments médiévaux. Constructions mécaniques et électriques.

ESSONNE, riv. du Bassin parisien, affl. de la Seine (r. g.), qu'elle rejoint à *Corbeil-Essonnes;* 90 km.

ESSONNE (91), départ. de la Région Île-de-France; 1 811 km^2; 923 061 hab. Ch.-l. *Évry.* S.-préf. *Étampes* et *Palaiseau.*

Au sud de Paris, l'Essonne est, depuis le milieu des années 60, le département français dont la population s'accroît le plus rapidement. La densité d'occupation dépasse déjà 500 habitants au

Combat d'hommes nus, d'Antonio del Pollaiolo. Burin, v. 1470. (Cabinet des estampes, B. N., Paris.)

Giraudon

La Nuit d'été, deux femmes à la plage, d'Edvard Munch. Gravure sur bois, 1896-1898. (Munch Museet, Oslo.)

Musée Edvard Munch

kilomètre carré (plus de cinq fois la moyenne nationale). En réalité, elle est bien supérieure à ce chiffre dans le nord du département, plus proche de Paris et fortement urbanisé, sinon très industrialisé et riche en services. Une grande partie de la population active travaille en effet dans les industries de la proche banlieue (Val-de-Marne notamment) et surtout dans les bureaux et les ateliers parisiens. Cependant, près des deux cinquièmes de la population active dans l'Essonne même sont occupés dans le secteur secondaire (constructions mécaniques et électriques notamment), implanté surtout dans la vallée de la Seine, en aval de Corbeil-Essonnes. L'agriculture est encore présente dans le sud-ouest (extrémité orientale de la Beauce, domaine céréalier), mais recule progressivement devant l'emprise urbaine, favorisée par la desserte autoroutière, s'ajoutant aux liaisons ferroviaires, plus anciennes, vers la capitale. Le secteur tertiaire est cependant l'activité dominante, grâce notamment aux nombreux instituts de recherches (Orsay, Saclay, Marcoussis, etc.). Sans très grande ville, le département possède toutefois près d'une vingtaine de communes comptant chacune plus de 15 000 habitants, villes au sens traditionnel, comme Corbeil-Essonnes, ou, plus souvent, cités surtout résidentielles, comme Massy et Palaiseau ou Savigny-sur-Orge; constituées surtout de grands ensembles, ces dernières progressent le long des grands axes de communication et submergent les noyaux villageois anciens ainsi que les traditionnelles résidences secondaires des Parisiens.

ESSOREUSE. — L'essoreuse centrifuge, qui exprime l'eau du linge lavé, est constituée d'un tambour percé de trous, tournant à grande vitesse dans l'intérieur d'une cuve, qui, le plus souvent, est celle de la machine à laver. L'eau est exprimée du linge placé dans le tambour, par la force centrifuge.

ESSOUCHAGE → DÉFRICHEMENT.

ESSOYES (10360), ch.-l. de cant. de l'Aube, à 30 km au N. de Châtillon-sur-Seine; 720 hab.

EST *(canal de l'),* canal qui réunit la Meuse et le Rhône par la Moselle et la Saône.

ESTAING (12190), ch.-l. de cant. de l'Aveyron, sur le Lot, à 10 km au N.-O. d'Espalion; 677 hab. Château des XVe-XVIe s.

ESTAING (Jean-Baptiste Charles, *comte* D'), amiral français (en Auvergne 1729-Paris 1794). Vice-amiral, il prend part à la guerre d'indépendance des États-Unis et bat l'amiral Byron (1779) avant de recevoir le commandement de l'escadre franco-espagnole de Cadix. Amiral en 1792, il est exécuté sous la Terreur.

ESTAIRES (59940), comm. du Nord, à 14 km au S.-O. d'Armentières; 5 663 hab.

ESTAMPAGE. — L'estampage sert à façonner, par déformation de la matière métallique à l'état solide, à chaud ou à froid, des pièces de forme complexe, en acier*, en laiton, en bronze, etc., à partir d'une pièce brute, appelée *lopin,* préalablement découpée dans une barre ou une billette et dont le volume est très légèrement supérieur au volume de la pièce à fabriquer. Ce lopin est placé entre deux blocs en acier, appelés *matrice* (ou encore *estampe*), qui comportent en creux la forme de la pièce à réaliser et qu'une machine spéciale (mouton, marteau-pilon, presse, etc.) vient fermer, avec un effort qui peut atteindre plusieurs milliers de tonnes. La matière se déforme pour remplir exactement le creux de la matrice. Le surplus de matière est chassé par le joint entre les deux parties de la matrice et forme une *bavure,* que l'on enlève généralement par découpage dans une *matrice d'ébavurage.*

L'estampage de formes simples s'effectue en une seule opération (avec une ou plusieurs frappes) à l'aide d'une matrice unique. Lorsque la forme de la pièce à obtenir est compliquée, on effectue plusieurs opérations, en utilisant soit plusieurs matrices successivement, soit une *matrice à empreintes multiples,* dont les creux se rapprochent progressivement de la forme désirée.

ESTAMPE. — Image imprimée après avoir été gravée (sur bois ou sur métal) ou, selon des techniques plus récentes, exécutée à plat (lithographie, sérigraphie), l'estampe a joué un rôle déterminant dans la diffusion de reproductions et d'œuvres originales. Après les *xylographies* (images religieuses avec texte, livres d'heures et de chevalerie, cartes à jouer, etc., gravés sur bois en *taille d'épargne,* c'est-à-dire en relief) répandues au XVe s. dans les pays nordiques, où s'imposent la verve et la technique, en Italie, où domine un souci de beauté formelle, et en France, où les deux influences se mêlent, la *taille-douce* (gravée en creux sur métal par divers moyens : *burin, pointe sèche, eau-forte,* plus tard *manière noire, aquatinte, vernis mou,...*), apparue à la fin du XVe s., va faire de la gravure un art de la Renaissance. En Italie, à l'orfèvre Maso Finiguerra (1426-1464) succèdent Mantegna*, puis le Parmesan*, tandis que M. Raimondi* donne ses lettres de noblesse à la gravure de reproduction (peintures de Raphaël); en Allemagne, Schongauer* est suivi de Dürer*, dont la perfection retentit dans l'œuvre des Altdorfer*, Cranach*, Hans Baldung*; aux Pays-Bas, Lucas de Leyde* précède la virtuosité maniériste de H. Goltzius*. En France, à côté de J. Duvet* ou de Jean Cousin* le Père, de nombreux graveurs, tel Étienne Delaune (1519-1583), diffusent l'art de la Renaissance à travers des planches célèbres.

L'école française s'affirme au XVIIe s. avec les portraitistes Robert Nanteuil* et Claude Mellan (1598-1688), le précis et foisonnant Callot* (*les Misères et malheurs de la guerre,* 1633), les ornemanistes qui propagent le « grand goût » royal, et au XVIIIe s. avec de nombreux artistes aussi virtuoses dans le portrait, la reproduction (œuvres de Watteau, de Chardin, de Boucher...) et l'illustration d'ouvrages littéraires ou scientifiques (l'*Encyclopédie*).

Dans le même temps, Van Dyck* et les graveurs de Rubens en Flandres, H. Seghers* et surtout Rembrandt* en Hollande, puis les Italiens Tiepolo* (*Caprices,* 1749), Canaletto* *(Vues de Venise)* et Piranèse* (*Prisons,* 1745) apparaissent comme des figures dominantes. À côté de la gravure néoclassique, à laquelle convient la rigueur du burin, l'eau-forte s'accorde à la violence inquiète de Goya* (*Caprices,* 1797-98), mais aussi à l'acuité des satiristes anglais (Hogarth*, Rowlandson*...).

Au XIXe s., la *lithographie* attire les artistes romantiques (Géricault*, Bonnington*, Delacroix*), mais ce sont surtout Gavarni* et plus encore Daumier*, avec leurs scènes de mœurs et leurs dessins satiriques, tout comme Toulouse-Lautrec* avec ses affiches, qui en tirent le meilleur parti. Toutefois, l'eau-forte garde son importance avec des artistes tournés, après William Blake*, vers le fantastique (Méryon*, Bresdin*, Redon*), tandis que l'estampe japonaise gravée sur bois, avec les principaux représentants de l'*ukiyo-e* («peinture du monde qui passe») de la fin du XVIIIe s. (Utamaro*) et du XIXe s. (Hokusai*, Hiroshige*), influence Degas*, Van Gogh*, Gauguin* et Toulouse-Lautrec par son style dépourvu de modelé, attentif au jeu des lignes et des plans.

Avec le XXe s., l'estampe est supplantée comme moyen de reproduction par la photographie et appartient désormais entièrement à ses créateurs. Presque tous les artistes importants font appel à sa force d'expression, à son caractère direct, à sa diversité, que ce soit Picasso* ou Villon*, Rouault* ou Chagall*, ou encore les expressionnistes allemands. Mais, tandis que la gravure et la lithographie constituent une partie (chez Miró*, Hartung* ou Alechinsky [v. COBRA]) ou l'essentiel (Pierre Courtin, né en 1921) de nombreuses œuvres contemporaines, que Stanley William Hayter (né en 1901) ou Johnny Friedländer (né en 1912) diffusent les procédés (aquatinte en couleurs...) aptes à transmettre la sensibilité de l'art abstrait lyrique, une nouvelle technique d'impression à plat, la *sérigraphie,* se montre particulièrement adaptée aux surfaces de couleurs sans nuances d'un artiste cinétique comme Vasarely* ou aux reports photographiques d'un Andy Warhol [v. POP ART]. En même temps, l'estampe retrouve sa qualité propre de multiple à grande diffusion qu'elle avait peu à peu abandonnée.

ESTAMPÍO (Juan SÁNCHEZ VALENCIA, dit), danseur et pédagogue espagnol (Jerez de la Frontera 1880-Madrid 1957). Il forma la plupart des danseurs flamencos contemporains.

EST-ANGLIE, l'un des huit royaumes germaniques constitués en Grande-Bretagne à la suite des invasions anglo-saxonnes (V^e-VIe s.). Fondé peut-être par Wuffa vers 525-550, ce royaume angle fut annexé à son puissant voisin, le royaume de Mercie (VIIIe s.). Ravagé en 841 par les envahisseurs danois, qui s'y implantèrent, il fut de 877 à 917 le siège d'un des trois royaumes constitués au sein du Danelaw (pays de la loi danoise).

ESTAQUE (l'), chaînon calcaire fermant au S. l'étang de Berre et dominant la *rade de l'Estaque.*

ESTE, maison princière d'Italie, issue au Xe s. des marquis de Toscane. Elle tire son nom du marquisat d'Este (Vénétie). L'une de ses branches régna sur la Bavière, le Hanovre et le Brunswick; du XIVe au XVIe s., une autre donna des ducs de Ferrare et de Modène, qui firent de Ferrare l'un des plus grands centres artistiques de la Renaissance italienne et accueillirent Pétrarque, Pisanello, l'Arioste, le Tasse.

ESTER. — Un acide carboxylique $R—CO_2H$ réagit sur un alcool R'OH en formant l'ester $R—CO_2R'$ et de l'eau (estérification). Les esters les plus connus sont l'acétate d'éthyle, solvant, agent de synthèse et antispasmodique, et l'acétate d'amyle, solvant des vernis cellulosiques. Beaucoup sont contenus dans les parfums naturels ou artificiels. Les corps gras sont les triesters de la glycérine.

ESTEREL ou **ESTÉREL,** massif cristallin de Provence, culminant au mont Vinaigre (616 m).

ESTERHAZY, v. du Canada, dans le sud-est de la Saskatchewan; 2 896 hab. Important gisement de potasse.

ESTERHÁZY (Marie Charles Ferdinand Walsin), officier français d'origine hongroise (Autriche 1847-Harpenden, Hertfordshire, 1923). Soupçonné d'espionnage lors de l'affaire Dreyfus*, il fut acquitté en 1898, mais il avoua sa culpabilité peu après.

ESTÉRIFICATION. — La réaction d'estérification symbolisée par l'équation $R—CO_2H + R'OH \rightleftarrows R—CO_2R' + H_2O$ est lente et limitée par la réaction inverse, dite «d'hydrolyse». Par exemple, en mélangeant une mole d'acide acétique et une mole d'alcool éthylique, on aboutit à un équilibre lorsque les deux tiers des corps réagissants ont été transformés. Ce résultat n'est atteint qu'après plusieurs mois à la température ordinaire ou deux heures à 180 °C. Les acides minéraux accélèrent fortement l'estérification, dont le rendement est augmenté par la présence de déshydratants comme l'acide sulfurique.

ESTERNAY (51310), ch.-l. de cant. de la Marne, sur le Grand Morin, à 13,5 km à l'O. de Sézanne; 1 528 hab.

ESTÈVE (Maurice), peintre français (Culan 1904). Entre les deux guerres mondiales, il s'est surtout consacré aux arts décoratifs. Par la suite, ses peintures, d'un souple géométrisme, fondées sur la puissance expressive de la couleur, ont rapidement abouti à l'abstraction. Estève a donné de nombreuses feuilles au fusain, à l'aquarelle, aux encres et crayons de couleur ainsi que des collages d'une verve inventive.

ESTHER, jeune fille juive, héroïne du livre qui porte son nom. Déportée à Babylone, Esther devient reine des Perses et sauve du massacre ses frères de race. Le *livre d'Esther* (v. le IIe s. av. J.-C.) est un récit édifiant qui garde le souvenir d'un pogrom auquel les Juifs ont miraculeusement échappé.

Esther, tragédie en trois actes et en vers, avec chœurs, de Racine, représentée pour la première fois en 1689 par les demoiselles de Saint-Cyr.

ESTHÉTIQUE. — Bien que ce terme ait été employé pour la première fois par A. G. Baumgarten* dans *Aesthetica acroamatica* (1750-1758), l'esthétique, au sens de discours philosophique portant sur l'art, ses relations avec le vrai et le bien — autrement dit sur sa finalité —, remonte à Platon pour la tradition occidentale. Mais, depuis les travaux de B. Croce*, elle tend à se développer en discipline autonome pour analyser, scientifiquement si possible, les phénomènes des pratiques artistiques et de la jouissance des œuvres d'art.

Du *Phèdre** à l'*Esthétique* de Hegel, la tradition critique et philosophique s'accorde pour voir à travers la beauté la manifestation sensible de la vérité. «Le beau se définit comme la manifestation sensible de l'idée» (Hegel). Mais, dès lors que la beauté remplit cette fonction que lui assignent les philosophies, l'art* doit tomber en désuétude, car il n'est plus qu'une survivance exprimant une vérité que la religion et la science ont à énoncer. Dénoncé, par ailleurs, comme source d'illusions, l'art a néanmoins un sens. Il est en quelque sorte un discours muet dont l'esthétique profère la parole : c'est là le postulat qui soutient toute esthétique. À cet égard, celle qui se réclame des sciences humaines ne fait que renouveler les approches de phénomènes dont, à l'image de la philosophie, elle entend dégager la ou les significations. Dans cette optique, la beauté demeure la réfraction de quelque chose d'intelligible (le sens) à travers le sensible; elle reste invitation à dépasser le sensible. Tandis que les aspects éthique et politique de la finalité de l'art conduisent un Platon* et un Kant* à justifier la censure, les investigations phénoménologique (Merleau-Ponty*, M. Dufrenne), psychanalytique (Freud*), sociologique (Adorno*, P. Francastel*, G. Lukács*) et sémiologique (S. Langer) reconduisent cette finalité du sens de l'art sans tenir compte, le plus souvent, de la critique radicale qu'en fait Nietzsche*. (V. CRITIQUE et CRITIQUE D'ART.)

ESTHÉTIQUE (chirurgie) → CHIRURGIE.

ESTIENNE, famille d'imprimeurs-libraires et d'érudits français. Les plus célèbres de ses membres sont ROBERT Ier (Paris 1503-Genève 1559), auteur d'un *Dictionnaire latin-français* (1539), et HENRI II, son fils (Paris 1531-Lyon 1598), helléniste, auteur d'un *Thesaurus graecae linguae* (1572) et d'un traité qui défend l'emploi de la langue nationale, *De la précellence du langage français* (1579).

ESTIENNE (Jean-Baptiste), général français (Condé-en-Barrois 1860-Paris 1936). Artilleur, il se spécialise dès 1915 dans les études qui aboutissent à la réalisation de l'artillerie d'assaut et des chars de combat, dont il fut le créateur en France.

ESTIENNE D'ORVES (Honoré D'), officier de marine français (Verrières-le-Buisson 1901-mont Valérien 1941). Pionnier de la Résistance, il fut arrêté par la Gestapo et fusillé par les Allemands en août 1941. Son *Journal de famille* et son *Journal de bord,* écrits en prison et publiés en 1950, témoignent d'une grande élévation spirituelle.

ESTIMATION STATISTIQUE. — C'est la recherche, à partir d'une série d'observations statistiques provenant d'un échantillon de la population étudiée, de paramètres caractérisant numériquement cette population (moyenne*, variance*) ou précisant un modèle théorique pouvant représenter de manière optimale une distribution* statistique (loi de probabilité*) ou la liaison apparente qui existe entre les variables* observées (courbe ou surface de régression*). À cette estimation aléatoire, car elle dépend de l'échantillon, on associe généralement un intervalle de confiance ayant une probabilité donnée de contenir la vraie valeur des paramètres inconnus.

ESTISSAC (10190), ch.-l. de cant. de l'Aube, sur la Vanne, à 21 km à l'O. de Troyes; 1 761 hab. Église du XVIe s.

ESTOMAC. — Chez les animaux, la fonction de l'*estomac,* définie d'après l'organe humain de ce nom, peut être partagée entre plusieurs poches du tube digestif antérieur. L'*accumulation* hâtive de nourriture, permettant d'écourter les repas, se fait dans un *jabot* chez les oiseaux et les insectes, dans une *panse* chez les ruminants.

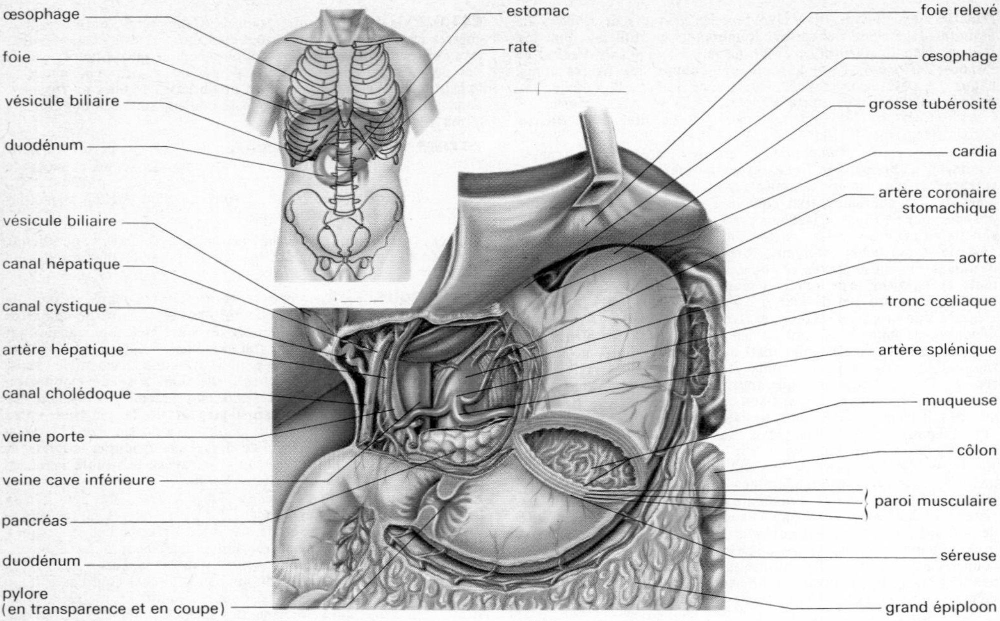

Structure de l'estomac et rapports avec les organes voisins. En haut, à gauche : position de l'estomac dans l'abdomen.

Ces organes permettent une régurgitation, en vue de nourrir les congénères (abeille) ou les petits (divers oiseaux), ou d'alléger le vol en cas de poursuite, ou d'éliminer les parts indigestes du repas, ou, simplement, de permettre la suite de la digestion (rumination). Le *broyage mécanique des aliments,* rendu nécessaire en cas d'absence des dents, se fait chez les oiseaux dans un *gésier* aux parois musclées, rempli de petits cailloux. La *digestion chimique* a lieu dans le feuillet et la caillette des ruminants, dans le ventricule succenturié des oiseaux. Dans tous les cas, le système des poches gastriques se termine par un *pylore,* au-delà duquel commence l'intestin et qui n'admet le passage des aliments que lorsque la phase gastrique de leur digestion est achevée.

Chez l'homme, l'estomac fait suite à l'œsophage au niveau du cardia (orifice du diaphragme) et se continue par le duodénum au niveau du pylore. Il comprend un pôle supérieur (grosse tubérosité ou fundus) et un corps vertical, qui continue le fundus. L'antre prépylorique fait suite au corps de l'estomac et se rétrécit jusqu'au pylore. La paroi de l'estomac comprend quatre couches : une couche séreuse (le péritoine), la musculeuse, la sous-muqueuse et la muqueuse, responsable de la sécrétion du suc gastrique.

L'estomac a une fonction mécanique : il sert de réservoir aux aliments et assure le brassage et l'évacuation progressive de ceux-ci. Il a aussi une fonction chimique : le suc gastrique, acide (solution d'acide chlorhydrique) et dont l'enzyme est la pepsine, joue un rôle important dans la digestion des protides; il contient également le « facteur intrinsèque » nécessaire à l'absorption de la vitamine B12.

Les *hémorragies gastriques* sont dues le plus souvent à un ulcère ou à un cancer. Elles se traduisent par un vomissement sanglant (hématémèse) ou des selles noires (melæna).

Les *ulcères* de l'estomac* sont cause de crises douloureuses périodiques, rythmées par les repas.

Les *tumeurs bénignes* sont très rares et reconnues par l'examen histologique.

Le *cancer de l'estomac,* dont les signes sont discrets au début (douleurs à type de crampes, pesanteurs) et souvent trompeurs (manque d'appétit, altération de l'état général), est le plus fréquent des cancers digestifs. Il est rarement révélé par des hémorragies digestives. L'examen radiographique facilite le diagnostic en montrant des images lacunaires, des raideurs localisées. La gastroscopie permet d'observer la tumeur et souvent d'en faire la biopsie. Le traitement est chirurgical : gastrectomie subtotale ou totale élargie suivant l'extension de la tumeur.

Les *gastrites* correspondent à une inflammation de la muqueuse de l'estomac. Les *gastrites aiguës* s'accompagnent presque toujours d'une atteinte de l'intestin grêle (gastro-entérite). Les causes sont infectieuses et alimentaires (indigestion). On peut leur rattacher le classique « embarras gastrique », qui se manifeste par des gastralgies accompagnées de vomissements et de diarrhée. Les *gastrites chroniques* se manifestent par des douleurs épigastriques, des troubles dyspeptiques. La radiographie montre l'existence de gros plis, de « spicules » témoins d'érosions superficielles. La gastroscopie confirme le diagnostic. Le traitement comprend les pansements gastriques, les anticholinergiques (atropine), la suppression de l'alcool, du tabac, des épices.

ESTONIE, en estonien **Eesti,** république fédérée de l'U. R. S. S., sur la Baltique; 45 100 km^2; 1 356 000 hab. *(Estoniens).* Capit. *Tallin.*

GÉOGRAPHIE. Pays plat, souvent marécageux, l'Estonie est la moins peuplée des républiques fédérées de l'U. R. S. S. C'est un territoire encore à dominante agricole (pomme de terre, lin, cultures fourragères, exploitation de la forêt, élevage bovin et porcin) malgré les progrès de l'industrie qui bénéficie de l'exploitation de schistes bitumineux. La capitale est la seule ville dépassant 100 000 habitants.

HISTOIRE. L'Estonie, peuplée de Finno-Ougriens, est soumise du IXe au XIIIe s. aux invasions des Vikings, des Danois, des Suédois, des Russes et des Allemands. Les chevaliers Porte-Glaive* et les Danois achèvent en 1227 la conquête du pays, qu'ils convertissent au christianisme. L'ordre Teutonique* acquiert en 1346 la région contrôlée par les Danois. Les colons allemands réduisent les paysans estoniens au servage. Au XVIe s., le pays est partagé entre la Pologne — qui acquiert la Livonie* en 1561 — et la Suède. Les Suédois sont les maîtres de toute l'Estonie de 1629 à 1721. La paix de Nystad* (1721) attribue l'Estonie aux Russes, qui favorisent l'aristocratie (barons baltes). Au XIXe s. se développe un mouvement nationaliste. En 1920, les Soviétiques reconnaissent l'indépendance de l'Estonie. L'U. R. S. S. annexe l'Estonie en 1940 et y instaure une république socialiste soviétique, occupée par les Allemands de 1941 à 1944.

ESTONIEN → FINNO-OUGRIEN.

ESTRAN → LITTORALE *(érosion).*

ESTRÉES (Gabrielle D') [château de Cœuvres, Picardie, 1573 - Paris 1599]. Maîtresse d'Henri IV, elle lui laissa trois enfants, dont César, duc de Vendôme.

ESTRÉES-SAINT-DENIS (60190), ch.-l. de cant. de l'Oise, à 17 km à l'O. de Compiègne; 2 543 hab. *(Dionysiens).*

ESTRELA *(serra da),* chaîne de montagnes du Portugal central; 1 981 m (point culminant du pays).

ESTRÉMADURE, en esp. **Extremadura,** région de l'Espagne formée des provinces de Badajoz et de Cáceres; 41 602 km^2; 1 145 000 hab. À l'ouest de la Nouvelle-Castille, l'Estrémadure est une terre au climat rude et aux sols médiocres, dont l'élevage ovin et porcin et parfois les céréales constituent les seules ressources. Les progrès de l'irrigation (plan de Badajoz) ne suffisent pas à retenir une population parmi les moins denses d'Espagne.

ESTRÉMADURE, en portug. **Estremadura,** région du Portugal central comprise entre l'Atlantique et le cours inférieur du Tage, correspondant partiellement aux actuels districts de Lisbonne, de Santarém et de Leiria.

ESTRIE, autre nom des CANTONS DE L'EST.

ESTUAIRE. — Il se forme lorsque la charge alluviale du fleuve est très faible ou que les courants côtiers sont suffisamment puissants pour évacuer tous les débris solides apportés. Les estuaires caractérisent les embouchures dans les mers à forte marée.

ESTURGEON. — Il y a une grande différence de taille entre l'esturgeon du golfe de Gascogne (maximum 2 m et 40 kg) et celui de Russie (maximum 4 m et 1,6 t), dont les œufs constituent le *caviar.* Mais ces deux espèces ont les mêmes migrations, entre les segments inférieurs des fleuves, où a lieu la ponte, et le large des estuaires, où vivent le plus souvent les esturgeons de tous âges. À l'aide d'une courte trompe de leur bouche ventrale, ces poissons sucent la vase, dont ils retiennent les parties comestibles. Leur museau rostré, leurs écailles « ganoïdes » (émaillées) ne formant que cinq rangées le long du corps, leur caudale aux lobes inégaux, leur squelette cartilagineux, etc., conduisent à les classer dans une sous-classe particulière de poissons, les *chondrostéens,* au sein de laquelle ils constituent la famille des *acipenséridés.*

ESZTERGOM, v. de Hongrie, sur le Danube, au N.-O. de Budapest; 25 000 hab. Restes du palais royal (XIe-XIIe s.) avec fresques de la Renaissance (XVe s.). Cathédrale néoclassique (1822) avec chapelle Renaissance de l'édifice précédent et très important trésor. Vieille ville baroque (XVIIIe s.). Musée historique et Musée chrétien.

E. T. A., sigle de *Euzkadi Ta Askatasuna,* « le Pays basque et sa liberté », mouvement nationaliste et séparatiste du Pays basque, fondé en 1956. Se définissant comme une « organisation révolutionnaire socialiste de libération nationale », l'E. T. A. est responsable de plusieurs attentats et enlèvements.

ÉTABLES-SUR-MER (22680), ch.-l. de cant. des Côtes-du-Nord, à 18 km au N. de Saint-Brieuc; 2 041 hab. *(Tagarins).*

ÉTABLISSEMENT PUBLIC → SERVICE PUBLIC.

établissement *(Acte d'),* loi *(Act of Settlement)* qui, votée par le Parlement anglais en 1701, assurait une succession protestante au trône en cas de disparition sans enfants de Guillaume* III et de sa belle-sœur Anne*. C'est en vertu de cet acte qu'en 1714 la dynastie hanovrienne succéda aux Stuarts*.

Établissements de Saint Louis, recueil des coutumes de Touraine et d'Anjou rédigé vers 1270. Cette œuvre privée et anonyme doit son nom au fait qu'elle débutait par la transcription des deux ordonnances (établissements) de Saint Louis sur diverses questions de procédure. D'excellente qualité, elle fut utilisée dans de nombreuses régions de France (Maine, Poitou, Champagne).

ÉTABLISSEMENTS FRANÇAIS DE L'INDE → INDE FRANÇAISE.

ÉTAGE GÉOLOGIQUE → CHRONOLOGIE.

ÉTAIN. — L'étain est l'élément chimique de numéro atomique 50 et de masse atomique Sn = 118,7. Employé, sous forme de bronze, dès le IIIe millénaire, il était connu comme métal au début de notre ère. C'est un solide blanc, malléable, ductile, assez mou. Il est le plus fusible des métaux usuels (point de fusion, 232 °C) et a pour densité 7,2. À froid, il peut prendre une autre forme allotropique, l'étain gris, de densité 5,8. Il n'est pas oxydé par l'air à la température ordinaire.

Bivalent dans les composés *stanneux,* comme l'oxyde SnO et le chlorure $SnCl_2$, il est quadrivalent dans les composés *stanniques* (SnO_2, $SnCl_4$). Ces composés ne sont pas toxiques.

L'étain est extrait de son principal minerai*, la *cassitérite* (SnO_2), par des traitements successifs d'enrichissement, de grillage et de réduction* par le carbone*. En raison de sa résistance à certains agents corrosifs, le métal pur est utilisé sous forme de revêtement* pour le matériel de cuisine, dans les industries alimentaire et pharmaceutique ainsi que pour la protection de pièces mécaniques. L'étamage de l'acier* (fer-blanc) se pratique soit *au trempé,* par immersion des pièces dans un bain de métal fondu, soit par *électrolyse** (étamage en continu de feuillard d'acier). L'étain entre dans la composition des alliages* soit comme élément de base, soit comme addition, en raison de sa fusibilité (soudures, caractères* d'imprimerie), de son faible coefficient de frottement (alliages antifriction* avec le plomb* et l'antimoine*), de sa facilité de moulage et de formage (vaisselle, objets d'art) ainsi que de son action durcissante (bronzes).

Stagnante, la production mondiale oscille annuellement entre 200 000 et 250 000 t, assurée pour plus de moitié par l'Asie du Sud-Est (Malaysia [le tiers de la production mondiale], Indonésie et Thaïlande). La Bolivie, la Chine, puis l'U. R. S. S. et l'Australie sont les autres producteurs notables.

ÉTAIN (55400), ch.-l. de cant. de la Meuse, à 20 km au N.-E. de Verdun, sur l'Orne; 3 773 hab.

ÉTALONNAGE → TEST.

ÉTAMAGE → ADHÉRENCE et ÉTAIN.

ÉTAMPES (91150), ch.-l. d'arr. de l'Essonne, sur la Juine, à l'extrémité nord-est de la Beauce; 19 755 hab. *(Étampois).* Restes du donjon royal quadrilobé du XIIe s. Quatre importantes églises aux éléments s'échelonnant du XIe au XVIe s. Hôtel de ville du XVIe s.

ÉTANÇON → SOUTÈNEMENT.

Étapes de la croissance économique *(les),* ouvrage de l'économiste américain W. W. Rostow (1960). Il définit les phases successives par lesquelles passe le développement* économique : la société traditionnelle, les conditions préalables au démarrage, le démarrage, le progrès vers la maturité et l'ère de la consommation* de masse.

ÉTAPLES (62630), ch.-l. de cant. du Pas-de-Calais, à l'embouchure de la Canche, à 5 km à l'E. du Touquet; 10 588 hab. Industrie automobile. — Ce fut le principal port des flottes du Nord du roi Philippe Auguste. Par la *paix d'Étaples,* conclue avec le roi de France Charles VIII, Henri VII d'Angleterre s'engagea à lever le siège de Boulogne (1492).

ÉTAT *(Phys.).* — C'est la manière d'être des corps matériels, en fonction de la cohésion plus ou moins grande de leurs particules constitutives. On distingue trois états physiques : l'état solide, l'état liquide et l'état gazeux. Une autre classification permet de distinguer l'état cristallisé, caractérisé par son anisotropie et ses symétries, et l'état amorphe, doué d'isotropie. On donne également le nom d'« état » à l'ensemble des caractères permettant de préciser les propriétés d'un système de corps.

L'*équation d'état* est la relation entre le volume, la pression et la température d'une masse gazeuse constante.

ÉTAT *(Polit.).* — La catégorie *politique* d'État est issue des catégories de cité, de république, de corps politique et de la notion juridique d'État *(Du contrat* social).* Produit des volontés individuelles, l'État est aussi défini comme l'instance où se réalise l'union de ces volontés. Rompant avec la problématique du contrat, Hegel distingue l'État de la société civile ou « sphère des besoins » et le conçoit comme la « substance éthique consciente d'elle-même ». L'État n'est plus seulement rationnel, mais historique. L'exercice de la violence est une de ses prérogatives majeures. Dès lors, ce sont les rapports qui lient l'État aux individus qui deviennent le problème principal sur lequel se heurtent le libéralisme* et l'anarchisme*. Pour Marx et les marxistes, l'État n'est pas au-dessus, mais dans la lutte* de classes : il est l'ensemble des institutions dont se sert une classe pour en opprimer une autre (administration, justice, police, armée, éducation, information). Au terme de la dictature* du prolétariat, c'est-à-dire lors du passage du socialisme* au communisme*, il doit s'éteindre : « Le gouvernement des personnes fait place à l'administration des choses. »

ÉTAT CIVIL. — On nomme ainsi les modes de constatation des *faits* ou des *actes* juridiques concernant l'*état* des personnes, c'est-à-dire l'ensemble des traits qui distinguent celles-ci au sein de la société et qui découlent d'une série de faits (comme la naissance) ou d'actes (comme le mariage). Ces faits ou ces actes sont constatés par les « actes de l'état civil », qui en représentent les modes de preuve* essentiels.

Le Code civil de 1804 réserve le terme d'« actes de l'état civil » aux actes de naissance, de mariage et de décès; les municipalités sont chargées (depuis 1792) de tenir les registres, les fonctions d'officier d'état civil étant assumées par le maire de la commune. Les actes sont inscrits sur un ou plusieurs registres, des mentions (inscrites en marge) pouvant indiquer les modifications de l'état civil de la personne, affectant, notamment, son nom.

Des *extraits* des actes de naissance et de mariage peuvent être délivrés à tout requérant. Un *livret de famille* est remis aux époux au moment du mariage.

État et la révolution *(l'),* ouvrage de Lénine écrit en août 1917 et dans lequel l'auteur reprend et développe les thèses de Marx et d'Engels sur la nécessité, pour le prolétariat, de « démolir la machine de l'État bourgeois » afin d'établir la dictature* du prolétariat.

ÉTAT FRANÇAIS, régime politique institué en France par le maréchal Pétain* après la défaite de 1940. (V. VICHY [*gouvernement de*].)

ÉTAT LIMITE → BORDERLINE.

ÉTATS DE L'ÉGLISE ou **ÉTATS PONTIFICAUX,** nom donné à la partie centrale de l'Italie tant qu'elle fut sous la domination des papes (756-1870).

À l'origine des États de l'Église, il y eut les biens, dits « Patrimoine de Saint-Pierre », dont les empereurs et les fidèles comblèrent l'Église, notamment autour de Rome. Mais ce qu'on a appelé « donation de Constantin » est un faux qui reflète la croyance générale à une donation de cet empereur au pape Sylvestre Ier. Les domaines de la papauté s'accroissent grâce aux Carolingiens (IXe s.), puis aux donations de la comtesse Mathilde de Toscane (1077), atteignant même le bassin inférieur du Pô. Les papes de la Renaissance s'efforcent, de leur côté, de récupérer — la plupart du temps avec l'aide au moins morale de la monarchie française — nombre de petites villes romagnoles et de la marche d'Ancône. En 1798, Pie VI est dépossédé par les Français, qui créent l'éphémère République romaine. Pie VII recouvre ses États, moins les légations (1800), jusqu'à ce que Napoléon Ier le dépouille de ses domaines (1807-1809), qui sont incorporés au royaume d'Italie ou à l'Empire français. Sous les pontificats suivants, les États de l'Église restent frappés d'immobilisme politique et social, cependant qu'un courant libéral s'y développe. Pie IX (de 1846 à 1878) semble d'abord devoir donner satisfaction à ce mouvement; mais la proclamation de la République romaine en 1849 l'amène à durcir sa position et à s'exiler. Rentré à Rome (1850) sous la protection des troupes françaises, il rétablit le *statu quo*. Cependant, le parachèvement de l'unité italienne est inévitable : la prise de Rome, le 20 septembre 1870, par les Italiens met fin en fait aux États de l'Église. Pie IX et ses trois successeurs immédiats se considéreront comme prisonniers au Vatican, situation à laquelle Pie XI et Mussolini mettent fin en signant, le 11 février 1929, les accords du Latran*, qui créent l'État du Vatican*.

états généraux, sous l'Ancien Régime, assemblées convoquées par le roi de France pour traiter des affaires importantes concernant l'État, et qui comprennent des représentants de toutes les provinces appartenant aux trois ordres (clergé, noblesse, tiers état). La première assemblée répondant vraiment à cette définition se tient en 1347. Devenant rouage administratif destiné à obtenir des subsides pour la royauté, les états généraux s'organisent au XVIe s. Mais la monarchie absolue enracinée par Louis XIV est naturellement hostile à ce genre de consultations. Aussi n'y a-t-il pas de réunion des états généraux entre 1614 et 1789.

Les États généraux de 1789 jouent un rôle capital, car leur convocation — qu'accompagne la mise au point des cahiers* de doléances — souligne la faiblesse de la royauté et la force des idées nouvelles, notamment dans le tiers état, qui obtient la double représentation. Réunis à Versailles le 5 mai 1789, les 1139 députés restent longtemps dans l'expectative, le roi ne prenant aucune initiative majeure et la noblesse multipliant les atermoiements.

Le passage d'une partie du clergé dans les rangs du tiers (12-16 juin) précipite le ralliement d'une partie notable des privilégiés à la cause du tiers. Le 27 juin, Louis XVI est mis devant le fait accompli : la réunion des trois ordres en une seule assemblée qui, en se proclamant, le 9 juillet, Assemblée constituante*, fait vraiment entrer la France dans la Révolution.

états provinciaux, nom donné, sous l'Ancien Régime, aux assemblées des représentants des trois ordres de certaines provinces, qui, sur convocation du roi, se réunissaient périodiquement pour régler certaines questions d'intérêt local, voter l'impôt et consentir aux subsides extraordinaires. Leur généralisation, au milieu du XIVe s., fut principalement due à la nécessité pour la royauté d'organiser la défense des pays contre l'envahisseur anglais et d'obtenir de ces régions les subsides indispensables. Cependant, le renforcement progressif de l'absolutisme royal diminua leur rôle et provoqua leur disparition en de nombreuses régions. Seules neuf provinces (Languedoc, Bourgogne, Bretagne, Provence, Dauphiné, Artois, Hainaut, Cambrésis, Flandre), appelées « pays d'état » par opposition aux « pays d'élection », conservèrent cette organisation.

ÉTATS-UNIS, en angl. **United States of America,** république fédérale de l'Amérique du Nord comprenant 50 États, le district fédéral de Columbia et les territoires extérieurs (Porto Rico, îles Vierges américaines, Samoa américaines, Guam et zone du canal de Panamá); 9 364 000 km^2 (sans les territoires extérieurs); 215 120 000 hab. *(Américains).* Capit. *Washington.*

GÉOGRAPHIE. Les États-Unis se placent au troisième rang mondial par la superficie et au quatrième par la population. Ils bénéficient d'un vaste territoire, aux conditions naturelles et aux ressources variées, dont ils ont su tirer parti, et constituent indiscutablement la première puissance économique du monde. Les firmes américaines contrôlent non seulement la production intérieure, mais encore, dans une large mesure, les marchés internationaux, voire l'économie entière de certains pays. Aussi les fluctuations de l'industrie américaine intéressent-elles l'ensemble du monde occidental.

● *Le milieu naturel.* Le pays s'étend sur trois vastes ensembles de relief.

À l'E., la plaine côtière de l'Atlantique, qui s'élargit de la frontière canadienne à la Floride, est bordée par le massif des Appalaches*. Celui-ci s'étire du N. au S. sur environ 2 000 km aux États-Unis, en une succession de chaînes (Adirondacks, montagnes Bleues) et de plateaux (Allegheny, Cumberland). Ce massif ancien raboté par l'érosion, puis rajeuni, présente un relief marqué par l'alternance de crêtes de roches dures et de dépressions évidées dans les roches tendres, entaillées par de profondes gorges.

Tout le centre du pays est occupé par une vaste dépression sédimentaire au relief très monotone. La forte empreinte glaciaire qui caractérise le nord de ce couloir de plaines (région des Grands Lacs) disparaît dans les plaines centrales du Mississippi et du Missouri, qui s'élargissent au S. vers la côte du golfe du Mexique, basse et marécageuse. Vers l'O., la dépression se relève dans les Grandes Plaines jusqu'à la bordure des Rocheuses.

Le système dit « des Rocheuses » occupe tout l'ouest du pays. Les montagnes Rocheuses proprement dites, à l'E., et la chaîne des Cascades et la sierra Nevada (4 418 m, au mont Whitney), à l'O., encadrent une succession de hauts plateaux (Grand Bassin, Colorado), accidentés de profonds fossés (Vallée de la Mort, Grand Canyon du Colorado). Une dépression discontinue (Vallée Centrale de Californie) sépare ces reliefs de la Chaîne Côtière qui borde l'étroite plaine littorale sur le Pacifique.

La disposition du relief influe sur la répartition des climats. Seule la côte pacifique reçoit les influences d'ouest. Elle connaît un climat océanique au N., couvert de forêts de conifères, et méditerranéen au S., en Californie. À l'exception de la côte du golfe du Mexique, au climat subtropical, le reste du pays est marqué par la continentalité. Le volume des précipitations diminue de l'E. vers le centre, expliquant le passage de la forêt à feuilles caduques des Appalaches à la prairie des Grandes Plaines. À l'abri de toute influence maritime, les hauts plateaux des Rocheuses subissent un climat à tendance désertique.

climatologie

stations (États)	*températures moyennes (en °C) janvier*	*juillet*	*précipitations annuelles (en mm)*
Seattle (Washington)	5,4	18,5	866
Los Angeles (Californie)	13,0	22,5	373
La Nouvelle-Orléans (Louisiane)	12,9	27,8	1 607
Philadelphie (Pennsylvanie)	0,1	23,9	1 079
Kansas City (Kansas)	− 0,1	27,2	865
Phoenix (Arizona)	9,7	31,7	183

● *La population.* Les Indiens, population autochtone, le plus souvent cantonnés dans des réserves, constituent moins de 1 p. 100 des habitants. L'essentiel du peuplement trouve son origine dans l'immigration européenne. Celle-ci a débuté dès le XVIIe s., mais elle s'est intensifiée au XIXe. Elle s'est effectuée par vagues successives, comprenant d'abord des Anglo-Saxons, puis des Scandinaves et enfin des Italiens et des Slaves. Ces différentes nationalités se sont assez rapidement mêlées pour former la nation américaine. Numériquement, les Noirs (descendants des esclaves amenés d'Afrique pour travailler dans les plantations du Sud) constituent le second groupe, et leur importance relative (11 p. 100 de la population totale) tend à augmenter par suite de leur plus rapide accroissement démographique. Enfin, des Asiatiques se concentrent sur la côte pacifique (environ 500 000).

Longtemps dû à l'immigration, l'accroissement de la population dépend maintenant essentiellement de l'excédent réduit des naissances sur les décès. L'immigration est réglementée et limitée pratiquement aux habitants de l'Europe occidentale.

De faible densité moyenne (23), la population est très inégalement répartie. Elle se concentre surtout dans le Nord-Est, dans la région des Grands Lacs et sur la côte pacifique. La grande mobilité des habitants n'arrive guère à compenser l'inégalité du peuplement, due à des causes historiques et économiques. La forte urbanisation (plus des trois quarts des habitants résident dans des villes) est liée au développement industriel. De nombreuses agglomérations dépassent le million d'habitants.

● *L'économie.* Les États-Unis sont la première puissance économique mondiale. Leur mise en valeur s'est faite à partir de l'Est, point d'arrivée des colons européens. Elle a progressé parallèlement aux moyens de communication : le rôle de la voie ferrée a été essentiel dans la conquête de l'Ouest. Actuellement, le pays dispose d'un réseau routier et d'un réseau ferroviaire importants, surtout denses dans le Nord-Est, auxquels s'ajoutent les voies navigables des Grands Lacs (reliés à l'Hudson par le canal Érié) et du Mississippi. En raison des longues distances, l'avion joue un très grand rôle dans les liaisons intérieures.

L'*agriculture* n'occupe qu'environ 4 p. 100 de la population active. Fortement mécanisée, elle est caractérisée par des rendements très élevés et par la vaste taille des exploitations. Les diverses productions s'ordonnent partiellement en fonction du climat. L'élevage bovin (125 M de têtes, pour l'ensemble du pays) laitier domine dans le Nord-Est et dans la région des Grands Lacs. Des cultures maraîchères lui sont associées à proximité des grands centres urbains. La polyculture, avec prédominance du tabac, caractérise la côte atlantique et les Appalaches. Le domaine du maïs (120 à 150 Mt) s'étend surtout sur les plaines du moyen Mississippi; il y est cultivé en association avec le soja et l'élevage de porcs (60 M de têtes) et de volailles. Le blé (40 à 50 Mt) domine dans les Grandes Plaines. La culture du coton (2,5 Mt) est pratiquée dans tout le Sud, à l'exception de la côte du golfe du Mexique et de la Floride, spécialisées dans les cultures tropicales (riz, canne à sucre, agrumes [9 Mt au total]). La Californie produit des fruits (agrumes, raisins) et des légumes. L'exploitation de la forêt domine dans les régions fraîches et arrosées (Nord-Ouest, nord des Appalaches), alors que, dans les secteurs à tendance aride, on pratique un élevage bovin extensif.

L'immensité du territoire explique donc la variété des productions. Une diversification a été réalisée pour pallier les inconvénients de la monoculture, qui épuise rapidement les sols. La production est largement excédentaire et une part notable est exportée.

Mais c'est l'*industrie* qui fait la puissance des États-Unis. L'industrialisation a débuté à la fin du XIXe s. Elle s'est appuyée sur d'importantes ressources en matières premières et sur la présence de capitaux.

Les sources d'énergie sont abondantes. Le sous-sol (notamment les Appalaches) recèle du charbon (600 Mt) ainsi que du pétrole et du gaz naturel (Texas, Californie, Grandes Plaines) [au total environ 400 Mt de pétrole et près de 600 Gm^3 de gaz naturel]. La mise en valeur du potentiel hydroélectrique est encore limitée (vallées du Tennessee, de la Columbia) et l'essentiel de l'électricité (environ 2 000 TWh) est d'origine thermique; la part du nucléaire s'accroît. Les minerais métallifères sont également nombreux : gisements de fer (50 Mt, extraits notamment près du lac Supérieur), de cuivre (Montana, Arizona, Utah), zinc, plomb, bauxite, phosphates, or, etc. Malgré ces ressources variées, le pays importe des matières premières (fer, pétrole et gaz).

Toutes les branches industrielles sont représentées. Les activités se concentrent dans trois grands secteurs : le Nord-Est surtout (comprenant la région des Grands Lacs, le nord des Appalaches et la côte atlantique), le Sud (en particulier la côte du golfe du Mexique) et la façade pacifique. La sidérurgie (plus de 130 Mt d'acier) se localise à proximité du charbon (Pittsburgh, région des Grands Lacs); elle alimente toute la gamme des industries de transformation, qui se placent au premier rang : constructions automobiles (environ 10 M de véhicules), aéronautiques, ferroviaires, etc. Les industries chimiques occupent le second rang; localisées dans le Nord-Est et au Texas, elles sont très diversifiées : production de matières plastiques, de caoutchouc synthétique, d'engrais, de produits pharmaceutiques, pétrochimie, etc. L'industrie textile se concentre en Nouvelle-Angleterre et surtout dans le Sud cotonnier. Les industries alimentaires reposent sur la transformation des produits agricoles : minoteries, conserveries (viande), laiteries (poudre de lait), sucreries, etc.

La puissance des différentes branches industrielles, qui occupent les premières places mondiales dans beaucoup de domaines, s'explique à la fois par les richesses naturelles et par la forte productivité, résultant d'une mécanisation très poussée et d'une haute technologie. Malgré les lois antitrusts, l'industrie est aux mains de gigantesques entreprises (General Motors, General Electric, Exxon, etc.).

La prospérité de l'économie repose également sur les échanges avec l'extérieur. Le pays importe des matières premières et exporte des produits fabriqués. La balance commerciale est aujourd'hui à peu près équilibrée. Le commerce extérieur s'effectue principalement avec les autres pays du continent américain, l'Europe occidentale et le Japon. Il passe par les grands ports de la côte est (New York, Philadelphie), sud (Houston et La Nouvelle-Orléans) et ouest (Los Angeles).

L'énorme volume de la production assure à la population américaine un niveau de vie très élevé (on compte, par exemple, 1 voiture pour 2 hab.), qui masque l'existence de couches de populations défavorisées (en particulier les Noirs). Cependant, l'économie, qui repose plus sur la consommation intérieure qu'extérieure, est sujette à des crises de surproduction, se traduisant par l'aggravation du chômage. Ces crises affectent également l'équilibre mondial en raison de l'emprise économique que les États-Unis exercent sur de nombreux pays. (V. illustration p. 682-83.)

divisions administratives

district fédéral de Columbia — Washington

(Régions) États	*Capitales*	*(Régions) États*	*Capitales*
(Nouvelle-Angleterre)		Iowa	Des Moines
Maine	Augusta	Missouri	Jefferson City
New Hampshire	Concord	Dakota du Nord	Bismarck
Vermont	Montpelier	Dakota du Sud	Pierre
Massachusetts	Boston	Nebraska	Lincoln
Rhode Island	Providence	Kansas	Topeka
Connecticut	Hartford	(East South Central)	
(Middle Atlantic)		Kentucky	Frankfort
New York	Albany	Tennessee	Nashville
New Jersey	Trenton	Alabama	Montgomery
Pennsylvanie	Harrisburg	Mississippi	Jackson
(South Atlantic)		(West South Central)	
Delaware	Dover	Arkansas	Little Rock
Maryland	Annapolis	Louisiane	Baton Rouge
Virginie	Richmond	Oklahoma	Oklahoma City
Virginie-Occidentale	Charleston	Texas	Austin
Caroline du Nord	Raleigh	(Mountain)	
Caroline du Sud	Columbia	Montana	Helena
Géorgie	Atlanta	Idaho	Boise
Floride	Tallahassee	Wyoming	Cheyenne
(East North Central)		Colorado	Denver
Ohio	Columbus	Nouveau-Mexique	Santa Fe
Indiana	Indianapolis	Arizona	Phoenix
Illinois	Springfield	Utah	Salt Lake City
Michigan	Lansing	Nevada	Carson City
Wisconsin	Madison	(Pacific)	
(West North Central)		Washington	Olympia
Minnesota	Saint Paul	Oregon	Salem
		Californie	Sacramento
		Alaska	Juneau
		Hawaii	Honolulu

les principales agglomérations urbaines
(nombre d'habitants)

New York	9 973 000	San Francisco	3 110 000
Los Angeles	7 032 000	Washington	2 909 000
Chicago	6 979 000	Boston	2 899 000
Philadelphie	4 818 000	Saint Louis	2 410 000
Detroit	4 431 000	Pittsburgh	2 401 000

HISTOIRE.

• *Des origines à l'indépendance.* À la fin du XVIe s. le territoire de la future Union est à peu près vide d'Européens. Au XVIIe s., la quête des fourrures, la curiosité et le zèle religieux déterminent, à partir du Canada français, une série d'expéditions qui sont à l'origine de la Louisiane*. Dans le même temps, des vagues d'émigrants venus d'Angleterre, d'Écosse ou d'Irlande, généralement poussés par des motifs religieux — anglicans, puritains, presbytériens, quakers, papistes, jacobites — déposent en Amérique du Nord plusieurs centaines de milliers de personnes, auxquelles il faut ajouter un nombre important de non-Britanniques — Allemands, Français, Hollandais, Scandinaves —, qui, entre 1607 (fondation de Jamestown) et 1733, fondent treize colonies anglaises, formant trois groupes : au nord, dans la Nouvelle-Angleterre, les colonies de New Hampshire, Massachusetts, Rhode Island, Connecticut prolongent, dans de grandes villes puritaines, l'activité capitaliste et bourgeoise de la métropole; au centre (New York, New Jersey, Delaware, Pennsylvanie), le brassage des populations est plus important; au sud (Maryland, Virginie, les Carolines, Géorgie) s'implante une riche aristocratie de propriétaires fonciers qui, en 1760, font travailler près de 400 000 esclaves (Noirs importés d'Afrique). Le gouvernement de ces colonies — en fait très autonomes l'une par rapport à l'autre — est un compromis entre le centralisme métropolitain et le *self-government.*

Au XVIIIe s., les colons américains font bloc avec Londres contre les menaces indienne, française (au Canada) et espagnole (en Floride). Mais la victoire anglaise à la fin de la guerre de Sept Ans (1763), en levant l'hypothèque française (le Canada devient britannique), donne aux colonies américaines le sentiment que le moment est venu d'obtenir une autonomie réelle et juridique. L'attitude de la métropole, qui, ruinée par la guerre, impose autoritairement à ses sujets américains une série de taxes et d'impôts ruineux et impopulaires, au point de provoquer un boycott systématique, oriente le mouvement autonomiste américain vers l'indépendance. Les répliques sanglantes des garnisons britanniques aux manifestations de rues (1770, 1775) provoquent la rupture des colonies avec la métropole. Le 4 juillet 1776, un congrès continental proclame l'indépendance des États-Unis; il met sur pied une armée qui, aidée par les Français (v. LA FAYETTE) et commandée par

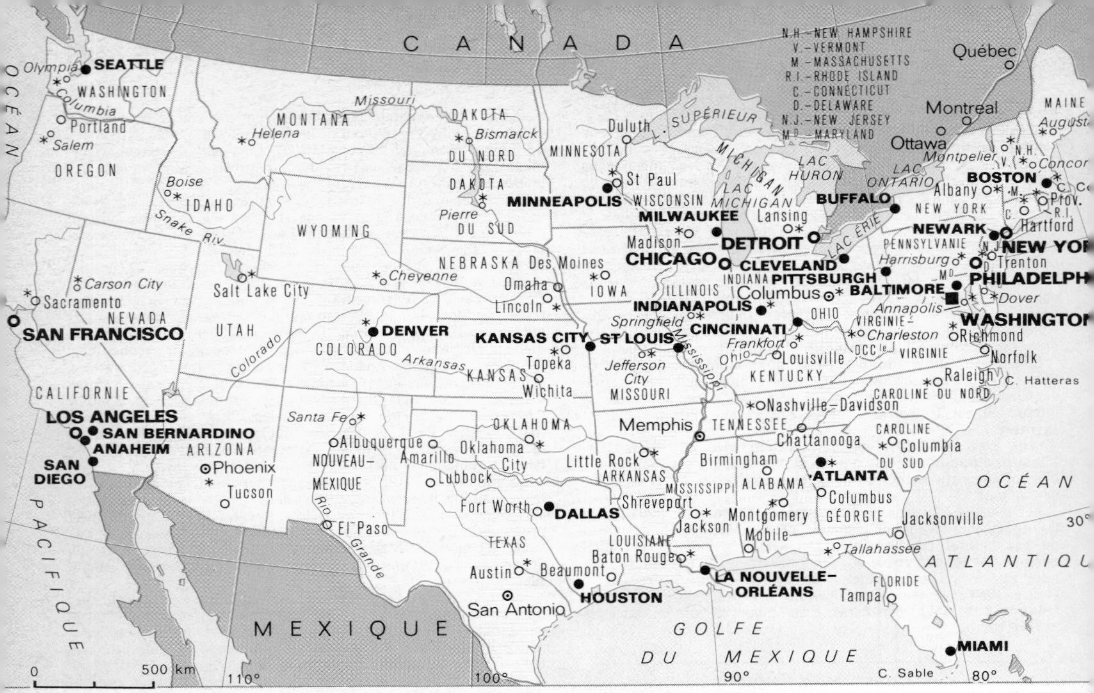

CANADA
N.H.–NEW HAMPSHIRE
V.–VERMONT
M.–MASSACHUSETTS
R.I.–RHODE ISLAND
C.–CONNECTICUT
D.–DELAWARE
N.J.–NEW JERSEY
MD.–MARYLAND
Québec
Montreal
Ottawa
MAINE
Augusta
Montpelier
Concord
BOSTON
Albany
Prov.
Hartford
NEW YORK
NEWARK
NEW YORK
PHILADELPHIA
Trenton
Dover
WASHINGTON
BALTIMORE
Annapolis
Richmond
Norfolk
Raleigh
C. Hatteras
OCÉAN
ATLANTIQUE
L. SUPÉRIEUR
LAC MICHIGAN
LAC HURON
LAC ONTARIO
LAC ÉRIÉ
BUFFALO
DETROIT
Lansing
CLEVELAND
PITTSBURGH
PENNSYLVANIE
Harrisburg
Columbus
OHIO
INDIANA
INDIANAPOLIS
CINCINNATI
ILLINOIS
Springfield
CHICAGO
MILWAUKEE
Madison
WISCONSIN
MINNESOTA
MINNEAPOLIS
St Paul
Duluth
Olympia
SEATTLE
WASHINGTON
Columbia
Portland
Salem
OREGON
Missouri
MONTANA
Helena
DAKOTA DU NORD
Bismarck
DAKOTA DU SUD
Pierre
Boise
IDAHO
Snake Riv.
WYOMING
Cheyenne
NEBRASKA
Des Moines
IOWA
Omaha
Lincoln
Salt Lake City
UTAH
Carson City
Sacramento
NEVADA
SAN FRANCISCO
DENVER
COLORADO
Colorado
KANSAS CITY
ST LOUIS
Topeka
KANSAS
Arkansas
Wichita
Jefferson City
MISSOURI
Mississippi
CALIFORNIE
LOS ANGELES
SAN BERNARDINO
ANAHEIM
SAN DIEGO
ARIZONA
Phoenix
Tucson
Santa Fe
Albuquerque
NOUVEAU-MEXIQUE
Amarillo
Lubbock
OKLAHOMA
Oklahoma City
Little Rock
ARKANSAS
Memphis
TENNESSEE
Nashville-Davidson
Chattanooga
KENTUCKY
Louisville
Frankfort
Ohio
VIRGINIE-OCC.le
Charleston
VIRGINIE
CAROLINE DU NORD
CAROLINE DU SUD
Columbia
ATLANTA
Birmingham
ALABAMA
MISSISSIPPI
Columbus
GÉORGIE
Montgomery
Mobile
Jackson
Shreveport
LOUISIANE
Baton Rouge
LA NOUVELLE-ORLÉANS
Jacksonville
Tallahassee
FLORIDE
Tampa
MIAMI
C. Sable
Fort Worth
DALLAS
TEXAS
Austin
Beaumont
HOUSTON
San Antonio
El Paso
Rio Grande
MEXIQUE
GOLFE DU MEXIQUE
OCÉAN PACIFIQUE
0
500 km
110°
100°
90°
80°
30°

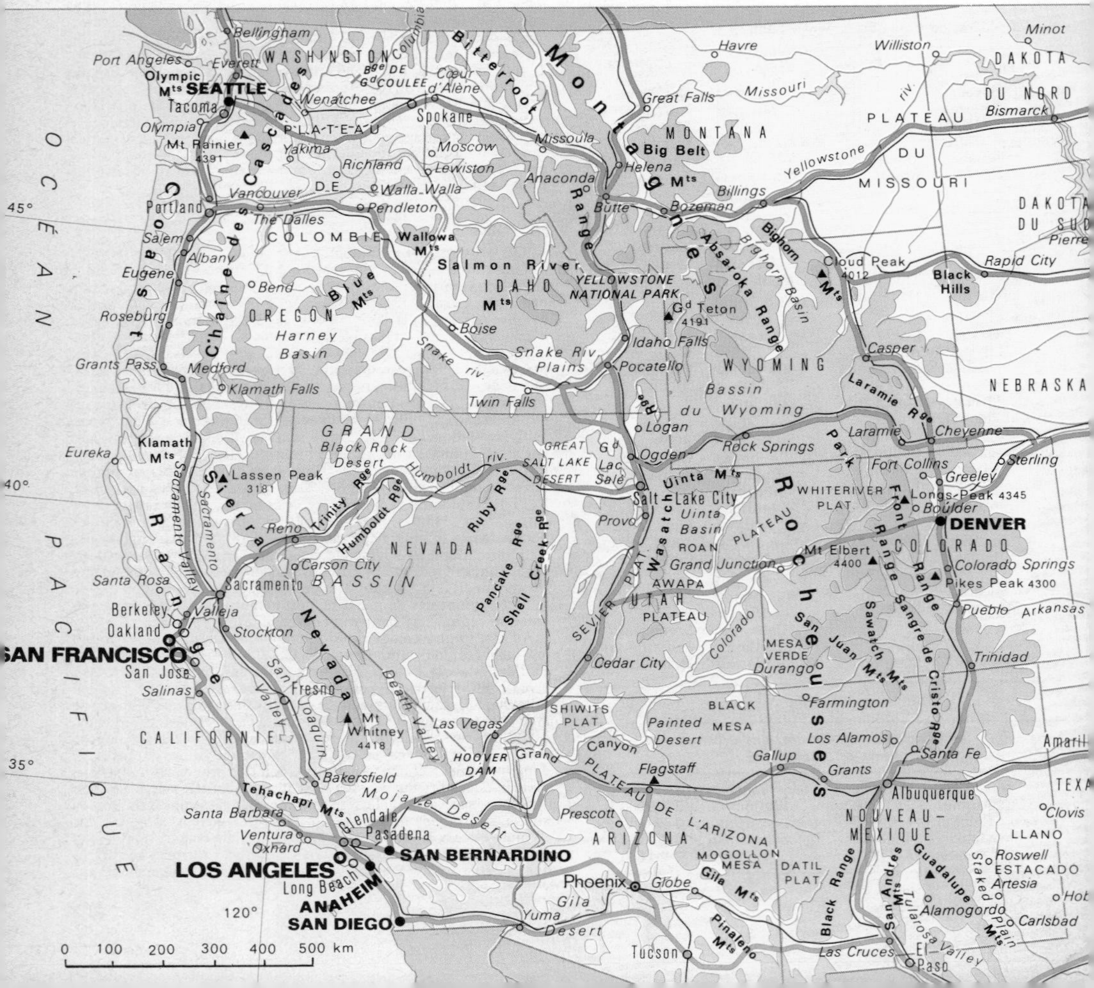

Bellingham
Port Angeles
Everett
Olympic Mts
SEATTLE
Tacoma
Olympia
Mt Rainier 4391
WASHINGTON
Columbia
Bge DE Gd COULEE
Wenatchee
Cascades
Coeur d'Alène
Spokane
Bitterroot
Montagnes
PLATEAU DE LA COLOMBIE
Yakima
Richland
Moscow
Lewiston
Walla Walla
Pendleton
Vancouver
Portland
The Dalles
Salem
Albany
Eugene
Coast
Chaîne des Cascades
Wallowa Mts
Blue Mts
Bend
OREGON
Harney Basin
Roseburg
Grants Pass
Medford
Klamath Falls
Missoula
Anaconda Range
Butte
Big Belt Mts
Helena
Great Falls
Havre
Missouri
MONTANA
Billings
Bozeman
Yellowstone
Williston
Minot
DAKOTA DU NORD
Bismarck
PLATEAU DU MISSOURI
DAKOTA DU SUD
Pierre
Rapid City
Black Hills
Cloud Peak 4012
Bighorn Mts
Bighorn Basin
Absaroka Range
YELLOWSTONE NATIONAL PARK
Gd Teton 4191
Salmon River Mts
IDAHO
Boise
Snake riv.
Snake Riv. Plains
Idaho Falls
Pocatello
Twin Falls
Casper
WYOMING
Bassin du Wyoming
Laramie Rge
NEBRASKA
Laramie
Cheyenne
Rock Springs
Logan
Ogden
GRAND BASSIN
Black Rock Desert
GREAT SALT LAKE DESERT
Gd Lac Salé
Humboldt riv.
Eureka
Klamath Mts
Lassen Peak 3181
Sierra
Trinity Rge
Humboldt Rge
Ruby Rge
Salt Lake City
Uinta Mts
Uinta Basin
Provo
Wasatch
Fort Collins
Greeley
Sterling
Longs Peak 4345
Boulder
DENVER
WHITERIVER PLAT.
Park
Front Range
Rocheuses
Reno
Carson City
NEVADA
BASSIN
Pancake Rge
Shell Creek Rge
ROAN PLATEAU
Grand Junction
AWAPA PLAT.
Mt Elbert 4400
COLORADO
Colorado Springs
Pikes Peak 4300
Pueblo
Arkansas
Santa Rosa
Sacramento
Sacramento Valley
Range
Berkeley
Vallejo
Oakland
Stockton
SAN FRANCISCO
San Jose
Salinas
Nevada
SEVIER PLAT.
UTAH PLATEAU
Colorado
Cedar City
MESA VERDE
Durango
San Juan Mts
Sawatch Mts
Sangre de Cristo Rge
Trinidad
Fresno
San Joaquin Valley
Mt Whitney 4418
Death Valley
Las Vegas
SHIWITS PLAT.
Painted Desert
BLACK MESA
Farmington
Los Alamos
CALIFORNIE
HOOVER DAM
Grand Canyon
Flagstaff
Gallup
Grants
Santa Fe
Amarillo
Bakersfield
Tehachapi Mts
Mojave Desert
PLATEAU DE L'ARIZONA
Albuquerque
TEXAS
Santa Barbara
Glendale
Pasadena
Ventura
Oxnard
Prescott
ARIZONA
NOUVEAU-MEXIQUE
Clovis
LLANO ESTACADO
LOS ANGELES
SAN BERNARDINO
MOGOLLON MESA
DATIL PLAT.
Black Range
Guadalupe Mts
Roswell
Staked Plain
Artesia
Long Beach
ANAHEIM
Phoenix
Globe
Gila Mts
San Andres Mts
Tularosa Valley
Alamogordo
Hobbs
Carlsbad
SAN DIEGO
Gila
Yuma
Desert
Pinaleno Mts
Tucson
Las Cruces
El Paso
OCÉAN PACIFIQUE
45°
40°
35°
120°
0
100
200
300
400
500 km

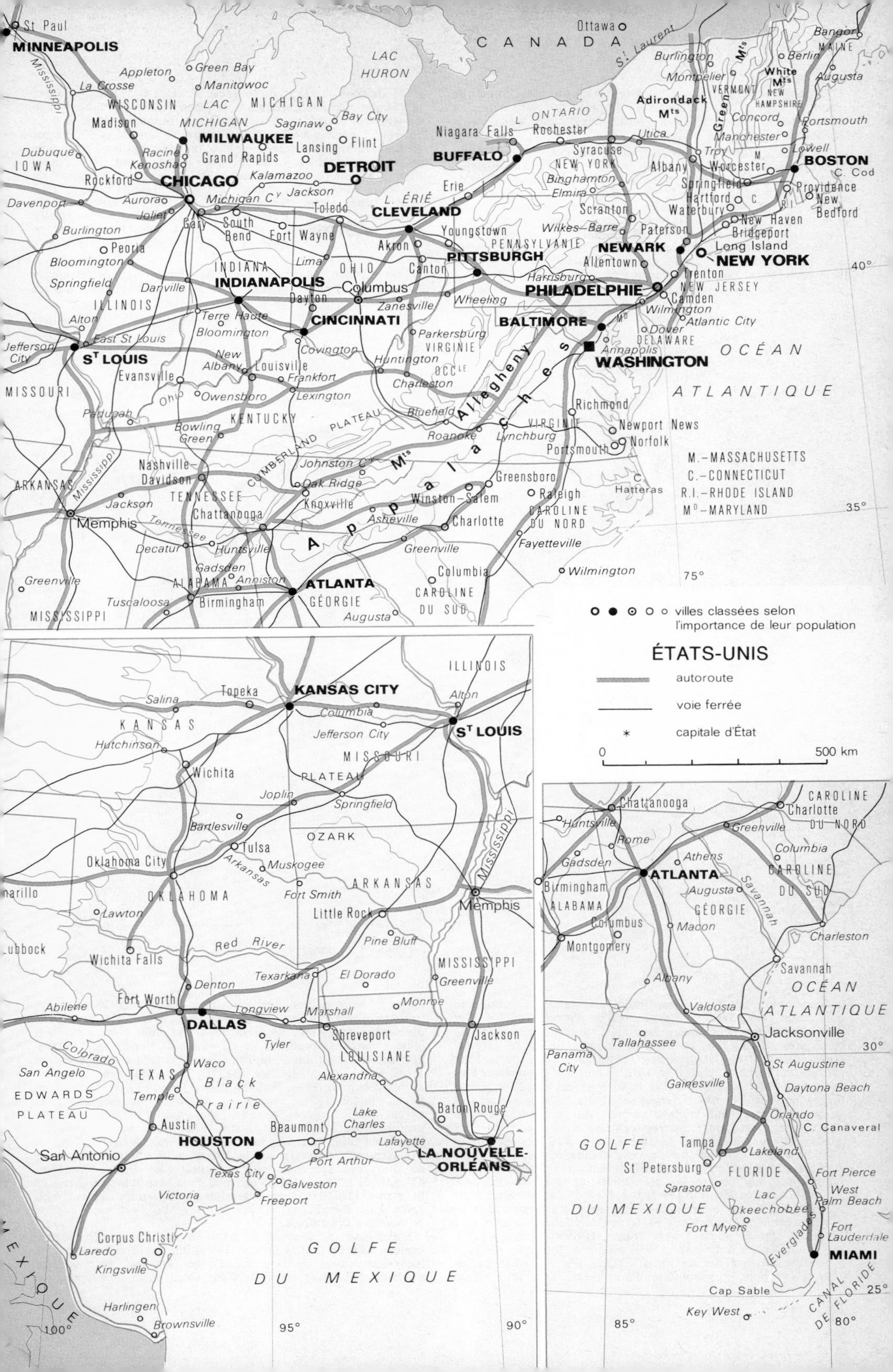
ÉTATS-UNIS
villes classées selon l'importance de leur population
autoroute
voie ferrée
capitale d'État
0
500 km
M.-MASSACHUSETTS
C.-CONNECTICUT
R.I.-RHODE ISLAND
MD-MARYLAND
CANADA
OCÉAN ATLANTIQUE
GOLFE DU MEXIQUE
MEXIQUE
LAC HURON
LAC MICHIGAN
L. ÉRIÉ
L. ONTARIO
St Laurent
Mississippi
Ohio
Tennessee
Arkansas
Red River
Colorado
Savannah
Everglades
CANAL DE FLORIDE
Appalaches
Allegheny
CUMBERLAND PLATEAU
Adirondack Mts
Green Mts
White Mts
OZARK PLATEAU
EDWARDS PLATEAU
Black Prairie
MINNEAPOLIS
St Paul
MILWAUKEE
CHICAGO
DETROIT
CLEVELAND
PITTSBURGH
BUFFALO
INDIANAPOLIS
CINCINNATI
St LOUIS
NEWARK
NEW YORK
BOSTON
PHILADELPHIE
BALTIMORE
WASHINGTON
ATLANTA
KANSAS CITY
DALLAS
HOUSTON
LA NOUVELLE-ORLÉANS
MIAMI
WISCONSIN
IOWA
ILLINOIS
INDIANA
OHIO
MICHIGAN
MISSOURI
KENTUCKY
TENNESSEE
ARKANSAS
MISSISSIPPI
ALABAMA
GÉORGIE
PENNSYLVANIE
NEW YORK
NEW JERSEY
DELAWARE
VIRGINIE
VIRGINIE OCCLE
CAROLINE DU NORD
CAROLINE DU SUD
VERMONT
NEW HAMPSHIRE
MAINE
KANSAS
OKLAHOMA
TEXAS
LOUISIANE
FLORIDE
Ottawa
Bangor
Berlin
Augusta
Burlington
Montpelier
Concord
Portsmouth
Manchester
Lowell
Troy
Worcester
Albany
Utica
Syracuse
Rochester
Niagara Falls
Binghamton
Elmira
Springfield
Hartford
Waterbury
New Haven
Bridgeport
Long Island
Providence
New Bedford
C. Cod
Scranton
Wilkes-Barre
Paterson
Allentown
Trenton
Camden
Wilmington
Atlantic City
Dover
Annapolis
Harrisburg
Richmond
Newport News
Norfolk
Portsmouth
Hatteras
Appleton
Green Bay
Manitowoc
La Crosse
Madison
Racine
Kenosha
Dubuque
Rockford
Davenport
Burlington
Aurora
Joliet
Gary
Peoria
Bloomington
Springfield
Danville
Alton
East St Louis
Jefferson City
Saginaw
Bay City
Flint
Lansing
Grand Rapids
Kalamazoo
Jackson
Michigan Cy
South Bend
Fort Wayne
Toledo
Erie
Youngstown
Akron
Canton
Lima
Columbus
Dayton
Zanesville
Wheeling
Terre Haute
Bloomington
Evansville
New Albany
Louisville
Covington
Frankfort
Lexington
Owensboro
Paducah
Bowling Green
Huntington
Parkersburg
Charleston
Bluefield
Roanoke
Lynchburg
Greensboro
Raleigh
Winston-Salem
Charlotte
Fayetteville
Wilmington
Asheville
Greenville
Columbia
Augusta
Nashville-Davidson
Johnston Cy
Oak Ridge
Knoxville
Chattanooga
Memphis
Jackson
Huntsville
Decatur
Gadsden
Anniston
Birmingham
Tuscaloosa
Greenville
Topeka
Salina
Hutchinson
Wichita
Columbia
Jefferson City
Joplin
Springfield
Bartlesville
Tulsa
Muskogee
Oklahoma City
Fort Smith
Little Rock
Pine Bluff
Lawton
Wichita Falls
Texarkana
El Dorado
Greenville
Monroe
Denton
Fort Worth
Abilene
Longview
Marshall
Shreveport
Tyler
Jackson
Waco
Temple
Austin
San Angelo
Alexandria
Baton Rouge
Lake Charles
Lafayette
Beaumont
Port Arthur
Texas City
Galveston
Freeport
Victoria
San Antonio
Corpus Christi
Laredo
Kingsville
Harlingen
Brownsville
Rome
Athens
Columbus
Montgomery
Macon
Albany
Valdosta
Tallahassee
Panama City
Savannah
Charleston
Jacksonville
St Augustine
Gainesville
Daytona Beach
Orlando
C. Canaveral
Tampa
Lakeland
St Petersburg
Sarasota
Lac Okeechobee
Fort Pierce
West Palm Beach
Fort Myers
Fort Lauderdale
Cap Sable
Key West
40°
35°
30°
25°
75°
80°
85°
90°
95°
100°

George Washington*, finit par battre les troupes royales. La paix de Paris (3 sept. 1783) reconnaît l'existence, de l'Atlantique au Mississippi et du nord de la Floride aux Grands Lacs, de la république fédérée des États-Unis.

• *De l'indépendance à la guerre de Sécession.* Dotée d'abord d'une constitution confédérale, élaborée dès 1778, mais peu consistante et sans contenu vraiment « national », la République, au milieu de mille difficultés, liées surtout aux réticences d'États qui veulent demeurer souverains, se donne, le 17 septembre 1787, une constitution fédérale, toujours en vigueur : c'est un compromis souple qui vise à assurer, dans le respect des autonomies, la défense commune et la sauvegarde de l'intérêt général, notamment par la création d'un solide exécutif présidentiel. Le premier président élu est George Washington (de 1789 à 1797).

Presque aussitôt naissent des difficultés liées à l'interprétation de (1846-1848) — du Texas, du Nouveau-Mexique et de la Californie et la cession par l'Angleterre de l'Oregon (1846) permettent rapidement aux États-Unis d'atteindre leurs frontières actuelles. Une croissance démographique spectaculaire — 4 millions d'habitants en 1790, 32 millions en 1860 —, liée à une immigration européenne puissante et continue, va de pair avec l'urbanisation (New York a déjà 1 million d'habitants en 1860) et avec la formation de nouveaux États : la République compte trente-trois États en 1860 (douze autres seront créés entre 1861 et 1896, cinq autres — dont l'Alaska, acheté aux Russes en 1867, et l'archipel des Hawaii, annexé en 1898 — entre 1907 et 1959). La présidence d'Andrew Jackson, l'ère jacksonienne (de 1829 à 1837), marque l'apogée de la jeune Amérique.

La puissance économique de la République est à la mesure du courage de ses pionniers et de sa croissance démographique; mais,

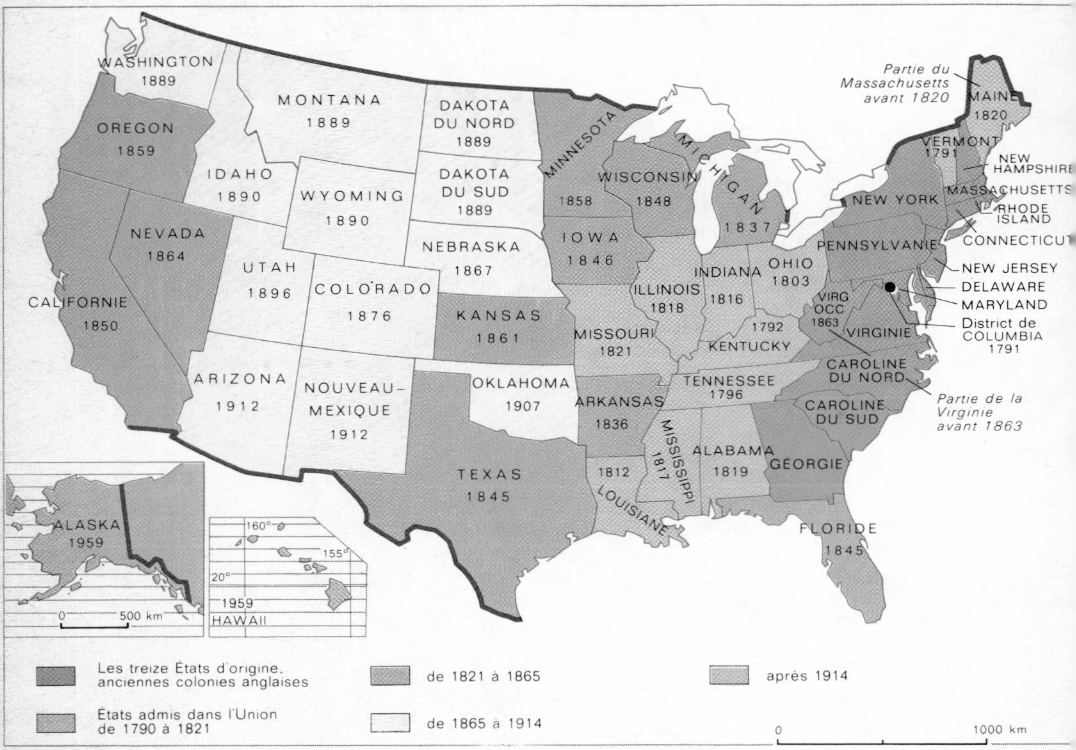

ENTRÉE DES ÉTATS DANS L'UNION

la Constitution. Les fédéralistes (leader : Alexander Hamilton), au pouvoir de 1789 à 1801, sont partisans d'un pouvoir fédéral fort et d'un centralisme économique favorable au grand commerce du Nord. Les républicains, eux, qui représentent les petits propriétaires ruraux et les citoyens des petits États, sont soucieux de sauvegarder leurs franchises; en 1801, ils enlèvent la présidence au fédéraliste John Adams (de 1797 à 1801), successeur de Washington, et imposent Thomas Jefferson (de 1801 à 1809). Mais, une fois au pouvoir, les républicains s'orientent par nécessité vers un renforcement du gouvernement central. Il est vrai que les Américains sont affrontés, de 1810 à 1815, à la seconde guerre d'Indépendance qui voit une nouvelle défaite des Anglais. Ainsi confirmés dans leur orgueil national, ils inaugurent l'« Ère des bons sentiments », qui couvre les présidences de deux disciples de Jefferson : James Madison (de 1809 à 1817) et James Monroe (de 1817 à 1825). Tandis que celui-ci définit une doctrine neutraliste — « l'Amérique aux Américains » —, toutes les énergies du pays sont absorbées par la poussée vers l'ouest, favorisée par l'achat à la France de la Louisiane (1803), immense territoire où vont s'organiser treize nouveaux États. L'acquisition de la Floride, en 1819, l'annexion — à la suite d'une guerre avec le Mexique entre le Nord puritain et industriel, qui détient la puissance financière, et le Sud agricole, esclavagiste et « colonial », qui dépend du Nord pour ses investissements et ses produits manufacturés, le fossé s'élargit, le problème de l'abolition de l'esclavage apparaissant comme le terrain de lutte. Cette dichotomie se révèle surtout après le départ de Jackson (1837). Cependant, tant que deux démocrates sudistes — Franklin Pierce (de 1853 à 1857) et James Buchanan (de 1857 à 1861) — sont à la Maison-Blanche, la « sécession » est encore formelle, encore qu'elle soit entretenue par une agitation perpétuelle. Quand le nouveau parti républicain réussit, en 1860, à imposer son candidat, Abraham Lincoln*, qui est ouvertement antiesclavagiste, la guerre civile éclate et onze États du Sud font sécession pour constituer les États confédérés d'Amérique (8 févr. 1861). S'ouvre alors la dure et longue guerre de Sécession* (1861-1865), qui se termine par la victoire du Nord, mais coûte à la République 617 000 morts et lui vaut une situation économique dramatique.

L'assassinat de Lincoln, à l'issue du vote du treizième amendement, qui abolit l'esclavage (1865), illustre la difficulté de la reconstruction et de la réconciliation. D'autant plus que les « radicaux » du Nord, vainqueurs aux élections de 1866, pratiquent à l'égard du Sud vaincu une politique de coercition, à laquelle met fin le président Ulysses Grant (de 1869 à 1877). Cependant, le Sud reste marqué par le mépris du Noir, mépris entretenu par les *carpet-baggers* et les extrémistes du Ku Klux Klan*.

• *L'ère de prospérité.* En fait, le Nord se désintéresse de ce qui se passe dans le Sud, cela parce que, une fois passées les années de reconstruction, les États-Unis entrent dans l'âge doré qui, pendant le dernier tiers du siècle, fait d'eux la plus grande puissance économique du monde. Une évolution démographique exceptionnelle — 40 millions d'habitants en 1870, 76 millions en 1900, 90 millions en 1910, 100 millions en 1918 — favorise cette croissance, qui entraîne presque le quadruplement du produit national brut entre 1870 et 1906. Mais, si les voies ferrées atteignent 300 000 kilomètres en 1900, si l'industrie connaît un essor foudroyant, favorable aux trusts et aux holdings, et marqué par le progrès de la standardisation, du taylorisme et du dumping, le monde rural subit les contrecoups d'une évolution qui fait baisser beaucoup plus les prix agricoles que les prix industriels. D'où une grave crise populiste à partir de 1890 : crise qui contribue à former et à fortifier le syndicalisme *(Knights of Labour)* et à donner au mouvement progressiste, éminemment social, une grande audience. Les progressistes se retrouvent d'ailleurs dans la personne de deux grands présidents : le républicain Theodore Roosevelt (de 1901 à 1909) et le démocrate T. W. Wilson (de 1913 à 1921), qui sont à l'origine d'une importante législation *antitrust,* sociale et féministe.

Dans ce courant, la doctrine de Monroe fait place peu à peu à l'impérialisme américain, d'abord sous forme économique puis d'expansion territoriale : guerre hispano-américaine (1898), qui fait passer Cuba, Porto Rico et les Philippines sous le protectorat américain; formation de la république de Panamá, sous contrôle américain (1903) — le canal de Panamá, achevé en 1914, étant, en fait, l'œuvre des États-Unis; occupation d'Haïti (1916); achat au Danemark des îles Vierges (1917); intervention au Mexique (1914)...

• *Depuis la Première Guerre mondiale.* La neutralité américaine dans la Première Guerre mondiale s'avère difficile à maintenir, surtout face au blocus et aux torpillages allemands. Le 6 avril 1917, le Congrès déclare la guerre à l'Allemagne, ce qui a pour effet l'envoi sur le front français d'un important corps expéditionnaire dont l'intervention est décisive. La guerre, d'ailleurs, enrichit encore les États-Unis, auprès desquels les Alliés se sont endettés. Mais, lorsque T. Wilson prétend, en 1919, se présenter comme l'arbitre de l'Europe de l'après-guerre, il est désavoué par ses compatriotes qui, désireux avant tout d'un retour à la normale, lui donnent comme successeur un républicain médiocre, Warren Harding (de 1921 à 1923), à qui succèdent Calvin Coolidge (de 1923 à 1929) et Herbert C. Hoover (de 1929 à 1933), tous les trois républicains. Les États-Unis, durant dix ans (1919-1929), continuent à s'enrichir, les profits industriels s'accroissant de 62 p. 100 et les techniques modernes — automobile, électricité, radiodiffusion, aviation, cinéma... — envahissant la civilisation. Encore que la prohibition de l'alcool (1919) favorise contrebande et gangstérisme, et que la xénophobie, le racisme, l'antisémitisme, l'antisocialisme connaissent aussi de nouvelles flambées. Et puis la prospérité a comme envers le paupérisme, particulièrement développé dans les campagnes, les exportations agricoles se raréfiant et les fermiers étant accablés d'impôts.

L'entêtement du gouvernement à maintenir les barrières douanières et l'avidité des spéculateurs sont à l'origine de la crise boursière, puis économique, qui éclate à Wall Street en octobre 1929 et qui atteint l'Europe, d'où les Américains rapatrient leurs capitaux. Chômage, misère, agitation endémique : devant cette vague, le président Hoover se révèle incapable et perd toute popularité; en 1932, c'est le démocrate F. D. Roosevelt qui est élu. Promettant aux Américains une « nouvelle donne » *(New Deal),* celui-ci applique moins un programme qu'une méthode, qui fait désormais de la Maison-Blanche le centre moteur de la société américaine. Par une série de mesures dirigistes mais efficaces — moratoire national, abandon de l'étalon or, dévaluation massive du dollar, aide aux fermiers, travail fourni aux chômeurs, intervention dans la commercialisation des produits, planification des grands travaux... — F. D. Roosevelt remet lentement l'économie américaine sur pied, non sans essuyer l'opposition des républicains (Hoover), qui l'accusent de socialisme, et celle des mouvements d'inspiration fasciste, voire nazie. Cela ne l'empêche pas d'être réélu en 1936, 1940 et 1944.

Il faut dire que c'est la production de guerre qui, à partir de 1940, permet vraiment à l'économie américaine d'atteindre de nouveaux sommets. Car l'isolationnisme américain, dès le début de la Seconde Guerre* mondiale, s'avère impossible à longue échéance. L'attaque des Japonais sur Pearl Harbor (7 déc. 1941) fait d'ailleurs basculer les États-Unis dans le camp allié, qui reçoit ainsi un renfort inestimable; les Américains seront les grands vainqueurs de l'Allemagne nazie et du Japon, en 1945.

Dès lors, les États-Unis, qui ratifient la Charte de l'O. N. U. (1945), prennent des responsabilités à l'échelle mondiale; mais, tandis que l'Europe occidentale se lie à eux par une alliance, l'U. R. S. S. apparaît très vite comme leur ennemi numéro un. Ainsi, sous Harry S. Truman (de 1945 à 1953) et sous Dwight D. Eisenhower (de 1953 à 1961), les États-Unis vivent en « guerre froide », nouant une chaîne d'alliances qui enserre le monde communiste, dans lequel entre, en 1949, l'énorme Chine : d'où l'épisode sanglant et inutile de la guerre de Corée (1950-1953).

Avec le jeune et populaire président démocrate John F. Kennedy (de 1961 à 1963) et, après son assassinat, avec Lyndon B. Johnson (de 1963 à 1969), une certaine détente internationale s'établit — malgré la guerre du Viêt-nam*, dans laquelle les États-Unis s'engagent de plus en plus, et la crise de Cuba (1962) —, tandis que la prospérité américaine se développe : prospérité combattue par un nombre de plus en plus grand de révoltés et de marginaux, la richesse des uns ayant pour corollaire la pauvreté des autres, celle des Noirs notamment, dont les intérêts sont représentés par des organisations qui réclament, de plus en plus agressivement, le *Black Power.*

DÉFENSE ET ARMÉES

• *1945 :* 11 millions d'hommes (production de 1940 à 1945, 296 000 avions, 130 000 blindés, 8 millions de tonnes de navires de guerre).

• *1945-1955 :* monopole atomique américain.

• *1961 :* doctrine McNamara de la *riposte graduée.*

• *1962-1973 :* engagement au Viêt-nam.

• *1969 :* ouverture des négociations SALT avec l'U. R. S. S. (accords en 1972 et 1974).

• LES FORCES AMÉRICAINES EN 1977. Budget : 102,7 milliards de dollars (5,9 p. 100 du P. N. B.). Effectifs : 2 086 000 hommes (dont 271 000 en Europe et 30 000 en Corée). Armée de volontariat.

Force nucléaire stratégique : 1 054 ICBM (« Titan », « Minuteman II » et « III »), 656 SLBM (« Polaris A3 » et « Poseidon » sur 41 sous-marins), 453 bombardiers lourds.

North American Air Defense (NORAD) [défense aérienne en accord avec le Canada] : système antimissile Safeguard, 331 intercepteurs.

Armée : 785 000 hommes : 16 divisions dont 9 blindées et mécanisées et 1 aéromobile.

Corps des marines : 197 000 hommes : 3 divisions.

Marine : 524 000 hommes, 15 porte-avions, 27 croiseurs, 138 destroyers, 68 sous-marins nucléaires d'attaque, 117 bâtiments logistiques (répartition : Pacifique, 50 p. 100; Atlantique et Méditerranée, 50 p. 100).

Aviation : 584 000 hommes, 4 500 avions de combat (plus 94 000 hommes et 900 avions de la garde nationale). Quatre grands commandements : États-Unis, Europe, Pacifique, transport aérien (304 avions gros porteurs).

Le président républicain Richard Nixon (de 1969 à 1974) est affronté à la guerre du Viêt-nam, déjà pourrissante. Il préconise la vietnamisation du conflit et le retrait des troupes américaines du Viêt-nam, qui sera effectif en 1973. Dans le même temps, R. Nixon mise sur un rapprochement spectaculaire des États-Unis et de la Chine. À l'intérieur, il s'efforce de mettre en œuvre un « nouveau réalisme », en luttant contre la délinquance et contre la pauvreté de trop d'Américains. Mais il ne peut juguler l'inflation et le chômage, et, étant lui-même inculpé dans un scandale public, dit « affaire du Watergate », il doit démissionner le 8 août 1974. Son successeur, l'ancien vice-président Gerald Ford, qui n'a pas son poids politique, se trouve affronté à une situation intérieure dégradée et à une remontée de l'U. R. S. S. dans le domaine de la diplomatie mondiale. Au début de 1977 il est remplacé par un démocrate du sud, Jimmy Carter*.

ÉTEL (56410), comm. du Morbihan, à l'entrée de la *rivière d'Étel,* à 16,5 km à l'O. d'Auray; 3 087 hab. Pêche. Conserveries.

ETÉOCLE, héros du cycle thébain, fils d'Œdipe* et de Jocaste*, frère de Polynice*, avec qui il entre en conflit pour la possession du trône de Thèbes; les deux frères s'entre-tuent dans un combat singulier (v. SEPT CHEFS [*guerre des*]).

ÉTHANE → VAPOCRAQUAGE.

ÉTHER. — On a d'abord confondu sous le nom d'« éthers » des composés très divers, résultant de l'action d'acides sur les alcools. On distingue aujourd'hui :
— les *éthers-oxydes,* de formule générale R—O—R′, R et R′ étant des radicaux hydrocarbonés, identiques ou différents. Le plus important est l'*oxyde d'éthyle* $(C_2H_5)_2O$, dit encore « éther ordinaire » ou « éther sulfurique » (il résulte de l'action de cet acide sur l'alcool à chaud). C'est un liquide incolore, d'odeur caractéristique, léger et mobile, bouillant à 34 °C et très inflammable. Il sert comme solvant et comme anesthésique;

— les *éthers halohydriques,* de formule RX, résultant de l'action de l'acide halogéné HX sur l'alcool ROH. Ce sont en général des liquides d'odeur éthérée, non miscibles à l'eau. Les plus importants sont le *chlorure de méthyle* CH_3Cl, employé comme agent frigorifique, et le *chlorure d'éthyle* C_2H_5Cl, qui sert d'anesthésique;
— les *éthers des oxacides minéraux,* comme les éthers nitreux NO_2R, nitriques NO_3R et sulfuriques SO_4HR et SO_4R_2;
— les *éthers carboxyliques,* qui sont les esters*.

ÉTHIOPIE, État de l'Afrique orientale, sur la mer Rouge; 1 237 000 km^2; 28 680 000 hab. *(Éthiopiens).* Capit. *Addis-Abeba.*

GÉOGRAPHIE. La majeure partie du pays s'étend sur un massif montagneux couvert d'épanchements basaltiques et incisé de profondes vallées. Il est bordé au N.-E. par le fossé des Danakil, zone d'instabilité de l'écorce terrestre, au volcanisme actif, et, au S.-E., par de vastes plateaux (Ogaden). Le climat est fortement nuancé par l'altitude : très chaud dans les vallées à l'abri des précipitations, il se tempère dans les montagnes, qui reçoivent des pluies abondantes. À Addis-Abeba, à 2 500 m d'altitude, les moyennes mensuelles oscillent autour de 15 °C seulement, alors que le total des précipitations excède 1 m.

La population est composée de groupes ethniques variés : Amharas, Gallas, Danakil, Somalis et Noirs principalement, aux religions diverses, et entre lesquels existent des antagonismes. Elle se concentre sur les hauteurs du massif éthiopien. Le pays est faiblement urbanisé, les seules villes importantes étant la capitale, Addis-Abeba, et Asmara (en Érythrée).

L'agriculture demeure le secteur essentiel de l'économie. Les régions de l'Est sont consacrées à un élevage nomade, mais dans le massif éthiopien la culture s'étage en fonction de l'altitude. Dans les zones basses, des cultures souvent tropicales (coton, canne à sucre, maïs, tabac) trouent la forêt dense. L'étage intermédiaire, de 1 800 à 2 500 m, est le plus riche : on y cultive le café, principal

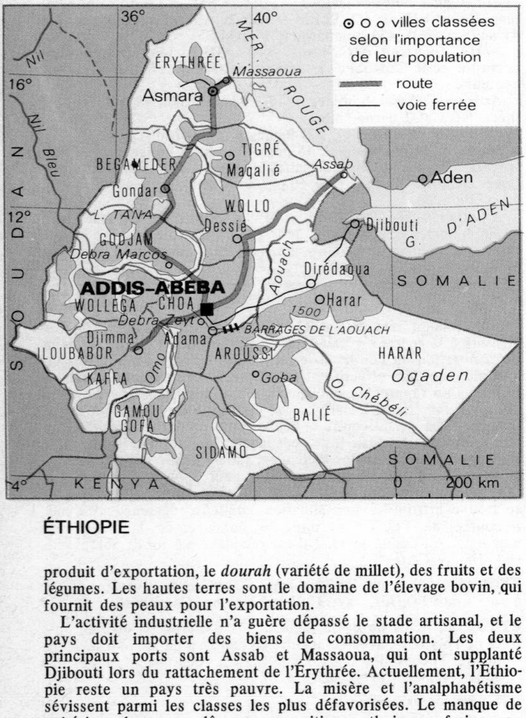

ÉTHIOPIE

produit d'exportation, le *dourah* (variété de millet), des fruits et des légumes. Les hautes terres sont le domaine de l'élevage bovin, qui fournit des peaux pour l'exportation.

L'activité industrielle n'a guère dépassé le stade artisanal, et le pays doit importer des biens de consommation. Les deux principaux ports sont Assab et Massaoua, qui ont supplanté Djibouti lors du rattachement de l'Érythrée. Actuellement, l'Éthiopie reste un pays très pauvre. La misère et l'analphabétisme sévissent parmi les classes les plus défavorisées. Le manque de cohésion du pays, dû aux oppositions ethniques, freine son développement, handicapé aussi par le manque de capitaux et de techniciens.

HISTOIRE. La légende rattache la première dynastie éthiopienne à la descendance de Salomon et de la reine de Saba. Constitué au Ier s. de l'ère chrétienne, après l'installation de tribus sémites venues de l'Arabie du Sud, le royaume d'Aksoum*, dont le chef porte le titre de *negusa negast* («roi des rois»), étend sa domination sur l'Éthiopie du Nord jusqu'au Nil bleu. Christianisé au IVe s., il suit l'Église égyptienne dans le monophysisme, puis, après une période brillante (IIIe-VIe s.), il subit l'expansion de l'Islām, qui le prive du littoral de la mer Rouge, et s'effondre au Xe s. La période, mal connue, qui s'ouvre alors est marquée par le règne de la dynastie Zagoué, au Lasta (de 1149 à 1270), suivi d'un brillant renouveau avec Yekouno Amlak (de 1270 à 1285), qui prétend restaurer la dynastie salomonienne au Choa. L'amharique devient alors la langue principale.

Au XVIe s., l'Europe découvre l'Éthiopie par l'intermédiaire des Portugais et identifie cette terre chrétienne, isolée parmi les pays musulmans, au royaume fabuleux du «Pretre Jean». Presque entièrement conquise par les Arabes de 1527 à 1543, l'Éthiopie se libère avec l'aide des Portugais, mais elle se révolte bientôt contre l'action des missionnaires catholiques et se ferme aux Occidentaux. Jusqu'au XIXe s., le pays se développe en vase clos. L'autorité royale s'affaiblit progressivement devant les ambitions des chefs héréditaires des provinces, les «ras», dont les rivalités menacent constamment l'unité de l'empire. Malgré le déclin politique qui caractérise cette période «féodale», un centre culturel brillant se développe à Gondar, devenue une grande métropole religieuse.

Au XIXe s., Théodoros II (de 1855 à 1868) conquiert le pouvoir sur les autres ras, se fait proclamer «roi des rois» et restaure l'autorité centrale sur les provinces. Avec l'ouverture du canal de Suez (1869), l'Éthiopie devient l'enjeu des rivalités économiques et militaires des Européens. La France s'installe à Obok (1881) et à Djibouti (1885), les Italiens à Assab (1882) et à Massaoua (1885). Après une période de troubles, l'appui des Italiens permet à Ménélik II, ras du Choa, d'accéder au trône (de 1889 à 1909). Celui-ci leur reconnaît en échange la possession de l'Érythrée* par le traité d'Uccialli (1889), qu'il dénonce dès 1893 devant les prétentions italiennes au protectorat. Après la victoire éthiopienne d'Adoua (1896), l'Italie reconnaît la souveraineté de l'Éthiopie et conserve l'Érythrée. Ménélik II transfère la capitale à Addis-Abeba, agrandit et modernise l'empire, et renforce l'autorité royale, tout en s'efforçant de limiter l'expansion européenne sur les côtes. Les Européens interviennent cependant dans les affaires intérieures du pays, favorisant la déposition de Iyassou, fils et successeur de Ménélik, et l'accession du ras Tafari comme régent (1917). Celui-ci fait entrer l'Éthiopie sur la scène internationale en adhérant à la Société des Nations (1923) et au pacte Briand-Kellogg (1928), puis, proclamé «négus» (1928), il monte sur le trône en 1930 sous le nom d'Hailé* Sélassié Ier. Dès 1931, il promulgue une constitution de type occidental et entreprend un vaste programme de modernisation, interrompu par la conquête italienne (1935-36). L'Éthiopie, vaincue, constitue alors, avec l'Érythrée et la Somalie, l'Afrique orientale italienne. Libérée par les troupes franco-anglaises en 1941, elle retrouve son indépendance, entre à l'O. N. U. en 1945 et reprend accès sur le littoral de la mer Rouge par la fédération (1952) puis l'annexion (1962) de l'Érythrée. Son rôle dans l'évolution de l'Afrique contemporaine devient prépondérant avec la création de l'Organisation de l'unité africaine, dont le siège est fixé à Addis-Abeba (1963) et au sein de laquelle l'Éthiopie a une influence modératrice. À l'intérieur, l'empereur poursuit sa politique réformatrice, mais la libéralisation du régime, réelle mais prudente, est jugée insuffisante. Une première tentative de coup d'État échoue en 1960. Menacé depuis le début de son histoire par des divisions ethniques et religieuses, le gouvernement impérial doit faire face au développement de mouvements séparatistes en Érythrée (dès 1962) et en Ogaden (1964). À ces difficultés s'ajoutent des problèmes frontaliers avec le Soudan et le Kenya (résolus respectivement par les accords de 1967 et 1970), et surtout avec la Somalie. La persistance d'un grand retard économique et d'un très bas niveau de vie, des inégalités sociales et ethniques très profondes aboutissent à une dégradation croissante de la situation intérieure. Une grave famine et le développement de la guérilla en Érythrée provoquent, en 1974, une révolution dirigée par des militaires progressistes. Après la déposition d'Hailé Sélassié (qui meurt en 1975), le conseil militaire engage l'Éthiopie dans la voie d'un socialisme autoritaire, qui s'accentue en 1977, quand les éléments les plus radicaux de ce conseil s'emparent du pouvoir. Dès lors, le conflit frontalier s'aggrave avec la Somalie.

Éthiopie *(campagnes d')* • *Campagne de 1894-1896.* Le négus Ménélik II ayant dénoncé, en 1893, le traité d'Uccialli, conclu avec les Italiens en 1889, le corps expéditionnaire du général Oreste Baratieri (1841-1901), après avoir obtenu quelques succès au début de 1895, est écrasé à Adoua (1er mars 1896) par les Éthiopiens, qui imposent à l'Italie la paix d'Addis-Abeba (26 oct. 1896).

• *Campagne de 1935-36.* Le 3 octobre 1935, 10 divisions italiennes, appuyées par des blindés et une nombreuse aviation, engagent les hostilités contre l'armée du négus Hailé* Sélassié, de structure féodale. Cette armée n'en résiste pas moins pendant sept mois, remportant même certaines victoires, comme celle du lac Achanghi (1er-4 avr. 1936). Elle ne peut cependant pas empêcher Badoglio*, venu d'Érythrée, et Graziani*, venu de Somalie, de faire leur jonction (10 mai), après que Gondar (1er avr.), Dessié (15 avr.), Addis-Abeba (5 mai) et Harar (8 mai) furent tombés. Le négus doit s'embarquer à Djibouti et il ira à Genève plaider en vain sa cause à la Société des Nations (30 juin), avant de se réfugier en Angleterre.

• *Campagne de 1940-41.* V. GUERRE MONDIALE *(Seconde).*

ÉTHIOPIENNES (langues). — Parlées par environ 7 millions de personnes, les langues éthiopiennes appartiennent au groupe méridional du sémitique occidental. Introduites quelques siècles avant notre ère par des immigrants venus d'Arabie, elles ont recouvert partiellement les parlers couchitiques*. L'amharique* est la langue officielle de l'Éthiopie. Le guèze, ou éthiopien classique, est une langue morte depuis le Xe s., mais elle est restée langue littéraire jusqu'au XIXe s. et est encore aujourd'hui utilisée pour la liturgie. Les autres langues (argobba, gafat, gouragué, harari, tigré, tigrina) sont uniquement parlées.

Éthique *(l'),* œuvre de Spinoza, publiée, en latin, en 1677. « Démontrée selon la méthode géométrique », la vérité de l'être (Dieu) et de la connaissance que le sage en a doit conduire ce dernier à l'amour de Dieu, c'est-à-dire de la nature.

Éthique à Nicomaque *(l'),* ouvrage d'Aristote, dans lequel le Stagirite pose le bonheur comme fin de l'activité de l'homme, défini en tant qu'animal politique *(la Politique).* Le bonheur dépend de la vertu, de l'amitié et de la justice; il se parfait par l'exercice de la pensée philosophique.

ETHMOÏDE → NEZ.

ETHNIE. — Il s'agit d'un concept très approximatif dans la mesure où il désigne une unité non pas statique, mais dynamique. Une ethnie se caractérise moins par ses traits spécifiques objectifs, concernant la religion, la race, la langue ou le dialecte, et le territoire, que par la conscience qu'elle a d'elle-même.

ETHNOBIOLOGIE. — Cette branche de l'ethnographie étudie l'utilisation traditionnelle des animaux et des plantes par les diverses populations, les dénominations et les classifications indigènes, les effets directs de l'environnement biologique sur le type de civilisation local (civilisations du renne, du cheval, du miel, etc.). Parfois, elle guide la recherche pharmaceutique, diététique ou même industrielle en tirant de l'oubli quelque précieuse ressource naturelle.

ETHNOCIDE. — L'ethnocide, ou mort socioculturelle d'un peuple, est l'effet qu'entraîne la négation d'une culture par une autre. Ce phénomène est essentiellement le fait de la société occidentale, voire, pour certaines, des sociétés capitalistes, qui ont toujours prétendu intégrer (« civiliser ») les populations dites « primitives ». Cette destruction d'un peuple, qui peut prendre diverses formes (mais parfois le simple contact suffit), est rendue possible à cause de la suprématie de la technologie de la culture dominante (v. ACCULTURATION).

ETHNOGRAPHIE. — Travail sur le terrain, l'ethnographie cherche à décrire de manière exhaustive tous les aspects de la vie des groupes sociaux de petites dimensions, aussi bien dans le domaine de la parenté que dans celui de l'économie, de la politique, de la linguistique ou de l'écologie. La décolonisation et la disparition progressive des populations dites « primitives » ont amené les ethnographes à s'intéresser de plus en plus aux communautés (rurales ou urbaines) appartenant à nos sociétés. Exigeant une certaine connaissance de la langue du groupe étudié, l'ethnographie procède à des enquêtes; elle enregistre et classe les matériaux recueillis.

ETHNOLINGUISTIQUE → SOCIOLINGUISTIQUE.

ETHNOLOGIE → ANTHROPOLOGIE CULTURELLE, ÉCONOMIQUE, POLITIQUE, RELIGIEUSE et STRUCTURALE.

ETHNOMUSICOLOGIE. — Cette branche de la musicologie* s'attache à l'étude sociologique de la musique dans une perspective et par des méthodes issues principalement des sciences humaines.

ETHNOPSYCHIATRIE. — La dénomination de « psychiatrie transculturelle » paraît devoir remplacer celle d'« ethnopsychiatrie ». Cette discipline se préoccupe de la forme et du sens que revêt ce qui est considéré comme anomalie, déviation ou trouble psychique dans une culture donnée, en fonction des autres caractéristiques de cette culture (structure familiale, circuits socioéconomiques, imaginaire de groupe).

ÉTHOLOGIE. — En tant qu'étude biologique des comportements*, l'éthologie se propose de déterminer les causes des activités observées, de suivre leur évolution et de rechercher leur origine. L'école dite « objectiviste », dont les principaux représentants sont K. Lorenz* et N. Tinbergen*, oriente ses recherches vers l'observation des comportements de l'animal dans son milieu naturel. Elle développe les aspects phylogénétiques et ontogénétiques des comportements, qu'elle répartit en activités innées et en activités acquises. L'éthologie objectiviste donne une importance prépondérante à la notion de mécanisme inné de déclenchement, qui est à la base de la théorie hiérarchique de l'instinct*. Elle est amenée à déborder de son domaine propre pour définir les mécanismes comportementaux; elle s'appuie alors sur l'anatomie, la physiologie et, de plus en plus, sur la neurophysiologie, ce qui tend à la rapprocher de la psychologie* animale.

Outre l'observation de l'animal en liberté ou en semi-liberté dans la nature, elle peut être amenée à étudier l'élevage d'une espèce en captivité : l'élevage en laboratoire permet, en effet, de contrôler et de faire varier les conditions du milieu ou d'isoler un individu de son environnement social. La méthode des leurres, qui consiste à présenter à un animal un objet qui a les caractéristiques du stimulus déclencheur d'un comportement instinctuel, a permis, notamment, de dégager quelles étaient les configurations perceptives privilégiées capables de déclencher ce comportement. L'ensemble des données qualitatives ou quantitatives recueillies permet de tracer l'éthogramme du sujet observé.

ÉTHYLE. — Le radical éthyle $—C_2H_5$ figure dans l'alcool éthylique, ainsi que ses éthers* et ses esters*.

ÉTHYLÈNE. — L'un des plus importants produits de base de la chimie, des plastiques*, du caoutchouc* et d'autres industries, l'éthylène est un hydrocarbure $H_2C{=}CH_2$ gazeux à l'état naturel, liquide au-dessous de $—104\,^0C$. Il est le premier terme des *carbures éthyléniques,* qui renferment une *(alcènes),* deux *(alcadiènes)* ou plus de deux *(polyènes)* doubles liaisons. Il est fabriqué par *vapocraquage** (steam-cracking), pyrolyse à $800\,^0C$ non catalytique de naphta (essence lourde) ou de gasoil*. Comme toutes les oléfines à double liaison* entre atomes de carbone, c'est un corps hautement réactif, dont on tire de nombreux dérivés : il se polymérise facilement pour donner les deux variétés de ce plastique bien connu qu'est le *polyéthylène,* haute et basse densité; combiné avec le chlore*, il fournit un autre plastique non moins connu, le *polychlorure de vinyle;* avec le benzène*, il donne un isolant thermique, le *polystyrène,* et un caoutchouc synthétique, le copolymère butadiène styrène; par oxydation, on débouche sur toute une chimie organique de l'éthylène, comme les antigels, les détergents, les fibres* (Tergal), les solvants, les fluides hydrauliques et les polyuréthannes, aux nombreuses applications, allant des mousses de rembourrage aux similicuirs. À la sortie du vapocraqueur, dont les plus récents ont une capacité de 500 000 t par an, l'éthylène est stocké à l'état liquide sous pression ou sous forme cryogénique avant d'être acheminé vers une usine utilisatrice par wagon, camion, chaland, navire ou pipeline (éthylénoduc).

ÉTHYLÉNODUC → PIPELINE.

ÉTIAGE → DÉBIT.

ÉTIENNE *(saint),* un des sept diacres de la première communauté chrétienne de Jérusalem, membre influent de la fraction des hellénistes (juifs convertis venant de la Diaspora et parlant grec). Il mourut martyr vers 37.

ÉTIENNE Ier, II, III, IV, V, VI, VII, VIII, IX → PAPE.

ÉTIENNE Ier *(saint)* [Esztergom v. 970/975 - Buda 1038], roi de Hongrie (1000-1038), fondateur de l'État hongrois. Fils de Géza, duc des Magyars, et époux de la fille du duc de Bavière, il succède à son père en 997. Aidé de missionnaires italiens, il entreprend aussitôt la christianisation de son pays, se déclare vassal du Saint-Siège et reçoit du pape Silvestre II la couronne de Hongrie (1000). Il développe dans son royaume une administration centralisée (comitats [*vármegye*], gouvernés par des comtes [*ispán*] nommés par lui).

ÉTIENNE DE BLOIS (1097 ? - 1154), comte de Boulogne et de Mortain, puis roi d'Angleterre (1135-1154). Il était fils d'Étienne, comte de Blois, et d'Adèle d'Angleterre, sœur d'Henri* Ier Beauclerc. À la mort d'Henri Ier (1135), il évince la fille de ce dernier, Mahaut, et se fait proclamer roi d'Angleterre par les grands. Mais, dès 1139, il doit lutter contre les partisans du mari de Mahaut, Geoffroi Plantagenêt, comte d'Anjou. La conquête de la Normandie par Geoffroi et la mort de son fils Eustache (1153) le contraignent à faire d'Henri Plantagenêt, fils de Geoffroi, l'héritier de son royaume (accords de Wallingford, 1154).

ÉTIENNE III le Grand → MOLDAVIE.

ÉTIENNE Ier BÁTHORY (1533 - Grodno 1586), prince de Transylvanie (1571-1576), roi de Pologne (1576-1586). Élu prince de Transylvanie à la mort de Jean Sigismond Zápolya (1571), il fait ainsi échec au candidat des Habsbourg, Gaspard Bekes. En décembre 1575, la diète polonaise l'élit roi à l'encontre du candidat allemand, Maximilien II de Habsbourg. Le règne d'Étienne Ier est marqué par la lutte victorieuse contre Ivan le Terrible pour la possession de la Livonie (1582), par l'introduction des Jésuites dans le pays et par le soutien à la Contre-Réforme.

ÉTIENNE NEMANJA (Ribnica [auj. Titograd] - mont Athos 1200), grand joupan de Rascie, prince de Serbie (v. 1170-1196). Vers 1187, il entreprend de délivrer les États serbes de la tutelle byzantine et annexe le Monténégro, la Dalmatie, l'Herzégovine et la Serbie danubienne. Très pieux, il favorise l'implantation de monastères et, vers 1193, il abdique au profit d'Étienne Ier, son fils, pour se retirer au monastère du mont Athos.

ÉTIENNE Ier NEMANJIĆ († 1228), grand joupan (1195-1217), puis roi de Serbie (1217-1227), second fils d'Étienne Nemanja. À la mort de son père, son frère Vuk, soutenu par la papauté et la Hongrie, le chasse de ses États (1200). Restauré en 1203, Étienne resserre ses liens avec Venise en épousant la petite-fille du doge Enrico Dandolo*. En 1217, il reçoit du pape la couronne de Serbie. Il n'en proclame pas moins l'indépendance de l'Église serbe (1219) et contribue ainsi à l'éveil d'une conscience nationale.

ÉTIENNE IX UROŠ IV DUŠAN (1308 - Diavoli 1355), roi, puis empereur des Serbes (1331-1355). Ce grand chef militaire rêve de remplacer l'Empire byzantin moribond par un vaste État gréco-serbe, capable de contenir les Turcs. Son mariage avec Hélène, sœur du tsar de Bulgarie, lui permet de restaurer la suprématie serbe sur la Bulgarie (1331). Étienne conquiert la Macédoine (1345), l'Albanie, l'Épire et la Thessalie (1348-49). Couronné empereur des Serbes, des Grecs, des Bulgares et des Albanais (Pâques 1346), il affirme l'indépendance de l'Église serbe et promulgue un code fondé sur le droit grec (le *Dušanov Zakonik,* 1349).

ÉTIENNE-MARTIN (Étienne MARTIN, dit), sculpteur français (Loriol-sur-Drôme 1913). Souvent intitulées *Demeures,* ses grandes sculptures en bronze ou en bois (souches retravaillées), à la fois massives et découpées, viscérales, évoquent le surgissement d'un fond primitif de l'être comme de la civilisation. Étienne-Martin a exercé une influence importante, notamment comme professeur à l'École nationale des beaux-arts (à partir de 1967).

ÉTINCELLE. — On provoque une étincelle électrique en rapprochant lentement deux corps, portés à des potentiels nettement différents, dans une substance isolante, liquide ou gazeuse. Cette étincelle jaillit lorsque les deux corps sont à la *distance explosive,* l'un par rapport à l'autre. Sa forme, rectiligne lorsqu'elle est courte, devient sinueuse et ramifiée quand sa longueur dépasse quelques centimètres.

ÉTIOLEMENT. — La réaction des plantes qui germent à la demi-obscurité ou sous une lumière trop faible est d'allonger leur tige à l'extrême en direction de la source lumineuse. La formation de la chlorophylle étant entravée et l'alimentation en carbone déficiente, de telles tiges *étiolées* sont molles et jaunâtres.

ÉTIOLOGIE. — L'étiologie recherche les causes déterminantes des maladies — agents biologiques (bactéries, virus), physiques (froid, chaleur, rayonnements), chimiques (toxiques, caustiques) — et étudie les facteurs favorisants, qui tiennent aux particularités du terrain (hérédité, sexe, âge), de l'état physiologique et de tout autre facteur associé. Souvent, le facteur déterminant ne devient pathogène que lorsque certains facteurs favorisants lui sont associés. Ainsi, la grippe peut devenir grave chez des sujets âgés ou des insuffisants respiratoires, s'accompagner de complications bactériennes chez les diabétiques, etc.

ÉTIRAGE → FILATURE.

ETNA, volcan actif du nord-est de la Sicile; 3 295 m d'altitude.

ÉTOILE *(Astron.).* — Bien qu'apparaissant comme des points brillants identiques et immuables, les étoiles sont très différentes

étoiles les plus caractéristiques du ciel

nom	*désignation*	*magnitude*	*type spectral*	*distance (en al)*	*caractéristiques*
Achernar	α Eridan*	0,6	B 5	142	Neuvième des étoiles les plus brillantes du ciel.
Acrux	α Croix	1,1	B 1 - B 1	220	Treizième des étoiles les plus brillantes du ciel.
Agena	β Centaure*	0,9	B 1	204	Dixième des étoiles les plus brillantes du ciel.
Aldébaran	α Taureau*	1,1	K 5	68	Quatorzième des étoiles les plus brillantes du ciel.
Algol	β Persée*	entre 2,2 et 3,5	B 8	105	Étoile variable composée de deux astres, l'un brillant, l'autre obscur, dont la rotation autour de leur centre de gravité commun entraîne des variations périodiques de magnitude.
Altaïr	α Aigle*	0,9	A 5	16	Onzième des étoiles les plus brillantes du ciel.
Antarès	α Scorpion*	1,2	M 0 + A 3	182	Supergéante rouge à compagnon planétaire, dix-septième des étoiles les plus brillantes du ciel.
Arcturus	α Bouvier*	0,2	K 0	36	Sixième des étoiles les plus brillantes du ciel.
Bellatrix	γ Orion*	1,7	B 2	125	
Bételgeuse	α Orion*	entre 0,1 et 1,2	M 2	652	Douzième des étoiles les plus brillantes du ciel, de teinte rougeâtre.
Canopus	α Carène*	– 0,9	F 0	181	Deuxième des étoiles les plus brillantes du ciel.
Castor	α Gémeaux*	1,6	A 0 - A 0	45	Constituée par un couple de deux étoiles doubles.
Chèvre (la)	α Cocher*	0,2	G 0	45	Cinquième des étoiles les plus brillantes du ciel.
Deneb	α Cygne*	1,3	A 2 p	652	Dix-neuvième des étoiles les plus brillantes du ciel.
Épi (l')	α Vierge*	1,2	B 2	155	Seizième des étoiles les plus brillantes du ciel.
Fomalhaut	α Poisson* austral	1,3	A 3	23	Dix-huitième des étoiles les plus brillantes du ciel.
Mira Ceti	o Baleine*	entre 1,7 et 9,6	g M 6 e		Étoile double variable, dont les variations sont irrégulières dans leur période. Ses deux composantes, dont l'une est beaucoup moins brillante, gravitent l'une autour de l'autre dans un plan passant par la Terre, et la variation d'éclat correspond à un phénomène d'éclipse.
Polaire ou étoile Polaire	α Petite Ourse*	entre 2,1 et 2,2	F 8		→ OURSE.
Pollux	β Gémeaux*	1,2	K 0	35	Quinzième des étoiles les plus brillantes du ciel.
Procyon	α Petit Chien*	0,5	F 5	11	Huitième des étoiles les plus brillantes du ciel, binaire visuelle, dont le compagnon obscur n'est que de magnitude 13,5.
Régulus	α Lion*	1,3	B 8	84	Vingtième des étoiles les plus brillantes du ciel, située sur l'écliptique et occultée tous les ans par le Soleil vers le 23 août.
Rigel	β Orion*	0,3	B 8 p	540	Septième des étoiles les plus brillantes du ciel, de teinte blanche. Elle possède une luminosité intrinsèque correspondant à un éclat égal à 15 000 fois celui du Soleil.
Rigil Kentarus	α Centaure*	0,1	G 0 - K 5	4,3	Troisième des étoiles les plus brillantes du ciel, étoile double et actuellement connue comme la plus rapprochée de la Terre.
Sirius	α Grand Chien*	– 1,6	A 0	8,7	Étoile la plus brillante du ciel. Autour d'elle gravite une petite étoile, le *Compagnon de Sirius,* de densité considérable, dont l'existence a été établie en 1844 par Friedrich Bessel* et qui appartient à la classe des naines blanches.
Véga	α Lyre*	0,1	A 0	27	Quatrième des étoiles les plus brillantes du ciel. Par suite de la précession des équinoxes, elle sera étoile polaire dans douze mille ans environ. C'est vers un point voisin du ciel que le Soleil semble se diriger dans le mouvement qui l'entraîne à travers l'espace.

les unes des autres, par leur masse, par leur luminosité et par leur composition. Contrairement aux planètes* du système solaire, visibles grâce à la réflexion de la lumière du Soleil* à leur surface, elles fabriquent elles-mêmes leur énergie*, dont, au début du XXe s., on envisagea la source dans des réactions thermonucléaires. Cette dépense d'énergie par rayonnement se traduit par l'existence d'un schéma de leur évolution. Actuellement, les astronomes pensent qu'une étoile naît de la contraction d'un nuage de matière interstellaire*. Cette protoétoile commence à rayonner, car la contraction provoque une élévation de température, puis un effondrement bref se produit : une étoile est née. La température, de l'ordre de 1 million de degrés, est alors suffisante dans les régions centrales pour que les réactions thermonucléaires s'amorcent : quatre noyaux d'hydrogène* fusionnent pour donner un noyau d'hélium* et une certaine quantité d'énergie. L'hydrogène étant le constituant principal de l'étoile, cette phase va durer très longtemps. Aussi observe-t-on de nombreuses étoiles à ce stade de leur évolution. Plus une étoile est massive, plus son hydrogène sera brûlé rapidement, cette phase pouvant durer de 10 millions à 10 milliards d'années. En revanche, la combustion de l'hydrogène ne se produit pas dans les petites étoiles, car leur température n'est jamais assez élevée, et celles-ci deviennent des naines blanches. Lorsque l'hydrogène s'épuise dans les régions centrales de l'étoile, le noyau se contracte, permettant ainsi à l'hydrogène de brûler sur des couches moins profondes pendant que l'enveloppe se dilate :

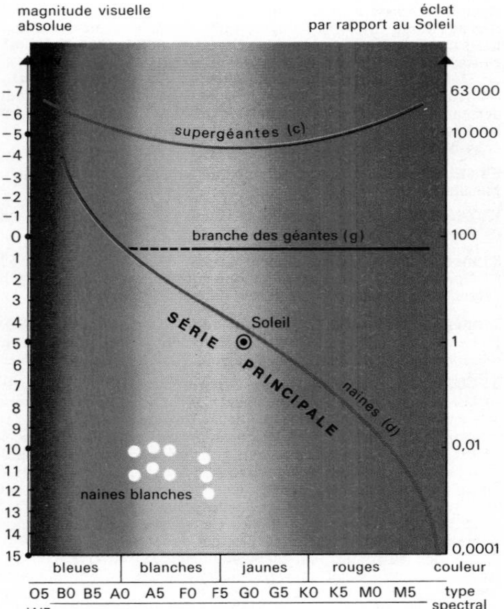

Diagramme de Hertzsprung-Russel schématisé.
En abscisse : type spectral et correspondance approximative avec la température effective de l'étoile. En ordonnée : à gauche, magnitude absolue; à droite, luminosité (celle du Soleil étant prise comme unité).

c'est la phase des *géantes rouges.* Le Soleil atteindra ce stade dans 5 milliards d'années. Son rayon aura alors centuplé, et la température sur la Terre* dépassera 2 000 °C. La façon dont les étoiles meurent dépend encore de leur masse, mais ce processus est encore mal connu. Après la combustion de l'hélium en couches, de nouvelles réactions nucléaires se produisent au centre; une phase explosive a lieu, qui peut donner naissance soit à un trou* noir, soit à une étoile à neutrons* ou à une naine blanche, selon que l'étoile est plus ou moins massive. Ces modèles théoriques d'évolution sont fondés sur les données d'observations d'étoiles différentes, dont l'analyse du rayonnement permet de connaître leur luminosité, la composition chimique et la température de leur enveloppe. Seule la masse des étoiles doubles se détermine aisément. La mesure du rayon d'une étoile, difficile jusqu'à maintenant, est rendue plus facile par de nouvelles techniques interférométriques infrarouges*.

ÉTOILE *(Chorégr.).* — Le plus haut échelon de la hiérarchie du corps de ballet de l'Opéra de Paris, ce titre, d'abord décerné aux seules meilleures premières danseuses, est aujourd'hui également accordé aux meilleurs premiers danseurs. Cette nomination consacre un état, une présence scénique, l'« aura » des artistes prédestinés plus qu'une haute technicité; elle a souvent lieu immédiatement après une prise de rôle ou après une prestation particulièrement brillante, au cours de laquelle le danseur ou la danseuse a obtenu un succès personnel. — Dans les Théâtres impériaux russes, le titre de *prima ballerina* appartenait aux premières danseuses, tandis que les danseuses de rang exceptionnel étaient désignées sous le titre de *prima ballerina assoluta* (employé encore de nos jours pour qualifier des artistes telles que Margot Fonteyn, Maïa Plissetskaïa, Yvette Chauviré...). Certaines compagnies (Nederlands Dans Theater), certains directeurs de ballet (Maurice Béjart, Jerome Robbins) rejettent toute hiérarchie, et tous leurs danseurs sont à la fois solistes et membres du corps de ballet. Dans les troupes de danse moderne, il est préféré le titre de *soliste.*

Étoile *(ordres de l'),* nom donné à de nombreux ordres de chevalerie ayant l'étoile pour insigne. Les deux anciens ordres coloniaux français, l'*étoile d'Anjouan* et l'*étoile noire du Bénin,* ont été remplacés en 1964 par l'*ordre national du Mérite.*

Étoile *(place de l')* → CHARLES-DE-GAULLE *(place).*

ÉTOLIE, région montagneuse de la Grèce centrale, qui ne prit une importance politique qu'au IVe s. av. J.-C. avec la constitution de la *ligue Étolienne.* Après avoir imposé son autorité à Delphes, la ligue s'opposa efficacement à la Macédoine, mais fut démantelée par les Romains en 167 av. J.-C.

ETON, v. d'Angleterre, sur la Tamise, à l'O. de Londres; 4 000 hab. Collège fondé en 1440.

Étourdi *(l')* ou *les Contretemps,* comédie de Molière en cinq actes, représentée à Lyon en 1655 et à Paris en 1658.

Étranger *(l'),* roman d'A. Camus (1942). Le flux de la vie quotidienne et la banalité d'un fait divers (un Français d'Algérie enterre sa mère, prend une maîtresse et tue un Arabe) relatés avec une concision et une précision qui dessinent et détachent si nettement leurs contours matériels qu'ils en deviennent insolites : un roman qui donne le *sentiment* de l'absurde, comme *le Mythe* de Sisyphe,* publié la même année, en explicite la *notion.*

ÉTRANGERS (condition des). — La condition juridique de l'étranger est, généralement, différente de celle du « national » : sur le plan du droit privé d'une part, au niveau de ses droits et prérogatives politiques d'autre part.

Une *carte de séjour* est attribuée à l'étranger qui veut demeurer en France plus de trois mois. Celui qui veut exercer une activité professionnelle doit avoir une *carte professionnelle* (carte d'exploitant agricole, carte de travail, carte de commerçant). Le traité de Rome du 25 mars 1957, instituant la Communauté* économique européenne, implique en principe la reconnaissance du libre établissement et de la libre circulation des travailleurs des pays membres, où l'assimilation de l'étranger à un national est pratiquement acquise. Les droits politiques, en principe, ne sont pas reconnus à l'étranger, qui, généralement, est exclu de l'électorat et de l'éligibilité, mais qui, par contre, est assujetti à la fiscalité du pays où il vit.

ÊTRE → ONTOLOGIE.

ÉTRÉCHY (91580), ch.-l. de cant. de l'Essonne, à 7 km au N. d'Étampes; 5 244 hab.

Être et le néant *(l'),* œuvre de J.-P. Sartre, parue en 1943. Dans cet « Essai d'ontologie phénoménologique », Sartre décrit les relations qu'entretient l'être humain en situation dans le monde et fonde ainsi la philosophie existentielle (v. EXISTENTIALISME).

Être et le temps *(l'),* œuvre principale d'Heidegger (1927), dans laquelle il tente de sortir de la philosophie dans la mesure où celle-ci, comme métaphysique, a toujours ramené à la forme de l'étant-présent l'être que tout étant présuppose et le temps que tout présent présuppose pour inaugurer une authentique réflexion ontologique sur l'être comme question. (V. ONTOLOGIE.)

ÉTRÉPAGNY (27150), ch.-l. de cant. de l'Eure, à 13 km à l'O. de Gisors; 3 138 hab.

Être suprême *(culte de l'),* culte civique, d'inspiration rousseauiste, que Robespierre*, de mai à juillet 1794, s'efforça d'instaurer en France; il disparut pratiquement avec lui.

ÉTRETAT (76790), comm. de la Seine-Maritime, sur la Manche, à 17 km au S.-O. de Fécamp; 1 525 hab. Église romane et gothique. Falaises. Station balnéaire.

Scala

Étrusques. Détail d'une des fresques de la tombe des Lionnes à Tarquinia (Latium, province de Viterbe), représentant un couple de danseurs. VIe s. av. J.-C.

ÉTRURIE, région de l'Italie antique, correspondant, en gros, à l'actuelle Toscane.

ÉTRURIE *(royaume d'),* royaume éphémère, érigé en 1801 par Bonaparte au profit du duc de Parme; il fut réuni à l'Empire français en 1808 et transformé en grand-duché de Toscane, dont Élisa Bonaparte fut la souveraine (1809-1814).

ÉTRUSQUE. — De même que leur origine, la langue des Étrusques reste encore mystérieuse aujourd'hui. C'est que, en dépit d'un matériel épigraphique important, on ne possède aucun texte bilingue et qu'aucune parenté avec une autre langue connue n'est apparue jusqu'ici.

ÉTRUSQUES, peuple de l'Italie ancienne, qui prospéra à partir du VIIe s. av. J.-C., puis qui fut soumis par les Romains. Les Étrusques s'appelaient eux-mêmes *Rasena* ou *Rasna;* les Romains les nommaient *Tusci* ou *Etrusci,* et les Grecs *Tyrrhéniens* ou *Tyrsènes.*

HISTOIRE. L'origine de ce peuple a fait l'objet de plusieurs thèses (celle de l'autochtonie, celle de l'immigration venue de Lydie), dont l'une, celle de la fusion d'éléments ethniques très variés (Italiques, Orientaux), paraît actuellement l'emporter. Le point de départ de l'expansion étrusque a été la Toscane : au VIIIe s. av. J.-C., le peuple étrusque occupe la région située entre l'Arno et le Tibre, où, dès cette époque, se développent douze riches cités dominées par des oligarchies, au sein desquelles se recrutent les *lucumons,* chefs de ces États. Dès la seconde moitié du VIIe s. av. J.-C., les Étrusques se lancent dans une politique d'expansion en s'emparant de Rome*, qui, pendant un siècle, doit obéir à une dynastie de rois étrusques. Vers le nord, ils atteignent la plaine du Pô et Felsina (Bologne), d'où ils contrôlent la côte adriatique et la région des lacs alpins. À la même époque, ils s'installent en Campanie, où ils fondent Capoue, s'implantent en Corse et affirment leur supériorité maritime sur la mer Tyrrhénienne. Mais leur puissance est éphémère. Le particularisme de chaque cité les empêche de réaliser un front commun face aux Romains, qui, en 509 av. J.-C., ont chassé leur roi étrusque, aux Grecs, qui les battent à Aricia (506 av. J.-C.), puis à Cumes (474 av. J.-C.), aux Samnites, qui s'emparent de la Campanie, et aux Gaulois, qui annexent la plaine padane au début du IVe s. av. J.-C. Enfin, c'est leur patrie que les Étrusques doivent défendre contre l'envahisseur romain à partir du IVe s. av. J.-C. Le siège de Véies (406-396 av. J.-C.) par M. Furius* Camillus marque la prise de l'Étrurie méridionale. Les autres cités tombent une à une aux mains de Rome. La conquête de la Toscane peut être considérée comme achevée à la veille de la première guerre punique.

Mais la civilisation étrusque survécut aux défaites. C'était une civilisation essentiellement urbaine; chaque cité avait son originalité, ses ressources : Populonia était un centre sidérurgique, Véies et Vulci étaient des centres d'artisanat d'art... La religion est l'aspect le plus connu de la civilisation étrusque : la doctrine religieuse était résumée dans des livres sacrés dont certains avaient fait l'objet des révélations d'un génie mystérieux, Tagès, et d'une nymphe, Bégoé. L'influence des Étrusques sur Rome a été considérable, tant dans le domaine religieux (haruspicine, collèges sacerdotaux) que dans celui des institutions (triomphe, règle de la procédure). Mais surtout l'Étrurie mit les Latins pour la première fois en contact avec l'hellénisme.

BEAUX-ARTS. Précédé par la civilisation villanovienne, l'art étrusque se développe à partir du VIIIe s. av. J.-C.; il sera surtout étudié grâce au matériel funéraire et aux sépultures, réalisées avec un soin extrême. Les villes sont édifiées selon un plan classique, repris ensuite par les Romains (un cardo N. S. et des decumani perpendiculaires, comme à Marzabotto). Les tombes révèlent également ce souci d'urbanisme et constituent de véritables « villes des morts ». Construites en blocs de pierre au nord de la Toscane ou creusées dans la pierre volcanique au sud, elles comprennent une ou plusieurs chambres funéraires souvent sous tumulus. Des techniques modernes (plan par photographie aérienne, sondage photographique, etc.) ont permis de localiser le mobilier funéraire (vases, bronzes et aussi bijoux et parures, domaine où excellaient les Étrusques). Décorant de nombreuses tombes, les fresques échelonnées entre le VIe s. et le IIe s. av. J.-C. constituent un précieux ensemble artistique et documentaire (Tarquinia*, Chiusi*, Orvieto, Vulci*, Cerveteri*...). Succédant, vers 550, à la période orientalisante, le style ionico-étrusque suscite des créations plus animées (tombe des Taureaux, des Augures [Tarquinia], etc.). Vers le Ve s., l'influence d'Athènes et du style sévère prédomine, et les thèmes mythologiques sont associés à ceux de la vie quotidienne (jeux, banquets...). L'art pictural atteint alors son apogée.

Cette allégresse est suivie par une période classique pendant le IVe s av. J.-C., avant de sombrer dans une décadence où seules règnent l'angoisse et la terreur de l'au-delà. La sculpture, même si la ronde-bosse en pierre est assez rare, a subi la même évolution. Les sarcophages en terre cuite de Cerveteri ou l'*Apollon* de Véies* en sont les plus brillants témoignages. Durant la décadence du IVe s. av. J.-C., des œuvres aussi parfaites que la *Chimère d'Arezzo* (Florence, Musée archéologique) ou le *Mars* du musée de Todi demeurent des exceptions. Mais le portrait, malgré l'influence hellénistique, reste un domaine où l'artiste étrusque déploie ses dons d'observateur, talent qu'il transmettra au sculpteur romain.

ETTELBRÜCK, v. du Luxembourg, sur l'Alzette; 6000 hab. Métallurgie.

ETTERBEEK, comm. de Belgique (Brabant), dans la banlieue sud de Bruxelles; 47666 hab.

Études, ballet de Harald Lander, musique de Czerny, créé en 1952 à l'Opéra de Paris et d'abord produit sous le titre d'*Étude* (1948). Présentation scénique d'une classe de travail chorégraphique.

Études de la nature, par Bernardin de Saint-Pierre (1784). L'ouvrage, complété en 1796 par *les Harmonies de la nature,* met en relief le principe de finalité dans l'organisation du monde sensible.

ÉTUDIANTS (mouvements). — Aussi anciens que la catégorie sociale à laquelle ils appartiennent (XIXe s.), ils ont participé activement aux mouvements politiques du début du siècle (Allemagne, Italie, Russie) et également à ceux d'après 1945 (France, États-Unis) en « accompagnant » les grands événements historiques (révolutions, fascisme, décolonisation). Mais une mutation profonde s'opère dans les années 60; l'agitation étudiante qui se déclenche aux États-Unis est une contestation globale de la société, de sa morale et de sa politique. Ce phénomène de rejet des formations politiques traditionnelles, qui s'accompagne d'un effort de création de forces politiques autonomes, se retrouve dans les mouvements étudiants français, italiens, allemands et japonais (1966-1968). La contestation sociale déborde le cadre politique en raison d'une crise profonde de l'Université. La France compte 820000 étudiants en 1976 contre 150000 en 1955 et 500000 en 1968. Les 100000 diplômés par an ont moins de chances d'avoir, à diplôme égal, une « situation » égale à celle de l'étudiant des années 50 ou 60. Si les diplômes sont devenus indispensables dans les sociétés avancées, ils sont également moins rentables. Les étudiants remettent souvent en question les institutions universitaires inadaptées à leurs besoins et qui renforcent leur isolement.

ÉTUPES (25460), comm. du Doubs, banlieue est de Montbéliard; 5250 hab.

ÉTYMOLOGIE. — La recherche de l'origine des mots remonte loin, car elle pose le problème (insoluble, mais tentant) de l'origine du langage. Elle est devenue une science quand on a cessé de se fonder sur de simples ressemblances et sur des *a priori* théologiques (l'hébreu, langue mère universelle), et quand on s'est mis à étudier la langue sous sa forme orale. La linguistique historique du XIXe s. a pu établir la parenté génétique des langues indo-européennes et formuler des lois d'évolution phonétique. Ces lois permettent de décrire l'histoire des mots jusqu'à une origine plus ou moins lointaine. Pour les langues romanes, cette histoire des mots a été entreprise dans le monumental ouvrage de Walther von Wartburg (1888-1971), le *Französisches etymologisches Wörterbuch,* paru de 1922 à 1970. La recherche étymologique a été enrichie également par les travaux de Jules Gilliéron (1854-1926), initiateur de la géographie linguistique, qui envisage le langage non plus seulement dans le temps, mais aussi dans l'espace : le mot est considéré à travers ses variantes dialectales, ses utilisations (professionnelles, culturelles, etc.), ses contextes. L'étude des champs sémantiques visant à établir des relations structurales entre les mots couvrant un certain domaine de la réalité a élargi également les perspectives de la recherche.

ETZIONI (Amitaï), sociologue américain (Cologne 1929). On lui doit une théorie dynamique de l'organisation, dans laquelle il met en exergue le phénomène de changement qui caractérise les organisations dans une société (*Modern Organization,* 1964; *The Active Society,* 1968).

EU (76260), ch.-l. de cant. de la Seine-Maritime, sur la Bresle, à 4 km à l'E. du Tréport; 8 899 hab. *(Eudois).* Église typique du gothique normand (sculptures). Collège (mausolées des fondateurs) et château des XVIe-XVIIe s.

EUBÉE, île grecque de la mer Égée, proche du continent; 165 000 hab. Du VIIIe au VIe s. av. J.-C., l'Eubée prend une part importante au mouvement de colonisation hellénique. Convoitée par Athènes à cause de sa prospérité, elle passe sous la domination des Athéniens (506), puis des Macédoniens (338), auxquels les Romains la soustrairont en 196 av. J.-C.

EUBULIDE → MÉGARE *(école de).*

EUCALYPTUS. — Le record de hauteur chez les arbres, souvent attribué au séquoia, appartient en fait à l'eucalyptus d'Australie, avec 150 m de haut. Croissant dans les régions marécageuses, cet arbre les assainit en absorbant énormément d'eau, ce qui lui assure une croissance très rapide. Cela n'empêche pas son bois d'être dur et résineux, excellent pour la construction. L'écorce fournit du tanin, et les feuilles servent en pharmacie (antisepsie des voies respiratoires). L'eucalyptus, introduit en 1869 dans les régions méditerranéennes, a contribué à leur reboisement (15 000 ha au Maroc).

EUCHARISTIE. — Sacrement* fondamental du christianisme, institué par Jésus lui-même, l'eucharistie, à laquelle les chrétiens participent par la communion, actualise l'événement central du salut : la mort et la résurrection de Jésus-Christ. Le catholicisme professe une présence réelle et corporelle du Christ sous la double apparence du pain et du vin du sacrifice eucharistique (v. MESSE). La conversion de la substance du pain et du vin en la substance du corps et du sang du Christ est dite *transsubstantiation :* ne subsistent du pain et du vin que les apparences. La position luthérienne diffère de celle des catholiques en ce qu'elle admet la coexistence de la substance du pain et du vin avec la substance du corps et du sang du Christ *(consubstantiation).* Calvin* enseigne une présence réelle, mais spirituelle; Zwingli*, plus radical, s'en tient à une présence spirituelle. Ces divergences sur les modalités de la présence du Christ dans l'eucharistie sont un des obstacles majeurs à l'unité des Églises chrétiennes.

EUCLIDE, mathématicien du IIIe s. av. J.-C. Ses *Éléments,* considérés depuis l'époque de leur composition comme le livre de géométrie par excellence, résument presque tous les apports grecs antérieurs à Archimède*. Au début de cette œuvre, remarquable par une clarté et une rigueur qui n'ont jamais été dépassées, sont posées des « notions communes », auxquelles Euclide a constamment recours par la suite et parmi lesquelles figure son fameux postulat : *Par un point du plan, on ne peut mener qu'une parallèle à une droite.*

EUDES (*saint* Jean) → JEAN EUDES *(saint).*

EUDES (v. 860 - La Fère 898), roi de France (888-898), fils aîné de Robert le Fort. Déjà comte de Paris, il accède aux anciens comtés paternels (Anjou, Blésois, Touraine en octobre 886). La vigueur qu'il déploie dans la défense de Paris contre les Normands (885-886) amène les grands du royaume à le préférer à Charles* le Simple, alors âgé de huit ans. Couronné à Compiègne en février 888, Eudes ne parvient pas à débarrasser son royaume des Normands et doit, dès 893, faire face aux partisans de Charles. Vainqueur de ce dernier (897), il meurt le 1er janvier 898, après avoir invité ses partisans à reconnaître le Carolingien.

EUDES (Émile), révolutionnaire français (Roncey, Manche, 1843 - Paris 1888). Blanquiste, il participa à la Commune de Paris (1871).

EUDIOMÈTRE. — Cet appareil se compose d'un tube de verre gradué, renversé sur la cuve à eau ou à mercure. La partie supérieure du tube est traversée par deux fils de platine, entre lesquels on fait éclater l'étincelle déterminant la réaction chimique. Pour faire, par exemple, l'analyse d'un gaz combustible, on mélange celui-ci avec un excès d'oxygène et, après combustion, on détermine le volume d'oxygène en excès ainsi que celui des gaz provenant de la combustion, dont on évalue les proportions à l'aide d'absorbants appropriés.

EUDISTES. — Ce sont les prêtres de la Congrégation de Jésus-et-Marie, fondée à Caen, en 1643, par saint Jean* Eudes. Cette famille religieuse — sans vœux —, d'abord vouée aux missions intérieures et à la direction de séminaires, s'est orientée vers les tâches d'enseignement.

EUDOXE de Cnide, astronome et mathématicien grec (Cnide v. 405 - *id.* v. 355). Le premier, il répondit au problème cosmologique posé par Platon : trouver un système de mouvements circulaires qui rende compte des apparences célestes. Son système, composé de sphères homocentriques centrées sur une Terre* immobile, mais ayant des axes de rotation différents et agissant les unes sur les autres, présentait toutefois le gros défaut de ne pouvoir expliquer les variations des distances des planètes à la Terre. On attribue aussi à Eudoxe de Cnide l'invention du cadran solaire horizontal.

EUDOXIE, impératrice d'Orient († Constantinople 404). Fille du général franc Bauto, elle épousa en 395 l'empereur Arcadius*, sur lequel elle eut un grand ascendant : son rôle politique devint prépondérant après la disgrâce d'Eutrope* (399). Eudoxie entra en conflit avec l'évêque de Constantinople, saint Jean* Chrysostome, conflit qui aboutit au bannissement de l'évêque.

EUDOXIE, impératrice d'Orient (Athènes - † Jérusalem 460). Épouse de Théodose II*, elle exerça une profonde influence surtout dans le domaine intellectuel et contribua au progrès de l'hellénisme dans l'empire d'Orient.

EUGÈNE Ier, II → PAPE.

EUGÈNE III (Bernardo PAGANELLI DI MONTEMAGNO) [Pise - † Tivoli 1153], pape de 1145 à 1153. Cistercien, disciple de saint Bernard* de Clairvaux, il continua, devenu pape, à s'inspirer des conseils de ce dernier : il confia d'ailleurs à Bernard le soin de prêcher la deuxième croisade*. À Rome, où il résida peu, il eut à affronter le parti d'Arnaud* de Brescia, mais il s'efforça de poursuivre l'œuvre réformatrice de Grégoire VII.

EUGÈNE IV (Gabriele CONDULMER) [Venise 1383 - Rome 1447], pape de 1431 à 1447. Par la convocation du concile de Florence* il s'efforça de réaliser l'union des Églises : celle-ci fut éphémère (1439-1443) et d'ailleurs toute formelle.

EUGÈNE († Fluvius Frigidus [auj. Hubelj], vallée de la Vipava, Yougoslavie, 394), usurpateur de l'Empire romain (392-394). Professeur de rhétorique, il fut proclamé empereur en Gaule par Arbogast* après la mort de Valentinien II*. Théodose Ier* ayant refusé de le reconnaître, il se tourna vers les païens de Rome. Maître de l'Italie, il rétablit le statut païen et permit au préfet du prétoire Nicomaque Flavien de mener une violente réaction païenne. Mais Théodose, qui se porta contre lui, fut victorieux à la Rivière Froide (la Vipava) [394], victoire qui marqua la défaite définitive du paganisme.

EUGÈNE (Eugène DE SAVOIE-CARIGNAN, dit **le Prince**), homme de guerre (Paris 1663 - Vienne 1736). Au service de l'Autriche, il se distingua durant la guerre de la Succession d'Espagne; mais, vainqueur à Malplaquet (1709), il fut vaincu par Villars à Denain (1712). En 1717, il enleva Belgrade aux Turcs. Par la suite, il se consacra à la mise en valeur des confins militaires de l'Empire.

Eugène Onéguine, roman en vers de Pouchkine (1825-1832). Un jeune homme blasé échoue dans l'épreuve de l'amour et de l'amitié : le premier chef-d'œuvre de la littérature russe moderne.

EUGÉNIE (Eugénia DE MONTIJO DE GUZMÁN, *impératrice*), impératrice des Français (Grenade 1826 - Madrid 1920). Ayant épousé Napoléon III (1853), elle joua un rôle politique discutable après la naissance de son fils, le prince impérial, en 1856; protectrice du parti ultramontain, elle favorisa l'entreprise du Mexique. Régente en août 1870, elle ne put sauver l'Empire au lendemain du désastre de Sedan (septembre).

Eugénie Grandet, roman de Balzac (1833). Un exemple de la contamination et de la stérilisation par l'or : le père Grandet mène une vie d'avarice pour la seule jouissance tactile et visuelle des écus; son neveu Charles, jeune dandy oisif, finit dans la peau d'un aventurier d'affaires; sa fille Eugénie, écrasée par son père et trompée par son cousin, sacrifie sa vie de femme à la gestion mécanique de sa fortune, qu'elle consacre à des œuvres de charité.

EUGLÈNE. — Les flaques d'eau croupissante des fermes et des villages, riches en matière organique, doivent leur couleur verdâtre à un être vivant unicellulaire, l'euglène, qui rassemble les traits des animaux (vision, natation, aptitude à capturer des proies solides) et ceux des plantes vertes (chlorophylle, photosynthèse). Les euglènes sont en effet des protistes nageurs à un flagelle, situé à l'avant, au voisinage d'un *stigma,* ou photorécepteur, formé de carotène, à fonction optique. Élevées à l'obscurité, elles perdent leur chlorophylle et se nourrissent exclusivement en capturant des proies.

EULALIE *(sainte),* vierge martyrisée en Espagne vers 304. Son martyre a fait l'objet de la *Cantilène* (ou *Séquence*) *de sainte Eulalie* (v. 880), le plus ancien poème connu en langue d'oïl. Sa passion est cependant fort douteuse.

EULER (Leonhard), mathématicien suisse (Bâle 1707-Saint-Pétersbourg 1783). Son œuvre, d'une ampleur considérable, concerne toutes les branches de la science mathématique de l'époque. Son *Traité complet de mécanique* (1736) fut le premier grand ouvrage où l'analyse ait été appliquée à la science du mouvement. Sa *Théorie des isopérimètres* permit de déterminer les courbes ou les surfaces pour lesquelles certaines fonctions indéfinies sont plus grandes ou plus petites que pour toutes les autres.

EULER-CHELPIN (Hans VON), biochimiste allemand (Augsbourg 1873-Stockholm 1964). Il a étudié les fermentations, les diastases et les vitamines, et il a découvert les coenzymes. (Prix Nobel de chimie, 1929.)

EUMENÊS ou **EUMÈNE,** lieutenant d'Alexandre (v. 360-316 av. J.-C.). Dans les luttes entre les diadoques* pour la succession du conquérant, il lutta aux côtés de Perdiccas*; il fut vaincu et mis à mort par Antigonos*.

EUMENÊS Ier, II → ATTALIDES.

EUMÉNIDES → ÉRINYES.

Euménides *(les),* tragédie d'Eschyle (458 av. J.-C.), qui forme avec *Agamemnon* et *les Choéphores* la trilogie de *l'Orestie.* Poursuivi par les Érinyes (les déesses de la Vengeance), Oreste arrive à Athènes; Athéna détourne de lui la colère des déesses en leur offrant un culte : celles-ci deviennent alors les Euménides (les *Bienveillantes*).

EUNUQUE. — L'étymologie du mot («gardien du lit») dit bien quelle était la fonction première de ces hommes privés de leur virilité, que la littérature romanesque a popularisés dans leur office de gardiens de harem. En réalité, les eunuques ont joué un grand rôle dans les monarchies orientales : hommes de confiance de leurs souverains, ils se virent confier des fonctions politiques, sans doute en raison de leur état, qui les soustrayait aux influences féminines et familiales; au Ier millénaire av. J.-C., ils eurent en Chine un grand pouvoir.

Passés, après la mort d'Alexandre, dans le monde gréco-romain, ils occupèrent dans l'Empire byzantin et l'Empire ottoman de hautes charges. Il faut préciser que, dans certains textes anciens, le mot «eunuque» est simplement synonyme de «homme de confiance», sans rapport aucun avec l'état de castration.

EUPATRIDES, membres de la classe aristocratique athénienne qui détinrent le pouvoir aux VIIIe et VIIe s. av. J.-C. Dépossédés de leurs privilèges par Solon, ils conservèrent une grande influence grâce à leur richesse foncière et à leurs charges religieuses.

EUPEN, comm. de Belgique (prov. de Liège), sur la Vesdre; 14 879 hab. (en 1970).

EUPHORBIACÉES. — Cette vaste famille (4 000 espèces) est surtout connue par une espèce, l'*hévéa,* cultivée industriellement pour la production du caoutchouc*. Mais ses représentants européens, sans application pratique, sont des herbes très curieuses, tant par leur latex blanc et abondant que par l'absence fréquente de pétales et même de sépales, le caractère unisexué des fleurs, voire du pied tout entier, et une sorte de convergence avec les composées* : dans certaines espèces, une petite inflorescence adopte les dispositions d'une fleur bisexuée unique.

Le fruit est à trois valves closes; d'où le nom de *tricoques* donné autrefois à cette famille. Les feuilles sont petites et serrées. Les principaux genres sont l'euphorbe, la mercuriale et, pour certains auteurs, le buis*.

EUPHRATE, fl. de l'Asie occidentale; 2 780 km. Il naît dans l'est de la Turquie, s'écoule vers le sud, pénètre en Syrie, dont il traverse le nord-est avant d'entrer en Iraq, où il rejoint le Tigre, près du golfe Persique, pour former le Chaṭṭ al-ʿArab. Depuis longtemps utilisé pour l'irrigation, l'Euphrate, aux basses eaux d'été, doit voir son cours régularisé par la mise en service du grand barrage de Ṭabqa*, sur le territoire syrien.

EUPHRONIOS, potier et peintre de vases athénien (fin du VIe s.-début du Ve s. av. J.-C.). Meilleur représentant du «style sévère» à figures rouges, il a poursuivi une longue carrière de peintre, puis de potier et a dirigé un atelier où ont travaillé bien des jeunes artistes. Son génie inventif est soutenu par un graphisme très pur, comme en témoigne le cratère en calice de Berlin *(Toilette d'éphèbes).*

EUPHUISME. — Contemporain du gongorisme espagnol et du marinisme italien, l'euphuisme est la forme anglaise de la préciosité* (*Euphues ou l'Anatomie de l'esprit* de Lyly, 1579). Ridiculisée par Shakespeare (*Peines d'amour perdues,* 1594) et Ben Jonson (*Chaque homme dans son humeur,* 1598), la faveur de l'euphuisme dura peu, mais fut un moment remise à la mode par Walter Scott dans son personnage de Peter Shafton (*le Monastère,* 1820).

EURAFRIQUE, nom donné quelquefois à l'ensemble de l'Europe et de l'Afrique.

EURASIE, nom donné à l'ensemble de l'Europe et de l'Asie.

Euratom ou **Communauté européenne de l'énergie atomique,** organisme international institué par le traité signé à Rome le 25 mars 1957 et entré en vigueur le 1er janvier 1958, les contractants étant les mêmes que ceux de la Communauté européenne du charbon et de l'acier (C. E. C. A.) et que ceux de la Communauté économique européenne (C. E. E.). Son but est d'établir les conditions nécessaires en Europe à la formation et à la croissance des industries nucléaires, la Communauté ayant la personnalité juridique et jouissant des mêmes privilèges que la C. E. C. A. et que le Marché commun.

EURE, riv. de l'ouest du Bassin parisien, née dans le Perche, affl. de la Seine (r. g.); 225 km. Elle passe à Chartres.

EURE (27), départ. de la Région Haute-Normandie; 6 004 km^2; 422 952 hab. Ch.-l. *Évreux.* S.-préf. *Les Andelys* et *Bernay.*

Situé dans l'ouest du Bassin parisien, le département est surtout formé de plateaux crayeux, souvent recouverts de limon et aptes à la grande culture mécanisée. C'est notamment le cas de la Campagne du Neubourg, dans le centre de l'Eure, de la plaine de Saint-André, au sud-est, et du Vexin normand, au nord de la Seine, régions productrices de céréales. L'élevage bovin domine dans l'ouest (Lieuvin et pays d'Ouche), plus humide, où la couverture argileuse est favorable à l'herbe. L'élevage est aussi développé dans les vallées (Seine, Eure et Iton, Andelle), qui sont également les sites des principales villes, dont la préfecture est de loin la plus importante.

L'agriculture emploie encore approximativement le sixième de la population active, beaucoup moins que l'industrie, qui en occupe plus des deux cinquièmes. À côté de branches traditionnelles (textile, métallurgie) se sont développées des activités élaborées (mécanique de précision, matériel électrique et électronique, transformation de matières plastiques), implantées surtout dans la partie orientale du département, plus proche de Paris et favorisée dans la mesure où il s'agit souvent d'opérations de décentralisation industrielle. En revanche, le secteur tertiaire tient une place moins grande; pour les services de haut niveau, le département vit dans l'orbite de Paris, de Rouen ou même du Havre et de Caen. La densité d'occupation, de l'ordre de 70 habitants au kilomètre carré, est encore sensiblement inférieure à la moyenne nationale, mais la population s'accroît aujourd'hui rapidement, notamment à l'est, de Verneuil à Gisors en passant par Évreux, de loin la principale agglomération du département.

EURE-ET-LOIR (28), départ. du nord de la Région Centre; 5 876 km^2; 335 151 hab. Ch.-l. *Chartres.* S.-préf. *Châteaudun, Dreux* et *Nogent-le-Rotrou.*

Situé dans l'ouest du Bassin parisien, le département associe des parties des anciennes provinces de l'Orléanais, du Maine et de l'Île-de-France. Il est occupé sur près des deux tiers de sa superficie par la grande table calcaire, recouverte de limon, de la Beauce. Il est ainsi un des premiers départements français pour les productions de blé, d'orge, de maïs et aussi de colza. Au nord, le Drouais est partiellement forestier et herbager (élevage bovin). L'élevage domine dans l'ouest, dans les collines bocagères du Perche, qui annoncent déjà le Massif armoricain. Il est associé aux cultures (céréales notamment) dans le Thimerais, au nord-ouest. Au total, l'agriculture emploie environ le sixième de la population active, alors que plus des deux cinquièmes de celle-ci sont occupés dans l'industrie, implantée dans les villes jalonnant les rares vallées : Eure (avec Chartres) et Loir (Châteaudun).

L'industrie n'a pourtant longtemps eu qu'une importance modeste, liée essentiellement à la valorisation de la production agricole (meuneries, laiteries, etc.). Favorisée par une bonne desserte routière (et aujourd'hui autoroutière) et ferroviaire, à proximité relative de Paris, le département a bénéficié d'opérations de décentralisation, notamment par l'implantation d'usines de constructions électriques et mécaniques, établies surtout dans l'est, vers Dreux et surtout Chartres. La densité d'occupation n'atteint pas encore 60 habitants au kilomètre carré, étant inférieure de plus d'un tiers à la moyenne nationale, mais la population s'accroît très rapidement depuis une quinzaine d'années; elle a augmenté de plus d'un cinquième de 1962 à 1975, ce qui est l'une des progressions les plus nettes pour un département où il n'existe pas de très grande ville.

EURIPE, chenal étroit entre l'île d'Eubée et la Grèce continentale.

EURIPIDE, poète tragique grec (Salamine 480-Pella, Macédoine, 406 av. J.-C.). Son origine est obscure : de famille noble suivant les uns, fils de cabaretier suivant les autres, il aurait étudié la peinture. Il possédait certainement une bonne connaissance de la philosophie et des sciences, et l'influence des sophistes — Anaxagore, Protagoras, Prodicos — est sensible dans son œuvre. Au contraire d'Eschyle et de Sophocle, il n'eut pas d'activité politique et fut essentiellement un écrivain. À vingt-cinq ans, il fit jouer sa première tragédie, aujourd'hui perdue, *les Péliades* (455), mais son premier succès date de 441. Marqué par les troubles de la guerre du Péloponnèse, profondément pessimiste, il exprime dans son théâtre son goût du pathétique et de l'horreur (*Alceste,* 438; *Médée,* 431;

Hippolyte, 428; *Andromaque,* v. 426; *Héraclès* furieux,* v. 424; *les Suppliantes,* 422; *Hélène,* 412; *les Bacchantes** et *Iphigénie à Aulis,* 405). Des quatre-vingt-douze pièces qu'il avait composées, il reste dix-sept tragédies et un drame satyrique, *le Cyclope.* Euripide se retira à la cour d'Archélaos, roi de Macédoine, où il mourut, dit-on, dévoré par des chiens. Ses innovations étonnèrent d'abord les Athéniens : importance de l'analyse des passions amoureuses et des rôles de femmes; rajeunissement et transformations des mythes; indépendance des chœurs par rapport à l'action; souci de la mise en scène. Raillé par Aristophane, il eut peu de succès de son vivant, mais il gagna rapidement l'admiration de la postérité. Par-delà l'« euripidomanie » qui, selon Lucien de Samosate, s'empara des cités grecques, son théâtre fut une source d'inspiration essentielle pour les écrivains classiques français, et particulièrement pour Racine.

EUROBANQUE → EUROMARCHÉ.

EUROCRÉDIT → EUROMARCHÉ et EUROMONNAIE.

EURODEVISE → EURODOLLAR et EUROMONNAIE.

EURODOLLAR. — Les eurodollars sont des dépôts bancaires, libellés en dollars, effectués dans des banques européennes. Le marché des eurodollars est un marché de prêts à court terme (par opposition aux euro-obligations*), véritable marché monétaire extérieur aux États-Unis, échappant par conséquent à la réglementation de ce pays. L'eurodollar est la principale des euromonnaies*, ou eurodevises.

EUROÉMISSION → EURO-OBLIGATION.

EUROFINANCEMENT → EUROMARCHÉ, EUROMONNAIE et EURO-OBLIGATION.

EUROMARCHÉ. — On appelle « euromarché » une place financière européenne où s'effectuent, en euromonnaies*, des dépôts et des emprunts. (L'eurodollar y est une devise prépondérante.) Les euromarchés importants sont Londres, Paris, Zurich et Milan. Les banques qui interviennent sur ces marchés sont habituellement appelées « eurobanques ». Les opérations d'emprunt s'y font en eurodevises ou (à long terme) en euroémissions. Ces financements permettent aux emprunteurs d'échapper aux réglementations nationales d'encadrement du crédit*.

EUROMONNAIE. — On réserve le nom d'« euromonnaies » aux dépôts de devises effectués dans des banques européennes (d'où leur nom d'« euromonnaies ») extérieures au pays de la devise déposée. Un « eurofranc » est, ainsi, un franc déposé dans une banque européenne, mais située hors de France. Un eurodeutsche Mark est un deutsche Mark déposé dans une banque située en dehors de la R. F. A., etc.

Les *déposants d'euromonnaies* sont :
— les banques centrales des pays industrialisés;
— les banques commerciales;
— les entreprises et les particuliers (ces derniers pour une faible part).

Mais la caractéristique de tous les déposants est la suivante : ceux-ci tentent de profiter de placements plus intéressants dans le pays où le dépôt est effectué que dans le pays d'origine du déposant. (Un déposant d'eurodollars sera, ainsi, plus intéressé par les possibilités du marché monétaire européen que par celles du marché américain.)

Les *emprunteurs d'euromonnaies* sont des gouvernements, des collectivités locales, des banques commerciales (qui y ont intérêt, car leurs prélèvements sur le marché des euromonnaies les font échapper aux limitations de leur marché national, qui peuvent être plus contraignantes), les entreprises (multinationales notamment) qui ont intérêt à trouver des dollars (le meilleur moyen de règlement des échanges internationaux ou de financement de leurs investissements).

Les *opérations de prêts d'euromonnaies* sont, normalement, des prêts à court terme, mais — les demandes se faisant pressantes — des crédits d'une durée plus longue sont accordés pour des délais de l'ordre de cinq ans. Les crédits à moyen terme renouvelables forment la part la plus importante des actuelles opérations en euromonnaies.

Les euromonnaies rendent de tels services à des pays dont la balance des comptes est déficitaire, et qui peuvent ainsi emprunter, que l'on ne se plaint pas officiellement de leur existence. Elles paraissent, néanmoins, aux yeux de certains économistes, créer des foyers d'inflation incontrôlables, responsables de l'actuel désordre monétaire international.

EURO-OBLIGATION. — Les euro-obligations sont des titres de dette à long terme (« obligations ») libellés en une monnaie donnée, mais placés dans un pays où a cours une autre monnaie (exemple : des obligations libellées en deutsche Mark placées à Paris). Les placements de ces titres répondent au nom d'« euroémissions » (Luxembourg en est un important marché).

Depuis la fin de 1974 et durant la première partie de l'année 1975, les pays socialistes ont emprunté sur le marché des euroémissions le montant considérable de presque 1 300 millions de dollars (en 1974, le total des euroémissions fut légèrement inférieur à 6 milliards de dollars), soit :
— U. R. S. S. : 710 millions (en 5 fois);
— Pologne : 290 millions (en 2 fois);
— R. D. A. : 100 millions (en 2 fois);
— Hongrie : 100 millions (en 1 fois);
— Cuba : 85 millions (en 1 fois).

EUROPE, une des cinq parties du monde; 10,5 millions de kilomètres carrés; 665 millions d'hab.

GÉOGRAPHIE. L'Europe forme l'extrémité occidentale du bloc eurasiatique. Limitée à l'E. par la lourde chaîne de l'Oural et au S.-E. par la haute barrière du Caucase, elle est, partout ailleurs, bordée par la mer, qui la pénètre en profondes échancrures. De dimensions réduites, ce continent au relief varié est le plus densément peuplé du monde.

L'Europe comprend une grande diversité de paysages naturels.

La grande plaine de l'Europe du Nord commence en Flandre, s'élargit dans le nord de l'Allemagne et en Pologne, et devient immense en Russie, où elle s'étend depuis la Baltique jusqu'à l'Ukraine. Elle s'ouvre sur la mer du Nord et la Baltique par des côtes basses et sableuses. Elle a été profondément marquée par les glaciations quaternaires. Celles-ci y ont creusé de multiples lacs et abandonné des dépôts morainiques qui forment des collines désorganisées. Les sols sont parfois enrichis par un saupoudrage de lœss.

Des massifs anciens occupent le nord et le centre du continent. Au N. subsistent les traces du plissement calédonien dans les hautes terres d'Écosse et surtout de Scandinavie, où affleurent également des terrains précambriens rabotés par l'érosion (bouclier scandinave). Ces montagnes ont été sculptées au quaternaire par l'érosion glaciaire, responsable des nombreux lacs et des vallées en auge qui, envahies par la mer, forment les fjords. Mais l'Europe moyenne est le domaine des chaînes hercyniennes. Celles-ci s'échelonnent en massifs discontinus depuis l'Irlande jusqu'à la Bohême, en passant par le Massif armoricain, le Massif central, les Vosges et le Massif schisteux rhénan. À ce système se rattache également la Meseta ibérique. Ces massifs ont été aplanis, puis, au tertiaire, soulevés de nouveau lors du plissement alpin, ces derniers mouvements s'accompagnant souvent de fractures limitant des fossés d'effondrement (Alsace). L'influence glaciaire est nette, surtout dans les secteurs les plus septentrionaux. Entre ces massifs se disposent des dépressions occupées par des bassins sédimentaires : bassins de Londres, de Paris, de Souabe-Franconie. La sédimentation s'y est déroulée pendant le secondaire et le tertiaire par suite de la subsidence, et l'érosion y a dégagé des reliefs de côte.

L'Europe méridionale se rattache au système alpin. Elle est caractérisée par des montagnes jeunes, au relief déchiqueté, où les glaciers sont encore présents. À l'O. se dresse la barrière des Pyrénées (3 404 m au pic d'Aneto). L'arc alpin s'étire de la Méditerranée jusqu'à Vienne (4 807 m au mont Blanc), encadrant la plaine du Pô. Il se prolonge vers le S. dans l'Apennin, qui forme l'ossature de la péninsule italienne, et vers l'E. dans les Alpes Dinariques et les Carpates, encadrant la plaine pannonienne et la plaine de Valachie. Ces deux dernières chaînes se rejoignent dans la péninsule balkanique, qui s'émiette en îles dans la Méditerranée.

L'Europe appartient entièrement au domaine tempéré. Sa partie occidentale est sous l'influence des vents d'ouest, chargés d'humidité. Un climat océanique, plus ou moins frais suivant la latitude, affecte tout le nord-ouest du continent, marqué par une forte pluviosité et des températures douces, accentuées par l'influence du Gulf Stream. En dehors de la lande, qui couvre les régions les plus ventées (Bretagne, Irlande, Écosse), la végétation naturelle a largement été défrichée. L'Europe méridionale jouit d'un climat méditerranéen, dont la longueur de la sécheresse estivale augmente vers le S. Des forêts de chênes verts ou une végétation buissonneuse (maquis et garrigue) subsistent sur les hauteurs. Vers l'E., l'influence océanique s'atténue progressivement et le climat devient continental, avec des hivers rigoureux et des étés orageux. Le nord de l'Europe orientale porte de belles forêts de conifères (taïga), tandis qu'au S. les riches sols de l'Ukraine sont couverts de prairies.

Le réseau hydrographique reflète à la fois le climat et la disposition du relief. Les fleuves d'une Europe occidentale au relief morcelé sont généralement courts et caractérisés par un régime mixte, car leur bassin englobe des zones variées (Rhône, Rhin). L'Europe orientale, au contraire, est dotée de puissants organismes fluviaux (Vistule, Volga, Don, Dniepr) au régime régulier, seulement interrompu par l'embâcle hivernale.

Le peuplement est ancien et, pour des raisons historiques, comprend des ethnies variées, aux langues et aux religions diverses. L'empreinte humaine est partout sensible. Actuellement, cependant, la population tend à stagner par suite d'un faible taux de natalité et l'on observe un vieillissement de la population à peu près général. La densité moyenne recouvre des inégalités régionales. Les zones les moins peuplées correspondent aux secteurs

peu favorables à la culture (Scandinavie) ou aux montagnes vidées par l'exode rural. Les habitants se concentrent dans les grands foyers industriels tels que l'Angleterre, la vallée du Rhin, la région parisienne ou la Lombardie.

Sur le plan politique, l'Europe est divisée en un grand nombre de nations, parfois très petites, regroupées au sein de deux blocs. Le bloc occidental, lié aux États-Unis, est caractérisé par une économie de type libéral, tandis que le bloc oriental, dominé par l'U. R. S. S., est marqué par une économie collectiviste.

Mais à l'intérieur de ces deux blocs coexistent des pays au développement économique très inégal. En effet, si l'Europe a été le berceau de la révolution industrielle, qui a débuté en Angleterre à la fin du XVIIIe s., cette révolution a inégalement affecté les diverses régions pour des raisons à la fois naturelles (abondance des matières premières) et historiques. Actuellement, sur le plan économique, un certain nombre de nations dominent l'Europe, et en particulier l'Allemagne fédérale, la Grande-Bretagne et la France à l'ouest. Ces pays sont fortement industrialisés, et l'agriculture n'y occupe qu'une place souvent réduite. Cela se traduit par une forte urbanisation : on y rencontre les plus fortes concentrations de population. À l'opposé, d'autres pays ont encore une économie essentiellement rurale, où la part de l'industrie ne s'accroît que

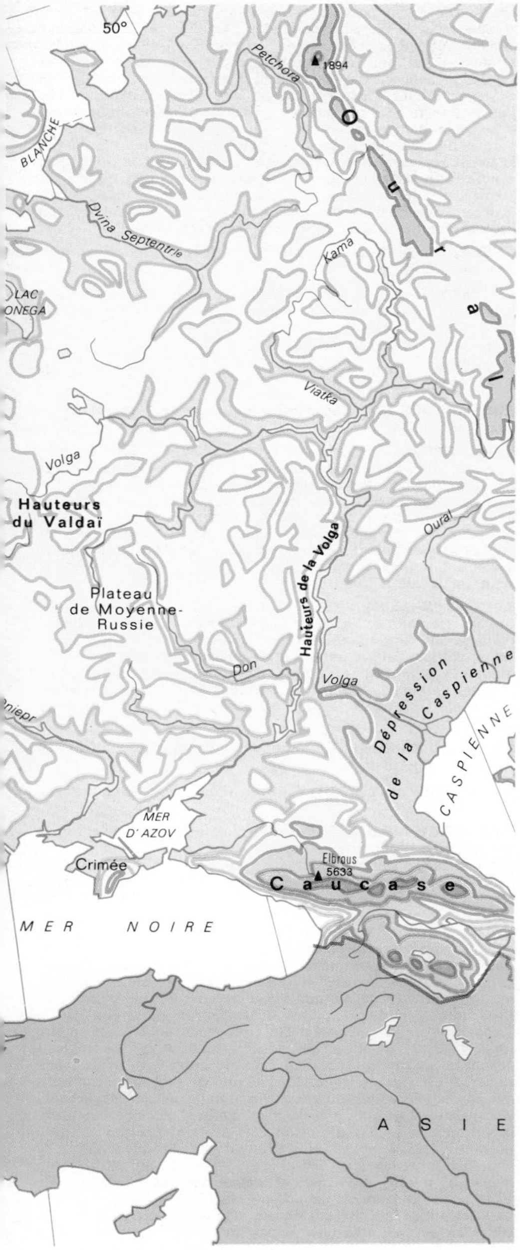

lentement. Il s'agit principalement du Portugal, de la Grèce, de la Yougoslavie, de l'Albanie, de la Bulgarie. Le sous-emploi y alimente un fort courant d'émigration temporaire (sauf dans les pays socialistes) vers les grands foyers industriels.

Le morcellement en petits États est un lourd handicap, et des regroupements économiques ont été tentés. Les pays du bloc oriental sont groupés au sein du Comecon*, tandis qu'en Europe occidentale la Communauté* économique européenne (Marché commun) regroupe les principaux États industrialisés. Ces tentatives ont pour objet de faciliter les échanges économiques entre les différents pays et de consolider le poids de l'Europe.

LA DÉFENSE DE L'EUROPE. Après 1945, c'est autour de la crainte d'un relèvement allemand que l'Europe, ruinée par l'aventure hitlérienne, cherche à organiser une défense commune (traité franco-britannique de Dunkerque, 1947). Très vite, cependant, la mainmise soviétique sur l'Europe orientale et centrale (Kominform, 1947; coup de Prague, 1948) met l'Europe de l'Ouest à la merci de la puissance de l'U. R. S. S., militairement présente à 150 km du Rhin. Par le traité de Bruxelles*, la France, la Grande-Bretagne et les pays du Benelux se prémunissent contre toute menace d'agression. Mais la faiblesse de leurs moyens militaires les conduit, en 1949, à s'associer aux États-Unis par le pacte atlantique (v. ATLANTIQUE NORD [*traité de l'*]), qui leur apporte le poids du monopole nucléaire et de la puissance industrielle des Américains. En 1954, le projet de Communauté européenne de défense, qui, par une intégration militaire poussée, tendait à neutraliser les craintes d'un réarmement de l'Allemagne de l'Ouest, échoue. Par les accords de Paris (oct. 1954), la République fédérale d'Allemagne accède, avec l'Italie, à l'Union de l'Europe occidentale. Elle est admise dans le pacte atlantique en 1955, ce qui occasionne la création, par l'U. R. S. S., du pacte de Varsovie*, auquel adhère l'Allemagne de l'Est (1956). L'accession de l'U. R. S. S. à l'armement nucléaire (1949-1953), mettant fin au monopole des États-Unis, aboutissait à un équilibre entre les deux puissances, tandis que la Grande-Bretagne, en 1952, et la France, en 1960, devenaient, elles aussi, puissances nucléaires.

Succédant à la guerre froide entre les blocs des années 50, cette situation nouvelle modifiait les données de la défense de l'Europe. Malgré plusieurs crises (Cuba, 1962; Tchécoslovaquie, 1968), un climat de détente s'instaure entre les États-Unis et l'U. R. S. S., que traduiront, à partir de 1963, de nombreux accords de limitation des armements (v. DÉSARMEMENT) comme la normalisation des relations entre l'Allemagne fédérale, l'U. R. S. S. et la Pologne (1970) et l'accord sur Berlin de 1971. Des deux côtés, les blocs occidental et soviétique apparaissent moins rigides (retrait de la France de l'O. T. A. N., 1966; relative libération de la politique roumaine, 1968). Après de longues négociations s'ouvrent en 1973 deux conférences, l'une à Vienne sur la réduction des forces en Europe centrale, l'autre à Helsinki sur la sécurité européenne. Cette dernière conférence aboutit, le 1er août 1975, à la signature, par tous les États d'Europe, sauf l'Albanie, d'un acte final consacrant les frontières de 1945 et affirmant leur volonté de respecter mutuellement leur indépendance. À cette date, la mise en œuvre d'une défense commune par les États de l'Europe occidentale, toujours liée au pacte atlantique, reste étroitement subordonnée à la difficile réalisation entre eux d'un minimum d'unité politique.

EUROPE *(Conseil de l')* → CONSEIL DE L'EUROPE.

EUROPOORT, avant-port de Rotterdam (Pays-Bas), entre la Meuse de Brielle et le Nieuwe Waterweg. Raffinage du pétrole et pétrochimie.

Eurovision, organisme international chargé de coordonner entre les pays de l'Europe occidentale tous les échanges d'émissions radiodiffusées et télévisées. L'Eurovision dispose d'un *centre administratif,* qui, installé à Genève, reçoit les offres des pays membres, et d'un *centre technique,* qui, installé à Bruxelles, reçoit les offres de reportage du centre administratif. Un *convertisseur de définition* permet d'utiliser les diverses émissions d'images, quelle que soit la définition utilisée.

EURYDICE → ORPHÉE.

EURYMÉDON, fleuve côtier de l'Asie Mineure, en Pamphylie, à l'embouchure duquel, en 468 av. J.-C., Cimon* remporta sur les Perses une victoire décisive, qui assura la sécurité des cités grecques en mer Égée.

EUSÈBE *(saint)* → PAPE.

EUSÈBE de Césarée, évêque de Césarée de Palestine (v. 265-v. 340). Mêlé aux controverses de l'arianisme*, il prend une position moyenne assez ambiguë. Son œuvre essentielle est l'*Histoire ecclésiastique,* où il retrace la vie de l'Église des origines à Constantin* ; c'est un travail érudit et consciencieux, fondamental pour la connaissance des premiers siècles chrétiens.

EUSTATISME. — Les variations du niveau marin, ou mouvements eustatiques, peuvent avoir diverses origines. Les glaciations engendrent des variations eustatiques. Lors des périodes froides, l'eau est immobilisée dans les glaciers et le niveau de la mer baisse : il y a régression. Lors d'un réchauffement climatique, les glaciers fondent et l'eau libérée fait remonter le niveau marin : il y a transgression. Une modification locale de la topographie sous-marine, tel un affaissement de grande ampleur, peut également provoquer une variation eustatique.

EUSTRATIOS, évêque de Nicée et philosophe (v. 1050-v. 1120). Élève de J. Italos, il écrit des commentaires sur Aristote* qui sont à l'origine de l'aristotélisme* médiéval et qui lui valent d'être condamné pour hérésie.

EUTECTIQUES (mélanges). — Ils fondent à une température fixe et avec une composition constante, comme les corps purs. Ils se distinguent de ceux-ci parce que leur composition dépend de la pression.

EUTERPE, muse de la Musique et de la Poésie lyrique. Elle est souvent représentée avec une flûte simple ou un aulos double à la main.

EUTHANASIE. — Les problèmes juridiques posés par l'euthanasie commencent à émerger en différents pays. Le Conseil de l'Europe a adopté en janvier 1976 un texte destiné aux gouvernements des États membres en vue de voir assouplir les actuelles législations nationales concernant le respect *à tout prix* de la vie humaine en regard des progrès des sciences médicales. (Le texte énonce la renonciation des médecins à « des mesures artificielles de prolongation du processus de la mort sur les malades chez qui l'agonie a déjà commencé et dont la vie ne peut être sauvée dans l'état actuel de la science médicale ».) La distinction entre l'*euthanasie passive* (abstention thérapeutique) et l'*euthanasie active* tend à être atténuée par la commission des questions sociales et de la santé de l'assemblée parlementaire du Conseil de l'Europe. Lors de ses assises de décembre 1975, l'Ordre des médecins français s'est montré hostile à l'euthanasie active, mais non au « traitement de l'agonie ».

EUTROPE, esclave et eunuque arménien († Constantinople 399). En 395, il remplaça Rufin* auprès d'Arcadius* et exerça au nom de l'empereur la réalité du pouvoir; après avoir conclu un accord avec Stilicon, il s'aliéna le Goth Gaïnas, chef du parti germanique, et l'impératrice Eudoxie* : il fut disgracié en 399.

EUTYCHÈS → MONOPHYSISME.

Évadés *(médaille des),* décoration française créée en 1926 et modifiée en 1946 pour les prisonniers de guerre évadés.

Évangiles, écrits du Nouveau Testament* où se trouvent consignés la vie et le message de Jésus. Ils sont au nombre de quatre, attribués à saint Matthieu*, à saint Marc*, à saint Luc* et à saint Jean*. On admet généralement que l'Évangile de Marc est le plus ancien et qu'il a été utilisé par Luc et Matthieu, qui, d'autre part, ont leurs sources propres; l'Évangile de Jean est une composition originale. La rédaction des Évangiles se situe entre 70 et après 80 pour les trois premiers, et vers l'an 100 pour le dernier.

EVANS (Oliver), ingénieur américain (Newport, Delaware, 1755 - New York 1819). Il inventa le cardage mécanique pour le traitement de la laine et du coton (1777). L'un des premiers, il utilisa la chaudière à vapeur à pression relativement élevée.

EVANS (*sir* Arthur John), archéologue anglais (Nash Mills, Hertfordshire, 1851 - Boar's Hill, Oxfordshire, 1941). Ses fouilles, entreprises en 1900, ont révélé la civilisation minoenne*, à laquelle il a fourni ses premières structures chronologiques. Bien que discutée, son œuvre de restauration à Cnossos* restitue les volumes et les proportions de l'immense palais.

EVANS-PRITCHARD (Edward Evan), anthropologue britannique (Crowborough, Sussex, 1902 - Oxford 1973). Influencé par Malinowski* et Radcliffe-Brown*, il participe au développement du courant « historisant » de l'anthropologie dans les années 50. Partisan d'études comparatives à petite échelle, il subordonne toujours l'élaboration théorique aux recherches empiriques. Ses principales publications sont *The Nuer* (1940) et *Social Anthropology* (1951).

EVANSVILLE, v. des États-Unis (Indiana), sur l'Ohio; 139 000 hab.

ÉVAPORATEUR → FRIGORIFIQUE *(machine).*

ÉVAPORATION. — L'évaporation diffère de l'ébullition, qui est une vaporisation réversible effectuée dans la masse du liquide. Elle est d'autant plus rapide : 1° que la surface libre du liquide est plus grande; 2° que la température est plus élevée; 3° que la pression de l'atmosphère au contact du liquide est plus basse. Elle a pour conséquence un refroidissement du liquide qui s'évapore.

Le passage de l'eau terrestre à l'état de vapeur dans l'atmosphère a lieu directement ou par l'intermédiaire de la transpiration des végétaux. Plus l'air est sec et plus la chaleur est intense, plus l'évaporation est forte. Son intensité subit donc des variations diurnes, saisonnières et zonales.

ÉVAPOTRANSPIRATION → TRANSPIRATION.

ÉVARISTE *(saint)* → PAPE.

ÉVAUX-LES-BAINS (23110), ch.-l. de cant. de la Creuse, à 25 km au S.-O. de Montluçon; 1 790 hab. Station thermale spécialisée dans le traitement des maladies nerveuses et rhumatismales.

ÈVE, nom donné par la Bible à la première femme, mère du genre humain.

ÉVÊCHÉS (les **Trois-**) → TROIS-ÉVÊCHÉS (les).

ÉVÊQUE. — Chez les chrétiens, l'évêque est le dignitaire ecclésiastique qui possède la plénitude du sacerdoce et qui a régulièrement la direction spirituelle d'un diocèse. La hiérarchie *diacre, prêtre, évêque, archevêque* (celui-ci étant un évêque ayant juridiction sur plusieurs évêchés) existe non seulement dans l'Église catholique, mais aussi dans plusieurs Églises réformées, notamment dans l'Église anglicane dite « épiscopalienne ». Les Églises luthériennes d'Allemagne et de France ont conservé à la tête de leur diocèse un dignitaire — doyen, senior, inspecteur — qui a rang d'évêque, mais dont les pouvoirs sont très limités par l'autorité représentative des consistoires. Cet esprit de collégialité, manifesté notamment par les assemblées épiscopales et par l'importance des synodes diocésains, tend à se développer, depuis le second concile du Vatican, dans l'Église catholique romaine, où l'autorité de l'évêque fut longtemps sans contrepoids.

EVERE, comm. de Belgique (Brabant), dans la banlieue nord de Bruxelles; 26 957 hab. (en 1970).

EVEREST *(mont),* point culminant du globe (8 880 m), dans l'Himalaya, à la frontière du Népal et du Tibet. Son sommet a été atteint pour la première fois en 1953 par le Néo-Zélandais E. Hillary et le sherpa N. Tensing.

EVERGEM, comm. de Belgique (Flandre-Orientale), au N. de Gand; 12 886 hab. (en 1970).

EVERGLADES (les), région marécageuse de la Floride méridionale. Parc national.

EVHÉMÉRISME. — Evhémère (IIIe s. av. J.-C.), écrivain grec, auteur d'une *Histoire sacrée,* voyait dans les dieux de la mythologie des rois d'une époque très reculée promus à la dignité divine. Cette explication rationaliste, que les écrivains chrétiens recueilleront pour s'en faire une arme contre le paganisme, sera reprise aux XVIIe et XIXe s. par certains penseurs, qui expliqueront la genèse des mythes religieux par la déformation légendaire de faits historiques anciens. L'histoire comparée des religions a mis en évidence le simplisme d'une telle méthode.

ÉVIAN-LES-BAINS (74500), ch.-l. de cant. de la Haute-Savoie, sur la rive sud du lac Léman; 6 178 hab. *(Évianais).* Station thermale aux eaux bicarbonatées sodiques, très faiblement minéralisées, utilisées dans le traitement des maladies rénales et urinaires (lithiases), hépatiques, cardio-vasculaires et nutritionnelles (goutte, diabète). — Lieu de la conférence entre la France et le F. L. N., où fut conclu le cessez-le-feu qui, en mars 1962, mit fin à la guerre d'Algérie.

ÉVIN-MALMAISON (62141), comm. du Pas-de-Calais, à 8 km au N.-E. d'Hénin-Beaumont; 4 390 hab.

ÉVISA (20126), comm. de la Corse-du-Sud, à 20 km à l'E. de Porto; 723 hab.

ÉVOLUTION BIOLOGIQUE. — L'important développement de la découverte paléontologique depuis Cuvier* a révélé l'importance des changements survenus dans les faunes et les flores du globe depuis le début des temps fossilifères, il y a 600 millions d'années. De leur côté, les progrès de l'anatomie comparée ont souligné l'étroite parenté des formes actuelles et fossiles. La stratigraphie, enfin, appuyée sur la datation absolue des terrains, fait la synthèse des deux sciences précédentes en faisant apparaître des *lignées,* des « séries évolutives » (ammonites, équidés, etc.) le long desquelles on voit des caractères évoluer progressivement au fil des temps. Il est donc devenu difficile, aujourd'hui, d'invoquer de simples *substitutions,* lors desquelles un stock d'êtres mieux armés pour la vie viendraient (d'où?) supplanter des êtres moins doués, sans en être les descendants. Ce phénomène a parfois eu lieu, mais le « fixisme » échoue à en tirer l'explication générale des changements biologiques. Il est plus simple et plus rationnel de voir dans l'évolution des populations animales et végétales un reflet de celle des espèces elles-mêmes. Lamarck* a eu le grand mérite d'énoncer clairement, le premier, la notion d'évolution. Si Darwin* n'a pas expliqué l'origine même des novations, il a formulé définitivement les lois de leur succès et de leur échec, c'est-à-dire les processus selon lesquels l'évolution des lignées détermine celle des populations. De Vries*, avec la notion de *mutation,* a fourni à l'évolutionnisme une base scientifique précise, sur laquelle la génétique des populations a édifié un appareil statistique imposant, tendant (avec un certain succès) à éviter tout « finalisme », tout « intentionnalisme » au cours d'évolutions qui conduisent pourtant à des adaptations* d'une stupéfiante perfection. On ne saurait cependant nier radicalement toute évolution « pour cause interne ». Le *contenu* concret de l'évolution intéresse plus le grand public que ses processus, qu'il inspire la nostalgie des mondes disparus (prestige des dinosaures!) ou l'enthousiasme mystique d'un Teilhard* de Chardin.

ÉVOLUTIONNISME. — Partant du principe que toutes les sociétés passent par différents stades et aboutissent toutes à la société industrielle, cette école, qui s'est développée parallèlement aux théories darwiniennes et qui a donné son unité à l'anthropologie de 1830 à la fin du XIXe s., cherche à retracer l'histoire culturelle de l'humanité.

ÉVORA, v. du Portugal méridional, ch.-l. de distr., dans l'Alentejo; 24 000 hab. Petit temple romain du IIe s. Fortifications. Cathédrale des XIIe-XVIe s. (trésor; cloître du XIVe s.). Églises, couvent, palais et demeures surtout des XVe-XVIe s., avec éléments de style manuélin. Musée régional d'art ancien.

ÉVRAN (22630), ch.-l. de cant. des Côtes-du-Nord, à 11 km au S.-E. de Dinan; 1 524 hab.

ÉVRECY (14210), ch.-l. de cant. du Calvados, à 15 km au S.-O. de Caen; 874 hab.

ÉVREUX (27000), ch.-l. du départ. de l'Eure, sur l'Iton, à 106 km à l'O. de Paris; 50 358 hab. *(Ébroïciens).* Base et école de l'armée de l'air. Constructions électriques et mécaniques.

HISTOIRE. Ancienne cité gallo-romaine, Évreux fut le siège d'un comté normand cédé à la France dès 1198 et donné en apanage par Philippe le Bel à son frère Louis, qui fut ainsi la tige des comtes d'Évreux : le plus célèbre d'entre eux fut Charles* le Mauvais, roi de Navarre.

BEAUX-ARTS. Cathédrale élevée du XIIe au XVIIe s. (remarquables vitraux des XIVe et XVe s.). Musée municipal dans l'ancien évêché, de la fin du XVe s. Église Saint-Taurin (XIe-XVe s.; châsse du XIIIe s., chef-d'œuvre d'orfèvrerie gothique).

ÉVRON (53600), ch.-l. de cant. de la Mayenne, à 24 km au S.-E. de Mayenne; 5 867 hab. Église romane et gothique, anc. abbatiale (peintures, vitraux, mobilier). Anc. abbaye (bâtiments du XVIIIe s.).

ÉVRY (91000), ch.-l. du départ. de l'Essonne, sur la Seine, à 25 km au S.-S.-E. de Paris; 15 585 hab. *(Évryens).* Hippodrome. Constructions aéronautiques. Industrie alimentaire. — Évry est l'une des villes nouvelles destinées à fixer une partie de la croissance de l'agglomération parisienne.

EVTOUCHENKO (Ievgueni Aleksandrovitch), poète soviétique (Zima, Sibérie, 1933). Un moment incarnation du désir de liberté de la jeunesse après la période du stalinisme (*la Troisième Neige,* 1955; *Babi Iar,* 1961; *Autobiographie précoce,* 1963), il est revenu à une inspiration plus nationale et plus orthodoxe (*la Vedette de liaison,* 1966).

EWING (*sir* James Alfred), physicien écossais (Dundee 1855 - Cambridge 1935). Il a, en 1882, peu après Warburg*, découvert l'hystérésis magnétique et lui a donné ce nom.

EXAMEN. — Michel Foucault* voit dans l'examen, innovation de l'âge classique, un des instruments du pouvoir disciplinaire, qu'il a analysé dans *Surveiller et punir** (1975). Décrit, mesuré, comparé à d'autres dans son individualité même, l'individu entre, par l'examen, dans le champ du savoir. Les sciences* humaines deviennent possibles à partir de cet événement. « Et tout comme la procédure de l'examen hospitalier a permis le déblocage épistémologique de la médecine, l'âge de l'école examinatrice a marqué le début d'une pédagogie comme science. »

Illustrant la thèse de M. Foucault, l'examen en psychologie* occupe une place centrale. Comportant des tests* ou reposant sur un entretien, il est demandé dans des circonstances nombreuses et variées : orientation* scolaire ou professionnelle, sélection professionnelle, établissement d'un diagnostic psychiatrique : toutes opérations qui visent à une répartition classificatoire des individus selon l'usage qu'on pourra en faire. H. Piéron*, pour améliorer le système de notation scolaire, injuste à ses yeux, du fait de la subjectivité des professeurs et du manque de clarté de leurs critères de jugement, a fondé la *docimologie.* Cette « science des examens » s'appuie sur des outils statistiques pour éliminer l'erreur due au tempérament de l'examinateur. Il propose, dans ce but, que la même copie soit notée par le plus grand nombre possible de correcteurs, la note la plus juste étant la moyenne des notes attribuées par chaque examinateur.

EXANTHÈME → ÉRUPTION.

EXARCHAT. — Ce terme désigne les grandes circonscriptions militaires constituées vers la fin du VIe s., en Italie et en Afrique, par l'empereur byzantin et administrées par des exarques, représentants directs de l'empereur et véritables vice-rois. En Italie, l'exarchat de Ravenne, dont le premier chef militaire connu apparaît vers 584, dura jusqu'en 751, année où le roi lombard Astolf s'empara de Ravenne. Celui d'Afrique, envahi par les Arabes (647), succomba en 709 (chute de Septem).

EXCÈS DE POUVOIR. — En droit administratif français le recours pour excès de pouvoir, porté devant la juridiction administrative (tribunal administratif, Conseil d'État), a pour objectif de faire annuler une mesure administrative ou gouvernementale non conforme à la loi, à la Constitution ou aux principes généraux du droit. (V. JUSTICE [*organisation de la*].)

EXCIDEUIL (24160), ch.-l. de cant. de la Dordogne, à 35 km au N.-E. de Périgueux; 1 849 hab. Vestiges d'un château féodal.

EXCITANT. — Les principales substances capables de produire une excitation psychique sont de nature alimentaire — tels le café, le thé — ou de nature médicamenteuse — tels les amphétamines*, la cocaïne, etc.

EXCITATION *(Électr.).* — L'excitation, dans les machines tournantes, produit le champ magnétique nécessaire au fonctionnement en générateur ou en moteur. La machine peut être à *autoexcitation* ou à *excitation séparée.* Dans le premier cas, le fil de l'inducteur peut être parcouru par le même courant que l'induit *(excitation en série)* ou être connecté en dérivation sur les bornes de l'induit *(excitation shunt).* L'*excitation compound* est une combinaison des deux. Dans le deuxième cas, l'excitation de la génératrice principale est alimentée par une seconde génératrice, appelée *excitatrice.*

EXCITÉ (atome). — C'est un atome qui, par suite d'une action extérieure, telle qu'un rayonnement, se trouve dans un état moins stable que son état normal et se montre plus réactif. Il revient plus ou moins vite dans son état normal, en émettant une radiation.

EXCLUSION. — Les économistes (et les spécialistes des sciences sociales) emploient ce terme pour désigner la situation de ceux qui, individuellement ou en groupe, ne participent pas à la croissance. On parle d'« exclusion sociale », de « marginaux », d'« isolés », d'« asociaux ». Les vieillards, les immigrés, les malades et les handicapés, les mères célibataires et les enfants illégitimes, les délinquants, les chômeurs, les mal-logés, etc., tous ceux qui ne vivent pas au-delà d'une certaine « ligne » d'intégration sociale, de confort ou de santé, sont, en ce sens, des « exclus ».

EXCLUSION (principe d'). — Ce principe de physique atomique a été énoncé par Pauli en 1924 : deux électrons d'un même atome ne peuvent avoir leurs quatre nombres quantiques* égaux.

EXCRÉTION. — Tous les êtres vivants présentent une fonction d'*excrétion cellulaire,* c'est-à-dire de rejet hors de leurs cellules des produits encombrants ou toxiques de leur activité chimique. Les protistes ciliés ont une vésicule pulsatile, par exemple. Chez les êtres pluricellulaires, seules les cellules superficielles rejettent directement leurs *excreta* au-dehors, toutes les autres cellules les déversent dans le « milieu intérieur » (sève des végétaux, sang des animaux), qui conduit ces déchets jusqu'à des *organes excréteurs* spécialisés : reins, néphridies, tubes de Malpighi chez les animaux, nectaires et laticifères chez les végétaux. Mais l'excrétion est en grande partie assurée par des organes qui ont aussi d'autres fonctions : poumons, foie, glandes de la sueur chez les animaux, pétales, racines chez les végétaux. En outre, chez les végétaux et chez de rares animaux (ascidies, bryozoaires), les excreta peuvent n'être pas rejetés mais seulement *accumulés* à l'écart de la circulation.

Il est parfois difficile de distinguer une excrétion d'une sécrétion glandulaire, les excreta pouvant jouer un rôle utile. Le rejet anal des aliments non absorbés, chez l'homme et les animaux, n'est pas un phénomène d'excrétion, malgré le nom d'*excréments* donné à ces matières, puisque ces déchets n'ont jamais fait partie intégrante de l'organisme. Quant à l'élimination de tissus et d'organes usagés (chute des feuilles chez les arbres, des cheveux chez l'homme, mue des serpents, etc.), c'est en revanche une véritable excrétion « sur place ».

EXÉCUTIF (pouvoir) → GOUVERNEMENT et GOUVERNEMENTALE *(fonction).*

EXÉCUTION PROVISOIRE. — Malgré l'effet, normalement suspensif, des voies de recours* à l'encontre d'un jugement, l'exécution provisoire permet au gagnant d'un procès de voir exécuter le jugement dès sa signification. La faculté de bénéficier de l'exécution provisoire est conférée par la loi ou par le jugement lui-même. L'exécution provisoire est aux risques de la partie qui en bénéficie, et, si l'adversaire vient à triompher, il faudra revenir sur les actes d'exécution déjà accomplis.

EXÉGÈSE BIBLIQUE. — L'interprétation scientifique de la Bible est née au XVIIe s. avec Richard Simon*, mais c'est seulement au XIXe s. que commence l'ère du renouveau des études bibliques : Graf, Reuss, Wellhausen remettent en question les données traditionnelles sur les auteurs, les dates, la composition des livres de l'Ancien Testament*; Baur et l'école de Tübingen, Strauss* et Renan* font une critique serrée du Nouveau Testament. Au début du XXe s., la crise moderniste (v. MODERNISME), provoquée par l'application aux textes bibliques de la méthode critique, secoue fortement l'Église catholique; Alfred Loisy* en sera le symbole et la victime avec bien d'autres exégètes catholiques. Quelques années plus tard, apparaît, en milieu protestant, l'école de l'histoire des formes (R. Bultmann* en est le représentant le plus connu), qui apporte à la critique biblique une idée féconde, celle de la « démythologisation » : pour retrouver la portée véritable des textes sacrés, il faut les débarrasser des idées mythiques, produits de la pensée juive, grecque ou chrétienne primitive, dans lesquelles ils sont enfermés. Cette étude scientifique de la Bible, qui fit d'abord aux yeux des croyants figure de « désacralisation », a été fructueuse pour l'histoire du christianisme et pour la théologie.

EXÉKIAS, potier et peintre attique de vases (actif dans la seconde moitié du VIe s. av. J.-C.). Harmonieusement ordonnées et empreintes de sérénité, ses compositions révèlent sa maîtrise technique. Brillant représentant de la céramique à figures noires, ce créateur aura une influence déterminante sur les générations suivantes d'artistes, notamment par sa célèbre coupe de Munich représentant Dionysos sur un bateau.

EXELMANS (Remi Isidore, *comte*), maréchal de France (Bar-le-Duc 1775-Paris 1852). Engagé en 1791, héros de la cavalerie des campagnes de la Révolution et de l'Empire, colonel à Austerlitz, général à Eylau, il livra en 1815 le dernier combat à Rocquencourt. Grand chancelier de la Légion d'honneur en 1850, il est fait maréchal de France en 1851.

EXETER, v. d'Angleterre (Devon), près de la Manche; 96 000 hab. Cathédrale (XIIe-XIVe s.) à chœur et transept typiques du style *decorated* (fin XIIIe s.). Vestiges médiévaux. Hôtel de ville de 1595.

EXHIBITIONNISME → PERVERSION.

Exil, poème en sept chants de Saint-John Perse (1942). Un débat entre le poète et la solitude que l'homme retrouve en tout lieu, mais qui est l'espace même que peuplera sa création.

EXISTENTIALISME. — L'existentialisme se présente comme une réflexion philosophique sur l'homme et sa condition. Critiquant la prétention de la philosophie à se poser comme la science de l'être (critique principale de Hegel* par Kierkegaard), certains existentialistes pensent que le rapport de l'homme à l'être naît de l'angoisse qu'il ressent dans son existence, d'autres de l'absurde qu'il éprouve dans sa manière d'être au monde. L'existence pose la question de l'être et ne permet d'appréhender l'être que sur le mode du questionnement. Exister ce n'est pas être, mais être-avec, être-pour, être-dans. Cette thèse centrale du courant existentialiste est à l'origine des descriptions phénoménologiques des divers modes d'existence (notamment de celles de *l'Être* et le néant*) et des deux tendances qui scindent ce courant en existentialisme athée (Heidegger*, Sartre*, Merleau-Ponty*) et existentialisme chrétien (Kierkegaard*, N. Berdiaev, Jaspers*, G. Marcel). Mais si les concepts s'enseignent, l'existence se vit. Ainsi, le double refus de la métaphysique et de la séparation entre vie et philosophie conduit certains existentialistes (Sartre, Camus*) à recourir à la littérature dans la mesure où elle seule permet de restituer toute son épaisseur à l'existence humaine qui se trouve toujours engagée. (V. ABSURDE et ENGAGEMENT.)

EXISTENTIELLE (analyse). — L'analyse existentielle *(Dasein-analyse)* s'inscrit dans le courant philosophique représenté par M. Heidegger*. Son fondateur, le psychiatre suisse Ludwig Binswanger (Kreutzlingen 1881-*id.* 1966), la pose comme méthode de recherche et de thérapeutique en psychiatrie*, qui repose sur la rencontre de deux singularités. Le but de l'analyse existentielle est que le patient s'appréhende comme « capacité de choix » et fasse l'expérience de l'originalité de son destin.

EXMES (61310), ch.-l. de cant. de l'Orne, à 16 km à l'E. d'Argentan; 399 hab.

EXOCET. — Il n'y a aucune parenté proche entre les deux types connus de « poissons volants » : le *dactyloptère* est un petit grondin de la Méditerranée et des Antilles, qui ne plane guère sur plus de 10 m hors de l'eau, tandis que les *exocets,* de la famille des scombrésocidés, forment une cinquantaine d'espèces marines, aux pectorales démesurées, des mers chaudes, jaillissant de l'eau par troupes entières pour échapper aux poissons carnivores, et pouvant planer sur 200 m de longueur.

Exode (l'), sortie d'Égypte des Hébreux* sous la conduite de Moïse. Ces événements, que les historiens situent v. 1250 av. J.-C., sont rapportés dans le *livre de l'Exode,* deuxième livre du Pentateuque*.

EXODE RURAL → URBANISATION.

EXOPHTALMIE. — Cette saillie du globe oculaire peut être appréciée par la simple inspection. Lorsqu'elle est discrète, on la mesure à l'ophtalmomètre : normalement, la saillie du globe varie entre 12 et 15 mm. Les causes d'exophtalmie sont multiples : infectieuse (abcès dans l'orbite), tumorale (réticulo-sarcome), vasculaire (anévrisme artério-veineux du sinus caverneux) ou endocrinienne. Cette dernière est représentée par l'hyperthyroïdie (maladie de Basedow), qui provoque une exophtalmie bilatérale.

EXORCISME. — Le terme « exorcisme » est habituellement appliqué aux prières et adjurations destinées à délivrer une personne de la possession du démon. Mais un « exorciste », c'est aussi un clerc qui a reçu le troisième ordre mineur et dont les fonctions, dans l'Église primitive, étaient de chasser les démons.

EXORÉISME → HYDROGRAPHIE.

EXOSMOSE → ENDOSMOSE.

EXOSTOSE → OS.

EXPANSION *(Astron.)* → UNIVERS.

EXPANSION *(Écon.)* → CROISSANCE ÉCONOMIQUE et DÉVELOPPEMENT.

EXPANSION DES FONDS OCÉANIQUES → PLAQUES.

EXPÉRIENCE ET EXPÉRIMENTATION. — Entendue d'abord comme la relation qu'entretient le sujet de la connaissance avec la réalité puis comme observation minutieuse des phénomènes, l'expérience s'est transformée en expérimentation avec le développement de la physique galiléenne. L'essor de la physique a renforcé l'empirisme* dans ses prétentions à constituer la théorie de la science. En articulant rigoureusement démarche déductive de type mathématique et utilisation de montages techniques, la physique montre que l'on n'observe scientifiquement que ce que les concepts permettent d'observer. L'expérimentation et la théorie sont donc les moments de la pratique scientifique qui construit ses concepts à l'aide de procédés techniques et produit ainsi des objets scientifiques (les corpuscules, par exemple) invisibles dans le cadre de l'expérience commune.

EXPÉRIMENTALE (psychologie) → PSYCHOLOGIE.

EXPERTISE. — On appelle expertise un mode de preuve utilisé en justice pour constater un fait ou pour résoudre un problème technique, et qui implique le concours d'un spécialiste, l'« expert ». L'expertise est une pièce de l'instruction*. Le juge peut l'ordonner d'office, ou la refuser si elle est demandée par les parties. Dans certains cas, la loi impose au juge d'y recourir : par exemple (en matière pénale) en cas de fraude. L'expert ne peut donner qu'un « avis » sur un fait précis, mais il peut procéder à toutes les investigations lui permettant d'accomplir sa mission. L'expertise peut être utilisée en matière civile et commerciale, pénale, administrative.

EXPLOITATION. — D'après *le Capital**, l'exploitation consiste en l'utilisation de la force de travail par le capital en vue de produire une plus-value*. Elle se définit par sa grandeur (part de travail non rémunérée par un salaire) et son degré (rapport de cette part à la quantité de travail effectivement payée sous forme de salaire).

EXPLOITATION MINIÈRE (méthodes d'). — Un gisement* peu profond s'exploite en carrière *à ciel ouvert;* on enlève au fur et à mesure le terrain stérile qui le recouvre, d'où le nom de « découverte » donné aussi à ce genre d'exploitation. La progression de l'exploitation se fait par gradins d'une dizaine de mètres de hauteur, séparés par des banquettes sur lesquelles circulent les engins d'abattage, de chargement et de transport. Les gradins supérieurs sont dans le stérile, les gradins inférieurs dans le minerai*. Le *rapport de découverture* est le volume de stérile à enlever pour extraire une tonne de minerai; au-delà d'un certain chiffre, le gisement s'approfondissant, il faut passer à l'exploitation souterraine. Ce rapport limite est d'autant plus grand que le minerai vaut plus cher et que le matériel utilisé est plus puissant; il peut dépasser 20 dans le cas du charbon, aux États-Unis. La forme générale de l'excavation est un entonnoir s'il s'agit d'un *amas,* ou une tranchée dans le cas d'une *couche* ou d'un *filon.* On doit porter attention à la stabilité des terrains découpés pour en éviter l'éboulement. Les déblais du recouvrement sont reversés sur l'autre flanc de la tranchée ou dans la partie de l'entonnoir où le minerai a déjà été enlevé, de façon à reconstituer au mieux le sol.

L'*exploitation souterraine* est plus complexe, demandant des puits*, un réseau de galeries*, avec les contraintes de l'aérage* et des mesures de sécurité. Les engins devant être descendus dans les puits et circuler dans les galeries sont de dimensions plus limitées que ceux qui sont employés en carrière. Une couche de 0,8 à 4 m d'épaisseur, parfois plus, est en général exploitée en une fois entre son *toit* et son *mur,* soit par *longue taille,* c'est-à-dire sur un front aligné de 100 à 300 m, soit par *chambres et piliers,* c'est-à-dire par une série de galeries parallèles de 4 à 6 m de large, sur lesquelles sont branchées des *recoupes* délimitant des piliers rectangulaires de 5 à 15 m. Ceux-ci sont soit abandonnés tels quels, ils sont alors de plus faible dimension, soit dépilés en formant des chambres. Une taille peut être *chassante* — s'éloignant au fur et à mesure de sa progression de l'origine du quartier en avançant les galeries nécessaires aux deux extrémités de la taille, qui seront bordées par les vieux travaux — ou *rabattante* — auquel cas il a fallu au préalable creuser ces galeries qui se raccourciront progressivement. L'exploitation par taille permet la récupération complète du gisement, mais exige un soutènement* approprié pour maintenir l'allée de travail entre le front de taille et le remblai ou le foudroyage* des vieux travaux. L'exploitation par chambres et piliers, faite avec un toit assez bon, a l'avantage de ne demander aucun soutènement et de permettre l'emploi de machines automotrices sur pneus ou chenilles; mais la récupération du gisement n'y est que plus ou moins partielle suivant que les piliers sont abandonnés — auquel cas, si le pourcentage exploité a été convenablement déterminé, il ne se produira pas d'affaissement en surface — ou que chaque pilier est successivement dépilé en formant une chambre en bordure du foudroyage de la chambre

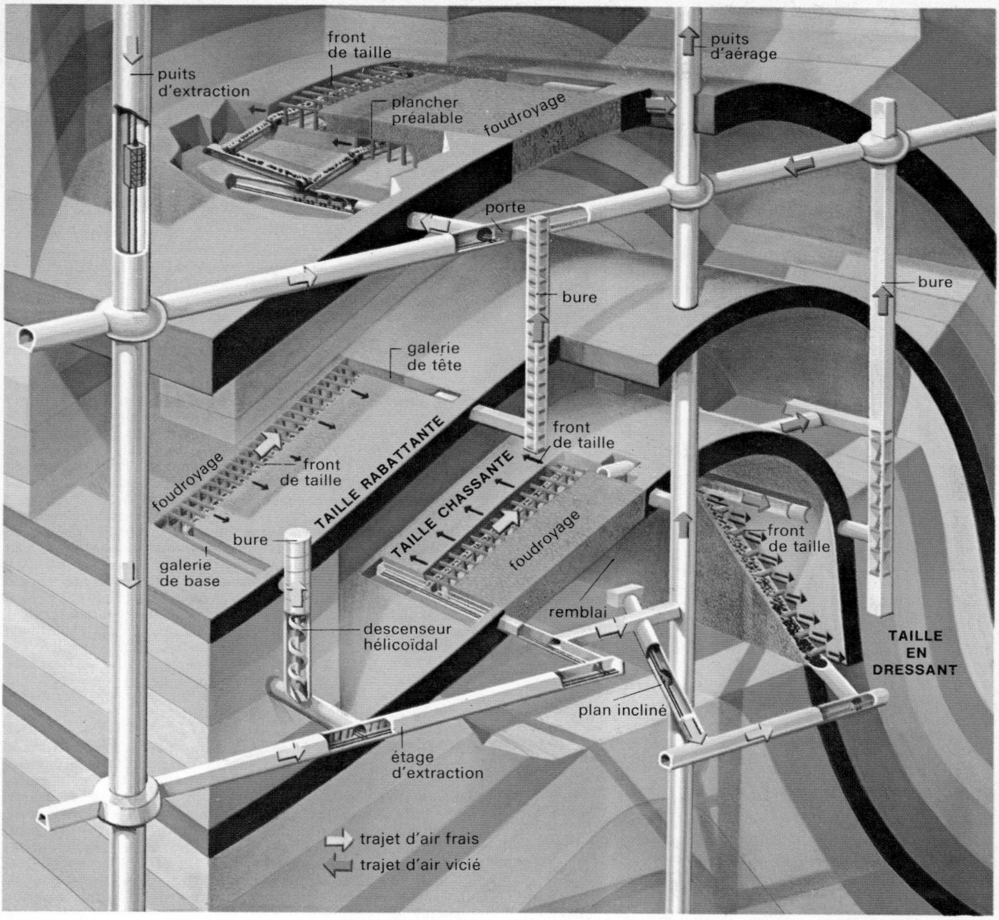

EXPLOITATION D'UNE MINE DE CHARBON EUROPÉENNE

précédente, dont on se protège par l'abandon de petits piliers. En principe, dans ce type d'exploitation, on ne remblaie pas. Les meilleurs résultats sont obtenus en couche régulière à pente faible, où on utilise un matériel classique : en taille, convoyeur blindé, rabot ou haveuse à rotor, soutènement métallique par étançons et chapeaux articulés, ou, mieux, soutènement marchant; en chambres et piliers, jumbo de foration ou mineur continu, chargeuse et camions, ou chargeuse-transporteuse sur pneus.

EXPLORATION *(Méd.).* — L'exploration fonctionnelle complète les examens cliniques et radiologiques en mesurant l'état de fonctionnement d'un organe ou d'un appareil. Les explorations fonctionnelles les plus importantes sont celles du foie, des reins, des poumons, du cœur, des glandes endocrines. Elles mettent en œuvre des investigations biochimiques, physiologiques, électriques, endoscopiques, radiologiques multiples.

EXPLOSIF. — On réserve plus particulièrement le nom d'« explosifs » ou matières explosives aux substances destinées à détoner. Les *explosifs primaires,* ou *explosifs d'amorçage*,* sont des corps qui, en quantité de un gramme ou moins, ne peuvent pas être soumis à l'action d'une flamme sans prendre d'emblée le régime détonant : tels sont le fulminate de mercure et l'azoture de plomb. Les *explosifs secondaires* peuvent, à l'air libre, brûler avec le concours de l'oxygène de l'air ou bien déflagrer sans intervention d'oxygène extérieur (cette déflagration peut se transformer spontanément en détonation*, après un temps variable). On les fait détoner à coup sûr par l'action d'un explosif d'amorçage. Les explosifs secondaires, dont sont chargées les munitions explosives, sont le plus souvent des dérivés nitrés : composés aromatiques* (trinitrotoluène, trinitrophénol ou acide picrique*) ou composés hétérocycliques (hexogène). La nitroglycérine*, qui, seule, ne se prête pas à l'emploi comme explosif, entre dans la composition d'une vaste famille d'explosifs appelés *dynamites.* Une des plus simples est la *dynamite-gomme,* composée de 92 p. 100 de nitroglycérine et de 8 p. 100 de nitrocellulose*, d'une qualité spéciale, apte à bien retenir la nitroglycérine liquide : c'est un des explosifs de mine les plus puissants et les plus brisants; les autres dynamites renferment, avec la nitroglycérine, divers constituants qui peuvent être eux-mêmes explosifs ou non explosifs. Depuis 1970, on emploie beaucoup l'explosif dit « nitrate-fuel », constitué par 94 p. 100 de sphérules de nitrate d'ammonium poreux ayant absorbé 6 p. 100 d'huile minérale. Dans certains travaux de minage, on utilise des bouillies explosives ou des gels aqueux. Pour le formage des métaux à l'explosif, on emploie des plaques de plastique à base d'hexogène ou de penthrite.

EXPLOSION. — Selon la nature initiale de l'énergie qu'une explosion transforme en énergie thermique, on distingue des explosions nucléaires, électriques, pneumatiques et chimiques. Ces dernières sont les explosions habituelles des substances explosives, dont 1 kg met en jeu de 1 500 à 8 000 kJ, libérant un volume (mesuré à 0 °C et 760 mm de mercure) de gaz compris entre 200 et 1 200 litres, les produits de l'explosion étant portés à une température allant de 1 000 °C à plus de 4 000 °C. La propagation d'une explosion peut être soit une détonation*, soit une déflagration*. Pour beaucoup de substances explosives, on peut, en choisissant le mode d'amorçage* convenable, produire à volonté soit la détonation, soit la déflagration, qui diffèrent surtout par leurs durées.

EXPONENTIELLE (fonction). — La fonction* exponentielle, qui au nombre réel x fait correspondre le nombre réel y, noté e^x, est la fonction inverse ou réciproque de la fonction logarithme* *népérien,* qui au nombre réel positif y fait correspondre son logarithme népérien $\operatorname{Log} y$. La fonction logarithme est la fonction fondamentale de l'analyse. Il en est donc de même de la fonction exponentielle. Le tableau de variation de la fonction $x \to y = e^x$ est

x	$-\infty$	0	$+\infty$
y	0	1	$\nearrow +\infty$

x varie de $-\infty$ à $+\infty$. Mais $y = e^x$ est toujours positif et varie dans l'intervalle $]0, +\infty[$, la valeur zéro n'étant jamais atteinte. La courbe représentative se rapproche, quand x tend vers $-\infty$, de l'axe $x'x$, qui est *asymptote* à la courbe. Quand x tend vers $+\infty$, y tend aussi vers $+\infty$ et la courbe prend la direction de Oy, sans se rapprocher de Oy : la courbe présente une branche parabolique dans la direction de Oy. Le nombre e est la *base* des logarithmes

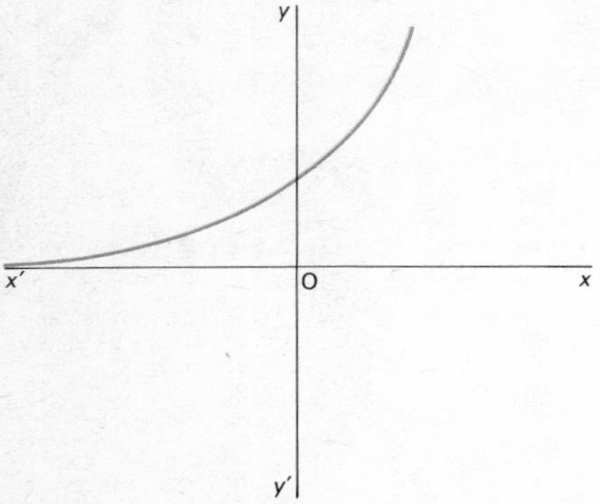

népériens. C'est un nombre *irrationnel transcendant*. Son logarithme népérien est égal à 1. Les règles de calcul sur les exponentielles sont les suivantes :

$$e^{x_1} \cdot e^{x_2} = e^{x_1 + x_2}$$

car, si l'on prend les logarithmes, on a

$$\text{Log}(e^{x_1} \cdot e^{x_2}) = \text{Log}\, e^{x_1} + \text{Log}\, e^{x_2} = x_1 + x_2 = \text{Log}\, e^{x_1 + x_2},$$

de même $(e^x)^z = e^{xz}$.

La dérivée* de la fonction exponentielle est

$$\text{si} \quad x \to y = e^x, \quad x \to y'_x = e^x.$$

La fonction exponentielle est la seule fonction égale à sa dérivée.

EXPOSITION. — Les présentations temporaires d'œuvres d'art ont toujours répondu (depuis celles de la pinacothèque d'Athènes, dans l'Antiquité) au besoin des artistes de montrer leur production. La première exposition officielle d'œuvres contemporaines (celles des académiciens) est ordonnée par Louis XIV en 1667; en général bisannuelle au XVIIIe s., bisannuelle ou annuelle au XIXe, la manifestation prend le nom de *Salon* à partir de l'année (1725) où elle se tient dans le salon Carré du Louvre. Les expositions *universelles* des XIXe et XXe s. ont leurs sections d'art, en même temps que s'y manifestent les tendances de pointe de l'architecture. Des Salons non officiels, plus ouverts aux nouvelles recherches plastiques, s'ouvrent à Paris : Salon des indépendants (1884) et Salon d'automne (1903). La pratique des expositions *particulières* (production d'un artiste présentée dans la *galerie* d'un marchand) connaît, au XXe s., un développement parallèle à celui du volume des transactions du commerce d'art. Écrits critiques et publicité suivent.

L'internationalisation de ce marché s'opère à travers les grandes réunions *biennales* (Venise, depuis 1895; Paris, consacrée aux jeunes artistes, depuis 1959), *triennales* (Milan : architecture et design) ou *quadriennales* (Kassel, depuis 1955), avec leur part de diplomatie, voire à travers les récentes « foires » d'art (surtout allemandes), où des galeries du monde entier exposent leurs « poulains ».

L'art ancien a aussi ses expositions temporaires, qui peuvent avoir un caractère en même temps diplomatique (un pays présente dans les capitales étrangères les « trésors » de son passé) et scientifique. Ces expositions sont nées dans les vingt dernières années du XIXe s., en même temps que se développaient les études d'histoire de l'art. Confrontations nécessaires aux spécialistes, qui en établissent les savants catalogues, satisfaisant, mieux que les musées*, l'appétit de chefs-d'œuvre d'un public cultivé quelque peu grégaire, elles connaissent dans la seconde moitié du XXe s., comme les vastes *rétrospectives* consacrées à telle vedette de la peinture ancienne ou moderne, un essor prodigieux — que limitent pourtant les coûts et les risques encourus lors du transport des œuvres.

On notera le passage de la sensibilité nationale, qui jouait, par exemple, dans l'exposition des *Primitifs français* de Paris, en 1904, à l'ambition plus large des anthologies que patronne de nos jours le Conseil de l'Europe, ainsi *les Sources du XXe s.* (1960) et *l'Europe gothique, XIIe-XIVe s.* (1968) à Paris, *les Ballets russes* (1969) à Strasbourg. D'un déploiement plus modeste sont les expositions qu'un musée bâtit autour d'un thème en faisant appel à ses réserves, à quelques prêts et à des compléments sous forme de tableaux explicatifs et de photos, ou celles, à but également didactique, que l'Administration fait circuler dans les villes moyennes de province, toujours défavorisées.

EXPRESSIONNISME. — • *L'expressionnisme littéraire.* Né dans l'atmosphère de la fin du XIXe s. et de la Première Guerre mondiale, l'expressionnisme, même s'il se recommande de Goya, Hölderlin, Rimbaud ou Whitman, est d'abord le cri d'angoisse et de révolte d'une jeunesse (et tout particulièrement allemande) devant la violence et l'éclatement de la civilisation européenne (industrialisation sauvage, gangrène des villes, prolétarisation massive, prolifération de la bureaucratie, conflits sociaux et armés). Dans une société qui glisse, sourde et indifférente, à la catastrophe, il faut pour se faire entendre crier ou frapper fort : d'où les caractéristiques premières de l'expressionnisme littéraire, le schématisme des thèmes et la violence du style; d'où sa prédilection pour la poésie et le théâtre. La poésie (Ernst Stadler, Georg Heym, Gottfried Benn*, Georg Trakl*, August Stramm, Ernst Toller, Bruno Goetz, le jeune Brecht*) réagit contre l'esthétique néo-romantique, l'impressionnisme de l'école de Vienne, l'art pour l'art du cercle de Stefan George. Le théâtre rompt avec les conflits de caractères et le déroulement de l'intrigue, pour évoquer les diverses facettes du « moi lyrique » dans un *Stationendrama* qui se rattache à la fois au mystère* médiéval (présentation d'actions simultanées) et à la « tragédie » de Strindberg (*le Chemin de Damas,* 1898) : vision du destin de l'homme avec Georg Kaiser* ou révolte plus sensuelle et plus immédiate avec Wedekind*, Fritz von Unruh*, Carl Hauptmann, Ivan Goll. La prose expressionniste, sous sa forme romanesque, cherche à mêler les temps et les lieux, à dissoudre les personnages traditionnels : plus que Heinrich Mann*, Kasimir Edschmid ou Carl Einstein, c'est Alfred Döblin* qui en a donné l'illustration la plus typique dans ses premiers romans, avant d'y joindre des préoccupations formelles plus systématiques et proches du futurisme*.

• *L'expressionnisme en art.* Inséparable d'une conception angoissée et révoltée du monde et de l'homme, l'expressionnisme se caractérise par un langage émotionnel véhément et spontané. La vie, comme l'œuvre, des artistes expressionnistes sera souvent tourmentée ou tragique, à l'image de leurs précurseurs de la fin du XIXe s. (Van Gogh, Gauguin, Toulouse-Lautrec, Ensor, Munch). Profondément nordique, ce courant se développe en Allemagne avec les peintres du groupe *Die Brücke* (Dresde, puis Berlin, 1905-1913); soucieux d'authenticité, ils redécouvrent l'art primitif et la tradition médiévale (Ernst Ludwig Kirchner, 1880-1938), avec un style souvent lourd et violent (Max Pechstein, 1881-1955), et cultivent l'irréalisme de la couleur et les déformations (Karl Schmidt-Rottluff [né en 1884], Erich Heckel [1883-1970] ainsi qu'Emil Nolde*). La Première Guerre mondiale disperse les artistes allemands et suscite l'expression pathétique d'Oskar Kokoschka*, à côté du pessimisme sec et dur de Max Beckmann (1884-1950), tandis que la défaite conduit au réalisme acéré et à la critique

EXPRESSIONNISME

Affiche de Ernst Ludwig Kirchner réalisée vers 1910 pour une exposition du groupe Die Brücke à la galerie Arnold, à Dresde. (Coll. privée.)

sociale qu'incarne le mouvement de la « Nouvelle Réalité » d'Otto Dix* et de George Grosz*.

Autre aspect de l'expressionnisme, le courant flamand, rustique et ferme, est illustré par les peintres de l'école de Laethem-Saint-Martin : Constant Permeke*, Gustave De Smet (1877-1943), aux sujets populaires et mélancoliques, Frits Van den Berghe (1883-1939), dont l'art coloré se teinte de surréalisme. En Amérique, on signalera l'art, issu de la révolution, du muralisme* mexicain (Rivera, Orozco, Siqueiros). En France, après l'explosion fauve, l'expressionnisme est représenté essentiellement, de manière très personnelle, par Rouault*, mais aussi par Gromaire*, Edouard Goerg (1893-1969), sarcastique et parfois morbide, Amédée de La Patellière (1890-1932), rustique et grave, Francis Gruber (1912-1948), dont l'univers désolé traduit l'angoisse et les hantises, ou encore par Pascin*, Chagall* et surtout Soutine*, Juifs exilés de l'école de Paris.

À la fin de la Seconde Guerre mondiale, l'abstraction* connaît un courant qui mêle la violence expressionniste à la spontanéité du geste apprise des surréalistes : ce sont les peintres nordiques du groupe Cobra* (Jorn, Appel) et les « expressionnistes abstraits » américains (Pollock*, De* Kooning).

• *L'expressionnisme cinématographique.* Issu de certaines recherches picturales (Kokoschka, Kubin) et théâtrales (Max Reinhardt), ce mouvement, qui apparut en Allemagne à la fin de la Première Guerre mondiale, s'attacha essentiellement à exprimer les états d'âme des personnages par le symbolisme des formes, d'où l'importance des décors (contrastes heurtés, déformation volontaire du monde réel) et des jeux de lumière. Parmi les représentants les plus notables de cette tendance, on citera : Robert Wiene (*le Cabinet du Dr Caligari,* 1919), Paul Wegener (*le Golem,* 1920), Fritz Lang (*le Docteur Mabuse,* 1922), F. W. Murnau (*Nosferatu le vampire,* 1922), Paul Leni (*le Cabinet des figures de cire,* 1924). On retrouve des traces de l'expressionnisme chez des réalisateurs comme J. von Sternberg, M. Carné, O. Welles, C. Reed, I. Bergman.

• *L'expressionnisme dans la danse.* V. MODERN DANCE.

EXPROPRIATION. — C'est la cession, sous la contrainte des pouvoirs publics, de la propriété d'un bien, moyennant une indemnité et dans un but d'intérêt général. En France, le droit d'exproprier appartient à l'État et aux collectivités territoriales (parfois à certaines personnes morales de droit privé poursuivant une mission d'intérêt général). L'expropriation porte sur les immeubles et les droits immobiliers. La procédure est assortie d'une *enquête,* assurée par un commissaire ou une commission d'enquête, la *déclaration d'utilité publique* résultant d'un décret en Conseil d'État ou d'un arrêté ministériel ou préfectoral. Un *arrêté de cessibilité* délimite les parcelles devant être cédées. À défaut d'accord amiable, le *juge de l'expropriation* intervient par une ordonnance d'expropriation.

EXSANGUINO-TRANSFUSION → TRANSFUSION.

EXTENSIVE (culture) → AGRICULTURE.

EXTRASYSTOLE → RYTHME CARDIAQUE.

EXTRA-UTÉRINE (grossesse) → GROSSESSE.

EXTRAVERSION → PERSONNALITÉ.

EXTRÊME-ONCTION. — Sacrement des malades dans l'Église catholique, l'extrême-onction semble remonter au XIIe s. : elle consiste essentiellement en onctions faites par le prêtre, avec l'huile des infirmes, sur le corps des malades en danger de mort. Depuis quelques années, le sacrement des malades peut être reçu, en pleine lucidité, par des personnes — des vieillards surtout — qui ne sont pas en danger de mort.

EXTRÊME-ORIENT, ensemble des pays de l'Asie orientale (Chine, Japon, Corée, États de l'Indochine et de l'Insulinde, extrémité est de l'U. R. S. S. [Extrême-Orient soviétique]).

EXTREMUM. — Un extremum d'une fonction* de une ou plusieurs variables* est un maximum ou un minimum. La fonction $f(M)$, définie dans un domaine D d'un espace à une, deux ou trois dimensions, admet au point M_0 de D un maximum (resp. minimum) relatif, si on peut trouver un voisinage, $V(M_0)$, du point M_0, dans lequel on ait $f(M) < f(M_0)$ [resp. $f(M) > f(M_0)$], quel que soit le point M de $V(M_0)$.

Exemple. Dans l'espace à trois dimensions, un point M appartient à la sphère de centre O et de rayon a, ses coordonnées x, y et z étant liées par la relation $x^2 + y^2 + z^2 = a^2$. Le parallélépipède rectangle, dont deux sommets opposés sont les points O et M et dont les arêtes sont parallèles aux axes de coordonnées, a un volume égal au produit des trois longueurs MH, MK et ML, c'est-à-dire à xyz. Quand le point M se déplace sur la sphère de centre O et de rayon a, le parallélépipède considéré a un volume maximal quand

$$x = y = z = \frac{a\sqrt{3}}{3},$$

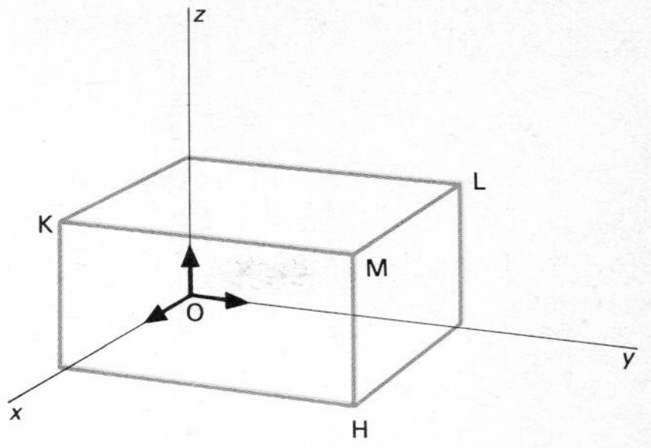

EXTREMUM

c'est-à-dire quand il est un cube : de tous les parallélépipèdes inscrits dans une sphère, celui qui a le plus grand volume est le cube.

EYADEMA (Étienne, dit **Ghansimgbe**), officier et homme d'État togolais (Pya 1935). Il est président de la République du Togo et chef du gouvernement depuis le coup d'État militaire de 1967.

EYBENS (38320), comm. de l'Isère, banlieue sud de Grenoble; 5 437 hab.

EYGUIÈRES (13430), ch.-l. de cant. des Bouches-du-Rhône, à 9 km au N.-O. de Salon-de-Provence; 3 284 hab.

EYGURANDE (19340), ch.-l. de cant. de la Corrèze, à 20 km au N.-E. d'Ussel; 801 hab.

EYLAU, auj. **Bagrationovsk,** ville de l'U. R. S. S., au S. de Königsberg (auj. Kaliningrad), où, le 8 février 1807, au cours d'une sanglante bataille, Napoléon contraignit à la retraite l'armée russe de Bennigsen (v. COALITION [*4e*]).

EYMET (24500), ch.-l. de cant. de la Dordogne, à 25 km au S. de Bergerac; 3 051 hab. Bastide de la fin du XIIIe s.

EYMOUTIERS (87120), ch.-l. de cant. de la Haute-Vienne, sur la Vienne, à 45 km à l'E.-S.-E. de Limoges; 2 933 hab. Église des XIe-XVe s.

EYRE (l') ou **LEYRE** (la), fl. côtier des Landes, qui rejoint le bassin d'Arcachon; 80 km.

EYRE *(lac),* grande lagune salée de l'intérieur de l'Australie (Australie-Méridionale), située à − 11 m d'altitude. La superficie, variant avec l'alimentation en eau, est de l'ordre de 8 000 à 10 000 km^2.

EYRE *(péninsule d'),* avancée du littoral du sud de l'Australie, entre le golfe de Spencer et la Grande Baie australienne.

EYSINES (33320), comm. de la Gironde, à 8 km au N.-O. de Bordeaux; 13 034 hab. Vignobles.

EYSKENS (Gaston), homme politique belge (Lierre, Anvers, 1905). Membre du parti social-chrétien et plusieurs fois Premier ministre (1949-50, 1958-1961 et 1968-1972), il accorde l'indépendance au Congo (1960) et s'efforce de régler les problèmes communautaires entre Wallons et Flamands. Son troisième ministère met au point la réforme constitutionnelle de 1970, qui fait de la Belgique un État communautaire et régional.

EYZIES-DE-TAYAC-SIREUIL (Les) [24620], comm. de la Dordogne, sur la Vézère, à 21 km au N.-O. de Sarlat-la-Canéda; 886 hab. Avec ses environs immédiats, ce lieu constitue l'un des plus importants gisements préhistoriques, au point de vue art pariétal (grottes des Combarelles et de Font-de-Gaume) et art mobilier (grottes de Laugerie-Haute, Laugerie-Basse, la Madeleine, la Mouthe...); il possède l'abri-sous-roche de Cro-Magnon.

ÉZANVILLE (95460), comm. du Val-d'Oise, à 5 km au N. de Sarcelles; 6 981 hab.

ÈZE (06360), comm. des Alpes-Maritimes, à 13 km à l'E. de Nice; 1 860 hab. Village pittoresque. Station balnéaire à *Èze-sur-Mer.*

ÉZÉCHIAS → JUDA *(royaume de).*

ÉZÉCHIEL, le troisième des grands prophètes bibliques. La mission de ce prêtre, exilé à Babylone lors de la première déportation, en 598, sera de soutenir les exilés et de maintenir leur espérance en la restauration du peuple élu : il se révélera un poète et un visionnaire d'une extraordinaire puissance. Ses oracles, consignés dans le *livre d'Ézéchiel,* seront pour beaucoup dans l'orientation prise par le judaïsme après l'Exil.

ÉZY-SUR-EURE (27530), comm. de l'Eure, en face d'Anet; 2 169 hab. Constructions mécaniques.

Fabian Society, association socialiste anglaise, fondée en 1883-84, en vue de « reconstruire la société en accord avec le plus haut idéal moral » et selon les méthodes de temporisation de Fabius* Cunctator. Les *Fabians,* en s'associant en 1900 aux trade-unionistes, contribuèrent beaucoup à la naissance du *Labour Party.* (V. TRAVAILLISTES.)

FABIEN *(saint)* [† Rome 250], pape de 236 à 250. Sous son pontificat, la Rome chrétienne fut divisée en sept régions, confiées chacune à un diacre. Il lutta contre l'origénisme.

FABIUS MAXIMUS RULLIANUS (Quintus), consul (322, 310, 308, 297, 295 av. J.-C.) et dictateur romain (315). Il fut l'un des plus éminents hommes de guerre à l'époque où Rome étendait sa domination sur le centre et le midi de la péninsule italienne. Consul en 310, il vainquit les Étrusques près de Pérouse. Fabius joua un rôle prépondérant dans la troisième guerre samnite; consul en 295 avec P. Decius Mus, il remporta, près de Sentinum (Ombrie), une victoire décisive sur les Samnites, les Étrusques et les Gaulois coalisés.

FABIUS MAXIMUS VERRUCOSUS (Quintus), dit **Cunctator** (v. 275-203 av. J.-C.), consul (233, 226, 215, 214, 209) et dictateur romain (217). Il incarnait les tendances conservatrices du sénat : adversaire de C. Flaminius* Nepos, il combattit sa loi agraire (232). Nommé dictateur (217) pour réparer le désastre de Trasimène*, « il voulut user Hannibal en l'isolant dans une Italie encore solidement romaine »; son maître de la cavalerie, Minucius, fit abandonner cette politique temporisatrice, qui valut à Fabius son surnom de *Cunctator (Temporisateur),* et ce fut le désastre de Cannes*. Après Cannes, Fabius retrouva son influence et reconquit les provinces du sud de l'Italie.

FABIUS PICTOR (Quintus), le plus ancien annaliste romain (né v. 254 av. J.-C.). Il composa en grec une histoire romaine qui concerne la période comprise entre les origines de Rome et la deuxième guerre punique. Son ouvrage, traduit plus tard en latin, fut surtout utilisé par Polybe.

FABLE. — Au sens ordinaire du mot, la fable se confond avec l'apologue, illustration par un récit d'une vérité morale. Mais l'apologue, plus bref, n'a qu'une valeur démonstrative, alors que l'élément narratif de la fable est souvent développé pour lui-même. Avant d'être un genre littéraire, la fable appartient à la tradition orale de tous les peuples. Le recueil indien du *Pañcatantra,* répandu au VIIIe s. dans une version arabe sous le titre de *Fables de Bidpay* ou *Pilpay,* nourrira l'inspiration de La Fontaine. En Grèce, si l'on trouve des fables chez les plus anciens poètes, comme Hésiode ou Stésichore, c'est Ésope* qui passe pour le créateur du genre. Les récits qui lui sont attribués ont été publiés par Démétrios de Phalère (IVe s. av. J.-C.); réduits en quatrains par Ignatius Magister (IXe s.), ils furent ainsi connus tout au long du Moyen Âge. Chez les Latins, Phèdre, affranchi d'Auguste, prolonge la tradition ésopique, qui connaîtra dans la France médiévale une extraordinaire faveur à travers les *Bestiaires* et les *Ysopets.* Les humanistes de la Renaissance adaptèrent Phèdre et Ésope en prose ou en vers latins, mais les meilleures fables se trouvent chez les conteurs comme Rabelais et Bonaventure Des Périers. C'est cette veine que La Fontaine porte à la perfection, faisant oublier ses contemporains (Benserade, Perrault, Fénelon) et rendant fades les œuvres de ceux qui, après lui, osent aborder le genre, de Lessing et Florian à Jean Anouilh. Seul le Russe Krylov a réussi dans ses *Fables* (1809-1844) à traduire la sagesse et le langage savoureux du peuple de son pays.

Fables, de La Fontaine (douze livres : I à VI, 1668; VII et VIII, 1678; IX à XI, 1679; XII, 1694). Créées à partir d'un matériel connu de tous (les *Fables* d'Ésope) qui servait de thème aux écoliers et de recueil d'anecdotes morales aux orateurs, les *Fables* constituent une forme poétique originale : d'abord brefs apologues proches de la tradition (les six premiers livres avec : *la Cigale et la Fourmi, le Corbeau et le Renard, le Loup et l'Agneau, le Chêne et le Roseau,* I; *le Lion et le Moucheron,* II; *le Renard et le Bouc, le Meunier, son Fils et l'Âne,* III; *l'Alouette et ses Petits,* IV; *le Laboureur et ses Enfants, la Poule aux œufs d'or,* V; *le Lièvre et la Tortue,* VI), le genre s'assouplit et prend de l'ampleur pour accueillir toutes les inspirations — satirique (*Un animal dans la Lune,* VII, 17), pastorale (*Tircis et Amarante,* VIII, 13), élégiaque (*les Deux Pigeons,* IX, 2), politique (*le Paysan du Danube,* XI, 7) — et tous les rythmes.

Le travestissement animal y joue un double rôle : moyen de mettre à distance des comportements humains et sociaux et de faire ainsi prendre mieux conscience de leurs mécanismes; moyen d'attirer l'attention sur la sensibilité et l'intelligence des bêtes contre la thèse cartésienne des animaux-machines (*Discours à Monsieur le duc de La Rochefoucauld,* X, 14; *les Souris et le Chat-Huant,* XI, 9).

FABLIAU. — Dans la seconde moitié du XIIe s., apparaît dans les écoles urbaines du Val de Loire un genre qui appartient à la tradition des plaisanteries cléricales : savante par la forme (dialogues en hexamètres ou en distiques), gaillarde pour le fond, cette « comédie latine » est à l'origine de ce « conte » populaire dont la première manifestation serait *Richeut* (v. 1160-1170), histoire colorée d'entremetteuse. Pour désigner ce genre, qui prolifère pendant un siècle, les auteurs emploient concurremment les mots *fabliau, exemple, dit* ou même *lai.* En général, le fabliau est un récit bref (50 à 1 500 vers), en octosyllabes. La plupart des 150 fabliaux qui subsistent proviennent du nord de la France. Une vingtaine d'auteurs se nomment dans leurs textes : « clercs » ou, le plus souvent, « jongleurs », comme Gautier le Leu. Destiné à un public plus large qu'on ne l'a cru naguère, le fabliau semble lié par contraste au roman courtois (v. COURTOISE [*littérature*]). La diversité des sujets est telle qu'il n'est pas possible de les faire entrer dans une définition du genre. D'intention parodique ou satirique *(le Vilain Mire, les Dames de Paris),* les fabliaux trouvent la plupart du temps le ressort de leur action dans une duperie *(Estula, les Trois Aveugles de Compiègne).* Nombreux sont ceux qui traitent de l'amour sur un ton qui va de l'ironie à la franche obscénité. Mais il en est d'édifiants *(le Chevalier au baril, la Housse partie),* et le Normand Henri d'Andely a laissé plusieurs fabliaux exempts de familiarité (*la Bataille des vins; le Lai d'Aristote,* v. 1225; *la Bataille des sept arts,* v. 1236).

FABRE (François-Xavier, *baron*), peintre français (Montpellier 1766-*id.* 1837). Élève de David, prix de Rome en 1787, il fit sa carrière à Florence (1793-1825). Revenu à Montpellier, il légua sa collection de tableaux et de dessins contemporains (provenant en partie du poète Alfieri et de la comtesse d'Albany, et incluant ses propres œuvres : sujets néoclassiques, portraits...) au musée de la ville, qui depuis porte son nom.

FABRE (Jean Henri), entomologiste français (Saint-Léons, Aveyron, 1823-Sérignan, Vaucluse, 1915). Ses observations personnelles, consignées en un style très agréable dans les *Souvenirs entomologiques* (1879-1886), et souvent plus originales qu'on ne l'a dit, lui ont valu une immense notoriété.

FABRE (Ferdinand), romancier français (Bédarieux 1827-Paris 1898), peintre de la vie cévenole (*l'Abbé Tigrane,* 1873).

FABRE (Henri), ingénieur français (Marseille 1882). Il fut le premier à réaliser un hydravion (1909), qui put décoller de la surface de l'eau et s'y poser facilement (1910).

FABRE (Robert), homme politique français (Villefranche-de-Rouergue 1915). Il quitte le parti radical en 1972 pour former le Mouvement de la gauche radicale et socialiste, dont il est le président et qui signe un programme commun avec les partis communiste et socialiste.

FABRE D'ÉGLANTINE (Philippe FABRE, dit), acteur, poète et homme politique français (Carcassonne 1750-Paris 1794). Auteur de chansons sentimentales *(Il pleut, il pleut, bergère)* et de comédies politiques (*le Philinte de Molière,* 1790), il donna leurs noms aux mois du calendrier républicain. Il fut guillotiné avec les dantonistes.

FABRE D'OLIVET (Antoine), poète et érudit français (Ganges 1768-Paris 1825). Ses poèmes en langue d'oc font de lui le précurseur du félibrige*.

FABRY (Charles), physicien français (Marseille 1867-Paris 1945). Spécialiste d'optique, il étudia les interférences à ondes multiples et créa un interféromètre, qu'il appliqua à la spectroscopie, à la métrologie et à la physique céleste. Il établit un système international de longueurs d'onde. En 1913, il découvrit l'ozone de la haute atmosphère.

FABULATION → MYTHOMANIE.

FABVIER (Charles, *baron*), général français (Pont-à-Mousson 1782-Paris 1855). Il participa aux combats de l'indépendance de la Grèce contre les Turcs (1823-1827). Pair de France en 1845.

FACE. — Le squelette de la face est creusé par la bouche, les fosses nasales, les cavités orbitaires et les fosses ptérygo-maxillaires. L'angle facial, formé par la rencontre de deux droites, l'une tangente au front et au nez, l'autre passant par le point le plus inférieur du nez et par le conduit auditif, est plus ouvert chez l'homme que chez les animaux en raison du développement de l'encéphale humain.

Les anomalies congénitales de la face (bec-de-lièvre, nez malformé, etc.) relèvent de la chirurgie esthétique. La paralysie du nerf facial entraîne une asymétrie du visage. Les névralgies faciales par atteinte du nerf trijumeau sont difficiles à traiter. Parmi les fractures de la face, celle du maxillaire inférieur nécessite un appareillage urgent pour éviter une obstruction par la langue de l'orifice laryngé. Les tumeurs de la face sont bénignes ou malignes (épithéliomas basocellulaire et spinocellulaire). Le *faciès* est modifié dans de nombreux états pathologiques.

FACHES-THUMESNIL (59155), comm. du Nord, dans la banlieue sud de Lille; 18 645 hab. Textile.

Fâcheux *(les),* comédie-ballet, en trois actes et en vers, de Molière, musique (à l'exception d'une courante, de Lully) et chorégraphie de Beauchamp, représentée au château de Vaux en 1661.

FACHODA, auj. **Kodok,** v. du Soudan, sur le cours supérieur du Nil. Occupée en juillet 1898 par la mission française Congo-Nil du capitaine Marchand, la ville dut, après un ultimatum du gouvernement de Londres à celui de Paris, être remise en novembre aux Anglais de Kitchener, arrivés en septembre à Fachoda. Durement ressenti en France, l'incident de Fachoda altéra sérieusement les rapports franco-anglais.

FACIAL (angle) → FACE.

FACIÈS. — Ensemble des caractères lithologiques (nature pétrographique, composition chimique, etc.) et biologiques (éventuels fossiles) d'une roche sédimentaire, le faciès permet de reconstituer son mode de formation : on parle ainsi de faciès littoral, continental, lacustre, marin.

FACTEUR DE PUISSANCE. — En courant alternatif sinusoïdal, il a pour expression cos φ, φ étant l'angle de déphasage entre la tension et l'intensité.

FACTEUR RHÉSUS → GROUPE SANGUIN.

FACTORIELLE (fonction). — La fonction* factorielle associe, à tout entier naturel n, le produit des n premiers nombres entiers, de 1 à n. On note $n(n-1)\dots 3.2.1 = n!$ (on lit factorielle n). Ainsi, $1! = 1$; $2! = 2.1 = 2$; $3! = 3.2.1 = 6$; $4! = 4.3.2.1 = 24, \dots$; $n! = n(n-1)\dots 2.1 = n.(n-1)!$. La dernière égalité montre la façon de passer de $(n-1)!$ à $n!$, en multipliant $(n-1)!$ par n; ce qui permet, de proche en proche, de calculer la factorielle d'un nombre quelconque. Par convention, $0! = 1! = 1$.

La notation factorielle permet de simplifier certaines écritures comme l'expression de $C_n^p = \frac{n!}{p!(n-p)!}$, donnant, en analyse combinatoire*, le nombre de parties qui contiennent p éléments, dans un ensemble* à n éléments.

FACTORING. — Trois fonctions peuvent être remplies indépendamment les unes des autres à l'égard du client qui fait appel à la société de factoring. Tout d'abord, celle-ci apprécie les risques financiers représentés par les clients nouveaux. Puis, elle assure la gestion des comptes clients. Enfin, elle peut régler, par anticipation, à son client les créances qu'elle recouvrera ultérieurement. Cette opération s'accompagne d'une subrogation en faveur du factor à qui son client transmet obligatoirement toutes ses factures. C'est le seul moyen pour le factor d'assurer un équilibrage de ses risques et d'éviter de n'avoir à sa charge que de mauvaises créances.

FACTURATION → VENTE.

FACTURE INSTRUMENTALE → INSTRUMENTS DE MUSIQUE.

FACTURE PROTESTABLE. — L'ordonnance du 28 septembre 1967, qui porte réforme du crédit* aux entreprises, institue la facture protestable; une banque ou un établissement financier peut accorder un crédit à un client sur la base des factures qui lui sont transmises par celui-ci. La banque peut exercer directement un recours contre le débiteur de la facture. Le créancier (qui transmet la facture) est, en cas de défaillance du débiteur, tenu solidairement responsable du paiement de la somme envers la banque.

FADEÏETCHEV (Nikolaï), danseur soviétique (Moscou 1933). Type même du danseur de style noble, classique et romantique, il fut le partenaire de Galina Oulanova et de Maïa Plissetskaïa.

FADEÏEV (Aleksandr Aleksandrovitch), romancier soviétique (Kimry 1901-Moscou 1956). Il célèbre la révolution soviétique à travers les épisodes de la guerre civile (*la Défaite,* 1927) et de la résistance à l'invasion allemande (*la Jeune Garde,* 1945).

FAENZA, v. d'Italie, en Émilie, au S.-E. de Bologne; 55 000 hab. Cathédrale de Giuliano* da Maiano. Palais communal et du podestat. Production de faïences depuis les XVe et XVIe s. Important musée international de la céramique. Pinacothèque.

FAEROE *(îles)* → FÉROÉ.

FAGALES → CUPULIFÈRES.

FAGE (Louis), zoologiste français (Limoges 1883-Dijon 1964). On lui doit d'importants travaux d'océanographie biologique, portant notamment sur le cycle reproductif et sur la détermination de l'âge chez divers poissons de grande pêche, tels que le saumon, l'anchois, le sprat et la sardine.

FAGNANO DEI TOSCHI E DI SANT'ONOFRIO (Giulio Cesare), mathématicien italien (Senigallia 1682-*id.* 1766). Ses recherches sont à la base de la théorie des fonctions elliptiques, qu'Euler* a reproduite.

FAGNES (Hautes), plateau de l'Ardenne belge, portant le point culminant du massif; 692 m au *signal de Botrange.*

FAHRENHEIT (Daniel Gabriel), physicien allemand (Dantzig 1686-La Haye 1736). Il construisit des aréomètres et donna au thermomètre à alcool, puis à mercure, sa forme définitive; il imagina pour celui-ci une graduation qui a conservé son nom. Dans l'*échelle Fahrenheit,* les températures de la glace fondante et de la vapeur d'eau bouillante sont respectivement représentées par les nombres 32 et 212. Une température de t ^{0}F correspond à $\frac{5}{9}(t-32)$ ^{0}C.

FAIDHERBE (Louis), général français (Lille 1818-Paris 1889). Polytechnicien et officier du génie, gouverneur du Sénégal de 1854 à 1861, puis de 1863 à 1865, il créa la ville et le port de Dakar (1857) et s'avéra un remarquable administrateur, soucieux notamment de la formation des élites autochtones (création de l'École des otages à Saint-Louis). Sa résistance à la tête de l'armée du Nord, pendant la guerre franco-allemande, épargna l'occupation allemande aux départements du Nord et du Pas-de-Calais. Grand chancelier de la Légion d'honneur en 1880.

FAÏENCE. — La pâte de la faïence est faite habituellement d'eau, d'argile plus ou moins marneuse, de sable ou d'autres matières inertes. L'objet, tourné ou moulé, est séché, puis cuit à 800 ^{0}C. Il est alors recouvert d'un émail*, transparent ou opaque, suivant que la pâte est blanche ou colorée, et cuit une seconde fois à 1 000 ^{0}C. On peut alors appliquer un émail décoratif, fixé par une troisième cuisson.

C'est son revêtement d'émail stannifère, blanc et opaque, qui différencie la véritable faïence de la *poterie vernissée,* dont la glaçure, plombifère, est transparente (la *faïence fine* des XVIIIe et XIXe s. n'en est qu'une variété, à pâte très blanche). En Europe, la première production fut celle des Arabes établis en Espagne, héritiers des techniques mésopotamiennes et perses. Cette belle faïence hispano-mauresque, souvent à reflets métalliques, exportée au XIVe s. de Majorque en Italie, fut appelée *majolique* dans ce pays. La production débute au XVe s. à Florence, Sienne, Orvieto, Faenza (qui lui donnera son nouveau nom), se diversifie au XVIe s. par les formes des plats et des vases, les techniques, le décor (scènes polychromes d'après les gravures du temps) à Caffagiolo, Deruta, Gubbio, Castel Durante, Urbino...

La faïence *au grand feu* est introduite en France, au XVIe s., par des potiers italiens. Nevers est le premier grand foyer durable, qui imite l'Italie vers 1600-1630, donne ensuite des décors d'inspiration persane, puis chinoise, ou de goût populaire français, mais perd son originalité au XVIIIe s. La famille Poterat domine la production rouennaise. Une première fabrique s'ouvre au milieu du XVIIe s. et démarque soit les décors bleus et jaunes de Nevers, soit les camaïeux bleus de Delft, principal centre hollandais (qui s'était lui-même inspiré de Faenza, puis des porcelaines chinoises); au début du XVIIIe s., Rouen lance son décor rayonnant « en broderie », souvent en bleu et rouge, auquel succèdent les décors chinois vers 1720, rocaille vers 1740. Moustiers (décors adaptés de J. Berain) et Marseille rivalisent avec Rouen au XVIIIe s.

C'est à Strasbourg que les Hannong lancent, vers 1740, le système du décor fixé *au petit feu* sur émail blanc, avec plusieurs cuissons à températures dégressives en fonction de la fragilité des divers émaux, d'où la possibilité d'une riche gamme chromatique; les « fleurs des Indes » et les « fleurs naturelles » en sont le décor principal. L'exemple se transmet à Niederwiller (ou Niderviller), à Aprey et à Sceaux, qui rivalisent en éclat ou en finesse avec la porcelaine, à Marseille, qui connaît un succès considérable par sa qualité technique et la verve de ses décorateurs.

Le XIXe s. est une période de décadence : concurrence de la vaisselle en faïence fine, anglaise ou française, ainsi qu'en porcelaine*, standardisation due à la mécanisation.

FAIL (Noël DU), seigneur **de La Hérissaye,** jurisconsulte et conteur français (manoir de Château-Letard, près de Rennes, v. 1520-Rennes 1591), auteur de contes inspirés par la vie de sa province natale ou par ses lectures érudites (*les Propos rustiques,* 1547; *Contes et discours d'Eutrapel,* 1585).

FAILLE. — Une faille dénivelle deux blocs de l'écorce terrestre. On appelle *regard de la faille* la direction du bloc affaissé et *plan de faille* le plan suivant lequel s'est effectué le mouvement. Ce plan est souvent souligné par des stries ou des roches broyées (mylonites) témoignant de frictions intenses.

Si le plan de faille est vertical, la faille est verticale. S'il est incliné, elle est oblique : lorsque l'inclinaison est dans le sens du bloc affaissé, la faille est *normale;* dans le cas contraire, elle est *inverse.* Quand une faille affecte des terrains inclinés, si l'inclinaison du plan de faille est dans le même sens que le pendage des couches, elle est *conforme;* elle est *contraire* dans l'autre cas. La hauteur de dénivellation entre les deux blocs est appelée *rejet.* Certaines failles ont un rejet horizontal : on les appelle alors « décrochements ». Les failles, témoignant de zones de faiblesse de l'écorce, ont tendance à rejouer au cours des temps géologiques.

Dans le paysage, une faille se traduit par un *escarpement.* L'érosion a tendance à le faire reculer, à l'aplanir, éventuellement à l'inverser si le bloc soulevé est constitué de roches tendres. Une reprise d'érosion après nivellement peut faire apparaître un *escarpement de ligne de faille.*

FAILLITE. — On désigne communément par « faillite » la situation du débiteur qui ne satisfait pas à l'exécution de ses obligations. C'est aussi, dans une acception plus précise, la procédure d'exécution collective permettant aux créanciers de la personne en état de cessation de paiements de s'organiser pour obtenir, réalisant les biens de leur débiteur, un remboursement, au moins partiel, de leurs créances*.

Les magistrats du tribunal de commerce de Paris estiment que 30 p. 100 des faillites sont dues à l'incompétence des chefs d'entreprise. En 1967, il y eut (pour la France entière, toutes activités comprises) 9 585 règlements judiciaires et liquidations de biens; 8 622 en 1968; 9 459 en 1969; 10 936 en 1970; 10 181 en 1971.

La faillite, prévue en France au Code de commerce de 1807, réformée en 1838, puis en 1889, le fut de nouveau par la loi du 13 juillet 1967, qui vint établir une distinction nouvelle entre le sort de l'entreprise et celui de ses dirigeants.

• *Le sort de l'entreprise.* Le « règlement judiciaire » est prononcé à l'encontre de l'entreprise qui s'avère apte à survivre; dans le cas contraire est prononcée la « liquidation de biens ».

En cas de *règlement judiciaire,* la procédure peut se résoudre à une *clôture pour extinction du passif,* lorsque le débiteur peut intégralement payer les créanciers; le *concordat* intervient si le débiteur ne peut payer que partiellement son passif, auquel cas il formule des offres concordataires. (Le concordat doit être homologué par le tribunal. Il entraîne la clôture du règlement judiciaire et remet le débiteur à la tête de ses affaires. Généralement, le concordat accorde au débiteur des délais de paiement ou [et] des remises de dettes.) La *conversion du règlement judiciaire en liquidation de biens* intervient quand le débiteur ne formule pas de *propositions concordataires* ou n'obtient pas de concordat de la part des créanciers, ou encore si le débiteur (personne physique) ne peut matériellement continuer ses activités.

Dans le cadre de la *liquidation de biens,* deux solutions peuvent intervenir : l'*union des créanciers,* payés « au marc le franc » des créances vérifiées, grâce à la vente des biens du débiteur; la *clôture pour insuffisance d'actif du débiteur,* prononcée par le tribunal, si l'actif est insuffisant à payer les seuls frais du syndic.

• *Le sort personnel du commerçant ou des dirigeants de l'entreprise.* Des sanctions peuvent atteindre les personnes responsables de leur insuffisance d'actif, à savoir : l'action en comblement du passif social; le règlement judiciaire ou la liquidation de biens des dirigeants; la faillite personnelle, l'interdiction de diriger et de gérer des entreprises commerciales ou des personnes morales; la banqueroute, simple ou frauduleuse.

FAIM. — La sensation de faim assure l'équilibration de l'apport alimentaire en fonction des besoins de l'organisme. La faim excessive conduit à la boulimie. La faim insuffisante, ou anorexie, est le symptôme de nombreuses maladies somatiques ou psychiques (anorexie mentale). La faim peut être inassouvie par une sous-alimentation; en cas d'inanition, l'organisme prélève l'énergie nécessaire à son fonctionnement sur ses propres constituants tissulaires (muscles).

L'état de sous-alimentation, couramment appelé « faim » par allusion à la sensation qui l'accompagne souvent, se reconnaît aussi au simple fait qu'une alimentation plus abondante augmente les forces, améliore la croissance des jeunes, consolide la résistance aux maladies, allonge statistiquement la durée de la vie. À cette définition empirique, la diététique scientifique fait correspondre une explication : la part, pratiquement incompressible, de la dépense énergétique quotidienne, que l'alimentation doit fournir, atteint 2 400 calories chez l'homme adulte. Jusqu'à 3 500 ou 4 000 calories, une alimentation plus riche est bénéfique, en particulier pour les travailleurs manuels, au-delà commence la pléthore, nuisible. Mais un homme sur trois souffre de *faim quantitative,* c'est-à-dire qu'il ne dispose pas des calories indispensables. Il s'adapte (mal) par l'amaigrissement, l'inactivité, la diminution de la taille chez l'enfant.

Mais ce sont deux hommes sur trois qui souffrent de *faim qualitative,* par manque de protéines animales, de vitamines ou de certains ions minéraux : même en mangeant, par exemple, du riz en abondance, les populations ainsi *carencées* utilisent mal leurs aliments et peuvent présenter des maladies de carence, dont la plus redoutable est le *kwashiorkor* infantile.

Les remèdes à cette situation tragique sont d'ordres divers : démographiques (moins de bouches à nourrir), agronomiques (production accrue d'aliments), industriels (progrès des transports et de la conservation des aliments), médicaux (obtention d'une meilleure assimilation), économiques et politiques (distribution plus équitable des biens existants), etc. Leur application dépend pour beaucoup de l'attitude éthique (solidarité) adoptée ou refusée par les peuples nantis.

Faim *(la),* roman de Knut Hamsun (1890). L'errance dans une ville d'un journaliste que l'extrême misère obligera à s'expatrier : la dépression physique fait affleurer les mouvements de la vie subconsciente (associations d'idées, fantasmes, impulsions délirantes) dans un rythme d'écriture alterné (lyrisme/mélancolie, flux/explosion) qui traduit, quasi « automatiquement » au sens surréaliste, les crispations d'estomac et les mouvements de révolte intellectuelle.

FAINÉANTS (rois) → MÉROVINGIENS.

FAIRBANKS, v. de l'intérieur de l'Alaska; 15 000 hab. Aéroport. Terminus de la *route de l'Alaska.*

FAIRFAX (Thomas), général anglais (Denton 1612-Nunappleton 1671). Au service du Parlement, il bat les troupes royales à Naseby (1645), mais il se montre hostile à la condamnation de Charles Ier. Plus tard, il contribue à la restauration de Charles II (1660).

FAISAN. — La beauté du plumage des oiseaux mâles, chez les gallinacés, se manifeste particulièrement chez les faisans. Ceux-ci portent une longue queue plumeuse, souvent une aigrette, parfois une collerette et des « yeux » rappelant ceux du paon. On élève les faisans pour les chasser, ou directement pour s'en nourrir.

Médiocres au vol, se défendant mal, ces oiseaux ne subsistent guère à l'état sauvage.

P. Montoya-Pitch

Faisan de chasse.

FAISCEAU HERTZIEN. — Tout élément métallique, fil, surface, volume, appelé « antenne* », siège de phénomènes électriques, peut rayonner dans l'espace des ondes électromagnétiques. Le rayonnement peut être modelé à volonté suivant la nature géométrique des dispositifs rayonnants et suivant leurs dimensions. On réalise ainsi des antennes permettant de concentrer dans une direction un faisceau d'ondes électromagnétiques. Le pouvoir de concentration, ou gain G, varie avec les formes et les dimensions de l'antenne et avec la valeur de la longueur d'onde λ :

$$G = 4\pi \frac{K.S}{\lambda^2},$$

S étant la valeur de la surface rayonnante et K un coefficient inférieur à l'unité. Pour une surface rayonnante circulaire de diamètre D, le faisceau est concentré dans un angle θ, tel que

$$\theta = K \frac{\lambda}{D},$$

la concentration est d'autant plus grande que λ est petit et D grand.

Pour obtenir des systèmes à l'échelle des réalisations industrielles, on est conduit à utiliser des ondes dont la longueur est de l'ordre de quelques centimètres. Les ondes dirigées de courte longueur se propagent en ligne directe sur des parcours dégagés de tout obstacle. Les antennes doivent donc être disposées sur des pylônes eux-mêmes construits sur les sommets du relief. Réciproquement, les mêmes dispositifs rayonnants peuvent servir de collecteurs d'ondes. La distance entre un émetteur et le collecteur associé est limitée à quelques dizaines de kilomètres. En effet, malgré une forte concentration, l'énergie qui parvient au collecteur est très faible, l'affaiblissement étant de l'ordre de 10^8. Aussi faut-il amplifier l'onde porteuse à chaque réception. Une liaison par faisceaux hertziens comporte ainsi un nombre plus ou moins important de relais. Elle peut transmettre jusqu'à 2 700 voies téléphoniques par onde porteuse, ainsi que des programmes de télévision de définitions variées.

Faiseur *(le)*, comédie en prose de Balzac, écrite en cinq actes (1838-1840), réduite à trois pour sa représentation en 1851. Un aventurier de la finance se piège lui-même à force d'astuces et se voit tiré d'affaire par la seule solution qu'il ne pouvait envisager : le retour inattendu de Godeau, son associé, qui l'avait ruiné par sa fuite.

FAIZĀBĀD, v. de l'Inde (Uttar Pradesh); 110 000 hab.

FAJON (Étienne), homme politique français (Jonquières, Hérault, 1906). Député communiste à partir de 1936, il succède à Marcel Cachin à la direction de *l'Humanité* (1958-1974). Il est membre du bureau politique du parti communiste depuis 1945 et secrétaire du Comité central de 1969 à 1976.

FAKHR AL-DĪN II (v. 1572-Constantinople 1635), émir druze (1593-1633). Il s'allie aux maronites et se fait confirmer par les Ottomans la possession de Saïda, Beyrouth et du massif du Kesrouan. En 1608, il conclut un traité avec les Médicis, à la cour desquels il se réfugie de 1614 à 1618. En 1631, il est le maître d'un vaste domaine englobant la totalité du Liban* actuel. Mais, en 1633, il est battu par les Ottomans, qui le font prisonnier et l'exécutent.

FALAISE. — Les falaises qui dominent la mer sont taillées dans des roches cohérentes. Quand leur pied se situe dans la zone de battement des marées, elles reculent sous l'action de l'érosion marine (mitraillage par les galets, action chimique), qui y creuse des encoches, à condition d'avoir été préparée par l'érosion continentale (fissuration). Ces falaises vives s'écroulent par pans entiers, rapidement déblayés par la mer (phénomène d'abrasion). Les falaises sont mortes quand, par suite de leur recul ou d'une régression marine, elles sont en dehors de l'action de la mer. Le profil des falaises varie avec les roches qui les constituent. Les falaises de craie sont verticales, les falaises de granite sont très raides, les falaises d'argile sont plus douces.

FALAISE (14700), ch.-l. de cant. du Calvados, à 23 km au N.-O. d'Argentan; 8 607 hab. *(Falaisiens).* Restes (XIIe-XVe s.) du château où naquit Guillaume le Conquérant. Églises. Constructions mécaniques. La ville fut libérée par les Canadiens le 17 août 1944 après de violents combats (v. NORMANDIE [*bataille de*]).

FALCONET (Étienne), sculpteur et théoricien français (Paris 1716-*id.* 1791). Élève de J.-B. Lemoyne, soutenu par Mme de Pompadour, il devint directeur de l'atelier de sculpture à la manufacture de Sèvres (1758-1766; nombreux modèles de petits groupes en biscuit). Son art, baroque au début, se fit aimable et sensuel (*Baigneuse,* Salon de 1757, Louvre). Appelé par Catherine II à Saint-Pétersbourg (1766-1778), il y donna la majestueuse statue équestre de bronze de Pierre le Grand. Autodidacte, il s'oppose dans ses écrits au culte de l'antique (*Réflexions sur la sculpture,* 1761; articles « Sculpture » et « Relief » de l'*Encyclopédie* de Diderot).

FALÉMÉ (la), affl. du Sénégal (r. g.), séparant la république du Sénégal et le Mali; 650 km.

FALÉRIES, anc. ville d'Italie (Étrurie), près de Véies, à 40 km de Rome. Capitale des Falisques, peuple qui avait subi des influences sabelliennes et étrusques, *Falerii Veteres* (auj. *Civita Castellana*) fut prise par le dictateur M. Furius Camillus en 395 av. J.-C.; en 241, la ville se révolta contre Rome, qui la détruisit et transféra la population en un lieu voisin, *Falerii Novi* (auj. *Falleri*). Plusieurs temples et nécropoles de la ville ancienne y ont été dégagés, ainsi que l'enceinte de Falerii Novi. Ruines d'une église romane.

FALIERO ou **FALIER,** ancienne famille de Venise, qui donna trois doges à cette ville : VITALE, doge en 1084 († 1096), qui fut vainqueur des Normands de Robert Guiscard; ORDELAFO, doge de 1102 à 1118 († 1118), qui reprit Zara à la Hongrie; MARINO (1274-1355), victorieux des troupes de Louis de Hongrie, à Zara (1348), qui devint doge en 1354 et fut décapité en 1355 pour avoir conspiré contre le gouvernement oligarchique de Venise.

FALKENHAYN (Erich VON), général allemand (Burg Belchau 1861-près de Potsdam 1922). Remplaçant Moltke après la défaite de la Marne (14 sept. 1914), il fut le chef du grand état-major allemand, dont il dirigea les opérations jusqu'au 29 août 1916. À cette date, l'échec allemand devant Verdun et l'entrée en guerre de la Roumanie amenèrent son remplacement par Hindenburg. Falkenhayn commanda ensuite en Roumanie et en Palestine (1916-1918).

FALKLAND *(îles),* anc. **Malouines,** groupe d'îles de l'Atlantique austral, colonie de la Grande-Bretagne revendiquée par l'Argentine; 2 100 hab. Ch.-l. *Stanley.*

Découvertes par les Anglais au XVIIe s., ces îles furent colonisées au XVIIIe s. par les Malouins, qui furent expulsés par les Espagnols (1766). Finalement, les Anglais les occupèrent en 1832, malgré les Argentins qui les réclament toujours. Le 8 décembre 1914, les Anglais y remportèrent une victoire navale sur l'escadre allemande de l'amiral Maximilien von Spee (1861-1914), qui coula avec le croiseur *Scharnhorst.*

FALLA (Manuel de), compositeur espagnol (Cadix 1876-Alta Gracia, Argentine, 1946). Après son opéra *la Vie brève* (1905), il résida à Paris de 1907 à 1914 et y rencontra Debussy. Les fruits de ce séjour furent les *Sept Chants populaires espagnols* (1914-15), *Nuits dans les jardins d'Espagne* (1911-1916) et le ballet *l'Amour sorcier* (1914-15). À la luxuriante Andalousie succéda alors chez lui, comme source d'inspiration, l'aride Castille (ballet *le Tricorne*,* 1919). Sa carrière prit fin sous le signe de la plus totale austérité avec l'opéra de chambre *le Retable de Maître Pierre* (1923), d'après Cervantès, et le *Concerto* pour clavecin et cinq instruments (1926). Le grand oratorio *l'Atlantide,* l'ouvrage de ses vingt dernières années, fut terminé par E. Halffter.

FALLADA (Rudolf DITZEN, dit **Hans**), écrivain allemand (Greifswald 1893-Berlin 1947). Ses romans peignent la vie des petites gens aux prises avec les difficultés quotidiennes (*Paysans, bonzes et bombes,* 1931; *Seul dans Berlin,* 1942).

FALLIÈRES (Armand), homme d'État français (Mézin, Lot-et-Garonne, 1841-*id.* 1931). Vice-président de la gauche républicaine, plusieurs fois ministre de 1882 à 1892, et président du Conseil en 1883, il est élu président de la République (1906-1913) comme candidat des gauches.

FALLOPE ou **FALLOPPIO** (Gabriele), anatomiste et chirurgien italien (Modène 1523-Padoue 1562), qui décrivit le premier le développement de l'os et les trompes de l'utérus (trompes de Fallope).

FALLOUX (Alfred Frédéric, *comte* DE), homme politique français (Angers 1811-*id.* 1886). Ministre de l'Instruction publique du 20 décembre 1848 au 30 octobre 1849, il élabore la loi scolaire qui, votée le 15 mars 1850, porte son nom, Falloux ayant beaucoup contribué à la rendre favorable à l'Église. En effet, la loi Falloux, sur le plan de l'enseignement primaire, fait du curé le garant du bon esprit de l'instituteur; sur le plan de l'enseignement secondaire, elle contribue au développement des institutions et des collèges ecclésiastiques.

FALL RIVER, v. des États-Unis, dans le sud du Massachusetts; 97 000 hab. Textile. Caoutchouc.

Fall River Legend, ballet en un acte, argument et chorégraphie d'Agnes De Mille (musique de Morton Gould), créé au Metropolitan Opera de New York en 1948. Œuvre maîtresse d'A. De Mille, ce ballet, dont l'argument repose sur un fait divers (meurtre de son père et de sa belle-mère par une jeune fille), a mis en lumière les personnalités dramatiques de Nora Kaye (1948) et Sallie Wilson (1966).

FALMOUTH, port de l'Angleterre, en Cornouailles, sur la Manche; 18 000 hab. Station balnéaire.

FALSIFIABILITÉ. — Popper* substitue le problème de la falsifiabilité à celui de la vérification* dans la mesure où il pense qu'une théorie universelle va au-delà de ce qui peut être exprimé à travers un nombre, aussi grand soit-il, d'observations. Une proposition d'une telle théorie est falsifiable par une seule observation qui la contredit. Dans cette optique, qui considère que toutes les sciences sont conjecturales, il s'agit de tester les énoncés scientifiques pour tenter de les infirmer. La falsifiabilité est donc un critère de scientificité, et c'est par ce critère que Popper distingue les sciences* de la métaphysique*.

Falstaff, comédie lyrique en trois actes, livret d'A. Boito tiré des *Joyeuses Commères de Windsor,* de Shakespeare, musique de G. Verdi (1893). Le vieux compositeur a fait preuve, dans cette partition au récitatif preste, d'un esprit bouffe, en campant avec pittoresque son personnage principal.

FALSTER, île danoise de la Baltique, au S. de Sjaelland. V. princ. *Nykøbing.*

FAMAGOUSTE, port de la côte orientale de Chypre; 44 000 hab. Fondée à l'époque hellénistique, Famagouste devint, à la fin du XIIe s., la capitale du royaume chypriote des Lusignan. Conquise par les Génois en 1374, la ville passa à Venise en 1489; le 1er août 1571, elle tomba aux mains des Ottomans. Derrière ses remparts, Famagouste conserve d'importants monuments médiévaux, dont sa cathédrale Saint-Nicolas (autour de 1300), en gothique purement français.

FAMECK (57290), comm. de la Moselle, à 4 km au S.-E. d'Hayange; 17 755 hab.

FAMENNE (la), région de la Belgique, entre la Lesse et l'Ourthe, sur la bordure nord-ouest de l'Ardenne.

FAMILIALES (prestations). — On désigne par ce terme les mesures prises pour assurer une aide pécuniaire à la cellule familiale. Dans le cadre des solidarités traditionnelles atténuées et de l'individualisme croissant des sociétés modernes, les prestations familiales sont apparues comme un complément du salaire, destiné à compenser partiellement les charges occasionnées par la famille, et, surtout, par la famille nombreuse.

Les principales allocations familiales assurées dans le cadre de la législation française sont les *allocations familiales* proprement dites, l'*allocation de salaire unique* et l'*allocation de logement.* Il faut y ajouter les *allocations prénatales* et de *maternité,* d'*orphelin,* aux *handicapés,* etc.

FAMILLE. — Remise en question par les nouvelles générations, la famille n'en constitue pas moins la plus ancienne formation sociale et la cellule de base d'apprentissage de l'individu dans toutes les sociétés modernes. La fonction patrimoniale, fonction centrale de la famille traditionnelle, est supplantée aujourd'hui par les fonctions affectives et éducatives de la famille moderne. Indispensable à la socialisation de l'enfant, la famille doit donner à ce dernier les armes qui lui permettent, au-delà des modèles culturels, d'acquérir une maturité affective et morale nécessaire à sa personnalisation.

La famille moderne se présente avant tout comme une unité de consommation. Le principal souci des familles ouvrières est de vivre, sinon de survivre. Mais l'augmentation du niveau de vie de l'ensemble de la population a largement contribué à résoudre les problèmes matériels des « nouvelles classes moyennes » — à la différence de la classe ouvrière. C'est au sein de ces nouvelles classes, qui n'ont pas encore le souci de conserver ou de transmettre un patrimoine — à la différence de la classe bourgeoise —, que peut alors se développer et s'intensifier le désir d'une bonne compréhension des besoins psychologiques des enfants.

L'attitude des jeunes à l'égard de la famille est plus complexe car, dans un premier temps, ils sont en quête d'un monde idéal et d'une autre communauté de référence. Certains pensent détruire l'institution traditionnelle en vivant en marge de la société (communautés, hippies*...). Les autres, après avoir expérimenté d'autres « modèles », sont obligés, à une étape de leur vie, de se confronter aux réalités économiques. Ils se réconcilient alors avec l'institution familiale pour créer leur propre famille sur des valeurs morales choisies par eux, mais s'intégrant dans la société. (V. CLASSES D'ÂGE et JEUNESSE.)

FAMILLE (droit de la). — Le droit français de la famille a fait, depuis 1964, l'objet de réformes fondamentales, parmi lesquelles on peut citer : la réforme de la tutelle et de l'administration légale, les dispositions sur les régimes matrimoniaux, l'adoption et le divorce, et surtout la modification concernant le droit de la filiation. (V. ADOPTION, AUTORITÉ PARENTALE, DIVORCE, FILIATION, SUCCESSION, TUTELLE, etc.)

Famille *(pacte de),* traité signé à Paris, le 15 août 1761, par les Bourbons de Paris, de Madrid, de Parme et de Naples, désireux de combattre l'Angleterre.

FAMILLE RADIOACTIVE. — Elle groupe une série d'éléments radioactifs qui dérivent les uns des autres par transmutation spontanée. Il existe quatre familles radioactives, dont la plus importante est celle de l'uranium, qui compte le radium parmi ses membres.

FAMINE. — On appelle ainsi le manque total de produits alimentaires dans tout un pays. La famine se distingue de la disette par son ampleur. Fréquente dans l'Antiquité et au Moyen Âge, elle fut souvent liée aux conditions climatiques — notamment dans l'Égypte ancienne, totalement dépendante des comportements du Nil — ou encore aux guerres : c'est ainsi que les plus grandes famines que connut la France du Moyen Âge furent provoquées par les ravages de la guerre de Cent Ans. Les famines se firent plus rares en Europe avec le progrès technique et la multiplication des échanges (début XVIIIe s.). De nos jours, la famine reste une menace constante pour le tiers monde, surpeuplé et sous-développé. (V. FAIM.)

Famine *(pacte de),* nom familier donné par le peuple, dans les dernières années du règne de Louis XV*, aux manœuvres attribuées au gouvernement pour faciliter la spéculation sur les blés. Cette légende contribua à la Révolution de 1789.

FANFANI (Amintore), homme politique italien (Pieve Santo Stefano, Arezzo, 1908). Député démocrate-chrétien en 1946, il est plusieurs fois ministre de 1947 à 1953 et devient secrétaire général de la démocratie chrétienne (1954-1959), dont il représente l'aile gauche, favorable à une alliance parlementaire avec les socialistes. Il est Premier ministre en 1954, puis pratiquement sans interruption de 1958 à 1963. Ministre des Affaires étrangères de 1965 à 1968, puis président du Sénat, Fanfani accède une nouvelle fois au secrétariat général du parti démocrate-chrétien (1973-1975); il s'oppose alors au « compromis historique » avec le parti communiste italien. En 1976, il est élu président de la démocratie chrétienne.

FANFARE → INSTRUMENTS DE MUSIQUE.

FANGATAUFA, atoll des Tuamotu (Polynésie française), à 40 km au S.-E. de Mururoa. Site de la première explosion thermonucléaire française, en 1968, aménagé après 1970 pour les expérimentations nucléaires souterraines, dont les premières eurent lieu en 1975.

FANGIO (Juan Manuel), coureur automobile argentin (Balcarce, Argentine, 1911). Il a dominé le sport automobile dans les années 50, totalisant, au cours d'une carrière échelonnée sur près de vingt ans (jusqu'en 1958), plus de 60 victoires et remportant cinq fois le titre de champion du monde des conducteurs (en 1951 et, sans interruption, de 1954 à 1957 inclus).

FANGOTHÉRAPIE → THERMALISME.

FANJEAUX (11270), ch.-l. de cant. de l'Aude, à 19 km au S.-E. de Castelnaudary; 752 hab.

FAN K'OUAN ou **FAN KUAN,** peintre chinois (milieu Xe s. - début XIe s.). Il est le représentant par excellence du style des Song du Nord, caractérisé par une austère grandeur, comme en témoigne la seule œuvre qu'on lui attribue avec certitude, *les Voyageurs dans les gorges d'un torrent* (musée de T'ai-pei). Vivant en ascète dans la montagne, en communion avec la nature, il a puisé son inspiration dans le taoïsme. Il obtient les volumes par des traits et des hachures (complètement maîtrisés plus tard par Li T'ang*) et, en accentuant les contrastes, crée de puissants jeux de lumière.

FANON (Frantz), psychiatre et sociologue français (Fort-de-France 1925 - Washington 1961). Dans son œuvre, concentrée dans trois essais (*Peau noire et masques blancs,* 1952; *l'An V de la révolution algérienne,* 1959; *les Damnés de la terre,* 1961), il dénonce, à l'usage du tiers monde, le colonialisme et les pièges de la décolonisation.

FANTAISIE. — En musique, ce genre instrumental échappe aux définitions; il peut désigner tantôt une pièce libre écrite dans un style d'improvisation (comme le prélude*), voire de virtuosité (comme la toccata*), tantôt un morceau structuré de caractère contrapuntique (à la manière du ricercare).

Fantasio, comédie en prose d'Alfred de Musset (composée en 1834, représentée en 1866).

FANTASME. — Cette notion occupe une place centrale en psychanalyse*. Sigmund Freud* en découvrit l'existence à travers les récits de ses patientes hystériques (v. HYSTÉRIE) qui rapportaient toutes des entreprises de séduction dont elles avaient été l'objet de la part d'un adulte (père, oncle, frère aîné) alors qu'elles étaient enfants. Il se rendit bientôt compte que cette séduction n'avait pas eu lieu réellement, mais que ses patientes souhaitaient inconsciemment qu'il en ait été ainsi. C'est ce que Freud appelle un fantasme, c'est-à-dire une situation imaginaire, où le sujet est présent et qui accomplit un désir, en le mettant en scène de façon plus ou moins déformée. Un fantasme peut être conscient, comme les rêveries diurnes, ou inconscient. Freud vit dans ces fantasmes de séduction un des effets du complexe d'Œdipe*. Outre les rêveries diurnes, les fantasmes se retrouvent dans toute la vie quotidienne : projets, créations artistiques. Les dessins* et jeux des enfants en sont des expressions à peine déguisées. Dans la cure analytique, le thérapeute s'efforce de dégager les fantasmes qui sous-tendent les productions de l'inconscient*, comme le rêve* et le symptôme.

FANTASTIQUE. — La littérature fantastique apparaît avec le siècle des lumières, le triomphe de la raison, l'affirmation de l'individu (*le Château d'Otrante,* 1764, d'Horace Walpole; *le Diable amoureux,* 1772, de Cazotte; *Vathek,* 1782, de William Beckford; *le Manuscrit trouvé à Saragosse,* 1805, de Potocki) : elle laïcise le rapport entre l'homme et les puissances surnaturelles (par là elle se distingue du *merveilleux**); elle fait de la lutte entre Dieu et Satan pour la possession de l'Homme un conflit intérieur entre des forces psychiques et morales (le Malin devient le Mal), et du pacte diabolique un artifice littéraire. Pour que les puissances obscures envahissent la littérature, il faut qu'elles aient déserté le réel. Né d'une rupture entre l'univers du sacré et le domaine quotidien, le fantastique survit grâce à deux autres brisures décisives : 1) celle qu'inaugure le romantisme, à l'intérieur de l'individu, entre la conscience et le rêve (et qui va des superstitions populaires des *Ballades* de Goethe et des terreurs du «roman noir» anglais à la fantaisie de Nodier, aux «effets de réel» d'Hoffmann ou d'Edgar Poe, aux hallucinations de Nerval et de Maupassant), et que le surréalisme se donnera pour tâche de réduire («tout porte à croire qu'il existe un certain point de l'esprit d'où la vie et la mort, le réel et l'imaginaire, le passé et le futur, le communicable et l'incommunicable, le haut et le bas cessent d'être perçus contradictoirement», *Second Manifeste*); 2) celle qui marque le monde contemporain entre le réseau complexe des rapports scientifiques, économiques et politiques et l'isolement de l'individu muni de stéréotypes culturels élémentaires sans prise sur le réel. D'où une double attitude : faire de la littérature le lieu d'une mystification ironique, d'un exercice lucide (Borges, Cortazar), qui établit non pas les contradictions de la logique, mais son développement systématique avec toutes ses conséquences théoriques; réintroduire dans le réel les terreurs et les monstres (*Dracula,* 1897, de Bram Stoker; *la Lumière intérieure,* 1895, d'A. Machen; *le Cauchemar d'Innsmouth,* 1936, de Lovecraft), grâce à une littérature qui prétend signaler toutes les fissures de la science : celle-ci n'est plus instrument de lucidité, mais, dans son progrès même, elle nourrit sa propre dénonciation (la biologie et la physique nucléaire, qui popularisent les notions de tératologie, de mutation, d'antimatière, relaient l'électromagnétisme et le spiritisme essoufflés), réel et imaginaire se fondent et se confondent dans la *science-fiction**.

Le genre cinématographique fantastique s'efforce de transgresser le réel en se référant au rêve, à la légende, à la magie, à l'épouvante, à la psychanalyse, à la science-fiction. Si Georges Méliès est certainement le pionnier du cinéma fantastique, d'autres réalisateurs, tels Paul Leni, Tod Browning, James Whale, E. B. Schoedsack, Terence Fisher, Roger Corman, en suivant des voies imaginatives très diverses, ont donné ses lettres de noblesse à un genre que n'ont pas dédaigné certains grands noms du cinéma, comme D. W. Griffith, F. W. Murnau, Carl Dreyer, Jean Cocteau, Ingmar Bergman, Stanley Kubrick, Roman Polanski, Shindō Kaneto.

FANTIN-LATOUR (Henri), peintre et lithographe français (Grenoble 1836-Buré, Orne, 1904). Il est l'auteur de portraits individuels ou collectifs, comme *l'Atelier des Batignolles* (hommage à Manet, 1870, Louvre), de natures mortes, de tableaux de fleurs ou inspirés par la musique, d'allégories à personnages féminins. Son art participe à la fois du romantisme et de l'impressionnisme.

FAO, sigle de *Food and Agriculture Organization,* en franç. ORGANISATION POUR L'ALIMENTATION ET L'AGRICULTURE. (V. ORGANISATIONS INTERNATIONALES.)

FAOU (Le) [29142], ch.-l. de cant. du Finistère, au fond de la rade de Brest, sur la *rivière du Faou;* 1611 hab. Maisons des XVe-XVIe s.

FAOUËT (Le) [56320], ch.-l. de cant. du Morbihan, à 21 km au N. de Quimperlé; 3245 hab. Halle et église du XVIe s. Aux environs, chapelles Saint-Fiacre (beau jubé flamboyant en bois) et Sainte-Barbe, de la fin du XVe s.

FĀRĀBĪ (Abū Naṣr Muḥammad ibn Ṭarkhān **al-**), philosophe iranien (Wasīdj, Turkestan, v. 870-Damas 950). Très jeune, il part pour Bagdad, centre culturel important, où sont notamment discutées les sciences et la philosophie grecques. Élevé, par ailleurs, dans la religion islamique, il s'efforce de montrer comment la pensée grecque est à même de résoudre les problèmes que se posent ses contemporains, comme al-Kindī*. Son œuvre est considérable. Assimilant vérité de la révélation du Coran* et vérité philosophique, il rédige de nombreux traités sur la métaphysique, l'intelligence, la mesure et la musique, où se marque l'influence d'Aristote*. Ses ouvrages de morale et de politique sont d'inspiration plus platonicienne. Dans son commentaire des *Lois* de Platon, *le Gouvernement de la cité* et *Sur les principes des opinions des habitants de l'État parfait,* il conçoit le meilleur régime politique possible pour une cité de confession islamique, mais n'en fait que le moyen d'acheminer les hommes vers une félicité supraterrestre.

FARAD → UNITÉS.

FARADAY (Michael), physicien anglais (Newington, Surrey, 1791-Hampton Court 1867). Il découvrit le benzène dans le goudron de houille et réalisa la liquéfaction de presque tous les gaz. Il observa l'action exercée par un aimant sur un courant, donnant le principe du moteur électrique. En 1831, il découvrit l'induction électromagnétique et, en 1833, il établit la théorie de l'électrolyse. Puis, en électrostatique, il vérifia, en 1843, la conservation de l'électricité, donna la théorie de l'électrisation par influence et montra qu'un conducteur creux *(cage de Faraday)* forme écran pour les actions électriques.

FARAS, site archéologique en Nubie* soudanaise, ancienne capitale du royaume de Nobatia. Grâce à des fouilles polonaises, l'ancienne cathédrale, fondée au début du VIIIe s., a été dégagée et d'importantes peintures murales, bien conservées, ont été découvertes (musée de Khartoum et Musée national de Varsovie). D'autres recherches effectuées en Nubie prouvent l'influence de ce grand centre artistique chrétien entre le VIIIe et le XIIIe s.

FARAZDAQ (al-), poète arabe (v. 640-Bassora v. 730). Représentant typique de la poésie des nomades d'Arabie orientale sous la dynastie omeyyade, il fut le rival de Djarīr*.

FARCE. — Principale forme, avec la sottie*, du théâtre comique médiéval, la farce tire son origine des monologues comiques, des sermons joyeux des jongleurs, héritiers des mimes latins, et des scènes bouffonnes dont on farcissait la représentation des mystères*. Mais, alors que la sottie est une pièce moralisatrice ou d'actualité politique, la farce ne cherche que la peinture satirique des mœurs et de la vie quotidienne. Si la plus ancienne farce connue remonte au XIIIe s. *(le Garçon et l'Aveugle),* c'est seulement du XVe s. que date le chef-d'œuvre du genre, *la Farce de maître Pathelin** (v. 1465). La vogue de la farce se prolongea jusqu'au XVIIe s. et Molière ne dédaigna pas les spectacles de «farceurs», dont la tradition se perpétua quelque temps dans les théâtres de la Foire*.

FARCIENNES, comm. de Belgique (Hainaut), à l'E. de Charleroi; 10450 hab. (en 1970).

FARCOT (Joseph), ingénieur français (Paris 1823-Saint-Ouen 1906). Parmi ses multiples inventions, les plus importantes sont un générateur de vapeur à faisceau de tubes et foyer mobiles, réunissant à la fois les systèmes tubulaires et cylindriques (1854), et surtout le servomoteur (1868).

FARÉBERSVILLER (57450), comm. de la Moselle, à 10 km au S. de Forbach; 7783 hab.

FAREL (Guillaume), réformateur français (Les Fareaux, comm. de Gap, 1489-Neuchâtel 1565). Il introduisit Calvin* à Genève en 1536; après l'échec de leur apostolat, en 1538, il s'établit à Neuchâtel, dont il dirigea l'Église jusqu'à sa mort.

FARET (Nicolas), écrivain français (Bourg-en-Bresse 1596-Paris 1646), qui contribua à fixer les règles de la politesse mondaine et courtisane (*l'Honnête Homme ou l'Art de plaire à la cour,* 1630).

FAREWELL, cap au S. du Groenland.

FARGUE (Léon-Paul), poète français (Paris 1876-*id.* 1947). Fondateur, en 1923, avec Paul Valéry et Valery Larbaud, de la revue *Commerce,* il se fit le chantre de sa ville natale (*le Piéton de Paris,* 1939).

FARINA (Jean-Marie ou Giovanni Maria), chimiste italien (Crana, prov. de Novare, 1685-Cologne 1766). Négociant en denrées exotiques, il fabriqua l'*eau de Cologne.*

FARINE → PAIN.

FARINE DE BOIS → CHARGE.

FARINELLI (Carlo BROSCHI, dit), chanteur italien (Andria, Apulie, 1705-Bologne 1782). L'un des plus célèbres castrats du XVIIIe s., cet ami du poète Métastase remporta des triomphes sur les scènes européennes (Vienne, Londres, Paris, Madrid), avant de se fixer dans son palais de Bologne.

FARMAN, aviateurs et industriels français. — HENRI (Paris 1874-*id.* 1958) réussit en 1908 le premier kilomètre en avion en circuit fermé et le premier vol de ville à ville (de Bouy à Reims). Il créa en 1911, à Toussus-le-Noble, la première école de pilotage sans visibilité et, en 1919, une des premières compagnies aériennes ouvertes au public. — Son frère MAURICE (Paris 1877-*id.* 1964) créa, avec lui, une entreprise de construction aéronautique qui produisit de nombreux avions et hydravions militaires et commerciaux.
ciaux.

FARNBOROUGH, v. de Grande-Bretagne, au S.-O. de Londres; 41000 hab. Exposition aéronautique annuelle.

FARNÈSE, famille romaine qui tire son nom du Castrum Farneti (Latium), siège de ses possessions (XIIe-XIVe s.). On compte parmi ses membres : ALESSANDRO (Canino 1468 - Rome 1549), pape sous le nom de Paul III (1534-1549), qui donna à son fils, PIER LUIGI (1490-1547), l'investiture des duchés de Parme et de Plaisance (1545); ALESSANDRO (Valentano 1545 - Rome 1592), fils de Marguerite d'Autriche et petit-fils de Charles Quint, qui fut duc de Parme et de Plaisance (1586-1592) et gouverneur des Pays-Bas (1578-1592); il s'illustra au service de Philippe II d'Espagne, dans sa lutte contre les Turcs, les Pays-Bas et la France; ELISABETTA (1692-1766), nièce d'ANTONIO, dernier duc de Parme (1727-1731), qui épousa Philippe V d'Espagne en 1714 et transmit le duché à son fils Philippe (1748).

Farnèse *(palais).* Deux palais de la famille Farnèse retiennent particulièrement l'attention : celui de Rome, entrepris en 1515 pour Alessandro, futur Paul III, par A. da Sangallo* le Jeune, achevé par Michel-Ange (étage supérieur) et Della Porta (loggia arrière, 1589), décoré par les Carrache de scènes mythologiques sur le thème de l'amour (voûte de la galerie), et aujourd'hui siège de l'ambassade de France et de l'École française de Rome; celui de Caprarola (près de Viterbe), construit de 1559 à 1573, par Vignole, pour un autre cardinal Alessandro Farnèse, pentagone inscrit dans une scénographie ascensionnelle, avec cortile circulaire et salles décorées de fresques par Federico Zuccari (1529-1566) et d'autres artistes, aujourd'hui résidence d'été du président de la République italienne.

FARON *(mont),* sommet calcaire de Provence (542 m), au N. de Toulon. Un musée du débarquement franco-américain en Provence, en 1944, y a été érigé en 1964.

FAROUCH → TRÈFLE.

FAROUK (Le Caire 1920 - Rome 1965), roi d'Égypte (1936-1952) et roi du Soudan (1951-1952). La Révolution de 1952 le contraignit à abdiquer.

FARQUHAR (George), acteur et auteur dramatique anglais (Londonderry, Irlande, 1678 - Londres 1707). Ses comédies valent surtout par l'habileté de l'intrigue (*le Sergent recruteur,* 1706; *le Stratagème des petits-maîtres,* 1707).

FARRAGUT (David Glasgow) → SÉCESSION *(guerre de).*

FARRELL (James Thomas), écrivain américain (Chicago 1904), disciple de Dreiser et adepte du réalisme, dans un cycle romanesque qui peint les aventures de son héros, Studs Lonigan (*Young Lonigan,* 1932; *le Jugement dernier,* 1935), et dans ses récits autobiographiques qui évoquent les quartiers pauvres de Chicago (*Un monde que je n'ai jamais fait,* 1936).

FARRELL (Roberta Sue FICKER, dite **Suzanne**), danseuse américaine (Cincinnati 1945). Devenue, au sein du New York City Ballet et sous la direction de George Balanchine, une des plus grandes danseuses classiques contemporaines (*Jewels,* 1967; *Concerto en « sol »,* 1975), elle a pu démontrer toute l'étendue de son talent dans sa collaboration avec Maurice Béjart (*Golestan,* 1974).

FARRUKHĀBĀD, v. de l'Inde (Uttar Pradesh), près du Gange; 111 000 hab.

FAR WEST (« Ouest lointain »), nom donné par les Américains, pendant le XIXe s., aux territoires de l'ouest des États-Unis situés au-delà du Mississippi.

FASCISME *(Hist.).* — Issu de la crise économique, politique et sociale qui suit, en Italie, la Première Guerre mondiale, le fascisme apparaît dès 1919 avec la création par Mussolini* des *Faisceaux italiens de combats.* Les membres de ces milices fascistes, les « Chemises noires », appartiennent à la moyenne bourgeoisie et se regroupent d'abord autour d'un programme socialisant assez vague, mais déjà essentiellement nationaliste. Face à la montée des troubles sociaux (émeutes, grèves) et aux progrès du socialisme, l'orientation du mouvement se modifie rapidement et rejoint les thèmes traditionnels de l'extrême droite nationaliste, antiparlementaire et anticommuniste. Les fascistes se posent en défenseurs de l'ordre, brisent les grèves et se livrent à de violentes mesures de représailles contre les dirigeants de gauche. Bénéficiant de l'appui des banquiers et des industriels, et de la caution de l'armée, le mouvement s'implante solidement dans le pays, en particulier dans les classes moyennes. Constitué en parti, il remporte un succès électoral important en 1921, puis parvient au pouvoir à la faveur d'une crise ministérielle, à laquelle le roi Victor-Emmanuel III met fin en nommant Mussolini Premier ministre (oct. 1922). La « marche sur Rome », organisée par les Faisceaux, consacre la victoire du fascisme, qui établit progressivement une véritable dictature. La réforme électorale mise en place par Mussolini assure une large majorité aux fascistes à partir de 1924 et brise pratiquement l'opposition. Après l'assassinat du dirigeant socialiste Giacomo Matteotti, les partis politiques sont dissous, la presse totalement censurée et les chefs politiques exilés. Le nouveau régime repose sur une idéologie sommaire (culte du chef [le Duce], de l'obéissance et de l'État) et s'appuie sur le parti unique, chargé de la propagande et de l'encadrement des citoyens (en particulier de la jeunesse) dans diverses organisations hiérarchisées, de style militaire. Des manifestations spectaculaires renforcent l'impact idéologique du régime. Le contrôle de l'État, omniprésent, se manifeste sur le plan économique par l'organisation corporative des métiers, à laquelle sont soumis patrons et ouvriers. Les réalisations intérieures du régime (bonification des marais Pontins, industrialisation accélérée, autostrades) ne suffisent pas à résoudre les problèmes économiques et sociaux, qui s'aggravent avec la crise de 1929 (chômage, inflation). À l'extérieur, Mussolini engage le pays dans une politique d'expansion (colonisation de la Libye, 1922-1933; conquête de l'Éthiopie, 1935-36), dans le but de créer un domaine colonial qui restaurerait l'ancien Empire romain. Allié de l'Espagne franquiste et de l'Allemagne (« pacte d'acier », 1939), il s'engage dans la guerre aux côtés de Hitler dès 1940, malgré une grande opposition intérieure. Les échecs militaires successifs discréditent le régime, qui perd progressivement le soutien des principaux chefs fascistes. Ceux-ci s'opposent à la poursuite des opérations militaires et à la prolongation de la dictature (juill. 1943). Arrêté, après sa démission, puis libéré par les Allemands, Mussolini tente de reconstituer en Italie du Nord un fascisme « régénéré » et proclame une « République sociale italienne », contrôlée par l'Allemagne. Mais la défaite allemande, en 1945, provoque l'effondrement définitif du fascisme italien.

FASCISME *(Sociol.).* — D'un point de vue sociologique, le fascisme est analysé comme un phénomène politique spécifique issu des crises (économique, politique et idéologique) que traverse l'impérialisme* pour établir la domination du capitalisme monopoliste. Ainsi l'instauration et l'évolution du fascisme (y compris le nazisme) sont indissociables de l'approfondissement des contradictions entre classes et fractions de classe. Le fascisme établit l'hégémonie des fractions de classe représentant le capitalisme monopoliste. Certaines analyses montrent notamment le fonctionnement de l'État fasciste et le rôle paradoxal de la petite-bourgeoisie qui, après avoir beaucoup contribué à son avènement, en a été la victime principale avec la classe ouvrière.

FASQUELLE SAINT-YVES-MÉNARD (Robert), médecin bactériologiste et virologiste français (Paris 1908), auteur de nombreux ouvrages.

Fastes *(les),* poème inachevé d'Ovide (3 - 8 apr. J.-C.), qui, pour chaque jour de l'année, décrit les phénomènes célestes et les fêtes, dont il relate l'origine et le cérémonial.

FASTNET, îlot de la côte sud-ouest de l'Irlande. Il a donné son nom à une compétition de yachting qui part de Cowes et rejoint Plymouth.

FASTOLF (*sir* John), capitaine anglais (v. 1378 - Caister 1459). Il se distingua à Azincourt (1415). Gouverneur du Maine et de l'Anjou (1423-1426), il fut victorieux à Verneuil (1424), mais fut vaincu par Jeanne d'Arc à Patay (juin 1429). Il inspira le Falstaff de Shakespeare.

Fatḥ *(al-)* → PALESTINIENNE *(résistance).*

FATHPŪR-SĪKRĪ → ĀGRĀ.

FATIGUE *(Méd.).* — La fatigue peut être physiologique, normale, comme à la suite d'un exercice musculaire prolongé; ses effets ne seront limités que par une bonne hygiène de vie. La fatigue est aussi un symptôme qui témoigne de certains états morbides ou d'une affection endocrinienne. Enfin, la fatigue est une sensation intimement liée à l'état psychologique des individus; certaines fatigues purement psychiques (« fatigue nerveuse », asthénies neuropsychiques) ne disparaissent pas au repos, s'accompagnent de douleur morale et sont liées à des problèmes psychologiques de gravité variable (psychoses, névrose obsessionnelle, hypochondrie, etc.).

FATIGUE *(Métall.).* — Sous l'effet de contraintes répétées, supérieures à une valeur minimale dite *limite de fatigue* ou *d'endurance,* mais bien inférieures à la *limite d'élasticité statique,* un phénomène de fissuration progressive se développe dans une pièce métallique. Cette détérioration, souvent difficile à déceler au cours d'utilisation de la pièce, conduit à la rupture de celle-ci. Des essais permettent de déterminer la limite de fatigue et de comparer le comportement de différents alliages* sous l'effet d'un certain type de sollicitations répétées. Ainsi un acier* allié traité a une limite de fatigue de 50 hbar, déterminée par des essais de flexion rotative jusqu'à 100 millions d'alternances de la flexion, alors que sa limite d'élasticité est de 100 hbar.

FÁTIMA, ville du centre ouest du Portugal (Estrémadure), au N.-E. de Lisbonne. C'est un lieu de pèlerinage, trois jeunes bergers ayant déclaré, en 1917, y avoir été témoins de six apparitions de la Vierge. La rédaction des révélations de Fátima, faite quelque vingt ans après les événements, pose de délicats problèmes critiques.

FĀṬIMA, fille de Mahomet* et de Khadīdja (La Mecque entre 605 et 611 - Médine 633). Épouse de ʿAlī* et mère de Ḥasan et de Ḥusayn, elle n'a pas joué un rôle important dans l'islām naissant. Cependant, tous les musulmans la vénèrent et le chīʿisme* l'a enveloppée d'un halo de croyances.

FĀṬIMIDES, dynastie musulmane qui régna en Afrique du Nord au Xe s., puis en Égypte de 973 à 1171. La dynastie est fondée par ʻUbayd Allāh (v. 862-934), qui prend le titre de *mahdī* en 910 à Raqqāda (d'où il chasse le dernier souverain arhlabide*); il instaure en Ifrīqiya le chīʻisme* ismaélien*. Pour étendre leur domination en Afrique du Nord, les califes fāṭimides se heurtent à l'opposition des khāridjites* et des sunnites, qui, unis pendant la révolte de 943-947, faillirent renverser leur dynastie. Les Idrīsides* de Fès reconnaissent leur suzeraineté en 917. Mais ce n'est que sous le règne de al-Muʻizz Li-Dīn-Allāh (de 952 à 975) que l'Ouest est soumis jusqu'à l'Atlantique. Djawhar († 992) conquiert l'Égypte en 969 et fonde Le Caire*, où le calife s'installe en 973; à partir de l'Égypte, les Fāṭimides étendent leur domination sur La Mecque, Médine, et sur le Yémen; par contre, ils ne parviennent pas à s'établir solidement en Syrie et en Palestine; en Afrique du Nord, les Zīrides* rejettent leur suzeraineté en 1048. Les Fāṭimides instaurent une administration centralisée et une organisation fiscale stable; l'Égypte connaît alors une grande prospérité, mais elle n'est pas à l'abri des famines (1054-55; 1065-1072), dues à l'insuffisance des crues du Nil. L'époque est remarquable par sa tolérance religieuse (chrétiens et juifs accèdent à de hautes fonctions et même au vizirat). À partir du début du XIIe s., les problèmes de succession des califes — imāms de la communauté — créent des troubles graves. L'Égypte, affaiblie par les révoltes intérieures, ne peut résister aux attaques des croisés. Les vizirs ont acquis, depuis les années 1050, les pleins pouvoirs, et le dernier d'entre eux, Saladin*, renverse le calife en 1171.

FATTORI (Giovanni) → MACCHIAIOLI.

FAUCHEUX. — Il est habituel de prendre pour une araignée cet animal aux huit longues pattes, si commun dans les prairies. Le faucheux se distingue pourtant des araignées par trois caractères importants : il ne produit pas de soie, il n'a pas de venin et son abdomen est divisé (dorsalement) en anneaux. On en fait le type du petit ordre des *opilions.* Son nom usuel est dû aux mouvements qui persistent dans les pattes détachées du corps.

FAUCIGNY, région des Préalpes du Nord, dans la Haute-Savoie, au N. de la vallée de l'Arve.

FAUCILLE *(col de la),* col du Jura, au N. de Gex; 1 323 m.

FAUCOGNEY-ET-LA-MER (70310), ch.-l. de cant. de la Haute-Saône, à 13,5 km au N.-E. de Luxeuil-les-Bains; 786 hab.

FAUCON. — Les faucons (genre *Falco*) sont les seuls rapaces que l'homme ait dressés pour la chasse, de façon massive, en tout cas de l'Antiquité jusqu'au XVIIe s. Ses diverses espèces (pèlerin, gerfaut, sacre, hobereau, cresserelle, kobez) ont en commun leurs ailes étroites et pointues, leur bec supérieur pourvu d'une paire de dents, leur vol rapide et souple, d'une redoutable efficacité. Ce sont des animaux utiles ou nuisibles, selon que leurs proies habituelles sont des rongeurs ou des oiseaux insectivores. Type de la famille des *falconidés.*

FAULKNER (William), écrivain américain (New Albany, Mississippi, 1897 - Oxford, Mississippi, 1962). « Vous êtes un gars de la campagne », lui avait dit Sherwood Anderson, en 1926, lors de longues promenades vespérales à La Nouvelle-Orléans, « tout ce

Roger-Viollet

William Faulkner.

que vous connaissez, c'est ce petit bout de terre, là-bas, dans le Mississippi, d'où vous êtes parti ». Faulkner suivra le conseil, abandonnant les thèmes chers à la génération artiste et désenchantée de l'après-guerre (*Monnaie de singe,* 1926; *Moustiques,* 1927) pour faire du « timbre-poste de son sol natal » la matière d'une épopée : le comté imaginaire de Yoknapatawpha, sublimation du Sud névrosé et poussiéreux, constituera le véritable cadre de sa vie recluse, et la chronique minutieuse de quelque 15 611 personnages (6 298 Blancs et 9 313 Noirs) aura pour lui plus de consistance que l'histoire réelle des États-Unis (*Sartoris,* 1927; *le Bruit* et la Fureur,* 1929; *Tandis* que j'agonise,* 1930; *Sanctuaire*,* 1931; *Lumière d'août,* 1932; *Pylône,* 1935; *Absalon*! Absalon!,* 1936; *l'Invaincu,* 1938; *le Hameau,* 1940; *Descends, Moïse,* 1942; *l'Intrus,* 1948; *la Ville,* 1957; *le Domaine,* 1959; *les Larrons,* 1962). Romancier du Sud, Faulkner n'est pas à proprement parler un romancier « sudiste » : il est à la fois fasciné et horrifié par la décadence de son pays, cette malédiction qui enchaîne les Noirs et les Blancs, et chaque aventure individuelle n'est que le symbole du drame collectif. On comprend que le temps de son récit soit dépourvu de dynamique et qu'il soit orienté vers un âge d'or perdu (la nature sauvage, antérieure à l'homme) : jaillissant de la faute originelle — traduisible en termes historiques (la spoliation des Indiens, l'esclavage des Noirs, la destruction de la nature par les Blancs) et transmissible comme une tare, de génération en génération —, le temps se perd dans les méandres d'une conscience trouble. D'où sa redécouverte dans un mouvement qui reproduit plus la démarche aléatoire de la psychanalyse que la causalité nécessaire du roman réaliste; d'où les plis et les replis de la phrase faulknérienne (proche de celle de Proust ou de Virginia Woolf), qui voile plutôt qu'elle décrit, et fonde une « rhétorique de l'opacité »; d'où la tonalité profonde de l'œuvre, plus proche de la cosmogonie que de la comédie humaine. (Prix Nobel 1949.)

FAULQUEMONT (57380), ch.-l. de cant. de la Moselle, à 13 km au S.-O. de Saint-Avold; 5 555 hab. Métallurgie.

FAUNE. — On désigne par faune d'un lieu ou d'un milieu la liste des espèces animales qui y vivent habituellement ou saisonnièrement, indépendamment de leur abondance. La répartition géographique des faunes résulte de plusieurs facteurs. Une espèce se maintient là où elle trouve à se nourrir, où elle ne subit pas une pression excessive de ses prédateurs et où le climat et le paysage (arbres, rochers, cours d'eau) lui conviennent. Encore faut-il qu'elle puisse atteindre un tel biotope sans en être séparé par des barrières infranchissables (bras de mer pour les espèces terrestres, montagnes élevées pour la faune des plaines, etc.). D'où les catastrophes faunistiques, dues soit à la nature (invasion de l'Amérique du Sud par la faune nord-américaine lors de l'émersion de l'isthme de Panamá), soit à l'homme (introduction du lapin en Australie), lorsque de telles barrières disparaissent. D'où également l'extrême « endémisme » (originalité locale) de la faune des îles (observations de Darwin aux Galápagos, aux îles Hawaii) ou de la faune aquatique des lacs (Baïkal, Victoria, Tanganyika). À l'inverse, la faune des grands espaces continus (océans, steppes, taïga) est largement étalée.

FAUQUEMBERGUES (62560), ch.-l. de cant. du Pas-de-Calais, sur l'Aa, à 22 km au S.-O. de Saint-Omer; 901 hab.

FAURE (Félix), homme politique français (Paris 1841 - *id.* 1899). Républicain modéré, il est plusieurs fois ministre avant d'être élu président de la République (1895); il contribue beaucoup au renforcement de l'alliance franco-russe. Lors de ses obsèques (23 févr. 1899), Déroulède tente vainement de provoquer un coup d'État nationaliste.

FAURE (Jean-Louis), chirurgien français (Sainte-Foy-la-Grande, Gironde, 1863 - Saint-Laurent-des-Combes, Gironde, 1944), auteur de nombreux ouvrages portant sur la gynécologie.

FAURE (Élie), essayiste et historien d'art français (Sainte-Foy-la-Grande 1873 - Paris 1937), frère du précédent. Il a publié de nombreux ouvrages, dont les principaux demeurent son *Histoire de l'art* (1909-1921) et *l'Esprit des formes* (1927), qui ne se contentent pas d'étudier l'œuvre d'art en soi, mais la replacent dans les courants de civilisation qui l'ont vu naître.

FAURE (Edgar), juriste et homme politique français (Béziers 1908). Député radical-socialiste, plusieurs fois ministre à partir de 1948, président du Conseil (en 1952 et 1955), il est élu sénateur en 1959. Il se rapproche ensuite du général de Gaulle, devient ministre de l'Agriculture (1966), puis de l'Éducation nationale (1968) et prépare une réforme de l'enseignement supérieur (loi d'orientation). Il préside l'Assemblée nationale depuis 1973.

FAURÉ (Gabriel), compositeur français (Pamiers 1845 - Paris 1924). Élève de l'école Niedermeyer, il deviendra, en 1905, directeur du Conservatoire de Paris. Atteint de surdité précoce, il demeure pourtant le grand spécialiste du piano et de la voix. Son style évolue du charme à l'austérité contrapuntique. En marge de quelques partitions de musique de scène *(Pelléas et Mélisande),* d'un célèbre *Requiem* (1888), de l'oratorio profane *Prométhée* (1900) et de l'opéra *Pénélope* (1913), Fauré enrichit la littérature de nocturnes, barcarolles, valses-caprices, impromptus, préludes et d'un *Thème et variations* qui, issus de Mendelssohn et de Schumann, évoluent vers un art dépouillé et raffiné. Outre une

Lauros - Giraudon

Gabriel Fauré, par Ernest Laurent (1860-1929). [Musée de Versailles.]

centaine de mélodies, il a confié à la voix plusieurs cycles *(la Bonne Chanson, la Chanson d'Ève, l'Horizon chimérique)* qui, prenant pour point de départ la romance, aboutissent à un poème lyrique tout de tendresse. On lui doit encore de la musique de chambre (sonates, trio, quatuors).

Fausses Confidences *(les),* comédie en trois actes, en prose, de Marivaux (1737).

Faust, héros d'innombrables œuvres littéraires, musicales et plastiques. Il serait issu d'un humaniste allemand vivant à Knittlingen, au début du XVIe s., et qui passait pour sorcier. L'imagination populaire (*Historia von D. Johann Fausten,* 1587) donna très vite au personnage une dimension mythique, mais ambiguë (Faust ne croit pas en Dieu, mais suffisamment au diable pour lui vendre son âme en échange du savoir et des biens terrestres), bientôt fixée par la pièce de Christopher Marlowe (1594) et le théâtre forain allemand. Faust devient alors pour les écrivains un merveilleux test projectif, qu'ils en fassent le symbole de la connaissance dévoyée, le héros ambitieux de la conquête du savoir contre les puissances obscures (Lessing, Klinger) ou le porte-parole de leurs angoisses et de leurs fantasmes (Chamisso, Lenau) — le *Faust** de Goethe donnant une vision panoramique de la légende, qui la consacre comme le grand mythe national allemand jusqu'au *Doktor Faustus* (1947) de Thomas Mann. Vu à travers l'opposition essentielle des séductions de la vie et du dégoût de l'être (Valéry, *Mon Faust,* 1941-1945) ou les parcours multipliés d'une œuvre « mobile » (Michel Butor et Henri Pousseur, *Votre Faust,* 1964), le personnage de Faust apparaît surtout, comme celui de Don* Juan, un matériau malléable dans lequel chacun peut façonner son mythe personnel.

Faust, drame de Goethe, qui travailla à cette œuvre de 1773 à 1832. Les quelques scènes écrites en 1773-74 forment le « Faust originel » *(Urfaust),* publié en 1887. En 1790, Goethe fit paraître un *Fragment,* complété en 1797 et qui, achevé en 1808, forme la première partie du drame *(Faust, eine Tragödie).* La seconde partie commence avec l'épisode d'*Hélène* (1826); la version publiée en 1832 n'était pas, dans l'esprit de Goethe, définitive. Le nœud de l'action est un pari engagé entre Méphistophélès, qui se fait fort de ravaler Faust au niveau de la brute, et le Seigneur, qui affirme que Faust résistera à la tentation. La première partie du drame peint essentiellement la séduction et l'abandon de Marguerite, qui sera sauvée par son repentir. Dans la seconde partie, Faust, introduit dans le monde de l'Hellade mythique, prend Hélène comme épouse et obtient son salut, car il « n'a jamais cessé de tendre vers un idéal ».

Le drame allemand de Goethe a inspiré de nombreux musiciens. Berlioz, sous le titre de *Huit Scènes de Faust* (1828), puis de *la Damnation de Faust* (1846), a écrit une légende dramatique en quatre parties, sur un livret de sa composition. Il a animé une succession de tableaux pittoresques ou poétiques, avec le soutien d'un orchestre coloré (scène de la taverne, « D'amour l'ardente flamme », « Invocation à la nature »). F. Liszt a dépeint les trois principaux personnages de l'ouvrage littéraire dans sa *Faust-Symphonie* (1853), tandis qu'à la même époque Schumann tirait du sujet un oratorio. Quant à Gounod, il réalisa, sur un livret de J. Barbier et M. Carré, un opéra de demi-caractère (1859), insistant sur l'aspect sentimental du drame à travers une série d'airs qui restent célèbres.

FAUSTIN Ier → SOULOUQUE.

FAUTRIER (Jean), peintre français (Paris 1898 - Châtenay-Malabry 1964). Il se fait connaître, vers 1925, par des tableaux de tonalité sombre et triste, mais d'un métier subtil (nus, animaux...), et évolue plus tard vers une abstraction « matiériste » ou « informelle » dans ses séries d'*Otages* (exposés en 1945), d'*Objets* (1955), de *Nus* (1956), d'une pâte et d'un coloris raffinés. Il a également donné des modelages et des gravures.

FAUVE. — Plusieurs grands félins : lion, tigre, panthère... ont une robe de couleur fauve. C'est pour cette raison qu'on les a appelés, substantivement, des « fauves » et que, par la suite, ce terme s'est étendu à des animaux tels que l'éléphant, le rhinocéros et l'hippopotame, qui n'ont rien de fauve sur eux. La couleur fauve a du reste une certaine valeur de dissimulation dans les régions arides et ensoleillées.

FAUVETTE. — Ce petit passereau insectivore des buissons, au vol médiocre, au bec fin, doit son nom à son plumage fauve. Son nid en coupe, son chant mélodieux, sa familiarité, les services qu'il rend en détruisant les insectes font de lui le type même du « petit oiseau » aimé de tous. Le nom de « fauvette » est souvent étendu aux autres types de la famille des sylviidés : pouillot, rousserolle, phragmite. Ces deux derniers vivent parmi les roseaux.

FAUVILLE-EN-CAUX (76640), ch.-l. de cant. de la Seine-Maritime, à 14 km au N.-O. d'Yvetot; 1 645 hab.

FAUVISME. — Les peintres exposant en 1905, au Salon d'automne, dans une salle qui connaît le scandale sous l'appellation ironique de « cage aux fauves », se signalent par les couleurs hautes et pures qu'ils emploient ainsi que par des formes énergiques et simplifiées. Par l'irréalisme de la couleur et les déformations, ils se rapprochent de l'expressionnisme* allemand sans en avoir le ton dramatique. Ils poursuivent ce qu'ils ont appris des toiles de Van Gogh et de Gauguin, et aussi du néo-impressionnisme*, mettant en œuvre l'enseignement de Gustave Moreau* aux Beaux-Arts (Matisse*, Marquet*, Valtat, Camoin, Manguin), ou se livrant à leur instinct sans souci de style (Vlaminck* et, de manière plus raisonnée, Derain*). Leur projet est d'exprimer les sensations de l'artiste et de remuer « le fond sensuel des hommes ». Loin d'être monolithique, le fauvisme est fait de tempéraments variés, qui auront chacun leur évolution propre. Entre Matisse et Vlaminck, Marquet et Derain, Dufy* et Friesz*, Van Dongen* et, passagèrement, Braque* et Rouault*, il y a un précurseur, Louis Valtat (1869-1952), ainsi que des coloristes méditerranéens, Henri Manguin (1874-1949), dont les paysages, les natures mortes et les fleurs se veulent bonheur de vivre, Charles Camoin (1879-1965), marqué par Cézanne puis par Renoir, Auguste Chabaud (1882-1955), au style énergique et contrasté. Mais, pour les plus importants d'entre eux, un mouvement de décantation, un effort de rigueur s'imposent dès 1908-1910, auxquels l'influence cézanienne et le cubisme naissant ne sont pas étrangers.

FAUX-BOURDON → ÉCRITURE MUSICALE.

Faux-Monnayeurs *(les),* roman de Gide (1926). Gide donna, pour la première fois, le nom de roman à ce récit qui met en cause la structure romanesque traditionnelle, puisqu'il mêle à un roman d'aventures inspiré d'un fait divers une méditation morale et philosophique et le « journal de bord » du roman en train de se faire.

FAVART (Charles Simon), auteur dramatique français (Paris 1710 - Belleville 1792). Auteurs de comédies (*la Chercheuse d'esprit,* 1741) sentimentales ou « villageoises », il fut directeur de l'Opéra-Comique. — Sa femme, MARIE-JUSTINE **Duronceray** (Avignon 1727 - Belleville 1772), fut aussi célèbre par son aventure amoureuse avec le maréchal de Saxe que par ses talents de cantatrice et d'actrice. — Leur fils, CHARLES NICOLAS **Favart** (Paris 1749 - *id.* 1806), écrivit des comédies.

FAVERGES (74210), ch.-l. de cant. de la Haute-Savoie, à 19 km au N.-O. d'Albertville; 5 366 hab. Mécanique de précision.

FAVRE (Jules), homme politique français (Lyon 1809 - Versailles 1880). Avocat, député républicain de Paris (1848-1851), il combat la politique de Louis-Napoléon. Élu parmi les « cinq » opposants en 1857, il est l'avocat d'Orsini. Le 4 septembre 1870, J. Favre assume le ministère des Affaires étrangères dans le gouvernement de la Défense nationale; son optimisme subit un rude coup lors de l'entrevue qu'il a avec Bismarck, à Ferrières, les 19 et 20 septembre; il prêche, dès lors, la résistance aux Allemands. Mais, pressé par les défaites, il doit accepter de lier la capitulation de Paris à l'armistice (28 janv. 1871) et de négocier la paix de Francfort (10 mai); il démissionne le 2 août 1871.

FAVUS → MYCOSE.

FAWLEY, localité du sud de l'Angleterre, près de Southampton. Raffinage du pétrole et pétrochimie.

FAYDHERBE ou **FAYD'HERBE** (Lucas), sculpteur et architecte flamand (Malines 1617 - *id.* 1697). Disciple de Rubens, il a décoré dans le goût baroque diverses églises de Malines (monument de l'archevêque A. Cruesen, à Saint-Rombaut) et y a construit Notre-Dame d'Hanswijk. On lui doit aussi des ivoires.

FAYE (Hervé), astronome français (Saint-Benoît-du-Sault 1814 - Paris 1902). On lui doit une théorie de la formation du système solaire, dans laquelle il s'oppose à la théorie de Laplace*. Son nom est resté attaché à une comète qu'il découvrit et étudia en 1843.

FAYENCE (83440), ch.-l. de cant. du Var, à 26 km au S.-O. de Grasse; 2 146 hab.

FAYET (Le) [74190], écart de la comm. de Saint-Gervais-les-Bains (Haute-Savoie). Station thermale. Installation hydroélectrique sur l'Arve.

FAYL-LA-FORÊT (52500), ch.-l. de cant. de la Haute-Marne, à 24 km au S.-E. de Langres; 1 844 hab. École nationale de vannerie et d'osiériculture.

FAYOL (Henri), ingénieur français (Constantinople 1841 - Paris 1925). Il élabora une doctrine administrative, ou *fayolisme,* qui a pour objet le gouvernement de l'entreprise dans son ensemble. Il fut le premier à insister sur la nécessité d'un enseignement administratif pour préparer les futurs chefs à leur fonction.

FAYOLLE (Émile), maréchal de France (Le Puy 1852 - Paris 1928). Polytechnicien et artilleur, il se distingue à la tête de la VIe armée, sur la Somme (1916), puis du corps français envoyé en Italie après Caporetto (1917). Commandant le groupe d'armées de réserve de 1918, il prit une part décisive à la victoire et fut promu maréchal en 1921.

Giraudon

FAUVISME

Les Barques, d'André Derain. 1904. (Coll. privée, Paris.)

Giraudon

Portrait féminin. (Musée du Louvre, Paris.)

FAYOUM

FAYOUM, prov. de la Haute-Égypte, à l'O. de la vallée du Nil, où, dans l'Antiquité, abondaient lacs et marécages et où Sobek, le dieu-crocodile, était vénéré dès les temps les plus reculés. Les pharaons y effectuèrent d'importants travaux d'irrigation et certains y construisirent leur temple funéraire (celui d'Amenemhat III, à Hawara, est le fameux Labyrinthe célébré par les Grecs). L'époque ptolémaïque a laissé les ruines de nombreuses villes élevées par des vétérans grecs, ainsi que d'innombrables papyrus littéraires et administratifs. La région reste surtout célèbre pour ses portraits dits « du Fayoum ». Portraits funéraires réalisés entre le Ier et le IVe s. — le défunt y est représenté en buste —, ils étaient placés à la tête du sarcophage, remplaçant l'ancien masque des momies. Tous frappent par l'intensité et l'angoisse de leur regard largement ouvert sur l'au-delà. De facture proche des peintures romaines de Pompéi*, ils annoncent néanmoins les futures icônes* byzantines.

FAYṢAL Ier, FAYṢAL II → HACHÉMITES.

FAYṢAL IBN 'ABD AL-'AZĪZ (Riyāḍ 1905 - *id.* 1975), roi d'Arabie Saoudite (1964-1975). Détenteur de la majorité des portefeuilles du gouvernement pendant le règne de son frère Sa'ūd (de 1953 à 1964), il obtient les pleins pouvoirs de 1958 à 1960 et est associé au trône en 1962. Fayṣal se fait le champion du panislamisme* et s'oppose à Nasser en soutenant, de 1962 à 1967, les royalistes du Yémen; il abolit l'esclavage en 1962 et se révèle un économiste avisé. Il meurt assassiné.

FAY-SUR-LIGNON (43430), ch.-l. de cant. de la Haute-Loire, à 42 km à l'E.-S.-E. du Puy; 527 hab.

FBI, sigle de *Federal Bureau of Investigation,* service chargé, aux États-Unis, de la police fédérale.

FEBVRE (Lucien), historien français (Nancy 1878 - Saint-Amour 1956). Sa thèse sur *Philippe II et la Franche-Comté* (1911) révèle ses préoccupations : écrire l'histoire non des faits, mais des hommes et des sociétés, en utilisant même les données des autres sciences. Ces préoccupations se retrouvent dans ses principaux ouvrages — en particulier, *le Problème de l'incroyance au XVIe siècle, la religion de Rabelais* (1942) — et dans la fondation, en 1929, avec Marc Bloch, des *Annales d'histoire économique et sociale.*

FÉCAMP (76400), ch.-l. de cant. de la Seine-Maritime, sur la Manche, à 42 km au N.-E. du Havre; 22 228 hab. *(Fécampois).* Importante église de la Trinité, anc. abbatiale, reconstruite à partir de la fin du XIIe s. (sculptures, vitraux). Musées. Pêche (morue). Station balnéaire.

FECHNER (Gustav Theodor), physicien et psychologue allemand (Gross-Särchen 1801 - Leipzig 1887). Il s'attacha à démontrer scientifiquement l'identité de l'esprit et de la matière. Il est surtout connu pour avoir formulé, en 1850, une loi, dite *loi de Fechner,* mettant en relation numérique des variables physiques (stimulations) et des variables psychologiques (sensations). Partant de la constance des seuils* différentiels (plus petite variation discernable de l'intensité d'un stimulus) déjà affirmée par Bouguer et Weber, il démontra que la sensation croît comme le logarithme de la stimulation, choisissant de prendre comme unité de sensation le seuil différentiel. Son ouvrage *Éléments de psychophysique* (1860) représente l'une des toutes premières contributions à la psychologie* expérimentale.

FÉCLAZ (la), sommet du massif des Bauges (Savoie). Station de sports d'hiver (alt. 1350-1600 m).

FÉCONDATION. — En règle générale, deux cellules vivantes de même espèce, mais provenant d'individus différents, peuvent parfois coexister (greffe) mais jamais fusionner en une seule. La seule exception universelle concerne les *gamètes**, ou *cellules reproductrices,* tant mâles que femelles, qui ne sont, du point de vue de leur garniture chromosomique, que des demi-cellules. Leur fusion, ou *fécondation,* non seulement leur évite la mort, mais fait du *zygote* ainsi obtenu, avec sa garniture chromosomique complète, le point de départ d'un nouvel individu, animal ou végétal.

Nous signalerons quelques cas particuliers : l'*autofécondation,* où les deux gamètes proviennent du même individu; l'*isogamie,* où les deux gamètes sont identiques (on ne peut pas distinguer mâle et femelle); le *dicaryotisme* des champignons supérieurs (fusion des noyaux intervenant longtemps après celle des cellules); la *mérospermie,* où le gamète mâle déclenche le développement embryonnaire du gamète femelle sans lui fournir ses chromosomes; la *double fécondation* des plantes à graines (le zygote est accompagné d'un *albumen,* fécondé lui aussi, mais destiné à lui servir de nourriture); la *conjugaison* des protistes ciliés (deux individus *échangent* leurs gamètes sans les mêler, mais cela rajeunit la lignée cellulaire); etc.

On appelle *activation,* ou *fertilisation,* l'action dynamisante de la fusion des cellules, *amphimixie* l'appariement des chromosomes : ce sont là les deux grands phénomènes afférents à toute fécondation typique.

FÉCONDITÉ. — La fécondité mesure le rapport du nombre de naissances à l'importance d'une population donnée. Le nombre des naissances, en France, a diminué de 6,5 p. 100 en 1974 (c'est la plus forte baisse enregistrée, depuis la guerre, en une année). L'arrivée progressive des individus, nombreux, issus de la vague de natalité de l'après-guerre (1945-1950) aurait dû entraîner une sensible augmentation des naissances. Elle n'a pas eu lieu. L'année 1974 est celle où, pour la première fois depuis la guerre, la fécondité est passée *sous* le point d'équilibre du renouvellement des générations.

FÉDALA → MOHAMMEDIA.

Fédération *(fête de la)*, fête nationale, organisée le 14 juillet 1790 par l'Assemblée constituante*, pour rassembler sur le Champ-de-Mars les 14 000 délégués des fédérations provinciales, associations formées au début de la Révolution pour lutter contre les ennemis de la liberté. À l'issue d'une messe, célébrée sur l'autel de la Patrie par Talleyrand, entouré de 300 prêtres, les délégués prêtèrent serment à la Constitution.

Fédération de l'éducation nationale (F. E. N.), organisation groupant plusieurs syndicats des personnels de l'enseignement (Syndicat national des instituteurs [S. N. I.], Syndicat national de l'enseignement du second degré [S. N. E. S.], Syndicat national de l'enseignement supérieur [S. N. E. Sup.], etc.).

FÉDÉRÉS. — En histoire contemporaine, ce terme désigne essentiellement les gardes nationaux des bataillons parisiens qui, armés durant le siège de Paris (sept. 1870 - janv. 1871) pour défendre la capitale contre les Allemands, constituèrent le gros des troupes de la Commune* de Paris (18 mars-28 mai 1871). — On appelle *mur des Fédérés* un mur — devenu lieu de pèlerinage pour la gauche — du cimetière du Père-Lachaise, devant lequel eurent lieu, dans les dernières heures de la Commune, des combats sanglants.

FEDINE (Konstantine Aleksandrovitch), écrivain soviétique (Saratov 1892 - Moscou 1977). Ses romans peignent les transformations sociales nées de la révolution (*les Villes et les Années,* 1924; *le Bûcher,* 1961-1967).

FÉDOR Ier ou **FIODOR Ier** (Moscou 1557 - *id.* 1598), tsar de Russie (1584-1598). Fils d'Ivan IV*, il fut le dernier souverain riourikide*. Malade et faible d'esprit, il laissa Boris* Godounov gouverner.

FÉDOR II ou **FIODOR II** → TROUBLES *(temps des).*

FEGERSHEIM (67640), comm. du Bas-Rhin, à 15 km au S. de Strasbourg; 2 900 hab. Industrie chimique.

FEHLING (Hermann), chimiste allemand (Lübeck 1811 - Stuttgart 1885). Il a découvert le réactif des aldéhydes, dit *liqueur de Fehling.* (C'est un mélange de sulfate de cuivre, de carbonate de sodium et de tartrates alcalins.)

FEIGNIES (59750), comm. du Nord, à l'O. de Maubeuge; 7 152 hab.

FEININGER (Lyonel), peintre américain d'origine allemande (New York 1871 - *id.* 1956). Installé en Allemagne dès 1887, il fréquente les milieux d'avant-garde (cubistes, expressionnistes, Blaue Reiter...), devient professeur au Bauhaus (1919-1932), puis rentre aux États-Unis en 1936. Ses tableaux sont des épures aux rythmes syncopés, transparentes et lumineuses, qui transposent le visible avec une poésie subtile.

FEIRA DE SANTANA, v. du Brésil (Bahia), au N.-O. de Salvador; 187 000 hab.

FEJÓS (Pál ou Paul), cinéaste hongrois (Budapest 1898 - New York 1963). Après avoir été l'un des meilleurs représentants du cinéma muet hongrois, il émigra aux États-Unis, où il tourna *le Dernier Moment* (1927), *Solitude* (1928), sa plus grande œuvre, et *Broadway* (1929), puis il partagea ses activités entre la France (*Fantomas* 1932), la Hongrie de nouveau (*Marie, légende hongroise,* 1932; *Tempêtes,* 1933), l'Allemagne, le Danemark, Madagascar, l'Inde, la Thaïlande et le Pérou.

FELDBERG, point culminant du massif de la Forêt-Noire (Allemagne fédérale); 1 493 m. Sports d'hiver.

FELDSPATH. — Les feldspaths sont les constituants prédominants de la plupart des roches éruptives et métamorphiques (granite, porphyre). On les classe en feldspaths potassiques, dont le principal est l'orthose, et en feldspaths calcosodiques, ou plagioclases.

FÉLIBIEN (André), architecte et historiographe français (Chartres 1619 - Paris 1695). Chargé de fonctions officielles, mais aussi théoricien, il a notamment publié les *Entretiens sur les vies et sur les ouvrages des plus excellents peintres anciens et modernes* (1666-1688). Il défend les principes de l'Académie, prônant l'étude de l'antique, affirmant que la nature doit être idéalisée.

FÉLIBRIGE. — Constitué pour le maintien et l'épuration de la langue provençale et des autres dialectes occitans, ainsi que pour la renaissance d'une littérature qui conserve le caractère original des civilisations du midi de la France, le félibrige a été précédé par l'anthologie de Raynouard (*Choix de poésies originales des troubadours,* 1816-1821) et les poèmes « occitaniques » de Fabre d'Olivet. Après l'édition par Joseph Roumanille*, en 1851, du recueil collectif *li Prouvençalo,* la réunion, le 21 mai 1854, au château de Font-ségugne, de sept jeunes poètes (Aubanel, Brunet, Giera, Mathieu, Mistral*, Roumanille, Tavan), qui prennent le nom de *félibres,* voit la création de la nouvelle école littéraire.

Celle-ci se fait connaître, dès 1855, par l'*Armana Prouvençau,* à la fois organe annuel de propagande et recueil de textes, et s'étend aux autres provinces de langue d'oc (rencontre, en 1869, de Mistral et du Catalan Balaguer), avant de se donner, en 1876, par son succès même, un statut plus souple : division en quatre *maintenances* (Provence, Languedoc, Aquitaine, Catalogne), gouvernées par cinquante *majoraux,* qui élisent un *capoulié,* grand maître du félibrige. Malgré ses dissensions et ses scissions, nées de querelles d'orthographe et de conflits politiques, le félibrige rassemble encore aujourd'hui de nombreux poètes soucieux de préserver leurs traditions régionales face à l'uniformisation de la vie moderne.

FÉLICITÉ *(sainte)* → PERPÉTUE ET FÉLICITÉ *(saintes).*

FÉLIDÉS. — La plus spécialisée de toutes les familles de carnassiers, celle des félidés est aussi la plus célèbre à cause des grands « fauves » qui y sont classés : lion, tigre, panthères diverses (léopard, jaguar, ocelot, once), puma, guépard, serval, lynx, etc. Mais son type est le chat domestique. Tous les félidés (ou *félins*), sauf le guépard, ont des griffes rétractiles, engainées au repos dans un étui protecteur qui leur évite toute usure. Tous ont des crocs pointus et des molaires presque toutes tranchantes, une langue râpeuse, des mâchoires plutôt courtes (et d'autant plus puissantes), un très beau pelage (qui leur vaut parfois d'être chassés à l'excès), une longue queue, une aptitude remarquable au saut et à la course.

FÉLIX Ier, III, IV → PAPE.

FÉLIX V, antipape → AMÉDÉE VIII DE SAVOIE.

FELLETIN (23500), ch.-l. de cant. de la Creuse, à 10 km au S. d'Aubusson, près de la Creuse; 3 361 hab. Deux églises médiévales. Maisons du XVIe s. À Felletin s'établirent, au début du XVe s., les premiers ateliers de tapisserie de la Marche.

FELLINI (Federico), cinéaste italien (Rimini 1920). Scénariste, collaborateur de R. Rossellini et d'A. Lattuada, il subit dans ses premières réalisations l'influence du néoréalisme (*Feux du music-hall,* 1951 [en collab. avec Lattuada]; *Courrier du cœur,* 1952; *les Vitelloni,* 1953) et connaît un grand succès avec *La Strada* (1954). Ses films suivants : *Il Bidone* (1955) et *les Nuits de Cabiria* (1956), le placent déjà parmi les meilleurs réalisateurs de son pays, mais c'est à partir de *La Dolce Vita* (1960) qu'il obtient la consécration mondiale. Désormais, ce poète visionnaire, insolite, ironique se détache de plus en plus de la vision profondément humaniste, voire chrétienne, du monde qu'il avait au cours des années 50, pour se lancer dans de vastes fresques baroques et tumultueuses, où il se fait l'analyste lucide, parfois cynique et pessimiste, d'une société en décadence (*Huit et demi,* 1963; *le Satyricon,* 1969; *Roma,* 1971; *Casanova,* 1976). Mais il sait être aussi nostalgique, quand il se plaît à évoquer un proche passé où on le sent à la recherche d'un climat d'innocence (*Amarcord,* 1973).

Artistes Associés (coll. J. L. Passek)

Le Satyricon (1969).

FELTRE, v. d'Italie, en Vénétie, entre la Brenta et la Piave; 22 000 hab. Prise par les Français, en 1797, elle est érigée en duché par Napoléon Ier pour le général Clarke.

FELUY, anc. comm. de Belgique (Hainaut) auj. intégrée à Seneffe. Raffinerie de pétrole.

FEMELLE. — Aux yeux des biologistes, un seul caractère est proprement « femelle » : celui du gamète, ou cellule reproductrice (*ovule* des animaux, *oosphère* des plantes), lorsque celui-ci est notablement plus volumineux et moins mobile que le gamète mâle. À cause de la différence de volume des deux gamètes, on considère l'œuf, ou zygote, comme la continuation pure et simple du gamète femelle, simplement activé et enrichi (c'est-à-dire *fécondé*) par l'apport du gamète mâle. À cause de la différence de mobilité des deux gamètes, on parle de la cellule mâle en termes actifs, de la cellule femelle en termes passifs. D'où la définition classique, le mâle est le sexe fécondant, la femelle le sexe fécondé.

Chez certaines algues (fucus), chez les oursins et chez divers poissons, les différences s'arrêtent là. Mais chez la plupart des animaux et des plantes, surtout dans les espèces évoluées, la fonction femelle s'élargit et s'accompagne d'autres différences. Le cas extrême est celui où l'ovule peut se développer sans fécondation (parthénogenèse*) et où les mâles sont inexistants, rares (abeille, phasme) ou nains (quelques géphyriens, crustacés et poissons). C'est aussi, mais à l'opposé, celui des espèces où la femelle, pouvant se reproduire à l'état larvaire, n'atteint jamais l'état adulte (papillon *psyché*) ou plus simplement n'acquiert pas d'ailes (ver luisant).

Dans les autres espèces animales, le dimorphisme* sexuel est moins général. Parfois un peu plus petite que le mâle, la femelle peut présenter des « caractères sexuels secondaires » portant sur le pelage ou le plumage (chattes tricolores, faisanes au plumage terne) ou se reconnaître seulement à l'absence de certains attributs du mâle (les biches n'ont pas de cornes, les femmes pas de barbe, etc.).

Mais la différence sexuelle la plus importante ne porte ni sur un gamète microscopique ni sur la totalité de l'organisme. Elle affecte l'*appareil génital** (ou appareil reproducteur), qui ajoute souvent à sa fonction ovarienne d'élaboration et de libération des ovules bien d'autres fonctions, avec les organes qui leur correspondent : *tarière* pour pondre les œufs dans le sol (criquet), *vagin* pour recevoir l'organe mâle en cas de fécondation interne, *spermathèque* (abeille) pour conserver durablement le sperme vivant, *utérus* pour héberger et nourrir l'embryon, *mamelles* pour nourrir le jeune après sa naissance, sans parler des glandes endocrines, des centres nerveux, des comportements, des conduites de cour, des phénomènes cycliques (propres aux mammifères) et de toutes ces modalités si diverses qui, chez la plupart des animaux, assurent une évidente « division du travail » entre la femelle et le mâle.

Chez les plantes, rien de semblable : les fleurs femelles sont simplement des fleurs sans étamines, de même que les fleurs mâles sont sans pistil. L'appareil génital femelle, chez les plantes à graines, porte en effet le nom de *pistil,* et comprend un *stigmate* récepteur de pollen, un *style* conducteur du tube pollinique, enfin un *ovaire* (très mal nommé, puisqu'il exerce les fonctions d'un utérus), au sein duquel les divers *ovules* (eux aussi très mal nommés : ce sont les futures graines, tandis que les gamètes femelles sont les *oosphères*) sont fécondés. Le fruit, la graine sont l'aboutissement de la fonction femelle chez ces plantes.

Fémina *(prix),* prix littéraire, fondé en 1904, décerné en fin d'année, par un groupe de femmes de lettres, à une œuvre d'imagination.

FÉMININS DES ARMÉES (corps). — Issus de la Seconde Guerre mondiale, qui vit l'emploi dans les armées d'un nombreux personnel féminin (appelé d'abord en France *auxiliaires féminines*), les corps féminins des armées ont reçu un statut interarmées par le décret du 23 mars 1973, qui leur donne une égalité aussi complète que possible (notamment pour les grades) avec le personnel masculin. Leur effectif atteignait 11 000 personnes en 1976 et, depuis 1974, la formation des corps féminins des trois armées est assurée par l'école de Caen.

FÉMINISME. — Après la longue lutte des mouvements féministes de la fin du XIXᵉ s., en particulier en Grande-Bretagne, le développement des mouvements de libération des femmes — avec la création du « Women's Lib », en 1968, aux États-Unis — a relancé avec acuité le débat toujours ouvert de la condition de la femme dans la société actuelle. Les mouvements féministes définissent la condition des femmes à partir d'une constatation historique, et contemporaine, l'oppression constante de la femme dans tous les domaines; d'où la prise de conscience de l'infériorité de la femme dans une société d'hommes, faite par eux et pour eux. En politique, faut-il rappeler que les femmes en France n'ont acquis le droit de vote qu'en 1944. Dans le travail, la majorité des femmes, cantonnée dans des emplois subalternes ou considérés comme « exclusivement féminins », perçoit encore trop souvent un salaire inférieur au salaire masculin pour un travail égal. Mais c'est sur le plan familial et sexuel que se situe l'originalité des analyses féministes contemporaines, qui prônent la liberté sexuelle et la liberté de procréation dans le couple. Liberté qui permettrait à la femme, en refusant ou en acceptant volontairement les obligations familiales et ménagères, de s'autodéterminer dans tous les actes de sa vie. Mais seule une contraception — précédée d'une large information — légale et égale pour toutes les femmes peut garantir ce libre choix. (V. AVORTEMENT.)

Longtemps attachée à l'image d'une femme-objet adulée ou d'une mère au foyer exemplaire, la société s'est brusquement trouvée affrontée à une nouvelle génération se dressant contre les tabous et les institutions.

FEMME *(Dr.).* — Les rédacteurs du Code civil avaient érigé en dogme l'autorité du mari et l'incapacité, dans la vie juridique, de la femme mariée. En 1907, on conféra cependant à celle-ci le droit de disposer de ses « biens réservés », c'est-à-dire acquis par son travail. En 1938 et en 1942 une certaine capacité fut donnée à la femme.

La loi du 14 juillet 1965, modifiant les régimes matrimoniaux, a accru considérablement la capacité de la femme mariée, et, depuis la loi du 4 juin 1970, l'égalité de la femme et de l'homme dans le ménage est affirmée. Le mari se voit retirer la qualité de chef de famille (sauf sur la gestion des biens des enfants mineurs, bien que l'autorité parentale soit exercée par les deux parents). L'épouse, comme l'époux, perçoit ses gains et salaires, peut en disposer, mais doit s'acquitter de sa part de charges, ce qu'elle peut faire d'ailleurs par son activité au foyer ou dans une collaboration à la profession du mari. La femme, comme le mari, peut accomplir seule des actes qui engagent l'autre solidairement; elle peut se faire ouvrir, sans le consentement du mari, tout compte de titres ou d'espèces, à son nom personnel.

En ce qui concerne les droits extrapatrimoniaux, depuis la loi du 4 juin 1970, les époux assurent conjointement la direction morale et matérielle de la famille, pourvoyant ensemble à l'éducation des enfants, choisissant d'un commun accord la résidence de la famille; la femme peut exercer une profession séparée sans l'accord du mari et exercer un commerce sous quelque régime matrimonial que ce soit. Par contre, la femme a un surcroît de responsabilités, étant notamment responsable des dommages causés par les enfants mineurs vivant avec les parents.

FEMME *(Psychanal.).* — Pour Freud, ainsi que Kate Millett* (*la Politique du mâle,* 1970) l'a bien vu, il n'y a finalement qu'un sexe, le masculin, par rapport auquel le sexe féminin se définit comme un manque, une absence. (V. PHALLUS.) L'interprétation que le fondateur de la psychanalyse donne de l'évolution de la sexualité féminine est significative à cet égard.

Aux stades oral* et sadique-anal*, l'attachement de la petite fille (comme celui du petit garçon) pour sa mère est intense. La phase phallique* va transformer cet attachement en haine. La petite fille constate qu'elle n'a pas cet attribut dont est pourvu le petit garçon et dont la culture (par l'intermédiaire de son environnement familial) lui fait bien comprendre toute la valeur. Pendant un moment, elle espère en être pourvue un jour (envie de pénis), puis, normalement, elle abandonne ses illusions et rend sa mère responsable de sa castration, mère qu'elle dévalorise aussi, puisque châtrée comme elle. Par dépit, la petite fille abandonne la masturbation clitoridienne, et, dans le meilleur des cas, l'intérêt qu'elle témoignait à son clitoris se reporte sur sa personne entière : désir de plaire, coquetterie. Elle se tourne alors vers son père, car elle espère recevoir de lui ce phallus qui lui a été refusé par la mère, suivant l'équivalence enfant = pénis, établie au stade sadique-anal. Elle se place alors en rivale vis-à-vis de la mère, à qui le père accorde toute son attention. La peur de la castration, qui avait aidé le garçon à surmonter son complexe d'Œdipe*, ne peut agir dans ce sens chez la fille, puisque c'est la prise de conscience de sa castration qui l'a plongée dans le conflit œdipien.

Une poussée de passivité, que Freud attribue à un « facteur constitutionnel », sans le définir plus, est nécessaire pour que la petite fille ne refuse pas la réalité de son manque de pénis, et s'installe dans la féminité en s'identifiant à sa mère.

L'envie de pénis est essentielle dans l'interprétation que S. Freud donne de la personnalité féminine. La femme présente pour lui un narcissisme plus développé : elle considère « ses charmes comme un dédommagement tardif et d'autant plus précieux à sa native infériorité sexuelle » (*Essais de psychanalyse appliquée,* 1932). « La pudeur, autre vertu que Freud attribue aux femmes, a eu pour but tout primitif, croyons-nous, de dissimuler la défectuosité de ses organes génitaux. » L'envie de pénis se réalise lorsqu'elle devient mère à son tour, « surtout, comme le précise Freud, si le nouveau-né est un petit garçon qui lui apporte le pénis tant convoité », puisqu'elle « peut reporter sur son fils tout l'orgueil qu'il ne lui a pas été permis d'avoir pour elle-même ». Pour Melanie Klein*, il y a deux sexes, et en particulier un sexe féminin à qui elle attribue des caractéristiques positives, mais terrifiantes.

FEMMES (mouvements de libération des) → FÉMINISME.

Femmes savantes *(les),* comédie de Molière, en cinq actes et en vers (1672). Satire des salons mondains, où les maîtresses de maison s'entichent de littérature, de sciences ou de philosophie.

FÉMORALE (artère) → CUISSE.

FÉMUR → CUISSE.

F. E. N., sigle de la *Fédération* de l'éducation nationale.*

FENAIN (59179), comm. du Nord, à 11 km au N.-O. de Denain; 6 270 hab.

FÉNELON (François DE SALIGNAC DE **La Mothe-**), prélat et écrivain français (château de Fénelon, Périgord, 1651 - Cambrai 1715). Après une carrière apostolique (il dirige notamment une institution consacrée aux jeunes filles protestantes converties au catholicisme), il subit l'influence de Bossuet, qui lui confie la critique (qui ne paraîtra qu'en 1820) du *Traité de la nature et de la grâce* de Malebranche et le met en contact avec les ducs de Chevreuse et de Beauvillier, pour qui il compose le *Traité de l'éducation des filles* (1687). Nommé précepteur du fils du Grand Dauphin (1689), il parvient à dompter le caractère violent et sensuel du prince, pour qui il écrit *les Aventures de Télémaque** (1699), des *Fables* et les *Dialogues des morts* (1700). Il a fait cependant la connaissance d'une femme, Mme Guyon, qui s'est vouée à une sorte d'apostolat mystique et qui professe une doctrine proche du quiétisme de Molinos. Conquis à ses vues, Fénelon les introduit à la maison royale de Saint-Cyr, dont Mme de Maintenon lui a confié la direction spirituelle. Le succès de son enseignement, dont l'orthodoxie est suspecte, finit par inquiéter Mme de Maintenon et Bossuet : Fénelon est nommé à l'archevêché de Cambrai (1695) et Mme Guyon est condamnée par le protocole des entretiens d'Issy. C'est le début d'une querelle extrêmement violente qui oppose Bossuet à Fénelon. Celui-ci publie pour sa défense une *Explication des Maximes des saints* (1697); sous la pression de Louis XIV et la violence des attaques de Bossuet, le pape condamne l'ouvrage (1699). Fénelon, que la publication, sans son aveu, du *Télémaque,* dans lequel on veut voir une critique du règne, a perdu dans l'esprit du roi, est alors exilé dans son diocèse et privé de ses titres et pensions. Il achève sa vie, se refusant, pour rentrer en grâce, aux excuses avilissantes, célébré cependant par tous pour sa générosité à l'égard des victimes des guerres et gardant, jusqu'à la mort de son élève le duc de Bourgogne, l'espoir de voir réformer l'État (*l'Examen de conscience d'un roi,* 1711). Ses derniers écrits sont consacrés à développer ses idées sur la littérature, qu'il avait ébauchées dans son discours de réception à l'Académie en 1693 (*Lettre sur les occupations de l'Académie française,* 1716). Son imagination poétique, sa sensibilité, la souplesse de son style laissent déjà entrevoir l'esprit du XVIIIe s.

FÉNÉON (Félix), écrivain français (Turin 1861 - Châtenay-Malabry 1944). Fondateur de *la Revue indépendante* (1883), directeur de *la Revue blanche* (1893-1905), il soutint les poètes symbolistes et les peintres impressionnistes.

FÉNÉTRANGE (57930), ch.-l. de cant. de la Moselle, à 15 km au N. de Sarrebourg; 1 255 hab.

FENÊTRE → MENUISERIE.

FEN-HO ou **FENHE,** riv. de la Chine du Nord, qui passe à T'ai-yuan, affl. du Houang-ho (r. g.); 800 km.

FENIAN (mouvement). — Les fenians constituent, en 1858, aux États-Unis, une société secrète révolutionnaire, qui regroupe des émigrés irlandais et dont le but est de libérer l'Irlande de la domination britannique. Cette société s'implante dans d'autres pays et en Irlande même, où elle prend le nom de *Fraternité républicaine irlandaise.* Les fenians multiplient les attentats (notamment en 1866-67) et tentent sans résultat un soulèvement en Irlande. Rapidement affaibli par l'arrestation de ses principaux chefs, le mouvement conserve cependant une grande influence en Irlande, où son esprit anime le développement du nationalisme et inspire, en particulier, le programme du Sinn* Féin.

FENNEC. — Ce petit renard des régions arides, voire désertiques, est connu pour ses grandes oreilles, qui lui servent non seulement à détecter à distance ses prédateurs et ses proies, mais aussi à refroidir son sang en cas de besoin. (Famille des canidés.)

FENNOSCANDIE, ensemble formé par le massif ancien de Finlande, de Suède et de Norvège.

FENOGLIO (Beppe), écrivain italien (Alba 1922 - *id.* 1963). Sa participation à la Résistance lui inspira les récits les plus caractéristiques d'une œuvre marquée par l'influence de la littérature anglaise et une sensibilité particulière au langage quotidien et dialectal (*La Malora,* 1954; *Primavera di bellezza,* 1959; *Un Giorno di fuoco,* 1963; *Il Partigiano Johnny,* 1968).

FENOUIL. — L'ombellifère de ce nom est comestible par sa souche, faite des gaines charnues de sa couronne basale de feuilles, et par ses graines, au parfum anisé. L'ensemble de la plante, qui peut atteindre 2 m de haut, est très aromatique. (Syn. ANETH.)

FENOUILLET (31150), comm. de la Haute-Garonne, à 11 km au N.-O. de Toulouse; 2 989 hab. Industries alimentaires.

FENS, plaines de l'Angleterre, sur la mer du Nord (golfe du Wash), marécageuses avant le drainage, permettant les cultures maraîchères.

FENSCH (la), riv. du nord de la Lorraine, affl. de la Moselle (r. g.); 42 km. Industries sidérurgiques et métallurgiques implantées dans sa vallée.

FÉODALITÉ. — Ce terme, dérivé du substantif *fief* et de l'adjectif *féodal* (*feodalis,* XIe s.), est employé à partir du XVIIIe s. pour désigner les institutions et la société qui caractérisent certains pays au Moyen Âge, et particulièrement la France de la fin du IXe à la fin du XIIIe s. La société féodale présente deux caractères fondamentaux. Le premier réside dans un émiettement de l'autorité publique. Au cours des Xe et XIe s., celle-ci est tombée du niveau du roi à celui des princes territoriaux qui, en règle générale (sauf en Normandie), n'ont pas su, eux-mêmes, la conserver : en Île-de-France, en Bourgogne et en Aquitaine, les droits régaliens sont souvent aux mains des personnages chargés de la garde des forteresses, voire même aux mains de simples propriétaires fonciers. Cette évolution a donné naissance à la seigneurie banale, territoire de taille très variable sur lequel le seigneur exerce pour son compte, et sans contrôle, le pouvoir autrefois détenu par le roi *(bannum).* C'est de lui que désormais dépendent les hommes de poesté (vilains, roturiers).

Le second caractère de la féodalité apparaît dans la généralisation du lien vassalique que connaissait déjà le haut Moyen Âge. Tel seigneur territorial s'est forgé une clientèle de guerriers moins puissants, qui lui ont prêté hommage en échange d'une protection et d'un bénéfice (fief*). Mais ces vassaux peuvent avoir eux-mêmes des vassaux, tout comme le seigneur peut être le vassal d'un autre seigneur. Ainsi se forme une hiérarchie des personnes et des fiefs aboutissant, au sommet, au roi, qui, bien qu'ayant perdu son autorité directe sur les hommes vivant dans le ressort des grands fiefs, se voit ainsi reconnaître une supériorité féodale. Celle-ci, d'abord illusoire, faute de moyens, pour le roi, de contraindre ses vassaux à respecter leurs obligations, devient source d'autorité lorsque l'accroissement du domaine royal permet le renversement du rapport de force en sa faveur (début XIIIe s.). Dès lors, les institutions féodo-vassaliques, bien que persistantes, cessent de dominer le système politique du royaume, car se développent les institutions monarchiques qui favoriseront le retour de l'autorité vers le sommet.

FER. — Le fer est l'élément chimique de numéro atomique 26 et de masse atomique Fe = 55,85. C'est un solide blanc-gris, de densité 7,8, fondant vers 1 530 °C en passant par l'état pâteux. Assez malléable et ductile, il est dur et le plus tenace des métaux usuels. C'est le principal corps ferromagnétique.

Il est profondément corrodé par l'air humide, qui le transforme en rouille, oxyde ferrique hydraté; aussi est-il indispensable de le protéger.

Il brûle dans l'oxygène au rouge, ainsi que dans le chlore, décompose la vapeur d'eau en donnant de l'hydrogène et se dissout dans les acides.

Lauros-Giraudon

Il existe deux séries principales de composés du fer : les composés *ferreux*, où le fer est bivalent, et les composés *ferriques*, où il est trivalent. Parmi les premiers, citons l'oxyde FeO noir, le sulfate $FeSO_4$, qui se présente hydraté en beaux cristaux verts; ces composés sont réducteurs. L'oxyde ferrique Fe_2O_3, rouge, ou colcotar, qui sert à polir le verre, le chlorure $FeCl_3$ et le sulfate $Fe_2(SO_4)_3$, qui servent à coaguler le sang, appartiennent à la seconde série. Citons encore l'oxyde salin ou oxyde magnétique Fe_3O_4, qui constitue la pierre d'aimant naturelle.

L'élaboration du fer pur dérive directement de celle de l'acier* par un affinage particulier au four* à sole ou au four électrique en présence de laitiers spécifiques (fer Armco). Des procédés spéciaux de traitement par un réducteur solide ou gazeux, de décomposition de carbonyle ou d'électrolyse permettent d'obtenir, en quantité réduite, des qualités de fer sous forme d'éponge ou de poudre. Utilisé pour sa malléabilité, sa faible dureté, sa grande résilience ou son ferromagnétisme* doux (perméabilité*, faible champ coercitif), le fer pur industriel est difficile à délimiter, dans ses applications, avec l'acier extra-doux (fer à 0,10 p. 100 de carbone). On l'emploie, par exemple, pour des applications électromagnétiques (fer doux pour pièces polaires d'électroaimants*, tôles d'induits de moteurs).

Le fer est, de loin, le premier minerai métallique extrait, avec une production mondiale — augmentant constamment — de l'ordre de 500 millions de tonnes (métal contenu). L'U. R. S. S. fournit environ le quart de ce total, précédant nettement l'Australie, à l'apport rapidement croissant (60 millions de tonnes), qui a dépassé les États-Unis (50 millions de tonnes). Loin derrière vient un groupe hétérogène de producteurs moyens, extrayant chacun de 20 à 30 millions de tonnes de métal contenu (Canada, Chine, Liberia, Inde). Base de la sidérurgie, le fer est l'objet d'un commerce international important, dirigé notamment vers l'Europe du Marché commun, dont la France est le seul producteur notable (17 millions de tonnes).

FER (âge du) → HALLSTATT, PROTOHISTOIRE, TÈNE (LA).

FER (architecture du). — Depuis le XVIe s., on rêvait de construire un pont en métal; mais le premier, réalisé à Coalbrookdale, en Angleterre, ne date que de 1779 (en fonte, par l'industriel Abraham III Darby). Bientôt, dans le même pays, le métal sera substitué au bois dans la charpente des usines textiles. Le XIXe s., avec l'essor et la diversification de la métallurgie, avec l'action (freinée par l'académisme) de la tradition rationaliste au sein de l'architecture française, voit se multiplier les réalisations : ponts, serres, halls de gare ou galeries d'exposition qui, en général, conservent une enveloppe de maçonnerie, mais révèlent peu à peu les possibilités expressives propres au fer, à la fonte, puis à l'acier, associés au verre. On citera la coupole de la halle aux blés de Paris (1809, détruite) par Bélanger*, le Royal Pavilion de J. Nash*, l'architecture éclectique, en éléments préfabriqués, de l'industriel américain James Bogardus (1800-1874), les systèmes de fermes de l'ingénieur Camille Polonceau (1813-1859), le Crystal Palace (1851) du jardinier anglais Joseph Paxton, les édifices parisiens de Hittorff* (gare du Nord), Labrouste* (bibliothèques), Baltard* (halles), Louis-Charles Boileau (1837-1910) [magasins du Bon Marché], sans oublier, à l'Exposition universelle de 1889, la galerie des Machines de l'ingénieur Victor Contamin (1840-1893) et de l'architecte Ferdinand Dutert (1845-1906), avec ses 115 m de portée, et, bien sûr, la tour Eiffel.

L'emploi du fer par l'école de Chicago* et, au sein de l'Art nouveau, par Horta* ou par Frantz Jourdain*, n'empêche pas le triomphe du béton* au début du XXe s. Après la Seconde Guerre mondiale, on voit une poussée de l'acier — le matériau est disponible — avec Mies van der Rohe et les nouveaux gratte-ciel américains à enveloppe de verre, puis un retour en force du béton durant la guerre du Viêt-nam. De nouveaux modes de couverture sont apparus : structures tendues faites de nappes de câbles associées ou non au béton, structures tridimensionnelles, telles les coupoles géodésiques de R. B. Fuller*.

Architecture du fer. La salle de lecture du département des imprimés à la Bibliothèque nationale de Paris. 1862-1868. Henri Labrouste architecte.

fer *(Croix de)*, ordre militaire prussien, puis allemand, fondé en 1813. Décernée pendant les deux guerres mondiales, elle fut reconnue en 1956 par le gouvernement de l'Allemagne fédérale.

FER *(île de)*, en esp. **Hierro,** la plus occidentale des îles Canaries; 6 000 hab.

FER (petit) → DORURE.

FERDINAND Ier DE HABSBOURG (Alcalá de Henares 1503-Vienne 1564), empereur germanique (1558-1564). Fils de Philippe le Beau et de Jeanne la Folle, il est le frère cadet de Charles Quint, qui, à la suite de son mariage avec Anne de Hongrie (1521), lui cède la souveraineté des cinq États Habsbourg (Haute- et Basse-Autriche, Styrie, Carinthie, Carniole). À la mort de son beau-frère Louis II Jagellon (Mohács 1526), il est élu roi de Bohême et de Hongrie. Nommé roi des Romains en 1531, il gouverne l'Empire après l'abdication de Charles Quint (1556), mais ne devient empereur qu'en 1558. Il s'efforce de résoudre le problème religieux (paix d'Augsbourg, 1555). À l'extérieur, il lutte contre les Turcs et doit signer la trêve de huit ans (1562) contre le versement d'un tribut annuel au Sultan.

FERDINAND II DE HABSBOURG (Graz 1578-Vienne 1637), empereur germanique (1619-1637). Roi de Bohême (1617) et de Hongrie (1618), il est couronné empereur en 1619. Élevé dans un catholicisme rigoureux, il s'affirme comme le champion de la Contre-Réforme. Son autoritarisme et son intolérance (défenestration de Prague, mai 1619) provoquent la révolte des Tchèques, qui le destituent et le remplacent sur le trône de Bohême par l'Électeur palatin. Mais les Tchèques sont vaincus à la Montagne Blanche (1620) et subissent une terrible répression. Ferdinand II ne réussit cependant pas à imposer l'édit de Restitution, pas plus qu'il n'arrive à faire élire son fils roi de Rome par la Diète de Ratisbonne (1630). L'intervention de la Suède (1631) et de la France (1635), les intrigues de son conseiller Wallenstein, qu'il fera assassiner (1634), l'empêchent, malgré le soutien de l'Espagne, de terminer victorieusement la guerre.

FERDINAND III de HABSBOURG (Graz 1608-Vienne 1657), fils du précédent, roi de Hongrie (1625) et de Bohême (1627). À la tête des troupes impériales, il est vainqueur des Suédois en 1634. Élu roi des Romains en 1636, il devient empereur en 1637. Continuateur de la politique paternelle, il subit plusieurs défaites et doit accepter les traités de Westphalie* (1648), qui mettent fin à la guerre de Trente Ans.

FERDINAND II le Catholique (Sos, Aragon, 1452-Madrigalejo 1516), roi d'Aragon et de Sicile en 1479. Fils de Jean d'Aragon, il épouse en 1469 l'infante Isabelle*, qui, en 1479, succède à son frère sur le trône de Castille. La même année, son accession au trône d'Aragon scelle l'unité espagnole, qu'il renforcera en achevant la Reconquista (prise de Grenade, 1492), en marquant sa prépondérance sur la haute noblesse, en expulsant les Juifs et en persécutant les Maures. À l'extérieur, Ferdinand met la main sur le royaume de Naples (1504) et s'empare de la Navarre (1512) et du Milanais (1513). À sa mort, il laisse le royaume d'Aragon à son petit-fils Charles (Quint).

FERDINAND Ier (Vienne 1793-Prague 1875), empereur d'Autriche (1835-1848). Fils et successeur de François Ier, il est surpris par la révolution de 1848, à l'issue de laquelle il abdique en faveur de son neveu François-Joseph (2 déc.).

FERDINAND Ier, II, III, rois de Bohême → FERDINAND Ier, II, III, empereurs.

FERDINAND (Vienne 1861-Cobourg 1948), prince (1887-1908), puis roi ou tsar de Bulgarie (1908-1918). En 1887, Stamboulov* fait proclamer prince de Bulgarie Ferdinand de Saxe-Cobourg-Gotha. Celui-ci procède à l'unification de la Bulgarie et à sa modernisation, rejetant en 1908 la suzeraineté des Ottomans. Il engage la Bulgarie dans les deux guerres balkaniques (1912-13), puis dans la Première Guerre mondiale au côté des Empires centraux. Il doit abdiquer en 1918.

FERDINAND Ier le Grand, FERDINAND III, rois de Castille et de León → CASTILLE et LEÓN.

FERDINAND V, roi de Castille → FERDINAND II LE CATHOLIQUE.

FERDINAND VII (Escorial 1784-Madrid 1833), roi d'Espagne (1814-1833). Fils aîné de Charles IV*, il est fait roi lors de l'émeute d'Aranjuez (1808), mais il doit bientôt abdiquer sous la pression de Napoléon Ier. Rentré de son exil français en 1814, il prend des dispositions tellement arbitraires et anachroniques qu'il provoque la révolte des colonies d'Amérique et, en Espagne même, une révolution, que seule l'intervention française permet de réduire (1823). En laissant, malgré la «loi salique», le trône à sa fille Isabelle II, il provoque, *post mortem,* les guerres carlistes (v. CARLISME).

FERDINAND Ier DE BOURBON (Naples 1751-*id.* 1825), roi de Sicile (1759-1816) et de Naples (1759-1799, 1799-1806, 1815-16), fils de Charles III, roi d'Espagne. Il est, à deux reprises (1799-1806), chassé de Naples par les Français et se réfugie dans son royaume de Sicile. En 1815, le congrès de Vienne lui restitue Naples. Ferdinand règne alors sous le nom de FERDINAND Ier, roi des Deux-Siciles.

FERDINAND II DE BOURBON (Palerme 1810-Caserte 1859), roi des Deux-Siciles de 1830 à 1859.

FERDINAND DE PORTUGAL, dit **Ferrand** (1186-1233), comte de Flandre et de Hainaut (1211-1233). Fils de Sanche Ier de Portugal, il épouse Jeanne de Flandre (1212). D'abord allié à Philippe Auguste, il rallie Jean sans Terre, à qui il prête hommage en juin 1214. Fait prisonnier à Bouvines, il n'obtiendra sa liberté qu'en 1226.

FERDINAND Ier, roi de Portugal → BOURGOGNE *(dynastie de).*

FERDINAND Ier, roi de Roumanie → HOHENZOLLERN DE ROUMANIE.

FERDINAND Ier ou **FERRANTE** (v. 1431-1494), roi de Sicile péninsulaire (1458-1494). Fils naturel d'Alphonse V, roi d'Aragon, il dut lutter contre le pape Calixte III, qui conteste ses droits au trône (1458), et contre la maison d'Anjou (1459-1462).

FERDOWSI' → FIRDŪSĪ.

Ferdydurke, roman de Gombrowicz (1937). Un homme de trente ans redevient un adolescent de quinze et refait les multiples épreuves de tous les conformismes et de toutes les «grimaces» que l'homme, volontairement puéril, subit et implore de la société.

FÈRE (La) [02800], ch.-l. de cant. de l'Aisne, au confluent de la Serre et de l'Oise, à 22 km au S. de Saint-Quentin; 4400 hab. Église (XIIe-XVIe s.). Restes de l'ancien château (salles gothiques). Musée (histoire; peintures des écoles flamande, hollandaise et française).

FÈRE-CHAMPENOISE (51230), ch.-l. de cant. de la Marne, à 20 km à l'E. de Sézanne; 2609 hab.

FÈRE-EN-TARDENOIS (02130), ch.-l. de cant. de l'Aisne, à 22 km au N.-E. de Château-Thierry, sur l'Ourcq; 3066 hab. Église (XVe-XVIe s.). Halle (XVIe s.). Ruines d'un important château féodal.

FERENCZI (Sándor), médecin et psychanalyste hongrois (Miskolc 1873-Budapest 1933). Analysé par S. Freud*, il en devient le disciple favori et l'un des rares amis. Cependant, à partir de 1923, des divergences portant surtout sur la technique de la cure commencent à apparaître entre les deux hommes. Ferenczi propose l'«analyse active», plus centrée sur l'analyse des conflits actuels que la psychanalyse freudienne. Sur le plan théorique, il propose l'extension des théories analytiques à la biologie et appelle cette nouvelle science «bio-analyse». Dans *Thalassa. Psychanalyse des origines de la vie sexuelle* (1924), il formule l'hypothèse selon laquelle l'existence intra-utérine serait la répétition des formes antérieures de la vie, dont l'origine serait marine. La naissance est une perte de cet état originaire, auquel tous les êtres aspirent à retourner.

FERGANA ou **FERGHANA** (la), dépression de l'Asie moyenne soviétique dans le bassin du Syr-Daria, partagée entre les républiques de l'Ouzbékistan, du Kirghizistan et du Tadjikistan. Encadrée de hautes chaînes (notamment le T'ien-chan), c'est un bassin fertilisé par l'irrigation, qui y a étendu notamment les cultures (coton surtout), autrefois limitées dans les oasis, principaux sites des villes, dont les plus importantes sont Leninabad, Namagan, Kokand, *Fergana* et Andijan. Le sous-sol fournit du pétrole.

FERLAND (Albert), écrivain canadien d'expression française (Montréal 1872-*id.* 1943). Poète, il fut l'un des représentants de l'«école du terroir» (*le Canada chanté,* 1908-1910).

FERMAT (Pierre DE), mathématicien français (Beaumont-de-Lomagne 1601-Castres 1665). Il fonda avec Descartes* la géométrie analytique. Il créa également le calcul différentiel et surtout la théorie des nombres. Enfin, il fut avec Pascal* à l'origine du calcul des probabilités.

FERME *(Constr.)* → CHARPENTE.

FERMENTATION. — Les glucides sont des composants organiques très répandus dans la nature et sont des aliments excellents pour d'innombrables espèces microbiennes. Ils constituent donc un substrat de choix pour les phénomènes fermentaires :
— fermentation alcoolique sous l'action de levures, qui est utilisée dans la préparation de boissons fermentées (vin, cidre, poiré, eau-de-vie, hydromel, kéfir);
— fermentation lactique sous l'action de bactéries diverses (elle est utilisée dans la fabrication des beurres, des fromages, des laits fermentés, dans la préparation de certaines conserves [cornichons, olives, choucroute], dans l'ensilage des fourrages et des pulpes de sucrerie et de distillerie);
— fermentation propionique, qui joue un rôle important dans la maturation des fromages à pâte cuite (comté, emmental);
— fermentation acétique, pour la fabrication du vinaigre.

D'autres corps organiques peuvent servir également de substrats aux phénomènes fermentaires. C'est ainsi que les produits de dégradation de la cellulose, sous l'action de microbes cellulolytiques dans la panse des ruminants, peuvent être le siège d'une fermentation méthanique, dont on trouve d'autres manifestations dans des milieux très humides et en anaérobiose (marais, fossés, fosses à purin, etc.). En dehors de leur utilisation dans les industries alimentaires, les fermentations sont utilisées industriellement pour la production de certains antibiotiques (tels que la pénicilline ou la streptomycine), sécrétés par des variétés de moisissures, de bactéries, d'enzymes, de vitamines ou de pigments.

FERMI (Enrico), physicien italien (Rome 1901-Chicago 1954). Il créa en 1927, avec Dirac*, une statistique applicable aux électrons et émit, en même temps que Pauli*, l'hypothèse du neutrino. Il préconisa l'emploi de neutrons lents pour la désintégration des noyaux atomiques et réalisa en 1942, à Chicago, la première pile nucléaire, à uranium et graphite. (Prix Nobel de physique, 1938.)

FERMIERS GÉNÉRAUX. — Sous l'Ancien Régime, on désignait ainsi les financiers chargés de la perception des impôts indirects (traites, aides, gabelle). Dès le Moyen Âge, la monarchie prit l'habitude de donner à bail (affermer) au plus offrant les recettes du domaine, puis les impôts indirects. Le regroupement de tous ces «traitants» aboutit en 1681 à la formation de la Ferme générale, confiée à une compagnie de quarante fermiers généraux (1691). Ceux-ci versaient au Trésor une somme forfaitaire qu'ils se chargeaient de recouvrer, avec d'énormes bénéfices, auprès des contribuables. Très impopulaire, la Ferme générale fut supprimée par la Révolution.

FERNANDEL (Fernand CONTANDIN, dit), acteur français (Marseille 1903-Paris 1971). Il débuta au café-concert comme comique troupier, tâta de l'opérette et mena une carrière de chanteur fantaisiste, mais il dut l'essentiel de sa popularité au cinéma, où, pendant quarante années, il interpréta de très nombreux films, comiques pour la plupart. Cependant, il sut se montrer émouvant dans certaines œuvres dramatiques. Il a joué en particulier dans *Angèle* (1934), *François Ier* (1936), *Regain* (1937), *le Schpountz* (1938), *la Fille du puisatier* (1940), *l'Auberge rouge* (1951), *le Petit Monde de Don Camillo* (1951), *la Vache et le prisonnier* (1959).

FERNÁNDEZ (Gregorio) → HERNÁNDEZ.

FERNEY-VOLTAIRE (01210), ch.-l. de cant. de l'Ain, sur la frontière suisse, près de Genève; 5684 hab. Électronique. Voltaire y résida de 1758 à 1778.

FÉROÉ ou **FAEROE,** archipel danois, au N. de l'Écosse; 39000 hab. Ch.-l. *Thorshavn.* Pêche et conserveries. Élevage ovin. — Rattaché au Danemark après l'Union de Kalmar (1397), l'archipel a obtenu, en 1948, son autonomie pour la gestion des affaires d'intérêt local.

FERRALITIQUE (sol). — Ce type de sol se forme dans les régions tropicales humides. Dans l'horizon supérieur, l'acidité du milieu, liée à l'abondance de l'humus, empêche la migration de l'alumine et du fer, qui se concentrent pour former un épais sol rouge, appelé aussi «latérite». Les autres éléments sont lessivés et s'accumulent dans l'horizon inférieur, où se forment des argiles, généralement de la kaolinite. Sous couvert forestier, la latérite reste meuble; mais, si elle est exposée à l'air (par suite du défrichement par exemple), elle durcit et peut former une cuirasse stérile rendant toute culture impossible. La présence de bauxites, qui sont des latérites fossiles enrichies en alumine, témoigne d'anciens climats tropicaux.

FERRARA (Francesco), économiste italien (Palerme 1810-Venise 1901). Présentant une conception d'ensemble de la vie économique, il a mis notamment en lumière le «coût de reproduction», base de l'explication de la valeur*.

FERRARE, v. d'Italie, en Émilie, ch.-l. de prov., sur le Pô; 155000 hab. Industrie chimique.

HISTOIRE. Créée en 450, Ferrare appartint d'abord à l'exarchat de Ravenne, puis fut dotée d'une organisation communale, avant d'être placée sous la suzeraineté du pape (début du XIIe s.). Elle devint aussitôt l'enjeu des luttes que se livrèrent les Adelardi et les Salinguerra. En 1240, la famille d'Este*, alliée aux Adelardi, s'en empara et en fit un centre prestigieux de la Renaissance italienne. Rattachée à la papauté de 1598 à 1796, Ferrare fut rattachée à l'Italie en 1860.

BEAUX-ARTS. Cathédrale, commencée en 1135, à large façade romano-gothique. Château d'Este, commencé en 1385. Palais Schifanoia (musée civique), de Ludovic de More (riche musée archéologique national) et des Diamants (pinacothèque), les deux derniers par Biagio Rossetti (v. 1447-1516). Le grand maître de l'école ferraraise de peinture est Cosme Tura*, qui transmet l'acuité hallucinatoire de son style à Francesco del Cossa (v. 1436-1478), auteur, avec Ercole de' Roberti (v. 1450-1496), à la manière moins âpre, des célèbres fresques du salon des Mois au palais Schifanoia. Lorenzo Costa (v. 1460-1535), actif à Bologne et surtout à Mantoue (collaboration au *studiolo* d'Isabelle d'Este), passe à un style léger et délicat, qui évolue vers une suavité maniériste avec Dosso Dossi (v. 1480-1542) [*Circé*, inspiré de l'Arioste, galerie Borghèse, Rome]. Les grandes compositions religieuses ou profanes du Garofalo (1481-1559) complètent ce panorama.

Ferrare *(concile de)* → BÂLE *(concile de).*

FERRARIS (Galileo), physicien italien (Livorno Vercellese 1847-Turin 1897). Il a découvert en 1885 le champ magnétique tournant, qui fut à l'origine des moteurs asynchrones à courants polyphasés.

FERRAT (Jean TENENBAUM, dit **Jean**), auteur-compositeur et interprète de chansons français (Vaucresson 1930). Il débuta en 1954 dans divers petits cabarets parisiens et s'affirma à partir de 1960 *(Ma môme)* comme l'un des meilleurs interprètes de chansons poétiques (il s'inspire notamment des poèmes de L. Aragon) et « engagées » (*Potemkine,* 1965; *la Montagne,* 1966).

FERRÉ (Léo), auteur-compositeur et interprète de chansons français (Monte-Carlo 1916). Dans la lignée des chansonniers anarchistes *(Graine d'ananar),* il a su railler avec esprit la société moderne dans des textes grinçants, amers et révoltés, politiquement engagés *(Franco la Muerte, la Gueuse, les Temps difficiles).* Il a également mis en musique de nombreux poèmes de Baudelaire, de Verlaine, de Rimbaud, d'Aragon. Auteur d'un opéra (*la Vie d'artiste,* 1950) et d'un oratorio sur « la Chanson du Mal-Aimé » d'Apollinaire (1954), il a écrit également deux concertos, une symphonie et publié des poèmes et un roman.

FERRERI (Marco), cinéaste italien (Milan 1928). Il réalisa notamment en Espagne *El cochecito* (1960), puis dans son pays natal *le Lit conjugal* (1963), *Dillinger est mort* (1969), *la Semence de l'homme* (1969), *Liza* (1972), *la Grande Bouffe* (1973), *la Dernière femme* (1976).

FERRET, nom de deux vallées de Suisse et d'Italie, au pied du massif du Mont-Blanc.

FERRETTE (68480), ch.-l. de cant. du Haut-Rhin, à 28 km au S.-E. d'Altkirch; 783 hab.

FERRI (Enrico), criminaliste italien (San Benedetto Po 1856 - Rome 1929). Représentant de l'école positiviste en sociologie, il fut l'un des créateurs de la criminologie moderne. Marxiste, directeur de l'*Avanti!,* il évolua plus tard vers le fascisme.

FERRICYANURE. — Le ferricyanure de potassium $K_3Fe(CN)_6$, ou prussiate rouge, forme des cristaux rouges, solubles dans l'eau. Il est utilisé en photographie comme affaiblisseur et pour la fabrication des papiers pour le tirage industriel.

FERRIÉ (Gustave), général et savant français (Saint-Michel-de-Maurienne 1868 - Paris 1932). Il dota la France d'un puissant réseau de télégraphie sans fil en créant dès 1903 une liaison entre Paris (dont la portée de l'émetteur de la tour Eiffel passe de 400 à 6 000 km en 1908) et les places fortes de l'Est. Directeur de la radiotélégraphie pendant la Première Guerre mondiale, il mit au point les systèmes d'écoute, la télégraphie par le sol, la liaison avec les avions et le repérage par le son.

FERRIÈRE-LA-GRANDE (59680), comm. du Nord, à 3,5 km au S. de Maubeuge; 5 706 hab. Métallurgie.

FERRIÈRES (45210), ch.-l. de cant. du Loiret, à 12 km au N. de Montargis; 1 850 hab. Église des XIIe-XVe s., avec rotonde de chœur du XIIIe s.

FERRITE. — Les ferrites sont douées de propriétés magnétiques remarquables, tout en présentant une grande résistivité électrique. Employées comme noyaux de transformateurs pour courants de haute fréquence, elles suppriment pratiquement les pertes d'énergie par courants de Foucault. Ces mêmes propriétés les font utiliser dans les antennes de récepteurs radiophoniques, dans de nombreux dispositifs électroniques et comme éléments de mémoire dans les machines à calculer et les ordinateurs.

FERROCYANURE. — Le ferrocyanure de potassium $K_4Fe(CN)_6$, ou prussiate jaune, forme de gros cristaux jaune citron, solubles dans l'eau. C'est un sous-produit de la fabrication du gaz d'éclairage. Il donne avec les sels ferriques un précipité, qui est le bleu de Prusse.

FERROL (Le), en esp. **El Ferrol del Caudillo,** port du nord-ouest de l'Espagne, en Galice, près de La Corogne; 80 000 hab. Chantiers navals.

FERROMAGNÉTISME. — Le ferromagnétisme est la propriété qu'ont certaines substances (fer, nickel, cobalt et leurs alliages ou composés) de prendre une aimantation induite importante, toujours dans le sens du champ inducteur, aimantation qui croît avec ce champ jusqu'à une certaine limite, sans lui être proportionnelle. À la suppression du champ inducteur, ces substances conservent une aimantation rémanente, que l'on ne peut supprimer que grâce à l'action d'un « champ coercitif », de sens contraire à leur aimantation. Pour les substances dites « dures » (acier trempé), ce champ coercitif est grand; d'où leur emploi à la confection d'aimants permanents. Au contraire, les substances dites « douces » (fer doux, alliages spéciaux) perdent aisément leur aimantation. Lorsqu'on fait varier le champ inducteur entre deux limites opposées, toutes ces substances subissent un cycle d'hystérésis*.

Le ferromagnétisme disparaît au-dessus d'une certaine température, appelée « point de Curie » (environ 700 °C pour le fer), pour faire place au paramagnétisme.

FERRONNERIE. — Les Celtes ont excellé, plus que les peuples méditerranéens, dans le travail de la forge. En France, les premiers ouvrages conservés datent du XIe s. et révèlent une technique aboutie, sûrement fondée sur une tradition (ex. : pentures de la cathédrale du Puy, fin du XIe s.; grille de son cloître, XIIe s.). Comme tous les métiers d'art, la ferronnerie évoluera vers la commodité, abandonnant un peu de ses caractères originaires de franchise, de parfaite cohérence des formes et de la technique de base. Ainsi, les ornements de tôle repoussée, fixés à l'aide de rivets, apparaissent au XVe s. pour remplacer les ornements étampés.

Une éclipse se produit en France au XVIe s., alors que la ferronnerie continue de s'épanouir avec exubérance en Italie, en Allemagne du Sud (grille du tombeau de Maximilien à Innsbruck [1568], animée de motifs floraux, de cartouches, d'angelots) et en Espagne (riches clôtures d'églises à balustres, grilles de fenêtres). Le XVIIe s. français donne des rampes d'escalier et des balcons, passe de la pauvreté à une simplicité majestueuse, avec l'exception des deux somptueuses portes du château de Maisons (v. 1645, Louvre), où des pièces fondues côtoient les éléments forgés.

Le chef-d'œuvre du style rocaille est l'ensemble de la place Stanislas à Nancy (1750-1758), par Jean Lamour, aux gracieux ornements de cuivre doré sur une trame d'une élégance beaucoup plus classique et retenue que les œuvres contemporaines du rococo allemand (grilles du château de Würtzburg, ou celles, simulant une perspective, de l'église S. Ulrich d'Augsbourg). Le style Louis XVI donne de remarquables compositions aux fers polis (grilles du Palais de Justice de Paris, 1785), avec lesquelles contraste la décadence du XIXe s., due à la préférence des architectes néoclassiques pour les balustrades de pierre, puis à la généralisation des éléments de série en fonte.

Une renaissance, à laquelle a préludé l'action de Viollet-le-Duc, se produit à l'époque de l'Art nouveau grâce au goût pour le métal — toujours docile aux caprices de la ligne — de Gaudí (maison Vicens, v. 1880; balcons aux formes d'algues emmêlées de la maison Milá, 1905), de Guimard, d'Horta ou de Majorelle.

FERRY (Jules), homme d'État français (Saint-Dié 1832 - Paris 1893). Jeune avocat, député républicain de Paris (1869), il s'oppose à l'Empire déclinant. Membre du gouvernement de la Défense nationale (4 sept. 1870), maire de Paris (16 nov.), préfet de la Seine (mai-juin 1871), il est élu en 1876 député des Vosges. Président de la gauche républicaine, il est au pouvoir presque sans discontinuité de 1879 à 1885, soit comme ministre de l'Instruction publique (1879-1883), soit comme président du Conseil (1880-81, 1883-1885), avec le portefeuille de l'Instruction publique ou celui des Affaires étrangères (1883-1885). Il joue un rôle essentiel dans la mise en place de la République. Car non seulement il dote la France d'un enseignement primaire à la fois gratuit, obligatoire et laïque (1881-82), mais encore il crée l'enseignement secondaire féminin (1880) et fait voter un important train de lois fondamentales relatives aux applications de la liberté (presse, réunion, divorce) et à la démocratisation des communes (loi municipale du 5 avril 1884). Sa politique coloniale est beaucoup plus controversée, par les radicaux notamment, qui finissent par abattre le second ministère Ferry le 29 mars 1885. Après une amère retraite, J. Ferry est élu sénateur des Vosges en 1891.

FERTÉ-ALAIS (La) [91590], ch.-l. de cant. de l'Essonne, sur l'Essonne, à 17 km au N.-E. d'Étampes; 1 952 hab. Église romane.

FERTÉ-BERNARD (La) [72400], ch.-l. de cant. de la Sarthe, sur l'Huisne, à 21 km au S.-O. de Nogent-le-Rotrou; 9 797 hab. Église des XVe-XVIe s. (vitraux). Halle. Vieilles maisons. Constructions mécaniques et électriques.

FERTÉ-FRÊNEL (La) [61300 L'Aigle], ch.-l. de cant. de l'Orne, à 14 km au N.-O. de L'Aigle; 439 hab.

FERTÉ-GAUCHER (La) [77320], ch.-l. de cant. de Seine-et-Marne, sur le Grand Morin, à 18 km à l'E. de Coulommiers; 3 821 hab. Église des XIIIe et XVIe s. Appareils sanitaires. Faïence industrielle.

FERTÉ-MACÉ (La) [61600], ch.-l. de cant. de l'Orne, à 26 km au S.-E. de Flers; 7 700 hab. Confection.

FERTÉ-MILON (La) [02460], comm. de l'Aisne, à 10 km au S. de Villers-Cotterêts; 1 867 hab. Églises. Superbes restes d'un château de Louis d'Orléans, frère de Charles VI.

FERTÉ-SAINT-AUBIN (La) [45240], ch.-l. de cant. du Loiret, en Sologne, à 21 km au S. d'Orléans; 4 284 hab. Église (XIIe-XVIe s.). Château (XVIIe s.). Constructions mécaniques.

FERTÉ-SOUS-JOUARRE (La) [77260], ch.-l. de cant. de Seine-et-Marne, sur la Marne, à 20 km à l'E. de Meaux; 6 872 hab.

FERTÉ-VIDAME (La) [28340], ch.-l. de cant. d'Eure-et-Loir, à 14 km au S. de Verneuil-sur-Avre; 790 hab.

FERTILITÉ. — La fertilité naturelle varie en fonction de facteurs climatiques (relief, insolation, humidité) et de facteurs géologiques (composition chimique, état physique des sols); elle peut être modifiée par l'homme. De mauvaises pratiques agricoles peuvent la réduire ou même la détruire complètement (désertification). Par contre, la fertilité peut être améliorée par divers procédés :

• *Procédés physiques.* Parmi les façons culturales, les labours, les hersages, en divisant le sol plus ou moins finement, favorisent l'ameublissement et l'aération; les roulages permettent les contacts entre les racines et les éléments nutritifs; l'irrigation et le drainage régularisent l'alimentation en eau des végétaux.

• *Procédés chimiques.* Les récoltes enlèvent aux sols des quantités importantes d'éléments minéraux. Pour maintenir la fertilité, il faut restituer aux sols les éléments ainsi exportés. D'abord limitées à l'azote, au phosphore et à la potasse, ces restitutions, effectuées au moyen des engrais azotés, phosphatés ou potassiques, se sont transformées par l'addition aux éléments principaux d'éléments mineurs, ou oligoéléments (fer, zinc, brome, etc.), qui, bien qu'à très faibles doses, sont indispensables à la croissance des végétaux. Cette fertilisation chimique peut être complétée par l'apport d'amendements naturels (chaux, marne, argile, etc.), dont le rôle principal est de concourir à l'amélioration de la structure des propriétés physiques des sols.

• *Procédés microbiologiques.* On a mis en évidence depuis quelques décennies le rôle très important de la flore microbienne dans la nutrition des végétaux; certaines espèces microbiennes agissent par les enzymes qu'elles sécrètent à la fois pour solubiliser les matières minérales et pour synthétiser des vitamines indispensables au développement des plantes.

Empiriquement, les cultures de l'Europe occidentale ont maintenu depuis des siècles la fertilité des sols de leurs pays. Les progrès remarquables effectués en moins d'un siècle dans les techniques agronomiques ont permis d'améliorer cette fertilité, d'augmenter les rendements des cultures et de faire disparaître les risques de disette, sinon de famine, qui existaient à l'état endémique en Europe au cours des siècles passés.

FERTÖ, nom hongrois du lac NEUSIEDL.

FÉRY (Charles), physicien français (Paris 1865 - *id.* 1935). Il a créé une pile électrique dans laquelle l'air joue le rôle dépolarisant.

FÈS ou **FEZ,** v. du Maroc, ch.-l. de prov. entre le Moyen Atlas et le Rif; 325 000 hab. Industrie textile. Travail du cuir.

HISTOIRE. La ville est fondée par les Idrīsides* à la charnière des VIIIe et IXe s. Les Marīnides* en font leur capitale. En 1276, ils font construire en face de Fās al-Bālī (Fès l'Ancienne) une nouvelle ville : Fās al-Djadīd, ou Fès la Neuve. À partir du milieu du XVIe s., Fès perd son rôle de capitale, qu'elle reprend à la fin du XVIIIe s., le partageant avec Marrakech jusqu'en 1912.

BEAUX-ARTS. Les vestiges de la ville idrīside ont été plusieurs fois modifiés : mosquée des Andalous, mosquée Qarawiyyīn (857), réaménagée entre 1135 et 1142 par les Almoravides. Fās al-Djadīd, enfermée dans sa double enceinte, conserve quelques-unes des plus parfaites réussites de l'art hispano-mauresque, dont plusieurs madrasa du XIVe s., la plus monumentale étant la Bū ʿInāniyya (1350-1357), avec ses deux coupoles, sa cour centrale et un très beau minbar (chaire à prêcher). Très belles mosquées, dont la Grande Mosquée, caractérisée par la simplicité et la logique de son plan. Palais. Forts. Belles demeures privées agrémentées de jardins intérieurs, les plus anciennes remontant aux XIIIe et XIVe s.

FESCH (Joseph), prélat français (Ajaccio 1763 - Rome 1839). Oncle de Napoléon Ier, il renonça un moment à l'état ecclésiastique. Rentré dans les ordres (1800), il devint archevêque de Lyon (1802), puis cardinal (1803). Ambassadeur à Rome, il obtint que Pie VII vînt à Paris sacrer l'Empereur. Grand aumônier, comte et sénateur, il présida avec indépendance le Concile national de 1811. En 1814, il se réfugia à Rome.

FESSENHEIM (68740), comm. du Haut-Rhin, près du Rhin, à 21,5 km au N. de Mulhouse; 1 653 hab. Centrales hydroélectrique et nucléaire, en bordure du grand canal d'Alsace.

FESSIÈRE (région). — Située en arrière de la hanche, au-dessous et en arrière de la crête iliaque, elle comprend les muscles de la fesse et des pédicules vasculo-nerveux (pédicules fessier en haut et pédicule inférieur, où cheminent les nerfs grand et petit sciatiques). Les injections intramusculaires se font dans le quadrant supéro-externe de la fesse pour ne pas léser le nerf grand sciatique.

FESTINGER (Leon) → DISSONANCE COGNITIVE.

FESTIVAL. — Si le premier *festival dramatique* fut créé en France à Orange, en 1869, dans le cadre du théâtre antique, c'est à Jacques Copeau que l'on doit le développement décisif de ce genre de manifestation : à Nuits-Saint-Georges (1925), à la cathédrale de Chartres (1927), à Domrémy (1936), à l'Hôtel-Dieu de Beaune (1943), il tenta de faire participer un haut lieu naturel ou architectural à la résonance et à la signification d'une œuvre théâtrale. Cette collaboration a été réalisée avec succès à Avignon depuis 1948 (entre le palais des Papes et les mises en scène de Jean Vilar), à Paris depuis 1962, dans le cadre du festival du Marais, à Delphes, à Baalbek, et tend à se généraliser en province grâce à l'action des *centres* dramatiques.* Depuis 1954, le festival de théâtre de la Ville de Paris, connu sous le nom de « théâtre des Nations », a eu une influence déterminante sur l'évolution des recherches des auteurs et des metteurs en scène français par la présentation d'expressions et de techniques dramatiques étrangères, souvent très éloignées de la culture occidentale (l'Opéra de Pékin en 1955, le théâtre d'Art de Moscou en 1958, le nō japonais en 1966).

C'est en 1932 qu'eut lieu le premier *festival international de cinéma* à Venise. En 1939, pour concurrencer le succès de cette Biennale et pour se rendre indépendant des choix de l'axe Rome-Berlin à une époque de tension politique, la France prit la décision de fonder un festival à Cannes. L'inauguration n'eut lieu que sept ans plus tard, en 1946. Depuis cette date le festival de Cannes est devenu la plus grande des manifestations cinématographiques du monde entier. Parmi les autres festivals de cinéma, il convient de citer ceux de Berlin, Karlovy-Vary, Moscou, Saint-Sébastien, Locarno, Mannheim, Tachkent, Leipzig et Pesaro.

Les *festivals de musique* se sont multipliés, en particulier à Aix-en-Provence, à Royan, à Metz, etc.

L'intérêt grandissant suscité par les *festivals de danse* en fait ressortir les différentes caractéristiques : les festivals sont des lieux de rencontre et d'échange tant pour les artistes que pour le public; ils constituent aussi des mises à jour et des confrontations de tous les styles de danse, des états des toutes dernières recherches. Le plus ancien festival de danse est celui que créa Ted Shawn* en 1933 à Jacob's Pillow (Massachusetts, États-Unis). Le premier festival de danse et de ballet européen eut lieu à Copenhague en 1950. Par la suite, de nouveaux festivals furent créés : Gênes-Nervi (1955), Brantôme (1958), Les Baux-de-Provence (1962), le Festival international de danse de Paris (1963, donné depuis 1972 dans le cadre du Festival d'automne de Paris), Monte-Carlo (1966). Les concours internationaux de Varna (1964) et de Moscou (1969) sont également des lieux de rencontre chorégraphique très importants.

Fêtes galantes, recueil poétique de Verlaine (1869). Un adieu à l'influence du Parnasse et une transposition lyrique de la mode de Watteau.

FÉTICHISME *(Anthropol.).* — On a érigé le fétichisme en système magico-religieux fondé sur l'utilisation de fétiches (objets ou éléments naturels) censés être le lieu de forces suprahumaines bénéfiques et/ou maléfiques; mais ce terme est de moins en moins employé par les anthropologues, car il est trop imprécis pour être opératoire. (V. ANIMISME.)

FÉTICHISME *(Psychanal.).* — Le remplacement de l'objet sexuel normal par un substitut — partie du corps (pied, cheveux) ou objet inanimé (lingerie, bottine) — caractérise le fétichisme. Ainsi que le reconnaît S. Freud, un certain degré de fétichisme fait partie de toute relation amoureuse normale. Le fétichisme ne devient perversion* que lorsque « le besoin du fétiche prend une forme de fixité et se substitue au but normal, ou encore lorsque le fétiche se détache d'une personne déterminée et devient à lui seul l'objet de la sexualité ». Pour les psychanalystes, le fétichisme, comme l'homosexualité*, témoigne de l'horreur non surmontée de la castration*, qui saisit l'enfant devant les organes génitaux de la femme. Le clivage* et le déni* sont les deux processus qui permettent à l'enfant de conserver sa croyance infantile de l'existence d'un pénis chez la femme, en conférant à une autre partie du corps ou des vêtements de la femme — le fétiche — la valeur symbolique de phallus*.

FÉTIS (François Joseph), musicographe belge (Mons 1784 - Bruxelles 1871). L'un des premiers maîtres de la musicologie, il est l'auteur d'une *Biographie universelle des musiciens* (8 vol., 1837-1844) et d'une *Histoire de la musique* (5 vol., 1869-1876). Il a été directeur du Conservatoire de Bruxelles.

FÉTUQUE. — Les pâturages français portent plus de soixante-dix variétés de fétuque. Les fétuques sont des graminacées aux épillets portés par de longs pédoncules qui donnent à l'épi un aspect aéré et léger. Les feuilles, qui partent en touffe de la base du chaume, sont longues et fines. La fétuque constitue un fourrage apprécié. Plusieurs espèces ont une large distribution, alors que d'autres ne se trouvent que dans les alpages de montagne.

FEU *(Min.).* — Dans une mine*, les fumées cheminent avec le courant d'air et intoxiquent le personnel à l'aval-aérage d'un foyer jusqu'au débouché au jour; si le foyer est important et si les fumées contiennent du monoxyde de carbone (CO), les conséquences deviennent catastrophiques. L'incendie peut naître du frottement prolongé d'un câble sur un bois, d'un rouleau grippé de convoyeur qui, porté au rouge, enflamme le caoutchouc d'une bande, d'un court-circuit* dans un câble ou dans un appareil électrique contenant de l'huile. Aussi évite-t-on les matériaux inflammables. Dans une mine de houille, les risques de feu sont encore plus grands, en raison de l'éclosion spontanée d'un feu par l'oxydation* lente du charbon, surtout s'il est pyriteux. Lorsque le feu de charbon débouche à l'air libre, le courant d'air l'active, dégageant un grand volume de fumées opaques très toxiques en raison de leur teneur en monoxyde de carbone. De plus, la chaleur du feu libère les matières volatiles du charbon; d'où risques d'explosion avec éboulements, renversements d'aérage, etc. Des remblais charbonneux, un stock de charbon peuvent également prendre feu par le même mécanisme. Pour lutter contre un feu, on doit empêcher l'air de l'alimenter et de se renouveler, en fermant par des barrages étanches à l'air toutes les entrées d'air, puis les retours d'air du quartier sinistré, de façon à l'isoler. Si un feu de charbon a été décelé avant qu'il débouche à l'air libre, on cherche à l'étouffer à l'intérieur du massif à l'aide de l'*embouage* (injection, par des trous de sonde, d'un mélange d'eau et de fines poussières pour boucher les fissures).

Feu *(le), journal d'une escouade,* roman d'H. Barbusse (1916). Un témoignage vécu sur la vie des tranchées, qui rompt avec les peintures conventionnelles et nationalistes de la guerre.

FEU (Terre de) → TERRE DE FEU.

FEUERBACH (Paul Johann Anselm VON), criminaliste allemand (Hainichen, près d'Iéna, 1775 - Francfort-sur-le-Main 1833). L'un des représentants de l'école de la relativité, il est l'auteur de la théorie de la contrainte psychologique.

FEUERBACH (Ludwig), philosophe allemand (Landshut 1804-Rechenberg, près de Nuremberg, 1872), fils du précédent. Élève de Hegel*, Feuerbach subit l'influence de son maître et celle de la tradition mystique allemande quand il publie *Pensées sur la mort et l'immortalité* (1830), mais s'en détache dans sa *Critique de la philosophie hégélienne* (1839). Confronté au pouvoir de l'État féodal prussien, qui se renforce par le contrôle qu'il exerce sur l'Église de Prusse, il s'engage dans la double critique du christianisme et de cet État. Il écrit alors *l'Essence du christianisme* (1841), qui marque profondément les cercles hégéliens (v. HÉGÉLIANISME). Dans cette œuvre, il s'efforce de fonder un nouveau matérialisme à partir de la critique de l'idée de Dieu. Son originalité, dont Marx et Engels lui donneront acte tout en s'en démarquant, consiste à ramener le fait de la religion à un fait humain : l'homme s'aliène par la religion (v. ALIÉNATION). Feuerbach a également publié *l'Essence de la religion* (1845) et des *Leçons sur l'essence de la religion* (1851).

FEUERBACH (Anselm VON), peintre allemand (Spire 1829 - Venise 1880), petit-fils du juriste Paul Johann Anselm. Nostalgique de la culture classique, élève de Couture, travaillant beaucoup en Italie, il a peint des scènes antiques et de bons portraits. Il fut professeur à l'Académie de Vienne (1873-1876).

FEUILLADE (Louis), cinéaste français (Lunel 1873 - Nice 1925). Principal artisan de l'essor de la société Gaumont, dont il fut longtemps directeur artistique, il tourna d'innombrables films : films à trucs, films d'art, films réalistes et mélodramatiques (série *la Vie telle qu'elle est,* 1911-1913), séries comiques enfantines (séries des *Bébé* et des *Bout-de-Zan,* 1910-1915), mais s'illustra surtout dans les films à épisodes (ou sérials), dont il devint le spécialiste incontesté : *Fantomas* (1913-14), *les Vampires* (1915), *Judex* (1916-17).

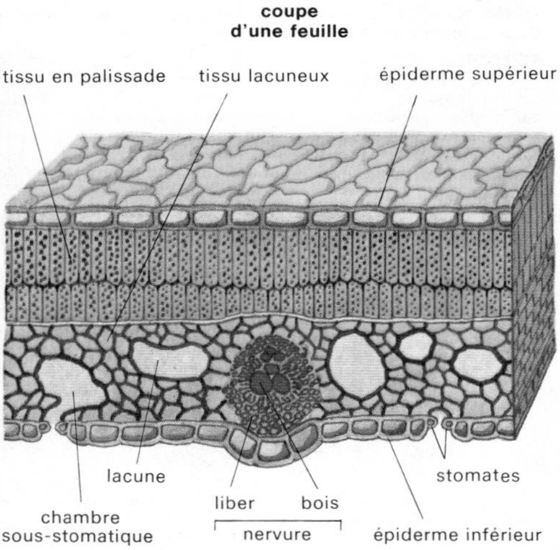

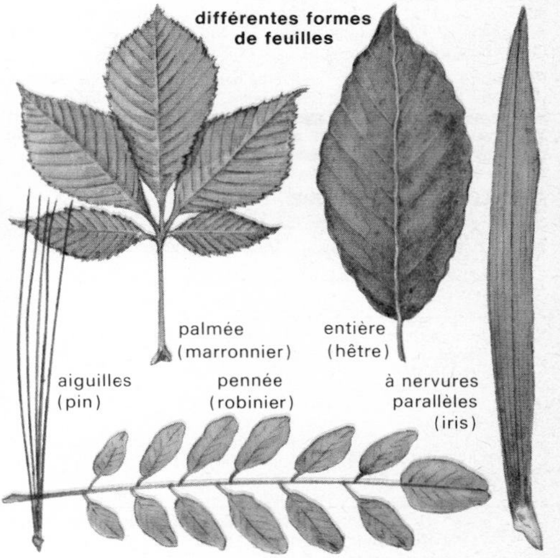

FEUILLE

Feuillants *(club des),* club ainsi appelé parce qu'il s'installa au couvent des Feuillants (Cisterciens), rue Saint-Honoré à Paris. Il naquit, en juillet 1791, de la scission du club des Jacobins*, abandonné par les plus modérés de ses membres. Partisans de la monarchie constitutionnelle, les Feuillants formèrent la droite de l'Assemblée législative* (1791-92).

FEUILLE. — Toutes les plantes terrestres supérieures portent des feuilles. Il s'agit toujours d'organes portés latéralement par une tige, chlorophylliens, aplatis, s'exposant à la lumière solaire et au sein desquels se réalise la nutrition carbonée de la plante (photosynthèse*). Les feuilles vivantes sont vertes, sauf au cas exceptionnel où la chlorophylle est masquée par un autre pigment (vigne vierge).

Les feuilles des mousses, portées par le gamétophyte, n'ont ni nervures ni vaisseaux.

Les feuilles des fougères, souvent issues d'un rhizome, sont presque toujours découpées en nombreuses *pinnules,* et leur face inférieure, à maturité, porte les sporanges, de sorte qu'on les nomme aussi des *frondes.*

Les feuilles des gymnospermes (pin, sapin) sont souvent réduites à des *aiguilles.* Les feuilles des monocotylédones (blé, iris, palmiers) sont des lames à nervures parallèles ou des ensembles pennés ou palmés de telles lames. Souvent verticales, elles ont alors la même structure sur les deux faces.

Les feuilles des dicotylédones ont généralement des nervures ramifiées, un port horizontal, un contour assez large et surtout une différence très marquée entre les deux faces : la face supérieure, pauvre en orifices, riche en chlorophylle (donc très verte), capture la lumière solaire, tandis que la face inférieure, pauvre en chlorophylle, souvent velue, percée de nombreux *stomates,* assure les échanges gazeux.

Il est fréquent que la nervure principale, ou *rachis,* soit beaucoup plus forte que les autres. C'est en effet le rachis qui prolonge le *pétiole* (« queue » de la feuille), attaché à la tige par une *gaine.* La partie étalée, ou *limbe,* peut être fractionnée en plages séparées; on a alors affaire à une *feuille composée* (palmée ou pennée), dont chaque élément est une *foliole.*

Par réduction ou transformation, une feuille ou une simple foliole peut devenir une écaille, une vrille, une ventouse, une épine, une urne ou tout autre organe spécialisé. Les bractées et même les pièces florales sont tenues pour des feuilles modifiées.

La base d'une feuille peut porter deux lames, ou *stipules,* généralement minimes.

Dans les espèces vivaces arborescentes, sous nos climats, les feuilles meurent et tombent à l'automne : on parle alors d'arbres à feuilles *caduques.*

Feuilles d'automne *(les),* recueil de poèmes de Victor Hugo (1831).

Feuilles d'herbe, recueil poétique de Walt Whitman (première édition en 1855 : 12 poèmes; dernière édition en 1892 : 411 poèmes). Une autobiographie lyrique qui fait de l'humanité l'hyperbole du Moi.

FEUILLET (Raoul Auger), maître de ballet et chorégraphe français (v. 1660/1675 - v. 1730). Sa *Chorégraphie ou l'Art d'écrire la danse par caractères, figures et signes démonstratifs* (1700) définit, en s'appuyant sur les premières indications de Beauchamp*, les cinq positions essentielles de la danse classique et le principe fondamental de l'en-dehors.

FEUILLET EMBRYONNAIRE → EMBRYON.

FEUILLET MAGNÉTIQUE. — C'est un aimant lamellaire, en général fictif, dont les faces ont des densités magnétiques égales et de signes contraires. Un circuit parcouru par un courant électrique peut, en électromagnétisme, être assimilé à un feuillet magnétique.

FEUILLETON. — Le *feuilleton littéraire* exista d'abord sous sa forme critique, dès le Consulat, dans *le Journal des débats* et connut une vogue durable : c'est ainsi que parurent les *Lundis* de Sainte-Beuve dans *le Constitutionnel, le Moniteur* et *le Temps.* Mais c'est Émile de Girardin qui lança dans *la Presse,* à partir de 1836, le *roman-feuilleton :* s'il fit appel à Eugène Sue, à Alexandre Dumas et autres auteurs experts en situations mélodramatiques et psychologie sommaire (Paul Féval, Xavier de Montépin, Ponson du Terrail), rebondissements et « suspense » soutenant l'intérêt d'un numéro à l'autre, il n'hésita pas à publier Balzac (notamment *la Vieille Fille*) ou Chateaubriand *(Mémoires d'outre-tombe).* La formule fait encore le succès d'une presse périodique populaire. Les débuts du cinéma virent naître le *feuilleton-cinéma,* dont les épisodes étaient projetés sur l'écran au fur et à mesure de leur publication dans le journal (*les Mystères de New York,* 1915). Le *feuilleton télévisé* connaît aujourd'hui une grande audience auprès des téléspectateurs.

FEUQUIÈRES-EN-VIMEU (80210), comm. de la Somme, à 19 km à l'O.-S.-O. d'Abbeville; 2 617 hab. Métallurgie.

FEURS (42110), ch.-l. de cant. de la Loire, sur la Loire, à 38 km au N. de Saint-Étienne; 8 096 hab. *(Foréziens).* Métallurgie.

FEUTRE. — Le feutre est constitué par l'enchevêtrement de certaines fibres dont la tendance naturelle est de former, sous l'action conjointe de la chaleur, de l'humidité et des frottements, une étoffe compacte et résistante. Seules les fibres de laine* possèdent naturellement cette aptitude au feutrage. Néanmoins, certains poils animaux (chèvre, lapin) peuvent également servir à la réalisation de feutres après avoir été soumis à un traitement de sécrétage, qui les rend aptes à subir les opérations de feutrage.

FEUX, MARQUES ET SIGNAUX SONORES. — Les règles internationales pour prévenir les abordages en mer prescrivent que

feux des navires de commerce et de pêche

type de navire et circonstances de navigation	*nombre*	*couleur*	*portée lumineuse* (1)	*angle d'éclairement*	*position à bord*
Navire à propulsion mécanique faisant route	2 (2)	blanc	2 à 6 milles	225° vers l'avant	Un feu à l'avant, le second à l'arrière du premier et plus haut que ce dernier (feux de tête de mât)
	1	vert	1 à 3 milles	112,5° depuis l'avant	À tribord — feux de côté
	1	rouge	1 à 3 milles	112,5° depuis l'avant	À bâbord — feux de côté
	1	blanc	2 ou 3 milles	135° vers l'arrière	À l'arrière (feu de poupe)
Navire à voile faisant route	Feux de côté et de poupe comme les navires à propulsion mécanique (3)				
	1 (4)	rouge	2 ou 3 milles	360°	Superposés en haut du mât, le feu rouge au-dessus du feu vert
	1 (4)	vert	2 ou 3 milles	360°	
Navire de pêche en train de pêcher et faisant route ou au mouillage	1	vert ou rouge (5)	2 ou 3 milles	360°	Superposés, le feu vert ou rouge au-dessus du feu blanc
	1	blanc	2 ou 3 milles	360°	
	1 (6)	blanc	2 à 6 milles	225° vers l'avant	Plus haut que le feu vert ou rouge et sur l'arrière de ce dernier
	Feux de côté et de poupe (si le navire a de l'erre)				
Navire à propulsion mécanique remorquant ou poussant	2 (7)	blanc	2 à 6 milles	225° vers l'avant	À l'avant et superposés en tête de mât
	1 (8)	blanc	2 à 6 milles	225° vers l'avant	Sur l'arrière des feux de tête de mât et plus haut que ces derniers
	Feux de côté et de poupe				
	1 (9)	jaune	2 ou 3 milles	135° vers l'arrière	Au-dessus du feu de poupe (feu de remorquage)
Navire remorqué	Feux de côté et de poupe				Si le navire est remorqué à couple, les feux de côté sont placés à l'extrémité avant
Navire poussé en avant	Feux de côté				À l'extrémité avant
Navire non maître de sa manœuvre (10)	2	rouge	2 ou 3 milles	360°	Superposés à l'endroit le plus visible
	Feux de côté et de poupe (si le navire a de l'erre)				
Navire au mouillage ou échoué	2 (11)	blanc	2 ou 3 milles	360°	À l'endroit le plus visible, l'un à l'avant et l'autre à l'arrière plus bas que le premier. Superposés, à l'endroit le plus visible
	2 (12)	rouge	2 ou 3 milles	360°	

(1) La portée lumineuse est fonction de la longueur du navire.
(2) Un seul feu est obligatoire pour les navires de longueur inférieure à 50 m.
(3) Sur les navires de longueur inférieure à 12 m, ces trois feux peuvent être réunis en un seul placé en haut du mât.
(4) Facultatifs (ne doivent pas être montrés en même temps que les feux de côté et de poupe combinés).
(5) Vert sur un navire en train de chaluter; rouge sur un navire utilisant un autre engin de pêche.
(6) Pour les navires en train de chaluter et facultatif si la longueur du navire est inférieure à 50 m. Un navire utilisant un autre engin de pêche déployé sur une longueur supérieure à 150 m doit montrer un feu blanc visible sur tout l'horizon.
(7) Trois feux superposés si la longueur du train de remorque dépasse 200 m.
(8) Facultatif pour les navires de longueur inférieure à 50 m.
(9) Pour les navires remorquant par l'arrière seulement.
(10) Un navire à capacité de manœuvre restreinte doit montrer en outre un feu blanc entre les deux feux rouges et, s'il y a de l'erre, des feux blancs de tête de mât.
(11) Un seul feu blanc obligatoire à l'endroit le plus visible sur les navires de longueur inférieure à 50 m.
(12) Navires échoués seulement (en plus des deux feux blancs).

les navires doivent porter, du coucher au lever du soleil ou par visibilité réduite, des *feux* dont le nombre, les caractéristiques et l'emplacement à bord varient selon la longueur des navires, leur mode de propulsion et les circonstances de leur navigation. D'autre part, de jour, les navires doivent porter, dans des cas définis, diverses *marques :* boules, cônes, etc. Enfin, les navires d'une longueur de 12 m et plus doivent être pourvus d'appareils permettant, par visibilité réduite, d'émettre divers *signaux sonores :* un sifflet et une cloche, et, si leur longueur est égale ou supérieure à 100 m, un gong dont le son ne peut être confondu avec celui de la cloche.

FÉVAL (Paul), écrivain français (Rennes 1817 - Paris 1887), auteur de mélodrames et de romans d'aventures (*le Bossu ou le Petit Parisien,* 1858).

FÈVE. — Plus grosse que le haricot et plus plate, la fève est la graine d'une plante de l'Ancien Monde, cultivée et consommée depuis la plus haute antiquité, et particulièrement prisée chez les Romains. On en nourrit également les bêtes de ferme. Elle a été quelque peu supplantée dans ses usages culinaires par le haricot, importé d'Amérique, à partir du XVIe s. (Famille des papilionacées.)

février 1848 *(journées des 22, 23)* → JUILLET *(monarchie de)* et RÉVOLUTION FRANÇAISE DE 1848.

février 1934 *(6),* journée de manifestation, organisée par les ligues de droite (Action française, Croix-de-Feu, Union nationale des combattants, Jeunesses patriotes) contre le ministère Daladier, que soutenait la gauche. Elle avait pour but de protester contre le scandale Stavisky et la mutation du préfet de police Chiappe. La manifestation donna lieu à des heurts sanglants (20 morts et de nombreux blessés) avec la police, chargée de défendre la Chambre des députés, et provoqua la démission de Daladier. Elle contribua à unir la gauche qui organisa, le 9, une contre-manifestation au cours

Manifestation à Paris, le 6 février 1934.

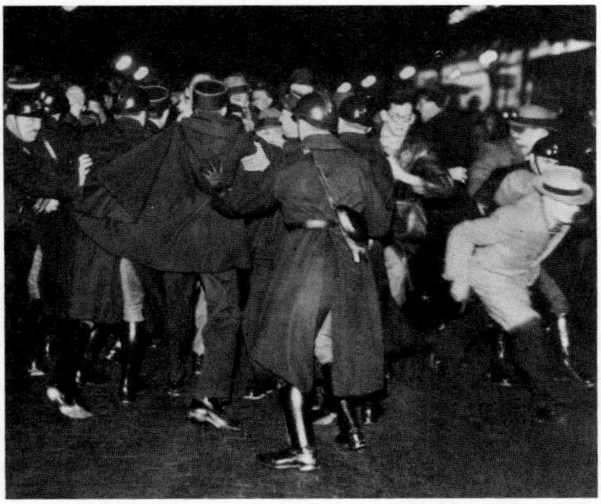

de laquelle eurent lieu avec la police des bagarres qui firent 8 morts et 300 blessés.

FEYDEAU (Georges), écrivain français (Paris 1862 - Rueil 1921). Usant de tous les procédés qui font naître le rire, sachant puiser dans la vie quotidienne les traits d'un comique de situation, il triompha dans le vaudeville (*Un fil à la patte,* 1894; *le Dindon,* 1896; *la Dame de chez Maxim,* 1899; *Occupe-toi d'Amélie,* 1908; *Mais n'te promène donc pas toute nue,* 1912).

FEYDER (Jacques FRÉDÉRIX, dit **Jacques**), cinéaste français (Ixelles, Belgique, 1888 - Rives-de-Prangins, Suisse, 1948). Il fut l'un des précurseurs de l'école réaliste poétique française des années 30. Parmi ses films muets, on citera : *l'Atlantide* (1921), *Crainquebille* (1922), *Visages d'enfants* (1923), *l'Image* (1924), *Thérèse Raquin* (1928), *les Nouveaux Messieurs* (1929). Il tourna à Hollywood *le Baiser,* avec Greta Garbo, puis, de retour en France : *le Grand Jeu* (1934), *Pension Mimosas* (1935), *la Kermesse héroïque* (1935), *les Gens du voyage* (1937), *la Loi du Nord* (1939).

FEYNMAN (Richard P.), physicien américain (New York 1918). Il a reçu, en 1965, le prix Nobel de physique pour sa contribution à la théorie des interactions entre le champ électromagnétique et le photon.

FEYZIN (69320), comm. du Rhône, près du Rhône, dans la banlieue sud de Lyon; 7 346 hab. Raffinage du pétrole. Pétrochimie.

FEZ → FÈS.

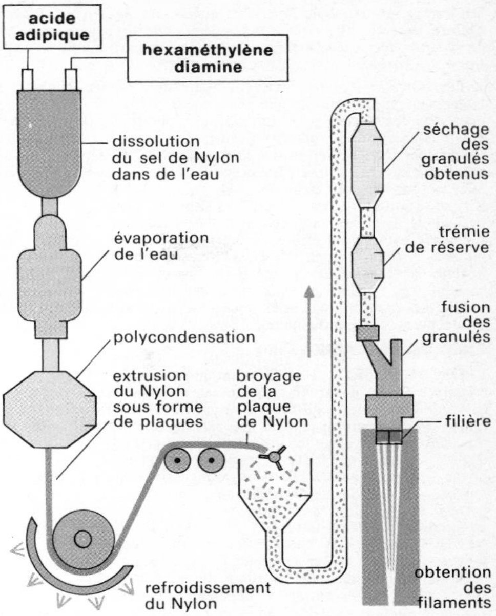

Schéma de préparation d'un polyamide (Nylon).

FEZZAN, région désertique, parsemée d'oasis, du sud-ouest de la Libye. Le Fezzan fait partie du territoire des Garamantes et est conquis par les Romains en 19 av. J.-C. Aux mains des Arabes depuis 666, il est gouverné par des dynasties locales jusqu'à son annexion par les Ottomans (1842). Conquis par les Italiens en 1913-14, reconquis par eux en 1929-30, il est occupé en 1941-42 par les Français libres de Leclerc. En 1955, la France évacue le Fezzan, qui devient une province autonome de la Libye jusqu'à la transformation de ce pays en un État unitaire (1963).

F.F.C., F.F.I., F.F.L. → FORCES FRANÇAISES COMBATTANTES, DE L'INTÉRIEUR, LIBRES.

FIANARANTSOA, v. de Madagascar, au S.-E. de l'île; 55 000 hab.

Fiancés *(les),* roman historique de Manzoni (1825-1827).

Fianna Fáil, parti politique irlandais nationaliste et républicain, fondé en 1927 par De* Valera. Il regroupe alors les anciens sinn féiner hostiles au traité de Londres mais désireux de participer à la vie parlementaire. Devenu le principal parti irlandais, le Fianna Fáil reste au pouvoir de 1932 à 1949 et de 1951 à 1973.

FIBRE → PANNEAU DE FIBRES ET DE PARTICULES.

FIBRE CHIMIQUE *(Text.).* — On distingue deux grandes catégories de fibres chimiques, suivant la nature des constituants de base qui servent à fabriquer ces matières textiles conçues et fabriquées entièrement par l'homme et qui existent dans la nature sous diverses formes. Les *fibres artificielles* sont généralement obtenues à partir de la cellulose*, alors que les *fibres synthétiques* le sont à partir de dérivés de produits chimiques variés, provenant le plus souvent du charbon (carbochimie) ou du pétrole (pétrochimie*). La fabrication de ces deux catégories de fibres repose sur un principe commun : obtenir, sous forme de solution ou par fusion, un produit susceptible de passer à travers une filière, c'est-à-dire d'être filable. La filière est une plaque finement perforée, le plus souvent en platine, ou en acier inoxydable, avec des dimensions et un nombre d'orifices différents selon les fabrications. Certains ne mesurent pas plus de 0,04 mm. Le produit filable est poussé sous pression à travers la filière et sort de chaque orifice sous forme d'un filament continu. Les filaments sont réunis à la sortie des filières soit pour former un fil, soit pour former un câble, qui pourra être coupé à des longueurs identiques à celles des textiles naturels pour être présenté sous forme de fibres. Les fibres chimiques sont désignées à la fois sous leurs noms génériques et sous des noms commerciaux. Les marques déposées de la fibre de polyester sont en France « Tergal », en Angleterre « Térylène », et en Italie « Térital ».

• Les *fibres artificielles* sont obtenues à partir de cellulose, dont la majeure partie est extraite du bois. Selon les procédés de fabrication, on obtient des produits ayant des caractéristiques différentes, connus sous les noms génériques de *viscose, modal, acétate, triacétate.* La viscose est également désignée sous les noms de *rayonne,* lorsqu'elle est sous forme de filaments continus, et de *fibranne,* lorsqu'elle est sous forme de fibres.

• Les *fibres synthétiques* dérivent toutes de produits chimiques à molécules simples, ou monomères*, qui sont amenées à réagir les unes sur les autres pour donner, par polymérisation* ou par polycondensation, des macromolécules. Les plus courantes sont les polyamides (Nylon, Perlon, etc.), obtenues par réaction d'un acide organique sur une amine*, les polyesters (Tergal, Diolen, Trévira, etc.), obtenus par réaction d'un acide sur un alcool, les acryliques* (Crylor, Courtelle) et les chlorofibres (Rhovyl, Clévyl), obtenues en partant de dérivés azotés ou chlorés de l'éthylène*.

Chaque catégorie de fibres chimiques a des caractéristiques qui lui sont propres : ténacité, élasticité, froissabilité, etc. Généralement, la ténacité des fibres synthétiques est élevée; celles-ci sèchent très rapidement et le repassage des articles est souvent inutile. Les chlorofibres ont un pouvoir d'isolation calorifique élevé et, de plus, sont ininflammables.

FIBRE MUSCULAIRE → MUSCLE.

FIBRE OPTIQUE. — Une fibre optique est un conducteur souple constitué par un noyau en verre* ou en plastique* recouvert d'une gaine de composition différente, et qui transmet des informations lumineuses suivant un chemin non rectiligne. Un rayon lumineux, frappant la surface de séparation de l'âme et de la gaine sous un angle d'incidence supérieur à l'angle limite, est réfléchi au sein du noyau et transmis par réflexions successives dans la fibre. La longueur d'onde de transmission dans une fibre en verre oscille entre 0,35 et 2 μm. On produit des verres spéciaux donnant une atténuation comprise entre 4 et 20 dB/km. La firme Du Pont de Nemours fabrique des conducteurs de lumière composés de fibres plastiques dont la portée est, pour l'instant, moins importante que celle qui est obtenue avec les fibres de verre. Les formes données aux fibres sont très variées et dépendent des types d'application. Les plus simples sont les conducteurs souples dans lesquels les fibres sont amalgamées dans deux embouts. Les conducteurs multibrins se composent d'une entrée et de plusieurs sorties : éclairage du tableau de bord d'une automobile avec une seule lampe, contrôle de lampes à l'intérieur d'un matériel, contrôle de la flamme d'un brûleur, systèmes d'éclairage à lumière froide, totalement antidéflagrants, etc. Les conducteurs d'image se présentent sous la forme d'un assemblage de fibres de verre; ils permettent d'observer des phénomènes dans des lieux inaccessibles à l'œil : endoscopie, contrôle des réacteurs, des moteurs, dans des endroits dangereux, etc. Le capteur optoélectronique associe les propriétés optiques des conducteurs de lumière aux techniques électroniques : capteurs, détecteurs, lecteur de cartes et de bandes perforées. Les modèles en verre spécial éclairés par la lumière cohérente d'un rayon laser* forment un guide d'onde pouvant transmettre une image de télévision ou toute autre information électronique (largeur de bande : 10^{10} à 10^{11} Hz sur 1 km).

FIBRILLAIRE → PROTÉINIQUE.

FIBRILLATION → CŒUR.

FIBRINE, FIBRINOGÈNE → COAGULATION.

FIBROME. — Des fibromes bénins ou malins (fibrosarcomes) peuvent se localiser au niveau de tous les organes. Au tissu fibreux s'associe parfois du tissu cartilagineux (fibrochondrome), du tissu musculaire (fibromyome), etc. Le fibromyome (ou « fibrome ») utérin est une tumeur bénigne formée à partir du muscle de l'utérus. Très fréquent chez la femme avant la ménopause, il se traduit par des symptômes variés : ménorragie, pesanteurs pelviennes, etc., ou par des complications (compressions par le fibrome des veines, de l'uretère, torsion du fibrome, complications obstétricales, etc.). Son diagnostic repose sur le toucher vaginal et sur l'hystérosalpingographie.

FIBROSCOPE → ENDOSCOPIE.

FICELLE → JUTE.

Fiches *(affaire des),* système d'avancement abusif, établi dans l'armée par le général Louis André (1838-1913), ministre de la Guerre de 1901 à 1904 dans le cabinet Waldeck-Rousseau. Il était fondé sur des fiches transmises au ministre en dehors de toute voie hiérarchique et consignant les opinions religieuses et politiques des officiers. Le scandale qui en résulta provoqua la démission du général André.

FICHET (Guillaume), humaniste français (Le Petit-Bornand 1433-Rome v. 1480). Recteur de l'Université de Paris (1467), il installa à la Sorbonne le premier atelier typographique français (1471).

FICHIER D'INFORMATIQUE. — Un fichier d'informatique* peut être l'exacte transposition d'un fichier classique; c'est toujours une collection homogène et organisée de données, mémorisée et exploitée sur un ordinateur*. Un fichier est enregistré sur un support physique : cartes* perforées, bande* ou disque* magnétique. Une bande ou un disque constitue un *volume* pouvant contenir un ou plusieurs fichiers ou une fraction seulement d'un fichier. Les données sont enregistrées sous forme d'enregistrements* physiques qui regroupent eux-mêmes des enregistrements logiques correspondant aux articles, ou fiches, du fichier. Le fichier du personnel d'une entreprise est constitué d'articles qui rassemblent chacun les informations relatives à un employé. Des enregistrements particuliers, en tête et en fin de fichier, servent à identifier le fichier et à donner des renseignements sur son organisation, ses conditions d'utilisation, sa durée de vie. On distingue plusieurs sortes d'organisations de fichiers :

• L'*organisation séquentielle,* la plus simple, est analogue à celle d'un paquet de cartes. La recherche d'un article impose l'examen de tous ceux qui le précèdent. Toute modification, suppression, substitution, insertion d'articles exige la réécriture complète de l'ensemble du fichier sur un autre support.

• L'*organisation séquentielle indexée* exige un support qui permette l'accès direct à un enregistrement : disque ou tambour. Les articles sont écrits selon une certaine séquence logique. Cependant, lors de leur création, leur adresse physique est conservée dans une table en même temps que la clé logique qui identifie l'article. Consultation et mise à jour d'un article peuvent alors se faire sélectivement, sans avoir à balayer tout le fichier : il suffit de chercher dans la table de correspondance son adresse en face de la clé. L'adjonction d'articles nouveaux se fait dans des zones de débordement. Une telle organisation de fichier permet d'avoir un accès séquentiel à toutes les fiches pour des traitements d'ensemble et un accès sélectif à quelques articles seulement pour des traitements ponctuels.

• L'*organisation directe* ou *adressée* repose sur l'indépendance totale de la séquence logique des articles par rapport à leur séquence physique d'enregistrement. Une place disponible quelconque du support physique, nécessairement à accès direct, est donnée à un article au moment de sa création, et la correspondance entre la clé logique de l'article et l'adresse de son emplacement est conservée dans une table. Cette table est elle-même souvent remplacée par une fonction de correspondance clé-adresse. Ces organisations de fichiers sont indispensables lorsque les articles doivent être consultables en temps réel par l'intermédiaire de terminaux*, comme c'est le cas dans les systèmes de réservation de places ou dans les grosses bases de données. Des ensembles complexes et importants de programmes du système* d'exploitation, appelés *méthodes d'accès,* fournissent au programmeur, à travers l'utilisation de langages* symboliques, des outils standards qui facilitent et normalisent l'organisation et la mise en œuvre des fichiers.

FICHTE (Johann Gottlieb), philosophe allemand (Rammenau, Saxe, 1762 - Berlin 1814). Sa *Critique de toute révélation,* qu'il écrit à trente ans, lui assure un succès considérable que renforcent ses *Contributions destinées à rectifier les jugements du public sur la Révolution française* (1793). En 1794, Fichte est appelé à l'université d'Iéna, où il occupe, jusqu'en 1799, la chaire de philosophie. C'est là qu'il conçoit la première version de sa *Théorie de la science.* Dans cette œuvre, il tente de fonder l'intersubjectivité, c'est-à-dire les relations qu'une conscience instaure avec une autre conscience, rendant possible la détermination du monde à partir du Moi. L'existence du monde et son sens sont donc justifiés par la conscience humaine. Ainsi, Fichte est légitimement fondé à développer, à partir de cette philosophie de la conscience, une politique dans son double sens d'éthique et de philosophie du droit. La *Fondation du droit naturel* (1796), le *Système de l'éthique* (1798) et *l'État commercial fermé* (1800) conçoivent l'éthique comme un progrès vers l'unité spirituelle des consciences et l'État comme la réalisation de la liberté que Fichte ne cesse de revendiquer.

Accusé d'athéisme en 1799, il quitte Iéna pour Berlin, où il prononcera, en 1807-08, deux retentissants *Discours à la nation allemande.* Entre-temps, il publie deux essais de vulgarisation de sa pensée (*la Destination de l'homme,* 1800; *Initiation à la vie bienheureuse,* 1806) et s'attache à reformuler la problématique du savoir dans un *Exposé de la doctrine de la science* (1804) qui débouche sur la théologie.

FICHTELGEBIRGE, massif montagneux de l'Allemagne fédérale, en Bavière, au N.-E. de Bayreuth; 1 051 m.

FICIN (Marsile), en ital. **Marsilio Ficino,** humaniste italien (Figline Valdarno 1433 - Careggi, Florence, 1499), traducteur de Platon, dont il propagea les doctrines en Italie. (V. PLATONISME.)

Fictions, recueil d'« histoires courtes » de J.-L. Borges (1941-1944) : une série d'exercices de style, qui proposent chacun une énigme à la fois policière et métaphysique, et traversés par les deux obsessions du labyrinthe et du jardin mystérieux; une définition du rôle de l'écrivain, qui culmine dans l'épisode des « Ruines circulaires » : un homme qui veut donner à ses rêves une puissance créatrice découvre qu'il n'est lui-même que le rêve d'un autre.

FIDÉISME. — En réaction contre le rationalisme du XVIIIe s., se développe en France, au XIXe s., un mouvement de pensée qui met la foi à la base de la connaissance religieuse, déniant toute valeur aux preuves rationnelles. À cette tendance, sont attachés les noms de l'abbé Bautain, de Bonald* et de La Mennais*.

Fidelio, primitivement appelé *Léonore ou l'Amour conjugal,* opéra en deux actes, livret de J. von Sonnleitner et F. Treitschke, d'après un mélodrame français de Bouilly, musique de Beethoven (1805, remanié en 1806 et 1814). La troisième ouverture porte le nom de *Léonore III.* Pour évoquer l'amour conjugal et exalter la liberté, Beethoven passe du style de l'opéra-comique au récitatif et au grand air dramatiques.

FIDÉLITÉ (haute). — La haute fidélité désigne un ensemble de reproduction sonore de qualité, généralement du type « grand public ». Pour éviter des abus, il a fallu définir les caractéristiques minimales que doivent présenter les différents composants de ces ensembles : lecteurs* de disque, magnétophones*, amplificateurs, enceintes* acoustiques, adaptateurs de modulation de fréquence. Le document le plus connu est la norme allemande DIN 45 500, appliquée par de nombreux constructeurs, qui en font référence dans leurs catalogues. La commission technique du Syndicat des industries électroniques de reproduction et d'enregistrement a établi des spécifications sous la forme de normes françaises. Enfin, la Commission électrotechnique internationale (C. É. I.) étudie l'harmonisation de ces normes, afin de publier des spécifications internationales permettant de comparer valablement les caractéristiques des appareils de reproduction sonore, quelle que soit leur provenance.

FIDÈNES, anc. ville d'Italie, dans le pays des Sabins. Elle fut l'une des plus anciennes colonies de Rome dans le Latium : selon la tradition, Rome l'aurait conquise vers 426.

FIDENZA, v. d'Italie (Émilie-Romagne), au N.-O. de Parme; 20 000 hab. Cathédrale romane et gothique, avec sculptures de Benedetto Antelami sur la façade (fin XIIe-début XIIIe s.).

FIDJI ou **FIJI** *(îles),* État insulaire de l'Océanie, membre du Commonwealth; 18 272 km^2; 551 000 hab. Capit. *Suva.* Explorées, à partir de 1774, par les Anglais, puis par les Français, ces îles furent annexées en 1874 par l'Angleterre et accédèrent à l'indépendance en 1970. C'est un archipel volcanique de la Mélanésie, comprenant deux îles principales : Viti Levu et Vanua Levu. Jouissant d'un climat tropical, il vit principalement de la culture de la canne à sucre et de la banane, qui constituent, avec l'or, les principaux produits d'exportation. L'aéroport de Nandi est une importante escale aérienne au cœur du Pacifique.

FIEF. — Ce mot, dérivé du latin *fevum,* apparaît au Xe s. pour désigner la concession à charge de service noble faite par le seigneur à son vassal, et, par extension, le bien concédé. L'objet de cette concession peut être un bien mobilier, un droit (cens, péage), un serf, une rente (fief-rente), une terre ou encore un office. C'est par l'investiture, acte formaliste, que le vassal reçoit le bien concédé. Mais, préalablement, celui-ci a contracté envers son seigneur un engagement personnel, consacré par l'hommage et le serment de fidélité, signe de l'existence d'un lien étroit entre la concession et le service caractérisé par l'obligation de conseil (celle de garnir la cour de son seigneur), d'aide militaire (ost et chevauchée) et d'aide pécuniaire, que la coutume a progressivement réduite à quatre cas. La concession n'est pas transfert total de propriété, mais démembrement de ce droit entre seigneur et vassal. Le seigneur conserve sur le bien un droit éminent qui lui permet de prononcer la commise du fief (félonie du vassal), de recevoir le relief et le quint lors de l'aliénation du bien. Si les devoirs du vassal disparaissent avec le redressement de l'autorité royale (XVe-XVIe s.), le fief subsiste, comme catégorie de droit réel, jusqu'à la Révolution.

FIELD (John), compositeur irlandais (Dublin 1782-Moscou 1837). Il connut, comme pianiste, de grands succès en Angleterre, en France, en Italie et en Russie, où il se fixa (Saint-Pétersbourg, Moscou). Ses pièces pour piano, notamment ses nocturnes, font pressentir Chopin.

FIELD (Cyrus West), industriel américain (Stockbridge, Massachusetts, 1819-New York 1892). Il établit le premier câble sous-marin reliant l'Amérique à l'Ancien Continent (1858-1866) et organisa la pose du câble reliant San Francisco aux îles Hawaii (1871).

FIELDING (Henry), écrivain anglais (Sharpham Park, près de Glastonbury, 1707-Lisbonne 1754). De famille noble, il fait des études de droit à Eton, puis se consacre au théâtre, où son esprit satirique se donne libre cours contre les vices et les ridicules de ses contemporains (*l'Amour sous plusieurs masques,* 1728; *Tom Pouce,* 1730; *Don Quichotte en Angleterre,* 1734). Mais les réactions violentes du gouvernement anglais à ses *Annales historiques de 1736,* qui critiquent le ministre Walpole, le détournent du théâtre. Il épouse une riche héritière, dilapide sa fortune, devient avocat, puis journaliste. La sentimentalité de la *Paméla* de Richardson lui étant insupportable, il en fait la caricature dans *les Aventures de Joseph Andrews* (1742), qui obtiennent un grand succès. S'il crée encore deux journaux et publie trois volumes de *Mélanges* (1743), il ne tarde pas à revenir au roman et donne avec *l'Histoire de Tom* Jones, enfant trouvé* (1749) un des grands récits réalistes modernes.

FIELDS (John Charles), mathématicien canadien (Hamilton 1863-Toronto 1932). Il étudia les fonctions d'une variable complexe et a laissé son nom à la « médaille Fields ».

FIELDS (William Claude DUCKINFIELD, dit **W. C.**), acteur de cinéma américain (Philadelphie 1879-Pasadena 1946). Venu assez tard au cinéma, après avoir été une vedette de music-hall, il s'imposa comme l'un des rois de la comédie burlesque américaine (*Si j'avais un million,* 1932; *Tillie and Gus,* 1933; *David Copperfield,* 1935; *Passez muscade,* 1941).

Fields (MÉDAILLE), la plus haute récompense internationale destinée à couronner des travaux de qualité exceptionnelle dans le domaine des mathématiques. Aussi prestigieuse que le prix Nobel, qui n'existe pas en mathématiques, mais bien moins richement dotée,

liste des lauréats de la médaille Fields depuis sa fondation

Années	*Titulaires*	*Travaux récompensés*
1936	Ahlfors (Lars Valerian), Américain d'origine finnoise (Helsinki 1907).	Fonctions méromorphes.
	Douglas (Jesse), Américain (New York 1897).	Géométrie différentielle.
1950	Schwartz (Laurent), Français (Paris 1915).	Théorie des distributions.
	Selberg (Atle), Américain d'origine norvégienne (Langeaud 1917).	Théorie des nombres.
1954	Kodaira Kunnihiko, Japonais (Tōkyō 1914).	Variétés analytiques complexes.
	Serre (Jean-Pierre), Français (Bages 1926).	Topologie, géométrie algébrique, groupes de Lie, théorie des nombres.
1958	Roth (Klaus Friedrich), Britannique d'origine allemande (Breslau 1925).	Théorie des nombres.
	Thom (René), Français (Montbéliard 1923).	Topologie différentielle.
1962	Hörmander (Lars), Suédois (Mjölby 1931).	Théorie des équations aux dérivées partielles.
	Milnor (John Willard), Américain (Orange, New Jersey, 1931).	Topologie différentielle.
1966	Atiyah (Michael Francis), Britannique (Londres 1929).	Topologie algébrique et analyse sur les variétés.
	Cohen (Paul), Américain (Long Branch, New Jersey, 1934).	Hypothèse du continu.
	Grothendieck (Alexander), Français d'origine russe-allemande (Berlin 1928).	Espaces vectoriels topologiques, géométrie algébrique.
	Smale (Stephen), Américain (Flint, Michigan, 1930).	Topologie différentielle des variétés et des immersions.
1970	Baker (Alan), Britannique (Londres 1939).	Théorie des nombres transcendants, application aux équations diophantiennes.
	Hironoka (Heusuke), Américain d'origine japonaise.	Résolution des singularités des variétés algébriques.
	Novikov (Sergueï P.), Russe (Moscou 1938).	Topologie géométrique et algébrique.
	Thompson (John Griggs), Américain (Ottawa, Kansas, 1932).	Théorie des groupes finis.
1974	Bombieri (Enrico), Italien (Milan 1940).	Calcul des variations, théorie des surfaces algébriques, distribution des nombres premiers.
	Mumford (David), Américain (Worth, Sussex, 1937).	Géométrie algébrique.

elle est décernée, tous les quatre ans, lors du congrès de l'Union internationale de mathématiques. Alors que le prix Nobel consacre souvent une carrière, la médaille Fields est attribuée à des mathématiciens âgés de moins de quarante ans.

FIER (le), riv. de Haute-Savoie, affl. du Rhône (r. g.); 66 km.

Fierabras, chanson de geste de la fin du XIIe s. Elle célèbre la reconquête des reliques de la Passion, dont Fierabras, géant sarrasin, s'était emparé lors de la prise de Rome.

FIESCHI (Giuseppe), conspirateur corse (Murato 1790-Paris 1836). Le 28 juillet 1835, au passage de Louis-Philippe, il fit éclater une « machine infernale » qui fit de nombreuses victimes, mais laissa le roi indemne. Il fut décapité avec ses complices.

FIESOLE, v. d'Italie (Toscane), près de Florence; 12 500 hab. Vestiges étrusques (enceinte) et romains (théâtre). Cathédrale romane et autres monuments. Musées. Aux environs, abbatiales de S. Domenico et Badia Fiesolana, reconstruites au XVe s.

FIESQUE, en ital. **Fieschi** famille féodale de Gênes, dont un des membres, JEAN-LOUIS *(Gian Luigi),* comte **de Lavagna,** conspira contre Andrea Doria. Cette conjuration, racontée par le cardinal de Retz*, inspira un drame à Schiller (1783).

FIÈVRE. — La température centrale (anale, vaginale ou buccale) est constante malgré les variations de température extérieure (v. THERMORÉGULATION). Son élévation, ou hyperthermie, dont témoigne la fièvre, est un symptôme d'alerte.

La fièvre peut résulter d'une exagération de la production (exercice musculaire prolongé, hyperthyroïdie, etc.) ou d'une diminution de la déperdition de chaleur (fièvre des déshydratés), d'une atteinte des centres nerveux thermorégulateurs (par encéphalite ou, le plus souvent, par suite d'une infection). L'aspect de la courbe thermique permet d'orienter le diagnostic et de suivre l'évolution de la maladie (fièvre intermittente du paludisme, fièvre ondulante de la brucellose, etc.). La fin d'un état fébrile ne signe pas toujours la guérison (hypothermie des agonisants). Toute fièvre doit conduire à un examen clinique méthodique et éventuellement à des examens de laboratoire (numération globulaire, hémocultures, recherche de germes dans les sécrétions, etc.). Lorsque ces examens ne sont pas concluants, une fièvre prolongée doit faire rechercher une tuberculose, une parasitose, une hémopathie, un cancer viscéral, etc.

Les médicaments antipyrétiques non spécifiques (aspirine, amidopyrine, paracétamol) sont utilisés pour soulager les symptômes accompagnant la fièvre.

FIGARI (20114), ch.-l. de cant. de la Corse-du-Sud, à 18 km au N. de Bonifacio; 1 502 hab.

Figaro *(le),* périodique fondé en 1854 par Henri de Villemessant, qui fut d'abord un hebdomadaire satirique. Devenu quotidien en 1866, il évolua, après 1871, vers un républicanisme modéré.

Figaro, personnage du *Barbier de Séville,* du *Mariage de Figaro* et de *la Mère coupable* de Beaumarchais. Barbier passé au service du comte Almaviva, il est spirituel et intrigant, grand frondeur des abus de l'Ancien Régime. Il symbolisa le tiers état, luttant contre les privilèges de la noblesse.

FIGEAC (46100), ch.-l. d'arr. du Lot, sur le Célé, à 28 km au N.-O. de Decazeville; 10 859 hab. *(Figeacois).* Au Moyen Âge remontent deux églises, des maisons et l'hôtel de la Monnaie (fin XIIIe s., musée). Constructions aéronautiques.

FIGUIER. — Les stations ensoleillées et abritées du gel (midi de la France, Bretagne) permettent le développement de cet arbuste aux feuilles rugueuses, digitées et lactescentes, dont le fruit, ou *figue,* récolté deux fois par an, se mange frais ou sec. La figue sèche est de haute valeur nutritive et se conserve très longtemps.

Une figue provient d'un réceptacle charnu et creux, contenant des fleurs mâles près de son orifice et des fleurs femelles sur le reste de sa surface interne. La pollinisation est facilitée par la visite d'un insecte *(Blastophaga)* qui vit en parasite d'une variété sauvage, le caprifiguier. D'où la pratique de la « caprification », consistant à disposer des caprifigues mûrs parmi les bonnes figues encore à l'état de fleurs, pour que l'insecte en sorte et pollinise l'espèce cultivée. (Famille des moracées.)

FIGUIG, oasis du Sahara marocain.

FIGURATION (nouvelle). — Née sur le déclin de l'art abstrait dans les années 60, cette tendance marque un renouveau de la peinture figurative qui, au-delà des courants qui la fondent (expressionnisme, surréalisme, réalisme*), comporte une volonté critique plus ou moins affirmée. Le pop* art anglais et américain constitue une des premières manifestations du besoin de constat et de description du monde moderne sous sa forme industrialisée et urbaine, mais seules quelques individualités (Peter Saul) y introduisent un ton satirique. En Europe, et particulièrement dans les pays à fortes difficultés sociales et politiques (France, Italie), ou soumis à la dictature (Espagne), se développe, ponctuée de

Lauros - Giraudon

Nouvelle figuration. *Meurtre II,* de Jacques Monory. 1968. (Coll. de l'artiste.)

nombreuses expositions collectives (ainsi, à Paris, *Mythologies quotidiennes,* 1964, et la *Figuration narrative,* 1965), une figuration qui critique la neutralité du pop art, analyse la structure de l'image (l'Italien Adami, le Suisse Stämpfli, les Français Raysse et Rancillac...) et culmine, dans le refus de la seule réussite esthétique, avec la peinture politique (l'Italien Recalcati, les Espagnols Arroyo, Juan Genovés, Raphael Canogar, ainsi que les deux peintres de l'« Equipo Cronica », le Français Aillaud et les membres de la « coopérative des Malassis »). À l'intérieur de ce courant multiforme, les recherches sont aussi diverses que les techniques (esprit du collage*, sources photographiques...), allant de l'onirisme froid du Français Monory à la quasi-abstraction formelle de l'Allemand Brüning, en passant par les rébus du Haïtien Télémaque, les chocs d'images de l'Islandais Erró ou des Italiens Spadari et De Filippi.

FIL → ARMURE, CARDAGE, PEIGNAGE, PRÉTRAITEMENT, TEXTURATION.

FILAMENT → LAMPE.

FILARETE (Antonio AVERLINO, dit **il**), architecte et sculpteur italien (Florence 1400-Rome v. 1469). Auteur, à Rome, de la porte de bronze de Saint-Pierre (1433-1445), il est appelé à Milan, où il entreprend l'hôpital Majeur selon une conception grandiose (1456-1465). Il a composé un *Traité d'architecture,* aux dessins d'une invention très libre (projets d'une cité idéale, la « Sforzinda »).

FILARIOSE → VER.

FILATURE. — L'ensemble des opérations industrielles qui constituent la filature a pour objet de transformer les matières textiles en filés utilisables pour des fabrications telles que tissus, tricots, cordages, etc. Selon les caractéristiques particulières des fibres (propreté, finesse, longueur), variables en fonction de leur origine (animale, végétale, chimique, etc.), le travail en filature et le matériel utilisé peuvent être différents; il existe donc divers types de filatures, mais que l'on peut, cependant, classer en deux grandes catégories : la *filature des fibres courtes* (type coton*) et la *filature des fibres longues* (type laine*). La filature comporte presque toujours les opérations essentielles suivantes : mélange, épuration, cardage*, régularisation et affinage, puis filature proprement dite.

• *Mélange.* Par nature, les fibres textiles sont hétérogènes; il est donc indispensable de procéder à un mélange de fibres ayant des caractéristiques voisines afin que, pour une même fabrication, les propriétés physiques et chimiques du fil restent aussi constantes que possible. D'autre part, pour produire une qualité suivie, il faut que, d'une fabrication de fil à l'autre, les caractéristiques moyennes restent pratiquement les mêmes. Le mélange de fibres se poursuivra au cours du processus de filature, permettant ainsi d'améliorer la qualité.

• *Épuration.* Les impuretés, contenues surtout dans les fibres naturelles et dans les fibres de récupération, sont nuisibles à un travail en filature et à la qualité du fil; elles doivent donc être éliminées. On distingue deux grandes catégories d'impuretés : les particules étrangères et les souillures. Les *particules étrangères* peuvent être par exemple les débris de feuilles du cotonnier, le sable ou les pailles dans la laine, etc.; elles sont séparées des fibres par des procédés combinant des actions mécaniques et aérodynamiques produites par des machines telles qu'ouvreuses, batteuses, etc. L'élimination se poursuit lors du cardage et du peignage*. Les *souillures* concernent principalement la laine; ce sont les produits des glandes (suint), la poussière terreuse, l'urine, etc. Pour les retirer, on procède au lavage.

• *Cardage.* Après l'épuration, les fibres sont encore en désordre et en masse plus ou moins volumineuse. La carde va parfaire l'épuration en démêlant et en individualisant les fibres. À sa sortie, les fibres restent liées entre elles et forment un « voile » ténu et fragile, qui sera condensé en un ruban.

• *Régularisation et affinage.* Les rubans venant de la carde sont irréguliers. Pour les régulariser et paralléliser les fibres, on procède à des doublages et à des étirages successifs de ces rubans. L'étirage est obtenu par passage entre deux paires de cylindres dotés de vitesses périphériques différentes. A cet effet, on utilise dans la filature des fibres courtes des bancs d'étirage, dans la filature des fibres longues des intersectings. Les rubans, déjà plus réguliers, vont subir un nouvel étirage en vue de les affiner, c'est-à-dire de les transformer en mèches soit sur un banc à broches, soit sur un finisseur. La mèche se distingue du ruban par une masse linéique plus faible. La cohésion des fibres entre elles est obtenue soit par une légère torsion, soit par frottage.

• *Filature proprement dite.* Elle s'effectue le plus souvent sur le continu à filer. La mèche va subir un dernier affinage en vue de sa transformation en un fil ayant une masse linéique déterminée (masse en grammes de 1 000 m de fil). Ce fil subira en même temps une torsion qui lui donnera la ténacité recherchée, puis il sera enroulé sur un support. En vue d'obtenir des fils bien fins et particulièrement réguliers, on doit procéder au *peignage**. Cette opération supplémentaire a pour objet d'éliminer tout ou partie des fibres courtes. En revanche, les filatures qui ne travaillent que des fibres très courtes, provenant soit de matières de basse qualité, soit des effilochés, soit encore des déchets, ont un cycle de fabrication beaucoup plus court et font appel à un nombre de machines très réduit. En filature, on emploie de plus en plus des fibres* chimiques, utilisées soit en pur, soit en mélange entre elles ou avec les fibres naturelles. Pour pouvoir être filées, ces fibres doivent être d'une longueur et d'une grosseur comparables à celles des fibres naturelles, ce qui permet d'adopter le même cycle de fabrication; cependant, comme les fibres chimiques sont moins emmêlées et ne contiennent pas d'impuretés végétales, le cardage peut être simplifié.

FIL DE VERRE → VERRE.

FILETAGE. — Le filetage est utilisé pour fabriquer des vis, des tiges filetées, des bagues et autres pièces filetées, destinées à réaliser des assemblages démontables, voire réglables, ainsi que des systèmes de transmission de mouvement du type vis + écrou. L'opération consiste à façonner sur une surface généralement cylindrique de révolution, quelquefois conique, une rainure en forme d'hélice, soit par enlèvement de matière (usinage), soit par formage* (déformation plastique de la matière à l'état solide). Elle s'effectue presque toujours sur des surfaces extérieures (filetage extérieur), plus rarement sur des surfaces intérieures de grand diamètre (filetage intérieur). Dans ce dernier cas, si le diamètre est faible (jusqu'à 20 mm environ), on procède par *taraudage**. La section de la partie en saillie de cette rainure est appelée *filet.* La distance, mesurée parallèlement à l'axe, de la position moyenne de deux filets consécutifs est le *pas de vis,* dont les valeurs sont normalisées. L'élément complémentaire d'une pièce filetée extérieurement est un *écrou* ou une pièce avec trou taraudé ou fileté intérieurement. L'ensemble vis + écrou porte le nom de *boulon.* Le filetage s'effectue manuellement à l'aide d'une *filière* et d'un *porte-filière.* Il s'effectue également par *tournage** ou à l'aide de machines spéciales à fileter par enlèvement de matière. Pour réaliser des filetages en très grande série, on utilise des machines spéciales, qui procèdent par déformation de la matière à l'état solide, soit par *roulage,* à l'aide de plaques à rainures en acier, soit par *laminage,* à l'aide de molettes à rainures également en acier. Des machines spécialisées réalisent des vis, prêtes à l'emploi, en partant d'un fil d'acier, à la cadence d'une vis par seconde.

FILIATION. — Transmission de la parenté, la filiation se distingue de l'héritage (transmission des biens) et de la succession (transmission des fonctions). Convention sociale, elle se distingue également de la consanguinité, qui renvoie à des notions biologiques. Ainsi, dans la filiation patrilinéaire, il y a lien de filiation entre un individu et le groupe social de son père, et lien de consanguinité entre l'individu et le groupe de chacun de ses parents. La filiation peut être unilinéaire (ou unilatérale), c'est-à-dire qu'elle est transmission de la parenté aux enfants d'un couple uniquement par l'un des deux parents; elle peut être indifférenciée, cognatique ou bilatérale si la transmission se fait indifféremment par l'un et l'autre parent; enfin, elle peut être double ou bilinéaire, certains droits se transmettant par le père, d'autres par la mère.

La loi française du 3 janvier 1972 porte réforme du droit de la filiation. Le principe de la réforme a été de réaliser l'égalité des enfants entre eux, l'enfant naturel ayant en général les mêmes droits et les mêmes devoirs que l'enfant légitime dans ses rapports avec ses père et mère, et entrant réellement dans la famille* de son auteur, à la condition essentielle que *sa filiation ait été établie légalement.* Les enfants « adultérins » perdent désormais cette qualification pour être dénommés « enfants naturels dont le père ou la mère était, au temps de leur conception, engagé dans les liens du mariage avec une autre personne »; ces enfants ne sont guère traités différemment des enfants naturels simples, excepté, cependant, en matière successorale, en matière de libéralités et en ce qui concerne l'accueil au foyer. L'établissement d'une filiation est désormais possible pour ces enfants (celle-ci n'est, dorénavant, interdite que pour les enfants incestueux), les enfants adultérins pouvant même être *légitimés* (par autorité de justice), à condition que l'auteur de l'enfant obtienne, sur ce point, le consentement de son conjoint.

• *La filiation légitime.* La preuve de la filiation légitime résulte de l'acte de naissance ou, à défaut, de la possession d'état d'enfant légitime, rattachant l'enfant à ses père et mère. Il existe une *présomption de paternité* attachée à la qualité de mari de la mère lorsque l'enfant a été conçu pendant le mariage. La preuve contraire peut être fournie, et le jeu de la présomption peut être paralysé par des situations particulières (séparation des époux en cas de jugement [ou de demande] de divorce ou de séparation de corps). Il existe des *actions en contestation de la présomption de paternité,* permettant de renverser celle-ci :
— l'*action en désaveu,* ouverte dorénavant au mari pendant six mois, à dater de la naissance de l'enfant ou à dater du retour du mari en cas d'absence ou du jour de la fraude (si la naissance a été cachée au mari) [le désaveu peut être exercé en défense à une action (exercée par l'enfant) en réclamation d'état, le mari pouvant, à l'encontre d'une telle procédure, exercer aussi un désaveu préventif];
— l'*action en contestation de paternité du mari,* exercée par la mère de l'enfant et son conjoint nouveau dans les six mois d'un nouveau mariage et avant que l'enfant n'ait sept ans, simultanément à une demande de légitimation (la mère devra démontrer au tribunal la paternité du second époux et non pas du premier; la preuve se fera par tous moyens; le juge devra trancher dans le sens de la filiation la plus vraisemblable, et, à défaut d'éléments de conviction suffisants, aura égard à la possession d'état).

• *La filiation naturelle.* Le droit nouveau reconnaît la filiation naturelle comme un fait, l'enfant entrant dorénavant « dans la famille de son auteur », famille légitime ou naturelle.

L'établissement de la filiation naturelle est, en principe, toujours permis, sauf le cas d'« inceste absolu », en ligne directe ou collatérale privilégiée (frère et sœur).

La reconnaissance volontaire des enfants naturels se fait par acte authentique, la reconnaissance étant reçue par l'officier de l'état civil au moment de l'acte de naissance, ou, à tout moment, par un notaire, un officier public ou un officier de l'état civil. La reconnaissance du père n'a d'effet que pour la filiation à l'égard du père. La reconnaissance d'enfant naturel peut être contestée, notamment par le propre auteur de la reconnaissance, par le ministère public dans certains cas, par l'autre parent, par l'enfant ou par ceux qui se prétendent parents véritables.

L'établissement judiciaire de la filiation naturelle s'effectue suivant plusieurs modalités. L'*action en recherche de paternité naturelle* est ouverte notamment lorsqu'il y a eu enlèvement ou viol, séduction dolosive, aveu non équivoque de paternité, entretien, éducation ou établissement de l'enfant en qualité de père, ou, enfin, lorsque, à l'époque de la conception présumée, les parents prétendus étaient en état de concubinage stable. L'action peut être jugée irrecevable dans certains cas, notamment l'inconduite notoire de la mère pendant la période de la conception et l'impossibilité pour le père prétendu d'être le père. Les *actions en recherche de maternité naturelle* sont rares, la mère reconnaissant beaucoup plus souvent son enfant que le père.

« L'enfant naturel », dit le nouvel article 334 du Code civil, « a les mêmes droits et les mêmes devoirs que l'enfant légitime, dans ses rapports avec les père et mère. Il entre dans la famille de son auteur. » Mais il porte le nom de celui de ses deux parents naturels à l'égard de qui sa filiation a été en premier lieu établie (article 334-1).

Le mariage de ses auteurs confère à l'enfant naturel la condition d'enfant légitime; la légitimation par autorité de justice peut être demandée à la requête de l'un des parents lorsque le mariage est impossible entre ceux-ci et lorsque l'enfant a la possession d'état d'enfant naturel à l'égard du parent qui la requiert.

FILIÈRE *(Énerg. nucl.).* — Dans un réacteur* nucléaire, l'ensemble des trois éléments fondamentaux, combustible*, modérateur* et fluide caloporteur*, définit la filière du réacteur. Le *combustible,* qui, en subissant le phénomène de fission*, est la source du dégagement de l'énergie* sous forme de chaleur, peut être de l'uranium* naturel (ou de l'oxyde d'uranium), de l'uranium enrichi

ou du plutonium*. Le *modérateur*, dont le rôle est de ralentir les neutrons, est soit du graphite*, soit de l'eau* lourde, soit encore de l'eau ordinaire. Le *fluide caloporteur*, qui emporte les calories, est un gaz (bioxyde de carbone), un liquide (eau ordinaire) ou un métal fondu (sodium). Si le nombre des combinaisons entre les trois éléments fondamentaux est élevé, il n'existe, actuellement, que cinq filières en compétition sur le plan industriel :
— uranium naturel-graphite-gaz;
— uranium naturel-eau lourde-gaz ou eau ordinaire ou eau lourde;
— uranium faiblement enrichi-eau ordinaire (réacteur à eau sous pression ou à eau bouillante);
— uranium très enrichi-hélium (filière dite « à hautes températures »);
— filière à neutrons rapides ou surrégénérateur*.

FILIÈRE *(Text.)* → FIBRE CHIMIQUE.

FILITOSA, localité de Corse (comm. de Sollacaro, arr. de Sartène). Un vaste ensemble de monuments mégalithiques atteste l'épanouissement d'une culture remontant au IIIe millénaire et détruite vers 1400 par des incursions étrangères.

FILLASTRE (Guillaume), prélat et humaniste français (La Suze-sur-Sarthe v. 1348 - Rome 1428), docteur de l'Université de Paris, cardinal (1411), évêque de Saint-Pons (1422). Il joua un rôle considérable dans la disparition du Grand Schisme en contribuant à l'élection du pape Martin V*. En France, il fut l'artisan de la réconciliation entre Armagnacs et Bourguignons.

Fille de Madame Angot *(la),* opérette en trois actes, livret de Clairville, Siraudin et Koning, musique de C. Lecocq (Bruxelles 1872, Paris 1873).

Fille mal gardée *(la),* ballet en deux actes, musique d'un compositeur inconnu plusieurs fois arrangée (Hérold, Hertel), chorégraphie de Jean Dauberval, créé à Bordeaux en 1789. Le plus ancien ballet restant au répertoire de nombreuses compagnies, il a été dansé dans les versions de Petipa et d'Ivanov, et l'est actuellement dans celles de F. Ashton et d'Oleg Vinogradov.

Filles du feu *(les),* recueil de nouvelles de Nerval (1854), auxquelles s'ajoutent les *Chansons et légendes du Valois* et les sonnets des *Chimères**. Ces portraits de femmes nées de l'imagination et du souvenir du poète sont dominés par les deux figures d'Angélique (aventurière du XVIIe s.) et de Sylvie*.

FILM. — Le film cinématographique se présente sous forme de bande dénommée « pellicule », composée d'un support transparent perforé sur lequel est coulée une couche sensible à la lumière, appelée « émulsion ». La fabrication du support cellulosique est due aux recherches des frères Hyatt, puis à celles d'Hannibal Goodwin (brevets Ansco) et de Harry Reichenbach (brevets Eastman). En 1889, la société Eastman mit en vente des bandes de Celluloïd recouvertes de gélatino-bromure d'argent. D'abord constitués de nitrate de cellulose (matière particulièrement inflammable), les films sont aujourd'hui à base de triacétate de cellulose. Tout film (film de sécurité ou safety-film) ne doit pas contenir plus de 0,36 p. 100 d'azote nitrique et, à l'essai de combustion, il doit se carboniser en plus de dix minutes à 300 °C.

Le format standard (ou commercial) des films est généralement de 35 mm (de large). Imaginé par Edison, il fut normalisé dès 1904. Il existe également un format de 70 mm (parfois utilisé seulement à la prise de vues), la réduction se faisant sur 35 mm pour les copies d'exploitation. Lorsque le film de muet devint parlant, le format muet fut amputé en largeur pour l'inscription de la piste sonore sur le côté gauche. Le format 16 mm, semi-professionnel, est utilisé notamment en télévision et en exploitation sidérale. Les formats 9,5 mm et surtout 8 mm sont réservés au cinéma d'amateur.

FILON *(Géol.).* — Les filons de roches éruptives sont parfois les prolongations vers la surface de massifs intrusifs profonds, mais ils correspondent souvent à des montées de magma qui cristallisent avant d'atteindre la surface. S'ils empruntent les surfaces de discontinuité entre les couches, ils sont dits « concordants » (sills); s'ils recoupent tous les terrains, ils sont dits « discordants » (dykes). Les roches filoniennes, qui cristallisent à faible profondeur, présentent des structures microgrenues : leur grain est très fin, mais elles ne contiennent pas de verre.

FILON *(Min.)* → EXPLOITATION *(méthodes d'),* GISEMENT, MINE.

Fils naturel *(le),* drame de Diderot (1757-1771), prototype du « drame* bourgeois ».

Fils prodigue *(le),* ballet en trois tableaux inspiré de la Bible, musique de Prokofiev, chorégraphie de G. Balanchine, créé par les Ballets russes (avec S. Lifar) à Paris en 1929. Par la liberté de sa composition chorégraphique et par les innovations qu'elle contenait, cette œuvre annonçait le ballet contemporain. La version de J. Lazzini (1966) a été créée par J. Babilée.

FINANCES PUBLIQUES → BUDGET, COMPTABILITÉ PUBLIQUE, EMPRUNT, IMPÔT.

FINDEL, aéroport de Luxembourg, à l'E. de la ville.

Fin de partie, pièce de Beckett (1957). Un maître, aveugle et paralytique, Hamm; un valet méticuleux mais sans mémoire, Clov; les parents de Hamm, Nagg et Nell, nichés dans deux poubelles : l'espace tragique des rapports humains dans le monde moderne.

Fin de Saint-Pétersbourg *(la)* [1927], film soviétique de Vsevolod Poudovkine. Un des grands films révolutionnaires soviétiques des années 20. Un jeune paysan venu rendre visite en ville à son oncle ouvrier est témoin de l'écroulement de l'autoritarisme tsariste, des horreurs de la guerre civile et du triomphe final de la révolution d'Octobre. Une suite de séquences à la fois réalistes et symboliques qui, grâce à un montage rapide et recherché, apparaissent comme les éléments d'une démonstration idéologique.

FINISTÈRE (29), départ. de la Région Bretagne; 6 785 km^2; 804 088 hab. *(Finistériens).* Ch.-l. *Quimper.* S.-préf. *Brest, Châteaulin* et *Morlaix.*

Le plus peuplé des départements de la Région, le Finistère, à l'extrémité occidentale de la France, est fortement pénétré par la mer. La majeure partie des habitants et les principales agglomérations se concentrent sur le littoral ou à sa proximité immédiate. Dans l'intérieur, deux lignes de modestes hauteurs (monts d'Arrée au N., montagne Noire au S.) encadrent le bassin de Châteaulin (où domine aujourd'hui l'élevage). Au N., le pays de Léon est un plateau réputé pour les cultures de primeurs; au S., la Cornouaille associe élevage (bovins et porcs) et cultures (céréales). La pêche anime surtout le littoral méridional d'Audierne à Concarneau, où le tourisme estival est aussi très développé, car il bénéficie d'un climat plus doux et plus ensoleillé que la côte de la Manche, fréquemment, comme l'ouest, battue par le vent.

L'agriculture et la pêche emploient encore environ le quart des actifs, moins, aujourd'hui, que l'industrie, qui leur est partiellement liée (conserveries) et qui est implantée notamment à Quimper, la préfecture, et surtout à Brest*, de loin la première agglomération de la Bretagne occidentale. La croissance de Brest explique d'ailleurs pour une bonne part la progression démographique récente du département, relativement modeste à l'échelle nationale (de l'ordre de 10 p. 100 dans les dix dernières années), mais qui permet au Finistère de constituer l'un des rares départements de la façade atlantique de la France à posséder une densité de peuplement légèrement supérieure à la moyenne nationale.

FINISTERRE *(cap),* promontoire situé à l'extrémité nord-occidentale de l'Espagne.

FINITISME. — Le finitisme est la doctrine et la méthode mises au point par le mathématicien Hilbert*. Pour établir la consistance* des mathématiques classiques (supposées rédigées en système formel), il s'agit de faire des démonstrations de la théorie l'objet d'une investigation mathématique. Cette métamathématique, ou théorie de la démonstration, met en œuvre des méthodes qui ne doivent, en aucun cas, recourir à la considération de l'infini en tant que « totalité achevée ». (V. CONSISTANCE, INFINI.)

FINLANDE, en finnois **Suomi,** État de l'Europe du Nord; 337 000 km^2; 4 710 000 hab. *(Finlandais* ou *Finnois).* Capit. *Helsinki.*

GÉOGRAPHIE. Le pays s'étend sur un bouclier précambrien arasé en un vaste plateau dont l'altitude dépasse rarement 300 m. Le modelé actuel résulte de l'action des glaciers quaternaires, qui ont abandonné des collines morainiques et creusé de multiples dépressions, aujourd'hui occupées par des lacs. Sous l'influence océanique, la Finlande subit un climat humide et froid dans le Nord (Laponie), couvert par la toundra, et plus doux dans le Sud, domaine de la taïga.

La population, peu dense, se concentre dans la moitié sud du pays, principalement sur la côte du golfe de Finlande. Le Nord n'est peuplé que de rares groupes de Lapons, qui vivent de l'élevage du renne. Le taux d'urbanisation a progressé rapidement, et, actuellement, plus de la moitié des habitants résident dans des villes, dont les principales sont Turku, Tampere et surtout Helsinki.

En raison des conditions naturelles, la forêt représente le secteur essentiel de l'économie. Les conifères et les bouleaux de la taïga sont exploités systématiquement et transportés par flottage jusqu'aux usines de transformation, qui fournissent du bois (scieries), mais surtout de la pâte à papier et du papier, principalement du papier journal. L'agriculture reste modeste. Concentrée sur la côte sud, elle produit du blé, des pommes de terre, des légumes, tandis que l'élevage est spécialisé dans la production laitière.

L'hydroélectricité constitue la principale source d'énergie locale de l'industrie, qui souffre du manque de matières premières (à l'exception des gisements de pyrites cuprifères d'Outokumpu). Une faible sidérurgie alimente des industries métallurgiques regroupées autour d'Helsinki. Le textile (Tampere) et la chimie (pétrochimie à Naantali, production d'engrais) sont les autres principales branches.

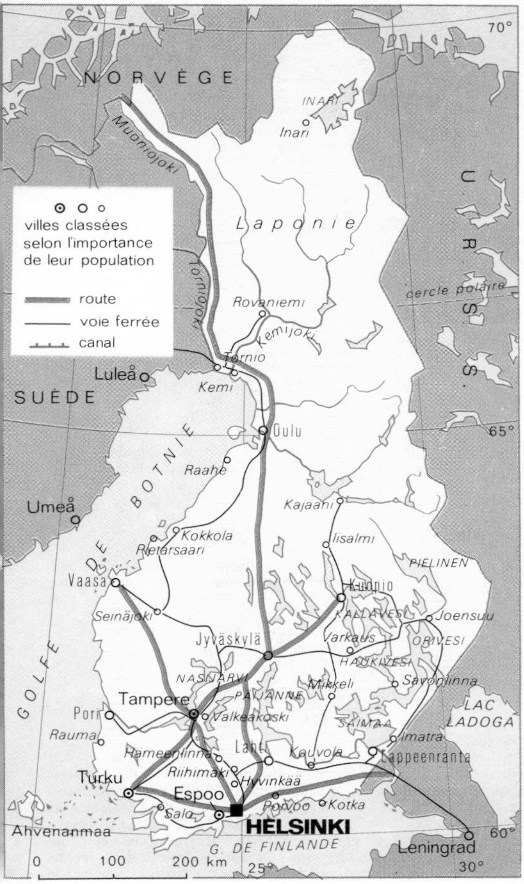

FINLANDE

La production industrielle demeurant insuffisante, le pays doit importer des biens d'équipement et exporte principalement de la pâte à papier. L'essentiel des échanges (déficitaires) a lieu avec les pays de l'Europe occidentale.

HISTOIRE. À partir du Ier s. av. J.-C., les Finnois ont progressivement occupé le sol finlandais, repoussant les Lapons vers le nord. L'histoire traditionnelle de la Finlande commence en 1157 par la croisade menée par le roi de Suède Erik IX, dit le Saint, contre les Finnois, au cours de laquelle Åbo (auj. Turku) aurait été fondée. Au XIIe et au XIIIe s., le pays est l'enjeu de luttes entre Suédois, Danois et Russes de Novgorod. Birger Jarl († 1266) enracine la domination suédoise par un système de forteresses. Les raids des Caréliens, alliés aux Novgorodiens, se poursuivent jusqu'au traité de 1323, qui reconnaît la Finlande à la Suède. Au XIVe s., la Finlande suédoise (devenue duché en 1353) reçoit son organisation politique et religieuse. À partir de 1362, les représentants de la Finlande comme ceux des autres pays de Suède prennent part à l'élection du roi. Une partie de la paysannerie, qui pratique la culture sur brûlis, la pêche et la chasse aux animaux à fourrure, échappe à l'administration royale en colonisant le nord du pays. Au XVIe s., la Finlande est gagnée par la réforme luthérienne. Mikael Agricola († 1557) traduit la Bible en finnois. Cependant, la Carélie* reste fidèle au rite byzantin. En 1550, Gustave Vasa fonde Helsinki, et, en 1581, Jean III fait de la Finlande un grand-duché. Le problème agraire (paysans corvéables exploités par la noblesse) est à l'origine de nombreuses jacqueries à partir de la fin du XVIe s., tandis que reprennent les guerres entre la Suède et la Russie. En 1595, la paix de Täyssinä fixe les fontières orientales de la Finlande. Au XVIIe s. l'autonomie de la Finlande se réduit (grand-duché supprimé, 1599), mais le pays profite des progrès de la centralisation sous le gouvernement bénéfique de Per Brahe.

Le déclin commence au début du XVIIIe s. : la Finlande est ravagée par les armées de Pierre le Grand de 1710 à 1721 et amputée de la Carélie et de l'Ingrie à la paix de Nystad*.

En 1809, la Suède perd la Finlande, qui devient un grand-duché de l'Empire russe, doté d'une certaine autonomie. La bourgeoisie et la noblesse veulent conserver la langue suédoise, alors que l'élite intellectuelle *fennomane* défend le finnois. Lönnrot* recueille le *Kalevala,* l'épopée nationale. Mais, sous le règne du tsar Alexandre III, la russification s'intensifie, tandis que se développe la résistance nationale. À la suite de la révolution russe de 1917, la Finlande proclame son indépendance. Mais le pays est déchiré en 1918 par la guerre civile qui oppose la « garde rouge », formée de partisans du régime soviétique, et la « garde civile » de Mannerheim*. Appuyé par un corps expéditionnaire allemand, Mannerheim l'emporte, et, en 1920, les Soviétiques reconnaissent la république indépendante de Finlande.

Au début de la Seconde Guerre* mondiale, les Finlandais doivent accepter, après une lutte héroïque contre les Soviétiques (déc. 1939 - mars 1940), les conditions de Staline, qui annexe la Carélie. La Finlande s'engage ensuite contre l'U. R. S. S. aux côtés du Reich. Après la signature de l'armistice avec l'U. R. S. S. (1944) et de la paix avec les Alliés (1947) le pays, sous la présidence de J. K. Paasikivi (de 1946 à 1956), puis de U. K. Kekkonen*, poursuit une politique de coopération avec les pays nordiques et d'amitié avec l'U. R. S. S. (traité d'assistance mutuelle de 1948, reconduit en 1970). En 1973 et en 1975 se tint à Helsinki la conférence sur la sécurité et la coopération en Europe.

FINLANDE *(golfe de),* golfe formé par la Baltique, entre la Finlande et l'U. R. S. S., sur lequel sont établis Helsinki et Leningrad.

FINLAY (Carlos Juan), médecin cubain (Camagüey, Cuba, 1833-Cuba 1915). Il découvrit le mode de transmission de la fièvre jaune (par un moustique) et établit la théorie des hôtes intermédiaires, vecteurs de maladies.

Finnegans Wake, roman de Joyce (1939). Comme *Ulysse** est le livre d'un jour, c'est le livre d'un rêve et d'une nuit : épopée de la conscience qui glisse peu à peu au néant et qui mêle les temps, les espaces, les mots et les langues (plus de 60 langues et dialectes), suivant un schéma structurel emprunté à la conception cyclique de l'histoire de Vico. Joyce a lui-même participé à la traduction française partielle de son œuvre sous le titre d'*Anna Livia Plurabelle* (1931).

FINNMARK (le), région de la Norvège septentrionale.

FINNOIS → FINNO-OUGRIEN.

FINNO-OUGRIEN. — Les langues finno-ougriennes, que l'on rattache à l'ensemble ouralo-altaïque, sont parlées par environ 20 millions de locuteurs, localisés (à part le hongrois*) dans une aire allant de la Norvège à la Sibérie centrale. Elles constituent une famille bien attestée, qui se serait différenciée au IIIe millénaire en un groupe finno-permien et en un groupe ougrien. On classe dans ce dernier le hongrois et des langues du bassin de l'Ob (ostiak, vogoule). Le groupe finno-permien s'est divisé à son tour en permien (zyriène, votiak [est de l'Oural]), en volgaïque (tchérémisse, mordve [bassin de la Volga]) et en balto-finnois. Ce dernier sous-groupe comprend le finnois, ou suomi, langue officielle de la Finlande (5 millions de locuteurs), l'estonien, ou este (1 million), le carélien et les parlers lapons. Ces langues possèdent en commun un certain nombre de traits, dont les plus importants sont la formation des mots par l'agglutination d'affixes à la racine, l'harmonie vocalique (la tonalité du radical commande les autres voyelles du mot), l'absence de distinction de genre.

FINSEN (Niels Ryberg), médecin danois (Torshavn, îles Féroé, 1860-Copenhague 1904), prix Nobel de médecine en 1903 pour ses études sur le traitement des maladies par la lumière (photothérapie ou finsenthérapie).

FIODOR → FÉDOR.

FIONIE, en danois **Fyn,** île du Danemark, entre le Jylland et l'île de Sjaelland. V. princ. *Odense.*

FIORAVANTI (Leonardo), médecin et alchimiste italien (Bologne v. 1518-*id.* 1588), inventeur de l'alcoolat de térébenthine.

FIRDŪSĪ ou **FERDOWSI',** poète épique persan (près de Ṭūs, Khurāsān, v. 930-*id.* 1020). Il mit trente-cinq ans à composer l'épopée héroïque et nationale du *Chāh-nāmè (Livre des rois),* que les souverains persans dédaignèrent, mais dont la popularité fut immense dès sa publication. Il est également l'auteur d'un poème romanesque inspiré d'un épisode biblique, *Yūsuf et Zulaykhā.*

FIRMINY (42700), ch.-l. de cant. de la Loire, sur l'Ondaine, à 12 km au S.-O. de Saint-Étienne; 25 432 hab. Métallurgie. Édifices de Le Corbusier.

FIROZĀBĀD, v. de l'Inde, dans l'ouest de l'Uttar Pradesh; 134 000 hab.

FIRTH (Raymond William), anthropologue britannique (Auckland 1901). Professeur d'anthropologie à Londres (1932-1968), il a contribué à l'étude de l'organisation sociale et a été l'un des premiers à s'intéresser à l'anthropologie économique. Ses principales recherches portent sur les Tikopias (Polynésie). Il a notamment écrit *Social Change in Tikopia* (1959) et *Tikopia Ritual and Relief* (1967).

FISCALITÉ → IMPÔT.

FISCHART (Johann), érudit et polygraphe de langue allemande (Strasbourg 1546 - Forbach 1590), auteur de poèmes héroï-comiques et de pamphlets anticatholiques (*le Petit Chapeau des jésuites,* 1580).

FISCHER von Erlach (Johann Bernhard), architecte autrichien (Graz 1656 - Vienne 1723). Ayant séjourné à Rome, associant le baroque à une tendance classique majestueuse, il construit trois églises à Salzbourg, autour de 1700, divers palais à Prague (Clam-Gallas) et surtout à Vienne. Ses chefs-d'œuvre dans la capitale, comme architecte officiel, sont l'originale église Saint-Charles-Borromée (1716) et la Bibliothèque impériale (1723), à l'impressionnant espace intérieur, toutes deux terminées par son fils JOSEPH EMANUEL (1693-1742). J. B. Fischer a publié un recueil, *Architecture historique* (1721), incluant des exemples égyptiens et chinois.

FISCHER (Johann Michael), architecte allemand (Burglengenfeld, Haut-Palatinat, 1692 - Munich 1766), le plus prolifique du rococo sud-germanique. Parmi tant d'églises et de monastères, son chef-d'œuvre est sans doute l'abbatiale bénédictine d'Ottobeuren, entreprise vers 1745.

FISCHER (Emil), chimiste allemand (Euskirchen 1852 - Berlin 1919). Il réalisa la synthèse de plusieurs sucres (1887) et élucida la constitution de nombreuses couleurs d'aniline. (Prix Nobel de chimie, 1902.)

FISCHER (Franz), chimiste allemand (Fribourg-en-Brisgau 1877-Munich 1948). Il mit au point, avec Tropsch, un procédé d'obtention de carburant synthétique par hydrogénation catalytique de l'oxyde de carbone (1926).

FISCHER (Hans), chimiste allemand (Höchst am Main 1881-Munich 1945). Il obtint en 1929 la synthèse de l'hémoglobine et éclaircit en 1939 la constitution de la chlorophylle. (Prix Nobel de chimie, 1930.)

FISCHER (Ernst Otto), chimiste allemand (Munich 1918). Il a étudié les complexes organométalliques à structure dite « sandwich », notamment les carbènes. (Prix Nobel de chimie, 1973.)

FISCHER (Robert James FISCHER, dit **Bobby**), joueur d'échecs américain (Chicago 1943). Enfant prodige des échecs, il gagna à treize ans le championnat national junior, fut champion des États-Unis et conquit le titre mondial en 1972 en battant le Soviétique Boris Spasski.

FISCHER-DIESKAU (Dietrich), baryton allemand (Berlin 1925). Il a mené à partir de 1948 une carrière internationale de premier plan dans les domaines du lied et de l'opéra. Il exerce également des activités de chef d'orchestre.

FISHER (Irving), mathématicien et économiste américain (Saugerties, New York, 1867 - New York 1947). Spécialiste des questions monétaires, il a attaché son nom à une formule de la *théorie quantitative de la monnaie* $\left(\frac{MV + M'V'}{T} = P\right)$, qui établit une relation entre la quantité de monnaie* en circulation, la vitesse de sa circulation et le niveau des prix* (M étant la masse de monnaie métallique et fiduciaire, M' la masse de monnaie scripturale, V et V' les vitesses de circulation de M et de M', T le volume des transactions de la période et P le niveau des prix).

FISHER OF KILVERSTONE (John Arbuthnot FISHER, *baron*), amiral anglais (Ramboda, Ceylan, 1841 - Londres 1920). Créateur du dreadnought, il fut à la tête de la Royal Navy de 1903 à 1909, puis en 1914 et en 1915.

FISMES (51170), ch.-l. de cant. de la Marne, à 27 km à l'O. de Reims, sur la Vesle; 4395 hab.

FISSION *(Phys. nucl.).* — Lors de la fission, à l'aide d'un neutron*, d'un noyau d'uranium 235 : $^{235}_{92}U$, existant dans la proportion de 0,7 p. 100 dans l'uranium* métal et dont il y a de nombreux minerais dans la nature, on observe un triple phénomène. Tout d'abord, il apparaît une certaine énergie*, évaluée à 200 MeV, qui, conformément à la relation d'Einstein*, traduit la perte de masse observée, laquelle est de l'ordre du millième de la masse des constituants du départ. D'autre part, les produits de la cassure, ou produits de fission (300 ou 400 au total), sont radioactifs; leur présence explique les effets radioactifs d'une explosion d'engin nucléaire; de plus, ils constituent les effluents* et les déchets* radioactifs dans les réacteurs* nucléaires. Enfin, il y a, en moyenne, éjection de deux ou trois neutrons qui provoquent le phénomène de la réaction en chaîne et expliquent la notion de *masse critique;* ils permettent également le contrôle des réacteurs. Le même phénomène de fission s'observe avec des noyaux* de plutonium 239 (élément artificiel) et d'uranium 233 (uranium artificiel), que l'on fabrique à partir des minerais de thorium*; ces noyaux sont appelés *noyaux fissiles*. Pour que le phénomène de fission se produise, il faut que le neutron incident remplisse certaines conditions. Pour fissionner l'uranium 235, le plutonium 239 et l'uranium 233, le neutron doit être un neutron dit *thermique,* dont l'énergie est de l'ordre de 1/40 eV, ce qui correspond à une vitesse de 2 km/s. L'uranium 238 (qui existe dans la proportion de 99,3 p. 100 dans l'uranium naturel) est également fissile, mais avec des neutrons dits *rapides,* dont l'énergie est de 1 MeV.

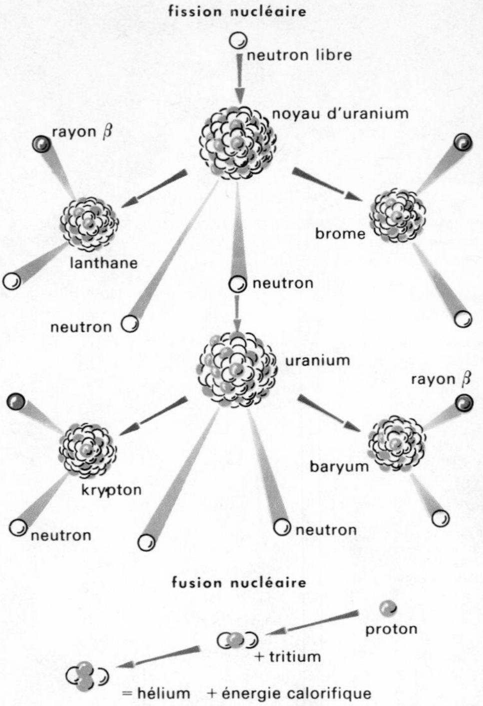

FISSION ET FUSION

FISSURATION. — Les fissures, en construction, atteignent surtout les mortiers* et les bétons*. Leurs causes sont extrêmement variées : accumulation de contraintes dans les angles rentrants, retrait hygrométrique trop rapide ou trop accusé, gonflement interne des matériaux expansifs ou gonflement par corrosion* des armatures (rouille), excès ou insuffisance de dosage en ciment, emploi de sable souillé d'argile ou de granulats* à arêtes vives, absence de joints nécessaires en superstructure, tassement des sols de fondation, etc. On distingue les *fissures vives,* qui s'ouvrent de plus en plus, les *fissures mortes,* qui se sont stabilisées, et les *fissures à évolution cyclique,* qui s'ouvrent, puis rétrogradent. Avant de réparer une fissure, il faut en déterminer l'origine et la nature, surtout pour les fissures vives. On répare à présent les fissures par injection de solutions résineuses autodurcissantes.

FISTULE. — Les fistules cutanées, qui laissent sourdre du pus, ont surtout pour cause une suppuration profonde. Les fistules anales font communiquer le canal anal à la peau de la marge de l'anus. Les fistules digestives peuvent être congénitales (fistules ombilicales) ou acquises, pathologiques (fistules bilio-digestives consécutives à une lésion de la voie biliaire principale) ou thérapeutiques (gastrotomie, anus artificiel, etc.). Les fistules urétérales sont postopératoires ou thérapeutiques (permettant l'évacuation des urines). Les fistules vésicales peuvent être vésico-intestinales, compliquant certaines lésions intestinales, ou vésico-vaginales, compliquant certains accouchements difficiles, ou vésico-cutanées (cystostomie).

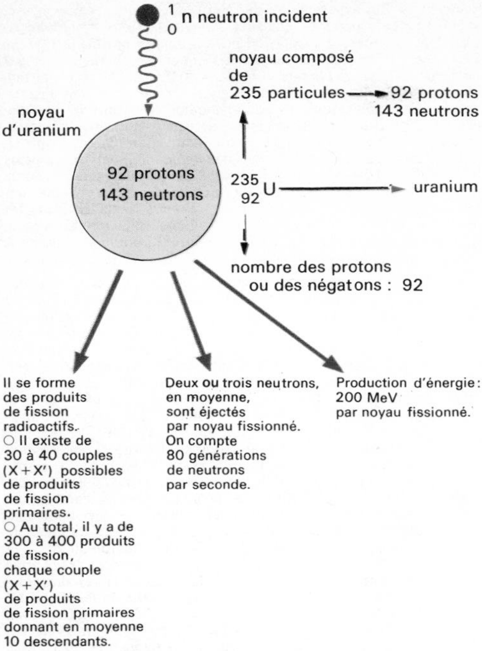

$^{1}_{0}$n neutron incident
noyau composé de 235 particules → 92 protons 143 neutrons
noyau d'uranium
92 protons 143 neutrons
$^{235}_{92}$U → uranium
nombre des protons ou des négatons : 92
Il se forme des produits de fission radioactifs. ○ Il existe de 30 à 40 couples (X + X') possibles de produits de fission primaires. ○ Au total, il y a de 300 à 400 produits de fission, chaque couple (X + X') de produits de fission primaires donnant en moyenne 10 descendants.
Deux ou trois neutrons, en moyenne, sont éjectés par noyau fissionné. On compte 80 générations de neutrons par seconde.
Production d'énergie : 200 MeV par noyau fissionné.

Fission d'un noyau d'uranium.

$$^{235}_{92}U + ^{1}_{0}n = ^{236}_{92}U = ^{A}_{Z}X + ^{A'}_{Z'}X' + (2 \text{ à } 3)\,^{1}_{0}n + 200\,\text{MeV}$$

FITZGERALD (Francis Scott), écrivain américain (Saint Paul, Minnesota, 1896 - Hollywood 1940). Ses romans expriment le désenchantement de la « génération* perdue » qui traîne sa lassitude dans le jazz et le gin (*De ce côté du paradis,* 1920; *Contes de l'âge du jazz,* 1922), en Europe sur la Côte d'Azur (*Tendre est la nuit,* 1934) ou dans le décor fascinant des villes américaines (*Gatsby* le Magnifique,* 1925; *le Dernier Nabab,* 1941).

FITZGERALD (Ella), chanteuse de jazz noire américaine (Newport News, Virginie, 1918). Engagée dès 1934 dans l'orchestre de Chick Webb, elle s'imposa peu à peu comme la plus grande des chanteuses de jazz, aussi à l'aise dans les ballades et les romances que dans les pièces de swing et les dialogues en scat avec les meilleurs solistes instrumentaux ou vocaux. Parmi ses enregistrements citons *Dipsy Doodle* (avec Chick Webb, 1939), *Lady be Good* (1946), *Porgy and Bess* (avec Louis Armstrong, 1958), *Imagine my Frustration* (avec Duke Ellington, 1965).

FIUMALTO-D'AMPUGNANI, canton de la Haute-Corse, au S. de Bastia. Ch.-l. *La Porta.*

FIUME → RIJEKA.

FIUMICINO, écart de la commune de Rome, au S.-O. de la ville. Aéroport international.

FIXATION → RÉGRESSION.

FIXISME *(Biol.)* → ÉVOLUTION BIOLOGIQUE.

FIXISME *(Géol.)* → DÉRIVE DES CONTINENTS.

FIZEAU (Hippolyte), physicien français (Paris 1819 - près de La Ferté-sous-Jouarre 1896). Il étendit à l'optique le principe de Doppler* (1848) et effectua en 1849 la première mesure directe de la vitesse de la lumière. Il eut l'idée d'utiliser les longueurs d'onde lumineuse comme étalons de longueur.

FJELD → GLACIAIRE *(relief).*

FJORD. — Ancienne vallée glaciaire envahie par la mer, le fjord est caractérisé par des versants très raides et une grande profondeur. Les fjords qui ornent les côtes de l'Europe du Nord (Norvège) se sont formés à l'ère quaternaire*, lorsque le niveau de la mer était plus bas et que les glaciers avaient une plus grande extension.

FLACHAT (Eugène), ingénieur français (Nîmes 1802 - Arcachon 1873). Avec son demi-frère Stéphane Mony Flachat et Émile Clapeyron*, il construisit le premier chemin de fer français organisé de façon moderne et entièrement à vapeur, reliant Paris à Saint-Germain-en-Laye (1835-1837).

FLAGELLÉS. — On entend par « flagelle » un organite cellulaire des protistes et des animaux : c'est un assez long filament, généralement unique ou en petit nombre et animé de mouvements qui assurent soit la progression de la cellule dans un milieu liquide, soit le mouvement de l'eau autour d'une cellule fixée. Maintes cellules de métazoaires ont un flagelle, en particulier les spermatozoïdes. Mais on réserve le nom de *flagellés* aux protistes à flagelles. De nombreux flagellés sont chlorophylliens (*phytoflagellés :* euglènes, volvocales, chrysomonadines, péridiniens, coccolithophores, etc.), et se nourrissent par photosynthèse, comme les plantes supérieures. Les *zooflagellés,* non verts, vivent en parasites (trypanosome) ou en symbiotes (faune de la panse des termites mangeurs de bois). Tous peuvent capturer des proies par phagocytose. Certaines espèces ne sont flagellées que pendant une partie de leur cycle reproductif et ont, le reste du temps, un déplacement amiboïde qui fait d'elles des *rhizoflagellés.* On connaît une reproduction sexuée, et l'aptitude à l'enkystement dans les circonstances défavorables est générale.

Selon de nombreux auteurs, les flagellés seraient les ancêtres communs des animaux et des plantes.

FLAHERTY (Robert), cinéaste américain (Iron Mountain, Michigan, 1884 - Dummerston, Vermont, 1951), auteur de remarquables documentaires qui célèbrent avec une chaleur profondément humaniste l'alliance de l'homme et de la nature : *Nanouk l'Esquimau* (1922), *Moana* (1923-1926), *Tabou* (avec F. W. Murnau, 1931), *l'Homme d'Aran* (1934), *Louisiana Story* (1948).

FLAINE (74300 Cluses), station de sports d'hiver (alt. 1 620-2 480 m) de la Haute-Savoie, à 28 km au S.-E. de Cluses.

FLAMAN (Eugène), ingénieur français (Moulins-sur-Céphons 1842-Rainfreville 1935). Il apporta de multiples perfectionnements au matériel ferroviaire, notamment une chaudière à deux corps et surtout un indicateur enregistreur de vitesse.

FLAMAND → NÉERLANDAIS.

FLAMANDE (race bovine) → BOVINS.

FLAMANT. — On classe aujourd'hui au voisinage des cygnes, dans l'ordre des ansériformes, cet oiseau échassier rose, vivant en colonies (notamment au bord des étangs de Camargue) et caractérisé par ses pattes palmées, son nid (un cylindre de boue édifié sur le sol) et surtout son bec, qu'il utilise « à l'envers » pour fouiller la vase et dont les lamelles filtrantes retiennent les proies, comme prises au filet.

A. Aldebert - Jacana

Flamants roses.

FLAMBAGE → RÉSISTANCE DES MATÉRIAUX.

FLAMENCO. — D'origine très controversée, ce mot désigne l'ensemble des chants et des danses d'Andalousie. Particulier aux gitans et à quelques *payos* (non-gitans), le flamenco est un art personnel : l'artiste transmet directement l'émotion qu'il ressent à celui qui l'écoute ou qui le regarde. Circonscrit à une seule région, le flamenco se distingue du folklore espagnol. Ses chants et ses danses, empreints de caractères orientaux (mélismes, expressivité des mains, mouvements des bras arrondis, claquements des doigts, torsion du buste), sont régis par des règles rigoureuses que rien ne permet de transgresser. L'élément essentiel est le *cante jondo* (chant profond), qui comprend les seguiriyas et les soleares; le mélancolique *cante grande* (fandango, malagueña) et le brillant ou gai *cante chico* (petit chant), avec les alegrías, les fandanguillos, en sont les deux autres formes. Quel que soit le genre, guitare, chant ou danse, avec ou sans accompagnement de guitare ou de castagnettes, le flamenco ne vit que par le *duende* (démon de l'inspiration). Peu connu jusqu'au XIXe s., il est peu à peu dévoilé par les relations de voyages d'artistes et d'écrivains. À partir du XXe s., des artistes flamencos se produisent dans toute l'Espagne, puis dans le monde entier, cédant à l'attrait des tournées internationales.

FLAMINE. — À Rome, quinze prêtres, désignés sous le nom de « flamines », étaient consacrés au service d'un dieu particulier. Parmi eux, trois, appelés *flamines majores,* servaient des divinités majeures (Jupiter, Mars, Quirinus); les douze autres *(flamines minores)* étaient au service de divinités secondaires. Les flamines majeurs étaient toujours des patriciens, alors que les autres étaient choisis parmi les plébéiens. Nommés à vie par le grand pontife, ils devaient s'être mariés par *confarreatio* (mariage religieux solennel). Le flamine suprême, celui de Jupiter *(flamen Dialis),* dont la personne était entourée de tabous variés, était en quelque sorte le chef de la religion romaine. Sous l'Empire, des flamines furent nommés pour desservir le culte des empereurs divinisés.

FLAMINGANTISME. — C'est un phénomène propre à la Belgique, corrélatif au réveil, au XIXe s., de la conscience flamande dans un pays qui, bilingue dès l'origine, fut en fait, dans sa vie officielle, d'abord francophone, le français étant la langue usuelle de toute l'élite belge. Un premier mouvement flamingant, soutenu par le bas clergé, naît autour de 1845, mais il n'obtient pas de résultats sensibles. Avec la Première Guerre mondiale, la querelle linguistique acquiert la dimension d'un contentieux communautaire; le nationalisme flamand se développe entre les deux guerres, mais, au bilinguisme généralisé, les Wallons préfèrent l'unilinguisme régional. Or, comme, depuis 1950, la zone flamande (néerlandophone) de la Belgique se développe, démographiquement et économiquement, beaucoup plus que la zone francophone, se renforce l'impression d'un pays coupé en deux et évoluant vers le fédéralisme.

FLAMININUS → QUINCTIUS FLAMININUS.

FLAMINIUS NEPOS (Caius), général romain († Trasimène 217 av. J.-C.). Il a été considéré comme le vrai fondateur du parti populaire. Tribun en 232, il fait décider le lotissement et la distribution à la plèbe du pays sénon (au sud de Rimini); soucieux d'affaiblir la noblesse, il patronne le plébiscite claudien (v. 218), qui exclut les sénateurs du grand commerce. Consul en 223, il poursuit, malgré le sénat, une politique de conquête dans le nord de l'Italie. Censeur en 220, il crée la route qui va de Rome à Rimini *(via Flaminia).* En 217, il est vaincu par Hannibal à Trasimène*, où il périt; ce désastre fit rappeler au pouvoir le conservateur Fabius* Maximus Verrucosus, dont les victoires rétabliront la prépondérance de la noblesse.

FLAMMARION (Camille), astronome français (Montigny-le-Roi, Haute-Marne, 1842 - Juvisy 1925). Riche amateur et célèbre vulgarisateur des connaissances astronomiques, il obtint le prix Montyon pour son *Astronomie populaire* (1880) et créa la *Société astronomique de France* en 1887.

FLAMME. — Une flamme n'est autre chose qu'un gaz incandescent; pour qu'un corps brûle avec une flamme, il faut donc qu'il soit, au moins partiellement, gazeux. Les gaz incandescents émettant un spectre de raies, la flamme est peu éclairante, à moins qu'elle ne contienne en suspension des particules solides. Ainsi, la flamme est incolore dans la combustion complète des corps organiques, dont les produits (gaz carbonique et vapeur d'eau) sont gazeux. Si la combustion est incomplète, une partie du carbone ne brûle pas et la flamme devient éclairante.

FLAMSTEED (John), astronome anglais (Denby 1646 - Greenwich 1719). Premier directeur de l'observatoire royal de Greenwich, fondé en 1675, il dressa l'un des premiers catalogues de positions des étoiles* et imagina un système de projection pour l'établissement des cartes géographiques.

FLANDRE (la) ou **FLANDRES** (les), région partagée entre la France et la Belgique (v. FLANDRE-OCCIDENTALE et FLANDRE-ORIENTALE), sur la mer du Nord, limitée par les collines de l'Artois au S. et par les bouches de l'Escaut au N.

GÉOGRAPHIE. En France, la Flandre correspond à la partie septentrionale du département du Pas-de-Calais et à toute la moitié occidentale du département du Nord. C'est une région basse, accidentée cependant de quelques hauteurs (*monts des Flandres,* n'atteignant toutefois jamais 200 m). On oppose parfois la *Flandre maritime,* à l'O., très plate et partiellement gagnée sur la mer par poldérisation, et la *Flandre intérieure,* à l'E., sableuse et partiellement boisée. L'amélioration (engrais) de sols souvent ingrats, lourds à travailler sous un climat humide, a permis le développement d'une vie agricole intensive, associant cultures céréalières, industrielles (betterave, chanvre, houblon), maraîchères (à proximité d'importants marchés de consommation) et fourragères (associées à l'élevage bovin). Toutefois, la quasi-totalité de la population vit de l'industrie (la métallurgie et la chimie ont partiellement relayé le textile) et des services implantés dans les nombreuses villes flamandes, dont Lille, capitale historique, demeure de loin la plus importante. Le littoral, bordé de dunes, est surtout actif autour des deux pôles de Calais et de Dunkerque.

HISTOIRE. La Flandre est habitée par les tribus celtes des Ménapiens et des Morins lorsque César s'en empare et l'englobe dans la province romaine de Belgique. Occupée au Ve s. par les Francs Saliens, qui la germanisent, elle est, sous les Mérovingiens, puis sous les Carolingiens, l'une des rares régions de Gaule à connaître un essor économique et commercial (industrie drapière). Attribuée à Charles le Chauve (843), qui la constitue en marche au profit de son gendre Baudouin Ier (de 862 à 879), elle est ravagée par les Scandinaves (879-892) et sombre dans l'anarchie. Baudouin II (de 879 à 918) impose son autorité et constitue le grand comté de Flandre en poussant jusqu'à l'Escaut et en prenant possession du Boulonnais, de l'Artois et du Ternois. Au XIe s., ses successeurs dépassent les limites du royaume franc (acquisition de Walcheren et du pays d'Alost). À la même époque s'amorce un nouvel essor de l'industrie drapière, qui favorise le développement d'une grande bourgeoisie d'affaires. Dirigé par cette dernière, le mouvement communal apparaît dès la seconde moitié du XIe s., et les grandes cités (Bruges, Arras, Douai, etc.) obtiennent des chartes d'affranchissement (début du XIIe s.). Mais les difficultés successorales (à la mort de Charles le Bon en 1127, à celle de Baudouin IX en 1205) et les désordres sociaux provoquent l'ingérence française. Celle-ci aboutit à l'annexion de la Flandre par Philippe IV le Bel (1297), puis, après le soulèvement des villes flamandes (mai 1302), à près d'un siècle de chaos, qui ne se termine qu'en 1384, à la mort de Louis II de Mâle (comte de 1346 à 1384), lorsque le duc de Bourgogne, Philippe le Hardi, hérite du comté. Après l'effondrement de la maison de Bourgogne (1477), le pays devient un domaine des Habsbourg d'Autriche, puis d'Espagne, sous lesquels il traverse les guerres de Religion et subit, au XVIIe s., un morcellement au profit de la France (traité des Pyrénées, 1659; traités de Nimègue, 1678). Transférée à l'Autriche en 1713, l'ancienne Flandre espagnole est annexée et divisée en deux départements (1794) par la Révolution française; elle devient province du royaume des Pays-Bas (1815-1830), puis de celui de Belgique. Quant à la Flandre française, elle est intégrée au département du Nord en 1790.

FLANDRE-OCCIDENTALE, prov. de Belgique, sur la mer du Nord; 3 134 km^2; 1 073 406 hab. Ch.-l. *Bruges.* Région plate, active au point de vue agricole et industriel, la province compte deux zones de concentration de la population : la vallée de la Lys au S. et surtout le triangle Ostende-Zeebrugge-Bruges (associant le tourisme balnéaire et culturel aux industries textiles et chimiques).

FLANDRE-ORIENTALE, prov. du nord-ouest de la Belgique; 2 982 km^2; 1 325 222 hab. Ch.-l. *Gand.* La vallée de la Lys avec l'agglomération de Gand*, accessoirement celle de la Dendre (proche de Bruxelles, de Ninove à Alost) et aussi la région de Saint-Nicolas (au S.-O. d'Anvers) sont les parties vitales de la province, densément peuplée, très active économiquement (élevage et surtout industries métallurgiques, textiles et chimiques).

Flandres *(batailles des),* importantes opérations dont les Flandres furent le théâtre au cours des deux guerres mondiales. En 1914, pendant la phase finale de la « course à la mer », les Alliés, commandés par Foch, s'efforcèrent d'empêcher les Allemands de s'emparer des rivages du pas de Calais. Ce furent les combats de la « mêlée des Flandres » (oct.-nov.) à Ypres, sur l'Yser et à Dixmude, défendue du 27 octobre au 10 novembre par les fusiliers marins de l'amiral Pierre Ronarc'h (1865-1940). En 1917, pour soulager le front français, les Britanniques de Haig engagèrent plusieurs offensives dans les Flandres (juin-oct.) sur le saillant d'Ypres. En 1918, dans le cadre des offensives de Ludendorff, les Allemands attaquèrent sur le Kemmel, qu'ils prirent le 25 avril et qui fut reconquis par les Britanniques le 5 septembre. Enfin se déroula la bataille de la « crête des Flandres », conduite du 28 septembre au 10 octobre par le groupe d'armées (Belges, Anglais et Français) des Flandres aux ordres du roi des Belges, Albert Ier (v. GUERRE MONDIALE *[Première]*). En 1940, au cours de la campagne de France, les Flandres furent, du 25 mai au 4 juin, le théâtre de la bataille de Dunkerque*.

FLANDRIN (Hippolyte), peintre français (Lyon 1809 - Rome 1864).

Élève d'Ingres, il exécuta de grandes compositions murales dans un style savant, grave et assez froid (église Saint-Germain-des-Prés, Paris...) ainsi que des portraits. Ses frères AUGUSTE (1804-1842) et JEAN-PAUL (1811-1902) ainsi que son fils PAUL HIPPOLYTE (1856-1921) furent également peintres.

FLATTERS (Paul), officier français (Paris 1832 - Bir el-Garama 1881). Il conduisit deux expéditions à partir du Sud algérien pour chercher le tracé d'un chemin de fer transsaharien, mais il fut massacré au cours de la seconde par les Touaregs.

FLATULENCE → DIGESTION.

FLAUBERT (Gustave), écrivain français (Rouen 1821 - Croisset 1880). On le célèbre aujourd'hui pour avoir ouvert la sape qui mine la notion même de littérature. Et certes il affirmait, dès l'adolescence, que, s'il jouait un jour un rôle, ce serait « comme penseur et comme démoralisateur ». Mais, curieusement, les conséquences de cette fissure pratiquée dans l'édifice littéraire apparaissent bien différentes à ceux qui datent de *Madame Bovary* ou de *l'Éducation sentimentale* une nouvelle époque dans l'histoire de l'écriture. On a pu faire, en effet, de Flaubert à la fois le « patron » de l'école réaliste, l'initiateur de la « tranche de vie », et l'ancêtre du « livre sur rien », du texte automoteur et narcissique (« qui se tiendrait de lui-même par la force interne du style comme la Terre sans être soutenue se tient en l'air [...] »). *Salammbô* figure en bonne place dans la bibliothèque du héros d'*À* rebours,* tandis que Robbe-Grillet situe Flaubert à la source du nouveau réalisme, qu'il essaie de dégager dans son œuvre romanesque, et que Barthes (« l'Effet de réel », *Communications*), voulant donner un exemple d'« écriture représentative », cite un fragment de *Madame Bovary.* Ce caractère protéiforme de l'œuvre de Flaubert, mis en lumière par J.-P. Richard (à travers une dialectique du pâteux et du consistant) et Sartre (« L'Art doit être un prodige d'équilibre : la déréalisation, en effet, doit conserver au réel toute sa fraîcheur; mieux, elle doit en dévoiler des aspects inaperçus », *l'Idiot de la famille*), était d'ailleurs vécu intolérablement par son auteur, romantique par passion, réaliste par méthode, écrivain par désespoir. D'où le système d'oppositions et de symétries que compose l'œuvre, et, névrose et technique, le rôle qu'y joue la *reprise* (trois versions de *la Tentation de saint Antoine,* deux versions de *l'Éducation sentimentale*) jusqu'à la « copie » symbolique de *Bouvard* et Pécuchet.* Alors que Lautréamont liquide le romantisme en faisant des *Chants de Maldoror* un « collage » de tous ses lieux communs et de tous ses tics littéraires, en « bricolant » son écriture à partir de celle des autres, Flaubert se fabrique une écriture originale à l'aide de fragments de réel détournés de leur nécessité fonctionnelle au profit d'une existence purement esthétique : le rythme de la vie se fond dans le rythme martelé de la fameuse phrase éprouvée dans le « gueuloir » (« C'était à Mégara, faubourg de Carthage, dans les jardins d'Hamilcar »). Et Flaubert définit son « système » en des termes qui l'apparentent plus à Baudelaire qu'à Zola (« Faire vrai ne me paraît pas la première condition de l'art. C'est viser au beau [...] »). La réalité n'est donc qu'un « tremplin ». Le style-bistouri (« précis comme le langage des sciences, un style qui vous entrerait dans l'idée comme un coup de stylet ») n'est que le premier moment d'un style-cannibale, qui phagocyte et digère temps et objets dans l'espace figé de la page, dans un *tableau.* Ce n'est pas un hasard si l'un des thèmes obsessionnels majeurs (le saint Antoine) de la vie et de l'œuvre a sa source dans un tableau de Bruegel. Flaubert est un peintre (« Dans mon roman carthaginois, je veux faire quelque chose pourpre ») : c'est dire que son écriture aspire au silence et à triompher de l'usure des objets et des sentiments réels dans la stabilité d'un espace imaginaire (cohérence illusoire de l'art, symbolisée par le perroquet empaillé d'*Un cœur simple,* mais unique moyen d'échapper au mal de vivre). Mais, comme les peintres de son temps, Flaubert a besoin d'un sujet (trivialité d'un comice agricole ou splendeur exotique de Carthage) pour atteindre à une émotion plastique, où l'histoire — bruit, fureur et bêtise — est saisie du point de vue d'une « blague supérieure, c'est-à-dire comme le bon Dieu les voit ». Distance et délectation. Au niveau de la technique romanesque, Proust a bien vu que la découverte principale de Flaubert porte non pas sur le choix des événements, mais sur l'espace qui les sépare, les changements de vitesse et les « blancs » du texte. C'est surtout par là que Flaubert est moderne, et par sa « mauvaise foi » de classe (penser en demi-dieu, vivre en bourgeois et travailler comme un artisan), qui l'érige en figure mythique de l'écrivain et de l'intellectuel.

La Tentation de saint Antoine, de Gustave Flaubert : la reine de Saba et l'ermite. Représentation au Théâtre de France en 1967, dans une mise en scène de J.-L. Barrault et M. Béjart.

Lipnitzki

la vie

1821	Naissance à Rouen, à l'hôtel-Dieu, dont son père est chirurgien-chef.
1836	Rencontre à Trouville Élisa Schlésinger.
1840	Voyage dans les Pyrénées et en Corse.
1841	Études de droit à Paris.
1844	Première attaque d'épilepsie. S'installe à Croisset.
1846	Mort de sa sœur Caroline; rencontre Louise Colet.
1847	Voyage en Bretagne avec Maxime Du Camp.
1849-1851	Voyage en Orient avec Du Camp.
1858	Voyage en Algérie et en Tunisie.
1880	Mort à Croisset.

l'œuvre

1831	*Trois Pages d'un cahier d'écolier.*
1838	*Mémoires d'un fou.*
1839	*Smarh, vieux mystère.*
1842	*Novembre, fragments de style quelconque.*
1848	*Par les champs et par les grèves.*
1857	*Madame* Bovary.*
1862	*Salammbô*.*
1869	*L'Éducation* sentimentale.*
1874	*La Tentation* de saint Antoine.*
1877	*Trois* Contes.*
1881	*Bouvard* et Pécuchet.*

FLAVIEN *(saint)* [v. 390 - Hypaypa, Lydie, v. 449], patriarche de Constantinople (446-449). Adversaire d'Eutychès*, dont il obtient la condamnation en 448, il est désavoué en 449 par une parodie de concile appelé le *brigandage d'Éphèse;* exilé, il meurt de mauvais traitements.

FLAVIENS, dynastie qui gouverna l'Empire romain de 69 à 96. À la mort de Néron (68), le dernier des Julio-Claudiens*, éclate une grave crise de succession; trois empereurs se succèdent (Galba*, Othon*, Vitellius*) et l'armée d'Orient impose son général, Vespasien*, qui inaugure en 69 une nouvelle dynastie, celle des Flaviens. « Le secret de l'Empire venait d'être révélé, écrit Tacite, un empereur pouvait se faire ailleurs qu'à Rome. » Avec Vespasien, issu d'une famille sabine, la bourgeoisie italienne accède au pouvoir; dès 71, l'empereur proclame l'hérédité du principat en faveur de ses fils Titus* (de 79 à 81) et Domitien* (de 81 à 96), qui lui succèdent. La période flavienne est marquée par le progrès de la centralisation, de l'étatisme et de la fiscalité; la puissance de l'empereur croît considérablement; le sénat est modifié dans sa composition, les bourgeois et les provinciaux y étant inscrits; sur le plan extérieur, avec l'annexion des champs Décumates* et la mise en place du premier *limes* rhéno-danubien, l'œuvre des Flaviens fut importante.

FLAVIGNY-SUR-OZERAIN (21150 Les Laumes), comm. de la Côte-d'Or, à 16,5 km à l'E. de Semur-en-Auxois; 385 hab. Fortifications. Vestiges d'une abbaye fondée au VIIIe s. Église du XIIIe s. (jubé du XVIe). Maisons médiévales.

FLAVIUS (Cneius), jurisconsulte du IVe s. av. J.-C. Scribe du censeur Appius Claudius*, élevé à l'édilité en 304, il contribua à affaiblir les pouvoirs des pontifes et à ébranler la noblesse en publiant les formules de la procédure (premier livre de droit romain, *Ius Flavianum*) et le calendrier, c'est-à-dire l'alternance des jours fastes et des jours néfastes.

FLAVIUS JOSÈPHE, général et historien juif (Jérusalem v. 37-Rome v. 100). Il participe à la révolte juive de 66, mais passe rapidement dans le camp romain et bénéficie de la faveur impériale. Ses deux œuvres essentielles sont *la Guerre juive,* qui constitue un témoignage unique sur les événements de 66-70, et les *Antiquités judaïques,* précieuses pour l'histoire des derniers siècles précédant l'ère chrétienne.

FLAXMAN (John), sculpteur et dessinateur anglais (York 1755-Londres 1826). Néoclassique, il fournit de nombreux modèles pour les céramiques de Wedgwood, puis exécute en Italie, vers 1790, ses célèbres illustrations gravées, linéaires, d'Homère, d'Eschyle, de Dante. De retour en Angleterre en 1795, il se consacre notamment à la sculpture funéraire (tombeaux à Saint Paul de Londres...).

FLÈCHE (La) [72200], ch.-l. d'arr. de la Sarthe, sur le Loir, à 42 km au S.-O. du Mans; 16 352 hab. *(Fléchois).* Château reconstruit au XVe s. (hôtel de ville). Église des XIIe-XVe s. Prytanée militaire, ancien collège des Jésuites installé par Henri IV dans le château neuf du XVIe s. (chapelle de 1607-1622 par Martellange). Constructions mécaniques.

Flèches rouges *(ordre des),* appelé aussi *ordre impérial du Joug et des Flèches,* ordre espagnol créé en 1937 pour récompenser les services éminents. Ruban rouge rayé de noir.

FLÉCHIER (Esprit), prélat français (Pernes 1632-Montpellier 1710). Auteur des *Mémoires sur les Grands Jours d'Auvergne,* lecteur du dauphin (1671), il prononça plusieurs oraisons funèbres, dont celle de Turenne en 1676. Évêque de Lavaur (1685), puis de Nîmes (1687), il se montra tolérant envers les protestants.

FLEGME → DISTILLATION *(Industr. agr.).*

FLEISCHER (Max) [Vienne 1889-Los Angeles 1972] et son frère DAVE (New York 1894), caricaturistes, réalisateurs et producteurs de dessins animés américains. Ils inventèrent plusieurs personnages animés, comme Coco le clown (1920-1930), Betty Boop (1931-1936) et surtout Popeye (Mathurin) le mangeur d'épinards (1932-1947), et ils concurrencèrent au cours des années 30 la production de Walt Disney.

FLÉMALLE *(Maître de)* → CAMPIN.

FLÉMALLE, comm. de Belgique, au S.-O. de Liège, créée en 1977. Métallurgie.

FLEMING (*sir* John Ambrose), électrotechnicien britannique (Lancaster 1849-Sidmouth, Devon, 1945). On lui doit la valve à oscillations (1904) appelée *diode* ou encore *valve de Fleming,* qui, permettant une détection facile des ondes radioélectriques, fut à l'origine de toutes les lampes utilisées dans les radiocommunications. Fleming imagina aussi la règle « des trois doigts », qui donne le sens des forces électromagnétiques.

FLEMING (*sir* Alexander), médecin et bactériologiste anglais (Lochfield Farm, Darvel, Ayrshire, 1881-Londres 1955). Il reçut en 1945 le prix Nobel de médecine, avec Chain et Florey, pour sa découverte de la pénicilline.

FLENSBURG, port de l'Allemagne fédérale (Schleswig-Holstein), sur la Baltique; 95 000 hab. Construction navale.

FLERS (61100), ch.-l. de cant. de l'Orne; 21 242 hab. *(Flériens).* Château des XVIe-XVIIIe s. Industries mécaniques et électriques.

FLERS (Robert PELLEVÉ DE LA MOTTE-ANGO, *marquis* DE), auteur dramatique français (Pont-l'Évêque 1872-Vittel 1927). Il composa toute une série de comédies légères et d'opéras bouffes avec G. A. de Caillavet (*le Roi,* 1908; *l'Habit vert,* 1912), puis avec F. de Croisset (*les Vignes du Seigneur,* 1923; *Ciboulette,* 1923).

FLERS-EN-ESCREBIEUX (59128), comm. du Nord, à 5 km au N. de Douai; 6 431 hab.

FLESSELLES (Jacques DE), administrateur français (Paris 1721-*id.* 1789). Prévôt des marchands de Paris (1789), il fut massacré par la foule le 14 juillet.

FLESSINGUE, en néerl. **Vlissingen,** port des Pays-Bas (Zélande); 43 000 hab. Aluminium.

FLETCHER (John), auteur dramatique anglais (Rye, Sussex, 1579-Southwark 1625). Avec Francis Beaumont, puis d'autres collaborateurs, comme Massinger, Ben Jonson, Tourneur, il donna des pièces à l'intrigue ingénieuse et à la verve réaliste, dont le succès balança longtemps celui du théâtre de Shakespeare (*le Chevalier du Pilon-Ardent,* 1611).

FLEUR. — L'organe reproducteur des plantes supérieures est la *fleur,* qui n'atteint toute sa perfection que chez les angiospermes. Une fleur « complète » de dicotylédone, par exemple, est le sommet d'un rameau particulier, le *pédoncule floral,* à l'aisselle duquel se développe une feuille réduite, la *bractée florale.* Ce sommet forme d'abord un *bouton* clos, qui ne laisse voir que les *sépales,* pièces vertes de l'enveloppe protectrice. Lors de l'éclosion (ou floraison), les sépales s'écartent et se disposent en *calice* pour soutenir une *corolle* parfumée et colorée, formée de *pétales* (au nombre de cinq le plus souvent). Au-dessus de cet ensemble stérile *(périanthe)* se dressent une ou deux couronnes d'*étamines* (organes mâles, producteurs de pollen), entourant la partie supérieure de l'organe femelle, ou *pistil.* Ce pistil est le plus souvent formé d'une colonne *(style)* surmontée d'un ou de plusieurs *stigmates* pour la réception du pollen (d'une autre fleur de la même espèce), et à la base de laquelle se trouve l'*ovaire,* ou futur fruit. L'ovaire, issu de la soudure plus ou moins complète de plusieurs *carpelles,* peut être, tout comme les autres pièces florales, implanté librement dans le *réceptacle* formé par le sommet élargi du pédoncule. Il est alors dit *libre* ou *supère.* Il est non moins fréquent que les pièces qui l'entourent se soudent à ses parois et ne se séparent qu'au-dessus de lui. Il est alors *adhérent* ou *infère.*

La fleur est généralement régulière (symétrie axiale), mais elle peut acquérir une symétrie bilatérale surimposée (fleurs *zygomorphes :* papilionacées, labiacées, composées). Les fleurs des monocotylédones peuvent répondre à la description ci-dessus, à un détail près : les sépales sont colorés et identiques aux pétales (tulipe, lis). Bien entendu, il existe, en particulier chez les arbres, de nombreuses espèces aux fleurs très peu visibles, au périanthe réduit ou inexistant et souvent unisexuées, la pollinisation étant surtout assurée par le vent. Ce sont, au contraire, les insectes qui transportent le pollen des fleurs colorées et parfumées, dont la sécrétion sucrée *(nectar)* les attire.

À la suite de la pollinisation, la fleur se fane, c'est-à-dire que tout se dessèche, sauf l'ovaire (et parfois le réceptacle), qui deviendra le fruit*.

La manière dont sont groupées les fleurs d'un même pied est l'inflorescence*.

FLEURANCE (32500), ch.-l. de cant. du Gers, sur le Gers, à 24 km au N. d'Auch; 5 817 hab. Église fortifiée des XIVe-XVIe s. (vitraux). Place à arcades avec halle. Électronique.

FLEURET → ESCRIME.

FLEURIE (69820), comm. du Rhône, dans le Beaujolais, à 21 km au S.-O. de Mâcon; 1 256 hab. Vins renommés.

Fleurs du mal *(les),* recueil de Baudelaire (1857). Les 136 poésies qui le composent sont groupées selon un plan fondé sur la constatation de la misère de l'homme et de ses efforts pour sortir de cet état. Ces poèmes, qui valurent un procès à leur auteur, créèrent, selon le mot de Hugo, un « frisson nouveau » et orientèrent la poésie dans la voie du symbolisme.

FLEURUS, comm. de Belgique (Hainaut), au N.-E. de Charleroi; 8 523 hab. Deux grandes batailles ont été livrées à Fleurus : le 1er juillet 1690, le maréchal de Luxembourg y triompha de l'armée austro-hollandaise du prince de Waldeck; le 26 juin 1794, Jourdan y battit les Anglo-Hollandais de Cobourg. (V. COALITION *[première]*.)

FLEURY (André Hercule DE), prélat et homme d'État français (Lodève 1653-Paris 1743). Aumônier de la reine (1679), puis du roi (1683), évêque de Fréjus (1698), précepteur de Louis XV (1714), il fait partie, en 1723, du Conseil d'État et du Conseil de conscience. Ministre d'État et cardinal (1726), il fait participer la France à la guerre de la Succession* de Pologne et à celle de la Succession* d'Autriche.

FLEURY-LES-AUBRAIS (45400), ch.-l. de cant. du Loiret, dans la banlieue nord d'Orléans; 16 842 hab. Nœud ferroviaire.

FLEURY-MÉROGIS (91700 Ste Geneviève des Bois), comm. de l'Essonne, à 9 km à l'O.-N.-O. de Corbeil-Essonnes; 6 757 hab. Prison.

FLEURY-SUR-ANDELLE (27380), ch.-l. de cant. de l'Eure, à 24 km au S.-E. de Rouen; 1 817 hab. Industrie textile. Constructions mécaniques.

FLEUVE. — Un fleuve et ses affluents, les rivières, sont organisés en un réseau hydrographique drainant une portion de continent appelée « bassin-versant ». Un fleuve est caractérisé par son débit* et son régime*.

Les fleuves et les rivières, écoulements concentrés, prennent en charge les matériaux issus des versants, à l'état dissous (carbonate de calcium par exemple) ou de débris solides, qui, en s'entre-choquant, acquièrent un émoussé caractéristique (sables, graviers et

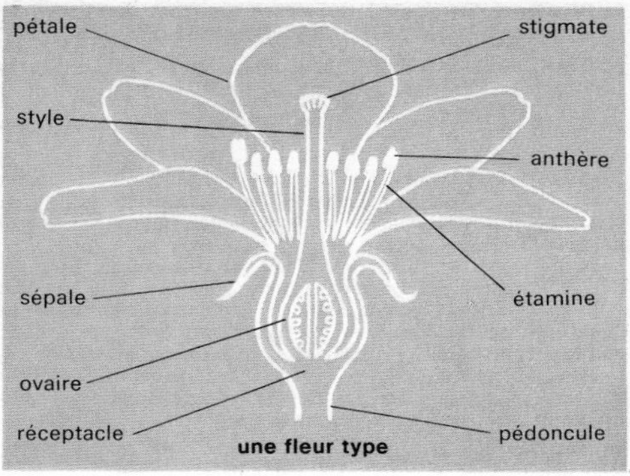

une fleur type

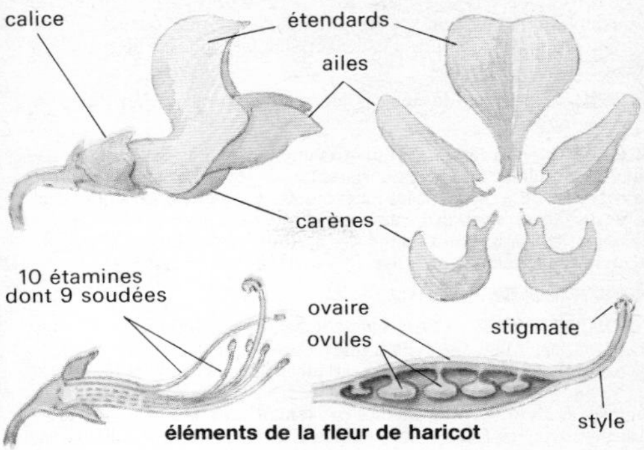

éléments de la fleur de haricot

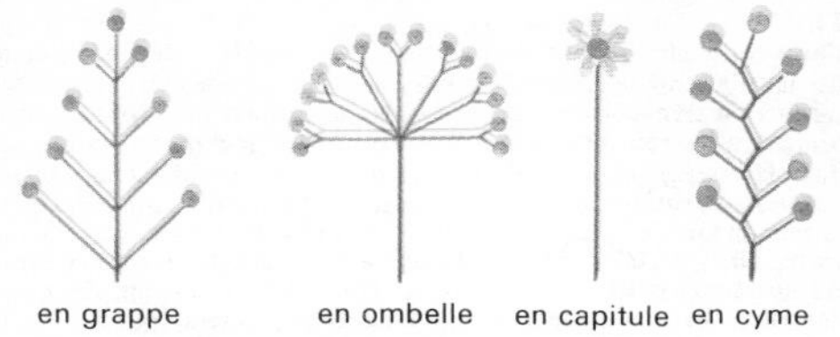

différents types d'inflorescences

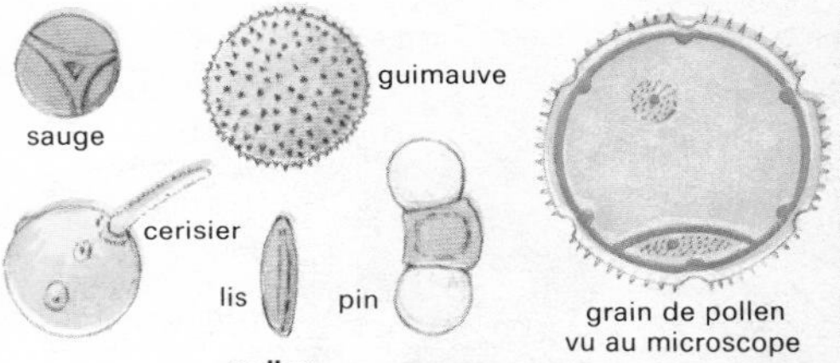

pollen

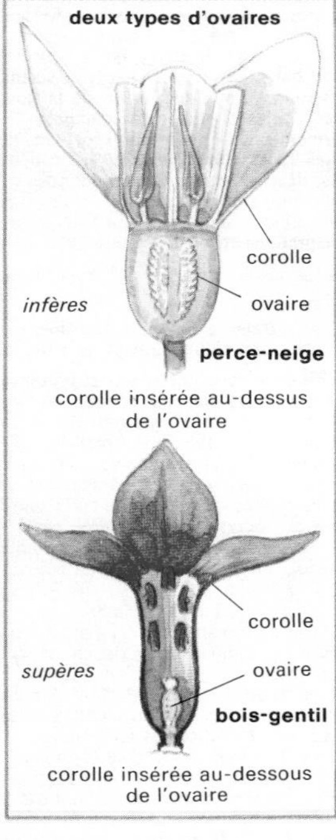

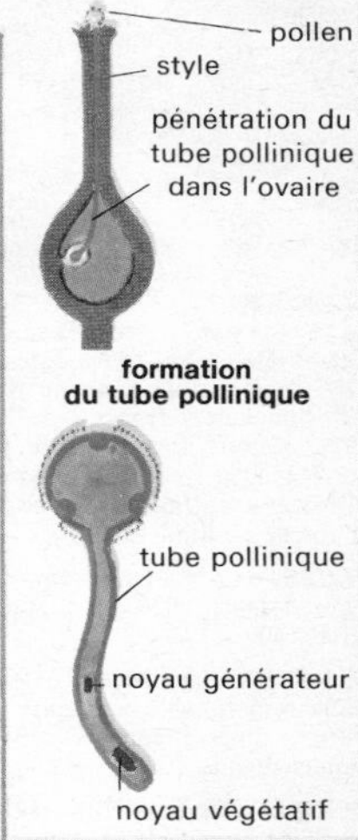

galets). La compétence d'un cours d'eau est la charge solide maximale que celui-ci est capable de transporter.

Armés de ces matériaux, les fleuves exercent une érosion linéaire, ou érosion fluviatile. Le profil transversal des vallées fluviales varie de l'amont à l'aval, passant de versants raides à des auges alluviales très évasées. En temps normal, le cours d'eau n'occupe qu'un étroit chenal, ou lit mineur, dans la vallée alluviale. Lors des crues, il peut déborder et occuper tout le fond de la vallée, ou lit majeur. Les cours d'eau ont également tendance à régulariser leur profil longitudinal. En érodant les seuils et en alluvionnant dans les mouilles, ils tendent à acquérir un profil concave, dont la pente diminue de la source au niveau de base, représenté par la mer pour les fleuves et le point de confluence pour les rivières. Le profil d'équilibre est atteint lorsque le fleuve n'exerce plus qu'un rôle de transport. À la suite d'une reprise d'érosion, le cours d'eau s'encaisse dans ses propres alluvions, déterminant des terrasses. Celles-ci peuvent être dues à des variations eustatiques*, qui modifient le niveau de base, à partir duquel s'exerce une érosion régressive, ou à des changements climatiques, qui influent sur la charge des cours d'eau.

Le tracé des fleuves est rarement adapté à la structure. L'inadaptation s'explique par les phénomènes d'antécédence* ou de surimposition*. Les cours d'eau décrivent par ailleurs souvent des méandres.

FLEVOLAND, nom de deux polders du Zuiderzee *(Flevoland-Est* et *Flevoland-Sud).*

FLEXION. — La flexion est un procédé morphologique, caractéristique de certaines langues, consistant à ajouter à la racine des mots des affixes qui expriment les catégories grammaticales. Déclinaison et conjugaison sont des cas de flexion. On parle également de flexion (flexion interne) quand il y a modification du vocalisme de la racine (allemand : *sprechen* [présent]/*sprach* [passé]).

FLEXOFORAGE → FORAGE.

FLEXOGRAPHIE. — Ce procédé d'impression* utilise des formes en relief, généralement cylindriques, constituées de clichés souples en caoutchouc ou en matière plastique*. Celles-ci sont montées sur un cylindre d'impression et reçoivent, par l'intermédiaire d'un rouleau encreur, l'encre liquide provenant d'un bac. Le support à imprimer, papier Cellophane, pellicule plastique ou métallique, est appuyé contre le cylindre imprimant par un rouleau presseur.

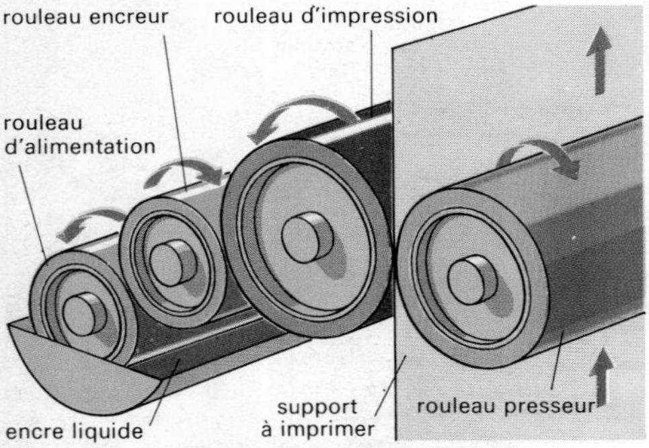

Schéma d'un élément d'impression par flexographie.

FLIBUSTIER. — Au XVIIe et au XVIIIe s., les flibustiers, ou « frères de la côte », écumèrent la mer des Antilles à la recherche de butin, pillant les navires et les côtes des colonies espagnoles d'Amérique. Les flibustiers français se fixèrent dans l'île de la Tortue. Alliés aux boucaniers français de l'île espagnole de Saint-Domingue, ils constituèrent une véritable puissance maritime et louèrent leurs services à la France, qui les protégea. La guerre de la Succession* d'Espagne, en faisant de l'Espagne l'alliée de la France, contribua à la fin de la flibuste.

FLIMS, en romanche **Flem,** comm. de Suisse (Grisons), au pied du *Flimserstein;* 1936 hab. Station d'été et de sports d'hiver (alt. 1100-2800 m).

FLINDT (Flemming), danseur danois (Copenhague 1936). Interprète remarquable (*le Loup,* de R. Petit), chorégraphe original (*la Leçon,* d'après Ionesco, 1963), il est directeur du Ballet royal danois depuis 1966.

FLINES-LÈS-RÂCHES (59148), comm. du Nord, à 11,5 km au N.-E. de Douai; 5067 hab. Industrie textile.

FLIN FLON, v. du Canada, aux confins du Manitoba et de la Saskatchewan; 9344 hab. Métallurgie (cuivre).

FLINS-SUR-SEINE (78410 Aubergenville), comm. des Yvelines, à 6 km au S. de Meulan; 1805 hab. Construction automobile.

FLINT, v. des États-Unis (Michigan), au N.-O. de Detroit; 194000 hab. Industrie automobile.

FLIXECOURT (80420), comm. de la Somme, à 23 km au N.-O. d'Amiens; 3577 hab. Industrie textile.

FLIZE (08160), ch.-l. de cant. des Ardennes, à 9 km au S. de Charleville-Mézières, sur la Meuse; 1004 hab. Métallurgie.

F. L. N., sigle de Front* de libération nationale.

FLOCULATION. — Dans la floculation des colloïdes, le groupement des molécules est lâche et réversible, ce qui différencie la floculation de la coagulation, dont elle est souvent le premier stade.

FLODOARD, chroniqueur et hagiographe (Épernay 894 - Reims 966). Ce chanoine de la cathédrale de Reims écrivit une *Histoire de l'Église de Reims* (952) et des *Annales,* qui sont de remarquables sources de renseignements sur la vie politique sous les derniers Carolingiens.

FLOGNY-LA-CHAPELLE (89360), ch.-l. de cant. de l'Yonne, sur l'Armançon, à 15 km au N.-O. de Tonnerre; 1137 hab.

FLOIRAC (33270), comm. de la Gironde, dans la banlieue est de Bordeaux, sur la rive droite de la Garonne; 11115 hab. Vignobles.

FLORAC (48400), ch.-l. d'arr. de la Lozère, à 40 km au S. de Mende; 2077 hab.

FLORAISON. — Loin d'être, comme les feuilles, des organes permanents ou semi-permanents des plantes, les fleurs* n'apparaissent, sous nos climats tout au moins, qu'en une saison déterminée et ne durent, parfois, que peu de temps. Leur apparition, ou « floraison », est dictée fondamentalement par une donnée astronomique rigoureuse : la durée relative du jour et de la nuit. Mais des froids prolongés ou une germination tardive (herbes annuelles) peuvent la retarder. Les fleurs « de jour court » apparaissent au premier printemps et à l'automne; les plantes « de jour long » fleurissent entre le 1er mai et le 15 août, mais beaucoup d'espèces aux fleurs nombreuses étalent leur floraison sur une longue période (pâquerette et autres composées).

FLORANGE (57190), ch.-l. de cant. de la Moselle, à 5 km au S. de Thionville; 12446 hab. *(Florangeois).* Sidérurgie.

FLORE. — La flore d'un lieu est la liste des espèces végétales que l'on y rencontre à l'état sauvage de façon durable, indépendamment de leur abondance. Les herbes issues de graines échappées de jardins ou transportées par les trains ou les navires y sont incluses lorsqu'on les retrouve bien des années après, s'étant fait une place dans la couverture végétale. On les dit *subspontanées.* On n'y inclut pas les *adventices,* qui disparaissent au bout d'un an ou deux, et moins encore les plantes cultivées, inadaptées à la vie sauvage. La flore, ainsi définie, dépend du climat, de la nature du sol, de la concurrence entre espèces pour l'occupation du terrain (concurrence aisée à observer lorsqu'un terrassement, par exemple, crée une *place vide* et que celle-ci est ensuite abandonnée). Elle tend à évoluer vers une formation végétale « climax », c'est-à-dire portant la masse vivante maximale par unité de surface, grâce à un étagement en *strates :* grands arbres, arbustes et buissons, herbes, mousses, champignons et bactéries du sol.

Comme pour les animaux (v. FAUNE), il arrive qu'une espèce végétale soit absente d'un lieu qui lui conviendrait parfaitement, mais qu'elle n'a jamais pu atteindre (d'où l'*endémisme* de la flore des îles). Le phénomène est pourtant plus rare que pour les animaux à cause des énormes facultés de transport et de conservation des graines et des spores. Bien entendu, les milieux les plus défavorisés (toundras, déserts chauds, hautes montagnes, tourbières, murs et monuments, etc.) n'ont qu'une flore très pauvre et très spéciale, tandis que les milieux aquatiques ont leur propre flore, elle aussi pourvue d'adaptations très particulières.

FLORE, déesse italique de la Floraison et des Fleurs; on célébrait en son honneur les *Floralies.*

FLORENCE, en ital. **Firenze,** v. d'Italie, capit. de la Toscane, sur l'Arno; 460000 hab. Grand centre touristique. Travail du cuir.

HISTOIRE. Ancien village étrusque devenu cité romaine, Florence prend son véritable essor à partir du XIIe s., époque où ses habitants, rejetant la tutelle impériale (1115), se constituent en commune libre, détruisent l'antique *Faesulae* (Fiesole) et conquièrent les bourgades du voisinage. Son alliance temporaire avec Pise lui permet de prospérer dans le commerce de la draperie et de devenir l'une des premières places bancaires de Toscane. D'abord dominée par un gouvernement aristocratique et déchirée par les luttes entre guelfes et gibelins (début du XIIe s.), Florence se dote d'une nouvelle constitution (1250), qui donne la réalité du pouvoir aux représentants de la classe moyenne. Au XVIe s., elle éclipse Pise, tombée aux mains de Gênes, ainsi que ses autres rivales (Lucques et Sienne) et affirme son dynamisme non seulement dans le grand commerce international, l'industrie du tissage et les activités bancaires, que se partagent les grandes compagnies à succursales (Alberti, Bardi, Buonaccorsi, Perruzi, Médicis...), mais aussi dans une intense recherche artistique, qui fait d'elle l'un des grands foyers de l'humanisme et de la Renaissance italienne. Devenue puissance maritime par la conquête de Pise (1406), elle n'en reste pas moins agitée par les querelles opposant les trois classes commerçantes (arts majeurs, arts moyens et arts mineurs). Au XVe s., cette instabilité profite aux Médicis* qui, sous couvert de rétablir les institutions républicaines, instaurent un véritable régime monarchique (1434). Un instant ébranlée par les guerres d'Italie et la prédication de Savonarole, l'autorité des Médicis se trouve confirmée en 1532, lorsque Charles Quint fait d'Alexandre de Médicis un duc héréditaire de Florence. Mais, dès la seconde moitié du XVIe s., malgré l'annexion de Sienne (1555) et l'érection de Florence en capitale du grand-duché de Toscane (1569), la ville décline et ne retrouve son second souffle qu'avec la formation du royaume d'Italie, dont elle sera la capitale de 1865 à 1870.

BEAUX-ARTS. La montée de la bourgeoisie, l'autonomie conquise dès le XIIe s., la supériorité acquise sur Pise et Sienne assurent à

Vue partielle de Florence. À droite, la tour dite d'Arnolfo et le Palazzo Vecchio (1298-1304). Sur l'Arno, le Ponte Vecchio, bordé de boutiques.

Everts - Rapho

Florence une prospérité qui favorise les arts. Cette vitalité, attestée au XIIIe s. par des édifices gothiques originaux (Santa Maria Novella, Santa Croce, Santa Maria del Fiore [commencée en 1296], Palazzo della Signoria [ces deux derniers sur des plans d'Arnolfo* di Cambio], Bargello*) et par le renouveau pictural de Cimabue* et surtout de Giotto* (fresques de Santa Croce), atteint son plein épanouissement avec la Renaissance et le règne des Médicis. L'idéal humaniste s'affranchit du Moyen Âge en puisant dans l'Antiquité ses exigences de rigueur et d'harmonie, ainsi que ses modèles; à côté des palais des grandes familles (palais Médicis de Michelozzo*), le quattrocento renouvelle les problèmes d'espace, de lumière et de perspective avec Brunelleschi* (dôme de Santa Maria del Fiore) et L. B. Alberti* (théoricien, mais aussi architecte du palais Rucellai). Tandis que la tradition gothique reste sensible chez Ghiberti* (portes nord et est, en bronze, du Baptistère), la sculpture affirme un réalisme puissant avec Donatello* (statues d'Orsammichele et du campanile de la cathédrale), pour se teinter de suavité avec L. Della Robbia* ou les Rossellino* et de lyrisme avec Verrochio* (*David,* 1476). La représentation de l'espace, répondant à une volonté à la fois rationnelle et poétique, est au centre des préoccupations de Masaccio* (fresques de Santa Maria del Carmine), d'Uccello*, d'Andrea* del Castagno, de Filippo Lippi* et, en partie, de Fra Angelico* (fresques du couvent de San Marco). Bientôt, dans la seconde moitié du XVe s., à côté de narrateurs pittoresques, comme Gozzoli* (*Cortège des Rois mages,* palais Médicis) ou Ghirlandaio*, se manifeste un humanisme profane avec Botticelli* (*le Printemps**).

À la fin du quattrocento, dans un climat de difficultés politiques et économiques, Florence perd peu à peu de sa prépondérance. Les grands créateurs de la seconde Renaissance, Léonard* de Vinci et Michel-Ange* (qui sculpte son *David*,* travaille aux fortifications, à la nouvelle sacristie de San Lorenzo et aux tombeaux des Médicis), sont attirés vers d'autres centres. Restent Fra Bartolomeo*, à l'art sévère, Andrea* del Sarto, au classicisme raffiné et précieux. Le maniérisme s'illustre avec le Pontormo* et le Bronzino*, avec les sculpteurs Benvenuto Cellini* (*Persée,* loggia dei Lanzi) et Giambologna*, qui décore de nombreuses statues les jardins Boboli, aménagés par Bartolomeo Ammannati, tandis que Vasari* (historien de l'école florentine en même temps que peintre et architecte) commence la construction des Offices*. Ceux-ci, devenus un prestigieux musée de peinture, témoignent, comme le Bargello (pour la sculpture), la galerie de l'Académie, la galerie du palais Pitti* — sans oublier, dans un autre domaine, le musée Archéologique —, de l'immense apport de Florence à l'art occidental, apport qui, sans être négligeable, s'amenuise à partir de l'époque baroque.

Florence *(concile de)* → BÂLE *(concile de).*

Florence *(école de),* humanistes florentins de la fin du XVe s. et du début du XVIe. Les troubles sociopolitiques, la renaissance prodigieuse des arts et la pensée de Nicolas* de Cusa sont à l'origine de l'humanisme florentin, qui s'affirme dans la seconde moitié du XVe s. Malgré leurs divergences, Marsile Ficin*, Nicolas Machiavel*, Pic* de La Mirandole et Léonard* de Vinci partagent une inquiétude qui les conduit à s'interroger sur la place que peut occuper l'homme dans un monde conçu comme univers infini et non plus comme espace clos. Les trois aspects principaux de cet humanisme sont le culte de la beauté, l'affirmation de l'universalité d'un christianisme platonisant (v. PLATONISME) et le souci de la prééminence de l'homme.

FLORENSAC (34510), ch.-l. de cant. de l'Hérault, près de l'Hérault, à 13,5 km au S. de Pézenas; 3 009 hab. Vins blancs.

FLORES, île des Açores.

FLORES, île de l'Indonésie, séparée de Célèbes par la *mer de Flores.*

FLOREY (*sir* Howard Walter), médecin britannique (Adelaïde, Australie, 1898 - Oxford 1968), prix Nobel de médecine et de physiologie en 1945, avec Fleming et Chain, pour ses travaux sur la pénicilline.

FLORIAN (Jean-Pierre CLARIS DE), écrivain français (château de Florian, Sauve, Languedoc, 1755 - Sceaux 1794). Petit-neveu de Voltaire, il s'inspira de Cervantès dans ses pastorales (*Galatée,* 1783; *Estelle et Némorin,* 1788) et fit d'Arlequin, dans ses comédies pour le Théâtre-Italien, un héros édifiant et sentimental (*les Jumeaux de Bergame,* 1782). Il est également l'auteur de *Fables* (1792), qui révèlent l'influence moraliste de Rousseau.

FLORIANÓPOLIS, v. du sud du Brésil, capit. de l'État de Santa Catarina, sur l'Atlantique; 139 000 hab.

FLORIDABLANCA (José MOÑINO, *comte* DE), homme d'État espagnol (Murcie 1728 - Séville 1808). Procureur général au conseil de Castille, il fut à l'origine de l'expulsion des Jésuites. Devenu Premier ministre de Charles III (1777), il se montra partisan du despotisme éclairé.

FLORIDE, en angl. **Florida,** État du sud-est des États-Unis; 151 670 km^2; 6 789 000 hab. Capit. *Tallahassee.*

GÉOGRAPHIE. L'État est formé essentiellement d'une péninsule basse, entre l'Atlantique et le golfe du Mexique, développée à des latitudes subtropicales. Le climat est alors doux en hiver (la température ne descend qu'exceptionnellement au-dessous de

Floride. Paysage du parc national des Everglades, dans le sud de la péninsule.

G. Gerster - Rapho

10 °C), avec des chaleurs relativement modérées en été (moyennes de juillet inférieures à 30 °C), tempérées par la proximité de la mer, qui contribue à expliquer l'importance des précipitations (supérieures à 1 m). Le climat a permis d'abord le développement des cultures subtropicales, notamment des agrumes (plus de la moitié de la production américaine), et aussi l'essor du tourisme (surtout sur le littoral atlantique et dans le sud marécageux de la péninsule [région des Everglades], arrière-pays de Miami, de loin la ville la plus importante), les deux principales ressources de la Floride. Le sous-sol ne recèle guère que des phosphates, et l'industrie est surtout liée à la valorisation de la production agricole.

HISTOIRE. Découverte et explorée par Juan Ponce de León (1513), la Floride fut espagnole jusqu'en 1819, date à laquelle les États-Unis l'achetèrent à l'Espagne. Elle est État de l'Union depuis 1845.

FLORIS DE VRIENDT, artistes flamands. CORNELIS, architecte et sculpteur (Anvers 1514-*id.* 1575), séjourna en Italie, publia des recueils de grotesques et autres ornements, et associa la fantaisie nordique aux formes de la Renaissance dans son hôtel de ville d'Anvers (1560) ou dans son jubé de la cathédrale de Tournai (1568). — Son frère FRANS, peintre (Anvers v. 1516-1521-*id.* 1570), subit à Rome l'ascendant de Michel-Ange et des maniéristes, avant de devenir le chef de file, « romaniste », de la peinture anversoise de son temps (grandes compositions emphatiques, excellents portraits).

FLORUS (Lucius Annaeus ou Julius), historien latin d'origine africaine (Ier-IIe s. apr. J.-C.). Plus styliste qu'historien, il résuma Tite-Live dans son *Abrégé de l'histoire romaine,* qui est un panégyrique de la gloire de Rome.

FLOTE ou **FLOTTE** (Pierre), légiste français (apr. 1250-Courtrai 1302). Chancelier de Philippe IV le Bel (1300), Pierre Flote fut le champion de la politique d'indépendance du roi à l'égard du pape et de l'empereur, et l'un des premiers à avoir mis l'arme du droit public romain au service des prétentions royales.

FLOTTATION *(Métall.)* → ÉLABORATION, MINERAI.

FLOTTATION *(Min.)* → CONCENTRATION DES MINERAIS ET CHARBONS.

FLOTTATION *(Verr.)* → VITRAGE.

FLOTTEMENT DES MONNAIES OU DES CHANGES. — Une monnaie est flottante lorsqu'elle voit ses cours fluctuer librement sur le marché des changes, la banque centrale n'intervenant pas pour les soutenir et n'étant pas tenue de le faire.

Le 22 avril 1972, les neuf pays de la Communauté économique européenne et la Norvège décidèrent de *limiter* la fluctuation de leurs monnaies les unes par rapport aux autres, selon un certain pourcentage : ce fut le serpent. Le 23 juin 1972, cependant, la livre anglaise « décrochait », et, le 23 janvier 1973, la lire italienne faisait de même. Le franc français est également aujourd'hui une monnaie flottante. Le flottement des monnaies enraie pratiquement les tentatives de spéculation sur certaines devises (qui entraînent d'intempestifs mouvements de capitaux), mais gêne par contre le développement du commerce international.

Les changes flottants relèvent, en réalité, de deux systèmes : le *flottement libre* et le *flottement contrôlé* par les autorités monétaires. Les changes flottants sont généralement considérés comme générateurs d'inflation et de dégradation du système monétaire international. (V. DOLLAR, FRANC, MONNAIE, SERPENT MONÉTAIRE.)

FLOURENS (Pierre), physiologiste français (Maureilhan 1794-Montgeron 1867), auteur d'importants travaux sur le système nerveux et sur les os.

FLOURENS (Gustave), révolutionnaire français (Paris 1838-Chatou 1871), fils du précédent. Membre de la Commune de Paris en 1871, il fut tué par les Versaillais.

FLUAGE. — Les pièces travaillant à chaud (organes de moteurs, de turbines, de fours, etc.) et soumises à des contraintes bien inférieures à la limite d'élasticité pendant un temps assez long subissent une déformation plastique continue, phénomène de fluage qui peut entraîner la rupture suivant l'importance des contraintes et la durée d'application des efforts. Des essais permettent d'établir des courbes de fluage (déformation en fonction du temps par une contrainte donnée et à une certaine température) et de déterminer une *vitesse de fluage,* d'une part, et une *limite conventionnelle de fluage,* d'autre part. Ces essais limités, bien que de longue durée (1 000 h), ne peuvent représenter le comportement réel des pièces en service pendant plusieurs années, mais renseignent utilement pour le choix des matériaux les mieux appropriés aux températures d'emploi (aciers* et alliages* réfractaires).

FLUIDE. — On désigne sous le terme général de *fluides* à la fois les liquides et les gaz. Les molécules des fluides peuvent glisser les unes sur les autres, aussi petite que soit la force qui les sollicite, la vitesse du déplacement dépendant de la viscosité, qui ralentit le glissement. Les liquides et les gaz ont donc des propriétés communes; par exemple, les principes de l'hydrostatique leur sont applicables. Les liquides se différencient des gaz en ce qu'ils sont pratiquement incompressibles.

FLUMET (73590), comm. de la Savoie, à 10 km au S.-O. de Megève; 769 hab. Station de sports d'hiver, *Flumet-Val d'Arly* (alt. 1000-1 800 m).

FLUOR. — Le fluor est l'élément chimique de numéro atomique 9 et de masse atomique F = 19. Il a été isolé par Moissan, en 1886. C'est un gaz jaune pâle, d'odeur irritante, difficile à liquéfier. Il est le plus électronégatif de tous les éléments et s'unit à la presque totalité des autres, avec un grand dégagement de chaleur. Il donne avec l'hydrogène une réaction explosive, décompose tous ses composés et attaque tous les métaux.

Son principal minerai est la fluorine CaF_2. On prépare le fluor par électrolyse d'un fluorure fondu, KF, 3 HF, par exemple. Certains de ses dérivés organiques servent de liquides frigorifiques (Fréon), de produits pour extincteurs ou de matières plastiques (Téflon).

FLUORESCÉINE. — C'est une poudre jaune-orangé, dont la solution dans les alcalis présente une fluorescence verte intense. Cette propriété a été mise à profit pour l'étude des rivières souterraines.

FLUORESCENCE. — Sous l'action d'un rayonnement, les substances fluorescentes émettent des radiations qui sont en général d'une longueur d'onde supérieure (loi de Stokes). Les corps soumis à des radiations ultraviolettes peuvent ainsi fournir une émission de lumière visible. Ce phénomène a d'abord été utilisé pour des effets lumineux dans l'obscurité, dits « de fluorescence en lumière noire ». C'est aussi un moyen d'analyse et d'investigation. Les lampes fluorescentes, qui servent à l'éclairage, sont des tubes de verre revêtus, sur leur paroi interne, d'une mince couche d'un produit fluorescent. On y fait passer une décharge électrique dans de la vapeur de mercure à basse pression. Le produit fluorescent transforme en lumière les radiations ultraviolettes émises à l'intérieur du tube. On obtient des nuances variées suivant la nature du produit fluorescent. (V. LUMINESCENCE.)

FLUORHYDRIQUE (acide). — L'acide fluorhydrique HF, découvert par Scheele en 1771, est un liquide incolore, bouillant à 19,5 °C. Très avide d'eau, il est caustique et fume à l'air. À froid, il est partiellement polymérisé. Formé à partir de ses éléments avec un très grand dégagement de chaleur, il est très stable. Il attaque toutefois la plupart des métaux. Il agit sur la silice et les silicates pour donner du fluorure de silicium SiF_4 gazeux; cette propriété est mise à profit dans la gravure sur verre. On le prépare en chauffant du fluorure de calcium avec de l'acide sulfurique.

FLUORINE. — La fluorine CaF_2, ou *chaux fluatée,* ou *spath fluor,* offre un éclat vitreux et une certaine transparence; elle cristallise le plus souvent en cubes. Elle sert à faire des vases, des coupes, etc., mais on l'utilise surtout comme minerai de fluor et comme fondant en métallurgie.

FLUOTOURNAGE. — Le fluotournage permet de réaliser des pièces creuses de révolution, d'épaisseur variable, à génératrice rectiligne ou curviligne (cylindriques, coniques, ogivales, hémisphériques, etc.), de forte épaisseur (jusqu'à quelques dizaines de millimètres), à partir d'*ébauches* sous forme de *flans* de grande épaisseur ou de *viroles* courtes et massives, en aciers durs fortement alliés ou en métaux et alliages durs et réfractaires, comme le tungstène*. L'opération s'effectue à l'aide de machines spéciales, capables d'efforts suffisamment importants pour produire la déformation plastique de la matière à façonner. Ces équipements comportent une broche très rigide à l'extrémité de laquelle est fixée une *forme mère,* appelée *mandrin* ou *matrice,* suivant qu'elle correspond à la forme intérieure (fluotournage extérieur) ou extérieure (fluotournage intérieur) de la pièce à former. Trois ou quatre *molettes,* en acier trempé, disposées autour de l'axe de la broche et mues chacune par un vérin de très grande puissance, viennent progressivement déformer la matière de l'ébauche pour l'appliquer contre la forme mère, qui tourne lentement autour de son axe avec l'ébauche dont elle est solidaire. Les tolérances de fabrication sont de l'ordre de 0,1 mm. Les machines à fluotournage sont des équipements coûteux permettant de façonner des pièces utilisées dans les industries aéronautique et spatiale, notamment des pièces pour propulseurs.

FLÛTE. — Le nom de *flauta* (dérivé du latin *flare,* souffler) désignait, sans distinction, jusqu'au XIVe s., la flûte à bec, la flûte traversière et la flûte de Pan, instruments à vent en forme de tubes allongés.

L'extrémité supérieure de la flûte à bec, en forme de sifflet, partiellement bouchée par un bloc de bois, ne laisse filtrer qu'un mince filet d'air, qui se brise sur une arête taillée en biseau et produit un son.

La flûte traversière doit son nom au fait qu'on la pose de travers sur la lèvre inférieure pour obtenir des sons en soufflant dans un orifice latéral, servant d'embouchure.

La flûte de Pan est formée par la juxtaposition de tuyaux de différentes tailles, bouchés à une extrémité, dans lesquels on souffle par le haut.

Flûte enchantée *(la),* opéra en deux actes, livret de Schikaneder, musique de W. A. Mozart (1791). Cette partition, créée à Vienne, tient à la fois du conte de fées et du drame philosophique, des interventions magiques venant faire triompher le bien du mal, l'esprit de la lumière de l'esprit des ténèbres. Le côté ésotérique et spectaculaire de l'œuvre n'empêche pas son épanouissement musical en grands airs expressifs ou de virtuosité et en chœurs contrapuntiques.

FLUVIOGLACIAIRE. — Les formations fluvioglaciaires se déposent à l'extrémité des langues glaciaires, sous l'action des cours d'eau alimentés par la fonte des glaciers. Elles se disposent en arcs morainiques ou en nappes présentant un litage grossier.

FLYSCH. — Constitué par une alternance de bancs gréseux, argileux et calcaires, le flysch se dépose, sous l'action des courants de turbidité, dans les géosynclinaux qui bordent les chaînes de montagnes en voie de surrection.

F. N. L., sigle de Front* national de libération du Viêt-nam du Sud.

FOCALE. — Lorsqu'on fait tomber sur un système optique centré un pinceau étroit de rayons homocentriques, incliné sur l'axe du système, le pinceau émergent présente deux aires d'amincissement; on peut dire que tous ses rayons s'appuient sur deux petites droites perpendiculaires, qui sont les *focales.* Pour un faisceau large, l'ensemble de ces focales forme les deux nappes de la surface caustique*.

FOCH (Ferdinand), maréchal de France, de Grande-Bretagne et de Pologne (Tarbes 1851 - Paris 1929). Polytechnicien et artilleur, il est, en 1896, chef du cours d'histoire et de stratégie à l'École de guerre, qu'il commandera de 1908 à 1911. À la tête du 20e corps, à Morhange, en 1914, il reçoit de Joffre, en pleine bataille de la Marne, le commandement de la IXe armée, avant de coordonner en son nom l'action des forces françaises, belges et britanniques dans les Flandres. Commandant le groupe d'armées du Nord (1915), il dirige, avec Haig, la bataille de la Somme (1916) et devient chef d'état-major général en 1917. Au lendemain de la percée allemande en Picardie (mars 1918), il est nommé commandant en chef des armées alliées, qu'il conduit en huit mois à la victoire. (V. GUERRE MONDIALE [*Première*].) Promu maréchal le 6 août, il reçoit à Rethondes, le 11 novembre, la reddition de l'Allemagne. On lui doit plusieurs ouvrages (*Principes de la guerre,* 1903; *Conduite de la guerre,* 1904) et des *Mémoires* publiés en 1931.

FOCILLON (Henri), historien d'art français (Dijon 1881 - New Haven, Connecticut, 1943). À travers son enseignement et ses livres, il développe une vaste analyse allant du Moyen Âge au XXe s., de l'Orient à l'Occident (*la Peinture aux XIXe et XXe siècles,* 1928; *l'Art des sculpteurs romans,* 1931; *Art d'Occident,* 1938; etc.). Ses travaux théoriques et méthodologiques (*Vie des formes,* 1934) définissent l'œuvre d'art comme un « fait historique » à l'intérieur d'un mouvement de constantes « métamorphoses ».

Le général Foch et son état-major, photographiés en mai 1918 au château de Sarcus, près d'Aumale (Seine-Maritime).

FOCK (Jenö), homme politique hongrois (Budapest 1916). Membre du parti communiste hongrois clandestin en 1932, il est secrétaire du Comité central (1957-1961), membre du Bureau politique (1957), puis vice-président du Conseil (1961-1967); et contribue à l'élaboration de la « nouvelle méthode économique », d'inspiration assez libérale. Premier ministre à partir de 1967, il démissionne en 1975.

FOCŞANI, v. de Roumanie, en Moldavie, au N.-E. de Bucarest; 46 000 hab. C'est là que se tint, de 1859 à 1862, la commission centrale instituée pour l'unification des principautés roumaines.

FŒHN. — Lorsqu'une masse d'air humide frappe un obstacle montagneux, elle s'élève et se refroidit, ce qui déclenche des précipitations. Ayant franchi la montagne, elle est devenue sèche et forme un vent qui, en descendant, se réchauffe très rapidement. Ce vent, le fœhn, est redouté car, très chaud, il fait fondre la neige et provoque des avalanches.

FŒTUS. — Le fœtus présente essentiellement, par rapport à l'embryon, une différenciation morphologique et un gain pondéral

FLUOTOURNAGE

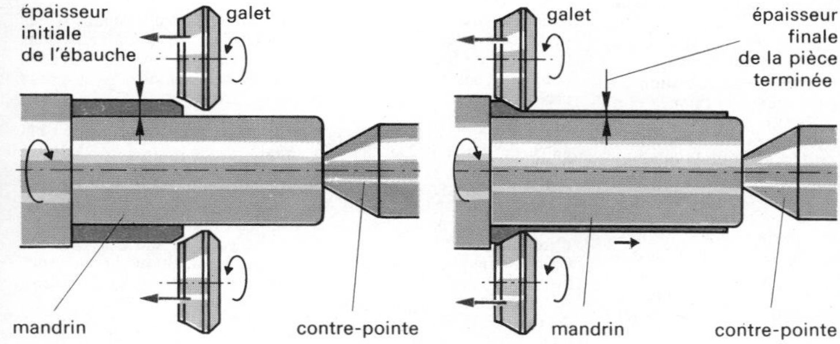

Fluotournage cylindrique par allongement.

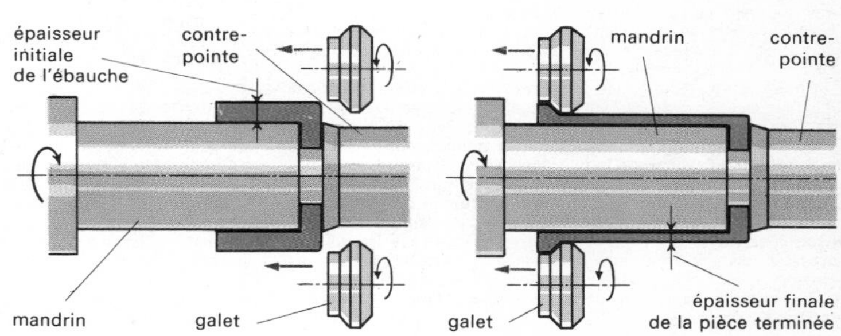

Fluotournage cylindrique par rétro-extrusion.

importants. Avant la naissance, la circulation fœtale, liée à la circulation placentaire, est pauvre en oxygène, les urines sont déversées dans le liquide amniotique et la plupart des organes sont immatures.

Les fœtopathies peuvent être responsables de la mort du fœtus *in utero* ou d'atteintes néonatales de gravité variable; leurs principales causes sont la rubéole, la syphilis, la listériose, la toxoplasmose, les rickettsioses, certaines intoxications.

FOGAZZARO (Antonio), écrivain italien (Vicence 1842-*id.* 1911), auteur de poèmes (*Miranda,* 1874) et de romans (*Petit Monde d'autrefois,* 1895) qui tentent de concilier la foi religieuse et la croyance au progrès scientifique.

FOGGIA, v. d'Italie, dans la Pouille, ch.-l. de prov.; 144000 hab. Cathédrale (XIIe-XVIIIe s.). Musée.

FOIE. — Tous les animaux vertébrés possèdent un foie, aux fonctions assez voisines de celles du foie humain. Chez les mollusques (escargot), il existe aussi un foie, associé au pancréas en un organe mixte, l'*hépato-pancréas.*

Le foie humain pèse environ 1500 g chez l'adulte. Il est situé sous le diaphragme, à droite, et déborde légèrement à gauche. Il présente trois faces : supérieure, inférieure (où se trouvent le hile, occupé par les organes qui vont au foie ou qui en partent, et la vésicule biliaire à droite) et postérieure. Il se compose d'une multitude de lobules séparés par des espaces portes qui contiennent, outre des canaux biliaires, des branches de la veine porte (qui draine le sang veineux du tube digestif) et de l'artère hépatique.

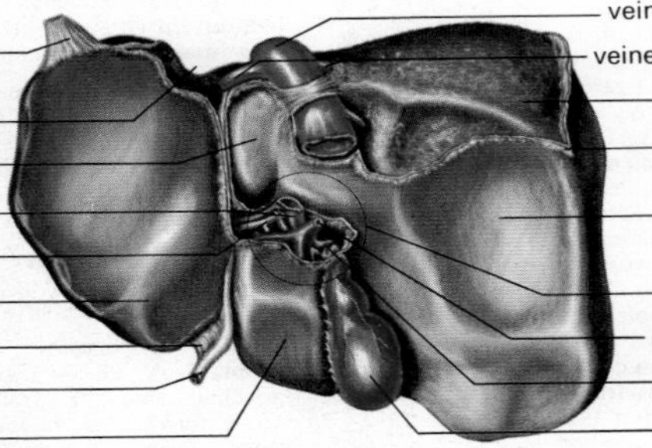

FOIE

Face inférieure vue de l'arrière.

Les lobules hépatiques sont formés de travées de cellules, appelées « hépatocytes », disposés autour des branches des veines sus-hépatiques qui se jettent dans la veine cave inférieure. Le sang chemine des espaces portes aux veines sus-hépatiques entre les travées d'hépatocytes; ceux-ci sécrètent la bile, qui rejoint les canaux biliaires par des canalicules biliaires.

Le foie intervient dans le métabolisme des lipides, des glucides et des protides, il assure l'élimination de la bilirubine et du cholestérol en surplus par la sécrétion de bile, il effectue la détoxication de nombreuses substances, l'inactivation de certaines hormones et il stocke la vitamine B 12.

L'exploration du foie comprend l'étude des concentrations sériques de l'albumine, du cholestérol, des facteurs de la coagulation (prothrombine), des phosphatases alcalines, des transaminases et du taux de la bilirubine sanguine et urinaire, complétée par l'électrophorèse des protides sanguins, la clairance de la brome-sulfone-phtaléine, les tests de floculation et, parfois, par l'angiographie, la scintigraphie, la laparoscopie et la ponction-biopsie hépatiques.

Les affections hépatiques, très diverses, ont pour symptômes communs, plus ou moins marqués, l'hépatalgie (douleur au foie), l'ictère*, l'hépatomégalie, l'hypertension* portale et l'insuffisance hépatique. Celle-ci ne se manifeste que dans les affections majeures du foie par un amaigrissement avec ictère, œdèmes, ascite, angiomes stellaires et tendance hémorragique. Elle évolue parfois vers le coma hépatique ou l'encéphalopathie hyperammoniémique, en règle générale mortels.

Citons les hépatites*, les cirrhoses* et la stéatose hépatique d'origine alcoolique ou carentielle. Le « foie cardiaque », congestion du foie par gêne de la circulation veineuse vers le cœur, peut évoluer vers la cirrhose cardiaque. Des troubles congénitaux du métabolisme hépatique de la bilirubine peuvent être responsables d'ictères. Le cancer du foie, métastasique ou primitif, est de sombre pronostic. Les abcès du foie se rencontrent dans certaines septicémies, par infections de voisinage ou dans l'amibiase. Le foie peut être atteint au cours de diverses parasitoses (paludisme, amibiase, etc.) et de nombreuses maladies générales (sarcoïdose, amylose, hémochromatose, etc.). Certains accidents hépatiques (stéatose aiguë grave, hépatite cholostatique) peuvent être déclenchés par la grossesse.

FOIN → FOURRAGES.

FOIRE. — Les foires existaient déjà dans l'Antiquité (Delphes, Délos) et au haut Moyen Âge (foire de Saint-Denis, VIIe s.), mais elles connurent leur plein épanouissement à partir du XIIe s., grâce au mouvement de reprise économique (XIe s.) et à l'essor d'un négoce itinérant qui, jusqu'au XIVe s., fut l'élément essentiel de la vie économique internationale et qui trouva son principal débouché dans certaines villes situées le long des grands courants commerciaux de l'Europe occidentale. Sous l'impulsion de leurs seigneurs, ces villes devinrent les centres de ces grands marchés annuels ou bisannuels, vers lesquels convergèrent des commerçants de toutes nationalités, à qui étaient accordés sauf-conduits, privilèges les garantissant contre le droit d'aubaine ou les saisies pour dettes, ou encore les autorisant à se livrer au prêt à intérêt. Situées au carrefour des routes menant d'Italie aux Pays-Bas et des villes de la hanse à l'Île-de-France, les foires de Champagne (Troyes, Provins, Lagny, Bar-sur-Aube) connurent un essor remarquable aux XIIe et XIIIe s. Mais d'autres jouèrent un grand rôle : ainsi en fut-il des cinq grandes foires flamandes (Thourout, Ypres, Messines, Lille et Bruges), des foires du Languedoc (Nîmes, Carcassonne, Saint-Gilles), de celles de Beaucaire (XIVe s.) et de Lyon (XVe s.) et des foires parisiennes (Saint-Denis, Saint-Lazare, Saint-Germain). Ces foires, où les paiements, effectués à la clôture, s'opéraient par compensation et versement des reliquats, devinrent d'importantes places de change, où se généralisèrent la lettre de change et la créance à terme. Leur importance déclina à partir du XIVe s., avec l'amélioration des communications et l'apparition des compagnies à succursales. Si quelques-unes parvinrent à maintenir leur rayonnement (Lyon, Beaucaire), la plupart disparurent après le XVIIe s. et firent place, au XXe s., à un nouveau type de manifestations commerciales : les foires-expositions.

Foire *(théâtre de la),* nom sous lequel on réunit différentes sortes de spectacles qui furent donnés pendant deux siècles, à Paris, dans les foires de Saint-Germain et de Saint-Laurent (animaux savants, acrobates, marionnettes, comédies à ariettes, parades*), et qui se prolongèrent dans le théâtre du Boulevard*.

FOIX (09000), ch.-l. du départ. de l'Ariège, sur l'Ariège, à 763 km au S. de Paris; 10235 hab. *(Fuxéens).*

FOIX *(comté de),* ancienne principauté recouvrant approximativement le département de l'Ariège (capit. *Foix*). Dominé successivement par les Romains, les Goths et les Francs, rattaché au duché d'Aquitaine (Xe s.), au comté de Toulouse et enfin à celui de Carcassonne, le comté de Foix acquit une vie autonome au début du XIe s., lorsque Roger le Vieux, comte de Carcassonne, le légua à son second fils, Roger-Bernard. Devenue, au XIIIe s., vassale du roi de France, la maison de Foix reçut, en 1278, l'Andorre en partage avec l'évêque d'Urgel, et fut réunie à la vicomté de Béarn et au comté de Bigorre (1290). L'ensemble passa aux Grailly (1398), puis à la maison d'Albret (1484) et enfin aux Bourbon-Vendôme (1548). Henri IV, dernier comte de Foix, réunit le comté à la couronne de France en 1607.

FOKINE (Michel), danseur, chorégraphe et pédagogue russe (Saint-Pétersbourg 1880-New York 1942). Ses dons de pédagogue et son talent de chorégraphe éclipsent rapidement sa carrière de danseur. Attaché au théâtre Mariinski de Saint-Pétersbourg, il suit Diaghilev dès 1909. Sensible aux nouveaux courants artistiques et à la musique, rejetant les schémas chorégraphiques de ses prédécesseurs, Fokine révèle sa forte personnalité dès ses premières compositions. Ses conceptions et ses innovations (auxquelles l'exemple d'Isadora Duncan n'est pas étranger) lui font jouer dans le ballet contemporain un rôle analogue à celui que Noverre tint au XVIIIe s. Sa période de créativité la plus féconde est celle de sa collaboration avec les Ballets russes (« les Danses polovtsiennes » du *Prince Igor, les Sylphides,* 1909; *l'Oiseau de feu, Schéhérazade,*

1910; *Petrouchka, le Spectre de la rose,* 1911; *Daphnis et Chloé,* 1912; *le Coq d'or, la Légende de Joseph,* 1914). Mal compris de ses contemporains, Fokine, ayant quitté la Russie en 1918, travaille en Europe, puis émigre aux États-Unis. De son renouveau d'inspiration sont nés *l'Épreuve d'amour* (1936), *The Russian Soldier* (1942). Le solo, *le Cygne* (ou *la Mort du cygne*), qu'il composa pour la Pavlova, reste sans doute la plus populaire de ses œuvres. Ses *Memoirs of a Ballet Master* ont été publiés en 1961.

FOKKER (Anthony), aviateur et industriel néerlandais (Kediri, Java, 1890 - New York 1939). Il créa l'une des firmes les plus importantes de construction aéronautique allemande et réalisa de nombreux avions militaires (1914-1918), puis commerciaux.

FOLENGO (Girolamo, dit **Teofilo**), connu sous le nom de **Merlin Cocai,** poète burlesque italien (Mantoue 1491 - Campese di Bassano 1544). Il créa le genre « macaronique », où dialectes et argots italiens se mêlent à un latin corrompu (*Baldus,* 1517).

FOLGOËT (Le) [29260 Lesneven], comm. du Finistère, à 2 km au S. de Lesneven; 2253 hab. Pardon. Église du XVe s. en gothique flamboyant (clocher, porche avec statues, jubé).

FOLIATION. — La foliation d'une plante est la disposition de ses feuilles. Deux cas sont possibles : ou bien toutes les feuilles sont rassemblées autour du collet en une *rosette* au contact du sol, ou bien elles sont étalées le long de la tige et des rameaux. Dans ce dernier cas, chaque point d'insertion d'une feuille est appelé un *nœud.* À l'aisselle de la feuille, ce nœud porte un bourgeon, qui donnera plus tard un rameau. La foliation est dite *alterne* lorsque les nœuds sont disposés un par un le long d'une hélice (souvent à raison de 2/5 de tour entre deux feuilles successives); elle est *opposée-décussée* (labiacées) lorsque chaque niveau porte deux feuilles en vis-à-vis, les niveaux pairs ayant leurs feuilles à angle droit des niveaux impairs; elle est *verticillée* lorsqu'il y a plus de deux feuilles par niveau.

FOLIE. — Il revient à Michel Foucault*, dans *l'Histoire de la folie à l'âge classique* (1961), le mérite d'avoir montré que ce n'était qu'à une date très récente que la folie avait reçu le statut de maladie mentale. Au Moyen Âge, elle est partie intégrante de l'univers et de l'expérience de chacun en tant que catégorie du sacré. Au milieu du XVIIIe s. se produit, un peu partout en Europe, le « grand renfermement », qui isole les fous et d'autres oisifs du reste de la communauté. Les asiles ne deviennent le champ clos de la folie qu'avec l'introduction du médecin dans leurs murs, par les préoccupations humanitaires de la Révolution. Le rôle du médecin est d'y opérer un tri et de resserrer l'enfermement autour du seul insensé, afin de protéger le système de production. Cette pratique est inaugurée en France par Ph. Pinel*. Cabanis (1757-1808), à la même époque, justifie l'internement du fou en y voyant la traduction en termes juridiques de l'abolition de la liberté déjà acquise au niveau psychologique. Les mesures d'internement, prévues par la loi de 1838, des individus jugés dangereux pour eux-mêmes et pour autrui sont toujours en vigueur. La médicalisation de la folie a donné lieu à un immense travail de classification. Répertoriée, la folie entre dans le domaine de la raison : elle devient maladie.

La médecine mentale, démontre encore M. Foucault, s'est constituée sur le modèle de la médecine du corps de l'époque. Les grands aliénistes du XIXe s. cherchent à attribuer chaque maladie mentale à une lésion organique bien déterminée, et, à défaut d'une cause organique indiscutable, ils se contentent de notions comme celles d'hérédité ou de dégénérescence. S. Freud* est à l'origine d'une mutation radicale dans la conception de la folie. Introduisant la notion d'inconscient*, il désigne sa place en chacun de nous. Loin d'être absurde et incompréhensible, la folie devient chargée de sens et représente une tentative pour régler des problèmes ayant leur origine dans l'enfance. De l'inventaire des symptômes, la psychanalyse* passe à l'étude du fonctionnement mental — l'intérêt se déplaçant de la maladie vers le malade.

M. Foucault, pour qui la folie est une structure globale de l'être répondant aux contradictions de la réalité sociale, affirme la radicale hétérogénéité de la maladie mentale et de la maladie organique. La folie se constitue dès lors en porte-parole des incohérences de la structure sociale. Telle est aussi la position de l'antipsychiatrie*. (V. PSYCHIATRIE.)

FOLIGNO, v. d'Italie (Ombrie), au S.-E. de Pérouse; 51 000 hab.

FOLIQUE (acide) → VITAMINE.

FOLKESTONE, v. d'Angleterre, sur le pas de Calais; 44 000 hab. Port de voyageurs. Station balnéaire.

FOLKLORE. — Le mot « folklore » est utilisé le plus souvent pour désigner un contenu, c'est-à-dire les matériaux culturels des sociétés traditionnelles, quelle que soit la forme qu'ils prennent : littérature orale (mythes, contes, légendes, chansons, proverbes...), production d'objets à l'aide des techniques traditionnelles (artisanat, architecture...), expressions corporelles (danses, fêtes, rites...). Le terme s'applique aussi à l'étude scientifique de ces matériaux. Le folklore peut remplir plusieurs fonctions : il a pour objet la transgression de certains tabous (notamment dans les contes), le dépassement de la condition de mortel (dans les mythes), l'observation de règles de conduite (proverbes et fables). Il a souvent une fonction sécurisante et justificatrice de l'ordre social. Ainsi, le folklore est en fait synonyme de culture traditionnelle, voire de culture populaire, dans les sociétés industrielles ou en voie d'industrialisation, par opposition à la culture des classes dominantes. Dès lors, il faut distinguer, comme le font les langues anglaise et allemande, les véritables traditions populaires et la reconstitution de celles-ci, pour le spectacle notamment.

En effet, les spectacles folkloriques enlèvent toute signification aux éléments culturels qu'ils mettent en valeur, dès lors que ceux-ci sont devenus spectacles et ne sont plus insérés dans leur contexte social. En ce sens, le folklore participe du phénomène d'acculturation*, car il est l'effet du développement du mode de production capitaliste, qui aboutit à la soumission, puis à la destruction des rapports précapitalistes et donc des cultures qui leur sont rattachées. Paradoxalement, ces sociétés industrielles, alors même qu'elles imposent aux autres sociétés leurs rapports de production et leur système de valeurs, développent le tourisme dans les pays du tiers monde, ce qui se traduit par la multiplication des représentations folkloriques (danses, ballets, reconstitutions de rites, etc.) dans ces régions; ce paradoxe n'en est cependant pas un, l'aspect artificiel et marchand de ce folklore aboutissant tout autant que l'industrialisation à la destruction des cultures dites « primitives ». Concept évolutionniste (survivances, etc.), le folklore renvoie à une vision statique, donc erronée, de la culture traditionnelle ou populaire.

FOLKLORIQUES (danses). — Si la musique et les chants reflètent l'évolution d'une civilisation, les danses populaires en sont les indissociables compléments. L'homme ayant dansé de tout temps et en toute occasion, chaque génération s'enrichit peu à peu de ce que laissa la précédente, une sélection s'opérant d'elle-même. En dépit d'un tronc commun qui remonte au paléolithique (danses animalières, curatives, funéraires, guerrières...) et au néolithique (danses agraires, d'initiation sexuelle), et d'une incontestable analogie thématique (danse des moissons, des saisons, du feu, des semailles, des vendanges...), les danses folkloriques restent très diversifiées dans leurs présentations et leurs exécutions. Les danses populaires sont localisées géographiquement, encore que, dans certaines régions, leur survivance reste l'œuvre d'associations. La tradition orale connaît des limites et des ethnologues se sont consacrés à l'étude des différents folklores régionaux ou locaux. Tandis que des groupes revêtus des costumes traditionnels font revivre les danses authentiques d'une région particulière, des ensembles — souvent nationaux — donnent sur scène des danses spectaculaires, souvent très stylisées, dont certains contestent l'authenticité. Bien qu'il soit évident qu'il y ait « amplification » du geste et de la musique dans le cas du folklore scénique, le fait

quelques danses du folklore international

balorak (Tchécoslovaquie)	kolo (Yougoslavie)
boulba (danse de la pomme	ländler (Autriche)
de terre) [Russie]	matelotte (Pays-Bas)
csardas (Hongrie)	morris dance (Angleterre)
danse du sabre (Caucase)	ouled naïl (Algérie)
dybbuk (Israël)	pericón (Argentine)
gigue (Écosse)	polka (Pologne)
habanera (Cuba)	sardane (Catalogne)
hopak ou gopak (Ukraine)	Schäfflertanz (Allemagne)
hora (Roumanie)	sicilienne (Italie)
hornipe (Angleterre)	tarentelle (Italie)
horo (Bulgarie)	trepak (Russie)
jarabe (Mexique)	verbunk (danse de
jota (Espagne)	recrutement) [Hongrie]
kalamatianos (Grèce)	zapateado (Espagne)
khoroumi (Géorgie)	zapateo (Chili)
klondike can-can (Canada)	zbojnicki (Pologne)

quelques danses régionales françaises

bacchu ber (danse de	fandango (Pays basque)
l'épée) [Hautes-Alpes]	farandole (Provence)
bourrée (Massif central)	gigouillette (Anjou)
chibreli (Bourgogne,	guimbarde (Limousin)
Franche-Comté)	jabadao (Bretagne)
lei courdello (Provence)	la montagnarde (Massif central)
danse des bergers (Languedoc)	lou pelele (Limousin)
danse des ceintures (Bigorre)	ridée (Bretagne)
danse des treilles (Languedoc)	tripettes de Barjols (Var)
dérobée (Bretagne)	

folklorique se produisant sur une scène modifie les relations des protagonistes. De participant possible le public devient spectateur assujetti aux lois et à l'illusion théâtrales.

FOLKSONG. — Aux États-Unis, le folksong a été tout particulièrement mis en valeur par des chanteurs tels que Woody Guthrie, Pete Seeger, Judy Collins, Joan Baez et Bob Dylan. Il reprend certains thèmes du folklore traditionnel en les modernisant et en accentuant parfois leurs côtés revendicatifs (donnant ainsi naissance au *protestsong*). Le folksong redonne la primauté au texte et à la mélodie, tandis que l'accompagnement (guitares sèches, banjos, harmonicas) reste simple. Il est à l'origine de la redécouverte des folklores nationaux dans certains pays, notamment en Europe.

Folle de Chaillot *(la),* pièce en deux actes, de Giraudoux (1945). Dans un « monde plein de mecs » de la finance et des affaires louches, la poésie s'est réfugiée avec une vieille comtesse misérable dans une cave de la colline de Chaillot.

FOLLICULE → FURONCLE.

FOLLICULINE → OVAIRE.

FOLLICULITE → FURONCLE.

FOLON (Jean-Michel), dessinateur belge (Bruxelles 1934). Collaborateur de nombreux journaux, il décrit dans ses gouaches, avec des couleurs paradoxalement douces, un monde inhumain : villes et campagnes mécanisées, personnages-robots. Il se consacre également à l'affiche, au cinéma (films avec Alain Resnais et William Klein), à l'audiovisuel (recherches avec la compagnie théâtrale J.-M. Serreau-A. Perinetti), et a réalisé sur polyester une surface lumineuse animée de 36 m^2 pour la triennale de Milan (1968).

FOLSCHVILLER (57730), comm. de la Moselle, à 5 km au S. de Saint-Avold; 4 712 hab. Houille.

FOMALHAUT → ÉTOILE.

FONCK (René), officier aviateur français (Saulcy-sur-Meurthe 1894-Paris 1953). Commandant l'escadrille des « Cigognes », il fut le premier as de la chasse française de 1914-1918, avec 75 victoires homologuées.

FONCTION. — Une fonction réelle d'une variable* réelle est une application* d'une partie de $\mathbb{R}$, ensemble* des nombres réels, dans $\mathbb{R}$. Par exemple, $x \xrightarrow{f} y = x^2 + 1$ est une application de $\mathbb{R}$ dans la partie de $\mathbb{R}$ formée des nombres réels supérieurs ou égaux à 1, puisque x^2 est supérieur ou égal à 0. Quand on se donne une fonction, il faut déterminer avant tout son domaine de définition ou ensemble des valeurs de la variable pour lesquelles la fonction existe, c'est-à-dire pour lesquelles on peut calculer les valeurs que donne la fonction. Ce domaine de définition n'est pas nécessairement $\mathbb{R}$ tout entier. Ainsi, la fonction $x \xrightarrow{f} y = \sqrt{x^2 - 1}$ n'est définie que pour $x^2 - 1 \geqslant 0$, ou $(x - 1)(x + 1) \geqslant 0$, ou, enfin, $x \leqslant -1$ ou $x \geqslant 1$. On écrit que le domaine de définition de f est $D =]-\infty, -1] \cup [1, +\infty]$, réunion des deux intervalles : $x \leqslant -1$ et $x \geqslant 1$. L'étude d'une fonction consiste à déterminer son domaine de définition, les limites de la fonction aux bornes des intervalles formant le domaine, les intervalles où la fonction est soit croissante, soit décroissante. Tous ces résultats sont consignés dans un tableau qui donne le sens de variation de la fonction.

La *dérivée**, notée f' ou y', pour la fonction telle que $x \xrightarrow{f} y = f(x)$ est une autre fonction liée à f et que l'on calcule, à partir de f, par des règles précises. Le signe de la dérivée permet de trouver le sens de variation de la fonction, qui est croissante ou décroissante, suivant que la dérivée est positive ou négative.

FONCTIONNALISME *(Ling.).* — On appelle fonctionnalisme un certain nombre de courants structuralistes issus des réflexions de l'école de Prague sur la (ou les) fonction(s) du langage (A. Martinet, R. Jakobson, etc.).

FONCTIONNALISME *(Sociol.).* — L'approche fonctionnaliste s'est développée dès les années 20, en ethnologie, avec Malinowski* et Radcliffe-Brown*, et plus tard, en sociologie, avec Merton* et Parsons*. Elle repose principalement sur l'idée de l'interdépendance existant entre tous les éléments d'un système social. Chacun de ces éléments joue un rôle, exerce une ou plusieurs fonctions et concourt ainsi à la marche du système dans son ensemble. Dans ses excès, cette approche ne manque pas de rappeler la sociologie organiciste de Spencer*.

On devine l'usage qui peut être fait d'une telle orientation fonctionnaliste dans l'étude des moyens de diffusion collective. Dans les années 60, cette nouvelle manière d'interroger la réalité a connu une très grande fortune. En mettant l'accent sur tout ce qui favorise le retrait, l'évasion ou l'exil, la culture de masse insistait sur les fonctions psychologiques et psychothérapiques assumées par les diverses techniques de diffusion collective, à côté de la fonction d'information proprement dite, qui, traditionnellement, était la leur.

FONCTION PUBLIQUE. — On désigne sous ce terme l'ensemble des agents assumant la marche des services* publics. Le statut général de la fonction publique, organisé par l'ordonnance du 4 février 1959 (qui fut ultérieurement modifiée), concerne les personnes qui, nommées à un emploi permanent, ont été titularisées dans un grade de la hiérarchie des administrations centrales — ou des établissements publics — de l'État. (Les magistrats, régis par le statut de la magistrature, les personnels des assemblées parlementaires, les personnels militaires, ainsi que ceux des établissements publics à caractère industriel ou commercial et des sociétés nationales, n'en relèvent pas.)

Le fonctionnaire jouit d'une véritable garantie de l'emploi, mais il est tenu à des obligations particulières, au secret professionnel, à l'obéissance hiérarchique, au devoir de réserve dans l'expression d'opinions politiques. Les règles d'accès à la fonction publique révèlent un certain nombre de principes particuliers : l'égalité d'accès de tous à la fonction publique; le recrutement assez généralement organisé par voie de concours, etc.

Les emplois publics sont classés en catégories (A, B, C, D). Le fonctionnaire fait, en principe, toute sa carrière dans l'Administration, sauf démission ou révocation. Il peut être placé en détachement ou en disponibilité. Sa carrière se déroule dans le corps auquel il appartient, avec des avancements de grade et d'échelon. Il jouit d'un traitement budgétaire de base correspondant à son « indice » et d'une « indemnité de résidence » proportionnelle au traitement de base, avec, éventuellement, un supplément familial et des indemnités particulières. L'âge de la retraite, en principe, est de soixante-cinq ans. Le droit syndical est reconnu aux fonctionnaires, auxquels, dans le cadre du préambule de la Constitution de 1946, est accordé, dans certaines limites, l'exercice du droit de grève*.

FONCTIONS DU LANGAGE. — Les fonctions du langage sont les diverses fins que l'on assigne aux messages en les énonçant. R. Jakobson a élaboré une classification de ces fonctions fondée sur les différents éléments qui entrent en jeu lors du processus de communication (émetteur, récepteur, contexte, code, contact, message). Par la fonction *référentielle,* le message est centré sur le contexte : le langage communique des informations *(Le ciel est bleu).* La fonction *conative* renvoie au destinataire : le langage sert à donner des ordres *(Viens ici).* La fonction *émotive* met en jeu l'émetteur qui exprime des sentiments *(Hélas!).* La fonction *phatique,* centrée sur le contact entre émetteur et destinataire, sert à vérifier que le canal fonctionne *(Allô?).* La fonction *métalinguistique,* centrée sur le code, prend le langage lui-même comme objet *(Chaise est un nom commun).* Enfin, la fonction *poétique* considère le message en tant que tel.

FONDATION. — Le type d'une fondation et ses dimensions se déterminent en fonction, d'une part, des charges qui doivent être transmises au sol, d'autre part, des caractéristiques du terrain à différents niveaux. Les ossatures de béton* armé sont particulièrement sensibles aux tassements différentiels de leurs fondations. Quand celles-ci reposent sur des couches de consistance irrégulière, on fractionne l'ossature par des joints suffisamment rapprochés pour permettre aux différents tronçons de se tasser indépendamment les uns des autres. Avant d'entreprendre l'étude d'une fondation, il faut connaître le niveau et la capacité de portance de la couche sur laquelle elle doit s'appuyer. Quand les fondations doivent être profondes, on peut prélever mécaniquement des *carottes,* à différents niveaux, et les essayer en laboratoire, ou procéder à des mesures au pénétromètre, qui ne nécessitent pas de prélèvements. Dans le cas de fondations superficielles, on exécute des sondages de reconnaissance en creusant des trous dans le sol. En identifiant *de visu* la couche de fondation, on détermine facilement la pression unitaire qu'elle peut supporter. Il convient, en outre, de s'assurer de la consistance des couches sous-jacentes en approfondissant le sondage ou en enfonçant une barre à mine. S'il existe de l'eau dans le sol, on vérifie qu'elle n'est pas séléniteuse. Quand elle contient plus de 0,3 g/l d'anhydride sulfurique, on peut craindre une attaque des ciments* au clinker. Pour que le béton résiste aux eaux agressives, on emploie des liants spéciaux, riches en laitier. Les fondations superficielles en béton armé se composent soit de semelles isolées sous les charges concentrées des poteaux, soit de semelles « filantes » sous les murs. Le béton armé ne se coule pas directement sur la terre, mais sur une « galette » de propreté de quelques centimètres d'épaisseur, en béton maigre. Les fondations profondes, jusqu'à une dizaine de mètres de profondeur, s'exécutent par puits circulaires remplis de gros béton. Quand leur forage ne se fait pas mécaniquement, leur diamètre est au minimum de 1,20 m afin de permettre à un ouvrier de creuser le terrain. Pour réduire la pression sur le sol, on élargit la base du puits en forme de « patte d'éléphant ». Les fondations qui descendent à plus d'une dizaine de mètres se réalisent à l'aide de pieux*, qui peuvent être préfabriqués et battus ou moulés dans le sol. Lorsque le terrain en surface est de faible consistance et qu'on n'exécute pas de puits ou qu'on n'utilise pas de pieux, on construit un radier de répartition des charges, composé d'une dalle plane appliquée sur le sol et surmontée de poutres en saillie. La résultante générale des poids de la construction doit couper le radier au voisinage de son centre de gravité, afin d'éviter un déversement de l'édifice.

FONDERIE. — Les opérations de fonderie comportent trois phases principales : la confection du modèle reproduisant la pièce à réaliser (modelage); la confection du moule dans lequel sera coulé le métal (moulage); la coulée* proprement dite, conduisant à une pièce brute qui nécessite certaines opérations de finition (ébarbage, meulage) et de contrôle.

Les modèles doivent non seulement reproduire la forme des pièces à obtenir, mais leurs dimensions doivent tenir compte du retrait de la pièce coulée par rapport au moule dont ils forment l'empreinte. Généralement en matériaux économiques (bois, plâtre), les modèles pour applications particulières sont confectionnés en cire, en matière plastique ou en métal (plaques modèles pour le moulage industriel de grandes séries de pièces).

Les procédés de fonderie sont surtout caractérisés par le type de moulage. Le *moulage en sable,* ou *en moule destructible,* amène à détruire le moule après coulée de la pièce. Le sable de fonderie, qui est un mélange de produits naturels ou synthétiques (sable pur, agglomérant, produit siccatif), doit répondre à des qualités parfois contradictoires suivant son utilisation (plasticité, perméabilité, résistance mécanique, réfractairité). Le *moulage en coquille,* ou *en moule permanent,* utilise un moule, généralement métallique (acier* ordinaire ou réfractaire, fonte* ordinaire ou spéciale pour lingotières), qui permet des fabrications en grandes séries, plus économiques bien que nécessitant un outillage et un équipement plus coûteux.

La préparation des charges, la fusion* et l'élaboration de l'alliage*, ainsi que la coulée proprement dite, sont des facteurs aussi déterminants que le moulage pour l'obtention d'une pièce de fonderie de qualité.

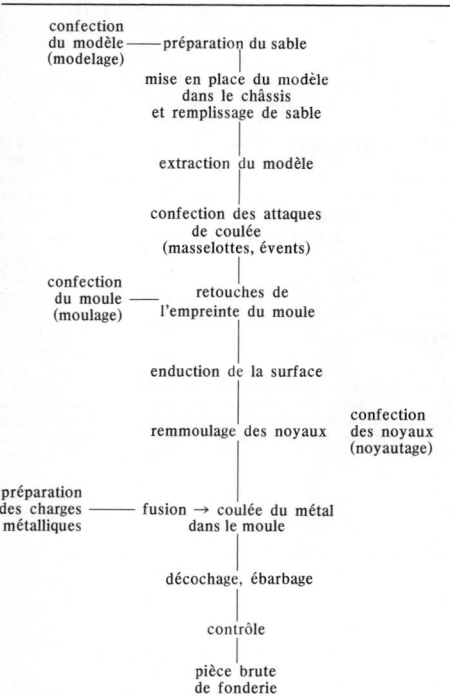

opérations de fonderie avec moulage en sable

confection du modèle (modelage) — préparation du sable
↓
mise en place du modèle dans le châssis et remplissage de sable
↓
extraction du modèle
↓
confection des attaques de coulée (masselottes, évents)
↓
confection du moule (moulage) — retouches de l'empreinte du moule
↓
enduction de la surface
↓
remmoulage des noyaux — confection des noyaux (noyautage)
↓
préparation des charges métalliques — fusion → coulée du métal dans le moule
↓
décochage, ébarbage
↓
contrôle
↓
pièce brute de fonderie

FONDS DE COMMERCE. — Le terme désigne l'ensemble des biens mobiliers affectés à l'exercice d'une profession commerciale. Le fonds de commerce est essentiellement apparu au XIXe s., un droit de propriété du commerçant étant alors reconnu sur les éléments du fonds.

Bibliothèque nationale

École de Fontainebleau.
Femmes au bain. Eau-forte attribuée à Jean Mignon, d'après l'Italien Luca Penni. V. 1545.
(Cabinet des Estampes, B.N., Paris.)

Les éléments du fonds de commerce sont essentiellement *incorporels :* la clientèle (élément sans lequel le fonds n'existerait pas); le nom commercial et la marque; les droits de propriété industrielle et commerciale (brevets d'invention, marques de commerce, marques de fabrique, dessins, modèles); le droit au bail. Des éléments *corporels* peuvent figurer par ailleurs : le matériel et l'outillage; les marchandises... Le fonds de commerce peut être l'objet d'opérations juridiques : la vente de celui-ci, son apport en société, le nantissement, la gérance salariée et la location-gérance.

Fonds monétaire international (F. M. I.), institution créée dans le cadre des accords de Bretton Woods de 1944. Le F. M. I. a pour objectif d'assurer la stabilité des changes des monnaies de la communauté internationale. Il exerce une action de surveillance et d'autorité sur les parités de change et un droit de regard sur les dévaluations pratiquées par les pays membres. Il dispose de ressources en devises. Au 31 août 1975, le Fonds comptait 127 pays membres (certains pays, comme la Suisse, n'appartiennent pas à cet organisme). Il a son siège à Washington.

FONSECA (Pedro DA), théologien portugais (Cortiçada, près de Crato, 1528 - Lisbonne 1599). Ses cours à l'université de Coimbra, où il professe une « science moyenne » qui tente de concilier le thème de la prédestination à celui du libre arbitre, lui valent d'être surnommé l'« Aristote portugais ».

FONTAINE (90150), ch.-l. de cant. du Territoire de Belfort, à 12 km à l'E. de Belfort; 373 hab.

FONTAINE (38600), comm. de l'Isère, dans la banlieue ouest de Grenoble; 25 037 hab. *(Fontainois).* Constructions mécaniques. Industries du bois.

FONTAINE (Pierre), architecte français (Pontoise 1762 - *id.* 1853), associé avec CHARLES PERCIER, architecte et décorateur (Paris 1764 - *id.* 1838), son condisciple à l'école de l'Académie de Paris puis à Rome, de 1794 à la chute de l'Empire. Architectes principaux de Napoléon, ils ont exécuté une œuvre considérable (réaménagement de châteaux; travaux parisiens, dont la construction de l'arc de triomphe du Carrousel, de l'aile nord-ouest du Louvre et des immeubles à arcades de la rue de Rivoli), ont créé le style Empire et ont exercé une grande influence par leur enseignement (la plupart des prix de Rome de 1800 à 1820 sont sortis de leur atelier) et par la publication de recueils vite connus en Europe. Proposant les modèles de la Renaissance à côté de ceux du siècle d'Auguste, ils ont évité l'écueil de la grandiloquence à la seconde génération néoclassique et ont préparé les voies de l'éclectisme, tout en défendant la « raison pratique » bien avant Viollet-le-Duc. Tandis que Percier se retirait après 1814, Fontaine continuait sa carrière officielle jusqu'en 1848.

FONTAINE (Hippolyte), ingénieur français (Dijon 1833 - Paris 1917). Après avoir découvert, fortuitement, la réversibilité de la machine Gramme, il réalisa le premier transport d'énergie électrique à Vienne (Isère), en 1873.

FONTAINEBLEAU (77300), ch.-l. de cant. de Seine-et-Marne, à 64 km au S.-E. de Paris; 19 595 hab. *(Bellifontains).* Siège, depuis 1967, de l'École interarmées des sports. Grande forêt de chênes, de hêtres et de résineux (près de 17 000 ha).

HISTOIRE. Résidence royale des Capétiens puis des Valois, la ville doit son importance à François Ier, créateur d'un château (1527) qui fut le théâtre de nombreux événements historiques, notamment : la signature, par Louis XIV, de la révocation de l'édit de Nantes (1685) et celle, par Napoléon Ier, des décrets renforçant le Blocus* continental (1807, 1810); la captivité de Pie VII (1812-1814); la première abdication de Napoléon Ier (1814).

BEAUX-ARTS. Ancien château royal, ensemble hétérogène dont le noyau, remanié, remonte à Louis VII et à Saint Louis (cour Ovale). Centre du mécénat avant-gardiste de François Ier (galerie François-Ier; grande galerie d'Ulysse, détruite; grotte des Pins; etc.), le château fut continué sous Henri II (salle de bal), Catherine de Médicis (aile est de la cour de la Fontaine) et Henri IV (cour des Offices; galeries des Cerfs et de Diane; décor des chapelles de la Trinité et de Saint-Saturnin...). Louis XIII fit construire l'escalier de la cour du Cheval-Blanc, Louis XIV fit redessiner les jardins. Les destructions du règne de Louis XV sont en partie rachetées par de beaux appartements (salle du Conseil); d'autres sont d'époque Louis XVI ou Napoléon Ier; enfin, le second Empire a ménagé un petit théâtre dans l'aile Louis XV de la cour du Cheval-Blanc.

On désigne sous le nom d'*école de Fontainebleau* le vaste courant artistique — rameau du maniérisme international (v. RENAISSANCE) — qui s'est constitué à l'occasion de l'entreprise bellifontaine de François Ier. Ses principales figures sont des Italiens, attirés à la cour du roi, le Rosso* (peintre et concepteur des stucs de la galerie François-Ier, ensemble allégorique à la gloire du souverain), le Primatice* et Nicolo Dell'Abate* (galerie d'Ulysse, salle de bal), secondés par de nombreux aides italiens, français et flamands, tous ayant sous les yeux les œuvres des collections royales, des bronzes exécutés d'après la statuaire antique aux peintures de Léonard de Vinci. Serlio* et Delorme* ont travaillé pour Fontainebleau. Bien d'autres artistes se rattachent à l'école, même si l'essentiel de leur activité s'est situé en d'autres lieux : les Cousin*, Caron* et F. Clouet*, le sculpteur et graveur Dominique Florentin (Domenico del Barbiere, v. 1506-1565), Goujon* et Pilon*, etc. Également importante sur le plan de la recherche intellectuelle et sur celui de l'exaspération ornementale, l'école de Fontainebleau a vu son style largement diffusé par une pléiade de graveurs : Antonio Fantuzzi, Étienne Delaune, Jean Mignon, le maître L. D., René Boyvin... Les arts décoratifs en ont reçu une impulsion considérable.

Sous le règne de Henri IV se situe une « seconde école de Fontainebleau », où les Italiens n'ont plus la primauté. Elle rassemble les peintres Toussaint Du Breuil (1561-1602), au style brillant et éclectique, Ambroise Dubois (A. Boschaert, d'Anvers, 1543-1614), décorateur de la galerie de Diane, et Martin Fréminet (1567-1619), auteur des fresques de la chapelle de la Trinité, d'un art tendu et tumultueux. Cette seconde école travailla pour le Louvre et pour le château Neuf de Saint-Germain-en-Laye.

Fontaine de Bakhtchissarai *(la),* ballet en quatre actes, d'après le poème de Pouchkine, chorégraphie de R. Zakharov, musique de B. Assafiev, créé à Leningrad en 1934.

FONTAINE-FRANÇAISE (21610), ch.-l. de cant. de la Côte-d'Or, à 20 km au N.-O. de Gray; 823 hab. Église du XIVe s. Château reconstruit au XVIIIe s.

FONTAINE-LE-DUN (76740), ch.-l. de cant. de la Seine-Maritime, à 16 km au S.-E. de Saint-Valery-en-Caux; 650 hab.

FONTAINE-LÈS-DIJON (21121), ch.-l. de cant. de la Côte-d'Or, dans la banlieue nord de Dijon; 5 019 hab. Église du XVe s. Couvent avec chapelle du XVIIe s.

FONTAINE-L'ÉVÊQUE, v. de Belgique (Hainaut), à l'O. de Charleroi; 9 413 hab. (en 1970).

FONTAINES-SUR-SAÔNE (69270), comm. du Rhône, banlieue nord de Lyon; 6 330 hab.

FONTANA (Domenico), architecte italien, originaire du Tessin (Melide, Lugano, 1543 - Naples 1607). Il construisit notamment, pour Sixte Quint, le palais du Latran (1587), mais fut surtout le grand ordonnateur d'un renouveau urbanistique de Rome. Appelé à Naples après la mort du pape, il y édifia le palais royal.

FONTANA (Carlo), architecte italien, originaire du Tessin (Brusata 1634 - Rome 1714). Assistant du Bernin, à Rome, pendant dix ans, il prolongea l'art de celui-ci avec habileté (façade de S. Marcello al Corso, 1682), mais dans un sens plutôt classicisant et académique. Son œuvre abondante et ses écrits firent de lui l'architecte le plus en vue à Rome, et son influence se répandit en Europe grâce à ses élèves, Fischer von Erlach, Hildebrandt, J. Gibbs, Pöppelmann.

FONTANA (Lucio), sculpteur et peintre italien (Rosario, Argentine, 1899 - Comabbio, prov. de Varèse, 1968). Il adhère en 1934 au mouvement *Abstraction-Création,* élaborant des œuvres en matériaux vulgaires (ciment, fil de fer...), et travaille de 1939 à 1946 en Argentine (*Manifeste blanc,* 1946). De retour en Italie, il publie les trois manifestes du *spatialisme,* qui tend à intégrer « tous les éléments physiques, couleur, son, mouvement, espace, dans une unité à la fois idéale et matérielle ». Il réalise des « ambiances spatiales », environnements avant la lettre, dès 1949, et intitule *Concept spatial* toutes ses œuvres, sculptures ou peintures (monochromes ponctués de perforations, lacérés, évidés...).

FONTANE (Theodor), écrivain allemand (Neuruppin 1819 - Berlin 1898), auteur de ballades et de romans, où il traite avec humour des problèmes sociaux (*Madame Jenny Treibel,* 1892).

FONTANELLE. — Chez le nouveau-né, la grande fontanelle, en avant, et la petite fontanelle, en arrière, sont des espaces membraneux délimités par les os du crâne. Normalement, la grande fontanelle se ferme avant l'âge de dix-huit mois. Les fontanelles sont bombées en cas de méningite (augmentation de pression intracrânienne) et déprimées en cas de déshydratation (diminution du liquide céphalo-rachidien).

FONTANES (Louis DE), écrivain et homme politique français (Niort 1757 - Paris 1821). Ami et défenseur politique et littéraire de Chateaubriand, il fut grand maître de l'Université sous l'Empire.

FONTARABIE, en esp. **Fuenterrabía,** v. d'Espagne, sur la Bidassoa, en face d'Hendaye; 9 000 hab. Vieille ville pittoresque.

FONT-DE-GAUME → EYZIES-DE-TAYAC *(Les).*

FONTE. — La teneur en carbone* d'une fonte, supérieure à 1,7 p. 100, mais généralement comprise entre 3 et 3,5 p. 100, n'est pas suffisante pour la caractériser. D'autres éléments de la composition chimique (silicium*, manganèse*), le type d'élaboration, les conditions de solidification influent sur la structure (forme du carbone à l'état de graphite ou de carbure) et les caractéristiques mécaniques. Élaborées à partir du haut fourneau, souvent par une seconde fusion dans un four* vertical à cuve, le *cubilot,* les fontes sont mises en œuvre par fonderie*, en raison de leurs bonnes qualités de moulage.

Bien que leurs propriétés mécaniques n'atteignent pas celles des aciers*, les fontes ont des domaines d'application très étendus en raison de leur grande facilité de moulage, de leur importante résistance à la compression et à l'usure par frottement et de leur faible prix de revient.

Les principaux types de fontes sont les *fontes grises à graphite lamellaire,* les *fontes malléables à graphite nodulaire,* les *fontes grises à graphite sphéroïdal,* les *fontes blanches à carbure de fer** et les *fontes spéciales alliées.*

FONTENAY, hameau de la Côte-d'Or (comm. de Marmagne), à 6 km au N.-E. de Montbard. Anc. abbaye fondée en 1119 par saint Bernard; bien conservée, elle est un des exemples les plus complets de l'architecture cistercienne (église couverte en berceau brisé, consacrée en 1147).

FONTENAY-AUX-ROSES (92260), comm. des Hauts-de-Seine, à 7 km au S. de Paris; 25 871 hab. *(Fontenaisiens).* École normale supérieure de jeunes filles. Centre de recherches nucléaires.

FONTENAY-LE-COMTE (85200), ch.-l. d'arr. de la Vendée, sur la Vendée, à 31 km au N.-O. de Niort; 16 678 hab. *(Fontenaisiens).* Église Notre-Dame, des XVe-XVIe s. (crypte romane, clocher de 1700). Autres monuments et maisons anciennes. Musée vendéen. Industries du bois. Constructions mécaniques.

FONTENAY-LE-FLEURY (78330), comm. des Yvelines, à 8 km à l'O. de Versailles; 14 279 hab.

FONTENAY-SOUS-BOIS (94120), ch.-l. de cant. du Val-de-Marne, à 4 km à l'E. de Paris; 46 858 hab. Industries mécaniques et électriques. Produits pharmaceutiques.

FONTENELLE (Bernard LE BOVIER DE), écrivain français (Rouen 1657 - Paris 1757). Soutenant la thèse du progrès dans les sciences et les arts, il contribue à la vulgarisation des sciences et de la théologie (*Entretiens sur la pluralité des mondes,* 1686; *Histoire des oracles,* 1687), sans pour autant verser dans le moindre progressisme (« J'aurais la main pleine de vérités que je ne l'ouvrirais pas pour le peuple »). Élu à l'Académie française en 1691, il est secrétaire perpétuel de l'Académie des sciences de 1699 à 1740.

FONTENOY, anc. comm. de Belgique (Hainaut), au S.-E. de Tournai. Le 11 mai 1745, l'armée française du maréchal de Saxe y triompha, en présence de Louis XV, des troupes anglo-hollandaises du duc de Cumberland.

FONTEVRAULT-L'ABBAYE (49590), comm. de Maine-et-Loire, à 16 km au S.-E. de Saumur; 1 668 hab. L'abbaye double (hommes et femmes) de Fontevrault fut fondée, en 1101, par Robert d'Arbrissel; elle devint chef d'un ordre qui fut supprimé en 1792. Le vaste ensemble monastique est en grande partie conservé : grande église romane à quatre coupoles (gisants des Plantagenêts), cloître gothique et Renaissance, cuisines monumentales de la seconde moitié du XIIe s., etc.

FONTEYN (Margaret HOOKHAM, dite **Margot**), danseuse britannique (Reigate, Surrey, 1919). Prédestinée à la danse, douée des qualités rares qui font les grands artistes (présence scénique, brillante technique), sa carrière s'est déroulée au sein du Sadler's Wells Ballet, devenu le Royal Ballet. *La Belle au bois dormant* et ses créations dans *le Lac des cygnes, Giselle, Symphonic Variations, Ondine* et *Daphnis and Chloe* (de F. Ashton) restent parmi ses plus mémorables interprétations.

FONTOY (57650), ch.-l. de cant. de la Moselle, à 17,5 km à l'O. de Thionville; 3 623 hab. Métallurgie.

FONT-ROMEU-ODEILLO-VIA (66120), comm. des Pyrénées-Orientales, en Cerdagne, à 1 800 m d'altitude; 3 026 hab. Four et centrale solaires. Centre touristique et de sports d'hiver (1 800-2 210 m). Station climatique pour l'asthme et les anémies, et centre d'entraînement sportif. Ermitage, avec chapelle (décors en bois sculpté et peint de Joseph Sunyer, début XVIIIe s.).

FONTVIEILLE (13990), comm. des Bouches-du-Rhône, à 9,5 km au N.-E. d'Arles; 3 007 hab. Moulin d'Alphonse Daudet.

FONVIZINE (Denis Ivanovitch), auteur dramatique russe (Moscou 1745 - Saint-Pétersbourg 1792), créateur de la comédie nationale russe (*le Brigadier,* 1766; *le Mineur,* 1782).

FOOTBALL. — Sport le plus populaire du monde, il regroupe au sein de la F. I. F. A. (Fédération internationale de Football Association), créée en 1904, plus de cent cinquante nations (plus que l'O. N. U.), représentant sans doute plus de vingt millions de pratiquants.

Un match, ou rencontre, de football oppose deux équipes de onze joueurs chacune pendant une durée de 90 minutes, divisée en deux mi-temps de 45 minutes, séparées par une pause (appelée aussi « mi-temps » de 10 à 15 minutes). La partie est dirigée par un arbitre, assisté de deux juges de touche. L'objectif est de marquer plus de buts que l'adversaire, un score égal se traduisant par un match nul.

Il existe, dans chaque pays, un championnat national (au cours duquel toutes les équipes se rencontrent) et généralement une coupe (épreuve éliminatoire), mais le football, aujourd'hui, tire surtout sa popularité d'épreuves internationales auxquelles les grands moyens d'information (télévision notamment) confèrent un grand retentissement.

La plus célèbre épreuve est la Coupe du monde des nations (ou simplement Coupe du monde), opposant, tous les quatre ans (les années paires non olympiques), seize nations, rescapées d'une longue épreuve éliminatoire. La Coupe du monde désigne (au moins théoriquement, car les surprises ne sont pas absentes dans ce genre d'épreuve, où une seule rencontre perdue peut être fatale) la meilleure équipe nationale. Peu de pays l'ont remportée depuis sa création, en 1930 : le Brésil (en 1958 en Suède, en 1962 au Chili et en 1970 au Mexique), l'Uruguay (en 1930 chez lui et en 1950 au Brésil), l'Italie (en 1934 chez elle et en 1938 en France), l'Allemagne fédérale (en 1954 en Suisse et en 1974 chez elle) et l'Angleterre (en 1966 chez elle). On remarque que l'avantage de disputer la compétition devant son public n'est pas mince, encore que le Brésil, seul triple vainqueur, n'en ait pas profité, mais est, à ce jour, la seule équipe ayant triomphé (en 1958) sur le continent... opposé, puisque la compétition se déroule en fait alternativement en Europe et en Amérique latine, deux fiefs du football. Une troisième place, en Suède, en 1958, est le meilleur rang occupé par la France. Réplique réduite — et beaucoup moins populaire — de son aînée, la Coupe d'Europe des nations se dispute depuis moins de vingt ans, la phase finale se déroulant tous les quatre ans pendant les années olympiques. Elle a été remportée successivement par l'U. R. S. S. (1960), l'Espagne (1964), l'Italie (1968), l'Allemagne fédérale (1972) et la Tchécoslovaquie (1976). Aux jeux Olympiques, la compétition de football soulève encore moins de passion : les professionnels sont exclus, ce qui élimine les meilleurs joueurs de l'Amérique latine et de l'Europe occidentale, laissant le champ libre à ceux de l'Europe de l'Est, qui n'ont d'amateurs que le nom.

Disputées, pour des raisons évidentes, à des intervalles éloignés, les compétitions par nations sont parfois éclipsées par des épreuves annuelles opposant les meilleures équipes de club d'un même continent. La plus célèbre (en Europe) de ces épreuves est la Coupe d'Europe des clubs champions opposant, en une série éliminatoire, de deux matches (un sur le terrain de chaque équipe), les clubs ayant remporté l'année précédente leurs championnats nationaux respectifs. Seule la finale se dispute en une seule rencontre, en un lieu déjà fixé au début de la compétition. La première édition se déroula pendant la saison 1955-56. À son palmarès figurent encore exclusivement des équipes de l'Europe occidentale (Espagne, Portugal, Italie, Angleterre et Écosse, Pays-Bas, Allemagne fédérale), malgré la valeur de certaines formations de l'Est européen. La Coupe d'Europe des vainqueurs de coupe oppose aussi chaque année, selon le même principe, les équipes ayant remporté leurs coupes nationales.

Malgré un nombre élevé de licenciés (de l'ordre du million), le football français, pendant près de vingt ans, s'est débattu dans la médiocrité, tant au niveau national (depuis 1958 la France n'a participé qu'en 1966, et bien modestement, à la phase finale de la Coupe du monde) qu'à celui des clubs (si l'on excepte le Reims des

S. A. M.

Finale de la Coupe du monde 1974, disputée à Munich entre l'Allemagne fédérale et les Pays-Bas : J. Cruijff attaque devant F. Beckenbauer (à gauche).

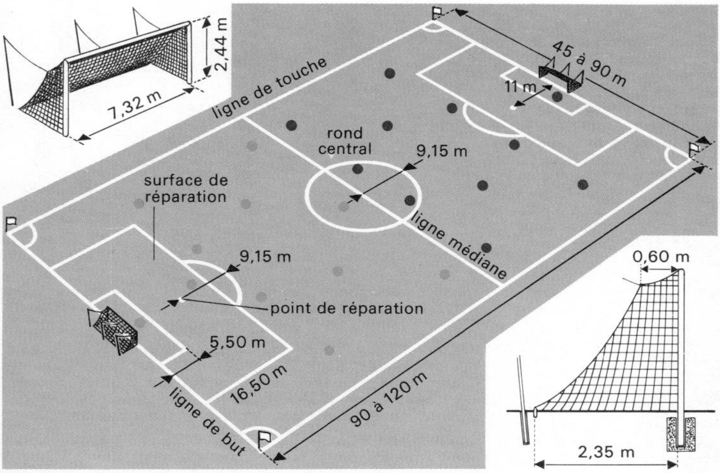

FOOTBALL

Plan d'un terrain de football, avec la disposition des joueurs (l'une, en haut, en 4-2-4, l'autre, avec un stoppeur, et en retrait des quatre arrières, ne laissant que trois attaquants). Ce placement, au coup d'envoi, est tout théorique.

années 1955-1960 et, plus récemment, Saint-Étienne). Dirigeants et sélectionneurs se sont succédé, sans résultat; en fait, depuis la retraite de R. Kopa*, il n'a pas existé de joueurs de très grande classe internationale, comme en possèdent les Pays-Bas, avec J. Cruijff*, l'Allemagne fédérale avec F. Beckenbauer et G. Muller, proches du niveau des Pelé* ou Di Stefano* aujourd'hui retirés, mais qui ont marqué l'histoire de ce sport.

FOPPA (Vincenzo), peintre italien (Brescia v. 1427-*id.* v. 1515). Meilleur représentant de la peinture lombarde avant Léonard de Vinci, faisant preuve d'un sentiment naturaliste et d'une poésie très personnels, il donne notamment, à Milan, les fresques de l'*Histoire de saint Pierre martyr* (1467, chapelle Portinari de S. Eustorgio). Son style s'assouplit encore en Ligurie (polyptyque de Savone, 1488) pour culminer dans l'*Épiphanie* (National Gallery, Londres) peinte après son retour à Brescia.

FORAGE. — Des dépôts de pétrole* ou de bitume* proches de la surface furent exploités, dès l'Antiquité, à l'aide de puits et de mines d'abord creusés à la main, ensuite par « battage » avec un outil de percussion à biseau descendu au bout d'une corde. Perfectionnée par l'introduction d'une poulie accrochée en haut d'une tour en bois, le derrick, puis, au milieu du siècle dernier, par l'invention du treuil à vapeur, cette méthode de forage permit la découverte des grands gisements des États-Unis, de Roumanie, de Russie et du Moyen-Orient. À partir de 1900, elle fut progressivement détrônée par le forage rotatif, ou *rotary,* dans lequel l'outil est un *trépan* triconique à trois rouleaux articulés, s'emboîtant et munis de dents en carbure de tungstène incrustées de diamants industriels. Un appareil de forage lourd comprend un *derrick* métallique de 50 m et une *machinerie* Diesel de 2 000 kW pour la manœuvre du *treuil* et la rotation, à 250 tr/mn, des *tiges* creuses supportant l'outil. La pression exercée par ce dernier, pour attaquer les roches dures, peut être augmentée en intercalant dans le train de tiges de lourdes barres d'acier appelées *masses-tiges.* Le forage rotatif n'est possible que grâce à la circulation au fond du puits d'un *fluide de balayage,* généralement une boue*, mélange d'eau, d'argile et de produits chimiques divers, dont le rôle consiste à remonter à la surface les débris de roche préalablement humidifiés, à refroidir et à lubrifier le trépan, à déposer un gâteau d'argile (cake) sur les parois du puits pour éviter leur éboulement, enfin à maintenir une pression hydrostatique positive interdisant les entrées d'eau, de gaz* ou de pétrole en provenance de nappes souterraines aquifères ou pétrolifères. À partir d'un *bassin de stockage,* à côté du derrick, la boue est pompée par un *flexible* pour descendre à l'intérieur des tiges, balayer les dents du tricône et remonter à la surface par l'espace annulaire compris entre les tiges et la paroi du puits. Un *tamis vibrant* permet de recueillir les débris dont l'analyse renseigne sur la nature géologique de la roche forée. Au fur et à mesure que le puits descend, il est nécessaire d'en consolider les parois à l'aide d'un cuvelage en tube d'acier, dit *tubage.* Pour ce faire, on remonte le train de tiges comme pour changer l'outil, on descend plusieurs centaines de mètres de tubage soudé bout à bout, puis on recommence à forer avec un trépan plus petit. En terrain dur, il arrive que l'outil ou le train de tiges se brise, obturant le fond du puits : si le repêchage échoue, il ne reste plus qu'à se dégager à l'explosif* ou à contourner l'obstacle (forage dévié). L'identification exacte des terrains traversés par la sonde se fait en examinant une *carotte,* échantillon permettant l'étude paléontologique des fossiles inclus. Le carottage consiste à descendre au fond du puits un outil à couronne de découpage, qui sert à découper, à sectionner et à remonter une coupe témoin cylindrique de la hauteur désirée. Les informations sur les roches rencontrées sont complétées par les indications des divers appareils descendus périodiquement pour mesurer au fond du puits la résistivité*, la radioactivité* et la vitesse de propagation du son*. Toutes ces données sont traitées sur ordinateur* et portées sur un graphique vertical représentant le sous-sol jusqu'au socle : c'est le « log », ou « diagraphie ». Lorsqu'un forage atteint ce socle, roche stérile primitive située sous les terrains sédimentaires, le puits est sec; il est abandonné. Au contraire, lorsque la sonde pénètre dans une roche imprégnée d'huile ou de gaz sous pression, le puits commence à débiter, ce qui se traduit en surface par un à-coup (kick) de circulation de la boue; on ferme alors l'obturateur de sécurité, on met en place un dernier tubage à hauteur de la couche productrice, on cimente le puits en coulant du béton* entre le cuvelage et la paroi, et on effectue un dernier carottage électrique repérant le point exact où doit descendre l'engin de perforation : c'est un « fusil » qui tire des balles à travers le tubage et le cimentage; enfin, on installe la robinetterie de tête de puits, dite *arbre de Noël.* L'ensemble de ces opérations (complétion) suppose que la pression du gisement* reste bien équilibrée par le poids de la colonne de boue; dans le cas contraire, il peut y avoir éruption violente et, parfois, incendie, qu'il faudra éteindre en soufflant la flamme à l'explosif. Pour forer une formation très poreuse contenant de l'eau sous forte pression, on alourdit la boue avec de la barytine; au contraire, pour forer des roches imperméables et anhydres on allège le fluide de circulation, allant jusqu'au forage à l'eau aérée, au brouillard et même au gaz ou à l'air* comprimé. Le *turboforage* consiste à entraîner l'outil par une turbine tournant à 600 tr/mn, directement accouplée au fond et mue par la boue de circulation. Le train de tiges lui-même peut être remplacé par un flexible, le trépan étant alors actionné par un moteur électrique immergé au fond : c'est le *flexoforage.* Les puits pétroliers forés chaque année totalisent 100 000 km de profondeur, mais les trois quarts d'entre eux sont secs. (V. OFFSHORE.)

FORAGE 1. Moufle fixe; 2. Plate-forme du tambour; 3. Plate-forme d'accrochage; 4. Moufle mobile; 5. Crochet de levage; 6. Tête d'injection de boue; 7. Tige carrée; 8. Treuil de forage; 9. Tambour du treuil; 10. Moteurs; 11. Derrick; 12. Câble; 13. Colonne montante; 14. Flexible d'injection de boue; 15. Conduite de refoulement de la boue; 16. Goulotte; 17. Bassin à boue; 18. Pompe à boue; 19. Tamis vibrant; 20. Table de rotation; 21. Dispositif antiéruption; 22. Ciment; 23. Tubage; 24. Entrée de la boue; 25. Sortie de la boue; 26. Tige ronde de forage; 27. Masse-tiges; 28. Trépan tricône.

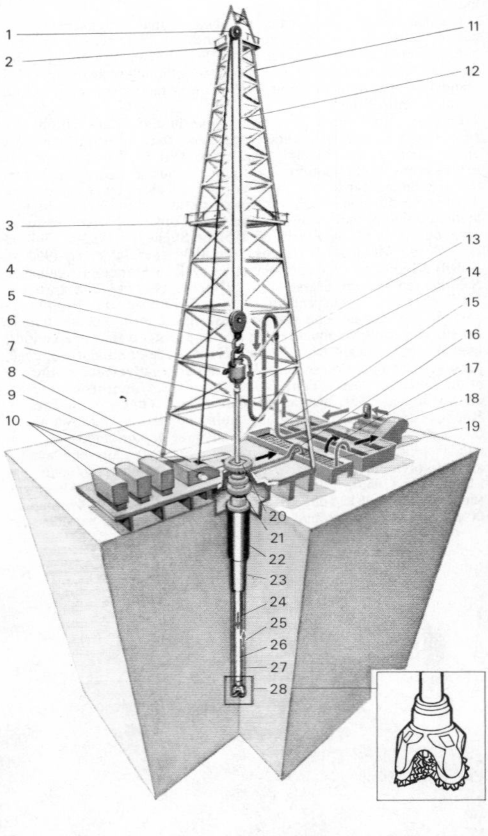

FORAIN (Jean-Louis), peintre, dessinateur et graveur français (Reims 1852-Paris 1931). Publiés dans des journaux ou réunis en albums, ses dessins satiriques, au trait précis et mordant, n'ont épargné ni les hommes, ni les événements, ni les mœurs de son temps. Plus que la peinture, l'eau-forte, la lithographie et l'aquarelle ont servi sa verve, tour à tour ironique ou désabusée.

Forains *(les),* ballet en un tableau, musique de H. Sauguet, chorégraphie de R. Petit, créé à Paris par les Ballets des Champs-Élysées en 1945. Premier grand succès du chorégraphe, cette composition évoque, dans les demi-teintes d'une poésie mélancolique, le monde dérisoire d'un pauvre cirque ambulant.

FORAMINIFÈRES. — La coquille calcaire, qui caractérise les protistes rhizopodes de la sous-classe des foraminifères, n'est pas leur partie la plus externe. Cette coquille est, en effet, percée d'innombrables trous par où sort un réseau de fins pseudopodes, sans compter l'orifice principal, ou *foramen,* auquel le groupe doit son nom. Elle peut être formée d'une ou de plusieurs loges. L'animal se nourrit des proies capturées par son réseau pseudopodial. Sa reproduction est sexuée, avec alternance de générations haploïde et diploïde. (V. CYCLE REPRODUCTIF.)

Tous marins, les foraminifères peuvent être benthiques (vivant dans la vase du fond) ou vivre en pleine eau, comme les globigérines (espèces pélagiques). Leur rôle géologique est immense depuis le primaire, leurs coquilles s'accumulant pour former des roches : calcaires à fusulines, à milioles, à nummulites, à orbitolines, vases actuelles à globigérines, etc.

FORBACH (57600), ch.-l. d'arr. de la Moselle, près de la frontière de la Sarre; 25 385 hab. *(Forbachois).* Houillères. Constructions mécaniques. Chimie. — Défaite des Français le 6 août 1870.

FORBIN-JANSON (Charles, *comte* DE), prélat français (Paris 1785 - château de la Guilhermy 1844). Fondateur de la Société des missions de France, qui organisa les célèbres missions de la Restauration, il devint évêque de Nancy (1825-1830) avant de fonder l'œuvre missionnaire de la Sainte-Enfance (1843).

FORÇAGE → HORTICULTURE.

FORCALQUIER (04300), ch.-l. d'arr. du sud-ouest des Alpes-de-Haute-Provence; 3 436 hab. *(Forcalquiérais).* Ancienne cathédrale, en partie romane.

FORCE *(Mécan.).* — Une force qui imprime à un point matériel de masse *m* une accélération γ est représentée par le vecteur $\vec{F} = m\vec{\gamma}$. Cette relation vectorielle est l'équation fondamentale de la dynamique.

On définit une force : 1° par son point d'application; 2° par sa direction et son sens; 3° par sa grandeur. Lorsque plusieurs forces appliquées au même point ont même direction et même sens, leur résultante est une force appliquée au même point, de mêmes direction et sens, et dont la grandeur est la somme des grandeurs des forces composantes. Lorsque deux forces agissent en sens contraires, la résultante est dirigée dans le sens de la plus grande, et sa grandeur est la différence des grandeurs des deux forces. Deux forces quelconques appliquées en un même point, mais de directions différentes, ont pour résultante la diagonale du parallélogramme construit sur les deux forces. La résultante d'un nombre quelconque de forces appliquées en un même point est obtenue en formant le polygone des forces. Deux forces parallèles et de même sens ont une résultante unique qui leur est parallèle. Deux forces égales parallèles et de sens contraires forment un couple*.

FORCE (La) [24130], ch.-l. de cant. de la Dordogne, à 8 km à l'O. de Bergerac; 1 922 hab.

FORCE DE FRAPPE ou **FORCE DE DISSUASION.** — Ces expressions, apparues avec l'ère atomique, désignent, dans l'ensemble du potentiel militaire d'un État, la force rassemblant, aux ordres directs de la plus haute instance politique, les moyens nucléaires les plus puissants. Son rôle est de constituer, par son existence même, une menace telle qu'elle dissuade tout adversaire éventuel d'attaquer le pays qui la possède. En France, la force de frappe, appelée *force nucléaire stratégique,* comprend des bombardiers « Mirage IV » porteurs de bombes A, les missiles sol-sol stratégiques du plateau d'Albion et les sous-marins à propulsion nucléaire, type *Redoutable,* porteurs de missiles stratégiques.

FORCE D'UN ÉLECTROLYTE. — La force d'un électrolyte, et, spécialement, *d'un acide* ou *d'une base,* est la caractéristique indiquant une dissociation ionique plus ou moins grande. On distingue les électrolytes *forts,* pratiquement entièrement dissociés en solution, tels que les sels métalliques, quelques acides et bases minéraux, et les électrolytes *faibles,* dont l'ionisation est très petite, même en solution étendue; parmi eux figurent les acides organiques et les bases des métaux terreux.

FORCE MAJEURE → RESPONSABILITÉ CIVILE.

FORCEPS. — Lors de l'accouchement, l'emploi du forceps peut être nécessaire en cas de souffrance fœtale ou de mauvais état général de la mère. Il n'est utilisé que dans les présentations céphaliques engagées dans le bassin et lorsque la dilatation du col est complète.

Forces françaises combattantes (F. F. C.), nom donné par de Gaulle, en 1942, aux agents des réseaux de la France libre engagés en France.

Forces françaises de l'intérieur (F. F. I.), nom donné, en 1944, à l'ensemble des formations militaires issues de la Résistance (armée secrète, organisation de résistance de l'armée, francs-tireurs et partisans, maquis, etc.), engagées en France dans la lutte contre les Allemands.

Forces françaises libres (F. F. L.), ensemble des formations militaires aériennes et navales qui, après l'armistice de 1940, continuèrent aux ordres de De Gaulle la lutte contre l'Allemagne et l'Italie.

FORCES PRODUCTIVES. — Les forces productives constituent l'ensemble des moyens de production mis en œuvre dans un mode* de production déterminé. Ces moyens comprennent les instruments de travail et les objets auxquels ils s'appliquent (par ex. la terre). Les instruments de travail (outils, machines, bâtiments, méthodes de travail dépendant du niveau des techniques et sciences utilisées) sont mis en action et produits par la force humaine de travail. Les forces productives n'existent donc pas en dehors des rapports* sociaux de production.

FORCLAZ, col de la Haute-Savoie, au-dessus du lac d'Annecy; 1 157 m. — Col de Suisse (Valais), entre Chamonix et Martigny; 1 523 m.

FORCLUSION. — Ce concept a été introduit par J. Lacan* pour décrire un mécanisme de défense* spécifique des psychoses*. Il traduit l'absence de prise en compte d'un secteur du réel par le langage (rejet du signifiant). Le signifiant exclu est le *nom-du-père,* c'est-à-dire la marque de filiation qu'un père transmet symboliquement à son fils par le nom de famille. En montrant que ce qui est important n'est pas la personne réelle du père, mais le *nom du père,* Lacan marque l'importance décisive du symbolique* dans le développement psychique et culturel. « Ce qui a été forclos du symbolique réapparaît dans le réel », précise Lacan, et le réel* qui n'a pu être intégré dans la symbolisation revient sous forme d'hallucinations* ou de délire*.

FORD (John), auteur dramatique anglais (Ilsington, Devonshire, 1586 - Devon apr. 1639). Il mêle dans ses tragédies les situations terrifiantes et les scènes de tendresse passionnée (*Dommage qu'elle soit une catin,* 1626).

FORD, famille d'industriels américains. HENRY (près de Dearborn, Michigan, 1863 - Dearborn 1947) fut le pionnier de l'industrie automobile américaine. Il créa la Ford Motor Company (1903), qui fut la plus puissante entreprise d'Amérique et la seule qui soit indépendante, lançant la construction en série et imaginant la standardisation des principales pièces composant un ensemble. — Son fils, EDSEL (Detroit 1893 - *id.* 1943), fit édifier les gigantesques usines Ford sur la rivière Rouge, près de Detroit.

FORD (Sean Aloysius O'FEARNA, dit **John**), cinéaste américain (Cape Elizabeth, Maine, 1895 - Hollywood 1973). Reflétant dans ses aspects les plus divers, et parfois les plus pittoresques, la grande épopée du peuple américain, son œuvre — riche de plus de cent films — a exalté l'héroïsme, la fraternité virile, l'esprit de justice et d'entreprise, la lutte en vue d'un idéal commun. Abordant tous les genres (même la comédie, où il a pu donner libre cours à un humour bourru, issu de ses origines irlandaises), John Ford a particulièrement brillé dans le western, genre auquel il a su donner ses lettres de noblesse en l'élevant parfois à la hauteur d'une tragédie antique. Parmi ses films : *le Cheval de fer* (1924), *le Mouchard* (1935), *la Chevauchée fantastique* (1939), *les Raisins de la colère* (1940), *la Poursuite infernale* (1946), *l'Homme tranquille* (1952), *L'homme qui tua Liberty Valance* (1962).

FORD (Gerald), homme politique américain (Omaha, Nebraska, 1913). Élu président du groupe des républicains à la Chambre des représentants en 1965, il est désigné comme vice-président par Richard Nixon en 1973. Après la démission de celui-ci, il lui succède à la présidence des États-Unis (1974). Candidat aux élections présidentielles de novembre 1976, il est battu par le démocrate J. Carter.

FOREIGN OFFICE, ministère britannique des Affaires étrangères.

FOREL (François Alphonse), homme de science suisse (Morges 1841 - *id.* 1912). Médecin, professeur d'anatomie et de physiologie à l'université de Lausanne, François Forel s'est également distingué dans l'étude des phénomènes glaciaires alpins et dans celle des lacs de son pays, en particulier du Léman, dont il a inauguré l'étude scientifique. — Son cousin, AUGUSTE (Morges 1848 - Yvorne, Vaud, 1931), lui aussi médecin, aliéniste, directeur de l'hospice de Munich, a poursuivi de remarquables travaux sur le comportement des fourmis, consignés dans les cinq volumes du *Monde social des fourmis* (Genève, 1921-1923).

FOREST, en néerl. **Vorst,** comm. de Belgique (Brabant), dans la banlieue sud de Bruxelles; 55 135 hab. Construction automobile.

FOREST (Fernand), inventeur français (Clermont-Ferrand 1851-Monaco 1914). L'un des précurseurs en matière d'automobile, il imagina, en 1880, le moteur à essence avec allumage électrique et fonctionnant suivant le cycle à quatre temps, qu'il fit breveter en 1881, mais le brevet d'Étienne Lenoir*, en 1860, décrivait déjà ce genre de moteur, sans toutefois faire mention d'essence comme carburant.

FORÊT. — La forêt est la formation *climax,* c'est-à-dire naturelle et équilibrée, de toutes les terres émergées qui ne sont ni trop arides ni trop froides.

Malgré un recul très alarmant dû aux destructions humaines par le fer et le feu, la *forêt équatoriale* reste, sur d'immenses étendues, un rassemblement de grands arbres d'espèces très variées. Elle se prolonge en *forêts-galeries* le long des fleuves qui s'approchent des zones tropicales arides. La *forêt tempérée de plaine*, elle aussi très malmenée et réduite à des lambeaux sur le pourtour méditerranéen, a gardé quelque importance en Europe et aux États-Unis (Californie), mais la forêt des régions froides, ou *taïga* (Sibérie, Canada), peuplée de conifères et de bouleaux, couvre de bien plus grandes étendues. Les montagnes ont leur étage forestier, qui s'élève jusqu'aux confins des alpages d'été. Quelle qu'elle soit, la forêt est une gigantesque machine biologique à fabriquer du bois, à dégager de l'oxygène, à rejeter de la vapeur d'eau dans l'atmosphère en la prélevant dans les sols, enfin à fabriquer de l'humus. En montagne, elle préserve les pentes de l'érosion torrentielle. Réserve de gibier, abri pour les oiseaux insectivores, lieu idéal de détente silencieuse pour les citadins, la forêt est l'un des biens les plus précieux de notre planète, et aujourd'hui l'un des plus menacés.

FORÊT-FOUESNANT (La) [29133], comm. du Finistère, à 10 km au N. de Concarneau; 2 050 hab. Station balnéaire.

FORÊT-NOIRE, en allem. **Schwarzwald,** massif montagneux de l'Allemagne fédérale (Bade-Wurtemberg). Le massif est, de l'autre côté du Rhin, le pendant du massif français des Vosges. Il domine également par des escarpements de failles la plaine rhénane, et l'altitude décroît du sud (1 493 m au Feldberg) cristallin au nord, où s'est maintenue la couverture sédimentaire de grès. Le textile (en déclin), l'horlogerie (à proximité relative du Jura suisse) et le tourisme sont les principales ressources de la région.

FOREY (Élie), maréchal de France (Paris 1804-*id.* 1872). Il commanda le corps expéditionnaire français au Mexique en 1863.

FOREZ, région du Massif central. On distingue traditionnellement les *monts du Forez,* hauteurs entre Loire et Allier, développés du nord au sud aux confins des départements du Puy-de-Dôme et de la Loire, et, à l'E., le *bassin du Forez,* correspondant à un élargissement tectonique de la vallée de la Loire entre les régions de Saint-Étienne et de Roanne.

FORFICULE. — C'est à tort que le nom de *perce-oreilles* est donné à la forficule, petit insecte allongé, brun et plat, dont l'abdomen se termine par une pince inoffensive. N'ayant que des ailes réduites, les forficules sont surtout de rapides coureurs nocturnes, carnivores, hantant les cavités de toutes sortes pour y chercher leurs proies. Elles explorent, en particulier, les fruits creusés par d'autres insectes. (Type de l'ordre des *dermaptères.*)

FORGEAGE → FORMAGE MÉCANIQUE, PLASTICITÉ.

FORGES-LES-EAUX (76440), ch.-l. de cant. de la Seine-Maritime, dans le pays de Bray, à 21,5 km au N.-O. de Gournay-en-Bray; 3 366 hab. *(Forgions).* Station hydrominérale, aux eaux froides, ferrugineuses, employées dans le traitement des anémies. Casino.

FORLI, v. d'Italie, en Émilie, ch.-l. de prov.; 106 000 hab. Église S. Mercuriale (fin XIIe s., très remaniée). Forteresse (fin XVe s.). Palais. Importants musées.

FORMAGE DES MÉTAUX → EXPLOSIF.

FORMAGE MÉCANIQUE. — La déformation mécanique des métaux* et des alliages* n'a pas le même effet sur la structure, suivant la température à laquelle elle est appliquée. À température ambiante ou modérée, la déformation plastique s'accompagne du phénomène d'*écrouissage :* augmentation de la résistance à la déformation (limite d'élasticité*, charge de rupture) et diminution de la capacité de déformation (allongement à la traction); et, pour poursuivre la déformation mécanique, il faut recuire le métal (recristallisation). À haute température, la déformation conduit au *corroyage :* la recristallisation s'effectue en même temps que la déformation (le plomb* et l'étain* sont corroyés par déformation à température ambiante, alors que pour l'acier* et le nickel* il faut atteindre 900 ^{0}C). Par rapport à la direction de déformation principale, les caractéristiques du produit déformé ne sont pas toujours homogènes (effet de fibrage, anisotropie, texture). Les procédés de formage mécanique sont nombreux. Le *forgeage* de lingots, généralement à chaud, conduit à des semi-produits (bloom, brame) ou à des ébauches de pièces, par action de presses, de marteaux-pilons, de moutons ou de machines spéciales à forger. Le *laminage,* à froid ou à chaud, allonge le produit et réduit son épaisseur en l'engageant entre deux cylindres de laminoir tournant en sens inverse. L'*estampage** et le *matriçage**, à chaud ou à froid, déforment l'ébauche dans une estampe ou dans une matrice plus précise. Le *filage** à la presse force le métal, à chaud, placé dans un conteneur, à passer dans un orifice (filière). L'*étirage* et le *tréfilage,* en tirant le métal sous forme de barre au travers d'une filière, l'amènent à une section plus faible (fil) ou à un profil déterminé (profilé). Parmi les méthodes de déformation mécanique figurent encore l'*emboutissage**, le *repoussage,* le *planage* et le *fluotournage**.

FORMALISATION. — La formalisation, en logique mathématique, consiste à énoncer, de façon rigoureuse et détaillée, les règles de définition et de démonstration qui régissent la construction d'un système formel. Non pas affirmées catégoriquement mais posées à titre d'hypothèses, ces règles supposent la symbolisation, c'est-à-dire la transcription d'un discours en un système rigoureux de signes. Ces règles permettent de reconnaître l'appartenance effective d'une expression au système formel construit (v. EBF) et de déterminer la validité* d'une déduction*. « Une axiomatique formalisée se présente donc comme un ensemble de signes, les uns propres à la théorie, les autres antérieurs, assorti d'un énoncé des règles que l'on appliquera dans le maniement de ces signes » (R. Blanché).

FORMALISME RUSSE. — On rassemble sous ce terme les recherches critiques élaborées à Moscou et à Leningrad, entre 1916 et 1930, par le Cercle linguistique de Moscou et la Société d'étude du langage poétique, et poursuivies par le Cercle linguistique de Prague, fondé en 1926. Les formalistes s'attachent à l'analyse des formes littéraires, à la spécificité de la littérature, à la *littérarité* (*Théorie de la littérature,* textes réunis en français, en 1965). Lié, à ses débuts, au mouvement poétique du futurisme* (Maïakovski, Khlebnikov, Pasternak), le formalisme conçoit l'art comme une « désautomatisation » de la perception (oubli des habitudes acquises, des clichés) et l'œuvre comme un système de procédés. C'est dans ce sens que vont les études de Boris Tomachevski, Vladimir Propp, Ossip Brik, Boris Eikhenbaum, qui aboutissent à une nouvelle synthèse sous l'impulsion de Iouri Tynianov et de Roman Jakobson : elle met l'accent sur le caractère structuré de l'œuvre d'art et sur la hiérarchie des fonctions qui lui appartiennent. Ces travaux sont à la source du *structuralisme**.

FORMATION CONTINUE. — Le développement de la formation continue répond à la nécessité que ressent la société industrielle d'adapter ses forces de travail aux besoins toujours changeants du marché. Cette perspective lui permet de répondre en partie au chômage, dont on rend responsable l'inadéquation de la qualification des travailleurs et les emplois disponibles.

L'éducation permanente peut aussi prendre l'aspect d'une promotion professionnelle. Elle a alors pour mission de développer les talents laissés en friche par l'école. Cela peut déboucher sur une profonde remise en cause du système scolaire, telle que l'a réalisée I. Illich* par exemple.

Formation de l'esprit scientifique *(la),* ouvrage de G. Bachelard (1938), dans lequel l'auteur s'interroge sur les obstacles épistémologiques que rencontrent les sciences dans leur développement et qui conduisent l'épistémologie* à élaborer une psychanalyse de la connaissance objective.

FORMATION PROFESSIONNELLE. — On appelle ainsi l'ensemble des mesures adoptées pour la formation des travailleurs grâce aux institutions attachées à cette tâche. Elle recouvre en réalité plusieurs aspects qu'il faut distinguer.

L'*apprentissage** est (aux termes du « contrat d'apprentissage ») l'engagement pris par un chef d'entreprise d'assurer une formation professionnelle à un jeune travailleur qui, en échange, assumera un travail en sa faveur.

La *formation professionnelle des adultes,* essentiellement organisée, en France, par la loi du 16 juillet 1971, vise à assurer au travailleur, tout au long de sa vie professionnelle, la possibilité d'améliorer sa formation ou d'en acquérir une nouvelle (ou de se reconvertir en cas de perte d'emploi). Cette formation est prise en charge par des institutions de toute nature, publiques, professionnelles, privées, sous le contrôle et avec l'aide de l'État.

Les salariés disposent d'un crédit de temps de formation (lorsqu'ils ont deux ans d'ancienneté); le congé n'entraîne aucune rupture du contrat de travail et le stage est assimilé à une période de travail pour l'ancienneté, pour le droit aux congés, etc. Directement ou indirectement, le stagiaire perçoit un salaire.

Parmi les établissements (aujourd'hui très nombreux) assurant une formation professionnelle, on peut rappeler le Conservatoire national des arts et métiers (C. N. A. M.), fondé en 1794, qui dispense de nombreux enseignements techniques et économiques. Pour aider la politique de formation, ont été créées, à l'initiative des milieux patronaux, 150 associations de formation (A. S. F. O.). L'A. S. F. O. est un service de formation interentreprises pour les petites et moyennes entreprises, dont l'objet est, notamment, l'organisation des actions de formation, soit avec les propres moyens des firmes, soit en faisant appel à des organismes de formation. (Les A. S. F. O. avaient conclu, en 1972, des conventions de formation avec 43 000 entreprises.)

FORMATION SOCIALE → MODE DE PRODUCTION.

FORMATION VÉGÉTALE. — Ce qui domine un paysage naturel, c'est avant tout sa végétation, l'agencement de ses arbres, de ses herbes et de ses espaces nus. C'est pourquoi les termes de forêt, savane, steppe, désert, prairie, lande, marécage, etc., désignent à la fois des paysages et des *formations végétales.*

Rares sont les formations *primaires* ne portant aucune trace de l'intervention humaine : lande, garrigue et maquis, par exemple, sont des formations *secondaires,* consécutives au déboisement suivi d'abandon et de reconquête par une végétation naturelle, certes, mais le plus souvent incapable de reconstituer la forêt initiale *(climax)* et évoluant vers un *paraclimax* beaucoup moins arboré. On refuse le nom de « formations végétales » aux ensembles végétaux imposés et maintenus par l'homme : champs, pâturages, vignobles et jardins.

FORME (théorie de la). — Théorie d'ensemble de la psychologie, la théorie de la forme (ou Gestalttheorie) est contemporaine du béhaviorisme*. La Gestalttheorie (en allemand, *Gestalt* signifie « forme ») est représentée essentiellement par les psychologues d'origine allemande, Max Wertheimer, W. Köhler et K. Koffka, qui, partis de travaux expérimentaux sur la perception, formulèrent le principe fondamental selon lequel tout champ perceptif se différencie en une forme et un fond. Chaque forme est un tout indissociable qui a des qualités propres et qui ne résulte pas de la simple somme des éléments qui la composent. Ce principe ne se limite pas au domaine perceptif : n'importe quel phénomène psychologique est une forme qui possède ses caractéristiques propres, et dont la signification ne dépend que du contexte dans lequel il se trouve. Lorsque, à partir d'un ensemble particulier d'éléments, il est possible de percevoir plusieurs formes, cette perception se fait toujours dans le sens d'une forme privilégiée, la plus prégnante (dite « bonne forme »). Les bonnes formes sont toujours les plus rapidement identifiées, les plus régulières, les plus simples et symétriques. Les propriétés des bonnes formes seraient indépendantes de tout apprentissage perceptif, ce qui est contesté par certains (v. PERCEPTION), aujourd'hui.

Les œuvres de Kurt Lewin* et de Fritz Heider* illustrent les thèses de la Gestalttheorie dans le domaine de la psychologie sociale.

FORME MUSICALE. — Par ce vocable général on désigne le genre auquel appartient une œuvre musicale, sa structure interne et l'articulation de ses parties. Toutefois, cette notion s'attache à l'aspect global d'une musique, et non à l'analyse technique de son langage.

FORMENTERA, île des Baléares.

FORMENTOR, cap et presqu'île du nord de l'île de Majorque (Baléares).

FORMERIE (60220), ch.-l. de cant. de l'Oise, à 21 km au N. de Gournay-en-Bray; 2 075 hab.

FORMIQUE. — L'*acide formique* (ou méthanoïque) HCO_2H est le premier terme des acides carboxyliques. Isolé par Marggraf en 1749, il fut rencontré dans les fourmis, les orties, la sueur. On l'obtient par l'action de l'oxyde de carbone sur la soude sous pression. C'est un liquide d'odeur piquante, qui se solidifie à 8,6 °C et bout à 101 °C, soluble dans l'eau. C'est un acide assez fort, qui possède des propriétés réductrices.

L'*aldéhyde formique* (ou méthanal) HCHO est le premier terme des aldéhydes. Il est préparé par oxydation de l'alcool méthylique. C'est un gaz d'odeur irritante, qui se liquéfie à − 21 °C. Dès la température ordinaire, il donne un polymère solide, le polyoxyméthylène. Sa solution aqueuse, qui se conserve bien, est le *formol.* Outre son emploi pour désinfecter les instruments et les locaux, ce corps sert, dans l'industrie, à la préparation de nombreux colorants et de plusieurs matières plastiques (bakélite, galalithe, résines urée-formol).

FORMOSA, v. du nord de l'Argentine, ch.-l. de prov.; 61 000 hab.

FORMOSE → T'AI-WAN.

FORMOSE (v. 816 - Rome 896), pape de 891 à 896. Il lutta, à Rome, contre l'influence de la maison de Spolète. Après sa mort, ses adversaires le déterrèrent et jugèrent son cadavre avant de le jeter dans le Tibre.

FORMULE *(Chim.).* — On distingue entre *formules brutes* ou *condensées,* dans lesquelles sont groupés les atomes d'un même élément, quel que soit leur rôle, et qui ne donnent que la composition pondérale de la combinaison, et *formules développées,* où l'on s'efforce de représenter la structure de la molécule; ces dernières, nécessaires en chimie organique, font apparaître les groupements fonctionnels et permettent seules d'interpréter les isoméries.

FORNOUE, en ital. **Fornovo di Taro,** v. d'Italie, en Émilie (prov. de Parme); 6 200 hab. Le 6 juillet 1495, la cavalerie du roi de France Charles VIII battit, dans la vallée du Taro, près de Fornoue, l'armée des confédérés de la Sainte Ligue, qui tentaient de l'empêcher de battre en retraite vers la France.

FORSSMANN (Werner), chirurgien allemand (Berlin 1904). Prix Nobel de médecine et de physiologie, en 1956, avec D. W. Richards et A. F. Cournand. Il fut le premier à mettre en œuvre la technique du cathétérisme cardiaque.

FORSYTHIA. — C'est pour sa belle floraison dorée, abondante et surtout très précoce que le forsythia, originaire d'Extrême-Orient, a été introduit dans les jardins d'Europe. C'est un arbrisseau très rameux. (Famille des oléacées.)

FORT (Paul), poète français (Reims 1872 - Argenlieu, Seine-et-Oise, 1960), auteur des *Ballades françaises* (1897-1951).

FORTALEZA, port du Brésil, dans le Nordeste, capit. de l'État de Ceará; 859 000 hab.

FORT-ARCHAMBAULT → SARH.

FORT-DE-FRANCE (97200), ch.-l. de la Martinique, sur la rive nord de la *baie de Fort-de-France;* 100 576 hab.

FORT ÉRIE, v. du Canada (Ontario), à la frontière américaine, en face de Buffalo; 23 113 hab.

FORT-GOURAUD, auj. **F'Derick,** localité de Mauritanie. À proximité, extraction du minerai de fer de la Kedia d'Idjil.

FORTH (le), fl. d'Écosse (106 km), qui rejoint la mer du Nord par un grand estuaire *(Firth of Forth),* franchi par un pont routier.

FORTIFIANT. — Des substances alimentaires, vitaminiques ou médicamenteuses qualifiées de « fortifiants » sont utilisées pour augmenter le tonus général de l'organisme en cas d'asthénie, d'anémie, de sous-alimentation, d'hypotension. En réalité, seul le traitement de la cause de ces états est efficace.

FORT-LAMY → N'DJAMENA.

FORT LAUDERDALE, v. des États-Unis (Floride), au N. de Miami; 140 000 hab. Centre touristique.

FORT-MAHON-PLAGE (80790), comm. de la Somme, à 18 km au S. de Berck; 978 hab. Station balnéaire.

FORTRAN. — Ce langage* symbolique de programmation* scientifique a été créé en 1954 et a subi, depuis, des améliorations régulières. Il est de loin le plus répandu. Sa syntaxe, ses mots clés, ses verbes sont définis par des normes internationales, ce qui rend universel un programme* écrit en fortran, c'est-à-dire largement indépendant de l'ordinateur sur lequel il s'exécute.

Un tel programme est traduit en langage machine d'ordinateur par un compilateur*. Il comprend des instructions* de déclaration ou de description non exécutables et des instructions exécutables. Dans ces dernières, on distingue les instructions de calculs arithmétiques ou logiques, les instructions de test et de débranchement, les instructions de transfert d'information. Certains gros programmes peuvent contenir plusieurs dizaines de milliers d'instructions.

FORTUNAT (*saint* Venance), évêque et poète latin (v. 530 - v. 600). D'origine italienne, il se fixe à Poitiers, dont il devient évêque en 597. Auteur de poésies de valeur inégale, il est considéré comme le dernier poète latin de l'Antiquité.

FORT WAYNE, v. des États-Unis, dans le nord-est de l'Indiana; 178 000 hab.

FORT WILLIAM, v. du Canada → THUNDER BAY.

FORT WORTH, v. des États-Unis (Texas), à l'O. de Dallas; 393 000 hab.

FORUM. — Dans l'Antiquité romaine, le forum est à la fois lieu de réunion et de marché. À l'origine sans structure architecturale précise, il se fixe progressivement au carrefour de deux axes principaux et prend la forme rectangulaire. Souvent entouré de portiques et décoré de statues, le forum est aussi le centre autour duquel gravitent les édifices religieux (à Rome, temple de Vesta), gardés par des portes sacrées *(Janus geminus),* les bâtiments publics (basilique, curie, tribunal, trésor public) et les boutiques d'artisans. C'est donc autour de telles places, qui se multiplient à partir du IIIe s. av. J.-C., que s'organise la vie des cités antiques.

À Rome, au vieux Forum, fixé au nord du Palatin dès le VIIe s., vinrent s'ajouter, au gré de la croissance de la cité, des forums mineurs, sièges de marchés spécialisés, et, à partir du Ier s., les grands forums impériaux de César, Auguste, Vespasien, Domitien, Trajan.

FOS *(golfe de),* golfe des Bouches-du-Rhône, formé par la Méditerranée, à l'O.-N.-O. de Marseille. Sur ses rives est en cours de développement un important complexe industriel (sidérurgie, notamment), alors qu'ont été déjà aménagés d'importants équipements portuaires pour l'accueil des superpétroliers. Accessible donc aux navires de fort tonnage, disposant de grandes étendues plates de terrains disponibles, la région apparaît comme le pôle majeur du développement industriel de la France méditerranéenne.

FOSCARI (Francesco) [Venise 1373 - *id.* 1457], doge de Venise de 1423 à 1457. Il se rendit célèbre par sa lutte contre le duc de Milan, Philippe-Marie Visconti, et contre le pape Nicolas V. Il fut déposé à la suite du bannissement de son fils Jacopo.

FOSCOLO (Ugo), écrivain italien (Zante 1778-Turnham Green, près de Londres, 1827), auteur des *Dernières Lettres de Jacopo Ortis* (1802), roman épistolaire qui eut une grande influence sur les patriotes du Risorgimento, et de poèmes romantiques (*les Tombeaux,* 1807; *les Grâces,* inachevé).

FOSSAT (Le) [09130], ch.-l. de cant. de l'Ariège, à 26 km au N.-O. de Pamiers; 687 hab.

FOSSE → MINE.

FOSSE OCÉANIQUE → OCÉANIQUES *(fonds).*

FOSSES (95470 Survilliers), comm. du Val-d'Oise, à 15 km au S. de Chantilly; 6453 hab.

FOSSILE. — Tout vestige des êtres et des phénomènes antérieurs à l'époque historique, trouvé dans le sol, est un fossile. Dans le meilleur cas, on trouve l'objet lui-même, épargné par le temps (haches de pierre, coquilles, ossements, dents, mammouths congelés, etc.). Beaucoup plus souvent, les roches sédimentaires portent seulement le *moule* (empreinte en creux) formé lorsque la roche s'est consolidée autour d'un cadavre, disparu depuis. Secondairement, un autre sédiment peut avoir rempli le moule, et l'on dispose d'un *moulage* naturel reconstituant les formes de l'être disparu. Une substitution directe du minéral aux tissus vivants peut aussi se faire *(bois silicifiés).* Enfin, de simples *empreintes* de pas d'animaux, voire de gouttes de pluie, ont pu venir jusqu'à nous. L'étude des fossiles est la *paléontologie**.

FOS-SUR-MER (13270), comm. des Bouches-du-Rhône, sur la rive nord du *golfe de Fos;* 6709 hab. Terminal pétrolier et gazier. Raffinage du pétrole.

FOUCAULD (Charles, *vicomte,* puis le *Père* DE), religieux français (Strasbourg 1858-Tamanrasset 1916). Officier converti et devenu prêtre (1901), il s'installe dans le Sud algérien, puis (1905) au cœur du Sahara, à Tamanrasset, au milieu des Touaregs, qui le vénèrent comme un marabout. Il est assassiné par des pillards senousis. Plusieurs congrégations religieuses s'inspirent des règles qu'il a écrites et poursuivent son apostolat dépouillé.

FOUCAULT (Léon), physicien français (Paris 1819-*id.* 1868). Il détermina directement la vitesse de la lumière dans différents milieux (1850) et découvrit les courants induits dans les masses métalliques (1850), auxquels on a donné son nom. Il démontra, grâce au pendule, le mouvement de rotation de la Terre (1851) et inventa le gyroscope (1852). En 1857, il utilisa les miroirs paraboliques en verre argenté dans les télescopes.

FOUCAULT (Michel), philosophe français (Poitiers 1926). Son *Histoire de la folie à l'âge classique* (1961) [v. FOLIE] inaugure une réflexion féconde qui ouvre des horizons nouveaux à l'histoire* et à l'épistémologie* en montrant comment la pensée se forme à partir d'une pratique discursive et d'une pratique sociale. *Naissance de la clinique* (1963) et *les Mots et les choses* (1966) approfondissent cette nouvelle façon de faire l'histoire que Foucault nomme « archéologie* » et la critique de la référence homme dans les sciences humaines*. L'archéologie du savoir et la généalogie des pouvoirs auxquelles il procède mettent en lumière l'ordre, « qui veut à la fois ce qui se donne dans les choses comme leur loi intérieure [...] et ce qui n'existe qu'à travers la grille d'un regard, d'une attention, d'un langage », et le fonctionnement des règles qui délimitent les possibilités de tout discours. Après *l'Archéologie* du savoir* et *l'Ordre du discours* (1972), Foucault projette de retracer une généalogie de la morale à partir d'une histoire politique des corps dans laquelle il s'attache à démonter les mécanismes des « savoirs-pouvoirs » propres aux sciences humaines *(Surveiller et punir, la naissance de la prison* [1975]; *Histoire de la sexualité, t. I la Volonté de savoir).*

FOUCHÉ (Joseph), homme d'État français (Le Pellerin, près de Nantes 1759-Trieste 1820). Confrère de l'Oratoire, il adhère aux idées de la Révolution. Il est élu à la Convention (1792) et vote la mort du roi. Chargé de mission dans les départements, notamment à Nevers et à Lyon, il mène une politique de déchristianisation et d'action révolutionnaire. Ministre de la Police générale, à la fin du Directoire, sous le Consulat (1799-1802), puis de 1804 à 1809, il est fait duc d'Otrante (1809). En 1813, il est gouverneur des Provinces illyriennes. Réconcilié avec les Bourbons (1814), ministre de la Police pendant les Cent-Jours (1815), il se rend indispensable après Waterloo, si bien que Louis XVIII lui conserve un temps ses fonctions. Atteint par la loi de 1816, comme régicide, il meurt en exil.

FOU-CHOUEN ou **FUSHUN,** v. de la Chine du Nord-Est (Leao-ning), à l'E. de Chen-yang; 1019000 hab. Houille. Sidérurgie. Raffinage du pétrole. Constructions électriques.

FOU DE BASSAN. — De tous les oiseaux de mer, c'est le fou de Bassan qui réalise les performances les plus surprenantes en matière de « vol en piqué » et de plongeon, puisqu'il se laisse tomber « comme une pierre » de 40 m de haut, fend l'eau de son long bec pointu et atteint d'un seul élan une profondeur de 30 m, dont nul autre n'approche. C'est aussi le plus blanc de tous par son plumage, l'un des plus volumineux et le plus social, ses colonies atteignant 10000 individus dans certaines aires de nidification d'Écosse et d'Irlande. (Type de la famille des sulidés.)

FOUDRE. — La foudre se caractérise par la distribution statistique des orages, la densité des coups de foudre au sol, les phénomènes précurseurs, les caractéristiques électriques et le mécanisme d'impact. La sévérité orageuse d'une région se détermine par son *niveau isokéraunique,* c'est-à-dire par le nombre de jours par an où le tonnerre a été entendu : la moyenne est de 20 en France, 100 en Floride, 180 en Afrique du Sud. Un nuage orageux est généralement un cumulo-nimbus qui peut s'étendre sur plusieurs kilomètres carrés, dont la base est située à 2 ou 3 km du sol, et qui peut se développer jusqu'à une altitude de 10 km. À l'approche du nuage orageux, le champ* électrique atmosphérique au sol, qui était de l'ordre de 100 V/m, commence par s'inverser, puis augmente jusqu'à 15 à 20 kV/m et se décharge. La première phase d'un coup de foudre au sol est une prédécharge faiblement lumineuse, se propageant du nuage vers le sol en progressant par bonds de quelques dizaines de mètres. Lorsque le courant de la première décharge* a cessé de s'écouler, il peut se passer environ 100 ms avant la décharge proprement dite. La protection des bâtiments, assurée par un paratonnerre à pointe, est pratiquement limitée à la surface de base d'un cône de révolution ayant pour hauteur celle du paratonnerre et pour angle au sommet 60^{0}. La protection des ouvrages sous tension est indispensable, car la chute de la foudre peut provoquer de sérieuses perturbations. Bien que les dégâts matériels soient relativement rares sur les lignes* et dans les postes* à haute tension, un pourcentage élevé de coups de foudre directs entraîne un défaut fugitif qui provoque le déclenchement au-dessus des conducteurs de phase de la ligne touchée. On réduit le nombre des défauts en installant des câbles de garde directement connectés aux pylônes qui écoulent le courant du coup de foudre.

FOUDROYAGE. — Le foudroyage consiste à provoquer systématiquement l'éboulement des terrains au-dessus du vide laissé par l'exploitation, afin de former un autoremblayage, qui remplit ce vide. Les blocs éboulés occupent un plus grand volume en raison des vides qu'ils laissent dans leur enchevêtrement. Grâce à ce *foisonnement,* l'éboulement est limité en hauteur, à environ trois fois la hauteur exploitée; au-dessus, les terrains reposent sur les éboulis, qu'ils compriment peu à peu en s'affaissant progressivement comme sur un remblai. Dans une exploitation par longue taille, la *ligne de foudroyage,* parallèle au front d'abattage, est tenue aussi près que possible de celui-ci, de façon à décharger les allées de travail de la pression des terrains; le foudroyage est obtenu par le retrait du soutènement*. Dans une exploitation par chambres et piliers, le foudroyage se fait chambre par chambre, lorsque, en fin de dépilage de la chambre, les piliers qui la bordent ont été suffisamment amaigris ou torpillés à l'explosif*; les dimensions de la chambre sont choisies de façon que son foudroyage se produise peu après son abandon. L'éboulement diminue la pression des terrains au voisinage; pour régulariser cet effet, les chambres exploitées forment une ligne en dents de scie séparant la région foudroyée de celle qui reste à exploiter.

FOUESNANT (29170), ch.-l. de cant. du Finistère, à 16 km au S.-E. de Quimper; 4899 hab. Station balnéaire à Beg-Meil.

FOUGÈRE. — Dans la flore actuelle, les fougères représentent une forte majorité parmi les plantes ayant des racines et des vaisseaux, mais sans fleurs ni graines (cryptogames vasculaires, dits aussi *ptéridophytes).* La plupart des espèces de nos régions ne sont vivaces que par une tige souterraine (rhizome) qui porte chaque année de nouvelles feuilles. Ces feuilles, ou frondes, généralement découpées en folioles (pinnules), elles-mêmes subdivisées, portent à la face inférieure des groupes de sporanges, les sores, recouverts parfois d'une *indusie* protectrice. À maturité, les sporanges s'ouvrent par déhiscence d'une assise « mécanique » et les spores sont libérées. La germination des spores ne donne pas d'emblée une nouvelle fougère, mais une minuscule lame verte *(prothalle),* sous laquelle ont lieu la fécondation et la croissance embryonnaire.

Plantes d'ombre, aimant les sols acides, les fougères hantent les sous-bois clairs, les clairières, les vieux murs, la margelle des puits, voire l'entrée des grottes. Bien des espèces tropicales sont arborescentes ou épiphytes.

Principales espèces européennes : la fougère aigle, le polypode, la « fougère mâle », la « fougère femelle » (l'une et l'autre bien mal nommées, car toutes les fougères sont bissexuées), la scolopendre, la capillaire, le blechnum, le cétérach, l'osmonde.

FOUGÈRES (35300), ch.-l. d'arr. d'Ille-et-Vilaine, à 47 km au N.-E. de Rennes; 27653 hab. *(Fougerais).* Magnifique château remontant au XIIe s. (enceinte à treize tours). Deux églises gothiques. Maisons anciennes. Important marché du bétail. Chaussures. Confection. Constructions électriques.

FOUGEROLLES (70220), comm. de la Haute-Saône, à 9 km au N. de Luxeuil-les-Bains; 4151 hab. Eaux-de-vie.

FOUILLE → ARCHÉOLOGIE.

FOUISSAGE. — Tous les sols, qu'ils soient terrestres, fluviaux ou marins, servent d'abri ou de cachette à des animaux nombreux et variés qui les *fouissent.* Si le fouissage des vases aquatiques les plus légères ou des sables secs permet seulement à l'animal de se camoufler (éphémère, sépiole, crabe) ou de creuser un piège en entonnoir (larve du fourmi-lion), le creusement de terrains aquatiques plus consistants aboutit à des excavations assez profondes (couteau, praire ou coque dans la vase littorale) ou à de véritables terriers (tube en U de l'arénicole). Mais c'est le sol végétal qui permet les excavations les plus remarquables : terriers des mygales, des grillons, des courtilières, nids souterrains des guêpes, fourmilières, termitières, garennes des lapins et des « chiens de prairie », demeures perfectionnées des blaireaux et des renards, pièges souterrains des taupes, galeries creusées par les martins-pêcheurs dans les berges, etc. Un fouissage permanent et massif des sols est, en outre, réalisé par les vers de terre (lombrics) ou, en Asie centrale, par certains cloportes. L'adaptation anatomique de certains animaux (taupe, courtilière) au fouissage est d'ailleurs poussée à l'extrême.

FOUJITA (Tsuguharu Léonard), peintre français d'origine japonaise (Tōkyō 1886-Zurich 1968). Son œuvre réalise, avec un graphisme fin et précis, une matière lisse et précieuse, une synthèse de la tradition japonaise et du réalisme occidental. Aux thèmes gracieux et érotiques (femmes, petites filles, chats), il ajoute, après sa conversion au catholicisme, en 1959, des sujets religieux.

FOUJI-YAMA ou **FOUJI-SAN** → FUJI-YAMA.

FOU-KIEN ou **FUJIAN,** province du sud-est de la Chine; 123 000 km^2; 17 millions d'hab. Capit. *Fou-tcheou.* Sur la mer de Chine (en face de T'ai-wan), c'est une région de moyennes montagnes, au climat subtropical, grande productrice de thé.

FOULD (Achille), homme politique français (Paris 1800-La Loubère 1867). Banquier, il est choisi par Louis-Napoléon Bonaparte pour occuper le ministère des Finances (1849-1852). Sénateur (1852), ministre d'État (1852-1860), il organise l'exposition de 1855. Adepte du saint-simonisme, Fould fonde avec les frères Pereire* le Crédit mobilier (1852) et se montre partisan du libre-échange. En 1861, et jusqu'à sa mort, il est de nouveau titulaire du portefeuille des Finances.

Foule solitaire *(la)* [1950], essai de David Riesman, traduit en français en 1964. Cette œuvre a tenté de préciser la manière dont les sociétés modernes façonnent la personnalité de leurs membres. L'expansion des mass media a contribué au déclin des traditions et à la contestation d'institutions telles que la famille et l'école. Mais elle a surtout engendré un type particulier de personnalité sociale que Riesman baptise « extro-déterminé ». Immergé dans un flot incessant de messages divers et d'informations, l'homme d'aujourd'hui serait plus sensible à l'influence d'autrui et simultanément moins soumis aux principes inculqués par la famille et l'école.

FOULQUES (v. 840-900), archevêque de Reims (883). Contre le robertien Eudes, il tenta vainement d'imposer son candidat, Gui de Spolète, à la succession de Charles le Gros (888). Il prit parti pour Charles le Simple, en 893, et devint son chancelier. Il fut assassiné sur l'ordre du comte de Flandre.

FOULQUES Ier, III et **IV** → ANJOU.

FOULQUES V le Jeune (1095-près de Ptolémaïs 1143), comte d'Anjou (1109-1131), comte du Maine (1110-1131), roi de Jérusalem (1131-1143). Il maria son fils Geoffroi Plantagenêt à Mathilde, fille d'Henri Ier Beauclerc. Devenu roi de Jérusalem à la suite d'un second mariage avec la fille de Baudouin II, il résista énergiquement aux musulmans.

FOUQUET (Jean), peintre et miniaturiste français (Tours v. 1415/1420-*id.* entre 1477 et 1481). Déjà célèbre, il se rendit à Rome, où il fit un portrait du pape *Eugène IV.* De retour en France, en 1448, il fut le protégé d'Agnès Sorel, qu'il aurait peinte sous la forme de la Vierge (musée d'Anvers) dans un diptyque dont le second volet représente *Étienne Chevalier et saint Étienne* (Berlin). Il fit aussi les portraits de *Charles VII* et de *Guillaume Juvénal des Ursins* (Louvre). Ses miniatures permettent d'apprécier l'ampleur et la variété de son art : *Heures* d'E. Chevalier (Chantilly), *Grandes Chroniques de France* résumées en 1458 pour Charles VII (Bibl. nat.), *Boccace* de Munich, *Antiquités judaïques* de Flavius Josèphe (v. 1470, Bibl. nat.). Sachant subordonner le détail à l'ensemble, réaliste et monumental dans la tradition des imagiers gothiques du XIIIe s., mais touché par les nouveautés venues d'Italie, il fut, dans l'école française, un précurseur sans écho immédiat.

FOUQUET (Nicolas), homme d'État français (Paris 1615-Pignerol 1680). Lié à Mazarin, il achète, en 1650, la charge de procureur général au parlement de Paris. Surintendant général des Finances (1653), principal directeur de la Compagnie des îles d'Amérique, il donne une impulsion décisive au commerce français. Mais Fouquet s'enrichit au point de pouvoir construire, à Vaux-le-Vicomte*, une demeure véritablement royale, où il déploie un mécénat intelligent. Ministre d'État, il s'attire, après la mort de Mazarin, la jalousie de Colbert et de Louis XIV : poursuivi pour malversations et tentatives de rébellion, il est condamné, à l'issue d'un procès inique et malgré l'intervention de ses amis et administrateurs, au bannissement perpétuel et à la confiscation de ses biens (1664).

FOUQUIÈRES-LÈS-LENS (62740), comm. du Pas-de-Calais, à 4 km à l'E. de Lens; 7 758 hab.

FOUQUIER-TINVILLE (Antoine), magistrat français (Hérouël 1746-Paris 1795). Ancien procureur au Châtelet, il devient, en mars 1793, accusateur public au Tribunal révolutionnaire. Dans cette charge, il déploie un zèle impitoyable qui, après Thermidor, lui vaut d'être condamné à mort et exécuté.

FOUR. — • En métallurgie, les fours sont d'une grande diversité, depuis les fours de laboratoire, qui traitent quelques centaines de grammes de produit, jusqu'aux fours d'aciérie, dont la capacité atteint 500 t, les températures de travail s'échelonnant de 100 à 3 000 °C. Ils sont chauffés soit par des combustibles solides (coke), liquides (fuel*-oil) ou gazeux (gaz* naturel), soit par l'électricité (électrométallurgie*, électrothermie). Dans le haut fourneau, le coke joue à la fois le rôle de combustible et celui d'agent réducteur du minerai de fer*. Les fours se distinguent également suivant leur mode de construction, les conditions de leur utilisation, particulièrement pour la manipulation des produits, et le type d'opération qui est réalisé (élaboration*, réchauffage, fusion*, grillage, traitement* thermique, etc.).

• Dans le domaine pétrolier, la plupart des procédés de raffinage* et de pétrochimie* exigent des températures élevées, soit pour vaporiser les hydrocarbures afin de les séparer ensuite par distillation* fractionnée, soit pour leur conférer la réactivité nécessaire au craquage* ou à la synthèse*. Ces conditions sont obtenues dans un four tubulaire constitué par une chambre de combustion tapissée d'un serpentin continu de tubes d'acier, où circule le produit, chauffée par des brûleurs à gaz ou à fuel-oil placés dans la sole et surmontée d'une cheminée* de 50 à 100 m de haut, assurant la dispersion des fumées. Les plus gros fours des raffineries de pétrole ont une capacité de 200 000 th/h, avec un rendement de 84 p. 100, et consomment plus de 500 t de combustible par jour.

FOURAS (17450), comm. de la Charente-Maritime, à 14 km au N.-O. de Rochefort; 3 617 hab. Station balnéaire.

FOURASTIÉ (Jean), économiste et sociologue français (Saint-Bénin, Nièvre, 1907). Observateur des bouleversements introduits dans la société par l'expansion industrielle (*le Grand Espoir du XXe siècle,* 1949; *l'Économie française dans le monde,* 1967), il s'interroge sur les fondements et les perspectives de notre civilisation (*la Civilisation de 1995,* 1970; *la France sans citoyens?,* 1973).

FOUR AUTONETTOYANT. — Ce four a la propriété d'éliminer, sans intervention de la ménagère, les souillures grasses dues à la cuisson des aliments. Ce nettoyage s'opère soit par *pyrolyse,* pour les fours électriques (combustion des graisses à une température de 500 °C grâce à un dispositif spécial de chauffage), soit, pour les fours électriques ou à gaz, par *catalyse* (oxydation des graisses des parois au contact d'un émail oxydant). Le procédé pyrolytique exige un calorifugeage renforcé et un système d'évacuation des fumées de combustion.

Fourberies de Scapin *(les),* farce en trois actes et en prose, de Molière (1671).

FOURCHAMBAULT (58600), comm. de la Nièvre, à 7 km au N.-O. de Nevers, sur la Loire; 6 633 hab. Constructions mécaniques.

FOURCROY (Antoine François, *comte* DE), chimiste et homme politique français (Paris 1755-*id.* 1809). Il définit l'analyse immédiate, fut l'un des auteurs de la nomenclature chimique rationnelle (1787) et participa à l'organisation de l'enseignement public.

FOUREAU (Fernand), explorateur français (Saint-Barbant 1850-Paris 1914). Des expéditions successives dans le Sud algérien, puis au Sahara et au Soudan, le conduisent au lac Tchad (1900), avant de rejoindre la mission Gentil.

FOURIER (*baron* Joseph), mathématicien français (Auxerre 1768-Paris 1830). Ses travaux sur la propagation de la chaleur, résumés dans son ouvrage *Théorie analytique de la chaleur* (1822), l'amenèrent à l'une des plus grandes découvertes mathématiques, celle des séries trigonométriques, dites *séries de Fourier.*

FOURIER (Charles), théoricien socialiste français (Besançon 1772-Paris 1837). Ennemi juré du commerce, de la violence et de la dictature, ce fils d'un commerçant en étoffes ne reconnaît pour morale que celle des passions naturelles de l'homme. Distinguant douze passions que coordonne une treizième (l'« harmonique »), il imagine et cherche à instaurer un nouvel ordre politique et social correspondant à ces passions (*Théorie des quatre mouvements et des destinées générales,* 1808) : pour rendre le travail attrayant, et pour que l'homme s'y adonne avec passion, il faut grouper les êtres en phalanstères — à la fois coopératives de production et de consommation —, où les revenus seront répartis entre le capital, le talent et le travail. Cette utopie* sociale, qu'il théorise dans *le Nouveau Monde industriel et sociétaire,* le conduit à diffuser sa pensée dans des revues où il rompt des lances avec les saint-simoniens (*la Réforme industrielle ou le Phalanstère,* puis *la Phalange,* de 1832 à 1849). — Le plus célèbre de ses disciples est V. Considérant*.

FOURME → FROMAGE.

FOURMI. — On a décrit plus de 6 500 espèces de fourmis. Toutes sont sociales, la plupart habitent les régions chaudes. Une colonie de fourmis a toujours une demeure collective, la *fourmilière,* édifiée par ses soins et comprenant au moins une partie souterraine où est élevé le couvain (œufs, larves, nymphes). La plupart des adultes sont des *ouvrières,* femelles stériles et sans ailes, très diverses par leur taille. La (ou les) femelle féconde *(reine),* souvent géante, ne s'occupe qu'à pondre, les mâles ne vivent que jusqu'à l'accouplement. Ils sont ailés, de même que les futures reines, qui coupent leurs ailes après l'accouplement et peuvent vivre jusqu'à quinze ans. C'est d'ailleurs la reine qui, au prix de grandes difficultés, fonde une nouvelle fourmilière.

Les activités des fourmis sont parmi les plus socialisées de tout le règne animal : selon les espèces, elles peuvent cultiver des champignons, élever des pucerons, entretenir et utiliser rationnellement un réseau routier, transformer certaines d'entre elles en réservoirs de nourriture («fourmis à miel»), pratiquer la guerre et l'esclavage, et même s'adonner aux sécrétions enivrantes de la loméchuse, pour la ruine de la société.

Nombreux sont les grands animaux de toutes sortes qui se nourrissent de fourmis : oiseaux, mammifères (fourmilier), lézards, insectes (larve de fourmi-lion). Non moins nombreuses sont les petites espèces qui hantent les fourmilières, soit pour dérober aux fourmis leur nourriture, soit pour les dévorer elles-mêmes, soit pour solliciter (efficacement) leurs bons soins. On compte notamment 4 000 espèces d'insectes myrmécophiles. Mais les fourmis font, à leur tour, de nombreuses victimes, surtout parmi les insectes, et leur rôle dans les équilibres naturels, important de par l'immensité de leur nombre, semble plus utile que nuisible à l'homme.

FOURMIES (59610), comm. du Nord, sur l'Helpe Mineure, en Thiérache; 16 096 hab. *(Fourmisiens).* Industries métallurgiques et textiles. — Le 1er mai 1891, au cours d'une grève des ouvriers du textile, la troupe tira sur la foule assemblée sur la place de Fourmies, faisant neuf morts — dont deux enfants — et une soixantaine de blessés.

FOURMI-LION. — Le nom de «lion des fourmis» n'évoque pas l'activité de l'insecte adulte, un névroptère qui vit sur les fleurs, mais celle de sa larve, piégeur féroce aux mandibules pointues et creuses, qui établit dans le sable sec un entonnoir au fond duquel il guette ses proies, généralement des fourmis, pour les percer et les sucer.

FOURNELS (48200 St Chély d'Apcher), ch.-l. de cant. de la Lozère, à 15,5 km à l'O. de Saint-Chély-d'Apcher; 311 hab.

FOURNEYRON (Benoît), ingénieur français (Saint-Étienne 1802-Paris 1867). Parmi ses nombreuses inventions, la plus importante est sans conteste celle de la *turbine hydraulique* (1827), qui permit le développement de l'exploitation de la houille blanche.

FOURNIER. — C'est à la forme de son nid, construction en terre gâchée évoquant un four de potier à deux chambres, que le fournier, passereau brun d'Amérique, doit son nom.

FOURNIER (Henri) → ALAIN-FOURNIER.

FOURNIER (Pierre), violoncelliste français (Paris 1906). Professeur au Conservatoire de Paris de 1941 à 1949, il a formé, avec A. Schnabel et J. Szigeti, un trio demeuré célèbre.

FOURQUES (30300 Beaucaire), comm. du Gard, à la tête du Petit Rhône, à 1 km au N.-O. d'Arles; 1 617 hab. Départ du principal canal d'irrigation du Languedoc.

FOURRAGES. — D'une façon générale, on désigne sous le nom de «fourrages» toutes les substances végétales (à l'exception des grains) destinées à l'alimentation du bétail : les fourrages sont soit consommés directement au pré ou en vert à l'étable (notamment trèfle incarnat, vesce, féverole, maïs, seigle, avoine, chou, etc.), soit conservés. Mais le terme désigne plus spécialement les fourrages conservés : foins, fourrages déshydratés ou ensilages*.

FOURRURE. — La fourrure a été influencée par le phénomène de l'industrialisation dans la perspective d'un élargissement de la clientèle. La production s'est rationalisée; pour pallier la disparition des fourrures précieuses et celle des produits de chasse aléatoire, des élevages se sont créés : élevage du vison (États-Unis, Canada, Scandinavie), du chinchilla (États-Unis, Argentine), du lapin angora (France). La France est le premier producteur de peaux de lapins domestiques. Les fourreurs s'approvisionnent aux foires annuelles de Leningrad, Londres, Leipzig, Oslo, New York et Montréal. La France importe la majeure partie des fourrures qu'elle travaille et, notamment, des fourrures courantes de Chine (chien, chat) et d'U. R. S. S. Depuis peu, cependant, la consommation intérieure de ces pays est en augmentation.

Au niveau de la confection, 1967 a correspondu au lancement sur le marché d'articles moins coûteux, grâce à l'utilisation de peaux d'importation bon marché et, surtout, grâce à la simplification de la fabrication d'un modèle : coupe au carré, suppression de l'éjarrage, etc. Dès lors, la fourrure devait créer son propre prêt-à-porter : en 1969, Chombert lance un prêt-à-porter de luxe en trois tailles normalisées; en 1971, Dior charge F. Castet de réaliser la première collection de fourrures destinée à sa «boutique»; Révillon, lui-même, opte pour l'ouverture d'une section «boutique». La diffusion des articles a évolué : les manteaux de fourrure — dont la vente était jusque-là le domaine des spécialistes — voisinent dans les boutiques de prêt-à-porter avec les autres vêtements. Cet élargissement de la diffusion a été surtout le fait d'un rajeunissement de style, en accord avec la mode des années 60. Stylistes et couturiers ont présidé à ce changement en désacralisant la fourrure : le vison a inspiré des manteaux sport, proche du trench-coat; il sert de doublure à des pelisses ou se pare de couleurs vives, tandis que le lapin imprimé imite les fourrures tachetées d'animaux dont la chasse est protégée et le prix élevé. De nombreux modèles pour hommes sont également proposés.

La diffusion de la fourrure a été, cependant, freinée depuis 1973 par la hausse de 25 à 30 p. 100 sur les peaux à l'état brut, hausse qui s'est trouvée répercutée au niveau de la confection à poils ras, qui nécessite plus de main-d'œuvre que les peaux à poils longs. Enfin, parmi les fourrures précieuses, le lynx a pris le pas sur la zibeline.

FOURS (58250), ch.-l. de cant. de la Nièvre, à 22 km à l'E. de Decize; 779 hab.

Four Temperaments *(The),* ballet de G. Balanchine, musique de P. Hindemith (thème et quatre variations pour piano et orchestre), créé à New York en 1946. Sans doute une des plus parfaites réussites du chorégraphe qui, par une utilisation judicieuse du vocabulaire classique et des apports de la technique moderne (M. Graham), a réalisé une œuvre abstraite, illustrant «quatre tempéraments» (mélancolique, sanguin, flegmatique et colérique).

FOU-SIN ou **FUXIN,** v. de la Chine du Nord-Est; 189 000 hab. Houille. Sidérurgie.

FOUSSERET (Le) [31430], ch.-l. de cant. de la Haute-Garonne, à 34 km au S.-O. de Muret; 1 414 hab.

FOUTA-DJALON, massif montagneux de la Guinée; 1 515 m.

FOU-TCHEOU ou **FUZHOU,** port de Chine, en face de T'ai-wan, capit. du Fou-kien; 616 000 hab. — Son arsenal fut bombardé par l'escadre française de l'amiral Courbet, en 1884.

FOUX-D'ALLOS (La) → ALLOS.

FOVEAUX *(détroit de),* détroit de Nouvelle-Zélande, séparant l'île du Nord et l'île du Sud.

FOX (George) → QUAKERS.

FOX (Charles James), homme politique britannique (Westminster 1749 - Chiswick 1806). Whig, adversaire de l'autoritarisme monarchique et de l'esclavage colonial, admirateur de la Révolution française, il s'efforce en vain, après la mort de Pitt (1806), et comme membre du ministère «de tous les talents», de conclure la paix avec Napoléon.

FOX-TALBOT (William Henry), physicien, chimiste, philologue et inventeur britannique (Melbury 1800 - † 1877). Il s'illustra par de nombreux travaux sur la photographie, inventa le procédé négatif-positif et créa, en 1840-41, la calotypie (ou talbotypie).

FOY *(sainte),* jeune fille martyre (Agen IIIe s.?). Ses reliques furent transportées à Conques*, au IXe s., où elles devinrent le centre d'un culte très populaire.

FOY (Maximilien), général français (Ham 1775 - Paris 1825). Il couvrit la retraite de l'armée d'Espagne (1814) et se battit à Waterloo. Il fut élu député libéral de l'Aisne, en 1819, et son enterrement donna lieu à une imposante manifestation d'opposition au régime de Charles X.

FRACHON (Benoît), syndicaliste et homme politique français (Le Chambon-Feugerolles 1893 - Les Bordes, Loiret, 1975). Ouvrier métallurgiste, membre du Comité central du parti communiste à partir de 1926, secrétaire général de la C. G. T. U. (1933-1936), il est l'artisan de la réunification syndicale de 1936 et joue un rôle déterminant dans la négociation des accords Matignon, puis dans l'organisation de la C. G. T., dont il est secrétaire général (1936-1939; 1944-1967), puis président. Pendant l'Occupation, il dirige, avec J. Duclos*, le parti communiste clandestin.

FRACTIONNEMENT (colonne de) → DISTILLATION DU PÉTROLE.

FRACTOGRAPHIE → MÉTALLOGRAPHIE.

FRACTURE *(Méd.)*. — Une fracture, suspectée sur la douleur et l'impotence fonctionnelle consécutives à un traumatisme, est reconnue sur les radiographies, qui en précisent les caractères. Elle s'accompagne parfois de lésions vasculo-nerveuses ou de lésions cutanées (fracture ouverte, exposée à l'infection). La réparation des fractures comporte la réduction du déplacement suivie d'une contention de type variable (ostéosynthèse utilisant un matériel métallique fixant les deux fragments osseux ou traitement orthopédique) et d'une immobilisation (attelle, gouttière, plâtre). La formation d'un cal fibreux, puis osseux, assure la consolidation.

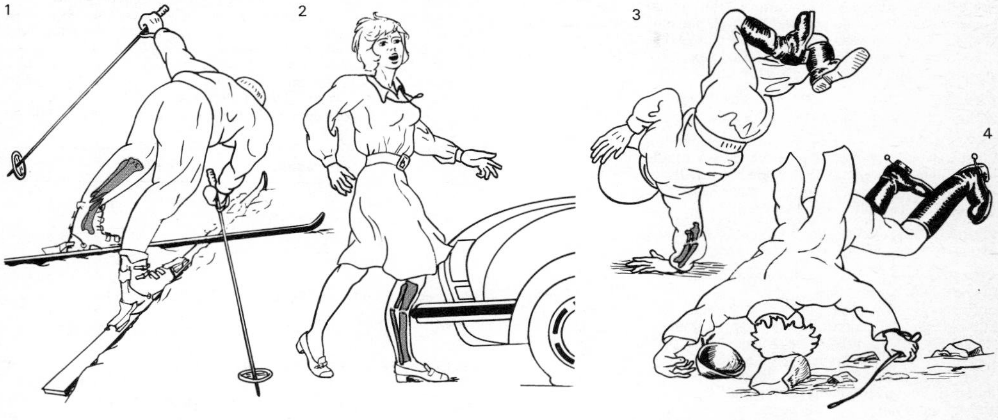

Fracture par : 1. Torsion; 2. Choc direct; 3. Choc indirect; 4. Enfoncement.

Celle-ci est absente dans la pseudarthrose, qui est surtout une complication des fractures comminutives ou suivies d'une immobilisation insuffisante. La consolidation se fait parfois en mauvaise position : il se forme alors un cal vicieux.

FRAGON. — Plus connu sous le nom de «petit houx», ce sous-arbrisseau de la famille des liliacées présente une particularité très rare : ce sont des rameaux aplatis qui, par leur position, leur forme et leurs fonctions, y remplacent les feuilles. Piquants et coriaces, persistant en hiver, ces rameaux portent en été de petites baies rouges (nom latin : *ruscus*).

FRAGONARD (Jean Honoré), peintre et graveur français (Grasse 1732-Paris 1806). Peintre de l'amour et de la joie de vivre, doué d'une virtuosité éblouissante, ayant pratiqué tous les genres, dessinant beaucoup, il résume dans son œuvre — dont la chronologie et, donc, la trajectoire stylistique restent mal connues — toute une part, contrastée, du XVIIIe s. Élève de Boucher à Paris, prix de Rome en 1752, il s'imprégna sur place de l'art italien (1756-1761; second voyage en 1773), étudia Rembrandt, Hals et surtout Rubens. Il fut agréé à l'Académie avec *Corésus et Callirrhoé* (1765, Louvre), décora des hôtels de financiers et de demoiselles d'Opéra, peignit des paysages, beaucoup de scènes galantes, d'un style non moins enlevé que ses bouillonnantes «figures de fantaisie» (1769, Louvre), et donna un de ses chefs-d'œuvre avec la série des *Progrès de l'amour,* destinés à Mme du Barry (qui leur préféra des œuvres de Vien) [1771-1773, collection Frick, New York]. *Le Verrou,* entré au Louvre en 1974, témoigne, vers 1776-1780, d'un changement de facture concomitant à la montée du néoclassicisme, en même temps que d'un lyrisme approfondi. En 1775, la belle-sœur de Fragonard, MARGUERITE GÉRARD (1761-1837), devient son élève, puis c'est au tour de son fils ÉVARISTE (1780-1850), futur peintre d'histoire et sculpteur, qu'il fait entrer en 1792 dans l'atelier de David. Entre 1793 et 1800, le vieux maître, membre du Conservatoire du Muséum, déploie une grande activité pour l'organisation du futur musée du Louvre.

FRAISAGE. — Le fraisage est l'un des procédés fondamentaux de la fabrication mécanique. Il permet l'exécution de travaux d'usinage les plus variés sur les métaux, les alliages*, les matières plastiques* ou le bois, travaux appelés plus spécialement : *surfaçage, contournage, chambrage, rainurage, perçage*, alésage*, lamage, chanfreinage, profilage,* etc. L'outil utilisé, ou *fraise,* est constitué par un corps de révolution en acier comportant à sa périphérie un certain nombre de lèvres de coupe, rectilignes ou courbes (en hélice), régulièrement disposées autour de l'axe de révolution, qui est l'axe de rotation de la fraise. Il en existe une grande variété : fraise à surface, fraise cylindrique, fraise à deux tailles, fraise à trois tailles, fraise conique, etc. L'équipement utilisé, appelé *machine à fraiser,* ou *fraiseuse,* est constitué par un bâti rigide comportant une broche de précision, sur le nez de laquelle est fixée la fraise, et une table, sur laquelle est maintenue la pièce à usiner. Un ensemble de chaînes cinématiques et d'organes de transmission (boîtes de vitesses, embrayages, arbres cannelés, etc.) donne à la fraise, par rapport à la pièce, des mouvements relatifs déterminés, à trois degrés de liberté, à des vitesses appropriées, afin de permettre à cette fraise, en rotation rapide, d'engendrer les surfaces à usiner. Selon que l'axe de la broche est horizontal, vertical ou orientable suivant deux axes, la

Mode d'action du FRAISAGE : fraisage cylindrique; fraisage en avalant.

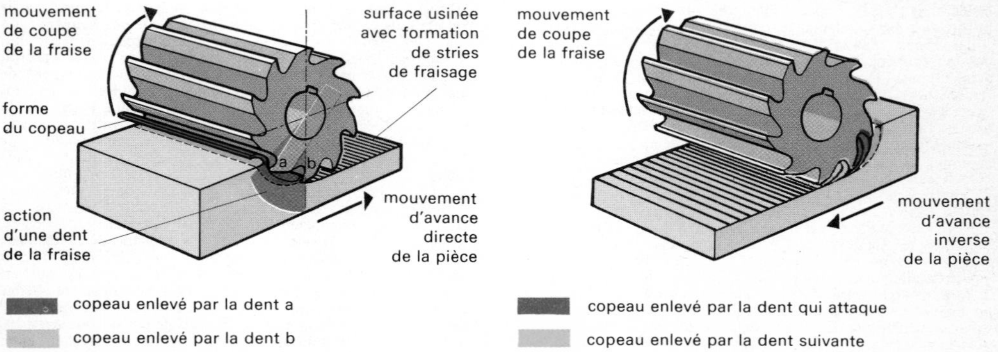

fraiseuse est dite *horizontale, verticale* ou *universelle.* Un *plateau diviseur* gradué, fixé sur la table, permet en plus d'orienter la pièce à usiner. Les machines à fraiser équipées d'un système électronique, du type commande par copieur et gabarit, dites *fraiseuses à reproduire,* ou du type commande par lecture d'un programme de contournage, dites *fraiseuses à commande numérique,* à trois ou quatre axes, fonctionnent automatiquement et permettent le fraisage de surfaces courbes les plus diverses.

FRAISE *(Agric.).* → LABOUR.

FRAISIER. — À l'état sauvage, le fraisier croît surtout dans les sous-bois. Vivace, portant des feuilles à trois folioles, il se multiplie par des *coulants,* ou *stolons,* tiges rampantes qui forment un nouveau pied à leur extrémité. Aux fleurs, typiques de la famille des rosacées, succèdent de curieux fruits charnus, dont la partie comestible provient du réceptacle floral, parsemé de « graines », qui sont les fruits au sens botanique du mot (akènes).

La culture a créé des variétés, aux gros fruits sucrés et savoureux, apparaissant à diverses saisons.

FRAIZE (88230), ch.-l. de cant. des Vosges, sur la Meurthe, à 16 km au S.-E. de Saint-Dié; 3 367 hab.

FRAMBOISIER. — Très voisin de la ronce, le framboisier s'en distingue par le revers blanchâtre de ses feuilles et par son fruit rouge violacé, composé, à l'arôme raffiné. Il demeure buissonnant et ne s'étale pas par arceaux, comme la ronce, mais par drageons souterrains. (Famille des rosacées.)

FRAMERIES, comm. de Belgique (Hainaut), au S.-O. de Mons; 11 224 hab. (en 1970).

FRANC. — Le franc, institué par la loi du 17 germinal an XI (7 avril 1803), est l'unité monétaire de la France et de quelques autres pays. Monnaie fondée originellement sur l'argent et l'or, puis sur l'or seul, et convertible, le franc a joui d'une stabilité quasi totale de 1803 à 1914, date à laquelle le gouvernement décréta l'inconvertibilité du franc-papier en or.

Le franc perdit rapidement de sa valeur lors du premier conflit mondial, le gouvernement demandant de massives « avances » à la Banque de France, qui lui permirent de régler ses fournisseurs et ses créanciers : l'indice moyen des prix fut multiplié par 7 (par rapport aux prix de la période allant de 1900 à 1910) dès 1925.

Le franc, qui valait originellement 322,5 mg d'or, fut dévalué le 25 juin 1928, sur la base de 65,5 mg d'or, et de nouveau le 1er octobre 1936 (de 43 à 49 mg d'or). En novembre 1938, puis en février 1940, deux dévaluations furent opérées, sous le couvert de « réévaluations du stock d'or de la Banque de France ». Le 29 décembre 1945, le Fonds* monétaire international enregistre une parité du franc de 7,46 mg d'or fin. Le 20 septembre 1949, le franc fut ramené à une parité de 2,53 mg d'or, parité maintenue jusqu'en 1957 (date d'une « taxe à l'importation », de 20 p. 100).

En décembre 1958, le franc fut, une fois de plus, déprécié de 17,5 p. 100 (1,80 mg d'or) puis regroupé (le « nouveau franc » valait alors 180 mg d'or fin). Cette nouvelle unité a joui d'une remarquable stabilité de 1959 à 1969, puis, le 8 août 1969, elle fut dévaluée de 12,5 p. 100 (160 mg d'or fin). Le franc est aujourd'hui une monnaie « flottante » vis-à-vis des autres devises, y compris celles du serpent* européen, dont, pour la seconde fois, elle est sortie en mars 1976. (V. FLOTTEMENT DES MONNAIES OU DES CHANGES, MONNAIE et SERPENT MONÉTAIRE.)

FRANÇAIS. — Langue romane, le français est issu du latin vulgaire parlé en Gaule après la conquête romaine. Le premier texte roman que nous possédons, les *Serments de Strasbourg* (842), présente une langue nettement différenciée du latin, mais dont nous ne connaissons pas l'évolution pendant les huit siècles précédents. Cette langue existe sous la forme de nombreux dialectes, répartis en deux grands groupes (langue d'oc et langue d'oïl); le francien, dialecte de l'Île-de-France, finira, en raison des circonstances historiques, par supplanter les autres et deviendra le français.

Par rapport au latin, l'ancien français (Xe-XIIIe s.) est caractérisé par la réduction de la déclinaison à deux cas, l'extension de l'emploi des prépositions, l'apparition de l'article, le bouleversement de la conjugaison. La période du moyen français (XIVe-XVIe s.) voit le français remplacer peu à peu le latin dans tous ses usages (littéraire, administratif, judiciaire); elle est également marquée par une création lexicale intense (emprunts au latin, au grec, aux dialectes, aux langues voisines); la déclinaison disparaît complètement, avec, pour conséquences, une plus grande rigidité de l'ordre des mots et un usage accru des prépositions. L'époque classique (XVIIe-XVIIIe s.) a élaboré et codifié la langue littéraire : c'est le triomphe du « bel usage »; on travaille à purifier la langue (appauvrissement lexical) et à fixer la syntaxe. La Révolution a inauguré une politique linguistique à l'échelle nationale, qui sera suivie ensuite par tous les régimes : l'école à langue unique impose le français standard aux dépens des dialectes locaux. Le français contemporain est marqué par un écart important entre la langue écrite, relativement fixe, et la langue parlée, qui évolue beaucoup plus rapidement. (V. aussi FRANCOPHONIE.)

Franc Archer de Bagnolet *(le),* monologue comique (1458), le meilleur spécimen du genre.

FRANCASTEL (Pierre), historien d'art français (Paris 1900-*id.* 1970). Professeur de sociologie de l'art à partir de 1948, il s'est attaché à l'étude des systèmes de figuration dans la peinture, comme exprimant de façon autonome, à chaque époque, un certain état de civilisation (*Peinture et société,* 1952; *Art et technique aux XIXe et XXe s.,* 1956; *la Figure et le lieu. L'ordre visuel du quattrocento,* 1967; etc.).

FRANCE, État de l'Europe occidentale; 551 000 km²; 52 500 000 hab. *(Français).* Capit. *Paris.*

GÉOGRAPHIE

• *Le milieu naturel.* La France est le pays d'Europe le plus vaste (en excluant l'U. R. S. S.), mais elle ne vient qu'au quatrième rang, sur le continent, pour la population. Pourtant les conditions naturelles ne sont pas, dans l'ensemble, défavorables.

La haute montagne n'apparaît que dans le Sud-Est (Alpes) et à l'extrémité sud-occidentale (Pyrénées). Les chaînes anciennes, hercyniennes, du Centre (Massif central) et de l'Est (Vosges), le Jura, tertiaire, entre Alpes et Vosges, n'atteignent jamais 2 000 m.

les grandes régions naturelles

	superficie	*altitude moyenne*	*altitude maximale*	*dimensions*
MONTAGNES				
Alpes	35 000 km²	1 121 m	4 807 m	long. 350 km larg. de 80 à 150 km
Pyrénées	17 000 km²	1 008 m	3 298 m	long. 435 km larg. de 20 à 40 km
Jura		660 m	1 723 m	long. 260 km larg. max. 60 km
Corse	8 700 km²	570 m	2 710 m	

MASSIFS ANCIENS ET BASSINS SÉDIMENTAIRES	*superficie en km²*	*altitude moyenne*
Massif central	80 000	715 m
Massif armoricain	65 000	104 m
Bassin parisien	140 000	178 m
Bassin aquitain	80 000	135 m

Enfin, près des deux tiers du territoire se situent à une altitude inférieure à 250 m. La France est donc d'abord un pays de plaines et de bas plateaux, particulièrement développés à l'O. d'une ligne brisée joignant les Pyrénées aux Vosges en passant par le Massif central. Ici s'étendent de vastes régions sédimentaires (Bassin aquitain et surtout Bassin parisien) et des massifs anciens très érodés (Ardennes et surtout Massif armoricain). À l'E., la topographie est plus élevée et accidentée; dans (ou en bordure de) la haute ou la moyenne montagne s'ouvrent bassins et vallées (plaines d'Alsace et de la Saône, basses vallées du Rhône, notamment). La longue façade littorale (plus de 3 000 km) fait alterner côtes rocheuses et généralement élevées (nord de la Bretagne, Provence) et côtes basses et sableuses (Landes, Vendée, Languedoc), cette distribution étant commandée par le relief continental.

Entre 42° et 51° de latitude N., la France est dans la zone des climats tempérés; seule la frange méridionale (surtout à l'E.) appartient au domaine méditerranéen. Comme le relief, le climat peut être caractérisé par sa modération : les températures moyennes de janvier ne descendent pratiquement au-dessous de 0 °C qu'en montagne; les moyennes de juillet n'atteignent jamais 25 °C; le total annuel des précipitations oscille le plus souvent entre 500 et 1 000 mm. Il existe cependant des différenciations régionales. En règle générale, à altitude égale, la rigueur de l'hiver s'accroît avec l'éloignement de la mer; la différence de la moyenne de janvier entre Brest et Strasbourg, villes à latitudes voisines, est éloquente, comme celle du nombre de jours de gelée. La chaleur de l'été augmente vers le sud, l'écart en juillet est net entre Lille, d'une part, Marseille et Nice, d'autre part. Le total des précipitations tend à décroître avec la diminution des influences maritimes : dans l'intérieur (Paris, Nancy, Strasbourg), les précipitations sont beaucoup moins abondantes qu'à proximité de la mer (Brest, Bordeaux). L'éloignement de la mer modifie aussi le régime de ces précipitations, à dominante estivale dans l'intérieur (Paris, Nancy, Strasbourg), à dominante hivernale en bordure de l'Atlantique (Brest, Bordeaux), tombant surtout aux saisons intermédiaires sur la Méditerranée (Marseille, Nice), où la sécheresse estivale est prononcée (hors de ce domaine, il n'existe véritablement aucune période sèche d'une année à l'autre). La latitude intervient aussi dans la détermination du nombre de jours de pluies, inférieur à 100 sur le littoral méditerranéen, alors qu'il oscille généralement entre

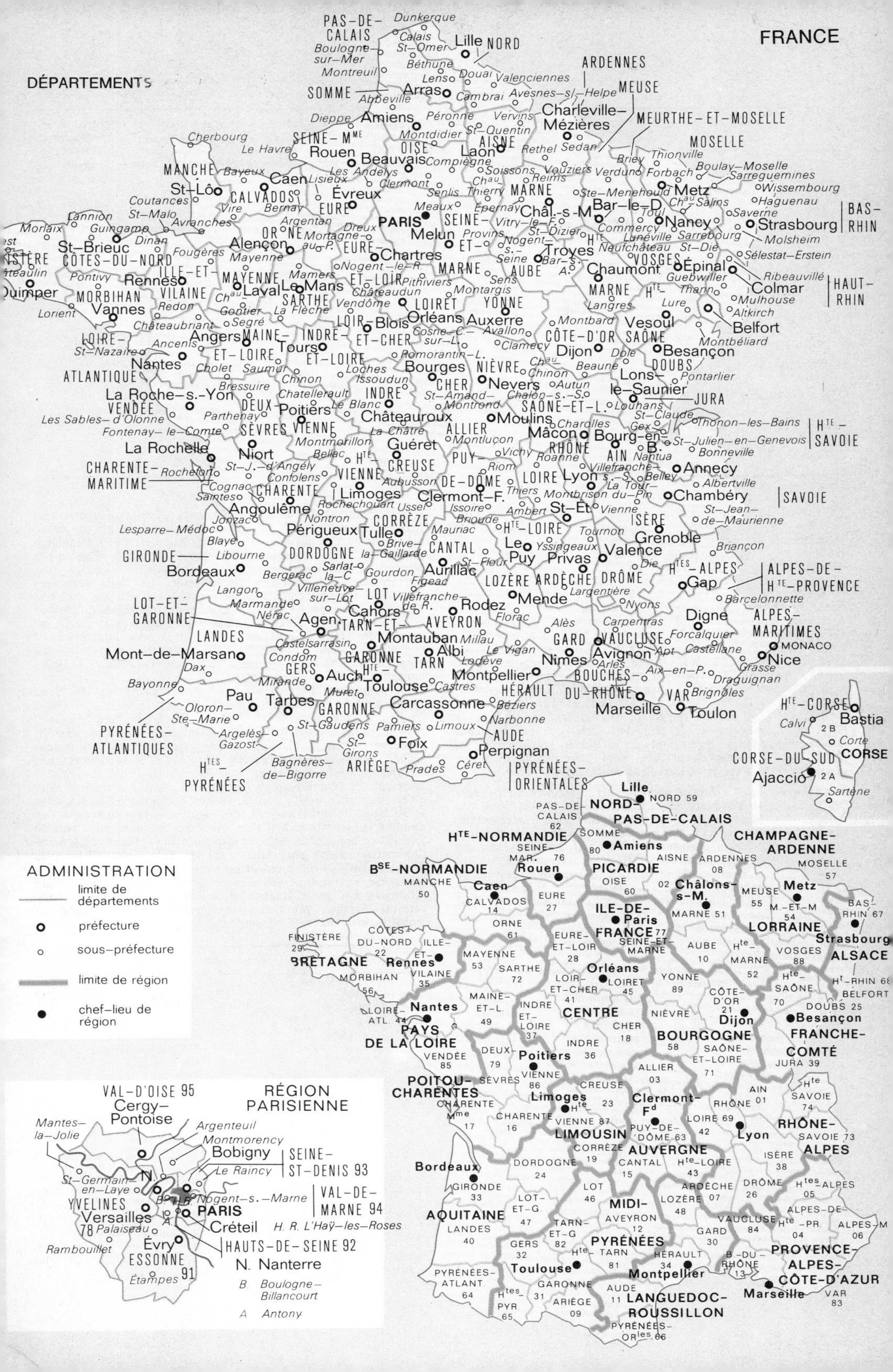
FRANCE
DÉPARTEMENTS
PAS-DE-CALAIS
Dunkerque
Calais
St-Omer
Boulogne-sur-Mer
Montreuil
Béthune
Lille NORD
Lens
Douai
Valenciennes
ARDENNES
SOMME
Arras
Cambrai
Avesnes-s/-Helpe
MEUSE
Abbeville
Dieppe
Amiens
Péronne
Vervins
Charleville-Mézières
MEURTHE-ET-MOSELLE
St-Quentin
Montdidier
AISNE
Rethel
Sedan
MOSELLE
Cherbourg
SEINE-Mme
Le Havre
Rouen
Beauvais
OISE
Compiègne
Laon
Briey
Thionville
Boulay-Moselle
Forbach
Sarreguemines
Wissembourg
MANCHE
Bayeux
Caen
Lisieux
Les Andelys
Clermont
Soissons
Vouziers
Verdun
Reims
St-Lô
CALVADOS
Bernay
Évreux
Senlis
Château-Thierry
MARNE
Ste-Menehould
Metz
Haguenau
Coutances
Vire
EURE
Meaux
Épernay
Châl.-s-M
Bar-le-D
Château-Salins
Saverne
BAS-RHIN
St-Malo
Avranches
Argentan
Dreux
PARIS
SEINE-
Vitry-le-F.
Toul
Nancy
Strasbourg
Lannion
Morlaix
Guingamp
Dinan
ORNE
Mortagne-au-P.
EURE-
Melun
Provins
St-Dizier
Commercy
Lunéville
Sarrebourg
Molsheim
Brest
FINISTÈRE
St-Brieuc
CÔTES-DU-NORD
Fougères
Alençon
Mayenne
Chartres
ET-
Nogent-s.-Seine
Troyes
Bar-s.-A.
Hte-MARNE
Neufchâteau
Saint-Dié
VOSGES
Sélestat-Erstein
Châteaulin
Quimper
ILLE-ET-VILAINE
MAYENNE
Nogent-le-R.
MARNE
AUBE
Chaumont
Épinal
Guebwiller
Ribeauvillé
Pontivy
Rennes
Mamers
Le Mans
ET-LOIR
Pithiviers
Sens
Colmar
HAUT-RHIN
MORBIHAN
Laval
Châteaudun
Montargis
Thann
Château-Gontier
SARTHE
Vendôme
LOIRET
YONNE
Langres
Hte-
Lure
Mulhouse
Lorient
Vannes
Redon
La Flèche
Altkirch
Châteaubriant
Segré
LOIR-
Blois
Orléans
Auxerre
Montbard
Vesoul
Belfort
LOIRE-ATLANTIQUE
Angers
MAINE-ET-LOIRE
INDRE-ET-LOIRE
ET-CHER
Cosne-C.-sur-L.
Avallon
CÔTE-D'OR
SAÔNE
Montbéliard
St-Nazaire
Ancenis
Tours
Romorantin-L.
Clamecy
Dijon
Dole
Besançon
Nantes
Cholet
Saumur
Loches
Bourges
NIÈVRE
Château-Chinon
Beaune
DOUBS
Issoudun
CHER
Nevers
Autun
Lons-le-Saunier
Pontarlier
Bressuire
Chinon
INDRE
St-Amand-Montrond
Chalon-s.-S.
JURA
La Roche-s.-Yon
DEUX-SÈVRES
Chatellerault
Le Blanc
SAÔNE-ET-L.
Louhans
VENDÉE
Parthenay
Poitiers
Châteauroux
Moulins
St-Claude
Les Sables-d'Olonne
Fontenay-le-Comte
VIENNE
La Châtre
ALLIER
Mâcon
Charolles
Bourg-en-B.
Gex
Thonon-les-Bains
Hte-SAVOIE
La Rochelle
Niort
Montmorillon
Guéret
Montluçon
RHÔNE
AIN
St-Julien-en-Genevois
Bonneville
CHARENTE-MARITIME
St-J.-d'Angély
Bellac
Hte-VIENNE
CREUSE
PUY-
Vichy
Roanne
Nantua
Annecy
Rochefort
Confolens
Riom
Villefranche-s.-S.
Belley
Albertville
Cognac
CHARENTE
Aubusson
DE-DÔME
LOIRE
Lyon
La Tour-du-Pin
Chambéry
SAVOIE
Saintes
Limoges
Clermont-F.
Thiers
Montbrison
Angoulême
Rochechouart
Ussel
Issoire
Ambert
St-Ét.
Vienne
St-Jean-de-Maurienne
Jonzac
Nontron
CORRÈZE
Brioude
Hte-LOIRE
ISÈRE
Lesparre-Médoc
Périgueux
Tulle
Mauriac
Tournon
Blaye
Brive-la-Gaillarde
CANTAL
Le Puy
Yssingeaux
Grenoble
Briançon
GIRONDE
Libourne
DORDOGNE
St-Flour
Privas
Valence
Sarlat-la-C
Aurillac
Die
Htes-ALPES
ALPES-DE-Hte-PROVENCE
Bordeaux
Bergerac
Gourdon
Figeac
LOZÈRE
ARDÈCHE
DRÔME
Gap
Langon
Villeneuve-sur-Lot
LOT
Villefranche-de-R.
Mende
Largentière
Barcelonnette
LOT-ET-GARONNE
Marmande
Cahors
Rodez
Nyons
Nérac
Agen
TARN-ET-
AVEYRON
Florac
Digne
ALPES-MARITIMES
LANDES
Castelsarrasin
Montauban
Millau
Alès
Carpentras
Forcalquier
Condom
GARONNE
Albi
Le Vigan
GARD
VAUCLUSE
MONACO
Mont-de-Marsan
Dax
GERS
Auch
TARN
Lodève
Nîmes
Avignon
Apt
Castellane
Nice
Mirande
Hte-
Montpellier
Arles
BOUCHES-
Aix-en-P.
Grasse
Draguignan
Bayonne
Toulouse
Muret
Castres
HÉRAULT
DU-RHÔNE
VAR
Brignoles
Oloron-Ste-Marie
Pau
Tarbes
GARONNE
Carcassonne
Béziers
Marseille
Toulon
Hte-CORSE
Bastia
Argelès-Gazost
St-Gaudens
Pamiers
Limoux
Narbonne
Calvi
2 B
Corte
PYRÉNÉES-ATLANTIQUES
St-Girons
Foix
AUDE
CORSE-DU-SUD
CORSE
Htes-PYRÉNÉES
Bagnères-de-Bigorre
ARIÈGE
Prades
Céret
Perpignan
Ajaccio
2 A
PYRÉNÉES-ORIENTALES
Sartène
Lille
NORD 59
PAS-DE-CALAIS 62
NORD-PAS-DE-CALAIS
Hte-NORMANDIE
SOMME 80
Amiens
CHAMPAGNE-ARDENNE
SEINE-MAR. 76
AISNE
ARDENNES 08
MOSELLE 57
Bse-NORMANDIE
Rouen
PICARDIE
MANCHE 50
Caen
OISE 60
02
Châlons-s-M.
MEUSE 55
Metz
CALVADOS 14
EURE 27
ILE-DE-FRANCE
Paris
77
SEINE-ET-MARNE
MARNE 51
M.-ET-M 54
BAS-RHIN 67
ORNE 61
LORRAINE
Strasbourg
FINISTÈRE 29
CÔTES-DU-NORD 22
ILLE-ET-VILAINE 35
MAYENNE 53
EURE-ET-LOIR 28
AUBE 10
Hte-MARNE 52
VOSGES 88
ALSACE
BRETAGNE
Rennes
SARTHE 72
Orléans
LOIRET 45
YONNE 89
Hte-SAÔNE 70
Ht-RHIN 68
BELFORT
MORBIHAN 56
LOIR-ET-CHER 41
CÔTE-D'OR 21
DOUBS 25
Nantes
LOIRE-ATL. 44
MAINE-ET-L. 49
INDRE-ET-LOIRE 37
CENTRE
NIÈVRE 58
Dijon
Besançon
PAYS DE LA LOIRE
CHER 18
BOURGOGNE
FRANCHE-COMTÉ
VENDÉE 85
DEUX-SÈVRES 79
Poitiers
INDRE 36
SAÔNE-ET-LOIRE 71
JURA 39
POITOU-CHARENTES
VIENNE 86
CREUSE 23
ALLIER 03
Clermont-Fd
AIN 01
Hte-SAVOIE 74
CHARENTE-Mme 17
CHARENTE 16
Limoges
Hte-VIENNE 87
PUY-DE-DÔME 63
LOIRE 42
RHÔNE 69
Lyon
RHÔNE-ALPES
SAVOIE 73
LIMOUSIN
AUVERGNE
CORRÈZE 19
CANTAL 15
Hte-LOIRE 43
ISÈRE 38
Bordeaux
DORDOGNE 24
GIRONDE 33
LOT 46
LOZÈRE 48
ARDÈCHE 07
DRÔME 26
Htes-ALPES 05
MIDI-PYRÉNÉES
AQUITAINE
LOT-ET-G. 47
AVEYRON 12
VAUCLUSE 84
ALPES-DE-Hte-PR. 04
ALPES-M 06
LANDES 40
TARN-ET-G 82
GARD 30
GERS 32
Hte-GARONNE 31
TARN 81
HÉRAULT 34
B-DU-RHÔNE 13
PROVENCE-ALPES-CÔTE-D'AZUR
Toulouse
Montpellier
Marseille
VAR 83
PYRÉNÉES-ATLANT. 64
Htes-PYR. 65
ARIÈGE 09
AUDE 11
LANGUEDOC-ROUSSILLON
PYRÉNÉES-ORles 66
ADMINISTRATION
limite de départements
préfecture
sous-préfecture
limite de région
chef-lieu de région
RÉGION PARISIENNE
VAL-D'OISE 95
Cergy-Pontoise
Mantes-la-Jolie
Argenteuil
Montmorency
Bobigny
SEINE-ST-DENIS 93
Le Raincy
St-Germain-en-Laye
N.
YVELINES 78
Versailles
Nogent-s.-Marne
VAL-DE-MARNE 94
PARIS
Créteil
H. R. L'Haÿ-les-Roses
Palaiseau
Rambouillet
Évry
HAUTS-DE-SEINE 92
ESSONNE 91
N. Nanterre
Étampes
B. Boulogne-Billancourt
A. Antony

données climatiques

	climat méditerranéen		*climat océanique*			*climat océanique dégradé*				*climat de montagne*
	Marseille	*Nice*	*Brest*	*Lille*	*Bordeaux*	*Paris*	*Nancy*	*Strasbourg*	*Lyon*	*Bourg-Saint-Maurice*
TEMPÉRATURES										
janvier, en °C	5,7	8,3	6,1	2,5	5,4	3,2	0,9	0,6	2,2	− 1,3
juillet, en °C	23	22,4	15,7 (16,1 en août)	17,2	19,5 (19,6 en août)	19,1	18,2	19,1	20,7	17,7
amplitude moyenne annuelle, en °C	17,3	14,1	10	14,7	14,2	15,9	17,3	18,5	18,5	19
nombre de jours de gelée	38	3	17	61	44	53	82	83	63	115
PLUIES										
total annuel, en mm	546	862	1 129	637	900	585	712	607	813	924
nombre de jours de pluies	76	86	201	171	162	155	161	158	145	145
mois le plus sec, en mm	11 (juill.)	20 (juill.)	56 (juin)	37 (mars)	48 (avr.)	32 (mars)	41 (mars)	30 (mars)	46 (févr.)	50 (avr.)
mois le plus arrosé, en mm	76 (oct.)	129 (nov.)	150 (déc.)	63 (juill., août, oct.)	109 (déc.)	62 (août)	67 (août, janv.)	80 (août)	93 (sept.)	102 (janv.)
ENSOLEILLEMENT, EN HEURES	2 763	2 778	1 729	1 574	2 050	1 833	1 702	1 685	2 072	?

150 et 200 (approximativement un jour sur deux sur le reste du territoire). La durée annuelle moyenne de l'ensoleillement est fréquemment inférieure à 2 000 heures à proximité de la mer du Nord et de la Manche (Lille, Rouen) ou de l'Atlantique (Brest, Nantes, et même Biarritz) et dans l'intérieur (Paris, Reims, Strasbourg). Elle dépasse, en revanche, 2 500 heures sur le pourtour méditerranéen, à l'O. (Perpignan, Montpellier) et à l'E. (Marseille, Nice) du Rhône, et naturellement en Corse.

Le relief et le climat conditionnent (avec les sols) la végétation. Celle-ci, toutefois, n'existe pratiquement plus à l'état naturel. La plus grande des forêts (qui couvrent au total le cinquième du territoire), celle des Landes, est une création de l'homme. L'arbre (hêtre, chêne) s'est cependant maintenu sur le pourtour de l'agglomération parisienne et, plus généralement (conifères prédominants), dans les montagnes de l'Est (Vosges, Jura et Alpes du Nord). Il n'existe pas de très grands fleuves, tant par la longueur (seule la Loire dépasse, de peu, 1 000 km) que par le débit. Néanmoins, le réseau hydrographique est dense, utilisé parfois en plaine pour le transport, et localement pour l'hydroélectricité, développée aussi sur les cours d'eau montagnards.

• *La population.* La densité moyenne est légèrement inférieure à 100 habitants au kilomètre carré. C'est, de loin, la plus faible des densités des grands États industrialisés de l'Europe occidentale. Pourtant, cette densité s'est accrue depuis une trentaine d'années puisque la population a augmenté d'un quart, soit d'une dizaine de millions d'unités depuis 1945. Cette progression se ralentit aujourd'hui avec la chute récente du taux de natalité au-dessous de 15 p. 1 000, alors même que le taux de mortalité ne descend pas au-dessous de 10 p. 1 000. L'excédent naturel annuel devient ainsi inférieur à 250 000 unités et on observe un vieillissement de la population. La part des moins de 20 ans dépasse de peu 30 p. 100 de la population totale, alors que celle des 65 ans et plus approche aujourd'hui 15 p. 100.

La population n'est évidemment pas répartie d'une manière uniforme sur le territoire national. Il existe des zones plus ou moins étendues de fortes concentrations humaines et des régions plus ou moins vides d'hommes. L'agglomération parisienne concentre le cinquième de la population française sur le centième de la superficie française. Son poids démographique est de l'ordre de huit fois ceux de Lyon et de Marseille, les deux plus grandes agglomérations provinciales. Les autres secteurs fortement peuplés sont, notamment, les régions anciennement industrialisées (Nord, Pas-de-Calais et Lorraine houillère et sidérurgique), l'Alsace et les estuaires des fleuves, sites portuaires (Basse-Seine de Rouen au Havre, agglomérations de Nantes et de Bordeaux). En contrepartie, le sud du Massif central et une partie des Alpes du Sud sont presque vides; la densité y descend souvent au-dessous de 20, alors qu'elle dépasse généralement 200 dans les régions peuplées précédemment citées. Ce contraste n'est pas nouveau et résulte, partiellement, d'une évolution, longue de plus de un siècle, correspondant largement à l'exode rural, au transfert de population de la campagne vers les villes, de l'agriculture vers l'industrie et — plus tard et moins nettement — vers les services.

Plus des deux tiers des Français vivent dans des communes urbaines (au moins 2 000 habitants groupés). Une quarantaine de villes dépassent 100 000 habitants, mais six agglomérations seulement comptent plus de 500 000 habitants. Démographiquement (et encore davantage politiquement et économiquement) le réseau urbain est dominé par Paris. On a défini huit métropoles d'équilibre (Lyon, Marseille, Lille, Nancy, Strasbourg, Bordeaux, Toulouse et Nantes) pour contrebalancer l'influence parisienne, aménager plus rationnellement le territoire, mais seules les deux premières disposent des équipements de divers niveaux leur assurant une certaine autonomie. La création de Régions (regroupant un nombre variable de départements) n'est pas encore apparue plus efficace dans le domaine d'une nécessaire décentralisation non seulement des établissements industriels (difficile en régime libéral), mais aussi des équipements supérieurs, du pouvoir de décision, toujours concentrés à Paris.

La population active représente approximativement les deux cinquièmes de la population totale, dépassant donc légèrement 20 millions d'unités : le secteur primaire (agriculture, accessoirement pêche et sylviculture), prédominant au siècle dernier, n'occupe plus que le dixième de cette population active, le secteur secondaire (industrie) en emploie 40 p. 100 et le secteur tertiaire (commerce, Administration, etc.) la moitié, étant devenu le principal créateur d'emplois depuis une dizaine d'années, alors qu'apparaît stabilisée la part du secteur secondaire. Celui-ci (avec le bâtiment) occupe la majorité des étrangers vivant en France. Ces derniers (non-actifs inclus) sont environ 3 millions, guère plus de 5 p. 100 de la population totale, mais, localement (dans l'agglomération parisienne en particulier, dans les villes industrielles plus généralement), ils représentent un pourcentage bien supérieur. Ces étrangers sont surtout des travailleurs de l'Europe méridionale (Portugais, Espagnols, Italiens) et de l'Afrique du Nord (Algériens surtout), occupés presque exclusivement aux tâches pénibles (construction, mines et sidérurgie).

les régions

1	Alsace	13	Lorraine
2	Aquitaine	14	Midi-Pyrénées
3	Auvergne	15	Nord-Pas-de-Calais
4	Bourgogne	16	Normandie (Basse-)
5	Bretagne	17	Normandie (Haute-)
6	Centre	18	Pays de la Loire
7	Champagne-Ardenne	19	Picardie
8	Corse	20	Poitou-Charentes
9	Franche-Comté	21	Provence-Alpes-Côte d'Azur
10	Île-de-France	22	Rhône-Alpes
11	Languedoc-Roussillon		
12	Limousin		

• *L'économie. — L'agriculture.* Malgré la part relativement faible des actifs occupés dans le secteur primaire, la France est, de loin, la première puissance agricole d'Europe (U. R. S. S. exclue). Elle le doit à l'étendue et à la qualité des superficies cultivables, également à l'action de l'homme (mécanisation, engrais). La superficie agricole utilisée, ou S. A. U., est de l'ordre de 325 000 km², représentant près de 60 p. 100 de la superficie totale, proportion extrêmement élevée pour un pays de cette étendue. Les terres

ÉCONOMIE

économie industrielle

nombre d'ouvriers de l'industrie (par région)

- plus de 250 000
- de 150 000 à 250 000
- de 100 000 à 150 000
- moins de 100 000

principales activités industrielles

dans chaque cadre, seules ont été retenues les industries dans lesquelles la région est spécialisée

extraction: houille, fer, hydrocarbures, autres minerais

- sidérurgie, 1ère transform. de l'acier
- fonderie, travail des métaux
- grosse et moyenne mécanique
- machines-outils
- mécanique de précision
- constr. automobile
- constr. navale
- constr. aéronautique
- fabr. de machines agricoles
- constr. électrique et électronique
- travail des métaux non ferreux
- textiles, bonneterie
- confection
- papier, carton
- imprimerie, édition
- pétrole et carburant
- gaz et électricité
- chimie, pharmacie
- ind. du caoutchouc
- transf. des matières plastiques
- ind. du verre
- travail du bois
- ameublement
- matériaux de construction
- ind. du cuir, chaussures
- ind. diverses

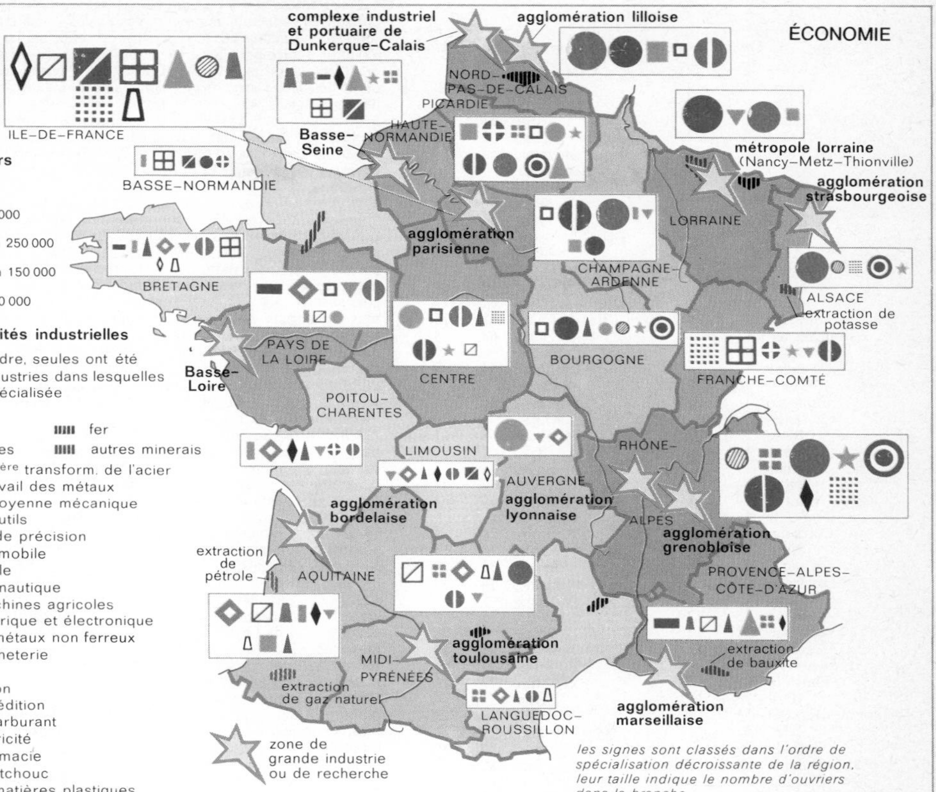

zone de grande industrie ou de recherche

les signes sont classés dans l'ordre de spécialisation décroissante de la région, leur taille indique le nombre d'ouvriers dans la branche

- plus de 50 000
- de 25 000 à 50 000
- de 12 500 à 25 000
- de 7 000 à 12 500
- de 2 500 à 7 000

économie agricole

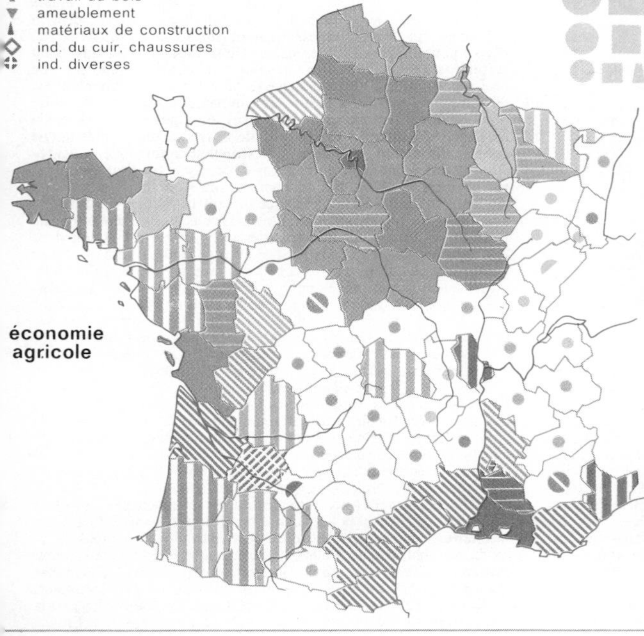

origine principale du revenu agricole

- viande
- lait
- élevage et polyculture
- polyculture et élevage
- grande culture
- cultures spéciales (vignes, fruits, légumes)

distribution régionale et tendance du revenu agricole

- revenu par hectare et par personne supérieur à la moyenne ; en augmentation
- revenu supérieur à la moyenne, mais tendance au recul
- revenu inférieur à la moyenne nationale, mais en augmentation
- revenu inférieur à la moyenne et en stagnation ou en diminution

seul le revenu par personne est supérieur à la moyenne:

- tendance à l'augmentation
- tendance à la diminution

seul le revenu par hectare est supérieur à la moyenne:

- tendance à l'augmentation
- tendance à la diminution

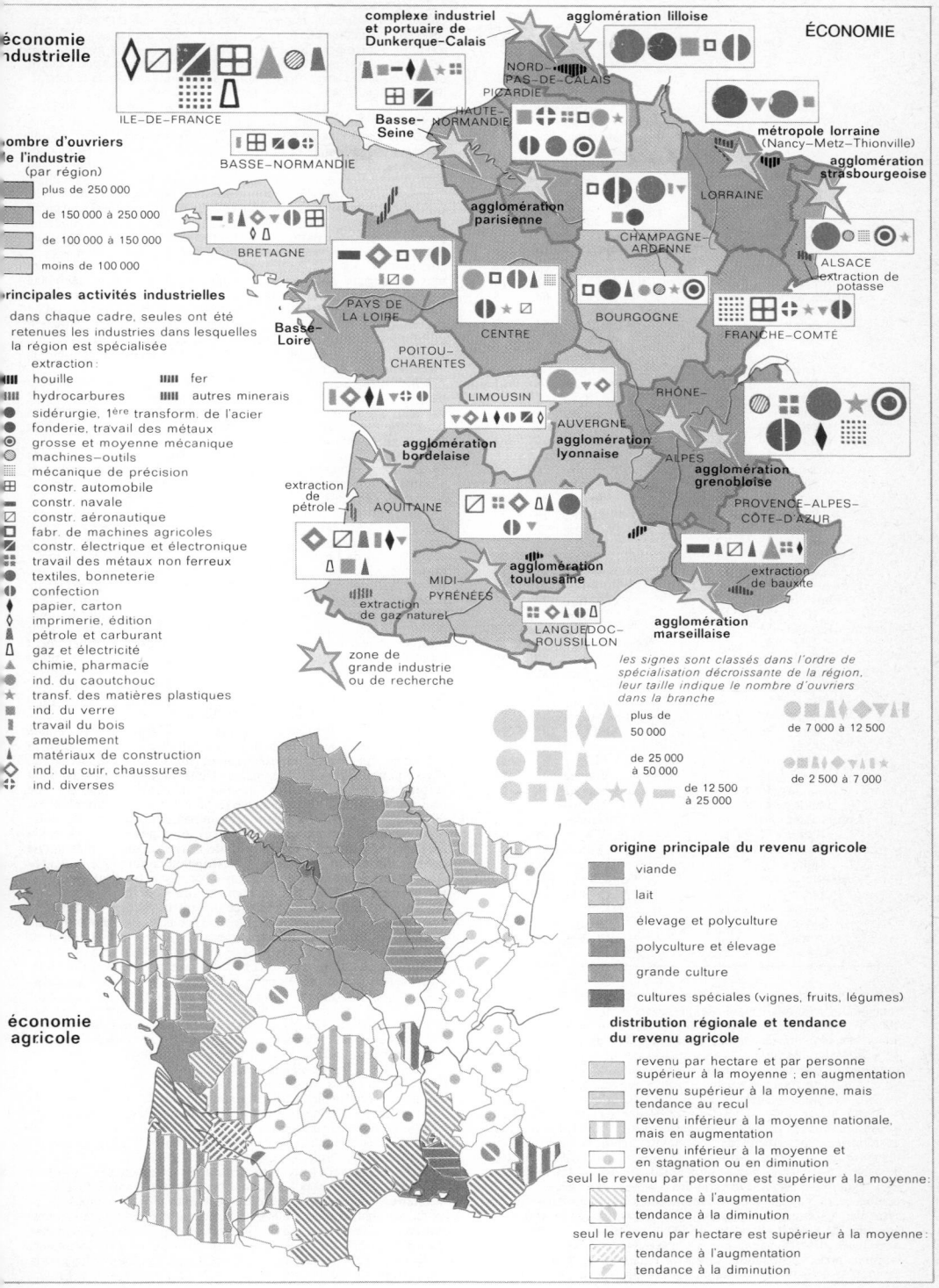

les départements

Nom	Code	Région
Ain	01	22
Aisne	02	19
Allier	03	3
Alpes-de-Haute-Provence	04	21
Alpes (Hautes-)	05	21
Alpes-Maritimes	06	21
Ardèche	07	22
Ardennes	08	7
Ariège	09	14
Aube	10	7
Aude	11	11
Aveyron	12	14
Belfort (Territoire de)	90	9
Bouches-du-Rhône	13	21
Calvados	14	16
Cantal	15	3
Charente	16	20
Charente-Maritime	17	20
Cher	18	6
Corrèze	19	12
Corse-du-Sud	20	8
Corse (Haute-)	20	8
Côte-d'Or	21	4
Côtes-du-Nord	22	5
Creuse	23	12
Dordogne	24	2
Doubs	25	9
Drôme	26	22
Essonne	91	10
Eure	27	17
Eure-et-Loir	28	6
Finistère	29	5
Gard	30	11
Garonne (Haute-)	31	14
Gers	32	14
Gironde	33	2
Hauts-de-Seine	92	10
Hérault	34	11
Ille-et-Vilaine	35	5
Indre	36	6
Indre-et-Loire	37	6
Isère	38	22
Jura	39	9
Landes	40	2
Loir-et-Cher	41	6
Loire	42	22
Loire (Haute-)	43	3
Loire-Atlantique	44	18
Loiret	45	6
Lot	46	14
Lot-et-Garonne	47	2
Lozère	48	11
Maine-et-Loire	49	18
Manche	50	16
Marne	51	7
Marne (Haute-)	52	7
Mayenne	53	18
Meurthe-et-Moselle	54	13
Meuse	55	13
Morbihan	56	5
Moselle	57	13
Nièvre	58	4
Nord	59	15
Oise	60	19
Orne	61	16
Pas-de-Calais	62	15
Puy-de-Dôme	63	3
Pyrénées-Atlantiques	64	2
Pyrénées (Hautes-)	65	14
Pyrénées-Orientales	66	11
Rhin (Bas-)	67	1
Rhin (Haut-)	68	1
Rhône	69	22
Saône (Haute-)	70	9
Saône-et-Loire	71	4
Sarthe	72	18
Savoie	73	22
Savoie (Haute-)	74	22
Paris (ville de)	75	10
Seine-Maritime	76	17
Seine-et-Marne	77	10
Seine-Saint-Denis	93	10
Sèvres (Deux-)	79	20
Somme	80	19
Tarn	81	14
Tarn-et-Garonne	82	14
Val-de-Marne	94	10
Val-d'Oise	95	10
Var	83	21
Vaucluse	84	21
Vendée	85	18
Vienne	86	20
Vienne (Haute-)	87	12
Vosges	88	13
Yonne	89	4
Yvelines	78	10
Guadeloupe	971	
Martinique	972	
Guyane française	973	
Réunion	974	

labourables occupent approximativement la moitié de la S. A. U., fournissant essentiellement des céréales (qui couvrent plus de 100 000 km^2, ou 10 Mha) et des plantes fourragères (sur une superficie moindre de moitié). La France produit annuellement de 15 à 20 Mt de blé (ce qui la situe au cinquième ou au sixième rang mondial); la production de maïs s'est considérablement développée depuis une vingtaine d'années et, avec un apport de l'ordre de 10 Mt, se situe désormais au niveau de la production d'orge. Toujours en excluant l'U. R. S. S., la France vient au premier rang en Europe pour la fourniture de betteraves à sucre (plus de 20 Mt), au quatrième pour celle de pommes de terre. Avec l'Italie, elle demeure actuellement le premier producteur mondial de vin (60 à 90 Mhl). Le troupeau bovin (plus de 20 millions de têtes) est aussi le premier d'Europe. Les grandes régions céréalières sont les plaines et les plateaux parfois limoneux du Bassin parisien (Beauce, Picardie, Champagne crayeuse), les terrains sédimentaires ou amendés de l'Ouest (Bretagne orientale et Poitou-Charentes) et du Sud-Ouest (Bassin aquitain). L'élevage est surtout associé aux cultures, mais il prédomine parfois largement sur les terres humides favorables à l'herbe (Normandie, Alpes du Nord).

L'agriculture n'est cependant pas sans problèmes. Malgré une diminution constante, le nombre des exploitations est encore élevé (près de 1,5 million) et la superficie moyenne est faible (de l'ordre de 20 ha seulement). Le dixième des exploitations, à peine, a plus de 50 ha, alors que 600 000 exploitations environ comptent moins de 10 ha. Cette structure, à dominante familiale, soulève parfois des problèmes de rentabilité, de même que l'efficacité est hypothéquée par une moyenne d'âge des exploitants souvent élevée, proche de la cinquantaine. La création de multiples organismes aux fins diverses (C. U. M. A. [coopératives d'utilisation du matériel agricole]; C. E. T. A. [centres d'études des techniques agricoles]; G. A. E. C. [groupements agricoles d'exploitation en commun]; G. P. A. [groupements de producteurs agricoles]; S. I. C. A. [sociétés d'intérêts collectifs agricoles]; S. A. F. E. R. [sociétés d'aménagement foncier et d'établissement rural]) ne suffit pas à résoudre des difficultés liées à l'écoulement de la production, parfois à sa valorisation. La surproduction est fréquente (vin, notamment), conduisant à un effondrement des cours, et le Marché commun, réunissant, en dehors de la France, des États souvent plus industriels qu'agricoles, n'a pas toujours été le débouché espéré, à la mesure d'une production souvent excédentaire sur le plan national. Malgré l'étendue des côtes, la France n'occupe qu'un rang modeste pour la pêche. Le tonnage des prises est nettement inférieur au million de tonnes. Boulogne-sur-Mer et la côte méridionale de la Bretagne (Lorient, Concarneau) concentrent la majeure partie de ces prises.

L'industrie. Environ 8 millions de personnes sont employées dans l'industrie (dont un quart dans le bâtiment et les travaux publics), qui assure (toujours avec la construction) un peu plus de la moitié du produit national brut (alors que l'agriculture n'en fournit guère que le quinzième).

Dans le domaine énergétique, le fait marquant est l'ampleur de l'écart entre production à partir de ressources métropolitaines et consommation nationale. La production de houille (Lorraine et Nord - Pas-de-Calais, principalement) a considérablement reculé depuis 1960 et est tombée au-dessous de 25 Mt, celle de lignite est négligeable, de même que l'extraction du pétrole brut. En revanche, grâce à Lacq, l'apport du gaz naturel est plus appréciable (7 Gm^3), comme celui de l'hydroélectricité (de l'ordre de 60 TWh, en année moyenne). La thermoélectricité nucléaire se développe, mais ne fournit encore qu'une part restreinte de la production globale d'électricité (inférieure à 200 TWh), provenant principalement de la thermoélectricité classique, en grande partie à base de combustibles importés (fuel, principalement). En fait, la France dépend, pour plus des trois quarts, d'énergie importée, de pétrole essentiellement (plus de 100 Mt chaque année, raffinées surtout près des ports d'importation [Basse-Seine et région marseillaise surtout], provenant en majeure partie du Proche-Orient, en particulier du monde arabe). Le pétrole assure plus de la moitié d'une consommation globale d'énergie de l'ordre de 250 Mtec.

La métallurgie bénéficie de la présence d'importants gisements de fer (en Lorraine) et de bauxite. La sidérurgie s'est initialement implantée sur le fer, accessoirement sur le charbon, avant de migrer partiellement vers les côtes (Dunkerque et Fos), travaillant surtout coke, ou charbon à coke, et minerai importés. La production annuelle d'acier dépasse 25 Mt. Celle d'aluminium est de l'ordre de 400 000 t : forte consommatrice d'électricité, cette production est surtout concentrée dans les Alpes et dans la région de Lacq, alimentée ici par la centrale d'Artix. Dans la métallurgie de transformation domine la construction automobile, orientée surtout vers le montage de voitures de tourisme (environ 3 millions par an, près de 90 p. 100 du nombre total de véhicules sortis) et implantée dans la région parisienne et dans la vallée de la Seine en aval de Paris, à Sochaux, à Montbéliard, dans les agglomérations de Lyon et de Rennes. La construction aéronautique est établie dans la région parisienne et dans le Sud-Ouest (autour de Toulouse). Les principaux chantiers navals sont implantés à Saint-Nazaire. L'industrie textile est développée surtout dans le Nord (la laine prédomine), dans l'Est (coton principalement, représenté aussi dans la région de Rouen) et dans l'agglomération lyonnaise (textiles artificiels et synthétiques). Le textile est depuis longtemps en crise et voit son effectif diminuer, au contraire de la chimie, surtout la chimie organique, dont l'essor a été parallèle à celui du raffinage du pétrole, qui l'approvisionne en matières premières. Les autres industries notables sont liées au secteur primaire (industries du bois et dérivés [papier, carton, ameublement] et surtout industries alimentaires [à base de céréales ou de cultures industrielles, comme les sucreries et les brasseries, ou fruitières, comme les conserveries, ou à base de lait, comme les beurreries et les fromageries]).

Le rapport est étroit entre niveaux d'industrialisation, d'urbanisation et, plus généralement, de densité de peuplement. La région parisienne, le Nord et la Lorraine septentrionale, les agglomérations lyonnaise et marseillaise assurent, en valeur, plus de la moitié de la production industrielle. Celle-ci, concentrée sur le plan spatial, tend encore à l'être davantage financièrement. Dans les grandes branches (à l'exception du bâtiment), un petit nombre de grandes sociétés (parfois par le biais de filiales) assurent (ou contrôlent) la majeure partie de la production. Les Charbonnages de France

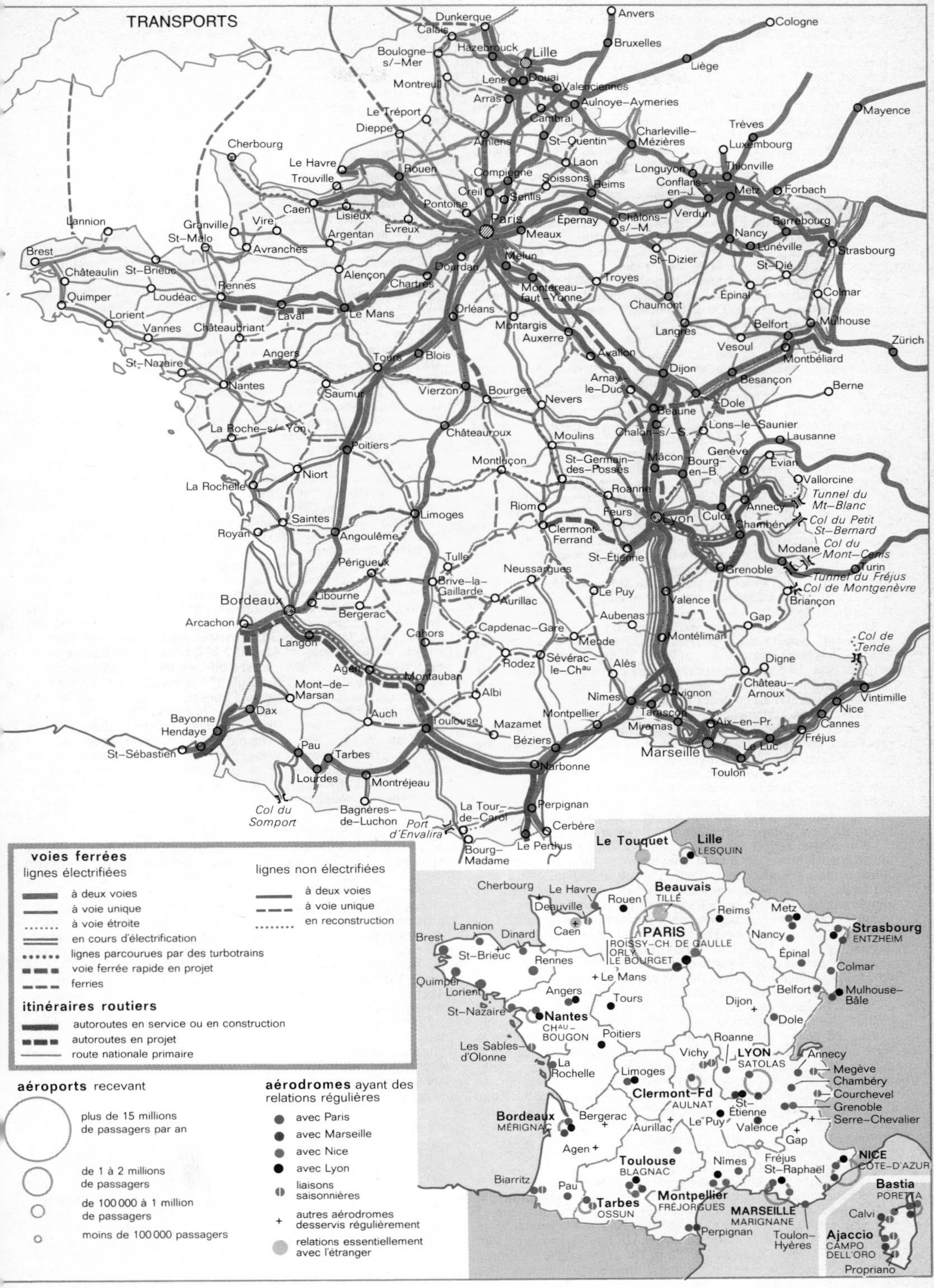
TRANSPORTS
Dunkerque
Calais
Boulogne-s/-Mer
Hazebrouck
Lille
Anvers
Bruxelles
Cologne
Liège
Montreuil
Lens
Douai
Valenciennes
Arras
Aulnoye-Aymeries
Cambrai
Le Tréport
Dieppe
Amiens
St-Quentin
Charleville-Mézières
Mayence
Trèves
Luxembourg
Thionville
Cherbourg
Le Havre
Trouville
Rouen
Compiègne
Laon
Soissons
Longuyon
Conflans-en-J.
Metz
Forbach
Creil
Senlis
Reims
Caen
Lisieux
Pontoise
Paris
Épernay
Châlons-s/-M.
Verdun
Sarrebourg
Lannion
Granville
Vire
Evreux
Meaux
Nancy
St-Malo
Argentan
Lunéville
Strasbourg
Brest
Avranches
Dourdan
Melun
St-Dizier
Châteaulin
St-Brieuc
Alençon
Chartres
Troyes
St-Dié
Quimper
Rennes
Loudéac
Montereau-faut-Yonne
Épinal
Colmar
Lorient
Laval
Le Mans
Orléans
Chaumont
Vannes
Châteaubriant
Montargis
Auxerre
Langres
Belfort
Mulhouse
Zürich
Vesoul
Montbéliard
Angers
Tours
Blois
Avallon
St-Nazaire
Nantes
Saumur
Vierzon
Bourges
Nevers
Arnay-le-Duc
Dijon
Besançon
Berne
Dole
Beaune
La Roche-s/-Yon
Châteauroux
Moulins
Chalon-s/-S.
Lons-le-Saunier
Lausanne
Poitiers
Montluçon
St-Germain-des-Fossés
Mâcon
Bourg-en-B.
Genève
Evian
Niort
Vallorcine
La Rochelle
Roanne
Tunnel du Mt-Blanc
Riom
Annecy
Saintes
Limoges
Feurs
Lyon
Culoz
Chambéry
Col du Petit St-Bernard
Royan
Angoulême
Clermont-Ferrand
Col du Mont-Cenis
Tulle
St-Étienne
Modane
Périgueux
Neussargues
Grenoble
Turin
Tunnel du Fréjus
Bordeaux
Libourne
Brive-la-Gaillarde
Le Puy
Col de Montgenèvre
Aurillac
Valence
Briançon
Arcachon
Bergerac
Aubenas
Gap
Langon
Cahors
Capdenac-Gare
Mende
Montélimar
Col de Tende
Rodez
Sévérac-le-Château
Digne
Agen
Montauban
Alès
Mont-de-Marsan
Albi
Avignon
Château-Arnoux
Nîmes
Vintimille
Dax
Auch
Montpellier
Tarascon
Nice
Bayonne
Hendaye
Toulouse
Mazamet
Miramas
Aix-en-Pr.
Cannes
Béziers
Fréjus
St-Sébastien
Pau
Tarbes
Marseille
Le Luc
Narbonne
Lourdes
Montréjeau
Toulon
Col du Somport
Bagnères-de-Luchon
La Tour-de-Carol
Perpignan
Port d'Envalira
Cerbère
Bourg-Madame
Le Perthus
voies ferrées
lignes électrifiées
à deux voies
à voie unique
à voie étroite
en cours d'électrification
lignes parcourues par des turbotrains
voie ferrée rapide en projet
ferries
lignes non électrifiées
à deux voies
à voie unique
en reconstruction
itinéraires routiers
autoroutes en service ou en construction
autoroutes en projet
route nationale primaire
aéroports recevant
plus de 15 millions de passagers par an
de 1 à 2 millions de passagers
de 100 000 à 1 million de passagers
moins de 100 000 passagers
aérodromes ayant des relations régulières
avec Paris
avec Marseille
avec Nice
avec Lyon
liaisons saisonnières
autres aérodromes desservis régulièrement
relations essentiellement avec l'étranger
Le Touquet
Lille LESQUIN
Beauvais TILLÉ
Cherbourg
Le Havre
Deauville
Rouen
Reims
Metz
Strasbourg ENTZHEIM
Caen
PARIS ROISSY-CH. DE GAULLE ORLY LE BOURGET
Nancy
Lannion
Dinard
Brest
St-Brieuc
Épinal
Rennes
Colmar
Quimper
Lorient
Le Mans
Belfort
Mulhouse-Bâle
Angers
Tours
Dijon
St-Nazaire
Nantes CHÂTEAU-BOUGON
Dole
Poitiers
Les Sables-d'Olonne
Roanne
Vichy
LYON SATOLAS
Annecy
La Rochelle
Limoges
Megève
Chambéry
Clermont-Fd AULNAT
Courchevel
St-Étienne
Grenoble
Bordeaux MÉRIGNAC
Bergerac
Aurillac
Le Puy
Valence
Serre-Chevalier
Gap
Agen
Toulouse BLAGNAC
Nîmes
Fréjus St-Raphaël
NICE CÔTE-D'AZUR
Biarritz
Pau
Bastia PORETTA
Tarbes OSSUN
Montpellier FRÉJORGUES
MARSEILLE MARIGNANE
Calvi
Perpignan
Toulon-Hyères
Ajaccio CAMPO DELL'ORO
Propriano

contrôlent la quasi-totalité de la production houillère et E. D. F., celle de l'électricité. Lacq est la propriété d'Elf-Aquitaine, présent dans l'industrie pétrolière à côté de la Compagnie française des pétroles et des filiales des grands groupes internationaux. Usinor et Wendel-Sidelor dominent la sidérurgie, Pechiney, l'aluminium, Renault, Peugeot-Citroën, Chrysler (Simca), l'automobile, etc. Le chiffre d'affaires consolidé de chacune de ces sociétés dépasse, parfois très largement, les 10 milliards de francs; ces entreprises exportent souvent une part notable de leur production et possèdent des établissements à l'étranger. En contrepartie, la pénétration des capitaux extérieurs (surtout américains) est notable dans quelques branches essentielles (pétrole, nucléaire, électronique, constructions électriques, notamment).

Les transports. Le réseau routier développe environ 700 000 km, dont 70 000 km de routes nationales et environ 2 500 km d'autoroutes. Sa densité élevée est en rapport avec l'importance du parc automobile, proche de 20 millions de véhicules. Le réseau routier supporte un trafic de marchandises proche de 2 milliards de tonnes (près de 100 milliards de tonnes kilométriques). La longueur des voies ferrées est légèrement inférieure à 35 000 km (un peu plus de 9 000 km sont électrifiés), le tonnage annuel de marchandises transportées est supérieur à 250 Mt, correspondant (le parcours moyen étant sensiblement plus long que par route) à plus de 70 milliards de tonnes kilométriques. La navigation intérieure joue un rôle moindre, la longueur des voies navigables (aux gabarits très différents) dépasse légèrement 7 000 km, permettant le transport d'un peu plus de 100 Mt de marchandises, correspondant à moins d'une quinzaine de milliards de tonnes kilométriques. Le réseau aérien intérieur, desservant les principales villes, transporte seulement 6 000 t de fret, mais son rôle est notable pour les passagers (plus de 4 millions annuellement). Le trafic international passe presque exclusivement par les aéroports parisiens (Charles-de-Gaulle à Roissy, et Orly). Les échanges avec l'extérieur s'effectuent en bonne part (au moins en poids) par les ports maritimes : plus de 300 Mt, dont les deux tiers dans les deux grands ports de Marseille et du Havre, et près des neuf dixièmes dans les six premiers ports, les ports « autonomes » (aux deux cités s'ajoutent Dunkerque, Nantes, Rouen et Bordeaux). Les hydrocarbures représentent plus des deux tiers du trafic maritime total, ce qui explique la nette prépondérance globale des entrées sur les sorties. La flotte marchande nationale (plus de 15 Mtjb, dont les deux tiers de pétroliers) n'assure qu'une partie de ce trafic. (V. carte p. 757.)

La place du commerce extérieur est importante, accrue notamment avec la mise en vigueur du Marché commun. Les exportations représentent à peu près le cinquième du produit national brut. La balance commerciale est devenue déficitaire. Aux importations dominent les hydrocarbures, les produits alimentaires d'origine tropicale. La part des achats de machines et de matériel de transport est également élevée, mais moins que celle du même poste aux exportations, dont il constitue l'élément essentiel, précédant les denrées alimentaires (blé, vin, etc.). La majeure partie des échanges s'effectue avec les autres pays membres du Marché commun (surtout aux exportations : environ 60 p. 100), la part de la zone franc est tombée au-dessous de 5 p. 100, moins du dixième des échanges s'opèrent avec les États-Unis. La part des pays en voie de développement est plus élevée aux entrées, en raison du coût d'importation des hydrocarbures.

Le tourisme estival (développé surtout sur le pourtour de la Méditerranée et sur le littoral atlantique) et hivernal (Alpes du Nord) occupe une place importante. Plus de 10 millions d'étrangers par an passent ou séjournent en France, mais le gain de devises est annulé par les dépenses des millions de Français qui prennent leurs vacances hors de l'Hexagone, ne contribuant pas à réduire le déficit de la balance commerciale. Ce déficit est accru par les envois de fonds des travailleurs immigrés. La balance des paiements ne peut être équilibrée que par un excédent des entrées de capitaux publics et privés ou par une diminution des réserves, deux solutions qui ne peuvent être que temporaires, surtout la seconde. Le problème se pose surtout au niveau des échanges commerciaux, que la hausse brutale du prix du pétrole, dont la France est dépourvue, a déséquilibrés et qui souffrent aussi de la forte inflation réduisant la compétitivité des produits français sur le marché international. On s'explique ainsi les dévaluations périodiques qui jalonnent l'histoire économique française depuis plus de un quart de siècle. Elles stimulent les exportations jusqu'à ce que l'avantage procuré soit annulé par une montée des prix plus rapide qu'à l'étranger. Ce problème n'a pas empêché une très sensible croissance de l'économie, particulièrement rapide dans les années 60, fortement ralentie avec la crise de l'énergie, freinage qui a provoqué une montée du chômage.

Cette croissance économique marquée de l'après-guerre se traduit éloquemment par quelques repères montrant que le niveau de vie moyen est l'un des plus élevés d'Europe. Le produit national brut par tête est de l'ordre de 5 000 dollars. Pour 1 000 habitants, le nombre des voitures de tourisme et des téléviseurs approche 300, celui des téléphones dépasse 200; 90 p. 100 des ménages possèdent un réfrigérateur, plus des deux tiers, une machine à laver. Le niveau de vie moyen ne doit donc certes pas masquer des inégalités, sociales et géographiques, parfois marquées et que ne pallient pas ces transferts que constituent la fiscalité et l'aide sociale. La croissance économique n'est pas une fin en soi et, mal conduite, elle soulève parfois de graves problèmes (difficultés sociales dans des secteurs industriels ou dans des régions défavorisés, dégradation de l'environnement et des conditions de vie). Elle exprime cependant une appartenance globale au monde privilégié.

HISTOIRE

• *Des origines aux Capétiens.* De nombreuses traces humaines remontent au paléolithique inférieur, mais, durant les vingt millénaires qui précèdent le mésolithique, la seule région occupée de façon constante est située entre Loire et Garonne, avec une densité maximale en Périgord. À partir du paléolithique moyen, l'homme cesse d'être un nomade; au magdalénien supérieur se réalise en France une explosion démographique, qu'on retrouve au néolithique (à partir du Ve millénaire) quand s'opère une véritable révolution technique avec le polissage des pierres et la sédentarisation. À l'âge du cuivre (IIe millénaire) succèdent l'âge du bronze puis (Ier millénaire) l'âge du fer.

Alors s'implante en Gaule* une nouvelle civilisation. L'invasion celte*, au milieu du Ve s. avant notre ère, introduit un art original. Dans un pays divisé en cités, et celles-ci en *pagi,* une certaine unité, d'ordre culturel, s'établit.

De 58 à 51 av. J.-C., les Romains (Jules César*) conquièrent la Gaule. La civilisation gallo-romaine, qui s'épanouit à partir du règne d'Auguste, marque particulièrement le sud-est du pays. Elle sert de véhicule au christianisme, qui apparaît en Narbonnaise et à Lyon dès le IIe s.; au IVe s., l'Église gallo-romaine compte 17 métropolitains et 120 évêques. Au début du Ve s., les Barbares* pénètrent en force dans la Gaule romaine, et, bientôt, les Francs*, conduits par Clovis*, deviennent maîtres de tout le pays. Mais l'empreinte romaine reste profonde; la France jouera dès lors un rôle médiateur entre l'héritage antique et le monde germanique.

À la mort de Clovis (511), son royaume se disloque (Austrasie, Neustrie, Bourgogne). Les rois mérovingiens* passent peu à peu sous la coupe de leurs maires du palais. L'un d'eux, Pépin d'Herstal, devient le chef réel des trois royaumes (687); son fils, Charles* Martel, s'impose en écrasant les Sarrasins à Poitiers (732). Si bien que Pépin le Bref (de 741 à 768), fils de Charles, se débarrasse du dernier Mérovingien et se fait couronner roi des Francs (751), fondant ainsi la dynastie des Carolingiens*, illustrée surtout par Charlemagne* (de 768 à 814) : celui-ci devient, en outre, empereur d'Occident (800), c'est-à-dire, en fait, le chef temporel de la chrétienté. Mais son fils, Louis Ier* le Pieux (de 814 à 840), ne peut maintenir la cohésion de l'Empire, qui se disloque en 843 (traité de Verdun). Un fils de Louis le Pieux, Charles* le Chauve (de 840 à 877), devient ainsi le premier roi de France *(Francia occidentalis).* Son règne, comme celui de ses successeurs, est marqué par de nouvelles invasions (Sarrasins, Normands), qui accélèrent le processus de la féodalité* et l'affaiblissement du pouvoir royal. Charles III* le Gros (de 884 à 887) se montrant incapable de conjurer le péril normand, c'est le comte Eudes, défenseur de Paris, qui est couronné roi en 888. En fait, le dernier Carolingien ne disparaît qu'en 987.

• *Capétiens et Valois.* Le pouvoir passe alors, et définitivement, à la famille des Capétiens*, issus des comtes de Paris. Les quatre premiers rois de cette dynastie — Hugues* Capet (de 987 à 996), Robert II* le Pieux (de 996 à 1031), Henri Ier* (de 1031 à 1060), Philippe Ier* (de 1060 à 1108) — sont impuissants face aux grandes principautés qui les entourent. Cependant, une certaine rénovation, d'ordre religieux (monachisme [Cluny*], pèlerinages*, croisades*, chevalerie*), anime une civilisation encore figée. Le renouveau politique correspond aux règnes de Louis VI* (de 1108 à 1137) et de Louis VII* (de 1137 à 1180) qui, non seulement deviennent maîtres dans leur domaine propre (autour de Paris), mais s'imposent aux grands féodaux, sauf au duc de Normandie; ce dernier, en devenant roi d'Angleterre (1066) — tout en gardant ses territoires continentaux —, amorce avec les Capétiens une rivalité qui va durer plusieurs siècles. Ces règnes novateurs coïncident avec le réveil économique de l'Occident (foires*), la formation d'une bourgeoisie active, la création d'agglomérations nouvelles (communes à chartes). En même temps, l'épanouissement de l'art religieux (roman puis gothique) et des universités témoigne d'une véritable renaissance culturelle.

Le fils de Louis VII, Philippe II* Auguste (de 1180 à 1223), affirme la puissance de la monarchie capétienne face aux Plantagenêts* et à l'Empire (victoire de Bouvines, 1214) et lui donne son caractère national. Son petit-fils, Louis IX* — Saint Louis — (de 1226 à 1270), approfondit son œuvre en lui apportant le sceau de sa sainteté, basée sur le sens de la justice et de l'ordre chrétien. La puissance capétienne atteint son apogée avec Philippe IV* le Bel (de 1285 à 1314), et, en s'appuyant sur le droit romain, l'administration royale devient alors un instrument extrêmement efficace.

Mais la succession difficile de Philippe le Bel — dont les trois fils et successeurs ne laissent que des filles — débouche à la fois sur l'avènement des Valois* et sur la guerre de Cent* Ans, le roi d'Angleterre, Édouard III, petit-fils de Philippe le Bel par sa mère, se prétendant le véritable héritier des Capétiens face à Philippe VI* de Valois (de 1328 à 1350), dont le règne, comme celui de Jean II* le Bon (de 1350 à 1364), est marqué par de dramatiques défaites (L'Écluse, 1340; Crécy, 1346; Calais, 1347; Poitiers, 1356) face aux Anglais. La captivité de Jean le Bon, à Londres, provoque à Paris des troubles dont la bourgeoisie marchande (Étienne Marcel*) veut profiter. Charles V* (de 1364 à 1380), aidé par du Guesclin*, rééquilibre la France, d'une part en faisant refluer presque partout les Anglais, d'autre part en rétablissant l'autorité royale.

La situation redevient dramatique sous Charles VI* (de 1380 à 1422), dont la faiblesse et la folie font le jeu à la fois de la puissante famille de Bourgogne* et des Anglais, qui, vainqueurs à Azincourt (1415), obtiennent, par le traité de Troyes (1420), la mainmise sur la France. Le fils de Charles VI, Charles VII* (de 1422 à 1461), ne possède que quelques terres de la Loire, mais c'est de là, avec l'aide de Jeanne* d'Arc, qu'il amorce, en 1429, la reconquête de son royaume : celle-ci est achevée en 1435. La guerre de Cent Ans est terminée. Conseillé par Jacques Cœur*, Charles VII remet de l'ordre dans un pays appauvri et affaibli par la guerre. Son œuvre est complétée par son fils, Louis XI* (de 1461 à 1483), qui brise la maison de Bourgogne (mort de Charles* le Téméraire, 1477) tout en poursuivant l'unification et la centralisation du pays. Mais ses deux successeurs, Charles VIII* (de 1483 à 1498) et Louis XII* (de 1498 à 1515), se laissent fasciner par le mirage italien; il est vrai qu'ils amorcent ainsi, en France, une puissante Renaissance* artistique et intellectuelle.

François Ier* (de 1515 à 1547) doit renoncer définitivement à l'Italie et doit compter avec la puissance des Habsbourg* qui, avec l'empire de Charles* Quint, enserrent de toutes parts la France : le roi réussit à maintenir l'équilibre en Europe, tout en enracinant l'autorité royale en France (création de secrétaires d'État, 1547) et en canalisant l'intense mouvement commercial né de l'afflux des métaux précieux américains. Malheureusement — sous les derniers Valois —, Henri II* (de 1547 à 1559) et ses trois fils, François II* (de 1559 à 1560), Charles IX* (de 1560 à 1574) et Henri III* (de 1574 à 1589), la France est déchirée et affaiblie par les guerres de Religion*.

• *Les Bourbons.* La monarchie française — décidément catholique — triomphe de l'anarchie nobiliaire et des dissidences intérieures avec les Bourbons*, dynastie fondée par Henri IV* (de 1589 à 1610), qui, par le très tolérant édit de Nantes (1598), rétablit la paix religieuse, cependant que Sully* restaure finances et économie et que parlements et féodaux voient leur influence se réduire. L'assassinat d'Henri IV amène, en attendant le règne personnel de Louis XIII* (de 1610 à 1643), la régence de Marie* de Médicis : protestants, grands et états généraux en profitent pour s'exprimer. En choisissant Richelieu* comme *alter ego* en 1621, Louis XIII assure à la monarchie autorité et prestige. Cependant, si les féodaux sont réduits et les protestants efficacement surveillés, les finances françaises sont obérées du fait de la guerre que Richelieu poursuit avec les Habsbourg (v. TRENTE ANS [*guerre de*]), ce qui provoque des révoltes de la misère.

L'œuvre de Richelieu, après la mort de Louis XIII, durant la minorité (de 1643 à 1661) de Louis XIV* et la régence d'Anne d'Autriche, reine qui fait de Mazarin* le maître du royaume, est menacée un moment par la Fronde* parlementaire et nobiliaire (1648-1652). Mais Mazarin finit par l'emporter, assurant à la royauté son assiette définitive et triomphant décidément des Habsbourg d'Espagne au traité des Pyrénées (1659) qui assure à la France l'Artois et le Roussillon, cependant que la réforme catholique s'accompagne d'un mouvement spirituel et culturel intense.

Avec le règne personnel de Louis XIV (de 1661 à 1715), la monarchie française atteint son apogée : tandis que noblesse et clergé sont domestiqués par le roi, qui révoque l'édit de Nantes (1685), la bourgeoisie commerçante (incarnée en Colbert*, ministre omniprésent) occupe les places de choix, s'enrichit et s'ennoblit : le mercantilisme anime une véritable révolution économique. Mais les guerres dans lesquelles se lance Louis XIV (guerres de la Dévolution, 1667-68; de Hollande, 1672-1678; de la Ligue d'Augsbourg, 1686-1697; de la Succession d'Espagne, 1701-1714), si elles valent à la France des accroissements territoriaux (Flandre, Hainaut, Franche-Comté), l'affaiblissent considérablement. Si bien que la fin du règne du Roi-Soleil est marqué par de véritables cataclysmes (défaites, disettes, fiscalité écrasante).

La régence de Philippe* d'Orléans (de 1715 à 1723) est caractérisée par une réaction générale : au relâchement des mœurs correspondent l'explosion de la libre pensée et l'avènement de la philosophie des lumières. Ces idées nouvelles sont sous-jacentes au long règne de Louis XV* (de 1723 à 1774), lui aussi marqué par des guerres ruineuses (guerres de la Succession d'Autriche, 1740-1748; de Sept Ans, 1756-1763), qui consacrent la montée sur le continent de la puissance prussienne (Frédéric II) et la prépondérance anglaise sur mer. Si la première partie du règne (1723-1743) est caractérisée par l'essor économique, la seconde est marquée par une véritable révolution démographique, mais aussi par l'avilissement du pouvoir politique et l'impossibilité de trouver une solution durable à la crise financière. Si bien que le règne du faible Louis XVI* (de 1774 à 1792) est dominé par un problème financier dont la solution — réduction des grands secteurs de dépenses et réforme fondamentale de la société de privilèges — est constamment éludée ou paralysée par les intérêts, au profit d'expédients stériles, sous les ministériats de Turgot* (1774-1776), de Necker* (1777-1781), de Calonne* (1783-1787), de Brienne* (1787-1788). Revenu au pouvoir (1788), le populaire Necker ne peut que recourir à l'ultime remède : la réunion des États* généraux (1789).

• *De la Révolution à la Commune.* Mais ces États, réunis à Versailles à partir du 5 mai 1789, en se déclarant, le 9 juillet, Assemblée nationale constituante*, amorcent la Révolution* française (1789-1799). Tandis que la Déclaration des droits de l'homme et du citoyen (26 août 1789) souligne la fin des privilèges de naissance, toutes les structures administratives sont abolies au profit de cadres plus cohérents (départements), favorables à l'unification du pays mais aussi à la centralisation. Sur le plan politique, la France s'oriente d'abord vers la monarchie constitutionnelle. Mais, après la fuite du roi à Varennes (juin 1791), les éléments républicains de l'Assemblée législative* (1791-92) prennent peu à peu le dessus. La guerre aidant, la royauté est renversée le 10 août 1792 (le roi sera exécuté le 21 janv. 1793). La Convention* (1792-1795) proclame la république et, par l'application d'un régime de Terreur* légale et l'instauration d'un gouvernement laïque et révolutionnaire, fait face efficacement à la coalition étrangère (traités de Bâle et de La Haye, avr.-juill. 1795) et à l'insurrection fédéraliste (girondine) et de l'Ouest. Mais les excès de la Terreur jacobine, incarnée par Robespierre*, et les victoires extérieures (Fleurus, 26 juin 1794) provoquent, après la chute de Robespierre (juill. 1794, 9 thermidor an II), une réaction antijacobine, voire royaliste, que double une situation économique et sociale dramatique.

Le Directoire* (1795-1799) prolonge en fait la réaction bourgeoise de la Convention thermidorienne et accentue la ruine de l'État, favorisée par l'anarchie et la corruption. Affaibli par les coups d'État, ce régime est renversé par Bonaparte*, général populaire parce que victorieux, qui instaure un régime fort, autoritaire et centralisateur. Premier consul (de 1799 à 1804) puis empereur sous le nom de Napoléon Ier* (de 1804 à 1814), il enracine — au profit surtout de la bourgeoisie — l'œuvre de la Révolution française, réorganisant l'Administration, jugulant le clergé (concordat* de 1801 et Articles organiques) et l'expression de la pensée, créant l'Université* impériale et la Banque de France, contrôlant et encourageant l'industrie, à la fois menacée et privilégiée par le Blocus* continental. À l'extérieur, Napoléon triomphe des 2e (1800-01), 3e (1805), 4e (1806-07) et 5e (1809) coalitions européennes. Mais la destruction de la flotte de guerre (Aboukir, 1798; Trafalgar, 1805), le guêpier de la guerre d'Espagne (1808-1814), les hécatombes de la retraite de Russie (1812) précipitent la chute de l'Empereur, qui abdique le 6 avril 1814 (il régnera de nouveau, mais éphémèrement, en 1815, durant les Cent*-Jours).

Les Bourbons sont alors restaurés dans une France qui a perdu l'hégémonie européenne et qui est réduite à ses frontières de 1792. Sans pouvoir revenir sur les acquisitions sociales de la Révolution, la Restauration* (1814-1830) pratique, sur le plan politique, un système constitutionnel mais aussi contre-révolutionnaire : la réaction est d'ailleurs beaucoup plus accentuée sous Charles X* (de 1824 à 1830) que sous Louis XVIII* (de 1814 à 1824). Si bien que la révolution* de juillet 1830 se présente comme une répétition de 1792. Mais ses résultats — acquis par une insurrection populaire — sont en fait confisqués par la bourgeoisie, qui porte au pouvoir un roi bourgeois, Louis-Philippe* Ier d'Orléans (de 1830 à 1848). Le régime constitutionnel — la monarchie de Juillet* — qui est alors instauré, et que François Guizot* domine durant huit ans (1840-1848), favorise la bourgeoisie d'affaires et la première révolution* industrielle, mais néglige la question sociale posée par la paupérisation de la classe ouvrière et paralyse lentement les rouages de la vie politique. Ce qui explique la soudaineté et le caractère «total», enthousiaste et «fraternel» de la révolution de février 1848, prélude à l'instauration de la IIe République* (1848-1852), régime qui bénéficie d'abord du consensus de la majorité des Français et semble orienter la France vers une démocratie avancée (suffrage universel), sociale même. Mais les forces de réaction restent suffisamment dominantes dans l'ancien «pays légal» — monarchistes, aristocratie foncière, bourgeoisie d'affaires, gens d'Église... — pour barrer la route au «pays réel», accusé de mettre son espoir dans le socialisme. À partir de l'insurrection ouvrière de juin 1848, toute l'histoire de la république est un retour en arrière, accéléré par la peur sociale. Cependant que la crise économique de 1846-1848 provoque une grande misère dans le peuple.

Tout naturellement, ce régime appelle un pouvoir fort. Devançant les partisans des Bourbons, Louis-Napoléon Bonaparte (futur Napoléon III*) s'impose à la nation, qui le plébiscite largement

LES PROVINCES DE FRANCE

après le coup d'État du 2 décembre 1851, qui établit une dictature de fait, puis de droit après le rétablissement de l'empire (déc. 1852). Le second Empire* (1852-1870) est un régime brillant, qui accélère la révolution industrielle en France, fortifie la richesse de la bourgeoisie, dote le pays d'une infrastructure moderne et qui, sur le plan politique, se libéralise lentement après 1860, aboutissant, au début de 1870, à un empire parlementaire. C'est sa politique extérieure — téméraire et ambiguë — qui provoque la chute de Napoléon III. Vainqueur — de justesse — en Crimée (1854-55) et en Italie (1859), aventuré de 1862 à 1867 dans l'expédition du Mexique, l'empereur, berné par Bismarck*, entraîne la France dans le désastre de la guerre franco-allemande* de 1870-71.

• *La république contemporaine.* Au lendemain de Sedan (2 sept. 1870), la république est proclamée. Mais la IIIe République* a une naissance difficile. D'abord elle doit se vouer à la Défense* nationale (sept. 1870-janv. 1871), faire face à la Commune* (mars-mai 1871) et surtout triompher d'une Assemblée nationale constituante (1871-1875) à majorité monarchiste. Finalement, grâce surtout à Léon Gambetta*, la république s'enracine : les élections législatives de 1876 et 1877 et les élections sénatoriales de 1879 assurent son triomphe. Celui-ci ne sera plus sérieusement remis en question (malgré l'épisode du boulangisme, 1885-1889) jusqu'en 1940. Les opportunistes — dominés par Jules Ferry* — dotent la république, entre 1879 et 1899, de lois fondamentales qui fondent un régime à la fois démocratique et laïque, la bourgeoisie voyant d'ailleurs son pouvoir récusé de plus en plus fortement par une classe ouvrière qui est prise en charge par un syndicalisme* et un socialisme* de plus en plus efficaces. Après 1899 et la secousse de l'Affaire Dreyfus*, les radicaux dominent la vie politique (v. RADICALISME) [bloc des gauches], qui se teinte d'anticléricalisme mais débouche sur une importante législation sociale.

La Première Guerre* mondiale (1914-1918), en privant une France, déjà affaiblie par une démographie faible, de près de deux millions d'hommes et de un sixième de son revenu national, provoque une crise morale, économique et sociale, qui se manifeste avec violence après 1929. Durant une dizaine d'années, la France s'efforce à la fois de juguler l'inflation et de doter — enfin — la classe ouvrière d'un statut acceptable (Front* populaire, 1936-37). Mais la crise mondiale, la faiblesse démographique, le retard rural et les menaces extérieures, venues d'Italie (Mussolini*) et, surtout, d'Allemagne (Hitler*), rendent peu opérantes les réformes sociales.

D'ailleurs, de 1939 à 1945, la France connaît de nouveau la guerre (Seconde Guerre* mondiale). Battue en juin 1940, divisée en deux zones, dont l'une est occupée par l'ennemi et dont l'autre subit le régime nationaliste et corporatiste du maréchal Pétain* (v. VICHY [*régime de*]), la France humiliée, saccagée et ruinée trouve dans la Résistance* et dans son chef, le général de Gaulle*, des motifs de survie et même de renaissance.

De fait, l'Allemagne nazie éliminée (1944-45), la IVe République* (1945-1958) s'attelle à la reconstruction du pays et, dans de nombreux domaines, opère de profondes réformes (nationalisations, Sécurité sociale, Commissariat au plan, comités d'entreprise...). Mais l'éclatement du tripartisme, la montée de l'inflation, le retour aux mœurs parlementaires de la IIIe République* et les difficultés nées de la guerre d'Indochine* et surtout de la guerre d'Algérie* provoquent la crise de 1958, qui se dénoue par l'appel au général de Gaulle, fondateur de la Ve République*, régime qui évolue rapidement vers le renforcement des pouvoirs du chef de l'État, mais qui favorise la modernisation du pays, lève l'hypothèque algérienne (1962) et affirme l'indépendance de la politique extérieure française. Cependant, la gauche se renforce et se structure. Si son avance est brutalement stoppée par les événements de mai-juin 1968 — qui favorisent, par réaction, la droite —, l'opposition de gauche apparaît, sous la présidence de Georges Pompidou* (de 1969 à 1974) et plus encore sous celle de Valéry Giscard* d'Estaing (depuis 1974), comme une force avec laquelle le régime doit de plus en plus compter.

INSTITUTIONS. V. BUDGET, COLLECTIVITÉS TERRITORIALES, CONSTITUTION, GOUVERNEMENT, IMPÔT, JUSTICE *(organisation de la)*, PARLEMENTAIRE *(régime)*, PLANIFICATION, SCRUTIN, etc.

DÉFENSE ET ARMÉES

- *1946-1954* : guerre d'Indochine.
- *1954-1962* : guerre d'Algérie (environ 1 million d'hommes sous les drapeaux en 1961).
- *1960* : première expérimentation atomique.
- *1968* : première expérimentation thermonucléaire.

Service militaire : 12 mois (1946); 18 mois (1950; plus 6 à 9 mois de 1956 à 1962); 16 mois (1965); 12 mois (1970).

- LES FORCES FRANÇAISES EN 1977. Budget : 50 milliards de francs (3 p. 100 du P. N. B.). Effectifs : 585 000 hommes (dont 75 000 gendarmes).

Force nucléaire stratégique : 36 bombardiers « Mirage IV » (bombe A), 18 missiles S. S. B. S. (plateau d'Albion), portée de 2 500 à 3 000 km, 4 sous-marins lance-missiles type *Redoutable* (porteurs chacun de 16 missiles M. S. B. S., portée 3 000 km).

Armée : 332 000 hommes, dont 216 000 appelés : 5 divisions mécanisées, 2 d'infanterie, 2 d'intervention et 1 alpine. Armement : chars « AMX 30 », missiles tactiques nucléaires « Pluton » (1974).

Aviation : 102 000 hommes (dont 39 000 appelés), 460 avions de combat. Défense aérienne : 9 escadrons (« Mirage III C » et « F 1 »). Forces aériennes tactiques : 18 escadrons (« Mirage III E » et « 5 F », « Jaguar » porteur de bombe nucléaire tactique « AN-52 »). Transport aérien : avions « Transall » et « Nord-Atlas ».

Marine : 68 000 hommes (dont 17 000 appelés), 3 porte-aéronefs, 24 sous-marins d'attaque (dont 4 de 1 200 t en construction), 1 croiseur antiaérien, 5 frégates, 4 corvettes, 40 escorteurs..., soit 310 000 t (140 bâtiments de combat).

Aéronavale : 7 flottilles embarquées (« Crusader », « Étendard IV », hélicoptères « Super-Frelon »), 5 flottilles basées à terre (« Neptune », « Atlantic »).

France *(campagne de)* [1814]. — Pour lutter contre l'invasion de l'est de la France par les armées alliées (Prusse, Bavière, Saxe, Autriche, Russie, Angleterre), Napoléon, qui dispose de 70 000 hommes, déploie une étonnante activité. Malgré les célèbres victoires françaises contre Blücher (Brienne, 29 janv.; Champaubert, 10 févr.; Montmirail, 11 févr.) et Schwarzenberg (Montereau, 17-18 févr.), les alliés, vainqueurs à Arcis-sur-Aube (20 mars), s'élancent sur Paris. Après la bataille du 30 mars, ils y entrent le 31, mais Napoléon abdique à Fontainebleau le 6 avril.

France *(campagne de)* [1940]. — Depuis septembre 1939 et pendant toute la période dite de la *drôle de guerre*, les forces alliées (98 divisions françaises et 10 divisions anglaises du général Gort, placées sous l'autorité du général Gamelin) étaient restées inactives sur la frontière du Nord et la ligne Maginot. Le 10 mai 1940, les Allemands (137 divisions), commandés par von Brauchitsch, passent brusquement à l'offensive. Tandis que, de Montmédy à Belfort, le front reste défensif et que Gamelin déclenche la *manœuvre Dyle*, qui prévoit l'entrée en Belgique des meilleures divisions alliées, la Wehrmacht applique le plan de Manstein, approuvé par Hitler. Débouchant des Ardennes, la masse des blindés allemands (7 divisions sur 10), appuyée par l'aviation d'assaut (Stukas), perce le front français de la Meuse entre Dinant et Sedan (13 mai) puis progresse très rapidement en direction de l'ouest malgré quelques contre-attaques françaises (de Gaulle à Montcornet, le 15 mai). Le 20 mai, les chars de Guderian sont à Abbeville. Les forces alliées aventurées en Belgique et en Hollande sont ainsi attaquées de front et à revers. Encerclées et acculées à la mer, elles doivent se replier sur Dunkerque, où 340 000 hommes réussissent à s'embarquer, du 27 mai au 4 juin. Weygand, qui a remplacé Gamelin le 19 mai, doit se contenter de constituer hâtivement un faible front, que les Allemands attaquent le 5 juin sur la Somme et le 8 juin sur l'Aisne. Rouen (9 juin) puis Épernay (le 11) sont pris et les blindés de Guderian, lancés sur Langres, Dijon et Belfort, se préparent à encercler les défenseurs de la ligne Maginot. Le 12 juin, Weygand, qui ne dispose plus de réserves, ordonne la retraite générale. Le 14, les Allemands sont à Paris, déclaré « ville ouverte », le 17 à Orléans, le 20 à Brest et à Lyon et le 22 à La Rochelle. L'armistice, demandé le 17, est signé le 22 avec les Allemands. Il n'entrera en vigueur que le 25, après qu'un autre armistice eut été signé le 24 avec les Italiens qui, après avoir déclaré la guerre le 10 juin, avaient attaqué sans succès l'armée française des Alpes. V. GUERRE MONDIALE *(Seconde)*.

FRANCE *(île de)*, ancien nom de l'ÎLE MAURICE.

FRANCE (Anatole THIBAULT, DIT **Anatole**), écrivain français (Paris 1844 - La Béchellerie, Saint-Cyr-sur-Loire, 1924), auteur de romans historiques ou de mœurs, empreints d'ironie et de scepticisme : *le Crime de Sylvestre Bonnard* (1881), *la Rôtisserie de la reine Pédauque* (1893), *le Lys rouge* (1894), *Les dieux ont soif* (1912). [Prix Nobel, 1921.]

FRANCESCA (Piero **Della**) → PIERO DELLA FRANCESCA.

FRANCESCAS (47600 Nérac), ch.-l. de cant. de Lot-et-Garonne, à 10,5 km au S.-E. de Nérac; 601 hab.

FRANCESCO DI GIORGIO MARTINI, architecte, peintre et sculpteur italien (Sienne 1439 - *id.* 1501). En peinture, il allie la rigueur florentine à la poétique siennoise (*Annonciation* et *Nativité*, v. 1475, pinacothèque de Sienne). Il est, à Urbino, en 1477, au service de Federico da Montefeltro (sobre cour « del Pasquino » au palais ducal), travaille comme architecte dans les Marches et donne son chef-d'œuvre avec l'église de la Madonna del Calcinaio, près de Cortone (1485), aux proportions élancées et harmonieuses. Il a écrit un *Traité d'architecture civile et militaire*, où symbolisme et étude des proportions selon l'articulation du corps humain ont une place importante.

FRANCEVILLE → MOANDA.

Francfort *(école de)*, groupe d'intellectuels allemands membres de l'Institut für Sozialforschung de Francfort-sur-le-Main. Née en 1923, avec la création de l'Institut, l'école de Francfort a pour chef de file Max Horkheimer*. Jusqu'en 1934, où l'Institut émigre à l'université Columbia de New York, les recherches entreprises portent essentiellement sur l'infrastructure des sociétés capitalistes. Par la suite, ce sont surtout les superstructures idéologiques qui font l'objet d'analyses qui contribuent à la naissance du freudo-marxisme*. Les principaux membres de l'école sont T. W. Adorno*, E. Fromm*, J. Habermas* et H. Marcuse*.

FRANCFORT-SUR-LE-MAIN, en allem. **Frankfurt am Main,** v. de l'Allemagne fédérale (Hesse), sur le Main; 658 000 hab. Aéroport international. Université. Centre bancaire et industriel (métallurgie de transformation). Exposition annuelle internationale du livre.

HISTOIRE. Ancien camp fortifié romain, importante place forte carolingienne, Francfort connut, à partir du XIIe s., une grande activité commerciale. Ville libre impériale (1254), elle devint le lieu de l'élection (1356) puis du couronnement (1562-1792) de l'empereur. Capitale du grand-duché de Francfort en 1806, ville libre en 1815, elle fut annexée à la Prusse en 1866.

BEAUX-ARTS. Monuments de la vieille ville, très restaurés après la Seconde Guerre mondiale : cathédrale des XIIIe et XIVe s. (beau mobilier), églises, hôtel de ville fait de trois maisons gothiques à pignons, maison de Goethe (reconstituée). Musées, dont celui de l'institut Städel (beaux-arts).

FRANCFORT-SUR-L'ODER, en allem. **Frankfurt an der Oder** v. de l'Allemagne orientale, ch.-l. de distr., sur la rive gauche de l'Oder, à la frontière polonaise; 65 000 hab.

FRANCHE-COMTÉ, Région formée des départements du Doubs, du Jura, de la Haute-Saône et du Territoire de Belfort; 16 189 km^2, 1 060 317 hab. *(Francs-Comtois)*. Capit. *Besançon*.

GÉOGRAPHIE. Dans l'est de la France, aux confins de la Suisse, la Franche-Comté est l'une des Régions parmi les plus petites et

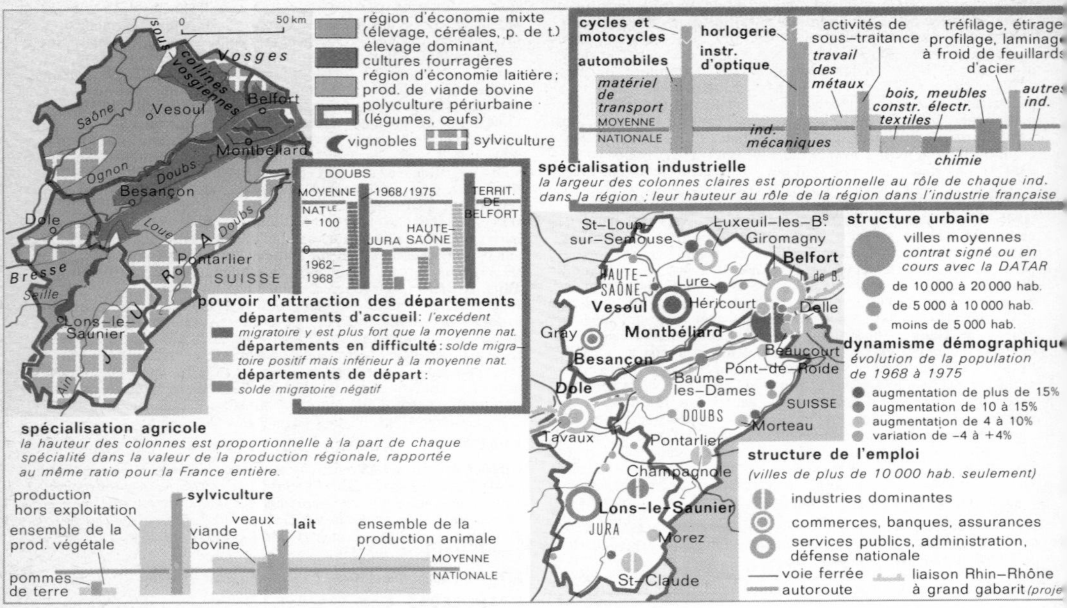

surtout les moins peuplées. La densité de population n'est guère supérieure à 60 habitants au kilomètre carré, inférieure d'un tiers à la moyenne nationale. Les conditions naturelles ne sont pas toujours favorables. La partie orientale est élevée, correspondant aux plateaux du Jura; l'hiver y est rude et enneigé. L'ouest, plus bas, correspondant essentiellement aux plaines de la haute Saône, est arrosé; les sols, humides, sont lourds, difficiles à travailler. En règle générale, le milieu est favorable à l'arbre (dominant dans la montagne) et à l'herbe (présente surtout en plaine). Quelques secteurs sont plus favorisés, notamment, au sud, le Vignoble, au nom évocateur, retombée du Jura sur l'extrémité nord de la Bresse.

Au point de vue agricole, l'élevage domine largement. Longtemps dirigé presque exclusivement vers les productions de lait et de fromage, il est aujourd'hui en partie destiné à la fourniture de viande. Mais c'est l'industrie qui est, nettement, la principale activité régionale. Elle a toutefois évolué spatialement et structurellement. Les branches célèbres des hautes terres (horlogerie du haut Doubs, lapidairerie et travail du bois des plateaux jurassiens) connaissent des difficultés, alors qu'émergent nettement les constructions mécaniques et électriques, en particulier l'automobile (l'usine de Sochaux est, de loin, le plus grand établissement industriel régional, l'un des plus importants même de toute la province) et que sont également actives, mais plus ponctuellement, la chimie et l'alimentation. L'industrie a largement quitté la montagne. Présente à Besançon, elle est surtout développée dans le seuil, porte d'Alsace ou de Bourgogne, séparant la plaine de la Saône de celle du Rhin, dans les agglomérations de Montbéliard et de Belfort.

C'est l'importance plus ou moins grande de l'industrie et des villes auxquelles elle est liée qui explique les fortes disparités spatiales de densité de population. Celle-ci est supérieure au double de la moyenne nationale dans le Territoire de Belfort et proche de cette moyenne nationale dans le Doubs, partiellement montagneux mais renfermant la capitale régionale et la nébuleuse industrielle de Sochaux-Montbéliard. En revanche, le Jura et la Haute-Saône ont des densités inférieures de moitié, au moins, à la moyenne nationale. L'évolution récente accentue cette tendance. Il tend notamment à se constituer une région urbaine et industrielle de Belfort à Montbéliard, peut-être plus rhénane, sinon alsacienne, que franc-comtoise (comme le montre l'histoire, puisque c'est assez artificiellement que sont aujourd'hui incorporés dans la Franche-Comté l'ancien comté de Montbéliard et Belfort [détaché de l'Alsace en 1871]). Ce secteur a beaucoup à attendre d'une intensification (autoroute, rail, voie d'eau à grand gabarit) des relations entre Lyon (et la vallée du Rhône) et l'Alsace. Déjà, il pèse d'un poids démographique plus lourd que Besançon, dont le rayonnement culturel et universitaire est aujourd'hui contesté, alors même qu'a toujours échappé à son attraction économique une portion notable de la Région.

HISTOIRE. Le terme « Franche-Comté » n'apparaît qu'au XIVe s. pour désigner la portion de la Bourgogne que le traité de Verdun (843) avait rattachée à la Lotharingie. Au Xe s., la future Franche-Comté, alors appelée « comté de Bourgogne* » et gouvernée par une dynastie comtale, fait partie du royaume de Bourgogne transjurane. Tombée, en 1032, dans la mouvance impériale, elle n'en affirme pas moins sa personnalité et son autonomie par un fort mouvement communal : d'où le nom de « Franche-Comté », que le pays porte déjà lorsque, en 1384, il échoit au duc de Bourgogne, Philippe le Hardi. Occupé par Louis XI en 1477, rétrocédé aux Habsbourg en 1493, il est définitivement rattaché au royaume de France en 1678 et devient pays de généralité, tout en conservant certains privilèges.

FRANCHET D'ESPEREY (Louis), maréchal de France (Mostaganem 1856 - château d'Amancet, Tarn, 1942). Commandant le 1er corps en 1914, il est mis par Joffre à la tête de la Ve armée, qu'il conduit victorieusement à la bataille de la Marne. Commandant en chef des forces alliées d'Orient (1918), il rompt le front de Macédoine (sept.), contraint les Bulgares à demander l'armistice et conduit les Alliés jusqu'au Danube, de Belgrade à la frontière roumaine. Inspecteur des forces d'Afrique du Nord de 1923 à 1931.

FRANCHEVILLE (69340), comm. du Rhône, banlieue ouest de Lyon; 8 190 hab.

FRANCHISE, FRANCHISING. — Le terme désigne la concession d'une marque de produit ou de service et des moyens, méthodes et procédés techniques propres à en assurer l'exploitation, en contrepartie d'un investissement réalisé par le « franchisé » et de redevances accordées par lui au « franchiseur » (le contrat de franchise est une variété de contrat de concession).

FRANCIA (Francesco RAIBOLINI, dit **il**), peintre italien (Bologne v. 1460 - *id.* 1517). D'abord orfèvre, il diffusa à partir de 1490, à Bologne et à Ferrare, une manière sereine en partie inspirée d'Antonello da Messina et du Pérugin.

Franciade *(la)*, poème épique inachevé, de Ronsard, sur le modèle de *l'Énéide* (1572).

FRANCIEN → FRANÇAIS.

FRANCIS (James Bicheno), ingénieur britannique (Southleigh, Oxfordshire 1815 - Lowell, Massachusetts, 1892). On lui doit la réalisation de la turbine hydraulique à réaction (1849) qui porte son nom et dont le rendement est particulièrement important pour les chutes basses et moyennes.

FRANCISCAINS → FRÈRES MINEURS.

FRANCIUM. — Bien qu'existant dans la nature, cet élément, de numéro atomique 87, était le dernier manquant à la classification périodique. Il a été découvert en 1939, par Marguerite Perey, à Paris. Radioactif, c'est un métal alcalin, qui constitue le plus électropositif des éléments chimiques.

FRANCK (César), compositeur belge naturalisé français (Liège 1822-Paris 1890). Organiste de Sainte-Clotilde (1860), professeur d'orgue au Conservatoire de Paris (1872), il s'entoura de disciples fidèles et sut faire école. Tout en s'inspirant d'une esthétique germanique, il a considérablement enrichi l'école française. D'esprit religieux, il est l'auteur d'oratorios (*les Béatitudes**; *Rédemption,* 1871-1874), de douze pièces pour orgue (trois chorals, 1890), de deux triptyques pour piano, des *Variations symphoniques,* pour piano et orchestre (1885), de poèmes symphoniques (*Psyché,* 1887-88) et d'une symphonie. Sa musique adopte la forme cyclique, le chromatisme et l'amplification de la mélodie. Son quintette, sa sonate pour violon et piano (1886) et son quatuor demeurent des sommets de la musique de chambre du XIXe siècle.

César Franck à l'orgue de Sainte-Clotilde (Paris). Peinture de Jeanne Rongier.

M. Rigal

FRANCK (James), physicien américain d'origine allemande (Hambourg 1882-Göttingen 1964). Il étudia la conductibilité électrique des gaz et il reçut, avec G. Hertz*, le prix Nobel de physique, en 1925, pour des expériences qui permirent d'élucider le phénomène de luminescence.

FRANCKEN, famille de peintres flamands dont les plus connus sont : HIERONYMUS Ier (Herentals 1540-Paris 1610), qui se fixa vers 1566 à Fontainebleau et peignit de grands retables italianisants et des scènes de bal; un de ses neveux, FRANS II (Anvers 1581-*id.* 1642), qui composa toutes sortes de tableaux pittoresques, d'une facture légère, sur des sujets à la mode, dont celui des « cabinets d'amateurs ».

FRANC-MAÇONNERIE. — Au XVe s., en Angleterre, les loges médiévales de *free masons,* réservées auparavant aux professionnels du « franc-métier », architectes et bâtisseurs des édifices religieux et civils, initièrent à leurs mystères* des membres de la noblesse, de la bourgeoisie et du clergé. Ces *maçons acceptés,* toujours plus nombreux au XVIe et au XVIIe s., conservèrent les rites et les symboles de la *maçonnerie opérative* traditionnelle, mais s'attachèrent surtout à leurs interprétations philosophique et scientifique, morale et spirituelle. Cette universalisation « spéculative » de l'enseignement initiatique eut pour conséquence l'apparition, au début du XVIIIe s., de la franc-maçonnerie moderne, dont le *Livre des Constitutions,* publié en 1723 par James Anderson (1662-1728), a été la base des règles intérieures et de l'unité doctrinale. Historiquement, la franc-maçonnerie a exercé une influence internationale importante sur l'évolution des idées et des institutions dans les sociétés modernes. Principalement répandue dans les pays anglo-saxons, elle compte environ six millions de membres.

L'initiation* maçonnique comporte trois *degrés,* ou *grades :* apprenti, compagnon, maître, dans les *loges,* ou *ateliers,* dits « symboliques ». À partir du 4e degré jusqu'au 14e, les initiations et les travaux des *hauts grades* ont lieu en *loges de perfection* puis, du 15e au 18e degré, en *chapitres* et, du 19e au 30e degré, en *aréopages.* Les initiations du 30e au 33e et dernier degré correspondent à des conseils administrant les quatre groupes précédents. Les symboles maçonniques constituent les éléments d'un langage cohérent et complexe, mais non pas d'une doctrine idéologique ni d'un système dogmatique. La tolérance de chaque interprétation individuelle d'une même langue ésotérique et initiatique suffit à distinguer la franc-maçonnerie des partis politiques et des confessions religieuses.

franco-allemande *(guerre)* [1870-71], conflit qui opposa la France à la Prusse, assistée de l'ensemble des États allemands.

Provoquée par la candidature d'un Hohenzollern au trône d'Espagne, qui amena la France à déclarer la guerre à la Prusse le 19 juillet 1870, cette guerre, succédant à celle des Duchés* puis au conflit austro-prussien*, est la dernière étape du combat mené par Bismarck pour réaliser l'unité allemande. Face à une armée prussienne remarquablement organisée et commandée par Moltke*, les forces françaises (270 000 hommes) sont mal préparées et mal commandées.

Chassés d'Alsace par leurs défaites de Wissembourg (4 août) et de Frœschwiller (6 août), bousculés le même jour à Forbach, les Français sont rejetés sur Metz*, où l'armée de Bazaine se laisse enfermer et capitule le 27 octobre. La défaite décisive, subie le 2 septembre par Napoléon III à Sedan, entraîne la chute de l'empire. Gambetta et le gouvernement de la Défense nationale qui lui succèdent ne peuvent empêcher l'investissement de Paris ni la chute de Strasbourg (28 sept.), mais, après la vaine entrevue de Jules Favre et de Bismarck à Ferrières les 19 et 20 septembre 1870, ils organisent la lutte tant dans la capitale (v. PARIS [*siège de*]) qu'en province. Elle est l'œuvre des armées de la Loire*, dont l'action est complétée au nord par les forces de Faidherbe (batailles de Bapaume et de Saint-Quentin, janv. 1871) et à l'est par celles du général Charles Bourbaki (1816-1897), qui, victorieuses à Villersexel le 8 janvier, devront cependant se replier en Suisse. Après l'échec, dans Paris assiégé, de plusieurs tentatives de sortie, le gouvernement doit signer l'armistice du 28 janvier 1871. Dix jours plus tôt, à Versailles, Bismarck faisait proclamer empereur allemand le roi Guillaume Ier de Prusse. Par le traité, signé le 10 mai à Francfort, la France cédait au Reich l'Alsace moins Belfort* et une partie de la Lorraine, tandis qu'éclatait à Paris l'insurrection de la Commune*.

FRANCO BAHAMONDE (Francisco), général et homme d'État espagnol (El Ferrol 1892-Madrid 1975). Il se distingue au Maroc (1912-1927), où il obtient le grade de général (1926), et contribue à la répression de la grève des mineurs aux Asturies (1934) avant d'être nommé chef d'état-major de l'armée (1935). Après la victoire du Front populaire en 1936, il se rallie au coup d'État militaire du général Sanjurjo et prend la direction des forces nationalistes après la mort de celui-ci. Nommé généralissime et chef du gouvernement par la junte de Burgos, proclamé « caudillo », chef de l'État et des armées en 1938, soutenu par la Phalange* et les forces de l'Axe, Franco entre à Madrid en 1939 et obtient la reddition des chefs républicains, après une longue guerre civile (v. ESPAGNE [*guerre d'*]). Avec l'appui de l'armée, de l'Église, de la Phalange et des grands propriétaires terriens, il établit une véritable dictature, réprimant sévèrement toute opposition. Il signe le pacte antikomintern en 1939, mais, bien que favorable aux régimes fasciste et hitlérien, il proclame la neutralité puis la non-belligérance de son pays (1941). Il se rapproche ensuite des Alliés et s'efforce de rendre à l'Espagne sa place dans la diplomatie internationale. Les accords économiques et militaires conclus dès 1953 avec les États-Unis (et plusieurs fois renouvelés) facilitent l'admission de l'Espagne à l'O. N. U. (1955). Franco renonce au protectorat sur le Maroc (1956) puis pratique une politique d'ouverture vers l'Europe (un accord est signé avec le Marché commun en 1970). À l'intérieur, il met en place, en 1942, les Cortes, dont les membres sont nommés par le gouvernement ou élus par les corporations, et resserre les liens avec l'Église par le concordat de 1953 entre l'Espagne et le Vatican. La loi de succession de 1947 rétablit la monarchie, dont Franco est nommé protecteur-régent, mais la question dynastique n'est résolue qu'en 1969, lorsque le Caudillo désigne le prince don Juan Carlos de Bourbon pour lui succéder, avec le titre de roi. En 1973, Franco abandonne le titre de chef de gouvernement mais conserve, avec la réalité du pouvoir, celui de chef de l'État. Les aspects positifs de sa politique (maintien de la paix, diplomatie habile et mesurée, expansion économique réelle) ne se sont pas accompagnés d'une libéralisation du régime. La fin de la dictature voit même s'accroître la répression contre l'opposition démocratique et contre les mouvements autonomistes, contribuant à priver le régime de certains de ses appuis traditionnels (en particulier l'Église) et à le maintenir dans un relatif isolement.

FRANCŒUR, dynastie de musiciens français attachés à la musique royale et à l'Opéra. FRANÇOIS (Paris 1698-*id.* 1787), violoniste, composa des sonates pour violons et des ouvrages lyriques, en collaboration avec François Rebel.

FRANÇOIS (Le) [97240], port de la Martinique; 15 135 hab.

FRANÇOIS BORGIA *(saint),* jésuite espagnol (Gandía 1510-Rome 1572). Membre de la famille des Borgia, vice-roi de Catalogne (1539), il se retire chez les Jésuites (1551); il sera, en 1565, le troisième général de l'ordre, dont il affermira les structures.

FRANÇOIS D'ASSISE *(saint),* fondateur de l'ordre des Frères mineurs (Assise v. 1182-*id.* 1226). Fils d'un riche drapier d'Assise, François se consacre en 1206 à la prière et à la solitude; il est bientôt rejoint par quelques disciples qui vont vivre avec lui son idéal de pauvreté et d'apostolat. Ce premier groupement devient un ordre religieux (1209) [v. FRÈRES MINEURS], auquel s'ajoutera, en 1212, un ordre de femmes, les Pauvres Dames (ou Clarisses), dont la cofondatrice avec François sera Claire* d'Assise; s'y joindra, en 1221, un « tiers ordre », association de laïques désireux de vivre

Scala

Détail de *la Mort de saint François,* par Giotto.
Fresque de la chapelle Bardi dans l'église Santa Croce, à Florence. Entre 1317 et 1327.

l'idéal franciscain sans quitter la vie séculière. François d'Assise meurt en 1226, après avoir reçu, deux ans auparavant, les stigmates de la Passion. Son âme de troubadour s'est exprimée dans le *Cantique du soleil,* ou *des créatures,* qui est un des premiers textes des lettres italiennes.

FRANÇOIS DE PAULE *(saint),* religieux italien (Paola, Calabre, 1416 - Plessis-lez-Tours 1507), fondateur de l'ordre des Minimes*. Sa réputation d'ascète et de thaumaturge était si grande que Louis XI le fit venir (1482), dans l'espoir qu'il lui prolongerait la vie.

FRANÇOIS DE SALES *(saint),* évêque de Genève et docteur de l'Église (château de Sales, Savoie, 1567 - Lyon 1622). Évêque, en 1602, d'un diocèse où la moitié des fidèles étaient calvinistes, il fait porter ses efforts moins sur la controverse que sur la rénovation spirituelle des catholiques : formation du clergé, réforme des monastères, missions diocésaines. Il donne l'essentiel de sa direction spirituelle dans son *Introduction à la vie dévote* (1604/1609) et, de ses contacts avec Jeanne* de Chantal, cofondatrice avec lui de l'ordre de la Visitation*, naîtront le *Traité de l'amour de Dieu* (1616) et les *Entretiens spirituels* (publiés après sa mort). La spiritualité souriante mais exigeante de François de Sales, servie par d'incontestables talents littéraires, est génératrice d'une vie religieuse de qualité.

FRANÇOIS RÉGIS *(saint)* → JEAN-FRANÇOIS RÉGIS.

FRANÇOIS XAVIER *(saint),* missionnaire jésuite espagnol (près de Pampelune 1506 - près de Canton 1552), dit *l'apôtre des Indes,* un des premiers membres de la Compagnie de Jésus; de 1542 à 1552, il évangélise l'Inde portugaise et le Japon.

FRANÇOIS Ier DE HABSBOURG-LORRAINE (Nancy 1708-Innsbruck 1765), empereur germanique (1745-1765). Duc de Lorraine *(François III)* de 1729 à 1736, il devient ensuite (1737) grand-duc de Toscane, duc de Parme et de Plaisance. Corégent à l'avènement de Marie-Thérèse, son épouse (1740), il est élu et couronné empereur après la mort de Charles VII* (1745).

FRANÇOIS II (Florence 1768 - Vienne 1835), empereur du Saint Empire (1792-1806), et *(François Ier)* empereur d'Autriche (1806-1835). Fils de Léopold II, il doit affronter la France révolutionnaire puis Napoléon Ier : ceux-ci lui infligent par trois fois (1797, 1801, 1805) de sévères défaites, qui l'obligent à abandonner de nombreux territoires en Italie et dans l'Empire. Après la disparition du Saint Empire (1806), François est réduit au rang d'empereur d'Autriche. Devenu le beau-père de Napoléon Ier, par le mariage de celui-ci avec sa fille Marie-Louise (1810), il n'en rejoint pas moins, en 1813, conseillé par Metternich, la coalition antifrançaise, qui triomphe en 1814. Président de la Confédération germanique (1815), il maintient le système autocratique dans toute sa rigidité.

FRANÇOIS Ier (Cognac 1494 - Rambouillet 1547), roi de France (1515-1547), fils de Charles d'Orléans, comte d'Angoulême, et de Louise de Savoie, cousin et successeur de Louis XII, dont il a épousé la fille, Claude de France, en 1514. Dès son avènement, il reprend le vieux rêve italien de ses prédécesseurs. Allié à Venise, il passe les Alpes et remporte sur les Suisses de la Sainte-Ligue la victoire de Marignan (13 sept. 1515), qui écarte le danger suisse (Paix perpétuelle), lui donne le Milanais et convainc le pape de signer le concordat de Bologne (1516). À la mort de Maximilien II, il tente en vain de se faire élire empereur contre Charles Ier d'Espagne (Charles Quint). Dès lors, la lutte contre les Habsbourg, dont les possessions forment cercle autour de son royaume, devient la grande affaire de son règne, dont les premiers développements tournent vite à la catastrophe. Isolé par l'échec des négociations avec l'Angleterre (entrevue du Camp du Drap d'or), trahi par le puissant connétable de Bourbon (1522), il perd le Milanais (1524) et se fait battre à Pavie (1525). Prisonnier de Charles Quint, François Ier doit signer le dur traité de Madrid (1526), qu'il se gardera d'exécuter. La guerre reprend peu après. Interrompue par la paix de Cambrai (1529), marquée dans sa seconde phase par l'alliance de François Ier avec les princes protestants d'Allemagne et le Turc Soliman le Magnifique, elle aboutit à la paix de compromis signée à Crépy (1544). À l'intérieur, où sa législation en matière de justice marque un progrès dans le fonctionnement de cette institution (ordonnance de Villers-Cotterêts, 1539), il encourage les arts et contribue au triomphe de la Renaissance française. Par certains aspects (pratique des commissaires départis, domestication de la noblesse), son règne marque les débuts de l'absolutisme.

François Ier. Portrait de l'école des Clouet.
(Musée Condé, Chantilly.)

Lauros - Giraudon

FRANÇOIS II (Fontainebleau 1544 - Orléans 1560), roi de France (1559-1560), fils de Henri II et de Catherine de Médicis. Le court règne de ce jeune roi maladif est marqué par la prépondérance politique des Guise*, oncles de son épouse, Marie Stuart, et par la conjuration d'Amboise* (mars 1560).

FRANÇOIS II (1435-1488), duc de Bretagne (1458-1488). Adversaire de Louis XI, il participe à la ligue du Bien public (1465), mais il doit, par le traité d'Ancenis que lui impose le roi, abandonner ses prétentions sur la Normandie. Allié à l'Angleterre (1481) et à Maximilien d'Autriche contre la France, il est vaincu, en 1488, et doit promettre de ne pas marier sa fille et héritière, Anne, sans le consentement de Charles VIII.

FRANÇOIS (André FARKAS, dit **André**), peintre et graphiste français d'origine roumaine (Timişoara 1915). En France en 1934, il travaille dans l'atelier de l'affichiste Cassandre. Depuis, il a donné des dessins pour des magazines et des livres (de Jarry, d'Huxley, de Kafka), des estampes, des albums, des décors de ballets, des affiches et des placards publicitaires, créant un monde d'absurdité goguenarde, où la dimension onirique s'intègre au quotidien.

FRANÇOIS DE NEUFCHÂTEAU (Nicolas, *comte* FRANÇOIS, dit), homme politique français (Saffais 1750-Paris 1828). Député à la Législative (1791), il devient ministre de l'Intérieur du Directoire (1797). Au lendemain du coup d'État du 18 fructidor*, il est élu directeur (1797). De nouveau ministre de l'Intérieur (1798-99), il se signale par ses initiatives en matière d'instruction publique et d'administration. Il est le véritable créateur de l'Assistance publique. Président du Sénat impérial (1804-1806), comte d'Empire, il se rallie à la Restauration.

FRANÇOIS-FERDINAND DE HABSBOURG, archiduc d'Autriche (Graz 1863- Sarajevo 1914). Fils de l'archiduc Charles-Louis, il devint l'héritier du trône impérial en 1896. Son assassinat à Sarajevo (28 juin 1914), par un étudiant serbe, déclencha la Première Guerre mondiale.

FRANÇOIS-JOSEPH Ier (Schönbrunn 1830-Vienne 1916), empereur d'Autriche (1848-1916) et roi de Hongrie (1867-1916). Neveu de l'empereur Ferdinand Ier, il lui succède après son abdication. Fortement attaché au régime autoritaire centralisateur et à la prépondérance germanique dans l'Empire, il s'appuie sur l'armée, la police, le clergé (concordat de 1855) et sur son ministre Bach. Mais les revers de 1859 et de 1866 l'obligent à appeler un ministre libéral, Gołuchowski, et à organiser, en 1867, avec les Hongrois — en vertu d'un compromis —, un système dualiste qui fait de l'Autriche et de la Hongrie deux États égaux, l'empereur-roi faisant le lien. En Autriche, François-Joseph se heurte surtout à l'hostilité des Tchèques.

Sur le plan extérieur, il unit le destin de son empire à celui de l'Empire allemand (1879) et laisse son entourage s'engager dans une politique expansionniste vers les Balkans, politique qui, en provoquant, en 1914, à Sarajevo, l'assassinat de l'archiduc-héritier François-Ferdinand*, neveu de François-Joseph, déclenche la Première Guerre mondiale.

FRANÇOIS-JOSEPH *(archipel)*, archipel soviétique de l'Arctique, au N. de la Nouvelle-Zemble, au-delà du 80e parallèle; 20 000 km². Il a été découvert par des navigateurs autrichiens en 1872-73.

François le Champi, roman régionaliste et rustique de George Sand (1847-48).

FRANCONI, famille d'écuyers et d'artistes de cirque d'origine italienne, venue se fixer en France, et composée principalement de : ANTONIO (Udine 1737-Paris 1836); LAURENT (Rouen 1776-1849) et HENRI (Lyon 1779-Bennes 1849), ses fils; ADOLPHE (Paris 1801-*id.* 1855), fils d'Henri; VICTOR (Strasbourg 1810-Paris 1897), fils de Laurent; et CHARLES (1846-Paris 1910), fils de Victor. Ils se distinguèrent tous par l'excellence de leurs exercices équestres.

FRANCONIE, région historique de l'Allemagne, englobée aujourd'hui dans la Bavière. Colonisée au début du VIe s. par les Francs, la Franconie devint, après le traité de Verdun (843), le siège d'un duché national intégré dans le royaume oriental (Germanie), auquel, de 911 à 918, elle fournit un roi, Conrad le Jeune, duc de Franconie, avant de confondre pour quelque temps son histoire avec celle des empereurs germaniques (début du XIe s.). Au XIIIe s., elle se morcela en plusieurs principautés laïques et ecclésiastiques. En 1500, Maximilien fit de l'ancienne Franconie l'un des dix cercles du Saint Empire. Napoléon attribua l'essentiel de la région à la Bavière.

FRANCONVILLE (95130), ch.-l. de cant. du Val-d'Oise, à 15 km au N.-O. de Paris; 24 267 hab. *(Franconvillois).*

FRANCOPHONIE. — Le domaine du français dépasse légèrement le cadre des frontières de la France : le français est une des langues officielles de la Belgique et de la Suisse, et il est également parlé dans le val d'Aoste et dans les îles anglo-normandes. L'expansion coloniale de la France au cours des siècles l'a diffusé dans le monde entier. Au Canada, le français est la langue d'une partie importante de la population; de petites communautés francophones existent en Louisiane (Cajuns) et en Nouvelle-Angleterre (Franco-Américains). Le français est également parlé aux Antilles (Guadeloupe, Martinique, Haïti) et en Guyane. Il est resté la langue officielle de nombreux États d'Afrique après leur indépendance et il est toujours largement utilisé dans les États du Maghreb et au Liban. Il est difficile d'évaluer le nombre des francophones dans le monde (plus de 100 millions). Cependant, sur le plan international, le français est aujourd'hui nettement devancé par l'anglais.

FRANCS, peuple germanique qui donna son nom à la Gaule romaine après l'avoir conquise aux Ve et VIe s.

Les Francs entrent dans l'histoire au milieu du IIIe s. : localisés sur le Rhin inférieur, ils apparaissent comme un peuple redoutable tant sur terre, lors de l'invasion de la Gaule en 258, que sur mer, en conduisant leurs pirateries vers les côtes de la mer du Nord. Deux groupes essentiels se distinguent au sein de la confédération franque : le plus important, celui des Saliens, a sa loi, la *lex salica;* l'autre groupe, celui des Francs du Rhin, improprement appelés « Ripuaires », vit sur les rives du Rhin (de Mayence à Nimègue) et de la Moselle. Commencée au lendemain des désastres de 258-276, la conquête franque s'effectue d'abord sous la forme d'une « invasion pacifique » : des Francs sont, en effet, présents dans les armées de Gaule comme auxiliaires et même comme officiers

François-Joseph Ier. Lithographie d'époque. (Bibliothèque nationale, Paris.)

supérieurs (Mérobaud) au IVe s.; ils sont aussi sur les terres de l'Empire romain, où ils sont installés au titre de colons.

Dès l'époque de Julien, les Saliens reçoivent des terres en Toxandrie, où ils sont établis en 358 avec le statut de fédérés. Longtemps restés fidèles à leur *foedus,* ils profitent cependant de l'affaiblissement de l'autorité romaine en Gaule du Nord, après la ruée des Barbares* en 406, pour étendre leur domination : Chlodion, dont est issue la dynastie des Mérovingiens*, conquiert la *Belgique seconde* jusqu'à la Somme, après avoir pris Cambrai (v. 430/440), tandis que les Francs du Rhin occupent l'actuelle Rhénanie. Mais les Saliens ne progressent que lentement vers la Somme, et leur roi, Childéric Ier, fait moins figure de conquérant que d'allié des généraux romains, Egidius et le comte Paul.

Lente jusqu'à la fin du Ve s., l'occupation franque devient plus vigoureuse avec Clovis*, qui entreprend d'étendre son autorité sur l'ensemble de la Gaule.

Francs *(Histoire des),* par Grégoire de Tours. Composée de dix livres qui relatent l'histoire du peuple franc jusqu'en 591, cet ouvrage est, en majeure partie, un recueil d'anecdotes. Témoin impartial et sincère, Grégoire de Tours raconte des événements contemporains dont il a parfois même été l'un des acteurs. Écrite dans un latin incorrect, l'*Historia Francorum* demeure cependant une œuvre capitale pour l'histoire mérovingienne.

Francs-Tireurs et Partisans (F. T. P.), formations de combat issues de l'organisation de défense du parti communiste et qui jouèrent en 1943-44 un rôle important dans la Résistance et au sein des Forces françaises de l'intérieur.

FRANGIÉ (Soleiman), homme d'État libanais (Zghorta, près de Tripoli, 1910). Président de la République de 1970 à 1976, il est à la tête de plusieurs gouvernements qui ne peuvent résoudre les problèmes des Palestiniens au Liban et ne parviennent pas, en 1975-76, à contrôler la lutte entre les Phalanges, les Palestiniens et les forces progressistes libanaises.

FRANGY (74270), ch.-l. de cant. de la Haute-Savoie, à 12 km au S.-E. de Bellegarde-sur-Valserine; 1 108 hab. Vins blancs.

FRANK (Ilia Mikhaïlovitch), physicien soviétique (1908). Il a élaboré en 1937, avec J. Tamm*, la théorie de l'effet Tcherenkov*. (Prix Nobel de physique, 1958.)

Frank V, *opéra d'une banque privée,* pièce de Dürrenmatt (1959). Dans une dynastie de banquiers usant de méthodes propres aux gangsters, profits et crimes se transmettent comme une sorte de péché originel : face à la dynamique sociale de Brecht, l'illustration d'une esthétique idéaliste et humaniste.

FRANKEL (Leo), socialiste d'origine hongroise (Budapest 1844-Paris 1896). Membre de l'Internationale, il participa à la Commune de Paris (1871).

Frankenstein ou le Prométhée moderne, roman de Mary Shelley (1817). Un savant reconstruit un être humain à partir de débris de différents corps, mais il lui manque l'« étincelle divine », et le monstre se venge de cette infirmité : l'un des classiques du fantastique* et du roman d'épouvante.

FRANKFORT, v. des États-Unis, capit. du Kentucky, au S. de Cincinnati; 22 000 hab.

FRANKLIN (Benjamin), physicien, philosophe et homme d'État américain (Boston 1706-Philadelphie 1790). Partisan des Lumières, dignitaire de la franc-maçonnerie, il diffuse dans son *Almanach du bonhomme Richard* ses idées libérales. En même temps, il s'adonne à des recherches concernant les phénomènes électriques et invente le paratonnerre. Député au premier Congrès américain (1775), il négocie à Versailles et à Paris l'alliance française, effective en 1778.

FRANKLIN (*sir* John), explorateur anglais (Spilsby 1786-† 1847). Gouverneur de la Tasmanie de 1836 à 1843, il périt au cours d'une expédition arctique chargée de rechercher le passage du Nord-Ouest.

FRASCATI, v. d'Italie (Latium), au S.-E. de Rome; 16 000 hab. Luxueuses villas de l'aristocratie romaine (XVIe s.), avec parcs et jeux d'eau. Églises baroques. Vins. Centre de recherches nucléaires.

FRASER (le), fl. de l'ouest du Canada (Colombie britannique), dont le cours se déroule entièrement dans les Rocheuses, avant qu'il n'atteigne le détroit de Géorgie (Pacifique), immédiatement au S. de Vancouver; 1 200 km.

FRATELLINI, famille de clowns d'origine italienne, composée notamment de PAUL (Catane 1877-Le Perreux-sur-Marne 1940), de FRANÇOIS (Paris 1879-*id.* 1951) et d'ALBERT (Moscou 1885-Épinay 1961). Fils de GUSTAVE **Fratellini** (Florence 1842-Paris 1902), les trois frères Fratellini, après la mort de leur aîné, LOUIS (Florence 1868-Varsovie 1909), clown également, formèrent un trio comique célèbre, qui remporta en France et à l'étranger un immense succès.

FRAUENFELD, v. de Suisse, ch.-l. de cant. de Thurgovie, sur la Murg; 17 576 hab.

FRAUNHOFER (Joseph VON), physicien allemand (Straubing, Bavière, 1787-Munich 1826). Il inventa le spectroscope et put, grâce à son emploi, repérer les raies du spectre solaire (1814); puis il imagina d'utiliser des réseaux (vers 1822). Il dressa une classification spectrale des étoiles.

FRAYSSINOUS (Denis, *comte* DE), prélat français (Curières 1765-Saint-Geniez-d'Olt 1841). Aumônier du roi (1821), évêque d'Hermopolis (1822), grand maître de l'Université (1822-1824), puis ministre de l'Instruction publique et des Cultes (1824-1828), il pratiqua à l'égard des universitaires une politique réactionnaire.

FRAZER (James George), anthropologue britannique (Glasgow 1854-Cambridge 1941). Dans *The Golden Bough* (1890-1915), il expose l'idée selon laquelle l'histoire de l'humanité passe par trois stades successifs de pensée : magique, religieux et enfin scientifique. Sa distinction entre magie et religion a été reprise par de nombreux anthropologues.

FRÉCHET (Maurice), mathématicien français (Maligny 1878-Paris 1973). On lui doit la création des *espaces abstraits,* très utiles en analyse, et de nombreux travaux dans le domaine du calcul des probabilités.

FRÉCHETTE (Louis), écrivain canadien d'expression française (Lévis 1839-Montréal 1908). Il est l'auteur de l'épopée nationale *la Légende d'un peuple* (1887) et de contes en prose (*Originaux et détraqués,* 1892).

FRÉDÉGONDE (545-597), troisième femme de Chilpéric Ier, roi de Neustrie. Elle ne recula pas devant le crime pour se faire épouser du roi. Elle est célèbre pour ses démêlés avec Brunehaut, dont elle vainquit les petits-fils à Latofao (596).

EMPEREURS

FRÉDÉRIC Ier Barberousse (Waiblingen 1122-dans le Sélef 1190), empereur romain germanique (1152-1190). Chef de la maison des Hohenstaufen, allié aux Welf par sa mère, il est le neveu de l'empereur Conrad III, auquel il succède en 1152. Remarquable chef de guerre, rusé et cruel, il tente, dès son couronnement, de restaurer son autorité sur une Allemagne déchirée par les ambitions des grands féodaux et sur l'Italie, où le mouvement communal compromet la souveraineté impériale. En Allemagne, il se montre d'abord très prudent à l'égard des grands féodaux, notamment à l'égard de son cousin Henri le Lion, duc de Bavière, auquel il accorde la Saxe en 1155. Mais l'attitude séparatiste de ce dernier l'incite à le mettre au ban de l'Empire (1180) et à donner ses fiefs aux Wittelsbach (1181). En Italie, Frédéric remporte d'abord une série de succès. Son action en faveur du pape Adrien IV (1155) contre Arnaud de Brescia lui permet d'être sacré empereur et d'imposer son autorité aux cités lombardes (diète de Roncaglia, 1158; destruction de Milan et de Crémone, 1162). Mais le pape Alexandre III, inquiet de ces succès, provoque la constitution d'une ligue de cités italiennes (Ligue lombarde, 1167) alliée aux Normands de Sicile. Frédéric Ier oppose à Alexandre un antipape, mais, vaincu à Legnano (1176), il signe la paix de Venise, qui met fin au schisme (1176), et finit par reconnaître l'autonomie des cités lombardes (1183). Parti pour la troisième croisade, il meurt noyé dans le Sélef, en Cilicie.

Lauros - Giraudon

Frédéric II de Prusse. Gravure en couleurs du XIXe s. (Bibliothèque nationale, Paris.)

FRÉDÉRIC II DE HOHENSTAUFEN (Iesi, marche d'Ancône, 1194-château de Fiorentino, près de Foggia, 1250), roi de Sicile (1197-1250) et empereur germanique (1220-1250). Fils de l'empereur Henri VI et de Constance de Sicile, ce prince cultivé, protecteur des arts et des sciences, fit de la Sicile un État moderne et parvint à reprendre Jérusalem au sultan d'Égypte (1229); mais il s'aliéna la papauté en tentant de rétablir l'autorité impériale sur l'Italie du Nord. En mourant, il laissa l'Allemagne et l'Italie en proie à l'anarchie.

FRÉDÉRIC III DE STYRIE (Innsbruck 1415-Linz 1493), empereur germanique (1440-1493), fils du duc Ernest de Habsbourg et cousin d'Albert II, à qui il succéda. Couronné à Rome en 1452, ce personnage sans envergure ne parvint pas à mettre la main sur les royaumes de Bohême et de Hongrie. S'il se révéla incapable d'appliquer la célèbre devise *(Austriae est imperare orbi universo)* qu'il forgea pour sa dynastie, il n'en assura pas moins la grandeur des Habsbourg en mariant son fils Maximilien à Marie de Bourgogne (1477).

BRANDEBOURG ET PRUSSE

FRÉDÉRIC Ier (Königsberg 1657-Berlin 1713), Électeur de Brandebourg (1688-1701), puis roi de Prusse (1701-1713). Fils du Grand Électeur, il obtient en 1700 le titre de roi de Prusse. Son faste laisse le royaume dans une situation financière précaire.

FRÉDÉRIC II, dit le **Grand Frédéric** (Berlin 1712-Potsdam 1786), roi de Prusse (1740-1786). Fils et successeur de Frédéric-Guillaume Ier, il s'éprend des idées françaises, s'adonne aux sciences, aux arts, aux lettres et à la philosophie. Dès son avènement, il envahit la Silésie, dont il devient maître (1742-1745) et qu'il conserve lors du traité d'Hubertsbourg, signé à l'issue de la guerre de Sept Ans, au cours de laquelle il a battu les Français à Rossbach et à Leuthen (1757). Le premier partage de la Pologne (1772) lui rapporte la Prusse polonaise, avec Dantzig. À l'intérieur, Frédéric, imbu de despotisme éclairé, fortifie son royaume par une politique financière et économique sage : peuplement et colonisation des terres, introduction du système fiscal de la régie et du monopole, promulgation d'un Code de justice (1748) qui rend la magistrature indépendante. Dans le même temps, l'armée prussienne devient la première d'Europe sur le plan numérique et tactique comme sur le plan de la formation militaire. Bref, Frédéric II fonde véritablement la puissance prussienne.

FRÉDÉRIC III (Potsdam 1831 - *id.* 1888), empereur allemand et roi de Prusse (1888). Prince libéral, adversaire de Bismarck, il ne règne que quelques semaines, victime d'un cancer du larynx.

DANEMARK ET NORVÈGE

FRÉDÉRIC III (Hadeslev 1609 - Copenhague 1670), roi de Danemark et de Norvège (1648-1670), fils et successeur de Christian IV. Pour être élu roi, il doit, par une charte, accroître le rôle de l'aristocratie dans le gouvernement de son royaume. En 1657, il déclare la guerre à la Suède; mais, vaincu, il doit lui céder d'importantes régions. La noblesse étant discréditée par la défaite, il s'appuie alors sur la bourgeoisie et procède à la révolution d'octobre 1660, qui établit une royauté héréditaire et absolue.

FRÉDÉRIC VI (Copenhague 1768 - *id.* 1839), roi de Danemark (1808-1839) et de Norvège (1808-1814). Fils et successeur de Christian VII, il est régent du royaume (depuis 1784) lorsque la flotte anglaise bombarde Copenhague (1801) pour contraindre le Danemark à sortir de sa neutralité à l'égard de la France. Allié à Napoléon, il doit, en janvier 1814, céder la Norvège à la Suède.

FRÉDÉRIC VII (Copenhague 1808 - Glücksborg 1863), roi de Danemark (1848-1863), fils de Christian VIII, à qui il succéda. Face aux manifestations qui saluèrent dans son pays la seconde révolution française, ce roi libéral sut mettre fin à la monarchie absolue et instituer une royauté fondée sur une constitution démocratique. Mais il dut aussitôt faire face aux séparatistes du Slesvig-Holstein, soutenus par la Prusse. Le traité de Londres (1852) maintint le Danemark dans la possession de ces deux duchés.

FRÉDÉRIC IX (château de Sorgenfri 1899 - Copenhague 1972), roi de Danemark (1947-1972), fils du roi Christian V. Son règne, durant lequel il respecta scrupuleusement le régime parlementaire, fut marqué par le renforcement de la collaboration entre les États scandinaves et par l'entrée de son pays dans la zone de libre-échange.

ÉLECTEUR ET COMTE PALATIN

FRÉDÉRIC V (Amberg 1596 - Mayence 1632), Électeur et comte palatin (1610-1623), roi de Bohême (1619-1620). Chef de l'Union évangélique et adversaire des Habsbourg, il joua un rôle actif dans la guerre de Trente Ans en appuyant la résistance tchèque contre Ferdinand II et en acceptant la couronne de Bohême (nov. 1619). Délaissé par l'Union évangélique et vaincu à la Montagne Blanche (1620), il fut mis au ban de l'Empire et perdit la couronne de Bohême, son titre d'Électeur et le Palatinat.

SICILE

FRÉDÉRIC II (1272 - Palerme 1337), roi de Sicile insulaire (1296-1337). Fils de Pierre III, roi d'Aragon, et de Constance II de Sicile, il succéda en Sicile à son frère aîné, Jacques II, roi d'Aragon, et lutta énergiquement pour conserver son trône face aux Angevins.

FRÉDÉRIC III le Simple (Catane 1342 - Messine 1377), roi de Sicile insulaire (1355-1377), duc d'Athènes (1355-1377), fils du roi Pierre II. Il dut lutter contre la maison d'Anjou et faillit perdre la Sicile, conquise par Louis de Tarente. La mort de ce dernier (1362) lui permit de recouvrer son royaume.

SUÈDE

FRÉDÉRIC Ier (Kassel 1676 - Stockholm 1751), roi de Suède (1720-1751). Époux d'Ulrique Éléonore (1715), sœur de Charles XII*, il fait élire reine sa femme à la mort de ce dernier (1718). Deux ans plus tard, Ulrique abdique en sa faveur.

FRÉDÉRIC-AUGUSTE Ier (Dresde 1750 - *id.* 1827), Électeur (1763-1806), puis roi de Saxe (1806-1827). Allié de la France, il voit son électorat érigé en royaume par Napoléon Ier (1806), qui, de plus, constitue en sa faveur le grand-duché de Varsovie. En 1815, son royaume est amputé au profit de la Prusse et de la Russie.

FRÉDÉRIC-CHARLES, général et prince prussien (Berlin 1828-près de Potsdam 1885), neveu du roi Guillaume Ier. Il se distingua à Düppel pendant la guerre des Duchés (1864), combattit à Sadowa (1866) et commanda la IIe armée pendant la guerre franco-allemande de 1870-71.

FRÉDÉRIC-GUILLAUME (Berlin 1620 - Potsdam 1688), Électeur de Brandebourg, surnommé **le Grand Électeur.** Ce Hohenzollern obtient d'importants avantages territoriaux aux traités de Westphalie (1648). Il poursuit l'unification administrative et la mise en valeur de ses États, les ouvrant aux persécutés de tous les pays, notamment aux huguenots français. En mourant, il laisse un pays triplé d'étendue et unifié, une armée solide et une économie régénérée.

FRÉDÉRIC-GUILLAUME Ier (Berlin 1688 - Potsdam 1740), roi de Prusse (1713-1740). Fils de Frédéric Ier, il pratique une politique résolument autoritaire, poursuivant l'œuvre unificatrice et centralisatrice du Grand Électeur. Il renforce l'organisation de l'armée prussienne, à laquelle il donne des soins qui lui valent le surnom de « Roi-Sergent ».

FRÉDÉRIC-GUILLAUME II (Berlin 1744 - *id.* 1797), roi de Prusse (1786-1797). Neveu et successeur du Grand Frédéric, il se laisse dominer par son entourage. Ayant trouvé son avantage en Pologne (2e et 3e partages), il signe dès 1795 la paix de Bâle avec la France révolutionnaire.

FRÉDÉRIC-GUILLAUME III (Potsdam 1770 - Berlin 1840), roi de Prusse (1797-1840). Fils et successeur de Frédéric-Guillaume II, il reste longtemps en paix avec la France. Mais, inquiet de la formation de la Confédération* du Rhin, il entre, avec la Russie, dans la quatrième coalition. Écrasé par les troupes françaises à Iéna et Auerstedt (1806), il fait les frais du traité de Tilsit (1807), qui réduit ses États de moitié. Par la suite, il favorise le mouvement national antifrançais (1807-1813). Le congrès de Vienne rend à la Prusse son rang et accroît son territoire en Rhénanie, faisant d'elle la principale puissance de la confédération germanique (1815).

FRÉDÉRIC-GUILLAUME IV (Berlin 1795 - Potsdam 1861), roi de Prusse (1840-1861). Souverain romantique, il refuse en 1848 à la fois la couronne impériale et la concession d'une constitution prussienne, qui lui est finalement arrachée. En 1857, frappé d'aliénation, il doit abandonner la régence à son frère Guillaume* (Ier).

FRÉDÉRIC-GUILLAUME (Potsdam 1882 - Hechingen 1951), prince de Prusse, dit **le Kronprinz.** Fils aîné de l'empereur Guillaume II, il attache son nom, durant la Première Guerre mondiale, à la bataille de Verdun* (1916), qui se révèle pour les Allemands un gros échec. En 1918, il abdique en même temps que son père.

FRÉDÉRIC HENRI → ORANGE-NASSAU.

FREDERICTON, v. du Canada, capit. du Nouveau-Brunswick, sur le Saint-Jean; 24 254 hab.

FREDERIKSBERG, faubourg de Copenhague; 113 000 hab.

FREDET (Alfred), ingénieur français (Cébazat, Puy-de-Dôme, 1829-† 1904). Spécialiste de la fabrication du papier, il attacha son nom à l'emploi de la pâte de bois.

FREDHOLM (Erik Ivar), mathématicien suédois (Stockholm 1866-Mörby 1927). Il est un des fondateurs de la théorie des équations intégrales. Ses travaux ont également porté sur la mécanique et la physique mathématique.

FREE JAZZ. — Ce mouvement est apparu aux États-Unis à la fin des années 50. Partisans d'une improvisation intégrale, les adeptes du free jazz rejettent à la fois toute trame harmonique et tout matériel thématique. Ils accordent en général une importance primordiale à certaines préoccupations philosophiques, religieuses ou politiques. Tentative de libération culturelle, cette « nouvelle musique » est aussi, en un sens, une entreprise de reconquête ou de reconstruction d'une culture spécifique négro-américaine. Parmi les représentants les plus significatifs du free jazz, il faut citer Ornette Coleman, Eric Dolphy, Cecil Taylor, Albert Ayler, Don Cherry, Sun Ra, Archie Shepp, Sunny Murray, Pharoah Sanders, Anthony Braxton, Steve Lacy, Alan Silva.

FREETOWN, capit. de la Sierra Leone; 179 000 hab.

FRÉGATE. — Après avoir désigné dans la marine à voile un bâtiment moins lourd et plus rapide que le vaisseau, le terme de « frégate » a été repris dans les années 50. On appelle ainsi aujourd'hui un bâtiment de combat de 5 000 à 10 000 t, intermédiaire entre la corvette et le croiseur, apte à la lutte antisurface et anti-sous-marine.

En France, la frégate *F 67,* type *Tourville* de 5 700 t (en service en 1974), est équipée de sonar remorqué, de missiles « Malafon » et « Exocet » ainsi que d'un hélicoptère.

FREGE (Gottlob), logicien et mathématicien allemand (Wismar 1848 - Bad Kleinen, Mecklembourg, 1925). Il est le premier à élaborer de façon complète un calcul des propositions formalisé, utilisant opérateurs et quantificateurs, et à distinguer le sens d'une fonction propositionnelle de ce qu'elle désigne. C'est avec lui que se constitue le passage de ce qui n'était qu'une logique mathématisée à une véritable logique, capable de formaliser et d'énoncer les règles de formation dans le domaine même des mathématiques. Frege a écrit notamment *Begriffsschrift* (1879), *les Fondements de l'arithmétique* (1884), *Lois fondamentales de l'arithmétique* (1893-1903).

FREGOLI (Leopoldo), acteur italien (Rome 1867 - Viareggio 1936). Chanteur, danseur, imitateur, mime, illusionniste, il fut célèbre à travers le monde entier pour ses dons de comédien à transformations.

FRÉHEL *(cap),* cap de Bretagne (Côtes-du-Nord), à l'E. de la baie de Saint-Brieuc.

FREIAMT, région du nord de la Suisse (Argovie).

FREIBERG, v. de l'Allemagne orientale, au S.-O. de Dresde; 51 000 hab. Métallurgie (plomb, étain, zinc). Cathédrale des XIIe-XVIe s. (sculptures, mobilier) et autres monuments. Musée.

FREILIGRATH (Ferdinand), poète allemand (Detmold 1810 - Stuttgart 1876). Collaborateur de Karl Marx à la *Neue Rheinische Zeitung,* il est l'auteur de poèmes romantiques ou d'inspiration politique (*Nouvelles Poésies politiques et sociales,* 1849).

FREI MONTALVA (Eduardo), homme d'État chilien (Santiago 1911). Juriste, fondateur (1935) et chef de la démocratie chrétienne, il devient président de la république du Chili (1964-1970) et mène une politique de réformes économiques et sociales. Élu président du Sénat en 1973, il s'oppose au gouvernement Allende, puis prend ses distances vis-à-vis du nouveau régime établi par le général Pinochet, auquel il s'était d'abord montré favorable.

FREIN. — Les freins absorbent la force vive d'un véhicule en marche par frottement de deux organes, dont l'un est fixe et l'autre solidaire de la roue.

Dans le *frein à tambour,* la partie fixe est composée de garnitures de friction portées par deux segments, qui, sous l'action d'une came, peuvent pivoter autour de deux points fixes. Ces garnitures viennent frotter sur un tambour cylindrique, qui tourne avec la roue. On peut supprimer les points fixes au profit d'une butée, sur laquelle s'appuient les segments libérés. On a intérêt à prévoir des freins autoserreurs, dans lesquels les segments sont montés sur un axe libre en restant indépendants du plateau de frein. Ceux-ci sont reliés entre eux par une biellette, sur laquelle le segment primaire, en position d'autoserrage, vient s'arc-bouter pour pousser le segment secondaire, également en autoserrage. Pour éviter que l'effort à exercer sur la pédale de commande ne soit trop important, on recourt au montage en duo-servo, système à came flottante maintenue en position par les ressorts de rappel des segments et entourant, sans le toucher, un point fixe. La tare du ressort du segment primaire étant plus faible que celle du segment secondaire, le segment primaire entre le premier en action et pousse le segment secondaire au moyen d'un régleur. Ce dernier, étant en butée sur le point fixe, agit en autoserrage.

Dans le *frein à disque,* la partie mobile est un disque solidaire de la roue, sur lequel vient serrer un dispositif composé d'un étrier

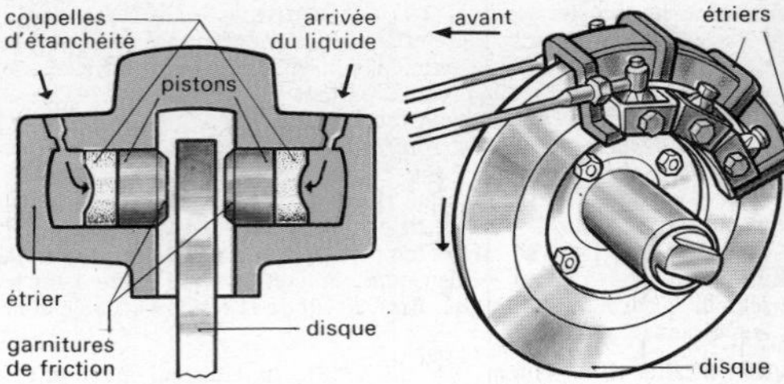

Frein à disque à serrage sur les deux faces.

porteur de pistons équipés de garnitures de friction, dont la mise en action est commandée hydrauliquement. Si l'effet de serrage se manifeste sur une seule face du disque, celui-ci doit être monté avec un certain jeu pour lui permettre de se déplacer parallèlement à l'axe de rotation, afin de compenser le mouvement du piston de commande. Si, au contraire, l'effet de serrage se manifeste sur les deux faces du disque, le jeu est supprimé et l'étrier est fixé rigidement au châssis. Le freinage à disque présente de nombreux avantages par rapport au frein à tambour : meilleur refroidissement, usure régulière des garnitures, aucune déformation des organes, légèreté et mise en action plus rapide. En revanche, la pression à exercer sur la pédale de commande est plus grande et nécessite, en principe, l'usage d'un servofrein. Qu'il s'agisse de frein à tambour ou de frein à disque, la commande hydraulique est généralisée. L'effort exercé sur la pédale engendre une pression dans le maître cyclindre, qui la transmet uniformément aux quatre cylindres de roue récepteurs. Par mesure de sécurité, on prévoit un double circuit, qui assure l'indépendance du freinage avant sur le freinage arrière. En cas d'avarie de l'un deux, la pression est automatiquement envoyée aux cylindres de roue du circuit intact.

Sur un véhicule ferroviaire, le freinage exige la dissipation d'une énergie* importante, tandis que l'effort de retenue développé au contact de la roue et du rail* est limité par une adhérence* qui ne peut guère dépasser 0,1 sous peine de provoquer l'enrayage des roues. Cette limite conduit à des décélérations moyennes nettement plus faibles que celles qui sont obtenues sur les véhicules routiers et à des distances d'arrêt beaucoup plus grandes. L'effort de freinage est souvent engendré par le frottement de sabots sur le bandage des roues ou parfois sur des disques calés sur l'essieu*. Pour les grandes vitesses, l'énergie à dissiper devient trop importante pour ces systèmes, et les chemins de fer utilisent des freins à courant de Foucault* ou des freins rhéostatiques sur les engins moteurs. L'action des freins est commandée par le conducteur du train au moyen d'un robinet ou d'une commande électrique permettant de vider ou de remplir une conduite d'air (la conduite générale) parcourant tout le train. Les variations de pression dans cette conduite agissent sur les distributeurs placés sur les véhicules et permettent de graduer l'effort de freinage en fonction inverse de la pression, qui, en marche normale, est de 5 bar.

FREINAGE. — Le freinage provoque soit le ralentissement, soit l'arrêt de la voiture en transformant son énergie cinétique en

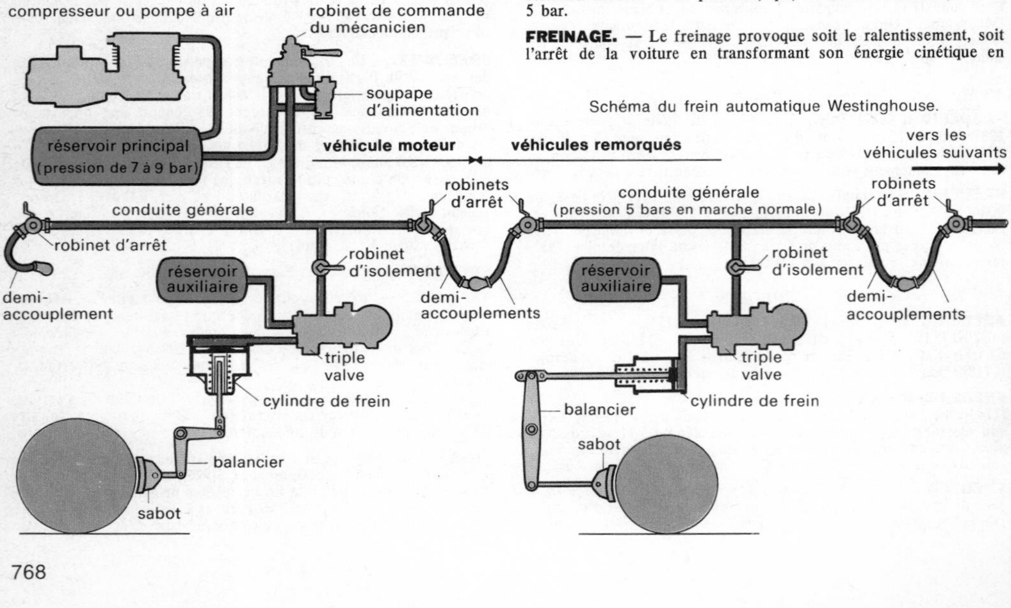

Schéma du frein automatique Westinghouse.

chaleur, qui se dissipe dans l'atmosphère. Les freins* sont très sensibles à cet échauffement, qui peut perturber leur efficacité s'ils ne sont pas refroidis. Le freinage influe sur la tenue* de route, la décélération entraînant une modification du centrage des masses sur les deux essieux, l'arrière étant délesté et l'avant surchargé. Si l'on ne prévoit pas une prépondérance du freinage sur l'avant, les roues arrière peuvent se bloquer, alors que les roues avant continuent à tourner, ce qui amorce un dérapage de l'arrière pouvant se transformer en tête-à-queue toujours dangereux. Le phénomène inverse, roues avant seules bloquées, est sans importance, car le couple de forces perturbateur a tendance à remettre la voiture en équilibre sur sa trajectoire. La distance parcourue jusqu'à l'arrêt est égale à la somme de la distance parcourue pendant le temps mort de freinage et de la distance parcourue pendant la décélération. Le temps mort de freinage correspond au temps qui s'écoule entre le moment où l'on décide de freiner et celui où le freinage est effectif. Il est proportionnel à la vitesse du véhicule. La décélération est la quantité de vitesse perdue pendant le ralentissement. Elle varie comme le double de la vitesse, ce qui implique que la distance d'arrêt varie comme le quadruple de cette vitesse.

FREINET (Célestin), pédagogue français (Gars 1896 - Vence 1966). La « méthode naturelle » qu'a proposée cet instituteur de campagne s'appuie sur les motivations affectives profondes des enfants. Par exemple, la lecture et l'écriture ne peuvent être apprises que lorsque l'enfant aura conclu, après expérience, à leur nécessité, comme lors de sa participation à la rédaction d'un texte libre ou au journal de la classe. L'originalité de Freinet a été de mettre à la disposition des enfants une technique précise et complexe : l'imprimerie, qui requiert la participation de tous. Freinet est aussi l'initiateur de la classe-coopérative, dans laquelle le maître et les élèves travaillent ensemble en vue d'une production ayant valeur d'échange avec l'extérieur. S'insérant mal dans l'école urbaine hiérarchisée, les classes Freinet sont plus nombreuses dans les secteurs marginaux et défavorisés de l'éducation nationale.

FREIRE (Paulo), pédagogue brésilien (Recife 1921). Il est l'auteur d'une méthode d'alphabétisation dite « conscientisation » : concevant l'éducation comme une libération, il cherche à « promouvoir chez le peuple touché par une action éducative une conscience claire de sa situation objective ».

Freischütz *(Der)* [*le Franc-Tireur*], opéra en trois actes, livret de Kind, musique de C. M. von Weber (1821). Traitée dans l'esprit du singspiel avec alternance de parlé et de chanté, la partition mêle des éléments populaires à des évocations fantastiques (la Gorge aux loups). L'œuvre est considérée comme le premier opéra romantique allemand.

FRÉJUS (83600), ch.-l. de cant. du Var; 30 607 hab. *(Fréjussiens).* Matières plastiques. Confection.

HISTOIRE. Déjà lieu de marché sous César *(Forum Julii),* Fréjus dut son développement au port de guerre qu'y aménagèrent les triumvirs et, sous Auguste, à l'installation des vétérans de la VIIIe légion. Le 2 décembre 1959, la rupture du barrage de Malpasset entraîna l'inondation catastrophique de la basse ville.

BEAUX-ARTS. Restes de constructions romaines (amphithéâtre, fortifications, etc.). Cathédrale gothique des environs de 1200, avec baptistère voûté du Ve s., cloître roman à deux étages du XIIe et clocher du XIIIe.

FRÉJUS *(col de),* col des Alpes, à la frontière franco-italienne, entre la Maurienne et la vallée italienne de Bardonnèche; 2 542 m. Tunnel ferroviaire (dit « du Mont-Cenis ») et routier (en construction).

FRÉMIET (Emmanuel), sculpteur français (Paris 1824 - *id.* 1910). Neveu de Rude, il commença par prendre pour modèles des animaux domestiques. Il est notamment l'auteur de la *Jeanne d'Arc* équestre de la place des Pyramides à Paris.

FRÉMINET (Martin) → FONTAINEBLEAU.

FRÉMINVILLE (Charles de LA POIX DE), ingénieur français (Lorient 1856 - Paris 1936). Le premier, il utilisa dans l'étude des métaux les essais au choc et par empreinte de billes. Le plus ardent propagandiste des théories de Frederic W. Taylor* pour leur mise en application dans l'industrie française, il fut l'un des promoteurs des mouvements français pour la diffusion de l'organisation scientifique.

FREMY (Edmond), chimiste français (Versailles 1814 - Paris 1894). On lui doit des travaux sur les acides gras, les ciments et les complexes ammoniés du cobalt et du chrome. Il isola l'oléine et l'acide palmitique.

FRENCH (John), comte **d'Ypres,** maréchal britannique (Ripple, Kent, 1852 - Deal Castle 1925). Chef de l'état-major impérial en 1911, il commanda le corps expéditionnaire britannique en France en 1914 et en 1915.

FRÊNE. — Le frêne est un arbre forestier assez commun, qui se distingue de tous les autres par ses feuilles composées à cinq, sept ou neuf folioles. Le fruit est muni d'une aile assurant sa dispersion par le vent. Le système racinaire, précoce et puissant, assure à l'arbre une grande résistance au vent. Le bois de frêne est utilisé en tonnellerie et en carrosserie (famille des oléacées).

FRÉQUENCE *(Phys.).* — Les fréquences des sons perçus par l'oreille humaine sont comprises entre 16 et 20 000 vibrations par seconde, ou hertz. La fréquence du la_3 du diapason est fixée en France à 435 Hz.

Les courants alternatifs de fréquence inférieure à 250 Hz sont utilisés pour les applications industrielles : la fréquence de 50 Hz est normalisée en France; elle est de 60 Hz dans les pays anglo-saxons. Les courants de très basse (de 3 à 30 kHz) et de basse (de 30 à 300 kHz) fréquence servent dans les télécommunications par sons et ultrasons; ceux de moyenne (455 kHz) fréquence concernent la radiodiffusion; les hautes (de 3 à 30 MHz) fréquences intéressent les télécommunications et le chauffage H. F.; les très hautes (de 30 à 300 MHz) et les ultra-hautes (de 300 à 3 000 MHz) fréquences sont du domaine de la télévision; les fréquences supérieures (de 30 000 à 300 000 MHz) sont utilisées dans les radars et en thérapeutique.

gamme des fréquences des ondes électromagnétiques

Nature de l'onde	*Fréquence en hertz*
ondes radioélectriques	10^4 à 10^{11}
ondes infrarouges	10^{12} à $4 \cdot 10^{14}$
ondes lumineuses	$4 \cdot 10^{14}$ à $7{,}5 \cdot 10^{14}$
ondes ultraviolettes	$7{,}5 \cdot 10^{14}$ à 10^{16}
rayons X	10^{16} à $5 \cdot 10^{19}$
rayons gamma	$5 \cdot 10^{19}$ à 10^{20}

FRÈRE (Aubert), général français (Grévillers 1881 - Struthof 1944). Commandant de Saint-Cyr (1931-1935), puis de la VIIe armée (1940), il est désigné par Giraud en 1942 comme chef de l'Organisation de résistance de l'armée. Arrêté par la Gestapo en 1943, il est déporté au camp du Struthof, où il meurt.

FRÈRE-ORBAN (Hubert), homme d'État belge (Liège 1812-Bruxelles 1896). Chef du parti libéral, maintes fois ministre, président du Conseil (1878-1884), il déchaîne, par sa politique neutraliste et laïque, la « guerre scolaire ».

Frères de la pureté et amis de la fidélité *(les),* société de pensée ismaélienne (v. ISMAÉLIENS) qui, au Xe s., publia une encyclopédie composée de cinquante-deux traités, portant sur la propédeutique philosophique, les mathématiques, la logique, la physique, la métaphysique, la mystique et la psychologie. L'influence de cette œuvre sur la pensée et la mystique islamique a été considérable; qualifiée d'hérétique, elle fut brûlée en 1150.

Frères Karamazov *(les),* roman de Dostoïevski (1880). Couronnement et clé de l'œuvre de Dostoïevski : le meurtre du père, Fedor Karamazov, met aux prises, à travers un réseau de fascination et d'incompréhension réciproques, ses quatre fils : Mitia, sensuel et passionné, Ivan, l'intellectuel sceptique, Aliocha, le mystique, et Smerdiakov, enfant naturel pervers employé comme valet de chambre. C'est la première partie d'une trilogie inachevée qui devait, à travers les idées-forces de la culpabilité fondamentale de l'homme et du rachat par la souffrance, montrer le triomphe définitif de la charité et de la solidarité humaine.

FRÈRES MINEURS, nom donné aux religieux qui suivent la règle de saint François* d'Assise.

Le mouvement franciscain est une réaction contre les courants qui agitent le monde médiéval à cette époque. Le XIIe s. est le siècle de l'or et des affaires : au plan social, le fossé se creuse entre pauvres et riches; au plan politique, la liquidation des féodalités au profit de timides démocratisations se fait dans une atmosphère de barricades; au plan religieux, la réaction contre le cléricalisme allume des bûchers. Saint François apporte l'esprit de fraternité communautaire, de pauvreté, de fidélité.

L'ordre qu'il fonde est un ordre mendiant*, parce que, à l'origine, il lui était interdit de posséder des biens; il devait vivre de son travail ou d'aumônes compensant un salaire non réclamé. À la différence des autres ordres, les Frères mineurs n'ont aucune tâche spécialisée; ils répondent aux besoins qui se manifestent : missions étrangères, missions paroissiales ou sur le lieu de travail, aumôneries, enseignement, etc., mais toujours dans l'esprit des trois constantes franciscaines : simplicité, fraternité et joie.

Actuellement, l'ordre est divisé en trois branches : les Franciscains proprement dits, les Capucins et les Conventuels.

FRÉRON (Élie), publiciste et critique français (Quimper 1718 - Paris 1776). Adversaire de Voltaire et des philosophes, il fonda *l'Année littéraire* (1754).

FRÉRON (Louis), homme politique français (Paris 1754-Saint-Domingue 1802), fils du précédent. Membre des Cordeliers, Conventionnel et envoyé en mission, il contribue à la chute de Robespierre (1794) avant de se mettre à la tête de la jeunesse dorée, antijacobine.

FRESCATY, aéroport de Metz, à 6 km au S.-O. de la ville.

FRESCOBALDI (Girolamo), compositeur italien (Ferrare 1583-Rome 1643). Organiste de Saint-Pierre de Rome, il attirait des disciples de toute l'Europe. Son œuvre pour clavecin et pour orgue exploite les formes traditionnelles (toccata, canzone, ricercare, fantasia) dans un style contrapuntique ou en variations. Son recueil *Fiori musicali* (1635) aura un grand retentissement auprès de ses contemporains et de ses successeurs.

FRESNAY (Pierre LAUDENBACH, dit **Pierre**), acteur de théâtre et de cinéma français (Paris 1897-Neuilly 1975). Il débuta à la Comédie-Française en 1915 et poursuivit sa carrière dans les théâtres du Boulevard, où il interpréta notamment des pièces de S. Guitry, de M. Pagnol, de J. Anouilh. Il fut associé en 1937 à la direction du théâtre de la Michodière, où il créa plusieurs œuvres, notamment de M. Achard, d'A. Roussin, d'É. Bourdet. Il adapta également pour la scène certains textes littéraires (*Mon Faust* de P. Valéry, 1962; *le Neveu de Rameau* de Diderot, 1963; *l'Idée fixe* de P. Valéry, 1966). Au cinéma, il parut dans de nombreux films, dont *Marius* (1931), *Fanny* (1932), *César* (1936), *la Grande Illusion* (1937), *L'assassin habite au 21* (1942), *le Corbeau* (1943), *Monsieur Vincent* (1947).

FRESNAYE-SUR-CHÉDOUET (La) [72670], ch.-l. de cant. de la Sarthe, à 11 km à l'E. d'Alençon; 783 hab.

FRESNAY-SUR-SARTHE (72130), ch.-l. de cant. de la Sarthe, à 20 km au S. d'Alençon; 2 770 hab. Église romane. Restes d'un château médiéval.

FRESNEAU (François), ingénieur français (Marennes 1703-*id.* 1770). Envoyé par le comte de Maurepas à Cayenne pour y reconstruire les fortifications, il découvrit l'arbre à caoutchouc. Lors de son retour de la Guyane, il cultiva la pomme de terre, dont, bien avant Parmentier, il vanta les qualités (1762). En 1763, il réussit à dissoudre le caoutchouc tout en lui conservant son élasticité, en utilisant la térébenthine.

FRESNEL (Augustin), physicien français (Chambrais [auj. Broglie] 1788-Ville-d'Avray 1827). Il montra que la théorie ondulatoire de la lumière pouvait seule expliquer les phénomènes d'interférences et de diffraction. Il créa l'optique cristalline et inventa en 1821 les lentilles à échelons.

FRESNES (94260), ch.-l. de cant. du Val-de-Marne, à 7 km au S. de Paris; 28 539 hab. *(Fresnais).* Prison.

FRESNE-SAINT-MAMÈS (70130), ch.-l. de cant. de la Haute-Saône, à 27 km au S.-O. de Vesoul; 457 hab.

FRESNES-EN-WOËVRE (55160), ch.-l. de cant. de la Meuse, à 20,5 km au S.-E. de Verdun; 636 hab.

FRESNES-SUR-ESCAUT (59970), comm. du Nord, dans l'est du bassin houiller à 11 km au N. de Valenciennes; 8 377 hab. *(Fresnois).*

FRESNO, v. des États-Unis (Californie), au S.-E. de San Francisco; 166 000 hab.

FRESNOY-LE-GRAND (02230), comm. de l'Aisne, à 14,5 km au N.-E. de Saint-Quentin; 3 729 hab. Articles ménagers.

FRESQUE → PEINTURE.

FRÉTEVAL (41160 Morée), comm. de Loir-et-Cher, sur le Loir, à 16 km au N.-E. de Vendôme; 909 hab. En 1194, Richard Cœur de Lion, sorti depuis peu des prisons du duc d'Autriche, battit à Fréteval Philippe Auguste, qui avait profité de sa captivité pour envahir la Normandie. Du 15 au 16 décembre 1870, le général Chanzy y résista aux Prussiens.

FREUD (Sigmund), médecin autrichien (Freiberg, Moravie, 1856-Londres 1939), fondateur de la psychanalyse*. Au cours de ses études de médecine, S. Freud s'intéressa à la physiologie. Il ne s'orienta vers la pathologie mentale qu'après le voyage d'études qu'il fit en 1885 à Paris auprès de J.-B. Charcot, dont les travaux sur l'hystérie* l'impressionnèrent vivement. S'étant installé comme médecin à Vienne (en 1938, il devra quitter l'Autriche pour Londres, chassé par l'antisémitisme nazi), il mit au point avec son ami J. Breuer une méthode qu'ils appelèrent « catharsis » et qui consistait à permettre à leurs patientes en état d'hypnose* de se souvenir des événements qui les avaient traumatisées et à extérioriser les sentiments dont elles avaient réprimé l'expression au moment du choc. À leur réveil, la catharsis avait fait disparaître le symptôme qui les gênait. Freud et Breuer publièrent leurs résultats dans *Études sur l'hystérie* (1895), ouvrage qui fut fort mal accueilli dans les milieux médicaux, ce qui contribua à décourager

Sigmund Freud et son petit-fils Stephan Gabriel (Berlin, 1922).

les principales œuvres

1887-1902	*La Naissance de la psychanalyse, lettres à Wilhelm Fliess, notes et plans.*
1895	(avec Josef Breuer) : *Études sur l'hystérie.*
1900	*L'Interprétation des rêves.*
1901	*Psychopathologie de la vie quotidienne.*
1905	*Fragment d'une analyse d'hystérie : Dora; Trois Essais sur la théorie de la sexualité; le Mot d'esprit et ses rapports avec l'inconscient.*
1907	*Délire et rêves dans la « Gradiva » de Jensen.*
1909	*Analyse d'une phobie d'un petit garçon de cinq ans : le petit Hans; Remarques sur un cas de névrose obsessionnelle : l'homme aux rats; Cinq Leçons sur la psychanalyse.*
1910	*Un souvenir d'enfance de Léonard de Vinci.*
1911	*Remarques psychanalytiques sur l'autobiographie d'un cas de paranoïa : le président Schreber.*
1912	*Totem et tabou.*
1915	*Les Pulsions et leurs destins; Considérations actuelles sur la guerre et la mort.*
1916-17	*Introduction à la psychanalyse.*
1917	*Deuil et mélancolie.*
1918	*Extrait de l'histoire d'une névrose infantile : l'homme aux loups.*
1920	*Au-delà du principe de plaisir.*
1921	*Psychologie collective et analyse du Moi.*
1923	*Le Moi et le soi.*
1924	*Le Problème économique du masochisme.*
1925	*Ma vie et la psychanalyse.*
1926	*Inhibition, symptôme et angoisse.*
1927	*L'Avenir d'une illusion.*
1930	*Malaise dans la civilisation.*
1938	*Abrégé de psychanalyse.*
1939	*Moïse et le monothéisme.*

Breuer. Poursuivant seul ses recherches, Freud prit conscience que, dans les troubles névrotiques, c'étaient toujours les « émois de nature sexuelle qui étaient oubliés ». Il renonça bientôt à l'hypnose, pour inciter le patient à s'abandonner et à communiquer au thérapeute tout ce qui lui vient à l'esprit à propos de n'importe quoi, même si c'est absurde, inconvenant ou si ça lui paraît sans importance (associations libres). Cette technique constitue la règle fondamentale de la cure analytique.

Freud appela « résistance » la force qui empêche les souvenirs oubliés de parvenir à la conscience et « refoulement » le processus psychique qui, au moment du traumatisme, a provoqué son oubli. Ce qui est refoulé est un désir inconciliable avec les autres désirs de l'individu ou avec la morale. Mais les désirs refoulés n'en continuent pas moins d'exister dans l'inconscient*, où ils n'ont rien perdu de leur dynamisme. Ils peuvent faire irruption dans le champ de la conscience, à condition d'être défigurés. C'est ainsi que se forment les symptômes névrotiques (v. NÉVROSE), les rêves* ou les actes* manqués. Dans *l'Interprétation des rêves* (1900), ouvrage capital de la théorie analytique, Freud rapporte en détail l'analyse de ses propres rêves et de ceux de ses patients.

Il acquit rapidement la conviction que les situations traumatisantes, qui étaient à l'origine des troubles présentés par les adultes névrosés, s'étaient produits très tôt dans l'enfance et étaient des scènes de séduction par un adulte. Il comprit que cette séduction n'avait pas eu lieu réellement, mais que le malade souhaitait inconsciemment qu'il en ait été ainsi (fantasme*). Il interpréta ces fantasmes de séduction comme un des effets du complexe d'Œdipe* et put, dès lors, reconstruire le développement de la sexualité* infantile. Il publia le résultat de ses recherches dans *Trois Essais sur la théorie de la sexualité* (1905).

Au-delà du principe de plaisir (1920) marque un tournant important dans la pensée freudienne : Freud introduit en effet la notion de pulsion* de mort ainsi qu'un nouveau modèle de l'appareil psychique, qui fait intervenir le Moi*, le Ça* et le Surmoi*. À partir de cette époque, il se consacre davantage aux grands problèmes de la civilisation, auxquels il applique la technique psychanalytique.

C'est dans *Malaise dans la civilisation* (1930) que Freud développe le plus explicitement sa conception du monde. Il y souligne la soumission de la civilisation aux nécessités économiques : celles-ci imposent un lourd tribut non seulement à la sexualité, mais aussi à l'agressivité en échange d'un peu de sécurité. C'est l'agressivité, c'est-à-dire l'instinct de mort, qui est l'entrave la plus redoutable à la civilisation, alors qu'Éros tend à unir libidinalement les hommes.

FREUD (Anna), psychanalyste britannique d'origine autrichienne (Vienne 1895). Fille de Sigmund Freud*, elle s'intéresse surtout à la psychanalyse des enfants. Elle pense, contrairement à M. Klein*, que le conflit œdipien ne doit pas être abordé en profondeur par le psychanalyste d'enfant, car l'enfant est encore trop engagé dans ses relations avec ses objets d'amour originels. Ses principaux écrits sont *le Moi et les mécanismes de défense* (1937) et *le Normal et le pathologique chez l'enfant* (1965).

FREUDO-MARXISME. — Le freudo-marxisme est une forme d'idéologie issue de la coordination, entreprise par W. Reich* et H. Marcuse*, de la psychanalyse de Freud et du marxisme. En poursuivant la révolution sexuelle par la prise en charge des désirs aliénés, la révolution sociale doit, dans cette optique, mettre fin aux névroses sécrétées par la répression et le refoulement que produit la société bourgeoise, dont la forme exaspérée est le fascisme (*Psychologie de masse du fascisme* de Reich). Reich critique les conceptions de Freud sur la famille et le complexe d'Œdipe (*la Révolution sexuelle).* Il inaugure ainsi une réflexion féconde, que poursuivront Deleuze* et Guattari dans *l'Anti-Œdipe**. Ancien membre de l'école de Francfort*, H. Marcuse pense, contre Freud et Reich, qu'il est possible de réconcilier civilisation et sexualité. Dans *Éros et civilisation,* il montre qu'une diminution de la répression est possible du fait de l'investissement du principe de vie (Éros) dans les relations sociales, mais critique cette thèse dans *l'Homme unidimensionnel* et *la Fin de l'utopie.*

Aussi séduisante soit-elle, cette idéologie de la libération totale demeure problématique. D'abord en raison des objets et des principes différents qui constituent ces deux théories, et qui donnent à l'individu une importance inversement proportionnelle l'une à l'autre. En second lieu en raison de l'opposition irréductible de leurs conceptions respectives de la causalité (la causalité psychique nie la causalité structurale-économique du marxisme, et réciproquement), qui conduit le marxisme à nier la causalité psychique en faisant de l'idéologie* le principe de l'assujettissement de l'individu à des intérêts de classe et qui amène la psychanalyse à s'opposer à tout autre type de détermination que celle du désir*.

FRÉVENT (62270), comm. du Pas-de-Calais, sur la Canche, à 39 km à l'O. d'Arras; 4428 hab.

FREYCINET (Charles DE SAULSES DE), homme politique français (Foix 1828 - Paris 1923). Ingénieur des Mines, bras droit de Gambetta en 1870-71 comme délégué à la Guerre, ministre des Travaux publics de 1877 à 1879, il est le promoteur d'un grand programme de travaux orientés vers le développement des ports, des canaux et des chemins de fer. Quatre fois président du Conseil entre 1879 et 1892, il a été deux fois ministre de la Guerre entre 1888 et 1899.

FREYMING-MERLEBACH (57800), ch.-l. de cant. de la Moselle, formé en 1971 des deux anciennes communes de Freyming et de Merlebach, à 9 km au S.-O. de Forbach; 17604 hab. Houille.

FREYSSINET (Eugène), ingénieur français (Objat, Corrèze, 1879-Saint-Martin-Vésubie 1962). Le premier, il eut l'idée d'augmenter la compacité du béton en le soumettant à des vibrations. Mais il fut surtout le véritable novateur de la contrainte de ce matériau, dont il codifia les conditions pratiques de réalisation.

FRIA, localité de Guinée, au N. de Conakry. Usine d'alumine.

FRIANT (Louis, *comte*), général français (Morlancourt 1758 - près de Meulan 1829). Un des meilleurs commandants de division de la Grande Armée, d'abord à Austerlitz et à Auerstedt dans le 3e corps de Davout, puis à Wagram et à la Moskova, enfin dans la Garde impériale (1813-14).

FRIBOURG, v. de Suisse, ch.-l. du *canton de Fribourg* (1670 km²; 180309 hab.), sur la Sarine; 39695 hab. Remparts à tourelles et vieux monuments, donnant à la ville un aspect pittoresque. Constructions mécaniques. — Fondée au XIIe s. par le duc de Zähringen, elle passa sous la domination des Habsbourg (XIIIe-XVe s.), puis de la Savoie, avant d'entrer dans la Confédération helvétique (1481). Depuis le XVIe s., elle est le principal bastion du catholicisme suisse.

FRIBOURG-EN-BRISGAU, en allem. **Freiburg im Breisgau,** v. de l'Allemagne fédérale (Bade-Wurtemberg), en bordure de la Forêt-Noire; 173000 hab. Cathédrale en grès rouge romane et gothique (XIIIe-XVIe s.; sculptures du portail, retable de H. Baldung). Monuments gothiques et Renaissance. Musées. — Cette ville fortifiée, verrou de l'accès au Rhin et au Danube, fut le théâtre d'une difficile victoire remportée par les armées françaises de Condé et de Turenne contre l'armée autrichienne du général Mercy (du 3 au 5 août 1644).

FRIEDEL (Charles), chimiste et minéralogiste français (Strasbourg 1832 - Montauban 1899). On lui doit un procédé général de synthèse des composés benzéniques. Il fut le fondateur de l'Institut de chimie de Paris. — Son fils GEORGES, chimiste et minéralogiste (Mulhouse 1865 - Strasbourg 1933), a découvert les états mésomorphes et donné les lois de la diffraction des rayons X par les cristaux (1913).

FRIEDLAND, auj. **Pravdinsk,** v. d'U.R.S.S., au S.-E. de Kaliningrad. Victoire de Napoléon sur les Russes de Bennigsen (14 juin 1807).

FRIEDLÄNDER (Max Jacob), historien d'art allemand (Berlin 1867 - Amsterdam 1958). Peu porté au scientisme, il se veut « connaisseur » et cherche à « pénétrer l'essence d'une œuvre individuelle ». Spécialiste de la peinture flamande, directeur des musées de Berlin, il a composé, sous forme de monographies et de catalogues raisonnés, une monumentale *Altniederländische Malerei* (14 vol., 1924-1937).

FRIEDLÄNDER (Walter), historien d'art allemand naturalisé américain (Glogau 1873 - New York 1966). Soucieux, après Wölfflin, des problèmes du langage formel, mais aussi du contexte dans lequel évolue l'artiste, spécialiste des XVIe et XVIIe s., il s'est particulièrement attaché à décrire et à interpréter la démarche du maniérisme. Il a enseigné à Fribourg (1914-1933), puis à New York (de 1935 à sa mort).

FRIEDLINGEN, localité de l'Allemagne fédérale, sur le Rhin, en face de Huningue. Le 14 octobre 1702, Villars y battit les Impériaux.

FRIEDMAN (Milton), économiste américain (New York 1912). Chef de file de l'école de Chicago, il défend le libéralisme économique. Ayant principalement fait des apports à la théorie monétaire, il prône un contrôle du volume de la masse de monnaie, qui doit faire l'objet d'une expansion modérée et régulière pour appuyer la croissance* économique. (Prix Nobel d'économie, 1976.)

FRIEDMANN (Georges), sociologue français (Paris 1902 - *id.* 1977). Initiateur, en France, de la sociologie du travail, il a considéré les implications humaines de la spécialisation des tâches (*Problèmes humains du machinisme industriel,* 1946). Après un détour par l'étude des loisirs et des communications de masse, il établit un diagnostic sur la civilisation « technicienne » (*la Puissance et la sagesse,* 1970).

FRIEDRICH (Caspar David), peintre allemand (Greifswald 1774-Dresde 1840). Paysagiste, il a traité par excellence ce thème majeur du romantisme qu'est l'antithèse de l'homme solitaire et de la nature immense, avec une prédilection pour les sujets hivernaux, les reliefs sauvages, les étendues marines, les ruines et les crépuscules. L'absence d'encadrement latéral, le traitement de l'espace par plans successifs et des couleurs translucides contribuent à l'aspect irréel de ses compositions.

FRIESZ (Othon), peintre français (Le Havre 1879 - Paris 1949). Il vient à Paris en 1898 et participe au fauvisme. Vers 1911, à l'occasion d'un voyage au Portugal, il stabilise son style dans une palette retenue, une matière riche et une organisation classique de la toile (paysages et figures, nus, portraits, natures mortes...).

FRIGIDITÉ → COÏT.

FRIGORIFIQUE (machine). — La production du froid* se fonde sur divers phénomènes physiques et physico-chimiques, mais avant tout sur le processus d'une compression suivie d'une détente de fluides appropriés. Dans une machine frigorifique *à compression de fluides liquéfiables,* un fluide dit « frigorigène » se vaporise dans un évaporateur en enlevant de la chaleur au milieu extérieur; un compresseur aspire les vapeurs formées et les refoule dans un condenseur refroidi, où elles se liquéfient; un détendeur laisse passer le frigorigène liquide vers l'évaporateur en abaissant sa pression. Les frigorigènes les plus utilisés sont l'ammoniac* et une série de dérivés chlorés et fluorés d'hydrocarbures. Les compresseurs sont soit alternatifs (à pistons), soit rotatifs (à palettes, à vis ou centrifuges). Les condenseurs sont refroidis par l'eau ou par

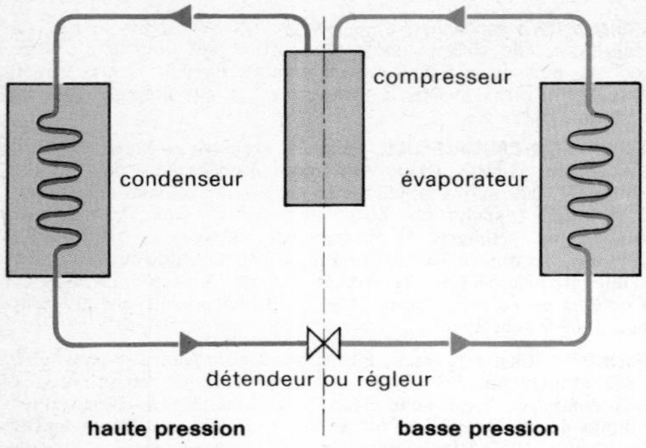

Schéma de principe d'un circuit frigorifique à compression.

Schéma de principe d'une machine frigorifique à absorption.

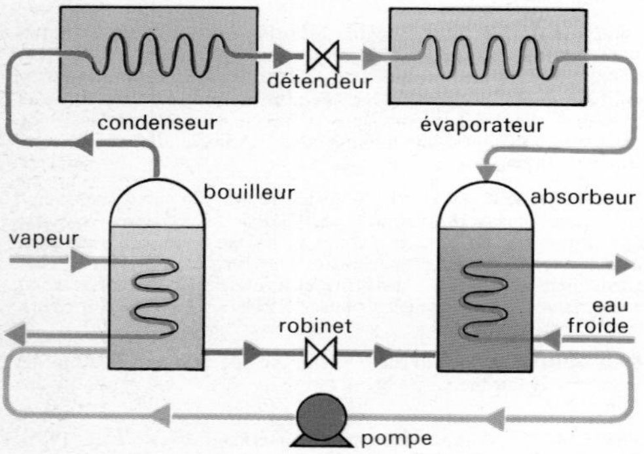

l'air. Dans une machine frigorifique *à compression de gaz, sans changement de phase**, l'abaissement de température est obtenu par détente après compression. Ce procédé est utilisé notamment pour la liquéfaction* des gaz. Dans une machine frigorifique *à absorption,* le frigorigène évolue entre phase vapeur et phase liquide comme dans les machines du premier type, mais la compression mécanique est remplacée par le transfert entre une solution riche et une solution pauvre en frigorigène, obtenu par chauffage. Un autre type de machine frigorifique fonctionne suivant le principe du *refroidissement thermoélectrique,* ou « effet Peltier » : lorsqu'un courant électrique continu passe dans un circuit formé de deux éléments convenablement choisis (semi-conducteurs*), il se produit une élévation de température à l'une des jonctions et un abaissement de température à l'autre. Le processus a un rendement faible, et ses applications sont actuellement limitées.

FRIGORIGÈNE → CONDITIONNEMENT D'AIR, FRIGORIFIQUE *(machine).*

Frileuse *(camp de),* camp militaire, à 25 km N.-O. de Versailles, entre Thiverval et Beynes.

FRIOUL-VÉNÉTIE JULIENNE, région nord-est de l'Italie, formée des provinces de Gorizia, de Pordenone, de Trieste et d'Udine; 7 845 km^2; 1 232 000 hab. Capit. *Trieste.*

GÉOGRAPHIE. Limitrophe de l'Adriatique (au N.) et de la Yougoslavie (à l'E.), la région possède une partie septentrionale montagneuse alpestre, séparée par une bande de collines de la plaine, qui atteint l'Adriatique. Dans l'agriculture dominent les céréales, cependant que l'élevage bovin est développé. L'industrie occupe près de la moitié de la population active, représentée surtout à Trieste*. Le tourisme anime la montagne l'hiver et le littoral l'été (vers Grado et Lignano).

HISTOIRE. Dominé par les Romains, puis par les Lombards et enfin par les Carolingiens, le Frioul passa sous le contrôle de Venise au XVe s. Conquis par Napoléon, il tomba sous la coupe autrichienne en 1814. Il fut annexé à l'Italie pour partie en 1866 et pour partie en 1919 (Gorizia).

FRISCH (Karl VON), éthologiste autrichien (Vienne 1886). Spécialiste de l'étude des abeilles, il a, en particulier, analysé les communications interindividuelles chez ces insectes. Il a partagé en 1973 le prix Nobel de physiologie et de médecine avec K. Lorenz* et N. Tinbergen*.

FRISCH (Ragnar), économiste norvégien (Oslo 1895-*id.* 1973). Rédacteur en chef de la revue *Econometrica* de 1933 à 1955, l'un des fondateurs de la Société d'économétrie (1931), il a obtenu en 1969 le prix Nobel d'économie. On peut notamment citer parmi ses œuvres *Maxima et minima* (1959), traduite en français.

FRISCH (Max), écrivain suisse d'expression allemande (Zurich 1911). Architecte passionné de littérature, il subit fortement l'influence de Brecht, qui se mêle à sa propre réflexion sur la destinée humaine, marquée par l'existentialisme. Chacune de ses œuvres, romans (*Je ne suis pas Stiller,* 1954; *le Désert des miroirs,* 1964) ou pièces de théâtre (*la Grande Muraille,* 1946; *le Comte Öderland,* 1951; *Don Juan ou l'Amour de la géométrie,* 1953; *Biedermann* et les incendiaires,* 1958; *Andorra**, 1961; *Biographie, jeu théâtral,* 1968; *Guillaume Tell pour l'école,* 1971), pose un « cas de conscience » qui illustre l'esclavage de l'homme par l'homme dans un monde de conventions et de préjugés.

FRISE, en néerl. et en allem. **Friesland,** région de plaines, bordant la mer du Nord, partagée entre les Pays-Bas (*prov. de la Frise* [ch.-l. Leeuwarden]) et l'Allemagne fédérale (l'ancienne *Frise orientale*).

HISTOIRE. Cette région, habitée par les Frisons, fut conquise par les Romains (12-9 av. J.-C.), puis par les Francs (IVe s.) et évangélisée sous les Carolingiens. Au XIe s., elle fut annexée à la Flandre par le comte Robert Ier le Frison, avant de se scinder en trois : la Frise occidentale fut intégrée au comté de Hollande (1289); longtemps autonome, la Frise centrale, annexée par Charles Quint en 1523, devint en 1588 l'un des États des Provinces-Unies (Union d'Utrecht); la Frise orientale, érigée en comté d'empire (1454), échut au roi de Prusse en 1744.

FRISON → GERMANIQUE.

FRISONNE (race bovine) → BOVINS.

FRITTAGE → POUDRES *(métallurgie des).*

FRIVILLE-ESCARBOTIN (80130), comm. de la Somme, à 23 km à l'O. d'Abbeville; 4 760 hab. Fonderie.

FRÖBEL (Friedrich), pédagogue allemand (Oberweissbach 1782-Marienthal 1852). Il s'intéressa surtout à l'éducation préscolaire et fonda en 1837 le premier jardin d'enfants. Disciple de J.-J. Rousseau et de Pestalozzi, il partait du principe de laisser faire la nature et proposait de favoriser le développement des enfants par des exercices, des jeux et des chants en plein air.

FROBENIUS (Leo Viktor), explorateur et anthropologue allemand (Berlin 1873-Biganzalo 1938). Professeur à l'université de Francfort, il fut un des premiers à développer les grands thèmes de l'hyperdiffusionnisme, attribuant une origine commune aux cultures de l'Océanie et de l'Afrique de l'Ouest. Sa principale publication est *Probleme der Kultur* (1893-1901, 4 vol.).

FROBERGER (Johann Jakob), compositeur allemand (Stuttgart 1616-château d'Héricourt, près de Montbéliard, 1667). Il a séjourné à Rome auprès de Frescobaldi et à Paris (1652). L'œuvre de clavier de ce claveciniste et organiste reflète une synthèse entre esthétiques française, italienne et allemande.

FROBISHER (*sir* Martin), navigateur anglais (Altofts v. 1535-Plymouth 1594). Il redécouvrit, après les Scandinaves, les côtes du Groenland et du Labrador.

FROBISHER BAY, port de l'Arctique canadien (Territoires du Nord-Ouest), dans l'île de Baffin, sur la *baie de Frobisher.* Aéroport.

FRŒSCHWILLER (67360 Woerth), comm. du Bas-Rhin, à 17 km au N. d'Haguenau; 484 hab. Au début de la guerre franco-allemande*, défaite de Mac Mahon le 6 août 1870, marquée par les célèbres charges des cuirassiers de Reichshoffen*.

FROGES (38190 Brignoud), comm. de l'Isère, à 19 km au N.-E. de Grenoble; 2 303 hab. Métallurgie.

FROID. — L'homme sait produire industriellement le froid depuis le milieu du XIXe s. Dans l'immense majorité des cas, l'abaissement de température recherché est obtenu par vaporisation* d'un fluide préalablement liquéfié; le plus souvent, cette vaporisation s'effectue dans un échangeur* de chaleur, qui transmet le froid produit à l'air, au gaz, au liquide ou au solide à refroidir. On économise le froid produit en isolant thermiquement les enceintes ou les appareils refroidis. Les applications du froid sont innombrables sur une échelle de température très vaste, qui va du simple « rafraîchissement » (de + 15 à + 20 °C) aux « cryotempératures » (de − 150 à − 273 °C). Le froid est un des principaux moyens techniques utilisés pour préserver les produits alimentaires (l'abaissement de température ralentissant ou suspendant l'activité des micro-organismes et les réactions biochimiques qui caractérisent les altérations) ainsi que divers éléments biologiques utilisés en médecine (sang, organes, vaccins, etc.). Dans l'industrie chimique, il permet de maîtriser les réactions, de liquéfier les gaz, de solidifier les liquides, de séparer des mélanges. Ces applications se font à très basse température (cryogénie). Le conditionnement d'air vise à créer les conditions d'ambiance les plus favorables à l'homme ou à certains processus industriels. Le froid est appliqué aux produits alimentaires sous trois formes : réfrigération* (sans atteindre le point de congélation), congélation* et lyophilisation* (dessiccation à partir de l'état congelé). La faculté de conservation frigorifique des aliments est variée : certains fruits (pommes, poires, etc.), certains légumes, les œufs en coquille peuvent se conserver plusieurs mois au voisinage de 0 °C; mais d'autres produits (fruits fragiles, viande, poisson, lait, etc.) ne se conservent que quelques semaines ou même quelques jours à 0 °C et exigent la congélation (de − 20 à − 30 °C) pour une conservation prolongée. La *chaîne du froid* est la suite des installations frigorifiques dans lesquelles passe un produit alimentaire de la production à la consommation. On y rencontre successivement, au stade de la production : les chambres froides des abattoirs, des stations fruitières et des usines laitières, les installations de congélation, les entrepôts frigorifiques, les transports frigorifiques (wagons, véhicules routiers, navires, conteneurs), l'équipement du commerce de distribution (chambres froides, vitrines de vente), l'équipement frigorifique ménager (réfrigérateur*, congélateur*).

• *Le froid en médecine.* La cryothérapie permet la destruction de tumeurs cutanées (nævus, verrues, etc.) par l'emploi de « neige carbonique » ou d'azote liquide; le froid est utilisé dans certaines anesthésies locales. Les enveloppements frais luttent contre certains accès fébriles. La réfrigération et l'hibernation sont à l'origine de grands progrès dans la chirurgie du cerveau et du cœur.

FROISSART (Jean), chroniqueur français (Valenciennes 1333 ou 1337-Chimay apr. 1400). Poète de cour, auteur d'un roman qui se rattache au cycle arthurien *(Méliador),* il a donné dans ses chroniques, qui relatent les événements survenus en Europe entre 1325 et 1400, une peinture vivante du monde féodal.

FROISSY (60480), ch.-l. de cant. de l'Oise, à 18 km au N.-E. de Beauvais; 700 hab.

FROMAGE. — La fabrication des fromages comporte trois phases.

• *La coagulation du lait.* Sous l'action combinée de la fermentation lactique et d'une diastase, la présure, on transforme le lait liquide en un gel, un coagulum homogène.

• *L'égouttage du caillé.* Il consiste à éliminer du coagulum une partie de l'eau de constitution du lait, cet égouttage étant plus ou moins prononcé suivant le type de fromage que l'on veut fabriquer. La quantité d'eau restant dans le fromage varie de 70 à 80 p. 100 dans les fromages frais, de 50 à 60 p. 100 dans les fromages à pâte molle, de 35 à 40 p. 100 dans les fromages à pâte cuite.

• *L'affinage, ou maturation.* À la fin de l'égouttage, on obtient un caillé composé de caséine, de matière grasse, de sels minéraux et d'une proportion variable d'eau. La caséine fraîche est grumeleuse, peu agréable à consommer. Cette caséine, ainsi que la matière grasse — mais celle-ci dans de moindres proportions —, va subir une dégradation ménagée sous l'effet d'actions enzymatiques dues à différentes espèces microbiennes, sous l'effet aussi de traitements chimiques (lavage de la croûte au moyen d'eau salée, d'eau ammoniacale, d'alcool, etc.).

La production fromagère française est caractérisée par une très grande diversité (300 à 350 variétés). Les fabrications fermières ont laissé peu à peu la place à des fabrications artisanales puis industrielles, et l'on trouve aujourd'hui encore des ateliers de fromagerie traitant moins de 1 000 litres de lait par jour, tandis que certaines fromageries industrielles traitent plus de 500 000 litres par jour. En ce qui concerne les lieux de fabrication, il existe encore des variétés locales de fromages dont la commercialisation reste pratiquement réservée à la région où ils sont produits et à quelques restaurants de luxe qui tiennent à offrir à leur clientèle un plateau de fromages très variés (fromage de Void [Meurthe-et-Moselle], rocamadour [Aquitaine], rocroi cendré [Ardennes], vieux-lille

classification des fromages (d'après J. Keilling)

			à moisissures		à croûte		
			externes	*internes*	*séchée*	*lavée*	*cendrée*
FROMAGES FRAIS		*à coagulation lente :* petits-suisses *à coagulation rapide :* fromages à la pie					
FROMAGES AFFINÉS	égouttage spontané	coagulation lente	saint-marcellin neufchâtel brie				
	égouttage spontané	coagulation rapide	coulommiers camembert		fromages de chèvre	langres bourguignon	vendôme olivet
	égouttage accéléré par	découpage	carré de l'Est	fourme d'Ambert bleu d'Auvergne roquefort gorgonzola stilton		géromé munster vacherin maroilles livarot pont-l'évêque	
				septmoncel bleu du Jura			
		découpage brassage				tilsitt	
		découpage brassage pression	tome de Savoie saint-nectaire		reblochon	morbier Port-Salut saint-paulin mimolette gouda edam	
		découpage brassage pression broyage			cantal	cheddar chester laguiole	
		découpage brassage cuisson pression			sbrinz parmesan asiago montasio	emmental comté gruyère	
FROMAGES FONDUS		cancoillotte, crème de gruyère					

Pour éviter de surcharger le tableau, une quarantaine seulement de variétés de fromages y figurent. Mais toutes les variétés qui ne sont pas citées pourraient y trouver place. Il faut noter que tous les fromages inscrits sur le fond en couleur appartiennent au groupe des fromages « de garde », fromages de longue conservation qui représentent la majeure partie de la production mondiale.

[Flandre], voves cendré [Ile-de-France], etc.). La fabrication de certains types de fromages reste localisée à leur région d'origine, mais ils ont une commercialisation étendue : munster (Vosges), maroilles (Flandre), bleu de Gex (Jura), fourme d'Ambert (Auvergne), comté (Franche-Comté). Enfin certains types de fromages sont produits dans de nombreuses régions laitières : saint-paulin, emmental, camembert, fromages frais, etc. En ce qui concerne la classification technologique des fromages, on distingue : les fromages frais, les fromages affinés, les fromages fondus.

Cette classification ne donne pas d'indications sur la teneur en matière grasse du fromage. Celle-ci peut être très variable, mais sa valeur doit être indiquée sur les étiquettes des fromages. Elle est exprimée en pourcentage par rapport à la matière sèche totale, ou extrait sec : ainsi, dans 100 g de fromage de comté à 45 p. 100 de matière grasse dans l'extrait sec, et dont l'extrait sec est de 62 p. 100, il y a 27,9 g de matière grasse.

En fonction de l'humidité des fromages et des traitements technologiques qu'ils ont subis, on distingue : les fromages frais (suisse), les fromages à pâte molle (camembert, brie, etc.), les fromages à pâte pressée non cuite (saint-paulin, edam, gouda), les fromages à pâte cuite (emmental, comté).

FROMAGER. — Cet arbre des régions chaudes d'Amérique se caractérise par son bois léger et cassant et par ses fruits, dont les graines sont entourées d'une bourre laineuse et textile aux nombreux usages. (Famille des malvacées.)

FROMENT (Nicolas), peintre français (Uzès v. 1435 - Avignon 1484). Il alla probablement en Italie (1461), y peignant une *Résurrection de Lazare* (Offices), puis il fit sa carrière à Avignon, au service du roi René (triptyque du *Buisson ardent,* 1476, cathédrale d'Aix; petit *diptyque des Matheron,* Louvre).

FROMENTIN (Eugène), peintre et écrivain français (La Rochelle 1820 - Saint-Maurice, près de La Rochelle, 1876). Il peignit, en Algérie et en Égypte, des paysages et des scènes observés sur le vif (*la Chasse au faucon,* 1863, Louvre), mais sa passion rentrée pour la littérature s'exprime dans ses essais critiques (*les Maîtres d'autrefois,* 1876), ses récits de voyages (*Une année dans le Sahel,* 1859) et surtout *Dominique** (1863), un des chefs-d'œuvre du roman psychologique.

FROMENTINE *(goulet de),* passe de l'Atlantique, séparant l'île de Noirmoutier de la côte vendéenne, enjambée par un pont routier.

FROMM (Erich), psychanalyste américain, d'origine allemande (Francfort-sur-le-Main 1900). Assez proche de K. Horney*, il prône l'adaptation de la psychanalyse à la dynamique sociale et présente ses conceptions de l'homme et de la société comme une synthèse de Marx et de Freud.

Fronde (la), soulèvement qui se développa contre Mazarin entre 1648 et 1653. Le rude joug de Richelieu* avait indisposé la noblesse; l'impopularité de Mazarin* était devenue particulièrement vive à la suite des lourdes mesures fiscales prises au lendemain de la guerre de Trente Ans. Le parlement de Paris, ayant refusé d'enregistrer l'édit du rachat, est encouragé par les autres cours souveraines qui, en publiant, le 15 juin 1648, la *Déclaration des vingt-sept articles,* obligent la reine mère Anne d'Autriche à rappeler les intendants. Mazarin réagit en faisant arrêter, le 26 août, le conseiller Broussel : Paris se couvre alors de barricades. Broussel est relâché et la cour se retire à Saint-Germain; Condé se rend maître de Paris, mais la paix de Rueil rétablit le *statu quo* (30 mars 1649).

Cependant, le coadjuteur de l'archevêque de Paris, Gondi — qui n'a pas reçu le chapeau de cardinal promis —, intrigue contre Mazarin, imité en cela par une partie de la noblesse. Mazarin fait bien arrêter Condé et ses amis (janv. 1650), mais ce coup de force le rend tellement impopulaire que le ministre s'enfuit à Cologne (1651), cependant que Condé traite avec l'Espagne. En avril 1652, Turenne, à la tête des troupes royales, le bat à Bléneau, ce qui sauve le jeune roi. En octobre, celui-ci peut rentrer dans Paris, repris en juillet par Turenne sur Condé. En 1653, Mazarin revient au pouvoir. Si la Fronde accumula les ruines matérielles, elle n'aboutit politiquement qu'au renforcement de l'absolutisme royal.

FRONSAC (33126), ch.-l. de cant. de la Gironde, à 2,5 km à l'O. de Libourne, sur la Dordogne; 1129 hab. *(Fronsadais).* Vins rouges.

FRONT *(Météorol.)* → PERTURBATION ATMOSPHÉRIQUE.

FRONT, FRONTAL. — L'*os frontal,* os plat situé en avant du crâne, comprend une partie supérieure verticale, dont la face exocrânienne constitue le front, et une partie inférieure horizontale, comprenant de chaque côté une fosse formant le plafond de l'orbite. Le sinus frontal, creusé dans l'os, peut s'infecter.

Le *lobe frontal du cerveau* constitue la partie antérieure des hémisphères cérébraux. On y distingue l'*aire prérolandique* (en avant de la scissure de Rolando), qui joue un rôle dans la motricité involontaire, et l'*aire préfrontale,* qui joue un rôle important dans l'humeur, la mémoire et la douleur (la lobotomie préfrontale a été utilisée pour traiter certains troubles psychiques).

Front de libération nationale (F. L. N.), parti nationaliste algérien, fondé en 1954 pour organiser l'insurrection armée de l'Algérie. En 1956, toutes les formations nationalistes, à l'exception du mouvement de Messali* Hadj, ont rejoint le F. L. N. En 1958, le Front de libération nationale nomme le gouvernement provisoire de la République algérienne (G. P. R. A.), avec lequel la France négocie, en 1962, l'indépendance de l'Algérie. La Constitution de 1963 fait du F. L. N. le parti unique de la République algérienne.

FRONTENAC (33119), comm. de la Gironde, à 30 km au N.-E. de Langon; 669 hab. Vins blancs.

FRONTENAC (Louis DE BUADE, *comte* DE), administrateur français (Saint-Germain-en-Laye 1620 - Québec 1698), gouverneur général du Canada (1672). Son administration fastueuse et autoritaire vaut à la colonie, agrandie, une certaine prospérité mais l'oppose au clergé. Cependant, son action énergique lui permet de repousser les Anglais et de réduire les Iroquois.

FRONTENAY-ROHAN-ROHAN (79270), ch.-l. de cant. des Deux-Sèvres, à 10,5 km au S.-O. de Niort; 2097 hab.

FRONTIGNAN (34110), ch.-l. de cant. de l'Hérault, à 7 km au N.-E. de Sète; 12238 hab. *(Frontignanais).* Raffinerie de pétrole. Vins muscats.

Front national de libération du Viêt-nam du Sud (F. N. L.), organisation créée en 1960 au Viêt-nam du Sud pour combattre le régime de Ngô Dinh Diem et l'influence croissante des États-Unis. Le F. N. L., qui rassemblait des catholiques, des bouddhistes et des communistes, avait pour objectif l'indépendance et la réunification du pays. Il s'implanta rapidement dans les campagnes et constitua une force militaire importante face aux troupes américaines. (V. VIÊT-NAM.) En 1969, il se dota d'un organe central de direction, le G. R. P. (Gouvernement* révolutionnaire provisoire).

FRONTON (31620), ch.-l. de cant. de la Haute-Garonne, à 28,5 km au N. de Toulouse; 2357 hab. Vins.

Front populaire, coalition des partis de gauche (communistes, socialistes et radicaux), qui accéda au pouvoir, en France, en 1936.

La prise de conscience d'un danger fasciste en France, après les événements de février 1934, et la crainte suscitée par les exemples italien et allemand favorisent le regroupement des partis et des associations de gauche, qui s'affirme lors de la grande manifestation du 14 juillet 1935, puis lors de la réalisation de l'unité syndicale entre la C. G. T. et la C. G. T. U. (mars 1936). Après l'élaboration d'un programme commun, suivie d'une campagne électorale autour du slogan « le pain, la paix et la liberté », les partis du Front populaire obtiennent un succès important aux élections de mai 1936. Avant même la constitution par Léon Blum d'un gouvernement de socialistes et de radicaux auquel les communistes apportent leur soutien, sans y participer (4 juin), éclate un vaste mouvement de grèves spontanées avec occupations d'usines, qui va accélérer la réalisation des réformes. La rencontre organisée par le gouvernement entre les représentants du patronat (C. G. P. F.) et de la C. G. T. aboutit à la signature des *accords Matignon* (7-8 juin), préconisant la conclusion des conventions collectives du travail, le relèvement des salaires, la reconnaissance de la liberté syndicale, la mise en place de délégués ouvriers. Ces accords sont complétés par des lois instituant les congés payés et la semaine de quarante heures, la prise de contrôle par l'État de la Banque de France, des industries de guerre, puis des chemins de fer (création de la S. N. C. F. en 1937), et par l'instauration de l'Office national du blé. Mais le cabinet Blum se heurte à de graves difficultés économiques et financières (dévaluation du franc, chômage) et à l'opposition croissante du patronat, inquiet de la persistance des troubles sociaux. Les problèmes extérieurs menacent la cohésion du Front populaire, les communistes reprochant au gouvernement de ne pas intervenir contre Franco dans la guerre civile espagnole. Dès février 1937, la nécessité d'une « pause » dans la réalisation des réformes paraît nécessaire à Blum, qui démissionne en juin, devant le refus du Sénat de lui accorder les pleins pouvoirs financiers. Le Front populaire se disloque alors progressivement sous les deux ministères Chautemps (juin 1937 - mars 1938), qui marquent un retour vers le centre, puis lors d'une seconde tentative de gouvernement Blum (mars-avr. 1938), et prend fin avec la formation du cabinet radical de Daladier.

FROSINONE, v. d'Italie (Latium), ch.-l. de prov., au S.-E. de Rome; 42000 hab.

FROST (Robert Lee), poète américain (San Francisco 1874 - Boston 1963). Ses poèmes s'inspirent de la nature et de l'esprit de la Nouvelle-Angleterre, fait de nostalgie de la vie naturelle et de préoccupations spirituelles (*Au nord de Boston,* 1914; *Comédie de raison,* 1945).

FROTTEMENT → ADHÉRENCE, DYNAMIQUE, MÉCANIQUE DES SOLS, STATIQUE.

FROUARD (54390), comm. de Meurthe-et-Moselle, au confluent de la Moselle et de la Meurthe, à 9 km au N. de Nancy; 7 061 hab. Métallurgie.

FROUDE (William), ingénieur britannique (Dartington, Devon, 1810 - Simonstown, Union sud-africaine, 1879). Il fut le premier à appliquer expérimentalement la loi de similitude en mécanique des fluides et créa le premier bassin pour essais de modèles. On lui doit aussi un type de frein hydraulique pour la mesure des couples moteurs (1858).

FROUNZE, v. de l'U. R. S. S., capit. du Kirghizistan; 431 000 hab. Constructions mécaniques.

FROUNZE (Mikhaïl Vassilievitch), homme politique soviétique (Pichpek 1885 - Moscou 1925). Il fut l'un des organisateurs de l'armée rouge, qu'il commanda au Turkestan (1919), puis en Ukraine contre Wrangel (1920). Chef d'état-major général, en 1924, et commandant de l'Académie militaire de Moscou, qui porte encore son nom, il a laissé plusieurs ouvrages.

fructidor an V *(coup d'État de)* → DIRECTOIRE.

FRUCTOSE. — De formule $CH_2OH—(CHOH)_3—CO—CH_2OH$, le fructose est un sucre cétonique connu sous les deux formes optiquement actives et sous la forme racémique. Le *d-fructose, lévulose,* ou *sucre de fruit,* existe dans la plupart des fruits sucrés, à côté du glucose. Tous deux se forment dans l'hydrolyse du saccharose. Le fructose est plus soluble et plus sucré que le glucose et fond à 95 ^{0}C.

FRUGES (62310), ch.-l. de cant. du Pas-de-Calais, à 18 km au N. d'Hesdin; 2 897 hab.

FRUIT. — À la suite de la pollinisation et de la fécondation, les fleurs évoluent rapidement : certains de leurs organes disparaissent, d'autres se développent. Ce sont ces derniers qui constituent le *fruit* et les *graines.* La graine provient du développement d'un ovule, le fruit du développement d'organes entourant les ovules, c'est-à-dire de l'ovaire seul (cerise), de l'ovaire et du réceptacle (pomme), du réceptacle seul (fraise, figue), d'un groupe de plusieurs ovules (mûre, framboise) ou même de bractées (ananas). À l'opposé de tels *fruits charnus* (baies ou drupes, fruits à noyau ou à pépins) se situent les *fruits secs,* les uns appelés à s'ouvrir pour libérer les graines (*gousses* des légumineuses, *siliques* des crucifères, *capsules* des pavots), les autres destinés à quitter entièrement la plante mère (*akènes* ailés de divers arbres — orme, érable, frêne —, *caryopse* des graminacées, réduit à quelques enveloppes autour de la graine, d'où son nom usuel de *grain).*

Dans le cas le plus simple, le fruit provient exclusivement de l'ovaire et héberge une seule graine. On distingue alors un *épicarpe* (peau du fruit), un *mésocarpe* charnu et un *endocarpe.* Lorsque celui-ci est ligneux, il constitue un noyau, la graine est alors appelée *amande* et le fruit *drupe.* Lorsque l'endocarpe est réduit à une membrane, les graines sont des *pépins* (raisin) et le fruit est une *baie.*

FRUSTRATION. — Ce concept n'est pas suffisamment élaboré chez Freud* pour avoir un sens précis en psychanalyse*. Il renvoie à la fois à l'état qui succède au refus d'une demande pulsionnelle par un agent externe et à la satisfaction effective de son désir* que le sujet se refuse. La frustration est donc l'opposé de la gratification. Par contre, des psychologues américains, disciples de Kurt Lewin*, en ont fait un concept expérimental. La frustration apparaît alors comme un état de tension engendré par un obstacle venant s'interposer entre le sujet et un but valorisé positivement par lui. La réponse à la frustration est l'agression dirigée contre l'agent perçu comme source de frustration. Cependant, l'agression directe peut être inhibée si le sujet frustré anticipe une pénalisation de son agression. Frustration supplémentaire, l'agression inhibée peut se déplacer vers des objets de substitution ou s'exprimer sous des formes modifiées.

FRY (Christopher), écrivain anglais (Bristol 1907), auteur de drames poétiques (*le Songe des prisonniers,* 1940; *La dame ne brûlera pas,* 1948).

F. T. P. → FRANCS-TIREURS ET PARTISANS.

FU'ĀD Ier (Le Caire 1868 - *id.* 1936), sultan (1917-1922) puis roi d'Égypte (1922-1936). Lorsque, en 1922, l'Angleterre met fin à son protectorat sur l'Égypte, Fu'ād Ier, fils d'Ismā'īl* pacha, prend le titre de roi. Il octroie au pays une constitution de type parlementaire (1923), qu'il enfreint à plusieurs reprises pour écarter le Wafd* du pouvoir.

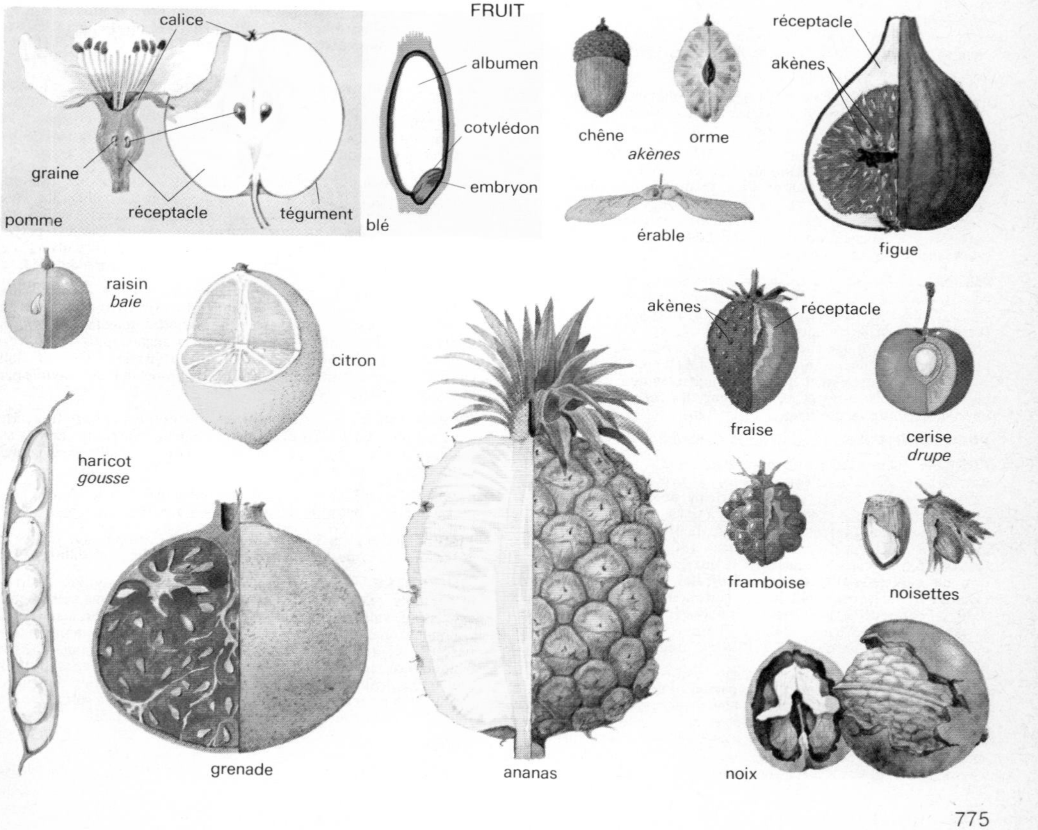

FUCHS (Lazarus), mathématicien allemand (Moschin, Posnanie, 1833-Berlin 1902). Disciple de Karl Weierstrass*, il étudia les équations différentielles linéaires, au sujet desquelles il a énoncé un théorème célèbre. Ses recherches ont influencé Henri Poincaré*, qui a donné son nom à un groupe de transformations du plan et à certaines fonctions transcendantes permettant de généraliser la théorie des fonctions elliptiques.

FUCHSIA. — Ce petit sous-arbrisseau d'origine américaine est cultivé en pot, comme plante ornementale, pour ses belles fleurs pendantes rouges et violettes. Sensible au froid, il ne saurait passer l'hiver en pleine terre sous nos climats. (Famille des œnothéracées.)

FUCHSINE. — La fuchsine, préparée par oxydation de l'aniline et de ses homologues, a été longtemps l'un des plus importants colorants artificiels. Elle forme de beaux cristaux à reflets verts, donnant des solutions rouges. Elle est le prototype des colorants aminés du groupe du triphénylméthane.

FUCHŪ, v. du Japon, dans la grande banlieue ouest de Tōkyō; 163 000 hab.

FUCUS. — Le *varech,* ou *goémon,* jeté par les vagues sur nos plages, comporte souvent une forte proportion de fucus. Ce sont des algues brunes, gluantes, découpées, qui revêtent également les rochers découvrant à marée basse. Trois espèces sont particulièrement communes : *Fucus vesiculosus,* muni de flotteurs en forme de cloques, *Fucus serratus,* aux rameaux dentelés, *Fucus platycarpus,* plus petit. Ces plantes se reproduisent d'une façon presque aussi simple que des oursins ou des poissons osseux, par une fécondation externe dans l'eau de mer, sans former de spores, ce qui est tout à fait exceptionnel chez les algues. Elles sont riches en iode, en brome et en potassium et supportent plusieurs heures d'émersion quotidienne, ce qui explique leur habitat côtier.

FUEL-OIL. — Les fuel-oils sont des combustibles liquides constitués par les fractions lourdes du pétrole* : résidus de distillation* ou de craquage* et distillats lourds. De couleur noire ou brun noirâtre, ils comprennent, dans l'ordre croissant de viscosité*, de densité* et de teneur en soufre* : le *fuel domestique,* simple gasoil* coloré en rouge; le *fuel léger,* pour petites chaufferies et moteurs Diesel*; les *fuels spéciaux,* pour la marine, la sidérurgie ou les turbines* à gaz; les *fuels lourds,* dont le contenu sulfureux peut atteindre 4 p. 100 et la viscosité 380 cSt à 50 °C; contrairement aux précédents, ces derniers doivent donc être réchauffés, aux alentours de 80 °C, avant de pouvoir être pompés et transportés par pipeline*. Ils nécessitent l'emploi de brûleurs spéciaux à pulvérisation à vapeur.

Fuenteovejuna, comédie dramatique de Lope de Vega (1618). Les souffrances et le crime d'un village pour échapper à la tyrannie d'un gouverneur : une célébration lyrique de la vie collective.

FUENTES (Carlos), écrivain mexicain (Mexico 1928). Peintre de la ville de Mexico (*la Plus Limpide Région,* 1958) et critique de la société née de la révolution de 1910, il cherche dans des romans, dont la technique s'inspire de Joyce et de Faulkner (*la Mort d'Artemio Cruz,* 1962; *Zone sacrée,* 1967), et dans des récits de caractère fantastique (*Aura,* 1962) à dégager une forme d'écriture à la dimension du monde moderne.

FUEROS. — Ce sont les anciennes chartes espagnoles, émanant le plus souvent du roi et concédant franchises et privilèges à certaines villes ou pays d'Espagne. Nombre de ces concessions (XIe-XVe s.) furent liées à la Reconquista : la franchise octroyée dans le cadre d'une ville ou d'une province libérée visait à y attirer les populations catholiques. En Castille et en Aragon, elles entérinèrent surtout le développement du mouvement communal (XIIe-XIIIe s.), tandis que, en Navarre et en Catalogne, les fueros garantirent les libertés de toute la province.

FUERTEVENTURA, l'une des îles Canaries.

FUGGER, famille de marchands banquiers d'Augsbourg, qui joua un rôle considérable au cours des XVe et XVIe s. Issus de la petite paysannerie, les Fugger se sont enrichis dans le commerce des étoffes et des épices (XIVe-XVe s.). Si, à la fin du XVe s., la branche aînée (Fugger du Chevreuil) fait faillite, la branche cadette (Fugger du Lis) connaît une étonnante prospérité avec JAKOB *le Riche* (1459-1525), qui réussit à acquérir le quasi-monopole de l'exportation du cuivre, multiplie ses succursales bancaires dans toute l'Europe et devient le créancier des Habsbourg et de la papauté. En 1519, en contrepartie d'énormes avantages économiques, il soutient la candidature de Charles Quint à l'Empire. La crise économique qui secoue l'Europe de 1555 à 1559 va précipiter le déclin de la dynastie.

FUGUE. — La fuite *(fuga)* des parties d'une œuvre musicale, vocale ou instrumentale, et leurs entrées successives en imitations sont passées du domaine de l'écriture* à celui d'une forme organisée, qui tire sa substance d'un *sujet,* ou thème principal, souvent soutenu par un *contre-sujet.* Le *développement* permet d'exploiter le sujet dans les tons voisins. Les *expositions* du sujet peuvent être séparées par un *divertissement.* J.-S. Bach demeure le grand maître de cette forme *(le Clavier bien tempéré, l'Art de la fugue).*

FUISSÉ (71960 Pierreclos), comm. de Saône-et-Loire, à 8 km au S.-O. de Mâcon; 391 hab. Vins blancs.

FUJI, v. du Japon (Honshū), au N.-E. de Shizuoka; 181 000 hab.

FUJISAWA, v. du Japon (Honshū), au S.-O. de Tōkyō; 229 000 hab.

FUJIWARA, la plus illustre et la plus ancienne des familles aristocratiques japonaises. Du VIIe au XIIe s., les Fujiwara exercèrent en fait le pouvoir.

FUJI-YAMA, FOUJI-YAMA ou **FOUJI-SAN,** point culminant du Japon (3 778 m), dans l'île de Honshū, au S.-O. de Tōkyō, constitué par un volcan éteint.

FUKUI, v. du Japon (Honshū), sur la mer du Japon; 201 000 hab. Textiles chimiques.

FUKUOKA, port du Japon, sur la côte nord de l'île de Kyūshū; 853 000 hab.

FUKUSHIMA, v. du Japon, dans le nord de Honshū; 227 000 hab.

FUKUYAMA, port du Japon (Honshū), sur la mer Intérieure; 255 000 hab. Sidérurgie.

FULBERT de Chartres, évêque, philosophe et théologien (v. 960-Chartres 1028). D'origine italienne, il s'installe à Chartres, dont il devient l'écolâtre puis l'évêque (1006 ou 1007). Il acquiert par son savoir encyclopédique une grande renommée.

FULCHIGNONI (Enrico), psychosociologue italien (Messine 1913). Spécialiste des mass media — surtout du cinéma —, il met en garde notre civilisation contre une technique qui serait au service de l'imaginaire (*la Civilisation de l'image,* 1969).

FULDA, v. de l'Allemagne fédérale, dans l'est de la Hesse, sur la *Fulda* (branche mère de la Weser); 61 000 hab. Ancienne abbatiale bénédictine (IXe-XVe s.) sur le Petersberg. Église S. Michael, rotonde des IXe-XIe s. Cathédrale et château baroques du XVIIIe s. Pneumatiques.

HISTOIRE. Le célèbre monastère bénédictin, fondé à Fulda en 744 par un disciple de saint Boniface, fut, durant tout le Moyen Âge, un centre de rayonnement religieux, intellectuel et artistique. Dès le XIIe s., ses abbés furent princes du Saint Empire. En 1752, l'abbaye fut érigée en évêché.

FULLER (LOÏE), artiste américaine (Fullersburg, près de Chicago, 1862-Paris 1928). Bien qu'initiatrice d'Isadora Duncan, elle ne dut pas sa notoriété à sa personnalité de danseuse. Son apport au théâtre fut pourtant essentiel : elle utilisa la première le jeu des éclairages électriques.

FULLER (Richard Buckminster), technicien américain (Milton, Massachusetts, 1895). Il est surtout connu pour ses recherches dans le domaine de l'habitat préfabriqué et pour ses dômes (sections de sphères) « géodésiques » sans supports intérieurs, réseaux polyédriques de tiges d'acier revêtus de plaques de matériaux divers. Le plus grand (117 m de diamètre), à Baton Rouge, date de 1958.

FULTON (Robert), mécanicien américain (Little Britain, auj. Fulton, Pennsylvanie, 1765-New York 1815). Il construisit le premier sous-marin à hélice (1798), le *Nautulus* (plus tard *Nautilus*), dont successivement le gouvernement français, puis le gouvernement anglais (1804) dédaignèrent l'utilisation. On lui doit également la réalisation industrielle de la propulsion des navires par la vapeur (1807).

FUMARIACÉES. — Cette petite famille fournit à la flore française deux genres : *Corydallis* et *Fumaria* (fumeterre), petites herbes au feuillage très divisé et léger, aux grappes de fleurs allongées, jaunes ou pourprées, assez communes.

FUMAY (08170), ch.-l. de cant. des Ardennes, sur la Meuse, près de la frontière belge; 6 147 hab. *(Fumaciens).* Ardoisières.

FUMEL (47500), ch.-l. de cant. de Lot-et-Garonne, sur le Lot, à 26 km au N.-E. de Villeneuve-sur-Lot; 7 070 hab. Métallurgie.

FUMEROLLE. — Les fumerolles sont des manifestations tardives de l'activité volcanique. Ces gaz de nature diverse (gaz carbonique, hydrogène sulfuré, vapeur d'eau, ammoniac, hydrogène, etc.) continuent à s'échapper, après une éruption, par les nombreuses fissures qui accidentent les flancs des cônes volcaniques. Leur température décroît avec le temps. Lorsque les gaz sulfureux prédominent, ils peuvent engendrer des cristallisations de soufre autour de leur point d'émission. Ainsi se forment les solfatares, ou soufrières, gisements de soufre très faciles à exploiter.

FUMIER → ENGRAIS.

FUMIGATION. — Les fumigations sont utilisées pour soigner les rhinites et les affections laryngées (v. INHALATION). En hygiène, elles servent à la désinfection des locaux (par le formol par exemple).

FUNABASHI, v. du Japon, dans le centre de Honshū; 325 000 hab.

FUNCHAL, port et ch.-l. de l'île portugaise de Madère; 38 000 hab.

FUNDY *(baie de),* golfe de l'Atlantique, entre le Maine (États-Unis), le Nouveau-Brunswick et la Nouvelle-Écosse (Canada). Marées d'une grande amplitude.

FUNICULAIRE. — Le funiculaire appartient à la famille des transporteurs à câble*, mais il utilise un chemin de roulement constitué par une voie* ferrée, l'entraînement des véhicules étant assuré par des câbles et ne dépendant pas de l'adhérence* des roues sur les rails*, ce qui leur permet de gravir de très fortes pentes. Il se compose généralement de deux véhicules attachés aux extrémités d'un câble passant sur une poulie de grand diamètre fixée au point d'arrivée supérieur. Cette poulie peut être folle ou motrice. Dans le premier cas, le véhicule descendant est lesté avec de l'eau et fait monter le second véhicule, qui a vidé une partie de son lest à la station inférieure. Dans le second cas, la poulie est entraînée par une machinerie mue par une turbine* hydraulique, une machine à vapeur ou un moteur* électrique. Les deux véhicules se déplacent sur deux voies parallèles ou sur une seule voie comportant un court tronçon à double voie pour permettre le croisement à la moitié du parcours, dont la longueur dépasse rarement 1 500 m.

FURAN (le), riv. de l'est du Massif central, qui passe à Saint-Étienne, affl. de la Loire (r. dr.); 40 km.

FURET. — Le furet n'est que la variété blanche (albinos) du putois, avec lequel il peut être croisé. Corps cylindrique et allongé, pattes très courtes, glandes anales à la sécrétion nauséabonde, mœurs férocement carnassières et sanguinivores, tout fait du furet le type parfait du *mustélidé.* On l'utilise pour faire sortir les lapins de leurs terriers en vue de les capturer vivants au filet. Sa fourrure est recherchée.

FURETIÈRE (Antoine), écrivain français (Paris 1619-*id.* 1688). Poète galant et burlesque, auteur du *Roman* bourgeois* (1666) sur les mœurs du Palais de Justice, il entreprit son propre dictionnaire (*Essai d'un dictionnaire universel,* 1684), ce qui le fit exclure de l'Académie française.

Fureur et mystère, recueil de René Char (1948), réunissant *Seuls demeurent* (1945), *Feuillets d'Hypnos* (1946), *les Loyaux Adversaires, le Poème pulvérisé* (1947), *Fontaine narrative* (1948) : la révolte du poète devant un univers éclaté; la découverte, derrière les êtres et les objets familiers, d'une mystérieuse unité.

FURIES → ÉRINYES.

FURIUS CAMILLUS (Marcus), général romain (fin du Ve s.-365 ? av. J.-C.). Dictateur en 396, il fut un des grands hommes de guerre des débuts de la République : la tradition lui attribue, dans la guerre contre les Étrusques*, la gloire de la conquête de Véies après un siège aussi long que celui de Troie; la longueur de ce siège l'aurait contraint d'instituer une solde militaire. Il fut considéré comme le second fondateur de Rome.

FURKA (la), col des Alpes suisses, près duquel le Rhône prend sa source; 2 431 m.

FURNAS, site du Brésil, sur le haut rio Grande (Minas Gerais). Important aménagement hydroélectrique.

FURNES, en néerl. **Veurne,** v. de Belgique (Flandre-Occidentale), près de la frontière française; 9 496 hab. (en 1970). Église des XIIIe et XIVe s., hôtel de ville Renaissance et autres monuments.

FURONCLE. — Infection du follicule pileux (folliculite) d'origine staphylococcique, le furoncle se traduit par une tuméfaction inflammatoire de la peau, qui laisse ensuite sourdre du pus, puis s'éliminer un bourbillon suivi d'une cicatrisation inesthétique. Les furoncles surviennent surtout chez les diabétiques. Ils peuvent se compliquer d'extension locale (anthrax) — avec risque de septicémie, de staphylococcie maligne de la face (lorsqu'ils siègent sur le visage) — ou récidiver (furonculose). La prescription d'antiseptiques locaux et d'antibiotiques permet d'éviter ces complications.

FÜRST (Walter), héros de l'indépendance suisse. Originaire du canton d'Uri, il fut l'un des trois chefs de la révolte contre les Habsbourg et, au nom de son canton, prêta le fameux serment de la prairie du Rütli (1er août 1291).

FÜRSTENBERG, famille originaire de Souabe qui a été représentée notamment par WILHELM EGON (1629-Paris 1704), landgrave de Fürstenberg, dans le pays de Bade; ce personnage joua, au service de la France et dans le cadre de l'Empire germanique, un rôle diplomatique considérable, ce qui lui valut d'être évêque de Strasbourg (1682) puis cardinal (1686).

FÜRTH, v. de l'Allemagne fédérale (Bavière), près de Nuremberg; 94 000 hab. Constructions électriques.

FURTWÄNGLER (Wilhelm), chef d'orchestre allemand (Berlin 1886-Baden-Baden 1954). Chef de la Philharmonie de Berlin en 1922, directeur musical du festival de Bayreuth en 1931, il excella dans le répertoire classique et romantique allemand. Ses disques sont devenus des pièces de collection, et on en édite toujours de nouveaux en provenance des archives les plus diverses.

FUSAIN. — En hiver, tous les jardins s'ornent du feuillage persistant du fusain, d'un vert souvent panaché de jaune. Les fleurs sont peu visibles et le fruit est toxique, mais le bois, calciné, a longtemps servi aux dessinateurs, ainsi qu'aux artificiers, qui incorporaient son charbon à la poudre. (Famille des célastracées.)

FUSEAU HORAIRE → TEMPS.

FUSÉE *(Arm.).* — La *fusée-détonateur,* qui n'a rien de commun avec le moteur-fusée, est un artifice destiné à provoquer l'explosion de la charge de certains projectiles (obus, roquette, missile, bombe d'avion). Une fusée-détonateur incorpore une amorce mécanique ou électrique chargée d'explosif primaire, une succession de relais et un détonateur chargé d'explosif secondaire moins sensible. On distingue les *fusées percutantes,* qui fonctionnent de façon *instantanée* ou avec un *court retard* (quelques centièmes de seconde) à l'impact sur une cible, des fusées *à temps,* qui agissent après une certaine durée. Pendant la Seconde Guerre mondiale sont apparues les fusées dites *de proximité* ou *à influence,* qui fonctionnent au voisinage de l'objectif grâce à un dispositif radioélectrique. Enfin, pour les projectiles à charge creuse, on emploie des fusées *électriques,* qui assurent un amorçage ultrarapide avant que le choc ne puisse désorganiser le chargement et son revêtement extérieur. Ces fusées comportent un élément de tête et un détonateur de culot à amorce électrique. Sur les missiles téléguidés, un contacteur de tête situé à la pointe de l'ogive ferme le circuit d'une pile amorçable mise en route au départ du missile.

Lancement d'un missile balistique stratégique propulsé par un moteur-fusée (voir p. 778) à propergols liquides (Centre d'essais des Landes).

Aérospatiale

FUSÉE (**moteur-**). — Un moteur-fusée est un propulseur qui délivre une poussée par éjection vers l'arrière de gaz créés sans faire appel à l'air ambiant. Ces gaz sont obtenus par réaction chimique à l'intérieur d'une chambre* de combustion d'un mélange propergolique contenant un comburant* et un carburant*. Les propergols* peuvent être liquides (ils sont alors injectés séparément dans la chambre de combustion) ou solides (ils sont alors intimement mélangés dans un bloc de poudre* qui est directement coulé dans la chambre). La poussée obtenue est égale au produit de la vitesse d'éjection des gaz de combustion par le débit massique de ces gaz; elle est plus faible dans l'atmosphère, la pression ambiante s'opposant à la détente* complète des gaz de combustion. La poussée dépend donc du mélange propergolique utilisé, toutes choses égales par ailleurs. Le meilleur des mélanges couramment utilisés à l'heure actuelle est la combinaison hydrogène* liquide-oxygène* liquide, qui donne une vitesse d'éjection dans le vide de 3 600 m/s. Les plus gros moteurs-fusées développés pour l'astronautique délivrent des poussées de plusieurs centaines de tonnes (700 t pour chacun des cinq moteurs du premier étage du lanceur « Saturn V »). Sur le plan technologique, les moteurs-fusées à hautes performances imposent la protection de la tuyère* contre les flux de chaleur élevés transmis par les gaz d'éjection. Les solutions adoptées consistent soit à faire couler le long de la paroi un faible débit de carburant, soit à faire circuler dans une double paroi la totalité du carburant avant son injection dans la chambre de combustion. La fabrication des tuyères fait également appel à des matériaux réfractaires tels que le graphite* ou le molybdène*. Sur les fusées à propergols liquides, l'injection des ergols dans la chambre de combustion doit se faire sous une pression supérieure à la pression de combustion. Ceci peut être obtenu soit en pressurisant les réservoirs d'ergols, soit en pompant les ergols à l'aide de turbopompes; cette dernière solution n'est adoptée que pour les débits élevés d'ergols, par exemple sur le premier étage du lanceur « Saturn V ». Les applications des moteurs-fusées sont très variées. En dehors de celles qui sont offertes par l'astronautique, figurent la propulsion des missiles*, l'assistance au décollage des avions*, le lancement des fusées-sondes atmosphériques, etc. Des recherches sont également en cours, depuis le milieu du siècle, pour développer des *fusées nucléaires,* dans lesquelles la chambre de combustion est remplacée par une pile nucléaire, et des *fusées électriques,* dans lesquelles le fluide propulsif éjecté dans la tuyère est constitué de particules électrisées accélérées par des champs* magnétiques ou électriques.

FUSELAGE. — Le fuselage est l'élément de structure d'un avion* qui emporte la charge utile, passagers ou fret dans le cas d'un avion de transport, charge militaire dans le cas d'un avion d'arme; il contient également le poste de pilotage*. Les fuselages sont généralement cylindriques sur la plus grande partie de leur longueur, la section étant le plus souvent circulaire, mais présentant parfois une forme elliptique ou bilobée. Sur les avions de transport à grande capacité, le diamètre du fuselage atteint 6 m. Enfin, certains avions supersoniques ont un fuselage qui présente un rétrécissement au droit de la voilure; c'est la formule *taille de guêpe,* étudiée pour minimiser la traînée aux vitesses trans- et supersoniques. Les avions de transport de fret ou de transport militaire ont souvent un nez pivotant ou une rampe inclinable à l'arrière pour le chargement et le déchargement des charges de grandes dimensions. Enfin, les fuselages d'avions de transport de passagers doivent être pressurisés, ce qui implique une résistance mécanique supérieure.

FUSIL. — Mis au point à la fin du XVIIe s., le fusil s'impose à l'infanterie à la place du mousquet en 1703. Il faudra attendre la seconde moitié du XIXe s. pour qu'il reçoive sa forme moderne par l'adoption du canon rayé, de la cartouche en laiton, du chargement par la culasse et du mécanisme de répétition. Ces progrès caractérisent le fusil français Lebel (1886) et le fusil allemand Mauser (1898), des deux guerres mondiales. Arme à tout faire en 1914, le fusil est relayé en de nombreuses missions par les armes automatiques (mitrailleuse, fusil mitrailleur, pistolet mitrailleur). Il bénéficiera d'améliorations dans les domaines de la précision (fusil à lunette français type FRF1 [(1964) de 7,5 mm] et du tir de nuit (emploi de l'infrarouge). Enfin, le *fusil automatique,* apparu dans la Wehrmacht en 1942, permettra une grande accélération du tir. Après l'adoption du calibre de 7,62 mm par l'O. T. A. N., on s'oriente depuis 1970 vers une arme de calibre plus réduit (5,56 mm) qui pourrait tenir lieu, jusqu'à 300 m, de fusil, de pistolet mitrailleur et de fusil mitrailleur. C'est le cas du M 16 américain (3,4 kg), employé au Viêt-nam, du fusil HK 33 de la Bundeswehr et du modèle français MAS 5,56 mm, présenté en 1973 (3,5 kg, chargeur de 25 cartouches).

FUSION *(Métall.).* — Une fusion métallurgique n'est pas seulement une opération thermique qui fait passer, par échauffement, une masse d'une phase solide à une phase liquide à une température précise (point de fusion) ou dans un intervalle de températures. Cette opération, surtout au cours des traitements d'élaboration*, est également accompagnée de modifications physiques ou chimiques. La *fusion scorifiante* permet d'éliminer la gangue du minerai sous forme de scories. La *fusion réductrice* conditionne la marche du haut fourneau pour l'élaboration de la fonte*. La *fusion oxydante* est à la base des procédés d'affinage en aciérie. Il existe également des fusions *sulfurante, carburante* et *volatilisante* (mercure*).

FUSION *(Phys.).* — Certains solides amorphes, comme le verre, la cire, lorsqu'on les chauffe, ne deviennent liquides que de façon progressive; il y a *fusion pâteuse.* Pour les corps cristallisés, il y a passage discontinu, ou *fusion nette.* Ce dernier phénomène est soumis aux lois suivantes : 1° sous une même pression, un corps pur entre toujours en fusion à la même température, dite *point de fusion;* 2° la température demeure invariable pendant toute la durée de la fusion.

Par convention, la glace fond à 0 °C; voici quelques autres points de fusion sous la pression atmosphérique :

argent	960,5 °C	phosphore blanc	44,1 °C
carbone	3 845 °C	platine	1 773 °C
étain	231,8 °C	plomb	327,4 °C
fer	1 535 °C	soufre	112,8 °C
mercure	− 38,8 °C	tungstène	3 370 °C
or	1 063 °C		

Bien que la température reste fixe pendant la fusion d'un corps pur, il faut lui fournir de la chaleur pour le fondre. On nomme *chaleur latente de fusion* la quantité de chaleur que doit absorber l'unité de masse d'un solide pour passer à l'état liquide sous une même température.

La plupart des solides augmentent de volume en fondant; leur point de fusion s'élève alors avec la pression. La glace, au contraire, se contracte en fondant, et un accroissement de pression entraîne un abaissement de son point de fusion. Cette propriété permet d'expliquer le regel*.

FUSION *(Phys. nucl.).* — La fusion de certains noyaux* d'éléments légers est l'une des deux origines possibles de l'énergie* nucléaire, dont la seconde est la fission* de certains noyaux d'éléments lourds. La fusion fait intervenir les isotopes* de l'hydrogène* : deutérium* ($^2_1$H ou D) et tritium* ($^3_1$H ou T). Quand on fusionne des noyaux de deutérium ou de tritium, on observe l'apparition d'une importante quantité d'énergie qui provient d'une perte de masse, conformément à la relation d'Einstein* $E = mc^2$. Mais la fusion des noyaux légers soulève des difficultés particulières, tant sur le plan technologique que sur le plan théorique. Les noyaux étant chargés positivement, il se développe, quand on veut les accoler, des forces de répulsion considérables; pour les vaincre, on doit faire appel à des températures extrêmement élevées dans des conditions technologiquement difficiles à réaliser d'une façon durable et permanente. Ces réactions ne peuvent se produire que dans des champs* magnétiques intenses, dans lesquels le plasma* (mélange des noyaux et des négatons) doit être maintenu.

FÜSSLI (Johann Heinrich), peintre suisse (Zurich 1741 - Londres 1825). Marqué par l'œuvre de Shakespeare, admirateur de Michel-Ange, ami de Lavater, de Winckelmann (connu à Rome) et de W. Blake, il réalise, après son installation à Londres, une œuvre hallucinée où les thèmes macabres, qui allient une composition théâtrale à un certain sadisme, voisinent avec la féerie. Sa palette reste assez pauvre et sa facture un peu lâche, mais il s'affirme, par son goût de l'expression violente au détriment de la beauté formelle, comme un véritable romantique (*le Cauchemar,* 1781, musée Goethe, Francfort-sur-le-Main).

FUST (Johann), imprimeur de Mayence (v. 1400 - Paris 1466). Il imprima la *Bible à 42 lignes* (v. 1455) avec Gutenberg, dont il était l'associé depuis 1450, au moins, et dont il se sépara après un procès. En collaboration avec Peter Schöffer, il publia le *Psautier* de Mayence (1457), premier livre imprimé portant une date.

FUSTEL DE COULANGES (Numa Denis), historien français (Paris 1830 - Massy 1889). Professeur à la Sorbonne (1878-1880, 1884-1888), directeur de l'École normale supérieure (1880-1883), il a, dans *la Cité antique* (1864), expliqué l'étude du passé comme un enchaînement logique des faits.

FUTUNA, île française de la Mélanésie, partie du territoire d'outre-mer de Wallis-et-Futuna; 2 700 hab.

FUTURISME. — Né en 1909 avec le premier *Manifeste du futurisme,* du poète Marinetti*, ce mouvement va donner, à partir de l'Italie, une impulsion décisive à l'art du XXe s. (et particulièrement à l'avant-garde russe groupée autour de Maïakovski*). Il refuse le passéisme et exalte la vitesse, la machine, le dynamisme de la vie moderne, avec l'« amour du danger », l'« agressivité » et la violence qui s'y rattachent. Les nombreuses manifestations futuristes, expositions ou manifestes (ainsi le *Manifeste de la peinture futuriste* et le *Manifeste technique de la peinture futuriste,* de 1910, signés par Boccioni*, Balla*, Carrà*, Severini* et Luigi Russolo [1885-1947]) créent des scandales. Les peintres, à la recherche de la « sensation dynamique » et des « lignes-forces », adoptent la tech-

FUTURISME
Quelli che vanno («Ceux qui s'en vont»). Deuxième volet du triptyque de Umberto Boccioni. *Stati d'animo* («États d'âme»). 1911. (Galleria d'Arte moderna, Milan.)

Scala

nique divisionniste héritée du néo-impressionnisme et une géométrisation inspirée du cubisme, tandis que l'architecte Antonio Sant'Elia (1888-1916) conçoit les plans de sa *Città Nuova* (1914) en fonction du mouvement et de la circulation.

La même volonté de simultanéité, d'interférence des formes et des sensations, de rythme touche la poésie : fortement marquée par les manifestations picturales futuristes (notamment dans ses recherches idéogrammatiques et typographiques), celle-ci passe du vers libre, avec Paolo Buzzi (1874-1956), Enrico Cavacchioli (1884-1954), Luciano Folgore (1888-1966), Corrado Govoni (1884-1965), aux «mots en liberté» (*«parole in libertà»,* Marinetti, 1910), tentative qui annonce aussi bien les *Calligrammes** d'Apollinaire que la poésie «concrète» et «spatialiste» contemporaine.

Produit du fulgurant essor de l'Italie au début du siècle, le futurisme en a les contradictions, qu'il tente de dépasser dans son adhésion au fascisme. En fait, il se désagrège. Un second futurisme apporte un certain renouveau avec les peintres Enrico Prampolini (1894-1956), protagoniste de presque tous les courants d'abstraction et d'avant-garde, Fortunato Depero et Luigi Colombo, dit Fillia.

FUTUROLOGIE. — Jadis, les sociétés évoquaient leur avenir en termes de destin ou de fatalité. Aujourd'hui, elles tentent de le maîtriser. C'est dans ce changement d'attitude qu'il faut chercher la raison des succès de la futurologie. Science du futur ou discours sur le futur, celle-ci procède de l'idée que les techniques ont pris place au cœur de l'histoire, et de la conviction, légitime ou non, que leur évolution offre une prise à l'effort de prévision. Mais la futurologie, qui se veut scientifique, entend surtout servir d'instrument à l'action, faisant ainsi de l'avenir autre chose qu'un destin. À ce titre, elle est en parfaite affinité avec l'idéologie technicienne de l'époque et avec la représentation que la société moderne se donne d'elle-même et de ses potentialités.

FUVEAU (13710), comm. des Bouches-du-Rhône, à 32,5 km au N.-E. de Marseille; 3 348 hab.

FUX (Johann Joseph), compositeur autrichien (Hirtenfeld, Styrie, 1660-Vienne 1741). Essentiellement connu pour son ouvrage *Gradus ad Parnassum* (1725), dans lequel il consigne et codifie les règles du contrepoint, maître de chapelle à Vienne, il composa environ 400 œuvres non dépourvues d'intérêt. De grands musiciens comme Haydn et Mozart trouvèrent à parfaire leur apprentissage en consultant ses travaux.

FUZŪLĪ (Muḥammad ibn Sulaymān), en turc **Mehmed Süleyman Oğlu Fuzuli,** poète turc d'origine kurde (Bagdad v. 1494-† 1556 ou 1562), un des plus célèbres poètes classiques, auteur de divans, en turc, en arabe et en persan.

GABARRET (40310), ch.-l. de cant. des Landes, à 46 km au N.-E. de Mont-de-Marsan; 1 565 hab.

GABBRO. — Cette roche plutonique basique, de couleur sombre, à structure grenue, est composée principalement de plagioclase et de pyroxène et peut contenir de l'olivine ou de l'amphibole. On la rencontre soit en massifs intrusifs, soit comme terme des séries ophiolitiques (v. OPHIOLITE).

GABELLE. — Longtemps appliqué à toute espèce d'impôt, le nom de gabelle désigna exclusivement, à partir du XIVe s., la taxe sur le sel mise au point par Philippe IV le Bel (ordonnances de 1341 et de 1343). Sous l'Ancien Régime coexistèrent plusieurs variantes provinciales de la gabelle : taxation très lourde (pays de grande gabelle) dans le Bassin parisien, où le roi se réservait le monopole de la vente et imposait aux contribuables l'achat d'une quantité minimale de sel; dégrèvement dans certaines provinces (Sud-Est, Poitou, Bourgogne, basse Normandie); ou exemption totale (Boulonnais, Bretagne). Cette disparité engendra une vaste contrebande, durement réprimée (galères, mort). Très impopulaire, la gabelle fut abolie par le décret du 1er décembre 1790.

GABERONES → GABORONE.

GABÈS, v. de la Tunisie méridionale, sur le *golfe de Gabès;* 32 000 hab. Pêche. Palmeraie. Industrie chimique.

GABIN (Jean Alexis MONCORGÉ, dit **Jean**), acteur de cinéma français (Paris 1904-Neuilly-sur-Seine 1976). Figurant dans quelques spectacles de music-hall puis chanteur d'opérette, il aborda le cinéma en 1932. Il tourna avec les meilleurs réalisateurs français des années 30 : Julien Duvivier (*la Bandera,* 1935; *la Belle Équipe,* 1936; *Pépé le Moko,* 1937), Marcel Carné (*Quai des Brumes,* 1938; *Le jour se lève,* 1939), Jean Renoir (*la Grande Illusion,* 1937; *la Bête humaine,* 1938), Jean Grémillon (*Remorques,* 1940) et poursuivit ensuite une carrière prolifique, qui lui assura la popularité (*la Marie du port,* 1950; *le Plaisir,* 1952; *Touchez pas au grisbi,* 1954; *French Cancan,* 1955; *la Traversée de Paris,* 1956; *En cas de malheur,* 1958; *Mélodie en sous-sol,* 1963; *le Chat,* 1970).

GABLE (Clark), acteur de cinéma américain (Cadiz, Ohio, 1901-Hollywood 1960). Il fut, de 1930 à 1960, l'une des grandes vedettes hollywoodiennes. Il s'imposa dans quelques comédies (notamment *New York-Miami,* de Frank Capra, 1934) et surtout dans certaines fresques romanesques, où il incarna le plus souvent un aventurier séduisant et parfois cynique : *San Francisco* (1936), *Saratoga* (1937), *Autant en emporte le vent* (1939), *Mogambo* (1953), *l'Esclave libre* (1957), *les Misfits* (1960).

GABO → PEVSNER *(les frères).*

GABON (le), estuaire de la côte d'Afrique, sur l'Atlantique, qui a donné son nom à la *république du Gabon.*

GABON, État de l'Afrique équatoriale; 267 000 km^2; 515 000 hab. *(Gabonais).* Capit. *Libreville.*

GÉOGRAPHIE. La partie orientale du pays s'étend sur le socle arasé en plateaux. Ceux-ci se relèvent vers l'ouest (monts de Cristal, monts Du Chaillu), dominant la côte de l'Atlantique, région de collines et de plaines marécageuses. Le climat équatorial explique la grande extension de la forêt dense, qui recouvre l'essentiel du territoire drainé par l'Ogooué et ses affluents.

La population est composée en majorité de Bantous. Très peu dense, elle se concentre sur la côte, surtout dans les agglomérations de Libreville et de Port-Gentil. L'exploitation de la forêt (en particulier de l'okoumé, qui sert à fabriquer le contre-plaqué) a longtemps constitué la principale richesse du pays. Mais l'extraction des ressources du sous-sol (pétrole, fer, uranium et manganèse) a progressé et permis l'amorce d'un développement industriel. Aux industries du bois (scieries) sont venues s'ajouter des

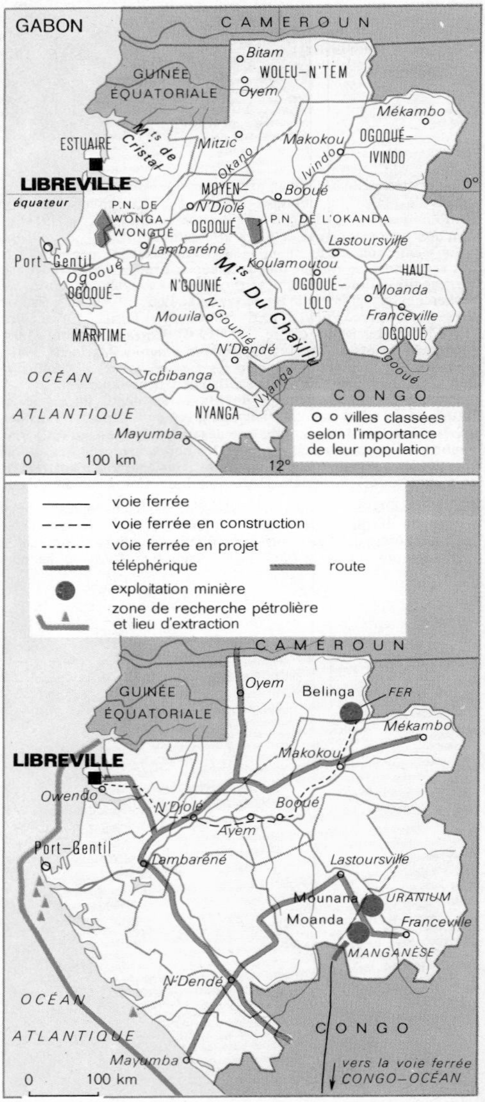

activités nouvelles (raffinerie de pétrole, métallurgie légère, etc.). Cependant, le Gabon, dont la balance commerciale est largement excédentaire, doit importer des biens de consommation, l'essentiel des échanges ayant lieu avec les pays du Marché commun.

HISTOIRE. Jusqu'au XIXe s., l'histoire du Gabon est une mosaïque faite des traditions des ethnies : Mpongwés, Oroungous, N'Komis, Loumbous, Galoas, Fangs, Okandas, M'Bambas, Pounous... Le Gabon moderne naît de l'abolition de la traite négrière en 1839, à la suite d'un accord passé entre un chef de clan de la rade du Gabon et un officier de marine français. En 1849 naît Libreville, peuplée d'esclaves libérés. Missionnaires et explorateurs français sillonnent le pays qui, de proche en proche, devient possession française, l'action de Savorgnan de Brazza, à partir de 1879, étant, dans cette perspective, décisive. En 1886, les deux colonies du Gabon et du Congo sont constituées; elles fusionnent de 1888 à 1904, puis le Gabon retrouve son entité administrative, maintenue au sein de l'Afrique-Équatoriale française (A.-E. F.). Dès 1940, le Gabon embrasse la cause de la France libre.

L'aspiration des Gabonais à l'autonomie est sanctionnée par la loi-cadre du 23 juin 1956. L'indépendance s'impose rapidement : proclamée le 28 novembre 1958, la République gabonaise est entièrement libre en 1960. Sous la direction de Léon M'Ba (de 1961 à 1967) puis d'Albert Bongo, la vie politique est caractérisée par un régime présidentiel, régime qui a évolué rapidement vers un système de parti unique de fait.

GABOR (Dennis), physicien anglais d'origine hongroise (Budapest 1900). Il a reçu le prix Nobel de physique, en 1971, pour son invention de la méthode holographique (1948) et le développement qu'il lui a donné.

GABORIAU (Émile), romancier français (Saujon 1832 - Paris 1873). Unissant l'inspiration d'E. Poe au rythme du roman-feuilleton, il fut l'un des créateurs du roman policier (*l'Affaire Lerouge,* 1866).

GABORONE, anc. **Gaberones,** capit. du Botswana; 18 000 hab.

GABRIEL, nom d'un ange de la tradition juive et chrétienne : dans l'Évangile, Gabriel annonce la naissance de Jean-Baptiste et de Jésus. La littérature postérieure en fera un archange.

GABRIEL LALEMANT *(saint),* jésuite missionnaire français au Canada (Paris 1610 - Saint-Ignace, Canada, 1649). Il s'embarque en 1646 pour le Canada, où il rejoint Jean* de Brébeuf (1648), avec qui il sera pris et torturé par les Iroquois avant d'être mis à mort.

GABRIEL, architectes français, dont les principaux, nés et morts à Paris, sont Jacques V et son fils Jacques-Ange. — JACQUES V (1667-1742), cousin de J. Hardouin-Mansart, académicien en 1699, aussi bon décorateur que technicien, déploya une grande activité à Paris (hôtels particuliers) et en province (cathédrale d'Orléans, évêché et pont de Blois, hôtel de ville de Rennes, place de la Bourse à Bordeaux, etc.). — JACQUES-ANGE (1698-1782) collabora d'abord avec son père, qui lui transmit son titre de Premier architecte de Louis XV, et acheva certaines de ses entreprises. Il a dominé l'art de son temps en portant la tradition classique française à son plus haut degré de perfection, moins par une originalité particulière que par la logique formelle et le raffinement avec lesquels il a su harmoniser ses compositions. Il a travaillé à Fontainebleau, à Compiègne, à Versailles, a donné à Paris la place de la Concorde* et l'École militaire. Ses chefs-d'œuvre sont, à Versailles, le Petit Trianon (1762) et l'Opéra (architecture intérieure, 1768-69).

GABRIELI (Andrea), compositeur italien (Venise v. 1510 - *id.* 1586). Organiste de Saint-Marc de Venise, il a laissé des messes, des motets *(Sacrae Cantiones)* et des madrigaux. — Son neveu et élève, GIOVANNI (Venise v. 1557 - *id.* 1612), comme lui organiste de Saint-Marc de Venise, eut de nombreux élèves, parmi lesquels H. Schütz. Ses motets *(Sacrae Symphoniae),* d'une polyphonie concertante, font appel à la polychoralité et au mélange des voix et des instruments.

GABROVO, v. de Bulgarie, au pied nord du Balkan; 58 000 hab. Textiles.

GACÉ (61230), ch.-l. de cant. de l'Orne, à 27 km au N.-E. d'Argentan; 2 678 hab.

GACILLY (La) [56200], ch.-l. de cant. du Morbihan, à 15 km au N. de Redon; 1 720 hab. Produits de beauté.

GAD, nom d'un des fils de Jacob, ancêtre éponyme d'une tribu israélite. La *tribu de Gad* était établie en Transjordanie.

GADDA (Carlo Emilio), écrivain italien (Milan 1893 - Rome 1973). Son écriture, aux multiples stratifications linguistiques, rhétoriques, dialectales, est l'image même d'une vie fragmentée : après des études d'électronique et l'expérience de la guerre, qu'il vit d'abord comme une aventure héroïque digne de Tite-Live ou de Manzoni, il fait ses débuts littéraires dans la revue d'avant-garde et la collection *Solaria* (*la Madone des philosophes,* 1931; *le Château d'Udine,* 1934), puis s'exile (en Argentine, en Belgique) devant le raidissement du fascisme, avant de participer à Florence, avec la revue *Letteratura,* à un mouvement de résistance intellectuelle, qu'il exprime dans un essai d'interprétation psychanalytique de la tragi-comédie mussolinienne (*Éros et Priape,* 1967). Après la guerre, il se consacre à la « récupération stylistique » de son œuvre antérieure (*L'Adalgisa,* 1944; *Verso la Certosa,* 1962) et à la rédaction d'une somme romanesque et esthétique (*l'Affreux* Pastis de la rue des Merles,* 1957) qui unit, sur le mode parodique, toutes les influences littéraires, de la farce médiévale aux structures labyrinthiques de Joyce.

GADDI, peintres florentins. — De TADDEO (v. 1300-1366), élève de son père, le mosaïste Gaddo Gaddi, puis disciple et assistant de Giotto*, on connaît surtout les peintures de la chapelle Baroncelli à Santa Croce de Florence (1332-1338) et des vestiges de fresques à San Francesco de Pise. — Son fils, AGNOLO (v. 1333-1396) a décoré, dans un style narratif et pittoresque plus proche de Simone Martini, le chœur de Santa Croce *(Légende de la croix)* et, vers 1393, la chapelle de la Sainte-Ceinture du dôme de Prato.

GADES ou **GADÈS** → CADIX.

Lauros-Giraudon

Jacques-Ange Gabriel.
L'Opéra de Versailles (1768-69).

GADIDÉS → MORUE.

GADOLINIUM. — Élément n° 64, de masse atomique Gd = 156,9, c'est un solide gris clair, fondant à plus de 1 200 °C.

GADOUE → ENGRAIS.

GAÉLIQUE → CELTIQUE et IRLANDAIS.

GAÈTE, port d'Italie, sur le *golfe de Gaète,* entre Rome et Naples; 21 000 hab. Raffinage du pétrole. Pétrochimie. — Capitale d'un duché au Xe s., Gaète entre dans le royaume de Sicile, dont elle devient l'une des principales cités commerciales et le port militaire, maintes fois assiégé au cours des siècles. Le pape Pie IX s'y réfugie en 1848, et François II, dernier roi des Deux-Siciles, en fait son ultime bastion contre les Sardes (1861).

GAFSA, v. de la Tunisie méridionale; 32 000 hab. Phosphates.

GAGAKU → JAPON [*Musique*].

GAGARINE (Iouri), cosmonaute soviétique (près de Smolensk 1934-près de Vladimir 1968), premier homme à avoir effectué un vol spatial sur « Vostok I », le 12 avril 1961.

GAGE → SÛRETÉS.

GAGNOA, v. de l'intérieur de la Côte-d'Ivoire; 76 000 hab.

GAGNON, v. du Canada (Québec), dans le Nouveau-Québec; 3 787 hab. À proximité, extraction du fer.

GAGNY (93220), ch.-l. de cant. de la Seine-Saint-Denis, à 16 km au N.-E. de Paris; 36 803 hab. Plâtre.

GAIA ou **GÊ,** la Terre, conçue, dans la mythologie grecque, comme l'élément primordial d'où sont issues les races divines, mère des dieux et mère universelle.

GAÏAC. — Ce petit arbre d'Amérique (famille des zygophyllacées) offre à l'industrie le plus lourd et le plus dur de tous les bois, d'où son usage pour les poulies, galets, coussinets et pièces tournées. On en extrait une résine qui fournit le *gaïacol**.

GAÏACOL. — C'est un solide cristallisé d'odeur forte, fondant à 32 °C; on l'extrait de la créosote du goudron de bois, notamment du gaïac, et on l'emploie comme antiseptique.

GAILLAC (81600), ch.-l. de cant. du Tarn, sur le Tarn, à 22 km à l'O. d'Albi; 10 912 hab. *(Gaillacois).* Deux églises remontant au XIIe s. Fontaine et maisons anciennes. Vins blancs.

GAILLARD (74240), comm. de la Haute-Savoie, dans la banlieue sud d'Annemasse; 9 030 hab. Produits pharmaceutiques.

GAILLET. — Les gaillets (caille-lait, gratteron, croisette, etc.) sont des herbes très communes dans les sous-bois et les prairies, et reconnaissables à leurs couronnes de feuilles (verticilles), à l'aisselle desquelles se situent de petites fleurs en croix, jaunes ou blanches, rarement rouges, groupées en cymes. (Famille des rubiacées.)

GAILLON (27600), ch.-l. de cant. de l'Eure, sur la Seine, à 10 km au S.-O. des Andelys; 4 345 hab. Restes d'un prestigieux château de plaisance des archevêques de Rouen, entrepris en 1501, gothique avec des décors italianisants qui sont parmi les premiers apparus en France.

GAINE. — Dans les immeubles, les gaines techniques s'élèvent verticalement sur toute la hauteur des constructions, à travers les différents planchers*. On y place les colonnes montantes transportant l'eau chaude, l'eau froide, les fluides gazeux, l'électricité, de même que les descentes pluviales et les chutes d'eaux usées. À chaque étage, la gaine comporte une porte ou une trappe permettant un accès facile à la robinetterie. Quand une gaine abrite une conduite de gaz*, elle doit être largement ventilée par une communication avec l'extérieur. Toute chaufferie doit posséder deux gaines de ventilation distinctes, débouchant l'une en partie basse pour permettre à l'air d'accéder aux foyers, l'autre en partie haute pour assurer le tirage et l'évacuation de l'air.

GAINIER. — Plus connu sous le nom d'*arbre de Judée,* le gainier *(Cercis siliquastrum)* est apprécié dans les parcs pour ses belles fleurs roses paraissant avant les feuilles. Le fruit est une gousse plate. (Famille des césalpiniacées.)

GAINSBOROUGH (Thomas), peintre anglais (Sudbury, Suffolk, 1727-Londres 1788). Élève, notamment, du Français Gravelot, influencé par Van Dyck, il fit une carrière mondaine à Ipswich, à Bath (1760) puis à Londres (1774), conférant un grand charme à ses portraits, surtout féminins, s'inspirant des Hollandais dans ses paysages, d'une liberté et d'une sensibilité nouvelles. Sa rivalité avec Reynolds lui inspira le *Blue Boy* du musée de San Marino (Californie). Son art élégant, sa technique frémissante jettent un pont entre l'époque rocaille et le romantisme.

GAIUS, jurisconsulte romain, contemporain de Marc Aurèle. On a de lui, notamment, des fragments insérés dans le *Digeste,* et les *Institutiones,* ouvrage écrit vers 161 et divisé en quatre livres.

GALAAD, zone montagneuse de la Palestine, située entre le Jourdain et le désert arabique. Dans l'Antiquité, elle entretenait avec l'Égypte des relations commerciales importantes.

GALACTOSE. — Cet aldohexose, de formule $C_6H_{12}O_6$, est un solide blanc, fondant à 166 °C, qui se forme à côté du d-glucose dans l'hydrolyse du lactose; il est fermentescible.

GALAN (65330), ch.-l. de cant. des Hautes-Pyrénées, à 10,5 km au N. de Lannemezan; 931 hab. Église fortifiée du XIVe s.

GALÁPAGOS *(îles),* archipel volcanique du Pacifique, à environ 1 000 km au large de l'Équateur, dont il dépend; 7 812 km^2; 3 800 hab. Les Galápagos possèdent une faune remarquable : tortues géantes (dont l'observation a mis Darwin sur la voie de ses découvertes concernant la sélection naturelle et les effets faunistiques de l'isolement), iguanes, etc.

GALATA, quartier d'Istanbul (Turquie).

Galaxie M 104, dite du « Sombrero », à 37 millions d'années de lumière, de dimensions supérieures à celles de notre Galaxie.

GALATÉE, divinité marine grecque, une des cinquante Néréides*; elle changea en fleuve son amant, le berger Acis, victime de la jalousie du cyclope Polyphème*.

GALAȚI, port de Roumanie, sur le Danube; 187 000 hab. Sidérurgie.

GALATIE, région du centre de l'Asie Mineure, ainsi appelée du nom des populations d'origine celtique (en grec, *Galatai,* Gaulois) qui s'y installent au IIIe s. av. J.-C. Constituée en état autonome grâce à l'appui de Rome, au IIe s. av. J.-C., elle devint province romaine à la mort de son roi, Amyntas, en 25 av. J.-C., et disparut au VIIe s. en tant que division administrative. Saint Paul* évangélisa le sud du pays et adressa, en 57, une lettre aux communautés chrétiennes, l'*Épître aux Galates.*

GALAXIE. — L'astronomie extragalactique commence en 1924, grâce à l'astronome américain Hubble*. L'utilisation des premiers grands télescopes* optiques a permis la mise en évidence d'étoiles* dans la galaxie d'Andromède*, que l'on croyait à cette époque n'être qu'un nuage de gaz situé dans la Galaxie*. La détermination de sa distance a confirmé qu'elle se trouvait en dehors, à 2.10^6 al, ou encore qu'elle apparaît telle qu'elle existait il y a deux millions d'années. Les moyens techniques actuels permettent de repérer des galaxies distantes de 5.10^9 al. On connaît environ 100 millions de galaxies de toutes tailles et de toutes formes. Celles-ci ne sont pas isolées dans l'Univers*, mais regroupées en paires, en triplets, en groupes ou amas*, qui peuvent rassembler de dix à plusieurs milliers de galaxies. L'aspect morphologique des galaxies a permis de classifier ces objets selon l'importance du bulbe central et l'aspect des bras spiraux. Les *galaxies elliptiques* sont de forme ovoïde plus ou moins aplatie et ne possèdent pas de bras spiraux. Les *galaxies lenticulaires* sont intermédiaires entre les galaxies elliptiques et les galaxies spirales; elles n'ont pas de bras spiraux, mais leur bulbe est aussi aplati que celui des premières spirales. Celles-ci ont des bras spiraux peu développés et un bulbe encore important; les *galaxies spirales* de type « avancé » ont un petit noyau et des bras importants. Une classification parallèle est celle des spirales barrées. Les *galaxies irrégulières* n'ont pas de structure particulière. Cette classification morphologique ne s'est pas révélée être une séquence d'évolution qui aurait pu donner la clé de l'évolution des galaxies. En effet, l'étude de leur composition stellaire montre qu'elles ont sensiblement le même âge, soit environ de 10 à 12.10^9 années, quel que soit leur aspect morphologique. La radioastronomie* a permis de grands progrès quant à la connaissance du contenu gazeux des galaxies. L'hydrogène* neutre,

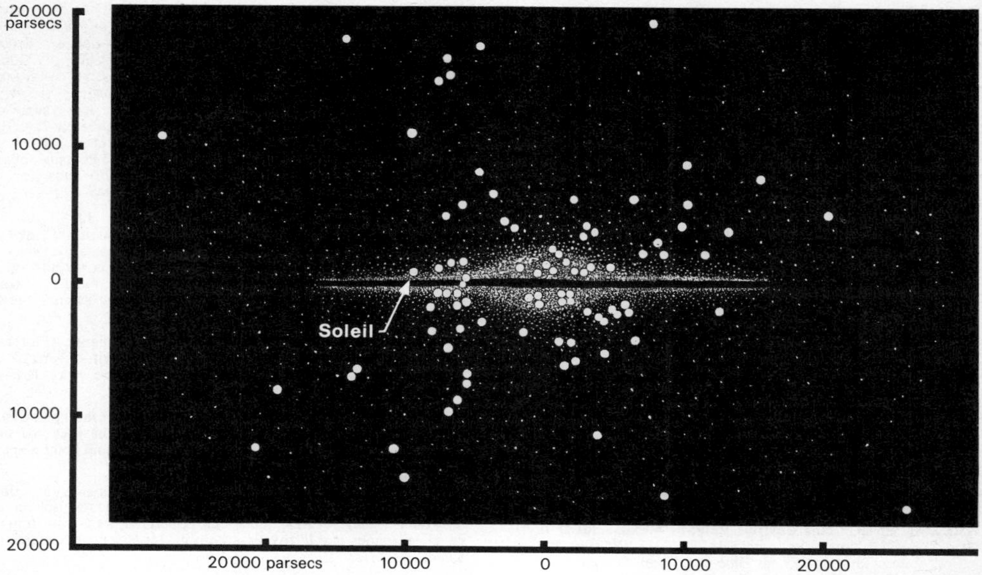

Répartition des amas globulaires par rapport au plan méridien galactique passant par le Soleil. (Les gros points représentés sur ce schéma correspondent à des objets célestes qui sont des satellites périphériques de la Galaxie, appelés *amas globulaires.* Avec la majeure partie des étoiles non incluses dans le voisinage immédiat du plan galactique, ils constituent le *halo galactique,* brouillard d'étoiles à symétrie sphérique dans lequel le disque est plongé. La détermination des éléments de rotation a permis d'évaluer à 200 milliards le nombre des étoiles constituant ce halo.)

constituant fondamental dans l'Univers, émet sur une longueur d'onde de 21 cm. L'analyse de ce rayonnement permet d'obtenir de précieux renseignements, comme la vitesse d'éloignement de la galaxie observée, sa vitesse de rotation, sa masse d'hydrogène. L'observation, jusqu'à présent, de 200 galaxies *classiques* a montré une augmentation de la quantité d'hydrogène par rapport à la masse totale, des elliptiques aux irrégulières en passant par les spirales. Mais le type ne suffit pas à caractériser une galaxie, les galaxies d'un même type morphologique pouvant avoir des propriétés différentes, comme leur couleur. Toutes les galaxies n'entrent pas dans cette classification et nombreuses sont les galaxies particulières. Ce sont, par exemple, les galaxies de Seyfert, particulières dans l'émission de leurs noyaux, les galaxies de Markarian, de Haro, de Zwicky*, plus compactes que les galaxies classiques, relativement riches en hydrogène. Différents indices suggèrent actuellement que ces galaxies seraient des intermédiaires entre les quasars* et les galaxies classiques. Grâce à des techniques de supersynthèse d'ouverture, on a pu établir des cartes détaillées de la répartition de l'hydrogène dans les galaxies. De même, on a mis en évidence de véritables ponts de matière, invisibles en optique, entre deux galaxies proches et probablement dus à des effets de marées entre les deux objets. Cette même technique a permis de déterminer la structure des radiogalaxies : la galaxie optique est dans la plupart des cas encadrée par deux sources radio invisibles en optique. Enfin, l'observation des nuages moléculaires dans la Galaxie révèle quotidiennement de nouvelles molécules, dont certaines ont déjà été détectées dans des galaxies.

GALAXIE. — Le système solaire n'est qu'un point dans le vaste système auquel appartient la Terre* et que l'on appelle la « Galaxie ». Les étoiles*, que l'on voit les nuits claires, en font partie et la Voie* lactée est une coupe de la Galaxie vue de l'intérieur. La comparaison avec les autres galaxies* découvertes au début du XXe s. et les mesures des radioastronomes ont permis tout d'abord de déterminer sa forme et son contenu, puis sa structure. Vue de l'extérieur, la Galaxie a la forme d'un disque, renflé au centre, de 100 000 al de diamètre et d'environ 12 000 al d'épaisseur à l'endroit où la Terre se trouve, c'est-à-dire sur le bord du disque, à environ 30 000 al du centre. Ce disque est situé à l'intérieur d'un halo de 150 000 al de diamètre, vestige probable de la formation de la Galaxie et dans lequel gravitent les amas* globulaires. La Galaxie se compose essentiellement d'étoiles de toutes dimensions, de toutes températures, à tous les stades de l'évolution stellaire. Les étoiles les plus jeunes, comme le Soleil*, sont réparties dans le disque, les étoiles vieilles sont regroupées au centre de la Galaxie. Entre les étoiles, il y a du gaz neutre ou ionisé, principalement de l'hydrogène*, mais depuis quelques années, grâce à la radioastronomie, la liste des molécules* du milieu interstellaire s'allonge. La présence de poussières — dont la formation et la composition sont encore mal connues et qui semblent surtout localisées dans les zones de formation d'étoiles — perturbe certaines observations. La morphologie des autres galaxies, et en particulier celle d'Andromède*, a suggéré des observations qui ont abouti à l'établissement de la structure spirale de la Galaxie. L'hydrogène* neutre et les étoiles sont répartis dans deux bras spiraux. La rotation de la Galaxie devrait tendre à la dispersion de ces bras, car les régions centrales tournent plus vite que les régions extérieures; or, ce n'est pas ce que l'on observe. Il faut donc imaginer un mécanisme qui maintienne ces bras, mais qui n'est pas encore bien déterminé. Le centre de la Galaxie, caché en optique par des nuages de poussières, semble être une région très perturbée qui émet dans de nombreux domaines de longueurs d'onde*.

GALBA (Servius Sulpicius) [près de Terracina v. 3 av. J.-C. - Rome 69 apr. J.-C.], empereur romain de 68 à 69. Il fut l'un des trois éphémères successeurs de Néron. Patricien, gouverneur de Tarraconaise (61-68), il se rallia au mouvement républicain de Vindex*. Après l'échec de ce dernier, il rassembla autour de lui les espoirs de la noblesse sénatoriale victime du régime de Néron. En 68, il marcha sur l'Italie à la tête de ses troupes. Acclamé par le sénat, il tenta de restaurer le régime du principat. Par sa dureté et sa ladrerie, il s'aliéna les « néroniens », la plèbe et les prétoriens. En janvier 69, les légions de Germanie restées fidèles à Néron lors de la révolte de Vindex proclamèrent empereur leur général, A. Vitellius*. Peu après, Galba et son fils adoptif, L. Calpurnius* Pison, furent massacrés à Rome par les partisans d'Othon*.

GALBRAITH (John Kenneth), économiste américain (Iona Station, Ontario, 1908). Nous vivons, pour Galbraith, l'ère de la technostructure, celle-ci étant composée de l'ensemble des détenteurs du pouvoir de décision (*l'Ère de l'opulence,* 1958; *le Nouvel* État industriel,* 1967).

GALDÓS (Benito Pérez) → PÉREZ GALDÓS.

GALE. — Cette affection parasitaire cutanée due à un acarien, *Sarcoptes scabiei,* est contagieuse. La transmission se fait surtout par contact direct dans un même lit. Les signes caractéristiques sont le prurit, les vésicules perlées, les sillons et les lésions de grattage, qui siègent surtout aux faces latérales des doigts, aux aisselles, aux fesses, sur le fourreau de la verge et le gland chez l'homme, sur les aréoles des seins chez la femme, à la plante des pieds chez le nourrisson. La gale peut se compliquer d'eczéma et d'impétigo.

Doivent être traités en même temps les sujets atteints et les sujets en contact avec ceux-ci, par l'application, deux à trois fois de suite, d'une solution de benzoate de benzyle, ou de D. D. T., associée au phtalate d'éthyle. La désinfection des draps et vêtements sera assurée en même temps.

GALÈNE. — C'est un solide gris métallique, en général cristallisé en cubes ou en octaèdres. De formule PbS, la galène est le principal minerai de plomb*. C'est le plus ancien des semi-conducteurs utilisés pour la détection des signaux radioélectriques.

GALÉOPITHÈQUE. — L'étrangeté de ce petit mammifère arboricole et frugivore des îles de la Sonde a conduit les zoologistes à lui réserver un ordre spécial, celui des *dermoptères.* Descendant peut-être des insectivores les plus primitifs, le galéopithèque, ou *taguan,* reste caché dans les arbres pendant le jour, et explore la forêt nuitamment pour y récolter des fruits et autres aliments végétaux. Grimpeur aux griffes acérées, le taguan est surtout un planeur remarquable, la membrane (patagium) qui unit ses membres, ses flancs et sa queue lui permettant des vols de 130 m d'un arbre à l'autre. Sa rareté, due à une fécondité réduite (un seul petit par portée), fait de lui un animal encore mal connu.

GALEOTTI (Vincenzo), danseur et chorégraphe italien (Florence 1733-Copenhague 1816). Élève d'Angiolini* et de Noverre*, défenseur du ballet d'action, actif en Italie et à Londres, il est maître de ballet à Copenhague (1775), où il rénove le ballet danois. Doté d'un style très personnel, « préromantique », il est l'auteur, entre autres, du premier ballet à thème scandinave : *Lagherta* (1801).

GALÈRE, en lat. **Caius Galerius Valerius Maximianus** († Illyrie-Nicomédie 311), empereur romain de 293 à 311. Officier illyrien, il est élevé au césarat en 293 par Dioclétien*, qui lui confie la guerre contre les Perses: il contraint Narsès à signer la paix de Nisibe (298), qui permet à Rome d'annexer les cinq satrapies transtigritanes. Païen convaincu, il applique en Orient, avec violence, les édits de persécution de 303-04. Lors de l'abdication de Dioclétien et de Maximien (305), il devient auguste avec Constance* Chlore et tente de maintenir intacte la conception théologique et politique de la tétrarchie. En 311, il doit reconnaître l'échec de la persécution et promulguer un édit de tolérance.

GALERIE DE MINE. — Une galerie de mine* sert à la sortie des produits extraits des chantiers, à la circulation du personnel, à l'aérage* et à l'amenée du matériel ou des remblais; sa section est déterminée en conséquence. Une voie ferrée, simple ou double, y est habituellement installée pour les convois de berlines tirés par des locomotives Diesel ou électriques à trolley, plus rarement à accumulateur. On achemine aussi les produits sur un convoyeur à bande. Pour un gain de place, on peut installer un monorail suspendu. Afin d'éviter la fatigue sur de longs parcours, le personnel est transporté en wagons ou dans des nacelles tirées sous le monorail par une locomotive Diesel suspendue. Le transport des produits dans des galeries sans voie ferrée, effectué depuis le chantier dans le vaste godet d'engins sur pneus, type « charge et roule », relayés si le trajet dépasse quelques centaines de mètres par des camions surbaissés de grande capacité, est une technique qui se développe.

GALÉRUQUE. — Les galéruques, coléoptères, sont parmi les plus redoutables destructeurs des feuilles d'arbres et d'arbustes, principalement dans les régions équatoriales, mais aussi en France, où l'orme, le saule et la viorne ont à souffrir de leurs attaques. (Famille des chrysomélidés.)

GALIANI (*abbé* Ferdinando), diplomate et économiste italien (Chieti 1728-Naples 1787). En relation avec les encyclopédistes français, il écrivit notamment des *Dialogues sur le commerce des blés* (1770). Il combattit les théories des physiocrates et énonça une théorie de la valeur* économique, tenant compte de l'utilité et de la rareté des choses.

GALIBIER, col des Alpes françaises (2 645 m), aux confins des Hautes-Alpes et de la Savoie. Traversée en tunnel (à 2 556 m) par la route reliant Briançon à la vallée de la Maurienne.

GALICE, en esp. **Galicia,** région du nord-ouest de l'Espagne, formée des provinces de La Corogne, Lugo, Orense et Pontevedra; 29 434 km^2; 2 584 000 hab. Malgré des conditions naturelles difficiles (prédominance de plateaux très arrosés, battus par le vent, surmontés de sols pauvres, favorables seulement à la forêt ou à la lande), la Galice est densément peuplée. La population, encore surtout rurale, se consacre à une polyculture fondée sur le maïs et la pomme de terre, associés à un important élevage bovin et porcin pratiqué dans le cadre de très petites exploitations. La pêche est très développée sur le littoral, site des principales villes (Vigo et La Corogne dépassent 100 000 hab.), qui concentrent les très ponctuelles activités industrielles (métallurgie de transformation surtout). L'intérieur demeure une terre d'émigration.

GALICIE, région de l'Europe centrale, au N. des Carpates, partagée depuis 1945 entre la Pologne (prov. de Cracovie) et l'U. R. S. S. (Ukraine, prov. de Lvov). Poste avancé des Slaves orientaux vers l'ouest, la principauté de Galicie-Volhynie, florissante au XIIIe s., tombe sous la domination polonaise au XIVe s. Lors du premier partage de la Pologne (1772), l'Autriche reçoit la Petite-Pologne et la Ruthénie Rouge, qui forment le royaume de Galicie et Lodomérie, auquel Cracovie est rattachée en 1846. La région est le théâtre de violents combats entre Russes et Austro-Allemands de 1914 à 1917. La république de Pologne obtient toute la Galicie (frontière orientale fixée en 1923), puis perd la Galicie orientale, rattachée à l'Ukraine depuis 1945.

GALIEN (Claude), médecin grec (Pergame v. 131-Rome ou Pergame v. 201). Il régna sur la médecine, avec Aristote, jusqu'au milieu du XVIIe s. Ce fut un remarquable anatomiste, mais il développa une théorie sur le fonctionnement du corps humain et sur les causes des maladies, fondée sur quatre humeurs (sang, urine, bile et atrabile), qui retarda longtemps l'essor scientifique de la médecine.

GALIGAÏ (Eleonora DORI, dite), aventurière italienne (Florence v. 1576-Paris 1617). Épouse de Concini, elle suivit sa fortune en France et devint dame d'atours de Marie de Médicis. Après la mort de son mari, elle fut brûlée pour sorcellerie.

GALILÉE, province du nord de la Palestine. Jésus* passa son enfance et sa jeunesse à Nazareth* de Galilée et y exerça une partie de son ministère; Capharnaüm* fut le principal point d'appui de sa prédication galiléenne.

GALILÉE *(principauté de),* fief relevant du royaume de Jérusalem et fondé par Tancrède de Hauteville, neveu de Bohémond d'Antioche, en 1099. Sa capitale était Tibériade. La Galilée tomba, en même temps que le royaume latin de Jérusalem, aux mains de Saladin (1187).

GALILÉE, en ital. **Galileo Galilei,** physicien et astronome italien (Pise 1564-Arcetri 1642). Il est l'un des fondateurs de la méthode expérimentale et apparaît notamment comme le créateur de la dynamique. Dès l'âge de dix-neuf ans, observant le balancement des lustres de la cathédrale de Pise, il note l'isochronisme des oscillations et a l'idée d'appliquer le pendule à la mesure du temps. Laissant tomber des billes du haut de la tour de Pise, il montre que tous les corps tombent avec la même vitesse et, en 1602, il établit, grâce à son plan incliné, les lois de cette chute. Il énonce le principe de l'inertie et la loi de composition des vitesses, et établit, en 1638, le mouvement parabolique des projectiles dans le vide. En acoustique, il découvre les ondes stationnaires et définit les intervalles musicaux. Il construit l'un des premiers microscopes et réalise à Venise, en 1609, la lunette qui porte son nom, découvrant, grâce à son emploi, les librations de la Lune, observant les satellites de Jupiter, l'anneau de Saturne, les taches et la rotation du Soleil, les phases de Vénus. Rallié au système du monde proposé par Copernic, mais que la cour de Rome dénonçait comme hérétique, il est sommé de ne plus le professer. Mais, revenu à Florence, il publie, en 1632, toutes les preuves de l'exactitude du système. Il doit alors abjurer devant l'Inquisition (1633). La tradition veut

Scala

Galilée observant l'oscillation de la lampe de la cathédrale de Pise. Peinture des Sabatelli (époque néoclassique). [Musée de Physique et d'Histoire naturelle, Florence.]

qu'en se relevant il se soit écrié : *« Eppur, si muove »* (« Et pourtant, elle se meut »).

GALITZINE ou **GOLITSYN,** famille princière russe qui a été illustrée notamment par : VASSILI VASSILIEVITCH (1643-1714), principal conseiller de la régente Sophie* Alekseïevna; BORIS ALEKSEÏEVITCH (1654-1713), collaborateur de Pierre Ier* le Grand pendant les premières années de son règne; DMITRI MIKHAÏLOVITCH (1665-1737), membre du Haut Conseil secret sous Catherine Ire* et Pierre II*; MIKHAÏL MIKHAÏLOVITCH (1675-1730), général victorieux des Suédois pendant la guerre du Nord*.

GALL (Franz Josef), médecin allemand (Tiefenbronn, duché de Bade, 1758 - Montrouge 1828), connu pour sa doctrine de la phrénologie.

GALLAND (Antoine), orientaliste français (Rollot, près de Montdidier, 1646 - Paris 1715), traducteur des *Mille et Une Nuits* (1704-1717).

GALLAND (Adolf), général aviateur allemand (Westerholt 1912). Pilote de la légion Condor en Espagne (1938), as de la chasse pendant la Seconde Guerre mondiale (140 victoires), général à trente ans, il se spécialise dans la mise au point des avions à réaction. De 1949 à 1955 il réorganise l'aviation argentine, puis revient en Allemagne.

GALLA PLACIDIA, princesse romaine (v. 388/89 ou 392 - Rome 450). Fille de Théodose Ier, elle fut mariée en 414 à Athaulf, beau-frère d'Alaric Ier, avant d'épouser, en 417, le futur empereur Constance III. Elle gouverna l'empire d'Occident au nom de son fils Valentinien III*, proclamé auguste en 425. Son mausolée, à Ravenne, est célèbre pour ses mosaïques.

GALLE. — Sous les noms (synonymes) de *galles* ou de *cécidies,* on désigne les tumeurs végétales les plus variées. Leur origine est presque toujours externe : la plante réagit par une tumeur à l'introduction dans ses tissus d'un parasite : bactérie, acarien, insecte hyménoptère, etc. Le parasite tire toujours profit de cette réaction, qui lui fournit une nourriture abondante. L'aspect d'une galle est doublement spécifique, puisqu'il dépend de l'espèce végétale attaquée et de l'agent infestant. La galle sphérique des feuilles de chêne et le *bédégar* poilu du rosier sont les deux formes le plus connues.

GALLE, port du sud de Sri Lanka; 72 000 hab.

GALLE (André), médailleur et inventeur français (Saint-Étienne 1761 - Paris 1844). Il fut l'historien en bronze du Consulat et de l'Empire. En 1829, il imagina la chaîne sans fin à maillons articulés.

GALLE (Johann Gottfried), astronome allemand (Pabsthaus 1812-Potsdam 1910). Directeur de l'observatoire de Berlin, il reçut, le 23 septembre 1846, une lettre de Le Verrier* l'invitant à observer une région du ciel récemment étudiée par l'un de ses astronomes et où devait se trouver une hypothétique planète. Le lendemain, Galle découvrait Neptune*.

GALLÉ (Émile), verrier et ébéniste français (Nancy 1846 - *id.* 1904). Animateur de l'école de Nancy, auteur de recherches sur les verres opaques et demi-translucides, il a produit des vases en verre entaillé, moulé, coulé, à couches superposées et à décor floral. Ses quelques meubles s'inspirent, eux aussi, de formes végétales.

GALLEGOS (Rómulo), écrivain et homme politique vénézuélien (Caracas 1884 - *id.* 1969). Auteur de contes et de romans qui peignent la vie rurale (*Doña Bárbara,* 1929), il fut président de la République en 1948.

GALLES *(pays de),* en angl. **Wales,** région de l'ouest de la Grande-Bretagne; 20 800 km^2; 2 725 000 hab. *(Gallois).*

GÉOGRAPHIE. Le pays de Galles constitue la plus petite et la moins peuplée des régions de la Grande-Bretagne. Il s'étend sur un massif ancien arasé en une série de plateaux, dont les plus élevés ont subi l'action des glaciers quaternaires. Sa situation occidentale explique le climat océanique très humide, qui, joint à l'acidité des sols, est responsable de la grande extension des landes et des tourbières.

Les plateaux du centre, domaine de l'élevage bovin et ovin et de l'exploitation de la forêt, se dépeuplent progressivement par suite de l'exode rural. La côte nord se consacre principalement au tourisme. L'essentiel de l'activité se concentre sur la côte sud. Le bassin houiller a donné naissance à la sidérurgie et à la métallurgie des non-ferreux (importés). L'industrie lourde est prépondérante dans les villes qui jalonnent le canal de Bristol (Swansea, Port Talbot, Cardiff). La rade de Milford Haven accueille les énormes pétroliers qui alimentent une série de raffineries.

Peu dynamique, souvent en crise, le secteur secondaire offre peu d'emplois nouveaux à la population, souvent contrainte d'aller chercher du travail dans les Midlands ou dans la région londonienne.

HISTOIRE. C'est au Ve s. av. J.-C. que la langue celtique (de type brittonique) s'impose aux Gallois en même temps que la religion druidique. S'ils sont vainqueurs (51 apr. J.-C.) des tribus galloises, les Romains ne parviennent que tardivement à pacifier le pays, que leur civilisation ne pénètre guère. Après avoir repoussé les Irlandais, les Gallois résistent aux envahisseurs anglo-saxons, avec l'aide de l'Église galloise, très autonome; mais, à partir de 655, ils sont définitivement isolés des autres Bretons, gardant leur organisation tribale à l'intérieur de quatre royaumes. Envahis, du IXe au XIe s., par les Scandinaves, les Gallois résistent grâce, notamment, à des rois unificateurs comme Howell († 950), qui codifie le droit gallois — lequel contribuera fortement au maintien de l'individualité galloise —, ou comme Gruffydd ap Llewelyn († 1063), qui inflige maintes défaites aux Anglo-Saxons (1039-1056) avant d'être battu par Harold, le vaincu d'Hastings.

Quand les Normands s'installent en Angleterre, ils étendent leurs domaines au détriment des princes gallois, jusqu'à ce que Henri II fasse alliance avec le roi Rhys ap Gruffydd (1164-1197). Par la suite, les Gallois résistent aux ingérences anglaises jusqu'au règne d'Edouard Ier, roi énergique, qui conquiert le pays de Galles en 1281-1283, encore que la conquête anglo-normande n'y provoque ni changements sociaux ni changements culturels. D'ailleurs, le pays de Galles n'intéressera les Anglais que comme réservoir d'argent et de soldats. À partir du XIVe s., le fils aîné du roi d'Angleterre prend le titre de prince de Galles. Le dernier sursaut gallois contre l'Anglais se situe durant la guerre des Deux-Roses*; les Tudor, au XVIe s., achèvent l'incorporation du pays de Galles au royaume d'Angleterre.

GALLES DU SUD (Nouvelle-) → NOUVELLE-GALLES DU SUD.

GALLICANISME. — Le gallicanisme, qui consiste dans l'accord du roi et du clergé pour gouverner l'Église de France en contrôlant et en refrénant l'ingérence du Saint-Siège, prend forme au XVe s. lorsque le concile de Constance (1414-1418) souligne la supériorité de l'Église collégiale sur le pape. Il se fortifie sous Charles VII, qui, par la pragmatique sanction (1438), se constitue le véritable chef de l'Église gallicane, et sous François Ier, qui signe avec la papauté le concordat de 1516, très favorable à la royauté. Les Bourbons, et singulièrement Louis XIV, font du gallicanisme politique un système de gouvernement. Bonaparte se situe dans la même ligne avec les Articles organiques ajoutés, de son chef, au concordat de 1801. Mais la séparation des Églises et de l'État, en 1905, met fin pratiquement au gallicanisme.

GALLIEN, en lat. **Publius Licinius Egnatius Gallienus** (v. 218-Milan 268), empereur romain de 253 à 268. Fils de Valérien*, qui l'a associé à l'Empire (253) en lui confiant l'Occident, il reste seul empereur légitime en 260, année où la crise du IIIe s. atteint son point culminant. Son règne est décisif pour la restauration de l'Empire. Gallien entreprend, en effet, des réformes militaires et administratives promises à des succès futurs, développant la cavalerie cuirassée et groupant autour de lui une garde d'officiers détachés *(protectores);* il tend à enlever aux sénateurs le commandement des légions et celui des provinces, qu'il confie à des chevaliers. Il réussit à maintenir la frontière contre la pression des Barbares en acceptant toutefois la création d'un « Empire gaulois » (avec Postumus*) et d'un royaume de Palmyre (Odenath*); lui-même remporte de grandes victoires, sur les Alamans (261) et sur les Goths (267). Gallien s'intéresse aussi à la vie religieuse et intellectuelle : il promulgue un édit de tolérance (260) en faveur des chrétiens; il protège le néoplatonicien Plotin et favorise une renaissance artistique gréco-orientale.

GALLIENI (Joseph), maréchal de France (Saint-Béat 1849 - Versailles 1916). Sous-lieutenant à Bazeilles (1870), il servit au Soudan, au Sénégal et au Tonkin. Gouverneur de Madagascar (1896-1905), il organisa et pacifia la Grande Île. Gouverneur militaire de Paris en 1914, il prit une part importante à la victoire de la Marne par l'engagement de l'armée Maunoury. Ministre de la Guerre en 1915, il fut fait maréchal à titre posthume en 1921.

GALLIFFET (Gaston DE), général français (Paris 1830 - *id.* 1909). Brillant commandant de la charge des chasseurs d'Afrique à la bataille de Sedan (1870), il participa, en 1871, à la répression de la Commune de Paris. À la suite de l'Affaire Dreyfus*, il fut quelque temps ministre de la Guerre dans le cabinet Waldeck-Rousseau (1899-1900).

GALLINACÉS ou **GALLIFORMES.** — La poule* et le dindon*, oiseaux d'élevage dans le monde entier, les faisans, perdrix, perdreaux et cailles, si appréciés des chasseurs, les paons des jardins publics, la pintade, la gélinotte, le lagopède et le tétras sont, avec bien d'autres espèces, rassemblés dans l'ordre des *gallinacés.* Ce sont souvent de gros oiseaux, au vol assez lourd, aux griffes très fortes, recherchant surtout leur nourriture au sol, et dont les petits quittent le nid précocement. Mais leur caractère le plus frappant est leur dimorphisme sexuel, le mâle arborant un plumage aux couleurs superbes, souvent rehaussé de plumes érectiles (paon) ou de membranes rutilantes (coq), tandis que la femelle est terne.

GALLIPOLI, en turc **Gelibolu,** v. de la Turquie d'Europe, sur les Dardanelles, dans la *péninsule de Gallipoli;* 15 000 hab.

GALLIQUE (acide). — L'acide gallique est un acide triphénol $CO_2H—C_6H_2(OH)_3$, qui se prépare par hydrolyse des tanins. Il cristallise hydraté en aiguilles soyeuses fondant à 220 °C. C'est un réducteur, que la chaleur décompose en *pyrogallol* et que les oxydants transforment en acide ellagique. Il donne diverses réactions de condensation, qui fournissent des matières colorantes. Le gallate basique de bismuth est employé comme antiseptique sous le nom de *dermatol* et le gallate de fer constitue le colorant des anciennes encres noires.

GALLIUM. — Le gallium est l'élément n° 31, de masse atomique Ga = 69,72. Il manquait à la classification périodique lorsque Lecoq de Boisbaudran le découvrit en 1875. C'est un solide blanc bleuâtre, de densité 5,9, qui fond à 30 °C. Ses propriétés chimiques le rapprochent de l'aluminium. Il existe en petites quantités dans certaines blendes; on peut le préparer par électrolyse de son oxyde ou de son sulfate.

GÄLLIVARE, v. du nord de la Suède, en Laponie; 26 000 hab. Fer.

GALLOIS → BRETON.

GALLUP (George), statisticien américain (Jefferson, Iowa, 1901). Il a créé en 1935 un important institut ayant pour objet le sondage de l'opinion publique.

GALOIS (Évariste), mathématicien français (Bourg-la-Reine 1811-Paris 1832). Sa trop courte vie, à laquelle mit fin un duel pour une intrigue fort banale, ne lui permit de poser que les fondements de la théorie des groupes appliquée à la résolution des équations algébriques, recherches qui ont été sans doute les plus fécondes jamais faites en algèbre. Son œuvre a inspiré tous les algébristes du XIXe s.

GALSWORTHY (John), écrivain anglais (Coombe, Surrey, 1867-Londres 1933). Ses romans (*la Saga des Forsyte,* 1906-1921; *Une comédie moderne,* 1924-1928) et son théâtre (*Justice,* 1910) font une peinture critique de la haute bourgeoisie et des conventions sociales. (Prix Nobel, 1932.)

GALT, v. du Canada (Ontario), à l'O. d'Hamilton; 38 897 hab.

GALTÜR, station de sports d'hiver (alt. 1 584-2 220 m) d'Autriche, dans le Tyrol, entre l'Arlberg et l'Engadine.

GALUPPI (Baldassare), compositeur italien (Burano 1706-Venise 1785). Élève de A. Lotti, il a contribué à la diffusion de l'esthétique italienne par ses séjours à Londres, à Vienne, à Saint-Pétersbourg. Vice-maître de chapelle à Saint-Marc de Venise, collaborateur de C. Goldoni, il fut l'un des maîtres de l'opéra bouffe *(Il Filosofo di campagna).*

GALVANI (Luigi), physicien et médecin italien (Bologne 1737-*id.* 1798). Ayant observé, en 1786, les contractions des muscles d'une grenouille écorchée, alors qu'on avait approché de ses nerfs la pointe d'un scalpel, il attribua ce phénomène à une forme d'électricité animale. Cette interprétation fut combattue victorieusement par Volta*, qui formula l'hypothèse d'une électricité née du contact de deux métaux différents, et cette controverse fut à l'origine de la pile électrique.

GALVANISATION → ADHÉRENCE, CORROSION.

GALVANOLUMINESCENCE → LUMINESCENCE.

GALVANOMÈTRE. — Les galvanomètres usuels dérivent de deux types principaux. Le *galvanomètre à aimant mobile* utilise le champ magnétique créé par le courant à mesurer circulant dans une bobine dont le centre est occupé par une petite aiguille aimantée, suspendue par un fil sans torsion; l'axe de la bobine est orienté perpendiculairement au champ magnétique terrestre. Cet appareil, très sensible, permet de mesurer un picoampère. Dans le *galvanomètre à cadre mobile,* le courant circule dans un cadre rectangulaire plat, suspendu à un fil de torsion et placé dans l'entrefer d'un circuit magnétique constitué par un aimant permanent et un cylindre de fer, autour duquel tourne le cadre. C'est un appareil d'utilisation courante, mais sa sensibilité est moindre que celle de l'appareil précédent (environ 100 picoampères).

Le *galvanomètre balistique,* qui sert à mesurer la quantité d'électricité transportée par un courant dans un temps très court, est généralement à cadre mobile. Il permet d'apprécier le centième de microcoulomb, environ.

GALVESTON, port des États-Unis (Texas), à l'entrée de la *baie de Galveston* (golfe du Mexique); 62 000 hab.

GALWAY, port de la côte occidentale de l'Irlande, sur la *baie de Galway;* 28 000 hab. Électronique.

GAMA (Vasco DE), navigateur portugais (Sines v. 1469-Cochin, Inde, 1524). En 1497, il doubla le cap de Bonne-Espérance et suivit la côte orientale de l'Afrique, puis il gagna la côte de Malabār et toucha Calicut (1498), dont le prince signa un traité de commerce avec le Portugal. En 1502, au cours d'une seconde expédition, il affermit la mainmise portugaise sur les comptoirs de l'Inde (Cochin, Deccan). Il mourut vice-roi des Indes.

GAMACHES (80220), ch.-l. de cant. de la Somme, à 26,5 km au S.-O. d'Abbeville, sur la Bresle; 3 555 hab. Serrurerie et robinetterie.

GAMALIEL, nom de deux importants docteurs juifs : GAMALIEL Ier, qui a été, selon la tradition, le maître de saint Paul; GAMALIEL II, petit-fils du précédent, qui a joué un grand rôle, au IIe s., dans l'unification doctrinale et disciplinaire du judaïsme.

Léon Gambetta, par Léon Bonnat (1883-1922). [Musée du château de Versailles.]

Lauros-Giraudon

GAMBETTA (Léon), homme politique français (Cahors 1838-Ville-d'Avray 1882). Avocat libéral, adversaire de l'Empire, député républicain de Belleville en 1869, il proclame la république le 4 septembre 1870 et fait partie du gouvernement provisoire. À la tête de la délégation de Tours, il organise la défense nationale, mais ses efforts ne peuvent conjurer la défaite finale et la paix, dont il n'accepte pas les conditions. Aussi abandonne-t-il, dès le 1er mars 1871, son mandat de député à l'Assemblée nationale. Réélu le 2 juillet à Belleville, il siège à l'extrême gauche, à la tête de l'Union républicaine; à la tribune, comme dans son journal *la République française,* il s'affirme comme le plus implacable ennemi de l'« ordre moral » monarcho-clérical et se fait le véritable « commis voyageur » de la république. Il triomphe, et la république avec lui, lors des élections législatives de février-mars 1876; lors de la crise du 16 mai 1877, premier des « 363 », il s'impose comme l'adversaire privilégié de Mac-Mahon. Le retour massif des républicains à la Chambre, le 31 octobre 1877, est encore son œuvre. Mais, quand

GALVANOMÈTRE

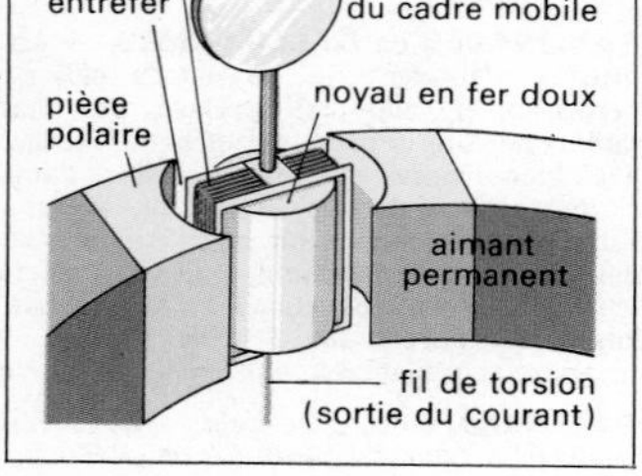

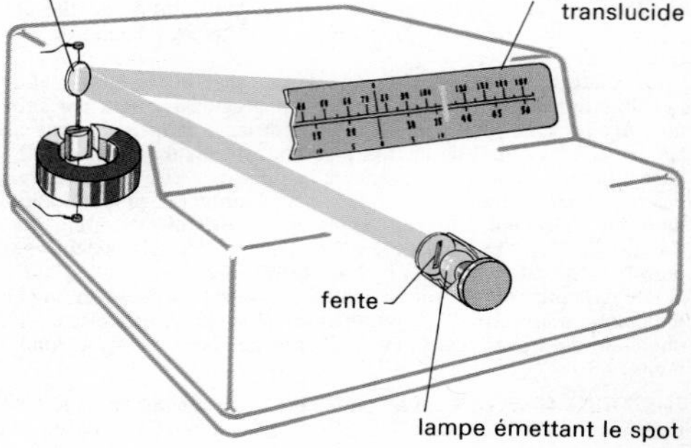

Mac-Mahon démissionne (30 janv. 1879), Gambetta refuse la présidence de la République; président de la Chambre, il joue d'ailleurs un rôle primordial dans l'affermissement de la république. Cependant, la méfiance de Grévy et l'hostilité de Ferry et de Clemenceau repoussent l'heure de son accession au gouvernement. Quand il est placé à la tête du «grand ministère» d'union républicaine (nov. 1881), il est trop tard. Attaqué par trop d'ennemis, Gambetta démissionne dès le 27 janvier 1882. Il meurt peu après des suites d'un accident.

GAMBEY (Henri Prudence), mécanicien français (Troyes 1787-Paris 1847). Le plus célèbre des constructeurs d'instruments de physique français, il réalisa un équatorial pour l'Observatoire de Paris. Ses recherches sur l'amélioration de la fabrication des boussoles sont à la base de la découverte de l'induction* par Faraday*.

GAMBIE (la), fl. de l'Afrique occidentale, tributaire de l'Atlantique, qu'il rejoint par un large estuaire; 1130 km.

GAMBIE, en angl. **Gambia,** État de l'Afrique occidentale, membre du Commonwealth; 10347 km^2; 540000 hab. Capit. *Banjul.*

GÉOGRAPHIE. Ouvert sur l'océan Atlantique, le pays s'étend sur le cours inférieur de la *Gambie,* encadré par de bas plateaux gréseux. Le climat tropical permet la croissance de la forêt, mais celle-ci a été largement dégradée par l'homme. La population, composée de différents groupes ethniques (Mandings, Peuls, Ouolofs, etc.), pratique les cultures vivrières du mil, du riz et du manioc. Mais l'arachide constitue la richesse essentielle du pays et son unique produit d'exportation.

HISTOIRE. En 1816, à l'embouchure du fleuve Gambie, dans l'île Sainte-Marie, les Anglais, qui depuis longtemps s'enrichissent de la traite des esclaves, fondent le poste de Bathurst. Cependant, les Britanniques se désintéressent de ce long ruban territorial, au point de songer à l'abandonner. Mais les visées françaises les amènent à rester et, en 1888, à détacher la Gambie du gouvernement de la Sierra Leone pour en faire à la fois une colonie (la zone côtière) et un protectorat (l'intérieur). Autonome en 1963, monarchie (1965), puis république (1970) indépendante, la Gambie est membre du Commonwealth.

GAMBIER *(îles),* archipel de la Polynésie française. Ch.-l. *Rikitea.* Les Gambier furent découvertes par les Anglais en 1797; les Français les annexèrent de fait en 1844, en droit en 1881.

GAMBUSIE. — Le meilleur procédé de lutte biologique contre les moustiques est le recours aux poissons «larvivores» qui se nourrissent de leurs larves. Parmi eux, la *gambusie,* petit cyprinodonte vivipare à la reproduction très rapide, se montre particulièrement efficace. On l'a introduite utilement dans les rizières et les marécages dans les pays méditerranéens, en Afrique noire et dans toutes les régions équatoriales.

GAMELIN (Maurice), général français (Paris 1872-*id.* 1958). Collaborateur de Joffre (1902-1915), commandant une division (1918), puis les troupes françaises du Levant (1925-1927), il est chef d'état-major de la défense nationale (1938) et commande en chef les forces franco-britanniques en 1939, jusqu'à son remplacement par Weygand, le 19 mai 1940. Arrêté en septembre 1940, il est interné au Portalet. Transféré en Allemagne (1942), il y est prisonnier jusqu'en 1945. Il est l'auteur de Mémoires (*Servir,* 1946-47) et de *Manœuvre et victoire de la Marne* (1954).

GAMÈTE. — Deux traits essentiels distinguent les gamètes des autres cellules vivantes, tant animales que végétales. Le premier est leur aptitude à s'unir à un autre gamète (de sexe ou de signe opposé) pour former une cellule unique, le *zygote* (ou œuf fécondé), point de départ d'un individu nouveau; le second est leur garniture chromosomique haploïde. (Chez les végétaux, il peut exister un *gamétophyte* haploïde plus ou moins développé, qui n'a aucun équivalent chez les animaux.)

Quant au sexe, les gamètes aptes à s'unir peuvent être apparemment identiques *(isogamie)* ou plus ou moins différents, ce qui est le cas général. On distingue alors des gamètes *mâles* (spermatozoïdes), très petits, nombreux, mobiles en milieu liquide grâce à un flagelle (sorte de fouet natatoire), et des gamètes *femelles,* moins nombreux mais beaucoup plus gros, sans flagelle, immobiles, et qui apportent à l'œuf la majeure partie de sa substance. L'*oosphère* des plantes, l'*ovule,* ovotide ou œuf vierge des animaux sont des gamètes femelles.

GAMMA (rayons). — Les rayons gamma, émis par les corps radioactifs, sont des radiations électromagnétiques, analogues aux rayons X, mais de longueurs d'onde plus petites, et plus pénétrants. Ils sont utilisés pour le traitement des tumeurs cancéreuses, la stérilisation des aliments et la radiographie des métaux. Ils proviennent soit de cobalt radioactif (bombe au cobalt), soit d'un bêtatron ou d'autres accélérateurs de particules.

GAMMACAMÉRA, GAMMAENCÉPHALOGRAPHIE → GAMMAGRAPHIE.

GAMMAGLOBULINE → GLOBULINE.

GAMMAGRAPHIE. — Un organe peut être exploré grâce à l'accumulation à son niveau de radio-isotopes substitués ou incorporés à une substance, qui s'y dépose électivement. La détection des rayons gamma émis se fait de différentes manières : 1° si on présente un film radiographique contre la surface du corps, on obtient une autoradiographie dont, cependant, l'image est floue; 2° l'enregistrement peut être magnétique : c'est la *scintigraphie,* dont il existe deux types de détecteurs, mobiles (scintigraphie classique) ou fixes (gammacaméra), qui explorent l'ensemble d'un organe. Les organes les plus étudiés sont : la thyroïde, le foie, la rate, le système nerveux (la gammaencéphalographie permet de détecter et de localiser des tumeurs cérébrales).

GAMMARE. — Les ruisseaux et petits cours d'eau hébergent en foule ce petit crustacé amphipode, qui nage curieusement couché sur le flanc, parfois par couples, et dont la femelle incube les jeunes dans une poche. Nom usuel : crevette d'eau douce.

R. Petit - Atlas-Photo

Gand. Le quai aux Herbes, le long de la Lys.

GAMME → THÉORIE MUSICALE et NOTATION MUSICALE.

GAMOPÉTALES. — Le souci de classer les plantes à fleurs selon leur parenté probable et non selon de simples caractères de convergence a fait éclater l'ancien groupe des dicotylédones *gamopétales,* c'est-à-dire aux pétales soudés, car cette soudure semble le fait des types les plus évolués, quel que soit leur phylum. On peut cependant reconnaître quelque parenté aux ordres des primulales, gentianales, convolvulales, borraginales, solanales, lamiales et personales d'une part, à l'ensemble des ombellifères, rubiales et composées d'autre part, tandis que la position des campanales et celle des cucurbitacées restent plus incertaines.

GAMOW (George Anthony), physicien russe, puis américain (Odessa 1904-Boulder, Colorado, 1968). Il a imaginé la *crête de Gamow,* barrière de potentiel due aux électrons d'un atome et défendant l'accès de son noyau, et étudié les réactions thermonucléaires qui se produisent dans les étoiles.

GAN → CHINOIS.

GANCE (Abel), cinéaste et inventeur français (Paris 1889). Il sut, au lendemain de la Première Guerre mondiale, secouer la routine du cinéma français, en imposant sur les écrans des films lyriques et généreux, dont la nouveauté de l'écriture et la démesure quasi visionnaire des thèmes suscitèrent de nombreuses controverses : *Mater dolorosa* (1917), *la Dixième Symphonie* (1918), *J'accuse* (1919), *la Roue* (1921), *Napoléon* (1926; version sonore 1934), *Austerlitz* (1960). Il a également élaboré ou mis au point, seul ou en collaboration, certaines inventions techniques révolutionnaires : la polyvision (triple écran, utilisé pour la première fois dans son *Napoléon*), la perspective sonore (1929), la stéréophonie (1933), la pictographie (1938).

GAND, en néerl. **Gent,** v. de Belgique, ch.-l. de la Flandre-Orientale, au confluent de l'Escaut et de la Lys; 252812 hab. *(Gantois).* À la suite d'annexions de communes voisines, Gand est devenu, en

1977, la deuxième ville du pays, en demeurant la quatrième agglomération.

GÉOGRAPHIE. Relié, par un canal à grand gabarit, à Terneuzen, sur l'estuaire de l'Escaut, le port a un trafic de l'ordre de 15 Mt, largement lié à l'industrie (textile [coton], sidérurgie, raffinerie de pétrole [alimentée par oléoduc], construction automobile, matières plastiques), débordant le cadre communal. La ville est un important centre intellectuel et touristique.

BEAUX-ARTS. Château des comtes (IXe-XIIe s., restauré). Cathédrale Saint-Bavon, des XIIe-XVIe s. (crypte du XIe s.; retable de l'*Agneau mystique** de Van Eyck, peintures de Juste de Gand et de Rubens). Églises romanes et gothiques. Abbaye de la Byloke (XIIIe-XVIIe s., musée archéologique). Beffroi (XIVe s.), hôtel de ville (XIVe-XVIe s.), halle aux draps (XVe s.), Grande Boucherie (1404) et maisons à pignons de l'ancien port de la Lys (XIIe-XVIIe s.). La ville fut un centre pictural aux XVe et XVIe s., avec Van der Goes*, Juste de Gand (Joos Van Wassenhove), Gheraert Horenbaut (peintre et enlumineur)... Musée des Beaux-Arts (Bosch, Horenbaut, Rubens, Ph. de Champaigne... Peintres de l'école de Laethem-Saint-Martin [début du XXe s.], souvent originaires de Gand. Etc.).

GANDER, v. du Canada (Terre-Neuve); 7 748 hab. Base aérienne.

GĀNDHĀRA, province de l'Inde ancienne (actuel district de Peshāwar). Après avoir fait partie de l'Empire achéménide au VIe s. av. J.-C., puis de celui des Maurya au IVe s., la région est traversée par les armées d'Alexandre le Grand et devient ensuite un important foyer du bouddhisme. Une école d'art originale, appelée autrefois « gréco-bouddhique », s'y développe entre le Ier et le IVe s. et demeure active, parfois jusqu'au VIIe, en Afghānistān*, au Cachemire* et en Asie centrale. Esthétiquement de tradition hellénistique, elle est à l'origine d'un renouveau de l'iconographie bouddhique, surtout par la représentation figurée du Bouddha (jusque-là évoqué seulement par symboles), dont les traits et les vêtements trahissent fortement l'influence grecque mais aussi celle de l'Orient romain. La production sculptée, abondante, est en général en schiste gris-bleu ou verdâtre et en stuc moulé, modelé et peint comme en Afghānistān. Des monastères et des stūpa à la haute silhouette sont les monuments principaux (connus seulement par leurs fondations) de l'architecture gandharienne, faite de briques et de moellons et dont la décoration confirme l'association de motifs occidentaux (palmettes, pampres, guirlandes...) et indiens (arcs en fer à cheval, balustrades...).

GĀNDHĪ (Mohandas Karamchand), surnommé **le Mahātmā** (« la Grande Âme »), apôtre national et religieux de l'Inde (Porbandar 1869 - Delhi 1948). Né dans une famille appartenant au groupe des vaiśya, ou marchands, pratiquant avec ferveur un hindouisme teinté de jinisme, Gāndhī étudie le droit à Londres de 1888 à 1891. En Afrique du Sud, où il réside de 1893 à 1914, il prend la défense de la communauté indienne, en proie à un racisme que les institutions tendent à rendre légal. Il expose sa doctrine dans *Hind Svarāj* (*l'Autonomie de l'Inde,* 1909), qui contient un véritable réquisitoire contre la civilisation matérialiste de l'Occident et contre la violence. De retour en Inde, en 1915, Gāndhī reste loyal envers les Britanniques jusqu'au massacre d'Amritsar (1919). Il devient alors le champion du nationalisme indien, dont il fait un phénomène de masse. Pendant trente ans, sa vie est une succession de périodes d'intense activité (campagnes de 1920-1922; 1930-1934; 1940-1942, au cours desquelles il est plusieurs fois emprisonné), suivies de retraites dans un āśram. Ses moyens d'action s'inspirent du principe de la *Satyāgraha,* « revendication civique du vrai » (L. Massignon) par des moyens non violents *(ahiṃsā).* L'indépendance du sous-continent indien est obtenue en 1947, en même temps que sa partition en une Union indienne hindoue et un Pākistān musulman. Cette partition représente pour Gāndhī une « vivisection » inacceptable de l'Inde. Il s'emploie à réconcilier les deux communautés mais est assassiné par un hindou fanatique.

Gāndhī dictant à son secrétaire les termes d'un accord destiné à lord Irwin (vice-roi), en vue d'une entente indo-britannique (mars 1931).

Keystone

GĀNDHĪ (Indira), femme politique indienne (Allāhābād 1917), fille de Nehru*. Elle entre au parti du Congrès* en 1938, participe à la lutte pour l'indépendance et collabore à l'action de Gāndhī. Présidente du Congrès en 1959, elle seconde activement Nehru, avant d'être nommée ministre de l'Information et de la Radiodiffusion (1964-1973). Premier ministre à partir de 1966, elle se déclare favorable au non-alignement et à une politique socialiste qui accroît les oppositions au sein du Congrès. En 1969, son programme de réformes (nationalisation des banques, des compagnies d'assurance, abrogation des privilèges des mahārājā) entraîne la scission du parti du Congrès. Indira Gāndhī constitue alors le Nouveau Congrès, mais elle ne parvient ni à modifier les structures sociales ni à éliminer la pauvreté, et se heurte aux particularismes des États. Face aux difficultés économiques persistantes et au développement des oppositions, elle durcit sa politique et s'engage dans la voie de l'autoritarisme (proclamation de l'État d'urgence et arrestation des dirigeants de l'opposition en 1975). Elle doit quitter le pouvoir après la défaite de son parti aux élections de 1977.

GANDRANGE (57120 Rombas), comm. de la Moselle, à 14 km au S. de Thionville; 2 579 hab. Aciérie.

GANG. — Du 1er janvier 1975 au 1er mai 1975, le chiffre, à Paris, de 155 attaques à main armée a montré l'importance de ce type de criminalité. Le gang fait l'objet en France d'une politique de prévention, animée par la brigade antigang (police judiciaire), mais n'est poursuivi qu'au titre de l'article 265 du Code pénal, l'*association de malfaiteurs* avec projet criminel étant punie de dix à vingt ans de réclusion; la justice retient rarement cette accusation comme infraction principale.

GANGE (le), fl. de l'Inde; 3 090 km. Drainant l'Inde du Nord, le Gange a un bassin de 2 165 000 km^2 (près de quatre fois la superficie de la France). Né dans l'Himālaya central, à plus de 4 000 m d'altitude, il entre en plaine à Hardwār, après avoir traversé en gorges la chaîne des Siwālik. Il lui reste 2 800 km à parcourir alors qu'il n'est plus qu'à 300 m d'altitude. Il passe successivement à Kānpur, reçoit la Jamnā (r. g.) à Allāhābād (où son lit approche 1 km de largeur), puis à Bénarès et à Paṭnā. Le delta (où le Gange mêle ses eaux à celles du Brahmapoutre) commence à 350 km du golfe du Bengale et couvre environ 80 000 km^2 (partiellement sur le territoire du Bangladesh), comprenant deux bras principaux, l'Hooghly à l'O. (site de Calcutta) et la Meghna à l'E. Fleuve sacré de l'Inde (ses sources et plusieurs des villes de son cours, dont Bénarès, sont des lieux de pèlerinage), il est utilisé avec ses affluents pour une irrigation qui explique, dans son bassin et son delta, la concentration de plusieurs centaines de millions d'hommes.

GANGES (34190), ch.-l. de cant. du nord de l'Hérault, sur l'Hérault; 3 858 hab.

GANGLION. — Les *ganglions lymphatiques* produisent des cellules lymphocytaires qui participent aux phénomènes immunitaires. En pathologie, l'augmentation de volume d'un ganglion peut correspondre à une adénopathie inflammatoire de nature infectieuse (adénite à germes banals, scrofules tuberculeux, etc.) ou immunologique (maladie sérique). Une adénopathie peut aussi être tumorale (maladie de Hodgkin, métastases cancéreuses).

Les *ganglions nerveux* sont situés au point où s'anastomosent plusieurs filets nerveux. Ils renferment des neurones dont les axones transmettent l'influx nerveux à d'autres éléments nerveux. Citons les ganglions sympathiques et les ganglions rachidiens des nerfs sensitifs rejoignant la moelle épinière.

GANGRÈNE. — La nécrose tissulaire aboutissant à la gangrène est d'origine vasculaire ou infectieuse.

Trois causes peuvent être responsables de la *gangrène vasculaire : a*) les plaies artérielles, lorsqu'elles siègent au niveau des gros troncs et interrompent l'irrigation des tissus correspondants (il faut intervenir d'urgence avant que n'apparaissent les lésions cellulaires); *b)* l'artérite des membres inférieurs, qui est la cause la plus fréquente des gangrènes dites « sèches »; les premiers signes apparaissent au niveau des orteils et du talon : ce sont d'abord de petites ulcérations entourées d'une zone violacée, puis qui s'étendent progressivement; *c*) les embolies artérielles, qui peuvent provoquer des gangrènes étendues; si le traitement par l'héparine n'entraîne pas une amélioration nette, la désobstruction chirurgicale doit être tentée dès les premières heures.

Les *gangrènes infectieuses* sont dues à la formation d'embolies microbiennes dans la lumière artérielle. Ces gangrènes se caractérisent par l'atteinte marquée de l'état général (fièvre élevée, hypotension, abattement), la fréquence des nécroses siégeant en plusieurs points, le risque d'évolution vers la gangrène gazeuse qui est due à une surinfection par des germes anaérobies. L'évolution, autrefois toujours fatale, a été améliorée par les antibiotiques, mais l'amputation de la zone gangrénée reste nécessaire.

GANGTOK, capit. du Sikkim; 12000 hab.

GANGUE → CONCENTRATION DES MINERAIS ET CHARBONS, MINERAI.

GANIVET (Ángel), écrivain espagnol (Grenade 1865 - Riga 1898). Ses romans réalistes et ses essais (*Idearium español,* 1897) ont préparé le renouveau de la « génération de 1898 ».

GANNAT (03800), ch.-l. de cant. de l'Allier, à 19 km à l'O. de Vichy; 6602 hab. Églises Saint-Étienne, romane, et Sainte-Croix, romane et gothique (chapiteaux, mobilier). Industrie métallurgique et chimique.

GANSHOREN, comm. de Belgique (Brabant), dans la banlieue nord-ouest de Bruxelles; 21147 hab. (en 1970).

GANTEAUME (Honoré, *comte*), amiral français (La Ciotat 1755 - La Pauligne, près d'Aubagne, 1818). Il commanda les forces navales lors de l'expédition d'Égypte (1798), puis, à Brest, l'armée navale de l'Océan au moment du camp de Boulogne (1804), enfin celle de la Méditerranée (1809).

GANTERIE. — Les gants en peau sont découpés dans des peaux d'agneau, de chevreau, de mouton qui sont mégies (tannées à l'alun, mais de plus en plus au formol et au chrome) pour obtenir un grain fin et une grande souplesse. Les gants glacés et les gants de Suède proviennent de peaux mégies dont la chair est mise en dehors. Les gants découpés dans du daim, du castor ou du chamois sont chamoisés, c'est-à-dire traités avec des huiles de poisson qui leur donnent une teinte jaune. Les principaux centres français de la ganterie sont Grenoble, Paris, Annonay, Chaumont, Millau et Niort.

GANTT (Henry Laurence), ingénieur américain (Calvert Country, Maryland, 1861 - Pine Island, New York, 1919). Collaborateur de Frederick W. Taylor*, dont il prolongea l'action en développant l'aspect social de l'organisation, il fut l'auteur de nombreuses méthodes de travail de fabrication.

GANYMÈDE, prince troyen qui fut aimé de Zeus; celui-ci, ayant pris la forme d'un aigle, l'enleva et en fit l'échanson des dieux.

GANYMÈDE → SATELLITE.

GAO, v. du Mali, sur le Niger; 14000 hab. Capitale de l'Empire songhaï (1010), Gao connut sa plus grande prospérité sous les Askias, au XVIe s.

GAP (05000), ch.-l. du départ. des Hautes-Alpes, à 660 km au S.-E. de Paris; 29724 hab. *(Gapençais).* Musée régional. Travail du bois. Industries alimentaires.

GAPENÇAIS (le), région du Dauphiné, autour de Gap.

Garabit *(viaduc de),* pont métallique au-dessus de la Truyère (Cantal), construit, de 1882 à 1884, par Eiffel, pour permettre le passage de la voie ferrée de Béziers à Clermont-Ferrand. Sa longueur est de 564 m et la hauteur au-dessus du plan d'eau d'environ 120 m.

GARANCE. — La disparition totale des cultures de garance, ruinées par la concurrence victorieuse d'une teinture de synthèse, l'alizarine, a marqué l'histoire rurale de l'Alsace et du Vaucluse. C'est la racine de cette rubiacée qui fournissait la teinture rouge à laquelle toute la famille doit son nom.

GARANTIE. — Le rôle du Service de la garantie, qui dépend du ministère des Finances, consiste à vérifier le bon aloi du titre des ouvrages en métaux précieux : or*, argent*, platine*. Il perçoit un droit proportionnel au poids des ouvrages présentés, différent selon la nature du métal précieux, en insculpant sur les pièces les poinçons*, dits « de garantie ». L'institution d'un poinçon garantissant le titre remonte à 1320. C'est le *poinçon de jurande.* En France, le fonctionnement du Service de la garantie est régi par la loi du 19 brumaire an VI (9 nov. 1797) complétée par de nombreux additifs. Un Bureau de garantie comporte trois services : les *essais* (contrôle du titre), la *marque* (insculpation des poinçons), la *recette* (perception des droits).

GARAUDY (Roger), homme politique et philosophe français (Marseille 1913). Membre du Comité central du parti communiste français depuis 1945 et directeur du Centre d'études et de recherches marxistes à partir de 1956, il est exclu du parti en 1970. Son œuvre, tant politique que philosophique, le conduit d'un marxisme humaniste à un humanisme proche du christianisme (*Dieu est mort,* 1962; *la Liberté en sursis : Prague 1968,* 1968; *l'Alternative,* 1972; *Parole d'homme,* 1975; *le Projet espérance,* 1976).

GARBO (Greta GUSTAFSSON, dite **Greta**), actrice américaine de cinéma d'origine suédoise (Stockholm 1905). Révélée, en 1924, dans le film de Mauritz Stiller *la Légende de Gösta Berling,* puis dans celui de G. W. Pabst *la Rue sans joie* (1925), elle quitta l'Europe pour les États-Unis, où elle connut une carrière brillante. Sa personnalité, l'étrange fascination de son regard, sa beauté, qu'elle sut rendre à la fois mystérieuse et quasi inaccessible, l'imposèrent aux yeux des foules comme l'un des grands mythes hollywoodiens.

Greta Garbo dans *Grand Hôtel* (1932), de Edmund Goulding.

M.G.M. (Coll. J.-L. Passek)

Bernand

Federico García Lorca. Une scène de *la Maison de Bernarda* (Studio des Champs-Élysées, 1945).

Surnommée « la Divine », elle joua notamment dans *la Chair et le Diable* (1927), *Anna Christie* (1930), *Grand Hôtel* (1932), *la Reine Christine* (1933), *Anna Karenine* (1935), *Marie Walewska* (1937), *le Roman de Marguerite Gautier* (1937), *Ninotchka* (1939).

GARBORG (Arne), écrivain norvégien (Time, Jaeren, 1851 - Asker 1924), propagandiste du parler populaire, le *landsmaal.*

GARCHES (92380), ch.-l. de cant. des Hauts-de-Seine, à 6 km à l'O. de Paris; 18389 hab. *(Garchois).*

GARCÍA CALDERÓN (Ventura), diplomate et écrivain péruvien (Paris 1886 - *id.* 1959), auteur de contes et de nouvelles (*la Vengeance du Condor,* 1925).

GARCÍA GUTIÉRREZ (Antonio), auteur dramatique espagnol (Chiclana, prov. de Cadix, 1813 - Madrid 1884). Ses drames et ses comédies adaptent le romantisme français à des sujets tirés de l'histoire espagnole (*le Trouvère,* 1836; *Juan Lorenzo,* 1865).

GARCÍA LORCA (Federico), écrivain espagnol (Fuente Vaqueros 1898 - Víznar 1936). Son enfance campagnarde et ses voyages à travers la Castille lui donnent une profonde connaissance du peuple espagnol (*Impressions et paysages,* 1918). Il s'adonne à la musique, à la peinture, au théâtre (*le Maléfice du papillon,* 1920), à la poésie (*Livre de poèmes,* 1921) et conquiert la célébrité grâce à une pièce patriotique (*Mariana Pineda,* 1927) et à son recueil de *Chansons gitanes* (1927). Il réunit dans son *Romancero* gitan* (1928) les diverses inspirations lyriques de l'Espagne, puis fait aux États-Unis une tournée de conférences. Mais, après la publication du *Poème du cante jondo* (1931), il se consacre au théâtre comme directeur de la troupe ambulante de la « Barraca » et comme auteur, écrivant des pièces pour marionnettes *(le Petit Retable de don Cristóbal),* des fantaisies poétiques (*l'Amour de Perlimplin et de Bélise dans leur jardin,* 1931) et une trilogie dramatique (*Noces* de sang,* 1933; *Yerma,* 1934; *la Maison* de Bernarda,* 1936). Après avoir composé, à la mémoire d'un jeune toréro, *Chant funèbre pour Ignacio Sánchez Mejías* (1938), il est arrêté à Grenade au début de la guerre civile et fusillé par la garde franquiste.

GARCÍA MÁRQUEZ (Gabriel), écrivain colombien (Aracataca 1928). Son œuvre forme la chronique d'un village imaginaire, Macondo, où s'épanouissent les souvenirs et les obsessions de son enfance (*Cent Ans de solitude,* 1967).

GARCILASO DE LA VEGA (Sebastián), conquistador (Badajoz 1495-Cuzco 1559). Après avoir été au service de Cortés au Mexique, puis d'Alvarado au Pérou, il fut gouverneur de Cuzco (1548); il se fit remarquer par son humanité.

GARCILASO DE LA VEGA, homme de guerre et poète espagnol (Tolède 1501 ou 1503-Nice 1536), auteur de poèmes lyriques et pastoraux imités des Italiens.

GARD (le), riv. du Languedoc, formé du *Gardon d'Alès* et du *Gardon d'Anduze,* affl. du Rhône (r. dr.); 133 km. Il est franchi par un pont-aqueduc (le *pont du Gard*), long de 273 m et haut de 49 m.

GARD (30), département de la Région Languedoc-Roussillon; 5 848 km^2; 494 575 hab. *(Gardois).* Ch.-l. *Nîmes.* S.-préf. *Alès* et *Le Vigan.*

L'altitude s'abaisse du nord-ouest au sud-est, des Cévennes (château d'eau d'où descendent le Vidourle et l'Hérault, la Dourbie, la Cèze et les Gardons), en passant par les arides et dénudés plateaux calcaires de la Garrigue et la Costière nîmoise, à la basse plaine sablonneuse en bordure de la Méditerranée, atteinte à l'O. du delta du Rhône. L'été est sec et chaud, l'hiver doux (sauf dans les Cévennes), les précipitations se concentrent aux saisons intermédiaires et sont à l'origine de crues parfois catastrophiques en plaine.

La densité d'occupation est légèrement inférieure à la moyenne nationale. En fait, s'observe un contraste entre, d'une part, la montagne cévenole déjà dépeuplée et les communes rurales de la Garrigue en voie de l'être et, d'autre part, la vallée du Rhône et surtout l'agglomération nîmoise (qui regroupe le tiers de la population départementale). L'agriculture, qui emploie encore près de 15 p. 100 de la population active, est fondée sur la viticulture, mais aussi, aujourd'hui, sur les cultures fruitières et maraîchères, développées avec l'extension de l'irrigation. L'industrie, qui occupe plus du tiers des actifs, est partiellement liée aux produits du sol (conserveries), en dehors de la vallée du Rhône (avec le site nucléaire de Marcoule), de la région d'Alès (en difficulté cependant avec le déclin marqué de l'extraction de la houille) et de Nîmes; cette dernière ville est toutefois plus tertiaire qu'industrielle et attire les touristes visitant aussi, notamment, le pont du Gard et les remparts d'Aigues-Mortes. Depuis une quinzaine d'années, succédant à une longue période de stagnation, le département a enregistré une sensible croissance démographique (notamment avec l'arrivée de réfugiés d'Algérie), du moins dans la région de Nîmes, qui a masqué la sévère émigration de l'ensemble de la partie occidentale.

GARDAFUI *(cap)* → GUARDAFUI.

GARDANNE (13120), ch.-l. de cant. des Bouches-du-Rhône, à 24 km au N. de Marseille; 14 421 hab. *(Gardannais).* Lignite. Centrale thermique. Alumine.

GARDE (La) [83130], comm. du Var, à 7 km à l'E. de Toulon; 15 516 hab.

GARDE *(lac de),* le plus oriental des grands lacs alpins de l'Italie du Nord; 370 km^2. Il est traversé par le Mincio.

Garde de fer, parti politique roumain, fondé par Codreanu (1931), d'inspiration ultranationaliste, fasciste et antisémite, qui obtint un succès important aux élections législatives de 1937. Les Gardes de fer tentèrent vainement de s'emparer du pouvoir en 1941.

GARDEL (Maximilien), dit **Gardel l'Aîné** (Mannheim 1741-Paris 1787), danseur et chorégraphe français, successeur de J.-G. Noverre au poste de maître de ballet à l'Opéra de Paris (1781). — Son frère, PIERRE (Nancy 1758-Paris 1840), danseur et chorégraphe, lui succède et domine l'Opéra de sa forte personnalité, pendant plus de trente ans, ainsi que l'école de danse, qu'il dirige de 1799 à 1815.

GARDEN GROVE, v. des États-Unis (Californie), dans la banlieue sud-est de Los Angeles; 123 000 hab.

GARDÉNIA. — Cet arbuste des régions chaudes est cultivé pour ses fleurs décoratives et parfumées. (Famille des rubiacées.)

Gardien *(le),* pièce en trois actes d'Harold Pinter (1960). Un clochard recueilli par deux frères ne peut résister à la tentation de les dresser l'un contre l'autre : une des manifestations les plus typiques du théâtre de l'absurde* et de la « comédie de menace » du théâtre anglais contemporain.

GARDINER (Stephen), prélat et homme politique anglais (Bury Saint Edmunds entre 1483 et 1493-Whitehall 1555). Il soutint Henri VIII dans sa lutte contre la papauté et formula la théorie de la suprématie du roi sur l'Église dans son traité *De vera obedientia oratio* (1535). Mis à l'écart sous Édouard VI, il reparut sous Marie Tudor, qui le nomma lord-chancelier.

Giuseppe Garibaldi, par Malinski. 1845. (Musée du Risorgimento, Turin.)

Titus - C. E. D. R. I.

GARDON. — Ce poisson (famille des cyprinidés), l'un des plus abondants dans les cours d'eau français, se caractérise par l'éclat de ses écailles. On distingue le *gardon blanc* (blanchet) et le *gardon à nageoires rouges* (rotengle).

GARE. — Les gares offrent une grande diversité selon leur implantation, leur architecture ou leur fonction. Les *gares de voyageurs* comprennent des installations destinées au public et des installations techniques. La partie principale des locaux destinés aux usagers est la *salle des pas perdus,* dans laquelle sont groupés les services offerts aux voyageurs et les accès aux quais. La disposition des voies* dépend du rôle fonctionnel de la gare. Les *gares terminus* disposent de nombreux quais, le long desquels stationnent les trains, et de nombreuses voies de garage pour les services chargés de l'entretien et du nettoyage du matériel, tandis que les *gares de passage* n'en ont qu'un besoin limité. L'architecture des gares est souvent marquée par l'académisme d'une époque. L'aspect d'une gare moderne est dicté par l'environnement et sa construction s'intègre logiquement dans les agglomérations nouvelles. Les *gares de marchandises* sont destinées à l'expédition et à la réception soit des colis sous des halles, soit des wagons* le long des quais de chargement, soit de trains complets sur des embranchements particuliers. Certains établissements spécialisés dans un trafic particulier portent également le nom de « gare » (gare frigorifique, gare militaire, marché-gare, etc.).

GARENNE-COLOMBES (La) [92250], ch.-l. de cant. des Hauts-de-Seine, à 4 km au N.-O. de Paris; 24 082 hab.

GARGALLO (Pablo), sculpteur espagnol (Maella 1881-Reus 1934). Il travailla tantôt à Barcelone, tantôt à Paris. Partant de la stylisation cubiste et des évidements d'un Archipenko, il utilisa notamment le fer pour créer des figures d'un baroquisme élégant et décoratif.

GARGANO, promontoire calcaire de l'Italie péninsulaire, dans la Pouille, sur l'Adriatique; 1 056 m. Bauxite.

Gargantua *(Vie inestimable du grand),* roman de Rabelais (1534). Écrit postérieurement à *Pantagruel,* l'ouvrage sera placé en tête des œuvres complètes, Gargantua étant le père de Pantagruel. Gargantua, fils de Grandgousier, appartient à des légendes populaires que Rabelais utilisa pour exposer ses critiques contre les « Sorbonagres » et les conquérants. Les principaux épisodes de l'ouvrage sont ceux de la guerre contre Picrochole et de la fondation de l'abbaye de Thélème pour frère Jean des Entommeures.

GARGARISME. — Les gargarismes sont des adjuvants au traitement des maladies de la bouche et de la gorge. Les principaux médicaments utilisés sont des antibiotiques (tyrothricine, framycétine, etc.) ou des antiseptiques (menthol, borate de sodium, hexamidine, etc.).

GARGELLEN, station de sports d'hiver (alt. 1 424-2 300 m) d'Autriche (Vorarlberg), dans le Montafon.

GARGENVILLE (78440), comm. des Yvelines, à 7 km à l'E. de Mantes-la-Jolie; 4 666 hab. Raffinerie de pétrole.

GARGES-LÈS-GONESSE (95140), ch.-l. de cant. du Val-d'Oise, à 9 km au N.-N.-E. de Paris; 37 927 hab. *(Gargeois).*

GARIBALDI (Giuseppe), homme politique italien (Nice 1807-Caprera 1882). Après avoir combattu en Amérique du Sud, il rentre en Italie (1848) et lève un groupe de volontaires pour lutter, en

La Garonne à Auvillar, dans le Tarn-et-Garonne.

Papigny

faveur de l'unité italienne, contre les Autrichiens (1848), contre les Français d'Oudinot assiégeant la Rome républicaine (1849), puis de nouveau contre les Autrichiens (1859). Adjoint au commandant des troupes de la Ligue italienne, il prépare l'insurrection des Marches et de l'Ombrie (1859). À la tête des *Mille,* ou *Chemises rouges,* il chasse les Bourbons de Sicile et de Naples (1860), puis combat contre les troupes pontificales et françaises de Rome, mais il est battu par elles à Aspromonte (1862) et à Mentana (1867). En 1870, il se met au service de la France.

GARIBALDI (Ricciotti), général italien (Montevideo 1847 - Rome 1924), fils du précédent. Il forma en 1914, au service de la France, une légion italienne dont firent partie ses six fils; deux furent tués en Argonne.

GARIGLIANO, fl. d'Italie, section inférieure du Liri, après son confluent avec le Rapido; 33 km. Victoire du corps expéditionnaire français de Juin, qui, perçant la ligne Gustav, ouvrit aux Alliés la route de Rome (1944). [V. ITALIE *(campagne d').*]

Garin de Monglane, héros de chansons de geste de la fin du XIIIe et du début du XIVe s. Son nom a été donné à un cycle d'épopées qui raconte la lutte de Girart de Vienne et de sa famille contre les Sarrasins.

GARLIN (64330), ch.-l. de cant. des Pyrénées-Atlantiques, à 18,5 km au S. d'Aire-sur-l'Adour; 1 083 hab.

GARMISCH-PARTENKIRCHEN, station d'altitude et de sports d'hiver (alt. 708-2 963 m) de l'Allemagne fédérale, dans la Bavière alpine; 27 000 hab.

GARNEAU (François-Xavier), historien canadien-français (Québec 1809 - *id.* 1866). De 1845 à 1848 il publia une *Histoire du Canada.*

GARNEAU (Saint-Denys), écrivain canadien d'expression française (Montréal 1912 - Sainte-Catherine 1943), auteur de poèmes (*Regards et jeux dans l'espace,* 1937), qui expriment l'angoisse de la solitude et la fascination de la mort, et d'un *Journal* (1954).

GARNERIN (André), aéronaute français (Paris 1769 - *id.* 1823). Il effectua à Paris, en 1797, à partir d'un ballon, la première descente en parachute de 1 000 m d'altitude. — Son épouse, JEANNE **Labrosse** (1775-1847), fut la première femme aéronaute et parachutiste.

GARNIER (Robert), poète tragique français (La Ferté-Bernard 1544 - Le Mans 1590), auteur de tragédies (*Sédécie ou les Juives*,* 1583) et d'une tragi-comédie (*Bradamante,* 1582) qui imitent le pathétique de Sénèque.

GARNIER (Charles) → OPÉRA DE PARIS.

GARNIER (Marie Joseph François, dit **Francis**), marin français (Saint-Étienne 1839 - Hanoi 1873). Officier de marine, il explora, avec Ernest Doudart de Lagrée (1823-1868), qu'il remplaça, le bassin du Mékong, puis conquit le delta du fleuve Rouge (1873), mais il fut tué par les Pavillons-Noirs.

GARNIER (Tony), architecte français (Lyon 1869 - *id.* 1948). Prix de Rome en 1899, il élabora, rompant avec les pratiques académiques, un projet de *Cité industrielle* (1901-1917) qui est un modèle d'urbanisme prospectif (espaces verts, cheminements piétonniers, constructions simples et audacieuses en béton armé). Il édulcora cet idéal premier dans les nombreux édifices qui lui furent commandés à Lyon (abattoirs, stade [1913], hôpital de la Grange Blanche, nouveau quartier des États-Unis [1928-1935]).

GARNIÉRITE → NICKEL.

GARNIER-PAGÈS (Louis Antoine), homme politique français (Marseille 1803 - Paris 1878). Membre du gouvernement provisoire, maire de Paris et ministre des Finances en 1848, il fait partie, en septembre 1870, du gouvernement de la Défense nationale.

GARONNE (la), fl. d'Espagne et de France, tributaire de l'Atlantique; 647 km (en incluant l'estuaire [Gironde*]). Née à 1 870 m, au pied de la Maladeta, dans les Pyrénées centrales espagnoles, la Garonne demeure jusqu'à Toulouse un petit cours d'eau montagnard (comme ses affluents issus des Pyrénées, Pique [r. g.], Salat et Ariège [r. dr.]). Au sortir du val d'Aran, elle entre en France à 575 m d'altitude, sa pente est encore assez forte et, d'ailleurs, en amont du confluent de l'Ariège, son cours est jalonné de centrales hydroélectriques (dont Palaminy, Saint-Julien, Carbonne).

En aval de Toulouse, la pente s'adoucit et le cours s'infléchit vers le N.-O. La réception des affluents de rive gauche issus du Lannemezan (Baïse, Gers, Gimone et Save notamment) et surtout, de part et d'autre d'Agen, de ceux de rive droite nés dans le Massif central (Tarn, grossi de l'Agout et de l'Aveyron, Lot) élève considérablement le débit moyen, porté de 200 m^3/s à Toulouse à près de 600 m^3/s à Bordeaux, où le lit, ample, a plus de 500 m de largeur. En aval, au bec d'Ambès, la Garonne mêle ses eaux à celles de la Dordogne, dans le long estuaire de la Gironde. Le rôle économique du fleuve (en amont de Bordeaux) est réduit. Le régime de la Garonne est assez irrégulier, moins en raison de son origine montagnarde que des crues pouvant survenir, surtout aux saisons intermédiaires, à partir de l'apport des puissants affluents de droite de son cours moyen. L'apport énergétique est faible, la navigation est minime (malgré l'existence du canal latéral), l'irrigation est encore la principale utilisation du fleuve.

GARONNE (Haute-) [31], départ. de la Région Midi-Pyrénées; 6 301 km^2; 777 431 hab. Ch.-l. *Toulouse.* S.-préf. *Muret* et *Saint-Gaudens.*

Le département est formé de deux ensembles bien différents. Au S., il s'étend sur les Pyrénées, qui sont formées ici surtout de moyennes montagnes boisées entre 1 500 et 2 000 m d'altitude, entaillées par la vallée de la Garonne supérieure et celle de son affluent, la Pique; la montagne, arrosée, est utilisée pour les pâturages (bovins et ovins) et surtout pour la fourniture d'hydroélectricité; elle est aussi animée par le thermalisme et par les sports d'hiver (région de Luchon). Autour de Saint-Gaudens, le Comminges, domaine de l'élevage bovin, forme transition avec les plaines et les collines enserrant ou dominant les lits de la Garonne et de ses affluents de droite (Ariège et Hers-Mort). Les précipitations se raréfient, alors que s'accentue la chaleur de l'été. Le blé est ici associé au maïs et aux plantes industrielles (colza); l'élevage bovin reprend de l'importance à proximité de Toulouse*.

L'agriculture emploie environ le dixième de la population active, trois à quatre fois moins que l'industrie, concentrée, comme les services (plus de la moitié de la population active), dans l'agglomération de Toulouse, qui regroupe approximativement les deux tiers de la population totale. L'essor démographique de l'agglomération explique à la fois la densité moyenne d'occupation, nettement supérieure à la moyenne nationale (alors que la densité de la Région est seulement la moitié de cette moyenne nationale), et le sensible accroissement démographique de la Haute-Garonne depuis une vingtaine d'années, compensant, et bien au-delà, le dépeuplement de la partie méridionale pyrénéenne.

Garonne *(canal latéral à la),* canal longeant la Garonne, de Toulouse (où aboutit le canal du Midi) à Agen; 193 km.

GARRICK (David), acteur et écrivain anglais (Hereford 1717-Londres 1779), interprète de Shakespeare et auteur de comédies (*la Demoiselle de moins de vingt ans,* 1747).

GARRIGUE. — La garrigue pousse sur les sols calcaires des régions méditerranéennes. Formation buissonnante dans laquelle prédominent des espèces ligneuses souvent aromatiques (thym, romarin, lavande, chênes nains), elle résulte de la dégradation, par les incendies ou le surpâturage, de la forêt de chênes verts.

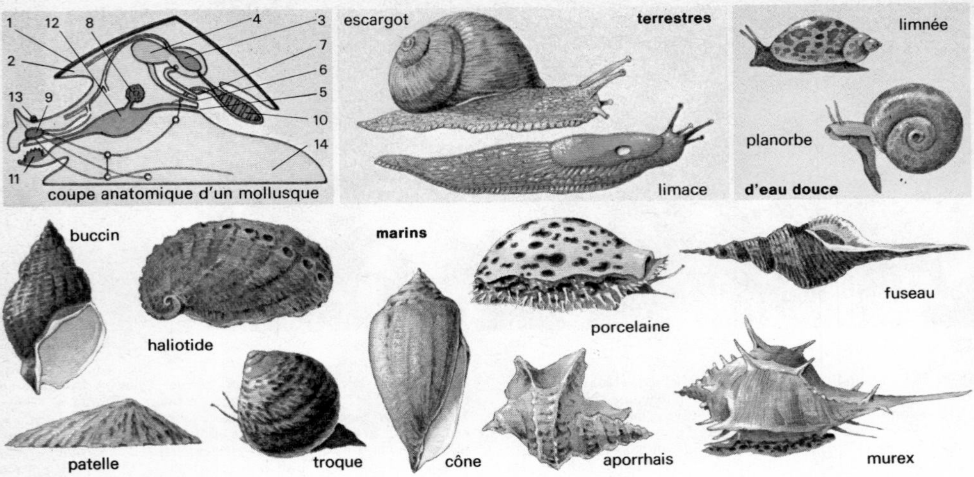

GASTROPODES 1. Coquille; 2. Manteau; 3. Cœur; 4. Organe génital; 5. Anus; 6. Orifice de ponte; 7. Pore excréteur; 8. Foie; 9. Ganglion cérébral; 10. Branchie; 11. Radula; 12. Intestin; 13. Œil; 14. Pied.

GARRIGUES (les), plateaux calcaires arides du sud de la France (Gard et Hérault), au pied des Cévennes. Élevage des moutons.

Garrigues *(camp des),* camp militaire près de Nîmes.

GARROS (Roland), aviateur français (Saint-Denis, La Réunion, 1888-près de Vouziers 1918). Pionnier de l'aviation, il réussit de Saint-Raphaël à Bizerte la première traversée aérienne de la Méditerranée (1913). Inventeur, en 1915, du procédé du tir à travers l'hélice, il fut tué en combat aérien.

GARROT → HÉMORRAGIE.

GARTEMPE (la), affl. de la Creuse (r. g.); 190 km.

GARY, v. des États-Unis (Indiana), sur le lac Michigan, au S.-E. de Chicago; 175 000 hab. Sidérurgie.

GASCHURN, station de sports d'hiver (alt. 1 000-2 200 m) d'Autriche (Vorarlberg), dans le Montafon.

GASCOGNE, région historique du sud-ouest de la France, située entre la Garonne et les Pyrénées. La Gascogne, englobée dans l'Aquitaine* lors de la conquête romaine, doit son nom à un peuple originaire de l'Espagne, les Gascons, ou Vascons, qui occupèrent la région au VIe s. Érigée en duché pratiquement indépendant en 602, elle fut réunie à l'Aquitaine en 1036, à la suite du mariage de l'héritière du dernier duc, Sanchez-Guillaume, avec Eudes d'Aquitaine. Occupée par les Anglais en 1154, elle fut rattachée au royaume de France en 1453. Sous la monarchie absolue, elle forma la généralité d'Auch et fit partie du gouvernement de Guyenne. Depuis la Révolution, la province est divisée en trois départements : Gers, Landes et Hautes-Pyrénées.

GASCOGNE *(golfe de),* golfe formé par l'Atlantique, entre la France et l'Espagne.

GASCOIGNE (George), écrivain anglais (Cardington, Bedfordshire, v. 1535-Bernack, près de Stamford, 1577), auteur de la première comédie anglaise en prose, *les Supposés* (1566).

GASKELL (Elizabeth Cleghorn), née STEVENSON, femme de lettres anglaise (Chelsea 1810-Holyburn, Hampshire, 1865). Ses romans peignent les misères du petit peuple du Yorkshire (*les Dames de Cranford,* 1853).

GASKELL (Sonia), maîtresse de ballet et pédagogue d'origine russe (Kiev 1904-Paris 1974). Fondatrice du Nederlands Ballet, qui est à l'origine du Het Nationale Ballet (1959).

GASOIL. — Carburant* destiné aux moteurs* Diesel légers ou combustible pour les petites chaufferies, le gasoil est un distillat intermédiaire entre le kérosène (pétrole* lampant) et le résidu (fuel-oil*), et qui s'obtient directement lors de la première distillation* du brut. Le *gasoil moteur* doit rester fluide jusqu'à $-12\,^0C$ pour permettre le démarrage des véhicules Diesel en hiver; il doit brûler rapidement et complètement par auto-inflammation en présence d'air lors du cycle* de compression du moteur, qualité qui se mesure à l'aide d'une échelle empirique dite *indice de cétane* (minimum 50). Le *fuel domestique* est un gasoil légèrement moins fluide $(+6\,^0C)$, coloré en rouge et additionné d'un traceur antifraude, car son emploi comme carburant Diesel est interdit pour des raisons fiscales.

GASPARIN (Adrien Étienne, *comte* DE), agronome français (Orange 1783-*id.* 1862). Directeur de l'Institut agronomique de Versailles de 1848 à 1852, auteur de nombreux ouvrages sur la culture proprement dite, l'agriculture comparée et l'économie rurale, il a puissamment contribué à l'union étroite de la science pure et de l'agronomie.

GASPARRI (Pietro), cardinal italien (Capovalloza de Ussita 1852-Rome 1934). Ce canoniste réputé devint secrétaire d'État de Benoît XV, puis de Pie XI (de 1914 à 1930); en 1929, il conclut avec l'Italie fasciste les accords du Latran*.

GASPÉ, port du Canada (Québec), au fond de la *baie de Gaspé,* dans l'est de la *Gaspésie;* 17 211 hab. C'est à cet endroit que Jacques Cartier* débarqua en 1534.

GASPÉ (Philippe AUBERT DE), écrivain canadien d'expression française (Saint-Jean-Port-Joli 1786-Québec 1871), peintre des mœurs ancestrales dans son roman *les Anciens Canadiens* (1862).

GASPÉSIE, péninsule du Canada (Québec), entre le golfe du Saint-Laurent et la baie des Chaleurs. Tourisme. Pêche. Parc provincial.

GASSENDI (*abbé* Pierre GASSEND, dit), philosophe et savant français (Champtercier, près de Digne, 1592-Paris 1655). Admirateur de Copernic et de Galilée, et professeur de mathématiques au Collège de France (1645-1648), il entreprend des recherches en astronomie (étude des parhélies, de Jupiter et de Mercure) et en acoustique (mesure de la hauteur des sons et de leur vitesse de propagation). Sa polémique avec Jean-Baptiste Morin (1583-1656) sur le problème de la mobilité de la Terre* est restée célèbre. Aussi fécond dans ses travaux scientifiques que dans ses objections aux *Méditations** de Descartes*, Gassendi tente de concilier l'atomisme* antique et la morale épicurienne (v. ÉPICURISME) dans *De vita et moribus Epicuri* (1647) et *Syntagma philosophiae Epicuri* (1659).

GASSER (Herbert Spencer), physiologiste américain (Platteville, Wisconsin, 1888-New York 1963), prix Nobel de médecine en 1944, avec Erlanger, pour ses travaux sur le système nerveux.

GASSI (El-), gisement de pétrole du Sahara algérien, au S.-S.-O. d'Hassi-Messaoud.

GASTON III DE FOIX, dit **Phébus** (1331-Orthez 1391), comte de Foix de 1343 à 1391, fils de Gaston II de Foix. Habile politique, il eut une attitude opportuniste dans le conflit opposant la France et l'Angleterre. Allié d'abord à Philippe VI (1345-1352), il se détacha de Jean II le Bon, qui avait pris parti pour la maison d'Armagnac, adversaire de celle de Foix. Réconcilié avec Charles V, qui le nomma lieutenant du Languedoc, il légua ses États à la Couronne. Ses *Oraisons,* au style vigoureux, sont l'œuvre d'un chrétien lucide.

GASTON DE FOIX († 1470), vicomte de Castelbon et prince de Viane. Fils aîné de Gaston IV de Foix, il épousa Madeleine de France, qui lui donna un fils, François Phébus, roi de Navarre

(1479), et une fille, Catherine, épouse de Jean d'Albret et bisaïeule d'Henri IV.

GASTON DE FOIX (1489-1512) → ITALIE *(guerres d')*.

GASTRALGIE, GASTRECTOMIE → ESTOMAC.

GASTRINE → DIGESTION.

GASTRIQUE (suc), GASTRITE, GASTRO-ENTÉRITE → ESTOMAC.

GASTRO-ENTÉROLOGIE. — Cette spécialité médicale consacrée aux affections du tube digestif ainsi qu'à celles de ses glandes annexes, foie et pancréas, a vu ses possibilités de diagnostic considérablement accrues par les progrès de l'endoscopie (fibroscopes flexibles) et de la biochimie (dosages des enzymes).

GASTROPODES ou **GASTÉROPODES.** — On réunit dans la classe des gastropodes de très nombreux mollusques marins, d'eau douce ou terrestres, qui rampent sur une large sole ventrale («pied») et possèdent en général une coquille dorsale univalve, le plus souvent spirale et à enroulement dextre. Une tête bien distincte, avec des tentacules sensoriels et une langue râpeuse (radula), une reproduction souvent hermaphrodite (escargot), un foie volumineux (hépatopancréas), un sang vert (hémocyanine), une très mauvaise résistance aux pertes d'eau par transpiration, une aptitude considérable à modifier leur volume corporel pour rentrer dans leur coquille font des gastropodes un groupe très original et assez homogène, malgré l'extrême diversité de forme de la coquille (souvent très ornementale) et de l'appareil respiratoire (branchies ou poumon). Les espèces terrestres ou d'eau douce sont végétariennes, mais certains gastropodes marins sont carnivores (buccin).

Les gastropodes se sont constamment différenciés en espèces nouvelles depuis leur origine (début du cambrien), et ces espèces existent encore presque toutes de nos jours, ce qui n'est pas le cas dans les autres groupes animaux.

Exemples : patelle, ormeau, littorine, buccin, murex, porcelaine, troque, cône, fuseau, strombe (marins à coquille); lièvre de mer, doris (marins sans coquille); limnée, planorbe, paludine (eau douce); cyclostome, escargot, achatine (terrestres à coquilles); limace (terrestres sans coquille).

GASTROSCOPIE → ENDOSCOPIE.

GATESHEAD, v. du nord-est de l'Angleterre, sur la Tyne; 94 000 hab.

GÂTINAIS (le), région du sud du Bassin parisien, de part et d'autre du Loing (*Gâtinais orléanais* à l'O., *Gâtinais français* à l'E.), occupant essentiellement le nord-est du département du Loiret.

GATINEAU (la), riv. du Canada (Québec), affl. de l'Ottawa (r. g.); 440 km. Elle passe à *Gatineau* (22 321 hab.; production de papier).

Gatsby le Magnifique, roman de Scott Fitzgerald (1925). Une histoire d'amour et d'ambition sur fond de satire de l'Amérique des années 20.

Gattamelata (le), statue équestre en bronze du condottiere Erasmo da Narni († 1443) — portant ce surnom —, exécutée par Donatello à Padoue et érigée (1453) sur la place du Santo (hauteur 3,40 m — 11,20 m avec son puissant soubassement de pierre à deux étages, comparable à un mausolée antique). Premier chef-d'œuvre monumental de la Renaissance, suscitée par l'exemple de statues comme le *Marc Aurèle* romain (Rome, auj. place du Capitole), précédée d'œuvres peintes, tel le *John Hawkwood* d'Uccello à la cathédrale de Florence, l'effigie remplit de façon exemplaire son rôle : immortaliser la noblesse présumée du héros. Elle est plus une représentation idéale, intemporelle qu'un portrait, comme l'indiquent la cuirasse à l'antique et la concentration intérieure du visage. Le *Colleone* de Venise, d'après Verrochio, reprendra le thème ainsi rénové, mais avec beaucoup plus de mouvement et de violence réaliste.

GATTI (Armand), auteur dramatique et cinéaste français (Monaco 1924). À l'exemple de Brecht, son théâtre manifeste un souci d'engagement et de didactisme (qu'il poursuit dans des expériences de création collective) ainsi que la recherche d'une forme qui permette l'irruption de l'imaginaire dans l'univers quotidien (*le Crapaud-buffle,* 1959; *Chant public devant deux chaises électriques,* 1964; *Rosa collective,* 1971).

GAUBE *(lac de),* petit lac des Hautes-Pyrénées, au S. de Cauterets, à 1 789 m d'altitude.

GAUBERT (Philippe), flûtiste et compositeur français (Cahors 1879 - Paris 1941). Chef d'orchestre à la Société des concerts du Conservatoire et à l'Opéra de Paris, il a laissé, outre une méthode pour instrument, de la musique de chambre et symphonique ainsi que des ouvrages lyriques (*le Chevalier et la Damoiselle,* 1941).

Gauche républicaine, groupe parlementaire, issu de la gauche du Corps législatif sous l'Empire, qui domina la vie politique de 1875 à 1882 sous la direction de Jules Ferry*. À la mort de Gambetta, la Gauche républicaine fusionna avec l'Union républicaine pour former l'Union des gauches.

GAUCHERIE → LATÉRALITÉ.

GAUCHISME. — Historiquement, le gauchisme dont traite Lénine dans *le Gauchisme, maladie infantile du communisme* (1920) désigne les tenants du «communisme de gauche» (Boukharine et K. Radek) et de l'«opposition ouvrière» (A. Kollontaï). Privilégiant la dynamique propre au mouvement de masse par rapport au rôle d'avant-garde du parti communiste, les gauchistes se regroupent en Russie et en Allemagne sur des thèmes précis (contrôle ouvrier, nivellement des salaires, internationalisme révolutionnaire, autonomie des syndicats, primat des conseils ouvriers sur le parti). Aujourd'hui, le terme de «gauchisme» s'applique à des revendications qui se situent délibérément en dehors du système institutionnalisé des relations sociales. Le gauchisme a ainsi contribué à poser un certain nombre de problèmes, le plus souvent «ignorés» des pouvoirs (éducation, sexualité, prisons, travailleurs immigrés, femmes, écologie).

GAUCHY (02430), comm. de l'Aisne, banlieue sud de Saint-Quentin; 5 663 hab. Textile.

GAUDE (La) [06610], comm. des Alpes-Maritimes, à 9 km à l'E. de Vence; 2 309 hab. Électronique.

Lauros-Giraudon

Le Gattamelata, de Donatello.

GAUDÍ (Antonio), architecte espagnol (Reus 1852 - Barcelone 1926). Son œuvre, marquée par l'influence rationaliste de Viollet-le-Duc ainsi que par le goût de l'art médiéval (inspiré de Ruskin) et la tradition catalane, se caractérise par une grande invention formelle et technique. Le choix des matériaux (briques, céramiques, ciment), l'organisation de l'espace architectural (à partir d'une reconsidération des forces et des poussées), l'introduction de formes nouvelles (spirales, paraboloïdes, hyperboloïdes), l'amour de l'artiste pour les éléments naturels et végétaux et enfin son mysticisme constituent un tout cohérent, et en même temps conflictuel et dynamique, qui évolue des premières réalisations (maison Vicens à Barcelone, 1878) et à travers l'église de la Colonia Güell (à Santa Coloma de Cervelló, 1898-1914), le parc Güell (1900-1914), les maisons Batlló et Milá (1905) jusqu'à la fantastique église de la Sagrada Familia, à laquelle Gaudí se consacre à partir de 1910 sans pouvoir l'achever.

GAUDIN (Martin), homme politique français (Saint-Denis 1756-Gennevilliers 1841). Ministre des Finances de 1799 à 1814, il réorganise profondément et efficacement l'administration finan-

T. Scott - The National Gallery of Scotland

Paul Gauguin. *La Vision après le sermon* (Jacob et l'Ange). 1888. (The National Gallery of Scotland, Édimbourg.)

cière, créant un corps de fonctionnaires ne dépendant que du ministre et de qui il exige un cautionnement. Auteur du cadastre (1802-1807), fait duc de Gaète en 1809, il préside à la mise en place de la Banque de France, dont il est gouverneur de 1820 à 1834.

GAUDRY (Albert), paléontologiste français (Saint-Germain-en-Laye 1827 - Paris 1908). Il a voué toute sa vie à la paléontologie, tant par ses recherches sur le terrain (Grèce, Luberon, Patagonie...) que par ses ouvrages de haute vulgarisation *(les Enchaînements du monde animal).* C'était un évolutionniste convaincu.

GAUGUIN (Paul), peintre français (Paris 1848 - Atuona, îles Marquises, 1903). Tôt initié à l'art, il aborde la peinture, sous l'influence de Pissarro, dans une manière impressionniste, mais, déjà, il aspire à une vision totale du monde, à laquelle participeront pensée et sensations. Il s'oriente vers des formes et des couleurs non naturalistes ainsi que vers un dessin concis. Après un premier séjour en Bretagne, un voyage à Panamá et à la Martinique, il en vient, lors de son second séjour en Bretagne (Pont-Aven*, 1888), avec Émile Bernard, Charles Laval, Paul Sérusier, etc., au synthétisme (ou cloisonnisme), qui consiste à employer des teintes plates cernées d'une ligne sombre et à abandonner la troisième dimension (*la Vision après le sermon,* 1888, National Gallery d'Édimbourg). Après l'échec d'une tentative de travail en commun avec Van Gogh à Arles (1888) et un nouveau séjour en Bretagne (Pont-Aven, puis Le Pouldu), il part pour Tahiti en 1891, poussé par des exigences qui concernent indissociablement sa peinture et sa vie. Là, la nature, les indigènes, les mythes s'accordent à ses aspirations; ses couleurs saturées et ses formes curvilignes traduisent un univers à la fois primitif, magique et quotidien. Ses nombreuses toiles sont nourries de la pensée mythique maorie (*Nave Nave Mahana,* 1896, musée de Lyon), mais expriment aussi une souffrance morale et physique (*D'où venons-nous? Que sommes-nous? Où allons-nous?,* 1897, Boston). Néanmoins, ses tableaux commencent à se vendre à Paris, grâce à A. Vollard. Gauguin s'installe en 1901 dans sa « maison du jouir », à Hiva-Oa, sculpte et peint (*Cavaliers sur la plage,* 1902, Essen), mais la maladie l'emporte. Déterminante pour l'évolution de la peinture moderne, son influence s'est exercée notamment sur Matisse, sur le fauvisme et sur l'expressionnisme.

GAUHATI, v. de l'Inde (Assam), sur le Brahmapoutre; 123 000 hab. Raffinerie de pétrole.

GAULARD (Lucien), électricien français (Paris 1850 - *id.* 1888). En 1884, il imagina les transformateurs pour les courants alternatifs.

GAULE, nom donné dans l'Antiquité aux régions comprises entre le Rhin, les Alpes, la Méditerranée, les Pyrénées et l'Atlantique. Les Celtes* sont les premiers habitants historiquement connus de la Gaule. Effectuées par poussées successives, entre les années 1200 et 150 av. J.-C., leurs migrations débutent à l'âge du bronze moyen et prennent d'abord la forme d'une lente pénétration par l'Allemagne du Sud, suivie, durant le premier âge du fer, ou période hallstattienne (900-500 av. J.-C.), puis durant le second âge du fer, ou période de La Tène (V^e^-Ier s. av. J.-C.), de plusieurs vagues d'invasions venues de l'Europe centrale. Les Celtes colonisent d'abord l'est du pays (X^e^-VIIe s.). À partir du VIe s., ils occupent le Massif central, la vallée du Rhône, les Alpes et l'Italie du Nord *(Gallia Cisalpina)* [Ve s.] et s'implantent en Provence et en Languedoc (IVe-IIIe s.). Au nord, un dernier flot d'invasions celtes provoque l'installation des Belges entre Seine et Rhin (v. 300-150 av. J.-C.). Ce sont ces peuples, mélangés aux autochtones, auxquels ils imposent leur langue et leur civilisation, que les Romains appelleront *Galli (Gaulois).*

Les rares sites archéologiques préromains du centre et du sud de la France ainsi que les renseignements fournis par les *Commentaires* de César ont permis de saisir les contours de la civilisation gauloise. L'habitat, dispersé en petites unités villageoises, l'importance limitée des routes et des villes (celles-ci étant souvent réduites à un espace exigu, cerné de remparts, et servant surtout de refuge en temps de guerre, parfois de lieu de marché et d'artisanat) dénotent l'existence d'une économie fondée sur l'agriculture. Excellents laboureurs, inventeurs de la première machine à moissonner, de l'araire à socle de fer et de techniques de fertilisation inconnues du monde gréco-romain (marnage, chaulage), les Gaulois réussissent aussi à faire de leurs vastes forêts (dont on discute toujours l'étendue) la matière première d'un artisanat réputé : le charronnage. L'existence d'importants gisements miniers (fer, or) permet le développement d'une importante industrie des métaux (mise au point des procédés d'étamage et d'argenture). [V. GAULOIS *(art).*] L'organisation politique est, sans aucun doute, le point faible du monde gaulois. Bien qu'unitaire par sa langue et par sa religion, celui-ci reste divisé en une centaine de peuples, ou *civitates,* chacun englobant plusieurs tribus. Au Ier s. av. J.-C., la plupart de ces peuples sont dominés par une aristocratie formée de grands propriétaires fonciers, au sein de laquelle est choisi un magistrat annuel (parfois appelé *vergobret*), chargé de diriger la cité sous l'étroite surveillance des nobles. Les nobles gaulois partagent l'influence et la puissance politiques avec les druides*, dont le rôle n'est pas uniquement religieux.

L'histoire politique de la Gaule préromaine ne cesse d'être agitée par d'interminables querelles entre peuples. Ces divisions facilitent la conquête romaine. Les Romains interviennent pour la première fois en Gaule à l'appel de Massalia (Marseille), leur alliée en 154 av. J.-C., pour repousser les tribus ligures voisines. De nouveau en 125-124, le peuple ligure des Salyens est vaincu par les Romains. Victorieuse des Arvernes*, Rome organise une province, la *Provincia* (v. NARBONNAISE) avec Narbonne comme capitale. Soixante-dix ans plus tard, les querelles opposant les Éduens, alliés de Rome, aux Séquanes* et aux Germains d'Arioviste*, d'une part, et aux Helvètes*, de l'autre, vont permettre à César* de conquérir en sept ans (58-51 av. J.-C.) l'ensemble du pays. Après la défaite de Vercingétorix* (Alésia, 52) et la destruction des derniers foyers de résistance (Uxellodunum, 51), la Gaule est divisée en trois provinces (Aquitaine, Celtique ou Lyonnaise et Belgique), dirigées par trois légats, et soumise à un préfet résidant à Lyon. Au contact de Rome, elle se couvre d'un réseau routier et urbain qui lui permet de connaître une réelle prospérité. La langue et la culture latines se diffusent : les dieux gaulois sont rapidement assimilés au panthéon gréco-romain. Tardivement (IIe-IIIe s.), le christianisme s'implante dans les grands centres urbains. Ravagée dès le IIIe s. par les tribus germaniques, dont certaines (Francs*, Burgondes, Alamans, Wisigoths*) s'installent à l'intérieur du pays (Ve s.) et altèrent profondément la civilisation gallo-romaine, la Gaule finit par reconnaître au VIe s. la domination des Francs et forme l'essentiel de l'entité territoriale désormais appelée *Regnum Francorum.*

GAULLE (Charles DE), homme d'État français (Lille 1890-Colombey-les-Deux-Églises 1970). Ancien élève de Saint-Cyr, il se distingue pendant la Première Guerre mondiale, puis entre au cabinet de Pétain, alors vice-président du Conseil supérieur de la guerre (1925). Il écrit plusieurs ouvrages de réflexion politique et de stratégie militaire, dont *le Fil de l'épée* (1932), *Vers l'armée de métier* (1934), *la France et son armée* (1938), dans lesquels il développe sa conception d'une armée de spécialistes et préconise l'utilisation des blindés. Nommé général de brigade après s'être illustré dans la bataille de France à la tête d'une division cuirassée, il devient sous-secrétaire d'État à la Défense nationale dans le cabinet Reynaud (juin 1940), puis, refusant l'armistice, lance de Londres le célèbre appel du 18 juin, qui invite les Français à la résistance. Il obtient le ralliement progressif des colonies et charge Jean Moulin d'unifier les mouvements de résistance en France même (1942).

S'imposant avec difficulté aux Alliés comme le chef de la Résistance, il crée à Alger, avec le général Giraud, le Comité français de libération nationale (juin 1943), futur Gouvernement* provisoire de la République française, qui s'installe en France en août 1944, sous sa présidence. Mais il démissionne dès janvier 1946, manifestant ainsi son hostilité au projet de constitution de la IVe République et au « jeu des partis », auxquels il oppose sa conception d'un pouvoir exécutif fort. Après avoir exposé ces principes dans le discours de Bayeux (16 juin 1946), il fonde en avril 1947 le Rassemblement du peuple français (R. P. F.); après l'échec du mouvement (1953), il se retire de la scène politique et se consacre à la rédaction des *Mémoires de guerre* (1954-1959).

LA GAULE VERS 60 AV. J.-C.

Rappelé au pouvoir à la faveur de la crise algérienne de mai* 1958, il est invité par le président Coty à constituer le gouvernement et chargé par l'Assemblée nationale de préparer une nouvelle constitution. Adoptée par référendum à une large majorité, celle-ci fonde le régime de la Ve République*, dont il est élu président le 21 décembre 1958. Face au problème algérien, de Gaulle adopte le principe de l'autodétermination, qui aboutit à l'indépendance de l'Algérie*, et étend sa politique de décolonisation à la plupart des colonies françaises (1962). Bénéficiant du soutien parlementaire de l'U. N. R. (Union pour la nouvelle république), il renforce l'autorité présidentielle en modifiant par référendum (1962) le mode d'élection à la présidence de la République, ce qui lui permet d'être réélu en 1965 au suffrage universel. Dominée par le souci de la grandeur et de l'indépendance nationales, sa politique étrangère vise à maintenir l'autonomie française face aux grandes puissances, et notamment face à l'Alliance atlantique (la France quitte l'O. T. A. N. en 1966), en développant la défense nationale (création d'une « force de frappe ») et en pratiquant la détente et la coopération avec l'U. R. S. S., la Chine et les pays du tiers monde. Moins marquante, sa politique intérieure ne tient pas les promesses de réformes annoncées sur les plans social, administratif et régional, et ne parvient pas à maîtriser l'inflation. La crise de mai* 1968 traduit une insatisfaction grandissante, qui, malgré le succès des élections de juin, s'exprime par un vote négatif lors du référendum de 1969 sur la régionalisation et la réforme du Sénat. Cet échec provoque la démission du général de Gaulle, qui, se retirant définitivement de la vie politique, poursuit alors la rédaction de ses Mémoires.

GAULOIS *(Ling.)* → CELTIQUE.

GAULOIS (art). — Mosaïque d'apports divers, la civilisation de Hallstatt* présente de nombreux faciès régionaux, alors que celle de La Tène*, d'origine celtique, est plus homogène. Les apports étrangers, surtout méditerranéens, associés aux origines celtiques — attestées par ce goût de l'abstrait et du schématique —, font de l'art gaulois un art fortement original, qui puise son inspiration dans la pensée religieuse. L'art de La Tène a surtout été révélé par le mobilier des sépultures.

ART GAULOIS L'idole de Bouray. Bronze. Ier s. av. J.-C. (Musée des Antiquités nationales, Saint-Germain-en-Laye.)

Lauros-Giraudon

Des œuvres d'essence celtique, comme le dieu d'Euffigneix ou l'idole de Bouray (musée des Ant. nat., Saint-Germain-en-Laye), coexistent avec des représentations de Sucellus, dieu au maillet typiquement gaulois, qui prend l'aspect du Jupiter romain. Les divinités romaines sont aussi fréquemment représentées (Mercure de Lezoux, musée des Ant. nat., Saint-Germain-en-Laye), et toutes ces œuvres témoignent du syncrétisme qui règne alors. Bientôt, la sculpture reflète les tendances en vigueur à Rome depuis Auguste, en passant par les Flaviens, jusqu'aux Antonins. Vers le IIIe s., la sculpture retrouve son originalité et le fantastique côtoie de nouveau le réalisme et aussi le schématique abstrait.

Malgré certaines irrégularités, les conceptions esthétique et urbaine de Rome — plan orthogonal avec sa suite logique : temple, thermes, théâtre — sont adoptées; certaines villes de Provence, comme Vaison-la-Romaine* ou Glanum*, conservent leur plan d'origine hellénistique. Après la Provence (Nîmes, Arles, Orange, etc.), toute la Gaule est atteinte par cette mode romaine, comme en témoignent les vestiges de Vienne, de Lyon, de Lutèce, de Reims, de Bavay... De grandes *villae* sont également édifiées dans tout le pays. Pendant toute la période gallo-romaine, les techniques artisanales étrangères sont parfaitement assimilées et les arts mineurs connaissent un grand développement, telles la céramique, avec les ateliers de l'Allier, de l'Aveyron — comme celui de la Graufesenque — ou ceux de l'Est, ou encore la verrerie, dont Cologne et Trèves sont les centres les plus actifs.

Charles de Gaulle en Irlande, après sa démission de la présidence de la République en 1969.

Bonnotte-Gamma

GAUMĀTA, mage perse qui, à la mort de Cambyse* II (522), aurait pris le pouvoir en se faisant passer pour Bardiya, frère du souverain défunt. Certains historiens pensent que Darios* Ier aurait inventé cette usurpation pour justifier son accession au trône. Toute la question est de savoir si Bardiya a été tué sur l'ordre de son frère ou éliminé en cachette par Darios.

GAUMONT (Léon), inventeur et industriel français (Paris 1863-Sainte-Maxime 1946). Il fonda en 1885 le Comptoir général de la photographie, construisit avec Demenÿ le chronophotographe (1895), l'un des premiers appareils de cinéma, le chronophone (1902), qui fut l'une des premières tentatives de cinéma sonore, et mit au point le chronochrome (1910), ébauche du cinéma en couleurs. Fondateur, en 1895, de la Société Léon-Gaumont, il fit construire en 1906, aux Buttes-Chaumont, le premier grand studio de cinéma et produisit un grand nombre de films, qui révélèrent les talents d'Alice Guy, de Victorin Jasset, de Louis Feuillade, de Jean Durand, d'Émile Cohl et d'Henri Fescourt.

GAUSS (Carl Friedrich), astronome, mathématicien et physicien allemand (Brunswick 1777-Göttingen 1855). À peine âgé de seize ans, il mit au point une méthode, encore utilisée, pour déduire de mesures faites à partir d'un point terrestre les éléments de l'orbite d'une planète. Dans son traité sur la théorie des nombres, *Disquisitiones arithmeticae* (1805), il étudia les congruences, les formes quadratiques, la convergence des séries, etc. Outre la méthode des moindres carrés (1821), qu'il imagina en même temps que Legendre*, la théorie des erreurs et une méthode générale pour la résolution des équations binômes, on lui doit des recherches sur la représentation conforme et la courbure des surfaces. Bien qu'il n'ait jamais rien publié à ce sujet, Gauss fut le premier à découvrir la géométrie non euclidienne hyperbolique. Enfin, il s'occupa d'optique, d'électricité et surtout de magnétisme, dont il formula la théorie mathématique dans sa *Théorie générale du magnétisme terrestre* (1839).

GAUTIER de Coincy, poète français (Coincy, près de Soissons, 1177/78-Soissons 1236). Prieur de Vic-sur-Aisne, il a laissé des récits hagiographiques et une collection de *Miracles de Notre-Dame,* précédés de chansons, qui ont influencé Rutebeuf.

GAUTIER (Théophile), écrivain français (Tarbes 1811-Neuilly-sur-Seine 1872). Venu à Paris pour étudier la peinture, il se lie avec la jeunesse romantique et fait admirer son gilet rouge au premier rang de la bataille d'*Hernani.* S'il déchaîne l'admiration de l'avant-garde (le cénacle du Doyenné) en publiant sa légende en vers d'*Albertus* (1833), il prend ses distances à l'égard des excès des *Jeunes-France* (1833) et, dès son premier roman (*Mademoiselle de Maupin,* 1835), il exprime sa méfiance des rêveries sentimentales, développant sa théorie de « l'art* pour l'art », qu'il illustre avec *Émaux* et Camées* (1852). Critique (*les Grotesques,* 1844), voyageur (*Tra los montes,* 1843; *España,* 1845), attiré par le récit historique (*le Roman de la momie,* 1858; *le Capitaine* Fracasse,* 1863), il réfléchit sur l'art et la littérature romantiques (*Histoire de l'art dramatique depuis vingt-cinq ans,* 1858; *les Dieux et les demi-dieux de la peinture,* 1864), et, unissant l'amour de la beauté à l'obsession de la mort, il devient le maître de la nouvelle génération poétique, qui trouve son expression collective dans le *Parnasse* contemporain* (1866).

GAUTIER (Armand), chimiste et médecin français (Narbonne 1837-Cannes 1920). Il découvrit les carbylamines et divers alcaloïdes, étudia les composés organiques arsenicaux et formula une théorie de l'origine des eaux thermales.

GAVARNI (Sulpice Guillaume Chevalier, dit **Paul**), dessinateur et lithographe français (Paris 1804-*id.* 1866). Extrêmement fécond, il collabora à *la Mode,* au *Charivari,* à *l'Illustration,* etc., décrivant de façon savoureuse la comédie parisienne, mettant en scène toute une bohème d'étudiants et de lorettes, et persiflant les mœurs de la bourgeoisie.

GAVARNIE (65120 Luz St Sauveur), comm. des Hautes-Pyrénées, à 51 km au S. de Lourdes, près de la frontière espagnole; 162 hab. Au sud, cirque de rochers aux parois verticales, d'où le gave de Pau se précipite.

GAVIAL → CROCODILE.

GÄVLE, port de la Suède centrale, sur le golfe de Botnie; 85 000 hab.

GAVOTTE → SUITE DE DANSES.

GAVRAY (50450), ch.-l. de cant. de la Manche, à 18 km au S.-E. de Coutances; 1 387 hab.

GAVR'INIS, île du golfe du Morbihan. Vaste tumulus, abritant une allée couverte (env. IIe millénaire av. J.-C.) sculptée de motifs curvilignes; c'est l'un des plus célèbres témoignages de la civilisation mégalithique.

Gavroche, personnage des *Misérables* de Victor Hugo : gamin errant et railleur, il meurt sur les barricades de l'insurrection de 1832.

GAY (John), écrivain anglais (Barnstaple 1685-Londres 1732). Auteur de poèmes héroï-comiques et de pastorales, il doit sa célébrité à un vaudeville picaresque, *l'Opéra du gueux* (1728), que B. Brecht transposa dans *l'Opéra de quat' sous.*

GAY (Francisque), homme politique français (Roanne 1885-Paris 1963). Éditeur et journaliste sillonniste, il fait de la *Vie catholique* (1924), puis de *l'Aube* (1932) des organes actifs de la démocratie chrétienne. Militant M.R.P., il participe aux premiers gouvernements de l'après-guerre (1945-46).

GAYĀ, v. de l'Inde, dans le centre du Bihār; 180 000 hab.

GAY-LUSSAC (Louis Joseph), physicien et chimiste français (Saint-Léonard-de-Noblat, Marche, 1778-Paris 1850). En 1802, il découvrit la loi de dilatation des gaz. En 1804, il fit deux ascensions en ballon, dépassant 7 000 m d'altitude, pour étudier les variations du magnétisme terrestre et celles de la composition de l'air. Avec A. de Humboldt*, il énonça en 1805 la loi volumétrique des combinaisons chimiques gazeuses. Il vérifia en 1807 les résultats de la théorie de la capillarité formulée par Laplace*. Avec Thenard*, il prépara en 1808 le sodium et le potassium par action de la tournure de fer sur les alcalis. Tous deux montrèrent que le chlore est un corps simple (1809) et découvrirent le bore. Gay-Lussac montra les analogies du chlore et de l'iode, dont il prépara divers composés. En 1815, il isola le cyanogène et l'acide cyanhydrique. On doit encore noter son invention du baromètre à siphon, de l'alcoomètre centésimal et de la *tour de Gay-Lussac,* destinée à la récupération des produits nitreux dans la fabrication de l'acide sulfurique.

GAZ *(Industr.).* — Le *gaz naturel,* découvert lors de la recherche du pétrole*, se trouve sous forme de méthane* CH_4 en pression dans les pores de la roche-réservoir, accompagné d'autres hydrocarbures, d'azote*, de gaz carbonique* CO_2 ou d'hydrogène sulfuré H_2S. D'autre part, des quantités notables de gaz proviennent de l'exploitation des gisements* pétrolifères par stabilisation, c'est-à-dire par dégazage du pétrole brut.

Au point de vue énergétique, on peut, d'ailleurs, de plus en plus assimiler gaz et gaz naturel. La production de celui-ci (fréquemment associée à l'extraction du pétrole) a connu en effet un rapide essor depuis la Seconde Guerre mondiale. Elle avoisine aujourd'hui 1 300 milliards de mètres cubes. La prépondérance des États-Unis a diminué, mais demeure marquée (encore près de la moitié de la production mondiale). L'U.R.S.S. vient au deuxième rang, avec un apport proche de 300 milliards de mètres cubes. Le Canada arrive au quatrième rang, précédé par les Pays-Bas (le grand gisement de Slochteren fournit annuellement près de 100 milliards de mètres cubes) et suivi par la Grande-Bretagne (gisements de la mer du Nord). L'Europe occidentale est relativement mieux dotée en gaz qu'en pétrole, puisque l'Allemagne fédérale, l'Italie et même la France sont des producteurs notables.

Les réserves mondiales reconnues dépassent 70 000 milliards de mètres cubes (plus d'un demi-siècle d'exploitation au rythme actuel). L'U.R.S.S. en concentre près du tiers, mais les États-Unis en possèdent moins du dixième. Faible producteur encore (en raison d'une commercialisation à distance plus difficile que pour le pétrole), le Proche-Orient renferme cependant 20 000 milliards de mètres cubes de réserves (dont près de la moitié en Iran); quant à l'Europe occidentale, elle en possède à peine 6 000 milliards (dont près de la moitié en Grande-Bretagne), moins que l'Algérie, richement dotée. La localisation de ces réserves laisse entrevoir l'évolution de la production : le dépassement relativement proche des États-Unis par l'U.R.S.S. et le développement du flux en provenance du Proche-Orient et de l'Afrique du Nord vers le monde occidental industrialisé, accentuant sa dépendance énergétique. (V. ÉNERGIE et PÉTROLE.)

Le traitement du gaz naturel est plus ou moins complexe suivant les impuretés contenues. Un séchage au glycol* pour la rétention des traces d'eau est suivi d'un dégazolinage, au cours duquel les hydrocarbures condensables sont retenus par absorption à l'aide d'un solvant ou par liquéfaction* sélective, comme à Lacq, où l'on dégazoline par le froid à − 80 °C. Le gaz de Lacq, qui contient 15 p. 100 d'hydrogène sulfuré, subit un traitement spécial désulfurant (extraction aux amines* et conversion en soufre par le procédé Claus). Le gaz de Groningue contient 14 p. 100 d'azote et doit être dénitrogéné, comme à Alfortville, où l'on utilise des froids de − 200 °C, récupérant par la même occasion 0,04 p. 100 d'hélium*. La nature ayant placé les gisements* de gaz naturel à des milliers de kilomètres des consommateurs, le problème fondamental est celui du transport par pipeline* : les États-Unis sont sillonnés par un réseau de gazoducs totalisant plus de 400 000 km, tandis que l'U.R.S.S. réalise un collecteur géant qui relie la Sibérie à l'Europe occidentale; celle-ci dispose, de son côté, des réseaux interconnectés de Lacq, de Groningue et de la Mer du Nord.

Le stockage du gaz, indispensable pour amortir les fluctuations horaires et saisonnières de la consommation, se réalise soit en gazomètre classique, soit en gisement souterrain (roche poreuse ou cavité lessivée dans une couche de sel), soit sous forme liquéfiée. En effet, le méthane voit son volume réduit 600 fois en se condensant à − 161 °C. La première usine de gaz naturel liquéfié (G.N.L.) fut réalisée en 1964 près d'Oran pour le gaz d'Hassi-

STOCKAGE SOUTERRAIN EN NAPPE AQUIFÈRE

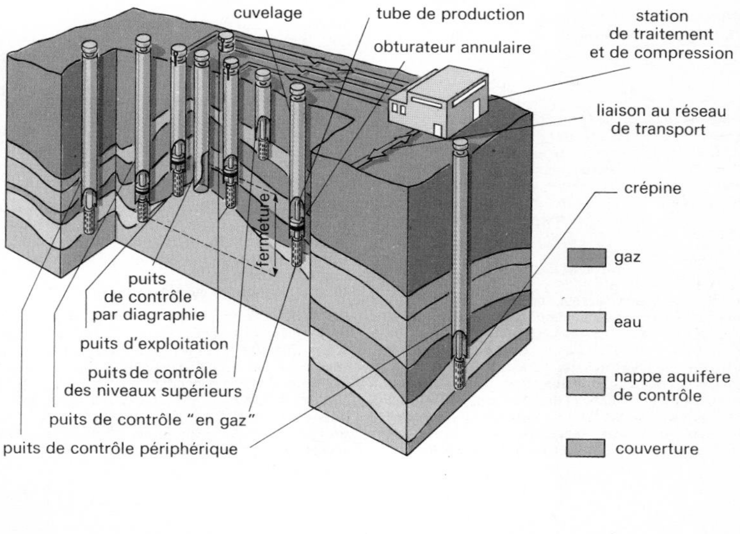

R'Mel, avec refroidissement en trois étages de compression-détente. La liquéfaction est maintenant pratiquée à partir des gisements d'Alaska, de Libye, d'Algérie, de Bornéo et d'Abū Ẓabī; le gaz chargé à bord d'un transporteur* (méthanier) peut être livré dans divers ports dotés d'un terminal de gaz naturel liquéfié, composé d'un stockage en cuves spéciales frigorifugées et d'une usine de regazéification reliée au réseau distributeur.

Le *gaz manufacturé,* découvert vers 1800 et utilisé pendant un siècle pour l'éclairage*, le chauffage et la cuisine, s'obtient à partir de charbon ou d'hydrocarbures. Chauffée en vase clos à 1 000 °C, la houille dégage un ensemble de produits gazeux (méthane, hydrogène*, oxyde de carbone) dont le pouvoir calorifique (4,5 th/m^3) est inférieur de moitié à celui du gaz naturel. Le coke, résidu de cornue, était jadis réutilisé pour la fabrication du gaz pauvre (gaz à l'eau). Ces procédés de gazéification sont supplantés par le reformage* catalytique d'essence* légère, qui est presque entièrement craquée et transformée en gaz, par la fabrication d'air propané et surtout par le gaz naturel. Néanmoins, les gaz sous-produits des cokeries et de la sidérurgie* fournissent un appoint non négligeable à l'industrie gazière.

Les recherches pour augmenter les ressources de gaz, surtout aux États-Unis, où les réserves ne sont que d'une dizaine d'années, et au Japon, où elles sont presque nulles, portent sur la gazéification de la houille en gisement et sur le transport du gaz naturel liquéfié sous forme de méthanol synthétisé. Finalement, entre la production et la distribution, on procède à un mélange de gaz de diverses provenances afin d'obtenir chez l'usager un pouvoir calorifique constant et conforme au réglage de ses appareils, et de pouvoir facturer la livraison en thermies. Un produit très odorant, injecté à faible dose, permet de déceler les fuites ainsi que le mauvais fonctionnement éventuel des installations.

Le gaz distribué et livré à la clientèle domestique est utilisé pour la cuisine, la production d'eau chaude, le chauffage* des locaux par chaudière* ou par radiateurs à gaz, la réfrigération du type à absorption et la climatisation. Parmi d'innombrables usages industriels figurent notamment la chauffe des fours* de sidérurgie, de forge, de métallurgie, de traitement* thermique pour le détensionnement de soudures, la chauffe des manèges de verrerie*, le flambage des fils et des tissus dans l'industrie textile, etc.

Les *gaz de pétrole liquéfiés* (L. P. G.), obtenus au cours du raffinage*, sont le butane, bien connu par les utilisateurs domestiques non reliés au réseau (zones rurales, maisons isolées, bateaux, caravanes, camping), et le propane, dont le pouvoir calorifique élevé (30 th/m^3) favorise les usages industriels (chauffage, découpage au chalumeau oxhydrique) ou agricoles (défrichage, défoliation) ainsi que les transports (tracteurs, autobus, locomotives).

GAZ *(Phys.).* — Comme tous les corps matériels, les gaz sont pesants, ce que constata pour la première fois Galilée. Comme les liquides, ils sont fluides, c'est-à-dire qu'ils n'ont pas de cohésion et prennent la forme du récipient qui les contient. Mais, en outre, ils n'ont pas de volume propre, sont expansibles et compressibles, et occupent entièrement le récipient qui les renferme.

À température constante, les volumes d'une même masse gazeuse varient en raison inverse de leurs pressions *(loi de Mariotte).* D'autre part, les coefficients de dilatation à pression constante et à volume constant, α et β, sont les mêmes pour tous les gaz, indépendants de la pression et de la température, et ont pour valeur $\frac{1}{273}$ *(loi de Gay-Lussac).* Ces lois, approchées pour les gaz réels et d'autant mieux suivies que les pressions de ces gaz sont plus faibles, définissent des gaz fictifs, nommés *gaz parfaits.* Pour un tel gaz, on a la relation

$$\frac{pv}{1+\alpha t} = C^{te},$$

où v est le volume du gaz, p sa pression et t sa température centésimale. Pour une mole de gaz, cette équation peut s'écrire $pv = RT$, où T est la température absolue et R, égal à $8{,}32 \cdot 10^7$ C.G.S., la constante molaire des gaz parfaits.

Dans ces conditions, la masse d'un certain volume v de gaz, pris sous la pression H centimètres de mercure, à la température t, et dont la densité par rapport à l'air est d, est donnée par la formule

$$m = adv\,\frac{H}{76}\,\frac{1}{1+\alpha t},$$

où a, qui est égal à 1,293 g/l, est la masse volumique de l'air normal.

Deux ou plusieurs gaz placés dans un même récipient diffusent et forment un mélange homogène, et la pression du mélange est la somme des pressions partielles qu'aurait chacun d'eux, considéré comme occupant seul le volume total *(loi de Dalton).*

Quand deux gaz se combinent chimiquement, leurs volumes (mesurés à une même température et sous une même pression) sont entre eux dans un rapport simple. Si le composé est lui-même gazeux, son volume est aussi dans un rapport simple avec les volumes de l'un et l'autre composant *(lois de Gay-Lussac).*

GAZA, en ar. **Rhazza,** territoire de la Palestine, entre la Méditerranée et Israël; 378 km^2; 400 000 hab. (dont la plupart sont des réfugiés). V. princ. *Gaza* (118 000 hab.). Gaza, ancienne métropole des Philistins, est conquise par les Arabes dans les années 630. Le territoire de Gaza est placé sous administration égyptienne par le traité d'armistice de 1949; occupé par les Israéliens lors de la seconde guerre israélo*-arabe, il revient à l'Égypte en 1957. En 1962, il est érigé par Nasser en territoire palestinien doté d'une constitution spéciale; depuis 1967, il est occupé et administré par Israël.

GAZANKULU, État bantou de l'Afrique du Sud. Capit. *Giyani.*

GAZ DE COMBAT → CHIMIQUE *(guerre).*

Gaz de France, entreprise publique française. La loi du 8 avril 1946 a nationalisé toutes les entreprises privées de production, de transport et de distribution de gaz, à quelques exceptions près (régies municipales par exemple), transférant ainsi 95 p. 100 du potentiel gazier français à Gaz de France. Cet établissement à caractère industriel et commercial est autonome et géré par un Conseil d'administration. Par la même loi était créée « Électricité de France », le personnel des deux établissements bénéficiant du même statut.

GAZELLE. — La grâce de cette petite antilope saharienne va de pair avec une course rapide et soutenue (70 km/h pendant un quart d'heure). Les cornes sont recourbées en lyre. Les espèces les plus connues sont la gazelle dorcas et la gazelle de Grant, qui est caractérisée par une large bande noire sur les flancs. (V. ANTILOPE.)

Gazette *(la),* journal fondé par Théophraste Renaudot en 1631 sous le patronage de Richelieu; devenue en 1762 la *Gazette de France,* elle cessa de paraître en 1914.

GAZIANTEP, v. du sud de la Turquie, à proximité de la Syrie; 226 000 hab.

GAZLI, v. d'U. R. S. S. (Ouzbékistan), près de l'Amou-Daria. Important gisement de gaz naturel.

GAZODUC → GAZ, PIPELINE, TURBINE.

GDAŃSK, en allem. **Dantzig,** port de Pologne, près de la Baltique (formant ici la *baie de Gdańsk*), à l'O. de l'embouchure de la Vistule; 407 000 hab. Portes monumentales, hôtel de ville gothique et Renaissance, imposante église Sainte-Marie, en brique (XIVe-XVe s.), nombreux autres monuments et maisons s'échelonnant de l'époque gothique au baroque, restaurés ou reconstruits.

GÉOGRAPHIE. La ville forme avec la station balnéaire de Sopot et surtout Gdynia (plus au N., 209 000 hab.) le plus important ensemble portuaire du pays (trafic total de l'ordre de 30 Mt), à la base de l'activité industrielle (chantiers navals notamment).

HISTOIRE. Centre important de la Poméranie supérieure dès le Xe s., possession des Teutoniques (XIIe-XIVe s.), puis ville hanséatique, Dantzig jouit d'une certaine autonomie jusqu'à son annexion par la Prusse en 1793 et de nouveau en 1815. De 1919 à 1939, la « ville libre de Dantzig » se trouve au débouché d'un « couloir » qui est source de conflits permanents entre la Pologne et l'Allemagne. Celle-ci finit par l'emporter en 1939. Mais, en 1946, Dantzig devient polonaise et reprend son nom polonais de *Gdańsk.*

GDYNIA → GDAŃSK.

GÊ → GAIA.

GEAI. — Un groupe de plumes de l'aile, rayées de bleu clair et de noir, caractérise les geais, par ailleurs d'une teinte plutôt beige. Ceux-ci sont d'assez gros passereaux au bec noir, forestiers, largement omnivores (rongeurs, serpents, oisillons, fruits secs, chenilles pour les jeunes), de la famille des corvidés.

GÉANTE → ÉTOILE, PLANÈTE.

GÉANTS *(monts des)* → KARKONOSZE.

GEAUNE (40320), ch.-l. de cant. des Landes, à 13 km au S.-O. d'Aire-sur-l'Adour; 655 hab. Église du XIVe s.

GEBER ou **DJABIR,** en ar. **Abū Mūsā Djābir al-Ṣūfī,** alchimiste arabe, né à Kūfa, sur l'Euphrate, et qui vivait vers l'an 800. Il semble avoir découvert les acides sulfurique et nitrique, avoir extrait l'arsenic et l'antimoine de leurs sulfures, et avoir séparé l'acide acétique du vinaigre. Il exerça une influence considérable sur les alchimistes du Moyen Âge.

GECKO. — Nombreux sont les lézards de la famille des geckonidés. Les geckos sont remarquables par le bout de leurs doigts, spatulés, qui portent des volets basculants faisant office de ventouses. Ce sont d'excellents grimpeurs arboricoles, inlassables mangeurs d'insectes pendant la nuit, mais trop vulnérables pour se montrer pendant le jour. L'extrême midi de la France en abrite trois espèces, et les régions chaudes du globe plus de trois cents, souvent douées pour l'homochromie et dont plusieurs sont acceptées dans les maisons à titre de chasseurs de mouches.

GÉDÉON, un des Juges* d'Israël (XIIe s. av. J.-C.). Il triompha des Madianites*.

GEEL, comm. de Belgique, dans l'est de la prov. d'Anvers; 30 458 hab. (en 1977). Constructions électriques.

GEELONG, port d'Australie (Victoria), au S.-O. de Melbourne; 125 000 hab. Aluminium. Raffinerie de pétrole. Engrais.

GEERTGEN TOT SINT JANS, dit en franç. **Gérard de Saint-Jean,** peintre néerlandais (Leyde ? v. 1460/1465 - Haarlem v. 1495). Auteur, notamment, du triptyque des chevaliers de Saint-Jean de Haarlem (démembré : panneaux à Vienne), il est la personnalité picturale la plus avancée des Pays-Bas du Nord au XVe s. L'influence de Van der Goes ne diminue en rien son originalité : expression réaliste des figures, sensibilité des paysages (encore imaginaires), coloris vibrant et chaud, le tout animé et unifié par des effets luministes inédits.

GEESINK (Anton), judoka néerlandais (Utrecht 1934). Athlète très puissant (1,90 m et 120 kg), il a mis fin à une longue suprématie japonaise en devenant le premier Européen champion du monde de judo (1961), confirmant sa victoire à Tōkyō (toutes catégories), aux jeux Olympiques de 1964.

GEFFROY (Gustave), écrivain et critique d'art français (Paris 1855 - *id.* 1926). Il soutint l'esthétique naturaliste ainsi que les peintres impressionnistes. Il fut directeur des Gobelins et l'un des dix premiers membres de l'Académie Goncourt.

GEHLEN (Reinhard), général allemand (Erfurt 1902). Chef du renseignement sur les forces soviétiques à l'état-major allemand de 1942 à 1945, il met sur pied, en 1946, en Allemagne de l'Ouest, au bénéfice des Américains, une organisation qui deviendra en 1955 le service de renseignements de l'Allemagne fédérale.

GEIGER (Hans), physicien allemand (Neustadt 1882 - Berlin 1945). Il a mesuré la charge et l'énergie des particules alpha et montré, en 1913, que le numéro atomique d'un élément chimique représente le nombre de charges portées par le noyau. Il est surtout connu pour l'invention du compteur de particules qui porte son nom (1913), et qu'il perfectionna ensuite avec Müller (1928).

GEISEL (Ernesto), homme d'État brésilien (Bento Gonçalves 1908). Militaire de carrière jusqu'en 1969 il est élu, le 15 janvier 1974, président de la République brésilienne.

GEISÉRIC ou **GENSÉRIC** († 477), premier roi vandale d'Afrique (428-477). Il profita de la crise sociale et religieuse que traversait l'Afrique* romaine au Ve s. pour la conquérir : en 429, il débarque près de Tanger, prend Hippone (431) et contraint le gouvernement impérial à le considérer comme *fédéré* (convention d'Hippone, 435); en 439, il s'empare de Carthage, s'attaque à la Sicile (440) et impose à Valentinien III un second traité (442), qui établit les Vandales* au nord et au centre de l'actuelle Tunisie. Geiséric entreprend alors la construction d'un royaume vandale. À ses conquêtes africaines, il ajoute les Baléares, la Corse, la Sicile et la Sardaigne (455-476) : maître de la Méditerranée, il tient les sources essentielles du ravitaillement en blé de l'Italie. Il meurt en 477, après avoir organisé un État puissant.

GEISPOLSHEIM (67400 Illkirch Graffenstaden), ch.-l. de cant. du Bas-Rhin, à 15 km au S. de Strasbourg; 4 625 hab.

GEISSLER (Heinrich), mécanicien et physicien allemand (Igelshieb, Thuringe, 1815 - Bonn 1879). On lui doit les tubes de verre à gaz raréfié pour l'étude des décharges électriques et la première pompe à mercure (1857).

GEL *(Phys.)*. — Un gel est une substance élastique formée par la pénétration d'un liquide dans une masse solide colloïdale, soit par gonflement du colloïde plongé dans le liquide, soit par préparation à chaud d'une solution concentrée, qui se prend en masse par refroidissement. Il est homogène et transparent. La gélatine, différentes algues, la pectine des fruits peuvent fournir des gels avec certains liquides comme l'eau, la glycérine, etc.

GELA, port d'Italie, sur la côte sud-ouest de la Sicile; 68 000 hab. Importants vestiges grecs. Musée archéologique. Pétrochimie. — Colonie dorienne fondée au VIIe s. av. J.-C., Gela étendit son influence sur la Sicile orientale (Ve s.), mais succomba, en 404, aux attaques des Carthaginois.

GÉLASE Ier *(saint)* [† Rome 496], pape de 492 à 496. Adversaire de l'arianisme et du pélagianisme, il définit nettement la primauté de l'Église romaine. Il est l'auteur d'un sacramentaire — dit « gélasien » — et d'un décret qui distingue les écrits canoniques et apocryphes.

GÉLASE II → PAPE.

GÉLATINE. — La gélatine est une matière azotée, incolore et insipide, qui gonfle dans l'eau froide, se dissout dans l'eau bouillante et se prend en gelée par refroidissement. Commune dans le règne animal, elle s'extrait habituellement des os, dont l'acide chlorhydrique isole l'osséine, que l'on hydrolyse par action de la chaux. Les gélatines végétales sont extraites des algues.
En dehors des usages alimentaires (gelée des charcutiers) et de son emploi comme colle, la gélatine est utilisée pour la clarification des vins, le glaçage du papier, la fabrication des émulsions photographiques.

GÉLIFRACTION ou **GÉLIVATION** → PÉRIGLACIAIRE.

GELINIER (Octave), économiste français (Corbigny, Nièvre, 1916). On lui doit d'importantes contributions à l'économie d'entreprise, parmi lesquelles *Morale de l'entreprise et destin de la nation* (1965), *le Secret des structures compétitives* (1966), *Stratégie sociale de l'entreprise* (1976).

GELLÉE (Claude) → LORRAIN.

GELL-MANN (Murray), physicien américain (New York 1929). Il a tenté d'établir une classification des particules élémentaires, défini l'étrangeté et fait l'hypothèse du quark. (Prix Nobel de physique, 1969.)

GÉLON, tyran de Gela* et de Syracuse (Gela 550 - Syracuse 478). Successeur d'Hippocrate à Gela (491), il établit son autorité en 485 sur Syracuse*, dont il étendit le territoire et la puissance; il fut vainqueur des Carthaginois à Himère* (480).

GELOS (64110 Jurançon), comm. des Pyrénées-Atlantiques, dans la banlieue sud de Pau, sur le gave de Pau; 3 557 hab. Vins blancs.

GELSENKIRCHEN, v. de l'Allemagne fédérale (Rhénanie-du-Nord-Westphalie), dans la Ruhr; 343 000 hab.

GEMAYEL (Pierre), homme politique libanais (Bikfaya 1905). Il fonde le parti des Phalanges en 1936, conduit la lutte contre les nationalistes arabes pendant la crise de 1958 et participe aux gouvernements présidés par Chehab* et Hélou. Il engage ses milices dans la guerre civile (1975-76).

GEMBLOUX-SUR-ORNEAU, anc. **Gembloux,** comm. de Belgique, au N.-O. de Namur; 11 249 hab. (en 1970).

GÉMEAUX, constellation* zodiacale caractérisée par ses deux principales étoiles, Castor* et Pollux*, dont l'alignement est parallèle à la Voie* lactée. Elle comprend l'amas* ouvert M. 35, visible à l'œil nu. — Troisième signe du zodiaque.

GÉMIER (Firmin), acteur et directeur de théâtre français (Aubervilliers 1869 - Paris 1933). Successeur d'Antoine à la tête du théâtre Antoine (1906-1919), il créa le Théâtre national ambulant (1911-12) et fut le premier directeur du Théâtre national populaire (1920-1933).

GEMINIANI (Francesco), violoniste et compositeur italien (Lucques 1687 - Dublin 1762). Élève de Corelli et d'A. Scarlatti, il a vécu une partie de sa vie à Londres. Pédagogue, il a développé la virtuosité au violon, dans ses sonates et ses concertos grossos. Théoricien, il a écrit un *Art de toucher le violon.*

GÉMISTE PLÉTHON (Georges), philosophe byzantin (Constantinople v. 1355 - dans le Péloponnèse v. 1450). Savant et philosophe, il passe la majeure partie de sa vie à Mistra, où, à l'image de Platon*, il s'efforce de jouer le rôle de conseiller des princes. Ses projets de réforme politique procèdent d'un retour à la métaphysique platonicienne qui contribuera, sous l'impulsion de l'école de Florence*, à la déchéance de l'aristotélisme* médiéval *(De la différence entre Aristote et Platon, Des lois).*

GEMMI (la), col de Suisse, dans les Alpes bernoises, 2 329 m.

GÉMOZAC (17260), ch.-l. de cant. de la Charente-Maritime, à 11 km à l'O. de Pons; 2 391 hab. Église romane à chœur gothique.

GENÇAY (86160), ch.-l. de cant. de la Vienne, à 24 km au S. de Poitiers; 1 392 hab. Église et ruines d'un château du Moyen Âge.

GENDARMERIE. — Corps militaire très ancien, issu de la *maréchaussée* de l'Ancien Régime, la *gendarmerie nationale,* organisée par la loi du 28 germinal an VI (1798), est chargée de très nombreuses missions tant civiles que militaires (renseignements, maintien de l'ordre, défense opérationnelle du territoire, police judiciaire militaire, rurale, administrative, comme celle de la circulation, etc.). Placée sous l'autorité directe du ministre de la Défense (Direction de la gendarmerie et de la justice militaire), elle comprend : la *gendarmerie départementale,* répartie en groupements (département), compagnies (arrondissement) et brigades (canton), renforcés d'unités spécialisées telles que les escadrons d'autoroute, les brigades de montagne, fluviales, de police de route ou de recherches de police judiciaire, les sections d'hélicoptères; la *gendarmerie mobile,* organisée en escadrons motorisés ou blindés; la *garde républicaine de Paris;* la *gendarmerie de l'air;* la *gendarmerie maritime;* les *gendarmeries des transports aériens,* de *l'armement,* d'*outre-mer,* des *forces françaises en Allemagne.* Le grade de gendarme se situe, depuis 1975, entre ceux de sergent et de sergent-chef. Certains gendarmes ont, comme tous leurs officiers et leurs gradés, la double qualité d'officier de police judiciaire civile et militaire. Depuis 1971, certains jeunes gens peuvent effectuer leur service militaire comme *gendarme auxiliaire.* L'effectif de la gendarmerie atteignait 75 000 h. en 1977.

GENDREY (39350), ch.-l. de cant. du Jura, à 23 km au N.-E. de Dôle; 216 hab. Vins.

GÈNE. — On peut considérer le gène comme l'« atome » des biologistes, car c'est la plus petite fraction de chromosome* qui puisse déterminer l'apparition d'un caractère bien défini au cours de la formation d'un organisme. Chaque gène peut en effet se présenter sous deux formes (« allèles »), porteuses d'un caractère opposé, par exemple « pigmenté - albinos », « poil long - poil ras », « fleurs rouges - fleurs blanches », etc. Le plus souvent, l'un des allèles est *dominant* et l'autre *récessif,* c'est-à-dire que les individus diploïdes, de formules *A-A, A-a* ou *a-A,* présenteront tous l'aspect *A,* les individus de formule *a-a* (25 p. 100 des cas) présentant seuls l'aspect récessif *a.* On s'explique ainsi que des êtres au *phénotype* (aspect) dominant, mais de *génotype* (formule chromosomique) mixte *(A-a* ou *a-A),* puissent avoir des descendants de phénotype *a.* Porteurs de caractères qu'ils ne présentent pas eux-mêmes, ces géniteurs sont appelés *hétérozygotes,* contrairement aux *homozygotes* de formule *A-A* ou *a-a.*

L'analyse du mode d'action des gènes a montré que chacun d'eux déterminait dans le très jeune embryon la formation d'une enzyme particulière (d'où la formule « un gène - une enzyme »), et que c'était cette enzyme qui, à son tour, dirigeait le développement du caractère correspondant.

Généalogie de la morale *(la),* œuvre de F. Nietzsche (1887), dans laquelle l'auteur se demande ce que valent les valeurs morales. L'origine de la morale consiste, pour les esclaves, à définir le bon comme négation du mauvais qu'incarnent les maîtres. L'histoire de la morale est celle du ressentiment, de la mauvaise conscience et de l'idéal ascétique, qui constituent les trois figures du nihilisme*.

GÉNÉRALITÉ *(Hist.)* → INTENDANT.

GENERAL SAN MARTÍN, faubourg de Buenos Aires; 361 000 hab.

Génération perdue, nom donné à l'ensemble des écrivains américains (*Sad young men :* « les jeunes gens tristes ») qui, au lendemain de la Première Guerre mondiale, au milieu de la crise économique et de la vanité moralisatrice (la prohibition), ont vécu la faillite de leur tradition intellectuelle et ont cherché un remède à leur désarroi dans l'Europe des années folles, l'alcool, le voyage ou le socialisme (Sherwood Anderson, Nathanael West, Thomas Wolfe, Scott Fitzgerald, James T. Farrell, Hemingway, T. S. Eliot).

GÉNÉRATIVE (grammaire). — La grammaire générative est une théorie linguistique formulée, vers 1960, par Noam Chomsky* et ses élèves. Le point de départ est une critique du modèle élaboré par l'école distributionnaliste. Celui-ci, en effet, partant de la description d'un corpus fini, était incapable de rendre compte de la créativité infinie du langage, de la compétence du sujet parlant : ce dernier peut, à partir du nombre fini des mots de la langue et d'un nombre limité de règles, produire (ou « générer ») un nombre infini de phrases inédites. D'autre part, l'analyse distributionnelle ne pouvait rendre compte d'un certain nombre de faits syntaxiques : deux phrases identiques formellement peuvent avoir des structures différentes *(Il a été retrouvé par son frère / par hasard);* deux phrases différentes formellement peuvent être de structure identique (la phrase active et la phrase passive); une phrase peut être ambiguë sur le plan syntaxique (*Il croit son fils malade* [il croit son fils / il le croit malade]). Pour lever ces difficultés, il faut postuler que tout énoncé comporte deux niveaux : une structure de surface, qui est l'organisation de la phrase réalisée, et une structure profonde, qui en est l'organisation à un niveau plus abstrait.

Une grammaire générative est formée de trois parties (ou composantes) : une composante centrale, la syntaxe, et deux composantes interprétatives, la phonologie et la sémantique. La composante syntaxique, système de règles définissant les phrases permises dans la langue, est elle-même constituée de deux parties : la base, qui définit les structures fondamentales, et les transformations, qui permettent de passer des structures profondes aux structures de surface des phrases sans altérer l'interprétation sémantique faite au niveau profond.

GÉNÉRATIVE (sémantique). — Prolongeant et critiquant la grammaire générative, la sémantique générative part de la constatation que deux phrases de même sens peuvent avoir des structures profondes différentes. Il faut donc envisager les structures profondes non plus au niveau syntaxique mais au niveau sémantique. Cette structure sémantique profonde, très abstraite, est constituée d'un ensemble de traits logiques dont la combinaison aboutit aux structures de surface.

GÊNES, port d'Italie, sur le *golfe de Gênes* (formé par la Méditerranée); 813 000 hab. *(Génois).*

GÉOGRAPHIE. Capitale de la Ligurie, c'est la cinquième ville d'Italie et surtout le premier port du pays (trafic annuel de l'ordre de 60 Mt). Les entrées l'emportent nettement en raison des fortes importations d'hydrocarbures. L'industrie est dominée par la sidérurgie et la métallurgie de transformation, le raffinage du pétrole, faisant de Gênes le troisième foyer industriel du pays, après Milan et Turin, capitales des deux grandes régions industrielles du Nord (Lombardie et Piémont), dont le port est le débouché maritime.

HISTOIRE. Occupée par les Romains à la fin du IIIe s., Gênes passe successivement sous la domination des Goths (début VIe s.), de Byzance (537), des Lombards (641) puis des Francs, qui, au IXe s., l'intègrent dans la marche de Toscane. D'abord dominée par ses évêques (1085), elle s'organise en *compagna* (association jurée de ses habitants) et obtient l'indépendance communale (1100). Alliés à ceux de Pise, ses navires sillonnent la mer Tyrrhénienne, qu'ils débarrassent de la présence musulmane, poussent jusqu'aux côtes d'Afrique, où sont fondés les comptoirs génois du Maroc et de Tunisie, et participent activement aux croisades, qui ouvrent à la cité le commerce avec les États latins d'Orient. En 1284, Gênes élimine la concurrence de Pise par la victoire de la Meloria, qui lui livre la Corse et la Sardaigne. À la même époque, alliée à Byzance, elle supplante Venise sur les rives de l'Asie Mineure, à Chypre et dans la mer Noire, et y instaure un vaste réseau d'échanges qui fait d'elle l'une des premières places bancaires et commerciales de l'Europe. Mais les crises internes (XIVe et XVe s.), la conquête ottomane — qui chasse Gênes du Proche-Orient (XVe s.) — et les ingérences étrangères précipitent son déclin. En 1768, ses difficultés financières l'obligent à vendre la Corse à la France. Occupée, en 1796, par la France, Gênes est attribuée, en 1815, au royaume de Piémont-Sardaigne.

BEAUX-ARTS. Important centre depuis le XIe s., souvent avec le concours d'artistes originaires d'autres régions. Nombreuses églises remaniées et décorées à des époques diverses (S. Matteo, rebâtie à la fin du XIIIe s.; S. Annunziata, rebâtie à la fin du XVIe s., à riche décor baroque; S. Maria di Carignano, commencée par Alessi*, avec deux statues par Puget*; etc.). Cathédrale S. Lorenzo, avec souvenirs romans, refaite aux XIVe-XVIe s. (peintures, dont celles de L. Cambiaso*; trésor). Beaux palais, dont ceux de la famille Doria (des XIIIe-XIVe s. et du XVIe), le groupe de l'actuelle rue Garibaldi, tracée par Alessi (Municipio, 1564; palazzo Rosso, 1672; palazzo Bianco, XVIe-XVIIIe s.; etc.), le palais royal (v. 1650), le palais ducal de style néoclassique... Brillante école de peinture aux XVIIe et XVIIIe s. : Bernardo Strozzi (1581-1644), Giovanni Benedetto Castiglione (1610-1665), Alessandro Magnasco*, et tout un groupe de décorateurs baroques (les Carlone, Domenico Piola, Gregorio De Ferrari). Galeries d'art des palais Rosso, Bianco et Spinola (peintres génois et italiens, flamands, dont Rubens et Van Dyck; etc.).

GENÈS ou **GENEST** *(saint),* martyr romain (début du IVe s.), dont l'existence est problématique; acteur païen converti en jouant un rôle chrétien, il aurait été mis à mort sous Dioclétien. Sa légende a inspiré Lope de Vega et Rotrou (*Saint Genest,* 1646).

Genèse *(livre de la),* premier livre du Pentateuque*, consacré aux origines de l'humanité et à l'histoire des patriarches* bibliques.

GENÊT. — Plusieurs genres de papilionacées vivaces, aux belles fleurs jaunes mellifères, sont couramment nommés *genêts.* Les plus communs sont : le genêt épineux *(Ulex europæus)* des landes de Bretagne et du Massif central, également nommé *ajonc;* l'argelas du Midi *(Calycotome);* le genêt d'Espagne *(Spartium junceum);* le genêt à balai *(Sarothamnus scoparius),* très mellifère, médicinal par la spartéine que l'on extrait de ses graines; et de nombreuses espèces du genre *Genista* (genêt au sens restreint du mot), dont quelques-unes portent le même nom usuel que les plantes citées plus haut.

GENET (Jean), écrivain français (Paris 1910). Enfant abandonné, condamné pour vol, il connaît les maisons de redressement et les prisons, mais échappe à la relégation grâce à Cocteau et à Sartre, qui font connaître son œuvre. Ses poèmes, ses romans (*Notre-Dame des Fleurs,* 1948) et son théâtre (*les Bonnes**, 1947; *les Nègres,* 1958; *le Balcon**, 1959; *les Paravents,* 1963) fustigent les hypocrisies et les préjugés du monde contemporain.

GÉNÉTIQUE. — La génétique n'est pas la science de la reproduction, mais celle de l'hérédité. Elle a étudié tout d'abord les lois qui président, statistiquement, à la transmission héréditaire des particularités individuelles les plus visibles (lois de Mendel, 1865). Dans un deuxième temps, elle a cherché et trouvé le support matériel des caractères héréditaires (théorie chromosomique, T.H. Morgan). Dans un troisième temps, elle s'est intéressée aux anomalies et aux mutations chromosomiques, d'une part à des fins médicales (dépistage et traitement précoce des anomalies chromosomiques chez le fœtus humain ou chez le nouveau-né), d'autre part en vue de fournir une base rationnelle aux phénomènes d'innovation évolutive, sans aucun recours à une volonté transcendante (génétique des populations, Dobzhansky). Actuellement, la découverte du code* génétique (Watson et Crick, 1953) et l'analyse fine des médiations enzymatiques, par lesquelles les unités génétiques (gènes*) gouvernent la construction de l'individu (Monod, Jacob et Lwoff), assurent la jonction entre génétique et embryologie. En revanche, l'étude de la causalité des mutations reste encore largement ouverte à la recherche.

GENETTE. — Jusqu'au XVe s., la genette était domestiquée en France pour chasser les souris, comme l'est aujourd'hui le chat. Cet animal ressemble d'ailleurs au chat par ses dimensions, ses mœurs, sa longue queue annelée, ses griffes rétractiles, mais il s'en distingue par sa denture plus riche (40 dents) et ses pattes beaucoup plus courtes. À l'état sauvage, les genettes se rencontrent surtout au voisinage des cours d'eau, où elles aiment à pêcher; elles sont beaucoup plus abondantes en Espagne qu'en France. (Famille des viverridés.)

GENÈVE, v. de Suisse, ch.-l. du *cant. de Genève* (282 km^2; 331 599 hab.), à 526 km au S.-E. de Paris; 173 618 hab. *(Genevois).*

GÉOGRAPHIE. À l'extrémité sud-ouest du lac Léman, d'où le Rhône s'échappe, la ville doit d'abord sa naissance à sa position de point de passage obligé. Mais l'importance actuelle de Genève, dépassant largement son poids démographique modeste, est liée à l'histoire, débordant même largement une situation géographique au contact ou à proximité des aires de civilisation française, germanique et italienne. Siège de la Société des Nations (S. D. N.) de 1920 à 1946, la ville demeure celui de l'Organisation internationale du travail, de l'Office mondial de la santé, de l'Organisation mondiale de la météorologie, de l'Union internationale des télécommunications et du Centre européen de recherche nucléaire. La mécanique de précision (horlogerie, notamment), la chimie et l'édition sont les activités industrielles dominantes, éclipsées cependant plus ou moins par le secteur tertiaire (banque, commerce de luxe et aussi accueil touristique).

HISTOIRE. Ancien village lacustre devenu cité romaine, Genève fut dominée par les Burgondes (443), puis annexée au royaume franc. Intégrée, en 843, dans le royaume de Lothaire, elle acquit le statut de ville d'Empire et fut gouvernée par l'évêque de Genève, avant de tomber sous l'influence des comtes de Savoie (1290). Enrichie par l'essor commercial de sa cité, la bourgeoisie genevoise chercha très tôt à lutter contre la mainmise savoyarde. Au XVIe s., Genève trouva dans l'alliance avec Fribourg (1519) et avec Berne (1526) les moyens de gagner son indépendance (1530). Devenue protestante en 1536, Genève accueillit Calvin, qui la soumit à un gouvernement théocratique, rigide et intolérant. Par la suite, elle devint la capitale mondiale de l'horlogerie et de la joaillerie, mais aussi le grand centre d'accueil des réfugiés protestants et des philosophes du siècle des lumières (Rousseau, Voltaire). Elle fut occupée par les armées de la Révolution, avant d'entrer dans la Confédération suisse (1815). Au XXe s., elle joue un rôle international en accueillant plusieurs organisations mondiales ainsi que les grandes conférences entre États.

BEAUX-ARTS. Dans la vieille ville, temple Saint-Pierre (anc. cathédrale, remontant aux XIIe-XIIIe s.), église de la Madeleine (XIVe-XVe s.), hôtel de ville (XVIe-XVIIe s.). Musées, dont celui d'Art et d'Histoire.

GENÈVE (COMTÉ DE), comté constitué au IXe s., amputé en 1213 de la ville de Genève — qui passa sous l'autorité de son évêque — et acheté en 1401 par Amédée de Savoie, qui le rattacha à son duché.

Genève *(conférence de),* conférence réunie du 26 avril au 21 juillet 1954, qui aboutit, après la chute de Diên Biên Phu, à un accord de cessez-le-feu en Indochine et au partage du Viêt-nam en deux zones, de part et d'autre du 17e parallèle, les forces communistes se regroupant dans la zone nord. La France reconnaissait l'indépendance de la république démocratique du Viêt-nam et évacuait ses troupes à la suite du cessez-le-feu. Des élections générales, sous contrôle international, devaient résoudre le problème de la réunification du pays avant juillet 1956. Mais la division du pays, consacrée par les accords de Genève, entraîna la formation de deux États distincts, le Viêt-nam du Nord et le Viêt-nam du Sud, qui ne furent réunifiés qu'en 1976.

GENÈVE *(lac de),* nom parfois donné à l'extrémité sud-ouest du lac Léman.

GENEVIÈVE *(sainte),* vierge patronne de Paris (Nanterre v. 420-Paris v. 502). Fille de paysans, elle mène avec d'autres jeunes filles une vie de prière et de pénitence. Lorsque Attila*, en 451, menace Paris, elle relève le courage des Parisiens et organise par la suite le ravitaillement de la ville. La piété populaire en a fait une sainte, dont les reliques (disparues à la Révolution) avaient le pouvoir d'écarter de Paris tous les fléaux.

Geneviève de Brabant, héroïne d'une légende populaire du Moyen Âge, dont la première version se trouve dans la *Légende dorée.*

GENEVOIS *(massif du)* → BORNES *(massif des).*

GENEVOIX (Maurice), écrivain français (Decize 1890), auteur de récits sur le monde rural (*Raboliot,* 1925) et animal (*Tendre Bestiaire,* 1969).

Halin - Rapho

Vue des quartiers bordant le lac Léman.
Au centre, l'île Rousseau, le pont du Mont-Blanc et la jetée des Eaux-Vives (où se trouve le jet d'eau).

GENÉVRIER. — Les prairies abandonnées des régions semi-arides du Midi se couvrent rapidement de genévriers, conifères peu exigeants en sol et en eau. Ce sont des arbustes très rameux, aux feuilles en aiguilles ou en écailles, au fruit ressemblant à une baie, très apprécié des grives. Une espèce fournit une boisson alcoolisée, le *genièvre,* ou *gin,* une autre l'*huile de cade* des parfumeurs. Les baies de genièvre sont utilisées en cuisine dans la choucroute. (Famille des cupressacées.)

GENGIS KHĀN, conquérant mongol (1155? ou 1167?-1227). Temüdjin, chef d'un petit clan mongol, puis khān de la tribu mongole proprement dite, est proclamé empereur *(khaghān)* de toutes les tribus nomades de Mongolie en 1206 par l'assemblée générale des tribus mongoles, au cours de laquelle est organisée la grande armée impériale. Il conquiert la Chine du Nord de 1211 à 1216, le Khārezm de 1219 à 1221, l'Afghānistān et l'Iran oriental en 1221-22, pillant les villes et massacrant leurs populations.

Génie du christianisme, par Chateaubriand (1802). Entreprise lors de son exil en Angleterre, cette apologie du christianisme parut au moment de la signature du Concordat. Par de constants parallèles entre les monuments de l'Antiquité païenne et les œuvres modernes, faisant appel plus à la sensibilité et à l'imagination qu'aux arguments de la raison, l'auteur se propose de prouver que la religion chrétienne est la plus humaine et la plus favorable à la création intellectuelle et artistique. Célèbre dès sa publication, l'ouvrage, qui comprenait les deux petits romans d'*Atala** et de *René**, eut une influence capitale sur le mouvement romantique.

GÉNIE MILITAIRE. — Sa création ne s'est imposée que lorsque les opérations de guerre ont exigé des outillages spécialisés et un personnel nécessaire à leur mise en œuvre. C'est dans la guerre de siège que se manifesta cette exigence. Au XVIIe s., se forma un corps d'ingénieurs chargés de l'édification des places comme de la conduite des sièges : le plus célèbre représentant fut Vauban. Mais le *corps royal du génie* ne fut créé qu'en 1776, quand ces ingénieurs devinrent officiers et disposèrent de troupes. Depuis, le génie a participé à toutes les guerres, fidèle à sa devise : « Parfois détruire, souvent construire, toujours servir. »

Aujourd'hui, le génie est à la fois un *service,* chargé de la gestion du domaine militaire de l'armée, de la gendarmerie et du service de santé, et une *arme combattante.* À ce dernier titre il comprend, dans les grandes unités de manœuvre, des unités mécanisées dotées d'engins de franchissement (ponts Gillois) et de véhicules de combat. Il dispose, en outre, de nombreux engins mécaniques (tracteurs, grues, foreuses, compresseurs...), affectés notamment aux *bataillons de travaux lourds* du 5e régiment du génie. Depuis 1935 il existe également un *génie de l'air* chargé de l'aménagement des bases pour l'armée de l'air.

GENIÈVRE → EAU-DE-VIE.

GENIL (le), riv. d'Espagne, qui passe à Grenade, affl. du Guadalquivir (r. g.); 211 km.

GÉNISSIAT, localité de l'Ain (comm. d'Injoux), au S. de Bellegarde-sur-Valserine. Barrage et centrale hydroélectrique sur le Rhône.

GÉNITAL (appareil). — • *L'appareil génital de l'homme* comprend les testicules et les voies spermatiques. Les testicules sont les organes producteurs de spermatozoïdes; ils jouent un rôle de glandes à sécrétion interne. Les voies spermatiques, qui conduisent le sperme, s'étendent de chaque testicule à l'urètre; elles sont constituées à leur début par les canalicules excréteurs du testicule, unis à un organe collecteur, l'épididyme, par de fins canaux.

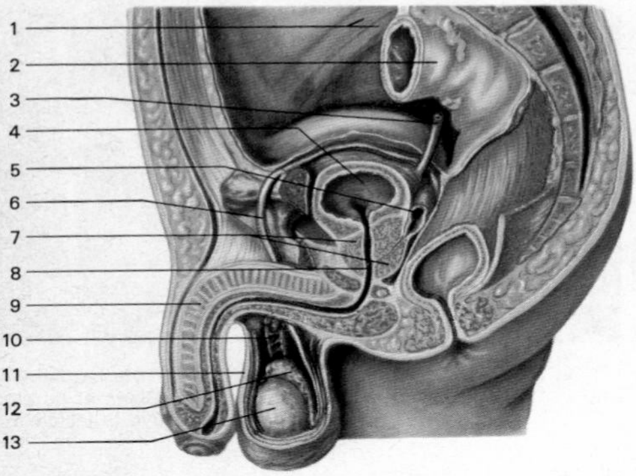

Appareil génital masculin. 1. Vaisseaux iliaques externes; 2. Rectum; 3. Uretère; 4. Vessie; 5. Vésicule séminale; 6. Canal déférent; 7. Prostate; 8. Urètre; 9. Verge; 10. Vaisseaux spermatiques; 11. Bourse; 12. Épididyme; 13. Testicule.

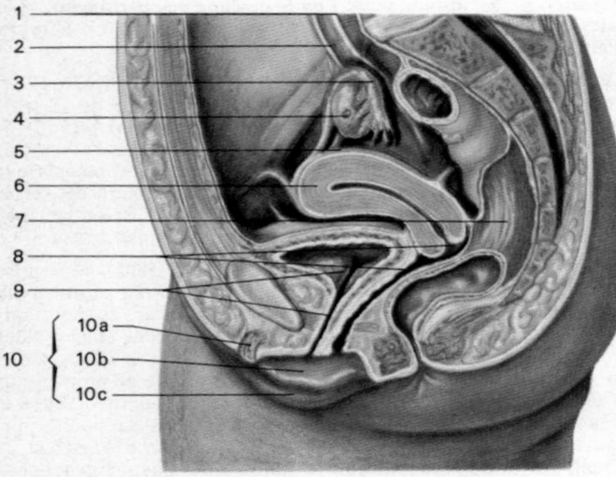

Appareil génital féminin. 1. Uretère; 2. Ligament lombo-ovarien; 3. Trompe; 4. Ovaire avec ovule; 5. Corne de l'utérus; 6. Utérus; 7. Rectum; 8. Col utérin et vagin; 9. Vessie et urètre; 10. Vulve : *a.* Clitoris; *b.* Petite lèvre; *c.* Grande lèvre.

L'épididyme est une masse ovoïde située sur le bord postéro-supérieur du testicule, son extrémité postérieure se continuant avec le canal déférent. Celui-ci est un conduit cylindrique de 40 cm de long, qui relie l'épididyme à l'urètre postérieur, suivant un trajet complexe traversant le bassin. Sur chaque canal déférent est branchée une vésicule séminale qui sert de réservoir au sperme. La verge* est l'organe de la copulation de l'homme. Elle est insérée au-dessus des bourses. La prostate, qui entoure la partie initiale de l'urètre, produit un liquide qui dilue et mobilise les spermatozoïdes lors de l'éjaculation.

• *L'appareil génital de la femme* comprend les ovaires et les voies génitales, formées par les trompes, l'utérus et le vagin.

Les ovaires* sont les organes producteurs des ovules. Ce sont également des glandes à sécrétion interne.

Les trompes relient les ovaires, qu'elles coiffent, aux cornes de l'utérus : c'est par ces conduits que les ovules émis par l'ovaire gagnent l'utérus.

L'utérus* est situé dans la cavité pelvienne, il est destiné à contenir l'œuf fécondé pendant son évolution et à l'expulser, quand il est arrivé à terme, par le vagin*, qui s'étend du col utérin à la vulve. La vulve*, orifice externe des organes génitaux, est formée au centre par le vestibule, au fond duquel s'ouvrent l'urètre et le vagin. L'hymen, mince membrane qui sépare la cavité vaginale du vestibule, n'existe que jusqu'aux premiers rapports sexuels; de chaque côté du vestibule, deux larges replis cutanés, les grandes lèvres et les petites lèvres, sont reliés par leur extrémité antérieure à un organe érectile, le clitoris. (V. COÏT.)

GÉNITAL (stade). — L'achèvement du développement de la libido* est décrit par Freud comme étant la subordination des pulsions* partielles à la zone génitale. Ceci se produit à la puberté, lorsque l'émission des produits génitaux met la pulsion sexuelle au service de la reproduction. Selon les psychanalystes, la sexualité* adulte est génitale et hétérosexuelle, mais le choix de l'objet est déterminé depuis l'enfance par l'issue du complexe d'Œdipe*.

Genji-monogatari, roman de Murasaki Shikibu (début du XIe s.). La vie raffinée et blasée de la cour de Kyōto aux environs de l'an mille : un des classiques de la littérature japonaise.

GENK, comm. de Belgique, dans le centre du Limbourg; 61 156 hab. (en 1977). Sidérurgie. Construction automobile.

GENLIS (21110), ch.-l. de cant. de la Côte-d'Or, à 17 km au S.-E. de Dijon; 4 136 hab.

GENLIS (Stéphanie Félicité DU CREST DE SAINT-AUBIN, *comtesse* DE), femme de lettres française (Champcéri, Issy-l'Évêque, Bourgogne, 1746-Paris 1830), gouvernante des enfants du duc d'Orléans, Philippe Égalité, et auteur d'ouvrages pédagogiques et de Mémoires.

GENNES (49350), ch.-l. de cant. de Maine-et-Loire, à 15 km au N.-O. de Saumur, sur la Loire; 1 668 hab. Dolmens. Vestiges romains. Églises avec éléments préromans.

GENNEVILLIERS (92230), ch.-l. de cant. des Hauts-de-Seine, à 5 km au N.-O. de Paris, sur la Seine (r. g.); 50 326 hab. Important port fluvial et centre industriel (métallurgie).

GÉNOCIDE. — Le terme qualifie les atteintes portées, dans l'intention de le détruire, à un groupe humain. Il date essentiellement de la Seconde Guerre mondiale, à la suite de la découverte des crimes commis par le régime nazi, dans une grande partie de l'Europe, contre des races considérées comme « inférieures ». La « Convention pour la prévention et la répression du crime de génocide », entrée en vigueur le 12 janvier 1951, a fait l'objet ultérieurement d'adhésions de nombreux pays.

Sont punissables au titre du génocide non seulement les actes proprement dits constitutifs du crime, mais encore l'entente en vue de commettre un génocide, l'incitation à le commettre, la tentative et la complicité de génocide.

C'est aux États adhérents à la Convention d'assurer la répression du génocide, crime du droit des gens, en prenant eux-mêmes les mesures internes propres à assurer l'application de la Convention conformément à leurs Constitutions respectives.

GÉNOLHAC (30450), ch.-l. de cant. du Gard, à 38 km au N.-O. d'Alès; 936 hab.

GÉNOTYPE → GÈNE.

GENOU. — Cette articulation est formée par l'extrémité inférieure du fémur, articulée, en avant, avec la rotule et, en bas, avec l'extrémité supérieure du tibia. La concordance entre le fémur et le tibia, tous deux convexes, est obtenue par l'interposition de deux ménisques cartilagineux. L'union des surfaces articulaires est assurée par une capsule articulaire lâche et par des ligaments très puissants. L'ensemble permet des mouvements de flexion et d'extension, mais aussi de légers mouvements de rotation. En avant de l'articulation du genou se trouvent le tendon du quadriceps inséré sur la rotule, le tendon rotulien et des bourses séreuses; en arrière, la région poplitée contient le paquet vasculo-nerveux de la jambe. Les entorses du genou et les lésions des ménisques sont des affections pouvant nécessiter une intervention chirurgicale.

GENRE *(Sc. nat.).* — Unité taxinomique rassemblant des espèces voisines, le genre est une notion intuitive, puisqu'il correspond souvent à un nom commun dans la plupart des langues, en particulier en ce qui concerne les plantes. Il est relativement fréquent que deux animaux ou deux plantes du même genre soient interféconds (ex. : lion et tigre, cheval et âne), mais le produit obtenu est souvent stérile, ce qui justifie, avec beaucoup d'autres faits, le maintien d'une distinction entre les espèces. C'est ce qui fait la valeur de la *nomenclature binominale* de Linné, dans laquelle le premier terme indique le genre et le second précise l'espèce. Il est à noter qu'en biologie on ne saurait dire « le genre humain » mais « l'espèce humaine », puisque certains fossiles sont attribués à des

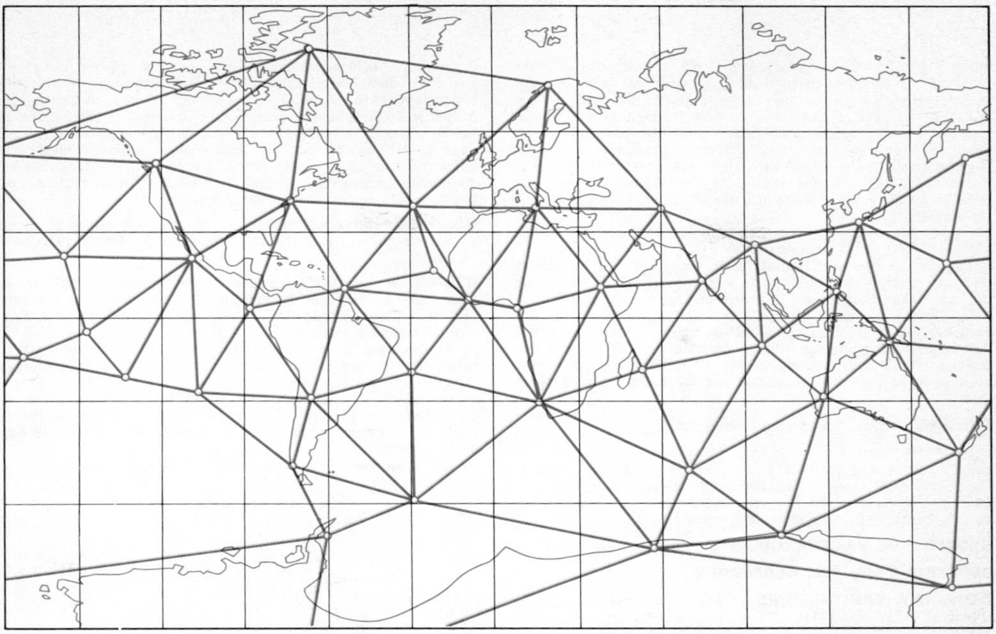

LE RÉSEAU MONDIAL DU «COAST AND GEODETIC SURVEY»

espèces disparues, telles que *Homo habilis,* tandis que tous les humains actuels sont rangés dans une seule espèce, *Homo sapiens.*

GENRE (peinture de) → PEINTURE.

GENS. — La société romaine archaïque était formée de *gentes,* véritables clans groupant tous ceux qui se disaient descendre d'un ancêtre commun, et qui comprenaient, en plus, les hommes placés dans leur dépendance, les clients*. Tous les membres d'une gens portaient le même nom *(gentilice)* et célébraient le même culte. La gens se divisait en branches *(familiae),* dont chacune reconnaissait l'autorité d'un *paterfamilias.* Les différentes branches portaient des surnoms qui servaient à les distinguer : ainsi la gens Cornelia comprenait les Cornelius Scipio, les Cornelius Dolabella... L'organisation gentilice ne concernait que les patriciens; cependant, à la fin de la République, apparurent des gentes plébéiennes. Après Tibère, les gentes furent réduites à six (Aemilia, Claudia, Cornelia, Fabia, Sulpicia, Valeria) et perdirent toute importance.

gens de lettres *(Société des),* association fondée en 1838 pour défendre les intérêts des écrivains.

GENSÉRIC → GEISÉRIC.

GENTBRUGGE, anc. comm. de Belgique (Flandre-Orientale), intégrée depuis 1977 à Gand.

GENTIANE. — On a décrit près de trois cents espèces de gentianes. Les plus connues, en France, sont des plantes des montagnes : gentiane jaune aux larges feuilles à nervures quasi parallèles, dont on tire diverses boissons, gentiane à tige courte et aux grandes fleurs violettes des alpages d'été, etc.

GENTIL (Émile), explorateur français (Volmunster 1866 - Bordeaux 1914). De 1895 à 1898, il descend le Chari juqu'au lac Tchad. Commissaire du gouvernement français dans le Chari, il accule Rabah à la capitulation en unissant sa mission à celles de Foureau et de Lamy.

GENTILE da Fabriano, peintre italien (Fabriano v. 1370 - Rome 1427). Surtout formé en Lombardie, il travailla à Venise (1408 : peintures murales du palais des Doges, détruites), à Brescia, à Florence (1423 : *Adoration des mages,* Offices), à Rome (1426 : fresques de Saint-Jean-de-Latran, détruites). Meilleur représentant du gothique* international en Italie, il exerça une grande influence et eut en Pisanello un continuateur de génie.

GENTILESCHI (Orazio LOMI, dit **il**), peintre italien (Pise v. 1562-Londres v. 1647). Formé dans l'ambiance du maniérisme toscan, il s'établit jeune à Rome, fut frappé par l'œuvre du Caravage et se forma une manière personnelle, élégante et nuancée. Après avoir travaillé dans les Marches (v. 1610), à Gênes et à Paris (1624), il se rendit à Londres, à la cour de Charles Ier *(Annonciation,* v. 1621, versions de Gênes et de Turin). — Sa fille, ARTEMISIA (Rome 1597 - Naples apr. 1651), propagea son style au sein de l'école napolitaine.

GENTILLY (94250), comm. du Val-de-Marne, limitrophe (au S.) de Paris; 17 026 hab. *(Gentilliens).* Produits pharmaceutiques.

GENTILLY, localité du Canada (Québec), sur le Saint-Laurent. Centrale nucléaire.

GENTIOUX-PIGEROLLES (23340 Faux la Montagne), ch.-l. de cant. de la Creuse, à 21 km au S.-O. de Felletin; 419 hab.

GENTRY. — En Angleterre, ce terme désigne, depuis la fin du Moyen Âge, la petite noblesse non titrée, catégorie intermédiaire entre la haute bourgeoisie et la vieille *nobility.* C'est à partir du XVe s., et plus encore du XVIe, qu'au monde des chevaliers, de vieille, mais de petite noblesse, sont venus s'adjoindre les familles les plus riches de la bourgeoisie, auxquelles ont été largement accordées des lettres d'anoblissement *(certificat of gentility),* et qui, jusqu'à la fin du XIXe s., ont constitué un élément essentiel de la société britannique. Dès le XVIIe s., ces nouveaux venus s'implantent fortement dans les campagnes, où ils profitent largement de l'appauvrissement de la *yeomanry* et forment le monde des *squires,* gros propriétaires fonciers qui dominent la vie de la paroisse. Soucieuse de se distinguer de la bourgeoisie, la gentry ne s'en associe pas moins à elle et s'assure ainsi la domination économique et politique du pays. Mais, à partir du XIXe s., l'industrialisation amène cette classe à se fondre davantage dans la bourgeoisie.

GÉNY (François), juriste français (Baccarat 1861 - Nancy 1959). On lui doit d'importantes contributions à la philosophie du droit

GÉOCHIMIE. — La géochimie, dont le but essentiel est la connaissance et la compréhension de la composition chimique de la Terre, se divise en deux branches. La *géochimie endogène* s'intéresse aux phénomènes chimiques qui ont lieu à l'intérieur du globe et dont l'approche essentielle est constituée par l'étude chimique des roches d'origine profonde. La *géochimie exogène* s'intéresse aux phénomènes superficiels qui ont lieu principalement sous l'action des eaux météoriques (altération des roches, processus de sédimentation). Elle cherche également à établir les interactions entre la matière inerte et les êtres vivants.

GÉOCHRONOLOGIE → CHRONOLOGIE.

GÉODÉSIE. — La *géodésie géométrique* classique a pour but de définir la forme de la Terre* en donnant la position de points remarquables, les points géodésiques, qui servent de canevas à l'établissement des cartes*. Après avoir choisi un ellipsoïde*, on détermine les coordonnées* géographiques (longitude et latitude) d'un point fondamental par des opérations d'astronomie géodésique; on effectue une triangulation* de premier ordre, d'une longueur de côtés d'environ 40 km, dont les chaînes sont réorientées à leurs extrémités par des points de Laplace. Des triangulations des 2e, 3e et 4e ordres permettent de réaliser l'ensemble du canevas géodésique, constitué par des bornes géodésiques et des points naturels (clochers, cheminées, etc.), dont la densité est, en France, d'environ un point tous les 10 km^2. Les coordonnées sont données dans le système Lambert. Les opérations de nivellement* permettent d'obtenir les altitudes par rapport au géoïde*.

La *géodésie dynamique* donne sur la surface terrestre la valeur de l'accélération *g* de la pesanteur*.

La *géodésie spatiale* fournit, pour les points de la surface terrestre, leurs coordonnées dans un système de référence planétaire dont l'origine est le centre de gravité des masses.

Les méthodes de la géodésie connaissent actuellement une évolution rapide grâce aux satellites* de types « Geos », « Transit », sur lesquels on embarque soit un émetteur de fréquence étalon connue (effet Doppler* au sol), soit un rétroréflecteur permettant la mesure de la distance sol-satellite par utilisation d'un télémètre laser*.

GÉODIMÈTRE → TACHÉOMÉTRIE, TOPOMÉTRIE.

GEOFFRIN (Marie-Thérèse RODET, Mme) [Paris 1699 - *id.* 1777]. Le salon qu'elle ouvrit, en 1749, aux artistes et aux grands seigneurs (Stanislas Poniatowski) et sa collection de tableaux (Carl Van Loo, Joseph Vernet, Hubert Robert) contribuèrent au progrès des valeurs bourgeoises dans la société et les lettres.

GEOFFROI DE VILLEHARDOUIN → ACHAÏE *(principauté d').*

GEOFFROI II MARTEL, GEOFFROI V → ANJOU.

GEOFFROY SAINT-HILAIRE (Étienne), naturaliste français (Étampes 1772 - Paris 1844). Chargé, à vingt et un ans, du premier cours de zoologie professé en France au Muséum, créateur de la ménagerie du Jardin des Plantes, il a accompagné Bonaparte en Égypte. Son œuvre scientifique a été orientée par la notion d'*homologie* entre des organes d'usage différent (patte, aile ou nageoire, par exemple) mais ayant des connexions semblables et un même développement embryonnaire. Il s'est intéressé également aux anomalies du développement et il a soutenu, au sujet de la filiation des êtres vivants, une célèbre « dispute » (discussion publique) avec Georges Cuvier (1830). — ISIDORE, fils du précédent, naturaliste français (Paris 1805 - *id.* 1861), a su être le collaborateur et le successeur de son père, se distinguer dans l'ornithologie et dans l'administration publique (inspecteur général de l'Université en 1838, président de l'Académie des sciences en 1856).

GÉOGRAPHIE. — Descriptive et explicative, la géographie a pour objet l'analyse de la mise en place (contemporaine) ainsi que de l'évolution numérique et spatiale (récente et devant déboucher sur l'actuel) des groupes humains, dont elle examine aussi les formes d'action (exploitation des ressources du sol et du sous-sol, production, transformation éventuelle, distribution et consommation) dans un milieu (la surface de la Terre), dont elle a préalablement étudié les composantes naturelles (relief, températures et précipitations, végétation et sol, etc.).

Traditionnellement, on distingue une *géographie régionale* (correspondant à l'examen exhaustif d'une combinaison de phénomènes naturels et humains dans un cadre spatial limité) et une *géographie générale* (analysant un phénomène propre, mais à l'échelle mondiale). On a subdivisé celle-ci en *géographie physique* (à l'intérieur de laquelle on individualise la géomorphologie*, la climatologie [v. CLIMAT], l'hydrographie*, la biogéographie*, la pédologie*) et en *géographie humaine* (pouvant étudier les faits de population et de groupement de population) et *économique* (faits de production, notamment), aboutissant à une *géographie urbaine, rurale, industrielle* ou *des services.*

Cette classification n'est pas abandonnée, mais une progression de la démarche géographique introduit de nouvelles distinctions. La description littéraire, à dominante subjective, tend à céder la place à une analyse plus scientifique, faisant un large appel à l'emploi des statistiques, éventuellement à la construction de modèles mathématiques (devant être confrontés ultérieurement avec le réel). C'est la *géographie quantitative,* qui ne s'identifie pas complètement avec la *géographie théorique,* non nécessairement quantifiable, mais qui tend aussi, dans le cadre des modèles, à éliminer les facteurs jugés secondaires, encombrant la démarche explicative. Cette géographie théorique a pour ambition d'éliminer l'opposition entre géographie régionale et géographie générale, isolant, par exemple, non plus un phénomène particulier, mais recherchant les corrélations entre des espaces conçus comme des faisceaux de relations. Elle est apparue récemment en France, à la suite, notamment, de travaux américains, britanniques et suédois.

La recherche, de plus en plus approfondie, de l'explication de la situation décrite (qui demeure le point de départ de toute étude géographique) conduit à une dématérialisation fréquente des causes, dont la connaissance impose le recours à de nombreuses disciplines voisines (démographie, économie, sociologie, géologie, etc.), dont l'appréhension en même temps que la diversité conduisent à une spécialisation accrue des géographes. Cependant, la spécificité de la géographie demeure dans le caractère concret et fini de son cadre d'étude, l'*espace géographique,* dans la démarche, dans le fait qu'elle est une science de synthèse, s'identifiant aujourd'hui de plus en plus avec une organisation volontariste du monde, un aménagement de l'espace visible, objectifs explicites de la *géographie active* ou *géographie appliquée.*

Géographie universelle, ouvrage de géographie régionale publié sous la direction de P. Vidal de La Blache et L. Gallois (1927-1948, 23 vol.).

GÉOÏDE. — Le géoïde, surface de niveau du potentiel* de la pesanteur* passant par le zéro du nivellement*, a une forme générale voisine de celle d'un ellipsoïde de révolution aplati. Il peut être déterminé à partir de cette surface :
— par comparaison des valeurs théoriques de l'accélération *g* de la pesanteur calculées pour l'ellipsoïde et des valeurs mesurées directement au gravimètre;
— par nivellement astrogéodésique, qui permet de comparer les coordonnées* géodésiques et astronomiques d'une série de points (500 pour la France) et de mettre alors en évidence des déviations de la verticale;
— par l'observation des trajectoires des satellites*.

Déviation de la verticale.

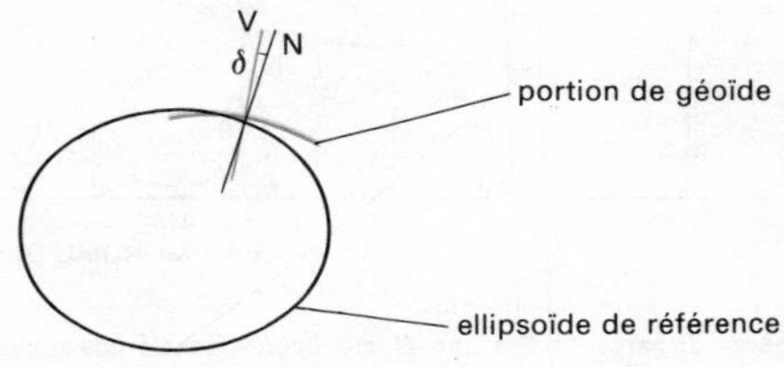

V verticale physique, normale au géoïde
N normale à l'ellipsoïde
δ déviation de la verticale

GÉOLOGIE. — La géologie se compose de diverses branches. Elle étudie les matériaux qui forment l'écorce terrestre, les roches *(pétrographie)* et les minéraux qui les constituent *(minéralogie, cristallographie),* afin d'en déterminer les conditions de formation. Elle s'intéresse aux phénomènes qui modifient l'écorce aussi bien en profondeur *(géodynamique interne)* qu'au contact avec l'atmosphère *(géodynamique externe).* Elle tente de reconstituer l'histoire de la Terre en établissant une chronologie des événements *(stratigraphie),* s'appuyant en particulier sur l'évolution des êtres vivants *(paléontologie).* La *géologie appliquée* utilise la connaissance du globe à des fins pratiques telles que la prospection minière, l'hydrogéologie ou la construction d'ouvrages d'art.

GÉOMAGNÉTISME. — C'est essentiellement l'étude du champ magnétique terrestre. Celui-ci se définit par ses éléments (déclinaison*, inclinaison*, composante horizontale, composante verticale, champ total), que l'on détermine au moyen de théodolites, boussoles, magnétomètres, ou par des méthodes d'induction. Actuellement, à Paris, la déclinaison est occidentale et vaut à peu près 5° 45′ et la composante horizontale 0,2 œrsted. Au même moment, ces coordonnées varient avec le lieu, et les cartes magnétiques, établies tous les cinq ans, donnent les lignes d'égale déclinaison (isogones) et celles d'égale inclinaison (isoclines). Les pôles magnétiques (où l'inclinaison vaut 90°) diffèrent des pôles géographiques; le pôle magnétique nord est actuellement en un point situé à 78° 6′ de latitude N. et à 70° 1′ de longitude O. de Greenwich. Tous ces paramètres subissent avec le temps des variations régulières de très large amplitude et des variations accidentelles (orages magnétiques).

GÉOMÈTRE. — La profession de géomètre expert est régie par l'ordre du même nom. L'exercice de la profession est soumis à l'obtention du diplôme d'État de géomètre expert foncier. On distingue les géomètres ruraux (expertises, plans de propriétés), les géomètres urbains (lotissements) et les géomètres topographes, qui œuvrent pour le compte d'administration d'entreprises de travaux publics. Outre les géomètres experts, il existe des géomètres du Cadastre, de l'Institut géographique national, de la Société nationale des chemins de fer français et des ingénieurs géomètres.

GÉOMÉTRIDÉS. — Le mode de déplacement des « chenilles arpenteuses », qui se recourbent en boucle et avancent tour à tour l'avant et l'arrière du corps, fait qualifier de *géomètres* les espèces de cette famille, généralement fort nuisibles, et souvent nommées aussi *phalènes.* La faune française compte à elle seule plus de cinq cents espèces de géométridés. Parmi les plus communes, citons la cheimatobie, très commune en automne dans les bois, la larentie (plus de cent espèces), l'abraxas du groseillier, la panthère des clairières *(Venilia),* l'hibernie défoliante.

GÉOMÉTRIE *(Autom.).* — La géométrie du train directeur d'une automobile* caractérise les orientations données aux pivots, aux fusées et aux roues pour l'amélioration de la direction. Pour les pivots, on obtient une *chasse* positive en les faisant basculer vers l'arrière dans le plan longitudinal et une *inclinaison* lorsque ce basculement est opéré dans un plan vertical transversal. Les fusées inclinées vers le bas correspondent au *carrossage.* Enfin, les roues présentent un *pincement* si elles convergent vers l'avant et une *ouverture* dans le cas contraire.

GÉOMÉTRIE *(Math.).* — Les Égyptiens et les Babyloniens ont eu une géométrie largement empirique, mais avec les Grecs se construisit une véritable science de l'espace. Le corps le plus parfait de cette science est les *Éléments* d'Euclide*. Les quatre premiers livres sont consacrés au plan. Le cinquième expose les principes de l'analyse* et, de ce fait, se trouve étranger à la géométrie élémentaire. Le sixième traite des équations* du second degré dans une langue géométrique complètement différente de celle qui est habituellement employée à l'heure actuelle. Les trois suivants sont relatifs à l'arithmétique*. Le livre X étudie les grandeurs irrationnelles, abordées à un point de vue géométrique. Les livres XI, XII et XIII concernent la géométrie de l'espace.

Archimède* étudie les corps solides ignorés en partie par Euclide. Il établit les propriétés stéréométriques de la sphère, du cône, du paraboloïde de révolution, des ellipsoïdes et de l'hyperboloïde à deux nappes. Apollonios* de Perga découvre les sections planes du cône et crée les mots *ellipse, hyperbole* et *parabole.* Au IVe s., Pappos* d'Alexandrie résume pour ses étudiants et complète sur quelques points les apports de ses trois grands prédécesseurs. Au XVIIe s., avec la *Géométrie* de Descartes*, apparaît la géométrie analytique, qui se fonde sur l'algèbre. Desargues*, puis son disciple Blaise Pascal* créent la géométrie projective, dont les principes seront développés par les grands géomètres du XVIIIe s. : Monge*, qui imagine d'autre part les techniques de la géométrie descriptive, Poncelet* et Chasles*. Avec le Suisse Steiner*, les Allemands Möbius* et Plücker* prennent la relève de l'école française. En 1847, Christian von Staudt* introduit une première axiomatisation de la géométrie projective, complétée vers 1874 par Klein*. Mais déjà, avec Bolyai* et Lobatchevski*, étaient nées les géométries « non euclidiennes », dans lesquelles on peut, dans le plan, mener par un point plusieurs parallèles à une droite donnée.

Klein montre que ces nouvelles géométries peuvent se ramener à la géométrie projective grâce aux idées développées par Cayley*. Ainsi, la géométrie projective devient une géométrie qui englobe toutes les conceptions anciennes et modernes. Cependant, pour l'étude des surfaces, Monge avait créé la géométrie infinitésimale, et, dans ce domaine, Gauss* obtient un résultat important : plusieurs des propriétés d'une surface sont indépendantes des déformations de celle-ci, mais ne relèvent que de l'expression d'un arc infiniment petit. Ces études de Gauss furent développées et approfondies par Riemann* en 1854, puis exploitées par Einstein* dans sa théorie de la relativité* générale, qui, en outre, utilise non plus l'espace ordinaire, mais un *espace-temps,* de dimension 4.

GÉOMORPHOLOGIE. — Le modelé de la surface terrestre résulte de l'action conjuguée de processus variés. La géomorphologie cherche à en établir les influences relatives afin de reconstituer l'évolution d'une région. Le substratum géologique joue un rôle important, tant par le bâti qu'impose la structure que par la nature des roches. Mais les mécanismes de l'érosion sont également étroitement influencés par le climat, qui détermine par exemple le rôle de l'eau ou de la couverture végétale. On a pu ainsi définir différents systèmes morphoclimatiques : glaciaire, périglaciaire, tropical, etc. L'étude des formes d'érosion (morphologie des versants, forme des vallées, etc.) et des dépôts corrélatifs (granulométrie, émoussé, litage, etc.) permet de dégager les principaux facteurs responsables de la géomorphogenèse.

GÉOPHYSIQUE. — Ce terme s'emploie à propos des méthodes de prospection minière fondées sur le fait que toute anomalie dans une région peut se traduire par une perturbation des propriétés observables à la surface du sol. Il s'agit principalement des méthodes gravimétriques, séismiques, magnétiques, électriques et telluriques.

GEORGE Ier, II, rois de Grande-Bretagne et d'Irlande. → HANOVRE *(dynastie de).*

GEORGE III (Londres 1738 - Windsor 1820), roi de Grande-Bretagne et d'Irlande (1760-1820). Ce fut le premier monarque vraiment britannique de la dynastie hanovrienne, mais son impulsivité et son esprit faible et vacillant l'empêchèrent d'enraciner une monarchie à la fois forte et respectueuse de la loi. À l'extérieur, s'étant privé de W. Pitt*, qu'il jalousait, George III perdit, par des mesures impopulaires, les colonies anglaises d'Amérique (1776-1783). La fin de son règne fut dominée par la personnalité du second Pitt. En 1811, la folie du roi amena la création d'une régence en faveur de son fils George (IV).

GEORGE IV, roi de Grande-Bretagne et d'Irlande → HANOVRE *(dynastie de).*

GEORGE V (Londres 1865 - Sandringham 1936), roi de Grande-Bretagne (1910-1936). Fils et successeur d'Édouard VII*, il favorisa, par son attitude durant la Première Guerre mondiale, par son sens de la démocratie et par sa simplicité, le développement du loyalisme populaire.

GEORGE VI (Sandringham 1895 - *id.* 1952), roi de Grande-Bretagne (1936-1952), deuxième fils de George V. Il succéda à son frère Édouard VIII après l'abdication de celui-ci.

George Cross, décoration britannique créée en 1940 par le roi George VI. (Elle est portée immédiatement après la Victoria Cross.)

George Dandin, comédie en prose de Molière (1668).

GEORGE (Stefan), poète allemand (Büdesheim, près de Bingen, 1868 - Minusio, près de Locarno, 1933). Influencé d'abord par les symbolistes français (*Pèlerinages,* 1891), il évolue vers une poésie humanitaire (*le Tapis de la vie,* 1899; *le Septième Anneau,* 1907), puis, se croyant investi d'une mission salvatrice à l'égard de l'humanité, vers un art mystique qui annonce le triomphe de l'esprit (*l'Étoile d'alliance,* 1914; *le Nouvel Empire,* 1928).

GEORGE (Pierre), géographe français (Paris 1909). Spécialiste de l'Europe orientale (U. R. S. S. notamment) et surtout de géographie humaine et économique, il s'est détaché de l'analyse des conditions naturelles, insistant sur l'importance de la démographie et de l'économie comme éléments explicatifs des paysages et des sociétés actuels.

GEORGES *(saint),* martyr du IVe s., dont la légende a fait un tribun de l'armée impériale, destructeur des idoles et d'un dragon dévastateur. Protecteur des ordres de chevalerie et des cavaliers, il est aussi le patron de l'Angleterre.

GEORGES DE PODĚBRADY (Poděbrady 1420 - Prague 1471), roi de Bohême (1458-1471). Noble tchèque, élevé dans la tradition hussite, il prit la direction du parti utraquiste dans la guerre qui l'opposa aux catholiques tchèques. Il s'empara de Prague (1448), fut proclamé régent de Bohême (1452) et se fit élire roi à la mort du jeune roi Ladislav. Il tenta alors vainement d'obtenir de la papauté la reconnaissance des utraquistes et dut lutter contre Mathias Hunyadi, roi de Hongrie. En 1462, il avait proposé un plan d'organisation pacifique de la chrétienté.

GEORGES III, V → GÉORGIE.

GEORGES Ier (Copenhague 1845 - Thessalonique 1913), roi de Grèce (1863-1913). Second fils du roi de Danemark Christian IX, il est proclamé roi de Grèce après l'abdication d'Otton*. Il s'applique à faire oublier son origine étrangère en favorisant les aspirations nationales (Crète, Thessalie) et démocratiques (Constitution de 1864).

GEORGES II (Tatoi 1890 - Athènes 1947), roi de Grèce (1922-1924, 1935-1947). Il monte sur le trône quand son père, Constantin* Ier, abdique pour la seconde fois, mais, débordé par le mouvement républicain (v. VENIZÉLOS), il s'éloigne lui-même dès 1923. Rentré en 1935, il laisse gouverner Metaxás. Réfugié à l'étranger durant la Seconde Guerre mondiale, il ne rentre en Grèce qu'en 1946.

GEORGES le Noir, prince des Serbes → KARADJORDJEVIĆ.

GEORGES (Joseph), général français (Montluçon 1875 - Paris 1951). Adjoint de Gamelin en 1935, il commande en 1939-40 le théâtre d'opérations du Nord-Est. En 1943, il rejoint Giraud à Alger et devient pendant quelques mois membre du Comité français de libération nationale.

GEORGETOWN, capit. de la Guyane, port sur l'Atlantique; 168 000 hab.

GEORGE TOWN, v. de Malaysia → PENANG.

GÉORGIE, en angl. **Georgia,** État du sud-est des États-Unis, sur l'Atlantique; 152 488 km^2; 4 590 000 hab. Capit. *Atlanta.* Située au N. de la Floride, la Géorgie possède un climat subtropical, au moins dans la plaine côtière. La chaleur de l'été est tempérée dans le Nord-Ouest (sud des Appalaches). L'ensemble reçoit des précipitations abondantes. L'importance déjà ancienne de la culture du coton, malgré un recul relatif récent au profit du tabac et du maïs (associé à un important élevage porcin), explique la forte proportion de Noirs (plus du quart de la population). Sur le piedmont appalachien, la capitale et Columbus sont les principales villes de l'État.

GÉORGIE, en russe **Grouzia,** république fédérée de l'U. R. S. S., sur la mer Noire; 69 700 km^2; 4 688 000 hab. *(Géorgiens).* Capit. *Tbilissi.*

GÉOGRAPHIE. La vallée du Rion (terminée par un delta) et celle de la Koura supérieure (site de Tbilissi) concentrent la majeure partie de la population, qui jalonne aussi le littoral de la mer Noire (villes de Soukhoumi et de Batoumi), au climat doux, favorable au tourisme. La montagne (versant méridional du Caucase notamment), moins peuplée, est exploitée pour la sylviculture et est productrice d'hydroélectricité. La république fournit du thé, des fruits et des vins sur les versants et dans les parties basses, parfois irriguées (près de 400 000 ha) ou, au contraire, drainées. Le sous-sol recèle de grands gisements de manganèse.

HISTOIRE. Le royaume d'Ibérie (Géorgie orientale) se développe au cours des derniers siècles avant l'ère chrétienne et se soumet en 65 av. J.-C. à Rome, qui contrôle également le royaume de Colchide. Vers 330, la Géorgie se christianise. Du IVe au VIIe s., la Lazique (ancienne Colchide) est soumise à Byzance, tandis que l'Ibérie dépend de l'Iran. La conquête arabe (VIIe s.) entraîne le morcellement du pays en petits États indépendants ou soumis au califat. L'unification du pays sous l'égide de la dynastie des Bagratides (Xe-XIe s.) aboutit à une véritable renaissance nationale, qui culmine sous les règnes de David le Constructeur (de 1089 à 1125), de Georges III (de 1156 à 1184) et de Thamar* (de 1184 à 1213). Les invasions mongoles de Gengis khān et de Tīmūr Lang (Tamerlan) ravagent la Géorgie, qui s'était relevée sous Georges V (de 1314 à 1346). Du XVIe au XVIIIe s., les Turcs et les Persans annexent plusieurs provinces et oppriment les populations chrétiennes. Les souverains géorgiens cherchent la protection de la Russie (traité de Gueorguievsk, 1783). Le tsar Alexandre Ier évince les Bagratides, et la Russie incorpore à son empire les différentes provinces de la Géorgie entre 1801 et 1878. Lors de la révolution russe de 1917, les mencheviks prennent le pouvoir et constituent une république indépendante en 1918. Un régime soviétique est instauré en 1921. Staline et G. K. Ordjonikidze mènent une répression brutale contre les opposants. Membre de la Fédération transcaucasienne de 1922 à 1936, la Géorgie devient en 1936 une république fédérée de l'U. R. S. S.

BEAUX-ARTS. Occupée dès le paléolithique, la contrée connaît la révolution du néolithique vers 5000 av. J.-C. L'apparition de la métallurgie se situe vers le IIIe millénaire. Pendant le IIe millénaire, le mobilier funéraire est proche du Kouban et de l'Iran, notamment dans le Sud, avec la culture de Trialeti.

Parallèlement à l'influence de l'art des steppes*, on décèle tour à tour l'emprise achéménide, puis l'emprise hellénistique, avant de voir s'élever les grandes constructions romaines. Le pays est christianisé vers le début du IVe s., et l'architecture suit une évolution proche de celle d'Arménie*. La basilique triple de Bolnisi (v. 490) correspond au premier épanouissement de cet art chrétien, dont la pleine maturité se situe après la conquête arabe, entre le XIe s. et le milieu du XIIIe s. (Mtskheta, 1029; Ochki, Xe s.; Koutaïssi, 1003; monastère de Gelati, 1089-1125). De très belle qualité, le décor sculpté est abondant : rinceaux, entrelacs et torsades deviennent irréels avant d'atteindre au XIVe s. un baroquisme fantastique.

La peinture murale porte l'empreinte de Byzance (Akhtala, XIIe s.), tout comme la mosaïque (Gelati, v. 1130), les icônes et les miniatures. Pratiquée depuis la plus haute antiquité, l'orfèvrerie conserve sa somptuosité. De constantes invasions suscitent le développement de l'architecture militaire, et, comme en Arménie, de nombreuses forteresses sont élevées et des villes sont creusées dans le roc, dont la cité de Vardzia, véritable labyrinthe de cinq cents salles, est l'un des exemples les plus impressionnants.

GÉORGIE *(détroit de),* bras de mer du Pacifique, séparant l'île de Vancouver du littoral de la Colombie britannique.

GÉORGIE DU SUD, île britannique de l'Atlantique Sud.

GÉORGIEN → CAUCASIENNES *(langues).*

GÉORGIENNE *(baie),* baie du lac Huron, sur le littoral canadien.

Géorgiques *(les),* poème didactique en quatre chants, de Virgile (39-29 av. J.-C.). Inspiré par Auguste, qui souhaitait ramener l'amour de la terre chez les peuples latins, l'ouvrage traite de l'agriculture, de l'apiculture, de l'élevage. Agrémenté d'épisodes brillants (la mort de César, la description de la peste, le mythe d'Aristée) et de discussions morales et littéraires (antithèse de l'amour et de la mort, au chant III), l'ouvrage constitue une véritable épopée des rapports de l'homme et de la nature.

GÉOSTATIONNAIRE → SATELLITE.

GÉOSYNCLINAL. — Profonde fosse bordant un continent, le géosynclinal est constitué par une alternance de sillons — dans lesquels s'accumulent d'énormes épaisseurs de flyschs* — et de rides. On distingue généralement un domaine *miogéosynclinal,* situé du côté continental ou externe, et un domaine *eugéosynclinal,* situé du côté océanique ou interne et caractérisé par la présence d'ophiolites*. Lors des mouvements tectoniques qui président à la formation d'une chaîne de montagnes, les flyschs sont fortement plissés. Ceux du domaine eugéosynclinal se singularisent par l'ampleur des nappes de charriage (déversées du côté externe) qui les affectent et l'intensité du métamorphisme qu'ils subissent.

GÉOTROPISME → TROPISME.

GÉPIDES → GERMAINS.

GER *(pic de),* sommet des Pyrénées-Atlantiques, au S. du col d'Aubisque; 2 612 m.

GERA, v. de l'Allemagne orientale, ch.-l. de distr., sur l'Elster blanche; 112 000 hab. Monuments des XVIe-XVIIIe s. Textile.

GÉRANIACÉES. — Ces petites plantes velues, aux feuilles parfumées, aux fleurs rouges, bouturant aisément, ont fourni à l'horticulture les souches des variétés ornementales vendues sous le nom de *géranium* (en réalité *pélargonium*). Fleurs et feuilles sont portées au bout de longs pédoncules, et le fruit est surmonté d'un style persistant caractéristique. Deux genres vivent en France : *Geranium* et *Erodium.*

GÉRARD (François, *baron*), peintre et dessinateur français (Rome 1770 - Paris 1837). Élève de David, il donna des illustrations pour Virgile et Racine, et il fut surtout, sous la Restauration comme sous l'Empire, un portraitiste couvert d'honneurs. (*J.-B. Isabey et sa fille,* 1795, Louvre; *Ossian évoque les fantômes au son de la harpe...,* versions de Hambourg et de Malmaison.)

GÉRARD (Étienne, *comte*), maréchal de France (Damvillers 1773 - Paris 1852). Blessé à Leipzig (1813), il commande le 4e corps à Ligny (1815). Fait maréchal par Louis-Philippe, il est ministre de la Guerre en 1830, dirige le siège d'Anvers en 1832, puis est de nouveau ministre de la Guerre en 1834.

GÉRARDMER (88400), ch.-l. de cant. des Vosges, à 30 km au S. de Saint-Dié, sur le versant occidental des Vosges; 9 984 hab. *(Géromois).* Station climatique et de sports d'hiver (alt. 666-1 100 m), à l'E. du *lac de Gérardmer,* le plus grand (1,2 km^2) des lacs vosgiens.

GERASA, anc. ville de Palestine, actuelle Djerach, en Jordanie, au N. d'Ammān. Le dégagement de nombreux vestiges antiques permet de distinguer deux périodes très brillantes : vers le IIe s. apr. J.-C. sous la domination romaine, avec toutes les constructions monumentales habituelles (temples, nymphée, hippodrome, etc.), puis au Ve et au VIe s., avec plus d'une dizaine d'églises qui ont livré de très belles mosaïques de pavement (musée d'Ammān).

GERBERT → SYLVESTRE II.

GERBÉVILLER (54830), ch.-l. de cant. de Meurthe-et-Moselle, à 13 km au S. de Lunéville; 970 hab.

GERBIER-DE-JONC, mont aux confins du Velay et du haut Vivarais, près duquel naît la Loire; 1 551 m.

GERBOISE. — Les gerboises sont de charmants petits rongeurs des régions méditerranéennes semi-arides, voire désertiques. Leur très longue queue et leurs longues et puissantes pattes de derrière leur permettent des sauts rapides, tandis que leurs petites pattes de devant agissent comme des mains. Au Sahara, les gerboises peuvent s'enfouir, s'enduire entièrement d'une salive protectrice et entrer en sommeil estival pendant les périodes d'excessive sécheresse. (Famille des dipodidés.)

GERDT (Pavel Andreïevitch), danseur et pédagogue russe d'origine allemande (Saint-Pétersbourg 1844 - *id.* 1917). Une des plus grandes figures de la danse noble russe, il enseigna à l'École impériale de danse de Saint-Pétersbourg.

GERGOVIE, ville de la Gaule, capitale des Arvernes*, située sur un plateau basaltique à 6 km au S. de Clermont-Ferrand. En 52 av. J.-C., un siège y fut victorieusement soutenu par Vercingétorix contre César, qui subit de lourdes pertes. — D'abord utilisé épisodiquement, l'oppidum de Gergovie connut, comme Bibracte, un urbanisme indigène dès la dernière période de La Tène*. L'occupation permanente et la ville gallo-romaine remontent aux années 30-40 av. J.-C. Mais, sous la *Pax romana,* vers le Ier s., les hauteurs furent délaissées pour l'habitat en plaine.

GERHARDT (Charles), chimiste français (Strasbourg 1816 - *id.* 1856). Il mit au point la notion de séries homologues en chimie organique (1843) et découvrit les anhydrides d'acides carboxyliques (1852). Il fut l'un des créateurs de la notation atomique.

GÉRIATRIE. — La gériatrie comprend l'étude des phénomènes physiologiques et des maladies particulières aux gens âgés; elle s'efforce d'atténuer les effets physiques et psychiques qui aboutissent à la sénilité.

GÉRICAULT (Théodore), peintre français (Rouen 1791 - Paris 1824). Admirateur de Rubens, élève de Gros, il est considéré comme le premier romantique français (*le Cuirassier blessé,* Salon de 1814, Louvre), mais il est aussi un réaliste. Il découvre Michel-Ange en Italie en 1816, et, à son retour, exécute *le Radeau de la « Méduse »* (1819, Louvre), où sa culture classique le dispute encore à sa préoccupation d'exprimer le monde contemporain.

L'audace de son dessin et de sa couleur ainsi que sa fougue, alliée à un certain goût pour le morbide (*la Folle,* musée de Lyon), font de lui un précurseur. Géricault a beaucoup étudié les chevaux (*Course de chevaux libres à Rome,* 1817; *le Derby d'Epsom,* peint en Angleterre en 1821 [tous deux au Louvre]) et il est mort d'une chute de cheval.

GÉRIN-LAJOIE (Antoine), écrivain canadien d'expression française (Yamachiche, Québec, 1824 - Ottawa 1882), auteur de romans du terroir (*Jean Rivard le défricheur,* 1862).

GERLACHE DE GOMERY (Adrien DE), explorateur belge (Hasselt 1866 - Bruxelles 1939). Il conduisit plusieurs expéditions dans les mers antarctiques (1897-1905).

GERLACHOVKA (la), point culminant des Carpates, en Slovaquie; 2 663 m.

GERMAIN *(saint),* évêque d'Auxerre (Auxerre v. 378 - Ravenne 448). Délégué du pape Célestin Ier, il participe au développement de l'Église de Grande-Bretagne et consacre évêque saint Patrick*, l'apôtre des Irlandais.

GERMAIN, orfèvres parisiens. PIERRE (1645-1684) travailla pour le roi. — THOMAS, son fils (1673-1748), fut orfèvre du Régent, puis de Louis XV et travailla notamment pour la cour du Portugal. Ayant admiré les antiques à Rome, il modéra en général le goût rocaille par son sentiment de l'ordre classique. Voltaire a vanté sa « main divine ». — Son fils et collaborateur FRANÇOIS THOMAS (1726-1791) lui succéda comme orfèvre du roi et compléta le grand service du Portugal. Le succès l'incita à développer son atelier en contravention avec les statuts corporatifs; il fut mis en faillite en 1765.

GERMAIN (Pierre), orfèvre français (Avignon 1716 - Paris 1783). Admis à la maîtrise en 1744, il publia en 1748 cent planches d'*Éléments d'orfèvrerie.*

GERMAINS, peuple indo-européen issu de la Scandinavie méridionale. Au cours de leur histoire, les Germains n'ont cessé d'être affectés de pulsations migratoires : au bronze récent, ils se déplacent d'un foyer sud-scandinave pour s'étendre au Ier millénaire avant notre ère sur la grande plaine européenne; en 500 av. J.-C., ils atteignent le Rhin. Freinée par les Celtes*, l'expansion germanique reprend au IIIe s. : vers 230, les Bastarnes et les Skires parviennent sur les côtes de la mer Noire; vers 120, les Teutons, les Cimbres et les Ambrons entreprennent une « marche à la Méditerranée », mais sont exterminés par Marius à Aix (102) et à Verceil (101); en 100, les Vandales s'établissent en Galicie et en Silésie, les Burgondes en Poméranie et dans le Brandebourg, enfin les Goths* et les Gépides sur les rives de la Vistule. Après les incursions des Suèves* d'Arioviste* en Gaule (72), Rome limite le domaine territorial des Germains aux rives du Rhin et du Danube, qui sont renforcées par une ligne fortifiée, le *limes*.*

Aux Ier et IIe s. de notre ère, le monde germanique se stabilise au centre et au nord de l'Europe sans former toutefois une communauté politique : c'est un monde fractionné en tribus indépendantes les unes des autres, qui ont à peu près toutes, cependant, les mêmes classes sociales (aristocratie guerrière, hommes libres, esclaves) et la même religion. Au cours du Ier s., des rapports réguliers (commerce de l'ambre) s'établissent avec Rome, et des influences venues du monde méditerranéen pénètrent la Germanie : ainsi apparaît au IIe s. une écriture alphabétique, les *runes.* Mais l'équilibre entre monde romain et monde barbare est précaire; dès le milieu du IIe s., les Germains déferlent sur l'Italie, prélude aux longs siècles des invasions : ils occupent la Germanie supérieure (254), la Belgique (v. 259), la Gaule (de 268 à 278). Les Alamans pénètrent en Italie en 260 et en 270, et les Goths ravagent les Balkans de 258 à 270; ils sont refoulés au-delà du *limes* par Aurélien, puis par Dioclétien à l'aube du IVe s. À cette époque, le monde germanique est organisé en grandes confédérations militaires (Alamans, Francs...), qui sont celles de l'époque des grandes invasions barbares*.

GERMANICUS (Julius Caesar), général romain (Rome 15 av. J.-C. - Antioche 19 apr. J.-C.). Fils de Drusus*, adopté par Tibère, il épouse Agrippine l'Aînée, petite-fille d'Auguste. Consul en 12 apr. J.-C., commandant de l'armée du Rhin, il mène en 14-16 de brillantes campagnes en Germanie*, écrasant à Idistaviso (16) les forces du Chérusque Arminius*, qui a massacré les légions de Varus. Tibère le rappelle en 17 et lui confie un *imperium* proconsulaire *majus* en Orient, mais, là, Germanicus se heurte au gouverneur de Syrie, Cn. Calpurnius Pison. Il meurt brusquement de façon suspecte, à Antioche. Très populaire, il a été idéalisé par Tacite, qui l'a opposé à la figure de Tibère.

GERMANIE, en lat. **Germania,** contrée de l'Europe centrale entre le Rhin et la Vistule. Peuplée entre 1000 et 500 av. J.-C. par les Germains*, la Germanie est décrite par Tacite comme une terre de « forêts horrifiques, de marais repoussants » occupée par des peuples farouches et belliqueux. Très tôt, Rome prit conscience du danger germain et tenta d'occuper cet immense territoire. Auguste entreprit la conquête de la Germanie jusqu'à l'Elbe : l'offensive dirigée par Drusus* et Tibère fut freinée par la révolte de l'Illyricum et le désastre de P. Quintilius* Varus (forêt de Teutoburg, 9 apr. J.-C.). Malgré les victoires de Germanicus* (Idistaviso, 16), Tibère replia la frontière sur le Rhin. Pour mémoire, on donna le nom de *Germanie* aux deux secteurs militaires créés sur la rive gauche du Rhin. En 90, Domitien fit de la région deux provinces consulaires de *Germanie supérieure* (ch.-l. Mayence) et de *Germanie inférieure* (ch.-l. Cologne), après avoir occupé au-delà du fleuve les champs Décumates*. Pour contenir les violences germaniques, Rome construisit un *limes*,* ligne continue fortifiée, entre Coblence et Ratisbonne. La Germanie, région surtout militaire, connut une intense romanisation : mise en valeur agricole des bassins de la Meuse et de la Moselle; développement d'une industrie du verre et de la poterie; villes nombreuses (Strasbourg, Cologne, Trèves...). Mais, dès le milieu du IIe s., l'essor de la Germanie romaine fut interrompu par le réveil des peuples barbares* d'outre-Rhin.

GERMANIE (ROYAUME DE), nom donné au royaume constitué au profit de Louis le Germanique lors du traité de Verdun (843), qui consacra le démembrement de l'Empire carolingien. D'abord limité à la Saxe, à la Thuringe, à la Franconie, à l'Alamannie, à la Bavière et aux marches de l'Est, le royaume germanique s'accrut, en 870 (traité de Meerssen), de la partie de l'ancienne Lotharingie située à l'est de la Meuse et de la Saône. L'expression « royaume de Germanie » cessa d'être employée à partir de 1024.

GERMANIQUE. — Rameau de la famille indo-européenne, le germanique se subdivise en trois groupes linguistiques. Au groupe septentrional appartiennent les langues scandinaves. Du germanique occidental dérivent d'une part l'anglais et le frison (parlé par environ 300 000 personnes dans le nord des Pays-Bas et de l'Allemagne), d'autre part l'allemand et le néerlandais. Le groupe oriental comprenait les langues des peuples qui ont envahi l'Empire romain aux IVe-Ve s. (Ostrogoths, Vandales, etc.). De ces langues disparues, on ne connaît que le gotique, langue des Wisigoths, grâce à une traduction de la Bible faite au IVe s. par l'évêque Ulfilas.

GERMANIUM. — Découvert en 1885 par Winkler, le germanium est l'élément chimique n° 32, de masse atomique Ge = 72,6. C'est un solide gris, cassant, de densité 5,4 et fondant vers 960 °C. Il donne divers hydrures, comparables aux hydrocarbures. Son principal oxyde, GeO_2, donne avec les alcalis des germanates. Le germanium se trouve dans les blendes, et on le prépare en réduisant son oxyde par le carbone. Ses propriétés semi-conductrices sont mises à profit dans les diodes et les transistors à pointe et à jonction.

GERMEN. — On doit à August Weismann (1834-1914) l'affirmation de l'indépendance précoce de la « lignée germinale », lignée cellulaire destinée à fournir les cellules reproductrices au sein de l'embryon humain, animal ou végétal. Cette indépendance rend impossible toute répercussion sur ce *germen* des altérations subies par le reste du corps *(soma)* et exclut l'hérédité des caractères acquis. Il semble, aujourd'hui, que beaucoup de nuances soient à introduire dans cette coupure trop radicale, maintes cellules somatiques pouvant être à l'origine d'une différenciation reproductrice (boutures des plantes, etc.).

GERMIGNY-DES-PRÉS (45110 Châteauneuf sur Loire), comm. du Loiret, dans le Val de Loire, à 4,5 km au S.-E. de Châteauneuf-sur-Loire; 371 hab. Église élevée par Théodulf (806), à l'origine en croix grecque et très restaurée (mosaïque de l'*Arche d'alliance*).

Germinal, roman d'É. Zola (1885), qui décrit une grève des mineurs du Nord à la fin du second Empire.

GERMINATION. — Une graine peut demeurer en état de vie ralentie, sans changement apparent, pendant plusieurs années. Placée dans des conditions convenables d'humidité, de chaleur et d'aération, elle évolue, au contraire, rapidement pour donner une jeune plante : c'est le phénomène de *germination.* La graine de la plupart des espèces absorbe de l'eau, gonfle, et ses téguments s'amollissent ou se fendent. Les tissus respirent intensément, la température de la graine s'élève, et la plantule reprend sa croissance, formant d'abord une racine; elle puise sa nourriture dans l'albumen qui l'avoisine ou dans les cotylédons si l'albumen avait déjà été absorbé pendant la formation de la graine. Des tropismes rigoureux orientent les racines vers le bas et la pousse aérienne (bourgeon, tige, premières feuilles) vers le haut, quelle que soit la position de la graine dans le sol. Une intense activité chimique élabore des enzymes pour la digestion des réserves, des auxines pour diriger la croissance, de la chlorophylle dès que la pousse émerge du sol, des sécrétions radiculaires germicides ou bactéricides dans le sol, etc., tandis que les méristèmes (points végétatifs) multiplient les ébauches de rameaux, de feuilles et de racines secondaires et que les téguments se détachent et tombent sur le sol.

On considère la germination comme terminée lorsque la plante a atteint l'autotrophie, c'est-à-dire une alimentation suffisante par les feuilles et les racines pour n'avoir plus besoin d'aliments organiques. Cela peut être l'affaire de quelques jours.

GERMISTON, v. de l'Afrique du Sud (Transvaal), dans le Witwatersrand; 132 000 hab. Raffinage de l'or. Industries mécaniques et chimiques.

GERNEZ (Désiré), physicien et chimiste français (Valenciennes 1834 - Paris 1910). Il a étudié les solutions gazeuses sursaturées et les liquides en surchauffe, et il a formulé une théorie de l'ébullition; il a défini les conditions de cristallisation des solutions sursaturées.

GERNSBACK (Hugo), ingénieur et écrivain américain d'origine luxembourgeoise (Luxembourg 1884). Il fut le premier à énoncer le principe du radar (1911) et à décrire la « triode à cristal » (1943). On lui doit aussi la création de l'expression « science-fiction ».

GEROLSTEIN, v. de l'Allemagne fédérale (Rhénanie-Palatinat), dans l'Eifel; 6 000 hab. Centre touristique.

GÉRÔME (Léon), peintre et sculpteur français (Vesoul 1824 - Paris 1904). Il fit une carrière brillante, mais, ennemi acharné de l'impressionnisme, fut honni après sa mort. Amoureux du fini, de la précision et du détail objectif tout en manifestant une sensualité ingresque, il a cultivé la scène de genre antique, moderne ou orientale (thèmes puisés dans ses voyages).

GÉROMÉ → FROMAGE.

GÉRONE, en esp. **Gerona,** v. d'Espagne, en Catalogne, ch.-l. de prov.; 50 000 hab. Importants monuments dans la ville haute, dont la cathédrale des XIVe-XVIe s., typique du gothique catalan (mobilier et tombeaux; riche trésor; cloître roman du XIIe s.), les églises S. Feliu et S. Pedro de Galligans (musée provincial), des bains arabes. Musée diocésain dans un hôtel du XVIIIe s.

GERS (le), riv. du Bassin aquitain, passant à Auch, affl. de la Garonne (r. g.); 178 km.

GERS (32), départ. de la Région Midi-Pyrénées; 6 254 km^2; 175 366 hab. *(Gersois).* Ch.-l. *Auch.* S.-préf. *Condom* et *Mirande.*

Le département, situé au centre du Bassin aquitain et correspondant au cœur de la Gascogne, est constitué de larges vallées (isolant des échines de coteaux, les serres) formées par les affluents de la Garonne qui descendent du plateau de Lannemezan (Baïse, Gers, Gimone et Save notamment). Les versants sont tapissés de boulbènes, sols argilo-sableux, ou de terreforts argilo-calcaires. L'ensemble est peu arrosé, avec une sécheresse estivale prononcée (imposant fréquemment l'irrigation, développée récemment). L'élevage des veaux domine au S. et au S.-E., à l'O. de Mirande, et celui des volailles au S.-E. (vers Samatan et Lombez). Au N.-E., la Lomagne est une terre de culture (blé) et d'élevage. Occupant le centre et le nord-ouest du département, l'Armagnac est aussi une terre à blé, mais elle possède, surtout vers Eauze et Condom, des vignobles dont la production distillée fournit l'armagnac, principale richesse de ce secteur.

L'agriculture emploie encore les deux cinquièmes des actifs (autant que le secteur tertiaire) et une part double de celle de l'industrie. Cette situation est à mettre en rapport avec la faiblesse de l'urbanisation. Auch est la seule ville dépassant 10 000 habitants. On s'explique alors la faible densité d'occupation (moins du tiers de la moyenne nationale), la persistance du dépeuplement, absolument continu depuis plus d'un siècle (au milieu du XIXe s., le Gers comptait encore plus de 300 000 habitants), atteignant aujourd'hui pratiquement tous les cantons; seuls la région d'Auch et Condom ont enregistré récemment une (légère) augmentation de population. Rural, sans base énergétique et minérale, à l'écart du littoral et du piémont pyrénéen, hors de l'axe de la vallée de la Garonne reliant Bordeaux à Toulouse, le département tend, au moins localement, à se désertifier, avec une population vieillie.

GERSHWIN (George), compositeur américain (Brooklyn 1898-Beverley Hills 1937). Il est l'auteur de *Rhapsody in Blue* (1924), du *Concerto pour piano en fa* (1925), de *An American in Paris* (1928) et de l'*Ouverture cubaine* (1932), œuvres combinant des éléments de jazz, de ragtime et de blues à d'autres venus tout droit de Tchaïkovski et de Rachmaninov. En 1935, son opéra noir *Porgy and Bess* lui valut un très grand succès.

GERSON (Jean CHARLIER, dit DE), théologien français (Gerson, Ardennes, 1363 - Lyon 1429). Chancelier de l'université de Paris en 1398, il s'est employé, par sa parole et ses écrits, à mettre fin au grand schisme* d'Occident. Orateur et théologien, il a laissé une œuvre écrite considérable, principalement consacrée à l'ecclésiologie et à la théologie mystique.

GERSTHEIM (67150 Erstein), comm. du Bas-Rhin, à 6,5 km au S.-E. d'Erstein; 2 830 hab. Centrale hydroélectrique sur un bief du grand canal d'Alsace.

GERTRUDE la Grande *(sainte),* moniale cistercienne et mystique allemande (Eisleben 1256 - Helfta, Saxe, v. 1302). Ses expériences mystiques sont consignées dans ses écrits : *le Héraut de l'Amour divin* et les *Exercices*; elles s'insèrent dans le courant dit « de la mystique nuptiale », dont l'inspiration fondamentale se rattache au thème des épousailles de l'âme et de Dieu.

GERZAT (63360), comm. du Puy-de-Dôme, à 7 km au N.-E. de Clermont-Ferrand; 7 689 hab. *(Gerzatois).*

GESELL (Arnold), psychologue américain (Alma, Wisconsin, 1880 - New York 1961). Il fut l'un des premiers à s'intéresser au développement psychique de l'enfant.

GESSE. — Le genre *Lathyrus* compte de nombreuses espèces d'herbes fourragères, annuelles ou vivaces, aux fleurs papilionacées, aux rameaux longés de plusieurs crêtes, mais caractérisées surtout par les vrilles d'enroulement qui remplacent certaines folioles des feuilles composées, si ce n'est toutes. Dans ce dernier cas, ce sont de vastes stipules basales qui jouent le rôle habituel des feuilles (gesse aphaca par exemple). La toxicité des graines de la plupart des gesses fait de celles-ci un fourrage dangereux, pouvant infliger au bétail les troubles du *lathyrisme* (paraplégie spasmodique).

GESSNER (Salomon), peintre, graveur et écrivain suisse d'expression allemande (Zurich 1730 - *id.* 1788). Il illustra lui-même ses recueils de poèmes descriptifs et bucoliques (*Idylles,* 1756), qui annoncent la sensibilité romantique.

GESTALTTHEORIE → FORME *(théorie de la).*

Gestapo (abrév. de *Ge*[*heime*] *Sta*[*ats*] *Po*[*lizei*], police secrète d'État). Dans la réorganisation de la police allemande, placée en 1934 aux ordres de Himmler, la Gestapo constitua (avec la police criminelle) l'une des deux sections de la police de sécurité *(Sicherheitspolizei,* ou *Sipo)* du Reich, dirigée par Heydrich. Disposant de pouvoirs illimités, elle fut l'instrument le plus redoutable du régime policier nazi, qu'elle étendit à tous les territoires contrôlés par le Reich. En février 1944, l'Abwehr* lui fut subordonnée. La Gestapo employa à son service de nombreux agents étrangers et utilisa systématiquement la délation, la torture, les exécutions sommaires et l'envoi dans les camps de concentration.

GESTATION. — Seules les espèces animales vivipares (mammifères, quelques reptiles, amphibiens et poissons) présentent une *gestation* (pour l'espèce humaine, grossesse), c'est-à-dire une période, de longueur variable, pendant laquelle le jeune est abrité et nourri dans un organe creux de la mère (utérus) et se développe jusqu'à un état viable avant d'être mis bas.

La durée de la gestation, ordinairement à peu près fixe dans une espèce donnée (femme : 270 jours), peut être extrêmement variable dans quelques espèces de mammifères, selon la saison où a eu lieu la fécondation. Elle varie ainsi de 215 à 275 jours chez l'antilope, de 165 à 280 jours chez le chevreuil, de 350 à 400 jours chez le chameau.

La gestation proprement dite ne dure que 40 jours chez le kangourou, mais le jeune ne naît pas viable et une sorte de seconde gestation a lieu dans la poche ventrale pendant 2 mois environ.

GESTE (chanson de). — Les chansons de geste sont de longs poèmes, composés du XIe au XIVe s., où sont racontés les exploits de personnages historiques ou légendaires. Leur origine est très controversée. On a longtemps admis, à la suite de Herder, de F. Wolff et des frères Grimm, qu'elles dérivaient de *cantilènes,* chants lyrico-épiques spontanés, contemporains des événements qui forment leur sujet et amplifiés au cours des générations. Cette thèse, développée par Gaston Paris (*Histoire poétique de Charlemagne,* 1865), fut combattue par Joseph Bédier (*les Légendes épiques,* 1908-1913), qui montra les rapports entre les héros des chansons de geste et les sanctuaires qui jalonnaient les grandes routes de pèlerinage : les légendes épiques auraient été imaginées par les moines et les jongleurs, intéressés à attirer et à retenir, en l'amusant et en l'édifiant, un même public de marchands et de pèlerins. Si cette théorie a été atténuée et rectifiée, notamment par M. Wilmotte (*l'Épopée française, origine et élaboration,* 1939), I. Siciliano (*les Origines des chansons de geste,* 1951) et F. Lot (*Études sur les légendes épiques françaises,* 1958), elle garde sa valeur essentielle de faire découvrir l'artiste créateur à travers les œuvres épiques. Il semble, aujourd'hui, que la chanson de geste fut longtemps, peut-être jusqu'au XIIIe s., de nature purement orale. Conçue et déclamée par des chanteurs professionnels utilisant une technique mémorielle, la chanson de geste a pour unité de composition la *laisse,* qui se chante sur deux ou trois phrases mélodiques, alternées en une sorte de psalmodie. Chaque laisse est liée — par répétition, alternance, développements successifs des parties d'une même action — à celles qui la précèdent et qui la suivent. L'action se déploie autour de quelques personnages dont le nom évoque de vagues souvenirs historiques remontant à l'époque carolingienne. Le poème exalte essentiellement l'idéal d'un monde féodal, où le vassal doit fidélité au suzerain, et d'une civilisation chrétienne dominée par l'esprit de croisade contre les infidèles : ainsi dans *la Chanson* de Roland,* le plus ancien poème connu. Le genre se développe au XIIe s. et est imité en provençal (*Canso d'Antiocha,* v. 1120). Sa croissance s'opère par réfection de chansons plus anciennes (versions rimées de *la Chanson de Roland* au XIIe s.), par mise par écrit de certaines versions ou par constitution de *cycles**. Dès le Moyen Âge, les chansons de geste sont réparties en trois groupes, dominés par une inspiration qui en fait le lien : la *geste du roi,* qui raconte la guerre sainte menée par Charlemagne contre les musulmans *(la Chanson de Roland, le Pèlerinage de Charlemagne, Aspremont, Fierabras*);* la *geste de Garin* de Monglane,* qui comprend notamment *le Charroi de Nîmes, la Chanson de Guillaume, les Aliscans, Aymeri de Narbonne, la Chevalerie Vivien;* la *geste de Doon* de Mayence.* Mais, très tôt, le caractère de la chanson de geste s'altère. L'habileté prend le pas sur l'inspiration. Les auteurs ont recours aux thèmes amoureux; les héros se signalent moins par leur adhésion à une grande idée collective que par leur révolte ou leur brutalité anarchique *(Raoul de Cambrai; la Chevalerie Ogier).* Les chansons de geste tournent alors au roman d'aventures sous l'influence de la littérature courtoise* et survivent par les romans de chevalerie *(les Quatre Fils Aymon).*

GESTION → MANAGEMENT.

GESUALDO (Carlo), prince **de Venosa,** compositeur italien (Naples v. 1560-*id.* v. 1614). Passionné dans sa vie comme dans son art, il laisse six livres de madrigaux polyphoniques d'une intensité dramatique rarement atteinte. Son langage, fait de contraste, s'appuie sur une harmonie dissonante.

GETAFE, v. d'Espagne (Nouvelle-Castille), dans la banlieue sud de Madrid; 69 000 hab.

GÈTES, peuple thrace établi entre les Balkans et le Danube, soumis par Darios Ier* en 513 av. J.-C. Vaincus par Alexandre, refoulés par les Celtes au nord du Danube, les Gètes s'assimilèrent aux Daces.

GETHSÉMANI, nom qui signifie « pressoir d'huile » et qui désigne un jardin de la banlieue de Jérusalem, au pied du mont des Oliviers, où Jésus* souffrit son agonie et où il fut arrêté.

GÉTIGNÉ (44190 Clisson), comm. de la Loire-Atlantique, à 3 km au S.-E. de Clisson; 2 274 hab. Traitement du minerai de l'uranium à l'Écarpière.

GETS (Les) [74260], comm. de la Haute-Savoie, à 7,5 km au S.-O. de Morzine; 986 hab. Station de sports d'hiver (alt. 1 172-1 850 m).

GETTYSBURG, v. des États-Unis (Pennsylvanie), sur la bordure orientale des Appalaches; 7 300 hab. Du 1er au 3 juillet 1863, victoire des fédéraux pendant la guerre de Sécession*.

GÉTULES, ancien peuple berbère nomade de la bordure du Sahara. Sous Auguste, les Gétules se soulevèrent contre Juba II*, roi de Mauritanie et vassal de Rome : leur révolte fut réprimée par le consul C. Cornelius Lentulus (v. 6 apr. J.-C.).

GEVAERT (François Auguste), compositeur et musicologue belge (Huise 1828-Bruxelles 1908). Directeur de la musique à l'Opéra de Paris (1867), directeur du conservatoire de Bruxelles (1870), auteur de partitions lyriques *(Quentin Durward),* il a fait œuvre de théoricien et de musicographe *(Histoire et théorie de la musique de l'Antiquité).*

GÉVAUDAN (le), haut plateau granitique du sud du Massif central, à l'O. de la Margeride, entre la Truyère au N. et le Lot supérieur au S. (Hab. *Gabalitains.*) Un médiocre élevage transhumant est la ressource essentielle de cette région dépeuplée.

HISTOIRE. Ancienne *Civitas gabalitana* (cité des Gabales), le pays, tombé sous la domination des Wisigoths (472), puis rattaché au *Regnum Francorum,* appartint aux comtes-évêques de Mende (IXe s.), qui, en 1307, associèrent le roi aux revenus et au gouvernement de leur domaine.

GEVREY-CHAMBERTIN (21220), ch.-l. de cant. de la Côte-d'Or, à 13 km au S. de Dijon; 3 001 hab. Église et vestiges d'un château du Moyen Âge. Vins renommés *(chambertin).* Gare de triage.

GEX (01170), ch.-l. d'arr. de l'Ain, au débouché du col de la Faucille et à 17 km au N.-O. de Genève; 4 370 hab. *(Gessiens).* Chef-lieu du *pays de Gex.*

GEX *(pays de),* région du Jura, dans le nord-est du département de l'Ain, au N.-O. de Genève, rattachée à la France en 1601. C'est, au point de vue douanier, une zone franche dont l'économie est liée à celle de la Suisse, constituant notamment une banlieue laitière de Genève.

GEYSER. — Le jaillissement d'un geyser, source d'eau chaude intermittente caractérisant les régions volcaniques, se produit lorsque, sous l'effet de la chaleur, la pression d'eau en profondeur devient trop forte. Après l'expulsion d'une colonne d'eau, la pression augmente de nouveau jusqu'au jaillissement suivant.

GEZELLE (Guido), poète belge d'expression néerlandaise (Bruges 1830-*id.* 1899). Prêtre, il fut directeur du couvent anglais de Bruges. Ses premières œuvres, d'inspiration romantique (*Poèmes, chansons et prières,* 1862), lui valurent un blâme de ses supérieurs, et il resta trente ans sans rien publier. Il pratiqua ensuite un art impressionniste qui préfigure la poésie « expérimentale » moderne (*Couronne du temps,* 1893; *Collier de rimes,* 1897).

GEZIREH (la), région agricole (coton notamment) du Soudan, partie vitale du pays, entre le Nil Blanc et le Nil Bleu.

GHAB → RHĀB.

GHADAMÈS → RHADAMÈS.

GHĀLIB (Mirza Asadullāh khān, dit), poète indien de langues persane et urdū (Āgra 1797-Delhi 1869), auteur de recueils inspirés par les thèmes islamiques traditionnels et écrits dans une langue raffinée, éloignée du parler quotidien et moderne.

GHĀNA (EMPIRE DU), le plus ancien des grands empires qui se sont succédé au Soudan occidental. Au XIe s., ce riche empire (Ghāna veut dire « pays de l'or ») est déjà à son apogée, tirant sa richesse du grand commerce. Il est détruit une première fois par les Almoravides en 1076, puis par le Mandingue Soundiata vers 1240.

GHĀNA (RÉPUBLIQUE DU), anc. **Côte-de-l'Or** ou **Gold Coast,** État de l'Afrique occidentale, membre du Commonwealth; 240 000 km^{2}; 10 310 000 hab. *(Ghanéens).* Capit. *Accra.*

GÉOGRAPHIE. Le pays s'étend sur un ensemble de plateaux tranchant le socle africain et une couverture sédimentaire primaire, dans lesquels s'encaissent la Volta et ses affluents. Il est bordé au S. par la plaine côtière du golfe de Guinée. Le climat, tropical humide sur la côte, s'assèche progressivement vers le N., la végétation passant parallèlement de la forêt dense à la forêt claire, puis à la savane arborée.

La population, qui s'accroît à un rythme très rapide, se concentre dans la partie sud du pays, où se situent les principales villes : Sekondi-Takoradi, Koumassi et surtout Accra.

GHĀNA

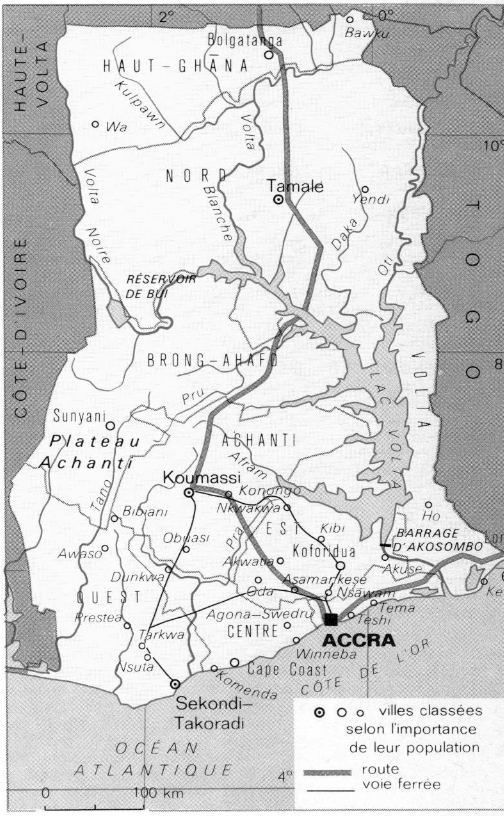

L'agriculture demeure le secteur essentiel de l'économie. À côté des cultures vivrières (maïs, mil), qui restent insuffisantes pour nourrir la population, dominent les plantations de cacao (400 000 t, premier rang mondial), principal produit d'exportation. Le sous-sol recèle d'importants gisements de bauxite, de manganèse, d'or et de diamant, mais l'exploitation de ceux-ci ne progresse guère. La construction du barrage de la Volta et celle de l'usine hydroélectrique d'Akosombo ont permis d'augmenter la production d'énergie. L'électricité alimente des fonderies d'aluminium, qui s'ajoutent aux diverses usines alimentaires, textiles et mécaniques.

HISTOIRE. Après deux siècles de compétition entre les grandes puissances coloniales, qui tirent profit, sur la *Gold Coast* (Côte-de-l'Or), d'un actif commerce des esclaves, les Britanniques sont les seuls maîtres du pays au début du XIXe s. L'abolition de la traite en 1807 porte un grand préjudice à leur prospérité, mais l'action efficace du gouverneur George Maclean (de 1830 à 1843) puis celle du British Colonial Office affermissent la présence britannique en multipliant, avec les chefs locaux, des traités de protectorat. En 1874, la Gold Coast est détachée de la Sierra Leone. À partir de 1901, trois éléments la composent : la « colonie », l'Achanti et les territoires du Nord, où les autorités traditionnelles sont conservées. L'essor économique (manganèse, or, diamant, bauxite, cacao) est rapide; il explique d'ailleurs la précocité du mouvement nationaliste, qui oblige les Britanniques à octroyer dès 1925 une constitution, qui est élargie en 1946. Mais le programme d'autonomie immédiate et d'« action positive » préconisé par le parti de Kwame Nkrumah, le Convention People's Party (C. P. P.), précipite les choses. En 1951, une nouvelle constitution crée un gouvernement semi-responsable : Nkrumah, devenu Premier ministre (1952), obtient la responsabilité entière de son gouvernement (1954), puis l'indépendance de son pays dans le cadre du Commonwealth (1957). Mais sa volonté de moderniser rapidement son pays et en même temps d'unifier l'Afrique l'amènent à exercer une dictature personnelle, qui est renversée par un coup d'État militaire en 1966. La IIe République proclamée (1969), le pouvoir est rendu aux civils, mais un nouveau coup d'État militaire (1972) instaure de nouveau au Ghāna un régime autoritaire, qui interdit les partis. Le chef de l'État est le général I. K. Acheampong.

GHARB → RHARB.

GHARDAÏA, oasis du Sahara algérien; 30 000 hab. Centre de production de dattes.

GHĀTS, escarpements montagneux du sud de l'Inde (Deccan), dominant la côte de Malabār à l'O. *(Ghāts occidentaux)* et la côte de Coromandel à l'E. *(Ghāts orientaux).*

GHAZAOUET, anc. **Nemours,** port de l'Algérie, près de la frontière du Maroc; 16 000 hab.

GHAZIABAD, v. de l'Inde (Uttar Pradesh), à l'E. de Delhi; 128 000 hab.

GHAZNÉVIDES → RHAZNÉVIDES.

GHEORGHIU-DEJ (Gheorghe), homme d'État roumain (Bîrlad 1901 - Bucarest 1965). Secrétaire général du parti communiste roumain en 1945, ministre de l'Industrie et du Commerce (1946-1949), vice-président (1948-1952), puis président du Conseil (1952-1955), il est élu président du Conseil d'État (chef d'État) en 1961. Il s'efforce de dégager la Roumanie de la tutelle de l'U. R. S. S.

GHERARDESCA (Ugolin Ugolino DELLA), condottiere et homme politique pisan (première moitié du XIIIe s. - Pise 1288). Issu d'une noble famille qui traditionnellement dirigeait les gibelins de Pise, Ugolin s'allia aux guelfes et s'empara du pouvoir à Pise. Mais les gibelins, menés par l'archevêque Ruggieri († 1295), lui enlevèrent le pouvoir et l'enfermèrent avec deux de ses enfants et deux neveux dans une tour, où ils les laissèrent mourir de faim. Dante devait s'inspirer de cet épisode pour illustrer un des chants de sa *Divine Comédie.*

GHETTO. — Le mot *ghetto* (ou *getto*) est vénitien (XVIe s.) et désigne une véritable ville close au sein des cités non juives. Les ghettos sont nés, dans les pays chrétiens et musulmans, de la volonté des gouvernements d'isoler et de mieux contrôler les communautés juives. Le ghetto de Varsovie fut détruit par les nazis en avril-mai 1943 après une héroïque défense.

GHIBERTI (Lorenzo), sculpteur, orfèvre, peintre et architecte italien (Florence 1378 - *id.* 1455). Ses travaux majeurs, chefs-d'œuvre plastiques et techniques, sont les deux portes de bronze qu'il exécuta pour le baptistère de Florence. L'une (1403-1424) continue la tradition gothique dans ses vingt-quatre quadrilobes, mais en introduisant de nouveaux effets spatiaux, tandis que l'autre (1425-1452, qualifiée par Michel-Ange de « porte du paradis ») s'approche de l'esprit de la Renaissance avec, encadrés de statuettes, ses dix reliefs narratifs où la science de la perspective et de la composition se fait picturale. Harmonie et puissance inventive sont égales dans les deux œuvres.

GHIKA, famille d'origine albanaise, qui fut illustrée par de nombreux princes de Moldavie-Valachie et par plusieurs hommes politiques roumains.

GHIRLANDAIO (Domenico DI TOMMASO BIGORDI, dit), peintre italien (Florence 1449 - *id.* 1494). Ses fresques de la collégiale de S. Giminiano montrent déjà son attention aux détails familiers. Monumentalité adoucie et réalisme dans le portrait caractérisent sa *Vocation de Pierre et André* à la chapelle Sixtine (Rome, 1481) ainsi que ses fresques de *la Vie de la Vierge* à S. Maria Novella de Florence (1486-1490), où il met en scène la société de son temps. Dans son atelier, très achalandé, travaillèrent notamment ses frères DAVID (1452-1525), qui en poursuivit l'activité, et BENEDETTO (1458-1497) ainsi que Michel-Ange jeune. Son fils RIDOLFO (1483-1561) fut surtout un portraitiste de qualité.

GHISONI (20227), ch.-l. de cant. de la Haute-Corse, à 41 km au S. de Corte; 950 hab.

GHOR (le), dépression allongée de la Palestine, partagée entre Israël et la Jordanie, et occupée par la vallée du Jourdain, le lac de Tibériade et la mer Morte.

GIACOMETTI (Alberto), sculpteur et peintre suisse (Stampa 1901 - Coire 1966). D'abord élève de Bourdelle à Paris, il s'attache, sous l'influence de la sculpture primitive et cubiste, à des formes simplifiées; celles-ci rendent compte d'obsessions et de fantasmes (*le Couple,* 1926-27) qui s'épanouissent dans les œuvres de la période surréaliste (1930-1935) [*l'Objet invisible,* 1934-35]. Une longue période de remise en cause, d'expériences et de recherches aboutit plus tard aux personnages filiformes, immobiles (*Femme debout,* 1948) ou marchant (*Homme qui marche,* 1960), hagards et vibrants sous leur modelé « informel ».

GIA DINH, v. du Viêt-nam méridional, près de Saigon - Hô-chi-minh; 70 000 hab.

GIAEVER (Ivar), physicien américain d'origine norvégienne (Bergen 1929). Il a mis en évidence le couplage des électrons par paires dans les supraconducteurs. (Prix Nobel de physique, 1973.)

GIA-LONG (Huê 1762 - *id.* 1820), empereur d'Annam (1802-1820). Nguyên Anh, souverain nominal de la Cochinchine, put, avec l'aide de la France, réunir sous son sceptre tous les pays de l'Indochine orientale; il devint ainsi en 1802, sous le nom de Gia-Long, empereur d'Annam.

GIAMBOLOGNA (Jean BOULOGNE, dit), sculpteur et architecte flamand (Douai 1524 - Florence 1608). Ayant fait vers 1550 le voyage d'Italie, il devint à Florence le sculpteur favori des ducs. Un des grands représentants du maniérisme (*Mercure volant* du Bargello), abondant et divers, il vit son œuvre diffusée et prolongée par la multiplication des petits bronzes et grâce à la qualité de ses disciples, tels le Hollandais Adriaen de Vries (mort à Prague en 1626), le Florentin Pietro Tacca (1577-1640) ou le Cambrésien Pierre Francheville (1548-1615).

GIARD (Alfred), biologiste français (Valenciennes 1846 - Orsay 1908). À la fois zoologiste, botaniste et philosophe, il a introduit des idées évolutionnistes bannies à son époque.

GIAUQUE (William Francis), chimiste américain (Niagara Falls, Canada, 1895). En 1924, il préconisa la méthode de refroidissement fondée sur la désaimantation adiabatique; en 1929, il découvrit les isotopes de l'oxygène. (Prix Nobel de chimie, 1949.)

GIBBON. — Parmi les singes anthropoïdes, le gibbon, animal du Sud-Est asiatique et des îles de la Sonde, se distingue nettement des autres types (orang-outan, gorille, chimpanzé) par ses callosités fessières, ses bras démesurés, ses pieds aux orteils parfois soudés, son extraordinaire agilité à sauter de branche en branche. Il marche franchement sur la plante des pieds, les bras ne servant qu'à l'équilibre. Son cri est extrêmement puissant. On distingue les gibbons proprement dits *(Hylobates)* des siamangs *(Symphalangus).*

GIBBON (Edward), historien britannique (Putney 1737 - Londres 1794). Il est l'auteur d'une vaste histoire de l'Empire romain (*Decline and Fall of the Roman Empire,* 1776-1788), qui, périmée sur le plan historique, reste un monument littéraire.

GIBBONS (Orlando), compositeur anglais (Oxford 1583 - Canterbury 1625). Organiste de la Chapelle royale, puis de Westminster, il est l'auteur d'anthems pour chœur, solistes et instruments, de madrigaux, de pièces pour clavier.

GIBBS (Willard), physicien américain (New Haven, Connecticut, 1839 - *id.* 1903). Ses travaux de thermodynamique lui permirent d'aboutir à la *loi des phases,* base d'étude des équilibres physico-chimiques. À propos de la théorie cinétique des gaz, il a créé une mécanique statistique permettant de retrouver le principe d'équipartition de l'énergie.

GIBELINS → GUELFES ET GIBELINS.

GIBRALTAR, v. de l'extrémité méridionale de la péninsule

Ibérique, sur le *détroit de Gibraltar;* 6 km². Son site est un rocher, véritable forteresse naturelle, placé dans une situation géographique exceptionnelle : les Britanniques en ont fait une puissante base aéronavale contrôlant l'accès de la Méditerranée. Gibraltar compte environ 26 000 résidents permanents, alors que la population employée représente plus du double de ce chiffre.

HISTOIRE. Célèbre dès l'Antiquité sous le nom de « Colonnes d'Hercule », le rocher de Gibraltar fut le premier point de la conquête musulmane en Espagne (711). Castillane en 1462, Gibraltar fut prise en 1704 par les Anglais; cette possession fut entérinée par le traité d'Utrecht (1713). Depuis, et malgré les pressions espagnoles, Gibraltar est restée colonie de la Couronne : en 1968, elle a acquis le statut de dominion.

GIBRALTAR *(détroit de),* bras de mer, large d'environ 15 km et profond de 350 m, séparant l'Europe (Espagne) et l'Afrique (Maroc), reliant l'Atlantique à la Méditerranée.

GIDE (Charles), économiste français (Uzès 1847 - Paris 1932), l'un des fondateurs de l'école coopératiste, dite « école de Nîmes ». On lui doit d'importantes contributions à la science économique, notamment une *Histoire des doctrines économiques* (1909), en collaboration avec Charles Rist, et *les Sociétés coopératives de consommation* (1910).

GIDE (André), écrivain français (Paris 1869 - *id.* 1951). Fils du juriste Paul Gide, il peut, grâce à sa fortune, sauvegarder son indépendance et se fait connaître par des poèmes, de courts récits (*les Cahiers d'André Walter,* 1891; *Paludes,* 1895; *Prométhée mal enchaîné,* 1899; *l'Immoraliste,* 1902; *la Porte étroite,* 1909), des essais (*Prétextes,* 1903), des pièces de théâtre (*le Roi Candaule,* 1901), une parodie de roman (*les Caves* du Vatican,* 1914). Mais c'est un ouvrage passé inaperçu en 1897 qui, lors de sa réédition au lendemain de la Première Guerre mondiale, l'impose comme maître à penser de la nouvelle génération *(les Nourritures* terrestres).* Désormais, la maîtrise de son écriture contraste fortement avec les inquiétudes de sa pensée, dominée cependant par le souci d'une absolue sincérité (*la Symphonie pastorale,* 1919; *Si le grain ne meurt,* 1920-1924; *les Faux*-Monnayeurs,* 1926). Préoccupé par les questions sociales (*Voyage au Congo,* 1927), tenté par l'idéal du communisme, Gide exprime sa déception après un voyage en Russie (*Retour de l'U. R. S. S.,* 1936) et poursuit dans ses derniers récits (*les Nouvelles Nourritures,* 1935; *Thésée,* 1946; *Et nunc manet in te,* 1951) et son *Journal* (1939-1950) la recherche d'un humanisme moderne capable de concilier la lucidité de l'intelligence et la vitalité des instincts. (Prix Nobel, 1947.)

GIEN (45500), ch.-l. de cant. du Loiret, sur la Loire, à 10 km au N.-O. de Briare; 15 348 hab. *(Giennois).* Château du XVᵉ s. (musée de la chasse à tir et de la fauconnerie, avec études de F. Desportes). Faïence. Produits pharmaceutiques. Constructions mécaniques.

GIENS *(presqu'île de),* presqu'île rocheuse du départ. du Var, au S. d'Hyères.

GIER (le), affl. du Rhône (r. dr.), issu du Massif central; 44 km.

GIEREK (Edward), homme d'État polonais (Porabka, district de Bedzin, 1913). Militant communiste en France, puis en Belgique, où sa famille a émigré, il rentre en Pologne en 1948 et devient l'un des responsables du parti ouvrier unifié polonais (P. O. U. P.) pour la Silésie. Secrétaire du Comité central et membre du Bureau politique du P. O. U. P. en 1956, il est élu premier secrétaire du parti en 1970, après la démission de Gomułka. Il mène alors une politique d'apaisement social et de réformes économiques, et amorce une relative démocratisation du régime.

GIERS (Nikolaï Karlovitch DE), homme d'État russe (Radzivilov 1820 - Saint-Pétersbourg 1895). Associé en 1875 à Gortchakov, qui lui laisse la responsabilité effective de la diplomatie russe, il se laisse entraîner dans la guerre russo-turque de 1878. Successeur de Gortchakov aux Affaires étrangères (1882), il négocie l'accord politique franco-russe (1891).

GIESEKING (Walter), pianiste allemand (Lyon 1895 - Londres 1956). Il fut en son temps le plus grand interprète germanique de Ravel et de Debussy.

GIESSEN, v. de l'Allemagne fédérale (Hesse), au N. de Francfort-sur-le-Main; 79 000 hab.

GIETTAZ (La) [73590 Flumet], comm. de la Savoie, à 27 km au N.-N.-E. d'Albertville; 511 hab. Sports d'hiver (alt. 1 100-1 900 m).

GIFFARD, v. du Canada (Québec), dans la banlieue nord de Québec; 13 135 hab.

GIFFARD (Henry), ingénieur français (Paris 1825 - *id.* 1882). Il construisit le premier aérostat qui, mû par une machine à vapeur, put être dirigé par rapport au vent (1852), et conçut un injecteur de vapeur pour l'alimentation des chaudières (1858).

GIFFRE (le), riv. de la Haute-Savoie, affl. de l'Arve (r. dr.); 50 km.

GIF-SUR-YVETTE (91190), ch.-l. de cant. de l'Essonne, dans la vallée de Chevreuse, à 26 km au S.-O. de Paris; 10 869 hab. Laboratoire de recherches de biologie végétale (phytotron).

GIFU, v. du Japon (Honshū), au N. de Nagoya; 386 000 hab.

GIGANTISME. — Le gigantisme pathologique résulte d'un retard d'ossification des cartilages épiphysaires (par lesquels les os s'allongent). Cette anomalie est consécutive au développement anormal des cellules éosinophiles de l'hypophyse et à l'hypersécrétion d'hormone somatotrope qui en résulte. Le gigantisme doit être différencié de la grande taille de certains sujets, qui dépasse celle de la moyenne des individus et qui est souvent familiale.

GIGNAC (34150), ch.-l. de cant. de l'Hérault, à 30 km à l'O. de Montpellier; 2 848 hab.

GIGONDAS (84190 Beaumes de Venise), comm. de Vaucluse, à 15 km au N. de Carpentras; 703 hab. Vignobles.

GIGUE → SUITE DE DANSES.

GIJÓN, port d'Espagne (Asturies), sur le golfe de Gascogne; 185 000 hab. Sidérurgie. Verrerie. Cimenterie.

GILBERT, colonie britannique de l'Océanie, en Polynésie, comprenant notamment l'archipel des Gilbert et plusieurs dépendances (dont les îles Christmas, Ocean, Fanning et Washington); 906 km²; 50 000 hab. Ch.-l. *Tarawa.*

GILBERT (William), médecin et physicien anglais (Colchester 1544 - Londres 1603). Médecin de la reine Élisabeth, il effectua les premières expériences relatives à l'électrostatique et au magnétisme. Il distingua les isolants et les conducteurs, et créa le premier électroscope; il découvrit l'aimantation par influence. Il fut l'un des fondateurs de la méthode expérimentale.

GILBERT (Nicolas Joseph Laurent), poète français (Fontenoy-le-Château, Vosges, 1750 - Paris 1780), auteur de satires et de poèmes élégiaques. Vigny a romancé sa fin dans *Stello.*

Gil Blas de Santillane *(Histoire de),* roman de Lesage (1715-1735). Gil Blas, jeune homme instruit et spirituel, est réduit à vivre d'expédients et est toujours lancé dans de nouvelles aventures qui lui apportent la sagesse.

GILBRETH (Frank Bunker), ingénieur américain (Fairfield, Maine, 1868 - Lakawanna, New Jersey, 1924). Collaborateur de Frederick Winslow Taylor*, il fut un pionnier de l'organisation du travail et de l'étude des mouvements, dont il établit les principes de la simplification en vue de réduire leur durée et la fatigue. — Sa femme, LILLIAN EVELYN **Moller** (Oakland, Californie, 1878 - Phoenix, Arizona, 1972), l'aida dans des recherches et poursuivit ses travaux, diffusant dans le monde entier des conceptions de l'organisation plus particulièrement orientées vers le côté humain.

GILDAS *(saint)* [Dumbarton, Écosse, fin du Vᵉ s. - Houat, 570], réorganisateur de l'Église celte et fondateur de l'abbaye Saint-Gildas-de-Rhuis. Il composa une chronique importante sur la Grande-Bretagne du temps de l'occupation romaine.

GILDE ou **GUILDE.** — Le terme désigne, au Moyen Âge, des organisations de marchands liés entre eux par un serment d'entraide et de défense mutuelle. Dès l'époque carolingienne, l'Europe du Nord-Ouest connaissait des associations charitables de caractère religieux appelées *guildes;* mais c'est surtout à partir du XIᵉ s., avec le renouveau du commerce, que les *gildes* se multiplièrent en Flandre et en Rhénanie. Elles prirent alors pour finalité première d'assurer la sécurité du commerce itinérant, la solidarité entre marchands d'une même région et la réglementation des échanges.

Les besoins du grand commerce favorisèrent leur regroupement en hanses (hanses de Londres, des marchands de l'eau, teutonique). Le déclin des gildes, au XIVᵉ s., est lié à l'essor d'autres institutions de solidarité (communes, métiers jurés [v. JURANDE]) et de grandes compagnies commerciales.

Gilgamesh, roi semi-légendaire d'Ourouk* (XXVIIᵉ s. av. J.-C.), héros de cycles épiques suméro-akkadiens. Sa légende a donné naissance dans la littérature sumérienne à une série de poèmes disparates; au cours du IIᵉ millénaire avant notre ère, les scribes akkadiens en feront une épopée en douze chants, dont le sujet essentiel est le thème de la quête illusoire de l'immortalité. Un des épisodes, celui du déluge, présente avec le récit du Déluge* biblique de remarquables ressemblances.

Gille ou **Gilles,** type de la comédie bouffonne, sorte de Pierrot niais et poltron.

GILLES *(saint),* moine du VIIᵉ ou du VIIIᵉ s., fondateur de l'abbaye qui est à l'origine de la ville de Saint-Gilles-du-Gard. Au Moyen Âge, l'abbaye de Saint-Gilles était une étape sur la route des pèlerinages de Rome et de Compostelle.

GILLESPIE (John BIRKS, dit **Dizzy**), trompettiste, chanteur et chef d'orchestre de jazz noir américain (Cheraw, Caroline du Sud, 1917).

Il fut l'un des créateurs du style *be-bop* et dirigea en 1945 un ensemble avec Charlie Parker avant de créer plusieurs formations (grand orchestre en 1948, petits groupes à partir de 1950). Son brio à la trompette et son talent de vocaliste humoristique, spécialiste du scat, lui apportèrent une grande notoriété.

GILLIÉRON (Jules) → ÉTYMOLOGIE.

GILLINGHAM, v. d'Angleterre, sur la mer du Nord, au S. de l'estuaire de la Tamise; 87 000 hab.

GILLOIS (Jean), général et ingénieur militaire français (Châteaubriant 1909). De 1955 à 1965 il réalisa un système complet de matériels militaires de franchissement amphibies (bacs, ponts) auxquels est attaché son nom.

GILLOT (Claude), peintre et graveur français (Langres 1673 - Paris 1722). À Paris vers 1691, fréquentant les milieux du théâtre, il fut le maître de Watteau et dirigea à partir de 1712 les ateliers de décors et de costumes de l'Opéra.

GILLY, anc. comm. de Belgique (Hainaut), intégrée depuis 1977 à Charleroi.

GILLY, architectes et théoriciens allemands qui introduisirent en Prusse un néoclassicisme rigoureux. DAVID (Schwedt 1748 - Berlin 1808) fut directeur des travaux publics de Poméranie et construisit divers villas et châteaux. — Son fils FRIEDRICH (près de Stettin, 1772 - Karlovy Vary 1800) projeta un mausolée en dorique grec pour Frédéric le Grand, connut l'œuvre de Français comme Ledoux, mais lança aussi une campagne pour la réhabilitation du gothique. Il professa avec succès à l'Académie de Berlin (1798).

GILOLO → HALMAHERA.

GILPIN (John), un des plus grands danseurs britanniques actuels (Southsea 1930). Virtuose à la technique très pure, remarquable interprète du répertoire classique *(Giselle)* et moderne *(The Witch Boy),* il est attaché au London's Festival Ballet de 1950 à 1969.

GIL ROBLES (José María), homme politique espagnol (Salamanque 1898). Juriste et journaliste catholique, il crée la Confédération espagnole des droites autonomes (C. E. D. A.), qui l'emporte aux élections de 1933. Ministre de la Guerre en 1935, il renonce à la vie politique après la victoire du Front populaire (1936); il y revient après la mort de Franco (1975).

GILSON (Étienne), philosophe français (Paris 1884). Ses travaux érudits et originaux ont renouvelé l'étude de la philosophie médiévale et plus particulièrement du thomisme* (*le Thomisme,* 1922; *la Philosophie du Moyen Âge,* 1925; *Saint Thomas d'Aquin,* 1925). [Acad. franç., 1946.]

GIMOND (Marcel), sculpteur français (Tournon 1894 - Nogent-sur-Marne 1961). Il travailla avec Renoir et Maillol, et fut l'un des meilleurs portraitistes de son temps, sa culture l'inclinant à accorder le caractère individuel du modèle à une stylisation dépouillée.

GIMONE (la), affl. de la Garonne (r. g.), issu du plateau de Lannemezan; 122 km.

GIMONT (32200), ch.-l. de cant. du Gers, sur la Gimone, à 26 km à l'E. d'Auch; 2 867 hab. Conserverie.

GIN → EAU-DE-VIE.

GINESTAS (11120), ch.-l. de cant. de l'Aude, près de l'Aude, à 17,5 km au N.-O. de Narbonne; 769 hab.

GINGEMBRE. — Le gingembre, utilisé comme condiment (les bières anglaises en contiennent), est une plante rhizomateuse des régions chaudes, dont les tiges sont engainées dans de nombreuses écailles foliacées qui, selon les rameaux, s'élargissent en feuilles ou soutiennent les fleurs. Celles-ci, odorantes, déploient un vaste pétale inférieur (labelle). Cette monocotylédone sert de type à la famille des *zingibéracées.*

GINGEMBRE (Léon), syndicaliste français (Paris 1904), président de la Confédération générale des petites et moyennes entreprises, groupant des commerçants, des industriels et des prestataires de services, vice-président du Conseil économique et social.

GINGIVITE → STOMATITE.

GINKGO. — L'« arbre aux cent écus », maintenant très commun dans les parcs et les jardins d'Europe, n'existait plus qu'à titre d'arbre sacré en Chine lors de sa découverte par les Européens. Cet arbre aux feuilles en éventail fendu apparaît comme un véritable « fossile vivant » aux caractères très primitifs (fécondation aquatique dans un liquide sécrété par la plante elle-même), semblable à des espèces de l'ère primaire. C'est l'un des très rares gymnospermes vivants qui ne soit pas un conifère. Cependant, son port général, ses feuilles jaunissant et tombant à l'automne le feraient aisément prendre pour une plante supérieure.

GINSBERG (Allen), poète américain (Paterson, New Jersey, 1926), l'un des meilleurs représentants de la « beat* generation » (*Howl,* 1956; *Kaddish,* 1958-1960; *Planet News,* 1971).

Hayon - Pitch

GIOBERTI (Vincenzo), homme politique italien (Turin 1801 - Paris 1852). Prêtre, il devient l'un des chefs du *Risorgimento,* partisan d'une fédération italienne dont le pape serait le président (parti néoguelfe). Président du Conseil piémontais (1848), il renonce à la vie politique active après le désastre de Novare (1849) et se fait par la suite le défenseur d'un État italien libéral et unitaire sous la direction du Piémont.

GIOBERTITE → MAGNÉSIUM.

GIOLITTI (Giovanni), homme d'État italien (Mondovi 1842 - Cavour 1928). Député de la gauche (1882), ministre des Finances de Crispi (1889), il contribue à la chute de celui-ci (1896). Habile manœuvrier, Giolitti, une première fois Premier ministre en 1892-93, s'impose comme président du Conseil quasi inamovible entre 1903 et 1914. Il développe alors une large politique sociale, instaure le suffrage universel (1913), mais ne peut conjurer la misère du Mezzogiorno et la montée du socialisme. En 1920-21, à la veille de la prise du pouvoir par Mussolini, il est encore Premier ministre.

GIONO (Jean), écrivain français (Manosque 1895 - *id.* 1970). Chantre de la haute Provence (*Colline,* 1929; *Regain,* 1930), il atteint à une philosophie panthéiste dans des récits qui forment une épopée des éléments (*le Chant du monde,* 1934; *Que ma joie demeure,* 1935) et groupe autour de lui des disciples convertis à un idéal de simplicité rustique (*les Vraies Richesses,* 1936; *l'Eau vive,* 1943). Il abandonne ensuite le lyrisme prophétique pour une inspiration plus sereine et un art plus dépouillé (*le Hussard sur le toit,* 1951; *le Moulin de Pologne,* 1952; *le Bonheur fou,* 1957; *les Deux Cavaliers de l'orage,* 1965; *l'Iris de Suse,* 1970).

GIORDANO (Luca), peintre italien (Naples 1634 - *id.* 1705), auquel sa virtuosité valut le surnom de **Luca Fa presto.** Il acquit une renommée européenne en portant la peinture napolitaine à sa maturité baroque. Ses chefs-d'œuvre sont les lumineux décors plafonnants du palais Médicis à Florence (pour les Riccardi, 1682) et de l'Escorial (escalier, église, 1692-1694).

GIORGI (Giovanni), physicien italien (Lucques 1871 - Castiglioncello 1950). Inventeur de divers dispositifs d'électronique, il a, dès 1901, proposé l'emploi du système d'unités rationnelles, dit M. K. S. A., qui fut adopté en 1935 par la Commission électrotechnique internationale.

GIORGIONE (Giorgio DA CASTELFRANCO, dit), peintre italien (Castelfranco Veneto 1477/78 - Venise 1510). De bonne heure à Venise, il a sans doute travaillé dans l'atelier des frères Bellini. Il exécuta vers 1505 la *Pala* d'autel de la cathédrale de Castelfranco, vers 1506 *les Trois Philosophes* du musée de Vienne, puis *la Tempête** et des fresques (perdues) au Fondaco dei Tedeschi. D'autres panneaux sont d'attribution moins sûre. La plupart de ces œuvres, de format

Giotto : *Saint François renonçant à l'héritage paternel.* Fresque de la vie de saint François dans la chapelle Bardi à Santa Croce de Florence. Intervention de l'atelier dans le groupe de gauche. Entre 1317 et 1327.

Scala

Ginkgo biloba, pied femelle.

modeste, s'adressaient à une clientèle privée d'amateurs. Une poésie profonde, un lyrisme discret s'en dégagent, à travers des sujets parfois énigmatiques et surtout un langage pictural fondé sur une harmonie tonale, une libération de la touche, une intégration des figures au paysage encore inédite. Ce « giorgionisme » a exercé une influence diffuse sur les peintres vénitiens, à commencer par Titien, qui acheva certaines œuvres de l'artiste, tôt disparu.

GIOTTO, peintre italien (Colle di Vespignano, Mugello, v. 1266-Florence 1337). Dans la voie ouverte par Cimabue, son art achève de libérer la peinture de la tradition byzantine en abandonnant les conventions rigides et en humanisant les figures sacrées, conformément à la mentalité franciscaine. Giotto introduit la perspective et la tridimensionnalité dans des scènes narratives d'un effet dramatique souvent puissant (fresques de l'église supérieure d'Assise, v. 1297). Après un séjour à Rome, puis à Florence (*Maestà* de l'église d'Ognissanti, auj. aux Offices), il travaille, sur commande des Scrovegni, à la chapelle de l'Arena de Padoue (1303) : sur les thèmes de la vie de la Vierge et de celle du Christ, il peint des fresques dont l'intensité expressive est accrue par le refus du détail anecdotique, par la découverte des ressources de la lumière. Son évolution le mène à une plus grande liberté, faite de souplesse des formes et de richesse chromatique, d'où l'influence siennoise n'est peut-être pas absente (fresques des chapelles Bardi et Peruzzi à Santa Croce de Florence, entre 1317 et 1327). Giotto réalise également des décorations profanes pour le palais royal à Naples (1328-1332), disparues comme celles qui furent réalisées à Padoue en 1315-1317, et donne à Florence les dessins du campanile de la cathédrale (1334), tandis que ses peintures (polyptyque de la chapelle Baroncelli de Santa Croce) affirment une élégance et une délicatesse qui se retrouvent, avec moins de monumentalité, chez ses aides ou successeurs — tels Maso di Banco (1ère moitié du XIVe s.) ou Taddeo Gaddi*.

GIOVANNI PISANO → NICOLA PISANO.

GIOVANNI da Udine, peintre et stucateur italien (Udine 1487-Rome 1564). Collaborateur de Raphaël et de Jules Romain, il s'inspira des décors antiques découverts dans les « grottes » de l'Esquilin, créant ainsi les *grotesques**.

GIRAFE. — La girafe est un ruminant très original, du fait de son adaptation à brouter les feuilles des arbres : très long cou, pattes longues et fines, échine fortement inclinée. Son pelage, aux grandes taches polygonales, est très décoratif; sa tête porte de minuscules cornes couvertes de peau et surmontées d'une touffe de poils. Les girafes vont l'amble, mais peuvent courir très vite. Elles ont peu de proches parents, à part l'okapi des forêts congolaises, au cou normal, avec lequel elles constituent la petite famille des *giraffidés.*

GIRAL (Jean Antoine) → MONTPELLIER.

GIRARD (Philippe DE), inventeur et industriel français (Lourmarin 1775-Paris 1845). Il imagina une machine à filer le lin (1810), qui obtint le prix de 1 million de francs proposé par Napoléon afin de parer aux conséquences du Blocus continental, mais cette somme ne lui fut jamais payée.

GIRARD (Aimé), chimiste et agronome français (Paris 1830-*id.* 1898). Professeur au Conservatoire des arts et métiers et à l'Institut agronomique dès sa création en 1876, il s'est surtout consacré aux applications de la chimie à l'agronomie et aux industries agricoles, notamment à la sucrerie et à la distillerie.

GIRARD (Alain), démographe et sociologue français (Paris 1914). Par ses nombreuses enquêtes et analyses (*la Réussite sociale en*

Girafes masaïs (Afrique orientale). Duel de deux jeunes mâles.

J. Six

France, 1961; *le Choix du conjoint en France,* 1964), A. Girard a démontré l'influence déterminante de l'origine sociale et de l'origine géographique sur le comportement et les attitudes. Spécialiste de sociologie électorale*, il a consigné la plupart de ses observations dans des ouvrages écrits en collaboration avec J. Stoetzel*, tels *le Référendum de septembre et les élections de novembre 1958* (1960), *les Sondages d'opinion publique* (1973).

GIRARDIN (Émile DE), publiciste et homme politique français (Paris 1806-*id.* 1881). Précurseur de la presse contemporaine, il crée les premiers journaux politiques accessibles au grand public en abaissant leur prix grâce à l'utilisation de la publicité et des annonces. Il introduit aussi le roman-feuilleton dans la presse. — Sa femme, née DELPHINE **Gay** (Aix-la-Chapelle 1804-Paris 1855), est l'auteur de poèmes élégiaques, de romans et d'une chronique de Paris sous Louis-Philippe (*Lettres parisiennes,* 1836-1848).

GIRARDON (François), sculpteur français (Troyes 1628-Paris 1715). Ayant fait le voyage d'Italie, académicien en 1657, il fut appelé à diriger l'équipe de sculpteurs travaillant à Versailles d'après le programme de Le Brun, donnant pour sa part, entre autres, les groupes des *Nymphes servant Apollon* et de *l'Enlèvement de Proserpine* ainsi que les gracieux bas-reliefs du bassin des Nymphes. Parmi ses œuvres célèbres figurent le tombeau de Richelieu à la Sorbonne (1675-1694) et la statue équestre de Louis XIV (1685-1699, détruite en 1792) sur la place Louis-le-Grand, auj. Vendôme, à Paris.

GIRARDOT, v. de Colombie, sur le haut Magdalena; 77 000 hab.

GIRAUD (Henri), général français (Paris 1879-Dijon 1949). Après s'être distingué au Maroc (1932-33), il commande la VIIe armée en 1940, est fait prisonnier, mais s'évade en avril 1942, puis gagne l'Algérie. Nommé, après la mort de Darlan, commandant en chef civil et militaire en Afrique française, il dirige la rentrée des forces françaises dans la guerre aux côtés des Alliés et devient en mai 1943 coprésident du Comité français de libération nationale. Il doit bientôt s'effacer devant de Gaulle, mais reste commandant en chef jusqu'en avril 1944 et organise la libération de la Corse.

GIRAUDOUX (Jean), écrivain et diplomate français (Bellac 1882-Paris 1944). Vice-consul (1910), inspecteur des postes diplomatiques et consulaires (1934), il fut commissaire à l'Information (1939). Ses romans (*Suzanne et le Pacifique,* 1921; *Siegfried et le Limousin,* 1922; *Bella,* 1926) et son théâtre (*Siegfried,* 1928; *Amphitryon 38,* 1929; *Intermezzo**, 1933; *La guerre* de Troie n'aura pas lieu,* 1935; *Ondine,* 1939; *la Folle* de Chaillot,* 1945) fondent les grands thèmes classiques et les inquiétudes modernes dans un univers précieux, fait d'humour et de fantaisie.

GIRAVIATION. — La giraviation regroupe l'ensemble des études relatives à la réalisation et à la mise en œuvre des véhicules aériens sustentés par une voilure tournante, c'est-à-dire un rotor* portant de deux à six pales. Ces véhicules se rangent en deux catégories : les *autogires,* pour lesquels le rotor, monté fou sur son axe, n'assure que la sustentation, la translation étant assurée par un moteur à hélice ou un turbopropulseur, et les *hélicoptères,* pour lesquels le rotor assure à la fois la sustentation et la translation. Mais, si l'hélicoptère peut voler au point fixe, c'est-à-dire en restant sur place, il n'en va pas de même de l'autogire, dont le rotor ne tourne que sous l'effet du vent relatif, c'est-à-dire lorsque l'appareil est en mouvement. Du point de vue aérodynamique, une pale de rotor se comporte comme une aile* d'avion; elle est soumise à une force proportionnelle au carré de la vitesse relative de l'air, cette dernière étant la somme de la vitesse de rotation du rotor et de la vitesse d'avancement de l'appareil. Cette force est donc plus forte pour une pale qui avance que pour une pale qui recule; d'où un déséquilibre de l'appareil. Pour régulariser la sustentation, les pales oscillent dans un plan vertical au cours de leur rotation, phénomène appelé *battement.* La translation des hélicoptères est obtenue en inclinant dans la direction convenable la force de sustentation du rotor; cela est réalisé en faisant varier cycliquement le pas des pales. Lorsque le rotor est entraîné mécaniquement, l'hélicoptère a tendance à tourner par réaction dans le sens contraire. Pour s'opposer à ce mouvement, il faut exercer un couple compensateur grâce à un petit rotor, dit « anticouple », placé à l'arrière et tournant autour d'un axe perpendiculaire au plan de symétrie de l'appareil. Le rotor anticouple disparaît si l'hélicoptère possède deux rotors tournant en sens inverse ou si le rotor est entraîné par éjection de gaz en bouts de pales, c'est-à-dire sans qu'il y ait de liaison mécanique avec le reste de l'appareil. Le moyeu d'un rotor est une pièce assez compliquée, puisqu'elle doit permettre une double articulation des pales. Pour simplifier cette pièce, on commence à réaliser des pales flexibles, sans dispositifs d'articulation, les oscillations de pales étant permises par leur flexibilité. La vitesse maximale des hélicoptères se situe entre 300 et 350 km/h. Pour l'accroître, on a songé à adjoindre au rotor une petite voilure auxiliaire qui participe à la portance; de tels appareils sont appelés *combinés.* Ils peuvent également être munis de moteurs pour la propulsion. Le record de vitesse d'appareils à voilure tournante est ainsi détenu par le Lockheed « H-51 » avec 438 km/h. Les applications des hélicoptères ont surtout concerné le domaine militaire, et, en premier lieu, le transport, du fait des possibilités offertes de déposer des troupes, du matériel ou du ravitaillement sur n'importe quel terrain. Sur les modèles les plus lourds, les charges utiles dépassent 5 t. L'hélicoptère léger peut effectuer des missions d'observation, d'attaque au sol (avec un équipement en missiles), d'évacuation des blessés. Dans l'aéronavale, les hélicoptères sont utilisés pour la détection des mines et la lutte anti-sous-marine. Sur le plan civil, les applications commencent à se multiplier, notamment pour le traitement des cultures, la surveillance des forêts, la protection civile (sauvetage en mer, missions de police, surveillance de la circulation routière), la recherche pétrolière, le travail dans les régions d'accès difficile. Enfin, des hélicoptères-grues peuvent soulever sur de courtes distances des charges dépassant 12 t.

Giraviation.
Hélicoptère français biturbine SA-365 « Dauphin », construit par l'Aérospatiale.

Aérospatiale

GIRAVION → ROTOR.

GIROD (Paul), ingénieur et industriel français, d'origine suisse (Fribourg 1878-Cannes 1951). L'un des créateurs de l'électrométallurgie, il se spécialisa dans la fabrication des ferro-alliages. En 1901, il construisit son premier four électrique à sole conductrice pour la production de l'acier. En 1937, il mit au point un procédé de déphosphoration instantanée dans l'affinage rapide de l'acier, pendant sa coulée dans la poche.

GIRODET-TRIOSON (Anne Louis GIRODET DE ROUCY, dit), peintre et illustrateur français (Montargis 1767-Paris 1824). Bien que de formation néoclassique, prix de Rome en 1789, il s'écarte de son maître David par les étonnantes manifestations d'un sentiment préromantique (la *Déposition,* 1789, église de Montesquieu-Volvestre; *l'Apothéose des héros français,* 1802, Malmaison; *le Déluge,* 1806, Louvre; *les Funérailles d'Atala,* 1808, *ibid.;* etc.).

GIROFLÉE. — Dès le premier printemps, les jardins se fleurissent de giroflées. Celles-ci sont des crucifères typiques, aux fleurs jaunes et très parfumées, aux feuilles serrées le long de la tige.

GIROMAGNY (90200), ch.-l. de cant. du Territoire de Belfort, à 12 km au N. de Belfort; 3 548 hab. Textile.

GIRONCOURT-SUR-VRAINE (88170 Châtenois), comm. des Vosges, à 17 km au N. de Vittel; 1 136 hab. Verrerie.

GIRONDE (la), nom donné à l'estuaire (75 km de longueur) de la Garonne, sur l'Atlantique, après que celle-ci a reçu la Dordogne (r. g.) au bec d'Ambès.

GIRONDE (33), départ. de la Région Aquitaine; 10 000 km^2; 1 061 474 hab. *(Girondins).* Ch.-l. *Bordeaux.* S.-préf. *Blaye, Langon, Lesparre-Médoc* et *Libourne.*

Sur l'Atlantique, peu accidenté, bénéficiant d'un climat océanique, aux écarts de température modestes, le département est le plus vaste de France, occupant notamment la moitié septentrionale de la forêt des Landes*. Mais l'essentiel d'une population

Valéry Giscard d'Estaing.

G. Uzan - Gamma

nombreuse (la densité d'occupation, malgré le taux élevé de boisement, dépasse la moyenne nationale) se concentre sur un espace restreint, correspondant à l'agglomération de Bordeaux* (qui regroupe aujourd'hui plus de la moitié de la population départementale), jalonnant aussi (en amont) le cours de la Garonne et celui de la basse Dordogne. La polyculture aquitaine est presque absente. En dehors de la forêt, une large place est dévolue au vignoble, notamment dans le Bordelais*, qui, à l'O. de l'estuaire de la Gironde (Médoc) et de la basse Garonne (Graves), entre Garonne et Dordogne (Entre-deux-Mers), et au N. de la Dordogne (Saint-Émilion), fournit des crus mondialement renommés.

L'agriculture n'emploie cependant guère plus du dixième de la population active, concentrée pour un tiers environ dans l'industrie (v. BORDEAUX); plus de la moitié de la population active est donc occupée dans les services, part élevée en raison encore de la présence de la métropole régionale. Depuis un quart de siècle, le département a enregistré une sensible croissance démographique, mais celle-ci s'est réalisée presque exclusivement au profit de l'agglomération de Bordeaux, dont la progression ne doit pas masquer le dépeuplement des arrondissements plus ruraux de la périphérie (même autour du bassin d'Arcachon, importante région ostréicole et aussi touristique), qui se comportent d'ailleurs comme la majeure partie de la Région Aquitaine.

Girondins, groupe politique né de la Révolution française, formé en 1791 autour de Brissot* (d'où son autre nom de « Brissotins ») avec un certain nombre de députés de la gauche, parmi lesquels plusieurs représentants de la Gironde à l'Assemblée législative. À la tribune comme dans les salons de Mme Roland, les Girondins développent une idéologie bourgeoise, idéaliste, décentralisatrice : d'où l'accusation de « fédéralisme » portée contre eux par leurs adversaires. Très influents au temps de la Législative, au point de l'entraîner dans la guerre (avr. 1792), les Girondins sont violemment combattus par les Jacobins, appuyés sur la Commune de Paris et la Convention. Rendus responsables des échecs militaires du printemps de 1793, éclaboussés par la défection de Dumouriez, considérés comme des bourgeois odieux par la foule parisienne, aux prises avec la disette, adversaires maladroits de Marat, de Danton, de Robespierre et de la Première Terreur, les députés girondins sont massivement arrêtés le 31 mai 1793. Beaucoup sont exécutés en octobre.

GIROTTE *(lac de la),* lac de la Savoie, dans le Beaufortin, à 1 720 m d'altitude. Réservoir hydroélectrique.

GISCARD D'ESTAING (Valéry), homme d'État français (Coblence 1926). Inspecteur des Finances, député indépendant du Puy-de-Dôme à partir de 1956, secrétaire d'État aux Finances (1959-1962), puis ministre des Finances et des Affaires économiques (1962-1966), il prépare un plan de stabilisation contre l'inflation. S'étant écarté du Centre national des indépendants dès 1958, il constitue le groupe des Républicains indépendants, qui, tout en restant dans la majorité, affirment bientôt leur indépendance vis-à-vis de leurs alliés gaullistes. Il redevient ministre de l'Économie et des Finances à partir de 1969. Après une campagne électorale axée sur le projet d'une « société libérale avancée », il est élu président de la République au second tour des élections présidentielles de mai 1974, à une faible majorité. Affirmant une volonté de « changement » et de « modernisation », il souhaite la formation d'une « nouvelle majorité présidentielle élargie » et axe sa politique étrangère, « mondiale » et « conciliatrice », sur la construction de l'Europe et l'entente avec le tiers monde. En 1976, il publie *Démocratie française.*

Giselle ou *les Wilis,* ballet fantastique en deux actes, chorégraphie de Jean Coralli et Jules Perrot, argument (d'après une légende allemande mentionnée par H. Heine dans son livre *De l'Allemagne*) de Vernoy de Saint-Georges, Th. Gautier et J. Coralli, musique d'A. Adam, décors de Ciceri. Ce ballet, créé en 1841 à l'Académie royale de musique et de danse (Opéra) de Paris, obtint un succès triomphal et consacra la danseuse Carlotta Grisi. Élégie chorégraphique, modèle du « ballet blanc » et premier ballet romantique, *Giselle* continue à être dansé de nos jours et reste remarquable pour ses difficultés techniques. Dans le rôle-titre se sont illustrées, notamment, Spessivtseva, Galina Oulanova, Alicia Markova, Alicia Alonso, Yvette Chauviré, Jacqueline Rayet, Natalia Bessmertnova, Natalia Makarova...

GISEMENT. — Un gisement sédimentaire forme une *couche* de dimensions limitées, parfois une poche, provenant du dépôt initialement horizontal, sur un sol stérile, de la substance intéressante. Dans la suite des temps géologiques, le sol s'est, en général, affaissé et le dépôt a été recouvert par des sédiments dont l'épaisseur atteint plusieurs centaines de mètres, voire plus de 1 000 m. Dans une zone d'orogenèse ultérieure, il a été plus ou moins bousculé, ondulé ou plissé, coupé et déplacé par des failles, puis l'érosion* a décapé le relief et pu faire affleurer ce qui reste de la partie haute de la couche. Depuis son dépôt, il y a des millions d'années, la substance a pu se transformer physiquement et chimiquement sous l'influence de bactéries* ou de facteurs de métamorphisme. L'accumulation des débris végétaux de la grande forêt transportés par le vent dans une lagune voisine ou par les eaux dans un lac à l'époque carbonifère a constitué les couches de houille et, à une époque plus récente, celles de lignite. L'évaporation des eaux de mer sur un sol qui s'est peu à peu affaissé a produit un dépôt de sel dont l'épaisseur peut atteindre plusieurs centaines de mètres; au milieu de cette formation, constituée en majorité de chlorure de sodium* plus ou moins sali d'intercalations de vase, il peut y avoir des plages spécialement riches en sels de potassium. Les dépôts submarins de matières phosphatées d'origine animale ont formé des couches de phosphate. La précipitation d'oxydes* de fer* dans des lacs alimentés par des eaux acides, qui ont lessivé des roches primitives ferrugineuses, a constitué les grands gisements d'hématite d'âge précambrien. Beaucoup plus tard, de l'oxyde de fer hydraté a imprégné des oolithes en formation ainsi que leur ciment, constituant les couches de minerai (minette) exploitées en Lorraine. Les *latérites* sont formées par l'altération millénaire en surface des roches primitives en climat humide et chaud; une concentration des composés minéraux de la roche mère s'est faite et, suivant la nature de ceux-ci, peut constituer un gisement de minerai de nickel* ou d'aluminium* (bauxite). Les gisements souterrains de bauxite en Europe proviennent de latérites fossiles transportées par les eaux au cours des temps géologiques. Une couche de pétrole* ou de gaz* est une strate poreuse recourbée en anticlinal ou cisaillée par une faille, recouverte de terrains imperméables, et qui constitue un piège où se sont rassemblés les globules microscopiques d'hydrocarbures provenant de la fermentation de débris de micro-organismes dans les sédiments sous-jacents. Un *gisement filonien* est le remplissage de fractures plus ou moins larges par des composés métalliques — sulfures*, fluorures, carbonates, etc. — mêlés à une gangue de silice* ou de composés alcalino-terreux* (calcite*, baryte), déposés par des fluides à très hautes température et pression provenant du magma en fusion. La fluorine*, l'or* natif ou en solution solide dans des sulfures, etc., se trouvent dans des *filons;* la *kimberlite* est une roche dans laquelle du carbone* s'est cristallisé en diamant*, et qui remplit des *pipes,* cheminées analogues à celles des volcans. Les minéraux se sont déposés sélectivement, et la minéralisation varie avec la profondeur; généralement, celle en métaux utiles devient trop faible à grande profondeur. En surface, les eaux chargées de gaz carbonique ont délavé et oxydé les sulfures, et ont formé un *chapeau de fer* montrant des vacuoles, traces des cristaux disparus; mais, au voisinage de la nappe phréatique, il y a enrichissement par l'apport des eaux de surface : c'est la *zone de cémentation.* Des gisements d'uranium* semblent avoir été formés *per descensum* dans des fractures ou dans des terrains sédimentaires. Certains gisements sont en *amas* irréguliers provenant d'une concentration locale de minerai dans la masse ou dans de fines fissures lors de la solidification de la roche primitive; tels sont les grands gisements dits « de cuivre porphyrique ». Un *gisement alluvionnaire (placer)* est la concentration, qui s'est faite dans des *flats* et dans des lits de rivière, de minéraux lourds et résistants aux agents atmosphériques (diamant, or, platine*, cassitérite), provenant de l'érosion de roches primitives, qui renferment ces minéraux à teneur infinitésimale. Sur le fond de l'océan Pacifique, vers 5 000 m de profondeur, existe une couche de *nodules,* concrétions d'oxydes de fer et de manganèse* ayant par places des teneurs exploitables en cuivre* et en nickel représentant des tonnages énormes.

GISEMENT PÉTROLIER. — Le pétrole* et le gaz* naturel ont une origine qui ne peut être établie avec certitude. Leurs gisements ne se rencontrent que dans des terrains sédimentaires et sont constitués par des hydrocarbures, molécules formées par la combinaison d'atomes de carbone* et d'hydrogène*. La théorie *organique,* qui est la plus courante, admet comme matière première pétrolière l'accumulation, au fond des océans, des déchets d'organismes aquatiques microscopiques — animaux et végétaux, amibes ou plancton — comprimés par les couches de sédiments : la synthèse des hydrocarbures se serait effectuée sous l'action conjuguée de la pression, de catalyseurs métalliques et de millions d'années. La thèse d'une origine *non organique* fait intervenir les hautes températures, comme celle de la matière ignée en fusion émise par les volcans, pour expliquer la décomposition de certaines roches et le dégagement de gaz carbonique et d'hydrogène susceptibles de se recombiner. Ayant ainsi pris naissance dans une roche mère, le pétrole en a été chassé au cours des convulsions des ères géologiques et, par une lente migration à travers le sous-sol terrestre, s'est finalement trouvé emprisonné sous pression dans les pores d'une roche-magasin. Il peut s'agir soit d'un *piège structural,* constitué par la partie haute d'un plissement de terrain (anticlinal), soit d'une *faille,* qui fait coïncider une roche imperméable et une roche poreuse par glissement relatif de part et d'autre d'un plan vertical ou légèrement incliné, soit encore d'un *piège en coin,* formé d'une roche poreuse érodée ultérieurement recouverte de sédiments imperméables, ou bien d'un *piège stratigraphique,* anomalie géologique due à un récif de corail, à un estuaire ou à la remontée d'une roche légère, comme un diapir de sel.
Les diverses parties d'un gisement, du haut vers le bas, rencontrées par le forage d'un puits sont :
1° la couche couverture imperméable (argile par exemple);
2° la zone de gaz ou des hydrocarbures les plus légers;
3° une zone de transition gaz-huile;
4° la partie pétrolifère de la roche-magasin, dite « zone payante »;
5° une interface huile-eau;
6° l'aquifère, zone occupée par de l'eau en équilibre hydrostatique avec les nappes extérieures;
7° le socle, roche sous-jacente au gisement.

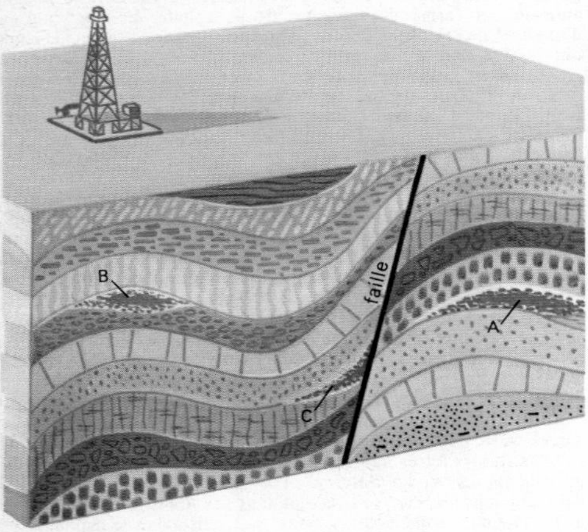

Gisement pétrolier. A. Piège stratigraphique; B. Piège structural; C. Piège en coin.

Certains gisements peuvent affleurer, tandis que les plus profonds découverts à ce jour sont à 9000 m. Les plus grands sont au Moyen-Orient, situés vers 4000 m et présentant une forme ovale allongée qui atteint 50 km de long. L'étude d'un gisement tient compte des facteurs qui interviennent dans les lois d'écoulement du gaz et du pétrole à travers la roche sous l'effet de la pression. La porosité est la proportion du volume total occupé par les vides intersticiels, tandis que la perméabilité mesure la facilité avec laquelle un fluide donné s'y écoule. Chaque gisement est caractérisé par son « gasoil ratio », ou rapport des quantités de gaz et d'huile qu'il est capable de produire. Un soutirage trop rapide colmatait jadis certains gisements après que l'on eut extrait seulement 20 p. 100 de l'huile en place, alors que les méthodes actuelles rentabilisent des rendements doubles et peuvent même atteindre 80 p. 100 dans certains cas.

GISORS (27140), ch.-l. de cant. de l'Eure, sur l'Epte, à 32 km au S.-O. de Beauvais; 8255 hab. *(Gisorciens).* Restes d'un vaste château fort des XIe-XIIIe s. Église au chœur de 1240, continuée aux XVe et XVIe s. (façade Renaissance). Constructions mécaniques.

GISTEL, comm. de Belgique (Flandre-Occidentale), au S. d'Ostende; 8063 hab. (en 1970).

Gitans → TSIGANES.

Giulia *(villa),* une des résidences du pape Jules III, édifiée à Rome au milieu du XVIe s. par Ammannati et Vignole. Elle abrite actuellement l'un des plus importants musées d'art étrusque.

GIULIANO da Maiano, architecte et sculpteur florentin (Maiano v. 1432-Naples v. 1490). Il contribua à diffuser les principes de l'architecture florentine nouvelle, travaillant à Faenza, Arezzo, Sienne, Naples, Lorette, Florence. — Son frère BENEDETTO (Maiano 1442-Florence 1497) collabora avec lui à l'église de Lorette et au palais Strozzi de Florence (achevé par le Cronaca); comme sculpteur marbrier, dans le goût d'A. Rossellino, il est l'auteur de la chaire de Santa Croce à Florence, de décors divers et de bustes.

GIURGIU, port du sud de la Roumanie, sur le Danube; 47000 hab.

GIVET (08600), ch.-l. de cant. des Ardennes, sur la Meuse, à 3 km de la frontière belge; 8152 hab. *(Givetois).* Métallurgie. Industrie chimique.

GIVORS (69700), ch.-l. de cant. du Rhône, à 22 km au S. de Lyon; 21979 hab. *(Givordins).* Constructions mécaniques. Verrerie.

GIVRE. — Le givre résulte de la congélation brutale, au contact d'une surface solide, des gouttelettes d'eau à l'état de surfusion contenues dans les brouillards ou les nuages dont la température est inférieure à 0 °C.

GIVRY (71640), ch.-l. de cant. de Saône-et-Loire, à 9 km à l'O. de Chalon-sur-Saône; 2665 hab. Vins.

GIVRY-EN-ARGONNE (51330), ch.-l. de cant. de la Marne, à 16 km au S. de Sainte-Menehould; 528 hab.

GIZEH ou **GUIZÈH,** en ar. **Djīza,** v. d'Égypte, ch.-l. de prov., sur la rive gauche du Nil; 571000 hab. C'est une banlieue résidentielle du Caire. À sa proximité se déploie l'un des ensembles archéologiques les plus impressionnants. Pharaons de la IVe dynastie, Kheops, Khephren et Mykerinus firent édifier leur vaste complexe funéraire, dont la pyramide* ne représente que l'un des éléments parmi les enceintes, les temples funéraires et d'accueil devenus indispensables à la célébration des cérémonies rituelles. Innombrables, les mastabas de l'aristocratie, alignés en rues régulières, constituent au pied des deux premières pyramides une véritable ville des morts. Comme à Saqqarah*, ils sont ornés de reliefs de grande qualité. Célèbre dès l'Antiquité et plusieurs fois ensablé, le Sphinx, en contrebas du plateau, était à l'origine le gardien de l'ensemble monumental de Khephren.

GJELLERUP (Karl), écrivain danois (Roholte 1857-Klotzsche, près de Dresde, 1919). Influencé par Georg Brandes, il s'orienta ensuite vers un idéalisme d'inspiration allemande (*le Moulin,* 1896) et subit l'attrait du bouddhisme (*le Pèlerin Kamanita,* 1906). [Prix Nobel avec Pontoppidan, 1917.]

GLABER (Raoul), chroniqueur français du XIe s., moine de Cluny et de Saint-Germain d'Auxerre. Sa *Chronique,* qui s'étend de 900 à 1046 et où il décrit les famines et les épidémies qui ravagèrent l'Europe vers l'an 1000, constitue une source historique précieuse.

GLACE *(Industr.)* → VITRAGE.

GLACE *(Phys.).* — La glace, formée par un enchevêtrement de cristaux hexagonaux, apparaît comme une masse incolore et transparente. Elle a une densité de 0,92, inférieure à celle de l'eau. Par définition de l'échelle thermométrique, son point de fusion est 0 °C. Sous des pressions élevées, on a découvert d'autres variétés de glace, plus denses que l'eau.

GLACE *(mer de),* glacier du massif du Mont-Blanc, au N.-E. de Chamonix.

GLACE BAY, v. du Canada (Nouvelle-Écosse), dans l'île du Cap-Breton; 22440 hab.

GLACERIE (La) [50470], comm. de la Manche, à 5 km au S.-E. de Cherbourg; 5252 hab.

GLACIAIRE (régime) → RÉGIME.

GLACIAIRE (relief). — La glace est un agent d'érosion et de transport très actif. Bien que s'écoulant très lentement, par l'intermédiaire des débris qu'elle entraîne elle rabote le soubassement rocheux sur lequel elle passe, qu'elle strie et polit *(roches moutonnées).* Poussée par le poids de la glace d'amont, elle peut remonter des pentes, façonnant des *cuvettes de surcreusement.* Elle transporte les débris issus des versants qui s'accumulent sur ses marges, formant les *moraines.*

Le relief que la glace façonne est caractéristique, bien que des discussions opposent ultraglacialistes, antiglacialistes et transac-

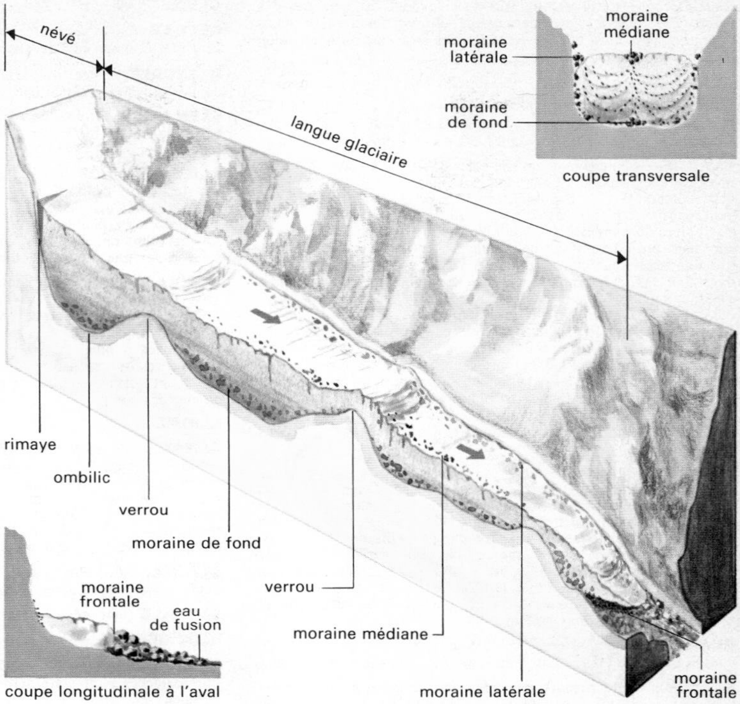

RELIEF GLACIAIRE
Coupe d'un glacier alpin.

tionnels, partisans respectifs du rôle primordial, quasi nul ou moyen de l'action des glaciers par rapport au relief préexistant. *Cirques* et *auges glaciaires* caractérisent les glaciers de type alpin. Les cirques, ou *amphithéâtres,* correspondent aux anciennes zones de formation de la glace. De forme semi-circulaire, dominés par des versants raides, ils sont souvent fermés par un *verrou* derrière lequel subsiste un lac. Ils s'ouvrent sur une vallée glaciaire, au profil transversal en auge, à fond plat et à versants raides dominés par des replats, ou épaulements. En profil longitudinal, les vallées glaciaires sont constituées d'une succession d'*ombilics,* vallons suspendus séparés par des verrous de roches résistantes. Des dépôts morainiques en tapissent le fond et se disposent sur les côtés (moraines latérales). Ils marquent l'ancienne extrémité de la *langue glaciaire* en formant un vallum en arc de cercle qui barre la vallée.

Les glaciers d'inlandsis façonnent un paysage de plateau monotone, le *fjeld.* Celui-ci est parsemé de lacs occupant les cuvettes de surcreusement et accidenté de *drumlins,* buttes de forme allongée constituées de roches dures que la glace a polies. Les marges de l'ancien glacier sont jalonnées de dépôts morainiques qui passent à des épandages fluvioglaciaires*.

GLACIATION. — Au cours des temps géologiques, les glaciers ont recouvert de vastes surfaces actuellement désenglacées. À l'aide des études morphologiques (existence de cirques, vallées en auge, etc.) et des dépôts abandonnés (moraines), on peut reconstituer l'extension de ces anciennes glaciations. On a ainsi retrouvé les traces d'un inlandsis qui recouvrait l'Afrique du Sud, le Brésil et l'Australie au permocarbonifère. Mais les glaciations les mieux connues sont celles qui se sont succédé au quaternaire (Günz, Mindel, Riss et Würm en Europe occidentale), séparées par des phases interglaciaires et qui sont responsables du modelé actuel d'une grande partie de l'Europe et aussi de l'Amérique du Nord (Canada et nord des États-Unis).

GLACIER. — Les *glaciers d'inlandsis* sont d'énormes calottes de glace qui recouvrent toute une portion de continent, ne laissant dépasser que les plus hauts sommets *(nunataks).* Ils caractérisent les régions polaires (Antarctique, Groenland). Les *glaciers de type alpin* se développent dans les hautes montagnes. Ils prennent naissance dans les cirques, où la neige s'entasse et se transforme en glace. Celle-ci s'écoule en langues qui empruntent les vallées et qui, à basse altitude, fondent en donnant naissance à un torrent. La glace avance à une vitesse variable, de quelques mètres à plusieurs centaines de mètres par an. Elle est souvent fissurée de *crevasses,* déterminant des *séracs* lorsque la topographie sous-jacente est irrégulière (verrous). Une profonde crevasse s'ouvre également sur les bords de la langue, au contact entre la glace et le lit rocheux : c'est la *rimaye.*

GLACIS. — Surfaces planes à pente faible qui s'étendent au pied des versants, les glacis résultent d'un écoulement en nappe entraînant les débris fournis par la météorisation, qui rabotent le substratum. Ils paraissent se former aussi bien dans les régions semi-arides que dans les régions périglaciaires, caractérisées toutes deux par l'absence d'un tapis végétal continu.

GLADBECK, v. de l'Allemagne fédérale (Rhénanie-du-Nord-Westphalie), dans la Ruhr; 82 000 hab. Houille. Constructions électriques.

GLADIATEUR. — Les combats de gladiateurs furent donnés pour la première fois à Rome en 264 av. J.-C. Admis au programme des jeux publics un siècle et demi plus tard, ces spectacles cruels et sanglants obtinrent la grande faveur des masses populaires. Les gladiateurs étaient recrutés parmi les condamnés à mort, les prisonniers de guerre, mais il y avait aussi parmi eux des engagés volontaires. Ils étaient soumis à un entraînement rigoureux dans des écoles spéciales. On distinguait plusieurs catégories de gladiateurs : elles étaient opposées entre elles le plus souvent par paires et selon des règles précises. Les combats eurent lieu au Forum jusqu'à la construction, en 29 av. J.-C., du premier amphithéâtre. Ils furent interdits par Constantin en 325, interdiction qui ne devint effective qu'au début du ve s.

GLADSTONE, port d'Australie (Queensland), au N. de Brisbane; 13 000 hab. Alumine.

GLADSTONE (William Ewart), homme d'État britannique (Liverpool 1809 - Hawarden 1898). Anglican et peeliste fervent, ministre du Commerce (1843), puis des Colonies (1845-1846), Gladstone évolue, à partir de 1851, vers un libéralisme humanitaire et devient la vivante antithèse de Disraeli*. Ayant définitivement rallié le parti libéral, dont il sera le leader en 1868, il dirige la chancellerie de l'Échiquier (1853-1866) avant d'accéder au pouvoir (1868-1874), où il multiplie les réformes, notamment en faveur de l'Irlande. Les excès de l'impérialisme de Disraeli le ramènent à la tête du gouvernement en 1880; acquis à l'idée du *Home Rule* en Irlande, Gladstone effraie ses compatriotes et provoque la sécession unioniste, qui assure le triomphe de l'impérialisme. Démissionnaire en 1885, il est de nouveau Premier ministre de 1892 à 1894.

GLAÏEUL. — Cette plante, très voisine de l'iris, présente des formes horticoles très ornementales par leur épi unilatéral de belles fleurs orangées ainsi que par leurs feuilles en forme de glaive, d'où le genre *(Gladiolus)* a tiré son nom.

GLÅMA (le) ou **GLOMMEN** (le), le plus long fleuve de Norvège, tributaire du Skagerrak; 570 km.

GLAMORGAN, nom de trois comtés (Mid-, South- et West-Glamorgan) du sud du pays de Galles. V. princ. *Cardiff* et *Swansea.*

GLANDE. — Une glande, qu'elle soit portée par un animal ou par une plante, est toujours un groupe de cellules vivantes spécialisées dans l'élaboration d'un produit qui leur est propre. La sécrétion peut, dans certains cas, être rejetée dans la circulation générale : il s'agit alors de glandes à sécrétion interne, ou endocrines (thyroïde, surrénale, etc.). Le produit peut, dans d'autres cas, être rejeté dans un canal excréteur qui le conduit à l'extérieur de l'organisme ou dans une cavité naturelle : il s'agit alors de glandes à sécrétion externe, ou exocrines (glandes sudoripares, salivaires, estomac, etc.). Certaines glandes ont une sécrétion à la fois interne et externe : ce sont les glandes mixtes (pancréas). En tubes ou en grappes, simples ou composées, volumineuses ou microscopiques, les glandes forment en général une seule assise cellulaire. Dans le règne animal, on range les tissus glandulaires parmi les épithéliums.

S'il est licite de qualifier ovaires et testicules de *glandes génitales* en raison des sécrétions internes qu'elles ajoutent à leur fonction principale, il ne l'est pas d'appeler «glandes» les ganglions lymphatiques.

GLANUM, ville gallo-romaine près de Saint-Rémy-de-Provence (Bouches-du-Rhône). D'époque augustéenne, le mausolée et la porte monumentale sont connus depuis longtemps, alors que la ville antique est en cours de fouilles depuis 1921. En dehors de son plan hellénistique, celle-ci rappelle Délos par plusieurs de ses aspects. Ses relations avec le monde grec, par l'intermédiaire des Phocéens de Marseille, sont attestées depuis le VIe s. av. J.-C. L'urbanisation se poursuit activement sous la domination romaine (temples, thermes, théâtre, nymphée...), avant que la cité ne succombe au IIIe s. lors des invasions germaniques.

GLARIS, en allem. **Glarus,** v. de Suisse, sur la Linth, ch.-l. du *canton de Glaris* (38 155 hab.), dans les *Alpes de Glaris;* 6 189 hab.

GLASER (Donald Arthur), physicien américain, de parents russes (Cleveland 1926). Il a inventé la chambre à bulles, à hydrogène ou hélium liquides, qui sert à détecter et à étudier les particules d'énergie élevée. (Prix Nobel de physique, 1960.)

GLASGOW, plus grande ville d'Écosse, sur la Clyde; 894 000 hab. (plus de 1 million dans l'agglomération). Université. Aéroport. Métropole portuaire, commerciale et industrielle (constructions navales et mécaniques) de l'Écosse.

BEAUX-ARTS. Cathédrale (XIIIe-XVIe s.). Musées. À l'époque de l'Art nouveau, la ville a été le foyer d'une école originale, principalement représentée par l'architecte Mackintosh*, par sa femme, Margaret Macdonald (1865-1933), et par la sœur de celle-ci, Frances Macdonald (1874-1921); leurs travaux d'arts décoratifs eurent plus de succès sur le continent qu'en Angleterre.

GLAUBER (Johann Rudolf), chimiste et pharmacien allemand (Karlstadt 1604 - Amsterdam 1668). Il différencia la soude de la potasse, ainsi que leurs sels; il a reconnu les propriétés thérapeutiques du sulfate neutre de sodium *(sel de Glauber).*

GLAUCOME. — Cette augmentation de la pression intraoculaire se manifeste sous plusieurs formes.

Le *glaucome chronique* apparaît après quarante ans et passe par trois stades. Le stade de début est marqué par une discrète augmentation de la tension oculaire; le traitement est médical (pilocarpine en collyre). Le stade *campimétrique* est celui où apparaissent des altérations du champ visuel; le traitement est chirurgical. Enfin, dans le stade du *glaucome absolu,* l'acuité visuelle est nulle. Aucune récupération n'est possible.

Le *glaucome aigu* a un début brutal caractérisé par une douleur atroce d'un œil, qui devient rouge. Un traitement d'urgence s'impose, médical si possible, chirurgical si les signes ne régressent pas.

Le *glaucome congénital* apparaît dès les premiers mois ou années de la vie; il est dû à une malformation congénitale. Le traitement est chirurgical.

Le *glaucome secondaire,* souvent unilatéral, peut survenir au cours d'uvéites, de décollements de rétine.

GLAZOUNOV (Aleksandr Konstantinovitch), compositeur russe (Saint-Pétersbourg 1865 - Paris 1936). Ses huit symphonies, ses concertos, ses poèmes symphoniques *(Stenka Razine),* ses ballets *(les Saisons)* font de lui un des maîtres à penser du «classicisme musical» russe.

GLÉ-GLÉ (BADOU, dit) [† 1889], roi d'Abomey (1858-1889). Il dut céder Cotonou aux Français (1863-1868), qu'il essaya de déloger de Porto-Novo (1887).

GLEIZES (Albert) → CUBISME.

GLÉNAN *(îles),* petit archipel (neuf îlots) de la côte sud du Finistère (comm. de Fouesnant). Yachting.

GLENDALE, v. des États-Unis (Californie), dans la banlieue nord de Los Angeles; 133 000 hab.

GLEN MORE, étroite dépression du nord de l'Écosse, occupée en partie par le Loch Ness et empruntée par le canal Calédonien, qui relie l'Atlantique à la mer du Nord.

GLIÈRES *(plateau des),* partie du massif du Chablais (Haute-Savoie), entre 1 400 et 2 000 m d'altitude. En mars 1944, il fut le théâtre de la remarquable résistance d'un groupe de 500 maquisards aux ordres du lieutenant Morel (dit *Tom*) [1915-1944], issus du 27e bataillon de chasseurs alpins, contre la milice de Darnand, relevée par une division entière de la Wehrmacht.

GLINKA (Mikhaïl Ivanovitch), compositeur russe (Novospasskoïé 1804 - Berlin 1857). D'abord influencé par l'Italie, il va travailler à Berlin. Mais, de retour en Russie, il décide d'exploiter les ressources musicales de son propre pays, dans lesquelles il puise des thèmes populaires. Ses mélodies, sa musique de chambre et, surtout, ses opéras (*la Vie pour le tsar,* 1836; *Rouslan et Lioudmila,* 1842) ont servi de point de départ et d'idéal aux musiciens du groupe des Cinq*.

GLIOME → NERF.

GLISSEMENT DES SALAIRES. — C'est le décalage entre la rémunération qui est versée au salarié et celle qui, en fonction de la productivité de l'entreprise, serait normalement supportable par celle-ci. Le glissement (en un sens plus juridique) représente le décalage entre un salaire effectivement acquis et le montant qui résulterait de l'application de la convention collective en usage dans la profession considérée.

GLIWICE, v. de Pologne, en haute Silésie; 174 000 hab. Centre universitaire. Métallurgie. Chimie.

GLOBALE (méthode) → LECTURE, DECROLY.

GLOBIGÉRINES → FORAMINIFÈRES.

GLOBULAIRE *(Bot.).* — On a créé la petite famille des globulariacées pour cette herbe portant à son sommet un capitule globuleux de petites fleurs d'un bleu soutenu, très ornemental. On apparente cette famille à celle des labiacées.

GLOBULAIRE *(Chim.).* → PROTÉINE.

GLOBULE → HÉMATIE et LEUCOCYTE.

GLOBULINE. — Les principales globulines, protéines de poids moléculaire élevé, sont celles de l'œuf, du lait et du sang. Il existe dans le plasma sanguin trois globulines principales : α (alpha), β (bêta), γ (gamma). Les γ-globulines sont celles qui migrent le plus lentement à l'électrophorèse. Elles jouent un rôle essentiel dans les phénomènes d'immunité, puisqu'elles constituent le support matériel des anticorps. Elles peuvent être utilisées pour ces raisons en prophylaxie et en thérapeutique anti-infectieuses (par exemple pour éviter la rubéole chez la femme enceinte).

En pathologie, la présence, en quantité anormale, de macroglobulines (très grosses globulines) dans le plasma est due, le plus souvent, à la prolifération de cellules lymphocytaires anormales (macroglobulinémie de Waldenström). Elle s'observe également dans certaines affections graves (cirrhoses, infections chroniques, etc.).

GLOMÉRULE → REIN.

GLOMMEN (le) → GLÅMA.

GLOSSÉMATIQUE → HJELMSLEV.

GLOSSINE. — La mouche *tsé-tsé,* ou glossine, est le vecteur de la redoutable «maladie du sommeil» (trypanosomiase), d'Afrique équatoriale — qui ne frappe que l'espèce humaine et que les ruminants hébergent sans en souffrir —, mais aussi de diverses trypanosomiases des bovins, dont la plus connue est la *nagana.* La glossine, connue sous deux espèces *(Glossina palpalis* et *G. morsitans),* se nourrit exclusivement de sang humain ou animal. Elle est larvipare, c'est-à-dire qu'elle met bas une larve, qui se nymphose peu après.

GLOSSITE → LANGUE *(Méd.).*

GLOTTOCHRONOLOGIE. — La glottochronologie est une technique statistique utilisée pour dater le moment où deux langues apparentées se sont séparées. Elle s'appuie sur le principe d'une certaine persistance d'un fonds commun lexical, qui «s'éroderait» à la même vitesse dans toutes les langues. Ce principe a été établi en comparant le vocabulaire fondamental (une centaine de mots) dans des langues dont on possède des états écrits très éloignés. Deux langues ayant en commun 66 p. 100 de ce stock lexical seraient séparées depuis un millénaire.

GLOUCESTER, v. d'Angleterre, sur la Severn, ch.-l. du *comté de Gloucester;* 90 000 hab. Cathédrale remontant à la fin du XIIe s., remaniée au XIVe s. dans le style gothique perpendiculaire (chœur); tombeau en albâtre d'Édouard II; cloître à riches voûtes en éventail. Églises et maisons anciennes. Constructions aéronautiques.

GLOUTON. — Le glouton est un carnassier des régions arctiques (Scandinavie, Sibérie, Canada). Gros et lourd comme un petit ours, il attaque principalement le renne. (Famille des mustélidés.)

GLUBB (*sir* John Bagot), dit **Glubb pacha,** général britannique (Preston 1897). Après avoir servi longtemps au Proche-Orient, il commanda la Légion* arabe de 1939 à 1956.

GLUCIDE. — Les glucides se divisent en deux groupes, les oses et les osides.

Les *oses,* qui comprennent les *aldoses* et les *cétoses,* sont des sucres non hydrolysables (ex. : glucose, galactose).

Les *osides* forment trois groupes : les *holosides,* dont l'hydrolyse conduit à plusieurs oses, que l'on divise en diholosides, triholosides, etc., selon le nombre d'oses formés (ex. : saccharose, lactose); les *polyosides,* macromolécules formées par l'anhydrisation d'un grand nombre d'oses, qui se trouvent libérés par hydrolyse complète (ex. : amidon, cellulose); les *hétérosides,* dont l'hydrolyse libère, à côté de un ou de plusieurs oses, une molécule d'autre nature, nommée *aglycone.*

La masse principale des aliments de tous les êtres vivants, tant animaux que végétaux, est constituée par des glucides. Tous sont d'abord synthétisés par les plantes vertes à partir du gaz carbonique de l'air et de l'eau du sol (v. PHOTOSYNTHÈSE), puis ils passent d'un organisme à l'autre, pour être enfin dégradés de nouveau en eau et en gaz carbonique (v. CYCLES BIOSPHÉRIQUES). Mais, à l'intérieur du même organisme, le jeu de l'hydrolyse et de la polymérisation donne aux glucides tantôt une forme circulante (glucose), tantôt la forme d'une réserve insoluble (amidon* des plantes, glycogène des animaux et de l'homme). Enfin, les glucides peuvent être réduits à l'état de lipides, partiellement dégradés en alcool ou en acide lactique par des fermentations* ou incorporés dans des protéines (glycoprotéines). Tous nos aliments féculents ou sucrés (aliments végétaux en général) sont très riches en glucides, de même que les substances végétales que l'homme ne peut digérer, mais qui nourrissent de nombreux animaux (cellulose, bois).

GLUCK (Christoph Willibald), compositeur allemand (Erasbach, Haut-Palatinat, 1714 - Vienne 1787). En une première période, il acquiert une culture musicale internationale en voyageant en Italie, en Allemagne et à Londres : époque où domine chez lui l'esthétique italienne. Puis il se fixe à Vienne (1752), où, de sa collaboration avec le librettiste R. de Calzabigi, naissent quelques chefs-d'œuvre (*Orfeo ed Euridice,* 1762; *Alceste,* 1767). Enfin, une série de séjours à Paris, grâce à Marie-Antoinette, lui permet de réaliser sa réforme du théâtre lyrique : elle consiste en un retour à la simplicité du chant, une aspiration à la vérité et au naturel, une insertion de la danse dans l'action (*Iphigénie en Aulide,* 1774; *Orphée et Eurydice,* 2e version, 1774; *Alceste,* 2e version, 1776; *Armide,* 1777; *Iphigénie en Tauride,* 1779).

GLUCKMAN (Max), anthropologue britannique (Johannesburg 1911 - Jérusalem 1975). Privilégiant l'étude des dynamismes internes des sociétés traditionnelles (*Order and Rebellion in Tribal Africa,* 1963), il réconcilie l'histoire et l'approche fonctionnaliste. La plupart des recherches de terrain qu'il effectue (Afrique du Sud, Rhodésie) sont orientées vers le problème du contrôle social (*Politics, Law and Ritual in Tribal Society,* 1965).

GLUCOSE. — Aldohexose de formule $CH_2OH—(CHOH)_4—CHO$, le glucose est connu sous trois formes, dont la plus importante, le glucose droit, ou d-glucose, existe à l'état libre dans le raisin et dans de nombreux fruits sucrés, comme dans la plupart des liquides animaux. Il est également répandu dans le règne végétal sous forme de combinaisons *(glucosides).* Il se forme, en outre, dans le dédoublement des osides (saccharose, amidon, etc.).

Il cristallise à froid avec une molécule d'eau, fond alors à 86 °C et se déshydrate vers 110 °C. Il est incolore et possède une saveur sucrée, moins forte que celle du sucre ordinaire.

C'est un sucre réducteur, agissant sur la liqueur de Fehling, propriété mise à profit pour son dosage dans l'urine. Il fermente au contact de levure de bière, en donnant principalement de l'alcool éthylique et du gaz carbonique.

On l'obtient par hydrolyse de l'amidon ou de la fécule en présence d'acide chlorhydrique.

GLYCÉMIE. — Le taux de glucose sanguin est normalement de 1 g par litre, à jeun. Ce taux est remarquablement constant grâce aux mécanismes de glycorégulation (assurés en particulier par l'insuline). Le glucose apparaît dans l'intestin comme le résultat de la digestion des glucides alimentaires. Il est mis en réserve dans le foie et dans les muscles sous forme de glycogène. L'augmentation de la glycémie (hyperglycémie) est le signe essentiel du diabète*; son abaissement (hypoglycémie), de causes très variées (tumeur du pancréas, dénutrition, maladie du foie, etc.), est responsable de troubles graves, en particulier de troubles neurologiques.

GLYCÉRIE. — Les glycéries sont parmi les plus aquatiques des graminacées, quelques espèces poussant même dans les vasières et les prés salés. Toutes sont enracinées, mais plus d'une laisse flotter ses feuilles au fil de l'eau. Leur épi, fin et légèrement rougeâtre, permet de les reconnaître.

GLYCÉRINE. — Découverte, en 1779, par Scheele, la glycérine a été ainsi nommée par Chevreul en raison de sa saveur sucrée. Elle existe à l'état d'esters d'acides gras dans les graisses et les huiles. L'industrie la sépare comme sous-produit de l'hydrolyse des matières grasses. C'est un liquide visqueux, incolore, de densité 1,265, miscible à l'eau et hygroscopique. Elle peut être solidifiée à 19 °C, mais elle reste habituellement en surfusion; elle bout à 290 °C. Trialcool de formule $CH_2OH—CHOH—CH_2OH$, elle est éthérifiable par les acides. L'éther trinitrique, ou *nitroglycérine,* présente une grande importance industrielle. L'oxydation de la glycérine conduit à l'acide glycérique.

GLYCINE. — La glycine est une des rares lianes de nos régions; ses fleurs rose-mauve et parfumées la font utiliser pour orner les façades des villas, les grilles des jardins, voire pour former treilles et tonnelles. Très vivace, cette papilionacée *(Wistaria)* peut vivre soixante-dix ans.

GLYCOCOLLE. — De formule $NH_2—CH_2—CO_2H$, c'est le plus simple des aminoacides. C'est un solide cristallisé, soluble dans l'eau, que l'on prépare par action de l'ammoniac sur l'acide chloracétique. On l'emploie comme reconstituant dans les déficiences musculaires.

GLYCOGÈNE → GLYCÉMIE.

GLYCOL. — Le glycol, découvert par Wurtz en 1855, est un liquide visqueux, de densité 1,125, bouillant à 197,5 °C, miscible à l'eau. L'industrie le prépare à partir de l'éthylène. Il est utilisé comme antigel et comme solvant d'extraction.

GLYCOSURIE → DIABÈTE.

GLYPTIQUE. — Dès la plus haute antiquité, l'art de graver des pierres fines en creux (intailles) ou en relief (camées) est florissant. C'est en Mésopotamie, vers le Ve millénaire, qu'il voit le jour et à Sumer (IVe millénaire) qu'il prend un magnifique essor. Cachets, puis cylindres servent de sceaux, que l'on déroule sur l'argile encore fraîche. Le jaspe, l'hématite, la serpentine sont les matériaux les plus fréquents. Les formes, d'abord sphériques, deviennent cylindriques et sont percées d'un trou de suspension longitudinal. Le décor représente le plus souvent des scènes mythologiques. La glyptique de Mésopotamie du Nord — de moins belle qualité — influence celles d'Iran, de Chypre et de Carthage.

Dès les origines, les Égyptiens gravent des pierres et représentent les symboles de leurs croyances, tels les innombrables scarabées associés à la symbolique du renouvellement et au dieu du Soleil-Levant; la plupart étaient des cachets et étaient aussi considérés comme amulettes.

En Crète, du IIIe millénaire au XIIe s., les matières sont belles et les thèmes, inspirés par la faune, la flore et la mythologie, attestent l'habileté technique des graveurs.

Camée d'Auguste, dû vraisemblablement à Dioscoride, illustrant le triomphe de Tibère à la fin des guerres de Pannonie (an 13). Onyx à deux couches. Ier s. apr. J.-C. (Kunsthistorisches Museum, Vienne.)

En Grèce, cet art suit une évolution semblable à celle de la sculpture. Les matières sont de qualité et colorées. Les signatures sont pratiquement inexistantes avant 400 av. J.-C. — celle de Dexaménos correspond à l'école attico-ionienne. Elles sont ensuite plus fréquentes et les sujets sont souvent des portraits de grands personnages. Les premiers camées apparaissent, notamment en sardonyx, et les graveurs composent en fonction des couches différemment colorées de la pierre.

Rome bénéficie de la technique grecque; les camées deviennent fastueux, et l'apogée se situe à l'époque d'Auguste (*camée d'Auguste,* Vienne; *grand camée de France,* Paris, B.N.). Dioscoride fut un brillant représentant de cette époque.

Malgré certains tabous, le Moyen Âge réutilise de nombreuses pierres antiques comme cachets personnels ou comme ornement d'œuvres religieuses.

Il faut attendre la Renaissance italienne pour que cet art soit de nouveau l'objet d'un véritable engouement, dont témoignent les créations de Donatello et de Valerio Vicentini ou les montures de Ghiberti et de Cellini pour des œuvres antiques. Sous l'impulsion de François Ier cette mode atteint bientôt la France. Julien de Fontenay et Olivier Coldoré travaillent pour Henri IV, mais la collection de pierres antiques est en vogue : de nombreuses glyptothèques voient le jour en Europe. Quelques graveurs exécutent de belles œuvres en Allemagne; en France, Jacques Guay, protégé de la Pompadour, est l'un des derniers créateurs de cet art pratiqué et admiré pendant des millénaires.

GNEISENAU (August, *comte* Neidhardt VON), feld-maréchal prussien (Schildau 1760-Posen 1831). Après le désastre d'Iéna, il collabore avec Scharnhorst à la reconstitution de l'armée prussienne. Il sera chef d'état-major de Blücher en 1813-14 et en 1815. Nommé feld-maréchal en 1825.

GNEISS. — Roche métamorphique constituée d'une alternance de lits de quartz et de feldspaths et de lits micacés, le gneiss peut provenir de la transformation d'une ancienne argile *(paragneiss)* ou d'un ancien granite *(orthogneiss).*

GNÉTALES. — Ce petit ordre de gymnospermes offre de nombreuses ressemblances avec les angiospermes, sans pour autant être leur ancêtre. Il ne compte que trois genres, dont un seul en France *(Ephedra),* qui croît sur les sables littoraux et dans les rocailles et qui ressemble à une prêle; on en extrait un astringent énergique, l'éphédrine. Le second genre, *Gnetum,* rassemble des lianes tropicales, dont une espèce cultivée pour son fruit comestible. Mais c'est l'unique espèce du troisième genre, *Welwitschia mirabilis,* du désert de Kalahari, qui surprend le plus, par ses deux vastes feuilles rubanées persistantes et ses cônes mâles et femelles juxtaposés au centre.

GNIEZNO, v. de Pologne, au N.-E. de Poznań; 51 000 hab.

GNOSÉOLOGIE → CONNAISSANCE.

GNOSIE → AGNOSIE.

GNOSTIQUES. — Aux trois premiers siècles de notre ère apparaît un ensemble de sectes dont les spéculations amalgament des doctrines du judaïsme marginal, de la pensée hellénistique et de la théologie chrétienne. Ces doctrinaires proposent à leurs initiés une connaissance supérieure, ou *gnose* (en grec, *gnôsis,* connaissance), conduisant à la voie du salut. Les gnostiques professent un dualisme plus ou moins radical, qui identifie le mal avec la matière, le bien étant d'essence « pneumatique » (spirituelle), accessible seulement à ceux qui possèdent la gnose. Les plus importants théoriciens gnostiques sont : Cérinthe (v. 100), Carpocrate et Satornil (v. 120), Marcion* (v. 85-v. 160), Basilide (entre 120 et 145), Valentin (entre 135 et 160). Une bibliothèque gnostique a été découverte en 1945 à Nag-Hamadi, en Égypte, mais elle n'a été que très partiellement éditée. La contestation gnostique, qui s'en prenait aux dogmes chrétiens, a suscité une littérature antihérétique, qu'illustrent, entre autres, les noms de saint Irénée*, de Clément* d'Alexandrie, de Tertullien* et d'Origène*.

GOA, port de l'Inde, sur la côte de Malabār, partie du *territoire de Goa, Damān et Diu* (3 813 km^2; 858 000 hab.). Tombé, en 1327, sous la domination des musulmans, Goa est conquis, en 1510, par les Portugais, qui en font l'un de leurs principaux comptoirs coloniaux. En décembre 1961, l'Inde occupe le territoire de Goa et l'annexe le 14 mars 1962.

Gobelins *(les),* anc. manufacture royale installée dans les ateliers des teinturiers Gobelin, au bord de la Bièvre, à Paris. Créée et dirigée par des tapissiers flamands sous l'impulsion de Henri IV (début du XVIIe s.), elle connaît son grand essor sous Louis XIV : Colbert lui donne le titre de « manufacture royale des meubles de la Couronne » en 1667. Charles Le Brun*, Premier peintre du roi, dirige les ateliers de cartons de tapisseries (avec des spécialistes pour les figures, les paysages, les architectures, les animaux, les fleurs ou les natures mortes), d'orfèvrerie, d'ébénisterie et de sculpture. Il donne lui-même, notamment, l'*Histoire d'Alexandre* et l'*Histoire du roi,* d'un grand intérêt décoratif, mais aussi historique. Sous le ministère de Louvois, qui apprécie peu Le Brun et nomme Pierre Mignard* comme directeur en 1690, les créations se font rares et les tapisseries s'inspirent surtout d'œuvres flamandes (*les Chasses de Maximilien,* 1685-1687, d'après Van Orley). Fermée en 1694 à cause de l'état des finances royales, puis rouverte en 1699, la manufacture exécute quelques grandes œuvres d'après A. et C. A. Coypel*, mais le caractère ornemental des tentures devient primordial, avec leurs « alentours » surchargés de motifs (*Portières de dieux,* de Claude III Audran*). Au contraire, l'assujettissement de la tapisserie à la peinture, voulue par Oudry* (directeur de 1733 à 1755) puis par Boucher* (directeur de 1755 à 1770), supprime l'invention; cette situation s'aggrave au XIXe s., et il faut attendre 1935 pour qu'apparaisse, techniquement et artistiquement, un renouveau qui se poursuit à Aubusson pendant la guerre. La manufacture, qui ne travaille que pour l'État, sollicite des artistes comme Lurçat*, puis Mario Prassinos et bien d'autres artistes contemporains, mais se consacre également à la restauration des tapisseries anciennes. Un musée lui est annexé.

GOBE-MOUCHES. — Deux groupes de passereaux fort différents ont reçu le nom de « gobe-mouches ». En Europe, ce sont les *muscicapidés* (400 espèces), qui vivent dans les arbres, nidifiant dans leurs creux, et guettent, le bec largement ouvert, le passage des mouches. En hiver, ils émigrent en Afrique du Nord. Les gobe-mouches américains sont les *tyrannidés,* familiers des jardins et des vergers, au beau plumage, au chant harmonieux, au bec pointu.

Parc-Film (Coll. J.-L. Passek)

Jean-Luc Godard. Une scène de *la Chinoise* (1967).

GOBI, en chin. **Cha-mo,** plateau désertique de l'Asie centrale (Mongolie principalement et Chine).

GOBIE. — Les gobies (plusieurs centaines d'espèces) sont de petits poissons des côtes rocheuses et des estuaires, munis d'une ventouse de fixation sous la gorge. Leur extrême abondance conduit à les pêcher malgré leur petite taille (maximum : 30 cm chez *Gobius capito*).

GOBINEAU (Joseph Arthur, *comte* DE), diplomate et écrivain français (Ville-d'Avray 1816-Turin 1882). Auteur de récits de voyages et de travaux d'érudition, il s'efforça d'établir une hiérarchie entre les races humaines (*Essai sur l'inégalité des races humaines,* 1853-1855), thèse dont s'emparèrent les théoriciens du pangermanisme. Ses romans (*les Pléiades,* 1874) et ses nouvelles (*Nouvelles asiatiques,* 1876) révèlent son admiration pour Stendhal et son pessimisme foncier.

GODARD (Eugène), aéronaute français (Clichy 1827-Bruxelles 1890). Il exécuta plus de 2 500 ascensions, notamment celle de l'*Impérial* (pendant la guerre d'Italie), et organisa la poste aérienne durant le siège de Paris (1870-71).

GODARD (Jean-Luc), cinéaste français (Paris 1930). Passant, à la fin des années 50, de la critique à la réalisation de films, il devint, dès son premier long métrage (*À bout de souffle,* 1959), l'un des leaders de la « nouvelle vague » française, revendiquant, en réaction contre les structures du cinéma traditionnel, une plus grande liberté dans le fond comme dans la forme. Violemment critiqué par les uns, farouchement encensé par les autres, il a indubitablement influencé une nouvelle génération de jeunes cinéastes dans le monde entier. Il tourna notamment : *le Petit Soldat* (1960), *Vivre sa vie* (1962), *le Mépris* (1963), *Bande à part* (1964), *Pierrot le Fou* (1965), *Masculin féminin* (1965), *Alphaville* (1965), *la Chinoise*

(1967), *Week-End* (1967). A partir de 1968 il réalisa, seul ou collectivement, plusieurs films militants, programmés dans des circuits de distribution parallèles. En 1972, il signa *Tout va bien* (en collaboration avec J.-P. Gorin) et, en 1975, *Numéro deux*. Son œuvre, dont l'écriture joint la décontraction à la provocation, est un reflet critique de la société contemporaine aussi bien sur le plan idéologique que sur le plan politique.

GODĀVARI ou **GODAVÉRY** (la), fl. de l'Inde, qui traverse d'O. en E. la péninsule du Deccan, avant de rejoindre le golfe du Bengale; 1 500 km.

GODBOUT (Adélard), homme politique canadien (Saint-Éloi 1892-*id.* 1956). Libéral, il fut Premier ministre de la province du Québec en 1936 et de 1939 à 1944.

GODBOUT (Jacques), écrivain et cinéaste canadien d'expression française (Montréal 1933). Directeur de la revue *Liberté*, il poursuit dans son œuvre poétique (*les Pavés secs*, 1958) et romanesque (*l'Aquarium*, 1962; *Salut Galarneau*, 1967; *D'Amour, P. Q.*, 1972; *l'Isle au dragon*, 1976) la quête de son identité d'homme et d'écrivain.

GODDARD (Robert Hutchings), ingénieur et physicien américain (Worcester, Massachusetts, 1882 - Baltimore 1945). Il s'est surtout intéressé à l'étude et à la réalisation de fusées stratosphériques.

GODEFROI DE BOUILLON (Baisy v. 1061 - Jérusalem 1100), duc de Basse-Lorraine (1089-1095), avoué du Saint-Sépulcre (1099-1100). Fils cadet d'Eustache II, comte de Boulogne, neveu et héritier de Godefroi III le Bossu, duc de Basse-Lorraine, il prit la croix dès 1095, dirigea l'une des armées de la première croisade et joua un rôle décisif dans la prise de Jérusalem (15 juill. 1099). Sa bravoure et ses qualités de diplomate lui valurent d'être élu roi de Jérusalem; mais il se contenta du titre d'avoué du Saint-Sépulcre.

GÖDEL (Kurt), logicien américain d'origine autrichienne (Brünn [auj. Brno] 1906 - Princeton 1978). Sa thèse, *la Complétude des axiomes du calcul fonctionnel* (1930), et *Sur les énoncés formellement indécidables des « Principia mathematica » et des systèmes connexes* (1931) réorientent de façon décisive les recherches en logique mathématique. Le premier à établir une relation rigoureuse entre syntaxe et sémantique et à rendre ainsi possible la formalisation de la sémantique, Gödel démontre l'impossibilité d'une démonstration de la consistance* de l'arithmétique de Peano*, contribue à l'invention de la théorie des fonctions récursives et établit la nécessité de l'axiome de choix* dans la théorie des ensembles en formulant l'axiome de constructibilité.

GODERVILLE (76110), ch.-l. de cant. de la Seine-Maritime, à 13 km au S. de Fécamp; 1 632 hab.

GODIN (Louis), astronome français (Paris 1704 - Cadix 1760). Il participa à la grande expédition française du Pérou qui, de 1735 à 1744, mesura la valeur d'un arc équatorial.

GODOUNOV (Boris) → BORIS GODOUNOV.

GODOY ÁLVAREZ DE FARIA (Manuel), homme d'État espagnol (Castuera 1767 - Paris 1851). Officier, il devient l'amant de l'épouse de Charles IV (1788), d'où sa promotion vertigineuse jusqu'au poste de Premier ministre (1792). Après la guerre avec la France (1793-1795), il se voue, en despote éclairé, au redressement d'un pays misérable. Mais une cabale l'oblige à démissionner en 1798. Revenu au pouvoir dès 1800, il doit subir l'emprise de Napoléon Ier. Accusé de trahison (1808), il suit à Rome le roi Charles IV, déchu, avant de se retirer à Paris (1819).

GODOY CRUZ, v. d'Argentine, près de Mendoza; 112 000 hab.

God save the King (ou *the Queen*), hymne national anglais dont l'origine serait peut-être un catch de Purcell destiné à célébrer le futur Jacques II Stuart.

GODTHÅB, capit. du Groenland, sur le détroit de Davis; 9 000 hab. Pêche.

GODWIN (William), écrivain anglais (Wisbech, Cambridgeshire, 1756 - Londres 1836). Son idéalisme et ses préoccupations sociales s'expriment dans ses essais historiques et ses romans (*les Aventures de Caleb Williams*, 1794). Ses *Recherches sur la population* (1820) réfutent les vues de Malthus. Il critique le droit de propriété et le droit à l'héritage. On lui doit un *Essai sur la justice politique et son influence sur la moralité et le bonheur*.

GOEBBELS (Joseph Paul), homme politique allemand (Rheydt 1897 - Berlin 1945). Chef de la propagande du parti national-socialiste en 1928, ministre de la Propagande et de l'Information à partir de 1933, il fut chargé, en août 1944, de la « guerre totale ». Fidèle jusqu'à la fin à Hitler, qui l'avait désigné dans son testament comme son successeur, il se suicida pendant les derniers combats de Berlin.

GOÉLAND. — Goélands et mouettes ne se distinguent guère que par la taille, plus grande chez le goéland. Ce sont des oiseaux de rivage, nageurs mais non plongeurs, au vol superbe, au cri aigre, au corps trapu et presque sans cou, d'une blancheur éclatante sur le ventre. Le bec est en forme de sécateur, les pattes sont palmées. Mouettes et goélands nidifient fort près des rivages marins, mais peuvent remonter les fleuves, en hiver, jusque très loin des côtes (les mouettes du Léman sont célèbres). On groupe ces oiseaux dans le genre *Larus*.

GOEPPERT-MAYER (Maria), physicienne américaine d'origine allemande (Katowice 1906 - San Diego 1972). Auteur d'une théorie de la structure en couches du noyau de l'atome. (Prix Nobel de physique, 1963.)

GOERG (Édouard) → EXPRESSIONNISME.

GOERING (Hermann) → GÖRING.

GOETHE (Johann Wolfgang VON), écrivain, homme politique et savant allemand (Francfort-sur-le-Main 1749 - Weimar 1832). Fils d'un conseiller impérial et de la fille du bourgmestre de Francfort, il passe sa jeunesse dans sa ville natale, puis à Leipzig et à Strasbourg, où il termine des études de droit. Ses premiers essais poétiques (*Nouveaux Lieder*, 1769) et dramatiques (*Prométhée*, 1772; *Götz von Berlichingen*, 1774), le roman qu'il tire de l'épreuve d'un amour malheureux (*les Souffrances du jeune Werther**, 1774) font de lui un des chefs de la jeune école du « Sturm* und Drang ». Cependant, il répond à l'appel du grand-duc de Weimar, qui le prend comme conseiller (1775) : Goethe va s'intéresser à la politique et à l'économie, tout en appliquant son esprit à la

N. Treatt

Le Triomphe de la sensibilité, de Goethe. (Théâtre de France, Paris, 1968.)

recherche scientifique (il prouvera, notamment, l'existence de l'os intermaxillaire chez l'homme). Il passe en même temps de la fougue romantique à un génie plus discipliné (*Iphigénie*, 1779; *Egmont*, 1787), évolution qu'un voyage en Italie (1786-1788) porte à son terme (*Torquato Tasso*, 1789; *Élégies romaines*, 1790).

À la suite du grand-duc Charles-Auguste, Goethe prend part à la guerre contre la Révolution française et assiste à la bataille de Valmy, qu'il relatera dans *la Campagne de France* (1817). Mais, en 1794, sa rencontre avec Schiller est le début d'une amitié d'une grande fécondité (*Xénies*, 1796). La philosophie « démonique » de sa jeunesse fait désormais place à un idéal classique d'ordre et de compréhension (*Années d'apprentissage de Wilhelm* Meister*, 1796;

Bernand

Le Revizor, de Gogol, par le Théâtre de l'Unité (Café-théâtre Les Deux Portes, 1974).

Une scène de La Locandiera, de Goldoni, au Théâtre Hébertot (Paris, 1970).

Bernand

Hermann et Dorothée,* 1797). Libéré de toute fonction officielle, il se consacre à son œuvre, assumant néanmoins la direction du théâtre de Weimar et réservant une partie de ses loisirs à la géologie, à la biologie et à la botanique (*la Métamorphose des plantes,* 1790; *la Théorie des couleurs,* 1810) : son activité scientifique se fonde essentiellement sur une critique de l'analyse newtonienne et du rôle des mathématiques, auxquelles il oppose une saisie directe de la nature et des formes organiques (il crée, en 1822, le mot *morphologie*).

La mort de Schiller et une grave maladie accentuent sa tendance au repliement sur soi, au moment où paraît la première partie du *Faust** et où il rencontre Napoléon à Erfurt (1808). Alors que le nationalisme s'empare de la jeune génération allemande, Goethe élargit son inspiration apaisée (*les Affinités* électives,* 1809; *Voyage en Italie,* 1816-17) au domaine de l'exotisme lyrique (*Divan occidental et oriental,* 1819). Il s'attache à composer le récit de sa propre vie, à faire le compte des acquisitions et des illusions d'une existence en même temps que d'une époque (*Années de voyage de Wilhelm Meister,* 1821; *Élégie de Marienbad,* 1823), donnant à ses œuvres une forme de plus en plus encyclopédique et symbolique (*Poésie et vérité,* 1811-1833; *Second Faust,* 1826-1833). Lorsqu'il meurt, universellement honoré, il a réalisé le prodige d'être à la fois le plus populaire et le plus savant des écrivains de langue allemande.

GOFFMAN (Erving), psychosociologue canadien (Manvine, Alberta, 1922). Il s'intéresse surtout aux prescriptions implicites qui régissent les interactions sociales et assignent une place à chaque individu dans la hiérarchie sociale. Il a également établi une théorie de l'institution totalitaire à partir de la description de l'existence à l'hôpital psychiatrique telle qu'elle est vécue par les malades (*Asiles,* 1961). Ses principaux ouvrages sont : *la Présentation de soi dans la vie quotidienne* (1959); *Stigmates* (1963); *les Rites d'interaction* (1967); *les Relations en public* (1971).

GOGOL (Nikolaï Vassilievitch), écrivain russe (Sorotchintsy, gouvernement de Poltava, 1809-Moscou 1852). Modeste employé dans un ministère, puis professeur d'histoire dans un institut pour jeunes filles, il atteint d'emblée à la célébrité avec les nouvelles des *Soirées au hameau près de Dikan'ka* (1831-32). Si le nouveau recueil *Mirgorod* (1835), qui contient *Tarass* Boulba,* est encore d'inspiration romantique, *Arabesques* (1835) réunit des textes comme *la Perspective Nevski* et *le Journal d'un fou,* qui annoncent sa nouvelle manière : il peint la grisaille quotidienne de vies médiocres en un récit à la fois ému et ironique, comique par tous les détails, infiniment triste par l'impression d'ensemble, ainsi dans *le Nez* (1835), *le Revizor** (1836), *le Manteau* (1841). Cette période de création est aussi l'époque d'une grave crise intérieure : se sentant incompris de ses compatriotes, il séjourne six ans en Allemagne puis en Italie, et les critiques qui accompagnent la publication de la première partie des *Âmes* mortes* (1842) le troublent profondément. Ses *Extraits d'une correspondance avec mes amis* (1847), dans lesquels il affirme que la Russie ne sera réformée que par le moyen de la religion, font scandale. Tombé, après un pèlerinage à Jérusalem, sous l'emprise d'un prêtre fanatique, il brûle la deuxième partie des *Âmes mortes,* qu'il écrit une nouvelle fois, mais qu'il livre de nouveau au feu avant de mourir, épuisé par les jeûnes. Visionnaire et mystique, Gogol a révélé le réalisme aux écrivains de son pays.

GOGUEL (François), sociologue français (Paris 1909). Spécialiste de science politique, il analyse dans ses ouvrages les « attitudes » et les « opinions » politiques, en s'appuyant sur la sociologie électorale (*la Politique en France,* 1964, en collaboration avec A. Grosser).

GOHELLE (la), plaine du nord de la France, au pied des collines de l'Artois.

GOIÂNIA, v. du Brésil, au S.-O. de Brasília, capit. de l'État de Goiás; 381 000 hab.

GOIÁS, État du Brésil intérieur, plus vaste (642 092 km^2) que la France, mais peu peuplé (3 millions d'habitants). Capit. *Goiânia.*

GOIS *(passage du),* route praticable à marée basse, menant à l'île de Noirmoutier.

GOITRE. — L'hyperplasie de la glande thyroïde est le plus souvent diffuse (goitre diffus), mais parfois elle est localisée en plusieurs points (goitre nodulaire). Le mécanisme de la formation des goitres peut être inflammatoire ou tumoral; souvent endocrinien, il est dû alors à une hypersécrétion de thyréostimuline hypophysaire. Certains goitres s'accompagnent d'un hypofonctionnement thyroïdien par trouble congénital de l'hormonogenèse thyroïdienne. D'autres sont accompagnés d'un hyperfonctionnement (maladie de Basedow) par dérèglement des centres diencéphalohypophysaires. D'autres enfin, surtout chez la femme, ne s'accompagnent pas de perturbations thyroïdiennes. Ces goitres s'observent à l'état endémique dans certaines régions (Savoie). Le goitre simple est fréquent aussi à la puberté, lors de la grossesse et de la ménopause.

GOLAN *(plateau du),* région du sud-ouest de la Syrie, dominant la vallée du Jourdain, au N. du lac de Tibériade. — Partiellement occupé par Israël durant la guerre de 1967, le plateau du Golan fut la base de départ de l'offensive syrienne pendant la guerre de 1973. Après les accords de Genève, les Casques bleus se sont installés en 1974 entre les armées adverses. (V. ISRAÉLO-ARABES [*guerres*].)

GOLBEY (88190), comm. des Vosges, dans la banlieue nord d'Épinal; 9 493 hab. Textile.

GOLCONDE, fort et ville en ruine de l'Inde (Andhra Pradesh). Avant d'être dévastée par Aurangzeb (Awrangzīb), elle a été, entre 1518 et 1687, la capitale de l'un des cinq sultanats musulmans du Deccan. D'importantes fortifications, des palais et plusieurs tombeaux témoignent des fastes légendaires de la cité, qui abrita (fin du XVIe-début du XVIIe s.) une célèbre école de miniaturistes.

GOLD COAST → GHĀNA *(république du).*

GOLDING (William), écrivain anglais (Saint Columb Minor, Cornouailles, 1911). Ses romans, qui mêlent réalisme et allégorie, peignent le drame de l'homme pris au piège du mal originel (*Sa Majesté des mouches,* 1954; *le Dieu Scorpion,* 1971).

GOLDMANN (Nahum), leader sioniste (Wisznewo, Lituanie, 1895). Fondateur et président du Congrès juif mondial, président de l'Organisation mondiale sioniste (1956-1968), il est l'un des principaux animateurs du mouvement sioniste international. Souhaitant l'établissement d'une paix durable avec les Arabes, il se déclare partisan de la restitution par Israël des territoires conquis en 1967.

GOLDONI (Carlo), poète comique italien (Venise 1707-Paris 1793). Aux bouffonneries de la *commedia dell'arte* il substitua la peinture des mœurs et des caractères (*le Serviteur de deux maîtres,* 1745; *La Locandiera,* 1753; *les Querelles de Chioggia,* 1762), puis il s'établit à Paris, où il poursuivit la défense et l'illustration de la comédie naturelle (*le Bourru bienfaisant,* 1771). Il a laissé des *Mémoires* (1784-1787).

GOLDSCHMIDT (Hans), chimiste et industriel allemand (Berlin 1861-Baden-Baden 1923). Il inventa l'aluminothermie, qu'il appliqua à la métallurgie du chrome et du manganèse et à la fabrication de bombes incendiaires.

GOLDSMITH (Oliver), écrivain anglais (Pallasmore, Irlande, 1728-Londres 1774). Il se fait connaître par des *Lettres chinoises* (1762), imitées de Montesquieu, puis témoigne d'une sentimentalité tempérée d'ironie dans des romans (*le Vicaire de Wakefield,* 1766) et des poèmes pastoraux (*le Village abandonné,* 1770), avant de connaître le succès au théâtre (*Elle s'abaisse pour triompher,* 1773).

GOLDSTEIN (Eugen), physicien allemand (Gleiwitz 1850-Berlin 1930). En 1876, il montra que les rayons cathodiques transportent une charge négative, et, en 1886, il découvrit les rayons canaux.

GOLDSTEIN (Kurt), neuropsychiatre d'origine allemande (Katowice 1878-New York 1965). Il est l'instigateur d'une conception unitaire et globaliste, issue de la Gestalttheorie*, de la neurologie. Il considère que chaque lésion cérébrale entraîne bien un trouble déterminé, mais que cette désorganisation fonctionnelle est toujours débordée par la réaction globale d'adaptation. Il montre en particulier que l'aphasie* ne peut être vue comme un déficit spécifique, mais comme le résultat d'une réponse globale de l'organisme s'adaptant à une déficience particulière. Le principal ouvrage de K. Goldstein est *la Structure de l'organisme* (1934).

GOLÉA (El-), oasis du Sahara algérien; 12000 hab.

GOLEIZOVSKI (Kassian Iaroslavovitch), chorégraphe soviétique d'origine lituanienne (Moscou 1892-*id.* 1970). Formé à l'école impériale de danse de Saint-Pétersbourg, il subit l'influence d'A. Gorski*, dont il dépasse les conceptions. Initiateur du « collectif scénique », il rejette le système du vedettariat. Recréant l'espace scénique destiné aux danseurs, il rompt avec tout ce que la tradition a de conventionnel. À côté de ses grands ballets (*Joseph le Beau,* d'après *la Légende de Joseph,* 1925; *Leila et Mejnoun,* 1964), il produit des pièces courtes, dites « miniatures chorégraphiques » (*Narcisse,* 1969).

GOLF. — Ce sport consiste à expédier une balle en caoutchouc, d'un poids de 46 g et d'un diamètre maximal de 41 mm (42,7 aux États-Unis), successivement dans 18 trous séparés les uns des autres par des distances oscillant entre 95 et 500 m; la longueur totale du parcours varie entre 5,5 et 6,5 km. Le gain de la partie revient au joueur (ou à l'équipe) ayant réalisé le parcours avec le minimum de coups (formule du *medal play*), plus rarement en comptant le nombre de coups nécessités par chaque trou et en additionnant le nombre de trous remportés (formule du *match play*). La balle est propulsée par un *club* (il en existe 14, de nature et de forme variées, selon la distance à parcourir, la nature du terrain, etc.). Tout terrain de golf possède un score normal que doit réussir un bon joueur, généralement compris entre 70 et 75 coups; on donne le nom de *par* à ce score, ainsi qu'au nombre moyen de coups estimés nécessaires pour chaque trou (entre 3 et 5). Le golf est surtout pratiqué aux États-Unis (qui l'ont popularisé au Japon, comme le base-ball) et en Grande-Bretagne (et dans ses anciens dominions : Canada, Australie, Nouvelle-Zélande, Afrique du Sud).

GOLFECH (82400 Valence d'Agen), comm. de Tarn-et-Garonne, près de la Garonne, à 23 km au S.-E. d'Agen; 470 hab. Centrale hydroélectrique.

GOLFE-JUAN, écart de la comm. de Vallauris* (Alpes-Maritimes), à 5 km à l'O. d'Antibes. Station balnéaire. Napoléon y débarqua le 1er mars 1815, à son retour de l'île d'Elbe.

GOLGI (Camillo), médecin et histologiste italien (Corteno, près de Brescia, 1844-Pavie 1926), prix Nobel de médecine, avec Ramón y Cajal, en 1906, pour ses travaux de neuro-histologie. Il tient une grande place dans l'histoire des fièvres paludéennes.

GOLIATH, guerrier philistin* vaincu en combat singulier par David*. Les textes bibliques qui rapportent cet exploit semblent avoir aménagé à la gloire du roi David des traditions imprécises.

GOLITSYN → GALITZINE.

GOLO (le), fl. de la Haute-Corse, qui rejoint la Méditerranée au S. de Bastia; 75 km. Barrage (Calacuccia) et centrales hydroélectriques (dont Castirla).

GOLOVINE (Serge), danseur et chorégraphe français (Monte-Carlo 1924). Un des plus brillants représentants de sa génération, il s'est illustré, avec le Grand Ballet du marquis de Cuevas, dans *le Spectre de la rose, la Belle au bois dormant, Piège de lumière, Petrouchka.*

GOLTZIUS (Hendrik), dessinateur, graveur et peintre néerlandais (Mühlbracht, Limbourg, 1558-Haarlem 1617). Maniériste influencé par Dürer, par les Italiens et par Spranger, meilleur graveur de son pays entre Lucas de Leyde et Rembrandt (burins et camaïeux : sujets mythologiques ou religieux, portraits), plus froid dans ses peintures, il fut l'un des fondateurs de l'académie de Haarlem et connut une renommée européenne.

GOMAR (François) → GOMARISME.

GOMARISME. — François Gomar (Bruges 1563-Groningue 1641), professeur de théologie protestante à Leyde, donna à la doctrine calviniste de la prédestination* son interprétation la plus rigoriste. À l'encontre de son collègue et adversaire Arminius (v. ARMINIANISME), il professait que le décret de prédestination est antérieur à la chute d'Adam, réduisant ainsi à quelques élus de l'arbitraire divin l'œuvre rédemptrice de Jésus-Christ. Les controverses théologiques entre arminiens et gomaristes furent cause, aux Pays-Bas, d'affrontements politiques.

GOMBAULD (Jean OGER), poète français (Saint-Just, Saintonge, v. 1588-Paris 1666). Disciple de Malherbe, il reste fidèle à la langue noble et au lyrisme majestueux (*Épigrammes,* 1657).

GOMBERT (Nicolas), compositeur franco-flamand (Bruges v. 1500-v. 1556). Au service de Charles Quint, il séjourna un temps à Madrid. Entre Josquin Des Prés et R. de Lassus, il est l'un des plus habiles compositeurs de musique religieuse (messes, motets). Il laisse également des chansons.

GOMBERVILLE (Marin LE ROY DE), écrivain français (Paris 1600-*id.* 1674), poète dans la tradition de Malherbe, auteur de romans précieux (*Polexandre,* 1619).

gombette *(loi),* loi barbare rédigée en latin (500-01), sur l'ordre du roi Gondebaud, à l'intention de ses sujets burgondes. Elle ne reproduisait que partiellement la tradition juridique burgonde et utilisait largement certains aspects du droit romain.

GOMBROWICZ (Witold), écrivain polonais (Małoszyce 1904-Vence 1969). Ses romans (*Ferdydurke*,* 1937; *Cosmos,* 1965), son théâtre (*le Mariage,* 1946; *Yvonne, princesse de Bourgogne,* 1957) et son *Journal** (1957-1964) cherchent à saisir, à travers les comportements stéréotypés et les pièges de la culture, la réalité intime des êtres.

GOMEL, v. de l'U.R.S.S., dans le sud-est de la Biélorussie; 272000 hab. Constructions mécaniques.

GOMERA, l'une des îles Canaries.

GÓMEZ DE LA SERNA (Ramón), écrivain espagnol (Madrid 1888-Buenos Aires 1963). Romancier (*El rastro,* 1915), il créa le genre *greguerías,* petits poèmes en prose aux observations piquantes.

GOMME *(Bot.).* — Les gommes sont des sécrétions végétales définies par leur consistance élastique, leur nature chimique glucidique, leur insolubilité dans la plupart des solvants. Elles ne se forment ordinairement qu'au niveau d'une plaie ou d'une incision, ou en période de grande sécheresse, et exclusivement sur les arbres. Mais certains acacias sécrètent la *gomme arabique* de façon permanente. La *gomme adragante* est extraite d'une papilionacée *(Astragalus).* Les gommes sont utilisées en pharmacie (boules de gomme) et dans l'industrie des colles, apprêts et vernis.

GOMME *(Chim.).* — Une gomme est constituée d'unités de monosaccharides acides ou neutres, reliées par des liaisons glucosidiques. Les *gommes acides* contiennent des acides glucuroniques L et D, des acides galacturoniques et leurs éthers, des groupes sulfates et des groupes phosphates avec des constituants neutres (sucres). Les *gommes neutres* renferment des hexoses, des pentoses, des alcools* et des éthers. Après purification, elles sont utilisées dans les adhésifs*, les cosmétiques, les savons*, ainsi que dans les produits pharmaceutiques et alimentaires, en raison de leur viscosité* et de leur nature colloïdale.

Gommes *(les),* roman de Robbe-Grillet (1953). Une banale histoire policière qui reprend la trame du mythe d'Œdipe dans un monde réduit à ses seuls contours : la première manifestation systématique du *nouveau* roman.*

GOMORRHE → SODOME.

GOMUŁKA (Władysław), homme d'État polonais (Krosno 1905). Il participe activement à la lutte contre l'Allemagne, au sein du parti ouvrier polonais clandestin. Élu secrétaire général du parti ouvrier en 1943, il définit une « voie polonaise vers le socialisme », d'esprit libéral et démocratique, qui lui vaut l'opposition des staliniens et entraîne son exclusion (1948). Réhabilité en 1956, il est réélu premier secrétaire du Comité central et joue un rôle prépondérant dans le mouvement d'Octobre, engageant une politique de réformes et garantissant les libertés et l'indépendance nationale. Cette libéralisation est rapidement remise en cause par Gomułka lui-même, qui, face à la contestation intellectuelle et étudiante et à la stagnation économique, durcit sa politique, puis se rapproche de l'U.R.S.S. et participe à l'invasion de la Tchécoslovaquie. Sa décision d'augmenter brutalement les prix des denrées alimentaires déclenche en 1970 une violente vague d'émeutes et de grèves qui provoque sa démission.

GONADE. — Les gonades sont les glandes sexuelles des animaux vertébrés : ovaire et testicule. Chez les mammifères, avant la différenciation sexuelle, la gonade primordiale comporte une zone externe (cortex) et une zone interne (moelle). Lorsque la formule chromosomique est de type homogamétique (XX), c'est le cortex qui se développe, au sein duquel se différencient les follicules de l'ovaire : le sexe sera femelle. Lorsque la formule chromosomique est de type hétérogamétique (XY), c'est la moelle qui se développe et élabore les cellules d'où proviendront les spermatozoïdes : le sexe sera mâle. Ce sont les hormones *gonadotropes* de l'hypophyse qui gouvernent cette différenciation, comme ensuite le fonctionnement des gonades mûres.

GONADOTROPE → HYPOPHYSE.

GONÇALVES (Nuno), peintre portugais, nommé peintre du roi Alphonse V en 1450. On lui attribue le *Polyptyque de São Vicente*, dit « retable des navigateurs » (musée de Lisbonne, incomplet), chef-d'œuvre de la peinture portugaise, d'une grandeur monumentale qui le distingue de ses modèles flamands.

GONÇALVES DIAS (António), poète brésilien (Caxias, Maranhão, 1823 - dans un naufrage 1864). Fondateur de l'école indianiste, il exalte l'immensité de la nature américaine (*Os Timbiras*, 1857).

GONCELIN (38570), ch.-l. de cant. de l'Isère, à 10 km au S.-O. d'Allevard; 1 506 hab.

GONCOURT (Edmond HUOT DE) [Nancy 1822 - Champrosay 1896] et son frère, JULES (Paris 1830 - *id.* 1870), écrivains français. Ils appliquèrent leur goût commun pour l'art et la littérature d'abord à la civilisation française du XVIIIe s. (*l'Art du XVIIIe siècle*, 1859-1875), puis à l'écriture de pièces de théâtre et de romans qui révèlent leur passion du document et de l'anecdote (*Renée Mauperin*, 1864; *Madame Gervaisais*, 1869). Après la mort de son frère, Edmond publia seul d'autres romans (*la Fille Élisa*, 1877) et des études sur l'art japonais (*Hokousaï*, 1896).

Les Goncourt s'attachèrent à peindre la vie dans ses états de crise physiologique ou névropathique, ressentant et analysant, avec une acuité presque maladive, leurs sensations et leurs émotions (*Journal**). Pour traduire cette complexité « moderne » de l'âme, ils usèrent d'une écriture « artiste », qui transforma, dans les derniers récits d'Edmond, le naturalisme primitif des deux frères en un impressionnisme raffiné.

Edmond de Goncourt réunissait dans le « grenier » de son hôtel d'Auteuil un petit cénacle d'amis qui est à l'origine de l'*Académie* des Goncourt*.

GONDAR, v. de l'Éthiopie, au N. du lac Tana; 37 000 hab. Capitale du pays entre 1630 et 1860, elle conserve un ensemble monumental de palais, d'églises et de fortifications (XVIIe-XVIIIe s.), élevés dans un style rappelant celui de la Renaissance. Elle a été le siège d'une école de peinture murale florissante au XVIIe s. (décoration de l'église d'Abba Antonios, Paris, musée de l'Homme).

GONDEBAUD († Genève 516), roi des Burgondes (v. 480-516). Il lutta contre Clovis, puis s'allia avec lui contre les Wisigoths (507). Gondebaud réorganisa la Bourgogne sur le modèle romain et promulgua la loi gombette*.

GONDI, famille florentine de diplomates et de banquiers qui passa au service de la France au XVe s. Les membres les plus remarquables furent PHILIPPE-EMMANUEL (Limoges 1581 - Joigny 1662), gouverneur général des galères et ami de saint Vincent de Paul, et l'un de ses fils, JEAN-FRANÇOIS, plus connu sous le nom de cardinal de Retz*.

GOND-PONTOUVRE (Le) [16160], comm. de la Charente, dans la banlieue nord d'Angoulême; 5 313 hab. Constructions mécaniques et électriques.

GONDRECOURT-LE-CHÂTEAU (55130), ch.-l. de cant. de la Meuse, sur l'Ornain, à 29 km au S.-E. de Ligny-en-Barrois; 1 455 hab.

GONDWĀNĀ, nom donné (d'après celui d'une région de l'Inde, dans le nord du Deccan) à un continent qui aurait réuni, jusqu'à la fin de l'ère primaire, le Deccan, l'Afrique (et Madagascar), l'Australie, l'Amérique du Sud et l'Antarctique. Cette hypothèse résulte de similitudes, observées jusqu'au début du secondaire, dans l'histoire de la faune et de la flore de ces territoires.

GONESSE (95500), ch.-l. de cant. du Val-d'Oise, à 12 km au N.-N.-E. de Paris; 21 470 hab. *(Gonessiens)*. Église des XIIe-XIIIe s.

GONFREVILLE-L'ORCHER (76700 Harfleur), comm. de la Seine-Maritime, à 10 km à l'E. du Havre; 10 175 hab. Grande raffinerie de pétrole. Pétrochimie.

GÓNGORA (Luís DE ARGOTE Y DE), poète espagnol (Cordoue 1561 - *id.* 1627). Doté d'importants bénéfices ecclésiastiques, qui lui permettent de se consacrer à la littérature, il ne se fit ordonner prêtre qu'à cinquante-six ans, pour devenir chapelain du roi Philippe III. Il commence par composer des *lettrillas* et des *romances*, dont les cercles littéraires de Cordoue et de Madrid se disputent les manuscrits, et sa gloire est déjà suffisamment établie en 1585 pour que Cervantès le cite, dans sa *Galatée*, parmi les grands poètes espagnols. Mais son art véritable ne s'épanouit que dans *la Fable de Polyphème et Galatée* (1612) et dans *les Solitudes* (1613) : il considère le poème comme un univers autonome, où les mots riches et étranges révèlent dans l'éclair des métaphores le domaine secret de l'esprit. Ce cultisme*, bien que combattu par Lope de Vega, fut l'objet d'une immense admiration qui valut à l'auteur de voir éditer ses poèmes sous le titre d'*Œuvres en vers de l'Homère espagnol* (1627).

GONIOGRAPHE → TOPOGRAPHIE.

GONIOMÈTRE. — Le goniomètre sert, en cristallographie, à la détermination des angles dièdres que font entre elles les faces des cristaux. En optique, il est utilisé pour déterminer l'indice de réfraction d'un prisme. (V. TACHÉOMÉTRIE.)

GONOCHORISME. — Cette situation, qui s'oppose à l'*hermaphrodisme**, caractérise les espèces où chaque individu ne possède qu'un seul sexe. Elle est générale chez les animaux, mais exceptionnelle chez les plantes, chez lesquelles on la nomme aussi *dioïcité*. Le dattier, le peuplier, l'élodée, certaines euphorbes, etc., sont dioïques.

GONOCOQUE. — Le gonocoque est une bactérie Gram négatif qui se recherche dans l'exsudat urétral chez l'homme, et dans celui du col utérin chez la femme. Il est responsable de la blennorragie, qui se manifeste par une urétrite aiguë (chaude-pisse) chez l'homme ou par une cervicite chez la femme. Le plus souvent d'origine vénérienne, non ou mal traitée, l'infection peut gagner tout l'appareil génital. La complication la plus grave est, chez l'homme, le rétrécissement de l'urètre. La gonococcie est facilement guérie par une antibiothérapie courte, intense et adaptée (pénicillines, chloramphénicol).

GONTCHAROV (Ivan Aleksandrovitch), écrivain russe (Simbirsk 1812 - Saint-Pétersbourg 1891). Le héros de son roman *Oblomov* (1859) est resté le symbole de la décadence intellectuelle et politique de la noblesse russe.

GONTCHAROVA (Natalia Sergueïevna), peintre russe (Toula 1881 - Paris 1962). Elle prend une large part, avec son mari, M. Larionov*, aux diverses phases de l'avant-garde russe des premières années du siècle à 1914. Fixée ensuite à Paris, elle dessine pour les Ballets russes de Serge de Diaghilev d'admirables décors et costumes conjuguant audace plastique et souvenirs de l'art populaire.

GONTRAN *(saint)* [v. 545 - Chalon-sur-Saône 592], roi de Bourgogne (561-592), deuxième fils de Clotaire Ier. Il lutta contre les Lombards, les Bretons, les Basques et les Wisigoths, diffusa le christianisme et tenta de jouer un rôle de conciliation dans la querelle opposant ses frères, Sigebert et Chilpéric. Par le traité d'Andelot, il se donna comme successeur Childebert II.

GONZAGUE, famille princière de l'Italie du Nord, qui régna sur Mantoue à partir de 1328 — année où LOUIS Ier **de Gonzague** (1278-1360) fut nommé capitaine général de Mantoue, avec droit de désigner son successeur — jusqu'au XVIIIe s. Les descendants de Louis Ier portèrent d'abord le titre de marquis (1403) puis celui de duc (1530). Au XVIe s., une branche de la maison de Gonzague accéda au duché de Nevers. D'autres branches donnèrent des princes de Bozzolo, de Sabbioneta e Castiglione, et des ducs de Guastalla.

GONZÁLEZ (Julio), sculpteur espagnol (Barcelone 1876 - Arcueil 1942). À Paris en 1900, d'abord orfèvre et peintre, il se met à la sculpture vers 1910, expérimentant le bronze repoussé puis la soudure autogène. Encouragé par Brâncuşi et Gargallo, il débute vers 1927 dans le fer soudé, abordant bientôt les grandes constructions de lignes, plans et volumes, à la limite de l'abstraction, qui fondent sa renommée : *Arlequin* (1927-1929, Kunsthaus, Zurich), diverses variantes de la *Femme se coiffant* (1930-1936), *la Montserrat* (1937, Amsterdam), *l'Homme cactus*, etc.

GOODMAN (Benjamin DAVID, dit **Benny**), clarinettiste et chef d'orchestre de jazz américain (Chicago 1909). Surnommé par les publicistes, dès 1934, « le Roi du swing », il fut au sein des petites formations ou des grands orchestres qu'il dirigea un grand découvreur de talents (Lionel Hampton, Teddy Wilson, Charlie Christian). Adversaire de toute ségrégation raciale, il s'entoura d'artistes de couleur de grande valeur et popularisa le jazz en faisant appel aux meilleurs arrangeurs de son temps. Il fut également un interprète classique de talent.

GOODPASTER (Andrew), général américain (Granite City 1915). Commandant en chef adjoint au Viêt-nam en 1968, il fut, de 1969 à 1974, commandant des forces du pacte de l'Atlantique en Europe.

GOODYEAR (Charles), inventeur américain (New Haven, Connecticut, 1800-New York 1860). Il découvrit la vulcanisation du caoutchouc (1839) et fut le premier à préparer l'ébonite.

GOOSE BAY, base aérienne du Canada, dans l'est du Labrador.

GÖPPINGEN, v. de l'Allemagne fédérale (Bade-Wurtemberg), à l'E. de Stuttgart; 50 000 hab.

GORAKHPUR, v. de l'Inde, dans l'est de l'Uttar Pradesh; 231 000 hab. Université. Engrais.

GORCHKOV (Sergueï Gueorguievitch), amiral soviétique (Kamenets-Podolski 1910). À la tête de la flotte de la mer Noire de 1948 à 1955, il devient, en 1956, commandant en chef de la marine soviétique, qui devait acquérir, au début des années 70, une puissance comparable à celle de la marine américaine.

GORDES (84220), ch.-l. de cant. de Vaucluse, à 17 km au N.-E. de Cavaillon; 1 574 hab. Château du XVIe s. (musée Vasarely). À 4 km, abbaye cistercienne de Sénanque (XIIe s.).

GORDIMER (Nadine), femme de lettres sud-africaine d'expression anglaise (Johannesburg 1923). Ses romans et ses nouvelles évoquent des tentatives généreuses mais impuissantes pour établir une communication entre les communautés noire et blanche (*A World of Strangers,* 1958; *Occasion for Loving,* 1963; *The Conservationist,* 1974).

GORDON (Yehudah Leib, dit **Yalag**), écrivain russe de langue hébraïque (Vilnious 1830-Saint-Pétersbourg 1892). Sa poésie marque, dans la pensée juive, le passage d'un idéalisme lyrique à l'engagement contre les traditions sociales et religieuses.

GORDON (Charles), dit **Gordon pacha,** officier et administrateur anglais (Woolwich 1833-Khartoum 1885). Entré au service de l'Égypte (1874), gouverneur militaire au Soudan jusqu'en 1880, il est chargé par Londres, en 1884, de diriger l'évacuation du Soudan révolté. Il est tué par les mahdistes lors de la prise de Khartoum par ces derniers.

GORÉE, île côtière du Sénégal, en face de Dakar. D'abord occupée par les Hollandais, elle devint française en fait en 1677, en droit en 1817.

Gorgias *(le),* dialogue de Platon dans lequel Socrate oppose le discours vrai, qui conduit au bien et à la justice, à l'art de persuader (rhétorique), prôné par Gorgias. Il vaut mieux, d'après Platon, subir l'injustice que la commettre.

GORGONE. — Parmi les cœlentérés vivant fixés, en colonies rameuses, au fond de la mer, ce sont les gorgones qui revêtent l'aspect le plus végétal, avec leurs rameaux grêles étalés dans un plan et, parfois, anastomosés en une sorte de filet. Le squelette, purement corné, est relativement souple. La chair peut présenter les plus vives couleurs. Les gorgones, souvent observées à de grandes profondeurs, sont des octocoralliaires, voisines du corail rouge.

GORGONES, dans la mythologie grecque, monstres ailés au corps de femme et à la chevelure faite de serpents. Elles étaient trois sœurs : Sthéno, Euryale et Méduse*, dont le regard changeait en pierre ceux sur qui il se fixait.

GORGONZOLA → FROMAGE.

GORGONZOLA, v. d'Italie (Lombardie), au N.-E. de Milan; 9 000 hab. Fromages.

GORGUE (La) [59253], comm. du Nord, sur la Lys, à 15 km au S.-O. d'Armentières; 4 221 hab.

GORILLE. — Le plus grand de tous les singes (2 m de hauteur et 250 kg chez le mâle adulte) est le gorille, animal aux mâchoires puissantes, aux crocs dépassants, incapable de marcher au sol sans l'aide des mains et trop lourd, bien souvent, pour grimper aux arbres. Les gorilles vivent en familles ou en petites tribus, se nourrissant principalement de fruits. On croit qu'ils constituent une seule espèce, africaine, avec des races locales dont certaines sont menacées de disparition.

GÖRING ou **GOERING** (Hermann), maréchal et homme politique allemand (Rosenheim 1893-Nuremberg 1946). Aviateur, il s'illustre par de nombreuses victoires pendant la Première Guerre mondiale, puis il adhère au parti national-socialiste et devient un des principaux collaborateurs de Hitler. Ministre de l'Air en 1933, il se consacre, à partir de 1935, à la réorganisation de l'aviation militaire allemande (Luftwaffe), dont il est nommé commandant en chef (1935-1945). Chef suprême de l'économie de guerre en 1940, il est le successeur désigné de Hitler. Désavoué par celui-ci après avoir tenté de prendre le pouvoir (1945), Göring est condamné à mort lors du procès de Nuremberg et se suicide.

GORIZIA, v. d'Italie, sur l'Isonzo, à la frontière yougoslave; 43 000 hab. Château, reconstruit au XVIe s. Musées.

GORKI, anc. **Nijni-Novgorod,** v. de l'U.R.S.S. (R.S.F.S. de Russie), au confluent de la Volga et de l'Oka; 1 170 000 hab. Centrale hydroélectrique. Métallurgie. Raffinage du pétrole.

GORKI (Alekseï Maksimovitch PECHKOV, dit **Maksim**), écrivain russe (Nijni-Novgorod 1868-Moscou 1936). Orphelin de bonne heure, il mena une vie errante qui l'incita à choisir le pseudonyme de Gorki, « l'Amer », et qui inspira les peintures réalistes de ses nouvelles (*Deux Clochards,* 1894; *la Vie en bleu,* 1925), de ses romans (*Foma Gordeïev,* 1899; *la Mère,* 1907; *les Artamonov,* 1925; *la Vie de Klim Samghine,* 1927-1936), de son théâtre (*les Bas-Fonds,* 1902; *les Enfants du soleil,* 1905) et de ses Mémoires (*Ma vie d'enfant,* 1913-14; *En gagnant mon pain,* 1915-16; *Mes universités,* 1923). Malgré certains dissentiments et un long séjour en Italie (1921-1928), il accueillit avec faveur la révolution d'Octobre. Par sa collaboration aux nouvelles revues et par les entreprises d'édition auxquelles il présida, il fut le créateur de la littérature sociale soviétique.

Bernand

Les Ennemis, de Gorki, au Théâtre de l'Est parisien (T.E.P., Paris, 1971).

GORKY (Vosdanig ADOIAN, dit **Arshile**), peintre américain d'origine arménienne (Hayotz Dzore, Arménie turque, 1905-Sherman, Connecticut, 1948). D'abord influencé par Cézanne, puis par Picasso et par le cubisme synthétique, il libère, après la découverte du surréalisme, de Kandinsky, de Miró, et après sa rencontre avec Matta, une subjectivité et un lyrisme dont témoignent les contours mouvants, les couleurs éclatantes et la spontanéité automatique de ses toiles (*le Foie est la crête du coq,* 1944, musée de Buffalo). À partir de 1945, l'angoisse et le malaise percent dans un graphisme nerveux suggérant des formes organiques (*les Fiançailles II,* 1947, musée Whitney, New York).

GÖRLITZ, v. de l'Allemagne orientale, sur la Neisse; 86 000 hab. Textile.

GORLOVKA, v. de l'U.R.S.S. (Ukraine), dans le Donbass; 335 000 hab. Centre houiller et sidérurgique. Chimie.

GÖRRES (Joseph VON), publiciste et historien allemand (Coblence 1776-Munich 1848), un des animateurs du mouvement nationaliste.

GORRON (53120), ch.-l. de cant. de la Mayenne, à 17 km au N.-E. d'Ernée; 2 555 hab. Constructions mécaniques. Mobilier.

GORSKI (Aleksandr), danseur, maître de ballet, chorégraphe et pédagogue russe (Saint-Pétersbourg 1871-Moscou 1924). Élève de Marius Petipa, assistant de Pavel Gerdt à l'école impériale de danse de Saint-Pétersbourg, il se révèle un pédagogue exceptionnel, utilisateur du système de notation chorégraphique *(la Belle au bois dormant),* qu'il mit au point avec Vladimir Stepanov (1866-1896). Ses conceptions artistiques ramenant vie, mouvement et expression dans un répertoire figé font de lui un novateur, responsable en partie du renouveau du ballet soviétique.

GORT (John Vereker, *vicomte*), maréchal britannique (Londres 1886-*id.* 1946). Commandant le corps expéditionnaire en France en 1939-40, il fut gouverneur de Gibraltar (1941) puis de Malte, avant de devenir haut-commissaire en Palestine et en Transjordanie (1944-45).

GORTCHAKOV (Aleksandr Mikhaïlovitch, *prince*), homme d'État russe (Haspal 1798-Baden-Baden 1883). Alexandre II* l'appelle au ministère des Affaires étrangères en 1856. Gortchakov s'emploie à faire abolir les clauses restrictives du traité de Paris : la conférence

Art gothique. *La Salutation angélique* (1517), de Wit Stwosz. Groupe en bois polychrome suspendu dans le chœur de l'église Saint-Laurent de Nuremberg.

de Londres (1871) rétablit la souveraineté russe en mer Noire. Il déclare la guerre à la Turquie en 1877 et signe avec les Ottomans le traité de San Stefano (1878). Mais Bismarck réunit le congrès de Berlin*, qui prive la Russie du fruit de sa victoire sur la Turquie.

GORTYNE, ville de la Crète centrale, célèbre par la monumentale inscription du ve s. av. J.-C. (découverte en 1884), portant un ensemble de dispositions juridiques concernant le droit civil et le droit criminel. Importants vestiges grecs et romains.

GORZE (57130 Ars sur Moselle), comm. de la Moselle, à 16 km au S.-O. de Metz; 1204 hab.

GORZÓW WIELKOPOLSKI, v. de l'ouest de la Pologne, sur la Warta; 78000 hab.

GOSIER → PHARYNX.

GOSLAR, v. de l'Allemagne fédérale (Basse-Saxe), au pied du Harz; 56000 hab. Ancienne ville impériale, Goslar conserve une partie de ses remparts, son château (très restauré), de nombreuses églises et maisons médiévales.

GOSPORT, port de Grande-Bretagne, sur la Manche; 76000 hab.

GOSSART (Jan), dit **Mabuse,** peintre et dessinateur des anciens Pays-Bas (Maubeuge ? v. 1478 ? - Middelburg ? entre 1532 et 1536). Sa production complexe et mal connue, à un carrefour des recherches européennes (il alla en Italie en 1508), est l'une de celles qui expriment les nouveaux concepts de la Renaissance dans l'art du Nord (*Saint Luc peignant la Vierge,* v. 1513, Prague; *Neptune et Amphitrite,* 1516, Berlin; *Jean Carondelet,* musée du Louvre).

GOSSAU, comm. de Suisse (cant. de Saint-Gall), à l'O. de Saint-Gall; 12793 hab.

GOSSEC (François Joseph GOSSÉ, dit), compositeur français (Vergnies 1734 - Passy 1829). Auteur d'une célèbre *Messe des morts,* il fut au service de La Popelinière, des princes de Conti et de Condé. Créateur du Concert des amateurs, il demeure l'un des plus grands maîtres français de la symphonie, et a écrit des partitions lyriques et des hymnes révolutionnaires. Il fut professeur au Conservatoire de Paris et membre de l'Institut.

GOSSELIES, anc. ville de Belgique (Hainaut), intégrée depuis 1977 à Charleroi.

GOSSET (Antonin), chirurgien français (Fécamp 1872 - Paris 1944). Il a étudié le rein et l'uretère, et on lui doit de nombreuses techniques de chirurgie digestive.

GÖTA ÄLV (le), fl. de Suède, émissaire du lac Vänern, qui rejoint le Cattégat à Göteborg; 93 km. Le *canal de Göta* relie les lacs Vänern et Vättern.

GÖTALAND, partie méridionale de la Suède.

GÖTEBORG, port du sud-ouest de la Suède, à l'embouchure du *Göta älv;* 442000 hab. Musées. Chantiers navals. Construction automobile. Raffinage du pétrole.

GOTHA, v. du sud-ouest de l'Allemagne orientale, près d'Erfurt; 57000 hab. Édition. Constructions ferroviaires.

Gotha *(programme de),* programme socialiste élaboré lors du congrès de Gotha (mai 1875), qui marqua la création du parti social-démocrate allemand, né de la fusion de la tendance lassallienne et de la tendance marxiste du socialisme allemand. Marx et Engels en firent une vive critique.

GOTHIQUE (art). — Monopolisant l'activité artistique d'une grande partie de l'Europe pendant plusieurs siècles (près de quatre siècles en France), le style gothique se constitue à travers un primat de l'architecture — qui s'impose à la sculpture et aux arts décoratifs (vitrail*, enluminure, orfèvrerie...) — avant de susciter un renouveau de la peinture.

Les conséquences sur la structure de l'église* de l'usage rationnel de la voûte* sur croisée d'ogives — report des poussées aux angles, allégement des murs par rapport aux colonnes ou piles qui reçoivent ces poussées, généralisation de la brisure des arcs qui encadrent chaque travée ainsi que des fenêtres, agrandissement de celles-ci — apparaissent clairement dans le Saint-Denis de l'abbé Suger (déambulatoire du chœur), v. 1140. La cathédrale de Sens est le premier grand édifice entièrement gothique. Celles de Noyon, Laon, Paris (transformée ensuite) donnent, dans la seconde moitié du XIIe s., le type complexe du gothique primitif : élévation à quatre étages (grandes arcades ouvrant sur les bas-côtés, tribune, triforium, fenêtres hautes), voûtes sexpartites de la nef principale, impliquant l'alternance de supports plus et moins forts. La cathédrale de Chartres*, après 1194, définit le type classique, articulé très lisiblement, avec voûtes barlongues et systématisation des arcs-boutants, qui remplacent la tribune dans sa fonction de butement. C'est encore dans le domaine capétien que surgit, v. 1230-1240, le style *rayonnant* (Saint-Denis, Amiens, Sainte-Chapelle de Paris [1241]), caractérisé par une structure et des proportions donnant une plus grande unité spatiale, par le développement des vitrages, qui se décomposent en lancettes et en rosaces dont le réseau décoratif va se retrouver sur les contreforts, les arcs-boutants, les portails. Ce style se répand dans le midi de la France (où il est concurrencé, au XIVe s., par un type autonome, à nef unique et contreforts intérieurs délimitant les chapelles [Albi]) et en Europe, où les moines cisterciens ont commencé, dès le XIIe s., à exporter l'art gothique. Celui-ci se combine en Espagne avec le décor mudéjar; l'Angleterre connaît ses propres phases, originales, de gothique «primitif», «décoré» (v. 1280), puis «perpendiculaire» (v. 1350); l'Allemagne développe, au XIVe s., le type de l'église-halle, à trois nefs de même hauteur; l'Italie est le pays qui accepte le moins bien le système gothique, son élancement vertical matérialisé par les faisceaux de colonnettes que l'œil voit s'épanouir dans les nervures des voûtes. L'accentuation de cet élan discontinu, allant jusqu'à la disparition des chapiteaux, l'effervescence graphique des voûtes, des fenestrages, des pinacles, des gables des portails caractérisent l'art *flamboyant,* qui apparaît en France et en Allemagne à la fin du XIVe s. et se prolonge — avec une variété de formules plus riche qu'à l'époque précédente — jusqu'à une date plus ou moins avancée du XVIe s., moment où la «Renaissance*» venue d'Italie le supplante dans le goût des commanditaires. L'architecture civile, surtout militaire aux XIIe et XIIIe s., ne cesse par la suite de progresser en élégance et agrément dans les édifices publics d'Italie, des Flandres, du domaine germanique et dans certains châteaux* de France.

Les façades occidentales de Saint-Denis (très mutilée) et de Chartres inaugurent la rigueur — aussi bien plastique qu'iconographique — de la répartition de la statuaire et des reliefs sur les portails gothiques. À leur hiératisme encore proche de l'art roman succède, à Senlis, à la fin du XIIe s., puis à Chartres (transept), à Paris, à Reims, à Amiens, une tendance à la souplesse, à un naturalisme encore idéalisé qui évoluera vers plus d'expression et de mouvement (Reims, Amiens, Bourges, Strasbourg, Bamberg...). Statues isolées, Vierges à l'élégant hanchement, aux beaux drapés (différents selon les multiples écoles), gisants qui tendent au portrait se multiplient à partir du XIVe s. La violence de Sluter*, dans le milieu bourguignon, transforme l'art du XVe s., où apparaissent des thèmes douloureux, comme celui de la Mise au tombeau. Détachée de l'architecture, la vogue des retables sculptés se développe en Europe centrale (Stwosz*, Riemenschneider*...), dans les Flandres, en Espagne.

On donne le nom de «style international» à une esthétique gracieuse, voire maniérée, qui se répand en Europe à la jonction des XIVe et XVe s., embrassant une grande partie de la sculpture, des arts décoratifs et surtout de la peinture (miniature* et panneaux).

Préparé par le raffinement du gothique d'Île-de-France, par l'évolution de l'enluminure parisienne ou anglaise et par celle, ininterrompue, de la peinture monumentale en Italie, et spécialement à Sienne (les Lorenzetti*) — alors qu'en France le vitrail a remplacé la peinture murale aux XIIIe et XIVe s. —, ce style se rencontre notamment en Allemagne, en Bohême (panneaux du Maître de Trebon*, Vierges peintes ou sculptées du « beau style »), en Espagne (Borrassá*), dans l'école franco-flamande (Broederlam* à Dijon, les Limbourg* en Berry...), à Paris (miniaturistes), en Italie (L. Monaco*, Gentile* da Fabriano, Sassetta*, Pisanello*...). Cette page de suavité et de féerie décorative se tournera avec l'irruption d'un Masaccio* à Florence, des Campin*, Van Eyck* et Van der Weyden* en Flandre, porteurs de valeurs spatiales et réalistes qui, en Italie d'abord, vont marquer une ère nouvelle.

GOTHS ou **GOTS,** une des peuplades de la Germanie ancienne. Venus de Scandinavie, les Goths s'établissent au Ier s. av. J.-C. sur la rive droite de la basse Vistule. Vers 150 apr. J.-C., ils émigrent vers le sud-est et s'installent, v. 230, au nord-ouest de la mer Noire. Ils apparaissent alors divisés en deux groupes, désignés plus tard sous les noms de « Wisigoths* » et d'« Ostrogoths* ». Le peuple goth est le groupe le plus évolué du monde barbare; il sera au IIIe s. le plus dangereux ennemi de l'Empire romain, qui dut lui céder la Dacie* en 275. Les Goths ont été les premiers parmi les Barbares à fonder des royaumes solides, les premiers aussi à recevoir l'Évangile et à se convertir à l'arianisme sous l'influence de l'évêque Ulfilas*, qui créa une écriture et une langue littéraire gothiques pour traduire la Bible.

GOTIQUE → GERMANIQUE.

GOTLAND, île de Suède, dans la Baltique; 54 000 hab. Ch.-l. *Visby.*

GOTTFRIED de Strasbourg, poète courtois de langue allemande du début du XIIIe s., auteur d'un *Tristan.*

GÖTTINGEN, v. de l'Allemagne fédérale, dans le sud de la Basse-Saxe; 120 000 hab. Université. Églises et maisons anciennes.

GOTTMANN (Jean), géographe français (Kharkov 1915). Professeur aux États-Unis, en France et en Grande-Bretagne, auteur d'ouvrages sur l'Europe et l'Amérique, il a consacré une étude fondamentale de géographie régionale à l'est des États-Unis, jouant un rôle de pionnier dans l'analyse des structures urbaines.

GOTTSCHED (Johann Christoph), écrivain allemand (Juditten, près de Königsberg, 1700 - Leipzig 1766). Il entreprit d'épurer la littérature allemande en s'inspirant de l'esthétique classique française et illustra ses théories par ses tragédies régulières (*Caton mourant,* 1732).

GOTTWALD (Klement), homme d'État tchécoslovaque (Dědice, Moravie, 1896 - Prague 1953). Ouvrier socialiste, il adhère en 1921 au parti communiste tchécoslovaque, dont il devient secrétaire général (1929). Réfugié en U. R. S. S. pendant la Seconde Guerre mondiale, il est, à son retour, président du Conseil (1946), puis il organise le « coup de Prague » de février 1948, qui assure le pouvoir au parti communiste. K. Gottwald devient président de la République après la démission de Beneš et aligne sa politique sur le modèle soviétique.

GOTTWALDOV, anc. **Zlín,** v. de Tchécoslovaquie, en Moravie; 65 000 hab. Chaussures. Constructions mécaniques.

GOUACHE → PEINTURE.

GOUAREC (22570), ch.-l. de cant. des Côtes-du-Nord, sur le Blavet, à 27,5 km au N.-O. de Pontivy; 1 055 hab.

GOUDA → FROMAGE.

GOUDA, v. des Pays-Bas, au N.-E. de Rotterdam; 48 000 hab. Fromages. Céramiques.

GOUDÉA, prince de Lagash* (XXIIe s. av. J.-C.), dont il reconstitua la puissance. La sculpture de ce temps (douze statues de Goudéa sont au Louvre) témoigne d'un remarquable renouveau culturel, que marque une tendance à l'académisme.

GOUDIMEL (Claude), compositeur français (Besançon v. 1520 - Lyon 1572). Collaborateur de l'éditeur N. Du Chemin et de Ronsard, il cultive tous les genres de musique polyphonique : chansons profanes et spirituelles, odes, messes, motets, magnificat. Il a vécu à Metz et s'est vivement intéressé au psautier huguenot, donnant deux versions des 150 psaumes traités sous forme de motets de 3 à 8 voix (1564-1568).

GOUDRON. — C'est un produit liquide ou visqueux, noir ou brun foncé, d'odeur empyreumatique, plus dense que l'eau, dont la composition complexe dépend de la matière dont il est extrait. Il contient notamment des huiles, du phénol, du noir de fumée. Insoluble dans l'eau, il brûle avec une flamme fumeuse.

Le *goudron de houille,* ou *coaltar,* est un sous-produit de la fabrication du gaz d'éclairage. Séparé des eaux de lavage, il est desséché, puis distillé. On en retire : 1° des *huiles légères,* bouillant au-dessous de 170 °C, contenant surtout des benzols; 2° des *huiles moyennes,* entre 170 °C et 240 °C, contenant les phénols et des bases pyridiques; 3° les *huiles lourdes intermédiaires,* entre 240 °C et 270 °C, et les *huiles anthracéniques,* de 270 °C à 360 °C, qui laissent cristalliser le naphtalène et l'anthracène. Le résidu de la distillation constitue le *brai.* Le goudron est employé à la conservation du bois, à la préparation des boulets et des briquettes combustibles, au revêtement des routes, etc.

Le *goudron de bois,* ou *goudron végétal,* obtenu par distillation du bois, donne du naphtalène et de la paraffine; celui du hêtre fournit la créosote.

GOUDSMIT (Samuel Abraham), physicien néerlandais, naturalisé américain (La Haye 1902). Il créa en 1925, avec Uhlenbeck*, la théorie du spin de l'électron; tous deux attribuèrent également à cette particule un moment magnétique.

GOUJON (Jean), sculpteur et architecte français (? v. 1510 - Bologne v. 1564-1569). Il est à Rouen en 1541, à Paris en 1544 (décor du jubé de Saint-Germain-l'Auxerrois [bas-reliefs au Louvre]). En 1547, artiste renommé, il participe à l'illustration de la première édition française de Vitruve et aux décors pour l'entrée d'Henri II à Paris, en 1549 (nymphes de la fontaine des Innocents). Il collabore ensuite avec Lescot au nouveau Louvre (façade, tribune des Caryatides). D'autres travaux sont hypothétiques. Son nom disparaît des comptes des bâtiments en 1562, et il est mentionné l'année suivante à Bologne, dans un milieu de réfugiés huguenots. Traitant les formes empruntées au maniérisme italien puis à l'Antiquité avec autant de vigueur que d'élégance complexe et raffinée, il est un des principaux promoteurs de la Renaissance classique en France.

GOULAG abrév. de *Gueneralnoïe Oupravlenie Laguereï,* expression russe qui signif. « Direction générale des camps ». (V. TRAVAIL [*camps de*].)

GOULETTE (La), v. de Tunisie, sur la Méditerranée; 32 000 hab. Avant-port de Tunis.

GOUNOD (Charles), compositeur français (Paris 1818 - *id.* 1893). Attiré par la musique de Gluck et de Mozart, admirateur de l'art de Bach, il découvre, à Rome, la polyphonie de Palestrina. Son talent de mélodiste s'affirme dans des œuvres de petite dimension (mélodies) ou de théâtre : *Faust** (1859), *Mireille** (1864) et *Roméo et Juliette* (1867) l'imposent comme le maître du chant et de la simplicité dramatique. Il se consacra également à la musique religieuse, reflet de sa foi profonde (*Messe de sainte Cécile,* 1855; *Mors et Vita,* 1884).

GOURARA, groupe d'oasis du Sahara algérien, dont la principale est Timimoun.

GOURAUD (Henri), général français (Paris 1867 - *id.* 1946). Il s'empara de Samory, au Soudan (1898), et devint adjoint de Lyautey au Maroc (1912-1914). Blessé et amputé du bras droit aux Dardanelles (1915), il commanda la IVe armée, en Champagne, juqu'en 1918. Haut-commissaire en Syrie (1919-1923), il fut gouverneur militaire de Paris de 1923 à 1937.

GOURDON (46300), ch.-l. d'arr. du Lot, à 25 km au S.-E. de Sarlat-la-Canéda; 5 106 hab. Église gothique fortifiée.

GOURETTE, station de sports d'hiver (alt. 1 350-2 400 m) des Pyrénées-Atlantiques (comm. d'Eaux-Bonnes).

GOURGAUD (Gaspard, *baron*), général français (Versailles 1783 - Paris 1852). Officier d'ordonnance de Napoléon de 1811 à 1814, il combattit à Waterloo puis accompagna l'Empereur à Sainte-Hélène, où il écrivit sous sa dictée deux volumes de ses Mémoires, publiés en 1822 et 1823.

GOURIEV, port de l'U. R. S. S. (Kazakhstan), sur la mer Caspienne, à l'embouchure de l'Oural; 114 000 hab. Raffinerie de pétrole.

GOURIN (56110), ch.-l. de cant. du Morbihan, à 20 km au S. de Carhaix-Plouguer; 5 526 hab. Église et chapelle des XVe-XVIe s.

GOURMONT (Remy DE), écrivain français (Bazoches-au-Houlme, Orne, 1858 - Paris 1915). Collaborateur du *Mercure de France* dès 1889, il fut le critique le plus écouté du mouvement symboliste (*le Latin mystique,* 1892; *Esthétique de la langue française,* 1899; *les Promenades littéraires,* 1904-1913).

GOURNAY (Marie LE JARS DE), femme de lettres française (Paris 1566 - *id.* 1645), fille adoptive de Montaigne, dont elle fit rééditer l'œuvre.

GOURNAY (Jean-Claude Marie Vincent, *seigneur* DE), économiste français (Saint-Malo 1712 - Cadix 1759). Sa doctrine fut diffusée par Turgot* (qui fut son élève) dans son *Éloge de Gournay.* Gournay lutte pour la liberté de l'industrie et la suppression des monopoles et des règlements.

GOURNAY-EN-BRAY (76220), ch.-l. de cant. de la Seine-Maritime, à 25 km au N. de Gisors; 7 875 hab. Église romane et gothique.

GOURNAY-SUR-MARNE (93460), comm. de la Seine-Saint-Denis, à 16 km à l'E. de Paris; 4285 hab.

GOUROS → AFRIQUE.

GOUROU (Pierre), géographe français (Tunis 1900). Spécialiste du monde rural tropical, surtout des pays asiatiques, il a analysé l'action de l'homme sur le milieu naturel *(la Terre et l'homme en Extrême-Orient)*, et publié des ouvrages de synthèse *(l'Asie, l'Afrique)*.

GOURSAT (Édouard), mathématicien français (Lanzac, Lot, 1858-Paris 1936). Ses travaux se rapportent à toutes les branches de l'analyse infinitésimale.

GOUSSAINVILLE (95190), ch.-l. de cant. du Val-d'Oise, à l'O. de l'aéroport de Roissy; 25245 hab. *(Goussainvillois)*.

GOÛT. — L'introduction dans la bouche de certaines substances excite les récepteurs du goût situés sur le dos de la langue, les parois postérieure du pharynx et antérieure du larynx; elle donne naissance à quatre sensations différentes, salée, sucrée, acide et amère. Les voies nerveuses de transmission du goût sont complexes et intéressent les nerfs lingual et glossopharyngien. Les sensations gustatives arrivent dans le lobe pariétal du cerveau. Le goût est essentiel comme régulateur de l'ingestion des aliments. Il peut être perturbé ou même aboli (agueusie) dans certaines circonstances (tumeur du tronc cérébral, ramollissement cérébral).

GOUTHIÈRE (Pierre), fondeur et ciseleur français (Bar-sur-Aube 1732-Paris 1813). Gracieux et parfait, il représente par excellence le style Louis XVI, « à la grecque », dans le bronze d'ameublement.

GOUTTE. — Cette affection, due à un trouble du métabolisme de l'acide urique, souvent familiale, est fréquente surtout chez l'homme. Elle est parfois secondaire à certaines maladies (hémopathies). La goutte se manifeste par des crises douloureuses intenses dues à une inflammation aiguë touchant une articulation, en particulier celle du gros orteil, et par des manifestations chroniques : dépôts de concrétions uratiques sous les téguments (tophus), arthropathies chroniques, d'apparition tardive. Les complications rénales (lithiase et insuffisance rénales) peuvent s'observer même au début de la maladie. Le traitement des accès aigus fait appel surtout à la colchicine; le traitement de fond de la maladie goutteuse comporte un régime pauvre en purines, des uricoéliminateurs, qui augmentent l'élimination rénale d'acide urique, et surtout actuellement des uricofrénateurs (allopurinol), qui empêchent la formation d'acide urique.

GOUTTE-À-GOUTTE → PERFUSION.

GOUVERNAIL. — Un gouvernail de navire comporte un plan mince, ou *safran*, qui en est la partie active, généralement articulé sur des *aiguillots* et actionné par l'intermédiaire de la *mèche*, dont l'axe prolonge celui des aiguillots, l'ensemble étant habituellement porté par le *support de mèche*. La manœuvre d'un gouvernail peut être manuelle et s'effectuer au moyen de la *barre franche* ou, par l'intermédiaire d'un câble ou d'une chaîne, la *drosse*, à l'aide d'une roue, ou *manipulateur;* elle peut aussi être motorisée et réalisée au moyen d'un *appareil à gouverner*, hydraulique ou électrique, qui agit automatiquement sur le gouvernail à chaque sollicitation du manipulateur. Le *gouvernail ordinaire* a son safran constitué par une simple tôle; le *gouvernail caréné*, dit « à double tôle », possède un safran formé de façon à diminuer la résistance à l'avancement; le *gouvernail compensé* a une partie de son safran reportée sur l'avant de l'axe de rotation, de façon à réduire le couple sur mèche; le *gouvernail suspendu* ne possède pas d'aiguillots; le *gouvernail Simplex* n'a également pas d'aiguillots, mais son safran est traversé par une fausse mèche qui constitue l'axe de rotation; le *gouvernail actif* a un safran qui porte une tuyère dans laquelle tourne une petite hélice; cette disposition permet, même à vitesse nulle, le changement de cap du navire.

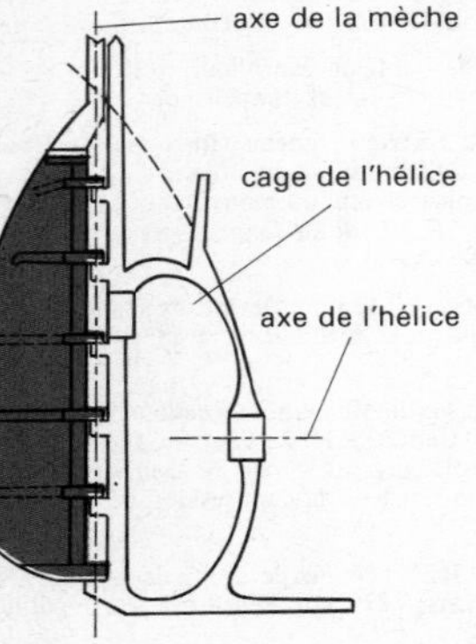

Gouvernail ordinaire.

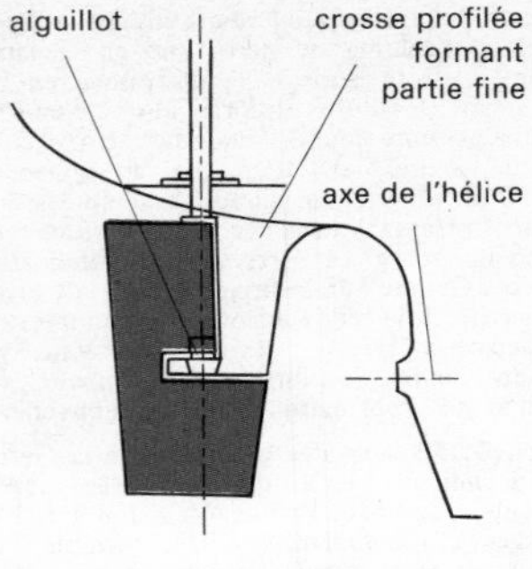

Gouvernail à un aiguillot, dit « semi-suspendu ».

GOUVERNE. — Les gouvernes sont des éléments mobiles qui permettent les évolutions des avions*. Elles appartiennent à trois types différents. Les *gouvernes de profondeur* commandent les évolutions en tangage, et sont portées par l'empennage* horizontal. Sur les avions à aile* delta, qui n'ont pas d'empennage horizontal, ces gouvernes sont montées au bord de fuite de l'aile. Les *gouvernes de direction* commandent les évolutions en lacet et sont portées par l'empennage vertical. Les *gouvernes de roulis,* ou *ailerons,* sont montées aux extrémités du bord de fuite de l'aile et commandent les mouvements autour de l'axe du fuselage.

GOUVERNEMENT. — Le terme de « gouvernement » peut prêter à confusion car il est employé avec plusieurs acceptions différentes.

En un premier sens, il désigne l'agencement constitutionnel en application dans un pays, le « régime »; on parle du « gouvernement de Juillet » ou encore d'un gouvernement de type présidentiel, d'un gouvernement monarchique, républicain, etc.

Dans un sens plus restreint, il désigne le « cabinet », ou « ministère », organe collégial chargé d'assumer la politique de la nation.

Dans un sens mixte, il peut désigner la combinaison de trois organes politiques distincts : le Conseil des ministres, le Premier ministre et le chef de l'État, qui, tous trois, effectivement (dans le cadre de constitutions comme la Constitution française), assument en commun la fonction gouvernementale*.

GOUVERNEMENTALE (fonction). — La fonction gouvernementale (ou pouvoir gouvernemental) est celle par laquelle les dirigeants d'un État déterminent l'orientation politique de cet État, assurent l'exercice des relations de celui-ci avec les autres nations, élaborent les mesures réglementaires* à portée générale, en prévoient l'exécution, édictent certaines mesures à portée individuelle et coordonnent toute l'action de l'Administration*.

L'essentiel de ces attributions est — très généralement —, dans les démocraties modernes, exercé par le gouvernement*; mais, dans certains pays, ce pouvoir est partagé également par le chef de l'État, la fonction gouvernementale en France étant, ainsi, exercée tout à la fois par le Conseil des ministres, le Premier ministre et le président de la République.

- Le *président de la République* négocie et ratifie les traités. Il est le chef des armées. Il promulgue les lois et peut en demander une nouvelle lecture. Il nomme à certains emplois civils ou militaires. Il exerce le droit de grâce et préside le Conseil supérieur de la magistrature. Il peut soumettre (sur proposition du gouvernement ou des deux assemblées) à référendum un projet de loi.
- Le *Premier ministre* a la responsabilité de la direction et de la coordination de l'action gouvernementale. Il peut engager, après délibération du Conseil des ministres, la responsabilité du ministère devant l'Assemblée nationale. Le Premier ministre a l'initiative des projets de lois (concurremment avec les membres des assemblées [propositions de lois]), qui sont délibérés auparavant en Conseil des ministres.
- Le *Conseil des ministres* exerce le pouvoir réglementaire, c'est-à-dire qu'il élabore des actes juridiques à portée générale. Les articles 34 et 37 de la Constitution du 4 octobre 1958 indiquent les « domaines » qui sont du ressort respectivement de la loi* et du pouvoir réglementaire (celui-ci s'exprime sous forme de décrets et d'arrêtés, dont la légalité peut être appréciée par la juridiction administrative).

Gouvernement provisoire de 1848 (24 févr.-10 mai 1848), nom porté par le gouvernement — présidé par Dupont de l'Eure — constitué le 24 février 1848 pour assurer la mise en place des institutions républicaines à la suite de la chute de la monarchie de Juillet*. Les trois membres les plus marquants de ce gouvernement furent : Lamartine*, titulaire du portefeuille des Affaires étran-

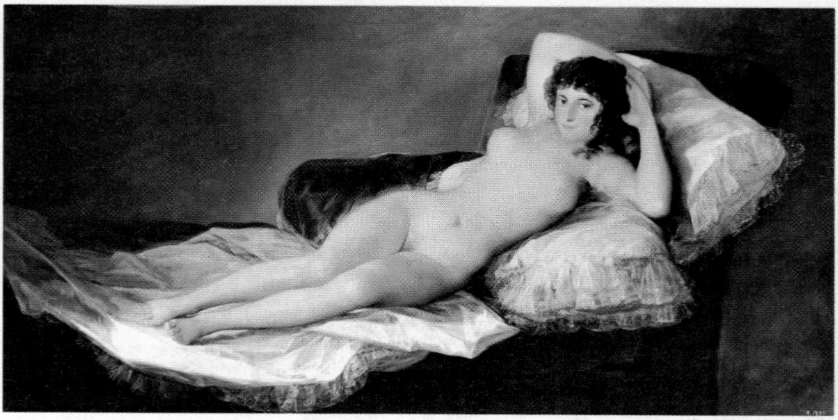

GOYA

La Maja desnuda. Autour de 1800. (Musée du Prado, Madrid.)

Giraudon

gères, parmi les modérés; Ledru-Rollin*, ministre de l'Intérieur, radical; Louis Blanc*, organisateur de la commission du Luxembourg, socialiste.

Gouvernement provisoire de la République algérienne (G. P. R. A.), organe exécutif créé par le F. L. N. (1958-1962) en vue de l'indépendance de l'Algérie.

Gouvernement provisoire de la République française. Gouvernement qui se substitua en juin 1944, à Alger, au Comité français de libération nationale, et qui, installé à Paris à partir d'août, succéda à l'État* français et dirigea la France jusqu'en 1946. Présidé par le général de Gaulle*, le Gouvernement provisoire s'affirme comme le représentant de la nation, afin d'éviter l'administration par les Alliés de la France libérée, et d'assurer le rétablissement des institutions républicaines. Reconnu officiellement par les Alliés, il poursuit la guerre (ce qui permet à la France de participer à la signature de la capitulation allemande et d'obtenir une zone d'occupation en Allemagne), puis il entreprend la reconstruction politique et matérielle du pays. Après l'épuration de l'administration de Vichy et la suppression des autorités locales mises en place lors de la Libération (comités de libération, milices patriotiques), il installe de nouveaux préfets et organise les élections législatives d'octobre 1945, qui mettent en place une Assemblée constituante dominée par les socialistes, les communistes et les démocrates-chrétiens. D'importantes réformes économiques et sociales sont entreprises, conformément au programme élaboré par le Conseil* national de la Résistance. L'État institue les comités d'entreprise et la sécurité sociale, et, par une politique de nationalisations (houillères, gaz, électricité, usines Renault, banques, assurances...), prend le contrôle des secteurs clés de l'économie, dirigée et planifiée (création du Commissariat général du plan de modernisation et d'équipement, du Bureau des pétroles, du Commissariat à l'énergie atomique). À l'extérieur, le gouvernement signe un accord avec l'U. R. S. S. (déc. 1944) et s'engage dans la reconquête de l'Indochine. En désaccord avec le projet de constitution préparé par l'Assemblée, de Gaulle démissionne en janvier 1946. Le gouvernement provisoire est alors présidé successivement par Félix Gouin, Georges Bidault et Léon Blum, puis dissous après la ratification de la Constitution (référendum d'octobre 1946) et la mise en place des nouvelles institutions de la IVe République* (janv. 1947).

Gouvernement révolutionnaire provisoire de la république du Viêt-nam du Sud (G. R. P.), organe central créé en 1969 au Viêt-nam du Sud pour assurer la coordination et la direction des comités révolutionnaires organisés dans les territoires occupés par le F. N. L.*. Appuyé par diverses tendances religieuses et politiques, le G. R. P. poursuit la lutte contre les troupes américaines et le gouvernement Thieu. Gouvernement officiel du Viêt-nam du Sud après la victoire des forces révolutionnaires, en avril 1975, il prend fin avec la réunification du pays (1976).

GOUVERNEUR. — Ce nom fut donné, à partir du XVe s., aux commissaires royaux nommés par lettre de commission pour assurer la défense et le maintien de l'ordre dans des circonscriptions appelées « gouvernements » et correspondant aux grandes provinces frontalières du royaume. Au début, cette mission fut assortie d'un pouvoir général de représentation du roi : d'où le titre de « lieutenants généraux du roi » que portèrent les gouverneurs, choisis essentiellement parmi les membres de la haute noblesse et révocables *ad nutum* par le roi. En fait, le roi chercha très tôt à restreindre leurs fonctions aux nécessités de la défense de leur gouvernement; précaution qui n'empêcha pas, au plus fort des guerres de Religion, certains gouverneurs de devenir les véritables maîtres de la province, voire même de diriger la sédition contre le pouvoir central. Passé la tourmente, la royauté parvint à domestiquer les gouverneurs, dont la charge devint essentiellement honorifique à partir du règne personnel de Louis XIV (1661).

GOUVIEUX (60270), comm. de l'Oise, à 4,5 km à l'O. de Chantilly; 7 353 hab. Équipement automobile.

GOUVION-SAINT-CYR (Laurent, *marquis* DE), maréchal de France (Toul 1764-Hyères 1830). Vétéran des campagnes de la Révolution, ambassadeur à Madrid (1801), commandant l'armée de Catalogne (1808) puis un corps en Russie, il est fait maréchal en 1812. Ministre de la Guerre de Louis XVIII, en 1815 puis en 1817, il est l'auteur de la loi de 1818 qui réorganisait le recrutement de l'armée.

GOVE *(péninsule de),* presqu'île de l'Australie septentrionale (Territoire du Nord) dans la terre d'Arnhem. Gisements de bauxite.

GOWON (Yakubu), homme d'État du Nigeria (Jos 1934). Chef de l'État à partir de 1966, il réduit la sécession du Biafra* et signe un traité de coopération avec le Dahomey (1970). Il quitte le pouvoir à la suite du coup d'État de juillet 1975.

GOYA (Francisco), peintre espagnol (Fuendetodos, Saragosse, 1746-Bordeaux 1828). D'abord sensible à l'influence de la peinture italienne et baroque (il est à Rome en 1771), attiré par les thèmes galants, les scènes de genre et les tableaux de la vie populaire (cartons de tapisseries pour la manufacture de Santa Bárbara, 1775-1791; *la Pradera de San Isidro,* 1787, Prado, d'une exquise légèreté), il parvient lentement à la réussite mondaine et officielle (peintre du roi en 1786, peintre de la Chambre en 1789). Il aborde le portrait des grands de la Cour, de leurs femmes ou d'enfants (*Don Manuel Osorio,* 1787, Metropolitan Museum, New York), avec un double souci de dépouillement et d'investigation psychologique. Mais, en 1792, une grave maladie qui le laisse diminué et sourd l'éloigne de la vie publique et, dans l'isolement et la souffrance, il ressent cruellement les dérisions et les hypocrisies de la société. Il grave alors les subtiles eaux-fortes des *Caprices* (1793-1799), dont l'intensité dramatique ou la virulence satirique expriment sa vision de l'éternelle misère humaine. Mais, en même temps, il peint ses célèbres *Maja vestida* et *Maja desnuda* (Prado), à l'éclatante technique qui préfigure un Manet par sa liberté, les décors de San Antonio de la Florida à Madrid (1797), des portraits d'une incroyable acuité, comme *la Duchesse d'Albe* (Hispanic Society, New York) ou *la Famille de Charles IV* (1800, Prado).

Lorsque Napoléon s'empare de l'Espagne, Goya dénonce la violence et l'oppression par les gravures des *Désastres de la guerre* (1810-1814) et par deux toiles qui rompent avec toutes les règles classiques : le *Dos de mayo* et le *Tres de mayo* (1814, Prado). De son angoisse naissent aussi bien des œuvres religieuses que les décorations (auj. au Prado) de sa maison (la « Quinta del Sordo »), hallucinées, sombres, expressionnistes, ou les planches des *Disparates.* En 1824, s'éloignant du climat répressif qui règne en Espagne, il vient en France (à Paris, puis à Bordeaux) trouver une sorte d'apaisement : il s'initie à la lithographie *(les Taureaux de Bordeaux)* et renoue avec la couleur *(la Laitière de Bordeaux,* 1828, Prado). À travers ses contradictions, Goya allie et exprime ainsi, avec une incomparable puissance d'invention, la grâce, l'ironie du XVIIIe s. et les déchirements du XIXe.

GOYTISOLO (Juan), écrivain espagnol (Barcelone 1931). L'un des membres les plus marquants de la « génération du demi-siècle », il exprime le désarroi de la jeunesse, issue de la guerre civile, à la recherche de sa personnalité et de celle de son pays (*Jeux de mains,* 1954; *Chronique d'une île,* 1961; *Don Julian,* 1971).

GOZO ou **GOZZO,** île de la Méditerranée, près de Malte, dont elle dépend.

GOZZI (Carlo), écrivain italien (Venise 1720-*id.* 1806). Défenseur de la tradition théâtrale italienne contre Goldoni, il composa des féeries dramatiques, qui mêlent la satire contemporaine aux légendes orientales (*l'Amour des trois oranges,* 1761; *le Roi cerf,* 1762).

GOZZOLI (Benozzo DI LESE, dit **Benozzo**), peintre italien (Florence 1420-Pistoia 1497). Collaborateur et élève de Fra Angelico, se souvenant de l'esprit narratif du Moyen Âge, minutieux et pittoresque, il a notamment exécuté à fresque le *Cortège des Rois mages* au palais Médicis à Florence (1459) et le vaste ensemble de l'Ancien Testament au Campo Santo de Pise (à partir de 1467). Il a aussi peint de nombreux tableaux d'autel, bannières ou tabernacles.

Graal (le) ou **Saint-Graal** (le), vase qui aurait servi à Jésus-Christ pour la Cène, et dans lequel Joseph d'Arimathie aurait recueilli le sang qui coula de son flanc percé par le centurion. Aux XIIe et XIIIe s., de nombreux romans de chevalerie racontent la « quête » (recherche) du Graal par les chevaliers du roi Arthur*. Les œuvres les plus connues sont celles de Chrétien* de Troyes, de Robert de Boron et de Wolfram von Eschenbach, qui inspira Wagner dans *Parsifal.*

GRAÇAY (18310), ch.-l. de cant. du Cher, à 25 km au N.-O. d'Issoudun; 2019 hab.

GRÂCE *(Dr.).* — La grâce est une mesure prise par le chef de l'État en faveur d'un condamné, supprimant ou atténuant la peine qui a été prononcée contre lui.

Prérogative traditionnelle du chef de l'État en France, elle est une des atténuations les plus nettes du principe de la séparation des pouvoirs, qui implique que le pouvoir exécutif n'a, en théorie, aucune action sur la justice*. La grâce est accordée sur demande soit du condamné, soit de toute autre personne y ayant un intérêt matériel ou moral; mais, même en l'absence de recours, le dossier des condamnés à mort est toujours transmis au président de la République, qui doit statuer sur la mesure de grâce éventuelle. Le décret de grâce, signé par le président de la République, est contresigné par le Premier ministre, par le ministre de la Justice (et, le cas échéant, par le ministre qui a procédé à l'instruction du recours). La grâce est, en principe, nominative, mais il existe aussi des grâces collectives. La grâce accordée dispense de l'exécution de la peine mais laisse subsister la condamnation, celle-ci continuant de figurer au casier judiciaire. La grâce peut être assortie de conditions particulières.

GRÂCE-HOLLOGNE, comm. de Belgique (prov. de Liège), à l'O. de Liège; 14656 hab. (en 1970).

GRÂCES (les), en gr. **les Charites,** divinités gréco-romaines de la beauté. Elles étaient trois sœurs : Euphrosyne, Thalie et Aglaé.

GRACIÁN Y MORALES (Baltasar), jésuite et écrivain espagnol (Belmonde, près de Calatayud, 1601-Tarazona 1658). Son traité *Finesse et art du bel esprit* (1642-1648), qui définit l'esthétique du cultisme*, fut le code de la vie littéraire et mondaine jusqu'à la fin du XVIIe s.

GRACQ (Louis POIRIER, dit **Julien**), écrivain français (Saint-Florent-le-Vieil 1910). Ses récits (*Au château d'Argol,* 1938; *le Rivage des Syrtes,* 1951; *Un balcon en forêt,* 1958; *la Presqu'île,* 1970; *les Eaux étroites,* 1976) et ses essais *(Lettrines),* marqués par le surréalisme, explorent les correspondances entre le rêve et la réalité et évoquent, à travers des situations quotidiennes ou symboliques, l'angoisse spécifique de la condition humaine.

GRACQUES (les), nom donné à deux tribuns romains, TIBERIUS SEMPRONIUS GRACCHUS (Rome v. 162-*id.* 133 av. J.-C.) et CAIUS SEMPRONIUS GRACCHUS (Rome v. 154-*id.* 121 av. J.-C.), qui tentèrent de réaliser une réforme agraire à Rome.

Pour recréer une classe rurale moyenne, Tiberius, tribun en 133, déposa un projet de loi agraire qui limitait le droit d'occupation des grands propriétaires sur l'*ager publicus* et distribuait aux citoyens pauvres les espaces récupérés, sous forme de lots inaliénables (de 7,5 ha) grevés d'un cens recognitif. Malgré les obstructions, la loi agraire* fut votée et appliquée par une commission de triumvirs. Mais, soupçonné de s'orienter vers la dictature, Tiberius fut tué au cours d'une émeute fomentée par les aristocrates. Dix ans plus tard, son frère Caius reprit la loi agraire en l'insérant dans un vaste programme de réformes touchant à tous les domaines de la vie de la cité : politique, économique, moral et social. Durant son tribunat de 123, renouvelé (légalement) en 122, il s'efforça de restreindre l'autorité du sénat; il fit voter une loi judiciaire qui retirait le monopole de la haute justice aux sénateurs, et une loi frumentaire qui instituait des distributions de blé à bas prix; il fit décréter la fondation de colonies en Italie (Tarente, Capoue) et à Carthage, assura aux chevaliers la ferme des impôts de la province d'Asie et proposa d'accorder la cité romaine à tous les Italiens. Mais la réaction des *optimates* fut aussi violente que dix ans plus tôt : Caius, accusé de sacrilège pour avoir fait renaître Carthage, maudite, périt au cours d'une émeute. Les lois des Gracques furent progressivement abolies, mais la véhémence de leurs convictions avait brusquement porté au premier plan les grands problèmes sociaux.

GRADE. — Le grade militaire définit la place de chacun, avec son échelon de subordination, au sein d'une hiérarchie qui constitue le fondement même de l'organisation des armées comme le précise le règlement de *discipline générale dans les armées* de 1975. Le grade consacre aussi l'aptitude à occuper des emplois d'un certain niveau, à assumer la responsabilité et à exercer l'autorité qui y sont attachées. L'origine du grade militaire, emprunté à la langue de l'Église et à la jurisprudence civile, ne remonte pas au-delà du

tableau des grades, dans la hiérarchie générale des militaires, définis par la loi du 13 juillet 1972

- *Hommes du rang :* soldat, ou matelot; caporal, ou quartier-maître de 2e classe; caporal-chef, ou quartier-maître de 1re classe.
- *Sous-officiers :* sergent, ou second maître; gendarme, sergent-chef, ou maître; adjudant, ou premier maître; adjudant-chef, ou maître principal; major.
- Aspirant (statut particulier défini par décret du 22 oct. 1973).
- 1. *Officiers subalternes :* sous-lieutenant, ou enseigne de vaisseau de 2e classe; lieutenant, ou enseigne de vaisseau de 1re classe; capitaine, ou lieutenant de vaisseau.
  2. *Officiers supérieurs :* commandant, ou capitaine de corvette; lieutenant-colonel, ou capitaine de frégate; colonel, ou capitaine de vaisseau.
  3. *Officiers généraux :* général de brigade, ou général de brigade aérienne, ou contre-amiral; général de division, ou général de division aérienne, ou vice-amiral. Ces derniers peuvent recevoir rang et appellation de général de corps d'armée (général de corps aérien, ou vice-amiral d'escadre), et de général d'armée (général d'armée aérienne, ou amiral).
- Le titre de maréchal de France et celui d'amiral de France constituent une dignité dans l'État.

XVIe s. Il a fallu attendre la loi du 18 mai 1834, portant statut des officiers, pour que la notion moderne du grade apparaisse avec, en particulier, sa caractéristique désormais fondamentale d'être, à l'inverse de l'emploi, la propriété de l'officier. Cette possession du grade entraîne des garanties, certains avantages fixés par voie législative ne dépendant plus de l'autorité administrative. Les lois des 13 juillet 1972 et 30 octobre 1975, portant statut général des militaires, ont étendu ces dispositions à tous les militaires, officiers, sous-officiers et hommes du rang, qu'ils soient de carrière, sous contrat ou appelés pour le service.

La notion de « propriété du grade » a été, notamment, conservée; un militaire ne peut perdre son grade qu'en cas de perte de la nationalité française ou de condamnation soit à une peine criminelle, soit à la destitution ou à la « perte de grade » prévues par le Code de justice militaire.

GRADIENT *(Biol.).* — Les déplacements des animaux sont guidés, notamment, par une perception souvent très fine des différences dans l'intensité d'un facteur qui varie d'un point à l'autre d'un « champ » : température, luminosité, humidité, concentration de l'air ou de l'eau en telle ou telle substance, etc. On appelle « gradient » le rapport entre la différence d'intensité et la distance parcourue. Le *seuil différentiel* est le gradient le plus faible auquel l'animal réagisse. Cette notion s'applique aussi à la croissance des plantes. (V. TROPISME.)

GRADIENT *(Math.).* — Le gradient d'une fonction* de trois variables $f(x, y, z)$ est un vecteur, noté $\overrightarrow{\mathrm{grad.}\, f}$, dont les composantes sont les dérivées partielles de la fonction f par rapport à x, y et z, en tout point $M(x, y, z)$ où la fonction f et ses dérivées sont définies. Ainsi, en $M(x, y, z)$, $\overrightarrow{\mathrm{grad.}\, f}$ a pour composantes

$$f'_x(x, y, z), \quad f'_y(x, y, z), \quad f'_z(x, y, z).$$

Exemple. Le gradient de la fonction $f(x, y, z) = xe^{yz}$ a pour composantes

$$f'_x(x, y, z) = e^{yz}, \quad f'_y(x, y, z) = xze^{yz}, \quad f'_z(x, y, z) = xye^{yz}.$$

L'interprétation géométrique est la suivante : si, dans un repère orthonormé, on considère la surface d'équation $f(x, y, z) = 0$, le vecteur gradient est normal à cette surface au point $M(x, y, z)$ tel que $f(x, y, z) = 0$. Ce qui permet d'écrire l'équation du plan tangent en M à la surface, car $\overrightarrow{\text{grad.}\,f}$ est perpendiculaire au plan tangent. Cette équation est :

$$(X - x)\, f'_x(x,y,z) + (Y - y)\, f'_y(x,y,z) + (Z - z)\, f'_z(x,y,z) = 0.$$

GRADIENT DE POTENTIEL. — C'est le taux de variation du potentiel électrique dans l'espace, en suivant la direction du champ. Le gradient de potentiel est un vecteur normal aux surfaces équipotentielles, et dont la mesure est égale à la dérivée du potentiel $\frac{dU}{dn}$ prise dans la direction de cette normale. Le vecteur champ lui est opposé : $\vec{E} = -\overrightarrow{\text{grad.}\,U}$.

GRADIGNAN (33170), comm. de la Gironde, dans la banlieue sud de Bordeaux; 19 154 hab. *(Gradignanais).* Vins.

GRAEBE (Carl), chimiste allemand (Francfort-sur-le-Main 1841 - *id.* 1927). Il a élucidé la constitution de l'anthracène et réussi, en 1869, avec Liebermann, la synthèse de l'alizarine.

GRAFFENSTADEN → ILLKIRCH-GRAFFENSTADEN.

GRAHAM *(terre de),* longue péninsule (parfois aussi appelée *péninsule de Palmer* ou *péninsule antarctique*) de l'Antarctique, s'étirant vers l'Amérique du Sud.

GRAHAM (Thomas), chimiste écossais (Glasgow 1805 - Londres 1869). Il a formulé, en 1846, la loi donnant la vitesse de diffusion des gaz à travers les petites ouvertures et les cloisons poreuses, et établi, en 1850, la distinction entre colloïdes et cristalloïdes, grâce à son dialyseur en parchemin.

GRAHAM (Martha), danseuse américaine (Pittsburgh v. 1893), un des « pionniers » de la « modern dance ». Formée à la Denishawn School à Los Angeles, elle affirme bientôt sa personnalité en se produisant seule à New York. Initiatrice d'une technique fondée sur la dynamique de la respiration et sur celle des chutes et des mouvements contrôlés *(contraction-release),* elle est la créatrice d'un art chorégraphique dans lequel le corps humain tout entier est moyen d'expression. Son œuvre comporte plus de cent cinquante compositions dont : *Appalachian Spring* (1944), *Cave of the Heart* (1947), *Errant into the Maze* (1947), *Seraphic Dialogue* (1955), *Clytemnestra* (1958), *Episodes* (part I, 1959), *Acrobats of God* (1960), *Secular Games* (1962), *The Witch of Endor* (1965), *A Time of Snow* (1968), *The Archaic Hours* (1969), *Chronicle* et *Mendiants of Evening* (1973), *Adorations* (1975). Elle a publié *The Notebook of Martha Graham* (1973).

GRAIN. — Le grain, ou *caryopse,* est le fruit des graminacées. Il ne diffère d'une graine que par l'existence de deux ou trois enveloppes supplémentaires, issues de l'évolution de l'ovaire et non de l'ovule.

Par analogie, on appelle « grains » diverses productions végétales microscopiques rondes ou ovales, telles que les « grains d'amidon » (amyloplastes), les « grains de chlorophylle » (chloroplastes) ou les « grains de pollen » (tétraspores).

GRAINE. — Aucun produit de la vie ne peut franchir l'espace et le temps au même degré que la graine, qui caractérise les plantes supérieures. Cet organe est en effet le lieu d'une vie ralentie à l'extrême, mais fortement protégée contre toutes les causes de destruction : la jeune plante *(plantule)* y est accompagnée de réserves nutritives souvent importantes et l'ensemble est entouré de plusieurs enveloppes solides et coriaces.

La plantule, ou *embryon,* possède déjà, en général, l'ébauche des organes végétatifs essentiels : une petite racine (radicule), une, deux ou plusieurs petites feuilles (cotylédons), un bourgeon terminal complexe (gemmule), une courte tige (tigelle). Les réserves alimentaires, de nature variée (amidon, huile, protéines selon l'espèce), forment généralement un *albumen* extérieur à la plantule, mais il arrive qu'elles siègent déjà à l'intérieur de celle-ci (cotylédons amylacés des légumineuses : haricot, pois). L'enveloppe, ou *tégument,* comporte toujours une couche dure, sauf lorsque la graine est incluse dans un noyau (cerise) ou entièrement dure (haricot).

Toute graine résulte de l'évolution d'un ovule fécondé (maturation). La plantule cesse de se différencier à peu près le jour où la graine quitte la plante mère (v. DISSÉMINATION). Mais elle ne devient apte à germer que plus tard, pour conserver son pouvoir germinatif pendant une durée étonnamment variable (quelques heures pour le caféier, deux siècles pour les graminacées), durée au cours de laquelle, dans le meilleur cas, elle est transportée jusqu'en un lieu favorable à sa germination*. Elle n'a alors consommé, pour se maintenir en vie, qu'une très faible part de ses réserves, et ce qui reste lui servira pour former, en quelques jours, les racines et les feuilles nécessaires à une vie libre. Bien entendu, la graine ne s'isole pas toujours des organes voisins : elle est souvent pourvue d'organes ailés ou plumeux assurant son transport par le vent (pin, orme, cotonnier, clématite, pissenlit...) ou enfermée dans un *noyau* issu des parois internes de l'ovaire. Dans ce dernier cas, la graine est nommée *amande* et le fruit qui la contient est une *drupe.*

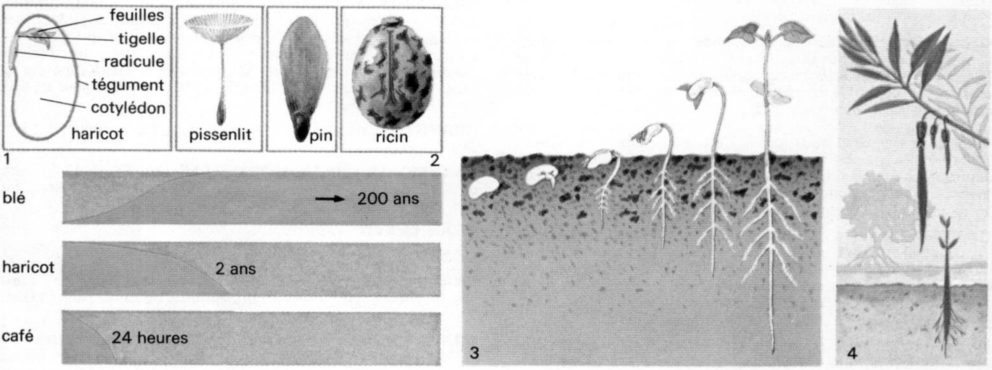

GRAINES ET GERMINATION. 1. Différentes formes de graines; 2. Évolution du pouvoir germinatif; 3. Germination du haricot (les cotylédons sont soulevés hors du sol); 4. Germination sur l'arbre (palétuvier).

GRAISIVAUDAN → GRÉSIVAUDAN.

GRAISSAGE. — Le graissage sous pression du moteur* est assuré à partir d'une pompe à engrenages droits commandée par l'arbre vertical qui actionne le distributeur d'allumage*. Elle puise l'huile contenue dans le carter moteur pour la faire circuler dans les coussinets du vilebrequin de l'arbre à cames et des têtes de bielle. Leur graissage s'effectue grâce à l'adhérence de l'huile, qui résiste à l'écrasement et forme un coin empêchant le tourillon de frotter directement contre le coussinet. Une dérivation provoque le graissage des culbuteurs et des tiges de soupape, les engrenages de distribution et leurs axes étant alimentés par des canaux percés dans la paroi avant du carter. Les cylindres, les pistons et leurs segments sont aspergés par le lubrifiant, le mouvement des pistons assurant la répartition sur les parois des cylindres. L'huile est épurée d'abord par la crépine à larges mailles de la pompe et ensuite par un filtre placé en dérivation dans le circuit.

GRAISSE → GRAS *(corps).*

GRAISSESSAC (34640), comm. de l'Hérault, à 15 km au N.-O. de Bédarieux; 1 134 hab. Houille. Chaussures.

GRAMAT (46500), ch.-l. de cant. du Lot, sur le *causse de Gramat,* à 20 km au S.-O. de Saint-Céré; 3 529 hab.

GRAMINACÉES. — Les grands types de civilisation traditionnelle se distinguent selon leur culture céréalière de base : blé, riz, maïs, millet. Or ces quatre espèces, et d'autres à peine moins importantes (orge, seigle, avoine, sorgho), sont des graminacées. Ce sont, en effet, des espèces monocotylédones à tige creuse (chaume), à longues feuilles engainantes pourvues d'une ligule, aux fleurs disposées en épis simples ou composés. Des bractées coriaces *(glumes* et *glumelles)* protègent la fleur, à peu près réduite à trois étamines et à un seul ovule. Le fruit est un *caryopse,* ou *grain**.

La valeur alimentaire des céréales de grande culture est due aux réserves farineuses de leurs graines. Mais on compte par milliers les espèces fourragères, dont le bétail broute les feuilles et qui constituent la plus grande part de l'*herbe* des prairies de pâture ou de fauche. La *paille* n'est faite que de chaumes de graminacées, le *foin* est constitué de façon majoritaire par des plantes de cette famille. Le bambou* et la canne* à sucre font également partie de cette vaste famille (6 000 espèces environ).

GRAMMAIRE *(Inform.).* — La nécessité de décrire rigoureusement à un ordinateur* ce qu'on lui demande de faire a conduit à se pencher avec la même rigueur sur la nature des langages* de programmation. Pour pouvoir être traduit en langage machine, un programme* écrit dans un langage symbolique doit être parfaitement compris du compilateur*. Il doit donc avoir une syntaxe rigoureuse pour que sa signification puisse se développer à partir de la valeur sémantique des symboles de base du langage. La grammaire du langage rassemble les règles qui permettent de construire des phrases correctes, c'est-à-dire ayant un sens. Par la connaissance de la grammaire de son langage, un compilateur peut reconnaître les violations éventuelles à ses règles commises par le programmeur. Dans ce cas, le programme est nécessairement incorrect ou ambigu et ne doit pas être compilé.

La théorie des langages a fait progresser de manière importante celle des grammaires formelles.

GRAMMAIRE *(Ling.).* — La grammaire est l'ensemble des règles décrivant les combinaisons linguistiques pour une langue donnée. Le but de la grammaire traditionnelle est avant tout normatif : elle propose un ordre de valeurs; elle s'oppose aux grammaires descriptives, qui analysent un ordre de faits. La grammaire traditionnelle repose sur les notions de mot et de phrase. L'étude des mots classés en parties du discours* constitue la morphologie; l'étude de la phrase (combinaison de mots) constitue la syntaxe.

Pour Chomsky, la grammaire d'une langue est l'ensemble du mécanisme qui permet d'engendrer toutes les phrases de cette langue, c'est-à-dire d'en donner une description structurelle comprenant une structure profonde et une structure de surface, une interprétation sémantique de la structure profonde et une représentation phonique de la structure de surface : c'est le modèle de compétence du locuteur natif.

Grammaire générale et raisonnée de Port-Royal, œuvre d'Antoine Arnauld et de Claude Lancelot (1660). Elle se donne pour but de formuler les principes auxquels obéissent toutes les langues et donc de définir le langage dont les langues ne sont que des réalisations particulières. Celui-ci, en effet, est considéré comme le miroir de la pensée dont les lois sont universelles puisque ce sont celles de la logique et de la raison. Cette grammaire a eu jusqu'au XIXe s. une énorme influence sur la réflexion linguistique. À l'heure actuelle, la grammaire générative y retrouve certaines de ses préoccupations (distinction de la structure de surface et de la structure profonde, problème des universaux du langage).

GRAMMATICALITÉ. — Tout locuteur natif peut porter sur les énoncés qui lui sont proposés des jugements de grammaticalité, c'est-à-dire les accepter ou les rejeter. Ces jugements sont intuitifs : ils ne dépendent ni de l'expérience ni de la mémoire mais du système de règles intériorisé lors de l'apprentissage de la langue. Ils servent de base à l'établissement de la grammaire générative*.

GRAMME (Zénobe), électricien et inventeur belge (Jehay-Bodegnée, province de Liège, 1826 - Bois-Colombes 1901). Il imagina le *collecteur* (1869), qui permet la réalisation d'appareils à courant continu, et construisit la première dynamo industrielle (1871).

GRAMMONT, en néerl. **Geraardsbergen,** v. de Belgique (Flandre-Orientale), sur la Dendre; 30 632 hab. (en 1977).

GRAMONT (Antoine Agénor, *duc* DE), diplomate français (Paris 1819 - *id.* 1880). Ambassadeur à Rome (1857) puis à Vienne (1861), partisan de l'alliance autrichienne, il devient, en mai 1870, ministre des Affaires étrangères : il joue un rôle déterminant dans les circonstances qui précèdent la déclaration de guerre à la Prusse (juill. 1870).

GRAMPIANS *(monts),* hauteurs d'Écosse, au S. du Glen More, portant le point culminant de la Grande-Bretagne (Ben Nevis, 1 340 m).

GRAMSCI (Antonio), homme politique et philosophe italien (Ales, Cagliari, 1891 - Rome 1937). Malgré une santé fragile et un emprisonnement prolongé, Gramsci joue un rôle important dans l'élaboration d'une doctrine et d'une stratégie révolutionnaires originales au sein du parti communiste italien. Le 1er mai 1919, il lance, avec Togliatti notamment, l'hebdomadaire (puis quotidien)

Antonio Gramsci.

Gallimard

L'Ordine nuovo. Il participe activement à la grève générale de Turin (avr.-sept. 1920), où les ouvriers occupent les usines, et théorise cette pratique dans un programme de « conseils ouvriers » non restreints aux seuls syndiqués. Partisan d'un socialisme « par le bas », il contribue à la fondation du parti communiste italien au congrès de Livourne, en janvier 1921, comme section autonome de la IIIe Internationale. S'inspirant de Lénine, il défend la thèse d'un parti authentiquement révolutionnaire, créateur d'un « modèle de ce que sera demain l'État prolétarien ». Il est élu en 1923 secrétaire général du parti communiste. Arrêté en novembre 1926, il est emprisonné par le « tribunal spécial pour la défense de l'État fasciste ».

Loin de se cantonner dans la théorie pure, la politique dont il poursuit l'élaboration en prison s'efforce d'expliquer l'évolution historique de l'Italie et de forger les concepts susceptibles (comme celui d'hégémonie*) de renforcer l'efficacité du parti révolutionnaire. Pour Gramsci, la tâche principale que doit accomplir cet « intellectuel collectif » qu'est le parti est de créer une culture qui concilie « la politique et la philosophie dans une unité dialectique » afin d'« édifier une civilisation totale ».

GRANADOS Y CAMPIÑA (Enrique), compositeur espagnol (Lérida 1867 - en mer 1916), auteur de sept zarzuelas et de pièces pour piano influencées par Grieg et Chopin autant que par Liszt. Parmi ces pièces, les douze *Danzas españolas,* les *Escenas románticas,* et surtout (d'après des peintures de Goya exposées au Prado) les *Goyescas* (1911), dont il adapta la musique pour en tirer un opéra du même nom (1916).

GRANBY, v. du Canada (Québec), dans les cantons de l'Est; 34 385 hab.

GRANCEY-LE-CHÂTEAU-NEUVELLE (21580), ch.-l. de cant. de la Côte-d'Or, à 44,5 km au N. de Dijon; 317 hab. Château des XIVe-XVIIIe s.

GRAN CHACO → CHACO.

GRAND BALLON → GUEBWILLER *(ballon de).*

GRAND BASSIN, en angl. **Great Basin,** vaste région de l'ouest des États-Unis (Nevada et Utah), entre la Sierra Nevada à l'O. et les monts Wasatch à l'E.

GRANDBOIS (Alain), écrivain canadien d'expression française (Saint-Casimir 1900 - Québec 1975). Auteur de nouvelles (*Né à Québec,* 1933), il a exercé par ses recueils lyriques une influence profonde sur la génération poétique de l'après-guerre *(les Îles de la nuit,* 1944; *Rivages de l'homme,* 1948).

GRAND-BORNAND (Le) [74450], comm. de la Haute-Savoie, à 6 km au N. de La Clusaz; 1 619 hab. Station de sports d'hiver (alt. 950-2 100 m).

GRAND-BOURG (Le) [23240], ch.-l. de cant. de la Creuse, à 20 km à l'O. de Guéret; 1 608 hab. Église du XIIe s.

GRAND-BOURG (97112), comm. de Marie-Galante (dépendance de la Guadeloupe); 6 611 hab.

GRANDCAMP-MAISY (14450), comm. du Calvados, près de l'embouchure de la Vire; 1 809 hab. Station balnéaire.

GRAND CANYON, nom des gorges du fleuve Colorado, dans l'Arizona.

GRAND-CHAMP (56390), ch.-l. de cant. du Morbihan, à 15,5 km au N. de Vannes; 3 055 hab. Église des XIIe-XVIe s.

GRAND-CHARMONT (25200 Montbéliard), comm. du Doubs, à 4 km au N.-E. de Montbéliard; 7 922 hab.

GRAND-COMBE (La) [30110], ch.-l. de cant. du Gard, à 14 km au N. d'Alès; 10472 hab.

GRAND COULEE, localité des États-Unis (Washington), sur la Columbia; 3000 hab. Important aménagement (barrage et centrale) hydroélectrique.

GRAND-COURONNE (76530), ch.-l. de cant. de la Seine-Maritime, sur la Seine, à 11,5 km au S. de Rouen; 7875 hab. *(Couronnais).* Papeterie. Chimie.

GRAND-COURONNÉ (le), hauteur à l'est de Nancy, théâtre de la résistance victorieuse de l'armée Castelnau qui, en septembre 1914, bloqua l'avance allemande et sauva Nancy.

GRAND-CROIX (La) [42320], ch.-l. de cant. de la Loire, sur le Gier, à 5 km au N.-E. de Saint-Chamond; 5088 hab.

GRANDE *(rio)* ou **RÍO BRAVO,** fl. d'Amérique, né dans les Rocheuses, qui forme la frontière entre les États-Unis et le Mexique (en aval d'El Paso) avant de rejoindre le golfe du Mexique; 2900 km.

GRANDE *(rio),* riv. du Brésil, l'une des branches mères du Paraná; 1050 km.

GRANDE-BRETAGNE ET IRLANDE DU NORD (ROYAUME-UNI DE), en angl. **United Kingdom of Great Britain and Northern Irland,** État insulaire de l'Europe occidentale; 244023 km^2; 55933000 hab. *(Britanniques).* Capit. *Londres.*

Il est formé de quatre parties : l'Angleterre, le pays de Galles, l'Écosse (qui constituent à eux trois la Grande-Bretagne) et l'Irlande du Nord.

GÉOGRAPHIE

• *Le milieu naturel.* Le pays s'étend sur deux grands ensembles de relief. Le Nord et l'Ouest sont formés de lourds massifs anciens (calédoniens et hercyniens), constitués de terrains cristallins rabotés par l'érosion. Du N. au S. s'échelonnent les North West Highlands, les monts Grampians (1340 m au Ben Nevis), les Southern Uplands, les Pennines et les chaînes du pays de Galles et de Cornouailles. L'empreinte des glaciers quaternaires (cirques, vallées en auge, lacs) est bien visible sur les hautes surfaces, en particulier en Écosse et dans le district des Lacs. Ces massifs sont séparés par des couloirs déprimés : Glen More, Lowlands, dépression Eden-Tyne, Midlands. Le sud-est du pays est occupé par le bassin sédimentaire de Londres, prolongement du Bassin parisien. Il est formé par une alternance de couches argileuses, calcaires et gréseuses datant du secondaire et du tertiaire, dans lesquelles l'érosion différentielle a façonné un relief de cuestas (Cotswold Hills, Chiltern Hills), séparées par des dépressions. Enfin, cet État insulaire est doté d'une très grande longueur de côtes, dont les divers aspects reflètent la structure géologique : falaises de craie du littoral de la Manche, côte basse de l'Angleterre orientale (Fens), côtes à fjords d'Écosse et à rias de la Cornouailles.

les régions

	superficie (en km^2)	nombre d'hab.	
Angleterre	130367	46425000	Londres
Écosse	78773	5212000	Édimbourg
pays de Galles	20763	2749000	Cardiff
Irlande du Nord	14120	1547000	Belfast

Le climat est fortement marqué par les influences d'ouest qui expliquent sa douceur (amplitudes annuelles faibles) et son humidité permanente. La Grande-Bretagne jouit d'un climat océanique, qui se rafraîchit vers le nord. La façade occidentale est plus arrosée et, en raison de la médiocrité des sols développés sur roches acides, les landes et les tourbières y occupent de vastes surfaces. La région de Londres, plus abritée, connaît un ensoleillement plus marqué et ses sols, plus riches, permettaient une végétation naturelle de forêts de feuillus, depuis longtemps défrichées.

climatologie

station	températures moyennes janvier	températures moyennes juillet	précipitations annuelles (en mm)
Londres	5 °C	16,7 °C	710
Cardiff	5,7 °C	16,1 °C	1219
Édimbourg	3,9 °C	13,7 °C	809

• *La population.* Avec 230 habitants au kilomètre carré, la Grande-Bretagne est un pays très peuplé (l'un des plus denses du monde), surtout eu égard à ses conditions naturelles souvent médiocres. La population a augmenté très rapidement au XVIIIe et au XIXe s., du fait d'un excédent naturel élevé, que l'intense émigration vers les États-Unis n'arrivait pas à compenser. Aujourd'hui, la population stagne presque, en raison de la chute sensible du taux de natalité (moins de 14 p. 1000) et malgré un renversement du bilan migratoire. Le pays a accueilli en effet de nombreux immigrants, Irlandais et surtout *Coloureds* (Noirs et Asiatiques [Indiens et Pakistanais]), qui constituent environ 2 p. 100 de la population et dont l'intégration ne se fait pas sans problèmes.

La population est très inégalement répartie. Les zones montagneuses sont presque désertes, du fait d'un exode rural persistant qui les a vidées de leurs habitants. Les zones de culture sont moyennement peuplées. Mais les Britanniques se concentrent dans les régions industrielles, le plus souvent localisées près des bassins houillers. Le taux d'urbanisation, qui atteint 90 p. 100, est le plus élevé du monde. Le pays est doté d'un dense réseau de villes moyennes dominé par six conurbations dépassant le million d'habitants, qui regroupent 40 p. 100 de la population sur 4 p. 100 du territoire. L'inégale répartition de la population est aggravée par les migrations intérieures qui favorisent le Sud, surtout la région londonienne, au détriment du Nord. Pour désengorger les agglomérations surpeuplées, l'État poursuit, depuis 1945, une politique de création de villes nouvelles à une certaine distance des grands centres. Une trentaine de cités sont ainsi nées, dont une dizaine autour de Londres. Malheureusement, la création d'emplois n'y suit guère la construction des logements.

principales agglomérations
(nombre d'hab.)

Londres	7281000	Glasgow	1675000
Manchester	2389000	Liverpool	1226000
Birmingham	2359000	Newcastle upon Tyne	788000
Leeds	1736000	Sheffield	520000

• *La vie économique. L'industrie* emploie 40 p. 100 de la population active. La Grande-Bretagne a été le premier pays à accomplir sa révolution industrielle. Celle-ci a été fondée, dès la seconde moitié du XVIIIe s., sur l'exploitation des riches bassins houillers qui bordent les massifs anciens : Yorkshire, Northumberland-Durham, Écosse, pays de Galles, Midlands. Actuellement, cette forme d'énergie est en crise. L'État a pris le contrôle de la production. Les puits les moins rentables, du fait des conditions de gisement (freinant la mécanisation) ou de la qualité du charbon, ont été fermés et la production, presque entièrement absorbée par la consommation intérieure, a fortement diminué (110 Mt). Le charbon ne représente plus qu'environ le tiers de l'énergie consommée. Parallèlement, s'est accrue la part des hydrocarbures. La production nationale étant encore faible, alors que l'extraction commence seulement sur les gisements de la mer du Nord, le pays importe du pétrole brut, principalement du Moyen-Orient, raffiné essentiellement sur le littoral (Fawley, estuaire de la Tamise, Milford Haven). Le gaz naturel est en nette progression (35 Gm^3), liée à une exploitation, plus rapide que pour le pétrole, des gisements de la mer du Nord. L'électricité (276 TWh) est principalement d'origine thermique. Sa production est concentrée dans de grosses centrales, localisées sur les bassins houillers des Midlands et du Yorkshire. En raison des conditions naturelles peu favorables (absence de cours d'eau suffisamment puissants), la production hydraulique est infime, mais la part du nucléaire, tôt développé, dépasse 10 p. 100 du total.

La sidérurgie repose essentiellement sur le minerai de fer importé. Cela explique la progression des nouvelles implantations littorales accessibles aux minéraliers (Port Talbot) par rapport aux anciens hauts fourneaux, localisés sur les bassins houillers et dont beaucoup sont maintenant fermés. L'importante production d'acier (20 Mt) alimente la métallurgie lourde (laminoirs, tréfileries, etc.) et surtout la métallurgie de transformation. La construction navale est localisée dans les estuaires de la Clyde, de la Tyne et de la Wear. L'industrie automobile, en grande partie contrôlée par les capitaux américains (Ford, General Motors), produit environ 2 millions de véhicules par an, dont 80 p. 100 de voitures de tourisme. Elle est concentrée dans les Midlands et la région londonienne, de même que la construction aéronautique. Les diverses autres branches (machines-outils, matériels agricole et ferroviaire, constructions électriques, coutellerie) sont dispersées dans les différentes régions industrielles.

L'industrie textile est la plus ancienne, mais elle a perdu sa première place. La région du Lancashire (Manchester) concentre l'essentiel de la production cotonnière. Mais celle-ci, fondée au départ sur les importations de l'Empire britannique, a subi une grave crise, à laquelle le développement des textiles artificiels et synthétiques tente de remédier. L'industrie lainière, localisée dans le Yorkshire (Leeds, Bradford) et en Écosse (vallée de la Tweed), a moins souffert en raison de la haute qualité de sa production.

Les industries chimiques sont relativement récentes, mais elles se développent rapidement, sous l'impulsion, en particulier, de l'Imperial Chemical Industry (ICI). La part de la pétrochimie devient, de plus, importante (matières plastiques, fibres synthétiques, caoutchouc, etc.) par rapport aux autres activités (production d'engrais, colorants, savons, etc.).

Au total, l'industrie est puissante et tous les secteurs d'activité sont représentés. Mais l'essor des branches les plus dynamiques ne doit pas masquer la crise qui frappe certaines branches et régions. La vétusté de beaucoup d'installations industrielles a contraint à un effort de modernisation. Mais seuls les Midlands et la région londonienne ont pu s'adapter aux conditions du marché moderne. Les secteurs périphériques (Écosse, pays de Galles, Lancashire) ne bénéficient plus de nouvelles implantations et connaissent un déclin constant. Leur population, touchée par le chômage, va chercher du travail dans la région de Londres, devenue le pôle attractif de la Grande-Bretagne industrielle. Cela entraîne un déséquilibre auquel l'État tente de remédier en aidant les régions touchées par la crise.

À côté de l'industrie, l'*agriculture* occupe une place très secondaire. Elle emploie à peine 5 p. 100 de la population active. Les conditions naturelles sont peu favorables. Les hautes terres de l'Ouest et de l'Écosse, aux sols médiocres souvent couverts par la lande, sont le domaine de l'élevage ovin extensif, en particulier pour la laine. Dans les dépressions, les prairies alimentent en fourrage l'élevage bovin pour le lait et pour la viande. La culture se concentre dans le Sud-Est, qui produit principalement du blé, des pommes de terre et des betteraves à sucre, ainsi que des légumes (polder des Fens) et des fruits. L'orge et le houblon servent à la fabrication de la bière. Malgré son intensité, attestée par la forte mécanisation et l'emploi massif d'engrais, la production reste largement insuffisante pour nourrir la population, et la pêche n'apporte qu'un maigre complément de ressources.

Contrainte d'importer matières premières et denrées agricoles, la Grande-Bretagne est marquée par une économie reposant sur les *échanges.* Cette caractéristique est ancienne puisque le pays a construit sa richesse, au temps de l'empire colonial, sur la transformation des produits bruts qu'il importait. L'activité commerciale est soutenue par une puissante flotte marchande, qui dispose de ports importants et bien équipés : Manchester, Liverpool, et surtout Londres. Ces ports sont reliés à l'ensemble du pays par un réseau routier et un réseau ferroviaire denses qui souffrent cependant de leur vétusté. Par ailleurs, les grandes sociétés britanniques, telles que la British Petroleum, ICI et Shell (à capitaux également néerlandais), investissent dans le monde entier. Elles entretiennent une activité bancaire intense, concentrée dans la *City* de Londres, et le secteur tertiaire est très bien représenté. Mais la hausse du coût des matières premières et l'industrialisation progressive des pays acheteurs ont rendu la production britannique beaucoup moins compétitive, d'autant que l'économie est paralysée fréquemment depuis plusieurs années par de graves crises sociales, s'ajoutant aux périodiques dévaluations de la livre sterling (liées aux déficits souvent énormes de la balance commerciale et de la balance des paiements). L'intégration au Marché commun ne s'opère pas sans difficulté et la Grande-Bretagne perd progressivement sa place de grande puissance économique, sinon politique.

HISTOIRE

(*Pour la période antérieure au XVII*^e^ *s.,* v. ANGLETERRE.)

La mort d'Élisabeth Ire*, dernier représentant de la dynastie des Tudors* (1603), fait accéder au trône d'Angleterre un Stuart*, Jacques VI, roi d'Écosse, qui devient Jacques Ier* d'Angleterre (de 1603 à 1625) : écossais d'abord, celui-ci favorise ses compatriotes; autoritaire en religion comme en politique, il déçoit successivement les catholiques, qui complotent contre lui (conspiration des Poudres, 1605), et les protestants puritains qui, persécutés par lui, amorcent la colonisation de l'Amérique du Nord (1620). Son fils et successeur, Charles Ier* (de 1625 à 1649), heurte tout le monde par son autoritarisme, son mépris du Parlement et l'appui affiché qu'il apporte à l'anglicanisme (épiscopalisme) au détriment des puritains. C'est sous l'influence de ceux-ci que l'Écosse se révolte (1639), puis l'Angleterre (1642). La première révolution* d'Angleterre aboutit à l'exécution du roi (1649) et au triomphe des puritains, incarnés en Olivier Cromwell*, qui, après avoir soumis l'Irlande catholique (1649), puis l'Écosse fidèle aux Stuarts (1651), instaure dans les trois royaumes (Angleterre, Écosse, Irlande) le régime personnel du Protectorat, ou Commonwealth, qui lui permet de pacifier le pays tout en pratiquant à l'extérieur (Acte de navigation, 1651) une politique mercantiliste à l'encontre des intérêts hollandais et espagnols. Olivier Cromwell mort (1658), son fils Richard se révèle incapable d'assumer son héritage; aussi, dès 1659, abandonne-t-il ses fonctions de protecteur, préparant ainsi la voie à la restauration* des Stuarts.

Celle-ci est effective en mai 1660, lorsque Charles II* (de 1660 à 1685) rentre à Londres et essaie de faire fonctionner une monarchie réellement parlementaire. En fait, le gouvernement du roi et de ses familiers est incohérent, ce qui nuit au prestige de la royauté et favorise la prépondérance du Parlement dans la vie politique. Les dernières années de Charles II sont troublées par le problème de la succession, son héritier désigné, Jacques, étant catholique et lié à la France de Louis XIV. De fait, Jacques II* (de 1685 à 1688) ne peut se maintenir longtemps à la tête d'un pays qui à la fois hait le « papisme » et craint la puissance française alors que lui-même, par son commerce, sa marine, son domaine colonial, l'activité de sa bourgeoisie non conformiste, songe à la prépondérance en Europe. La révolution de 1688, en forçant Jacques II à fuir en France, sanctionne en fait la disparition définitive de l'arbitraire royal. Le règne conjoint de Marie II* Stuart (de 1689 à 1694) et de son époux, un protestant comme elle, Guillaume III* d'Orange-Nassau (de 1688 à 1701), est marqué par d'importantes victoires sur la France et par l'enracinement du régime parlementaire. Double opération qui se poursuit durant le règne d'Anne* Stuart (de 1702 à 1714), la guerre de la Succession d'Espagne (1702-1713) ouvrant de nouvelles possibilités au commerce anglais. C'est alors que le Parlement, par opposition aux papistes, exclut les Stuarts de l'Acte d'établissement de 1701, au profit de leurs cousins de la maison de Hanovre*. Et comme le changement dynastique prévu risque de remettre en question les liens unissant l'Écosse à l'Angleterre, celle-ci obtient du Parlement écossais le vote de l'Acte d'union (1707), acte de naissance véritable du royaume de Grande-Bretagne.

L'accession au trône de George Ier (de 1714 à 1727) puis de son fils George II (de 1727 à 1760), plus allemands qu'anglais, favorise le maintien au pouvoir de l'oligarchie whig*, qui gouverne en jouant du discrédit du parti tory*, compromis avec les Stuarts, et en pratiquant une corruption qui est élevée par Robert Walpole*, maître du pays de 1721 à 1742, à la hauteur d'une institution. Cependant, du même coup, s'insinuent dans l'usage les notions de cabinet, de gouvernement de parti, de responsabilité ministérielle. Parallèlement, le mercantilisme anglais atteint des proportions mondiales. Si Walpole est pacifiste, ses successeurs, et notamment William Pitt*, sont persuadés que la puissance anglaise ne peut se bâtir que sur une large défaite française; à l'issue de la guerre de Sept* Ans (1756-1763), la Grande-Bretagne obtient des gains territoriaux considérables (Inde, Canada, Floride).

Le troisième roi de la dynastie de Hanovre, George III* (de 1760 à 1820), s'efforce de redonner à la Couronne un certain lustre et de l'autorité. Mais si son long règne coïncide avec la révolution industrielle*, il est aussi marqué par la perte des colonies américaines (indépendance des États-Unis [1775-1783]). Face à la Révolution française et à l'Empire, la Grande-Bretagne, leader et fournisseur des coalisés européens, mène une lutte quasiment continuelle (1793-1802, 1803-1815), dont elle sort momentanément affaiblie financièrement et économiquement — du fait surtout du Blocus* continental — mais en se présentant plus que jamais comme la première puissance du globe.

De fait, l'hégémonie anglaise ne faiblit pas de 1820 à 1873, sous George IV (de 1820 à 1830), Guillaume IV (de 1830 à 1837) et durant la première partie du règne de Victoria*. Encore que le paupérisme prolétarien se présente alors comme l'envers de la prospérité et du dynamisme et que le problème irlandais reste entier (v. IRLANDE). À l'intérieur, le mouvement réformiste élargit peu à peu la place des classes moyennes au détriment de l'aristocratie foncière et développe la tolérance religieuse tandis que le mouvement chartiste permet au mouvement ouvrier britannique et au syndicalisme de se développer (v. CHARTISME et TRADE UNION).

Avec la crise économique de 1873 et l'aggravation du problème irlandais, l'hégémonie britannique commence à connaître ses premières ombres. C'est pour les faire oublier que Disraeli*, leader des conservateurs et Premier ministre de 1874 à 1880, sacrifie à une politique impérialiste, qui culmine avec le couronnement, en 1876, de Victoria comme impératrice des Indes. Adversaire de Disraeli, W. Gladstone*, leader des libéraux, essaie, à partir de 1880 et au détriment des tories et de l'éclat extérieur, de faire triompher à la fois les trade-unions, la réforme électorale, le libre-échange et le *Home rule* en Irlande; mais, sur ce dernier point, il se heurte à l'hostilité des tories et des libéraux unionistes (Salisbury*, Balfour*, J. Chamberlain*), lesquels, au pouvoir de 1894 à 1915, doivent compter, eux, avec la montée du *Labour Party* (travaillistes), dirigé par David Lloyd* George et organe d'un monde ouvrier dont les revendications sont prises en charge par un syndicalisme puissant. Le vote, en 1910, du *Parliament Bill* consacre l'effacement définitif des Lords devant les Communes. Le successeur de Victoria, Édouard VII* (de 1901 à 1910), s'attache à promouvoir l'Entente* cordiale franco-anglaise.

De la Première Guerre* mondiale (1914-1918), dans laquelle elle s'est engagée de plus en plus fortement, la Grande-Bretagne sort marquée moralement et économiquement. Tout de suite, elle est affrontée au problème irlandais — apparemment réglé par la création de l'État libre d'Irlande — et aux problèmes posés par une économie obérée et un chômage endémique : situation qui favorise

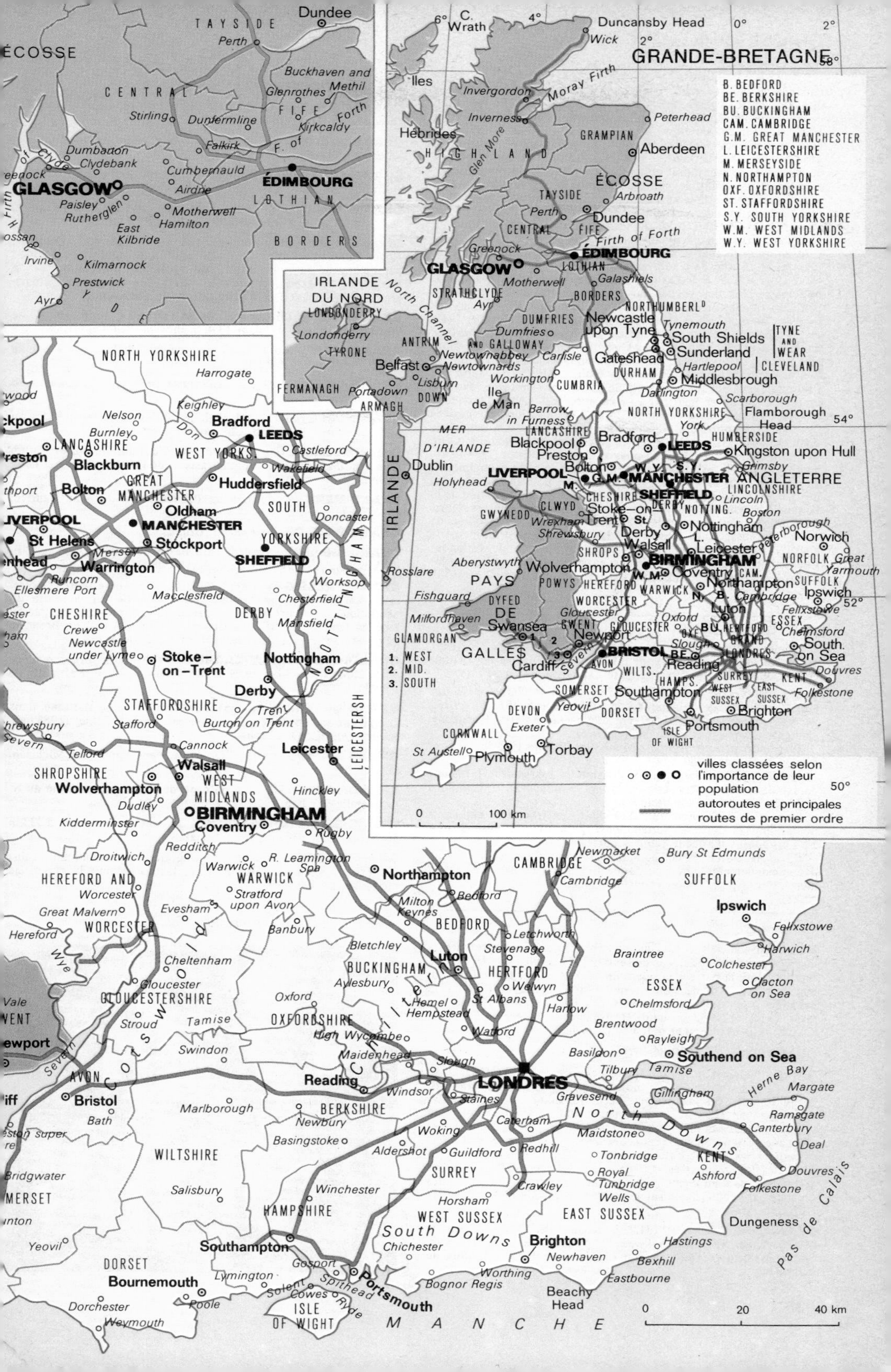

GRANDE-BRETAGNE
B. BEDFORD
BE. BERKSHIRE
BU. BUCKINGHAM
CAM. CAMBRIDGE
G.M. GREAT MANCHESTER
L. LEICESTERSHIRE
M. MERSEYSIDE
N. NORTHAMPTON
OXF. OXFORDSHIRE
ST. STAFFORDSHIRE
S.Y. SOUTH YORKSHIRE
W.M. WEST MIDLANDS
W.Y. WEST YORKSHIRE
C. Wrath
Duncansby Head
Wick
Moray Firth
Iles
Hébrides
Invergordon
Inverness
Peterhead
HIGHLAND
GRAMPIAN
Glen More
Aberdeen
ÉCOSSE
TAYSIDE
Arbroath
Perth
Dundee
CENTRAL
FIFE
Firth of Forth
Greenock
ÉDIMBOURG
GLASGOW
LOTHIAN
Motherwell
STRATHCLYDE
Ayr
Galashiels
BORDERS
IRLANDE DU NORD
North Channel
LONDONDERRY
Londonderry
TYRONE
ANTRIM
FERMANAGH
ARMAGH
DOWN
Belfast
Newtownabbey
Newtownards
Lisburn
Portadown
DUMFRIES AND GALLOWAY
Dumfries
Carlisle
Workington
CUMBRIA
Ile de Man
Barrow in Furness
NORTHUMBERLAND
Newcastle upon Tyne
Tynemouth
South Shields
Sunderland
TYNE AND WEAR
Gateshead
DURHAM
Hartlepool
CLEVELAND
Middlesbrough
Darlington
Scarborough
NORTH YORKSHIRE
York
Flamborough Head
HUMBERSIDE
Kingston upon Hull
Grimsby
MER D'IRLANDE
IRLANDE
Dublin
Holyhead
LANCASHIRE
Blackpool
Preston
Bradford
LEEDS
Bolton
LIVERPOOL
MANCHESTER
SHEFFIELD
ANGLETERRE
LINCOLNSHIRE
Lincoln
Boston
CHESHIRE
Stoke-on-Trent
Derby
DERBY
NOTTING.
Nottingham
GWYNEDD
CLWYD
Wrexham
Shrewsbury
Walsall
Leicester
Peterborough
Norwich
NORFOLK
Great Yarmouth
SHROPS
BIRMINGHAM
Aberystwyth
Wolverhampton
Coventry
POWYS
HEREFORD
WARWICK
Northampton
Cambridge
SUFFOLK
Ipswich
Rosslare
PAYS DE GALLES
DYFED
WORCESTER
Luton
Felixstowe
Fishguard
Milford Haven
Gloucester
Oxford
ESSEX
Chelmsford
Swansea
GWENT
GLOUCESTER
HERTFORD
GLAMORGAN
Newport
Slough
GRAND LONDRES
South. on Sea
Cardiff
BRISTOL
AVON
WILTS.
Reading
Severn
SURREY
KENT
Douvres
1. WEST
2. MID.
3. SOUTH
HAMPS.
WEST SUSSEX
EAST SUSSEX
Folkestone
SOMERSET
Southampton
Brighton
Yeovil
DORSET
DEVON
Exeter
Portsmouth
ISLE OF WIGHT
CORNWALL
St Austell
Plymouth
Torbay
villes classées selon l'importance de leur population
autoroutes et principales routes de premier ordre
0
100 km
6°
4°
2°
0°
2°
58°
54°
52°
50°
TAYSIDE
Perth
Buckhaven and Methil
CENTRAL
Glenrothes
FIFE
Firth of Forth
Stirling
Dunfermline
Kirkcaldy
Falkirk
F. of Forth
Dumbarton
Clydebank
Firth of Clyde
Cumbernauld
ÉDIMBOURG
GLASGOW
Airdrie
LOTHIAN
Paisley
Rutherglen
Motherwell
Hamilton
East Kilbride
BORDERS
Irvine
Kilmarnock
Prestwick
Ayr
CLYDE
NORTH YORKSHIRE
Harrogate
Keighley
Nelson
Bradford
LEEDS
Burnley
LANCASHIRE
Castleford
WEST YORKS.
Wakefield
Blackburn
Huddersfield
Bolton
GREAT MANCHESTER
SOUTH YORKSHIRE
Oldham
Doncaster
MANCHESTER
St Helens
Stockport
SHEFFIELD
Mersey
Warrington
Runcorn
Ellesmere Port
Worksop
Macclesfield
Chesterfield
CHESHIRE
DERBY
NOTTINGHAM
Crewe
Mansfield
Newcastle under Lyme
Stoke-on-Trent
Nottingham
Derby
STAFFORDSHIRE
Stafford
Trent
Burton on Trent
Severn
Telford
Cannock
Leicester
LEICESTERSH
Walsall
SHROPSHIRE
Wolverhampton
WEST MIDLANDS
Hinckley
Dudley
BIRMINGHAM
Kidderminster
Coventry
Rugby
Redditch
Droitwich
Warwick
R. Leamington Spa
Northampton
CAMBRIDGE
Newmarket
Bury St Edmunds
HEREFORD AND WORCESTER
WARWICK
Cambridge
SUFFOLK
Worcester
Stratford upon Avon
Milton Keynes
Bedford
Great Malvern
Evesham
Cotswolds
Ipswich
Hereford
Wye
Banbury
BEDFORD
Letchworth
Felixstowe
Stevenage
Bletchley
Harwich
Braintree
Cheltenham
BUCKINGHAM
Luton
HERTFORD
Colchester
Gloucester
Aylesbury
Welwyn
ESSEX
Clacton on Sea
GLOUCESTERSHIRE
Oxford
Hemel Hempstead
St Albans
Harlow
Chilterns
Stroud
Tamise
OXFORDSHIRE
Chelmsford
Brentwood
High Wycombe
Watford
Rayleigh
Swindon
Maidenhead
Basildon
Southend on Sea
Slough
Tilbury
Tamise
Herne Bay
AVON
Reading
LONDRES
Margate
Bristol
Windsor
Gravesend
Gillingham
Staines
Marlborough
BERKSHIRE
Ramsgate
Bath
Newbury
Caterham
North Downs
Canterbury
Woking
Maidstone
Basingstoke
Deal
Redhill
Aldershot
Guildford
Tonbridge
KENT
WILTSHIRE
Bridgwater
SURREY
Royal Tunbridge Wells
Ashford
Douvres
Salisbury
Crawley
Folkestone
Winchester
Pas de Calais
Horsham
HAMPSHIRE
WEST SUSSEX
EAST SUSSEX
Dungeness
South Downs
Brighton
Hastings
Yeovil
Southampton
Chichester
Newhaven
Bexhill
DORSET
Gosport
Worthing
Eastbourne
Bournemouth
Lymington
Portsmouth
Bognor Regis
Beachy Head
Solent
Spithead
Cowes
Ryde
Poole
ISLE OF WIGHT
Dorchester
Weymouth
MANCHE
0
20
40 km

l'arrivée au pouvoir d'une coalition de travaillistes et de libéraux dirigée par R. MacDonald* (1924-25, 1929-1935). La situation économique s'améliorant à la fin du règne de George V* (de 1910 à 1936) et au début du règne de George VI* (de 1936 à 1952), les conservateurs reviennent au pouvoir; ils pratiquent — notamment avec Neville Chamberlain* — une politique pacifiste qui fait le jeu de Hitler* et de Mussolini* et ne peut empêcher la Seconde Guerre mondiale (1939-1945), au cours de laquelle la Grande-Bretagne — pratiquement seule face aux vainqueurs de la France de juin 1940 à juin 1941 — fournit un exceptionnel effort dont on doit créditer le conservateur Winston Churchill, leader prestigieux d'une nation qui contribue puissamment à sauver le monde libre.

Mais, après la guerre, il s'avère que la Grande-Bretagne ne peut plus jouer un rôle de leader mondial face aux deux super-grands, États-Unis et U. R. S. S. Les travaillistes, au pouvoir de 1945 à 1951, obtiennent bien des succès sur le plan économique — au prix, d'ailleurs, d'une forte dévaluation de la livre en 1949 —, mais, sur le plan international, si la décolonisation (Inde, Pākistān, 1947) révèle une vue réaliste des choses, la Grande-Bretagne s'installe dans la dépendance des États-Unis. Revenus au pouvoir, alors qu'Élisabeth II succède à son père George VI (1952), les conservateurs (1951-1964) doivent tenir compte de l'appel de l'Europe; en fait, les relations de la Grande-Bretagne avec le Marché commun se heurtent à sa vocation historique et mondiale de place financière et commerciale et à ses relations privilégiées avec le Commonwealth. L'économie britannique, aux structures vieillies, s'essouffle; la balance des paiements est déficitaire. Cette situation explique le retour au pouvoir des travaillistes (1964-1970), avec Harold Wilson*, lequel ne peut réduire la crise économique : au contraire, en 1967, il doit procéder à une nouvelle dévaluation de la livre; et voici que la France s'oppose encore à l'entrée de la Grande-Bretagne dans le Marché commun. Aussi les conservateurs, dont le leader est Edward Heath*, l'emportent-ils aux élections de 1970; s'ils réussissent à rétablir la balance des paiements, l'industrie anglaise n'arrive pas à redémarrer et la question de l'Irlande* s'envenime constamment. Un succès, cependant, pour E. Heath : l'entrée de la Grande-Bretagne dans le Marché commun (1973).

DÉFENSE ET ARMÉES

- Membre permanent du Conseil de sécurité de l'O. N. U. (1945), du Pacte atlantique (1949), de l'Union de l'Europe occidentale (1954), du CENTO (1959). Première explosion nucléaire : 1952.
- LES FORCES ARMÉES EN 1977. *Budget :* 5,6 milliards de livres (10,35 milliards de dollars; 4,9 p. 100 du P. N. B.). *Effectifs :* 344 000 hommes, dont 55 000 en Allemagne, 8 000 à Hongkong, éléments à Singapour et au Moyen-Orient.

Force nucléaire stratégique : 64 missiles SLBM « Polaris A-3 » sur 4 sous-marins de 8 000 t.

Armée : 177 000 hommes; 1 division à 3 brigades, 1 brigade parachutiste, 10 autres brigades (dont 5 blindées), 5 bataillons gurkhas, 910 chars « Chieftain ».

Marine : 77 000 hommes, 514 000 t, environ 150 bâtiments opérationnels, dont 1 porte-avions, 2 croiseurs, 60 frégates, 28 sous-marins d'attaque (dont 9 nucléaires).

Royal Air Force : 90 000 hommes, environ 450 avions de combat, 4 commandements aériens : *Strike Command* (bombardement et chasse), transport, écoles et maintenance.

Mais la crise sociale endémique met en difficulté les conservateurs lors des élections anticipées de février 1974, si bien que H. Wilson reprend alors la barre à la tête d'un gouvernement travailliste, qui met en place un budget d'austérité; le référendum du 6 juin 1975 confirme l'adhésion du pays à la Communauté européenne. En mars 1976, H. Wilson quitte brusquement la scène politique, laissant le gouvernement à James Callaghan*.

GRANDE-GRÈCE → GRÈCE D'OCCIDENT.

Grande Illusion *(la),* film français de Jean Renoir (1937). Au cours de la Première Guerre mondiale plusieurs officiers français, parmi lesquels un aristocrate (Pierre Fresnay), un contremaître parisien (Jean Gabin) et un banquier juif (Marcel Dalio), sont retenus prisonniers dans une forteresse dirigée par un commandant allemand (Erich von Stroheim). Beaucoup plus qu'en le récit d'une évasion, Jean Renoir s'attacha dans ce film à exprimer ses idées pacifistes et généreuses, insistant sur la complicité entre les hommes issus d'un même milieu social et exposant d'intéressantes notations psychologiques sur la solidarité, le code de l'honneur et l'absurdité de la guerre.

GRANDE-MOTTE (La) [34280], comm. de l'Hérault, sur la Méditerranée, à 13 km à l'O.-S.-O. d'Aigues-Mortes; 2 170 hab. Station balnéaire (architecte en chef : Jean Balladur). Port de plaisance.

GRANDES ROUSSES → ROUSSES *(Grandes).*

GRANDE-SYNTHE (59760), comm. du Nord, dans la banlieue sud-ouest de Dunkerque; 14 867 hab.

GRANDE-TERRE, île formant la partie orientale de la Guadeloupe.

GRAND-FORT-PHILIPPE (59153), comm. du Nord, à l'embouchure de l'Aa, à 22 km à l'O. de Dunkerque; 5 880 hab.

GRAND-FOUGERAY (35390), ch.-l. de cant. d'Ille-et-Vilaine, à 28,5 km à l'O. de Châteaubriant; 2 020 hab. Donjon du XIVe s.

Grand Jeu *(le),* revue littéraire fondée en 1928 par René Daumal*, Roger Gilbert-Lecomte, Roger Vailland* et le peintre Josef Sima : parallèlement au surréalisme, un essai de « révélation de la métaphysique expérimentale » à travers des tentatives systématiques de dislocation et d'extension de la conscience.

GRAND LAC SALÉ, en angl. **Great Salt Lake,** marécage salé de l'ouest des États-Unis, dans l'Utah, près de Salt Lake City.

GRAND-LEMPS (Le) [38690], ch.-l. de cant. de l'Isère, à 17 km au N.-O. de Voiron; 1 990 hab.

GRAND-LIEU *(lac de),* lac marécageux de la Loire-Atlantique, au S.-O. de Nantes.

GRAND-LUCÉ (Le) [72150], ch.-l. de cant. de la Sarthe, à 27 km au S.-E. du Mans; 1 890 hab. Château du XVIIIe s.

Grand Meaulnes *(le),* roman d'Alain-Fournier (1913), évocation d'un état d'âme à partir du contraste et de l'union du rêve et de la réalité.

GRAND'MÈRE, v. du Canada (Québec), sur le Saint-Maurice; 17 137 hab.

GRAND PARADIS → PARADIS *(Grand).*

GRANDPRÉ (08250), ch.-l. de cant. des Ardennes, à 17 km au S.-E. de Vouziers; 521 hab. Église des XVe-XVIe s.

GRAND-PRESSIGNY (Le) [37350], ch.-l. de cant. d'Indre-et-Loire, à 33 km au S.-O. de Loches; 1 256 hab. Ce fut, à la fin du néolithique, le centre d'une industrie lithique caractérisée par de longues lames et dont on retrouve les produits tant en Bretagne qu'en Suisse (musée dans le château Neuf, du XVIe s.).

GRANDPUITS-BAILLY-CARROIS (77720 Mormant), comm. de Seine-et-Marne, à 5 km au N.-O. de Nangis; 728 hab. Raffinerie de pétrole.

GRAND-QUEVILLY (Le) [76120], comm. de Seine-Maritime, dans la banlieue sud de Rouen, sur la rive gauche de la Seine; 32 288 hab. *(Grand-Quevillais).* Engrais.

GRAND RAPIDS, v. des États-Unis, dans l'ouest du Michigan; 194 000 hab.

GRANDRIEU (48600), ch.-l. de cant. de la Lozère, à 49 km au N. de Mende; 967 hab.

GRAND-SERRE (Le) [26530], ch.-l. de cant. de la Drôme, à 33 km au N. de Romans-sur-Isère; 770 hab.

GRANDS LACS, ensemble des cinq grands lacs nord-américains (Supérieur, Michigan, Huron, Érié, Ontario), dont la superficie approche 250 000 km^2.

La Grande Illusion (1937), de Jean Renoir.

Cinédis (coll. J.-L. Passek)

GRANDVILLARS (90600), ch.-l. de cant. du Territoire de Belfort, à 17 km au S.-E. de Belfort; 3 231 hab.

GRANDVILLE (Jean Ignace Isidore GÉRARD, dit), dessinateur français (Nancy 1803 - Paris 1847). Ses vignettes et caricatures, où ses contemporains, notamment les personnalités politiques, sont représentés sous les traits d'animaux, constituent une satire sévère des mœurs de l'époque. Après avoir collaboré au *Charivari* et à *la Caricature,* il se consacre surtout à l'illustration (La Fontaine, Swift...), avec une même richesse d'imagination, atteignant parfois une forme délirante que les surréalistes ont saluée (*Un autre monde,* 1844).

GRANDVILLIERS (60210), ch.-l. de cant. de l'Oise, à 29 km au N. de Beauvais; 2 675 hab.

GRANET (François Marius), peintre français (Aix-en-Provence 1775 - *id.* 1849). Formé à Aix et à Paris, connaisseur de la peinture flamande et hollandaise, travaillant à Rome de 1802 à 1819, il est l'auteur de vues intérieures d'édifices religieux, d'esprit préromantique, et d'admirables aquarelles. Il fut conservateur au Louvre (1826) puis à Versailles (1830), et légua son atelier ainsi que sa collection à sa ville natale.

GRANGEMOUTH, port de Grande-Bretagne, en Écosse, sur l'estuaire du Forth; 25 000 hab. Raffinerie de pétrole et pétrochimie.

GRANGES, en allem. **Grenchen,** comm. de Suisse (cant. de Soleure), au N.-E. de Bienne; 20 051 hab. Horlogerie.

GRANIQUE (le), petit fleuve côtier de l'Asie Mineure, qui se jette dans la mer de Marmara; sur ses rives, Alexandre remporta (334 av. J.-C.) sa première victoire sur l'armée perse de Darios III.

GRANIT (Ragnar), physiologiste suédois (Helsinge, Finlande, 1900), prix Nobel de médecine en 1967, avec Hartline et Wald, pour ses travaux sur la physiologie de la rétine et des voies optiques.

GRANITE. — Roche plutonique acide à structure grenue, le granite est constitué de quartz, de feldspath et de mica. Il présente deux principaux modes de gisement. Tantôt il forme des massifs circonscrits, recoupant des terrains quelconques dans lesquels il détermine une auréole de métamorphisme* de contact *(granite intrusif);* tantôt il est associé à des roches du métamorphisme régional, auxquelles il passe par l'intermédiaire de migmatites, roches qui ont partiellement fondu *(granite d'anatexie*).* Les massifs granitiques sont parcourus par de nombreux filons, en particulier de pegmatite, roche de composition minéralogique analogue, mais à cristaux de très grande taille.

GRAN SASSO, point culminant de l'Apennin, dans le massif des Abruzzes; 2 914 m au *Corno Grande.*

GRANT (Ulysses), général américain (Point Pleasant 1822 - près de Saratoga 1885). Vainqueur à Vicksburg (1863), il commanda les forces fédérales pendant la guerre de Sécession (1864-65). Il fut président des États-Unis de 1868 à 1876.

GRANULAT. — Les granulats comprennent les sables (de 0,08 à 5 mm), les gravillons (de 5 à 25 mm) et les pierres* (de 25 à 80 mm). Ils proviennent soit de ballastières, par dragage, lavage et criblage, soit de concassage et criblage en carrière à partir de roches dures. Les granulats naturels, ou granulats roulés, sont plus compacts, plus maniables, mais ils adhèrent parfois moins bien aux liants. On utilise les granulats soit en construction civile (mortiers* et bétons* hydrauliques), soit en construction routière (enrobés, enrobés denses et bétons bitumineux). Les *sables* fins sont extraits de gîtes d'origine éolienne (sables de dunes, sables de Fontainebleau) ou parfois de dépôts anciens (souvent souillés d'argile et peu utilisables). Les sables ont une importance capitale en ce qui concerne la qualité des mortiers et des bétons; ils doivent être rigoureusement propres. On les qualifie par un essai donnant un coefficient, dit *équivalent de sable,* ou E. S. Pour les bétons hydrauliques, il faut un équivalent de sable d'au moins 70 et, pour les bétons routiers, d'au moins 50. Les gravillons artificiels, ou gravillons concassés en carrière, sont moins maniables, mais plus stables sous forme de béton frais mis en couches sur pentes (barrage); ils adhèrent souvent mieux aux liants, mais sont plus fragiles. Tous proviennent de roches suffisamment dures et très peu altérables : roches granitiques, porphyriques, basaltiques ou quartzitiques, et calcaires durs. Les roches d'origine éruptive ou cristallophylliennes ont une résistance en compression d'environ 2 500 bar et les calcaires durs, au moins 500 bar.

GRANULITE. — Roche métamorphique composée principalement de quartz, feldspath, pyroxène et grenat, la granulite témoigne d'un métamorphisme* intense. Elle ne peut se former qu'à partir d'une roche préexistante pauvre en eau, car dans le cas contraire se produit l'anatexie*. — On désignait autrefois sous le nom de granulite un granite à deux micas.

GRANULOME. — Cet amas inflammatoire du derme, formé de lymphocytes, de polynucléaires, d'histiocytes et de cellules géantes, se retrouve dans différentes maladies de peau : ainsi le granulome à corps étrangers. Des petites tumeurs arrondies, désignées aussi sous le terme de « granulome » (granulome dentaire, granulome éosinophile des os), ont un aspect histologique différent, mais témoignent encore d'une inflammation.

GRANULOMÉTRIE. — La granulométrie, c'est-à-dire la taille des éléments constitutifs d'une formation géologique meuble, est mesurée à l'aide d'une colonne de tamis dont la maille décroît. On établit des courbes granulométriques avec les proportions des fractions recueillies sur les différents tamis. L'allure de ces courbes, ainsi que la taille moyenne des éléments, renseigne sur l'origine du sédiment considéré (dépôt éolien, fluviatile ou glaciaire, par exemple).

GRANVELLE (Nicolas PERRENOT DE), ministre de Charles Quint (Ornans 1486 - Augsbourg 1550). Secrétaire d'État (1530), garde des Sceaux du royaume de Naples, il défendit, face aux protestants, les positions d'Érasme*. — Son fils, ANTOINE (Besançon 1517 - Madrid 1586), lui succéda comme secrétaire d'État de Charles Quint, en 1550. Il soutint ensuite la politique absolutiste de Philippe II, qui le combla de titres : archevêque de Malines (1560), cardinal (1561), vice-roi de Naples (1571-1575). Il mourut archevêque de Besançon.

GRANVILLE (50400), ch.-l. de cant. de la Manche, sur la côte ouest du Cotentin; 15 172 hab. *(Granvillais).* Ville haute fortifiée (église, musée). Station balnéaire. Port de plaisance. Industrie alimentaire.

GRAPHES (théorie des). — La théorie des graphes est la partie de la théorie des ensembles* concernant les relations binaires dans un ensemble dénombrable. Un ensemble dénombrable est un ensemble dont les éléments peuvent être numérotés à l'aide des entiers naturels. Une relation binaire dans un ensemble est une relation que l'on peut établir entre les éléments de couples formés d'éléments de l'ensemble. La relation de divisibilité* dans $\mathbb{N}$, ensemble des entiers naturels, est une relation binaire dans $\mathbb{N}$. En effet, étant donné le couple (a, b) de nombres appartenant à $\mathbb{N}$, on peut se demander si l'un des deux éléments a ou b divise l'autre. En général, il n'en est rien : en prenant deux nombres au hasard, a et b, a ne divise pas b et b ne divise pas a. Mais si a divise b, on dit que a est en relation b dans la relation « divise ». En restreignant la relation à l'ensemble $A = \{1, 2, 3, 4, 5, 6, 7, 8, 9, 10\}$, 1 est en relation avec 1, 2, ..., 10; 2 est en relation avec 2, 4, 6, 8, 10; 3 avec 3, 6, 9; 4 avec 4, 8; 5 avec 5 et 10, puis 6, 7, 8, 9 et 10 ne sont en relation qu'avec eux-mêmes. On a ainsi tous les couples de la relation.

On peut représenter les couples en relation par des flèches partant de l'élément qui divise et aboutissant à celui qui est divisé : l'ensemble de ces flèches est un *graphe.* De chaque élément part

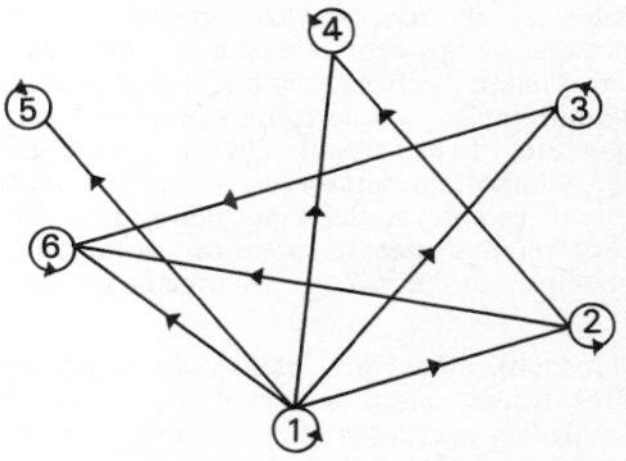

Graphe de la relation « divise » dans l'ensemble $\{1, 2, 3, 4, 5, 6\}$.

une flèche qui aboutit sur ce même élément puisque tout élément est en relation avec lui-même. La théorie des graphes, qui est l'étude des *flèches* représentant des relations binaires, a connu récemment un développement et des applications considérables, car on peut schématiser, par des graphes, un très grand nombre de phénomènes.

GRAPHIQUE STATISTIQUE. — Un tel graphique donne d'un ensemble d'observations une image permettant d'en saisir rapidement les éléments essentiels. Des graphiques très divers sont utilisés : diagrammes en bâtons, histogrammes et graphiques cumulatifs (distribution*), nuages de points (corrélation*), graphiques chronologiques, cartes statistiques à échelle de hachures. L'emploi de divers systèmes de coordonnées* (cartésiennes, polaires, triangulaires), d'échelles* fonctionnelles (logarithmiques, racine carrée, etc.) et de leurs combinaisons facilite la mise en évidence de certaines liaisons et l'estimation de leurs paramètres*.

GRAPHITE. — Cette variété de carbone, cristallisé en lamelles hexagonales appartenant au système rhomboédrique, est un solide gris-noir à éclat métallique. De densité 2,2, il est friable, gras au toucher et laisse une trace sur le papier. Infusible et insoluble dans les solvants usuels, il est bon conducteur de la chaleur et de l'électricité. On le trouve à l'état naturel à Sri Lanka, en Sibérie, à Madagascar. On le produit artificiellement par chauffage du carbone amorphe au four électrique. On l'emploie à la confection de creusets, d'électrodes pour les lampes à arc et les cuves à électrolyse, des balais de dynamos, et en galvanoplastie. Il sert pour les mines de crayons et pour divers lubrifiants, à cause de sa résistance à la chaleur. L'industrie nucléaire l'utilise comme ralentisseur de neutrons dans les réacteurs.

GRAPHOLOGIE. — Comme les tests* projectifs, la graphologie vise à donner une idée de la personnalité du sujet scripteur, mais l'écriture est un acte fortement influencé par les modèles culturels. Depuis Jules Crépieux-Jamin (1858-1940), on analyse l'écriture selon les paramètres suivants : direction, vitesse, pression, ordonnance, dimension, continuité, forme.

GRAPPE → INFLORESCENCE.

GRAS (corps). — Ce sont des substances d'origine animale ou végétale, d'odeur et de saveur faibles, moins denses que l'eau, où ils sont insolubles, donnant sur le papier une tache transparente. Suivant leur degré de fusibilité, on les classe en : *huiles,* liquides; *beurres, graisses* ou *suifs,* solides mous, fondant entre 20 °C et 50 °C; *cires,* cassantes, fondant au-dessus de 60 °C. Ce sont presque tous des triesters de la glycérine et d'un acide gras. Les acides saturés, solides, dominent dans les graisses (stéarine, palmitine); les acides éthyléniques, liquides, dans les huiles (oléine, linoléine). Leur hydrolyse par les acides donne la glycérine et les acides gras (acide stéarique des bougies); leur saponification par les alcalis fournit les savons. Ils rancissent au contact de l'air.

GRAS (Félix), écrivain français d'expression provençale (Malemort 1844-Avignon 1901), l'un des animateurs de la seconde génération du félibrige.

GRASS (Günter), écrivain allemand (Dantzig 1927). Ses romans (*le Tambour**, 1959; *Années de chien,* 1963; *Anesthésie locale,* 1969) et son théâtre mêlent le réalisme et le fantastique dans la peinture satirique du monde contemporain.

GRASSE (06130), ch.-l. d'arr. des Alpes-Maritimes, à 17 km au N.-O. de Cannes; 35 330 hab. *(Grassois).* Anc. cathédrale de style gothique primitif (retable de L. Brea). Musée Fragonard (traditions provençales; peinture). Cultures florales. Essences pour la parfumerie.

GRASSE (François, *comte* DE), marin français (Le Bar, Provence, 1722-Paris 1788). Chef d'escadre, il participe à la guerre d'indépendance des États-Unis, remportant un combat décisif à l'entrée de la baie de Chesapeake (1781).

GRASSES (plantes). — Il n'y a pas toujours une parenté botanique entre les diverses plantes « grasses », mais plutôt une parenté écologique : elles croissent sur des sols semi-désertiques (cactacées), fortement rocheux (sédum, joubarbe) ou salés (salicorne), c'est-à-dire incapables de fournir de l'eau à leurs racines de façon permanente. Leur aspect charnu s'explique donc par l'accumulation d'importantes réserves d'eau dans les tiges et dans les feuilles et par les déformations morphologiques qui s'ensuivent. Cette eau est retenue par la pression osmotique (v. OSMOSE) développée par les ions minéraux ou organiques qu'elle tient en solution.

GRASSET (Joseph), médecin et philosophe français (Montpellier 1849- *id.* 1918). Représentant de l'école vitaliste de Montpellier, il a étudié les maladies nerveuses et la pathologie générale, et publié des ouvrages sur la profession médicale.

GRASSMANN (Hermann), mathématicien et linguiste allemand (Stettin 1809-*id.* 1877). Il peut être considéré, à côté de Möbius* et de Hamilton*, comme le fondateur des algèbres multilinéaires, concevant, le premier, l'idée d'un calcul opérant directement sur les grandeurs géométriques qu'il développa dans son *Ausdehnungslehre* (1862). Il fut également l'un des premiers à imaginer la géométrie à plusieurs dimensions.

GRATIEN, en lat. **Flavius Gratianus** (Sirmium 359-Lyon 383), empereur romain (de 375 à 383). Fils aîné de Valentinien Ier*, qui l'avait associé au trône en 367, il succède en 375 à son père, en Occident, et doit accepter que lui soit adjoint comme auguste son frère Valentinien II*. Après le désastre d'Andrinople (378), où Valens* périt, il proclame auguste Théodose* et lui confie l'Orient. Sous l'influence du pape Damase, de saint Ambroise et de Théodose, sa politique religieuse, jusqu'alors tolérante, change brusquement en 379 : il proscrit toutes les hérésies, renonce au titre de grand pontife* qu'avaient porté tous ses prédécesseurs depuis Auguste, et réalise la séparation du paganisme et de l'État : il ordonne d'ôter du Sénat l'autel de la Victoire et supprime les immunités, les subventions et les revenus des prêtres et des vestales (382).

GRATRY (Alphonse), religieux français (Lille 1805-Montreux 1872). Aumônier de l'Ecole normale, il restaure l'Oratoire* de France (1852), mais la fin de sa vie est assombrie par les attaques que lui valent ses positions anti-infaillibilistes. (V. VATICAN [*premier concile du*].)

GRAUBÜNDEN → GRISONS.

GRAU-DU-ROI (Le) [30240], comm. du Gard, sur la Méditerranée, à 6 km au S.-O. d'Aigues-Mortes; 4 082 hab. Station balnéaire.

GRAUFESENQUE (la), lieu-dit de la commune de Millau (Aveyron). L'un des centres de production les plus actifs, à l'époque gallo-romaine, de céramique sigillée. Inspirée par celle d'Arezzo, mais d'un lustre rouge plus éclatant et au décor libre et naturaliste, cette céramique se répand vers le Ier s. de la Germanie à Pompéi.

GRAULHET (81300), ch.-l. de cant. du Tarn, sur le Dadou, à 26 km au S.-O. d'Albi; 14 110 hab. *(Graulhetois).* Mégisserie. Maroquinerie.

GRAVE (La) [05320], ch.-l. de cant. des Hautes-Alpes, sur la Romanche, à 28 km à l'E. du Bourg-d'Oisans; 513 hab. Centre touristique.

GRAVE *(pointe de),* petit cap au S. de l'embouchure de la Gironde.

GRAVELINES (59820), ch.-l. de cant. du Nord, sur l'Aa, à 19 km à l'O. de Dunkerque; 9 119 hab. Centrale nucléaire en construction. — Le port et la ville jouèrent un rôle important au XVIe s. : les Espagnols et les Anglais y battirent les Français en juillet 1558; et c'est au large de Gravelines que fut dispersée, en 1588, l'Invincible Armada*.

GRAVELOT (Hubert François BOURGUIGNON, dit), illustrateur et graveur français (Paris 1699-*id.* 1773). Dessinateur-né, esprit sensible et indépendant, passionné de lecture comme de galanterie, il fait carrière à Londres de 1732 à 1745. Revenu à Paris, il obtient le succès comme vignettiste, illustre Voltaire, Rousseau, Marmontel, Boccace (*le Décaméron,* 1757), donnant son tour le plus élégant à la scène de genre d'époque Louis XV.

GRAVELOTTE (57130 Ars sur Moselle), comm. de la Moselle, à 14 km à l'O. de Metz : 508 hab. Théâtre, dans le cadre des batailles sous Metz*, de violents combats entre Français et Prussiens, le 16 août 1870 (d'où le dicton « Cela tombait comme à Gravelotte »). Musée militaire.

GRAVES (les), vignobles du Bordelais, sur la rive gauche de la Garonne, de part et d'autre de Bordeaux, entre Langon et Blanquefort.

GRAVESEND, port d'Angleterre, sur l'estuaire de la Tamise; 54 000 hab.

GRAVIMÉTRIE. — La détermination absolue de l'intensité g du champ* de pesanteur* terrestre, longtemps obtenue par l'analyse des oscillations du pendule*, est actuellement faite, au Bureau international des poids* et mesures, par l'analyse très précise d'un corps en chute libre. Les gravimètres d'interpolation permettent la détermination relative de g par la mesure de la période d'un ensemble de masses et de ressorts, disposés de manière à se trouver à la limite de la stabilité, mais ces appareillages doivent être étalonnés fréquemment. Les mesures gravimétriques permettent l'établissement de cartes d'anomalies, c'est-à-dire de différences entre la valeur réelle g observée et une valeur standard γ, correspondant à un modèle de Terre approché (ellipsoïde* de référence). L'anomalie gravimétrique à l'air libre a pour valeur $\Delta g = g - \gamma$. Toutefois, il y a lieu de tenir compte du relief environnant et d'apporter une correction, dite « de Bouguer* », ramenant les mesures au niveau zéro; on dresse des cartes des anomalies de Bouguer. Les cartes d'anomalies magnétiques sont très précieuses pour émettre des hypothèses géophysiques relatives au sous-sol.

GRAVINA (Federico Carlos, *duc* DE) → TRAFALGAR *(bataille de).*

GRAVITATION, synonyme de ATTRACTION UNIVERSELLE.

GRAVURE → ESTAMPE.

GRAY → DOSE.

GRAY (70100), ch.-l. de cant. de la Haute-Saône, sur la Saône; 9 602 hab. *(Graylois).* Église du XVe s. Hôtel de ville Renaissance. Château du XVIIIe s. (musée : dessins de Prud'hon). Constructions mécaniques et électriques.

GRAY (Stephen), physicien anglais (v. 1670-Londres 1736). Il montra la possibilité d'électriser les conducteurs isolés (1727), découvrit la conductibilité (1729) et l'électrisation par influence.

GRAY (Thomas), poète anglais (Londres 1716-Cambridge 1771), annonciateur de la mélancolie romantique (*Élégie écrite dans un cimetière de campagne,* 1751).

GRAZ, v. d'Autriche, capit. de la Styrie, sur la Mur; 249 000 hab. Monuments anciens. Musées. Constructions mécaniques.

GRAZIANI (Rodolfo), maréchal italien (Filettino 1882-Rome 1955). Vice-roi d'Éthiopie (1936-37), commandant en chef en Libye (1940), il fut vaincu par Wavell. Ministre de la Guerre dans la république de Mussolini en 1943, il fut condamné en 1945 et libéré en 1950.

GREATER WOLLONGONG → WOLLONGONG.

GREAT YARMOUTH ou **YARMOUTH,** port d'Angleterre, sur la mer du Nord ; 50 000 hab.

GRÉBAN (Arnoul), poète dramatique français (Le Mans v. 1420-*id.* 1471), auteur d'un *Mystère de la Passion* (v. 1450), chef-d'œuvre du théâtre du XVe s.

GRÈBE. — Chez cet oiseau au vol médiocre et peu capable de marcher, tout est fait pour favoriser la natation et la plongée : les pattes, plantées très en arrière, ont les doigts bordés de festons et constituent de puissantes rames ; le corps, très hydrodynamique, est équilibré par les réserves d'air retenues sous les ailes et dans l'épaisseur du plumage. Le grèbe fréquente surtout les eaux douces stagnantes, sur lesquelles il bâtit un nid flottant, parfois amarré aux roseaux.

GREC. — L'histoire du grec se déroule sur plus de trente-cinq siècles. Les premiers documents écrits dans un syllabaire récemment déchiffré (le linéaire B des tablettes de Pylos) datent du XVe s. av. J.-C. Le grec ancien existait sous la forme de nombreux dialectes répartis en quatre familles correspondant aux vagues successives des invasions indo-européennes dans le monde égéen : l'achéen (Mycènes et Cnossos, Arcadie, Chypre), l'éolien (Thessalie, Béotie, Asie Mineure), l'ionien (Attique, Eubée, Cyclades, Asie Mineure) et le dorien (Laconie, Crète, Rhodes, Thêra, Achaïe, Étolie, Épire, Sicile). Le dorien et l'ionien avaient une spécialisation littéraire, le premier servant exclusivement pour les chœurs de la tragédie, le second pour l'épopée. Le prestige d'Athènes a conduit, à partir du dialecte attique, à une unification linguistique, consacrée au IVe s. par la koinê (langue commune), de laquelle dérive, à travers le grec chrétien et le grec byzantin, la langue grecque moderne. La situation linguistique de la Grèce actuelle est compliquée par la concurrence de deux états de langue : le démotique est la langue parlée et celle de la littérature ; la langue officielle, celle de l'État et de l'Église, est une langue savante qui prétend reconstituer l'ancienne koinê.

Le grec se caractérise par une richesse lexicale exceptionnelle, qui est due, outre son héritage historique et de nombreux emprunts (en particulier au français à une époque récente), aux procédés très étendus de composition et de dérivation.

imprimerie	appellation (grec ancien)	imprimerie	appellation (grec ancien)
Α α	*a* alpha	Ν ν	*n* nu
Β ϐ, β	*b* bêta	Ξ ξ	*ks* xi
Γ γ	*g* gamma	Ο ο	*o* omicron
Δ δ	*d* delta	Π π	*p* pi
Ε ε	*e* epsilon	Ρ ρ	*r* rhô
Ζ ζ	*dz* dzéta	Σ σ, ς	*s* sigma
Η η	*e* êta	Τ τ	*t* tau
Θ θ	*t* aspiré : thêta	Υ υ	*u* upsilon
Ι ι	*i* iota	Φ φ	*p* aspiré : phi
Κ κ	*k* kappa	Χ χ	*k* aspiré : khi
Λ λ	*l* lambda	Ψ ψ	*ps* psi
Μ μ	*m* mu	Ω ω	*o* oméga

ALPHABET GREC

GRÈCE, en gr. **Ellás** ou **Hellas,** État de l'Europe méridionale ; 132 000 km^2 ; 9 050 000 hab. *(Grecs).* Capit. *Athènes.*

GÉOGRAPHIE

● *Le milieu naturel.* Le pays s'étend sur l'extrémité méridionale de la péninsule des Balkans. Le relief, montagneux, est très morcelé en raison de la complexité des mouvements (plissements, failles) qui ont affecté cette région au tertiaire et se poursuivent encore actuellement (séismes). Les lourds massifs du Pinde et de l'Olympe (2 911 m) occupent le nord et le centre du pays, où s'ouvrent d'assez larges plaines (Thrace, Macédoine, Thessalie, Béotie, Attique). Au S., la péninsule du Péloponnèse correspond à une série de massifs compartimentés par des failles, et les plaines y sont extrêmement réduites. Elle est entourée d'archipels : îles Ioniennes, Sporades, Cyclades et Crète. Le climat méditerranéen affecte tout le sud du pays et les côtes (Athènes, température moyenne de janvier : 11,2 °C, de juillet : 26 °C ; précipitations annuelles : 363 mm), couverts par des forêts de chênes verts souvent dégradées en garrigue. Mais, dans les montagnes du Nord, la continentalité explique la rudesse des hivers, et les pentes sont couvertes par des forêts de châtaigniers.

● *La population.* Elle s'accroît à un rythme lent. Les conditions difficiles des campagnes poussent les paysans à l'exode rural et le taux d'urbanisation progresse rapidement. Les habitants s'entassent dans les principales villes (Patras, Thessalonique) et surtout dans

GRÈCE

l'agglomération d'Athènes-Le Pirée. Mais l'insuffisance des emplois urbains les contraint souvent à l'émigration, principalement vers l'Allemagne fédérale.

• *L'économie.* Malgré l'exiguïté des surfaces cultivables (environ le cinquième du territoire), l'agriculture occupe encore la moitié de la population active. La culture méditerranéenne traditionnelle reste très importante : blé, vigne et olivier. Mais l'assainissement et l'irrigation des plaines du Nord ont permis le développement de cultures nouvelles telles que le coton, le tabac, le riz, le maïs et la betterave à sucre. La production de légumes et de fruits (en particulier les agrumes) est en progression. L'élevage bovin se développe, mais l'élevage ovin et caprin, principale activité des zones montagneuses, est en régression, du fait de l'exode rural. D'une manière générale, l'agriculture souffre du morcellement de la propriété, qui rend très difficile la modernisation, et la production est insuffisante pour couvrir les besoins nationaux.

L'industrie est fondée principalement sur l'extraction des diverses matières premières du sous-sol : fer, plomb, lignite et, surtout, bauxite. Le développement de l'hydroélectricité et les raffineries qui traitent le pétrole importé apportent l'énergie nécessaire aux industries de transformation. Celles-ci ont été créées souvent avec l'aide de capitaux étrangers, et des usines de traitement de l'aluminium, d'industries chimiques (engrais) sont venues s'ajouter aux activités traditionnelles (textile et alimentation). Elles sont localisées dans les deux principales agglomérations : Athènes et Thessalonique. Cependant, l'industrialisation reste insuffisante. Le pays exporte une grande partie de ses matières premières à l'état brut et doit importer des biens d'équipement et de consommation, en particulier de l'Allemagne fédérale. Il souffre, par ailleurs, de la difficulté des communications, à laquelle la modernisation actuelle du réseau routier tente de remédier. La balance commerciale est largement déficitaire. Le déficit est comblé par les revenus de la flotte marchande (la septième du monde), aux mains de quelques puissants armateurs, les envois des émigrés, et surtout par le tourisme. La beauté des paysages, la richesse du patrimoine artistique et la douceur du climat attirent chaque année plus de 3 millions de touristes venus principalement de l'Europe occidentale.

HISTOIRE

• *La Grèce antique.* Les premiers établissements humains apparaissent en Grèce au Ve millénaire, date à partir de laquelle l'Hellade est balayée par de nombreuses migrations. Vers le début du IIe millénaire arrivent des envahisseurs indo-européens en qui on s'accorde à reconnaître les premiers Hellènes, ou Achéens*. Une brusque mutation s'opère vers 1600 av. J.-C. avec le développement de la civilisation mycénienne*, qui devra à la Crète* (v. MINOENNE [*civilisation*]) quelques-uns de ses traits les plus caractéristiques et qui disparaît brusquement, vers la fin du IIe millénaire, avec la pénétration dorienne.

L'arrivée des Doriens* inaugure une période obscure (fin du IIe millénaire-VIIIe s. av. J.-C.), appelée le « Moyen Âge grec », durant laquelle s'élaborent les transformations sociales qui donneront au monde hellénique sa physionomie originale. Dans les cités, qui se sont multipliées, un régime oligarchique se substitue au régime monarchique et les grands propriétaires terriens font peser lourdement leur autorité sur le peuple; les guerres, causées par les incessantes rivalités des cités, ajoutent encore aux malheurs de

LA GRÈCE AU Ve S. AV. J.-C.

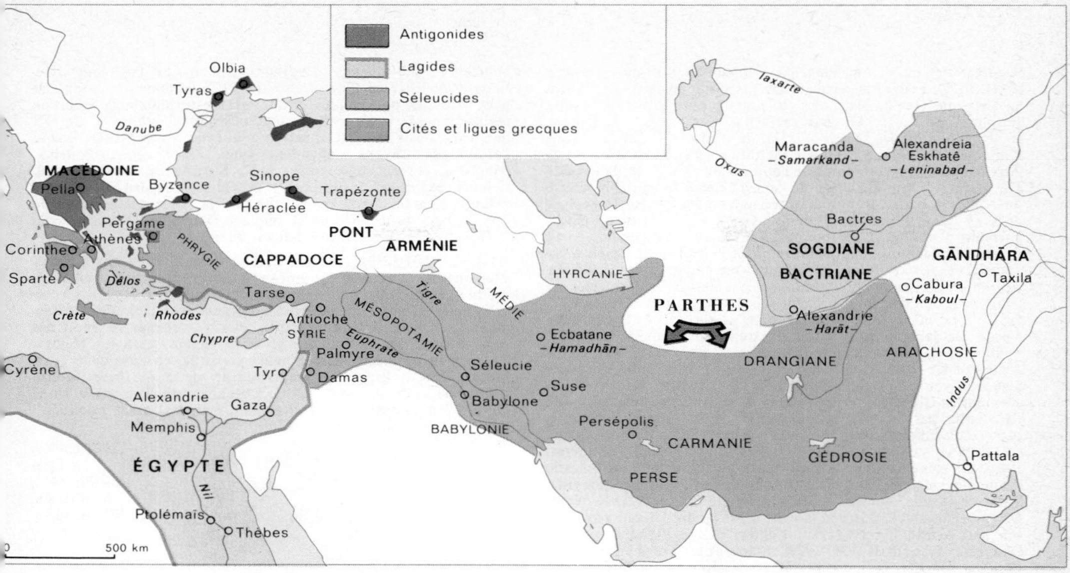

LE MONDE HELLÉNISTIQUE VERS 270 AV. J.-C.

l'injustice sociale. Aussi se déclenche un vaste mouvement de migration vers l'Asie Mineure; de ce contact avec les civilisations orientales naît une culture nouvelle, dont le développement sera favorisé par l'emprunt fait aux Phéniciens de l'alphabet. Les séquelles de l'invasion dorienne dureront jusqu'au VIe s. : la colonisation étend les limites du monde grec sur le pourtour de la Méditerranée, de l'Espagne au Pont-Euxin; une forme politique naît, la tyrannie, transition entre l'oligarchie et la démocratie qui va donner à la Grèce son véritable visage; les inégalités sociales s'atténuent, seul subsiste le particularisme des cités, parmi lesquelles émergent Sparte* et Athènes*. Le danger que constitue l'Empire perse pour la liberté de la Grèce d'Europe coalise dans les heures les plus graves un assez grand nombre de cités, mais jamais la totalité. Les guerres médiques* (490-479), si elles se terminent par une victoire honorable pour les Grecs, montrent, en même temps, l'impuissance des Grecs à s'unir pour une paix durable : Sparte et Athènes, qui ont le plus contribué au succès, se disputent dès lors la suprématie. Athènes, qui a groupé sous son commandement les cités en lutte contre les Perses (Confédération* athénienne, ou ligue de Délos), exerce sur elles une autorité tyrannique et fait de ses alliés des sujets durement traités; grâce aux tributs qu'elle reçoit, grâce au génie de Périclès*, elle acquiert un prestige qui en impose au monde grec et aux Barbares eux-mêmes. La guerre du Péloponnèse* (431-404), née de la révolte des autres cités grecques — dont Sparte prend la tête —, marque la fin de l'Empire athénien et ouvre une période incertaine, où Sparte, Athènes — relevée de ses ruines — et Thèbes se disputent une fragile hégémonie. La discorde générale donne à Philippe* II de Macédoine l'occasion d'intervenir et, malgré les efforts de Démosthène*, le roi macédonien soumet la Grèce à son pouvoir (Chéronée*, 338), ne laissant aux villes qu'une autonomie interne réduite. Le règne d'Alexandre* marque la fin de la démocratie grecque. Le jour où disparaît le grand conquérant (323) commence une ère nouvelle : la période hellénistique*. La Grèce devient alors l'enjeu des rivalités qui opposent les Lagides* d'Égypte et les Antigonides* de Macédoine, tandis que les Séleucides* d'Asie font peser leur domination sur les villes grecques d'Asie Mineure et que la Grèce d'Occident passe dans l'orbite de Rome (prise de Tarente, 272). Quand, en 146, les Romains s'emparent de la Grèce, la perte de l'indépendance est chose faite depuis longtemps et la Grèce, devenue province romaine, n'aura plus qu'un empire de l'ordre culturel : ses philosophes, ses artistes, ses grammairiens apportent à Rome, avec le génie grec, un art de penser et de vivre : « La Grèce conquise a conquis son farouche vainqueur » (Horace).

• *La Grèce byzantine.* L'Empire romain d'Orient assure la survie de l'hellénisme, perdant peu à peu son caractère romain pour devenir résolument grec avec les Héraclides* (VIIe s.). L'hellénisme byzantin adopte le christianisme, qui supplante le paganisme de la Grèce antique à partir du IVe s. Dans la seconde moitié du VIe s. et au VIIe, des tribus slaves, les Sklavènes, commandées par les Avars, submergent toute la Grèce, qui reste sous leur domination pendant deux siècles. Progressivement assimilés dans le Sud, ils conservent leur personnalité dans le Nord. Ils se soumettent à Byzance à la charnière des VIIIe-IXe s. Les Bulgares se taillent au Xe s. un empire dans les Balkans, à partir duquel ils font de nombreuses incursions en Grèce. Ce n'est qu'en 1018 que Basile II* détruit leur puissance. Malgré les invasions des Turcs Oghouz, des Petchénègues et des Normands, la Grèce connaît un certain répit aux XIe-XIIe s. Mais l'impérialisme économique de Venise, conjugué à l'intransigeance de l'Église romaine, aboutit à la prise de Constantinople* par les croisés (1204) et au partage de la Grèce entre l'Empire latin* de Constantinople (1204-1261), le royaume de Thessalonique* (1204-1224), la principauté de Morée ou d'Achaïe* (1205-1430). Le duché d'Athènes tombe en 1311 aux mains des Catalans. Venise contrôle les places navales indispensables à son commerce sur toutes les côtes. Seul le despotat d'Épire* reste aux Grecs.

• *La Grèce turque.* Les guerres civiles du XIVe s., les révoltes des paysans, la résistance de l'Église orthodoxe à l'union avec Rome (1439) favorisent la conquête ottomane. Les Ottomans* occupent la Thrace, la Macédoine et la Thessalie dans la seconde moitié du XIVe s., l'Épire, l'Attique, la Béotie et la Morée au XVe. Athènes est prise en 1456. Les Grecs, au sein de l'Empire ottoman, forment une nation *(millet),* qui a pour chef le patriarche de Constantinople. Ce dernier conserve les privilèges dont il jouissait dans l'Empire byzantin. La Grèce et les pays balkaniques forment l'elayet de Roumélie. Les Turcs acquièrent une partie des terres grecques, distribuées aux conquérants en fiefs militaires *(timars).* Mais, à côté de l'administration ottomane, se développent des organisations locales autonomes (communes paysannes, milices chrétiennes d'*armatoloï* et de klephtes). Les Grecs, assurant la majeure partie du commerce de l'Empire ottoman, constituent une bourgeoisie active, maîtresse, au XVIIIe s., d'une puissante flotte, et parmi laquelle se développe le nationalisme. Ce nationalisme, soutenu par la Russie (traité de Kutchuk-Kaïnardji*, 1774) et par l'Occident, est favorisé par les révolutions américaine et française, l'épopée napoléonienne et la décadence turque.

Si bien qu'en 1821 le prince grec Aléxandhros Ypsilándis (Ypsilanti*) attaque les Turcs. Il est battu, mais, en janvier 1822, à Épidaure, l'Assemblée nationale grecque proclame l'indépendance. Cependant, les Turcs, soutenus par les troupes égyptiennes de Méhémet-Ali, réagissent vigoureusement, à tel point que les Alliés — Britanniques, Français et Russes — se décident à intervenir en faveur des Grecs : le 20 octobre 1827, leurs flottes battent les Turco-Égyptiens à Navarin; après la prise d'Andrinople par les Russes, les Turcs signent la paix (Andrinople 14 sept. 1829) qui fait de la Grèce un État vassal de la Turquie. Mais les Alliés vont au-delà et cautionnent l'indépendance de la Grèce.

• *La Grèce contemporaine.* C'est le 3 février 1830 que les puissances reconnaissent *de facto* l'indépendance de la Grèce et le 7 mai 1832 *de jure.* Le président provisoire, Capo d'Istria, ayant été assassiné (1831), la couronne est offerte à Otton de Bavière (Otton* Ier), qui, en arrivant en Grèce (6 févr. 1833), installe partout ses compatriotes. Pressé par les patriotes grecs, Otton doit octroyer une constitution assez libérale, mais qui n'instaure pas le système parlementaire (1844). Se refusant à agir en monarque constitutionnel, il est déchu en 1862. Lui succède Georges de Danemark

(Georges Ier), qui doit accepter une constitution plus démocratique (1864, 1875); à la faveur de la guerre russo-turque, la Grèce obtient la Thessalie (1881). Mais c'est le problème crétois qui mobilise surtout l'opinion et le gouvernement grecs; malgré la défaite grecque devant les Turcs (1897), la Crète* — surtout sous l'influence du « grand Crétois » Elefthérios Venizélos*, leader de l'irrédentisme grec — évolue de l'autonomie (1898) vers la réunion à la Grèce (1908). Venizélos devient d'ailleurs le véritable maître du régime à partir de 1910 : après avoir démocratisé le pays, il l'engage dans la première guerre puis dans la deuxième guerre balkanique* (1912-13), qui assurent à la Grèce la plus grande partie de la Macédoine, Thessalonique, la Chalcidique, l'Épire méridionale, la Crète (dont la Turquie reconnaît enfin l'indépendance) et plusieurs îles égéennes. Le dominat de Venizélos se poursuit sous Constantin Ier*, qui succède à son père, Georges Ier, en 1913. Le nouveau roi, germanophile et partisan de la neutralité grecque au début de la Première Guerre mondiale, oblige Venizélos — favorable, comme les républicains, aux pays de l'Entente — à démissionner (1915). Venizélos réplique en constituant à Thessalonique un gouvernement républicain (1916) qui favorise le débarquement en Grèce des troupes alliées et obtient le remplacement de Constantin par son fils Alexandre Ier (1917), lequel déclare la guerre aux Empires centraux. Étant dans le camp des vainqueurs (1918), la Grèce obtient, lors des traités de paix (Neuilly et Sèvres, 1920), des gains territoriaux importants, au détriment de la Bulgarie (Thrace occidentale) et surtout aux dépens de la Turquie (Smyrne, Thrace orientale, Imbros...). Mais la défaite électorale et le départ de Venizélos suivent de peu la mort d'Alexandre Ier, que remplace son père Constantin Ier (1920). Celui-ci et son Premier ministre, Dhimítrios Ghoúnaris (1867-1922), attaquent les Turcs en Anatolie. Écrasée par ces derniers (v. MUSTAPHA KEMAL), la Grèce rend responsables de sa défaite Ghoúnaris, qui est exécuté, et Constantin Ier, qui doit laisser la couronne à son fils Georges II* (1922). Le traité de Lausanne (1923) est tellement dur pour les Grecs que la république est proclamée (1924). Mais l'anarchie met le pays à la merci des coups d'État militaires : les généraux Theódhoros Pángalos (1878-1952), en 1925, et Gheórghios Kondhylis (1879-1936), en 1926, instaurent un régime autoritaire. Le retour de Venizélos (1928-1935) permet la restauration d'un régime démocratique que « le Grand Crétois » domine en fait; mais la conjoncture économique et la multiplication des partis ne lui permettent pas de remettre la Grèce en selle et de réaliser sa « grande idée » : l'helléno-turquisme. Venizélos définitivement écarté, Georges II rentre en Grèce (1935), mais il laisse s'instaurer la dictature du général Ioánnis Metaxás*, maître du pays de 1936 à 1941. Lorsque éclate la Seconde Guerre mondiale, Metaxás essaie de maintenir la Grèce dans la neutralité, mais l'invasion du pays par les Italiens (1940), puis par les Allemands (1941), prélude à une très dure occupation, contre laquelle lutte la Résistance grecque. La guerre terminée, la majorité des résistants — d'obédience gauchisante ou communiste — refuse de reconnaître le régime mis en place par les Alliés (gouvernement Gheórghios Papandhréou* puis régence de Mgr Dhamaskinós [1890-1949] en 1944). L'anarchie, que favorise la « terreur blanche » menée par l'extrême droite, débouche sur le retour, en 1946, du roi Georges II — qui meurt dès 1947 et est remplacé par son frère, Paul Ier — et sur une longue et sanglante guerre civile (1946-1950). S'ensuit une période d'instabilité politique, dite « stabilité à la grecque » (1950-1963), marquée par le conservatisme politique : celui-ci est symbolisé par le chef de l'Union nationale radicale, Konstandínos Karamanlís (ou Caramanlis*), Premier ministre de 1955 à 1963, qui dispose de la confiance des Alliés, notamment des Américains dont la mainmise sur la Grèce est particulièrement ressentie sur le plan économique et militaire. Démissionnaire en 1963, K. Karamanlís est remplacé par le leader du Parti libéral démocratique, G. Papandhréou, qui est désireux d'instaurer une démocratie de tendance sociale; en 1964, Paul Ier meurt et est remplacé par son fils, Constantin II*. L'hostilité de ce dernier à l'égard du Premier ministre et l'aggravation de l'affaire de Chypre* provoquent la démission de G. Papandhréou (1965). Suivent deux ans de difficultés, auxquelles met brusquement fin le putsch militaire du 21 avril 1967, que le roi cautionne. Mais quand celui-ci essaie de reprendre les rênes du pouvoir, il échoue et doit s'exiler (déc. 1967). Le « régime des colonels », que domine désormais Gheórghios Papadhópoulos, Premier ministre en 1967 et doté, en 1970, de pouvoirs exceptionnels, se fait de plus en plus dictatorial; il est d'ailleurs de moins en moins supporté par une opposition où les étudiants jouent un rôle dominant, mais qui est soumise à une dure répression. Quand l'affaire de Chypre s'envenime (juill. 1974), les « colonels », débordés, doivent faire appel à K. Karamanlís, alors en exil. Celui-ci rétablit la Constitution de 1952 et organise des élections qui voient triompher son parti, devenu la Démocratie nouvelle (nov. 1974), tandis qu'un référendum établit la République. En 1975, une nouvelle Constitution est adoptée.

DÉFENSE ET ARMÉES

- Membre du Pacte atlantique (1952) [retrait, en 1974, des forces grecques de l'organisation militaire intégrée de ce Pacte]. Service militaire de vingt-quatre mois.
- LES FORCES ARMÉES EN 1977. *Budget :* 1,13 milliard de dollars (6,9 p. 100 du P.N.B.). *Effectifs :* 200 000 hommes; gendarmerie : 25 000 hommes; garde nationale : 79 000 hommes.

Armée : 160 000 hommes : 12 divisions, dont 1 blindée et 4 brigades dont 2 blindées.

Marine : 18 000 hommes, 8 sous-marins, 13 destroyers, environ 50 bâtiments divers.

Aviation : 22 000 hommes, 250 avions de combat.

ART ANTIQUE. Précédé par l'art mycénien* et la phase protogéométrique, le premier art grec, entre le XIe et le VIIIe s. av. J.-C., est dit « géométrique », d'après sa céramique décorée de motifs à prédominance géométrique; ceux-ci atteignent leur plein épanouissement v. 750 av. J.-C. en Attique, avec des scènes figurées; dès cette époque, les céramiques se différencient selon les régions. Ce géométrisme régit aussi la petite plastique, en terre cuite et en bronze, très stylisée mais empreinte de vie et de force (bronze d'Olympie VIIIe-VIIe s. av. J.-C.). L'architecture ne nous a laissé que les fondations d'édifices (temples, maisons) assez primitifs.

Le Théséion (temple de Thésée), à Athènes. V. 470 av. J.-C.

Détail de la frise du mausolée d'Halicarnasse représentant un combat de guerriers grecs et d'Amazones. V. 350 av. J.-C. (British Museum, Londres.)

GRÈCE

Héra de Samos. Marbre. V. 560 av. J.-C. (Musée du Louvre, Paris.)

Giraudon

L'influence orientalisante amène une inspiration plus naturaliste du décor de la céramique et un magnifique enrichissement des thèmes, attestés par les œuvres corinthiennes, que l'on retrouve sur les rives de toute la Méditerranée, avant d'être supplantée par celle de l'Attique. Responsable de progrès techniques considérables, l'influence orientale règne aussi sur la sculpture. La sculpture dédalique (du nom d'un sculpteur plus ou moins mythique, Dédale*) reprend des sujets anciens, mais le type frontal de la déesse debout est nouveau. Toujours rigides, les rondes-bosses deviennent monumentales (lions des Naxiens, à Délos*). L'architecture, essentiellement religieuse, évolue et la pierre est associée au bois; les premiers grands temples sont construits au VIIe s.; en 660-650 av. J.-C., le deuxième Hécatompedon de Samos a déjà un péristyle à colonnes de pierre. Cet essor de l'architecture, aux murs de pierre régulièrement appareillés, appelle l'ornement architectonique, et les grands ordres classiques apparaissent, de même que les éléments décoratifs en terre cuite. Encore massif à Corfou (temple d'Artémis), l'ordre dorique est d'une admirable sobriété (Delphes*, temple d'Apollon, sanctuaires d'Agrigente*, de Sélinonte*, de Paestum*); il est d'abord caractérisé par une colonne cannelée posée directement sur le stylobate, surmontée d'un chapiteau à échine nue, dont l'abaque carrée supporte l'architrave. La colonne de l'ordre ionique est posée sur une base, plus haute et profondément cannelée, elle est surmontée d'un chapiteau à double volute et à abaque rectangulaire (Éphèse, Artémision, v. 560). Une intense recherche de vérité des proportions du corps humain,

L.-Y. Loirat - C. D. P. Tétrel

British Museum

particulièrement de l'anatomie masculine, guide les sculpteurs archaïques doriens; la musculature des premiers kouroi (jeunes gens nus), figés les bras collés au corps, est à peine esquissée. Peu à peu, les formes se précisent, le marbre s'anime, la stricte frontalité est abandonnée et l'aube du Ve s. est marquée par l'aboutissement des conquêtes naturalistes. L'école ionienne traduit la grâce, les plissés délicats du vêtement féminin et, si l'attitude des korês reste solennelle, les formes du corps se devinent sous le chiton et l'himation. Athènes devient le point de rencontre de ces deux tendances du VIe s., les proportions sont harmonieuses et les expressions, souriantes ou boudeuses, naturelles (Athènes, korês du musée de l'Acropole). L'architecture monumentale met en valeur la sculpture décorative : fronton du temple d'Athéna (Athènes); métopes des temples de Sélinonte; et, vers 525, sorte d'aboutissement de l'esprit ionique, le trésor de Siphnos à Delphes. En Attique, la frise animalière du décor céramique est remplacée par des scènes narratives (figures noires sur fond rouge); Athènes est l'un des foyers d'une céramique de grande qualité réalisée par des maîtres, tels Ergotimos, Clitias*, Amasis*, Exékias*. La technique des figures rouges sur fond noir est inventée à Athènes, vers 530, probablement par Andokidès; elle aboutit, à la fin du VIe s., à un style sévère, remarquable par son unité stylistique, par la recherche du mouvement et l'accentuation du détail anatomique chez Euphronios*, par la grâce fluide des figures chez Euthymidès. Vient ensuite une génération de peintres, au trait vigoureux et libre, dont les œuvres annoncent le classicisme; possédant parfaitement la science des raccourcis, ils choisissent les attitudes souples, les drapés fins (le peintre de Brygos*, Douris*). Couronnement de l'archaïsme dorique, le temple d'Athéna Aphaia à Égine* et le temple de Zeus à Olympie* annoncent le grand tournant de l'architecture classique. Athènes, ravagée par les guerres médiques, se reconstruit sous l'impulsion de Périclès et sous la direction de Phidias*. Un véritable plan urbanistique préside à la reconstruction de la ville basse, avec l'aménagement de l'Agora*, et à celle de l'Acropole*, conçue par les architectes Ictinos et Callicratès. Avec ses huit colonnes de façade, au lieu des six colonnes habituelles, qui lui confèrent une remarquable majesté, le Parthénon est l'une des plus glorieuses créations du classicisme. L'architecture n'est pas soumise aux contraintes des matériaux ni à celle du culte, elle est un plaisir visuel exalté par une multiplicité de raffinements typiques de l'âge classique.

Le temple d'Athéna Nikê et l'Érechthéion (421-405) montrent la splendeur et la liberté du style ionique (sculptures florales du haut des colonnes, frise de marbre sculptée, puissantes caryatides); malgré l'asymétrie et la différence des façades, l'unité architecturale demeure préservée.

L'accord entre forces opposées est déjà remarquable dans la décoration sculptée d'Olympie. L'apogée de cette volonté d'harmonie et d'équilibre majestueux est atteinte, en sculpture décorative, dans la frise du Parthénon, dominée par la personnalité de Phidias, et, en statuaire, dans les œuvres de Polyclète*, qui témoignent des strictes règles géométriques du canon mais aussi d'une observation très fine de la nature; Myron*, aussi, soumet le mouvement à l'abstraction géométrique. À cette idéalisation succède, à la fin du Ve s., l'humanisation de la sculpture. La volonté d'expression, la ligne ondoyante, le charme et la sensualité sont les composantes de ce rythme nouveau, typique du IVe s., et de l'œuvre de Praxitèle*, de Scopas* et de Lysippe*. La peinture de vase reflète les grandes compositions picturales connues par les descriptions des Anciens. En architecture, les derniers siècles voient le triomphe de l'ordre corinthien (à la colonne surmontée d'un chapiteau en corbeille à feuilles d'acanthe, et créé au Ve s.), de l'urbanisation à grande échelle (Milet*) et de la grande architecture princière (Pergame*). La statuaire et le relief ornemental restent commandés par le mouvement, le sens du tragique et la violence de l'expression. La mosaïque, où les thèmes animaliers et végétaux l'emportent, suit la même évolution vers le réel.

Enrichie des traditions anciennes et de ses contacts avec l'extérieur, la Grèce hellénistique crée un art fastueux, dont le style est plus issu de l'interaction de diverses écoles que de l'hégémonie spirituelle d'une ville particulière, et, par là même, elle porte en son sein les prémices de l'art romain de Pompéi*.

MUSIQUE. Dans la vie du peuple grec, épisodes civils, militaires, religieux sont liés à la danse et à la musique. La musique grecque ancienne ne connaît que des procédés simples et rigoureux. Elle consiste en une mélodie aux intervalles réduits, commune à la voix et aux instruments (lyre, cithare, aulos), le plus souvent réunis. La succession des sons, des syllabes, des mouvements du corps humain constitue le rythme. La mélodie appartient à l'un des sept modes organisant les gammes de sons de l'aigu au grave et dont héritera le monde occidental au Moyen Âge.

GRÈCE D'ASIE, frange d'îles et de terres peuplée de cités grecques, sur la côte orientale de la mer Égée.

L'installation des Grecs en Asie Mineure a lieu dès la seconde moitié du IIe millénaire, et, à la suite des invasions doriennes, nombreux sont les Hellènes qui, poussés hors de chez eux par des conflits sociaux et politiques, viennent assurer leur existence dans le domaine égéen. L'avènement des grands royaumes, comme ceux de Lydie* ou de Perse*, s'il a pu brider l'indépendance des cités, ne nuit en rien à leur prospérité. Cependant, après les guerres médiques*, les Grecs d'Asie rentrent dans le giron grec, c'est-à-dire dans la mouvance de l'Empire athénien, dont le joug leur paraîtra plus pesant que celui des Perses; et c'est avec soulagement qu'en 386 (paix d'Antalkidas*) ils se retrouvent sous l'autorité des

Achéménides. Cette trahison envers l'hellénisme indigne les Grecs du continent. La réunion des deux Grèces se fera, mais avec l'asservissement à la Macédoine. La prospérité des cités grecques d'Asie continue à s'affirmer durant la période hellénistique* et les conquérants romains feront d'Éphèse* la capitale de la province d'Asie.

GRÈCE D'OCCIDENT, nom donné à l'ensemble des territoires de l'Italie du Sud et de la Sicile* colonisés par les Grecs à partir du VIIIe s. av. J.-C.; à la suite de l'historien Polybe on les désigne aussi du nom de *Grande-Grèce.*

Si, dès l'époque mycénienne, des navigateurs achéens ont abordé les côtes italiennes, ce n'est qu'au VIIIe s. av. J.-C. que les Grecs y installent des établissements permanents qui serviront de relais à la fondation de comptoirs plus lointains : Marseille, Emporion (Ampurias) et Alalia (Aleria). À cette époque sont fondés : Cumes, Naxos, Syracuse et Zancle (Messine), Reghiôn (Reggio), Sybaris, Crotone, Tarente... Ces établissements grecs connaissent une grande fortune et essaiment à leur tour. Les Grecs, pour maintenir leur domination, doivent affronter les Carthaginois, qu'effraient les prétentions grecques en Sicile, et l'alliance des Étrusques* avec des peuples italiques; la victoire de Cumes (524) assure leur sécurité dans la péninsule. À ces combats s'ajoutent les luttes fratricides que se livrent entre elles les cités grecques d'Italie et de Sicile. Les deux régions de la Grande-Grèce connaîtront un destin identique. La Sicile tombera sous les coups des Romains en 212, victime de la rivalité qui oppose Rome* et Carthage* (v. PUNIQUES [*guerres*]). L'Italie du Sud se heurte à Rome, qui ambitionne de réaliser autour d'elle l'unité politique italienne; après la chute de Tarente* en 272, les villes grecques de l'Italie passent aussi sous l'autorité romaine. Mais c'est après sa défaite que la Grande-Grèce joue son rôle le plus important : par le contact avec sa civilisation et son art, Rome s'initiera à l'hellénisme.

GRECO (Dhomínikos THEOTOKÓPOULOS, dit **le**), peintre espagnol d'origine crétoise (près de Candie 1541 - Tolède 1614). Ses origines orientale et byzantine, sa formation vénitienne (sensible dans ses couleurs et ses jeux de lumière appris de Titien, et dans sa conception de l'espace héritée du Tintoret), l'influence de Michel-Ange, mais aussi des maniéristes, enfin son attachement à l'idéal de spiritualité et d'élévation morale de la Contre-Réforme déterminent les caractères dominants de son œuvre. Installé en Espagne (Madrid, puis Tolède en 1577), il montre, au-delà des leçons italiennes, une personnalité (*Espolio,* cathédrale de Tolède) qui s'affirme, par exemple, avec *l'Enterrement* du comte d'Orgaz* (1586) : torsion et allongement des corps, dessin nerveux, couleurs froides et heurtées, mélange de réalisme et de fantastique, d'une expression anxieuse de la vie terrestre et de l'élan mystique vers le surnaturel. Paysage angoissant et tragique (*Vues de Tolède,* Metropolitan Museum, New York) ou présence lointaine (*Laocoon,* Washington), Tolède, la capitale intellectuelle et religieuse, voisine dans l'œuvre du Greco avec les portraits, tendus vers l'essentiel, des grands de la société espagnole. Le mouvement qui emporte cette peinture (*le Christ au jardin des Oliviers,* version de l'église d'Andújar) atteint dans les dernières œuvres (*Vision de saint Jean,* Metropolitan Museum) une force d'hallucination qui achève de bouleverser les règles classiques pour prendre une dimension expressionniste.

GRÉCO-ROMAINE (lutte) → LUTTE.

gréco-turques *(guerres) [1897 et 1921]* → BALKANS.

GREEN (Julien), écrivain américain d'expression française (Paris 1900). Ses romans (*Adrienne Mesurat,* 1927; *Moïra,* 1950), son théâtre (*Sud,* 1953) et son *Journal* (à partir de 1938) expriment sa constante recherche de la pureté, à travers les deux fascinations de la grâce mystique et de la pesanteur charnelle.

GREENE (Robert), écrivain anglais (Norwich v. 1558 - Londres 1592), l'un des initiateurs du théâtre élisabéthain (*Frère Bacon et frère Bungay,* 1589).

GREENE (Graham), écrivain anglais (Great Berkhamsted, Hertfordshire, 1904). Son théâtre et ses romans révèlent une vision de la destinée humaine et de sa perspective chrétienne faite de foi et d'ironie (*le Rocher de Brighton,* 1938; *la Puissance et la gloire,* 1940; *le Fond du problème,* 1948; *Voyage avec ma tante,* 1969).

GREENFIELD PARK, v. du Canada (Québec), banlieue est de Montréal; 15 348 hab.

GREENOCK, port d'Écosse, à l'O. de Glasgow, sur l'estuaire de la Clyde; 63 000 hab. Raffinage du sucre. Constructions mécaniques.

GREENSBORO, v. des États-Unis (Caroline du Nord), sur le Piedmont appalachien; 144 000 hab.

GREENWICH, faubourg est de Londres, sur la Tamise. Ancien observatoire dont le méridien a été pris pour méridien d'origine (0^0).

GREFFAGE → ARBORICULTURE.

GREFFE *(Chirurg.).* — Les greffes de tissus peuvent être prélevées chez l'individu lui-même *(autogreffes);* elles peuvent être prises sur un individu de la même espèce *(homogreffes)* ou sur un individu d'une autre espèce *(hétérogreffes).* Seules les autogreffes peuvent survivre sans préparation du malade. Les greffes de peau sont les plus fréquentes; elles sont prises sur le sujet à greffer lui-même.

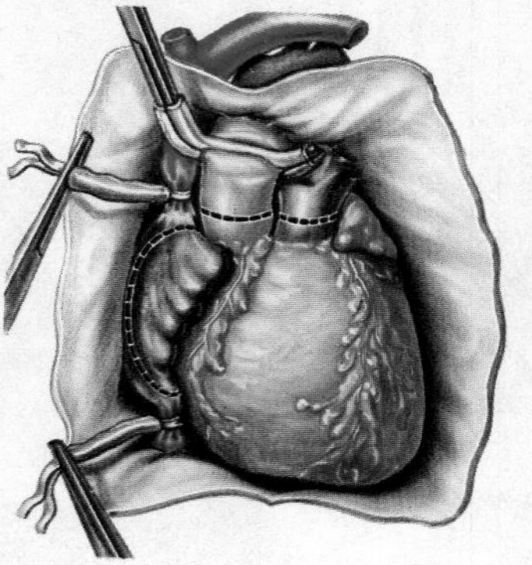

1. Siège des incisions (en pointillé) pour isoler le cœur malade (les veines caves et l'aorte sont clampées [fermées]).

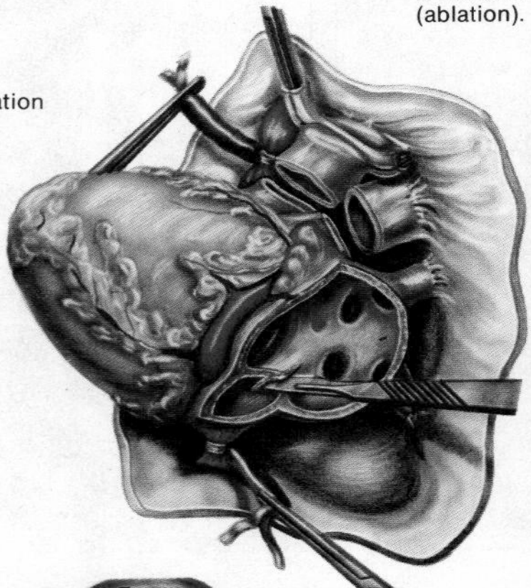

2. Cœur malade en fin d'exérèse (ablation).

GREFFE (transplantation cardiaque).

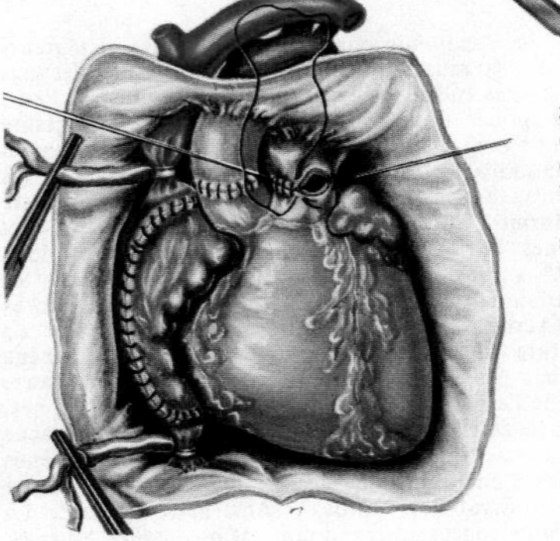

3. Fin des sutures du cœur transplanté (le clamp sur l'aorte est enlevé pour irriguer les coronaires).

Citons aussi les greffes de cornée, des nerfs et des os. La greffe d'un rein sain *(transplantation rénale)* permet, dans certains cas, la survie d'un individu dont les fonctions rénales sont abolies : si les problèmes chirurgicaux sont résolus, les problèmes immunologiques ne le sont pas encore totalement; le *rejet de greffe* est possible, en dépit de la préparation du receveur par des thérapeutiques immunosuppressives et de la sélection du donneur (étude des groupes sanguins érythrocytaires, leucocytaires, sériques, etc.). La greffe du foie en est encore au stade expérimental. La greffe du cœur, tentée pour la première fois chez l'homme en 1967 par le docteur Ch. Barnard, semble au point sur le plan chirurgical, mais, là encore, les phénomènes immunologiques aboutissant au rejet du greffon ne sont pas complètement résolus.

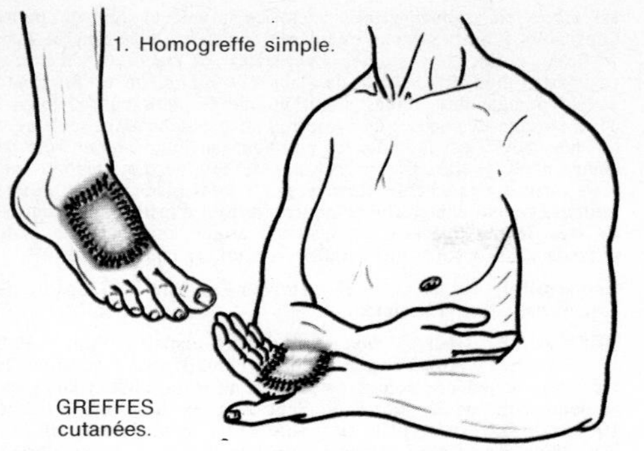

La greffe de moelle osseuse est utilisée chez les sujets atteints d'aplasie médullaire. Souvent, il s'agit d'une homogreffe, qui peut aussi subir le phénomène de rejet.

GRÉGOIRE de Nazianze *(saint),* Père de l'Église grecque (Arianze, près de Nazianze, v. 330-*id.* v. 390), évêque de Constantinople (379-381). Ami de saint Basile* et de saint Grégoire* de Nysse, il prend avec eux une part active au triomphe de la doctrine du concile de Nicée* contre l'arianisme*.

GRÉGOIRE de Nysse *(saint),* Père de l'Église grecque (Césarée de Cappadoce v. 335-Nysse v. 394), évêque de Nysse en Cappadoce (371-v. 394). Frère cadet de saint Basile*, théologien hardi, très influencé par la pensée d'Origène*, il mène une lutte active contre l'arianisme* et élabore une doctrine mystique qui le rattache au grand courant monastique du IVe s.

GRÉGOIRE de Tours *(saint),* évêque et historien français (Clermont-Ferrand v. 538-Tours v. 594). Issu de la vieille noblesse gallo-romaine, ordonné diacre en 563, il succéda en 573 à son cousin Euphronius, évêque de Tours. Il joua un grand rôle dans la vie politique de la Gaule en tentant d'apaiser les querelles entre rois francs, et poursuivit inlassablement l'évangélisation de son diocèse. Théologien et hagiographe, il est surtout célèbre pour son *Histoire des Francs**.

GRÉGOIRE Ier le Grand *(saint)* [Rome v. 540-*id.* 604], pape (590-604). Issu d'une vieille famille de patriciens romains, il devint préfet de Rome (572). En 574, il prit l'habit monastique et fut nonce à Constantinople de 579 à 585. En 590, le peuple et le clergé romains l'appelèrent pour succéder au pape Pélage II. Son pontificat fut marqué par l'affirmation de la primauté de Rome, par une profonde réorganisation de l'Église (discipline, liturgie), enfin, par une politique de conversion des ariens et d'évangélisation des peuples d'Angleterre. La tradition lui attribue la réorganisation du chant rituel de l'église catholique, ou *plain-chant,* devenu grâce à lui *chant grégorien.*

GRÉGOIRE II, III, IV, V, VI → PAPE.

GRÉGOIRE VII *(saint)* [HILDEBRAND] (Soana, Toscane, v. 1020-Salerne 1085), pape (1073-1085). Moine bénédictin, conseiller de cinq papes, il succède à Alexandre II en avril 1073. Il prend en main la réforme de l'Église, fait condamner la simonie, le mariage des prêtres et la dissolution des mœurs ecclésiastiques. Devant l'opposition de l'empereur Henri IV, il affirme, dans ses *Dictatus papae,* l'indépendance de l'Église et, à l'issue de la première phase de la querelle des Investitures*, obtient la soumission d'Henri IV (Canossa, janv. 1077). Mais le retour en force de l'empereur, qui a fait désigner l'antipape Clément III, le contraint à se réfugier en Sicile, où il meurt en 1085. Son action vigoureuse aura profondément marqué la réforme « grégorienne », qui triomphera moins de quarante ans plus tard (Worms, 1122).

GRÉGOIRE VIII, IX, X, XI, XII, XIII, XIV, XV → PAPE.

GRÉGOIRE XVI (Bartolomeo Alberto, puis Fra Mauro CAPPELLARI) [Belluno 1765-Rome 1846], pape de 1831 à 1846. Savant orientaliste, religieux camaldule, il transporte, sur le trône pontifical, sa méfiance du monde moderne. Par l'encyclique *Mirari vos* (1832) il blâme La Mennais* en dénonçant les idées libérales.

GRÉGOIRE (Henri), ecclésiastique français (Vého 1750-Paris 1831). Curé d'Embermesnil (Lorraine), député aux États généraux (1789), il joue un rôle décisif dans l'établissement du statut des juifs, devenus, grâce à lui, citoyens à part entière. Ayant prêté le serment civique (1790), évêque de Loir-et-Cher, il est le véritable chef de l'Église constitutionnelle*. Député à la Convention (1792), il fait voter l'abolition de l'esclavage et contribue à la fondation de l'Institut et du Conservatoire des arts et métiers. Ayant d'abord servi le Consulat, il est l'un des rares sénateurs à s'opposer à la proclamation de l'Empire (1804). Il ne sort de sa retraite que comme député libéral de l'Isère (1819); mais la Chambre basse lui ferme ses portes.

GRÉGOIRE PALAMAS → PALAMAS.

GRÉGORIEN (chant) → PLAIN-CHANT.

GREGORY (James), mathématicien et opticien écossais (Aberdeen 1638-Édimbourg 1675). Il imagina en 1663 le télescope à réflexion qui porte son nom. En mathématiques, il recalcula la valeur de π et fut l'un des précurseurs de Newton dans l'étude des séries entières.

GREIFSWALD, port de l'Allemagne orientale, sur la Baltique; 41 000 hab. Université.

GRÉMILLON (Jean), cinéaste français (Bayeux 1902-Paris 1959). Son œuvre, pour importante qu'elle soit par son honnêteté, sa rigueur, sa musicalité, est l'une des plus injustement méconnues du cinéma français. Il réalisa notamment *Maldone* (1928), *Gardiens de phare* (1929), *la Petite Lise* (1930), *Remorques* (1941), *Lumière d'été* (1942), *Le ciel est à vous* (1943).

GRENADE, en esp. **Granada,** v. d'Espagne, en Andalousie, sur le Genil, au pied de la sierra Nevada; 190 000 hab.

HISTOIRE. Située à proximité d'*Elvira* (ancien municipe d'*Illiberis*), Grenade n'est, jusqu'au début du XIe s., qu'un gros village peuplé surtout de juifs. Le district d'Elvira est alors donné en fief aux Zīrides*. Gouvernée par les Almoravides* (de 1090 à 1156), puis par les Almohades* (de 1156 à 1232), la ville atteint son apogée sous les Naṣrides* (de 1238 à 1492). Muḥammad Ier ibn al-Aḥmar (de 1238 à 1272) fait construire la cité royale de l'Alhambra. Le royaume de Grenade, dernier territoire musulman de l'Espagne, est un important foyer culturel et artistique. L'industrie de la soie et le commerce y sont prospères. La ville est reconquise par les Rois Catholiques en 1492. Les Morisques, qui se révoltent en 1568-1571, sont expulsés au début du XVIIe s.

BEAUX-ARTS. Ensemble prestigieux de l'Alhambra : enceinte fortifiée, forteresse de l'Alcazaba et palais mauresques (XIIIe-XIVe s.); palais de Charles Quint, par P. Machuca. Le Generalife, résidence d'été des Naṣrides (début XVe s.), aux beaux jardins. Vestiges islamiques divers. Chapelle royale (1505) par E. Egas. Couvent des hiéronymites et cathédrale, riche en œuvres d'art, en partie par D. de Siloé*. Chartreuse aux somptueux décors baroques.

GRENADE, en angl. **Grenada,** État insulaire du sud des Petites Antilles, comprenant l'*île de Grenade* (311 km²) et l'archipel des Grenadines méridionales; 344 km²; 103 000 hab. Capit. *Saint George's.* Cultures fruitières (banane). Indépendant depuis 1974, l'État est resté membre du Commonwealth.

GRENADE ou **GRENADE-SUR-GARONNE** (31330), ch.-l. de cant. de la Haute-Garonne, à 25 km au N. de Toulouse; 4 540 hab. Église du XIVe s. (peintures de A. Rivalz et J.-B. Despax).

GRENADE-SUR-L'ADOUR (40270), ch.-l. de cant. des Landes, à 15 km au S. de Mont-de-Marsan; 2 006 hab. Bastide du XIIIe s.

GRENADIER. — Cet arbrisseau sensible aux gelées ne peut être cultivé en France que dans le Midi méditerranéen. Ornemental par ses belles fleurs d'un rouge feu, il porte des fruits aux graines charnues et comestibles, les grenades. Voisin des rosacées, il s'en distingue notamment par son ovaire adhérent.

GRENADINES, archipel des Petites Antilles, dépendant de Grenade et de Saint Vincent.

GRENAGE → POUDRE.

GRENAT. — C'est le nom générique donné à une famille de silicates d'un métal trivalent (aluminium, fer, chrome) et d'un métal bivalent (calcium, magnésium, fer, manganèse), formant une série isomorphe et cristallisant dans le système cubique. Il en existe de nombreuses variétés, de couleurs diverses.

GRENAY (62160 Bully les Mines), comm. du Pas-de-Calais, à 8 km à l'O. de Lens; 6 905 hab.

GRENELLE, quartier de Paris (XVe arrond.).

Grenelle *(accords de),* accords signés par le gouvernement, le patronat et les organisations syndicales lors de la crise de mai* 1968. Accordant des augmentations de salaires et le relèvement du S. M. I. G., ils prévoyaient l'abaissement de la durée de travail et diverses réformes concernant les allocations familiales, la formation professionnelle et l'exercice des droits syndicaux dans l'entreprise.

GRENOBLE, ch.-l. du départ. de l'Isère, sur l'Isère et le Drac, à 213 m d'altitude, à 557 km au S.-E. de Paris; 169 740 hab. *(Grenoblois).*

Vue générale de Grenoble.

GÉOGRAPHIE. Au cœur d'une agglomération d'environ 400 000 habitants, qui s'est récemment développée considérablement (sa population a plus que doublé dans les vingt dernières années), Grenoble est, de loin, la plus grande ville des Alpes, dans une situation de contact avec l'intérieur de la montagne (par la vallée de l'Isère, ouvrant le Sillon* alpin), les plaines du Bas-Dauphiné et la vallée du Rhône (par la cluse de Voreppe, ouverte par l'Isère inférieure). Ville historique, militaire (avec la construction d'une enceinte fortifiée et de nombreuses casernes au XIXe s.), la ville conserve une fonction tertiaire importante, comme principal centre administratif, commercial, touristique (à proximité des champs de neige, la ville fut le siège des jeux Olympiques d'hiver de 1968, qui furent l'occasion de grands travaux d'équipement) des Alpes françaises du Nord. L'industrie, activité principale de l'agglomération, est dominée par les constructions mécaniques et électriques, la chimie, la confection et l'alimentation, parfois en liaison avec un enseignement supérieur diversifié.

HISTOIRE. Siège d'un évêché dès le IVe s., capitale des Dauphins, Grenoble, qui deviendra française en 1349, est le siège d'une université (1339) et d'un conseil delphinal (1340) érigé en parlement en 1453. Elle joue un rôle décisif dans le déclenchement de la Révolution française (1789), avant de devenir le chef-lieu du département de l'Isère (1790).

BEAUX-ARTS. Églises Saint-Laurent (crypte du VIIIe s.) et Saint-André (XIIIe s.). Cathédrale remontant aux XIIe-XIIIe s. Palais de justice en partie Renaissance. Riche musée des Beaux-Arts (des primitifs italiens au XXe s.). Musée dauphinois dans un ancien couvent du XVIIe s. Importantes réalisations d'architecture moderne depuis les années 60, dont la maison de la culture, par André Wogenscky, et des installations sportives.

GRENOUILLE. — La grenouille est l'un des animaux les mieux connus par les zoologistes, à cause de son emploi quotidien dans les laboratoires, et par le public, à cause de son extrême abondance. On peut observer au bord de n'importe quel étang ou de n'importe quelle pièce d'eau ses trois formes successives : les œufs, assemblés en grappes gélatineuses; les larves, ou *têtards,* petits êtres noirs à longue queue ondulante aplatie en lame dans le plan vertical; enfin, les adultes, verdâtres et tachetés, d'aspect vaguement humain du fait de l'absence de queue et du grand développement des jambes. La grenouille ne peut guère s'éloigner de la surface des eaux : elle respire l'air par la peau, et seulement lorsque celle-ci est humide, les poumons ne jouant qu'un rôle de complément, et elle a perdu ses branchies lors de la métamorphose. Mais c'est une excellente nageuse, grâce à ses pieds palmés, et une sauteuse remarquable. Elle se nourrit surtout d'insectes, mais aussi de très jeunes oiseaux ou d'autres proies animales. Le mâle possède un sac vocal qui amplifie son cri, le *coassement.*

Grenouille verte.

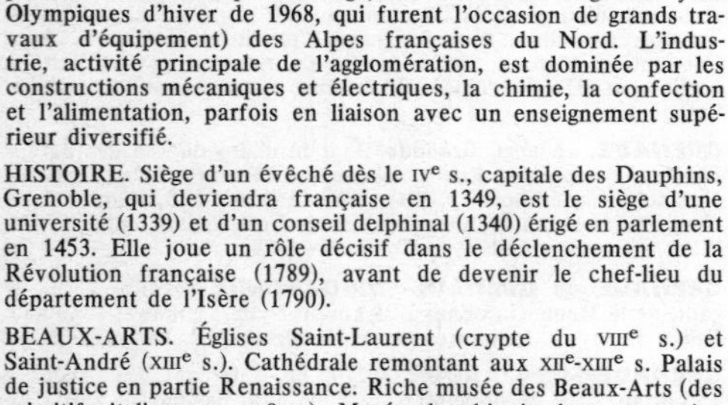

Grenouilles *(les),* comédie d'Aristophane (405 av. J.-C.), satire de l'art et des idées d'Euripide.

GRENVILLE (George), homme politique anglais (Wotton Hall 1712 - Londres 1770). Premier ministre (1763-1765), il accentue le mécontentement des colons américains en les accablant de taxes, au lendemain de la guerre de Sept Ans. — Son fils, WILLIAM, 1er *baron* GRENVILLE (1759 - Dropnore 1834), député tory, allié de Pitt, dirige les Affaires étrangères de 1791 à 1801 : il mène alors la lutte contre l'expansionnisme français. En 1806-07, il préside le ministère dit « de tous les talents ».

GRÉOLIÈRES (06620 Le Bar sur Loup), comm. des Alpes-Maritimes, à 29 km au N. de Grasse; 292 hab. — À 18 km au N.-N.-E., station de sports d'hiver (alt. 1 380-1 800 m) à *Gréolières-les-Neiges.*

GRÉOUX-LES-BAINS (04800), comm. des Alpes-de-Haute-Provence, à 15 km au S.-E. de Manosque; 1 297 hab. Station thermale aux eaux sulfurées, utilisées dans le traitement des dermatoses et des rhumatismes chroniques.

GRÈS. — Roche sédimentaire constituée de grains de quartz cimentés, le grès a une origine détritique et se forme aussi bien en milieu continental que marin. La nature du ciment est variable : il peut être siliceux, calcaire, ferrugineux et même argileux (grauwackes). Certains grès contiennent, outre du quartz, des grains de nature variée. La molasse, par exemple, provient de la destruction de chaînes de montagnes récemment édifiées et est riche en débris calcaires et de minéraux divers, cimentés par de la calcite. Le métamorphisme des grès donne une roche extrêmement résistante, le quartzite*.

GRESHAM (*sir* Thomas), financier anglais (Londres 1519 - *id.* 1579). On lui doit une loi économique, d'après laquelle « lorsque dans un pays circulent deux monnaies, dont l'une est considérée par le public comme bonne et l'autre comme mauvaise, la mauvaise monnaie chasse la bonne ».

GRÉSIVAUDAN, parfois **Graisivaudan,** nom donné à la vallée de l'Isère, dans le département de l'Isère, en amont de Grenoble. Entre les massifs de la Grande-Chartreuse, à l'O., et de la chaîne de Belledonne, à l'E., c'est la partie la plus large du Sillon* alpin, intensément mise en valeur par l'industrie (électrométallurgie, construction électrique, chimie) et par l'agriculture (associant cultures fruitières, céréales et élevage bovin).

GRÉSY-SUR-AIX (73100 Aix les Bains), ch.-l. de cant. de la Savoie, dans la banlieue nord-est d'Aix-les-Bains; 1 529 hab.

GRÉSY-SUR-ISÈRE (73460 Frontenex), ch.-l. de cant. de la Savoie, à 17 km au S.-O. d'Albertville; 626 hab.

GRETCHKO (Andreï Antonovitch), maréchal soviétique (Golodaievsk 1903 - Moscou 1976). Commandant les forces terrestres soviétiques (1959), puis celles du pacte de Varsovie (1960), il succède en 1967 à Malinovski comme ministre de la Défense, poste qu'il occupe jusqu'à sa mort.

GRÉTRY (André Modeste), compositeur wallon (Liège 1741 - Montmorency 1813). Après l'Italie, c'est à Paris qu'il s'installe, en 1767. Attiré par l'opéra-comique français, il réalise en ce domaine des partitions pleines de sensibilité et de naturel (*Lucile,* 1769; *Zémire et Azor,* 1771; *Richard Cœur de Lion,* 1784). Il a laissé des *Mémoires* (1789-1797).

GRETZ-ARMAINVILLIERS (77220 Tournan en Brie), comm. de Seine-et-Marne, à 25 km au N. de Melun, au S. de la *forêt d'Armainvilliers;* 7 127 hab.

GREUZE (Jean-Baptiste), peintre et dessinateur français (Tournus 1725 - Paris 1805). Formé à Lyon puis à Paris, il est agréé à l'Académie en 1755, sans doute avec *le Père lisant la Bible à sa famille* (collection privée), déjà caractéristique de cette inspiration populaire et moralisante qui lui vaudra l'enthousiasme de Diderot. Son *Accordée de village* (1761, Louvre) est un grand succès. Cependant, il rêve des lauriers du peintre d'histoire et se brouille avec l'Académie quand celle-ci, en 1769, ne le reçoit que comme peintre de genre, malgré son *Septime Sévère et Caracalla* (Louvre), inspiré de Poussin. Il donne *la Cruche cassée,* d'une sensualité trouble, en 1773, *la Malédiction paternelle* en 1777 (toutes deux au Louvre), des portraits aussi, puis voit peu à peu son succès faiblir.

À la Révolution, il se rallie à David, qui, avec des moyens bien différents, entend comme lui élever l'âme du spectateur.

GRÈVE. — La volonté d'aboutir à des augmentations de salaire, de maintenir l'emploi et d'améliorer les conditions de travail conduit les travailleurs à mettre en œuvre diverses formes d'action, dont la grève est considérée comme la plus puissante. La *grève totale* et illimitée est l'action la plus dure; elle s'accompagne souvent d'une occupation des lieux de travail. La *grève perlée* se contente de ralentir le rythme de travail. En revanche, la *grève tournante,* qui consiste en un arrêt complet et successif du travail (chaque atelier à son tour), précède fréquemment la *grève bouchon,* qui paralyse une entreprise dans la mesure où le travail cesse dans les secteurs clés.

En France, 3,38 millions de journées de travail ont été perdues en 1974 pour fait de grève (1 salarié sur 10 a cessé le travail pour grève en 1974). En moyenne près de deux heures de grève peuvent être comptées par salarié actif. Lorsqu'on relève, en France, 15 journées perdues pour grève pour 100 personnes actives, on en compte 87 en Italie, 57 en Grande-Bretagne et seulement 4 en Allemagne.

Le droit de grève est reconnu aux Français par le préambule de la Constitution de 1946 : « Le droit de grève s'exerce dans le cadre des lois qui le réglementent. » Pour les fonctionnaires, la jurisprudence précise les modalités d'exercice de ce droit (Dehaene, Conseil d'État, 7 juill. 1950). La loi du 31 juillet 1963, relative à certaines modalités de la grève dans les services publics, s'attache à interdire les grèves surprises et les grèves tournantes. La grève dans les services publics fait l'objet d'une réglementation qui réalise un compromis entre la nécessité d'assurer la continuité du service et l'exercice d'une liberté en principe garantie pour tous.

GREVENMACHER, localité du Luxembourg, sur la Moselle, ch.-l. du *cant. de Grevenmacher;* 3 000 hab. Vignobles.

GRÉVY (Jules), homme politique français (Mont-sous-Vaudrey 1807-*id.* 1891). Cet avocat libéral, commissaire de la République dans le Jura (1848), député républicain à la Constituante (1848), puis à la Législative (1849), s'oppose à toutes les mesures de réaction conservatrice. Adversaire de l'Empire, il est élu par l'opposition en 1868. De nouveau député à l'Assemblée nationale en février 1871, puis en 1876 et en 1877, il s'oppose au Seize-Mai (1876) et remplace Mac-Mahon comme président de la République le 30 janvier 1879. Il est réélu en 1885, mais le scandale des décorations, où est impliqué son gendre, Daniel Wilson (1840-1919), l'oblige à démissionner.

GREY (Charles, 2e *comte*), homme politique britannique (Fallodon 1764-Howick House 1845). Chef du parti whig à la Chambre des lords, membre du deuxième gouvernement Grenville (1806-07), il lutte pour l'émancipation des catholiques. Premier ministre (1830-1834), il parvient, en 1832, à faire passer, malgré les Lords, la première grande réforme électorale.

GREY (Edward, *vicomte*), homme politique britannique (Fallodon 1862-*id.* 1933), arrière-petit-neveu du précédent. Député libéral (1885), il est sous-secrétaire d'État (1892-1895) puis ministre (1905-1916) des Affaires étrangères. Favorable à l'Entente* cordiale et à l'entente avec la Russie (1907), il se voit forcé, en 1914, devant l'attitude allemande, de faire entrer le Royaume-Uni dans la guerre.

GREZ-EN-BOUÈRE (53290), ch.-l. de cant. de la Mayenne, à 16,5 km au N.-O. de Sablé-sur-Sarthe; 1 078 hab.

GRIAULE (Marcel), anthropologue français (Aisy-sur-Armançon 1898-Paris 1956). Professeur à la Sorbonne, il a conduit de nombreuses missions en Afrique. Ses travaux ont porté essentiellement sur les Dogons (Mali), et notamment sur leur système mythologique : *Masques dogons* (1938), *Dieu d'eau* (1948).

GRIBEAUVAL (Jean-Baptiste VAQUETTE DE), général et ingénieur militaire français (Amiens 1715-Paris 1789). Premier inspecteur de l'artillerie (1776), il mit en service les nouveaux canons (système Gribeauval) qui furent employés pendant les guerres de 1792 à 1815.

GRIBOÏEDOV (Aleksandr Sergueïevitch), diplomate et auteur dramatique russe (Moscou 1795-Téhéran 1829), auteur de la comédie satirique *Le malheur d'avoir trop d'esprit* (jouée en 1831).

GRIEG (Edvard), compositeur norvégien (Bergen 1843-*id.* 1907). Très influencé par la musique populaire de son pays, il s'attache au lyrisme mélodique et à la couleur harmonique (*Peer Gynt,* musique de scène; *Danses norvégiennes; Concerto* pour piano, 1868).

GRIERSON (John), cinéaste et producteur britannique (Deanston 1898-Bath 1972). Il fut, vers la fin des années 20, en collaboration avec Flaherty et Cavalcanti, à l'origine du développement d'une très importante école de documentaristes. Il fonda, en 1939, l'Office national du film canadien et tourna lui-même quelques films (*Drifters,* 1929).

GRIFFITH (Arthur), homme politique irlandais (Dublin 1872-*id.* 1922). Fondateur du mouvement nationaliste Sinn* Féin en 1902, il prend une part active à la constitution des Volontaires (1914), avant d'être élu vice-président de la république d'Irlande (1918). Modéré, il dirige les négociations avec le gouvernement britannique et signe le traité de Londres (1921).

GRIFFITH (David Wark), cinéaste américain (La Grange, Kentucky, 1875-Hollywood 1948). Abordant la mise en scène en 1908 après avoir été un temps comédien, il fut le premier véritable créateur du langage filmique. En systématisant l'emploi de certains procédés techniques (travellings, gros plans), en inventant le découpage analytique, en préconisant le montage alterné et parallèle il donna au cinéma ses principes de base. D'une filmographie particulièrement abondante, il faut citer *Naissance d'une nation* (1915), *Intolérance* (1916), *le Lys brisé* (1919), *le Pauvre Amour* (1919), *À travers l'orage* (1920), *la Rue des rêves* (1921), *Abraham Lincoln* (1930). Son influence sur les grands cinéastes mondiaux des années 20 fut déterminante.

Une scène de *Dream Street* (*la Rue des rêves,* 1921).

X (Coll. J.-L. Passek)

GRIFFUELHES (Victor), syndicaliste français (Nérac 1874-Paris 1923). Ouvrier cordonnier, militant blanquiste, il devient, en 1902, secrétaire général de la C.G.T. À ce titre, il joue un rôle déterminant dans la rédaction de la charte d'Amiens (1906), qui formule sans ambiguïté le caractère apolitique du syndicalisme. Il démissionne en 1909.

GRIGNAN (26230), ch.-l. de cant. de la Drôme, à 28 km au S.-E. de Montélimar; 1 110 hab. Château surtout du XVIe s., où mourut Mme de Sévigné. Église du XVIe s. Musée.

GRIGNARD (Victor), chimiste français (Cherbourg 1871-Lyon 1935). Il a découvert, en 1901, les dérivés organomagnésiens mixtes, qui ont permis un nombre considérable de synthèses en chimie organique. (Prix Nobel de chimie, 1912.)

GRIGNOLS (33690), ch.-l. de cant. de la Gironde, à 16 km au S.-E. de Bazas; 1 247 hab. Château des XVe-XVIe s.

GRIGNON, hameau de la comm. de Thiverval-Grignon (Yvelines). École nationale supérieure agronomique.

GRIGNON (Claude Henri), écrivain canadien d'expression française (Sainte-Adèle 1894-*id.* 1976), auteur de romans de mœurs (*Un homme et son péché,* 1933).

GRIGNY (69520), comm. du Rhône, sur le Rhône, à 2 km au N.-E. de Givors; 10 201 hab.

GRIGNY (91350), comm. de l'Essonne, à 20 km au S.-S.-E. de Paris; 25 660 hab.

GRIGNY (Nicolas DE), compositeur français (Reims 1672-*id.* 1703). Élève de N. Lebègue, organiste de la basilique de Saint-Denis, puis de la cathédrale de Reims, il est l'auteur d'un *Livre d'orgue* (1699) contenant une messe et des versets d'hymnes, synthèse entre la musique liturgique horizontale et la musique de concert ornée et lyrique.

GRIGORESCU (Nicolaie Ion), peintre roumain (Pitaru 1838-Cîmpina 1907). Passé de la peinture d'icônes au style occidental grâce à un séjour à Barbizon (1861), il a illustré la vie paysanne roumaine sur un mode de vivacité heureuse.

GRIGORIEV (Serguei), danseur et régisseur britannique d'origine russe (Saint-Pétersbourg 1883-Londres 1968). Fidèle collaborateur (1909-1929) des Ballets russes de S. de Diaghilev, il put, grâce à sa mémoire exceptionnelle, reconstituer dans leur forme originale des œuvres du répertoire de la célèbre troupe *(l'Oiseau de feu, Petrouchka, le Coq d'or).*

GRIGOROVITCH (Iouri Nikolaïevitch), danseur, chorégraphe et maître de ballet soviétique (Leningrad 1927). C'est sa version de *la Fleur de pierre* (Ballet du Kirov, 1957) qui détermine sa carrière de chorégraphe. Chef chorégraphe et directeur artistique du ballet du Bolchoï à Moscou, il est l'auteur d'œuvres originales (*la Légende d'amour,* 1961) et puissantes (*Spartacus,* 1968 [en collab. avec Maris Liepa]; *Ivan le Terrible,* 1975).

GRILLAGE → ÉLABORATION et MINERAI.

GRILLON. — Symbole de la modestie à cause de sa livrée noire et du terrier où il se tient ordinairement, le grillon est un petit orthoptère trapu, à grosse tête ronde; les élytres du mâle produisent par frottement un chant (stridulation) caractéristique. La femelle est munie d'une tarière. Le grillon se nourrit de débris variés. Le mâle peut se montrer combatif (en Chine ancienne, les combats de grillons donnaient lieu à des paris élevés), et de curieux « effets de groupe » (hiérarchie sociale, etc.) ont été observés sur cette espèce.

GRILLPARZER (Franz), poète dramatique autrichien (Vienne 1791-*id.* 1872), auteur de drames historiques et lyriques (*la Toison d'or,* 1821; *les Vagues de la mer et de l'amour,* 1831) qui ont fait de lui un des classiques des scènes allemandes.

GRIMALDI, localité d'Italie (Ligurie), près de Menton. Important gisement paléolithique* (premières fouilles, 1872) ayant livré plusieurs squelettes humains : ceux qui sont dits « de la race de Grimaldi » appartiennent au niveau aurignacien; d'autres, dans les niveaux moyens et supérieurs, dits « Hommes de Menton », à la race de Cro-Magnon.

GRIMALDI, famille noble de Gênes dont un membre, RAINIER Ier, fonda la maison des Grimaldi, seigneurs, puis princes (1612) de Monaco. En 1715, le dernier représentant mâle, ANTOINE Ier (1667-1731), donna sa fille Louise Hippolyte à un gentilhomme breton, Jacques de Goyon-Matignon, comte de Thorigny, qui prit les noms et les armes des Grimaldi et fonda la deuxième maison des Grimaldi de Monaco. Celle-ci s'éteignit à la mort du prince LOUIS II (de 1922 à 1949). La troisième maison commence avec RAINIER III (né en 1923), fils de Pierre, comte de Polignac, et de Charlotte, fille légitimée de Louis II, et prince souverain de Monaco depuis 1949.

GRIMALDI (Francesco Maria), jésuite et physicien italien (Bologne 1618-*id.* 1663). En 1650, il a découvert les interférences et la diffraction de la lumière.

Grimaldi *(ordre des),* ordre monégasque créé en 1954. Ruban blanc liséré rouge.

GRIMAUD (83310 Cogolin), ch.-l. de cant. du Var, à 10 km à l'O. de Saint-Tropez, dans les Maures; 2408 hab. Station balnéaire à *Port-Grimaud**.

GRIMBERGEN, comm. de Belgique (Brabant), dans la banlieue nord de Bruxelles; 30279 hab. (en 1977).

GRIMM (Melchior, *baron* DE), écrivain allemand (Ratisbonne 1723-Gotha 1807), ami de Mme d'Épinay. Il succéda à l'abbé Raynal comme rédacteur d'une *Correspondance littéraire, philosophique et critique,* destinée à renseigner sur la vie parisienne plusieurs princes étrangers.

GRIMM (Jacob), écrivain allemand (Hanau 1785-Berlin 1863). Il fut le véritable fondateur de la philologie allemande (*Dictionnaire allemand,* 1852-1858, achevé en 1961). Avec son frère WILHELM (Hanau 1786-Berlin 1859), il réunit de nombreux recueils de contes populaires germaniques (*Contes d'enfants et du foyer,* 1812-1814). — La *loi de Grimm,* énoncée en 1822 par J. Grimm, établit le principe à partir duquel a pu se développer la grammaire comparée*, celui de la régularité des lois phonétiques. Elle explique les correspondances entre les langues germaniques par une mutation des consonnes de l'indo-européen.

GRIMMELSHAUSEN (Hans Jacob Christoph VON), écrivain allemand (Gelnhausen v. 1621-Renchen, Bade, 1676), auteur du roman baroque *la Vie de l'aventurier Simplicius Simplicissimus* (1669), sur l'époque de la guerre de Trente Ans.

GRIMOD DE LA REYNIÈRE (Alexandre Balthasar Laurent), gastronome français (Paris 1758-Villiers-sur-Orge, Seine-et-Oise, 1838). Avocat au parlement, il fut l'objet d'une lettre de cachet de la part de ses parents à la suite de maintes excentricités. Plus tard, il voyagea et parcourut les foires du Midi, où il tenait une épicerie. De 1803 à 1812, il publia l'*Almanach des gourmands* ou *Calendrier nutritif,* qui connut un vif succès.

GRIMPANTES (plantes). — Les familles les plus diverses comprennent des espèces grimpantes. L'accès aux niveaux les plus ensoleillés donne à de telles plantes un avantage décisif sur les plantes basses. Les modalités de l'élévation sont fort variées. Les plantes *volubiles* enroulent leur tige autour d'un support, vivant ou non, et toujours dans le même sens pour une espèce donnée. Les plantes à *vrilles* n'enroulent autour des supports que des extrémités de feuilles ou de rameaux, mais ceux-ci se spiralisent ensuite en halant la tige. Les plantes à *crampons* (lierre) ou à *ventouse* (vigne vierge) montent tout droit le long de leur support. Les *lianes,* enfin, sont des plantes ligneuses au linéament irrégulier, tantôt enroulées, tantôt jetées d'un support à un autre, et ne s'élevant que de façon très oblique; certaines lianes équatoriales peuvent ainsi atteindre une longueur de 300 m.

GRIMPER. — Le grimper est le mode de déplacement de la majorité des animaux vivant dans les arbres, bien que la plupart des passereaux et divers insectes des arbres ne grimpent pas et se déplacent en volant. Nombreux sont cependant les modes possibles du grimper : les animaux de petite taille (sangsues, larves, insectes et même oiseaux grimpeurs, geckos et rainettes, fouines et martes) mettent à profit les irrégularités de l'écorce pour ramper, arpenter, marcher ou se hisser le long des troncs. Quelques grosses bêtes (panthère) peuvent en faire autant, mais uniquement pour monter, et il leur faut sauter pour redescendre. Les caméléons entourent un rameau de leurs doigts, les singes sont en outre capables de sauter d'une branche à une autre (certains d'entre eux, comme l'atèle, ont même une queue préhensile), les anthropoïdes (gibbon) pratiquent la *brachiation* (suspension balancée à bout de bras et « saut » d'une branche basse à une autre). Des mammifères sans aucune parenté entre eux (taguan, polatouche) peuvent faire de longs sauts planés d'un arbre à un autre, grâce à une membrane bilatérale, le *patagium.* L'écureuil tire le même parti de sa queue bouffante.

GRIMPEURS → PIC.

GRIMSBY, port de l'Angleterre, sur l'estuaire de la Humber; 96000 hab. Pêche. Conserveries.

GRIMSEL, col des Alpes bernoises, entre les vallées du Rhône et de l'Aar; 2164 m.

GRINDELWALD, comm. de Suisse (cant. de Berne), dans l'Oberland bernois, au S.-E. d'Interlaken; 3511 hab. Centre touristique et station de sports d'hiver (alt. 1050-3454 m).

GRINGORE ou **GRINGOIRE** (Pierre), poète dramatique français (Thury-Harcourt ? v. 1475-en Lorraine v. 1538), entrepreneur de spectacles, auteur de poésies lyriques, dans la tradition des rhétoriqueurs*, et de sotties (*le Jeu* du prince des sots,* 1512). Victor Hugo a fait de lui l'un des personnages de *Notre-Dame de Paris.*

GRIPPE. — Il existe quatre types de virus grippaux (A, B, C, D), et ceux-ci ne produisent pas d'immunité croisée (l'atteinte par l'un d'entre eux ne protège pas contre les autres). La contamination se fait par voie respiratoire. La grippe banale se manifeste par une fièvre élevée, des courbatures, des céphalées qui durent cinq ou six jours. Des formes graves, avec œdème pulmonaire et bronchopneumonie, peuvent survenir chez des sujets déficients (vieillards, diabétiques). On ne dispose actuellement d'aucun traitement spécifique, et les antibiotiques ne sont employés que pour éviter les complications bactériennes. La vaccination par virus inactivés peut être intéressante chez les insuffisants respiratoires chroniques ou chez les sujets âgés, mais son efficacité est inconstante.

GRIS (José Victoriano GONZÁLEZ, dit **Juan**), peintre espagnol (Madrid 1887-Boulogne-sur-Seine 1927). Il arrive à Paris en 1906 et dessine d'abord pour les journaux. Interprète, dans une démarche très réfléchie, des découvertes du cubisme*, il affirme, dans la période analytique (*Hommage à Picasso,* 1912, Art Institute de Chicago) et, surtout, dans ses collages et ses peintures synthétiques de 1914, un goût pour la « mathématique picturale ». Souvent d'un éclat incisif, son œuvre montre une préoccupation essentielle de composition et de structure.

GRISI (Carlotta), danseuse italienne (Visinada 1819-Saint-Jean, près de Genève, 1899), l'une des plus célèbres danseuses romantiques. Créatrice de *Giselle* (1841) et l'une des interprètes du *Pas de quatre* de Jules Perrot (1845).

GRIS-NEZ *(cap),* cap du Boulonnais (départ. du Pas-de-Calais), au N. de Boulogne-sur-Mer, haut de 50 m.

GRISOLLES (82170), ch.-l. de cant. de Tarn-et-Garonne, à 22 km au S. de Montauban; 2364 hab.

GRISONS, en allem. **Graubünden,** canton de l'est de la Suisse, dans les Alpes; 7109 km²; 162086 hab. Ch.-l. *Coire.*

GÉOGRAPHIE. La faiblesse de la densité moyenne de population résulte de la dureté des conditions naturelles : environ la moitié du territoire cantonal est située à plus de 2000 m d'altitude, et le centième seulement, au-dessous de 600 m. Les vallées du Rhin et de l'Inn (Engadine) aèrent un relief très morcelé. Au point de vue agricole, l'élevage laitier domine nettement, mais le tourisme est devenu, de loin, la ressource essentielle, aussi bien estivale qu'hivernale, notamment avec les grandes stations internationales de Saint-Moritz et de Davos.

HISTOIRE. L'ancien pays des Rhétiens, peuple celte soumis à Rome à la fin du Ier s. av. J.-C., tomba, après les invasions, sous la domination franque. Il fut annexé au duché de Souabe (916-1256) et divisé en plusieurs seigneuries. Aux XIVe et XVe s., pour lutter

GRISONS

La vallée de Lenzerheide, dans le canton des Grisons.

Larivière - Arepi

contre les empiétements de l'Autriche, les seigneurs se groupèrent en trois ligues défensives, dont l'une, la ligue Grise, donna son nom à la région. L'alliance de ces ligues (1471) consacra l'unité et l'indépendance du pays qui, en 1803, entra dans la Confédération suisse.

GRISOU. — Le grisou n'est autre que du méthane* (CH_4) qui se dégage du charbon à la température ambiante. Formé, ainsi que les autres matières volatiles, lors du processus géologique d'houillification, il reste adsorbé dans le charbon tant que celui-ci n'est pas au contact de l'air sur le front d'abattage* et dans les fissures qui se prolongent dans le massif. Par tonne de charbon abattue dans un chantier, le volume de grisou dégagé peut atteindre plusieurs dizaines de mètres cubes, car au grisou de la couche exploitée s'ajoute celui qui provient des veines voisines et qui chemine par les fissures des terrains. Certains charbons, notamment les charbons à coke, sont particulièrement grisouteux; d'autres, comme les anthracites, ne dégagent pratiquement pas de grisou. Diverses matières organiques fossilisées peuvent en dégager, telles celles qui existent dans certaines mines de potasse*. Le grisou est un gaz inodore, léger, qui, de ce fait, tend à se rassembler dans les points hauts de la mine*. Une flamme nue, une étincelle électrique, la flamme d'un explosif* l'allument. Lorsqu'il entre en mélange avec de l'air dans une proportion de 5 à 15 p. 100, la combustion prend une allure explosive : c'est le *coup de grisou,* qui est catastrophique s'il y a un grand volume d'air grisouteux dans la mine ou si un petit coup de grisou allume un incendie ou déclenche un coup de poussières*. On évite toute accumulation de grisou, notamment dans les points hauts, grâce à un aérage* convenable qui balaie tous les chantiers et les galeries* avec un débit suffisant pour que la teneur en grisou reste très au-dessous de 5 p. 100. Le courant d'air doit être ascensionnel, pour favoriser l'entraînement du gaz. On capte parfois le grisou par des *sondages de dégazage.* L'atmosphère des chantiers et des galeries fait l'objet d'un contrôle périodique et rigoureux. Les flammes nues, les allumettes, etc., sont proscrites; les lampes à flamme sont protégées par un double tamis métallique fin que la flamme ne peut traverser grâce à l'effet refroidissant des tamis. Les appareils électriques sont placés dans des carters capables de résister à une explosion interne, ne communiquant avec l'extérieur que par des fentes minces ayant l'effet refroidissant des tamis des lampes à flamme. On n'utilise que des explosifs de sécurité agréés, dont la flamme est suffisamment faible et brève. L'admission et l'échappement des moteurs Diesel* sont protégés par des évents en cas de retour de flamme.

GRIVE. — La draine, la tourde et la mauviette, nos trois espèces françaises de grives, sont des passereaux tachetés, au bec pointu, migrateurs, beaucoup plus insectivores que mangeurs de graines, et au chant mélodieux. L'excellence de leur chair leur vaut une chasse abusive, qui prend prétexte de méfaits imaginaires. (Famille des turdidés.)

GRIVEGNÉE, anc. comm. de Belgique, intégrée à la ville de Liège, depuis 1977.

GROCK (Adrien WETTACH, dit), artiste de cirque suisse (Loveresse, près de Reconvilier, 1880 - Imperia, Italie, 1959). Partenaire du clown Brick puis d'Antonet, il s'illustra à la fois par sa souplesse acrobatique et sa virtuosité musicale.

GRODDECK (Walter Georg), médecin allemand (Bad Kösen 1866 - Zurich 1934). Assistant d'Ernest Schweninger, médecin personnel de Bismarck, il découvrit les concepts de la psychanalyse* par la voie des affections organiques. Il n'y a pas pour lui de différence essentielle entre maladie corporelle et maladie psychique : ce sont deux des expressions symboliques du Ça*. Il introduisit avant Freud le concept de Ça, qu'il définit comme « la force qui le (l'homme) fait agir, penser, grandir, être bien portant et malade, en un mot qui le vit ». Encouragé au début par Freud, il s'en détacha à partir de 1926, par méfiance à l'égard des spéculations psychologiques de ce dernier.

GRODNO, v. de l'U. R. S. S. (Biélorussie), près de la frontière polonaise; 132 000 hab.

GROENLAND, île danoise, au N.-E. de l'Amérique; 2 175 000 km²; 48 600 hab. *(Groenlandais).* Ch.-l. *Godthåb.*

GÉOGRAPHIE. Cette immense île, la plus vaste du monde, située à des latitudes très septentrionales, est presque totalement englacée. Une énorme calotte glaciaire (inlandsis), d'une épaisseur moyenne de 1 500 m, recouvre plus de 80 p. 100 de la superficie, ne laissant dépasser que les plus hauts sommets. Seule la côte (Yderland) est partiellement libre de glace. Elle forme une frange montagneuse, au relief sculpté par les glaciers (fjords). C'est là, dans des conditions de vie très difficiles, puisque la température moyenne est toujours inférieure à 0 °C, que se concentre la population, en particulier au sud. Les Esquimaux vivent de la pêche et de la chasse au phoque. Mais leur organisation traditionnelle a été en partie bouleversée par les contacts avec la société industrielle. Les Danois et les Américains ont créé des pêcheries modernes, exploitent des minerais (charbon, zinc, plomb) et ont implanté des bases aéronautiques.

HISTOIRE. Découvert par l'Islandais Erik le Rouge (982), christianisé à partir de l'an mille, le Groenland prête serment d'allégeance au roi de Norvège en 1261. Abandonnée par les Blancs au XIVe s., à la suite d'un refroidissement climatique, l'île est redécouverte au XVIe s. par Davis et Hudson et colonisée par le Danemark à partir de 1721. Elle est province danoise depuis 1953, mais jouit d'un statut qui lui permet de posséder un Landsråd (conseil du pays) composé de fonctionnaires et d'élus groenlandais. La défense de l'île est assurée, dans le cadre de l'O. T. A. N., par un accord dano-américain (avr. 1951).

GROIX *(île de)* [56590], île de l'Atlantique, au large de Lorient, constituant une commune qui correspond à un canton du Morbihan; 15 km²; 2 727 hab.

GROMAIRE (Marcel), peintre français (Noyelles-sur-Sambre 1892-Paris 1971). Ses formes sont stylisées, puissamment cernées et construites, ses tons retenus, mais animés par le clair-obscur. Il a peint la guerre, le travail, la vie quotidienne, la femme. Il a pratiqué l'eau-forte et a participé au renouveau de la tapisserie (*les Bûcherons de Mormal,* Aubusson, 1940).

GROMYKO (Andrei Andreievitch), homme politique soviétique (Minsk 1909). Ambassadeur aux États-Unis (1943-1946), puis à Londres (1952-53), il est ministre des Affaires étrangères de l'U. R. S. S. depuis 1957 et membre du Bureau politique du parti communiste depuis 1973.

GRONDIN → ROUGET.

GRONINGUE, en néerl. **Groningen,** v. du nord des Pays-Bas, ch.-l. de la *prov. de Groningue;* 167 000 hab. Église Saint-Martin, du XVe s. Musées.

GRONINGUE, prov. du nord des Pays-Bas (533 000 hab.) sur la mer du Nord, dont le sous-sol recèle (à Slochteren) d'importants gisements de gaz naturel (dont une partie est exportée vers l'Allemagne fédérale, la Belgique et la France). — Soumise au Moyen Âge à l'autorité du Saint Empire, cette ancienne province de la Frise lutta très tôt pour son indépendance. Annexée en 1536 par Charles Quint, la ville de Groningue et sa province furent libérées en 1579 et rattachées aux Provinces-Unies en 1594.

GROOTE (Geert), prédicateur et mystique néerlandais (Deventer 1340 - *id.* 1384). Il fut l'initiateur d'un renouveau spirituel, la *Devotio moderna,* dont témoigne l'*Imitation* de Jésus-Christ* et qui exerça une influence considérable sur la spiritualité de l'Occident.

GROPIUS (Walter), architecte allemand (Berlin 1883 - Boston 1969). Soucieux de rationalisme et de fonctionnalisme dès ses premières réalisations (usine Fagus à Alfeld, en 1911; usine pour l'exposition du Deutscher Werkbund à Cologne, en 1914), théoricien et pédagogue au Bauhaus*, il eut pour préoccupations majeures les rapports de l'art et de l'industrie et la standardisation (lotissement Törten, Dessau, 1926-27). Aux États-Unis (1937), il collabore avec Marcel Breuer et enseigne à l'université Harvard. En 1945, il crée le groupe « The Architects Collaborative » (TAC), qui donne le Harvard Graduate Center (1949-50), le Pan Am Building à New York (1960), Gropiusstadt à Berlin-Est (achevé en 1970).

GROS (Antoine, *baron*), peintre français (Paris 1771 - Meudon 1835). Élève de David, il consacre ses vastes compositions à l'épopée napoléonienne *(les Pestiférés de Jaffa,* Salon de 1804, Louvre; *la Bataille d'Eylau,* 1808, *ibid.);* la violence des émotions, la force des coloris et la mise en scène y annoncent le romantisme. Pendant la Restauration, il dirige à l'école des Beaux-Arts l'atelier de David, exilé; il se réfugie dans une peinture mythologique plutôt académique, puis se donne la mort.

GROSBLIEDERSTROFF (57520), comm. de la Moselle, sur la Sarre (à la frontière sarroise), à 6 km au N. de Sarreguemines; 3 279 hab. Centrale thermique.

GROSEILLIER. — Cet arbrisseau, aux fleurs roses, aux grappes de baies rouges comestibles (groseilles), aux feuilles dentelées et trilobées, est cultivé dans les jardins pour ses fruits. Une forme voisine fournit des baies noires d'un goût assez différent, les *cassis;* une troisième espèce porte des fruits plus gros, non pigmentés, les «groseilles à maquereau», appréciés en Angleterre comme condiment.

GROSLAY (95410), comm. du Val-d'Oise, à 2 km à l'E. de Montmorency; 5 256 hab.

GROSSESSE. — La grossesse se manifeste par une aménorrhée (arrêt des règles), par de petits troubles divers — nausées, sialorrhée (salivation), troubles nerveux et urinaires mineurs — et par une augmentation de volume des seins. On constate à l'examen que l'utérus est gros, mou, globuleux et contractile.

À partir du 4e ou du 5e mois, apparaissent les bruits du cœur et les mouvements du fœtus. Le taux des hormones sexuelles (œstrogènes, progestérone) augmente pendant la grossesse; ces hormones sont fournies d'abord par le corps jaune, puis par le placenta. Des examens obligatoires de surveillance sont prévus par la loi : les éléments indispensables de cette surveillance sont la prise de tension artérielle, la recherche d'albumine dans les urines, le contrôle de la prise de poids (en moyenne 1 kg par mois) et la mensuration de l'abdomen; l'étude des réactions de la syphilis est obligatoire, de même que la détermination du groupe sanguin; si la femme est du groupe Rhésus négatif, on recherchera, en outre, l'apparition d'agglutinines. La durée de la grossesse normale est de 270 à 280 jours, se terminant par l'accouchement*.

La *grossesse extra-utérine* se développe en dehors de l'utérus : elle est due à un défaut de migration de l'œuf fécondé. Elle se manifeste par des douleurs pelviennes, des pertes de sang, des syncopes. La cœlioscopie est l'examen essentiel pour un diagnostic certain. Celui-ci impose l'intervention, car des complications graves peuvent survenir, en particulier des hémorragies.

GROSSETO, v. d'Italie, en Toscane, ch.-l. de prov.; 65 000 hab. Remparts du XVIe s., sur plan hexagonal. Cathédrale reconstruite à la fin du XIIIe s. Musées archéologique (collections étrusque et romaine) et d'art sacré.

GROSSGLOCKNER, point culminant de l'Autriche, dans le massif des Hohe Tauern; 3 796 m. Route touristique jusqu'à 2 571 m d'altitude.

GROSSISSEMENT. — Dans un instrument d'optique, tant microscope que télescope, c'est le rapport du diamètre apparent de l'image vue à travers l'instrument au diamètre apparent de l'objet vu à l'œil nu. Dans une lunette, il est égal au rapport des distances focales de l'objectif et de l'oculaire.

GROSSISTE → DISTRIBUTION.

GROSTENQUIN (57660), ch.-l. de cant. de la Moselle, à 18,5 km au S. de Saint-Avold; 546 hab.

GROSZ (George), dessinateur, graveur et peintre américain d'origine allemande (Berlin 1893 - *id.* 1959). Représentant, comme Dix, de la «nouvelle réalité» *(Neue Sachlichkei),* il a donné une critique sociale non moins mordante par le style que par l'intention. Il s'exila aux États-Unis en 1932.

GROTESQUE. — À l'époque classique, le terme «grotesque» désigne, dans le vocabulaire littéraire, la caricature physique ou psychologique d'un personnage ou l'outrance comique du langage. Mais, avec les romantiques, le mot prend une résonance nouvelle : le grotesque, symbole de l'animalité qui subsiste en l'homme, s'oppose au sublime, qui en est la part divine. L'œuvre d'art qui tend à l'absolu et à l'universel doit donc mêler le grotesque au sublime, comme le fait la nature. Cette réhabilitation du grotesque entraîna les romantiques à élargir le sens du terme et à l'étendre aux auteurs baroques* et burlesques* du début du XVIIe s. (*les Grotesques,* 1844, de Théophile Gautier).

GROTEWOHL (Otto), homme politique allemand (Brunswick 1894 - Berlin 1964). Il fonde, en 1946, le parti socialiste unifié (SED) et devient chef du gouvernement de la République démocratique allemande (1949-1964).

GROTIUS (Hugo DE GROOT, dit), juriste et diplomate hollandais (Delft 1583 - Rostock 1645). Dans son *De jure belli ac pacis* (1625), il s'efforce de prévenir et de réglementer les guerres. On l'a appelé le «Père du droit des gens».

GROTOWSKI (Jerzy), metteur en scène et directeur de théâtre polonais (Rzeszów 1933). À la direction du Théâtre-Laboratoire d'Opole (1959), de Wrocław (1965), puis de l'Institut-Laboratoire (1975), il recherche la communication immédiate entre acteurs et spectateurs par une ascèse et une pratique communes qui dépassent le jeu théâtral dans une exploration de toutes les relations humaines et de toutes leurs possibilités créatrices.

GROUCHY (Emmanuel, *marquis* DE), maréchal de France (près de Meulan 1766 - Paris 1847). Lieutenant aux gardes du corps de Louis XVI en 1783, colonel général des chasseurs en 1809, il est promu maréchal en 1815. Commandant la cavalerie de réserve en Belgique, il ne sut pas empêcher la jonction de Blücher et de Wellington ni marcher au canon à Waterloo.

GROUPE *(Math.).* — Un groupe est un ensemble* G muni d'une loi de composition* interne, associative, possédant un élément neutre et telle que tout élément de l'ensemble G admet un inverse.

Une opération, ou loi de composition interne, est un moyen d'obtenir, à partir de deux éléments de l'ensemble G, un troisième élément de cet ensemble. Par exemple, l'addition, la multiplication des nombres réels sont des lois de composition interne pour l'ensemble $\mathbb{R}$ de ces nombres. L'associativité est une règle de calcul. Si l'on note la loi de composition interne comme la multiplication ordinaire, elle se traduit par l'égalité $a.(b.c) = (a.b).c$, le point indiquant l'opération. On peut aussi noter plus simplement $a(bc) = (ab)c$. L'addition et la multiplication ordinaire sont associatives. Ainsi, $a + (b + c) = (a + b) + c$: pour effectuer la somme des nombres a, b et c on peut soit additionner a et b, puis le résultat obtenu à c, soit additionner a à la somme $b + c$; on obtient un seul et même nombre $a + b + c$. Un élément e de l'ensemble G est *neutre* pour la loi interne de cet ensemble si, quel que soit l'élément x de l'ensemble G, $xe = ex = x$. Le nombre 1 est neutre pour la multiplication des nombres réels. Le nombre 0 est neutre pour l'addition.

Enfin, quel que soit x élément de l'ensemble G, il existe un élément x' dans cet ensemble tel que $xx' = x'x = e$; x' est le *symétrique* ou l'*inverse* de x. Le nombre $\frac{1}{3}$ est l'inverse de 3 pour la multiplication. Le nombre -5 est le symétrique de 5 dans l'addition; on dit aussi l'*opposé.*
L'ensemble $\mathbb{Z}$ des entiers relatifs, muni de l'addition, est un groupe. L'ensemble $\mathbb{Q}^*$ des nombres rationnels non nuls est un groupe pour la multiplication.

GROUPE *(Psychol.).* — Les travaux sur les petits groupes ont été inaugurés par la psychologie sociale américaine. K. Lewin* a montré l'importance du leadership sur la structure des petits groupes, R. F. Bales celle des réseaux de communication et Jacob Levy D. Moreno* celle des relations interpersonnelles. Inspirée des thèses de la Gestalttheorie, l'école lewinienne fut la plus féconde : elle montre que le groupe n'est pas une simple collection d'individus et qu'il peut être à l'origine de changements chez les individus qui le composent, ainsi que l'a développé l'action* research.

Ce point de vue est à l'origine de la *dynamique de groupe* qui, des États-Unis, s'est largement répandue en Europe à partir de 1960. Cette technique est utilisée dans des perspectives différentes : sensibilisation aux relations individuelles, ou psychothérapie*, se rapprochant par là du psychodrame*.

Les appellations pour désigner ce type de situation sont multiples : «groupe de diagnostic», «groupe de base», «groupe centré sur le groupe», «groupe de sensibilisation», etc. Elles ont en commun de réunir une douzaine de participants (qui ne se connaissaient pas auparavant ni ne connaissent le ou les moniteurs). Le moniteur est aussi non directif que possible, et les participants n'ont aucune tâche précise, si ce n'est de parler ensemble pendant la session de ce qui se passe «ici et maintenant». Les sessions s'étalent sur plusieurs jours ou plusieurs semaines suivant l'espacement des séances, qui durent de deux à trois heures chacune. Les participants y devront analyser les contacts qu'ils ont entre eux, dans le but d'acquérir une compréhension du fonctionnement de leur groupe, compréhension transposable au fonctionnement des petits groupes humains en général. Le rôle équivoque du moniteur en fait le support des projections* des membres du groupe, et ses interventions ont pour but de faire sentir aux participants les particularités du fonctionnement du groupe qu'ils forment. L'industrie a fait appel à la dynamique de groupe pour sensibiliser ses cadres aux problèmes de la communication ou pour leur apprendre à résoudre des conflits dans l'entreprise. Pour certains, la dynamique de groupe sert à réaliser l'économie d'une psychothérapie individuelle.

GROUPE (effet de). — S'il est peu surprenant que le comportement d'un animal soit modifié par le voisinage d'un ou de plusieurs congénères (ceux-ci peuvent en effet être ressentis comme partenaires sexuels, parents, jeunes à protéger, concurrents, chefs hiérarchiques, informateurs, etc.), il l'est davantage que l'aspect physique lui-même soit influencé par l'état d'isolement ou de groupement, lorsque les autres facteurs de l'environnement restent sans changement. C'est pourtant le cas chez le criquet, le grillon et de nombreux autres insectes. La découverte récente des *phéromones,* ou hormones de diffusion, apporte peut-être à cet « effet de groupe » un début d'explication.

Groupe 47, cercle littéraire réuni en 1947 à l'initiative de Hans Werner Richter et qui rassemble les écrivains de langue allemande d'Allemagne, de Suisse et d'Autriche : opposés à toute espèce d'organisation, ses membres constituaient une élite démocratique soucieuse de défendre toutes les formes de liberté, littéraire et politique. Le « prix du Groupe 47 » a révélé des écrivains comme Günter Eich, Heinrich Böll, Ilse Aichinger, Ingeborg Bachmann, Martin Walser, Günter Grass.

GROUPE DE PRESSION → PRESSION *(groupe de).*

Groupe de recherche d'art visuel (G. R. A. V.), groupe artistique parisien créé en 1960 par Horacio García-Rossi (né en 1929), Julio Le Parc (né en 1928), François Morellet (né en 1926), Francisco Sobrino (né en 1932), Joël Stein (né en 1926) et Yvaral (né en 1934). Il refuse la conception traditionnelle de l'œuvre d'art achevée et du créateur prophète pour tenter, par un travail collectif, d'élaborer des œuvres spatiales où les transformations et la participation active des spectateurs sont déterminantes. Il s'intéresse aux effets optiques, cinétiques*, tactiles (et à leurs rapports synesthésiques), pour créer des environnements, des jeux, des situations et des manifestations publiques, tels *le Labyrinthe* (IIIe biennale de Paris, 1963; New York, 1965) ou *la Journée dans la rue* (Paris, 1966). Les succès individuels et les divergences de ses membres aboutissent à la dissolution du groupe en 1968.

GROUPEMENT D'INTÉRÊT ÉCONOMIQUE (G. I. E.) → SOCIÉTÉ.

GROUPEMENT FONCIER AGRICOLE (G. F. A.). — Forme sociétaire de la propriété terrienne, le groupement foncier agricole est une société civile dont la création exige deux associés seulement (ils reçoivent des « parts sociales » en contrepartie de leurs apports), des apports constitués de biens (ou de droits) immobiliers ou de capitaux et une durée minimale de neuf années ou (si le G. F. A. donne ses biens en location) une durée égale à celle du bail consenti (il existe des baux de dix-huit et vingt-cinq ans).

GROUPE SANGUIN. — Les globules rouges humains contiennent les agglutinogènes A ou B, ou les deux à la fois, ou aucun d'entre eux. Ainsi se trouvent définis quatre groupes sanguins : A, B, AB, O. Chaque sang possède dans son plasma une agglutinine naturelle capable d'agglutiner des globules porteurs des agglutinogènes que ce sang ne possède pas. Le sang d'un individu ne contient jamais à la fois un agglutinogène et l'agglutinine correspondante. Il y a incompatibilité lorsque, au cours d'une transfusion, les hématies du donneur sont agglutinées du fait qu'elles sont mises en présence des agglutinines correspondantes contenues dans le plasma du receveur.

Dans le système Rhésus, des sujets dits *Rhésus négatifs* sont susceptibles de développer des agglutinines immunes contre les hématies des sujets dits *Rhésus positifs* (au cours de transfusions ou de grossesses). Il existe d'autres groupes sanguins moins importants (Lewis, Kidd, MNSs). Il existe aussi des groupes thrombocytaires, leucocytaires.

Les groupes sanguins sont transmis héréditairement, les agglutinogènes A, B et Rh + étant dominants, alors que leur absence (groupes O, Rh −) est transmise sur le mode récessif.

GROUSSET (René), orientaliste français (Aubais 1885 - Paris 1952). Directeur du musée Cernuschi (1933) puis du musée Guimet (1948), il a consacré d'importants travaux à l'histoire de l'Asie et de l'Extrême-Orient (*l'Empire des steppes,* 1939).

GROVE (*sir* George), musicographe anglais (Londres 1820 - *id.* 1900). Il a laissé son nom à un célèbre *Dictionary of Music and Musicians* (1879-1889; 6e édit. en cours).

GROZNYÏ, v. de l'U. R. S. S. (R. S. F. S. de Russie), au pied nord du Caucase, ch.-l. de la république autonome des Tchétchènes-Ingouches; 341 000 hab. Extraction et raffinage du pétrole.

GRUBER (Francis) → EXPRESSIONNISME.

GRUDZIADZ, v. du nord de la Pologne, sur la Vistule; 78 000 hab. Matériel agricole.

GRUE *(Zool.).* — La *grue cendrée* est le plus grand échassier de la faune française (hauteur : 1,40 m), ses formes sont gracieuses et longues, ses qualités psychiques sont élevées : extrême prudence, soins parentaux attentifs, fidélité des couples. Elle migre dès septembre, en vols groupés en V, jusqu'en Afrique et reparaît en mars. Il faut signaler aussi la *grue couronnée,* porteuse d'une belle aigrette, et la *grue de Numidie,* hôtes de nos jardins zoologiques.

GRUISSAN (11430), comm. de l'Aude, à 14 km au S.-E. de Narbonne, sur *l'étang de Gruissan;* 1 269 hab. Station balnéaire *(Gruissan-Plage),* sur la Méditerranée.

GRUNDTVIG (Nikolai), écrivain danois (Udby, près de Vordingborg, 1783 - Copenhague 1872). Pasteur, puis évêque luthérien de Sjaelland (1861), il fut, à l'époque romantique, le rénovateur de l'esprit national et religieux, par ses poèmes (*Roskilde-Rim,* 1812; *le Lys de Pâques,* 1817), ses cantiques (*Chants pour l'Église danoise,* 1837-1841) et ses études historiques. Ses conceptions religieuses ont donné naissance au *grundtvigianisme.*

GRÜNEWALD (Mathis GOTHARDT ou NITHARDT, dit **Matthias**), peintre allemand (? v. 1470/1475 - Halle 1528). Ses débuts restent obscurs; sa première œuvre connue, *la Dérision du Christ* (pinacothèque de Munich), date de 1503, et l'on sait qu'il exerce la charge de peintre de la cour de l'archevêque de Mayence de 1509 à 1526. Ses tableaux religieux, ses retables, et d'abord le monumental polyptyque de l'église des antonites d'Issenheim (v. 1513-1515, auj. au musée d'Unterlinden à Colmar), manifestent un réalisme mêlé de fantastique, soutenu par une riche palette et poussé dans la violence pathétique jusqu'à l'horreur et au monstrueux.

Grunwald *(bataille de)* ou **de Tannenberg,** bataille qui eut lieu entre ces deux localités de Pologne et au cours de laquelle l'armée polonaise du roi Ladislas II Jagellon écrasa celle des chevaliers Teutoniques, commandée par le grand maître Ulrich von Jungingen, qui y trouva la mort (15 juill. 1410).

GRUPPETTO → ORNEMENTATION MUSICALE.

GRUYÈRE → FROMAGE.

GRUYÈRES, comm. de Suisse (cant. de Fribourg), au-dessus de la Sarine, dans la *vallée de Gruyère,* renommée pour ses fromages; 1 234 hab. Château des XIIe-XVe s. Église du XIIIe s.

GSTAAD, station de sports d'hiver (alt. 1 100-3 000 m) de Suisse, dans les Alpes bernoises.

GUADALAJARA, v. d'Espagne, en Nouvelle-Castille, au N.-E. de Madrid; 32 000 hab. Palais de l'Infantado, chef-d'œuvre gothico-mudéjar par Juan Guas (fin XVe s.). Églises s'échelonnant du XIIIe s. mudéjar au baroque. — Victoire, en 1937, des républicains sur les milices italiennes engagées aux côtés des troupes franquistes. (V. ESPAGNE [*guerre d'*].)

GUADALAJARA, v. du Mexique, capit. de l'État de Jalisco; 1 194 000 hab. Cathédrale des XVIe-XVIIe s. Églises baroques. Monuments néoclassiques avec peintures murales par Orozco. Métallurgie.

GUADALCANAL, île volcanique de l'archipel des Salomon, à l'E. de la Nouvelle-Guinée; 6 470 km². Les Japonais, qui avaient occupé l'île en juillet 1942, en furent chassés par les Américains en février 1943, après six mois de très durs combats.

GUADALQUIVIR (le), fl. du sud de l'Espagne, qui passe à Cordoue et à Séville, et rejoint l'Atlantique au N. de Cadix; 680 km.

GUADALUPE, v. d'Espagne (Estrémadure), sur le versant sud-est de la *sierra de Guadalupe;* 4 100 hab. Monastère hiéronymite (XIVe-XVIIIe s.) aux riches décors, avec grand ensemble de Zurbarán dans la chapelle de S. Jerónimo.

GUADALUPE *(sierra de),* montagne de l'Espagne centrale, au S.-O. de Madrid; 1 740 m.

GUADARRAMA *(sierra de),* chaîne de montagnes d'Espagne, au N.-O. de Madrid, entre le Douro et le Tage, séparant la Vieille-Castille et la Nouvelle-Castille; 2 405 m.

GUADELOUPE [971], département français d'outre-mer, formé (avec ses dépendances) par l'une des Petites Antilles; 1 709 km²; 324 530 hab. *(Guadeloupéens).* Ch.-l. *Basse-Terre* (dans l'île du même nom). V. princ. *Pointe-à-Pitre* et *Les Abymes.*

GÉOGRAPHIE. Le département est constitué de la Guadeloupe proprement dite (qui comprend deux îles, Grande-Terre et Basse-Terre, couvrant au total 1 436 km²) et des îles ou archipels (les Saintes, Marie-Galante, Saint-Barthélemy, la Désirade et une partie de Saint-Martin). Grande-Terre (plus petite que Basse-Terre) est formée de plaines ou de plateaux dont l'altitude ne dépasse pas 135 m. Au contraire, et malgré son nom, Basse-Terre offre un relief accidenté, dominé par le volcan, actif, de la Soufrière (1 467 m). L'ensemble possède un climat tropical maritime pluvieux (avec des différences importantes de hauteurs de pluie selon l'exposition et la disposition des reliefs, au moins à Basse-Terre), avec passages fréquents de cyclones; une saison relativement sèche (le carême) s'étend de la fin de décembre à mai. Les températures demeurent constamment élevées, oscillant autour de 25 °C.

Le territoire agricole couvre plus de la moitié de la superficie totale. Il est surtout consacré à la canne à sucre (le sucre représente approximativement la moitié des exportations et le rhum, près du dixième), plus secondairement à la banane (le tiers des exportations). La patate, le manioc sont les principales cultures vivrières. L'industrie est limitée aux sucreries et aux rhumeries. Le tourisme est en essor, mais les ressources (et les envois des émigrés) ne compensent pas l'énorme déficit de la balance commerciale : le taux de couverture des exportations est seulement de l'ordre de 30 p. 100. La Guadeloupe ne survit qu'avec l'aide de la métropole et la situation ne cesse de s'aggraver avec l'accentuation de la pression démographique. La densité moyenne de population dépasse déjà 200 habitants au kilomètre carré dans la Guadeloupe proprement dite, et l'excédent naturel est encore supérieur à 1 p. 100 par an, bien que l'augmentation de population soit moindre, en raison de l'émigration intense vers la métropole.

HISTOIRE. Découverte en 1493 par Christophe Colomb, l'île n'est occupée par les Français qu'à partir de 1635. Les colons font appel, pour l'exploitation de la canne à sucre, et, subsidiairement du café et du coton, à des esclaves africains expédiés par la métropole. D'abord administrée par la Compagnie des Isles de l'Amérique puis (1664) par la Compagnie des Indes occidentales, la Guadeloupe est rattachée directement à la métropole en 1674. En 1775, l'île est administrativement détachée de la Martinique, ce qui favorise son essor économique. Supprimé de 1794 à 1802, l'esclavage est définitivement aboli en 1848 : cette mesure perturbe d'ailleurs l'exploitation du sucre, si bien que des Indiens sont appelés pour remplacer les anciens esclaves. En 1946, la Guadeloupe devient département français; depuis, un grave malaise économique, lié notamment au surpeuplement et à la baisse des exportations, alimente un mouvement favorable à l'autonomie, voire à l'indépendance de l'île.

GUADET (Julien), architecte et théoricien français (Paris 1834-*id.* 1908). Professeur à l'École nationale des beaux-arts, il forma de nombreux élèves à partir de 1871 et eut d'importants postes officiels. Malgré un esprit rationaliste, dont témoignent ses célèbres *Éléments et théorie de l'architecture,* il s'opposa farouchement à Viollet-le-Duc et, en définitive, concourut à prolonger le règne de l'académisme.

GUADIANA (le), fl. du sud-ouest de la péninsule Ibérique, qui sépare, dans son cours inférieur, l'Espagne et le Portugal, avant de rejoindre l'Atlantique; 801 km.

GUAIRA (La), v. du Venezuela, port de Caracas; 25 000 hab.

GUAM, principale île de l'archipel des Mariannes; 549 km^2; 85 000 hab. Ch.-l. *Agaña.* Découverte par Magellan en 1521, colonisée par les Espagnols, l'île est américaine depuis 1898. Prise par les Japonais dès décembre 1941, elle fut reconquise en août 1944 par les Américains, qui y ont aménagé une puissante base aéronavale et sous-marine.

GUANAJUATO, État du Mexique central. Capit. *Guanajuato.*

GUANTÁNAMO, v. du sud-est de Cuba, près de la *baie de Guantánamo;* 135 000 hab. Base navale concédée aux États-Unis en 1903.

GUARDAFUI ou **GARDAFUI,** cap à l'extrémité est de l'Afrique, à l'entrée du golfe d'Aden.

GUARDI, nom de deux peintres vénitiens, GIOVANNI ANTONIO (Vienne 1699-Venise 1760) et son frère FRANCESCO (Venise 1712-*id.* 1793). Qu'ils soient de l'un ou l'autre ou des deux artistes associés — on l'ignore —, leurs tableaux à grandes figures, surtout l'*Histoire de Tobie* (entre 1750 et 1780, église de l'Angelo Raffaele, Venise), frappent par leur brio, par leur touche frémissante qui réduit les formes à un papillotement de taches de couleur. Quant aux célèbres « vues » de Venise et aux petites toiles de « caprices », images composites inspirées par la poésie de la lagune, elles reviennent à Francesco, qui a transformé la scénographie rigoureuse de Canaletto pour y faire vibrer les jeux fugitifs de l'atmosphère, de l'eau et, surtout dans les toiles de fêtes vénitiennes, d'une foule de petits personnages prestement campés de quelques touches de pinceau.

GUARINI (Giambattista), poète italien (Ferrare 1538-Venise 1612), auteur d'*Il Pastor* Fido* (1590), tragi-comédie pastorale qui suscita les critiques des humanistes traditionnels.

GUARINI (Guarino), architecte italien (Modène 1624-Milan 1683). Moine théatin, philosophe et mathématicien, influencé par Borromini, il donne à Turin, où il s'installe en 1666, ses œuvres conservées les plus célèbres : coupole de la chapelle du Saint-Suaire de la cathédrale, église à plan central S. Lorenzo (1668-1679), palais Carignano, à façade ondulée. Maniant les figures géométriques selon un esprit gothique, il forme ses coupoles de réseaux d'arcs entrecroisés et fait s'interpénétrer les espaces dans une recherche de perspective et d'effets lumineux.

GUARNERIUS ou **GUARNERI** (les), luthiers crémonais du XVIIe et du XVIIIe s., dont les instruments se caractérisent par leur ample sonorité. Le plus célèbre de la dynastie, GIUSEPPE ANTONIO (Crémone v. 1687-*id.* v. 1745), communément appelé *Del Gesù* (parce que beaucoup de violons sortis de ses mains portaient sur l'étiquette cette marque « I. H. S. »), concurrença A. Stradivarius par la qualité de ses instruments, mais en construisit moins.

GUATEMALA, république de l'Amérique centrale, située au sud du Mexique; 108 889 km^2; 5 430 000 hab. *(Guatémaltèques).* Capit. *Guatemala.*

GÉOGRAPHIE. Entre la plaine côtière du Pacifique, au S. (Boca Costa) et la grande plaine de Petén, au N., qui a un débouché sur l'Atlantique, s'étend une zone montagneuse. Deux chaînes parallèles, surmontées de grands volcans, encadrent des hauts plateaux. Le climat s'étage avec l'altitude. Tropical humide sur les côtes couvertes par la forêt dense, il devient progressivement tempéré dans les montagnes.

La population, composée pour moitié d'Indiens, se concentre dans la Boca Costa et surtout sur les hauts plateaux (tandis que le Petén est quasiment vide); faiblement urbanisée, elle vit principalement de l'agriculture. La polyculture vivrière (maïs, haricots) est pratiquée dans de petites exploitations indigènes. Mais les grandes plantations héritées de l'époque coloniale fournissent du café, de la canne à sucre et des bananes, principaux produits d'exportation. Le potentiel hydroélectrique commence à être exploité, mais l'activité industrielle, concentrée à Guatemala, reste insignifiante. L'économie est fortement tributaire des États-Unis — qui contrôlent l'essentiel de la production — et a souffert des conséquences d'un désastreux tremblement de terre en 1976.

HISTOIRE. Héritier du prestigieux empire des Mayas*, conquis par Hernán Cortés au XVIe s., le Guatemala espagnol devient une capitainerie générale qui dépend du vice-roi de Mexico. Épargné par les guerres civiles qui ravagent le Mexique entre 1810 et 1821, il reconnaît l'autorité d'Agustín de Iturbide*, empereur du Mexique en 1822, mais qui est déposé dès 1823. Alors le Guatemala, par l'action d'un petit groupe d'aristocrates créoles, se détache du Mexique pour devenir l'un des éléments des Provinces-Unies de l'Amérique centrale (1824). Dès 1839, celles-ci se disloquent et le Guatemala devient indépendant, son premier président étant Rafael Carrera († 1865). Se développant dans la zone d'influence du Mexique, le Guatemala connaît, avec un temps de retard, les mêmes problèmes politiques. Quand triomphe, en 1867, la Réforme mexicaine, il passe aux mains des libéraux, qui restent au pouvoir, nominalement, jusqu'en 1944. La présidence de Manuel Estrada Cabrera, de 1898 à 1920, correspond au réveil économique lié, notamment, à la culture du café : cette prospérité attire les étrangers — Allemands et Américains surtout —, dont la présence et l'emprise (empire bananier de l'*United Fruit Company*) favorisent le maintien de régimes autoritaires (dictature du général Jorge Ubico de 1931 à 1944). Le progressisme de Jacobo Arbenz Gusmán (de 1951 à 1954) se heurte aux mêmes puissances financières et les présidents qui succèdent à Arbenz doivent s'appuyer sur les Américains et les conservateurs. Face à une opposition insurrectionnelle qui se développe à partir de 1960, les militaires continuent à monopoliser en fait les fonctions publiques dans le pays.

GUAYAQUIL, principale ville et port de l'Équateur, sur le Pacifique; 836 000 hab.

GUAYASAMIN (Oswaldo), peintre équatorien (Quito 1919). Influencé par l'expressionnisme et par le muralisme* mexicain, il exprime à l'aide d'une plastique violente et simplifiée, dans ses grandes séries du *Chemin des larmes* (1945-1952) et de l'*Âge de la colère* (1962-1971), la misère ou le martyre du continent sud-américain.

GUBBIO, v. d'Italie (Ombrie), au N.-E. de Pérouse; 33 000 hab. La ville a gardé son aspect médiéval et ses nombreux monuments, religieux et civils (palais des consuls : musée); elle fut un centre de production de la majolique (fin XVe-XVIe s.).

GUDERIAN (Heinz), général allemand (Kulm 1888-Schwangau 1954). Créateur de l'arme blindée allemande (1935), il commande un corps (1939-40) puis une armée blindés (1941). Chef d'état-major de l'armée de terre (1944-45). Auteur d'ouvrages sur les chars, de Mémoires (1951) et d'études sur la défense de l'Europe et le réarmement de l'Allemagne fédérale (1950-51).

GUDULE *(sainte),* patronne de Bruxelles († v. 712). Brabançonne de haut lignage, élevée à l'abbaye de Nivelles, elle mène une vie de piété et de charité. Ses restes, déposés à Bruxelles dans l'église qui porte son nom, ont disparu au cours des guerres de Religion.

GUÈBRES, adeptes de la religion de Zarathushtra* en Iran. Ils sont descendants des Perses qui, après l'islamisation du pays au VIIe s., restèrent fidèles à la religion mazdéenne.

GUEBWILLER (68500), ch.-l. d'arr. du Haut-Rhin, sur la Lauch, à 23 km au N.-O. de Mulhouse; 11 357 hab. Remarquables églises Saint-Léger (XIIe-XIVe s.) et Notre-Dame (XVIIIe s.). Musée dans l'anc. église des dominicains (XIVe s.). Aux environs, puissants restes de l'abbatiale romane de Murbach. Industries mécaniques et textiles.

GUEBWILLER *(ballon de)* ou **GRAND BALLON,** point culminant des Vosges; 1 424 m.

GUELDRE (la), prov. de l'est des Pays-Bas; 1 601 000 hab. Ch.-l. *Arnhem.* Ancienne seigneurie apparue au XIe s. et érigée en comté (1061), puis en duché (1339), la Gueldre passe à Charles le Téméraire en 1471. En 1492, elle retrouve son indépendance, avant d'être annexée aux États flamands de Charles Quint (1543). En 1578, le nord du pays est rattaché aux Provinces-Unies; le Sud, partagé entre l'Autriche et la Prusse, en 1713, ne sera incorporé aux Provinces-Unies qu'en 1814.

guelfes et gibelins, partis politiques italiens qui s'opposèrent du XIIIe au XVe s. et dont l'origine se situe dans l'Allemagne déchirée entre deux grandes familles rivales : les Welfs* *(guelfes),* ducs de Bavière, et les Hohenstaufen*, ducs de Souabe et seigneurs de Waiblingen (d'où le mot *gibelins*). Avec Frédéric Barberousse (de 1152 à 1190), les Hohenstaufen l'emportent, mais leurs ambitions italiennes, leur prétention à faire échec à la suprématie pontificale et aux visées angevines sur Naples et sur la Sicile tendent à transférer le vieil antagonisme allemand vers l'Italie, déchirée par les luttes entre cités. Tandis que les partisans italiens des empereurs Hohenstaufen prennent le nom de « gibelins », les opposants à la restauration de l'autorité impériale, alliés de la papauté et des Angevins, adoptent celui de « guelfes ». Ainsi, dans la plupart des cités, deux factions rivales se disputent le pouvoir; en outre, les rivalités séculaires opposant deux cités entre elles se traduisent presque toujours par l'adoption par l'une de l'étiquette que l'autre combat : ainsi Florence est guelfe contre ses rivales gibelines, Pise et Sienne; de même Milan, contre Crémone et Pavie.

GUELMA, v. d'Algérie, à l'E. de Constantine; 36 000 hab. Céramique. Constructions mécaniques. Sucrerie.

GUELPH, v. du Canada (Ontario), au S.-O. de Toronto; 60 087 hab. Université.

GUÉMENÉ-PENFAO (44290), ch.-l. de cant. de la Loire-Atlantique, à 20 km à l'E. de Redon; 4 591 hab.

GUÉMENÉ-SUR-SCORFF (56160), ch.-l. de cant. du Morbihan, à 21 km à l'O. de Pontivy; 2 061 hab. Spécialité d'andouilles.

GUÉNANGE (57310), comm. de la Moselle, sur la Moselle, à 8 km au S. de Thionville; 9 399 hab.

GUÉPARD. — Le guépard est le meilleur coureur de tous les félins et le seul dont les griffes ne soient pas rétractiles. À l'état domestique, il a à tous égards un comportement de chien et peut rendre les mêmes services que celui-ci. Depuis l'Antiquité, on l'a utilisé pour la chasse, d'abord en Asie, sa région d'origine, puis en Europe au Moyen Âge. Le guépard s'est aussi répandu en Afrique, où il vit à l'état sauvage.

GUÊPE. — C'est par le régime alimentaire de leurs larves, qui sont carnivores, que les guêpes se distinguent des autres hyménoptères. Les espèces solitaires (sphex, ammophile) paralysent des proies, qu'elles livrent à leur couvée. Mais les guêpes, au sens strict du mot, sont des espèces sociales. Au printemps, une *fondatrice* (femelle fécondée) construit un très petit nid de papier (bois mâché et feutré), où elle pond ses premiers œufs. Un mois plus tard, les *ouvrières* naissent et la remplacent dans ses activités : construction du nid (rayons horizontaux, alvéoles tournés vers le bas) et chasse aux proies pour les larves. Les mouches sont les principales victimes des guêpes, qui sont donc des animaux utiles, bien que les guêpes adultes dévorent beaucoup de fruits. Faute de provisions, la société meurt à l'automne, à l'exception de quelques fondatrices. Notre pays héberge trois espèces de guêpes : le *frelon,* très gros, au nid géant; la *guêpe germanique,* au nid souterrain; la *poliste,* au nid aérien minuscule et dépourvu d'enveloppes protectrices. Ces trois espèces ont l'abdomen rayé de jaune vif et de noir et une taille très fine; leur venin est redoutable. (Famille des vespidés.)

Guepeou → KGB.

Guêpes *(les),* comédie d'Aristophane, représentée à Athènes en 422 av. J.-C., imitée par Racine *(les Plaideurs).* L'auteur y raille l'humeur processive des Athéniens et l'organisation de leurs tribunaux.

GUÊPIER. — Parmi les rares oiseaux qui creusent un terrier, l'un des plus remarquables est le *guêpier (Merops),* qui vit en société nombreuse dans les coteaux sablonneux du Midi, où il pratique des galeries souterraines pouvant atteindre 2 m de long et desservant une ou deux chambres. Ce bel oiseau au plumage bigarré, au long bec, presque sans cou, se nourrit surtout d'abeilles et de guêpes, ce qui le rend nuisible. (Type de la famille des *méropidés.*)

GUÉPRATTE (Émile), amiral français (Granville 1856-Brest 1939). Il se distingua à la tête de la division navale française aux Dardanelles (1915).

GUER (56380), ch.-l. de cant. du Morbihan, à 22 km à l'E. de Ploermel; 7 335 hab.

GUÉRANDE (44350), ch.-l. de cant. de la Loire-Atlantique, à 6 km au N. de La Baule-Escoublac; 8 001 hab. Enceinte du XVe s. Collégiale des XIIe-XVIe s.

Guérande *(traité de),* traité qui mit fin, le 12 avril 1365, à la guerre de la Succession de Bretagne. Moyennant l'hommage au roi de France, Jean IV de Montfort fut reconnu duc de Bretagne, à la condition que, s'il n'avait pas d'héritier mâle, le duché passerait à la descendance de Jeanne de Penthièvre, veuve de Charles de Blois.

GUÉRANGER (*dom* Prosper), bénédictin français (Sablé 1805-Solesmes 1875). Restaurateur de l'ordre bénédictin* en France dans le monastère de Solesmes, dont il est, en 1837, le premier abbé, dom Guéranger est à l'origine du mouvement liturgique qui a consacré le triomphe de la liturgie romaine en France aux dépens des divers rites gallicans.

GUERCHE-DE-BRETAGNE (La) [35130], ch.-l. de cant. d'Ille-et-Vilaine, à 22 km au S. de Vitré; 3 810 hab. Église des XVe-XVIe s.

GUERCHE-SUR-L'AUBOIS (La) [18150], ch.-l. de cant. du Cher, à 21 km à l'O. de Nevers; 3 682 hab. Église des XIIe et XVe s. Constructions mécaniques.

GUERCHIN (Giovanni Francesco BARBIERI, dit **le**), peintre italien (Cento 1591-Bologne 1666). Formé par les Carrache, mais aussi attiré par le luminisme des Vénitiens et par l'art du Caravage, il préfigure dès 1621 l'expression baroque (plafond de *l'Aurore* au casino Ludovisi à Rome) avant de retrouver les règles académiques. Recueillant l'héritage de Guido Reni à Bologne en 1642, il atteint un extrême raffinement dans des toiles comme *Saint Pierre martyr* (pinacothèque de Bologne).

GUÉRET (23000), ch.-l. du départ. de la Creuse, à 346 km au S. de Paris; 16 147 hab. *(Guérétois).* Église du XIIIe s., reconstruite au XIXe. Hôtel de Moneyroux (XVe-XVIe s.). Musée dans un hôtel du XVIIIe s.

GUERICKE (Otto VON), physicien allemand (Magdeburg 1602-Hambourg 1686). Bourgmestre pendant trente ans de sa ville natale, il inventa vers 1650 une machine pneumatique et entreprit des expériences sur les effets du vide, montrant que le son ne peut s'y propager et que les corps enflammés s'y éteignent. Sa célèbre expérience des *hémisphères de Magdebourg* (1654) mit en évidence la pression atmosphérique. Guericke imagina la première machine électrostatique et tira des étincelles de son globe de soufre, ce qui l'amena à concevoir la nature électrique des phénomènes orageux.

GUÉRIGNY (58130), ch.-l. de cant. de la Nièvre, sur la Nièvre, à 14 km au N. de Nevers; 2 481 hab.

GUÉRIN (Gilles), sculpteur français (Paris 1606-*id.* 1678). Il travailla pour de nombreux châteaux (le Louvre, Maisons, Versailles) et exécuta des sculptures religieuses et des tombeaux (priant du duc de La Vieuville, Louvre).

GUÉRIN (Pierre Narcisse, *baron*), peintre français (Paris 1774-Rome 1833). Élève de J.-B. Regnault, héritier de David, il est un des meilleurs artistes de la seconde période néoclassique — sévère et expressif d'abord, puis un peu mièvre — et assure par son professorat, à Paris puis à l'Académie de France à Rome, la transition avec la génération suivante, romantique ou éclectique.

GUÉRIN (Eugénie DE), femme de lettres française (château du Cayla, près d'Albi, 1805-*id.* 1848), auteur de *Lettres* et d'un *Journal,* où s'expriment ses convictions religieuses et son sens du pittoresque familier. — Son frère MAURICE (château du Cayla 1810-*id.* 1839) subit l'influence de La Mennais et mêla les thèmes panthéistes à l'inspiration chrétienne dans un poème en prose, *le Centaure* (1840).

GUÉRIN (Camille), vétérinaire français (Poitiers 1872-Paris 1961), créateur, avec Calmette, de la méthode de vaccination contre la tuberculose (B.C.G.).

GUERNESEY, en angl. **Guernsey,** l'une des îles Anglo-Normandes, au N.-O. de Jersey; 63 km^2; 51 000 hab. Ch.-l. *Saint-Pierre.* Cultures maraîchères, fruitières et florales. Tourisme.

Guernica, titre d'une grande toile en noir, gris et blanc de Picasso (3,50 × 7,80 m, en dépôt au musée d'Art moderne de New York). Cette toile résulte d'une commande (janv. 1937) du gouvernement espagnol pour son pavillon à l'Exposition internationale de Paris; le sujet fut fourni au peintre par le bombardement de la ville basque le 26 avril 1937. La peinture, que Picasso renonça à mettre en couleurs — et qui rappelle ainsi le média des photos de presse de l'époque —, occupait le 4 juin 1937 l'emplacement prévu. Elle fut mal reçue, du fait de son esthétique, par certains milieux de gauche. Multiples sont ses sources dans l'histoire de l'expression plastique (de schèmes archaïques et primitifs à la peinture classique), à l'intérieur de l'œuvre du peintre (cubisme, automatisme, thèmes tauromachiques) ainsi que dans un vaste fonds symbolique ancestral dont Picasso fait un maniement plus ou moins conscient et qu'il est difficile de déchiffrer complètement. Composée

Guernica, de Picasso. (Musée d'Art moderne, New York.)

Salmer - C. E. D. R. I.

partir d'un puzzle de formes démantelées, l'œuvre, avec tout son mystère, répercute immédiatement ce que fut l'émotion du peintre (évidente dans les nombreux dessins préparatoires) devant l'événement.

GUERNICA Y LUNO, v. d'Espagne, au N.-E. de Bilbao; 15 000 hab. Ville sainte du Pays basque espagnol, ancienne capitale politique de la Biscaye, la ville fut détruite par l'aviation allemande pendant la guerre civile espagnole (26 avr. 1937).

GUÉROULT (Martial), philosophe français (Le Havre 1891-Paris 1976). Professeur à la Sorbonne, puis au Collège de France (1951), il s'attache à démonter la technologie des systèmes philosophiques dans *l'Évolution et la structure de la doctrine fichtéenne de la science* (1930), *Descartes selon l'ordre des raisons* (1953) et *Spinoza* tome I, *Dieu (Éthique I)* [1968], et tome II, *l'Âme (Éthique II)* [1974].

GUERRE. — Épreuve de force entre peuples ou entre deux partis d'un même pays, qui cherchent soit à conquérir par la violence ce qu'ils n'ont pu obtenir autrement, soit à se défendre contre les prétentions d'un adversaire, la guerre a connu les formes les plus diverses. Traduisant la position géographique des peuples, la force et la technicité de leurs armées, elle demeure toujours un acte politique, « la continuation de la politique avec introduction d'autres moyens » selon Clausewitz*. À la *guerre de siège* des XVIIe et XVIIIe s., menée par des armées peu nombreuses et à laquelle le pays participe peu, succède, avec la Révolution française, la *guerre des peuples* qui aboutit, au cours des deux *guerres mondiales,* à la *guerre totale,* conçue par les pangermanistes allemands à la fin du XIXe s. Elle se donne pour but l'anéantissement de l'adversaire et s'accompagne d'une *guerre idéologique* et *économique* visant à amoindrir ses possibilités morales et matérielles de résistance. Avec la bombe atomique d'Hiroshima naît en 1945 la *guerre nucléaire,* dont la menace domine désormais la stratégie internationale. Mais, si l'excès même de puissance de l'arme nucléaire éloigne l'éventualité de son emploi, il favorise indirectement la multiplication des *guerres limitées,* qui, sans utiliser d'armes chimiques ni nucléaires, demeurent des conflits *classiques* ou *conventionnels.* Ceux-ci mettent cependant en œuvre des armements* d'une technologie de plus en plus élaborée et d'un prix de plus en plus élevé. À la *guerre éclair* de l'école allemande de 1939, dont la force* de frappe est le couple char-avion, s'ajoute aujourd'hui la *guerre électronique,* par laquelle on s'efforce de paralyser les transmissions radioélectriques de l'adversaire, voire le fonctionnement de certaines de ses armes. Enfin, de la dimension idéologique des guerres et de l'importance essentielle des opinions publiques sont nées au XXe s. :

— la *guerre psychologique,* où chacun cherche par les moyens les plus divers à influencer le comportement des populations ou des armées adverses;

— la *guerre subversive,* qui est une action concertée prenant souvent la forme de guérilla pour paralyser l'exercice de l'autorité publique chez l'adversaire.

Dépassant les deux types précédents, la *guerre révolutionnaire,* élaborée par les marxistes-léninistes, vise à provoquer, à contrôler et à exploiter tout mouvement de masse en vue de prendre le pouvoir par un contrôle physique des populations. Depuis le XXe s., la guerre a fait l'objet d'études de plus en plus poussées; dans son aspect général, l'*art de la guerre* ressortit à la stratégie; en son analyse sociologique, il est le thème d'une science nouvelle, la *polémologie.* (V. ARMÉE, ARMEMENT, DÉSARMEMENT, STRATÉGIE.)

guerre *(croix de),* décorations commémorant les citations individuelles ou collectives. (En France, il existe trois croix de guerre : celle de 1914-1918, celle de 1939-1945 et celle des théâtres d'opérations extérieures, créée en 1921.)

guerre *(De la),* œuvre de K. von Clausewitz (1816-1830), dans laquelle le stratège expose les raisons qui font de la guerre la « continuation de la politique par d'autres moyens » et de la défense une forme de guerre supérieure à l'offensive.

GUERRE (lois de la). — On entend par lois de la guerre la réglementation qui est applicable — en temps de conflits armés entre deux ou plusieurs États — à la conduite des hostilités et, en ce qui concerne les non-belligérants, au traitement des personnes et des biens se trouvant sur les territoires occupés par l'ennemi. Ces lois ont pour objet d'atténuer les souffrances dues aux conflits armés et, si possible, d'humaniser la guerre.

Cette réglementation s'est déployée en deux orientations majeures : l'interdiction d'employer certaines armes (déjà la déclaration de Saint-Pétersbourg, en 1868, reflète ce souci) et l'amélioration du traitement des victimes de la guerre. Cette préoccupation apparaît dès 1864 et a abouti à l'élaboration de nombreuses conventions postérieures.

Des textes affirment et précisent la distinction entre objectifs militaires et objectifs non militaires. Peuvent être seuls considérés comme objectifs militaires ceux qui, par leur nature ou leur utilisation, contribuent réellement à une action militaire, leur destruction améliorant la situation du belligérant qui les détruit. Est affirmée de même la distinction entre combattants et non-combattants (personnel de santé, aumôneries, etc.), destinée à assurer la protection des populations civiles, distinguées des forces armées, ainsi que des blessés et des malades, qui seront recueillis et soignés.

guerre de 1870-71 → FRANCO-ALLEMANDE *(guerre).*

guerre de Troie n'aura pas lieu *(La),* pièce en deux actes de Giraudoux (1935). Toutes les ruses et toutes les concessions des diplomates ne peuvent empêcher le conflit que déclenche le poète officiel, qui ne veut pas avoir écrit son chant de guerre pour rien.

Guerre et Paix, roman de Léon Tolstoï, écrit entre 1865 et 1869, et publié en 1878. Avec pour toile de fond les deux guerres de la Russie (1805 et 1812) contre Napoléon, un tableau de la haute société russe qui permet à l'auteur d'exprimer sa philosophie et sa sympathie pour ceux qui ont renoncé à toute conception agressive de l'existence.

Guerre folle, nom donné à la révolte des grands féodaux (1485-1488), dirigée contre Anne de Beaujeu, régente du royaume, et animée par Louis II, duc d'Orléans, et François II, duc de Bretagne. Le conflit s'acheva par la défaite des révoltés à Saint-Aubin-du-Cormier (27 juill. 1488).

Guerre mondiale *(Première),* conflit qui, de 1914 à 1918, oppose l'Allemagne et l'Autriche-Hongrie, rejointes par la Turquie (1914) et la Bulgarie (1915), à la Serbie, à la France, à la Russie, à la Belgique et à la Grande-Bretagne, alliées au Japon (1914), à l'Italie (1915), à la Roumanie et au Portugal (1916), enfin aux États-Unis, à la Grèce, à la Chine et à plusieurs États sud-américains (1917).

La politique mondiale de l'Allemagne, son expansion économique et navale, notamment dans le Proche-Orient *(Drang nach Osten),* l'antagonisme germano-slave dans les Balkans et la course aux armements conduite par les deux blocs de la *Triple-Alliance* (Allemagne, Autriche-Hongrie, Italie) et de la *Triple-Entente* (France, Grande-Bretagne, Russie) ont créé en Europe, au lendemain des guerres balkaniques (1912-13), un état de tension que le moindre incident peut transformer en conflit armé. L'assassinat, par un étudiant bosniaque, le 28 juin à Sarajevo, de l'archiduc

◁ FRONTS FRANÇAIS

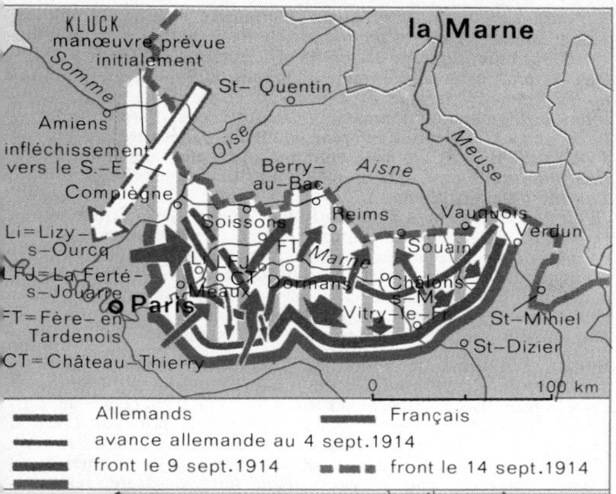
la Marne
KLUCK
manœuvre prévue initialement
infléchissement vers le S.-E.
Somme
Amiens
St- Quentin
Oise
Aisne
Meuse
Berry-au-Bac
Compiègne
Soissons
Reims
Vauquois
Verdun
Souain
Marne
Châlons-s-M.
Dormans
Vitry-le-F.
St-Mihiel
St-Dizier
Meaux
Paris
Li=Lizy-s-Ourcq
LFJ=La Ferté-s-Jouarre
FT=Fère-en Tardenois
CT=Château-Thierry
0 100 km
Allemands
Français
avance allemande au 4 sept.1914
front le 9 sept.1914
front le 14 sept.1914

1915-1916
Ostende
Flandres
Ypres
Lille
Artois
N.-D. de Lor.
Lens
Arras
BRUXELLES
P.-B.
BELGIQUE
Liège
ALLEMAGNE
Cambrai
la Somme
Moselle
St-Quentin
Mézières
LUX.
Meuse
La Fère
Laon
Montdidier
Compiègne
Soissons
Reims
Verdun
Berry-au-Bac
Thionville
Champagne
Metz
Meaux
PARIS
Châlons-s-M.
St-Mihiel
Alsace-Lorraine
Nancy
Argonne
les Éparges
0 100 km
front stabilisé
batailles de 1915
batailles de 1916

1917-1918
Gand
Escaut
BELGIQUE
Ypres
P.-B.
A
Lille
Liège
Lens
Mons
Meuse
ALLEMAGNE
Arras
Maubeuge
Cambrai
Amiens
B
St-Quentin
Sedan
LUX.
Moselle
La Fère
Montdidier
Laon
Chemin des Dames
Stenay
Oise
Soissons
Thionville
Compiègne
C
Reims
Metz
Meaux
Marne
Epernay
Verdun
Alsace-Lorraine
PARIS
St-Mihiel
Seine
FRANCE
0 100 km
repli allemand de 1917
batailles de 1917
1918 front après les offensives Ludendorff
A- Flandres B- Montdidier C- Château-Thierry
CONTRE-OFFENSIVES DE FOCH
26 juill.
13 oct.
4 nov.
11 nov. 1918

FRONTS D'EUROPE ET DU MOYEN-ORIENT

▽

OFFENSIVES
Alliés
Empires centraux
1914
1915
1916
1917
1918
FRONTS
nov. 1914
déc. 1915
1916
1917
PAYS-BAS
ALLEMAGNE
Berlin
OFFENSIVES ALLEMANDES 1915
Tannenberg
Riga
Prague
POLOGNE
Łodź
Brest-Litovsk
Gorlice
Vienne
RUSSIE
AUTRICHE-
GALICIE
Lwów
Pinsk
Budapest
OFFENSIVE FALKENHAYN sept. 1916
OFFENSIVE BROUSSILOV juin-août 1916
HONGRIE
Czernovitz
Belgrade
Iaşi
Siret
DATES D'ENTRÉE EN GUERRE
BULGARIE 5 oct. 1915
ROUMANIE 28 août 1916
GRÈCE 30 juin 1917
MONTENEGRO
SERBIE
ROUMANIE
ALBANIE
Sofia
Bucarest
BULGARIE
Salonique
MACKENSEN
GRÈCE
Constantinople
DARDANELLES avr. 1915-janv. 1916
SALONIQUE oct. 1915
Trébizonde (avr. 1916)
EMPIRE
Erzurum (fév. 1916)
Tigre
Alep (25 oct. 1918)
Mossoul (4 nov. 1918)
Chypre (G.-B.)
Beyrouth
OTTOMAN
Euphrate
Damas (1er oct. 1918)
Bagdadieh
Le Caire
Gaza
Jérusalem
ÉGYPTE
Suez
offensive Allenby (oct.-déc. 1917)
Bagdad
Raids germano-turcs sur le canal de Suez févr. 1915 août 1916
N
0 500 km

héritier François-Ferdinand d'Autriche fait office de détonateur. Un mois après, l'Autriche-Hongrie, poussée par Guillaume II, qui lui a accordé dès le 15 juillet un véritable « chèque en blanc », déclare la guerre à la Serbie. Le système des alliances entre alors en jeu, et, en quelques semaines, les pays des deux camps antagonistes se trouvent en guerre, à l'exception de l'Italie, qui proclame sa neutralité. L'Allemagne pense être en mesure de pratiquer une « guerre éclair » : profitant de sa position centrale, elle a choisi (plan Schlieffen) de détruire en quelques semaines l'armée française et d'attaquer ensuite, toutes forces réunies, la Russie, colosse aux pieds d'argile, très lente à se mobiliser. Guillaume II comme son chancelier Bethmann-Hollweg et le chef du grand état-major, Moltke, sont peut-être plus surpris par l'entrée en guerre de la Grande-Bretagne, à laquelle ils ne croyaient pas, que par la défection de l'Italie.

• *1914. L'ÉCHEC DU PLAN ALLEMAND.* Violant la neutralité belge, les Allemands s'emparent d'abord de Liège (7-16 août), puis de Charleroi (21-23 août) et de Mons (23 août). Ils gagnent ensuite la bataille des frontières françaises, notamment en Lorraine (Morhange) et dans les Ardennes (20-23 août), puis contraignent les armées françaises et l'armée britannique de French à battre en retraite sur l'Aisne, puis au sud de la Marne. Mais, du 6 au 13 septembre, Joffre, aidé par Gallieni, gouverneur de Paris, réussit, par la victoire de la Marne*, à stopper l'invasion, ce qui provoque le remplacement de Moltke par Falkenhayn (14 sept.).

les déclarations de guerre (juill.-nov. 1914)

• 28 juillet : Autriche-Hongrie à la Serbie.

• 1er août : Allemagne à la Russie; 3 août : Allemagne à la France; 4 août : Grande-Bretagne à l'Allemagne; 5 août : Autriche-Hongrie à la Russie; 23 août : Japon à l'Allemagne; 2 novembre : Russie à la Turquie; 3 novembre : France et Grande-Bretagne à la Turquie.

Après les combats de la *Course à la mer* et de la *mêlée des Flandres** (sept.-nov.) où se distingue Foch, qui coordonne au nom de Joffre la résistance des Belges, des Britanniques et des Français, un front de 750 km se stabilise de la mer du Nord à la Suisse.

Fronts russes. En Prusse-Orientale, les Russes, qui ont pris l'offensive, sont arrêtés par Hindenburg à Tannenberg (26 août), mais, en Galicie, ils s'emparent de Lvov (3 sept.) et obligent les Austro-Hongrois à se replier sur les Carpates, où le front se stabilise (nov.). En Serbie, les Austro-Hongrois sont partout repoussés et les Serbes rentrent à Belgrade (13 déc.).

Guerre navale. Les Alliés, qui ont la supériorité grâce à la Grande-Bretagne, acquièrent la maîtrise des mers et imposent un blocus aux Empires centraux, qu'ils veulent « asphyxier ». Après avoir battu les Britanniques au large du cap Coronel (1er nov.), l'escadre allemande du Pacifique (M. von Spee), qui reste seule à la mer, est détruite aux Falkland (8 déc.).

Noël 1914. Sans avoir obtenu par les armes la décision rapide espérée à l'ouest, l'Allemagne doit accepter un front oriental, mais elle conserve l'initiative. La France, dont les riches provinces du Nord et de l'Est sont occupées, voit son potentiel humain et économique diminuer. Elle perd notamment 93 hauts fourneaux sur 123, 90 p. 100 de son minerai de fer et 40 p. 100 de son charbon. Une guerre d'un type entièrement nouveau s'installe, qui touche l'ensemble des populations. Elle s'annonce longue et totale sur les plans économique, diplomatique et surtout moral.

• *1915. L'ANNÉE INDÉCISE.* Constatant l'échec du plan Schlieffen, Falkenhayn décide d'éliminer d'abord la Russie pour se retourner ensuite contre la France et la Grande-Bretagne. En mai, les Allemands, aidés au sud par les Austro-Hongrois, portent à Gorlice, en Galicie, un coup décisif aux Russes, qui doivent évacuer la Pologne, et se rétablissent en septembre sur une ligne allant de Riga à la frontière roumaine (Tchernovtsy).

Dans les Balkans. L'opération lancée en février et en mars par les Alliés, à la demande de la Grande-Bretagne, poussée par Churchill, pour forcer les Dardanelles, tendre la main aux Russes et isoler les Turcs, qui menacent un moment Suez, se traduit par un échec. L'entrée en guerre de la Bulgarie (5 oct.) entraîne l'effondrement de la Serbie, qui est conquise. Finalement, les Alliés débarquent à Salonique (oct.), dans une Grèce neutre, mais partagée entre sympathisants alliés (Venizélos) et sympathisants allemands (le roi Constantin est le beau-frère de Guillaume II).

À l'ouest. Il s'agit avant tout pour les Français de libérer leur territoire en opérant la « percée » d'un front qui passe à 90 km de Paris, mais les attaques menées en Champagne (févr., mars, sept.) et en Artois (mai, sept.) échouent. Elles sont très meurtrières, en particulier pour l'infanterie française, mais, en maintenant à l'ouest les deux tiers des forces allemandes, elles contribuent à éviter un effondrement des Russes.

Guerre navale et autres fronts. L'offensive sous-marine allemande, amorcée en 1914 pour lutter contre le blocus et ruiner le commerce britannique, se déclenche officiellement en février 1915. Mais les protestations américaines, à la suite du torpillage, le 7 mai, du paquebot britannique *Lusitania,* transportant des passagers américains, obligent l'Allemagne à ajourner pour l'instant cette forme de guerre. L'entrée en scène de l'Italie, qui déclare la guerre à l'Autriche-Hongrie (20 mai), entraîne la formation d'un nouveau front du Trentin au Karst. En juillet, les Britanniques occupent le Sud-Ouest africain allemand.

Bilan. L'Allemagne a bien écarté tout danger sur son front est, mais la Russie est toujours debout; par trois fois, le tsar a refusé les offres allemandes de paix séparée, ce qui conduit Berlin à jouer désormais la carte de la révolution en Russie. Les entreprises des Alliés ont été décevantes, et il leur apparaît indispensable de coordonner leurs efforts. Un premier pas dans ce sens est obtenu par Joffre à la conférence interalliée de Chantilly (déc.).

• *1916. L'ANNÉE DE VERDUN.* S'étant donc résolu à laisser « pourrir » la situation en Russie, Falkenhayn décide d'éliminer l'armée française, instrument sur le continent de la puissance de la Grande-Bretagne, considérée comme l'adversaire principal. C'est ainsi que, du 21 février à la mi-août, les Allemands recherchent la décision à Verdun par l'épuisement des ressources en hommes de l'armée française, qui, au cours d'une lutte sanglante, résiste victorieusement sous le commandement des généraux Pétain et Nivelle. D'octobre à décembre, les contre-offensives de Mangin dégagent complètement la ville (reprise de Douaumont et de Vaux). Cette bataille n'empêche pas Joffre et Haig de déclencher, de juillet à octobre, une offensive sur la Somme, où les Britanniques utilisent pour la première fois des chars à Flers (15 sept.).

À l'est. Pour soulager Verdun et permettre l'offensive alliée sur la Somme, les Russes, conduits par Broussilov, remportent en Galicie et en Bucovine (juin-août) une brillante victoire, qui sera la dernière de l'armée du tsar. En outre, l'entrée en guerre de la Roumanie au côté des Alliés (28 août) menace le ravitaillement en blé et en pétrole de l'Allemagne, et entraîne la relève de Falkenhayn. Hindenburg et Ludendorff remplacent celui-ci et le chargent de conquérir la Roumanie (ce qu'il fait en trois mois), tandis qu'à Verdun ils décident de passer sur la défensive.

L'impasse de la guerre d'usure. Dans les Balkans, l'armée serbe, reconstituée à Corfou, attaque avec les Alliés en Macédoine et s'empare de Monastir (Bitola, 19 nov.). Au Moyen-Orient, le roi du Hedjaz, Ḥusayn, conseillé par l'Anglais Lawrence, soulève l'Arabie contre les Turcs. Ces derniers contraignent les Britanniques à capituler à Kūt al-ʿAmāra (28 avr.) et renouvellent leur attaque sur Suez. En Allemagne, l'opposition de Bethmann-Hollweg, qui redoute de voir le nombre des ennemis du Reich augmenter, empêche la relance de la guerre sous-marine. La flotte de haute mer allemande de l'amiral Scheer affronte au Jutland (31 mai) la « Grand Fleet » britannique de Jellicoe. Malgré leur succès relatif les Allemands n'oseront jamais plus faire sortir leur flotte : pour eux, désormais, seul l'emploi massif des sous-marins pourra être décisif.

À la fin de 1916, malgré son échec de Verdun, l'Allemagne conserve encore l'initiative et va chercher à obtenir la décision par d'autres formes de guerre. Dans les deux camps, les pertes ont été considérables et des crises de commandement ont été la conséquence de cette guerre d'usure. Tous les espoirs de l'Allemagne s'incarnent en Hindenburg, et, en France, Joffre a dû céder la place à Nivelle (déc.).

• *1917. L'ANNÉE TROUBLE.* Face à l'attitude défensive des Allemands, qui, par mesure d'économie, ont raccourci leurs lignes (févr.), Nivelle rallie les Britanniques à l'idée d'une grande offensive, qui, par la rupture du front français, amènerait enfin la décision de la guerre. Ce sera l'échec retentissant du Chemin des Dames (16 avr.), qui détermine en France une très grave crise dans l'armée et le pays. Pétain, qui remplace Nivelle le 15 mai, surmonte cette crise avec autant d'humaine compréhension que de fermeté et peut lancer avec succès des attaques limitées devant Verdun (août) et à la Malmaison (oct.). De leur côté, les Britanniques déclenchent de dures offensives autour d'Ypres (juin-nov.), puis à Cambrai (nov.), où ils engagent 400 chars.

Cessez-le-feu sur le front russe. La première révolution de Pétrograd se termine par l'abdication du tsar (15 mars). Les gouvernements du prince Lvov (mars), puis de Kerenski (août) cherchent à poursuivre la lutte au côté des Alliés, mais l'armée russe se débande en Bucovine (juill.), et les Allemands prennent Riga (3 oct.). La prise du pouvoir par Lénine et les bolcheviks le 7 novembre (révolution dite « d'Octobre ») provoque l'ouverture de négociations avec Berlin. Celles-ci aboutissent, le 15 décembre, à la signature de l'armistice de Brest-Litovsk, qui constitue un grand succès pour l'Allemagne.

Caporetto. Pour relancer dans la guerre une Autriche usée et ébranlée par l'offre alliée d'une paix séparée à l'empereur Charles (transmise par ses beaux-frères les princes de Bourbon-Parme), les Allemands appuient de façon décisive son offensive contre les Italiens. Battus à Caporetto (24 oct.), ceux-ci se replient sur la

Piave, où l'aide d'un corps franco-britannique (Fayolle) leur permet de se rétablir. Au Moyen-Orient, les Britanniques s'emparent de Bagdad (11 mars) et de Jérusalem (9 déc.).

L'offensive sous-marine allemande. Pour mettre à genoux la Grande-Bretagne, Guillaume II déclenche le 1er février la guerre sous-marine à outrance, acceptant ainsi délibérément l'entrée en guerre des États-Unis, effective le 2 avril. Les pertes des marines de commerce alliées sont énormes (900 000 t en avril, record jamais atteint pendant la Seconde Guerre mondiale), et la victoire des sous-marins allemands (70 en mer sur 130 en service) se prolonge jusqu'à l'hiver, sans pour autant abattre la Grande-Bretagne.

Bilan. Les Allemands ont éliminé le front russe, mais le succès de leur offensive sous-marine n'est pas décisif. En France, la crise morale et politique qui a suivi celle des armées conduit Poincaré à confier en novembre le gouvernement à Clemenceau, dont le programme est «je fais la guerre». Pour les Alliés, l'armée américaine n'est pas encore en mesure d'intervenir, mais l'aide des États-Unis est déjà immédiate dans les domaines naval, économique et financier. Si elle veut la victoire, l'Allemagne doit donc terminer la guerre au plus vite.

• *1918. LA VICTOIRE DES ARMÉES DE FOCH.* Le plan de Ludendorff, c'est la décision en France avant l'été, c'est-à-dire avant l'engagement en nombre des Américains. Comme il a besoin des quelque 700 000 hommes du front est, Ludendorff contraint l'Ukraine et la Russie (traités de Brest-Litovsk des 9 février et 3 mars), puis la Roumanie (traité de Bucarest, mai) à signer la paix. C'est en Picardie, le 21 mars, que se déclenche l'offensive allemande; elle crée une brèche de 20 km entre les armées françaises et britanniques, et menace Amiens. Devant le danger, Lloyd George et Clemenceau confient, à Doullens, le 26 mars, le commandement unique à Foch, qui, coordonnant l'action de Haig et de Pétain, sauve Amiens. Le général en chef réussit ensuite à parer les nouveaux coups de boutoir lancés par Ludendorff dans les Flandres (avr.), du Chemin des Dames à la Marne (mai), sur le Matz (juin) et enfin en Champagne (15 juill.). Les Allemands ont perdu l'initiative, et, cette fois, la chance a changé de camp. Foch, qui dispose maintenant des 16 divisions américaines du général Pershing, lance une série de contre-offensives à Villers-Cotterêts (18 juill.), en Picardie (8 août), puis de la Meuse à la mer (sept.), obligeant les Allemands à battre en retraite sur Gand, Cambrai et Sedan. Le 4 novembre, Hindenburg, qui s'est séparé de Ludendorff, est contraint d'ordonner la retraite générale sur le Rhin et de demander, le 7, un armistice aux Alliés : celui-ci sera signé le 11 à Rethondes, après l'abdication de Guillaume II.

les pertes humaines civiles et militaires

• Total général : env. 9 000 000.

• France : 1 390 000; Allemagne : 1 950 000; Autriche-Hongrie : env. 1 000 000; Belgique : 44 000; Bulgarie : 100 000; Canada : 62 000; États-Unis : 114 000; Grande-Bretagne : 780 000; Italie : 530 000; Roumanie : env. 600 000; Russie : env. 1 700 000; Serbie : 400 000; Turquie : 400 000.

Victoire dans les Balkans et sur les autres fronts. Franchet d'Esperey, placé en juin, à Salonique, à la tête des armées alliées d'Orient (Français, Serbes, Grecs, Britanniques et Italiens), déclenche le 15 septembre une offensive décisive en Macédoine. Après qu'il eut obligé la Bulgarie à demander l'armistice (29 sept.), ses forces entrent à Sofia (16 oct.) et à Belgrade (1er nov.), pénètrent en Roumanie et menacent la Turquie et l'Autriche. Ébranlée en outre par la victoire italienne de Vittorio Veneto (24 oct.), cette dernière signe le 3 novembre l'armistice de Padoue. La double monarchie se disloque : Hongrois et Tchèques proclament leur indépendance, tandis qu'à Vienne l'empereur Charles

les traités de paix

L'attitude des États-Unis, la mésentente entre les puissances alliées et les révolutions de l'Europe centrale retardent et compliquent les négociations de paix, qui sont longues et aboutissent aux traités suivants : traité de Versailles avec l'Allemagne (28 juin 1919); traité de Saint-Germain-en-Laye avec l'Autriche (10 sept. 1919); traité de Neuilly avec la Bulgarie (27 nov. 1919); traité de Trianon avec la Hongrie (4 juin 1920); traité de Sèvres avec la Turquie (10 août 1920); traité italo-yougoslave de Rapallo (12 nov. 1920). Les problèmes posés en Europe orientale par l'effondrement de l'Empire ottoman ne seront réglés qu'en 1921 (traité de Riga) et 1923 (traité de Lausanne), après les guerres polono-soviétique* (1920) et gréco-turque (1921-22).

abdique et que la république d'Autriche est proclamée en même temps que son rattachement à l'Allemagne refusé par les Alliés.

En Palestine, les Britanniques prennent l'offensive (sept.) et s'emparent de Beyrouth, de Damas et d'Alep (25 oct.). Le 30, les Turcs doivent signer l'armistice des Moudros. Le 14 novembre, enfin, les Allemands déposent les armes en Afrique orientale.

Fin de la guerre navale. En 1918, les Alliés, qui ont adopté le système lent mais sûr des convois, luttent plus efficacement contre les *U-Boot* allemands. Si ceux-ci coulent encore 2,7 millions de tonnes de navires alliées, ils ne peuvent empêcher le transport en France de 2 millions de soldats américains. Cent soixante-seize sous-marins allemands sont remis aux Alliés, tandis que la flotte de haute mer allemande est conduite à Scapa Flow, où elle se saborde le 21 juin 1919.

Guerre mondiale *(Seconde),* conflit qui, de 1939 à 1945, opposa les puissances démocratiques alliées (Pologne, Grande-Bretagne et les pays du Commonwealth, France, Danemark, Norvège, Pays-Bas, Belgique, Yougoslavie, Grèce, puis U. R. S. S., États-Unis, Chine, et la plupart des pays de l'Amérique latine) aux puissances totalitaires de l'Axe (Allemagne, Italie, Japon et leurs satellites, Hongrie, Slovaquie, etc.).

Son origine réside essentiellement dans la volonté de Hitler d'affranchir le IIIe Reich du «Diktat» de Versailles (1919) et d'utiliser la force pour dominer l'Europe. Après avoir rétabli le service militaire obligatoire (1935) pour disposer d'une puissante armée (la *Wehrmacht**), Hitler réoccupe la rive gauche du Rhin

le déclenchement du conflit

• *23 août 1939 :* pacte d'amitié germano-soviétique.

• *24 août :* garantie inconditionnelle de la Grande-Bretagne à la Pologne.

• *1er septembre :* proclamation de la non-belligérance italienne et invasion, sans déclaration de guerre, de la Pologne par l'Allemagne.

• *3 septembre :* la Grande-Bretagne, la France, l'Australie et la Nouvelle-Zélande (suivies le 10 par le Canada) déclarent la guerre à l'Allemagne.

• *5 septembre :* proclamation de la neutralité des États-Unis.

(1936), puis annexe l'Autriche et une partie de la Tchécoslovaquie (1938). La faiblesse de la France et de la Grande-Bretagne, qui reconnaissent le fait accompli à Munich (1938), l'encourage à poursuivre cette politique de force. Hitler s'empare du reste de la Tchécoslovaquie (mars 1939), s'assure l'appui italien (mai) et obtient la neutralité bienveillante de l'U. R. S. S. avec son accord pour un partage de la Pologne (accords Ribbentrop-Molotov du 23 août). L'affaire de Dantzig peut alors servir de prétexte au déclenchement du conflit. Européen à ses débuts, celui-ci intéresse le monde entier dès la fin de 1941 par l'entrée dans la guerre des États-Unis et du Japon. Séparées par l'automne de 1942, deux périodes en marquent le déroulement : celle des conquêtes allemandes et japonaises, suivie de celle des contre-offensives, puis des victoires des Alliés, qui entraîneront l'élimination de l'Italie en 1943 puis la capitulation de l'Allemagne et celle du Japon en 1945.

LES CONQUÊTES DES PUISSANCES DE L'AXE (1939-1942).

• *Guerre éclair à l'est et à l'ouest (1939-1941).*

— *Pologne et Finlande.* En vingt-six jours (1er-27 sept. 1939), sans que la France réagisse autrement que par une timide démonstration en Sarre, la Wehrmacht parvient à anéantir l'armée polonaise. La Pologne, où l'armée rouge est entrée le 17 septembre, disparaît de la scène, et son territoire est partagé le 28 septembre entre le Reich et l'U. R. S. S., qui obtient le droit de s'installer dans les pays baltes. Mais, lorsque Moscou exige des bases (Hangö) en Finlande, celle-ci refuse de céder et est attaquée par l'U. R. S. S. le 30 novembre. Après une résistance souvent victorieuse, observée avec sympathie par les Alliés, elle doit accepter les conditions de paix soviétiques (mars 1940). La résistance finlandaise, qui a surpris, conduit aussi bien les Alliés que les Allemands à sous-estimer la valeur de l'armée rouge.

— *Pays-Bas, Belgique et France.* Débarrassé de toute menace à l'est, Hitler décide d'engager l'offensive à l'ouest. Elle s'applique d'abord au Danemark (9 avr. 1940), puis à la Norvège (avr.-mai) malgré une intervention franco-britannique à Namsos et à Narvik. Le 10 mai, la Wehrmacht passe à l'attaque générale des Pays-Bas et de la Belgique, perce le front français à Sedan* et contraint les forces hollandaises et belges à capituler les 15 et 28 mai (v. FRANCE [*campagne de*]). Le 10 juin, l'Italie déclare la guerre à la France, et, le 14, les Allemands sont à Paris. Pétain, successeur de Reynaud, demande l'armistice, qui est signé le 22 à Rethondes avec les Allemands et le 24 à Rome avec les Italiens. De Gaulle proclame de Londres, le 18 juin, son refus de cet armistice et appelle à continuer la lutte aux côtés de la Grande-Bretagne. Durant l'été, il rallie au mouvement de la *France libre* les colonies françaises de l'Afrique équatoriale, du Pacifique et de l'Inde.

— *La bataille d'Angleterre**. La Grande-Bretagne, où Churchill a remplacé Chamberlain le 10 mai 1940, reste seule face à l'Allemagne. Après avoir attaqué la flotte française à Mers el-Kébir et à Dakar (3 et 8 juill.), elle se retranche dans son île et résiste victorieusement, au cours d'une coûteuse bataille aérienne (août-oct.), aux offensives répétées de la Luftwaffe.

— *L'évolution des alliances.* Après l'échec de l'expédition contre Dakar menée par de Gaulle avec l'aide de la marine britannique (sept. 1940), un modus vivendi (accord Chevalier-Halifax) est trouvé entre Pétain et la Grande-Bretagne. Les liens de cette dernière se resserrent encore avec les États-Unis, qui passent de l'état de neutralité à celui de non-belligérance, prêtent à Londres 50 destroyers et instituent le service militaire (sept.). Après la réélection de Roosevelt, Washington adoptera le 11 mars 1941 la loi prêt-bail, qui ouvre à la Grande-Bretagne un crédit illimité.

Du côté de l'Axe, l'Allemagne signe le 27 septembre 1940 avec l'Italie et le Japon un pacte tripartite, auquel la Hongrie adhérera en novembre. Mais, en octobre, Hitler ne peut obtenir de Franco, à Hendaye, le libre passage de la Wehrmacht à travers l'Espagne, ni de Pétain, à Montoire, l'alliance militaire de la France vaincue. L'occupation de la Roumanie par l'Allemagne, succédant à celle des pays baltes, de la Bessarabie et de la Bucovine par l'U. R. S. S., altère à la fin de 1940 le climat de cordialité entre Moscou et Berlin.

— *La campagne des Balkans.* Décidé à attaquer l'U. R. S. S., Hitler veut éliminer auparavant ses adversaires des Balkans et y reprendre l'initiative perdue par l'Italie. Cette dernière, en effet, sans prévenir Berlin, a attaqué le 28 octobre 1940 la Grèce, où elle se trouve bientôt en mauvaise posture et ne peut empêcher les Britanniques d'occuper la Crète ni d'infliger à sa flotte une grave défaite à Tarente (nov.). La Wehrmacht intervient donc en occupant la Bulgarie en mars 1941. Elle envahit ensuite le 6 avril la Yougoslavie et la Grèce, qui doivent capituler en quelques semaines, tandis que les Britanniques évacuent la Crète, conquise en mai par les parachutistes allemands.

— *La guerre en Afrique et au Moyen-Orient.* Après avoir évincé les Britanniques des Somalies (août 1940), les Italiens perdent finalement leur empire de l'Afrique orientale : le Négus rentre à Addis-Abeba (avr. 1941) et le duc d'Aoste capitule à Amba Alagi (mai). En Libye, les Britanniques de Wavell, attaqués par Graziani (sept. 1940), refoulent ensuite les Italiens au-delà de Benghazi (déc. 1940-févr. 1941). Hitler doit de nouveau soutenir son allié défaillant par l'envoi de l'*Afrikakorps* de Rommel, qui repousse les Britanniques à la frontière d'Égypte.

Au même moment, le soulèvement de l'Iraq, appuyé par Berlin, qui utilise les aérodromes français de Syrie (entrevue Hitler-Darlan, mai 1941), donne l'occasion aux soldats britanniques, aidés par les Français libres, de s'emparer de la Syrie et du Liban, défendus par les troupes du général Dentz, restées fidèles à Pétain (8 juin-14 juill.).

— *La situation en Extrême-Orient.* Le Japon, en guerre avec la Chine depuis 1937, a installé à Nankin en 1939 un gouvernement à sa solde. Tchang Kaï-chek dirige à Tchong-k'ing la résistance chinoise, mais ne peut empêcher le Japon de contrôler la façade maritime de la Chine ainsi que l'île de Haï-nan. Tōkyō impose en outre aux Français une occupation partielle du Tonkin (août 1940), puis de la Cochinchine (juill. 1941) ainsi que sa médiation dans le conflit franco-thaïlandais.

— *La guerre sur mer.* Après la neutralisation des flottes française et italienne, la prépondérance de la *Royal Navy* continue de s'affirmer. En dépit de quelques succès (torpillage des cuirassés britanniques *Royal Oak* [oct. 1939] et *Hood* [mai 1941]), la flotte allemande subit de graves échecs : sabordage du cuirassé *Graf von Spee* (Montevideo, déc. 1939), blocage du *Scharnhorst* et du *Gneisenau* en rade de Brest, perte du *Bismarck,* tandis que le *Prinz Eugen* doit se réfugier, lui aussi, à Brest (mai 1941).

● *Les dernières conquêtes de l'Axe (juin 1941-nov. 1942).*

— *De Moscou à Stalingrad : fin de la guerre éclair.* Le 22 juin 1941, après avoir pris un mois de retard dans les Balkans, Hitler déclenche le plan Barbarossa. Douze armées allemandes renforcées d'unités italiennes, finlandaises et roumaines, appuyées par 3 000 chars et 3 000 avions, attaquent l'U. R. S. S. sur un front de plus de 1 500 km. La Russie blanche, l'Ukraine et les pays baltes sont occupés, et, le 5 décembre, les chars allemands ne sont qu'à 22 km de Moscou, sauvée de justesse par une contre-attaque de l'armée rouge et par la rigueur de l'hiver. Pour la première fois, l'armée allemande, dont Hitler prend le commandement direct (19 déc.), est bloquée, tandis que l'U. R. S. S. bénéficie, depuis septembre, de la loi américaine de prêt-bail. Dès le printemps de 1942, Hitler reprend l'offensive : la Wehrmacht conquiert la Crimée et le bassin du Donetz, progresse dans la boucle du Don et, le 21 août, atteint le Caucase au mont Elbrouz. La veille, la VIe armée allemande (Paulus) touchait la Volga et s'emparait d'une partie de Stalingrad (sept.). Alors que Hitler croit tenir la victoire, l'armée rouge lance le 19 novembre une contre-offensive, qui, encerclant l'armée Paulus, la contraindra à capituler le 2 février 1943.

— *Libye et Égypte.* Après avoir refoulé l'Afrikakorps jusqu'à El-Agheila (déc. 1941), les Britanniques doivent de nouveau reculer devant Rommel, d'abord jusqu'à Tobrouk (févr. 1942), puis, après la prise de cette ville, retardée par le coup d'arrêt des Français libres à Bir Hakeim (28 mai-10 juin), jusqu'en Égypte à El-Alamein. C'est de cette position que Montgomery lance le 23 octobre la célèbre offensive qui contraindra Rommel à entamer une retraite stratégique qui se terminera en mai 1943 à Tunis.

— *La poussée japonaise dans le Pacifique.* En attaquant par surprise Pearl Harbor* le 7 décembre 1941, le Japon entraîne les États-Unis dans la guerre et porte un coup sensible au potentiel de leur flotte. Le 10, les Nippons torpillent les deux cuirassés britanniques *Prince of Wales* et *Repulse* au large de la Malaisie. Ayant ainsi les mains libres, ils occupent la Thaïlande et les îles de Guam, de Wake et les Gilbert (déc.), conquièrent les Philippines et la Malaisie (janv. 1942), puis l'Indonésie (Java et Sumatra [mars]), base d'attaque en direction de l'Australie. Après les chutes de Singapour et de Rangoon (15 févr.-7 mars), les Japonais poussent au nord sur les Aléoutiennes (juin) et au sud sur les Salomon (Bougainville, puis Guadalcanal [juill.]) et sur la Nouvelle-Guinée. En huit mois, Tōkyō, maître du Pacifique, contrôle plus de 90 p. 100 de la production mondiale de caoutchouc et une immense réserve de pétrole.

Cependant, les Américains réagissent, et la flotte de l'amiral Nimitz inflige aux Japonais dans la mer de Corail et aux îles Midway (mai-juin) deux défaites aéronavales, qui écartent la menace pesant sur l'Australie. Le débarquement américain à Guadalcanal marque, le 7 août, le début du retournement de la situation en Extrême-Orient.

— *L'offensive sous-marine allemande.* Comme en 1917, les Alliés doivent faire face dans l'Atlantique à la puissante attaque des sous-marins allemands, qui, en 1942, coulent plus de 8 millions de tonnes de navires. Mais la fin de l'année marque, là aussi, le tournant de la guerre, puisque, grâce à l'effort des chantiers américains, le tonnage allié construit va dépasser celui des navires coulés par les *U-Boot.*

— *Les relations entre les Alliés.* Avant l'entrée en guerre des États-Unis, Roosevelt a proclamé avec Churchill la *charte de l'Atlantique* (août 1941), qui affirme leur unité de vues sur tous les grands problèmes de l'avenir du monde. Moscou et Londres marquent de même leur solidarité en occupant conjointement l'Iran (25 août) et en obligeant Rezā chāh Pahlavi, favorable à l'Axe, à abdiquer au profit de son fils Muḥammad, qui signe un traité avec les Alliés. Le 1er janvier 1942, la déclaration dite « des Nations unies » est signée par vingt-six États, qui s'engagent à ne pas conclure de paix séparée avec l'Axe. En dépit de l'ampleur de la victoire japonaise, Londres et Washington, qui ont mis sur pied une direction commune de la guerre (Comité mixte des chefs d'état-major), décident de donner la priorité à l'ouverture d'un second front en Europe, réclamé par Staline. Dans ce dessein, ils désignent le général Eisenhower comme commandant en chef allié dans l'Atlantique (août). Sa première mission est de s'assurer une base de départ en Méditerranée en préparant un débarquement allié en Afrique du Nord française.

LA VICTOIRE DES ALLIÉS (AUTOMNE 1942-SEPT. 1945).

— *Les troupes de l'Axe chassées d'Afrique.* Le 8 novembre 1942, les Alliés débarquent au Maroc et en Algérie, et négligent la Tunisie, où les Allemands organisent aussitôt une tête de pont. Après des combats « pour l'honneur », notamment à Casablanca, et les armistices signés sur ordre de l'amiral Darlan le 10 à Alger et le 11 à Rabat, l'armée française d'Afrique reprend aussitôt la lutte avec les Alliés contre les Allemands et les Italiens en Tunisie. De son côté, Montgomery, à la suite de sa victoire d'El-Alamein (oct. 1942), parvient le 23 janvier 1943 à Tripoli, où les Français de Leclerc, venus du Tchad et du Fezzan, le rejoignent, et pénètre en février en Tunisie. La jonction des deux forces alliées entraîne la libération de Tunis et la capitulation des troupes germano-italiennes d'Afrique au cap Bon le 12 mai 1943.

— *La conduite de la guerre par les Alliés.* La capitulation sans condition des puissances de l'Axe est décidée comme but de guerre à la conférence tenue à Casablanca par Roosevelt et Churchill (14-27 janv. 1943). Les plans de débarquement en Europe et leur ajustement avec les offensives soviétiques exigent une coordination constante de l'action militaire et politique, qui s'exercera au cours de nombreuses réunions entre Alliés, notamment à Washington (mai), à Québec (août), à Moscou (oct.), au Caire (nov.) et à Téhéran (28 nov.-2 déc.), où Staline et Roosevelt arrêtent le programme de guerre de 1944.

— *La capitulation de l'Italie.* Le débarquement allié en Sicile (10 juill. 1943) provoque la chute de Mussolini (24 juill.), arrêté par le roi et remplacé par Badoglio. Ce dernier conclut le 3 septembre à Syracuse avec les Alliés un armistice secret équivalant à une capitulation et déclare le 13 octobre la guerre à l'Allemagne. Il faudra cependant plusieurs mois aux troupes alliées d'Alexander pour libérer Rome (4 juin 1944) [v. ITALIE *(campagne d')*], et le front se stabilisera au mois d'octobre suivant sur une ligne allant de Pise à Ravenne.

LA GUERRE EN EUROPE
1939-1942

LA GUERRE DANS LE PACIFIQUE ▷

LA GUERRE EN EUROPE
1942-1945

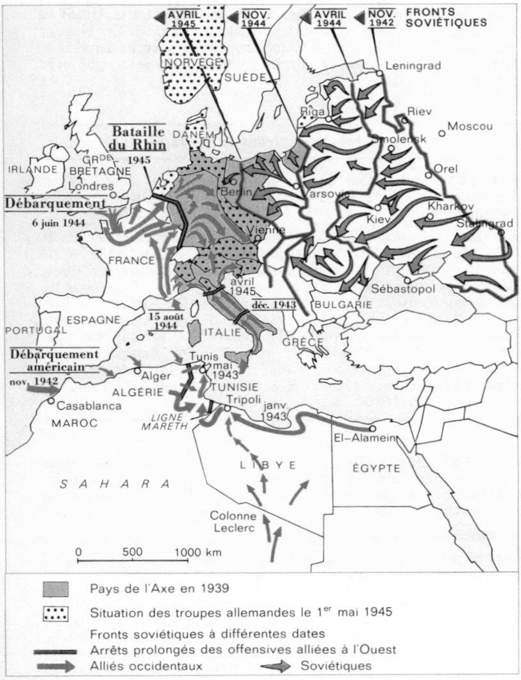

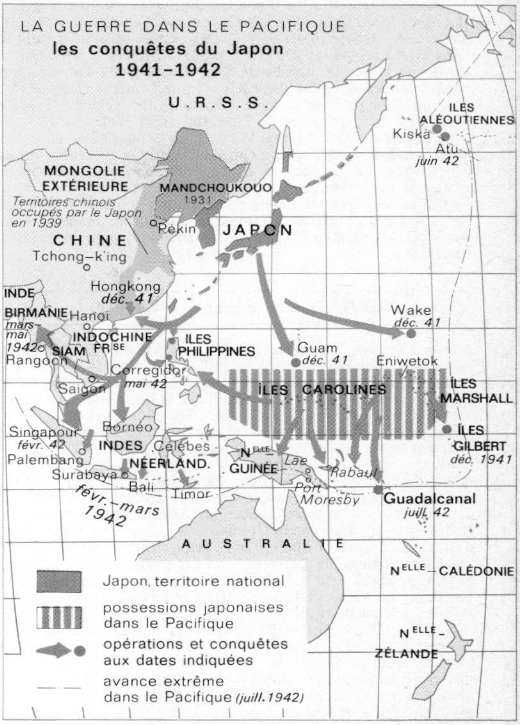

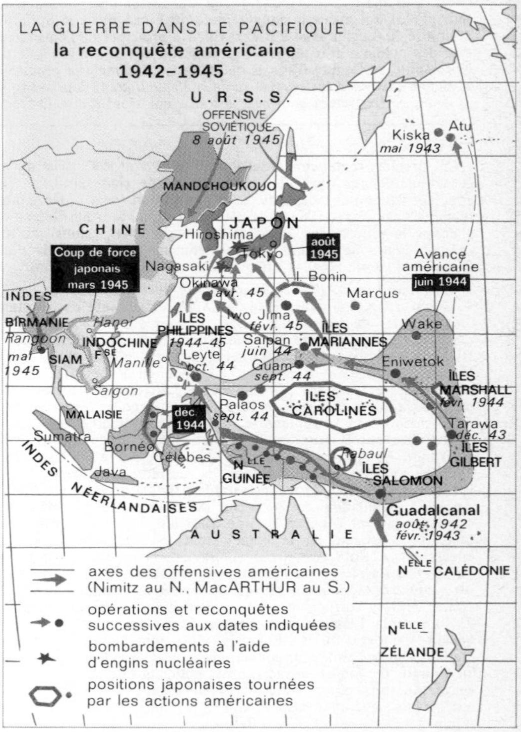

— *De Stalingrad à Lvov : contre-offensive de l'armée rouge.* La victoire de Stalingrad (févr. 1943) est suivie d'une contre-offensive générale des forces soviétiques, qui portent en un an leur front du Donetz (mars 1943) au Dniestr (avr. 1944). Après la libération de Rostov et la grande bataille de Koursk (été 1943), l'armée rouge borde le Dniepr (oct.) et libère Kiev (6 nov.), mais la violence de la réaction allemande en Ukraine (Manstein) fait échouer le projet soviétique d'encerclement de l'aile sud de la Wehrmacht. Après avoir dégagé Leningrad (janv. 1944), les Soviétiques débouchent en mars des têtes de pont du Dniepr, franchissent le Bug et le Dniestr, pénètrent en Roumanie et en Galicie, atteignent Tarnopol et menacent Lvov (avr.).
— *Offensives alliées en Extrême-Orient.* Pour soutenir les Chinois, les Britanniques créent un front en Birmanie*, tandis que les Américains partent à l'assaut des conquêtes japonaises dans le Pacifique.

la France dans la guerre (1942-1944)

À la suite du débarquement allié en Afrique du Nord, les Allemands, violant l'armistice de 1940, envahissent la zone libre le 11 novembre 1942 et désarment l'armée d'armistice, tandis que les Italiens occupent Nice et la Corse, et que la flotte française doit se saborder à Toulon le 27 novembre. Sous l'impulsion de Pierre Laval, président du gouvernement depuis avril 1942, sont créés la milice et le service du travail obligatoire au profit de l'Allemagne (janv.-févr. 1943). La Résistance, dont un conseil national formé en mai 1943 coordonne les efforts, s'organise, et les maquis armés développent leur action, notamment aux Glières (févr. 1944) et dans le Vercors (mars-avr.). Mais les Allemands accentuent leur répression, conduite par la Gestapo (arrestations de résistants et d'israélites, déportés dans les camps de concentration). Au moment du débarquement de Normandie, ils commettent de tragiques exactions, notamment à Tulle et à Oradour-sur-Glane (juin 1944). Le régime de Vichy s'effondre : Pétain et Laval sont contraints de gagner l'Allemagne (août).

À Alger, Darlan, qui a traité avec les Alliés, est assassiné le 24 décembre 1942 et remplacé par Giraud. Ce dernier partage bientôt avec de Gaulle la présidence du *Comité français de libération nationale* (3 juin 1943), puis abandonne cette coprésidence après avoir libéré la Corse (sept.) pour ne conserver, jusqu'en avril 1944, que les fonctions militaires de commandant en chef. Seul maître, de Gaulle réunit une assemblée consultative (nov. 1943), reconnaît la souveraineté du Liban et de la Syrie, et définit le 30 janvier 1944 à Brazzaville les principes de l'émancipation des colonies françaises. À la veille du débarquement allié de Normandie, le Comité français de libération nationale se proclame à Alger *Gouvernement provisoire de la République* (3 juin 1944); le 31 août, il transférera son siège à Paris, qui vient d'être libéré.

Ces derniers reprennent Guadalcanal en février 1943, débarquent aux Aléoutiennes (mai), en Nouvelle-Guinée (juin-sept.), où ils appuient l'action des Australiens, et aux Gilbert (nov.). MacArthur remonte ensuite vers l'ouest la côte nord de la Nouvelle-Guinée et y coupe la retraite des Japonais (début de 1944), tandis que les forces navales de l'amiral Nimitz reconquièrent les îles Marshall (Kwajalein, févr. 1944) et attaquent les îles Mariannes (juin).

• *La victoire des Alliés en Europe (juin 1944-mai 1945).*
— *Front ouest.* Le 6 juin 1944, les Alliés débarquent en Normandie* : moins de trois mois après, ils sont à Paris (25 août) et dépassent en septembre la ligne Rouen-Compiègne-Reims-Saint-Dizier. Le 15 août, un second débarquement, en Provence, libère Marseille et Toulon. Remontant la vallée du Rhône, les forces américaines et françaises (Ire armée de Lattre) font leur jonction près de Châtillon-sur-Seine, le 12 septembre, avec les forces venues de Normandie. Le 15 septembre, la Belgique est libérée, et un front se stabilise sur la frontière belgo-hollandaise et devant la ligne Siegfried. En novembre, Metz, Strasbourg et Mulhouse sont libérées, mais, le 16 décembre, la dernière offensive de la Wehrmacht dans les Ardennes retarde pendant un mois les Alliés. Après la liquidation de la poche de Colmar (févr. 1945), ces derniers, qui ont dépassé la ligne Siegfried, bordent le Rhin sur toute sa longueur. Ils le franchissent le 7 mars à Remagen, encerclent la Ruhr, pénètrent en Bavière et en Saxe, atteignent l'Elbe et ne s'arrêtent, sur ordre, que le 18 avril, à 90 km de Prague.
— *Front est.* Alors qu'en Allemagne échoue le 20 juillet un putsch contre Hitler, l'offensive générale soviétique a repris depuis le 23 juin de la Finlande à la Galicie. Elle s'arrête sur la Vistule devant Varsovie, où les Polonais s'insurgent (août), tandis que Staline, rompant avec leur gouvernement réfugié à Londres, confie au Comité de Lublin les territoires polonais libérés par l'armée rouge. Au sud, celle-ci conquiert la Roumanie et la Bulgarie (qui, après avoir signé un armistice, rallient le camp allié en septembre), rejoint les partisans de Tito à Belgrade (20 oct.), mais se heurte en Hongrie à une vigoureuse résistance des Allemands (nov.-déc.). Ce mouvement contraint la Wehrmacht à évacuer les Balkans, et les Britanniques débarquent en Grèce, où ils doivent maintenir un ordre précaire. En janvier 1945, les Soviétiques pénètrent en Prusse-Orientale, s'emparent enfin de Varsovie (17 janv.), conquièrent la Pologne, atteignent la Silésie et franchissent l'Oder. Budapest finit par tomber le 13 février, suivi par Vienne le 12 avril et par Dresde le 24. Le 2 mai, les forces de Joukov et de Koniev sont à Berlin, où Hitler s'est suicidé le 30 avril.
— *La capitulation allemande.* Les 25 avril et 3 mai 1945, Alliés et Soviétiques font leur jonction sur l'Elbe à Torgau et à Wismar. Le 7 mai à Reims et le 8 à Berlin, sur l'ordre de l'amiral Dönitz, éphémère successeur de Hitler, la Wehrmacht capitule sans condition, comme l'avaient fait quelques jours plus tôt (29 avr.) à Caserte les forces allemandes d'Italie et d'Autriche.

• *La victoire des Alliés sur le Japon (1944-45).* Dans le Pacifique, l'offensive américaine, qui a dépassé les Mariannes (juill. 1944), aboutit aux Philippines, reconquises au début de 1945 après la destruction de la flotte japonaise à Leyte (oct. 1944). Elle s'en prend ensuite aux approches mêmes du Japon (attaques des îles Iwo Jima et Okinawa, févr.-avr.). Sur le continent, les succès alliés sont aussi décisifs; les forces du général Stilwell, qui ont opéré à Bhamo leur liaison avec les Chinois (été 1944), entrent à Akyab, à Mandalay (janv.-mars) et finalement à Rangoon (mai), chassant de Birmanie les Japonais, qui, pour couvrir leur retraite, ont mis la main le 9 mars sur l'Indochine française. La situation de Tōkyō est désespérée, et les deux bombes atomiques d'Hiroshima et de Nagasaki (6 et 9 août) entraînent le 14 août la capitulation du Japon; le 8, l'U. R. S. S. lui avait déclaré la guerre, lançant l'armée rouge sur la Mandchourie, où elle occupe Moukden. Le 26, les Américains débarquent au Japon, et, le 2 septembre, en rade de Tōkyō, l'acte de reddition de l'Empire nippon est signé sur le cuirassé américain *Missouri.*

• *Yalta, Potsdam et les traités de paix (1945-1947).* Les deux conférences tenues par les trois grands vainqueurs — américain, britannique et soviétique — à Yalta* (févr. 1945) et à Potsdam (juill.) pèseront de longues années sur la situation d'une Europe où s'annonce déjà la coupure du fameux « rideau de fer » que Staline abat derrière le front soviétique. Au cours de ces deux réunions, auxquelles la France n'est pas conviée, se décident le sort de la Pologne et celui de l'Allemagne d'après guerre, dont les trois vainqueurs (auxquels ils ajoutent la France) se partageront l'occupation et la gestion avec un statut particulier pour Berlin. Le 25 avril 1945, la conférence de San Francisco crée l'Organisation des Nations unies, dont la charte est promulguée en juin. Mais il faudra dix-huit mois de négociations pour que, le 10 février 1947, soient signés à Paris les traités de paix entre les Nations unies, la Finlande, la Hongrie, la Roumanie, l'Italie et la Bulgarie. Quant au Japon, il est démilitarisé et occupé par les États-Unis. Les Nations unies (sauf l'U. R. S. S. et la Chine) concluent avec lui en 1951 le traité de San Francisco; le dernier traité de paix sera signé avec l'Autriche en 1955.

pertes humaines civiles et militaires

• Total général : plus de 40 millions de morts, dont environ 6 millions de déportés raciaux et 4 millions de déportés politiques en Allemagne.

• France : env. 605 000 (soit 205 000 militaires et env. 400 000 civils (dont 180 000 déportés); Allemagne : 5 000 000 (?), dont 4 500 000 (?) militaires (y compris l'Autriche); Belgique : 88 000; Bulgarie : 20 000; Canada : 41 000; Chine : 1 300 000 militaires (sur 15 millions de mobilisés); États-Unis : 300 000; Finlande ; 90 000; Grèce : 160 000; Grande-Bretagne (et colonies) : 388 000; Hongrie : env. 430 000; Italie : 310 000; Japon : 3 000 000 (dont 600 000 civils); Nouvelle-Zélande : 12 000; Pays-Bas : env. 210 000; Pologne : env. 6 000 000 (?); Roumanie : env. 460 000; Tchécoslovaquie : 415 000; Union sud-africaine : 8 500; U. R. S. S. : env. 20 millions; Yougoslavie : env. 1 500 000.

guerre prolongée *(De la),* ouvrage de Mao Tsö-tong (1938), dans lequel l'auteur élabore les principes de la stratégie de la guerre de libération nationale. Son influence dans le tiers monde est considérable (notamment sur la stratégie de Vô Nguyên-Giap).

GUERRERO, État du Mexique méridional, sur le Pacifique.

GUERVILLE (78930), ch.-l. de cant. des Yvelines, à 7 km au S.-E. de Mantes-la-Jolie; 1 756 hab. Cimenterie.

GUESCLIN (Bertrand DU), homme de guerre français (La Motte-Broons, près de Dinan, v. 1320 - Châteauneuf-de-Randon 1380). Issu d'une famille de petite noblesse, il entre au service du roi de France et remporte la victoire de Cocherel (1364). Nommé capitaine général du duché de Normandie et comte de Longueville, il participe à la bataille d'Auray (sept. 1364), où il est fait prisonnier. Libéré contre rançon, il conduit les Grandes Compagnies en Espagne, où il assure le triomphe du prétendant, Henri de Trastamare (1369). Nommé connétable en 1370, il entreprend contre les Anglais une guerre de harcèlement et les chasse de France; il meurt en Gévaudan au cours d'une opération contre les Grandes Compagnies.

GUESDE (Jules BASILE, dit **Jules**), homme politique français (Paris 1845-Saint-Mandé 1922). Journaliste jacobin, il doit s'exiler en Suisse pour avoir fait l'apologie de la Commune*. En exil, il évolue vers l'anarchisme, mais, rentré en France (1876), il est décidément gagné au marxisme et publie *l'Égalité,* journal collectiviste. Au congrès de Marseille (1879), il fait accepter la création d'un parti ouvrier doté d'un programme marxiste; mais il doit compter avec l'opposition des autres familles socialistes. Véritable commis-voyageur du marxisme — devenu en France le guesdisme —, d'une éloquence âpre mais convaincante, J. Guesde finit par enraciner le marxisme militant en plusieurs régions ouvrières, notamment dans la zone textile du Nord. Député de Roubaix (1893-1898), ville dont il fait « La Mecque du socialisme », il représente Lille à partir de 1906. En conflit avec Jaurès et les millerandistes, il fait triompher ses idées au congrès d'Amsterdam (1904), la fondation du parti socialiste unitaire (1905) marquant la victoire du guesdisme. En 1914, il accepte d'être ministre d'État.

GUESNAIN (59287), comm. du Nord, à 7 km au S.-E. de Douai; 4 689 hab.

GUEST (Ivor), écrivain et historien de la danse britannique (Chislehurst 1920). Spécialiste du ballet du XIXe s. (*The Ballet of the Second Empire, 1858-1870,* 1953; *id., 1847-1858,* 1955).

GUÉTHARY (64210 Bidart), comm. des Pyrénées-Atlantiques, à 8,5 km au S. de Biarritz; 968 hab. Station balnéaire.

GUEUGNON (71130), ch.-l. de cant. de Saône-et-Loire, sur l'Arroux; 10 743 hab. Métallurgie.

Gueux, nom donné, à partir de 1566, aux partisans de la résistance flamande à l'occupation espagnole qui se livrèrent à des actions de guérilla contre les troupes du duc d'Albe.

GUEVARA (Ernesto, dit **Che**), homme politique argentin (Rosario 1928-région de Valle Grande, Bolivie, 1967). Médecin, il prend part à la révolution cubaine aux côtés de Fidel Castro* (1956-1959) et devient citoyen cubain. Directeur de la Banque nationale de Cuba, puis ministre de l'Industrie, il joue un rôle important dans la planification de l'économie cubaine, mais ses conceptions révolutionnaires l'éloignent du régime castriste, qu'il juge trop proche du modèle soviétique. Convaincu par l'exemple du Viêt-nam, il se consacre alors au développement des luttes révolutionnaires en Amérique latine et participe à la guérilla bolivienne, au cours de laquelle il est exécuté.

GUÈVREMONT (Germaine), femme de lettres canadienne d'expression française (Saint-Jérôme, Québec, 1900-Montréal 1968), auteur de contes rustiques et de romans du terroir (*le Survenant,* 1945; *Marie Didace,* 1947).

GUÈZE → ÉTHIOPIENNES *(langues).*

Guggenheim *(musée),* à New York. Construit par F. L. Wright de 1943 à 1956, il se présente comme un cône renversé à l'intérieur duquel se déroule une rampe hélicoïdale, espace ininterrompu d'exposition. Fondation du magnat du cuivre Solomon R. Guggenheim, il est surtout consacré à l'art du XXe s. depuis le cubisme.

GUI. — Extrêmement répandu, le gui est le type des plantes hémi-parasites, qui détournent à leur profit une partie de la sève brute de la branche sur laquelle elles poussent, mais qui se procurent leur aliment organique par photosynthèse comme les autres plantes. Il conserve d'ailleurs ses feuilles toute l'année, et il n'est pas exclu que certains arbres tirent alors profit des principes nutritifs qu'il continue à élaborer. Ligneux, disposé en « boules », aux paires de feuilles coriaces, le gui offre ses fruits blancs et « visqueux » (le gui se nomme *viscum* en latin) aux oiseaux, qui les transportent d'un arbre à l'autre. Il abonde sur de nombreuses espèces d'arbres en dehors des forêts, où il est beaucoup plus rare, faute de lumière. (Famille des loranthacées.)

GUI ou **GUY** *(saint),* martyr sicilien du IVe s.; on l'invoque contre la maladie nerveuse dite « danse de Saint-Gui » ou « chorée ».

GUI d'Arezzo, moine bénédictin italien (Arezzo v. 990-† v. 1050). Afin de faciliter la lecture musicale que le système de notation du Moyen Âge rendait difficile, il a donné leur nom aux notes de la gamme, en utilisant les premières syllabes des vers d'une hymne célèbre à saint Jean-Baptiste *(ut* [do], *ré, mi, fa, sol, la, si).*

GUI de Lusignan → JÉRUSALEM *(royaume de).*

GUICHARDIN (François), en ital. **Francesco Guicciardini,** homme politique et historien italien (Florence 1483-Arcetri 1540). Cet avocat florentin, devenu gouverneur de Modène (1516) et de Parme (1521), puis chef militaire au service du pape Clément VII (1524), enfin conseiller des Médicis, écrivit une *Histoire de l'Italie* allant de l'année 1492 à la mort de Clément VII.

GUICHE (La) [71220 St Bonnet de Joux], ch.-l. de cant. de Saône-et-Loire, à 23 km au N.-E. de Charolles; 835 hab.

GUICHEN (35580), ch.-l. de cant. d'Ille-et-Vilaine, à 19 km au S.-O. de Rennes; 4 431 hab.

GUIDAGE. — Il a pour objet de maintenir un véhicule mobile sur une trajectoire qui l'amène sur un but précis. Il est particulièrement utilisé en aéronautique pour les avions* et surtout pour les missiles*. On distingue essentiellement les techniques de *téléguidage* et les techniques d'*autoguidage.* Dans les premières, le guidage s'effectue à distance, à l'aide de moyens extérieurs au véhicule à diriger; c'est le cas des systèmes de guidage radioélectrique des avions, du guidage des missiles par visée goniométrique, etc. Dans les secondes, le système de guidage est emporté par le véhicule lui-même; il peut alors faire appel à des données extérieures (guidage infrarouge) ou non (guidage inertiel).

GUIDE (le) → RENI (Guido).

GUIDE D'ONDE. — Un guide d'onde est constitué par un tube métallique creux de section rectangulaire, carrée ou circulaire, permettant l'acheminement d'une onde* électromagnétique de fréquence* élevée par réflexion sur les parois internes. Ce moyen de transmettre les informations électriques prend le relais des câbles* lorsque les fréquences mises en œuvre dépassent les limites de possibilité de ceux-ci, c'est-à-dire à partir de quelques centaines ou de quelques milliers d'hertz. Aux fréquences élevées, l'affaiblissement est peu important. Le porteur d'information est l'onde électromagnétique composée de deux vibrations orthogonales, le champ* électrique et le champ magnétique, elles-même perpendiculaires à la direction de la propagation de l'onde. Dans le vide ou dans l'air, l'onde électromagnétique se propage à une vitesse très voisine de 300 000 km/s. En présence d'une paroi métallique, elle est réfléchie en quasi-totalité. Si le conducteur constitué par le guide d'onde était parfait, au sens électrique du terme, c'est-à-dire de conductibilité infinie, il n'y aurait aucune perte à chaque réflexion. Or, une certaine perte doit être consentie malgré le choix de conducteurs aussi excellents que le cuivre pur recouvert ou non d'or ou d'argent. Les réflexions obéissent aux lois de l'électromagnétisme*. Pour une longueur donde λ donnée et pour un guide de section donnée, une ou plusieurs possibilités, ou régimes, existent simultanément. Dans le cas d'un guide à section rectangulaire de côtés a et b avec $a < b$:

— si $\frac{\lambda}{2} > b$, aucune réflexion n'est possible et il n'y a pas de propagation;

— si $a < \frac{\lambda}{2} < b$, les réflexions se produisent sur les petites faces du guide;

— si $\frac{\lambda}{2} < a < b$, les réflexions se produisent sur les quatre faces et en nombre de plus en plus grand au fur et à mesure que la longueur d'onde diminue.

Comme les réflexions à régimes multiples consomment inutilement de l'énergie à chaque réflexion, l'intérêt de la transmission est de limiter le nombre des cas de réflexion possibles. Le cas idéal est obtenu si $\frac{\lambda}{2}$, toujours supérieur à a, reste compris entre b et $\frac{b}{2}$. On constate alors que $\frac{b}{2}$ doit être supérieur ou égal à a. Dans ces conditions, l'onde chemine avec le minimum de réflexions sur les seules petites faces du guide, et les dimensions du guide sont bien déterminées. Ce régime de propagation se dénomme TE_{01}. Pour transmettre dans ces conditions une onde de fréquence comprise entre 8 450 et 10 300 MHz, le guide devra avoir pour dimensions a = 10,16 mm, b = 22,86 mm, épaisseur = 1,5 mm environ.

Certains guides (radar, télévision) ont des largeurs qui peuvent aller jusqu'à 20 cm. Les parois sont soit pleines, soit formées de fils métalliques enroulés à spires jointives sur un mandrin cylindrique, et la propagation peut se faire sur des distances de plusieurs kilomètres. Certains guides d'onde sont constitués de matériaux isolants, et les ondes y progressent par réflexion totale; c'est le cas des fibres* optiques, qui mettent en œuvre des ondes lumineuses de longueurs micrométriques.

Les guides d'onde sont utilisés dans les techniques de transmission du téléphone*, du radar* ou de la télévision* par faisceaux hertziens établis soit sur terre, soit avec un satellite. La gamme d'utilisation va jusqu'à des longueurs d'onde de l'ordre du millimètre, c'est-à-dire des fréquences de 300 GHz, ce qui autorise des capacités de transmission énormes.

GUIERS (le), riv. des Préalpes du Nord, formée de deux torrents *(Guiers Vif* et *Guiers Mort),* affl. du Rhône (r. g.); 48 km.

Guignol, principal personnage français de marionnettes, qui date de la fin du XVIIIe s. D'origine lyonnaise, Guignol et son ami Gnafron symbolisent l'esprit populaire frondeur en lutte contre les agents de l'autorité.

GUIGOU (Paul), peintre français (Villars, Vaucluse, 1833-Paris 1871). Paysagiste ferme et intense, il a excellemment rendu l'âpreté lumineuse de la campagne provençale.

GUIL (le), torrent des Hautes-Alpes, affl. de la Durance (r. g.); 56 km.

GUILBERT (Yvette), chanteuse française (Paris 1867-Aix-en-Provence 1944). Interprète originale de la chanson populaire et grivoise au café-concert, « diseuse » incisive, elle s'attacha également à la renaissance des vieilles complaintes nationales. Sa silhouette fut immortalisée par le fusain de Toulouse-Lautrec.

GUILDFORD, v. d'Angleterre, au S.-O. de Londres; 57 000 hab. Monuments anciens, vieilles maisons, musée.

GUILHERAND (07500 Granges lès Valence), comm. de l'Ardèche, à 3 km à l'O. de Valence, sur la rive droite du Rhône; 8 966 hab.

GUILLAIN (Simon), sculpteur français (Paris 1581-*id.* 1658). Après un séjour à Rome, il revint travailler pour les églises parisiennes. Il fut surtout un bronzier, au talent digne et véridique dans les statues royales du Pont-au-Change (auj. au Louvre).

GUILLAUMAT (Louis), général français (Bourgneuf 1863-Nantes 1940). Après s'être distingué en 1917 à la tête de la IIe armée à Verdun, il fut commandant en chef de l'armée d'Orient (1917-1918), puis de la Ve armée (1918) et des troupes d'occupation en Allemagne (1924-1930).

GUILLAUME le Grand *(saint),* comte de Narbonne, marquis de Gothie (v. 755-Gellone 812), fils de Thierry, comte d'Autun, et d'Aude, fille de Charles Martel. Il s'illustra dans la guerre contre les Arabes d'Espagne et fonda l'abbaye de Gellone (Saint-Guilhem-le-Désert), où il se retira en 806. Un cycle* épique (XIIe-XIIIe s.) l'immortalise sous le nom de « Guillaume d'Orange » ou de « Guillaume au Court Nez ».

GUILLAUME Ier DE CHAMPAGNE, prince d'Achaïe → ACHAÏE *(principauté d').*

GUILLAUME II DE VILLEHARDOUIN, prince d'Achaïe → ACHAÏE *(principauté d').*

GUILLAUME Ier (Berlin 1797-*id.* 1888), roi de Prusse (1861-1888) et empereur allemand (1871-1888). Régent (1858) à la place de son frère Frédéric-Guillaume IV, atteint de maladie mentale, il lui succède sur le trône de Prusse en 1861. N'ayant pu faire adopter par le Landtag les crédits militaires nécessaires au renforcement de l'armée prussienne, il nomme Premier ministre le prince de Bismarck* (1862), qui triomphe des résistances. Dès lors, avec ce dernier, et parfois de mauvais gré, il aménage les étapes de l'unité allemande : guerre des Duchés (1864-65), guerre avec l'Autriche (1866), enfin guerre avec la France (1870), à l'issue de laquelle il est proclamé, à Versailles, empereur allemand (18 janv. 1871). Jusqu'au bout, il maintient Bismarck à la chancellerie, malgré ses incartades — en particulier lors du Kulturkampf*.

GUILLAUME II (Potsdam 1859-Doorn, Pays-Bas, 1941), roi de Prusse et empereur d'Allemagne (1888-1918). Il succède à son père, Frédéric III*. Actif, appliqué au travail, d'esprit ouvert, mais vaniteux et pressé de jouer un rôle politique, il se débarrasse dès 1890 de Bismarck et de son équipe. À l'intérieur, il se heurte aux positions ouvrières et socialistes. À l'extérieur, tournant le dos à la politique bismarckienne, il laisse se conclure l'alliance franco-russe (1890-1894) et ne voit pas se réaliser le rapprochement entre la France et l'Italie (1900-1902), puis entre la France et la Grande-Bretagne (Entente cordiale, 1904). Dès lors, il tente contre Paris et Londres une politique d'intimidation : intervention spectaculaire à Tanger (1905), puis à Agadir (1911) contre la France, dont la position privilégiée au Maroc est reconnue par la conférence d'Algésiras; volonté d'inquiéter Londres en esquissant à Björkö une alliance avec le tsar (1905). Parallèlement, le kaiser renforce son alliance avec Vienne et fait de la Turquie un protectorat économique allemand. À un Reich puissant, bien peuplé et suréquipé, il donne une armée nombreuse, prête à la guerre et pénétrée d'esprit prussien, tandis qu'un pangermanisme ambitieux trouve son symbole dans sa personne même. En juillet-août 1914, il déclare la guerre à la Russie et à la France; la défaite austro-allemande de 1918 entraîne la fin de l'empire et sa propre abdication (9 nov. 1918). Guillaume II se réfugie alors en Hollande.

X

Guillaume II et son état-major, sur le front, pendant la Première Guerre mondiale.

Rapho

Guillaume le Conquérant. Détail de la broderie contemporaine dite *tapisserie de la reine Mathilde.* (Bayeux.)

GUILLAUME Ier le Conquérant (Falaise v. 1027-Rouen 1087), duc de Normandie (1035-1087) et roi d'Angleterre (1066-1087). Fils illégitime du duc Robert le Diable, il lui succède (1035) et, soutenu par le roi de France Henri Ier, parvient à restaurer son autorité, bafouée par ses vassaux (1047). Sa puissance retrouvée lui permet de vaincre à deux reprises le roi Henri Ier (1054-1057), avant de se tourner vers l'Angleterre, dont le roi, Édouard le Confesseur, lui a promis sa succession. À la mort de ce dernier (1066), Guillaume revendique la couronne, lève une troupe de mercenaires et, à peine débarqué en Angleterre, défait son adversaire, Harold, à Hastings. La conquête terminée, il installe dans son nouvel État une administration centralisée, exige la fidélité de tous et fait dresser le « Domesday Book », inventaire des terres, des fiefs et des droits du roi. À sa mort, la monarchie anglo-normande est devenue la plus puissante d'Europe.

GUILLAUME II le Roux (v. 1056-New Forest 1100), duc de Normandie (1087-1100), roi d'Angleterre (1087-1100), deuxième fils de Guillaume le Conquérant, qui lui légua l'Angleterre. Il réussit à mettre la main sur la Normandie à l'encontre de son frère, Robert Courteheuse, affermit l'emprise normande sur l'Angleterre et lutta avec succès contre Gallois et Écossais. Sa mort prématurée assura la couronne à son puîné, Henri Ier Beauclerc.

GUILLAUME III (La Haye 1650-Kensington 1702), stathouder de Hollande (1672-1702), roi d'Angleterre (1689-1702), fils posthume de Guillaume II d'Orange-Nassau et de Marie, fille de Charles Ier Stuart. Élu stathouder au moment de l'invasion des Provinces-Unies par les Français (1672), il dirigea la résistance hollandaise, s'allia à l'Angleterre par son mariage avec Marie, fille du futur Jacques II, et obtint une paix honorable (Nimègue, 1678). En 1689, inquiet de la politique profrançaise de Jacques II, il s'appuya sur l'opposition anglaise pour renverser son beau-père et, conjointement avec son épouse, prit le titre de roi d'Angleterre. Dès lors, laissant, à l'intérieur, le Parlement gouverner, il anima la politique extérieure de son pays, tout entière axée vers la lutte contre les ambitions hollandaises et espagnoles de Louis XIV.

GUILLAUME IV, roi de Grande-Bretagne → HANOVRE *(dynastie de).*

GUILLAUME III, IV, X, ducs d'Aquitaine → AQUITAINE.

GUILLAUME IX (1071-1127), comte de Poitiers, duc d'Aquitaine et de Gascogne (1086-1127). Il s'empara à deux reprises de Toulouse (1098 et 1114) et conduisit en Terre sainte une armée, qui fut battue à Césarée (1101). Il fut l'un des grands poètes de langue romane.

GUILLAUME Ier D'ORANGE-NASSAU, dit **le Taciturne** (Dillenburg 1533-Delft 1584), stathouder de Hollande (1573-1584). Fils aîné de Guillaume VIII de Nassau, comte de Dillenburg, il est l'héritier des possessions hollandaises et méridionales (Orange) de son cousin René de Chalon. Élevé dans la religion catholique, il est d'abord très influent auprès de Philippe II d'Espagne, mais son libéralisme et ses sympathies pour la Réforme le conduisent à prendre la tête du soulèvement des Provinces-Unies (mars 1572) contre l'impitoyable répression du duc d'Albe. Devenu chef militaire de Hollande et de Zélande, Guillaume remporte plusieurs succès contre l'Espagne et se fait reconnaître stathouder des dix-sept Provinces-Unies. Mais l'unité du pays est compromise par l'intervention d'Alexandre Farnèse. Seules les sept provinces du Nord signent l'Union d'Utrecht (1579), à laquelle Guillaume se rallie. Six ans plus tard, celui-ci est assassiné par un fanatique comtois.

GUILLAUME II D'ORANGE-NASSAU (La Haye 1626-*id.* 1650), stathouder de Hollande (1647-1650), fils de Frédéric-Henri et petit-fils du Taciturne. Après la paix de Münster (1648), il refusa de démobiliser les cadres de son armée et tenta de créer à son profit une monarchie héréditaire. Sa mort prématurée permit au parti républicain d'exclure la maison de Nassau du stathouderat jusqu'en 1672.

GUILLAUME III D'ORANGE-NASSAU, stathouder de Hollande → GUILLAUME III, roi d'Angleterre.

GUILLAUME Ier, duc de Normandie → NORMANDIE.

GUILLAUME II le Conquérant, duc de Normandie → GUILLAUME Ier *d'Angleterre.*

GUILLAUME de Champeaux, philosophe français (Champeaux, près de Melun, 1068-Clairvaux 1121). Le nom de cet évêque de Châlons-sur-Marne (1113-1121) reste attaché à la querelle des universaux*, dans laquelle il s'affronta avec son disciple Abélard*.

GUILLAUME de Lorris, poète français (Lorris-en-Gâtinais v. 1200/1210-† apr. 1240), auteur de la première partie du *Roman* de la Rose.*

GUILLAUME de Machaut ou **de Machault,** poète et musicien français (en Champagne v. 1300-Reims 1377). Au service de Jean de Luxembourg, roi de Bohême, il parcourt l'Europe, est nommé chanoine et se fixe à Reims. Il est l'auteur de rondeaux et de ballades polyphoniques accompagnés d'instruments, de lais et virelais monodiques, de motets souvent isorythmiques et d'inspiration grégorienne. Sa *Messe Notre-Dame* à quatre voix, qui résume l'Ars* nova par son écriture aussi bien verticale qu'horizontale, ses mélismes, ses teneurs, ses hoquets, ses cadences, inspira ses contemporains et ses successeurs.

GUILLAUME de Nangis, chroniqueur français (Nangis ?-† 1300). Moine de Saint-Denis, il est l'auteur de deux ouvrages historiques sur Saint Louis et son fils Philippe III ainsi que d'une chronique universelle allant du commencement du monde jusqu'à 1301.

GUILLAUME d'Occam, philosophe anglais (Ockham, Surrey, v. 1300-Munich v. 1349). Franciscain, il se rend à Avignon pour justifier les thèses de son ordre dans la controverse qui l'oppose à Jean XXII, puis publie des pamphlets contre le pape (*Dialogus super dignitate papali et regia,* 1338-1342). Excommunié, il s'enfuit à Munich, où il rédige des *Commentaires sur les sentences de P. Lombard* et une *Somme de toute logique.* Dans ces œuvres, il prend parti pour le nominalisme* dans la querelle des universaux*. Soutenant que l'être n'est que volonté divine et qu'il n'est d'existant que singulier, il se demande ce que peut être une science qui, comme telle, prétend à l'universalité. En répondant que les objets de la science sont des significations, des concepts et non des existants réels que l'on intuitionne, il est conduit à élaborer la notion de signe*. Il innove ainsi d'une façon radicale, dont R. Jakobson* lui donnera acte («la définition du signe que notre époque a ressuscitée s'est montrée toujours valable et féconde»). La logique de ce nominalisme ébranle les bases de la théologie médiévale et amène Occam à penser que seule la Révélation permet de reconnaître la création de Dieu.

GUILLAUME de Tyr, historien des croisades (Syrie v. 1130-v. 1183). Chancelier des rois Amaury Ier et Baudouin IV de Jérusalem, archevêque de Tyr en 1175, il écrivit une remarquable chronique sur l'histoire de la guerre sainte et du royaume de Jérusalem (1095-1184). En 1188, après la prise de Jérusalem par Saladin, il prêcha la troisième croisade.

GUILLAUME (Charles Édouard), physicien suisse (Fleurier 1861-Sèvres 1938). Directeur du Bureau international des poids et mesures (1915), il a codifié l'emploi du thermomètre à mercure et procédé à la fabrication des mètres-étalons; il a découvert les aciers au nickel *Invar* et *élinvar.* (Prix Nobel de physique, 1920.)

GUILLAUME (Gustave), linguiste français (Paris 1883-*id.* 1960). Il est l'auteur d'une théorie linguistique originale, la «psychosystématique». La langue doit, selon lui, être étudiée dans ses rapports avec la structure mentale qui la sous-tend; d'où l'attention portée à la catégorie du temps qui se réaliserait différemment selon les modes (chronogenèse). On lui doit : *Temps et verbe* (1929), *Langage et science du langage* (1964).

GUILLAUMES (06470), ch.-l. de cant. des Alpes-Maritimes, sur le haut Var, à 29 km au N. de Puget-Théniers; 558 hab.

GUILLAUME TELL, héros légendaire de l'indépendance helvétique. La tradition veut qu'ayant refusé de marquer sa soumission au bailli Gessler, représentant des Habsbourg, il aurait été condamné à prouver son adresse d'arbalétrier en perçant une pomme placée sur la tête de son fils.

Guillaume Tell, drame de Schiller (1804).

GUILLAUMIN (Armand) → IMPRESSIONNISME.

GUILLÉN ÁLVAREZ (Jorge), poète espagnol (Valladolid 1893). L'influence de Góngora s'harmonise dans son œuvre avec l'intellectualisme moderne (*Cántico,* 1928; *Mare Magnum,* 1957).

GUILLÉN BATISTA (Nicolás), poète cubain (Camagüey 1902). Sa poésie s'inspire du folklore national (*Motifs de son,* 1930; *Songoro Cosongo,* 1931) et des réalités politiques et sociales (*la Colombe au vol populaire,* 1958; *le Grand Zoo,* 1967).

GUILLERAGUES (Gabriel Joseph DE LAVERGNE, *comte* DE), diplomate et écrivain français (Bordeaux 1628-Constantinople 1685), aujourd'hui reconnu comme l'auteur des *Lettres* portugaises* (1669).

GUILLESTRE (05600), ch.-l. de cant. des Hautes-Alpes, à 21 km au N.-E. d'Embrun; 1 580 hab. Église des XIIe-XVIe s.

GUILLET (Léon), ingénieur métallurgiste français (Saint-Nazaire 1873-Paris 1946). Ses recherches se sont surtout portées sur les alliages, notamment les aciers spéciaux, les bronzes et les laitons additionnés d'éléments divers, ainsi que sur les traitements thermiques.

GUILLEVIC (Eugène), poète français (Carnac 1907). Il mêle une sensibilité immédiate à la nature et aux objets quotidiens à une conscience aiguë des luttes sociales et politiques des hommes contemporains (*Terraqué,* 1942; *Carnac,* 1961; *Euclidiennes,* 1967).

GUILLON (89420), ch.-l. de cant. de l'Yonne, sur le Serein, à 16 km à l'E. d'Avallon; 446 hab. Église du XIIIe s.

GUILLOTIN (Joseph Ignace), médecin et homme politique français (Saintes 1738-Paris 1814). Député, il proposa à l'Assemblée nationale, en 1789, la décollation par une machine afin d'abréger les souffrances des suppliciés. C'est à partir d'un instrument précurseur déjà en usage au XVIe s., la mannaja, qu'il mit au point la guillotine.

GUILMANT (Alexandre), compositeur français (Boulogne-sur-Mer 1837-Meudon 1911). Organiste de l'église de la Trinité, cofondateur de la Schola cantorum (1896), professeur d'orgue au Conservatoire de Paris, il a publié sous le titre d'*Archives des maîtres de l'orgue* (1898-1914) l'œuvre de la majorité des artistes français de l'époque classique.

GUILVINEC (29115), comm. du Finistère, à 11 km au S.-O. de Pont-l'Abbé; 4 612 hab. Pêche. Conserveries.

GUIMARÃES, v. du Portugal, au N.-E. de Porto; 24 000 hab. Château des ducs de Bragance (XVe s.) et nombreux autres monuments de l'époque romane au baroque. Musées.

GUIMARÃES ROSA (João), écrivain brésilien (Cordisburgo, Minas Gerais, 1908-Rio de Janeiro 1967). Poète usant d'une langue qui mêle les néologismes et les archaïsmes dialectaux (*Sagarana,* 1946), il a célébré dans ses romans et ses nouvelles les hautes terres du Nord-Est brésilien (*les Nuits du Sertao,* 1956).

GUIMARD (Hector), architecte et décorateur français (Lyon 1867-New York 1942). Disciple de Viollet-le-Duc, admirateur de Horta, il est l'auteur des fameuses entrées de métro de Paris (fonte sur armature de fer), aux inflexions végétales, ainsi que de nombreux immeubles où il a utilisé (parfois sous forme d'éléments préfabriqués, interchangeables) le fer, le verre, la céramique («castel Béranger», Paris, 1894-1898; maison Coilliot, Lille, 1898-1900). Jusqu'en 1914, il transforma les éléments architectoniques traditionnels et mania l'arabesque ornementale, non figurative, avec une énergie et une liberté étonnantes.

GUIMAUVE. — Cette jolie plante, aux fleurs roses à cinq grands pétales cordiformes, croît surtout dans les terrains humides et salés. La pharmacopée en fait grand usage, surtout des racines, vendues sous le nom de « bâtons de guimauve ». (Famille des malvacées, genre *Althæa.*) La « rose trémière », ornementale, est une guimauve exotique.

GUIMBARDE. — Ignoré de la société aristocratique, cet instrument de musique se répandit dans le monde entier dès le Moyen Âge. Composé d'un cadre métallique (de 50 à 100 mm de longueur) et d'une languette vibrante en acier, il est presque inaudible sans le secours de la cavité buccale, qui lui sert de résonateur et devant laquelle il faut le faire sonner.

Guimet *(musée),* musée résultant d'une fondation de l'industriel et amateur Émile Guimet (1836-1918), d'abord installé à Lyon, puis transféré en 1885 à Paris. Rattaché aux Musées nationaux en 1945, il en constitue le département des Arts asiatiques. Un vaste travail de modernisation y a été entrepris dans le cadre des Ve et VIe Plans.

GUIMILIAU (29230 Landivisiau), comm. du Finistère, à 7,5 km au S.-E. de Landivisiau; 700 hab. Riche enclos paroissial, dont le calvaire, orné de plus de deux cents figures sculptées, est l'élément majeur (1581-1588).

Mali, au XVIe s., le pays perd son unité politique, alors que se développe le commerce européen, en particulier celui des Portugais (trafic des esclaves). Au XVIIIe s. l'Empire mandingue des Bambaras de Ségou étend son autorité jusqu'à Kouroussa; il est remplacé, au début du XIXe s., par le royaume dialonké de Tamba. C'est alors l'apogée de la traite des Noirs vers l'Amérique. En 1850 El-Hadj Omar détruit Tamba et commence sa carrière de conquérant. À partir de 1870, Samory Touré se crée un vaste empire, qui sera détruit par les Français entre 1891 et 1898. La haute Guinée, d'abord rattachée au Soudan français, est transférée à la Guinée en 1900.

De leur côté, les Peuls, à l'ouest, dans le Fouta-Djalon, créent un empire au XVIe s. Pénétrés par l'islām, ils organisent au XVIIIe s. une dure société pseudo-féodale, qui marque cependant un grand progrès sur le plan culturel. Mais ils doivent s'incliner devant l'avance française en 1896. C'est en 1893 qu'a été constituée la colonie de la Guinée française (capitale Conakry), qui, englobée dans l'A.-O. F. en 1895, trouve son assiette définitive par l'annexion du haut Niger (1900) et la cession de l'archipel de Los par les Britanniques (1904). Cependant, elle ne connaît qu'un développement assez lent; son économie ne se transforme vraiment

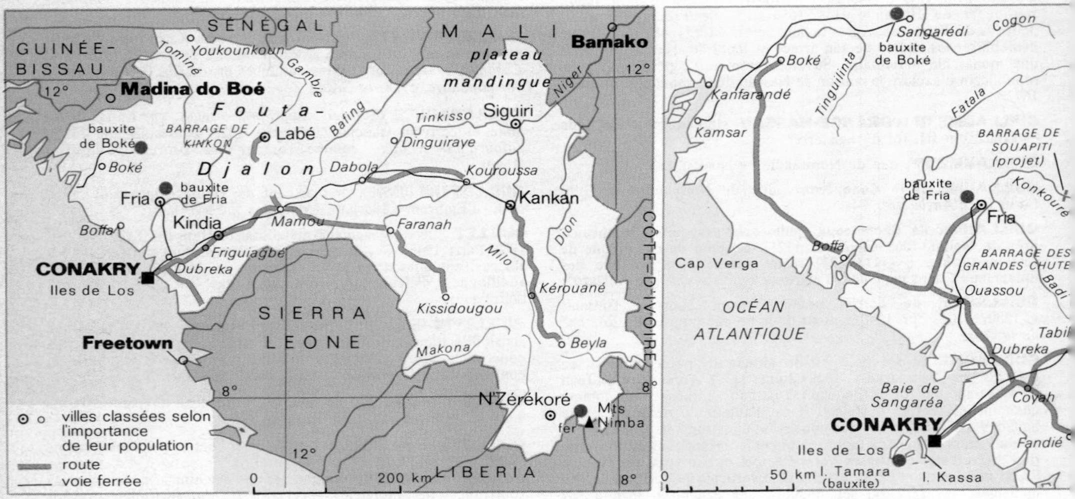

GUINÉE

GUINÉE, république de l'Afrique occidentale; 250 000 km²; 4 420 000 hab. *(Guinéens).* Capit. *Conakry.*

GÉOGRAPHIE. Les hauts plateaux du Fouta-Djalon séparent la plaine côtière de l'Atlantique, au climat tropical humide, du plateau mandingue drainé par le haut Niger, où le climat est beaucoup plus sec. Au S., le plateau se relève dans la Dorsale guinéenne (1 854 m), où le climat subéquatorial explique l'extension de la forêt dense. Le reste du pays est couvert par la forêt claire, passant à la savane quand le climat devient trop sec ou par suite de la dégradation due à l'action de l'homme (défrichements trop fréquents, surpâturage).

La population, composée de diverses ethnies, principalement de Peuls, se concentre dans la plaine côtière et surtout dans le Fouta-Djalon. Faiblement urbanisée, elle vit principalement de l'agriculture. Les productions varient suivant les régions : le riz, la banane et l'huile de palmier dominant sur la côte atlantique; l'élevage bovin extensif dans le Fouta-Djalon; le manioc, le mil et le riz dans le plateau mandingue; enfin le café et le palmier à huile dans le Sud. Le sous-sol recèle de riches gisements miniers : diamants, fer et surtout bauxite (plus de 10 Mt).

Mais, malgré l'aide étrangère (États-Unis, Chine populaire), responsable du développement de l'hydroélectricité, l'industrialisation reste insuffisante (usine d'aluminium, usines textiles et alimentaires). Le pays exporte des matières premières et importe des produits fabriqués, surtout par le port de Conakry.

HISTOIRE. À partir du XIIIe s., la haute Guinée fait partie de l'empire du Mali*, dont la capitale, Niani, se trouve sur son territoire. Deux grandes ethnies — les Malinkés et les Peuls* — dominent l'histoire de la Guinée. Le commerce à longue distance est le monopole de colporteurs musulmans, les Dyoulas, qui pratiquent la traite des Noirs. Après l'effondrement de l'empire du

qu'après 1945, par la mise en valeur de ses grandes richesses minières.

La lutte pour la décolonisation ne prend forme qu'avec son chef charismatique, le syndicaliste malinké Sékou Touré* (né en 1922), qui, maire de Conakry (1955), puis vice-président au Conseil du gouvernement (1957), fait basculer son pays, dès le 2 octobre 1958, dans l'indépendance totale et immédiate. Désormais, l'histoire de la Guinée se confond avec la vie de Sékou Touré, chef absolu de la république de Guinée en même temps que leader d'un parti unique, partout présent et qui ne tolère ni rivalité ni opposition.

GUINÉE *(golfe de),* vaste golfe de l'océan Atlantique, formé sur la partie occidentale de l'Afrique, de l'embouchure de l'Ogooué au Libéria.

GUINÉE-BISSAU, anc. **Guinée portugaise,** État de l'Afrique occidentale, au sud du Sénégal; 31 800 km²; 535 000 hab. Capit. *Madina do Boé.* Le siège du gouvernement est à *Bissau.*

GÉOGRAPHIE. Le pays s'étend sur un ensemble de plaines côtières marécageuses et de bas plateaux se relevant vers le S.-E., sur les contreforts du Fouta-Djalon. Le climat tropical humide qui règne sur la côte, où poussent la mangrove et la forêt dense, s'assèche vers l'intérieur, où la végétation passe à la forêt claire et à la savane.

La population se concentre près du littoral. Elle pratique la riziculture inondée et l'élevage bovin. De rares plantations d'arachides et de palmiers à huile fournissent l'essentiel des exportations d'un pays où l'industrie est inexistante. Les échanges passent par le port de Bissau, ancienne capitale et principale ville.

HISTOIRE. Découverte en 1446 par les Portugais, cette partie de la côte de Guinée n'est vraiment colonisée par eux qu'après 1580.

Détachée administrativement des îles du Cap-Vert en 1879, avec Bolama (Bissau) comme capitale, la Guinée portugaise voit ses frontières fixées en 1886. En fait, les révoltes des différentes ethnies retardent une certaine mise en valeur. L'action, longtemps combattue, et donc clandestine, du Parti africain de l'indépendance de la Guinée et du Cap-Vert (P. A. I. G. C.), fondé en 1956 et animé par Amilcar Cabral, prend la forme de la lutte armée contre les Portugais à partir de 1963. En 1973, au lendemain de l'assassinat d'A. Cabral, le mouvement de libération qu'anime Luis Cabral, demi-frère de l'ancien leader du P. A. I. G. C., proclame, dans les territoires qu'il contrôle, la république de Guinée-Bissau, qui est reconnue par la plupart des pays africains et que le Portugal, débarrassé du régime salazariste, reconnaît en août 1974.

GUINÉE ÉQUATORIALE, anc. **Guinée espagnole,** État de l'Afrique équatoriale, sur le golfe de Guinée; 28 100 km^2; 293 000 hab. Capit. *Malabo.*

GÉOGRAPHIE. Le pays s'étend sur le territoire continental du Mbini (anc. Río Muni), socle ancien raboté couvert par la forêt dense, et diverses îles, dont Corisco, Elobey Grande, Elobey Chico et surtout Macías Nguema (anc. Fernando Poo), d'origine volcanique. Dans le Mbini, une population clairsemée pratique une agriculture vivrière (manioc). De rares plantations fournissent du café, du cacao, des bananes et des arachides. À Macías Nguema, site de la capitale, la population est beaucoup plus dense et les cultures commerciales sont plus développées.

HISTOIRE. L'Espagne prend pied dans le pays quand le Portugal lui cède, en 1777 (traité de San Ildefonso), l'île d'Annobón (découverte en 1471) et l'île de Fernando Poo (découverte en 1472).

Point chaud de la traite des Noirs, la région ne prend vraiment allure de colonie d'exploitation qu'en 1858, sa mise en valeur étant plus tardive encore (1898); les frontières de la Guinée espagnole ne sont d'ailleurs fixées qu'en 1900. Le Río Muni et Fernando Poo, réunis en province espagnole en 1959, accèdent à l'autonomie en 1964 et à l'indépendance — sous le nom de « République de Guinée équatoriale » — le 12 octobre 1968. Président de la République depuis 1968, Francisco Macías Nguema établit une véritable dictature.

GUINEGATTE, auj. **Enguinegatte** (62145 Estrée Blanche), comm. du Pas-de-Calais, à 10 km au S.-O. d'Aire-sur-la-Lys; 367 hab. Le 7 août 1479 s'y déroula une bataille indécise entre l'armée de Louis XI et celle de Maximilien d'Autriche. Le 16 août 1513, cette même localité vit l'armée française battre en retraite, sans combat, devant l'armée anglo-germanique (journée des Éperons).

GUÎNES (62340), ch.-l. de cant. du Pas-de-Calais, à 10 km au S. de Calais; 5 054 hab.

GUINGAMP (22200), ch.-l. d'arr. des Côtes-du-Nord, sur le Trieux; 10 752 hab. *(Guingampais).* Basilique des XIVe-XVIe s. Maisons anciennes. Industries mécaniques et alimentaires.

GUINIZELLI (Guido), poète italien (Bologne entre 1230 et 1240 - Monselice 1276). Ses chansons et ses sonnets exaltant la beauté féminine comme image de la beauté céleste ont ouvert la voie à l'idéalisme amoureux de Dante.

GUIPAVAS (29215), comm. du Finistère, à 9 km au N.-E. de Brest; 9 045 hab.

GUIPÚZCOA, une des provinces basques d'Espagne. Ch.-l. *Saint-Sébastien.*

Guirlande de Julie *(la),* recueil de madrigaux que le duc de Montausier composa et qu'il fit compléter, calligraphier et illustrer en l'honneur de Julie d'Angennes, fille de la marquise de Rambouillet.

GUISAN (Henri), général suisse (Mézières, Vaud, 1874 - Pully 1960). Il commanda l'armée suisse de 1939 à 1945.

GUISCARD (60640), ch.-l. de cant. de l'Oise, à 10 km au N. de Noyon; 1 518 hab.

GUISCARD → ROBERT GUISCARD.

GUISCRIFF (56560), comm. du Morbihan, à 13 km au S. de Gourin; 2 931 hab.

GUISE (02120), ch.-l. de cant. de l'Aisne, sur l'Oise, à 27 km au N.-E. de Saint-Quentin; 6 797 hab. Citadelle des XIe et XVIe s. Fonderie. Constructions mécaniques. — Victoire de Lanrezac le 29 août 1914, qui freina l'avance allemande vers Paris (v. MARNE [*bataille de la*]).

GUISE, famille française, qui compta plusieurs représentants remarquables. FRANÇOIS Ier, 2e duc **de Guise** (Bar 1519 - Saint-Mesmin 1563), sauve Paris de l'invasion après le désastre de Saint-Quentin (1557). Lieutenant général du royaume, il reprend Calais aux Anglais (1558); très influent auprès du roi François II, son neveu par alliance, il est à la fois le chef de la faction catholique et le vrai maître du royaume. Sous Charles IX, il se heurte à Catherine de Médicis par sa politique violente à l'égard des protestants, qui le font assassiner. — HENRI Ier, dit *le Balafré,* 3e duc **de Guise** (1550 - Blois 1588), fils du précédent, mécontent de l'influence de Coligny* sur Charles IX, gagné à la politique antiespagnole, se rapproche de Catherine de Médicis et se montre intransigeant à l'égard des protestants. Chef de la Ligue* catholique (1576), il est tellement populaire à Paris qu'il songe à enlever la couronne à Henri III, qui finit par le faire assassiner. — LOUIS II, cardinal de Lorraine (Dampierre 1555 - Blois 1588), frère du précédent, est l'un des chefs de la Ligue et est assassiné peu après son frère Henri.

GUITARE. — En Europe, on désigne par ce terme un instrument en bois, à caisse plate, ovale, étranglée en son centre. Cette caisse porte un manche à tête plate, où s'insèrent les chevilles. Les cordes s'accrochent à un cordier et entrent en vibration lorsqu'elles sont pincées par un plectre ou par les doigts de l'interprète.

Originaire d'Espagne, la guitare suscite en France un véritable engouement depuis le XVIe s. et n'a connu qu'un léger déclin au début du XXe s. De nos jours, les deux aspects, populaire et classique, de l'instrument se développent parallèlement.

GUÎTRES (33230 Coutras), ch.-l. de cant. de la Gironde, sur l'Isle, à 15 km au N. de Libourne; 1 357 hab.

GUITRY (Lucien), acteur français (Paris 1860 - *id.* 1925), célèbre pour ses créations dans *l'Aiglon* et *Chantecler* de Rostand. — Son fils SACHA (Saint-Pétersbourg 1885 - Paris 1957), acteur, auteur de comédies (*Tu m'as sauvé la vie,* 1949) et de films (*le Roman d'un tricheur,* 1935), a été le représentant typique de l'esprit du Boulevard*.

GUITTON (Jean), philosophe français (Saint-Étienne 1901), auteur d'œuvres d'inspiration chrétienne. (V. SPIRITUALISME.)

GUITTON (Henri), économiste français (Saint-Étienne 1904), frère du précédent. Il a renouvelé la méthodologie de la science économique et étudié les fluctuations économiques.

GUITTONE d'Arezzo, poète italien (Santa Firmina, Arezzo, v. 1230 - Florence 1294). Il passa du lyrisme érotique à une inspiration religieuse et à un style chargé de latinismes qui lui valurent les critiques de Guinizelli et de Dante.

GUIZÈH → GIZEH.

GUIZOT (François), historien et homme d'État français (Nîmes 1787 - Val-Richer 1874). D'origine protestante, il est dès 1812 professeur d'histoire moderne en Sorbonne. Secrétaire général au ministère de l'Intérieur (1814), il rejoint Louis XVIII à Gand en 1815. Haut fonctionnaire au ministère de la Justice (1816-1820), il est l'un des chefs des constitutionnels dits « doctrinaires ». En 1830, il contribue puissamment à l'avènement de la monarchie bourgeoise; la charte révisée constituant pour lui la base du gouvernement idéal, il est, durant tout le règne de Louis-Philippe (1830-1848), le champion du conservatisme et le chef du centre droit et du parti de la « Résistance ». Après avoir assumé le portefeuille de l'Intérieur (1830), il devient ministre de l'Instruction publique (1832-1837); en cette qualité, il est à l'origine d'une importante loi sur l'instruction primaire, dite « loi Guizot » (28 juin 1833), qui admet le principe de la liberté de l'enseignement primaire et tire celui-ci de son marasme en obligeant chaque commune à entretenir une école. À partir de 1840, ministre des Affaires étrangères (1840-1847) ou président du Conseil (1847-48), Guizot est le chef réel du cabinet et du pays, hostile à toute réforme électorale et sociale, et s'appuyant sur une majorité docile à la Chambre des députés, où seule est représentée la bourgeoisie possédante. À l'extérieur, il prône, à contre-courant de l'opinion, une entente cordiale avec la Grande-Bretagne, puis (1847) une alliance franco-autrichienne. Aussi sa chute, réclamée et obtenue par l'opinion libérale le 23 février 1848, précipite-t-elle la fin de la monarchie bourgeoise et l'avènement de la IIe République*. Réfugié à Londres, puis rentré à Paris, Guizot se consacre à ses travaux historiques et à ses Mémoires. De son œuvre écrite, il faut surtout retenir une *Histoire de la révolution d'Angleterre* (1826-27).

GUJAN-MESTRAS (33470), comm. de la Gironde, sur le bassin d'Arcachon; 7 641 hab. Ostréiculture.

GUJARĀTĪ → INDO-ARYEN.

GUJERAT, État du nord-ouest de l'Inde; 195 984 km^2; 26,7 millions d'habitants. Capit. *Gāndhīnagar.* Englobant notamment la péninsule de Kāthiāwār et le marécageux Rann de Kutch, c'est un État relativement industrialisé, dominé par la culture et le travail du coton, représentés surtout dans la région d'Ahmadābād, principale ville du Gujerat.

GUJRĀNWĀLA, v. du nord-est du Pākistān; 196 000 hab.

GULBARGĀ, v. de l'Inde (Karnātaka); 146 000 hab. C'est alors qu'elle était capitale du royaume bahmanide (1347-1424) que la plupart de ses monuments, caractérisés, comme ceux de Bijāpur* et de Golconde*, par leur vaste dôme bulbeux, ont été édifiés.

Impressionnantes fortifications. Palais. Tombeaux. Mosquées, dont la Djāmi Masdijd (1367), à la cour couverte d'un toit, qui est d'un type inconnu ailleurs qu'en Inde et dont le style témoigne de la complète assimilation des éléments persans et indiens.

GULDBERG (Cato), chimiste et mathématicien norvégien (Christiania 1836-*id.* 1902). En collaboration avec P. Waage, il a énoncé en 1864 la *loi d'action de masse* sur les équilibres physico-chimiques, lui donnant une forme quantitative.

GULF STREAM, courant marin chaud de l'Atlantique Nord. Il prend naissance dans le golfe du Mexique, résultant de la réunion du courant des Caraïbes et du courant de Floride. Il franchit le canal de Floride et remonte vers le N. en s'élargissant le long de la côte américaine, jusqu'à la latitude de Terre-Neuve. Là, il se heurte aux eaux froides du Labrador et il est dévié vers l'E., se divisant en plusieurs branches, dont la plus importante, la dérive nord-atlantique, atteint les côtes de l'Europe du Nord. Il s'écoule à la manière d'un puissant fleuve de plusieurs kilomètres de large, d'un débit moyen énorme (de l'ordre de 50 millions de mètres cubes par seconde), décrivant des méandres, et influe sur le climat de l'Europe nord-occidentale, qu'il adoucit. Le plancton prolifère dans la zone de contact avec les eaux froides de l'Atlantique, principalement au large de Terre-Neuve, zone très poissonneuse.

Gulistān *(la Roseraie),* recueil d'anecdotes morales de Saadi (1258), en prose persane mêlée de vers.

Gulliver *(les Voyages de),* roman de Jonathan Swift (1726), dont le héros voyage dans des pays imaginaires : à Lilliput, dont les habitants ont six pouces de haut; à Brobdingnag, peuplé de géants de soixante pieds; dans l'île volante de Laputa, habitée par des savants ridicules; enfin chez les Houyhnhnms, où des chevaux doués de raison gouvernent les *yahous,* anthropoïdes dégradés. Ces fictions satiriques ont pour objet de prouver, à travers une critique violente de la société anglaise, la relativité des théories intellectuelles et des institutions politiques.

GULLSTRAND (Allvar), médecin et physicien suédois (Landskrona 1862-Stockholm 1930). Il fit des travaux sur l'optique physique et la physiologie des dioptres de l'œil. (Prix Nobel de physiologie et de médecine, 1911.)

GUMPLOVICZ (Ludwik), sociologue polonais (Cracovie 1838-Graz 1909). Darwiniste, il soutient que l'évolution sociale et culturelle est l'aboutissement inéluctable des luttes raciales, des conflits entre États et des antagonismes de classe.

GUNDREMMINGEN, localité de l'Allemagne fédérale (Bavière), sur le Danube; 1 000 hab. Centrale nucléaire.

GUNDULIĆ (Ivan), en ital. **Gondola,** poète croate (Raguse v. 1589-*id.* 1638). Son œuvre poétique *(Osman)* et dramatique *(Dubravka)* marque l'apogée de la littérature dalmate.

GÜNTHER (Ignaz), sculpteur allemand (Altmannstein, Haut-Palatinat, 1725-Munich 1775). Il est, à côté d'un Joseph Anton Feuchtmayer (1696-1770), le grand maître de la plastique rococo en Allemagne du Sud (autels, groupes et statues de bois polychrome ou de stuc dans les abbayes et les églises de pèlerinage : Rott am Inn, Weyarn, etc.).

GUNTŪR, v. de l'Inde (Andhra Pradesh), à proximité du golfe du Bengale; 270 000 hab.

GUPTA, dynastie fondée par Candragupta Ier (Chandragupta), roi de Pātaliputra, et qui régna sur la majeure partie de l'Inde centrale du IVe au VIe s. apr. J.-C. Elle fut anéantie par les Huns Hephtalites, laissant de nombreux témoignages d'une civilisation admirable et rayonnante.

GÜRSEL (Cemal), général et homme d'État turc (Erzurum 1895-Ankara 1966). Chef d'état-major de l'armée depuis 1958, il dirige le coup d'État de 1960, qui renverse Menderes* et dissout le parti démocrate. Malgré le succès des partis issus de l'ancien parti démocrate aux élections, il est élu président de la République en 1961 et forme un gouvernement d'union nationale présidé par le républicain Inönü*.

GURVITCH (Georges), sociologue français d'origine russe (Novorossisk 1894-Paris 1965). D'abord sociologue de la connaissance, Gurvitch s'est efforcé ensuite de préciser les différents « paliers » de la réalité sociale, qui, selon lui, requièrent chacun une approche particulière. Soucieux de considérer les faits sociaux dans leur totalité, il entendait tracer ainsi un cadre d'observation opérationnel et concret. À cette méthode, il donna le nom d'« hyperempirisme dialectique » (*Traité de sociologie,* 1958-1960; *la Vocation* actuelle de la sociologie,* 1963; *Études sur les classes* sociales,* 1966).

Gusen *(commando de)* → MAUTHAUSEN.

GUSTAVE Ier VASA (Lindholm 1496-Stockholm 1560), roi de Suède de 1523 à 1560. Issu de la haute aristocratie suédoise, il prend en 1521 la tête de la rébellion dalécarlienne contre l'occupant danois et chasse celui-ci de Suède (1523). Élu roi (juin 1523), il fait adopter par son peuple le luthéranisme (1529), pratique une politique centralisatrice et autoritaire, lutte contre les révoltes populaires et assure à sa lignée la succession au trône (1544). À sa mort, la Suède est devenue une puissance de premier plan.

GUSTAVE II ADOLPHE (Stockholm 1594-Lützen 1632), roi de Suède de 1611 à 1632, fils et successeur de Charles IX. Grand homme d'État, il rénove les structures administratives de son pays, favorise l'économie en développant la métallurgie et l'industrie navale, et contribue à l'essor de la culture par la création d'écoles gratuites et d'universités. Chef militaire de génie, il modernise son armée, achève la guerre contre les Danois (1613), obtient de la Russie l'Ingrie, l'Estonie et la Carélie orientale (1617) et, luttant contre les Polonais, prend Riga, Dorpat et les ports de la Prusse-Orientale (1621-1627). Devenu maître de la Baltique, soutenu financièrement par la France, il prend part à la guerre de Trente Ans contre les Impériaux, s'empare du Brandebourg et du Palatinat, et trouve la mort à Lützen en chargeant à la tête de sa cavalerie (16 nov. 1632).

GUSTAVE III (Stockholm 1746-*id.* 1792), roi de Suède de 1771 à 1792, fils d'Adolphe-Frédéric et de Louise Ulrique. Il gouverne d'abord en despote éclairé; il accorde en effet une constitution (1772) qui laisse au Riksdag le vote des impôts et de la guerre, et il se fait le champion de la liberté de la presse (1774) et de la tolérance religieuse (1781). Mais de graves troubles agraires et les suites de la guerre avec le Danemark et la Russie l'incitent à revenir en 1788 à l'autoritarisme. Vainqueur des Danois, Gustave III ne peut conclure avec la Russie qu'une paix blanche (Varela, 1790). Il songe à intervenir en faveur de Louis XVI, quand il est assassiné par un officier.

GUSTAVE IV ADOLPHE (Stockholm 1778-Saint-Gall 1837), roi de Suède de 1792 à 1809. Hostile à la Révolution française et à Napoléon, allié de la Grande-Bretagne et de la Russie (1805), il s'attire les représailles de la France. Refusant d'adhérer au Blocus continental, il doit abandonner la Finlande aux Russes (1808). Cette attitude mécontente l'armée, qui le fait arrêter, et les états prononcent sa déchéance au profit de son oncle Charles* XIII (1809).

GUSTAVE V (château de Drottningholm 1858-*id.* 1950), roi de Suède de 1907 à 1950. Neutre durant les deux guerres mondiales, il appela au gouvernement en 1920 le socialiste Branting.

GUSTAVE VI ADOLPHE (Stockholm 1882-Helsinborg 1973), roi de Suède de 1950 à 1973.

Gutaï, groupe artistique japonais contemporain. Fondé en 1951 à Ōsaka par le peintre Yoshihara Jiro (1905-1972), pionnier de l'abstraction moderne au Japon, il se consacre à des recherches où s'intègrent toutes les techniques, toutes les matières, toutes les dimensions. Marquées par l'abstraction* lyrique et l'action painting, ses manifestations les plus audacieuses s'apparentent au happening*, mais sans jamais abandonner la production d'œuvres. La « pinacothèque Gutaï », créée en 1962 à Ōsaka, est un des lieux de confrontation de l'avant-garde japonaise.

GUTENBERG (Johannes GENSFLEISCH, dit), imprimeur allemand (Mayence entre 1394 et 1399-*id.* 1468). Après s'être intéressé à la taille des pierres précieuses (1434), puis à la fabrication des miroirs (1437), il aurait, d'après des témoignages de la fin du XVe s., effectivement imaginé, vers 1440, à Strasbourg, le procédé d'imprimerie* en caractères* mobiles, ou typographie*. Revenu à Mayence en 1448, il perfectionna son invention et s'associa, en 1450, avec Johann Fust*. En 1455, celui-ci lui intenta un procès dont la perte le priva de son matériel typographique et, probablement, de sa première œuvre, terminée cette année-là : la fameuse *Bible* latine en deux colonnes, dite « à quarante-deux lignes ».

GUTERSLOH, v. de l'Allemagne fédérale (Rhénanie-du-Nord-Westphalie), à l'E. de Münster; 81 000 hab.

GUTLAND (le), partie méridionale du Luxembourg.

GUTTIFÉRALES. — Ce petit ordre de plantes, dont les fleurs ont un réceptacle bombé et de nombreuses étamines, rassemble des espèces tropicales (famille des *guttifères,* ou *clusiacées*), asiatiques (famille des *théacées*) et européennes (famille des *hypéricacées* [v. MILLE-PERTUIS]). La plupart d'entre elles sécrètent un latex ou une huile. On les apparente aux malvacées et aux euphorbes.

GUTTMAN (Louis), psychosociologue et mathématicien américain (New York 1916). Il est à l'origine d'une technique d'échelle d'attitudes qui porte son nom. Celle-ci est également appelée « scalogramme ».

GUTZKOW (Karl), écrivain allemand (Berlin 1811-Sachsenhausen 1878). Animateur du mouvement de la Jeune-Allemagne, il eut une grande influence sur le courant libéral dans la Confédération germanique par ses romans et son théâtre (*Uriel Acosta,* 1847).

GUYANA, anc. **Guyane britannique,** État de l'Amérique du Sud, membre du Commonwealth; 215 000 km²; 774 000 hab. Capit. *Georgetown.*

GÉOGRAPHIE. Le pays s'étend sur une portion du bouclier des Guyanes, arasé en plateau, s'abaissant jusqu'à la plaine côtière marécageuse. Le climat équatorial explique la grande extension de la forêt dense (mangrove sur la côte), qui couvre les neuf dixièmes du territoire. La population, très peu dense, est composée principalement de Noirs, descendants des anciens esclaves, et d'Asiatiques, amenés par les Anglais au temps de la colonisation. Elle se concentre dans la région côtière, la forêt n'étant peuplée que de rares tribus indiennes. L'agriculture occupe environ le tiers de la population active. À côté des cultures vivrières, les plantations fournissent de la canne à sucre et du riz. Mais la principale richesse du pays est la bauxite (4 Mt). Exploitée grâce aux capitaux étrangers, celle-ci est exportée principalement vers le Canada. Les ports de New Amsterdam et de Georgetown, principale ville du pays, assurent les échanges avec l'extérieur, dirigés essentiellement vers la Grande-Bretagne, les États-Unis et le Canada.

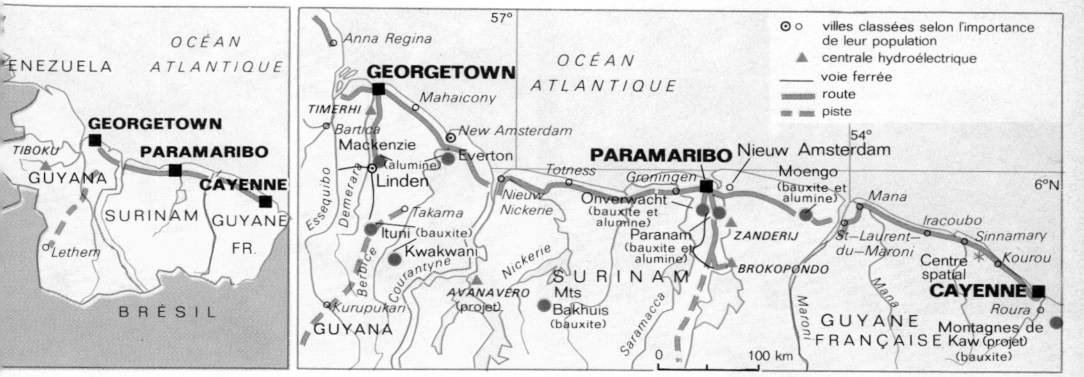

GUYANES

HISTOIRE. Au cours des XVIIe et XVIIIe s., le territoire des Guyanes est disputé par les Français, les Anglais et les Hollandais. Finalement, les traités de 1814 laissent aux Pays-Bas le Surinam* et à la France la Guyane* française, les Britanniques s'installant dans la partie occidentale, avec Georgetown comme capitale. Une forte immigration africaine et surtout hindoue ainsi que la découverte de l'or (1879) donnent un coup de fouet à l'économie de la colonie, qui, en 1928, reçoit des Britanniques une constitution fondée sur le suffrage restreint et le monocamérisme. En 1953, le suffrage universel et le bicamérisme sont instaurés. Mais l'heure de l'indépendance est retardée par le fait de l'opposition entre la population hindoue (50 p. 100 du total), dont le leader est Cheddi Jagan, Premier ministre de 1961 à 1964, et la population noire (35 p. 100), menée par Forbes Burnham. La Guyane britannique accède cependant à l'indépendance en 1966 et prend le nom de Guyana. En 1970, elle se proclame « république coopérative », sous la présidence d'Arthur Chung. Ce dernier est réélu en 1976.

GUYANE (la) ou **GUYANES** (les), région du nord de l'Amérique, sur l'Atlantique, entre l'Orénoque et l'Amazone, formée essentiellement d'un massif ancien érodé *(massif des Guyanes),* culminant cependant à 2 711 m (au Roraima). Proche de l'équateur, l'ensemble a un climat chaud et humide, et la forêt dense domine. Peu peuplée, la région est partagée entre le Brésil, le Venezuela et les *trois Guyanes* (*Guyana* [anc. *Guyane britannique*], *Surinam* [anc. *Guyane néerlandaise*], États indépendants, et *Guyane française,* département français d'outre-mer).

GUYANE FRANÇAISE (973), département français d'outre-mer, sur l'Atlantique, entre le Brésil et le Surinam; 91 000 km²; 55 125 hab. Ch.-l. *Cayenne.*

GÉOGRAPHIE. De part et d'autre du 5e degré de latitude N., la Guyane est un territoire dont le climat équatorial, toujours chaud et souvent humide, favorable à la forêt dense, explique la faiblesse de l'occupation humaine. La densité moyenne d'occupation est inférieure à 1 habitant au kilomètre carré et, en fait, l'agglomération de Cayenne regroupe environ les deux tiers de la population totale, la majeure partie du reste jalonnant les basses plaines littorales, alors que l'intérieur, formé surtout de collines, n'en compte guère que de 5 à 10 p. 100. La patate et le manioc sont les principales cultures vivrières, la banane et la canne à sucre étant les cultures d'exportation, mais, au total, moins du centième du territoire est cultivé. La forêt recouvre près des neuf dixièmes de celui-ci, ce qui explique l'existence d'un plan visant à son exploitation massive et rationnelle, grâce à une immigration de métropolitains. L'implantation de la base de lancement d'engins spatiaux de Kourou n'a que très localement modifié l'économie, marquée par un énorme déficit de la balance commerciale (le taux de couverture des exportations est tombé au-dessous de 10 p. 100), imposant une aide considérable de la métropole.

HISTOIRE. L'attrait d'un imaginaire Eldorado attire à l'emplacement de Cayenne, dès le XVIe s., des colons européens. Les Français apparaissent en Guyane dès les premières années du XVIIe s. et fondent Cayenne (1643). En fait, ces derniers ne réussissent guère dans leurs entreprises, car ils doivent compter avec l'impéritie des gouverneurs, les révoltes des Noirs et la concurrence hollandaise et britannique. Colbert confie la colonisation de la Guyane à la Compagnie de la France équinoxiale et le pays devient définitivement français en 1677 : ce qui ne suffit pas pour éveiller l'économie du pays. L'expulsion, en 1762, des Jésuites, fondateurs de centres agricoles pour les Indiens, se révèle catastrophique, tout comme un envoi massif de colons décidé par Choiseul en 1763. La Guyane française commence, cependant, à sortir de sa léthargie sous le règne de Louis XVI. La Convention (1794), puis le Directoire en font un lieu de relégation (« guillotine sèche »). En 1809, elle est conquise par une flotte anglo-portugaise. Redevenue française en 1817, elle est ruinée en 1848 par l'abolition de l'esclavage; l'installation, pour cent ans (1852-1947), d'un bagne à Cayenne accentue le côté répulsif de la colonie et gêne l'expansion de celle-ci, à laquelle la découverte (1870) et l'exploitation de l'or donnent quelques années de prospérité artificielle. Devenue en 1946 département français, la Guyane française souffre toujours du manque de main-d'œuvre et de la faiblesse du marché commercial.

GUYENNE, anc. province de France, d'abord appelée Aquitaine* *(Aquitania),* puis, par altération de ce terme, Guyenne (XIIIe s.). Le duché de Guyenne succéda nommément à celui d'Aquitaine au moment du traité de Paris (1259), par lequel le roi de France en reconnut la possession à son vassal, le roi d'Angleterre. Il s'étendait alors, le long du littoral atlantique, depuis la région bordelaise jusqu'au royaume de Navarre; mais, sous la domination anglaise, ses limites varièrent jusqu'à inclure la majeure partie de l'ancienne Aquitaine. En 1453, le traité de Castillon permit de réaliser l'union de la Guyenne au domaine des rois de France. Devenu en 1469 apanage de Charles, frère de Louis XI, le duché revint définitivement à la couronne en 1472. La Guyenne de l'Ancien Régime, divisée en deux généralités, formait avec la Gascogne, le Béarn, la Saintonge et le Limousin un grand gouvernement, dont le siège était Bordeaux.

GUYNEMER (Georges), officier aviateur français (Paris 1894-Poelkapelle 1917). Titulaire, à vingt-trois ans, de cinquante-quatre victoires homologuées, commandant l'escadrille des Cigognes, il fut abattu en vol. Son héroïsme a fait de lui une figure légendaire de l'aviation militaire française.

GUYON (Félix), chirurgien français (Saint-Denis, La Réunion, 1831 - Paris 1920), l'un des maîtres de l'école urologique française.

GUYON DU CHESNOY (Jeanne-Marie BOUVIER DE LA MOTTE, **Mme**), mystique française (Montargis 1648 - Blois 1717). Veuve en 1676, elle se lance dans l'apostolat spirituel. La publication, en 1685, de son *Moyen court et très facile pour l'oraison* la fait taxer de quiétisme*. Soutenue un moment par Fénelon*, Mme Guyon est emprisonnée (1698), puis exilée (1703).

GUYS (Constantin), dessinateur et aquarelliste français (Flessingue, Pays-Bas, 1802-Paris 1892). D'abord dessinateur des événements internationaux (révolution de 1848, guerre de Crimée) pour l'*Illustrated London News,* il se tourne vers la description, au lavis et à l'aquarelle, de la vie du second Empire, avec ses personnages, ses mondanités, ses situations prises sur le vif.

Gymnastique. Exercices au sol par la Roumaine N. Comaneci (jeux Olympiques de Montréal, 1976).

GUYTON DE MORVEAU (Louis Bernard, *baron*), magistrat et chimiste français (Dijon 1737-Paris 1816). Il liquéfia l'ammoniac et, en 1782, il entreprit, avec l'aide de Lavoisier, de Berthollet et de Fourcroy, de créer une nomenclature chimique rationnelle. Envoyé à l'Assemblée législative, puis à la Convention, il fut membre du Comité de salut public.

GUZMÁN (Martín Luis), romancier mexicain (Chihuahua 1887). Secrétaire de Pancho Villa, il a peint la période troublée de la révolution de 1910 (*l'Aigle et le serpent,* 1928; *l'Ombre du Caudillo,* 1929).

Guzman d'Alfarache, roman picaresque de l'Espagnol Mateo Alemán (1599), dont Lesage publia en 1732 une adaptation française.

GWĀLIOR, v. de l'Inde, dans le nord du Madhya Pradesh; 385 000 hab. Mausolées de l'époque moghole. Ensemble de sculptures rupestres jaïna (XVe s.). Temples, dont le Telika-Mandir (IXe s.) et les deux temples Sas-Bahu, au plan rappelant celui de Khajurāho*; palais fortifié du XVIe s. Musée archéologique.

GWELO, v. de Rhodésie, au S.-O. de Salisbury; 62 000 hab.

GY (70700), ch.-l. de cant. de la Haute-Saône, à 18 km à l'E. de Gray; 1 061 hab.

GYGÈS, roi de Lydie (v. 687-652 av. J.-C.), fondateur de la dynastie des Mermnades*. Pour se protéger des Cimmériens, il s'appuya tantôt sur l'Assyrie, tantôt sur l'Égypte et imposa son protectorat aux villes d'Ionie. La légende grecque lui attribue de grandes richesses et la possession d'un anneau qui le rendait invisible.

GYLLENSTEN (Lars), écrivain suédois (Stockholm 1921), peintre satirique de toutes les attitudes sociales et littéraires (*Camera obscura,* 1946; *la Mort de Socrate,* 1960; *Infantilia,* 1969; *la Grotte dans le désert,* 1973).

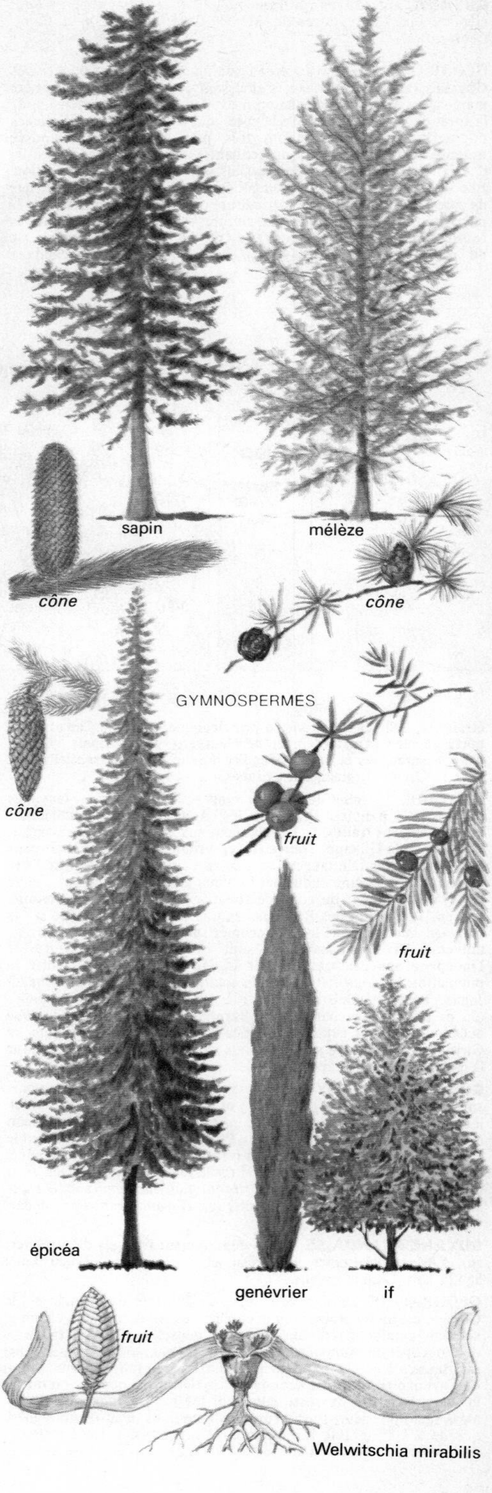

GYMNASTIQUE. — La gymnastique moderne, apparue plus ou moins simultanément dans plusieurs pays européens (Allemagne [Prusse], Suisse, France, Suède, Tchécoslovaquie) entre 1800 et 1875, et organisée sur le plan international depuis 1881 (création de la F. I. G. [Fédération internationale de gymnastique]), est présente aux jeux Olympiques depuis leur rénovation (1896). Toutefois, ce n'est qu'en 1936 qu'ont été codifiées (avec quelques modifications intervenues en 1952) les épreuves officielles, au nombre de six chez les hommes, et de quatre chez les femmes. Pour les hommes, il s'agit des *exercices au sol* (d'une durée comprise entre 50 et 70 secondes, et exécutés sur un tapis carré de 12 m de côté), du *cheval-arçons* (ou *cheval d'arçons*), des *anneaux,* du *saut de cheval* (ou *cheval-sautoir,* exercice effectué à l'aide d'un tremplin d'appel), des *barres parallèles* et de la *barre fixe* (qui nécessite des mouvements d'élan sans aucun arrêt). Pour les femmes, deux de ces appareils (ou agrès) subsistent : les *exercices au sol* (de 60 à 90 secondes sur fond musical) et le *saut de cheval* (dont la hauteur est de 1,10 m contre 1,35 m pour les hommes); deux agrès apparaissent : les *barres asymétriques* (la plus haute à 2,30 m, l'autre à 1,50 m) et la *poutre d'équilibre* (large de 10 cm). Les grandes compétitions portent sur un double programme : un programme imposé et un programme libre. L'appréciation est portée par un jury de cinq membres, notant à l'aide d'un code de pointage international classant toutes les figures en trois catégories (A, B et C), en tenant compte à la fois de l'exécution, de la difficulté et de l'enchaînement des figures. Toutes les années paires non olympiques sont organisés des championnats du monde. Dans les deux cas sont établis deux classements généraux (pour l'ensemble des appareils), par équipe (de six membres, mais seules les cinq meilleures notes sont retenues) et individuellement; il s'y ajoute des classements individuels par appareil. Aujourd'hui (et depuis longtemps déjà), le Japon et l'U. R. S. S. (au premier rang pour les femmes) dominent la gymnastique mondiale masculine.

GYMNASTIQUE RYTHMIQUE → JAQUES-DALCROZE (Émile).

GYMNOSPERMES. — Les espèces végétales actuelles et fossiles rassemblées sous le nom de *gymnospermes* ne se ressemblent guère. Généralement arborescentes, ce sont des plantes à graines, mais celles-ci ont pour réserves alimentaires un *endosperme,* qui, contrairement à l'albumen* des angiospermes, ne résulte pas d'une fécondation. Les cotylédons sont en nombre supérieur à deux, et le fruit ne se referme pas autour des graines, qui sont donc « nues »; d'où le nom du groupe. La fécondation, toujours « simple », implique dans les formes les plus primitives la libération des gamètes mâles dans un liquide (gymnospermes *natrices*). À l'ère primaire et au début de l'ère secondaire, les gymnospermes ont dominé la flore mondiale (ptéridospermées, bennettitées, cordaïtées, cycadales, ginkgoales, gnétales...), mais, aujourd'hui, l'ordre des conifères* est le seul qui compte de nombreuses espèces.

GYMNOTE. — Le plus redoutable des « poissons électriques » est bien ce grand poisson d'Amazonie, long de 2,50 m, large de 20 cm et dont les organes électrogènes occupent les quatre cinquièmes de la longueur totale. C'est un animal assez étrange, porteur d'une longue nageoire ventrale, mais dépourvu de pelviennes et souvent pris pour une anguille.

GYNÉCOLOGIE. — Cette spécialité médicale est consacrée à la physiologie et à la pathologie de la femme depuis la puberté jusqu'après la ménopause. Elle s'exerce le plus souvent conjointement avec l'obstétrique*.

GYÖR, v. du nord-ouest de la Hongrie, sur le Danube; 111 000 hab. Château fort et cathédrale des XIIe-XIVe-XVIIe s., entourés d'une vieille ville (XVIe-XVIIIe s.) aux importants monuments baroques. Musée des Bastions (collection romaine), musée du Château et trésor de la cathédrale. Constructions mécaniques.

GYPSE. — Le gypse, de formule $CaSO_4$, 2 H_2O, est un solide jaunâtre, de densité 2,3, qui se présente en masses compactes ou en cristaux du système monoclinique. Roche sédimentaire, il se forme dans les cuvettes endoréiques des pays arides sous l'effet de l'évaporation, qui fait cristalliser les sels contenus dans l'eau. En le chauffant entre 150 et 200 °C, on obtient du plâtre par déshydratation. Le gypse est facile à cliver et forme souvent une macle en fer de lance.

GYRIN. — La surface des eaux calmes est souvent sillonnée par les danses rapides des *gyrins,* petits coléoptères ovales et luisants, aux pattes antérieures longues et qui ne cessent de tournoyer à la recherche de leurs proies.

GYROMITRE. — Ce champignon ascomycète, ressemblant à une morille, pousse dans les bois de résineux. Toxique à l'état frais, il est comestible après séchage, son principe vénéneux étant volatil.

GYROSCOPE. — Un gyroscope est constitué par une masse en rotation rapide autour d'un axe et dont la propriété essentielle tient au fait que cet axe garde une orientation fixe dans l'espace, quelles que soient les inclinaisons de son support. Il peut donc être employé pour détecter des déplacements angulaires; pour cela, la masse en rotation est reliée à son support par l'intermédiaire d'un montage à la Cardan. Les plus récents gyroscopes de haute précision tournent à des vitesses de l'ordre de 100 000 tr/mn; ils doivent exercer les frottements les plus faibles possible sur leurs paliers. Ils sont utilisés dans de nombreux équipements de bord des avions*, tels qu'horizon artificiel, directionnel, appareils de mesure de vitesses angulaires.

GYULAI (Ferencz), général hongrois (Pest 1798 - Vienne 1868). Commandant l'armée autrichienne en Italie (1859), il a été battu par les Français à Magenta et destitué.

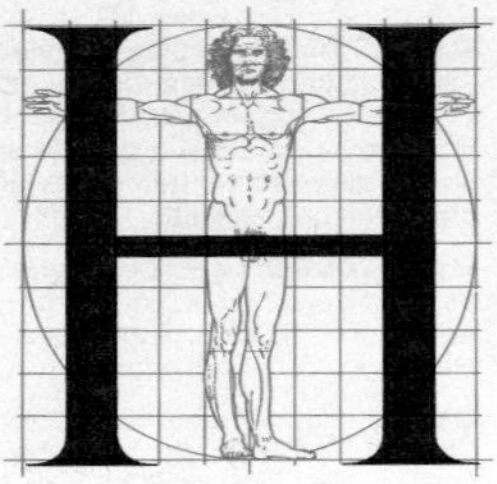

HAAKON IV (près de Skarpsborg 1204 - Kirkwall, Orcades, 1263), roi de Norvège de 1223 à 1263, fils naturel et posthume d'Haakon III. Proclamé en 1217, il ne fut reconnu comme souverain légitime qu'en 1223. Ce grand monarque assura la prospérité économique de son pays et établit sa souveraineté sur le Groenland et l'Islande.

HAAKON VII (Charles) [Charlottenlund 1872 - Oslo 1957], roi de Norvège de 1905 à 1957. Lorsque la séparation entre la Suède et la Norvège fut accomplie, ce second fils du roi de Danemark Frédéric VIII fut élu roi par le Storting norvégien. En juin 1940, il se réfugia en Angleterre, d'où il continua la lutte.

HAANPÄÄ (Pentti), écrivain finlandais d'expression finnoise (Pulkkia 1905 - Pyhäntä 1955). Membre du groupe « Kiila » rassemblant les écrivains marxistes, il traite avec humour des difficultés et des absurdités de la vie quotidienne (*Au long de la route,* 1925; *Lisakhi le taciturne,* 1953).

HAARLEM, v. des Pays-Bas, à l'O. d'Amsterdam, ch.-l. de la Hollande-Septentrionale; 171 000 hab. Sur le Grote Markt, hôtel de ville et Grande-Église gothiques, ancienne boucherie de 1602. La ville fut un centre pictural majeur du XVe au XVIIe s. Musée Frans Hals* dans l'hospice des vieillards du XVIIe s. Musée Teyler.

HISTOIRE. Haarlem fut dès le XIe s. l'une des résidences préférées des comtes de Hollande et dut à sa situation privilégiée de connaître durant tout le Moyen Âge une grande activité commerciale. Ville de draperies au XVe s., elle fut au XVIe s. le centre du commerce des tulipes. En 1572-73, elle tint pendant huit mois contre l'armée espagnole; à l'issue du siège, deux mille de ses occupants furent exécutés sur l'ordre du duc d'Albe.

HAARLEMMERMEER, région de polders (asséchés au XIXe s.) des Pays-Bas, au S. de Haarlem.

HAAS (Ernst), photographe autrichien (Vienne 1921). Son talent, aux multiples facettes, se retrouve aussi bien dans des reportages poignants d'angoisse (retour des prisonniers de la Seconde Guerre mondiale) — qui participent de l'esprit des « photographes concernés » par leur temps — que dans des ouvrages comme *la Création* (1971), aux images poétiques et vaporeuses, ou *l'Amérique* (1974), qui évoque tant la violence que la sérénité du pays.

ḤABACH AL-ḤĀSIB, astronome et mathématicien arabe († Merv entre 864 et 874). Auteur d'observations astronomiques à Bagdad, où il enseigna entre 825 et 835, il est connu surtout pour ses contributions au développement de la trigonométrie* et pour sa théorie du mouvement de la Lune*.

HABEAS CORPUS. — Établie par l'*Habeas Corpus Act* de 1679 et aménagée depuis par plusieurs lois, la procédure d'*habeas corpus* subordonne les décisions d'emprisonnement à l'appréciation souveraine des juges; elle permet à toute personne arrêtée de s'adresser à un juge de la High Court pour obtenir soit un ordre de libération, soit une injonction faite à l'auteur de l'arrestation de prouver qu'il existait un motif raisonnable. En l'absence de preuve le juge ordonne la libération.

HABER (Fritz), chimiste allemand (Breslau 1868 - Bâle 1934). Il réalisa la synthèse industrielle de l'ammoniac en opérant par voie catalytique sous très forte pression. Il montra qu'une réaction chimique violente peut être l'origine d'une émission d'électrons. (Prix Nobel de chimie, 1918.)

HABERMAS (Jürgen), philosophe et sociologue allemand (Düsseldorf 1929). Assistant d'Adorno*, il se rattache à l'école de Francfort*, dont il est l'ultime représentant. Son œuvre apporte une importante contribution à la sociologie de la connaissance* et ses médias (*Zur Logik der Sozialwissenschaften,* 1967; *Connaissance et intérêt,* 1968; *la Technique et la science comme idéologie,* 1968) ainsi qu'à la philosophie politique marxiste (*Théorie et pratique,* 1963; *Philosophisch-politische Profile,* 1971; *Legitimationsprobleme im Spätkapitalismus,* 1973).

HABITATION À LOYER MODÉRÉ (H. L. M.) → LOGEMENT.

HABSBOURG, dynastie qui régna sur l'Autriche de 1278 à 1918. Cette famille, issue probablement du duc Éthicon d'Alsace, apparaît vers l'an 1000 en Argovie, dans le château de Habichtsburg (château des Vautours). Par la suite, sa puissance ne cesse de croître. Elle s'établit à Lucerne, en haute Alsace et dans le comté de Zurich, et figure déjà parmi les principales familles de Souabe, lorsqu'en 1273 l'un des siens, Rodolphe de Habsbourg, est élu roi des Romains. Par la victoire de Marchfeld (1278), qui lui assure la possession de l'Autriche, de la Styrie et de la Carniole, Rodolphe Ier* apparaît comme le véritable fondateur de ce que l'on appellera désormais la « maison d'Autriche ». Mais cette réussite trop rapide, qui inquiète les autres princes allemands, vaut aux Habsbourg une longue éclipse politique, au cours de laquelle, cependant, ils acquièrent le Tyrol; ce n'est qu'en 1440, avec l'élection à l'empire de Frédéric III, que la famille revient au premier plan : désormais, les Électeurs allemands ne choisiront plus que des Habsbourg; ceux-ci, par une habile politique matrimoniale — mariages de Maximilien avec l'héritière des Pays-Bas et de la Comté (1477), de Philippe le Beau avec l'héritière de Castille et d'Aragon (1496), de Ferdinand avec celle de Bohême et Hongrie (1521) —, seront en mesure de prétendre, avec Charles Quint, à la monarchie universelle *(Austriae est imperare orbi universo).* À la mort du grand empereur (1566), la maison d'Autriche se divise en deux branches : l'aînée règne sur l'Espagne, les Pays-Bas et les possessions italiennes jusqu'en 1700, année où elle s'éteint; la cadette conserve la dignité impériale et les possessions de l'Europe centrale, puis, après 1700, récupère les Pays-Bas et les possessions d'Italie. À partir de 1736, la dynastie — qui sera un instant ébranlée par la terrible crise suivant la mort de Charles VI (1740) — devient, par le mariage de Marie-Thérèse avec François de Lorraine, la maison de Habsbourg-Lorraine, dont les chefs régneront sans interruption sur le Saint Empire, puis, après la disparition de celui-ci (1806), sur l'empire d'Autriche jusqu'à la révolution de novembre 1918.

HABSHEIM (68440), ch.-l. de cant. du Haut-Rhin, à 7,5 km à l'E. de Mulhouse; 2 560 hab. Hôtel de ville du XVIe s.

HĀCHÉMITES, famille quraychite*, qui a pour ancêtre éponyme Hāchim, l'arrière-grand-père de Mahomet*. Elle s'illustra par plusieurs lignées de chérifs ḥasanides*, souverains de La Mecque* du Xe s. à 1924, et par les rois qu'elle fournit au XXe s. au Hedjaz, à l'Iraq et à la Jordanie. Ḥusayn ibn ʿAlī (Istanbul, v. 1856 - ʿAmmān 1931) est investi par les Ottomans chérif de La Mecque et émir du Hedjaz* (1908). Fort des promesses de la Grande-Bretagne, il proclame en 1916 la révolte arabe contre les Turcs. Déçu dans ses ambitions panarabes, il doit se contenter du titre de roi du Hedjaz (de 1916 à 1924). Il est contraint à abdiquer devant l'invasion d'ʿAbd al-ʿAzīz ibn Saʿūd* (1924). Son fils Fayṣal Ier (Ṭāʾif 1883 - Berne 1933) commande les troupes arabes pendant la Première Guerre mondiale. Roi de Syrie en 1920, il est battu par les troupes françaises. Il devient roi d'Iraq (de 1921 à 1933) grâce aux Britanniques. Son fils Rhāzī (de 1933 à 1939) et son petit-fils Fayṣal II (de 1939 à 1958), soutenus par les Britanniques, exacerbent l'opposition nationaliste, qui prend le pouvoir en Iraq par la révolution de 1958. Abdullah (La Mecque 1882 - Jérusalem 1951), second fils du chérif Ḥusayn, devient émir (1921), puis roi (1946) de Transjordanie*. Il annexe en 1949 ce qui reste de la Palestine arabe et meurt assassiné. Son petit-fils Husayn* lui succède en 1952.

HACHINOHE, port du Japon, sur le Pacifique, dans le nord de Honshū; 209 000 hab. Pêche. Textile et chimie.

HACHIŌJI, v. du Japon (Honshū), à l'O. de Tōkyō; 254 000 hab.

HACHISCH → CANNABIS, PIPE.

HACILAR, site de Turquie, près de Burdur, dont les fouilles ont permis le dégagement de sept niveaux archéologiques étagés entre environ 7000 et 5300 av. J.-C. Ceux-ci, dès l'origine, attestent une organisation villageoise de type agricole et acéramique, avec maisons en briques crues sur fondations de pierre, aux murs plâtrés et peints en rouge. La phase d'épanouissement de cette culture se situe vers le milieu du VIe millénaire.

HADAMARD (Jacques), mathématicien français (Versailles 1865-Paris 1963). Ses recherches ont porté surtout sur la théorie des fonctions et les équations aux dérivées partielles. En 1896, il fut le premier à donner une démonstration correcte de la répartition asymptotique des nombres premiers. À la suite de Voltera*, il joua un rôle fondamental dans la création de l'analyse fonctionnelle.

HADATOU, auj. **Arslān Tash,** anc. ville assyrienne (Syrie), dégagée depuis 1927 par une mission française. Plusieurs plaques d'ivoire — ornement mobilier du IXe s. av. J.-C., d'origine syrienne et phénico-chypriote —, faisant probablement partie d'un tribut payé par le roi de Damas à l'Assyrie, ont été recueillies (musée d'Alep et Louvre).

HADDA → AFGHĀNISTĀN.

HADDOCK → MORUE.

HADÈS, dans la mythologie grecque, dieu du royaume des morts, les Enfers. Il est souvent désigné sous le surnom de Pluton*.

ḥadīth, tradition rapportant les actes ou les paroles de Mahomet*, ou son approbation tacite de paroles ou d'actes effectués en sa présence. C'est sous l'influence du chāfi'isme* qu'elle a été reconnue comme le fondement de l'islām immédiatement après le Coran. Les recueils jouissant de la plus grande autorité ont été recueillis au IXe s. par Bukhārī et Muslim.

HADJAR (al-), centre sidérurgique d'Algérie, près d'Annaba.

HADRAMAOUT, région du sud de l'Arabie, sur le golfe d'Aden et la mer d'Oman.

Hadriana *(villa),* maison de plaisance élevée pour l'empereur Hadrien, entre 118 et 138, à Tibur (auj. Tivoli), à l'est de Rome. Cet extraordinaire ensemble, niché dans un vaste parc, témoigne de l'éclectisme de l'empereur — qui y avait fait élever des maquettes des monuments qui l'avaient impressionné lors de ses voyages —, mais aussi de recherches architecturales nouvelles et très originales, qui émerveilleront les artistes ultérieurement et ne seront pas sans influence sur le baroque italien. Disséminés et reliés entre eux par des suites de portiques, de cryptoportiques et d'escaliers, les édifices, aux fonctions diverses, étaient très richement décorés (mosaïques noir et blanc, ou polychromes).

HADRIEN ou **ADRIEN,** en lat. **Publius Aelius Hadrianus** (Italica 76 - Baïes 138), empereur romain de 117 à 138. Parent éloigné et collaborateur de Trajan, qui l'adopta sur son lit de mort, Hadrien lui succéda en 117, alors qu'il était gouverneur de Syrie. Son règne fut marqué par deux préoccupations : assurer la paix intérieure et unifier l'Empire en concentrant l'administration. Craignant que l'effort militaire ne ruinât l'Empire, Hadrien renonça aux guerres impérialistes et inaugura une politique défensive : il évacua les conquêtes de Trajan en Orient et renforça le *limes* sur toutes les frontières; en Bretagne, il fit construire un retranchement sur la ligne Tyne-Solway («mur d'Hadrien»). Il se montra impitoyable pour préserver la paix intérieure, comme l'atteste la brutale répression de la révolte juive (132-135) de Bar-Kokheba*. Contrairement à Trajan, il s'intéressa moins à l'Italie qu'aux provinces, qu'il parcourut pendant plus de dix ans : il encouragea le défrichement des terres *(lex Hadriana de rudibus agribus)* et réorganisa l'exploitation des mines *(lex metalli Vipacsensis).* Son œuvre administrative fut capitale : il acheva d'organiser le conseil impérial, dont il renforça le rôle et où il introduisit des juristes et des chevaliers; une interprétation uniforme de la loi fut assurée par l'édit du préteur (*Édit perpétuel* de 131); Hadrien donna à la bureaucratie romaine ses règlements et perfectionna l'administration équestre; il divisa l'Italie en quatre districts, confiés à des consulaires : cette politique lui aliéna le sénat, qu'il persécuta à la fin de son règne. Philhellène, personnalité complexe et cultivée, Hadrien favorisa un retour au classicisme en littérature et dans les arts sans refuser l'exotisme, comme en témoigne sa villa de Tibur (Tivoli) [v. HADRIANA *(villa)*]. La dernière année de son règne, il adopta Antonin*, à charge pour lui d'adopter Marc-Aurèle*.

HAECKEL (Ernst Heinrich), naturaliste allemand (Potsdam 1837-Iéna 1919). Son admiration pour Darwin, à qui il rendit visite en 1866, stimula ses recherches anatomiques et embryologiques sur les animaux inférieurs (protozoaires et diploblastiques) ainsi que sur les faunes marines du monde entier, observées au cours de nombreux voyages.

HAENDEL → HÄNDEL.

ḤĀFIẒ (Chams al-Dīn Muḥammad), poète persan (Chirāz v. 1320-*id.* v. 1389). Il ne quitta guère sa ville natale, pour laquelle il proclama son attachement dans de nombreux poèmes. Professeur d'exégèse du Coran, il célébra le vin et la beauté dans une sorte d'ode, le *rhazal,* dont il porta le genre à la perfection.

HAFĪZ (Mūlāy) [Fès 1875 - Enghien-les-Bains 1937], sultan 'alawīte du Maroc (1908-1912). Il renverse son frère 'Abd al-'Azīz*, mais souscrit en 1909 aux engagements qu'a pris celui-ci à la conférence d'Algésiras*. Assailli dans Fès, il fait appel aux troupes françaises, qui dégagent la ville. Après l'accord franco-allemand consécutif au «coup d'Agadir*», la France lui impose son protectorat (1912).

HAFNIUM. — Ce métal rare, analogue au zirconium, est l'élément chimique n° 72, de masse atomique Hf = 178,6. C'est un solide blanc, qui ne fond que vers 2 500 °C.

ḤAFṢIDES, dynastie musulmane de l'Afrique du Nord (1229-1574). Abū Zakariyyā' Yaḥyā (de 1229 à 1249), gouverneur de l'Ifrīqiya, se rend indépendant des Almohades* de Marrakech. Il conquiert Bougie et Constantine (1230), puis Alger (1231) et se fait reconnaître suzerain des 'Abdalwādides* de Tlemcen (1242), des Naṣrides* de Grenade et des Marīnides* du Maroc. Des relations étroites sont entretenues avec l'Occident chrétien, momentanément troublées par la croisade de Louis IX (1270). Après une longue période d'anarchie et de déclin (crise dynastique, agitation tribale, ruine de l'économie, conquête de Djerba [1284] par les Siciliens, occupation marīnide [1347-1350; 1352-1358]), l'Ifrīqiya est de nouveau unifiée vers 1370. Les Ḥafṣides maintiennent jusqu'à la fin du XVe s. leur puissance, qui, depuis Tunis, s'étend sur toute l'Afrique du Nord. Au XVIe s., le royaume, miné par les luttes intestines et en proie aux attaques espagnoles, est conquis par les pachas turcs de Tripoli (Kairouan, 1557) et d'Alger (Tunis, 1569).

Baugey - Atlas-Photo

Villa Hadriana à Tivoli. Le *Canope,* inspiré par la voie maritime qui conduisait au temple de Sérapis à Canope, en Égypte.

Haganah (mot hébreu signif. *défense*), organisation paramilitaire juive de Palestine, créée sous la domination turque et tolérée pendant le mandat britannique sur la Palestine. Après avoir constitué des unités engagées dans les forces britanniques durant la Seconde Guerre mondiale, elle rassemblait 60 000 hommes en 1948 : ceux-ci formeront le noyau de la nouvelle armée israélienne, aussitôt engagée contre les Arabes.

HAGEDORN (Friedrich VON), poète allemand (Hambourg 1708 - *id.* 1754), auteur de *Fables et Contes* (1738), inspirés de La Fontaine.

HAGEN, v. de l'Allemagne fédérale (Rhénanie-du-Nord-Westphalie), dans la Ruhr; 199 000 hab. Métallurgie.

HÄGERSTRAND (Torsten), géographe suédois (Moheda 1916). Spécialiste de la diffusion des innovations dans l'espace, il a recours à des procédés cartographiques nouveaux et, adepte de la géographie* quantitative et théorique, aux méthodes de simulation.

HAGETMAU (40700), ch.-l. de cant. des Landes, à 12 km au S. de Saint-Sever; 4 318 hab. Crypte romane.

HAGGETT (Peter), géographe britannique (Pawlett, Somerset, 1933). L'un des maîtres de la nouvelle géographie, il a mis en valeur l'efficacité des méthodes quantitatives et des approches théoriques dans l'analyse des localisations et des réseaux.

HAGIOGRAPHIE. — L'hagiographie — dans laquelle la critique historique joue un rôle capital — s'applique notamment aux Actes des martyrs, aux martyrologes et aux biographies de saints écrites par des témoins, des contemporains ou d'après des traditions. L'œuvre fondamentale en matière hagiographique reste celle des bollandistes*.

HAGONDANGE (57300), comm. de la Moselle, à 13 km au S. de Thionville; 10 048 hab. Sidérurgie. Cimenterie. Centrale thermique.

HAGUE (la), cap du nord-ouest du Cotentin. Traitement de l'uranium irradié et extraction du plutonium.

HAGUENAU (67500), ch.-l. d'arr. du Bas-Rhin, sur la Moder, à 28 km au N. de Strasbourg; 26 856 hab. *(Haguenoviens).* Monuments civils et religieux du XIIe au XVIIIe s. Musée. Constructions mécaniques. Industrie alimentaire.

HAHN (Reynaldo), compositeur français (Caracas 1875 - Paris 1947). Auteur de *Ciboulette,* opérette, il a laissé des mélodies pleines de charme.

HAHN (Otto), physico-chimiste allemand (Francfort-sur-le-Main 1879 - Göttingen 1968). Il a découvert un certain nombre de radioéléments. Il fut le premier à formuler, avec Strassmann, la théorie de la fission de l'uranium (1938), ce qui lui valut le prix Nobel de chimie en 1945.

HAHNEMANN (Christian Friedrich Samuel), médecin allemand (Meissen, Saxe, 1755 - Paris 1843), fondateur de l'homéopathie* en 1789. Combattu dans son pays, il trouva la consécration de ses efforts à Paris.

HAIDARĀBĀD → HYDERĀBĀD.

HAÏFA, HAIFA ou **HAIFFA,** port du nord d'Israël; 219 000 hab. Raffinerie de pétrole.

HAIG (Douglas), maréchal britannique (Édimbourg 1861 - Londres 1928). Il fut commandant en chef des armées britanniques engagées en France de décembre 1915 jusqu'à la victoire de 1918. Ses carnets ont été publiés en 1952.

HAIG (Alexander), général américain (Philadelphie 1924). Collaborateur du président Nixon et, en 1972, de Kissinger dans la négociation du cessez-le-feu au Viêt-nam, il devient en 1974 commandant suprême des forces du pacte atlantique en Europe.

HAI-HO ou **HAIHE** (le), fl. de la Chine du Nord, qui passe près de Pékin et à T'ien-tsin, avant de rejoindre le golfe de Po-hai; 450 km.

HAILÉ SÉLASSIÉ Ier (Harar 1892 - Addis-Abeba 1975), empereur d'Éthiopie (1930-1974). Membre de la famille impériale, il est proclamé régent et héritier de l'empire, et il gouverne à partir de 1917 au nom de l'impératrice Zaouditou, sa tante. Il se fait attribuer le titre de roi (négus) en 1928 et devient empereur (roi des rois) à la mort de Zaouditou (1930). Renforçant l'administration centrale, il entreprend de rénover la structure politique et économique du pays et de donner à ce dernier sa place dans la diplomatie internationale. Il fait entrer l'Éthiopie à la S. D. N. en 1923 et abolit l'esclavage en 1924. Après la victoire des troupes italiennes sur l'Éthiopie en 1935, il se réfugie en Angleterre, puis rétablit son pouvoir en 1941 et poursuit une lente modernisation du pays, entravée par la noblesse conservatrice. Sa politique étrangère, ambitieuse et active (il effectue de nombreux voyages à l'étranger), lui confère un grand prestige, notamment dans le monde africain, dont il apparaît comme un des principaux leaders. Inspirant la création, en 1963, à Addis-Abeba, de l'Organisation de l'unité africaine, il joue souvent un rôle conciliateur dans les conflits entre les pays africains. À l'intérieur, le pouvoir impérial reste absolu malgré les constitutions successives promulguées par Hailé Sélassié. L'immobilisme du régime, la trop lente libéralisation politique, le grand retard économique et culturel du pays mécontentent les nouvelles générations d'intellectuels et de militaires, formées sur le modèle occidental. La nécessité de réformes radicales mobilise une opposition grandissante; celle-ci s'exprime dès 1960 par le coup d'État des officiers progressistes, appuyés par les étudiants, et aboutit à la révolution de 1974 (v. ÉTHIOPIE), qui dépossède peu à peu l'empereur de ses pouvoirs. Hailé Sélassié, dont le prestige est gravement atteint, est déposé en septembre 1974 et meurt quelques mois plus tard.

HAILLICOURT (62940), comm. du Pas-de-Calais, à 3 km à l'E. de Bruay-en-Artois; 5 517 hab. Constructions mécaniques.

HAI-NAN ou **HAINAN,** île chinoise (prov. du Kouang-tong) du golfe du Tonkin.

HAINAUT, région historique, située partie en France, partie en Belgique. Ancien comté fondé au IXe s. par Gilbert, gendre de l'empereur Lothaire Ier, le Hainaut, fief d'empire, passa en 1055 à la maison de Flandre, puis à partir de 1246 à celle d'Avesnes, avant de tomber en 1428 aux mains du duc de Bourgogne Philippe II le Bon. Dès lors, il suivit le sort des États bourguignons. Au traité de Nimègue (1678), la France acquit le sud du pays (capit. Valenciennes); annexé à la France en 1795, le Hainaut autrichien devint en 1814 une province des Pays-Bas et en 1830 l'une des neuf provinces du royaume de Belgique.

HAINAUT, prov. du sud de la Belgique; 3 790 km²; 1 317 453 hab. *(Hennuyers).* Ch.-l. *Mons.* La province doit une densité de population supérieure à la moyenne nationale à l'ancienneté d'une industrialisation fondée sur la houille; aujourd'hui, celle-ci n'est pratiquement plus exploitée. Cependant, la métallurgie lourde et de transformation, la chimie, la verrerie sont représentées notamment dans l'agglomération de Mons, dans la région du Centre (La Louvière) et surtout dans la vallée de la Sambre, autour de Charleroi. L'agriculture occupe une place importante dans le Sud-Est herbager (élevage bovin surtout pour le lait); les cultures (blé, betterave à sucre) sont plus développées dans l'Ouest, proche de la Flandre, où se maintient l'activité textile (vers Tournai).

HAIPHONG, v. et principal port du Viêt-nam septentrional; 367 000 hab. Le port fut bombardé en 1946 par les Français, qui évacuèrent la ville en 1955. De 1966 à 1973, Haiphong fut plusieurs fois bombardé par l'aviation américaine.

HAÏTI, l'une des Grandes Antilles, à l'E. de Cuba, divisée en deux États indépendants : la république Dominicaine et la *république d'Haïti* (27 750 km²; 5 millions d'hab. [*Haïtiens*]; capit. *Port-au-Prince*), seule décrite ici.

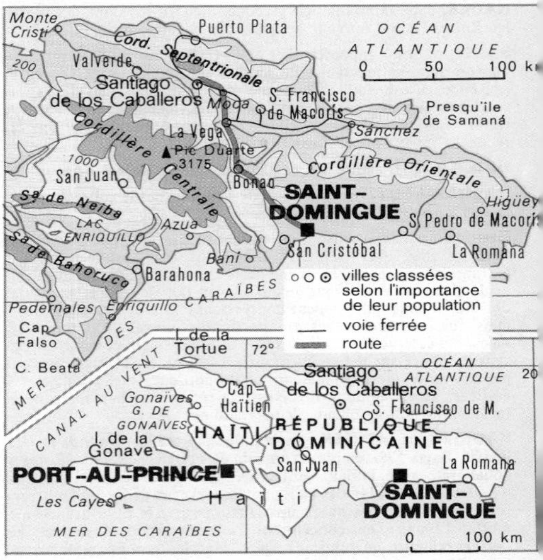

HAÏTI ET RÉPUBLIQUE DOMINICAINE

GÉOGRAPHIE. La *république d'Haïti* occupe la partie occidentale de l'île. Une série de chaînes orientées E.-O. se disposent du N. au S. : massif du Nord, montagnes Noires, chaîne des Matheux, massifs de la Hotte et de la Selle. Elles sont séparées par des vallées correspondant souvent à des fossés d'effondrement. Le pays jouit d'un climat tropical humide, plus frais et plus arrosé sur les montagnes.

La population, composée à 95 p. 100 de Noirs, est très dense et s'accroît à un rythme très rapide. Essentiellement rurale, elle pratique une agriculture vivrière, à laquelle sont associées quelques cultures commerciales : canne à sucre, café, sisal. En dehors de l'exploitation des gisements de bauxite, l'industrie est limitée à quelques usines textiles et alimentaires, concentrées à Port-au-Prince. La quasi-totalité de l'économie est contrôlée par les grandes sociétés américaines, qui possèdent les plantations et les mines. La surpopulation rurale, que l'industrialisation insuffisante ne peut résorber, est en partie responsable du très bas niveau de vie moyen de la population.

HISTOIRE. Haïti, c'est le nom indien de la grande île vers laquelle cingla Christophe Colomb* après avoir touché terre pour la première fois. Rebaptisée *Hispaniola* par les Espagnols, elle leur sert de base pour la conquête du continent américain. L'installation des Européens — qui pratiquent le travail forcé — la ruine, et l'île végète jusqu'au XVIIIe s., Las Casas* obtenant que l'on sauve les derniers Indiens en important massivement des esclaves noirs d'Afrique.

Le traité de Ryswick (1697) reconnaît à l'Espagne la possession de la partie orientale de l'île (v. DOMINICAINE [*république*]), les Français étant maîtres de la partie occidentale. La colonisation française, favorisée par la traite et la fertilité du sol, provoque à la fin du XVIIIe s. une prospérité inouïe, fondée sur la culture de la canne à sucre et du café. Mais une dichotomie scandaleuse existe entre l'aristocratie créole, richissime, et les 500 000 esclaves, souvent maltraités; entre ces deux blocs s'est formée une caste de mulâtres affranchis. La Révolution de 1789 oppose les créoles à la France et favorise aussi le soulèvement des esclaves et la lutte des « petits Blancs » contre les mulâtres. Une guerre inexpiable (1784-1804) ruine irrémédiablement la colonie, qu'une expédition commandée par Leclerc essaie vainement de rendre à la France, dont les principaux adversaires sont d'anciens esclaves : Toussaint-Louverture, Henri Christophe, Jean-Jacques Dessalines. Ce dernier, lors du départ définitif des Français (1804), se proclame empereur d'Haïti (Jacques Ier) et instaure une dictature populiste tellement insupportable aux mulâtres que l'île se scinde en un empire du Nord, où règne Henri Ier (Henri Christophe), et en une république du Sud, présidée par Alexandre Pétion. En 1820, toute l'île est entièrement unifiée par Jean-Pierre Boyer, président de 1818 à 1843; en 1844, la république Dominicaine reprend sa liberté. À Haïti, les dictatures sanglantes vont se succéder, notamment avec Faustin Soulouque, président (1847), puis (1849) empereur (Faustin Ier) d'Haïti, qui instaure le vaudou d'État, et avec Sylvain Salnave (1827-1870), président, de 1867 à 1870, de la République restaurée. Suit une longue période (1870-1910) marquée à la fois par la domination des mulâtres et la prépondérance de l'influence française sur tous les plans.

Puis les États-Unis, pour un quart de siècle (1910-1936), font d'Haïti un véritable protectorat américain, ce qui a pour conséquences une nette amélioration de l'état sanitaire et économique du pays, mais aussi la déchéance de la paysannerie libre. Les Américains partis, Haïti retombe dans l'anarchie, la dictature militaire sanglante et la misère, le point d'alerte étant atteint avec la présidence de François Duvalier, maître absolu de l'île entre 1957 et 1971. Son fils Jean-Claude lui a succédé.

HAKHA → CHINOIS.

ḤAKĪM (Tawfīq **al-**), écrivain égyptien (Le Caire 1898). Son œuvre romanesque et théâtrale passe de la peinture de la réalité quotidienne de son pays (*Journal d'un substitut de campagne,* 1937) à l'évocation des dangers que la science moderne fait courir à la vie et à la culture humaines (*Salomon le magicien,* 1943; *J'ai choisi,* 1960).

HAKODATE, port du Japon, dans le sud de l'île d'Hokkaidō; 242 000 hab. Pêche. Chantiers navals.

HAL, en néerl. **Halle,** v. de Belgique (Brabant), au S.-O. de Bruxelles; 20 017 hab. (en 1970). Basilique Notre-Dame, bel exemple du gothique brabançon (XIVe-XVe s.; importantes œuvres d'art).

HALBERSTADT, v. de l'Allemagne orientale, au pied du Harz; 47 000 hab.

HALBWACHS (Maurice), sociologue français (Reims 1877-Buchenwald 1945). Il s'est surtout attaché à l'étude des conditions sociales de la mémorisation, jetant ainsi un pont entre la psychologie et la sociologie (*Mémoire et société,* 1949). Il mourut en déportation.

HALDER (Franz), général allemand (Würzburg 1884-Aschau 1972), chef du grand état-major de l'armée de terre de 1938 à 1942. Il est l'auteur de *Hitler, chef de guerre* (1949) et de Mémoires (1962-1964).

HALE (George), astronome américain (Chicago 1868-Pasadena 1938). L'un des fondateurs de l'astronomie solaire moderne, il imagina le spectrohéliographe. Directeur de l'observatoire du Mont-Wilson, il y fit construire les télescopes de 1,52 et de 2,54 m de diamètre. On lui doit également une part déterminante dans la réalisation du télescope de 5 m du Mont-Palomar.

HALES (Stephen), chimiste et naturaliste anglais (Bekesbourne, Kent, 1677-Teddington, Middlesex, 1761). Il étudia un grand nombre de gaz, qu'il fut le premier à recueillir sur la cuve à eau. Il fit sur des chevaux la première mesure de la pression sanguine.

HALÉVY (Jacques Fromental), compositeur français (Paris 1799-Nice 1862). Professeur de composition au Conservatoire de Paris, il a remporté des succès au théâtre lyrique, notamment avec *la Juive* (1835). — LUDOVIC, son neveu, librettiste et romancier (Paris 1834-*id.* 1908), collabora avec H. Crémieux ou H. Meilhac pour les textes des opéras bouffes d'Offenbach et fournit à Bizet le livret de *Carmen.*

HALICARNASSE, colonie grecque de Carie, en Asie Mineure (auj. *Bodrum*), patrie d'Hérodote*. Soumise à la suzeraineté du roi des Perses, elle conserva toutefois une certaine autonomie. Elle fut modernisée par Mausole*. À la décoration du mausolée (IVe s. av. J.-C.), élevé par Artémise II, participèrent les plus grands sculpteurs grecs : Timothéos, Scopas*, Bryaxis et Léocharès; d'un grand intérêt, cette décoration présente la vision nouvelle d'artistes en rupture avec le classicisme et fascinés par le réel et le mouvement; Léocharès y traduisit admirablement le rythme échevelé et dramatique du combat des amazones.

HALIFAX, v. d'Angleterre, au S.-O. de Leeds; 91 000 hab. Textile.

HALIFAX, port du Canada sur l'Atlantique, capit. de la Nouvelle-Écosse; 122 035 hab. Raffinage de pétrole. Industries alimentaire et textile. Construction automobile.

HALIFAX (Edward Frederick Lindley WOOD, *3e vicomte* DE), homme politique britannique (Powderham Castle, Devon, 1881-Garrowby Hall, près d'York, 1959). Vice-roi des Indes (1926-1931), il fut ministre des Affaires étrangères (1938-1940) puis ambassadeur aux États-Unis (1941-1946).

HALL (Edwin Herbert), physicien américain (Gorham, Maine, 1855-Cambridge, Massachusetts, 1938). En 1880, il a découvert la déviation des lignes de courant dans une plaque métallique extramince placée dans un champ magnétique *(phénomène de Hall).*

ḤALLĀDJ (Abū al-Mughīth al-Ḥusayn ibn Manṣūr ibn Maḥammā al-Bayḍāwī **al-**), philosophe islamique (Tūr, Fārs, 858-Bagdad 922). Initié par les grands maîtres du soufisme*, et notamment par Djunayd, il se sépare d'eux pour exhorter le peuple à mener une intense vie spirituelle. Il prêche sa doctrine ésotérique au Khūzistān, au Khurāsān, au Turkestan et en Inde, puis revient à Bagdad, où il poursuit son œuvre malgré l'opposition croissante des docteurs de la loi, des politiciens et de certains soufis. Arrêté et emprisonné en 908, il écrit ses deux ouvrages les plus importants, le *Kitāb al-Ṭawāsīn* et un opuscule sur l'élévation spirituelle *(mi'rādj),* qui prônent une union mystique avec Dieu. Ces thèses, qui font de lui l'une des grandes figures du soufisme, lui valent d'être torturé et condamné à mort.

HALLE, v. de l'Allemagne orientale, sur la Saale, ch.-l. de distr., au N.-O. de Leipzig; 251 000 hab. Ancienne ville hanséatique, aux édifices religieux de la fin du Moyen Âge. Université. Métallurgie.

HALLE, v. de Belgique → HAL.

HALLENCOURT (80490), ch.-l. de cant. de la Somme, à 17,5 km au S. d'Abbeville; 1 370 hab.

HALLER (Józef), général polonais (Jurczyce 1873-Londres 1960). Ancien officier de l'armée autrichienne, il commanda en 1918 les forces polonaises engagées sur le front français et en 1920 un groupe d'armées dans la guerre polono-soviétique. Il fut ministre du gouvernement polonais de Londres pendant la Seconde Guerre mondiale.

HALLEY (Edmund), astronome britannique (Londres 1656-Greenwich 1742). Auteur de nombreux travaux en astronomie stellaire et planétaire, il observa, lors de son passage en 1682, la comète* à laquelle son nom est resté attaché, calcula son orbite par la méthode de Newton*, l'identifia avec une comète observée par Kepler* en 1607 et prédit son retour pour l'an 1758. La comète revint effectivement, mais en mars 1759.

HALLSTATT, bourg d'Autriche, dans le Salzkammergut, qui, à la suite de la découverte d'une vaste nécropole, est devenu le site éponyme de la civilisation se développant, selon la chronologie récente, entre 750 et 450 av. J.-C. et correspondant au premier âge du fer. Originaire de l'Europe de l'Est, cette civilisation présente de nombreux faciès régionaux. Certains objets restent typiques, telle, dans le hallstattien ancien (750-625), la grande épée de fer à soie plate, associée à des objets aux tranchants incurvés dits « rasoirs ». Dès la phase moyenne (625-550), les fossiles directeurs deviennent des poignards à antenne et, parmi les objets de parure, de larges ceintures faites de plaques de bronze estampées, et des fibules sans ressort à arc et avec disque d'arrêt. Pendant la période finale (550-450) apparaissent l'épée au pommeau en forme de rognons, des bracelets en bronze ornés d'oves et des fibules à long ressort agrémentées de timbales ou de cupulettes. Dispersé en communautés rurales, l'habitat est parfois fortifié, comme celui de la Heuneburg*. Les inhumations côtoient les incinérations et se font en tombes plates ou sous de vastes tumulus. Le hallstattien final est marqué par le développement des tombes à char, dont celle de Vix* demeure l'un des exemples les plus riches. La céramique, fabriquée sans tour, est souvent ornée de motifs géométriques. Remarquable par les échanges économiques qu'elle entretient, dès la seconde moitié du VIe s. av. J.-C., avec le monde gréco-étrusque — dont témoignent les nombreux bassins, situles et céramiques importés —, la civilisation hallstattienne semble correspondre à une aristocratie de cavaliers.

HALLSTRÖM (Per), écrivain suédois (Stockholm 1866-*id.* 1960), auteur de romans, de drames et de poèmes d'inspiration néoromantique.

HALLUCINATION. — La présence d'hallucinations ne renvoie pas automatiquement au registre de la psychose* : chez le sujet réputé normal, il existe des hallucinations qui surviennent au moment de l'endormissement ou du réveil. Elles peuvent apparaître dans le cadre de certaines atteintes organiques du système nerveux central ou des récepteurs sensoriels, mais elles n'entraînent jamais de croyance de la part de ces malades (illusion). Elles peuvent être consécutives à la prise de toxiques (hallucinogènes*).

Les hallucinations sont au premier plan du tableau clinique des bouffées délirantes (v. DÉLIRE) et des psychoses hallucinatoires chroniques; elles sont plus discrètes dans le cadre de la schizophrénie*. Dans la psychose hallucinatoire chronique, elles ne sont pas vécues dans la neutralité affective, mais constituent les aliments d'un vaste délire d'influence de note persécutive. Pour les psychanalystes, elles sont produites par le délire et expriment symboliquement les exigences affectives du délirant.

HALLUCINOGÈNES. — Les plus connus sont le peyotl, la psilocybine, l'acide lysergique (L. S. D.), la dimétoxy-métyl amphétamine (D. O. M. ou S. T. P.). Le cannabis* n'est pas considéré comme un hallucinogène. Le peyotl et la psilocybine sont des champignons, dont les effets hallucinogènes sont connus de longue date en Amérique centrale, où ils étaient consommés lors de cérémonies religieuses. Le L. S. D. est un produit chimique de synthèse découvert par hasard en 1938. Il agit surtout en modifiant les sensations visuelles et auditives. La prise d'hallucinogène (expérience psychédélique) est appelée « voyage » par les habitués, exprimant par là l'idée d'une incursion dans le monde de l'imaginaire. Les caractéristiques d'un voyage dépendent non seulement de la structure chimique de l'hallucinogène, mais surtout de la personnalité du sujet.

Bien que les hallucinogènes soient considérés comme des stupéfiants, ils ne semblent pas engendrer en France de véritable toxicomanie*, car on n'a jamais noté de dépendance physique lorsqu'ils sont utilisés exclusivement, mais, assez souvent, ils sont associés à des drogues dures (opiacés*). De même, les troubles psychiques qu'on leur attribue ne semblent survenir que chez des personnalités antérieurement perturbées.

HALLUIN (59250), comm. du Nord, à 9,5 km au N. de Tourcoing; 15 496 hab. Textile.

HALLYDAY (Jean Philippe SMET, dit **Johnny**), chanteur français (Paris 1943). Il se fit au début des années 60 l'ardent propagateur du rock and roll en France, puis du twist. Plébiscité par la jeunesse, il devint rapidement une idole de la chanson et sut résister aux vicissitudes des modes.

HALMAHERA, GILOLO ou **JILOLO,** île d'Indonésie (Moluques), au N.-O. de la Nouvelle-Guinée.

HALMSTAD, port de Suède, sur le Cattégat; 47 000 hab. Constructions mécaniques.

HALO. — Le halo, cercle lumineux qui entoure parfois le Soleil ou la Lune, est dû à la réfraction de la lumière solaire à travers les cristaux de glace en suspension dans l'atmosphère ou constituant des cirrus très élevés.

HALOGÈNE. — Ce nom a été donné par Berzelius aux métalloïdes univalents, qui constituent la première famille : fluor, chlore, brome, iode; ils peuvent donner des sels en se combinant aux métaux.

HALPERN (Bernard Nathalie), médecin français (Tarnov, Ukraine, 1904), auteur de travaux sur la thérapeutique des maladies allergiques et sur le système réticulo-endothélial.

HALS (Frans), peintre néerlandais (Anvers v. 1580/1585 - Haarlem 1666). À Haarlem, où il fut élevé, il se consacre au portrait, individuel ou collectif, affirmant son génie de coloriste, de dessinateur et de technicien dans la vie et la spontanéité des figures (*Banquet du corps des archers de Saint-Georges,* 1616, musée Frans Hals, Haarlem), jusqu'à un réalisme plein de verve (*la Bohémienne,* v. 1628, Louvre) marqué par le caravagisme clair des peintres d'Utrecht. S'orientant à partir de 1630 vers une simplicité et une sobriété plus proches de l'art d'un Van Dyck (*Réunion des officiers du corps des archers de Saint-Adrien,* 1633, musée Frans Hals), il affine encore le rendu psychologique et parvient, par son extrême liberté de facture, à exprimer l'essentiel avec émotion et spontanéité (*les Régents** et *les Régentes,* 1664, musée Frans Hals).

HÄLSINGBORG, port de Suède, sur le Sund; 101 000 hab. Industrie électrique et chimique.

HALTÉROPHILIE. — Sport olympique dès 1896, l'haltérophilie compte aujourd'hui neuf catégories : mouches (jusqu'à 52 kg), coqs (56 kg), plumes (60 kg), légers (67,5 kg), moyens (75 kg), mi-lourds (82,5 kg), lourds-légers (90 kg), lourds (110 kg) et super-lourds. Les grandes compétitions se disputent aujourd'hui sur deux mouvements (le développé à deux bras a été supprimé en 1972 après les jeux Olympiques de Munich). Dans l'*arraché à deux bras,* la barre est placée devant les jambes de l'athlète, qui doit la saisir à deux mains et l'élever d'un mouvement continu au bout des deux bras tendus verticalement au-dessus de la tête, en se fendant ou en fléchissant sur les jambes; le record du monde est de l'ordre de 200 kg. Dans l'*épaulé et jeté à deux bras,* la barre doit être amenée d'un seul temps de terre aux épaules (en se fendant ou en fléchissant sur les jambes); ensuite, les pieds ramenés sur la même ligne, l'athlète doit fléchir sur les jambes, les détendre brusquement et amener la barre au bout des bras tendus verticalement; le record du monde est supérieur à 250 kg. Les titres (il existe un championnat du monde chaque année) se décernent en additionnant les poids soulevés aux deux mouvements.

HAM (80400), ch.-l. de cant. de la Somme, sur la Somme, à 20 km au S.-O. de Saint-Quentin; 6 250 hab. Église des XIIe-XIIIe s., anc. abbatiale. Ruines du château du XVe s. Métallurgie. Sucrerie.

HAMÃ, v. du nord de la Syrie, sur l'Oronte; 216 000 hab.

HAMADA → DÉSERTIQUE *(relief).*

HAMADHÃN, v. d'Iran, au S.-O. de Téhéran; 140 000 hab.

HAMADRYAS. — Ce singe cynocéphale est fort voisin du babouin*, dont il se distingue surtout par son abondante crinière et par sa région d'origine, l'Éthiopie.

HAMAMATSU, v. du Japon (Honshū), au S.-E. de Nagoya; 432 000 hab.

HAMAMÉLIDACÉES. — Cette petite famille d'arbres américains est connue surtout pour deux genres : l'*hamamélis,* arbrisseau ornemental aux fleurs jaunes, et le *liquidambar,* grand arbre au bois estimé et dont on extrait des baumes, le styrax et l'ambre liquide, d'usage pharmaceutique et cosmétique. (Ordre des rosales.)

HAMANI DIORI → DIORI (Hamani).

HAMBOURG, en allem. **Hamburg,** port de l'Allemagne fédérale; 1 766 000 hab. Hambourg a le statut d'un Land urbain, qui couvre 753 km^2. Importants musées, dont la Kunsthalle (beaux-arts).

GÉOGRAPHIE. À la tête de l'estuaire de l'Elbe, Hambourg est le principal débouché du pays, avec un trafic annuel de l'ordre de 50 Mt (dans lequel les hydrocarbures entrent pour moins de moitié). Les sorties, nettement inférieures aux entrées, dépassent cependant largement 10 Mt, témoignant largement de l'activité de la ville, également premier centre industriel ouest-allemand. Les constructions mécaniques et électriques, la chimie (liée au pétrole), la construction navale, l'alimentation sont les branches dominantes. Hambourg, la plus grande ville de l'Allemagne fédérale (Berlin-Ouest excepté), est encore un important centre commercial, financier (banques, Bourse) et culturel (presse). La ville a souffert de la partition de l'Allemagne, la privant d'une partie de son arrière-pays traditionnel, mais demeure la métropole incontestée de l'Allemagne du Nord.

HISTOIRE. À l'époque carolingienne, Hambourg devient rapidement un important centre économique et le point de départ des missions vers la Scandinavie (archevêché en 834). Au XIIe s., elle subit la domination des ducs de Holstein, puis obtient de Frédéric Barberousse une charte de franchise (1189). De concert avec Lübeck, elle organise la Ligue hanséatique (1241) et devient la plaque tournante du trafic commercial entre les pays de la Baltique et l'Europe occidentale. Ville libre impériale en 1474, gagnée au luthéranisme en 1525, elle profite de l'effacement de Lübeck et d'Anvers pour asseoir sa position de premier port européen. Après avoir été occupée (1806), puis annexée (1810) par les Français, elle

Hambourg : vue partielle du port.

entre, comme ville libre et souveraine, dans la Confédération germanique (1815). Incorporée à l'Empire allemand en 1871, elle obtient en 1881 le statut de port franc. Elle est l'objectif, du 24 juillet au 3 août 1943, d'un violent bombardement opéré par 2600 avions alliés.

HAMBURGER (Jean), médecin français (Paris 1909). Ses travaux portent sur les problèmes de la greffe du rein et de l'épuration extrarénale.

HAMELIN (Octave), philosophe français (Le Lion-d'Angers 1856-Hucket, Landes, 1907). Il est l'un des principaux idéalistes français de tendance spiritualiste (v. SPIRITUALISME). Il a notamment publié *Essai sur les éléments principaux de la représentation* (1907).

HAMERLING (Rupert HAMMERLING, dit **Robert**), poète autrichien (Kirchberg am Walde 1830-Graz 1889). Ses poèmes épiques et ses romans mêlent aux grands thèmes historiques les conflits qui agitent l'âme moderne (*Ahasvérus à Rome,* 1866; *Aspasie,* 1876).

HAMHUNG ou **HAM-HEUNG,** v. de la Corée du Nord, près de la mer du Japon; 125000 hab.

HAMILCAR BARCA, général carthaginois (v. 290-Elche 229 av. J.-C.). Il était le chef de la famille des Barcides (Hannibal*, Hasdrubal*), qui créèrent en Espagne, au IIIe s. av. J.-C., un royaume punique, où ils se comportèrent de façon presque indépendante de Carthage. Il opéra en Sicile pendant la première guerre punique* et négocia le traité de 241; rappelé à Carthage lors de la guerre des mercenaires*, il cerna l'armée des révoltés dans le défilé de la Scie (près d'Hammamet, 237 av. J.-C.). Pour compenser les pertes entraînées par la première guerre punique et en vue de la revanche, il entreprit en 237 la conquête de l'Espagne (fondation d'Alicante).

HAMILTON, fl. du Canada oriental, dans le Labrador, tributaire de l'Atlantique; 1000 km.

HAMILTON, v. du Canada (Ontario), à l'extrémité occidentale du lac Ontario; 309173 hab. Université. Centre sidérurgique. Constructions mécaniques.

HAMILTON, v. de Nouvelle-Zélande, dans l'île du Nord; 81000 hab.

HAMILTON (Antoine, *comte* DE), écrivain irlandais d'expression française (en Irlande 1646-Saint-Germain-en-Laye 1720). Il suivit les Stuarts en exil et consacra à son beau-frère les spirituels *Mémoires du comte de Gramont* (1713).

HAMILTON (Alexander), homme d'État américain (Nevis 1757-New York 1804). Aide de camp de Washington (1777), il participe à la guerre de l'Indépendance. Membre du Congrès, il est l'un des rédacteurs de la Constitution américaine et l'un des fondateurs du parti fédéraliste. Secrétaire au Trésor (1789-1795), il organise la Banque nationale, mais s'oppose à la politique décentralisatrice de Jefferson.

HAMILTON (*sir* William Rowan), mathématicien anglais (Dublin 1805-Dunsink, près de Dublin, 1865). Il s'est occupé de mécanique et d'optique, où ses travaux ont eu une très grande importance. Mais il reste surtout connu par sa découverte des *quaternions,* première apparition des algèbres non commutatives.

Hamlet, drame en cinq actes de Shakespeare (v. 1600). Nouvelle version d'Oreste, le prince Hamlet fait l'épreuve du mensonge des êtres et du langage et de la seule communication avec l'immatériel et l'invisible (le spectre de son père lui apprend qu'il a été assassiné et réclame vengeance). En réponse à l'opacité du monde, Hamlet propose sa propre énigme, jouant le jeu de la folie et de la cruauté.

F.-X. Lovat-Atlas-Photo

HAMM, v. de l'Allemagne fédérale (Rhénanie-du-Nord-Westphalie), dans la Ruhr; 85000 hab. Métallurgie lourde.

ḤAMMĀD IBN BULUKKĪN → ḤAMMĀDIDES.

ḤAMMĀDIDES, dynastie du Maghreb central (1015-1152). Les Ḥammādides sont une branche collatérale des Zīrides* de l'Ifrīqiya, indépendante depuis la rébellion de Ḥammād ibn Bulukkīn (de 1015 à 1029), qui a fondé dans les monts du Hodna la Qal'a des Banū Ḥammād (1007-1008), leur future capitale. Sous la pression des Banū Hilāl*, ils se replient vers le littoral et abandonnent leur capitale pour Bougie en 1091. Ils succombent aux assauts des Almohades*. Leur civilisation semble plus fruste que celle des Zīrides de l'Ifrīqiya.

HAMMAGUIR, site du Sahara algérien, au S.-O. de Béchar. Base spatiale, qui fut concédée à la France jusqu'en 1967.

HAMMAMET, v. de Tunisie, sur le *golfe d'Hammamet,* au S.-E. de Tunis; 12000 hab. Station balnéaire.

HAMMAM-MESKOUTINE, station thermale et centre touristique d'Algérie (départ. d'Annaba).

HAMMARSKJÖLD (Dag), homme politique suédois (Jönköping 1905-Ndola, Zambie, 1961), secrétaire général de l'O. N. U. de 1953 à 1961. (Prix Nobel de la paix, 1961.)

HAMME, comm. de Belgique (Flandre-Orientale), au S.-O. d'Anvers; 22726 hab. (en 1977).

HAMMERFEST, port du nord de la Norvège; 7000 hab. À plus de 70° de latitude N., c'est la ville la plus septentrionale d'Europe. Pêche. Conserverie.

HAMMETT (Dashiell), écrivain américain (Saint Mary's County, Maryland, 1894-New York 1961). Il créa le roman policier « noir » qui imposa le personnage du détective privé dur et obstiné (*le Faucon maltais,* 1930).

HAMMOND, v. des États-Unis (Indiana), dans la banlieue sud-est de Chicago; 108000 hab.

HAMMOURABI, roi de Babylone (1792-1750 av. J.-C.). Il fait de Babylone*, qui est, lors de son accession au trône, une petite principauté, la capitale d'un grand empire. Son code, dont le texte, gravé sur une stèle de basalte noir, est conservé au Louvre, constitue une source unique pour la connaissance de la société mésopotamienne au IIe millénaire av. J.-C.

HAMPDEN (John), homme politique anglais (Londres v. 1595-Thame 1643). Adversaire de l'arbitraire monarchique, il s'élève en 1637 contre le prélèvement du *ship-money.* Lieutenant de Pym* au Long Parlement de 1640, il prend une part active à la rédaction de la « Grande Remontrance ».

HAMPSHIRE, comté du sud de l'Angleterre, sur la Manche. V. princ. *Southampton.*

HAMPTON (Lionel), vibraphoniste, batteur et chef d'orchestre de jazz noir américain (Louisville, Kentucky, 1913). Premier improvisateur à utiliser le vibraphone, il fut l'un des grands leaders du middle jazz et maintint durant de longues années une activité débordante au sein de petites formations ou de grands orchestres. À l'occasion, il participa à des concerts comme pianiste et chanteur.

Hampton Court, résidence royale d'Angleterre, dans la banlieue sud-ouest de Londres. Ancien manoir reconstruit aux XVIe-XVIIe s., il abrite une importante collection de peintures (série du *Triomphe de César* de Mantegna).

HAMPTON ROADS, rade des États-Unis (Virginie), débouchant dans le sud de la baie Chesapeake et sur laquelle sont situés les ports de Norfolk, de Portsmouth, de Newport News et de *Hampton* (119000 hab.).

HAMSTER. — Le hamster *(Cricetus)* est une sorte de gros rat à queue courte, très commun dans les plaines de l'Europe du Nord, mais qui ne se rencontre en France qu'en Alsace. Il creuse d'extraordinaires terriers, munis d'une grande pièce centrale, de nombreux couloirs, d'une dizaine de pièces de repos, de « commodités », ou, en hiver, de magasins, où il entasse séparément divers fruits ou graines, le total des réserves pouvant atteindre 100 kg. Le transport de ces provisions se fait dans les vastes bajoues de l'animal. (Type de la famille des cricétidés.)

HAMSUN (Knut PEDERSEN, dit **Knut**), écrivain norvégien (Garmostraeet, près de Lom, 1859-Nörholm 1952). Son enfance très dure, les divers métiers qu'il exerça en parcourant la Norvège, son exil en Amérique lui fournirent les thèmes de son premier roman, *la Faim** (1890), qui le rendit d'emblée célèbre. Il exalta ensuite dans ses poèmes (*le Cœur sauvage,* 1904), dans ses drames (*les Feux du couchant,* 1898) et dans ses récits (*Pan,* 1894; *Benoni,* 1908; *Vagabonds,* 1927) le sentiment de la nature et la vie aventureuse de l'homme délivré de toutes les entraves sociales. (Prix Nobel, 1920.)

HAN *(grottes de),* grottes naturelles de Belgique (prov. de Namur). Elles sont dues à la perte de la Lesse dans le calcaire, près de la comm. de *Han-sur-Lesse* (746 hab.).

HAN, dynastie qui régna sur la Chine entre 206 av. J.-C. et 220 apr. J.-C.

Elle est fondée par Lieou Pang, un aventurier qui monte sur le trône en profitant de l'anarchie favorisée par l'impéritie du dernier Ts'in. Son histoire est dominée par quelques grands noms, et surtout par celui de l'empereur Wou-ti, dont le long règne (140-87 av. J.-C.) correspond à l'un des sommets de la civilisation chinoise : ce souverain assure l'unité de l'empire en contrôlant les régions et donne naissance au mandarinat en décidant que le recrutement des fonctionnaires se ferait désormais par concours; à l'extérieur, il assure à la Chine une paix durable en écrasant les nomades Hiong-nou et en lui assurant une large façade maritime au sud, jusqu'au Tonkin.

Les Han dits « antérieurs » sont dépossédés en 8 apr. J.-C. par un usurpateur, Wang Mang, qui est lui-même détrôné en l'an 23 par une réaction légitimiste. Les Han dits « postérieurs » sont rétablis et poursuivent durant un siècle l'œuvre de Wou-ti, imposant l'ordre chinois aux nomades et libérant la « route de la soie », qui assure la prospérité au commerce extérieur chinois et véhicule en sens inverse le bouddhisme. La civilisation chinoise (invention du papier) connaît alors un nouvel éclat. Mais des révoltes populaires (Turbans jaunes) incitent trois généraux à les réprimer, puis (220 apr. J.-C.) à se partager l'empire des Han.

HANAFISME, une des quatre écoles juridiques de l'islām sunnite*, fondée par Abū Ḥanīfa (v. 696-767). Le ḥanafisme se caractérise par l'importance qu'il donne au jugement personnel des docteurs en matière d'interprétation de la loi. Il fut adopté par l'Empire ottoman.

HANAU, v. de l'Allemagne fédérale (Hesse), sur le Main; 58 000 hab. Caoutchouc. Constructions mécaniques.

ḤANBALISME, une des quatre écoles juridiques de l'islām sunnite*, fondée par Aḥmad ibn Ḥanbal (780-855). Elle s'est opposée au courant rationaliste (v. MU'TAZILISME) et s'en tient aux sources traditionnelles de la loi. Le droit ḥanbalite, adopté par les wahhābites*, est en vigueur en Arabie Saoudite.

HANCHE. — La hanche comprend l'articulation coxo-fémorale, très solide et mobile, qui unit la tête du fémur à la cavité cotyloïde de l'os iliaque, et les tissus mous avoisinants.

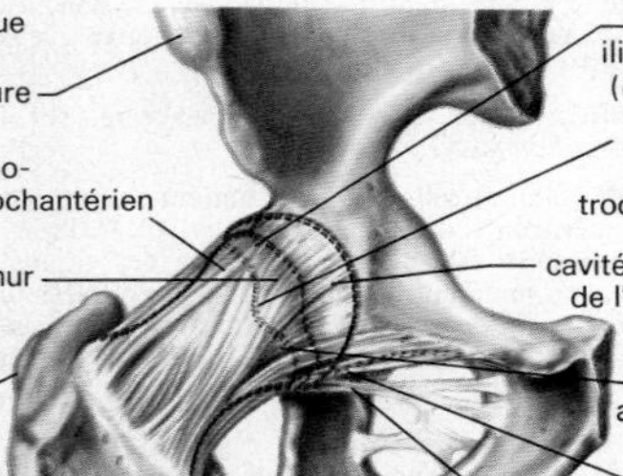

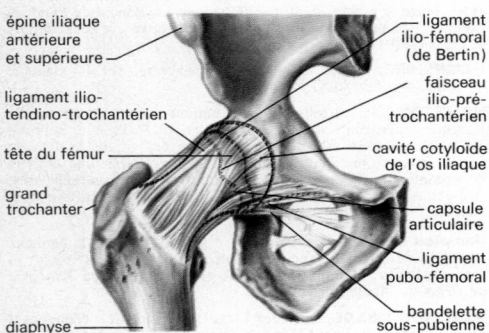

Articulation de la hanche.

La *luxation congénitale de la hanche* atteint plus souvent les filles et certaines familles; sa recherche est systématique chez tout nouveau-né : en effet, un diagnostic et un traitement précoces permettent d'éviter le stade de luxation vraie (boiterie à la marche), imposant l'intervention.

La *luxation traumatique de la hanche* fait toujours suite à un choc violent et s'associe parfois à une fracture du bassin ou du fémur (tête, col ou trochanter); malgré un traitement correct, elle peut se compliquer de nécrose de la tête fémorale ou d'arthrose post-traumatique.

La *coxarthrose,* ou *arthrose** de la hanche, est due à un rhumatisme chronique dégénératif.

La *coxalgie,* tuberculose de l'articulation coxo-fémorale, atteint surtout l'enfant. Douleur et boiterie conduisent à la radiographie, qui en permet le diagnostic. Celui-ci impose la recherche d'autres localisations de la tuberculose et un traitement antituberculeux associé à une immobilisation plâtrée ou par extension.

HANDBALL. — Né au début de ce siècle, le handball a longtemps connu deux formes de jeu : à onze joueurs (pratiqué en plein air, notamment par les Allemands) et à sept joueurs (en salle, fréquent en Scandinavie pour des raisons climatiques). Malgré sa présence aux jeux Olympiques de Berlin en 1936 (handball à onze) et un premier championnat du monde de handball à sept (en 1938), il n'a vraiment pris une dimension internationale qu'après la Seconde Guerre mondiale; alors que se développait le handball à sept, le handball à onze a pratiquement disparu à la fin des années 50. Aujourd'hui, soixante-cinq pays, représentant plus de trois millions de joueurs, sont affiliés à la Fédération internationale de handball. Des championnats du monde se déroulent régulièrement depuis 1954, et le handball est devenu sport olympique en 1972. Il est dominé par les pays de l'Est européen (Roumanie principalement). Jouée avec un ballon mesurant de 58 à 60 cm de circonférence et pesant de 425 à 475 g, la partie oppose, en deux mi-temps de trente minutes chacune, deux équipes de sept joueurs (cinq remplaçants pouvant entrer en jeu), qui peuvent utiliser tout le corps, à l'exception des pieds (sauf le gardien de but). Les fautes graves sont sanctionnées par un jet de 7 m (penalty) ou une exclusion, qui peut être temporaire ou définitive.

HÄNDEL (Georg Friedrich), compositeur allemand naturalisé anglais (Halle 1685 - Londres 1759). Ses séjours en Italie firent de

Georg Friedrich Händel. Portrait anonyme. (Opéra de Paris.)

lui d'abord le défenseur de l'opera seria, dont il donna maints exemples. Il s'installa à Londres, où il rencontra des difficultés à s'imposer à la Royal Academy of Music et au King's Theatre. Il réussit mieux dans le domaine du psaume, de la cantate, de l'ode, de l'anthem et surtout de l'oratorio sur paroles anglaises, souvent inspiré de la Bible (*Israel in Egypt,* 1738; *Messiah,* 1741; *Samson,* 1742; *Belshazzar,* 1744; *Judas Maccabaeus,* 1746; *Solomon,* 1748; *Jephtha,* 1751). Sa musique instrumentale comporte des suites pour clavecin, des sonates pour divers instruments, des concerti grossi pour orchestre, des concerti pour orgue, des suites d'orchestre pour le plein air *(The Water Music, Music for the Royal Fireworks).*

Toute cette musique témoigne de la culture internationale de l'auteur, de son génie assimilateur des esthétiques italienne (art du chant et du violon), française (ouverture, chorégraphie) et germanique (contrepoint, chœur polyphonique).

HANDICAPÉS. — Par rapport à l'infirmité, le handicap contient une dimension supplémentaire : le retentissement du déficit sur la personnalité globale, rendant nécessaire un réaménagement des rapports avec le monde. Le handicapé ne devient inadapté que si ce réaménagement échoue. La société, en mettant en œuvre des mesures donnant aux handicapés la possibilité d'une participation plus ou moins complète — en fonction de leurs possibilités — à la vie sociale normale, a un rôle primordial à jouer dans la prévention de leur inadaptation.

On distingue, classiquement, les handicaps physiques (maladies chroniques, déficiences sensorielles [surdité, cécité ou amblyopie] ou motrices) et les handicaps mentaux (essentiellement la débilité* mentale). Les handicaps peuvent être congénitaux, c'est-à-dire déterminés par l'hérédité (ou par les conditions de vie intra-utérine) ou acquis. Les handicaps acquis pendant les trois premières années de vie sont assimilables par leurs effets aux handicaps congénitaux. On estime qu'en 1980 la Communauté économique européenne comptera plus de 20 millions de handicapés.

La loi française du 30 juin 1975, dite « d'orientation en faveur des personnes handicapées », érige au rang d'« obligation nationale » la prévention et le dépistage des handicaps, les soins, l'éducation, la formation et l'orientation professionnelles, l'emploi et la garantie

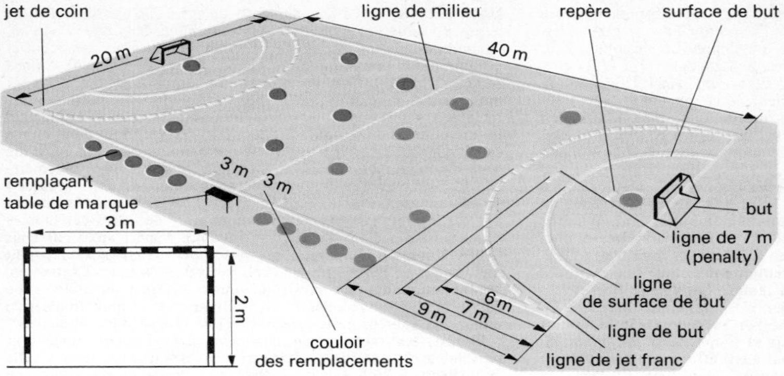

HANDBALL

Plan et dimensions d'un terrain de handball, avec la disposition des joueurs.

de ressources, l'intégration sociale, l'accès aux sports et aux loisirs des handicapés physiques, sensoriels ou mentaux.

Les principales dispositions de la loi concernent l'éducation spéciale à assurer aux enfants handicapés, l'allocation d'éducation spéciale, l'emploi*, les prestations aux handicapés adultes, l'aide sociale aux handicapés...

HANDKE (Peter), écrivain autrichien (Griffen, Carinthie, 1942). Son œuvre poétique (*le Non-Sens et le bonheur,* 1975), romanesque (*le Colporteur,* 1967; *l'Angoisse du gardien de but au moment du penalty,* 1970; *la Courte Lettre pour un long adieu,* 1972; *le Malheur indifférent,* 1972) et dramatique (*la Chevauchée sur le lac de Constance,* 1971) traduit l'angoisse de la solitude et de l'incommunicabilité par une recherche perpétuelle de l'invention verbale.

HANEDA, aéroport de Tōkyō, au S. de la ville, sur la baie de Tōkyō.

HAN FEI → LOIS *(école des).*

HANG-TCHEOU ou **HANGZHOU,** v. de Chine, au S.-O. de Changhai, capit. du Tchö-kiang; 784 000 hab. Textile. — La pagode Lieou ho t'a (XIIIe s.) est l'un des seuls témoins des splendeurs et des fastes de cette ancienne capitale des Song du Sud (1127-1280).

HAN-K'EOU ou **HANKOU,** partie de la conurbation de Wou-han (Chine).

HAN-KIANG ou **HANJIANG** (le), riv. de la Chine, affl. du Yang-tseu-kiang (r. g.); 1 100 km.

HANNETON. — L'un des plus communs, des plus grands et des plus nuisibles parmi les coléoptères de nos régions est bien le hanneton. La larve, ou *ver blanc,* vit dans le sol aux dépens des racines des plantes vivaces, s'enfonçant en hiver, s'approchant de la surface en été. Elle s'y nymphose, et c'est trois ans après la ponte qu'on voit l'adulte sortir de terre. La vie adulte ne dépasse pas un mois, pendant lequel le hanneton dévore les feuillages avec voracité, se reproduit et meurt.

Les deux traits caractéristiques de l'adulte sont ses antennes en éventails de lamelles et, chez l'espèce la plus commune, ses élytres bruns. Mais le hanneton foulon est tacheté de noir et de blanc.

HANNIBAL, général carthaginois (247 - Bithynie 183 av. J.-C.), fils d'Hamilcar* Barca. Proclamé chef de l'armée carthaginoise d'Espagne en 221, Hannibal décida d'attaquer Sagonte (auj. Sagunto), qu'il enleva en 219 : l'affaire de Sagonte déclencha la seconde guerre punique* (218-201), sans que l'on sache encore dans quelle mesure le siège de la ville constituait un *casus belli.* Hannibal fut l'« âme de la guerre » : il entreprit avec une forte armée sa grande expédition par voie de terre contre Rome; après cinq mois de marche à travers les Pyrénées, la Gaule, les Alpes, il remporta d'éclatantes victoires au Tessin*, à la Trébie* (218), à Trasimène* (217) et à Cannes* (216), mais n'osa pas s'attaquer à Rome. Des Gaulois de Cisalpine et des Italiques du Sud se rallièrent à lui, et Capoue lui ouvrit ses portes. Mais, faute de renforts, Hannibal ne put exploiter ses victoires et fut confiné, treize ans durant, dans le sud de la péninsule. En 211, malgré sa marche sur Rome pour sauver Capoue, cette dernière fut reconquise par les Romains : la Grande-Grèce échappa peu à peu à Hannibal; en 203, quand Carthage le rappela à la suite du débarquement de Scipion* en Afrique, Hannibal était réduit aux abords de Crotone : il quitta l'Italie et fut vaincu à Zama (202).

Chef de guerre prestigieux, formé à l'école des tacticiens grecs, Hannibal fut aussi un grand politique : en 195, devenu suffète à Carthage, il tenta de démocratiser l'État punique; mais, dénoncé aux Romains par les aristocrates, il dut s'exiler en Orient. Menacé, en 183, d'être livré à Rome, il se suicida.

HANNON, navigateur carthaginois. Il avait rédigé une relation de son périple sur la côte occidentale de l'Afrique. (Nous en possédons une traduction grecque, mais son interprétation est difficile.) On admet généralement que Hannon, après avoir fondé des colonies sur la côte marocaine, poursuivit son périple jusqu'au golfe de Guinée (v. 500 av. J.-C.).

HANNON, surnommé **le Grand,** général et homme d'État carthaginois (IIIe s. av. J.-C.). Il s'illustra par la prise de Théveste (v. 247), qui semble avoir été la limite du domaine contrôlé par les Puniques en Afrique. Chef du parti aristocratique, favorable à une entente avec Rome et hostile aux Barcides, il dominait la vie politique à Carthage au lendemain de la première guerre punique; mais il ne put réprimer seul la révolte des mercenaires, et Carthage dut rappeler son rival, Hamilcar* Barca. Lors de la seconde guerre punique, Hannon usa de son influence politique pour empêcher le sénat d'envoyer des renforts à Hannibal.

HANOI, capit. du Viêt-nam, dans le delta du Tonkin, sur la rive droite du fleuve Rouge; env. 1 million d'habitants. Nombreux monuments, parmi lesquels le temple de la Culture, avec un kiosque et un bassin datant du XIe s. Importants musées.

GÉOGRAPHIE. Nœud routier et ferroviaire (en liaison notamment avec Haiphong et la Chine méridionale), traditionnel centre politique, administratif et culturel, la ville s'est industrialisée après l'indépendance du Viêt-nam (1954), avec le développement de branches liées en partie à l'important marché de consommation (textile, alimentation, constructions mécaniques).

HISTOIRE. La ville fut prise par Francis Garnier en 1873 : elle devint capitale du protectorat du Tonkin, puis (1887) siège du gouvernement général de l'Indochine française. Investie par les Japonais en 1945, réoccupée par les Français de 1946 à 1954, elle fut bombardée plusieurs fois par l'aviation américaine de 1966 à 1973.

HANOTAUX (Gabriel), historien et homme politique français (Beaurevoir 1853 - Paris 1944). Historien de métier, député de l'Aisne (1886-1889), il est ministre des Affaires étrangères presque sans interruption de mai 1894 à juin 1898. Après l'affaire de Fachoda (1898), qu'il laisse à Delcassé* le soin de régler, il se consacre aux travaux historiques. Il a notamment dirigé une *Histoire de la nation française* (1920-1929).

HANOVRE, en allem. **Hannover,** v. de l'Allemagne fédérale, capit. de la Basse-Saxe, sur la Leine; 517 000 hab. Église du XIVe s. (Marktkirche). Ancien hôtel de ville du XVe s. Beaux jardins, dont ceux (fin du XVIIe s.) de l'ancien château de Herrenhausen. Musées de Basse-Saxe. Grande foire industrielle. Construction automobile. Industries électrique et chimique.

HISTOIRE. Ville de la Hanse dès la fin du XIVe s., Hanovre fut la capitale des ducs électeurs, puis celle du roi de Hanovre de 1636 à 1714 et de 1837 à 1866. Centre commercial actif dès le Moyen Âge, Hanovre doit son développement industriel (fin du XIXe s.) à sa situation de carrefour ferroviaire. Endommagée par les bombardements de la Seconde Guerre mondiale, la ville est prise par les Américains le 10 avril 1945.

HANOVRE *(dynastie de),* dynastie qui régna en Grande-Bretagne de 1714 à 1917. C'est l'Acte de succession de 1701 qui assura la couronne britannique à la maison de Hanovre; à la mort de son fils, la reine Anne reconnut en effet comme héritière Sophie, Électrice de Hanovre, petite-fille de Jacques Ier Stuart.

Après la mort de SOPHIE (1714), son fils George (Hanovre 1660 - près de Hanovre 1727) lui succède dans ses droits et devient, sous le nom de GEORGE Ier, roi de Grande-Bretagne et d'Irlande

(1714-1727). En fait, la Grande-Bretagne ne l'intéresse que pour ses revenus; plus attaché au Hanovre qu'à son royaume, George Ier est peu apprécié en Grande-Bretagne, où l'opposition jacobite reste menaçante; il laisse le pouvoir réel à Stanhope (1717-1721) et à Walpole* (1715-1717, 1721-1742), favorisant ainsi l'autorité du Parlement et du cabinet au détriment de la royauté.

Son fils GEORGE II (Herrenhausen, Hanovre, 1683-Kensington 1760), roi de 1727 à 1760, laisse gouverner les whigs, avec Walpole. Par la suite, la politique britannique est entre les mains de William Pitt*, que George II déteste.

Celui-ci a pour successeur son fils GEORGE III*, roi de 1760 à 1820, lequel, atteint de folie dès 1810, doit laisser la régence au prince de Galles, devenu le roi GEORGE IV (Londres 1762-Windsor 1830) en 1820. Brillant, mais débauché et sans caractère, celui-ci laisse, lui aussi, le pouvoir entre les mains de ses ministres; tout le début de son règne est d'ailleurs marqué par un scandaleux procès en divorce intenté par lui contre sa femme, Caroline de Brunswick. George IV ne laissant pas d'héritier, c'est son frère GUILLAUME IV (Londres 1765-Windsor 1837) qui lui succède (1830-1837) : il s'assure une certaine popularité par sa simplicité et son honorabilité, mais son rôle politique est tout aussi effacé que celui de son prédécesseur. Étant mort sans héritier, Guillaume IV laisse la couronne à sa nièce VICTORIA*, dont le long règne va rendre à la Couronne (1837-1901) un éclat que les premiers Hanovre avaient singulièrement terni. ÉDOUARD* VII (1901-1910) et GEORGE V* (1910-1936) appartiennent, eux aussi, à la maison de Hanovre, mais, en 1917, George V décide de donner à sa dynastie le nom de Windsor.

HANOVRE *(royaume de)*, anc. royaume de l'Allemagne du Nord. En 1692, quand le duc Ernest-Auguste de Brunswick-Lunebourg reçoit le diplôme d'Électeur du Saint Empire, l'usage s'introduit de parler de l'électorat de Hanovre, dont le deuxième titulaire, George, arrière-petit-fils par sa mère de Jacques Ier Stuart, devient roi de Grande-Bretagne en 1714. Si bien que, de 1714 à 1837, l'électorat, devenu en 1814 le royaume de Hanovre, est gouverné par le même souverain que la Grande-Bretagne, sauf entre 1803 et 1814, quand le Hanovre est occupé, puis disloqué par les Français. En 1837, Guillaume IV ne laissant qu'une nièce, Victoria*, les États de Hanovre, invoquant la loi salique, donnent la couronne hanovrienne au cinquième fils de George III, le duc de Cumberland, devenu Ernest-Auguste Ier. Vaincu par les Prussiens en 1866 à Langensalza, le Hanovre est alors annexé par la Prusse.

HANSE, association de cités marchandes de l'Allemagne du Nord, constituée, à partir du XIIIe s., en vue de favoriser la pénétration du courant commercial au sein du monde slave et de trouver de plus vastes débouchés vers la mer du Nord et l'Europe occidentale aux produits de la Baltique. En 1241, Lübeck et Hambourg concluent un traité d'amitié, suivi, durant les XIIIe et XIVe s., de nombreux accords de ce type entre cités germaniques. Face aux ambitions du roi de Danemark Valdemar IV (de 1340 à 1375), la Hanse s'organisa définitivement et se fit reconnaître par l'État danois la liberté de navigation dans la Baltique et l'exemption des droits de douane. Sa prospérité se maintint pendant la plus grande partie du XVe s. La Hanse imposa aux régions baltes son monopole et domina le commerce de la Russie et de la Scandinavie, échangeant les produits bruts de ces régions contre les produits manufacturés de l'Europe occidentale. À cet effet, elle disposa de grands comptoirs permanents et de factoreries qui lui assurèrent des liaisons commerciales jusque vers le Portugal et l'Espagne. Mais sa grande faiblesse fut l'inconsistance de son organisation politique : dépourvue d'exécutif fédéral et de finances permanentes, la Hanse n'était représentée que par le *Hansetag* (Assemblée hanséatique), réuni périodiquement, en général à Lübeck, en vue de mettre au point la réglementation du commerce et de la navigation. Simple communauté d'intérêts économiques, elle ne put, au XVIe s., garantir ses avantages commerciaux face à ses rivaux (Pays-Bas, Angleterre, ordre Teutonique) ni maintenir sa tutelle commerciale sur les États de la Baltique. Amorcé à la fin du XVe s., son déclin se poursuivit durant tout le XVIe s., alors que se confirmait la vocation maritime de l'Angleterre et des Pays-Bas. La guerre de Trente Ans l'acheva : en 1669, la Hanse, qui, à son apogée, avait groupé près de 150 cités, ne comptait plus que Lübeck, Brême et Hambourg.

HANTAÏ (Simon), peintre français d'origine hongroise (près de Budapest 1922). Passant de la prospection surréaliste (1950-1954) à la gestualité et à un informel foisonnant (1952-1959), puis à un constat de plus en plus dépouillé (œuvres obtenues par pliage de la toile/mise en couleurs/dépliage), il manifeste le même lyrisme, la même autorité plastique teintée de maniérisme.

HAN-YANG ou **HANYANG,** partie de la conurbation de Wou-han (Chine).

HAOUSSA → NÉGRO-AFRICAINES *(langues)*.

HAOUSSAS, ethnie du nord du Nigeria et du sud du Niger.

HAOUZ (le), plaine du Maroc méridional, autour de Marrakech.

HAPPENING. — Le happening est un spectacle qui s'inscrit dans le processus de désintégration des conventions de la *représentation,* commun à tous les modes d'expression de l'art moderne. Héritier des procédés dramatiques d'Alfred Jarry, des manifestations dadaïstes et du théâtre de la cruauté d'Antonin Artaud, il a pour but essentiel de réaliser l'intégration des acteurs aux spectateurs (et réciproquement) et de la représentation à la réalité. Impliquant la dissolution de l'espace scénique et la création d'un climat esthétique collectif, il s'apparente au *psychodrame** et constitue dans son expression primitive un événement spontané et éphémère. Ses formes plus « institutionnalisées » comportent une « matrice » ou un canevas (sonore, visuel ou olfactif) qui guident les évolutions des participants : le happening évoque alors certaines cérémonies rituelles (orgies dionysiaques, rite vaudou). Apparu aux États-Unis (Allan Kaprow, *18 Happenings in 6 Parts,* 1959), il se répandit rapidement en Europe (J.-J. Lebel, festival de la Libre Expression, 1962) et même dans les pays communistes, comme une protestation contre la civilisation scientifique et urbaine, et comme un désir de retour aux sources de la sensibilité et de la sociabilité humaines.

En art, les rapports du happening avec l'environnement et l'assemblage* sont mis en évidence dans des œuvres comme celle de l'Allemand Wolf Vostell, fortement expressionniste, tandis que son orientation aléatoire et expérimentale apparaît avec les activités du groupe japonais Gutaï*.

HARALD Ier, roi de Danemark († v. 863). Vaincu par les fils de l'ancien roi Godfred († 810), il séjourna à la cour de Louis le Pieux, où il fut baptisé (826). Ayant rétabli son autorité sur le Danemark, il favorisa l'évangélisation du pays. Il mourut assassiné.

HARALD II Blåtand (« Dent Bleue ») [v. 910-v. 986], roi de Danemark (v. 936-v. 986). Il favorisa l'implantation définitive du christianisme au Danemark. S'il réussit à imposer son autorité sur le sud de la Norvège, il combattit sans succès contre l'empereur Otton II. Il trouva la mort en luttant contre son fils Svend.

HARAPPĀ, site archéologique de l'Inde (Pendjab), où a été découverte la civilisation de l'Indus*. Les vestiges présentent une véritable ville de plus de 5 km de périmètre, régie par de stricts principes d'urbanisme, ainsi qu'une vaste nécropole.

HARAR ou **HARRAR,** v. d'Éthiopie, à l'E. d'Addis-Abeba; 46 000 hab.

HARĀT ou **HÉRAT,** v. de l'ouest de l'Afghānistān, sur le Hari Rūd; 104 000 hab. Fondée à une époque antérieure aux Achéménides et objet de multiples convoitises, la ville est souvent dévastée. Centre littéraire et artistique sous les Tīmūrides, elle abrite une célèbre école de miniaturistes, placée jusqu'en 1507 sous l'autorité de Bihzād. Ensemble de constructions tīmūrides caractérisées par de belles coupoles côtelées et légèrement bulbeuses.

HARBIN ou **HA'ERBIN,** anc. **Pin-kiang** et **Kharbin,** v. de la Chine du Nord-Est, capit. du Hei-long-kiang; 1 595 000 hab. Métallurgie.

HARDELOT-PLAGE (62152 Neufchâtel Hardelot), station balnéaire du Pas-de-Calais, sur la Manche, à 18,5 km au S. de Boulogne-sur-Mer.

HARDEN (*sir* Arthur), chimiste anglais (Manchester 1865-Bourne End 1940), auteur de travaux sur le mécanisme des fermentations, les enzymes et les vitamines. (Prix Nobel de chimie, 1929.)

HARDENBERG (Karl August, *prince* VON), homme d'État prussien (Essenrode 1750-Gênes 1822). Ministre des Affaires étrangères de Prusse, il doit se retirer après Tilsit (1807). Chancelier en 1810, il prépare avec Stein un plan de reconstruction de la monarchie prussienne, développant la bureaucratie et s'inspirant de la législation française de la Révolution et de l'Empire. Artisan de la « guerre de délivrance » (1813), il représente la Prusse au congrès de Vienne (1814-15) et soutient, par la suite, la politique de Metternich à l'encontre des nationalismes et du libéralisme.

HARDING (Warren Gamaliel), homme politique américain (Corsica 1865-San Francisco 1923). Républicain, élu président des États-Unis en 1920, il se montre hostile à la S. D. N. et à l'Europe, prenant l'initiative de la conférence de Washington (1921-22) et rétablissant des tarifs douaniers élevés. Les scandales de son entourage hâtent sa fin.

HARDOUIN-MANSART (Jules) → MANSART.

HARDT (la), région boisée aux confins de la France (au N. des Vosges) et de l'Allemagne fédérale (Rhénanie-Palatinat). — Région partiellement boisée couvrant la basse plaine du Rhin de Mulhouse à Colmar (parfois appelée aussi *Harth*).

HARDY (Alexandre), écrivain français (Paris v. 1570-v. 1632). Son théâtre (pastorales, tragi-comédies et tragédies, en tout près de 600 pièces) unit la violence baroque aux thèmes du théâtre humaniste (*Marianne,* 1600).

HARDY (Thomas), écrivain anglais (Upper Bockhampton, Dorset, 1840-Max Gate, Dorchester, 1928). Ses poèmes (*Poèmes du*

Wessex, 1898) et ses romans (*Tess d'Urberville,* 1891; *Jude l'Obscur,* 1895) évoquent les mœurs provinciales à travers la peinture d'êtres soumis à un implacable destin.

HARE (Robert), chimiste américain (Philadelphie 1781 - *id.* 1858). Il a isolé les métaux alcalino-terreux et inventé le chalumeau oxhydrique (1801).

HARELBEKE, comm. de Belgique (Flandre-Occidentale), sur la Lys; 24 852 hab. (en 1977).

HAREM. — La coutume de reléguer les femmes dans un appartement séparé dont elles ne sortaient qu'en certaines circonstances déterminées existait dans les anciennes civilisations sémitiques. Elle a été développée par l'islām. Chez les Ottomans, le harem du sultan contenait un grand nombre de femmes esclaves, gardées par des eunuques, dont le chef, le *kizlarağasi,* devint à partir du XVIe s. un des hauts personnages de l'empire.

HARENG. — Le hareng, type de la famille des clupéidés, est un des poissons les plus recherchés par les pêcheurs. Il ne quitte pas les eaux océaniques relativement fraîches (moins de 14 °C), peu salées et peu profondes (plateau continental seulement), mais il ne paraît en surface que sur le front de séparation de ces eaux avec les eaux tropicales chaudes et salées. Comme ce front se déplace annuellement, les lieux de pêche en font autant, et on a longtemps cru à des migrations de grande amplitude.

Industriellement, le hareng est mis en *caque* (baril) dans le sel, puis sauri, c'est-à-dire exposé aux fumées du bois de hêtre *(hareng saur).* Il est souvent servi sous forme de filets à l'huile.

HARFLEUR (76700), comm. de la Seine-Maritime, sur le canal du Havre à Tancarville, à 7 km à l'E. du Havre; 10 104 hab. *(Harfleurais).* Église des XVe-XVIe s.

HARGEYSA, v. du nord de la Somalie; 40 000 hab.

HARICOT. — Cette légumineuse d'origine mexicaine a largement supplanté les fèves, pourtant très voisines, connues depuis l'Antiquité. C'est une plante annuelle aux variétés naines ou grimpantes, aux feuilles composées, au fruit en longue gousse contenant des graines farineuses comestibles de forme caractéristique. La gousse elle-même est comestible (haricot vert) dans certaines variétés. (Nom scientifique : *Phaseolus,* d'où provient le nom vulgaire de *fayot.*)

HARĪRĪ (Al-), écrivain arabe (près de Bassora 1054 - *id.* 1121), auteur de tableaux de la vie arabe *(Maqāmāt)* en prose rimée mêlée de vers, célèbres pour leur style précieux.

HARĪ RŪD ou **HÉRI ROUD,** fl. né en Afghānistān, à l'O. de Kaboul, qui passe à Harāt, sépare l'Afghānistān et l'Iran, avant de se perdre dans les sables du Turkménistan soviétique (où il prend le nom de Tedjen); 1 000 km environ.

HARKI. — Pendant la guerre d'Algérie (1954-1962), les harkis étaient des militaires supplétifs recrutés parmi les autochtones et qui servaient sous contrat dans les forces françaises. Restant dans leur territoire en contact avec leur famille, ils étaient environ 30 000 en 1960. Lors de l'indépendance (1962), un grand nombre d'entre eux payèrent de leur vie leur fidélité à la France. Quelques milliers seulement furent rapatriés en métropole, où ils conservèrent la nationalité française.

HARKNESS (Rebekah), compositeur et mécène américaine (Saint Louis, Missouri, 1915). Instigatrice de la Harkness Foundation à New York, directrice du Harkness Ballet (plusieurs fois dissous et reconstitué), elle est la fondatrice (1974) à New York du seul théâtre consacré exclusivement à la danse (Harkness Theatre).

HARLEM → HAARLEM.

HARLEM, quartier de New York, dans l'île de Manhattan, exclusivement habité par des Noirs.

HARLOW, v. d'Angleterre (Essex), au N. de Londres; 78 000 hab. Industries mécaniques et chimiques.

HARLY (02100 St Quentin), comm. de l'Aisne, à 3 km à l'E. de Saint-Quentin; 1 425 hab. Constructions électriques.

HARMEL (Léon), industriel français (La Neuville-lès-Wasigny 1829 - Nice 1915). Patron d'une filature au Val-des-Bois, près de Reims, il y crée un système corporatif chrétien. Lui-même évolue vers la démocratie chrétienne.

HARMONIE → ÉCRITURE MUSICALE et INSTRUMENTS DE MUSIQUE.

Harmonies poétiques et religieuses, recueil de poèmes de Lamartine (1830).

HARMONIQUES *(Acoust.).* — Le son fondamental ayant pour fréquence N, l'harmonique de rang k a pour fréquence kN. Tout son complexe peut être considéré comme dû à la superposition du son fondamental et de ses harmoniques.

HARMONIQUES (notes) → ÉCRITURE MUSICALE.

HARMONIUM → INSTRUMENTS DE MUSIQUE.

HARNACK (Adolf VON), théologien luthérien allemand (Dorpat 1851 - Heidelberg 1930). Ses travaux portent sur l'histoire des dogmes et les origines du christianisme : les dogmes sont pour lui des superstructures et non des réalités essentielles du christianisme; Harnack interprète le royaume de Dieu, annoncé par Jésus, en termes purement intérieurs. Ses œuvres principales sont l'*Histoire des dogmes* (1886-1889; 3 vol.), l'*Histoire de l'ancienne littérature chrétienne* (1893-1904; 3 vol.) et *l'Essence du christianisme* (1900).

HARNES (62440), ch.-l. de cant. du Pas-de-Calais, à 7 km à l'E. de Lens; 13 846 hab. Centrale thermique. Industrie chimique.

HAROLD II (1022? - Hastings 1066), roi des Anglo-Saxons (1066). En janvier 1066, il s'empara de la succession d'Édouard le Confesseur, mais il fut vaincu et tué (oct. 1066) à Hastings en luttant contre son principal compétiteur, Guillaume le Conquérant.

HAROUÉ (54740), ch.-l. de cant. de Meurthe-et-Moselle, à 32 km au S. de Nancy; 437 hab. Magnifique château de Craon, élevé par Boffrand en 1729 (décors intérieurs).

HARPE. — La figuration de cet instrument à cordes pincées dans l'Écriture sainte et sur les plus vieux monuments d'Orient prouve son ancienneté. Actuellement, le corps sonore — la console (qui reçoit les chevilles) et la colonne (qui réunit le corps à la console) — représente les parties essentielles de la harpe. Les cordes, en boyau, tendues de la console à la table de résonance, sonnent sous l'action de quatre doigts (auriculaire exclu) de chaque main.

HARPIES, mauvais génies de la légende grecque, à corps d'oiseau et à tête de femme; leur nom signifie les « ravisseuses ».

HARRIS (Zellig Sabbetai), linguiste américain (Balta, Ukraine, 1909). Professeur à l'université de Pennsylvanie depuis 1947, il a poussé à leurs extrêmes conséquences les principes descriptifs de l'école bloomfieldienne. Son livre *Methods in Structural Linguistics* (1951) représente la synthèse rigoureuse de la linguistique distributionnelle*. Dans ses ouvrages suivants (*String Analysis of Sentence Structure,* 1962; *Mathematical Structures of Language,* 1968), Harris applique ses analyses aux structures de la phrase, ce qui l'amène à introduire la notion de transformation. Il a également proposé une méthode d'analyse du discours* utilisant les procédures distributionnelles et transformationnelles.

HARRISBURG, v. des États-Unis, capit. de la Pennsylvanie, à l'O. de Philadelphie; 68 000 hab. Électronique.

HARRISON (John), horloger anglais (Foulby, Yorkshire, 1693-Londres 1776). Il fut le premier à réaliser pratiquement un chronomètre de marine pour la détermination des longitudes.

HARRISON (William Henry), homme politique américain (Berkeley 1773 - Washington 1841). Major général en 1812, il est élu président des États-Unis en 1840, mais il meurt un mois après son installation.

HARRISON (Benjamin), homme politique américain (North Bend 1833 - Indianapolis 1901). Petit-fils de William H. Harrison, sénateur républicain de l'Indiana (1860), il devient le vingt-troisième président des États-Unis (1889-1893).

HARROD (Henry Roy Forbes), économiste britannique (Londres 1900). On lui doit, notamment, *Towards a Dynamic Economics* (1948), *Money* (1969) et *Economic Dynamics* (1973).

HARROGATE, v. d'Angleterre, au N. de Leeds; 62 000 hab. Station thermale.

HARROW, faubourg nord-ouest de Londres; 205 000 hab.

HARTFORD, v. des États-Unis, capit. du Connecticut; 158 000 hab. Musée d'art (Wadsworth Atheneum). Centre financier.

HARTH (la) → HARDT.

HARTLEPOOL, port du nord de l'Angleterre, sur la mer du Nord; 97 000 hab.

HARTLINE (Haldan Keffer), biophysicien américain (Bloomsburg 1903), prix Nobel de médecine et de physiologie, avec Granit et Wald, en 1967 pour ses travaux d'électrophysiologie des cellules sensorielles de la rétine.

HARTMANN (Nicolai), philosophe allemand (Riga 1882 - Göttingen 1950). Ses écrits sur la métaphysique procèdent d'une réflexion issue du néokantisme et de la phénoménologie* husserlienne. Hartmann a notamment publié *Zur Grundlegung der Ontologie* (1935) et *Der Aufbau der realen Welt* (1940).

HARTMANNSWILLERKOPF (fam. *Vieil Armand*), sommet des Vosges (956 m), dominant les vallées de la Thur et de la Lauch. (V. VOSGES [*combats des*], 1915.)

HARTMANN VON AUE, poète allemand (en Souabe - † entre 1210 et 1220), premier poète courtois de langue allemande.

HARTUNG (Hans), peintre et graveur français d'origine allemande (Leipzig 1904). Installé à Paris en 1935, il est, dès cette époque, maître de son style propre, qui conjugue, dans la voie abstraite, spontanéité lyrique et strict contrôle intellectuel. Variant les formes d'expression (graphismes, tachisme, halos de couleurs sourdes...), il fait à partir des années 50 une carrière brillante.

HARTZENBUSCH (Juan Eugenio), écrivain espagnol (Madrid 1806-*id.* 1880), auteur de drames romantiques (*les Amants de Téruel,* 1837).

HĀRŪN AL-RACHĪD (Rey 766-Ṭūs 809), calife ʿabbāsside* (766-809). Personnage légendaire des *Mille et Une Nuits,* il entretient une cour fastueuse, et son règne est souvent assimilé à l'âge d'or de l'islām. L'empire connaît pourtant de graves difficultés : rébellions des provinces (Iran, Égypte, Syrie, Yémen, Ifrīqiya) ou même sécessions (Maroc, Andalousie). Ses vizirs de la famille barmakide jouent un rôle de première importance jusqu'à leur disgrâce (803). Hārūn al-Rachīd conduit personnellement plusieurs expéditions victorieuses contre les Byzantins.

HARUNOBU (Hozumi Jihei, dit **Suzuki**), graveur japonais (Tōkyō 1725-*id.* 1770). On lui attribue l'invention — grâce à la technique de repérage — de l'estampe polychrome (« nishiki-e », dite « peinture de brocart »). La richesse et la variété de sa palette, la souplesse de son trait font de lui l'un des principaux représentants de l'ukiyo-e. Son univers, celui de la jeune fille, de la courtisane et de la vie familière, est évoqué avec une tendre sensualité.

HARUSPICE. — En Étrurie, les haruspices formaient un collège de prêtres versés dans l'art de la divination. Ils excellaient dans l'interprétation des entrailles des victimes, offertes dans les sacrifices, et de toutes sortes de prodiges. On les retrouve à Rome, où ils tinrent parfois une place d'honneur dans l'entourage de certains empereurs. Sous Claude, ils se constituèrent en un ordre dont les membres se recrutaient par cooptation. Leur art fut peu à peu interdit par les empereurs chrétiens.

Harvard *(université),* université américaine, fondée en 1636 à Cambridge (Massachusetts) par John Harvard.

HARVEY (William), médecin anglais (Folkestone 1578-Londres 1657). Médecin des rois Charles Ier et Jacques Ier, il édifia, à partir des travaux fragmentaires de Michel Servet et de Colombo et Aranzi, dont il vérifia scrupuleusement l'exactitude, la théorie complète de la circulation du sang. Il a étudié aussi les phénomènes de régénération, et on lui doit l'énoncé du principe *Omne vivum ex ovo,* qu'il établit sur des bases expérimentales.

HARYANA, État du nord de l'Inde ; 10 037 000 hab. Capit. *Chandigarh.* Situé sur le seuil séparant les bassins du Gange et de l'Indus, à l'O. de Delhi, c'est un des plus petits (44 222 km^2) États de l'Inde, où l'irrigation a permis le développement des cultures du blé, du millet, de la canne à sucre et du coton, à la base d'industries, favorisées par l'hydroélectricité du piémont himalayen.

HARZ (le), massif montagneux aux confins des deux Allemagnes ; 1 142 m au *Brocken* (R. D. A.).

ḤASĀ, province de l'Arabie Saoudite, sur le golfe Persique.

ḤASAN Ier ou **MŪLĀY ḤASAN** (1857-1894), sultan ʿalawīte du Maroc (1873-1894). Il maintient le pays dans un ordre relatif, réprimant de nombreuses révoltes tribales. Sous son sultanat, la conférence internationale de Madrid (1880) étendit à toutes les puissances européennes le droit de protection du Maroc.

ḤASAN II (Rabat 1929), roi du Maroc depuis 1961, fils de Muḥammad V. Se heurtant à l'opposition des forces populaires (U. N. F. P.), il proclame l'état d'urgence (1965) et mène une sévère répression. Après avoir échappé à deux attentats (1971 et 1972), il prend lui-même la direction de l'armée. Il organise en novembre 1975 la « marche verte » (marche pacifique) dans le Sahara* occidental.

ḤASANIDES, nom des chérifs ʿalides* descendant de Ḥasan (fils de ʿAlī* et de Fāṭima). Au Maroc, on réserve ce nom aux descendants de Muḥammad al-Nafs al-Zakiyya. Ceux-ci s'installèrent dans le Tafilalet à la fin du XIIIe s. Ils donnèrent au Maroc deux dynasties : celle des Saʿdiens* et celle des ʿAlawītes*.

ḤASAN-I ṢABBĀḤ → Assassins.

HASDRUBAL, surnommé **le Beau,** général carthaginois (v. 270-221 av. J.-C.). Gendre d'Hamilcar*, il lui succéda en 229 en Espagne, où il poursuivit ses conquêtes et fonda Carthagène*, capitale du nouvel empire carthaginois d'Espagne. Ses progrès inquiétèrent Rome, qui l'obligea à signer un traité par lequel il s'engageait à ne pas franchir l'Èbre et peut-être à respecter l'autonomie des villes grecques d'Espagne (226 av. J.-C.).

HASDRUBAL BARCA, général carthaginois (v. 245-207 av. J.-C.), frère d'Hannibal, qu'il remplaça à la tête du domaine espagnol des Barcides pendant la seconde guerre punique. Il détruisit en 211 les forces romaines d'Espagne, mais fut vaincu par P. Cornelius Scipion* à Baecula (209). Il réussit, cependant, à sortir d'Espagne et à gagner l'Italie, où il amenait des renforts à Hannibal; mais il fut tué au Métaure (207) sans parvenir à joindre son frère.

HAŠEK (Jaroslav), écrivain tchèque (Prague 1883-Lipnice 1923), auteur du roman satirique *Aventures du brave soldat Švejk au temps de la Grande Guerre* (1920-1923).

HASKELL (Arnold Lionel), écrivain de la danse britannique (Londres 1903). Ses ouvrages contribuèrent pour une large part à la diffusion de la danse et du ballet en Grande-Bretagne (*Balletomania,* 1934; *Dancing Round the World,* 1937). Haskell a été l'instigateur de la Vic Wells Ballet School, origine de la Royal Ballet School.

HASKIL (Clara), pianiste roumaine (Bucarest 1895-Bruxelles 1960). Elle fut une des plus grandes interprètes de Mozart.

HASKOVO, v. du sud de la Bulgarie; 58 000 hab.

HASPARREN (64240), ch.-l. de cant. des Pyrénées-Atlantiques, à 25 km au S.-E. de Bayonne; 5 441 hab. *(Haspandars).*

HASSE (Johann Adolf), compositeur allemand (Bergedorf, près Hambourg, 1699-Venise 1783). Maître de musique de la cour de Saxe, époux de la célèbre cantatrice Faustina Bordoni (1700-1781), il mena une carrière internationale et excella dans l'opera seria de style italien.

HASSEL (Odd), chimiste norvégien (Oslo 1897). Il a étudié la chimie des cyclanes et la conformation des molécules chimiques. (Prix Nobel de chimie, 1969.)

HASSELT, v. de Belgique, ch.-l. du Limbourg; 62 755 hab. (en 1977). Églises Saint-Quentin (XIIIe-XVe s.) et Notre-Dame (XVIIIe s.; sculptures du Liégeois Jean Delcour). Industries électrique et chimique.

HASSIDISME. — Ce nom a été donné à deux courants mystiques juifs, dont l'un se développe au Moyen Âge et l'autre au XIXe s.

Le hassidisme médiéval est un mouvement qui se situe dans le judaïsme allemand aux XIIe et XIIIe s., et que caractérisent le renoncement ascétique, l'esprit de contemplation, la sérénité de l'âme et un amour du prochain poussé à un très haut degré.

Le hassidisme moderne, né au milieu du XVIIIe s. en Pologne, exalte un type de croyant à la fois prophète, voyant et parfois thaumaturge; la piété hassidique comporte comme élément essentiel la joie et rejette toute forme d'ascétisme. De nos jours, le hassidisme forme des groupes très fervents au sein de la grande communauté juive.

HASSI-MESSAOUD, important centre pétrolier de l'est du Sahara algérien, découvert en 1956, relié au littoral (Arzew, Alger, Bejaia et Skikda) par un réseau de pipelines.

HASSI-R'MEL, important gisement de gaz naturel du Sahara algérien, découvert en 1956, relié par gazoducs au littoral (Oran, Arzew et Skikda).

HASSUNA → Néolithique.

HASTINGS, v. d'Angleterre, sur la Manche, au S.-E. de Londres; 72 000 hab. Station balnéaire. Le 14 octobre 1066, l'armée d'invasion de Guillaume de Normandie livra sur la colline de Senlac, proche d'Hastings, la bataille au cours de laquelle fut défait et tué le roi anglo-saxon Harold II.

HASTINGS (Warren), gouverneur anglais (Churchill 1732-Daylesford 1818). Membre de la Compagnie des Indes à partir de 1750, il devient gouverneur du Bengale (1772) puis gouverneur de l'Inde (1773-1785) : il y accomplit, malgré la gêne provoquée par les pressions françaises, une gigantesque œuvre d'organisation. À son retour en Angleterre, il dut faire face à une vaste campagne dirigée contre ses méthodes.

HATHOR, déesse égyptienne à tête de vache, dont le principal lieu de culte était Dendérah*; cette déesse de la Joie et de l'Amour a été identifiée par les Grecs à Aphrodite*.

HATSHEPSOUT → Nouvel Empire.

HATTERAS *(cap),* cap du littoral atlantique des États-Unis (Caroline du Nord).

HATTI, région d'Anatolie centrale, dans la partie orientale du bassin de l'Halys, où étaient établies des populations asianiques, qui furent supplantées au IIe millénaire av. J.-C. par les Hittites* et que l'on nomme parfois « protohittites »; la langue, le *hatti,* se conserva comme langue liturgique de certains cultes; elle a laissé des traces dans l'onomastique hittite.

HATTOUSA, capitale de l'empire hittite (1600-1200 av. J.-C.), dont les vestiges — très étendus — ont été découverts près du village anatolien de Boğazkale (ou Boğazköy) [prov. de Yozgat]. Repérée en 1834, l'ancienne cité est l'objet de fouilles allemandes, commencées en 1906 et poursuivies actuellement; elles ont permis

Napoléon III remettant au baron Haussmann le décret d'annexion à la capitale des onze communes de la banlieue de Paris (loi du 16 juillet 1859). Peinture d'Adolphe Yvon (1817-1893). [Bibliothèque historique de la Ville de Paris.]

le dégagement d'une imposante enceinte, avec ses poternes, négociant parfaitement, comme le reste de la ville, les accidents du terrain, d'une forteresse royale, de cinq temples, de plusieurs zones d'habitations, ainsi que de nombreux orthostates, de terres cuites polychromes, de divers objets de culte et d'une multitude de tablettes cunéiformes constituant les archives du palais.

HAUBOURDIN (59320), ch.-l. de cant. du Nord, dans la banlieue sud-ouest de Lille, sur la Deûle; 14651 hab. *(Haubourdinois).* Industries chimique et alimentaire. Cimenterie.

HAUCONCOURT (57210 Maizières lès Metz), comm. de la Moselle, à 12 km au N. de Metz; 789 hab. Raffinerie de pétrole.

HAUG (Émile), géologue français (Drusenheim 1861 - Niederbronn 1927). Auteur d'un *traité de géologie**, il fut le premier à opposer les aires continentales aux géosynclinaux, futures chaînes de montagnes.

HAUGWITZ (Christian, *comte* VON), homme d'État prussien (Peuke 1752 - Venise 1832). Ministre des Affaires étrangères (1792-1806), il négocie le deuxième partage de la Pologne (1793) et conclut avec la France le traité de Bâle (1795).

HAUPTMANN (Gerhart), écrivain allemand (Obersalzbrunn 1862-Agnetendorf 1946). Puisant son inspiration dans la vie quotidienne du peuple et dans les légendes les plus variées, il évolua, dans ses poèmes, ses romans, ses comédies (*la Pelisse de castor,* 1893) et ses drames (*les Tisserands,* 1892; *le Roulier Henschel,* 1898), du naturalisme au symbolisme. (Prix Nobel, 1912.)

HAURIOU (Maurice), juriste français (Ladiville, Charente, 1856-Toulouse 1929). Sa pensée et ses travaux ont imprégné le droit public français du début du XXe s. On lui doit notamment des *Principes de droit public* et un *Précis de droit administratif.*

HAUSDORFF (Felix), mathématicien allemand (Breslau 1868-Bonn 1942). Il introduisit la topologie générale en analyse.

HAUSMANN (Raoul) → DADA.

HAUSSMANN (Georges Eugène, *baron*), administrateur et homme politique français (Paris 1809 - *id.* 1891). Préfet de la Seine de 1853 à 1870, sénateur (1857), il attache son nom à la transformation de Paris, qui, sous sa direction, prend sa physionomie contemporaine. Ses adversaires lui reprocheront d'avoir sacrifié des monuments intéressants et aussi d'avoir géré avec témérité un budget énorme. Mais on doit reconnaître que, sur le plan de l'édilité, l'œuvre du baron Haussmann est, dans l'ensemble, remarquable.

HAUTBOIS. — Dérivée, au XVIIe s., des chalemies du XVIe s., la famille des hautbois comprend le dessus, le cor anglais (sonnant une quinte au-dessous), le basson (*fagotto* en italien) et le contrebasson. Les hautbois sont des instruments en bois à tuyau conique, garnis de clés, qui se jouent grâce à une anche double, adaptée à un canal en cuivre (appelé « bocal » dans le cas du basson et du contrebasson).

HAUTEFORT (24390), ch.-l. de cant. de la Dordogne, à 34,5 km au S.-O. de Saint-Yrieix; 1142 hab. Imposant château des XVe-XVIIe s.

HAUTERIVE, v. du Canada (Québec), sur l'estuaire du Saint-Laurent; 13181 hab.

HAUTEVILLE-LOMPNES (01110), ch.-l. de cant. de l'Ain, dans le Bugey, à 31 km au S. de Nantua; 4893 hab. Station climatique, la première en date (1898) des stations sanatoriales françaises.

HAUTE-VOLTA *(république de),* État de l'Afrique occidentale; 274122 km^{2}; 6170000 hab. Capit. *Ouagadougou.*

GÉOGRAPHIE. Le pays s'étend sur un vaste plateau cristallin partiellement couvert de sédiments, drainé vers le S. par les trois Voltas. À l'exception de l'extrême Nord, plus sec et couvert par la steppe de type sahélien, le climat tropical à saison sèche permet la croissance de la forêt claire sur l'ensemble du pays. Mais la forêt a souvent été dégradée par l'homme et remplacée par la savane,

HAUTE-VOLTA

phénomène parfois accompagné de la formation de sols cuirassés.

La population est principalement composée de Mossis, auxquels s'ajoutent diverses autres ethnies. Elle vit de l'agriculture. À la production vivrière (mil, sorgho) s'ajoutent quelques cultures commerciales (arachides, coton), qui fournissent, avec l'élevage bovin, l'essentiel des exportations. L'industrie est limitée à quelques usines textiles et alimentaires, localisées dans les deux principales villes, Ouagadougou et Bobo-Dioulasso. Le gisement de manganèse de Tambao n'est pas encore exploité en raison de l'insuffisance des moyens de communication. Le pays souffre en particulier de l'absence de débouché maritime : son commerce extérieur passe par Abidjan, en Côte-d'Ivoire. Par rapport à ses ressources limitées, le pays paraît surpeuplé, et de nombreux habitants vont chercher du travail en Côte-d'Ivoire ou au Ghāna.

HISTOIRE. C'est l'Est-Volta qui est le premier (XIIe s.) occupé par des populations, les Mossis et les Gourmantchés, qui y fondent des royaumes guerriers. Dans l'Ouest-Volta, la mise en place des peuples est plus tardive : les Ouattaras, de 1715 à 1850, y réussissent la seule tentative d'unification étatique notable, avec Bobo-Dioulasso comme capitale. L'intervention française, préparée par diverses explorations, notamment celle de Binger (1886-1888) et celle de Monteil (1890-91), prend une tournure colonisatrice à partir de 1891, quand Monteil obtient un traité de protectorat du Liptako (1891). De 1897 à 1899, des opérations de détail assurent l'installation française en pays mossi, tandis qu'au sud P. C. Caudrelier, en lutte contre Samory*, occupe Bobo-Dioulasso (1898). Englobée d'abord dans le territoire du Haut-Sénégal-Niger, la Haute-Volta en est détachée en 1919; mais elle disparaît en tant que colonie séparée entre 1932 et 1947. Le mouvement d'indépendance est animé par un syndicaliste chrétien, Maurice Yameogo, vice-président du Conseil local en 1957, Premier ministre en 1958. Deux ans plus tard, M. Yameogo devient président de la république indépendante de Haute-Volta (1960). Réélu en 1965, il est renversé le 3 janvier 1966 par un coup d'État militaire qui porte au pouvoir Sangoulé Lamizana; celui-ci instaure un régime autoritaire et crée en 1974 un parti unique : le Mouvement pour le renouveau.

HAUTMONT (59330), ch.-l. de cant. du Nord, sur la Sambre, à 5 km au S.-O. de Maubeuge; 19 175 hab. Métallurgie lourde.

HAUT-NEBBIO *(canton du),* canton de la Haute-Corse. Ch.-l. *Murato.*

HAUT-PARLEUR. — Un haut-parleur électrodynamique est un transformateur d'énergie. Il reçoit de l'énergie* électrique sous forme de puissance modulée fournie par l'amplificateur et il rayonne dans l'air ambiant une énergie acoustique. Il comprend : une *culasse,* formant le circuit magnétique et contenant un aimant* permanent; une *bobine mobile,* placée dans l'entrefer de la culasse et au centre d'un champ* magnétique puissant; une *membrane,* solidaire de la bobine mobile, fixée sur sa périphérie au « saladier »,

HAUT-PARLEUR

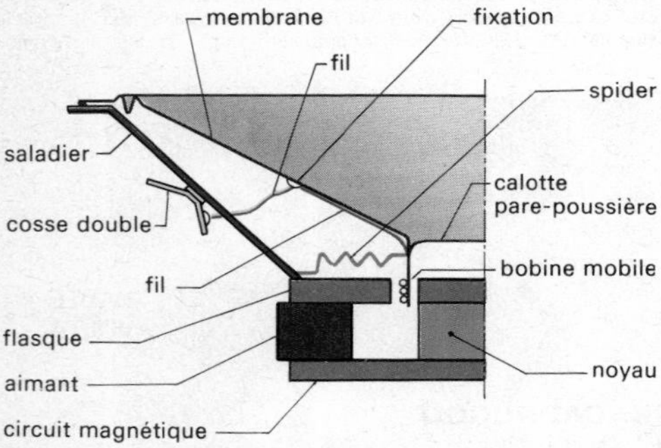

cette suspension devant être très souple; enfin un *spider* extérieur, qui maintient la bobine au centre de l'entrefer. Pour la reproduction des sons graves, il fonctionne comme un piston, tandis que, pour les sons aigus, la vibration de la bobine mobile est de faible amplitude. Plus la fréquence* augmente et plus la surface vibrante de la membrane diminue. Aussi ne sait-on pas construire un haut-parleur parfait pour toutes les fréquences et, dans une enceinte, on dispose de plusieurs haut-parleurs spécialisés : graves, médiums et aigus.

HAUTS-DE-SEINE (92), départ. de la Région Île-de-France, à l'O. de Paris; 175 km²; 1 438 930 hab. Ch.-l. *Nanterre.* S.-préf. *Antony* et *Boulogne-Billancourt.*

Limitrophe de Paris, il s'étend en forme de demi-couronne de la rive gauche de la Seine (au niveau de Saint-Denis), au N., à la vallée

J. Cabot

Lenars - Atlas-Photo

Hawaii.
La baie de Waikiki, faubourg d'Honolulu, dans l'île d'Oahu.

de la Bièvre, au S., s'étirant sur 35 km avec une largeur variant entre 6 et 12 km seulement. Le département est déjà depuis longtemps très fortement urbanisé (une douzaine de communes dépassent chacune 50 000 habitants, et, fait exceptionnel, il existe ici plus de cantons [40] que de communes [36]), ce qui explique à la fois une densité d'occupation extrêmement élevée, puisqu'elle dépasse 8 000 habitants au kilomètre carré (c'est, après Paris, en valeur absolue et en densité, le département le plus peuplé de la Région Île-de-France), et aussi une évolution démographique très différente de celle des départements périphériques, puisque la population a légèrement diminué entre 1968 et 1975. La dépopulation a essentiellement atteint les grandes communes limitrophes de Paris (Neuilly-sur-Seine, Boulogne-Billancourt, Clichy et Levallois-Perret au N.-O., Montrouge, Malakoff, Vanves et Issy-les-Moulineaux au S.), alors qu'une progression est enregistrée dans l'ouest (Rueil-Malmaison, Vaucresson, Garches), moins urbanisé. L'agriculture a pratiquement disparu. L'industrie occupe plus des deux cinquièmes de la population active, localisée essentiellement le long de la Seine, sur la rive gauche (d'Issy-les-Moulineaux à Asnières-sur-Seine et de Gennevilliers à Rueil-Malmaison), dominée par la construction automobile et aéronautique (et les activités annexes). Le secteur tertiaire emploie plus de la moitié de la population active, représenté principalement dans l'ensemble de La Défense, entre la commune typiquement résidentielle de Neuilly-sur-Seine et la ville administrative, universitaire et industrielle de Nanterre.

HAÜY (abbé René Just), cristallographe français (Saint-Just, Picardie, 1743 - Paris 1822). Il a découvert l'anisotropie des cristaux et l'existence d'éléments de symétrie. En 1784, il a montré que les divers cristaux d'une même espèce dérivent d'une forme primitive, sur laquelle ont été effectuées des troncatures, dont les orientations sont en nombre limité. — Son frère VALENTIN (Saint-Just 1745 - Paris 1822) consacra toute sa vie aux aveugles, mettant au point les caractères en relief et fondant à Paris, en 1784, un établissement qui devint l'Institution nationale des jeunes aveugles.

HAVANE (La), en esp. **La Habana,** capit. de Cuba; 1 755 000 hab. Monuments civils et religieux du XVIIIe s. Musées. Récentes et originales écoles d'art par Ricardo Porro et Vittorio Garatti.

GÉOGRAPHIE. Sur le détroit de Floride, dans le nord-ouest de l'île, La Havane est de loin la plus grande ville de Cuba (et même de l'ensemble des Antilles). Le port assure la majeure partie du

La Havane : vue partielle de la ville. Au fond, la baie sur le golfe du Mexique.

Le port du Havre.

De Forceville - Ruyant Production

commerce extérieur du pays, dont la ville est aussi la métropole industrielle (alimentation, textile, chimie, métallurgie). Le rôle touristique, autrefois très important, a décru avec le régime castriste; celui-ci s'efforce de limiter l'extension de La Havane, qui groupe déjà sans doute plus de 2 millions d'habitants dans son agglomération, c'est-à-dire près du quart de la population cubaine.

HISTOIRE. Fondée en 1519 par Diego Velázquez, fortifiée par Philippe II (1589), La Havane fut au XIXe s. un centre commercial d'importance mondiale. C'est dans son port, en 1898, qu'eut lieu l'explosion du croiseur américain *Maine,* qui déclencha la guerre hispano-américaine.

HAVEL (la), riv. de l'Allemagne orientale, qui reçoit la Spree près de Berlin, avant de rejoindre l'Elbe (r. dr.); 341 km. Partiellement canalisée, elle sert de lien entre Berlin et l'Elbe.

Havers (CANAUX DE) → OS.

HAVEUSE → ABATTAGE.

HAVÍŘOV, v. de Tchécoslovaquie, dans la banlieue d'Ostrava; 84 000 hab.

HAVRE (Le), ch.-l. d'arr. de la Seine-Maritime, sur la rive nord de l'embouchure de la Seine; 219 583 hab. *(Havrais).*

GÉOGRAPHIE. La ville, cœur d'une agglomération de plus de 250 000 habitants, s'est développée parallèlement à l'essor du port, fondé en 1517 sous le nom de Havre-de-Grâce. Ce port, le deuxième de France, a un trafic annuel de marchandises de 80 à 90 Mt, dominé par les importations d'hydrocarbures, gaz naturel et surtout pétrole, traité sur place (Gonfreville-l'Orcher) ou dans les raffineries de la basse Seine, de la région parisienne et à Valenciennes. Les superpétroliers sont accueillis aujourd'hui aussi au N. de la ville, à Antifer*. L'industrie est liée à l'activité portuaire : construction et réparation navales (la métallurgie, en général, est la branche dominante de l'agglomération, notamment avec le matériel de transport), chimie et pétrochimie, alimentation, grande centrale thermique. Elle explique la progression de la population, cependant relativement lente, cette faiblesse étant, sans doute, liée à la relative médiocrité du secteur tertiaire. Le Havre est l'une des rares villes de plus de 200 000 habitants qui ne soit ni préfecture ni centre universitaire. En fait, « porte océane », elle n'est que l'extrémité occidentale de la basse Seine*, débouché maritime de la vallée du fleuve plus que capitale d'un espace régional qui est davantage dans l'orbite de Rouen, voire de Paris.

BEAUX-ARTS. Deux églises des XVIe-XVIIe s. Reconstruction par A. Perret (église Saint-Joseph). Musée du Vieux-Havre. Musée des Beaux-Arts, de 1961 (peinture ancienne; vaste collection Boudin*, impressionnistes, Dufy*, etc.). Musée archéologique dans l'ancienne abbaye de Graville-Sainte-Honorine (abbatiale du XIe s.).

HAWAII *(îles),* archipel américain du Pacifique, en Polynésie, constituant un État des États-Unis; 16 600 km^2; 770 000 hab. *(Hawaiiens).* Capit. *Honolulu.*

GÉOGRAPHIE. L'archipel s'étire sur plus de 600 km du N.-O. au S.-E. : Oahu, deuxième île par la superficie, regroupe environ 80 p. 100 de la population des Hawaii, alors qu'*Hawaii,* la plus grande, couvrant près des deux tiers (10 400 km^2) de la superficie de l'archipel qui lui doit son nom, ne compte que 63 000 habitants. Kauai, Maui, Molokai, Lanai et Niihau sont les autres principales îles. De part et d'autre du 20e degré de latitude N., l'archipel, volcanique (notamment dans l'île d'Hawaii, site des deux volcans Mauna-Loa et Mauna-Kea, qui dépassent 4 000 m d'altitude), possède un relief accidenté, qui introduit d'importantes différences de pluviosité entre les versants exposés au vent, très arrosés, et les versants sous le vent, abrités, beaucoup plus secs. L'ensemble a un climat constamment chaud (localement tempéré par le relief), les températures moyennes mensuelles oscillant généralement entre 20 et 25 °C. La population a plus que décuplé depuis un siècle, grâce surtout à une immigration d'origine variée : européenne (ou américaine) et asiatique (Chinois, Philippins et surtout Japonais). La canne à sucre est de loin la principale ressource agricole, précédant l'ananas. L'industrie est peu développée; elle valorise (sucreries, conserveries) la production agricole locale. En revanche, le tourisme a connu un grand essor : le nombre annuel des visiteurs est de l'ordre de 2,5 millions (Américains principalement), chiffre énorme compte tenu de l'isolement de l'archipel, à plus de 3 000 km de la Californie, à environ 5 000 km du Japon.

HISTOIRE. Découvertes en 1778 par Cook*, qui les baptise « îles Sandwich », les îles Hawaii sont colonisées à partir de 1820 par des missionnaires protestants. Le développement de l'économie (plantations de canne à sucre, ananas) suscite des rivalités entre Russes, Britanniques, Français et Américains. À partir de 1875, ces derniers placent l'archipel sous leur domination économique. En 1893, la monarchie est renversée par les planteurs favorables aux Américains, qui instaurent une république, puis obtiennent l'annexion aux États-Unis (1898), ce qui leur permet d'échapper au tarif protectionniste américain. Devenues « territoire » américain, les îles Hawaii connaissent un important essor économique au XXe s. et constituent, avec la base militaire de Pearl* Harbor, un point stratégique capital pour les États-Unis. En 1959, elles deviennent le cinquantième État des États-Unis.

HAWAIIEN → VOLCAN.

HAWKES (John), écrivain américain (New Haven 1925). Son audience de romancier est passée d'un cercle d'amateurs de littérature expérimentale à un public international à mesure que les fantasmes atroces et dérisoires qui composent les constructions politiques et mentales du monde moderne se rapprochaient de la cruauté et de l'absurdité de ses fictions (*Cannibale,* 1949; *Cassandre,* 1963; *les Oranges de sang,* 1972; *la Mort, le sommeil et un voyageur,* 1974; *Mimodrame,* 1976).

HAWKINS (*sir* John), amiral anglais (Plymouth 1532 - au large de Puerto Rico 1595). Il fut le premier Anglais à pratiquer le commerce des esclaves entre l'Afrique et les colonies espagnoles d'Amérique (1562). Il commanda l'une des escadres qui dispersèrent l'Invincible Armada*.

HAWKINS (Coleman), saxophoniste de jazz noir américain (Saint Joseph, Missouri, 1904 - New York 1969). Improvisateur intarissable, il fut le plus grand saxophoniste ténor du middle jazz et influença de nombreux musiciens. Son enregistrement le plus célèbre reste *Body and Soul* (1939).

HAWKS (Howard), cinéaste américain (Goshen, Indiana, 1896 - Palm Springs 1977). Révélé dès 1928 par *Une fille dans chaque port,* il aborda avec brio tous les genres en vogue dans le cinéma américain et signa notamment *la Patrouille de l'aube* (1930), *Scarface* (1932), *l'Impossible M. Bébé* (1938), *Seuls les anges ont des ailes* (1939), *le Port de l'angoisse* (1945), *le Grand Sommeil* (1946), *la Rivière rouge* (1948), *Rio Bravo* (1958), *El Dorado* (1966).

Percheron - Ziolo

Haydn (à droite) et Mozart. Médaillon de cire.
(Coll. A. Meyer, Paris.)

HAWORTH (*sir* Walter Norman), chimiste anglais (Chorley, Lancashire, 1883 - Barnt Green, Worcestershire, 1950). Auteur de recherches sur les terpènes et les glucides, il a déterminé la constitution et réalisé la synthèse de la vitamine C. (Prix Nobel de chimie, 1937.)

ḤAWRĀNĪ (Akram **al-**), homme politique syrien (Ḥamā 1910). Il fonde à la fin des années 40 le parti socialiste arabe, qui fusionne avec le parti de Michel Aflak au sein du Baath* (1953). Vice-président de la République arabe unie (1958), il démissionne en 1959. Hostile à la fraction du Baath au pouvoir depuis 1963, il est écarté de la vie politique.

HAWTHORNE (Nathaniel), écrivain américain (Salem, Massachusetts, 1804 - Plymouth, New Hampshire, 1864). Contre l'optimisme des transcendantalistes, il affirma la culpabilité de la nature humaine et, contre la tradition américaine de l'espace (la Prairie de Fenimore Cooper), il créa la littérature de la réclusion et du confinement des passions (*Contes* racontés deux fois,* 1837; *la Lettre* écarlate,* 1850; *la Maison* aux sept pignons,* 1851).

Ambassade des Pays-Bas

HAXO (François), général français (Lunéville 1774 - Paris 1838). Il dirigea le siège d'Anvers en 1832.

HAYANGE (57700), ch.-l. de cant. de la Moselle, sur la Fensch, à 11 km à l'O. de Thionville; 20 637 hab. Sidérurgie.

HAYDN (Joseph), compositeur autrichien (Rohrau an der Leitha, Basse-Autriche, 1732 - Vienne 1809). Sa longue vie lui permit de porter à leur apogée les formes classiques de la musique, des timides essais de Sammartini et des premiers Mannheimiens au stade préromantique du jeune Beethoven, qui fut son élève et dont la production s'enchaîne sans faille à la sienne. Tempérament épique, dialecticien génial de la forme sonate, dont il exploita le premier toutes les possibilités thématiques et tonales, Haydn fut moins attiré que son ami Mozart par les genres dramatiques de l'opéra et du concerto, et il se réalisa pleinement dans ses 106 symphonies, ses 68 quatuors à cordes, ses 62 sonates pour piano, ses 45 trios avec piano, ses 14 messes ainsi que dans ses 2 grands oratorios, *la Création** (1798) et *les Saisons** (1801), qui couronnèrent sa vieillesse.

HAYE (La), en néerl. **'s-Gravenhage** ou **Den Haag,** v. des Pays-Bas, capit. de la province de Hollande-Méridionale; 495 000 hab. (700 000 dans l'agglomération, la troisième du pays). Siège du gouvernement, résidence de la Cour et du corps diplomatique, La Haye n'est cependant pas la capitale officielle des Pays-Bas (Amsterdam). C'est une ville surtout tertiaire, centre administratif, culturel, siège aussi d'organismes internationaux (Cour internationale de justice); l'industrie est représentée par des branches élaborées (électronique, édition) ou liées à l'important marché de consommation (alimentation, mobilier).

BEAUX-ARTS. Nombreux monuments : Binnenhof, ancien palais des comtes, remontant au XIIIe s., maintes fois agrandi, comme l'hôtel de ville du XVIe s.; Mauritshuis, palais royal et palais Huis ten Bosch (beaux décors peints), du XVIIe s.; églises du XIVe au XVIIIe s. Musée municipal, musée Bredius, musée royal de peinture (l'un des plus riches des Pays-Bas [Rembrandt]) dans le cadre exceptionnel du Mauritshuis, musée Mesdag (peintres français de l'école de Barbizon et peintres de La Haye de la fin du XIXe s.).

HAYE-DESCARTES (La) → DESCARTES.

HAYE-DU-PUITS (La) [50250], ch.-l. de cant. de la Manche, à 29 km au N. de Coutances; 1 798 hab. Donjon de l'anc. château.

HAYEK (Friedrich August VON), économiste britannique d'origine autrichienne (Vienne 1899). Il tente, notamment, d'expliquer les crises cycliques de surproduction, privilégiant les facteurs bancaires dans l'explication de la récession. Ses œuvres maîtresses sont consacrées à la théorie économique, mais il s'est intéressé aussi aux questions constitutionnelles. On lui doit, notamment, *la Théorie monétaire et le cycle des affaires* (1928), *la Route de la servitude* (1943), *Profit, intérêt et investissement* (1944), *Études de philosophie, de politique et d'économie* (1967). [Prix Nobel de sciences économiques, 1974.]

HAYE-PESNEL (La) [50320], ch.-l. de cant. de la Manche, à 14,5 km au N. d'Avranches; 1 288 hab.

HAYES (Rutherford Birchard), homme politique américain (Delaware 1822 - Fremont 1893). Candidat des républicains, il fut le 19e président des États-Unis (1877-1881).

HAYKAL (Muḥammad Ḥusayn), écrivain égyptien (Tantah 1888 - Le Caire 1956), auteur du premier roman arabe moderne, *Zaynab* (1914).

HAŸ-LES-ROSES (L') [94240], ch.-l. d'arr. du Val-de-Marne, à 4 km au S. de Paris; 31 419 hab. Roseraie.

La Haye : le centre de la ville et le Binnenhof, avec son bassin et sa cour intérieure, sur laquelle donne la Ridderzaal (XIIIe s.), siège du Parlement.

HAYNAU (Julius, *baron* VON), général autrichien (Kassel 1786-Vienne 1853). Il réprima durement la révolution italienne de Vérone (1848) puis le soulèvement hongrois de 1849.

HAZARD (Paul), historien français (Noordpeene 1878-Paris 1944), auteur, notamment, de *la Crise de la conscience européenne, 1680-1715* (1935).

HAZEBROUCK (59190), ch.-l. de cant. du Nord; 20 488 hab. *(Hazebrouckois)*. Église du XVIe s. Musée. Industries textiles, mécaniques et alimentaires.

HAZĪN (Ibn al-Haytham **al-**), physicien et mathématicien arabe (Bassora 965-Le Caire 1039). Son *Optique,* publiée à Bâle en 1572, contient une description exacte de l'œil et mentionne que la cause de la vision vient de l'objet et non de l'œil; on y trouve les lois de la réflexion et le principe de la chambre noire. C'est à lui que serait due la découverte de la preuve par neuf.

HAZLITT (William), critique anglais (Maidstone 1778-Londres 1830), qui remit en honneur le théâtre élisabéthain.

HEAD (*sir* Henry), neurophysiologiste britannique (Londres 1861-† 1940). Il a étudié le mécanisme des sensations cutanées.

HEARST (William Randolph), homme d'affaires américain (San Francisco 1863-Beverly Hills, Californie, 1951). Propriétaire de nombreux journaux, il développa les procédés de la presse à sensation, organisant des campagnes de presse savamment orchestrées pour s'assurer une masse de lecteurs réguliers.

HEATH (Edward), homme politique britannique (Broadstairs, Kent, 1916). Député conservateur à partir de 1950, il succède à Douglas-Home comme leader du parti conservateur (1965-1975). Premier ministre de 1970 à 1974, il fait entrer la Grande-Bretagne dans le Marché commun (1972), mais il se heurte aux graves difficultés économiques et sociales provoquées par la crise de l'énergie. Il organise alors des élections anticipées (1974) puis cède la place au travailliste Harold Wilson.

HEATHROW, principal aéroport de Londres, à l'O. de la ville.

HEAVISIDE (Oliver), mathématicien et physicien anglais (Londres 1850-Torquay 1925). Il créa le calcul symbolique et montra l'intérêt de neutraliser, dans les réseaux parcourus par des courants alternatifs, les capacités par des inductances. Il est surtout connu par sa découverte de l'ionosphère.

HEBBEL (Friedrich), auteur dramatique allemand (Wesselburen, Holstein, 1813-Vienne 1863). Il évoqua dans ses drames la lutte de l'individu contre les conventions intellectuelles et sociales (*Judith,* 1839; *Marie-Madeleine,* 1843; *Gygès et son anneau,* 1854), et consacra sa trilogie des *Nibelungen* (1861) à la célébration de la victoire du christianisme sur le paganisme.

HÉBÉ, déesse grecque de la Jeunesse, dont le caractère essentiel est la beauté.

HÉBERT (Jacques), homme politique et journaliste français (Alençon 1757-Paris 1794). Le journal *le Père Duchesne,* qu'il fonde en 1790, devient en 1793 le principal organe de la Révolution extrémiste. Membre de la Commune insurrectionnelle du 10 août 1792, substitut du procureur de la Commune élue en décembre, Hébert mène une lutte acharnée contre les Girondins puis contre tous les modérés, à la tête d'une puissante faction, dite « des hébertistes », dont l'influence à Paris (club des Cordeliers, Commune, sections, sociétés populaires) est prépondérante et qui obtient de la Convention la plupart des mesures de salut public : Terreur, armée révolutionnaire, maximum, loi des suspects... La politique de surenchère des hébertistes amène Robespierre à les briser; arrêtés le 14 mars 1794, Hébert et ses partisans, dont Chaumette et Hérault de Séchelles, sont exécutés le 27 mars.

HÉBERT (Georges), éducateur français (Paris 1875-Deauville 1957). Il est le promoteur d'une méthode naturelle d'éducation physique, s'inspirant de l'ensemble des activités de l'homme primitif. On a donné le nom d'*hébertisme* au mouvement inspiré par son action, débouchant sur une conception globale (physique et morale) de l'éducation.

HÉBERT (Anne), femme de lettres canadienne d'expression française (Sainte-Catherine 1916). Ses récits (*le Torrent,* 1950; *Kamouraska,* 1970), ses poèmes (*le Tombeau des rois,* 1953) et son théâtre (*le Temps sauvage,* 1963) évoquent la lutte d'êtres acharnés à briser les limites de leur monde ou de leur personnalité.

HÉBREU. — Issu du rameau cananéen des langues sémitiques du Nord-Ouest, l'hébreu est attesté à partir du IXe s. av. J.-C. Il est redevenu langue parlée après être sorti pendant deux millénaires de l'usage vivant. Historiquement, on distingue : *a)* l'hébreu ancien, qui est la langue de la majorité des livres de la Bible et des manuscrits de la mer Morte; *b)* l'hébreu mishnaïque (langue de la Mishna), parlé en Palestine à partir du IVe s. av. J.-C. et qui cède le pas à l'araméen après la révolte de Bar-Kokheba; *c)* l'hébreu médiéval, qui, outre ses usages liturgiques, est une langue uniquement écrite; *d)* l'hébreu moderne, né au début du XXe s., qui est la langue officielle de l'État d'Israël. L'hébreu s'écrit au moyen d'un alphabet particulier de 22 signes qui ne notent que les consonnes.

HÉBREUX, peuple sémite de l'Orient ancien, installé en Palestine.

Entre 2000 et 1750 av. J.-C., des tribus semi-nomades venant de la bordure du désert syrien et de la Mésopotamie pénètrent en Palestine* : l'origine des Hébreux est à chercher parmi ces hommes du désert. La Bible nomme les grands ancêtres du peuple juif (v. PATRIARCHES BIBLIQUES) Abraham*, Isaac* et Jacob*; ce dernier sera amené à s'installer dans le Delta, en Égypte, et un de ses fils, Joseph*, occupera même des fonctions importantes auprès du pharaon : l'essentiel des récits le concernant est associé par les historiens à la domination des Hyksos* (XVIIe s.), qui amène un afflux étranger en Égypte. Après l'expulsion des envahisseurs détestés, au XVIe s., on comprend que les Égyptiens aient regardé d'un mauvais œil les éléments étrangers restés parmi eux; asservis à un rude labeur, réduits au rang de serfs d'État, les Hébreux aspirent à reprendre leur liberté.

L'âme de la résistance sera Moïse*; les difficiles tractations avec l'administration royale, peu disposée à se défaire d'une main-d'œuvre qu'elle avait sur place et à bon marché, les difficultés de la sortie de ce pays devenu inhospitalier sont restées dans le souvenir du peuple juif comme une libération par leur dieu Yahvé*, qui, dans une série de prodiges (les Dix Plaies, le passage de la mer Rouge), a frappé les Égyptiens et sauvé son peuple : une épopée est née à la gloire de Yahvé et de Moïse. Les historiens situent le fond de ces événements v. 1250, sous le règne de Ramsès II* (de 1298 à 1235). Durant de longues années, les Hébreux mènent dans la péninsule sinaïtique l'existence de pasteurs, transhumant de pâturage en pâturage et séjournant aux endroits favorables. L'arrêt au Sinaï* marque, dans la tradition religieuse juive, une date importante dans l'établissement de la religion mosaïque.

L'installation en Canaan (entre 1220 et 1200 environ), sous l'autorité de Josué*, est une pénétration mi-guerrière et mi-pacifique, selon les lieux, qui, à la mort du successeur de Moïse, sera loin d'être achevée. Durant la longue période suivante, dite « période des Juges* » (v. 1200-v. 1030), les Hébreux s'efforcent d'assurer la place acquise en Palestine, face à l'hostilité des principautés cananéennes, des nomades installés au-delà du Jourdain et des Philistins* établis sur la plaine côtière, au sud de Jaffa*. Tout autre lien que le lien religieux faisant défaut dans cette confédération assez flottante que forment les douze tribus israélites, seul un danger pressant peut susciter l'union passagère d'un groupe de tribus, sous l'autorité de chefs temporaires appelés « Juges », qui conduisent une guerre de libération. La pression du péril philistin, qui tend à devenir chronique, fait prendre conscience aux tribus de la nécessité d'un chef permanent.

Le premier essai de royauté avec Saül* (de 1030 env. à 1010 env.) est un échec; l'unité nationale sera réalisée par David* (de 1010 env. à 970 env.), qui, après avoir écarté définitivement la menace des Philistins, soumet à son autorité les cités cananéennes encore indépendantes et place sous son protectorat les États araméens du Nord et les nomades transjordaniens. Son fils, Salomon* (de 970 env. à 931), recueille un héritage dont il assure la solidité; son règne marque l'apogée de la puissance politique et économique de l'ancien Israël. Monarque fastueux, enrichi par un commerce qu'il a développé avec le concours d'Hiram*, roi de Tyr, Salomon entreprend de grandes constructions, dont la plus fameuse est celle du Temple de Jérusalem.

Mais, à la fin de ce règne si brillant, des mouvements de révolte se dessinent et l'antagonisme entre les tribus du Sud et celles du Nord se réveille; la maladresse de Roboam*, fils de Salomon, rend la scission inévitable : deux royaumes se forment, le royaume de

Juda* (931-587), avec les tribus du Sud, et le royaume d'Israël* (931-721), avec celles du Nord. Dans un premier temps, les deux États gaspillent leurs forces dans des rivalités fratricides qui les affaiblissent; l'un et l'autre, faute d'une politique cohérente, seront victimes de leurs puissants voisins, l'Égypte, l'Assyrie puis la Babylonie : la chute de Samarie en 721, celle de Jérusalem en 587 marquent la fin des deux royaumes, dont les habitants sont déportés massivement.

En 539, Babylone succombe sous les coups des Perses. Cyrus II* le Grand, nouveau maître de l'Orient et habile politique concède aux peuples asservis par les Assyro-Babyloniens une certaine autonomie. Aux Juifs déportés, il accorde, par l'édit de 538, la faculté de rentrer en Palestine. Sous la conduite de Néhémie* et d'Esdras*, Jérusalem et son Temple sont reconstruits; dans le même temps, s'opère une réforme religieuse qui fixe définitivement la loi mosaïque telle que le Pentateuque* l'a recueillie.

Durant la période hellénistique*, la Palestine échoit d'abord aux Ptolémées* d'Égypte, qui la gouvernent avec modération; la victoire de Panion en 198 marque l'éviction des Ptolémées au profit des Séleucides* de Syrie, qui, par leur politique d'hellénisation à outrance, avec Antiochos IV* Épiphane (175-164), provoquent en 167 un soulèvement national (révolte des Maccabées*), à l'issue duquel la Palestine recouvre une indépendance provisoire; sous le gouvernement des princes Asmonéens (134-37) l'État juif passe dans l'orbite de Rome. Le gouvernement d'Hérode* le Grand (40-4 av. J.-C.) rend à la Palestine son unité et redonne au Temple reconstruit l'éclat de celui de Salomon. À sa mort, son royaume sera divisé et gouverné, partie par des procurateurs romains, partie par des princes juifs vassaux de Rome. C'est l'époque où apparaît Jésus* de Nazareth. La destruction de Jérusalem, en 70, par les armées de Titus*, l'échec de la révolte de Bar-Kokheba* (132-135) mettent un point final à l'histoire ancienne d'Israël.

HÉBRIDES (îles), archipel de la Grande-Bretagne, à l'O. de l'Écosse, formant deux groupes : Inner Hebrides (avec les îles Skye et Mull) et Outer Hebrides (avec Lewis). L'élevage, accessoirement la pêche et le tourisme sont les ressources des Hébrides, au climat doux et humide.

HÉBRON, ville de Judée, au S. de Jérusalem (auj. *al-Khalil*). Cette ancienne ville cananéenne est mentionnée dans la Bible dès l'époque des patriarches*. Les traditions juive, chrétienne et musulmane y situent le tombeau d'Abraham*.

HÉCATE, dans la mythologie grecque, patronne des morts. On invoquait cette déesse magicienne pour conjurer les fantasmes de l'au-delà.

HÉCATÉE de Milet, historien et géographe d'Ionie (v. 560 - v. 480 av. J.-C.). Son œuvre *(Généalogies, Description de la Terre)* annonce celle d'Hérodote*, qui le critique mais l'utilise sans le nommer. La phrase célèbre d'Hérodote, « l'Égypte est un don du Nil », est un emprunt à Hécatée.

HECTOR, héros troyen, fils de Priam* et d'Hécube*, époux d'Andromaque*, vaincu et tué par Achille*.

HÉCUBE, héroïne de la légende troyenne, mère de nombreux enfants, dont les plus célèbres sont Hector*, Pâris* et Cassandre*. La tragédie classique grecque en a fait l'image de la désolation, épouse et mère meurtrie par la mort de son mari et de ses enfants.

plan du système

1. LOGIQUE	**1. être**	1. qualité	1. l'être (l'être, le néant, le devenir) 2. l'être-là (être-là, fini, infini) 3. l'être pour soi
		2. quantité	1. la quantité pure 2. le quantum 3. le degré (rapport quantitatif)
		3. mesure	
	2. essence	1. principe de raison	1. *a)* identité; *b)* différence; *c)* raison d'être 2. l'existence 3. la chose
		2. phénomène	1. le monde phénoménal 2. contenu et forme 3. le rapport (de l'intérieur et de l'extérieur)
		3. réalité	1. la substance 2. la causalité 3. l'action réciproque
	3. concept	1. concept	1. la notion comme telle 2. le jugement 3. le syllogisme
		2. objet	1. le mécanisme 2. le chimisme 3. la téléologie
		3. idée	1. la vie 2. la connaissance 3. l'idée absolue
2. PHILOSOPHIE DE LA NATURE	**1. la mécanique**	1. l'espace et le temps	1. l'espace 2. le temps 3. le lieu et le mouvement
		2. la matière et le mouvement	1. la matière inerte 2. le choc 3. la chute
		3. la mécanique absolue	
		1. de l'individualité universelle	1. les corps physiques libres 2. les éléments 3. le processus élémentaire (terrestre)

Hedda Gabler, drame d'Ibsen (1890) : une femme frustrée d'idéal et d'amour joue jusqu'au suicide la comédie de l'héroïsme.

HÉDÉ (35630), ch.-l. de cant. d'Ille-et-Vilaine, à 23 km au N. de Rennes; 1 456 hab.

HEDJAZ, région aride de l'ouest de l'Arabie Saoudite, sur la mer Rouge, lieu d'origine de l'islām, site des villes saintes de La Mecque* et de Médine*. Le *chemin de fer du Hedjaz,* construit de 1900 à 1908, menait les pèlerins de Damas à Médine. Le chérif hāchémite* Ḥusayn ibn ʿAlī rejeta la suzeraineté ottomane en 1916 et régna sur le Hedjaz jusqu'en 1924. La région fut alors conquise par ʿAbd al-Azīz III ibn Saʿūd*, qui se proclama roi du Hedjaz en 1926, puis incorporée (1932) à l'Arabie Saoudite.

HEERLEN, v. des Pays-Bas, dans le Limbourg; 74 000 hab.

HEGEL (Georg Wilhelm Friedrich), philosophe allemand (Stuttgart 1770 - Berlin 1831).
Dans le système philosophique que Hegel élabore à partir de la *Phénoménologie* de l'esprit,* le projet de « penser la vie », tributaire d'un dualisme où l'être et la pensée sont séparés, est dépassé dans la mesure où désormais le monde, la connaissance de ce monde et le discours dans lequel elle s'exprime sont conçus comme le développement du concept.

En se proposant d'exposer ce développement du concept, le système hégélien englobe la totalité. La pensée hégélienne est ainsi pensée de l'absolu et, puisque rien ne lui est extérieur, l'absolu est le sujet du discours. Ce n'est « pas un sujet au repos comportant passivement les accidents mais [...] le concept se mouvant soi-même et reprenant en soi-même ses déterminations ». La

Friedrich Hegel.

philosophique de Hegel

	2. la physique	2. de l'individualité particulière	1. le poids spécifique 2. la cohésion 3. le son 4. la chaleur
		3. de l'individualité totale	1. la figure 2. la particularisation du corps individuel 3. le processus chimique
	3. la physique organique	1. la nature géologique	
		2. la nature végétale	
		3. l'organisme animal	1. la figure 2. l'assimilation 3. le processus du genre
3. PHILOSOPHIE DE L'ESPRIT	**1. l'esprit subjectif**	1. l'anthropologie (l'âme)	1. l'âme naturelle 2. l'âme sensible 3. l'âme réelle
		2. phénoménologie de l'esprit (la conscience)	1. la conscience comme telle 2. la conscience de soi 3. la raison
		3. la psychologie	1. l'esprit théorique 2. l'esprit pratique 3. l'esprit libre
	2. l'esprit objectif	1. le droit abstrait	1. la propriété 2. le contrat 3. crime et châtiment
		2. la moralité subjective	1. le projet 2. l'intention et le bien-être 3. le bien et le mal
		3. la moralité sociale	1. la famille 2. la société civile 3. l'État : 1. politique intérieure, 2. politique internationale, 3. l'histoire universelle
	3. l'esprit absolu	1. l'art	1. symbolique 2. classique 3. romantique
		2. la religion révélée	
		3. la philosophie	

Les subdivisions indiquées en bleu correspondent à des parties du système que Hegel n'a pas écrites.

chronologie

1788-1793	Études de théologie à Tübingen, où il se lie avec Hölderlin et Schelling et subit l'influence de l'*Aufklärung**.
1793-1800	Précepteur à Berne puis à Francfort, Hegel oppose l'expérience religieuse vécue au moralisme issu de la raison (Kant et Fichte). Il publie une *Vie de Jésus* (1795) et une *Critique de l'idée de religion positive* (1796). Programme philosophique : « Penser la vie, voilà la tâche. »
1801-1803	Hegel rejoint Schelling à Iéna et fonde avec lui le *Journal critique de la philosophie.* Il publie *Différence des systèmes philosophiques de Fichte et de Schelling* (1801) puis *Foi et savoir* (1802). Début de la brouille avec Schelling.
1807	Parution de la *Phénoménologie de l'esprit.*
1808-1816	Hegel dirige le gymnase Saint-Gilles à Nuremberg. Il publie ses cours en 1812 dans *Propédeutique philosophique* et écrit la *Science de la logique* (1812-1816).
1816-1818	Professeur à Heidelberg, Hegel rédige le plan de son système (*Encyclopédie des sciences philosophiques en abrégé,* 1817).
1818-1831	Professeur à l'université de Berlin, Hegel expose son système philosophique à ses étudiants. Ces cours sont publiés dans *Principes de la philosophie du droit* (1821) et, après sa mort, en 1831, dans : *Leçons sur la philosophie de l'histoire, Leçons sur l'esthétique, Leçons sur l'histoire de la philosophie, Leçons sur la philosophie de la religion.*

dialectique* n'est donc pas une méthode qui, comme telle, suppose l'extériorité de l'entendement et de son objet, mais le mouvement même du concept, la vie du système, car l'absolu est le sujet. Cette dialectique du concept montre les déterminations principales par lesquelles passe l'établissement de la vérité du système : la logique (le concept en soi), la nature (le concept hors de soi) et l'esprit (retour sur soi du concept).

Dans ses œuvres et ses cours, Hegel n'expose qu'une partie de ce système dont il a laissé le plan (v. page 886-887).

HÉGÉLIANISME. — La pensée de Hegel alimente de violentes controverses et engendre, dès la mort du philosophe, des mouvements rivaux. Trois questions principales dominent ces controverses :
1. L'absolu, auquel rien n'est extérieur, et qui est le sujet du système hégélien, n'est-il pas un éternel présent? Peut-il connaître une évolution historique?
2. Cette philosophie d'un système clos n'est-elle pas nécessairement conservatrice?
3. Si l'esprit, au terme de son retour en soi, qui lui donne le savoir de lui-même, est esprit absolu, la philosophie de l'esprit n'est-elle pas une théologie s'achevant sur une parousie? Hegel n'est-il « pas assez dialecticien » ([Lénine]; le système dialectique se clôt une fois l'esprit parvenu au savoir absolu) pour être athée?

Les réponses données à ces questions ont scindé l'hégélianisme en « vieux hégéliens », ou « hégéliens de droite » (K. Rosenkranz [1805-1879], K. Fischer [1824-1907], B. Croce*), et « jeunes hégéliens », ou « hégéliens de gauche » (L. Feuerbach*, A. Ruge [1802-1880], B. Bauer*, M. Stirner*, F. Engels* et K. Marx*).

HÉGÉMONIE. — Forgé par Gramsci*, le concept d'hégémonie vise à rendre compte, dans la transition du féodalisme au mode de production capitaliste*, des pratiques politiques des classes dominantes et des structures de l'État. Cette domination d'une classe sur une autre s'exerce à la fois par la violence et par une forme d'idéologie* dont le résultat est le « consentement actif » des dominés aux dominants. Dans le mode de production féodal, le politique est à ce point « greffé sur l'économie » que l'État apparaît comme unité de la politique et de l'économie, et c'est à cause de cette unité qu'une classe exerce son hégémonie sur une autre par le biais de l'État.

HEIBERG (Peter Andreas), écrivain danois (Vordingborg 1758-Paris 1841). Auteur de romans et de comédies satiriques (*les « Von » et les « Van »,* 1792), il dut s'exiler et fut secrétaire de Talleyrand. — Son fils, JOHAN LUDVIG (Copenhague 1791-Bonderup 1860), auteur de vaudevilles (*les Inséparables,* 1827) et de drames romantiques (*le Jour des Sept-Dormants,* 1840), exerça pendant trente ans une véritable dictature sur la vie littéraire de son pays.

HEIDEGGER (Martin), philosophe allemand (Messkirch, Bade, 1889-*id.* 1976). Élève de E. Husserl* à partir de 1909, à Fribourg-en-Brisgau, il passe sous sa direction son doctorat de philosophie. Privatdozent en 1915, il ne quittera plus sa Souabe natale, sauf pour Marburg (1923-1928), où il est nommé professeur de philosophie après avoir soutenu sa thèse (*Traité des catégories et de la signification chez Duns Scot,* 1916). En 1927, il publie *l'Être* et le temps,* et, en 1929, *De l'essence du fondement* puis *Kant et le problème de la métaphysique.* Recteur de l'université de Fribourg (1933-34), il adhère au parti nazi, le soutient dans des articles et discours puis démissionne.

Ce qui, selon Heidegger, définit l'ontologie* et son histoire est l'oubli de l'être comme question. Or l'être comme question définit un étant particulier dont la structure est constituée par l'être-là : l'homme. Et cet être-là, l'homme, est un étant particulier que l'on ne peut comprendre qu'à partir de son existence conçue comme la possibilité, pour l'homme, d'être inauthentique ou authentique (se comporter en être-pour-la-mort). Poser la question de l'être revient donc à analyser les différents modes d'être de l'homme (facticité, déréliction, être-au-monde, historicité) pour saisir le sens de l'être. Ces thèses de *l'Être et le temps* trouvent leur élargissement dans la critique de la métaphysique (*Qu'est-ce que la métaphysique?,* 1929; *Lettre sur l'humanisme,* 1947; *Introduction à la métaphysique,* 1953) et dans le questionnement du langage des poètes (*Approche de Hölderlin,* 1951; *Nietzsche,* 1961; *Acheminement vers la parole,* 1976), dans la mesure où « le langage est la maison de l'être » et où penser c'est, pour Heidegger, toujours écouter l'être. — Ses essais et conférences sont publiés en français sous le titre *Questions, I, II, III, IV* (1968-1976).

HEIDELBERG, v. de l'Allemagne fédérale, dans le nord du Bade-Wurtemberg, sur le Neckar; 122 000 hab. Important château des XVe-XVIIe s. et autres monuments. Musée du Palatinat. Cimenterie. C'est en devenant la résidence des Électeurs palatins (1228) que la ville prit son importance. En 1386, le comte palatin Ruprecht y fonda une université, qui, au XVIe s., devint le principal centre du calvinisme allemand. Rattachée au Bade en 1803, Heidelberg, fut, au XIXe s., l'un des grands foyers du nationalisme et du libéralisme allemands.

HEIDENHEIM, v. de l'Allemagne fédérale (Bade-Wurtemberg), à l'E. de Stuttgart; 51 000 hab. Château des XIIe-XVIIe s.

HEIDENSTAM (Verner VON), écrivain suédois (Olshammar, près d'Örebro, 1859-Övralid, Stockholm, 1940). Ses poèmes (*Hans Alienus,* 1890; *Nouveaux Poèmes,* 1915) et ses romans historiques (*l'Arbre des Folkungar,* 1905-1907) exaltent le nationalisme suédois et une mystique de la grandeur. (Prix Nobel, 1916.)

HEIDER (Fritz), psychosociologue américain d'origine autrichienne (Vienne 1898). Il s'est intéressé principalement à la façon dont les gens perçoivent leur environnement social. Ses recherches constituent une application à la psychologie sociale du principe gestaltiste (v. FORME [*théorie de la*]) de la tendance à l'ordre et à la simplicité dans l'organisation mentale.

HEIFETZ (Jascha), violoniste américain d'origine russe (Vilnious 1901), généralement considéré comme l'un des plus grands virtuoses du XXe siècle.

Heike monogatari, épopée japonaise du XIIIe s., racontant les combats de la famille Taira.

HEILBRONN, v. de l'Allemagne fédérale (Bade-Wurtemberg), sur le Neckar, au N. de Stuttgart; 102 000 hab. Monuments anciens.

HEILIGENBLUT, localité d'Autriche (Carinthie), sur le versant sud des Hohe Tauern; 1 200 hab. Centre d'alpinisme et de sports d'hiver (alt. 1 301-2 600 m).

HEI-LONG-KIANG ou **HEILONGJIANG,** prov. de la Chine du Nord-Est; 710 000 km²; 21 390 000 hab. Capit. *Harbin.* Province limitrophe de la Sibérie, la région possède un climat froid l'hiver, mais chaud et relativement arrosé l'été. Le blé et la betterave à sucre, le soja et le maïs sont les principales cultures, mais l'industrie est l'activité dominante (métallurgie et chimie notamment), fondée initialement sur la présence abondante de la houille, à laquelle s'est ajoutée, plus récemment, l'extraction du pétrole.

HEILTZ-LE-MAURUPT (51250 Sermaize les Bains), ch.-l. de cant. de la Marne, à 20 km au N.-E. de Vitry-le-François; 376 hab.

HEINE (Heinrich, en franç. **Henri**), écrivain allemand (Düsseldorf 1797-Paris 1856). Poète du déchirement et de la douleur, il manifeste dans ses premiers recueils son attrait pour le romantisme (*Intermezzo lyrique,* 1823), puis il unit au ton du chant populaire l'inspiration politique ou l'ironie désespérée (*le Livre des chants,* 1827-1844; *Atta-Troll,* 1843; *Romanzero,* 1851). Mais un amour malheureux et les persécutions que lui valent ses idées libérales exprimées dans ses *Images* de voyages* (1826-1831) l'incitent à passer en France en 1831. Il y joue le rôle d'un intermédiaire intellectuel entre deux cultures, composant pour les Français un résumé de la pensée allemande moderne (*De l'Allemagne,* 1834) et pour le public allemand des croquis de Paris qui révèlent un journaliste de talent (*Französische Zustände,* 1832). Alors que Bismarck le tenait pour « le plus grand poète allemand de lieder après Goethe », Heine fut banni des écoles et des bibliothèques sous le régime hitlérien.

HEINEMANN (Gustav), homme d'État allemand (Schwelm, Westphalie, 1899 - Essen 1976). Il participe à la fondation de la CDU (parti chrétien-démocrate) puis fonde, en 1952, le parti populaire allemand (GVP) avant d'adhérer au parti social-démocrate (SPD) en 1957. Président de la République fédérale d'Allemagne (1969-1974), il soutient la politique d'ouverture à l'Est de Willy Brandt*.

HEINKEL (Ernst), ingénieur allemand (Grunbach, Wurtemberg, 1888 - Stuttgart 1958). Durant la Première Guerre mondiale, il construisit de nombreux avions militaires et, en 1936, fonda à Oranienburg l'une des plus importantes usines de l'industrie aéronautique allemande.

HEINRICH von Veldeke ou **HENDRIK Van Veldeke,** poète du XIIe s., originaire de la région de Maastricht. Créateur de la littérature néerlandaise (*Vie de saint Servais,* v. 1170), il adapta *l'Énéide* au style du roman courtois.

HEINSIUS (Anthonie), homme d'État hollandais (Delft 1641 - La Haye 1720). Grand pensionnaire de Hollande (1689-1720), il seconda efficacement la famille d'Orange-Nassau dans la lutte contre la France de Louis XIV, et fut le véritable chef de la coalition antifrançaise (1702).

HEISENBERG (Werner), physicien allemand (Würzburg 1901-Munich 1976). Il est l'auteur de la théorie de la structure du noyau de l'atome, formé uniquement de protons et de neutrons. L'application de la mécanique quantique à l'atome l'amena à concevoir celui-ci comme un tableau de nombres, dénué d'image matérielle mais justiciable du calcul matriciel (1925). On lui doit les relations d'incertitude (1927), qui ont renouvelé tous les concepts de la micromécanique. (Prix Nobel de physique, 1932.)

HEIST-OP-DEN-BERG, comm. de Belgique (prov. d'Anvers), au S.-E. de Lierre; 13 472 hab. (en 1970).

HEKLA, volcan actif du sud de l'Islande; 1 447 m.

HELD (Marc), designer français (Paris 1932). Son mobilier de matière plastique moulée, conçu en 1969, a équipé les immeubles de Candilis à La Grande-Motte. Il est l'auteur de trois sièges-bascules pour Knoll International.

HELDER (Le), port des Pays-Bas (Hollande-Septentrionale), sur la mer du Nord; 61 000 hab.

HELENA, v. des États-Unis, capit. de l'État du Montana; 22 730 hab.

HÉLÈNE, dans la version la plus courante de la légende grecque, fille de Léda et de Zeus, qui fut enlevée à son époux Ménélas par Pâris, ce qui provoqua la guerre de Troie. Ce mythe, qui passionna et divisa l'Antiquité, fut un thème favori de discussion pour les sophistes et les rhéteurs : simple instrument dans la main des dieux pour Homère, Hélène est une puissance maléfique pour Hésiode et Eschyle *(Agamemnon),* tandis qu'Euripide *(Hélène)* la réhabilite (Pâris n'aurait enlevé qu'un fantôme, la véritable Hélène étant transportée en Égypte et gardée par le roi Protée). Type immortel de la beauté pour les modernes, elle est associée par Christopher Marlowe, puis par Goethe, à la légende de *Faust,* avant de devenir le modèle de la femme frivole et passive pour Offenbach (*la Belle Hélène,* 1864), D'Annunzio et Giraudoux (*La guerre de Troie n'aura pas lieu,* 1935).

HÉLÈNE *(sainte),* mère de l'empereur Constantin* (en Bithynie v. 255 - Nicomédie 327 ou 328). Une tradition tardive lui attribue la découverte à Jérusalem des restes de la croix de Jésus.

HELGOLAND, petite île de l'Allemagne fédérale, dans la mer du Nord. Danoise en 1714, annexée par les Anglais en 1814, l'île fut, en 1890, cédée par eux, contre Zanzibar, aux Allemands, qui en firent une importante base navale, démantelée en 1945.

HÉLIANTHÈME. — Notre flore compte trente-cinq espèces de cette herbe méditerranéenne, souvent vivace, très rameuse, et dont les fleurs jaunes ou blanches, aux étamines nombreuses, rappellent des boutons d'or. (Famille des cistacées.)

HÉLICE. — L'hélice est un dispositif de propulsion utilisé sur les avions* et sur les bateaux, et dont le principe consiste à rejeter vers l'arrière un fluide (air ou eau). Une hélice se compose d'un certain nombre de pales (deux à cinq), reliées à un moyeu et tournant dans un plan vertical.

● On peut obtenir une bonne adaptation de l'hélice à la vitesse de l'avion et à la traction nécessaire en faisant varier le pas des pales. Par un calage négatif des pales, que l'on appelle plus fréquemment *inversion du pas,* on obtient une force dirigée vers l'arrière, c'est-à-dire un effet de freinage, qui est souvent utilisé à l'atterrissage pour les avions propulsés par des moteurs* à pistons ou à turbopropulseurs. Sur les avions, les hélices sont montées à l'avant et exercent une force de traction.

● Les hélices marines, qui ont généralement des pales beaucoup plus courtes que les hélices aériennes, sont montées à l'arrière et exercent une force de propulsion. Les hélices modernes sont en laiton à haute résistance ou en cuproaluminium. En marche avant, la face arrière des pales, ou intrados, s'appuie sur le fluide et exerce une poussée sur le navire, alors que la face avant, ou extrados, est en dépression. Sur une hélice à pas constant, la surface de l'intrados est très voisine de la surface hélicoïdale engendrée par une génératrice passant par l'axe de rotation et s'appuyant sur une hélice géométrique tracée sur un cylindre de rayon égal à celui de l'hélice. Son pas est celui de l'hélice géométrique. Il est *à droite* lorsque, pour la marche avant, l'hélice vue de l'arrière tourne dans le sens des aiguilles d'une horloge; il est *à gauche* dans le cas contraire. Sur une hélice à ailes orientables, il peut être modifié ou inversé en cours de navigation.

Westland-Aérospatiale

Hélicoptère de la Royal Navy Westland-Aérospatiale WG-13 « Lynx ».

HÉLICOÏDAL → CINÉMATIQUE.

HÉLICON, montagne de Béotie qui passait pour être la résidence des Muses; sur ses pentes jaillissait la source *Hippocrène,* dont l'eau donnait l'inspiration poétique.

HÉLICOPTÈRE. — Depuis 1945, l'emploi militaire de l'hélicoptère (v. GIRAVIATION, ROTOR, TURBINE) a connu un remarquable essor : hélicoptère léger de liaison et d'observation, hélicoptère lourd de transport, d'évacuation sanitaire ou de soutien logistique, hélicoptère de combat armé de mitrailleuses, de lance-grenades et de missiles portant des détachements d'intervention dits *héliportés.* Inauguré par les Français en Algérie (1954-1962), cet emploi a été développé par les Américains au Viêt-nam, où ils constituèrent notamment une division aéromobile portée par 450 hélicoptères. Sur un parc de 12 000 appareils, les Américains en employaient 4 000 au Viêt-nam en 1970. La gamme étendue de ces aéronefs a transformé le combat par la possibilité de transporter rapidement les unités importantes (plusieurs bataillons) avec des pertes moindres que celles des avions. Rustique, blindé, de mieux en mieux armé, l'hélicoptère militaire atteint des vitesses de 400 km/h.

On notera, d'autre part, que l'hélicoptère est devenu une arme essentielle de la lutte anti-sous-marine. Utilisant le vol stationnaire prolongé, il immerge une bouée d'écoute et dispose d'un armement (grenades, torpilles...) lui permettant d'intervenir contre les sous-marins en plongée. Outre les porte-aéronefs spécialisés à cet effet (porte-hélicoptères), l'hélicoptère ASM (types « Super-Frelon » et « Lynx » français, « Sea King » américain, « Hormone » soviétique) arme de plus en plus fréquemment les bâtiments de combat (notamment, dans la marine française, les frégates type « Tourville » 1974, et les corvettes ASM, type « Georges-Leygues » lancé en 1975).

Héliée, tribunal populaire d'Athènes dont les jurés *(héliastes)* étaient tirés au sort chaque année; sa création est attribuée à Solon*. Il jugeait de toutes les affaires, à l'exception des meurtres, et ses sentences étaient sans appel. Aristophane, dans *les Guêpes,* s'est moqué de ce tribunal populaire, où la politique et la chicane étaient reines.

HÉLINAND de Froidmont, poète français (Pronleroy, Beauvaisis, v. 1170 - † v. 1230). La strophe qu'il utilisa dans ses *Vers de la mort* (douze octosyllabes sur deux rimes) fut imitée pendant deux siècles.

HÉLIODORE, écrivain grec, né à Émèse (IIIe s. apr. J.-C.), auteur du roman *Théagène* et Chariclée.*

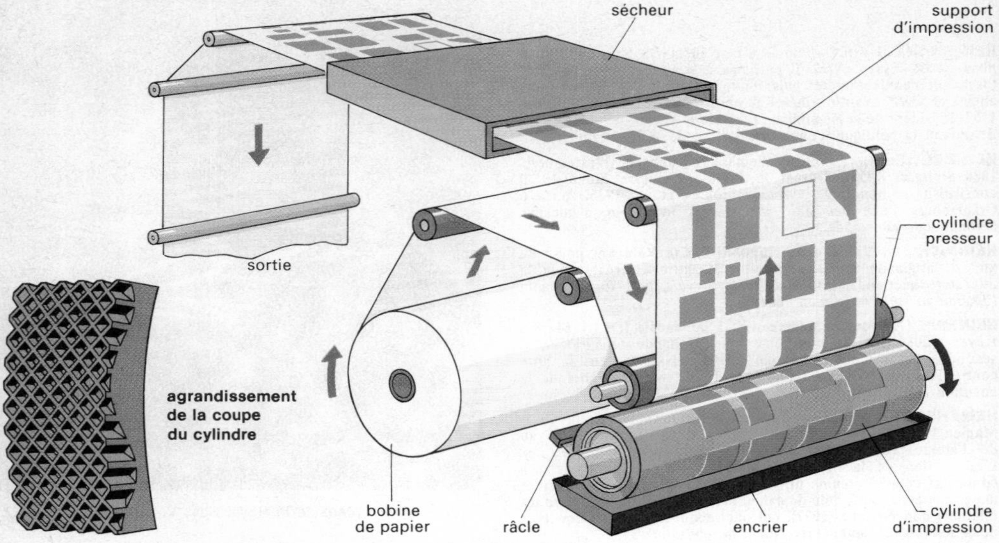

SCHÉMA DE L'IMPRESSION EN HÉLIOGRAVURE

HÉLIOGRAVURE. — La forme d'impression* d'héliogravure est un cylindre gravé en creux, les volumes des creux correspondant au modelé de l'impression. Sur la presse* à imprimer, les creux du cylindre d'impression sont emplis d'encre* liquide; puis sa surface est essuyée par une racle. L'encre restant dans les creux se dépose sur le support d'impression, papier* ou pellicule plastique ou métallique, appuyé contre le cylindre d'impression par un rouleau presseur. Après passage dans un sécheur, où le solvant de l'encre s'évapore, l'imprimé est plié, coupé en feuilles ou rembobiné. La confection des cylindres, autrefois manuelle par morsure à l'acide, utilise des méthodes photographiques et des solutions d'automatisme électronique. La combinaison de textes et d'illustrations permet une grande souplesse de présentation. Les imprimés ont un aspect à la fois contrasté et modelé, avec des couleurs vigoureuses. L'héliogravure occupe une place importante dans deux secteurs principaux, d'une part celui des périodiques et des catalogues à grand tirage, d'autre part celui des emballages et du conditionnement.

HÉLIOPOLIS («la ville du Soleil»), ville de l'Égypte ancienne, à l'extrémité sud du Delta. Le Soleil y était vénéré sous divers noms : Aton, Rê*. Dès l'Ancien* Empire y apparaît une école théologique dont l'influence sera très grande : la réforme religieuse d'Akhenaton (v. AMÉNOPHIS IV) procède des doctrines héliopolitaines.

HÉLIOS, dieu de la mythologie grecque, personnification du Soleil et de la Lumière, souvent considéré comme l'œil du monde.

HÉLIOTHÉRAPIE → PHYSIOTHÉRAPIE.

HÉLIOTROPISME → TROPISME.

HÉLIUM. — L'hélium est l'élément chimique n° 2, de masse atomique He = 4,003. Le noyau de son atome, ou hélion, formé de deux protons et de deux neutrons, constitue la particule alpha émise par radioactivité. Monoatomique, comme tous les gaz rares, il a une densité de 0,138, double de celle de l'hydrogène. C'est le plus difficile à liquéfier de tous les gaz, son point d'ébullition normal étant de − 269 °C, d'où son emploi pour la réalisation des très basses températures. Au voisinage du zéro absolu apparaît une variété d'hélium liquide douée d'hyperfluidité*.

Son existence a d'abord été reconnue dans le Soleil, en 1868, grâce à une raie du spectre. Ramsay observa, en 1895, sa présence dans le dégagement gazeux des minerais d'uranium. Il existe dans l'air, à raison de 5 cm^3 par mètre cube.

On l'extrait de l'air par liquéfaction des autres constituants et on l'emploie comme gaz inerte ou pour le gonflement des aérostats, et comme diluant des gaz anesthésiques, en raison de sa faible viscosité et de son incombustibilité.

HELLAAKOSKI (Aaro), poète finlandais d'expression finnoise (Oulu 1893 - Helsinki 1952), dont l'inspiration philosophique et morale use de recherches formelles inspirées d'Apollinaire (*le Miroir de glace,* 1928; *la Nouvelle Poésie,* 1944).

HELLADE, en histoire ancienne, terme qui a d'abord désigné la partie centrale de la Grèce, par opposition au Péloponnèse, et qui a été par la suite étendu à l'ensemble de la Grèce.

HELLÉBORE. — L'*hellébore noir* doit son nom de «rose de Noël» à l'apparition extrêmement précoce de ses grandes fleurs aux pétales blancs sur le dessus, mais roses sur leur face inférieure. Dangereusement vénéneuse, cette plante n'a plus aucun usage médical. Elle se reconnaît à la ramure très particulière de ses feuilles composées quasi palmées. L'*hellébore fétide* a des pétales verts bordés d'un liséré rouge. L'*hellébore vert* a des pétales entièrement verts. Ces trois espèces, nectarifères, sont recherchées des abeilles. (Famille des renonculacées.)

HELLEMMES-LILLE (59260), anc. comm. du Nord, annexée par Lille en 1977.

hellénistique *(monde),* ensemble des États issus de l'empire d'Alexandre* le Grand (323-31 av. J.-C.). Ce dernier avait créé un immense empire qui, depuis la Macédoine et la Grèce, s'étendait de l'Égypte et de l'Asie Mineure aux frontières de l'Indus. Quelque vingt ans de luttes entre les successeurs du conquérant, les diadoques*, aboutissent à la constitution des grandes dynasties hellénistiques : les Antigonides*, les Séleucides* et les Lagides*, qui règnent, respectivement, sur la Macédoine et la Grèce, sur l'Asie et sur l'Égypte. En marge ou à l'intérieur de ces grands États, des royaumes naissent de la révolte de quelque grand vassal (royaumes de Pergame*, de Bithynie*, du Pont*), tandis qu'apparaissent aux frontières des ennemis puissants, Parthes ou Romains. Les royaumes hellénistiques, usés par leurs dissensions intérieures et leurs ambitions expansionnistes, ne résisteront pas à la poussée romaine : l'Égypte tombera la dernière, à la bataille d'Actium (31 av. J.-C.).

Mais l'époque hellénistique n'est pas une période décadente, entre le classicisme grec et la civilisation romaine; elle se caractérise par une plus large extension de la culture grecque, qu'enrichit son expansion, et dont l'Empire romain sera l'héritier.

HELLENS (Frédéric VAN ERMENGHEM, dit **Franz**), écrivain belge d'expression française (Bruxelles 1881 - *id.* 1972). Ses romans et ses recueils lyriques affirment l'unité profonde du réel et de l'imaginaire (*Mélusine,* 1920; *Objets,* 1966).

HELLESPONT, nom donné, dans l'Antiquité, au détroit des Dardanelles, occupé par les Grecs au début du VIIe s. av. J.-C.

HELMHOLTZ (Hermann Ludwig VON), physicien et physiologiste allemand (Potsdam 1821 - Charlottenburg 1894). Il affirma, en 1847, que les phénomènes physiques ne sont que des changements de forme de l'énergie et proposa, en 1854, de faire appel à la contraction du Soleil pour expliquer l'origine de son énergie. Il interpréta, en 1862, le timbre des sons par l'existence d'harmoniques superposés. En 1850, il avait mesuré la vitesse de l'influx nerveux.

HELMINTHIASE → VER.

HELMOND, v. des Pays-Bas (Brabant-Septentrional), au N.-E. d'Eindhoven; 59 000 hab.

HÉLOBIALES. — Les plantes rassemblées dans cet ordre se ressemblent plus par leur habitat que par leur forme. Elles sont toutes, en effet, aquatiques. Les cymodocées, les zostères et les posidonies sont même les seules plantes à graines qui poussent dans la mer. L'élodée, douée d'une multiplication végétative intense, envahit les cours d'eau européens depuis le début du siècle. La sagittaire des étangs présente des feuilles de trois formes différentes, selon qu'elles sont immergées, flottantes ou aériennes. La vallisnérie n'émerge qu'au moment de la pollinisation. Les genres *Potamogeton, Butomus, Alisma, Stratiotes, Hydrocharis, Naïas,* etc., font l'ornement des eaux calmes. Ce sont des monocotylédones, mais la fleur ressemble souvent à celle des renonculacées.

HÉLOÏSE → ABÉLARD.

HÉLOUAN ou **ḤILWĀN,** localité d'Égypte, banlieue sud-est du Caire. Sidérurgie.

HELPMANN (Robert), danseur, acteur et chorégraphe australien (Mount Gambier 1909). Attaché au Sadler's Wells Ballet, il a affirmé dès ses premières chorégraphies un style puissamment dramatique *(Hamlet, Miracle in the Gorbals).*

HELSINGØR → ELSENEUR.

HELSINKI, en suédois **Helsingfors,** capit. de la Finlande, sur la rive nord du golfe de Finlande; 514 000 hab. Urbanisme et architecture des XIXe et XXe s. (Aalto). Regroupant plus du dixième de la population du pays, la ville, métropole politique, culturelle et administrative, est aussi, de loin, le premier centre industriel de Finlande (chantiers navals, constructions mécaniques et électriques, chimie, textile, alimentation), dont elle assure encore, par son port, une part notable du commerce extérieur.

HISTOIRE. La ville a été fondée en 1550 par le roi de Suède Gustave Ier Vasa. Elle devint en 1812 la capitale du grand-duché de Finlande. Capitale de la République finlandaise depuis 1918, elle a été le siège d'importantes conférences internationales.

HELVELLE. — Ce champignon, comestible mais plutôt coriace, très commun, se reconnaît à son chapeau, formé de trois lames soudées par leur axe médian et retombant autour du pied. C'est un ascomycète*.

HELVÈTES, peuple celte qui occupait, au Ier s. av. J.-C., la majeure partie de la Suisse actuelle, après avoir longtemps habité, selon Tacite, entre la forêt Hercynienne, le Rhin et le Main. En 58, fuyant la pression des Germains, les Helvètes émigrèrent en Gaule; mais César les vainquit à Montmort (près de Toulon-sur-Arroux) et les contraignit à regagner leur patrie. Leur territoire (sous le nom d'*Helvétie*) fut rattaché à la Gaule après la conquête romaine. Au Ve s., l'invasion des Alamans et des Burgondes obligea les Helvètes à se réfugier dans les montagnes.

HELVÉTIUS (Claude Adrien), philosophe français (Paris 1715-Versailles 1771). Il développe une philosophie sensualiste et matérialiste dans sa collaboration à l'*Encyclopédie,* dans son ouvrage *De l'homme, de ses facultés intellectuelles et de son éducation* (1772) et surtout dans *De l'esprit* (1758), qui, selon Diderot, est « un furieux coup de massue porté sur les préjugés en tous genres ».

HEM (59510), comm. du Nord, à 3 km au S. de Roubaix; 23 183 hab. *(Hémois).* Chapelle de 1960.

HÉMATÉMÈSE → HÉMORRAGIE.

HÉMATIE. — L'hématie, ou globule rouge, ou érythrocyte, est une cellule sanguine sans noyau, renfermant l'hémoglobine*. Le sang en contient environ de 4 à 5 millions par millimètre cube. La formation de globules rouges (érythropoïèse) a lieu dans la moelle osseuse; elle nécessite du fer, de l'acide folique et des vitamines B6, B12 et C. Les hématies vivent environ 120 jours, puis sont détruites par les cellules réticulaires de la moelle osseuse et de la rate. Le taux normal de l'hémoglobine contenue dans les hématies est de 12 à 17 g pour 100 ml de sang : en deçà ou au-dessus de ces valeurs sont définies l'anémie* et la polyglobulie.

HÉMATITE. — On distingue les hématites brunes, hydratées (minette de Lorraine), et les hématites rouges, ou oligistes, anhydres (Normandie et Bretagne). Ce sont les plus importants minerais de fer*. (V. GISEMENT, MINERAI.)

HÉMATOLOGIE. — Cette spécialité médicale a pour objet l'étude du sang et de sa pathologie. Elle a fait des progrès importants dans le traitement des anémies, des leucémies, de la maladie de Hodgkin, etc. Par l'étude des anomalies du tissu lympho-monocytaire (lymphocytes et monocytes), elle se rapproche de l'immunologie*.

HÉMATOME. — Un hématome peut être superficiel (pulsatile, il traduit l'existence d'une plaie vasculaire) ou profond. Citons l'hématome intracrânien, l'hémarthrose traumatique (sang dans une articulation), l'hématocèle (dans les bourses) et l'hématocolpos (dans le vagin) pour insister sur *l'hématome rétroplacentaire,* complication de la grossesse due au décollement prématuré d'un placenta normalement inséré et souvent lié à la toxémie.

HÉMATOPOÏÈSE. — L'hématopoïèse a lieu, chez l'adulte, dans la moelle osseuse pour l'ensemble des cellules sanguines — sauf les

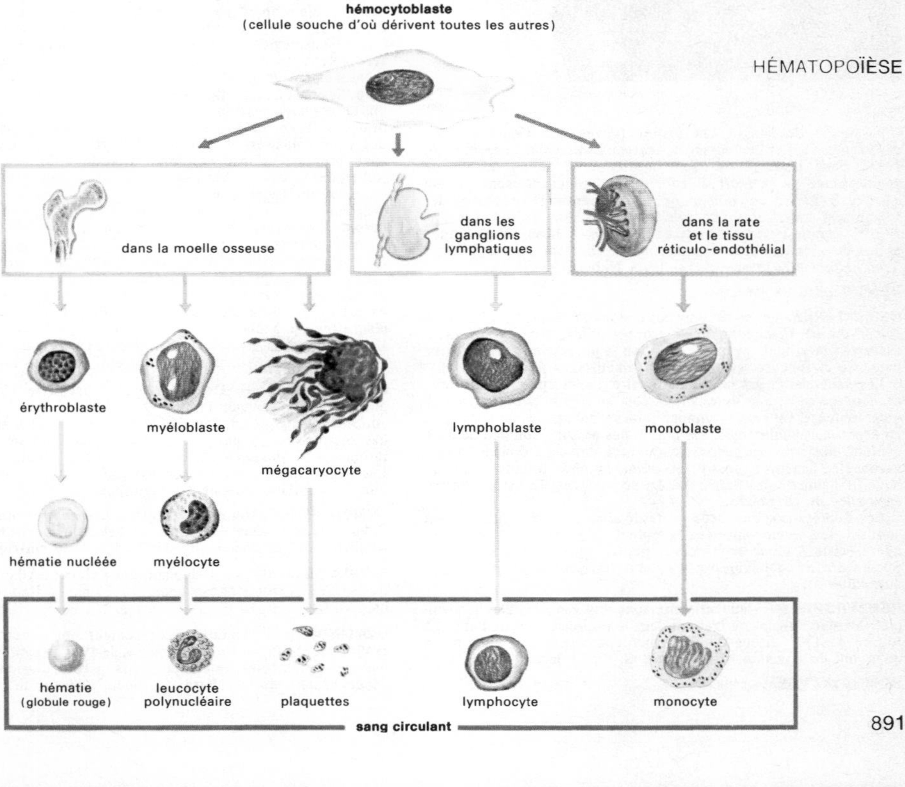

lymphocytes — et dans les ganglions lymphatiques, la rate et les plaques lymphoïdes pour les lymphocytes.

Toutes les cellules formées proviennent de l'hémocytoblaste (cellule réticulaire indifférenciée). [V. HÉMATIE, LEUCOCYTE.]

HEMEL HEMPSTEAD, v. de Grande-Bretagne, au N.-O. de Londres; 71 000 hab. Constructions mécaniques et électriques.

HÉMÉRALOPIE → VISION.

HÉMIÉDRIE. — Lorsque, par exemple, des troncatures n'affectent qu'un sur deux des huit sommets d'un cube, on peut obtenir deux tétraèdres conjugués, dont les faces n'ont pas les mêmes propriétés physico-chimiques; la symétrie de ces propriétés n'est pas celle de leur forme géométrique.

HEMIKSEM, comm. de Belgique (prov. d'Anvers), sur l'Escaut; 10 258 hab. (en 1977). Métallurgie.

HÉMING (57830), comm. de la Moselle, à 8 km au S.-O. de Sarrebourg; 494 hab. Cimenterie.

HEMINGWAY (Ernest Miller), écrivain américain (Oak Park, Illinois, 1899 - Ketchum, Idaho, 1961). Recherchant toute sa vie le risque et l'aventure, il est ambulancier volontaire sur le front italien en 1917 (*l'Adieu* aux armes,* 1929), assiste à la guerre civile d'Espagne (*Pour qui sonne le glas,* 1940) et, pendant la Seconde Guerre mondiale, est correspondant de guerre en France et en Angleterre.

Ernest Hemingway.

Karsh-Parimage

Passionné de chasse aux grands fauves (*les Vertes Collines d'Afrique,* 1936) et de courses de taureaux (*Mort dans l'après-midi,* 1932), dans lesquelles il voit une épreuve et un moyen de connaissance de la mort, il évolue du désenchantement de son «exil» à Paris, au milieu de la «génération* perdue» des romanciers américains (*Le soleil se lève aussi,* 1926), vers une glorification de la force morale de l'homme se mesurant au monde et aux êtres en un corps à corps solitaire (*En avoir ou pas,* 1937; *le Vieil* Homme et la mer,* 1952). [Prix Nobel, 1954.]

HÉMIPLÉGIE → PARALYSIE.

HÉMIPTÈRES. — On a réuni sous le nom d'*hémiptères,* d'*hémiptéroïdes* ou de *rhynchotes* deux groupes d'insectes probablement assez éloignés, mais ayant en commun la possession d'une trompe piqueuse et suceuse, et un développement sans nymphose.

Les *hétéroptères* ont la première paire d'ailes curieusement faite de deux parties : une base coriace, ou *hémélytre,* et une extrémité membraneuse. Ce sont les innombrables «punaises», au corps plat en écusson, malodorantes, des bois et des prairies, souvent de belle couleur, ainsi que les féroces carnivores des eaux douces : nèpe, notonecte, naucore, ranatre, et même l'unique insecte marin du large, le halobate des Sargasses. La punaise des lits est une forme sans ailes de ce groupe.

Les *homoptères,* aux deux paires d'ailes normales (mais ayant souvent des formes aptères), comptent de grandes espèces telles que la cigale* et de nombreuses petites espèces prolifiques, les pucerons*, les cochenilles et les aleurodes, généralement nuisibles aux cultures.

HÉMITROPIE. — Deux cristaux sont dits «maclés par hémitropie» lorsque l'un, placé d'abord dans le prolongement de l'autre, a tourné de 180^0 autour d'un axe perpendiculaire à la face plane qu'ils ont en commun. (Ex. : gypse en fer de lance.)

HÉMODIALYSE → ÉPURATION.

HÉMOGLOBINE. — Ce protéide coloré, contenu dans les hématies*, est synthétisé dans l'érythroblaste et libéré, lorsque l'hématie meurt, pour être transformé en bilirubine. L'hémoglobine assure le transport de l'oxygène, qu'elle fixe au niveau des poumons (oxyhémoglobine) pour le céder aux tissus périphériques, où elle se charge en gaz carbonique (carbohémoglobine). Il existe des anomalies qualitatives (hémoglobinopathies, telles que la drépanocytose) et quantitatives (thalassémies) de l'hémoglobine.

HÉMOGRAMME. — L'hémogramme apprécie par la *numération globulaire* le nombre d'hématies*, de leucocytes* et de plaquettes (V. SANG) par unité de volume de sang. Par la *formule leucocytaire* il donne la proportion des divers types de leucocytes*.

HÉMOLYSE. — L'hémolyse physiologique se fait dans la moelle osseuse. (V. HÉMATIE.) L'hyperhémolyse se traduit par une diminution de la durée de vie des hématies, malformées ou altérées (hémoglobinopathies, déficits enzymatiques de certaines hématies, thalassémies, etc.); elle peut se faire dans la moelle osseuse, dans la rate ou dans le foie, provoquant un ictère.

HÉMON (Louis), écrivain français (Brest 1880 - Chapleau, Canada, 1913), auteur de *Maria* Chapdelaine, récit du Canada français* (1916).

HÉMOPHILIE. — Cette maladie héréditaire, atteignant les hommes et transmise par les femmes, est due à un déficit en certains facteurs de la coagulation (facteur VIII ou A; facteur IX ou B). Dans sa forme majeure, des hémorragies apparaissent dès les premiers pas de l'enfant. Ces hémorragies sont provoquées par des chocs; elles sont prolongées, voire incoercibles (hématomes dangereux au niveau des membres, de l'abdomen, hémarthroses laissant des séquelles, etc.). Le diagnostic d'hémophilie repose sur l'allongement du temps de coagulation et sur la preuve du déficit en facteurs VIII ou IX. Le traitement fait appel aux transfusions et aux injections des facteurs de la coagulation fractionnés.

HÉMORRAGIE. — Par son abondance, une hémorragie peut entraîner un état de choc hémorragique (pouls filant et rapide, soif intense, hypotension artérielle avec pour conséquence anémie et baisse de l'hématocrite), dont le traitement est urgent : perfusions de solutés isotoniques et surtout transfusions sanguines isogroupes.

Les *hémorragies externes* sont consécutives à des plaies cutanées ou vasculaires. Ces dernières imposent une hémostase par pansement compressif; en cas d'hémorragie abondante, la pose d'un garrot ou la compression directe de la plaie sont impératives avant de transférer le blessé à l'hôpital.

Les *hémorragies internes* se produisent dans le tube digestif, les séreuses, les organes creux ou sous la peau. Dans tous les cas, il importe d'en apprécier l'importance et la cause. Leur gravité dépend aussi de leur siège (cerveau, péricarde, etc.).

Les hémorragies digestives peuvent rester occultes ou s'extérioriser (méléna [selles noires liquides], parfois précédé d'hématémèse [vomissement de sang], rectorragie); elles relèvent le plus souvent d'une lésion du tube digestif (ulcère gastroduodénal, cancer, etc.) ou d'une hypertension portale. Les hématuries (sang dans les urines) relèvent de causes multiples (néphrite, lithiase ou tumeur des voies urinaires, etc.). Les hémoptysies (crachements de sang) sont provoquées par certaines affections bronchopulmonaires (tuberculose, cancer, etc.) ou cardiovasculaires (infarctus pulmonaire, rétrécissement mitral, etc.). Citons encore les épistaxis (saignements de nez), les hémorragies cutanées (hématomes, purpura, ecchymoses), les gingivorragies, les pertes sanglantes génitales (métrorragies, hémospermies), pour insister sur les hémorragies internes des ruptures de grossesse extra-utérine.

Les hémorragies dues à des troubles de l'hémostase spontanée peuvent être internes ou cutanées. Elles sont dues à une maladie vasculaire (purpura inflammatoire, scorbut, etc.), à une maladie des plaquettes ou à une hypocoagulabilité sanguine (V. COAGULATION). Les médications hémostatiques peuvent être utilisées par voie générale (pectine, vitamine K, etc.) ou appliquées localement.

HÉMORROÏDE. — Deux facteurs, vasculaire (hypertension* portale) et mécanique (atonie du sphincter anal, constipation), contribuent à la formation d'hémorroïdes, qui se manifestent par des rectorragies et peuvent se compliquer d'inflammation et de thrombose («fluxion» hémorroïdaire, cause de vives douleurs). Les hémorroïdes peuvent être externes (visibles directement) ou internes (visibles seulement à l'anuscopie).

HENCH (Philip Showalter), médecin américain (Pittsburgh 1896-Ocho Rios, Jamaïque, 1965), prix Nobel de médecine en 1950, avec Kendall, pour sa découverte de l'action de la cortisone.

HENDAYE (64700), ch.-l. de cant. des Pyrénées-Atlantiques, sur la Bidassoa, à la frontière espagnole; 10 135 hab. *(Hendayais).* Station balnéaire.

HENDRIX (Jimi), guitariste et chanteur noir américain (Seattle 1945 - Londres 1970). En trois années, de 1967 à sa mort, il s'imposa comme le plus doué des compositeurs de rock music et comme un adepte inspiré de la guitare électrique, utilisant au maximum les ressources de l'amplification et les possibilités du brassage musical pop, sans abandonner pour autant l'esprit du blues.

HENGELO, v. de l'est des Pays-Bas (Overijsel); 72 000 hab.

HENG-YANG ou **HENGYANG,** v. de Chine (Hou-nan); 300 000 hab. Port fluvial sur le Siang-kiang.

HENIE (Sonja), patineuse norvégienne (Oslo 1912 - en avion, entre Paris et Oslo, 1969). Elle a été dix fois championne du monde et trois fois championne olympique (1928, 1932 et 1936) avant de devenir professionnelle. En 1968, elle a créé une fondation artistique près d'Oslo.

HÉNIN-BEAUMONT (62110), anc. **Hénin-Liétard,** ch.-l. de cant. du Pas-de-Calais, à 8 km à l'E. de Lens; 6 490 hab. *(Héninois).* Industrie textile.

HENLEY-ON-THAMES, v. de Grande-Bretagne, sur la Tamise, à l'O. de Londres; 11 000 hab. Régates.

HENNÉ. — Ce sont les feuilles de cet arbuste épineux d'Arabie qui, séchées et pulvérisées, fournissent la teinture rousse si souvent utilisée pour teindre la chevelure. Les fleurs blanches de cette plante sont ornementales et parfumées. (Genre *Lawsonia;* famille des lythracées.)

HENNEBIQUE (François), ingénieur français (Neuville-Saint-Waast 1842 - Paris 1921). Pionnier de la construction industrielle en béton* armé, il résolut le problème de la répartition des contraintes entre les armatures métalliques tendues et le béton comprimé, par l'emploi de fers ronds reliés à l'aide d'étriers.

HENNEBONT (56700), ch.-l. de cant. du Morbihan, sur le Blavet, à 10 km au N.-E. de Lorient; 12 461 hab. Remparts avec porte du XVe s. Église de style gothique flamboyant du XVIe s.

HENNE-MORTE (la), gouffre des Pyrénées, dans le sud du départ. de la Haute-Garonne, au S.-E. de Saint-Gaudens. Profond de 446 m, il a été notamment exploré par N. Casteret.

HÉNOCH, personnage légendaire biblique, père de Mathusalem*; selon le livre de la Genèse*, il aurait été enlevé au ciel au terme de sa vie. La tradition juive postérieure lui attribue un ensemble d'écrits apocryphes, parmi lesquels *le livre d'Hénoch,* apocalypse* juive du IIe s. av. J.-C., dont des fragments ont été retrouvés à Qumrān.

EMPEREURS

HENRI Ier l'Oiseleur (v. 876 - Memleben 936), roi de Germanie de 919 à 936. Duc de Saxe à partir de 912, il est l'adversaire de Conrad Ier, qui le désigne pourtant pour lui succéder. Il renforce l'autorité royale, lutte avec succès contre les Slaves, les Hongrois et les Danois et réintroduit la Lorraine dans la mouvance germanique.

HENRI II le Boiteux ou **le Saint** (Abbach 973 - Grona 1024), empereur germanique de 1002 à 1024. Arrière-petit-fils du précédent, petit-neveu d'Otton le Grand, il est choisi, en 1002, pour succéder à l'empereur Otton III, son cousin. Il favorise la réforme morale du clergé et l'essor du monachisme. Trop occupé par les affaires italiennes, Henri ne peut vaincre le duc de Pologne, Boleslas le Grand, perd la Lusace (1018) et doit accepter l'indépendance de fait de la Pologne.

HENRI III le Noir (1017 - Bodfeld 1056), roi de Germanie et d'Italie (1039), empereur germanique en 1046, fils et successeur de Conrad II. Il lutte d'abord avec succès contre la haute féodalité, affermit son autorité jusqu'aux frontières occidentales de son empire et, à l'est, impose sa suzeraineté aux Slaves de Bohême, de Pologne et aux Hongrois. Il fait passer la papauté sous sa tutelle en déposant le pape Grégoire VI (1046) et en désignant Clément II, qui lui reconnaît le droit de nommer les papes. Mais la fin de son règne (1046-1056) est marquée par les premières initiatives des grands et de l'Église pour secouer le joug impérial.

HENRI IV (Goslar? v. 1050 - Liège 1106), empereur germanique de 1056 à 1106, fils et successeur du précédent. Il règne d'abord sous la tutelle de sa mère, Agnès de Poitiers. À sa majorité (1065), il doit faire face à une crise intérieure marquée par les insurrections bavaroise et saxonnes. Il tente alors de restaurer l'absolutisme impérial et se heurte à la papauté. Celle-ci, avec Grégoire VII*, s'est engagée dans une profonde réforme, qui remet en cause la nature du pouvoir impérial et conteste sa vocation à la domination universelle. La querelle des Investitures*, qui débute en 1076, aboutit d'abord à l'excommunication d'Henri IV et à la révolte des barons allemands; l'empereur obtient son pardon (Canossa, janv. 1077) et rétablit son autorité en Allemagne, mais il reprend bientôt la lutte contre Grégoire VII, qu'il chasse de Rome (1084). Les successeurs de Grégoire VII réussissent à dresser contre l'empereur ses propres fils. Contraint à l'abdication (1105) par le futur Henri V, Henri IV meurt peu après.

HENRI V (1081 - Utrecht 1125), empereur germanique de 1106 à 1125, fils et successeur du précédent. Révolté contre son père (1105), avec le soutien du pape Pascal II, il le dépossède (1106) et se fait couronner empereur (1110) par le pape. Mais sa politique antipontificale aboutit à son excommunication par le pape Gélase II, auquel il oppose un antipape, Grégoire VIII. Menacé par une révolte des féodaux, Henri est contraint de signer, en 1122, le concordat de Worms* avec le pape Calixte II.

HENRI VI (Nimègue 1165 - Messine 1197), empereur germanique de 1190 à 1197. Il succède à son père, Frédéric* Barberousse, dont il poursuit la politique, réussissant à disloquer la révolte des grands (1193) et faisant reconnaître son autorité en Italie du Nord et en Sicile (1194).

HENRI VII DE LUXEMBOURG (Valenciennes? v. 1270 - Buonconvento 1313), empereur germanique de 1308 à 1313. Élu grâce à l'appui du pape Clément V, il rétablit l'ordre en Allemagne et tente de restaurer l'autorité impériale en Italie.

EMPEREUR LATIN

HENRI DE FLANDRE ET DE HAINAUT (Valenciennes 1174-Thessalonique 1216), second empereur latin d'Orient de 1206 à 1216. Devenu régent après la bataille d'Andrinople (1205), où son frère aîné, l'empereur Baudouin Ier, a été capturé, il est couronné le 20 août 1206, à la mort de celui-ci. Sa politique religieuse vise à rapprocher les deux clergés latin et byzantin. Il défend victorieusement l'Empire latin contre les Bulgares (1208), les Byzantins d'Épire (1207) et de Nicée (1211-1214).

FRANCE

HENRI Ier (1008 - Vitry-aux-Loges 1060), roi de France de 1031 à 1060, fils de Robert II* le Pieux. Peu après son accession au trône, il doit amputer son domaine de la Bourgogne, qu'il concède à son puîné, Robert (1032), et faire face à une révolte généralisée des seigneurs de la « Francie ». Vainqueur grâce à l'alliance normande (1034), il soutient le jeune Guillaume le Conquérant contre ses barons; s'étant par la suite brouillé avec lui, il est vaincu à Mortemer (1054) et à Varaville (1058).

HENRI II (Saint-Germain-en-Laye 1519 - Paris 1559), roi de France de 1547 à 1559, second fils de François Ier. Partagé entre l'influence de l'entourage de sa femme, Catherine de Médicis, des Guise, des Coligny et de Diane de Poitiers, sa maîtresse, ce roi austère et peu politique n'en poursuit pas moins, dans ses grandes lignes, la politique paternelle. Son action contre l'Angleterre (récupération de Boulogne, 1550) est suivie par la reprise de la lutte contre Charles Quint et par l'alliance avec les princes protestants d'Allemagne. Il occupe les Trois-Évêchés (1552), mais échoue dans sa tentative de reprendre la couronne de Naples (1556). Interrompue peu après, la lutte reprend contre Philippe II et Marie Tudor. Défaites à Saint-Quentin en 1557, ses troupes réussissent l'année suivante à reprendre Calais (1558). Cette victoire lui permet de signer la paix honorable du Cateau-Cambrésis (1559). À l'intérieur, Henri II consolide l'œuvre administrative de son père et engage une lutte impitoyable contre le protestantisme (édit d'Écouen, 2 juin 1559). Sa mort accidentelle plonge la monarchie française dans le désordre des guerres de Religion.

HENRI III (Fontainebleau 1551 - Saint-Cloud 1589), roi de France de 1574 à 1589, troisième fils de Henri II et dernier des Valois. Désigné comme roi de Pologne en 1573, il rentre en France à la mort de son frère Charles IX et lui succède sur le trône. Intelligent et cultivé, mais corrompu et indécis, il oscille longtemps entre les protestants, soutenus par Henri de Navarre, et la Ligue*, dirigée par les Guise. En 1584, la mort de son frère, François d'Alençon, pose le problème de la succession. L'héritier légitime est Henri de Navarre, prince protestant, mais la Ligue cherche à imposer au roi son oncle, le cardinal de Bourbon. Henri III tente d'abord de se rapprocher de la Ligue, mais la défaite de son armée à Coutras met à bas son prestige. Insulté par les Guise, obligé de quitter Paris, qui leur est favorable, il convoque à Blois les états généraux et y fait assassiner Henri et Louis de Guise (1588). Réconcilié avec Henri de Navarre, qu'il désigne comme son successeur (Henri IV*), il s'apprête à reprendre Paris à la Ligue lorsqu'il meurt, poignardé par le moine Jacques Clément.

HENRI IV (château de Pau 1553 - Paris 1610), roi (Henri III) de Navarre de 1562 à 1610 et de France de 1589 à 1610. Fils d'Antoine de Bourbon et de Jeanne d'Albret, il devient, en 1569, le chef des huguenots. Peu après son mariage avec Marguerite de Valois, il échappe au massacre de la Saint-Barthélemy (1572). La mort du duc d'Alençon (1584) ayant fait de lui l'héritier de la couronne de France, la Ligue* lui oppose le cardinal de Bourbon, mais, avant de mourir, Henri III le reconnaît comme son successeur (1589). Cependant, Henri de Navarre doit s'imposer à son royaume : vainqueur de Mayenne et des Espagnols à Arques (1589) et à Ivry (1590), il ne peut s'emparer de Paris. Il abjure alors le protestantisme (1593), se fait sacrer roi et entre à Paris, qu'évacuent les Espagnols (1594), qui, épuisés, signent la paix de Vervins (1598).

Lauros-Giraudon

Henri IV. Dessin de l'école des Clouet. XVIe s. (Musée Condé, Chantilly.)

Lauros-Giraudon

Embarquement du roi Henri VIII à Douvres, en 1520, pour se rendre au Camp du Drap d'or. Copie par Boutewerke (1844) d'un tableau attribué à V. Volpi. (Musée de la Marine, Paris.)

Peu à peu, les ligueurs s'inclinent (1595-1598). Pour rétablir la paix religieuse, le roi inaugure un régime de tolérance avec l'édit de Nantes (13 avr. 1598); ses qualités humaines lui rallient d'ailleurs le petit peuple. Henri IV ne prétend pas pour autant abdiquer son autorité : sans Premier ministre, mais appuyé sur des collaborateurs remarquables — dont Sully* —, il mate les féodaux, redresse les finances, encourage l'agriculture (par l'adoption de méthodes modernes et l'allégement de la taille) et l'industrie de luxe (armes, draperie, soierie...); le commerce renaît grâce au développement des routes et des canaux; en 1608 Champlain* fonde Québec. À l'extérieur, Henri IV enlève au duc de Savoie la Bresse, le Bugey et le pays de Gex (1601); mais, lorsqu'il songe à reprendre les armes contre les Habsbourg, le fanatisme se réveille chez certains anciens ligueurs; le 14 mai 1610, Henri IV meurt sous le poignard de l'un d'eux, Ravaillac.

HENRI V → CHAMBORD *(comte de).*

ANGLETERRE

HENRI Ier Beauclerc (Selby 1068 - près de Gisors 1135), roi d'Angleterre de 1100 à 1135 et duc de Normandie de 1106 à 1135. Dernier fils de Guillaume le Conquérant, il succède à son frère Guillaume le Roux, au mépris des droits de son aîné, Robert Courteheuse. Il réussit à maintenir l'unité des États anglo-normands (victoire de Tinchebray, 1106), brise la menace française (victoire de Bremule, 1119) et s'assure l'alliance de la maison d'Anjou par le mariage de sa fille Mathilde avec Geoffroi Plantagenêt.

HENRI II Plantagenêt (Le Mans 1133 - Chinon 1189), fils de Geoffroi V Plantagenêt et de Mathilde. Duc de Normandie (1150), comte d'Anjou (1151), duc d'Aquitaine (1152) par son mariage avec Aliénor, il devient roi d'Angleterre (1154) à la mort de son rival, Étienne de Blois. Ce prince, intelligent et audacieux, réussit, par une série de réformes de structures, à réunir ses vastes domaines en un État centralisé; cette grande œuvre suscite de nombreuses résistances de la part des hauts barons et de l'Église. S'appuyant sur les classes moyennes, Henri II lutte contre le monde féodal (1173-1175) et reprend l'Église en main. Mais les Constitutions de Clarendon (1164) aboutissent au dramatique conflit avec l'archevêque de Canterbury, Thomas Becket, et au meurtre de ce dernier (1178). À l'extérieur, le roi lutte avec succès contre Louis VII, intervient en Écosse et en Irlande et pratique une politique d'entente avec l'Empire. Mais la fin de sa vie est attristée par la révolte de ses fils Henri (1173-1183) et Jean (1188).

HENRI III (Winchester 1207 - Londres 1272), roi d'Angleterre de 1216 à 1265, fils aîné et successeur de Jean sans Terre. Ce prince faible laisse gouverner son entourage, d'origine française. Instrument de la politique sicilienne du pape (1254), il est entraîné dans une guerre contre la France (1242), qui lui fait perdre le Poitou, la Saintonge et l'Auvergne (traité de Paris, 1259). En 1258, la révolte des barons anglais et le refus du roi de reconnaître les Provisions d'Oxford provoquent la guerre civile. Battu et fait prisonnier par Simon de Montfort (1264), Henri III doit sa restauration à la victoire de ses partisans à Evesham (1265).

HENRI IV (Bolingbroke 1367 - Westminster 1413), duc de Lancastre, puis roi d'Angleterre de 1399 à 1413. Fils de Jean de Gand, duc de Lancastre, il est banni par le roi Richard II (févr. 1399); il suscite la révolution de 1399, qui le porte au trône. Il doit aussitôt faire face aux Gallois révoltés, qu'il réussit à soumettre; il réprime durement le lollardisme.

HENRI V (Monmouth 1387 - Vincennes 1422), roi d'Angleterre de 1413 à 1422, fils d'Henri IV. Après avoir sévèrement réprimé l'opposition et consolidé son trône, il profite de la querelle entre Armagnacs et Bourguignons pour débarquer en France et remporter la victoire d'Azincourt (1415). Après la conquête de la Normandie (1417), il obtient, par le traité de Troyes (1420), la main de Catherine de France, la régence et la promesse de la couronne française. Il meurt trop tôt pour recueillir cet héritage.

HENRI VI (Windsor 1421 - Londres 1471), roi d'Angleterre de 1422 à 1461, fils d'Henri V et de Catherine de France. Ayant succédé à son père en août 1422, il est proclamé roi de France en octobre, lorsque meurt son grand-père, Charles VI. Sa longue minorité (1422-1436) favorise, en France, le succès du parti favorable à Charles VII*. Henri est incapable, une fois majeur, de juguler le désastre militaire et d'imposer son autorité; la reconstitution du parti yorkiste provoque d'ailleurs la guerre des Deux-Roses* (1455-1485). Fait prisonnier après la défaite de ses troupes à Towton par Edouard d'York, qui se proclame roi sous le nom d'Edouard IV*, Henri est restauré par Warwick en 1470; vaincu peu après, interné à la Tour de Londres, il meurt assassiné dans sa prison.

HENRI VII (Pembroke 1457 - Richmond, Londres, 1509), roi d'Angleterre de 1485 à 1509, fils d'Edouard Tudor et de Marguerite Beaufort. Dernier héritier des Lancastre par sa mère, il profite de l'impopularité du dernier York, Richard III, pour débarquer en Angleterre à la tête d'une armée levée en France; il bat Richard, qui est tué (Bosworth, 1485). Proclamé roi, Henri favorise la réconciliation nationale en épousant Elisabeth d'York, fille d'Edouard IV et nièce de Richard III, restaure l'autorité royale et assure à l'Angleterre pacifiée une longue période de prospérité.

HENRI VIII (Greenwich 1491 - Westminster 1547), roi d'Angleterre de 1509 à 1547. Second fils et successeur d'Henri VII, il épouse, en 1509, Catherine d'Aragon, veuve de son frère aîné, Arthur. Dès le début de son règne, s'esquisse ce qui formera une donnée permanente de la politique étrangère anglaise : le maintien de l'équilibre entre les grandes puissances continentales. Son adhésion à la Sainte Ligue contre la France (1511-1514) et la victoire de Guinegatte (1513) permettent à Henri d'écraser les Écossais, alliés de Louis XII, à Flodden (sept. 1513); le danger français passé, il se retire de l'alliance (1514). Mais, inquiet des ambitions de François Ier (entrevue du Camp du Drap d'or, 1520), il s'engage aux côtés de Charles Quint jusqu'en 1527 : c'est alors que les visées politiques du vainqueur de Pavie (1525) l'inquiètent et provoquent un rapprochement franco-anglais. Quelques années plus tard (1542), la politique écossaise de François Ier incite Henri VIII à s'allier de nouveau à Charles Quint; mais la conquête de Bologne (1544) ne suffit pas à évincer la France de l'Écosse, où Marie Stuart prend le pouvoir. À l'origine profondément attaché au catholicisme (très cultivé, remarquable théologien, Henri VIII a, en 1521, réfuté avec fougue la doctrine luthérienne et s'est vu décerné par le pape le titre de *defensor fidei*), il n'hésite pas à provoquer le schisme lorsque le pape lui refuse l'annulation de son mariage avec Catherine d'Aragon, qui ne lui a donné qu'une fille, Marie Tudor. En 1534, il rompt avec Rome, se proclame chef suprême de l'Église d'Angleterre (Acte de suprématie) et supprime les monastères, tout en prétendant demeurer dans l'orthodoxie; en conservant la hiérarchie séculière et les sacrements du catholicisme, il provoque l'opposition des protestants, qu'il pourchasse comme il réprime sévèrement l'opposition catholique. Marié à six reprises (après Catherine d'Aragon, répudiée en 1532, et Anne Boleyn, décapitée en 1536, il a épousé Jeanne Seymour [† 1537], Anne de Clèves, Catherine Howard [exécutée en 1542] et Catherine Parr), Henri VIII laisse en mourant une succession complexe. Mais son long règne centralisateur a permis l'affermissement du pouvoir royal.

BAVIÈRE ET SAXE

HENRI le Lion (Ravensburg 1129 - Brunswick 1195), duc de Saxe de 1142 à 1181 et de Bavière de 1155 à 1181. Fils d'Henri le Superbe, de la famille des Welfs, il récupère les duchés arrachés à son père par l'empereur Conrad III. Résidant surtout en Saxe, il dirige la colonisation des pays slaves. En 1176, il refuse d'aider Frédéric Barberousse contre la Ligue lombarde : Frédéric le met au ban de l'empire (1180). Exilé à la cour d'Henri II Plantagenêt, son beau-père, Henri tente vainement de reprendre ses États (1189) et finit par se réconcilier avec l'empereur Henri VI (1194).

CASTILLE

HENRI II, III, IV → CASTILLE.

PORTUGAL

HENRI DE BOURGOGNE (Dijon v. 1057 - Astorga 1114), comte de Portugal de 1097 à 1114. Petit-fils de Robert Ier, duc de Bourgogne, il combat les Maures d'Espagne, épouse Thérèse, fille naturelle d'Alphonse VI, roi de Castille et León, et reçoit de ce dernier le comté de Portugal. L'indépendance, qu'il déclare en 1109, à la mort d'Alphonse VI, est à l'origine de l'État portugais.

HENRI le Navigateur, prince portugais (Porto 1394 - Sagres 1460), fils du roi Jean Ier* de Portugal. C'est sous son impulsion qu'entre 1418 et 1460 le Portugal se lança dans l'exploration des côtes d'Afrique et découvrit Madère (1418), les Açores (1432-1457), Rio de Oro (1436), l'île d'Arguin (1443) et le Sénégal (1445).

HENRICHEMONT (18250), ch.-l. de cant. du Cher, à 28 km au N.-E. de Bourges; 1 894 hab.

HENRIETTE-ANNE STUART, dite **Henriette d'Angleterre,** princesse anglaise (Exeter 1644 - Saint-Cloud 1670). Fille de Charles Ier, roi d'Angleterre, et d'Henriette-Marie de France, elle épousa, en 1661, Philippe d'Orléans, frère de Louis XIV. Bossuet prononça son oraison funèbre.

HENRIETTE-MARIE DE FRANCE, princesse française (Paris 1609 - Bois-Colombes 1669). Sœur de Louis XIII, elle épousa, en 1625, Charles Ier d'Angleterre, qu'elle poussa dans la voie de l'intransigeance. Bossuet prononça son oraison funèbre.

HENRY → UNITÉ.

HENRY (William), physicien et chimiste anglais (Manchester 1775 - Pendlebury 1836). En 1803, il découvrit la loi qui porte son nom (la solubilité d'un gaz dans un liquide est proportionnelle à sa pression).

HENRY (Joseph), physicien américain (Albany 1797 - Washington 1878). Il est surtout connu pour sa découverte, en 1832, de l'auto-induction et de l'extra-courant de rupture.

HENRY, famille d'astronomes français. PAUL (Nancy 1848 - Montrouge 1905) et PROSPER (Nancy 1849 - Pralognan 1903), son frère, prirent à l'Observatoire de Paris, en 1884, le premier cliché photographique d'étoiles*. Chargé de continuer un atlas stellaire commencé par Jean Chacornac (1823-1873), Paul découvrit de nombreux astéroïdes.

HENRY (Pierre), compositeur français (Paris 1927), un des fondateurs, avec P. Schaeffer, de la musique concrète *(Symphonie pour un homme seul, Variations pour une porte et un soupir, Messe pour le temps présent).* Il a beaucoup travaillé avec M. Béjart.

HENRY (André), syndicaliste français (Fontenoy-le-Château, Vosges, 1934), secrétaire général de la Fédération de l'Éducation nationale (F. E. N.).

HENZE (Hans Werner), compositeur allemand (Gütersloh 1926), auteur d'œuvres scéniques s'inspirant du dodécaphonisme et de la musique sérielle.

HÉPARINE. — Cette substance anticoagulante est utilisée dans le traitement des thromboses artérielles, des phlébites et des infarctus. Associée à l'hormone lipocaïque du pancréas, elle est aussi administrée dans le traitement de l'hypercholestérolémie.

HÉPATIQUES. — Il ne faut pas confondre l'*hépatique,* petite renonculacée printanière des bois, aux fleurs d'un bleu mauve, avec le groupe des *hépatiques,* plantes sans fleurs formant le passage entre les algues et les plantes vasculaires.

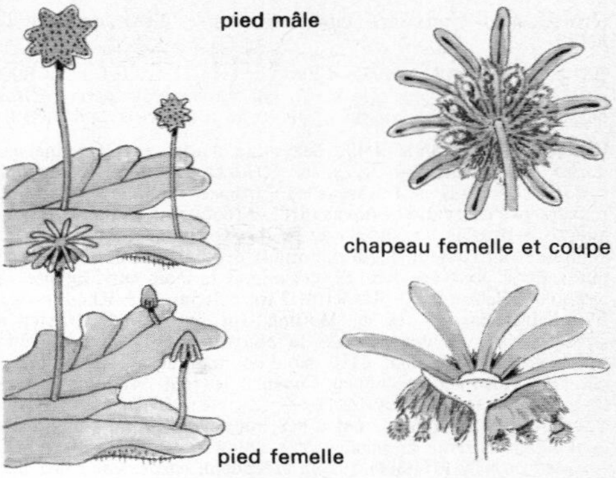

Vue hépatique : *Marchantia polymorpha.*

Croissant dans les fontaines, sur les rochers ou sur les arbres, les hépatiques sont toujours de petites plantes, fortement adhérentes à leur support. Les unes *(Marchantia, Anthoceros, Riccia)* se composent d'un simple thalle, sur lequel se forment des organes reproducteurs unisexués. Après fécondation, ces organes engendrent des sporogones plus simples que ceux des mousses et dont les spores donneront de nouveaux thalles. Les autres genres *(Pellia, Frullania, Jungermannia)* sont à tiges rampantes, mais feuillées, rappelant celles des mousses, et portent des organes sexués plus simples.

L'immense intérêt des hépatiques est leur structure intermédiaire entre celles des mousses (avec lesquelles elles forment l'embranchement des bryophytes*), des lycopodiales (plantes vasculaires très simples) et de certaines algues chlorophycées.

HÉPATITE. — Les hépatites sont d'origine variable : toxique (hépatites toxiques vraies [tétrachlorure de carbone] et hépatites médicamenteuses [chlorpromazine, iproniazide, etc.]), infectieuse (amibiase, leptospirose, syphilis, etc.) ou virale. L'*hépatite virale* peut être épidémique ou d'inoculation (transmise lors d'une injection, d'une perfusion); elle débute par un syndrome pseudo-grippal et par quelques troubles digestifs suivis d'un ictère cutanéo-muqueux, régressant en trois semaines et laissant une asthénie durable. À l'élévation franche des transaminases s'associent, à la phase ictérique, des signes variables d'insuffisance hépatique (v. FOIE).

HEPBURN (Katharine), actrice américaine (Hartford, Connecticut, 1906). Elle fut notamment l'interprète au cinéma de *Sylvia Scarlett* (1935), *l'Impossible M. Bébé* (1938), *African Queen* (1952), *Soudain l'été dernier* (1959), *les Troyennes* (1971).

HÉPHAÏSTOS, dieu grec du Feu, maître des arts de la forge et du travail des métaux. C'est le Vulcain* des Romains.

HEPPLEWHITE (George), ébéniste anglais († Londres 1786), surtout connu par son recueil posthume *The Cabinet-Maker and Upholsterer's Guide* (1788). Inspiré de celui des Adam*, son style allie simplicité et préciosité (sièges en acajou dont la membrure du dossier est en forme d'écu).

Heptaméron *(l'), Contes ou Nouvelles de la reine de Navarre,* recueil de soixante-douze nouvelles, imitées de Boccace (1559), par Marguerite d'Angoulême.

HEPWORTH (Barbara), sculpteur anglais (Wakefield 1903 - Saint Ives 1975). Choisissant l'art abstrait vers 1934 (après son mariage avec le peintre Ben Nicholson), elle passe de la géométrie à un lyrisme dépouillé pour créer, notamment dans le bois, souvent évidé, des formes d'un équilibre subtil et monumental.

HÉRA, déesse grecque, épouse de Zeus* et protectrice du mariage, dont elle symbolise la grandeur et la souveraineté.

HÉRACLÉE de Lucanie, auj. **Policoro,** anc. ville de l'Italie du Sud, colonie de Tarente, fondée en 433 av. J.-C. Pyrrhos II* y remporta une victoire sur les Romains en 280 av. J.-C. C'est là que furent trouvées, en 1732, les « tables d'Héraclée », tables de bronze où sont gravés d'un côté un texte grec (IVe-IIIe s. av. J.-C.) relatif aux biens des temples et de l'autre une loi de l'époque de César.

HÉRACLÈS, héros grec, personnification de la Force, célèbre par ses exploits (« les douze travaux »); il est l'*Hercule** latin. Dans la pensée grecque, Héraclès n'est pas uniquement un athlète musclé, sorte d'hercule de foire de l'imagerie populaire, mais il incarne un idéal (qui ne va pas sans excès) de virilité, de courage et de ténacité, dont le prix sera l'immortalité que les dieux accordent au héros.

Héraclès furieux, tragédie d'Euripide (v. 424 av. J.-C.). La folie de la vengeance aveugle le héros, qui massacre sa femme et ses enfants : une méditation sur la difficulté à maîtriser la violence.

HÉRACLIDES, grande famille byzantine, d'origine arménienne, qui donna six basileus à Byzance. HÉRACLIUS Ier (en Cappadoce v. 575-† 641), fils de l'exarque de Carthage, fonda la dynastie en renversant l'usurpateur Phokas (610); il réorganisa l'administration, adopta le titre de « basileus » et fit du grec la langue officielle de l'empire; à l'extérieur, il fut victorieux des Perses (627), mais il ne put venir à bout des Arabes, qui mirent la main sur l'Égypte, la Syrie et la Palestine. — HÉRACLIUS II **Héraclonas** (618-Rhodes 645), fils d'Héraclius Ier et de Martine, fut basileus de février à novembre 641; il dut partager le pouvoir avec son demi-frère, CONSTANTIN III (612-mai 641), né d'un premier mariage d'Héraclius Ier, puis avec son neveu, Constant II (sept. 641); une émeute le chassa du trône (nov. 641). — CONSTANT II (630-668), fils de Constantin II, basileus de 641 à 668, réussit à reprendre pied dans les Balkans et tenta de juguler l'expansion arabe en Méditerranée. — CONSTANTIN IV (654-685), fils du précédent, basileus de 668 à 685, lutta victorieusement contre le premier grand assaut des Arabes contre Constantinople (674-678) et restaura la paix religieuse en mettant fin au monothélisme. — JUSTINIEN II (669-711), fils du précédent, basileus en 685, s'aliéna la classe dirigeante et fut détrôné par le stratège d'Hellade, Leontios (695); restauré en 705, il régna par la terreur et fut renversé en 711; avec lui s'éteignit la dynastie d'Héraclius.

HÉRACLITE, philosophe grec (Éphèse v. 540 av. J.-C.-† v. 480). Son style, tout en formules concises, l'a fait surnommer « l'Obscur ». Sa philosophie, qui le rattache aux Ioniens*, fait du feu l'élément fondamental de l'Univers et son principe unificateur. Le feu, c'est aussi le Logos (raison) et l'Un. Or, « l'un, qui est seul et sage, veut et ne veut pas être appelé du nom de Zeus ». Zeus contient ainsi son contraire, car tout repose sur le conflit, « père et roi de toutes choses ». Seuls, le Logos et la justice accordent aux êtres une certaine émancipation; mais le danger réside en ce qu'ils peuvent oublier le feu, principe unificateur dont ils sont issus. L'essentiel est donc dans l'écoulement universel de toutes choses, qui vient de ce que chaque être se convertit en son contraire. La philosophie d'Héraclite a joué un rôle fondamental dans la pensée occidentale.

HÉRACLIUS Ier, II → HÉRACLIDES.

HÊRAKLION ou **IRÁKLION,** anc. **Candie,** port sur la côte nord de la Crète; 78 000 hab. Le port de Candie fut fondé au IXe s. par les Arabes sur un site occupé depuis le IIe millénaire. Il fut acquis par les Vénitiens en 1204, et occupé par les Ottomans de 1669 à 1897. Hêraklion possède un remarquable musée renfermant la quasi-totalité des pièces archéologiques découvertes dans l'île, du néolithique à la période gréco-romaine en passant par la civilisation minoenne*.

HÉRALDIQUE. — Science auxiliaire de l'histoire, dont le nom dérive du mot *héraut* (le héraut annonçait l'entrée des chevaliers dans la lice en les reconnaissant par leurs blasons) et qui a pour objet l'étude des armoiries; l'héraldique naît au XIIe s., lorsque les armoiries commencent à être utilisées pour distinguer les combattants. Utile pour l'historien et pour l'archéologue, dans la mesure où elle permet de dater ou de connaître l'appartenance de tout objet ou de tout monument orné d'un blason, voire de distinguer deux familles homonymes, l'héraldique forme en elle-même un art par l'extrême richesse de son écriture et de sa symbolique.

HÉRAT → HARĀT.

HÉRAULT, fl. du Languedoc, né dans les Cévennes, qui rejoint la Méditerranée, en aval d'Agde; 160 km.

HÉRAULT (34), département de la Région Languedoc-Roussillon; 6 113 km²; 648 202 hab. *(Héraultais).* Ch.-l. *Montpellier.* S.-préf. *Béziers* et *Lodève.*

Le relief s'étage en gradins de la bordure sud-est du Massif central (monts du Minervois et de l'Espinouse, Escandorgue et partie méridionale des Cévennes) au littoral méditerranéen (bas et bordé d'un cordon sableux isolant des lagunes peu profondes : étangs de Thau, de Mauguio, etc.) en passant par les arides plateaux calcaires de la Garrigue et la basse plaine du Languedoc. Le climat est méditerranéen, avec une sécheresse estivale marquée, des hivers relativement doux, hors de la bande montagneuse de l'ouest et du nord.

À une longue période (première moitié du siècle) de stagnation démographique a succédé depuis une vingtaine d'années une rapide croissance de la population. Aujourd'hui, la densité d'occupation est supérieure à la moyenne nationale. Cette progression est liée à l'excédent naturel, à l'immigration aussi (notamment à l'afflux des réfugiés d'Algérie au début des années 60), profitant essentiellement aux villes — Sète, Béziers et surtout Montpellier —, mais elle ne traduit pas un essor parallèle de l'économie. L'agriculture occupe encore le sixième de la population active. Malgré le développement des cultures fruitières et maraîchères, lié à l'extension de l'irrigation, la viticulture domine largement et l'écoulement d'une production de qualité souvent moyenne est difficile. L'industrie est encore peu importante (elle emploie moins du tiers des actifs) et liée à la production agricole, en dehors de l'extraction de la bauxite, du raffinage du pétrole (Frontignan) et d'usines plus diversifiées (électronique) implantées à Montpellier. En contrepartie, évidemment, le secteur tertiaire occupe une place prépondérante, due à l'importance de l'urbanisation et, plus partiellement et ponctuellement, à l'essor du tourisme estival et balnéaire sur le littoral (La Grande-Motte, notamment).

HERBAULT (41190), ch.-l. de cant. de Loir-et-Cher, à 16 km à l'O. de Blois; 976 hab. Château du XVIIIe s.

HERBE. — Pour les botanistes, toute plante ne formant pas de parties ligneuses est une « herbe » ou « plante herbacée ». On trouve des herbes dans la plupart des groupes botaniques, souvent classées au voisinage de grands arbres (l'ortie, par exemple, est voisine de l'orme). La plupart des herbes sont *annuelles* (la graine survit seule en hiver), mais il en est de *pérennes* (une seule fructification, mais au bout de plusieurs années de vie) et de *vivaces* (une fructification annuelle pendant plusieurs années). Les plantes ligneuses, elles, ne sont jamais annuelles.

HERBERT (George), poète anglais (château de Montgomery 1593-Bemerton, près de Salisbury, 1633), auteur de poésies religieuses (*le Temple,* 1634).

HERBICIDE → PESTICIDE.

HERBIER. — Du fait de leur petite taille et de leur forte teneur en eau, les herbes peuvent facilement être séchées, aplaties et conservées indéfiniment à l'abri entre des feuilles de papier absorbant. Les collections ainsi constituées sont des herbiers. Le plus célèbre est celui de Kew, près de Londres, qui contient de nombreux *types.* (Les types sont les échantillons qui ont servi à la description initiale d'une espèce.)

On nomme aussi « herbiers » les prairies sous-marines côtières formées d'hélobiales* *(Zostera).*

HERBIERS (Les) [85500], ch.-l. de cant. de Vendée, à 25,5 km au S.-O. de Cholet; 10 977 hab. *(Herbretais).* Église des XIIe-XVe s.

HERBIGNAC (44410), ch.-l. de cant. de la Loire-Atlantique, à 8 km au S. de La Roche-Bernard; 3 258 hab.

HERBIN (Auguste), peintre français (Quiévy, Nord, 1882-Paris 1960). Complètement abstrait à partir de 1926, il a élaboré une sorte de pictographie de formes géométriques rigoureuses, peintes de couleurs contrastées en aplats. Il a écrit *l'Art non-figuratif non-objectif* (1949).

HERBLAY (95220), ch.-l. de cant. du Val-d'Oise, sur la Seine, à 10 km au S.-E. de Pontoise; 16 426 hab. Église des XIe-XVIe s.

HERCULANO (Alexandre), écrivain portugais (Lisbonne 1810-Vale de Lobos 1877), auteur d'une *Histoire du Portugal* (1846-1853) et de poèmes romantiques.

HERCULANUM, v. de la Campanie antique, à l'E. de Naples, ensevelie en 79, lors de l'éruption du Vésuve, par une coulée de lave fangeuse, qui rend la fouille difficile, mais qui a permis, en se solidifiant, une bonne conservation, notamment des parties hautes. Connue dès le XVIIIe s., la cité a été fouillée scientifiquement à partir de 1927. Elle présente tous les caractères d'une ville romaine florissante : nombreux monuments publics, grandes maisons patriciennes du quartier sud, riches en œuvres d'art, boutiques de commerçants, ateliers.

HERCULE, demi-dieu romain. C'est l'Héraclès* grec, introduit à Rome par l'intermédiaire des Étrusques* et des colonies grecques de l'Italie méridionale. Il possède un caractère tutélaire propre : divinité protectrice du sol, garant de l'honnêteté des transactions commerciales (on jure par Hercule) et symbole de la puissance militaire; à ce titre, il sera intégré à l'idéologie impériale.

HERCULE, constellation* de l'hémisphère boréal, contenant un amas* globulaire M 13, visible à l'œil nu comme une étoile de magnitude 5.

HERCYNIEN. — Le plissement hercynien a eu lieu à l'ère primaire, au carbonifère, il y a environ 200 millions d'années. Il est responsable de la formation de chaînes de montagnes en Amérique (Appalaches), en Europe (Massif armoricain, Massif central, Vosges, Ardennes, massifs de l'Allemagne moyenne) et en Asie centrale. Les chaînes hercyniennes ont été rabotées par l'érosion et forment des massifs anciens, peu élevés, aux formes lourdes. Impliquées dans des mouvements tectoniques plus récents, elles constituent l'ossature de certaines chaînes tertiaires (les Alpes, par exemple).

HERDER (Johann Gottfried), écrivain allemand (Mohrungen,

Prusse-Orientale, 1744-Weimar 1803). Disciple de Kant, il contribue à la formation du *Sturm* und Drang* et exerce ainsi une influence considérable sur la littérature allemande et, plus particulièrement, sur le jeune Goethe. Ses *Idées sur la philosophie de l'histoire de l'humanité* (1784-1791) et ses *Lettres sur les progrès de l'humanité* (1793-1797) proposent une théorie de l'évolution des organisations humaines.

HÉRÉ (Emmanuel) → NANCY.

HEREDIA (José Maria DE), poète français (La Fortuna, Cuba, 1842-près de Houdan, 1905). Il a donné avec *les Trophées* (1893) l'œuvre caractéristique de l'esthétique parnassienne.

HÉRÉDITÉ → CARACTÈRE et GÉNÉTIQUE.

HEREFORD (race) → BOVINS.

HERENT, comm. de Belgique (Brabant), au N.-O. de Louvain; 14381 hab. (en 1977).

HERENTALS, comm. de Belgique (prov. d'Anvers), sur le canal Albert; 23334 hab. (en 1977).

HERFORD, v. de l'Allemagne fédérale (Rhénanie-du-Nord-Westphalie); 65000 hab. Églises médiévales.

HÉRICOURT (70400), ch.-l. de cant. de la Haute-Saône, à 9 km au N. de Montbéliard; 8606 hab.

HÉRIMONCOURT (25310), ch.-l. de cant. du Doubs, à 13 km au S.-E. de Montbéliard; 3180 hab.

HÉRIN (59195), comm. du Nord, dans la banlieue ouest de Valenciennes; 3706 hab.

HÉRI ROUD → HARĪ RŪD.

HERISAU, v. de Suisse, ch.-l. du demi-canton des Rhodes-Extérieures; 14597 hab.

HÉRISSON. — Le plus grand et le plus commun des insectivores de nos régions est le hérisson, qui doit son nom aux poils dressés et piquants qui protègent son dos. C'est un infatigable chasseur d'insectes, d'escargots, de limaces, et même de vipères, et, à ce titre, il rend les plus grands services. En hiver, faute de nourriture, il se blottit sous les feuilles mortes et entre en hibernation*. Attaqué, il se roule en boule, présentant ses piquants de toutes parts. (Type de la famille des érinacéidés.)

HÉRISSON (03190), ch.-l. de cant. de l'Allier, sur l'Aumance, à 24 km au N.-E. de Montluçon; 979 hab. Vestiges féodaux.

HÉRITAGE → SUCCESSION et TESTAMENT.

Hermandad («Fraternité»), nom donné aux associations de paix créées à partir du XIIIe s. en Espagne, en vue d'assurer la sécurité des chemins de pèlerinage (Saint-Jacques-de-Compostelle) et des axes commerciaux contre le brigandage et les abus des seigneurs.

Hermann et Dorothée, poème en neuf chants (1797), de Goethe. La Révolution forme l'arrière-plan de cette idylle bourgeoise entre le fils unique d'un aubergiste et une jeune exilée fuyant devant l'invasion française.

HERMANS (Willem Frederik), écrivain néerlandais (Amsterdam 1921). Son œuvre romanesque et critique compose une vision satirique du monde moderne, marquée par l'esthétique surréaliste et l'expérience de la Seconde Guerre mondiale (*la Chambre noire de Damoclès,* 1958).

HERMANVILLE-SUR-MER (14880), comm. du Calvados, à 12,5 km au N. de Caen; 1312 hab. Station balnéaire sur la Manche.

HERMAPHRODISME. — Une espèce animale ou végétale est hermaphrodite lorsque chaque individu possède à la fois, ou presque à la fois, les deux sexes. Chez les plantes, l'hermaphrodisme est le cas général, mais l'on peut en distinguer quatre degrés :
— l'*autofécondation,* rare (épine-vinette, drave, fleurs cléistogames) : chaque fleur, à la fois mâle et femelle, se féconde elle-même;
— la *protérandrie* et la *protérogynie :* pour une fleur donnée, c'est l'élément mâle qui est mûr le premier (ou l'élément femelle), aucune fleur ne se féconde elle-même mais deux fleurs du même pied peuvent s'entreféconder aussi aisément que deux fleurs portées par des pieds distincts;
— la *polygamie :* le pied porte des fleurs bisexuées et des fleurs unisexuées, qui peuvent être fécondées par les précédentes;
— la *monoïcité,* ou *monoécie :* le pied ne porte que des fleurs unisexuées, mais les unes sont mâles et les autres femelles, éventuellement fécondables par les précédentes.

Chez les animaux, l'hermaphrodisme est relativement rare, il n'aboutit à l'autofécondation que dans les espèces aux individus solitaires, comme le ténia. Il y a plus souvent accouplement avec fécondation mutuelle (lombric, escargot, limace...).

Le changement normal de sexe au cours de la vie (intersexualité) n'est pas considéré comme un cas d'hermaphrodisme.

HERMAPHRODITE, personnage de la mythologie grecque, à la fois mâle et femelle, fils d'Hermès* et d'Aphrodite*. Cette conception d'un être bisexué a son origine dans la mythologie orientale, qui avait conçu une divinité complète en son espèce, réunissant en elle les deux sexes.

HERMAS, auteur chrétien (Rome, IIe s.). Son ouvrage, *le Pasteur,* qui a pour objet la réforme morale et la pénitence, a eu une grande autorité dans l'Église aux IIe et IIIe s., surtout en Orient.

HERMENAULT (L') [85570], ch.-l. de cant. de la Vendée, à 11,5 km au N.-O. de Fontenay-le-Comte; 864 hab.

HERMENT (63470), ch.-l. de cant. du Puy-de-Dôme, à 35 km au N.-O. de La Bourboule; 367 hab. Église romane.

HERMES (60370), comm. de l'Oise, à 17 km au S.-E. de Beauvais; 1802 hab. Brosserie.

HERMÈS, dieu grec, guide des voyageurs, patron des marchands et aussi des voleurs; conducteur des âmes vers les Enfers (on lui donne alors le titre de *Psychopompe*), il protège des revenants.

HERMÈS → ASTÉROÏDE.

HERMÈS TRISMÉGISTE, nom donné par les Grecs de la période gréco-romaine au dieu égyptien Thot*, assimilé à Hermès*. On a attribué à son inspiration toute une littérature, dite «hermétique», écrits composites qui forment un ensemble de doctrines occultes se présentant comme une sagesse révélée; cette dernière a été interprétée par les auteurs chrétiens des premiers siècles comme une préfiguration de la doctrine de salut annoncée par Jésus-Christ.

HERMINE. — Seule la fourrure d'hiver, blanche, de ce petit mustélidé féroce a pris une valeur symbolique qui l'a fait réserver aux rois et aux magistrats. La fourrure d'été est bistre et terne. L'hermine ne diffère alors que très peu de la belette*, mais elle s'accommode de climats plus froids (régions nordiques, montagnes).

HERMIONE, fille de Ménélas* et d'Hélène*, épouse de Pyrrhos, fils d'Achille, puis d'Oreste. Dans la littérature grecque, elle n'a jamais été cette amoureuse farouche qui apparaît dans l'*Andromaque* de Racine.

HERMITAGE (l') → ERMITAGE (l').

HERMITE (Charles), mathématicien français (Dieuze 1822-Paris 1901). Ses recherches, très abstraites, sont relatives à la théorie des nombres, à la division des fonctions abéliennes et à la transformation des fonctions elliptiques. En 1873, ses études sur les fractions continues algébriques le conduisirent à établir la transcendance du nombre *e,* base des logarithmes népériens.

HERMLIN (Stephan), écrivain allemand (Chemnitz 1915). Interné en 1933, puis exilé pour son activité antifasciste, il revint s'établir en Allemagne de l'Est en 1947, où il ne cesse d'affirmer les droits et les devoirs de l'écrivain face à toute forme de pouvoir (*les Rues de la peur,* 1946).

HERMON, massif montagneux, aux confins d'Israël, du Liban et de la Syrie; 2814 m. Enjeu de violents combats lors de la guerre israélo-arabe* de 1973.

HERMOSILLO, v. du nord-ouest du Mexique, capit. de l'État de Sonora; 177000 hab.

HERMOUPOLIS ou **ERMOÚPOLIS,** port de Grèce, dans l'île de Syra, ch.-l. des Cyclades; 14000 hab.

HERNÁNDEZ ou **FERNÁNDEZ** (Gregorio), sculpteur espagnol (en Galice v. 1576-Valladolid 1636). Il s'imposa à Valladolid comme l'un des maîtres de la sculpture religieuse polychrome, dépassant les influences flamandes et italiennes dans un langage typiquement castillan, à la fois naturaliste et théâtral (thème du Christ mort; retables; effigies de processions, ou *pasos*).

HERNÁNDEZ (José), poète argentin (San Martín 1834-Buenos Aires 1886), auteur de l'épopée de la pampa et de la vie des gauchos *Martín Fierro* (1872-1879).

Hernani, drame de Victor Hugo. La première représentation, au Théâtre-Français (25 févr. 1830), fut signalée par une véritable bataille, au parterre, entre classiques et romantiques.

HERNE, v. de l'Allemagne fédérale (Rhénanie-du-Nord-Westphalie), dans la Ruhr; 105000 hab. Métallurgie.

HERNIE. — Les *hernies abdominales* sont très fréquentes. La hernie crurale, souvent latente chez la femme obèse, doit être opérée car elle se complique souvent d'étranglement entraînant une occlusion intestinale. La hernie inguinale, plus fréquente chez l'homme, se traduit, à l'examen, par une tuméfaction impulsive à la toux, indolore et réductible. Elle peut augmenter de volume ou s'étrangler, ce qui justifie l'intervention chirurgicale. Des hernies peuvent se faire à travers d'autres points faibles de la paroi abdominale (hernies ombilicale, épigastrique, obturatrice et lombaire). [Pour les *hernies diaphragmatiques,* v. DIAPHRAGME.]

La *hernie discale* est souvent provoquée par un effort en porte à faux imposé à la colonne vertébrale; elle se traduit par la saillie que fait un disque intervertébral dans le canal rachidien, à la suite de l'expulsion en arrière de son noyau gélatineux. Cette hernie se produit surtout entre la quatrième et la cinquième vertèbre lombaire, entraînant des sciatiques sévères et des lumbagos. Le traitement chirurgical est nécessaire dans les formes graves.

HERNING, v. du Danemark, dans le centre du Jylland; 55 000 hab.

HÉRODE (les), dynastie d'origine iduméenne qui a régné sur la Palestine au Ier s. av. et au Ier s. apr. J.-C.

Le fondateur est HÉRODE **le Grand** (Ascalon 73 av. J.-C. - Jérusalem 4 av. J.-C.), roi de Judée (40-4 av. J.-C.). Il impose son pouvoir, qu'il tient des Romains, avec une brutale énergie, mais fait montre de grandes qualités de diplomate et d'administrateur; constructeur fastueux, il donne au Temple de Jérusalem une splendeur qui surpasse celle des constructions de Salomon. À sa mort, son royaume sera partagé par Rome entre trois de ses fils, qui n'auront pas le titre de roi.

HÉRODE ARCHÉLAOS, ethnarque de Judée et de Samarie (de 4 av. J.-C. à 6 apr. J.-C.), devait être déposé par Rome pour sa mauvaise administration.

HÉRODE ANTIPAS (v. 20 av. J.-C.-† apr. 39 apr. J.-C.), tétrarque de Galilée (4 av. J.-C.-39 apr. J.-C.); il a construit Tibériade et apparaît dans les évangiles au procès de Jésus.

HÉRODE PHILIPPE († Julias 34 apr. J.-C.), tétrarque des régions transjordaniennes du Nord-Est (4 av. J.-C.-34 apr. J.-C.).

La royauté sera rétablie par l'empereur Claude* au profit d'HÉRODE AGRIPPA Ier (10 av. J.-C.-44 apr. J.-C.), petit-fils d'Hérode le Grand, roi des Juifs de 41 à 44. Son fils, HÉRODE AGRIPPA II (27-† Rome v. 100), lui succédera (50-93 ou 100); il est le frère de la princesse Bérénice*. À sa mort, son royaume sera intégré à la province de Syrie.

HÉRODOTE, historien grec (Halicarnasse v. 484-Thourioi v. 420 av. J.-C.). Ses *Histoires* demeurent la source principale pour l'histoire des guerres médiques* et des peuples qui s'y sont trouvés mêlés; le style simple du livre et la mesure des considérations historiques ou politiques donnent au récit, où s'enchaînent légendes et faits d'histoire, le charme d'un conte écrit par un sage.

HÉROÏ-COMIQUE. — Le poème héroï-comique est proprement un poème épique mêlé d'épisodes comiques (*Roland furieux,* de l'Arioste). Mais le mot désigne aussi des parodies développant, sur le ton de l'épopée, un thème trivial ou ridicule (*le Lutrin,* de Boileau), alors que le *burlesque** traite en style bas un sujet noble.

HÉROÏNE → OPIACÉS.

HÉROLD (Louis Joseph Ferdinand), compositeur et pianiste français (Paris 1791-*id.* 1833), chef de chœur à l'Opéra. Certaines de ses partitions lyriques ont connu un très large succès : *Zampa* (1831), *le Pré-aux-Clercs* (1832).

HÉRON. — Les nids les plus vastes et les plus haut perchés que l'on puisse rencontrer dans les arbres sont les *héronnières.* De là s'envolent les hérons, pour capturer, d'une brusque détente de leur long cou ordinairement reployé, les proies aquatiques les plus diverses. Les colonies du nord de l'Europe pratiquent d'importantes migrations à l'entrée de l'hiver.

Le héron cendré et le héron pourpré, communs en France, souffrent, comme tous les ardéidés, d'une étrange limitation des mouvements du cou, qui ne peuvent se faire que dans le plan de symétrie du corps.

HÉRON l'Ancien ou **d'Alexandrie,** mathématicien et ingénieur grec du Ier s. apr. J.-C., né à Alexandrie. On lui attribue l'invention de plusieurs machines, dont la *fontaine de Héron* et l'*éolipile.* Outre de nombreux traités consacrés à la mécanique, tels que les *Pneumatiques* et *Des automates,* Héron a laissé *la Dioptre,* contenant la description de ce premier instrument universel de mesure et celle de l'*odomètre.* Dans sa *Catoptrique,* il étudia les phénomènes de réflexion de la lumière, établissant l'égalité de l'angle de réflexion et de l'angle d'incidence, et posa le principe suivant lequel la lumière suit le chemin le plus court.

Héros de l'Union soviétique, distinctions civile et militaire créées en 1934. (Ces deux distinctions comportent l'attribution de l'ordre de Lénine.)

héros de notre temps *(Un),* recueil de cinq nouvelles de Lermontov (1840) : une autobiographie par héros byronien interposé, l'un des grands classiques de la prose russe.

Héros du travail socialiste, distinction civile soviétique créée en 1938.

HÉROULT (Paul), métallurgiste français (Thury-Harcourt 1863-baie d'Antibes 1914). Il réussit, en 1886, à obtenir l'aluminium métallique par un procédé électrolytique; en 1900, il inventa le four électrique en acier qui permit la préparation industrielle de ce métal.

Keystone

Édouard Herriot (v. 1948).

HÉROUVILLE-SAINT-CLAIR (14200), comm. du Calvados, dans la banlieue nord-est de Caen; 24 075 hab. Industrie chimique.

HERPÈS. — Cette affection virale est très répandue. La primo-infection herpétique est le plus souvent latente; elle se manifeste parfois par une stomatite aiguë chez l'enfant de un à trois ans. Des formes graves (encéphaliques, septicémiques) sont possibles chez les nouveau-nés, les prématurés et, plus tard, chez des sujets immunodéprimés. Les manifestations de récurrence, très fréquentes, sont souvent déclenchées par divers facteurs : infection générale, exposition solaire, règles.

L'herpès se manifeste par bouquet de vésicules prurigineuses, qui évoluent, en dix jours, vers la guérison. Le plus souvent, l'herpès est péri-orificiel (bouche, narines, muqueuses génitales), mais n'importe quelle zone peut être touchée : citons la cornée, où la survenue d'une kératite est possible.

HERRERA (Juan DE), architecte espagnol (Mobellán, Santander, 1530-Madrid 1597). Il poursuivit (à partir de 1567) et termina l'Escorial*, travailla à l'alcázar de Tolède et à la cathédrale de Valladolid. Le dépouillement de son style s'imposa à l'architecture espagnole jusque vers le milieu du XVIIe s.

HERRERA (Fernando DE), poète espagnol (Séville 1534-*id.* 1597). Il réagit contre l'influence italienne et le lyrisme de convention, exprimant la sincérité de sa passion amoureuse et la vigueur de son sentiment patriotique (*Chanson pour la victoire de Lépante,* 1571).

HERRERA (Francisco), dit **le Vieux,** peintre espagnol (Séville v. 1585-Madrid apr. 1657). Personnage truculent, difficile à vivre selon la légende, il ne s'affirme que vers 1625-1630 comme un maître à la technique d'une audacieuse liberté, au coloris chaud et profond, dont le style turbulent s'oppose à la majesté paisible d'un Zurbarán (quatre tableaux pour le couvent sévillan de Saint-Bonaventure, v. 1628, Louvre, Prado et université de Greenville). Son second fils, FRANCISCO **Herrera,** dit **le Jeune** (Séville 1622-Madrid 1685), fut également peintre. Il acheva sa formation en Italie, donna pour la cathédrale de Séville puis pour les églises madrilènes des tableaux d'un étonnant dynamisme baroque (*Triomphe de saint Herménégilde,* Prado) et fut nommé architecte et peintre du roi.

HERRICK (Robert), poète anglais (Cheapside, Londres, 1591-Dean Prior, Devon, 1674), auteur de poésies religieuses et rustiques (*les Hespérides,* 1648).

HERRIOT (Édouard), homme politique français (Troyes 1872-Saint-Genis-Laval 1957). Universitaire brillant, écrivain et historien humaniste (*Madame Récamier et ses amis,* 1904; *Lyon n'est plus,* 1939-40, etc.), il adhère jeune au parti radical. Élu, dès 1905, maire de Lyon, il gardera cette charge durant cinquante ans, marquant profondément le visage de cette grande ville. Sénateur (1912) puis député (1919) du Rhône, président du parti radical (1919-1957), il apparaît sur le devant de la scène politique en 1924, lors de la constitution du Cartel* des gauches, créé par lui pour lutter contre la politique de Poincaré*. Le Cartel ayant triomphé aux élections de 1924, Herriot devient président du Conseil avec le portefeuille des Affaires étrangères (1924-25) : il fait alors évacuer la Ruhr (1924) et reconnaît l'U. R. S. S. (1925). N'ayant pu, face au « mur d'argent », appliquer ses réformes financières, il se retire tôt. Par la suite il assume divers portefeuilles. Il est président de la Chambre de 1936 à 1940 puis de l'Assemblée nationale de 1947 à 1955.

HERRLISHEIM (67850), comm. du Bas-Rhin, à 22 km au N.-E. de Strasbourg; 3 780 hab. Raffinage du pétrole.

HERS, rivières du bassin d'Aquitaine. L'*Hers-Vif,* ou *Grand-Hers,* ou *Hers,* long de 120 km, est un affluent de droite de l'Ariège. L'*Hers-Mort,* ou *Petit-Hers,* long de 90 km, est un affluent de droite de la Garonne.

HERSAGE → LABOUR.

HERSCHEL, famille d'astronomes anglais d'origine allemande. — *Sir* WILLIAM (Hanovre 1738-Slough, Buckinghamshire, 1822) se passionna très tôt pour l'astronomie. Habile constructeur de toutes sortes d'instruments, il entreprit, en qualité d'amateur, la fabrication d'un puissant télescope* et devint maître en cet art. Le 13 mars 1781, il découvrit dans la constellation* des Gémeaux* un objet nouveau qu'il crut être une comète*. Il s'agissait en fait d'une planète* jusqu'alors inconnue : Uranus*. En 1787, il découvrit deux satellites de cette nouvelle planète, Titania et Obéron, et, en 1788, deux satellites de la planète Saturne* : Encelade et Mimas. Outre l'observation de plus de 250 nébuleuses, Herschel confirma la fuite du système solaire vers un point, l'*apex,* situé dans la constellation d'Hercule*. Véritable fondateur de l'astronomie stellaire, il étudia systématiquement les étoiles* doubles, et, le premier, comprit que cette duplicité était due à un lien physique entre les étoiles et non à un effet de perspective. Il montra que le mouvement du couple s'effectue autour du centre de gravité commun, selon les lois de Kepler*. Il fonda également la photométrie visuelle des étoiles et, le premier, tenta de dénombrer les étoiles de la Galaxie*. Enfin, vers 1800, il découvrit les effets thermiques du rayonnement* infrarouge*. — Sa sœur, CAROLINE (Hanovre 1750-*id.* 1848), fut sa collaboratrice dévouée et l'aida notamment à constituer son catalogue d'étoiles. — *Sir* JOHN (Slough, Buckinghamshire, 1792-Collingwood, près de Hawkhursd, Kent, 1871), fils de sir William, continua les travaux de son père et se consacra surtout à l'étude des étoiles doubles et des étoiles variables.

HERSERANGE (54440), ch.-l. de cant. de Meurthe-et-Moselle, dans la banlieue nord-est de Longwy; 6 626 hab. Centrale thermique.

HERSIN-COUPIGNY (62530), comm. du Pas-de-Calais, à 13,5 km au S. de Béthune; 7 507 hab.

HERSKOVITS (Melville Jean), anthropologue américain (Bellefontaine, Ohio, 1895-Evanston, Illinois, 1963). Ses études ont porté sur les phénomènes d'acculturation (*Man and his Works : the Science of Cultural Anthropology,* 1949). Il fut un des fondateurs de l'anthropologie économique (*The Economic Life of Primitive People,* 1940).

HERSTAL, anc. **Héristal,** comm. de Belgique, dans la banlieue nord-est de Liège, sur la Meuse; 40 313 hab. Armurerie. Sidérurgie (à l'écart de *Chertal*). — Domaine des Pépinides, qui donna son nom au bisaïeul de Charlemagne (Pépin de Herstal), Herstal fut l'une des résidences favorites de Charlemagne et de ses successeurs.

HERTEL (Rodophe DUBÉ, dit **François**), écrivain canadien d'expression française (Rivière-Ouelle 1905), auteur de poèmes, de romans (*Anatole Laplante, curieux homme,* 1944) et d'essais critiques qui analysent l'aventure spirituelle de sa génération.

HERTEN, v. de l'Allemagne fédérale, dans le nord de la Ruhr; 53 000 hab. Houille.

HERTFORDSHIRE, comté d'Angleterre, au N. de Londres.

HERTWIG (Oskar), biologiste allemand (Friedberg 1849-Berlin 1922). Il a décrit l'association des chromosomes mâles et des chromosomes femelles lors de la fécondation, clé de la génétique, et étudié la division cellulaire.

HERTZ (Heinrich), physicien allemand (Hambourg 1857-Bonn 1894). En 1887, il découvrit les ondes électromagnétiques, dont il montra qu'elles possédaient toutes les propriétés de la lumière. La même année, il mit en évidence l'effet photoélectrique. En 1892, il observa que les rayons cathodiques peuvent traverser de minces feuilles métalliques.

HERTZ (Gustav), physicien allemand (Hambourg 1887-Berlin 1975), neveu du précédent. En 1925, il reçut, ainsi que James Franck*, le prix Nobel de physique pour leur théorie de l'émission de la lumière; c'est à eux qu'est dû le concept de niveau d'énergie des électrons dans l'atome, selon la théorie des quanta.

HERTZSPRUNG (Ejnar), astronome danois (Fredericksberg 1873-Roskilde 1967). Très connu pour ses travaux sur l'évolution des étoiles*, il a contribué à l'élaboration d'un diagramme — le diagramme de Hertzsprung-Russel — qui permet de déterminer le stade d'évolution d'une étoile par la connaissance de son spectre*. En 1919, il établit la relation qui existe entre la masse et la luminosité des étoiles.

HERVÉ (Florimond RONGER, dit), compositeur français (Houdain, Pas-de-Calais, 1825-Paris 1892). Organiste, chef d'orchestre, il a laissé son nom à des opérettes pleines de verve et de truculence (*le Petit Faust,* 1869; *Mam'zelle Nitouche,* 1883).

HERZBERG (Gerhard), physico-chimiste canadien d'origine allemande (Hambourg 1904). Il a déterminé la structure électronique et la géométrie de plusieurs molécules et radicaux libres, et les a identifiés dans les atmosphères de planètes ou de comètes. (Prix Nobel de chimie, 1971.)

HERZÉGOVINE, région de Yougoslavie (v. BOSNIE-HERZÉGOVINE). Détachée de la Bosnie par le voïévode Étienne Vukčić, et reconnue autonome par le Sultan (1448), l'Herzégovine fut reprise par les Turcs en 1465 et rattachée au pachalik de Bosnie en 1482.

HERZEN (Aleksandr Ivanovitch), écrivain et révolutionnaire russe (Moscou 1812-Paris 1870). Il publia en exil la revue politique et littéraire *la Cloche* et posa le problème du servage dans son roman *À qui la faute?* (1845-46).

HERZL (Theodor), écrivain juif hongrois (Budapest 1860-Edlach, Autriche, 1904), promoteur du sionisme* politique. Les persécutions dont les Juifs sont encore l'objet au XIXe s. et les excès antisémites de l'Affaire Dreyfus* lui font envisager la reconstitution d'un État juif indépendant, dont l'existence serait garantie par l'accord des grandes puissances mondiales. Herzl expose ses conceptions dans *l'État juif* (1896), dans *Altneuland* (1902) et dans le journal *Die Welt,* qu'il fonde en 1897. Réunissant à Bâle le premier congrès sioniste (1897), d'où est issue l'Organisation sioniste mondiale, il crée la Banque nationale juive et le Fonds national juif pour l'achat de terres en Palestine. Son œuvre trouvera son aboutissement en 1948, avec la création de l'État d'Israël*.

HESBAYE (la), région limoneuse de la Belgique, aux confins des provinces du Brabant, du Limbourg et de Liège. Importantes cultures (blé, betterave à sucre) et vergers.

HESDIN (62140), ch.-l. de cant. du Pas-de-Calais, sur la Canche, à 35 km au N.-E. d'Abbeville; 3 335 hab. Église gothique et Renaissance du XVIe s. Hôtel de ville des XVIe et XVIIe s.

HÉSIODE, poète grec, né à Ascra (Béotie) vers le milieu du VIIIe s. av. J.-C. L'Antiquité lui attribuait un grand nombre d'œuvres, mais seules sont authentiques la *Théogonie** et *les Travaux* et les Jours.* Ces poèmes, où les réflexions morales prennent la forme de mythes, reflètent la réalité sociale de la campagne grecque et proposent aux paysans un enseignement pratique. Hésiode était tenu par les Grecs pour l'égal d'Homère et le père de la poésie didactique*.

HESPÉRIDES, nymphes de la mythologie grecque, dont la fonction était de veiller sur le jardin des dieux, dont les arbres produisaient des pommes d'or qui donnaient l'immortalité. Les Anciens situaient le jardin des Hespérides au pied de l'Atlas.

HESPÉRIDES, dans l'Antiquité, îles du couchant, marquant les limites occidentales du monde, identifiées tantôt aux îles du Cap-Vert, tantôt aux Canaries.

HESS (Walter Rudolf), physiologiste suisse (Frauenfeld 1881-Zurich 1973), prix Nobel de médecine en 1949 pour ses recherches sur les traitements des affections du système nerveux et sur la neurochirurgie.

HESS (Victor Franz), physicien autrichien naturalisé américain (Waldstein, Styrie, 1883-Mount Vernon 1964). Il est à l'origine de la découverte des rayons cosmiques, qu'il observa dès 1912 lors d'ascensions en ballon; il reconnut que l'intensité de ces rayons augmente avec l'altitude. (Prix Nobel de physique, 1936.)

HESS (Rudolf), homme politique allemand (Alexandrie, Égypte, 1894). Membre du parti national-socialiste à partir de 1920, il devient l'un des principaux collaborateurs de Hitler*, puis, en 1941, il s'enfuit en Écosse. Jugé comme criminel de guerre, il est condamné à la prison à vie par le tribunal de Nuremberg (1946).

HESSE, en allem. **Hessen,** État de l'Allemagne fédérale; 21 112 km^2; 5 533 000 hab. Capit. *Wiesbaden.*

GÉOGRAPHIE. Résultant de la fusion, en 1945, de l'ancien Land de *Hesse* et de la province prussienne de *Hesse-Nassau,* l'État appartient à l'Allemagne moyenne hercynienne, juxtaposant vallées (Rhin, Main et Lahn notamment) et petits massifs (Taunus, Vogelsberg, parties du Westerwald et du Spessart). L'agriculture (céréales et élevage bovin) occupe moins du dixième de la population active; cette dernière est employée surtout dans l'industrie de transformation (constructions mécaniques et électriques, chimie), représentée principalement dans les grandes villes (Francfort-sur-le-Main, Wiesbaden, Kassel, Darmstadt et Offenbach dépassant toutes, parfois largement, 100 000 habitants), qui sont implantées essentiellement dans la partie méridionale et se rattachent à l'axe rhénan.

HISTOIRE. Longtemps unie à la Thuringe*, la Hesse devient un landgraviat au XIVe s. Son histoire postérieure est faite de partages et de réunifications successifs. La plus importante des réunifications, sous Philippe le Magnanime (de 1504 à 1567), fut suivie d'un partage en deux États : Hesse-Cassel au nord (en majorité zwinglienne) et Hesse-Darmstadt au sud (plutôt luthérienne). Aux XVIIe et XVIIIe s., ces deux États connurent une civilisation très brillante. Napoléon Ier, en faisant du landgrave de Hesse-Cassel un Électeur, renforça le prestige de cet État. Mais s'étant ralliées à l'Autriche contre la Prusse en 1867, les deux Hesses furent battues : la Hesse-Cassel devint prussienne; la Hesse-Darmstadt garda sa souveraineté. Unifié en 1945, l'État de Hesse — amputé au profit de la Rhénanie-Palatinat — devint un bastion de la social-démocratie allemande.

HESSE (Hermann), écrivain suisse d'origine allemande (Calw, Wurtemberg, 1877 - Montagnola, Tessin, 1962). Il exprima d'abord dans ses romans sa révolte contre l'emprise familiale et religieuse sur sa jeunesse (*Peter Camenzind,* 1904), puis il entreprit de bâtir une philosophie de l'humanité à partir de son expérience personnelle (*Gertrud,* 1910; *Demian,* 1919) et à la lumière des systèmes de pensée orientaux (*Siddharta,* 1922; *le Loup* des steppes,* 1927; *le Jeu* des perles de verre,* 1943). [Prix Nobel, 1946.]

HÉSYCHASME. — De la tradition monastique orientale des couvents du Sinaï* et de l'Athos* est issue une école spirituelle dont le principal représentant est saint Grégoire Palamas* au XIVe s. C'est une méthode ascétique et mystique où prédominent l'invocation insistante du nom de Jésus et la contemplation de la gloire divine en une vie silencieuse et recueillie pacifiée par la prière.

HÉTÉROPTÈRES → HÉMIPTÈRES.

HÉTÉROZYGOTE → GÈNE.

HÊTRE. — Le hêtre, ou fayard, forme dans les forêts françaises d'importantes futaies, au sous-bois très pauvre par manque de lumière au sol, car le feuillage des hêtres est très fourni. Les feuilles, translucides, un peu gaufrées, aux nervures secondaires parallèles, finement bordées de poils, et les fruits *(faines),* en pyramides coriaces à trois faces, caractérisent ce grand arbre, qui atteint 35 m de hauteur et peut vivre quatre cents ans. (Nom scientifique : *Fagus sylvatica,* type de la famille des fagacées, voire de l'ordre des fagales, ou cupulifères.)

HETTANGE-GRANDE (57330), comm. de la Moselle, à 6 km au N. de Thionville; 6078 hab. Minerai de fer.

HEUCHIN (62134 Anvin), ch.-l. de cant. du Pas-de-Calais, à 14,5 km au N.-O. de Saint-Pol-sur-Ternoise; 584 hab.

HEULE, anc. comm. de Belgique (Flandre-Occidentale), intégrée, depuis 1977, à Courtrai.

HEUNEBURG, site archéologique en Allemagne du Sud, près de Sigmaringen, où a été mis au jour un oppidum surplombant le haut Danube et daté du hallstattien final. Plusieurs phases de constructions du rempart ont été décelées. L'une d'elles est remarquable par les similitudes de conception et de réalisation qu'elle présente avec certaines forteresses méditerranéennes et suppose une influence hellénique directe. Les inhumations trouvées à sa proximité, au mobilier funéraire riche et abondant, permettent le rapprochement avec celles du mont Lassois (Vix*) et attestent l'aire de dispersion assez vaste de cette civilisation de Hallstatt*.

HEUSDEN-ZOLDER, anc. comm. de Belgique (Limbourg), au N.-O. de Hasselt; 26078 hab. (en 1977).

HEUSS (Theodor), homme d'État allemand (Brackenheim, Wurtemberg, 1884 - Stuttgart 1963). Chef du parti libéral FDP (Freie Demokratische Partei), il a été président de la République fédérale allemande de 1949 à 1959.

HÈVE *(cap de la),* cap de la Seine-Maritime, à l'O. du Havre, fermant au N. l'embouchure de la Seine.

HÉVÉA. — Le principal producteur du caoutchouc* naturel est l'hévéa, arbre des climats équatoriaux, originaire du Brésil, mais cultivé dans toutes les régions chaudes et humides du globe. Le caoutchouc est extrait par incision du tronc. Le produit industriel est obtenu par coagulation ou centrifugation du liquide récolté. (Famille des euphorbiacées.)

HEVERLEE, anc. comm. de Belgique (Brabant), sur la Dyle, intégrée, depuis 1977, à Louvain. Château reconstruit en 1550.

HEVESY (Joseph Georg), chimiste suédois d'origine hongroise (Budapest 1885 - Fribourg-en-Brisgau 1966). Il a préconisé l'emploi des isotopes radioactifs, qu'il a lui-même utilisés pour des travaux de biologie, et découvert le hafnium en 1923. (Prix Nobel de chimie, 1943.)

HEXACORALLIAIRE → MADRÉPORES.

HEXADÉCIMAL. — Le système de numération à base 16, dit « hexadécimal », utilise seize signes, qui sont les chiffres du système : 0, 1, 2, 3, 4, 5, 6, 7, 8, 9, A, B, C, D, E, F. Ces seize valeurs correspondent dans le système décimal aux nombres 0, 1, 2, 3, 4, 5, 6, 7, 8, 9, 10, 11, 12, 13, 14, 15 et dans le système binaire à l'ensemble des valeurs que peut prendre un groupe de quatre chiffres binaires, soit : 0000, 0001, 0010, 0011, 0100, 0101, 0110, 0111, 1000, 1001, 1010, 1011, 1100, 1101, 1110, 1111. Le système hexadécimal constitue ainsi une représentation condensée de la notation binaire. Celle-ci est très utilisée dans les ordinateurs*, où l'information est souvent organisée en groupes de huit bits (octets*), qui se représentent commodément par deux chiffres hexadécimaux.

Hexaples, ouvrage d'Origène*.

HEYMANS (Cornelius), pharmacologue belge (Gand 1892 - Knokke 1968), prix Nobel de médecine et de physiologie en 1938 pour ses travaux sur les fonctions circulatoires et respiratoires.

HEYRIEUX (38540), ch.-l. de cant. de l'Isère, à 21 km au S.-E. de Lyon; 2473 hab.

HEYROVSKÝ (Jaroslav), chimiste tchèque (Prague 1890 - *id.* 1967), créateur, en 1922, de la polarographie, nouvelle méthode d'analyse électrochimique. (Prix Nobel de chimie, 1959.)

HEYSE (Paul VON), écrivain allemand (Berlin 1830 - Munich 1914), auteur de nouvelles (*l'Arrabbiata,* 1854) et de drames historiques. (Prix Nobel, 1910.)

HEYSHAM, localité de Grande-Bretagne (Lancashire), sur la mer d'Irlande. Centrale nucléaire. Raffinerie de pétrole.

HEYTING (Arend) → INTUITIONNISME.

HEYWOOD (Thomas), auteur dramatique anglais (dans le Lincolnshire, v. 1570 - Clerkenwell, Londres, 1641), un des représentants du théâtre élisabéthain (*Une femme tuée par la douceur,* 1603).

HIA KOUEI ou **XIA GUI,** peintre chinois (actif v. 1190-1225), l'un des membres de l'Académie des Song du Sud qui, avec Ma Yuan*, fonde l'école dite « Ma-Hia ». Il centre l'intérêt sur un fragment du paysage, et ses compositions, empreintes de poésie et de lyrisme, révèlent l'habileté et la hardiesse du pinceau, notamment dans les traits de texture et dans la richesse des dégradés du lavis. Son influence sera décisive sur certains artistes japonais.

HIA-MEN → AMOY.

HIBERNATION. — Dans toutes les régions froides et tempérées, la plupart des animaux et des plantes présentent à l'automne des transformations dans leur organisme ou dans leur comportement qui leur permettent de survivre au froid de l'hiver : des arbres perdent leurs feuilles, des oiseaux migrent, des mammifères changent de pelage, les vipères se groupent dans des trous, etc. Mais il n'y a là qu'un simple *hivernage,* non une *hibernation,* car ce terme désigne plus précisément l'abaissement permanent de la température centrale pendant l'hiver chez les animaux à température constante et élevée en été, c'est-à-dire chez les mammifères et les oiseaux (homéothermes).

On croyait, récemment encore, qu'aucun oiseau ne subissait l'hibernation, mais on sait maintenant que l'engoulevent connaît cette chute thermique.

Les mammifères hibernants, en revanche, sont nombreux : toutes les chauves-souris*, divers insectivores (hérisson), des rongeurs (marmotte, loir, lérot) dorment en hiver d'un sommeil ininterrompu et ne se nourrissent pas jusqu'à leur réveil printanier. Hibernants plus légers, le hamster et l'écureuil retrouvent de temps à autre leur température d'été et leur vivacité de mouvements, pour s'alimenter, puis retombent dans le sommeil. L'ours est le moins hibernant de tous.

Outre la chute de la température centrale jusque vers + 4 °C, l'hibernation implique un ralentissement extrême des rythmes respiratoire et cardiaque, un état de léthargie profonde, une lente utilisation des réserves organiques constituées à la belle saison.

Ne pouvant ni se défendre contre leurs prédateurs, ni même les voir approcher, les hibernants sont presque toujours blottis dans des grottes, des terriers, des cachettes, des arbres creux ou enfouis sous les feuilles mortes.

HIBERNATION ARTIFICIELLE. — L'hibernation artificielle, rendue possible par l'emploi des neuroleptiques, qui suppriment les réactions de défense contre le froid, permet de réduire la consommation de l'oxygène. On l'utilise dans le traitement de certains grands malades ou blessés et dans des interventions chirurgicales nécessitant un ralentissement des fonctions organiques.

HIBOU. — Tous les rapaces nocturnes se ressemblent beaucoup. Ce sont des animaux au port presque vertical lorsqu'ils sont perchés, au plumage épais, aux pattes munies de fortes serres, au bec supérieur en forme de crochet pointu; ils se distinguent surtout des rapaces diurnes par leur face aplatie et par leurs « disques faciaux » (plumes écartées autour des yeux), qui leur permettent une vision binoculaire sur un angle très ouvert. Cette vision exceptionnelle leur permet de chasser en pleine nuit leurs proies (rongeurs et serpents principalement), qui ne les entendent pas approcher, car leur vol est silencieux grâce à une conformation particulière du bord des ailes. Un détail minime, l'existence d'aigrettes sur les côtés de la tête, distingue les hiboux proprement dits des *chouettes,* qui en sont dépourvues. L'Europe héberge quatre hiboux (grand duc, moyen duc, petit duc et hibou des marais) et quatre chouettes : la chevêche, ou chouette de Minerve, la chevêchette, la hulotte, ou chat-huant, et l'effraie. L'Amérique du Nord connaît de petites chouettes terrestres, qui vivent en commensales dans les terriers des lapins et ne volent presque pas. Dans le Grand Nord vit le seul *strigidé* blanc, le harfang des neiges.

HICKS (*sir* John Richard), économiste britannique (Warwicks 1904). On lui doit notamment *Valeur et capital* (1939), qui, dans la lignée de Walras et Pareto, présente une théorie de l'équilibre de la production et de la consommation. (Prix Nobel d'économie, 1972.)

HIDALGO, État du Mexique central, au N.-E. de Mexico.

HIDALGO Y COSTILLA (Miguel), prêtre mexicain (Corralejos 1753 - Guanajuato 1811). Curé de Dolorès, il proclame en 1810 l'indépendance du Mexique. Vaincu par les troupes du vice-roi, il est fusillé.

HIDDEN PEAK, sommet de l'Himālaya, dans le Karakoram; 8 068 m.

HIDEYOSHI (Toyotomi), homme d'État japonais (Nakamura 1536 - Fushimi 1598). D'humble origine, il domina le Japon, comme Premier ministre, de 1582 à 1598. Il pacifia et unifia le pays, mais il échoua dans ses expéditions de conquête en Corée* (1592-1597).

HIDROSADÉNITE. — Infection staphylococcique des follicules pileux de l'aisselle, l'hidrosadénite évolue, en l'absence de traitement, vers l'extension de l'inflammation (abcès tubéreux).

HIÉRAPOLIS, ville de Phrygie, fondée après 190 av. J.-C. par Eumenês, roi de Pergame*, célèbre pour son sanctuaire de Cybèle*. Ses tapis et ses teintures de pourpre étaient renommés.

HIÉRARCHIE. — Amer ou heureux, le constat s'impose : les hiérarchies sont un phénomène inhérent à toute société historique. Tout se passe comme si les sociétés étaient portées, par une espèce de fatalité, à répartir leurs membres tout au long d'une échelle, celle de l'argent, du prestige ou du pouvoir. Dès lors qu'une société confère de la valeur à certains biens ou à la considération, la vie sociale s'organise autour d'une quête en vue de leur obtention. Pour Marx, le principal critère d'appartenance de classe est d'ordre économique et politique. Mais l'opposition entre la bourgeoisie et le prolétariat, typique des sociétés capitalistes, conduit nécessairement au recouvrement de celle-là par celui-ci. Dans une perspective non marxiste, les hiérarchies sociales répondent à une autre nécessité politique : elles résultent aussi de l'inégale répartition des dons, des mérites et des chances. En ce sens, elles constituent également l'un des fondements de l'action entreprise par la société en vue de sa propre transformation.

HIÉROGLYPHE. — Déchiffrés par Champollion en 1822, les hiéroglyphes sont les signes de l'écriture monumentale égyptienne et se retrouvent, extrêmement simplifiés, dans l'écriture hiératique utilisée par les scribes. À l'origine, purement pictographique (chaque signe représente l'objet qu'il signifie), l'écriture égyptienne a eu recours, à côté des signes-mots (idéogrammes), à des signes ayant une valeur phonétique (phonogrammes) : par exemple, le mot *scarabée* se prononçant de la même manière que le verbe *devenir,* on se sert de l'image du scarabée pour écrire ce verbe. Il existe également des idéogrammes déterminatifs qui ne se lisent pas, mais qui servent à indiquer à quelle catégorie appartient le mot.

HIÉRON Ier → SYRACUSE.

HIÉRON II → SYRACUSE et PUNIQUES *(guerres).*

HIERSAC (16290), ch.-l. de cant. de la Charente, à 13 km à l'O. d'Angoulême; 800 hab.

HIGASHIŌSAKA, v. du Japon (Honshū), banlieue est d'Ōsaka; 500 000 hab.

HIGHLANDS (« Hautes Terres »), nom donné aux hauts plateaux et aux moyennes montagnes constituant la majeure partie de l'Écosse. Les *North West Highlands* occupent l'Écosse septentrionale, au N. du Glen More.

HIGHTOWER (Rosella), danseuse et pédagogue américaine d'origine indienne (Ardmore, Oklahoma, 1920). Après une carrière internationale (principalement avec le Grand Ballet du marquis de Cuevas, où elle s'illustre dans la variation du « Cygne noir », *Piège de lumière,* etc.), elle se consacre à l'enseignement, son école de Cannes (1961) devenant un centre de formation très actif.

HIGH WYCOMBE, v. d'Angleterre, au N.-O. de Londres; 57 000 hab.

HIKMET (Nazim), écrivain turc (Salonique 1902 - Moscou 1963). Il fut le premier poète turc à user du vers libre, et exprima dans ses drames et ses poèmes ses convictions révolutionnaires, marquées par le marxisme (*C'est un dur métier que l'exil,* 1957).

HILAIRE *(saint),* père et docteur de l'Église latine (Poitiers v. 315 - *id.* v. 367). Évêque de Poitiers vers 350, il joua dans la lutte contre l'arianisme* un rôle capital, qui lui valut d'être appelé l'*Athanase* de l'Occident. Son principal ouvrage est le traité *Sur la Trinité* contre la théologie arienne.

HILAIRE *(saint)* → PAPE.

HILĀL (Banū) ou **HILĀLIENS,** tribu arabe. Originaires du Nadjd, les Banū Hilāl émigrent en Égypte au VIIIe s. et sont déportés en Haute-Égypte à la fin du Xe s. Le calife fāṭimide* al-Mustanṣir (de 1036 à 1094), voulant se venger de l'insubordination des Zīrides* de l'Ifrīqiya, lance vers l'ouest les Banū Hilāl, bientôt suivis d'autres hordes nomades. À partir de 1050, les Banū Hilāl dévastent les campagnes, détruisant les systèmes d'irrigation. L'invasion hilālienne aura de graves conséquences dans l'histoire maghrébine, car elle se soldera par le contrôle des plaines intérieures par les Arabes nomades.

HILARION *(saint),* moine d'Orient († 371). Disciple de saint Antoine*, il a introduit en Palestine la vie cénobitique.

HILBERT (David), mathématicien allemand (Königsberg 1862 - Göttingen 1943). Ses travaux portent sur la théorie des nombres, l'algèbre, l'analyse et la géométrie. Il fut l'un des fondateurs de la méthode axiomatique*, concevant les termes fondamentaux comme des êtres logiques, n'ayant pas d'autres propriétés que celles qui leur sont attribuées par les axiomes.

HILDEBRAND → GRÉGOIRE VII.

HILDEBRAND (Adolf VON), sculpteur allemand (Marburg 1847 - Munich 1921). Il vécut près de vingt ans à Florence et, pénétré de rigueur classique, réalisa à Munich ses meilleures œuvres (fontaine des Wittelsbach, 1895; bustes). Son essai *le Problème de la forme* (1893) eut un grand succès.

HILDEBRANDT (Johann Lukas VON), architecte autrichien (Gênes 1668 - Vienne 1745). Élève de C. Fontana à Rome, admirant Guarini et Borromini, il fut un des plus brillants représentants du baroque (palais du Belvédère à Vienne, 1714-1724).

HILDESHEIM, v. de l'Allemagne fédérale (Basse-Saxe), au S.-E. de Hanovre; 107 000 hab. Important ensemble d'églises romanes, dont la plus vénérable est S. Michael, des XIe et XIIe s. (restaurée; plafond peint d'environ 1200). Maisons anciennes.

HILFERDING ou **HILVERDING** (Franz), danseur, chorégraphe et pédagogue autrichien (Vienne 1710 - *id.* 1768). Formé en France et ayant fait siennes certaines conceptions des encyclopédistes français (expressivité du ballet), il serait un des novateurs du ballet d'action (v. 1750).

HILL (Archibald Vivian), physiologiste anglais (Bristol 1886 - Cambridge 1977), prix Nobel de médecine et de physiologie en 1922, avec Meyerhof, pour ses travaux sur la chaleur produite par la contraction musculaire.

HILLA, v. d'Iraq, ch.-l. de la prov. de Babylone, près de l'Euphrate, au S. de Bagdad; 85 000 hab.

HILLARY (*sir* Edmund), alpiniste néo-zélandais (Auckland 1919). Avec le Sherpa N. Tensing, il atteignit, le premier, le sommet de l'Everest (1953).

HILLEL, docteur pharisien († début du Ier s. apr. J.-C.), chef d'une école rabbinique rivale de celle de Shammaï*, dont il se distingue par une interprétation plus libérale de la Loi.

HILMAND ou **HILMEND,** fl. de l'Afghānistān, né à l'O. de Kaboul, qui draine le sud-ouest du pays avant de rejoindre le lac Hāmūn (aux confins de l'Afghānistān et de l'Iran); 1 200 km.

HILVERSUM, v. des Pays-Bas (Hollande-Septentrionale), au S.-E. d'Amsterdam; 97 000 hab. Station de radiodiffusion. (V. DUDOK.)

HIMĀCHAL PRADESH, État montagneux de l'Inde du Nord, dans l'Himālaya occidental; 55 300 km²; 3 460 000 hab. Capit. *Simla.*

HIMĀLAYA, la plus haute chaîne de montagnes du monde (8 880 m à l'Everest), située en Asie, à la frontière entre l'Inde et la Chine.

De direction générale N.-O.-S.-E., l'arc himalayen s'étire sur 2 800 km de long, atteignant jusqu'à 280 km de large. Sa structure géologique est très complexe. Les premières déformations paraissent avoir débuté au crétacé supérieur, affectant les milliers de mètres de sédiments accumulés dans la fosse himalayenne. Elles se poursuivent au miocène par le déversement vers le S. d'énormes nappes de charriage. Enfin, c'est au pliocène que se produisent les mouvements qui ont donné à la chaîne son aspect actuel, qui semblent se prolonger encore. On considère, dans le cadre de la théorie tectonique globale actuelle, que la formation de l'Himālaya résulte de l'enfoncement du sous-continent indien sous le bloc asiatique par suite de la dérive des continents.

La chaîne se compose de différentes unités de relief se disposant parallèlement. Au S., les Siwālik dominent la plaine indogangétique par une série de crêtes ne dépassant pas 2 000 m, développées dans des roches sédimentaires régulièrement plissées. Au-delà s'étend le Moyen Himālaya, aux formes plus lourdes, atteignant 3 000 m d'altitude. Des bassins transversaux, surtout développés dans la partie centrale de la chaîne (bassin de Katmandou), le séparent du Grand Himālaya. Ce dernier porte les plus hauts sommets, parmi lesquels plusieurs dépassent 8 000 m (Everest, Kangchengjunga, Makālū, Annapūrna, etc.). Au-dessus de 5 000 m d'altitude, il est recouvert par de grands appareils glaciaires. Il est limité au N. par

A. Froissardey-Atlas-Photo

Vue aérienne de la chaîne de l'Himālaya, au Népal.

les hautes vallées de l'Indus et du Brahmapoutre, que domine le Transhimālaya, vaste plateau (Tibet) de 4 000 à 5 000 m d'altitude, surmonté de lourds chaînons (Kailās).

Par sa position en latitude, l'Himālaya appartient à la zone tropicale, mais son climat est fortement nuancé par les conditions locales d'altitude et d'exposition. Au-dessus de la jungle qui couvre les basses pentes (térai), la forêt approche généralement 4 000 m, puis s'étendent les alpages et enfin, au-dessus de 5 000 m, les neiges éternelles. Mais l'Himālaya oriental, directement soumis aux vents de mousson, est beaucoup plus humide que l'Himālaya central et surtout que l'Himālaya occidental. Enfin, derrière cette énorme barrière montagneuse qui le prive des influences maritimes, le Transhimālaya subit un climat steppique froid.

L'Himālaya a toujours formé un obstacle gigantesque à la circulation. Cela, joint à la rudesse des conditions naturelles, explique la faiblesse et l'isolement de la population. Les plus fortes densités se rencontrent dans les bassins intérieurs, entre 1 000 et 2 000 m d'altitude (Népal, Cachemire). Les habitants, groupés en gros villages, pratiquent les cultures du blé et du riz. La pomme de terre domine entre 2 000 et 3 500 m d'altitude, et au-delà s'étend le domaine de l'élevage (moutons, yacks, chèvres). Actuellement, le relatif développement des voies de communication tend à atténuer l'isolement, et des villes aux fonctions essentiellement commerciales se développent (Katmandou, Srīnagar). Mais le découpage politique oppose aussi un obstacle aux échanges entre le nord et le sud de la chaîne. (V. aussi ALPINISME.)

HIMEJI, v. du Japon, dans le sud du Honshū; 408 000 hab.

HIMÈRE, ville de la Sicile ancienne, fondée par les colons grecs en 648 av. J.-C. En 480 av. J.-C., Gélon y remporta sur Carthage une victoire qui assura la prospérité de la Grèce d'Occident. Mais, en 409 av. J.-C., la ville fut détruite par les Carthaginois.

HIMILCON, navigateur carthaginois († v. 450 av. J.-C.). Il explora les côtes de l'Europe occidentale et parvint peut-être jusqu'en Angleterre. Ce voyage fut entrepris pour orienter vers Gadès (auj. Cadix) le commerce du plomb et de l'étain, dont Marseille tendait à s'assurer le monopole.

HIMMLER (Heinrich), homme politique allemand (Munich 1900-Lüneburg 1945). Chef de la police politique (Gestapo) en 1934, puis chef suprême de la police allemande à partir de 1936, il dirige la répression contre les communistes et les Juifs, dont il organise l'extermination systématique dans les camps de concentration. Chef de toutes les forces armées en 1944, il cherche à négocier un armistice avec les Alliés; désavoué par Hitler, il se suicide peu après son arrestation par les Britanniques.

HINCMAR (v. 806-Épernay 882). Archevêque de Reims en 845, il soutint Charles le Chauve contre Louis le Germanique (858) et fut pendant près de vingt ans son principal conseiller. Il écrivit des ouvrages doctrinaux et continua les *Annales de Saint-Bertin.*

HINDEMITH (Paul), compositeur allemand (Hanau 1895-Francfort-sur-le-Main 1963). Il débuta sous le signe de l'avant-garde et de l'internationalisme pour évoluer ensuite vers la tradition et vers un style plus spécifiquement germanique (opéras *Cardillac* [1926 et 1952], *Mathis le peintre* [1934] et *Harmonie du monde* [1951], ballet *Nobilissima visione* [1938], musique de chambre, concertos). Dans son ouvrage théorique *Unterweisung im Tonsatz* (1937) se trouvent exposées ses conceptions harmoniques.

HINDENBURG (Paul VON BENECKENDORFF UND VON), maréchal allemand (Posen 1847-Neudeck 1934). Rappelé de sa retraite en 1914, il bat les Russes à Tannenberg, puis est commandant en chef du front oriental. En août 1916, il succède, avec son adjoint Ludendorff, à Falkenhayn à la tête de la direction suprême de l'armée. Il arrête la bataille de Verdun, fortifie le front français (ligne Hindenburg), conclut l'armistice germano-russe de Brest-Litovsk (1917), mais, vaincu par Foch, doit demander l'armistice, qui consacre la défaite allemande de 1918. Successeur d'Ebert comme président du Reich en 1925, il respecte scrupuleusement la Constitution, mais finit par se laisser convaincre par von Papen de nommer Hitler chancelier du Reich (1933).

Le général Hindenburg (v. 1915).

Illustrierte Zeitung

HINDĪ. — Langue indo-aryenne, le hindī recouvre une vaste région linguistique, s'étendant sur la plaine indo-gangétique. Il comprend une grande variété de dialectes et de langues secondaires, dont l'urdū*. Codifié et purifié au début du XXe s., il est depuis 1950 la langue officielle de l'Union indienne et tend à remplacer l'anglais dans les usages administratifs et comme langue d'unification. Il est actuellement la quatrième langue du monde par le nombre des locuteurs (près de 200 millions). Il s'écrit au moyen de l'alphabet dévanāgarī.

HINDOUISME. — Plus qu'une pratique religieuse strictement codifiée, l'hindouisme est une attitude religieuse, et ce mot recouvre divers aspects, dont la base philosophique est la thèse de l'identité du soi individuel au soi universel ou absolu. En tant que phénomène religieux, l'hindouisme se caractérise par le culte (v. BHAKTI) rendu à un être suprême qui soit se trouve subordonné à l'absolu (courant inspiré des *Vedānta*), soit lui est superposé (sectes). Cette imbrication de la religion et de la philosophie se marque notamment par la généralisation de la tendance universaliste du brahmanisme*, qui fait entrer dans le panthéon hindouiste une multitude de divinités issues de diverses traditions et localités.

Ce panthéon, du moins son fonds commun, comprend soit trente-trois divinités, dont Indra* est le dieu suprême, soit trente divinités et trois dieux principaux (Brahma, qui préside à la création de l'univers, Viṣṇu, qui en est le principe de conservation, et Śiva, qui en est le principe de destruction). Cette trinité (trimūrti) correspond à une cosmologie qui distingue trois natures essentielles dans l'univers : le lumineux et le paisible, le ténébreux et le pesant, et l'élément actif. Ainsi, la dévotion (bhakti), qui constitue l'aspect le plus manifeste de l'hindouisme, exprime à la fois la tension qui habite l'univers et l'idée brahmaniste du renoncement au monde des apparences. Elle permet de distinguer l'hindouisme du brahmanisme* strict : l'amour des dieux supplée à l'appartenance à une caste de la société, et la trinité donne son salut à tous les dévots au lieu de le réserver aux seuls brahmanes.

En effet, selon la *Bhagavad-Gītā**, la dévotion constitue l'une des trois voies de salut, ou délivrance. Impliquant l'abandon total de l'être individuel à celui dont tout procède, elle s'exprime dans le culte rendu notamment à Viṣṇu et à Śiva, par la construction de temples, par l'offrande (au lieu du sacrifice védique) et par la composition de récits et de légendes (v. PURĀṆA) innombrables et, pour la plupart, anonymes. Cette prolifération d'expressions symboliques conduit l'hindouisme à se détacher de plus en plus du védisme* et à substituer le polythéisme au monothéisme.

Il comprend divers courants, comme le visnuisme*, le śivaisme*, le tantrisme* et ceux des sectes. Concrètement, son histoire est celle de ces sectes qui se forment autour d'un guru. Si les sectes se différencient par le choix de la divinité adorée et par les modes de dévotion, elles ont néanmoins un fonds de croyances communes, dispensées par les textes sacrés et leurs multiples commentaires : renaissance et délivrance (v. SAMSĀRA), référence plus ou moins vague à l'absolu et pratique du yoga*, entendue comme discipline spirituelle et corporelle.

HINDŪ KŪCH ou **HINDOU KOUCH,** chaîne de montagnes de l'Asie, s'étendant principalement dans le nord-est de l'Afghānistān, mais débordant sur l'extrémité septentrionale du Pākistān (y culminant à 7 680 m au Tirich Mir).

Hinkley Point, centrale nucléaire d'Angleterre, sur le canal de Bristol.

HINSHELWOOD (*sir* Cyril Norman), chimiste anglais (Londres 1897-*id.* 1967), auteur de recherches sur la cinétique des réactions chimiques. (Prix Nobel de chimie, 1956.)

HIONG-NOU ou **XIONGNU,** hordes de nomades asiatiques, qui, au IIIe s. av. J.-C., contraignirent la Chine à payer tribut.

HIPPARQUE → HIPPIAS.

HIPPARQUE, astronome grec (IIe s. av. J.-C.). On ne sait pratiquement rien de sa vie. Cependant, on peut fixer la période de son activité par les observations qu'il fit à Rhodes entre 161 et 126. Observateur beaucoup plus rigoureux que tous ses prédécesseurs, Hipparque se donna les moyens techniques et théoriques de la précision qu'il visait : invention du dioptre et de l'astrolabe, établissement des bases de la trigonométrie*, définition des systèmes de coordonnées* spatiales. Le plus grand astronome de l'Antiquité avec Ptolémée*, il découvrit la précession des équinoxes, réalisa le premier catalogue d'étoiles* et perfectionna les systèmes d'excentriques et d'épicycles pour rendre compte des mouvements célestes apparents.

HIPPIAS, homme politique grec († 490 av. J.-C.), tyran d'Athènes (527-510 av. J.-C.). Il partagea le pouvoir avec son frère Hipparque. Renversé à cause de sa politique à l'égard des Perses, jugée trop peu énergique, il dut s'exiler et mourut au cours de la première guerre médique*.

HIPPIE. — Né au milieu du XXe s., au lendemain du mouvement beatnik, à San Francisco, le mouvement hippie déferle dans les pays d'Occident, apportant un certain modus vivendi aux jeunes gens désireux de rompre avec leur société. Se traduisant par le pop* art et le psychédélisme sur le plan artistique, la création de groupe devient prépondérante. La vie en communauté, le refus des tentations de l'argent, le retour à la nature, le culte de l'amour et de la liberté sexuelle deviennent les leitmotivs d'une contestation non violente. Très vite, le mouvement hippie nourrit un nouveau circuit commercial, par ses modes vestimentaires, ses disques, ses festivals, etc. En ce sens, il sera « récupéré » par la société. Ayant perdu sa raison d'être, il se suicide symboliquement. Certains de ses membres ont fondé des communautés, en essayant de recréer une vie sociale sur de nouvelles bases.

HIPPOCAMPE. — L'hippocampe se singularise autant parmi les poissons de mer que l'homme parmi les mammifères : comme notre espèce, il circule *debout,* la colonne vertébrale orientée verticalement, ce qui, comme chez nous encore, va de pair avec une *flexion crânienne* qui oriente la tête et le regard perpendiculairement au tronc. Sise au bout d'un long tube, sa minuscule bouche ne lui permet que la capture de très petites proies. C'est la nageoire dorsale qui assure la propulsion. La queue, dépourvue de caudale, mais longue et souple, peut s'enrouler autour des algues comme un câble d'amarrage. Mais le trait le plus étonnant est l'existence, *chez le mâle,* d'une poche incubatrice, dans laquelle la femelle pond ses œufs lors d'un accouplement insolite. L'éclosion a lieu dans cette poche, et les jeunes sont nourris par le sang des parois comme dans une sorte d'utérus rudimentaire, avant d'être expulsés en une mise bas laborieuse.

HIPPOCRATE, le plus grand médecin de l'Antiquité (île de Cos 460-Larissa, Thessalie, v. 377 av. J.-C.), qui exerça à l'époque de Périclès. Il est l'initiateur de l'observation clinique. Sa théorie médicale repose sur l'altération des humeurs. Il a laissé de nombreux ouvrages, et sa doctrine a régné sans conteste durant des siècles. Il est à l'origine du serment que prêtent les médecins avant d'exercer leur art.

HIPPODAMOS de Milet, architecte et philosophe grec (première moitié du Ve s. av. J.-C.). On lui doit surtout la division fonctionnelle des zones urbaines, dont l'aménagement architectural répond aux activités essentielles (religieuse, politique, économique et résidentielle) de la communauté et qu'il superpose au plan en damier, utilisé dès le VIIIe s. av. J.-C. Hippodamos applique ses théories révolutionnaires à la reconstruction de Milet* (475) ainsi qu'au Pirée*.

HIPPOLYTE, personnage de la légende grecque, fils de Thésée et d'une amazone. Aimé de Phèdre*, l'épouse de son père, il repousse ses avances; celle-ci, pour se venger, l'accuse d'avoir voulu attenter à son honneur. Thésée, irrité, souleva contre son fils le courroux de Poséidon, qui le fit périr.

Hippolyte, tragédie d'Euripide (428 av. J.-C.), qui est à la source de toutes les pièces sur *Phèdre,* de Sénèque à Racine et à D'Annunzio.

HIPPOLYTE *(saint),* savant prêtre romain (v. 170-en Sardaigne 235). Entré en conflit avec les papes Zéphyrin et Calixte sur des questions de discipline, il devint évêque d'une église schismatique. Son martyre le réhabilita aux yeux de l'Église.

Hippolyte et Aricie, tragédie lyrique en cinq actes, livret de Pellegrin, musique de Rameau (1733). Cette partition, dont l'argument s'inspire de la *Phèdre* de Racine, s'inscrit parmi les sommets de l'opéra français pour ses danses, ses chœurs, ses airs, ses ensembles vocaux (trio des Parques, scène de la chasse).

HIPPONE, anc. ville de l'Afrique du Nord (Numidie), sur la Méditerranée. Colonie de Carthage, elle fut, après elle, la plus prospère des villes de commerce d'Afrique. Municipe sous Auguste, puis colonie, elle fut assiégée par Geiséric* en 430-31 : saint Augustin*, évêque d'Hippone depuis 395, mourut durant ce siège. Cédée aux Vandales en 442, Hippone fut détruite par l'invasion arabe au VIIe s., puis reconstruite après sur l'emplacement actuel d'Annaba*. Ses vestiges sont le témoignage du fastueux urbanisme romain, ainsi que de la richesse décorative et de la maîtrise technique des ateliers africains de mosaïstes.

HIPPOPOTAME. — L'hippopotame est le plus volumineux des hôtes des fleuves et des lacs (il peut peser jusqu'à 11 t). Lourd et maladroit sur le sol avec ses pattes courtes, il excelle à la nage, laissant dépasser de l'eau la petite région de la face où sont groupés le nez, les yeux et les oreilles. C'est un herbivore assez vorace, aux dents labiales espacées et pointues, et dont les molaires montrent une table d'usure en trèfle de jeu de cartes.

Victime d'une chasse persistante en raison de sa chair savoureuse, de sa graisse, de son cuir et de son ivoire *(rohart),* l'hippopotame ne hante plus guère que les fleuves et lacs de l'Afrique centrale. Une espèce naine, de mœurs plus terrestres, se rencontre en Afrique occidentale.

HIPPURIQUE (acide). — L'acide hippurique, de formule $C_6H_5—CO—NH—CH_2—CO_2H$, est formé par condensation du glycocolle avec l'acide benzoïque. Il cristallise en prismes fondant à 187,5 °C. On le rencontre particulièrement dans l'urine des herbivores.

HIRAKATA, v. du Japon (Honshū), au N.-O. de Tōkyō; 217 000 hab.

HIRAM Ier, roi de Tyr (969-935 av. J.-C.). Contemporain de David* et de Salomon*, il entretint avec les Hébreux des relations amicales.

HIRATSUKA, v. du Japon (Honshū), au S.-O. de Yokohama; 164 000 hab.

HIRN (Gustave Adolphe), industriel français (Logelbach 1815-Colmar 1890). Ses recherches en thermodynamique ont porté notamment sur la vitesse limite des gaz (1839), les ventilateurs (1845) et les méthodes d'essai des moteurs thermiques. Dès 1855, il a utilisé la surchauffe dans les machines à vapeur.

HIROHITO, empereur du Japon (Tōkyō 1901). Régent de l'empire dès 1921, il accède au trône en 1926. Souverain absolu, il cautionne les mesures d'expansion nationaliste du Japon en Mandchourie et en Chine (1932-1937), et, en 1941, il attaque les États-Unis. Contraint de capituler (avr. 1945), il reste au pouvoir, mais doit se plier aux conditions d'une monarchie constitutionnelle.

HIRONDELLE. — Aucun rassemblement d'oiseaux migrateurs n'est aussi facile à observer que celui des hirondelles sur les lignes électriques aériennes. Dès la fin de l'été, ces passereaux préparent ainsi le grand voyage qui conduira certaines d'entre elles jusqu'en Afrique du Sud. Leur retour printanier, beaucoup plus étalé dans le temps (« une hirondelle ne fait pas le printemps »), ramène chaque couple à son nid de l'été précédent. Ce nid est de terre gâchée, bien abrité de la pluie, souvent sous le toit d'une maison. Quant à leur forme, les hirondelles se caractérisent surtout par leur queue fourchue (« queue d'aronde »). Volant le bec largement ouvert, les hirondelles gobent d'innombrables insectes.

HIROSAKI, v. du Japon, dans le nord de Honshū; 158 000 hab.

HIROSHIGE, dessinateur, graveur et peintre japonais (Tōkyō 1797-*id.* 1858). Par son génie inventif et sa vision réaliste de la nature, il domine l'estampe japonaise de paysage du XIXe s. La suite des *Cinquante-Trois Étapes de la route du Tokaido* (première version, 1833) le rend célèbre. La poésie, le charme paisible de la nature, les subtiles variations de l'atmosphère et les saisons sont évoqués dans un style dépouillé, remarquable par sa concision graphique, qui émerveillera les impressionnistes.

HIROSHIMA, port du Japon (Honshū), sur la mer Intérieure; 542 000 hab. Les Américains y lancèrent le 6 août 1945 la première bombe atomique, qui fit 72 000 morts et 80 000 blessés.

Hiroshima mon amour, film français d'Alain Resnais (1959). Une Française venue tourner un film à Hiroshima se lie avec un architecte japonais. Cette liaison en évoque une autre, qui s'est passée en France, à Nevers, avec un Allemand au temps de l'Occupation. S'inspirant d'un scénario très travaillé de Marguerite Duras, Alain Resnais s'imposa dans cet essai comme l'inventeur de structures filmiques nouvelles. Il s'agit d'une exploration incantatoire à travers le temps et la mémoire, avec d'audacieux effets de répétition et de symétrie, un commentaire vocal et musical scandé comme un poème et relié par une suite de flash-back.

HIRSINGUE (68560), ch.-l. de cant. du Haut-Rhin, sur l'Ill, à 6,5 km au S. d'Altkirch; 1 544 hab.

HIRSON (02500), ch.-l. de cant. du nord-est de l'Aisne, sur l'Oise; 12 505 hab. *(Hirsonnais).* Métallurgie.

HIRUDINÉS → SANGSUE.

hispano-américaine *(guerre),* conflit qui opposa en 1898 les États-Unis à l'Espagne, en lutte contre ses colonies révoltées de Cuba et des Philippines. La flotte espagnole fut détruite par les Américains à Santiago de Cuba et à Cavite (île de Luçon). Par le traité de Paris, l'Espagne perdit Cuba (devenue indépendante), Porto Rico, les Philippines et l'île de Guam, cédés aux États-Unis.

HISTAMINE. — L'histamine provoque la contraction des muscles lisses et une hypotension artérielle. Elle joue un rôle important dans le mécanisme de l'inflammation et de l'anaphylaxie*.

HISTOIRE. — Longtemps considérée comme un objet littéraire, l'histoire obéit, chez les Grecs et les Romains et au Moyen Âge, à des préoccupations d'ordre utilitaire, didactique ou édifiant. Au XVIe s. naît une érudition méthodique et critique, fille de l'humanisme* naissant, qui est menacée au XVIIe et au XVIIIe s. par les préjugés littéraires, philosophiques ou partisans des écrivains. Après la Révolution française, l'histoire fait des progrès décisifs : descriptive d'abord, critique ensuite, elle devient enfin explicative de l'immédiat et du passé. Au milieu du XIXe s., elle est influencée par l'école positiviste, qui ne fait fond que sur les documents. Puis, peu à peu, convaincus que l'histoire ne peut atteindre pleinement son objectif — qui est la connaissance de l'homme dans la diversité de ses activités passées — que par une alliance étroite avec les autres sciences humaines — géographie, anthropologie, sociologie... —, les historiens en arrivent à vouloir l'appréhender dans sa totalité, faisant à la fois appel aux formulations mathématiques et aux variations les moins visibles des mentalités.

Le problème principal de l'épistémologie de l'histoire est de savoir si celle-ci est une science. Le modèle physique de la scientificité exige des énoncés scientifiques :
— qui soient vérifiables (A);
— qui énoncent des lois ou expliquent les processus de causalité (B);
— qui rendent possible la prévision (C).

Si l'histoire est définie comme connaissance du passé, alors A est nié, car aucune expérimentation n'est possible. Si l'objet de l'histoire est l'homme, postulé être libre ou guidé par un Dieu, l'histoire a un sens et une finalité (l'esprit pour Hegel*, l'humanité pour Comte*), mais elle n'a rien de scientifique, car B et C sont niés. Dès lors ne sont possibles que *des* histoires portant sur des objets particuliers. Le fait que la temporalité soit constitutive des objets de l'histoire suppose, pour que soit possible une science de l'histoire, que cette science intègre les divers déterminismes mis au jour par les sciences humaines et unifie les temporalités spécifiques de ces objets multiples. (V. MATÉRIALISME HISTORIQUE.)

Histoire de l'éternité, recueil d'essais de Jorge Luis Borges (1953). Une série d'exercices paradoxaux sur le thème du temps « circulaire », qui fait de l'histoire de l'homme l'image du destin de l'humanité et du présent l'essence de la durée.

HISTOIRE LITTÉRAIRE. — L'histoire littéraire est née de la prise de conscience d'une double identité : celle de l'écrivain — défini par un ensemble de textes précis et datés; celle d'une culture nationale — face aux cultures antiques universelles et intemporelles. Si le mot de *Literatur* ne remonte guère qu'à Lessing, c'est l'humanisme* renaissant qui s'est, le premier, soucié de « penser historiquement » la création littéraire sous la forme d'une recherche des origines soit d'une langue, soit d'un genre. Le romantisme, avec la constitution de l'histoire comme science et l'explosion du sentiment des nationalités, donne à l'histoire littéraire un contenu (définition, avec F. Schlegel, d'un « esprit d'époque » et d'un « esprit national ») et une méthode (la mise en rapport, avec Mme de Staël, de la littérature et des institutions sociales). Dès le milieu du XIXe s., l'historien de la littérature se distingue du critique* littéraire et donne à sa recherche des bases plus morales (en Angleterre avec Carlyle), plus philosophiques (en Allemagne) ou plus politiques (en France, où s'élabore la vision traditionnelle du classicisme), avant de calquer, avec Taine (*Histoire de la littérature anglaise,* 1864-1872), sa méthodologie sur les sciences de la nature. « Cette forte doctrine qui a le tort de tout expliquer » est combattue par Lanson (*Histoire de la littérature française,* 1894), qui refuse l'expérimentation pour se cantonner dans la seule *observation* et qui s'interdit toute conception esthétique, pour s'en tenir au seul impressionnisme. Ce « système », qui se survit encore aujourd'hui, a provoqué la réaction, à la fois plus ambitieuse et plus précise, d'une véritable « science de la littérature » (la *Literaturwissenschaft* de Dilthey), orientée plus vers l'étude de l'organisation spatiale du fait littéraire que vers celle de son évolution temporelle : d'où l'orientation nouvelle de la littérature comparée*, la constitution d'une sociologie de la littérature, la mise en relation des structures de l'œuvre littéraire et du milieu économique et social dans lequel elle apparaît. D'autre part, l'histoire littéraire qui, jusqu'à ces dernières années, ne prenait en considération que les textes écrits et reconnus par la culture d'une élite, est contrainte d'intégrer à son objet non seulement les para- et les sous-littératures (roman-feuilleton, roman policier), mais aussi les moyens de communication et d'expression audiovisuels (cinéma, télévision, arts plastiques), qui influent considérablement sur la pratique et la consommation de la littérature.

C.I.C. (Coll. J.-L. Passek)
Alfred Hitchkock, en 1972.

Histoires, de Tacite. Des quatorze (ou douze) livres des *Histoires,* qui conduisaient de la mort de Néron (68) à celle de Domitien (96), il ne nous reste que les quatre premiers et une partie du cinquième, correspondant aux années 69-70 : cette œuvre amère et pessimiste raconte les événements de la terrible année 69, l'année des trois empereurs (Galba, Othon, Vitellius), et les débuts du règne de Vespasien.

Histoires, recueil poétique de Prévert (1948, première publication avec André Verdet; 1963, état définitif) : « choses vues » dans le Paris populaire ou le monde magique de l'enfance.

Histoires extraordinaires, récits d'Edgar Poe (1840-1845). Ces nouvelles unissent le fantastique *(Ligeia)* aux aventures terrifiantes *(la Chute de la maison Usher)* ou grotesques *(le Système du docteur Goudron et du professeur Plume),* ou font appel à un esprit de déduction qui annonce le roman policier *(le Double Assassinat de la rue Morgue).* La traduction qu'en fit Baudelaire à partir de 1848 assura leur renom en Europe.

Histoire socialiste (1789-1900), œuvre collective, publiée de 1901 à 1908 sous la direction de Jean Jaurès, auteur lui-même des quatre premiers volumes, relatifs à la Révolution française. Elle traite de l'histoire de France sous l'angle de l'évolution des forces sociales et des conditions économiques.

HISTOLOGIE. — Les techniques histologiques permettent l'étude des tissus sains et des tissus pathologiques (histopathologie) prélevés par biopsie ou lors des autopsies. On étudie la structure cellulaire grâce au microscope électronique. Par le marquage isotopique, l'historadiologie contribue à l'étude de la structure et du fonctionnement intimes de la cellule.

HITACHI, v. du Japon (Honshū), sur le Pacifique; 193 000 hab. Métallurgie.

HITCHCOCK (Alfred), cinéaste américain d'origine britannique (Londres 1899). Au cours d'une longue carrière, menée principalement en Grande-Bretagne et aux États-Unis, il s'imposa comme le spécialiste incontesté du film policier à « suspense », mêlant toujours l'humour à l'angoisse et mettant la virtuosité de sa technique au service des intrigues criminelles les mieux agencées : *les 39 Marches* (1935), *Rebecca* (1940), *l'Ombre d'un doute* (1943), *la Corde* (1948), *l'Inconnu du Nord-Express* (1951), *Fenêtre sur cour* (1954), *Sueurs froides* (1957), *Psychose* (1960), *les Oiseaux* (1962), *Frenzy* (1972), *Complot de famille* (1976).

HITLER (Adolf), homme d'État allemand (Braunau, Haute-Autriche, 1889-Berlin 1945). Issu d'une famille de la petite bourgeoisie autrichienne, Hitler s'engage dans l'armée bavaroise en 1914, après de médiocres études à Vienne, au cours desquelles il a rassemblé les premiers éléments de sa future doctrine. Il se distingue pendant la Première Guerre mondiale, puis s'installe en Allemagne et adhère en 1919 au parti ouvrier allemand, mouvement nationaliste à la fois antisémite et anticapitaliste. Il devient rapidement le chef du parti, rebaptisé « parti national-socialiste allemand du travail », puis, avec l'appui des SA (sections d'assaut), qu'il crée en 1921, il tente, dès 1923, de s'emparer du pouvoir à Munich. Pendant la brève période de détention qui suit l'échec de cette tentative, il rédige *Mein Kampf,* où sont exposés les grands thèmes du national-socialisme* : supériorité de la race germanique sur les races « impures » (Slaves et Juifs essentiellement), pangermanisme (réalisation d'une grande nation allemande), anticommunisme, antiparlementarisme, culte de la force et de la violence, apologie de la guerre... Il renforce son parti à partir de 1925, en créant les SS* (police militaire) et de nombreuses organisations d'encadrement (Jeunesses hitlériennes, associations de femmes, etc.). Le parti nazi connaît à partir de 1929 une progression semblable à celle du parti fasciste de Mussolini*, à la faveur du malaise économique, politique et social né de la défaite de 1918,

H. Jaeger-Life

Hitler et Mussolini à Munich, en 1938.

puis de la crise de 1929. Une propagande démagogique exploitant habilement ces déceptions permet aux nazis de s'implanter dans les classes moyennes et ouvrière, tandis que l'abandon du programme social initial leur apporte l'appui de la classe dirigeante et des milieux industriels. Après de rapides succès électoraux, le parti national-socialiste devient le premier parti d'Allemagne (1932), permettant à Hitler, soutenu par von Papen*, de parvenir au poste de chancelier (1933). Consolidant son pouvoir, éliminant ses adversaires au sein des SA, Hitler accède à la présidence après la mort de Hindenburg (1934), devenant ainsi le maître absolu de l'Allemagne *(Reichsführer).* Mettant en place une redoutable police d'État (Gestapo*), il peut alors réaliser le programme de *Mein Kampf :* d'une part l'extermination des Juifs dans les camps de concentration et d'autre part une politique d'expansion destinée à effacer le traité de Versailles et à doter l'Allemagne d'un « espace vital » qui engloberait tous les territoires autrefois allemands et assurerait aux minorités allemandes leur place à l'intérieur du Reich. Obtenant l'alliance de Mussolini, de Franco* et du Japon (pacte Antikomintern, 1936), Hitler réoccupe la Rhénanie (mars 1936), annexe tous les pays de langue allemande (Autriche [mars 1938], Sudètes [après les accords de Munich de septembre 1938], Bohême et Moravie [mars 1939]), puis déclenche la Seconde Guerre* mondiale en envahissant la Pologne. À partir de 1943, cependant, la défaite allemande devient inévitable, et l'attentat de juillet 1944 contre Hitler révèle la force de l'opposition intérieure. Après un dernier échec (offensive des Ardennes en janvier 1945), Hitler se réfugie à Berlin, où il se suicide.

HITTITE. — Langue morte dès l'Antiquité, le hittite existe sous plusieurs formes : le nésite, le louvite et le palaïte. La mieux connue, le nésite, langue officielle de l'empire, a été déchiffrée en 1917 grâce à des textes bilingues hittites-akkadiens, écrits en cunéiformes et découverts à Boğazköy en 1906. Le louvite est connu par des inscriptions utilisant une écriture *sui generis,* les « hiéroglyphes hittites », plus tardivement déchiffrés. Ces langues constituent un rameau indépendant de l'indo-européen, dont elles ont conservé des traits qui n'existent ailleurs qu'à l'état d'archaïsmes; leur déchiffrement a eu un intérêt philologique considérable pour la reconstitution de la protolangue indo-européenne.

HITTITES, peuple installé du XXe au XIIe s. av. J.-C. dans la partie orientale du bassin de l'Halys, alors dénommée le *Hatti**, en Anatolie* centrale.

Au début de leur histoire, les Hittites sont divisés en cités-États qui se disputent la prédominance. Du XVIIIe au XVe s., ils forment un État unique, dont les souverains s'efforcent de fédérer les royaumes anatoliens voisins et réalisent hors de l'Anatolie d'éphémères conquêtes; ils font de Hattousa (auj. Boğazköy), au nord du pays, leur capitale. Au XVe s., le Hatti est éclipsé par le royaume du Mitanni*, mais le prince Souppilouliouma Ier (de 1380 env. à 1345 env.) rétablit la souveraineté hittite et ouvre la grande période de la puissance du Hatti, qui s'étend jusqu'aux États syriens. Sa mort amène la révolte générale des États soumis, qu'étouffe son fils Moursili II (de 1344 env. à 1310 env.); Mouwatalli (de 1310 env. à 1292 env.), fils et successeur de Moursili II, inflige aux Égyptiens un échec près de Qadesh*; cependant, l'expansion assyrienne, qui atteint l'Euphrate, force Hattousili III (de 1285 env. à 1265 env.) et Ramsès* II à conclure un traité pour sauvegarder leurs territoires. La première vague des Peuples* de la mer, au XIIIe s., annonce le déclin de l'Empire hittite, qui disparaîtra au XIIe s. avec une nouvelle poussée des envahisseurs égéens.

HITTORF (Johann Wilhelm), physicien allemand (Bonn 1824-Münster 1914). En 1869, il a découvert les rayons cathodiques, dont il a observé l'ombre portée et la déviation par les champs magnétiques.

HITTORFF (Jacques), architecte français d'origine allemande (Cologne 1792-Paris 1867). Élève de Percier (1810), puis de Bélanger, il alla étudier les temples de Sicile (dont il s'attachera à démontrer ce qu'était la polychromie), revint à Paris en 1824 et devint en 1830 architecte de la Ville de Paris et du gouvernement. Rationaliste et éclectique, il acheva l'église Saint-Vincent-de-Paul, à plan de basilique primitive, et construisit notamment la gare du Nord (1861), avec hall à charpente métallique; il travailla aux Champs-Élysées, aux places de la Concorde et de l'Étoile, au bois de Boulogne.

HJELMSLEV (Louis Trolle), linguiste danois (Copenhague 1899-*id.* 1965). Fondateur, avec V. Brøndal, du Cercle linguistique de Copenhague (1931), il se situe dans la lignée de l'enseignement de F. de Saussure : il envisage l'étude de la langue comme celle d'une structure, d'un système qu'il s'agit de décrire. Sa théorie, la « glossématique » (*An Outline of Glossematics,* en collaboration avec H. Uldall [1936]), est une tentative de formalisation extrêmement rigoureuse des structures linguistiques, ainsi qu'un approfondissement des concepts saussuriens (langue/parole, expression/contenu, forme/substance). Son influence a été tardive (son œuvre majeure, *Prolégomènes à une théorie du langage* [1943], n'a été traduite en anglais qu'en 1953 et en français qu'en 1968) mais importante, en particulier en sémantique et en sémiologie.

HOBART, port d'Australie, capit. de la Tasmanie, sur la côte sud-est de l'île; 155 000 hab. Métallurgie (zinc). Chimie.

HOBBEMA (Meindert), peintre hollandais (Amsterdam 1638-*id.* 1709). Ses paysages sont d'une plus grande richesse chromatique que ceux de son maître J. Van Ruysdael — et de l'école hollandaise en général. À partir de 1668, ayant un emploi public, il peint moins et surcharge ses vues de détails pittoresques; de 1689, cependant, date *l'Allée de Middelharnis* (National Gallery), considérée comme son chef-d'œuvre.

HOBBES (Thomas), philosophe anglais (Westport, Malmesbury, 1588-Hardwick Hall 1679). Précepteur au service de la famille Cavendish, il voyage en Italie et en France, où il fait la connaissance de Galilée et du P. Mersenne. Esprit encyclopédique, il s'intéresse surtout à la physique et aux mathématiques, puis à l'histoire et à la politique. Après *Elements of Law,* qu'il fait circuler dès 1640, il publie *De cive* (1642), son œuvre majeure *le Léviathan** (1651), *De corpore* (1655) et *De homine* (1658). *Behemoth* et *Dialogue between a Philosopher and a Student of Common Law in England* ne sont publiés qu'après sa mort.

L'œuvre de Hobbes constitue avec celles de Machiavel* et de Spinoza* un tournant dans l'histoire de la pensée politique occidentale. Désormais, il s'agit d'élaborer la politique sur le modèle des sciences de la nature. Dans le matérialisme* mécanique de Hobbes, la nature est exclusivement constituée de corps en mouvement : corps naturels (animaux et hommes) et corps artificiels (machines). L'homme est un corps animé d'un mouvement interne (désir) et soumis aux mouvements des autres corps, qui déterminent son imagination et sa connaissance*. Dans le cadre de cette théorie de l'homme, la politique est une science au même titre que la mécanique, car elle a aussi des corps pour objet. Or, Hobbes soutient en même temps que les États sont des corps artificiels où doivent s'unifier les volontés individuelles et que ces corps politiques sont irréductibles aux corps naturels dans la mesure où ils sont le produit de la liberté humaine conçue comme un fait historique et pratique. (Parce que l'homme a peur de la mort, il est conduit à sortir d'un état de nature supposé où « l'homme est un loup pour l'homme » et à créer, puis à se soumettre à l'État-Léviathan.) Et c'est précisément en référant la liberté à l'histoire et à la politique que Hobbes innove dans la théorie politique, car, auparavant, la liberté n'était rattachée qu'au destin (présocratiques), à la nature et à la raison (Épicure, Platon, Aristote).

HOBEREAU → FAUCON.

HOBOKEN, comm. de Belgique, sur l'Escaut, dans la banlieue d'Anvers; 34097 hab. (en 1977). Métallurgie. Chantiers navals.

HOCEIMA (Al-), v. du Maroc, ch.-l. de prov., sur la Méditerranée; 19000 hab. Centre touristique.

HOCHE (Lazare), général français (Versailles 1768-Wetzlar, Prusse, 1797). Engagé à seize ans, il commande comme général, en 1793, l'armée de la Moselle et délivre Landau assiégée. Dénoncé comme suspect en 1794 et incarcéré jusqu'au 9-Thermidor, il parvient, en 1796, à réduire l'insurrection de la Vendée. Ministre de la Guerre en 1797, puis commandant l'armée de Sambre-et-Meuse, il bat les Autrichiens, mais meurt de maladie à vingt-neuf ans.

HOCHFELDEN (67270), ch.-l. de cant. du Bas-Rhin, à 29 km au N.-O. de Strasbourg; 2942 hab. Brasserie.

HÔ CHI MINH (dit aussi **Nguyên Ai Quôc**), homme d'État vietnamien (Kiêm Lan, prov. de Nghe An, 1890 ?-Hanoi 1969). Installé en France en 1919, il adhère au parti socialiste, puis au parti communiste français après le congrès de Tours. Après avoir reçu une formation politique en U.R.S.S., il est chargé de la propagande révolutionnaire en Extrême-Orient (Chine, Thaïlande)

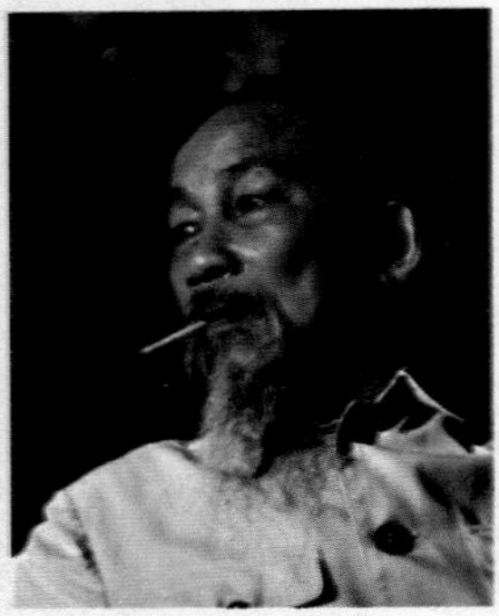

Pic-Gamma

Hô Chi Minh.

et fonde le parti communiste indochinois (1930), puis le Viêt-minh* (1941). Après la capitulation japonaise et l'abdication de l'empereur Bao Dai, il proclame à Hanoï l'indépendance du Viêt-nam (2 sept. 1945) et devient président de la république du Viêt-nam (1946). Il reprend la lutte contre la France jusqu'aux accords de Genève (juill. 1954), qui le reconnaissent comme le président de la République. Secrétaire général du parti communiste du Viêt-nam du Nord (1956-1960), il organise la lutte contre les armées sud-vietnamiennes et américaines. Son nom est donné en 1975 à Saigon*.

Hô Chi Minh *(piste),* nom donné pendant la seconde guerre d'Indochine* (1960-1973) à l'ensemble des itinéraires empruntés par les Nord-Viêtnamiens (notamment à travers le Laos) pour soutenir l'effort militaire des forces révolutionnaires du Cambodge et du Viêt-nam du Sud.

HÖCHSTÄDT, localité de l'Allemagne fédérale (Bavière), au N.-O. d'Augsbourg, sur le Danube, où se livrèrent trois batailles : en 1703, Villars y battit les Impériaux; en 1704, Marlborough et le Prince Eugène y battirent Tallart et Marsin (c'est la victoire de Blenheim* pour les Anglais); en 1803, Moreau y vainquit les Autrichiens de Kray.

HOCKEY. — Aujourd'hui, le *hockey sur glace* a souvent supplanté le *hockey sur gazon* (dont les règles rappellent celles du football). Il se dispute sur une patinoire longue de 56 à 61 m et large de 26 à 30 m, et oppose deux équipes de six joueurs (pouvant être remplacés en cours de partie) en trois périodes (les tiers-temps) de 20 mn chacune de jeu effectif. Sport viril, il s'individualise par l'impressionnant équipement de protection (gants épais, maillots rembourrés, casque) que nécessitent les mouvements des crosses employées pour pousser le palet, ou puck (rondelle en caoutchouc très dur de 7,62 cm de diamètre et de 2,54 cm d'épaisseur), et par les sanctions prises au cours des matches, se traduisant par une exclusion et un exil, généralement temporaire, dans la célèbre « prison », sorte de cage grillagée. Le hockey sur glace moderne est né à la fin du XIXe s. au Canada, dont la supériorité fut manifeste pendant la première moitié du XXe s. Depuis une vingtaine d'années, du fait de l'exclusion des professionnels nord-américains, les grandes compétitions internationales (championnats du monde et jeux Olympiques) sont dominées par les équipes de l'Europe de l'Est (Tchécoslovaquie et surtout U.R.S.S.).

HOCQUART (Gilles), homme politique français (Mortagne 1695-*id.* 1783). Il fut intendant de la Nouvelle-France de 1731 à 1748.

HODEIDA, port de la république arabe du Yémen, sur la mer Rouge; 90000 hab.

HODGKIN (Alan Lloyd), neurophysiologiste anglais (Banbury, Oxfordshire, 1914), prix Nobel de médecine et de physiologie en 1963, avec Eccles et Huxley, pour ses travaux sur la physiologie nerveuse.

Hodgkin *(maladie de)* → LYMPHOGRANULOMATOSE.

HODJA (Enver) → HOXHA.

HODLER (Ferdinand), peintre suisse (Berne 1853-Genève 1918). Il s'orienta vers une peinture symboliste aux tons clairs et froids, puissamment charpentée (*la Nuit,* 1890, musée de Berne; *la Retraite de Marignan,* 1896, Zurich), et exécuta des paysages alpestres de plus en plus synthétiques ainsi que des portraits.

HÓDMEZŐVÁSÁRHELY, v. du sud-est de la Hongrie; 54000 hab.

HODNA *(plaine* ou *bassin du),* vaste dépression, marécageuse en son centre (*Chott el-Hodna),* des hautes plaines de l'Algérie orientale, dominée au N. par les *monts du Hodna* (1890 m).

HODOGRAPHE → CINÉMATIQUE.

HOF, v. de l'Allemagne fédérale, dans le nord-est de la Bavière; 56000 hab.

HO-FEI ou **HEFEI,** v. de Chine, capit. du Ngan-houei, à l'O. de Nankin; 304000 hab.

HOFFMANN (Friedrich), médecin allemand (Halle 1660-*id.* 1742), fondateur de la théorie organiciste.

HOFFMANN (Ernst Theodor Wilhelm, dit **Ernst Theodor Amadeus**), écrivain et compositeur allemand (Königsberg 1776-Berlin 1822). Auteur de pièces pour piano, d'opéras (*Ondine,* 1814), il soutint Beethoven en tant que critique musical. Mais il doit sa célébrité à ses nouvelles fantastiques, où la plus vive imagination se fonde sur une observation précise et savoureuse de la réalité quotidienne (*Fantaisies dans la manière de Callot,* 1814-15; *les Élixirs du diable,* 1816; *Contes* des frères Sérapion,* 1819-1821; *la Princesse Brambilla,* 1821; *le Chat Murr,* 1820-1822).

HOFFMANN (Joseph), architecte et décorateur autrichien (Pirnitz 1870-Vienne 1956). Élève d'O. Wagner, il débute à Vienne* au sein de l'Art nouveau. Fondateur, en 1903, des Ateliers viennois, qu'il animera durant trente ans, il en vient rapidement à un dépouillement inspiré de Mackintosh. Son chef-d'œuvre est le palais Stoclet à Bruxelles (1905), aux lignes cubiques, mais d'une élégance raffinée. Il construit en 1925, pour la ville de Vienne, des ensembles d'habitat populaire.

HOFMANN (August Wilhelm VON), chimiste allemand (Giessen 1818-Berlin 1892). Il donna en 1849 un mode général de préparation des amines. Il isola le benzène dans les goudrons de houille et, ayant réalisé la synthèse de l'aniline, il fut l'un des créateurs de l'industrie des couleurs qui en dérivent.

HOFMANNSTHAL (Hugo VON), écrivain autrichien (Vienne 1874-Rodaun, près de Vienne, 1929). Il s'attacha à défendre les droits d'une culture humaniste au milieu des bouleversements du monde moderne, dont il analysa les problèmes intellectuels et moraux à la lumière des mythes antiques et médiévaux (*le Fou et la Mort,* 1893; *Jedermann,* 1911; *la Tour,* 1925). Il écrivit pour Richard Strauss* le livret du *Chevalier à la rose* (1911).

HOFSTADTER (Robert), physicien américain (New York 1915). Il a obtenu la diffusion d'électrons dans divers noyaux atomiques et établi la répartition des charges de ces noyaux. (Prix Nobel de physique, 1961.)

HOGARTH (William), peintre et graveur anglais (Londres 1697-*id.* 1764). Unissant humour et esprit moralisateur, ses tableaux d'inspiration satirique forment souvent des suites narratives (tels *la Carrière du roué* [1735] et *le Mariage à la mode* [1745]) qui, transcrites en gravures, obtinrent un grand succès. À la différence de ses compositions religieuses, ses portraits sont des chefs-d'œuvre de vigueur et de spontanéité (*la Marchande de crevettes,* v. 1745, National Gallery). Son œuvre inaugure l'âge d'or de la peinture britannique.

HOGGAR ou **AHAGGAR,** massif montagneux volcanique du sud du Sahara algérien, à plus de 1 000 km au S. d'Alger. L'altitude (jusqu'à 2 918 m au Tahat) explique une moindre aridité que la plaine environnante, l'occupation humaine (par les Touaregs) avec la présence de quelques localités, dont Tamanrasset est la principale.

HOHENLINDEN, village de l'Allemagne fédérale, en Bavière, à l'E. de Munich; 2 100 hab. Victoire de Moreau sur les Autrichiens le 3 décembre 1800 (v. COALITION [*deuxième*]).

HOHENLOHE (Chlodwig), homme d'État allemand (Rotenburg 1819-Ragaz, Suisse, 1901). Président du Conseil de Bavière (1866-1870), il favorise l'unité allemande au profit de la Prusse. Statthalter en Alsace-Lorraine (1885), il passe de ce poste à la chancellerie de l'empire, où il remplace Caprivi* (1894-1900). Son libéralisme se heurte aux idées autoritaires de Guillaume II.

HOHENSTAUFEN, dynastie germanique, dont l'ancêtre, au milieu du XIe s., est un petit féodal souabe, Frédéric de Beuren († 1094), dont le fils, Frédéric Ier († 1105), fait construire le château de Hohenstaufen. Ayant servi l'empereur Henri IV contre le pape Grégoire VII, Frédéric Ier reçoit le duché de Souabe en 1079. En 1125, Frédéric II (1090-1147) brigue la dignité impériale, mais les grands lui préfèrent le duc de Saxe, Lothaire : c'est le début de la querelle des guelfes* et des gibelins*. Cependant, Conrad III* de Hohenstaufen, frère de Frédéric II et duc de Franconie, reçoit en 1138 la couronne de Germanie et l'empire. Lui succèdent, à sa mort en 1152, son neveu Frédéric Ier* Barberousse (de 1152 à 1190), puis Henri VI*, empereur de 1191 à 1197, Frédéric II*, empereur de 1220 à 1250, et Conrad IV*, empereur désigné de 1250 à 1254, dont le fils, Conrad V ou Conradin, se heurte à l'opposition de la papauté, violemment hostile aux Hohenstaufen. Conradin ayant été décapité sur l'ordre de Charles d'Anjou (1268), la dynastie disparaît.

HOHENZOLLERN, famille allemande, qui émerge à la fin du XIIe s. avec Frédéric III, comte de Zollern († 1201), et qui se divise au XIIIe s. en deux branches.

La *branche de Souabe,* qui restera catholique, mais qui sera affaiblie par les partages, ne jouera pas de rôle majeur dans l'histoire allemande. Cependant, la lignée des Hohenzollern-Sigmaringen donna Léopold (1835-1905), dont la candidature au trône d'Espagne en 1870 provoqua indirectement la guerre franco-allemande, et son frère Charles (1839-1914), le premier Hohenzollern de Roumanie.

La *branche franconienne,* dite « évangélique », parce qu'elle passa au luthéranisme au XVIe s., développe systématiquement sa politique territoriale à partir du XIVe s. Sa fortune est surtout liée à l'acquisition, en 1415, par Frédéric VI (1371-1440), du margraviat de Brandebourg*, érigé en électorat d'empire en 1417. En 1525, Albert de Brandebourg-Ansbach (1490-1568), grand maître de l'ordre Teutonique depuis 1511, passé à la Réforme, sécularise les terres de l'ordre, dont il fait, pour lui, le duché de Prusse*; celui-ci est annexé au Brandebourg en 1618.

Dès lors, les Hohenzollern mènent une politique remarquablement soutenue, souvent brutale, qui fait de leur État une puissance moderne. En effet, les efforts de Frédéric-Guillaume*, le Grand Électeur de Brandebourg (de 1640 à 1688), sont poursuivis par son fils Frédéric (de 1688 à 1713), qui, en 1701, devient roi de Prusse (Frédéric Ier*), puis par Frédéric-Guillaume Ier* (de 1713 à 1740), Frédéric II* (de 1740 à 1786), Frédéric-Guillaume II* (de 1786 à 1797), Frédéric-Guillaume* III (de 1797 à 1840), Frédéric-Guillaume IV (de 1840 à 1861) et Guillaume Ier* († 1888), roi de Prusse en 1861. Celui-ci, en devenant empereur allemand en 1871, fait atteindre aux Hohenzollern les sommets. Les deux derniers membres régnants de la famille en Allemagne sont les empereurs Frédéric III* (1888) et Guillaume II* (1888-1918).

• HOHENZOLLERN DE ROUMANIE. Quatre Hohenzollern-Sigmaringen ont régné sur la Roumanie. CHARLES ou CAROL Ier (Sigmaringen 1839-Sinaia 1914) est d'abord prince (1866) avant de devenir roi (1881) de Roumanie; sa popularité grandit lorsqu'en 1877 il se proclame complètement indépendant du sultan; le principal point de friction avec les Empires centraux, et singulièrement avec l'Autriche-Hongrie, reste la Transylvanie*. — Son fils FERDINAND Ier (Sigmaringen 1865-Sinaia 1927), roi de Roumanie de 1914 à 1927, fait entrer la Roumanie dans la guerre mondiale aux côtés des Alliés (1916); la victoire lui vaut d'annexer la Transylvanie (1918) et d'être couronné en 1922, à Alba Julia, roi de tous les Roumains. En 1925, il doit écarter du trône, à cause de son inconduite, son fils Carol au profit de son petit-fils Michel (né en 1921 à Sinaia). De 1927 à 1930, ce dernier règne sous l'autorité d'un conseil de régence vite impopulaire, si bien que Charles, rentré d'exil, se déclare roi. — CHARLES ou CAROL II (Sinaia 1893-Estoril, Portugal, 1953), roi de Roumanie de 1930 à 1940, établit sa dictature à partir de 1938, laisse la Garde* de fer développer sa politique fascisante et se rapproche de l'Allemagne. Mais celle-ci l'oblige à abdiquer en faveur de son fils Michel (1940) : le pays tombe alors sous la coupe du *conducator* Ion Antonescu (1882-1946). — MICHEL Ier, roi de 1940 à 1947, essaie d'arracher la Roumanie à l'alliance germanique et à la guerre; le 23 août 1944, il fait arrêter Antonescu. Mais l'emprise du parti communiste l'oblige à abdiquer et à s'exiler en 1947.

HOHNECK (le), sommet des Vosges, à l'O. de Munster; 1 361 m.

HOKKAIDŌ, la plus septentrionale des grandes îles du Japon; 78 512 km^2; 5 232 000 hab. Ch.-l. *Sapporo.*

Cette île montagneuse, surmontée de nombreux volcans, est marquée par la rudesse de son climat. La neige tient longtemps en hiver, la température restant inférieure à 0 °C. Les pentes sont couvertes par une forêt de type taïga.

La rigueur des conditions naturelles explique le faible peuplement de l'île par rapport au reste du Japon. L'agriculture reste un secteur essentiel de l'économie. Elle fournit du riz (dont la culture est délicate à cause du froid), du blé, de l'orge, de l'avoine. L'élevage bovin et la pêche lui sont associés. Hokkaidō recèle une grande partie des richesses minières du Japon : houille, fer, gaz naturel, mercure, etc. Mais ces produits sont, pour la plupart, exportés dans le reste du pays et n'ont guère favorisé le développement industriel. En dehors de l'extraction minière et de la production d'hydroélectricité, les activités principales sont les industries alimentaires et les industries du bois. Elles sont localisées surtout à Sapporo, première ville de l'île.

HOKUSAI, illustrateur de livres, dessinateur d'estampes et peintre japonais (Tōkyō 1760-*id.* 1849). On lui doit l'introduction du paysage dans l'ukiyo-e, dont il a été l'un des grands maîtres. Hokusai s'était nommé « fou de dessin » et a réalisé une œuvre très abondante et puissamment originale, servie par un trait court et précis associant la perspective occidentale à sa conception remarquable de l'espace et à son sens du rythme. Dans l'un de ses chefs-d'œuvre, les *Cent Vues du mont Fuji,* il a admirablement rendu les subtilités de la lumière et l'essence même du paysage japonais. Son influence sera décisive sur les impressionnistes.

HOLAN (Vladimir), poète tchèque (Prague 1905). Il est passé de l'influence de Rilke et des lyriques allemands (*l'Éventail chimérique,* 1926) à l'ouverture aux problèmes moraux et politiques du monde contemporain (*Lémures,* 1940; *la Ronde nocturne du cœur,* 1963).

HOLBACH (Paul Henri DIETRICH, *baron* D'), philosophe français (Edesheim, Palatinat, 1723-Paris 1789). Dans son *Système de la nature,* il montre comment la nature matérielle est la cause première de tout ce qui existe et existe de toute éternité. Matérialiste et mécaniste, il a collaboré à l'*Encyclopédie* et n'a cessé, dans plusieurs ouvrages polémiques, de soutenir que toutes les religions conduisent au despotisme.

HOLBEIN, peintres et dessinateurs allemands, dont les principaux sont Hans l'Ancien et Hans le Jeune.

HANS HOLBEIN L'ANCIEN (Augsbourg v. 1465-Issenheim v. 1524), très proche du style gothique tardif, sensible à l'influence flamande, manifeste dans ses travaux d'église, ses portraits et ses études à la mine d'argent un intérêt constant pour la figure humaine, rendue avec une intensité souvent dramatique; sa palette, caractéristique, est faite d'accords subtils et de tons rompus (*la Passion grise,* 1495-1500, Donaueschingen). — Son fils HANS HOLBEIN LE JEUNE (Augsbourg 1497/98-Londres 1543), attiré par l'humanisme de la Renaissance (il se lie avec Érasme à Bâle, avec Thomas More en Angleterre), affirme, notamment dans ses œuvres religieuses, un classicisme marqué par la peinture italienne (*le Christ et la Vierge de douleur,* v. 1521, musée de Bâle). Un réalisme sobre et réservé marque ses portraits, exécutés à Bâle (Érasme) et surtout en Angleterre, où il s'installe complètement en 1532 et devient portraitiste officiel de la Cour. Au-delà de l'hiératisme des personnages et de la rigueur géométrique de la composition, l'artiste s'attache à analyser et à rendre la personnalité du modèle (*Anne de Clèves,* v. 1539, Louvre). Les études préparatoires de ces portraits, dessins rehaussés de sanguine et de gouache (Windsor), sont particulièrement célèbres. Holbein le Jeune a également exécuté des décorations monumentales, aujourd'hui perdues.

HOLBERG (*baron* Ludvig), écrivain danois d'origine norvégienne (Bergen 1684-Copenhague 1754). Professeur à l'université de Copenhague, il parcourut à pied une grande partie de l'Europe occidentale et se rendit célèbre par ses poèmes héroï-comiques (*Peder Paars,* 1719-20) et ses récits de voyages imaginaires (*Voyage souterrain de Nils Klim,* 1741). À la demande du roi Christian VI, il entreprit de constituer un répertoire national pour le nouveau théâtre danois, imitant Aristophane, Plaute et surtout Molière dans ses comédies satiriques et philosophiques (*le Potier d'étain politicien,* 1722; *Jeppe de la montagne,* 1723).

HÖLDERLIN (Friedrich), poète allemand (Lauffen, Wurtemberg, 1770 - Tübingen 1843). Après des études au séminaire de Tübingen, il obtient, grâce à Schiller, un poste de précepteur et exerce cet emploi dans plusieurs places successives, et notamment à Francfort chez le banquier Gontard, où il éprouve pour la mère de son élève un amour partagé qui est à l'origine de ses plus belles poésies lyriques. Mais, dès 1802, le dérèglement de son esprit se manifeste,

Musée Schiller

Friedrich Hölderlin, d'après Franz Karl Hiemer. (Musée Schiller, Marbach.)

et, confié en 1807 au menuisier Zimmer de Tübingen, Hölderlin se survit à lui-même pendant trente-sept ans, enfermé dans une tour dominant le Neckar. Il a laissé des fragments philosophiques, un roman (*Hypérion**, 1797 et 1799) et surtout des odes et des hymnes qui élèvent au mysticisme l'inspiration romantique. Interprète des phénomènes naturels, chantre de la Germanie et d'une vie — image de la Grèce antique — où communieraient les hommes et les dieux, il a été redécouvert au XXe s. et a exercé sur la poésie moderne une influence capitale.

HOLGUÍN, v. de l'est de Cuba; 132 000 hab.

HOLIDAY (Billie), surnommée **Lady Day,** chanteuse de jazz noire américaine (Baltimore 1915 - New York 1959). Celle qui fut une des idoles de Harlem enregistra son premier disque en 1932 avec Benny Goodman, puis fit partie des orchestres de Count Basie et d'Artie Shaw avant de se produire dans le monde entier comme soliste à part entière. Sa voix rauque et acide, son phrasé nonchalant, aux inflexions sensuelles et amères, la rendirent inoubliable.

HOLLANDE, région occidentale des Pays-Bas, sur la mer du Nord, entre le Zuiderzee et l'archipel zélandais.

GÉOGRAPHIE. C'est la partie de loin la plus peuplée du pays : la densité y est en moyenne de l'ordre de 1 000 habitants au kilomètre carré et elle est plus élevée encore au S. d'une ligne Ijmuiden-Amsterdam, dans le secteur correspondant à l'essentiel du Randstad* Holland. La Hollande, qui couvre moins de 15 p. 100 de la superficie des Pays-Bas, regroupe 40 p. 100 de la population. Elle est divisée en deux provinces, les plus peuplées du pays : *Hollande-Septentrionale* (2 283 000 hab.), dont le chef-lieu est *Haarlem* et la plus grande ville *Amsterdam; Hollande-Méridionale* (3 019 000 hab.), dont le chef-lieu est *La Haye* et la plus grande ville *Rotterdam.*

HISTOIRE. La Hollande, ancien pays des Bataves, demeurée en marge de l'Empire romain et tardivement intégrée dans le royaume franc, ne fut évangélisée qu'au VIIIe s., sous l'action de saint Willbrord. Les domaines de la puissante abbaye d'Egmond, concédés par Charles le Simple à un certain Dirk, furent le noyau autour duquel se développa, aux dépens de l'évêché d'Utrecht et de la Flandre, la puissance des successeurs de ce personnage, qui ne tardèrent pas à prendre le titre de comte de Hollande (v. 1015). Libérée du péril frison par la submersion du lac Flevo, transformé en Zuiderzee (1282), la Hollande connut une longue période de prospérité, marquée par l'essor du commerce avec l'Angleterre et de l'industrie lainière (Dordrecht, Leyde). Passé à la maison d'Avesnes (1299), le comté échut en 1345 à Marguerite de Bavière, puis, à l'issue de violents troubles causés par l'union de Jacqueline de Bavière, comtesse de Hollande, avec l'Anglais Gloucester (1422), au duc de Bourgogne Philippe le Bon (1428). En 1477, le mariage de Marie de Bourgogne avec Maximilien d'Autriche rattacha la Hollande à la maison de Habsbourg. Facilitée par le courant commercial avec l'Allemagne luthérienne, la Réforme pénétra rapidement la bourgeoisie hollandaise. Religieuse sous Charles Quint, la crise devint aussi politique sous la tyrannie de Philippe II et du duc d'Albe, et elle aboutit à l'insurrection de la Hollande, à la reconnaissance de Guillaume d'Orange comme stathouder par les États de la province (1572), enfin à la proclamation de l'Union d'Utrecht (1579). Au sein de la république des Provinces-Unies, qui naquit à Utrecht, la Hollande joua un rôle essentiel : La Haye, sa capitale, fut celle du nouvel État, son stathouder le commandant en chef de l'armée des Provinces-Unies, et son pensionnaire le responsable des Finances et des Affaires étrangères de l'Union.

Hollande *(guerre de),* conflit (1672-1679) — le second mené par Louis XIV* — qui a pour origine la volonté du roi de France et de Colbert d'abattre la riche république des Provinces-Unies, obstacle à la conquête complète des Pays-Bas et soutien naturel des calvinistes européens. D'abord alliés à plusieurs puissances européennes — dont l'Angleterre —, les Français franchissent le Rhin et entrent à Utrecht (3 juill. 1672). Mais les inondations volontaires provoquées par les Hollandais, la prise du pouvoir par Guillaume d'Orange, ennemi acharné de Louis XIV (août), l'alliance de l'Espagne et de l'empereur avec les Provinces-Unies prolongent la guerre, moins en Hollande, évacuée dès 1673, qu'en Allemagne et que dans l'Est français. Cependant, les traités de Nimègue (août-sept. 1678) assurent à la France la Franche-Comté et de nombreuses places des Pays-Bas.

HOLLANDE *(royaume de),* royaume créé en 1806 par Napoléon Ier pour son frère Louis. Il fut supprimé dès 1810 et annexé à l'Empire français, le roi Louis se refusant à appliquer le Blocus* continental.

HOLLE, site du Congo-Brazzaville, au N.-E. de Pointe-Noire. Gisement de potasse.

HOLLERITH (Hermann), statisticien américain (Buffalo 1860 - Washington 1929). On lui doit l'invention des machines à statistiques à cartes perforées, dont il construisit les premiers exemplaires (1880-1889).

HOLLYWOOD, v. des États-Unis (Floride), au N. de Miami; 107 000 hab.

HOLLYWOOD, section de la ville de Los Angeles*. Centre touristique, principal centre de l'industrie cinématographique et de la télévision aux États-Unis. Minuscule localité, habitée notamment par des Indiens Cahuengas et Cherokees à la fin du XIXe s. et au début du XXe, Hollywood devint en quelques années (de 1910 à 1914) la capitale incontestée du cinéma américain.

HOLMENKOLLEN, faubourg d'Oslo (Norvège). Important centre de ski.

Holmes *(Sherlock),* personnage principal des romans de Conan Doyle et modèle du détective amateur.

HOLMIUM. — Ce métal du groupe des terres rares est l'élément chimique nº 67, de masse atomique Ho = 164,94. Il donne des sels incolores ou de teinte jaune clair.

HOLOCÈNE → QUATERNAIRE *(ère).*

HOLOGRAPHIE. — L'holographie, dont le principe a été posé en 1947 par Gabor, a pu être réalisée, à partir de 1963, grâce à la mise

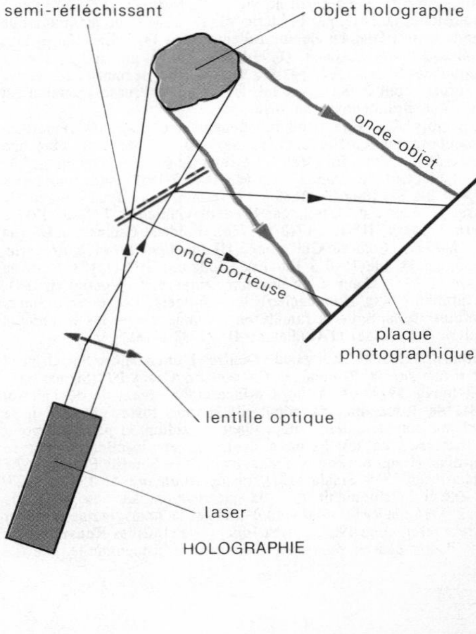

HOLOGRAPHIE

au point du laser*. On enregistre sur une plaque photographique les interférences dues à la superposition d'une onde lumineuse transmise ou diffusée par l'objet et d'une onde indépendante, dite « de référence », provenant d'une même source ponctuelle monochromatique. En illuminant la plaque par l'onde de référence qui a été utilisée lors de la prise de vue, on peut observer par transparence une image occupant la position même qu'avait l'objet. Cette image restitue le relief de l'objet, et l'observateur, en déplaçant la tête, peut constater des effets de parallaxe.

HOLON, v. d'Israël, banlieue sud de Tel-Aviv; 107 000 hab.

HOLOSTÉENS. — Il ne s'agit là que d'un tout petit groupe de poissons *(Lepisosteus Amia)* des fleuves de l'Amérique du Nord, proches des ancêtres directs des poissons supérieurs (téléostéens).

Le lépisostée a la forme et les mœurs d'un brochet, mais des écailles de type ganoïde, comme l'esturgeon, et une respiration partiellement aérienne par la vessie gazeuse. L'amie a des écailles plates et rappelle l'épinoche par sa reproduction (nid, soins donnés par le mâle aux œufs et aux jeunes); elle pratique aussi la respiration aérienne.

HOLOTHURIES. — Les « concombres de mer », ou holothuries, doivent ce surnom à leur forme allongée, qui les oppose à tous les autres échinodermes, mais où l'on retrouve *cinq* faces, rappelant la symétrie pentamère caractéristique de leur embranchement. Une extrémité porte la bouche, entourée de cinq paires de tentacules gluants, à l'aide desquels l'animal recueille sa nourriture. La respiration se fait par le *cloaque,* orifice à la fois anal et pulmonaire, par le moyen de puissantes aspirations et expirations.

HOMBERG (Wilhelm, alias Guillaume), chimiste et médecin néerlandais (Batavia, Java, 1652 - Paris 1715). Il a montré qu'un sel est obtenu par action d'un acide sur une base et établi l'identité des diverses variétés de phosphore.

HOMBOURG-HAUT (57470), comm. de la Moselle, à 7 km au N.-E. de Saint-Avold; 10 401 hab.

HOMÉCOURT (54310), ch.-l. de cant. de Meurthe-et-Moselle, sur l'Orne, à 7 km au S.-E. de Briey; 10 058 hab. Sidérurgie.

Home Fleet (en angl. *flotte de la maison*), flotte de la Royal Navy chargée de la protection immédiate de la Grande-Bretagne.

Home Guard (en angl. *garde de la maison*), formation militaire créée en 1940 pour la garde du territoire de la Grande-Bretagne. (Elle comptait 1,7 million d'hommes en 1945.)

HOMÉOPATHIE. — L'homéopathie, conception générale et médicale de l'homme formulée par Hahnemann, repose sur la « loi de similitude » (toute substance provoquant chez un individu sain des symptômes retrouvés chez un malade peut servir à la guérison de ces symptômes et de ce malade), sur la plus grande efficacité des substances prescrites à doses faibles et atoxiques, et sur la notion de tempérament individuel (constitution correspondant à un groupe de remèdes). Les remèdes homéopathiques sont préparés à partir de substances animales, végétales ou minérales très diluées; ils sont désignés par leur nom latin suivi du numéro de leur dilution. En France, l'exercice de l'homéopathie est réservé aux docteurs en médecine.

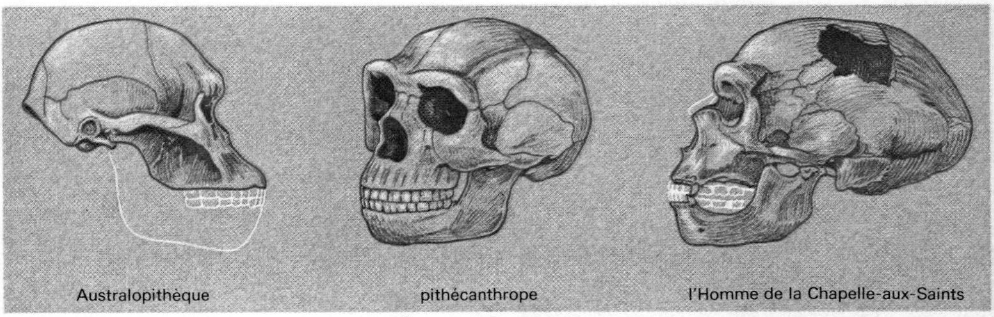

CRÂNES D'HOMINIENS

HOLSTEIN, anc. État de la Confédération germanique. Partie nord de la Saxe, le Holstein est érigé en comté en 1110; il est annexé au Schleswig et abandonné aux Danois en 1203; mais il recouvre sa souveraineté dans l'Empire dès 1225. En 1326, le Danemark doit lui céder le Schleswig; mais, en 1460, le roi de Danemark annexe, à titre personnel, le Schleswig-Holstein, créant ainsi la question des duchés danois (le Holstein est érigé en duché en 1474). En 1815, le duché de Holstein est intégré à la Confédération germanique, mais laissé au roi de Danemark en compensation de la perte de la Norvège. Un mouvement autonomiste se développe chez les Allemands du Holstein. Après la guerre des Duchés (1864), l'administration du Holstein est attribuée à l'Autriche; mais, quand celle-ci est battue par la Prusse (1866), le Holstein est incorporé à l'État prussien (1867).

HOLSTEIN (Friedrich VON), homme politique allemand (Schwedt 1837 - Berlin 1909). De 1874 à 1906, comme Premier conseil référendaire, il joua un rôle discret mais efficace dans la diplomatie allemande.

HOLSTEIN-FRIESIAN (race) → BOVINS.

HOLWECK (Fernand), physicien français (Paris 1890 - *id.* 1941). Il a créé une pompe à vide moléculaire, un pendule à lame oscillante pour la mesure du champ de pesanteur et établi en 1920 la continuité entre les rayons ultraviolets et les rayons X.

HOLZ (Arno), écrivain allemand (Rastenburg 1863 - Berlin 1929). Ses récits, ses drames et ses recueils lyriques (*Phantasus,* 1898-1925) font de lui un des représentants les plus systématiques du naturalisme.

Homais *(Monsieur),* un des personnages de *Madame Bovary,* de Flaubert; il personnifie une certaine sottise bourgeoise, anticléricale et scientiste.

HOMARD. — Objet d'une pêche côtière importante sur tous les rivages rocheux des mers tempérées et froides, le *homard* a les formes d'une grande écrevisse bleue aux énormes pinces, aux antennes réduites. C'est un crustacé décapode macroure.

HOMÉOSTASIE → RÉGULATION.

HOMÉOTHERMIE → RÉGULATION.

HOMÈRE, poète épique grec, regardé comme l'auteur de *l'Iliade** et de *l'Odyssée**, et dont l'existence, problématique, fut entourée de légendes dès le VIe s. av. J.-C. : Hérodote le considérait comme un Grec d'Asie Mineure vivant vers 850 av. J.-C. La tradition le représentait vieux et aveugle, errant de ville en ville et déclamant ses vers. Les œuvres d'Homère, récitées aux fêtes solennelles et enseignées aux enfants, ont exercé une profonde influence sur les philosophes, les écrivains et même sur l'éducation. Dès le XVIIe s., on a fait maintes hypothèses sur l'existence du poète et sur la création des épopées homériques. Mais celles-ci n'ont pas cessé d'occuper une place prépondérante dans la culture classique européenne.

Home Rule (mots anglais signifiant *autonomie*), nom donné au régime d'autonomie revendiqué par les Irlandais entre 1870 et 1914. L'association pour le Home Rule, fondée par Isaac Butt en 1870, est dominée par la personnalité de Charles Parnell*, qui, en 1886, prépare avec le Premier ministre britannique Gladstone* un projet de loi sur l'autonomie. Le Parlement rejette ce projet ainsi qu'un second projet présenté par Gladstone en 1893. Le Home Rule est finalement voté par les Communes en 1912, mais n'est pas appliqué. Une nouvelle loi accorde en 1914 l'autonomie à l'Irlande*, à l'exclusion des six comtés de l'Ulster*, mais la guerre retarde son application. À partir de 1918, le Home Rule ne correspond plus aux aspirations des nationalistes irlandais (Sinn Féin*, IRA*), qui exigent l'indépendance totale.

HOMING → NAVIGATION *(Aéron.).*

HOMINIENS. — L'abondance et la diversité des ossements fossiles de type humain découverts depuis quelques années, en particulier en Éthiopie et dans l'Oldoway (Afrique orientale), obligent à distinguer les hominiens (ancêtres de l'homme ou collatéraux proches) des simiens (par exemple ancêtres des chimpanzés) selon des critères d'environnement technique. Des silex taillés intentionnellement, des traces de feu sont les éléments décisifs. Mais certains détails de la main et du pied, suggérant une adaptation au grimper* et à la brachiation (suspension sous les branches) plutôt qu'à la marche bipède, ont fait écarter l'*oréopithèque* de notre lignée. En ce jour, on distingue trois genres principaux d'hominiens, qui sont, dans l'ordre chronologique approximatif, *Australopithecus, Pitecanthropus* et *Homo.*

HOMMAGE. — C'est l'acte par lequel, au Moyen Âge, un homme se « commande » à un puissant et devient son vassal. Le premier texte sur l'hommage nous est donné par les *Annales royales* de Lorach : Tassilon, duc de Bavière, se commande à Pépin le Bref (757). Mais le rite par lequel le vassal met ses mains jointes dans celles de son seigneur et prononce la formule d'engagement est sans doute beaucoup plus ancien. À l'époque féodale, l'hommage s'accompagne du serment de fidélité et précède l'investiture du fief. Le vassal ayant souvent plusieurs seigneurs et tenant de chacun d'eux un fief, on prend, vers la fin du XIe s., l'habitude de distinguer l'*hommage lige,* impliquant un engagement sans réserve envers le seigneur principal, de l'*hommage plane* ou *simple,* impliquant un service limité à l'égard du ou des seigneurs secondaires.

HOMME. — D'un point de vue purement anatomophysiologique, l'homme actuel *(Homo sapiens)* reste une espèce animale relativement isolée. C'est en effet le seul primate qui soit parfaitement adapté à la station debout et à la marche bipède. Une courbure cervicale à concavité dorsale permet à sa colonne vertébrale de supporter en équilibre une tête dont le trou occipital est fort en avant et dont l'axe orbitaire est perpendiculaire à l'axe du cou, ce qui lui assure une vision lointaine, sagittale et binoculaire incomparable. L'articulation de la hanche, à la verticale des épaules, reçoit des jambes puissantes, parfaitement droites au repos et dont la musculature est largement reportée à la base du tronc (fesses). Le pied, dont l'astragale surmonte une voûte plantaire élastique, assume bien les irrégularités du sol.

La main n'a donc aucun rôle à jouer dans la locomotion et reste disponible en permanence pour les tâches de préhension, auxquelles la destine son pouce, long et parfaitement opposable, ainsi que la richesse neuromusculaire des cinq doigts.

Homochromie. Tigre indien *(Panthera tigris)* dissimulé dans la végétation, peu visible en raison de la couleur de son pelage rayé de lignes discontinues.

J.-P. Ferrero

À ces traits s'ajoute évidemment le grand développement du cerveau, seul facteur de supériorité vraiment décisif.

Cependant, l'homme présente aussi des traits négatifs, dont ses initiatives techniques ont seules corrigé les effets. C'est un « singe nu », que son absence de pelage exposait particulièrement au froid et aux blessures. Il n'a aucune arme naturelle : ni griffes, ni crocs. La lenteur exceptionnelle de sa gestation comme de son enfance fait durer la période fragile de sa vie, en compensation d'une longévité plus exceptionnelle encore.

Mais l'homme nu s'est vêtu, l'homme désarmé a taillé le silex, l'individu fragile a reçu la protection de son groupe, le contrôle du feu a chauffé les corps, éloigné les fauves, cuit les viandes, favorisé les industries naissantes. Ce qui a fait l'homme, c'est le refus d'un animal de se résigner aux faiblesses de sa nature. (V. HUMAINES [*sciences*] et POPULATION.)

Homme *(musée de l'),* musée créé à Paris en 1937 au palais de Chaillot et consacré à l'ethnographie et à l'anthropologie.

HOMME-MACHINE (système) → ERGONOMIE.

Homme sans qualités *(l'),* roman inachevé, en trois volumes, de Robert Musil (1930-1943). Une fresque de la société austro-hongroise à la veille de la Première Guerre mondiale sert de toile de fond à l'aventure spirituelle d'un personnage qui ne trouve de sens à sa vie que dans la passion qu'il éprouve pour sa sœur : dans un monde brisé, l'unité désirée (entre les êtres et entre l'être et le monde) implique la « bisexualité de l'âme » et la fusion de la logique et des facultés visionnaires.

Hommes de bonne volonté *(les),* cycle romanesque de J. Romains (1932-1947).

HOMOCHROMIE. — De nombreux animaux de tous les embranchements sont très difficiles à voir dans leur milieu habituel, du moins tant qu'ils ne bougent pas. Ils sont ainsi protégés non seulement de l'homme, mais aussi de nombreux prédateurs dont la vision ressemble à la nôtre. L'un des éléments de cette dissimulation est l'homochromie, consistant à présenter la même couleur que le fond. Le plus souvent passive, cette homochromie prend dans certaines espèces (caméléon, turbot, crevette hippolyte, etc.) un caractère actif, l'animal adaptant sa couleur à celle du fond par le jeu de ses chromatophores (v. PIGMENT). Lorsque à l'homochromie s'ajoute l'*homomorphie* (phyllie imitant une feuille, chenille imitant un rameau...), la protection est meilleure encore.

HOMOGRAPHIQUE (relation). — Une relation homographique entre deux variables* x et y est une relation de la forme $y = \frac{ax + b}{cx + d}$, a, b, c et d étant des coefficients réels.

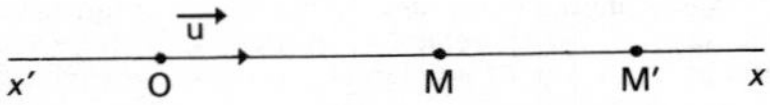

On peut supposer que x et y sont les abscisses de deux points M et M' sur un axe $x'x$, c'est-à-dire les mesures algébriques $\overline{OM}$ et $\overline{OM'}$ comptées par rapport à un vecteur unitaire $\vec{u}$, et que le coefficient c est non nul. Alors à tout point M d'abscisse x différente de $-\frac{d}{c}$ correspond un point M' d'abscisse y. Quand x tend vers $-\frac{d}{c}$, y tend vers l'infini, puisque le dénominateur de la fraction $\frac{ax + b}{cx + d}$ tend vers zéro. De même, quand x tend vers l'infini, $\frac{ax + b}{cx + d}$ tend vers $\frac{a}{c}$ comme y. Les deux points I et J' d'abscisses respectives $-\frac{d}{c}$ et $\frac{a}{c}$ sont appelés les *points limites*. La relation $y = \frac{ax + b}{cx + d}$ se met aussi sous la forme $\left(x + \frac{d}{c}\right)\left(y - \frac{a}{c}\right) = \frac{bc - ad}{c^2}$ ou $\overline{IM} \,.\, \overline{J'M'} = \frac{bc - ad}{c^2}$, qui est une forme réduite de la relation homographique permettant de suivre le déplacement du point M' quand M varie sur $x'x$.

La transformation homographique possède de nombreuses applications géométriques.

HOMOLOGUE *(Chim.).* — On qualifie d'« homologues » des composés organiques dont les formules ne diffèrent que par la présence d'un ou de plusieurs groupes CH_2 et dont les propriétés physiques et chimiques présentent de grandes analogies (par exemple CH_3OH et CH_3CH_2OH).

HOMONYMIE → POLYSÉMIE.

HOMOSEXUALITÉ. — La classification de l'homosexualité dans le registre des perversions, comme la définition de ce qui est féminin ou masculin, dépend de façon étroite de critères socioculturels. Freud analyse l'homosexualité, aussi bien chez l'homme que chez la femme, comme liée à une forte angoisse de castration allant de pair avec une survalorisation du pénis. Il distingue deux types d'homosexualité. L'un, l'*homosexualité narcissique,* est celui dans lequel l'homme recherche un substitut qui le représente du temps où il était l'objet de tout l'amour maternel; dans cette relation, il s'identifie à sa mère. L'autre type est représenté par l'*homosexualité sado-masochiste,* où la régression au stade anal* entraîne une forte ambivalence dans les relations : le sujet désire être pénétré par son partenaire et s'approprier ainsi sa virilité. Cela s'associe à la crainte de perdre ce pénis surestimé au contact de la femme vécue comme castratrice.

Au cours de ces dernières années, la position des homosexuels dans la société a évolué : l'homosexualité est de moins en moins ressentie comme une maladie honteuse, un délit ou une perversion. Certains mouvements d'homosexuels, tant hommes que femmes, considèrent que l'homosexualité est une mise en cause radicale de l'ensemble des formes de sexualité dominantes et des rapports de domination en général.

HOMOTHÉTIE. — L'homothétie est une transformation* ponctuelle qui à tout point M de l'espace associe le point M' tel que $\overrightarrow{OM'} = k \,.\, \overrightarrow{OM}$, O étant un point fixe et k un nombre réel non nul. La notation $\overrightarrow{OM'} = k.\overrightarrow{OM}$ désigne le vecteur $\overrightarrow{OM'}$, égal à k fois le vecteur $\overrightarrow{OM}$, ce qui entraîne l'alignement des points O, M et M′ ainsi que la relation $OM' = |k| OM$ entre les longueurs OM et OM′. Si $k = 1$, M′ est confondu avec M, et l'on obtient la transformation identique. Si $k = -1$, les points M et M′ sont symétriques par rapport au point O. Le point O s'appelle le *centre* de l'homothétie; k en est le *rapport*.

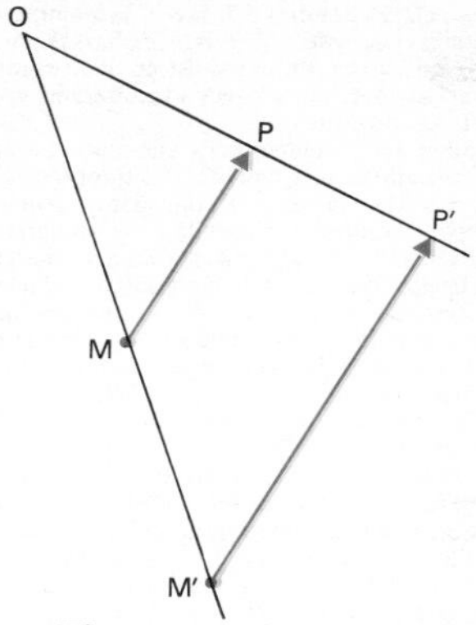

Un vecteur $\overrightarrow{MP}$ est transformé en un vecteur $\overrightarrow{M'P'} = k.\overrightarrow{MP}$, parallèle au vecteur $\overrightarrow{MP}$, de même sens ou de sens contraire, suivant que k est positif ou négatif; $M'P' = |k| MP$.

L'homothétie transforme une droite en une droite parallèle, un cercle en un cercle, les plans des deux cercles étant parallèles et les rayons liés par la relation $R' = |k| R$.

L'homothétie est très utilisée pour démontrer des propriétés géométriques.

HOMOZYGOTE → GÈNE.

HOMS, v. de Syrie, près de l'Oronte; 216 000 hab. Raffinerie de pétrole. Engrais. Bien que mentionnée dès le IIe millénaire avant notre ère, la ville ne se développa qu'au Ier s. apr. J.-C. sous le nom d'*Émèse* et n'occupa un rang remarquable parmi les cités de l'Orient romain que sous les Sévères* : les princesses de cette dynastie étaient originaires d'Émèse, où leur famille remplissait les fonctions de grand prêtre du dieu solaire Élagabal, qui avait dans la ville un temple renommé. Prise par les Arabes en 637, Homs ne joua qu'un rôle effacé dans l'histoire politique de la Syrie.

HO-NAN ou **HENAN,** prov. de la Chine, dans le bassin du Houang-ho; 160 000 km²; 56 millions d'hab. Capit. *Tcheng-tcheou.* La moitié orientale appartient à la grande plaine de la Chine du Nord, produisant surtout du blé, malgré les progrès de la riziculture, liée à l'extension de l'irrigation.

HONDSCHOOTE (59122), ch.-l. de cant. du Nord, près de la frontière belge, à 21,5 km au S.-E. de Dunkerque; 3 079 hab. Hôtel de ville Renaissance. Victoire française du général Houchard sur les Austro-Anglo-Hollandais (1793) [v. COALITION *(première)*].

HONDURAS, État de l'Amérique centrale; 112 088 km²; 2 830 000 hab. Capit. *Tegucigalpa.*

GÉOGRAPHIE. Situé entre le Salvador, le Guatemala, à l'O., et le Nicaragua, à l'E., le Honduras est un État montagneux qui s'ouvre largement sur la mer des Antilles (golfe du Honduras) par une plaine alluviale, mais qui ne possède qu'un étroit débouché sur l'océan Pacifique. Un massif souvent volcanique, entaillé de profondes vallées, en occupe la partie centrale. Le climat tropical permet la croissance de la forêt dense sur les basses pentes. En altitude, celle-ci passe à la forêt tempérée.

La population, peu dense, est composée de deux groupes : des métis d'Indiens et des Espagnols vivent sur les hautes terres, tandis que les Noirs prédominent sur la côte de la mer des Antilles. L'économie repose sur la banane, cultivée en plantations contrôlées par les grandes sociétés américaines. En altitude, à côté des cultures vivrières (haricots), se développent l'élevage bovin et les plantations de café. Mais le niveau de vie reste très faible.

HISTOIRE. En 1821, le Honduras, surtout peuplé de métis et de mulâtres, suit le destin de l'Amérique centrale, indépendante de Madrid, puis de Mexico (1824). Quand éclate la confédération des Provinces-Unies de l'Amérique centrale (1838), il devient pratiquement un protectorat britannique, puis, après 1856, il connaît une instabilité politique chronique. Au début du XXe s., l'emprise de l'*United Fruit Company* fait du Honduras le type de la *Banana Republic.* Le dictateur Tiburcio Carías Andino, qui mène le pays d'une main de fer de 1933 à 1949, n'est qu'un instrument de l'*United.* Son successeur, Juan Manuel Gálvez, président de la République de 1949 à 1954, fait preuve d'une certaine indépendance. Depuis, libéraux et militaires se succèdent; la brève et sanglante guerre contre le Salvador, dynamique et surpeuplé (1969), menace jusqu'à l'existence d'un pays resté sous-développé.

HONDURAS *(golfe du),* échancrure du littoral de l'Amérique centrale, sur la mer des Antilles.

HONDURAS BRITANNIQUE → BELIZE.

HONECKER (Erich), homme d'État allemand (Neunkirchen, Sarre, 1912). Secrétaire général du parti socialiste unifié (S. E. D.) depuis 1971, il devient président du Conseil d'État de la République démocratique allemande en 1976.

HONEGGER (Arthur), compositeur suisse (Le Havre 1892 - Paris 1955). Bien que membre du groupe des Six*, il n'eut « pas le culte de la foire ni du music-hall, mais au contraire celui de la musique de chambre et de la musique symphonique dans ce qu'elle a de plus grave et de plus austère ». En témoignent notamment, outre son célèbre *Pacific 231* (1923), ses cinq symphonies, son opéra *Antigone* (1927) et surtout ses grands oratorios (*le Roi David,* 1921; *Judith,* 1925; *Cris du monde,* 1931; *Jeanne au bûcher,* 1935; *la Danse des morts,* 1938; *Nicolas de Flue,* 1940).

HONFLEUR (14600), ch.-l. de cant. du Calvados, sur la rive gauche de l'embouchure de la Seine; 9 178 hab. Église Sainte-Catherine, en bois, du XVe s. Vieilles maisons. Musée municipal Eugène-Boudin et musée du Vieux-Honfleur. Port de commerce. Constructions mécaniques. Chimie.

HÔN GAI ou **HONGAY,** port du Viêt-nam septentrional, sur le golfe du Tonkin. — À proximité, extraction du charbon.

HONGKONG, colonie britannique, en bordure de la Chine méridionale (Kouang-tong); 1 034 km²; 4 039 000 hab. Capit. *Victoria.*

Le port d'Aberdeen, dans l'île de Hongkong.

Paskall-C.E.D.R.I.

GÉOGRAPHIE. La colonie juxtapose une partie péninsulaire très découpée, la *péninsule de Kowloon,* et diverses îles, dont Lan Tao (presque vide) et *Hongkong* (76 km^2, surpeuplée puisque comptant environ 1 million d'habitants). Développée comme port d'entrepôt (avec zone franche) et centre commercial, ayant reçu après 1949 un grand nombre de réfugiés fuyant la Chine populaire, elle s'est récemment fortement industrialisée (textile et électronique, cinéma s'ajoutant aux traditionnels chantiers navals). C'est un organisme urbain exceptionnel, source de devises pour la Chine populaire, qui lui fournit notamment la quasi-totalité de l'alimentation.

HISTOIRE. Durant la guerre de l'Opium (1839-1842), la Compagnie anglaise des Indes orientales, installée à Macao, se réfugie dans l'île de Hongkong, et les Anglais acquièrent celle-ci par le traité de Nankin (1842); en 1860, la convention de Pékin leur donne en outre Kowloon; en 1898, une nouvelle convention anglo-chinoise leur cède en bail la plus grande partie de la péninsule et soixante-quinze îles *(New Territories).*

HONGRIE, en hongr. **Magyar Nepköztársagág,** État de l'Europe centrale, à l'est de l'Autriche; 93 300 km^2; 10 540 000 hab. *(Hongrois).* Capit. *Budapest.*

GÉOGRAPHIE.

• *Le milieu naturel.* La Hongrie est un pays de plaines et de collines, occupant une vaste partie du bassin pannonien. La dorsale hongroise est un alignement N.-E.-S.-O. de massifs peu élevés aux formes lourdes (Bakony; monts Mátra, 1 015 m), parfois flanqués d'édifices volcaniques. Elle sépare la Petite Plaine, ou Kisalföld, au N.-O., de la Grande Plaine, ou Alföld, cuvette de subsidence remblayée par le Danube et la Tisza. À l'O. du Danube, les collines de Transdanubie sont coupées par le lac Balaton.

L'ensemble du pays subit un climat continental caractérisé par des hivers froids et des étés chauds et orageux (à Budapest, la

paysans peuvent conserver un peu de terres, et une plus grande place est laissée à l'initiative individuelle.

L'agriculture a été largement modernisée. La mécanisation a permis l'augmentation des rendements, et les troupeaux de porcs et d'oies de la Puszta ont disparu au profit des cultures. L'aménagement du cours du Danube et surtout de celui de la Tisza, grâce à une série de barrages qui en régularisent le débit, est à l'origine de l'accroissement des surfaces cultivables. À côté des céréales (blé, maïs) se développent la betterave à sucre, la pomme de terre, le tabac et les légumes. La vigne, qui couvre les basses pentes, fournit le célèbre tokay. La culture du coton est en plein essor. L'élevage est pratiqué dans le cadre de grosses exploitations spécialisées : bovins, ovins et surtout porcs.

L'industrialisation est ancienne, mais elle a pris un nouvel essor avec le régime socialiste. Les activités traditionnelles (industries alimentaires et textiles, papeteries) ont perdu leur importance devant les branches nouvelles. Cependant, la Hongrie souffre du manque de matières premières, en particulier énergétiques. La production de lignite stagne, et le potentiel hydroélectrique est faible. L'extraction du pétrole et surtout du gaz naturel dans l'Alföld reste modeste, et le pays importe du pétrole d'U. R. S. S. (par l'oléoduc de l'Amitié). Les ressources en minerais métalliques sont également limitées (cuivre, plomb, zinc); cependant, la bauxite alimente la métallurgie de l'aluminium et le fer est à l'origine du développement de la sidérurgie (3,5 Mt d'acier par an), encore insuffisant. La production industrielle, localisée surtout dans la région de Budapest, est fondée sur les activités de transformation : constructions mécaniques et électriques, chimie (engrais, matières plastiques, textiles synthétiques). Les produits sont exportés principalement vers l'U. R. S. S. et les autres pays du Comecon, mais aussi, et de plus en plus, vers les pays occidentaux. Le déficit de la balance commerciale n'est pas comblé en totalité par les revenus du tourisme.

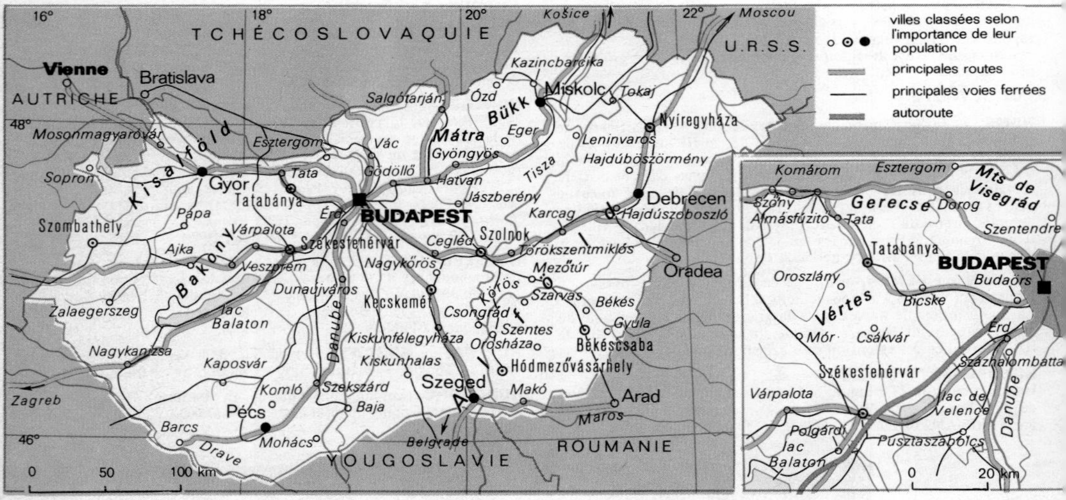

HONGRIE

température moyenne de janvier est de $-1\,^0C$, celle de juillet de $21{,}9\,^0C$ et les précipitations annuelles sont de 498 mm). La forêt couvre les zones élevées, tandis que, traditionnellement, la plaine, souvent marécageuse, est le domaine de la prairie (puszta).

• *La population.* La démographie reflète les vicissitudes historiques qu'a subies le pays. La stagnation de la population résulte en grande partie du vieillissement dû aux pertes de la guerre et aux mouvements d'émigration qui l'ont suivie. Le faible taux de natalité s'est cependant relevé. La population, dense, est inégalement répartie; elle se concentre dans les régions industrielles, les vallées marécageuses du Danube et de la Tisza étant longtemps apparues répulsives. Le taux d'urbanisation est moyen, mais la seule ville de Budapest regroupe le cinquième de la population du pays, hypertrophie héritée de l'ancien Empire austro-hongrois. Seules cinq autres agglomérations dépassent 100 000 habitants : Miskolc, Debrecen, Pécs, Győr et Szeged.

• *L'économie.* Après 1945, le nouvel État hongrois a organisé son économie sur des bases socialistes. La crise de 1956 l'a conduit à freiner une collectivisation entreprise à un rythme trop rapide. Les

HISTOIRE. • *Des origines à 1918.* Au début du Ier s., les Romains occupent la Transdanubie et la transforment en province (Pannonie) : ils la quittent en 409, l'abandonnant aux Ostrogoths, auxquels succèdent les Gépides, puis les Huns et les Avars. À la fin du IXe s. apparaissent les Hongrois (Magyars), ethnie qui appartient à la branche ougrienne de la famille linguistique finno-ougrienne et qui, chassée par les Petchenègues des steppes du sud de la Russie, envahit le bassin danubien et conduit de nombreux raids en Occident. Peu à peu, leur organisation tribale devient structure géographique, les forteresses des chefs se transforment en centres administratifs. C'est la famille d'Árpád († 907) qui détient le pouvoir central. En 975, Géza († 997) se fait baptiser par des missionnaires allemands. Son fils Étienne Ier* est couronné roi de Hongrie (an mille) et parachève son œuvre en organisant le pays en comitats et en évêchés, et en l'ouvrant à la civilisation de l'Europe occidentale. Après lui, les guerres de succession affaiblissent la Hongrie, qui un moment, au XIe s., subit l'emprise impériale. Mais les règnes d'André Ier (de 1047 à 1060), de Ladislas Ier (de 1077 à 1095) et de Coloman (de 1095 à 1116) sont marqués par l'expansion hongroise dans les Balkans et vers l'Adriatique (Dalmatie, Croatie). Le royaume atteint son apogée sous Béla III (de 1172 à 1196) : l'agriculture et le commerce sont alors en plein développement, tandis que l'administration se codifie. Le XIIIe s. voit grandir l'anarchie féodale; Béla IV (de 1235 à 1270) s'efforce bien de rétablir le pouvoir royal, mais son action est interrompue par la terrible invasion des Mongols (1241-42). Par la suite, la royauté s'appuie, contre l'aristocratie foncière, sur la petite noblesse, tandis que se fortifie la bourgeoisie citadine et marchande.

Après la mort d'André III (1301) le morcellement féodal s'accentue. L'arrivée au pouvoir de la maison d'Anjou — Charles-Robert (de 1308 à 1342), Louis Ier* le Grand (de 1342 à 1382) — redonne à la royauté son lustre et sa puissance, la conquête de la Bosnie (1328) assurant les frontières orientales. Louis Ier réalise même l'union de la Hongrie, de la Croatie et de la Dalmatie, et obtient en 1370 la couronne de Pologne. L'oligarchie aristocratique redevient toute-puissante sous le gendre de Louis Ier, Sigismond de Luxembourg (de 1387 à 1437). Celui-ci, devenu empereur (1410) et roi de Bohême (1419), ne peut arrêter l'avance des Turcs et perd la Dalmatie au profit de Venise. Après lui, les guerres de succession (Jagellon*, Hunyadi*) affaiblissent le pays, qui doit constamment faire face à la menace turque. La Hongrie connaît néanmoins un remarquable développement économique et culturel sous Mathias* Corvin (de 1458 à 1490); celui-ci stoppe les Turcs, conquiert la Bohême, la Moravie et la Silésie, et transfère son siège à Vienne. Mais, après lui, le pouvoir central s'écroule; l'année 1526 voit la défaite de Louis II (de 1516 à 1526) devant les Turcs à Mohács et l'occupation de Buda; mais, en 1552, l'offensive turque est freinée en direction de Vienne. Tandis que la Transylvanie*, constituée en principauté élective en attendant d'être indépendante (1606), est aux mains de quelques grandes familles (Báthory*, Bocskai), la Hongrie royale, possession des Habsbourg*, est dominée par la petite noblesse rurale. Mais, lorsque la Transylvanie devient turque (1660), elle perd son appui indispensable face aux Habsbourg, ce qui favorise sous Léopold Ier* (de 1658 à 1705) une guerre civile. Finalement, la reprise de Buda (1686) et de la Transylvanie (1687) sur les Turcs aboutit à la cession de l'ensemble de la Hongrie aux Habsbourg, qui font de celle-ci une dépendance de leurs États héréditaires (1687-1699). Un dernier soulèvement national (1703-1711), celui de François II Rákóczi, prince de Transylvanie, aboutit à la suppression de l'autonomie de cette province.

En 1723, la Hongrie accepte la pragmatique sanction, qui rend la couronne de saint Étienne héréditaire même dans la ligne féminine. En fait, si, sous les règnes de Marie-Thérèse* (de 1740 à 1780), de Joseph II* (de 1780 à 1790), de Léopold II* (de 1790 à 1792) et de François II* (de 1792 à 1835), la Hongrie connaît un certain développement économique et social, la centralisation et la germanisation autrichiennes s'avèrent de moins en moins soutenables. La peur de la Révolution française refroidit le zèle nationaliste des quelques centaines de magnats qui possèdent le sol hongrois; par contre, elle donne des motivations nouvelles à la résistance des sociétés secrètes et des intellectuels. Les principaux leaders nationalistes sont le comte István Széchenyi (1791-1860) — accusateur, dans *le Crédit,* du système féodal hongrois —, le poète Sandor Petőfi* et surtout Lajos Kossuth*, petit noble, chef des libéraux et des réformistes, qui, en mars 1848, prend la tête du mouvement révolutionnaire. Ne se contentant pas d'un statut autonome, Kossuth, qui s'appuie sur les allogènes, fait voter par le Parlement de Pest la déchéance des Habsbourg (14 avr. 1849); mais les armées russes, victorieuses à Világos (13 août), l'obligent à la fuite. La Hongrie retombe alors sous la tyrannie policière de Vienne, qui, cependant, maintient la suppression du servage. Mais les défaites autrichiennes de 1859 et de 1866 obligent François-Joseph Ier à composer avec les Hongrois : le compromis de 1867 crée une double monarchie austro-hongroise, avec deux parlements et deux gouvernements, les deux pays étant liés par la dynastie des Habsbourg. Cependant, cet accord laisse la Hongrie face aux nationalités, notamment aux Croates, qui obtiennent en 1868 le maintien de leur diète.

La consolidation politique due au compromis de 1867 aide à l'évolution rapide de l'économie hongroise, l'agriculture restant prédominante. Le parti libéral de Ferenc Deák* assure durant trente ans la direction du pays, Kálmán Tisza étant président du Conseil de 1875 à 1890. Mais l'aggravation de la crise agraire après 1880 favorise l'émigration et aussi la fondation d'un parti social-démocrate (1890), dont les revendications appellent une dure réaction. Les années qui précèdent la Première Guerre mondiale sont troublées par les grèves et la montée de l'opposition de gauche.

• *Depuis 1918.* La Première Guerre mondiale provoque la misère; lorsque s'écroule la double monarchie (été 1918) et qu'est proclamée la deuxième république hongroise (16 nov.), avec le comte Mihály Károlyi (1875-1955) au gouvernement, la situation économique est tellement grave en Hongrie que Károlyi, le 20 mars 1919, doit remettre le pouvoir au parti social-démocrate et au parti communiste, né en novembre 1918. Le nouveau gouvernement proclame la république des Conseils (21 mars 1910), le Conseil exécutif révolutionnaire des commissaires du peuple étant présidé par Béla Kun*. Mais l'intervention armée des Roumains et des Tchèques oblige celui-ci à s'enfuir (1er août 1919). La république des Conseils s'écroule, et le contre-amiral Miklós Horthy*, chef de l'armée blanche, est élu régent du « royaume sans roi » de Hongrie, qui rompt officiellement ses liens avec l'Autriche (1er mars 1920). Peu après, la Hongrie signe le traité de Trianon (4 juin), qui l'ampute de la Slovaquie, de la Ruthénie, de la Transylvanie, du Banat, de la Croatie et de Fiume.

La régence d'Horthy s'éternise, malgré les deux tentatives de restauration de Charles (Ier) de Habsbourg en 1921, le gouvernement, dirigé par István Bethlen (1874-1947) de 1921 à 1931, assurant à la Hongrie, qui a perdu les deux tiers de son territoire, un certain équilibre politique et économique. Mais la grande crise économique de 1930 favorise les éléments d'extrême droite (Croix-Fléchées), antisémites, et fait entrer la Hongrie de Horthy dans la dépendance de l'Allemagne hitlérienne. En 1941, la Hongrie déclare la guerre à l'Union soviétique. Cependant l'opposition anti-allemande s'organise autour du parti communiste clandestin. En octobre 1944, Hitler impose les Croix-Fléchées de Szálasi et oblige le régent Horthy à démissionner. Mais l'entrée et la victoire de l'armée rouge (déc. 1944) fait passer la Hongrie — république en 1946 — dans le camp socialiste.

En juin 1948 est constitué le parti des travailleurs hongrois, bientôt seul admis; en mai 1949 triomphe aux élections le Front d'indépendance populaire, qui porte au pouvoir Mátyás Rákosi. Celui-ci, le 20 août, obtient du Parlement une nouvelle constitution, sur le modèle de celle de l'Union soviétique, et présente le premier plan quinquennal. Quand la déstalinisation se développe en Hongrie, il est remplacé par Imre Nagy* (1953), dont le libéralisme mitigé ne plaît à personne et qui, dès 1955, est remplacé par András Hegedüs (né en 1922). Mais partisans et adversaires de la libéralisation du régime se heurtent au point qu'en octobre 1956 éclate une insurrection qui rappelle Nagy au pouvoir, mais qui est écrasée par les troupes soviétiques (nov.). Nagy arrêté — en attendant d'être exécuté —, le gouvernement du pays est assuré par le premier secrétaire du parti communiste, János Kádár, chef du gouvernement de 1956 à 1958 et de 1961 à 1965. János Kádár, après avoir accéléré la collectivisation agraire, amorce une politique plus libérale à l'intérieur et d'ouverture à l'extérieur, politique qu'ont poursuivie ses successeurs au gouvernement, notamment Jenő Fock, qui, en 1967, succède à Gyula Kállai, à l'instigation de János Kádár, et qui est lui-même remplacé par György Lázár en 1975.

HONGROIS. — Le hongrois, ou magyar, est la principale langue de la famille finno-ougrienne* : il est parlé par environ 12 millions de personnes, dont 2 millions en dehors des frontières de la Hongrie (Transylvanie roumaine, émigrés aux États-Unis). Le vocabulaire a fait de nombreux emprunts, notamment au turc et aux langues slaves.

HONOLULU, capit. de l'État américain des Hawaii, dans l'île d'Oahu; 325 000 hab. Centre touristique.

HONORIUS Ier, II, III, IV → PAPE.

HONORIUS (Flavius) [Constantinople 384-Ravenne 423], empereur d'Occident de 395-423, second fils de Théodose Ier. Avant sa mort, Théodose avait nommé augustes ses deux fils, Arcadius* pour l'Orient, Honorius pour l'Occident, et avait prévu que Stilicon* serait le tuteur commun des deux jeunes empereurs; mais, devant la réaction antibarbare de Constantinople, Stilicon ne put maintenir une direction unique : il ne fut que le régent d'Honorius, ce qui marquait au grand jour la séparation de l'Empire en deux parties. Après la chute de Stilicon (408), le règne d'Honorius fut marqué par une série de catastrophes : prise de Rome par Alaric* (410), invasions barbares en Espagne et en Gaule (409-415), usurpations et anarchie. L'Occident fut sauvé par F. Constantius (Constance III), qui réduisit les usurpateurs et accéda au trône aux côtés d'Honorius en 421.

HONSHŪ, la plus grande et la plus peuplée des îles du Japon; 230 841 km²; 86 456 000 hab.

Cette île montagneuse est axée sur deux chaînes, l'une orientée N.-S., l'autre E.-O., qui se rejoignent au centre, au niveau de la Fossa Magna, couloir tectonique dominé par le grand cône volcanique du Fuji-Yama. La jeunesse du relief est attestée par la fréquence des tremblements de terre et des manifestations volcaniques. Les plaines n'occupent que des superficies réduites : Kantō (plaine de Tōkyō), plaine de Nagoya, Kansai (plaine d'Ōsaka-Kyōto). Le climat varie avec la latitude. Au S., il est chaud et humide sous l'influence de la mousson, et les pentes sont couvertes d'une forêt où se mêlent des espèces variées (magnolias, chênes, hêtres). Au N., il devient froid, à cause, en partie, de l'Oyashio, courant froid qui longe les côtes. La neige est fréquente en hiver, et la forêt comprend essentiellement des conifères et des bouleaux.

L'île recouvre des régions variées. Le Nord, ou Tōhoku, le plus récemment peuplé, conserve une vocation essentiellement rurale.

Wings Photo Enterprise

Honshū. Vue aérienne partielle de la ville et du port de Yokohama, sur la côte occidentale de la baie de Tōkyō.

La culture du blé et l'élevage y sont les activités essentielles. L'hydroélectricité et la houille y ont permis le démarrage de l'industrie (sidérurgie), qui demeure modeste. Le reste de l'île est caractérisé par une opposition économique marquée entre la côte pacifique, prolongée par celle de la mer Intérieure, et celle de la mer du Japon. Sur cette dernière, l'agriculture prédomine : riz (avec souvent deux récoltes annuelles), thé, arbres fruitiers, légumes, etc. Ces productions ont perdu leur importance sur la côte sud, devenue la région vitale du Japon. Les énormes concentrations urbaines de Tōkyō, de Yokohama, de Nagoya, d'Ōsaka-Kōbe-Kyōto regroupent l'essentiel de la production industrielle du pays, et toutes les activités y sont représentées.

Honvéd (mot hongrois signifiant *défense de la patrie*), nom donné depuis 1848 à l'armée hongroise.

HOOFT (Pieter Cornelisz.), écrivain hollandais (Amsterdam 1581-La Haye 1647). Poète élégiaque et prosateur, il a contribué à former la langue classique de son pays.

HOOGH (Pieter DE), peintre hollandais (Rotterdam 1629-Amsterdam v. 1684). Travaillant à Delft, puis, vers 1662, à Amsterdam, influencé par Vermeer et par Rembrandt, il a dépeint les intérieurs et la vie familière de la bourgeoisie aisée. Accents colorés et jeux de lumière poétisent son réalisme minutieux. Ses œuvres deviennent d'un goût plus pompeux à partir de 1665-1670.

HOOGHLY ou **HUGLI,** bras occidental du delta du Gange; 250 km.

HOOKE (Robert), astronome et mathématicien britannique (Freshwater, île de Wight, 1635-Londres 1703). Il disputa à Newton* la découverte de la gravitation* universelle et à Huygens* l'invention de l'échappement à ancre ainsi que celle du ressort spiral. Mais surtout il énonça la loi de proportionnalité entre les déformations élastiques d'un corps et les efforts auxquels celui-ci est soumis, connue sous le nom de *loi de Hooke.*

HOOVER (Herbert Clark), homme d'État américain (West Branch, Iowa, 1874-New York 1964). Directeur général des vivres pour les États-Unis pendant la Première Guerre mondiale, ministre du Commerce (1921) il a été président (républicain) des États-Unis de 1928 à 1932.

HOOVER DAM, anc. **Boulder Dam,** important barrage de l'ouest des États-Unis, sur le Colorado. Grande centrale hydroélectrique.

HOPE (Thomas Charles), chimiste écossais (Édimbourg 1766-*id.* 1844). Il est l'auteur d'une expérience (1805) qui met en évidence le maximum de densité de l'eau à 4 °C.

HO-PEI ou **HEBEI,** prov. de la Chine du Nord; 190 000 km^2; 47 millions d'hab. Capit. *Che-kia-tchouang.* Englobant la municipalité de Pékin, c'est une région de moyennes montagnes au N., appartenant au S.-O. à la grande plaine de la Chine du Nord, productrice surtout du blé. Le sous-sol fournit du charbon et du fer, bases de la métallurgie, activité industrielle dominante.

HÔPITAL. — Les hôpitaux doivent répondre aux besoins de diagnostic, de soins, de prévention, de recherche et d'enseignement médicaux ainsi que d'aide sociale. Leur hygiène a été améliorée par la suppression progressive des salles communes et par la prévention contre les risques de contagion. — En France, le *service public hospitalier* a pour mission d'assurer la médecine préventive, le traitement des malades, des blessés et des femmes enceintes; il concourt, de plus, à l'enseignement et participe à la recherche. Ce service public hospitalier est assuré à la fois par des établissements publics et par des établissements privés.

HÔPITAL (L') [57490], comm. de la Moselle, à 7,5 km au N. de Saint-Avold; 6 395 hab.

HOPKINS (Gerard Manley), écrivain anglais (Stratford, Essex, 1844-Dublin 1889). Membre de la société de Jésus, professeur de grec à la faculté de Dublin, il composa, de 1885 à 1887, de brefs poèmes, qui, lorsqu'ils furent publiés par Robert Bridges en 1918, exercèrent par leurs innovations métriques et leur accent tragique une grande influence sur la poésie anglo-saxonne.

HOPKINS (*sir* Frederick Gowland), biochimiste anglais (Eastbourne 1861-Cambridge 1947). Il reçut le prix Nobel de médecine en 1929 pour ses travaux sur les acides aminés essentiels, les ptérines, le trytophane et le glutathion.

HOQUET. — Acte involontaire souvent bénin, le hoquet peut, toutefois, par sa prolongation, signer une lésion thoracique ou abdominale irritant le diaphragme ou une lésion du bulbe rachidien.

HORACE, en lat. **Quintus Horatius Flaccus,** poète latin (Venosa 65 av. J.-C.-† 8 av. J.-C.). Son père, un affranchi, sacrifie tout pour lui faire donner à Rome et à Athènes une parfaite éducation littéraire et philosophique. Horace se lie en Grèce avec Brutus, le meurtrier de César, qui lui donne dans son armée le grade de tribun militaire. Après avoir combattu à Philippes, il rentre à Rome, ruiné et suspect, et devient greffier de la questure. Mais il rencontre Virgile, qui le prend en affection et le présente à Mécène. Sa culture et son esprit lui font bientôt gagner la protection d'Auguste, mais il sait sauvegarder sa liberté, mêlant aux plaisirs mondains les joies de la campagne. Épicurien délicat et artiste raffiné, il a doté les lettres latines d'une poésie à la fois familière, nationale et religieuse *(Satires*, Épodes, Odes*, Épîtres*).* Par son souci de la perfection littéraire, par sa morale d'honnête homme épris du juste milieu, il apparaîtra aux érudits de la Renaissance, puis aux écrivains du XVIIe s. comme le parfait modèle des vertus classiques.

Horace, tragédie de P. Corneille (1640) : au patriotisme du vieil Horace et de son fils, Corneille oppose le courage plus humain de Curiace et l'amour exclusif de Camille, sœur d'Horace.

HORACES (les trois). C'est sous le règne de Tullus* Hostilius, troisième roi de Rome, que la tradition place la guerre entre Albe et Rome, le combat des trois Horaces, champions de Rome, contre les trois Curiaces, champions d'Albe, la victoire d'Horace, meurtrier de sa sœur, et la défaite des Curiaces, qui est en même temps la ruine de leur ville. La légende des Horaces, rendue célèbre par Corneille (*Horace**), est née du fait que la tribu *Horatia* englobait dans son territoire Bovillae et Albe elle-même.

HORAIRE DE TRAVAIL. — La civilisation industrielle a conduit à une organisation identique et même synchronisée des horaires de travail. Pour pallier les difficultés de circulation, pour économiser l'énergie (réduction des heures de pointe) on assiste, depuis quelques années, à différents essais de modulation des horaires de travail, tels que journée continue, horaires à la carte, ou horaires flottants, ou encore heures de travail variables, augmentation des horaires journaliers pour concentrer l'activité sur moins de jours ouvrables (semaine de quatre jours, avec dix heures par jour de travail).

HORDE D'OR, État mongol le plus occidental (de 1236/1240 à 1502). Les sources orientales l'appellent khānat de Qiptchak ou Ulus de Djötchi (ou Djūtchī), car il s'est constitué à partir du territoire hérité par Djötchi, fils aîné de Gengis khān*. La Horde d'Or est fondée par Batū khān*, qui lui donne pour capitale Saray, sur la Volga. Elle étend sa domination sur les principautés russes, la Crimée, une partie du Caucase et de la Sibérie, qui lui versent un tribut. Bientôt assimilés par les Turcs autochtones, ses khāns adoptent définitivement l'islām à partir du XIVe s. Au milieu du XVe s., les khānats d'Astrakhan, de Kazan*, de Kassymov, de Crimée* et de Sibérie se rendent indépendants. En 1480, le tsar Ivan III* secoue le joug mongol, et la Horde d'Or est détruite en 1502 par les Tatars de Crimée, alliés aux Russes.

HORGEN, comm. de Suisse (cant. de Zurich), sur la rive sud du lac de Zurich; 15 691 hab.

HORKHEIMER (Max), philosophe et sociologue allemand (Stuttgart 1895-Nuremberg 1973). Directeur de l'Institut für Sozialforschung (1930), il fonde et dirige l'école de Francfort*. En 1933, il fuit le nazisme, puis, l'année suivante, il réinstalle l'Institut à New York, où il poursuit des recherches de sociologie à partir du matérialisme historique, repris dans une perspective critique et humaniste (*Kritische Theorie I* et *II,* 1968). Ses œuvres principales sont *Studien über Autorität und Familie* (1936), *Eclipse of Reason* (1947) et, avec Adorno*, *Dialektik der Aufklärung* (1947).

Horla *(le),* recueil de contes de Maupassant (1887), qui s'ouvre sur le journal d'un homme obsédé par la présence diffuse d'un être surnaturel qui s'empare de sa volonté et de son énergie.

HORLOGE → ÉCHAPPEMENT, HORLOGERIE, PLANÉTAIRE.

HORLOGERIE. — L'époque artisanale de l'horlogerie commence avec des instruments primitifs non mécaniques. Observant la longueur ou la direction de l'ombre d'un arbre, d'une montagne, d'une pierre dressée, l'homme invente les *horloges de soleil,* gnomons et cadrans solaires. Les heures de nuit sont marquées par l'écoulement de l'eau dans des vases gradués, les clepsydres, ou par celui du sable dans les sabliers ainsi que par l'observation des étoiles. Les cierges étalonnés, la mèche d'artilleur, la lampe à huile, à niveau visible, mesurent l'heure* qui se consume. Les horloges mécaniques d'édifices apparaissent au XIVe s. Elles sont mues par un poids, dont la chute est régularisée par un échappement à roue de rencontre. Les progrès de la recherche horlogère et scientifique au Moyen Âge créent les planétaires* et les horloges astronomiques à automates*. Les horloges se miniaturisent en horloges de table, en montres de carrosse, en montres précieuses émaillées. Les inventions du Hollandais Christiaan Huygens*, du pendule* isochrone, battant la seconde*, pour les horloges (1657) et du ressort spiral comme régulateur des montres (1675), permettent la fabrication des garde-temps. Le XVIIIe s. est celui de l'horlogerie scientifique : échappement à ancre de Robert Hooke (1635-1703), pendule à mercure de George Graham (1673-1751), gril bimétallique de John Harrison (1693-1776), montre perpétuelle d'Abraham Louis Breguet*, se remontant seule, par le mouvement du corps, lorsqu'elle est portée. Avec le XIXe s. s'ouvre l'époque industrielle : fabrication en série (1801) avec Frederic Japy (1749-1813), montres à vingt francs (1868) de Georges Frédéric Roskopf (1813-1889), pendules d'observatoire, contrôle officiel de la marche des montres. Le XXe s. crée les montres électriques et électroniques, montres à quartz oscillant, appareils pour le chronométrage sportif et la mesure de la milliseconde et du millième de picoseconde. Aux oscillations du pendule ou du balancier, les horloges nouvelles substituent les vibrations du diapason, du cristal de quartz* ou de la molécule de gaz ammoniac.

HORME (L') [42400 St Chamond], comm. de la Loire, dans la banlieue est de Saint-Chamond; 5 051 hab. Métallurgie.

HORMISDAS → PAPE.

HORMONE. — Les hormones sont produites par les glandes à sécrétion interne (thyroxine, testostérone, stimulines hypophysaires, corticostéroïdes surrénaliens, sécrétine d'origine duodénale) et par certains éléments nerveux (hypothalamus). Elles interviennent dans les grands métabolismes de l'individu.

L'hormonothérapie est le plus souvent utilisée en cas de déficience de sécrétion hormonale d'une glande (insuline pour traiter le diabète sucré par exemple).

HORMUZ → ORMUZ.

HORN *(cap),* extrémité méridionale de l'Amérique du Sud, dans la partie chilienne de la Terre de Feu.

HORNAING (59171), comm. du Nord, à 6 km au N.-E. d'Aniche; 3 102 hab. Centrale thermique.

HORNBLENDE. — Ce minéral est opaque, vert foncé, brun ou noir, en masses lamellaires ou en prismes du système monoclinique.

HORNES (Philippe II DE MONTMORENCY, *comte* DE), seigneur des Pays-Bas (Nevele v. 1524-Bruxelles 1568). S'étant opposé à l'autoritarisme espagnol aux Pays-Bas avec le comte d'Egmont*, il fut décapité avec ce dernier par ordre du duc d'Albe.

HORNEY (Karen), médecin et psychanalyste américaine d'origine allemande (Hambourg 1885-New York 1952). Elle se sépara de l'orthodoxie freudienne en attribuant dans la genèse des névroses un rôle plus important que ne l'avait fait Freud aux facteurs culturels. Ses principaux ouvrages sont *la Personnalité névrotique de notre temps* (1937), *les Voies nouvelles de la psychanalyse* (1939), *Névrose et Croissance humaine* (1950).

HORNOY-LE-BOURG (80640), ch.-l. de cant. de la Somme, à 15,5 km au N.-E. d'Aumale; 1 514 hab. Château du XVIIIe s.

HORNU, anc. comm. de Belgique (Hainaut), à l'O.-S.-O. de Mons, intégrée, en 1977, à Boussu.

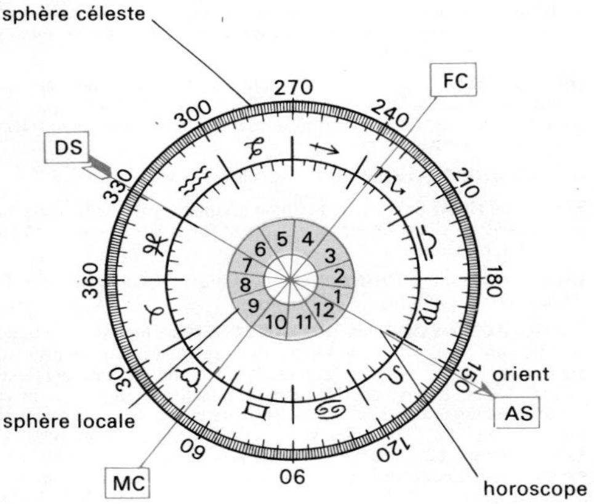

définition des "maisons" pour latitude 42° N
et longitude 12° 29′ E de Greenwich

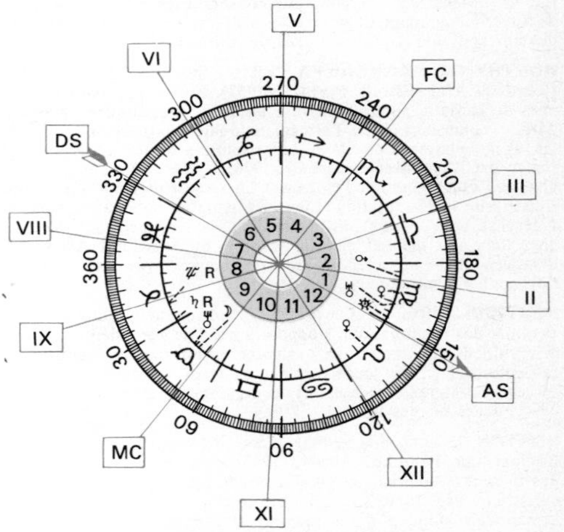

représentation complète du thème
avec planètes et maisons

HOROSCOPE. Thème natal de Guillaume Apollinaire, né à Rome, le 26 août 1880, à 5 heures du matin, heure locale.

HOROSCOPE. — Le calcul des éléments de la figure astrologique, donc de l'image du ciel au moment où se produit sur la Terre l'événement étudié, quel qu'il soit, repose sur une localisation du fait dans le temps et dans l'espace. La graphie utilisée est une projection des mouvements célestes sur le plan de l'écliptique, où le zodiaque* devient un cercle divisé en douze secteurs égaux. Les planètes*, le Soleil* et les autres facteurs y sont disposés selon leurs longitudes, les latitudes n'étant pas représentées. L'horoscope passe par le point oriental d'intersection des cercles d'horizon et d'écliptique, AS, *lieu de lever du Soleil.* Le point opposé, DS, est le *lieu de coucher du Soleil.* L'intersection du méridien et du cercle écliptique est le *milieu du ciel,* MC, où passe le Soleil à midi. À l'opposé, le point FC, *fond du ciel,* est le lieu du Soleil à minuit. Ces quadrants sont coupés chacun en trois secteurs parcourus par le Soleil en temps égaux. Les douze « maisons » en question n'ont même longueur qu'en lieux équatoriaux. Elles localisent les influences sidérales et leur donnent un sens spécialisé pour l'interprétation. Le point délicat des calculs est de bien formuler les heures (légale, locale, sidérale) d'entrée dans les éphémérides et les « tables de maisons ». Il faut surtout connaître l'heure exacte où commence à exister l'événement (naissance, anniversaire solaire, conjonction planétaire, etc.). C'est la condition fondamentale d'obtention d'un document exploitable, la rectification d'un thème inexact étant une opération longue et complexe.

HOROWITZ (Vladimir), pianiste américain d'origine russe (Berditchev, 1904). Gendre d'A. Toscanini, c'est un grand interprète de Chopin, de Prokofiev, de Skriabine et de D. Scarlatti.

HORPS (Le) [53640], ch.-l. de cant. de la Mayenne, à 18,5 km au N.-E. de Mayenne; 707 hab.

HORS-BORD → YACHTING.

HORSENS, v. du Danemark, sur la côte orientale du Jylland; 53 000 hab.

HORTA (Victor, *baron*), architecte belge (Gand 1861 - Bruxelles 1947). Utilisant le fer dès 1889 dans l'architecture privée, ce pionnier de l'Art* nouveau fait intervenir la courbe aussi bien dans les structures (liberté du plan) que dans le décor (ligne « coup de fouet » d'inspiration végétale) [à Bruxelles : maison Tassel, 1893; hôtel Solvay, 1895; Maison du peuple, 1896, détruite; maison Horta, 1898, auj. musée Horta]. Ayant libéré l'architecture de toute attache académique, suivi par de nombreux émules, il revient ensuite à une simplicité plus classique.

HORTENSE DE BEAUHARNAIS → BEAUHARNAIS.

HORTENSIA. — Cette belle espèce ornementale aux boules de fleurs roses (ou bleues si on les cultive sur un sol ardoisier) est surtout cultivée au pied des murs, dont l'ombre favorise son développement. Elle supporte mal les sols calcaires (genre *Hydrangea,* famille des saxifragacées).

HORTENSIUS HORTALUS (Quintus), orateur romain (114-50 av. J.-C.), représentant de la tendance asiatique dans l'éloquence romaine. Membre de l'aristocratie conservatrice, il fut l'adversaire de Cicéron, notamment dans le procès de Verrès (70), avant de devenir son allié dans les procès de Murena et de Rabirius.

HORTHY DE NAGYBÁNYA (Miklós), homme d'État hongrois (Kenderes 1868 - Estoril, Portugal, 1957). Nommé commandant en chef de la flotte austro-hongroise en 1918, il est désigné après la défaite comme chef de l'armée nationale contre-révolutionnaire (1919) pour lutter contre le régime communiste de Béla Kun*. Élu régent par l'Assemblée nationale (1920), il exerce les fonctions de chef de l'État au nom de l'empereur Charles IV de Habsbourg, dont il empêche la restauration. Bien qu'hostile au national-socialisme, il légalise l'occupation allemande en 1944, en acceptant de désigner un gouvernement dans la Hongrie occupée. Les Allemands l'empêchent de négocier un armistice séparé avec les Russes et l'obligent à démissionner (oct. 1944).

HORTICULTURE. — Le terme d'« horticulture » (littéralement « culture des jardins »), qui s'oppose à celui de « grande culture », a pris un sens plus large : on y rattache en effet l'arboriculture*, la floriculture, l'art des jardins, la culture maraîchère ou potagère, le forçage des fleurs, des fruits et des légumes (pour lequel on utilise des couches ou des serres).

HORTON (Lester), chorégraphe, théoricien et pédagogue américain (Indianapolis 1906 - Los Angeles 1953). Son approche des danses des Indiens d'Amérique et du nō japonais l'amène à appréhender la danse dans ses rapports avec le théâtre et à aborder la technique de la « modern dance » d'une manière très personnelle. Son enseignement a eu une notable influence sur toute une génération de danseurs, tel Alvin Ailey.

HORUS, dieu solaire de l'ancienne Égypte, symbolisé par un homme à tête de faucon ou par un soleil ailé; il incarne dans la théologie héliopolitaine le principe du bien, face au dieu Seth*, devenu incarnation du mal.

HOSPITALET, v. de la banlieue de Barcelone; 241 000 hab.

HOSSEGOR (40150), station balnéaire des Landes (comm. de *Soorts-Hossegor*), près de l'*étang d'Hossegor.*

Hôtel du Nord, roman d'Eugène Dabit (1929). En une trentaine d'épisodes, le déroulement de la vie quotidienne d'un hôtel : premier récit couronné du prix du roman populiste et qui inspira un film de Marcel Carné (1938).

HÔTELLERIE. — À l'exception de quelques palaces, l'hôtellerie française se caractérisait, il y a encore peu de temps, par un équipement médiocre, souvent même vétuste. Avec l'extension du tourisme et des déplacements, une mutation s'est opérée. Le parc hôtelier français comprend les hôtels homologués selon des normes précises, du une- au quatre-étoiles de luxe, et les hôtels de préfecture non homologués, faute des normes requises. L'homologation s'accompagne d'une aide financière du Fonds de développement économique et social.

L'innovation la plus marquante reste l'apparition de chaînes hôtelières de luxe « à l'américaine » depuis 1970; dix-huit hôtels intégrés se sont ouverts à Paris ou dans la proche banlieue en 1974. Leur capacité va de 500 à plus de 1 000 chambres. La prolifération de ces hôtels « grande surface » s'explique par la politique d'expansion des géants américains : Holidays Inns, Ramada Inns, ITT Sheraton, qui ont inspiré les chaînes françaises Frantel, Novotel, Méridien, Concorde, Sofitel-Jacques Borel, dont certaines avec participation étrangère. Air France a patronné l'inauguration du Méridien, et la S. N. C. F., par l'intermédiaire de la S. C. E. T. A., celle du Suffren La Tour et celle du Berthier La Tour. La majorité de ces hôtels est implantée le long des axes routiers, près des aéroports ou à la périphérie des villes, où le terrain est moins cher. L'hôtellerie intégrée a misé avant tout sur la clientèle des hommes d'affaires; d'où l'importance accordée au confort (équipement sanitaire, téléphone direct, etc.), doublé d'éléments de distraction (télévision; le Novotel de Cergy-Pontoise projette même des films sur le canal 4 de la télévision) et surtout d'une infrastructure destinée au travail (salles de conférences, personnel qualifié). De même, l'hôtellerie de loisir a mis à la disposition de sa clientèle d'été des bungalows, qui offrent l'avantage de l'habitation indépendante jumelée avec les services d'un hôtel. La multipropriété — copropriété dans un hôtel — a ses adeptes.

La génération spontanée des chaînes hôtelières trois- et quatre-étoiles devrait aboutir à une saturation du marché.

Sur le plan français, une action de promotion est menée avec l'aide de l'État en faveur des deux-étoiles-confort : Ibis, filiale de Novotel, a ainsi ouvert en 1974 le premier hôtel intégré de cette catégorie. Plus de 10 000 chambres deux-étoiles sont prévues d'ici à 1980.

HOTTE ASPIRANTE. — Cet appareil en acier ou en matière plastique se place au-dessus du plan de cuisson pour aspirer, à l'aide d'un moteur électrique, les vapeurs et les odeurs de cuisson. La *hotte à recyclage,* sans raccordement à l'extérieur, restitue l'air aspiré après l'avoir débarrassé de ses vapeurs à l'aide d'un filtre antigraisses et de ses odeurs à travers un filtre à charbon actif ou à ozone. La *hotte à raccordement* expulse l'air, débarrassé de ses graisses, vers un conduit d'évacuation extérieur.

HOTTENTOTS, peuple vivant dans la partie méridionale du Sud-Ouest africain, apparenté aux Bochimans. Refoulés par les colons allemands, les Hottentots se révoltèrent contre ces derniers en 1904 (v. AFRIQUE et KHOIN).

HÖTZENDORF (Conrad VON) → CONRAD VON HÖTZENDORF.

HOUAI ou **HUAI** (la), riv. de la Chine orientale, entre le Houang-ho et le Yang-tseu-kiang. Importants barrages (pour la régularisation du débit et l'irrigation).

HOUAI-NAN ou **HUAINAN,** v. de Chine (Ngan-houei), sur la *Houai;* 286 000 hab.

HOUA KOUO-FONG ou **HUA GUOFENG,** homme politique chinois (prov. du Hou-nan 1922). Membre du Comité central du parti communiste chinois (depuis 1969) et du bureau politique (depuis 1973), il devient vice-premier ministre et ministre de la Sécurité publique en 1975, puis il est nommé chef de gouvernement par intérim (févr. 1976) après la mort de Tcheou Ngen-lai. En avril 1976, il devient officiellement Premier ministre et premier vice-président du parti communiste, avant de succéder à Mao Tsö-tong à la présidence du parti (octobre). Sa nomination aux plus hautes fonctions de l'État coïncide avec l'élimination des dirigeants les plus radicaux, appelés la « bande des Quatre » (parmi lesquels Kiang Ts'ing, la veuve de Mao), et semble consacrer la victoire des éléments modérés au sein du parti.

HOUANG-CHE ou **HUANGSHI,** v. de Chine (Hou-pei); 111 000 hab.

HOUANG-HO ou **HUANGHE,** fleuve de la Chine du Nord; 4 845 km.

Le Houang-ho (ou fleuve Jaune) prend sa source au Ts'ing-hai, à 4 500 m d'altitude. Après un cours supérieur encaissé dans la montagne, il décrit à partir de Lan-tcheou une large boucle vers le N. Au niveau des Ts'in-ling, il s'infléchit de nouveau vers l'E. et va se jeter dans la mer Jaune en un vaste delta, qui avance d'une centaine de mètres par an.

Ce fleuve énorme draine un bassin de 750 000 km^2. Son débit moyen n'est que de 1 500 m^3/s, mais son irrégularité est responsable de crues violentes en été, au cours desquelles le débit atteint 20 000 m^3/s. Le Houang-ho charrie alors des tonnes de limons jaunes, qu'il dépose lors de la décrue, et tout le cours inférieur est encaissé dans ces matériaux friables, sculptés en terrasses. L'un des premiers objectifs de la République populaire a été la régularisation du fleuve, pour éviter les conséquences désastreuses de ses crues annuelles. La construction, en cours, de barrages, de digues et de canaux doit permettre la navigation, l'irrigation de vastes surfaces et la production d'hydroélectricité.

HOUANG KONG-WANG ou **HUANG GONGWANG,** peintre et lettré chinois (1269-1354), doyen des quatre grands maîtres du paysage de l'époque Yuan. Sa vie est d'abord partagée entre les centres culturels et les randonnées dans les montagnes, puis devient celle d'un solitaire dont la préoccupation essentielle est la peinture. Réagissant contre un certain maniérisme des membres de l'académie des Song du Sud, Houang rend avec une extrême simplicité de moyens — par le jeu de petites touches d'encre —

l'atmosphère et la lumière, et revient à des compositions solidement structurées d'une grande noblesse.

HOUARI (voile à) → VOILIER.

HOUAT (56170 Quiberon), île et comm. du Morbihan, au S.-E. de Quiberon; 430 hab.

HOUBLON. — Le houblon est une grande herbe volubile, vivace, ayant pour fruits de petits cônes écailleux couverts de glandes à sécrétion amère *(lupuline)*. Il est cultivé, en Alsace notamment, pour être incorporé à la bière*. Sa feuille est découpée en un nombre variable de lobes (de un à cinq). On réunit le houblon au chanvre dans la famille des cannabinacées.

HOUCHARD (Jean Nicolas), général français (Forbach 1738 - Paris 1793). Il arrêta l'invasion des coalisés à Hondschoote (1793), mais, accusé de ménager l'ennemi, il fut traduit devant le Tribunal révolutionnaire et guillotiné.

HOU CHE ou **HU SHI,** écrivain chinois (Chang-hai 1891 - T'ai-pei 1962). En 1917, il prit la tête du mouvement de la « Révolution littéraire » et imposa en littérature l'emploi de la langue parlée.

HOUCHES (Les) [74310], comm. de la Haute-Savoie, à 7 km au S.-O. de Chamonix; 1 477 hab. Station de sports d'hiver (alt. 1 008-1 900 m).

HOUDAIN (62150), ch.-l. de cant. du Pas-de-Calais, à 3,5 km au S. de Bruay-en-Artois; 8 483 hab. Église des XIIe et XVIe s.

HOUDAN (78550), ch.-l. de cant. des Yvelines, à 21 km au N.-E. de Dreux; 2 873 hab. Donjon du XIIe s. Église des XVe-XVIe s. Vieilles maisons.

HOUDENG-AIMERIES, anc. comm. de Belgique (Hainaut), intégrée en 1977 à La Louvière.

HOUDENG-GOEGNIES, anc. comm. de Belgique (Hainaut), intégrée en 1977 à La Louvière.

HOUDON (Jean Antoine), sculpteur français (Versailles 1741 - Paris 1828). Pensionnaire de l'École royale des élèves protégés, puis de l'Académie de France à Rome (1764-1768), où il étudie les antiques et l'anatomie (*l'Écorché,* École des beaux-arts, Paris), agréé à l'Académie en 1769, il conquiert rapidement une vaste clientèle par ses tombeaux (monuments Galitzine, Moscou, 1773) et ses grandes figures (*Diane chasseresse,* plâtre de 1776, reproduit en bronze et en marbre), qui rompent avec la rocaille, mais surtout par ses bustes, dans lesquels il s'attache à rendre toute la subtilité d'expression du visage humain. Il laisse ainsi de vivantes effigies des célébrités parisiennes, fournit à Catherine II une réplique de son *Voltaire assis* (auj. à la Comédie-Française), va aux États-Unis, en 1785, pour le *Washington* en pied du Capitole de Richmond, mais excelle plus encore dans les portraits familiers de ses proches (la petite *Louise Brongniart,* terre cuite, Louvre). Son opportunisme, qui lui fait, parfois, offrir deux versions d'un même buste, l'une en costume moderne, l'autre à l'antique, lui permet de s'adapter au changement de clientèle sous la Révolution et l'Empire.

HOUDRY (Eugène), ingénieur français (Domont 1892 - Upper Darby, Pennsylvanie, 1962). Il inventa le cracking catalytique.

HOUEILLÈS (47420), ch.-l. de cant. de Lot-et-Garonne, à 14 km au S. de Casteljaloux; 723 hab.

Hougue *(bataille de La),* bataille que livra Tourville, dans des conditions difficiles, face à la flotte anglo-hollandaise le 29 mai 1692.

HOUHEHOT ou **HUHEHOT,** v. de Chine, capit. de la Mongolie-Intérieure; 314 000 hab. Textile.

HOUILLE. — Elle résulte de la décomposition, à l'abri de l'air, en milieu lacustre (bassins limniques) ou marin (bassins paralliques), de débris végétaux. Variété de charbon au fort pouvoir calorifique, présente surtout dans les terrains de la fin de l'ère primaire (dont une période porte le nom de « carbonifère »), elle fut à la base de la révolution industrielle dès la fin du XVIIIe s. et constituait encore de très loin la première source d'énergie au début de ce siècle, puisqu'elle assurait environ 90 p. 100 de la consommation mondiale d'énergie primaire.

La production mondiale n'a pratiquement jamais cessé de s'accroître. Elle a plus que doublé encore depuis la fin de la Seconde Guerre mondiale, avoisinant aujourd'hui 2,3 milliards de tonnes. Cependant, la progression n'a pas été générale. L'extraction de la houille a fortement reculé depuis une vingtaine d'années en Europe occidentale, en raison de conditions de gisement souvent difficiles, augmentant le prix de revient d'un produit fortement concurrencé par un pétrole abondant et bon marché jusqu'au début des années 70. Elle a ainsi reculé de plus de moitié en Grande-Bretagne, en France et en Belgique, de plus d'un tiers en Allemagne fédérale. En contrepartie, la production s'est fortement accrue dans les pays socialistes (U. R. S. S., Chine, Pologne) et dans des États s'industrialisant (Afrique du Sud, Inde, Australie). La crise de pétrole a parfois redonné un nouvel essor à l'extraction houillère; c'est le cas aux États-Unis, revenus au premier rang mondial, avec un apport annuel de l'ordre de 600 Mt, précédant l'U. R. S. S. (plus de 500 Mt) et la Chine (de 400 à 500 Mt). Ces trois géants fournissent approximativement les deux tiers de la production mondiale. Loin derrière viennent la Pologne et la Grande-Bretagne, dépassant le seuil des 100 Mt, que n'atteint plus l'Allemagne fédérale et pas encore l'Inde. La production de la France représente le centième de la production mondiale.

La croissance de celle-ci n'a pas empêché une sensible détérioration de la part de la houille dans le bilan énergétique mondial. Actuellement, la houille satisfait moins de 30 p. 100 des besoins énergétiques mondiaux. La consommation a notamment diminué dans le chauffage, mais elle reste importante pour la production d'électricité thermique classique et naturellement dans la sidérurgie, où son dérivé, le coke, demeure encore un point de passage pratiquement obligé.

Les réserves mondiales de houille sont beaucoup plus importantes que celles d'hydrocarbures et se chiffrent par milliers de milliards de tonnes. La progression de l'extraction se heurte cependant à des obstacles physiques et écologiques (dégradation évidente de l'environnement, pollution fréquente); ces derniers peuvent être palliés à terme par une gazéification massive de la houille. (V. carte page 918.).

HOUILLÈRE → MINE.

HOUILLES (78800), ch.-l. de cant. des Yvelines, à 9 km au N.-O. de Paris; 30 636 hab. Depuis 1972, poste de commandement de la force océanique stratégique.

HOULE → VAGUE.

HOULGATE (14510), comm. du Calvados, sur la Manche, à 4 km à l'E. de Cabourg; 1 730 hab. Station balnéaire.

HOULME (Le) [76670], comm. de Seine-Maritime, à 12 km au N. de Rouen; 4 324 hab. Métallurgie.

HOU-NAN ou **HUNAN,** prov. de la Chine méridionale; 210 000 km^2; 50 300 000 hab. Capit. *Tch'ang-cha.* Au S. du Yang-tseu-kiang, la région, demeurée surtout rurale, est une importante productrice de riz et de thé.

HOU-PEI ou **HUBEI,** prov. de la Chine méridionale; 180 000 km^2; 33 700 000 hab. Capit. *Wou-han.* L'ouest est formé de moyennes montagnes; l'est est une plaine de confluence (Yang-tseu-kiang et Han-chouei), portant surtout des rizières. Mais la province fournit aussi du coton, du blé et de l'orge.

HOUPHOUËT-BOIGNY (Félix), homme d'État ivoirien (Yamoussoukro, Côte-d'Ivoire, 1905). Médecin et planteur, il fonde en 1946 le parti nationaliste du Rassemblement démocratique africain (R. D. A.), puis devient député de la Côte-d'Ivoire à l'Assemblée nationale française (1946-1959) et maire d'Abidjan (1956-1960). Ministre dans tous les gouvernements français à partir de 1956, il influence la politique africaine française et participe au processus de la décolonisation. Président de l'Assemblée constituante de la république de la Côte-d'Ivoire (1958), il devient chef du gouvernement ivoirien (1959) et obtient l'accession du pays à l'indépendance complète. Élu président de la République (1960), et constamment réélu depuis, il est parvenu à renforcer l'unité du pays et à lui assurer un développement économique satisfaisant, tout en accélérant, surtout depuis le mouvement de contestation ouvrière et étudiante de 1969, l'africanisation des cadres. Maintenant de bons rapports avec la France et les pays occidentaux, il s'efforce de limiter l'influence communiste en Afrique, où il joue un rôle de leader modéré.

HOUPLINES (59116), comm. du Nord, sur la Lys, dans la banlieue nord-est d'Armentières; 7 475 hab.

HOURRITES, peuple de l'Asie occidentale, installé dès le IIIe millénaire en haute Mésopotamie. Les souverains d'Akkad* (XXIVe-XXIIIe s.) et ceux de la IIIe dynastie d'Our* (2133-2025) tentent de le soumettre. Au XVIIIe s., les Hourrites s'infiltrent sur le cours supérieur de l'Euphrate et dans le nord de la Syrie; au XVIe s., ils fondent l'État du Mitanni*. La puissance hourrite s'effondrera aux XIVe-XIIe s. sous la pression des Hittites* et des Assyriens*.

HOURTIN (33990), comm. du nord de la Gironde, près de l'*étang d'Hourtin;* 4 764 hab. Centre de formation de la marine nationale. Phares sur la côte.

HOUSSAY (Bernardo Alberto), physiologiste argentin (Buenos Aires 1887 - *id.* 1971), prix Nobel de médecine et de physiologie en 1947, avec C. F. et G. T. Cori, pour ses travaux sur les hormones.

HOUSTON, v. des États-Unis, dans le sud-est du Texas; 1 233 000 hab. Musée d'art. Houston est la plus grande ville du Texas, groupant environ 2 millions d'habitants avec ses banlieues, et un des plus grands ports américains (trafic annuel de l'ordre de 80 Mt) malgré son éloignement de la mer (50 km), pallié par un canal rejoignant la baie de Galveston. C'est une importante ville

Houille et lignite

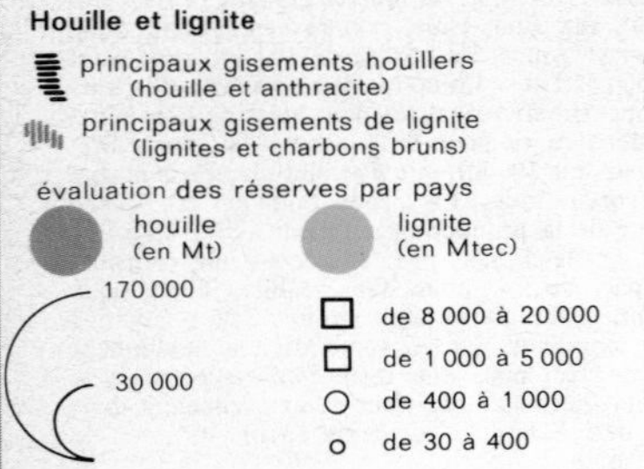

principaux gisements houillers (houille et anthracite)
principaux gisements de lignite (lignites et charbons bruns)
évaluation des réserves par pays
houille (en Mt)
lignite (en Mtec)
170 000
30 000
de 8 000 à 20 000
de 1 000 à 5 000
de 400 à 1 000
de 30 à 400

GRANDE-BRETAGNE
Central et Fife
Lothian
Northumberland et Durham
Lancashire
York, Derby et Nottinghamshire
Staffordshire
South Wales
Campine
Kent
BELG.
NL
Ruhr
Aix-la-Chapelle
Nord-Pas-de-Calais
Sarre et Lorraine
FRANCE
R.F.A.
R.D.A.
Halle
Lusace
POLOGNE
Walbrzych
Hte-Silésie
TCH.
Handlová

Principaux producteurs de houille

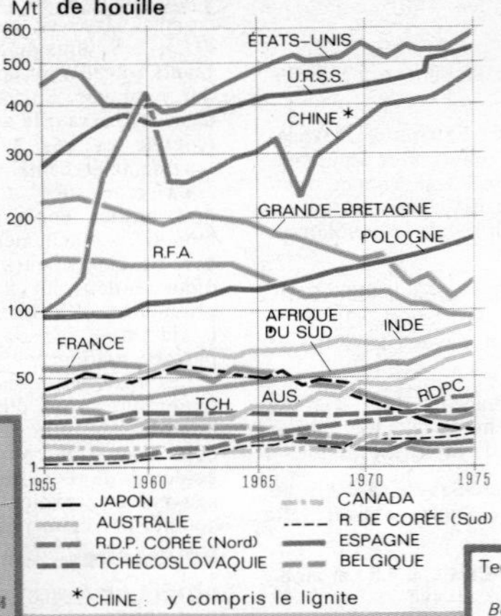

Mt
ÉTATS-UNIS
U.R.S.S.
CHINE *
GRANDE-BRETAGNE
POLOGNE
R.F.A.
AFRIQUE DU SUD
INDE
FRANCE
TCH.
AUS.
R.D.P.C.
1955
1960
1965
1970
1975
JAPON
AUSTRALIE
R.D.P. CORÉE (Nord)
TCHÉCOSLOVAQUIE
CANADA
R. DE CORÉE (Sud)
ESPAGNE
BELGIQUE
*CHINE : y compris le lignite

Principaux producteurs d'anthracite

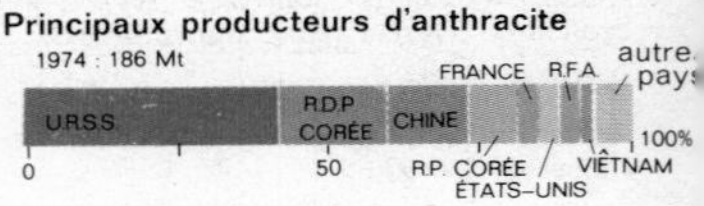

1974 : 186 Mt
U.R.S.S.
R.D.P. CORÉE
CHINE
FRANCE
R.F.A.
autres pays
R.P. CORÉE
ÉTATS-UNIS
VIÊTNAM
0
50
100%

Principaux producteurs de lignite

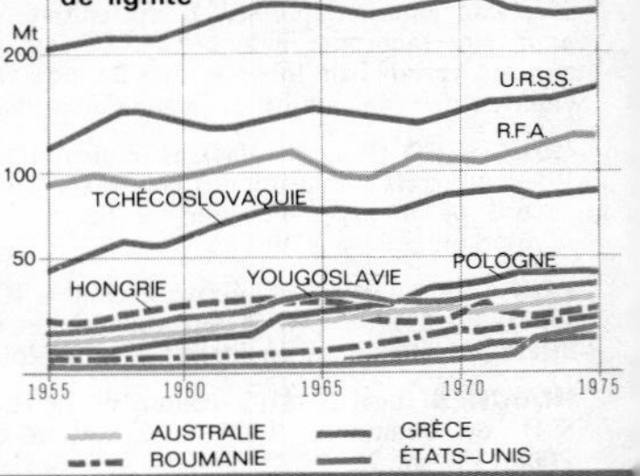

Mt
R.D.A.
U.R.S.S.
R.F.A.
TCHÉCOSLOVAQUIE
HONGRIE
YOUGOSLAVIE
POLOGNE
1955
1960
1965
1970
1975
AUSTRALIE
ROUMANIE
GRÈCE
ÉTATS-UNIS

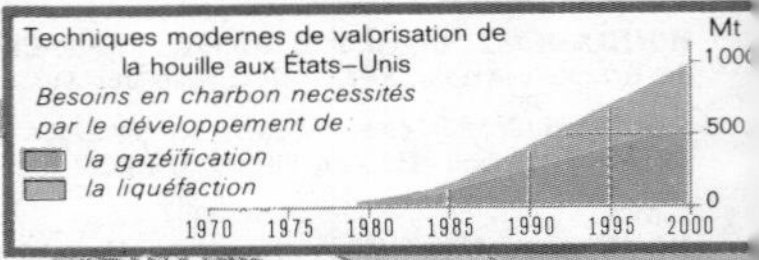

Techniques modernes de valorisation de la houille aux États-Unis
Besoins en charbon nécessités par le développement de :
la gazéification
la liquéfaction
Mt
1 000
500
0
1970
1975
1980
1985
1990
1995
2000

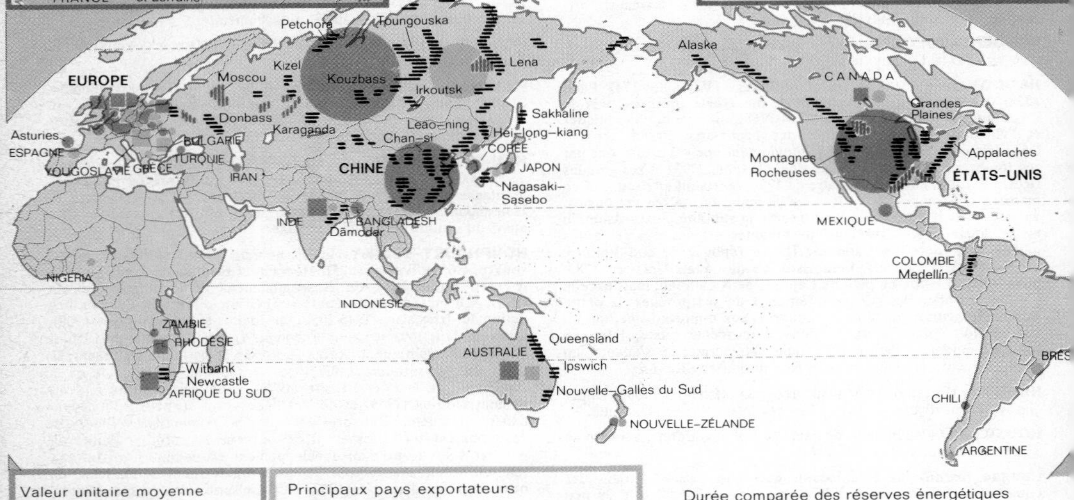

EUROPE
Petchora
Toungouska
Kizel
Kouzbass
Moscou
Donbass
Karaganda
Irkoutsk
Lena
Sakhaline
Leao-ning
Hei-long-kiang
Chan-si
CORÉE
JAPON
CHINE
Nagasaki-Sasebo
Asturies
ESPAGNE
BULGARIE
TURQUIE
YOUGOSLAVIE
GRÈCE
IRAN
INDE
BANGLADESH
Dāmodar
NIGERIA
INDONÉSIE
ZAMBIE
RHODÉSIE
Witbank
Newcastle
AFRIQUE DU SUD
AUSTRALIE
Queensland
Ipswich
Nouvelle-Galles du Sud
NOUVELLE-ZÉLANDE
Alaska
CANADA
Grandes Plaines
Montagnes Rocheuses
Appalaches
ÉTATS-UNIS
MEXIQUE
COLOMBIE
Medellín
BRÉSIL
CHILI
ARGENTINE

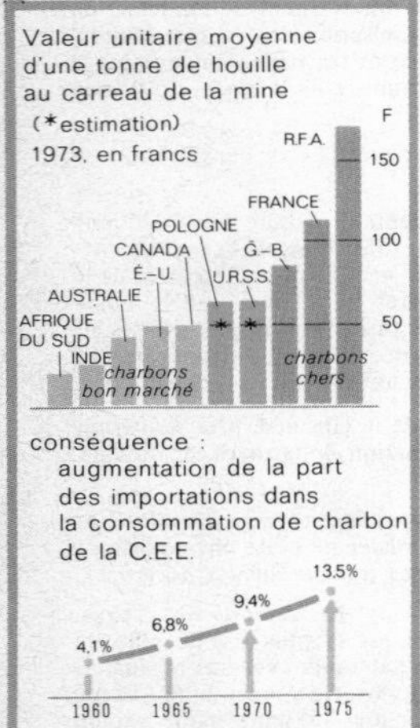

Valeur unitaire moyenne d'une tonne de houille au carreau de la mine
(*estimation)
1973, en francs
F
150
100
50
R.F.A.
FRANCE
G-B
U.R.S.S.
POLOGNE
CANADA
É-U.
AUSTRALIE
AFRIQUE DU SUD
INDE
charbons bon marché
charbons chers
conséquence : augmentation de la part des importations dans la consommation de charbon de la C.E.E.
4,1%
6,8%
9,4%
13,5%
1960
1965
1970
1975

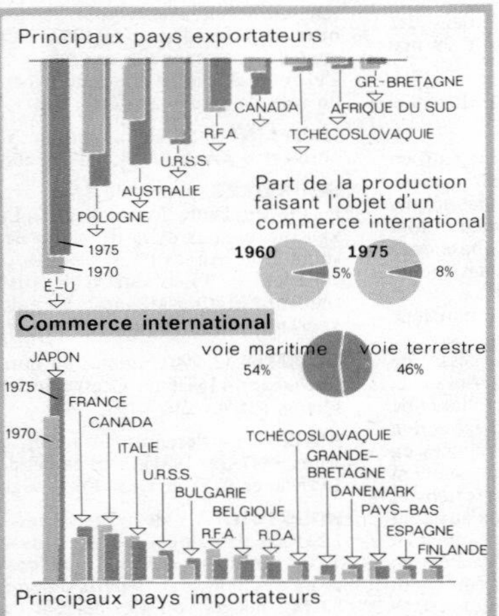

Principaux pays exportateurs
GR-BRETAGNE
AFRIQUE DU SUD
CANADA
TCHÉCOSLOVAQUIE
R.F.A.
U.R.S.S.
AUSTRALIE
POLOGNE
1975
1970
É-U
Part de la production faisant l'objet d'un commerce international
1960
5%
1975
8%
Commerce international
voie maritime 54%
voie terrestre 46%
JAPON
1975
1970
FRANCE
CANADA
ITALIE
U.R.S.S.
BULGARIE
BELGIQUE
R.F.A.
R.D.A.
TCHÉCOSLOVAQUIE
GRANDE-BRETAGNE
DANEMARK
PAYS-BAS
ESPAGNE
FINLANDE
Principaux pays importateurs

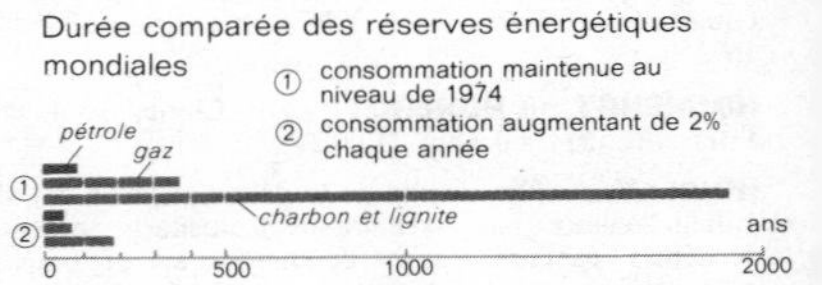

Durée comparée des réserves énergétiques mondiales
① consommation maintenue au niveau de 1974
② consommation augmentant de 2% chaque année
pétrole
gaz
charbon et lignite
ans
0
500
1000
1500
2000

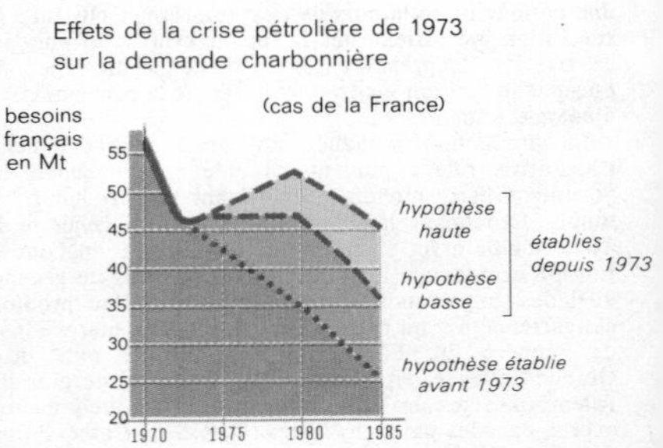

Effets de la crise pétrolière de 1973 sur la demande charbonnière
(cas de la France)
besoins français en Mt
55
50
45
40
35
30
25
20
1970
1975
1980
1985
hypothèse haute
hypothèse basse
établies depuis 1973
hypothèse établie avant 1973

industrielle (raffinage du pétrole [extrait à proximité] et pétrochimie, alimentation, métallurgie de transformation) et le centre de la NASA (contrôle des vaisseaux spatiaux).

HOUTHALEN, anc. comm. de Belgique (Limbourg), au N. d'Hasselt; 15 906 hab. (en 1970).

HOUX. — Parmi les arbustes à feuillage persistant de l'Europe tempérée et froide, le houx, avec ses feuilles piquantes, sinueuses, luisantes et ses petites baies rouges, est l'un des plus décoratifs. Un pied de houx peut vivre cent ans et plus. Le bois est recherché pour le tournage, la marqueterie et divers usages particuliers. L'espèce est quasi dioïque, certains pieds ayant très peu de fleurs à pistil normal, d'autres très peu de fleurs aux étamines normales. (Ordre des *célastrales.* Nom scientifique : *Ilex aquifolium.*)

HOVE, v. d'Angleterre, près de Brighton; 73 000 hab. Station balnéaire sur la Manche.

HOVEIDA (Amīr ʿAbbās), homme politique iranien (Téhéran 1919). Premier ministre de 1965 à 1977, il prend la tête du parti unique (Parti de la résurrection nationale), instauré en 1975.

HOWARD (Edward Charles), ingénieur britannique (Sheffield 1774 - Londres 1816). Il découvrit le fulminate de mercure (1799) et inventa l'évaporateur sous pression réduite, utilisé dans les sucreries.

HOWRAH, v. de l'Inde, dans le delta du Gange, banlieue de Calcutta; 738 000 hab.

HOXHA ou **HODJA** (Enver), homme politique albanais (Gjinokastër 1908). Il organise en Albanie la résistance contre l'occupation italienne et allemande, fonde le parti des travailleurs albanais (1941) et devient commandant en chef de l'armée en 1944. Président du Conseil de 1945 à 1954, secrétaire général du parti communiste albanais depuis 1948, il rompt avec l'U. R. S. S. en 1961 et noue des liens étroits avec la Chine populaire. Mais, en 1977, il se sépare également de celle-ci sur le plan idéologique.

HOYERSWERDA, v. de l'Allemagne orientale, au N.-E. de Dresde; 63 000 hab.

HOYLE (Fred), astronome britannique (Bringley, Yorkshire, 1915). Surtout connu pour son hypothèse d'une création continue de matière dans l'Univers*, il est également l'auteur de travaux sur la structure des étoiles* et la formation du système solaire.

HRABAL (Bohumil), écrivain tchèque (Brno-Židenice 1914). Il unit dans ses récits les thèmes surréalistes à l'inspiration populaire (*Trains étroitement surveillés,* 1967; *la Coupe de cheveux,* 1976).

HRADEC KRÁLOVÉ, v. de Tchécoslovaquie, ch.-l. de la province de Bohême-Orientale; 68 000 hab. Cathédrale gothique en brique (XIVᵉ s.). Église baroque Notre-Dame (XVIIᵉ s.). Constructions mécaniques.

HRUBÍN (František), écrivain tchèque (Brno-Židenice 1914 - České Budějovice 1971). Ses poèmes mêlent l'inspiration militante (*Pain et acier,* 1945) à la célébration de la nature et de l'enfance (*Belle en misère,* 1935; *Combien y a-t-il de soleils?,* 1961).

HUACHIPATO, centre sidérurgique du Chili méridional, sur le Pacifique.

HUAMBO, anc. **Nova Lisboa,** v. de l'Angola, sur le plateau intérieur; 62 000 hab.

HUANCAYO, v. du Pérou, dans les Andes, à l'E. de Lima; 176 000 hab.

HUARI, site éponyme d'une culture des Hautes Terres péruviennes, près d'Ayacucho, qui atteint son apogée entre 600 et 1 000, pendant l'horizon moyen. Les fouilles ont révélé un important centre cérémoniel et une vaste zone d'habitat, attestant un certain urbanisme, qui ne sera pas sans influence sur les civilisations des Chimús et des Incas. Cette culture connaît une très grande diffusion, confirmée par sa céramique.

HUAXTÈQUES, peuple de l'ancien Mexique, qui occupait une vaste région entre la sierra Madre orientale et le golfe du Mexique. Si l'origine des Huaxtèques est maya*, l'évolution de leur culture et de leur art est très différente; la séparation se serait produite vers la fin du IIᵉ millénaire. Leur civilisation atteignit son apogée vers le Xᵉ s. de notre ère, à l'époque postclassique, avec de remarquables œuvres sculptées. Travaillées en bas-relief, les stèles représentent des scènes mythologiques. La statuaire, proche de la stèle, se distingue par son ornementation gravée ou modelée. La céramique, classée d'après le site éponyme de Pánuco, possède des formes variées à tendance anthropomorphique. Les éléments de parure en nacre sont fréquents et admirablement travaillés. Avant de disparaître, les Huaxtèques subirent l'influence aztèque*.

HUBBLE (Edwin Powell), astronome américain (Marshfield 1889 - San Marino 1953). Auteur d'importants travaux en astronomie galactique, il démontra en 1923, grâce au télescope de 2,50 m du mont Wilson, la nature extragalactique de nombreuses nébuleuses. Il mit également en évidence et mesura le rapport constant qui existe entre la vitesse apparente de fuite des galaxies* (effet Doppler*) et leurs distances.

HUBERT *(saint),* évêque de Tongres, Maastricht et Liège († Liège 727), qui évangélisa la Belgique orientale. Ses reliques furent transférées dans un monastère de la forêt des Ardennes, ce qui lui valut de devenir le patron des chasseurs; le XVᵉ s. lui forgea une légende.

Hubertsbourg *(traité d'),* traité signé le 15 février 1763 et qui mit fin à la guerre de Sept Ans* en ce qui concernait l'Autriche et la Prusse.

HUBLĪ, v. de l'Inde (Karnātaka); 379 000 hab.

HUCHEL (Peter), écrivain allemand (Berlin 1903). Rédacteur en chef (1949-1962) de la revue littéraire de l'Allemagne de l'Est *Sinn und Form,* il protesta par son silence contre les entraves à la liberté d'expression avant d'évoquer son drame d'artiste (*Jours comptés,* 1972).

HUCQUELIERS (62650), ch.-l. de cant. du Pas-de-Calais, à 20 km au N.-E. de Montreuil; 620 hab.

HUDDERSFIELD, v. d'Angleterre, au S.-O. de Leeds; 131 000 hab.

HUDSON, fl. du nord-est des États-Unis, qui rejoint l'Atlantique à New York; 500 km. La vallée, en aval d'Albany, est une grande voie de communication (avec celle de la Mohawk) entre New York et les Grands Lacs.

HUDSON *(baie d'),* grande baie du Canada, prise plusieurs mois par les glaces, ouverte sur l'Atlantique par le *détroit d'Hudson.*

HUDSON (Henry), navigateur anglais († en mer 1611). Au cours d'une expédition (1610), il longea les côtes du Groenland et découvrit la baie et le détroit qui portent son nom.

HUÊ, v. du Viêt-nam, près de la mer de Chine méridionale; 200 000 hab. Capitale des Nguyên, seigneurs de Cochinchine au XVIIᵉ s., Huê devint la capitale de l'empereur Gia Long en 1801. C'est là que fut signé en 1883 le traité qui assurait le protectorat français sur l'Annam. Sur la rive gauche du fleuve, la vieille cité impériale — citadelle, palais et temples — a été très atteinte par les bombardements pendant la guerre du Viêt-nam.

HUELGOAT (29218), ch.-l. de cant. du Finistère, à 29 km au S. de Morlaix; 2 334 hab. Église et chapelle gothiques du XVIᵉ s. Forêt.

HUELVA, port d'Espagne, en Andalousie, ch.-l. de prov., à l'embouchure du río Tinto; 97 000 hab. Raffinage du pétrole et pétrochimie.

HUESCA, v. d'Espagne, en Aragon, ch.-l. de prov., au N.-E. de Saragosse; 33 000 hab. Nombreux monuments, dont l'anc. abbaye romane S. Pedro el Viejo et la cathédrale (XIIIᵉ-XVIᵉ s.; retable sculpté de Damián Forment, 1520). Musées épiscopal et provincial.

HUET, patronyme de divers peintres français, sans liens entre eux, depuis le XVIIIᵉ s. Le plus connu est PAUL (Paris 1803 - *id.* 1869). Esprit cultivé, grand voyageur, admirateur de Bonington et de Constable, ami de Delacroix, il chercha à créer un « paysage-état d'âme » exprimant la mystérieuse puissance de la nature (*l'Inondation à Saint-Cloud,* 1855, Louvre).

HUGGINS (Charles B.), médecin américain (Halifax 1901), prix Nobel de médecine en 1966 pour ses travaux sur le traitement du cancer de la prostate par la chirurgie et les œstrogènes.

HUGHES (David Edward), ingénieur américain d'origine britannique (Londres 1831 - *id.* 1900). En 1854, il construisit un appareil télégraphique imprimeur dont le succès fut considérable, imagina le microphone (1877), inventa la balance d'induction et étudia particulièrement le magnétisme.

HUGLI → HOOGHLY.

HUGO (Victor), écrivain français (Besançon 1802 - Paris 1885). Gide voyait en lui (« hélas! », ajoutait-il) notre plus grand poète. Cette boutade serait à classer dans le sottisier de l'histoire littéraire, si elle ne traduisait exactement la confusion de l'opinion commune à l'égard d'un écrivain qui, de son vivant déjà, encombrait passablement l'horizon. Pour s'en tenir au domaine français, il suffit de citer Musset, Vigny, Nerval, Baudelaire, Rimbaud, Verlaine, Mallarmé, dont l'aventure créatrice est contemporaine de celle de Hugo : il paraît difficile de soutenir que V. Hugo les résume ou les dépasse. Mais il serait tout aussi déraisonnable de lui dénier le tempérament poétique. Hugo, pendant plus de soixante ans, n'a pu s'empêcher de faire des vers, plus naturellement encore qu'un pommier porte des pommes, et c'est là à la fois sa faiblesse et sa force : dans une production massive, il y a parfois beaucoup de bon. Au vrai, ce que l'on attend d'un poète — image que Hugo lui-même a contribué à créer —, c'est la tension d'une expérience unique, personnelle ou collective, mais exclusive, la même note *la vie*

1802 Naissance à Besançon d'un père qui sera général d'Empire et accompagnera en Italie, puis en Espagne Joseph, frère de Napoléon.
1822 Mariage avec Adèle Foucher.
1833 Début de sa liaison avec Juliette Drouet.
1841 Élection à l'Académie française.
1843 Mort à Villequier de sa fille Léopoldine et de son gendre.
1845 Pair de France.
1848 Élection à l'Assemblée constituante.
1849 Élection à l'Assemblée législative.
1851 Exil après le coup d'État du 2 décembre.
1852 Installation à Jersey.
1855 Installation à Guernesey.
1859 Refus de l'amnistie de Napoléon III.
1870 Retour à Paris.
1871 Élu à l'Assemblée nationale, Hugo condamne la Commune, mais réclame l'amnistie pour les Fédérés.
1876 Sénateur.
1878 Congestion cérébrale.
1885 Funérailles nationales : on débaptise l'église Sainte-Geneviève, qui redevient le Panthéon.

Bulloz

Aquarelle de Victor Hugo, représentant
le château de Vianden, au Luxembourg. (Musée Victor-Hugo.)

l'essentiel de l'œuvre

POÉSIE

Odes et Ballades* (1826)
*les Orientales** (1829)
les Feuilles d'automne (1831)
les Chants du crépuscule (1835)
les Rayons et les Ombres* (1840)
*les Châtiments** (1853)
*les Contemplations** (1856)
la Légende des siècles* (1859)
les Chansons des rues et des bois (1865)
l'Art d'être grand-père* (1877)

ROMANS

Han d'Islande (1823)
Notre-Dame de Paris (1831)
*les Misérables** (1862)
les Travailleurs de la mer* (1866)
L'homme qui rit (1869)
Quatrevingt-Treize (1874)

THÉÂTRE

*Cromwell** (1827)
Marion de Lorme* (1831)
Ruy Blas* (1838)
*Hernani** (1839)
*les Burgraves** (1842)

ESSAIS

William Shakespeare (1864)
Histoire d'un crime (1877-1878)

portée toujours plus haut : or, des *Odes* de 1822 à *l'Art d'être grand-père,* Hugo s'est essayé à tous les genres, il a tenté tous les registres. Esthétiquement et politiquement il suit toujours l'engouement de la nouvelle génération, dont il finit par être la meilleure incarnation : Hugo est un peu à la poésie ce que Picasso est à la peinture. Mais, malgré ses proclamations révolutionnaires (« bonnet rouge au vieux dictionnaire » ou recours au « grotesque »), les grandes ruptures ne sont pas de lui : la brèche romantique, c'est Lamartine qui l'a ouverte et, à l'autre bout, c'est Rimbaud qui est le « voyant » de la modernité. Hugo, qui se voulait briseur du vers et des pensers antiques, qui reconnaissait la force contestataire du réalisme balzacien, définit prudemment le romantisme comme le « libéralisme en littérature » : c'est moins affirmer, avec la préface des *Odes,* que « le domaine de la poésie est illimité » que lui assigner un modèle économique et politique qui contredit son aspiration à l'indépendance absolue. Paradoxe dont Hugo se tire en plaçant le poète en marge, phare qui éclaire la mêlée ou génie criant dans le désert. Heureusement pour lui, car sa pratique, dans les meilleurs des cas, a tourné le dos à sa théorie : Hugo est poète lorsqu'il est non pas solitaire, mais solidaire, lorsque la souffrance (la mort de Léopoldine ou de Claire Pradier) ou la colère (sa haine pour Napoléon le Petit) le poussent à se rattacher à la nature ou à la communauté humaine. La poésie naît d'un double mouvement : d'abord le retranchement, le recul (le voyage, l'exil, la méditation tournée vers la mort), puis le retour et la réconciliation (dans le temps apaisé de *la Légende des siècles*). Équilibre de plus en plus difficile à maintenir : à partir des *Contemplations,* l'architecture des recueils se délite, le poème tend vers la prolifération continue, l'inachèvement. Et ce n'est pas un hasard si le meilleur peut-être, en tout cas le plus vivant de l'œuvre de Hugo, reste le domaine qui intègre dans sa structure même la dialectique du vouloir-vivre et du néant, de la poursuite de l'idéal et du monde dégradé, c'est-à-dire ses romans. C'est au fond ce qu'avoue *William Shakespeare,* véritable « manifeste littéraire du XIXe siècle », tentative pour fonder une conception dynamique de la littérature, qui ne peut dire la liberté et le hasard à travers des formes héritées et closes. Prophète, Hugo a entrevu l'éclatement de l'écriture : mais il ne lui était pas donné de pénétrer sur cette terre promise et redoutée.

HUGUES l'Abbé († 885). Issu de la famille des Welfs, cousin de Charles le Chauve, il reçoit à la mort de Robert le Fort le commandement de la Neustrie; en fait, il gouverne le royaume occidental depuis l'avènement de Louis le Bègue (877) jusqu'à 885.

HUGUES le Grand († 956), comte de Paris et duc des Francs, fils du roi Robert Ier. Protecteur, puis adversaire de Louis IV d'Outremer, il ne s'opposa pas à l'élection du roi Lothaire (954), mais assura à sa descendance la maîtrise du duché de Bourgogne (956).

HUGUES Ier Capet (v. 941-996), duc des Francs (956-987), roi de France (987-996), fils aîné d'Hugues le Grand. Véritable chef de l'aristocratie du royaume occidental, il reçut à la mort de Louis V l'appui de l'archevêque de Reims Adalbéron, fut proclamé roi à Noyon le 1er juin et triompha de son compétiteur, Charles de Basse-Lorraine, frère de l'ancien roi Lothaire (991). Il dut lutter contre son vassal, le comte Eudes Ier de Blois, et chercha à conserver sous son contrôle l'archevêché de Reims. Dès son avènement, il avait fait sacrer son fils Robert en vue d'assurer la succession au trône à la maison robertienne.

HUHEHOT → HOUHEHOT.

HUILE. — Les huiles animales et végétales sont constituées par des mélanges de glycérides (esters de la glycérine et d'acides gras) saturés ou insaturés, dont les points de fusion sont très variables, et les huiles minérales par des hydrocarbures lourds.

Les huiles végétales sont extraites des fruits (olivier, noyer, palmier à huile, etc.) ou des graines (arachide, colza, navette, tournesol, soja, œillette, carthame, pépins de raisin, coton, ricin, lin, etc.) des plantes oléagineuses. À quelques exceptions près : huile de lin (propriétés siccatives), huile de ricin (propriétés purgatives), etc., elles sont surtout employées en alimentation humaine pour assaisonner, cuire ou conserver les aliments.

Une huile provenant d'une seule variété végétale et obtenue uniquement par des procédés mécaniques (broyage, forte pression, centrifugation, etc.) est dite « huile vierge ». Une huile raffinée est une huile vierge (ou un mélange d'huiles) qui a subi différents traitements chimiques pour améliorer son goût et son odeur.

Les procédés d'extraction par solvants volatils sont réservés aux huiles industrielles.

Les huiles animales, et en particulier les huiles de poissons, sont utilisées principalement pour la conservation des aliments. En raison de leur richesse en vitamines, principalement en vitamine A, certaines d'entre elles (huile de foie de morue, etc.) sont prescrites en diététique. L'huile de baleine, après hydrogénation, entre dans la fabrication de margarines spéciales pour la biscuiterie et la pâtisserie.

Les huiles minérales proviennent de la distillation et du raffinage du pétrole brut. Elles sont utilisées soit en raison de leur onctuosité (très variable suivant les hydrocarbures qui les composent), pour la lubrification des machines et des moteurs, soit en raison de leurs propriétés isolantes, dans certains types d'installations ou de matériels électriques (transformateurs).

HUILE SICCATIVE. — Une huile siccative est formée de triglycérides résultant de l'estérification* de la glycérine* par des acides gras saturés ou non. Elle durcit par oxydation et/ou polymérisation, phénomènes catalysés par les siccatifs. On distingue les *huiles à doubles liaisons conjuguées,* à base de lin, de bois de Chine, d'oïticica, de ricin déshydraté, qui doivent leur siccativité aux acides linoléique, linolénique, éléostéarique, etc., et les *huiles semi-siccatives,* à base de soja, de tournesol, d'œillette, de carthame, de graines de coton, dépourvues d'acide linolénique. Des huiles animales (hareng, sardine, menhaden) sont utilisées comme huiles siccatives. On peut modifier celles-ci par des traitements physiques et chimiques (huiles cuites, huiles soufflées, huiles isomérisées, huiles maléinisées).

HUISNE, affl. de la Sarthe (r. g.), qu'il rejoint au Mans; 130 km.

HUISSIER DE JUSTICE. — Les huissiers de justice sont des officiers ministériels qualifiés pour signifier les actes et pour mener à exécution les décisions de justice ainsi que les actes et les titres exécutoires. Ils possèdent une organisation professionnelle (chambre nationale, chambres régionales et chambres départementales). Nommés par le garde des Sceaux, ils ne sont pas des fonctionnaires publics.

HUÎTRE. — Tout un groupe de mollusques bivalves à la coquille dissymétrique et râpeuse, les genres *Ostrea, Exogyra, Alectryonia, Gryphæa,* etc., tant actuels que fossiles, sont désignés comme des huîtres. Mais deux espèces seulement sont l'objet d'un élevage intensif à des fins alimentaires : *Ostrea edulis* (huître de Marenne) et *Gryphæa angulata* (portugaise), la seconde évinçant peu à peu la première, qui est plus fragile (v. OSTRÉICULTURE).

Un bivalve sans parenté avec les précédents, la *pintadine,* constitue l'« huître perlière » (v. PERLE).

HUÎTRIER. — Voisin des vanneaux et des pluviers, cet oiseau des rivages, au plumage noir et blanc, est l'un des rares charadriidés qui se nourrisse principalement de mollusques; d'où son nom.

HŪLĀGŪ, conquérant mongol et fondateur de la dynastie des Ilkhāns* de Perse (v. 1217 - Marāgha 1265). Hūlāgū, chef de l'armée envoyée par son frère, le grand khān Möngke, au Moyen-Orient, élimine les ismaéliens* d'Iran (1256), puis assiège Bagdad (1258), qu'il détruit. Il échoue dans la conquête de la Syrie (1260).

HULL, v. du Canada (Québec), sur l'Ottawa, en face de la ville d'Ottawa; 63 580 hab.

HULL, v. de Grande-Bretagne → KINGSTON-UPON-HULL.

HULL (Cordell), homme d'État américain (Olympus 1871 - Bethesda 1955). Ayant réorganisé le parti démocrate après le départ de W. Wilson (1920), il fut le secrétaire d'État aux Affaires étrangères de F. D. Roosevelt de 1933 à 1944. Considéré comme le père de l'O. N. U., il reçut en 1945 le prix Nobel de la paix.

HULOTTE → HIBOU.

HUMAINES (sciences). — La notion de « sciences humaines » apparaît tardivement dans l'histoire; à l'image des sciences, qualifiées d'« exactes », physiques, expérimentales, telles que l'astronomie, la chimie, qui se sont détachées, dès l'Antiquité ou la Renaissance, de la philosophie, la distinction de sciences humaines se fait, dans l'esprit de ses promoteurs, contre la philosophie. On peut, à la suite des analyses de Gusdorf (*Introduction aux sciences humaines,* 1961), faire remonter à la fin du XIXe s. l'apparition de la notion de sciences humaines dont Dilthey est l'un des premiers à faire l'analyse (*Introduction aux sciences de l'esprit,* 1883). Les sciences de l'homme invitent à une nouvelle définition de l'homme. Jusqu'à présent, la définition de l'homme était une tâche que s'attribuait la philosophie. Or, selon Gusdorf, celle-ci ne peut plus répondre à cette tâche (et figurer dans la liste des sciences humaines).

Pourquoi? D'abord parce que les sciences humaines se sont dégagées de la philosophie, qui les « englobait », et donc contre elle. Surtout parce que la philosophie n'en veut pas faire partie, ce qui est dû au « caractère corporatif de la philosophie française ».

Même constatation chez Lévi-Strauss : « Les sciences humaines prennent la relève de la philosophie, condamnée à végéter, à moins qu'elle n'accepte de se faire réflexion sur le savoir scientifique, ce qui est déjà beaucoup » (1971).

Or, quelles sont ces sciences humaines? Selon Dilthey, « l'histoire, qui est sortie de l'âge positiviste, la psychologie, l'ethnologie, la sociologie, la démographie, l'économie politique, la biologie humaine et la médecine ». Depuis Dilthey, la biologie et la médecine ne sont plus classées comme « sciences humaines », et c'est ce qui amène la seconde question : qu'est-ce que signifie la notion de science quand on l'applique à l'homme « en tant qu'être pensant » et non pas comme espèce animale, soumis ou redevable des causes et des lois que formulent la biologie, la médecine, la démographie, etc.?

Il existe une multitude de réponses à la première question. En France, l'expression « sciences humaines » a été employée officiellement par l'Administration depuis le 27 juillet 1958 pour qualifier les « facultés de lettres », qui deviennent à partir de cette date « facultés des lettres et sciences humaines ». Cette dénomination semble par là même ne pas inclure le « droit » et les « sciences économiques », puisque ces deux matières sont enseignées dans une autre « faculté ».

L'Unesco comporte un département de sciences sociales, un autre d'affaires culturelles, subventionne un Conseil international de philosophie, un Conseil international des sciences sociales et un Comité international pour la documentation des sciences sociales. Ces deux organismes semblent regrouper sociologie, psychologie sociale, démographie, économie, sciences politiques, anthropologie sociale et culturelle, et ne pas comprendre ainsi la psychologie. Ce fait est lui-même confirmé par le refus constant de l'Union internationale de psychologie scientifique de se rattacher à ce Conseil de l'Unesco.

Les classifications universitaires contemporaines reflètent un désarroi analogue. Ainsi la classification de Miquelez (1968), du laboratoire de Lévi-Strauss, distingue : 1° anthropologie, comprenant l'ethnographie; 2° linguistique; 3° psychologie; 4° histoire; 5° sociologie; 6° sciences politiques; 7° droit; 8° sciences économiques.

Cet exemple, comme d'autres, montre combien les deux questions posées (nature de la science appliquée à l'homme, nature de l'homme à qui on applique la science) sont indissociables. En prenant la première pour répondre à la seconde, on énumère les fondements théoriques de la science en général : la prévisibilité, au sens où tout fait scientifique obéit à des lois permettant de prévoir ce qui va se passer à partir de l'analyse exhaustive des causes d'un phénomène non unique; la cohérence du domaine où sont analysés les phénomènes ou, en d'autres termes, l'échelle d'observation et les critères permettant de définir le phénomène scientifique et d'énoncer en termes formalisés les lois dont il relève. Partant de tels critères, on a défini une poussière de domaines où se côtoient par exemple les phénomènes d'opinion relevés par la sociologie (les statistiques [échelles d'attitudes], les analyses factorielles, etc., constituant le modèle explicatif), les résultats de tests psychométriques, avec analyse factorielle comme modèle explicatif, etc.

Cette démarche a fait l'objet d'une critique double : 1° l'« homme » ainsi repéré se définit surtout comme support comportemental et, de plus, fragmentaire, d'une théorie dont il ne sert plus qu'à justifier l'existence; 2° le psychologue ou le sociologue à qui est confié le soin de repérer de tels phénomènes est un instrument utilisé par le système économico-politique qui l'emploie à des fins utilitaires auxquelles il serait, s'il le désirait, impuissant à porter la moindre critique ou modification.

En prenant la seconde pour répondre à la première, on s'enferme dans un discours qui reste le plus souvent tautologique, même s'il est formalisé : les analyses qualifiées de « psychanalytiques » en fournissent maints exemples. Dans cette perspective, si l'on admet que l'homme comme tel n'est pas perdu de vue, on est loin du moment où le concept de science auquel on tente de le confronter revêt une signification quantifiable et objective.

Inversement, le cadre institutionnel et la production de sciences humaines entrant dans le circuit économique prennent une importance croissante. Ainsi, dans l'enseignement secondaire, les premiers projets de réforme du ministre de l'Éducation René Haby (1975-76) ne se contentaient pas seulement de rebaptiser « sciences humaines » l'histoire, la géographie telles qu'elles sont enseignées, mais, en y ajoutant l'enseignement de l'« économie », proposaient de coordonner toutes ces disciplines plus étroitement dans le moule formateur de ce que le projet ministériel appelait « sciences humaines », afin de permettre à l'élève « de se situer dans l'espace et dans le temps en un monde en rapide évolution, de mieux comprendre les problèmes qui s'y posent, de connaître les mécanismes élémentaires de la vie économique et sociale, et, par conséquent, d'apporter une conscience plus éclairée à l'exercice réfléchi des droits et des devoirs de l'homme et du citoyen ». L'objectif formateur des sciences humaines est ainsi clairement défini par sa fonction d'intégration à la société.

Deux constatations s'imposent donc : l'inconsistance du « concept » qui avait été baptisé « sciences humaines »; son utilisation de plus en plus vaste par les institutions et l'économie.

HUMANISME *(Littér.).* — L'humanisme est l'une des deux faces de la Renaissance : celle du philologue et de l'écrivain tourné vers l'âge d'or des lettres antiques, celle qui se déploie dans le temps et dont le héros est le Romain. L'autre face, celle du conquistador et du découvreur attiré par l'or et les épices, a pour territoire l'espace des explorations maritimes et pour figure de proue l'Indien. L'humanisme tient donc, dans la constitution du monde nouveau, une place bien délimitée et limitée. Sauf de rares exceptions, les humanistes, s'ils contribuent à la définition de nombreuses attitudes politiques, sont étrangers aux sciences de leur temps et à l'activité économique : la comptabilité en partie double est de plus grandes conséquences que la redécouverte de Plutarque (et les véritables savants — Bernard Palissy ou Ambroise Paré — n'écrivent ni en grec ni en latin et récuseront l'autorité des Anciens pour se fonder sur l'expérience). D'autre part, la rupture de l'humanisme avec la tradition médiévale et catholique n'est pas une attitude originelle. Les lettres latines avaient été cultivées, après les invasions barbares, dans les abbayes de toute l'Europe occidentale. Les savants de l'Italie et du Moyen Âge se considéraient comme les héritiers de la Rome de l'Antiquité, et la culture gréco-byzantine subsistait partiellement dans le sud du pays. Dante, formé à la scolastique et à la théologie thomiste, nourrit cependant son esprit des mythes antiques. Pétrarque admire Homère et Platon. Boccace apprend le grec. Au XVe s., les érudits italiens vont chercher dans l'Empire byzantin des manuscrits grecs et accueillent les savants chassés de Constantinople après la prise de la ville par les Turcs. La philologie et l'archéologie se développent. Les écrivains plagient Cicéron, Virgile, Horace. Mais, rapidement, cette vision nouvelle et enthousiaste d'une civilisation pieusement conservée ne peut s'accommoder des cadres de la tradition chrétienne : on étudie Lucrèce pour réfuter la scolastique; conteurs et moralistes célèbrent la sensualité païenne. Les courants de pensée antique ne sont plus étudiés à la lumière de la foi, mais pour eux-mêmes : de Florence, le platonisme de Marsile Ficin se répand dans toute l'Europe. L'exaltation de l'homme aboutit cependant à une glorification des instincts, à la vie violente et voluptueuse des tyrans, des condottieri et des mécènes fastueux. Le culte de la Nature permet de préciser le domaine des sciences en regard de la théologie et de la politique. Aussi, quand avec les expéditions italiennes de Louis XII et de François Ier la gloire des lettres rejoint le désir de triomphes guerriers, l'érudition française s'applique à la fois aux textes sacrés et aux chefs-d'œuvre de l'Antiquité païenne. Lefèvre d'Étaples édite Aristote et donne une traduction de la Bible. Guillaume Budé décide François Ier à créer des « lecteurs royaux » (le futur Collège de France), mais réserve à la doctrine chrétienne la formation de l'âme. Cependant, Luther et Calvin reprochent aux humanistes de substituer à la foi les idées philosophiques païennes. Le succès des principes stoïciens ou de la morale épicurienne conduit à l'ébauche d'un rationalisme et d'une conception laïque des règles de vie. Les guerres de Religion vont, toutefois, détruire la confiance dans la sagesse et la bonté originelle de l'homme. D'autre part, les progrès de la littérature nationale (Marot, Rabelais, Marguerite de Navarre, Maurice Scève, Ronsard, du Bellay, Amyot) rendent moins nécessaire l'imitation des poètes anciens, et les découvertes scientifiques (Galilée) ébranlent le prestige des savants latins et grecs. L'humanisme fleurira encore dans les universités de Louvain, avec Juste Lipse, et de Leyde. La Renaissance s'achève, comme elle a commencé, dans l'érudition des philologues.

HUMANISME *(Philos.).* — Ce courant philosophique qui traverse toute l'histoire de la pensée occidentale a pour aspect principal la postulation d'une essence de l'homme ou d'une nature spécifiquement humaine et pour aspect secondaire la place donnée à cet homme dans la nature et le monde. De ce point de vue, l'humanisme est déjà présent en Grèce antique (« l'homme c'est l'âme », dit Platon dans *Alcibiade*), bien que ne lui soit pas dévolue cette place centrale d'un sujet* qui lui sera faite à partir du XVIIe s. Défini par rapport au logos et à la culture (langage, société, connaissance*), l'homme est posé comme être libre échappant au déterminisme de la nature et redevient (car il l'était déjà chez les sophistes) la « mesure de toutes choses ». L'histoire prend alors un sens : son devenir signifie la réconciliation de l'homme et du monde (Hegel). Au XIXe s., cette promotion de l'homme comme norme, comme être transcendant et sujet est critiquée, dans des perspectives différentes, par Marx et Nietzsche. Avec l'avènement des sciences humaines*, l'homme-sujet et, partant, l'humanisme sont rejetés au profit des concepts de mode* de production, d'inconscient* et de langue*. Althusser* repère chez Marx une position plus radicale : celle d'un antihumanisme théorique. Marx n'aurait pu « connaître quelque chose des hommes qu'à la condition absolue de réduire en cendres le mythe philosophique de l'homme ». Aujourd'hui, l'homme apparaît comme « une invention dont l'archéologie* de notre pensée montre aisément la date récente. Et peut-être la fin prochaine » (M. Foucault*).

Humanité *(l'),* journal quotidien, fondé en 1904 par Jean Jaurès, qui passa aux mains de la majorité après le congrès socialiste de Tours (1920) et devint l'organe central du parti communiste français.

HUMBER (le), estuaire de l'Ouse et de la Trent, sur la côte est de l'Angleterre. Sur ses rives se situent les ports de Grimsby et de Hull (Kingston-upon-Hull).

HUMBERT Ier (Turin 1844-Monza 1900), roi d'Italie de 1878 à 1900. Fils et successeur de Victor-Emmanuel II, il favorisa la politique germanique de Crispi*. Il fut tué par un anarchiste.

HUMBERT II (Racconigi 1904), roi d'Italie du 9 mai au 13 juin 1946. Fils de Victor-Emmanuel III, hostile à Mussolini*, il est fait lieutenant général du royaume le 5 juin 1944. Devenu roi par l'abdication de son père, il est presque aussitôt écarté du trône par le référendum favorable à la république.

HUMBERT (Henri), botaniste français (Paris 1887-Bazemont 1967). La flore de Madagascar a été l'objet de ses travaux : récension complète, comparaison avec les flores australes, organisation de douze réserves naturelles intégrales, lutte contre la pratique destructrice des feux de brousse, études pédologiques, etc.

HUMBOLDT (Wilhelm VON), linguiste et homme d'État prussien (Potsdam 1767-Tegel 1835). Il mena de front des études sur la littérature, l'anthropologie, les langues et une brillante carrière d'homme d'État. Ambassadeur à Rome, à Vienne et à Londres, fondateur et premier recteur de l'université de Berlin (1810), plénipotentiaire au congrès de Vienne (1815), ministre (1818), il se retire de la vie publique en 1819 à cause de ses idées libérales.

Partant de l'étude de langues aussi variées que le sanskrit, le chinois, le basque, le hongrois, le birman, le kawi, le japonais, les langues sémitiques, son but a été de dépasser la grammaire comparée pour constituer une anthropologie générale : chaque langue, selon lui, reflète une vision du monde qui lui est propre. Le langage, d'autre part, est une propriété innée, inhérente à l'esprit humain, c'est « l'organe qui forme la pensée ». Son influence, considérable de son vivant, s'est éteinte avec lui et ne s'est exercée que de manière marginale sur la pensée linguistique du XXe s. (Croce, Cassirer, Whorf, aujourd'hui la linguistique générative).

HUMBOLDT (Alexander, *baron* VON), voyageur allemand (Berlin 1769-*id.* 1859), frère de Wilhelm. Naturaliste renommé, l'un des créateurs de la climatologie et de l'océanographie, il est surtout célèbre pour ses voyages — en Amérique tropicale (1799-1805) et en Asie centrale (1829-1832), notamment — qui ont inauguré l'ère des explorations scientifiques modernes.

HUMBOLDT *(courant de)* ou **COURANT DU PÉROU,** courant marin froid du Pacifique oriental, longeant, vers le N., les côtes du Chili et du Pérou.

HUME (David), philosophe écossais (Édimbourg 1711-*id.* 1776). Après des études de droit et un voyage en France (1734-1737), il regagne Londres où il écrit un *Traité* de la nature humaine* (1739-40) et des *Essais moraux et politiques* (1741-42), qui orientent son œuvre dans une double direction : une théorie empiriste de la connaissance*, qui sert de base à une théorie utilitariste de la vie sociale et politique. Hume développe ces deux théories dans *Essais philosophiques sur l'entendement humain* (1748), *Enquête sur les principes de la morale* (1751) et *Dissertations politiques* (1752). Conservateur d'une bibliothèque d'Édimbourg de 1752 à 1769, il entreprend une *Histoire de la Grande-Bretagne* (1754-1762) et des *Dialogues sur la religion naturelle* qui lui valent une grande renommée et une mise en accusation par les Églises d'Écosse. Nommé secrétaire d'ambassade à Paris (1763), il fréquente les salons, les encyclopédistes, se lie et se brouille avec Rousseau, puis il rentre à Londres pour devenir sous-secrétaire d'État (1767-1769). Il se retire à Édimbourg et y meurt à la suite d'une maladie intestinale.

L'empirisme* de Hume procède de la méthode appliquée dans le *Traité,* qui conduit à observer le fait que la certitude des connaissances résulte de l'invariance des opérations mentales mises en œuvre dans l'acte de connaître. Toutes les idées humaines naissent des sensations et de leurs associations (v. ASSOCIATIONNISME); le reste (Dieu, la causalité*, la réalité du monde extérieur) n'est que croyance. Partant il n'y a ni vérité absolue ni morale absolue. Dès lors, il ne se pose aucun problème de légitimité politique : le gouvernement, l'État comme les convenances sociales ne sont que des conventions utiles en tant que fictions.

HUMÉRUS → BRAS.

HUMEUR → AFFECTIVITÉ.

HUMIDIFICATION → CAPILLARITÉ.

HUMIDITÉ. — On mesure habituellement la teneur en vapeur d'eau de l'air de deux manières. L'*humidité absolue* est égale au nombre de grammes de vapeur d'eau contenus dans un mètre cube d'air. La teneur en vapeur d'eau ne peut dépasser une valeur limite, appelée « tension critique », au-delà de laquelle il y a condensation à l'état liquide. Cette valeur augmente avec la température. L'*humidité relative* est égale au rapport entre l'humidité absolue et la tension critique. Le point de saturation, ou point de rosée, est atteint lorsque ces deux valeurs sont égales. L'humidité est mesurée avec un hygromètre.

Humiliés et offensés, roman de Dostoïevski (1866) : une œuvre « sauvage », de l'aveu de son auteur, première évocation systématique des mobiles paradoxaux des actions humaines et du rachat de toutes les offenses par la charité de l'Évangile.

HUMMEL (Johann Nepomuk), pianiste et compositeur autrichien (Presbourg 1778-Weimar 1837). Maître de chapelle chez les Esterházy, puis à Stuttgart et à Weimar, virtuose du piano, influencé par Mozart, il laisse une méthode et quantité de pages pour son instrument qui relèvent du romantisme.

HUMOUR (dessin d') → DESSIN SATIRIQUE ET D'HUMOUR.

HUMPHREY (Doris), danseuse, chorégraphe et pédagogue américaine (Oak Park, Illinois, 1895-New York 1958). Sujet particulièrement doué, disciple de Ruth Saint Denis et de Ted Shawn, associée de Charles Weidman, elle est l'un des pionniers de la modern dance. Elle s'est consacrée à l'élaboration d'une technique reposant sur les possibilités innombrables d'équilibre et de rythme du corps humain. Ses compositions se fondent sur des abstractions *(Passacaglia)* ou sur des thèmes dramatiques *(Lament for Ignacio Sánchez Mejías).* Elle est l'auteur d'un des plus importants ouvrages de chorégraphie, *The Art of Making Dances* (posthume, 1959).

HUMUS → SOL.

HUNEDOARA, v. de Roumanie, en Transylvanie; 78 000 hab. Sidérurgie.

HUNGNAM ou **HEUNG-NAM,** v. de la Corée du Nord, sur la mer du Japon; 150 000 hab. Métallurgie. Chimie.

HUNINGUE (68330), ch.-l. de cant. du Haut-Rhin, près du Rhin, à 2 km au N. de Bâle; 6 576 hab. Industries chimiques. — En 1815, célèbre défense de la place par le général Joseph Barbanègre (1772-1830).

HUNS, ancienne population nomade de haute Asie. Pendant longtemps les Huns ont été présentés comme un rameau des Hiong-nou; mais ils semblent avoir une origine différente et seraient des mongoloïdes de langue altaïque.

• *Les Huns proprement dits.* Les Huns sont cités pour la première fois au IIe s. apr. J.-C. par Ptolémée, qui les situe dans les steppes entre le Manytch et le Kouban. Deux siècles plus tard, ils font irruption dans l'histoire de l'Europe : en 370-375, ils franchissent la Volga, soumettent les Alains et les Ostrogoths, tandis que les Wisigoths, à leur tour submergés, pénètrent dans l'Empire romain (376). La poussée hunnique, dont le rôle est décisif dans le déclenchement des grandes invasions barbares*, se poursuivit vers l'ouest : v. 396, les Huns occupent les plaines roumaines et pannoniennes et organisent leur vaste empire, qui s'étend des Alpes orientales à la mer Noire. La puissance hunnique ne devient un danger pour le monde romain que lorsque les rois Mundzuk et Roua édifient en Pannonie, au début du Ve s., un véritable État qui disposait d'une cavalerie remarquable. Poursuivant l'œuvre de ses prédécesseurs, Attila* unifie les tribus hunniques avant d'envahir l'Orient (441-449) puis l'Occident (451-453) romain. Mais l'empire des Huns disparaîtra avec lui.

• *Les Huns Hephthalites.* Horde turco-mongole originaire de l'Altaï et descendue, à la fin du IVe s., dans les steppes du Turkestan russe, les Hephthalites s'installent, v. 440, en Sogdiane et en Bactriane, puis ils envahissent le Khorāsān (484). Renonçant à occuper l'empire des Sassanides*, ils s'établissent à Kaboul et conquièrent le nord-ouest de l'Inde (bassins de l'Indus et du Malvā), où ils se maintiennent jusqu'au début du VIe s.

HUNSRÜCK, partie du Massif schisteux rhénan (Allemagne fédérale), sur la rive gauche du Rhin.

HUNT (William Holman) → PRÉRAPHAÉLITES.

HUNTINGTON BEACH, v. des États-Unis (Californie), au S.-E. de Los Angeles; 116 000 hab. Industrie aéronautique.

HUNTSVILLE, v. des États-Unis, dans le nord de l'Alabama; 147 000 hab. Industrie aérospatiale.

HUNTZIGER (Charles), général français (Lesneven 1880-près du Vigan 1941). Commandant la IIe armée, puis le 4e groupe d'armées dans les Ardennes en 1940, il fut chargé par Pétain de négocier les armistices avec l'Allemagne et l'Italie. Nommé ensuite ministre de la Guerre, il périt dans un accident aérien.

HUNYADI, famille hongroise, illustrée par : JÁNOS (Jean) [v. 1387-Zimony 1456], gouverneur de Hongrie en 1446, capitaine général en 1453, qui, en 1456, força les Turcs à lever le siège de Belgrade; MATHIAS* CORVIN, son fils, qui fut roi de Hongrie.

Huon de Bordeaux, chanson de geste française du début du XIIIe s. Le héros, protégé par le nain Auberon (Obéron), conquiert la belle Esclarmonde.

HUPPE. — On reconnaît cet oiseau à sa belle crête de plumes orangées, au bout noir. C'est un mangeur d'insectes, au bec fin et pointu. La soudure de ses deux doigts antérieurs le fait classer dans l'ordre des coraciadiformes.

HURAULT (Louis), général français (Attray, Loiret, 1886-Vincennes 1973). Spécialiste de la photogrammétrie aérienne, il dirige de 1937 à 1940 le Service géographique de l'armée et préside à sa transformation en Institut géographique national, dont il fut le premier directeur jusqu'en 1956.

HUREPOIX (le), plateau au S. et au S.-O. de Paris, entre la Beauce et la Brie, entaillé par les vallées de l'Orge et de l'Yvette.

HURIEL (03380), ch.-l. de cant. de l'Allier, à 12 km à l'O. de Montluçon; 2 147 hab. Église et donjon du XIIe s.

HURON *(lac),* grand lac de l'Amérique du Nord (États-Unis et Canada); 60 000 km².

HURONS, Indiens qui vivaient dans la péninsule géorgienne (Ontario actuel). Ils furent au XVIIe s. les alliés des Français contre les Iroquois, qui les exterminèrent.

HURTADO DE MENDOZA (Diego), diplomate, historien et écrivain espagnol (Grenade 1503-Madrid 1575). On lui attribue le *Lazarillo de Tormes,* le premier des romans picaresques.

HUS (Jan), prêtre tchèque, réformateur religieux (Husinec, Bohême, v. 1370-Constance 1415). Professeur à la faculté de Prague, il en devient le recteur; son enseignement et sa prédication lui attirent l'inimitié du haut clergé, dont il dénonce, à l'occasion, le relâchement en termes vigoureux. Ardent patriote et réformateur, passionné de la vie religieuse, il fait de l'église de Bethléem, à Prague, un centre de renouveau chrétien et de patriotisme tchèque.

Jan Hus conduit au supplice et brûlé comme hérétique, à Constance, le 6 juillet 1415. Dessin. (Bildarchiv National-bibliothek, Vienne.)

Bildarchiv Nationalbibliothek

Accusé de soutenir les thèses du réformateur anglais John Wycliffe, qu'il expose, certes, avec sympathie, mais qu'il infléchit dans le sens catholique, il est condamné par le concile de Constance* et, au mépris du sauf-conduit qui lui a été accordé, il est arrêté et brûlé comme hérétique. Il sera vénéré par le peuple de Bohême comme un martyr, et les hussites*, à partir de 1415, lutteront contre Rome et contre l'empereur.

HUSÁK (Gustáv), homme politique tchécoslovaque (Bratislava 1913). Il participe au soulèvement national slovaque contre les Allemands (1944) puis joue un rôle important comme président du gouvernement autonome de Slovaquie (1946-1950). Ses responsabilités au sein du parti communiste tchécoslovaque lui sont retirées à partir de 1950, à la suite du conflit qui l'oppose à Novotný*. Exclu du parti et emprisonné, il est réhabilité en 1963 et devient premier secrétaire du parti communiste de Slovaquie en août 1968. L'un des principaux responsables politiques après l'intervention soviétique en Tchécoslovaquie, il se consacre à la réforme qui aboutit, en janvier 1969, à la fédéralisation de la République tchécoslovaque. Premier secrétaire du parti communiste en remplacement d'A. Dubček* (avril 1969), il resserre les liens avec l'U. R. S. S. et assure la « normalisation » de la vie politique. Il prend le titre de secrétaire général du parti communiste en mai 1971 puis succède, en mai 1975, à L. Svoboda à la présidence de la République.

ḤUSAYN ('Ammān 1935), roi de Jordanie depuis 1952. Soutenu par les Bédouins de la Légion arabe, par la Grande-Bretagne et par les États-Unis, Ḥusayn doit cependant faire des concessions aux nationalistes : renvoi de Glubb pacha, commandant en chef de la Légion arabe (1956), accord militaire conclu avec Nasser (1967). Il engage la Jordanie dans la troisième guerre israélo-arabe*, qui entraîne l'occupation de la Cisjordanie par les Israéliens. En 1970-71, Ḥusayn fait investir les camps des résistants palestiniens. Il parvient ainsi à maintenir le pouvoir hāchémite* en Jordanie.

HUSSEIN ou **HUSAYN** (Tāhā), écrivain égyptien (Maghāgha 1889-Le Caire 1973). Aveugle dès l'âge de deux ans, il devint professeur à la faculté des lettres du Caire et ministre de l'Instruction publique. Ses romans et ses essais critiques et autobiographiques (*le Livre des jours,* 1929-1939) concilient la tradition spirituelle orientale et l'ouverture au monde moderne.

HUSSEIN-DEY, faubourg d'Alger.

HUSSERL (Edmund), philosophe allemand (Prossnitz, Moravie, 1859-Fribourg-en-Brisgau 1938). Les études d'astronomie, de physique et de mathématiques qu'il fait à Leipzig le conduisent à soutenir une thèse de doctorat (*Sur le calcul des variations,* 1883) et à devenir l'assistant de Weierstrass*. Il suit les cours de Franz Brentano* et publie une étude psychologique sur le concept de nombre (1887). En 1891, il écrit la *Philosophie de l'arithmétique* et, en 1900-01, les *Recherches logiques,* dans lesquelles il pose les premiers jalons de la phénoménologie*. Il quitte alors Halle pour Göttingen (1906), où il élabore sa philosophie phénoménologique (*la Philosophie comme science rigoureuse,* 1911; *Idées directrices pour une phénoménologie,* 1913). Professeur à Fribourg-en-Brisgau de 1916 à 1928, il poursuit ses recherches — dont nombre sont encore inédites — et publie *Leçons sur la conscience intime du temps* (1928), *Logique formelle et transcendantale* (1929), *les Méditations cartésiennes* (1936) et *la Crise des sciences européennes et la phénoménologie transcendantale* (1936).

En posant que toute connaissance est intuition d'une essence par la conscience, la phénoménologie husserlienne se présente en même temps comme une théorie des essences et comme une méthode pour fonder la réalité du monde et la réalité de l'homme dans le monde. Dans cette optique, l'intentionnalité est la détermination principale de la conscience, « cette particularité foncière qu'a la conscience d'être la conscience de quelque chose ». De la sorte, il n'y a pas de monde qui ne soit pour une conscience ni de conscience qui ne se détermine comme une visée du monde. Le phénomène est ce qui, de la réalité, se donne à la conscience dans une série d'esquisses successives. Mais si les choses émergent à travers des retouches sans fin, seule la conscience recèle un invariant dans sa visée. Husserl procède à la mise en parenthèses du monde pour mettre à jour cet invariant : l'ego qui est à l'origine des significations des phénomènes. Ainsi, selon Husserl, la conscience seule est donatrice de sens. Cette investigation sur le sens* donne son unité à la pensée husserlienne. Elle s'est déployée en deux directions, qui se recoupent pour constituer la problématique phénoménologique du langage : après avoir monté l'élaboration des significations dans le champ des idéalités de nature logico-mathématique, Husserl poursuit son investigation dans le cadre d'une philosophie de la vie et de la perception. Et c'est précisément en articulant vie, perception et langage que la phénoménologie husserlienne apparaît comme une pensée unifiée.

HUSSITES. — Les partisans de Jan Hus* se partagèrent en modérés et en radicaux appelés « taborites » (du nom de la ville de Tábor, en Bohême). Ces derniers, lorsque le roi Sigismond refusa le programme commun des hussites — liberté de sermon, communion sous les deux espèces... —, entraînèrent tous les hussites dans une guerre longue (1419-1436) et sanglante. En 1433, les modérés acceptèrent les *compactata,* par lesquels l'Église romaine leur accordait notamment la communion sous les deux espèces, mais les taborites les refusèrent, prolongeant ainsi la guerre. Par la suite, les hussites modérés passèrent au luthéranisme ou revinrent au catholicisme; les plus fervents taborites entrèrent dans l'Union des frères moraves*.

HUSTON (John), cinéaste américain (Nevada, Missouri, 1906). Boxeur, acteur, journaliste et scénariste avant d'aborder la mise en scène de cinéma, en 1941, il construisit une grande partie de son œuvre autour de deux thèmes indissociables : l'exaltation de l'effort et de l'esprit d'aventure et la méditation sur l'échec et la vanité de ces mêmes entreprises : *le Faucon maltais* (1941), *le Trésor de la sierra Madre* (1947), *Key Largo* (1948), *Asphalt Jungle* (1950), *la Charge victorieuse* (1951), *African Queen* (1952), *les Misfits* (1961), *Reflets dans un œil d'or* (1967), *Fat City* (1971), *L'homme qui voulut être roi* (1976).

HUTCHINSON (Ann), danseuse et notatrice américaine (New York 1918). Formée aux écoles moderne et classique, elle se spécialise dans l'étude, puis dans l'enseignement des différents systèmes de notation chorégraphique à New York (School of Performing Arts et Juilliard School), puis à Londres. Cofondatrice à New York du Dance Bureau Notation (1940), elle a publié *Labanotation* (1954).

HUTUS, ethnie du Burundi* et du Ruanda*.

HUVEAUNE, fl. côtier de Provence, qui longe au S. l'agglomération marseillaise avant de rejoindre la Méditerranée; 52 km.

HUXLEY (Thomas Henry), zoologiste et physiologiste anglais (Ealing 1825-Londres 1895). Apôtre du transformisme, il a écrit de remarquables ouvrages pour le grand public : *Monographie de l'écrevisse* et *Place de l'homme dans la nature.*

HUXLEY (*sir* Julian Sorell), biologiste anglais (Londres 1887-*id.* 1975), petit-fils du précédent. Il fut le premier directeur de l'Unesco de 1946 à 1948. Il s'est intéressé au problème de l'évolution et à l'enseignement de la zoologie.

HUXLEY (Aldous), écrivain anglais (Godalming, Surrey, 1894-Hollywood 1963), frère du précédent. Poète, influencé par l'imagisme (*Leda,* 1920), il évolua ensuite dans ses essais et ses romans vers une vision satirique du monde, née de son ironie pessimiste et de son attrait pour les philosophies orientales (*Contrepoint,* 1928; *le Meilleur* des mondes,* 1932; *la Paix des profondeurs,* 1936).

HUXLEY (Andrew Fielding), neurophysiologiste anglais (Hampstead, près de Londres, 1917), demi-frère de l'écrivain Aldous Huxley, prix Nobel de médecine et de physiologie en 1963, avec Eccles et Hodgkin, pour ses travaux sur la conduction nerveuse.

HUY, en néerl. **Hoei,** v. de Belgique (prov. de Liège), sur la Meuse; 12 736 hab. (en 1970). Collégiale Notre-Dame des XIVe-XVe s. (crypte du XIe s.; trésor).

HUYGENS (Christiaan), physicien, mathématicien et astronome néerlandais (La Haye 1629-*id.* 1695). Dès 1656, il compose un traité de calcul des probabilités. En géométrie, il est l'auteur de la théorie des développées et développantes. En astronomie, il invente l'oculaire négatif des lunettes, qui lui permet de découvrir l'anneau de Saturne (1655), la rotation de Mars et la nébuleuse d'Orion (1656); il est le premier à assimiler le Soleil à une étoile. En mécanique, on lui doit la théorie du pendule, qu'il utilise comme régulateur du mouvement des horloges. Huygens imagine aussi l'échappement à ancre (1657). Il définit la force centrifuge, le moment d'inertie et énonce le théorème des forces vives. En optique, il fait appel à la théorie ondulatoire (1678) pour retrouver les lois de la réflexion et de la réfraction.

HUYGHE (René), historien d'art français (Arras 1906). Conservateur en chef au Louvre, puis professeur de psychologie de l'art au Collège de France (1950), il a notamment écrit *Histoire de l'art contemporain* (1934), *Dialogue avec le Visible* (1955), *l'Art et l'Âme* (1961), *Formes et Forces* (1971) et il a dirigé un ouvrage de synthèse, *l'Art et l'Homme* (1958-1961).

HUYSMANS (Georges Charles, dit **Joris-Karl**), écrivain français (Paris 1848-*id.* 1907). Ses poèmes en prose (*le Drageoir aux épices,* 1874) et son roman *Marthe, histoire d'une fille* (1876) le font entrer en relation avec Zola et le groupe naturaliste : il donne aux *Soirées* de Médan* le texte d'une nouvelle, *Sac au dos* (1880). Mais, tout en poursuivant sa peinture des petits côtés de la vie (*les Sœurs Vatard,* 1879; *Croquis parisiens,* 1880), il s'intéresse à l'esthétique impressionniste (*l'Art moderne,* 1883) et révèle son attirance pour les thèmes de la « décadence » (*À* rebours,* 1884). Dès lors, il prend ses distances à l'égard du naturalisme (*Là-bas,* 1891) et, sous l'influence de l'abbé Mugnier, il se convertit au catholicisme, traduisant dans ses dernières œuvres son besoin de surnaturel (*la Cathédrale,* 1898; *l'Oblat,* 1903; *les Foules de Lourdes;* 1906).

HUYSMANS (Camille), homme politique belge (Bilzen 1871-Anvers 1968). Député socialiste à partir de 1910, président de l'Internationale socialiste en 1940, il dirige d'août 1946 à mars 1947 un gouvernement de gauche. En 1966, il rompt avec le P. S. B. pour fonder un nouveau parti socialiste.

HYADES (les), groupe d'étoiles dans la constellation du Taureau*, qui constituent un amas* ouvert.

HYALINES (membranes). — La maladie des membranes hyalines est due à la production de fines membranes adhérentes aux parois des alvéoles pulmonaires de certains prématurés; elle entraîne une asphyxie qui peut être mortelle.

HYBRIDATION. — Lorsque deux individus animaux ou végétaux sont identiques (au sexe près), on peut prévoir qu'un croisement (accouplement) entre eux donnera des produits très semblables aux parents. Lorsqu'ils sont très différents (chien et chatte par exemple), le croisement restera stérile. Mais lorsqu'il y a entre les parents des différences somatiques modestes, compatibles avec l'interfertilité, les produits obtenus sont des *hybrides.* Si les parents sont d'espèce différente (âne et jument, lion et tigresse), les produits sont généralement stériles. S'il n'y a qu'une différence de race, ils sont indéfiniment fertiles, et l'étude de la transmission des caractères* qui distinguaient les parents est l'objet de la génétique*.

On parle de *monohybridisme* lorsque les parents ne diffèrent que par un seul caractère (pois à fleurs rouges × pois à fleurs blanches), de *dihybridisme* quand ils diffèrent par deux caractères (cobaye blanc à poil ras × cobaye fauve à poil long), etc. Les lois de l'hybridation ont été dégagées en premier lieu par Mendel*.

HYDARTHROSE. — L'hydarthrose, improprement appelée « épanchement de synovie », peut traduire une fracture articulaire, une entorse, une arthrite, une tuberculose ostéoarticulaire, une lésion des ménisques, etc. Le genou est l'articulation la plus souvent atteinte.

Hyde Park, grand parc de l'ouest de Londres.

HYDERĀBĀD ou **HAIDARĀBĀD,** v. du sud de l'Inde, dans le Deccan, capit. de l'Andhra Pradesh; 1 607 000 hab. Entourée d'une enceinte achevée au XVIIIe s., la vieille ville abrite plusieurs monuments, dont le Dār al-chifā (XVIe s.), le Tolī masdjid (1671), le Makka masdjid (1614-1692) et le Chār Mīnār (1591), grand arc de triomphe, l'un des chefs-d'œuvre de l'architecture indo-islamique. Célèbre école de miniatures. Musées.

HYDERĀBĀD, v. du sud-est du Pākistān, dans le Sind; 435 000 hab. Construction aéronautique. Chimie.

HYDNE. — L'hydne sinué est le seul champignon commun dont les spores soient portées au bout d'aiguillons qui tapissent le dessous du chapeau. Il est comestible. C'est un basidiomycète.

HYDRA ou **ÍDHRA,** île grecque de la mer Égée, au large de l'Argolide. Ch.-l. *Hydra (Ídhra).*

HYDRACIDE. — Les hydracides s'opposent aux oxacides, dans lesquels l'hydrogène acide appartient à un groupement hydroxyle —OH. Leur nom se forme avec le suffixe *-hydrique,* et celui de leurs sels avec le suffixe *-ure* (par exemple acide chlorhydrique HCl et chlorure, acide sulfhydrique H_2S et sulfure).

HYDRARGYRISME → MERCURE.

HYDRAULIQUE (presse). — Imaginée par Pascal et réalisée par Bramah en 1796, elle se compose de deux corps de pompe remplis d'eau, où se trouvent deux pistons, de sections s et S, dont la première est beaucoup plus petite que la seconde. Une force f, appliquée sur le petit piston, équilibre, sur le gros piston, une force F, telle que $F = f\frac{S}{s}$. La force agissante est ainsi multipliée par le facteur $\frac{S}{s}$, qui peut être considérable, et on l'utilise pour presser et écraser des objets (graines oléagineuses, fourrage), pour éprouver la résistance des canons, des chaudières, etc.

HYDRAVION. — Un hydravion est un avion* qui décolle et qui atterrit sur des plans d'eau. Le train d'atterrissage* est alors remplacé par un redan aménagé à la partie inférieure du fuselage*, auquel on adjoint éventuellement des flotteurs latéraux; certains hydravions sont seulement munis de flotteurs fixés au fuselage. Très en faveur avant la Seconde Guerre mondiale, les hydravions sont maintenant assez peu répandus, leur emploi étant limité, dans l'aéronavale, à la lutte anti-sous-marine, et, dans le domaine civil, à la lutte contre les incendies.

HYDRE. — C'est souvent à la face inférieure des lentilles d'eau que l'on peut observer ce minuscule animal : un simple sac étroit et allongé, dont l'orifice (bouche) est entouré de quelques longs tentacules, porteurs de microscopiques harpons venimeux (nématocystes). L'hydre capture ainsi divers petits animaux aquatiques. Bien nourrie, elle se multiplie par bourgeonnement. Il existe aussi une reproduction sexuée. L'animal peut ramper, arpenter son support et même nager, tout au moins à l'état larvaire. L'une des espèces, l'*hydre verte,* doit sa couleur aux chlorelles* symbiotiques qu'elle héberge. Les capacités de régénération des hydres sont considérables.

HYDROCARBURES. — Les hydrocarbures sont des composés binaires de carbone et d'hydrogène. Ils forment des séries homologues* de corps dont les propriétés se rapprochent de celles du premier terme de la série, appelé *carbure fondamental.* On distingue les *hydrocarbures acycliques,* ne possédant pas de chaîne fermée, et les *hydrocarbures cycliques,* qui en possèdent une.

Les premiers se divisent en carbures *saturés,* ou *alcanes** (méthane, éthane, propane, butane, etc.), et en carbures *non saturés,* susceptibles de fixer par addition de l'hydrogène ou d'autres éléments. Les carbures non saturés comprennent les carbures *éthyléniques,* ou *alcènes**, dont la chaîne contient au moins une double liaison, et les carbures *acétyléniques,* ou *alcynes**, dont la chaîne contient une triple liaison.

Les hydrocarbures cycliques se divisent en :
1° carbures *hydrocycliques,* ou *alicycliques,* possédant des chaînes fermées à 3, 4, 5, 6, 7 et 8 atomes de carbone, saturés ou non saturés, mais dont les propriétés sont comparables à celles des carbures acycliques (ex. : cyclopropane, cyclohexane);
2° carbures *à noyau,* ou *aromatiques,* caractérisés par des chaînes fermées non saturées (noyau benzénique), douées de propriétés spéciales. Les principaux sont le benzène, le toluène, le naphtalène.

HYDROCÈLE → TESTICULE.

HYDROCÉPHALIE. — L'hydrocéphalie témoigne d'une dilatation des ventricules cérébraux due à une accumulation de liquide céphalo-rachidien sous pression. L'hydrocéphalie congénitale se traduit par une augmentation excessive du périmètre crânien du nouveau-né et par des déformations cranio-oculaires entraînant des troubles neurologiques parfois mortels; elle peut être due à une malformation cérébro-méningée, à une toxoplasmose, etc. Chez l'enfant, l'hydrocéphalie acquise entraîne des signes d'hypertension intracrânienne; elle peut être due à une méningite purulente, à une tumeur intracérébrale.

HYDROCORTISONE → CORTICOSTÉROÏDES.

HYDROCRAQUAGE → CRAQUAGE, DÉSULFURATION et HYDROGÉNATION.

HYDROCUTION. — D'origine réflexe, l'hydrocution survient plus souvent au cours de la digestion ou lors de fréquents bains consécutifs.

HYDRODÉSULFURATION → DÉSULFURATION et HYDROGÉNATION.

HYDRODYNAMIQUE. — L'hydrodynamique est l'étude du mouvement des liquides, ainsi que des interactions de ces derniers avec les corps solides. C'est une science à base théorique plutôt qu'expérimentale, dans laquelle les fluides sont considérés comme des milieux continus déformables. Elle concerne aussi bien les liquides que les gaz, sous réserve que, dans ce dernier cas, les variations de pression ne soient jamais assez grandes pour influer de façon notable sur la masse volumique du gaz, c'est-à-dire que les effets de compressibilité soient négligeables. Cette condition se trouve vérifiée si les vitesses relatives entre le gaz et les obstacles qu'il rencontre sont faibles devant la vitesse du son dans le gaz.

HYDROÉLECTRICITÉ → ÉLECTRICITÉ.

HYDROFINISSAGE → RAFFINAGE.

HYDROFUGATION → CAPILLARITÉ.

HYDROGÉNATION. — L'hydrogénation peut être réalisée à l'aide d'hydrogène* gazeux, à chaud; elle est plus facile et plus complète si l'on opère par action de l'hydrogène naissant ou au contact d'un catalyseur.

L'hydrogénation catalytique, découverte par Sabatier et Senderens (emploi du nickel réduit), a d'importantes applications industrielles : hydrogénation des huiles de houille et de pétrole, et de la houille elle-même (synthèse des carburants), hydrogénation des huiles de poissons, des essences de craquage, etc.

De nombreux procédés de raffinage utilisent le caractère sélectif de l'action de l'hydrogène sur les hydrocarbures et sur les autres composants du pétrole* pour améliorer la qualité des produits : les éléments indésirables, et notamment le soufre*, sont transformés en composés hydrogénés volatils facilement dégazés. L'hydrogénation intervient aussi pour modifier la proportion relative de certains hydrocarbures par rupture (craquage) et saturation de molécules complexes. En pétrochimie*, elle permet de nombreuses synthèses (ammoniac*, alcools*).

• L'*hydrodésulfuration* est utilisée dans les raffineries pour abaisser la teneur en soufre du gasoil*, des carburéacteurs, du fuel-oil* domestique et des essences* aux teneurs fixées par la législation antipollution; elle s'effectue à des températures et sous des pressions modérées, en présence d'un catalyseur au cobalt-molybdène sur support d'alumine, grâce à l'hydrogène excédentaire provenant du reformage* des essences.

• L'*hydrotraitement* permet d'épurer l'essence de pyrolyse, sous-produit de la fabrication d'éthylène par vapocraquage (hydrogénation des dioléfines), le white spirit et certains solvants industriels (hydrogénation des aromatiques toxiques), les huiles lubrifiantes (hydrofinissage améliorant la couleur, l'odeur et la stabilité) et la paraffine (hydroraffinage).

• L'*hydrocraquage* est un procédé de conversion de fractions pétrolières lourdes à haute température et sous très haute pression; il permet également de désulfurer le fuel-oil résiduaire et même le pétrole brut; il exige une grande quantité d'hydrogène, obtenu par vaporeformage, qui est une dissociation catalytique d'hydrocarbures légers à 850 °C, en présence de vapeur d'eau.

La production mondiale d'hydrogène est de 20 Mt, dont la moitié est utilisée pour la synthèse de l'ammoniac.

HYDROGÈNE. — L'hydrogène, identifié en 1766 par Cavendish, est le premier élément de la classification périodique et a pour masse atomique H = 1,008. Dans l'hydrogène ordinaire, le noyau de l'atome est constitué par un unique proton; mais on en connaît deux isotopes, le deutérium* et le tritium*.

C'est un gaz incolore et inodore; il est le plus léger de tous les corps, sa densité par rapport à l'air étant 0,07. Par suite, il traverse plus rapidement qu'aucun autre gaz les parois poreuses et certains métaux au rouge. Il est, après l'hélium, le gaz le plus difficile à liquéfier; son point d'ébullition normale est −253 °C. Ses molécules H_2 peuvent présenter deux structures, correspondant à l'ortho- et au parahydrogène.

Peu actif à froid, il donne, à chaud ou au contact de catalyseurs, de nombreuses réactions. Élément univalent, il est plutôt électropositif, ce qui le rapproche des métaux.

Il se combine directement à la plupart des métalloïdes. Les quatre halogènes donnent avec lui des hydracides. Il brûle dans l'air avec une flamme bleue et forme avec l'oxygène un mélange détonant. On peut le combiner au soufre à chaud, à l'azote sous pression, au carbone à haute température. Il forme avec les métaux alcalins et alcalino-terreux des hydrures cristallisés, décomposables par l'eau.

Très avide d'oxygène et de chlore, l'hydrogène peut détruire beaucoup de leurs combinaisons. Il réduit les oxydes du soufre, de l'azote, du cuivre, du fer, etc.

Au contact d'un catalyseur, il peut se produire une réduction

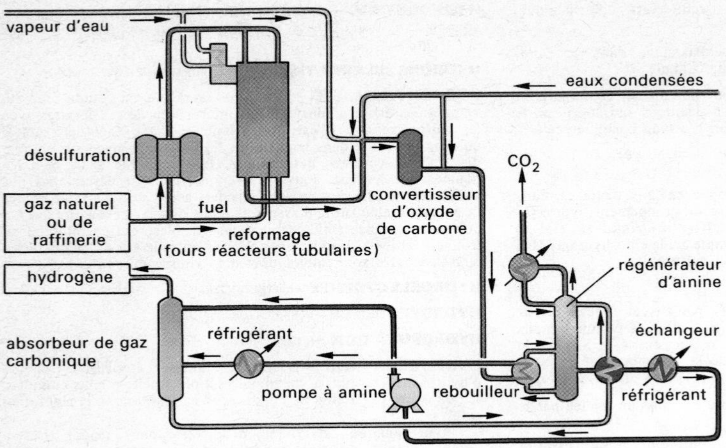

HYDROGÈNE

Schéma de la fabrication de l'hydrogène par steam-reforming à partir d'hydrocarbures.

HYDROPTÈRE

Photographié à pleine vitesse, coque déjaugée, le patrouilleur rapide hydroptère « Bras-d'or ». (De Havilland Aircraft of Canada.)

suivie d'une hydrogénation. Ainsi, l'oxyde de carbone se transforme en méthane sous l'action du nickel réduit; avec un catalyseur convenable, on peut obtenir des carburants synthétiques.

Élément le plus abondant de l'univers, l'hydrogène n'occupe pas sur la Terre la première place. L'air en renferme une petite quantité; à l'état de combinaison, il figure dans l'eau, dans beaucoup de corps minéraux et dans tous les corps organiques. On le prépare industriellement à partir de l'eau, que l'on électrolyse ou que l'on réduit par le carbone, ou de mélanges gazeux qui en contiennent (gaz naturel, gaz des cokeries, gaz de pétrole). En France, on utilise le gaz de Lacq, dont on décompose catalytiquement le méthane par la vapeur d'eau.

Au laboratoire, on fait agir sur le zinc l'acide chlorhydrique dilué.

L'hydrogène a été employé au gonflement des aérostats. On l'utilise maintenant comme matière première dans un grand nombre d'opérations chimiques, dont la plus importante est la synthèse de l'ammoniac.

HYDROGÉOLOGIE. — Cette branche de la géologie appliquée a pour but la recherche et le captage des eaux souterraines. Avec le développement industriel, son rôle est devenu de plus en plus important, d'une part parce que les besoins en eau augmentent constamment, d'autre part à cause des problèmes posés par la pollution*.

HYDROGLISSEUR → HYDROPTÈRE.

HYDROLOGIE ET HYDROGRAPHIE. — L'*hydrologie* étudie les eaux* naturelles, du point de vue de leurs propriétés physiques, chimiques et mécaniques, ainsi que de leur répartition. Elle se divise en deux branches, l'hydrologie fluviale et l'hydrologie marine. L'*hydrographie* s'intéresse aux interactions entre l'eau et la surface de la Terre : profil des vallées fluviales, configuration des côtes, bathymétrie. Elle regroupe l'hydrographie fluviale (potamologie) et l'hydrographie lacustre (limnologie) d'une part, l'hydrographie marine (océanographie*) d'autre part.

Dans la nature, l'eau subit un cycle. Elle est prélevée aux océans par évaporation. Elle est ensuite précipitée sur le sol par suite de phénomènes de condensation. Là, elle ruisselle ou s'infiltre et, après percolation, va rejoindre les nappes souterraines qui s'écoulent à l'air libre sous forme de sources. Les eaux de ruissellement et les eaux de source se regroupent en un écoulement concentré s'ordonnant pour former le réseau hydrographique, qui aboutit à la mer (exoréisme) où, de nouveau, a lieu l'évaporation. Ce réseau peut aussi se perdre dans des dépressions intérieures (endoréisme), ou l'écoulement peut encore être intermittent (aréisme). Tout au long de son cycle, l'eau subit des modifications dans son état physique, sa composition chimique, etc. Elle agit sur le milieu avec lequel elle est en contact (dissolution, abrasion, transport de matériaux, etc.). C'est l'ensemble de ces phénomènes que l'hydrologie et l'hydrographie cherchent à décrire et à expliquer.

HYDROLYSE. — Les sels d'un acide ou d'une base faible subissent, au contact de l'eau, une hydrolyse limitée qui libère l'acide et la base correspondants. Par analogie, on nomme « hydrolyses » les réactions dans lesquelles la molécule H_2O est scindée en H et OH. Telles sont les actions de l'eau sur les chlorures d'acides ou de métalloïdes, les nitrures, les carbures métalliques, et, en chimie organique, sur les esters (avec production d'alcool et d'acide), les amides, les sucres, etc.

HYDROMÉTALLURGIE → MÉTALLURGIE.

HYDRONÉPHROSE → REIN.

HYDROPTÈRE. — Les hydroptères de la première génération comportent des ailes portantes en V, partiellement immergées; ils possèdent une stabilité propre, mais ils sont exposés au choc de la coque sur la surface libre de l'eau et leur résistance à l'avancement est importante aux allures modérées. Les hydroptères de la seconde génération, nés aux États-Unis vers 1960, sont pourvus de plans porteurs complètement immergés. N'ayant pas de stabilité propre, ils nécessitent des dispositifs mécaniques et électroniques annexes pour assurer un fonctionnement stable. La propulsion est réalisée soit par une hélice marine, soit par des hélices aériennes, soit encore par une pompe qui aspire l'eau par les jambes et la rejette à l'arrière. Des vitesses de l'ordre de 170 km/h ont pu être atteintes pour des bâtiments de plusieurs centaines de tonnes. Pour assurer une bonne stabilité par forte houle, ces navires disposent d'un dispositif de pilotage* automatique qui commande l'incidence des ailes dans l'eau.

HYDROQUINONE. — Paradiphénol dérivé du benzène, de formule $C_6H_4(OH)_2$, l'hydroquinone forme des cristaux incolores, fondant à 169 °C, solubles dans l'eau. Elle est aisément oxydable en quinone, et ses propriétés réductrices la font employer comme révélateur photographique.

HYDROSTATIQUE. — Créée par Archimède, développée par Stevin et Pascal, l'hydrostatique est fondée sur les principes suivants :
1° la pression est constante en tout point d'un plan horizontal dans un fluide en équilibre. En particulier, la surface libre d'un liquide en équilibre est un plan horizontal;
2° une variation de pression se transmet intégralement dans toutes les directions dans un fluide en équilibre;
3° tout solide immergé dans un fluide en équilibre est soumis à une poussée verticale, dirigée vers le haut, égale au poids du fluide déplacé, appliquée au centre de gravité de ce fluide.

Il en résulte que la force pressante sur le fond d'un vase ne dépend que de la hauteur du liquide et non de la forme des parois.

D'autre part, la différence de pression en deux points d'un liquide est numériquement égale au poids d'une colonne du liquide ayant pour section l'unité de surface et pour hauteur la différence de niveau des deux points.

Enfin, le poids d'un corps flottant est égal au poids de liquide déplacé par la partie immergée.

HYDROSULFUREUX (acide). — Inconnu à l'état libre, l'acide hydrosulfureux $H_2S_2O_4$ est défini par ses sels, qui sont des réducteurs énergiques. La combinaison de l'hydrosulfite de sodium avec l'aldéhyde formique, ou rongalite, est utilisée en impression.

HYDROTHÉRAPIE → PHYSIOTHÉRAPIE.

HYDROTIMÉTRIE. — Pour déterminer la quantité de sels de calcium et de magnésium que contient une eau, on verse dans cette eau une solution alcoolique de savon, qui produit une mousse lorsque toute la chaux et toute la magnésie ont été neutralisées.

HYDROTRAITEMENT → HYDROGÉNATION.

HYDROXYDE. — Les hydroxydes ont une formule constitutive contenant un métal (ou un radical en tenant lieu) uni à un ou à

De Havilland Aircraft of Canada

plusieurs hydroxyles —OH : ainsi, la soude NaOH et la chaux $Ca(OH)_2$. Les hydroxydes métalliques ont des propriétés basiques.

HYDROXYLAMINE. — L'hydroxylamine NH_2OH est un solide incolore cristallisé, fondant à 33 °C, très soluble dans l'eau. C'est un réducteur puissant, doué de propriétés basiques analogues à celles de l'ammoniaque.

HYDRURE. — Au contact des métaux alcalins ou alcalino-terreux chauffés vers 350 °C, l'hydrogène donne des hydrures, tels NaH, CaH_2; ce sont des solides cristallisés, décomposables par l'eau; très réactifs, ils constituent des agents de synthèse remarquables.

HYÈNE. — Une famille spéciale, les hyénidés, a été créée pour y ranger deux espèces de mammifères carnassiers : l'hyène et le protèle. Ces animaux ont une échine fortement inclinée, l'arrière-train étant bas et les jambes courtes. La plupart des espèces ont une crinière ou une crête dorsale. L'hyène se nourrit surtout de cadavres, d'excréments ou de morceaux de chair hâtivement prélevés sur ses proies; le protèle, plus faible, dévore beaucoup d'insectes; il est d'ailleurs en voie de disparition.

HYÈRES (83400), ch.-l. de cant. du Var, à 18 km à l'E. de Toulon; 39 593 hab. *(Hyérois).* Restes d'enceinte et monuments médiévaux de la vieille ville. Base aéronavale du Palyvestre (École de l'aviation embarquée).

HYÈRES *(îles d'),* archipel français de la Méditerranée (Var), comprenant *Porquerolles, Port-Cros* et l'*île du Levant.* Station touristique. Centre naturiste à l'île du Levant.

HYGIÈNE. — L'hygiène a pour objet de prévenir l'apparition des maladies en améliorant les conditions de vie. Son très vaste domaine comprend l'étude du milieu extérieur (pollution, température, humidité atmosphériques), des habitations et des locaux de travail (atmosphère, chauffage, ventilation, élimination des déchets, etc.), des activités professionnelles (médecine du travail, détection des maladies professionnelles), de l'hygiène corporelle et alimentaire individuelle, et la lutte contre la propagation des maladies infectieuses. L'*hygiène mentale* est rattachée à l'hygiène sociale; l'hygiène mentale collective est assurée, en France, par divers organismes de prévention et de cure (dispensaires d'hygiène mentale, hôpitaux psychiatriques régis par la loi de 1838, services neuropsychiatriques libres, etc.) et de reclassement social (centres d'accueil, homes de postcure).

HYGIN *(saint)* → PAPE.

HYGROMA. — L'hygroma, épanchement liquidien dans les bourses séreuses périarticulaires, est d'origine traumatique (frottements, frictions répétés) ou rhumatismale; il atteint souvent le coude, les épaules et les genoux.

HYGROMÈTRE. — Les *hygromètres à absorption* utilisent la propriété de certains corps hygroscopiques (corne, cheveux, boyaux) de s'allonger lorsqu'ils deviennent humides. Les *hygromètres chimiques* sont des tubes, contenant une substance desséchante (acide sulfurique), dans lesquels on fait passer un volume d'air connu et dont on mesure l'augmentation de masse. Les *hygromètres à condensation* servent à déterminer la température à laquelle s'effectue un dépôt de rosée sur un vase nickelé que l'on refroidit progressivement. La pression de la vapeur d'eau dans l'atmosphère est la tension maximale correspondant à cette température.

HYGROSCOPICITÉ → PIERRE.

HYKSOS, nom donné à des envahisseurs asiatiques, qui ont gouverné l'Égypte de 1670 à 1560 av. J.-C. Groupes guerriers venus de Palestine et implantés dans le Delta oriental au XVIIIe s. av. J.-C., ils mettent à profit l'affaiblissement de la puissance pharaonique pour s'emparer du pouvoir; ils forment les XVe et XVIe dynasties. Le mouvement nationaliste venu des princes de Thèbes chassera d'Égypte les Hyksos, qui disparaissent dès lors de la scène politique. C'est durant cette période que les Hébreux* s'établiront en Égypte.

HYMEN → GÉNITAL *(appareil).*

HYMÉNOPTÈRES. — Le miel et la cire des abeilles*, la pollinisation des plantes fourragères par les bourdons, l'énorme destruction de chenilles accomplie par les ichneumons, le massacre des mouches par les guêpes, et bien d'autres services font des hyménoptères le seul ordre d'insectes qui soit statistiquement plus utile que nuisible à l'homme. On rassemble dans cet immense groupe des insectes à l'appareil buccal mixte (à la fois broyeur et lécheur), aux deux paires d'ailes membraneuses solidaires pendant le vol et (c'est le plus important) dont la larve est totalement incapable de chercher elle-même sa nourriture. Les soins parentaux directs (guêpe donnant une mouche à sa larve) ou indirects (cynips pondant dans une feuille de chêne et provoquant ainsi une galle qui nourrira la larve) sont indispensables à la survie des espèces.

Quelques hyménoptères (*symphytes* [tenthrèdes]) ont l'abdomen soudé au thorax, mais l'immense majorité *(apocrites)* montre une « taille de guêpe » fort rétrécie. Parmi les apocrites, on distingue ceux qui ont une tarière de ponte (*térébrants* [chalcidiens, cynips, ichneumons]) et ceux qui ont un aiguillon venimeux (*aculéates* [sphex, guêpes, abeilles, fourmis]).

HYMETTE *(mont),* montagne de Grèce, près d'Athènes, renommée pour son miel et son marbre.

HYMNE. — Poème chanté en l'honneur des dieux et des héros dans l'Antiquité, l'hymne deviendra le chant national des temps modernes. (On dit alors *un* HYMNE.)

La liturgie catholique l'adopta dans un répertoire en plain-chant*. À la Renaissance et à l'époque classique, les textes d'hymnes étaient traités en polyphonie vocale (Palestrina) ou instrumentale (Titelouze). Chez les protestants, l'hymne se rapproche du cantique* et du choral*. (On dit alors *une* HYMNE.)

Hymnes à la nuit, recueil de six poèmes de Novalis (1800), inspirés par la mort de Sophie von Kühn. L'appel de l'« invisible » et l'espoir de la réunion dans l'éternité de Dieu se fondent dans un contrepoint musical : illustration majeure de la théorie des romantiques allemands (Schlegel, Tieck), qui réclamaient l'union intime de la musique et de la poésie.

HYPERFOLLICULINIE → OVAIRE.

HYPERGLYCÉMIE → GLYCÉMIE.

HYPERHYDRATATION. — L'hyperhydratation peut être cellulaire (maladie d'Addison), extracellulaire avec déshydratation cellulaire (élimination d'eau excessive par rapport à l'élimination de sel) ou globale (provoquant œdèmes, dégoût de l'eau, vomissements, s'observant surtout en cas de perfusions mal adaptées).

HYPÉRIDE, orateur et homme politique athénien (Athènes v. 390-Cleonai [?] 322 av. J.-C.). Il participe à la résistance contre les Macédoniens avec Démosthène, à qui il s'opposera pour des questions de politique intérieure. Il meurt, victime de la répression macédonienne, après l'issue malheureuse de la guerre lamiaque.

Hyperion *ou l'Ermite de Grèce,* roman en deux parties, de F. Hölderlin (1797-1799) : l'exaltation de l'âme indestructible de la nature, seul refuge de l'homme en quête de la beauté irréalisable et de l'amour impossible.

HYPERLIPÉMIE → LIPÉMIE.

HYPERMARCHÉ → SURFACE *(grande).*

HYPERMÉTROPIE. — Souvent associée à la presbytie chez le sujet âgé, l'hypermétropie entraîne une vision de près floue; elle doit être corrigée par des verres convergents, qui ramènent une image nette sur la rétine.

HYPERSUSTENTATION. — Lors du décollage*, un avion* a besoin d'avoir un coefficient de portance le plus fort possible, afin de ne pas accroître la vitesse de décollage. Le rôle de l'hypersustentation est de fournir artificiellement un supplément de portance à l'aide de dispositifs baptisés *hypersustentateurs.* Les plus répandus sont les hypersustentateurs mécaniques, qui consistent essentiellement en *volets de bord de fuite* ou en *volets de bord d'attaque* de l'aile*. Parmi les volets de bord de fuite figurent les *volets d'intrados,* dont le braquage n'affecte pas l'extrados de l'aile, les *volets de courbure* et les *volets à fente,* où toute la partie arrière se braque en reculant. Les volets de bord d'attaque sont surtout des becs mobiles qui se braquent en se détachant du reste de l'aile.

Mais on peut aussi obtenir une hypersustentation importante en agissant sur la couche* limite qui entoure l'aile et qui décolle sur la partie arrière du profil aux grandes incidences. Deux modes d'action sont possibles : *aspiration* et *soufflage.* Sur les avions à propulsion* par réaction, le soufflage est le plus fréquemment utilisé, grâce à la source d'air comprimé constituée par le compresseur des moteurs. Les appareils embarqués font un large appel à l'hypersustentation par contrôle de la couche limite.

HYPERTENSION. — L'hypertension peut siéger dans les systèmes artériel ou veineux (veine porte*), dans la boîte crânienne ou dans le globe oculaire (glaucome*).

• Hypertension artérielle (H. T. A.). On parle d'H. T. A. lorsque la pression artérielle minimale, ou diastolique, prise au repos chez un sujet allongé, dépasse 10 cm de mercure et lorsque la pression artérielle maximale dépasse 16 cm. Il existe deux groupes d'H. T. A.

Les *H. T. A. symptomatiques,* rares, ont une cause parfois curable : sténose congénitale de l'isthme de l'aorte (H. T. A. régressant avec la résection chirurgicale précoce de la sténose), affections endocriniennes (maladie de Cushing, phéochromocytome, etc.), H. T. A. gravidique transitoire non récidivante (toxémie*) ou récidivante, néphropathies bilatérales (néphrites aiguës, mal de Bright) ou unilatérales (hydronéphrose, atrophie rénale congénitale, sténose de l'artère rénale, où l'H. T. A. peut régresser après l'ablation du rein malade ou après rétablissement de la circulation artérielle rénale).

L'*H. T. A. essentielle* ne peut être affirmée qu'après avoir éliminé les causes précitées. Très fréquente, elle atteint surtout l'homme; sa pathogénie est mal connue.

Découverte du fait des troubles qu'elle engendre ou à l'occasion d'un examen systématique, l'H. T. A., lorsqu'elle se révèle, témoigne souvent déjà d'une complication. Les complications peuvent être cardiaques (insuffisance cardiaque gauche ou globale, insuffisance coronarienne), rénales (insuffisance rénale, toujours sévère), cérébrales (céphalées, hémorragie cérébrale ou cérébro-méningée, etc.), oculaires (éblouissements, diminution de l'acuité visuelle) et otologiques (bourdonnements d'oreille, vertiges).

En dehors d'une action sur sa cause, le traitement de l'H. T. A. repose sur le régime sans sel, sur une stricte hygiène de vie et sur les médicaments hypotenseurs généralement associés aux diurétiques.

• Hypertension intracrânienne. Elle traduit une hyperpression du liquide céphalo-rachidien et se manifeste par des céphalées, des vomissements et par une torpeur conduisant, en l'absence de traitement, à un coma mortel. Elle peut s'associer à une hydrocéphalie ou à un œdème cérébral dont elle partage les causes.

HYPERTHERMIE → fièvre.

HYPERTHYROÏDIE → thyroïde.

HYPERVITAMINOSE → vitamine.

HYPNOSE. — Bien que l'hypnose soit un phénomène connu de longue date, nous en ignorons toujours la nature exacte. Il n'existe pas de critère pour déterminer si un sujet est hypnotisé ou non, même si l'on s'en tient au niveau de vigilance*. La transe hypnotique se traduit, après la mise en scène d'un rituel d'induction (fixation d'un point lumineux, compression des globes oculaires, etc.), par un état de sujétion de l'hypnotisé à son hypnotiseur. Cette dépendance peut être utilisée à des fins diverses : psychothérapiques, comme le faisait Freud à ses débuts, analgésiques, etc.

HYPNOTIQUE → sommeil.

HYPOCHLORITE. — Sels de l'acide hypochloreux HClO, les hypochlorites les plus employés sont ceux de sodium et de calcium, qui figurent respectivement dans l'eau de Javel et le chlorure de chaux. On les obtient par action du chlore sur la soude ou sur la chaux. Ils servent comme désinfectants, pour blanchir le linge et pour stériliser les eaux.

HYPOCHONDRIE. — L'inquiétude du sujet concernant l'état et le fonctionnement de ses organes est un symptôme fréquent dans de nombreuses névroses* et psychoses*.

L'HYPOPHYSE et l'action de ses hormones sur les organes.

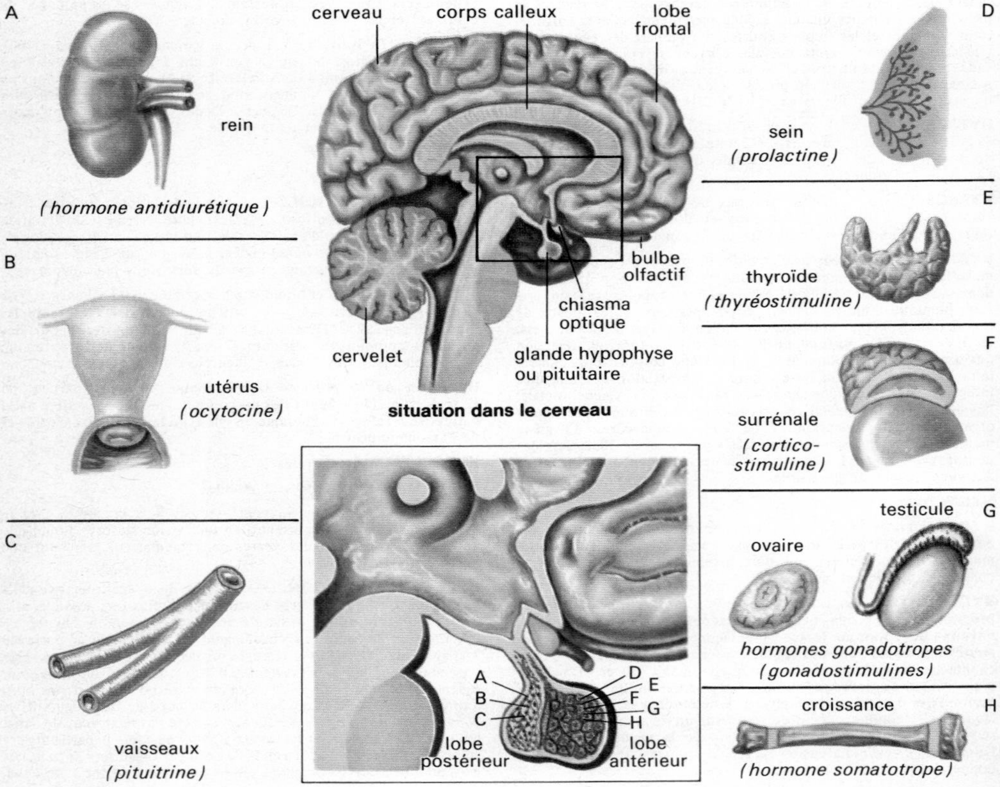

HYPOGLYCÉMIE → GLYCÉMIE.

HYPOPHYSE. — L'hypophyse est une glande logée dans la selle turcique, à la base du crâne. On lui distingue deux lobes : l'antéhypophyse et la posthypophyse.

L'*antéhypophyse* (lobe antérieur) sécrète des hormones qui diffèrent par leur type d'action. Les stimulines stimulent la sécrétion d'autres glandes endocrines (thyréostimuline pour la thyroïde, corticostimuline, ou A. C. T. H., pour la sécrétion surrénalienne de corticostéroïdes et d'androgènes, hormones gonadotropes folliculo-stimulante et lutéinisante indispensables au développement et au fonctionnement des gonades). Citons la prolactine et l'hormone mélanotrope, pour insister sur l'hormone somatotrope indispensable à la croissance.

La *posthypophyse* (lobe postérieur) est seulement un organe de stockage et de libération des hormones sécrétées dans les tissus nerveux de l'hypothalamus (ocytocine et hormone antidiurétique).

Il existe des syndromes d'hypofonctionnement global ou dissocié, d'hyperfonctionnement antéhypophysaire (acromégalie, maladie de Cushing, etc.) et d'hypofonctionnement posthypophysaire (diabète insipide).

Les tumeurs hypophysaires, souvent bénignes, associent, à des degrés divers, des signes de compression des formations de voisinage (céphalées, troubles visuels) et des signes d'hypersécrétion ou d'hyposécrétion hormonales.

HYPOSULFITE. — L'hyposulfite, ou *thiosulfate de sodium,* forme de beaux cristaux hydratés incolores $Na_2S_2O_3$, $5H_2O$. Les oxydants, tels que le chlore, le transforment en sulfate, d'où son emploi comme antichlore dans le blanchiment. L'iode donne une oxydation moins poussée, qui fournit du tétrathionate, et cette réaction est utilisée en iodométrie.

L'hyposulfite dissout les halogénures d'argent, d'où son rôle comme fixateur des images photographiques. On le prépare en faisant agir à l'ébullition le soufre sur une solution concentrée de sulfite ou de soude.

HYPOTENSION. — L'*hypotension artérielle* s'observe dans tous les états de choc, chez les malades cachectiques, les sujets surmenés, etc.

L'*hypotension orthostatique* survient en position debout (impression de vertige suivie parfois de syncope) : c'est une affection bénigne d'origine inconnue.

L'*hypotension intracrânienne* — les ventricules cérébraux paraissant contenir peu de liquide céphalo-rachidien — peut s'observer, en cas de grande déshydratation, chez le jeune enfant.

HYPOTHALAMUS. — Partie du diencéphale contenant des noyaux neurovégétatifs; l'hypothalamus est relié à l'hypophyse par la tige pituitaire. Son atteinte se traduit par des troubles endocriniens, des troubles de la soif, de la faim et de la thermorégulation.

HYPOTHÉNAR (éminence) → MAIN.

HYPOTHÈQUE → SÛRETÉS.

HYPOTONIE → TONUS.

HYPOTROPHIE. — L'hypotrophie, première manifestation de la dénutrition avant l'atrophie*, s'observe rapidement chez le nourrisson en cas de troubles digestifs et d'affections très diverses.

HYPSOMÉTRIE. — Elle a pour but une représentation du relief sur une carte qui passe généralement par l'établissement de courbes de niveau, lignes imaginaires joignant les points d'égale altitude. L'intervalle entre les courbes est choisi en fonction de l'échelle de la carte et de la topographie de la région considérée. Sur la carte, l'écartement des courbes permet d'évaluer la pente : plus les courbes sont serrées, plus la pente est forte. L'utilisation des photos aériennes a beaucoup facilité l'établissement des courbes de niveau. On peut ensuite réaliser des cartes hypsométriques, en colorant, par exemple, en des teintes variées les espaces limités par les différentes courbes de niveau.

HYRCAN I, II → ASMONÉENS.

HYRY (Antti Kalevi), écrivain finlandais d'expression finnoise (Kuivaniemi 1931). Ses romans et ses nouvelles, qui décrivent minutieusement la réalité quotidienne, rappellent les recherches du nouveau roman français (*Description d'un voyage en train,* 1958; *le Bord du monde,* 1967).

HYSTÉRECTOMIE → UTÉRUS.

HYSTÉRÉSIS (cycle d'). — C'est la suite des valeurs que prend l'induction magnétique dans un corps ferromagnétique, lorsque le champ magnétisant varie entre deux valeurs opposées.

HYSTÉRIE. — Il faut attendre la fin du XIXe s., avec les travaux de Charcot*, et surtout avec ceux de J. Babinski*, pour que l'hystérie soit distinguée des affections organiques. Elle est étroitement associée aux débuts de la psychanalyse* : c'est au contact de ses patientes hystériques que Freud* découvrit l'origine sexuelle des conflits psychiques, l'importance du refoulement* et du transfert*.

L'hystérie s'exprime par l'intermédiaire du corps, et simule, mais de façon tout à fait inconsciente, des maladies organiques fort diverses. Ces symptômes (manifestations de conversion) traduisent dans le langage du corps les conflits psychiques sans respecter l'anatomie ou la physiologie, mais correspondent à l'idée que le malade se fait de son corps. On parle aussi d'hystérie, en dehors de toute manifestation de conversion, pour désigner un type particulier de personnalité* (structure hystérique) marquée par le théâtralisme, l'infantilisme, la dépendance et la manipulation de l'entourage. Pour Freud, le nœud de l'hystérie se forme au moment du complexe d'Œdipe* : l'enfant ne peut complètement surmonter l'angoisse de castration et s'identifier au parent du même sexe. Le refoulement* est le mécanisme privilégié, qui permet à l'hystérique de rejeter dans l'inconscient* le désir inacceptable et l'angoisse qui serait liée à sa réalisation. Les manifestations de conversion, comme tout symptôme névrotique, permettent une satisfaction détournée du désir interdit.

HYSTÉROGRAPHIE → UTÉRUS.

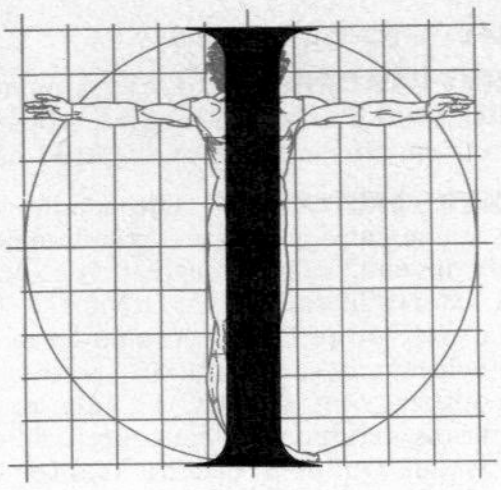

IABLONOVYÏ *(monts),* massif montagneux de la Sibérie méridionale, à l'E. du lac Baïkal; 1 645 m.

IACOPO DELLA QUERCIA, sculpteur italien (Sienne v. 1374-*id.* 1438). Il travaille à Lucques (tombeau d'Ilaria del Carretto, apr. 1405), à Sienne (reliefs et statues de la *Fonte Gaia,* 1409-1419) et à Bologne (bas-reliefs de la Genèse au portail de S. Petronio, à partir de 1425). La torsion des gracieuses figures féminines de Sienne rappelle, derrière l'habillage renaissant, les sources gothiques de son œuvre; le style dépouillé et l'absence d'effets spatiaux des reliefs de S. Petronio, d'inspiration antique, conduisent à une monumentalité très éloignée des recherches florentines contemporaines.

IACOPONE da Todi (Iacopo DEI BENEDETTI, dit), poète italien (Todi, Ombrie, v. 1230-Collazzone 1306). Ses « laudes » dialoguées forment la première ébauche du théâtre sacré italien.

IAKOUTIE ou **YAKOUTIE,** république autonome de l'U. R. S. S. (R. S. F. S. de Russie), en Sibérie centrale et orientale; 3 103 200 km^2; 664 000 hab. Capit. *Iakoutsk* ou *Yakoutsk.* Vaste comme près de six fois la France, couvrant la majeure partie du bassin de la moyenne et de la basse Lena, la République a l'un des climats les plus rigoureux du globe, avec des froids hivernaux intenses (températures moyennes inférieures à 0 ^{0}C pendant plus de la moitié de l'année et minimums fréquents de − 30 à − 40 ^{0}C). Ainsi s'explique la faiblesse du peuplement (0,2 habitant au kilomètre carré, en moyenne), ponctuel, malgré la richesse du sous-sol (or, charbon, étain, gaz naturel), encore incomplètement prospecté et dont l'exploitation est gênée par l'éloignement des centres de consommation et la difficulté d'établissement des communications.

IAKOUTSK ou **YAKOUTSK,** v. de l'U. R. S. S. (R. S. F. S. de Russie), capit. de la *république autonome de Iakoutie,* sur la rive gauche de la Lena; 108 000 hab. Centrale thermique.

Ïambes, poème satirique écrit par A. Chénier (1794) en prison, avant son exécution.

IAROSLAVL, v. de l'U. R. S. S. (R. S. F. S. de Russie), sur la haute Volga, au N.-E. de Moscou; 517 000 hab. Originales églises de la seconde moitié du XVIIe s., entourées de galeries, coiffées de cinq hautes coupoles et de pyramides, avec décor intérieur de fresques. Industries mécaniques et chimiques (raffineries de pétrole).

IAŞI, v. de Roumanie, en Moldavie, près de la frontière soviétique; 194 000 hab. Églises des Trois-Hiérarques et Golia, originales variations sur des types byzantins (XVIIe s.). Musée. Industries textiles, mécaniques et chimiques.

IBADAN, v. du sud-ouest du Nigeria, ch.-l. de la Région-Occidentale; 758 000 hab. Université.

IBAGUÉ, v. de Colombie, à l'O. de Bogotá; 164 000 hab.

IBÈRES, peuple qui occupait la plus grande partie de la péninsule Ibérique avant la conquête romaine. Peut-être originaires du Sahara, ils s'installèrent dans la péninsule à l'époque néolithique. Leur civilisation, très évoluée et influencée par les Phéniciens de Gadir (Cadix) et par les Grecs d'Emporion (Ampurias), eut son foyer en Andalousie. De là, les Ibères se répandirent dans la vallée de la haute Èbre (VIe s. av. J.-C.), le Languedoc (Ve s.) et la Castille (IIIe s.). Au cœur de la péninsule, ils auraient fusionné avec les Celtes* pour engendrer le peuple des Celtibères.

Iberia, cycle pour piano d'Albéniz, en quatre cahiers de trois pièces chacun, peignant l'Espagne avec objectivité et réalisme (1906-1908). — Second volet des *Images* pour orchestre (1906-1912) de Debussy, en trois parties, intitulées respectivement : *Par les rues et par les chemins, les Parfums de la nuit* et *le Matin d'un jour de fête.*

IBÉRIQUE *(péninsule),* partie sud-ouest de l'Europe, partagée entre l'Espagne et le Portugal.

IBÉRIQUES *(monts),* chaîne de montagnes de l'Espagne, séparant la Castille et le bassin de l'Èbre; 2 349 m.

IBIS. — Oiseau sacré chez les Égyptiens en tant que destructeur de serpents, l'ibis diffère peu du héron et de la cigogne, si ce n'est par son bec nettement recourbé. Il est blanc, sauf le bout des ailes, la tête et le cou, qui sont noirs. Mais il existe un ibis rouge en Amérique, un ibis huppé à Madagascar, et un ibis nain au superbe plumage « métallique », la *falcinelle,* qui nidifie dans le delta du Danube. (Famille des plataléidés.)

Ibis.

Dragesco - Atlas-Photo

IBIZA, île des Baléares, au S.-O. de Majorque. Ch.-l. *Ibiza.* Tourisme.

IBN AL-MUQAFFA' ('Abd Allāh), écrivain irano-arabe (Djur, auj. Firuzābād, dans le Fārs, 720-Bassora v. 756), l'un des créateurs, à travers ses adaptations d'œuvres indo-iraniennes *(Livre de Kalīla et Dimna),* de la prose littéraire arabe.

IBN BĀDJDJA (Abū Bakr Muḥammad ibn Yaḥyā ibn al-Sā' irh) ou **AVEMPACE de Saragosse,** philosophe arabe (Saragosse fin du XIe s.-Fès 1138). Auteur de commentaires sur les traités d'Aristote, il écrit une *Lettre d'adieux,* sur le but de l'existence et de la connaissance, un *Traité de l'âme* et, surtout, le *Régime du solitaire,* dans lequel il trace l'itinéraire intellectuel qui doit conduire l'homme esprit au plus près de l'Intellect agent (= Dieu).

IBN BAṬṬŪṬA, voyageur et géographe arabe (Tanger 1304-au Maroc 1368 ou 1377). De 1325 à 1349, il parcourt le monde arabe et la Perse, visite les comptoirs de l'Afrique orientale, l'Asie Mineure, les territoires de la Horde d'Or, séjourne à Delhi (1333-1342) et atteint la Chine. En 1352-53, il visite les pays du Niger. Le récit de son voyage, d'une exceptionnelle qualité, est achevé en 1356.

IBN ḤAZM (Abū Muḥammad ʿAlī), théologien, historien et poète arabe (Cordoue 994-près de Badajoz 1064). Il composa un admirable poème *(Collier de la colombe),* dans lequel il s'inspire du *Phèdre** et du *Banquet* de Platon.

IBN KHALDŪN (ʿAbd al-Raḥmān), historien et sociologue arabe (Tunis 1332-Le Caire 1406). Véritable condottiere pendant la première partie de sa vie, il est emprisonné en 1375 dans le désert algérien, où il rédige ses *Prolégomènes* (al-Muqaddima).* À partir de 1382 il vit au Caire, où il est tour à tour professeur de droit, diplomate et magistrat; il y publie une *Chronique universelle (ʿIbar)* et ses *Mémoires* (1395). D'après lui, l'histoire « consiste à méditer, à s'efforcer d'accéder à la vérité, à expliquer avec finesse les causes et les origines des faits, à connaître à fond le pourquoi et le comment des événements ». Il ne s'agit donc pas d'une histoire événementielle, mais d'une science de l'histoire des sociétés humaines qui explique le déterminisme historique. Or ce qui rend certains événements nécessaires et d'autres contingents dans l'évolution des sociétés est la sociabilité : le fait même de la société dont les aspects principaux sont l'économie, la politique et la culture. Ibn Khaldūn est ainsi conduit à jeter les bases de la sociologie comme théorie générale de la société. Sociologie et histoire sont donc fondées d'un même mouvement : celui d'une dialectique à la fois sociale et rationnelle, qui fait de l'interaction des facteurs propres à la société et à l'État le moteur de l'histoire.

IBN MASARRA (Muḥammad ibn ʿAbd Allāh), philosophe arabe (883-Sierra de Cordoue 931). Il forme en Espagne une secte sur la base d'une philosophie mystique qui s'inspire d'Empédocle. Il a exercé une influence considérable sur le soufisme* andalou en créant un foyer ésotérique important : l'école d'Almería.

IBN MISKAWAYH (Aḥmad ibn Muḥammad ibn Yaʿqūb), historien et philosophe islamique († Ispahan 1030). Ses ouvrages les plus importants sont *la Réforme des mœurs, la Sagesse éternelle* et *l'Expérience des nations.* Le moralisme qu'il y développe tient à la fois de l'*Éthique* à Nicomaque* et des conceptions évolutionnistes des frères* de la pureté.

IBN SAʿŪD → ʿAbd al-ʿAzīz III ibn Saʿūd.

IBN ṬUFAYL (Abū Bakr Muḥammad ibn ʿAbd al-Malik) ou **ABUBACER,** philosophe arabe († Marrakech 1186). Il écrit un roman philosophique *Ḥayy ibn Yaqẓān,* dans lequel il montre comment la religion islamique et la philosophie sont les deux aspects d'une seule et même vérité inaccessible au plus grand nombre.

IBN TŪMART (Muḥammad) → Almohades.

IBOS, population du sud-est du Nigeria. Cette ethnie fournit les plus gros contingents d'esclaves africains au XVIIIe s. Convertis au christianisme, les Ibos constituèrent un élément très actif du Nigeria*. Un mouvement nationaliste ibo, né en 1936, aboutit à des rivalités ethniques et au massacre des Ibos (1966), prélude à la guerre du Biafra*.

IBOS (Pierre) → Rif *(guerre du).*

IBRĀHĪM Ier → Arhlabides.

IBRAHIM, sultans ottomans → Ottomans.

IBRĀHĪM PACHA (Kavála 1789-Le Caire 1848), général et vice-roi d'Égypte (1848). Il est fils de Méhémet-Ali*. Il bat définitivement les Wahhābites d'Arabie (1816-1819); puis il est envoyé reconquérir la Morée pour le compte des Ottomans (1824-1827); mais la France, la Grande-Bretagne et la Russie défont la flotte turco-égyptienne à Navarin (1827). Par sa campagne victorieuse contre les Ottomans (1831-1833), Ibrāhīm pacha obtient le gouvernement de la Syrie. Il bat de nouveau les Ottomans en 1839, mais l'intervention des puissances européennes l'oblige à évacuer la Syrie. Son père lui confie en 1848 le gouvernement de l'Égypte.

IBSEN (Henrik), écrivain norvégien (Skien 1828-Christiania, auj. Oslo, 1906). Après une adolescence difficile, marquée par une misère sporadique et un intérêt constant pour l'évolution politique des pays scandinaves, il devient régisseur (1851) au Théâtre national de Bergen. Influencé par la lecture des sagas et les théories de Hermann Hettner (le drame historique doit être aussi un drame psychologique pour que l'homme d'aujourd'hui se reconnaisse, et trouve une leçon, dans l'histoire), il compose des pièces de tonalité très romantique (*Madame Inger d'Östråt,* 1855; *la Fête à Solhaug,* 1856). Mais la contradiction violente qu'il vit entre son idéal et la réalité quotidienne (difficultés de gestion du Théâtre national de Christiania, dont il a pris la direction en 1857; demi-succès de ses pièces, comme *les Prétendants* en 1864) le pousse à rompre avec son pays : il part pour l'Italie (1864-1868), puis se fixera à Dresde, avant de regagner la Norvège en 1891. Parallèlement, il passe d'une exigence idéaliste (*Brand,* 1866; *Peer Gynt,* 1867) à une évocation des drames de la vie moderne, passage marqué par *Empereur et Galiléen* (1873), annonçant l'ère de l'Idée qui doit unir « l'arbre de la Connaissance et l'arbre de la Croix ». À travers des espaces (la mer) et des situations symboliques (l'ascension de la montagne, le suicide), Ibsen pose désormais un seul et même problème : doit-on préférer la vérité au mensonge qui permet de vivre ? doit-on sacrifier la Vie à l'Idée ? (*Maison* de poupée,* 1879; *les Revenants,* 1881; *le Canard* sauvage,* 1884; *Rosmersholm,* 1886; *la Dame de la mer,* 1888; *Hedda* Gabler,* 1890; *Solness le Constructeur,* 1892; *le Petit Eyolf,* 1894; *Quand nous nous réveillerons d'entre les morts,* 1899). Théâtre d'idées, mais intensément dramatique, l'œuvre d'Ibsen a profondément influencé l'évolution de la scène européenne et joué un rôle décisif dans la formation esthétique de Joyce.

Bernand

Une scène d'*Irène ou la Résurrection,* d'après la pièce de Henrik Ibsen *Quand nous nous réveillerons d'entre les morts.* (Nouveau Carré Silvia Monfort, Paris, 1976.)

IBYCOS, poète et musicien grec, né à Rhegion au VIe s. av. J.-C., auteur d'hymnes.

ICA, v. du Pérou, au S.-E. de Lima; 109 000 hab.

ICARE, fils de Dédale*, dans la mythologie grecque. Il s'évada avec son père du Labyrinthe, où le roi Minos* les avait enfermés, grâce à des ailes de cire et de plumes. Malgré les conseils paternels, il s'éleva trop haut dans le ciel et, la chaleur du soleil ayant fait fondre la cire, il tomba dans la mer.

ICARE → astéroïde.

ICARIE, en grec **Ikariá,** île grecque de la mer Égée.

ICAZA CORONEL (Jorge), écrivain équatorien (Quito 1906), auteur de romans réalistes sur la vie des travailleurs agricoles de son pays (*la Fosse aux Indiens,* 1934; *Sangs mêlés,* 1937; *l'Homme de Quito,* 1958).

ICBM (sigle de *Inter Continental Ballistic Missile*), missile stratégique sol-sol dont la portée est supérieure à 3 000 milles nautiques (5 500 km).

ICEBERG. — Les icebergs sont d'énormes blocs détachés des langues des glaciers qui arrivent à la mer dans les régions polaires. Formés de glace continentale, ils flottent sur l'eau de mer, 90 p. 100 de leur volume étant immergés. Portés par les courants, ils descendent vers les latitudes tempérées et disparaissent par fusion progressive.

ICHIHARA, v. du Japon (Honshū), sur la baie de Tōkyō; 156 000 hab.

ICHIKAWA, v. du Japon (Honshū), à l'E. de Tōkyō; 261 000 hab.

ICHIM, riv. de l'U.R.S.S., en Sibérie, affl. de l'Irtych (r. g.); 1 800 km.

ICHINOMIYA, v. du Japon (Honshū), au N. de Nagoya; 219 000 hab.

ICHNEUMON. — Ce nom est donné à deux animaux sans aucune ressemblance : un hyménoptère*, qui pond ses œufs dans le corps des chenilles, de sorte que la larve dévore lentement la musculature de son hôte, et un mammifère carnassier du groupe des mangoustes*.

ICHTYOSAURE. — L'ichtyosaure de l'ère secondaire était un grand reptile marin (les plus grandes espèces atteignaient 10 m de long), présentant de nombreuses convergences de forme, tant dans l'ensemble que dans le détail, avec les dauphins* actuels. Il était peut-être vivipare. L'abondance de ses restes fossiles indique la place importante qu'il tenait dans la faune marine du secondaire.

ICHTYOSE → DESQUAMATION.

ICHTYOSTEGA. — La découverte de cet animal fossile, faite par Jarvick dans les schistes dévoniens du Groenland, a jeté une lumière nouvelle sur l'origine des vertébrés terrestres. Ses pattes ressemblent de près à des nageoires de poisson crossoptérygien et il a conservé une nageoire dorso-caudale. Ancêtre de presque tous les vertébrés à quatre pattes (tétrapodes) et descendant direct de poissons typiques, *Ichtyostega* est un chaînon important de l'évolution du phylum des vertébrés.

ICÔNE. — Images peintes sur bois à la détrempe, ou à l'encaustique, les icônes sont caractéristiques de l'Église chrétienne orientale, qui les considérait comme une manifestation du divin, intermédiaires entre le fidèle et Dieu. L'hiératisme, l'austérité et l'ascétisme de certains visages et l'intense fixité du regard reflètent l'aspect divin de l'image, toujours fidèle à un modèle établi selon une stricte règle liturgique. Les représentations de la Vierge et celles des saints sont les thèmes essentiels des icônes, qui peuvent être réunies et former l'*iconostase,* constituée de sujets indépendants ou non. Après la crise iconoclaste, l'icône connaît un très grand essor et une grande exportation. Bien qu'elles soient issues de l'art mural byzantin, les productions de Russie, de Bulgarie, de Serbie, tout comme celles de la Crète ou de la Cappadoce, conservent une profonde originalité. La « Vierge » (réalisée à Constantinople* et arrivée à Vladimir en 1135) aura une profonde influence sur l'icône de Russie, où s'épanouissent principalement les écoles de Novgorod* (du XIIe au XIVe s.), de Souzdal* (XIIe et XIIIe s.) et de Moscou* (XVe, XVIe et XVIIe s.). En général anonyme, la production est cependant dominée par certains artistes, tel Andreï Roublev*.

La décadence apparaît en Russie lorsque, au XVIe s., l'influence byzantine laisse peu à peu la place à celle de la miniature iranienne, que les habillages d'or ou d'argent envahissent l'image, et que la pureté et l'intensité expressive disparaissent sous la surcharge décorative.

ICONIUM → KONYA.

ICONOCLASME. — Proclamée doctrine officielle par l'empereur Léon III l'Isaurien, l'iconoclasme prohibait comme idolâtre la représentation et la vénération des images du Christ et des saints. Combattue par les patriarches melkites, condamnée par le pape Grégoire III*, l'hérésie fut maintenue par l'empereur Constantin V, qui persécuta les opposants. Mais l'impératrice Irène, veuve de Léon IV († 780), œuvra pour le rétablissement de la doctrine orthodoxe (IIe concile de Nicée, 787). L'iconoclasme et les persécutions resurgirent avec Léon V (813-820). Le triomphe de l'orthodoxie fut l'œuvre de l'impératrice Théodora, veuve de l'empereur Théophile (843).

ICONOGRAPHIE et **ICONOLOGIE.** — Le mot *iconographie* apparaît au XVIIe s. en Italie pour désigner des recueils de portraits d'hommes illustres du passé et du présent. Dans un esprit voisin sont constitués, jusqu'à nos jours, des répertoires d'images qui sont, pour l'historien, des pièces justificatives nécessaires à la connaissance d'une époque. Le XIXe s. voit fleurir toute une littérature d'iconographie chrétienne, que couronnent de façon plus scientifique les ouvrages d'E. Mâle* sur l'art religieux en France (1899-1932). Celui-ci dépasse, de loin, le simple catalogue de thèmes et de types de représentations pour embrasser la signification profonde des images, leur rôle symbolique, qu'il élucide, en ce qui concerne le Moyen Âge, grâce à une confrontation avec les textes théologiques, liturgiques et légendaires du temps.

Le terme d'*iconologie* apparaît en Italie également, un peu plus tôt, avec l'*Iconologia* (1593) de l'érudit Cesare Ripa (1560-1645), répertoire composé dans l'intention de fournir aux artistes les symboles figurés et les images allégoriques dont ils ont besoin. Chaque concept est incarné par un personnage, le plus souvent féminin (la Discorde, ainsi, se reconnaît à sa chevelure de serpents). Des traités de mythologie avaient précédé l'œuvre de Ripa, qui, traduite et augmentée jusqu'au début du XVIIIe s., devint le code européen du langage allégorique dans les arts et la décoration. Vint un moment, à la fin du XIXe s., où ce langage ne fut plus compris, même des gens cultivés (de même que les codes iconographiques médiévaux avaient cessé d'être compris au XVIIe s.). Sa redécouverte va être l'œuvre de l'iconologie moderne, née en Allemagne avec Aby Warburg (1866-1929) et E. Cassirer*, qui sauront retrouver les variations d'un même archétype figuratif (et non plus seulement d'un symbole limité) à travers le temps (ex. : cheminement de thèmes astrologiques de l'Antiquité au Moyen Âge et à la Renaissance). Systématisée par un disciple de Warburg, E. Panofsky*, faisant appel à des disciplines variées, la *méthode iconologique* permet non seulement d'éclairer la signification d'une image dans un contexte historique limité, mais de la comprendre comme l'expression d'une civilisation, en reconstituant sa genèse et son mode de transmission.

ICTÈRE. — L'ictère, ou jaunisse, apparaît lorsque la bilirubinémie est supérieure à 20 mg/l.

Les *ictères à bilirubine libre* sont dus, le plus souvent, à une destruction excessive des globules rouges. Ce sont les ictères par hyperhémolyse, telles la maladie de Minkowski-Chauffard, la maladie hémolytique du nouveau-né par incompatibilité* fœto-maternelle. Plus rarement, les ictères à bilirubine libre sont dus à un défaut de glycuroconjugaison de la bilirubine dans le foie (cholémie familiale de Gilbert).

Dans les *ictères à bilirubine conjuguée,* la bilirubine, normalement conjuguée par le foie, n'est pas éliminée dans la bile en quantité suffisante et est donc retenue dans l'organisme. Ces ictères peuvent être dus à une destruction des voies biliaires (calcul du cholédoque, cancer du pancréas) ou à une hépatite* (virale, bactérienne, toxique ou médicamenteuse).

Dans les *ictères mixtes,* les deux fractions, libre et conjuguée, de la bilirubine sont toutes deux élevées (ictères des cirrhoses).

ICTINOS, architecte grec → ACROPOLE.

IDAHO, État de l'ouest des États-Unis; 216 412 km^2; 713 000 hab. Capit. *Boise.* Montagneux, aride, l'État est faiblement peuplé. L'agriculture associe quelques cultures (pomme de terre, blé) à un élevage extensif. Le sous-sol fournit des minerais de plomb, d'argent et de zinc.

IDÉAL DU MOI → SURMOI.

IDÉALISME. — L'idéalisme est une position philosophique partagée par plusieurs penseurs, qui ont en commun cette thèse : l'être est la pensée. Dans cette optique, il y a un être qui est idée, qui est l'être authentique différent de la réalité, laquelle n'est qu'un moindre être ou un non-être, à moins qu'elle ne s'identifie à l'idée (idéalisme absolu de Hegel*). On peut distinguer deux aspects principaux de l'idéalisme dans l'histoire de la philosophie : l'idéalisme subjectif et l'idéalisme objectif. L'idéalisme subjectif (Descartes*, Berkeley*, Kant* et Fichte*) se définit par les réponses qu'il donne aux questions : Existe-t-il un monde extérieur à une conscience (solipsisme)? L'idée que je me fais de quelque chose est-elle antérieure à la perception* que j'en ai? Cet idéalisme, par les réponses qu'il donne à ces questions, se caractérise comme idéalisme ontologique et gnoséologique. Platon*, Schelling* et Hegel* sont les principaux tenants de l'idéalisme objectif. Pour Hegel, l'absolu est le mouvement dialectique de l'idée qui reprend en elle-même ses déterminations finies : « Cette idéalité du fini est la proposition capitale de la philosophie et toute vraie philosophie est pour cette raison un idéalisme » *(Encyclopédie).* La critique matérialiste de l'idéalisme (v. MATÉRIALISME) a pour pierre de touche la thèse de la primauté de l'être, conçu comme matière, sur la pensée et la critique du sujet* de la connaissance* (existe-t-il des idées autonomes?).

Idéalités mathématiques *(les),* œuvre de J.-T. Desanti (1968). Ces « Recherches épistémologiques sur le développement de la théorie des fonctions de variables réelles » s'inscrivent dans la lignée des travaux de Cavaillès* et apportent une contribution importante à l'épistémologie* des mathématiques.

IDENTIFICATION. — Plus que simple imitation d'un objet, l'identification, en psychanalyse*, est une opération fondamentale par laquelle le sujet humain se constitue. Le sujet* devient sujet autonome à travers le réseau d'identifications aux figures parentales, qui forme le complexe d'Œdipe*.

IDÉOGRAMME. — Un idéogramme est un caractère graphique correspondant non à un son mais à une idée : ce peut être un dessin représentant un objet, ou un symbole notant une idée de façon conventionnelle. Les écritures cunéiforme, égyptienne, chinoise sont à base d'idéogrammes.

IDÉOLOGIE. — La manière dont les hommes appréhendent leurs rapports à la nature et aux autres hommes constitue ce système de représentations qu'est l'idéologie. L'idéologie s'efforce d'insérer au mieux les hommes dans la structure sociale et non de leur en donner une connaissance exacte. Ce concept marxiste désigne donc un imaginaire social dont la fonction est essentiellement pratique. Dans une société divisée en classes, la fonction de l'idéologie et des appareils idéologiques d'État (écoles, églises, médias, etc.) serait déterminée par des rapports de classes.

Idéologie allemande *(l'),* œuvre de Marx et d'Engels, écrite en 1845-46, dans laquelle les auteurs règlent leurs comptes avec leur « conscience philosophique d'autrefois » en critiquant la gauche hégélienne (v. HÉGÉLIANISME) et en posant les premiers jalons de ce qui deviendra le matérialisme* historique.

Idéologie et utopie (1929), œuvre de Karl Mannheim, qui pose les fondements de la sociologie de la connaissance. Il développe l'idée que les idéologies n'ont d'autres fonctions que de préserver les intérêts du groupe dominant. En ce sens, elles légitiment le conservatisme. Quant aux utopies, elles constituent la réponse des groupes opprimés, ce qui explique la contestation portée à l'encontre de l'ordre existant.

idéologues, groupe de philosophes du XVIIIe s. qui se définissaient par leur consentement ou leur pratique de l'étude génétique des idées (idéologie) selon la méthode préconisée par Condillac* puis par Destutt* de Tracy. Les idéologues, qui se réunissaient dans le salon de Mme d'Helvétius (Condorcet, Sieyès, Lakanal, Cabanis, Volney, Garat et Laromiguière), ont influencé l'enseignement donné dans les écoles créées par la Convention et se sont opposés à Napoléon Ier.

ÍDHRA → HYDRA.

IDI-AMIN-DADA *(lac),* anc. **lac Édouard,** lac de l'Afrique équatoriale, aux confins du Zaïre et de l'Ouganda, tributaire du lac Mobutu par le Semliki; 2 150 km^2.

Idiot *(l'),* roman de Dostoïevski (1868). Le prince Mychkine, descendant dégénéré d'une noble famille, échoue dans l'application de son idéal de bonté et de sacrifice à l'égard de Nastasia Philippovna, jeune demi-mondaine qu'il veut tirer de la médiocrité morale où elle est contrainte de vivre.

Idiot de la famille *(l'), Gustave Flaubert 1821-1857,* ouvrage de J.-P. Sartre, en trois volumes (1971-72) : l'étude clinique, biographique et esthétique de l'auteur de *Madame Bovary* comme prétexte à une autoanalyse intellectuelle, qui prolonge l'autobiographie amorcée avec *les Mots.*

IDIOTIE → ARRIÉRATION MENTALE.

IDJIL *(Kedia d'),* massif de Mauritanie. Minerai de fer.

IDLEWILD, quartier du sud-est de New York, dans Queens. Aéroport international J. F. Kennedy.

IDOMÉNÉE, roi légendaire de Crète, petit-fils de Minos*, un des héros de la guerre de Troie : un vœu imprudent l'amena à sacrifier son propre fils.

Idoménée, roi de Crète, opéra en trois actes, livret de Varesco, musique de W. A. Mozart (1781). Inspiré d'une tragédie lyrique française de Danchet et Campra, l'ouvrage fait appel à un récitatif dramatique et à de très beaux chœurs.

IDRĪS Ier, II → IDRĪSIDES.

IDRĪS Ier (Djaraboub 1890), roi de Libye de 1951 à 1969. Muḥammad Idrīs al-Mahdī al-Sanūsī, chef de la confrérie des Senousis* en 1917, se réfugie en Égypte (1923) lors de l'occupation de la Cyrénaïque par les Italiens. Les Anglais le rétablissent émir de Cyrénaïque en 1947. Roi de la Fédération libyenne à partir de 1951, il coopère avec les puissances occidentales. Il est renversé par Kadhafi* en 1969.

IDRĪSĪ ou **EDRISI (al-),** géographe arabe (Ceuta v. 1099 - en Sicile entre 1165 et 1186). Il réalisa une représentation circulaire de la Terre, qui servit de base cartographique pendant des siècles.

IDRĪSIDES, dynastie ʿalide* du Maroc (789-985). IDRĪS Ier († 791) échappe au massacre de sa famille par les ʿAbbāssides en 786 et gagne le Maghreb. Il s'installe à Walīla (Volubilis) et est reconnu, en 789, imām par plusieurs tribus berbères de la région. Ces dernières prêtent serment à son fils, Idrīs II, né quelques mois après la mort de son père. — IDRĪS II († 828) s'installe à Fès* en 808-09, où s'établissent des Arabes venus de Kairouan et d'Andalousie. Le partage du royaume entre ses fils entraîne la décadence de la dynastie. Les principautés idrīsides subsistent jusqu'à la soumission de Fès aux Fāṭimides* (917). Les derniers Idrīsides, refoulés dans les montagnes du Nord-Ouest, exercent le pouvoir jusqu'en 985, tantôt au nom des Fāṭimides, tantôt au nom des Omeyyades d'Espagne.

IDUMÉE → ÉDOMITES.

IDYLLE. — L'idylle, dont le nom grec signifie « petit tableau », ne fut d'abord qu'une courte pièce de vers peignant une scène de mœurs. Mais le succès des *Idylles* de Théocrite, où les bergers chantent leurs amours et leur vie rustique, imposa à cette forme de poésie le caractère pastoral et bucolique qui se prolongea, à travers la pastourelle médiévale et les « bergeries » de la Pléiade, jusqu'au « groupe des Idylles » de *la Légende des siècles* de Hugo.

Idylles *(les),* poèmes de Théocrite (IIIe s. av. J.-C.), qui comprennent des chansons amoureuses, des mimes dialogués, des poèmes rustiques.

Idylles du roi *(les),* de Tennyson (1859-1885), suite de dix poèmes inspirés par les légendes médiévales de la Table ronde.

IELETS, v. de l'U. R. S. S. (R. S. F. S. de Russie), au S. de Moscou; 101 000 hab.

IELGAVA ou **JELGAVA,** v. de l'U. R. S. S. (Lettonie), au S.-O. de Riga; 59 000 hab. Construction automobile.

IÉNA, en allem. **Jena,** v. du sud de l'Allemagne orientale, sur la Saale; 94 000 hab. Église Saint-Michel, surtout du XVe s. Instruments de précision et d'optique. — Victoire de Napoléon sur les Prussiens le 14 octobre 1806. (V. COALITION [*quatrième*].)

IENISSEÏ, fl. de l'U. R. S. S.; 3 800 km. Il traverse la Sibérie du S. au N., de la Mongolie à l'océan Arctique (mer de Kara), en séparant la plaine de la Sibérie occidentale des plateaux de la Sibérie centrale. Ses principaux affluents, tous de la rive droite, sont l'Angara (ou Toungouska supérieure), la Toungouska moyenne et la Toungouska inférieure. L'Ienisseï, gelé l'hiver, a vu son régime* (avec de désastreuses inondations de printemps) partiellement régularisé par la construction de gigantesques aménagements hydroélectriques (dont celui de Krasnoïarsk, principale ville traversée).

IERMAK Timofeïevitch († 1585), ataman cosaque. Au service des Stroganov (industriels de l'Oural), il bat le khān de Sibérie (1582). Il reçoit alors des renforts du tsar et conquiert la Sibérie occidentale.

IESSENINE → ESSENINE.

IEVPATORIA, anc. **Eupatoria,** port de l'U. R. S. S. (Ukraine), sur la côte ouest de la Crimée; 57 000 hab.

IEVTOUCHENKO → EVTOUCHENKO.

IEYASU (1542-1616), fondateur de la dynastie shōgunale des Tokugawa*. En 1600, à Sekigahara, il triomphe des armées de Hideyoshi et se proclame shōgun héréditaire. En démantelant la puissance des daimyō et en fermant le Japon à toute influence étrangère, il définit la politique qui sera celle de son pays jusqu'en 1867.

IF. — L'if est un arbre d'une grande longévité, à croissance lente, au bois très dur, fortement coloré et recherché pour la sculpture et le tournage. Son feuillage, fait d'aiguilles rappelant celles du sapin, est très serré, ce qui lui vaut d'être artistiquement taillé dans les parcs. Le fruit est inclus dans un arille charnu, d'un beau rouge, ce qui conduit à séparer l'if des autres conifères pour faire de lui le type des taxacées.

IF, îlot calcaire de la Méditerranée, en face de Marseille.

IFE, v. du sud-ouest du Nigeria; 157 000 hab. Université. — Ancienne capitale spirituelle des Yoroubas, Ife demeure de nos jours une ville sainte. Elle a été le foyer d'une civilisation ancienne — attestée par la découverte, en 1938, de plusieurs têtes de laiton, grandeur nature et fondues à cire perdue —, dont l'épanouissement se situe vers le XIIIe s. Sérénité, naturalisme idéalisé et minutie du détail (figuration des scarifications) sont les caractères majeurs de ces têtes, probables portraits de chefs, qui révèlent aussi une extraordinaire maîtrise technique transmise aux fondeurs du royaume du Bénin*. Les sanctuaires d'Ife et de la région ont également livré des têtes en terre cuite, des sièges et des autels sculptés en pierre et de nombreux tessons de céramique.

Tête en bronze d'Ife. Milieu du XIIIe s. (Nigerian Museum, Lagos.)

IFNI, ancien territoire espagnol d'Afrique, rétrocédé au Maroc en 1969. Les Espagnols, dont les droits sur la région avaient été reconnus en 1860, l'occupent effectivement en 1934. En 1958, Ifni est constitué en province espagnole, séparée du Sahara* occidental.

IFRĪQIYA, nom donné par les Arabes à l'est de l'Afrique du Nord (Tunisie et est du Constantinois). L'Ifrīqiya eut pour capitale Kairouan*, éclipsée à l'époque fāṭimide par Mahdia, puis par Tunis* (à partir de 1159). Elle faisait figure de foyer de culture arabe, puis arabo-andalouse, face au Maghreb berbère.

IGARKA, port de l'U. R. S. S. (R. S. F. S. de Russie) sur l'Ienisseï, dans l'Arctique; 40 000 hab.

IGHIL IZANE, anc. **Relizane,** v. d'Algérie, à l'E. de Mostaganem; 39 000 hab.

IGLS, station de sports d'hiver (alt. 900 - 2 247 m) d'Autriche, dans le Tyrol, près d'Innsbruck; 1 300 hab.

IGNACE d'Antioche *(saint),* auteur chrétien, mort martyr, à Rome, v. 107, sous Trajan. On a de cet évêque d'Antioche sept lettres dans lesquelles il combat le docétisme* et pose le principe d'un évêque unique à la tête de chaque communauté importante.

IGNACE DE LOYOLA *(saint),* fondateur de la Compagnie de Jésus* (Azpeitia 1491?-Rome 1556). Gentilhomme basque au service de la Navarre, il se convertit. À Paris, où il poursuit ses études, il jette les bases, en 1534, avec sept compagnons, de la Compagnie de Jésus, qui est constituée juridiquement en 1540 et dont Ignace est le premier préposé général. Quand il meurt, la Compagnie a pris déjà une extension considérable. L'œuvre écrite d'Ignace comporte surtout les *Exercices spirituels,* qui ont servi de guide à d'innombrables retraitants. Béatifié en 1609, Ignace fut canonisé en 1621.

Bibliothèque nationale

Saint Ignace de Loyola et saint François Xavier.
Gravure anonyme. (Bibliothèque nationale, Paris.)

IGNAME. — Le rhizome, organe souterrain d'une plante grimpante, *Dioscorea batatas,* peut peser jusqu'à 20 kg. On ne peut le consommer qu'après cuisson, car il est amer et toxique à l'état frais, mais, sous cette réserve, il a les qualités de la pomme de terre et de la patate *(Ipomœa batatas).* Il est l'objet d'une culture importante dans toutes les régions tropicales. On en extrait une fécule.

IGNITRON. — Les ignitrons, particulièrement résistants aux surcharges momentanées, sont utilisés pour la soudure, la commande des laminoirs et la traction ferroviaire. (V. CONVERTISSEUR.)

IGNY (91430), comm. de l'Essonne, à 3 km au N.-O. de Palaiseau, sur la Bièvre; 9630 hab. École d'horticulture.

IGUAÇU, en esp. **Iguazú,** riv. de l'Amérique du Sud, affl. du Paraná (r. g.), séparant dans sa partie aval le Brésil et l'Argentine; 1320 km. Grandes chutes.

IGUANE. — On a décrit trois cents espèces d'iguanes. Ce sont des reptiles d'Amérique, souvent de grande taille, parfois munis d'une crête dorsale, et qui peuvent, contrairement aux lézards, se dresser aisément sur leurs pattes. Citons les *anolis,* capables de changer rapidement de couleur, les *basilics,* munis d'une crête érectile et capables de courir à la surface des eaux, les grands iguanes comestibles, qui creusent leur terrier dans les berges des fleuves amazoniens, et les célèbres espèces des îles Galápagos : l'*amblyrynque,* brouteur d'algues; le *conolophe,* mangeur de sauterelles; et les curieux iguanes cornus et piquants du Mexique *(Phrynosoma).*

IGUANODON → DINOSAURES.

IHOLDY (64640), ch.-l. de cant. des Pyrénées-Atlantiques, à 20,5 km au N. de Saint-Jean-Pied-de-Port; 525 hab.

IJEVSK, v. de l'U.R.S.S. (R.S.F.S. de Russie), capit. de la république autonome des Oudmourtes, à l'O. de l'Oural; 422000 hab. Construction automobile.

IJMUIDEN, port des Pays-Bas (Hollande-Septentrionale), sur la mer du Nord, partie de la comm. de Velsen*. Avant-port d'Amsterdam. Pêche. Sidérurgie.

IJSSEL ou **YSSEL,** bras nord du delta du Rhin (Pays-Bas), qui rejoint l'IJsselmeer.

IJSSELMEER, parfois **LAC D'IJSSEL,** partie du Zuiderzee qui n'a pas été asséchée.

IKEDA HAYATO, homme politique japonais (1899-Tōkyō 1965). Président du parti libéral-démocrate, Premier ministre de 1960 à 1964, il est l'artisan de l'expansion économique de son pays.

IKE NO TAIGA, peintre japonais (1723-1776). Libérée de certaines règles, la peinture chinoise du Sud, de l'époque des Yuan et des Ming, a été l'une de ses sources d'inspiration (dite « bunjin-ga » au Japon). Il conserve, cependant, toute sa personnalité et réalise de nombreux paysages des plus beaux sites du Japon, empreints de lyrisme et de poésie. La connaissance de la peinture occidentale l'amène à créer des effets de lumière et à accentuer la profondeur de ses paysages, auxquels sont souvent associées de belles et expressives calligraphies.

ILA, v. du Nigeria, près d'Oshogbo; 139000 hab.

Île au trésor *(l'),* roman de R. L. Stevenson (1883). Honnêtes bourgeois et forbans endurcis rivalisent dans la conquête d'une carte, qui conduit à l'or enfoui d'un pirate, puis dans la possession du trésor : à travers les yeux d'un enfant, héros du récit, la mise en perspective des désirs et des déceptions adultes.

ÎLE-AUX-MOINES (L') [56780], comm. du Morbihan, formée par la principale île du golfe du Morbihan; 588 hab.

ÎLE-BOUCHARD (L') [37220], ch.-l. de cant. d'Indre-et-Loire, sur la Vienne, à 16 km à l'E. de Chinon; 1726 hab. Églises médiévales. Conserverie.

ÎLE-DE-FRANCE, anc. prov. de France, au N.-E. de Paris, délimitée au S. par la vallée de la Marne, au S.-O. par la Seine, entre le confluent de la Marne et celui de l'Oise, qui limite l'Île-de-France à l'O. La vallée de l'Aisne constitue la bordure nord de l'Île-de-France, qui se termine à l'E. par la *côte de l'Île-de-France,* dominant la Champagne.

En 1976, le nom d'*Île-de-France* a été donné à l'ancienne Région parisienne, Région administrative regroupant les départements suivants : Essonne, Hauts-de-Seine, Paris, Seine-et-Marne, Seine-Saint-Denis, Val-de-Marne, Val-d'Oise et Yvelines; 12008 km²; 9947203 hab. La Région regroupe ainsi, sur moins de 2,5 p. 100 du territoire national, près du cinquième de la population française, la quasi-totalité se concentrant à Paris* et dans sa banlieue.

ÎLE-D'YEU (L') → YEU *(île d').*

ÎLE-ROUSSE (L') [20220], ch.-l. de cant. de la Haute-Corse, sur la côte nord-ouest de l'île; 2650 hab. *(Isolani).* Tourisme.

ÎLE-SAINT-DENIS (93450), comm. de la Seine-Saint-Denis, à 5 km au N. de Paris; 7004 hab.

ILESHA, v. du sud-ouest du Nigeria; 200000 hab.

ILÉUS → OCCLUSION INTESTINALE.

Il faut qu'une porte soit ouverte ou fermée, « proverbe » dramatique de Musset (1845).

ILI, riv. de l'Asie centrale (Chine [Sin-kiang] et U.R.S.S. [Kazakhstan]), tributaire du lac Balkhach; 1384 km.

Iliade *(l'),* poème épique en vingt-quatre chants, attribué à Homère. C'est le récit d'un épisode de la guerre de Troie : Achille, qui s'était retiré sous sa tente après une querelle avec Agamemnon, revient au combat pour venger son ami Patrocle, tué par Hector. Après avoir vaincu Hector, Achille traîne son cadavre autour du tombeau de Patrocle puis le rend à Priam, venu réclamer le corps de son fils. Poème guerrier, *l'Iliade* contient aussi des scènes grandioses (funérailles de Patrocle) et émouvantes (adieux d'Hector et d'Andromaque).

ILION, autre nom de Troie*.

ILIOUCHINE (Sergueï Vladimirovitch), ingénieur soviétique de l'aéronautique (Diljalevo, près de Vologda, 1894-Moscou 1977). Après avoir réalisé un chasseur d'assaut, il se spécialisa dans la construction de divers grands appareils de transport.

ILKHĀNS, dynastie mongole qui régna sur l'Iran et sur la Mésopotamie de 1251 à 1335. Hūlāgū* et ses successeurs portent le titre d'« ilkhān » (khān subordonné), car ils reconnaissent l'autorité du grand khān des Mongols jusqu'en 1295. Rhāzān Maḥmūd (de 1295 à 1304) adopte l'islām; jusqu'alors, les Ilkhāns avaient favorisé le bouddhisme et le christianisme nestorien. La dynastie s'éteint en 1335.

ILL, riv. d'Alsace, qui coule vers le nord, entre les Vosges et le Rhin, qu'elle rejoint (r. g.) après être passée à Mulhouse, Sélestat et Strasbourg; 208 km.

ILLAMPU, sommet des Andes boliviennes, près de La Paz; 6550 m.

ILLE, riv. d'*Ille-et-Vilaine,* qui rejoint la Vilaine (r. dr.) à Rennes; 45 km.

ILLE-ET-VILAINE (35), département de la Région Bretagne; 6758 km²; 702199 hab. Ch.-l. *Rennes.* S.-préf. *Fougères, Redon* et *Saint-Malo.*

Correspondant à la partie orientale de la Bretagne, le département, le moins maritime et le moins celte de la Région, est occupé en majeure partie par le bassin de Rennes, zone déprimée schisteuse, séparée du littoral de la Manche (bas et sableux sur la baie du Mont-Saint-Michel, plus rocheux et plus élevé de Cancale à Saint-Malo) par une bande de basses collines, alors qu'au sud la Vilaine doit entailler, vers l'Atlantique, une série de plateaux de roches dures (grès).

À une courte phase de dépeuplement (de la fin du XIXe s. à la fin de la Première Guerre mondiale) ont succédé entre les deux guerres une légère reprise puis une progression particulièrement sensible depuis une quinzaine d'années. Aujourd'hui, la densité de population a franchi le seuil des 100 habitants au kilomètre carré, dépassant donc légèrement la moyenne nationale. Cette progression est largement liée à l'essor de Rennes, dont l'agglomération regroupe environ le tiers de la population départementale. L'agriculture emploie encore près de 20 p. 100 de la population active, fondée sur les céréales (blé, betterave, maïs) et les plantes fourragères, qui alimentent un important élevage bovin et porcin. L'industrie est surtout liée à l'agriculture, en dehors des villes (Rennes, Fougères, Saint-Malo, Redon), où elle est d'ailleurs partiellement en crise (chaussures); elle occupe près du tiers de la population active. Le secteur tertiaire est largement prépondérant, notamment grâce au poids de Rennes, capitale régionale, notable centre de services de haut niveau (université) et, plus secondairement, grâce au tourisme balnéaire (de Dinard à Cancale), plus actif que la pêche — en déclin — sur le littoral.

ILLE-SUR-TÊT (66130), comm. des Pyrénées-Orientales, à 19 km au N.-E. de Prades; 5 260 hab. Vestiges médiévaux, église du XVIIe s.

ILLICH (Ivan), essayiste d'origine autrichienne (Vienne 1926). Prêtre, il fonde, en 1960, à Cuernavaca (Mexique), une université libre pour étudier les problèmes d'éducation et d'indépendance culturelle du tiers monde. Il revient à l'état laïque après un conflit avec le Vatican (1969). I. Illich a développé dans de nombreux essais une critique radicale de la société industrielle. Selon lui, le développement technique exagéré de notre monde contemporain ne profite qu'à quelques privilégiés; il constitue une aliénation pour la majorité des hommes et creuse les distances sociales. Il montre que l'école est devenue antiéducative, car elle a pour but de fournir des consommateurs disciplinés à une technocratie chaque jour plus dévorante (*Une société sans école,* 1971). Il dénonce de même le monopole qu'exerce la profession médicale sur le comportement des hommes (*Némésis médicale, l'expropriation de la santé,* 1975). On lui doit, en outre, la *Convivialité* (1973).

ILLIERS-COMBRAY (28120), ch.-l. de cant. d'Eure-et-Loir, à 25 km au S.-O. de Chartres, sur le Loir; 3 569 hab.

ILLINOIS, État du centre-est des États-Unis; 146 075 km^2; 11 114 000 hab. Capit. *Springfield.* Atteignant, au S., la vallée de l'Ohio, au N., le lac Michigan et bordé, à l'O., par le Mississippi, l'Illinois est dominé par l'agglomération de Chicago, qui regroupe approximativement la moitié de la population de l'État et explique l'importance de la production industrielle, d'où émergent la métallurgie, les constructions mécaniques et électriques, puis la chimie et l'édition. L'industrie alimentaire, également développée, est liée au maintien d'un notable secteur agricole, fournissant céréales (maïs, puis blé, orge, avoine) et soja, partiellement destinés aussi à l'alimentation des troupeaux bovins et porcins.

ILLKIRCH-GRAFFENSTADEN (67400), ch.-l. de cant. du Bas-Rhin, banlieue sud de Strasbourg; 17 725 hab. Constructions mécaniques.

ILLNAU, v. de Suisse (cant. de Zurich), à l'E. de Zurich; 13 693 hab.

Illuminations, recueil de poèmes en prose, de Rimbaud, publiés dans *la Vogue* (1886) et, la même année, en plaquette par Verlaine. Dans la tonalité dense et fraîche des « enluminures » de livres enfantins ou de la peinture naïve, toute la jeunesse de la poésie moderne qui jaillit de cris de révolte, d'aphorismes ironiques, du bariolage violent de la vieille rhétorique.

ILLUMINISME. — Ce terme, apparu au XVe s., recouvre trois réalités : une doctrine philosophico-mystique, un degré d'ordre initiatique, une secte politique.

L'illuminisme surgit en des moments de bouleversement. Des « inspirés » apparaissent alors, se prétendant gratifiés d'illuminations et de révélations. Tels furent, au XVe s., les *alumbrados* d'Espagne; aux XVIe et XVIIe s., les *guérinets* de Picardie et les *rosicruciens;* au XVIIIe s., les *martinistes.*

À part se situent les *illuminés* de Bavière, société secrète fondée en 1776 par Adam Weishaupt (1748-1830), dont la doctrine était rationaliste, hostile aux croyances religieuses et favorable à l'établissement d'institutions démocratiques; leur influence, à la veille de la Révolution, se fera sentir en Allemagne et en France.

ILLUSION → HALLUCINATION.

Illusions perdues, roman de Balzac, en trois parties : *les Deux Poètes,* 1837; *Un grand homme de province à Paris,* 1839; *les Souffrances de l'inventeur,* 1843. Deux amis d'Angoulême se sentent du génie : l'un, poète, Lucien de Rubempré, espère, grâce à son aristocratique maîtresse, faire la conquête de Paris; l'autre, David Séchard, recherche un procédé de fabrication du papier qui révolutionnera l'industrie. Le mépris des salons nobles et élégants, la misère, les dettes, les compromissions et les complots de l'édition et de la presse conduisent Lucien au désespoir et au suicide, lorsqu'il rencontre, sous l'habit du prêtre espagnol Carlos Herrera, l'ancien forçat Vautrin, à qui il se vend corps et âme. David, qui conclut un marché de dupe avec des financiers, choisit un bonheur familial et obscur avec la sœur de Lucien.

Illustre-Théâtre (l'), troupe de comédiens, dans laquelle Molière débuta comme acteur.

ILLUVION → SOL.

ILLYÉS (Gyula), écrivain hongrois (Rácegres 1902). Admirateur à la fois de la culture française et de l'âme populaire de son pays, il unit l'influence surréaliste aux traditions du terroir, dans ses recueils lyriques (*le Poids de la terre,* 1928; *Des Huns à Paris,* 1946; *Patrie en haut,* 1973), ses récits (*Ceux des pusztas,* 1936; *Radicelles,* 1971) et son théâtre (*le Favori,* 1963).

ILLYRIE, région montagneuse de la côte septentrionale de l'Adriatique. Après avoir contribué au peuplement de l'Italie primitive, l'Illyrie fut colonisée par les Grecs, qui fondèrent des comptoirs à Epidamnos (627 av. J.-C.), Apollonia (600), Corcyre la Noire. Au IIIe s. av. J.-C., l'État illyrien devint redoutable par ses pirateries, qui attirèrent, en 229, les ripostes romaines : au cours de deux guerres, dites « illyriennes » (229-28 et 220-19), Rome imposa son protectorat à la Parthinie, l'Atintanie, Oricos, Apollonia, Epidamnos et Corcyre, mais elle ne conserva que les trois derniers de ces comptoirs à la paix de Phoinikê (205). Après de longues luttes contre les Dalmates et les Liburnes, Rome soumit l'Illyrie, en 33 av. J.-C., et l'érigea en province sénatoriale (de l'Istrie à la Macédoine et au Danube; 27 av. J.-C.) puis en province impériale (17 av. J.-C.). Les révoltes dalmato-pannoniennes de 6-9 apr. J.-C. amenèrent Auguste à constituer les deux provinces autonomes de Pannonie et de Dalmatie : le nom d'*Illyricum* s'appliquait alors à l'ensemble formé par la Dalmatie, la Mésie et la Pannonie. Lors du partage impérial de 379, entre Gratien et Théodose, apparaissent l'*Illyricum occidental* (Pannonies), rattaché au préfet du prétoire d'Italie et occupé par les Ostrogoths à la fin du IVe s., et l'*Illyricum oriental* (Dacie et Macédoine, capit. Thessalonique), qui survit jusqu'à la création des thèmes de Thrace (687) et d'Hellade (v. 695).

ILLYRIE *(royaume d'),* royaume formé en 1815 avec les Provinces Illyriennes de langue slovène. Ce n'était qu'une fiction de chancellerie, qui disparut en 1849.

Illyriennes *(Provinces),* nom porté, entre 1809 et 1814, par un gouvernement dépendant de l'Empire français et qui était composé de la Dalmatie, de l'Istrie, de Raguse, de la Carinthie, du Frioul, de la Carniole. Sa capitale était *Laibach (Ljubljana).*

ILLZACH (68110), comm. du Haut-Rhin, banlieue nord de Mulhouse; 15 246 hab.

ILMEN, lac du nord-ouest de l'U. R. S. S., au S.-E. de Leningrad; 1 100 km^2.

ILMÉNITE → TITANE.

Il ne faut jurer de rien, comédie en trois actes, en prose, d'Alfred de Musset (1836).

ILOCANO → INDONÉSIENNES *(langues).*

ILOILO, port des Philippines, sur l'île de Panay; 210 000 hab.

ILORIN, v. du sud-ouest du Nigeria; 252 000 hab.

ILOTE. — Sparte connaissait une forme de servage particulier, les ilotes, qui étaient des esclaves d'État concédés à des particuliers. Si leur condition matérielle n'était pas mauvaise, leur condition juridique était par contre pénible : privés de tout droit politique, ils n'étaient pas protégés par la loi. Au IIIe s. av. J.-C., nombre d'entre eux furent affranchis.

ÎLOTS DE LANGERHANS → PANCRÉAS.

ILTUTMICH (Chams al-Dīn) → DELHI *(sultanat de).*

IMABARI, port du Japon (Shikoku), sur la mer Intérieure; 111 000 hab. Textile.

IMAGE *(Opt.).* — Lorsque les rayons lumineux d'un faisceau homocentrique subissent des réflexions ou des réfractions, il peut arriver que les supports des rayons émergents passent par un même point, qui est l'*image* du point de concours des rayons incidents. Cette image est *réelle* lorsqu'elle se trouve sur la partie des rayons parcourue par la lumière, et l'on peut alors la former sur un écran. Elle est *virtuelle* lorsqu'elle se trouve sur leurs prolongements, auquel cas elle est vue par un œil placé sur ces rayons. L'image d'un objet non ponctuel est l'ensemble des images de ses différents

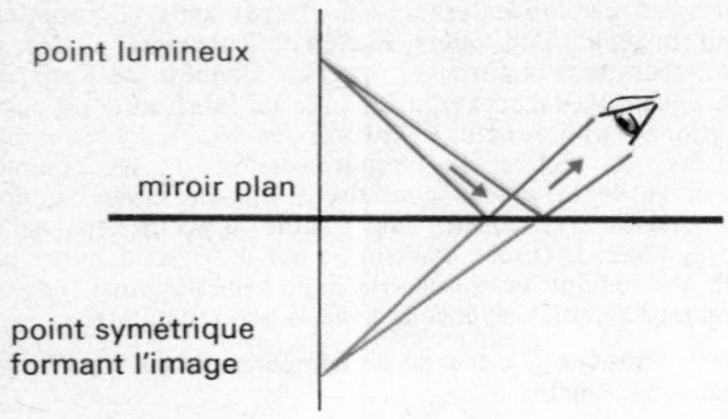

points. Les instruments d'optique ont pour but de substituer aux objets leurs images, formées dans de meilleures conditions d'observation.

IMAGERIE. — Cet art de la gravure populaire, largement coloriée, gravée le plus souvent sur bois (xylographie), mais parfois aussi sur métal aux XVIIe et XVIIIe s. (notamment chez les éditeurs de la rue Saint-Jacques à Paris) ou, au XIXe s., exécutée en lithographie, apparaît dès le XVe s. et permet la multiplication et la diffusion de thèmes et de motifs qui restent en grande partie inchangés à travers les siècles et les pays (Allemagne, France, Hollande, Italie, Russie...). Produites par des artisans dominotiers ou par des fabricants de cartes à jouer, colportées de ville en village, de lieu de pèlerinage en marché, les images populaires ne se confondent pas avec la gravure artistique, presque toujours en noir et blanc. Dans un style simple et direct, souvent naïf, mais puissant, sont traités des sujets religieux, des événements historiques, des scènes de genre, des proverbes, des caricatures, ou encore des illustrations de chansons.

Si les noms de certains artistes sont connus (tels Perdoux à Orléans, au XVIIIe s., Thiébault à Nancy ou Georgin à Épinal, au XIXe s.), plus célèbres sont les éditeurs (Castiaux à Lille, Sevestre ou Letourmi à Orléans, Abadie à Toulouse, Leloup au Mans, Basset à Paris, Pellerin* à Épinal, Hurez à Cambrai, Desfeuilles à Nancy) et les grands centres, comme Paris, Orléans, Chartres ou encore Épinal, dont les images, inspirées par l'épopée napoléonienne ou destinées aux enfants, connaissent au XIXe s. un succès considérable.

Images de voyages, par Heinrich Heine (1826-1831), récits pleins de rêveries spirituelles, fantaisistes ou douloureuses *(Tambour Legrand, Voyage dans le Harz).*

IMAGINAIRE. — L'imaginaire, le symbolique* et le réel constituent, dans le système de J. Lacan*, la structure du sujet*.

L'imaginaire se constitue d'un coup, au moment du stade du miroir, événement que Lacan situe entre six et dix-huit mois, lorsque le nourrisson commence à se reconnaître dans un miroir. Reconnaissance accompagnée de multiples signes de jubilation, qui constituent ce que Lacan appelle l'« assomption du sujet ». L'enfant, qui ne parle pas encore et dont le système nerveux n'est pas achevé, se saisit pour la première fois, dans son identité de sujet. Cette image du Moi, que donne l'identification spéculaire, sert de norme régulatrice au sujet pour le reste de sa vie : « identité aliénante, qui va marquer de sa structure rigide tout son développement mental », précise Lacan. Ici entre en jeu le narcissisme*, terme employé par Freud pour désigner la relation qu'a le sujet à l'image qu'il a de lui-même. L'imaginaire est ce qui reflète le désir* dans l'image que le sujet a de lui-même. L'imaginaire instaure une relation duelle et met en évidence que deux personnes face à face ne voient jamais que l'image aliénée de l'autre, de l'ordre du leurre, selon J. Lacan. Par rapport au symbolique, axé sur l'ordre du langage et de la culture, considérés comme systèmes collectifs de signes, l'imaginaire est ce qui assure la différence, il est du registre de l'individuel.

I. M. A. O. → ANTIDÉPRESSEUR.

IMBĀBA → EMBABÈH.

IMBROS → IMROZ.

IMÉRINA, partie la plus élevée du plateau central de Madagascar, habitée par les *Mérinas.*

Im-Fout, barrage d'irrigation du Maroc, sur l'Oum er-Rebia, au S.-E. de Casablanca.

Imitation de Jésus-Christ, ouvrage anonyme du XVe s., écrit en latin et attribué à Thomas a Kempis. C'est un directoire spirituel qui a eu une influence considérable dans l'Église et a été l'objet de nombreuses traductions.

Imitation de Notre-Dame la Lune *(l'),* recueil poétique de Jules Laforgue (1886) : un remède à l'angoisse cherché dans l'ironie du *Pierrot* et un exercice de style qui multiplie les combinaisons de rythmes et de rimes.

IMMELMANN (Max), officier aviateur allemand (Dresde 1890-Sallaumines, Pas-de-Calais, 1916). As de la chasse allemande de la Première Guerre mondiale, il a donné son nom à une figure de voltige aérienne (demi-looping vertical suivi d'un demi-tonneau).

IMMINGHAM, port pétrolier, charbonnier et minéralier (fer) de l'Angleterre (Humberside), sur la mer du Nord, au S.-E. d'Hull.

IMMORTELLE. — Cette fleur composée *(Helichrysum)* doit son nom à son involucre fait d'écailles scarieuses, qui ne changent guère d'aspect lorsque la plante est sèche. On en rencontre une espèce dans les dunes littorales. La parfumerie tire, d'une autre espèce, une essence à l'odeur tenace.

IMMUNITÉ. — L'état de protection vis-à-vis de certaines maladies infectieuses peut être naturel, héréditaire et spécifique de l'espèce (ainsi l'homme est réfractaire à certaines maladies animales), ou acquis, par un premier contact avec la maladie ou par vaccination*. Cependant, le concept d'immunité s'est élargi et intéresse toutes les réactions d'un organisme vivant à l'introduction d'une substance étrangère, ou *antigène.* On distingue deux types de réactions immunitaires.

• L'*immunité humorale* se traduit par l'apparition d'*anticorps* circulants. Ces corps sont des gammaglobulines* de trois types principaux : gamma G, gamma A et gamma M, réunis sous le terme d'« immunoglobulines ». L'immunité conférée après une infection bactérienne ou virale relève d'un tel mécanisme.

• L'*immunité cellulaire* (ou d'hypersensibilité retardée) se manifeste sans anticorps décelables. Elle ne peut être transférée que par des cellules. Elle se traduit par l'apparition d'une réactivité spéciale de l'organisme, surtout étudiée au niveau de la peau (telle la cuti-réaction tuberculinique). Les phénomènes de rejet de greffes, les eczémas de contact relèvent en grande partie d'un tel mécanisme.

IMMUNODÉPRESSEUR. — Les immunodépresseurs sont utilisés pour lutter contre les phénomènes de rejet des transplants d'organe, pour traiter des collagénoses, des maladies auto-immunes. Les principaux immunodépresseurs sont des antimétabolites, les corticoïdes, le sérum antilymphocytaire (S. A. L.).

IMMUNOGLOBULINE → IMMUNITÉ.

IMMUNOLOGIE. — L'immunologie envisage les mécanismes qui entrent en jeu lors de la pénétration dans un organisme vivant d'un antigène. Elle étudie donc les réactions d'immunité*, qu'elles soient favorables ou défavorables, telles les réactions d'anaphylaxie* ou d'allergie*.

IMMUNOTRANSFUSION → TRANSFUSION.

IMOLA, v. d'Italie (Émilie), au S.-E. de Bologne; 58 000 hab.

IMPASSE → BUDGET.

IMPEACHMENT. — Ce terme recouvre la procédure américaine de mise en accusation — décidée par la Chambre des représentants — du président des États-Unis ou d'un haut fonctionnaire de l'administration fédérale; elle met en jeu, devant le Sénat, la responsabilité politique et pénale de ces personnes. La procédure d'impeachment, en ce qui concerne les présidents des États-Unis, n'a jamais pu être menée jusqu'à son terme, mais, menacé d'impeachment à la suite de l'affaire du Watergate, le président Nixon fut contraint, cependant, à démissionner (août 1974).

IMPÉDANCE. — L'impédance, qui est pour les courants alternatifs l'équivalent de la résistance pour les courants continus, s'exprime également en ohms. Dans le cas d'un courant sinusoïdal de pulsation ω, elle a pour expression

$$Z = \sqrt{R^2 + \left(L\omega - \frac{1}{C\omega}\right)^2},$$

où R est la résistance ohmique du circuit, C sa capacité et L son inductance propre.

Impératrice rouge *(l'),* film américain de Josef von Sternberg (1934). La vie romancée et fortement stylisée de Catherine de Russie. Un sujet-prétexte qui permit à Josef von Sternberg d'exprimer ses idées sur la mise en scène de cinéma et de créer un univers baroque, tumultueux, étrange et vénéneux, où les décors prennent autant d'importance que l'héroïne principale, admirablement incarnée par Marlène Dietrich.

IMPERIA, v. d'Italie (Ligurie), ch.-l. de prov., sur le golfe de Gênes; 41 000 hab. Centre touristique.

IMPÉRIALISME. — Inspirée de J. A. Hobson (1858-1940) et de R. Hilferding (1877-1941), forgée par R. Luxemburg* et Lénine*, la théorie de l'impérialisme s'efforce d'expliquer le développement du capitalisme parvenu à son stade suprême et d'en dégager les orientations principales d'une politique marxiste. Des cinq caractères économiques fondamentaux de l'impérialisme (v. art. suiv.), Lénine déduit la nécessité, pour les pays capitalistes, des guerres de conquête. Exaspérés et épuisés par ces guerres, les peuples ne peuvent que se rebeller et, dès lors, la révolution est à l'ordre du jour. Le mode de production capitaliste* est contraint à se transformer pour se maintenir. Par là même, il suscite chez ceux qui luttent contre lui de nouvelles recherches. Hormis les grandes figures du marxisme (Mao Tsö-tong), les principaux théoriciens contemporains de l'impérialisme sont des économistes radicaux américains (P. A. Baran, P. M. Sweezy) et des sociologues comme S. Amin et C. Bettelheim. (V. CAPITALISME PÉRIPHÉRIQUE.)

Impérialisme, stade suprême du capitalisme *(l'),* ouvrage de Lénine, publié en 1917. La concentration de la production — avec, comme conséquence, les monopoles —, la fusion du capital bancaire et du capital industriel en un capitalisme financier générateur d'une oligarchie financière, l'exportation des capitaux, la formation de firmes multinationales monopolistes et la lutte mondiale pour la possession des marchés constituent, selon l'auteur, les cinq caractères économiques fondamentaux de l'impérialisme.

IMPERIUM. — L'imperium désigne, dans la Rome antique, l'un des deux pouvoirs (l'autre étant la *potestas)* qui caractérisaient les magistratures supérieures ou exceptionnelles (consuls, préteurs, dictateur). Sous la royauté, il exprime, de façon abstraite, un pouvoir de commandement fondé sur la force et le prestige du chef, le roi. Son contenu juridique se précise à l'époque républicaine : il indique un pouvoir sur les individus eux-mêmes, pouvoir judiciaire à Rome *(imperium domi),* pouvoir militaire hors de Rome *(imperium militiae).* Il se décompose ainsi : droit d'auspices à Rome et hors de Rome, droit de lever et de commander les armées, juridiction, droit de coercition, droit de convoquer et de présider le sénat, droit de convoquer le peuple hors de Rome en comices curiates. Sous l'Empire, l'empereur possède un *imperium majus,* supérieur à celui des magistrats.

IMPÉTIGO. — Cette dermatose microbienne, contagieuse, surtout fréquente chez l'enfant, est tantôt streptococcique, tantôt staphylococcique, parfois mixte. Après un stade bulleux éphémère apparaissent les croûtes jaunâtres. Les lésions, souvent multiples, siègent surtout au pourtour des orifices naturels et sur les mains. Le traitement local antiseptique est associé à une antibiothérapie générale (pénicillines ou macrolides) afin d'éviter l'évolution vers un ecthyma, des complications rénales et la dispersion de la maladie.

IMPHĀL, v. de l'Inde, capit. de l'État de Manipur; 100 000 hab.

IMPHY (58160), comm. de la Nièvre, sur la Loire, à 11 km au S.-E. de Nevers; 4 690 hab. Métallurgie.

IMPLANTATION *(Méd.).* — Les implantations de médicaments sont faites habituellement dans la paroi abdominale. Elles sont utilisées surtout en hormonothérapie substitutive, pour administrer des hormones mâles (testostérone) ou femelles (progestérone, œstrogènes). Elles permettent une absorption lente et progressive du médicament.

Les implantations dentaires permettent d'inclure autour ou à l'intérieur des maxillaires un dispositif spécial (implant) destiné à servir de soutien à une prothèse.

IMPLANTATION *(Organ.).* — Son but est d'utiliser au maximum les surfaces disponibles, qu'il s'agisse de bureaux ou d'ateliers. Elle peut soit être réalisée *en ligne,* soit être *fonctionnelle :* les postes sont alors regroupés par nature d'activité (pool dactylographique, ateliers des tours, etc.). Les études d'implantation sont présentées sous forme de plans, de maquettes ou encore de chaînons. Plus souple, cette dernière méthode permet de faire des modifications successives. Actuellement, se font jour de nouvelles tendances, comme celle des bureaux-paysages ou celle des ateliers de plain-pied dans les zones industrielles.

IMPLICATION *(Log.).* — Le sens de l'implication, c'est-à-dire de la connexion de deux propositions du type $p \supset q$ (p implique q), a suscité des controverses dès l'Antiquité. Pour Philon de Mégare, une implication est vraie si, et seulement si, elle ne part pas du vrai pour aboutir au faux. Pour Diodore de Cronos, s'« il est faux qu'il soit possible que p soit vrai et que q soit faux ». Dans ce cas, on parle d'implication stricte. C. I. Lewis* en a formulé la définition rigoureuse : si a et b sont des ebf*, $a < b$ si et seulement si b est une conséquence logique de a.

IMPLOSION. — L'implosion, qui est le phénomène inverse de l'explosion, entraîne l'écrasement des tubes à vide, notamment de ceux qui sont utilisés en télévision, sur lesquels la pression atmosphérique exerce une force de l'ordre d'une dizaine de tonnes. D'où la nécessité d'une glace épaisse protectrice.

IMPOLARISABLE. — Chaque électrode d'une pile impolarisable est formée d'un métal plongeant dans une solution d'un sel de ce métal, les deux solutions étant séparées par une cloison poreuse.

IMPOSITION. — L'imposition est précédée de la *mise en pages,* assemblage des divers éléments composés (textes, titres, légendes, notes) et des éléments d'illustration (clichés). Manuelle et obéissant à des règles assez strictes en typographie classique, la mise en pages est plus souple en offset* et en héliogravure*. Les méthodes de composition* programmée utilisent des écrans de visualisation. L'*imposition* elle-même assemble les pages constituant une forme d'impression, en tenant compte des manipulations du papier pendant et après l'impression et des particularités des machines d'impression et de façonnage. Elle contribue à la bonne présentation et à l'esthétique de l'imprimé.

IMPÔT. — L'objectif de l'impôt est de réaliser un prélèvement autoritaire de ressources permettant à l'État et aux collectivités publiques de faire face à leurs charges. Il peut, par ailleurs, avoir des buts annexes, notamment l'exercice d'une action sur l'économie et la correction des inégalités sociales. L'impôt est la ressource budgétaire la plus importante (v. BUDGET) et il est censé, en stricte orthodoxie budgétaire, couvrir les dépenses normales de l'État et des collectivités locales.

Il est possible, dans tout système fiscal, d'*asseoir* l'impôt sur un ou sur plusieurs éléments ou faits générateurs. L'impôt peut frapper le *capital,* atteignant celui-ci de loin en loin (par exemple, par des droits de mutation et de succession) ou régulièrement (impôt annuel sur le patrimoine), il peut toucher l'*augmentation du patrimoine* (impôt sur les plus-values) ou frapper certaines réserves des sociétés, etc. L'*impôt sur le revenu* atteint une ressource susceptible de renouvellement, que le revenu provienne d'un travail ou de la possession d'un capital (loyer, dividende). L'*impôt sur la dépense* (parfois assimilé à un impôt sur le revenu dans la mesure où la dépense est normalement assurée par celui-ci) est un impôt frappant un comportement particulier, l'attitude de consommateur du contribuable.

En France, les impôts sont constitutifs de recettes d'une importance variée. En tête viennent les *taxes sur le chiffre d'affaires,* parmi lesquelles, essentiellement, la taxe à la valeur ajoutée (T. V. A.) [ces taxes représentent 44,8 p. 100 des recettes brutes du budget général de 1975], puis les *impôts sur le revenu* (et les autres impôts sur rôle) [17,1 p. 100] et l'*impôt sur les sociétés* (11,4 p. 100), les *impôts sur le capital* représentant une faible part des recettes fiscales.

IMPÔTS : pourcentage des ressources fiscales françaises en 1918 et en 1975.

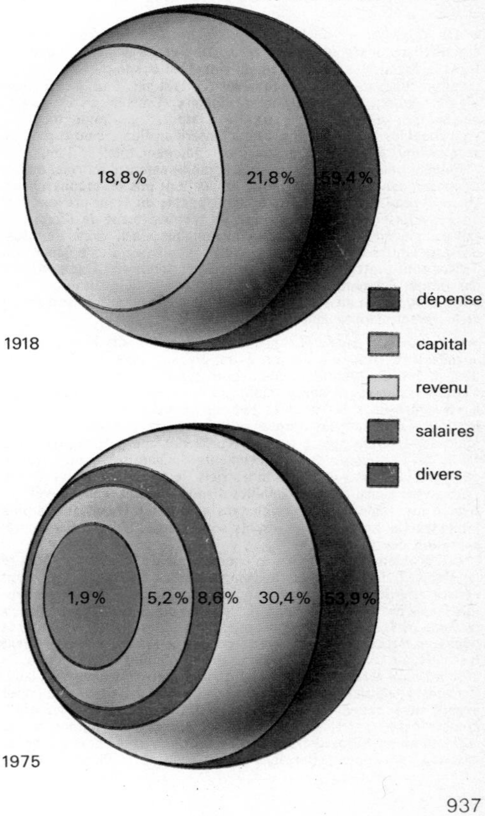

• L'*impôt sur le revenu.* Impôt unique, au taux progressif, il est établi sur la base du foyer. Chaque chef de famille y est assujetti à raison de ses revenus personnels, de ceux de son épouse et de ses enfants considérés à charge. L'impôt est calculé sur le revenu net global annuel, dont sont défalqués les déficits et les charges, s'il en existe. Les revenus pris en considération sont essentiellement les revenus fonciers, les bénéfices industriels et commerciaux, les rémunérations des gérants et associés, les bénéfices de l'exploitation agricole, les traitements et salaires, les pensions et rentes viagères, les bénéfices des professions non commerciales, les revenus de valeurs et capitaux mobiliers, des créances, dépôts, comptes courants, les plus-values, les revenus encaissés hors de France.

Pour proportionner l'impôt sur le revenu à la structure de la famille, un diviseur permet d'alléger la charge des familles ayant des enfants. Le célibataire, ou divorcé, ou veuf, sans enfant à charge, a une part; le marié, sans enfant à charge, a deux parts; le célibataire (ou divorcé), ayant un enfant à charge, a deux parts; le marié, ayant un enfant à charge, a deux parts et demie; le marié, ayant deux enfants à charge a trois parts; le marié, ayant trois enfants à charge, a trois parts et demie; le nombre étant augmenté d'une demi-part par enfant à charge du contribuable.

• L'*impôt sur les sociétés.* Pour calculer le montant de l'impôt, on soumet le bénéfice imposable de la personne morale à un taux qui est de 50 p. 100 du bénéfice net réalisé, taux réduit pour certaines catégories de profits (plus-values de cession). Un *crédit d'impôt,* ou *avoir fiscal,* évite la double imposition (du bénéfice net de la société d'abord et de son montant distribué à l'actionnaire ensuite), l'avoir permettant de déduire du montant de l'impôt personnel (payé l'année suivante) la fraction de l'impôt déjà payée au Trésor par la société.

• La *T. V. A.* Elle frappe, à chaque stade de l'élaboration d'un bien ou d'un service, la valeur ajoutée par chacune de ces opérations. Le taux normal de la taxe est de 20 p. 100; le taux réduit (7 p. 100) frappe des produits de première nécessité; le taux intermédiaire (17,6 p. 100) affecte certaines prestations et services; la taxe au taux maximal de 33,33 p. 100 atteint des consommations de luxe ou considérées comme telles.

• Les *impôts locaux.* Ils sont constitués par la taxe foncière des propriétés bâties et des propriétés non bâties, la taxe d'habitation, la taxe professionnelle, des taxes communales et départementales et des impôts indirects locaux.

• La *liquidation et la perception de l'impôt.* On distingue essentiellement les *impôts de répartition* et les *impôts de quotité.* Dans le premier cas, le rendement global est connu d'avance et son montant réparti entre les redevables (ce système, dans l'ensemble, n'a plus cours, sauf pour les impôts locaux). Dans le cas des impôts de quotité, on fixe un taux de l'impôt, égal pour tous les contribuables (ou, au moins, égal à l'intérieur d'un même groupe de redevables), et l'on obtient ainsi le rendement total de l'impôt.

Celui-ci peut être perçu grâce à l'établissement d'un *rôle,* ou, au contraire, sans rôle. Les impôts directs sont mis en recouvrement grâce à l'émission d'un rôle, le contribuable en étant prévenu par un « avertissement ». En principe, le recouvrement de l'impôt se fait par paiement volontaire du contribuable, mais, en cas de refus, des procédures de contrainte peuvent s'appliquer. Les créances du Trésor sont protégées par des garanties particulières. Dans certains cas (impôt frappant les baux d'habitation), la liquidation est faite par l'assujetti lui-même, qui doit calculer le montant de son impôt et le verser simultanément.

• La *politique fiscale.* La pression fiscale (impôts et cotisations sociales) se situe en France à un niveau élevé, de l'ordre de 35,8 p. 100 du produit national brut (pour la période 1965-1971). Cette pression est demeurée stable, contrairement à la tendance qui a eu cours dans les grandes nations industrielles; le niveau du prélèvement situe la France parmi les pays assez fortement imposés. L'impôt sur le revenu représente une part relativement faible de l'ensemble des prélèvements obligatoires, moins élevée que dans la plupart des pays industriels (le diviseur familial fait du système français, pour les familles disposant de revenus élevés, un régime favorable aux foyers chargés d'enfants). Quant aux impôts atteignant le capital, modérés, ils sont assez favorables à la préservation des patrimoines.

Les problèmes de l'incidence économique de l'impôt, c'est-à-dire de l'impact de l'impôt sur le comportement des redevables, sont constitutifs de la « théorie économique de l'impôt » et de l'« économie financière ». L'impôt peut servir des « politiques économiques » (relance ou freinage de la consommation ou des investissements) et dépasser largement ses objectifs purement financiers (qui étaient les seuls, au XIXe s., quand l'État avait un rôle plus limité qu'il ne l'a aujourd'hui). Il réalise notamment d'importants transferts* sociaux. Certains voudraient voir accroître ces effets. Le concept d'impôt négatif sur le revenu a été introduit, notamment par M. Friedman*, comme paraissant (par le transfert qu'il réaliserait) apporter une solution au problème de la pauvreté. Certains pays ont fait écho au système, notamment par le Family Assistance Plan (FAP) du président Nixon (août 1969), et par le Livre vert britannique (décembre 1972), qui propose un crédit d'impôt agissant dans le même sens.

La *fraude fiscale,* constitutive d'évasions importantes, fait l'objet de la part des administrations financières françaises d'efforts importants qui en ont déjà sensiblement réduit les effets.

IMPRÉGNATION → TRAITEMENT.

IMPRESSION *(Arts graph.).* — Limité à l'origine à la confection de livres en typographie*, le domaine de l'impression s'est constamment étendu. Actuellement, il est possible d'imprimer presque n'importe quoi sur n'importe quel support, papier* ou carton*, métal, pellicule cellulosique ou plastique*, tissu, bois ou cuir, verre* ou céramique*, objets de formes diverses. Chacun des procédés d'impression a ses particularités et ses possibilités; ses emplois préférentiels dépendent de l'évolution des techniques et du goût de la clientèle.

On imprime avec une *forme d'impression,* dont l'image imprimante est encrée, puis décalquée sur le support d'impression dans une machine, ou presse* à imprimer. La forme d'impression comprend d'une part un texte obtenu par les techniques de la composition*, d'autre part des illustrations, obtenues par la photogravure*. Il existe trois grandes familles de formes. Dans les *formes en relief,* les parties qui ne doivent pas imprimer sont creusées ou supprimées : c'est le cas des caractères d'imprimerie, des bois gravés, des clichés typographiques; les éléments imprimants sont tous à la même hauteur et reçoivent une couche d'encre d'épaisseur uniforme. Dans les *formes en creux,* les éléments imprimants sont creusés par morsure à l'acide ou par enlèvement de métal; on les emplit d'encre, qui se dépose sur le papier en épaisseur variable selon leur profondeur. Sur les *formes planographiques,* éléments imprimants et non imprimants sont au même niveau; une différenciation physicochimique fait que l'encre est acceptée par les uns et repoussée par les autres. Une quatrième famille est celle des *formes perméables* ou *poreuses,* comme le fin tamis métallique de la sérigraphie*, à travers les mailles duquel l'encre passe. Le transfert de l'encre de la forme au support peut se faire par contact direct : en typographie*, avec forme en relief;

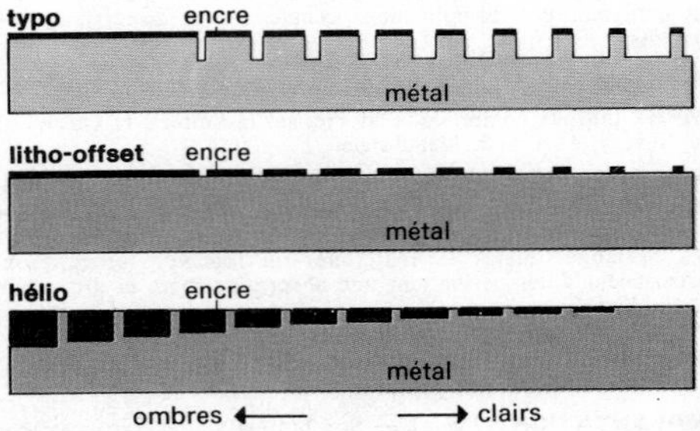

Coupes des formes des trois grands procédés d'impression.

en taille-douce ou en héliogravure*, avec forme en creux; en lithographie*, avec forme plane; en sérigraphie, avec forme perméable. Ce transfert peut aussi se faire : soit par double transfert, un premier décalque étant réalisé sur un intermédiaire, cylindre garni de caoutchouc (offset* avec forme plane, typo indirecte ou letterset avec forme en léger relief); soit sans contact, par déplacement des particules d'encre sous l'action de forces électrostatiques en xérographie*, ou par projection de fines gouttelettes d'encre dans l'impression au jet d'encre. D'autre part, on peut donner à l'imprimé un relief encré ou non par timbrage, gaufrage, estampage.

Les *encres* d'imprimerie* ont des formulations adaptées à la fois au support à imprimer, à la presse et à l'usage final des imprimés. Leur colorant, finement broyé, est enrobé dans un liant qui assure leur fixation sur le support, et un solvant* leur donne la fluidité nécessaire. Elles doivent sécher par accrochage ou par pénétration dans le support, par oxydation de leur liant, par évaporation de leur solvant. Des encres spéciales contiennent de fines particules métalliques (encres bronze) ou d'oxyde de fer (encres magnétiques) ou encore des poudres d'émail (encres céramiques); d'autres possèdent un produit fluorescent (encres luminescentes). Les vernis*, qui servent à la protection ou à la décoration de l'imprimé, sont des encres sans colorant.

Les *papiers** font partie de la catégorie impression-écriture. Selon leur aspect de surface, on distingue : le papier *bouffant,* pour impression de textes seuls; le papier *satiné,* comme le papier journal; le papier *surglacé,* à surface plus lisse; les papiers *couchés,* qui ont reçu une couche de produits minéraux (kaolin, blanc de baryte, etc.).

IMPRESSION *(Text.).* — L'impression a pour but de déposer à la surface d'une étoffe une composition colorante épaisse qui teint localement le textile de façon à reproduire des dessins ou des motifs mono- ou polychromes. Cette composition colorante, que l'on appelle également *couleur d'impression* ou *pâte d'impression,* contient le colorant, des épaississants et des ingrédients divers; elle pourra être déposée soit par un rouleau, soit par un cadre, soit encore par transfert.

• Dans l'*impression au rouleau,* on utilise des cylindres dont la surface extérieure, en cuivre, est gravée en creux; chaque cylindre correspond à l'une des couleurs du dessin à reproduire.

• Dans l'*impression au cadre,* plat ou rotatif, on utilise des tamis très fins qui jouent le rôle d'un pochoir.

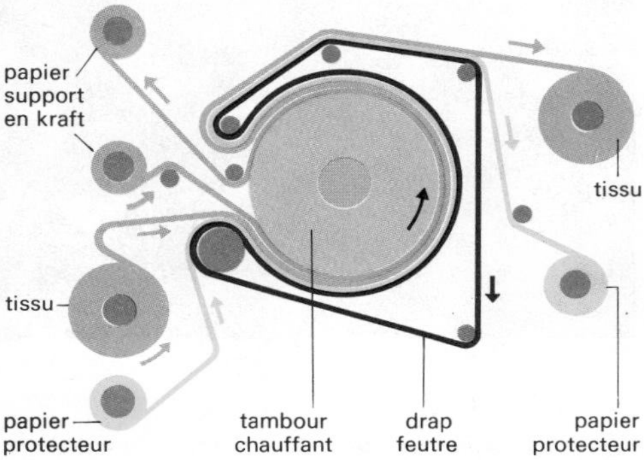

IMPRESSION par transfert : le dessin est transféré par héliogravure sur un papier support en kraft spécialement traité. Ce papier est mis en contact avec le tissu à imprimer; puis tous deux sont pressés contre un tambour chauffé. Le transfert du colorant au tissu à imprimer se fait pendant le pressage du papier support.

• Dans l'*impression par transfert,* on reporte par pression à chaud les couleurs préalablement imprimées sur une feuille de papier.

Après impression et séchage, les étoffes subissent habituellement un traitement thermique (passage en vapeur d'eau, ou en atmosphère chaude, ou sur des surfaces métalliques portées à haute température). On procède ensuite à un lavage pour éliminer les colorants insuffisamment fixés et les produits épaississants et chimiques. L'étoffe est ensuite séchée et apprêtée.

IMPRESSIONNISME. — Poursuivant les recherches à la fois de Delacroix, de Constable, de Turner, de Courbet, de Daubigny, de Boudin ou de Jongkind, mais aussi abordant de manière nouvelle les problèmes picturaux, ce mouvement artistique apporte, dans le dernier tiers du XIXe s., les premiers bouleversements de l'art moderne. Avec le parti pris de travailler sur le motif, en plein air, et la primauté accordée à la sensation de l'artiste, le temps est introduit dans la peinture : tout ce qui est changeant (ciels, eaux, feuillages...), tout ce qui transforme la nature et les choses (lumière, climat, saison, heure...), tout ce qui est transitoire (neiges, brouillards, aurores, crépuscules...) est au centre des préoccupations des impressionnistes. Renonçant à dessiner les contours et bannissant le noir, les « terres », les gris et les blancs purs, ils recherchent des « vibrations colorées » (Jules Laforgue) en juxtaposant des touches de plus en plus fragmentées de couleurs primaires et de leurs complémentaires; le mélange n'est pas obtenu sur la palette mais naît d'une sensation optique qui tend à dissoudre les formes. Si Manet* (fidèle à une peinture plus sombre) et Degas* (fidèle au travail d'atelier) jouent un rôle important dans la nouvelle peinture, les impressionnistes à proprement parler (ils se disent d'abord « réalistes ») sont ceux qui, après l'académie Suisse (Monet*, Pissarro*, Cézanne*) ou l'atelier Gleyre (Bazille*, Sisley*, Monet, Renoir*), se retrouvent, en 1863, au Salon des refusés (où Manet, avec le scandale du *Déjeuner sur l'herbe,* fait figure, malgré lui, de chef de file), puis créent, en 1874, une société anonyme qui organise les expositions impressionnistes de 1874 à 1886 (c'est la toile de Monet *Impression, soleil levant* [1872, musée Marmottan, Paris] qui suggère à un critique le nom donné par dérision aux exposants). À ces artistes se joignent des peintres tels que Berthe Morisot*, Mary Cassatt (1845-1926), dont l'œuvre témoigne de l'influence de Degas et de l'estampe japonaise, Armand Guillaumin (1841-1927), qui annonce le fauvisme par son ardeur chromatique, Albert Lebourg (1849-1928), aux paysages fins et lumineux, ou Forain*. Malgré les efforts du marchand Paul Durand-Ruel, dès 1870, le discrédit dans lequel critiques et public tiennent les impressionnistes dure longtemps, et, en 1894 encore, l'État refuse une partie des toiles léguées par Gustave Caillebotte (1848-1894), bon peintre réaliste mais aussi soutien dévoué du groupe.

Lorsque le succès commence à apparaître, déjà des divergences ont désuni le mouvement : certains renoncent aux expositions impressionnistes tandis que d'autres s'y introduisent (tels Gauguin* dès la 4e exposition, en 1879, Seurat* et Signac [v. NÉO-IMPRESSIONNISME] lors de la dernière exposition, en 1886). À vrai dire, l'impressionnisme n'a pas été une école, mais plutôt une recherche commune qui a marqué les plus fortes personnalités sans entraver l'expression de leur génie propre, qu'il s'agisse de Renoir, de Monet, qui porte à son point ultime la fluidité colorée avec ses séries de *Nymphéas* (1899-1926), ou de Cézanne, qui ouvre la voie à l'art du XXe s. Enfin, pour Toulouse-Lautrec*, Van Gogh* ou Bonnard*, comme pour de nombreux peintres à l'étranger, l'impressionnisme sera un point de départ.

IMPRESSIONNISME MUSICAL. — Chez certains maîtres français de la fin du XIXe s. et du début du XXe s., en réaction contre le vérisme*, ce mouvement (ainsi qualifié par référence à la peinture)

Held-Ziolo

Impressionnisme. *La Grenouillère,* d'Auguste Renoir. 1869. (Coll. O. Reinhart, Winterthur.)

s'attache surtout à l'évocation musicale de la lumière et de la couleur, délaissant la forme et le sentiment au profit de la sensation (Debussy).

IMPRIMANTE. — Pour transcrire sur papier les résultats des traitements faits sur un ordinateur* on utilise des imprimantes. L'unité centrale de l'ordinateur envoie vers celles-ci, à travers une unité d'échange, les données à imprimer, l'unité de contrôle de l'imprimante les transformant en impulsions électriques capables de faire fonctionner le mécanisme d'impression. Les imprimantes travaillent ligne par ligne, à des vitesses de 200 à 3 000 lignes à la minute pour des lignes de 100 à 160 caractères. Lorsqu'une ligne est imprimée, le papier avance d'un interligne. Le mécanisme d'impression peut être à barres, à roues, à chaîne, à tambour, à aiguilles. Comme dans une machine à écrire, l'impression se fait par l'intermédiaire d'un ruban encreur. Dans les *imprimantes à chaîne,* plusieurs jeux de caractères sont portés par une chaîne sans fin, animée d'un mouvement circulaire qui fait défiler les caractères horizontalement. Lorsque le caractère désiré passe devant la position d'impression, un marteau frappe le papier à la volée. Dans les imprimantes à aiguilles, plus lentes, les caractères sont formés et imprimés les uns après les autres par la sortie d'extrémités d'aiguilles disposées en matrice.

On utilise aussi parfois le nom d'« imprimante » pour les unités périphériques qui, au lieu de sortir sur papier, produisent des microfilms ou des microfiches, souvent à très haute performance.

IMPRIMERIE. — Outre l'imprimerie proprement dite, la branche des *industries graphiques* comprend des activités annexes, telles que la fonderie de caractères*, la photogravure*, la clicherie*, le brochage*, la reliure* et la dorure*. L'ensemble constitue la presse et le labeur. La *presse* a un caractère spécial : c'est l'impression des journaux quotidiens, c'est-à-dire paraissant au moins quatre fois par semaine.

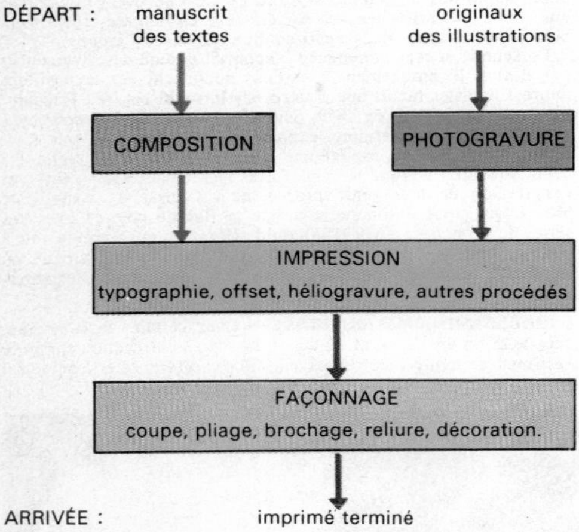

Le *labeur* comprend tout le reste; le terme *imprimerie de labeur,* qui s'appliquait autrefois à l'impression de livres, englobe une grande diversité de travaux : livres et périodiques, imprimés publicitaires et emballages, imprimés commerciaux et comptables, administratifs, techniques. L'ancienne appellation *travaux de ville* ne s'applique plus qu'aux imprimés composés à la demande de particuliers. L'imprimerie de labeur est surtout une industrie de moyennes et de petites entreprises. Sur environ 8 000 imprimeries en France, plus de 5 000 occupent moins de 5 salariés, une centaine seulement en occupent plus de 200. Plus de la moitié se trouvent dans la région parisienne. L'effectif total de l'imprimerie de labeur est de l'ordre de 110 000 personnes. Celui de l'imprimerie de presse, d'environ 55 000. Une entreprise d'imprimerie, même artisanale, est un ensemble où sont mises en œuvre des techniques très diverses : composition*, impression*, façonnage. La diversité des procédés va de pair avec celle du matériel; le seul point commun est la production de papier imprimé. L'un des aspects de l'évolution est l'apparition de matériel léger de reproduction, de composition et d'impression, techniquement très raffiné et d'un emploi très simple. Un nouveau type d'imprimerie est l'*imprimerie instantanée,* petite entreprise bien située, disposant d'un petit matériel très moderne et travaillant dans des délais très courts. Il existe depuis longtemps des *imprimeries administratives* des collectivités publiques; les

imprimeries intégrées des entreprises privées font concurrence aux imprimeries traditionnelles. L'imprimerie de labeur est soumise aussi à la concurrence de la reprographie*, dont le développement est spectaculaire et que l'on peut, à juste titre, considérer comme faisant partie des industries graphiques. D'autre part, dans le domaine de l'information : l'audiovisuel, le microfilm, la mémoire d'ordinateur, la télévision ont ralenti l'expansion de l'imprimerie de labeur. Mais celle-ci présente de gros avantages, notamment le contact direct avec le client, la souplesse d'exécution du travail et la possibilité de rendre des services dépassant le cadre de l'impression proprement dite.

Imprimerie nationale, établissement de l'État assurant l'impression des actes administratifs de la République française et de divers ouvrages publiés pour le compte de l'État et de quelques particuliers autorisés. Son origine remonte à François Ier, qui désigna, en 1538, un « imprimeur du roy », et à Louis XIII, qui créa, en 1620, au Louvre, un petit atelier de typographie, devenu, en 1640, l'*Imprimerie royale.*

Impromptu de Versailles *(l'),* comédie en un acte et en prose, de Molière (1663) : c'est une réponse aux attaques suscitées par le succès de *l'École des femmes* et auxquelles la *Critique de « l'École des femmes »* (1663) n'avait pas imposé silence. Se représentant au cours d'une répétition avec ses comédiens, Molière critique le jeu des acteurs de l'Hôtel de Bourgogne* et défend sa conception de la comédie de caractère.

IMPROVISATION *(Mus.).* — Certaines œuvres ou certains fragments d'œuvres musicales (cadence* des concertos) naissent spontanément de l'imagination de certains interprètes, qui les organisent rapidement et les exécutent sans préparation. On rencontre des morceaux ainsi improvisés surtout dans la musique folklorique ou populaire. L'improvisation écrite donne naissance à un style d'expression libre, dans lequel la musique savante trouve parfois matière à s'enrichir (récit*, récitatif).

L'improvisation est le principal moyen d'expression dont dispose le musicien de jazz. Initialement, la seule méthode d'improvisation était la paraphrase. Puis ce procédé fut remplacé par la phrase-chorus, ou variation libre. Les adeptes du free jazz ont tenté d'improviser hors des limites harmoniques du thème puis, accentuant encore leur émancipation, ils ont pratiqué l'athématisme, c'est-à-dire l'improvisation absolue.

IMPUISSANCE → COÏT.

IMPULSION *(Mécan.)* → CINÉTIQUE, PERCUSSION.

IMROZ, en grec **Imbros,** île turque de la mer Égée, près des Dardanelles.

INANITION → FAIM.

INARI, lac du nord de la Finlande, en Laponie; 1 085 km^2.

IN-BORD → YACHTING.

Inca.
Ruines de Pisac,
cité inca située
au nord-ouest
de Cuzco (Pérou).

Lavallée

INCA (EMPIRE), empire de l'Amérique précolombienne, qui fut constitué dans la région andine. À l'apogée de sa puissance (XVe s.), il s'étendait depuis le sud de la Colombie jusqu'au Chili central. Son centre symbolique était Cuzco. L'un des éléments principaux d'unification de l'Empire inca était la religion, le culte obligatoire de Uiracocha, dieu suprême et créateur de toutes choses, et celui du Soleil — père de l'Inca —, de la Lune et des autres astres divinisés. L'autorité de l'Inca était absolue et s'appuyait sur la caste dirigeante des nobles et des prêtres, et sur une organisation administrative extrêmement rigide, qui réglait l'existence de l'individu jusqu'à sa mort. L'Empire inca s'écroula en 1532 sous les coups de l'Espagnol Francisco Pizarro*.

ART. Dans une région ayant eu dès le IIe millénaire des cultures avancées, telle celle de Kotosh*, et héritière des traditions des civilisations anciennes (Chavín*, Mochica*, Chimú, Nazca*, Tiahuanaco*, Huari*), l'Empire inca se développe à partir du XIIe s. et sa phase de grande expansion commence en 1438. Elle coïncide avec un remarquable essor de l'architecture, caractérisée par la forme trapézoïdale des portes, des fenêtres et des niches et par la perfection de la construction en pierres ajustées sans mortier. Il semble que l'emploi d'appareils différents (mégalithique, cellulaire, etc.) corresponde à la destination des bâtiments. Parmi les plus beaux exemples, citons Cuzco* et Machu Picchu*. Les Incas réutilisent et aménagent de nombreuses installations hydrauliques. Leur céramique, fabriquée sans tour, est souvent décorée de motifs géométriques en noir et blanc sur fond rouge; un aryballe à deux anses latérales et à long col étroit est l'une des formes typiques des Incas. La métallurgie du fer leur est inconnue, mais ils maîtrisent parfaitement celle de l'or, de l'argent, du cuivre et de l'étain, avec lesquels ils réalisent divers alliages. Le tissage connaît une production quasi industrielle de belle qualité, mais dont la décoration géométrique est assez monotone.

INCANDESCENCE. — C'est une transformation de l'énergie thermique en énergie rayonnante. Lorsqu'on élève progressivement la température d'un corps, il émet d'abord des rayons infrarouges, puis des rayons lumineux, dont la longueur d'onde va en diminuant. Pour une température suffisante, le mélange des radiations émises produit de la lumière blanche.

INCAPABLE MAJEUR. — Le majeur qui — à raison de l'altération de ses facultés, de sa prodigalité, de son intempérance ou de son oisiveté — compromet son patrimoine, s'expose à tomber dans le besoin ou ne peut plus satisfaire à ses obligations familiales est considéré, à l'instar du mineur, comme un incapable. Il est placé : sous le régime de la *tutelle,* aux termes duquel l'incapable ne peut plus accomplir aucun acte juridique par lui-même (avec des dérogations éventuelles); sous celui de la *curatelle,* régime d'incapacité partielle, s'appliquant à ceux qui, n'étant pas complètement hors d'état d'agir, doivent être assistés ou conseillés dans les actes de la vie juridique; ou sous celui de la *mise sous sauvegarde de la justice,* régime qui n'entraîne pas de véritable incapacité et qui est adaptable à des situations très diverses. (V. CAPACITÉ.)

INCAPABLE MINEUR → CAPACITÉ.

INCAPACITANT → CHIMIQUE *(guerre).*

INCE (Thomas Harper), cinéaste et producteur américain (Newport 1882-Hollywood 1924). Il est, avec D. W. Griffith, le fondateur de la dramaturgie du film. Réalisateur prolifique, producteur éclairé et superviseur — il dirigea à partir de 1912 une équipe de réalisateurs très actifs tout en continuant à tourner ses propres films —, il se spécialisa notamment dans les westerns et les films d'aventures : *la Colère des dieux* (1914), *le Désastre* (1914), *l'Honneur japonais* (1914), *Civilisation* (1916), *Pour sauver sa race* (1916).

INCESTE (prohibition de l'). — Toutes les sociétés humaines interdisent les relations sexuelles entre parents trop proches (père-fille, mère-fils, frère-sœur). Cette règle universelle comporte un aspect positif dans la mesure où, si elle prohibe les relations avec certains partenaires (aspect négatif), elle désigne aussi les partenaires autorisés. De plus, elle fonde le passage de la nature à la culture (Lévi-Strauss).

INCHON ou **IN-Č'ON** ou **CHEMULPO,** port de la Corée du Sud, au S.-O. de Séoul, sur la mer Jaune; 646000 hab.

INCISIVE. — Dans la plupart des espèces de mammifères, les dents situées à l'avant de la bouche et au voisinage du plan de symétrie sont plus ou moins tranchantes, d'où leur nom d'« incisives ». On compte, au maximum, trois paires d'incisives à chaque mâchoire (chez le cheval, ce sont la *pince,* la *mitoyenne* et le *coin*), mais chez les bovidés la canine inférieure a acquis la forme et la fonction d'une incisive supplémentaire, et c'est elle qu'on nomme le « coin », tandis que la mâchoire supérieure ne porte aucune incisive. Les primates n'ont que deux paires d'incisives et, parmi eux, l'homme est le seul chez lequel s'exerce parfaitement la fonction tranchante des incisives des deux mâchoires, qui se font face dans un même plan, alors que celles d'en bas sont *proclives* chez les singes. Les incisives des hippopotames sont espacées et développées en crocs. Les éléphants ont à la mâchoire supérieure une paire d'incisives horizontales, pointues et gigantesques, les *défenses,* mais ils n'ont aucune incisive inférieure. Ce sont les rongeurs qui présentent les incisives les plus remarquables, des lames à croissance continue, au tranchant biseauté soigneusement entretenu, et dont la face externe peut être vivement colorée en orangé (castor). Le système d'incisives des porcins est surtout fait pour déterrer et trancher les tubercules souterrains. Chez les insectivores et chez les carnassiers, les incisives n'ont qu'un rôle modeste.

INCOMPATIBILITÉ *(Thérap.).* — Il existe des incompatibilités entre certains produits pharmaceutiques et entre certains groupes sanguins. Leur connaissance est fondamentale pour les prescriptions médicamenteuses et pour les transfusions sanguines. Les incompatibilités de groupes tissulaires et leucocytaires sont la cause d'échecs dans les greffes et les transplantations d'organes.

En obstétrique, l'incompatibilité fœto-maternelle existe surtout dans le système Rhésus, lorsqu'une mère *Rh négatif* porte un enfant *Rh positif.* Les conséquences de cette incompatibilité sont nulles pour la mère, mais redoutables pour l'enfant, chez qui elles engendrent la maladie hémolytique du nouveau-né.

INCONDITIONNEL (stimulus) → APPRENTISSAGE.

INCONSCIENT. — Si la notion d'inconscient n'est pas une découverte freudienne, S. Freud* lui a donné tout son poids et en a fait autre chose que l'envers du conscient. Les rêves, actes* manqués et symptômes névrotiques, que Freud a rencontrés dès le début de ses recherches, témoignent de l'existence de cet ordre inconscient : l'inconscient mis au jour est inséparable du refoulement*, qui en définit le fonctionnement. Les désirs refoulés, bien que ne parvenant pas à la conscience, n'en continuent pas moins d'exister dans l'inconscient, où ils n'ont rien perdu de leur dynamisme. Mais « le refoulé n'est qu'une partie de l'inconscient », précise Freud, en 1915, dans *la Métapsychologie.*

Outre les actes psychiques inconscients et conscients, Freud distingue ceux qui, temporairement inconscients, sont susceptibles de devenir conscients, et qui constituent le système préconscient. Dans un premier temps, Freud distingue donc au sein du psychisme (appareil psychique) trois systèmes : inconscient, préconscient et conscient. Cette distinction est appelée première *topique,* car elle permet de définir dans quel système, ou entre quels systèmes, peut se situer un acte psychique quelconque ou un conflit entre plusieurs tendances. Cette topique, distinction abstraite, n'a rien à voir avec une localisation anatomique.

Le système préconscient-conscient s'oppose activement au retour du refoulé à la conscience par la mise en place de résistances*. L'inconscient est le réservoir des désirs, et des désirs inconciliables peuvent y coexister côte à côte. « Il n'y a dans ce système ni négation, ni doute, ni degré dans la certitude », écrit Freud. Un désir peut transférer sur un autre une partie de son énergie *(déplacement);* l'énergie de plusieurs désirs peut se concentrer sur un seul *(condensation).* Cette mobilité, traduite par la possibilité de condensation ou de déplacement, est caractéristique de ce que Freud appelle un *processus primaire;* ce fonctionnement apparaît nettement dans le rêve*. Le système préconscient-conscient obéit aux processus secondaires, qui permettent l'ajournement d'une satisfaction. L'inconscient ne connaît pas le temps (les désirs inconscients ne sont pas modifiés par l'écoulement du temps), ni la réalité extérieure. Ces deux catégories sont introduites par le système conscient-préconscient. Alors que l'inconscient n'obéit qu'au *principe de plaisir* — c'est-à-dire à la satisfaction immédiate d'une pulsion* quelles qu'en soient les conséquences ultérieures —, le système préconscient-conscient est caractérisé par le *principe de réalité :* il est capable de différer la satisfaction d'une pulsion, ou d'en adapter le but en fonction de la réalité extérieure.

Le retour à Freud, prôné par J. Lacan*, a conduit celui-ci à une nouvelle formalisation de la notion d'inconscient. « L'inconscient est structuré comme un langage », énonce-t-il, c'est-à-dire qu'il fonctionne par enchaînement rigoureux de signifiants, constitutifs du sujet*. Chez Lacan, la condensation freudienne devient la métaphore, et le déplacement la métonymie.

INCONTINENCE → DÉFÉCATION et URINE.

INCORPORATION *(Psychan.)* → INTROJECTION.

INCUBATEUR *(Pédiatr.).* — Les incubateurs (ou couveuses) permettent d'élever des nouveau-nés prématurés, fragiles, de faible poids ou atteints de maladies graves. Ils mettent le nourrisson dans une atmosphère close, à température constante, à l'abri des contaminations microbiennes extérieures.

INCUBATEUR *(Zootechn.).* — La production du *poussin d'un jour* est devenue une spécialité : les accouveurs utilisent de vastes couvoirs contenant un certain nombre d'incubateurs modernes à retournement automatique, renfermant des milliers d'œufs.

INCUBATION *(Biol.).* — On parle d'incubation chaque fois qu'un animal, après avoir mis au monde ses jeunes ou pondu ses œufs, récupère sa progéniture dans une cavité organique où elle est protégée, voire réchauffée, parfois même alimentée. C'est pourtant la *couvaison* des oiseaux, au contact du corps mais non dans une cavité, qui est la plus anciennement connue des formes prises par ce type de soins parentaux. L'incubation siège dans les cavités les plus diverses chez les amphibiens (grenouilles, rainettes, crapauds) : cavités dorsales de la femelle, sac vocal du mâle, etc. Chez certains poissons, elle se poursuit dans la bouche des parents ou, chez l'hippocampe, dans la poche ventrale du mâle. Les mammifères marsupiaux (kangourou) incubent dans la poche ventrale de la femelle, où siègent les mamelles. De nombreux reptiles s'enroulent autour de leur ponte.

Le monde des invertébrés n'ignore pas l'incubation, notamment certains échinodermes (oursins et étoiles de mer).

Bien entendu, de nombreuses espèces animales prodiguent à leurs jeunes des soins externes aussi efficaces que l'incubation, et les limites de la fonction incubatrice sont parfois imprécises.

INCUBATION *(Méd.)* → INFECTION.

INDE, en hindī **Bhārat,** État de l'Asie méridionale, membre du Commonwealth; 3 268 000 km²; 610 millions d'hab. *(Indiens).* Capit. *New Delhi.*

Pays le plus peuplé du monde après la Chine, l'Inde est également l'un des plus misérables. L'accroissement démographique annule en effet les progrès réalisés par l'agriculture et l'industrie, et le niveau de vie moyen demeure très bas.

GÉOGRAPHIE

• *Le milieu naturel.* Le pays s'étend sur trois ensembles de relief. La *péninsule du Deccan* est constituée par un socle précambrien raboté, partiellement couvert de sédiments et d'épanchements volcaniques (trapps), qui a été soulevé, disloqué par des failles et basculé vers l'est. Il donne un paysage de plateaux, parfois accidentés de reliefs montagneux : monts Arāvalli et Vindhya, au nord, Ghāts orientaux dominant la côte de Coromandel et surtout Ghāts occidentaux dominant la côte de Malabār. Le Deccan est limité, au nord, par la *plaine indo-gangétique,* vaste sillon remblayé par les alluvions de l'Indus et du Gange, qui vont se jeter respectivement dans le mer d'Oman et dans le golfe du Bengale, en d'énormes deltas marécageux. Dominant cette gouttière alluviale, s'étend la barrière de l'*Himālaya,* dont l'Inde possède les parties orientale (Assam) et occidentale (Cachemire). Là, s'élèvent des chaînes parallèles (Siwālik, Nanga Parbat, Karakorum), séparées par de profondes vallées (cours supérieur de l'Indus).

L'Inde appartient tout entière au domaine de la mousson* et son climat est marqué par des températures élevées (se rafraîchissant un peu en hiver dans les parties les plus septentrionales) et par l'alternance d'une saison sèche en hiver et d'une saison humide en été. La durée et l'abondance des pluies varient selon les régions, en fonction de leur position par rapport aux vents de moussons. Les régions les plus arrosées sont le Nord-Est (Bengale et Assam) et la côte de Malabār, qui reçoivent la mousson de plein fouet. Elles s'opposent aux régions plus sèches que constituent l'intérieur du Deccan, abrité par l'écran des Ghāts occidentaux, et le nord-ouest du pays, où le climat prend même une nuance aride dans le désert de Thar. L'inégalité des précipitations explique les divers types de végétation naturelle : on passe de la jungle à la forêt claire à épineux, puis à la steppe quand le total des pluies diminue.

• *La population.* Depuis le début du xxe s., la population s'accroît à un rythme rapide (actuellement environ 2 p. 100 par an), dû à l'amélioration des conditions d'hygiène, qui a fait baisser la mortalité (le taux de natalité restant très élevé). Le problème majeur posé par la surpopulation a conduit le gouvernement à tenter de freiner la croissance démographique par une politique de limitation des naissances, insuffisamment efficace. La population, très jeune, est composée de divers groupes qui s'opposent tant sur le plan linguistique (l'hindī, langue officielle, est parlé par, à peine, le quart des habitants) que sur le plan religieux (hindouistes, musulmans, sikhs, bouddhistes, chrétiens). L'organisation sociale est encore marquée par le système des castes, lié à la religion hindouiste (83 p. 100 des habitants) et responsable d'un cloisonnement sensible malgré les tentatives officielles d'assouplissement.

La population est très inégalement répartie. Les régions les plus arrosées, donc les plus propices à la culture du riz, sont généralement les plus peuplées. On rencontre les plus fortes densités (plus de 700 hab. au km²) au Bengale, au Kerala et sur la côte orientale de la péninsule. L'intérieur du Deccan connaît des densités moyennes (de 100 à 200 hab. au km²) tandis que le

climatologie

stations	températures moyennes (en °C) janvier	juillet	précipitations annuelles (en mm)
Calcutta	19,6 °C	28,9 °C	1625
Bombay	23,8 °C	27,2 °C	1805
Hyderābād	22,1 °C	26,6 °C	772
Delhi	14,2 °C	31 °C	660

divisions administratives

États	capitales	États	capitales
Andhra Pradesh	Hyderābād	Mahārāshtra	Bombay
Assam	Dispur	Manipur	Imphāl
Bengale-Occidental	Calcutta	Meghalaya	Shillong
Bihār	Paṭnā	Nagaland	Kohīma
Gujerat	Gāndhīnagar	Orissa	Bhubaneswar
Haryana	Chandigarh	Pendjab	Chandigarh
Himāchal Pradesh	Simla	Rājasthān	Jaipur
Jammu-et-Cachemire	Srinagar	Tamil Nadu	Madras
Karnātaka	Bangalore	Tripura	Agartala
Kerala	Trivandrum	Uttar Pradesh	Lucknow
Madhya Pradesh	Bhopāl		
territoires	*capitales*	*territoires*	*capitales*
Andaman et Nicobar	Port Blair	Goa, Damān et Diu	Panjim
Arunachal Pradesh	Itanagar	Lakshadweep	Kavaratti
Chandigarh	Chandigarh	Mizoram	Aijal
Dadra et Nagar Haveli	Silvassa	Pondichéry	Pondichéry
Delhi	Delhi		

principales villes ou agglomérations*

	nombre d'hab.		nombre d'hab.
Calcutta*	7 031 000	Hyderābād*	1 796 000
Bombay	5 970 000	Bangalore*	1 654 000
Delhi*	3 647 000	Ahmadābād	1 586 000
Madras	2 469 000	Kānpur*	1 275 000

villes classées selon l'importance de leur population
capitale d'état fédéré
voie ferrée
route
AFGHĀNISTĀN
Kaboul
Islāmābād
Nanga Parbat 8120
Karakorum
JAMMU-ET-CACHEMIRE
Srinagar
Jammu
HIMACHAL PRADESH
Amritsar
Lahore
Chenab
Jullundur
Ludhiāna
PENDJAB
Simla
Chandigarh
PĀKISTĀN
Indus
Sutlej
Dehra Dun
Sahāranpur
HARYANA
Meerut
Morādābād
DELHI
NEW DELHI
Bareilly
Désert de Thar
Bīkaner
Shāhjahānpur
UTTAR
Alīgarh
Gange
Jaipur
Āgra
RĀJASTHĀN
Ajmer
Jamna
Lucknow
Jodhpur
Chambal
KĀNPUR
Gwālior
PRADESH
Hyderābād
Mts Aravalli
Kota
Jhānsi
Allahābād
Bénarès
PLATEAU MALVĀ
KUTCH
Gāndhīnagar
AHMADĀBĀD
Ujjain
Bhopāl
Mts Bhānrer
Jabalpur
Kandla
Jamnagar
Porbandar
GUJERAT
Rajkot
Baroda
Indore
Vindhya
Narbadā
MADHYA PRADESH
MER D'OMAN
KĀTHIĀWĀR
Bhaunagar
Diu
Broach
Mts Satpura
Sūrat
Damān
Dhulia
Malegaon
Jalgaon
Mts Ajanta
Akola
Amravati
NĀGPUR
Nāsik
Aurangabad
Jalna
BOMBAY
MAHĀRĀSHTRA
Nānder
POONA
Ahmadnagar
KONKAN
Sholāpur
Gulbarga
Sangli
Kolhāpur
Bijapur
Belgaum
Hubli
Panjim GOA
Bellary
CÔTE DE MALABAR
KARNĀTAKA (MYSORE)
Dāvangere
Shimoga
Bhadrāvati
Mangalore
Ghats occidentaux
BANGALORE
Mysore
Kolar Gold Fields
Kāviri
OCÉAN INDIEN
îles Laquedives
Mahé
Kozhikode
Erode
Salem
KERALA
Coimbatore
Ernakulam
Cochin
Alleppey
Quilon
TRAVANCORE
Trivandrum
C. Comorin
Madurai
TAMIL NADU
Tuticorin
Kumbakonam
Tiruchirappali
Kārikāl
Cuddalore
Pondichéry
Kānchipuram
MADRAS
Ghats
Nellore
Kurnool
PRADESH
ANDHRA
Kistnā
Guntūr
HYDERĀBĀD
Warangal
Nizamabad
Godāvari
Vijayavada
Masulipatam
Eluru
Rajahmundry
Kākināda
orientaux
Visakhapatnam
Vizianagaram
Berhampur
Bhubaneswar
Cuttack
ORISSA
PLAT DU BASTAR
Bhilainagar
Raipur
Bilaspur
PLATEAU DE L'ORISSA
Rourkela
Kharagpur
CHŌTA NĀGPUR
PLAT DU
Jamshedpur
Ranchi
BENGALE OCC.
CALCUTTA
Howrah
Asansol
Durgāpur
Gaya
BIHĀR
Bhāgalpur
Patnā
Darbhanga
Gorakhpur
NÉPAL
Katmandou
Himālaya
Siwālik
Darjeeling
Siliguri
SIKKIM
BHOUTAN
CHINE
TIBET
Brahmapoutre
ARUNACHAL PRADESH
Dibrugarh
ASSAM
NAGALAND
Kohima
Gauhāti
Shillong
MEGHALAYA
Imphāl
MANIPUR
English Bāzār
BANGLADESH
Agartala
TRIPURA
MIZORAM
Aijal
tropique du Cancer
Dacca
BIRMANIE
Chaîne de l'Arakan
GOLFE DU BENGALE
Rangoon
îles Cocos (Birm.)
îles Andaman (Inde)
Port Blair
îles Nicobar (Inde)
CÔTE DE COROMANDEL
CEYLAN (SRI LANKA)
Colombo
0 500 km
70°
80°
90°
30°
20°
10°
Pathankot
Amritsar
Jullundur
HIMACHAL PRADESH
PENDJAB
Simla
Ludhiāna
Chandigarh
Patiāla
Dehra Dūn
Ambāla
Jamna
Hardwār
Sahāranpur
Pānīpat
Muzaffarnagar
Hisār
Rohtak
Meerut
Amroha
Morādābād
DELHI
Hāpur
Rāmpur
NEW DELHI
Bulandshahr
Bareilly
Budaun
Alīgarh
Gange
Hāthras
Shāhjahānpur
Alwar
Sītāpur
Mathura
Āgra
Farrukhābād
Bahraich
Gonda
Jaipur
Firozābād
UTTAR
Bharatpur
Etāwah
Faizābād
RĀJASTHĀN
Lucknow
Basti
Gorakhpur
Chambal
Tonk
Gwālior
KĀNPUR
Maunath Bhanjan
Darbhanga
Chapra
Muzaffarpur
Shivpuri
Jhānsi
PRADESH
Ghāzīpur
Patnā
Jamālpur
Jaunpur
Arrah
Bānda
Allāhābād
Bénarès (Vārānasī)
Bihār
Monghyr
PLATEAU MALVĀ
Kota
PLAT. DE BUNDELKHAND
Satna
Rewa
Mirzāpur
Gaya
Bhāgalpur
BIHĀR
Himālaya
Siwālik
NÉPAL
Katmandou
CHINE
TIBET
Everest 8880
85°
30°
0 100 200 km
Patna
Monghyr
Bhāgalpur
25°
Gange
Berhampur
Asansol
BENGALE
Dāmodar
Durgāpur
BANGLADESH
Rānīganj
Ranchi
Bānkura
Burdwān
Jamshedpur
OCCIDENTAL
Howrah
Bhātpāra
SINGHBUM
CALCUTTA
PLAT. DE L'ORISSA
Kharagpur
ORISSA
Balasore
GOLFE DU BENGALE
Cuttack
0 100 200 km

Nord-Ouest est relativement peu peuplé. La plupart des habitants vivent dans les campagnes (20 p. 100 seulement dans les villes, ce qui représente tout de même plus de 100 millions de personnes). Les grandes métropoles dominent un réseau urbain comprenant un nombre important de cités moyennes et de nombreuses petites villes qui constituent les centres commerciaux des régions rurales.

• *L'économie.* L'agriculture occupe les deux tiers de la population active mais, compte tenu de la densité de population, sa production demeure très insuffisante. Après le départ des Anglais, une tentative de réforme agraire visa à mieux répartir la terre entre les paysans (les terres étaient généralement entre les mains de grands propriétaires fonciers [zamīndār] pour qui travaillait l'énorme masse des agriculteurs, écrasés de dettes). On essaya également de développer les coopératives et de faciliter le crédit. Mais l'application de cette réforme a été inégale et ses effets restent limités. Parallèlement, on tente d'améliorer les rendements en envoyant des techniciens dans les campagnes pour conseiller les agriculteurs. Cependant, le problème essentiel demeure l'insuffisance des terres par rapport au nombre de personnes qu'elles doivent faire vivre.

Les types de cultures varient suivant les régions. Les deux récoltes annuelles sont très largement répandues. L'irrigation est souvent nécessaire dans les régions les moins arrosées. Elle est pratiquée grâce à différents systèmes : les tanks, réservoirs qui se remplissent pendant la saison des pluies et dont on utilise l'eau à la fin de la saison sèche; les puits, qui sont maintenant souvent équipés de moteurs électriques; les canaux de dérivation à partir des fleuves. La construction de grands barrages-réservoirs (vallées de la Dāmodar et de la Mahānadi) a permis d'étendre la double culture sur de vastes surfaces. Les céréales constituent la base de la production vivrière. Le riz (de 60 à 70 Mt) est cultivé dans les régions les plus humides (où les précipitations dépassent 1 000 mm par an), qui sont également les plus peuplées : basse vallée du Gange, Bengale, côtes du Deccan. Dans le Nord-Ouest domine la culture du blé (de 20 à 25 Mt). Sur les plateaux secs de l'intérieur du Deccan, la principale ressource est le millet. Des cultures commerciales, pour la plupart héritées de la colonisation, leur sont associées : des oléagineux (arachide, sésame), du lin, du coton (1,2 Mt), de la canne à sucre, du tabac. Le Bengale fournit du jute, l'Assam du thé. Enfin, l'Inde possède le premier troupeau bovin du monde (175 millions de têtes), mais, pour des raisons religieuses, il n'est guère exploité. Malgré tous les efforts entrepris depuis l'indépendance (la production agricole a doublé), les ressources restent insuffisantes. Le pays exporte des plantes commerciales mais doit importer des quantités massives de produits alimentaires.

Face aux problèmes de l'agriculture, le seul remède paraît être le développement industriel. Lui seul est susceptible d'apporter un emploi aux millions de paysans que la terre ne peut faire vivre et c'est pourquoi un effort considérable a été entrepris dans ce domaine.

Les ressources naturelles sont relativement abondantes. Le sous-sol recèle divers minerais métallifères : fer (5 Mt), bauxite, manganèse, chrome, plomb, etc. Les ressources énergétiques sont représentées par le charbon (100 Mt), un peu de pétrole et l'hydroélectricité, dont le potentiel commence à être exploité. Le nucléaire occupe une petite part dans la production électrique.

L'activité la plus ancienne, et toujours prépondérante, est l'industrie textile. Fondée sur les matières premières agricoles, elle a été modernisée et les usines de Bombay et de Calcutta fournissent des tissus de coton, de laine et de jute exportés dans le monde entier. L'accent a été mis sur le développement de l'industrie lourde. À partir des ressources en fer et en charbon, la sidérurgie fournit 8 Mt d'acier; elle alimente des constructions mécaniques variées : matériel ferroviaire, machines-outils, automobiles, constructions électriques. Le développement de l'industrie chimique est surtout lié aux besoins de l'agriculture (engrais). L'industrie alimentaire traite les matières premières fournies par l'agriculture : huileries, sucreries. Trois grosses agglomérations, Bombay, Calcutta et Madras, concentrent l'essentiel de la production industrielle moderne. Ailleurs, la structure conserve une nette tendance artisanale.

Malgré l'effort entrepris, le développement industriel demeure limité. Le manque de capitaux, de techniciens et de matières premières constitue un obstacle difficile à surmonter. Par ailleurs, l'étroitesse relative du marché intérieur, due à la faiblesse du niveau de vie moyen, est un lourd handicap. L'économie indienne repose en partie sur les échanges avec l'extérieur. Les ports de Calcutta, de Bombay et de Madras effectuent l'essentiel du commerce extérieur. Mais les produits susceptibles d'être exportés sont peu abondants, alors que le pays doit importer des produits agricoles, des matières premières et des produits fabriqués. La balance commerciale est largement déficitaire et l'Inde ne peut subsister que grâce à l'aide étrangère.

La situation est donc extrêmement préoccupante. La sous-alimentation sévit dans les campagnes du fait de la pression démographique. L'insuffisance du développement industriel explique le chômage qui règne dans les villes et qui s'accroît sous l'effet de l'augmentation de la population et de l'exode rural. La rigidité de la structure sociale, héritée du système des castes, constitue un frein aux tentatives de réforme et de planification. L'aide des grandes puissances mondiales (États-Unis, Grande-Bretagne, U. R. S. S.) est insuffisante et actuellement on n'entrevoit guère de solution pour soulager la misère indienne.

HISTOIRE. Occupée depuis le paléolithique, l'Inde connaît entre 3000 et 2000 av. J.-C. une civilisation urbaine, dite « de l'Indus* » (Mohenjo-Daro et Harappā), très avancée, supportée par une agriculture céréalière. L'invasion aryenne (2000-1500 av. J.-C.) met fin à cet âge d'or, sauf dans l'Inde du Sud, où se maintient la civilisation dravidienne. L'Inde aryenne se compose d'un grand nombre de petits États; l'invasion du Perse Darios (518 av. J.-C.) et celle du Grec Alexandre (327-325 av. J.-C.) établissent durablement des relations commerciales et culturelles entre l'Inde et l'Occident.

L'arrivée de Candragupta sur le trône de Magadha — royaume qui est parvenu à contrôler une bonne partie de l'Inde du Nord — inaugure l'Empire maurya (v. 320-185 av. J.-C.), qui culmine avec Aśoka* : celui-ci se convertit au bouddhisme. Une administration fortement structurée et une armée puissante sont les piliers de l'Empire maurya : c'est durant cette époque que l'Inde constitue son assise économique avec l'agriculture, l'élevage, l'artisanat et le commerce, et que la société indienne se forme en castes. L'Empire maurya disparu, les Grecs bactriens envahissent l'Inde et forment le royaume de Sangala, qui passe au bouddhisme mais qui doit à son tour subir la poussée des Scythes; puis les Kuṣāṇa (IIe s. apr. J.-C.) se taillent un royaume de la mer d'Aral à l'actuel Karnātaka. Ensuite, à une longue anarchie (IIe-IVe s.) met fin la brillante dynastie Gupta* (v. 320-v. 467), véhicule d'une véritable renaissance politique et culturelle, qui voit son apogée avec Samudragupta (v. 335-v. 375) : l'Inde atteint alors son âge d'or dans les domaines littéraire, scientifique (médecine), artistique et religieux. Puis, peu à peu, une nouvelle féodalisation de l'Inde se développe, malgré la tentative de centralisation politique d'Harṣa (de 606 à 647), le Deccan et l'Inde dravidienne — cœur de la civilisation hindoue traditionnelle — restant isolés.

L'année 711 marque le début de la première tentative militaire de l'islām en Inde. En fait, ce n'est qu'au début du XIe s. que les invasions musulmanes — Turcs, Perses, Afghans, Mongols — se développent, d'abord dans le Nord-Ouest, puis dans le reste du pays : le bouddhisme, déjà largement ébranlé par la réaction brahmanique, s'efface devant le prosélytisme musulman.

Le grand État musulman est le sultanat de Delhi* (1206-1526), dont les structures politico-administratives assez floues ne se maintiennent que par l'autorité du souverain. De plus, des invasions, comme celle de Tīmūr Lang (Tamerlan) en 1398-99, tout en affaiblissant le pays, réduisent de plus en plus les bases territoriales du sultanat de Delhi : des royaumes indépendants se constituent (Bengale*, Malvā, Gujerat). À côté de ces États musulmans se maintiennent quelques États hindous, notamment l'empire de Vijayanagar (1336-1565).

Le début du XVIe s. voit se constituer, grâce à Bāber (de 1483 à 1530), descendant de Tīmūr, l'Empire des Grands Moghols* (1526-1858), qui, sauf sous Aurangzeb* (de 1658 à 1707), ne parviendra pas à dominer l'ensemble du sous-continent. Cet empire atteint son apogée avec Akbar* (de 1561 à 1605), l'un des plus remarquables souverains de l'histoire universelle. À partir de 1707, l'empire décline, le sectarisme antimusulman des empereurs alimentant le nationalisme des sikhs, des Rājpūts et des Marathes.

Parallèlement à l'implantation en Inde de l'Empire moghol, s'amorce l'emprise étrangère, portugaise dès le XVIe s., hollandaise, danoise, française et anglaise au XVIIe s. Bientôt restent face à face Anglais et Français : le traité de Paris de 1763 officialise la défaite française et la domination de la Compagnie anglaise des Indes. La mainmise britannique sur l'Inde, bien amorcée sous Robert Clive* et poursuivie sous Warren Hastings, se développe systématiquement sous les gouvernements de Cornwallis (de 1786 à 1793) et de Wellesley* (de 1798 à 1805). En 1819, les Britanniques contrôlent toute l'Inde, à l'exception du Pendjab et du Cachemire, dont ils se rendent maîtres en 1849.

L'Inde traditionnelle tente un dernier sursaut lors de la révolte des Cipayes (1857) : celle-ci écrasée, la Compagnie des Indes est supprimée (1858) et ses biens sont annexés à la Couronne. Le gouverneur général devient vice-roi; il est contrôlé par le secrétaire d'État et le Conseil de l'Inde, à Londres. Désormais, joyau de la Couronne, l'Inde est un enjeu capital dans la diplomatie britannique; d'où les précautions prises pour sauvegarder ses frontières tant à l'ouest (guerres afghanes, 1839-1842, 1878-1880) qu'à l'est (conquête de la Birmanie). Le fait de proclamer la reine Victoria « impératrice des Indes » (1876) se situe dans la même perspective.

Administrativement, les Anglais ne bouleversent pas le découpage des Moghols. Économiquement, ils favorisent le développement du pays dans des vues colonialistes, ce qui a pour effet la ruine de l'artisanat urbain et, par voie de conséquence, la surpopulation des campagnes. En rompant l'équilibre économique traditionnel de l'Inde, l'action britannique alimente en même temps un nationalisme hindouiste, dont le véritable initiateur est Rām* Mohan Roy (1772-1833). Son œuvre est poursuivie par Devendranāth Tagore (1817-1905) et par Rāmakrisna Paramahamsa (1836-1886), dont l'expérience mystique est universalisée par Narendranāth Datta (1862-1902) : l'« hindouisme décomplexé » de ce dernier aboutit à une revendication nationale, que la famine de 1899 et l'agitation au Bengale rendent plus vive. Dès 1906, le Congrès* national indien — parti fondé en 1885 par Allan Octavian Hume, et devenu le centre de l'opposition — réclame l'indépendance; mais les Anglais usent des rivalités entre musulmans et hindous pour retarder les échéances. À partir de 1918, le nationalisme indien est dominé par la figure de M. K. Gāndhī* qui, considérant que l'*India Act* de 1919 est insuffisant (institution d'une dyarchie assez parodique), développe une vaste campagne de résistance non violente (1919-1922). Après un temps de calme, Gāndhī — et aussi J. Nehru*, élu président du Congrès — relance la désobéissance civile.

Les conférences de la Table ronde de Londres (1930-1932) n'ayant rien donné, il faut attendre 1935 pour voir les Anglais tenter de désamorcer la situation par le *Government of India Act,* qui jette les bases d'une confédération panindienne mais ne satisfait pas le parti du Congrès : celui-ci, ayant triomphé aux élections de 1937, développe une politique nationaliste que la Seconde Guerre mondiale ne fait qu'exacerber. Si bien qu'en 1945 l'indépendance de l'Inde apparaît inéluctable : seule l'opposition entre Ligue musulmane et Congrès la retarde. Car les haines s'accumulent entre les deux communautés, à tel point qu'au lendemain des émeutes de Calcutta (1946), la partition de l'Inde devient inévitable. Elle est effective — en même temps que le départ des Britanniques — le 15 août 1947, quand sont reconnues l'indépendance de l'Union indienne, peuplée d'hindouistes, et celle du Pākistān* musulman (oriental et occidental).

L'Union indienne — autant que le Pākistān — souffre beaucoup — économiquement et politiquement (assassinat de Gāndhī, 1948) — de cette division contre nature, le Pākistān disposant des richesses agricoles et l'Inde des usines. En même temps, l'Inde doit régler l'intégration des États princiers : finalement, seuls l'État d'Hyderābād et surtout le Cachemire* créent problème. Par la suite, les comptoirs français (1952-1956) et l'Inde portugaise (1961) sont annexés.

C'est le 26 janvier 1950 que la première Constitution de l'Inde indépendante entre en vigueur : elle fait de l'Inde une république démocratique et laïque, à structures fédérales, membre du Commonwealth, le système des castes étant aboli. Premier ministre depuis 1947, Nehru reste au pouvoir, avec le parti du Congrès, jusqu'à sa mort, en 1964 : son autorité n'est pas contestée. Mais les difficultés deviennent sensibles avec son successeur, Lal Bahādur Shastri (1964-1966), et plus encore avec sa fille, Indira Gāndhī*, Premier ministre de 1966 à 1977. Celle-ci doit tenir compte d'une opposition grandissante — qui arrive au pouvoir en mars 1977 avec Morarji Desai — ainsi que des forces centrifuges et des revendications des États isolés. Car les problèmes posés par ses frontières provoquent de la part de l'Inde des interventions : ainsi un premier conflit armé oppose en 1965 l'Inde au Pākistān à propos du Cachemire; un second conflit (1971) aboutit à l'occupation par l'armée indienne du Pākistān oriental, devenu le Bangladesh*.

DOCTRINES PHILOSOPHIQUES ET RELIGIEUSES. De la fin du IIe millénaire avant notre ère jusqu'à nos jours, les littératures philosophiques et religieuses de l'Inde connaissent un développement inégal, dont l'influence s'est répandue dans l'Asie centrale et surtout dans le sud et l'est du continent asiatique.

Issu du védisme*, le brahmanisme* apparaît en Inde à la même époque (VIe s. av. J.-C.) que le jinisme* et le bouddhisme*. Malgré les différenciations qui s'affirmeront au cours de l'histoire sous l'influence des écoles (darśana*) et des commentateurs — comme Śaṅkara* et Rāmānuja* —, malgré la diversité des dieux et des rites, les troubles politiques et la pénétration de l'islām* au VIIIe s., les doctrines philosophiques et religieuses de l'Inde demeurent unies par l'ancienne conception d'une disposition naturelle des choses (dharma) dans l'univers et d'une réalité ontologique transcendante au monde. Cette multiplicité et cette diversité des doctrines et des pratiques qui s'en réclament naissent de l'interprétation donnée à cette conception et des conséquences qui en sont tirées. Mais la fin est commune, il s'agit d'un salut conçu comme délivrance du flux des renaissances indéfinies (saṃsāra*).

BEAUX-ARTS. Les divers faciès de l'industrie lithique du paléolithique inférieur, moyen, et supérieur sont attestés en Inde, de même qu'une industrie microlithique durant le mésolithique. La métallurgie du cuivre et du bronze apparaît dès le néolithique moyen, vers le IIe millénaire, et est si fréquente que la phase est dite « néolithique-chalcolithique ». Le bassin de l'Indus* voit l'épanouissement d'une civilisation remarquable par ses réalisations urbaines. Le premier usage du fer se place entre 1100 et 750. Vers cette époque, dans le Sud, se développe une culture d'origine mégalithique.

L'apparition de l'art proprement dit remonte à la propagation du bouddhisme et au règne d'Aśoka. De nombreux stūpa*, généralement en brique, sont élevés ainsi que des piliers monolithes en grès, à chapiteaux sculptés (Sārnāth*). À la fin du IIe s. av. J.-C., l'architecture prend un nouvel essor avec l'utilisation de la pierre, les stūpa deviennent plus vastes et les balustrades *(vedikā)* qui les entourent appellent la sculpture décorative, de même que les porches *(toraṇa)*. Bhārhut et Bodh-Gayā* sont les premiers exemples de cette époque, suivis par le style déjà plus savant de Sāñcī*. Toujours sous l'impulsion de la ferveur bouddhique, les fondations rupestres se multiplient, et donnent un aperçu des constructions en matériaux légers. Deux types principaux d'édifices sont construits : le *caitya* — sanctuaire de plan absidial contenant un stūpa en réduction *(olagoba)* et dont le plafond imite une voûte en berceau (Kārli) — et le *vihāra* — monastère comprenant un portique qui précède une salle quadrangulaire sur laquelle s'ouvrent les cellules monastiques (Bhājā).

Entre le Ier et le IVe s., trois écoles artistiques évoluent parallèlement : celles du Gāndhāra* et de Mathurā*, dans le Nord, sous la dynastie des Kuṣāṇa et, dans le Deccan, celle de la région d'Amarāvatī, sous la dynastie Andhra. Le prodigieux enrichissement iconographique, que représente la figuration humaine du Bouddha, est probablement à attribuer au Gāndhāra, sensible aux influences gréco-romaines; il est adopté également par les deux autres centres.

La présence de l'image de culte (Bouddha, Jina, puis idoles

Lauros - Giraudon - Nov

Bassin sacré et gopura (porte monumentale) du temple de Mīnākṣī, à Madurā. Art des Nāyak. XVIIe s.

Le Grand Départ, relief de l'école d'Amarāvatī. Le Bodhisattva, protégé par les dieux, s'échappe de son palais pour devenir ermite. Marbre. IIe s. (Musée Guimet, Paris.)

Lauros - Giraudon

brahmaniques) ouvre non seulement une voie nouvelle à la sculpture et à la peinture, mais aussi à l'architecture, permettant au temple indien (excavé ou construit) d'évoluer selon les religions. Les périodes gupta (ive-ve s.) et post-gupta (vie-viiie s.) représentent l'âge classique de l'art indien. Les derniers chefs-d'œuvre de l'architecture rupestre datent de cette époque; ils furent non seulement inspirés par le bouddhisme (Aurangābād*, Ellorā*, Ajaṇṭā*), mais aussi par le jinisme (Ellorā) et le brahmanisme (Ellorā, Elephanta*). Les sanctuaires construits, modestes et peu nombreux au ve s., vont peu à peu dominer l'architecture hindouiste à partir des viie et viiie s., suscitant selon les régions des styles originaux et de plus en plus élaborés. Aihole*, Bādāmi*, Pattadakal sont les témoignages du raffinement des Cālukya occidentaux. Plus au sud, à Mahābalipuram*, les Pallava vont édifier les *ratha,* petits sanctuaires monolithes sculptés dans des masses rocheuses, puis le temple du Rivage (appareillé), dont l'élévation, constituée d'un soubassement, d'un corps de bâtiment peu important, d'une toiture en pyramide à degrés formés par la répétition des corniches et de leurs motifs décoratifs, semble être le prototype des sanctuaires élevés ultérieurement dans cette partie de l'Inde. Les temples brahmaniques se caractérisent par l'extension de leur plan, la multiplication des enceintes et des porches *(gopura)* et leurs tours-sanctuaires aux toitures curvilignes — fréquentes dans le Deccan, au Gwālior et en Orissa (*śikhara* du Liṅgarāja à Bhubaneswar*) — ou bien aux toitures en pyramide à degrés — utilisées dans le Sud (*vimāna* de Tanjore*). Ces tours-sanctuaires atteignent là des dimensions colossales, avant d'être à nouveau moins importantes, pour laisser les *gopura* devenir monumentales, au xiiie s., à Cidambaram*. Les constructions de Madurā (auj. Madurai*) représentent l'aboutissement de ce gigantisme architectural. S'inspirant des principaux types de sanctuaires, des styles régionaux s'épanouissent durant la période médiévale : tels celui de la dynastie Hoysala, au Mysore, typique par son foisonnement décoratif, ceux du Gujerat, du Kāthiāwār et du Rājasthān, qui privilégient le plan étoilé et la coupole encorbellée, celui du Cachemire*, résurgence de traditions anciennes du Gāndhāra...

La sculpture gupta atteste la parfaite assimilation des influences étrangères des périodes précédentes, et, transfigurée, l'image du Bouddha, d'une grande pureté de lignes, est toute empreinte d'intériorité; cette idéalisation et cette science du modelé se retrouvent aussi dans les bas-reliefs, souvent moins figés que les œuvres isolées. L'harmonie et l'équilibre marquent encore les œuvres bouddhiques post-gupta, mais, peu à peu, la prédominance du brahmanisme et ses conceptions esthétiques différentes animent la plastique d'un rythme dynamique admirable qui domine aussi les très beaux bronzes de style dravidien (ixe-xe s.) du sud-est de l'Inde. Intimement unie à l'architecture, dont elle est l'ornement décoratif exubérant, la sculpture de l'époque médiévale, avant d'arriver à une certaine sécheresse stéréotypée, atteint les sommets d'un raffinement érotique et intellectuel (Khajurāho*).

D'inspiration religieuse, la peinture murale, qui nous est parvenue, évolue entre les premiers siècles et les xie-xiie s. Ses plus parfaites réussites se rencontrent dans les fondations rupestres, dont Ajaṇṭā* reste le plus fameux exemple. Organisées sans divisions, les scènes se succèdent en obéissant aux lois de traités très précis. Les couleurs des œuvres les plus anciennes sont le blanc, le rouge et le noir, auxquels s'ajoutent le jaune et le vert (ou le bleu) à la période classique. Les premiers manuscrits (sur feuilles de palmier) de l'école pāla, vers le xie s., illustrés de figures de petites dimensions au graphisme ferme et aux tons assez vifs, sont essentiellement religieux; les premiers manuscrits sur papier sont datés du xiie s. Les peintures murales de la période médiévale sont rares, et, comme la sculpture, elles confirment le goût du détail et la surcharge décorative, caractéristiques de cette époque.

Ayant parfaitement assimilé les apports extérieurs — auxquels il est sensible dès les temps les plus reculés — l'art indien, malgré des règles religieuses contraignantes, témoigne d'une profonde originalité et il laisse non seulement s'épanouir des écoles locales, mais aussi celles qui subiront son ascendant dans tout le continent asiatique.

L'Inde islamique voit le développement de nombreuses écoles régionales : celles de Delhi* et du Gujerat, avec des réalisations aussi parfaites que les édifices d'Ahmadābād*, qui conservent un caractère proprement hindou. L'école du Malvā est typique par ses constructions rehaussées d'incrustations de céramiques de couleur et de pierres (Mandū et Dhar).

L'architecture du Deccan est caractérisée par l'association des influences de Delhi et de l'Iran (Gulbargā*). Golconde* conserve de très beaux spécimens de l'art funéraire et Bijāpur*, d'innombrables monuments aux dômes bulbeux particuliers. Les souverains de la dynastie moghole* laissent des œuvres splendides, comme le Tādj Mahall*, les constructions d'Agrā*, de Lahore, de Tatta et de Peshāwar*; on leur doit également la création de l'une des plus célèbres écoles de miniaturistes; celles du Rājputāna, du Bengale et du Deccan sont inspirées par les thèmes brahmaniques, celles du Gujerat plus particulièrement par les sujets jaïns. Ces divers centres maintiendront un temps les traditions nationales, mais bientôt, l'art indien, à partir de la domination européenne, subit une profonde décadence.

INDE FRANÇAISE ou **ÉTABLISSEMENTS FRANÇAIS DE L'INDE,** territoires de l'Inde qui constituaient jadis une colonie française. C'est au xviie s. que les Français s'établissent aux Indes (Surat, 1668; Masulipatam, 1670) sous le couvert de la Compagnie des Indes orientales (1664). De comptoirs en comptoirs, ils finissent par s'installer dans une dizaine de villes, notamment : Pondichéry (1674), Chandernagor (1686), Mahé (1721), Kārikāl (1738), Yanaon (1751). Puis se développe un long conflit avec la Compagnie anglaise. L'Inde française connaît alors sa plus grande extension : Dupleix* profite de la guerre de la Succession* d'Autriche pour se rendre maître de Madras (1746) et établir son protectorat sur Hyderābād et le Carnatic; mais la défaite de Lally-Tollendal devant Clive (1761) amène la perte des Établissements français de l'Inde, le traité de Paris (1763) ne laissant à la France que cinq comptoirs — Chandernagor, Pondichéry, Mahé, Kārikāl, Yanaon — et douze « loges ». Après la suppression de la Compagnie des Indes (1794), ces établissements sont directement gérés par la France. Autonome sur le plan de la gestion à partir de 1939, l'Inde française devient indépendante et s'intègre à l'Union indienne entre 1952 et 1956.

INDÉMAILLABLE → BONNETERIE.

INDÉPENDANCE *(Cybern.)* → AUTONOMIE.

indépendance américaine *(Déclaration d'),* document dans lequel le Congrès américain proclama l'indépendance des colonies unies d'Amérique. C'est en janvier 1776 que les radicaux du Congrès américain réclament officiellement la signature d'une telle déclaration. Préparé par un comité animé par Thomas Jefferson, John Adams et Benjamin Franklin, le texte — qui insiste sur la notion de liberté individuelle et condamne la politique coloniale anglaise — est signé par les représentants des treize colonies le 4 juillet 1776.

Indépendance américaine *(guerre de l'),* conflit armé entre Britanniques et colons américains (1775-1782). Il éclate le 19 avril 1775 à la suite de l'accrochage de Lexington : il s'aggrave après la décision de la Virginie de chasser son gouverneur anglais, et après la prise de Ticonderoga par Ethan Allen (10 mai). Le 15 juin, George Washington* est investi par le Congrès du commandement en chef des troupes américaines; en mars 1776, il s'empare de Boston. Cependant, les Insurgents — très individualistes — manquent d'armes et de chefs face aux troupes aguerries des Anglais. Aussi, par l'intermédiaire de B. Franklin*, demandent-ils

Le siège de Yorktown, en Virginie, qui s'acheva, le 19 octobre 1781, avec la capitulation anglaise face aux troupes franco-américaines de Washington et de Rochambeau. Détail d'un tableau de Van Blarenberghe. 1784. (Château de Versailles.)

Lauros-Giraudon

l'aide de la France, qui envoie d'abord des volontaires — dont La Fayette* — puis, après la défaite anglaise de Saratoga (17 oct. 1777), qui s'allie officiellement avec les Américains (6 févr. 1778). En 1780, le comte de Rochambeau débarque avec 6000 hommes; son action, jointe à celle de Washington, aboutit à la capitulation de l'Anglais Cornwallis à Yorktown (19 oct. 1781). Le traité de Versailles (1783) officialise l'indépendance des États-Unis d'Amérique.

INDEPENDENCE, v. des États-Unis (Missouri), à l'E. de Kansas City; 102 000 hab.

Indes *(Compagnie française des),* association privilégiée, qui succéda, en 1719, à la Compagnie d'Occident, créée en 1717 à l'instigation de Law*. Dissoute en 1721, réorganisée en 1722, elle renonça à l'exploitation du Nouveau Monde pour se consacrer aux comptoirs africains et asiatiques. Après sa défaite devant la Compagnie anglaise en 1763, elle perdit son monopole (1769). Recréée par Louis XVI sous le nom de « Nouvelle Compagnie des Indes », elle perdit de nouveau son privilège en 1790 et disparut en 1794.

Indes *(Conseil des),* organisme espagnol, créé en 1511 et supprimé en 1834, qui avait pour mission d'administrer le Nouveau Monde; présidé par le grand chancelier des Indes, il fut l'équivalent, pour les Indes, du Conseil de Castille.

Indes *(Empire des),* nom porté, de 1877 à 1947, par les possessions britanniques de l'Inde*.

Indes galantes *(les),* opéra-ballet, paroles de Fuzelier, musique de J.-P. Rameau (1735). Écrit dans la tradition de Campra, ce divertissement se divise en quatre entrées : *le Turc généreux, les Incas du Pérou, les Fleurs, les Sauvages,* où alternent récits, airs, chœurs et danses. L'hymne au soleil et la chaconne finale sont restés célèbres.

Indes occidentales *(Compagnie française des),* association privilégiée (1664-1674), qui avait le monopole, accordé par Colbert, de l'exploitation du domaine africain et du domaine américain.

Indes occidentales *(Compagnie hollandaise des),* association privilégiée, fondée en 1621, dissoute en 1674 et reconstituée de 1674 à 1791. Elle avait le monopole du trafic (traite des Noirs, surtout) sur les côtes orientales de l'Amérique et les côtes occidentales de l'Afrique.

INDES-OCCIDENTALES (FÉDÉRATION DES), en angl. **West Indies,** unité politique, de brève existence (1958-1962), qui englobait les anciennes Antilles britanniques. Sa capitale était Port of Spain.

Indes orientales *(Compagnie anglaise des),* compagnie à charte, fondée à Londres, en 1600, pour le commerce avec les pays de l'océan Indien, puis avec l'Inde seule. Elle fut à l'origine de l'Inde* anglaise, sa première possession étant Madras (1639). Soutenue par la Couronne, elle brisa, au XVIIIe s., la concurrence française. Contrôlée par Londres à partir de 1784, elle perdit ses privilèges en 1833 et disparut en 1858, après la révolte des cipayes.

Indes orientales *(Compagnie française des),* association privilégiée, créée en 1664 par Colbert et qui reçut le monopole du commerce dans les océans Pacifique et Indien. Son action fut dès l'abord décisive et elle enracina la présence française en Inde. En 1719, elle fut absorbée par la Compagnie des Indes, de Law*.

Indes orientales *(Compagnie hollandaise des),* association privilégiée, fondée en 1602 et dissoute en 1798. Elle fut à l'origine de l'Empire* colonial néerlandais à Ceylan et en Insulinde. Son gouverneur général résidait à Batavia.

Index, catalogue officiel des livres interdits aux catholiques, à cause du danger qu'ils semblent présenter pour la foi ou les mœurs; l'établissement de ce répertoire remonte au XVIe s. En application des réformes de Vatican II*, cette censure a été abolie en 1966.

INDEXATION. — L'indexation est une modalité selon laquelle un intérêt*, un loyer, un prix*, un salaire*, le remboursement d'un prêt, etc., varient en fonction d'un indice déterminé. Si cette variation est automatique, on parle d'« indexation », si elle ne l'est pas et doit faire l'objet d'une convention, on parle de « révision ».

Une indexation correcte est celle qui ajuste les rémunérations au taux effectivement réalisé de hausse des prix, mais s'écarte de toute idée de prévisions (erronées, le plus souvent, ou exagérées) de hausse future des prix. L'indexation peut dès lors, tout en préservant les revenus, ne pas remettre en cause la politique de contrôle de l'inflation*.

INDIANA, État des États-Unis, entre la vallée de l'Ohio et le lac Michigan; 93 993 km^2; 5 194 000 hab. Capit. *Indianapolis.* État au relief monotone et au climat continental, l'Indiana est un grand producteur de maïs et de soja, à la base d'un important élevage (porcs et volailles, surtout). Le sous-sol fournit du charbon et de la pierre à bâtir. L'industrie (métallurgie lourde et de transformation, notamment) est surtout représentée dans le Nord-Ouest, qui appartient à la zone d'attraction de Chicago, et dans la capitale, de loin la plus grande ville de l'État.

INDIANAPOLIS, v. des États-Unis, capit. de l'État d'Indiana; 745 000 hab. Université. Circuit pour courses automobiles.

INDIAN POINT, localité des États-Unis (New York), sur l'Hudson. Centrale nucléaire.

INDICATEUR *(Chim.).* — Les *indicateurs colorés* sont en général des acides ou des bases faibles dont la molécule, qui possède une certaine couleur, fournit par dissociation un ion de couleur différente, de sorte que la teinte de l'indicateur dépend de son degré d'ionisation. Chaque indicateur vire donc pour une certaine valeur du pH. Les indicateurs le plus couramment employés sont l'hélianthine, le tournesol et la phtaléine.

Outre leur emploi dans l'analyse chimique, les *indicateurs radioactifs* ont de nombreuses applications industrielles, biologiques et thérapeutiques (contrôle des épaisseurs, métabolismes, traitements anticancéreux).

INDICE *(Écon.).* — La notion d'indice (v. INDICE STATISTIQUE) est associée au concept de variation d'une grandeur économique.

L'*indice simple* permet de figurer le rapport entre deux grandeurs mesurées. Si, en 1970, le « prix » d'un article donné est de 100 et si, en 1977, le prix de ce même article est de 115, l'*indice de variation du prix* de cet article, entre les deux dates, est de « 1,15 » (ou de « 115 »). Le nombre 100 est appelé « référence », ou « base ».

Les *indices synthétiques* peuvent regrouper des indices particuliers de même nature ou de nature différente. Ils sont d'un maniement délicat et peuvent présenter certains dangers.

Parmi les indices économiques les plus significatifs, on peut citer : les indices de prix et de salaires; les indices de la production industrielle (indice général avec bâtiment et travaux publics, indice général sans bâtiment et travaux publics); les indices des valeurs de la Bourse de Paris.

• *Indices des prix.* On a connu successivement : en 1950, l'indice des 213 articles (où l'alimentation représentait 58 p. 100); en 1957, l'indice des 250 articles (y apparaissaient l'essence et l'équipement ménager); en 1962, les 259 articles (l'automobile y apparaissait pour la première fois); en 1970, les 295 « postes ». Tous ces indices mettent en lumière une diversification des consommations et une part en diminution sensible de l'alimentation.

L'Institut national de la statistique (I. N. S. E. E.) élabore un indice très précis (les méthodes d'élaboration en sont cependant contestées par les syndicats), deux cent cinquante enquêteurs spécialisés effectuant chaque mois, dans les villes de France, 160 000 relevés de prix pour 25 000 points de vente.

INDICE STATISTIQUE. — D'une manière générale, un indice est un nombre calculé pour caractériser les variations relatives, dans le temps ou dans l'espace, d'une grandeur directement mesurable ou observable *(indice élémentaire),* ou, plus généralement, d'un concept associé à un certain nombre de grandeurs considérées comme représentatives d'un ensemble non directement observable *(indice agrégatif).* Un indice agrégatif, ou synthétique, est généralement une moyenne* arithmétique pondérée d'indices élémentaires, dont les coefficients de pondération ont été choisis pour tenir compte de l'importance attribuée à chacun des éléments constitutifs du concept global.

INDIEN *(océan),* océan compris entre l'Afrique, l'Asie méridionale, l'Australie et le continent antarctique; 75 millions de kilomètres carrés.

L'océan Indien est le plus petit et le moins bien connu des trois océans. Ses fonds sont accidentés par trois dorsales, entrecoupées de décrochements, qui se disposent en un Y renversé : au N., la dorsale de Carlsberg, qui sort du golfe d'Aden; au S.-O., la dorsale sud-ouest indienne, qui va rejoindre la dorsale médioatlantique; au S.-E., la dorsale sud-est indienne, qui va rejoindre la dorsale pacifique. Elles délimitent trois vastes domaines, formés de bassins séparés par les seuils qui émergent parfois en îles (seuils des Seychelles à l'O., des Kerguelen au S., des Cocos à l'E.). Les fosses y occupent des superficies très réduites. Elles sont localisées en contrebas de l'arc insulaire que constituent les îles de Java et de Sumatra, et atteignent la profondeur maximale de 7 450 m (fosse de Java). Les autres marges continentales sont formées par une large plate-forme se raccordant aux fonds abyssaux par un talus qui, dans la mer d'Oman et le golfe du Bengale, est masqué par les énormes cônes deltaïques de l'Indus et du Gange.

La circulation océanique de l'océan Indien, dont l'extension vers le nord est très limitée, est fortement marquée par la mousson. En été, la disposition des courants* est comparable à celle des autres océans. Le courant équatorial, qui s'écoule de l'est vers l'ouest, se divise en deux branches. L'une longe la côte de l'Afrique vers le sud (courant de Mozambique) et va se heurter au courant circumantarctique qui s'écoule d'ouest en est. L'autre remonte vers le nord et va longer la côte de l'Asie méridionale d'ouest en est (courant de la mousson du sud-ouest). En hiver, par suite du renversement de la mousson, la circulation au nord de l'équateur

principaux Indiens d'Amérique du Nord

groupe algonquin (Algonquins, Arapahos, Blackfeet, Chippewas, Crees, Delawares, Menominees, Ottawas, Yuroks, Wiyots,	50 000 env.	Québec, Ontario. Michigan, Wisconsin. Montana, Minnesota. Oklahoma, Californie.
dont Cheyennes	3 750	Oklahoma, Montana):
Apaches	8 500	Arizona, Nouveau-Mexique, Texas.
Cherokees	4 250	Oklahoma, Caroline du Nord.
Comanches	3 000	Oklahoma.
Navahos	88 000	Nouveau-Mexique, Arizona.
Osages	6 000	Oklahoma.
Papagos	9 600	Arizona, Mexique.
Pueblos	20 000	Arizona, Nouveau-Mexique.
(dont Hopis	3 000	Arizona,
dont Zuñis	3 500	Arizona, Nouveau-Mexique).
Sioux (groupe linguist.)	36 000	du Saskatchewan à l'embouchure de l'Arkansas (Montana, Dakota N. et S., Nebraska).
[dont Crows]	3 000	Montana, Wyoming.

LANGUES D'AMÉRIQUE DU SUD

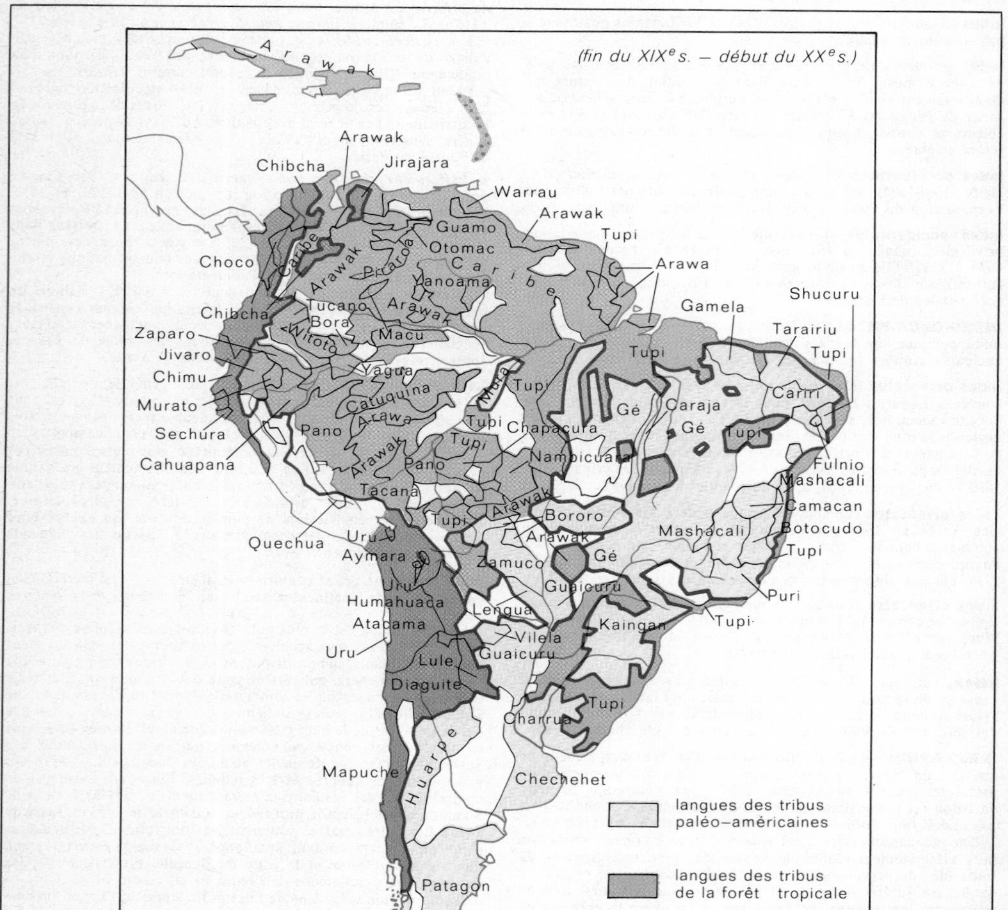

est perturbée : le sens des courants s'inverse et la rotation s'effectue en sens contraire.

Cerné de pays dont, pour la plupart, le développement reste modeste, l'océan Indien a été jusqu'à maintenant peu exploité (en dehors de la recherche du pétrole, dans le golfe Persique). La pêche n'y a guère dépassé le stade artisanal et la circulation maritime y est peu intense, sinon pour l'exportation du pétrole du Moyen-Orient.

INDIEN (Territoire britannique de l'océan), colonie britannique formée par l'archipel des Chagos et englobant jusqu'en 1976 les îles Aldabra, Farquhar et Desroches.

INDIENNES (langues). — Les langues parlées par les Indiens d'Amérique sont extrêmement nombreuses et variées; leur description et leur classification posent encore des problèmes très complexes. En Amérique du Nord, on a regroupé ces langues en grandes familles : esquimau-aléoute, algonquin-wakash, hoka-sioux, na-déné, uto-aztèque-tano. Ces langues ne sont parlées que par un petit nombre d'individus quand elles n'ont pas totalement disparu.

En Amérique centrale, certaines langues gardent un nombre de locuteurs plus important : au Mexique, 3 millions de personnes parlent une langue indienne, principalement le nahualt (670 000 locuteurs). Au Guatemala, 67 p. 100 de la population parlent une langue de la famille maya. Les principales familles sont : la famille uto-aztèque, la famille maya-zoque et la famille otomangue.

En Amérique du Sud, les 1 700 langues recensées ont été regroupées en trois grands ensembles : le macro-chibcha, l'andin-équatorial et le gé-pano-caribe. Certaines de ces langues font encore preuve de vitalité : ce sont le quechua, langue de l'ancien Empire inca (Pérou, Équateur, Bolivie; 6 millions de locuteurs), l'aymara (Pérou, Bolivie), le guarani (Paraguay, sud du Brésil), le tupi-guarani (centre et nord du Brésil).

INDIENS D'AMÉRIQUE DU NORD, autochtones de l'Amérique du Nord. (V. tableau p. 948.)

INDIENS D'AMÉRIQUE DU SUD, autochtones de l'Amérique du Sud. Définis par des critères linguistiques et culturels, les Indiens sont, de nos jours, dans quelques cas, plus nombreux qu'à l'époque de la conquête espagnole malgré les nombreux massacres dont ils sont périodiquement victimes. Aujourd'hui, la principale classification est faite d'un point de vue ethno-linguistique. (V. carte.)

INDIGÉNISME. — L'indigénisme marque l'aboutissement, entre les deux guerres mondiales, d'un courant qui s'est développé dans le Nouveau Monde (spécialement dans le domaine latino-américain) parallèlement à la prise de conscience historique de l'Europe romantique : il s'incarne d'abord dans la célébration de la nature américaine *(l'indianisme)* avant de s'attacher plus particulièrement au problème de la désagrégation des cultures indiennes et de leurs rapports aux systèmes culturels et économiques d'importation coloniale.

INDIGO. — L'indigo naturel contient des proportions variables d'*indigotine,* colorant pur, mêlé à d'autres produits. L'indigotine est aujourd'hui obtenue par synthèse. L'indigo sert essentiellement à la teinture des fibres. Il est réductible en indigo blanc, soluble dans les alcalis, et régénérant l'indigo bleu par oxydation à l'air. On imprègne le tissu d'indigo réduit, ou cuve d'indigo, puis on l'expose à l'air, et le colorant précipite sur la fibre. La pourpre antique est un dérivé bromé de l'indigo, qu'on utilise aussi comme colorant.

INDIGOTIER. — C'est de cette petite légumineuse arbustive des pays chauds, aux feuilles composées pennées, aux fleurs en grappes sises à l'aisselle des feuilles, que l'on extrait la matière tinctoriale bleue, dite « indigo* ». Diverses autres plantes et certaines méthodes de synthèse fournissent d'ailleurs des produits voisins.

INDIGUIRKA, fl. de l'U. R. S. S., dans le nord-est de la Sibérie, tributaire de l'océan Arctique; 1 800 km.

INDIUM. — Élément chimique n° 49, de masse atomique In = 114,82, découvert par Richter en 1863, l'indium doit son nom à une raie indigo de son spectre. C'est un solide blanc, très malléable, fondant à 156,6 °C, de densité 7,3, oxydable, qui donne des sels dans lesquels il est bivalent ou trivalent.

INDIVISION → copropriété et succession.

INDO-ARYEN. — Les langues indo-aryennes constituent la branche indienne de la famille indo-européenne. Elles sont parlées par environ 80 p. 100 de la population actuelle du sous-continent (Inde, Pākistān, Bangladesh, Sri Lanka, Népal). Ces langues, divisées en de très nombreux dialectes, dérivent des prākrits, langues usuelles de l'Inde ancienne qui étaient issues plus ou moins directement du sanskrit, avec de nombreux emprunts aux langues non indo-européennes. Les principales sont : le hindī* et l'urdū*, le bengali (100 millions de locuteurs), le panjābī (45 millions), le marāṭhī (43 millions), le bihārī (40 millions), le gujarātī (25 millions), l'oriyā (Orissa, 20 millions), le rājasthānī (18 millions), l'assamais (10 millions), le népalais (10 millions), le cinghalais (Sri Lanka, 9 millions).

INDOCHINE, grande péninsule de l'Asie du Sud-Est continentale, *entre l'Inde et la Chine,* limitée à l'O. par le golfe du Bengale, au S. par le détroit de Malacca et à l'E. par la mer de Chine méridionale. Elle englobe la Birmanie, la Thaïlande, la Malaisie (partie continentale de la Malaysia), le Laos, le Cambodge et le Viêt-nam.

Indochine *(guerres d')* [*1940-1975*]. Impliquée depuis 1940 dans le déroulement de la Seconde Guerre mondiale, l'Indochine, où la France maintient tant bien que mal sa souveraineté contre les empiétements du Japon, entre en 1945 dans une période de guerre de près de trente ans. C'est d'abord la lutte « de la libération », menée de 1946 à 1954 contre les Français par le Viêt-minh, qui aboutit à l'éviction complète de la France et à la séparation du

chronologie succincte des guerres d'Indochine

— *1945.* Coup de force japonais contre toutes les garnisons françaises d'Indochine (mars). Capitulation du Japon (août). Proclamation par Hô Chi Minh de la république du Viêt-nam (sept.). Suite aux accords de Potsdam, Hanoi est occupé par les Chinois, Saigon par les Anglais, relevés en octobre par les Français de Leclerc.
— *1946.* La France reconnaît la république du Viêt-nam (mars). Échec des négociations franco-vietnamiennes. Leclerc à Hanoi (18 mars). Départ des dernières troupes chinoises du Tonkin (sept.). Incidents de Haiphong (nov.). Hô Chi Minh déclenche la lutte armée contre la France (19 déc.).
— *1947.* La France réoccupe la frontière chinoise (Cao Bang et Lang Son).
— *1949.* Les forces communistes chinoises à la frontière du Viêt-nam; la France transfère ses pouvoirs à Bao Dai.
— *1950.* Reconnaissance du gouvernement Hô Chi Minh par la Chine et l'U. R. S. S., de celui de Bao Dai par les États-Unis et l'Angleterre. Les Français contraints d'évacuer Cao Bang, Lang Son et Lao Kay.
— *1951.* Rétablissement de la situation par de Lattre (coup d'arrêt aux attaques du Viêt-minh sur Hanoi; création d'une armée vietnamienne par Bao Dai).
— *1952-53.* Batailles contre les divisions viêt-minh à Hoa Binh et Na Sam.
— *1954.* Chute du point d'appui français de Diên Biên Phu (7 mai). Accords de Genève (juill.) séparant au 17e parallèle le Viêt-nam en deux États. La France évacue Hanoi (oct.), Haiphong (1955), Saigon (1956).
— *1956-1960.* Guérilla de commandos communistes dans le Viêt-nam du Sud.
— *1960.* Création du Front national de libération (F. N. L.) du Viêt-nam du Sud (Viêt-cong), soutenu à travers le Laos (piste Hô Chi Minh) par les forces du Viêt-nam du Nord.
— *1962.* Création d'un commandement militaire américain à Saigon.
— *1964.* Le Viêt-nam du Nord implante des bases au Cambodge et attaque deux destroyers américains. Les États-Unis aident les forces du Viêt-nam du Sud (21 000 conseillers militaires américains pour son armée) et bombardent le Viêt-nam du Nord.
— *1965-1969.* Accentuation de l'engagement militaire américain au Viêt-nam : 165 000 hommes en 1965; 316 000 hommes en 1966; 540 000 hommes en 1968-69. Présence aux côtés des Américains de contingents australiens, néo-zélandais, sud-coréens et thaïlandais.
— *1968.* Offensive nord-vietnamienne du Têt; bataille de Huê. Ouverture d'une conférence de la paix à Paris (mai).
— *1969.* Début du désengagement militaire des États-Unis (Nixon) au Viêt-nam (juill.). Bataille de la plaine des Jarres (Laos).
— *1970.* Lon Nol prend le pouvoir au Cambodge, d'où il tente de refouler avec l'aide des Américains et des Sud-Vietnamiens les forces des Khmers rouges et du Viêt-nam du Nord.
— *1971.* Nixon confie la direction de la guerre au gouvernement et au commandement sud-vietnamiens (effectifs américains : 284 000 hommes).
— *1972.* Nixon décide le retrait total des forces américaines. Batailles d'An Loc, de Quang Tri et de Kontum. Nouveaux bombardements aériens américains sur le Viêt-nam du Nord. Blocus américain du port de Haiphong (mai). Rencontres et accords entre les États-Unis (Kissinger) et le Viêt-nam du Nord (Lê Duc Tho) sur la fin des hostilités (oct.).
— *1973.* Signature à Paris, le 27 janvier, d'un accord de cessez-le-feu au Viêt-nam. Cessez-le-feu au Laos le 21 février. Évacuation des derniers militaires américains d'Indochine (mars). Fin de l'aide américaine au Cambodge (août).
— *1975.* Les forces nord-vietnamiennes et révolutionnaires du Viêt-nam du Sud entrent à Huê et à Saigon (avril); les Khmers rouges sont à Phnom Penh.

Viêt-nam en deux États. Le Viêt-nam du Nord, soutenu par l'U.R.S.S., et le Viêt-nam du Sud, aidé par les États-Unis, s'affrontent bientôt en une deuxième guerre, qui s'inscrit, cette fois, dans le cadre des relations (allant de l'affrontement au compromis) entre les deux grandes puissances mondiales. Ce conflit se conclut en 1973 par un cessez-le-feu, que suivent le retrait total d'Indochine des troupes américaines, puis, en 1975, l'entrée des Khmers rouges à Phnom Penh et des chars nord-vietnamiens à Saigon, et, en 1976, la réunification du Viêt-nam.

INDOCHINE FRANÇAISE, nom porté, avant l'indépendance du Viêt-nam*, par les anciennes possessions françaises de la péninsule indochinoise : colonie (Cochinchine*) et protectorats (Annam*, Tonkin*, Cambodge* et Laos*).

INDO-EUROPÉEN. — L'indo-européen constitue la plus vaste et la mieux établie des familles de langues. De nombreux textes, dont certains remontent à 2000 ans av. J.-C., ont permis d'en retracer les traits fondamentaux et l'évolution. Il se subdivise en une douzaine de branches (tokharien, indo-aryen, iranien, arménien, hittite, grec, italique, celtique, germanique, baltique, slave, albanais) auxquelles il faut ajouter certaines langues mortes n'ayant laissé que très peu de traces (macédonien, phrygien, thrace, illyrien, etc.). La parenté des langues indo-européennes, pressentie à la fin du XVIIIe s. avec la découverte du sanskrit, a été démontrée par les travaux comparatistes du XIXe s. La découverte, au début du XXe s., du tokharien et du hittite a permis des progrès considérables.

L'indo-européen possédait un système flexionnel très riche et une distinction précise entre le verbe et le nom. Il connaissait huit cas, trois nombres et trois genres. La conjugaison était dominée par la notion d'aspect. Les suffixes étaient très nombreux et la formation des mots par dérivation, courante.

Les Indo-Européens apparaissent dans l'histoire, entre 2000 et 1500 av. J.-C., par des invasions de tribus guerrières bien organisées, connaissant le cheval et la métallurgie du fer (Aryens, Hittites, Achéens). Leur habitat primitif est controversé; il pourrait s'agir des steppes s'étendant du Dniepr au Kazakhstan (IIIe millénaire). L'étude lexicale a permis de déterminer leur mode de vie (agriculture et élevage), leurs structures sociales (organisation patriarcale, hiérarchie des prêtres, des guerriers et des agriculteurs), leur religion (culte des ancêtres, adoration du dieu céleste).

INDOLE. — L'indole, composé hétérocyclique de formule C_8H_7N, est obtenu par réduction de l'indigotine. C'est un solide blanc cristallisé, fondant à 52 °C, d'odeur repoussante. Sous une grande dilution, il est très employé en parfumerie.

INDONÉSIE, en indon. **Indonesia,** État insulaire de l'Asie du Sud-Est; 1 900 000 km^2; 139 000 000 d'hab. *(Indonésiens).* Capit. *Jakarta.*

GÉOGRAPHIE

• *Le milieu naturel.* Le pays correspond à un archipel qui s'étire sur 5 000 km d'O. en E. et 2 000 km du N. au S. Il comprend une multitude d'îles, parmi lesquelles sept îles, ou ensembles (Java, Sumatra, Kalimantan [partie indonésienne de Bornéo], Célèbes, les groupes des Moluques et des petites îles de la Sonde, la Nouvelle-Guinée occidentale [ou Irian Barat]), regroupent l'essentiel de la superficie et de la population. Ces îles présentent une très grande diversité de paysages. Toutes sont marquées par un relief montagneux résultant d'une orogenèse récente, encore active. Les manifestations volcaniques sont très fréquentes, surtout en bordure de l'océan Indien (Sumatra, Java, Flores). On dénombre environ 600 volcans, dont beaucoup sont encore actifs. Les plaines occupent des superficies réduites (nord de Sumatra, sud de Kalimantan) et sont marécageuses et insalubres. L'ensemble du pays connaît un climat équatorial chaud et humide, marqué par les très faibles amplitudes de température. Le total des précipitations présente des nuances locales dues à l'exposition ou à l'influence de la mousson, mais il ne tombe jamais au-dessous de 1 m et atteint 3 m à Kalimantan. La permanence de l'humidité explique la grande extension de la forêt dense, qui recouvre totalement certaines îles (Kalimantan, Irian Barat), formant une mangrove impénétrable sur les côtes. Mais les sols les plus riches, développés sur les roches volcaniques, ont été généralement défrichés et intensément mis en valeur (Java).

• *La population.* La densité de l'ensemble du pays est moyenne (72 hab. au km^2), mais elle recouvre de très grandes différences entre les îles. Certaines sont presque vides, à l'exception de taches de peuplement récentes liées à l'exploitation de matières premières; leurs forêts sont habitées par des tribus d'indigènes vivant de la chasse et de la cueillette (Dayaks de Kalimantan, Papous de Nouvelle-Guinée). D'autres îles sont, au contraire, surpeuplées (Java, Bali), et la situation s'aggrave avec l'accroissement démographique rapide, problème majeur du pays. Les tentatives de redistribution de la population à l'intérieur de l'archipel ont eu jusqu'à présent peu de résultats : l'hostilité des conditions naturelles des îles les moins peuplées décourage la plupart des immigrants. Le taux moyen d'urbanisation reste faible : 20 p. 100 des habitants seulement résident dans des villes. Celles-ci se concentrent dans les deux îles les plus peuplées : Sumatra et surtout Java.

villes principales

	nombre d'hab.		*nombre d'hab.*
Jakarta (Java)	4 576 000	Medan (Sumatra)	635 000
Surabaya (Java)	1 556 000	Palembang (Sumatra)	583 000
Bandung (Java)	1 202 000	Macassar (Célèbes) ou Ujungpandang	435 000
Semarang (Java)	646 000		

• *L'économie.* L'agriculture reste le secteur dominant. Elle emploie les trois quarts de la population active, mais guère plus du dixième de la superficie du pays est mis en valeur. Le riz (de 20 à 25 Mt) constitue la base de l'alimentation. Il est cultivé de manière intensive sur les terrasses inondables aménagées sur les versants

INDONÉSIE

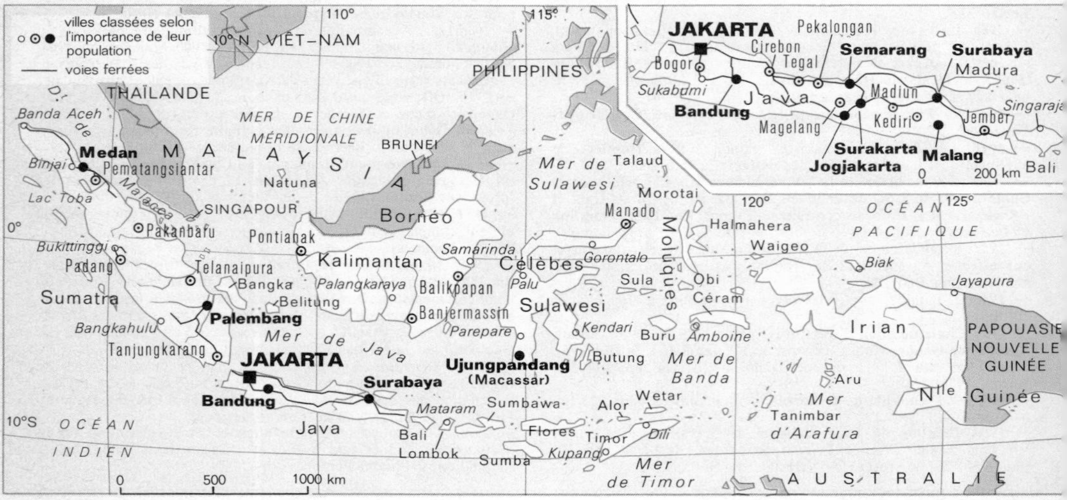

montagneux, principalement à Java. Ce type de culture exige une main-d'œuvre importante mais donne des rendements très élevés. Cependant, en raison de la pression démographique, la production est insuffisante et la sous-alimentation sévit encore certaines années. Dans les zones moins peuplées, et qui ont été moins bien mises en valeur, la population pratique souvent l'agriculture itinérante sur brûlis, fournissant manioc, patates et parfois riz. Mais les rendements sont beaucoup plus faibles et les sols s'épuisent rapidement si les cultures sont fréquentes. Les cultures commerciales occupent une place importante. Les plantations ont été créées au temps de la colonisation hollandaise. L'Indonésie reste le deuxième producteur mondial de caoutchouc naturel (près de 1 Mt) et fournit également du café, du thé, de l'huile de palme et du tabac. Mais ces cultures souffrent des aléas du marché international. La pêche apporte un complément de ressources, alors que les richesses potentielles de la forêt ne sont pratiquement pas exploitées.

L'Indonésie possède d'abondantes richesses minières que les Hollandais avaient commencé à exploiter. L'étain et la bauxite ont perdu leur importance devant le pétrole (65 Mt), dont les principaux gisements sont localisés à Sumatra, à Kalimantan et sur la plate-forme de la Sonde. Les réserves en cuivre, nickel, manganèse, etc., paraissent notables, mais leur exploitation est à peine amorcée. Le potentiel hydroélectrique n'a guère été mis en valeur. La plupart des matières premières sont encore exportées à l'état brut. Les rares industries légères (textiles, constructions mécaniques, industries alimentaires) sont concentrées dans les principales villes de Sumatra et surtout de Java. La production industrielle demeure donc insuffisante et la structure du commerce extérieur est typique d'un pays en voie de développement. L'Indonésie exporte ses matières premières (pétrole, caoutchouc, étain) et doit importer des biens d'équipement et de consommation. Grâce aux abondantes ressources naturelles, la balance commerciale est largement excédentaire, les partenaires principaux étant les États-Unis et le Japon. Les principaux ports de commerce sont situés à Java : Surabaya, Tanjungpriok (port de Jakarta) et Semarang.

HISTOIRE. L'histoire proprement dite de l'Indonésie (anciennes Indes néerlandaises) commence au ve s. apr. J.-C. avec l'apparition des premiers textes sanskrits, lesquels attestent une forte influence indienne qui se maintient jusqu'au XIVe s. Des États indianisés s'épanouissent alors, notamment à Java*, où la dynastie de Kediri s'impose au XIIe s. et où, au XIVe s., l'empire de Majapahit atteint son apogée avec le roi Rājasanagara (de 1350 à 1389). Par la suite, les religions indiennes (brahmanisme, bouddhisme) déclinent au profit de l'islām*, qui est présent dans le nord de Sumatra dès le XIIIe s. et s'étend ensuite sur une bonne partie de l'Insulinde, jalonnant celle-ci de sultanats, notamment celui de Pajang (1568-1586), supplanté par celui de Mataram.

Au XVIe s. apparaissent les Européens : Portugais, qui s'emparent de Malacca (1511); Espagnols, qui s'installent dans les Moluques (1521-22). Le commerce qu'ils pratiquent (poivre, girofle...) et leur zèle missionnaire modifient dans les îles le réseau des échanges et l'équilibre des sociétés.

En 1602, la Compagnie hollandaise des Indes orientales devient, pour deux siècles, l'instrument des marchands hollandais dans l'archipel, la fondation de Batavia (1619) symbolisant une prédominance commerciale qui, d'ailleurs, ne gêne pas l'essor des sultanats. C'est ainsi que les sultans Iskandar Muda (de 1607 à 1636) et Iskandar Thani (de 1636 à 1641) étendent leur loi sur Sumatra et sur la Malaisie, favorisant le développement d'une civilisation brillante. À l'est, c'est Macassar qui joue un rôle de carrefour international, surtout après la prise de Malacca par les Hollandais (1641). À Java, le royaume de Mataram atteint, quant à lui, une puissance importante avec le sultan Agung (de 1613 à 1645).

Cependant, les Hollandais prennent pied dans de nouveaux comptoirs — sur la côte occidentale de Sumatra (1663), à Macassar (1668), à Java (1674) —, des guerres de succession affaiblissant les sultanats. Après la disparition de la Compagnie des Indes (1799), Java reçoit un gouverneur hollandais, Herman W. Daendels (1808) qui, en 1811, cède la place aux Britanniques, lesquels rendent Java aux Hollandais en 1814. Ces derniers doivent faire face à des rébellions à Java (1815-1830) et dans les Moluques.

De 1830 à 1833, le gouverneur Johannes Van den Bosch met en place un « système de cultures » forcées, qui saigne le pays à blanc mais enrichit la métropole. Celle-ci songe alors à mettre en place une administration directe sur la totalité des Indes néerlandaises, afin de faciliter la mise en valeur de leurs ressources. Il s'ensuit une longue série de campagnes militaires (1873-1908) pour réduire l'opposition des princes restés autonomes.

Mais, dès 1911 — avec la fondation du Sarekat Islam Indonesia —, l'idée nationale s'éveille. La création d'un parti communiste indonésien (1920-1927) et celle d'un parti national (1927), dirigé par Sukarno*, avivent la conscience nationale. L'arrivée soudaine des forces japonaises (déc. 1941), en coupant pour trois ans les Indes de la métropole (1942-1945), rend possible la naissance de l'Indonésie. Alors Batavia devient Jakarta, l'usage du hollandais est proscrit, l'état-major japonais entraîne une milice indonésienne et met en place un gouvernement présidé par Sukarno.

Dès que le Japon capitule, celui-ci proclame l'indépendance de l'Indonésie (17 août 1945). Mais les Pays-Bas ne s'inclinent pas : guérillas et opérations de police se multiplient (1946-1948) jusqu'à ce que, à La Haye (nov. 1949), les Pays-Bas transfèrent leur souveraineté aux États-Unis d'Indonésie. Cependant, Sukarno, tout en faisant l'expérience d'un régime parlementaire de type occidental, doit faire face à des mouvements séparatistes (1950-1957), tandis que la question de la Nouvelle-Guinée occidentale (Irian Barat) le pousse dans le camp des anti-impérialistes (assises de Bandung, 1955). Des soulèvements militaires ayant éclaté et le parti musulman conservateur (Masjuni), anticommuniste, se montrant particulièrement hostile à la politique unitaire de Sukarno, celui-ci, en 1957, prend les pleins pouvoirs, expulse les ressortissants hollandais et nationalise les compagnies pétrolières; en 1963 l'Irian est rétrocédée à l'Indonésie. Mais les forces conservatrices réussissent, en 1965, à écarter Sukarno au profit d'un « ordre nouveau », incarné dans le général Suharto*, qui, Premier ministre en 1967, puis président de la République avec les pleins pouvoirs en 1968, applique une politique résolument pro-occidentale, anticommuniste et antichinoise. En 1976, l'Indonésie annexe le Timor oriental.

BEAUX-ARTS. Caractérisée par une culture aux monuments d'origine mégalithique — associés à un mobilier funéraire et cultuel en bronze (célèbres tambours) —, et apparentée à la civilisation de Dông* Son, l'époque protohistorique s'étend sur le premier millénaire et se poursuit en certains endroits pendant les premiers siècles de l'ère chrétienne.

Java subit très tôt l'influence d'Anurādhapura* et surtout celle de l'école d'Amarāvatī*. L'architecture en matériaux robustes ne laisse des vestiges qu'à partir du VIIe s. L'évolution artistique s'effectue durant trois périodes distinctes : Java central (VIIIe-Xe s.), Java oriental (X^e^-XVe s.), et la période islamique.

Les sanctuaires de Java central s'ordonnent comme ceux de l'Inde — soubassement, *cella*, couverture encorbellée, sous une toiture en faux étages ornée d'édifices en réduction. Comme en Inde, le temple *(candi)* symbolise l'inaccessible lieu où séjourne la divinité. L'ascendant de Mahābalipuram* et de l'architecture des Pallava est également perceptible. C'est l'époque de constructions aussi amples que celles du plateau de Dieng, du candi Mendut, du candi Kalasan aux proportions harmonieuses, de l'énorme ensemble śivaïte du Prambanan ou de Lara Jonggrang, comprenant 8 sanctuaires principaux et 224 templions, et du complexe de Bārābudur*. Le répertoire décoratif est également fourni par l'Inde, mais, transposé, il témoigne de l'originalité de l'art insulaire. Le thème le plus fréquent est celui de deux monstres, le *kāla* et le *makara* (monstre marin pourvu d'une trompe). Comme en Inde, la statuaire bouddhique est empreinte d'hiératisme et d'intériorité, alors que les œuvres śivaïtes sont marquées par le mouvement et le rythme. Les statues du Bouddha du candi Mendut rappellent celles de l'époque post-gupta; les bronzes à cire perdue, très belles réussites techniques aux élégantes proportions, évoquent les œuvres des monastères de Nālandā.

L'époque de Java oriental voit l'accentuation de caractères locaux. Les lignes architecturales sont plus massives; les sanctuaires sont groupés dans de vastes enceintes percées de portes et sont pourvus de « piscine funéraire »; des statues verseuses recueillent l'eau sacrée de la montagne qui, après son passage dans la piscine, irrigue ensuite les rizières. La *cella* s'étire en hauteur, et les motifs décoratifs en médaillons sont assez lourds. Les principaux ensembles sont ceux du candi Kidal, du candi Jawi, du candi Singasari, du candi Jago, et du candi Panataran (ce dernier a été édifié entre 1197 et 1454).

La statuaire funéraire, ornée de parure abondante, est moins souple et s'appuie souvent à des stèles; moyen favori du sculpteur, qui privilégie le paysage, les bas-reliefs illustrent des thèmes proprement javanais. Les bronzes restent de très belle qualité, ainsi que des pièces ornementales et des figurines humaines en terre cuite.

La pénétration de l'islām amène la création d'un style adapté au goût javanais, et où les éléments locaux sont préservés. Mais c'est surtout dans la danse et le théâtre que se perpétue la tradition.

INDONÉSIENNES (langues). — Parlées par des populations nombreuses, des Philippines à Madagascar, les langues indonésiennes font partie de la famille malayo-polynésienne. La plus importante est le malais*, qui a donné naissance à l'indonésien moderne, choisi, en 1928, comme langue d'unification de la république d'Indonésie (près de 100 millions de locuteurs). Appartiennent également à ce groupe : le javanais*, le soundanais et le madourais (Java), le batak (Sumatra), le dayak (Bornéo), le macassar (Célèbes), le tagal (17 millions de locuteurs), le cebuano (8 millions) et l'ilocano (4 millions) aux Philippines, le malgache (6 millions).

INDORE, v. de l'Inde, dans l'ouest du Madhya Pradesh; 544 000 hab.

INDRA, dieu du Ciel, maître de la foudre et dispensateur des pluies fécondantes, divinité suprême du védisme* et du brahmanisme* ancien.

INDRE, affl. de la Loire (r. g.), qui passe à La Châtre, Châteauroux et Loches; 265 km.

INDRE (36), département de la Région Centre; 6 778 km^2; 248 523 hab. Ch.-l. *Châteauroux.* S.-préf. *Le Blanc, La Châtre* et *Issoudun.*

Le département a été découpé dans les anciennes provinces du Berry, de la Touraine, du Poitou et de la Marche. Dans le sud du Bassin parisien, l'Indre occupe, au N., des plateaux de craie recouverte d'argile à silex, domaines de l'élevage bovin pour le lait. Au N.-E., s'étend la moitié occidentale de la Champagne berrichonne, terre de grandes exploitations, fournissant blé, orge, maïs et colza, cependant que s'est maintenu l'élevage ovin. Au S., le Boischaut, plus élevé, herbager, est un pays d'élevage (bovin surtout, mais aussi porcin et ovin) pour la viande. Enfin, à l'O., la Brenne, sableuse et argileuse, est le domaine de la lande et des bois, de la pisciculture dans ses nombreux étangs; elle est aussi consacrée à l'élevage.

L'agriculture emploie encore plus du sixième de la population active, moins toutefois que l'industrie, qui en occupe plus du tiers, liée parfois (textile, travail du cuir), au moins originellement, à l'élevage. Aujourd'hui dominent les constructions mécaniques et électriques. Cependant, l'industrialisation est insuffisante pour retenir la population, qui a notamment diminué pendant la première moitié du XXe s. Une certaine stabilisation s'est opérée depuis la Seconde Guerre mondiale, résultant d'une compensation entre la croissance des villes (jalonnant de loin en loin les vallées de l'Indre et de la Creuse, surtout), d'importance souvent médiocre (seul Châteauroux compte plus de 20 000 hab.) [ce qui explique d'ailleurs aussi la relative faiblesse du secteur tertiaire], et le dépeuplement continu des campagnes. La densité de population est très faible, de l'ordre de 35 habitants au kilomètre carré, guère supérieure au tiers de la moyenne nationale.

INDRE (44610) ou **BASSE-INDRE,** comm. de la Loire-Atlantique, à 8 km à l'O. de Nantes, sur la rive droite de la Loire; 3 709 hab. Métallurgie. Établissement industriel de la marine dans l'ancienne île d'*Indret.*

INDRE-ET-LOIRE (37), département de la Région Centre; 6 124 km^2; 478 601 hab. Ch.-l. *Tours.* S.-préf. *Chinon* et *Loches.*

Le département correspond approximativement à l'ancienne province de la Touraine. C'est un ensemble de régions de basse altitude, différenciées pour leurs inégales aptitudes et l'opposition entre plateaux et vallées. Au N. de la Loire, dans la Gâtine, la polyculture a reculé devant l'élevage des bovins (pour le lait) et de la volaille. Vers l'ouest, sur le sable argileux, se sont développés des bois. Au S. de la Loire, la forêt est aussi présente à la périphérie du département. Sur les plateaux de la Champeigne tourangelle, entre Cher et Indre, dominent les cultures céréalières et fourragères. Au S. de l'Indre, le plateau de Sainte-Maure associe polyculture et élevage (surtout laitier). À l'O. de la Vienne, dans le Richelais, se juxtaposent culture du blé et élevage bovin. Les vallées, sites urbains, portent souvent des prairies dans les parties les plus basses, des vignobles sur les coteaux. Le Val de Loire est particulièrement mis en valeur (céréales, fourrages, légumes, vergers, vignobles, aviculture).

Malgré son importance, l'agriculture n'occupe plus que le huitième de la population active (part cependant encore supérieure à la moyenne nationale), beaucoup moins que l'industrie (environ le tiers), développée récemment et dominée par les constructions mécaniques et électriques. L'industrialisation, longtemps handicapée par l'absence (ou l'éloignement) de matières premières, notamment énergétiques (partiellement palliée aujourd'hui par l'implantation de centrales nucléaires), a été en revanche favorisée par des opérations de décentralisation à partir de l'agglomération parisienne. Elle est d'ailleurs à la base de la forte croissance de la population (plus d'un tiers), enregistrée depuis la Seconde Guerre mondiale, qui a profité essentiellement aux villes, principalement à Tours* dont l'agglomération regroupe plus de la moitié de la population départementale. Le dépeuplement des campagnes se poursuit, la population a, par exemple, diminué de 1968 à 1975 dans tous les cantons de l'arrondissement de Loches. Le poids de Tours explique aussi l'importance du secteur tertiaire, de loin le principal fournisseur d'emplois, qui bénéficie aussi du tourisme, favorisé par la présence de nombreux châteaux de la Loire (dont Amboise, Chenonceaux, Azay-le-Rideau, etc.).

INDRET, partie de la comm. d'Indre (Loire-Atlantique). Richelieu y installa un arsenal en 1639.

INDRI → LÉMURIENS.

INDUCTEUR *(Électr.).* — Dans les dynamos, l'inducteur, fixe, comporte une culasse circulaire en acier et des pôles garnis de bobines inductrices. Dans les alternateurs, l'inducteur, de constitution analogue, est généralement mobile.

INDUCTION *(Philos.).* — Posé par l'empirisme*, et notamment par D. Hume*, le problème de l'induction (est-il possible de légitimer la croyance que l'état futur des phénomènes sera analogue à leur état passé?) a un aspect logique et un aspect psychologique.

La question logique est : Sur quoi se fonde la généralisation ou l'extension d'un raisonnement fait à propos de cas observés à des cas non observés?

La question psychologique est : Pourquoi, bien qu'ils ne disposent d'aucune justification logique, la plupart des gens croient-ils que ce qu'ils n'ont pas observé se conformera à ce qu'ils ont observé?

Dans *la Logique* de la découverte scientifique,* Popper* reformule le problème logique de l'induction. Il est ainsi conduit à s'interroger sur la réfutabilité et la falsifiabilité des théories scientifiques.

INDUCTION *(Phys.).* — L'*induction électromagnétique,* découverte par Faraday, est à la base du fonctionnement des dynamos et alternateurs et de la plupart des couplages de circuits (transformateurs, radioélectricité).

Étant donné un circuit placé dans un champ magnétique tel que le flux d'induction à travers le circuit varie : si le circuit est ouvert, il se produit entre ses bornes une *force électromotrice induite* pendant la variation de flux; si le circuit est fermé, il en résulte un *courant induit.* Le sens de ce courant est tel que son flux propre s'oppose à la variation du flux inducteur.

Lorsque la variation de flux est produite par le déplacement d'un aimant ou d'un circuit, celui-ci est soumis à des forces résistantes; la production de courant est alors une transformation d'énergie mécanique en énergie électrique.

La force électromotrice induite a pour valeur $E = -\frac{d\Phi}{dt}$, opposée à la dérivée du flux par rapport au temps.

Dans toute masse conductrice en mouvement dans un champ magnétique apparaissent des courants induits, dits *courants de Foucault,* qui dissipent de l'énergie.

On nomme *induction mutuelle* l'interaction de deux circuits couplés, c'est-à-dire tels que chacun d'eux embrasse une partie du flux d'induction créé par l'autre.

INDUIT *(Électr.).* — Dans les machines à courant continu, l'induit est enroulé sur une carcasse de tôles qui forme le rotor et qui peut avoir la forme d'un cylindre, d'un anneau ou d'un disque. Dans les alternateurs, l'induit est fixe.

INDULGENCE. — Dans les premiers temps de l'Église, la pénitence publique imposée aux pécheurs pouvait faire l'objet d'une remise plénière ou partielle. Par la suite, le terme d'« indulgence » en est venu à signifier l'intercession spéciale auprès de Dieu, accordée par l'Église en vue de la rémission de la peine due pour les péchés commis. Dans l'histoire de l'Église, la concession d'indulgences en contrepartie d'aumônes a donné lieu a de fréquents abus (v. art. suiv.). Le pape Paul VI, en 1967, a révisé la doctrine des indulgences et les règles de leur application.

Indulgences *(querelle des),* conflit religieux qui préluda à la révolte de Luther contre l'Église romaine. Léon X* promulgua, en 1515, une indulgence* en faveur de ceux qui verseraient une aumône pour l'achèvement de la basilique Saint-Pierre. Il en confia la prédication, pour une partie de l'Allemagne, à l'archevêque de Mayence, Albert de Brandebourg, qui, endetté, misa sur le rapport des aumônes des indulgences pour se libérer de ses emprunts. Ces abus et les outrances oratoires du dominicain Tetzel, destinées à stimuler la générosité des fidèles, émurent Luther, qui s'attaqua non seulement à la richesse et à la fiscalité du clergé, mais aussi au principe même des indulgences, dans un écrit où il synthétisait sa pensée en 95 thèses : celles-ci, déférées à Rome, furent condamnées en 1519 par Léon X.

INDUS, en sanskrit **Sindhu,** fl. d'Asie, tributaire de l'océan Indien. Long de 3 180 km, l'Indus draine un bassin-versant de plus de 900 000 km^2. Né au Tibet, vers 4 500 m d'altitude, il coule d'abord vers le nord-ouest, puis infléchit son cours vers le sud-ouest, franchissant par des défilés successivement la chaîne du Ladakh, puis le Dārdistān, le Grand Himālaya et les Siwālik. Au sortir de la montagne, il n'est plus qu'à 200 m d'altitude et la pente est infime sur les 1 500 derniers kilomètres. L'Indus coule alors dans une vaste plaine d'inondation, avec des étiages d'hiver et des hautes eaux d'été liés à l'origine montagnarde du fleuve et de ses principaux affluents (notamment les célèbres cinq rivières du Pendjab : Jhelam, Chenāb, Rāvī, Biās, Sutlej). Le fleuve, qui se termine par un delta marécageux, est utilisé pour l'irrigation au cœur d'une région aride à l'écart, ou presque, de la mousson.

INDUS *(civilisation de l'),* ancienne civilisation du monde indien. Des recherches archéologiques récentes permettent l'établissement d'un cadre chronologique distinguant les cultures successives (préindusienne, du IVe millénaire à 2 300 av. J.-C.; indusienne, de 2300 à 1800 av. J.-C.; postindusienne, de 1800 à 1000 av. J.-C.) et les diverses zones de leur vaste aire d'extension (Afghānistān, Pākistān, Inde). La civilisation indusienne proprement dite est caractérisée par un urbanisme au tracé rigoureux : plus d'une centaine de cités ont été mises au jour, dont Harappā* et Mohenjo-Daro. Ces villes présentent des équipements hydrauliques très complets, des aménagements commerciaux et d'importants ouvrages défensifs. Les édifices cultuels n'ont pas été reconnus. Le matériau de construction privilégié est la brique crue ou la brique cuite. La nécropole d'Harappā a révélé des rites funéraires. De belle qualité, les statuettes représentent souvent des personnages

Civilisation de l'Indus : Tête sculptée d'homme barbu, provenant de Mohenjo-Daro (Sind, Pākistān). Pierre. IIIe millénaire av. J.-C. (Musée de Delhi.)

F. Brunel

très stylisés. Les formes de la céramique, faite au tour, sont variées, de même que les motifs décoratifs, animaliers, géométriques et végétaux. Les échanges commerciaux sont attestés par la découverte d'objets indusiens en Mésopotamie, outre certaines affinités artistiques. Par son écriture pictographique, tracée sur d'innombrables cachets, la civilisation indusienne appartient à la protohistoire.

INDUSTRIALISATION ET INDUSTRIE. — Le terme d'*industrialisation* désigne, à la fois, le développement de l'*industrie* et le niveau atteint par une activité qui recouvre la production des biens matériels, à l'exception de ceux qui sont fournis par l'agriculture. On distingue parfois les *industries extractives* (la production de charbon, de pétrole brut, de minerai de fer, par exemple) et les *industries de transformation,* qui valorisent ces matières premières, généralement impropres à une utilisation en l'état. Les industries de transformation, très nombreuses, sont de nature variée et, selon leur destination, on peut opposer les *industries d'équipement* aux *industries de consommation,* les secondes utilisant souvent, non plus comme matières premières mais comme capital matériel, les productions des premières. Une autre distinction permet d'individualiser les *industries de base,* c'est-à-dire les activités extractives et de première transformation (sidérurgie, par exemple), qui sont des *industries lourdes* (qualificatif résultant du caractère pondéreux des produits traités et livrés) par opposition aux *industries légères* (qui sont presque toujours des industries de consommation). Sur un plan spatial, on peut distinguer : des *industries liées,* dont la localisation est impérativement imposée par les ressources naturelles (il s'agit évidemment en priorité des activités extractives); des *industries induites,* dont la localisation est plus ou moins imposée, par exemple par la présence d'un marché de consommation (c'est aussi souvent le cas de la sous-traitance); des *industries libres,* dont le prix de revient est peu influencé par l'éloignement des matières premières ou du marché de consommation (c'est le cas de productions très élaborées, de l'électronique, par exemple).

On sait que l'industrialisation touche très inégalement les nations, en fonction des inégalités des ressources naturelles et surtout de l'évolution historique. Dans les pays développés de l'Europe occidentale et de l'Amérique du Nord, l'industrie emploie environ 40 p. 100 de la population active et fournit une contribution au moins équivalente à la formation du produit national brut. Ces parts, surtout la première, sont toutefois en recul, en raison de la croissance rapide du secteur tertiaire, ce qui explique que l'on parle de plus en plus de *sociétés postindustrielles,* alors que, dans le tiers monde, souvent moins de 20 p. 100 de la population active sont occupés dans l'industrie, et l'on évoque alors les *sociétés préindustrielles;* l'industrialisation, qui débute souvent (et parfois à tort) par la mise en place d'activités de base dont les effets d'entraînement sont fréquemment surestimés, est d'ailleurs généralement la condition de leur décollage économique. On peut enfin considérer que les pays socialistes d'Europe sont dans une situation intermédiaire; il s'agit des vraies *sociétés industrielles actuelles,* avec comme dominantes les activités d'équipement, ce qui est une caractéristique de la prépondérance de l'industrie dans l'ensemble de l'économie.

INDUSTRIELLE (révolution). — On appelle « révolution industrielle » l'abandon irréversible, à partir de la fin du XVIIIe s., des structures agraires traditionnelles dans les pays qui s'industrialisent et qui, de ce fait, redistribuent leurs facteurs de production et procèdent à une refonte de la hiérarchie des classes et des valeurs sociales. En fait, l'expression « révolution industrielle » est contestée par les historiens contemporains, qui lui préfèrent les termes « accélération », « décollage » ou « take off ». C'est ainsi que la France n'a pas connu au XIXe s. de révolution industrielle globale mais, sporadiquement, des périodes d'accélération — notamment celle de 1830-1860 — au cours desquelles les progrès du capitalisme industriel et de la technique ont fait avancer l'industrialisation.

En France, la transformation économique est postérieure d'un tiers de siècle à la transformation politique et juridique de 1789, qui fut une condition nécessaire, mais non suffisante, à la réalisation de la révolution industrielle. La production à grande échelle pour un marché élargi supposait, en effet, que soient levées les multiples contraintes technologiques qui s'opposaient à la mécanisation et que des moyens de communication rapides facilitent la circulation des marchandises, les prix de celles-ci baissant assez pour en permettre une diffusion plus importante dans la population.

La révolution industrielle se caractérise par la disparition plus ou moins totale de l'entreprise artisanale (qui travaillait essentiellement à la commande), par la concentration des travailleurs en ateliers, par la généralisation de l'usage des moteurs et par un début d'émigration des campagnes vers la ville, cependant que l'expansion des marchés s'accompagne de l'apparition d'une première société de consommation*; la période cruciale du « décollage » (v. ROSTOW) se situe, en France, sous la monarchie de Juillet et sous le second Empire; elle a été assombrie par une cruelle détérioration des conditions de vie de la classe ouvrière.

Si l'on tente de cerner les causes précises d'une telle transformation, on arrive, en fait, à dégager la présence de conditions propices à l'épanouissement d'un nouveau type de civilisation. Parmi ces conditions, on peut relever : la liberté d'initiative, issue de l'abolition des réglementations de l'Ancien Régime; le désir d'action d'une bourgeoisie limitée jusqu'alors par les institutions; l'amélioration des techniques. Les facteurs financiers (accumulation* de capital) ne semblent pas jouer un rôle particulièrement important, la révolution industrielle se propageant cependant grâce à une rentabilité élevée des capitaux investis dans les entreprises : le taux de profit (après amortissement) par rapport aux capitaux investis était, selon les estimations de Paul Bairoch, de l'ordre de 20 à 30 p. 100 (alors que, à l'époque contemporaine, ce taux est à peine de 10 p. 100), de sorte que, même avec des moyens en capital initialement faibles, les entreprises purent, par autofinancement, se développer rapidement et d'une manière spectaculaire.

Les conditions particulières propres à l'emploi* conditionnèrent également l'éclosion de la révolution industrielle, un mécanisme de stagnation des salaires se faisant sentir en l'absence de toute protection du législateur. Comme il existait (dans le textile, notamment) de larges zones de travail manuel, il suffisait qu'un entrepreneur mécanisé (à la productivité très supérieure) offrît un léger avantage salarial aux travailleurs manuels pour déplacer la main-d'œuvre vers les secteurs industrialisés; cette main-d'œuvre allait, ainsi, être excédentaire, les travailleurs agricoles, de leur côté, quittant la terre pour l'usine.

Il est, enfin, un facteur sur lequel des auteurs contemporains (David Landes) — étudiant les causes de l'antériorité de l'Europe dans le mouvement d'industrialisation — mettent l'accent : l'innovation*, l'entrepreneur* innovateur mettant constamment en cause les anciens agencements de l'entreprise* pour en appliquer de nouveaux. (V. Schumpeter.)

INDY (Vincent D'), compositeur français (Paris 1851-*id.* 1931). Élève de C. Franck, pédagogue, cofondateur de la Schola cantorum (1896), où il a professé un célèbre cours de composition, il a été également timbalier, chef d'orchestre, professeur au Conservatoire de Paris. Directeur de la Société nationale, il a ressuscité maints compositeurs classiques au cours des concerts qu'il a dirigés (Monteverdi, M.-A. Charpentier, J.-S. Bach, Rameau) et sut faire de la Schola cantorum un intense foyer de culture. Compositeur, il est l'auteur d'opéras d'esthétique wagnérienne (*Fervaal,* 1897; *l'Étranger,* 1903), de symphonies (*Symphonie sur un chant montagnard français,* 1887), d'ouvertures (*Wallenstein,* 1880), de poèmes chorégraphiques (*Istar,* 1897) ou symphoniques (*Jour d'été à la montagne,* 1906; *Diptyque méditerranéen,* 1926), de pages pour piano (*Poème des montagnes,* 1881), de musique de chambre. Il a tenté une heureuse fusion entre les esthétiques française et allemande.

Inégalité des chances *(l'),* œuvre de Raymond Boudon (1973). Réunissant les données pertinentes relatives à l'accès aux enseignements ainsi qu'aux performances scolaires, R. Boudon montre pourquoi, dans une société stratifiée, il y a nécessairement une forte relation entre la position sociale d'origine et le niveau de qualification atteint. D'où l'idée que le problème des inégalités concerne la société, et non l'école elle-même.

INERTIE → CINÉTIQUE, DYNAMIQUE et MÉCANIQUE.

INERTIE (force d'). — C'est la résistance que les corps opposent au mouvement et qui résulte de leur masse : la force centrifuge est une force d'inertie.

INÉS DE CASTRO (v. 1320-Coimbra 1355). Elle épousa secrètement l'infant Pierre de Portugal. Assassinée sur les ordres du roi Alphonse IV, père de l'infant, elle fut vengée par Pierre, qui, devenu roi (1357), fit exécuter ses assassins.

INFANTERIE. — Appelée familièrement la *piétaille* ou, plus noblement, la *reine des batailles,* l'infanterie comprend l'ensemble des troupes combattant à pied. Dès l'Antiquité, elle présente les deux aspects qui marqueront son histoire : une *infanterie de ligne,* marchant en rangs serrés, résistant aux assauts ou enfonçant le dispositif ennemi; une *infanterie légère,* capable de patrouiller, de harceler ou de poursuivre l'adversaire. Si, pendant le haut Moyen Âge, l'infanterie est éclipsée par la cavalerie, elle retrouve son importance avec l'invention des armes à feu. Organisée en régiments au XVIe s., elle est dotée, vers 1700, du fusil à baïonnette. Avec ses voltigeurs, ses grenadiers, ses tirailleurs et ses chasseurs, elle prend, sous le premier Empire, une physionomie qui ne changera guère jusqu'à la Première Guerre mondiale. Celle-ci entraînera la transformation de ses unités (qui rassemblent 67 p. 100 de l'effectif des armées en 1914) par la diversification de plus en plus grande de leur armement, qui s'étend, désormais, de la grenade au mortier en passant par la mitrailleuse et le fusil mitrailleur, les armes antiaériennes et antichars, dont la technique moderne (radar, infrarouge) a multiplié l'efficacité. En 1976, l'infanterie la plus évoluée est celle des *régiments mécanisés,* réunissant en un même corps deux escadrons de chars et deux compagnies d'infanterie, équipés de « véhicules transport de troupes » ou de « véhicules de combat d'infanterie », dont l'appellation traduit l'évolution de l'emploi. Mais l'infanterie française comprend, en outre, des *régiments parachutistes,* des *régiments motorisés* (transportés en camions mais combattant à pied), des bataillons de *chasseurs alpins* et des unités d'*infanterie de marine* et de *Légion étrangère.* L'infanterie demeure, avant tout, l'arme du combat rapproché, mené, le plus souvent à pied, par tous les temps et sur tous les terrains.

INFARCTUS. — La nécrose hémorragique d'un tissu ou d'un viscère aboutit à un tissu cicatriciel fibreux qui perd toute valeur fonctionnelle. L'infarctus est dû à un arrêt brutal de la circulation artérielle par embolie ou par thrombose d'une artériole.

L'*infarctus du myocarde* est dû à l'oblitération d'une artère coronaire, souvent précédée de crises d'angine de poitrine survenant à l'effort. Il est marqué par l'apparition brutale d'une douleur constrictive rétrosternale irradiant largement et par une chute de la tension artérielle. L'électrocardiogramme permet le diagnostic; les enzymes cardiaques (transaminases) sont élevées dans le sang. L'évolution peut être émaillée de complications : accidents thromboemboliques, défaillance cardiaque, collapsus, troubles du rythme. Le traitement associe les anticoagulants et le repos.

L'*infarctus intestinal* est marqué par l'apparition brutale de violentes douleurs abdominales, de troubles du transit intestinal, d'un état de choc profond.

L'*infarctus pulmonaire* résulte d'une embolie provenant d'une lésion veineuse périphérique (phlébite) ou d'une lésion cardiaque. Il se manifeste par une violente douleur thoracique angoissante, une dyspnée, une toux qui ramène une expectoration sanglante.

INFECTION. — Les maladies infectieuses peuvent être dues à des bactéries (typhoïde, brucellose), à des virus (rougeole, varicelle) ou à des êtres unicellulaires (protozoaires, champignons). Une période de latence est souvent nécessaire entre la pénétration de l'agent infectieux et l'apparition des signes cliniques. Cette durée d'incubation varie beaucoup suivant les maladies. La transmission d'une maladie infectieuse (contagion) à un autre individu peut se faire par différentes voies : elle peut être directe, d'homme à homme (salive, plaie infectée); indirecte (aliments infectés); indirecte par animal vecteur (insectes).

L'*infection locale* se manifeste uniquement au point où les germes ont pénétré (impétigo*). L'*infection générale* est réalisée lorsque le germe pénètre dans le sang et se dissémine alors à tout l'organisme.

L'*infection focale* est l'infection en foyer dans un tissu ou dans un organe où les germes sont apportés par la circulation à la faveur d'une infection générale.

INFÉRIORITÉ (complexe d') → ADLER *(Alfred).*

INFILTRATION *(Méd.).* — Les *infiltrations pathologiques* peuvent être liquidiennes (infiltration d'urine dans le péritoine lors des ruptures de vessie); elles peuvent aussi être faites de cellules inflammatoires (infiltrats tuberculeux) ou tumorales (cancer).

Les *infiltrations thérapeutiques* peuvent utiliser les anesthésiques locaux (infiltration du nerf dentaire inférieur, des branches du nerf trijumeau), les corticoïdes (infiltrations intra- ou périarticulaires lors des phénomènes douloureux rhumatismaux).

INFILTRATION DES EAUX → PHRÉATIQUE *(nappe).*

INFINI *(Math.).* — On distingue traditionnellement entre infini potentiel (possibilité toujours ouverte d'ajouter 1 à tout nombre *n*) et infini réel (se donnant comme totalité achevée : par ex. l'ensemble $\mathbb{N}$). Mais c'est seulement avec la théorie cantorienne des ensembles* qu'une « science de l'infini » a vu le jour : un ensemble infini y est défini comme un ensemble qui peut être mis en bijection avec une de ses parties propres.

Ainsi peut-on associer à $\mathbb{N}$ l'ensemble $\mathbb{N} - \{0, 1\}$ par la bijection φ telle que $\varphi(0) = 2$, $\varphi(1) = 3$, etc. Certaines propriétés « évidentes » (« la partie est plus petite que le tout ») doivent être abandonnées dès qu'on aborde l'infini. De plus, la théorie des ensembles a permis de distinguer et d'ordonner différentes « sortes » d'infini : infini dénombrable, puissance du continu*, etc. En devenant ainsi l'objet d'une théorie rigoureuse, la notion d'infini a perdu la place centrale qu'elle occupait dans la théologie traditionnelle où elle désignait le caractère à la fois incompréhensible et tout-puissant de Dieu.

Une fonction* devient infinie quand on peut choisir les variables* qui la définissent de façon à obtenir des valeurs aussi grandes que l'on veut. C'est ainsi que, pour la fonction $x \mapsto f(x) = \frac{1}{x}$, quand x prend des valeurs de plus en plus petites se rapprochant de 0, $\frac{1}{x}$ devient de plus en plus grand. Pour $x = 0{,}1; 0{,}01; ...; 0{,}000\,001$; etc.; $\frac{1}{x} = 10; 100; ...; 1\,000\,000$; etc. On dit que $\frac{1}{x}$ tend vers plus l'infini, ce que l'on note $\frac{1}{x} \longrightarrow +\infty$. Le symbole $+\infty$ représente ce que l'on peut imaginer au-delà de toute limite positive. Le symbole $-\infty$ désigne les nombres infiniment grands et négatifs.

Infini turbulent *(l'),* essai de Henri Michaux (1957), consacré aux effets de la drogue, de l'extase quasi mystique (« la folie est un département de la foi ») à l'éclatement douloureux du moi.

INFLAMMATION. — L'inflammation est marquée par un ensemble de réactions (vasculaire, cellulaire, tissulaire et générale) de l'organisme. Elle est provoquée par une agression, quelle qu'en soit la nature (germe, parasite, virus, agent toxique, conflit immunologique). Elle se traduit, cliniquement, lorsqu'il s'agit, par exemple, d'un abcès superficiel, par une rougeur, une chaleur, une douleur et un gonflement locaux, et, sur le plan général, par de la fièvre et une accélération du pouls. Selon leurs caractères cliniques, on distingue les inflammations aiguës (pneumonie, abcès), les inflammations subaiguës (sinusite, salpingite) et les inflammations chroniques (cirrhose du foie).

INFLATION. — Le terme désigne la situation économique caractérisée par une hausse sensible des prix* ou, si l'on préfère, par une détérioration importante de la valeur d'une monnaie*.

Le mot, tel qu'on l'utilise aujourd'hui, apparaît pendant la guerre de Sécession; il concerne alors le développement excessif des signes monétaires entraîné par le financement de la guerre. L'inflation est avant tout un fait monétaire, et de nombreuses analyses du phénomène y voient le résultat d'une « offre de monnaie » exagérée, cette création monétaire étant nécessitée, notamment, par le financement des investissements*.

L'inflation doit être distinguée d'une hausse momentanée de prix, survenant sur certains biens ou sur certains services en certaines périodes de l'année (par exemple lors d'une demande de logements due à la période des vacances), hausse qui ne traduit qu'un déséquilibre temporaire et un avilissement localisé de la valeur de la monnaie. L'inflation réelle a pour symptôme — pour tous les articles constitutifs du coût* de la vie et durant une période donnée — un taux important d'érosion monétaire, le seuil des 10 p. 100 annuels paraissant déterminant en ce sens.

Les causes de ce phénomène sont, tout d'abord, des causes traditionnelles. L'*inflation par la demande,* ou intensification subite de la demande d'un bien ou d'un service, face à un « temps de réponse » de l'économie plus ou moins rapide, est un facteur fondamental d'inflation. Cette inflation porte en elle, d'ailleurs, sa propre cause : les prix montant, la demande s'intensifie d'autant; les acheteurs, éprouvant la crainte de voir les prix s'accroître, préfèrent acquérir dans l'immédiat les biens ou les services qui leur paraissent nécessaires, le phénomène se nourrissant ainsi de lui-même. L'*inflation par les coûts* provient de l'élévation du prix des divers « facteurs » concourant à la production : hausse des salaires, hausse du prix de l'argent, hausse de matières premières (pétrole), composants dont le prix, en augmentation, entraîne un alourdissement des prix de revient des biens ou des services.

Il existe des causes plus particulièrement propres à l'époque contemporaine. Les acheteurs voulant, dans la société de consommation, acquérir très rapidement des biens (maisons, automobiles) [biens que l'on ne pouvait auparavant acquérir qu'au bout d'une génération d'épargne], cette attitude crée une tension au niveau de la demande, qui produit des germes supplémentaires d'inflation. Le crédit*, extraordinairement développé sous toutes ses formes au cours des vingt dernières années, a permis la satisfaction de ces besoins, mais il a créé des processus inflationnistes, des signes monétaires en nombre croissant étant injectés dans le circuit économique.

L'inflation (en deçà, du moins, d'une certaine limite) est un fait accepté par certaines couches sociales (emprunteurs) ou par les entrepreneurs (stimulant pour les affaires); cette mentalité tend à rejeter les politiques anti-inflationnistes, de moins en moins admises malgré les souffrances provoquées par l'érosion monétaire chez les détenteurs de revenus fixes.

La structure du système monétaire international (faisant du dollar le pivot des règlements monétaires internationaux) crée des phénomènes d'inflation « importée », la monnaie des États-Unis pouvant, par suite d'émissions inconsidérées, être porteuse de germes d'inflation dans la communauté mondiale.

INFLORESCENCE. — Le mode de groupement des fleurs* portées par le même rameau est un caractère de classification aussi usité que la structure de chaque fleur considérée isolément. La disposition des fleurs dépend beaucoup de la longueur du pédoncule floral, égal ou inégal d'une fleur à l'autre, mais aussi de l'épanouissement simultané ou successif des fleurs, de l'activité temporaire ou permanente du bourgeon terminal, enfin de la disposition alterne, opposée ou verticillée des pédoncules floraux sur la tige.

Un ensemble de pédoncules courts aboutit à un cylindre de fleurs (*épi* des graminacées; *chaton* des arbres [noisetier]) autour d'une tige normale, ou à un plateau de fleurs (capitule des composées) au sommet d'une tige fortement élargie à l'extrémité (tournesol, artichaut). Dans ce dernier cas, les bractées* florales sont regroupées en une couronne à plusieurs rangs, l'involucre. Un ensemble de pédoncules longs donne une *grappe*, un *corymbe*, ou, si l'inflorescence est verticillée, une *ombelle* (ombellifères).

La floraison précoce du bouton terminal, en arrêtant la croissance en longueur de l'inflorescence, favorise le développement, plus tardif, de fleurs latérales. Le résultat est alors une *cyme*, bilatérale (bipare) ou enroulée (cyme unipare hélicoïdale du myosotis). Une cyme aux pédoncules courts est un *glomérule*. Il est fréquent que l'inflorescence soit « composée » : grappe de cymes, ombelle d'ombellules, épi d'épillets, etc.

En dépit de cette immense diversité, on peut classer les types d'inflorescence en deux groupes : les *inflorescences indéfinies*, dans lesquelles l'éclosion des fleurs se poursuit de la base au sommet, ou des bords vers le centre; les *inflorescences définies*, qui fleurissent d'abord au sommet ou au centre.

INFLUX → NERVEUX *(système)*.

INFORMATION *(Inform.)*. — Au sens le plus large, une information est un élément de connaissance. Un imprimé, une photo, une onde sonore, une onde lumineuse sont des supports physiques grâce auxquels des informations sont matérialisées et peuvent être alors conservées, mémorisées, transmises.

Pour être traitées par un ordinateur*, les informations, qu'on appelle alors souvent *données*, doivent être matérialisées de telle sorte qu'elles puissent être mémorisées, transférées, traitées par des systèmes électroniques. Pour des raisons technologiques, elles sont mises sous forme alphanumérique, c'est-à-dire sous forme de suites de chiffres, de lettres et de caractères spéciaux. Ces données alphanumériques sont elles-mêmes digitalisées ou codées sous forme binaire : suites de bits qui prennent les valeurs 0 ou 1 et qui permettent de représenter des informations d'une complexité quelconque. En général, l'information n'est pas une grandeur additive, comme l'est, par exemple, une grandeur arithmétique : sa logique relève d'une algèbre de Boole*, et c'est parce qu'il est aisé de réaliser des circuits électroniques fonctionnant avec cette même logique que les ordinateurs se sont développés sur une base numérique binaire.

INFORMATION *(Sociol.)*. — Le fait radicalement nouveau des sociétés modernes réside dans leur aptitude à diffuser l'information ou la culture à des publics très nombreux. Dès la fin du XIXe s., les plus grands quotidiens anglais atteignaient déjà des tirages de plus d'un million d'exemplaires. Aujourd'hui, la radiodiffusion et la télévision rassemblent quotidiennement des dizaines de millions d'auditeurs ou de téléspectateurs. Selon les uns, l'expansion des nouveaux moyens de diffusion, appelés communément « mass media » ou « media », a présidé à l'expansion d'une véritable « société de l'ubiquité ». D'autres, comme McLuhan*, estiment que des sociétés autrefois étrangères les unes aux autres retrouvent aujourd'hui, grâce aux médias électriques et électroniques, la chaleur des relations sociales caractéristiques des tribus primitives.

Les nouvelles techniques de diffusion ont présidé, dès le début du XXe s., à un bouleversement à la fois quantitatif et qualitatif de l'information. Celle-ci s'est, à proprement parler, industrialisée. La grande presse, les magazines, la radiodiffusion et la télévision sont tous des moyens d'expression liés au phénomène d'industrialisation. On peut donc estimer, très schématiquement, que l'information, qui fait son apparition avec le XXe s., est spécifique et radicalement originale en ce qu'elle est produite et diffusée selon une technique industrielle.

INFORMATIQUE. — L'informatique n'est pas une science par elle-même; c'est une discipline qui s'appuie sur diverses sciences et techniques : mathématique, logique, physique, électronique, etc. La recherche d'une automatisation du processus de calcul, qui est à l'origine de l'informatique, est une longue histoire. Lorsqu'un ensemble de techniques indispensables s'est trouvé naturellement exister, cette automatisation est devenue réalisable et, d'une manière plus générale, le traitement automatique de l'information* est devenu possible : l'informatique était née. Depuis des siècles existent des supports de calculs, tel le *boulier*. Des machines capables d'exécuter automatiquement une opération de calcul sont apparues au XVIIe s., comme la machine à calculer de Pascal*. Au début du XIXe s., l'Anglais Charles Babbage (1792-1871) définit une machine mécanique capable d'enchaîner des opérations et de recevoir un programme sous forme de cartons perforés, mais elle ne fut jamais construite. En 1847, Boole* lança les bases théoriques de la logique formelle. En 1885, l'Américain Hollerith* breveta le codage de l'information sur cartes* perforées. Puis ce furent les travaux théoriques de Turing (machines élémentaires, automates*), de von Neumann (concept de programme* enregistré débouchant sur l'ordinateur*), de Shannon (théorie de l'information*). Entre 1940 et 1945, l'ère des calculateurs, supports de l'informatique, a vraiment fait ses débuts : calculateurs MARK I électromécanique, ENIAC électronique, puis, entre 1955 et 1960, apparurent les premiers vrais ordinateurs : IBM 704, Bull Gamma 60. S'appliquant d'abord aux problèmes militaires et scientifiques, l'ordinateur fut très vite utilisé pour la gestion administrative et commerciale puis dans tous les secteurs d'activité, les fonctions de manipulation des informations prenant une part grandissante par rapport aux fonctions de calcul. Les progrès de l'informatique, qui se situent bien au-delà de ceux qui ont été réalisés sur l'ordinateur lui-même, ont suivi ou entraîné, entre 1965 et 1975, les progrès importants de l'électronique (tubes, transistors, puis circuits intégrés), des télécommunications, des conceptions en architecture de systèmes et des études théoriques.

On distingue habituellement plusieurs grands domaines de l'informatique.

- L'*informatique théorique :* analyse numérique, théorie de l'information, langages et grammaires, automates, etc.
- L'*informatique des systèmes :* architecture des ordinateurs et des systèmes* d'exploitation, hiérarchie des ressources, communication entre processeurs, réseaux*, etc.
- L'*informatique technologique,* qui se rapporte aux matériels : composants électroniques, semi-conducteurs, mémoires* et

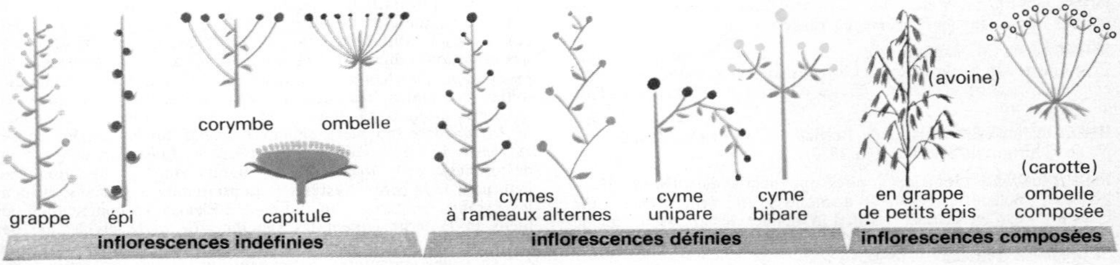

INFLORESCENCE

mémoires auxiliaires, enregistrements sur supports magnétiques, organes périphériques* d'entrée-sortie, etc.

- L'*informatique méthodologique,* qui a trait surtout aux logiciels* : compilation, langages, techniques d'exploitation, analyse, programmation structurée, etc.

- L'*informatique appliquée,* qui couvre toutes les réalisations qui mettent en œuvre les ordinateurs et le traitement automatique de l'information. Elle se rencontre dans la plupart des domaines d'activité de l'homme : scientifique, commercial, industriel, médical, des transports, nucléaire.

INFRACTION → CONTRAVENTION, CRIME, DÉLINQUANCE.

INFRAROUGE. — Les radiations infrarouges, découvertes en 1800 par W. Herschel, grâce à l'échauffement d'un thermomètre placé en dehors du spectre solaire, constituent ce qu'on nommait jadis la « chaleur rayonnante obscure ». Elles sont émises par tous les corps chauds, mais on les produit plutôt au moyen de lampes à vapeur de mercure ou de lampes à incandescence sous-voltées. Elles forment un spectre très étendu entre la lumière visible (0,8 μ) et les ondes radio millimétriques. On les utilise pour le chauffage, le séchage des vernis et des peintures, la dessiccation des aliments, la photographie aérienne et l'émission de signaux invisibles. Elles sont employées en thérapeutique pour leur action locale antalgique et décontracturante.

INFRASTRUCTURE. — L'infrastructure, ou base économique, ou structure, désigne chez Marx* l'ensemble des rapports* de production correspondant à un certain stade de développement des forces* productives.

INFUSOIRES → CILIÉS.

INGA, site du Zaïre, dans les gorges du Congo inférieur, au N. de Matadi. Important aménagement hydroélectrique prévu.

INGEGNERI (Marcantonio), compositeur italien (Vérone v. 1545-Crémone 1592). Ses madrigaux chromatiques et ses motets *(Sacrae cantiones)* à plusieurs chœurs mêlés d'instruments annoncent l'art de Monteverdi.

INGELMUNSTER, comm. de Belgique (Flandre-Occidentale), au N. de Courtrai; 10 287 hab. (en 1977).

INGEN-HOUSZ (Johannes), physicien néerlandais (Breda 1730-Bowood, Wiltshire, 1799). Il a montré, en même temps que Priestley*, que les plantes fixent, à la lumière, le gaz carbonique de l'air (1780) et a réalisé une expérience célèbre sur la conductibilité thermique des métaux (1789).

Ingénu *(l'),* conte de Voltaire (1767) : un jeune « Huron » canadien, jeté en pleine société française des Lumières, vit avec étonnement le contraste entre sa logique et sa bonté naturelles et le chaos et la corruption de cette société.

INGOLSTADT, v. de l'Allemagne fédérale (Bavière), sur le Danube; 92 000 hab. Château (XVe-XVIe s.) et églises (du gothique au baroque). Centre de raffinage du pétrole. Construction automobile.

INGRES (Jean Auguste Dominique), peintre et dessinateur français (Montauban 1780-Paris 1867). Fils d'un sculpteur ornemaniste, il étudie le dessin à Toulouse puis entre, en 1797, dans l'atelier de David, à Paris. Grand Prix de Rome en 1801, il est déjà lui-même, tout en manifestant son admiration pour Raphaël et pour Titien, dans ses portraits de la famille Rivière (Louvre), peints avant son séjour (1806-1810) à la villa Médicis. Il demeure dix-huit ans en Italie, peint des chefs-d'œuvre comme le portrait assez romantique du peintre *Granet* (1807, musée d'Aix-en-Provence) ou la *Grande Odalisque* (1814, Louvre). Le succès de son *Vœu de Louis XIII* (cathédrale de Montauban) au Salon de 1824 provoque son retour à Paris, où il ouvre un atelier et devient le chef, couvert d'honneurs officiels et de plus en plus intransigeant, de l'école classique face au romantisme (*l'Apothéose d'Homère,* 1827, Louvre). Ayant soulevé de violentes inimitiés, il se replie à Rome (1835-1841) comme directeur de l'Académie de France (*Stratonice,* 1840, Chantilly). Rentré à Paris en maître incontesté, il donne, après *l'Âge d'or,* inachevé, du château de Dampierre (Yvelines), son testament esthétique avec le *Bain turc* (1863, Louvre), où se résume, dans un climat d'érotisme intellectuel, son obsession de l'arabesque. La recherche d'une beauté intemporelle s'exprime chez Ingres par la primauté accordée au dessin sur tout autre constituant de l'art de peindre (sans parler de la réussite de ses portraits au crayon), et c'est là que peut être trouvée l'unité de sa production, immense et complexe. Très aimé de ses élèves, il ne pouvait cependant leur transmettre, à travers une doctrine trop froidement systématique, le secret de certaines étrangetés de son œuvre personnelle, qui l'ont imposé, en même temps que son amour de la ligne, sa volonté de synthèse et d'abstraction, à l'admiration d'artistes aussi divers que Degas, Cézanne, Gauguin ou Picasso.

INHALATION. — Les inhalations nasales et buccales de vapeurs médicamenteuses ont essentiellement une action locale. Elles sont utiles en cas de rhinopharyngites, laryngites, trachéites.

L'*inhalation d'oxygène* est employée en réanimation, associée ou non à la respiration assistée. Dans l'*anesthésie par inhalation,* moins utilisée actuellement, les gaz anesthésiques (protoxyde d'azote, halothane) sont amenés au cerveau par le sang qui les a fixés au niveau du poumon.

INHIBITION. — Les enzymes ont de nombreux inhibiteurs : les uns agissent par compétition, les autres en altérant l'enzyme elle-même.

En neurophysiologie, la stimulation d'un nerf peut arrêter les mouvements d'un organe. Ainsi, la stimulation du nerf pneumogastrique inhibe la contraction cardiaque. L'inhibition est à la base du phénomène d'innervation réciproque : les mouvements des membres exigent que la contraction d'un groupe musculaire s'accompagne du relâchement du groupe antagoniste.

L'*inhibition psychologique* volontaire est un facteur d'équilibre et de concentration. L'*inhibition pathologique* est un symptôme fréquent, intéressant diverses fonctions mentales. Ainsi celle de la mémoire est à la base des « oublis électifs ».

INITIATION. — Dans les sociétés primitives, les rites initiatiques accompagnent tout changement d'âge, de situation dans le groupe tribal ou de fonction sociale, d'où leur nom de *rites de passage.* Ils comportent trois phases successives : la *séparation* des postulants ou des néophytes; l'*attente* à l'écart de la tribu; l'*agrégation* au groupe des initiés. Il faut distinguer ces cérémonies rituelles collectives des initiations magico-religieuses des féticheurs, des « hommes-médecine » ou des chamans.

Dans l'antiquité grecque, l'initiation comportait deux aspects différents, selon qu'il s'agissait des « petits mystères* » ou des « grands mystères », de la *muêsis* ou de l'*epopteia.* Le processus initiatique comptait quatre parties principales : la *purification,* les *sacrifices,* l'*initiation,* l'*époptie.* Les deux dernières parties se déroulaient toujours pendant la nuit. La purification, à Éleusis comme à Samothrace, comportait des prescriptions diététiques et des ablutions rituelles. Les sacrifices étaient accompagnés de processions, de chants rituels et de danses sacrées. Les cérémonies initiatiques étaient marquées par des spectacles symboliques, par des invocations et par le dévoilement d'objets sacrés, d'où le nom de *hiérophante* (ho hiera phainôn), « celui qui montre les choses sacrées ». Les autres dignitaires étaient le *dadouque,* ou « porteur de torches », et le *hierokêryx,* ou « héraut sacré ». L'initiation avait lieu, pour les « petits mystères », au printemps, à Athènes, et, pour les « grands mystères », en automne, à Éleusis. La confiscation des biens et la mort étaient les sanctions de toute divulgation des secrets initiatiques. Primitive, antique ou moderne, l'initiation présente des caractères *permanents* et *universels,* comme son processus rituel de mort à la vie profane et de résurrection à la vie sacrée, ou comme sa constante « discipline du secret », aussi attentivement observée aujourd'hui qu'elle l'a toujours été. Il importe donc de retenir que l'initiation, en tant que phénomène « transhistorique » et « transculturel », a joué un rôle considérable dans l'histoire et dans la culture.

INJECTION *(Méd.).* — L'introduction d'un médicament en solution aqueuse, alcoolique ou huileuse dans l'organisme peut se faire soit dans une cavité naturelle (vessie), soit à travers la peau (injections parentérales, qui peuvent être sous-cutanées, intramusculaires, intraveineuses, plus rarement intradermiques, intra-artérielles, intrarachidiennes, intra-articulaires, intracardiaques).

INJECTION *(Technol.).* — L'injection d'essence dans le moteur* à la fin du temps de compression de l'air pur remplissant les cylindres assure un dosage rigoureusement correct du mélange carburé à toutes les vitesses de régime du moteur. On utilise une pompe à basse pression qui envoie le carburant à une deuxième pompe chargée de le doser et de l'expédier, par l'entremise d'un distributeur, à l'injecteur désiré, lequel est vissé dans la culasse. L'*injection directe* (ou interne) exige une extrême précision de construction, onéreuse, de la pompe et des injecteurs soumis à une forte pression. L'*injection indirecte* (ou externe), que l'on préfère adopter, envoie le carburant dans la tubulure d'aspiration au voisinage de la soupape d'admission, ce qui permet de travailler à basse pression. Les techniques modernes s'efforcent de faire intervenir un calculateur et un régulateur électroniques se substituant au système électromécanique prévu dans le corps de pompe pour tenir compte, dans le dosage, des variations du régime et de la charge du moteur.

INKERMAN, faubourg de Sébastopol. Victoire franco-anglaise sur les Russes, le 5 novembre 1854. (V. CRIMÉE [*guerre de*].)

INLANDSIS → GLACIER.

INN, riv. de l'Europe centrale; 525 km. L'Inn naît en Suisse, dans les Grisons, où sa haute vallée constitue l'Engadine, grande région touristique. En Autriche, la vallée de l'Inn, de part et d'autre d'*Innsbruck,* forme l'*Inntal,* partie la plus riche et la plus peuplée du Tyrol. L'Inn pénètre ensuite en Allemagne fédérale (Bavière) et, dans son cours inférieur, sépare ce pays de l'Autriche, rejoignant le Danube (r. dr.) à Passau.

INNOCENT Ier *(saint),* pape de 401 à 417. Il fit prévaloir dans l'Église latine la discipline romaine en matière liturgique, juridique et morale, et s'opposa au pélagianisme*; il défendit saint Jean* Chrysostome, déposé et exilé.

INNOCENT II (Gregorio PAPARESCHI), pape de 1130 à 1143. Son élection et son autorité furent contestées par des factions politiques : deux antipapes lui furent opposés, Anaclet II et Victor IV.

INNOCENT III (Giovanni LOTARIO, comte **de Segni**) [Anagni 1160-Rome 1216], pape de 1198 à 1216. Il fut le théoricien de la théocratie pontificale. Pour lui, le pape est l'intermédiaire entre Dieu et les rois : de là vinrent ses démêlés avec Philippe Auguste. À son initiative fut entreprise la quatrième croisade*, qui eut comme seul résultat la prise et le sac de Constantinople (1204); la croisade contre les albigeois (v. CATHARES), dont il porte la responsabilité, rapportera aux Capétiens beaucoup plus qu'à l'Église. Dans sa réforme de l'Église, Innocent III eut la clairvoyance d'encourager la fondation des ordres mendiants*. Le quatrième concile du Latran* (1215) fut le couronnement de son pontificat.

INNOCENT IV (Sinibaldo FIESCHI) [Gênes v. 1195-Naples 1254], pape de 1243 à 1254. Professeur de droit à Bologne, il est l'auteur d'un important commentaire des *Décrétales* (v. CANON [*droit*]). La lutte qu'il mena contre l'empereur Frédéric II* de Hohenstaufen l'amena à affirmer la plénitude du pouvoir pontifical, dont la juridiction est à la fois temporelle et spirituelle.

INNOCENT V → PAPE.

INNOCENT VI (Étienne AUBERT) [† Avignon 1362], pape de 1352 à 1362. Originaire du Limousin, il est élu pape à Avignon. Son pontificat est marqué par la publication de la Bulle* d'or.

INNOCENT VII → PAPE.

INNOCENT VIII (Giovanni Battista CYBO) [Gênes 1432-Rome 1492], pape de 1484 à 1492. Il pratiqua un népotisme scandaleux et combattit les Vaudois et la sorcellerie.

INNOCENT IX → PAPE.

INNOCENT X (Giambattista PAMPHILI) [Rome 1574-*id.* 1655], pape de 1644 à 1655. Adversaire de Mazarin, il s'efforça de rendre à la cour pontificale un peu d'austérité et condamna cinq propositions de l'*Augustinus.*

INNOCENT XI (Benedetto ODESCALCHI) [Côme 1611-Rome 1689], pape de 1676 à 1689. Il combattit le népotisme et le luxe de la société romaine, et entra en conflit avec Louis XIV au sujet de la franchise du quartier de l'ambassade française à Rome (1677-78), puis à propos de la régale* (1688). Il fut béatifié en 1956.

INNOCENT XII (Antonio PIGNATELLI) [Spinazzola, 1615-Rome 1700], pape de 1691 à 1700. Il mit fin à la querelle avec Louis XIV, qui lui restitua Avignon (1693). Il condamna le jansénisme* et le quiétisme*.

INNOCENT XIII → PAPE.

INNOVATION. — Le concept d'innovation a été, pour l'essentiel, introduit en économie par Joseph Schumpeter*. Il s'agit d'un élément essentiellement psychologique. La capacité de percevoir des opportunités, des « créneaux », et la décision de s'aventurer sur des voies nouvelles, formulée par l'entrepreneur-novateur, sont au centre de la vision schumpétérienne de l'entreprise. Le « climat » de l'innovation joue un rôle déterminant.

INNSBRUCK, v. d'Autriche, capit. du Tyrol, sur l'*Inn;* 115 000 hab. Important centre de tourisme et de sports d'hiver (alt. 579-2 343 m). Hofburg, château de Maximilien Ier, très remanié par l'impératrice Marie-Thérèse. Église des franciscains, construite au XVIe s. pour abriter le cénotaphe de Maximilien, que veillent vingt-huit statues de bronze de ses ancêtres. Palais et églises baroques. Maisons gothiques et baroques.

INOCULATION. — L'inoculation des germes par une brèche cutanée ou muqueuse peut se faire chez un même individu d'une région du corps à une autre, par grattage (auto-inoculation [impétigo]), ou d'un individu à un autre (syphilis), ou d'un animal à un homme (vaccine). Au laboratoire, l'inoculation à certains animaux (cobayes, souris, lapins) de produits pathologiques permet d'assurer un diagnostic douteux.

INÖNÜ (ISMET PAŞA, dit **Ismet**), général et homme d'État turc (Izmir 1884-Ankara 1973). Principal auteur de la victoire d'Inönü remportée sur les Grecs en 1921, il représente la Turquie à la conférence de Lausanne* (1922-23). Premier ministre de 1923 à 1937, président du parti républicain du Peuple, il succède à Mustafa Kemal* à la présidence de la République (1938-1950). Après le coup d'État de Gürsel*, Inönü se maintient à la présidence du Conseil de 1961 à 1965.

INOWROCŁAW, v. de Pologne, au N.-E. de Poznań; 56 000 hab. Sel et soude.

Inquisition, nom donné, au Moyen Âge, aux tribunaux chargés de lutter contre l'hérésie au moyen de la procédure d'enquête *(inquisitio).* Le souci de l'efficacité dans la lutte contre l'hérésie cathare amena le pape Innocent III à introduire la procédure inquisitoriale (1199) devant les tribunaux ecclésiastiques. Dans le Midi, la répression fut d'abord confiée aux tribunaux ordinaires, puis aux Dominicains, enfin aux Prêcheurs, auxquels la papauté laissa une indépendance presque totale, avant d'exiger, face aux troubles que suscita l'Inquisition (début du XIVe s.), la collaboration des inquisiteurs et des tribunaux ecclésiastiques ordinaires (1312). Au cours de sa tournée inquisitoriale dans les paroisses, le tribunal procédait à l'interrogatoire systématique de la population, encourageait la délation et soumettait les suspects à la question, ou torture. Les sentences prononcées allaient de la peine de mort à celle de la prison perpétuelle ou temporaire, et s'accompagnaient généralement de la confiscation des biens. Efficace contre le catharisme et le valdéisme (XIIIe s.), et particulièrement active dans l'Espagne du XVIe s., l'Inquisition ne joua en France aucun rôle dans la lutte contre la Réforme et fut supprimée au début du XVIIIe s.

IN-SALAH, oasis du centre du Sahara algérien; 6 000 hab.

INSCRIPTION MARITIME → AFFAIRES MARITIMES *(Administration des).*

INSECTE. — On a décrit plus d'un million d'espèces d'insectes, sur environ deux millions d'espèces que compte le monde vivant tout entier. Et pourtant ce groupe immense ne constitue qu'une *classe* du règne animal, incluse dans l'embranchement des arthropodes, dont les insectes ont tous les caractères généraux : tégument chitineux, corps divisé en anneaux, pattes articulées, pièces buccales externes, croissance par mues, etc. La classe des insectes s'y définit par les caractères suivants : la tête, le thorax et l'abdomen sont nettement distincts; la tête porte une paire d'antennes, des yeux composés et souvent des ocelles, trois paires de pièces buccales; le thorax est formé de trois anneaux portant chacun une paire de pattes (les insectes ont donc six pattes, ils sont presque les seuls dans ce cas), les deux derniers anneaux thoraciques pouvant porter, en outre, une paire d'ailes (les insectes sont les seuls invertébrés ailés, ce qui explique leur succès); l'abdomen, sans appendices, est formé d'anneaux articulés; la respiration est exclusivement trachéenne. Mais cette description ne s'applique qu'à l'adulte. L'insecte qui sort de l'œuf (larve) n'a jamais d'ailes. Sa croissance peut s'accompagner de métamorphoses, souvent si complètes qu'une phase d'immobilisation totale *(nymphose)* est nécessaire pour transformer en adulte une larve qui

tableau sommaire de classification des insectes

métamorphoses	*pièces buccales*	*ailes*	*nom du groupe et exemples*
nulles	broyeuses	nulles	Aptérygotes : lépismes
sans nymphose — larve terrestre	broyeuses	A1 = élytres A2 = motrices	Orthoptères : sauterelles
		A1 + A2 = motrices	Homoptères : cigales, pucerons
	piqueuses	A1 = hémélytres A2 = motrices	Hétéroptères : punaises
larve aquatique	broyeuses	A1 + A2 = motrices	Odonates : libellules
avec nymphose	broyeuses	A1 = élytres A2 = ailes motrices pliantes	Coléoptères : hannetons
	piqueuses	A1 = motrices A2 = simples balanciers	Diptères : mouches, moustiques
	trompe aspirante	A1 + A2 = couvertes d'écailles	Lépidoptères ou papillons
	broyeuses et lécheuses	A1 + A2 = solidaires pendant le vol	Hyménoptères : abeilles, guêpes, fourmis

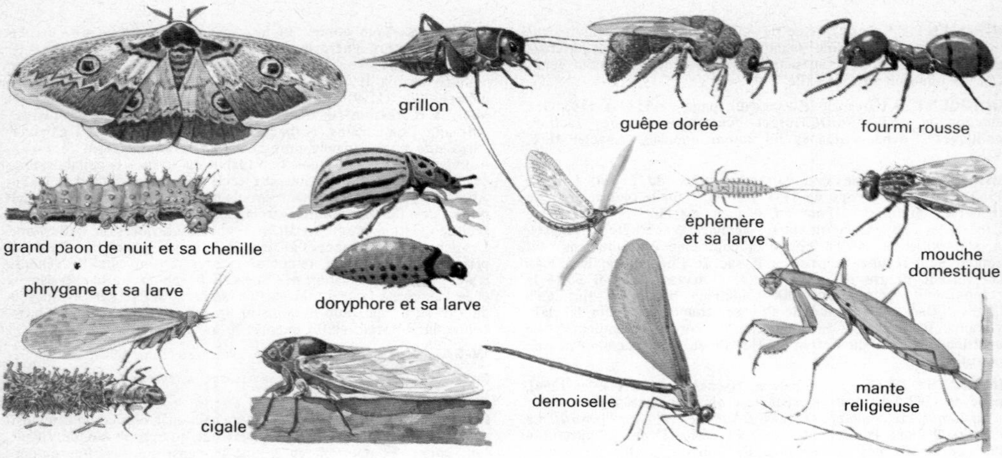

INSECTE

ne lui ressemble ni par la forme, ni par le mode d'alimentation, ni par le lieu d'habitation. Une chenille, un « ver blanc », un « ver de vase », un asticot, une larve aquatique de libellule sont des insectes au même titre qu'un papillon, un hanneton, un moucheron, une mouche ou une libellule. Souvent la larve vit beaucoup plus longtemps que l'adulte (chez une cigale américaine : dix-sept ans contre quelques semaines), mais ce dernier seul peut reproduire l'espèce.

Les insectes ne sont pas de grands animaux : la taille de l'adulte varie de 0,1 à 30 cm. Mais ils sont très nombreux, non seulement en espèces, mais en populations, le trillion d'individus n'étant pas chose rare. Ils fréquentent tous, à une seule exception près, le milieu terrestre (terres émergées et petites étendues d'eau douce), où la plupart d'entre eux s'avèrent de redoutables concurrents de l'homme, dévorant ses récoltes, piquant ses bestiaux, s'attaquant parfois à lui. Les seuls insectes vraiment utiles sont ceux qui, comme les carabes ou les coccinelles, dévorent d'autres insectes, ou les butineurs, comme le bourdon, qui favorisent la pollinisation des plantes fourragères. Une seule exception : l'abeille*, dont le miel reste encore irremplaçable en un siècle qui n'a plus besoin de la soie du bombyx ni de la laque de la cochenille.

On classe les insectes en une trentaine d'ordres, très inégaux par le nombre de leurs espèces, en tenant surtout compte du nombre et de l'aspect des ailes (d'où la désinence en *-ptères* de la plupart des groupes), de la conformation des pièces buccales et de l'existence d'une nymphose.

INSECTIVORES. — On tient les insectivores pour les plus primitifs des mammifères placentaires de la faune actuelle et, notamment, pour les ancêtres probables des chauves-souris et des primates. Mangeurs d'insectes, ils ont un museau pointu et sensible, un corps de petite taille, de nombreuses dents pointues leur permettant de perforer la carapace de leurs proies, une démarche plantigrade. Citons le hérisson*, la musaraigne*, la taupe*, et, pour certains auteurs, le galéopithèque*.

INSELBERG. — Dans les régions arides ou semi-arides, les inselbergs forment des reliefs résiduels dont les versants à pente raide font un angle net avec la pédiplaine qu'ils surmontent. Ils ont souvent une origine lithologique, étant constitués de roches résistantes.

INSENSIBILISATION → ANESTHÉSIE.

INSOLATION *(Climatol.).* — C'est le nombre d'heures, en un point donné, pendant lesquelles le soleil a brillé. On mesure l'insolation (ou ensoleillement) avec un héliographe, et elle est donnée généralement pour un jour, un mois ou une année.

INSOLATION *(Méd.).* — L'exposition solaire trop prolongée se traduit par des brûlures de la peau ou des yeux (coups de soleil) et par des symptômes généraux. Les formes bénignes se manifestent par de la fatigue, un faciès pâle ou rouge, une fièvre légère; les formes graves sont marquées par des céphalées violentes, des vertiges, des nausées ou des vomissements et de la fièvre. Des convulsions, un délire, un coma peuvent survenir.

INSOMNIE → SOMMEIL.

INSPECTION DES FINANCES → COMPTABILITÉ PUBLIQUE.

INSPECTION DU TRAVAIL. — Instituée en 1892 pour veiller à l'hygiène et à la sécurité du travail*, cette institution a pour fonction d'assurer la protection du travailleur. Des tâches administratives (rapports et statistiques, indispensables à la parfaite connaissance des problèmes du travail) s'ajoutent aux missions opérationnelles, parmi lesquelles on peut, notamment, signaler le contrôle des licenciements pour motif économique effectués par les entreprises. Quelque 350 inspecteurs, aidés par environ 950 contrôleurs, sont chargés de faire appliquer la législation.

Inspiration du poète *(l'),* toile de Poussin (1,82 × 2,13 m; Louvre). Des textes du XVIIIe s. mentionnent cette peinture (qui provenait de la collection de Mazarin) comme « Apollon couronnant un poète, assisté par une muse » ou « Apollon qui couronne Virgile ». Apollon ne fait pas de doute; comme la muse est Calliope (d'après l'*Iconologie* de Ripa) et que les livres, à terre, portent les titres *Odyssée, Iliade* et *Énéide,* le poète appartient au genre épique (au moins pour une part) et l'identification à Virgile est possible.

L'Inspiration du poète, de Nicolas Poussin. (Musée du Louvre, Paris.)

L'œuvre, de date inconnue, mais précoce, est difficile à insérer dans le complexe parcours stylistique de Poussin, installé à Rome depuis quelques années : peut-être v. 1627, en considération des personnages grandeur nature, d'une tendre luminosité issue de Véronèse et du premier Titien, d'un pur classicisme exempt de la tentation baroque des années suivantes et que nourrissent des emprunts au bas-relief antique (composition) et à Raphaël (figure d'Apollon).

INSTINCT. — Les philosophes grecs utilisaient déjà ce terme pour expliquer les comportements* animaux, réservant celui d'intelligence* aux comportements humains. Cependant, de nombreuses écoles ont rejeté la notion d'instinct, en raison de son manque d'objectivité et de son imprécision. Parmi celles-ci on trouve les réflexologues (I. P. Pavlov* et ses élèves) et les tenants de la théorie des tropismes* (J. Loeb). Les recherches en éthologie* ont montré que la perception par un individu, à un moment donné de son existence, de stimuli signaux du monde extérieur agit, en fonction de son état interne à ce moment précis (dépendant de facteurs génétiques, physiologiques, psychologiques, etc.), sur des mécanismes innés de déclenchement (IRM) et se traduit par l'effection de schémas moteurs qui constituent pour l'observateur autant d'actes instinctifs. Ceux-ci ont des formes d'expression plus ou moins complexes, suivant leur niveau d'intégration au milieu extérieur. Cette observation a amené N. Tinbergen* à formuler, en 1951, une théorie hiérarchique de l'instinct, selon laquelle les actes instinctifs élémentaires, ou actes d'exécution, sont contrôlés par un niveau inhibiteur immédiatement supérieur, tandis que l'ensemble des niveaux de décision est organisé de façon pyramidale.

Institut *(palais de l').* Situé à Paris, sur la rive gauche de la Seine, en face du Louvre, c'est l'ancien Collège des Quatre-Nations, élevé sous la direction de Le Vau, à partir de 1663, à la suite d'un legs de Mazarin (qui y a son tombeau). Affecté à l'Institut de France depuis 1806, il accueille dans sa chapelle à coupole les séances publiques des Académies.

Institut de France, ensemble des cinq Académies : *l'Académie* française; l'Académie des inscriptions et belles-lettres,* fondée en 1663 par Colbert et chargée à l'origine de composer les inscriptions des médailles et monuments royaux (elle s'occupe de travaux d'érudition historique et archéologique); *l'Académie des sciences; l'Académie des beaux-arts,* composée de peintres, de sculpteurs, de graveurs et de musiciens (ses diverses sections, créées par Mazarin et Colbert, ont été réunies en 1795); *l'Académie des sciences morales et politiques,* fondée en 1795 et qui se consacre à l'étude de questions de philosophie, de droit, de sociologie, d'économie politique et d'histoire.

Institut géographique national (I. G. N.), établissement civil dépendant du ministère des Travaux publics et chargé d'exécuter toutes les cartes officielles de la France ainsi que tous les travaux de géodésie, de nivellement, de topographie, de photographie qui s'y rapportent, avec les études théoriques et techniques et les publications qu'elles impliquent. Fondé en 1940, il réunit les attributions du Service géographique de l'armée et de l'ancien Service du nivellement général de la France.

Institution de la religion chrétienne, ouvrage de Calvin, publié d'abord en latin (1536) puis en français (1541); le livre sera remanié et augmenté jusqu'à l'édition définitive en 1560. C'est le premier et le plus important exposé de la foi réformée, en même temps qu'un chef-d'œuvre littéraire qui a contribué à la formation de la prose française moderne.

INSTITUTIONNALISME. — Cette doctrine orienta, vers 1920 aux États-Unis, certains économistes vers la description des cadres de l'activité économique, de leur évolution et de ses conséquences, et ce en réaction contre les études, purement abstraites, de l'économie pure.

INSTITUTIONNEL → PÉDAGOGIE, PSYCHIATRIE.

Institut national de la santé et de la recherche médicale (I. N. S. E. R. M.), organisme créé en 1964 et qui a trois fonctions : étude de tous les problèmes sanitaires du pays; conseil auprès du gouvernement en matière de santé; orientation et recherche médicales.

Institut national de la statistique et des études économiques (I. N. S. É. É.), organisme public chargé de la publication des statistiques françaises, de diverses enquêtes et de l'élaboration d'études, notamment en matière de conjoncture économique. Il a pris, en 1946, la suite du *Service national des statistiques,* qui, lors de sa création en 1941, avait absorbé la *Statistique générale* (créée à la fin du XVIIIe s.), l'*Institut de conjoncture* (créé en 1938) et le *Service de la démographie* (créé en 1940).

Institut national de l'audiovisuel (I. N. A.), établissement public créé en 1974. Il est chargé de la conservation des archives de la radiodiffusion et de la télévision, des recherches de création audiovisuelles et de la formation professionnelle.

INSTRUCTION *(Dr.).* — L'instruction préparatoire, ou instruction préalable, a pour objectif de rechercher l'auteur d'une infraction* ou d'établir sa culpabilité (si celle-ci est établie, l'inculpé est renvoyé devant une juridiction de jugement qui statuera au terme d'une « instruction définitive »). L'instruction, en France, n'est pas confiée au ministère public, mais à un juge d'instruction qui rend des ordonnances relatives à l'inculpé.

L'instruction revêt certains caractères généraux : le caractère écrit (la présence d'un greffier est obligatoire) et le caractère secret (les personnes qui concourent à l'instruction sont soumises au secret professionnel). Un magistrat, choisi parmi les juges du tribunal et nommé pour une durée de trois années, est chargé de l'instruction. Saisi à propos d'un fait précis, il procède à tous les actes d'information utiles à la manifestation de la vérité. L'instruction se déroule en toute indépendance à l'égard du parquet, le procureur de la République conservant toutefois son droit de regard. L'inculpé a droit à l'assistance d'un conseil, mais il peut cependant y renoncer. Les témoins doivent être appelés, en principe, à déposer et sont à cet effet cités à comparaître par ministère d'huissier*, ou convoqués par lettre, ou encore par la voie administrative. Le juge d'instruction peut se transporter sur les lieux pour effectuer des perquisitions ou des saisies.

L'instruction est clôturée par une ordonnance au terme de laquelle le juge communique le dossier au procureur de la République (ordonnance de soit communiqué). Le procureur de la République doit examiner le dossier, dès lors complet, et prendre des réquisitions. Les ordonnances de clôture sont soit des ordonnances de non-lieu, soit des ordonnances de renvoi. (V. DÉTENTION PROVISOIRE.)

INSTRUCTION *(Inform.).* — Le jeu de ses instructions définit un ordinateur*. Il comporte généralement :
— des instructions d'intérêt général, de chargement de registres à partir de la mémoire* et de rangement de contenus de registres dans la mémoire;
— des instructions de calcul arithmétique en virgule fixe, en virgule flottante ou en décimal;
— des instructions de branchement, de comparaison;
— des instructions d'opérations logiques et de décalages;
— des instructions de conversion de données, de traitement de chaînes de caractères, de manipulation de pile;
— des instructions de service et d'appel au moniteur*;
— des instructions d'entrée-sortie;
— des instructions en mode maître, privilégiées, réservées au système* d'exploitation.

Chaque instruction a une structure binaire bien déterminée. Une instruction de calcul comporte généralement un code opération, les adresses des opérandes et celles du résultat, certaines de ces informations pouvant être implicites. Les instructions sont programmées sous forme symbolique avec des codes* pour chacune d'entre elles.

Dans les langages* symboliques de très haut niveau une instruction se présente très différemment. L'ordre y est donné par un verbe ou un mot clé accompagné de paramètres spécifiques. Une instruction d'affectation donne à une variable la valeur d'une expression. Toutes les instructions programmées ne sont pas exécutables; certaines ne sont que des renseignements indispensables au compilateur* (par exemple sur la nature des variables).

INSTRUMENTATION *(Automat.)* → RÉGULATION AUTOMATIQUE.

INSTRUMENTS ASTRONOMIQUES. — Jusqu'au XVIIe s. les astronomes faisaient leurs observations à l'œil nu, parfois aidés d'un instrument destiné à apprécier les angles. Puis, en 1609, Galilée* inventa la *lunette** qui lui permit de découvrir les satellites de Jupiter*, l'anneau de Saturne*, les taches du Soleil*, etc. Lunettes et *télescopes** se sont ensuite rapidement perfectionnés. Une deuxième révolution dans l'observation astronomique fut l'emploi, au XIXe s., de la *plaque photographique;* elle permet, en effet, d'accumuler et d'enregistrer, pendant parfois plusieurs heures, la lumière* des astres, augmentant ainsi la sensibilité et permettant de conserver le résultat des observations. Puis l'astronome ne s'est plus contenté d'observer la lumière visible, il a étendu son champ d'étude aux rayonnements infrarouges* et radio des astres. Enfin, récemment, en plaçant ses instruments sur des stations en altitude ou au-dessus de l'atmosphère (avion, ballon, fusée, satellite* artificiel, sonde* interplanétaire), il a pu avoir pratiquement accès à l'ensemble du rayonnement électromagnétique* (radio, infrarouge lointain, ultraviolet*, rayons X* et gamma*) provenant du cosmos.

Les instruments classiques de l'astronomie sont les lunettes et les télescopes. Tous deux comportent un objectif* (lentille* convergente pour les lunettes, miroir* parabolique pour les télescopes) qui forme en son foyer l'image* de l'astre observé. Cette image est soit examinée à l'œil à l'aide d'un oculaire*, soit photographiée, soit encore étudiée par un détecteur approprié. Il est intéressant de disposer d'objectifs le plus grands possible, d'abord pour capter le maximum de lumière — et donc pour être sensibles aux astres le plus faibles possible —, puis pour distinguer les détails le plus fins possible : le pouvoir séparateur*, qui est le plus petit angle appréciable par un instrument, ne dépend pas de son grossissement*, qui pourrait être aussi grand que l'on veut, mais du diamètre de son objectif. Un objectif de 1 m de diamètre permet à l'œil de distinguer des détails de 0,12 seconde d'arc. Avec 5 m de diamètre, des détails de 0,024 seconde d'arc seraient théoriquement visibles si la turbulence atmosphérique (agitation désordonnée de l'air) ne brouillait pas les images. Les télescopes présentent des avantages certains sur les lunettes : un miroir est plus aisé à réaliser qu'une lentille de même diamètre; le réglage d'un télescope est le même pour toutes les couleurs, ce qui permet de l'associer à un spectrographe; enfin, les télescopes sont beaucoup moins longs que les lunettes de même diamètre et peuvent être logés dans des coupoles de plus faibles dimensions. Pour toutes ces raisons, les lunettes astronomiques sont presque abandonnées actuellement et ne servent qu'à des observations visuelles. Les plus grandes lunettes, construites au XIXe s., n'ont guère dépassé 1 m de diamètre (lunette de Yerkes aux États-Unis : 102 cm; lunette de Meudon : 83 cm). Or on sait construire des télescopes de plusieurs mètres de diamètre (télescope de Zelentchouk en U. R. S. S. : 6 m; télescope de Hale au Mont-Palomar ; 5 m; télescope franco-canadien à Hawaii : 3,50 m). Des miroirs de ces dimensions sont délicats à réaliser : ils sont fabriqués en un verre* spécial dont le coefficient de dilatation* est pratiquement nul. Un dispositif de suspension particulier doit être étudié afin qu'ils ne se déforment pas sous leur propre poids, qui peut atteindre plusieurs tonnes; une déformation d'une fraction de micron compromettrait en effet leurs qualités optiques. Une fois coulés, refroidis, ce qui peut demander plusieurs mois, taillés et polis, ces miroirs sont recouverts d'une mince couche réfléchissante d'aluminium par évaporation sous vide. Afin de pouvoir être pointés vers n'importe quel astre et de pouvoir le poursuivre lors du mouvement de rotation de la Terre*, lunettes et télescopes sont généralement mobiles autour de deux axes perpendiculaires, dont l'un, l'axe polaire, est dirigé vers le pôle Nord céleste : c'est la *monture* dite *équatoriale.* Un moteur ou un mouvement d'horlogerie peut assurer la rotation de l'instrument autour de l'axe polaire à raison d'un tour par vingt-quatre heures. Les appareils qui peuvent être montés derrière un télescope pour enregistrer ou analyser la lumière et les images reçues sont très divers. Outre l'œil et la plaque photographique, on utilise la caméra électronique (cent fois plus sensible que la plaque photographique), les divers spectrographes, qui enregistrent le spectre de la lumière des astres, les photomètres, qui mesurent la quantité de lumière reçue à l'aide d'une cellule photoélectrique. Les télescopes embarqués sur satellites artificiels sont analogues dans leur principe aux télescopes terrestres, mais ils doivent, du moins sur les satellites inhabités, être commandés par des systèmes automatiques de pointage, de poursuite et de guidage*. Équipés de caméras de télévision et de détecteurs sensibles à l'ultraviolet ou à l'infrarouge proche, suivant leurs missions, ils retransmettent directement leurs observations sur terre par liaison radio. Les radiotélescopes aussi sont analogues aux télescopes optiques : leur miroir, généralement de très grandes dimensions, en grillage ou en plaques de métal, concentre les ondes radio sur un détecteur qui n'est autre qu'un récepteur radio.

INSTRUMENTS astronomiques : 1. Lunette pour observation visuelle; 2. Télescope de Newton pour observation visuelle; 3. Télescope de Cassegrain pour observation à l'aide d'un photomètre.

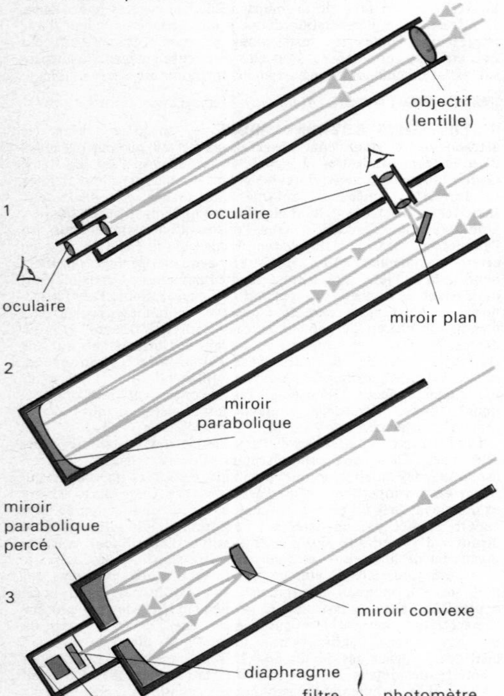

INSTRUMENTS DE MUSIQUE. — Accompagnant ou remplaçant la voix, la plupart des objets fabriqués par l'homme pour produire des sons musicaux ont pris naissance chez les peuples orientaux de la plus haute antiquité.

• *Instruments à cordes frottées ou pincées.* Les cordes entrent en vibration soit sous l'action d'un archet (famille des violes, des violons*), soit lorsqu'elles sont pincées par un plectre (mandoline, banjo, cithare) ou par les doigts de l'interprète (luth*, harpe*). L'archet se compose d'une baguette de bois dur, aux extrémités de laquelle s'accrochent des crins de cheval. Le plectre est une lamelle de bois, d'ivoire ou d'écaille.

• *Instruments à cordes et à clavier.* Un bec de plume accroche les cordes (virginal, épinette, clavecin*) ou un marteau les frappe (piano*).

• *Instruments à cordes et à roue.* La roue frotte les cordes et remplit les fonctions d'un archet (vielle* à roue).

• *Instruments à vent.* Le son s'obtient soit par insufflation directe de l'air (flûte*), soit par vibration, sous l'action de l'air, d'une languette de roseau simple ou double, appelée « anche » (hautbois*, cor anglais, clarinette*). Ces instruments forment la famille des « bois ». Tous les instruments métalliques à embouchure s'apparentent aux « cuivres » (cor*, trompette, trombone), quoique fabriqués souvent avec du laiton, du maillechort et parfois de l'aluminium.

• *Instruments à vent et à clavier.* Un réservoir d'air alimente, grâce à des soufflets, des tuyaux de bois et de métal qui entrent en vibration (orgue*, harmonium).

• *Instruments à percussion.* Le son naît du frottement ou du frappement d'un objet sur un autre. Il en existe plusieurs sortes :
— ceux où l'on frappe avec les mains (tam-tam) ou avec des baguettes sur une peau d'animal tendue (tambour, grosse caisse, timbales*);
— ceux où l'on frappe sur le métal (triangle, cloche, carillon, vibraphone) ou sur le bois (xylophone);
— ceux dans lesquels deux parties en bois se heurtent (castagnettes).

La fabrication des instruments à cordes frottées ou pincées est du domaine des luthiers. Les facteurs construisent les autres catégories d'instruments.

La musique d'ensemble et, plus tard, l'orchestre naquirent de l'idée de faire sonner plusieurs instruments. Pour cela, on procéda à une classification de chaque instrument à l'intérieur de son espèce selon les registres* de la voix* humaine (basse, ténor, dessus). On doit à l'essor du drame lyrique l'importance progressive accordée à la musique instrumentale. Mais les compositeurs classiques se bornaient à confier chaque partie à un instrument. Il faut attendre la production de Rameau pour que cette attribution se diversifie, se colore suivant le caractère particulier des instruments et conduise à l'*orchestration.*

La réunion des vents appartenant uniquement à la famille des cuivres donne naissance à une *fanfare.* L'orchestre d'harmonie, en revanche, comprend des cuivres, des bois, des percussions.

INSUFFISANCE *(Méd.).* — Il existe deux types d'insuffisance : l'insuffisance organique, due à la lésion d'un organe, et l'insuffisance fonctionnelle, sans lésion décelable.
— L'*insuffisance cardiaque* (droite, gauche ou globale) traduit une défaillance du myocarde. (V. CARDIAQUE [*insuffisance*].)
— Les *insuffisances valvulaires* (mitrale, tricuspidienne, aortique ou pulmonaire) sont caractérisées par un défaut de coalescence des valves d'un des orifices du cœur.
— L'*insuffisance respiratoire* relève soit d'un défaut de ventilation des alvéoles pulmonaires, soit d'une mauvaise diffusion de l'oxygène à travers la membrane alvéolo-capillaire, soit d'un trouble de la circulation sanguine dans le poumon.
— L'*insuffisance hépatique* entrave les fonctions glycogénique, biliaire et antitoxique du foie.
— L'*insuffisance rénale* est due soit à une destruction progressive du parenchyme, soit à une chute du débit sanguin rénal (insuffisance rénale fonctionnelle).
— Les *insuffisances endocriniennes* (myxœdème*, maladie d'Addison*, etc.) peuvent toucher toutes les glandes à sécrétion interne.

INSUFFLATEUR *(Méd.).* — Les insufflateurs permettent d'introduire un gaz dans une cavité de l'organisme.
— Les *appareils de respiration artificielle* permettent d'administrer de l'air ou de l'oxygène dans les poumons par la trachée.

— L'*insufflation pleurale,* créant un pneumothorax artificiel, était employée pour le traitement de la tuberculose pulmonaire. Actuellement, c'est le premier temps des pleuroscopies.
— Les *appareils à insufflation péritonéale* sont utilisés en radiologie et avant de pratiquer une cœlioscopie.
— Les *appareils à insufflation tubaire* permettent de déceler les oblitérations des trompes utérines et sont utilisés dans le diagnostic et le traitement de certaines stérilités.

INSULINDE, partie insulaire de l'Asie du Sud-Est (Indonésie et Philippines).

INSULINE. — Cette hormone de nature protéique est élaborée par les cellules bêta des îlots de Langerhans du pancréas. Elle joue un rôle primordial dans l'équilibre glucidique : c'est la seule hormone hypoglycémiante dont dispose l'organisme face aux nombreux facteurs hyperglycémiants (glucagon, adrénaline, corticostéroïdes). Elle semble faciliter la pénétration du glucose à l'intérieur des cellules des tissus périphériques; elle favorise la synthèse des lipides aux dépens des glucides et facilite l'anabolisme des protides. En thérapeutique, l'insuline constitue le traitement spécifique des diabètes graves, lorsque les médicaments oraux sont insuffisants.

INTÉGRAL (calcul) → ANALYSE.

INTÉGRALE. — L'intégrale d'une fonction* $f(x)$ est une primitive de $f(x)$; on désigne cette primitive par la notation $\int f(x)\,dx$.

Le calcul des intégrales se ramène à celui des primitives, c'est-à-dire au calcul, pour une fonction f donnée, d'une fonction F dont la dérivée* est égale à f : $F'(x) = f(x)$, pour toute valeur de x pour laquelle les deux fonctions sont définies. La dérivée d'une constante étant nulle, on obtient toutes les primitives d'une fonction donnée en ajoutant une constante arbitraire à l'une d'elles. L'intégrale $\int f(x)\,dx$ n'est donc définie qu'à une constante près : c'est une *intégrale indéfinie.* Le calcul des intégrales consiste, à l'aide de changements de variables, à les ramener à des intégrales connues et à d'autres intégrales faisant intervenir des fonctions composées de fonctions usuelles.

Le calcul des intégrales est une partie essentielle de l'analyse* et de ses applications.

Primitives fondamentales :

$$\int x^n\,dx = \frac{x^{n+1}}{n+1} \quad n \neq -1; \qquad \int \frac{dx}{x} = \text{Log}\,|x|;$$

$$\int \sin x\,dx = -\cos x; \qquad \int \cos x\,dx = \sin x; \qquad \int \frac{dx}{\cos^2 x} = \text{tg}\,x;$$

$$\int e^x\,dx = e^x;$$

$$\int \frac{dx}{x^2 + a^2} = \frac{1}{a}\,\text{Arc tg}\,\frac{x}{a}; \qquad \int \frac{dx}{a^2 - x^2} = \frac{1}{2a}\,\text{Log}\left|\frac{x+a}{x-a}\right|;$$

$$\int \frac{dx}{\sqrt{a^2 - x^2}} = \text{Arc sin}\,\frac{x}{|a|} \quad a \neq 0;$$

$$\int \frac{dx}{\sqrt{x^2 + k}} = \text{Log}\left|x + \sqrt{x^2 + k}\right|.$$

INTÉGRATION *(Sociol.).* — L'*intégration culturelle,* ou concordance interne entre les normes d'une culture, revêt trois aspects essentiels pour les anthropologues : intégration par unité phématique, intégration par interconnexion, intégration logique.

L'*intégration sociale* est perçue par les sociologues tantôt comme normative (conformité de la conduite aux normes sociales), tantôt comme communicative (échange de significations dans un groupe) ou encore comme fonctionnelle (interdépendance due aux échanges de services).

INTELLIGENCE. — L'intelligence est intimement liée aux critères qui servent à la définir, et par-delà, à l'idéologie de la société dans laquelle on fait opérer ce concept. Ainsi, à travers la psychologie actuelle, elle apparaît comme une aptitude, variable avec les individus et les espèces, à résoudre des problèmes de toute sorte. Les tests* d'intelligence et les théories d'H. Wallon* et de J. Piaget* donnent du développement intellectuel l'image d'une hiérarchie de savoir-faire progressivement acquis par l'enfant. Au plus bas niveau se situent les comportements réflexes, puis viennent les comportements concrets, liés à une intelligence pratique qui existe déjà chez les animaux supérieurs; au sommet est l'intelligence discursive, propre à l'homme. Cette évolution pose d'emblée la supériorité de la pensée logique et de l'abstraction sur toutes les autres formes d'intelligence.

J. Piaget conçoit l'intelligence comme un processus d'adaptation au monde extérieur, adaptation résultant de l'équilibre entre deux mécanismes : accommodation et assimilation. L'*assimilation* est l'action d'un organisme sur son environnement; elle traduit les effets de l'activité du sujet sur son développement mental. L'accommodation, solidaire et complémentaire de l'assimilation, est le processus par lequel l'organisme se modifie pour mieux s'adapter au monde extérieur : l'action sur le monde conduit ainsi à une modification en retour de l'organisme.

Le développement intellectuel, aussi bien chez Wallon que chez J. Piaget, passe par une série de *stades,* c'est-à-dire d'étapes, structuralement différentes les unes des autres, mais se succédant toujours dans le même ordre chez tous les enfants*. L'*intelligence pratique,* qui est génétiquement la première forme d'intelligence, dépend étroitement de la maturation nerveuse de la fonction motrice; elle permet à l'enfant des postures et des mimiques variées qui amènent son entourage à agir pour lui en fonction d'un but qu'il recherche; elle lui permet aussi de manipuler des objets, et ainsi d'atteindre directement ce but. L'*imitation,* première ébauche de la fonction symbolique*, est considérée comme la conduite qui fait la transition entre l'intelligence pratique et l'intelligence discursive, car celle-ci opère sur des représentations et a le langage pour substratum indispensable. L'imitation apparaît vers le milieu de la deuxième année, lorsque, par exemple, l'enfant fait semblant de dormir, ce qui suppose qu'il est devenu capable de distinguer réalité matérielle et réalité symbolique, signifiant et signifié. L'*intelligence concrète* (de 3 à 6 ans) représente le premier niveau de l'intelligence discursive. Elle opère sur des signes et des symboles, sans toutefois se dégager de l'expérience concrète de nature affective, perceptive ou motrice, si bien qu'elle ne permet pas d'atteindre à un niveau de connaissance rationnelle. Le *syncrétisme* est l'attitude intellectuelle qui lui correspond : il consiste en une saisie globale des situations, où perception, affectivité et action sont intriquées; la connaissance qui en résulte reste subjective, ne dépassant pas les données de l'expérience brute. L'incapacité d'analyse est le trait marquant de ce stade. Ces caractéristiques apparaissent nettement dans le dessin* : c'est le stade du réalisme intellectuel.

De six à onze ans, l'intelligence devient *abstraite,* c'est-à-dire capable d'opérer sur des signes et des symboles, suffisamment libérés de l'affectivité et de l'action immédiate pour dépasser l'expérience concrète et parvenir à une connaissance objective. L'enfant peut alors subordonner son activité à un but posé à l'avance. L'analyse lui permet de détacher les qualités d'un objet, de les isoler les unes des autres, et de comparer différents objets entre eux, par rapport à cette qualité (classement et sériation).

L'*intelligence conceptuelle* commence à se former chez l'enfant de douze ans, à condition qu'il soit placé dans des circonstances éducatives favorables (enseignement secondaire long). Elle est caractérisée par la possibilité d'un raisonnement hypothético-déductif, portant sur des données indépendamment de leur actualité, et fait appel à une logique formelle : le réel n'est plus qu'un possible parmi l'ensemble des possibles.

Le développement intellectuel dépend de nombreux facteurs : longtemps le dogme de la transmission héréditaire de l'intelligence a prévalu et l'on citait à l'appui l'hérédité du génie ou de l'éminence dans une aptitude particulière (les générations de Bach, de Mozart ou de Bernouilli). De plus en plus, on considère la famille, non seulement comme un ensemble d'individus ayant un certain nombre de gènes identiques, mais comme un milieu éducatif, qui influence de façon quasi identique chacun de ses membres. De nombreuses études ont montré que le quotient* intellectuel d'enfants de parents débiles mentaux, placés dans un milieu d'adoption favorisé sur le plan socioculturel, était plus proche de celui de leurs parents adoptifs que de leurs parents biologiques. Le développement psychique résulte aussi de l'interaction d'un facteur maturationnel (maturation du système nerveux, des glandes endocrines, des organes des sens) et d'un facteur d'apprentissage* qui dépend de la richesse des stimulations émanant du milieu de vie. La maturation offre des possibilités que l'ambiance éducative est chargée d'actualiser en les sollicitant. Il y a un âge *(période sensible)* pour apprendre à marcher comme il y a un âge pour apprendre à parler (v. LANGAGE), ainsi que l'ont montré les études faites sur les enfants dits « sauvages ». Au-delà de ces périodes sensibles, stimulations et apprentissage ne suffiront plus à mettre en route une fonction pourtant potentiellement inscrite dans le système nerveux. Le milieu de vie, surtout par sa richesse linguistique et le niveau verbal qu'il permet à l'enfant d'atteindre, joue un rôle primordial dans son quotient intellectuel. Les psychanalystes ont montré toute l'importance du facteur affectif dans le développement intellectuel; Freud* subordonne d'ailleurs l'intelligence à l'affectivité*, alors que Piaget pense que l'affectivité est la source énergétique des conduites dont la structure est déterminée par l'intelligence.

INTELLIGENCE ARTIFICIELLE. — On groupe sous ce terme l'ensemble des procédés donnant une réponse correcte et aisément intelligible à des problèmes auxquels le cerveau humain donne une réponse, mais qu'il ne peut résoudre à l'aide d'une logique. Il faut distinguer l'intelligence artificielle de la simulation* de l'intelligence humaine. L'intelligence artificielle comprend essentiellement : l'*affectation à une classe* de problèmes appartenant à des domaines très éloignés, mais qui requièrent la même « structure » de solution; la *solution heuristique* de problèmes complexes, lorsque, par exemple, il n'est pas possible d'y améliorer une solution grossière par simple affinement; la *traduction* automatique*, pour laquelle on ne dispose pas encore de théorie satisfaisante.

Intelligence Service *(IS)*, en Grande-Bretagne, ensemble des services secrets relevant du Premier ministre et chargé de recueillir les renseignements de tous ordres intéressant l'action politique, économique et militaire du gouvernement.

INTENDANCE. — L'*intendance militaire*, créée sous ce vocable en 1817 et réorganisée en 1882, est un service chargé de pourvoir aux besoins de l'armée de terre dans les domaines du logement, de l'alimentation, de l'habillement et de la solde. Les fonctionnaires militaires de l'intendance, recrutés par concours parmi les officiers, sont formés à l'*École supérieure de l'intendance*, à Paris. Leur hiérarchie comprend, outre les intendants généraux, des intendants militaires de 1re, de 2e et de 3e classe ainsi que des intendants militaires adjoints. Ces intendants sont assistés par des officiers d'administration, formés par l'*École militaire d'administration*, créée à Vincennes en 1875 et transférée à Montpellier en 1946.

INTENDANT. — Apparu au début du XVIIe s., l'intendant, chargé de représenter le roi à la tête d'une généralité, est issu de la fusion progressive de deux institutions : celle des « chevauchés des maîtres des requêtes », appelés à partir de 1551 « commissaires départis pour l'exécution des ordres du roi » et chargés de l'inspection des autorités locales, et celle des « intendants de justice à la suite des armées », établis, vers la fin du XVIe s., dans les provinces où opérait l'armée royale, en vue de surveiller le gouverneur, de diriger la police des troupes et de contrôler la justice dans les zones pacifiées. Cette fusion intervient vers 1610 : les premiers intendants apparaissent au début du règne de Louis XIII, et Richelieu généralise l'institution malgré l'opposition des autorités provinciales. Supprimés en 1648 sous la pression des parlements, les intendants sont progressivement rétablis et, à partir du règne personnel de Louis XIV (1661), reçoivent l'essentiel de leurs attributions. Désormais appelés « intendants de police, justice et finances », ces commissaires royaux, choisis parmi les maîtres des requêtes, font exécuter les ordres du roi dans le ressort de la généralité où ils sont installés. (Ils sont trente-trois à la veille de la Révolution.) Chargés de contrôler toutes les juridictions de leur circonscription, ils sont juges de droit commun en matière administrative. Ils contrôlent la gestion du domaine et surveillent ou dirigent la perception des impôts. Enfin, leurs attributions de police leur confèrent la surveillance des administrations, la tutelle des villes ainsi que la police économique. Agents tout-puissants de la royauté, les intendants sont les meilleurs instruments de l'absolutisme monarchique et, comme tels, ils seront supprimés par la Constituante (22 déc. 1789).

INTENSITÉ *(Électr.)*. — L'intensité instantanée d'un courant variable est la quantité $\frac{dq}{dt}$, où dq est la quantité d'électricité transportée par le courant pendant l'intervalle de temps infinitésimal dt. L'unité légale d'intensité est l'*ampère*.

INTENSITÉ DE CAPITAL (coefficient d'). — Utilisé en premier lieu par les économistes R. F. Harrod* et E. D. Domar, vulgarisé ensuite par C. Clark* et S. Kuznets*, le *capital output ratio** est le rapport liant un investissement* à l'accroissement de la production* réalisé par cet investissement. Si l'on investit 10 pour obtenir un *accroissement* de production de 2, le capital output ratio est de 5 (car le rapport entre 10 et 2 est de 5 à 1).

INTENSIVE (culture) → AGRICULTURE.

INTERACTION *(Phys.)*. — Les *interactions fortes*, responsables des forces nucléaires, de portée de l'ordre de 10^{-13} cm, mais très intenses, s'exercent par l'échange de mésons.

Les *interactions électromagnétiques* font intervenir des photons; elles sont de 100 à 1 000 fois moins intenses que les interactions fortes, mais ont une portée infinie.

Les *interactions faibles* sont responsables des désintégrations de particules et de la radioactivité β; de portée très courte, inférieure à 10^{-13} cm, elles sont des dizaines de milliards de fois moins intenses que les interactions électromagnétiques.

Les *interactions gravifiques*, de portée infinie, sont encore beaucoup moins intenses que les interactions faibles (de l'ordre de 10^{28} fois moins), mais leur importance vient de l'énormité des masses sur lesquelles elles s'exercent.

INTERCEPTION → CHASSE AÉRIENNE.

INTERCHANGEABILITÉ. — L'interchangeabilité a pour objet de rendre possible, lors du montage, voire de la réparation d'un ensemble mécanique, de prendre au hasard dans un lot de pièces qualifiées *identiques*, terminées et vérifiées, l'une d'entre elles, sans avoir besoin d'aucun travail d'*ajustage*, pour effectuer sa mise en place dans le mécanisme et pour assurer, après montage de cet ensemble, le bon fonctionnement de la machine en question. C'est un système de normalisation* des tolérances de fabrication et d'ajustement encore appelé *règles internationales de tolérances*.

Les *tolérances de fabrication* sont les valeurs limites, en plus ou en moins, entre lesquelles la cote d'une pièce fabriquée s'écarte de la valeur théorique, dite *valeur nominale*. Lorsque les tolérances de fabrication mesurées sont inférieures aux limites admissibles, la cote de la pièce est considérée bonne. Indépendamment de tout problème de fabrication, les conditions de bon fonctionnement d'un assemblage de deux pièces mécaniques (appelé *ajustement* libre, tournant, glissant, bloqué, serré, etc.) exigent que le jeu soit compris entre une valeur maximale $J_{max.}$ et une valeur minimale $J_{min.}$ Ces valeurs limites varient en fonction des caractéristiques dimensionnelles et de la fonction mécanique de cet assemblage. L'écart $J_{max.} - J_{min.}$ entre les jeux limites admissibles est appelé *tolérance d'ajustement* ou *tolérance de fonctionnement*. Si T et t sont respectivement les limites admissibles des valeurs mesurées des tolérances totales de fabrication des deux pièces de l'assemblage et E l'erreur des appareils de contrôle, la condition de bon fonctionnement s'exprime par la relation suivante :

$$J_{max.} - J_{min.} \geqslant T + t + 2E.$$

Si des pièces de cotes nominales données satisfont à cette relation, elles sont dites *interchangeables*. La difficulté inhérente à la réalisation de pièces mécaniques de grande précision a conduit les spécialistes à fabriquer avec des pièces non interchangeables des sous-ensembles qui, eux, le sont : c'est l'interchangeabilité *globale* (comme l'embiellage d'un moteur d'automobile).

INTERCONNEXION → POSTE, PROTECTION ÉLECTRIQUE, RÉSEAU.

INTERDICTION. — L'article 489 du Code civil indiquait trois causes d'interdiction : l'imbécillité — faiblesse d'esprit caractérisée —, la démence — état d'aliénation ôtant l'usage de la raison — et la fureur, ou démence au plus haut degré. La loi du 3 janvier 1968 a supprimé l'interdiction pour la remplacer par des mesures nouvelles. (V. INCAPABLE MAJEUR.)

INTÉRESSEMENT. — Le terme désigne en France la participation des travailleurs aux résultats financiers de l'entreprise : il paraît préférable à celui de « participation » (que, à tort, on lui choisit communément pour synonyme).

L'ordonnance du 17 août 1967 rend obligatoire l'intéressement dans les entreprises employant au moins cent salariés, la constitution, chaque année, d'une « réserve spéciale » de participation étant obligatoire dans ces entreprises, dans des conditions définies par le texte, auxquelles on pourra déroger, mais seulement dans un sens favorable aux salariés.

La formule présidant à la constitution de la réserve est la suivante :

$$\text{réserve} = \frac{1}{2}\left(B - \frac{5\,C}{100}\right)\frac{S}{V},$$

où B représente le bénéfice net après impôt de l'entreprise, C les capitaux propres (capital social + réserves + report à nouveau + provisions), $\frac{5\,C}{100}$ la rémunération à 5 p. 100 de ces capitaux, S les salaires distribués et V la valeur ajoutée (frais de personnel, impôts et taxes, frais financiers, dotations aux amortissements et aux provisions, etc.).

La répartition, effectuée chaque année aux salariés, se fait proportionnellement au salaire, un salaire plafond ayant été cependant retenu (quatre fois le plafond servant à la détermination des cotisations à la Sécurité sociale et aux Allocations familiales) et le montant de la somme annuellement attribuable au salarié ne pouvant, par ailleurs, dépasser la moitié dudit « plafond » de la Sécurité sociale.

La mise en place effective de la participation dans l'entreprise est assurée dans le cadre d'une convention collective ou d'un accord entre le chef d'entreprise et les représentants des syndicats « représentatifs », ou encore au terme d'une convention entre le chef d'entreprise et le personnel statuant à la majorité. Différentes formules sont mises à la disposition des participants, parmi lesquelles on peut citer les *plans d'épargne d'entreprises*, destinés à constituer un portefeuille de valeurs, ou les *plans d'options sur actions* (dans le cas de sociétés par actions), qui permettent aux bénéficiaires d'acquérir des actions de la société qui les emploie, et ce à des conditions avantageuses pour eux.

INTÉRÊT. — La politique des taux d'intérêt est une des armes de la politique monétaire. Le renchérissement, dans un pays, du taux d'intérêt peut empêcher la baisse de sa monnaie* sur le marché des changes, car, en attirant des capitaux en une place où le loyer de l'argent devient plus attrayant, on crée une demande de cette monnaie.

On peut également freiner, par une telle politique, une conjoncture inflationniste intérieure en diminuant l'appel au crédit*, les conditions de l'endettement devenant plus onéreuses.

INTERFÉRENCE *(Phys.).* — En tout point de l'espace où se superposent les ondes sonores issues de deux sources de même fréquence, l'amplitude vibratoire, donc l'intensité du son, est plus ou moins grande suivant la différence de phase entre les vibrations reçues. Si les sources ont des fréquences voisines, on perçoit des battements.

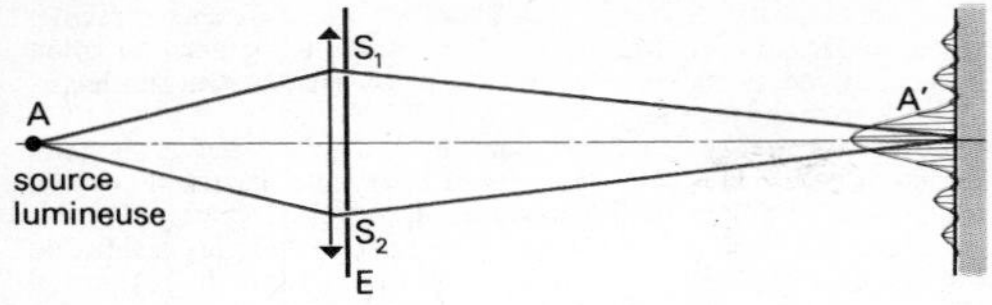

Ci-dessus, principe de l'interféromètre (E, écran; S_1 et S_2, fentes).

À droite, franges de diffraction modulées par interférence.

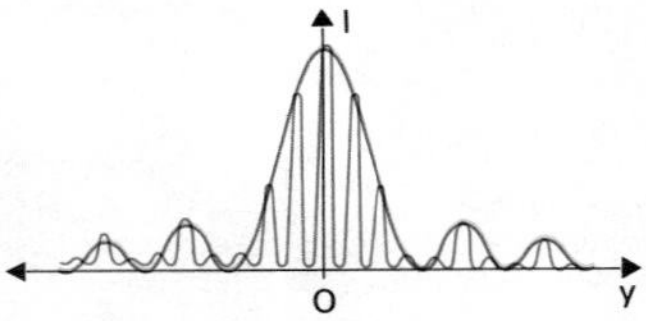

Les interférences lumineuses, découvertes par T. Young, sont obtenues par superposition de rayons issus d'une même source, mais ayant suivi des chemins différents. Dans la zone de superposition, on observe des franges, bandes parallèles alternativement brillantes et sombres. Les colorations des lames minces sont dues à un phénomène d'interférence entre les lumières réfléchies sur leurs deux faces. On utilise les interférences lumineuses pour la mesure de très faibles déplacements ou de petites déformations.

INTERFÉROMÈTRE. — Les interféromètres permettent de comparer la longueur d'un objet matériel à une longueur d'onde connue. Les appareils industriels servent à la vérification des dimensions des calibres utilisés pour le contrôle des fabrications.

INTERFÉRON → VIRUS.

INTERLAKEN, comm. de Suisse (cant. de Berne), entre les lacs de Thoune et de Brienz; 4735 hab. Centre touristique.

INTERLINGUISTIQUE → ARTIFICIELLES *(langues).*

Intermezzo, comédie en trois actes de Giraudoux (1933) : le rôle ambigu de l'amour, qui rompt le charme des puissances irrationnelles et permet l'adaptation de la vie.

INTERNALISATION. — L'internalisation consiste à frapper les fauteurs de nuisances* ou de pollution de charges financières dont le produit permettra de juguler les effets nuisibles créés. Ainsi sont «inclus» dans les prix de revient des coûts qui, autrement, ne seraient pas comptabilisés (pratique qui fut employée pendant longtemps, avant que n'apparaissent récemment les méfaits d'une industrialisation sans mesure).

INTERNAT *(Méd.).* — Cette fonction hospitalière est assurée dans un centre hospitalo-universitaire par un étudiant en médecine qui a été reçu au concours de l'internat. Sous la responsabilité du chef de service et des assistants, il dispense les soins nécessaires et participe au service de garde.

INTERNATIONAL (style). — C'est par ce style, synthèse de tendances avancées d'origines diverses, catalysée par les écrits de Le Corbusier*, que l'architecture moderne pénètre dans de nombreux pays au cours des années 1925-1935. Fonctionnalisme, libre balancement de formes cubiques, emploi du béton et du verre, disparition de l'ornement caractérisent le style international, dont les plus illustres représentants sont Gropius* et Mies Van der Rohe* (qui met l'accent sur le graphisme des arêtes et non sur les masses, comme Le Corbusier) en Allemagne, Rietveld aux Pays-Bas (v. STIJL [*De*]), les trois frères Vesnine (liés au constructivisme*) en U. R. S. S., Neutra* aux États-Unis. L'internationalisme du mouvement est accentué par la fondation, en 1928, des C. I. A. M. (v. CHARTE D'ATHÈNES).

INTERNATIONAL (style gothique) → GOTHIQUE *(art).*

Internationale *(l'),* hymne révolutionnaire international, paroles d'E. Pottier, musique de P. Degeyter (1871).

Internationales (les), associations internationales qui, depuis 1864, s'efforcent de grouper les travailleurs en vue d'une action politique visant à transformer la société dans un sens socialiste.

La Ire Internationale, fondée à Londres le 28 septembre 1864 sous le nom d'Association internationale des travailleurs, adopte l'ensemble des idées de Karl Marx*, l'un de ses fondateurs. Elle est affaiblie par l'opposition, puis par le départ des anarchistes* (Bakounine) et elle disparaît en 1876.

La IIe Internationale naît en 1889, à Paris, de l'effort concerté des partis socialistes nationaux déjà constitués, l'unification réelle n'ayant lieu qu'en 1891, à Bruxelles. Le déclenchement de la Première Guerre mondiale la disloque momentanément; affaiblie par la scission du Komintern* en 1919, la IIe Internationale se reconstitue en 1923 puis, de nouveau, comme Internationale socialiste en 1951.

De leur côté, les bolcheviks, victorieux en Russie, inspirent en 1919 la fondation d'une IIIe Internationale *(Komintern),* qui se propose la révolution communiste mondiale avec le soutien de l'U. R. S. S. Le Komintern, supprimé en 1947, est remplacé alors par le Kominform*, qui disparaît à son tour en 1956.

Après son expulsion d'U. R. S. S. (janv. 1929), Trotski* fonda en 1938 une IVe Internationale.

INTERNEMENT ADMINISTRATIF. — L'internement administratif est une mesure grave, parce qu'il porte atteinte aux libertés* individuelles et au principe de la séparation des pouvoirs. Prévu par certains textes, il permet à l'Administration, en dehors de toute poursuite pénale, de supprimer momentanément la liberté d'un individu lorsque celle-ci peut être considérée comme dangereuse pour l'ordre public.

Interpol, organisme de police criminelle, dont le siège est à Saint-Cloud et qui a pour but la recherche ainsi que la suppression du fait criminel à l'échelon international.

INTERPOLATION LINÉAIRE. — L'interpolation linéaire d'une fonction* d'une variable* f telle que $x \mapsto y = f(x)$ sur un segment

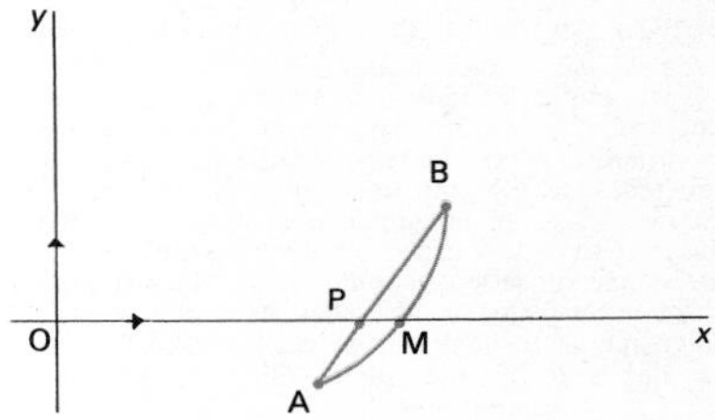

$[a, b]$ consiste à remplacer sur ce segment la courbe représentative des variations de f par le segment AB.

La droite AB est en effet la courbe représentative de la fonction affine* $y = \alpha x + \beta$, α et β étant choisis convenablement, et cette fonction est la plus simple parmi toutes celles dont la représentation graphique passe par A et B. Les coordonnées de A et de B sont $[a, f(a)]$ et $[b, f(b)]$; l'équation de AB est

$$y - f(a) = \frac{f(b) - f(a)}{b - a} \quad (x - a),$$

ce qui donne les coefficients α et β dans $y = \alpha x + \beta$.

Cette représentation linéaire de la fonction f sur l'intervalle $[a, b]$ peut servir à différents problèmes. on peut, d'abord, calculer les valeurs de $y = \alpha x + \beta$ au lieu de celles de $y = f(x)$. C'est ainsi que sont faites les tables de logarithmes* donnant les valeurs de la fonction logarithme décimal ou logarithme népérien. Les valeurs obtenues sont des valeurs approchées, et il convient de préciser l'erreur commise sur les résultats. Dans une table de logarithmes à cinq décimales, l'erreur* sur un logarithme donné par la table est inférieure à $5 \cdot 10^{-6} = 0{,}000\,005$, ce qui veut dire que la quatrième décimale est exacte. Quant à la cinquième décimale, on l'a gardée telle si la sixième décimale est égale à 0, 1, 2, 3 ou 4; on l'a forcée d'une unité si la sixième décimale est égale à 5, 6, 7, 8 ou 9, ce qui explique la borne supérieure de l'erreur. L'interpolation linéaire peut être également utilisée dans la résolution d'équations : si l'arc de courbe AB coupe l'axe des x en M, la corde AB le coupe en P, et l'on calcule, dans l'équation de AB, l'abscisse de P :

$$x = a - f(a) \frac{f(b) - f(a)}{b - a}.$$

Dans ce cas, il faut aussi préciser une borne supérieure de l'erreur commise. L'interpolation linéaire est très utilisée en calcul numérique.

INTERPRÉTATION *(Mus.).* — Au-delà de la simple révélation du texte, l'exécution d'une œuvre musicale implique une participation des artistes, qui cherchent à en traduire le sens caché, à exprimer leur émotion. Les moyens empruntés pour y parvenir affectent notamment : le tempo, ou mouvement, c'est-à-dire le degré de lenteur ou de vitesse observé; l'intensité sonore, c'est-à-dire les nuances (pianissimo, piano, mezza voce, sotto voce, mezzo forte, forte, fortissimo), et les accents.

INTERPRÉTATION *(Psychan.)*. — L'interprétation joue un rôle central en psychanalyse*, puisqu'elle dégage à partir des productions de l'inconscient* (rêves*, actes* manqués, symptômes) ou plus généralement du comportement d'un sujet le sens latent, mettant ainsi au jour le désir inconscient qui les anime. Dans la cure, l'interprétation est le mode d'action de l'analyste, qui ne la communique à son patient que lorsque ce dernier a accompli de lui-même un certain travail psychique.

Interrègne (LE GRAND), période de vingt-trois ans (1250-1273) durant laquelle le trône du Saint Empire resta vacant. Le Grand Interrègne débuta à la mort de l'empereur Frédéric II* de Hohenstaufen (1250), dont les descendants, Conrad IV et Conradin, ne purent venir à bout de leurs compétiteurs à l'Empire, suscités par la papauté et les princes allemands. Il se termina lorsque, une fois éteinte la maison de Hohenstaufen*, les princes allemands eurent choisi pour roi de Germanie le landgrave d'Alsace Rodolphe de Habsbourg (1273). Durant cette période, le Saint Empire sombra dans l'anarchie et se décomposa en de nombreux petits États souverains.

INTERRUPTEUR → COUPURE *(appareil de)*, PROTECTION ÉLECTRIQUE.

INTERSECTION → TOPOGRAPHIE, TOPOMÉTRIE.

INTERSEXUALITÉ. — Contrairement à l'hermaphrodisme*, l'intersexualité ne désigne pas la présence *simultanée* d'organes générateurs des deux sexes chez un animal, mais leur présence *successive* au cours de la vie. On l'a étudiée notamment chez les papillons, chez les amphibiens, chez le mollusque gastropode *crepidula*, qui passe de l'état mâle à l'état femelle, et chez certains poissons, qui opèrent le « virage » inverse.

INTERSTELLAIRE (matière). — Son rôle est très important, car c'est dans ce milieu que naissent et meurent les étoiles*. Des contractions gravitationnelles de nuages interstellaires donnent naissance à des étoiles, et, tout au long de son évolution, l'étoile restitue au milieu interstellaire une partie du gaz qu'elle contient; d'autres étoiles se forment alors, et ainsi de suite. Constituant 90 p. 100 des nuages du milieu interstellaire qui sont répartis le long des bras spiraux des galaxies*, l'hydrogène* est détecté en radioastronomie sur la longueur d'onde de 21 cm. Depuis quelques années, les découvertes de nouvelles molécules se multiplient, et l'on en compte actuellement une quarantaine. Détecté sur une longueur d'onde de 18 cm, le radical OH est surtout présent dans les zones de formation d'étoiles. D'autres molécules, comme l'oxyde de carbone CO ou l'alcool méthylique CH_3OH, sont révélées sur des longueurs d'onde millimétriques. Le rôle des poussières est encore mal compris, et leur composition est elle-même mal connue.

INTERSTITIELLE (faune). — L'étude microscopique des sables souterrains humides y a fait découvrir toute une faune de minuscules animaux transparents, généralement d'origine marine et très ancienne, comprenant principalement des vers et des crustacés, et dont beaucoup se retrouvent dans les grottes. Ce milieu est éprouvant et ne convient qu'à des animaux capables de supporter d'importantes variations de température et de salinité. La reproduction de tels animaux est lente et dépourvue de formes larvaires.

INTERTRIGO. — Cette affection des plis de la peau peut être due à des germes banals (streptocoques) et plus souvent à des champignons (dermatocytes et levures). Elle est parfois liée à l'évolution d'une maladie telle que le psoriasis.

INTERVALLE → THÉORIE MUSICALE.

INTERVIEW → ENQUÊTE et PANEL.

INTESTIN. — L'intestin est divisé en deux parties : l'intestin grêle et le côlon.

• L'*intestin grêle* fait suite à l'estomac, dont il est séparé par le pylore. Il comprend le duodénum et le jéjuno-iléon.

Le *duodénum* est immobilisé par ses connexions avec les organes voisins et le péritoine; il est le lieu d'abouchement du canal cholédoque et des canaux pancréatiques, qui déversent dans l'intestin la bile et le suc pancréatique; il peut être le siège d'ulcères, très rarement de tumeurs.

Le *jéjuno-iléon* est relié à la paroi abdominale postérieure par un repli du péritoine, le mésentère, qui contient les vaisseaux, les nerfs et les lymphatiques destinés à l'intestin.

L'intestin grêle est constitué d'une muqueuse, qui est hérissée de villosités, d'une sous-muqueuse, qui contient des follicules lymphoïdes, et d'une musculeuse, qui assure le péristaltisme intestinal. Ces mouvements permettent l'homogénéisation du contenu intestinal et sa propulsion. Mais la fonction spécifique de l'intestin grêle est d'assurer une absorption des glucides, des lipides, des protides, des sels biliaires, de la vitamine B12, de l'eau et des électrolytes. Les affections de l'intestin grêle peuvent entraîner divers symptômes : occlusion, diarrhée, malabsorption. Il peut s'agir de tumeurs, d'affections inflammatoires (entérites, gastro-entérites, tuberculose intestinale) ou vasculaires (infarctus mésentérique).

• Le *côlon* (ou gros intestin) est situé entre l'intestin grêle et le rectum. Il comprend le côlon droit et le côlon gauche.

Le *côlon droit*, irrigué par les branches des vaisseaux mésentériques supérieurs, est formé du cæcum et de l'appendice, du côlon ascendant, de la majeure partie du côlon transverse, sur lequel s'insère le grand épiploon.

Le *côlon gauche*, irrigué par les branches des vaisseaux mésentériques inférieurs, est formé par une partie du côlon transverse, le côlon lombo-iliaque et le sigmoïde.

Le côlon est un organe réservoir où s'accumulent les résidus du bol alimentaire. Il est aussi actif par ses possibilités de résorption (surtout de l'eau) et de contraction (transfert du bol jusqu'au rectum) ainsi que par la présence d'une flore microbienne qui contribue à la destruction des résidus alimentaires. Il peut être le siège de lésions inflammatoires (colites), de tumeurs, notamment de polypes, tumeurs bénignes qui nécessitent cependant une ablation chirurgicale. Le cancer du côlon est un des cancers les plus fréquents chez le sujet âgé.

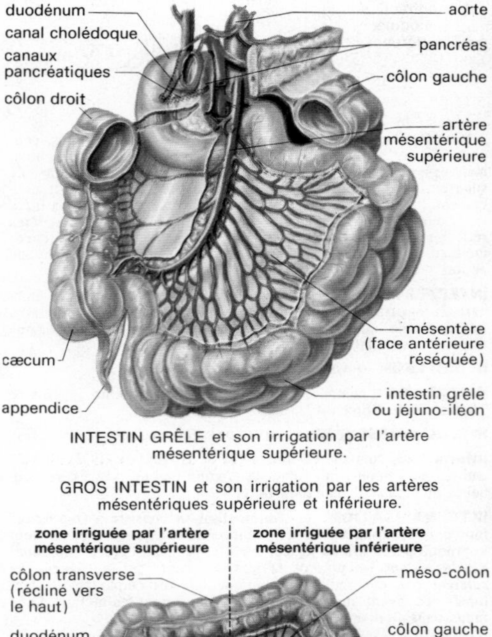

INTESTIN GRÊLE et son irrigation par l'artère mésentérique supérieure.

GROS INTESTIN et son irrigation par les artères mésentériques supérieure et inférieure.

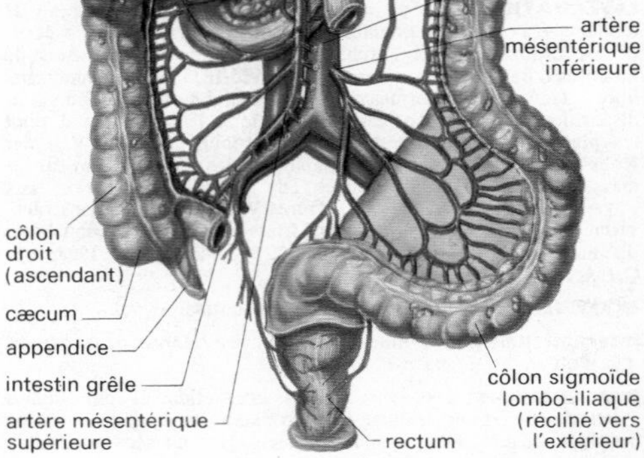

Intolérance, film américain de D. W. Griffith (1916). Un thème unique (l'intolérance sociale et religieuse à travers les siècles) traité en quatre épisodes se situant à Babylone pendant la conquête de Cyrus, en Judée à l'époque de la Crucifixion, à Paris au moment de la Saint-Barthélemy, aux États-Unis lors des grèves de 1911. Les quatre récits ne sont pas successifs, mais entremêlés selon le procédé, alors révolutionnaire, du montage parallèle. Un film célèbre par sa technique, son rythme, le gigantisme de ses décors. Une superproduction qui ne rencontra pas les faveurs du public et ruina pour un temps les projets de Griffith.

INTOLÉRANCE MÉDICAMENTEUSE. — Elle peut être *innée :* il s'agit alors de l'idiosyncrasie, qui s'observe avec certains médicaments (quinine, aspirine). Elle peut être *acquise :* cette sensibilisation est de nature allergique. L'intolérance médicamenteuse peut persister toute la vie ou disparaître en quelques années.

INTONATION. — On désigne par ce terme les variations de hauteur du ton laryngien portant sur un mot ou une suite de mots. L'intonation sert à traduire des informations extralinguistiques appartenant au domaine affectif (interrogation, ordre, colère, etc.). L'interrogation, par exemple, est marquée par une courbe montante, l'ordre par une courbe descendante.

INTOXICATION. — Les substances médicamenteuses (barbituriques, psychotropes*, etc.), ménagères (eau de Javel, cosmétiques, etc.) ou industrielles (gaz, solvants, sels minéraux, etc.), les plantes et les engrais capables de provoquer une intoxication sont multiples. L'intoxication peut être aiguë, consécutive à un accident ou à un suicide. Le traitement dépend de la nature du toxique, qu'il faut d'abord évacuer (par lavage d'estomac, diurèse provoquée); il faut quelquefois utiliser des antidotes. Les intoxications chroniques proviennent de l'action répétée, à petites doses, de médicaments ou de produits industriels. Le traitement est d'abord préventif.

INTRADERMO-RÉACTION. — Après injection dans le derme d'une petite quantité de substance choisie, la réaction est dite «positive» si, dans des délais qui varient avec la substance employée, apparaît une papule érythémateuse (rouge) visible et palpable. Une absence de modification cutanée traduit une réaction négative. Un grand nombre d'intradermo-réactions sont pratiquées dans le diagnostic des maladies : la plus courante est l'intradermo-réaction à la tuberculine.

INTROJECTION. — L'introjection, processus par lequel le sujet intègre à son moi des phénomènes extérieurs, a été décrite en premier par S. Ferenczi*. Ce dernier en fait un mécanisme complémentaire et solidaire de la projection*. L'introjection se constitue d'abord sur le mode de l'activité orale (v. ORAL [*stade*]); elle est assez proche de l'incorporation orale, qui en forme le prototype corporel. Cependant, la notion d'introjection est plus large : ce n'est plus seulement l'intérieur du corps qui est en cause, mais l'appareil psychique ou une instance. Le sujet introjecte tout ce qui le satisfait dans le monde extérieur et rejette le reste. S. Freud* met en évidence l'introjection dans la mélancolie*, puis en fait un processus plus général, corrélatif de l'identification*. Chez M. Klein*, projection et introjection jouent un rôle primordial dans la constitution du monde fantasmatique du nourrisson : mouvement de tourniquet des «bons» et des «mauvais» objets*.

INTROSPECTION → PSYCHOLOGIE.

INTUITIONNISME. — Pour cette école de logique*, fondée par L. E. J. Brouwer (1881-1966) et à laquelle se rattache Arend Heyting (né en 1898), la mathématique est d'abord une création mentale qui se fonde sur l'intuition, et, en premier lieu, sur celle de la suite des entiers naturels. Contre le formalisme, l'intuitionnisme soutient que la mathématique est indépendante de tout langage et, contre le logicisme*, que la logique n'est qu'une application particulière de la mathématique.

INUIT, nom que se donnent les Esquimaux*.

INULINE. — Cette poudre blanche, soluble dans l'eau bouillante, colore l'iode en jaune et est hydrolysable en fructose.

Invalides *(hôtel des),* monument édifié à Paris, à partir de 1670, sur les plans de Libéral Bruant et achevé par Jules Hardouin-Mansart, qui y ajouta, en 1680, la chapelle Saint-Louis, surmontée d'un dôme sous lequel ont été déposées, en 1840, les cendres de Napoléon Ier. On y trouve aussi le tombeau de son fils ainsi que ceux de plusieurs maréchaux (Turenne, Foch, Lyautey, Juin...). Cet hôtel avait été réalisé pour abriter l'*Institution nationale des Invalides,* créée en 1670 par Louis XIV pour y loger des soldats blessés ou vieillis dans le service. Après une longue histoire, cette institution, plusieurs fois réorganisée, notamment en 1918 et en 1957, reçoit encore des pensionnaires, mais elle est devenue un centre médico-chirurgical spécialisé dans la rééducation des grands blessés amputés. La plus grande partie de l'hôtel, dont Napoléon avait voulu faire un haut lieu de gloire nationale, abrite, depuis la fin du XIXe s., le *musée de l'Armée,* qui est un des plus beaux musées militaires.

INVALIDITÉ (assurance) → SÉCURITÉ SOCIALE.

INVARIANCE. — L'invariance est une propriété que l'on étudie en géométrie, pour certaines figures, et en algèbre, pour certaines expressions.

• En géométrie, l'invariance d'une figure s'étudie vis-à-vis d'une transformation* ou d'un groupe de transformations. Cette invariance peut être globale ou point par point.

EXEMPLES. 1. La figure (F) admet un axe de symétrie x. Si $M \in (F)$, M′, symétrique de M par rapport à x, appartient à (F). Dans la symétrie par rapport à x, la figure (F) est conservée point par point.

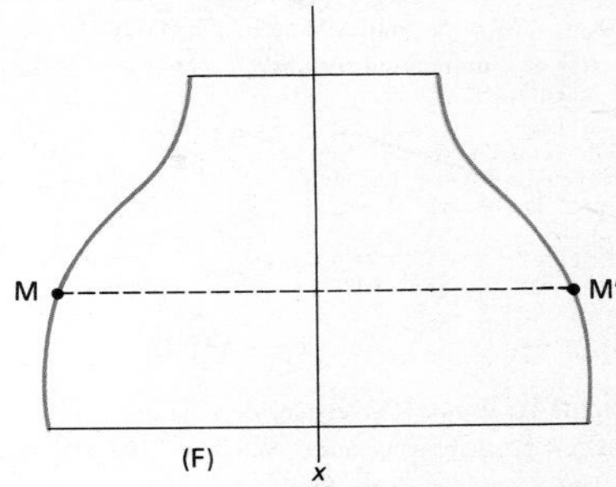

2. Le carré ABCD admet, entre autres, comme éléments de symétrie, le point de rencontre O de ses diagonales et, comme axes, ces diagonales x et y. L'ensemble $\{S_O, S_x, S_y\}$, auquel on adjoint la transformation identique I, constitue un groupe de transformations quand on le munit de la composition des applications* : cette composition est associative, interne pour l'ensemble $\{S_O, S_x, S_y, I\}$; I est élément *neutre;* chaque transformation est sa propre inverse. Le carré ABCD est globalement invariant dans chacune de ces quatre transformations ou par le produit, commutatif, de deux d'entre elles.

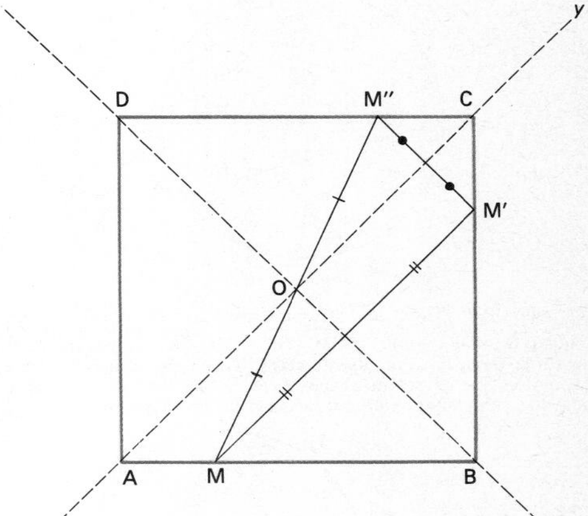

• En algèbre, on rencontre des expressions, ou simplement une propriété de non-nullité, qui sont conservées au cours de calculs. Par exemple, la matrice* A d'une application linéaire f d'un espace vectoriel* E de dimension n sur un corps K a un certain nombre d'invariants quand on passe d'une base de l'espace vectoriel E à une autre base de cet espace. Ces invariants sont, d'une part, la non-nullité ou la nullité du déterminant de la matrice A, qui traduisent respectivement la régularité ou la singularité de cette matrice, donc de l'application linéaire f, d'autre part, le spectre de la matrice A, c'est-à-dire l'ensemble de ses valeurs propres, lié aux sous-espaces propres.

Ainsi, l'invariance en mathématique traduit l'existence d'une propriété intrinsèquement liée à l'être mathématique que l'on étudie.

INVARIANT → ALGÈBRE.

INVERCARGILL, v. de la Nouvelle-Zélande, à l'extrémité méridionale de l'île du Sud; 52 000 hab.

INVERNESS, v. du nord de l'Écosse, sur la mer du Nord; 35 000 hab.

INVERSES OPTIQUES *(Chim.).* — On dénomme ainsi deux composés isomères donnant au plan de polarisation de la lumière des rotations opposées. (On dit encore *antipodes optiques* ou *énantiomorphes.*)

INVERSEUR DE POUSSÉE → TURBOMACHINE.

INVERSION *(Math.).* — L'inversion est une transformation* géométrique ponctuelle qui, à tout point M du plan ou de l'espace, associe le point M′ de la droite OM défini par $\overline{OM}.\overline{OM'} = k$, O étant un point fixe et k un nombre réel donné. $\overline{OM}$ et $\overline{OM'}$ désignent des mesures algébriques.

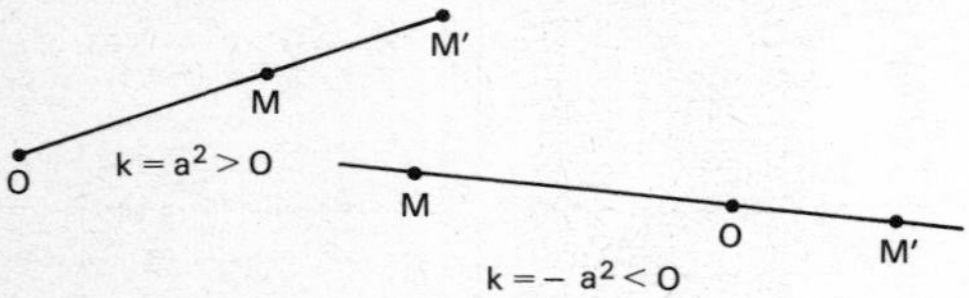

Le point O est le *pôle* d'inversion, k est la *puissance*. Si $k > 0$, l'inversion est *positive;* dans ce cas, si $k = a^2$, $\overline{OM}.\overline{OM'} = a^2$, $\overline{OM}$ et $\overline{OM'}$ sont de même signe. Si $k < 0$, l'inversion est *négative,* $k = -a^2$, $\overline{OM}$ et $\overline{OM'}$ sont de signe contraire. Dans le plan, la figure transformée d'une droite (D) ne passant pas par le pôle O est un cercle (C) passant par O. Inversement, la figure transformée du cercle (C) est la droite (D) qui est perpendiculaire au diamètre du cercle (C) passant par le pôle O. Le transformé de M est le point M′, intersection de (C) et de OM. La relation $\overline{OM}.\overline{OM'} = k$ étant *symétrique* en M et M′, le transformé de M′ est M, dans la même inversion de pôle O et de puissance k. L'inverse de (C) est donc (D).

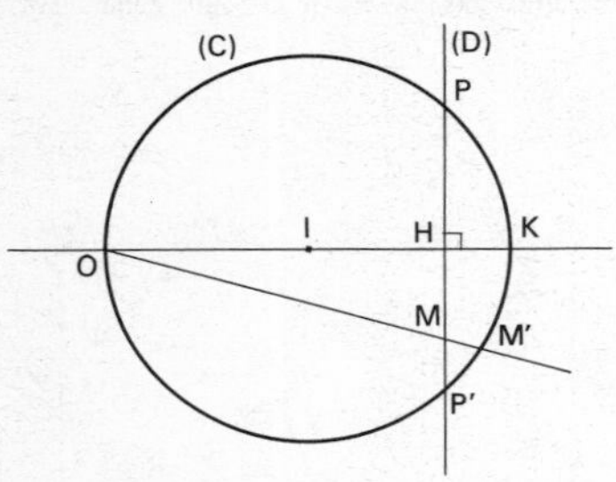

Les points P et P′ sont leurs propres inverses : ce sont des *points doubles*. On a $OP^2 = OP'^2 = \overline{OM}.\overline{OM'} = \overline{OH}.\overline{OK}$. Si le point O n'est pas sur le cercle (C), l'inverse du cercle (C) est un cercle (C′) tel que les centres I et I′ soient alignés avec O, qui est situé sur deux tangentes communes extérieures dans le cas de figure envisagé. On a

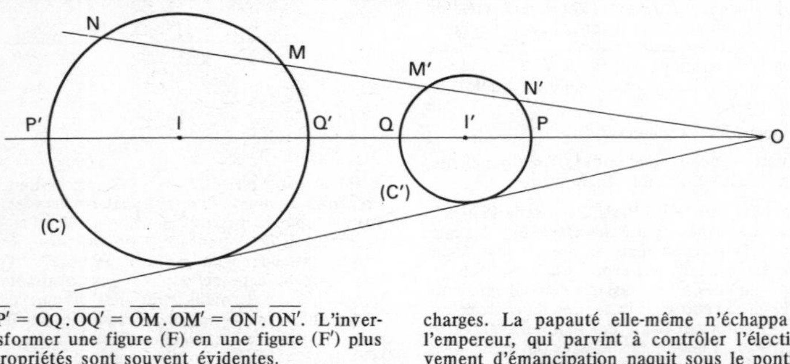

les relations $\overline{OP}.\overline{OP'} = \overline{OQ}.\overline{OQ'} = \overline{OM}.\overline{OM'} = \overline{ON}.\overline{ON'}$. L'inversion permet de transformer une figure (F) en une figure (F′) plus simple et dont les propriétés sont souvent évidentes.

INVERSION DE TEMPÉRATURE. — En règle générale, la température de l'air décroît avec l'altitude. On peut cependant observer le phénomène inverse dans les cuvettes où l'air circule mal. L'air est refroidi pendant la nuit au contact du sol et le matin les couches les plus élevées sont les premières à être réchauffées par le rayonnement solaire. Si, pour des raisons locales, la circulation se fait mal, l'air plus froid de la base de l'atmosphère a tendance à stagner au contact du sol, du fait de sa plus forte densité. On observe souvent des inversions de température dans le fond des vallées montagnardes.

INVERSION DE RELIEF → JURASSIEN *(relief).*

INVERSION DU SUCRE *(Chim.).* — C'est la transformation par hydrolyse du saccharose dextrogyre en un mélange lévogyre de glucose et de lévulose.

INVERTÉBRÉS. — Purement négative, la notion d'invertébrés n'aurait aucune consistance scientifique s'il fallait l'étendre à tous les animaux sans vertèbres. Mais il faut rapprocher trois grands embranchements : les annélides, les mollusques et les arthropodes, qui ont tous trois un système nerveux en grande partie ventral, un cœur dorsal où le sang circule d'arrière en avant, une bouche dérivant de l'orifice du jeune embryon (blastopore). Ces *protostomiens,* ou *hyponeuriens,* s'opposent aux *deutérostomiens,* ou *épineuriens :* échinodermes, procordés et vertébrés.

INVESTISSEMENT. — Le mot désigne la dépense destinée à l'acquisition de biens d'équipement. Il s'agit généralement de la transformation d'un capital monétaire en un capital technique servant à la production* d'autres biens, au terme du « détour » capitaliste. L'investissement représente une soustraction sur la consommation en vue d'un accroissement ultérieur des satisfactions finales. La décision d'investissement est un des facteurs clés de l'économie d'entreprise, mais aussi, plus généralement, un des concepts centraux de la microéconomie*.

Keynes* privilégie la notion d'investissement, dont il fait la base du redémarrage de l'économie, sous l'impulsion de l'autorité publique. L'investissement, dans ce cadre, peut cesser d'être le résultat des choix individuels pour apparaître « autonome », décidé par les responsables de l'économie, et non plus « induit », effectué sans l'intervention des décideurs publics.

L'investissement a un rôle sur l'environnement économique, et des effets sur les industries se trouvant en amont ou en aval de l'investisseur peuvent être notés (en amont d'une brasserie, une usine de flaconnages trouvera des débouchés dans ses ventes de bouteilles à la brasserie; en aval d'une cimenterie, peut naître une industrie du bâtiment, etc.). Reconnaissant un rôle capital à l'investissement, la doctrine économique contemporaine met en avant le fait que l'investissement, destiné à accroître essentiellement une capacité de production, doit promouvoir la croissance* économique.

INVESTITURE *(Hist.).* — Venant juste après l'hommage et le serment de fidélité, l'investiture est l'acte formaliste par lequel, à l'époque féodale, le seigneur transfère la chose concédée en fief à son vassal en un geste symbolique : la remise au vassal d'un objet (épée, lance, motte de terre ou oriflamme, etc.). Puis le seigneur procède à la « montrée » *(visio* et *ostensio)* du fief. Vers le milieu du XIIe s., la montrée est accompagnée, ou (le plus souvent) remplacée, par la rédaction d'un inventaire du fief, appelé « aveu et dénombrement ».

Investitures (QUERELLE DES), conflit qui, de 1075 à 1122, opposa le Saint Empire à la papauté au sujet des nominations d'évêques et d'abbés. L'intégration de l'Église dans la féodalité avait abouti à faire des domaines et des droits politiques attachés aux grandes charges ecclésiastiques (évêchés, abbatiats) des fiefs relevant du droit féodal : aussi le seigneur féodal, qui, pour les évêques et les abbés, était souvent l'empereur (Saint Empire) ou le roi (France), s'était arrogé le droit de les choisir et de les investir de leurs charges. La papauté elle-même n'échappa pas à l'influence de l'empereur, qui parvint à contrôler l'élection romaine. Le mouvement d'émancipation naquit sous le pontificat de Grégoire VI* († 1045) et aboutit rapidement aux mesures prises par Nicolas II* pour réserver l'élection du pape aux seuls cardinaux (1059). Mais avec Grégoire VII* la tentative réformiste déboucha sur un affrontement dramatique entre le pape et l'empereur. Après la défaite de Grégoire VII, la lutte fut poursuivie par Urbain II*, puis par Pascal II*, et se termina sous Calixte II* par la solution de compromis du concordat de Worms (1122). L'évêque ou l'abbé était élu librement et consacré par un prélat, qui l'investissait au spirituel par la remise de l'anneau et de la crosse. L'empereur conservait l'investiture temporelle, c'est-à-dire celle des droits de la puissance publique attachés à l'évêché ou à l'abbaye.

INZINZAC-LOCHRIST (56650), comm. du Morbihan, à 7 km au N. d'Hennebont; 5 069 hab.

IOÁNNINA ou **JANNINA,** v. du nord-ouest de la Grèce, en Épire, sur le *lac de Ioánnina;* 40 000 hab. Monastères anciens dans l'île du lac. Mosquée du XVIIe s. (musée).

IOCHKAR-OLA, v. de l'U. R. S. S. (R. S. F. S. de Russie), capit. de la république autonome des Maris, au N.-O. de Kazan; 166 000 hab.

IODE. — C'est l'élément chimique n° 53, de masse atomique I = 126,904 5, qui a été découvert par Courtois en 1811. C'est un solide gris-noir, à éclat métallique, cristallisé en paillettes orthorhombiques, d'odeur irritante. De densité 4,9, il fond à 114 °C et bout à 184 °C en donnant des vapeurs violettes. Peu soluble dans l'eau, il se dissout dans l'iodure de potassium, l'alcool, le sulfure de carbone. Ses propriétés chimiques le rapprochent des autres halogènes, mais il est moins électronégatif. Sa combinaison avec l'hydrogène, HI, est peu stable. Il a peu d'action sur les métalloïdes, attaque les métaux à chaud et agit difficilement sur les corps organiques. On le trouve, sous forme d'iodures, dans les végétaux marins et on l'extrait habituellement des cendres de laminaires, que l'on traite par le chlore. On le prépare aussi à partir des eaux mères des nitrates du Chili.

En thérapeutique, on utilise l'iode : en *applications,* sous forme de soluté alcoolique (teinture d'iode), comme antiseptique; *per os,* sous forme d'iodure de potassium, pour le traitement de certaines mycoses profondes. *L'iode radioactif* (I 131 ou I 132) est utilisé pour l'exploration et le traitement de certaines affections thyroïdiennes.

IODHYDRIQUE (acide). — L'acide iodhydrique HI est un gaz incolore, d'odeur suffocante, dense, se liquéfiant à − 37 °C, très soluble dans l'eau. Il se dissocie dès 200 °C et se décompose au contact du chlore, de l'oxygène, de nombreux métaux. On le prépare en chauffant du phosphore et de l'iode au contact de l'eau.

IODURE. — Parmi les iodures de métalloïdes, on peut signaler les iodures de phosphore et l'iodure d'azote, très explosif. Les iodures métalliques sont les sels de l'acide iodhydrique. Ils ressemblent aux chlorures, dont ils sont isomorphes. Plusieurs sont employés en médecine, en photographie ou comme colorants.

ION. — Pour expliquer les propriétés des solutions aqueuses des acides, des bases et des sels, ainsi que l'électrolyse, Arrhenius supposa que les molécules dissoutes s'étaient spontanément dissociées en ions, par une réaction réversible. Les *cations,* chargés positivement, sont des atomes ayant perdu des électrons, les *anions,* des atomes ou radicaux en ayant gagné. Le degré de dissociation ionique, rapport du nombre de molécules dissociées au nombre total de molécules, dépend de la nature de la substance (v. FORCE D'UN ÉLECTROLYTE) et il augmente avec la dilution.

Les ions électrolytiques sont doués de propriétés chimiques différentes de celles des molécules, et leurs réactions s'interprètent par l'écriture ionique des équations.

Si, au moyen de deux électrodes, on établit un champ électrique dans la solution, les ions se déplacent vers les électrodes, où ils perdent leurs charges en donnant des atomes neutres. Ainsi s'expliquent le passage du courant dans les électrolytes et les lois de l'électrolyse.

Dans les sels cristallisés, les nœuds du réseau cristallin sont occupés par des ions unis par attraction électrostatique. Ainsi, un cristal de chlorure de sodium comporte des ions Na^+ et Cl^-, alternativement disposés aux sommets de cubes contigus.

Sous l'action de certains rayonnements (ultraviolet, X, γ, cosmique), les gaz deviennent conducteurs de l'électricité, car une partie de leurs atomes est transformée en ions. Ces ions gazeux constituent des noyaux de condensation pour la vapeur d'eau sursaturante, propriété utilisée dans la chambre de Wilson. La recombinaison des anions et des cations en atomes neutres s'accompagne d'une émission lumineuse, mise à profit dans les tubes luminescents.

IONESCO (Eugène), écrivain français d'origine roumaine (Slatina 1912). Ses premières comédies, où un langage distendu démasque chez ses personnages le vide des idées que les mots prétendent couvrir, où les objets écrasent des êtres dérisoires incapables de dominer l'univers matériel, dévoilent l'absurdité de l'existence et des rapports sociaux (*la Cantatrice chauve,* 1950; *la Leçon**, 1951; *les Chaises**, 1952). Son exploration du langage s'accompagne ensuite de la recherche d'une nouvelle possibilité de communication humaine, dans des pièces où la parodie s'inscrit dans une perspective symbolique (*Rhinocéros**, 1960; *Le roi** *se meurt,* 1962; *le Piéton de l'air,* 1963; *la Soif et la faim,* 1966; *Macbett,* 1972), avant de s'épancher dans un univers onirique (*l'Homme aux valises,* 1975), dont la logique anime aussi bien les notations de son *Journal en miettes* (1967-68) que ses contes à l'usage d'un public enfantin

Bernand

Eugène Ionesco. Une scène de *la Cantatrice chauve,* au théâtre de la Huchette (Paris, 1972).

(*Conte numéro 1,* 1969; *Conte numéro 2, pour enfants de moins de trois ans,* 1970). Ionesco a transposé ses thèmes favoris dans les domaines romanesque (*le Solitaire,* 1973) et cinématographique (*la Vase,* film de Heinz von Kramer, dont il est le scénariste et le personnage principal).

IONIE, partie centrale de la région côtière de l'Asie Mineure, peuplée de Grecs venus de la Grèce d'Europe; ses deux villes principales étaient Éphèse* et Milet*. La civilisation ionienne subit l'influence de la civilisation orientale, et sa plus brillante période se situe aux VIIe-VIe s. av. J.-C. (v. GRÈCE D'ASIE). On pense que les *Ioniens* constituèrent une des premières vagues des envahisseurs qui déferlèrent sur le territoire grec au début du IIe millénaire av. J.-C. et que, sous la poussée dorienne, ils passèrent l'Égée pour venir s'installer dans le territoire qui a conservé leur nom, où se sont formées une culture et une civilisation auxquelles l'Orient a largement contribué.

IONIENNE *(mer),* partie de la Méditerranée comprise entre le sud de l'Italie et la Grèce continentale, et séparée de l'Adriatique par le canal d'Otrante.

IONIENNES *(îles),* groupe d'îles situées le long de la côte ouest de la Grèce, dont elles font partie; 2 307 km²; 184 000 hab. Du nord-ouest au sud-est se succèdent *Corfou* (la principale), *Ithaque, Céphalonie, Zante* et, au sud du Péloponnèse, *Cythère.*

HISTOIRE. Au Moyen Âge, les îles Ioniennes appartinrent au roi de Naples et aux despotes d'Épire, avant de passer sous la domination de Venise (1386). Occupées par les Français en 1797, reprises par les Russes (1799), puis restituées aux Français (1807), qui les annexèrent aux provinces Illyriennes, elles passèrent sous domination anglaise en 1809. Elles furent unies à la Grèce en 1864.

IONIENS, école philosophique grecque, fondée en Ionie (à Milet notamment) à la fin du VIIe s. av. J.-C. et à laquelle sont rattachés la plupart des penseurs grecs antérieurs à Socrate (sauf Empédocle*). La philosophie des Ioniens (Anaxagore*, Anaximandre*, Anaximène*, Thalès*, Hécatée et Héraclite*) se définit comme une vaste enquête sur les phénomènes naturels et célestes, dans laquelle la recherche des causes et des lois prend la place de la religiosité qui caractérisait les « explications » mythiques des anciennes cosmogonies.

IONISATION. — La production d'ions peut se faire soit par les substances ionisantes, soit par un courant électrique passant dans une solution saline ionisée. Cette méthode est employée notamment en thérapeutiques dermatologique et rhumatologique.

IONOGRAMME. — L'ionogramme plasmatique indique la concentration des principaux ions du plasma sanguin : sodium, potassium pour les cations; chlore, bicarbonates, protéinates pour les anions. Ces concentrations sont le plus souvent exprimées en milliéquivalents (mEq) par litre. L'ionogramme sanguin permet d'apprécier l'équilibre acido-basique du plasma; normalement, les taux des anions et des cations sont de 155 mEq/l, et la concentration ionique globale est de 310 mEq/l. Les variations sont le témoin des troubles de l'hydratation de l'organisme. L'étude de l'ionogramme urinaire est souvent un complément utile à celle de l'ionogramme sanguin.

IONOSPHÈRE. — L'ionosphère, dont l'existence explique que, par réflexion, les ondes hertziennes puissent suivre la courbure de la Terre, s'étend de 60 à environ 800 km d'altitude, où elle se raccorde à la magnétosphère. Elle forme plusieurs couches, dans lesquelles la densité des électrons libres varie de 10^5 à 10^6 par centimètre cube. Sa formation et son entretien semblent dus aux radiations courtes du rayonnement solaire.

IORGA (Nicolae), historien et homme politique roumain (Botoşani 1871 - Strejnie 1940). Professeur d'histoire à l'université de Bucarest, député d'Iaşi à partir de 1907, il fonde en 1910 un parti nationaliste et démocratique, et préside en 1918 l'assemblée qui proclame l'union de tous les Roumains. Président du Conseil (1931-32), puis ministre d'État (1938), il est assassiné par la Garde de Fer. Il a écrit une *Histoire des Roumains* (1935-1939).

IOS ou **NIÓ,** île des Cyclades (Grèce), au S. de Naxos.

IOUDENITCH (Nikolaï Nikolaïevitch) → RUSSES BLANCS *(armée des).*

IOUJNO-SAKHALINSK, v. de l'U.R.S.S. (R.S.F.S. de Russie), dans le sud de l'île de Sakhaline; 106 000 hab.

IOWA, État du centre des États-Unis; 145 790 km²; 2 825 000 hab. Capit. *Des Moines.* Dans les Grandes Plaines, entre le Missouri, à l'O., et le Mississippi, à l'E., l'Iowa est un État à prépondérance agricole, fondée sur les cultures du blé, du soja et principalement du maïs, qui sont largement associées à un important élevage (porcins et vaches laitières notamment). L'industrie est encore partiellement liée à cette agriculture (alimentation et matériel agricole).

IPHICRATE, stratège athénien (en Attique v. 415 - en Thrace 354). Il fut l'organisateur d'un corps d'infanterie légère, les *peltastes,* qui introduisait un élément nouveau dans l'art militaire.

IPHIGÉNIE, dans la mythologie grecque, fille d'Agamemnon et de Clytemnestre. Son père la sacrifia à Artémis afin de fléchir les dieux, qui retenaient par des vents contraires la flotte grecque à Aulis. Suivant une autre tradition, la déesse substitua à Iphigénie une biche et fit de la jeune fille sa prêtresse en Tauride. Cette légende a fourni à Euripide le thème de deux tragédies : *Iphigénie à Aulis* et *Iphigénie en Tauride;* c'est de la première que s'est inspiré Racine dans son *Iphigénie en Aulide* (1674). Au XVIIIᵉ s., Gluck a écrit la musique d'une *Iphigénie en Aulide* (1774), tragédie lyrique sur des paroles de Du Roullet, et d'une *Iphigénie en Tauride* (1779), sur des paroles de Guillard. Goethe a donné en 1787 une *Iphigénie en Tauride.*

IPOH, v. de la Malaysia (Malaisie), capit. de l'État de Perak; 248 000 hab. Centre de l'extraction de l'étain.

IPOUSTEGUY (Jean-Robert), sculpteur et dessinateur français (Dun-sur-Meuse 1920). D'abord peintre, il se consacre vers 1950 à la sculpture, partant d'une puissante stylisation pour évoluer à travers un éventail baroque de manières où domine soit toute la tension d'un discours intériorisé (*Ecbatane,* bronze, 1965, musée national d'Art moderne), soit le déploiement d'une scénographie véhémente (*Un mangeur de gardiens,* céramique, 1970).

IPSOS, bourg de Phrygie, où eut lieu en 301 av. J.-C. une bataille entre les généraux successeurs d'Alexandre, dans laquelle Antigonos* Monophthalmos trouva la mort.

IPSWICH, v. d'Angleterre, au N.-E. de Londres; 123 000 hab.

IQBĀL (*sir* Muḥammad), poète et philosophe musulman de l'Inde (Sialkot 1875 - Lahore 1938). Son œuvre, écrite en urdū (*l'Appel de la cloche,* 1924; *l'Aile de Gabriel,* 1935), en persan (*Message de l'Orient,* 1923) et en anglais (*The Reconstruction of Religions thought in Islam,* 1934), a exercé une profonde influence sur les créateurs de l'État pakistanais.

IQUIQUE, port du Chili septentrional; 65 000 hab. Pêche. Engrais.

IQUITOS, v. du nord-est du Pérou, sur le Marañon; 58 000 hab. Raffinage du pétrole.

IRA, sigle de l'*Irish Republican Army* (Armée républicaine irlandaise), qui se substitue à partir de 1919 aux Volontaires irlandais, l'organisation militaire du parti nationaliste Sinn* Féin. Hostile, dans sa grande majorité, au traité de Londres de 1921, l'IRA poursuit la lutte contre le gouvernement britannique en Irlande du Nord, en faveur de la réunification et de l'indépendance complète de l'île. L'accession au pouvoir de De Valera* affaiblit l'organisation, qui est déclarée illégale en 1939. À partir de 1969, l'IRA intervient en Ulster aux côtés des catholiques et reprend la lutte armée contre les protestants et le gouvernement britannique. À l'IRA officielle, d'orientation communiste et plutôt favorable à un règlement pacifique du conflit, s'oppose bientôt une tendance extrémiste dure, l'IRA provisoire, qui fait sécession et poursuit une action violente en dépit des trêves intervenues depuis 1972.

IRAK → IRAQ.

IRÁKLION → HÉRAKLION.

IRAN, État de l'Asie occidentale; 1 648 000 km²; 33 020 000 hab. (*Iraniens).* Capit. *Téhéran.*

GÉOGRAPHIE

● *Le milieu naturel.* L'Iran est un pays de hautes terres. Une série de hauts plateaux, dont certains sont de véritables déserts (Grand Kavir, Lut), occupent le centre du pays. Ils sont encadrés par des chaînes récentes : au N., l'Elbourz (5 604 m au Demāvend), prolongé par le Khorāsān, domine la mer Caspienne; au S., les monts Zagros, puis le Baloutchistan dominent le golfe Persique et la mer d'Oman. Le pays est soumis à un climat aride, marqué par des contrastes de température. Les hivers sont froids et les étés torrides, sauf sur les côtes, où les amplitudes sont atténuées. Les précipitations sont inférieures à 300 mm sur l'ensemble du pays, à l'exception des hautes montagnes. Cela explique la rareté de l'arbre, qui ne pousse que sur les massifs montagneux; la steppe est la végétation naturelle la plus répandue.

● *La population.* L'hostilité du milieu naturel explique la faiblesse relative du peuplement. La population, islamisée, se concentre dans les vallées montagnardes, sur les côtes et surtout dans les riches oasis qui jalonnent les piémonts. C'est là que se situent les principales villes : Téhéran, Ispahan, Tabriz, Chirāz, qui sont d'anciennes places commerciales. Le taux d'urbanisation dépasse 40 p. 100. Il résulte en partie de la sédentarisation des anciennes tribus nomades.

IRAN

gisement pétrolier
pipeline ● raffinerie
terminal pétrolier

⊚ ⊙ ⊙ ○ villes classées selon l'importance de leur population
━━━━ voie ferrée ━━━━ route
- - - - voie ferrée en projet

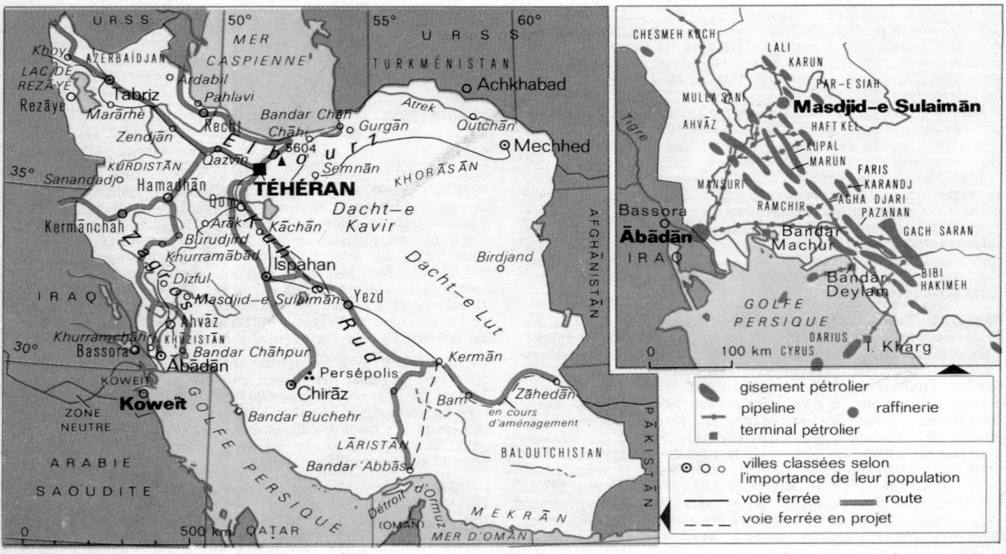

• *La vie économique.* L'Iran est un pays encore essentiellement rural. Dans les oasis des piémonts, l'agriculture est fondée sur l'irrigation. Les systèmes traditionnels de puits et de canaux, qui permettent une utilisation rationnelle de l'eau, alimentent les cultures d'arbres fruitiers (dattiers) et de légumes. Sur les hauts plateaux, la culture extensive de céréales est parfois possible (blé), mais, le plus souvent, les étendues steppiques servent de terrain de parcours aux troupeaux de moutons. Sur les côtes du golfe Persique et de la mer Caspienne, le climat plus doux et plus humide ainsi que, parfois, l'irrigation ont permis le développement des cultures du riz, de la canne à sucre, du coton, des agrumes et de la vigne. Cependant, les revenus de l'agriculture restent faibles. La réforme agraire, visant à supprimer la grande propriété, a un peu amélioré la situation des paysans, mais les superficies mises en valeur demeurent réduites (environ 30 p. 100 du territoire). La construction de grands barrages-réservoirs devrait permettre d'augmenter les surfaces cultivables.

Dans beaucoup de secteurs, l'industrie n'a guère dépassé le stade artisanal. Ispahan, Chirāz sont célèbres pour leurs tapis et leurs soieries. Quelques usines textiles (coton, laine) et de traitement des produits agricoles (sucreries, huileries) ont, cependant, été créées. Des gisements miniers ont été découverts, mais leur exploitation reste à l'état embryonnaire (sel, chrome, cuivre), le pays souffrant en particulier de l'insuffisance des moyens de communication. En fait, l'économie du pays repose sur le pétrole. Celui-ci a été découvert sur le piémont sud du Zagros, puis sur les hauts plateaux et enfin sur le littoral du golfe Persique. Son exploitation a été développée par les compagnies étrangères, mais l'Iran a affirmé sa souveraineté sur les installations et a créé une compagnie nationale. La production (300 Mt) est presque totalement destinée à l'exportation et représente en valeur environ 90 p. 100 du total des ventes, bien supérieures aux importations. Le pétrole ainsi que le gaz naturel, qui lui est souvent associé (22 Gm^3), comme sources d'énergie et surtout de revenus, ont permis le démarrage de l'industrie moderne (chimie, constructions mécaniques) et l'amorce d'une modernisation du pays, du moins des principales villes. L'abondance des réserves reconnues d'hydrocarbures (environ 10 Gt de pétrole et 10 000 Gm^3 de gaz naturel) est un atout pour la poursuite de l'expansion économique.

HISTOIRE

• *L'Iran ancien.* Le nom d'*Iran* (de *Arya*, c'est-à-dire « Aryens ») perpétue celui que se donnaient les tribus de pasteurs nomades à langues indo-européennes qui vinrent occuper vers le début du Ier millénaire les territoires qui constituent à peu près l'actuel empire d'Iran. La pénétration de ces tribus fut lente et difficile dans ce pays, convoité par l'Assyrie* et l'Ourartou*.

Au VIIe s. av. J.-C., un peuple, les Mèdes*, pose les bases de la puissance iranienne. Leur roi, Cyaxare (de 625 env. à 585 av. J.-C.), écrase l'impérialisme assyrien, soumet les petits États voisins et fonde un vaste empire, dont la capitale sera Ecbatane*. En 550, un vassal, le roi d'Anshan, l'Achéménide Cyrus* II, se révolte contre son suzerain mède, le roi Astyage, auquel il enlève son royaume, et fonde l'Empire perse, dont la domination s'étend à tout le Proche-Orient et qui atteindra son apogée avec Darios Ier* (de 522 à 486); l'immense domaine des Achéménides* passe en 330 à Alexandre* le Grand. À la mort du conquérant, le bloc iranien revient à la dynastie des Séleucides*, qui ne pourront empêcher l'effritement d'un État qui, démesurément allongé d'ouest en est, reste difficile à garder; les dissidences se multiplient, et, au IIe s. av. J.-C., un Arsacide*, Mithridate Ier, impose sa souveraineté à la majeure partie de l'Iran; il fonde l'Empire parthe* (v. 148 av. J.-C.), qui, miné durant les cinq siècles de son existence par les intrigues dynastiques, les luttes intestines et les guerres contre Rome, sera détruit par la révolte d'un prince de la Perside, Ardachêr Ier (de 226 env. à 241), se présentant comme l'héritier des Achéménides et le restaurateur des traditions nationales. Il fonde l'État sassanide* qui, fortement centralisé, opposera durant quatre siècles, une résistance efficace à Rome et à Byzance, en particulier avec les Châhpuhr et les Khosrô. L'arrivée des Arabes au VIIe s. enlèvera aux Iraniens à la fois leur religion (le zoroastrisme*) et leur indépendance.

• *L'Iran islamique.* Les victoires arabes de Qādisiyya (637) et de Nehavend (642) marquent la chute de l'Empire sassanide; la conquête de l'Iran se fait progressivement et est suivie, dans un délai variable, de l'adoption de l'islām. Plusieurs révoltes ont lieu contre les Omeyyades*, et les Iraniens participent à la révolution ʿabbāsside*. Le centre de l'empire se déplace en Iraq; la Perse s'en trouve favorisée, et les convertis iraniens servent dans l'Administration impériale. Cependant, les sentiments « nationaux » (chuʿūbiyya) s'affirment, et notamment au Khorāsān, où des dynasties locales prennent le pouvoir : Ṭāhirides (de 820 à 873), Sāmānides* (de 874 à 999). Les Buwayhides, ou Būyides (de 932 à 1055), se taillent un grand royaume en Iran occidental et dominent même l'Iraq. Au moment où la Perse s'affranchit de l'arabisme, les Turcs servent dans le monde musulman comme esclaves ou mercenaires. Bientôt ils supplantent leurs maîtres : Rhaznévides* (de 999 vers 1035) au Khorāsān et en Afghānistān, Seldjoukides* qui déferlent à travers l'Iran jusqu'à Bagdad (de 1035 à 1055). Ces Turcs s'iranisent et deviennent même les véhicules de la culture iranienne en Asie Mineure et en Inde. L'Iran seldjoukide atteint son apogée sous Malik Chāh (de 1073 à 1092), assisté du grand vizir Niẓām al-Mulk. À partir du XIIe s., les Seldjoukides d'Iran sont menacés à l'est par les Kara Kitay et les Khārezmchāh. C'est pour se venger de ces derniers que Gengis khān* lance ses hordes à travers l'Iran, à la poursuite de leur souverain, en 1220-21. Les Mongols* n'entreprennent la conquête systématique de l'Iran qu'avec Hūlāgū*, fondateur de la dynastie des Ilkhāns* (de 1251 à 1335). Eux aussi finissent par être assimilés, mais les ravages de la conquête ont ruiné l'agriculture et entraîné la nomadisation de nombreux sédentaires. Les campagnes dévastatrices de Tīmūr Lang (Tamerlan*) entre 1381 et 1404 aggravent cette évolution. Sous les Tīmūrides* (XVe s.), les confédérations turkmènes de l'Azerbaïdjan et de l'Anatolie (Mouton* Noir et Mouton* Blanc) deviennent toutes-puissantes. Parmi elles se développe la propagande chīʿite des cheikhs séfévides. L'un d'eux, Ismāʿīl (de 1502 à 1524) se proclame roi et parvient en 1510 à conquérir presque tout l'Iran. Il fait du chīʿisme* duodécimain la religion de l'État persan. La dynastie des Séfévides* est à son apogée sous ʿAbbās Ier* le Grand (de 1587 à 1629), qui libère le territoire national, occupé par les Ouzbeks* à l'est (Harāt) et par les Ottomans à l'ouest (Tabriz*). Ispahan* devient une capitale prestigieuse. En 1722, les Afghans s'emparent du pouvoir, mais sont bientôt chassés par le futur Nādir Chāh* (de 1736 à 1747). L'Iran connaît alors une période troublée, durant laquelle les Zend (de 1750 à 1794) tiennent le sud du pays, alors que les Qādjārs* dominent le nord.

• *L'Iran contemporain.* La dynastie qādjār (de 1796 à 1925) doit affronter l'impérialisme européen : celui de l'Empire russe, qui annexe les provinces caspiennes (traités de 1813 et de 1828) et progresse en Asie centrale; celui des Britanniques, qui obligent l'Iran à reconnaître l'indépendance de l'Afghānistān (1856) et à renoncer à Harāt. Le chāh accorde à la fin du XIXe s. d'importantes concessions aux étrangers. Le mécontentement grandit dans la population, et une opposition nationaliste et libérale se forme, qui obtient en 1906 une constitution instituant un parlement *(madjilis)*. Le coup d'État de 1921 donne le pouvoir à Rezā khān, qui fonde la dynastie pahlavi* en 1926. Rezā chāh (de 1926 à 1941) entreprend la modernisation et l'occidentalisation du pays. Pendant la Seconde Guerre mondiale, il abdique en faveur de son fils Muḥammad Reza, alors que les Russes et les Britanniques occupent le territoire iranien. En 1949 se forme le Front national de l'Iran de Mossadegh*. Celui-ci fait voter la nationalisation du pétrole en 1951 et devient Premier ministre. Il entre en conflit avec le chāh, qui le destitue en 1953. En 1954 est créé le consortium international du pétrole, qui assure l'exploitation de celui-ci jusqu'en 1973. Tout en poursuivant une politique de réformes (la « révolution blanche », 1963), le chāh, assisté d'un Premier ministre (Hoveyda* de 1965 à 1977), réprime toute opposition à son régime, tandis qu'il mène à l'extérieur une politique de prestige.

DÉFENSE ET ARMÉES

• *1955 :* membre du CENTO*.

• *1971 :* occupation des îles de Tomb et Abu Mūsā (golfe Persique).

• *1974 :* assistance militaire au sultanat d'Oman.

• Les forces iraniennes en 1977. Budget : 9 500 millions de dollars (17,4 p. 100 du P. N. B.); service militaire de deux ans; effectif total : 300 000 hommes (plus 70 000 gendarmes).

Armée : 200 000 hommes (7 divisions, dont 3 blindées); armements anglais et américains.

Marine : 18 500 hommes, 9 destroyers et escorteurs.

Aviation : 81 500 hommes, 317 avions de combat.

BEAUX-ARTS. Les recherches archéologiques récentes font apparaître un néolithique d'un haut niveau de développement, dispersé en divers points du pays. Dans la chaîne du Zagros, les premiers villages remontent au VIIe millénaire; dans le Kurdistān (Tepe Guran), les premières poteries se situent dans la seconde moitié du VIIe millénaire alors que, dans le Khuzestān, les sites de la vallée de Deh Luran attestent une économie néolithique dès 6750 av. J.-C. et que les poteries datent de 6000 av. J.-C.; dans cette même région, on connaît à la fin du VIe millénaire la domestication des bovidés et certaines techniques d'irrigation.

Pour le plateau central, le site de Sialk* donne la stratigraphie la plus complète, associée à une céramique peinte, au décor géométrique, puis animalier.

Les débuts de la métallurgie dans cette région se placent vers la fin du Ve millénaire à Tall-e-Iblis. Suse* a livré de remarquables poteries peintes (3800-3500).

Le IIIe et le IIe millénaire correspondent à l'épanouissement du royaume élamite, à celui de sa capitale, Suse, ainsi qu'à celui de Tchoga Zanbil*; l'influence mésopotamienne y est prédominante, comme le prouve l'urbanisation, la ronde-bosse et, vers 3000 av. J.-C., l'apparition de l'écriture pictographique.

Lauros - Giraudon

Céramique
de Sialk.
IVe millénaire.
(Musée du Louvre,
Paris.)

Bibliothèque nationale

Coupe sassanide avec reliefs dorés figurant
le roi Khosrô II à cheval
au cours d'une partie de chasse.
(Cabinet des médailles, B. N., Paris.)

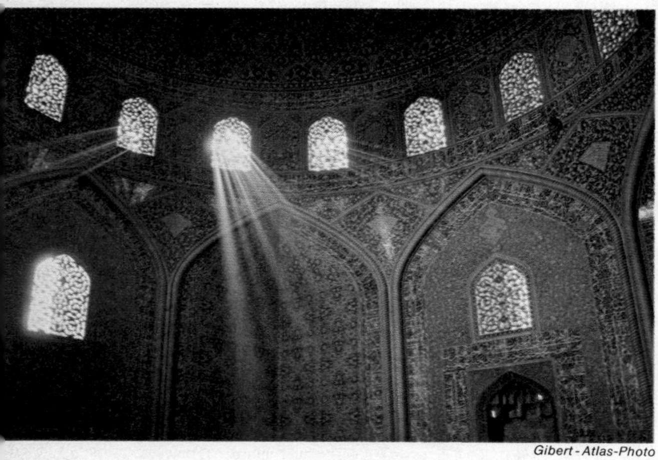

Gibert - Atlas-Photo

Salle des prières de la mosquée du Cheykh Lotfollāh (Māsdjid-e Cheykh Lotfollāh), à Ispahan. Les mosaïques murales datent du début du XVIIe s.

À Turang Tepe*, dans la région de la mer Caspienne, l'occupation remonte au VIe millénaire et s'y poursuit pratiquement sans hiatus. Vers 2500 av. J.-C., il semble que le site ait été occupé par une population d'origine indo-européenne.

Durant le Ier millénaire, la diversité des influences que subit le nord-ouest du pays se retrouve dans la variété stylistique des objets découverts, que ce soit dans le Luristān*, à Marlik ou à Hasanlu — tell fortifié et probable centre religieux —, qui a révélé deux grands bâtiments ordonnés autour d'une vaste salle à colonnes, précédée d'une antichambre et d'un portique, ainsi qu'un matériel abondant et des objets d'or et d'argent comparables à ceux de Ziwiyé*.

Ces apports variés se concrétisent dans l'art aulique des Achéménides*, témoin le palais de Suse ou celui de Persépolis* ou encore une orfèvrerie de très belle qualité.

L'hellénisme — qui se répand jusqu'au Gandhārā — marque ensuite fortement le pays, et les Parthes laissent de nombreux reliefs rupestres, typiques par leur stricte frontalité. Il faut attendre l'avènement des Sassanides* pour assister à un renouveau national et à l'éclosion d'un art original, dont certains traits se retrouveront dans l'architecture islamique de l'Iran (iwān et salle carrée à coupole notamment). Sous cette dynastie, qui laisse des ruines imposantes (Ctésiphon*, Firuzābād...), se généralise la salle de plan carré couverte d'une coupole sur trompe (Sarwistān). Les reliefs rupestres Naqsh-i Roustem, Tāk-e Bostān...) sont dégagés de l'influence grecque, et l'orfèvrerie et les tissus connaissent un brillant essor.

L'Iran islamique hérite de la tradition sassanide (Tāri Khanè de Dāmrhān, 750-786). Le VIIIe et le IXe s. laissent peu de vestiges monumentaux, mais de très belles céramiques, fabriquées dans les centres de Nichāpur, de Samarkand* et portant l'empreinte des réalisations de la Chine, ainsi que des bronzes remarquables, notamment ceux du Khorāsān entre le IXe et le XIe s. et ceux de l'école du Fārs des XIIIe-XIVe s.

L'art islamique atteint son apogée sous la domination des Seldjoukides*. Les madrasa sont nombreuses, et, peu à peu, le plan est bien défini : cour entourée par les arcs des quatre galeries; au centre de chacune de celles-ci s'ouvre un iwān (sorte de large porche situé au centre de chaque côté de la cour intérieure [Nichāpur]); celui du fond, qui est élevé, marque l'entrée de l'oratoire, vaste salle voûtée en coupole. Le même plan est adopté pour les mosquées (Golpāyegān, v. 1115; Zavvarè, 1135; Ardestān, 1160; Neyriz, 1164-65; Ispahan*...). Terminés par un pavillon ouvert, les minarets — hauts fûts cylindriques édifiés sur une base octogonale — accompagnent les sanctuaires. À partir du XIIIe s., ils sont disposés de chaque côté du portail ou de l'iwān principal.

Deux types de constructions caractérisent l'art funéraire : soit le mausolée dans la tradition de Boukhara*, soit la haute tour de plan circulaire ou étoilé, couverte en coupole sous le toit conique. Le décor architectural prouve la virtuosité d'utilisation de la brique ou la somptuosité de la céramique, dont Rey, Kāchān, Sāvē sont les principaux centres.

Sous les dominations mongole et tīmurīde, les édifices sont nombreux, mais les vestiges rares (mosquée de Yezd, 1375-1442). L'ornement décoratif est abondant, telles les stalactites constituées par l'empilement d'alvéoles (hauts iwāns de Varāmin, 1322). Tabriz*, Mechhed* et Samarkand* témoignent de la renaissance tīmurīde, et Sāvè, Nichāpur, Chirāz* et Ispahan* de celle des Séfévides, à qui l'on doit également l'essor des arts décoratifs (tissus et tapis*).

Déjà brillante sous les Seldjoukides, la miniature*, aux XIVe et XVe s., a pour centres Tabriz, où s'est réfugié Behzād* (après l'anéantissement de Harāt*), et Chirāz; l'école picturale d'Ispahan, qui se développe sous Chāh ʿAbbās, se distingue par sa richesse décorative et son goût du détail.

IRANIEN. — Issues de l'indo-européen, les langues iraniennes forment un groupe homogène, dont on peut suivre l'évolution depuis le VIIIe s. av. J.-C. À l'iranien ancien appartiennent l'avestique et le vieux-perse, connus par de nombreux textes; le mède et le scythe, au contraire, n'ont laissé presque aucune trace. À partir de l'ère chrétienne, le moyen-iranien se divise en un groupe occidental (parthe, moyen-perse) et un groupe oriental (sogdien, chorasmien). L'iranien moderne comprend le persan et le kurde (6 millions de locuteurs), d'une part, et le pachto (une des langues officielles de l'Afghānistān, 5 millions de locuteurs) et l'ossète (Caucase soviétique, 300 000 locuteurs), d'autre part.

IRAPUATO, v. du Mexique, au S.-E. de León; 117 000 hab.

IRAQ ou **IRAK,** État de l'Asie occidentale; 434 000 km^2; 11 120 000 hab. *(Irakiens).* Capit. *Bagdad.*

GÉOGRAPHIE. Le pays s'étend sur la majeure partie de la Mésopotamie, bassin alluvial du Tigre et de l'Euphrate. Ces deux fleuves se réunissent pour former le Chaṭṭ al-'Arab, qui se jette dans le golfe Persique en un vaste delta. La plaine, souvent marécageuse, est bordée à l'E. par le piémont du Zagros et à l'O. par la partie orientale du désert de Syrie. À l'exception du piémont du Zagros, un peu plus arrosé, l'ensemble du pays connaît un climat aride, aux amplitudes de températures marquées (à Bagdad, la température moyenne de janvier est de 7,7 ^{0}C, celle de juillet de 33,4 ^{0}C et les précipitations annuelles sont de 97 mm).

La population, peu dense, comprend une forte minorité de Kurdes, qui vivent sur les pentes du Zagros et dont l'intégration pose des problèmes difficiles. Elle se concentre surtout dans la cuvette mésopotamienne. Les eaux du Tigre et de l'Euphrate servent à l'irrigation et permettent la culture. Mais la mise en valeur est incomplète à cause de l'extrême irrégularité de leur régime. La construction de barrages-réservoirs sur les hauts cours des deux fleuves a, cependant, permis une régularisation et l'augmentation des surfaces cultivables grâce à l'irrigation. La Mésopotamie produit des céréales (blé, orge, riz), des dattes et du coton, tandis que le Kurdistān fournit du tabac. Cependant, une tentative de réforme agraire, visant à partager les terres, a échoué, et la production reste stagnante.

Mais le développement économique du pays est lié à la production du pétrole (110 Mt). Le plus souvent, celui-ci est exporté brut par oléoduc vers les ports de la côte méditerranéenne. Les capitaux apportés par l'exportation du pétrole ont permis un léger démarrage industriel. L'industrie du coton est concentrée à Mossoul et surtout à Bagdad, qui regroupe à peu près toutes les autres activités du pays : industries alimentaires, métallurgie légère. À l'exception du pétrole, le commerce extérieur passe par le port de Bassora, sur le golfe Persique. Grâce aux revenus pétroliers, l'Iraq peut espérer une amélioration sensible du niveau de vie moyen de ses habitants, par l'intensification des aménagements agricoles et la diversification des activités industrielles.

HISTOIRE. L'Iraq actuel est constitué par la Mésopotamie*, berceau des civilisations de Sumer*, d'Akkad*, de Babylone* et de l'Assyrie*. Conquise par les Perses, puis par Alexandre le Grand, la Mésopotamie est l'enjeu des luttes entre les Romains et les Parthes, puis les Sassanides (à partir de 224). Les Sassanides*, dont la capitale est Ctésiphon*, ont pour vassaux les Arabes chrétiens d'al-Ḥīra : les Lakhmides (ive-viie s.). Les Arabes conquièrent la Mésopotamie en 637 (victoire de Qādisiyya) et fondent les camps fortifiés de Bassora (638) et de Kūfa (639). Durant la période omeyyade*, l'ordre est souvent troublé en Iraq (révoltes 'alīdes* ou khāridjites*). La dynastie 'abbāsside* (de 750 à 1258) fait du pays le centre de l'Empire musulman, dont Bagdad* devient la capitale. La région, dont l'agriculture est prospère, connaît un grand essor économique, culturel et artistique. Cependant, la société irakienne est secouée par de nombreuses révoltes sociales ou religieuses (fidélité aux 'Alides et au chī'isme*, soulèvement des esclaves noirs de la région de Bassora, raids des qarmaṭes). Sous la tutelle des émirs chī'ites buwayhides (de 945 à 1055), maîtres de l'Iran, puis sous celle des Turcs Seldjoukides*, restaurateurs du sunnisme, les califes n'ont plus qu'une autorité nominale.

La conquête mongole de 1258 précipite le déclin politique de l'Iraq et sa décadence économique. Pendant près de trois siècles, le pays est dominé par des dynasties d'origine mongole (Ilkhāns*, Djalāyirides) ou turkmène (Mouton* Noir, Mouton* Blanc, Séfévides*). La turbulence des tribus, bédouines au sud, turkmènes et kurdes au nord, achève de désorganiser l'économie. Bagdad est mise à sac par Tīmūr Lang (Tamerlan*) en 1401.

La conquête ottomane s'accomplit par étapes de 1515 à 1546 et est plusieurs fois remise en cause par les Persans séfévides. Les gouverneurs ottomans de l'Iraq jouissent d'une grande autonomie jusqu'à la réorganisation administrative ottomane, qui tend, de 1831 à 1918, à moderniser et à occidentaliser le pays.

Les Britanniques conquièrent l'Iraq sur les Ottomans de 1914 à 1918 et obtiennent en 1920 un mandat de la S. D. N. La Grande-Bretagne organise la monarchie constitutionnelle hāchémite* et signe avec Fayṣal Ier (de 1921 à 1933) le traité de 1930, qui accorde l'indépendance à l'Iraq, mais qui réaffirme l'alliance politique et militaire entre les deux pays.

L'opposition nationaliste se développe. Un groupe d'officiers dirigés par Kassem*, encouragés par les succès de Nasser, renversent la dynastie hāchémite et proclament la république (1958). L'Iraq, sous les régimes de Kassem (de 1958 à 1963), d'Abdul Salam Aref* (de 1963 à 1966), d'Abdul Raḥman Aref* (de 1966 à 1968) et d'Aḥmad Ḥasan al-Bakr*, connaît une vie politique agitée, dont les principaux protagonistes sont les nationalistes arabes proégyptiens, les communistes et les baassistes (le Baath* est au pouvoir en 1963, puis depuis 1968). Les relations privilégiées avec la Grande-Bretagne sont abrogées dès 1958, alors que s'opère un rapprochement avec la France (à partir de 1967) et avec l'U. R. S. S. (traités d'amitié et de coopération de 1969 et de 1972).

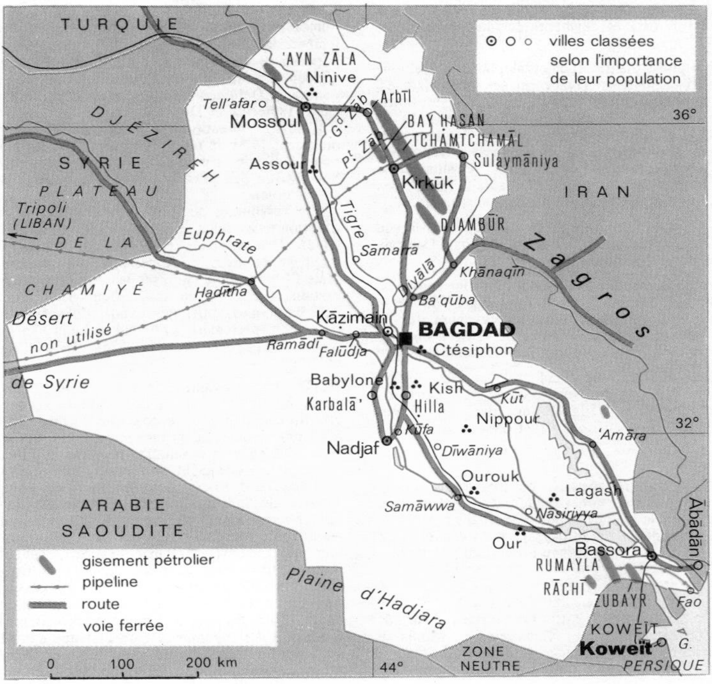

IRAQ

L'Iraq s'engage dans la voie du socialisme : réforme agraire de 1958, nationalisation de l'Iraq Petroleum Company (1961, 1972), développement d'une compagnie nationale, contrôle des banques et de l'industrialisation depuis 1964. L'affrontement des nationalismes arabe et kurde* provoque l'insurrection kurde de 1961-1966, qui se rallume de 1969 à 1975. Le gouvernement actuel tente de promouvoir, au-delà des contradictions ethniques, religieuses ou politiques, qui ont toujours miné la société irakienne, une politique de coopération nationale.

IRBID, v. du nord-ouest de la Jordanie; 116 000 hab.

IRBM (sigle de *Intermediate Range Ballistic Missile*), missile stratégique sol-sol de portée comprise entre 1 500 et 3 000 milles nautiques (2 775 et 5 550 km).

IRÈNE, impératrice d'Orient → ISAURIENS.

IRÉNÉE *(saint),* évêque de Lyon, Père de l'Église (Smyrne v. 130 - Lyon v. 202). Grec d'origine, il bénéficia de l'enseignement de l'évêque Polycarpe*, qui passait pour avoir été le disciple de l'apôtre Jean*. Prêtre à Lyon, il succède à l'évêque saint Pothin*, mort martyr durant la persécution de 177. De son œuvre abondante, il nous reste une réfutation des systèmes gnostiques, l'*Adversus haereses (Contre les hérésies),* et un exposé catéchétique de la foi chrétienne : *Démonstration de la prédication apostolique.*

IRIAN, nom de la partie indonésienne de la Nouvelle-Guinée.

IRIARTE (Tomás DE), écrivain et compositeur espagnol (La Orotava, Tenerife, 1750 - Madrid 1791). Auteur de *Fables littéraires,* qui illustrent son esthétique classique, et de poèmes musicaux, il introduisit le « mélodrame » en Espagne.

IRIDIUM. — C'est l'élément chimique n° 77, de masse atomique $Ir = 192{,}2$, qui doit son nom aux colorations variées de ses solutions salines. C'est un solide blanc-gris, de densité 22,4, qui ne fond qu'à 2 454 °C. Il donne des composés analogues à ceux du platine. Allié à celui-ci dans la proportion de 10 p. 100 (platine iridié), il est employé dans les étalons métriques et dans les thermocouples.

IRIGNY (69540), comm. du Rhône, à 10 km au S. de Lyon; 5 259 hab. Constructions mécaniques.

IRIS *(Anat.).* — Cette membrane circulaire, contractile, diversement colorée, occupe le centre de l'œil et est percée en son milieu d'un orifice, la pupille. Elle se rattache à la choroïde à sa périphérie. Elle est faite en arrière d'un épithélium pigmenté de même origine que la rétine et en avant d'un muscle contractile, le dilatateur de l'iris, innervé par le système sympathique. Autour de la pupille se trouve le sphincter de l'iris, innervé par le système parasympathique. L'iris est à la fois un diaphragme et un écran protecteur lumineux. Le diamètre de la pupille se réduit lorsque celle-ci se contracte (myosis) et augmente lorsqu'elle se dilate (mydriase).

IRIS *(Bot.).* — Cette superbe plante ornementale, qui se développe même dans des sols très arides, est vivace par ses gros rhizomes, d'où surgissent chaque année des feuilles en lames de sabre, verticales, et une hampe de fleurs aux sépales veloutés et retombants, aux pétales plus petits et dressés. Les étamines sont curieusement soudées aux sépales, et les stigmates, très développés, ressemblent à des pétales. Le bouton floral, très allongé, est enveloppé dans une bractée membraneuse. (Type de la famille des iridacées, qui se distinguent des liliacées par leur ovaire infère.)

IRKOUTSK, v. de l'U.R.S.S. (R.S.F.S. de Russie), dans le sud de la Sibérie, sur l'Angara, près du lac Baïkal; 451 000 hab. Centrale hydroélectrique. Métallurgie et chimie.

IRLANDAIS. — Issu de la branche gaélique des langues celtiques, l'irlandais est connu par des inscriptions oghamiques du Ve s. apr. J.-C. Il présente, en particulier dans son vocabulaire, de nombreux traits archaïques. Langue officielle de l'Éire à côté de l'anglais, il n'est, cependant, parlé que par 700 000 personnes.

IRLANDE, en gaélique **Éire,** la plus occidentale des îles Britanniques, partagée entre l'Irlande du Nord*, ou Ulster, partie du Royaume-Uni, et la république d'Irlande, ou Éire, qui couvre 70 300 km^2, compte 3 160 000 hab. *(Irlandais)* et dont la capitale est *Dublin.*

GÉOGRAPHIE

• *L'île.* Une série de massifs anciens, constitués de roches cristallines et rabotés par l'érosion, encadrent la dépression centrale du Shannon, pays de plaines et de collines. L'emprise des glaciers quaternaires se traduit dans le paysage par l'existence de vallées en auge dans les massifs montagneux, pourtant peu élevés, et par l'épandage de moraines, qui sont responsables de la désorganisation de l'hydrographie (nombreux lacs). Le climat océanique entretient une humidité constante : partout, il pleut plus de 200 jours par an. Les hautes terres, battues par les vents, surtout à l'O. de l'île, sont couvertes de landes. Dans les dépressions se développent des tourbières. La permanence de l'humidité, jointe à l'acidité du substratum, explique la pauvreté des sols.

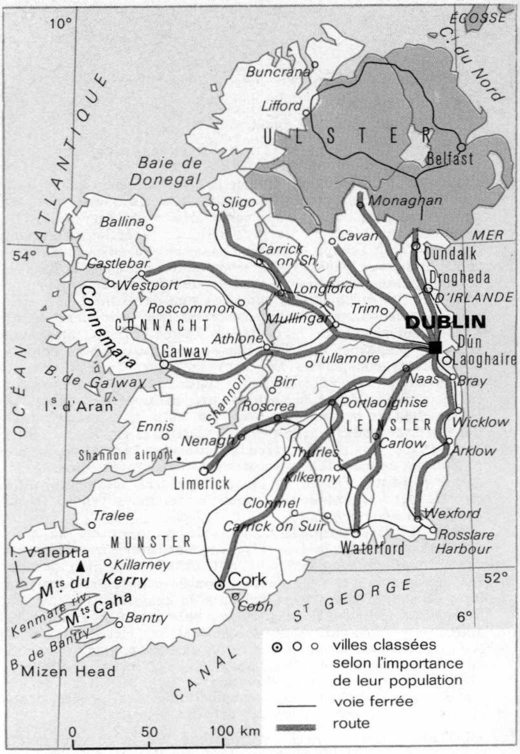

IRLANDE

• *La république d'Irlande.* La faible densité de la population est liée au fort courant d'émigration qui dure depuis plus d'un siècle. Dû à des causes historiques et à la médiocrité des conditions naturelles, ce courant d'émigration est responsable du départ de nombreux jeunes, principalement vers les États-Unis et, actuellement, la Grande-Bretagne. Il explique le vieillissement de la population, catholique et parlant encore le gaélique en certaines régions. Le taux d'urbanisation avoisine seulement 50 p. 100. En dehors de Dublin, seules trois villes dépassent les 50 000 habitants : Cork, Limerick et Dún Laoghaire.

L'élevage constitue la principale activité rurale : ovins en montagne (4 M de têtes) et bovins dans les plaines (7 M de têtes), pour la viande et pour le lait. Les cultures se concentrent dans le Sud-Est, un peu plus ensoleillé (blé, pomme de terre, betterave à sucre, orge).

Les ressources naturelles ont permis la création d'industries traditionnelles telles que les brasseries et les usines textiles (lin, laine). Des activités modernes se développent actuellement : raffinage du pétrole (et pétrochimie), constructions mécaniques. Mais l'Irlande doit importer les matières premières de même que certains biens de consommation. Sa balance commerciale est déficitaire, l'essentiel des exportations étant fourni par l'agriculture. Son partenaire principal demeure la Grande-Bretagne; en même temps que celle-ci (1973) l'Irlande a adhéré au Marché commun.

HISTOIRE. Les Celtes s'installent dans l'île, par petits groupes, à partir du IVe s. av. J.-C. Les derniers venus sont les Gaëls, qui constituent une aristocratie bien armée et dominent le pays. L'Irlande gaélique se partage en petits royaumes *(tuath),* peu à peu regroupés en cinq ensembles plus vastes : l'Ulster, qui a d'abord l'avantage; le Connacht, dont le roi s'arroge le titre de « roi suprême de l'île » (Ard Rí); le Leinster du Nord, conquis par l'Ulster; le Leinster du Sud; le Munster. Les Irlandais pratiquent volontiers la piraterie vers l'Angleterre; c'est ainsi que, vers 405, ils ramènent un jeune homme de famille romano-bretonne, Patrick*, qui christianise leur île. L'œuvre de Patrick est parachevée par de nombreux moines, notamment ceux de Clonard et d'Armagh, tels Colomba* († 597), mort au monastère écossais d'Iona, centre de l'évangélisation de l'Écosse et de l'Angleterre, et Colomban* († 615), qui devient l'un des grands fondateurs de monastères en Gaule et en Germanie. Le rayonnement de l'Irlande aux VIe et VIIe s. est non seulement religieux, mais aussi culturel (Jean Scot* Érigène) et artistique (enluminures) [v. MINIATURE].

Cet « âge d'or » de l'Irlande prend fin avec les invasions scandinaves, qui ravagent l'île durant deux siècles (IXe-Xe s.). Les Norvégiens s'y taillent des royaumes, dont les deux plus importants sont ceux de Dublin et de Limerick. Mais Brian Boru, devenu roi de toute l'Irlande du Sud (1002-1014), vainqueur des Scandinaves à Clontarf (1014), arrête ces derniers. Le dernier Árd Rí d'Irlande est Turloch O'Connor († 1156), roi du Connacht. Son adversaire, Dermot Mac Murrough († 1171), roi du Leinster, ayant demandé l'aide du roi d'Angleterre, Henri II, l'île est soumise à la conquête anglo-normande à partir de 1171. Les excès de la féodalité normande provoquent une révolte et amènent Henri II à signer, à Windsor, un traité (1175) qui fait du roi d'Angleterre le *dominus* (seigneur) de l'île, Rory O'Connor, roi du Connacht († 1198), gardant le titre d'Árd Rí. En fait, l'avidité des féodaux anglais va, pour des siècles, provoquer une alternance de révoltes irlandaises et de dures réactions anglaises. Colonie anglaise, mais colonie négligée, l'Irlande est désormais disputée entre l'aristocratie indigène et la féodalité étrangère.

Cependant, du XIIIe au XVIe s., la force assimilatrice du milieu irlandais entraîne une rétraction presque continue, la suzeraineté anglaise ne subsistant que grâce à des familles de l'aristocratie anglo-irlandaise restées fidèles à la Couronne, tels les Fitzgerald de Kildare, maîtres du pays de 1468 à 1534, mais qu'Henri VIII décime en 1535.

C'est qu'Henri VIII est surtout préoccupé par le refus de l'Irlande d'abandonner le catholicisme et de reconnaître l'*Acte de suprématie* anglicane. Ayant pris le titre de roi d'Irlande (1541), le Tudor voit se dresser contre lui toute l'île : il réplique en redistribuant les terres irlandaises à des Anglais. Les confiscations se poursuivent sous Édouard VI et même sous Marie Tudor. Sous Élisabeth Ire, l'opposition irlandaise s'allie aux Espagnols et bat les Anglais à Yellow Ford en 1598. Mais cette défaite retentissante n'empêche pas les Anglais d'écraser les révoltes de Munster (1569-1583) et d'Ulster (1594-1603), forçant les comtes O'Donnell et O'Neill, véritables héros nationaux, à s'enfuir à l'étranger. L'Irlande gaélique est morte; l'île n'est plus qu'une colonie où le conquérant va s'acharner à s'imposer sur tous les plans à une population qui résiste de toutes ses forces.

Le drame irlandais commence, jalonné de jacqueries, telle celle de 1641. Tout naturellement, lorsque les Stuarts* se trouvent, à deux reprises, rejetés d'Angleterre, l'Irlande soutient-elle leur cause. D'où la réaction violente d'Olivier Cromwell, responsable du massacre de Drogheda (1649). Après la défaite de Jacques II devant Guillaume III à la Boyne (1690), l'Irlande est abandonnée aux Anglais, son aristocratie quittant le pays pour se mettre au service de Louis XIV ou d'autres princes européens. Les lois pénales de 1702-1705, abolies seulement en 1782, mettent la masse irlandaise hors la loi. Ce n'est qu'après l'indépendance des colonies américaines (1782) que Londres, craignant la sécession de l'Irlande et ayant besoin de ses hommes pour son armée, se décide à des concessions et octroie à l'île son autonomie législative et la liberté du commerce : en fait, ces concessions profitent presque uniquement à la population protestante.

Aussi la Révolution française est-elle bien accueillie par les Irlandais qui se soulèvent plusieurs fois (1796-1798), croyant pouvoir être appuyés par un corps expéditionnaire français. Londres réagit : Pitt, en août 1800, obtient l'union de l'Irlande et de l'Angleterre (Royaume-Uni); le Parlement de Dublin disparaît. C'est alors qu'un avocat catholique, Daniel O'Connell*, décide d'adopter une autre méthode : faire profiter tous les Irlandais des bienfaits du régime politique britannique afin d'obtenir la suppression de l'Union. Député de Clare (1828), il obtient l'émancipation des catholiques (1829) et lance une campagne pour la suppression de l'Union (1840) : Londres n'ayant pas cédé, il n'ose pas « franchir le Rubicon ». Alors, ses disciples fondent la « Jeune-Irlande », cependant que l'île connaît en septembre 1845, avec la maladie de la pomme de terre, une effroyable catastrophe — la « Grande Famine » —, qui, en accélérant un énorme courant d'émigration vers l'Angleterre et les États-Unis, dépeuple l'île. Si bien que la « Jeune-Irlande » se trouve sans force jusqu'à ce que, en 1858, soit créée la Fraternité républicaine irlandaise (*Irish Republican Brotherhood*, IRB), dont les membres prennent le nom de *fenians :* les attentats que ceux-ci multiplient (1866-67) font prendre conscience à l'opinion britannique du problème irlandais. Nouveau pas en avant : la fondation, en 1870, de l'association pour le *Home Rule**, dont le chef populaire est Charles Parnell*, qui, par d'habiles procédés (obstruction parlementaire), oblige les Britanniques à multiplier les concessions. Gladstone*, d'ailleurs favorable au *Home Rule*, accorde le *Land Act* (1881); mais l'opposition des libéraux unionistes — qui ramène les conservateurs au pouvoir — et la fin isolée de Parnell (1891) font échouer le *Home Rule*. Si bien que les mouvements proprement irlandais — économiques, littéraires, politiques — se multiplient. La fondation, en 1902, du *Sinn* Féin* (« Nous-mêmes »), mouvement paramilitaire, est déterminante. Mais la Première Guerre mondiale éclate alors que le *Home Rule* va être voté; en 1916, les volontaires irlandais fomentent un soulèvement, qui est écrasé. À partir de 1918, le *Sinn Féin* domine les élections, tandis que les volontaires irlandais se transforment en armée révolutionnaire. Finalement, Lloyd George accorde à l'Irlande son indépendance (6 déc. 1921).

Mais, sitôt née, la jeune république d'Irlande est profondément divisée : d'une part parce que l'Irlande du Nord (Ulster) reste unie à la Grande-Bretagne et d'autre part parce que les liens avec Londres ne sont pas suffisamment dénoués. Le plus populaire des Sinn Féiners, Eamon De Valera*, refuse de reconnaître cet état de fait : aussi, de 1921 à 1923, l'agitation républicaine est-elle intense. William T. Cosgrave*, au pouvoir de 1922 à 1932, rétablit l'ordre et renoue avec Londres; mais la crise de 1929 ayant durement frappé l'île, le nouveau parti républicain, le *Fianna Fáil*, arrive au pouvoir avec E. De Valera (de 1932 à 1948). Celui-ci rompt avec la Grande-Bretagne et mène contre elle une guerre économique (1932-1938) qui compromet gravement le développement de l'île; mais, par la Constitution du 29 décembre 1937, il donne une indépendance réelle à l'Irlande, qui devient l'*Éire*. Quand le *Fine Gael*, avec John A. Costello, remplace De Valera au pouvoir (1945), l'Éire devient la république d'Irlande et cesse de faire partie du Commonwealth.

De 1951 à 1973 le *Fianna Fáil* a presque constamment le pouvoir; celui-ci passe ensuite au *Fine Gael* (Liam Cosgrave), mais revient, en 1977, au *Fianna Fáil* (Jack Lynch). L'Irlande connaît alors un essor économique, mais la question de l'Irlande* du Nord vient, à partir de 1969, se poser à elle avec acuité.

IRLANDE *(mer d')*, bras de mer entre l'Angleterre et l'*Irlande*.

IRLANDE DU NORD, partie du Royaume-Uni occupant la partie nord-est de l'île d'Irlande*; 13 600 km^2; 1 531 000 hab. Capit. *Belfast*.

GÉOGRAPHIE. Par rapport à la Grande-Bretagne, l'Irlande du Nord apparaît comme une région déshéritée. La population est composée de deux communautés, l'une protestante (près des deux tiers) et l'autre catholique, qui s'affrontent. Le problème religieux se double en effet d'un problème social, les protestants occupant généralement les fonctions les plus importantes et les catholiques constituant les couches les plus pauvres de la société. L'agriculture souffre des conditions naturelles. Les cultures (céréales, pommes de terre, fruits et légumes) occupent des surfaces réduites, et l'élevage (bovins, porcs, volaille) constitue l'activité dominante. L'industrie se concentre autour de Belfast et de Londonderry. Son développement, relativement plus avancé que celui de la république d'Irlande, a été favorisé par la Grande-Bretagne. Le textile (lin, fibres synthétiques) et les constructions navales sont les principales branches industrielles.

HISTOIRE. Le fait saillant de l'histoire de l'Irlande du Nord (Ulster), née en 1921, est la juxtaposition, au sein de la population, des deux communautés, catholique et protestante. Car sur les plans politique, économique et social, les protestants — appuyés sur le parti unioniste et sur l'ordre d'Orange — ont toujours dominé, ce qui n'a cessé d'exacerber, surtout après 1969, le mécontentement des catholiques. L'intervention de l'armée britannique et les agissements de l'IRA*, qui multiplie les attentats en Ulster, puis en Grande-Bretagne, aggravent encore la situation. Si bien que le gouvernement britannique est amené à proposer un plan de paix — qui échoue en fait — et à mettre fin à l'autonomie de l'Irlande du Nord (24 mars 1972) pour mieux la contrôler.

IROISE *(mer d')*, partie de l'Atlantique, au large du Finistère, entre la pointe Saint-Mathieu et l'île d'Ouessant au N., la pointe du Raz et l'île de Sein au S.

IROQUOIS, Indiens sédentaires de l'Amérique du Nord, qui livrèrent au XVIIe s. une guerre acharnée aux colonisateurs français du Canada et à leurs alliés, les Hurons. La paix imposée par Frontenac en 1700 mit fin à ces hostilités.

IRRAWADDY, principal fleuve de Birmanie, dont il constitue l'artère vitale; 2 250 km. Il traverse le pays du N. au S., défilés et bassins (dont celui de Mandalay) alternant sur le cours supérieur et moyen. Le cours inférieur se déroule dans une plaine alluviale plus large, entre les chaînes de l'Arakan et du Pegu Yoma. Le delta sur le golfe de Martaban, dans l'océan Indien, très arrosé, est une grande région productrice de riz.

IRRÉDENTISME. — Lié au Risorgimento, l'irrédentisme s'organise dès 1877 en une association dont le but est le retour à l'Italie de l'Istrie et du Trentin. En sommeil au temps de la Triplice*, il connaît une nouvelle flambée au début du XXe s. et contribue au rapprochement franco-italien de 1904. Après la Première Guerre mondiale, alors que l'Italie a récupéré l'essentiel des provinces irrédentes, l'affaire de Fiume (v. RIJEKA) — grâce à G. D'Annunzio* — le relance; il en sera de même avec le problème de Trieste* entre 1947 et 1954.

IRRIGATION. — On distingue souvent une *irrigation de nécessité*, qui, seule, permet les cultures en région aride, et une *irrigation d'appoint*, qui, s'ajoutant aux précipitations, en milieu méditerranéen ou tempéré, permet d'accroître les rendements ou d'introduire de nouvelles plantes. L'irrigation de nécessité fournit l'eau toute l'année (c'est le cas dans les oasis) ou pallie seulement la sécheresse saisonnière; elle se rapproche alors de l'irrigation d'appoint, avec laquelle s'estompe parfois la distinction, par exemple dans les plaines et les deltas des grands fleuves (Gange, Mékong, Yang-tseu-kiang) de l'Asie orientale.

Les techniques d'irrigation sont variées : submersion par simple rétention des précipitations, écoulement par gravité, dérivation, pompage. Quant à la distribution proprement dite, elle revêt aussi diverses formes : ruissellement ou arrosage notamment. Techniques et formes de distribution sont à relier avec le niveau de développement et au fait qu'il s'agit d'une *irrigation vivrière,* correspondant souvent à l'irrigation de nécessité, ou d'une *irrigation commerciale,* s'identifiant, au moins dans les pays méditerranéens et tempérés, généralement à l'irrigation d'appoint.

IRTYCH, riv. de l'U. R. S. S., en Sibérie occidentale, affl. de l'Ob (r. g.); 2 970 km.

IRÚN, v. d'Espagne, sur la Bidassoa, à la frontière française; 45 000 hab.

IRVING (Washington), écrivain américain (New York 1783 - Sunnyside 1859). Considéré comme le premier « homme de lettres » américain, il collabora au *Salmagundi,* pour lequel il écrivit ses *Esquisses* (1819). Après avoir dépeint les mœurs des colons hollandais dans son *Histoire de New York par Dietrich Knickerbocker* (1809), il parcourut l'Europe et fut ambassadeur en Espagne (1842-1846). Il a laissé également de nombreux ouvrages historiques (*Histoire de la conquête de Grenade,* 1829; *Vie de Washington,* 1855-1859) et des récits inspirés par ses voyages (*Contes de l'Alhambra,* 1832).

ISAAC, patriarche* biblique, fils d'Abraham*, père de Jacob*.

ISAAC JOGUES *(saint),* missionnaire jésuite français, martyr au Canada (Orléans 1607 - Ossernenon 1646). Entré dans la Compagnie de Jésus* en 1624, il est envoyé au Canada, où il évangélise les Hurons et les Iroquois, par qui il sera massacré.

ISAAC Ier COMNÈNE → COMNÈNES.

ISAAC II ANGE → ANGES.

ISAAK (Heinrich), compositeur flamand (v. 1450 - Florence 1517). Au service des Médicis et de Maximilien Ier, il composa des messes polyphoniques dans l'esthétique franco-flamande.

ISABEAU DE BAVIÈRE (Munich 1371 - Paris 1435), reine de France, fille d'Étienne II de Wittelsbach, mariée à Charles VI en 1385. Celui-ci devenu fou, elle se lie avec Louis d'Orléans, qui est assassiné en 1407. Après la conquête anglaise (1415), elle se fait la complice de l'exhérédation du dauphin Charles (traité de Troyes, 21 mai 1420).

ISABELLE D'ANGOULÊME (1186 - Fontevrault 1246), reine d'Angleterre, fille d'Aimar III, comte d'Angoulême. Fiancée à Hugues X de Lusignan, elle est enlevée par Jean sans Terre, qui l'épouse (1200). En 1217, elle se marie en secondes noces avec son ancien fiancé. Elle est la mère d'Henri III, roi d'Angleterre.

ISABELLE D'ORLÉANS (Paris 1389 - Blois 1409), reine d'Angleterre, fille de Charles VI et d'Isabeau* de Bavière. À l'âge de sept ans, elle est mariée à Richard II d'Angleterre (1396). Renvoyée en France en 1401, elle épouse (1406) Charles, comte d'Angoulême, puis duc d'Orléans.

ISABELLE Ire la Catholique (Madrigal de las Altas Torres 1451 - Medina del Campo 1504), reine de Castille (1474-1504). Elle est la fille de Jean II et la sœur d'Henri IV l'Impuissant, roi de Castille, qui, après l'avoir reconnue comme son héritière et mariée au prince Ferdinand, l'héritier de la couronne aragonaise (1469), la déshérite au profit de Jeanne la Beltraneja, sa fille, dont la légitimité est contestée par les grands du royaume (1470). Réconciliée avec son frère lors de l'entrevue de Ségovie (1473), elle lui succède un an plus tard. Avec l'aide de Ferdinand II* d'Aragon, qui n'a cependant aucune autorité officielle en Castille, elle triomphe du roi du Portugal, Alphonse V (1479), qui, soutenu par Louis XI, a envahi la Castille (1475), soumet la noblesse, achève la Reconquista* (conquête de Grenade*, 1492) et favorise les projets de Christophe Colomb* en Amérique. Par leur commune politique, Isabelle et Ferdinand, auxquels la papauté a conféré en 1494 le titre de « Rois Catholiques », ont préparé l'unification de l'Espagne.

Isabelle Ire la Catholique, Ferdinand II d'Aragon et Jeanne la Folle (leur fille). Miniature du livre d'heures de Jeanne la Folle. 1482. (Musée Condé, Chantilly.)

Lauros - Giraudon

Isabelle-la-Catholique *(ordre royal d'),* ordre espagnol, créé en 1815 pour récompenser tous les services rendus au pays. (Il a été réorganisé en 1947.)

ISABELLE DE PORTUGAL (Lisbonne 1503 - Tolède 1539), impératrice du Saint Empire romain germanique. Fille de Manuel Ier, roi de Portugal, et de Marie d'Aragon, elle épouse Charles Quint (1526) et est la mère de Philippe II d'Espagne, qui, de son chef, devient roi de Portugal (1580).

ISABELLE D'AUTRICHE (Ségovie 1566 - Bruxelles 1633), gouvernante des Pays-Bas (1599-1633). Fille de Philippe II, elle épouse son cousin l'archiduc Albert d'Autriche (1598), à qui elle apporte les Pays-Bas et la Franche-Comté. À la mort de son époux (1621), elle gouverne seule les Pays-Bas et poursuit la guerre contre la Hollande.

ISABELLE II (Madrid 1830 - Paris 1904), reine d'Espagne (1833-1868). Fille de Ferdinand VII, elle lui succède, malgré la loi salique et au détriment de son oncle don Carlos : cette situation est à l'origine des guerres carlistes (v. CARLISME). Après la régence de sa mère, Marie-Christine (de 1833 à 1841), puis d'Espartero* (de 1841 à 1843), Isabelle gouverne seule. Au début, elle tolère le gouvernement modéré de Narváez (de 1844 à 1848), puis, sous l'influence des catholiques intransigeants, elle se livre à une violente réaction cléricale et absolutiste (1851), qui provoque une révolution populaire (1854) : elle doit octroyer la Constitution libérale de 1855. Mais, après s'être appuyée sur le général O'Donnell (de 1857 à 1863), partisan d'un régime constitutionnel, elle revient à la réaction (1863), si bien qu'en 1868 elle doit s'enfuir en France et abdiquer en faveur de son fils Alphonse XII*.

ISABEY, peintres français. JEAN-BAPTISTE (Nancy 1767 - Paris 1855) fut surtout un miniaturiste et un décorateur au service de Bonaparte, puis de la famille impériale, dont il a exécuté les portraits sur ivoire; il maintint son succès sous les régimes suivants et donna des paysages lithographiés. — EUGÈNE (Paris 1804 - Lagny 1886), son fils, peintre de marines romantiques, de paysages et de scènes de genre, pratiqua, lui aussi, la lithographie.

ISAÏE, prophète juif, qui exerça son ministère dans le royaume de Juda entre 740 et 687. Aristocrate et lettré, il jouit d'une large audience auprès des rois Achaz (736-716) et Ezéchias (716-687), qu'il ne cessera de mettre en garde contre le danger assyrien. Il est le prophète de la sainteté de Yahvé*, de la foi et de la justice. Mais l'essentiel de son message réside dans l'espérance messianique; pour la première fois dans l'histoire biblique est évoquée la figure du Roi-Messie, fils de David.

Le livre d'Isaïe est un écrit composite, dont la première partie seulement (chap. I à XXXIX) concerne les oracles du prophète et qui témoigne de l'influence qu'exercera le message d'Isaïe sur les générations suivantes, au point que l'on peut parler d'une véritable « école », qui sera à l'origine de nouveaux oracles que l'on placera sous le nom d'*Isaïe.* Ces ajouts à l'œuvre du prophète sont appelés par les critiques *Deutéro-Isaïe* (chap. XL à LV), écrit à la fin de l'Exil, et le *Trito-Isaïe* (chap. LVI à LXVI), écrit après le retour en Palestine (VIe-Ve s.).

ISAR, affl. du Danube (r. dr.), né en Autriche et passant à Munich; 352 km.

ISAURIENS *(dynastie des),* empereurs de Constantinople (717-802). Le fondateur de la dynastie est Léon III l'Isaurien (de 717 à 741), stratège des Anatoliques et dont l'arrivée au pouvoir marque la fin de l'anarchie qui a suivi la chute du dernier des Héraclides* (711). Il défend brillamment Constantinople contre les Arabes, qu'il chasse de l'Asie Mineure. À l'intérieur, il réorganise l'Administration et jette les fondements de la doctrine iconoclaste (726). Son fils, Constantin V (de 741 à 775), prend l'offensive en Arménie et en Syrie contre les Arabes, mais ne peut défendre l'exarchat de Ravenne contre les Lombards. Il poursuit la politique religieuse de son père (concile de Hieria, 754) et persécute les partisans de l'orthodoxie. Léon IV (de 775 à 780) continue la lutte contre les Arabes en Syrie et en Anatolie. D'abord prudent sur le plan religieux, il rallume la persécution à la fin de sa vie. Constantin VI (de 780 à 797) règne d'abord sous la tutelle de sa mère, Irène, qui fait rétablir le culte des images (concile de Nicée, 787). Incapable et impopulaire, il est détrôné (797) et aveuglé par sa mère, qui, à son tour, est renversée (802) au terme de cinq années d'un règne désastreux.

ISBERGUES (62330), comm. du Pas-de-Calais, à 4 km à l'E. d'Aire; 5 990 hab. Église du XVe s. Métallurgie.

ISCHÉMIE. — L'ischémie est provoquée par l'interruption brusque de la circulation artérielle (rupture vasculaire, compression, thrombose, embolie). Elle provoque dans les tissus un défaut d'apport d'oxygène et elle entraîne, selon les organes, le ramollissement cérébral, l'infarctus* du myocarde, la gangrène des membres inférieurs.

ISCHGL, station de sports d'hiver d'Autriche, dans le Tyrol (alt. 1 377-2 763 m).

ISCHIA, île volcanique d'Italie, à l'entrée du golfe de Naples; 26 000 hab. Tourisme.

ISE *(baie d'),* baie du littoral méridional de Honshū (Japon), sur laquelle est située Nagoya.

ISEO *(lac d'),* lac subalpin de l'Italie du Nord (Lombardie), traversé par l'Oglio.

ISERAN *(col de l'),* col des Alpes (Savoie), entre les hautes vallées de l'Arc et de l'Isère; 2 770 m.

ISÈRE, riv. des Alpes du Nord; 290 km. Née à la frontière italienne, au pied de l'Iseran, l'Isère coule d'abord dans une vallée souvent étroite, passant à Bourg-Saint-Maurice, puis à Moûtiers. À Albertville, elle reçoit l'Arly et se dirige vers le S.-O., alors que s'élargit sa vallée (c'est le Sillon* alpin). Elle reçoit en aval l'Arc (r. g.), puis à Grenoble le Drac (r. g.), grossi de la Romanche. Elle sort de la montagne par la cluse de Voreppe et rejoint le Rhône (r. g.) en aval de Romans. Grande voie de pénétration des Alpes françaises, cours d'eau aux hautes eaux de printemps et de début d'été, elle a été tôt utilisée pour l'hydroélectricité, et d'importantes centrales (dont Malgovert) jalonnent son cours supérieur, dans la Tarentaise, artère industrielle.

ISÈRE (38), départ. de la Région Rhône-Alpes; 7 474 km^2; 860 378 hab. Ch.-l. *Grenoble.* S.-préf. *La Tour-du-Pin* et *Vienne.*

Partie de l'ancienne province du Dauphiné, le département s'étend au S.-E. sur la chaîne des Alpes (massif de la Grande-Chartreuse et extrémité septentrionale du Vercors, massif de Belledonne et Oisans, parties du Dévoluy et du Pelvoux), aérée par les vallées du Drac, de la Romanche et surtout de l'Isère (Grésivaudan*). Au N.-O., il occupe les collines et plaines argileuses et sableuses du Bas-Dauphiné, limitées à l'O. et au N. par la vallée du Rhône. La population est dense (sensiblement supérieure à la moyenne nationale) pour un département à demi montagnard. Cette situation s'explique par la présence de Grenoble*, dont l'agglomération regroupe près de la moitié de la population départementale (hors de l'agglomération de Grenoble, la deuxième commune du département n'atteint pas 30 000 habitants). Le poids économique de Grenoble explique aussi l'importance du secteur industriel (occupant approximativement la moitié de la population active et fondé en priorité sur les constructions mécaniques et électriques) et aussi du secteur tertiaire. En contrepartie, malgré le maintien de l'élevage bovin dans la montagne ainsi que sur les terres lourdes et humides du Bas-Dauphiné, malgré la mise en valeur intensive du Grésivaudan, l'agriculture emploie désormais moins du dixième de la population active. Au point de vue de l'évolution démographique, l'Isère, à la population stagnante pendant plus d'un siècle, a connu une croissance exceptionnelle, depuis une vingtaine d'années (de l'ordre de 50 p. 100 environ), grâce encore surtout à l'essor de Grenoble, plus qu'à la poursuite des aménagements hydroélectriques (à l'origine, cependant, de certaines branches industrielles : électrométallurgie et électrochimie) et qu'au développement, pourtant notable, du tourisme estival et surtout hivernal dans la partie alpestre (Chamrousse, l'Alpe-d'Huez, Autrans, etc.).

ISERLOHN, v. de l'Allemagne fédérale, dans l'est de la Ruhr; 59 000 hab. Métallurgie.

ISERNIA, v. d'Italie (Molise), ch.-l. de prov.; 17 000 hab.

Iseut, héroïne d'une légende médiévale qui se rattache au cycle breton. (V. TRISTAN ET ISEUT.)

ISEYIN, v. du Nigeria, au N.-O. d'Ibadan; 115 000 hab.

ISHINOMAKI, port du Japon, dans le nord de Honshū, sur le Pacifique; 107 000 hab. Pêche.

ISHTAR, déesse du panthéon assyro-babylonien, apparentée à l'Ashtarté syrienne dont parle la Bible. Déesse de l'Amour et de la Fécondité, elle était l'objet de cultes licencieux; elle apparaît dans de nombreux mythes orientaux.

ISIDORE de Séville, le dernier Père de l'Église d'Occident (Carthagène v. 560 - Séville 636). En tant qu'évêque de Séville (de 601 à 636), il exerça un rôle prépondérant en Espagne. Son œuvre de compilateur a été une des sources les plus exploitées au Moyen Âge. Son ouvrage principal, *Étymologies,* ou *Origines,* est une encyclopédie du savoir profane et religieux de son temps.

ISIGNY-LE-BUAT (50540), ch.-l. de cant. de la Manche, à 22 km au S.-E. d'Avranches; 3 150 hab.

ISIGNY-SUR-MER (14230), ch.-l. de cant. du Calvados, à 10,5 km à l'E. de Carentan; 3 315 hab. Église des XIIIe et XVIIe s.

ISIS, déesse égyptienne. Épouse et sœur d'Osiris*, mère d'Horus*, elle est le type de l'épouse fidèle et de la mère dévouée. Son culte connut en dehors de l'Égypte, à l'époque hellénistique et romaine, une grande fortune. Isis devint même dans le monde romain l'image de la déesse universelle; on célébrait en son honneur des cérémonies secrètes, des mystères initiatiques et de grandes fêtes publiques.

ISKĂR, riv. de l'ouest de la Bulgarie, qui passe près de Sofia, affl. du Danube (r. dr.); 300 km.

ISKENDERUN, port du sud de la Turquie; 82 000 hab.

ISLĀM. — L'islām, religion fondée par Mahomet* dans l'Arabie du VIIe s., s'est répandu en Asie et, dans une moindre mesure, en Afrique et en Europe. On estime à 520 millions environ le nombre des musulmans, ce qui représente un septième ou un huitième de la population mondiale. Le sous-continent indien occupe la première place avec plus de 150 millions de musulmans; le bloc malais et indonésien partage la deuxième avec les Arabes; viennent ensuite les Turcs, les Iraniens et les Africains.

Mahomet a reçu de Dieu la révélation coranique. Le Coran* et le *ḥadīth* (tradition du Prophète) forment la tradition *(sunna),* qui sert de modèle impératif aux musulmans. Le dogme principal de l'islām est l'existence de Dieu (Allāh), être suprême unique, infiniment parfait, créateur de l'univers et juge souverain des hommes. L'islām réaffirme donc le fondement des religions monothéistes précédemment révélées, le judaïsme et le christianisme, et parachève la révélation divine. L'adhésion à l'islām repose sur cinq actes essentiels, ou « piliers » de l'islām : la profession de foi, ou *chahāda,* qui consiste en la récitation de la formule « Je témoigne qu'il n'y a d'autre divinité qu'Allāh et que Mahomet est l'envoyé d'Allāh »; la prière légale, ou *Ṣalāt :* le fidèle, purifié par les ablutions, accomplit cinq fois par jour, dans la direction de La Mecque, un ensemble, strictement réglementé, d'invocations et de prosternations devant Allāh; l'observance du jeûne diurne pendant le mois de ramaḍān; le pèlerinage à La Mecque, ou *ḥadjdj,* que tout fidèle valide doit accomplir une fois dans sa vie; le paiement de l'aumône légale, ou *zakāt* (usage qui, peu à peu, a disparu). Ces pratiques mettent directement en relation le croyant et Dieu. Il n'y a pas de clergé musulman. Par contre, des hommes de loi (*muftī,* qui donnent un avis autorisé sur un point de droit, et *qāḍī* ou *cadis* [juges]) veillent à l'application de la loi coranique (*charī'a**).

Les musulmans forment une communauté *(umma).* La communauté primitive de Médine s'organisa en un État dont le chef (imām ou calife) devait faire appliquer la loi coranique. Par les conquêtes de la guerre sainte *(djihād),* cet État s'étendit et devint un vaste empire, gouverné par les califes d'Arabie*, puis par les Omeyyades*, les 'Abbāssides*, et enfin les Ottomans*. Mais, à partir du IXe s., on assiste à une certaine séparation pratique du temporel et du spirituel : des souverains assurent le pouvoir dans une région, tout en reconnaissant l'imām-calife comme chef théorique de la communauté. Ainsi se forment les États musulmans. Le califat* est aboli depuis 1924, et des États modernes régissent le monde musulman contemporain. Mais que ces États aient adopté des constitutions laïques (Tunisie, Turquie) ou qu'ils se réclament de lui, l'islām joue toujours un rôle politique de premier plan comme âme de la résistance à la colonisation européenne des XIXe et XXe s. ou comme valeur d'identification nationale et culturelle, revendiquée par les nations contemporaines.

L'islām est à la source d'une philosophie dont le problème central est l'interprétation de la révélation et de la prophétie de Mahomet. Hormis cette détermination essentielle, la philosophie islamique puise son renouveau dans les traductions des philosophes et des savants antiques (Platon, Aristote, Galien et les astronomes persans). Elle s'affirme d'abord comme une interprétation rationaliste de l'histoire de l'islām (v. MU'TAZILITES, ACHARISME), puis comme une mystique (v. CHĪ'ISME, FRÈRES DE LA PURETÉ ET AMIS DE LA FIDÉLITÉ, SOUFISME). Loin de se limiter à la philosophie arabe connue des scolastiques (v. AVERROÈS, IBN BĀDJDJA, IBN ṬUFAYL) ou à de rares « grands penseurs » (v. AVICENNE, AL-FĀRĀBĪ) et d'ignorer les problèmes sociaux (v. IBN KHALDŪN), la pensée islamique ne cesse de se développer aussi en Orient (v. AL-KINDĪ, IBN MISKAWAYH, AL-ḤALLĀDJ, SUHRAWARDĪ) et de promouvoir une intense vie intellectuelle, dont témoignent les écoles de Kūfa et de Bassora (IXe s.), de Bagdad (IXe-Xe s.), d'Édesse (XIe s.) et d'Ispahan (XVIIe s.).

BEAUX-ARTS. Le lieu de prière est, à l'origine, un simple enclos entouré de roseaux, et les premières constructions en matériaux durs n'ont laissé aucune trace. Mais, bientôt, l'architecture et le répertoire ornemental sont définis et resteront relativement cons-

Mosquée d'Ibn Ṭūlūn, au Caire. Construite au IXe s., elle fut restaurée au XIIIe s.

Froissardey - Atlas-Photo

Plat à décor épigraphique, provenant de Samarkand. Céramique émaillée des IXe-Xe s. (Musée du Louvre, Paris.)

Lauros - Giraudon

Coupole de la salle du deuxième miḥrāb (ou chapelle Villaviciosa), dans la cathédrale de Cordoue. Xe s.

Puig

tants dans ce monde arabe qu'une religion commune unit de l'Inde à l'Espagne.

Sous les Omeyyades, la nécessité de la prière collective suscite la création de l'édifice religieux : la mosquée. Celle-ci, de plan rectangulaire, est constituée d'une vaste cour avec fontaine, bordée de portiques, qui précède la salle de prière, aux nefs plus ou moins nombreuses. La nef axiale conduit au miḥrāb (niche percée dans le mur du fond — qibli — indiquant la qibla, ou direction de La Mecque). La couverture est plate, et un ou plusieurs minarets dominent l'édifice, comme à la Grande Mosquée de Damas*, premier exemple de l'architecture islamique après la Coupole du Rocher de Jérusalem* (Qubbat al-Ṣakhra), qui reste d'esprit chrétien tant dans sa structure que dans son décor, réalisé par des mosaïstes qui pratiquent encore la technique byzantine.

L'architecture civile des Omeyyades est surtout connue par les châteaux du désert (Qaṣr al-Ḥayr, Mchattā, Quṣayr ʿAmra...). Certains ont livré des éléments de fresques au décor figuratif, confirmant les ascendants hellénistique et sassanide dont les Omeyyades sont héritiers, comme ils le sont également des traditions des cultures anciennes de la Mésopotamie (traitement de la décoration à base d'alternance de matériaux polychromes).

À la période ʿabbāsside, la capitale est transférée à Bagdad*, et l'empreinte de l'Iran* s'accentue, toujours associée aux souvenirs des civilisations anciennes (Sāmarrā*, le minaret hélicoïdal de sa Grande Mosquée). L'emploi de la brique est fréquent de même que les voûtes d'arêtes en berceau, la coupole et le fameux iwān iranien (salle fermée sur trois côtés et ouverte sur le quatrième par un arc très élevé donnant sur la cour intérieure). Malgré l'interdit religieux, c'est à cette époque qu'apparaît la première architecture funéraire (Sāmarrā, le Qubbat al-Ṣulaybiyya, double octogone séparé par un couloir). L'architecture civile, elle aussi, témoigne de la prépondérance iranienne, avec la fréquence de l'iwān (château d'Ukhayḍir, au sud-ouest de Bagdad) et la diversité des voûtes. Le décor n'est plus sculpté dans la pierre, mais plaqué sur la brique, dans les parties basses, ou fait de compositions figuratives peintes, sur les parties hautes.

La production des arts mineurs, très diversifiée, atteste, outre l'ascendant de l'Iran, celui de l'Extrême-Orient, notamment dans l'art du tissage et, surtout, dans celui de la céramique*, avec les centres de Sāmarrā, de Suse*, de Raqqa, de Rey, puis de Samarkand* et de Nichāpur, aux Xe et XIe s. L'unité ʿabbāsside favorise la fusion des styles architecturaux et des principes décoratifs. Ainsi, en Égypte, Ibn Ṭūlūn se souvient de Sāmarrā et de la tour cylindrique de la Malwiyya, lorsqu'il édifie au Caire* (876) sa Grande Mosquée; les panneaux décoratifs en bois, sculptés de motifs floraux et d'entrelacs, reflètent, eux aussi, la technique mésopotamienne. Même brassage d'influences à Kairouan*, où les traits ʿabbāssides sont conjugués à ceux qui viennent d'Égypte. Importé de Bagdad, le revêtement décoratif (premier exemple des carreaux de faïence à reflets métalliques) y est associé à des faïences de fabrication locale. En bois de teck, le minbar (chaire à prêcher), du IXe s., est un travail de très grande qualité, également originaire de Bagdad. Quant au massif minaret carré, il est le prototype de tous ceux de l'islām en Occident et procède de l'antique clocher syrien.

La dislocation de l'empire et les ruptures politiques qu'elle entraîne augmentent les particularismes régionaux, tout en confirmant les principes fondamentaux de l'art islamique.

Réfugiés en Espagne, les derniers Omeyyades créent des chefs-d'œuvre, comme à Cordoue*, et leur architecture, enrichie, se perpétue dans le Maghreb sous les Almoravides — avec, cependant, des piliers massifs remplaçant les colonnes, des arcs en plein cintre outrepassés et une grande sobriété de décoration. Cet échange est à l'origine de l'art hispano-moresque, qui atteint un très haut degré de perfection, en particulier dans le domaine des arts mineurs — avec les centres céramiques de Valence, de Málaga et de Manises, et des bronzes reproduisant des formes animales, très proches stylistiquement de ceux des Fāṭimides. Sous les Almohades, certains thèmes se développent : coupole sur trompe, encorbellement de stalactites (muqarnas), arcs brisés outrepassés, arcatures polylobées ornant sobrement les puissants minarets carrés (Kutubiyya de Marrakech*, tour Ḥasan de Rabat*, Giralda de Séville*...). L'architecture militaire, avec de nombreuses enceintes et citadelles urbaines (qaṣba) — Rabat, XIIe s.; Fès* la Neuve, XIIIe s.; etc. —, connaît un grand développement.

Les Fāṭimides créent Le Caire, et leur première fondation religieuse est la mosquée al-Azhar, transformée en madrasa, et dont l'ordonnance intérieure est interrompue par la grande nef axiale en profondeur. La mosquée al-Ḥākim témoigne encore plus de la juxtaposition des inspirations : Kairouan et une survivance locale de l'époque des Ṭūlūnides. À l'exemple de l'Iran, les Fāṭimides bâtissent des mausolées de plan carré, à coupole sur trompe; pourvus d'un mirḥāb, ils peuvent servir d'oratoire. Les fortifications du Caire confirment les traditions byzantines et leur décoration témoigne d'une origine gréco-romaine.

La grammaire décorative des Fāṭimides revêt une importance considérable, notamment dans l'élaboration du décor géométrique linéaire, exécuté en méplat, associé à la calligraphie* (coufique fleuri) ou à certains motifs animaliers dans les constructions civiles (panneaux décoratifs en bois, musée arabe du Caire). Il semble bien que l'on puisse attribuer l'entrelacs floral à la tradition copte, mais ce répertoire décoratif, extrêmement riche, reste typique de l'islām par son esprit géométrique et linéaire. Tout en étant réalisés par des artisans locaux, les arts mobiliers portent la marque de l'Iran (bois, ivoire, verrerie, très beaux bronzes). Les Ayyūbides et ensuite les Mamelouks subissent toujours l'attraction de l'Iran, mais leurs formules décoratives restent sobres et discrètes, utilisant souvent l'alternance des matériaux.

Les Mamelouks demeurent célèbres pour leurs tombeaux — souvent associés à de vastes complexes, mosquée-madrasa, dont Le Caire présente les plus beaux exemples —, à coupole très surhaussée, dont l'élégance des proportions est accusée par le décor d'arabesques (mosquée Madfān Qā'it bāy, 1472).

Si, entre l'Est et l'Ouest, les différences s'accentuent, le commerce des arts mobiliers maintient une certaine unité de style.

Les constructions marocaines portent toujours l'empreinte de leur glorieux passé, alors qu'en Tunisie leur robustesse est atténuée au profit d'une recherche d'élégance. C'est aux Marīnides que l'on doit les ouvrages défensifs de Chella et les belles mosquées de Tlemcen*, Sīdī abū Madyan (1339) et Sīdī al-Halwī (1353), au décor raffiné. C'est également sous leur règne que se répand la madrasa orientale, dite ici « medersa ». En Espagne, la décoration atteint une exubérante richesse (Alhambra de Grenade*), puis, suivant les progrès de la reconquête, fleurit l'art mudéjar (artisans musulmans au service des chrétiens, à l'inverse de l'art mozarabe, né au début de l'islamisation), dont Séville* et Tolède* ont été les grands centres.

Pendant le XIIe et le début du XIIIe s., la Sicile reste un foyer important de production de tissus et d'ivoires sculptés; elle voit se développer ensuite l'art arabo-normand (XIIIe-XVe s.).

Les derniers jaillissements de l'art islamique surgissent, d'une part, en Iran sous les Séfévides, et, de l'autre, dans le monde turc sous l'hégémonie des Ottomans*. En effet, si l'art des Seldjoukides*, en Iran, ne résiste pas aux invasions mongoles, il n'y a pas de rupture, malgré les dévastations, et plusieurs villes et diverses écoles de miniaturistes (v. MINIATURE) témoignent du goût fastueux des princes timūrides. C'est aux Séfévides que le pays doit la renaissance d'un art national, avec les somptueuses créations de Chāh ʿAbbās à Ispahan*, ainsi que le brillant essor de l'art du tapis*. L'influence iranienne se décèle aussi en Inde*, dans l'architecture fabuleuse des princes moghols*. Quant à l'Empire ottoman, il enrichit Istanbul*, Salonique*, Brousse*, et bien d'autres cités, de magnifiques édifices, dont certains sont dus au génie de l'architecte Sinan*.

ISLĀMĀBĀD, cap. du Pākistān, près de Rāwalpindī; 78 000 hab.

ISLANDAIS. — Apporté au Xe s. par les Norvégiens, l'islandais appartient au nordique occidental. Il a, en dix siècles, étonnamment peu évolué.

ISLANDE, État insulaire de l'Atlantique Nord, au S.-E. du Groenland; 103 000 km²; 210 000 hab. *(Islandais).* Capit. *Reykjavík.*

GÉOGRAPHIE. Située sur la ride médio-atlantique, l'Islande est une île formée d'un empilement de coulées volcaniques récentes disposées en vastes plateaux accidentés par des failles. Elle compte de nombreux volcans encore actifs (Hekla), et les séismes y sont fréquents. Sa latitude septentrionale et son insularité expliquent son climat froid et humide (à Reykjavík, la température moyenne de janvier est de 0 °C, celle de juillet de 11,6° C, et les précipitations annuelles sont de 861 mm), et de vastes surfaces sont couvertes par les glaciers, contrastant avec les nombreuses sources d'eau chaude liées à l'activité volcanique. Les habitants, peu nombreux, se concentrent sur la côte sud, principalement à Reykjavík, qui regroupe près de la moitié de la population du pays.

En raison des conditions naturelles, l'élevage (bovins, ovins) l'emporte sur la culture (céréales, cultures maraîchères). Mais la principale activité économique est la pêche (1 Mt de poisson). Harengs et morues sont traités dans les usines (surgélation) avant d'être exportés. Cependant, le pays cherche à diversifier sa production, en développant son industrie. Le potentiel énergétique constitué par les ressources hydrauliques et géothermiques doit servir de base à la création d'activités nouvelles, telles que la métallurgie de l'aluminium ou l'industrie textile.

HISTOIRE. La colonisation ne commence réellement qu'à partir du IXe s., avec l'arrivée d'un chef de clan norvégien, Ingólfur Arnarson, puis avec la poussée expansionniste des Vikings*. Vivant de la pêche et de l'élevage, la population est dominée par l'oligarchie et christianisée non sans résistance. En 1056, l'Islande dispose d'un évêché autonome, dont les titulaires sont des Norvégiens, si bien que, par le biais de la religion, Haakon IV († 1263) finit par soumettre l'île, dont l'économie passe aux mains des commerçants norvégiens. Quand la Norvège devient danoise (1380), l'Islande (où la Réforme luthérienne s'installera au XVIe s.) connaît une certaine décadence, renforcée au XVIIIe s. par des épidémies, des famines et des catastrophes naturelles (éruptions volcaniques). En 1814, le Danemark, qui perd la Norvège, garde l'Islande, où un mouvement à la fois libéral et national, incarné par Jón Sigurósson (1811-1879), s'amplifie au XIXe s. : en 1843, le Parlement national est restauré, et, en 1854, l'entière liberté de

ISLANDE

commerce est rétablie. En 1903, une constitution accorde à l'île une véritable autonomie; en 1918, l'Islande devient un royaume indépendant, qui ne garde de commun avec le Danemark que la couronne. Le 17 juin 1944, la République islandaise est proclamée et Sveinn Björnsson (1881-1952) en devient le premier président; ses successeurs sont, de 1952 à 1968, Ásgeir Ásgeirsson* (1894-1972) et, depuis 1968, Kristjan Eldjarn. L'économie islandaise profite des accords signés avec les États scandinaves, mais les conflits avec la Grande-Bretagne au sujet de la pêche sont pratiquement continuels depuis 1958.

ISLE, riv. du sud-ouest de la France, qui passe à Périgueux et rejoint la Dordogne (r. dr.) à Libourne; 235 km.

ISLE (87170), comm. de la Haute-Vienne, banlieue sud-ouest de Limoges; 5 874 hab.

ISLE-ADAM (L') [95290], ch.-l. de cant. du Val-d'Oise, sur l'Oise, à 14 km au N.-E. de Pontoise; 10 019 hab. *(Adamois).* Église gothique et Renaissance (XVe-XVIe s.). Forêt.

ISLE-D'ABEAU (L') [38300 Bourgoin Jallieu], comm. de l'Isère, à 35 km à l'E.-S.-E. de Lyon; 761 hab. Elle a donné son nom à une ville nouvelle, développée dans une situation de carrefour entre Lyon, Grenoble et Chambéry.

ISLE-D'ESPAGNAC (L') [16340], comm. de la Charente, à 6 km à l'E. d'Angoulême; 5 082 hab.

ISLE-EN-DODON (L') [31230], ch.-l. de cant. de la Haute-Garonne, sur la Save, à 40 km au N. de Saint-Gaudens; 2 023 hab. Église des XIVe-XVIe s., à abside fortifiée.

ISLE-JOURDAIN (L') [32600], ch.-l. de cant. du Gers, sur la Save, à 33 km à l'O. de Toulouse; 4 200 hab.

ISLE-JOURDAIN (L') [86150], ch.-l. de cant. de la Vienne, sur la Vienne, à 32 km au S.-O. de Montmorillon; 1 223 hab.

ISLE-SUR-LA-SORGUE (L') [84800], ch.-l. de cant. de Vaucluse, à 10 km au N. de Cavaillon; 11 932 hab. Église des XIVe et XVIIe s., à décor et mobilier remarquables (XVIIe s.).

ISLE-SUR-LE-DOUBS (L') [25250], ch.-l. de cant. du Doubs, à 23 km au S.-O. de Montbéliard; 3496 hab.

ISLE-SUR-SEREIN (L') [89440], ch.-l. de cant. de l'Yonne, à 15 km au N.-E. d'Avallon; 494 hab.

ISLY (l'), riv. du nord-est du Maroc, à l'O. d'Oujda. Victoire de Bugeaud sur les Marocains en 1844 (v. ALGÉRIE).

ISMAËL, fils d'Abraham* et de sa servante égyptienne Agar. Une tradition populaire, consignée dans la Bible et dans le Coran, fait de lui l'ancêtre des peuples arabes.

ISMAÉLIENS, membres d'une secte chī'ite extrémiste qui admet Ismā'īl pour septième imām. Ismā'īl († 762) a été destitué par son père au profit de son frère, Mūsā al-Kāẓim, reconnu imām par le chī'isme* duodécimain. Un fort mouvement révolutionnaire ismaélien apparaît v. 880. Une branche, dite « qarmaṭe », échoue dans les insurrections qu'elle déclenche en Iraq (890) et en Syrie (900), mais prend le pouvoir v. 894 au Ḥasā et au Bahreïn, et enlève en 930 la Pierre noire de La Mecque. La dynastie iṣmaélienne des Fāṭimides* règne sur le Maghreb au Xe s. et sur l'Égypte de 973 à 1171. Les dissidences se multiplient au XIe s. : Druzes*, qui gagnent la Syrie; musta'lites et nizārites, connus au Moyen Âge sous le nom d'« assassins* ». Les ismaéliens ont aujourd'hui des communautés en Syrie, en Iran, en Asie centrale, en Afrique orientale et en Inde, où l'imām de la communauté, qui porte le titre d'Agha khān depuis 1834, a dû se réfugier en 1842. Ils sont environ 3 millions.

ISMĀ'ĪL → ISMAÉLIENS.

ISMĀ'ĪL Ier → SÉFÉVIDES.

ISMAÏLIA, v. d'Égypte, sur le canal de Suez; 144000 hab.

ISMĀ'ĪL PACHA (Le Caire 1830-Constantinople 1895), khédive d'Égypte (1867-1879). Ayant obtenu du sultan ottoman une plus grande autonomie (firmans de 1867 et de 1873), il entreprend des grands travaux de modernisation (chemins de fer, canaux d'irrigation, urbanisme), dont le financement, qui s'ajoute aux dépenses d'une politique de prestige (cérémonies d'inauguration du canal de Suez*), conduit l'Égypte à la banqueroute financière. Les grandes puissances imposent le contrôle financier franco-anglais (1878) et la déposition d'Ismā'īl par le sultan (1879).

ISO → NORMALISATION.

ISOBARE → PRESSION ATMOSPHÉRIQUE.

ISOBUTYLÈNE → ÉLASTOMÈRE.

ISOCRATE, orateur athénien (436-338 av. J.-C.). Il célébra les conceptions intellectuelles du monde grec (*Panégyrique d'Athènes,* 380; *Panathénaïque,* 342-339) et se fit le champion de l'unité hellénique, même au prix d'une alliance avec la Macédoine.

ISODIMORPHISME. — C'est la propriété des substances dimorphes, mais dont la variété instable de l'une est isomorphe de la variété stable de l'autre.

ISOGAMIE → FÉCONDATION.

ISOHYÈTE → PRÉCIPITATIONS.

ISOKÉRAUNIQUE (niveau) → FOUDRE.

ISOLA (06420 St Sauveur sur Tinée), comm. des Alpes-Maritimes, à 14 km au N.-N.-O. de Saint-Sauveur-sur-Tinée; 389 hab. — À 17,5 km à l'E., station de sports d'hiver *Isola 2000* (alt. 2000-2400 m).

ISOLANT → CÂBLE.

ISOLATEUR → LIGNE ÉLECTRIQUE.

ISOLATION THERMIQUE. — Elle a pour but de réduire le transfert de chaleur entre une enceinte, un appareil, une tuyauterie, etc., et le milieu extérieur (le plus souvent l'air ambiant). Les isolants pour températures élevées sont en général des agglomérés de produits pulvérulents minéraux ou des produits fibreux naturels (amiante*) ou fabriqués (laine minérale, verre* mousse, etc.). Pour le froid, on utilise le plus souvent le liège, la fibre de verre et des mousses plastiques (polystyrène, polyvinyle, polyuréthanne). Pour les températures extrêmement basses, la superisolation est obtenue par des poudres sous vide ou des multicouches (feuilles d'aluminium et tissu de fibres de verre).

ISOLEMENT *(Électr.).* — L'isolement désigne à la fois la *tenue* du matériel électrique vis-à-vis de la masse pour une tension donnée et l'*évacuation* de l'énergie* thermique dissipée dans les conducteurs constituant la partie active de la machine. Pour la mesure du niveau d'isolement correspondant à un type de matériel électrique, on considère la tenue aux fréquences* élevées (mesurée sous forme d'une tension), la résistance mécanique aux vibrations et les réactions chimiques pouvant se produire dans certaines conditions. De plus, ce niveau d'isolement doit se conserver dans le temps. Pour le matériel utilisant des bobinages, on a déterminé sept classes d'isolement à partir des échauffements admissibles. On parle de *défaut d'isolement* lorsque le matériel présente une tension dangereuse, autant pour le personnel que pour le matériel, entre conducteurs actifs ou entre conducteurs et terre.

ISOMÉRIE. — Les cas d'isomérie sont très nombreux en chimie organique. Ils peuvent être dus à une différence de structure du squelette carboné [butane $CH_3—CH_2—CH_2—CH_3$ et isobutane $CH_3—CH{=}(CH_3)_2$], à une différence de position d'un groupement fonctionnel (propanols -1 et -2, $CH_3—CH_2—CH_2OH$ et, $CH_3—CHOH—CH_3$), ou à une coïncidence fortuite (oxyde de méthyle $CH_3—O—CH_3$ et éthanol $CH_3—CH_2OH$).

L'usage des formules planes suffit à rendre compte des trois cas précédents. Mais d'autres cas ne peuvent s'interpréter que par des formules dans l'espace (stétéo-isomérie). Ce fait se présente en particulier lorsqu'un atome de carbone est lié à quatre atomes ou radicaux différents (carbone asymétrique). Deux dispositions sont alors possibles, dont l'une est symétrique de l'autre par rapport à un plan. Ces deux isomères, dits « énantiomorphes » ou « inverses optiques », donnent au plan de polarisation de la lumière des rotations opposées. Leur mélange, en quantités égales, est inactif par compensation ou racémique. Les composés éthyléniques peuvent présenter deux isomères, dits « cis » et « trans », représentés par les schémas suivants :

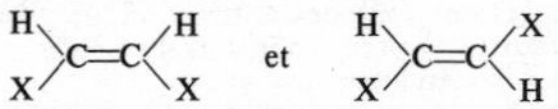

ISOMÉTRIE *(Math.).* — Une isométrie est une transformation* ponctuelle du plan ou de l'espace qui conserve les distances : si M et P sont transformés en M′ et P′, M′P′ = MP. On distingue les isométries *positives,* qui conservent le sens des angles, des dièdres et des trièdres, et les isométries *négatives,* qui changent le sens de ces éléments.

● Dans le plan, les *isométries positives* sont les translations et les rotations autour d'un point, ainsi que les produits de ces transformations.

— Une *translation* associe, à tout point M, le point M′ défini par $\overrightarrow{MM'} = \vec{V}$, $\vec{V}$ étant un vecteur donné. Cette transformation est caractérisée par la propriété de transformer un vecteur $\overrightarrow{MP}$ en un vecteur *équipollent* $\overrightarrow{M'P'} = \overrightarrow{MP}$.

— Une *rotation* est définie par un point O et un angle θ. À tout point M, la rotation $\mathcal{R}(O, \theta)$ associe le point M′, tel que OM = OM′ et $(\overrightarrow{OM}, \overrightarrow{OM'}) = \theta$. Elle est caractérisée par la propriété de transformer un vecteur $\overrightarrow{MP}$ en un vecteur $\overrightarrow{M'P'}$, de même module (longueur) que $\overrightarrow{MP}$, tel que $(\overrightarrow{MP}, \overrightarrow{M'P'}) = \theta$, θ étant indépendant du vecteur $\overrightarrow{MP}$ considéré.

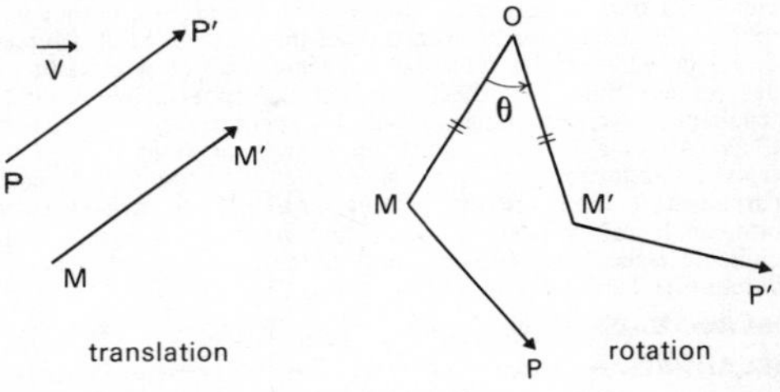

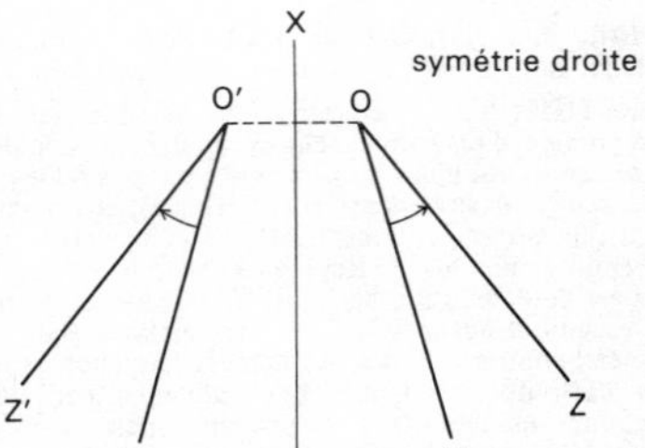

Les isométries positives planes transforment une figure en une figure *directement* égale, les deux figures étant superposables.

La *symétrie par rapport à un point, dans le plan,* est une rotation d'angle π.

La *symétrie par rapport à une droite, dans le plan,* est une isométrie *négative :* la droite X est la médiatrice du segment OO′, les angles $\widehat{YOZ}$ et $\widehat{Y'O'Z'}$ sont égaux, mais de sens contraires : ils sont inversement égaux. On ne peut pas les superposer de façon telle que OY et OZ viennent respectivement sur O′Y′ et O′Z′ en faisant *glisser* les figures dans le plan. Il faut sortir du plan pour réaliser la superposition.

• Dans l'espace, les *isométries positives* sont les translations et les rotations autour d'un axe, ainsi que les produits de ces transformations. La rotation d'axe (X) associe au point M le point M′ du plan (P) passant par M et perpendiculaire à (X), tel que $(\overrightarrow{OM}, \overrightarrow{OM'}) = \theta$, le sens positif dans le plan (P) étant défini à l'aide du vecteur $\vec{u}$ qui oriente (X). Les rotations et translations transforment une figure de l'espace en une figure directement égale.

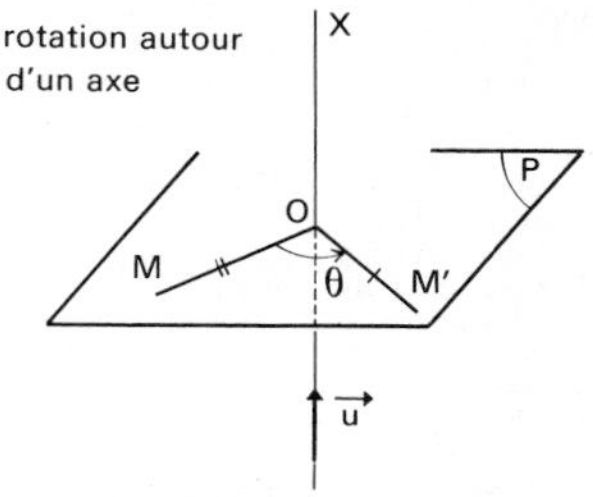

Isométrie dans le plan.
Isométrie dans l'espace.

Les *symétries par rapport à un point* ou *par rapport à un plan* sont des isométries *négatives.* Elles transforment une figure en une figure *inversement égale,* qu'on ne peut superposer à la première. Pour s'en convaincre, il suffit de placer un gant gauche devant un miroir plan : on voit un gant droit. Les deux gants, symétriques par rapport au plan du miroir, sont inversement égaux et non égaux car on ne peut mettre un gant droit à une main gauche.

La *symétrie par rapport à un axe* est une rotation d'angle π autour de cet axe, donc une isométrie *positive.* Les isométries positives sont aussi appelées *déplacements.* Elles forment un *groupe* vis-à-vis de la composition des applications. Les isométries négatives sont les *antidéplacements.* Elles ne forment pas un groupe.

L'ensemble de toutes les isométries, muni de la composition des applications, est un groupe, le *groupe euclidien* de l'espace, dont un sous-groupe est le groupe des déplacements.

ISOMORPHISME *(Log.).* — Soient deux ensembles M et M′ munis chacun d'une loi de composition interne, notée respectivement T et T′. Alors la bijection φ est un isomorphisme entre (M, T) et (M′, T′) si et seulement si pour tout couple (x, y) d'éléments de M

$$\varphi(x \text{ T } y) = \varphi(x) \text{ T}' \varphi(y).$$

Soit l'ensemble $M = \{2, 4, ..., 2^n\}$ et $M' = \{3, 6, ... 3^n\}$. Alors l'application bijective de (M, +) sur (M′, +) définie par

$$x \longrightarrow f(x) = \frac{3}{2}x$$

est un isomorphisme. Si l'on considère les éléments des « systèmes » isomorphes (M, +) et (M′, +) comme déterminés seulement par leur relation — abstraction faite de leur nature particulière — il est évident que ces systèmes isomorphes peuvent être décrits comme les « représentants » d'un seul et même « système abstrait ».

ISOMORPHISME — Les corps isomorphes peuvent se remplacer mutuellement dans un même cristal homogène. Une loi, due à Mitscherlich, affirme que les corps isomorphes ont des structures semblables et, par suite, des formules analogues.

ISONZO, fl. de Yougoslavie et d'Italie, qui rejoint le golfe de Trieste; 138 km. Théâtre de nombreuses batailles entre Italiens et Autrichiens de 1915 à 1917.

ISOPODES. — La faune terrestre ne compte que peu de crustacés et, parmi ceux-ci, ce sont les isopodes qui dominent, avec les cloportes*, nombreux dans les souches d'arbres morts ou dans les sols. Mais il existe aussi des isopodes des eaux douces *(Asellus)* et surtout de très nombreuses espèces marines, vivant sur les algues des rivages ou en parasites de crustacés marins (épicarides). Tous les isopodes sont des animaux aplatis à treize paires de pattes assez semblables, d'où leur nom. Ils se nourrissent surtout de débris organiques et de cadavres.

ISOPRÈNE → ÉLASTOMÈRE.

ISOSTASIE. — Selon les théories de l'isostasie, qui ont été formulées de diverses manières, les inégalités de la topographie terrestre sont compensées en profondeur. Sous les massifs montagneux, il existe un déficit de masse qui compense le surcroît de charge occasionné par le relief. Ces théories expliquent les anomalies de la pesanteur que l'on observe à la surface du globe, les montagnes attirant moins le pendule que leur masse le laisserait supposer.

ISOTHERME. — L'étude de la compressibilité d'un gaz à température constante fournit une relation entre son volume v et sa pression p; cette relation $f(v, p) = 0$ est représentée par une courbe, dite *isotherme du gaz.* (V. TEMPÉRATURE.)

ISOTOPE. — Les isotopes, dont l'existence a été établie grâce aux spectrographes de masse de J. J. Thomson et de F. W. Aston (1912) et par l'étude des séries radioactives (Soddy et Fajans, 1914), ont des atomes dont les noyaux comportent le même nombre de protons, mais diffèrent par le nombre de neutrons. Ayant le même nombre d'électrons périphériques, ils ont des propriétés chimiques presque identiques et ne constituent qu'un seul élément. On les distingue en portant le nombre de masse en haut et à gauche du symbole de l'élément, par ex. : ^{16}O, ^{18}O. En physique nucléaire, les divers isotopes d'un même élément peuvent avoir des propriétés très différentes. Beaucoup, obtenus artificiellement, sont radioactifs; mélangés aux atomes naturels, ils permettent de « marquer » les molécules et de les suivre dans leurs transformations, d'où des applications nombreuses dans l'industrie et en biochimie.

L'utilisation des isotopes radioactifs est fréquente lors d'investigations physiologiques ou diagnostiques. Ainsi le radio-iode 131 se fixe sur le corps thyroïde et permet de déterminer la forme et le fonctionnement de la glande. Les isotopes ont aussi des applications thérapeutiques importantes et efficaces dans le traitement de lésions hyperplasiques. Ils peuvent être utilisés par voie interne, tel le radio-iode dans le traitement de l'hyperthyroïdie, ou externe, tel l'yttrium, employé dans certains cancers de la peau.

ISOTROPE. — Dans les gaz, la plupart des liquides et les solides vitreux, les propriétés mécaniques, optiques, électriques, thermiques sont les mêmes dans toutes les directions qui partent d'un point du milieu; ces corps sont isotropes. Au contraire, les corps cristallisés ne sont pas isotropes pour l'ensemble de leurs propriétés.

ISPAHAN, v. d'Iran, au S. de Téhéran; 424 000 hab. Tourisme. Textile. Sidérurgie.

Ispahan. La place Royale et la Mosquée royale (Mäsdjid-e Chāh, construite entre 1612 et 1630).

Michaud - Rapho

HISTOIRE. Ville de fondation très ancienne, occupée par les Arabes dans les années 640, Ispahan devient la capitale des Seldjoukides de 1051 à 1200 env. Elle décline après l'occupation mongole (1240). 'Abbās I^{er*} le Grand la choisit pour capitale (1596-97) et la reconstruit suivant un urbanisme grandiose. Elle connaît un grand essor jusqu'à sa prise par les Afghans (1722).

BEAUX-ARTS. Grande Mosquée reconstruite par les Seldjoukides*, après l'incendie de 1122. Mosquée royale (Māsdjid-e Chāh, 1612-1630) et mosquée du Cheykh Lotfollāh (1602-03), toutes deux ornées d'un somptueux revêtement de faïences polychromes. Place Royale (Meydān-e Chāh), bazar, porte d''Ali Qāpu, formant un pavillon royal et s'ouvrant sur une suite de jardins et de palais fastueux, dont la salle du trône de Chāh 'Abbās (palais aux Quarante Colonnes), reconstruite au XVIIIe s. après un incendie, et le pavillon des Huit Paradis (Hicht Bīhicht) édifié sous le règne de Chāh Sulaymān (1667-1694). Dernier témoin du luxe séfévide, le complexe de la madrasa de Chāh Ḥusayn (Mādar-e Chāh), associant le classique plan à quatre iwāns et la grande salle à coupole.

ISPARTA, v. du sud-ouest de la Turquie; 51 000 hab.

ISRAËL, État du Proche-Orient; 21 000 km^2; 3 370 000 hab. *(Israéliens).* Capit. *Jérusalem.*

GÉOGRAPHIE

• *Le milieu naturel.* À l'exception du littoral au climat méditerranéen, caractérisé cependant par une longue sécheresse d'été, l'ensemble du pays est marqué par l'aridité. Les précipitations, souvent inférieures à 200 mm par an, permettent seulement la croissance d'une maigre steppe. Au nord, la plaine côtière est séparée du profond fossé tectonique où coule le Jourdain par les montagnes de Galilée. Une étroite bande littorale fait communiquer cette partie septentrionale du pays avec le désert du Néguev, au sud. Celui-ci forme un vaste plateau surmonté de massifs cristallins et volcaniques, limité à l'est par la prolongation du fossé tectonique, de la mer Morte au golfe d''Aqaba. Depuis 1967 Israël occupe la Cisjordanie, donc tous les territoires à l'ouest du Jourdain, et une partie de la massive péninsule du Sinaï.

ISRAËL

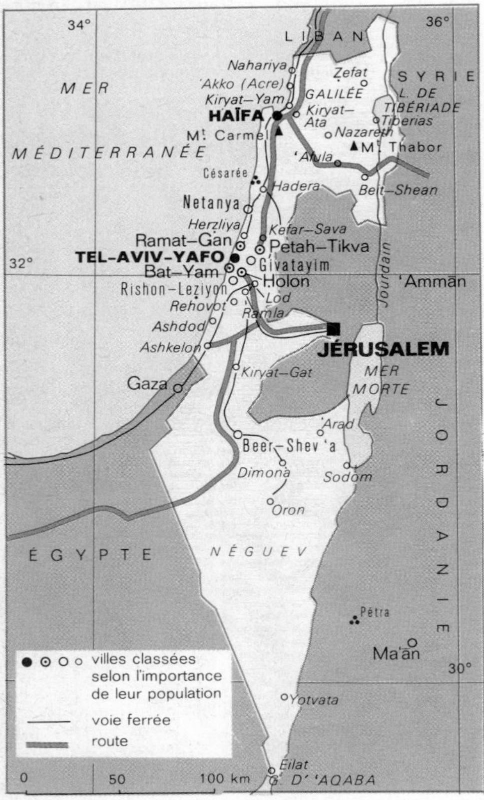

• *La population.* Les conditions du peuplement sont très originales par rapport au reste du Proche-Orient. Ce peuplement résulte de l'immigration de Juifs venus du monde entier à partir de 1880, le mouvement s'étant intensifié après 1945. La part des émigrants de l'Europe orientale et centrale a décliné au profit de ceux de l'Afrique du Nord et du Moyen-Orient. Actuellement, le pays compte 10 p. 100 d'Arabes, le reste de la population étant composé de Juifs dont à peine la moitié sont nés en Israël. La répartition de la population, très dense, reflète les étapes de la colonisation. Les premiers arrivants se sont installés dans la plaine côtière, puis dans les collines de Galilée et dans le fossé du Jourdain. Le Néguev, plus aride, mis en valeur plus tardivement et encore incomplètement, est beaucoup moins peuplé.

Le taux d'urbanisation est très élevé puisque 85 p. 100 des habitants résident dans les villes. Celles-ci sont d'anciennes cités de Palestine agrandies par l'immigration ou ont été créées de toutes pièces. Tel-Aviv, capitale économique du pays, commande un réseau urbain comprenant en particulier Jérusalem et Haïfa.

• *La vie économique.* L'économie a bénéficié du haut niveau technique des Israéliens et de l'abondance des capitaux, qui ont permis d'atteindre un niveau de développement presque comparable à celui des pays occidentaux.

La mise en valeur agricole s'est faite dans le cadre d'exploitations plus ou moins collectives, les kibboutzim et les mochavim. Elle passe par l'irrigation : l'eau disponible (puits, rivières, lac de Tibériade) est envoyée par divers systèmes de canalisation vers les surfaces cultivées. L'agriculture est intensive. Les céréales (blé, orge) occupent une place peu importante comparées aux cultures de plantation : oliviers, vignes, et surtout agrumes (1,6 Mt). L'élevage est en progression et la pêche est active. Cependant, la production agricole est insuffisante pour l'alimentation de la population.

Le développement industriel souffre du manque de matières premières. Le pays ne possède que des gisements de potasse et de phosphate et un peu de cuivre. Mais tous les autres produits doivent être importés; aussi Israël s'est-il orienté vers la fabrication de biens de consommation, fondée sur la présence d'une main-d'œuvre très qualifiée. Des industries variées (électronique, chimie, produits pharmaceutiques, taille des diamants) sont réparties dans les principaux centres urbains.

Les produits industriels assurent les deux tiers des exportations, qui passent par les ports de Haïfa et d'Ashdod. Mais le déficit de la balance commerciale n'est comblé que grâce à l'aide extérieure. Le développement économique est freiné par l'exiguïté du territoire et surtout par les problèmes politiques qui opposent Israël au reste du monde arabe, imposant notamment de lourdes dépenses militaires.

HISTOIRE. L'État d'Israël est fondé le 14 mai 1948, quelques heures avant l'expiration du mandat britannique sur la Palestine*, conformément à une résolution de l'Assemblée générale de l'O. N. U. en date du 29 novembre 1947. Ce « plan de partage » — qui crée en Palestine un État arabe et un État juif de 12 000 km^2 et qui fait de Jérusalem une zone internationale — est aussitôt rejeté par les nations arabes limitrophes (Égypte, Liban, Syrie, Iraq, Transjordanie) qui, dès le 15 mai, envahissent Israël.

À la suite de cette première guerre israélo-arabe, les pourparlers de Rhodes aboutissent à une série d'armistices (févr.-juill. 1949), qui constatent la situation créée sur le terrain à la suite de sept mois de combats intermittents. Si bien que le jeune État d'Israël atteint 20 000 km^2, avec, en plus, la Galilée occidentale (Nazareth), le sud de la bande côtière jusqu'à Gaza et un « corridor » à travers les monts de Judée, incluant le secteur occidental de Jérusalem. La Jordanie et la bande de Gaza (sous administration égyptienne) servent de refuge à plus de 500 000 réfugiés arabes : vingt ans plus tard, ils seront près de un million et demi, constituant la masse des Palestiniens* dont les droits, grâce à l'action d'organisations intérieures, vont s'affirmer de plus en plus fortement.

Reconnu par l'O. N. U. (1949), l'État d'Israël se dote d'un régime parlementaire, avec un chef de l'État purement représentatif — le premier est Chaïm Weizmann (de 1949 à 1952) — et un gouvernement responsable devant la Knesset, chambre unique élue au suffrage universel par les citoyens des deux sexes. Le parti dominant est le Mapaï (parti socialiste israélien), qui, en 1968, fusionne avec deux autres partis pour former le Front travailliste. Il est au pouvoir depuis les origines de l'État jusqu'en 1977 : d'abord avec David Ben Gourion*, son fondateur (de 1948 à 1953, de 1955 à 1963), puis avec Moshé Sharett (de 1953 à 1955), Levi Eshkol (de 1963 à 1969), Golda Meir (de 1969 à 1974), qui doit affronter la dure opposition des partis nationalistes et Itzhak Rabin (de 1974 à 1977). Aux élections de mai 1977, le bloc nationaliste (Likoud) de Menachem Begin l'emporte sur les travaillistes.

Appuyé sur un syndicalisme massif, de type socialiste, le gouvernement doit compter, à l'intérieur, avec la force du parti national religieux et du rabbinat, auxquels s'opposent une opinion laïque de plus en plus forte, notamment à propos de la « loi du retour » (1950), qui fixe les modalités d'intégration des Juifs, religieux ou non. D'autre part, le problème des disparités sociales se reflète dans l'analyse du fossé grandissant entre originaires d'Europe, qui connaissent généralement une promotion rapide, et originaires d'Afrique et d'Asie, moins favorisés dans les faits. La tension sociale ainsi créée a pris un caractère encore plus aigu depuis l'afflux d'immigrants d'Union soviétique, dont l'intégration rapide a été facilitée par la proportion élevée, parmi eux, de techniciens et d'universitaires.

Sur le plan des relations extérieures, le consensus est, par contre, à peu près total. Car, constamment contesté dans son existence même par ses voisins arabes et par la résistance palestinienne, de plus en plus isolé sur le plan diplomatique, l'État d'Israël est, depuis son origine, sur le pied de guerre. Cette situation exige de la population de lourds sacrifices.

Par trois fois d'ailleurs, après 1949, le pays est en guerre. En 1956, alors que ses relations avec l'U. R. S. S., protectrice affirmée des Arabes, sont extrêmement tendues, une concentration des forces blindées égyptiennes provoque la campagne du Sinaï (29 oct.), à laquelle participent les forces anglo-françaises. Quoique vainqueurs, les Israéliens sont réduits au *statu quo.* En 1967, alors

---

DÉFENSE ET ARMÉES

- *1948 :* création, à partir de la Haganah*, de l'armée israélienne, Tsahal, aussitôt engagée dans la guerre israélo-arabe.
- *1949 :* création d'un service militaire obligatoire masculin et féminin, dont les recrues assurent, en outre, des tâches civiques (travaux publics, etc.).

- Les forces israéliennes en 1977. Budget : 4 214 millions de dollars (35 p. 100 du P. N. B.). Effectifs : 158 000 hommes (portés en soixante-douze heures à 400 000 hommes). Service militaire : trois ans pour les hommes, deux ans pour les femmes.

Armée : 135 000 hommes, 24 brigades blindées et mécanisées, 9 d'infanterie, 5 de parachutistes et 9 d'artillerie. 2 700 blindés (surtout américains).

Marine : 4 500 hommes, 5 sous-marins, 1 destroyer, environ 40 vedettes.

Aviation : 19 000 hommes, 543 appareils de combat, 50 de transport et environ 100 hélicoptères (matériel américain et français), missiles sol-air « Hawk ».

---

que la France, jusque-là fournisseur d'armes à Israël, décide l'embargo sur les expéditions d'armes vers le Moyen-Orient, éclate la « guerre des six jours » (5-10 juin), marquée par la victoire rapide d'Israël, qui s'installe dans le Sinaï et occupe entièrement Jérusalem. Désormais, le problème de ces territoires domine la diplomatie du Moyen-Orient et aboutit à la guerre du Kippour (oct. 1973), qui provoque une grave tension intérieure et isole un peu plus Israël, au sein même de l'O. N. U. Le 18 janvier 1974, un accord militaire israélo-égyptien aboutit au désengagement des forces sur le canal de Suez. Des accords analogues sont signés avec la Syrie en mai et en juin 1974 pour le front du Golan. En septembre 1975, enfin, Israël et l'Égypte signent à Genève un accord sur la situation de leurs forces et de celles de l'O. N. U. dans la zone du canal de Suez et le Sinaï. En 1977, la rencontre de Begin et Sadate à Jérusalem inaugure une période de difficiles négociations pour la paix.

ISRAËL *(royaume d'),* nom de l'un des deux royaumes issus de la séparation des douze tribus à la mort de Salomon*. Les tribus du Nord formèrent le royaume d'Israël (931-721 av. J.-C.), celles du Sud, le royaume de Juda*. (V. Hébreux.)

Le trait caractéristique de la monarchie du royaume d'Israël est l'instabilité politique. Indépendamment d'usurpateurs éphémères, on ne compte pas moins de dix-neuf rois (pour deux siècles à peine), dont les plus importants furent : Jéroboam* (de 931 à 910), premier roi du royaume d'Israël; Omri* (de 885 à 874), qui fonda Samarie*, dont il fit sa capitale; Achab (de 874 à 853); Jéhu* (de 841 à 814); Jéroboam II (de 783 à 743), dernier grand roi d'Israël. Pour avoir manqué de réalisme en politique étrangère, le royaume d'Israël succombera sous les coups des Assyriens. En 722 av. J.-C., Sargon II* s'empare de Samarie et met fin à l'existence du royaume du Nord : l'élite de la population est déportée en Assyrie et des colons mésopotamiens sont installés à sa place.

israélo-arabes *(guerres)* • *Première guerre (1947-1949).* L'O. N. U. ayant arrêté le 29 novembre 1947 un plan de partage de la Palestine, celui-ci est accepté par les Juifs mais rejeté par l'ensemble des États arabes. Il en résulte, pendant l'évacuation des forces britanniques, une guerre civile entre Juifs et Arabes (hiver 1947-48). Dès sa proclamation, le 14 mai 1948, l'État d'Israël est attaqué par les armées égyptienne, irakienne, jordanienne, libanaise et syrienne qui, au cours de la campagne *des dix jours,* sont partout refoulées par les Israéliens (9-19 juill. 1948). Après une trêve qui permet l'exode de 500 000 Arabes, Israël attaque l'Égypte (oct.), occupe le Néguev et rejette les Égyptiens sur El-Arich. De février à juillet 1949, l'O. N. U. impose des armistices entre Israël et ses voisins arabes. Israël obtient de nouvelles frontières au Néguev et en Galilée et reçoit Jérusalem (sauf les Lieux saints, attribués à la Jordanie). Mais les États arabes refusent de reconnaître son existence, ce qui amènera de nouveaux conflits.

- *Deuxième guerre (1956).*

— *26 juill.* L'Égypte nationalise le canal de Suez et passe des accords militaires avec l'Arabie, la Jordanie et la Syrie.
— *29 oct.* Israël lance trois colonnes blindées vers le canal, qui mettent les Égyptiens en déroute.
— *30 oct.* Ultimatum franco-britannique à l'Égypte et à Israël leur enjoignant de retirer leurs forces à 16 km de part et d'autre du canal; les Israéliens l'acceptent, mais, le 31, ils sont à 30 km du canal et occupent Charm al-Chaykh le 3 novembre.
— *5-7 nov.* Le refus de l'Égypte provoque l'intervention de forces franco-britanniques concentrées à Chypre, qui, débarquant à Port-Fouad et à Port-Saïd, progressent jusqu'à El-Kantara, où elles

L'ÉTAT D'ISRAËL DE 1949 À 1975

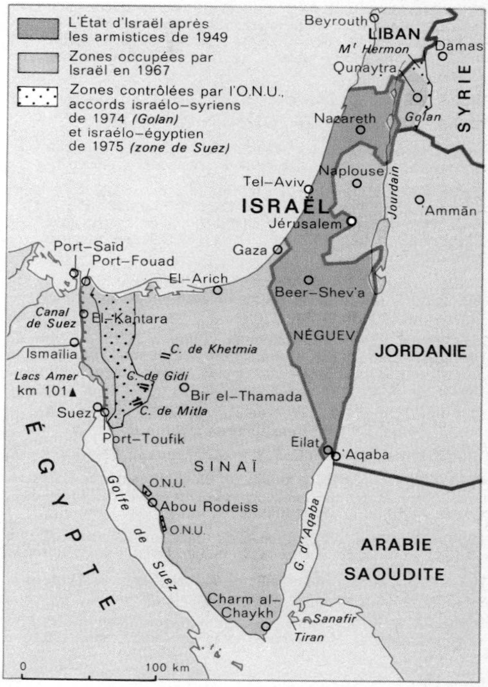

s'arrêtent à la suite des pressions exercées sur Londres et sur Paris par l'U. R. S. S. et les États-Unis.
— *15 nov.* Les casques bleus relèvent les forces franco-britanniques (dont les derniers éléments quittent l'Égypte le 23 décembre) et rétablissent les frontières de 1949.
— *Mars 1957.* Évacuation de Gaza et de Charm al-Chaykh par les Israéliens.

- *Troisième guerre, dite « des six jours » (juin 1967).*

— *21 mai.* À la demande de l'Égypte, les casques bleus évacuent Charm al-Chaykh; les Égyptiens les y remplacent et interdisent l'accès du golfe d''Aqaba à l'État d'Israël, dont Nasser, appuyé par la Jordanie et l'Iraq, remet en cause l'existence par un violent discours (26 mai).
— *5 juin.* Ouverture des hostilités annoncée conjointement par Le Caire et Tel-Aviv; l'aviation israélienne détruit la quasi-totalité des avions arabes et bénéficie désormais de la maîtrise de l'air.
— *6-8 juin.* Après avoir réduit la poche de Gaza et refoulé les Égyptiens dans le Sinaï, les Israéliens bordent le canal de Suez et occupent Charm al-Chaykh. La Légion arabe de Hussayn doit se replier à l'est du Jourdain et abandonne Jérusalem aux Israéliens.
— *9-10 juin.* La Syrie est à son tour attaquée par les Israéliens, qui prennent Qunaytra, les hauteurs du Golan et menacent Damas. Le cessez-le-feu, exigé par l'O. N. U. le 7, est accepté par l'Égypte et la Jordanie le 8, puis par la Syrie le 9, ce qui conduit Israël à s'y plier à son tour.

• *Quatrième guerre, dite « du Kippour » (oct. 1973).*
— *6 oct.* Les Égyptiens franchissent par surprise le canal de Suez et les Syriens (renforcés de Marocains) attaquent le front du Golan; les Israéliens, qui fêtent le Kippour, mobilisent en hâte.
— *9 oct.* Les Égyptiens contrôlent la rive est du canal. Les Syriens, rejoints par les Irakiens et les Jordaniens, prennent le mont Hermon et Qunayṭra.
— *11-15 oct.* Israël contre-attaque dans le Golan, reprend Qunayṭra et bloque une offensive blindée irakienne; le front se stabilise à l'est des lignes de 1967.
— *15-20 oct.* Israël contre-attaque sur le canal, poursuit l'action entamée dès le 8 au nord des lacs Amer et isole la IIIe armée égyptienne.
— *17 oct.* L'Organisation des pays arabes exportateurs de pétrole décide de réduire leur production et leur exportation vers l'Europe et les États-Unis et augmente brutalement leurs tarifs.
— *22-24 oct.* La résolution américano-soviétique exigeant un cessez-le-feu, adoptée par l'O. N. U., est acceptée le 23 par l'Égypte et par Israël.
— *25 oct.* Mise en alerte des forces nucléaires américaines pour dissuader Moscou de toute intervention militaire.
— *26 oct.* Arrivée des premiers casques bleus et début des négociations israélo-égyptiennes au kilomètre 101 de la route Le Caire-Suez.

ISSARLÈS *(lac d'),* lac volcanique, à l'ouest de l'Ardèche.

ISSAS → AFARS ET DES ISSAS *(Territoire français des).*

ISSIGEAC (24560), ch.-l. de cant. de la Dordogne, à 19 km au S.-E. de Bergerac; 669 hab. Église de la Renaissance. Château.

ISSOIRE (63500), ch.-l. d'arr. du Puy-de-Dôme, dans la *Limagne d'Issoire,* à 35 km au S.-E. de Clermont-Ferrand; 15 688 hab. *(Issoiriens).* Église du XIIe s., chef-d'œuvre du roman auvergnat (chapiteaux; crypte), restaurée au XIXe s. Métallurgie (grande presse hydraulique).

ISSOS, ville de l'Asie Mineure, en Cilicie. 'En 333 av. J.-C., Alexandre* y remporta sur Darios III une victoire décisive qui mit l'Empire perse à sa merci.

ISSOUDUN (36100), ch.-l. d'arr. de l'Indre, à 27 km au N.-E. de Châteauroux; 16 548 hab. *(Issoldunois).* Ancien hôtel-Dieu du début du XVIe s. (musée) et autres monuments. Constructions électriques. Confection. Mégisserie.

IS-SUR-TILLE (21120), ch.-l. de cant. de la Côte-d'Or, à 24 km au N. de Dijon; 3 770 hab. Constructions mécaniques.

ISSYK-KOUL, lac de l'U. R. S. S. (Kirghizistan); 6 200 km^2.

ISSY-LES-MOULINEAUX (92130), ch.-l. de cant. des Hauts-de-Seine, dans la proche banlieue sud-ouest de Paris; 48 380 hab. Centre industriel et résidentiel.

ISSY-L'ÉVÊQUE (71760), ch.-l. de cant. de Saône-et-Loire, à 16,5 km au N.-O. de Gueugnon; 1 158 hab. Église des XIe et XIIe s.

ISTANBUL, la plus grande ville de Turquie, sur le Bosphore et la mer de Marmara; 2 248 000 hab. Importants musées.

GÉOGRAPHIE. Istanbul doit son importance à son site et à sa situation, entre la Méditerranée et la mer Noire, entre l'Europe balkanique et l'Asie Mineure. La ville s'est développée de part et d'autre de la Corne d'Or, petite baie sur la côte européenne. Au N., Galata est le port et le centre commercial moderne, alors qu'au S. s'étend le *bazar,* la vieille ville populeuse, siège du commerce de détail et de l'artisanat. Sur la rive asiatique (reliée aujourd'hui par un pont) s'est étendu le faubourg d'Üsküdar (Scutari). Cité longtemps cosmopolite et comptant alors de fortes minorités chrétiennes, Istanbul est aujourd'hui une ville turque et islamique. Principal port (prépondérant notamment pour les importations), la ville est le centre industriel (constructions mécaniques et électriques, travail du cuir, textile, alimentation) et culturel (université, édition) du pays malgré une situation excentrée dans la Turquie, qui a contribué à l'empêcher de redevenir au XXe s. une capitale politique.

HISTOIRE. Istanbul, ou Constantinople*, fut la capitale de l'Empire ottoman de 1453 à 1923. Mehmed II* y fit son entrée le 30 mai 1453, et choisit la ville pour capitale; Sainte-Sophie en devint la Grande Mosquée. Pour repeupler la ville, les sultans ottomans des XVe et XVIe s. y installèrent des déportés, chrétiens ou musulmans, venus des régions nouvellement conquises. La ville se développa autour des fondations (mosquées et leurs dépendances) créées par les sultans et les hommes d'État importants. Résidence des patriarches grec et arménien et du grand rabbin, Istanbul devint une capitale cosmopolite, où coopéraient musulmans, chrétiens et juifs au service de la grandeur ottomane.

BEAUX-ARTS. Dans la ville, où se mélangeaient subtilement les arts grec, romain et byzantin, une ère architecturale nouvelle s'amorce après 1453. Synthèse des données byzantines et seldjoukides*, l'art ottoman* se manifeste dans des constructions nombreuses et variées (mosquées, madrasa, palais, tombeaux, bibliothèques, fontaines, etc.), et aussi dans la transformation d'églises en mosquées : Sainte-Sophie*, Saint-Théodore, devenue Kilise camii, etc. Pour le XVe s., citons le palais de Çinili Köşk, deux forteresses sur le Bosphore, le château des Sept Tours, et certaines parties de l'immense palais de Topkapı; ce dernier, habité jusqu'au XIXe s. et sans cesse agrandi, présente, au milieu des cyprès, des aménagements de toutes les époques (salle du Conseil, 1527; kiosque d'Erevan, 1635; kiosque de Bagdad, 1639; bibliothèque d'Ahmed III, 1718; etc.). Dès le début du XVIe s., le type classique de la mosquée ottomane est établi (Beyazıt camii). La ville conserve les constructions les plus remarquables de l'architecte Sinan* : bains Haseki Hamamı (1553), mosquée de Şehzade (1544-1548), mosquée (ornée d'admirables céramiques) et madrasa de Rüstem Paşa (v. 1550), mosquée Sokullu Mehmed Paşa (1571), et le chef-d'œuvre de l'art ottoman, la mosquée Süleymaniye, avec ses vastes annexes (1550-1557). Édifiée entre 1609 et 1616, et flanquée de six minarets, la mosquée de Sultan Ahmed doit son nom de « mosquée Bleue » à sa décoration intérieure de faïence émaillée.

Au contact de l'Europe, l'art ottoman subit l'influence du baroque et du rococo (mosquée d'Eyüp et mosquée de Fatih, 1767-1771); terminée en 1755, la mosquée Nuruosmaniye, tout en conservant la disposition classique, confirme cette influence dans son architecture extérieure.

Isthmiques *(jeux),* dans la Grèce ancienne, jeux qui se célébraient dans l'isthme de Corinthe tous les quatre ans, puis tous les deux ans à partir de 581 av. J.-C.; ils comportaient des concours musicaux et athlétiques, des courses équestres et nautiques.

Istanbul. La mosquée Süleymaniye (XVIe s.), vue depuis le pont de Galata, sur la Corne d'Or.

Viard - Explorer

Istiqlāl, parti politique marocain. Le parti de l'Istiqlāl (parti de l'indépendance) est fondé à la fin de 1943. Il remet en 1944 à Muḥammad V* un manifeste réclamant l'indépendance du Maroc. En 1952, le sultan est contraint par les autorités françaises de désavouer l'Istiqlāl, qui organise cependant la lutte pour l'indépendance, obtenue en 1956. L'Istiqlāl perd de son importance au profit de l'opposition plus radicale (U. N. P. F., fondé en 1959) et du parti de soutien à la monarchie (F. D. I. C., fondé en 1963).

ISTRATI (Panait), écrivain roumain d'expression française (Brăila 1884-Bucarest 1935), auteur d'un cycle romanesque, *la Vie d'Adrien Zograffi,* de caractère autobiographique (*Kyra Kyralina,* 1924).

ISTRES (13800), ch.-l. de cant. des Bouches-du-Rhône, sur la rive occidentale de l'étang de Berre; 19 702 hab. *(Istréens).* École de l'armée de l'air. Constructions aéronautiques.

ISTRIE, presqu'île du nord de l'Adriatique, en face de Venise, appartenant à la Yougoslavie (Slovénie et surtout Croatie).

HISTOIRE. Colonie romaine très prospère, envahie par les Barbares aux Vᵉ et VIᵉ s., l'Istrie, rattachée au duché de Bavière puis à la Carinthie, entre dans le Saint Empire en 952. Conquise par Venise — sauf Trieste, restée aux Habsbourg — au XIVᵉ s., elle est vénitienne jusqu'en 1797. Cédée alors à l'Autriche, incorporée en 1806 au royaume d'Italie et en 1809 aux Provinces Illyriennes*, l'Istrie redevient autrichienne en 1815. Revendiquée par l'Italie comme « province irrédente » (v. IRRÉDENTISME), elle est annexée par elle en 1920 (traité de Rapallo); Fiume l'est à son tour en 1924. En 1947, l'Istrie est cédée à la Yougoslavie, Trieste* gardant un statut spécial.

ITABIRA, v. du Brésil (Minas Gerais); 24 000 hab. Minerai de fer. Métallurgie.

ITALIE, en ital. **Italia,** État de l'Europe méridionale; 301 300 km^2; 56 170 000 hab. *(Italiens).* Capit. *Rome.*

GÉOGRAPHIE. Notable puissance économique européenne, l'Italie est marquée par l'inégalité du développement, qui oppose le Nord, comparable aux nations de l'Europe occidentale, et le Sud, présentant des caractères évidents de relatif sous-développement.

• *Le milieu naturel.* L'Italie s'étend sur deux ensembles de relief très différents. Au nord, l'Italie continentale correspond à la plaine du Pô, vaste fosse remblayée par plusieurs milliers de mètres de sédiments, drainée par le fleuve et ses affluents, et dominée par l'arc alpin. Étroit et élevé à l'ouest (mont Viso, mont Blanc, mont Rose), cet arc s'élargit à partir du Tessin, où il est précédé de Préalpes calcaires qui atteignent leur développement maximal à l'est, dans les Dolomites. Échancrées de nombreux cols, trouées de larges vallées (val d'Aoste, Valteline, Adige), les Alpes portent encore des glaciers, dont les grands lacs (lac Majeur, lac de Côme, lac de Garde) témoignent de l'avancement au quaternaire. Au sud, l'Italie péninsulaire et insulaire présente au contraire un relief très compartimenté. La péninsule est axée sur l'Apennin*, chaîne récente, constituée essentiellement de flysch comprenant les noyaux cristallins (Sila, Aspromonte), et trouée de bassins (Florence, Pérouse, Terni, etc.). Cette chaîne est bordée par les plaines des Marches et du Tavoliere sur le littoral adriatique, et par celles des Maremmes, du Latium, de Campanie sur le littoral tyrrhénien. L'Apennin se prolonge en Sicile, tandis que la Sardaigne est un fragment de socle hercynien haché de failles. La jeunesse du relief est attestée par les nombreux volcans récents ou encore actifs (Vésuve, Stromboli, Etna), jalonnant la côte occidentale.

climatologie

stations	températures moyennes (en °C) janvier	juillet	précipitations annuelles (en mm)
Milan	3,8	24,2	753
Rome	8,3	25,3	536
Palerme	12,3	25,2	632

Le climat accentue l'opposition entre l'Italie du Nord et l'Italie méridionale. La plaine du Pô subit un climat continental aux hivers froids et aux étés chauds et orageux. La péninsule et les îles connaissent un climat méditerranéen plus doux, marqué par la sécheresse estivale, dont la durée augmente vers le sud. Dans le Nord, la végétation naturelle ne subsiste que sur les montagnes, dont les pentes portent de belles forêts de conifères et de feuillus, surmontées par les alpages. Dans le Sud, les reliefs sont couverts par la forêt méditerranéenne de chênes verts et de pins, souvent dégradée en garrigue ou en maquis.

• *La population.* L'Italie est un pays fortement peuplé. Sa densité élevée résulte d'un accroissement régulier et qui a été longtemps relativement rapide : la population a doublé en un siècle et s'est accrue de 9 millions d'habitants depuis 1950. Actuellement, l'accroissement démographique est réduit, en raison d'une baisse du taux de natalité, qui reste nettement plus élevé dans le Sud que dans le Nord. La forte augmentation de population a été en partie compensée par un fort courant d'émigration. À la fin du XIXᵉ s. et au début du XXᵉ s., ce courant était dirigé surtout vers les États-Unis et les pays de l'Amérique latine, et, après 1945, vers d'autres pays de l'Europe occidentale (France, Suisse, Allemagne). Aujourd'hui, les migrations intérieures prédominent, les chômeurs du Sud vont chercher du travail dans les villes de la plaine du Pô, compensant la plus forte natalité des régions méridionales. Mais leur intégration dans les grandes cités industrielles du Nord ne se fait pas sans problème.

divisions administratives

régions	capitales	régions	capitales
Piémont	Turin	Marches	Ancône
Val d'Aoste	Aoste	Latium	Rome
Ligurie	Gênes	Abruzzes	L'Aquila
Lombardie	Milan	Molise	Campobasso
Trentin-Haut-Adige	Trente	Campanie	Naples
Vénétie	Venise	Pouille	Bari
Frioul-Vénétie Julienne	Trieste	Basilicate	Potenza
Émilie-Romagne	Bologne	Calabre	Catanzaro
Toscane	Florence	Sicile	Palerme
Ombrie	Pérouse	Sardaigne	Cagliari

La population est répartie assez également sur l'ensemble du territoire. Seules les montagnes, par suite d'un exode rural prolongé, se sont peu à peu vidées, la population se concentrant dans les plaines et les bassins. Mais l'Italie est caractérisée par un taux d'urbanisation élevé. Les villes, nombreuses, ont souvent une origine ancienne, comme en témoignent les anciens quartiers, riches en souvenirs historiques. Elles forment un réseau dense dominé par Milan, capitale économique, et Rome, capitale politique.

principales villes

(nombre d'hab.)

Rome	2 833 000	Palerme	658 000
Milan	1 743 000	Bologne	494 000
Naples	1 233 000	Florence	461 000
Turin	1 199 000	Catane	398 000
Gênes	813 000	Venise	366 000

• *L'économie.* L'opposition naturelle entre le Nord et le Sud se double d'une opposition économique tant sur le plan agricole que sur le plan industriel, le Mezzogiorno* apparaissant déshérité.

Le *secteur agricole* emploie le cinquième de la population active, mais ses progrès sont lents et sa part, dans le revenu national, diminue. L'agriculture souffre de la structure de la propriété. À côté des petites exploitations morcelées persistent encore des latifundias, et les tentatives de réforme agraire visant à limiter les superficies ont eu des résultats médiocres. Actuellement, sous l'impulsion de l'État, on cherche à intensifier la production. Les grands travaux de bonification entrepris sous le fascisme (marais Pontins) ont été poursuivis. Grâce au drainage et à l'irrigation, sont livrées à l'agriculture des terres qui jusqu'à présent n'étaient guère mises en valeur : delta du Pô, Maremme, Basilicate, etc. Parallèlement, la mécanisation et l'emploi massif d'engrais font progresser les rendements et la création de coopératives facilite la commercialisation des produits. La production agricole est variée. Le blé (de 8 à 10 Mt) est cultivé partout, mais le Nord produit du blé tendre et le Sud du blé dur, aux rendements plus faibles. La plaine du Pô fournit du maïs (5 Mt) et du riz. Les cultures arbustives viennent ensuite : arbres fruitiers (agrumes du Sud, pêchers, poiriers), oliviers (Pouille) et, surtout, vigne, qui place l'Italie au premier rang mondial — avec la France — pour la production de vin (de 65 à 80 Mhl), dont l'écoulement pose de sérieux problèmes. L'élevage est moins développé. La Lombardie est spécialisée dans l'élevage bovin (viande, fromage) et porcin, tandis qu'au sud domine l'élevage ovin et caprin. Mais la production ne couvre pas les besoins nationaux. La pêche a rarement dépassé le stade artisanal.

L'opposition entre la plaine du Pô et le Sud est manifeste sur le plan agricole. Les riches fermes du Nord contrastent avec les exploitations extensives du Mezzogiorno, à l'exception de quelques points favorisés (Campanie, Pouille) mais où la plus grande richesse des terres est compensée par la pression démographique. Cependant, sur le plan industriel, l'opposition est encore plus frappante.

L'*industrie* italienne est récente. Elle a connu un essor spectaculaire depuis 1945. Elle avait été en grande partie désorganisée par la guerre et la reconstruction était l'objectif prioritaire. Elle eut lieu sous l'impulsion de firmes privées, grâce, en grande partie, à des capitaux étrangers (américains et suisses), mais le rôle de l'État a été primordial. Sur le plan financier, l'industrie italienne est très

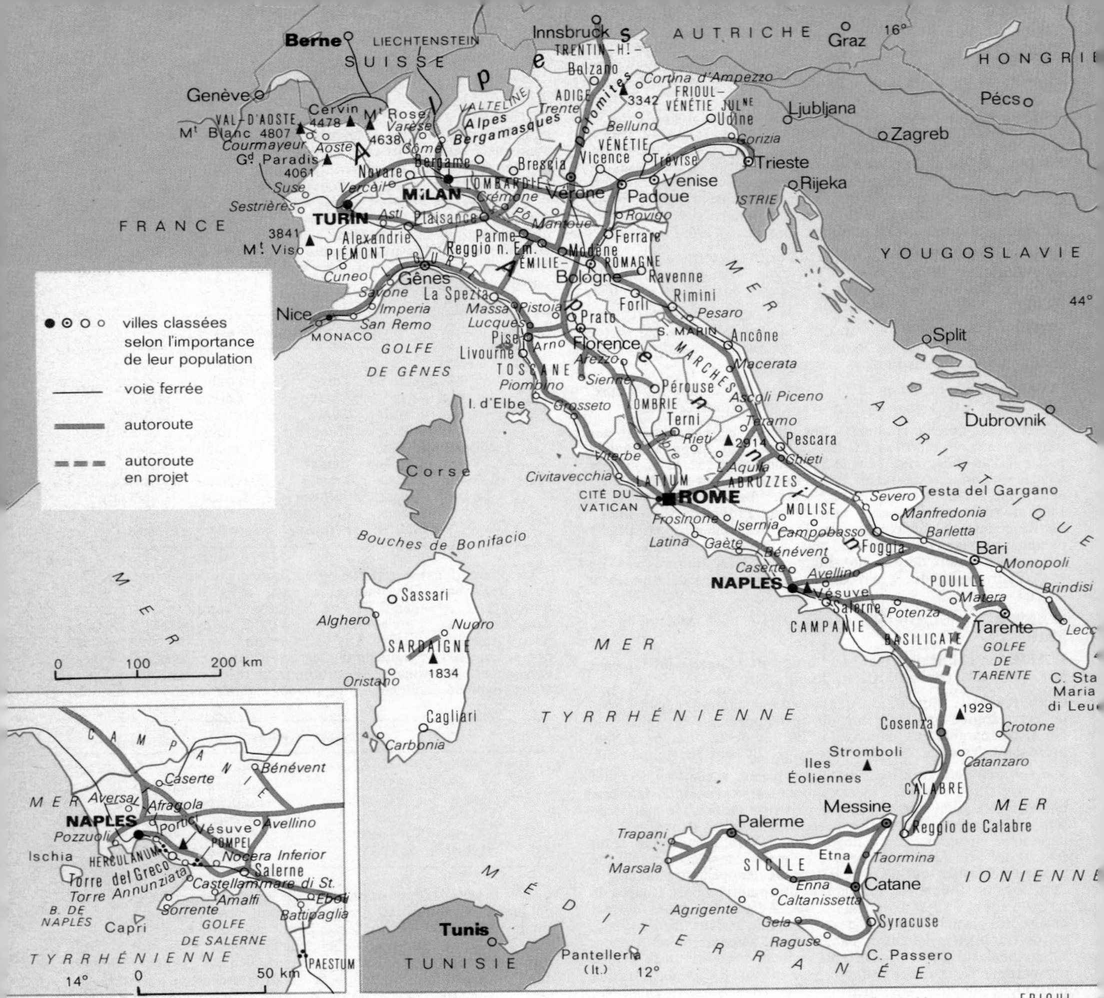

villes classées selon l'importance de leur population
voie ferrée
autoroute
autoroute en projet
0 100 200 km
Berne
LIECHTENSTEIN
SUISSE
Innsbruck
AUTRICHE
Graz
16°
HONGRIE
Pécs
Genève
TRENTIN-Ht-
Bolzano
ADIGE
Trente
Cortina d'Ampezzo
3342
FRIOUL-VÉNÉTIE JULNE
Udine
Ljubljana
Zagreb
VAL-D'AOSTE
Cervin 4478
Mt Rose 4638
Mt Blanc 4807
Courmayeur
Aoste
Gd Paradis 4061
Varèse
Côme
VALTELINE
Alpes Bergamasques
Dolomites
Bellund
VÉNÉTIE
Vicence
Trévise
Gorizia
Trieste
Rijeka
Bergame
Brescia
Novare
Verceil
MILAN
LOMBARDIE
Vérone
Venise
Padoue
ISTRIE
Suse
Sestrières
TURIN
Asti
Crémone
Plaisance
Pô
Rovigo
Mantoue
FRANCE
3841
Mt Viso
Alexandrie
PIÉMONT
Parme
Reggio n. Em.
Modène
Ferrare
ÉMILIE-ROMAGNE
YOUGOSLAVIE
Cuneo
Gênes
LIGURIE
La Spezia
Bologne
Ravenne
Rimini
Savone
Imperia
Massa
Pistoia
Forli
Pesaro
44°
Nice
MONACO
San Remo
Lucques
Pise
Prato
S. MARIN
Ancône
Split
GOLFE DE GÊNES
Livourne
Arno
Florence
Arezzo
MARCHES
Macerata
TOSCANE
Piombino
Sienne
Pérouse
OMBRIE
Ascoli Piceno
I. d'Elbe
Grosseto
Terni
Rieti
Teramo
2914
Pescara
Chieti
Dubrovnik
Corse
Viterbe
L'Aquila
Civitavecchia
LATIUM
ABRUZZES
CITÉ DU VATICAN
ROME
MOLISE
Severo
Testa del Gargano
Manfredonia
Frosinone
Isernia
Campobasso
Barletta
Latina
Gaète
Bénévent
Foggia
Bari
Bouches de Bonifacio
Caserte
Avellino
Monopoli
NAPLES
Vésuve
POUILLE
Brindisi
Sassari
Salerne
Potenza
Matera
Lecce
Alghero
Nuoro
CAMPANIE
BASILICATE
Tarente
SARDAIGNE
1834
MER TYRRHÉNIENNE
GOLFE DE TARENTE
C. Sta Maria di Leuca
Oristano
Cagliari
Carbonia
Cosenza
1929
Crotone
Stromboli
Iles Éoliennes
Catanzaro
CALABRE
Messine
Palerme
Reggio de Calabre
Trapani
Marsala
SICILE
Etna
Taormina
Enna
Catane
Caltanissetta
MER IONIENNE
Agrigente
Gela
Syracuse
Raguse
Tunis
TUNISIE
Pantelleria (It.)
12°
C. Passero
MER MÉDITERRANÉE
MER ADRIATIQUE
CAMPANIE
Bénévent
Caserte
MER
Aversa
Afragola
NAPLES
Portici
Vésuve
Avellino
Pozzuoli
POMPEI
Ischia
HERCULANUM
Nocera Inferior
Salerne
Torre del Greco
Torre Annunziata
Castellammare di St.
Eboli
Amalfi
B. DE NAPLES
Sorrente
Battipaglia
Capri
GOLFE DE SALERNE
TYRRHÉNIENNE
PAESTUM
14°
0 50 km

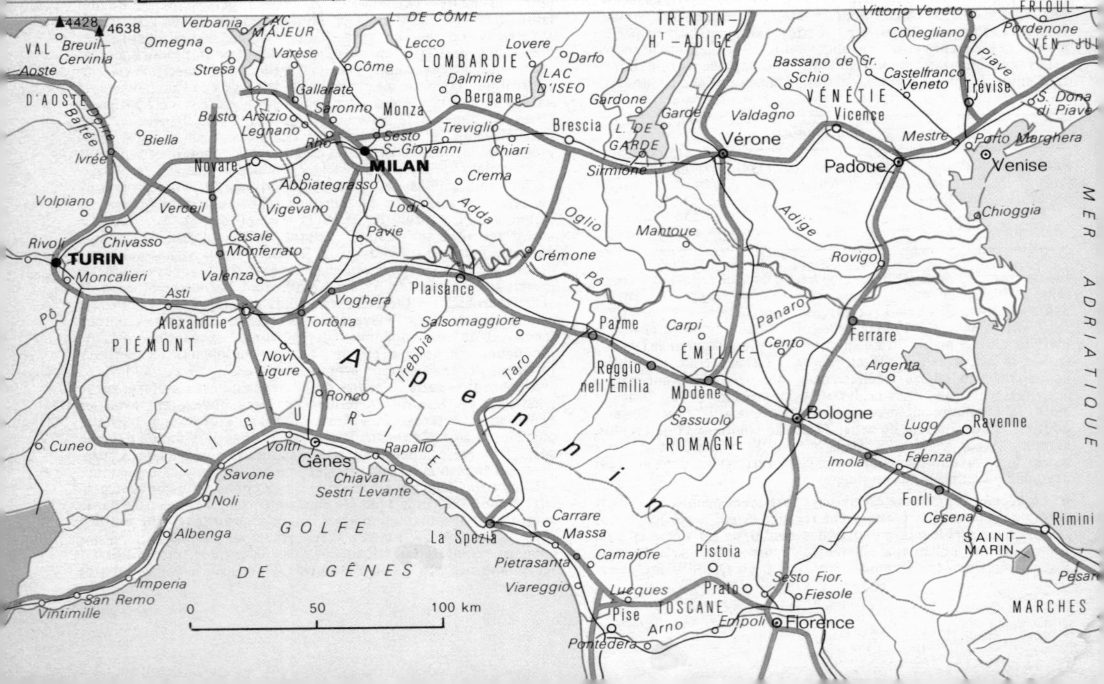

4428
4638
Verbania
LAC MAJEUR
L. DE CÔME
TRENTIN-Ht-ADIGE
Vittorio Veneto
FRIOUL-VÉN. JUL.
Pordenone
Conegliano
VAL D'AOSTE
Breuil-Cervinia
Omegna
Varèse
Lecco
Lovere
LOMBARDIE
Darfo
Aoste
Stresa
Côme
LAC D'ISEO
Bassano de Gr.
Schio
Castelfranco Veneto
Piave
Trévise
Dalmine
Gallarate
Gardone
VÉNÉTIE
Saronno
Monza
Bergame
Garde
Valdagno
S. Dona di Piave
Busto Arsizio
Legnano
Vicence
Baltée
Doire
Biella
Rho
Sesto S. Giovanni
Treviglio
Brescia
L. DE GARDE
Vérone
Mestre
Porto Marghera
Ivrée
Novare
MILAN
Chiari
Sirmione
Padoue
Venise
Crema
Abbiategrasso
Volpiano
Verceil
Vigevano
Lodi
Adda
Oglio
Adige
Chioggia
Casale Monferrato
Pavie
Mantoue
Rivoli
Chivasso
Crémone
Rovigo
TURIN
Moncalieri
Valenza
Plaisance
Pô
Asti
Voghera
Alexandrie
Tortona
Salsomaggiore
Parme
Carpi
Panaro
Ferrare
PIÉMONT
Trebbia
ÉMILIE-
Cento
Novi Ligure
Reggio nell'Emilia
Argenta
Taro
Modène
Ronco
Bologne
Sassuolo
Lugo
Ravenne
Cuneo
LIGURIE
Voltri
Gênes
Rapallo
ROMAGNE
Imola
Faenza
Savone
Chiavari
Sestri Levante
Noli
Forli
Apennin
Carrare
Cesena
Rimini
GOLFE DE GÊNES
Albenga
La Spezia
Massa
SAINT-MARIN
Pietrasanta
Camajore
Pistoia
Imperia
Viareggio
Sesto Fior.
Pesaro
San Remo
Lucques
Prato
Fiesole
Vintimille
0 50 100 km
Pise
TOSCANE
MARCHES
Arno
Empoli
Florence
Pontedera
MER ADRIATIQUE

concentrée. L'IRI (Istituto per la Ricostruzione Industriale), qui regroupe diverses sociétés nationales dans ses différentes branches, et l'ENI (Ente Nazionale Idrocarburi) contrôlent des secteurs entiers de la production face aux puissantes sociétés privées, telles que Fiat, Pirelli ou Olivetti. Actuellement, toutes les gammes d'activité sont représentées. Les ressources naturelles sont pourtant peu abondantes. Le pays possède de petits gisements de fer (Elbe), de plomb, de zinc, de soufre (Sicile). Dans le domaine énergétique, la rareté du charbon (Sardaigne) n'est palliée qu'en partie par l'hydroélectricité des Alpes et le gaz naturel (15 Gm^3) de la plaine du Pô (Cortemaggiore), envoyé dans tout le pays par un réseau de gazoducs. L'Italie doit surtout importer du pétrole (dont elle ne possède que de médiocres gisements en Sicile), qui est raffiné dans les complexes portuaires comprenant des installations pétrochimiques. Malgré l'absence de matières premières, la sidérurgie est puissante (de 20 à 25 Mt d'acier). Les aciéries, implantées dans les ports (Gênes, Naples, Tarente, etc.) et en Lombardie, alimentent les constructions mécaniques, qui constituent la principale activité industrielle : constructions automobiles (1,6 M de voitures de tourisme), concentrées à Turin (Fiat), matériel agricole et ferroviaire, constructions navales (Gênes, Trieste), etc. L'industrie chimique est également très développée : engrais, pneumatiques (Pirelli), matières plastiques. Parmi les autres branches industrielles, moins importantes, dominent le textile (laine, coton, fibres synthétiques), les industries alimentaires, le bâtiment et divers secteurs traditionnels réputés (cuir, imprimerie, verrerie, etc.).

Mais la plupart de ces activités sont localisées dans les grandes villes du Nord, et c'est à Milan que se situent les sièges de la plupart des sociétés italiennes. La rareté des implantations industrielles dans le Sud entraîne un déséquilibre sur le plan des revenus et des emplois. Pour y remédier, l'État a créé en 1950 la Caisse du Midi, organisme qui tente de favoriser le développement de la péninsule. Il est notamment responsable de la création du complexe sidérurgique de Tarente et de l'usine automobile Alfa-Sud à Naples. Cependant, son action reste très ponctuelle et le chômage continue à sévir dans le Sud, contraignant une grande partie des habitants à aller chercher du travail dans les usines du Nord.

L'économie repose en partie sur l'activité commerciale, favorisée par un réseau de voies de communication remarquable. La densité d'autoroutes est en particulier très importante. Le trafic maritime passe par les ports de Naples, de Venise, de Trieste et surtout de Gênes. Compte tenu de la structure de son industrie, le pays doit importer des matières premières et exporter des produits fabriqués. Les autres pays du Marché commun, dont il est membre, sont ses principaux partenaires. Le déficit de la balance commerciale est partiellement compensé par les envois en argent des travailleurs à l'étranger et surtout par le tourisme. La richesse du patrimoine artistique et les stations de sports d'hiver ou balnéaires attirent chaque année plus de 12 millions de touristes étrangers, principalement des Allemands, des Américains et des Français.

La relative prospérité, acquise progressivement dans les années 50 et 60, est menacée depuis quelques années par la multiplication des conflits professionnels, cause et conséquence de l'instabilité politique du pays.

HISTOIRE. • *Des origines à la Renaissance.* Au milieu du IIe millénaire, des Indo-Européens édifient dans la plaine du Pô une civilisation contemporaine de Mycènes, dite « des terramares ». Se développe ensuite la civilisation des Villanoviens, tandis que s'installent dans la péninsule des populations désignées sous le nom général d'*Italiques.* À partir du VIIIe s. av. J.-C., les Grecs s'installent sur les côtes méridionales de l'Italie (v. GRÈCE D'OCCIDENT); le reste de la péninsule est occupé durant deux siècles (VIe-Ve s. av. J.-C.) par les Étrusques*, dont la domination se heurte à l'expansion de Carthage*, puis au déferlement gaulois (IVe s. av. J.-C.) : la ruine des Étrusques profite alors à Rome* qui, du IVe au IIe s. av. J.-C., fait la conquête de l'Italie. Progressivement se constitue un État romano-italique auquel Auguste*, grand unificateur de la péninsule, incorpore la Gaule Cisalpine. Si un magnifique réseau routier contribue au développement des villes italiennes, l'immensité même de l'Empire romain fait perdre à l'Italie son rôle directionnel.

L'Italie, qui est une des premières régions de l'Empire à être gagnée au christianisme, est aussi l'une des premières à être envahie par les Barbares — Goths, Huns, Vandales — au Ve s. apr. J.-C. En 476, le dernier empereur d'Occident est déposé; l'Hérule Odoacre puis l'Ostrogoth Théodoric* (de 489 à 526) deviennent maîtres de l'Italie. Justinien Ier*, secondé par Bélisaire*, réussit à arracher aux Goths la péninsule (535-555) mais, dès 568, les Lombards s'installent dans l'Italie septentrionale et centrale, les Byzantins ne gardant que l'exarchat de Ravenne*, lequel tombe en 751 sous les coups des Lombards; ceux-ci, quoique convertis au christianisme depuis le milieu du VIIe s., se heurtent à une papauté de plus en plus puissante, qui, menacée par eux dans ses droits, recourt aux Pépinnides francs (753). En 774, Charlemagne*, patrice des Romains, devient aussi roi des Lombards; son emprise sur l'Italie se renforce lors de son couronnement comme empereur à Rome, en 800. Fait significatif, il attribue à son fils Pépin le titre de « roi d'Italie ». En fait, les Byzantins s'accrochent dans le sud de la péninsule et la riche Venise* est déjà autonome.

Le IXe s. est un « siècle noir » pour l'Italie, ravagée par les Normands et les Sarrasins : l'autorité du roi — qui est aussi l'empereur — se heurte à l'ambition des grands vassaux, tandis que l'aristocratie romaine paralyse l'action pontificale. En couronnant empereur le roi de Germanie et d'Italie Otton Ier* (962), le pape Jean XII* pense sauver la péninsule de l'anarchie en unissant son sort à celui de l'Allemagne. En fait, le Saint Empire* romain germanique fait tout de suite peser une lourde hypothèque sur l'Église romaine, les empereurs disposant de la couronne pontificale et intervenant constamment en Italie pour le maintien de leurs droits (973-1073). Quand le pape Grégoire VII* prend des dispositions pour mettre un frein à cette ingérence impériale, éclate la querelle des Investitures* (1073-1122), qui se termine par la victoire de la papauté sur l'Empire.

Le XIIe s. voit éclater, en Italie d'abord, la grande révolution économique qui accompagne le réveil de l'Europe. Les villes — Pise*, Gênes*, Milan*, Florence* —, pour mieux se vouer à l'industrie (textile, surtout) et commercer plus à l'aise et selon les techniques modernes, secouent le joug des autorités féodales et se donnent des institutions communales. Leur richesse s'accompagne d'un grand essor intellectuel et artistique. Cette prospérité provoque évidemment, entre les villes, des rivalités sanglantes, tandis qu'à l'intérieur des cités — où domine l'aristocratie (Venise) ou la bourgeoisie négociante — des conflits opposent les différentes classes. Seul le Sud, où, au XIe s., s'installent les Normands*, vainqueurs des Arabes et des Byzantins, ne participe pas à ce grand mouvement : la monarchie absolue, féodale et bureaucratique s'y perpétue. La Sicile, qui échoit en 1194 aux Hohenstaufen*, devient par contre un brillant carrefour de civilisation composite.

Cependant, l'élection à la dignité impériale de Frédéric* Ier Barberousse (1152) relance en Italie la lutte entre le Sacerdoce* et l'Empire (1154-1250), qui divise et ravage l'Italie; la victoire finale de la papauté sur Frédéric* II est une victoire à la Pyrrhus. Car, les Hohenstaufen étant écartés, Rome et l'Italie passent sous l'influence de Charles* d'Anjou, dont l'impérialisme provoque les Vêpres siciliennes (1282). Les Aragonais deviennent alors les maîtres de la Sicile et de la Sardaigne (1302), les Angevins ne gardant que Naples jusqu'à la formation du royaume des Deux-Siciles*, en 1442, à la suite du triomphe des Aragonais. Le long séjour des papes à Avignon* (1309-1376) puis le Grand Schisme* d'Occident (1378-1417) amenuisent l'influence papale tout en accélérant le morcellement et l'anarchie de l'Italie. Quand la papauté, restaurée, réintègre les États romains, ceux-ci, comme les Deux-Siciles, resteront marqués par l'archaïsme politique et économique.

Par contre, les villes, et notamment Gênes, Venise*, Milan et Florence, connaissent, au XIIIe et au XIVe s., une grande prospérité qui a pour corollaires l'essor de l'humanisme* et la formation de courants de pensée favorables à un retour à la pauvreté évangélique. (V. FRANÇOIS D'ASSISE.) En 1416, la création du duché de Savoie* manifeste la montée d'une nouvelle puissance territoriale. (V. PIÉMONT.)

• *De la Renaissance à 1870.* Dans l'ensemble, cependant, cette Italie prospère et rayonnante qui est, aux XVe et XVIe s., au cœur de la Renaissance*, repose sur des bases politiques fragiles. Ce qui explique les interventions étrangères. Au XVIe s., les descentes des Valois* en Italie sont nombreuses; mais, après une série de victoires et de revers (v. ITALIE [*guerres d'*]), Henri II, par le traité du Cateau-Cambrésis (1559), doit renoncer aux prétentions françaises sur Naples et le Milanais. L'Italie tombe alors sous l'influence des Habsbourg d'Espagne, maîtres directs du Milanais — qui connaît la décadence —, de Naples et de la Sicile. Après 1598, l'influence française grandit de nouveau dans la péninsule, où la maison de Savoie*, qui monte, vit longtemps dans l'orbite de la France. En Toscane, les derniers Médicis* président à la décadence florentine; les États pontificaux sont toujours la proie de l'anarchie, du népotisme et de la misère. Venise elle-même souffre de la prépondérance atlantique et de l'avancée des Turcs. Aussi, au XVIIe et au XVIIIe s., la vie sociale se fige, la démographie décline, le paupérisme s'étend. À partir de 1763 la péninsule est la proie des Habsbourg, qui redistribuent à leur guise les États italiens et font d'eux le champ où s'affrontent les impérialismes autrichien et espagnol. Le Piémont-Sardaigne, quant à lui, fortifie ses positions.

La Révolution française rencontre naturellement beaucoup de sympathies chez les Italiens; mais les gouvernements, inquiets, réagissent, déclarant presque tous la guerre à la France révolutionnaire (1792-93), laquelle n'intervient guère en Italie, se contentant d'annexer la Savoie et Nice (1792) et d'occuper la république de Gênes (1794). Par contre, le Corse Bonaparte*, qui considère l'Italie comme sa seconde patrie, estime que la péninsule doit jouer un rôle essentiel dans la guerre contre l'Autriche. (V. ITALIE [*campagnes de Bonaparte en*].) C'est ainsi que l'Italie, à partir de 1796, passe dans la zone d'influence française, avec la formation des républiques sœurs — Cisalpine*, Cispadane*, Parthénopéenne*, Ligurienne* (1797-1799), où la législation et les institutions françaises sont

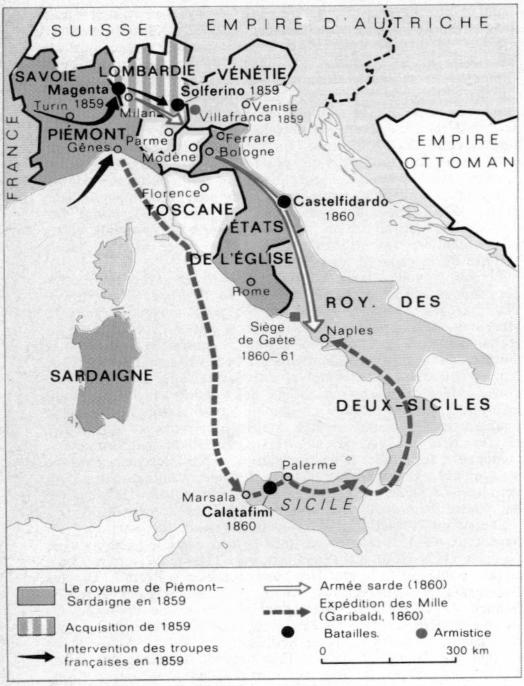

LES DÉBUTS DE L'UNITÉ ITALIENNE

L'ITALIE DE 1860 À 1870

appliquées — puis avec celle du royaume d'Italie* (1805-1814), dont Napoléon Ier est le titulaire, Eugène de Beauharnais* étant vice-roi, et avec l'annexion des États pontificaux (1809). On peut même parler d'une Italie française, la Sardaigne et la Sicile échappant seules à l'emprise des Bonaparte. Malgré le Blocus* continental, la période française est, sur le plan économique, assez bénéfique pour l'Italie du Nord, tandis que le Midi reste marqué par l'archaïsme.

Après la chute de l'Empire français (1814-15), l'Italie revient à l'Ancien Régime, les anciens souverains rentrent dans leur capitale, le pape dans les États pontificaux, les Bourbons à Naples et en Sicile; la maison de Savoie règne de nouveau sur le Piémont-Sardaigne-Savoie; quant au reste de la péninsule, il est directement (royaume lombard-vénitien) ou indirectement (Parme, Toscane, Modène) sous la domination autrichienne. Très vite, sous l'influence de sociétés secrètes — tel le carbonarisme* — se développe, en Italie du Nord surtout, un double mouvement, libéral et national, dont la conduite passe progressivement au Piémont, qui devient, après 1821, le principal foyer du *Risorgimento**. La réaction se déchaîne durant dix ans (1821-1831) contre ce mouvement, qui trouve enfin une brèche en 1848, lors de la révolution libérale européenne. Mais la « Jeune-Italie » se révélant trop faible face à l'Autriche, Victor-Emmanuel II*, roi de Piémont, et son ministre Cavour* (de 1852 à 1861) se tournent vers la France pour les aider à faire l'unité* italienne. La campagne d'Italie* franco-piémontaise de 1859 se solde par l'annexion de la Lombardie par le Piémont. Une série de mouvements locaux aboutissent alors à la « libération » des Deux-Siciles, de la Romagne, des duchés centraux (1860-61), de sorte que, dès 1861, est proclamé le royaume d'Italie, dont la capitale est d'abord Turin, puis (1865) Florence, et le premier souverain Victor-Emmanuel II. La guerre de 1866 vaut à l'Italie l'annexion de la Vénétie. En septembre 1870, Rome devient la capitale du jeune royaume dont l'unité ne sera complète qu'avec l'annexion des provinces irrédentes, le Trentin et Trieste.

• *De 1870 à nos jours.* Tout de suite, les gouvernements qui se succèdent — droite historique de 1870 à 1876, gauche anticléricale de 1876 à 1900, notamment avec Crispi* — se heurtent à la médiocrité des ressources industrielles, au féodalisme, au retard du *Mezzogiorno* et au fait que le pape, qui se considère comme lésé par la prise de Rome, interdit aux catholiques de participer à la vie politique. Pour donner un certain élan au pays, les gouvernants rompent avec le libre-échange et avec la francophilie de Cavour (signature de la Triplice [v. ALLIANCE *(Triple-)*], 1882) et tournent les ambitions italiennes vers des entreprises outre-mer (Tunisie puis Éthiopie), qui s'avèrent malheureuses. À un progrès économique certain répondent le développement de la misère et de l'émigration, et, par voie de conséquence, l'emprise de l'anarchisme* — responsable en 1900 de la mort du second roi d'Italie, Humbert Ier (de 1878 à 1900) —, et surtout du socialisme*. L'avènement en 1900 du troisième roi d'Italie, Victor-Emmanuel III, et, trois ans plus tard, l'arrivée au pouvoir de Giolitti* — qui va s'y maintenir pratiquement jusqu'en 1914 — coïncident avec la reprise économique : celle-ci est favorisée par la bonne gestion financière de Giolitti et la mise en place par lui d'une législation sociale importante. Le rapprochement avec la France, à partir de 1902, oriente l'Italie vers le nationalisme et réveille l'irrédentisme*. Cela explique l'annexion par l'Italie de la Libye (1911) et du Dodécanèse (1912) et son entrée dans la guerre aux côtés des Alliés, contre l'Autriche, en 1915. Cette guerre coûte cher à l'Italie mais lui vaut l'annexion du Trentin, du Haut-Adige puis — grâce à D'Annunzio* — de Fiume* (1919). Cependant, la crise économique, morale et sociale de l'après-guerre favorise la création d'un fort parti communiste italien (1921); parallèlement, se forme un mouvement démocrate-chrétien, avec don Luigi Sturzo*. Mais l'un et l'autre sont débordés par un mouvement d'extrême droite, le fascisme*, incarné en Benito Mussolini*, qui impose au pays, de 1922 à 1943, un régime totalitaire, nationaliste et corporatif. Alliée de l'Allemagne nazie dès 1936, l'Italie fasciste entre dans la Seconde Guerre mondiale en 1940, et, assez vite, les Italiens laissent le poids de la guerre aux Allemands qui, en 1943-44, opposent aux Alliés, débarqués en Italie, une farouche opposition. Cependant, dès 1943, Mussolini est arrêté; en 1944, la lieutenance du royaume est confiée à Humbert II; en 1945, dans l'Italie libérée, Alcide De Gasperi*, leader de la démocratie chrétienne, s'installe au pouvoir pour huit ans (1945-1953), le tripartisme étant mort en même temps que la monarchie, que remplace la république (1946).

De Gasperi s'efforce de rendre à son pays, dans le cadre de l'Alliance atlantique et de la Communauté européenne, une audience internationale et amorce, à l'intérieur, un redressement économique spectaculaire, qu'on qualifiera de « miracle ». Après 1953, l'équilibre de l'État italien s'avère fragile, la démocratie chrétienne, majoritaire, étant menacée à l'extrême droite par le néofascisme, à l'extrême gauche par un communisme de plus en plus puissant. Un certain affermissement coïncide avec la période 1958-1963, dominée par le leader de la démocratie chrétienne, Amintore Fanfani, qui amorce une ouverture à gauche. Celle-ci est réalisée par Aldo Moro en 1963, avec la formation d'un gouver-

DÉFENSE ET ARMÉES
Membre du Pacte atlantique (1949) et de l'Union de l'Europe occidentale (1954).

• LES FORCES ITALIENNES EN 1977. Budget : 3 470 millions de dollars (2,6 p. 100 du P. N. B.). Effectifs : 352 000 hommes, dont 234 000 conscrits (service militaire de douze à dix-huit mois) et 80 000 carabiniers (gendarmes).

Armée : 240 000 hommes, 3 corps d'armées à 3 divisions blindées et 12 brigades (dont 5 alpines). Chars américains et « Leopard » allemands.

Aviation : 70 000 hommes, 296 appareils de combat, 12 groupes de missiles sol-air « Nike Hercules ».

Marine : 42 000 hommes, 8 sous-marins, 3 croiseurs porte-hélicoptères, 8 destroyers, 23 escorteurs, 58 dragueurs.

nement de centre gauche : cette formule, qui se poursuit jusqu'en 1968, assure à l'Italie la poursuite du « miracle économique » et la stabilité gouvernementale. Mais celle-ci est remise en question par les élections de 1968, qui manifestent un net recul des socialistes. Si bien que, durant quatre ans (1968-1972), les coalitions de centre gauche s'avèrent fragiles. Face à une situation de plus en plus difficile, les gouvernements sont paralysés; ils se succèdent rapidement. La lenteur de la politique des réformes et la multiplication des scandales politiques aggravent le mécontentement et provoquent grèves sur grèves. Depuis 1972, l'Italie subit une grave crise économique, politique et sociale. Les élections de juin 1976 confirment la nette progression du parti communiste, qui est partisan d'un « compromis historique » avec la démocratie chrétienne : un accord est conclu en 1977 entre celle-ci, les communistes et les quatre autres partis de l'« arc constitutionnel » sur un programme de gouvernement.

Mais l'enlèvement d'A. Moro par des terroristes, en mars 1978, est une épreuve pour le régime.

Italie *(campagnes de Bonaparte en).* • Engagée par Carnot contre la première coalition*, la campagne ouverte en 1796 en Italie est conduite par Bonaparte qui, à vingt-sept ans, y révèle son génie militaire. Séparant les Autrichiens (battus à Montenotte et à Lodi) des Piémontais (battus à Mondovi), il contraint ceux-ci à traiter (avr.) et entre à Milan. Il vainc ensuite les Autrichiens à Castiglione (août), à Arcole (nov.) et à Rivoli (janv. 1797), marche sur Vienne et les oblige à signer l'armistice de Leoben (avr.), prélude de la paix de Campoformio (oct.).

• En 1800, pour mettre fin à la deuxième coalition*, Bonaparte passe le Grand-Saint-Bernard et bat de nouveau les Autrichiens à Marengo (14 juin). Ils signent la paix de Lunéville, le 9 février 1801.

Italie *(campagne d')* [*1859*]. Pour libérer l'Italie du Nord, les forces françaises de Napoléon III, alliées des Piémontais, battent — en Lombardie, à Palestro (mai), à Magenta et à Solferino (4 et 24 juin) — les Autrichiens, qui signent l'armistice (8 juill.) et les préliminaires de paix de Villafranca (11 juill.).

Italie *(campagne d')* [*1943-1945*]. Venant de la Sicile, conquise en juillet et en août 1943, le 15e groupe d'armées anglo-américain du général Alexander débarque en Calabre (sept.), mais, après la signature d'un armistice avec l'Italie, est arrêté par les Allemands au nord de Naples, sur la ligne Gustav (nov.), notamment à Cassino. Malgré un nouveau débarquement à Anzio (janv. 1944), il faut l'audacieuse manœuvre des Français commandés par Juin sur le Garigliano pour ouvrir la route de Rome, libérée le 4 juin. Après leur entrée à Sienne, Livourne et Florence, les Alliés, conduits par le général Clark, se heurtent durant l'hiver à la ligne Gothique, d'où ils ne débouchent sur Bologne et sur Vérone qu'en avril 1945. En liaison avec les insurgés italiens et avec les forces de Tito, ils prennent contact, au sud du Brenner, avec les forces venues d'Allemagne et imposent à la Wehrmacht la capitulation de Caserte. (V. GUERRE MONDIALE [*Seconde*].)

Italie *(front d')* [*1915-1918*]. Après l'entrée de l'Italie aux côtés des Alliés dans la Première Guerre mondiale, un front, commandé, de 1915 à 1917, par le général Luigi Cadorna (1850-1928), est créé sur les Alpes contre les Austro-Hongrois. Après les combats de l'Isonzo (1915-16) et la défaite de Caporetto (1917), les Italiens, rétablis sur la Piave, sont vainqueurs à Vittorio Veneto (oct. 1918).

Italie *(guerres d'),* série d'expéditions menées par les rois de France en Italie, de 1494 à 1559. À l'origine de ces guerres figurent les prétentions de la maison d'Anjou sur Naples, léguées à la royauté française par le testament de René d'Anjou (1480). Profitant de l'appel que lui adresse Ludovic le More contre le duc de Milan, Charles VIII entre en Italie (oct. 1494) et progresse vers Naples, dont il s'empare le 17 février 1495. Cependant, la coalition qui se forme aussitôt contre lui (Aragon, Empire, papauté) le contraint à battre en retraite vers la France (Fornoue, juill. 1495; pacte de Naples, 1496). Les prétentions de Louis XII sur le Milanais rallument la guerre. Les Français occupent le Milanais (1499-1500) et Naples (1501), qui est reprise par les Espagnols (1503). Louis XII écrase les Vénitiens à Agnadel (1509) mais doit ensuite faire face à la Sainte Ligue* : grâce à Gaston de Foix (1489-1512) il remporte la bataille de Ravenne (1512) mais se voit contraint peu après d'évacuer le Milanais. Le rêve italien, repris par François Ier, aboutit à la victoire de Marignan (1515) et à la conquête du Milanais. Le conflit rebondit après l'élection à l'Empire de Charles Quint; fait prisonnier à Pavie (1525), François Ier doit renoncer au Milanais. Mais, dès 1526, une guerre épisodique reprend, qui aboutit, en 1544, à l'occupation par la France, de la Savoie et du Piémont. Après la mort de François Ier, son fils, Henri II, se laisse un instant entraîner dans l'aventure italienne, qu'interrompt la cuisante défaite de Saint-Quentin (1557). Le traité du Cateau-Cambrésis (1559) marque la renonciation de la France à Milan et à Naples et la fin des guerres d'Italie.

ITALIE *(royaume d'),* royaume créé par Napoléon Ier en 1805, pour remplacer la République italienne (cisalpine). Il eut comme souverain l'empereur des Français, celui-ci se faisant représenter par un vice-roi, Eugène de Beauharnais*. Il disparut en 1814.

ITALIEN. — L'italien n'est que depuis peu la langue vernaculaire de l'Italie : au milieu du XIXe s., il n'était parlé que par 600 000 personnes (dont 400 000 Toscans), soit 2,5 p. 100 de la population. L'italien est en effet le dialecte toscan promu au rang de langue littéraire par les grands écrivains de la Renaissance florentine (Dante, Pétrarque, Boccace). Longtemps langue seulement écrite, il a peu évolué depuis le XIIIe s. et reste plus proche de ses origines latines que les autres langues romanes. L'italien contemporain est une langue en pleine évolution. Ouvert à toutes les influences, il emprunte aussi bien aux dialectes qu'aux langues étrangères (français, anglais); il s'enrichit également en utilisant des procédés de composition et de dérivation très productifs. Les dialectes, très nombreux, sont encore aujourd'hui largement utilisés. Ils se répartissent en quatre groupes : ceux du Nord (dits « gallo-italiens »), ceux du Centre (auxquels se rattache le vénitien), ceux du Sud, ceux de Sardaigne.

Italien *(Théâtre-)* → COMÉDIE-ITALIENNE.

ITALIQUE. — Issu de l'indo-européen, le groupe italique représente un certain nombre de langues mortes qui étaient parlées dans l'Italie ancienne. Les principales sont le venète, l'ombrien, le latin*, l'osque et peut-être le sicule.

italo-éthiopiennes *(guerres)* → ÉTHIOPIE *(campagnes d').*

italo-turque *(guerre),* conflit qui opposa en 1911-12 l'Italie à la Turquie et qui se termina par l'annexion de la Tripolitaine par l'Italie. Les opérations qui se déroulèrent en Tripolitaine furent accompagnées de démonstrations navales italiennes en mer Egée et de la prise d'îles du Dodécanèse, que récupéra la Turquie.

ITAMI, v. du Japon, dans le sud de Honshū; 154 000 hab. Aéroport d'Osaka.

ITÉRATION. — Cette méthode mathématique consiste à utiliser plusieurs fois de suite un même processus de calcul. C'est ainsi que pour calculer la racine d'une équation* sur un intervalle $[a, b]$, on vérifie d'abord que l'équation $x = f(x)$ n'a qu'une racine sur cet intervalle et que sa dérivée* $f'(x)$ est, en module, inférieure à 1 sur $[a, b]$. Si l'on calcule ensuite une suite de valeurs $c_0, c_1, ..., c_n$, telles que : $c_0 \in]a, b[$, quelconque dans $]a, b[$; $c_1 = f(c_0)$, $c_2 = f(c_1), ..., c_n = f(c_{n-1})$, chaque valeur étant obtenue, à partir de la précédente, à l'aide de la fonction f, l'ensemble des valeurs $c_1, c_2, ..., c_n, ...$ tend vers la racine de l'équation $x = f(x)$, unique dans l'intervalle $[a, b]$. On obtient une approximation en *escalier* ou en *spirale.* La suite c_n tend vers une valeur α telle que $\alpha = f(\alpha)$, en croissant ou en décroissant, ou en prenant des valeurs alternativement inférieures et supérieures à α.

ITHAQUE, une des îles Ioniennes (Grèce); 5 000 hab. On l'identifie à l'Ithaque d'Homère, patrie d'Ulysse*. Cette identification traditionnelle ne comporte aucune garantie historique.

ITON, riv. de Normandie, qui passe à Évreux et rejoint l'Eure (r. g.); 118 km.

ITTEN (Johannes) → BAUHAUS.

ITURBIDE (Agustín), général et homme d'État mexicain (Valladolid [auj. Morelia, Michoacán] 1783 - Padilla 1824). Général espagnol, il réprime l'insurrection populaire de 1810 conduite par Hidalgo et Morelos, puis négocie avec les rebelles et impose à l'Espagne le traité de Córdoba, qui reconnaît l'indépendance du Mexique (1821). Proclamé empereur en 1822, avec l'appui de l'armée, il doit abdiquer en 1823 devant le soulèvement républicain du général Santa Anna (1823). Il est fusillé en 1824.

IULE. — Les sols forestiers abritent en nombre ce petit mille-pattes noir et luisant, aux nombreuses pattes blanches, et qui, lorsqu'on le saisit, se roule en spirale. C'est un végétarien inoffensif.

IULE, en lat. **Iulius,** autre nom du fils d'Énée*, Ascagne, qui fonda Albe-la-Longue*.

IVAJLO († 1280), roi de Bulgarie (1277-1279). Révolté contre le roi Constantin Asen Tech, qu'il battit et tua avant de se proclamer tsar (1277), Ivajlo dut aussitôt lutter contre Jean IV Asen III, prétendant de l'ancienne dynastie, qui le fit assassiner (1280).

IVAN Ier → MOSCOVIE.

IVAN III le Grand (Moscou 1440-*id.* 1505), grand-prince de Moscou et de toute la Russie (1462-1505). Il réunit au domaine moscovite Iaroslavl (1463), Rostov (1474), Novgorod* (1478), Tver (1485) et Viatka (1489), tient en respect les Mongols (1480) et s'allie au khān de Crimée contre la Horde d'Or, vaincue en 1502, et contre la Lituanie. Ivan III met en place un appareil étatique centralisé, auquel les boyards doivent se soumettre. Le *Soudebnik,* Code administratif et judiciaire de 1497, témoigne des progrès accomplis dans ce domaine. Ayant épousé, en 1472, Sophie (Zoé Paléologue), Ivan III se considère comme l'héritier des empereurs byzantins, dont il adopte le cérémonial.

IVAN IV le Terrible (Moscou 1530-*id.* 1584), grand-prince de Moscou depuis 1533, tsar de Russie (1547-1584). La régence est assurée à partir de 1533 par sa mère, Hélène Glinski († 1538), les boyards se partageant les profits du pouvoir. Le métropolite Macaire* prend en main l'éducation d'Ivan. En 1547, ce dernier est sacré tsar de Russie, titre que l'on accordait jusqu'alors aux empereurs byzantins et qu'il est le premier souverain russe à porter. Le Code de 1550 réforme l'administration des provinces, le système de l'impôt et l'armée. Ivan IV, vainqueur des khāns de Kazan (1552) et d'Astrakhan (1556), annexe toute la région de la Volga et commence la conquête de la Sibérie. Sa politique occidentale est moins heureuse : il n'obtient pas, à l'issue de la guerre de Livonie (1558-1583), de débouché sur la Baltique. À la fin de son règne, Ivan IV fait régner en Russie un régime de terreur (expédition contre Novgorod, 1570). À partir de 1565, il organise l'*opritchnina,* système qui place sous sa direction personnelle les régions centrales du pays, dont il distribue les terres à une nouvelle noblesse de service, les seigneurs locaux étant transférés dans le territoire commun, ou *zemchtchina.* Cette réforme brutale et impitoyable entraîne un assujettissement plus grand des paysans.

Ivan IV Vassilievitch le Terrible. Illustration extraite de l'ouvrage *les Racines des monarques russes.* 1672. (Musée historique d'État, Moscou.)

A.P.N.

Ivanhoé, roman historique de Walter Scott (1820).

Ivan le Terrible, film soviétique de S. M. Eisenstein (1942-1946). Une fresque en deux parties, qui constitue le testament cinématographique de l'auteur. La première partie (tournée en 1942-43) est en noir et blanc, la seconde (1944-1946), qui comporte des séquences en Agfacolor, fut critiquée par Staline, qui en interdit la diffusion. La lutte d'Ivan IV contre les boyards et le clergé donne l'occasion à Eisenstein de méditer sur le sens du pouvoir politique et de se livrer à un éblouissant exercice de style. Le film imite la forme d'un opéra dont le déroulement tragique obéit aux règles d'un cérémonial symbolique, hiératique et envoûtant.

IVANO-FRANKOVSK, v. de l'U.R.S.S., dans l'ouest de l'Ukraine; 105 000 hab.

IVANOVO, v. de l'U.R.S.S. (R.S.F.S. de Russie), au N.-E. de Moscou; 420 000 hab. Centre textile.

IVENS (Joris), cinéaste hollandais (Nimègue 1898). Attentif à rendre compte par l'image des grands bouleversements sociaux et politiques du monde contemporain, il a entrepris à partir de 1928 une œuvre fervente et fraternelle qui lui a donné une place de choix parmi les documentaristes les plus inspirés : *le Pont d'acier* (1928), *Pluie* (1929), *Zuyderzee* (1930), *Borinage* (1933), *Terre d'Espagne* (1937), *400 Millions* (1938), *le 17e Parallèle* (1967), *Comment Yu-Kong déplaça les montagnes* (1975).

IVES (Charles), compositeur américain (Danbury, Connecticut, 1874-New York 1954). Pionnier intrépide du langage musical actuel, il s'arrêta de composer vers 1920 et ne reçut la consécration qu'à partir de 1939 (quatre symphonies, deux quatuors, deux sonates pour piano, *Three Places in New England, Central Park in the Dark, The Unanswered Question*).

IVOIRE. — La masse principale des dents est constituée d'ivoire, revêtu d'émail sur la couronne et de cément sur les racines. Chez de nombreux animaux, l'usure des dents fait apparaître l'ivoire en surface dès le jeune âge.

L'ivoire de l'éléphant et, sur une moindre échelle, celui des incisives du narval et des canines de l'hippopotame sont depuis l'Antiquité la matière première d'une forme de sculpture particulièrement raffinée. Le prix ainsi conféré à l'ivoire est la cause principale de la chasse excessive des éléphants, en particulier de ceux dont les défenses sont les plus longues.

IVRAIE. — Le genre *Lolium* rassemble quelques espèces de graminacées aux épillets espacés et aplatis, portés sur un chaume grêle. L'une de ces espèces, annuelle, forme des graines aux propriétés enivrantes, d'où le nom donné à l'ivraie, et qui est attribué également à une espèce vivace non toxique, beaucoup plus commune, du même genre.

IVRÉE, en ital. **Ivrea,** v. d'Italie (Piémont), sur la Doire Baltée; 29 000 hab. Monuments anciens et modernes. Matériel de bureau.

IVRESSE → ALCOOLISME.

IVRY-LA-BATAILLE (27540), comm. de l'Eure, sur l'Eure, à 30 km au S.-E. d'Évreux; 2 335 hab. Henri de Navarre, roi désigné de France (Henri IV*), y vainquit Mayenne et son allié, le comte d'Egmont, le 14 mars 1590.

IVRY-SUR-SEINE (94200), ch.-l. de cant. du Val-de-Marne, dans la proche banlieue sud-est de Paris, sur la rive gauche de la Seine; 63 131 hab. *(Ivryens).* Industries métallurgiques.

IWAKI, v. du Japon (Honshū), sur le Pacifique; 327 000 hab.

IWAKUNI, v. du Japon, dans le sud de Honshū; 106 000 hab.

IWASZKIEWICZ (Jarosław), écrivain polonais (Kalnik, Ukraine, 1894). Il s'efforce de concilier les principes de l'esthétique classique et les aspirations sociales et humaines de la Pologne nouvelle, dans ses poèmes, ses drames et surtout ses nouvelles (*les Boucliers rouges,* 1934; *la Mère Marie des Anges,* 1943; *Lis des marais et autres récits,* 1960). Il a publié également un récit autobiographique (*le Livre de mes souvenirs,* 1968) et réuni plusieurs essais critiques (*Causeries sur les livres,* 1968; *les Hommes et les livres,* 1971).

IWO, v. du sud-ouest du Nigeria; 192 000 hab.

IWO JIMA, île du Pacifique, au N. des Mariannes et à 1 400 km au S. du Japon, conquise par les Américains en février 1945.

IXELLES, en néerl. **Elsene,** comm. de Belgique (Brabant), dans la banlieue sud-est de Bruxelles; 80 151 hab. Anc. abbaye de la Cambre (bâtiments des XIVe et XVIIIe s.). Musée communal.

IXION, héros thessalien de la légende grecque, ancêtre de la race des Centaures*. En raison de sa traîtrise à l'égard de Zeus, il fut attaché à une roue enflammée qui devait tourner éternellement aux Enfers.

IYEYASU → IEYASU.

IZEGEM, comm. de Belgique (Flandre-Occidentale), au N.-O. de Courtrai; 26 183 hab. (en 1977).

IZERNORE (01580), ch.-l. de cant. de l'Ain, à 10 km au N.-O. de Nantua; 682 hab. Vestiges gallo-romains.

IZMIR, anc. **Smyrne,** port de Turquie, sur la mer Égée; 521 000 hab. Musée archéologique. Foire internationale. Exportation de produits agricoles.

HISTOIRE. Smyrne est au VIIe s. av. J.-C. une importante cité fortifiée. Elle connaît, grâce à son port, un grand développement à l'époque hellénistique et est une des premières villes évangélisées de l'Asie Mineure. Annexée par les Ottomans en 1424, Izmir devient un port actif dont plus de la moitié de la population est composée de Grecs, de Juifs, d'Arméniens ou d'Occidentaux. Occupée par les Grecs en 1919, elle est reprise par les Turcs en 1922.

IZMIT, port de Turquie, sur la mer de Marmara; 123 000 hab. Pétrochimie.

IZOARD, col des Hautes-Alpes, à 36 km au S.-E. de Briançon, entre le Queyras et le Briançonnais; 2 360 m.

JABALPUR ou **JUBBULPORE,** v. de l'Inde, dans le centre de Madhya Pradesh; 426 000 hab. Métallurgie. Textile.

JABOT. — Des animaux fort divers (oiseaux, insectes sociaux) nourrissent leurs jeunes ou leurs congénères en régurgitant à leur profit une partie de la nourriture qu'ils ont avalée. Il leur faut donc une poche digestive où des aliments puissent être accumulés, éventuellement subir un début de digestion, et enfin être régurgités facilement : telles sont les fonctions du jabot. Chez les pigeons, tant mâles que femelles, le jabot sécrète, pendant l'élevage des jeunes, un produit hautement nutritif, dit « lait de pigeon ». Les araignées et les insectes piqueurs ont un « jabot aspirateur » pour la succion des liquides. En aval du jabot, les aliments ne peuvent plus être régurgités.

JACHÈRE. — On laisse les terres en jachère pour permettre la destruction des mauvaises herbes, notamment le chiendent, et assurer une meilleure préparation du sol. Toutefois, une jachère bien travaillée (labours, hersages, scarifiages, etc.) est coûteuse, aussi n'intervient-elle qu'à titre accidentel dans les systèmes de culture modernes.

JACINTHE. — La jacinthe, plante bulbeuse de la famille des liliacées, forme au premier printemps une hampe de fleurs en cloche à six pétales, colorées et parfumées. Une plante d'un genre voisin, l'endymion, aux pétales moins découpés, abonde dans nos forêts : c'est la « jacinthe des bois ». Ce même nom est parfois donné au muscari, plante voisine, mais aux fleurs beaucoup plus fermées.

JACKSON, v. des États-Unis, capit. du Mississippi; 154 000 hab.

JACKSON (Andrew), homme d'État américain (Waxhaw 1767-Hermitage 1845). Héros de la seconde guerre de l'Indépendance (1815), sénateur démocrate (1823), il devient le 7e président des États-Unis (1829-1837). Bien que représentant les pionniers de l'Ouest et la jeune démocratie autoritaire et nationaliste, il renforce l'autorité de l'exécutif, suit une politique isolationniste et inaugure le *rotation system* qui, dans les postes de fonctionnaires fédéraux, favorise les partisans du président en charge. En 1836, il fait élire son homme de confiance, Martin Van Buren, si bien qu'on a pu appeler la période 1825-1840 l'*ère de Jackson,* marquée par le triomphe du réalisme démocratique sur l'idéalisme jeffersonien. (V. JEFFERSON.)

JACKSON (Mahalia), chanteuse noire américaine (La Nouvelle-Orléans 1911 - Chicago 1972). Elle fut l'une des plus grandes chanteuses de gospel-songs et de negro spirituals (*Silent Night,* 1950; *In the Upper Room,* 1952; *Black, Brown and Beige* [avec Ellington, 1958]; *Elijah Rock,* 1961).

JACKSONVILLE, v. des États-Unis, dans le nord-est de la Floride; 529 000 hab. Tourisme. Métallurgie. Papeterie.

JACOB, patriarche* biblique, fils d'Isaac*, père de douze fils, ancêtres éponymes des douze tribus d'Israël.

JACOB, menuisiers d'art et ébénistes français. GEORGES (Cheny, Yonne, 1739 - Paris 1814), maître à Paris en 1765, inventa des formes inédites de sièges et utilisa l'acajou, à l'imitation de l'Angleterre, vers 1785. Il était épris de sobriété, élaborant toutefois une riche ornementation « à la grecque » pour satisfaire aux commandes royales. En 1796, il laissa son atelier à ses fils GEORGES II (1768-1803) et FRANÇOIS HONORÉ (1770-1841), qui définirent le style Directoire, comme il l'avait fait pour le Louis XVI. En 1803, François Honoré fonda, sous le nom de JACOB-DESMALTER, une fabrique (jusqu'à 800 praticiens) dont l'œuvre fut immense au service de l'Empire (sa tâche fut, notamment, de remeubler les anciens palais royaux). Son fils GEORGES ALPHONSE (1799-1870) continua cette production de 1829 à 1847.

JACOB (Max), écrivain français (Quimper 1876 - camp d'internement de Drancy 1944). Peintre, critique d'art et poète, il mena la vie de bohème avec Picasso et Modigliani et se révéla un précurseur du surréalisme (*le Cornet* à dés,* 1917). Converti au catholicisme, il se retira à Saint-Benoît-sur-Loire, où il fut arrêté par les Allemands.

JACOB (François), médecin et biologiste français (Nancy 1920). Travaillant avec J. Monod, à l'Institut Pasteur, il conçoit, puis démontre l'existence de l'A. R. N. messager. En 1965 il reçoit, avec A. Lwoff et J. Monod, le prix Nobel de médecine et de physiologie.

JACOBI (Moritz Hermann VON), physicien allemand (Potsdam 1801 - Saint-Pétersbourg 1874). Il est l'inventeur du retour par la terre en télégraphie et de la galvanoplastie.

JACOBI (Carl), mathématicien allemand (Potsdam 1804 - Berlin 1851), frère du précédent. Avec Abel*, il fut l'un des fondateurs de la théorie des fonctions elliptiques, dont il découvrit la double périodicité. Il introduisit des fonctions nouvelles se présentant sous forme de séries exponentielles et permettant de calculer les intégrales elliptiques les plus générales. D'autre part, il établit la théorie des déterminants fonctionnels, appelés depuis *jacobiens.*

Jacobins, société politique qui joua un rôle primordial durant la Révolution française. Elle tire son nom du Club breton, formé à Versailles dès mai 1789 et installé par la suite dans le couvent des dominicains (Jacobins) de la rue Saint-Honoré. Devenu très démocratique après la fuite de Louis XVI à Varennes (juill. 1791), ce club est dominé par la personnalité de Pétion, mais surtout par celle de Robespierre*. Quand les Girondins s'en retirent en septembre 1792, le club devient l'organe moteur de la Montagne, au point que les termes « Jacobins » et « Montagnards* » deviennent synonymes. Fermé après Thermidor (juill. 1794), le club se reforme plusieurs fois en des sociétés d'extrême gauche : la dernière disparaît le 13 août 1799.

jacobite *(Église),* Église orientale* monophysite*, appelée officiellement *syrienne orthodoxe;* elle doit son nom à l'évêque Jacques Baradaï (VIe s.), qui fut son principal organisateur. Au XVIIIe s. une branche jacobite s'est rattachée à Rome : elle forme le *patriarcat syrien catholique.*

Jacobites, membres du parti anglais resté fidèle, après la révolution de 1688, aux Stuarts (Jacques II*, puis Jacques* Édouard).

JACOBSEN (Arne), architecte et designer danois (Copenhague 1902 - *id.* 1971). Inspiré par le purisme de Mies van der Rohe, il donne notamment, à la fin des années 50, des usines d'une grande qualité plastique. À partir de 1960, il étend son activité aux meubles, aux couverts de table et à l'impression des tissus. Son fauteuil « œuf » et surtout son fauteuil « cygne » ont rencontré un vif succès.

JACQUARD (Joseph-Marie), mécanicien français (Lyon 1752 - Oullins, Rhône, 1834). Il inventa le métier à tisser qui porte son nom, en perfectionnant celui de Jacques de Vaucanson* et en y adjoignant, notamment, le dispositif de sélection par cartons perforés imaginé en 1742 par Falcon (v. 1705-1765).

JACQUELINE de Bavière (Le Quesnoy 1401 - Teilingen 1436). Comtesse de Hainaut, de Hollande, de Frise et de Zélande (1417-28), elle fit annuler son mariage avec Jean IV de Brabant et, par son union avec le duc de Gloucester (1422), provoqua la guerre entre Hainaut et Bourgogne. En 1426, elle dut abandonner ses États au duc de Bourgogne Philippe le Bon.

JACQUEMART de Hesdin, miniaturiste français, au service du duc de Berry de 1384 à 1409. Il est notamment l'auteur des images en pleine page des *Très Belles Heures* (v. 1400, Bibliothèque royale,

Bruxelles), véritables tableaux qui introduisent espace et sensibilité naturaliste dans l'art de l'enluminure.

jacquerie (la), insurrection paysanne qui, en mai et juin 1358, eut pour théâtre le nord de la France, et principalement le Beauvaisis et la Brie. Elle fut provoquée par la misère, consécutive à la défaite française (Poitiers, 1356) et à la peste noire, et par le mécontentement des paysans à l'égard de la noblesse. Après avoir pillé châteaux et demeures seigneuriales, les Jacques, inorganisés, furent écrasés le 9 juin, à Mello, par la chevalerie de Charles le Mauvais.

JACQUES le Majeur *(saint),* apôtre de Jésus, fils de Zébédée et frère de Jean* l'Évangéliste, mort martyr en 44, sous Hérode Agrippa, d'après les Actes des Apôtres. Il est honoré à Compostelle, mais l'apostolat de Jacques le Majeur en Espagne repose sur des données tardives qui sont du domaine de la légende hagiographique.

JACQUES le Mineur *(saint),* membre de la famille de Jésus qui joua dans l'organisation du christianisme à Jérusalem un rôle important (ce n'est pas le second apôtre Jacques, fils d'Alphée, que mentionnent les Évangiles), il fut exécuté sans doute en 62 sur l'ordre du grand prêtre. L'*épître de Jacques,* qui lui est attribuée (v. ÉPÎTRES DU NOUVEAU TESTAMENT), est un écrit anonyme de la fin du Ier siècle, inspiré de la théologie judéo-chrétienne, dont le foyer fut la communauté chrétienne de Jérusalem.

JACQUES Ier (Édimbourg 1566 - Theobalds Park 1625), roi d'Écosse (Jacques VI) de 1567 à 1625, roi d'Angleterre et d'Irlande de 1603 à 1625. Fils de Marie* Stuart et du baron Darnley*, il restaure en Écosse l'autorité royale, substituant une administration centralisée à l'organisation féodale. En 1603, il succède à Élisabeth Ire* sur le trône d'Angleterre. Adversaire des catholiques, il échappe à un complot fomenté par eux (Conspiration des poudres, 1604-05); persécuteur des puritains, il accélère ainsi leur émigration vers les colonies d'Amérique. Autoritaire et cauteleux, négligeant le Parlement, s'appuyant sur des favoris (dont Buckingham*) et s'entourant d'Écossais, Jacques Ier s'attire l'hostilité des Anglais qui, par ailleurs, ne lui pardonnent pas ses échecs diplomatiques (alliance avortée avec l'Espagne).

JACQUES II (Londres 1633 - Saint-Germain-en-Laye 1701), roi d'Angleterre, d'Irlande et d'Écosse (Jacques VII) de 1685 à 1688. Frère du roi Charles II, duc d'York, grand amiral, il se distingue contre les Hollandais. Mais, s'étant converti au catholicisme, il est évincé après le vote du *Test* Act.* Néanmoins, il succède sans difficulté à Charles II en 1685. Ses maladresses, sa dure répression contre Monmouth*, son mépris du Parlement, les faveurs qu'il accorde aux catholiques lui aliènent rapidement l'opinion anglaise.

National Gallery

Jacques II, par Godefrey Kneller (v. 1646-1723). [National Gallery, Londres.]

La naissance d'un fils, Jacques Édouard (1688), semble ouvrir la perspective d'une dynastie anglaise catholique; l'opposition whig en appelle alors à Guillaume d'Orange, gendre de Jacques II, qui, en débarquant en Angleterre, oblige le Stuart à s'enfuir en France (déc. 1688). Ayant essayé une restauration sur le territoire irlandais, resté loyaliste, Jacques II est écrasé par les Orangistes à la Boyne (1690) et contraint de s'exiler définitivement.

JACQUES ÉDOUARD STUART le Prétendant (Londres 1688 - Rome 1766). Fils de Jacques II, catholique comme lui, il est reconnu comme roi d'Angleterre (Jacques III) par Louis XIV, lors de la mort de son père (1701), mais, à Londres, l'*Acte d'établissement* interdit tout espoir aux Stuarts. Néanmoins, un parti jacobite* subsiste, qui échoue dans ses tentatives de débarquement (1708) ou de soulèvement en Écosse (1715).

JACQUES Ier, II → ARAGON.

JACQUES Ier, II, III, IV, V, rois d'Écosse → STUART.

JACQUES VI, roi d'Écosse → JACQUES Ier, roi d'Angleterre.

JACQUES VII, roi d'Écosse → JACQUES II, roi d'Angleterre.

JACQUES Ier, empereur d'Haïti → DESSALINES (J.-J.).

JACQUES de Voragine, hagiographe italien (Varazze v. 1230 - Gênes 1298). Dominicain, archevêque de Gênes (1292), il est considéré comme le père de la *Légende dorée.* Béatifié en 1816.

Jacques le Fataliste et son maître, roman de Diderot, écrit en 1773, publié en 1796. Inspiré de Sterne, ce roman sentimental et humoristique mêle, à travers les anecdotes, les monologues d'auteur, les apostrophes au lecteur, le récit des amours d'un domestique et des discussions philosophiques sur la liberté humaine.

JADE. — C'est un aluminosilicate de calcium et de magnésium, appartenant au genre amphibole et d'un blanc verdâtre; c'est une pierre dure, dont il existe plusieurs variétés.

JADE, petit golfe formé par la mer du Nord, sur le littoral de l'Allemagne occidentale (Basse-Saxe).

JADIDA (El-), anc. **Mazagan,** port du Maroc, sur l'Atlantique; 56 000 hab.

JAÉN, v. d'Espagne, en Andalousie, ch.-l. de prov.; 78 000 hab. Vestiges mauresques. Églises gothiques et mudéjares. Magnifique cathédrale reconstruite à partir de 1548, dans le style de la Renaissance classique, par Andrés de Vandelvira.

JAFFA, auj. **YAFO,** faubourg de Tel-Aviv, sur la Méditerranée. La ville, de fondation très ancienne, est mentionnée au XIVe s. av. J.-C. dans les textes d'Amarna*. Cité biblique, elle fut prospère jusqu'à l'époque romaine. Prise par les Arabes, redevenue chrétienne avec les croisés, elle retrouva sa prospérité à partir du XVIe s.

JAFFNA, port du nord du Sri Lanka; 108 000 hab.

JAGELLONS, famille d'origine lituano-russe qui régna en Pologne (1386-1572), dans le grand-duché de Lituanie (1377-1392 et 1440-1572), en Hongrie (1440-1444 et 1490-1526) et en Bohême (1471-1526). Elle doit son nom à Jagellon *(Jogaila),* grand-duc de Lituanie depuis 1377, qui, après avoir abjuré le paganisme (15 févr. 1386), épousa Hedwige d'Anjou, reine de Pologne, et fut couronné roi de Pologne, sous le nom de LADISLAS II (14 mars 1386). Il imposa sa suzeraineté aux palatins de Moldavie (1387), de Valachie (1389) et de Bessarabie (1396) et brisa l'expansion germanique en taillant en pièces la chevalerie Teutonique (Grunwald-Tannenberg, 1410). — LADISLAS III LE VARNÉNIEN (Cracovie 1424 - Varna 1444), fils de Ladislas II, devint roi de Pologne en 1434; ayant accepté la couronne de Hongrie (1440), il engagea son pays dans la croisade organisée par la papauté contre les Turcs et trouva la mort à Varna (1444). — Son frère, CASIMIR IV JAGELLON (Cracovie 1427 - Grodno 1492), déjà grand-duc de Lituanie (1440), élu roi de Pologne (1445), fut couronné en 1447; il restaura l'autorité royale compromise par l'opposition des magnats, et triompha de l'ordre Teutonique (paix perpétuelle de Toruń, 1466) en s'emparant de la Poméranie orientale et en imposant la suzeraineté de la Pologne sur les possessions de l'ordre; il assura à son fils aîné les couronnes de Bohême (1471) et de Hongrie (1490). — Sous ses fils, JEAN Ier ALBERT (Cracovie 1459 - Toruń 1501), roi de Pologne de 1492 à 1501, et ALEXANDRE (Cracovie 1461 - Vilnious 1506), grand-duc de Lituanie (1492), puis roi de Pologne (1501), la puissance des Jagellons déclina, tant à l'intérieur, où l'opposition nobiliaire déboucha sur la création de la diète bicamérale, qu'à l'extérieur, où elle ne put empêcher la progression moscovite en Lituanie. — SIGISMOND Ier LE VIEUX (Kozienice 1467 - Cracovie 1548), le plus jeune des fils de Casimir IV, fut roi de Pologne et grand-duc de Lituanie de 1506 à 1548; il s'efforça de stopper les conquêtes des tsars de Moscovie, lutta efficacement contre les Tatars (1524) et les Moldaves (1531) et annexa la Mazovie (1526); à l'intérieur, il tenta sans succès de restaurer l'autorité royale. — Son fils, SIGISMOND II AUGUSTE (Cracovie 1520 - Knyszyn 1572), grand-duc de Lituanie et roi de Pologne de 1548 à 1572, lutta contre Ivan le Terrible; par l'acte de Lublin (1569), il assura la fusion de la Pologne et de la Lituanie en une « République commune ». Sa mort sans héritier (1572) marqua la fin de la dynastie des Jagellons.

JAGUAR. — Le jaguar est la panthère de l'Amérique latine : tacheté comme la panthère afro-asiatique, mais sensiblement plus grand, il attaque toutes sortes d'animaux, y compris les tortues et les caïmans, et parfois l'homme.

Nombreux sont les félins américains voisins du jaguar. Si nous écartons le puma*, qui ressemble plus à un lion, il reste l'ocelot, au

Jakarta. Un aspect de la ville.

Lenars - Atlas-Photo

pelage superbe, inoffensif, le margay, de la taille d'un chat, le jaguarondi et l'eyra, guère plus grands. Tous ces animaux ont une activité surtout nocturne et vivent solitaires la plupart du temps.

JAÏNISME → JINISME.

JAIPUR, v. du nord-ouest de l'Inde, capit. du Rājasthān; 615 000 hab. Université. Principal centre de la civilisation rājpute, la cité a abrité une école de miniaturistes contemporaine de celle des Moghols*, mais le site d'Amber, qu'elle remplaça au XVIIIe s., porte l'empreinte de l'art ancien de l'Inde. Ce style, dit « rājasthānī », se distingue par un grand sens décoratif et une stylisation parfois un peu raide. Mosquées, palais, intéressant observatoire du XVIIIe s.

JAKARTA, anc. **Djakarta,** capit. de l'Indonésie, dans l'ouest de Java; 4 576 000 hab. À quelques kilomètres de la mer de Java, Jakarta est la plus grande ville de l'Asie du Sud-Est. Le prodigieux accroissement de population (Jakarta comptait moins de 200 000 habitants au début du siècle) tient à un fort excédent naturel et surtout à l'afflux de ruraux, mais le développement économique n'est pas parallèle (l'industrie est inexistante, en dehors d'un secteur artisanal). Cette distorsion explique le taux élevé du chômage et une urbanisation anarchique, faisant de la capitale une agglomération, démesurément étendue, de villages, hors d'un quartier moderne, centre des affaires.

JAKOBSON (Roman), linguiste américain d'origine russe (Moscou 1896). Après des études à Moscou, où il côtoie les formalistes russes, Jakobson se fixe en 1920 en Tchécoslovaquie et participe aux travaux du Cercle linguistique de Prague. Il émigre en 1939 dans les pays scandinaves, puis en 1941 aux États-Unis, où il enseigne depuis lors. Ses travaux ont porté sur tous les domaines de la linguistique : la phonologie (théorie du binarisme*), la psycholinguistique (*Langage enfantin et aphasie,* 1941), les rapports entre la théorie de la communication et le langage (théorie des fonctions* du langage), l'étude de la langue poétique. Homme des recherches interdisciplinaires, il n'a cessé de stimuler depuis plus d'un demi-siècle la réflexion linguistique. Son œuvre considérable consiste en un très grand nombre d'articles portant sur des points particuliers et dont certains ont été regroupés dans *Essais de linguistique générale* (1963-1973, 2 vol.).

JALALABAD → DJALĀLĀBĀD.

JALAPA ou **JALAPA ENRÍQUEZ,** v. du Mexique, à l'E. de Mexico, capit. de l'État de Veracruz; 122 000 hab. Cathédrale du XVIIIe s. Riche musée archéologique.

JALGAON, v. de l'Inde, dans le nord du Mahārāshtra; 107 000 hab.

JALIGNY-SUR-BESBRE (03220), ch.-l. de cant. de l'Allier, à 30 km au S.-E. de Moulins; 779 hab. Église du XIIe s. Château Renaissance.

JALISCO, État du Mexique occidental. Capit. *Guadalajara**. Sur la côte pacifique s'est développée une civilisation précolombienne du classique ancien (300-600 apr. J.-C.), caractérisée par des tombes en puits et à plusieurs chambres, qui ont livré de nombreuses figurines, en céramique recouverte d'un engobe de couleur crème, représentant avec réalisme des personnages dans leurs activités quotidiennes.

Jalousie *(la),* roman de Robbe-Grillet (1957). Le jeu des mots (la jalousie née de la rivalité amoureuse) et du regard (la jalousie, persienne qui filtre la vue et en modifie l'angle) traduit la distance irrémédiable entre l'homme et un monde réduit à son apparence.

JAMAÏQUE (la), en angl. **Jamaica,** l'une des grandes Antilles, formant un État indépendant, membre du Commonwealth; 11 425 km^2; 2 030 000 hab. *(Jamaïquains).* Capit. *Kingston.*

GÉOGRAPHIE. Au S. de Cuba, la Jamaïque forme une petite île, en partie montagneuse, dont l'ouest et le centre sont occupés par un plateau calcaire. Le climat tropical est chaud, marqué par de faibles amplitudes, très humide sur les hauteurs et sur la côte nord, plus sec sur la côte sud.

La population est composée en majorité de Noirs, descendants des anciens esclaves amenés d'Afrique pour travailler dans les plantations. Sa densité élevée résulte d'un accroissement démographique rapide, dont les effets sont un peu atténués par un fort courant d'émigration vers la Grande-Bretagne, les États-Unis et le Canada. Par ailleurs, la pression démographique en milieu rural est responsable de l'essor des villes, qui regroupent 40 p. 100 des habitants, et, en particulier, de la capitale, Kingston.

L'agriculture occupe le tiers de la population active. Elle reste fondée sur les cultures commerciales héritées de la période coloniale. La canne à sucre demeure la principale production mais subit une crise. Les bananes, les agrumes, le café, le cacao sont cultivés en faible quantité, et la production vivrière (céréales) est très insuffisante. La bauxite constitue l'une des principales richesses du pays, mais, exploitée par des compagnies américaines et canadiennes (15 Mt), elle est en grande partie exportée à l'état brut. Le développement industriel s'amorce cependant, favorisé par une main-d'œuvre abondante et des avantages fiscaux. Le tourisme apporte un complément de ressources. Cependant, les conditions de vie restent précaires, et la surpopulation dans les campagnes contraint à l'exode les paysans, qui vont grossir le nombre de chômeurs dans les villes.

HISTOIRE. Occupée par les Espagnols depuis sa découverte en 1494, la grande île antillaise est conquise par les Anglais de 1655 à 1658. Devenue producteur de sucre et grand centre de contrebande, la Jamaïque, au XVIIIe s., est une plaque tournante pour le trafic des Noirs; elle-même bénéficie de l'afflux massif de la main-d'œuvre africaine (esclaves). Après les guerres napoléoniennes, l'île profite de l'effacement économique de Saint-Domingue, mais elle souffre de la concurrence de Cuba et de la Guyane. L'abolition de l'esclavage (1833) et des privilèges douaniers jamaïquains (1846) achève de ruiner les planteurs et provoque une forte émigration vers Cuba et les États-Unis. Après 1870, l'introduction de la culture de la banane s'accompagne de l'implantation des grandes compagnies étrangères *(United Fruit).* Une constitution est appliquée en 1884, mais la Jamaïque reste entre les mains de la classe possédante blanche. C'est cependant un Blanc, Alexander Bustamante (né en 1884), qui, à partir de 1930, devient le premier chef populiste, s'associant son cousin Norman W. Manley (1893-1969).

Londres, tirant la leçon de crises répétées, crée des syndicats, introduit le suffrage universel et amorce le processus d'une autonomie réelle. À la tête du *Jamaica Labour Party,* Bustamante, Premier ministre en 1953, est remplacé, en 1957, par Manley, Premier ministre d'un gouvernement pour la première fois élu. En 1962, la Jamaïque devient pleinement indépendante, tout en restant membre du Commonwealth. Bustamante revient alors au pouvoir, puis le laisse à Donald Sangster (1967), qui est remplacé presque aussitôt par Hugh L. Shearer (né en 1923). Celui-ci, leader des travaillistes, doit compter avec la montée du *People's Political Party,* qui exalte la négritude et l'africanité. Après la victoire du *People's National Party* aux élections de 1972, Michael N. Manley devient Premier ministre.

JAMBE. — Le tibia, en dedans, et le péroné, plus grêle, en dehors, unis par le ligament interosseux, forment le squelette de la jambe. Ces os s'articulent avec le fémur au niveau du genou; au niveau du cou-de-pied, l'astragale s'encastre dans la pince formée par la malléole externe (du péroné) et la malléole interne (du tibia). Les fractures des deux os de la jambe peuvent se compliquer d'ouverture, de phlébite, de pseudarthrose et de cal vicieux avec

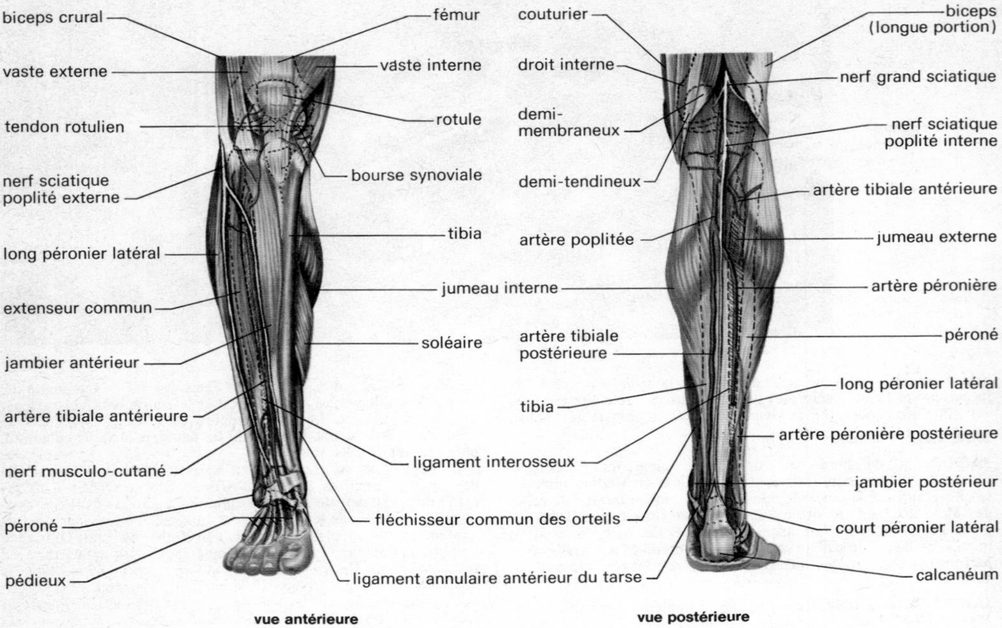

JAMBE

déformation du membre. Les fractures de Dupuytren, articulaires, touchent les deux malléoles tibiale et péronière, et leur réduction est urgente; les déplacements sous plâtre sont fréquents. Ces fractures peuvent se compliquer de raideur, d'arthrose de la cheville, de cal vicieux en valgus avec pied plat.

• *Jambe artificielle.* L'appareillage des amputés de la jambe a été récemment amélioré : la totalité de la surface du moignon est en contact avec l'emboîture, permettant une répartition des pressions et un équilibre meilleurs; la prothèse du pied est mobile ou fixe.

JAMBES, anc. comm. de Belgique, sur la Meuse, incorporée à Namur en 1977.

JAMBI → TELANAIPURA.

JAMBLIQUE, romancier grec né en Syrie (IIe s.), auteur des *Babyloniques.*

JAMBLIQUE, philosophe grec (Chalcis, Cœlésyrie, v. 250 - v. 330). Ses études sur le pythagorisme*, Platon, les doctrines des Chaldéens et des Égyptiens le conduisent à faire du néoplatonisme (v. PLATONISME) une philosophie religieuse. Fondateur d'une école philosophique à Apamée (Syrie), il a notamment écrit une *Vie de Pythagore* et *Sur les Mystères.*

JAMBOL, v. de l'est de la Bulgarie; 58 000 hab. Rizières. Industries agricoles.

JAMES *(baie),* vaste baie du Canada (Québec et Ontario), prolongeant au S. la baie d'Hudson. Découverte en 1610 par Hudson, elle fut explorée, en 1631, par Thomas James.

JAMES (William), philosophe américain (New York 1842 - Chocorua, New Hampshire, 1910). Médecin et psychologue, il s'est efforcé, conjointement avec Ch. S. Peirce* et J. Dewey*, d'élaborer une morale fondée sur l'expérience* (v. PRAGMATISME). Il a notamment publié *Principes de psychologie* (1891), *les Variétés de l'expérience religieuse* (1902), *le Pragmatisme* (1907) et *la Philosophie de l'expérience* (1910).

JAMES (Henry), écrivain anglais d'origine américaine (New York 1843 - Londres 1916), frère du précédent. Héritier d'une technique romanesque qui l'apparente à Hawthorne et d'une passion pour l'Europe acquise au cours d'une adolescence cosmopolite, il joue de son appartenance à deux mondes contrastés pour définir une philosophie de la vie qui s'achève en méditation sur l'art de vivre, qui n'est pas autre chose que de vivre selon les exigences et les ambiguïtés de l'art (*Roderick Hudson,* 1875; *Daisy Miller,* 1879; *Washington Square,* 1881; *le Secret de Maisie,* 1897; *le Tour* d'écrou,* 1898; *les Ailes* de la colombe,* 1902; *les Ambassadeurs*,* 1903; *la Coupe* d'or,* 1904).

JAMESTOWN, ch.-l. de l'île de Sainte-Hélène.

JAMMES (Francis), écrivain français (Tournay, Hautes-Pyrénées, 1868 - Hasparren 1938). Son goût de la poésie naïve et de la simplicité rustique (*De l'Angélus de l'aube à l'Angélus du soir,* 1898) s'unit à une sensibilité romanesque et romantique (*Clara d'Ellébeuse,* 1899; *Almaïde d'Étremont,* 1901), puis, après son retour à la foi catholique, à une sentimentalité religieuse (*les Géorgiques chrétiennes,* 1911-12), pour donner une forme moderne au thème idyllique de l'innocence retrouvée dans le décor de la nature.

JAMMU, v. du nord-ouest de l'Inde, capit. (avec Srīnagar) de l'*État de Jammu-et-Cachemire* (4 617 000 hab.); 155 000 hab.

JAMNA, JUMNA ou **YAMUNĀ** (la), riv. du nord de l'Inde, qui passe à Delhi, puis à Agrā, rejoignant le Gange (r. dr.) à Allāhābād; 1 370 km.

JĀMNAGAR, v. de l'Inde (Gujerat), près du golfe de Kutch; 200 000 hab.

JAMSHEDPUR, v. de l'Inde, dans le sud du Bihār; 342 000 hab. Centre sidérurgique. Constructions ferroviaires.

JANÁČEK (Leoš), compositeur tchèque (Hukvaldy 1854 - Ostrava 1928). Également pédagogue, interprète et théoricien, il explora systématiquement et scientifiquement le folklore de sa Moravie natale. Son art et sa pensée réalistes trouvèrent comme débouché naturel la scène (dix opéras, dont *Jenufa, Kat'á Kabanová, le Petit Renard rusé, l'Affaire Makropoulos*), le poème symphonique *(Tarass Boulba),* la *Messe glagolitique,* deux quatuors à cordes, des œuvres pour piano et des mélodies.

JANCSÓ (Miklós), cinéaste hongrois (Vác 1921). Au cours des années 60 il s'imposa sur le plan international comme l'un des réalisateurs les plus doués de son pays, en tournant plusieurs films traitant des rapports entre opprimés et oppresseurs : *les Sans-Espoir* (1965), *Rouges et Blancs* (1967), *Silence et cri* (1968), *Ah! ça ira* (1968), *Psaume rouge* (1971), *Pour Électre* (1974).

JANEQUIN (Clément), compositeur français (Châtellerault v. 1485 - Paris 1558). Il quitte Bordeaux pour Angers, avant d'entrer à la chapelle royale. Auteur de messes, de motets et de psaumes, il reste un des principaux représentants de la chanson parisienne polyphonique, descriptive *(la Guerre, le Chant des oiseaux, les Cris de Paris, le Caquet des femmes),* narrative, lyrique, galante, et s'attache à une certaine virtuosité rythmique.

JANET (Pierre), médecin et psychologue français (Paris 1859 - *id.* 1947). Considéré comme le fondateur de la psychologie clinique, il a mis au point une théorie du fonctionnement psychique, opposée à celle de son contemporain S. Freud*, et appelée *psychologie des* *conduites.* Il fait appel aux concepts de force et de tension psychologiques pour rendre compte des phénomènes morbides. On lui doit des études sur l'hystérie* et la psychasthénie*.

JANICULE *(mont),* en lat. **Janiculum,** colline de Rome située sur la rive droite du Tibre.

JANIN (Jules), écrivain français (Saint-Étienne 1804-Paris 1874). Romancier d'inspiration romantique (*l'Âne mort et la Femme guillotinée,* 1829), il tint pendant quarante ans la critique dramatique du *Journal des débats.*

JANISSAIRES. — Orhan* crée v. 1330 une « nouvelle troupe » (en turc *yeniçeri*), qui constitue une infanterie régulière. Aux XVe et XVIe s., son recrutement s'effectue par le système du *devşirme :* des jeunes enfants chrétiens des Balkans sont enlevés à leur famille pour apprendre le métier des armes. Troupe d'élite, les janissaires sont les artisans des conquêtes des Ottomans*. À partir de la fin du XVIe s., la discipline se relâche et ils jouent un rôle politique, fomentant de nombreuses révoltes. Mahmud II* les fait massacrer en 1826.

JAN MAYEN *(île),* île norvégienne montagneuse (2 340 m) et volcanique de l'Arctique, au N.-E. de l'Islande.

JANNE (Henri), sociologue belge (Bruxelles 1908). Partisan d'une sociologie « générale », il utilise conjointement des méthodes quantitatives et qualitatives (*le Système social,* 1968) afin d'atteindre une meilleure compréhension des faits sociaux.

JANNINA → IOÁNNINA.

JANNINGS (Emil), acteur allemand (Rorschach, Suisse, 1884-Strobl, Autriche, 1950). Acteur de théâtre (il travailla notamment avec Max Reinhardt de 1906 à 1915), il aborda le cinéma en 1915. Il parut dans de nombreux films, dont *Madame du Barry* (1919), *Danton* (1920), *Variétés* (1925), *Tartuffe* (1925), *le Dernier des hommes* (1925), *l'Ange bleu* (1930), *Président Kruger* (1941).

JANSEN (Zacharias), inventeur néerlandais (La Haye 1580-Amsterdam 1628 ou 1638). Il paraît avoir fabriqué la première lunette d'approche.

JANSÉNISME. — Mouvement religieux qui s'est manifesté aux XVIIe et XVIIIe s., le jansénisme — qui tire son nom du théologien Jansénius* — prend ses racines au XVIe s. dans les conflits théologiques autour de la notion de grâce divine. Tandis que l'école de saint Augustin *(augustinisme)* fait très large la part de l'initiative divine face à la liberté humaine, les Jésuites — et notamment Molina* — accordent davantage à celle-ci. Le *molinisme,* qui fait de grands progrès, provoque d'âpres discussions, notamment à Louvain*, où l'augustinisme est défendu par toute une école, dont le chef de file, Jansénius, rédige, avec l'*Augustinus* (1640), une somme des idées de saint Augustin. En France, cet ouvrage et ces idées ont comme principaux défenseurs les religieuses et les messieurs de Port Royal*, l'abbé de Saint-Cyran et la famille Arnauld*. Cependant, la papauté intervient plusieurs fois contre les thèses jansénistes, en particulier Innocent X, qui, par la bulle *Cum occasione* (1653), condamne cinq propositions qu'un docteur de Sorbonne a prétendu trouver dans l'*Augustinus.* Arnauld riposte en démontrant (1654) que ces cinq propositions, véritablement hérétiques, ne se trouvent pas dans cet ouvrage. Malgré l'intervention géniale de Blaise Pascal* contre les molinistes dans ses *Provinciales* (1656), la situation des jansénistes s'aggrave, à Rome (bulle *Ad sacram,* 1656), mais aussi à Paris, où ils s'attirent l'hostilité de Louis XIV : Port-Royal en est la principale victime. Après une trêve, dite « paix de l'Église » (1669-1679), la persécution reprend, allant jusqu'à la destruction de Port-Royal-des-Champs.

Un second jansénisme, religieux, sans doute, mais aussi politique et parlementaire, se développe alors, en France surtout, et en Italie. L'un de ses chefs, Pasquier Quesnel*, doit se réfugier aux Provinces-Unies, où le jansénisme va jusqu'au schisme. (V. VIEUX-CATHOLIQUES.) La bulle *Unigenitus* de Clément XI (1713) porte un nouveau coup au jansénisme; mais l'esprit janséniste, fait d'austérité et d'antiabsolutisme, pénètre toute une couche du clergé : il colorera longtemps toute une zone de la spiritualité catholique.

JANSÉNIUS (Corneille JANSEN, dit), évêque d'Ypres (Acquoy, Hollande, 1585-Ypres 1638). À l'université de Louvain, il prend parti pour l'augustinisme contre les Jésuites, et se lie avec Duvergier* de Hauranne, futur abbé de Saint-Cyran, qui l'emmène en France (1604-1614). Encouragé par lui, Jansénius, devenu évêque d'Ypres en 1635, travaille à l'*Augustinus,* traité sur la grâce dont l'apparition, deux ans après sa mort, déchaînera la grave querelle doctrinale du jansénisme*.

JANSSEN (Jules), astronome français (Paris 1824-Meudon 1907). Il s'intéressa plus particulièrement à la physique solaire et commença, en 1875, une série de photographies journalières de la surface solaire, série qui se continue à l'heure actuelle. En 1876, il créa un observatoire, d'abord installé à Montmartre, puis transféré à Meudon (1877) et devenu la section d'astrophysique de l'Observatoire de Paris. En 1891, il implanta au sommet du mont Blanc un observatoire pour travailler hors de la pollution des villes.

JANUS, l'un des plus anciens dieux de la mythologie romaine. Il est le gardien des portes, d'où il surveille les entrées et les sorties; c'est pourquoi il est représenté avec deux visages. Son temple, à Rome, n'était fermé qu'en temps de paix.

JANVIER *(saint),* évêque de Bénévent (Naples v. 250-Pouzzoles v. 304). Son sang, conservé à Naples dans deux ampoules, se liquéfie et entre en ébullition le jour de sa fête (19 sept.) et en quelques circonstances graves.

JANVILLE (28310), ch.-l. de cant. d'Eure-et-Loir, dans la Beauce, à 30 km à l'O. de Pithiviers; 1 580 hab.

JANZÉ (35150), ch.-l. de cant. d'Ille-et-Vilaine, à 25 km au S.-E. de Rennes; 4 453 hab. Zoo.

JAPHET, troisième fils de Noé*, ancêtre, selon les récits bibliques, des peuples indo-européens.

JAPON, en jap. **Nippon,** ou **Nihon,** État insulaire de l'Asie orientale; 370 000 km²; 112 770 000 hab. *(Japonais).* Capit. *Tōkyō.*

GÉOGRAPHIE. Dans tout le continent asiatique, le Japon est le seul pays à avoir atteint un niveau de développement comparable à celui des pays occidentaux. Mais sa richesse, fondée sur l'importation de matières premières que transforme une main-d'œuvre qualifiée, est relativement fragile.

• *Le milieu naturel.* Le Japon forme un archipel s'étirant sur 2 200 km de long, qui borde la façade orientale du continent asiatique. Il compte 1 042 îles, dont quatre principales : Honshū, Hokkaidō, Kyūshū et Shikoku. Plutôt massif au nord, il se morcelle vers le sud, autour de la mer Intérieure, plate-forme littorale peu profonde. Le relief résulte de mouvements tectoniques récents, se poursuivant encore aujourd'hui. Des arcs montagneux forment l'ossature des différentes îles. Ils sont interrompus au centre de Honshū par le vaste fossé de la Fossa Magna, qui va de la mer du Japon à l'océan Pacifique. Un changement de direction des chaînes lui correspond : de N.-S., elles deviennent E.-N.-E.-O.-S.-O.

climatologie

stations (îles)	*températures moyennes (en °C)* janvier	juillet	*précipitations annuelles (en mm)*
Sapporo (Hokkaidō)	– 3,9 °C	20,6 °C	1 559
Tōkyō (Honshū)	6,6 °C	25,2 °C	1 627
Kagoshima (Kyūshū)	10 °C	27,1 °C	2 574

Hachées de failles qui déterminent des fossés tectoniques, les montagnes sont surmontées de nombreux volcans (dont le Fuji-Yama, point culminant du Japon [3 776 m]). Certains sont encore en activité (mont Aso), témoignant — avec les fréquents séismes, parfois accompagnés de raz de marée (les tsunamis) — de la jeunesse du relief. Les plaines n'occupent que le sixième de la superficie de l'archipel. Localisées généralement sur les côtes, elles sont discontinues, les plus vastes étant situées à Hokkaidō (Ishikari) et surtout à Honshū (Kantō, littoral de la mer Intérieure).

L'ensemble du pays est sous l'influence de la mousson, humide en été (saison la plus pluvieuse), sèche en hiver. Cependant, l'insularité explique l'absence de saison vraiment sèche, le total des précipitations dépassant partout 1 m par an. Les températures moyennes, douces dans le Sud, diminuent fortement vers le nord en raison de la latitude, mais également sous l'influence du courant froid, l'Oyashio, qui longe les côtes septentrionales de l'archipel. Le gel et la neige sont habituels à Hokkaidō et dans le nord de Honshū. La forêt couvre les versants montagneux. Elle est caractérisée par le mélange des essences : les feuillus tempérés (chênes, érables, hêtres) sont mêlés de conifères et de bouleaux au nord, d'espèces tropicales (camélias, magnolias) au sud. Sur les basses pentes poussent les bambous.

• *La population.* Le Japon est très peuplé. La densité moyenne (proche de 300 hab. au km²) est l'une des plus fortes du monde et l'exiguïté des surfaces planes accentue encore la pression démographique. Pour éviter la surpopulation, diverses mesures ont été prises. La population, qui a triplé en moins d'un siècle, ne s'accroît maintenant que lentement du fait de la limitation volontaire des naissances. Le taux de natalité est aujourd'hui inférieur à 20 p. 1 000. Parallèlement a été menée une politique d'extension des surfaces cultivables, notamment à Hokkaidō. La répartition de la population reste cependant très inégale. La plupart des habitants, dont la vie sociale reste très attachée aux structures traditionnelles, se concentrent dans les plaines. Par ailleurs, on peut opposer le Japon du Nord-Est, dans l'ensemble peu peuplé en raison des conditions naturelles plus rudes, à celui du Sud-Ouest, beaucoup

villes principales

(nombre d'hab.)

Tōkyō	8 841 000	Kyōto	1 419 000
(agglomération)	11 408 000	Kōbe	1 289 000
Ōsaka	2 980 000	Kita-kyūshū	1 042 000
Yokohama	2 238 000	Sapporo	1 010 000
Nagoya	2 036 000		

plus peuplé et plus urbanisé. 75 p. 100 des Japonais résident en effet dans des villes, dont huit dépassent le million d'habitants. Six d'entre elles sont le centre d'agglomérations s'échelonnant le long de la côte méridionale de Honshū en une sorte de mégalopolis qui va de Tōkyō à Kōbe.

• *La vie économique.* L'*agriculture* n'occupe que 15 p. 100 de la population active. Souffrant de la faible étendue des surfaces cultivables (le sixième du territoire) et de la pression démographique, elle est marquée par son caractère intensif. En de nombreux endroits, surtout dans le Sud, l'irrigation permet la double récolte annuelle sur des terres aménagées depuis des siècles (terrasses sur les pentes montagneuses, canaux, puits). Depuis la réforme de 1946, la plupart des terres sont cultivées en faire-valoir direct, mais la structure agraire rend difficile la modernisation. La construction de barrages a permis l'augmentation des surfaces irriguées et l'emploi massif d'engrais a fait croître les rendements, mais l'exiguïté des parcelles est un obstacle à la mécanisation. Le riz (15 Mt) demeure la principale production et constitue la base de l'alimentation. Les autres céréales n'occupent qu'une place minime. Les cultures vivrières sont nettement insuffisantes pour l'alimentation du pays. En dehors des mûriers, pour le ver à soie, et des théiers (0,1 Mt de thé), les cultures commerciales occupaient, jusqu'à une période récente, une place peu importante, en raison de la forte densité de population et de l'absence de colonisation. Elles se développent actuellement (tabac, betterave et canne à sucre), de même que les cultures maraîchères et fruitières (autour des agglomérations urbaines). Parallèlement, l'élevage connaît un certain essor : volailles, porcs et bovins. Mais la viande demeure peu importante dans l'alimentation face au poisson. La pêche est une activité traditionnelle très intense. Elle s'est industrialisée, des sociétés possédant des flottes modernes, qui placent le Japon au premier rang mondial (10,7 Mt de prises). Des tentatives d'aquaculture (algues) sont également en cours, mais le développement des agglomérations industrielles pose le problème parfois dramatique de la pollution.

Face à l'agriculture, l'*industrie* occupe une place prépondérante dans l'économie. Le développement industriel a commencé il y a un siècle, lors de l'ère Meiji. L'État a favorisé la création de grandes entreprises en facilitant le commerce extérieur et en créant un important réseau de communications (voies ferrées). Ce dernier a été largement amélioré depuis, grâce au développement du transport aérien, le réseau routier restant insuffisant. Actuellement, l'activité industrielle est concentrée dans de puissantes sociétés (Mitsui, Mitsubishi, etc.). Ces firmes contrôlent la majeure partie de la production, qui place le Japon dans les premiers rangs mondiaux, mais, à côté de ces géants, subsistent de nombreuses entreprises à caractère artisanal. L'un des atouts de l'industrie a par ailleurs longtemps été l'existence d'une main-d'œuvre abondante et bon marché, lui permettant de pratiquer de très bas prix de vente.

Les ressources naturelles sont peu abondantes. Le sous-sol recèle un peu de fer, du cuivre, du zinc, du plomb et surtout du charbon (20 Mt). Mais les matières premières sont largement insuffisantes et le pays doit en importer des quantités massives. Sur le plan énergétique, le déficit en charbon et, surtout, en hydrocarbures oblige le Japon à acheter du pétrole brut (à l'Indonésie et surtout au Moyen-Orient), qu'il raffine dans de grands complexes portuaires comprenant des installations pétrochimiques. La production électrique est importante (450 TWh); cependant, tout le potentiel hydraulique paraît être utilisé et le pays s'oriente vers l'énergie nucléaire. Divers gisements alimentent une métallurgie des non-ferreux, mais la sidérurgie est fondée sur l'importation de fer. Fortement concentrée (Nihon Steel), elle est localisée dans les ports et produit environ 120 Mt d'acier par an. Elle est à la base de toute une gamme d'industries, depuis la métallurgie lourde jusqu'aux productions les plus diversifiées : automobiles (6,5 M de véhicules), machines-outils, chantiers navals (17,6 Mt), constructions électriques et électroniques, appareils photographiques, etc. L'industrie chimique occupe une place de plus en plus importante : elle produit des engrais azotés, des colorants et du caoutchouc synthétique. L'industrie textile, la plus ancienne, a perdu sa prédominance : la production de soie recule devant le développement des textiles synthétiques, tandis que les industries de la laine et du coton souffrent de leur dépendance du marché mondial pour les matières premières. Les industries alimentaires traitent les produits de l'agriculture et de la pêche. De nombreuses activités traditionnelles, telles que la fabrication de la porcelaine, de la laque, du papier, etc., se sont maintenues et connaissent même un renouveau grâce au développement du tourisme.

L'essentiel de l'activité industrielle se concentre sur le littoral méridional, de Tōkyō à Kita-kyūshū : les trois conurbations de Tōkyō, Ōsaka et Nagoya fournissent plus de la moitié de la production et s'agrandissent constamment, en partie sur la mer; elles regroupent également tous les centres de décision. Le volume de la production est très important, mais la richesse du Japon demeure fragile. Elle repose en effet sur les échanges avec l'extérieur, les principaux partenaires étant les États-Unis, l'Australie et les pays de l'Asie du Sud-Est. De plus, l'importation de matières premières est tributaire des cours mondiaux et l'exportation des produits fabriqués, qui a longtemps bénéficié de faibles prix liés aux bas salaires et à l'abondance de la main-d'œuvre, est de plus en plus difficile, d'autant que l'élévation progressive du niveau de vie accroît la demande intérieure.

HISTOIRE. Le peuplement du Japon, à partir du continent nord-asiatique, est certainement antérieur au VIIIe millénaire. L'ethnie japonaise résulte de la fusion d'éléments mongoloïdes venus d'Asie par la Corée et d'éléments indonésiens venus du Sud par Formose. Ces immigrants, plusieurs siècles avant notre ère, refoulent vers le nord (Hokkaidō) la population blanche autochtone des Aïnous. La fondation d'un Empire japonais remonterait à l'an 660 avant notre ère, l'ère proprement historique coïncidant avec la date probable (538 de notre ère) de l'introduction officielle du bouddhisme* au Japon, pays appelé d'abord « Yamato ». L'afflux dans l'archipel de lettrés coréens ou chinois est à la base de la culture japonaise. Mais si le clan des Soga est porteur d'une influence chinoise et de l'adoption du bouddhisme, l'autre grand clan du Yamato, les Mononobe, grands prêtres de la religion indigène (shintō), veulent maintenir le Japon dans l'isolement. Après de multiples conflits, les Soga l'emportent sous l'impératrice Suiko (de 593 à 628); de nombreux Japonais vont alors étudier en Chine. Le neveu de Suiko, le prince Shōtoku († 622), lettré bouddhiste, dresse le plan de la Constitution impériale et fait édifier de nombreux édifices bouddhiques. En 645, le clan des Nakatomi s'empare du pouvoir. Le bouddhisme fait alors d'énormes progrès. Parallèlement, à partir de 710, s'enracine un système militaire très réglementé et très hiérarchisé.

La période de Nara (710-794), ainsi appelée du nom de la première capitale fixe, Nara, se caractérise par l'assimilation de la civilisation chinoise, tandis que le très ancien clan des Fujiwara occupe le devant de la scène politique.

En 794, avec le transfert de la capitale à Heian (Kyōto), s'ouvre la période dite « de Heian », caractérisée par l'effacement progressif du clan Fujiwara, la japonisation du bouddhisme et l'affermissement d'une aristocratie territoriale toute-puissante et très militarisée. Vers 1150, de multiples luttes d'influence ne laissent en lice que deux grandes familles : les Taira et les Minamoto. Ces derniers sont finalement (1185) vainqueurs.

Alors, le chef des Minamoto, Yoritomo, se proclame généralissime *(shōgun)*, instaurant ainsi le *shōgunat*, qui subsistera, parallèlement à l'institution impériale, jusqu'en 1867. Il choisit comme capitale Kamakura, et, après avoir réparti les diverses provinces entre ses compagnons d'armes, exerce une véritable dictature, l'empereur demeurant à Kyōto, mais n'exerçant pas le pouvoir réel.

Pendant la période de Kamakura (1192-1333), une nouvelle scission porte au pouvoir, pour un siècle, le clan usurpateur Hōjō (1200-1333), principalement représenté par Tokimune, qui réussit à repousser les invasions mongoles (1274-1281), mais au prix d'un tel effort financier que les grands *daimyō*, ou seigneurs féodaux du Sud-Est, remettent en cause le pouvoir shōgunal. La crise est dénouée en 1333 par Ashikaga Takauji, qui se proclame shōgun, s'installe à Kyōto et inaugure la période dite « de Muromachi » (1333-1582). Les shōguns sont alors incapables de donner un gouvernement fort au Japon, dévasté par les dissensions qui opposent les daimyō; leur autorité est par ailleurs amenuisée par un schisme dynastique, un second empereur s'étant installé à Yoshino, près de Nara. À l'actif des shōguns de la période Muromachi on doit cependant noter la formation d'une bourgeoisie urbaine et l'accueil fait, à partir de 1542, aux marchands et missionnaires chrétiens — portugais et espagnols.

Cependant, l'incapacité des Ashikaga à gouverner est devenue tellement évidente qu'ils sont écartés, en 1573, au profit d'Oda Nobunaga, qui amorce la pacification de l'archipel, puis, en 1584, au profit de Toyotomi Hideyoshi, qui installe sa capitale à Ōsaka et exerce, sous le couvert du titre de Premier ministre, que lui donne l'empereur en 1585, une dictature militaire qui unifie le Japon par la force. À la suite de la défaite d'Hideyoshi en Corée, puis de sa mort (1598), un puissant daimyō, Tokugawa Ieyasu se débarrasse de ses rivaux, s'installe à Edo (Tōkyō) et, devenu shōgun héréditaire, exerce un pouvoir total jusqu'à sa mort, en 1616, dotant le Japon de fondements juridiques et administratifs solides; tandis qu'à l'intérieur ils réduisent les daimyō et surveillent la cour impériale, Tokugawa Ieyasu et ses successeurs isolent complètement le Japon, expulsant les étrangers, éliminant missionnaires et chrétiens, interdisant aux Japonais, sous peine de mort, de quitter

Sakhaline
(U.R.S.S.)
MER
D' OKHOTSK
Kouriles
(U.R.S.S.)
45°
Harbin
U.R.S.S.
CHINE
Dt de La Pérouse
Cap Sōya
RISHIRI-REBUN
HOKKAIDŌ
ABASHIRI
PÉNINSULE SHIRETOKO
CÔTE DU CAP SHAKOTAN À OTARU
Asahigawa
Mt DAISETSU
2290
Vladivostok
SAPPORO
AKAN
Otaru
Obihiro
Kushiro
SHIKOTSU-TOYA
Muroran
Pén. d'Oshima
Hakodate
C. Erimo
Détroit de Tsugaru
CORÉE DU NORD
MER
Aomori
Hachinohe
Hirosaki
TOWADA
OCÉAN
40°
Pyongyang
Akita
Morioka
Kamaishi
DU JAPON
Sakata
CÔTE DE RIKUCHŪ
PACIFIQUE
HONSHŪ
Yamagata
Ishinomaki
Séoul
I. Sado
Sendai
CORÉE DU SUD
Niigata
Fukushima
BANDAI-ASAHI
Kōriyama
PLAT. JOSHIN-ETSU
Nagano
NIKKO
Hitachi
Takaoka
Toyama
Utsunomiya
Kanazawa
Mito
Maebashi
Fukui
TŌKYŌ
Tottori
Gifu
Kōfu
Chiba
Hiroshima
Matsue
DAISEN
KYŌTO
YOKOHAMA
Yamaguchi
Nagato
KŌBE
NAGOYA
Shizuoka
Shimonoseki
Tsu
KITA-KYŪSHŪ
Ube
ŌSAKA
Fukuoka
Ōita
Takamatsu
Tokushima
Wakayama
SHIKOKU
Kōchi
Matsuyama
Nagasaki
Mt ASO
SAIKAI
UNZEN-AMAKUSA
Kumamoto
KYŪSHŪ
Kagoshima
Miyazaki
KIRISHIMA
Détroit d'Ōsumi
Tanega
Yaku
135°
140°
Ryūkyū
Okinawa
130°
villes classées selon l'importance de leur population
voies ferrées ultrarapides
autoroutes existantes ou en construction
parcs nationaux
0
100
200 km
Utsunomiya
Hitachi
Maebashi
Kiryū
Ashikaga
ALPES JAPONAISES
Matsumoto
Takasaki
Mito
Plaine du Kantō
Kumagaya
Massif de Chūbu
Kawagoe
Ōmiya
36°
Kashima
CHICHIBU-TAMA
Urawa
Kawaguchi
Ichikawa
Kōfu
TŌKYŌ
Chiba
LAC BIWA
Hachiōji
Funabashi
Chōshi
Gifu
Akaishi
KAWASAKI
Ōgaki
Fuji-Yama
3776
Fujisawa
YOKOHAMA
Ichinomiya
Chigasaki
NAGOYA
Odawara
Yokosuka
Kamakura
Yokkaichi
Toyota
Shimizu
Numazu
FUJI-HAKONE-IZU
RÉGION INDUSTRIELLE DE KEIHIN
Suzuka
Okazaki
Shizuoka
Be de Suruga
Mts
Gamagōri
Tateyama
presqu'île d'Izu
Tsu
Baie d'Ise
Toyohashi
Hamamatsu
Ōshima
Matsuzaka
Ise
Izu-Shichitō
ISE-SHIMA
OCÉAN
PACIFIQUE
RÉGION INDUSTRIELLE DU CHŪKYŌ
138°
0
100 km
HONSHŪ
KYŌTO
Amagasaki
Hirakata
Himeji
KŌBE
Higashiōsaka
Okayama
Kakogawa
Nara
Kurashiki
Akashi
ŌSAKA
Fukuyama
Be de Kojima
Be d'Ōsaka
Onomichi
Mizushima
Sakai
Hiroshima
Mihara
Awaji
Kishiwada
Nagato
MER INTÉRIEURE
I. Tsu
Kure
Yamaguchi
Iwakuni
MER INTÉRIEURE
Takamatsu
Wakayama
34°
Shimonoseki
Bōfu
Tokuyama
Imabari
Tokushima
Dt de Shimonoseki
Kudamatsu
Détroit de Kii
RÉGION INDUSTRIELLE DE HANSHIN
Iki
KITA-KYŪSHŪ
M. DE SUŌ
MER
Saijō
Niihama
Matsuyama
1981
Presqu'île
YOSHINO-KUMANO
Tagawa
Shirahama
de Kii
YABA-HIZEN
Pénle Kunisaki
Kōchi
Fukuoka
Mt EIHIKO
Aki
KYŪSHŪ
SHIKOKU
Kushimoto
Saga
Kurume
Muroto
Sasebo
Beppu
Ōita
Ōmuta
Uwajima
G. d'Ariake
Kubokawa
OCÉAN
MONT ASO
PACIFIQUE
Nagasaki
Kumamoto
132°
134°
0
100 km

le pays (1624-1640). Cette période dictatoriale, dite « des Tokugawa » (1603-1867), se caractérise par la montée rapide d'une classe de commerçants urbains, par la diminution progressive de l'influence des daimyō, mais aussi par la médiocrité de l'économie rurale, cause de véritables jacqueries.

C'est dans le courant du XIXe s. que naissent les dissensions internes qui rendent possibles la transformation du Japon en État moderne et l'abolition du système gouvernemental dualiste (empereur et shōgun). Aux pressions intérieures, venues de mouvements favorables à la restauration de l'autorité impériale, s'ajoutent, à partir de 1875, celles des puissances occidentales, désireuses de voir se rouvrir le Japon. Ce sont les États-Unis qui, les premiers, en 1853 et en 1856, arrachent au gouvernement shōgunal une série de conventions qui ouvrent le pays au commerce occidental. La résistance s'organise, à laquelle le shōgun n'oppose que sa faiblesse, si bien que, le 9 novembre 1867, le dernier shōgun Tokugawa, Yoshinobu, remet tous ses pouvoirs au jeune empereur Meiji (Mutsuhito), lequel installe sa capitale à Tōkyō. Alors s'ouvre l'ère Meiji*, au cours de laquelle le Japon se met, avec le concours des Occidentaux, au rythme de l'économie et de la société modernes. Cette mutation se fait aux dépens d'une certaine libéralisation, les militaires, les grands trusts et la haute bureaucratie restant puissants au sein d'un État qui, malgré la Constitution de 1889, aux allures parlementaires, reste une monarchie absolue.

Parallèlement, le Japon moderne entreprend son expansion territoriale au détriment des pays sous-développés de l'Asie orientale. La victoire, à l'issue de la guerre sino-japonaise (1894-95), lui vaut Formose, les Pescadores et le Leao-tong. L'issue victorieuse de la guerre contre la Russie (1904-05) lui donne une pleine liberté d'action en Mandchourie et surtout en Corée, pays qui passe sous son protectorat en 1905 et qu'il annexe en 1910. Entré en guerre aux côtés des Alliés en 1914, le Japon peut, à Versailles, confirmer ses droits en Chine sur le Chan-tong et sur les anciennes possessions allemandes du Pacifique (1919).

De 1919 à 1931, le pays connaît une certaine libéralisation, qui est stoppée par l'arrivée au pouvoir d'un groupement d'extrême droite; celui-ci entreprend aussitôt l'occupation de la Mandchourie, devenue le Mandchoukouo, et intervient, dès 1932, à Chang-hai; en 1937, après une véritable campagne de grignotage territorial, le Japon déclare la guerre à la Chine. Son adhésion au pacte tripartite de 1940 précède son entrée dans la Seconde Guerre mondiale (Pearl Harbor, 1941) aux côtés des puissances de l'Axe. Après une avancée foudroyante en Asie continentale et insulaire et dans le Pacifique, les forces japonaises, à partir de 1942, doivent compter avec la puissance grandissante des États-Unis. Après le bombardement atomique d'Hiroshima et de Nagasaki, le Japon capitule (août 1945).

Sous l'égide des Américains, le Japon, qui a perdu toutes ses possessions extérieures et son autonomie politique interne, mais qui a gardé son empereur Hirohito, se dote d'une constitution démocratique (1946). Rendu à la souveraineté (1952), le pays est dirigé par des gouvernements libéraux démocrates, notamment ceux que président : de 1960 à 1964, Ikeda Hayato; Satō Eisaku, de 1964 à 1972; Tanaka Kakuei, de 1972 à 1974; Miki Takeo de 1974 à 1976 et Fukuda Takeo à partir de 1976.

DÉFENSE ET ARMÉES

- *1951 :* le traité de San Francisco affirme le droit du Japon à la légitime défense.
- *1952 :* création d'une force de sécurité nationale, transformée en 1954 en forces terrestres et navales d'autodéfense.
- *1960 :* traité d'alliance militaire nippo-américain (renouvelé en 1970).
- LES FORCES ARMÉES JAPONAISES EN 1977. Budget : 5 058 millions de dollars (0,9 p. 100 du P. N. B.). Effectifs : 235 000 hommes (volontaires) [matériel américain].

Armée : 153 000 hommes, 13 divisions, dont 1 mécanisée et une dizaine de brigades spécialisées (parachutistes, hélicoptères, etc.).

Marine : 39 000 hommes, 16 sous-marins, 50 destroyers et escorteurs, 70 petits bâtiments.

Aviation : 43 000 hommes, 448 avions de combat.

BEAUX-ARTS. La préhistoire japonaise est encore mal connue; jusqu'à présent, l'outillage lithique le plus ancien correspond au mésolithique. D'abord acéramique (proto-Jōmon), la période Jōmon (d'après le décor de cordelettes des poteries) s'étend sur plus de 7 000 ans, mais la chronologie de son origine est loin d'être définitive; ce faciès équivaut presque — si ce n'est la poterie — à un mésolithique évolué plutôt qu'à un véritable néolithique, l'agriculture étant très rare. Celle-ci, par contre, est pratiquée à l'époque Yayoi (300 av. J.-C. - env. 300 apr. J.-C.) de même que les premiers rudiments de la métallurgie du fer (le bronze est encore rare), le tissage, et les inhumations en cistes, coexistant toutefois avec les simples fosses de l'époque précédente, avant d'être faites en urnes, associées alors à un mobilier funéraire importé du continent.

JAPON
Triade de Shaka Nyorai, au Hōryū-ji, près de Nara. Statues en bronze du VIIIe s.

L'époque des « grandes sépultures » (IIIe-VIe s.) voit le développement de l'agriculture et des relations avec la Corée, associées à l'élaboration d'une organisation politique, qui est attestée par les vastes sépultures de grands personnages, proches des tumuli coréens. Le tumulus *(kofun)* est entouré sur plusieurs rangs de cylindres d'argile, les *haniwa* (destinés à retenir les déblais), qui, du Ve s. au VIIe s., représentent des personnages, des animaux, des objets. Premiers exemples de la plastique japonaise, ils constituent une source de documentation sur les usages de l'époque. La chambre sépulcrale contient un mobilier funéraire abondant et est parfois ornée de peintures.

L'époque Asuka (VIe-VIIe s.), d'après le nom d'une capitale de la région du Yamato, est celle de l'implantation du bouddhisme, doctrine nouvelle et source d'enrichissement iconographique parvenue au Japon d'abord par la Corée, puis par des relations directes avec la Chine. Les fondations pieuses se multiplient; parmi elles, le Hōryū-ji, près de Nara*. Plusieurs fois restaurés, certains monuments possèdent encore les caractères essentiels de l'architecture chinoise en bois de l'époque : toits incurvés, largement débordants, piliers massifs et consoles aux extrémités sculptées. Cependant, certaines dispositions asymétriques des bâtiments sont typiquement japonaises. La statuaire est, au début, encore l'œuvre d'étrangers (Coréens, Chinois, ou leurs descendants) influencés par le style des Wei du Nord, comme Tori vers 623 (triade Śākyamuni, Hōryū-ji). La Kudara Kannon (Hōryū-ji) porte aussi l'empreinte chinoise de la seconde moitié du VIe s., mais elle confirme déjà le talent des Japonais dans la sculpture du bois. La peinture, reflet de celle de la Chine des T'ang, n'a laissé que peu de traces, après l'incendie du kondō du Hōryū-ji en 1949.

Le siècle de Nara (VIIIe s.) subit encore l'ascendant des T'ang, tant dans l'organisation politique que dans l'architecture (plan en damier de la capitale, actuelle Nara), qu'en peinture, ou qu'en sculpture, où se décèlent la recherche du modelé, mais aussi une tendance japonaise vers le réalisme, encore plus évidente dans les grands masques de danse *(gigaku)* des VIIe et VIIIe s. Le shintō, avec ses temples aux structures simples (piliers massifs profondément enfoncés, supportant la toiture à double pente, arêtiers entrecroisés au-dessus des pignons formant les *chigi,* comme à Ise), demeure le gardien des traditions autochtones.

L'époque Heian (794-1185), si elle n'est pas dégagée du rayonnement T'ang — Heian-kyō (Kyōto*) est encore édifiée selon le plan de la métropole chinoise —, est celle de la naissance d'un art national. L'aristocratie japonaise contrebalance l'influence des moines, et, tout en restant florissant, le bouddhisme est partagé entre diverses sectes dont l'ésotérisme amène de nouvelles conceptions iconographiques et architecturales; ces dernières ne sont plus régies par la symétrie, mais par la parfaite adaptation au cadre naturel (pavillon du Phénix à Uji, près de Kyōto, transposition architecturée du Paradis du Bouddha Amida). Le bois est toujours taillé d'un seul bloc et les divinités shintō sont pour la première fois personnifiées.

La rupture des relations avec la Chine et l'affirmation du pouvoir des Fujiwara sont à l'origine d'une culture aristocratique et raffinée, dont le caractère national ne va cesser de s'accentuer.

Le pavillon du Phénix (Hōō-dō) du Byōdō-in, à Uji. Construit en 1053 pour Fujiwara Yorimichi.

Shogakukan

Une scène des *53 Stations sur la route de Tōkaidō* (l'étape Ishiyakushi). 1830-1834. Estampe de Hiroshige. (Musée Guimet, Paris.)

Yoritomo, premier shōgun Minamoto. Portrait par Fujiwara Takanobu. Peinture sur soie, XIIe s. (Coll. Jingo-ji, Kyōto.)

Shogakukan

Pour satisfaire les demandes nombreuses, le sculpteur Jōchō* pratique la méthode *yosegi* (taille de morceaux assemblés). La grande plastique évolue vers l'élégance, tout en conservant tension et force intérieure. Le sentiment national envahit aussi la peinture, et les paysages typiquement japonais remplacent, dans le style du *Yamato-e*, ceux de Chine. Le *Genji-monogatari* (v. 1130), *e-maki* (long rouleau horizontal) qui présente d'admirables calligraphies alternées avec des compositions, en diagonale, à la perspective panoramique, dessinées à l'encre et rehaussées de couleurs, en est l'un des meilleurs exemples. Fujiwara Takanobu*, à la fin du siècle, donne un éclat particulier à l'art du portrait.

La période Kamakura (1185-1333), sous la férule d'un gouvernement militaire, correspond à un art sobre. De nouveaux modèles d'architecture chinoise, dus en partie à l'introduction du bouddhisme *tch'an* (en jap. *zen*), apparaissent. Unkei* et son école subissent l'influence des Song et créent une statuaire empreinte de réalisme et de mouvement. Le *Yamato-e* domine toujours les créations picturales et, très divers, les *e-maki* décrivent des récits légendaires ou historiques ou des biographies de religieux célèbres.

L'époque Muromachi (1333-1573) doit son nom à un quartier de Kyōto où s'installe le premier shōgun, Ashikaga. Toujours prédominante, l'influence du *zen* est associée au raffinement aristocratique; elle amène une architecture élégante (pavillons d'or et d'argent de Kyōto) et une esthétique de la simplicité illustrée par la cérémonie du thé. Celle-ci est à l'origine, avec le zen, du développement des jardins ésotériques (« jardin des mousses » du Saihō-ji et « paysage d'eau desséché » du Daisen-in de Kyōto, xve-xvie s.), dont les premiers traités remontent au xiie s. *Le sumi-e* (peinture à l'encre) reflète l'art des rouleaux Song et Yuan. À cette époque apparaissent les *kakemono* (peintures verticales). Au début du xve s., de vastes paysages sont transposés sur les portes à glissière et les paravents, le *sumi-e* devient décoratif; avec Sesshū*, le *suiboku* (lavis) atteint son apogée. Bientôt, les Kanō* prennent la direction de l'atelier shōgunal et renouvellent l'art pictural, et l'ancienne tradition du *Yamato-e* se maintient chez les Tosa*, qui travaillent pour la cour impériale. Alors que la statuaire bouddhique se fige dans la tradition, le sculpteur ne dispose plus que des masques de nō — aux expressions à la fois stylisées et étonnantes de vie — pour exprimer sa verve créatrice.

L'époque Momoyama (1573-1616), bien que très agitée, est l'une des plus brillantes artistiquement. Les forteresses des dictateurs militaires sont luxueusement décorées par les Kanō (Eitoku*, Hasegawa Tōhaku [1539-1610], etc.). L'avènement de la classe marchande est lié à un certain goût des scènes exotiques (paravents représentant les Portugais) et des premières scènes de genre qui seront à l'origine de l'*ukiyo-e*.

L'époque Edo (1616-1868) conserve à Kyōto son rôle de centre culturel, mais Edo (auj. Tōkyō) devient centre politique. Kōetsu*, dans sa collaboration avec Sōtatsu*, se souvient de l'époque Heian; Kōrin* et, plus tard, Okyo* n'ignorent ni la Chine, ni certains traits occidentaux, dont le réalisme. Quant à Ike* no Taiga, il est l'un des principaux représentants, avec Yosa Buson (1716-1783), du *bunjinga* (peinture des lettrés), qui unit l'idéal spirituel chinois à la sensibilité nippone. L'*ukiyo-e*, aboutissement de la peinture de genre antérieure et représentante d'un art populaire — dont la première fonction était d'instruire le peuple —, atteint son apogée. Ses adeptes (Harunobu*, Torii Kiyonaga (1752-1815), Utamaro*, Sharaku*, Shunshō Katsukawa (1726-1792), Hokusai*, Hiroshige*, etc.) ont décrit avec verve, spontanéité et sensualité — même si les couleurs sont traitées de manière abstraite — la vie quotidienne, ses occupations et ses divertissements.

MUSIQUE. Musique, poésie et mime constituent, au Japon, un tout difficile à dissocier, dans lequel cependant la musique, soumise à une mesure binaire, rythme le pas et les mouvements. Ce pays a su conserver des formes musicales, chorégraphiques et théâtrales anciennes, possédant leurs instruments particuliers. Il en résulte une grande variété d'instruments à cordes (koto, biwa, shamisen), à vent (shakuhachi), à percussion (gong). Plusieurs genres subsistent de cette tradition.

Salmer - C. E. D. R. I.

Le Jardin des délices terrestres, de Jérôme Bosch.
Partie inférieure gauche du panneau central du triptyque.
(Musée du Prado, Madrid.)

Le *gagaku,* d'origine indienne, mais qui fut en Chine la musique de cour de la dynastie T'ang (618-907), conservé au Japon, s'interprète avec une douzaine d'instruments de catégories différentes.

Le *nō**, première forme du drame, né au XIVe s., se caractérise par une déclamation poétique appuyée par un chœur à l'unisson ou par des instruments, par une lente chorégraphie et par les gestes hiératiques des acteurs portant masques et costumes somptueux.

Le *théâtre kabuki**, datant du XVIIe s. : la voix humaine, associée aux instruments, garde le rôle prépondérant en chantant des mélopées chargées d'émotion.

JAPON *(mer du),* dépendance de l'océan Pacifique, entre le Japon, la Corée et l'Extrême-Orient soviétique.

JAPONAIS. — Parlé par environ 100 millions de locuteurs, le japonais présente des ressemblances avec le coréen et, d'une manière plus lointaine, avec des langues de la famille ouralo-altaïque (le déterminant précède le déterminé, le prédicat est placé en fin de phrase). Sur le plan lexical, il a beaucoup emprunté au chinois.

Le japonais présente une grande variété de dialectes, qui tendent à reculer devant le parler de Tōkyō, devenu aujourd'hui la langue commune. Il comporte, d'autre part, des variations importantes d'origine sociolinguistique : les particules finales des mots variables sont différentes chez les hommes et chez les femmes; de plus, on parle différemment selon qu'on veut s'exprimer d'une manière cérémonieuse, polie ou courante, et selon le degré de respect qu'on veut manifester à son interlocuteur.

Le système d'écriture, mêlant transcription phonétique et transcription idéographique, est d'une très grande complexité : il existe, d'une part, deux syllabaires, le hirakana, qui est d'usage courant, et le katakana, réservé à certains usages typographiques; et, d'autre part, des idéogrammes chinois (au nombre d'environ 2 000 dans l'usage courant), qui servent à transcrire des notions (substantifs, radicaux verbaux) et qui peuvent être lus de différentes façons selon le contexte. Le japonais s'écrit de haut en bas et de droite à gauche.

JAPURÁ, riv. de Colombie et du Brésil, affl. de l'Amazone (r. g.); 2 800 km. En Colombie son cours supérieur est appelé *río Caquetá.*

JAQUES-DALCROZE (Émile), compositeur et éducateur suisse (Vienne 1865 - Genève 1950). Ses recherches musicales, proches de celles de F. Delsarte*, le conduisent à la création de sa rythmique — système d'éducation né des rapports existant entre le mouvement et la perception musicale. Des théoriciens de la danse (R. von Laban) et des danseurs (Mary Wigman, Isadora Duncan, Marie Rambert) se fondent — du moins en partie — sur l'eurythmie de Jaques-Dalcroze, à laquelle la *modern dance* s'est aussi référée.

Jardin des délices terrestres *(le),* titre donné depuis le XIXe s. à un triptyque de J. Bosch provenant de la collection de Philippe II et cité par les anciens écrivains espagnols comme « une peinture de la variété du monde » ou « la luxure », daté en général, de nos jours, en raison de divers archaïsmes, des années intermédiaires 1500-1505 (panneau central de 2,20 × 1,95 m, et deux volets latéraux, chacun de 2,20 × 0,97 m; musée du Prado). Le triptyque fermé (revers des volets) évoque, dans une fragile sphère transparente, le troisième jour de la Genèse. Ouvert, il présente, à gauche, le paradis terrestre (fontaine de vie; présentation d'Ève à Adam par le Christ); à droite, des malheurs et tourments infernaux (en haut, un incendie de ville; au centre, le monstre au corps d'œuf alchimique et au visage d'homme pensif; en bas, des instruments de musique devenus instruments de supplices). Le panneau central est proprement ce « jardin des délices », féerie de joies sensuelles, cependant traversée d'un lancinant malaise, où Bosch étage, sous de fantastiques architectures, une multitude d'hommes, d'animaux, de végétaux réels ou fabuleux, associés à d'innombrables symboles souvent alchimiques. Dans la partie inférieure gauche se voient des oiseaux (vices, maléfices ou hérésies dans la pensée ésotérique), des fruits « habités » ou non (symboles oniriques des plaisirs sensuels), une coquille de mollusque abritant des amants (adultère?), une sphère et un tube de verre symbolisant les processus alchimiques (le rat évoque les fausses doctrines), etc. Non expliquée avec certitude (condamnation des péchés humains et des errements contraires à la règle de l'Église? rêve d'une humanité anxieuse de surmonter ses refoulements?), il reste que l'œuvre visualise avec une incomparable richesse d'imagination, peut-être en les dépassant, les interrogations variées de son époque quant à la nature de la Création.

JARDINS (art des). — L'imitation ou la domestication, par l'homme, d'un fragment de nature met à tel point en jeu ses pulsions et ses intérêts les plus profonds — d'une nostalgie paradisiaque aux besognes potagères, en passant par les symbolisations cosmiques et mystiques, la prégnance des quatre éléments et des saisons — que jardins et parcs sont aussi révélateurs de la diversité des civilisations (ou des courants spirituels : jardins *zen* du Japon) que les lettres et les arts majeurs. Mais quelques textes en sont les seules traces pour les temps historiques reculés (Égypte, Babylone, Assyrie, Perse...), auxquels s'ajoutent les relevés de plans au sol pour l'Antiquité classique, de la Grèce (jardins bordés de portiques, à caractère à la fois public et sacré — avec statues, tombes ou petits temples) à l'époque romaine (maisons admettant progressivement des jardins à compositions complexes, de type alexandrin). La maîtrise des eaux permet le développement des jardins de la Rome impériale, où s'imbriquent bâtiments et

Parterres de broderies, bassins et jets d'eau des jardins à la française du château de Vaux-le-Vicomte, composés par Le Nôtre.

M. Desjardins - Top

terrasses et où l'art *topiaire* fait des buis et des ifs des sculptures végétales. La « villa » Hadriana*, à Tibur (Tivoli), traduit le paysage hellénistique à une échelle exceptionnelle à travers les surprises de ses points de vue, ses évocations de lieux mythologiques, etc.

L'islām fait revivre à Damas, à Bagdad, au Caire, à Cordoue, à Grenade les anciens jardins perses, avec leurs allées d'eau disposées en croix, leurs automates, mais le caractère sacré disparaît; le jardin s'enclôt avec la demeure civile qu'il agrémente, tandis que l'abstraction domine dans les *parterres de broderies* et les décors en céramique des bassins. Textes et documents figurés (ceux-ci surtout au XVe s.) laissent deviner la diversité des jardins de l'Occident médiéval. Liés, dans le cas de demeures royales, à un parc de chasse, ils sont en général de plan quadrangulaire, entourés de murs, de tonnelles ou de berceaux, de haies, et comportent prés, fontaines, plantations d'arbres fruitiers, de fleurs et de simples. Différents sont le fameux parc de Hesdin, composé pour Robert d'Artois après son retour de Sicile, en 1289, bocage irrégulier avec ses *fabriques* et ses automates facétieux, ou les jardins de méditation réalisés par le roi René en Anjou puis en Provence, qui tendaient au type *paysager,* naturel et pittoresque.

Les Italiens de la Renaissance s'inspirent des thèmes romains, jouent des découvertes de la perspective, des dénivellations et d'une architecture végétale presque sans fleurs pour dilater l'espace, faire du jardin un balcon ouvert sur la campagne (villa d'Este à Tivoli, aux célèbres jeux d'eaux, par l'architecte Pirro Ligorio [v. 1510-1583]). Les sites des châteaux* français, en terrain plat, se prêtent rarement à ce type de scénographie; modelés cependant par quelques décalages de niveaux, assainis par des fossés ou un canal, ils accueillent des parterres de broderies polychromes qui assurent une transition avec le cadre plus sombre du parc. Ce type du *jardin à la française* atteindra au XVIIe s. sa plus haute expression par la magie des perspectives et des éléments fluides, lumières et eaux, dans l'œuvre de Le Nôtre*. Mais la régularité, la hiérarchie des parterres, la rigueur de la discipline imposée à la nature finiront par sembler insupportables : le début du XVIIIe s. aspirera à des boudoirs en plein air, affranchis de la vie de représentation. On reviendra aux antiques principes paysagers avec le *jardin anglais,* dit parfois « anglo-chinois » parce que les publications de W. Chambers* ont montré les rapports entre les conceptions chinoises (ou indiennes) et le paysage antique, dont les descriptions hantaient les esprits. Longtemps fidèle aux broderies, au boulingrin et à l'art topiaire, l'Angleterre aboutit avec William Kent (1685-1748) au véritable jardin paysager, où la raison se dissimule derrière les formes naturelles.

Face à une civilisation industrielle oublieuse de l'homme et de la nature, le grand art des jardins a peine à maintenir ses féeries. La seconde moitié du XIXe s. voit la création de quelques parcs paysagers urbains (Paris, Lyon...), le début du XXe celle des *cités-jardins* anglaises. Nul effort concluant n'accompagne en France l'édification des « grands ensembles » satellites des vieilles villes. La recherche n'est pourtant pas interrompue, comme en témoignent, par exemple, les jardins écologiques — paysagers ou d'une géométrie adaptée à l'architecture moderne — du peintre et horticulteur brésilien Roberto Burle Marx (né en 1909).

jardin sur l'Oronte *(Un),* roman de Maurice Barrès (1922). Une histoire d'amour entre un chevalier chrétien et une Sarrasine dans la Syrie du XIIIe s., déchiffrée par un archéologue irlandais dans un vieux manuscrit arabe : une somme de la passion et du désenchantement barrésiens (l'amour, comme tout désir, ne triomphe que dans la mort).

JARGEAU (45150), ch.-l. de cant. du Loiret, sur la Loire, à 18 km à l'E. d'Orléans; 2 873 hab. *(Gergoliens).* Église des Xe, XIIe et XVIe s.

JARMO (Qalaat) → NÉOLITHIQUE.

JARNAC (16200), ch.-l. de cant. de la Charente, sur la Charente, à 14 km à l'E. de Cognac; 5 091 hab. Église romane et gothique. Eaux-de-vie. — Le 13 mars 1569, l'armée catholique commandée par le futur Henri III, alors duc d'Anjou, battit à Jarnac les protestants dirigés par le prince de Condé, qui trouva la mort dans le combat.

JARNAGES (23140), ch.-l. de cant. de la Creuse, à 21 km à l'E. de Guéret; 473 hab. Église des XIIIe et XVe s.

JARNY (54800), comm. de Meurthe-et-Moselle, à 13 km au S.-S.-O. de Briey; 9 520 hab. Minerai de fer.

JAROSZEWICZ (Piotr), homme politique polonais (Nieśwież, Biélorussie, 1909). Spécialiste des questions économiques, il remplace J. Cyrankiewicz à la présidence du Conseil en 1970.

JARRES *(plaine des),* dépression du nord du Laos.

Jarretière *(ordre de la),* le plus ancien et le plus élevé des ordres de chevalerie britanniques, fondé par Édouard III en 1346. (Devise : « Honni soit qui mal y pense »). 26 membres.

JARRIE (La) [17220], ch.-l. de cant. de la Charente-Maritime, à 13 km à l'E. de La Rochelle; 1 606 hab.

Ubu à l'Opéra, d'Alfred Jarry, représenté au festival d'Avignon en juillet 1974 (adaptation et mise en scène de G. Wilson).

Bernand

JARRY (Alfred), écrivain français (Laval 1873-Paris 1907). Élève surdoué, manifestant le besoin de se distinguer par l'utilisation d'objets insolites (il tire volontiers des coups de revolver) ou le port de tenues extravagantes (celle de cycliste, notamment), il préfère satisfaire son besoin de dépassement dans la littérature plutôt qu'à l'École polytechnique, à laquelle on le destine. Être de métamorphose, préoccupé, comme *le Surmâle* (1902) qu'il campe, de « dépasser le rythme habituel des actes auxquels l'homme pense être naturellement limité », il cherche l'absolu et la continuité de la vie dans la « pataphysique » (*Gestes et Opinions du docteur Faustroll,* 1911), « science du particulier » qui permet de trouver les solutions imaginaires aux problèmes généraux. Jarry est ainsi déjà surréaliste par sa vision du monde et non seulement, comme le voulait Breton, par l'absinthe qui le ronge ou le cure-dent qu'il réclame à son lit de mort. Mais il met moins son génie dans sa vie qu'il n'accorde sa vie et son œuvre dans son effort pour exorciser la créature monstrueuse qui le poursuit dès l'enfance et dont il ne peut se délivrer, pas plus dans ses recueils symbolistes (*les Minutes de sable mémorial,* 1894; *César Antéchrist,* 1895) que dans son *Théâtre mirlitonesque* (1906) : *Ubu* roi* (1896), né des charges écolières du lycée de Rennes, s'épanouit en type, se prolonge en *Ubu enchaîné* (1900), dans l'*Almanach illustré du Père Ubu* (1901) et dans *Ubu sur la butte* (1906), imposant à la langue française un nouveau mot *(ubuesque)* et à la littérature une nouvelle tonalité, qui est déjà celle du « théâtre de l'absurde* ».

JARVILLE-LA-MALGRANGE (54140), comm. de Meurthe-et-Moselle, sur la Meurthe, dans la banlieue sud de Nancy; 13 121 hab.

JASMIN. — Cet arbrisseau, botaniquement voisin de l'olivier, ne lui ressemble aucunement. L'espèce sauvage, aux fleurs jaunes, croît dans les lieux arides et rocailleux du Midi. L'espèce aux fleurs blanches est cultivée comme ornementale et pour son parfum.

JASMIN (Jacques BOÉ, dit) ou **le Perruquier poète,** poète français d'expression occitane (Agen 1798-*id.* 1864), qui entreprit de redonner vie à la langue des troubadours (*les Papillotes,* 1835-1863).

JASON, héros thessalien de la mythologie grecque, fils d'Eson, roi d'Iolcos. Il organisa l'expédition des Argonautes* pour conquérir la Toison* d'or en Colchide*; il réussit dans son entreprise grâce aux sortilèges de Médée*, qu'il épousera et délaissera par la suite; pour se venger, Médée tuera sa rivale et les enfants qu'elle-même avait eus de Jason.

Jasper *(parc national de),* site touristique dans les Rocheuses du Canada (Alberta).

JASPERS (Karl), philosophe et psychiatre allemand (Oldenburg 1883-Bâle 1969). Son œuvre philosophique insiste sur les limites que rencontrent les diverses sciences dans leurs tentatives d'explication du monde et de l'homme. Influencée par Kant et Kierkegaard, marquée par la maladie et l'opposition au nazisme, la philosophie qu'il élabore trace le chemin conduisant l'existence humaine à la transcendance qui en constitue à la fois l'origine, le sens et la fin. Cet existentialisme* chrétien s'est exprimé notamment dans : *Philosophie* (1932), *Vernunft und Existenz* (1935) et *Der philosophische Glaube angesichts der Offenbarung* (1962).

JASSY → IAŞI.

JASTRUN (Mieczysław), poète polonais (près de Ternopol 1903). Ses essais (*Entre le verbe et le silence,* 1960) et ses recueils (*Une rencontre dans le temps,* 1929; *Symboles de la mémoire,* 1969) cherchent à définir et à exprimer les grands courants d'idées qui parcourent l'histoire.

JAUCOURT (Louis, *chevalier* DE), érudit français (Paris 1704-Compiègne 1779), l'un des collaborateurs les plus actifs de l'*Encyclopédie** de Diderot.

JAUFRÉ RUDEL, prince **de Blaye,** troubadour du XIIe s. Sa chanson d'un « amor de lonh » (amour lointain) est à l'origine de la légende de *la Princesse lointaine.*

JAUGE → COURSE-CROISIÈRE.

JAUGE DES NAVIRES DE COMMERCE. — La jauge est l'un des éléments portés à l'acte de francisation qui définissent la personnalité du navire; elle sert de base à la détermination des divers droits et taxes qui doivent être acquittés au cours de l'exploitation. Elle est généralement exprimée en *tonneaux de jauge* (1 tonneau = 100 pieds cubes britanniques = 2,83 m^3). La *jauge brute* est le volume intérieur total du navire, exemption faite de quelques espaces indiqués par le règlement et, éventuellement, tant que la *marque de jauge* apposée sur la muraille du navire n'est pas immergée, de certains espaces à marchandises comme l'entrepont supérieur. La *jauge nette* correspond, en théorie, au volume des espaces commercialement utilisables. On l'obtient en déduisant de la jauge brute le volume des espaces non commercialement utilisables, en particulier celui du compartiment de l'appareil propulsif, que l'on estime forfaitairement en fonction de la jauge brute.

JAUNE (corps) → OVAIRE.

JAUNE (fièvre). — Maladie infectieuse virale rencontrée dans les régions tropicales d'Afrique et d'Amérique, la fièvre jaune doit son nom à l'ictère qui marque sa période d'état. Parfois mortelle, elle guérit en général rapidement et confère une immunité stable. La prophylaxie par la vaccination anti-amarile est soumise à une réglementation internationale.

JAUNE *(fleuve)* → HOUANG-HO.

JAUNE *(mer),* dépendance du Pacifique, entre la Chine et la Corée.

JAUNISSE → ICTÈRE.

JAURÉGUIBERRY (Jean), amiral français (Bayonne 1815-Paris 1887). Gouverneur du Sénégal en 1869, membre de la délégation gouvernementale de Tours en 1870, il commande une division à Coulmiers, puis le 16e corps sous Chanzy (1871). Ministre de la Marine (1879-80 et 1882-83).

Lenars - Atlas-Photo

Java. Rizières au pied du volcan Merapi, dans le centre de l'île.

Larousse

Jean Jaurès à la Chambre des députés, en 1907. Croquis de H. Rudaux.

JAURÈS (Jean), homme politique français (Castres 1859-Paris 1914). Brillant élève de l'École normale supérieure (1878-1881), professeur agrégé de philosophie au lycée d'Albi (1881-1883), maître de conférences à la faculté des lettres de Toulouse (1883), il est élu député républicain (centre gauche) en 1885. Battu en 1889, il soutient ses thèses (1892) et collabore à *la Dépêche de Toulouse.* Gagné à un socialisme très ouvert, élu député de Carmaux en 1893, il est un des grands animateurs de la gauche. De nouveau battu parce que dreyfusard (1898), Jaurès dirige, et rédige partiellement, une importante *Histoire* socialiste* de la France. Adversaire d'un certain marxisme qu'il accuse d'appartenir encore à la période utopique, il se heurte à Jules Guesde*, gardien de l'orthodoxie marxiste. Les thèses de Jaurès étant minoritaires (congrès d'Amsterdam, 1904), l'unité des socialistes français, en 1905, se réalise sur un socialisme inspiré du marxisme. Réélu député à partir de 1902, Jaurès, qui fonde en 1904 *l'Humanité,* exerce une action considérable sur le bloc des gauches; il devient en même temps le leader puissant, humaniste et chaleureux, d'un socialisme qui prend constamment le parti des ouvriers. Mais l'éloquence de Jaurès et son action parlementaire sont de plus en plus absorbées par la lutte contre les dangers de la guerre. Partisan de la paix, il s'oppose au service militaire à long terme, proposant, dans *l'Armée nouvelle* (1911), une forte organisation des réserves; cette attitude lui attire l'hostilité des milieux nationalistes. Il est assassiné, le 31 juillet 1914, par un déséquilibré.

JAVA, île d'Indonésie; 130 000 km^2; 76 103 000 hab. *(Javanais).*

GÉOGRAPHIE. L'île s'étire sur 1 000 km de long, atteignant au maximum 200 km de large. Une succession de volcans, dépassant parfois 3 000 m d'altitude et dont certains sont encore actifs, forment son axe. Ils sont séparés par des seuils faisant communiquer les plaines littorales de la *mer de Java,* au nord, et de l'océan Indien, au sud. L'île jouit d'un climat de type équatorial, aux températures élevées (27 °C de moyenne annuelle à Jakarta), marquées par de très faibles amplitudes. Les précipitations, abondantes dans l'ensemble, et surtout en montagne, diminuent cependant vers l'est.

Avec près de 600 habitants au kilomètre carré, Java est l'île la plus peuplée de l'Indonésie. La population, qui s'accroît de plus de 2 p. 100 par an, est essentiellement rurale. Malgré l'intensivité de l'agriculture, la pression démographique est telle que la surpopulation sévit dans les campagnes. Elle contraint les paysans à partir vers les villes (Jakarta, Surabaya, Bandung, Semarang), où, le plus souvent, ils grossissent le nombre des chômeurs.

La mise en valeur agricole est très ancienne. Les riches sols volcaniques des versants montagneux ont été aménagés en terrasses sur lesquelles, grâce à divers systèmes d'irrigation, on obtient jusqu'à trois récoltes par an. L'essentiel des surfaces est consacré à la culture vivrière, pratiquée dans le cadre de très petites propriétés. Le riz domine, suivi du maïs, du manioc et de divers légumes. De rares plantations fournissent du café, du thé et du caoutchouc. En raison du manque d'espace, l'élevage produit essentiellement des volailles. Par rapport aux autres îles de l'Indonésie, les ressources du sous-sol sont limitées. On y extrait un peu de pétrole, de manganèse, d'or et de soufre. Cela explique le faible développement industriel de l'île, par ailleurs peu favorisé lors de la période coloniale, les Néerlandais préférant exporter les matières premières brutes. Actuellement, l'industrie se limite à la production de quelques biens de consommation, localisée dans les principales villes.

HISTOIRE. L'indianisation de Java est attestée depuis le ve s. apr. J.-C. Elle se poursuit jusqu'au xve s., le grand centre de la culture indo-javanaise étant Bārābudur*, au centre de l'île; la société est alors caractérisée par une forte hiérarchisation, le sommet étant occupé par un roi divinisé. Au xve s., le centre de gravité se déplace vers la côte septentrionale, par où pénètrent l'islām et aussi la langue malaise. Au xvie et au xviie s., s'impose le royaume de Mataram, centre d'une civilisation syncrétique qui cherche à concilier les principes musulmans avec les traditions anciennes. Cependant, les rois de Mataram ne peuvent déloger les Hollandais du port de Batavia, fondé par eux en 1619. Durant deux siècles s'affrontent l'aristocratie de Mataram et les marchands de la Compagnie hollandaise des Indes orientales; la lutte s'achève en 1830, avec l'échec de la dernière révolte nobiliaire. Désormais, les Hollandais exploitent les ressources de l'île, qu'ils dotent de réseaux routier et ferroviaire. L'île connaît une progression démographique telle (9,5 millions d'habitants en 1845, 42 millions en 1930) que ce poids ne cessera de jouer un rôle déterminant, aussi bien sur le plan économique que sur le plan politique. Après l'occupation japonaise (1942-1944), le centre et l'ouest de l'île passent sous le contrôle de la République indonésienne. Les États autonomes formés en 1948 par les Pays-Bas sont annexés par l'Indonésie* en 1950.

JAVA *(mer de),* étendue marine entre Sumatra, Java et Bornéo.

JAVANAIS. — Avec plus de 40 millions de locuteurs, le javanais est la langue principale de l'île de Java, à côté de l'indonésien*, du soundanais (14 millions) et du madourais (7 millions). Le javanais ancien, ou kawi, est connu par une abondante littérature et par des documents épigraphiques (ixe-xiiie s.). Langue littéraire, il est influencé, à partir du xiiie s., par la langue parlée et donne naissance au moyen javanais. Le lexique du javanais moderne est extrêmement riche du fait qu'il est spécialisé selon qu'on se situe dans tel ou tel registre de communication (langage cérémonieux, familiarité entre égaux, politesse, mépris).

JAVARI ou **YAVARÍ** (le), affl. de l'Amazone (r. dr.), frontière entre le Pérou et le Brésil; 1 050 km.

JAVEL (eau de). — C'est en 1785 que Berthollet démontra les propriétés blanchissantes des solutions chlorées qu'il avait découvertes. Il nomma son produit « eau de Javel », du nom de la localité située sur les rives de la Seine où travaillaient des lavandières.

JAVELOT → ATHLÉTISME.

JAVIE (La) [04390], ch.-l. de cant. des Alpes-de-Haute-Provence, sur la Bléone, à 15 km au N.-E. de Digne; 222 hab.

JAWORZNO, v. de Pologne, en haute Silésie; 66 000 hab.

JAY (John), homme d'État américain (New York 1745 - Bedford 1829). Après avoir joué un rôle capital dans l'indépendance américaine et présidé le congrès continental en 1778-79, il participe, aux côtés de Franklin, aux négociations de Paris (1782-1784). Président de la Cour suprême (1789-1795), il négocie, en 1794, un traité de délimitations *(traité Jay)* avec l'Angleterre.

JAYADEVA, poète indien du xiie s., auteur du poème mystique *Gītā Govinda.*

JAYAPURA ou **DJAJAPURA,** anc. **Hollandia,** v. d'Indonésie, ch.-l. de la Nouvelle-Guinée occidentale (Irian occidental); 88 000 hab.

JAZZ. — Le jazz naquit aux États-Unis — son berceau se situe plus précisément dans la région de La Nouvelle-Orléans — à la fin du xixe s. Cette forme musicale essentiellement populaire est issue de la rencontre de divers éléments, les uns venant de la musique d'importation européenne, les autres du folklore négro-américain d'inspiration africaine et fortement influencé par les cantiques chrétiens. À son origine, le jazz fut répandu notamment par des formations de danse qui avaient intégré à leur répertoire des blues et des ragtimes. Les premiers grands noms du jazz — de Buddy Bolden, le pionnier, à King Oliver et à Sidney Bechet — se produisirent dans les rues de La Nouvelle-Orléans et dans les bars de son quartier réservé : Storyville. À partir de 1917, les musiciens commencèrent à émigrer vers le nord, en remontant le Mississippi, et fondèrent plusieurs communautés musicales, notamment à Chicago et à New York. À la même époque apparaissent les premiers disques de jazz *(Dixieland Jazz One Step* et *Livery Stable Blues).* En 1920, King Oliver créa l'Original Creole Jazz Band, qui lança le style *Nouvelle-Orléans.* Louis Armstrong s'imposa bientôt comme une figure majeure du jazz, en multipliant les solos instrumentaux aux dépens de l'improvisation collective. Les années 20 consacrèrent le talent de l'impératrice du blues, Bessie Smith, du pianiste et chef d'orchestre Jelly Roll Morton, du trompettiste Bix Beiderbecke, du clarinettiste Johnny Dodds. De 1930 à 1940 le jazz, parvenu au stade du classicisme, connut une immense popularité. Les grands orchestres se multiplièrent (Fletcher Henderson, Count Basie, Chick Webb, Jimmie Lunceford, Benny Goodman, le « roi du jazz *swing* »). C'est au cours de ces années décisives que s'épanouirent des personnalités aussi essentielles que celles de Lionel Hampton, Billie Holiday, Ella Fitzgerald, Duke Ellington, Teddy Wilson, Art Tatum, Earl Hines, Fats Waller, Willie Smith « The Lion », Jack Teagarden, Coleman Hawkins, Johnny Hodges et Benny Carter. À partir des années 40,

Leloir

Jazz. Ella Fitzgerald et Duke Ellington (au piano), au festival d'Antibes, en août 1966.

on nota une résurgence du jazz ancien de type Nouvelle-Orléans (le *Revival*), tandis qu'à la fin de la Seconde Guerre mondiale apparurent, d'une part, à New York, le style *be-bop* (Charlie Christian, Thelonious Monk, Kenny Clarke, Charlie Parker, Dizzy Gillespie, Bud Powell, Max Roach, Art Blakey) et, d'autre part, quelques années plus tard, la tendance dite *cool.* Sensible aux recherches de Lester Young et de Charlie Parker, Miles Davis popularisa le *jazz cool* au cours d'enregistrements demeurés célèbres (1948-49). De nombreux musiciens blancs, comme Gerry Mulligan, Lee Konitz et Stan Getz, poursuivirent des expériences proches de celles de Davis. Vers 1955, en réaction contre l'esprit *cool,* se développa le style *hard-bop* (ou jazz dur), tandis que le jazz vocal s'orienta vers le *rhythm and blues,* style pratiqué par des chanteurs très marqués par le *rock and roll,* comme Fats Domino, ou plus proches du blues et du gospel, comme Ray Charles. À la fin des années 50, John Coltrane prépara la voie qui allait donner naissance au *free jazz,* ou *jazz libre.* Cette *nouvelle musique,* dont les leaders furent notamment Ornette Coleman, Cecil Taylor, Eric Dolphy, Albert Ayler, Archie Shepp, Pharoah Sanders et Sun Râ, apparut à la fois comme une tentative de libération totale des contraintes harmoniques et thématiques, grâce à l'improvisation totale, et un mouvement de contestation sociale et politique.

JDANOV, port de l'U.R.S.S. (Ukraine), sur la mer d'Azov; 417 000 hab. Sidérurgie.

JDANOV (Andreï Aleksandrovitch), homme politique soviétique (Marioupol [auj. Jdanov] 1896 - Moscou 1948). Il connaît une ascension rapide au sein du parti (secrétaire du comité central en 1934; membre du Politburo en 1939) et devient un fidèle auxiliaire de Staline. Il organise les purges dans la région de Leningrad (1936-1939). Au lendemain de la guerre, il promeut une idéologie officielle extrêmement restrictive.

SAINTS

JEAN l'Évangéliste *(saint),* apôtre de Jésus-Christ († Éphèse ? v. 100). La tradition chrétienne lui attribue le quatrième Évangile, trois épîtres (v. ÉPÎTRES DU NOUVEAU TESTAMENT) et l'Apocalypse*. Fils de Zébédée, pêcheur de son état, il sera avec ses frères — Jacques*, dit le Majeur, et Pierre* — parmi les premiers disciples du Christ. Il aurait évangélisé l'Asie Mineure et, après avoir été exilé, sous Domitien, dans l'île de Patmos, il aurait terminé à Éphèse, sous Trajan, sa longue existence. L'*Évangile de saint Jean* se distingue des autres Évangiles par les perspectives théologiques; il se présente comme une méditation en profondeur sur les événements centraux de l'histoire du salut apporté par Jésus-Christ; son importance théologique est considérable.

JEAN Chrysostome *(saint),* Père de l'Église grecque (Antioche v. 344-près de Comana, Cappadoce, 407), évêque de Constantinople (397-404), surnommé Chrysostome («Bouche-d'Or»), en raison de son éloquence. Prêtre d'Antioche, il doit à sa réputation d'orateur hors pair d'être élu évêque de Constantinople. Sa rigueur touchant l'application de la discipline ecclésiastique, son zèle réformateur lui susciteront un front d'oppositions politiques, mondaines et ecclésiastiques qui aboutiront à sa déposition et à son envoi en exil, où il mourra.

JEAN Damascène *(saint),* moine, docteur de l'Église (Damas v. 650-monastère de Saint-Sabas, près de Jérusalem, v. 750). D'une riche famille arabe chrétienne, il abandonne v. 700 les hautes fonctions administratives qu'il exerce, pour la vie monastique. Son ouvrage le plus célèbre, la *Source de la connaissance,* est le premier exposé synthétique du dogme chrétien. Ses chants liturgiques font de lui un des grands poètes de l'hymnologie byzantine.

JEAN DE CAPISTRAN *(saint),* frère mineur italien (Capestrano 1386-Ilok 1454). Réorganisateur de l'ordre franciscain, il est à l'origine de la victoire chrétienne sur les Turcs à Belgrade, le 23 juin 1456.

JEAN (ou **JOHN**) **FISHER** *(saint),* prélat anglais (Beverley v. 1469-Londres 1535). Chancelier de l'université de Cambridge, lié aux humanistes du temps (Érasme, notamment), il s'oppose au luthéranisme, au divorce d'Henri VIII et aux empiétements du roi sur les libertés de l'Église. Il est décapité quelques jours après avoir été fait cardinal. Canonisé en 1935.

JEAN de Dieu *(saint),* hospitalier portugais (Montemor-o-Novo 1495-Grenade 1550). À Grenade, où il fonde un hôpital (1537), cet ancien soldat converti jette les bases de l'ordre des Frères hospitaliers, dit de Saint-Jean-de-Dieu. Sa charité dépouillée lui vaut d'être appelé «le Pauvre des pauvres». Canonisé en 1690.

JEAN de la Croix *(saint),* religieux carme, docteur de l'Église (Fontiveros, prov. d'Ávila, 1542-Ubeda 1591). Il est l'auteur, avec sainte Thérèse* d'Ávila, de la réforme de l'ordre carmélitain (Carmes et Carmélites). Ses œuvres, qui le rangent parmi les grands mystiques catholiques, sont considérées comme l'exposé classique de la doctrine mystique : *la Montée du Carmel, la Nuit obscure, la Vive Flamme d'amour, le Cantique spirituel.*

JEAN DE BRÉBEUF *(saint),* jésuite français (Condé-sur-Vire 1593-Saint-Louis, Canada, 1649). Missionnaire au Canada, il est martyrisé par les Iroquois. Canonisé en 1930.

JEAN EUDES *(saint),* prêtre français (Ri 1601-Caen 1680). Il quitte l'Oratoire* de France pour fonder à Caen la Société de Jésus-et-Marie, dont les membres (Eudistes) se vouent à l'enseignement et à la formation des futurs prêtres. Canonisé en 1925.

JEAN DE LALANDE *(saint),* missionnaire français (Dieppe v. 1615-Andagaron, Canada, 1646). Compagnon d'Isaac* Jogues, il est massacré avec lui par les Iroquois. Canonisé en 1930.

JEAN BOSCO *(saint),* prêtre italien (Becchi 1815-Turin 1888). Dès le début de son sacerdoce, il se voue à l'éducation et à l'instruction professionnelle des enfants et des adolescents pauvres, fondant pour eux, en 1859, la congrégation des Prêtres de Saint-François-de-Sales (Salésiens) et, en 1862, celle des Filles de Marie-Auxiliatrice (Salésiennes). Canonisé en 1934.

PAPES

JEAN Ier, II, III, IV, V, VI, VII → PAPE.

JEAN VIII (Rome 820?-*id.* 882), pape de 872 à 882. Sous la protection de Charles le Chauve puis de Charles le Gros, qu'il sacre empereurs (875 et 881), il s'efforce de lutter contre l'anarchie dans une Italie ravagée par les Sarrasins.

JEAN IX, X, XI, XII, XIII, XIV → PAPE.

JEAN XV (Rome-*id.* 996), pape de 985 à 996. On lui doit l'idée de la *trêve de Dieu* et la première canonisation (993).

JEAN XVI, XVII, XVIII, XIX, XX, XXI → PAPE.

Parimage

Jean XXIII présidant une séance du concile Vatican II, à Saint-Pierre de Rome (décembre 1962).

JEAN XXII (Jacques DUÈSE) [Cahors 1245-Avignon 1334], pape de 1316 à 1334. Établi à Avignon, il reprend le rêve théocratique de ses prédécesseurs, ce qui lui vaut de nombreux adversaires : les Franciscains spirituels, qui l'accusent d'hérésie et lui opposent la pauvreté évangélique, de nombreux théologiens, tel Guillaume* d'Occam, et surtout l'empereur Louis de Bavière, qui fait élire un antipape, Nicolas V († v. 1325); celui-ci est soutenu par le peuple romain, mécontent de voir le pape rester à Avignon.

JEAN XXIII → SCHISME D'OCCIDENT *(Grand).*

JEAN XXIII (Angelo RONCALLI) [Sotto il Monte 1881-Rome 1963], pape de 1958 à 1963. Prêtre en 1904, évêque en 1925, il occupe divers postes diplomatiques (Bulgarie, Turquie) avant d'être nonce à Paris. Patriarche de Venise et cardinal (1953), il est élu pape le 28 octobre 1958. Son court pontificat, caractérisé par l'*aggiornamento* (mise à jour) de l'Église romaine, est surtout marqué par la convocation du second concile du Vatican* (1962), dont Jean XXIII fait le concile de l'«ouverture» et de l'œcuménisme. L'enseignement du «pape bon» se prolonge par deux encycliques capitales : *Mater et Magistra* (1961), qui précise la position de l'Église sur la question sociale, et particulièrement sur le problème paysan; et surtout *Pacem in terris* (1963), dont le retentissement est énorme, et qui est un appel à tous les hommes de bonne volonté pour instaurer une véritable paix sur la terre.

FRANCE

JEAN Ier le Posthume, roi de France et de Navarre (15-19 nov. 1316), fils posthume de Louis X le Hutin et de Clémence de Hongrie. Il régna quatre jours sous la régence de son oncle Philippe, comte de Poitou, qui lui succéda sous le nom de Philippe V (janv. 1317).

JEAN II le Bon (château du Gué de Maulny, près du Mans, 1319-Londres 1364), roi de France (1350-1364), fils et successeur de Philippe VI, roi de France. Vaincu et fait prisonnier à Poitiers par le Prince Noir (19 sept. 1356), il doit, pour recouvrer sa liberté, abandonner aux Anglais la moitié occidentale du royaume, leur verser une rançon de 3 millions d'écus d'or et livrer à l'Angleterre deux otages pris parmi ses enfants. Rentré en France, il donne à son fils Philippe le Hardi l'apanage de Bourgogne. Son fils Louis, otage en Angleterre, s'étant enfui, Jean revient se constituer prisonnier à Londres (1364), où il meurt.

BOURGOGNE

JEAN sans Peur (Dijon 1371-Montereau 1419), duc de Bourgogne (1404-1419), fils et successeur de Philippe le Hardi. Dans sa principauté, il se révèle un remarquable administrateur et s'emploie à bâtir le grand État bourguignon que connaîtra le XVe s. Cousin de Charles VI, il s'intéresse aussi aux affaires du royaume. En 1407, il fait assassiner le duc d'Orléans, chef des Armagnacs, qui lui dispute la primauté au Conseil, devient gouverneur du dauphin (1409) et, s'appuyant sur le peuple, combat le parti armagnac. Jean, chassé de Paris après la révolution cabochienne, qui a engendré une violente réaction «armagnac» (1413), s'allie secrètement à Henri V (1416), le laisse écraser le parti armagnac à Azincourt, et restaure son autorité dans la capitale (1418). Inquiet du succès trop rapide des

Anglais (chute de Rouen, 1418), il cherche à se rapprocher du dauphin Charles, lorsqu'il est assassiné (Montereau, sept. 1419).

BULGARIE

JEAN Ier ASEN Ier, roi des Bulgares (1186-1196). Après avoir pris la tête de la révolte bulgaro-valaque contre l'administration de l'empereur byzantin Isaac II Ange, il fonde, autour de Tărnovo, un royaume indépendant. Il s'apprête à mettre la main sur la Thrace lorsqu'il est assassiné par un boyard, Ivanko.

JEAN II KALOJAN ASEN († Thessalonique 1207), roi de Bulgarie (1197-1207). Frère de Jean Ier, auquel il succède après avoir écarté l'usurpateur Ivanko, il s'entend avec le pape Innocent III, qui lui remet la couronne royale en échange de la suzeraineté du Saint-Siège sur le royaume bulgare (nov. 1204). Il entre en conflit avec l'empereur latin de Constantinople, Baudouin Ier, qu'il bat et fait prisonnier à Andrinople (avr. 1205), et s'empare de la Thrace. Il est assassiné sous les murs de Thessalonique par un chef couman.

JEAN III ASEN II († 1241), roi de Bulgarie (1218-1241). Fils de Jean II, il fait déposer l'usurpateur Boris, son cousin. Il étend sa domination sur l'Épire et la Macédoine, impose sa suzeraineté à la Serbie et assure la prospérité de son empire par une politique habile.

GRANDE-BRETAGNE

JEAN sans Terre (Oxford 1167-château de Newark, Nottinghamshire, 1216), roi d'Angleterre (1199-1216), fils cadet d'Henri II et d'Aliénor d'Aquitaine, frère et successeur de Richard Cœur de Lion. En dix-sept ans, il va ruiner l'œuvre de ses prédécesseurs. Déchu de ses fiefs français (août 1202) par Philippe Auguste pour avoir enlevé la fiancée de son vassal, un Lusignan, il doit aussi faire face au soulèvement de la Bretagne et de l'Anjou pour avoir tué de ses propres mains son neveu et rival, Arthur de Bretagne (1203). Il perd d'abord la Normandie (1204), puis, après Bouvines (1214), l'ensemble de ses possessions françaises. Humilié par la papauté, qui lui impose la liberté des élections épiscopales et la suzeraineté pontificale (1213), Jean ne peut venir à bout de la révolte de ses grands barons et se trouve contraint d'accepter la Grande Charte (1215), qui limite ses droits. Il meurt au moment où éclate une seconde révolte féodale appuyée par la France (1216).

HONGRIE

JEAN ZÁPOLYA (Szepesvár 1487-Szászsebes 1540), voïévode de Transylvanie (1511), roi de Hongrie (1526-1540). Élu roi de Hongrie avec le soutien des Turcs et des Français, il dut lutter contre son compétiteur au trône, Ferdinand de Habsbourg. En 1538, Jean et Ferdinand firent la paix et se partagèrent la Hongrie.

Anderson - Lauros-Giraudon

Statue équestre de Jean III Sobieski, à Varsovie. Sculpture d'André Lebrun. XVIIIe s.

POLOGNE

JEAN III SOBIESKI (Olesko, Galicie, 1624-Wilanów 1696), roi de Pologne (1674-1696), fils de Jacob Sobieski, castellan de Cracovie. Il s'illustre à la bataille de Zborov (1648) contre les Cosaques et prend part à la lutte de son pays contre l'invasion suédoise (1655-1660). Nommé grand maréchal de la Couronne (1666), vainqueur des Turcs à Chocim (1673), il est proclamé roi à la mort du roi Michel Korybut (1674). En 1683, à la bataille de Kahlenberg, il arrête les Turcs, qui assiégeaient Vienne. Ayant conclu un coûteux traité avec la Russie (1686), il épuise son pays dans de longues luttes contre Turcs et Tatars, dont profite surtout son allié autrichien.

SUÈDE

JEAN III VASA (Stegeborg 1537-Stockholm 1592), roi de Suède (1568-1592). Deuxième fils de Gustave Vasa, il enlève la couronne à son frère Erik XIV (1568). Grâce à l'alliance polonaise, il affermit sa domination en Estonie, se rapproche de Rome et, malgré l'opposition de la noblesse luthérienne, amorce le retour de la Suède au catholicisme.

AUTRES PRINCES ET SOUVERAINS

JEAN Ier TZIMISKÈS, empereur d'Orient → MACÉDONIENNE *(dynastie).*

JEAN II COMNÈNE, empereur d'Orient → COMNÈNE.

JEAN III DOUKAS VATATZÈS, IV DOUKAS LASCARIS, empereurs d'Orient → LASCARIS.

JEAN V PALÉOLOGUE, empereur d'Orient → PALÉOLOGUES.

JEAN VI CANTACUZÈNE, empereur d'Orient → CANTACUZÈNE.

JEAN VII PALÉOLOGUE, JEAN VIII PALÉOLOGUE, empereurs d'Orient → PALÉOLOGUES.

JEAN DE BRIENNE, empereur latin d'Orient → LATIN DE CONSTANTINOPLE *(Empire).*

JEAN Ier, II, III, rois de Portugal → AVIZ.

JEAN IV, V, VI, rois de Portugal → BRAGANCE *(dynastie de).*

JEAN DE HABSBOURG, dit **l'archiduc Jean,** prince autrichien (Florence 1787-Graz 1859), fils de l'empereur Léopold II*. Il est battu par Moreau à Hohenlinden (1800) et arrive trop tard à Wagram (1809). En 1848, vicaire impérial, il préside la Constituante, mais son libéralisme, qui le rend très populaire, doit s'effacer devant la réaction, qui installe François-Joseph* sur le trône des Habsbourg.

JEAN, duc de Berry → BERRY.

JEAN DE MONTFORT, duc de Bretagne → BRETAGNE.

JEAN III, IV, V, ducs de Bretagne → BRETAGNE.

JEAN DE GAND, duc de Lancastre → LANCASTRE.

DIVERS

JEAN *(le Prêtre-),* souverain légendaire à qui la chrétienté médiévale attribuait un État chrétien prenant à revers le monde musulman. Au XIVe s., l'éclat du christianisme éthiopien fut tel que l'on identifia le Prêtre-Jean avec le souverain de l'Éthiopie.

JEAN de Leyde (Jan BEUKELSZ, dit), chef des anabaptistes* de Münster (Leyde 1509-Münster 1536). Ayant établi dans cette ville une constitution anabaptiste (1534), il y fonde un royaume théocratique dont il se fait proclamer roi, et décrète la communauté des biens et la polygamie. Après la reprise en main de la ville par les catholiques, il mourra sous la torture.

JEAN de Meung ou **de Meun** (Jean CLOPINEL ou CHOPINEL, dit), écrivain français (v. 1240-v. 1305), auteur de la seconde partie du *Roman* de la Rose.*

JEAN de Salisbury → CHARTRES *(école de).*

JEAN Italos, philosophe grec byzantin (Calabre XIe s.). Bien qu'il fût frappé d'anathème en 1082, ses commentaires d'Aristote, de Platon, de Porphyre et de Proclus ont exercé une influence importante à Byzance au XIIe s.

JEAN-BAPTISTE *(saint),* chef d'une secte juive, décapité sur l'ordre d'Hérode* Antipas en 28 av. J.-C. Contemporain du Christ, il est considéré par la tradition chrétienne comme le précurseur du Messie. Il prêchait sur les bords du Jourdain un message de caractère eschatologique, qui manifeste une nette relation avec la mentalité essénienne. (V. ESSÉNIENS.) L'activité et l'enseignement de Jésus sont à situer par rapport à la prédication de Jean.

JEAN-BAPTISTE DE LA SALLE *(saint),* prêtre français (Reims 1651-Rouen 1719). Chanoine de Reims, il fonde, en 1682, l'institut des frères des Écoles* chrétiennes, dont le but essentiel est l'éducation chrétienne des enfants pauvres, et qui est le prototype des congrégations religieuses de laïques enseignants. Ses méthodes et ses ouvrages — notamment *Conduite des écoles chrétiennes* (1711) — font de lui l'un des précurseurs de la pédagogie moderne. Canonisé en 1900.

JEAN-BAPTISTE MARIE VIANNEY *(saint),* prêtre français (Dardilly 1786-Ars 1859). Succursaliste (curé) du pauvre village d'Ars, dans les Dombes, à partir de 1817, cet humble prêtre convertit sa paroisse et attire à lui d'innombrables âmes au point qu'Ars, de son vivant, est un lieu de pèlerinage. Canonisé en 1925.

JEAN BODEL, trouvère de la région d'Arras († v. 1210), auteur d'une chanson de geste sur les guerres saxonnes de Charlemagne *(la Chanson de Saisnes)* et du *Jeu* de saint Nicolas* (vers 1200).

Jean-Christophe, roman de Romain Rolland (1904-1912) : histoire d'un musicien de génie dont les expériences et les rêves sont ceux de l'auteur.

JEAN DUNS SCOT → DUNS SCOT.

JEAN-FRANÇOIS RÉGIS *(saint),* missionnaire français (Fontcouverte 1597 - Lalouvesc 1640). Jésuite, il se voue aux missions populaires dans le Vivarais et le Velay. Canonisé en 1737.

JEANNE D'ARC *(sainte),* héroïne française (Domrémy 1412-Rouen 1431). L'extraordinaire aventure de cette fille de paysans commence lorsqu'elle reçoit « l'ordre divin » de se rendre en terre de France pour lever le siège d'Orléans et faire sacrer le dauphin Charles à Reims. Ayant convaincu Charles VII de la pureté de ses intentions (Chinon, 25 févr. 1429), elle gagne Orléans et provoque le sursaut d'enthousiasme qui va renverser la situation. Au matin du 8 mai, les Anglais sont contraints de lever le siège. Le mois suivant, la victoire de Patay (18 juin) ouvre à l'armée royale la route de Reims, où Charles VII est sacré le 17 juillet. Mais sitôt devenu roi, Charles VII fait passer la négociation avant l'engagement militaire. Après l'échec devant Paris (2 sept. 1429) et la dispersion de l'armée royale, Jeanne tente vainement, au printemps 1430, de reprendre l'offensive. C'est en voulant secourir Compiègne, assiégée par le duc de Bourgogne, qu'elle est faite prisonnière (23 mai 1430); livrée aux Anglais (nov. 1430), elle est condamnée au bûcher par un tribunal inquisitorial présidé par Pierre Cauchon, évêque de Beauvais, et subit son supplice le 30 mai 1431 sur la place du Vieux-Marché, à Rouen. Devenue héroïne nationale (XIXe s.), elle sera canonisée par l'Église (1920).

Bibliothèque nationale

Le supplice de Jeanne d'Arc. Miniature des *Vigiles de Charles VII,* par Martial de Paris. 1484. (Bibliothèque nationale, Paris.)

Jeanne d'Arc a inspiré de nombreuses œuvres littéraires, en particulier le poème de Christine de Pisan *Ditié de Jeanne d'Arc* (1429), la tragédie de Schiller *la Pucelle d'Orléans* (1801), la trilogie dramatique *Jeanne d'Arc* de Charles Péguy (1897), la *Sainte Jeanne* de G. B. Shaw (1924), *l'Alouette* de J. Anouilh (1953) et *Jeanne au bûcher,* oratorio de P. Claudel, musique d'A. Honegger (1935).

JEANNE Ire DE NAVARRE, reine de France et de Navarre (Bar-sur-Seine 1273 - Vincennes 1305). Fille et héritière de Henri le Gros, roi de Navarre et comte palatin de Champagne et de Brie, elle épousa (1284) le futur roi Philippe IV et lui apporta la Navarre et les comtés champenois.

JEANNE DE PENTHIÈVRE (1319-1384), duchesse de Bretagne de 1337 à 1365. Son règne n'est qu'une longue lutte contre Jean de Montfort († 1345), puis contre le fils de celui-ci, Jean IV, à qui elle doit finalement abandonner la couronne ducale.

JEANNE la Folle (Tolède 1479 - Tordesillas 1555), reine de Castille (1504-1555), fille de Ferdinand V d'Aragon et d'Isabelle de Castille. Épouse de Philippe le Beau, archiduc d'Autriche (1496), et mère de Charles Quint, elle perdit la raison à la mort de son mari (1506) et se retira au château de Tordesillas (1509).

JEANNE III D'ALBRET (Saint-Germain-en-Laye 1528 - Paris 1572), reine de Navarre (1555-1572), fille et héritière d'Henri II d'Albret, roi de Navarre. Elle épousa (oct. 1548) Antoine de Bourbon, duc de Vendôme, dont elle eut le futur Henri IV et Catherine, duchesse de Lorraine. Elle maintint l'indépendance de la Navarre tant vis-à-vis de la France que de l'Espagne, et y imposa le calvinisme (1567).

JEANNE-FRANÇOISE FRÉMYOT DE CHANTAL *(sainte),* religieuse française (Dijon 1572 - Moulins 1641). Veuve du baron de Chantal (1600), elle se met sous la conduite de saint François* de Sales, avec qui elle fonde, en 1610, l'ordre féminin de la Visitation (Visitandines). Canonisée en 1767.

JEANNINE *(lac),* lac du Canada oriental, dans le Nouveau-Québec. — À proximité, extraction du minerai de fer (traité à Gagnon).

Jeannot et Colin, conte de Voltaire (1764).

JEANS (*sir* James Hopwood), astronome, mathématicien et physicien britannique (Londres 1877 - Dorking, Surrey, 1946). On lui doit, en physique, de nombreux travaux sur la théorie cinétique des gaz. En astronomie, ses études sur la dynamique des étoiles* doubles l'ont amené à proposer un modèle de formation du système solaire aujourd'hui totalement abandonné et dans lequel le passage d'une étoile* au voisinage du Soleil* lui aurait arraché de la matière pour former les planètes*.

JEBELEANU (Eugen), poète roumain (Bucarest 1911). Il est passé de la célébration des luttes de la Résistance et des transformations politiques et sociales de son pays à un lyrisme plus intérieur (*Poème de la paix et du combat,* 1950; *Hannibal,* 1972).

Jeep (de G. P., initiales de *general purpose,* tous usages), nom déposé désignant le véhicule automobile tout-terrain, créé par une société américaine de Toledo (Ohio). Adoptée par l'armée américaine en 1942, la Jeep, robuste et rapide (100 km/h), fut depuis lors largement répandue dans les forces alliées, surtout comme véhicule de liaison. Pourvue d'un équipement radio et souvent légèrement armée, elle peut, grâce à sa remorque, servir aussi au transport. Des modèles analogues ont été réalisés à l'étranger, et notamment en France (1951).

JEFFERSON (Thomas), homme d'État américain (Shadwell 1743-Monticello 1826). Ce riche Virginien est l'auteur de la Déclaration d'indépendance des États-Unis (1774). Ambassadeur à Paris (1785-1789), secrétaire aux Affaires étrangères (1790), il se sépare de Washington* (1794) et fonde le parti antifédéraliste, ou républicain. Vice-président (1797), il s'oppose au fédéraliste Adams. Président des États-Unis (1801-1809), il achète la Louisiane à la France et, pour pallier les difficultés économiques nées des guerres napoléoniennes, il fait voter la loi d'embargo (1807-1809), qui interdit tout départ des États-Unis. En architecture, l'« ère jeffersonnienne » est marquée par le triomphe, sur le style colonial anglais, du style « jeune république », inspiré du néoclassicisme européen.

JEFFERSON CITY, v. des États-Unis, capit. du Missouri, sur le Missouri; 32 000 hab.

JEGUN (32360), ch.-l. de cant. du Gers, à 18,5 km au N.-O. d'Auch; 1 055 hab.

Jehan de Paris, roman anonyme, en prose, de la fin du XVe s. Jehan, roi de France, qui se fait passer pour un simple bourgeois de Paris, éclipse le roi d'Angleterre auprès de l'infante de Castille.

Jehan de Saintré *(Histoire et plaisante chronique du petit)* **et de la jeune dame des Belles-Cousines,** roman d'Antoine de La Sale (1456). Il glorifie l'idéal chevaleresque et le culte courtois de la dame, à l'occasion du récit d'une trahison féminine.

JÉHOVAH, prononciation déformée du nom de « Yahvé* », qui vient d'une fausse interprétation d'une graphie du nom divin; on la trouve chez les commentateurs chrétiens du XIIIe au XIXe s.

Jéhovah *(Témoins de),* secte religieuse, fondée aux États-Unis en 1874, par Ch. Taze Russell. Elle appuie la spiritualité et le prosélytisme de ses membres sur la Bible, Parole de Dieu, considérée par eux comme la seule source de vie et d'enseignement.

JÉHU, un des principaux rois du royaume d'Israël (de 841 à 814 av. J.-C.). Il lutte contre la menace assyrienne et préfère se soumettre à Salmanasar III* en lui payant tribut : cet épisode est gravé sur l'obélisque noir de ce roi, découvert à Nimroud. Sous l'influence des milieux prophétiques, il s'attache à faire disparaître les cultes idolâtriques cananéens.

JÉJUNO-ILÉON → INTESTIN.

JELAČIĆ DE BUZIM (Josip) ou **JELATCHITCH,** général croate (Peterwardein [Petrovaradin] 1801 - Zagreb 1859). Officier autrichien nommé ban de Croatie en 1848, destitué quelque temps pour avoir convoqué une diète régionale à Zagreb, il retrouve bientôt ses fonctions et est chargé, avec Windischgraetz, de réprimer la révolution en Hongrie.

JELENIA GÓRA, v. de Pologne, au S.-O. de Wrocław; 57 000 hab.

JELGAVA → IELGAVA.

JELLICOE (John), amiral britannique (Southampton 1859 - Londres 1935). Commandant la Grand Fleet de 1914 à 1916, il livra la bataille du Jutland (1916) contre la flotte allemande. En 1917, il est à la tête de l'état-major naval, où il dirige la lutte anti-sous-marine, et devient, en 1920, gouverneur de la Nouvelle-Zélande.

JÉLYOTTE (Pierre), chanteur français (Lasseube 1713-Estos 1797). Ténor de l'Académie de musique, il se distingue dans les grands rôles des ouvrages lyriques de Rameau.

JEMEPPE, anc. comm. de Belgique, dans la banlieue ouest de Liège, intégrée depuis 1977 à Seraing.

JEMMAPES, auj. **Jemappes,** anc. comm. de Belgique (Hainaut), intégrée depuis 1977 à Mons. Dumouriez, le 6 novembre 1792, y battit l'armée d'Albert de Saxe-Teschen, s'ouvrant ainsi la Belgique.

JENNER (Edward), médecin anglais (Berkeley, Gloucestershire, 1749-*id.* 1823). Il découvrit et mit au point la vaccination contre la variole par inoculation du *cow-pox* (ou vaccine) à l'homme.

JENSEN (Johannes Vilhelm), écrivain danois (Farsø 1873-Copenhague 1950). Auteur d'essais d'anthropologie, il entreprit dans ses romans la glorification des races « gothiques » — anglo-saxonnes et germaniques — et s'efforça de créer une nouvelle morale païenne (*le Long Voyage,* 1908-1921; *Fêtes de l'année,* 1925). [Prix Nobel de littérature, 1944.]

JENSEN (Hans Daniel), physicien allemand (Hambourg 1907-Heidelberg 1973), auteur d'une théorie relative à la structure en couches du noyau de l'atome. (Prix Nobel de physique, 1963.)

JEPHTÉ, Juge d'Israël pendant six ans (XIIe s. av. J.-C.). Vainqueur des Ammonites*, il fut contraint, à la suite d'un vœu imprudent, de sacrifier sa fille.

JÉRÉMIE, un des grands prophètes* bibliques (Anatot, près de Jérusalem, v. 650-645 - en Égypte v. 580). Son ministère, qui commence en 627, se situe sous les derniers rois de Juda. Témoin de la fin de Jérusalem, en 587, il sera forcé de se réfugier en Égypte, où il prolongera quelques années encore son activité prophétique auprès de ses compatriotes exilés. Jérémie a préparé la voie à une religion plus spirituelle, plus détachée du Temple et de son culte; il aura donné à Israël l'orientation décisive qui lui permettra de traverser l'épreuve de l'Exil en conservant sa cohésion et son âme.

Le *livre de Jérémie* est un recueil fait par divers compilateurs des oracles du prophète, sans plan bien arrêté.

Quant aux *Lamentations de Jérémie,* c'est une suite de complaintes sur Jérusalem dévastée, composées par quelque Juif resté en Juda après 587, et attribuées par la suite au prophète, qui vécut la ruine de Jérusalem et de son Temple.

JEREZ DE LA FRONTERA, anc. **Xeres,** v. d'Espagne (Andalousie), au N.-E. de Cadix; 149 000 hab. Vestiges mauresques. Nombreuses églises du XIIIe au XVIIIe s. Palais des XVIe et XVIIIe s. À 5 km, chartreuse des XVe-XVIIe s., à décors baroques. Vins.

JÉRICHO, ville de Palestine située dans la vallée du Jourdain, à l'extrémité septentrionale de la mer Morte*. Les premiers établissements humains remontent au VIIIe millénaire; ville fortifiée au IIIe millénaire, Jéricho fut un des premiers sites cananéens dont s'empareront les Hébreux lors de leur installation en Palestine (XIIIe s.). La ville fut reconstruite par Hérode* le Grand à 2 km environ de la cité ancienne.

BEAUX-ARTS. Trois sites archéologiques différents ont livré une importante séquence stratigraphique, notamment à la suite des fouilles (1951-1958) de K. Kenyon. L'occupation s'y poursuit en effet, avec quelques hiatus, jusqu'à l'époque hérodienne. Deux phases essentielles de la préhistoire y ont été étudiées : le protonéolithique et le néolithique proprement dit. Le protonéolithique « A » (v. − 7000) correspond au début de l'agriculture avec habitat en briques crues — maisons à plan rond ou oval. Le protonéolithique « B » (v. − 6000) présente une économie agricole de type villageois associée à la domestication de la chèvre; les maisons, de forme rectangulaire, sont protégées par un épais rempart, et le culte des morts est attesté par des crânes humains peints en rouge, au visage surmodelé en plâtre. Le néolithique « A » voit l'apparition d'une céramique peinte, et le néolithique « B » celle d'une poterie incisée; ce dernier correspond à la couche stratigraphique VIII.

JÉROBOAM I et **II** → ISRAËL *(royaume d').*

JÉRÔME *(saint),* auteur ecclésiastique, Père et docteur de l'Église latine (Stridon, Dalmatie, v. 347-Bethléem 419 ou 420). Il passa la partie la plus active de sa vie en Orient, mis à part un séjour à Rome (382-385) auprès du pape Damase*. Activement mêlé aux controverses théologiques de son temps (pélagianisme* et origénisme [v. ORIGÈNE]), il se consacra surtout aux études bibliques : révision du texte de l'Ancien et du Nouveau Testament (v. VULGATE), commentaires des livres de la Bible. Propagateur de l'idéal monastique, il compte parmi les maîtres spirituels de l'Occident.

JÉRÔME de Prague, réformateur tchèque (Prague v. 1380 - Constance 1416). Adepte des thèses réformistes de Wycliffe*, ami et disciple de Jean Hus*, il fut brûlé vif comme hérétique et relaps après sa condamnation par le concile de Constance.

JÉRÔME BONAPARTE → BONAPARTE.

Centre de documentation du monde oriental

Jérusalem. La Coupole du Rocher, mosquée édifiée sur un rocher sacré entre 688 et 691.

JERSEY, la plus étendue (116 km²) et la plus peuplée (73 000 hab.) des îles anglo-normandes. V. princ. *Saint-Hélier.* Au climat doux et relativement ensoleillé, l'île vit principalement du tourisme et secondairement de l'élevage laitier et de cultures intensives (tomates, pommes de terre, fleurs).

JERSEY CITY, v. des États-Unis (New Jersey), sur l'Hudson, en face de New York; 261 000 hab.

JERSIAISE (race) → BOVINS.

JÉRUSALEM, capit. d'Israël; 326 000 hab. Capitale historique de la Palestine, la ville reste dominée par les fonctions administrative, religieuse et culturelle. Sa situation, dans l'intérieur des terres et surtout aux frontières d'un monde arabe hostile, explique le faible développement des activités économiques.

HISTOIRE. Vieille cité cananéenne, dont le nom apparaît dans les textes d'exécration égyptiens au XIXe s. av. J.-C. et dans les lettres d'Amarna* (XIVe s.), elle conserve son autonomie lors de l'installation en Palestine des Hébreux, au XIIIe s. C'est seulement vers l'an 1000 que David* s'empare de la ville et en fait la capitale politique du royaume; elle devient capitale religieuse avec Salomon*, qui y édifie le Temple à Yahvé*. La scission du royaume de Salomon (931) réduit l'importance de Jérusalem, qui n'est plus que la métropole du royaume de Juda*. Prise et incendiée en 587 par Nabuchodonosor*, la cité de David reprend vie en 538, lorsque Cyrus II autorise les Juifs déportés à Babylone à rentrer dans leur pays; les murs de la ville sont relevés et le Temple reconstruit. Disputée, après la mort d'Alexandre, entre les Lagides* et les Séleucides*, elle redevient capitale des rois asmonéens* et d'Hérode* le Grand, qui lance un vaste programme d'urbanisme et tente de redonner au second Temple la splendeur de celui de Salomon; mais la cité et son Temple seront détruits lors de la grande révolte (66-70 apr. J.-C.). Réoccupée de nouveau par les Juifs lors de la seconde révolte (132-135), animée par Bar-Kokheba*, elle est entièrement rasée par Hadrien*, qui édifie sur les ruines une cité païenne, *Aelia Capitolina.* Jérusalem revivra à l'époque byzantine, et les chrétiens, qui y sont désormais les maîtres, élèvent, dans la cité sanctifiée par la mort du Christ, des églises et des monastères. En 638, elle tombe aux mains des musulmans (638-1099) puis devient capitale du royaume des croisés de 1099 à 1187 et de 1229 à 1244. Sous l'occupation mamelouke (1260-1517), la cité de David est pour la première fois une ville à prédominance musulmane, qui, sous la domination ottomane (1517-1917), entre dans son déclin. Passée sous mandat britannique (1922-1947), elle sera déclarée capitale de l'État juif (dont l'indépendance avait été proclamée le 14 mai 1948), après la « guerre des six jours » (5-10 juin 1967), malgré la protestation de l'O. N. U. et des États arabes. Jérusalem, ville sainte des juifs, des chrétiens et des musulmans, est réclamée à ce titre par les trois grandes religions méditerranéennes. (V. LIEUX SAINTS [*question des*].)

BEAUX-ARTS. Les fouilles archéologiques ont livré des témoignages de la première occupation du site, sur la colline d'Ophel, remontant au IIIe millénaire. Mais ce n'est qu'à partir du xe s. av. J.-C. que s'élèvent les grandes constructions (premier Temple, palais) de cette cité devenue centre religieux. Chaque époque y a laissé son empreinte : vestiges des constructions hérodiennes, dont l'imposant mur des Lamentations; fondations de l'église du Saint-Sépulcre, crypte de l'église Saint-Jean-Baptiste, église Saint-Étienne et chapelle Saint-Georges, pour la période byzantine, Coupole du rocher, ou Qubbat al-Ṣakhra (691) [avec son ordonnance — octogone régulier surmonté d'un dôme percé de fenêtres — et sa décoration de mosaïque rappelant encore l'art chrétien], un des plus anciens monuments de l'islām et l'une des premières réalisations des Omeyyades, de même que la mosquée al-Aqṣā, qui a subi de nombreux remaniements et dont l'aspect actuel remonterait au xie s; madrasa, caravansérails et fontaines des Mamelouks; beaux monuments de l'époque des croisades, dont le « Tombeau de Marie » et l'église Sainte-Anne; intéressants édifices du xxe s., parmi lesquels le centre médical du mont Scopus, par E. Mendelsohn (1937), et le musée national d'Israël (1965).

JÉRUSALEM *(royaume latin de),* principal État latin, né en 1099 à la suite de la première croisade et constitué en royaume au profit du frère de Godefroi de Bouillon, Baudouin de Boulogne, auquel succéda, en 1118, Baudouin II du Bourg, son cousin. Progressivement constitué, sous Foulques d'Anjou (de 1311 à 1143), Baudouin III (de 1143 à 1163) et Amaury Ier (de 1163 à 1174), par l'occupation des villes côtières, de Beyrouth (Tyr, 1124) à Ascalon (1153), le royaume s'étendit aussi à l'est du Jourdain (principauté de Tibériade), seigneurie d'Outre-Jourdain. Mais, dès la fin du règne d'Amaury Ier, l'expansion fut arrêtée net par Saladin, qui se rendit maître de l'Égypte et de Damas (1174). Malgré la courageuse résistance de Baudouin IV (de 1174 à 1185), l'État franc, dont Gui de Lusignan était devenu roi en 1186, finit par tomber presque entièrement aux mains de Saladin (1187). Si Acre fut libérée en 1191, il fallut attendre 1229 pour que l'empereur Frédéric II, époux d'une petite-fille d'Amaury Ier, obtînt par la négociation la restitution de Jérusalem. Mais, à peine restauré, le royaume succomba sous les coups des sultans d'Égypte (chutes d'Acre et de Tyr, 1291).

Jérusalem délivrée *(la),* poème épique du Tasse, composé en grande partie entre 1570 et 1575 et publié en 1581. À la célébration historique et édifiante de la première croisade et de la famille d'Este se mêlent de nombreux épisodes romanesques : les amours de Renaud et d'Armide, la passion malheureuse d'Herminie pour Tancrède, la mort de Clorinde.

JESENÍKY, massif montagneux de Tchécoslovaquie, dans le nord-est de la Bohême, à la frontière polonaise.

JESPERSEN (Otto), linguiste danois (Randers 1860 - Copenhague 1943). Il a été professeur à l'université de Copenhague de 1893 à 1925; ses travaux ont porté sur la langue anglaise (*A Modern English Grammar,* 1909-1949, 7 vol.), la pédagogie des langues (*How to teach a Foreign Language,* 1904), la linguistique générale (*Language, its Nature, Development and Origin,* 1922; *Philosophy of Grammar,* 1924). Très attaché aux méthodes de la linguistique classique, Jespersen est resté en dehors du courant structuraliste. Cependant, certaines de ses analyses syntaxiques préfigurent celles de la grammaire générative.

JESSELTON, anc. nom de KOTA KINABALU.

JÉSUITES → JÉSUS *(Compagnie de).*

JÉSUS, Juif qui vécut en Palestine au début de notre ère, et qui fut le fondateur du christianisme; pour les chrétiens, il est le fils de Dieu et le Messie prédit par les prophètes.

La source principale dont disposent les historiens sur Jésus est constituée par les quatre Évangiles*. Mais ces livres ne sont pas, à proprement parler, une histoire de Jésus; ils sont une annonce de la foi, et leurs auteurs choisissent leurs documents, les organisent dans un cadre répondant à leurs intentions et à leur perspective théologique. On ne peut donc écrire une « Vie de Jésus » au sens scientifique du terme, mais seulement reconstituer à grands traits, et pour l'essentiel, l'existence de Jésus.

Sa naissance peut être datée des années 7 ou 6 avant notre ère. Vers les années 27-28, il rencontre Jean-Baptiste* et commence son activité apostolique. La prédication de Jésus a d'abord pour cadre la partie septentrionale de la Palestine, la Galilée, d'où il était originaire; c'est là qu'il recrute ses premiers disciples et où son message trouve le plus d'écho. Combien de temps dura ce ministère en Galilée? On hésite entre un et trois ans; à cause des données du quatrième Évangile, on se rallie ordinairement à deux ans et quelques mois.

Au terme de la prédication galiléenne, Jésus s'est heurté définitivement à ses contemporains : les chefs religieux s'emploient à se débarrasser de lui et ses compatriotes, au début réceptifs, se méprennent sur la portée de son message : l'instauration du royaume de Dieu que prêche Jésus ne peut qu'impliquer dans l'idée de ses contemporains un bouleversement politique fondamental. Avec la venue de Jésus à Jérusalem, aux approches de la Pâque, l'atmosphère se tend. Arrêté à l'instigation des éléments dirigeants juifs, il est condamné comme agitateur politique par l'autorité romaine, représentée par le procurateur Ponce Pilate*, et crucifié le 14 du mois de nisān en l'an 30.

La vie de Jésus semble achevée avec la mise au tombeau; pourtant, son histoire continue avec celle de ses disciples, qui affirment l'avoir vu vivant, et celle de l'Église, qui vit de lui. La Résurrection de Jésus ouvre une question qui n'est plus du domaine de l'histoire mais de celui de la foi : elle est, comme telle, un fait « transhistorique » qui n'a pas fini de diviser croyants et incroyants.

Les évangélistes ont vu et senti les paroles et l'œuvre de Jésus à travers le prisme de la Résurrection; le Christ de la foi a pris le pas sur le Jésus de l'histoire.

Jésus *(Compagnie* ou *Société de),* ordre religieux qui a comme fondateur saint Ignace* de Loyola. Avec dix compagnons rassemblés d'abord à Paris, celui-ci constitue à Rome, en 1539, un institut religieux qui reçoit l'approbation papale en 1540 et dont il est élu supérieur en 1541. Il s'agit d'une société missionnaire qui se veut à la disposition du pape, envers qui les profès se lient par un vœu spécial d'obéissance. Dès 1547, Ignace adopte aussi le ministère de l'enseignement (collèges), rendu indispensable par les nécessités de la réforme catholique. (V. CONTRE-RÉFORME.)

En fait, la Compagnie de Jésus — constituée de Jésuites — n'a pas de ministère spécifique; aussi son activité sera-t-elle multiforme. Elle grandit vite, à travers l'Europe et au-delà, atteignant, en 1626, 15 000 membres — pères coadjuteurs et frères —, répartis en 36 provinces, et 23 000 en 1749. Tout naturellement, les Jésuites, « soldats du pape », dirigés par un général, fortement disciplinés et longuement formés, sont au premier rang de l'activité religieuse : on le voit notamment, au XVIIe s., lors des querelles autour du jansénisme*. Leur influence considérable — auprès du clergé et des fidèles — leur attire, au XVIIIe s., l'hostilité des philosophes et des tenants des lumières*, qui obtiennent la suppression de l'ordre dans la plupart des pays catholiques (1762-1767), le pape Clément XIV suivant lui-même cet exemple en 1773. Rétablie par Pie VII en 1814, la Compagnie connaît de nouveau, au XIXe et au XXe s., une grande prospérité, ponctuée ici et là de persécutions (en France, notamment, en 1880 et en 1904). Au nombre de 20 000 en 1914, les Jésuites seront 34 000 en 1969. Depuis, leur nombre a diminué — comme celui de la plupart des ordres religieux — et leur activité s'est diversifiée en fonction des orientations et des besoins nouveaux de l'Église.

La spiritualité de la Compagnie se trouve essentiellement dans ses Constitutions et dans *les Exercices spirituels* de saint Ignace : elle se caractérise par l'abandon actif à la volonté de Dieu, manifesté par l'obéissance aux supérieurs et au pape.

JET-STREAM → CIRCULATION ATMOSPHÉRIQUE.

JETTE, comm. de Belgique (Brabant), dans la banlieue nord de Bruxelles; 42 104 hab. (en 1977).

Jeu d'Adam, drame semi-liturgique du milieu du XIIe s. Ce texte, dialogué en dialecte normand et en vers octosyllabiques, constitue la première manifestation dramatique véritable, en langue vulgaire, du Moyen Âge.

Jeu de la feuillée, œuvre dramatique d'Adam le Bossu. Cette suite de scènes burlesques et féeriques, représentée à Arras vers 1276, peut être considérée comme la première des sotties* et l'ancêtre des « revues » satiriques modernes.

Jeu de l'amour et du hasard *(le),* comédie de Marivaux, en trois actes, en prose (1730). Dorante et Silvia, que leurs parents ont décidé de marier, ont pris, pour mieux s'observer, l'un le vêtement de son valet Arlequin, l'autre celui de sa suivante Lisette. Malgré ces déguisements et les quiproquos qui en résultent, l'amour rapproche les deux jeunes gens.

Jeu de paume *(musée du),* à Paris, annexe du musée du Louvre consacrée à l'impressionnisme, installée dans l'ancien jeu de paume (1862) du château des Tuileries.

Jeu de paume *(serment du),* serment que prêtèrent, le 20 juin 1789, dans la salle du Jeu de paume de Versailles, les députés du tiers état aux États généraux, qui avaient trouvé fermée, sur l'ordre du roi, leur salle habituelle de séance. Les députés promettaient de ne pas se séparer sans avoir établi la Constitution du royaume.

Jeu de Robin et Marion, pièce d'Adam le Bossu, composée à Naples vers 1282 : transposition scénique de deux types de chansons de trouvère, la pastourelle et la bergerie, avec des intermèdes musicaux.

Jeu de saint Nicolas, pièce de Jean Bodel, représentée à Arras dans les premières années du XIIIe s. et qui unit le merveilleux* à la farce : encore proche du drame pieux, c'est la première manifestation d'un théâtre profane et bourgeois.

Jeu des perles de verre *(le),* roman de Hermann Hesse (1943). Un essai de philosophie-fiction : la recherche en l'an 2200, dans le petit État de Castalie, d'une algèbre symbolique capable d'unir la magie de l'art à la lucidité de la science.

Jeu du prince des sots, trilogie dramatique par P. Gringore (1512), qui comprend une sottie, une moralité et une farce, dans lesquelles l'auteur soutient la politique de Louis XII à l'égard du pape Jules II.

JEUMONT (59460), comm. du Nord, sur la Sambre, à la frontière belge; 10 159 hab. Métallurgie.

Jeune Captive *(la),* élégie d'A. Chénier, écrite pendant sa captivité et inspirée par Mlle de Coigny.

Jeune Parque *(la),* poème de Valéry (1917). Le débat entre l'intelligence et la sensibilité d'une vierge mystérieuse reprise de l'angoisse mallarméenne.

Jeunes Gens en colère *(Angry Young Men),* mouvement né en Grande-Bretagne et qui se développa dans les années 1955-1965, regroupant, dans une même critique des valeurs traditionnelles de la société britannique et de la civilisation moderne, des romanciers (Kingsley Amis, John Braine, John Wain, Alan Sillitoe), des poètes (Donald Davie, Elizabeth Jennings, Ted Hughes), des critiques (Colin Wilson), des dramaturges (John Osborne, Ann Jellicoe, John Arden, Arnold Wesker, Shelagh Delaney, Harold Pinter), des cinéastes.

JEUNESSE *(Sociol.).* — Dans les sociétés dites « traditionnelles » ou « archaïques », une cérémonie rituelle marquait le passage de l'enfant à l'âge adulte. Ainsi chacun savait-il toujours à quel univers s'identifier et quels devaient être ses modèles de référence.

Dans les sociétés modernes, la disparition progressive de ces rites de passage et l'inexistence de succédanés rendent plus incertaine, dans une certaine mesure, l'entrée dans le monde adulte. Le temps n'est pourtant pas si lointain où le statut familial déterminait nécessairement et sans exception l'insertion des adolescents dans la société adulte. Avec l'élévation du taux de scolarisation, la proportion grandissante de jeunes filles dans les établissements scolaires, le décalage apparaît aujourd'hui plus grand entre les parents et les enfants. Ce que certains ont appelé le « fossé entre les générations » contribue assurément à relâcher le contrôle familial sur certaines sphères du comportement des adolescents.

Ces divers éléments se conjuguent pour conférer au monde de l'adolescence* un mode de vie propre, avec ses rites, ses normes et ses valeurs. Mais la singularité de ce groupe social, si grande soit-elle, ne peut masquer ni l'évolution de la structure et du rôle de la famille ni la part prépondérante du milieu d'appartenance dans la détermination du comportement des jeunes.

JEUNESSE (littérature pour la). — Le livre pour enfants est un objet mal défini. Conçu par des adultes dans un souci généralement didactique, il s'adresse à un lecteur en mutation continue, qui ne dispose pas pleinement des mécanismes intellectuels et linguistiques de l'homme fait. La littérature pour la jeunesse se présente souvent sous une forme anonyme ou collective (collections modernes distinguées par leur « couleur », rouge et or, verte ou rose; morceaux choisis soigneusement expurgés de toute référence à la politique, à la religion et à la sexualité) et ne fait pas mystère de son propos pédagogique, des *Quatrains* de Pibrac (1574) et des *Aventures de Télémaque* de Fénelon (1699) au *Tour de France de deux enfants* de G. Bruno (1886). Souvent confondue, à l'origine, avec le répertoire populaire, et accueillant ainsi de nombreuses adaptations de la littérature orale (*Contes de ma mère l'Oye,* 1697, de Perrault; *The History of the Little Goody Two Shoes,* 1766, de Newbery; *Kinder- und Hausmärchen,* 1812-1822, de Grimm), la littérature pour la jeunesse se compose, pour une bonne part, d'une littérature d'adulte « annexée » par l'enfance, du *Gargantua* de Rabelais au *Robinson Crusoé* de Defoe et à *l'Île au trésor* de Stevenson. Les pédagogues eux-mêmes ont ratifié ces choix, qui sont devenus des prototypes, *Robinson* se prolongeant dans d'innombrables « robinsonnades ». Aujourd'hui, la littérature pour la jeunesse se recommande plus de Jules Verne que de la comtesse de Ségur, cherchant, d'une part, à remplacer le merveilleux traditionnel par l'aventure scientifique contemporaine, qui dépasse toute fiction, et, d'autre part, à définir sa place par rapport aux mass media (notamment la télévision).

Jeunesse ouvrière chrétienne (J. O. C.) → ACTION CATHOLIQUE.

Jeunes-Turcs, groupe d'intellectuels et d'officiers ottomans, libéraux et réformateurs, rassemblés en diverses organisations : Jeunes-Ottomans (1868), comité Union et Progrès (1906). En 1908, des officiers de Thessalonique contraignent Abdülhamid II* à rétablir la Constitution de 1876 et le destituent en 1909. Mehmed V (de 1909 à 1918) laisse les Jeunes-Turcs gouverner l'empire, aux prises avec les guerres des Balkans* (1912-13) et les révoltes des Arabes. Ils mènent une politique autoritaire axée sur le panturkisme et engagent la Turquie au côté de l'Allemagne pendant la Première Guerre mondiale.

JEUX (théorie des). — La théorie des jeux concerne les décisions que l'on peut prendre face à un problème de nature quelconque, le mot « jeu » ayant de nombreuses significations. Le problème devant lequel on se trouve peut être une situation déterminée dans un jeu de société, partie d'échecs ou de dames par exemple. Il faudra alors étudier les différentes *tactiques* que permettent les stratégies de l'adversaire. Le problème à résoudre peut être économique. On s'efforce alors de recueillir le maximum de données et on en déduit, après un certain nombre d'*estimations* qui font intervenir le calcul des probabilités*, une conduite à tenir devant les situations que l'on doit affronter. Cette *stratégie,* qui doit tenir compte des réactions possibles des partenaires tout en s'adaptant à l'évolution des événements, doit être souple. La théorie des jeux regroupe tous les procédés scientifiques dont on dispose pour essayer de résoudre de la façon le plus rationnelle et le plus sûre possible les problèmes les plus divers de l'activité humaine.

En économie, la théorie des jeux, qui remonte à 1944, fournit, en particulier, un apport à la théorie de l'équilibre* économique. Von Neumann* et Morgenstern* ont repris, dans ce cadre, les travaux de Cournot*, en les affinant par un outillage méthodologique plus perfectionné que celui dont cet auteur pouvait disposer.

jeux Floraux, nom donné au concours poétique annuel institué à Toulouse, en 1323, par un groupe de poètes désireux de maintenir les traditions du lyrisme courtois. De là, le titre de « mainteneurs » conféré aux membres de la compagnie, d'abord appelée *Consistoire du Gai Savoir.* Une légende, née vers la fin du XVIe s. et faisant de Clémence Isaure, dame toulousaine, la créatrice de ces jeux, contribua à la popularité du concours, dont les prix sont des fleurs d'orfèvrerie. Au XVIe s., la compagnie prit le nom de *Collège de rhétorique,* se passionna pour la Pléiade et n'admit plus, à ses concours, que la langue française. En 1694, Louis XIV érigea la compagnie en académie des jeux Floraux. Celle-ci favorisa le mouvement romantique en couronnant Victor Hugo et en accueillant Chateaubriand et les auteurs du Cénacle. En 1895, remontant à ses anciennes traditions, à l'instigation de Mistral, l'académie admit de nouveau la langue d'oc.

JEVONS (William Stanley), philosophe et économiste anglais (Liverpool 1835 - près d'Hastings 1882). Il a mis en lumière certains faits économiques remarquables, notamment les crises cycliques qu'il lie aux phénomènes solaires. Avec Menger*, en Autriche, et Walras*, à Lausanne, il est à l'origine de la méthode mathématique en économie. Auteur d'un *Traité d'économie politique* (1876).

JÉZABEL, fille du roi de Tyr, épouse d'Achab, roi d'Israël (IXe s. av. J.-C.). Le mariage de sa fille Athalie* avec Joram, roi de Juda, resserra les liens entre les deux royaumes. Jéhu* la fit massacrer.

JÈZE (Gaston), juriste français (Toulouse 1869 - Deauville 1953). L'un des fondateurs de la science financière française, il fut membre du Comité des experts, créé par Poincaré pour mettre en œuvre la stabilisation du franc (1926).

JHANG MAGHIĀNA, v. du Pākistān, au N.-E. de Multān; 136 000 hab.

JHĀNSI, v. de l'Inde, dans le sud-ouest de l'Uttar Pradesh; 173 000 hab.

JHELAM ou **JHELUM** (la), riv. du Cachemire et du Pākistān, affl. de la Chenāb (r. dr.); 715 km. Barrage de Mangla, au Pākistān.

JILOLO → HALMAHERA.

JIMÉNEZ (Juan Ramón), poète espagnol (Moguer 1881 - Porto Rico 1958). D'abord influencé par Rubén Darío et le symbolisme (*Âmes de violette,* 1901; *la Solitude sonore,* 1908), il évolue, à l'écart de tout engagement philosophique ou social, vers un art dépouillé qui se veut une tentative d'expression idéale de la pensée (*Éternités,* 1917; *Unité,* 1925). [Prix Nobel de littérature, 1956.]

JINA ou **MAHĀVĪRA** ou **VARDHAMĀNA,** fondateur présumé du jinisme* (VIe s. av. J.-C.). Selon la tradition il reçoit une éducation princière, puis, à vingt-huit ans, renonce au monde, à sa famille et distribue ses richesses pour consacrer sa vie à la pérégrination, à la méditation et à la prédication de sa doctrine.

JINISME ou **JAÏNISME.** — Fondé dès le VIe s. av. J.-C., le jinisme se scinda en deux tendances (śvetāmbara et digambara) lors d'un schisme, en 79 av. J.-C. Alors que cette religion gagnait déjà le sud et l'ouest de l'Inde, la doctrine, bien qu'elle eût déjà fait l'objet de débats et de commentaires dès le Ier s. apr. J.-C., fut fixée au concile de Valabhī, au Ve s. Le jinisme s'étendit inégalement à travers l'Inde jusqu'au XIIe s., où il exerça une profonde influence sous le règne de Gujarāt Kumārapāla (1144-1173), qui s'efforça de transformer le Gujerat en État jaïn. Puis ce fut le déclin. Aujourd'hui, la communauté jaïna regroupe environ un million et demi d'adeptes, issus des couches riches et commerçantes; elle est surtout implantée au Gujerat et au Karnātaka. La doctrine consiste en un corpus où s'articulent une cosmologie, une physique, une logique, une dogmatique et une éthique rigide, dont le but est de guider l'âme vers le nirvāṇa* afin qu'elle échappe au saṃsāra*.

JINJA, v. de l'Ouganda; 53 000 hab. Métallurgie.

JINNAH (Muḥammad ʿAlī), homme d'État pakistanais (Karāchi 1876-*id.* 1948). Chef de la Ligue musulmane, il lutte contre la domination britannique et pour la défense de l'islām, puis réclame, à partir de 1940, la création d'un État musulman indépendant et séparé de l'Inde. En 1947, il devient le premier gouverneur général du Pākistān, dont il est considéré comme le fondateur.

JINOTEGA, v. du nord du Nicaragua; 76 000 hab.

JITOMIR, v. de l'U. R. S. S. (Ukraine), à l'O. de Kiev; 161 000 hab. Textile. Caoutchouc.

JOACHIM DE FLORE, mystique italien (Celico v. 1130 - San Giovanni in Fiore 1202). Moine et abbé de Corazzo, il fonda une congrégation, dite « de Flore ». Sa doctrine, exprimée dans trois ouvrages *(Concorde des deux Testaments, Commentaire sur l'Apocalypse, Psautier décacorde),* fut utilisée par les spirituels* dans leur lutte contre la papauté.

JOAILLERIE. — Élément constitutif de la bijouterie et de l'orfèvrerie, la joaillerie est l'art de mettre en valeur les pierres précieuses, à des fins décoratives. Seuls le diamant, l'émeraude, le rubis et le saphir sont des pierres précieuses; les autres pierres étant, au sens strict, des pierres fines (translucides) ou demi-fines (opaques). La valeur d'une pierre précieuse dépend de sa couleur, de son éclat et de son poids, exprimé aussi en carats. La taille a pour but de mettre la pierre en valeur : celle du diamant doit multiplier les facettes pour faire jouer la lumière, celle des autres pierres doit accentuer la couleur. Les tailles les plus courantes sont soit *en cabochon,* ou à surface courbe, soit *à facettes.* Le marché du diamant en provenance de l'Afrique du Sud est dominé par la De Beers. Londres est le marché du diamant brut; Amsterdam et Anvers sont les deux centres européens pour la taille. La chimie moderne produit des pierres de synthèse (diamant et émeraude). La pureté d'une pierre précieuse peut être altérée par des défauts : craquelures ou crapauds du diamant, givres de l'émeraude, soies du rubis et plumes du saphir.

JOANNE (Adolphe), géographe français (Dijon 1813-Paris 1881). Fondateur des *Guides Joanne,* il a publié un important *Dictionnaire des communes de France* (1864), devenu, sous la direction de son fils Paul, le *Dictionnaire géographique et administratif de la France* (7 vol., 1891-1902).

JOÃO PESSOA, v. du Brésil, capit. de l'État de Paraíba, sur le Paraíba; 221 000 hab.

Job *(livre de),* livre biblique composé au vᵉ s. av. J.-C. Vaste poème, chef-d'œuvre de la poésie orientale, il pose, sans le résoudre, l'irritant problème du mal : il y a des justes qui sont malheureux et des méchants qui sont heureux. Face à un mystère que la raison ne peut éclairer, il lance une invitation à la foi héroïque : on ne justifie pas Dieu, on s'incline devant lui.

JOBOURG *(nez de),* promontoire du nord-ouest du Cotentin (départ. de la Manche).

JOCASTE, héroïne du cycle thébain. Elle épousa Œdipe*, ne sachant pas qu'il était son fils; l'inceste ayant été découvert, elle se pendit de désespoir. La tradition homérique lui donne le nom d'*Épicaste.*

Jocelyn, poème de Lamartine (1836). Journal, en vers, d'un prêtre, ce poème devait être le dernier d'une vaste épopée philosophique dont le début est *la Chute d'un ange.*

JŌCHŌ, sculpteur japonais († 1057), à qui le Japon doit l'élaboration d'un style national dégagé de l'influence chinoise et surtout l'innovation technique de la taille par morceaux assemblés *(yosegi),* en opposition à celle en plein bois *(ichiboku)* utilisée jusque-là. À Kyōto, il fonde un atelier, où la tâche de chaque sculpteur est définie, et forme de nombreux élèves, ainsi que son fils — dont Unkei* est l'un des descendants. La seule œuvre qu'on lui attribue avec certitude est le bois laqué et doré figurant le *bouddha Amida* (Pavillon du Phénix, au Byōdō-in d'Uji), création sereine, équilibrée et harmonieuse, typique de l'époque des Fujiwara.

Joconde *(la),* chef-d'œuvre de Léonard de Vinci, peint v. 1503-1507 et acheté à l'artiste par François Iᵉʳ en 1517 (Louvre). C'est le portrait d'une dame florentine, qu'on a cru être, selon le témoignage douteux de Vasari, Mona Lisa, troisième femme d'un certain Francesco del Giocondo.

JODELLE (Étienne), poète français (Paris 1532-*id.* 1573), membre de la Pléiade. Sa tragédie *Cléopâtre captive* (1553) marque le point de départ d'une forme dramatique nouvelle, d'où sortira la tragédie classique.

JODHPUR, v. du nord-ouest de l'Inde (Rājasthān); 318 000 hab.

JODL (Alfred), général allemand (Würzburg 1890-Nuremberg 1946). Adjoint de Keitel et chef du bureau des opérations de la Wehrmacht de 1938 à 1945, il signe la capitulation de Reims le 7 mai 1945, est condamné à mort par le tribunal de Nuremberg et exécuté.

JOËL, prophète juif du ɪvᵉ s. av. J.-C. Il annonce le jugement de Yahvé et l'effusion de l'Esprit divin sur le peuple de Dieu à l'ère messianique : il a été appelé le « prophète de la Pentecôte ».

JŒUF (54240), comm. de Meurthe-et-Moselle, sur l'Orne, à 10 km à l'E. de Briey; 10 649 hab. *(Joviciens).* Minerai de fer. Sidérurgie.

JOFFRE (Joseph), maréchal de France (Rivesaltes 1852-Paris 1931). Polytechnicien et officier du génie, il se distingue au Tonkin (1885), au Soudan (1892), où il occupe Tombouctou, puis, avec Gallieni, à Madagascar (1900-1903). Généralissime désigné et chef d'état-major général (1911), il commande en chef, en 1914, les armées françaises du Nord et du Nord-Est et sauve la France par la victoire de la Marne. En 1915, son commandement est étendu à tous les fronts et il organise pour 1916, avec les Alliés, une coordination de l'ensemble des opérations (conférence de Chantilly). Malgré Verdun, il livre la bataille de la Somme (juill. 1916), mais est remplacé par Nivelle et promu maréchal (déc. 1916). En 1917, il prépare, au cours d'une mission aux États-Unis, l'engagement des forces américaines en France. Ses Mémoires ont été publiés en 1932.

Lauros-coll. Moreau

Le général Joffre dans l'Argonne en 1916, conversant avec les généraux de Bazelaire et Humbert.

JOFFREY (Abdulah Jaffa Anver Bey khān, dit **Robert**), danseur, chorégraphe et pédagogue américain d'origine italo-afghane (Seattle 1930). Éminent professeur, il contribue activement à la diffusion de la danse aux États-Unis, et dirige sa propre école (l'American Ballet Center), ainsi qu'une des plus dynamiques compagnies de ballet américaines (le City Center Joffrey Ballet).

JOGJAKARTA, v. d'Indonésie, ch.-l. de prov., dans le centre de Java; 342 000 hab.

JOHANNESBURG, v. de l'Afrique du Sud, dans le sud du Transvaal; 1 408 000 hab. Fondée il y a moins d'un siècle (1886), Johannesburg est devenue la plus grande ville du pays, comme centre de la région aurifère du Witwatersrand. L'éventail industriel

G. Boutin-Atlas-Photo

s'est diversifié (métallurgie de transformation, constructions électriques, chimie), cependant que se sont développées les fonctions commerciales et culturelles, faisant de Johannesburg la métropole économique de la République.

JOHANNOT (Tony), peintre et graveur français (Offenbach 1803-Paris 1852). Appartenant à une famille d'artistes, secondé par son frère ALFRED (1800-1837), il fut une figure active du romantisme «troubadour», donnant plus de 3000 vignettes pour quelque 150 volumes (Nodier [1830], W. Scott, Molière [1835], Cervantès, Bernardin de Saint-Pierre [1838], Goethe, G. Sand...).

JOHNSON (Samuel), écrivain anglais (Lichfield 1709-Londres 1784). Poète satirique (*la Vanité des désirs humains,* 1749), romancier, critique (*Vies des poètes anglais les plus célèbres,* 1779-1781), il se fit le défenseur du classicisme et exerça par son *Dictionnaire de la langue anglaise* (1755) et ses entretiens, rapportés par son ami Boswell, une véritable dictature littéraire.

JOHNSON (Andrew), homme d'État américain (Raleigh 1808-Carter's Station 1875). Républicain, vice-président en 1864, il remplace Lincoln*, assassiné, comme président des États-Unis (1865). Il s'oppose en fait à l'égalité raciale et à une politique antisudiste. Traduit devant le Sénat pour trahison, il n'est acquitté qu'à une voix de majorité (1868).

JOHNSON (Eyvind), écrivain suédois (Svartbjörnsbyn 1900-Stockholm 1976). Il unit au réalisme de l'école «prolétarienne» des préoccupations psychologiques et formelles inspirées de Proust et de Joyce (*Commentaires à la chute d'une étoile,* 1929; *Krilon,* 1941-1943; *Sept Vies,* 1944). [Prix Nobel 1974, avec H. Martinson.]

JOHNSON (Lyndon Baines), homme d'État américain (près de Stonewall, Texas, 1908-Johnson City, près d'Austin, 1973). Démocrate, il est élu vice-président des États-Unis en 1960 et devient président après l'assassinat de J. F. Kennedy. Confirmé à la présidence par les élections de 1964, il doit faire face au développement des problèmes raciaux et de la guerre du Viêt-nam. Après l'échec de l'«escalade» américaine, il décide de limiter les bombardements sur le Viêt-nam du Nord et annonce son intention de ne pas se représenter aux élections présidentielles de 1968.

JOHNSON (Daniel), homme politique canadien (Danville, prov. de Québec, 1915-Manicouagan 1968). Chef de l'Union nationale en 1961, il devient Premier ministre du Québec à partir de 1966.

JOHNSON (Uwe), écrivain allemand (Cammin, Poméranie, 1934). Son œuvre romanesque est une interrogation passionnée sur la division de l'Allemagne en deux États et deux modes de pensée et sur le déracinement des exilés (*la Frontière,* 1959; *l'Impossible Biographie,* 1961; *Deux Points de vue,* 1964; *Une année dans la vie de Gesine Cresspahl,* 1971).

JOHORE, État du sud de la Malaysia (Malaisie); 1274000 hab. Capit. *Johore Bharu* (136000 hab.).

JOIGNY (89300), ch.-l. de cant. de l'Yonne, sur l'Yonne, à 27 km au N.-O. d'Auxerre; 11295 hab. *(Joviniens).* Trois églises des XVe-XVIIe s. (décors et statuaire). Restes d'un château. Vieilles maisons.

JOINVILLE (52300), ch.-l. de cant. de la Haute-Marne, sur la Marne, à 31 km au S.-E. de Saint-Dizier; 5122 hab. *(Joinvillois).* Château de plaisance du Grand-Jardin, de 1546.

JOINVILLE (Jean, *sire* DE), chroniqueur français (v. 1224-1317). Sénéchal de Champagne, il participa à la septième croisade et devint l'intime de Saint Louis après le désastre de Mansourah. Ses *Mémoires,* achevés en 1309, tracent un portrait réaliste du roi et cherchent à dégager les lignes de force de cette époque.

Johannesburg. Le quartier des affaires, dans le centre de la ville.

JOINVILLE (François D'ORLÉANS, *prince* DE) [Neuilly-sur-Seine 1818-Paris 1900]. Troisième fils de Louis-Philippe, il fait carrière dans la marine et ramène en France, en 1840, les restes de Napoléon. Exilé en 1848, il est élu à l'Assemblée nationale en 1871 et réintégré dans son grade de vice-amiral.

JOINVILLE-LE-PONT (94340), ch.-l. de cant. du Val-de-Marne, sur la Marne, à 6 km à l'E. de Paris; 18042 hab. *(Joinvillais).* Industrie du cinéma.

JÓKAI (Mór), romancier et publiciste hongrois (Komárom 1825-Budapest 1904), influencé par le romantisme français (*le Nabab hongrois,* 1854).

JOLIET, v. des États-Unis (Illinois), au S.-O. de Chicago; 80000 hab. Métallurgie. Raffinage du pétrole.

JOLIET ou **JOLLIET** (Louis), explorateur français (Québec 1645-Joliet 1700). Après avoir exploré la région des Grands Lacs (1670), il reconnaît, en 1672, avec le P. Marquette*, le cours du Mississippi et explore le Labrador (1694).

JOLIETTE, v. du Canada (Québec), sur l'Assomption; 20127 hab. Métallurgie.

JOLIOT-CURIE (Irène) [Paris 1897-*id.* 1956], fille de Pierre et de Marie Curie, et son mari, FRÉDÉRIC **Joliot-Curie** (Paris 1900-*id.* 1958), physiciens français. Ils sont les auteurs de nombreuses recherches sur la physique nucléaire et sur la structure de l'atome. Ils démontrèrent l'existence du neutron et découvrirent la radioactivité artificielle (1934), ce qui leur valut le prix Nobel de chimie en 1935. En 1938, leurs travaux relatifs à l'action des neutrons, sur l'uranium notamment, ont été une étape importante vers la découverte de la fission. En 1936, Irène Joliot-Curie avait été nommée sous-secrétaire d'État à la Recherche scientifique. Frédéric Joliot-Curie fut le premier haut-commissaire à l'Énergie atomique (1946-1950) et il dirigea la construction de la première pile atomique française (1948). Membre du parti communiste, il présida le Front national et le Conseil mondial de la paix.

JOLIVET (André), compositeur français (Paris 1905-*id.* 1974). Disciple d'Edgard Varèse, membre du groupe Jeune-France (1936), il réalisa l'essentiel de son message sur deux sources fondamentales de l'art des sons, la prière et la danse (*Mana, Cinq Danses rituelles,* deux sonates pour piano, trois symphonies, *Épithalame* d'après le Cantique des cantiques).

JOLLIET (Louis) → JOLIET.

JOMINI (Henri, *baron* DE), général et écrivain militaire suisse (Payerne 1779-Paris 1869). Au service de la France il servit à l'état-major de Ney (1804) puis dirigea la section historique de la Grande Armée (1812). Passé au service des Russes en 1813, il fut conseiller militaire de Nicolas Ier (1828) et créa l'Académie militaire russe (1837). Revenu en France en 1843, il est l'auteur de plusieurs ouvrages sur Frédéric II et sur Napoléon, et d'un *Précis de l'art de la guerre* (1836).

Jonas *(livre de),* écrit didactique (fin du IVe av. J.-C.) admis par une erreur d'interprétation dans le corps des écrits prophétiques. Récit d'imagination bâti sur des reconstructions historiques fantaisistes, le livre prêche l'universalisme; Jonas, prophète récalcitrant, est le type du croyant chauvin qui veut réserver au seul Israël les bienfaits de Dieu.

JONAS (Franz), homme d'État autrichien (Vienne 1899-*id.* 1974). Socialiste, il est président de la République de 1965 à 1974.

JONATHAN (Joseph Lebua), homme politique du Lesotho (Leribe, près de Maseru, 1914). Chef du parti national du Basutoland depuis 1959, Premier ministre à partir de 1965, il prend les pleins pouvoirs en 1970, le roi Moshoeshoe II ne conservant que des fonctions honorifiques.

JONC. — Les lieux humides, et plus spécialement les bords des étangs et des marais, sont souvent couverts de joncs : ce sont des herbes vivaces, rhizomateuses, aux feuilles étroites et allongées formant gaine autour de la tige. Celle-ci, souvent pourvue d'une moelle centrale, porte des groupes de minuscules fleurs scarieuses et sans couleur, souvent sises sur le côté de l'axe constitué par les feuilles. Le jonc est utilisable en vannerie, et son nom est appliqué, à tort, aux plantes les plus diverses, pour peu qu'elles aient également un usage en vannerie. Les joncs (23 espèces françaises) forment, avec les *luzules,* la famille des joncacées.

JONCTION (boîte de) → RACCORDEMENT.

JONES (Inigo), architecte anglais (Londres 1573-*id.* 1652). À la suite d'un voyage à Rome et à Venise (1613), il introduisit dans son pays le style et la pensée classiques de Palladio, qui, par-delà un intermède baroque, y joueront de nouveau, à partir de Colin Campbell († 1729), un rôle décisif. Intendant des bâtiments royaux (1615-1642) après avoir été, à ses débuts, le décorateur plein de fantaisie des fêtes théâtrales de la Cour, il donna son chef-d'œuvre avec Banqueting House, à Whitehall (1619).

JONES (James), écrivain américain (Robinson 1921 - Southampton, État de New York, 1977). Ses romans relatent son expérience de la Seconde Guerre mondiale (*Tant qu'il y aura des hommes,* 1951) ou des bouleversements politiques contemporains (*le Joli Mois de mai,* 1971).

JONGEN (Joseph), compositeur belge (Liège 1873 - Sart-lez-Spa 1953). Directeur du Conservatoire royal de Bruxelles (1925-1939), proche des idéaux de la Schola, il s'inspira, surtout à l'orchestre, du terroir (*Symphonie concertante, Messe,* musique de chambre).

JONGKIND (Johan Barthold), peintre néerlandais (Lattrop 1819-Saint-Égrève 1891). Peintre de l'atmosphère mouvante, particulièrement dans ses très fluides aquarelles — il étudie directement les effets de lumière et les miroitements de plans d'eau, en Normandie avec Boudin, puis dans le Dauphiné —, doué d'une grande rapidité d'exécution, il a participé à la genèse de l'impressionnisme.

JÖNKÖPING, v. de Suède, sur la rive sud du lac Vättern; 108 000 hab. Allumettes. Constructions électriques.

JONQUIÈRE, v. du Canada (Québec), dans la région du Saguenay; 28 430 hab.

JONQUILLE. — La fleur de jonquille se singularise par la possession d'un organe inexistant dans les autres genres, la *coronule,* large tube jaune, élevé, qui en forme la partie la plus visible et qui remplace ici une corolle. C'est l'une des premières fleurs à orner les bois et les prairies au printemps. C'est une plante à bulbe, très voisine du narcisse, et souvent nommée aussi « coucou », du même nom qu'une primevère sauvage. Les botanistes donnent le nom de « jonquille » à une autre espèce, dont la coronule est beaucoup plus courte et les pétales plus colorés. (Famille des amaryllidacées.)

JONSON (Benjamin), ou **BEN JONSON,** auteur dramatique anglais (Westminster 1572 ou 1573 - Londres 1637). Maçon, puis soldat, il se tourna vers le théâtre, où il connut le succès en 1598 avec une pièce, *Chacun dans son caractère,* jouée par la troupe de Shakespeare. Poète-lauréat en 1619, il composa des « masques » pour la cour de Charles Ier (*le Masque de la noirceur,* 1605), donna des tragédies et des pastorales, mais il dut sa célébrité à ses comédies « de caractère » (*Volpone* ou le Renard,* 1606).

JONTE (la), affl. du Tarn supérieur (r. g.); 40 km. Gorges pittoresques.

JONZAC (17500), ch.-l. d'arr. de la Charente-Maritime, à 33 km au S.-O. de Cognac; 4 580 hab. Château des XIVe-XVIe s. Eaux-de-vie.

JOOSS (Kurt), danseur et chorégraphe allemand (Wasseralfingen 1901). Disciple de Rudolf von Laban, animateur de la Neue Tanzbühne (la Nouvelle Scène de danse), puis fondateur de la Folkwangschule à Essen en 1927, il a, dans un profond désir de vérité, associé les techniques classique et moderne. De ses incessantes recherches et de l'ensemble de son œuvre *(la Grande Ville, le Fils prodigue, Journey in the Fog),* on retient tout particulièrement *la Table* verte* (1932).

JORASSES (Grandes-), sommets du massif du Mont-Blanc, à la frontière italienne; 4 206 m à la pointe Walker.

JORAT, partie sud-ouest du plateau suisse, au-dessus du lac Léman.

JORDAENS (Jacob), peintre flamand (Anvers 1593 - *id.* 1678). Il subit l'ascendant de Rubens, du Caravage, de Bassano, cultive l'opulence des formes et de la couleur et, flamand par excellence, demeure profondément naturaliste, même dans ses nombreux tableaux d'autel. Il aime les scènes et les types d'esprit populaire (*les Quatre Évangélistes,* Louvre; *Allégorie de la Fécondité,* v. 1628, musées de Bruxelles; *Le roi boit,* diverses versions).

JORDAN (Camille), mathématicien français (Lyon 1838 - Paris 1922). Surtout connu par ses travaux en analyse, il fut l'un des fondateurs de la théorie des groupes. D'autre part, il est à l'origine de la théorie de la mesure des ensembles.

JORDANIE, État de l'Asie occidentale, à l'est d'Israël; 97 700 km^2; 2 780 000 hab. *(Jordaniens).* Capit. *'Ammān.*

GÉOGRAPHIE. En excluant la Cisjordanie, le fossé tectonique du Ghor constitue la limite occidentale du pays. Il forme un sillon étroit et profond, occupé, au nord, par le Jourdain et se prolongeant, au sud, jusqu'au golfe d''Aqaba. Il est dominé par un plateau calcaire qui s'abaisse doucement vers l'est, vers le socle arabique. Le climat est marqué par son aridité : seules les hauteurs reçoivent des quantités de pluies approchant 500 mm. Ailleurs, règnent la steppe et le désert.

L'agriculture occupe la majeure partie d'une population peu nombreuse, concentrée dans la partie occidentale du pays. La superficie des terres mises en valeur est réduite. Des céréales sont cultivées extensivement dans les zones les plus arrosées. Ailleurs, seule l'irrigation permet la culture, dans les oasis et la vallée du Jourdain : légumes, agrumes, oliviers. Le reste du pays est parcouru par les troupeaux de moutons et de chèvres des nomades. Le sous-sol recèle des phosphates, mais l'industrie est inexistante. La Jordanie souffre des conséquences du conflit israélo-arabe (afflux de réfugiés de la Cisjordanie).

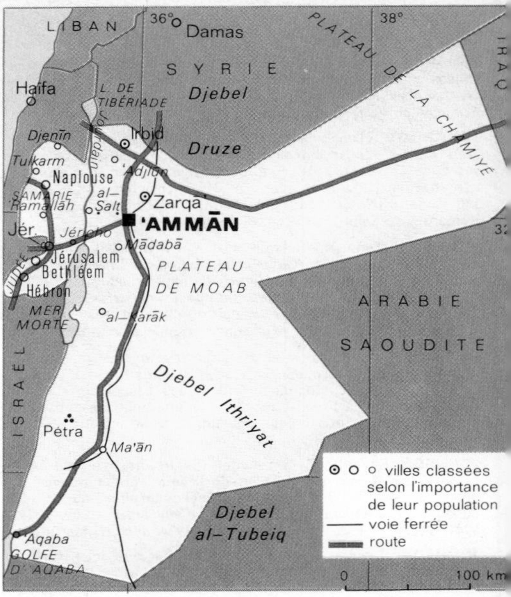

JORDANIE

HISTOIRE. Sous le régime ottoman, la Transjordanie fait partie du vilayet de Syrie. En 1917-18, elle est libérée des Ottomans par les troupes arabes, aidées des Alliés. Les Britanniques établissent alors une administration militaire puis civile en Palestine et en Transjordanie, que légitime l'attribution du mandat de la S. D. N. (1922). L'émir hāchémite* Abdullah se fait attribuer la Transjordanie, dont l'administration devient indépendante de la Palestine en 1923. Dès 1921, les Britanniques organisent la Légion arabe, recrutée parmi les Bédouins et commandée par des officiers britanniques jusqu'en 1956. En 1946, prend fin le régime du mandat et le nouveau royaume de Transjordanie signe un traité d'alliance avec la Grande-Bretagne. Lors de la guerre de Palestine (1948), Abdullah est à la tête des troupes arabes, qui occupent la partie centrale de la Judée. Il annexe, en 1949, la vieille ville de Jérusalem et la rive occidentale du Jourdain. Son royaume, qui devient la Jordanie, accueille de nombreux réfugiés palestiniens. Abdullah est assassiné en 1951 et Ḥusayn* monte sur le trône en 1952. Les Palestiniens, au niveau social et à l'éducation politique bien supérieurs à ceux des Bédouins de Transjordanie, appuyés par le courant nationaliste arabe, s'opposent au régime hāchémite, soutenu par la Grande-Bretagne et les États-Unis, mais de plus en plus isolé au sein du monde arabe. Cependant, Ḥusayn s'engage dans la troisième guerre israélo-arabe* (1967). La Cisjordanie et Jérusalem sont occupés par les Israéliens, tandis que la résistance palestinienne*, grossie de nouveaux réfugiés, renforce ses positions en Jordanie, mais elle est anéantie, en 1970-71, par la Légion arabe. Lors de la quatrième guerre israélo-arabe (1973), des troupes jordaniennes interviennent contre Israël, mais sans belligérance officielle. En 1974, Ḥusayn renonce à sa souveraineté théorique sur la Cisjordanie occupée, en faveur des Palestiniens.

JORN (Asger) → COBRA.

JŌRURI. — À l'origine, ce nom est celui de l'héroïne d'un récit épique et romanesque (*Histoire en douze actes de Jōruri,* v. 1510). Psalmodiée par des chanteurs, avec accompagnement de biwa (luth à 4 cordes), puis de shamisen (guitare à 3 cordes), l'histoire de Jōruri, aimée de Minamoto Yoshitsune, connut un immense succès : associée au théâtre de poupées, elle donna naissance à un genre dramatique populaire, l'*ayatsuri-jōruri* ou, simplement, *jōruri.*

JOS, v. du centre du Nigeria; 90 000 hab.

JOSEPH, patriarche* hébreu, fils de Jacob*. Il occupa d'importantes fonctions dans l'administration égyptienne (v. HÉBREUX). Ses deux fils, Éphraïm* et Manassé*, furent des ancêtres éponymes de deux tribus d'Israël.

JOSEPH *(saint),* époux de la Vierge Marie*, ouvrier sur bois de son état, père nourricier de Jésus*. Son culte s'est développé tardivement en Orient, à partir du VIIIe s., d'où il passa en Occident. Il est honoré le 1er mai comme patron des travailleurs.

JOSEPH Ier (Vienne 1678 - *id.* 1711), empereur germanique de 1705 à 1711, fils et successeur de Léopold Ier*. Durant la guerre de la Succession* d'Espagne, il conquiert l'Italie du Nord. En Hongrie, il apaise la noblesse en reconnaissant le calvinisme et les droits des États (1711).

JOSEPH II (Vienne 1741 - *id.* 1790), empereur germanique de 1765 à 1790. Fils aîné de François Ier et de Marie-Thérèse, il succède à son père comme empereur en 1765, mais, en même temps, il est associé à sa mère comme corégent. Devenu seul maître à la mort de sa mère (1780), il fait de la bureaucratie, de la législation et de la centralisation les trois piliers d'une œuvre qui continue celle de Marie-Thérèse, en vue de donner plus de cohésion à l'État disparate des Habsbourg *(joséphisme)*. Joseph II signe 6 000 décrets et 11 000 lois nouvelles, qui touchent à tous les rouages de l'Administration et à tous les domaines de la vie des sujets. À la fois physiocrate et mercantiliste, Joseph II introduit la liberté de commerce. Il accorde la liberté de conscience aux dissidents, mais pratique à l'égard des ordres monastiques une politique de dure surveillance et réduit, en fait, à rien l'autorité papale sur le clergé autrichien.

La politique extérieure de Joseph II est, elle, nettement malheureuse, notamment aux Pays-Bas, où, en voulant appliquer ses réformes, il provoque une révolte générale (1789). L'empereur meurt des fatigues de la campagne inutile menée par lui contre les Turcs et qui a abouti à l'invasion du territoire autrichien.

JOSÉPHINE (Trois-Ilets, Martinique, 1763 - Malmaison 1814), impératrice des Français. Née Tascher de La Pagerie, elle épouse Alexandre de Beauharnais* († 1794), dont elle a deux enfants : Eugène et Hortense (v. BEAUHARNAIS), puis (1796) Napoléon* Bonaparte, qui, n'ayant pas d'héritier, se sépare d'elle en 1809.

JOSÉPHISME → JOSEPH II.

JOSEPHSON (Brian David), physicien britannique (Cardiff 1940). Il a découvert, en 1962, que le courant électrique transporté par des métaux supraconducteurs à basse température pouvait, dans certains cas, franchir une mince barrière isolante *(effet Josephson)*; une telle jonction peut aussi engendrer des oscillations de très haute fréquence. (Prix Nobel de physique, 1973.)

JOSIAS, roi du royaume de Juda (de 640 à 609 av. J.-C.). Durant son règne eut lieu une importante rénovation religieuse, dont on trouve l'écho dans le livre du Deutéronome* et dans celui de *Jérémie**.

JOSQUIN DES PRÉS → DES PRÉS *(Josquin)*.

JOSSELIN (56120), ch.-l. de cant. du Morbihan, sur l'Oust, à 12 km à l'O. de Ploërmel; 2 995 hab. Château féodal d'Olivier de Clisson et des Rohan (fin XIVe - début XVIe s.), avec logis au remarquable décor flamboyant. Église Notre-Dame-du-Roncier (XIIe-XVIe s.).

JOSUÉ, successeur de Moïse*, qui conduisit les Hébreux* dans la conquête de la Terre promise (fin du XIIIe s. av. J.-C.). Le *livre de Josué* retrace, sur un mode épique, l'installation des Hébreux en Canaan*.

JOTUNHEIM, massif de la Norvège méridionale, portant le point culminant de la Scandinavie; 2 468 m.

JOUAN-JOUAN, bandes protomongoles qui menacèrent la Chine au Ve s. apr. J.-C.

JOUARRE (77640), comm. de Seine-et-Marne, à 3 km au S. de La Ferté-sous-Jouarre; 2 765 hab. D'une abbatiale mérovingienne disparue subsistent deux chapelles annexes, dont l'une, funéraire, remonte au VIIe s. (sarcophages sculptés). Église du XVe s.

JOUBARBE. — C'est dans les fentes des rocailles et des murs bas que se rencontrent les petits « artichauts » de feuilles grasses de la joubarbe. La plante se propage rapidement par des stolons et ne fleurit que rarement. Elle présente alors une tige toute couverte de feuilles aiguës, charnues et serrées, et un bouquet de fleurs roses, aux pétales nombreux et au cœur vert et bombé. (Nom latin : *Sempervivum;* famille des crassulacées.)

JOUBERT (Joseph), écrivain français (Montignac, Périgord, 1754-Villeneuve-sur-Yonne 1824). Ami et conseiller de Chateaubriand, qui se fit l'éditeur de son œuvre, il a laissé des *Pensées, essais, maximes* (1828 et 1842), où il se révèle « un Platon avec l'âme de La Fontaine ».

JOUBERT (Barthélemy), général français (Pont-de-Vaux 1769-Novi 1799). Il commanda en Hollande (1797), à Mayence puis en Italie (1798), où il sera tué à la bataille de Novi.

JOUBERT (Petrus Jacobus), général boer (colonie du Cap 1831 [?] - Pretoria 1900). Membre du triumvirat formé avec Pretorius et Kruger, il commande en 1880 les armées des boers révoltées contre les Anglais, qu'il bat à Majuba Hill (1881). Mis en 1899 à la tête des forces boers d'Orange et du Transvaal, il envahit le Natal et inflige encore de lourdes pertes aux Anglais.

JOUE. — La joue comprend deux régions, antérieure, englobant la saillie de la pommette, et postérieure, constituée par le muscle masséter. Les furoncles de la joue sont graves en raison du risque de septicémie et d'abcès du cerveau.

Joseph II. Peinture anonyme. XVIIIe s. (Château de Versailles.)

Lauros - Giraudon

JOUÉ-LÈS-TOURS (37300), ch.-l. de cant. d'Indre-et-Loire, au-dessus du Cher, à 7 km au S. de Tours; 27 454 hab. *(Jocondiens)*. Constructions électriques. Caoutchouc.

Joueur *(le)*, comédie en cinq actes et en vers, de Regnard (1696).

Joueur *(le)*, roman de Dostoïevski (1866). La relation d'une expérience personnelle à travers le portrait d'un jeune homme qui devient joueur professionnel par désespoir d'amour et celui d'une vieille femme qui se ruine par passion du jeu.

JOUFFROY (Théodore) → SPIRITUALISME.

JOUFFROY D'ABBANS (Claude François, *marquis* DE), ingénieur français (Roches-sur-Rognon, Champagne, 1751 - Paris 1832). Il fut le premier à avoir pratiquement fait marcher, à l'aide de la vapeur, un bateau qui évolua sur le Doubs, à Baume-les-Dames (1776). Mais il ne reçut pas l'appui qu'il était en droit d'attendre et mourut dans l'oubli le plus complet et dans la pauvreté.

JOUGNE (25370 Les Hôpitaux Neufs), comm. du Doubs, à 19 km au S. de Pontarlier, près de la frontière suisse; 858 hab. Sports d'hiver. (V. MÉTABIEF.)

JOUGUET (Émile), mathématicien français (Bessèges 1871 - Montpellier 1943). Ses travaux se rapportent notamment à la mécanique, considérée comme dérivant de la thermodynamique, aux mouvements des fluides et à la propagation des ondes. Sa *Mécanique des explosifs* (1917) établit la théorie hydrodynamique de la détonation.

JOUHANDEAU (Marcel), écrivain français (Guéret 1888). Mêlant le mysticisme et l'ironie, l'observation réaliste et l'introspection, il recherche le secret de son salut ou de sa damnation dans ses romans (*Monsieur Godeau intime,* 1926), ses chroniques (*Chaminadour,* 1934-1941), ses essais (*De l'abjection,* 1939) et ses récits autobiographiques (*Journaliers,* 1957-1977).

JOUHAUX (Léon), syndicaliste français (Paris 1879 - *id.* 1954). Premier secrétaire général de la C. G. T. (de 1909 à sa dissolution, en 1940), il est un des artisans de la réunification syndicale en 1936 et participe aux accords Matignon. Déporté par les Allemands en 1943, il devient, après la guerre, vice-président de la Fédération syndicale mondiale (1945), président du Conseil économique (1947), et dirige, à partir de 1948, la C. G. T.-F. O., issue de la scission de la C. G. T. (Prix Nobel de la paix, 1951.)

JOUKOV (Gueorgui Konstantinovitch), maréchal soviétique (Strelkovka 1896 - Moscou 1974). Sous-officier dans l'armée du tsar en 1916, capitaine de l'armée rouge en 1919, il commande une armée en Extrême-Orient et est nommé chef d'état-major général en 1941. Mis par Staline à la tête d'un groupe d'armées, il sauve Moscou. Promu maréchal en 1943, il brise le blocus de Leningrad. En 1944-45, il est à la tête du premier front de Russie Blanche, qu'il mène à la victoire de Varsovie à Berlin, où il reçoit, au nom de l'U. R. S. S., la capitulation de la Wehrmacht. Après avoir servi dans des postes secondaires jusqu'à la mort de Staline, qui redoutait sa popularité, il devient ministre de la Défense en 1955, mais il est mis à la retraite par Khrouchtchev en 1957. Il a publié ses Mémoires en 1969 (traduction française, 1970).

JOUKOVSKI (Vassili Andreïevitch), poète russe (près de Michenkoïé 1783 - Baden-Baden 1852). Il célébra la résistance à l'invasion napoléonienne (*le Chantre dans le camp des guerriers russes,* 1813; *le Barde au Kremlin,* 1816) et fit connaître au public russe, par ses traductions, le romantisme anglais et allemand. Il suggéra au tsar Alexandre II, dont il fut le précepteur, la libération des serfs et intervint en faveur des écrivains persécutés.

JOUKOVSKI (Nikolaï Iegorovitch), aérodynamicien russe (Orekhovo, gouvern. de Vladimir, 1847 - Moscou 1921). Il construisit l'un des premiers tunnels aérodynamiques (1902) et fonda à Koutchino le premier Institut d'aérodynamique d'Europe (1905).

JOULE → UNITÉ.

JOULE (James Prescott), physicien anglais (Salford, près de Manchester, 1818 - Sale, Cheshire, 1889). Il formula les lois sur le dégagement de chaleur produit par un courant électrique dans un conducteur (1841) et détermina, à l'aide de plusieurs expériences, l'équivalent mécanique de la calorie. Il étudia, avec W. Thomson*, la détente des gaz dans le vide.

JOUMBLATT (Kamal), homme politique libanais (Moukhtara, dans le Chouf, 1917 - † 1977). Chef de la communauté druze et leader du parti progressiste socialiste, qu'il a fondé en 1948, il soutient les nationalistes arabes pendant la crise de 1958. Il prend la tête de l'opposition progressiste et engage ses milices dans la guerre civile de 1975-76. Il est assassiné par des extrémistes.

JOUQUES (13490), comm. des Bouches-du-Rhône, à 28 km au N.-E. d'Aix-en-Provence; 2 117 hab. Centrale hydroélectrique sur la Durance.

JOUR → CALENDRIER.

JOURDAIN (le), fl. du Proche-Orient; 360 km. Né au Liban, il pénètre en Israël, sépare ce pays de la Syrie, puis traverse le lac de Tibériade, jouant de nouveau, en aval, un rôle frontalier, avant de se jeter dans la mer Morte.

JOURDAIN (Frantz), architecte, écrivain et critique d'art français d'origine belge (Anvers 1847 - Paris 1935). Il pratiqua l'architecture de fer et de verre (anciens magasins de la Samaritaine à Paris, à l'ornementation délicate, v. 1905) et fut l'un des fondateurs du Salon d'automne (1903), où il réserva une large place aux arts appliqués. — Son fils, FRANCIS (Paris 1876 - *id.* 1958), artiste décorateur, peintre et mémorialiste, fonda en 1912 les « Ateliers modernes » pour la fabrication de meubles et objets divers, rationnels et de grande diffusion.

JOURDAN (Jean-Baptiste, *comte*), maréchal de France (Limoges 1762 - Paris 1833). Il est engagé à seize ans et se bat en Amérique. À la tête de l'armée du Nord, il est vainqueur à Wattignies (1793) et à Fleurus (1794). Il est député aux Cinq-Cents et fait voter la loi sur la conscription (1798). Commandant l'armée d'Espagne (1808-1814), il sera nommé gouverneur des Invalides par Louis-Philippe (1830).

JOURNAL → PRESSE.

Journal, de Gombrowicz (1957). Une confession qui est aussi une confrontation critique avec le monde (les classiques de la littérature polonaise, les romanciers occidentaux, le communisme).

Journal de l'année de la peste, de Daniel Defoe (1722). À propos de la réapparition de la peste en Europe en 1721, une évocation de la grande épidémie de 1665 à Londres, à travers les Mémoires fictifs d'un bourrelier : un chef-d'œuvre de réalisme qui contraste avec la littérature galante du temps.

Journal des Goncourt (1887-1896; 1956). Un témoignage sur la vie intellectuelle et artistique de la seconde moitié du XIXe s. et un carnet d'ébauches de l'écriture « artiste », qui combine la notation du petit fait vrai à une technique imitée des arts plastiques, et notamment de la peinture impressionniste (épithètes rares et colorées, métaphores imprévues, néologismes).

Journal des savants, le plus ancien recueil littéraire français (1665). Rédigé par les membres de l'Académie des inscriptions et belles-lettres, ce journal publie des travaux d'érudition.

Journal de voyage en Italie par la Suisse et l'Allemagne, de Montaigne (publié en 1774). Une randonnée de curiste, de Plombières aux bains de Lucques en passant par la Rome papale, qui témoigne d'une curiosité gourmande pour les pays, les mœurs, les habitants : l'« arrière-boutique » des *Essais.*

Journal d'un curé de campagne, de G. Bernanos (1936). Le jeune curé d'Ambricourt note ses efforts dramatiques pour conduire des âmes révoltées vers la rédemption. — L'œuvre a été adaptée au cinéma par Robert Bresson en 1951.

Journal d'un écrivain, publication mensuelle entièrement rédigée par Dostoïevski pour les années 1873, 1876-77, 1880-81 : les événements politiques (conflit entre monarchistes et républicains en France, Kulturkampf en Allemagne, problèmes sociaux et intellectuels en Russie) vus à travers l'universalité du christianisme russe.

JOURNAL INTIME. — Limite extrême de l'autobiographie*, le journal intime se distingue de toutes les autres formes d'écriture à usage personnel par un projet à la fois rigoureusement narcissique (la saisie du Moi profond de l'écrivain dans le miroir de l'écriture) et rigoureusement impossible (l'itinéraire — recherche, perte, conquête de soi — que dessine le journal intime est condamné à l'inachèvement sous peine de se diluer dans l'autobiographie de communication). À l'origine, fondé sur la discontinuité de la vie et non sur la reconstruction du réel, le journal intime, plus proche de l'émotion spontanée que de la vision de l'artiste, n'est ni un genre ni un objet littéraire, du moins au niveau de la confession romantique (Maine de Biran, Joubert, Constant, Stendhal), mais il s'intègre rapidement à la littérature, lorsque, entre 1820 et 1860, une nouvelle génération parvenue à maturité dispose d'une masse d'écrits personnels, publiés volontairement ou non. Avec Maurice de Guérin, Vigny, Michelet, le journal est « de moins en moins pur d'arrière-pensée »; il sert de contrepoint à l'œuvre, la complète et l'explicite (Gide), ou, au contraire, la remplace : avec Amiel*, le journal intime est l'œuvre qui explique l'absence d'œuvre, l'écriture qui n'existe que pour proclamer son impossibilité.

Journal officiel de la République française, organe officiel de la République française assurant la publication des lois, décrets, arrêtés, ainsi que celle des travaux parlementaires.

JOURNÉE CONTINUE → HORAIRE DE TRAVAIL.

journée d'Ivan Denissovitch *(Une),* récit de Soljenitsyne, publié dans la revue *Novyï Mir* en 1962 : la première évocation des camps de travail soviétiques et le coup d'envoi de la passagère campagne de revendication des libertés artistiques lors de la déstalinisation.

JOUVE (Pierre Jean), écrivain français (Arras 1887 - Paris 1976). D'abord influencé par le symbolisme et l'esthétique du groupe de l'Abbaye (*Présences,* 1912), il connaît une longue crise morale et s'oriente vers une nouvelle conception poétique qui, à la lumière de la psychanalyse, approfondit dans des romans (*Catherine Crachat,* 1947) et des recueils de vers (*le Paradis perdu,* 1929; *Sueur* de sang,* 1934; *Diadème,* 1949; *Moires,* 1962) la double nature de l'homme, prisonnier de ses instincts mais attiré par la spiritualité.

JOUVENET (Jean), peintre français (Rouen 1644 - Paris 1717). Il est le meilleur représentant, en France, de la peinture religieuse de son temps (*Descente de croix,* 1697, Louvre; *la Pentecôte,* 1709, chapelle du château de Versailles), mais il a aussi exécuté des ensembles décoratifs, des tableaux mythologiques et des portraits. L'ordonnance grandiose, la clarté de l'agencement caractérisent son classicisme, que renouvellent la franchise de l'exécution et l'attention au détail réaliste.

JOUVET (Louis), acteur et directeur de théâtre français (Crozon 1887 - Paris 1951). Il fut, au théâtre du Vieux-Colombier, le plus proche collaborateur de Jacques Copeau. Directeur de la Comédie des Champs-Élysées en 1927, puis de l'Athénée en 1934, il participa au Cartel* et exerça une influence profonde sur le théâtre de l'entre-deux-guerres. Il a renouvelé quelques personnages classiques (Arnolphe, Don Juan) et contribué à la renommée de Jules Romains et surtout de Giraudoux. Au cinéma, il a joué, entre autres, dans *la Kermesse héroïque* (1935), *Drôle de drame* (1937), *Carnet de bal* (1937), *Hôtel du Nord* (1938), *Quai des Orfèvres* (1947).

JOUX *(vallée de),* partie suisse de la haute vallée de l'Orbe (qui y forme, notamment, le *lac de Joux*), dans le Jura, entre le Risoux et le mont Tendre.

JOUY-EN-JOSAS (78350), comm. des Yvelines, sur la Bièvre, à 4 km au S.-E. de Versailles; 8 171 hab. *(Jovaciens).* École des hautes études commerciales. Mairie dans l'ancienne manufacture de toiles imprimées d'Oberkampf. Église des XIIIe-XVIe s.

JOVIEN, en lat. **Flavius Claudius Iovianus** (Singidunum, Mésie, v. 331 - Dadastana, Bithynie, 364), empereur romain (363-64). Officier illyrien, il fut acclamé par l'armée après la mort de Julien*. Il conclut la paix avec les Perses en leur abandonnant les cinq satrapies transtigritanes et rompit avec la politique religieuse de Julien en édictant une tolérance générale.

JOYCE (James), écrivain irlandais (Dublin 1882 - Zurich 1941). Après lui, dit-on couramment, on ne peut plus écrire comme avant. Cela est vrai, mais dans la mesure où l'on prend cet aphorisme dans l'esprit inverse de son acception commune : Joyce n'a pas inventé une nouvelle manière d'écrire, il a poussé jusque dans leurs dernières conséquences une théorie esthétique qui date d'Aristote et de saint Thomas d'Aquin et une pratique littéraire amorcée par Flaubert et George Moore. Il a accompli, exténué, une certaine forme de la littérature. Expérience et preuve faites, le terrain est libre pour d'autres aventures.

Joyce a approfondi la notion de réalisme en littérature, ou plutôt il l'a retournée : la réalité de la littérature n'est pas dans la production minutieuse du monde, elle est dans la pratique de son matériau propre, le langage. La réalité de l'écrivain est avant tout

G. Freund

James Joyce.

l'œuvre

1890	*Et tu, Healy!*	1939	*Finnegans* Wake*
1914	*Gens de Dublin*	1944	*Stephen le héros* (écrit avant *Dedalus*)
1916	*Dedalus*		
1918	*les Exilés*	1968	*Giacomo Joyce* (écrit avant *Ulysse*)
1922	*Ulysse**		
1927	*Pomes Penyeach*		

verbale (« mon livre, dit Joyce de *Finnegans Wake,* écrit de 1922 à 1939, a été pour moi une réalité plus grande que la réalité même »). Ce qui n'implique pas une négation du monde extérieur, mais une mise à distance. Distance que Joyce a vécue conjointement dans sa vie (il a quitté l'Irlande, sa religion, sa famille, qui ne cessent d'être au cœur de ses préoccupations et de son œuvre) et dans son écriture (par la parodie des formes littéraires, notamment de l'épopée; par l'évolution du rapport de l'artiste à son œuvre qui tend de plus en plus vers l'impersonnalité). Et plus Joyce a rejeté de cadres sociaux et culturels, plus il est attiré dans la construction de son œuvre par les structures fortes et ramifiées, par les « grilles » symboliques qui dessinent pour chacun de ses livres des strates de lisibilité. Tout l'art étant ainsi dans la méthode, la trivialité du sujet importe peu (ce qui à la fois justifie le réalisme et limite ses ambitions), mais implique une expérience personnelle. Joyce a l'une et l'autre : une jeunesse dans une atmosphère de crise politique (l'Irlande de Parnell), entre une mère bigote, dévorée par ses treize enfants, et un père joli cœur et bourse plate, qui descend en chantant l'échelle sociale au gré d'interminables déménagements; une réflexion précoce sur la représentation dramatique de la vie à travers la découverte d'Ibsen. Joyce précisera continuellement cette réflexion, établissant trois « niveaux » de littérature — le lyrique (domaine du cri rythmique, où celui qui le profère est « plus conscient de l'instant de son émotion que de soi-même »), l'épique (dont « le centre de gravité émotionnel se trouve équidistant de l'artiste et des autres »), le dramatique (atteint lorsque la personnalité de l'artiste se « subtilise » au-delà de l'œuvre) — qui correspondent à trois moments de sa propre évolution : *Gens de Dublin, Ulysse, Finnegans Wake.* Et ce passage est rendu possible techniquement par les modifications apportées à l'emploi de l'« épiphanie », éclair brut de réalisme (un geste, une parole) qui possède pour Joyce une faculté spontanée de révélation. Ce prélèvement fulgurant de réalité profonde s'exerce d'abord sur le concret quotidien *(Gens de Dublin),* puis sur le langage *(Dedalus),* enfin sur l'ensemble de la culture *(Ulysse)* — *Finnegans Wake* manifestant une étape ultime, le langage y ayant pour objet de reproduire le langage, dans un fonctionnement dont les modèles se situent plutôt dans la thermodynamique et la chimie moléculaire. La littérature s'est alors constituée en objet autonome et l'écrivain s'est dilué dans son langage : réalisation parallèle et parodique à la fois de la passion antique (Homère) et scolastique (saint Thomas), de la *somme* scientifique et esthétique, et du désir d'unité spirituelle (Joyce aimait à rappeler que l'Église catholique est fondée sur un calembour : « Tu es Pierre et c'est sur cette pierre que je bâtirai mon Église »). D'où le glissement logique du courant de conscience qui organise le langage (le célèbre monologue de Molly dans *Ulysse*) au flux de langage qui structure l'activité onirique de Humphrey Chimpden Earwicker dans *Finnegans Wake.* D'où la résonance morale du syncrétisme littéraire et mythologique de l'œuvre de Joyce, qui compose au fond un livre unique, la « bible » d'une culture qui s'effondre (le tonnerre roule dans *Finnegans Wake* à travers un mot de cent lettres qui combine une bonne vingtaine de langues, au moment où préludent les canons de la Seconde Guerre mondiale) dans le « cauchemar de l'histoire ».

JOYEUSE (07260), ch.-l. de cant. de l'Ardèche, à 10 km au S.-O. de Largentière; 1 355 hab. Château de la Renaissance. Église du XVIIe s. en style gothique tardif.

Joyeuses Commères de Windsor *(les),* comédie de Shakespeare (1599).

JÓZSEF (Attila), poète hongrois (Budapest 1905 - Balatonszárszó 1937). Malgré une enfance vouée à la misère, il acquiert une grande culture, traduit Villon et Apollinaire, et débute dans la revue *Nyugat* à l'âge de dix-sept ans. Membre du mouvement ouvrier clandestin, objet de persécutions perpétuelles, il se suicide, laissant une œuvre qui domine le lyrisme hongrois moderne (*le Mendiant de la beauté,* 1922; *Il n'y a pas de pardon,* 1936).

JUAN *(golfe),* golfe des Alpes-Maritimes, à l'O. d'Antibes.

Juan *(Don)* → DON JUAN.

JUAN D'AUTRICHE *(don),* prince espagnol (Ratisbonne 1545-Bouges, près de Namur, 1578), fils naturel de Charles Quint et de Barbe Blomberg. Vainqueur des Turcs à Lépante (7 oct. 1571), il est lieutenant général de Naples, puis gouverneur des Pays-Bas (1576), où ses excès (sac d'Anvers) précipitent le retrait de l'Espagne des provinces du Sud (1577). Il reprend l'offensive contre Guillaume d'Orange lorsqu'il meurt, vraisemblablement empoisonné.

JUAN D'AUTRICHE *(don),* prince espagnol (Madrid 1629 - *id.* 1679), fils naturel de Philippe IV et de María Calderón. Vice-roi des Pays-Bas (1656), il est vaincu par Turenne aux Dunes (1658). Après avoir contraint à l'exil le jésuite Nithard, conseiller de la régente Marie-Anne (1669), puis Valenzuela, ministre de Charles II (1676), il est rappelé au gouvernement (1677) et négocie la paix de Nimègue (1678) ainsi que l'union de Charles II d'Espagne avec Marie-Louise d'Orléans (1679).

JUAN CARLOS DE BOURBON, roi d'Espagne (Rome 1938). Fils de don Juan, comte de Barcelone, et petit-fils d'Alphonse XIII, il épouse en 1962 la princesse Sophie de Grèce. En 1969, il est officiellement désigné comme héritier du trône et successeur du général Franco; il devient chef de l'État, avec le titre de roi, à la mort de celui-ci (novembre 1975).

JUAN DE FUCA, détroit qui sépare l'île de Vancouver (Canada) et les États-Unis.

JUAN FERNÁNDEZ *(îles),* archipel chilien du Pacifique Sud.

JUAN-LES-PINS (06160), station balnéaire des Alpes-Maritimes (comm. d'Antibes), sur le *golfe Juan.*

JUÁREZ GARCÍA (Benito), homme d'État mexicain (San Pablo Guelatao 1806 - Mexico 1872). Vice-président (1858) puis président (1861) de la République fédérale mexicaine, il s'oppose à l'intrusion française au Mexique et au régime instauré par Maximilien d'Autriche. Ce régime s'étant effondré, Juárez rentre à Mexico (1867).

JUBA II (v. 52 av. J.-C. - 23/24 apr. J.-C.), roi de Mauritanie de 25 av. J.-C. à 23/24 apr. J.-C., fils du roi numide Juba Ier, vaincu par César à Thapsus (46 av. J.-C.). Élevé à Rome et marié à Cléopâtre Séléné, fille d'Antoine et de Cléopâtre, il reçut d'Auguste, en 25 av. J.-C., le royaume de Mauritanie*. Prince vassal, il témoigna à l'autorité et aux intérêts de Rome une loyauté indéfectible. Il favorisa le développement d'une civilisation brillante dans sa capitale *Caesarea* (auj. Cherchell*).

JUBARTE → BALEINE.

JUBBULPORE → JABALPUR.

JUBY *(cap),* promontoire du sud-ouest du Maroc.

JÚCAR (le), fl. de l'est de l'Espagne, tributaire de la Méditerranée; 506 km.

JUDA, personnage biblique, fils de Jacob*, ancêtre éponyme de la *tribu de Juda,* située au sud de la Palestine et dont le rôle fut prépondérant dans l'histoire du peuple hébreu.

JUDA *(royaume de),* royaume constitué par les tribus du sud de la Palestine (931-587 av. J.-C.) lors de la scission du royaume de Salomon, rival du royaume d'Israël*. Ses souverains les plus marquants seront : Roboam* (de 931 à 913), Josaphat (de 870 à 858), Athalie* (de 841 à 835), Ozias (de 781 à 740), Achaz (de 736 à 716), Ezéchias (de 716 à 687), Josias* (de 640 à 609), Sédécias (de 597 à 587). Jusqu'au VIIIe s. av. J.-C. le royaume de Juda a un rôle assez modeste : crise religieuse et sociale avec Athalie, prospérité économique au temps d'Ozias. La chute de Samarie* (722) est ressentie par le royaume frère comme une dure leçon. Ezéchias (716-687) entreprend une profonde réforme religieuse, qu'il veut accompagner d'une restauration nationale : tirer Juda de l'orbite assyrienne; mais, pris entre l'Assyrie et l'Égypte, il joue la mauvaise carte, c'est-à-dire l'Égypte, et, en 701, il doit payer à

Sennachérib* d'Assyrie un lourd tribut. Après la chute de Ninive, en 612, Babylone prend le relais de l'Assyrie. Jérusalem, investie par Nabuchodonosor, tombe en 587; le Temple est détruit et l'élite de la population déportée à Babylone.

JUDAÏSME. — Les historiens désignent sous ce nom la forme prise par la religion israélite après la destruction du Temple de Jérusalem (587 av. J.-C.) et l'Exil (587-538 av. J.-C.). Au sens courant, on entend par judaïsme l'ensemble des institutions religieuses du peuple juif. La tradition religieuse juive se réclame d'Abraham*, père des croyants, et de Moïse*, législateur d'Israël. La Bible (Ancien Testament) contient la Loi écrite, dont l'essentiel fut révélé à Moïse sur le mont Sinaï. Une Loi orale, explicitant la Loi écrite, est contenue dans le Talmud*, œuvre de saints et savants docteurs, dont la rédaction définitive a été achevée au ve s.

Le grand théologien juif Maimonide* a fixé à treize le nombre des articles de foi du judaïsme : 1. Dieu est le Créateur et la Providence du monde; 2. Il est un et unique; 3. Il est esprit et ne peut être représenté sous aucune forme; 4. Il est éternel; 5. À Lui seul nous devons adresser nos prières; 6. Toutes les paroles des prophètes d'Israël sont vérité; 7. Moïse a été le plus grand de tous les prophètes; 8. La Loi, telle que les juifs la possèdent, a été donnée par Dieu à Moïse; 9. Nul homme n'a le droit de la remplacer ni de la modifier; 10. Dieu connaît toutes les actions et toutes les pensées des hommes; 11. Il récompense ceux qui accomplissent ses commandements et punit ceux qui les transgressent; 12. Il enverra le Messie, annoncé par les prophètes; 13. Il rappellera les morts à la vie. La profession de foi juive est la parole de Moïse : « Écoute Israël, l'Éternel notre Dieu, l'Éternel est Un. » C'est l'affirmation fondamentale du monothéisme.

JUDAS, dit **l'Iscariote,** un des douze apôtres; il livra Jésus à ses ennemis et ensuite se donna la mort. Son surnom d'« Iscariote » est souvent interprété comme « homme de Qerioth », petite localité du sud de la Palestine, d'où Judas serait originaire; on peut aussi avancer une autre étymologie, qui rattacherait le mot « Iscariote » à l'araméen *ishqarija,* « le faux ».

JUDE *(saint),* un des douze apôtres. L'*Épître de Jude,* qui lui est attribuée, fut écrite aux environs de 90; elle est une invitation à garder la foi traditionnelle et une réfutation des doctrines gnostiques.

JUDÉE, province du sud de la Palestine aux époques hellénistique et romaine; elle recouvrait à peu près le territoire de l'ancien royaume de Juda*. Sa ville principale était Jérusalem.

Judith *(livre de),* livre biblique écrit vers le milieu du IIe siècle av. J.-C., témoin, avec les livres de Daniel* et des Maccabées*, de l'affrontement entre le judaïsme et l'hellénisme. L'héroïne, Judith, dont le nom signifie « la Juive », symbolise le parti de Dieu. L'ouvrage reflète l'atmosphère de ferveur nationale et religieuse de la guerre sainte des Maccabées.

JUDITH DE BAVIÈRE (v. 800 - Tours 843), fille de Welf, comte de Bavière, seconde femme de Louis le Pieux (819), à qui elle donna un quatrième fils, Charles le Chauve. Intelligente, elle exerça une grande influence sur son époux, pour le seul profit de son fils.

JUDO. — Synthèse de nombreux arts martiaux pratiqués anciennement au Japon, le judo, en tant que sport et méthode d'éducation physique, ne date que de 1882, fondé par Jigorō Kanō. Le premier championnat national se déroula au Japon, en 1930. Le premier championnat d'Europe eut lieu en 1951 et le premier championnat du monde en 1956. Le judo est un sport olympique depuis 1964 (à l'exception de 1968). En 1965, les catégories de poids furent définies : légers (moins de 63 kg); mi-moyens (de 63 à 70 kg); moyens (de 70 à 80 kg); mi-lourds (de 80 à 93 kg) et lourds (plus de 93 kg).

Le judo se pratique pieds nus, le *judoka* porte un pantalon et une veste de toile solide, appelés *kimono,* ou *judogi.* La veste est maintenue croisée par une *ceinture,* dont la couleur indique la valeur du judoka. Par ordre croissant, on distingue la ceinture : blanche, jaune, orange, verte, bleue, marron et noire. Les ceintures noires se différencient par des grades, ou *dans* (qui sont des barrettes noires sur le kimono, ou blanches sur la ceinture), dont le nombre croît avec la valeur du compétiteur, allant jusqu'à dix (niveau atteint par une dizaine de judokas seulement dans toute l'histoire de ce sport). Le combat (d'une durée maximale, selon les compétitions, de six à dix minutes) se déroule sur une plate-forme carrée de 10 m de côté, recouverte de *tatamis* (tapis). Il consiste à projeter son adversaire sur le dos, ou à l'immobiliser au sol, ou à provoquer son abandon. La victoire peut être obtenue *sur décision* (rendue par deux assesseurs et l'arbitre, qui est seul juge en cas de désaccord); par *waza-ari* (net avantage obtenu à l'issue du combat); par *yuko* et *roka* (avantages plus légers); par *ippon* (point).

JUGE → JUSTICE *(organisation de la).*

JUGEMENT. — Le terme désigne généralement l'acte par lequel une juridiction termine une instance ou intervient au cours de l'instance. Le terme d'*arrêts* est réservé aux décisions du Conseil d'État, des cours d'appel, de la Cour de cassation. On parle d'*ordonnances* lorsqu'il s'agit des décisions rendues par le président du tribunal, un juge-commissaire, un juge d'instruction.

On distingue les *jugements contradictoires* et les *jugements par défaut,* les premiers étant rendus après que les parties ont été entendues, les seconds étant prononcés à l'encontre d'une partie qui n'a pas comparu, ou qui, ayant comparu, ne s'est pas défendue. (En réalité — en matière civile au moins — le domaine des jugements par défaut est restreint.) On distingue encore les *jugements définitifs* et les *jugements avant dire droit,* ces derniers ordonnant des mesures (par exemple une instruction) mais ne statuant pas sur le fond.

Tout jugement contient des *motifs* et un *dispositif* (mais les motifs peuvent se trouver dans le dispositif); toutes les juridictions doivent motiver leurs jugements, ce qui permet à la Cour de cassation, juge du droit, de se prononcer sur leur validité.

Le jugement fait l'objet d'une « expédition », qui est la copie de la « minute », délivrée par le greffier à toute personne qui s'y trouve intéressée. La copie doit reproduire exactement la minute : cette exactitude est attestée par le greffier qui délivre l'expédition. Le jugement est « signifié » à la partie adverse par le ministère d'huissier.

Les effets du jugement sont, essentiellement, le dessaisissement du juge, celui-ci ne pouvant plus, en principe, le rétracter ni le modifier (sauf dans certains cas où peut intervenir une rectification), un jugement obscur pouvant être interprété par un second jugement.

Au jugement s'attache l'*autorité de la chose* jugée,* qui signifie que celui-ci met définitivement fin au litige, le point sur lequel il a été statué ne pouvant plus être remis en question. Pour les jugements des juridictions inférieures, les voies de recours étant possibles, l'autorité de chose jugée ne s'applique qu'à la condition qu'il n'y ait pas eu de recours pendant le délai où il était possible de formuler ceux-ci. Seuls les jugements passés « en force de chose jugée irrévocable » ne peuvent pas être remis en question.

JUGES, dans l'histoire des Hébreux*, chefs temporaires et héros locaux, qui, durant la période qui suit l'installation en Canaan, exercèrent quelque temps leur autorité sur un groupe de tribus réunies sous la pression d'un danger extérieur. Cette période dite « des Juges » (de 1200 à 1030 env.) s'achève avec l'institution de la monarchie. Le *livre des Juges* rend compte de ces événements dans un ensemble où se mêlent souvenirs historiques, récits étiologiques et folkloriques. Sa rédaction est à fixer vers la fin de la période monarchique (VIIe-VIe s.). Les plus connus des Juges sont Gédéon*, Jephté*, Samson*.

JUGLAR (Joseph Clément), médecin et économiste français (Paris 1819 - *id.* 1905). Auteur d'un ouvrage sur *les Crises commerciales et leur retour périodique en France, en Angleterre et aux États-Unis* (1862), Juglar se refuse (contrairement à W. S. Jevons*) à donner aux crises une cause naturelle. Certains des cycles (les cycles d'une durée de l'ordre de dix années) sont dits « cycles Juglar ».

JUGON-LES-LACS (22270), ch.-l. de cant. des Côtes-du-Nord, à 22 km à l'O. de Dinan; 1 292 hab.

JUGULAIRE. — La veine jugulaire interne appartient au paquet vasculo-nerveux antéro-latéral du cou; elle draine la majorité du sang veineux crânien et est anastomosée avec les veines jugulaires externe, antérieure et postérieure. Un reflux hépato-jugulaire (gonflement des veines du cou quand on comprime le foie) traduit une insuffisance cardiaque droite grave.

JUGURTHA (v. 160 av. J.-C. - Rome apr. 104), roi de Numidie (118). À la mort de son oncle Micipsa (118), il hérita avec ses cousins Adherbal et Hiempsal du royaume numide. Mais voulant reconstituer l'antique royaume de Masinissa*, il fit tuer Hiempsal et prit Adherbal dans Cirta (112), où il fit massacrer les marchands romains. Rome lui déclara alors la guerre. Vaincu par Q. Caecilius* Metellus (109-107), puis par Marius* (107), il fut livré par Bocchus Ier, roi de Mauritanie, à Sulla*, questeur de Marius (105). Jugurtha orna le triomphe de Marius (104) et mourut dans la prison du Tullianum. La longue lutte de Rome contre le roi numide a été racontée par Salluste *(Guerre de Jugurtha),* qui voit dans le conflit l'origine de la lutte entre la *nobilitas* et les *populares.*

Juif errant *(le),* d'Eugène Sue (1844-45), un des premiers grands romans-feuilletons.

JUIFS. — Après la destruction de Jérusalem (70 apr. J.-C.), l'histoire des Juifs est celle d'un peuple dispersé, conservé par sa foi, sa loi et son esprit, grâce à ses « patriarches » (ceux de Babylonie d'abord) et à ses rabbins, qui poursuivent l'élaboration des grands ouvrages de la Loi orale, cœur même, avec la Torah, du peuple juif. D'abord confondu avec les chrétiens, ce peuple va subir de la part de ceux-ci, devenus maîtres de l'Empire au IVe s., une longue persécution (v. ANTISÉMITISME), qui prend la forme d'expulsions ou de mesures de ségrégation (ghetto). Rejetés de la société chrétienne médiévale, les Juifs sont beaucoup plus à l'aise chez les musulmans : dans l'Espagne maure (VIIIe-XVe s.), le centre

Lauros - Giraudon

Juillet 1830.
Arrivée du duc d'Orléans, futur Louis-Philippe Ier, à l'Hôtel de Ville de Paris, le 30 juillet 1830. Gravure anonyme. (Musée Carnavalet, Paris.)

juif connaît une longue période d'épanouissement et Moïse Maimonide* est l'une des plus grandes figures de la pensée médiévale. C'est dans l'Espagne musulmane que fleurit la cabale* et qu'est rédigé le *Zohar.* L'achèvement de la *Reconquista** se solde par la persécution inquisitoriale (v. INQUISITION) et par l'expulsion massive des Juifs portugais et espagnols (*Sefardim* = Espagnols), dont beaucoup gagnent l'Italie et surtout l'Afrique du Nord et le Proche-Orient.

Il faut attendre la révolution américaine (1776) et la Révolution française (1789) pour voir les Juifs bénéficier d'un début d'émancipation. Mais l'antisémitisme, surtout après 1870, connaît une nouvelle flambée, notamment en Russie, en Autriche, en Roumanie, en Allemagne et même en France. (V. DREYFUS [*Affaire*].) Avec le national-socialisme allemand (1933-1945), il atteint son paroxysme. Il aura pour contrepartie le sionisme*, qui aboutira, en 1948, à la fondation de l'État d'Israël*.

JUILLAC (19350), ch.-l. de cant. de la Corrèze, à 31 km au N.-O. de Brive-la-Gaillarde; 1268 hab.

JUILLARD (Étienne), géographe français (Paris 1914). Longtemps professeur à Strasbourg, il a notamment publié une thèse remarquable, *la Vie rurale dans la plaine de basse Alsace* (1953), et un ouvrage consacré à *l'Europe rhénane* (1968), dans lesquels se manifeste son souci de lier la classique géographie humaine aux disciplines voisines, sociologie et économie.

Juillet *(monarchie de),* régime de la France sous le roi Louis-Philippe* (de 1830 à 1848). Quand la révolution de juillet 1830 se termine, par la chute de Charles X*, la bourgeoisie libérale entend recueillir les fruits de la victoire populaire. Avant de faire du duc d'Orléans le roi Louis-Philippe Ier, elle exige de lui qu'il jure d'observer scrupuleusement la Charte révisée. Celle-ci est un pacte signé entre un roi des Français — non le roi de France, de droit divin — et des citoyens — non des sujets. Le drapeau tricolore remplace le drapeau blanc. Si le cens électoral est abaissé, le suffrage universel n'est pas instauré. La garde nationale est restaurée, car, instrument du règne de la bourgeoisie, elle représente le libéralisme armé. Enfin, la Chambre haute est désormais composée de pairs nommés par le roi à titre viager.

Très vite, les hommes qui ont porté Louis-Philippe au pouvoir se divisent en deux camps : la *Résistance,* qui prétend en rester aux concessions de 1830, et le *Mouvement,* qui veut en développer les conséquences. L'opposition légitimiste, bonapartiste, républicaine et socialiste sera constamment traquée. C'est d'abord le Mouvement — avec Laffitte, puis avec Casimir Perier (de 1830 à 1832) — qui est au pouvoir. Mais devant la montée de l'opposition — émeutes, attentats, putschs manqués — la résistance se fortifie. Après des années d'instabilité ministérielle et le passage au pouvoir d'un Thiers (1836, puis 1840) belliqueux, un homme s'installe pour huit ans (de 1840 à 1848) au pouvoir : c'est François Guizot*, qui pratique l'immobilisme ou la corruption parlementaire pour mieux permettre à la France bourgeoise de prendre la mesure de la révolution industrielle* qui se développe alors et dont la bourgeoisie est la principale bénéficiaire. À l'extérieur, Guizot pratique une politique d'abord anglophile (de 1841 à 1846) — très impopulaire — puis plus traditionnelle, en se rapprochant de l'Autriche.

La crise économique, financière, sociale, morale, qui atteint son paroxysme en 1846-47 et qu'aggravent l'indifférence du roi et la dictature de Guizot, débouche en une vaste « campagne du mépris » (banquets réformistes), puis dans une révolution populaire qui, le 23 février 1848, accule Louis-Philippe à l'abdication. La IIe République* est proclamée aussitôt.

juillet 1789 (*journée du* **14**) → BASTILLE *(prise de la).*

JUILLY (77230 Dammartin en Goële), comm. de Seine-et-Marne, à 16 km au N.-O. de Meaux; 1272 hab. Collège fondé par les Oratoriens (1638).

Les généraux Juin (à gauche), Catroux et Giraud.

U. S. I. S.

JUIN (Alphonse), maréchal de France (Bône 1888-Paris 1967). Camarade de De Gaulle à Saint-Cyr (1909), deux fois blessé (1914 et 1915), aide de camp de Lyautey au Maroc (1916), il y sert de longues années entre 1919 et 1933. Commandant de division en 1940, il défend Lille et est fait prisonnier. Il est libéré en 1941 et succède à Weygand comme commandant en chef en Afrique du Nord. En 1942, rallié à Giraud, il commande les forces françaises en Tunisie puis, en 1943, le corps expéditionnaire français en Italie, où sa victoire du Garigliano (1944) ouvre aux Alliés la route de Rome. Chef d'état-major de la Défense nationale (1944-1946), résident général au Maroc (1947-1951), il est promu maréchal en 1952 et commande les forces atlantiques du secteur Centre-Europe jusqu'en 1956. En 1962, son opposition à la politique algérienne du général de Gaulle le fait priver de toutes ses prérogatives. Auteur de *Mémoires* (1960) et de *Trois Siècles d'obéissance militaire (1650-1963),* il a été inhumé aux Invalides.

juin 1792 (*journée du* **20**), journée révolutionnaire provoquée par le veto mis par Louis XVI aux décrets de l'Assemblée législative à l'encontre des prêtres réfractaires (mai). Elle consista essentiellement en une manifestation populaire aux Tuileries.

juin 1848 *(journées de),* journées insurrectionnelles (23-26 juin) provoquées par la fermeture des Ateliers* nationaux et qui opposèrent, en de sanglants combats de barricades, les forces de l'ordre aux ouvriers et aux chefs socialistes, finalement écrasés.

Juives *(les),* tragédie de Robert Garnier (1583). Un épisode biblique (la révolte de Sédécias, roi de Juda, contre Nabuchodonosor) traité à la manière de Sénèque.

JUIZ DE FORA, v. du Brésil (Minas Gerais), au N. de Rio de Janeiro; 239000 hab.

JUJUBIER. — Cet arbuste aux fleurs jaunes est parfois cultivé pour ses fruits sucrés, rouges, ayant la forme des olives. Le genre *(Zizyphus)* est répandu en Asie et en Amérique du Sud et fournit des bois d'œuvre. (Famille des rhamnacées.)

JUJUY ou **SAN SALVADOR DE JUJUY,** v. du nord de l'Argentine; 83000 hab.

JULES Ier → PAPE.

JULES II (Giuliano DELLA ROVERE) [Albissola 1443-Rome 1513], pape de 1503 à 1513. Ce pape casqué, désireux de faire du

Saint-Siège la première puissance italienne, combat notamment les Français. Mécène fastueux, il est le protecteur, notamment, de Bramante et de Michel-Ange : à ce dernier, il commande son tombeau et le célèbre *Jugement dernier* de la chapelle Sixtine.

JULES III → PAPE.

JULIA *(gens),* maison patricienne de l'ancienne Rome, à laquelle appartenait César et, par adoption, Auguste. La gens Julia prétendait être d'origine divine : elle se disait, en effet, issue de Iule*, fils d'Énée*, lui-même fils de Vénus.

JULIA (Gaston), mathématicien français (Sidi-bel-Abbès 1893-Paris 1978). Ses recherches ont porté sur la théorie des nombres, la géométrie et l'analyse : théorie des fonctions et calcul fonctionnel.

JULIANA (Louise Emma Marie Wilhelmine), reine des Pays-Bas depuis 1948 (La Haye 1909). Elle a épousé en 1937 le prince Bernard de Lippe-Biesterfeld.

JULIE, en lat. **Julia,** fille d'Auguste et de Scribonia (Ottaviano 39 av. J.-C.-Reggio 14 apr. J.-C.). Selon les besoins de sa politique, Auguste lui fit épouser son cousin, M. Claudius Marcellus, en 25, Agrippa* en 21 puis Tibère* en 11. Pour son inconduite elle fut reléguée dans l'île de Pandataria (2 av. J.-C.).

JULIE, en lat. **Julia Domna,** princesse romaine d'origine syrienne (Émèse v. 158-Antioche 217), fille de Julius Bassianus, grand prêtre d'Émèse (Homs*), et épouse de Septime Sévère*. Elle s'entoura d'une cour d'écrivains, de savants (Galien) et de philosophes (Philostrate), orientaux pour la plupart. Son accession au trône ouvrit l'Empire aux religions orientales. — Sa sœur, JULIA MOESA († 226), eut deux filles : JULIA SOEMIAS († 222), mère d'Elagabal, et JULIA MAMAEA († 235), mère de Sévère* Alexandre. Julia Moesa gouverna sous Elagabal* et Julia Mamaea exerça la régence sous Sévère Alexandre : ces princesses syriennes formèrent la véritable dynastie des Sévères*.

Julie ou la Nouvelle Héloïse, ou *Lettres de deux amants d'une petite ville au pied des Alpes,* roman épistolaire de J.-J. Rousseau (1761). Transposition des amours malheureuses de l'auteur avec Mme d'Houdetot, ce « rêve de volupté redressé en instruction morale » dénonce les conventions sociales et exprime la passion avec une sincérité qui sera celle des romantiques.

JULIEN l'Apostat, en lat. **Flavius Claudius Julianus** (Constantinople 331-en Mésopotamie 363), empereur romain de 361 à 363, neveu de Constantin Ier le Grand et cousin de Constance II*. Julien reçut une éducation chrétienne, mais se convertit au paganisme après avoir découvert les splendeurs des lettres grecques et subi l'influence des rhéteurs et des philosophes de l'Asie Mineure, en particulier celle du néoplatonicien Maxime d'Éphèse. En 355, Constance II le fit césar et l'envoya en Gaule, où il écrasa les Alamans à Strasbourg (357). En 360, à Lutèce, il fut proclamé auguste par ses soldats; la mort de Constance lui livra l'Empire en 361. Le règne de Julien correspond à une réaction contre le totalitarisme de Constance. Il restaura le paganisme, un paganisme très éloigné de celui de l'ancienne Rome, marqué par l'influence du néoplatonisme, de la théurgie et de l'occultisme. Contre les chrétiens, la plus sévère mesure qu'il édicta fut sa loi scolaire de 362 leur interdisant l'enseignement des lettres classiques. Julien périt en 363 dans une expédition qu'il dirigeait contre les Perses. Rien ne subsista de l'œuvre religieuse et politique de cet empereur philosophe qui voulut revenir à l'Empire « humanistique » des Antonins.

JULIÉNAS (69840), comm. du Rhône, dans le Beaujolais, à 17,5 km au S. de Mâcon; 649 hab. Vins rouges.

JULIERS, en allem. **Jülich,** v. de l'Allemagne fédérale (Rhénanie-du-Nord-Westphalie), au N.-E. d'Aix-la-Chapelle; 32 000 hab. Centre de recherches nucléaires. Le duché de Juliers, fief de l'Empire germanique, comté héréditaire (XIe s.) devenu duché en 1356, appartint aux ducs de Berg (1423), puis à ceux de Clèves (1521 à 1609), enfin, à l'issue d'un long conflit de succession, au comte palatin de Neubourg (1666). Il passa au roi de Prusse en 1815.

Juliette ou les Prospérités du vice, roman du marquis de Sade (1797) : suite et complément symétrique de *Justine* ou les Malheurs de la vertu.*

JULIO-CLAUDIENS, nom donné aux membres de la première dynastie impériale romaine, à laquelle appartiennent les quatre premiers successeurs d'Auguste : Tibère*, Caligula*, Claude*, Néron*; ils sont issus de la gens Julia* et de la gens Claudia (famille de Livie*). La période julio-claudienne est capitale pour l'organisation du gouvernement impérial : les organes d'une monarchie bureaucratique et interventionniste se développent; les bureaux sont peuplés d'affranchis et les chevaliers participent de plus en plus au service de l'État; la classe sénatoriale, qui reste socialement dominante, est de moins en moins dirigeante. En cette période de profonde religiosité, les cultes orientaux (ceux de Cybèle, d'Attis, d'Isis) connaissent un grand succès; le christianisme commence à se propager dans l'Empire et atteint Rome à l'époque de Néron.

JULLIAN (Camille), historien français (Marseille 1859-Paris 1933), auteur d'une grande *Histoire de la Gaule* (1907-1928), où il exalte l'originalité de la civilisation gauloise.

JULLUNDUR, v. du nord-ouest de l'Inde (Pendjab); 296 000 hab.

JUMBO → ABATTAGE et EXPLOITATION MINIÈRE *(méthodes d').*

JUMEAUX. — Il n'apparaît de « vrais jumeaux » que lorsque, aussitôt après la fécondation et la première division de l'œuf en deux cellules (blastomères), ces deux cellules se séparent et forment chacune un individu complet. Le cas est pratiquement impossible chez les plantes, mais très commun chez les animaux, surtout dans les espèces vivipares. Il offre un grand intérêt scientifique, car deux jumeaux ont exactement le même patrimoine génétique, de sorte que toute différence constatée entre eux ne peut être due qu'à des différences nutritionnelles avant la naissance ou, de façon plus générale, aux influences exercées par le milieu aux divers âges. La « méthode des jumeaux » a permis de constater à quel point cette influence du milieu était restreinte sur le plan physique, et même dans le domaine psychique.

Par extension, on appelle « jumeaux » les enfants ou les jeunes animaux nés dans une même portée, même s'ils sont issus de gamètes différents. Ces « faux jumeaux » se ressemblent comme frères et sœurs, mais pas plus.

JUMEAUX (63570 Brassac les Mines), ch.-l. de cant. du Puy-de-Dôme, sur l'Allier, à 17,5 km au S. d'Issoire; 891 hab.

JUMET, anc. comm. de Belgique (Hainaut), intégrée depuis 1977 à Charleroi. Verrerie.

JUMIÈGES (76480 Duclair), comm. de la Seine-Maritime, dans la vallée de la Seine, à 28 km à l'O. de Rouen; 1 474 hab. Vestiges d'une abbaye, dont les ruines imposantes de l'abbatiale, du XIe s. Église paroissiale romane et Renaissance. — C'est en 654 que saint Philibert fonda l'abbaye qui fut à l'origine du village de Jumièges. Célèbre pendant tout le Moyen Âge, l'abbaye déclina au XVIIIe s. et fut dévastée par la Révolution.

JUMILHAC-LE-GRAND (24630), ch.-l. de cant. de la Dordogne, sur l'Isle, à 12 km à l'O. de Saint-Yrieix-la-Perche; 1 535 hab.

JUMNA → JAMNA.

JUMPING → ÉQUESTRES *(sports).*

JUMRUK-ČAL → BOTEV *(pic).*

JUNEAU, capit. de l'Alaska, sur la côte méridionale de l'État; 6 100 hab.

JUNG (Carl Gustav), psychiatre suisse (Kesswil 1875-Küsnacht 1961). C'est par l'intermédiaire de E. Bleuler*, dont il fut un moment l'assistant, que Jung entre en contact avec S. Freud*. Il en devient rapidement l'ami et sera considéré un moment comme son dauphin : il est, en 1911, le premier président de la Société internationale de psychanalyse; cependant, des divergences fondamentales séparent Freud de Jung dès 1913. L'originalité de Jung est d'avoir introduit, au-delà de l'inconscient* individuel posé par S. Freud, un inconscient collectif, stratification des expériences millénaires de l'humanité, qui s'exprime à travers un petit nombre de thèmes privilégiés *(archétypes).* La technique psychothérapique utilisée par Jung et ses élèves a pour but de permettre à l'homme de rétablir les contacts entre le Moi et l'inconscient collectif et individuel. Une valeur prémonitoire est accordée au rêve, car, pour Jung, le rêve, expression de la sagesse de l'inconscient collectif, est une tentative pour résoudre les conflits psychiques.

Bien que Jung fasse appel, comme Freud, à la libido*, celle-ci représente pour lui l'énergie psychique en général, alors que pour Freud elle est de nature uniquement sexuelle et joue un rôle plus fondamental. Dans un conflit névrotique, Jung privilégie la situation actuelle, alors que Freud accorde plus d'importance à l'enfance. La conduite de la cure diffère également profondément d'une école à l'autre; elle est beaucoup moins codifiée chez Jung, qui considère que la personnalité du thérapeute joue un rôle fondamental. Les freudiens critiquent le mysticisme de Jung et la morale implicite qui se dégage de sa démarche thérapeutique.

JÜNGER (Ernst), écrivain allemand (Heidelberg 1895). Il est passé d'une évocation nietzschéenne de la guerre (*Orages d'acier,* 1920) à une conception de la vie comme aventure esthétique (*Sur les falaises de marbre,* 1939; *Chasses subtiles,* 1967; *Approches, drogues et ivresse,* 1970).

JUNGFRAU (la), sommet des Alpes suisses, dans l'Oberland bernois (massif de l'Aar); 4 166 m. Station d'altitude et de sports d'hiver à 3 457 m, sur le plateau de la *Jungfraujoch.*

JUNÍN, v. d'Argentine, à l'O. de Buenos Aires; 58 000 hab.

JUNÍN, localité du Pérou, au N.-E. de Lima. — Victoire de Bolívar sur les Espagnols en 1824.

JUNIVILLE (08310), ch.-l. de cant. des Ardennes, à 14 km au S. de Rethel; 720 hab.

JUNKERS (Hugo), industriel allemand (Rheydt 1859 - Gauting, près de Munich, 1935). On lui doit le premier avion entièrement métallique (1915). Pendant la Première Guerre mondiale, ses usines, établies dans la région de Dessau, fabriquèrent de nombreux appareils militaires.

JUNON, divinité romaine de la nature féminine et protectrice des femmes. Elle sera assimilée à Héra*.

JUNON, petite planète*, la troisième dans l'ordre de leur découverte. Elle fut repérée en 1804 par Carl Ludwig Harding (1765-1834). Elle circule entre Mars et Jupiter. Son diamètre est estimé à 200 ± 50 km.

JUNOT (Jean Andoche), **duc d'Abrantès,** général français (Bussy-le-Grand 1771 - Montbard 1813). Aide de camp de Bonaparte en Italie (1796), général en Égypte (1799), ambassadeur à Lisbonne (1804), il commande en 1807 l'armée du Portugal, entre à Lisbonne, mais, battu par les Anglais, il doit capituler à Sintra (1808). Il combat ensuite en Espagne (1810-11), puis il est gouverneur de l'Illyrie (1813). Il se suicide dans un accès de folie. — Sa femme, LAURE PERMON, duchesse d'Abrantès (Montpellier 1784 - Paris 1838), est l'auteur de *Mémoires* (1831-1835).

JUPILLE-SUR-MEUSE, comm. de Belgique, dans la banlieue est de Liège; 11 582 hab.

JUPITER, le grand dieu du panthéon romain, divinité du Ciel et de la Lumière; le Capitole lui est particulièrement consacré. Il sera assimilé à Zeus*.

JUPITER. — Bien que devant être classée dans la catégorie des planètes*, puisqu'elle décrit son orbite autour du Soleil*, Jupiter possède une structure de type stellaire et émet au moins deux fois plus d'énergie* qu'elle n'en reçoit du Soleil. De plus, cette planète, la plus grosse du système solaire, est le siège de violentes émissions radioélectriques, qui traduisent la présence d'un important champ* magnétique formant une immense magnétosphère* et permettant l'existence de ceintures de radiations* très intenses. Jupiter ne serait, en définitive, qu'une immense sphère d'hydrogène* liquide, entourée de bancs de nuages constitués par des cristaux de méthane* et d'ammoniac*, étirés en bandes parallèles par suite de l'énorme force centrifuge née d'une rotation qui s'effectue en moins de dix heures. Au sein de ces nuages, dont l'épaisseur est d'une vingtaine de kilomètres et la température voisine de − 145 °C, existe, dans l'hémisphère Sud, une étrange formation : la *grande tache rouge.*

JURA, chaîne de montagnes de France et de Suisse. Le Jura forme un croissant long d'environ 350 km, entre la vallée du Rhône et celle de l'Aar inférieur. Sa largeur, réduite aux extrémités, dépasse 80 km entre Besançon et Neuchâtel, mais il s'agit ici davantage de plateaux que de véritables montagnes. Celles-ci constituent le Jura plissé, à la topographie si caractéristique qu'elle a donné son nom à une forme classique de relief (v. JURASSIEN [*relief*]), se développant surtout, au sud, près de la frontière franco-suisse. C'est là que se situent les (modestes) sommets (dont le crêt de la Neige, qui culmine à 1 723 m), mis en valeur par l'entaille profonde des vallées (Valserine, Bienne). Le plus souvent, la topographie est moins accidentée et le Jura, dans son ensemble, tient moins ses caractères montagnards de l'altitude que d'un climat très humide, en raison de l'exposition aux vents d'ouest, avec des hivers froids et enneigés. La végétation dominante est alors la forêt (feuillus au-dessous de 700 m, sapins mêlés de hêtres et d'épicéas au-dessus), tandis que la prairie a été étendue par les défrichements.

Ceux-ci ont favorisé le développement de l'élevage bovin laitier (fromages), cependant que le bois a permis l'essor d'un travail artisanal, en hiver. L'industrie se maintient dans la montagne (vers Oyonnax, Saint-Claude, Pontarlier, en France, et, plus au nord, vers Le Locle et La Chaux-de-Fonds, en Suisse), dominée par le travail du bois (partiellement remplacé par celui des matières plastiques) et surtout par l'horlogerie. Ces branches sont parfois en crise, et les difficultés économiques liées à la dureté du milieu naturel expliquent un certain dépeuplement de la montagne (malgré un développement, modéré, du tourisme hivernal et, surtout, estival), notamment au profit des villes du pourtour, comme Besançon, et même Lyon, en France, ou Bâle, Neuchâtel, Genève et Lausanne, en Suisse.

On donne aussi le nom de « Jura » aux plateaux calcaires prolongeant en Allemagne fédérale la chaîne franco-suisse : le *Jura souabe* domine, au nord, la haute vallée du Danube; le *Jura franconien,* d'orientation méridienne, s'étire, à l'est de Nuremberg, jusqu'à la vallée supérieure du Main.

JURA (39), département de la Région Franche-Comté; 5 008 km^2; 238 856 hab. *(Jurassiens).* Ch.-l. *Lons-le-Saunier.* S.-préf. *Dole* et *Saint-Claude.*

Seules les parties orientale et méridionale du département appartiennent à la chaîne du Jura : en bordure de la Suisse, les formes plissées dominent, s'élevant au-dessus du plateau, entaillé, au sud, de profondes vallées (dont celles de la Bienne et de l'Ain), moins accidenté dans le nord. L'exploitation de la forêt et surtout l'élevage laitier constituent les ressources de cet ensemble, avec, ponctuellement, le tourisme. L'artisanat, plus qu'une véritable industrie, anime les villes établies dans les vallées, Morez et surtout Saint-Claude. Le revers du plateau, à l'ouest, portant localement (vers Arbois et Poligny) un vignoble estimé, domine les plaines de la Saône, correspondant ici à la moitié septentrionale de la Bresse, prolongée, au nord de la Loue, par les étendues boisées des forêts de Chaux et de la Serre; l'élevage domine ici, même dans le val d'Amoux, étiré à l'ouest de Dole.

L'agriculture emploie encore environ le huitième de la population active, beaucoup moins que l'industrie (travail du bois et des plastiques, horlogerie), qui en occupe plus des deux cinquièmes (davantage que le secteur tertiaire, qui souffre de l'absence de

Jura. Les Planches-en-Montagne, près de Lons-le-Saunier.

Papigny

grande ville). La préfecture, au contact de la plaine et de la montagne, et Dole sont les seules communes dépassant 15 000 habitants. La relative médiocrité de l'armature urbaine et un milieu naturel tout de même difficile (hivers froids, pluviosité abondante — surtout dans l'est, plus élevé) expliquent une densité de population inférieure à 50 habitants au kilomètre carré, c'est-à-dire voisine de la moitié de la moyenne nationale, et une émigration persistante. Le département comptait plus de 300 000 habitants au milieu du XIXe s. On reste loin de ce chiffre, même si une légère remontée globale s'observe depuis une trentaine d'années.

JURANÇON (64110), comm. des Pyrénées-Atlantiques, dans la banlieue sud de Pau; 8 647 hab. Vins. — Le *canton de Jurançon* a pour chef-lieu *Pau.*

JURANDE. — Ce terme fut employé sous l'Ancien Régime pour désigner les corps de métier constitués par le serment mutuel que se prêtaient leurs membres. Le métier « juré » s'opposait ainsi au métier « réglé », organisé par le pouvoir supérieur (municipalité). Bénéficiant d'une grande autonomie, les jurandes étaient gouvernées par l'assemblée des maîtres et des compagnons, qui réglementaient le travail, et par des jurés, désignés par l'assemblée pour faire respecter cette réglementation et pour représenter la corporation.

JURASSIEN (relief). — Il se développe dans les régions de structure régulièrement plissée et est caractérisé par des formes qui ont été définies dans le Jura. Les *monts,* correspondant aux anticlinaux, sont des reliefs longitudinaux dominant les *vals,* correspondant aux synclinaux. L'érosion attaquant les flancs des monts y creuse des ravins, les *ruz.* Dans un stade plus évolué, elle peut évider le toit des anticlinaux en *combes,* dépressions de forme allongée dominées par des *crêts* à pente raide qui se font face. Le travail de l'érosion peut aboutir à une *inversion de relief.* Le fond des combes se trouve à une altitude inférieure à celle des synclinaux, qui forment alors des synclinaux perchés, limités par des crêts. Le terme de « relief jurassien » ne s'applique plus cependant à ce type de morphologie, particulièrement bien développé dans le massif du Vercors.

Le réseau hydrographique est adapté à la structure lorsque les cours d'eau principaux coulent dans le fond des vals. Parfois, ils coupent perpendiculairement un anticlinal en une vallée étroite, la *cluse* dont la formation résulte, le plus souvent, de la surimposition du réseau hydrographique, témoignant de l'existence d'un stade intermédiaire d'aplanissement.

RELIEF JURASSIEN

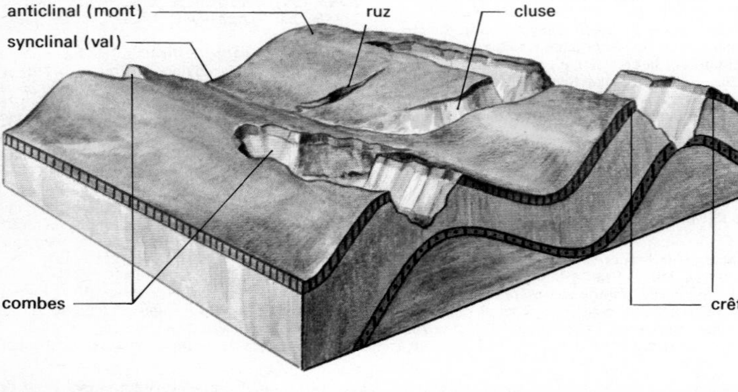

JURASSIQUE → SECONDAIRE *(ère).*

JURIDIQUES (sciences). — C'est l'ensemble des disciplines dont l'objet est la règle de droit*. Les multiples aspects de la vie des individus et des sociétés entraînent une diversification sans cesse croissante de ces sciences.

Le *droit privé* englobe essentiellement l'encadrement juridique de l'activité des individus, des familles, des entreprises. Il comprend : le *droit civil,* qui concerne l'état des personnes, le régime des biens et de leur dévolution, les contrats, les régimes matrimoniaux, etc.; le *droit commercial,* qui concerne l'activité des individus dans le domaine de la production et de la distribution (essentiellement dans le cadre de l'entreprise); la *procédure** civile, qui règle le déroulement de l'instance en cas de procès.

Le *droit public* recouvre la sphère des relations des pouvoirs publics entre eux *(droit constitutionnel, finances publiques),* le domaine des relations de l'État avec les individus *(droit administratif, droit fiscal),* le *droit international public,* la protection des *libertés publiques* et, apparu assez récemment, le domaine (immense) des *régimes de sécurité sociale* et des *transferts sociaux.*

À côté de ces deux zones de sciences juridiques relativement bien délimitées, il existe un certain nombre de droits difficilement classables, dont on peut se demander s'il faut les rattacher à la sphère des droits « privés » ou à celle des droits « publics ». Citons : le *droit pénal,* qui concerne l'action de l'État à l'encontre des particuliers qui se sont rendus coupables de crimes*, de délits, de contraventions*, et qui ont également une responsabilité* à l'égard de la victime; le *droit du travail,* fortement encadré de nos jours par l'État et qui, d'autre part, utilise des procédés d'élaboration du droit s'apparentant à la procédure législative (conventions collectives); le *droit économique,* enfin, qui recouvre et recoupe plusieurs sphères des autres « droits », et tend à former une zone autonome des sciences juridiques.

Il faut, enfin, distinguer : le *droit comparé,* qui vise à rapprocher les législations et les jurisprudences des différents pays et à en donner les principes constitutifs; l'*histoire du droit,* qui tend à faire la même recherche mais dans la dimension temporelle de l'évolution du droit; la *sociologie juridique,* qui s'attache à découvrir les soubassements sociaux de la règle de droit, à discerner les mécanismes présidant à la naissance, à la vie et à la mort de la règle de droit, etc.

JURIEN DE LA GRAVIÈRE (Pierre), amiral français (Gannat 1772-Paris 1849). Il se distingua contre les Anglais devant les Sables-d'Olonne en 1809 et reprit l'île Bourbon en 1814. — Son fils, JEAN (Brest 1812-Paris 1892), commanda les forces françaises au Mexique (1861) puis devint directeur des Cartes et Plans de la marine (1871). Auteur de nombreux ouvrages sur la marine.

JURIEU (Pierre), théologien protestant français (Mer 1637-Rotterdam 1713). Après avoir enseigné à l'Académie de Sedan (1674-1682), il doit se réfugier en Hollande : de là, il développe avec Bossuet* une longue polémique (1682-1699), tout en se montrant l'âme de la résistance protestante contre Louis XIV.

JURIN (James), médecin et physicien anglais (Londres 1684-*id.* 1750). Il a donné, en 1718, la formule de la hauteur d'ascension des liquides dans les tubes capillaires.

JURISPRUDENCE. — C'est l'ensemble des principes, généralement non codifiés, qui sont énoncés par les juges lors du règlement des litiges portés devant les juridictions civiles, pénales ou administratives chargées de les trancher : dégagés à partir des cas portés devant les tribunaux, ils débordent ceux-ci et revêtent, de ce fait, une portée générale. La jurisprudence — à côté de la législation, de la coutume, de la doctrine et des principes généraux du droit — est une des sources fondamentales du droit. (V. JUGEMENT.)

JURY → JUSTICE *(organisation de la).*

JUSQUIAME. — Cette plante des décombres porte de grosses feuilles embrassantes et velues, des fleurs jaunes un peu irrégulières, un fruit à couvercle déhiscent. Elle est malodorante et vénéneuse. (Famille des solanacées.)

JUSSEY (70500), ch.-l. de cant. de la Haute-Saône, sur l'Amance, à 22 km au S.-E. de Bourbonne-les-Bains; 2 365 hab.

JUSSIEU (DE), famille de botanistes français. ANTOINE (Lyon 1686-Paris 1758), dévoué médecin des pauvres, reçoit la direction du Jardin du Roi (futur Jardin des Plantes) en 1708. Il réédite l'œuvre botanique de son prédécesseur, Tournefort, et publie un *Traité des vertus des plantes.* — BERNARD (Lyon 1699-Paris 1777), frère et assistant d'Antoine, dessine le jardin de Trianon pour Louis XV et y fait classer les plantes en 65 groupes naturels. On lui doit le rattachement au règne animal des coraux, polypiers et gorgones, tenus avant lui pour des plantes. — JOSEPH (Lyon 1704-Paris 1779), frère des précédents, participe à l'expédition de La Condamine au Pérou et demeure pendant trente-six ans en Amérique du Sud, envoyant à ses frères de précieux échantillons botaniques. — ANTOINE LAURENT (Lyon 1748-Paris 1836), neveu des trois précédents, diffuse largement, en 1789, la classification botanique de son oncle Bernard, puis dirige, sous la Convention, l'ensemble des hôpitaux de Paris et fonde le Muséum national d'histoire naturelle, qu'il dote d'une magnifique bibliothèque. — ADRIEN (Paris 1797-*id.* 1853), fils du précédent, spécialiste des plantes exotiques, a publié un *Cours élémentaire de botanique* (1842-1844).

JUSTE, nom francisé d'une famille de sculpteurs italiens établie en France en 1504. Leur œuvre la plus importante, essentiellement due à JEAN Ier (San Martino a Mensola, Florence, 1485-Tours 1549), est le tombeau de Louis XII et d'Anne de Bretagne, à Saint-Denis, achevé en 1531.

JUSTICE (organisation de la). — L'organisation juridictionnelle est, en France, marquée par une spécialisation assez poussée des tribunaux.

JURIDICTIONS DE L'ORDRE JUDICIAIRE

• *Les juridictions de droit commun.* Elles sont d'abord représentées par le *tribunal d'instance* (substitué à l'ancienne « justice de paix »), qui est, en principe, une juridiction à juge unique, établie au chef-lieu de canton ou d'arrondissement et dont l'étendue du ressort peut varier. Les juges du tribunal d'instance sont ceux du tribunal de grande instance. Les décisions sont portées, en appel, devant la cour d'appel, et, en cassation, devant la Cour de cassation. Le tribunal d'instance connaît, en matière civile, des actions portant jusqu'à une valeur de 3 500 F (à charge d'appel, 10 000 F). La formation pénale du tribunal d'instance est le *tribunal de police* (sauf à Paris, Lyon, Marseille, où il y a des tribunaux de police ne jugeant qu'au pénal), compétent pour juger les contraventions*, les moins graves des infractions.

Le *tribunal de grande instance* statue en matière civile et correctionnelle. En matière civile, il comprend au moins un président, un juge d'instruction, un juge, un procureur et autant de présidents qu'il y a de chambres, ainsi qu'un ou plusieurs vice-présidents, des premiers juges, des premiers substituts, des procureurs adjoints. Les jugements sont susceptibles de l'appel et de l'opposition, et des voies de recours extraordinaires, dont la cassation. Le *tribunal correctionnel* est la formation pénale du tribunal de grande instance; son siège est au siège du tribunal de grande instance. Le tribunal comprend plusieurs chambres, chacune étant composée d'un président et de deux juges, du procureur de la République (ou d'un substitut) et d'un secrétaire-greffier. Les magistrats du tribunal correctionnel sont des juges du tribunal de grande instance, aptes donc à juger également en matière civile.

Chaque *cour d'appel* est présidée par un premier président (il préside, normalement, la première chambre de la cour d'appel), assisté de présidents de chambre et de conseillers, chacune des chambres comprenant un président de chambre et deux conseillers.

La *cour d'assises* est une juridiction départementale non permanente, siégeant pour un laps de temps donné dans une ville du département et chargée de la répression des crimes* (hormis, cependant, ceux dont le jugement est confié à une juridiction d'exception). Les juges professionnels y figurent à côté d'un jury de citoyens désignés par tirage au sort.

La *cour de cassation* se compose d'un premier président, de six présidents de chambre, de conseillers et de conseillers référendaires. Elle comprend cinq chambres civiles et une chambre criminelle.

• *Les juridictions d'exception.* Elles ne peuvent être saisies que des litiges prévus expressément par la loi. Souvent, leurs juges sont des juges non professionnels. Parmi ces juridictions, on citera : les *tribunaux de commerce,* dont les juges sont des commerçants élus, et qui connaissent des contestations nées entre commerçants; les *conseils de prud'hommes,* juridictions du travail, collégiales et paritaires, compétentes en matière de différends individuels nés à l'occasion d'un contrat* de travail*.

Il existe deux juridictions pénales spéciales : la *Cour de sûreté de l'État,* qui juge, en temps de paix, les crimes et délits contre la sûreté de l'État et les crimes qui leur seraient connexes; la *Haute Cour de justice,* qui connaît du crime de haute trahison commis dans l'exercice de ses fonctions par le président de la République, des actes qualifiés « crimes » ou « délits » commis par les membres du gouvernement dans l'exercice de leurs fonctions, et des poursuites contre leurs complices en cas de complot contre la sûreté de l'État.

LES JURIDICTIONS ADMINISTRATIVES

Le *Conseil d'État* est à la fois juge d'appel des décisions de certaines juridictions administratives, et juge de cassation pour les décisions de la Cour des comptes et de la Cour de discipline budgétaire et financière. Il connait des recours pour excès de pouvoir dirigés contre les actes administratifs.

Les *tribunaux administratifs* sont chargés du contentieux administratif non confié au Conseil d'État; ce sont les juridictions de droit commun administratives.

La *Cour des comptes,* créée en 1807, apure les comptes de l'État et ceux des organismes publics. Elle est juge en appel des comptes apurés par le trésorier-payeur général ou par un Conseil du contentieux administratif (territoires d'outre-mer), et de certains autres comptes. La Cour assiste le Parlement et le gouvernement dans le contrôle de l'exécution de la loi de finances. Chaque année, la Cour adresse un « Rapport général » au président de la République, où elle expose les principales irrégularités découvertes et où elle propose ses vues d'améliorations.

Le *Tribunal des conflits* est une juridiction paritaire, créée en 1872, pour départager les compétences juridictionnelles respectives des juges judiciaires et des juges administratifs. (Lorsque l'Administration conteste la compétence d'une juridiction judiciaire dans un litige où, étant elle-même partie, elle estime que c'est à la juridiction administrative de juger, ou lorsque les deux ordres de juridiction ont rendu des sentences dans l'affaire, le Tribunal des conflits est appelé à trancher.)

A cette description sommaire de l'organisation juridictionnelle française, il convient d'ajouter un bref glossaire des principaux termes employés :

— *Juge de l'application des peines.* C'est le juge du tribunal de grande instance qui est chargé de suivre l'exécution des sanctions pénales et le comportement des sanctionnés; il est aussi chargé de l'aménagement du régime de la peine effectivement appliquée.

— *Juge chargé de suivre la procédure.* Il est désigné, dans les affaires jugées par le tribunal de grande instance, pour surveiller le déroulement de la procédure, l'accélérer éventuellement, et présenter un rapport avant l'audition des plaideurs.

— *Juge-commissaire.* Il est désigné pour suivre une procédure particulière (comme une enquête) et, notamment, un règlement judiciaire ou une liquidation de biens (v. FAILLITE). Ce juge statue par ordonnance.

— *Juge des enfants.* Il est chargé de suivre les affaires où sont impliqués des enfants.

— *Juge d'instruction.* Ce magistrat du siège appartient au tribunal de grande instance et constitue la juridiction d'instruction (juge unique) du premier degré.

— *Juge des loyers.* En matière de baux d'habitation, le juge compétent est le *président du tribunal de grande instance* ou le *tribunal d'instance* (selon l'importance du loyer en cause). En matière de baux commerciaux, le *président du tribunal de grande instance* est, en principe, compétent, et, éventuellement, le *tribunal d'instance* (il existe par ailleurs des tribunaux paritaires des baux ruraux).

— *Juge unique.* Il exerce seul ses fonctions. C'est le juge d'instance, le juge des référés, le juge des loyers, le juge des mises en état. (Le juge unique s'oppose à la *formation collégiale du tribunal.*)

— *Parquet,* ou *ministère public.* Le « ministère public » exerce un rôle important surtout en matière pénale, où il assure la défense de la société — qu'il représente — et où il suit la marche du procès. Les magistrats du ministère public ont un statut analogue à celui des « magistrats du siège » (juges), quoiqu'ils dépendent, cependant, dans une certaine mesure, du pouvoir exécutif. Auprès du tribunal de grande instance, le représentant du ministère public est le procureur de la République assisté de substituts; auprès de la cour d'appel, c'est le procureur général (assisté d'avocats généraux et de substituts); auprès de la cour d'assises, le procureur général; auprès de la Cour de cassation, le ministère public est assuré par le procureur général, le premier avocat général et des avocats généraux.

JUSTICE MILITAIRE. — Applicable aux militaires ainsi qu'aux personnes qui leur sont assimilées, la justice militaire est exercée, sous l'autorité du ministre de la Défense, par certaines hautes autorités militaires. Elle est rendue conformément aux dispositions du Code de justice militaire par des tribunaux militaires. Ceux-ci ont succédé, notamment, au *tribunal de la connétablie,* au *tribunal des maréchaux de France,* aux *conseils de guerre* de l'Ancien Régime, aux *cours martiales* de la Révolution... Dans tous les temps, en effet, s'est révélée la nécessité d'une juridiction pénale particulière aux armées. Le Code français de justice militaire de 1965 (loi du 8 juillet) a unifié la législation, modelé la procédure pénale militaire sur celle du droit commun et maintenu les juridictions suivantes : *tribunaux permanents des forces armées* siégeant en tout temps (un par région militaire), et *Haut Tribunal permanent des forces armées,* pour juger les généraux, les contrôleurs et les magistrats militaires; *tribunaux militaires aux armées; tribunaux prévôtaux,* qui ne peuvent être établis en temps de paix qu'à l'étranger. Le service de la justice militaire est assuré, depuis 1967, par des magistrats civils détachés pour cinq ans aux armées comme « magistrats militaires ».

JUSTIN *(saint),* philosophe chrétien, le plus célèbre des apologistes grecs (Flavia Neapolis [Naplouse] v. 100-Rome v. 165). Ses deux *Apologies* adressées aux païens et le *Dialogue avec Tryphon,* ouvrage de controverse avec le judaïsme, font de lui le maître d'une apologétique qui cherche à harmoniser la foi chrétienne et la sagesse des philosophes.

JUSTIN, historien latin du IIe s. Il résuma les *Histoires philippiques* (Ier s.) de Trogue Pompée, histoire universelle centrée sur celle de la Macédoine.

JUSTIN Ier (Bederiana, Illyrie, v. 450-Constantinople 527), empereur d'Orient (518-527). D'origine modeste, il était *comes excubitorum* lorsqu'il fut proclamé empereur. Il fit de son neveu, Justinien, son conseiller. Il persécuta les monophysites et mit fin au schisme d'Acace.

JUSTIN II († 578), empereur d'Orient (565-578). Neveu de Justinien, auquel il succéda, il ne put empêcher l'invasion de l'Italie par les Lombards (568) ni l'établissement des Slaves en Illyrie. En 572, il reprit la lutte contre les monophysites. Atteint de folie (573), il s'associa le *comes excubitorum* Tibère.

Justine ou les Malheurs de la vertu, roman du marquis de Sade, en trois versions (1787, 1791, 1797). L'abandon au mal comme conformité aux lois de la nature : l'envers du rousseauisme agrémenté d'humour noir.

JUSTINIEN Ier (Tauresium 482 - Constantinople 565), empereur byzantin (527-565). Il est le conseiller de Justin Ier, son oncle, qui l'associe au trône en 527. Cultivé et ambitieux, il entreprend de restaurer l'Empire romain. Ses armées chassent les Vandales d'Afrique (533), entreprennent de reprendre l'Italie aux Ostrogoths, qui résistent jusqu'en 552, et délogent les Wisigoths du sud-est de l'Espagne. Mais, en Orient, la paix qu'il a signée avec les Perses (532) n'empêche pas ces derniers de reprendre la guerre et d'envahir la Syrie. Justinien doit se résoudre à leur payer tribut (562). À l'intérieur, il favorise l'économie, encourage le monarchisme et condamne le monophysisme (528). Sous son règne, Byzance devient un remarquable foyer intellectuel et artistique. Le même souci de restaurer la grandeur de l'Empire le conduit à recueillir la somme du droit romain (528-534) : le *Code* (regroupant les constitutions promulguées depuis Hadrien) est suivi du *Digeste* (compilation des œuvres des grands jurisconsultes), des *Institutes* (ouvrage à l'usage des étudiants) et des *Novelles* (lois postérieures à 533). Si son autorité a parfois été contestée (sédition Nika, 532) et si son œuvre politique a été éphémère, Justinien n'en a pas moins fait briller la nouvelle Rome d'un prestige incomparable, et donné l'illusion de la restauration de l'Empire universel.

Scala

Justinien Ier entouré des dignitaires de sa cour. Mosaïque de la basilique San Vitale, à Ravenne (Italie). VIe s.

JUSTINIEN II → HÉRACLIDES.

JUTE. — Le jute provient d'une plante annuelle appartenant à la famille des tiliacées. La tige a une hauteur de 3 à 4 m et un diamètre de 20 mm. Les fibres sont localisées dans le liber et groupées en faisceaux. Après sa récolte, le jute est roui, puis les tiges sont brisées et frappées jusqu'à ce que les fibres apparaissent. Celles-ci ont une résistance de 35 g/tex et une élasticité de 1,5 à 2 p. 100. Le jute est utilisé principalement pour la sacherie. Les fibres dures, tel que le sisal, provenant de l'*Agave sisalana,* sont utilisées pour la fabrication des ficelles et des cordages.

JUTES → BARBARES.

JUTLAND, nom allemand du JYLLAND*. Importante bataille navale livrée les 31 mai et 1er juin 1916, au large des côtes du Danemark, entre la Grand Fleet anglaise de l'amiral Jellicoe (150 navires, 1 700 canons) et la flotte allemande de haute mer de l'amiral Scheer (100 navires, 900 canons). [V. GUERRE MONDIALE *(Première).*]

JUVARA (Filippo), architecte et décorateur italien (Messine 1678-Madrid 1736). La tradition baroque lui est transmise par Carlo Fontana, à Rome (1703), où il acquiert une renommée comme décorateur de théâtre. Devenant, à Turin, en 1714, le premier architecte de Victor-Amédée II, il va réaliser en vingt ans, avant d'être appelé à Madrid, une œuvre gigantesque en Lombardie, à Lucques, à Chambéry, à Turin. Scénographe virtuose, il réalise une synthèse de l'art de ses prédécesseurs et demeure rebelle aux tendances rococo. Ses chefs-d'œuvre sont, près de Turin, la basilique de Superga (1717-1731) et le palais de Stupinigi.

JUVÉNAL, poète latin, né à Aquinum (v. 60-v. 140), auteur de *Satires** dans lesquelles il oppose à la Rome dissolue de son temps l'image de la République idéalisée par Cicéron et Tite-Live.

JUVÉNAL ou **JOUVENEL DES URSINS,** famille champenoise, qui compta parmi ses membres : JEAN Ier (Troyes 1360-Poitiers 1431), avocat du roi Charles VI au parlement de Paris, où il soutint la cause de la royauté; JEAN II (Paris 1388-Reims 1473), fils du précédent, avocat au parlement de Poitiers (1425), évêque de Beauvais (1432), puis archevêque de Reims (1449), auteur de la *Chronique de Charles VI;* GUILLAUME, son frère (Paris 1401-*id.* 1472), chancelier de Charles VII (1445) et de Louis XI (1466).

JUVIGNY-LE-TERTRE (50520), ch.-l. de cant. de la Manche, à 10 km au N.-O. de Mortain; 659 hab.

JUVISY-SOUS-ANDAINE (61140 Bagnoles de l'Orne), ch.-l. de cant. de l'Orne, près de la *forêt d'Andaine,* à 8,5 km à l'O. de Bagnoles-de-l'Orne; 1 030 hab.

JUVISY-SUR-ORGE (91260), comm. de l'Essonne, à 13 km au N. de Corbeil-Essonnes; 13 540 hab. *(Juvisiens).* Gare de triage.

JUZENNECOURT (52330 Colombey les Deux Églises), ch.-l. de cant. de la Haute-Marne, à 17,5 km au N.-O. de Chaumont; 154 hab.

JYLLAND, en allem. **Jutland***, partie continentale du Danemark, dont elle occupe les deux tiers de la superficie, mais regroupe moins de la moitié de la population. C'est une région basse, demeurée agricole, avec des cultures céréalières et, surtout, fourragères, qui alimentent l'élevage, ressource essentielle, alors que la pêche anime quelques ports du littoral (surtout Esbjerg).

JYVÄSKYLÄ, v. de la Finlande centrale; 57 000 hab. Édifices publics par A. Aalto. Industries du bois.

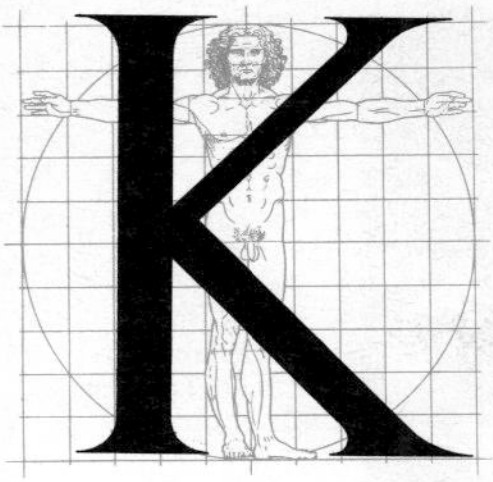

K2, DAPSANG ou **GODWIN AUSTEN,** deuxième sommet du globe (8 620 m), dans l'Himālaya (Karakoram), gravi pour la première fois en 1954.

KA'BA, sanctuaire de La Mecque*, dont l'islām* attribue la fondation à Abraham et à Ismaël. D'apparence cubique, il abrite la Pierre noire. Celle-ci était l'objet d'un rituel préislamique que l'islām a repris en l'épurant et en lui donnant une orientation strictement monothéiste.

KABĪR, mystique indien (Bénarès v. 1435 - Maghar 1518). D'origine musulmane, il prêcha l'union de l'islām et de l'hindouisme et l'abolition des castes. Il est l'auteur de poèmes traduits par Rabindranāth Tagore*.

KABOUL, capit. de l'Afghānistān, sur le *Kaboul,* affl. de l'Indus (r. dr.); 318 000 hab. — La vallée du Kaboul, qui faisait partie des États bactriens hellénisés, fut occupée par les Kuṣāṇa puis par les Huns Hephthalites. Bien qu'atteinte par les Arabes à la fin du VIIe s., Kaboul ne s'islamisa profondément qu'aux IXe et Xe s. La ville fut florissante sous Bāber* (de 1504 à 1530) et devint la capitale de l'Afghānistān en 1773.

KABUKI. — Reprenant les thèmes épiques du répertoire japonais, les histoires classiques et glorieuses du nō* et du jōruri*, mais les mettant en scène à grand spectacle, le kabuki est le genre le plus réaliste et le plus populaire du théâtre japonais. Les premières représentations, pantomimes mêlées de danses et d'intermèdes burlesques, furent suspendues à plusieurs reprises, et, en 1629, l'accès de la scène fut interdit aux femmes. À la fin du XVIIe s., le kabuki se renouvela en imitant le répertoire et le rythme du théâtre de marionnettes, puis il dut à des auteurs comme Takeda Izumo, Tsuruya Namboku et Kawatake Mokuami de retrouver auprès du public, qui se plaisait à ses surprises et à ses péripéties, une faveur qui dure encore aujourd'hui, grâce à l'introduction dans le répertoire, après 1908, des thèmes du roman moderne (*Shuzenjimo-nogatari,* 1911, d'Okamoto Kidō). Le kabuki est joué par des acteurs masculins, sur une scène immense, pourvue d'une machinerie complexe et qui déborde sur la salle par le *hanamichi,* passage sur lequel les acteurs vont et viennent au milieu des spectateurs. Le kabuki a gardé de la tradition du théâtre de marionnettes un récitant caché, qui joue le rôle du chœur, tandis qu'un orchestre (flûtes, shamisen, tambours) assure le bruitage.

KABWE, anc. **Broken Hill,** centre minier (plomb, zinc), de la Zambie, au N. de Lusaka; 89 000 hab.

KABYLIE, région montagneuse de l'est de l'Algérie. On distingue d'ouest en est : la *Grande Kabylie,* ou *Kabylie du Djurdjura* (entre l'oued Isser et l'oued Soummam), la *Petite Kabylie* (qui s'étend des Bibans au golfe de Bejaia [chaîne des Babors]), la *Kabylie de Collo* et la *Kabylie orientale* (en bordure de la Méditerranée, entre l'oued el-Kébir et l'oued Seybouse). La population, groupée souvent en villages, est surtout dense dans la *Grande Kabylie,* cependant traditionnelle terre d'émigration.

KĀCHĀN, v. de l'Iran, au S.-E. de Téhéran; 58 000 hab. Tapis.

KACHGAR, v. de Chine (Sin-kiang), sur le *Kachgar-Daria;* 91 000 hab. Matériel agricole.

KADAI → Asie.

KÁDÁR (János), homme politique hongrois (Fiume, auj. Rijeka, 1912). Secrétaire du Comité central du parti communiste hongrois en 1943, il devient ministre de l'Intérieur en 1948, avant d'être emprisonné, de 1951 à 1953. Ministre de l'Intérieur dans le gouvernement Nagy lors du soulèvement de 1956, il est élu premier secrétaire du parti communiste (oct. 1956) et appuie d'abord la politique d'Imre Nagy, puis rompt avec lui et devient chef du gouvernement (1956-1958) après l'intervention des troupes soviétiques en Hongrie. De nouveau Premier ministre de 1961 à 1965, il a été constamment réélu à la tête du parti communiste depuis 1956.

KADARÉ (Ismaïl), écrivain albanais (Gjirokastër 1934). Dans ses poèmes (*le Temps,* 1976), ses romans et ses nouvelles, l'histoire sert de prétexte à des chroniques où le fantastique et l'humour transparaissent derrière le réalisme quotidien (*le Général de l'armée morte,* 1970; *Chronique de la ville de pierre,* 1973).

KADESH → Qadesh.

KADHAFI (Muammar **al-**), homme d'État libyen (dans le désert de la Grande Syrte 1942). Il fonde en 1964 le Comité des officiers libres et unionistes avec lequel il prépare la révolution libyenne de 1969, qui renverse le roi Idrīs Ier. Kadhafi, président du Conseil de la révolution, veut, dès lors, édifier un socialisme arabe fondé sur l'islām. Il devient le champion de la résistance aux compagnies pétrolières et du soutien aux mouvements de libération des Palestiniens et des peuples africains. Ses positions extrêmes sont très controversées et expliquent les échecs des tentatives d'union avec d'autres pays arabes (Syrie et Égypte, 1972; Tunisie, 1974).

KADIEVKA, v. de l'U.R.S.S. (Ukraine), dans le Donbass; 137 000 hab.

KADUNA, v. du Nigeria septentrional; 174 000 hab. Industries textiles et mécaniques.

KAESONG, ou **KĂ-SŎNG,** v. de la Corée du Nord, à la frontière de la Corée du Sud; 140 000 hab.

KAFKA (Franz), écrivain tchèque de langue allemande (Prague 1883 - sanatorium de Kierling, près de Vienne, 1924). Destin paradoxal que celui de cet homme qui réunit les caractéristiques de toutes les minorités (juif en pays chrétien, écrivain dans une famille hostile à toute activité artistique, choisissant d'écrire en allemand dans la capitale tchèque de la Bohême) et dont le nom exprime l'angoisse la plus universelle du monde moderne : une situation sans issue, une atmosphère oppressante, un espace labyrinthique, si l'humour ne peut s'y glisser (dans l'hypothèse inverse, on est dans le domaine *ubuesque*), composent un univers *kafkaïen.* La vie de Kafka et son œuvre ont en commun, comme le notait Camus, « de tout offrir et de ne rien confirmer »; c'est qu'il conçoit l'existence comme un combat, mais perdu d'avance — la tuberculose le ronge, son emploi de bureaucrate dans une compagnie d'assurances empêche l'épanouissement de son activité littéraire, ses cinq tentatives de mariage se soldent par un échec, il laissera inachevée une grande partie de ses récits et son œuvre ne lui survit que contre sa volonté expresse (il avait demandé à son ami et exécuteur testamentaire Max Brod de brûler ses manuscrits). Kafka voit dans Kierkegaard et Flaubert des préfigurations de son destin : la solitude irrépressible, le sens de la culpabilité, l'assouvissement du désir d'unité et d'union cherché désespérément dans l'art. Si Kafka vit sa maladie comme le châtiment d'une faute mystérieuse, il y a aussi, dit Max Brod, « la plaie dont celle des poumons n'est que le symbole ». Cette forte charge symbolique de l'œuvre, issue à la fois de l'expérience vécue et de la triple pratique de Goethe, Strindberg et *Bouvard* et Pécuchet,* est d'autant plus sensible qu'elle est plus ambiguë : Kafka décrit, avec de plus en plus de minutie, dans un style qui passe du fantastique des œuvres de jeunesse au réalisme le plus précis, des parcours dont on ne peut saisir ni l'origine ni le but. Le héros du *Procès* ignorera toujours le motif de son arrestation et de sa condamnation à mort; l'arpenteur du *Château* s'épuisera dans la recherche de la nature du monstre bureaucratique et architectural qui le fascine. Les principaux héros de Kafka ne sont désignés que par l'initiale de son propre nom (Joseph K. dans *le Procès,* l'arpenteur K. dans *le Château*), à la fois clef et emblème, simple matricule dans un univers pénitentiaire, signe d'une insupportable transparence : le monde indifférent leur refuse identité et consistance (dans *la*

Kafka : *le Gardien de tombeaux,* par le Théâtre Oblique (Cité internationale, Paris, 1973).

Bernand

l'œuvre

1909	*Description d'un combat*	1924	*Joséphine la Cantatrice ou le Peuple des souris*
1913	*Contemplation*	1925	*le Procès**
1913	*le Verdict*	1926	*le Château**
1915	*la Métamorphose**	1927	*Amerika*
1919	*la Colonie pénitentiaire*	1931	*la Muraille de Chine*

Métamorphose, la transformation du voyageur de commerce Gregor Samsa en vermine provoque non l'étonnement, mais la colère de sa famille). Si l'on peut voir dans le rapport de Kafka à son père (qu'il explicite dans *le Verdict,* puis dans la *Lettre au Père*) l'élément majeur de son mythe personnel, il faut cependant chercher une raison plus complexe à l'échec le plus réussi de la littérature du xxe s. Comme le dit le héros du dernier récit publié de son vivant *(Un champion de jeûne) :* « Vous ne devriez pas admirer mon jeûne... Je ne peux pas faire autrement... Parce que je n'ai pas pu trouver d'aliment qui me plaise... »

KAFR EL-CHEIKH, v. d'Égypte, dans le delta du Nil; 52 000 hab.

KAGEL (Mauricio), compositeur argentin (Buenos Aires 1931). Fixé en Allemagne depuis 1957, il a exploré fort loin, non sans humour néodadaïste, l'aléatoire, le théâtre musical et les nouvelles sources sonores de la musique (*Anagrama, Acustica, Staatstheater;* films, dont *Match* et *Ludwig van* en hommage à Beethoven).

KAGERA (la), riv. de l'Afrique équatoriale, tributaire du lac Victoria, considérée comme la branche mère du Nil; 400 km.

KAGOSHIMA, port du Japon, sur la côte sud de l'île de Kyūshū; 403 000 hab.

KAHN (Gustave), poète français (Metz 1859 - Paris 1936). Membre du groupe symboliste, l'un des fondateurs de *la Vogue,* il donna, dans la préface de ses *Palais nomades* (1887), la théorie du vers libre, qu'il illustra par ses recueils (*le Livre d'images,* 1897).

KAHN (Louis), architecte américain d'origine estonienne (île de Sarema 1901 - New York 1974). La monumentalité (Yale University Art Gallery à New Haven, 1952), l'audace et la rigueur des formes alliées à des réminiscences antiques ou médiévales (Richards Medical Research Center, Philadelphie, 1957; Capitole de Dacca, 1965-1972) caractérisent son œuvre. La recherche de l'espace et de la lumière, l'équilibre des volumes pleins et des vides, le rapport des espaces « servants » et « servis » sont ses principaux objectifs.

K'AI-FONG ou **KAIFENG,** v. de Chine (Ho-nan), sur le Houang-ho; 450 000 hab.

KAINJI, site du Nigeria, sur le Niger. Important barrage pour la production d'électricité et l'irrigation.

KAIROUAN, v. de la Tunisie centrale; 46 000 hab.

HISTOIRE. Camp militaire arabe fondé en 670 par 'Uqba ibn Nāfi', Kairouan sert de résidence aux gouverneurs omeyyades et 'abbāssides. Capitale de l'Ifrīqiya des Arhlabides* (800-909), elle devient un grand centre commercial et culturel. Les Fāṭimides l'abandonnent pour Mahdia v. 920, et la ville est ruinée par l'invasion des Banū Hilāl* (1057).

BEAUX-ARTS. Fondée au VIIIe s., la mosquée Sīdī 'Uqba, à laquelle les Arhlabides au IXe s. donnent sa grandiose ordonnance, devient dès lors le prototype des grands édifices religieux du Maghreb.

KAISER (Georg), auteur dramatique allemand (Magdeburg 1878 - Ascona, Suisse, 1945). De la bouffonnerie satirique à la prophétie pessimiste, ses drames historiques et philosophiques, qui se veulent un « jeu d'idées » *(Denkspiel),* restent une des meilleures illustrations de l'expressionnisme* (*les Bourgeois de Calais,* 1914; *Du matin à minuit,* 1916; *le Corail,* 1917; *Gaz,* 1918).

KAISER (Henry John), industriel américain (Sprout Brook, New York, 1882 - Honolulu 1967). De 1930 à 1938, il édifia les barrages géants de l'ouest des États-Unis : Boulder Dam, barrages de Bonneville et de Grand Coulee. En 1939, il fonda la Permanent Cement Corporation, qui devint la première firme du monde pour la production de ciment. Au cours de la Seconde Guerre mondiale, il appliqua la préfabrication à la construction navale et conçut les « liberty ships » : ses chantiers construisirent alors plus de 1 500 navires, soit près du tiers du tonnage total des États-Unis. Enfin, Kaiser mit au point et lança la *Jeep**.

KAISERAUGST, comm. de Suisse (Argovie), près du Rhin; 1 311 hab. Centrale nucléaire en construction.

KAISERSLAUTERN, v. de l'Allemagne fédérale (Rhénanie-Palatinat); 102 000 hab. Constructions mécaniques (automobiles).

KĀKINĀDĀ ou **COCANĀDA,** port de l'Inde (Andhra Pradesh), sur le golfe du Bengale; 164 000 hab.

KAKOGAWA, v. du Japon, dans le sud de Honshū; 127 000 hab.

KALA-AZAR → LEISHMANIOSE.

KALABCHAH → NUBIE.

KALAHARI (le), désert de l'Afrique australe intérieure, s'étendant essentiellement sur le Botswana.

KALAMÁTA, port de Grèce, dans le sud du Péloponnèse; 39 000 hab.

KALECKI (Michał), économiste polonais (Łódź 1899 - Varsovie 1970). Il est l'auteur de recherches consacrées notamment aux cycles, à la dynamique, au « risque croissant ». On lui doit, entre autres travaux, une *Esquisse d'une théorie de la croissance de l'économie socialiste* (publiée en France en 1963). Il fut, en Pologne, conseiller scientifique à la commission du Plan.

Cour de la Grande Mosquée de Sīdī 'Uqba, à Kairouan. IXe s.

R. Michaud - Rapho

Kalevala *(le)*, épopée populaire finnoise, composée de fragments recueillis par Elias Lönnrot de la bouche des bardes caréliens (1835-1849).

KALF (Willem), peintre hollandais (Rotterdam 1619 - Amsterdam 1693). Après avoir peint, notamment en France (1642-1646), des intérieurs rustiques, il se consacre à la nature morte, faisant ressortir un amoncellement d'objets précieux dans un clair-obscur à la Rembrandt. À partir de son installation à Amsterdam (1653), ses compositions deviennent moins chargées, la science du groupement des objets le dispute à la virtuosité des jeux de reflets et des textures, au raffinement des accords de couleurs (*la Coupe Ming,* musée Boymans, Rotterdam).

KALGAN, en chin. **Tchang-kia-k'eou** ou **Zhangjiakou,** v. de Chine (Ho-pei), au N.-O. de Pékin; 229 000 hab.

KALGOORLIE, v. du sud-ouest de l'Australie; 20 000 hab. Mines d'or.

KALI («la Noire»), épouse de Śiva*, divinité guerrière de la mythologie hindoue, déesse de la Destruction et de la Mort.

KĀLIDĀSA, poète indien, du Ier s. apr. J.-C., selon la tradition, mais que des travaux récents situent plutôt aux IVe-Ve s. Poète de cour, il est l'auteur d'élégies, de poèmes épiques, de comédies et du drame de *Śakuntalā.*

KALIMANTAN, nom indonésien de BORNÉO.

KALININE, anc. **Tver,** v. de l'U. R. S. S. (R. S. F. S. de Russie), sur la Volga, au N.-O. de Moscou; 345 000 hab. Industries mécaniques et textiles. — La ville, qui prit le nom de Kalinine en 1931, fut le centre de la principauté de Tver. Celle-ci prétendit dominer le rassemblement des terres russes (fin XIIIe-XIVe s.), rôle qui fut joué par Moscou, qui l'annexa en 1485.

KALININE (Mikhaïl Ivanovitch), homme d'État soviétique (Verchnïaïa Troïka, près de Tver, 1875 - Moscou 1946). Un des dirigeants de la révolution d'Octobre, il est président du praesidium du Conseil suprême (chef de l'État) de l'U. R. S. S. de 1937 à 1946.

KALININGRAD, anc. **Königsberg,** port de l'U. R. S. S. (R. S. F. S. de Russie), sur la Baltique; 297 000 hab. Cathédrale du XIVe s.

KALININGRAD, v. de l'U. R. S. S., au N.-E. de Moscou; 106 000 hab.

KALISZ, v. de Pologne, dans la plaine de Grande Pologne, au S.-E. de Poznań; 84 000 hab.

KALMAR, port du sud-est de la Suède, en face de l'île d'Öland, dont il est séparé par le *détroit de Kalmar;* 53 000 hab.

Kalmar *(Union de),* union du Danemark, de la Norvège et de la Suède sous un même sceptre. Elle fut réalisée, sous l'impulsion de Marguerite de Danemark, reine de Norvège, au profit d'Erik de Poméranie, qui, en 1397, fut couronné, à Kalmar, pour les trois royaumes. L'Union de Kalmar dura jusqu'à l'insurrection suédoise de 1521-1523.

KALMOUKS, nom turc des Mongols occidentaux, ou Oïrats, qui vivaient dans les forêts à l'ouest du lac Baïkal. Ils fondèrent, au XVIIe s., l'empire de Dzoungarie*. La majorité des Kalmouks, établis dans la région de la Volga depuis le XVIIe s., décida d'émigrer en Chine en 1771. Les Soviétiques ont créé une région (1920) puis une république (1935) autonome des Kalmouks (75 900 km^2; 269 000 hab., dont 41 p. 100 de Kalmouks; capit. *Elista*).

KALOUGA, v. de l'U. R. S. S., sur l'Oka, au S.-O. de Moscou; 211 000 hab.

KAMA (la), riv. de l'U. R. S. S., qui passe à Perm, affl. de la Volga (r. g.); 2 000 km. Aménagements hydroélectriques.

KAMAKURA, v. du Japon (Honshū), au S. de Yokohama; 139 000 hab. La cité a donné son nom à une période historique marquée par le gouvernement militaire de la dynastie de Minamoto no Yoritomo (1192-1333), dont elle fut la capitale. Artistiquement, cette époque correspond à un style nouveau, résurgence des formes anciennes du VIIIe s. unie à l'influence d'Unkei*, dont témoigne le *daibutsu,* statue colossale du bouddha Amida, coulée en bronze en 1252. Musée et temples bouddhiques et shintoïstes des XIIe-XIVe s.

KAMARHATI, v. de l'Inde, dans la banlieue nord de Calcutta; 169 000 hab.

KAMENEV (Sergueï), général soviétique (Kiev 1881 - Moscou 1936). Colonel de l'armée tsariste en 1917, rallié aux bolcheviks, il fut mis par Lénine à la tête de l'armée rouge de 1919 à 1924 et dirigea la lutte contre les armées blanches et, en 1920, contre la Pologne.

KAMENEV (Lev ROSENFELD, dit), homme politique soviétique (Moscou 1883 - *id.* 1936). Compagnon de Lénine depuis 1901, président du Conseil économique du soviet de Moscou (1918), vice-président du Conseil des commissaires du peuple, il forme, avec Staline* et Zinoviev*, la première troïka (1922). Beau-frère de Trotski*, il se rapproche de lui, ce qui lui vaut son exclusion du parti (1932), puis son élimination physique.

KAMENSK-OURALSKI, v. de l'U. R. S. S. (R. S. F. S. de Russie), à l'E. de l'Oural; 169 000 hab. Aluminium.

KAMERLINGH ONNES (Heike), physicien néerlandais (Groningue 1853 - Leyde 1926). Il a créé le fameux laboratoire du froid de Leyde, où il a réalisé la liquéfaction de l'hélium (1908) et découvert la supraconductibilité (1911). [Prix Nobel de physique, 1913.]

KAMINALJUYÚ, site archéologique des hautes terres mayas, situé à proximité de Guatemala City, qui s'avère être l'un des plus féconds pour l'étude de l'époque préclassique. Il fut occupé dès le préclassique moyen (1000-300 av. J.-C.), mais la plupart des vestiges remontent au préclassique récent (300 av.-300 apr. J.-C.). Ils correspondent à l'apogée de la culture avec la phase Miraflores (céramique aux formes exubérantes, constructions, sculpture sur pierre et riche mobilier funéraire). Le site connaît un nouvel essor vers le IVe s. de notre ère, sous la domination de Teotihuacán*.

KAMLOOPS, v. du Canada (Colombie britannique), au N.-E. de Vancouver; 26 128 hab. Nœud ferroviaire. Cimenterie.

KAMMERSPIEL. — Ce terme allemand, qui signifie «théâtre de chambre», désigne une conception et une technique dramatiques qui cherchent à créer une intimité entre l'œuvre et le spectateur par la réduction de l'espace scénique, la simplicité de la mise en scène, le naturel dans les gestes et la diction : ses réalisations les plus marquantes sont l'œuvre de Max Reinhardt, au *Kammerspielhaus* de Berlin (mise en scène des *Revenants* d'Ibsen, en 1906), de Strindberg (qui écrivit quatre *Kammarspel* pour l'Intima Teater de Stockholm), d'Otto Falckenberg (qui dirigea le *Kammerspielhaus* de Munich, de 1916 à 1944).

Au cinéma, le Kammerspiel se développa à partir de 1921 sous l'influence du scénariste Carl Mayer et du réalisateur Lupu-Pick.

KAMPALA, capit. de l'Ouganda, au N. du lac Victoria; 331 000 hab.

KAMTCHATKA, péninsule de l'extrémité orientale de l'U. R. S. S., sur le Pacifique, entre la mer d'Okhotsk et la mer de Béring. Presque aussi vaste que la France, mais froide et forestière, la région compte à peine 300 000 habitants, dont plus de la moitié dans le port de *Petropavlovsk-Kamtchatski,* base de pêche.

KANANGA, anc. **Luluabourg,** v. du Zaïre, sur le Lulua, affl. du Kasaï; 429 000 hab.

KANÁRIS ou **CANARIS** (Constantin), homme politique et amiral grec (Psará 1790 - Athènes 1877). Marin, il participa à l'insurrection grecque (1822-23), détruisant la flotte turque à Chio, et fut chef du gouvernement en 1848-49, en 1864-65 et en 1877.

KANAZAWA, v. du Japon (Honshū), sur la mer du Japon; 361 000 hab.

KĀÑCHĪPURAM, v. de l'Inde (Tamil Nadu), au S.-O. de Madras; 111 000 hab. Anc. Kāñcī, capitale des Pallava jusqu'au IXe s., elle conserve divers grands temples brahmaniques, tel le Kailāsanātha (VIIIe s.).

KANDAHAR ou **QANDAHĀR,** v. de l'Afghānistān; 134 000 hab.

KANDERSTEG, station de sports d'hiver (alt. 1 200-2 000 m) de Suisse, dans les Alpes bernoises.

KANDINSKY (Vassili), peintre français d'origine russe (Moscou 1866 - Neuilly-sur-Seine 1944). À Munich, où, touché par le symbolisme, il participe aux mouvements d'avant-garde, dès 1901, et fonde le Blaue* Reiter en 1911, une période de profonde réflexion (*Du spirituel dans l'art,* 1910) et d'intense création poétique (essais de théâtre synesthésique) et picturale le mène, à travers les paysages expressionnistes de Murnau (1908-09) puis l'invention gestuelle de la série des «Improvisations» (1909-1914), vers la peinture «pure» et l'abstraction (*l'Arc noir,* 1912, musée national d'Art moderne, Paris). Dans la Russie révolutionnaire, puis de nouveau en Allemagne, au Bauhaus* (1922-1933), il se fait prospecteur de la géométrisation constructiviste (il publie, en 1926, *Point. Ligne. Surface.*), mais retrouve, avec la couleur, une vitalité pleine de poésie. À Paris, où il fuit le nazisme en 1933, il se tourne vers un lyrisme marqué parfois de surréalisme, dans des toiles d'une gaieté sereine, où le foisonnement organique s'accorde à la résurgence d'éléments d'inspiration orientale (*Composition X,* 1939, coll. Nina Kandinsky, Paris). Sa conception antinaturaliste de l'art, sa recherche d'un langage pur ont ouvert une des voies majeures de la peinture moderne.

KANDY, v. du centre de Sri Lanka; 76 000 hab. Le maintien des traditions artistiques cinghalaises dans l'ancienne capitale (XVIe-XIXe s.) de Sri Lanka définit la dernière période de l'art ancien du pays. Ancien palais royal du XVIe s., transformé au XIXe s.; temple Dalada Maligawa, célèbre lieu de pèlerinage, pour la dent relique du Bouddha qu'il abriterait.

KANGCHENJUNGA ou **KANCHANJANGĀ,** troisième sommet du monde, dans l'Himālaya, aux confins du Népal et du Sikkim, atteint pour la première fois en 1955; 8 585 m.

KANGGYE, v. de la Corée du Nord, près de la frontière chinoise; 130 000 hab.

K'ANG-HI ou **KANGXI** († 1722), empereur chinois de la dynastie mandchoue (Ts'ing) de 1661 à 1722. Ayant étouffé les révoltes internes, stoppé l'infiltration russe dans la vallée de l'Amour (1689) et assuré le protectorat chinois sur la Mongolie-Orientale, il ouvre largement l'empire aux influences occidentales (aux Jésuites, notamment).

KANGOUROU. — Le plus grand et le plus connu des marsupiaux* d'Australie est cet herbivore sauteur, aux pattes de devant minuscules, mais à l'arrière-train puissant : longue queue musclée, pied très allongé à quatre doigts extrêmement inégaux. Le kangourou se déplace presque toujours en sautant, les pattes de derrière intervenant seules. Mais il lui arrive de progresser sur ses quatre pattes, en un lent mouvement d'arpentage. La femelle n'a ordinairement qu'un seul petit par an; la gestation utérine n'est que de quarante jours, mais la gestation mammaire dans la poche dure deux mois.

KANIṢKA ou **KANISHKA,** roi indo-scythe de la dynastie kuṣāṇa, qui aurait régné, entre 144 et 152 apr. J.-C., d'abord sur le Gandhāra, puis sur toute l'Inde septentrionale. Son éclectisme religieux et culturel ouvrit l'Inde aux influences occidentales.

KANKAN, v. de Guinée; 31 000 hab.

KANNARA → DRAVIDIENNES *(langues).*

KANNON, divinité bouddhique, très populaire au Japon et réputée pour sa miséricorde.

KANO, v. du nord du Nigeria; 357 000 hab. Aéroport. — Le royaume haoussa de Kano, dont la fondation remonte au moins au XIe s., fut islamisé vers le XIIe et le XIIIe s. À partir du XVIe s., il fut le plus souvent sous la dépendance du Bornou. Il fut absorbé par les Peuls au XIXe s.

Kanō Motonobu (1476-1559) : *Paysage, fleurs et oiseaux.* Encre et couleurs sur papier. (Myōshin-ji, Kyōto.)

KANŌ, lignée de peintres décorateurs japonais travaillant pour les shōgun entre le XVe et le XIXe s. **Kanō Masanobu** (1434-1530), le premier laïque ayant pratiqué la peinture à l'encre, tout en se souvenant du *Yamato-e,* crée un nouveau style national et est considéré comme le fondateur de l'école. **Kanō Motonobu** (Kyōto 1476-*id.* 1559), fils du précédent, domine l'art de l'époque en donnant à l'école de solides assises artistiques et sociales tant à la cour impériale que shōgunale. Ses vastes compositions murales, aux coloris brillants, empreintes d'un lyrisme décoratif et d'un dynamisme nouveau, sont parfaitement adaptées aux palais et aux temples (Daitoku-ji et Myōshin-ji, à Kyōto) qu'il décore. **Kanō Eitoku** (1543-1590), son petit-fils, associe le lavis monochrome et le *Yamato-e.* Ses compositions révèlent un sens de l'espace et une vigueur de trait que rehaussent des fonds dorés, alors que la spontanéité et la verve animent ses scènes de genre (paravents de *la Vie à Kyōto,* coll. priv., Yonezawa). Parmi d'autres artistes, citons : Sanraku*, **Kanō Naganobu** (1577-1654), **Kanō Tanyū** (Kyōto 1602-*id.* 1674), petit-fils de Eitoku, qui dirige l'académie officielle du shōgunat d'Edo (Tōkyō). Ses décorations murales, polychromes sur fond d'or (château de Nijō, Kyōto), sur le thème traditionnel des pins et des oiseaux, sont l'unique témoin des fastes décoratifs de l'époque Tokugawa.

KĀNPUR ou **CAWNPORE,** v. de l'Inde (Uttar Pradesh), sur le Gange; 1 154 000 hab. Travail du cuir. Constructions mécaniques. Engrais.

KANSAI ou **KINKI,** région du Japon (Honshū), dont Ōsaka, Kōbe et Kyōto sont les principales villes.

KANSAS (le), riv. des États-Unis, affl. du Missouri (r. dr.); 274 km.

KANSAS, État des États-Unis, dans l'ouest des Grandes Plaines; 213 063 km²; 2 249 000 hab. Capit. *Topeka.* Au pied des Rocheuses, le Kansas est formé de plaines dont l'altitude augmente vers l'ouest, alors que la pluviosité décroît dans la même direction. L'agriculture est importante, associant céréales (blé et sorgho) et élevage bovin (pour la viande). L'industrie, valorisant la production agricole et bénéficiant de la présence de notables gisements d'hydrocarbures, est représentée notamment à Wichita (la plus grande ville), Kansas City et Topeka.

KANSAS CITY, nom de deux villes jumelles des États-Unis, au confluent du *Kansas* et du Missouri. La plus importante est située dans l'État du Missouri et compte 507 000 hab. Importants musées d'art. Aéroport. Marché agricole. La seconde, dans l'*État du Kansas,* a 170 000 hab.

KAN-SOU ou **GANSU,** prov. de la Chine du Nord-Ouest; 530 000 km²; 12 650 000 hab. Capit. *Lan-Tcheou.* Étiré sur plus de 1 500 km de l'est vers l'ouest (aux portes de l'Asie centrale), le Kan-sou, en grande partie aride, est cependant un notable producteur agricole (blé) grâce, surtout, à l'irrigation, alors que le sous-sol fournit, notamment, du pétrole et du charbon, bases énergétiques qui ont favorisé l'essor de la métallurgie.

KANT (Emmanuel), philosophe allemand (Königsberg 1724-*id.* 1804). Peu fertile en événements remarquables, la vie de ce fils de sellier est celle d'un professeur qui ne quitte jamais sa province natale. Ses études en sciences et en philosophie sont influencées par le leibnizianisme de C. Wolff*. À trente et un ans, il publie *Histoire universelle de la nature et théorie du ciel* et obtient son habilitation de professeur libre. Il enseigne pratiquement toutes les disciplines, écrit un *Essai pour introduire en philosophie le concept de grandeur négative* (1763) puis une *Dissertation sur la forme et les principes du monde sensible et du monde intelligible* (1770), à la suite de laquelle il devient professeur titulaire. Marquées par Hume*, Leibniz* et Rousseau*, ses recherches le conduisent à s'interroger sur « les limites de la sensibilité et de la raison ». En 1781, il publie la *Critique* de la raison pure* et, en 1785, les *Fondements de la métaphysique des mœurs.* Il rectifie alors sa première critique puis écrit *Premiers Principes métaphysiques de la science de la nature* (1786), *Critique* de la raison pratique* (1788), *Critique du jugement* (1790), *la Religion dans les limites de la simple raison* (1793). En 1797, il fait paraître une *Métaphysique des mœurs : premiers principes métaphysiques de la doctrine du droit; premiers principes métaphysiques de la doctrine de la vertu.*

Le criticisme kantien est une philosophie qui tente de répondre aux questions « Que puis-je savoir? »; « Que dois-je faire? »; « Que m'est-il permis d'espérer? ». La nature humaine est l'axe selon lequel s'ordonne le criticisme. De même que Copernic* projetait le soleil au centre des orbes célestes, Kant situe la raison au centre du monde. La « révolution copernicienne » à laquelle il procède s'opère dans les domaines théorique et pratique (= morale).

Pour qu'une connaissance universelle et nécessaire (= *a priori*) soit possible, il faut, puisqu'elle ne peut dériver de l'expérience*, que ce soient les objets de la connaissance qui se règlent sur la nature du sujet pensant et non l'inverse. La *Critique de la raison pure* accomplit cette révolution de la méthode et montre comment l'entendement, en légiférant sur la sensibilité et l'imagination, rend possible une physique *a priori* et, partant, l'établissement des lois qui gouvernent la nature.

Mais si la nature est soumise au déterminisme*, l'homme peut-il être libre, c'est-à-dire pas plus déterminé dans son action morale par des objets extérieurs que ne l'est sa connaissance*? C'est en postulant l'existence d'une âme libre animée d'une volonté autonome (= raison pratique) que Kant met en œuvre la révolution copernicienne dans le domaine pratique.

Que dois-je faire alors? « Agis uniquement d'après la maxime qui fait que tu peux vouloir en même temps qu'elle devienne une loi universelle. » Que puis-je espérer? Pour l'espèce humaine, le règne de la liberté garantie par une constitution politique; pour l'individu, le progrès de sa vertu et une meilleure connaissance de l'autre et de lui-même par la médiation de l'art.

KANTARA (El-), gorges célèbres d'Algérie, à l'O. de l'Aurès, ouvrant sur l'oasis de Biskra.

KAN-TCHEOU ou **GANZHOU,** v. de la Chine méridionale (Kiang-si); 200 000 hab.

KANTŌ, région du Japon (Honshū), dominée par l'agglomération de Tōkyō, dont elle constitue l'arrière-pays.

Staatlisches Kantgymnasium, Berlin

Emmanuel Kant, par Hans Kurth, 1931, d'après une miniature de G. Doeppler. (Staatlisches Kantgymnasium, Berlin.)

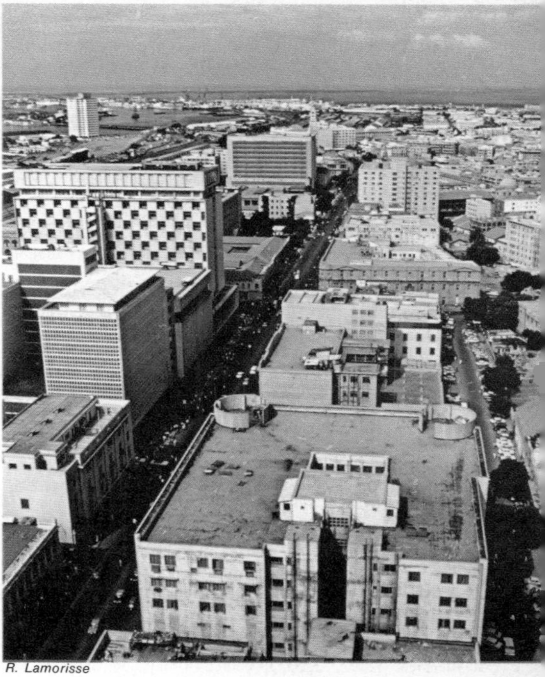

R. Lamorisse

Karāchi. Le quartier du port, au sud de la ville.

KANTOROVITCH (Leonid Vitalievitch), économiste soviétique (Saint-Pétersbourg 1912). On lui doit d'importants apports, notamment l'introduction de la programmation linéaire dans la théorie économique soviétique. Étudiant l'utilisation des méthodes mathématiques à la planification, Kantorovitch a contribué à restaurer en U. R. S. S. une certaine idée de profit. (Prix Nobel de sciences économiques, 1975.)

KAO-HIONG ou **KAOSIUNG,** port de la côte sud-ouest de T'ai-wan; 872 000 hab. Métallurgie. Chantiers navals. Raffinage du pétrole.

KAOLACK, port fluvial du Sénégal, sur le Saloum; 70 000 hab. Exportation d'arachides. Huileries.

KAOLIN. — Argile blanche entrant dans la fabrication de la porcelaine, le kaolin résulte de la transformation des feldspaths contenus dans les roches granitiques.

KAPELLEN, comm. de Belgique, au N. d'Anvers; 13 352 hab.

KAPITSA (Piotr Leonidovitch), physicien soviétique (Kronchtadt 1894). Il fit des recherches sur les champs magnétiques intenses et sur les températures très basses. Principal créateur de l'explosif thermonucléaire russe, il contribua à la mise au point des satellites artificiels.

KAPLAN (Viktor), ingénieur autrichien (Mürzzuschlag, Styrie, 1876 - Unterach 1934). Spécialiste des turbines hydrauliques, il apporta de nombreux perfectionnements aux turbines-hélices et imagina les hélices à pas variable auxquelles son nom est resté attaché.

KAPNIST (Vassili Vassilievitch), écrivain russe (Oboukhovka 1757 - *id.* 1823), auteur de la comédie *la Chicane* (1798), satire des mœurs judiciaires.

KAPOK. — Cette fibre végétale, qui rembourre intérieurement les fruits de diverses bombacacées de Malaisie, est imperméable et extrêmement légère, d'où son emploi dans les gilets de sauvetage, bouées, etc. (Force portante : 19 kg pour 1 kg de fibre.)

KAPOSVÁR, v. du sud-ouest de la Hongrie; 65 000 hab. Textile.

KARA *(mer de),* partie de l'océan Arctique, au N. de l'U. R. S. S., limitée à l'O. par la Nouvelle-Zemble.

KARA-BOGAZ, golfe peu profond de l'est de la Caspienne (U. R. S. S., Turkménistan), dont il est presque complètement séparé par un cordon littoral. Salines.

KARABÜK, centre sidérurgique du nord de la Turquie; 65 000 hab.

KARĀCHI, v. du Pākistān, sur l'océan Indien; 3 650 000 hab. Sur la bordure nord-ouest du delta de l'Indus, la ville, à l'arrière-pays désertique, ne s'est développée réellement qu'avec l'indépendance du Pākistān en 1947 (elle ne comptait alors que 350 000 habitants), dont elle fut la capitale pendant une vingtaine d'années. Karāchi a perdu cette fonction, mais elle est demeurée le principal port du pays (trafic annuel d'environ 10 Mt), ainsi que sa métropole industrielle (textile, métallurgie, raffinage du pétrole).

KARADAG, gisement de gaz naturel de l'U. R. S. S., en Azerbaïdjan.

KARADJĪ (Abū Bakr Muḥammad ibn al-Ḥasan, **al-**) ou **AL-KARKHI,** mathématicien arabe du XIe s., originaire de Karadj. Son algèbre est fondée en grande partie sur celle de Diophante*.

KARADJORDJEVIĆ, dynastie serbe fondée par DJORDJE **Petrović,** surnommé **Karadjordje** (Karageorges, « Georges le Noir ») [Viševac Šumadija v. 1768 - Radovanje 1817], patriote serbe, qui, élu en 1804 chef suprême des Serbes, bat les Turcs à Mišar (1806) et devient le prince héréditaire des Serbes. Les Turcs ayant de nouveau envahi la Serbie* (1813), Karageorges doit s'exiler. Rentré en Serbie (1817), il est tué sur l'ordre de son rival, Miloš Obrenović*. — Son troisième fils, ALEXANDRE (Topola 1806 - Temesvár 1885), remplace, en 1842, comme prince des Serbes, Miloš Obrenović, chassé par une révolution. La législation qu'il applique modernise et libéralise quelque peu la Serbie, mais son despotisme oligarchique le rend impopulaire et il doit s'exiler en 1858. — Le troisième fils d'Alexandre, PIERRE Ier (Belgrade 1844 - *id.* 1921), fait ses études militaires et ses premières armes en France; après l'assassinat, en 1903, d'Alexandre Obrenović*, il est couronné roi de Serbie (1904) et instaure un régime parlementaire. Allié de la Russie contre l'Autriche, il participe à la Première Guerre mondiale (1914-1918) aux côtés des Alliés; le 1er décembre 1918, il est proclamé roi des Serbes, Croates et Slovènes. — Il a pour successeur son fils, ALEXANDRE Ier (Cetinje 1888 - Marseille 1934). D'abord roi des Serbes, Croates et Slovènes (1921), puis de Yougoslavie (1929), il doit, très vite, faire face à l'opposition violente entre Serbes centralisateurs et Croates fédéralistes, voire séparatistes. Aussi, en 1929, suspend-il la Constitution parlementaire; en 1931, il se fait octroyer les pleins pouvoirs; le 9 octobre 1934, il est abattu, à Marseille, par des terroristes croates. — Son cousin germain, PAUL (Saint-Pétersbourg 1893 - Paris 1976), assure la régence jusqu'en 1941; en pleine guerre, un soulèvement populaire, dû au traité qui lie la Yougoslavie à l'Allemagne nazie, l'oblige à abandonner le pouvoir à PIERRE II (Belgrade 1923 - Los Angeles 1970), fils d'Alexandre Ier, roi nominal depuis 1934, qui, réfugié à Londres après l'invasion de son pays par les Allemands, se voit déchu en 1945 par le régime titiste.

KARADŽIĆ (Vuk), écrivain serbe (Tršić 1787 - Vienne 1864). Il réforma la langue serbe et recueillit les contes populaires de son pays.

KARAGANDA, v. de l'U. R. S. S. (Kazakhstan), au cœur du riche *bassin houiller de Karaganda;* 523 000 hab. Sidérurgie. Cimenterie.

KARAJAN (Herbert VON), chef d'orchestre autrichien (Salzbourg 1908). Chef à vie de la Philharmonie de Berlin, il a abordé un très large répertoire et excelle, en particulier, dans l'opéra et dans certaines partitions contemporaines.

KARAKORUM ou **KARAKORAM,** massif montagneux du nord du Cachemire, juxtaposant de très hauts sommets (dont le K2 et l'Hidden Peak, dépassant 8 000 m) et de grands glaciers (Baltoro [86 km de long], Siachen [72 km]).

KARA-KOUM (le), secteur le plus aride de la dépression aralo-caspienne (U. R. S. S., Turkménistan), partiellement mis en valeur par l'irrigation (coton, notamment).

KARAMANLÍS → CARAMANLIS.

KARAMÉ ou **KARAMĪ** (Rachīd), homme politique libanais (Tripoli 1921). Plusieurs fois Premier ministre de 1958 à 1976, il est confronté avec le problème de la liberté d'action des Palestiniens du Liban et essaie de jouer un rôle de conciliateur dans la guerre civile de 1975-76.

KARAMZINE (Nikolaï Mikhaïlovitch), écrivain et publiciste russe (Mikhaïlovka, gouvern. de Simbirsk, 1766 - Saint-Pétersbourg 1826). Influencé par le sentimentalisme de Rousseau dans ses romans (*la Pauvre Lise,* 1792) et ses récits de voyages (*Lettres d'un voyageur russe,* 1791-92), fondateur du *Messager de l'Europe* (1802), il est l'auteur du premier grand ouvrage historique publié en Russie (*Histoire de l'État russe,* 1816-1829).

KARA-SOU, nom de nombreuses rivières de l'Asie centrale et de Turquie.

KARATÉ. — Art martial dans lequel les coups, portés avec le poing ou le pied, sont seulement simulés, le karaté est un sport relativement récent, mais il comporte déjà, notamment, des championnats d'Europe et des championnats du monde. Les karatékas se départagent en totalisant *ippon* (point entier pour un coup efficace dirigé vers une « région vitale ») et *waza-ari* (demi-point), au cours d'un combat de deux ou trois minutes. L'arbitrage est rendu difficile par le fait que les coups doivent en principe s'arrêter à proximité du corps et surtout du visage.

KARAVELOV (Ljuben), écrivain bulgare (Koprivštica entre 1834 et 1837 - Ruse 1879). Journaliste, auteur de nouvelles, il joua un rôle déterminant dans le Comité central révolutionnaire bulgare de Bucarest.

KARAWANKEN (les), massif des Alpes orientales, aux confins de l'Autriche et de la Yougoslavie, entre la Drave et la Save.

KARBALĀ' ou **KERBELA,** v. de l'Iraq, au S.-O. de Bagdad; 83 000 hab. — Ḥusayn, second fils d'ʿAlī*, ayant pris les armes contre les Omeyyades*, fut tué avec les siens à Karbalā' en 680. Son tombeau est le centre d'un pèlerinage chīʿite.

KAREN → ASIE.

KARIBA *(gorges de),* défilé du Zambèze, séparant la Rhodésie et la Zambie. Important aménagement hydroélectrique (barrage créant un immense lac de retenue) et grande centrale (située sur la rive rhodésienne).

KARITÉ. — C'est l'« arbre à beurre » de l'Afrique occidentale, dont la substance grasse comestible est extraite de l'amande du fruit. L'arbre fournit, en outre, un excellent bois d'œuvre aux usages multiples. (Famille des sapotacées.)

KARKEMISH, ville de la Syrie ancienne sur l'Euphrate. En 605 av. J.-C., victoire de Nabuchodonosor II* sur le pharaon Néchao; cette bataille livra au roi de Babylone la Syrie et la Palestine, et brisa définitivement l'expansion égyptienne. Le site a livré des vestiges remontant au Ve millénaire, mais les fouilles ont surtout permis le dégagement d'une partie de la forteresse néohittite (sanctuaire et ensemble palatial). Les grandes frises d'orthostates sont caractéristiques de l'art figuratif néohittite du Xe au VIIIe s. av. J.-C.

KARKONOSZE, en allem. **Riesengebirge,** nom polonais des monts des Géants, bordure nord-est de la Bohême; 1 603 m.

KARLFELDT (Erik Axel), poète suédois (Folkärna, Dalécarlie, 1864 - Stockholm 1931). Il transposa dans ses recueils l'âme populaire et la naïveté des peintures des artistes paysans de sa province (*Chansons de Fridolin,* 1898; *Cor d'automne,* 1927). [Prix Nobel, 1931].

KĀRLI, site archéologique de l'Inde (Mahārāshtra), dont le caitya représente l'accomplissement de l'architecture rupestre bouddhique. Élevé sous la dynastie des Sātavāhana (Ier s.), il est orné de reliefs réalisés dans le style d'Amarāvatī.

KARL-MARX-STADT, v. de l'Allemagne orientale, en Saxe; 302 000 hab. Industries textiles et mécaniques.

KARLOVAC, v. de Yougoslavie (Croatie), au S.-O. de Zagreb; 48 000 hab.

KARLOVY VARY, v. de Tchécoslovaquie (Bohême), à l'O. de Prague; 45 000 hab. Station thermale. Cathédrale du XVIIIe s. Verrerie.

KARLOWITZ, auj. **Sremski Karlovci,** v. de Yougoslavie (Serbie), sur le Danube, au N.-O. de Belgrade; 6 000 hab. — Dans cette localité fut signé, le 26 janvier 1699, un traité par lequel le sultan, vaincu par la Sainte Ligue, cédait à la Russie, à l'Empire, à la Pologne et à Venise des territoires importants.

KARLSRUHE, v. de l'Allemagne occidentale (Bade-Wurtemberg), près du Rhin et de la France; 272 000 hab. Recherches nucléaires. Raffinage du pétrole. Pneumatiques.

KARLSTAD, v. de Suède, sur le lac Vänern; 72 000 hab. — C'est dans cette ville que se réunit la conférence où fut décidée la séparation de la Suède et de la Norvège (31 août 1905).

KÁRMÁN (Théodore DE), ingénieur américain d'origine hongroise (Budapest 1881 - Aix-la-Chapelle 1963). Ses travaux touchent aux sujets les plus divers de la mécanique, de l'hydrodynamique, de l'aérodynamique et de la thermodynamique.

KARMØY, île norvégienne de la mer du Nord, au N.-O. de Stavanger. Usine d'aluminium.

KARNAK, village de Haute-Égypte sur la rive orientale du Nil, situé à l'emplacement de l'antique Thèbes*, ville séparée en deux par le Nil : le côté ouest, cité des morts; le côté est, cité des dieux et des vivants. L'ensemble religieux — le plus grand d'Égypte — se compose de trois complexes, du nord au sud : l'enceinte du dieu Montou, dont le temple est l'œuvre d'Aménophis III; l'enceinte du grand temple d'Amon, à l'extraordinaire enchevêtrement de constructions, où se décèle la marque de presque tous les souverains d'Égypte, jusqu'à l'époque romaine; enfin l'enceinte de la déesse Mout, dont le temple, comme ceux d'Aménophis III et de Ramsès III, est en ruine. Karnak demeure célèbre surtout grâce au grand sanctuaire d'Amon, dont l'énorme salle hypostyle (102 × 53 m), commencée sous Aménophis III, est l'œuvre majeure de la XIXe dynastie. Le plafond est soutenu par une forêt de colonnes, historiées, comme les parois, de textes religieux et de cérémonies rituelles; les murs extérieurs décrivent les exploits guerriers de Séti Ier et de Ramsès II.

KARNĀTAKA, anc. **Mysore,** État du sud de l'Inde; 192 000 km^2; 29 300 000 hab. Capit. *Bangalore.* L'État juxtapose une plaine littorale (domaine du riz) sur la côte de Malabār, une bande montagneuse (partie des Ghāts occidentaux), très arrosée et forestière, et, dans l'intérieur, des plateaux, appartenant au Deccan, qui recèlent quelques richesses minières (fer, chrome, manganèse, or) et sont le site des principales villes, la capitale actuelle et l'ancienne, Mysore.

KÁROLYI, famille noble de Hongrie, qui fut illustrée, notamment, par MIHÁLY (Budapest 1875 - Vence 1955); leader du parti de l'indépendance (1913), il forme, en 1918, le Conseil national pour l'indépendance; président provisoire de la République hongroise (1919), il doit bientôt abandonner le pouvoir à Béla Kun*.

KARPATES → CARPATES.

KARR (Alphonse), écrivain français (Paris 1808 - Saint-Raphaël 1890). Romancier d'inspiration romantique, il donna dans sa revue *les Guêpes* un tableau satirique de la vie politique et littéraire sous la monarchie de Juillet.

KARRER (Paul), chimiste organicien suisse (Moscou 1889 - Zurich 1971). On doit à cet infatigable chercheur plus de mille publications de chimie organique sur l'amidon, la cellulose, la chitine, les tanins, les alcaloïdes végétaux, les pigments végétaux et, principalement, sur les vitamines* : synthèse de la riboflavine, ou vitamine B2 (1934), synthèse de la vitamine E (1938), formule de la vitamine A2 et séparation de la vitamine K (1939). [Prix Nobel de chimie, 1937.]

KARROO ou **KAROO,** nom parfois donné à un ensemble de plateaux étagés de l'Afrique du Sud, et désignant des terrains sédimentaires (surtout gréseux) de la fin du primaire et du début du secondaire.

KARS, v. de la Turquie orientale; 53 000 hab. — Centre d'un royaume indépendant arménien aux IXe-Xe s., conquis par les Seldjoukides au XIe s., puis par les Mongols, la ville devient ottomane en 1514. Elle est annexée en 1878 par les Russes, qui la restituent à la Turquie en 1921.

KARSAVINA (Tamara), danseuse russe (Saint-Pétersbourg 1885).

Inspiratrice et interprète des œuvres de Fokine *(Cléopâtre, Carnaval, l'Oiseau de feu, Schéhérazade, le Spectre de la rose, Petrouchka)* au sein des Ballets russes de Diaghilev, elle triomphe également dans le *Tricorne* de Massine, après avoir été « ballerina » au Théâtre Mariinski de Saint-Pétersbourg. Elle abandonne la scène après la mort de Diaghilev (1929), se fixe à Londres et publie *Theatre Street* (1930).

KARST, nom allemand (en ital. *Carso,* en slovène *Kras*) d'une région de plateaux calcaires du nord-ouest de la Yougoslavie, dont la topographie a donné son nom au *relief karstique.*

KARSTIQUE (relief). — Il caractérise les régions calcaires. Ce type particulier de morphologie, qui tire son nom du *massif du Karst,* en Yougoslavie, est dû à la dissolution du carbonate de calcium par les eaux météoriques.

En surface, l'eau qui ruisselle sur les roches calcaires y cisèle des *lapiés.* Les plateaux sont accidentés par des dépressions fermées, grossièrement circulaires, les *dolines,* dont le fond est souvent tapissé d'argile rouge résiduelle, la *terra rossa.* Parfois se développent de vastes dépressions à fond plat, les *poljés,* dont l'origine est souvent partiellement tectonique. Le réseau hydrographique est généralement souterrain. L'eau s'infiltre par les fissures, qu'elle élargit, déterminant la formation de gouffres, ou *avens,* et de grottes ornées de stalactites*. Lorsqu'elle rencontre un niveau imperméable, l'eau s'écoule en une rivière souterraine, qui réapparaît à la périphérie du massif sous forme de *source vauclusienne,* ou *résurgence.* Cependant, certains cours d'eau traversent les karsts à l'air libre, en étroites vallées à versants verticaux, les *canyons* (ou *cañons*). Le relief karstique caractérise les plateaux des Causses*.

KASSERINE, localité de Tunisie, au S.-E. des monts de Tébassa. — Combat de 1943. (V. Tunisie [*campagne de*].)

KASSITES, population de la partie centrale du Zagros*, dont une partie vint s'intaller en Babylonie au IIe millénaire. Les Kassites adoptèrent la langue akkadienne lorsqu'ils s'installèrent en Mésopotamie.

À la suite du raid hittite de Moursili Ier, en 1595 av. J.-C., ils s'emparèrent du pouvoir à Babylone*, où la dynastie kassite régna jusqu'en 1153, date à laquelle elle disparut, victime des attaques de l'Assyrie* et de l'Élam*.

KASTLER (Alfred), physicien français (Guebwiller 1902). Il a réalisé, avec son collaborateur Jean Brossel, en 1950, l'inversion des populations d'électrons dans un atome; ce procédé, dit « pompage optique », a trouvé une importante application dans les lasers et masers. (Prix Nobel de physique, 1966.)

KÄSTNER (Erich), écrivain allemand (Dresde 1899 - Munich 1974). Évocateur de la fantaisie de l'enfance (*Émile et les détectives,* 1929), il fut un critique féroce de la société allemande qui prépara et accepta le nazisme (*Fabian,* 1931).

Kastrup, aéroport de Copenhague (Danemark).

KASUGAI, v. du Japon (Honshū), au N. de Nagoya; 162 000 hab.

KASŪR, v. du Pākistān au S. de Lahore; 103 000 hab.

KATAÏEV (Valentine Petrovitch), écrivain soviétique (Odessa 1897). Ses romans, qui illustrent le réalisme socialiste (*Ô temps, en avant!,* 1932; *le Fils du régiment,* 1945), ont pour contrepoint une veine poétique (*Au loin une voile,* 1936; *le Petit Cube,* 1969) et même vaudevillesque (*la Quadrature du cercle,* 1928).

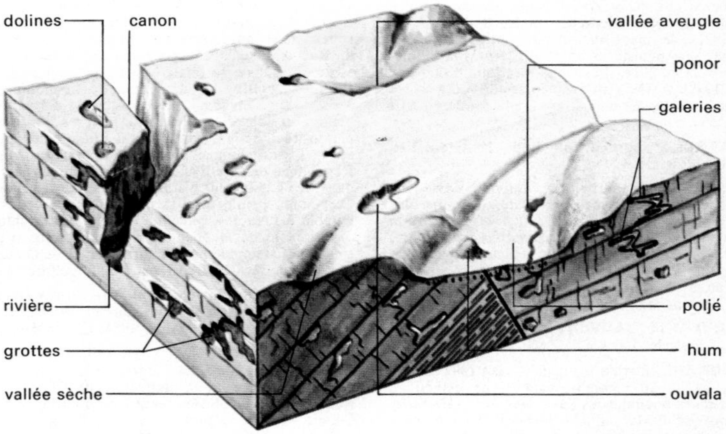

RELIEF KARSTIQUE

KARVAŠ (Peter), écrivain slovaque (Banská Bystrica 1920). Romancier satirique ou témoin des luttes de son pays (*le Pont,* 1945; *Le diable ne dort pas,* 1955), il affirme dans son théâtre son idéal humaniste (*Météore,* 1945; *le Malade 113,* 1956; *la Grande Perruque,* 1964).

KARVINÁ, v. de Tchécoslovaquie (Moravie), à l'E. d'Ostrava; 77 000 hab.

KASAÏ ou **KASSAÏ** (le), fl. de l'Afrique équatoriale; 1 940 km. Né dans le centre de l'Angola, il sépare ce pays du Zaïre, avant de drainer le sud-ouest de cet État (dont deux régions, le Kasaï-Occidental et le Kasaï-Oriental, portent son nom) et de rejoindre (r. g.) le Congo (ou Zaïre), en amont de Kinshasa.

KASHIMA, nouveau port du Japon (Honshū), sur le Pacifique, à l'E.-S.-E. de Tōkyō. Sidérurgie. Raffinage du pétrole et pétrochimie.

KASHIWA, v. du Japon (Honshū), au N.-E. de Tōkyō; 151 000 hab.

KASSALA, v. du Soudan oriental, ch.-l. de prov.; 49 000 hab.

KASSEL, v. de l'Allemagne fédérale, dans le nord de la Hesse, sur la Fulda; 213 000 hab. Musées. Construction automobile.

KASSEM ('Abd al-Karīm), homme d'État irakien (Bagdad 1914 - *id.* 1963). Il dirige la révolution de 1958, qui renverse les Hāchémites* d'Iraq, et met en œuvre une réforme agraire et un plan de développement économique. Mais la coalition d'intérêts qui l'a porté au pouvoir éclate vite : opposition des nationalistes arabes baassistes et pronassériens, des communistes écartés du gouvernement en 1960, rébellion kurde de Bārzānī* (1961). Kassem est renversé en 1963.

KATANGA → Shaba.

KATAR → Qatar.

KĀTHIĀWĀR, presqu'île de l'Inde (Gujerāt), sur la mer d'Oman.

KATMANDOU ou **KĀTMĀNDŪ,** capit. du Népal, à plus de 1 300 m d'alt.; 333 000 hab. Nombreux temples, pagodes et palais richement ornés, des XVIIe et XVIIIe s., construits, pour la plupart, en brique rouge et en bois. Temple Taleju (1549). Important musée. Dans les environs, le Bodnāth, fondation bouddhique (Ier s. av. J.-C.) reconstruite après l'invasion musulmane.

KATONA (József), écrivain hongrois (Kecskemét 1791 - *id.* 1830), créateur de la tragédie nationale magyare (*Bánk bán,* 1820).

KATOWICE, v. du sud de la Pologne, en haute Silésie, ch.-l. de la voïévodie la plus peuplée du pays; 309 000 hab. Centre houiller et sidérurgique.

KATSINA, v. du Nigeria septentrional; 109 000 hab.

KATTEGAT → Cattégat.

KATYN, village de l'U. R. S. S., à l'O. de Smolensk. Les Allemands y découvrirent en 1943 les cadavres de 4 500 officiers polonais. Une enquête soviétique conclut, en 1944, que ce massacre était le fait des Allemands. Une enquête américaine l'attribua, en 1953, aux Soviétiques.

KATZ (Elihu), psychosociologue américain (Brooklyn 1926). Son ouvrage *Personal Influence. The Part Played by People in the Flow* *of Mass Communication* (1955), écrit en collaboration avec P. Lazarsfeld*, développe la thèse selon laquelle l'action des media s'exerce à travers les guides d'opinion. Non seulement ceux-ci lisent plus que les autres ou écoutent davantage la radio, mais ils apparaissent également comme plus informés des affaires publiques que la majorité de leurs contemporains. D'où cette idée que les media exercent leur action selon « un flux à deux temps » *(two-step flow of communication).*

KATZIR (Efraïm KATCHALSKI, dit **Ephraïm**), homme d'État israélien (Kiev 1916). Candidat du parti travailliste à la présidence de l'État d'Israël, il est élu en avril 1973.

KAŨNAS, en russe **Kaounas,** anc. **Kovno,** v. de l'U.R.S.S. (Lituanie), sur le Niémen; 305 000 hab. Textile.

KAUNDA (Kenneth David), homme d'État zambien (Chinsali 1924). Président du parti uni de l'indépendance nationale (1960), Premier ministre de la Rhodésie du Nord (janv. 1964), il est président de la république de Zambie depuis la proclamation de l'indépendance (oct. 1964).

KAUNITZ (Wenzel Anton, *prince* VON), homme d'État autrichien (Vienne 1711 - *id.* 1794). Chancelier d'État de 1753 à 1792, il s'allie avec la France contre la Prusse (1756-57), mais ne peut éviter aux Habsbourg la perte de la Silésie (1763). Réconcilié avec la Prusse, il obtient la Galicie lors du premier partage de la Pologne (1772); à partir de 1791, il entretient à Paris les intrigues du « parti autrichien ». À l'intérieur de l'empire, il encourage la politique centralisatrice de Marie-Thérèse et de Joseph II.

KAUTSKY (Karl), révolutionnaire allemand (Prague 1854 - Amsterdam 1938). Membre du parti socialiste autrichien (1875), secrétaire d'Engels (1881), créateur de *Neue Zeit (Temps nouveau),* revue officielle du parti (1883), il fait triompher contre Bernstein*, au congrès d'Erfurt (1891), le marxisme intégral et condamne la participation socialiste aux ministères bourgeois. Après la révolution allemande de novembre 1918, il est sous-secrétaire d'État aux Affaires étrangères (1919). Après 1934, il subit les persécutions des nazis et doit se réfugier à Amsterdam. Il a édité la dernière partie du *Capital* de K. Marx.

KAVÁLA ou **CAVALLA,** port du nord de la Grèce, en Macédoine; 47 000 hab. Engrais.

KAVERINE (Veniamine Aleksandrovitch), écrivain soviétique (Pskov 1902). Influencé par les formalistes et lié au groupe des « frères Sérapion » (*Maîtres et apprentis,* 1923), il évolue vers la peinture des milieux sociaux (*le Faiseur de scandales ou les Soirées de l'île Vassilievski,* 1928) et sacrifie à l'esthétique du réalisme socialiste (*Deux Capitaines,* 1940-1945), avant de faire du moi intime, et non plus de la société, le lieu des conflits essentiels (*la Pluie oblique,* 1962; *Devant le miroir,* 1972).

KĀVIRI (la) ou **KAVERĪ** ou **CAUVERY,** fl. du sud de l'Inde, tributaire du golfe du Bengale; 760 km.

KAWABATA YASUNARI, écrivain japonais (Ōsaka 1899 - Zushi, près de Yokosuka, 1972). Se recommandant d'une esthétique marquée par les classiques bouddhiques (*Autobiographie littéraire,* 1934), il traduit l'angoisse de la solitude, la fatalité des amours tragiques, l'obsession de la mort, dans des nouvelles et des romans (*la Danseuse d'Izu,* 1926; *Pays* de neige,* 1937-1948; *Nuée* d'oiseaux blancs,* 1949-1951; *le Grondement de la montagne,* 1949-1954; *les Belles Endormies,* 1961; *Kyōto,* 1962) qui trouvent un équilibre entre la tradition littéraire japonaise et les recherches occidentales (de Dostoïevski à Joyce). [Prix Nobel, 1968.]

KAWAGOE, v. du Japon (Honshū), au N.-O. de Tōkyō; 171 000 hab.

KAWAGUCHI, v. du Japon (Honshū), au N. de Tōkyō; 306 000 hab.

KAWASAKI, port du Japon (Honshū), entre Tōkyō et Yokohama; 973 000 hab. Industries métallurgiques et chimiques.

KAWI → JAVANAIS.

KAYAK → CANOË.

KAYL, v. du Luxembourg, près d'Esch-sur-Alzette; 6 700 hab.

KAYSERI, v. de Turquie, au S.-E. d'Ankara; 168 000 hab. C'est l'ancienne capitale de la Cappadoce, à laquelle Tibère donna le nom de *Césarée.* Le christianisme y pénétra de bonne heure. Métropole religieuse, qu'illustrèrent, au IVe s., saint Basile* et Grégoire* de Nazianze, elle joua un rôle important jusqu'au moment où Constantinople lui enleva la primauté. L'établissement des Turcs en Cappadoce, au XIe s., accéléra la décadence de l'Église et de la cité.

KAYSERSBERG (68240), ch.-l. de cant. du Haut-Rhin, à 11 km au N.-O. de Colmar; 2 960 hab. Vignobles. Ville pittoresque avec restes de château fort et fortifications; église Sainte-Croix (XIIe-XVe s.) et chapelle Saint-Michel (1463), renfermant des œuvres d'art; maisons à colombages; hôtel de ville Renaissance; maison natale d'Albert Schweitzer.

Galba Films (coll. J.-L. Passek)

Buster Keaton dans *la Croisière du « Navigator »* (1924).

KAZAKH → TURC.

KAZAKHS, peuple turc né de la scission des « habitants de la steppe proprement dits » du reste des Ouzbeks* (v. 1465-66). Appelés par les Russes « Kirghiz-Kazakhs » ou « Kirghiz », ils forment, au XVIe s., un puissant royaume de nomades. C'est sans doute au XVIIe s. qu'ils se divisent en trois hordes. Pour arrêter l'expansion des Kalmouks*, ils se reconnaissent sujets russes par des traités renouvelés au cours du XVIIIe s. Cependant, ce n'est qu'au XIXe s. que les Russes s'installent solidement dans le pays. En 1925 est créée la république autonome kazakhe, qui devient, en 1936, république fédérée du Kazakhstan.

KAZAKHSTAN, république de l'U.R.S.S.; 2 715 000 km^2; 13 009 000 hab. Capit. *Alma-Ata.* Le Kazakhstan, vaste comme cinq fois la France, est la deuxième république soviétique pour la superficie et la troisième pour la population (composée en majorité de Russes et seulement pour un tiers de Kazakhs). La faiblesse de la densité moyenne (malgré une rapide croissance démographique récente) résulte de la dureté des conditions climatiques, le Kazakhstan s'étendant sur les secteurs arides du sud-ouest de la Sibérie et d'une partie de la dépression aralo-caspienne. La pluviosité ne se relève que dans la bordure montagneuse du Sud-Est et de l'Est, jalonnée d'oasis. Au point de vue économique, la République dispose d'abondantes ressources énergétiques (charbon dans le bassin de Karaganda, pétrole, à l'ouest, près de la Caspienne) et minérales (fer, cuivre, plomb, zinc), à la base d'une notable industrie — métallurgique surtout et chimique. L'irrigation a permis le développement de l'agriculture (vignobles, vergers), aléatoire (comme le prouve l'irrégularité de la récolte des céréales, oscillant entre 8 et 18 Mt) en simple culture pluviale.

KAZAKOV (Iouri Pavlovitch), écrivain soviétique (Moscou 1927). Ses nouvelles peignent la vie quotidienne des gens simples et des petites villes (*la Petite Gare,* 1954; *Ce Nord maudit,* 1965).

KAZAN, v. de l'U.R.S.S. (R.S.F.S. de Russie), capit. de la république autonome des Tatars, sur la Volga; 869 000 hab. Kremlin de 1555 renfermant la cathédrale de l'Annonciation. Université fondée en 1804. Musée central de Tatarie. Raffinage du pétrole. Chimie. — Kazan l'ancienne a été fondée au XIIIe s. par les Mongols de la Horde* d'Or. À 45 km de là est construite, à la fin du XIVe s., une seconde ville, qui devient la capitale du khānat de Kazan, indépendant de 1445 à 1552. Ivan IV* l'annexe en 1552.

KAZAN (Elia KAZANJOGLOUS, dit **Elia**), cinéaste américain d'origine grecque (Istanbul 1909). Acteur, metteur en scène de théâtre, romancier, collaborateur de Lee Strasberg à l'Actor's Studio, il tourna plusieurs films non conformistes, notamment *Un tramway nommé Désir* (1951), *Sur les quais* (1954), *À l'est d'Eden* (1955), *la Fièvre dans le sang* (1961), *America America* (1963), *l'Arrangement* (1969), *les Visiteurs* (1972), *le Dernier nabab* (1976).

KAZANDZÁKIS ou **KAZANTZÁKIS** (Níkos), écrivain grec (Hêraklion 1885 - près de Fribourg-en-Brisgau 1957). Dans ses poèmes (*Serpent et Lys,* 1906), ses essais philosophiques, ses drames et ses romans (*Alexis Zorba,* 1946; *le Christ recrucifié,* 1954), il use des thèmes antiques et populaires pour définir une sagesse moderne et universelle.

KAZBEK, un des points culminants du Caucase (U.R.S.S.); 5 047 m.

KĀẒIMAYN, v. d'Iraq, près de Bagdad; 99 000 hab.

KAZVIN → QAZVIN.

KCHESSINSKAÏA (Mathilde), princesse **Krassinska-Romanovska,** danseuse russe d'origine polonaise (Ligovo, près de Peterhof, 1872 - Paris 1971) et épouse morganatique du grand-duc André de Russie. « Prima ballerina assoluta » du Théâtre-Impérial de Saint-Pétersbourg, elle fut la première danseuse russe à supplanter, par sa virtuosité et son talent, les étoiles italiennes invitées. Après 1917, elle se fixe à Paris, où elle se consacre à l'enseignement.

K. D. → CONSTITUTIONNEL-DÉMOCRATE *(parti).*

KEATON (Joseph Francis KEATON, dit **Buster**), acteur et cinéaste américain (Piqua, Kansas, 1896-Woodland Hills, près de Los Angeles, 1966). Débutant au music-hall à l'âge de trois ans, il perfectionna durant toute sa jeunesse ses dons de comédien et son extraordinaire souplesse. Partenaire de Fatty (Roscoe Arbuckle), il tourna dans de nombreux courts métrages, avant de s'imposer, dès les *Trois Âges* (1923) comme le plus inventif des acteurs comiques américains de l'âge d'or du burlesque. Il réalisa, seul ou en collaboration : *les Lois de l'hospitalité* (1923), *Sherlock Junior* (1924), *la Croisière du «Navigator»* (1924), *le Mécano de la «Générale»* (1926), *Cadet d'eau douce* (1928), *l'Opérateur* (ou *le Cameraman)* [1928], films dans lesquels il interpréta avec un humour insolite un personnage faussement impassible devant l'adversité, ingénieux, déterminé, dynamique et poétique. L'avènement du cinéma parlant fut préjudiciable à sa carrière et sa gloire s'effaça devant celle de Charlie Chaplin. Plusieurs rétrospectives de son œuvre lui rendirent une popularité tardive au cours des années 60.

KEATS (John), poète anglais (Londres 1795-Rome 1821). Fils d'un palefrenier londonien, orphelin de mère, il abandonne ses études de chirurgie pour se consacrer à la poésie. S'il est encouragé par Leigh Hunt et Shelley, la critique accueille très mal ses premiers poèmes (*Endymion,* 1818). Atteint de tuberculose, il donne un nouveau recueil qui contient ses chefs-d'œuvre *(la Veille de la Sainte-Agnès, Ode à un rossignol, Ode à une urne grecque),* et meurt au cours d'un voyage en Italie. Son œuvre, qui retient les thèmes traditionnels du romantisme (sentiment panthéiste de la nature, goût de l'étrange et des légendes médiévales, mysticisme et libéralisme), se distingue par un sensualisme esthétique qui s'efforce d'atteindre à la fois le Beau et le Vrai.

KEBAN, localité de Turquie, au N.-O. d'Elaziğ. Barrage et aménagement hydroélectrique sur l'Euphrate.

KEBNEKAISE → KJØLEN.

KECSKEMÉT, v. de Hongrie, au S.-E. de Budapest; 85 000 hab.

KEDAH, État de la Malaysia, dans le nord de la Malaisie. Capit. *Alor Star.*

KEDIRI, v. d'Indonésie (Java); 179 000 hab.

KEELING *(îles)* → COCOS.

KEESOM (Willem Hendrik), physicien néerlandais (île de Texel 1876-Leyde 1956). Spécialiste des très basses températures, il a réussi, en 1926, à solidifier l'hélium et a signalé les deux variétés de l'hélium liquide, dont l'une est superfluide.

KEEWATIN, district du Canada (Territoires du Nord-Ouest), au N. du Manitoba.

KEF (Le), v. de l'ouest de la Tunisie; 23 000 hab.

KEFLAVÍK, v. d'Islande, au S.-O. de Reykjavík; 6 000 hab. Base aérienne américaine depuis 1951 (accord renouvelé en 1974).

KÉGRESSE (Adolphe), ingénieur français (Héricourt 1879-Croissy-sur-Seine 1943). Technicien de l'automobile, il imagina la propulsion par chenilles, dont furent dotés certains engins de l'armée russe avant 1914.

KEHL, v. de l'Allemagne fédérale (Bade-Wurtemberg), sur le Rhin, en face de Strasbourg; 25 000 hab.

KEIGHLEY, v. d'Angleterre, au N.-O. de Leeds; 55 000 hab. Textile.

KEIHIN, conurbation du Japon, regroupant Tōkyō, Yokohama et leurs banlieues.

KEITA (Modibo), homme d'État malien (Bamako 1915-*id.* 1977). Premier président de la république du Mali (1960-1968) et chef du gouvernement, il fut renversé par un coup d'État militaire.

KEITEL (Wilhelm), maréchal allemand (Helmscherode 1882-Nuremberg 1946). Chef du commandement suprême de la Wehrmacht de 1938 à 1945, il signa la capitulation de Berlin (1945). Serviteur aveugle de Hitler, il fut condamné à mort comme criminel de guerre par le tribunal de Nuremberg et exécuté.

KEKKONEN (Urho Kaleva), homme politique finlandais (Pielavesi 1900). Plusieurs fois ministre à partir de 1936, Premier ministre de 1950 à 1956, il est élu président de la République en 1956; réélu en 1962 et en 1968, il voit ses pouvoirs prorogés pour quatre ans en 1974 et a été réélu en 1978.

KEKULÉ von Stradonitz (August), chimiste allemand (Darmstadt 1829-Bonn 1896). Il utilisa les formules développées en chimie organique, créa la théorie de la quadrivalence du carbone (1857), fit l'hypothèse des liaisons multiples (1862), distingua entre composés linéaires et cycliques, établit la formule hexagonale du benzène (1865) et la représentation tétraédrique du méthane (1867).

KELANTAN, État de la Malaysia, dans le nord-est de la Malaisie. Capit. *Kota Bharu.*

KELLER (Gottfried), écrivain suisse d'expression allemande (Zurich 1819-*id.* 1890). Ses romans (*Henri le Vert,* 1885) et ses nouvelles (*les Gens de Seldwyla,* 1856; *Martin Salander,* 1886) mêlent l'observation réaliste à l'évocation des légendes et des croyances populaires.

KELLERMANN (François Étienne), duc **de Valmy,** maréchal de France (Strasbourg 1735-Paris 1820). Vainqueur à Valmy (1792), il commande ensuite l'armée des Alpes et réprime l'insurrection de Lyon. Fait maréchal par Napoléon en 1804, il se rallie aux Bourbons en 1814. — Son fils, FRANÇOIS ÉTIENNE (Metz 1770-Paris 1835), général, combat en Italie et en Espagne, puis se distingue à Lützen et à Waterloo.

KELLOGG (Frank Billings), homme politique américain (Potsdam, New York, 1856-Saint Paul, Minnesota, 1937). Sénateur républicain, secrétaire d'État du président Coolidge (1925-1929), il négocie, en 1928, avec Aristide Briand*, le pacte de renonciation à la guerre, dit *pacte Briand-Kellogg.* En 1929, il reçoit le prix Nobel de la paix.

KELSEN (Hans), juriste américain d'origine autrichienne (Prague 1881-Orinda, Californie, 1973). Sa théorie de la norme a influencé de nombreux auteurs. On lui doit des ouvrages sur la théorie générale du droit (*la Théorie pure du droit,* 1952) et des travaux de droit international, notamment un *Commentaire sur la Charte de l'O. N. U.* Il a été l'auteur de la Constitution autrichienne de 1920.

KELVIN. — L'échelle de température* d'un thermomètre dépend des matériaux utilisés. Au contraire, l'échelle thermodynamique des physiciens n'en dépend pas. On la réalise par plusieurs procédés, dont le plus simple est le thermomètre à gaz* parfait, où la pression du gaz, à volume constant, est proportionnelle à la température thermodynamique. Au point triple de l'eau* (son point de congélation* en présence de vapeur* sans air), on a attribué la valeur 273,16 K. Les autres températures s'en déduisent par la variation de pression dans le thermomètre à gaz. Les températures usuelles, en degrés Celsius, sont les températures thermodynamiques en kelvins diminuées de 273,15, afin que la température Celsius du point de glace soit 0 °C.

KELVIN *(lord)* → THOMSON (*sir* William).

Mustafa Kemal et son épouse (v. 1923).

KEMAL (Mustafa), homme d'État turc (Thessalonique 1881-Istanbul 1938). Jeune officier progressiste, Mustafa Kemal remporte de brillants succès militaires en Tripolitaine (1911-12), durant la première guerre balkanique (1912-13) puis aux Dardanelles (1915). Au lendemain de la défaite turque et de l'armistice de 1918, le sultan l'envoie en Anatolie. Il débarque à Samsun (1919) et organise la résistance nationale. La Grande Assemblée nationale, réunie à Ankara en 1920, délègue ses pouvoirs à un Conseil présidé par Mustafa Kemal. Par ses victoires sur les Kurdes et sur les Arméniens (1920-21) puis sur les Grecs (1921-22), il réussit à occuper les territoires promis à ces nations par le traité de Sèvres* (1920). Le traité de Lausanne* (1923) donne à la Turquie sa complète indépendance et fixe ses frontières. Kemal abolit le sultanat (1922), et la république est proclamée en 1923. Il détient tous les pouvoirs : président du parti unique (parti républicain du peuple, fondé en 1923), de l'Assemblée et de la République. Il veut créer une nation turque de type occidental. Dans ce but, Kemal procède à la laïcisation des institutions (abolition du califat [1924],

John Kennedy.

Cornell - CAPA - Magnum

mise en place d'une législation et d'un enseignement laïques) et impose l'alphabet latin (1928), l'adoption des noms patronymiques (il prend pour patronyme ATATÜRK, en 1934) et de bien d'autres habitudes occidentales. Pour assurer « l'unité ethnique » de la Turquie, il mène une politique sévère envers les minorités nationales et procède à l'échange des Grecs d'Asie Mineure avec les Turcs installés en Grèce. Dans le domaine économique, il poursuit la même politique d'indépendance nationale et de modernisation.

KEMAL (Yachar) → YAŞAR KEMAL.

KEMBS (68680), comm. du Haut-Rhin, à 15,5 km au S.-E. de Mulhouse, sur le grand canal d'Alsace; 2 211 hab. Centrale hydroélectrique.

KEMEROVO, v. de l'U. R. S. S. (R. S. F. S. de Russie), en Sibérie, dans le nord du Kouzbass; 385 000 hab. Houille. Chimie.

KEMMEL *(mont),* hauteur de Belgique (151 m) près d'Ypres. Combats en 1918. (V. FLANDRES [*bataille des*].)

KEMPFF (Wilhelm), pianiste allemand (Jüterborg 1895), un des plus grands interprètes de Beethoven.

KEMPTEN, v. de l'Allemagne fédérale, dans le sud-ouest de la Bavière; 58 000 hab.

KENDALL (Edward Calvin), chimiste américain (South Norwalk, Connecticut, 1886 - Princeton 1972). Il a isolé la thyroxine et est à l'origine de la découverte et de la synthèse des hormones corticosurrénales, ce qui lui valut de recevoir le prix Nobel de médecine en 1950, avec P. S. Hench et T. Reichstein.

KENDREW (John Cowdery), chimiste anglais (Compton, Berkshire, 1917) → PERUTZ.

KENITRA, anc. **Port-Lyautey,** port du Maroc, au N. de Rabat; 139 000 hab.

KENKŌ (KANEYOSHI Yoshida, dit), écrivain japonais (1283 - Tai 1350). Prêtre et poète de cour, puis moine bouddhiste itinérant, il a déploré, dans son essai *Tsurezuregusa (les Heures oisives),* la disparition de la civilisation courtoise.

KENNEDY *(cap),* nom d'une base américaine de lancement de missiles intercontinentaux et d'engins spatiaux, située au cap Canaveral (côte est de la Floride).

Kennedy *(J. F.),* aéroport international de New York, dans le quartier d'Idlewild (Queens).

KENNEDY (John Fitzgerald), homme d'État américain (Brookline, Massachusetts, 1917 - Dallas 1963). Député démocrate à la Chambre des représentants à partir de 1946, puis sénateur du Massachusetts en 1952, il est élu, en novembre 1960, à la présidence des États-Unis contre le candidat républicain R. Nixon*, et succède à Eisenhower en 1961. À l'intérieur, il s'efforce de mettre fin à la récession et de stimuler la croissance économique, tout en développant l'aide aux catégories sociales défavorisées. Face à la discrimination raciale, il appuie les revendications des Noirs sur l'égalité des droits civiques et défend une politique d'intégration. Mais ses projets de législation progressiste sont entravés par l'opposition du Congrès. Après l'échec du débarquement des exilés cubains, soutenus par les États-Unis (avr. 1961), J. Kennedy s'oriente vers une politique de détente vis-à-vis de l'U. R. S. S. (entrevue avec Khrouchtchev en juin 1961) et remporte un brillant succès diplomatique, en 1962, en obtenant le retrait des missiles nucléaires soviétiques installés à Cuba. Le traité de Moscou (août 1963), qui met fin aux essais nucléaires dans l'atmosphère, consacre la fin de la guerre froide. Bien que l'intervention militaire américaine au Viêt-nam ait été amorcée sous sa présidence, sa politique de « coexistence pacifique » et d'assistance économique à l'Amérique latine et aux pays sous-développés (création de l'Alliance pour le progrès et du Corps de la paix) valent à J. Kennedy une grande popularité. Les circonstances de son assassinat, lors d'un voyage officiel au Texas, restent encore mal élucidées. — Son frère, ROBERT (Brookline 1925 - Los Angeles 1968), attorney général (1961-1964) puis sénateur de l'État de New York, se lance en 1968 dans la campagne présidentielle, au cours de laquelle il est assassiné. — Leur frère, EDWARD (Brookline 1932) est sénateur démocrate du Massachusetts depuis 1962.

KÉNOGAMI, v. du Canada (Québec), dans la région du Saguenay; 10 970 hab.

KÉNOTRON → REDRESSEUR.

KENT, comté du sud-est de l'Angleterre, sur la Manche et la mer du Nord; 1 445 000 hab. Ch.-l. *Maidstone.*

KENT, royaume jute fondé dans la seconde moitié du ve s.; sa capitale était Canterbury. Évangélisé, sous le règne d'Æthelberht (560-616), par saint Augustin de Canterbury et ses compagnons, le Kent devint le premier grand foyer de civilisation anglo-saxonne. Pendant près de un siècle, il exerça son hégémonie sur les autres royaumes du sud de l'Angleterre, avant de tomber sous les dominations de ses grands voisins, la Mercie et le Wessex.

KENTUCKY, État du centre-est des États-Unis; 104 623 km^2; 3 219 000 hab. Capit. *Frankfort.* L'altitude décroît du plateau appalachien, à l'E. (1 000 à 1 200 m), vers la vallée de l'Ohio, au N.-O., alors que les précipitations sont partout relativement abondantes et réparties en toutes saisons. Le tabac est la principale culture et l'extraction du charbon (plus de 100 Mt), la première activité industrielle.

KENYA, massif volcanique d'Afrique, dans le centre du *Kenya,* sous l'équateur; 5 194 m.

KENYA, État de l'Afrique orientale, membre du Commonwealth; 583 000 km^2; 13 850 000 hab. Capit. *Nairobi.*

GÉOGRAPHIE. Le pays s'étend sur deux ensembles naturels très différents. À l'est, une série de plaines s'abaisse vers l'océan Indien, tandis que l'Ouest est le domaine des hauts plateaux, limités par le lac Victoria. Ces plateaux, partiellement couverts d'épanchements de laves et dominés par le volcan éteint du *mont Kenya,* sont interrompus par la Rift Valley, dépression tectonique N.-S. qui accidente toute l'Afrique orientale. Le fond en est occupé par une succession de lacs. Le relief explique la diversité des climats. La moitié sud-ouest, arrosée, présente une tendance équatoriale, nuancée par l'altitude sur les hauts plateaux. La moitié nord-est, beaucoup plus sèche, est couverte de savanes et de steppes.

La population, en moyenne peu dense, est inégalement répartie. Elle se concentre sur le littoral, au bord du lac Victoria et surtout sur les hauts plateaux, autour de Nairobi. Vivant principalement de l'agriculture, elle est faiblement urbanisée. À côté des exploitations vivrières, qui fournissent maïs, millet et sorgho, se sont développées des cultures destinées à l'exportation : café, thé, coton et arachides sur les hauts plateaux, canne à sucre, sisal et bananes dans les plaines orientales. Activité traditionnelle, l'élevage (ovin, caprin et bovin) se maintient.

Le développement industriel reste très limité. Les principales villes (Nairobi, Mombasa) concentrent les rares usines (industries alimentaires, petite métallurgie), mais le Kenya doit importer l'essentiel des biens d'équipement et de consommation (par le port de Mombasa). Le tourisme permet de combler en partie le déficit de la balance commerciale.

HISTOIRE. À partir du milieu du XIXe s., la côte est l'enjeu des rivalités germano-britanniques. En 1888, à la suite d'un accord d'influence avec Bismarck, l'Imperial British East Africa Company obtient la concession d'importants territoires qui, en 1895, sont transférés à la Couronne britannique, sauf une bande côtière qui reste protectorat. Dès 1920, les Kikuyus développent un mouvement d'indépendance, qui prend vraiment corps en 1925 avec la création, par Jomo Kenyatta*, de la Kikuyu Central Association (KCA). En 1944, se crée un véritable parti intertribal, la Kenya African Union (KAU), mouvement de masse que préside, à partir de 1947, J. Kenyatta. Dans le même temps, se déchaîne le terrorisme anti-européen des Mau-Mau (1952), et la répression britannique se transforme en guerre véritable (1953-1956). En 1961, J. Kenyatta, devenu, en 1959, président de la Kenya African

National Union (KANU), est libéré par les Britanniques qui, en 1963, doivent octroyer l'indépendance au Kenya.

En obtenant, en 1964, le ralliement du principal parti d'opposition, Kenyatta peut modifier la Constitution dans un sens centralisateur, favorable d'ailleurs aux Kikuyus. Réélu président de la République en 1969, Kenyatta, candidat unique du parti unique, la KANU, est élu pour un troisième mandat en 1974.

KENYATTA (Jomo), homme politique kenyan (Ichaweri 1891 ou 1893). À partir de 1925, il mène la lutte pour l'indépendance du Kenya*. Premier ministre en 1963, président de la République en 1964, et constamment réélu, il est le maître sans rival de son pays.

KÉPHIR. — Cette boisson de lait fermenté, originaire du Caucase, est préparée en principe avec du lait de chamelle et en pratique avec du lait de vache. Celui-ci est écrémé ou non (képhir maigre ou képhir gras) et la fermentation s'obtient au moyen de graines de képhir. Le képhir, de goût aigrelet, est plus ou moins alcoolisé selon le temps de fermentation.

KEPLER (Johannes), astronome allemand (près de Weil der Stadt, Wurtemberg, 1571 - Ratisbonne 1630). Né dans une famille pauvre, il fut serveur de cabaret, puis ouvrier agricole, avant d'entrer aux séminaires d'Adelberg (1584) et de Tübingen (1589), où Maestlin, un ardent copernicien, l'initia à l'astronomie. Après avoir suivi les cours de l'université, il fut nommé, en 1593, professeur de mathématiques à Graz, mais il en fut chassé, en 1600, en tant que protestant. Il partit alors pour Prague rejoindre Tycho Brahe*, auquel il succéda, peu de temps après, comme astronome de l'empereur Rodolphe II, et dont il hérita des carnets d'observations. Kepler eut le génie de garder une confiance totale dans les observations de Tycho Brahe, mais de rejeter sa cosmologie, contraire à l'héliocentrisme copernicien. En étudiant la trajectoire de Mars*, observée par Tycho Brahe, il découvrit que les orbites planétaires n'étaient pas circulaires, mais elliptiques. Aussi énonça-t-il, en 1609, dans son *Astronomia nova,* les deux premières des lois qui ont immortalisé son nom : « les orbites des planètes sont des ellipses dont le Soleil* occupe l'un des foyers » et « les aires balayées par le rayon vecteur joignant le Soleil à la planète* sont proportionnelles au temps ». En 1619, dans son *Harmonices mundi,* à la suite de laborieux calculs, il affirmait sa troisième loi : « les carrés des temps des révolutions sidérales des planètes sont proportionnels aux cubes des grands axes de leurs orbites ». Ainsi était ouverte la voie à l'astronomie moderne. Kepler se consacra dès lors à l'établissement de tables, aussi précises que possible, des positions planétaires, dites *Tables rudolphines* (1627). On lui doit aussi d'importants travaux en physique. Sa *Dioptrique* (1611) est l'ouvrage d'optique le plus important publié avant l'*Optique* de Newton*.

KENYA

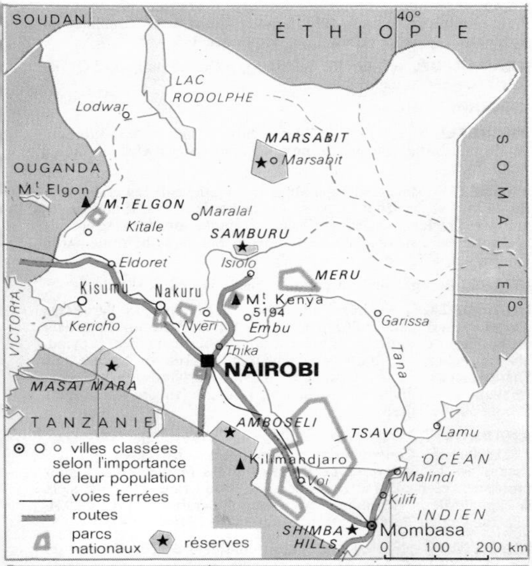

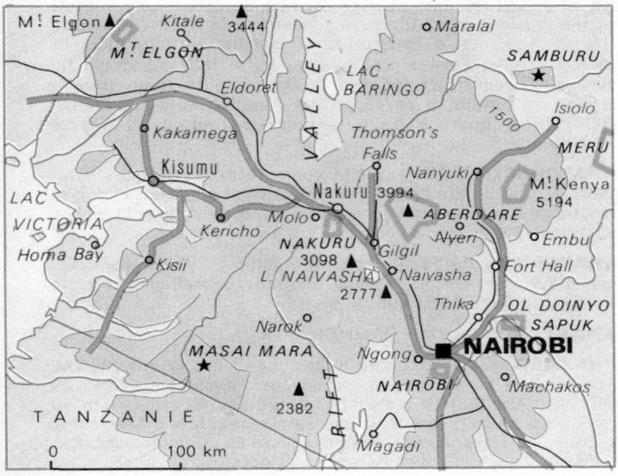

KERALA, État de l'Inde méridionale, 38 865 km²; 21 347 000 hab. Capit. *Trivandrum.*

GÉOGRAPHIE. Étiré sur plus de 300 km du N. au S., dans le sud-ouest du Deccan, sur la côte de Malabār, le Kerala est formé d'une plaine alluviale lagunaire, séparée des reliefs des Ghāts occidentaux par une bande de terrasses. De part et d'autre du 10e parallèle, le climat est constamment chaud et presque toujours humide. Le riz et le manioc sont les principales cultures vivrières; le poivre, le coton, le tabac, la noix de coco, les ressources commerciales. L'industrie possède un caractère artisanal, incapable d'employer une population extrêmement nombreuse. La densité, qui est, en effet, la plus élevée des États de l'Inde, avoisinant déjà 550 habitants au kilomètre carré, s'accroît encore en raison du fort excédent naturel.

HISTOIRE. En 1792, la partie septentrionale du pays est rattachée à la présidence de Madras*, le Sud (Travancore, Cochin) restant théoriquement indépendant. Recréé en 1956, le Kerala apparaît comme un cas exceptionnel à l'intérieur des États de l'Union indienne, en raison de la présence en son sein d'une majorité de chrétiens (Malabār) et de musulmans, et de l'emprise du communisme. En 1970, le pays passe sous l'administration directe du pouvoir central.

KÉRATINE → CORNE.

KÉRATITE → CORNÉE.

KÉRATOSE. — La *kératose pilaire* apparaît dès l'enfance et se manifeste par des rugosités, surtout de la face postérieure des bras et de la face externe des cuisses. Cette affection bénigne, parfois gênante, peut être traitée par l'application de vaseline salicylée.

La *kératose sénile* apparaît vers la cinquantaine, surtout chez des sujets souvent exposés au soleil, sur les régions découvertes (visage, dos des mains). Certaines kératoses pouvant se transformer en épithéliomas, il est prudent de les détruire.

KERBELA → KARBALĀ'.

KERENSKI (Aleksandr Fedorovitch), homme politique russe (Simbirsk 1881 - New York 1970). Membre du parti social-révolutionnaire, député à la Douma (1912), il devient ministre de la Justice (mars 1917), puis de la Guerre (mai), et chef du gouvernement provisoire (août). Incapable de faire face à l'insurrection d'Octobre, il est éliminé par les bolcheviks (nov.) et se retire aux États-Unis.

KERGUELEN *(îles),* anc. **îles de la Désolation,** archipel français du sud de l'océan Indien, de plus de 300 îles ou îlots, couvrant environ 7 000 km², dont près de 6 000 km² pour l'île principale (à 48° 30′ de lat. S.). Terre montagneuse, froide et humide, battue par le vent, site d'une base scientifique *(Port-aux-Français).* — Cet archipel, découvert en 1772 par YVES JOSEPH **de Kerguelen de Trémarec** (Quimper 1734 - Paris 1797), fut, par la suite, visité par de nombreuses expéditions scientifiques.

KERKENNAH, petit archipel de Tunisie, en face de Sfax.

KERKRADE, v. du sud des Pays-Bas (Limbourg), à la frontière allemande; 47 000 hab.

KERLL (Johann Kaspar VON), compositeur allemand (Adorf, Vogtland, 1627 - Munich 1693). Élève de Carissimi, il est nommé directeur de la chapelle à la cour de Munich, puis organiste de la chapelle impériale à Vienne. Il a laissé des opéras et des pages pour clavier.

KERMADEC *(îles),* petit archipel de l'océan Pacifique, découvert par Jean Michel Huon de KERMADEC (1748-1793), à 1 000 km au N. de la Nouvelle-Zélande, dont il dépend; 34 km²; 9 hab. Station météorologique. À l'E., la *fosse marine des Kermadec* a 10 047 m de profondeur.

KERMĀN ou **KIRMĀN,** v. de l'est de l'Iran; 85 000 hab.

KERMĀNCHĀH ou **KIRMĀNCHĀH,** v. de l'ouest de l'Iran, dans le nord du Zagros; 230 000 hab. Raffinerie de pétrole.

KERNER (Justinus), écrivain allemand (Ludwigsburg, Wurtemberg, 1786-Weinsberg 1862), passionné d'hypnotisme (*la Voyante de Prevorst,* 1829), membre de l'« école souabe » qui, entre 1820 et 1850, popularisa les thèmes romantiques.

KÉROSÈNE → DÉSULFURATION, DISTILLATION, ESSENCE, GASOIL, RAFFINAGE, SOUFRE.

KEROUAC (Jack), écrivain américain (Lowell, Massachusetts, 1922-Saint Petersburg, Floride, 1969). Influencé par Artaud et Genet, aussi bien que par Hart Crane et Whitman, attiré par le bouddhisme et la technique du roman policier, il fut l'un des chefs de file de la « beat* generation », dans ses poèmes (*Mexico City Blues,* 1959) et ses romans (*Sur* la route,* 1957; *les Clochards célestes,* 1958; *les Anges vagabonds,* 1965; *Satori à Paris,* 1966).

KEROULARIOS (Michel), en français **Cérulaire** (Constantinople v. 1000-*id.* 1059), patriarche de Constantinople (1043-1059). Très influent auprès de l'empereur Constantin IX (de 1042 à 1055) et jouissant d'un grand crédit dans le peuple, il se refuse à reconnaître la primauté de Rome. Excommunié par les légats du pape Léon IX (16 juill. 1054), il fait prononcer par un synode qu'il a réuni l'anathème contre la bulle pontificale, et consacre ainsi le schisme entre l'Église d'Orient et l'Église d'Occident. (V. SCHISME D'ORIENT.)

KERR (John), physicien écossais (Ardrossan, Ayrshire, 1824-Glasgow 1907). Il découvrit, en 1875, la biréfringence des isolants électrisés.

KERTCH, v. de l'U. R. S. S. (Ukraine), en Crimée, sur le *détroit de Kertch,* qui fait communiquer la mer Noire et la mer d'Azov; 128 000 hab.

KERTÉSZ (André), photographe américain d'origine hongroise (Budapest 1894). Fasciné par le petit format et sa mobilité, il jongle avec des perspectives inattendues, souvent bizarres. Ses images sont l'interprétation très personnelle d'une vision du monde dominée par l'invention formelle alliée à un certain sens de l'humour. Nombreux albums dont *Soixante Ans de photographie, 1912-1972.*

KESSEL (Joseph), écrivain et journaliste français (Clara, Argentine, 1898), auteur de romans d'aventures et d'action (*l'Équipage,* 1923; *le Lion,* 1958; *les Cavaliers,* 1967).

KESSEL-LO, anc. comm. de Belgique (Brabant), intégrée depuis 1977 à Louvain. Anc. abbaye reconstruite au XVIIIe s.

KESSELRING (Albert), maréchal allemand (Markstedt 1885-Bad Nauheim 1960). Chef d'état-major de la Luftwaffe en 1936, il commanda les forces allemandes d'Afrique et de Méditerranée (1941-1943), d'Italie (1943-44), puis le front de l'Ouest en mars 1945. Auteur de *Soldat jusqu'au dernier jour* (1953) et *Pensées sur la Seconde Guerre mondiale* (1955).

KETCH → VOILIER.

KETTELER (Wilhelm Emmanuel, *baron* VON), prélat allemand (Harkotten 1811-Burghausen 1877). Évêque de Mayence (1850), député au Reichstag (1871-72), il s'oppose au Kulturkampf et donne au catholicisme social* allemand un grand dynamisme.

KEYNES (John Maynard, 1er *baron*), économiste britannique (Cambridge 1883-Firle, Sussex, 1946). Élève, à Cambridge, d'A. Marshall*, conseiller auprès du Trésor britannique, il étudie *les Conséquences économiques de la paix* (1919). Auteur d'un *Traité sur la monnaie* (1930) et de la *Théorie* générale de l'emploi, de l'intérêt et de la monnaie* (1936), Keynes attaque les causes du sous-emploi qui règne vers 1930 en Angleterre, essentiellement en prônant une relance de la consommation*, une baisse du taux de l'intérêt*, un accroissement des investissements* publics.

British Council

John Maynard Keynes.

KEY WEST, station balnéaire des États-Unis (Floride), dans l'*archipel des Keys;* 29 000 hab.

KGB, sigle de *Komitet Gossoudarstvennoï Bezopasnosti* (comité de sécurité de l'État), nom donné depuis 1954 aux services spéciaux soviétiques. Le KGB est chargé du renseignement et du contre-espionnage à l'intérieur et à l'extérieur du pays. Le nombre de ses agents est estimé à 150 000. Le KGB a pris la suite des MGB et MVD, organismes ministériels issus, en 1941, du commissariat du peuple aux Affaires intérieures (ou NKVD). Beria fut le chef de ces organismes de 1938 à la mort de Staline, en 1953. Le NKVD avait lui-même hérité, en 1934, des attributions de la *Guepeou,* qui avait succédé, en 1922, à la *Tcheka,* créée par Lénine le 20 décembre 1917, comme « les oreilles et les yeux de la guerre civile ».

KHABAROVSK, v. de l'U. R. S. S. (R. S. F. S. de Russie), ch.-l. d'un territoire autonome, sur l'Amour; 436 000 hab. Constructions électriques. Raffinage du pétrole.

KHAJURĀHO, site de l'Inde centrale (Madhya Pradesh). Cette ancienne capitale de la dynastie Candella (IXe-XIIIe s.) possède l'un des ensembles de temples (brahmanique et jaïna) les mieux conservés de l'Inde — près de 30 sur quelque 85 à l'origine. Véritables montagnes cosmiques, ils ont été édifiés pour la plupart entre 950 et 1050. Les tours-sanctuaires, à couverture curviligne (śikhara), présentent une forme évoluée de l'architecture de l'Orissa (Bhubaneswar*). Foisonnante, leur décoration, sculptée en très haut relief, traduit une approche intellectuelle de l'érotisme.

KHAMA (Seretse), homme d'État du Botswana, né en 1921. Premier ministre en mars 1965, il est président de la république du Botswana depuis sa création, en septembre 1966.

KHARAGPUR, v. de l'Inde (Bengale-Occidental), à l'O. de Calcutta; 162 000 hab.

KHARBIN → HARBIN.

KHĀREZM, ancien État de l'Asie centrale, sur le cours inférieur de l'Amou-Daria, qui prit le nom de *khānat de Khiva* de 1512 à 1920.

KHĀREZMĪ (Muḥammad ibn Mūsā **al-**), mathématicien arabe de la fin du VIIIe et du début du IXe s., originaire de Khiva. Il indiqua les premières règles du calcul algébrique et donna tous les éléments de la théorie des équations du second degré. Son nom, déformé par la latinisation, a fourni le terme « algorithme ».

KHARG, île iranienne du golfe Persique. Grand port pétrolier.

KHĀRIDJISME. — Les khāridjites n'acceptent pas l'arbitrage auquel souscrit ʿAlī*, en 657, et font sécession. Partisans d'un islām intransigeant et puritain, ils veulent pour calife le meilleur croyant, élu en dehors de toute préoccupation sociale ou raciale. Le khāridjisme, qui s'est répandu en Afrique du Nord aux VIIIe-Xe s. (royaumes de Tāhert, de Sidjilmāsa), y compte encore des adeptes (Mzab, île de Djerba).

KHARKOV, v. de l'U. R. S. S., dans l'est de l'Ukraine; 1 223 000 hab. Constructions automobiles, ferroviaires et électriques. — La forteresse de Kharkov a été fondée v. 1655 pour protéger la région des attaques des Tatars de Crimée. La ville a été la capitale de la République soviétique d'Ukraine de 1917 à 1934. Elle fut l'enjeu de plusieurs batailles entre 1941 et 1943.

KHARTOUM, capit. du Soudan, au confluent du Nil Blanc et du Nil Bleu; 262 000 hab. Musée. La ville ne forme qu'une seule agglomération avec les cités voisines de *Khartoum-Nord* (140 000 hab.) et d'Omdurman, et compte au total plus de 600 000 hab. — Fondée par Méhémet-Ali v. 1821, Khartoum fut momentanément ruinée par l'insurrection mahdiste, responsable de la mort de Gordon et du départ des Anglais (1884). Leur retour (1898) fit à nouveau d'elle la prospère capitale du Soudan (v. NUBIE).

KHATCHATOURIAN (Aram), compositeur soviétique (Tiflis 1903). Il s'est inspiré du folklore caucasien et arménien, et doit sa réputation à son concerto pour piano, à son concerto pour violon, et surtout à deux grands ballets, *Gayaneh* et *Spartacus.*

KHAYBAR ou **KHYBER** *(passe de),* défilé à 1 030 m d'altitude, reliant l'Afghānistān au Pākistān (Peshāwar), traditionnelle porte d'entrée du Nord-Ouest indien.

KHAYYĀM (ʿUmar) → ʿUMAR KHAYYĀM.

KHAZARS, peuple d'origine turque. Les Khazars construisent, avec d'autres hordes turques, un immense empire, qui s'étend, au VIe s., de l'Asie centrale aux confins de la Chine. Ils apparaissent au VIIe s. dans les steppes entre la mer Caspienne et la mer Noire, et se heurtent, en Transcaucasie, aux prétentions du califat de Bagdad. À la fin du VIIe et au début du VIIIe s., ils occupent la Crimée et les

Nikita Khrouchtchev.

steppes entre le Don et le Dniepr, soumettant les tribus slaves de cette région. Ils assurent le commerce entre la Russie, l'Empire byzantin et l'Orient arabe. L'islām se propage parmi les tribus khazares, tandis que la Cour adopte le judaïsme. Le prince de Kiev, Sviatoslav, anéantit leur puissance en 969.

KHEOPS, roi d'Égypte (IVe dynastie) vers 2650 av. J.-C. (v. ANCIEN EMPIRE), célèbre pour la construction de la grande pyramide de Gizeh*. Il fut un souverain tyrannique.

KHEPHREN, roi d'Égypte (IVe dynastie) vers 2620, fils ou frère de Kheops (v. ANCIEN EMPIRE), bâtisseur de la seconde pyramide de Gizeh. Successeur de Kheops*, il paraît avoir été un aussi exécrable tyran.

KHERSON, port de l'U. R. S. S. (Ukraine), près de l'embouchure du Dniepr; 261 000 hab.

KHINGAN, nom donné à deux massifs montagneux de la Chine du Nord-Est, dont le plus important *(Grand Khingan)* s'étire, du S. au N., de la bordure orientale du désert de Gobi à l'Amour.

KHIOUMA ou **DAGO,** île de l'U. R. S. S. (Estonie).

KHMELNITSKI (Bogdan) ou **CHMIELNICKI** (Bohdan) [v. 1595-1657], hetman des Cosaques* de 1648 à 1657. Il soulève les Cosaques, mécontents de la colonisation de l'Ukraine par les nobles polonais et des restrictions imposées à leur liberté. Après ses succès de 1648-49, Khmelnitski reprend les armes en 1651 et fait appel à la Russie, avec laquelle il signe le traité de Pereïaslavl (1654), qui fait basculer du côté russe toute l'Ukraine orientale.

KHMER → MÔN-KHMER.

KHMÈRE *(République),* nom officiel du CAMBODGE.

KHMERS, peuple de la péninsule indochinoise, qui fonda un empire dont l'apogée se situe du IXe au Xe s. (V. ANGKOR et CAMBODGE.)

KHOIN ou **KHOISAN.** — La famille khoin regroupe quelques langues parlées par des ethnies peu nombreuses et actuellement en régression : bochiman et hottentot en Afrique du Sud, sandawe et hatsa au Tanganyika.

KHORĀSĀN ou **KHURĀSĀN,** région du nord-est de l'Iran. V. princ. *Mechhed.*

KHOSRÔ → SASSANIDES.

KHOTAN, en chin. **Ho-t'ien** ou **Hetian,** v. et oasis de Chine, dans le sud-ouest du Sin-kiang; 134 000 hab.

KHOURIBGA, v. du Maroc, ch.-l. de prov., au S.-E. de Casablanca; 74 000 hab. Importants gisements de phosphates.

KHROUCHTCHEV (Nikita Sergueïevitch), homme d'État soviétique (Kalinovka, prov. de Koursk, 1894-Moscou 1971). Premier secrétaire du comité central du parti communiste ukrainien (1947), puis premier secrétaire du comité pour la région de Moscou et secrétaire du Comité central du parti communiste soviétique (1949), Khrouchtchev est élu, après la mort de Staline, premier secrétaire du Comité central (1953) et devient président du Conseil des ministres (1958). Dès 1956, il entreprend une politique de « déstalinisation » (rapport secret sur le culte de la personnalité lors du XXe Congrès du parti communiste), assouplit l'Administration, libéralise la vie politique et culturelle, et centre sa politique économique sur la croissance du niveau de vie, le développement des biens de consommation et les progrès de l'agriculture. À l'extérieur, il normalise les relations avec la Yougoslavie (1955) et fait sortir l'U. R. S. S. de son isolement. Ses nombreux voyages contribuent à étendre l'influence soviétique, notamment au Proche-Orient et à Cuba, tandis que sa politique de coexistence pacifique avec les États-Unis entraîne l'hostilité croissante de la Chine. L'échec de sa politique agricole et la reculade soviétique lors de la crise de Cuba en 1962 atteignent cependant son prestige. Il doit abandonner ses fonctions en octobre 1964.

KHULNA, v. du Bangladesh, au S.-O. de Dacca; 452 000 hab. Travail du jute.

KHURĀSĀN → KHORĀSĀN.

KHURRAMCHĀHR ou **KHORRAMCHAR,** port du sud-ouest de l'Iran, près du Chaṭṭ al-ʿArab; 89 000 hab.

KHURSABĀD, village du nord de l'Iraq, à 15 km au-dessus de Mossoul*, où ont été retrouvés les vestiges de Dour-Sharroukên*, une des capitales de l'Empire assyrien, fondée par Sargon II, vers 717 av. J.-C., et abandonnée après sa mort, en 705.

KHŪZISTĀN ou **KHOUZISTAN,** prov. du sud-ouest de l'Iran, sur le golfe Persique. Ch.-l. *Ahvāz.*

KIA-MOU-SSEU ou **JIAMUSI,** v. de la Chine du Nord-Est (Hei-long-kiang); 146 000 hab.

KIANG-SI ou **JIANGXI,** prov. de la Chine méridionale; 160 000 km²; 21 070 000 hab. Capit. *Nan-tch'ang.* Au S. des Nan-ling, le Kiang-si, à des latitudes subtropicales, a un climat chaud et humide en été, favorable à la culture du riz, alors que les pentes des versants portent des théiers. Le sous-sol fournit du charbon, mais l'industrie, peu développée, est surtout artisanale (porcelaine).

KIANG-SOU ou **JIANGSU,** prov. de la Chine orientale, sur la mer de Chine méridionale; 102 200 km²; 60 millions d'hab. Capit. *Nankin.* Très peuplé (la densité moyenne est la plus élevée des provinces chinoises), le Kiang-sou occupe, au sud, la basse plaine alluviale édifiée par le Yang-tseu-kiang, importante productrice de riz et de coton, alors que le sorgho et le blé dominent dans le nord, plus froid et moins arrosé. La pêche est active sur le littoral, dont le sud (et l'arrière-pays) gravite dans l'orbite de Chang-hai (administrativement distinct de la province).

KIAO-TCHEOU ou **JIAOZHOU,** v. et baie de la Chine (Chan-tong), dans le sud de la péninsule du Chan-tong. De 1898 à 1914, l'Allemagne occupa cette ville et sa baie au titre de « territoire à bail », cédé par la Chine.

KIA YI ou **JIAYI,** v. de l'intérieur de T'ai-wan; 217 000 hab.

KIBBOUTZ → AGRICULTURE et ISRAËL.

KICHINEV, v. de l'U. R. S. S., capit. de la Moldavie; 356 000 hab. Constructions mécaniques et électriques.

KIDDERMINSTER, v. d'Angleterre, au S.-O. de Birmingham; 47 000 hab.

KIEL, port de l'Allemagne fédérale, sur la Baltique, capit. du Schleswig-Holstein; 275 000 hab. Chantiers navals. — Simple bourgade au début du XIXe s., Kiel devint un grand port de guerre où débuta, par une mutinerie des marins, la révolution allemande de 1918.

Kiel *(canal de),* voie navigable unissant la Baltique à la mer du Nord, de Kiel à l'embouchure de l'Elbe; 99 km.

KIELCE, v. de Pologne, au S. de Varsovie; 136 000 hab.

KIENHOLZ (Edward), artiste assemblagiste américain (Fairfield, Washington, 1927). Installé à Los Angeles, il passe, à la fin des années 50, de panneaux muraux chargés d'objets de rebut à des figures à trois dimensions, d'abord isolées, puis groupées dans des environnements (v. ASSEMBLAGE) qui abordent divers aspects sociologiques de l'Amérique dans une perspective à la fois réaliste (accessoires et ambiances) et métaphorique, voire psychanalytique (*Roxy's,* 1961; *Un mémorial de guerre portable,* 1968).

KIERKEGAARD (Søren Aabye), philosophe danois (Copenhague 1813-*id.* 1855). Marqué par un père austère et dévot et par la rupture de ses fiançailles avec Regine Olsen, il ne médite sur l'existence qu'afin de changer la sienne. Si sa vie détermine autant son œuvre c'est qu'il lui importe avant tout de « trouver une vérité qui en soit une pour moi-même » *(Journal). Ou bien... ou bien* (1843), *Crainte et tremblement* (1843), *la Répétition* (1843), *Miettes philosophiques* (1844), *le Concept d'angoisse* (1844), *les Stades sur le chemin de la vie* (1845), *le Traité* du désespoir* (1849) ne cessent d'affirmer une même vérité : « la vérité est la subjectivité ». Cette conception de la vérité le conduit à critiquer les systèmes philosophiques (surtout celui de Hegel) et à analyser ses rapports à Dieu. Au lieu d'ordonner l'homme selon les idées, Kierkegaard ordonne les idées par rapport à l'existence humaine. D'après lui, l'existence humaine passe par les stades esthétique (la spontanéité et le libertinage), éthique (la bonne conscience) et religieux (« la résignation infinie »). La religion est ainsi l'état le plus élevé de l'existence et « le christianisme n'est pas une doctrine mais un message existentiel ». Sa philosophie est considérée comme le premier existentialisme*.

KIESINGER (Kurt Georg), homme politique allemand (Ebingen, Bade-Wurtemberg, 1904), chancelier de l'Allemagne fédérale (1966-1969) et président du parti chrétien-démocrate (C. D. U.), de 1967 à 1971.

KIEV, v. de l'U. R. S. S., sur le Dniepr, capit. de l'Ukraine; 1 632 000 hab.

GÉOGRAPHIE. Troisième ville de l'U. R. S. S. (loin derrière Moscou et Leningrad), c'est la capitale de l'Ukraine sur les plans politique, culturel et économique (industries mécaniques, alimentaires, chimiques). Son essor est attesté par le débordement de la ville au-delà du site originel (un plateau dominant la rive droite du fleuve), sur la rive gauche du Dniepr, basse et autrefois marécageuse.

HISTOIRE. Important lieu de marché des tribus slaves dès le IXe s., Kiev devient la capitale du premier État russe (fin du IXe-XIIe s.). Oleg († 912), prince venu de Novgorod avec sa troupe *(droujina)* de Normands (Varègues*) et de Slaves, s'empare de Kiev vers 878-882 et entreprend la réunion des tribus de Slaves orientaux en un seul État. Il conclut avec Constantinople un traité de commerce en 911, inaugurant une ère de fructueux rapports avec Byzance, d'où la Russie recevra le christianisme (baptême de Vladimir Ier* le Grand, vers 988). Kiev devient le siège d'un métropolite vers 1039. La prospérité de la Russie kiévienne est fondée sur le commerce des pays scandinaves et de l'Europe occidentale avec l'Empire byzantin et le monde musulman qui emprunte les fleuves russes (Dniepr et Volga). Kiev décline au XIIe s. à cause des luttes de succession entre les princes riourikides*

A. Visage - Explorer

Dupaquier - Atlas-Photo

Kiev. La place Kalinine.

(André Bogolioubski pille la ville en 1169) et des attaques des nomades (Coumans ou Polovtsy, qui ont pris le relais des Petchenègues*). Les centres politiques de la Russie se replient alors vers la Haute-Volga (principauté de Vladimir*-Souzdal). Tombée aux mains des Mongols en 1240, Kiev passe sous l'autorité des princes lituaniens (1362), puis des rois de Pologne (1471) et enfin des tsars de la Russie moscovite (traités de 1654 et de 1667). La ville demeure un grand centre intellectuel (Académie ecclésiastique [1689], université [1834]) où se développent l'opposition au régime tsariste et le nationalisme ukrainien.

En 1917, la république populaire d'Ukraine* est proclamée à Kiev, tandis que les bolcheviks créent à Kharkov la république soviétique d'Ukraine. Kiev ne reprend son rôle de capitale qu'en 1934. Elle est occupée en 1941 par les Allemands, reprise par Vatantine (6 nov. 1943), la ville redevient en 1945 la capitale de l'Ukraine.

BEAUX-ARTS. Berceau de l'art et de l'architecture russes, Kiev voit se développer son architecture de pierre au XIe s. La cathédrale Sainte-Sophie est élevée à partir de 1037 selon des normes byzantines, décorée de mosaïques et de fresques, puis transformée aux XVIIe et XVIIIe s. dans le style baroque ukrainien. Au XIe s. également est fondé le monastère de la « Laure des Grottes », foyer spirituel de la ville, dont les multiples églises sont construites et modifiées jusqu'au XIXe s. Rastrelli* construit au milieu du XVIIIe s. l'église Saint-André, que suivent d'autres églises dues à l'Ukrainien Grigorovitch-Barski. L'université (1837-1843) illustre le style néoclassique. Un mouvement pictural se développe au XIXe s.; l'« Union des peintres du Sud » est créée en 1890.

KIF → CANNABIS.

KIGALI, capit. du Ruanda; 10 000 hab.

KIKUYUS → AFRIQUE.

KIKWIT, v. du Zaïre, à l'E. de Kinshasa; 119 000 hab.

KILIAN (Wilfrid), géologue français (Schiltigheim 1862 - Grenoble 1925). Professeur à l'université de Grenoble, il a étudié la géologie des Alpes et de l'est de la France.

KILIMANDJARO, auj. **pic Uhuru,** point culminant de l'Afrique, dans le nord de la Tanzanie, constitué par un volcan; 5 963 m. Il a été gravi pour la première fois en 1889 par H. Meyer.

KI-LIN, KIRIN ou **JILIN,** prov. de la Chine du Nord-Est; 290 000 km²; 20 millions d'hab. Capit. *Tch'ang-tch'ouen.* Région formée de moyennes montagnes et de collines, au climat chaud en été, mais froid en hiver, avec des précipitations se raréfiant rapidement vers l'intérieur, le Ki-lin porte surtout des cultures de soja et de maïs, malgré l'essor du riz et de la betterave à sucre. La forêt est intensément exploitée, alors que le sous-sol fournit du charbon et du fer, à la base de la métallurgie lourde et de transformation, dernière activité dominante avec le travail du bois, l'alimentation et la chimie.

KILLY (Jean-Claude), skieur français (Saint-Cloud 1943). Champion du monde de la descente et du combiné en 1966, vainqueur de la première coupe du monde de ski alpin en 1967, il a réalisé l'exploit de remporter la descente, le slalom spécial et le slalom géant aux jeux Olympiques de 1968.

KILMARNOCK, v. d'Écosse, au S.-O. de Glasgow; 49 000 hab. Constructions mécaniques.

KILOGRAMME. — L'étalon du kilogramme est la masse du prototype international en platine* iridié conservé au Bureau international des poids* et mesures depuis 1889. Toutes les mesures de masse (les pesées) se réfèrent finalement à ce prototype. C'est un cylindre dont le diamètre, égal à la hauteur, est d'environ 39 mm. L'alliage à 90 p. 100 de platine et 10 p. 100 d'iridium*, dur et inaltérable, a une masse volumique de 21,55 kg/dm³. Lorsqu'on compare la masse de ce prototype à celle d'un étalon de densité différente, par exemple en acier* inoxydable, de masse volumique égale à 7,8 kg/dm³, une correction est appliquée pour compenser la poussée d'Archimède* de l'air.

KI-LONG ou **JILONG,** port de T'ai-wan, sur la côte nord de l'île; 329 000 hab.

KIMBERLEY, v. de l'Afrique du Sud, dans le nord-est de la prov. du Cap; 104 000 hab. Important centre de l'extraction des diamants.

KIMBERLITE → GISEMENT.

Le Kilimandjaro.

KIM IL-SŎNG, homme politique coréen (près de Pyongyang 1912). Membre du parti communiste dès 1931, chef de la résistance coréenne contre l'occupant japonais (1931-1945), secrétaire général de son parti à la Libération (1945), il fonde le parti du travail (1946), s'oppose à la politique de Syngman Rhee et devient Premier ministre de la république populaire de la Corée du Nord (1948), puis chef de l'État (1972).

KIMITSU, centre sidérurgique du Japon, sur la baie de Tōkyō.

KIM JONG PIL, homme politique sud-coréen (Puyo 1926). Officier, il contribue à la chute de Syngman Rhee. Leader du parti républicain démocratique (1963-1968), il devient Premier ministre de la république de Corée (1971-1975).

KINABALU, point culminant de l'Insulinde, dans l'île de Bornéo (Sabah); 4175 m.

KINDĪ (Abū Yūsuf Ya'qūb ibn Isḥāq **al-**), philosophe islamique (Bagdad v. 796 - v. 873). De formation mu'tazilite*, il est le premier philosophe de l'islām. Il distingue, pour les harmoniser et non pour les opposer, la « science humaine » (logique et philosophie) de la « science divine », qui n'est révélée qu'aux prophètes. Son influence sur la philosophie médiévale a été considérable.

KINDIA, v. de Guinée, au N.-E. de Conakry; 41000 hab.

KINECHMA, v. de l'U. R. S. S. (R. S. F. S. de Russie), sur la Volga; 96000 hab. Constructions automobiles.

KINÉSITHÉRAPIE. — La kinésithérapie peut être active (gymnastique médicale, pouliethérapie, ergothérapie, etc., le sujet exécutant un mouvement par ses propres moyens) ou passive (mobilisation passive, massage ou mécanothérapie et électrothérapie, utilisant respectivement une machine et l'électricité pour provoquer le mouvement). Ses applications sont nombreuses : rééducation fonctionnelle des handicapés moteurs, des convalescents de traumatismes de l'appareil locomoteur, correction des diverses anomalies de maintien et des insuffisances respiratoires, etc.

KINESTHÉSIE → SENSIBILITÉ.

KING (William Lyon MACKENZIE), homme politique canadien (Kitchener 1874 - Kingsmere 1950). Leader du parti libéral (1919), Premier ministre (1921-1930, 1935-1948), il fait voter une importante législation sociale et obtient de Londres une large autonomie et la reconnaissance d'une citoyenneté canadienne propre.

KING (Ernest), amiral américain (Lorain, Ohio, 1878 - Portsmouth 1956). Chef de l'état-major naval américain pendant la Seconde Guerre mondiale (1942-1945).

KING (Martin Luther), pasteur noir américain (Atlanta 1929 - Memphis 1968). Pasteur à Montgomery, il lutte pacifiquement mais avec force contre la discrimination raciale aux États-Unis; il meurt assassiné. (Prix Nobel de la paix, 1964.)

KINGERSHEIM (68260), comm. du Haut-Rhin, à 6 km au N. de Mulhouse; 7928 hab.

KINGSLEY (Charles), écrivain anglais (Holne, Devonshire, 1819 - Eversley, Hampshire, 1875), un des promoteurs du mouvement socialiste chrétien.

KINGSTON, capit. de la Jamaïque, sur la côte sud de l'île; 476000 hab. Ville la plus importante, principal port et centre industriel (cimenterie, raffinerie de pétrole et chimie) du pays, dont elle rassemble dans son agglomération environ le quart de la population totale.

KINGSTON, v. du Canada (Ontario), sur le Saint-Laurent, à sa sortie du lac Ontario; 59047 hab. Aluminium.

KINGSTON-UPON-HULL ou **HULL,** v. du nord de l'Angleterre, sur l'estuaire de la Humber; 285000 hab. Église de la Sainte-Trinité (XIVᵉ s.). Musées. Grand port de pêche. Constructions mécaniques et électriques.

KINGSTON-UPON-THAMES, agglomération de la banlieue sud-ouest de Londres; 140000 hab. Constructions aéronautiques.

KINGSTOWN → DÚN LAOGHAIRE.

KINKAJOU. — Avec sa longue queue prenante, le kinkajou est le plus arboricole de tous les carnassiers; il est aussi le mieux fait pour capturer les insectes, à l'aide de sa longue langue gluante, qui lui sert également à lécher le miel sauvage. En fait, comme d'autres procyonidés, il mange un peu de tout.

KINKI → KANSAI.

KINOSHITA JUNJI, auteur dramatique japonais (Tōkyō 1914). Ses pièces, qui unissent sa passion pour les contes populaires à sa connaissance de Shakespeare et de la scène classique (nō et kabuki), ont joué un rôle décisif dans le renouvellement du théâtre japonais contemporain (*Une grue un soir,* 1949; *l'Apothéose d'une grenouille,* 1951; *le Temps de l'hiver,* 1964).

KINSEY (Alfred Charles), biologiste et sociologue américain (Hoboken, New Jersey, 1894 - Bloomington, Indiana, 1956). À l'aide d'enquêtes par sondage et de statistiques, il a dressé un tableau des différents comportements sexuels aux États-Unis (*le Comportement sexuel de la femme,* 1953).

KINSHASA, capit. du Zaïre, sur la rive méridionale du Pool Malebo (anc. Stanley Pool), partie élargie du fleuve Congo (ou Zaïre); 1991000 hab. L'ancienne Léopoldville (qui a pris, en 1966, le nom d'un quartier de la ville) est la plus grande cité de l'Afrique noire. Sa population a quintuplé depuis l'indépendance (1960), croissance sans rapport avec l'essor des fonctions économiques (surtout tertiaires, avec quelques industries : métallurgie, textile, alimentation, etc.), mais liée à la pression démographique urbaine (excédent naturel), à l'exode rural et, au moment de l'indépendance, à l'insécurité de l'intérieur du pays.

KIN-TCHEOU ou **JINZHOU,** v. de la Chine du Nord-Est (Leao-ning); 350000 hab.

KINUGASA TEINOSUKE, cinéaste japonais (Tōkyō 1896). D'abord acteur, il aborda la mise en scène en 1922 et devint l'un des principaux réalisateurs de son pays : *Une page folle* (1926), *Ombres sur Yoshiwara* (1928), *la Bataille d'été à Osaka* (1937), *la Porte de l'enfer* (1953), *le Héron blanc* (1958).

KIPLING (Rudyard), écrivain anglais (Bombay 1865 - Londres 1936). Journaliste à Lahore, il s'inspira, dans ses premiers récits (*Simples Contes des collines,* 1887; *le Livre* de la jungle,* 1894), de la vie et des paysages de l'Inde, puis il célébra dans ses poèmes et ses romans les qualités viriles et l'impérialisme anglo-saxon (*Capitaines courageux,* 1897; *Kim,* 1901). [Prix Nobel, 1907.]

Kippour *(guerre du)* → ISRAÉLO-ARABE *(quatrième guerre).*

KIRCHBERG, station de sports d'hiver (alt. 860-1934 m) d'Autriche (Tyrol), près de Kitzbühel.

KIRCHHOFF (Gustav Robert), physicien allemand (Königsberg 1824 - Berlin 1887). En 1859, il imagina le concept de *corps noir.* Il inventa le spectroscope, qui lui permit de créer, avec Bunsen*, l'analyse spectrale (1859) et de découvrir le rubidium et le cæsium (1861). En électricité, il énonça la loi des courants dérivés.

KIRCHNER (Ernst Ludwig) → EXPRESSIONNISME.

KIRCHSCHLÄGER (Rudolf), homme d'État autrichien (Obermühl, Haute-Autriche, 1915). Socialiste, il succède à F. Jonas à la présidence de la République en 1974.

KIRGHIZ *(Ling.)* → TURC.

KIRGHIZ, peuple turc. Probablement d'origine indo-européenne, les Kirghiz ont été turquisés à une date indéterminée. Au VIᵉ s., ils vivaient déjà sur le cours supérieur de l'Ienisseï. Il est probable qu'une partie des Kirghiz ont émigré au Xᵉ s. sur le territoire de l'actuelle Kirghizie, rejoints, au XVIIIᵉ s., par d'autres Kirghiz chassés par les Kalmouks*. La domination russe s'établit définitivement dans les années 1860. Lors de la révolte de 1916 contre la colonisation russe, les Kirghiz, que les Russes nomment « Kara-Kirghiz » pour les distinguer des Kazakhs, émigrent nombreux en Chine. Le régime soviétique fait de leur territoire une république autonome (1926), puis fédérée (1936).

KIRGHIZISTAN, république de l'U. R. S. S., en Asie centrale; 198 500 km^2; 2 933 000 hab. Capit. *Frounze.* À la frontière chinoise, s'étendant principalement sur les hautes chaînes des T'ien-chan, c'est une république montagnarde, où population et activités se localisent dans les profondes vallées et les bassins intérieurs (Naryn, Tchou), ainsi que sur le piémont (site de Frounze). L'élevage (ovins) tient une place importante, de même que les cultures irriguées du coton, des fruits et des légumes. Le sous-sol fournit du charbon, base énergétique avec l'hydroélectricité, favorisée par le relief accidenté.

KIRIKKALE, v. de Turquie, à l'E. d'Ankara; 92 000 hab. Industries mécaniques et chimiques.

KIRIN → KI-LIN.

KIRKBY, v. d'Angleterre, près de Liverpool; 60 000 hab.

KIRKCALDY, port d'Écosse, sur le Forth, 50 000 hab.

KIRKŪK, v. du nord de l'Iraq; 167 000 hab. Extraction du pétrole.

KIROV, v. de l'U. R. S. S. (R. S. F. S. de Russie), à l'O. de l'Oural, sur la Viatka; 333 000 hab. Métallurgie.

Kirov *(Théâtre national académique),* nom que prit le Théâtre Marie (Mariinski) [ancien Théâtre Bolchoï de Saint-Pétersbourg, construit en 1723 et reconstruit en 1860] de Leningrad à partir de 1935.

KIROVABAD, v. de l'U. R. S. S. (Azerbaïdjan); 190 000 hab.

KIROVAKAN, v. de l'U. R. S. S. (Arménie), au N. d'Erevan; 107 000 hab.

KIROVOGRAD, v. de l'U. R. S. S. (Ukraine), au S.-E. de Kiev; 189 000 hab.

KIROVSK, v. de l'U. R. S. S. (R. S. F. S. de Russie), dans la presqu'île de Kola; 50 000 hab. Phosphates.

KIRSCH → EAU-DE-VIE.

KIRSTEIN (Lincoln Edward), chorégraphe, animateur de ballet et écrivain de la danse américain (Rochester, État de New York, 1907). Il est, notamment, cofondateur de l'American School of Ballet, fondateur des Archives de la danse (musée d'Art moderne, New York), directeur général du New York City Ballet. Ses ouvrages (*Dance,* 1935; *Movement and Metaphor,* 1970) et son activité ont contribué au développement de la danse théâtrale aux États-Unis.

KIRUNA, v. du nord de la Suède, en Laponie, au-dessus du cercle polaire; 31 000 hab. Importantes mines de fer.

KIRYŪ, v. du Japon (Honshū), au N.-O. de Tōkyō; 133 000 hab.

KISANGANI, v. du nord du Zaïre, sur le Congo; 230 000 hab.

KĪSARAZŪ, v. du Japon, près de Tōkyō; 38 000 hab. Aciérie.

KISFALUDY (Sándor), poète hongrois (Sümeg 1772-*id.* 1844). — Son frère, KÁROLY (Tét 1788-Pest 1830), a été l'initiateur de la littérature dramatique (*les Prétendants,* 1819) et du romantisme en Hongrie.

KISHIWADA, port du Japon (Honshū), au S. d'Ōsaka; 162 000 hab. Textile.

KISSELEVSK, v. de l'U. R. S. S. (R. S. F. S. de Russie), en Sibérie, dans le Kouzbass; 127 000 hab.

KISSINGER (Henry), homme politique américain (Fürth, Allemagne, 1923). Il enseigne les sciences politiques à Harvard jusqu'en 1971, mais, dès 1968, R. Nixon en fait son conseiller spécial pour la sécurité nationale. H. Kissinger devient alors le théoricien et l'inspirateur de la politique extérieure américaine, Moscou et surtout Pékin (où il prépare la visite du président des États-Unis) étant, avec le Moyen-Orient et le Viêt-nam, les pôles principaux de son action. Il est, de 1973 à 1977, chef du département d'État. (Prix Nobel de la paix, 1973.)

KISTNĀ (la), anc. Krishnā, fl. de l'Inde (Deccan), qui rejoint le golfe du Bengale; 1 280 km.

KITA-KYŪSHŪ, port du Japon, dans le nord de l'île de *Kyūshū,* sur le détroit de Shimonoseki, en face de la ville de ce nom, à laquelle il est relié par un pont et deux tunnels; 1 400 000 hab. Grand centre de l'industrie lourde (sidérurgie surtout, et métallurgie de transformation, ciment, chimie minérale).

KITCHENER, v. du Canada (Ontario), au S.-O. de Toronto; 112 000 hab. Métallurgie.

KITCHENER (*lord* Herbert), maréchal britannique (Bally Longford 1850-en mer 1916). Réorganisateur de l'armée égyptienne, il occupa Fachoda peu après l'arrivée de la mission française de Marchand, en 1898. Commandant en chef britannique à la fin de la guerre des Boers (1900-1902), il fut ministre de la Guerre (1914) et organisa l'armée de volontaires engagés sur le front français. Le navire qui le conduisait en mission en Russie fut torpillé au large des Orcades.

KITIMAT, localité du Canada (Colombie britannique), à l'E. de Prince Rupert. Importante usine d'aluminium.

KITWE, v. de Zambie, au N. de Lusaka; 314 000 hab. (avec la localité voisine de Kalulushi). Centre de l'extraction du cuivre.

KITZBÜHEL, v. d'Autriche (Tyrol); 8 000 hab. Grande station de sports d'hiver (alt. 800-2 000 m).

K'IU YUAN ou **QU YUAN,** poète chinois (343-v. 278 av. J.-C.). Ministre destitué à la suite d'une calomnie, il se jeta dans une rivière. Les Chinois ont attaché à sa mémoire une de leurs fêtes les plus célèbres, la fête nautique du 5e jour de la 5e lune. Les œuvres de K'iu Yuan, dont le poème *Li sao* (« Douleur de l'éloignement »), sont incorporées au recueil des *Élégies du pays de Tch'ou.*

KIVI (Aleksis STENVALL, dit **Aleksis**), écrivain finlandais (Nurmijärvi 1834-Tuusula 1872). Sa pauvreté l'empêcha de continuer ses études à l'université d'Helsinki. Après avoir composé deux tragédies (*Kullervo,* 1864; *Lea,* 1869) et une comédie (*les Cordonniers de Nummi,* 1864), il donna, avec son roman *les Sept Frères* (1870), un tableau de l'âme finnoise et des mœurs paysannes, considéré aujourd'hui comme le plus grand classique finlandais.

KIVU *(lac),* lac de l'Afrique équatoriale, aux confins du Zaïre et du Ruanda; 2 650 km^2.

KIWI. — Cet oiseau de Nouvelle-Zélande (nom latin *Apteryx*), sorte de poule au long bec, n'a que des moignons d'ailes, des plumes rudimentaires et pas de queue. Il mène une vie nocturne. La femelle ne pond qu'un œuf chaque année. L'espèce est en voie de disparition. On l'apparente aux autruches. (V. RATITES.)

KIZIL BACH → SÉFÉVIDES.

KIZIL IRMAK (le), fl. de Turquie, tributaire de la mer Noire; 1 182 km.

KJØLEN ou **KJÖLEN,** massif montagneux du nord de la Scandinavie, aux confins de la Norvège et de la Suède; 2 117 m au *Kebnekaise.*

KLADNO, v. de Tchécoslovaquie, en Bohême, à l'O. de Prague; 57 000 hab. Charbon. Métallurgie.

KLAGENFURT, v. du sud de l'Autriche, capit. de la Carinthie; 74 000 hab.

KLAÏPEDA, port de l'U. R. S. S. (Lituanie), sur la Baltique; 140 000 hab. Pêche. Chantiers navals. — Ancienne Memel, fondée en 1252 par les chevaliers Teutoniques, enjeu des luttes entre Polonais, Lituaniens, Prussiens et Suédois (XIIIe-XVIIIe s.), la ville fut rattachée à la Lituanie en 1923.

KLANG, v. de Malaysia (Malaisie), à l'O. de Kuala Lumpur; 113 000 hab.

KLAPROTH (Martin Heinrich), chimiste et minéralogiste allemand (Wernigerode 1743-Berlin 1817). Il découvrit le zirconium et l'uranium (1789), le titane (1795) et le cérium (1803).

KLARENTHAL, localité de l'Allemagne fédérale (Sarre), à l'O. de Sarrebruck. Raffinerie de pétrole.

KLÉBER (Jean-Baptiste), général français (Strasbourg 1753-Le Caire 1800). Ancien architecte (1775), il servit d'abord en Autriche (1777). Engagé en 1792, il se distingue au siège de Mayence et est promu général (1793). Il commande alors en Vendée, où il est, avec Marceau, le vainqueur de Savenay. Il se bat à Fleurus en 1794 et s'empare de Francfort (1796). Mis à la tête de l'armée d'Égypte après le départ de Bonaparte (1799), il signe à El-Arich une convention d'évacuation avec les Anglais, bat les Turcs à Héliopolis mais est assassiné au Caire.

KLEE (Paul), peintre allemand (Münchenbuchsee, près de Berne, 1879-Muralto, près de Locarno, 1940). Après avoir découvert Cézanne (1909) puis le cubisme et Delaunay (1912), et s'être lié avec le groupe du Blaue Reiter* — particulièrement avec Kandinsky — à Munich (1911), il va chercher en Tunisie (1914) et dans les pays méditerranéens la révélation d'un univers de couleurs et de formes qui, mêlées aux influences antérieures, marquent toute son œuvre. Proche de l'abstraction (*Villa R,* 1919, musée de Bâle), se référant à la nature, au cosmos par des allusions oniriques ou humoristiques qui séduisent les surréalistes, il multiplie les manières (« carrés magiques » de *Air Ancien,* 1925, Bâle; mosaïque divisionniste de *Falaises au bord de la mer,* 1931, Paris, coll. Berggruen), les techniques et les recherches (il enseigne au Bauhaus* de 1920 à 1930). Son graphisme, sorte d'écriture (il intègre d'ailleurs, parfois, lettres ou mots à ses compositions), le mène à une simplification des formes allant jusqu'à une espèce de pictogramme, large trait sombre sur fond clair (*Un visage, et aussi celui d'un corps,* 1939, Berne, coll. Félix Klee), où demeurent la même spiritualité, la même poésie, mais aussi la même rigueur. Il a laissé un *Journal* et divers autres écrits.

KLEIN (Felix), mathématicien allemand (Düsseldorf 1849 - Göttingen 1925). Chef incontesté de l'école mathématique allemande, il a montré le rôle capital joué par la notion de groupe en géométrie, chaque géométrie ayant à sa base un groupe caractéristique.

KLEIN (Melanie), psychanalyste d'origine autrichienne (Vienne 1882 - Londres 1960). Elle est célèbre pour ses travaux de pionnier dans le domaine de la psychanalyse* des enfants. Au lieu d'utiliser, comme chez les adultes, un matériel verbal (associations libres),

Melanie Klein.

The Hogarth Press

elle analyse les jeux et les dessins de ses jeunes patients, en leur attribuant une profonde valeur symbolique, car ils permettent aux enfants d'exprimer avec moins d'angoisse leurs tendances inconscientes. Compte tenu de cet aménagement technique, elle pense que l'analyse des enfants doit s'appuyer sur les mêmes principes et avoir les mêmes objectifs que l'analyse des adultes, ce qui l'oppose à A. Freud*. Melanie Klein suppose dès la naissance un Moi* beaucoup plus élaboré que ne le fait S. Freud : le complexe d'Œdipe*, en particulier, se noue, selon elle, beaucoup plus tôt que Freud ne l'avait pensé. Elle souligne l'importance de la pulsion de mort* intriquée dès le départ avec la pulsion libidinale. Recréant l'univers psychique du nourrisson à partir de son expérience de l'analyse de jeunes psychotiques (v. PSYCHOSE), elle y place d'importantes et précoces angoisses de persécution.

KLEIN (Yves), peintre français (Nice 1928 - Paris 1962). Cherchant le *Dépassement de la problématique de l'art* (titre d'un écrit de 1959) et l'accès à une « sensibilité immatérielle » dans une libération de la couleur (*monochromes* bleus), dans une appropriation des énergies élémentaires *(peintures de feu, cosmogonies)* et vitales (*anthropométries :* empreintes de corps nus enduits de peinture) ou dans le rêve d'une *architecture de l'air,* il fut l'un des grands éveilleurs de l'avant-garde européenne.

KLEIST (Ewald Christian VON), poète lyrique allemand (Zeblin, Poméranie, 1715 - Francfort-sur-l'Oder 1759). Blessé mortellement à la bataille de Kunersdorf, il avait donné dans *le Printemps* (1749) une expression nouvelle au sentiment de la nature. C'est à lui que Lessing adressa ses *Lettres sur la littérature.*

KLEIST (Heinrich VON), écrivain allemand (Francfort-sur-l'Oder 1777 - Wannsee, près de Berlin, 1811). Petit-neveu d'Ewald von Kleist, il embrasse comme lui la carrière militaire, mais démissionne en 1799. Il voyage alors en France et en Suisse, compose une comédie, *la Cruche cassée,* et tente d'unir la tragédie grecque au drame shakespearien dans *Robert Guiscart, duc des Normands* (1803). Arrêté comme espion par les autorités françaises lors de l'invasion napoléonienne de 1806, il est interné au fort de Joux. Libéré, il s'installe à Dresde, où il fréquente les cercles romantiques, écrit des nouvelles, une comédie (*Amphitryon,* 1807), des tragédies (*Katherine de Heilbronn,* 1808-1810) et deux drames patriotiques inspirés par les malheurs de sa patrie (*la Bataille d'Hermann,* 1808; *le Prince* de Hombourg,* 1810), mais qu'il ne peut faire représenter. Ruiné et découragé, il entraîna avec lui dans la mort une jeune amie, Henriette Vogel.

KLEIST (Paul VON), maréchal allemand (Braunfels 1881 - en U.R.S.S. 1954). Un des créateurs de l'arme blindée allemande (1930-1935), il conduit en 1940 la percée du front français dans les Ardennes. Il se distingue ensuite dans les Balkans, à Kiev (1941), devant Stalingrad (1942) et à la tête du groupe d'armées germano-roumain (1944). Il meurt en captivité en U.R.S.S.

KLEMPERER (Otto), chef d'orchestre d'origine allemande, naturalisé israélien en 1971 (Breslau 1885 - Zurich 1973). Il se consacra surtout au répertoire classique et romantique allemand.

KLENZE (Leo VON), architecte allemand (Bockenem 1784 - Munich 1864). Élève de Gilly, puis de Percier et Fontaine, il fait l'essentiel de sa carrière au service de Louis Ier, à Munich, à partir de 1816. Son goût est surtout néo-grec (Glyptothèque, 1816-1834), mais il sait aussi interpréter les styles Renaissance et byzantin.

KLIMT (Gustav), peintre autrichien (Vienne 1862 - Baumgarten, près de Vienne, 1918). Il est parmi les fondateurs de la Sécession viennoise en 1897, parvenant, au tournant du siècle, à un art spécifique qui associe réalisme et féerie ornementale au service de thèmes érotico-symbolistes (*le Baiser,* v. 1909, musée de Strasbourg). La rigidité de sa stylisation s'adoucit à partir de 1910.

KLINE (Franz), peintre américain (Wilkes Barre 1910 - New York 1962). D'abord figuratif, il devient, à partir de 1950, une des principales personnalités de l'expressionnisme abstrait (v. ABSTRACTION), projetant sur la toile d'intenses balafres sombres.

KLINEBERG (Otto), psychosociologue américain (Québec 1899). Ses travaux concernent principalement l'étude des caractéristiques nationales et de la « personnalité de base » qui marque la singularité de chaque peuple (*Psychologie sociale,* 1940).

KLINGER (Friedrich Maximilian VON), poète allemand (Francfort-sur-le-Main 1752 - Dorpat 1831). Son drame *Sturm und Drang* (1776) a donné son nom à la période de la littérature allemande qui inaugure la réaction contre le classicisme.

KLINGER (Max), peintre, graveur et sculpteur allemand (Leipzig 1857 - Grossjena 1920). Formé à Berlin, à Paris, à Rome, il tirera parti d'influences antiques, allemandes (Böcklin...) et françaises (Puvis de Chavannes, plus tard Rodin...). La part du fantasme, dans son œuvre, apparaît dès 1880 avec la suite d'eaux-fortes *Paraphrase sur la découverte d'un gant.* Son *Heure bleue* (1890, musée de Leipzig) est une peinture de l'extase, tandis que sa statue de *Beethoven,* en matériaux polychromes, participe d'une tendance héroïque du symbolisme.

Klingsor, magicien qui apparaît dans le *Parzival* de Wolfram von Eschenbach et dans le *Parsifal* de Wagner.

KLONDIKE, riv. du nord-ouest du Canada, affl. du Yukon (r. dr.); 180 km. Dans la région environnante furent découverts, en 1896, des gisements d'or (aujourd'hui épuisés).

KLOPSTOCK (Friedrich Gottlieb), poète allemand (Quedlinburg 1724 - Hambourg 1803), auteur de *la Messiade* (1748-1773), épopée biblique, et artisan du retour aux sources nationales (*la Bataille d'Arminius,* 1769).

KLOSTERS, station de sports d'hiver (alt. 1200-2800 m) de Suisse, dans les Grisons; 3534 hab.

Kloten, aéroport de Zurich (Suisse).

KLUCK (Alexander VON) → MARNE *(bataille de la).*

KLUGE (Hans VON), maréchal allemand (Poznań 1882 - près de Metz 1944). Commandant la IVe armée en Pologne (1939) et en France (1940), puis un groupe d'armées sur le front russe, il remplaça Rundstedt à la tête du front de l'Ouest (1944). Son échec à Mortain provoqua son rappel et son suicide.

KNIASEFF (Boris), danseur et pédagogue russe (Saint-Pétersbourg 1905 - Paris 1975). Fondateur d'une école de danse réputée (Paris, Lausanne), il est le créateur de la « barre à terre ».

KNOB LAKE, localité du Canada (Québec), à la frontière du Labrador. — À proximité, important gisement de minerai de fer.

Knock ou le Triomphe de la médecine, comédie en trois actes de Jules Romains (1923).

KNOKKE-HEIST, comm. de Belgique (Flandre-Occidentale), sur la mer du Nord; 27582 hab. (en 1970). Station balnéaire.

KNOW HOW. — La propriété d'un brevet est, généralement, insuffisante pour parvenir jusqu'à la réalisation à l'échelon industriel. Il faut, pour permettre la mise en œuvre pratique du brevet, assurer la mise en marche de l'installation. Cet ensemble de connaissances pratiques et d'interventions représente le *know how,* recouvrant des notes techniques, des instructions de montage, des modes d'emploi, etc. Le know how, en cas de transfert de technologie, est la partie la plus importante de celui-ci. Une fois le know how transmis, le vendeur de technologie est encore souvent appelé à réaliser la mise en marche des installations et à fournir une pédagogie propre à former les techniciens du pays acquéreur.

KNOX (John), réformateur écossais (près de Haddington 1505 ou v. 1515 - Édimbourg 1572). Il établit en Écosse la Réforme selon les positions de Calvin. Exilé, en 1554, par Marie* Tudor, il rentre en 1559, sous Élisabeth* Ire, dans sa patrie, où il contribue à l'établissement du presbytérianisme*. Son œuvre principale est un ouvrage posthume : *Histoire de la réformation en Écosse* (1586).

Knox *(fort),* camp militaire américain (Kentucky) au S.-O. de Louisville. Abri contenant les réserves d'or du pays.

KNOXVILLE, v. des États-Unis (Tennessee), en bordure des Appalaches; 175 000 hab. Université.

KNUD Ier le Grand (995 - Shaftesbury 1035), roi d'Angleterre (1016/1017 - 1035), de Danemark (1018-1035) et de Norvège (1028-1035). Il lutta contre le roi anglo-saxon Æthelraed II, puis, après la mort de celui-ci (1016), épousa sa veuve, Emma de Normandie (1017). Reconnu roi d'Angleterre, héritier du Danemark à la mort de son frère Harald (1018), Knud vainquit Olav le Saint, roi de Norvège, et s'empara de son État (1028). Respectueux des lois anglo-saxonnes, il favorisa la fusion entre les deux peuples.

KNUTANGE (57240), comm. de la Moselle, à 10 km à l'O. de Thionville; 4 104 hab. Sidérurgie.

KOALA. — Ce petit marsupial grimpeur, aux doigts écartés, aux oreilles poilues, à la face plutôt aplatie, ne dépasse guère un poids de 8 kg. Il vit au sommet des eucalyptus, mangeant leurs sommités et s'imprégnant de leur parfum, qui lui évite les parasites. Victime d'une chasse forcenée en raison de sa fourrure précieuse, l'espèce a failli disparaître.

KŌBE, port du Japon (Honshū), sur la baie d'Ōsaka; 1 289 000 hab. Sidérurgie. Chantiers navals.

KOCH (Robert), médecin allemand (Clausthal 1843 - Baden-Baden 1910). Il découvrit, vers 1880, le bacille tuberculeux (bacille de Koch), réussit à le cultiver et à reproduire la maladie chez l'animal. Il découvrit également le bacille-virgule, responsable du choléra. On lui doit aussi la tuberculine. (Prix Nobel de médecine, 1905.)

KOCHANOWSKI (Jan), poète polonais (Sycyna 1530 - Lublin 1584). Traducteur des psaumes, auteur d'épigrammes en latin et d'un pamphlet *(Gallo crocitanti),* riposte à *l'Adieu à la Pologne* de Desportes, il est avec son recueil d'élégies *(Thrènes),* inspirées par la mort de sa fille, le véritable créateur de la poésie lyrique dans son pays.

KOCHER (Theodor Emil), chirurgien suisse (Berne 1841 - *id.* 1917). Il montra le rôle de l'iode dans la physiologie de la glande thyroïde et créa la chirurgie des goitres. (Prix Nobel de médecine, 1909.)

KŌCHI, v. du Japon, dans le sud de Shikoku; 240 000 hab.

KODÁLY (Zoltán), compositeur, musicologue et pédagogue hongrois (Kecskemét 1882 - Budapest 1967). Il est l'auteur d'une célèbre méthode d'enseignement musical fondée sur le chant choral, d'un *Psalmus hungaricus* et de l'opéra *Háry János.*

KŒCHLIN (Charles), compositeur et théoricien français (Paris 1867 - Le Canadel 1951), connu plus par ses traités (fugue, contrepoint, harmonie, orchestration) que par sa production proprement musicale, pourtant considérable *(l'Abbaye,* quatuors à cordes, *Symphonie d'hymnes, le Buisson ardent, les Bandar-Log).*

KOEKELBERG, comm. de Belgique, dans la banlieue nord de Bruxelles; 16 370 hab. (en 1977).

KŒLTZ (Louis), général français (Besançon 1884 - Paris 1970). Aide-major général en 1939, il commande en Tunisie les troupes qui reprennent le combat contre les Allemands en 1942. Il dirigera la délégation française au conseil allié de Berlin (1945-46). Il est l'auteur de plusieurs ouvrages sur l'armée allemande.

KŒNIG (Marie Pierre), général français (Caen 1898 - Neuilly 1970). Rallié à de Gaulle en 1940, il commande en 1942 les forces françaises engagées en Libye et est vainqueur à Bir-Hakeim. Mis en 1944 à la tête des Forces françaises de l'intérieur, il est gouverneur militaire de Paris (1944-45) et commande la zone d'occupation française en Allemagne (1945-1949). Député en 1951 et en 1956, il est ministre de la Défense en 1954-55.

KOERSEL, anc. comm. de Belgique (Limbourg).

KOESTLER (Arthur), écrivain hongrois d'expression anglaise, naturalisé anglais (Budapest 1905). Il est l'auteur de romans qui peignent l'individu aux prises avec les systèmes politiques ou scientifiques modernes (*le Zéro* et l'infini,* 1945).

KŌETSU, calligraphe, potier amateur et décorateur japonais (1558-1637). Héritier des grandes écoles académiques Tosa et Kanō, Honnami Kōetsu est à l'origine du style décoratif des Tokugawa. Reprenant les modèles de l'époque Fujiwara du xe s., il se rattache au style *Yamato-e.* Maître laqueur, dont les écritoires sont restés célèbres, il réalise pour Sōtatsu* d'admirables calligraphies.

KOFORIDUA, v. du Ghāna, au N. d'Accra; 70 000 hab.

KŌFU, v. du Japon (Honshū), à l'O. de Tōkyō; 183 000 hab.

KOGĂLNICEANU (Mihail), historien et homme politique roumain (Iaşi 1817 - Paris 1891). Professeur d'histoire à l'académie Mihăileană, il prend une part active au mouvement national en 1848. Il intervient efficacement en faveur de l'unité des principautés roumaines et de l'élection de Cuza* qui fait de lui son Premier ministre. Il quitte ce poste lors de l'abdication de Cuza (1866). Ministre des Affaires étrangères de 1877 à 1880, il défend la cause de son pays au congrès de Berlin (1878).

KOHL (Helmut), homme politique allemand (Ludwigshafen, Rhénanie-Palatinat, 1930). En juin 1973, il est élu président du parti démocrate-chrétien (CDU), en remplacement de R. Barzel*.

KOHLRAUSCH (Rudolf), physicien allemand (Göttingen 1809-Erlangen 1858). Il mesura, avec Weber*, le rapport des unités électrostatiques et électromagnétiques, trouvant ainsi la vitesse de la lumière (1832), et il définit la résistivité (1848). — Son fils, FRIEDRICH (Rinteln 1840 - Marburg 1910), détermina en 1874 la conductivité des électrolytes et en déduisit les valeurs des mobilités des ions.

KOHOUT (Pavel), écrivain tchèque (Prague 1928). Ses poèmes (*le Temps de l'amour et du combat,* 1954), ses récits (*Journal d'un contre-révolutionnaire,* 1971) et son théâtre (*les Nuits de septembre,* 1958; *Auguste, Auguste, Auguste,* 1967; *Marie,* 1973) évoquent les espérances et les épreuves de son pays, de l'agression hitlérienne à l'écroulement du « printemps de Prague ».

KOKAND, v. de l'U. R. S. S. (Ouzbékistan), dans la Fergana; 133 000 hab. Raffinerie de pétrole.

KO-KIEOU ou **GEJIU,** v. de Chine (Yun-nan); 160 000 hab. Étain.

KOKOSCHKA (Oskar), peintre autrichien, naturalisé anglais (Pöchlarn 1886). Ses portraits, aux caractères soulignés par les déformations de la ligne (*Herwarth Walden,* 1910, musée de Minneapolis), ses compositions aux couleurs épaisses et rauques (*la Fiancée du vent,* 1914, Bâle) manifestent, tout comme son œuvre théâtrale, un expressionnisme angoissé, qui devient éclatant dans les paysages et particulièrement dans les vues de villes. Après la Seconde Guerre mondiale, à Londres, puis en Suisse, sa peinture, avec une palette éclaircie, prend un ton moins tourmenté.

KOLA *(presqu'île de),* péninsule de l'extrémité nord-ouest de l'U. R. S. S., entre la mer Blanche et la mer de Barents. Gisements de fer, de phosphates, de nickel.

KOLĀR GOLD FIELDS, v. de l'Inde (Karnātaka), à l'E. de Bangalore; 76 000 hab. Mines d'or.

KOLAROVGRAD → ŠUMEN.

KOLAS (Konstantine Mikhaïlovitch MITSKEVITCH, dit **Iakoub**), écrivain biélorusse (gouvern. de Minsk 1883 - Minsk 1956). Il est l'auteur de poèmes patriotiques (*Simon le musicien,* 1925) et de romans sociaux (*la Cabane du pêcheur,* 1949).

KOLDEWEY (Robert), architecte et archéologue allemand (Blankenburg 1855 - Berlin 1925). La précision de ses travaux et l'utilisation d'une méthode rigoureusement stratigraphique, sur le chantier de Babylone (1899-1917) qu'il ressuscita, ont fait de lui l'un des pionniers de l'archéologie moderne. Parmi ses publications citons *les Temples de Babylone et de Borsippa* (1911), *Babylone ressuscitée* (1914), *la Porte d'Isthar à Babylone* (1918).

KOLDING, v. du Danemark, dans le Jylland oriental; 54 000 hab.

KOLHĀPUR, v. de l'Inde, dans le sud du Mahārāshtra; 259 000 hab.

KOLKHOZ → AGRICULTURE et U. R. S. S.

KOLLÁR (Jan), poète slovaque (Mošovce 1793 - Vienne 1852). Il recueillit et publia les chants populaires slovaques, et fit l'apologie du panslavisme (*la Fille de Slava,* 1824-1852).

KOLMOGOROV (Andreï Nikolaïevitch), mathématicien russe (Tambov 1903). Il donna en 1933 les bases axiomatiques du calcul des probabilités.

KOLOMNA, v. de l'U. R. S. S. (R. S. F. S. de Russie), sur la Moskova, au S.-E. de Moscou; 136 000 hab. Constructions ferroviaires.

KOLTCHAK (Aleksandr Vassilievitch), amiral russe (1874-Irkoutsk 1920). En 1917, il s'oppose aux bolcheviks et est mis en décembre 1918, à Omsk, à la tête de tous les Russes blancs et d'une armée formée en majorité d'anciens prisonniers tchèques. Attaqué par l'armée rouge de Kamenev, il doit battre en retraite en Sibérie, où il est livré aux bolcheviks et fusillé.

KOLWEZI, v. du Zaïre, dans le Shaba; 82 000 hab. Gisements de cuivre et de cobalt.

KOLYMA (la), fl. du nord-est de l'U. R. S. S. (2 600 km), en Sibérie, tributaire de la mer de Sibérie orientale et dont la vallée recèle des gisements d'or et de lignite.

Kominform, bureau d'information des partis communistes, créé par la conférence de Varsovie en septembre 1947 et dissous en avril 1956. (V. INTERNATIONALES.)

Komintern, nom donné par les communistes russes à la

IIIe Internationale*. Dissous en 1943, le Komintern fut remplacé en 1947 par le Kominform.

KOMIS *(république socialiste soviétique autonome des),* territoire de l'U. R. S. S., englobé dans la R. S. F. S. de Russie, à l'O. de l'Oural; 965 000 hab. Capit. *Syktyvkar.*

KOMMOUNARSK, v. de l'U. R. S. S. (Ukraine), dans le Donbass; 123 000 hab. Sidérurgie.

KOM-OMBO, v. de la Haute-Égypte. Dominant le Nil, les vestiges du temple double, dédié aux dieux Sebek et Haroëris (Horus le Grand), sont datés de l'époque ptolémaïque et représentent l'aboutissement des recherches architecturales antérieures.

KOMOTINÍ ou **COMOTINI,** v. du nord-est de la Grèce, en Thrace; 32 000 hab.

KOMPONG CHAM, v. du Cambodge, sur le Mékong; 29 000 hab. Textile.

KOMPONG SOM, anc. **Sihanoukville,** principal port maritime du Cambodge, sur le golfe de Siam; 14 000 hab. Raffinage du pétrole.

Komsomol, nom usuel de l'Union communiste léniniste soviétique de la jeunesse, créée en 1918.

KOMSOMOLSK-NA-AMOURE ou **KOMSOMOLSK-SUR-L'AMOUR,** v. de l'U. R. S. S. (R. S. F. S. de Russie), en Extrême-Orient, sur l'*Amour;* 218 000 hab. Métallurgie. Raffinage du pétrole.

KONAKRY → CONAKRY.

KONDHÝLIS (Gheórghios), général et homme politique grec (Tríkala, Thessalie, 1879 - Athènes 1936). Ministre de la Guerre, puis de l'Intérieur, il renverse en 1926 le général Pángalos, qui l'a exilé. En 1935, il favorise la restauration monarchique et se fait nommer régent, mais Georges II l'écarte du gouvernement.

Kondratiev *(cycles de),* cycles longs marquant une phase économique (production*, emploi*, demande*, prix*) d'une durée de l'ordre de vingt à vingt-cinq ans. Ils doivent leur nom à l'économiste soviétique Nikolaï Dmitrievitch Kondratiev (né en 1892). Le dernier Kondratiev ascendant aurait débuté vers 1950 et pris fin en 1974, les causes de renversement de la tendance semblant la nécessité de moduler la croissance (aménagement des ressources naturelles) et la crise du système monétaire international. Certains économistes pensent que l'économie mondiale est présentement située dans un Kondratiev descendant. (V. JUGLAR.)

K'ONG-TSEU, KONZI, K'ONG FOU-TSEU, KONGFUZI ou **CONFUCIUS,** lettré chinois (551-479 av. J.-C.?). Il consacre l'essentiel de sa vie à étudier les grands classiques chinois et à prodiguer des conseils à ceux qui s'adressent à lui à propos des mariages, des funérailles et autres cérémonies. Parvenu à de hautes charges officielles de l'État — diplomatie et administration de la justice —, il doit s'exiler en 496 à la suite d'une intrigue politique. Il interprète les grands classiques, notamment le *Chou-king** et le *Yi-king**, à la lumière de ses propres conceptions; il en tire une éthique que ses disciples recueilleront dans des *Discussions et conversations.* Le problème principal qu'il se pose est d'ordre éthico-politique : comment faire régner l'ordre dans un État? Il le résout en songeant à former des hommes utiles à la société et à l'État par la mise en œuvre d'une pédagogie devant amener l'homme à vivre en conformité avec sa nature, qui, selon K'ong-tseu, est le jen (ou *ren*) [vertu, bonté, humanité].

Il a exercé une influence très profonde sur la pensée et le monde chinois (v. CONFUCIANISME).

Larousse

K'ong-tseu, d'après un estampage d'une stèle reproduisant une peinture de Wou Tao-tseu. VIIIe s. (Musée Guimet, Paris.)

KONIEV (Ivan Stepanovitch), maréchal soviétique (Lodeino 1897-Moscou 1973). Il se distingue devant Moscou en 1941, puis à Koursk et à Kharkov en 1943. Mis en 1944 à la tête du premier front d'Ukraine (840 000 hommes), il conquiert la Silésie, atteint l'Elbe et concourt à la prise de Berlin (1945). Ministre adjoint de la Défense (1950-1955), il commande en chef les armées du pacte de Varsovie de 1955 à 1960, puis les forces soviétiques en Allemagne en 1961. Il est auteur de souvenirs de guerre (1966), traduits en français (1968).

KÖNIZ, v. de Suisse, dans la banlieue sud-ouest de Berne; 32 505 hab.

KONKOURÉ (le), fl. de Guinée. Aménagement hydroélectrique en projet.

KONSTANTINOVKA, v. de l'U. R. S. S. (Ukraine), dans le Donbass; 105 000 hab. Raffinage du pétrole.

KONTICH, comm. de Belgique (prov. d'Anvers), au S. d'Anvers; 14 432 hab. (en 1970).

KONYA, v. de Turquie, au S. d'Ankara; 201 000 hab. Musée.

HISTOIRE. Iconium, qui occupe le site d'une ancienne ville phrygienne, devient au IVe s. la capitale de la Lycaonie romaine. Capitale du sultanat seldjoukide* de Rūm après l'abandon de Nicée en 1097, Konya connaît un grand essor aux XIIe-XIIIe s. malgré sa conquête en 1190 par Frédéric Barberousse. Les Ottomans s'en emparent au début du XVIe s.

BEAUX-ARTS. À l'époque seldjoukide, la ville s'est enrichie de nombreux monuments, au décor somptueux et exubérant (mosquée Alâeddin avec un minbar de 1155; medrese de Karatay, 1251; Sırçalımedrese, 1242; Ince minarelı medrese, v. 1258; etc.). Tombeau du fondateur des derviches tourneurs, Djalāl al-Dīn Rūmī.

KOOPMANS (Tjalling), économiste américain d'origine néerlandaise ('s Graveland, Hollande-Septentrionale, 1910). Il débute par des travaux de physique, mais la crise des années 30 attire son attention sur les problèmes économiques. Koopmans s'oriente alors vers les méthodes statistiques de l'économétrie et se consacre aux problèmes de programmation des transports ainsi qu'aux questions d'allocation optimale des ressources. Prix Nobel de sciences économiques (1975), il a écrit *Trois Essais sur la science économique contemporaine* (1970).

KOPA (Raymond KOPASZEWSKI, dit **Raymond**), footballeur français (Nœux-les-Mines 1931). Remarquable technicien et dribbleur exceptionnel, il a été quatre fois champion de France avec Reims, trois fois vainqueur de la Coupe d'Europe des clubs champions avec le Real Madrid et quarante-cinq fois international (sélectionné le plus souvent au poste d'avant centre).

KOPEÏSK, v. de l'U. R. S. S. (R. S. F. S. de Russie), à l'E. de l'Oural; 156 000 hab.

KÖPRÜLÜ, famille dont cinq membres furent de 1656 à 1710 grands-vizirs de l'Empire ottoman. MEHMED († Edirne 1661) relève la situation militaire et financière de l'Empire. — Son fils, FAZIL AHMED (Vezirköprü 1635 - Çorlu 1676), conquiert la Crète (prise de Candie, 1669) et mène plusieurs campagnes en Europe centrale.

KORÇË, v. de l'Albanie méridionale; 49 000 hab.

KORČULA ou **KORTCHULA,** en ital. **Curzola,** île yougoslave de l'Adriatique.

KORDOFAN, prov. du Soudan central, à l'O. du Nil Blanc. Ch.-l. *El-Obeïd.*

KŌRIN, décorateur et peintre japonais (Kyōto 1658 - *id.* 1716). Apparenté à Kōetsu* et à Sōtatsu*, dont il étudie les œuvres, Ogata Kōrin n'atteint la maturité qu'à partir de 1711. Le paravent aux *Pruniers blanc et rouge* (musée d'Atami) témoigne de son génie de la composition et de sa hardiesse de coloriste, qui amènent le style décoratif des Tokugawa à son apogée. Son frère OGATA KENZAN (1663-1743) fut potier et peintre de fleurs et d'oiseaux. (V. illustr. p. 1040.)

KŌRIYAMA, v. du Japon, dans le nord de Honshū; 242 000 hab.

KORNEÏTCHOUK (Aleksandr Ievdokimovitch), écrivain et homme politique ukrainien (Khristinovka 1905 - Kiev 1972). Il est l'auteur de drames historiques et sociaux (*le Naufrage d'une escadre,* 1933).

KÖRNER (Theodor), poète allemand (Dresde 1791 - près de Gadebusch 1813). Auteur de pièces à succès qui firent de lui

Shogakukan

Ogata Kōrin : paravent aux *Pruniers blanc et rouge.* (Musée d'Atami.)

le poète officiel du *Burgtheater* de Vienne, il participa au soulèvement national de 1813 (*Lyre et épée,* 1814) et fut tué au combat.

KORNILOV (Lavr Gueorgievitch), général russe (Oust-Kamenogorsk 1870 - Iekaterinodar 1918). Nommé généralissime par Kerenski en 1917, il tenta de marcher sur Petrograd, mais fut arrêté. Libéré, il reprit la lutte avec les armées blanches de la Russie du Sud, mais fut tué au combat.

KOROLENKO (Vladimir Galaktionovitch), écrivain russe (Jitomir 1853 - Poltava 1921). Auteur de récits qui décrivent la vie des petites gens de province, il a évoqué dans son autobiographie (*Histoire de mon contemporain,* 1906-1922) l'aventure de l'« intelligentsia » russe.

KORSCH (Karl), homme politique et théoricien allemand (Tostedt, Basse-Saxe, 1886 - Cambridge, Massachusetts, 1961). Membre du parti communiste allemand depuis 1920 et député au Reichstag de 1924 à 1928, il vote contre le traité germano-russe de 1926 et est exclu du parti communiste. En 1933, il fuit le nazisme; il poursuit alors des recherches sur le marxisme. Il a notamment publié *Marxisme et philosophie* (1923).

KORTRIJK, nom néerlandais de COURTRAI.

KORUTÜRK (Fahri), homme d'État turc (Istanbul 1903). Commandant en chef de la marine turque de 1957 à 1960, il est élu président de la République en 1973.

KOSCIUSKO *(mont),* point culminant de l'Australie, dans la Cordillère australienne, au S. de Canberra; 2 228 m.

KOŚCIUSZKO (Tadeusz), patriote polonais (Mereczowszczyźna 1746 - Soleure, Suisse, 1817). Après avoir combattu avec les *Insurgents* américains, il devient en Pologne le chef de la résistance contre la Russie. Mais finalement battu par les Prussiens et les Russes à Maciejowice (10 oct. 1794), il est emprisonné avant de se fixer à Paris (1798).

KOSHIGAYA, v. du Japon (Honshū), au N. de Tōkyō; 139 000 hab.

KOŠICE, v. de Tchécoslovaquie, ch.-l. de la Slovaquie-Orientale; 142 000 hab. Restes de fortifications. Belle cathédrale gothique des XIVe et XVe s. Édifices civils du XVIIe au XIXe s. Musées. Sidérurgie. — C'est dans cette ville, la première délivrée par l'armée soviétique, que fut proclamée, le 5 avril 1945, la renaissance de l'indépendance et de l'unité tchécoslovaques.

KOSINSKI (Jerzy), écrivain américain d'origine polonaise (Łódź 1933). Auteur de recherches sur le comportement collectif (*The Future is ours, Comrade,* 1960), il trace dans ses romans un portrait tragique de l'homme déchiré entre les contraintes de la vie moderne et son désir de liberté (*l'Oiseau bariolé,* 1965; *la Sève du diable,* 1973; *Cockpit,* 1975).

KOSOVO → SERBIE.

KOSSEL (Albrecht), biochimiste allemand (Rostock 1853 - Heidelberg 1927). Ses travaux sur les albuminoïdes, les dérivés de l'acide nucléique et la formation de l'urée lui ont valu le prix Nobel de chimie en 1910. — Son fils, WALTHER (Berlin 1888 - Tübingen 1956), signala la stabilité des couches externes de huit électrons dans les atomes (1916) et créa la théorie de l'électrovalence.

Kossou, aménagement hydroélectrique du centre de la Côte-d'Ivoire, sur la Bandama.

KOSSUTH (Lajos), homme politique hongrois (Monok 1802 - Turin 1894). Avocat et journaliste, il mène très tôt la lutte contre les Autrichiens. Lors de la révolution de mars 1848, il prend, après la rupture avec Vienne (oct.), la présidence du Comité de défense. Maître de la Hongrie, il lève une armée nationale et proclame l'indépendance du pays (14 avr. 1849), mais l'intervention russe et la défaite hongroise de Világos (août) l'obligent à fuir à l'étranger.

KOSSYGUINE (Alekseï Nikolaïevitch), homme politique soviétique (Saint-Pétersbourg 1904). Il occupe des fonctions économiques importantes avant de succéder à Khrouchtchev à la présidence du Conseil des ministres de l'U. R. S. S. en 1964.

KOSTROMA, v. de l'U. R. S. S. (R. S. F. S. de Russie), sur la Volga; 223 000 hab. Cathédrale de l'Assomption, fondée au XIIIe s. Monastère Ipatiev, avec la cathédrale de la Trinité, du XVIIe s. Dans la région, église de la Nativité-de-la-Vierge, en bois (1552).

KOSZALIN, v. du nord-ouest de la Pologne, près de la Baltique; 69 000 hab.

KOSZTO LÁNYI (Dezső), écrivain hongrois (Szabadka 1885 - Budapest 1936). Poète influencé par le symbolisme français (*Entre quatre murs,* 1907), il proposa, dans des romans et des nouvelles considérés comme des exercices de style classique, une vision humaniste du monde (*Néron, le poète sanglant,* 1924; *Lac de montagne,* 1936).

KOTA BHARU, v. de Malaysia, capit. du Kelantan, dans le nord-est de la Malaisie; 55 000 hab.

KOTAH, v. de l'Inde, dans le sud-est du Rājasthān; 213 000 hab.

KOTA KINABALU, anc. **Jesselton,** v. de Malaysia, capit. du Sabah, dans le nord de Bornéo; 41 000 hab.

KOTKA, port de Finlande, sur le golfe de Finlande; 33 000 hab. Industries du bois.

KOTOR *(bouches de),* golfe profond et ramifié de l'Adriatique, sur le littoral yougoslave (Monténégro) et au fond duquel est situé le petit port de *Kotor* (en ital. *Cattaro*).

KOTOSH, site archéologique des Andes centrales, près de la ville actuelle de Huánuco. Son étude a révélé plusieurs phases culturelles antérieures à la culture de Chavín*. Plus de dix édifices superposés ont été repérés, dont le plus ancien, le *temple des mains croisées,* correspond à une phase acéramique (2500-1800 av. J.-C.). La céramique apparaît après 1800 av. J.-C.; quant à la dernière phase, à partir du IXe s. av. J.-C., elle appartient à l'horizon Chavín.

KOTT (Jan), écrivain polonais (Varsovie 1914). Ses essais de critique dramatique ont renouvelé la conception du théâtre élisabéthain, dans une perspective freudienne (*Shakespeare, notre* *contemporain,* 1960), et celle de la tragédie antique, qu'il interprète à travers les structures politiques et la violence du monde moderne (*Manger les dieux,* 1975).

KOTZEBUE (August VON), écrivain allemand (Weimar 1761 - Mannheim 1819), auteur de deux cent seize drames et comédies nourris du sentimentalisme bourgeois de la fin du XVIIIe s. (*Misanthropie et repentir,* 1789).

KOUANG-SI ou **GUANGXI,** région autonome de la Chine méridionale; 220 000 km^2; 22 300 000 hab. Capit. *Nan-ning.* Traversé par le tropique du Cancer, le Kouang-si est une région chaude et humide (surtout en été : pluies de mousson), au relief souvent accidenté, qui explique la concentration des hommes et des activités (double récolte annuelle du riz notamment) dans les vallées (Si-kiang et ses affluents).

KOUANG-TCHEOU ou **GUANGZHOU,** nom chinois de CANTON.

KOUANG-TONG ou **GUANGDONG,** prov. de la Chine méridionale; 220 000 km^2; 40 millions d'hab. Capit. *Canton.* Sur la mer de Chine méridionale, province la plus au S. de la Chine, c'est une région chaude et humide (surtout en été), au relief accidenté. La culture du riz domine, mais celles de la canne à sucre, du mûrier et des fruits tropicaux sont également développées. La pêche anime le littoral, alors que l'industrie est peu importante, malgré la présence de la grande ville de la Chine du Sud, Canton, et la proximité des « comptoirs » étrangers de Macao et surtout de Hongkong.

KOUBAN (le), fl. de l'U. R. S. S., au N.-O. du Caucase, tributaire de la mer d'Azov; 900 km.

KOUEI-LIN ou **GUILIN,** v. du sud-est de la Chine (Kouang-si); 145 000 hab.

KOUEI-TCHEOU ou **GUIZHOU,** prov. de la Chine méridionale; 174 000 km^2; 20 millions d'hab. Capit. *Kouei-yang.* Région élevée (l'altitude moyenne avoisine 1 000 m) et humide, elle est encore partiellement forestière. L'agriculture fournit du riz et du tabac; le sous-sol recèle du charbon et des phosphates.

KOUEI-YANG ou **GUIYANG,** v. du sud-est de la Chine, capit. du Kouei-tcheou; 504 000 hab.

K'OUEN-LOUEN ou **KUNLUN,** haute chaîne de montagnes de la Chine occidentale, séparant le plateau du Tibet du Sin-kiang; 7 724 m à l'*Oulough Moustagh.* Le Yang-tseu-kiang et le Houang-ho sont issus de la partie orientale de la chaîne.

K'OUEN-MING ou **KUNMING,** v. du sud de la Chine, capit. du Yun-nan; 880 000 hab. Pendant la Seconde Guerre mondiale, la ville fut le point de départ de la route de Birmanie.

KOUFRA, groupe d'oasis de Libye, conquis par les Français libres de Leclerc en mars 1941. (Par le *serment de Koufra,* Leclerc et ses hommes s'engageaient à ne pas déposer les armes avant d'avoir libéré Metz et Strasbourg.)

KOUÏBYCHEV, v. de l'U. R. S. S. (R. S. F. S. de Russie), sur la Volga; 1 045 000 hab. Grande centrale hydroélectrique. Constructions mécaniques. Raffinage du pétrole (importants gisements dans la région). Chimie. — Samara (qui devait prendre le nom de Kouïbychev en 1935) fut fondée par les Russes en 1586, pour protéger la route commerciale de la Volga.

KOU K'AI-TCHE ou **GU KAIZHI,** peintre chinois (v. 345 - v. 406). Il est connu par de nombreux textes littéraires, mais on ne possède qu'une copie fidèle de l'époque T'ang ou Song de l'une de ses œuvres : le rouleau horizontal *Conseils de la monitrice aux dames du Palais* (British Museum). Si quelques traits (écharpes flottantes) rappellent l'art des Han, l'ensemble est remarquable tant par la dignité et la fluide élégance des personnages que par la réalité sensible des formes humaines et la vérité des regards.

KOUKOU NOR → TSING-HAI.

KOULAK. — Au lendemain de la réforme de 1861 (abolition du servage), une minorité de paysans rachète les terres des nobles ou des moujiks ruinés et se lance dans la production commerciale : ainsi commence l'ascension du koulak, qui sera favorisée par les réformes de Stolypine* (de 1906 à 1911). Bénéficiaires de la N.E.P.* (1921-1928), les koulaks sont « éliminés en tant que classe » lors des campagnes de collectivisation de 1929-1931 et déportés en grand nombre dans les camps de travail*.

KOULDJA, en chin. **Yi-ning,** v. et oasis de Chine (Sin-kiang), près de la frontière soviétique; 108 000 hab.

KOULECHOV (Lev Vladimirovitch), cinéaste soviétique (Tambov 1899 - Moscou 1970). Il fonda en 1920 le « Laboratoire expérimental », école de recherches techniques et esthétiques qui eut une influence décisive sur les jeunes réalisateurs soviétiques, et il réalisa lui-même plusieurs films, dont *les Aventures extraordinaires de Mr. West au pays des Bolcheviks* (1924), *le Rayon de la mort* (1925), *Selon la loi* (ou *Dura Lex,* 1926).

KOULIKOV (Viktor), général soviétique (prov. d'Orel 1921). Lieutenant-colonel à vingt-quatre ans, commandant les forces soviétiques en Allemagne en 1969, il est nommé en 1971 chef d'état-major général des armées et en 1977 commandant en chef des forces du Pacte de Varsovie.

KOUMASSI ou **KUMASI,** v. de l'intérieur du Ghāna; 260 000 hab. Université. Matériel agricole.

Kouo-min-tang ou **Guomindang,** parti chinois, dont le nom signifie « parti national du peuple ». Fondé en 1900 par Sun Yat-sen — mais il ne prend son nom qu'en 1911, lors de la révolution — ce parti dirigea la Chine jusqu'à sa dissolution par Yuan* Che-k'ai en 1912. Reconstitué par Sun Yat-sen en 1923, il fut organisé sur le modèle soviétique. Après la mort de Sun Yat-sen (1925), l'aile modérée, avec Tchang* Kaï-chek, rompit avec les communistes.

KOUO MO-JO ou **GUO MORUO** (Kouo Kai-tchen, dit), écrivain et homme politique chinois (prov. du Sseu-tch'ouan 1892). Très ouvert à la culture occidentale et curieux d'histoire sociale (*Étude de l'ancienne société chinoise,* 1929; *l'Âge de bronze,* 1946) et littéraire (*Li Po et Tou Fou,* 1972), il participa aux luttes contre le Japon et le Kouo-min-tang, mais n'adhéra au parti communiste qu'en 1958. Il dut faire son autocritique en 1966, pendant la révolution culturelle, pour son œuvre jugée « romantique » et « individualiste » (*Déesses,* 1921; *la Vague,* 1932). Il préside l'Académie des sciences.

KOURA (la), fl. né en Turquie, drainant la Géorgie (passant à Tbilissi) et l'Azerbaïdjan soviétique, avant de rejoindre la Caspienne; 1 515 km.

KOURGAN, v. de l'U. R. S. S. (R. S. F. S. de Russie), en Sibérie occidentale, sur le Tobol; 244 000 hab. Constructions mécaniques.

KOURILES (les), archipel soviétique, fermant au S. la mer d'Okhotsk et s'étirant du sud du Kamchatka à Hokkaidō. Pêcheries et conserveries.

KOUROPATKINE (Alekseï Nikolaïevitch), général russe (1848-près de Pskov 1925). Commandant en chef des forces russes de Mandchourie pendant la guerre russo-japonaise*, il fut battu à Moukden (1905) et commanda un groupe d'armées en 1916.

KOURO-SHIVO → KUROSHIO.

KOUROU (le), fl. côtier de la Guyane française. Sur la côte, entre les embouchures du Kourou et du Sinnamary, a été édifiée une base de lancement de fusées spatiales.

KOURSK, v. de l'U. R. S. S. (R. S. F. S. de Russie), au N. de Kharkov, au centre d'une grande région ferrifère; 284 000 hab. Métallurgie. Théâtre de violents combats en 1943.

KOUSTANAÏ, v. de l'U. R. S. S., dans le nord du Kazakhstan; 124 000 hab.

KOUTAÏSSI, v. de l'U. R. S. S. (Géorgie), sur le Rion; 161 000 hab. Matériel de transport.

KOUTOUZOV ou **KOUTOUSOV** (Mikhaïl Illarionovitch), prince de Smolensk, maréchal russe (Saint-Pétersbourg 1745 - Bunzlau 1813). Il se bat contre les Turcs (1788-1791 et 1809-1811), à Austerlitz (1805) et commande victorieusement les forces opposées à Napoléon durant la campagne de Russie* (1812).

KOUZBASS (le), anc. **Kouznetsk,** région industrielle de l'U. R. S. S. (R. S. F. S. de Russie), dans le sud de la Sibérie. Entre l'Altaï et les Saïan, c'est d'abord un grand bassin houiller (plus de 120 Mt par an), aux réserves énormes (près de 1 000 milliards de tonnes), où la sidérurgie s'est développée à partir de minerai de fer local et surtout importé (de l'Oural). La métallurgie des non-ferreux s'est implantée aussi, grâce, notamment, à la présence de zinc. La chimie utilise le charbon, qui alimente également de grandes centrales thermiques. Le Kouzbass est encore essentiellement un foyer d'industries lourdes, densément peuplé, comptant plus de 3 millions d'habitants, concentrés dans quelques grandes villes, dont Novokouznetsk, Kemerovo, Prokopievsk, Kisselevsk, Leninsk-Kouznetski et Belovo, qui dépassent toutes 100 000 habitants.

KOVNO → KAŪNAS.

KOVROV, v. de l'U. R. S. S. (R. S. F. S. de Russie), au N.-E. de Moscou; 123 000 hab.

KOWALSKI (Piotr), artiste plasticien français d'origine polonaise (Lvov 1927). Bénéficiant d'une formation scientifique (mathématiques, architecture, physique), il utilise la technologie pour visualiser des concepts relatifs notamment à l'espace, aux énergies, aux rayonnements, et pour étudier la perception que nous en avons (*Machine pseudo-didactique,* 1961; *Cube électronique,* 1967; *Identité +,* 1973; etc.). Pour lui, l'art doit être non pas un mystère, mais une recherche, rendue plus objective grâce à des dispositifs techniques bien lisibles (et non esthétisants). [V. illustr. p. 1042.]

Piotr Kowalski : *Identité nº 2.* 1973. Miroirs, tubes au néon.

P. Kowalski

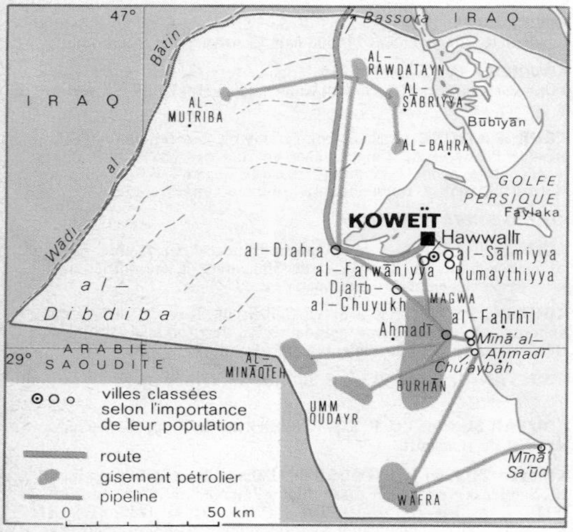

KOWEÏT

KOWEÏT, en ar. **al-Kuwayt,** État du Moyen-Orient, sur le golfe Persique; 16 000 km^2; 1 million d'hab. Capit. *Koweït.*

GÉOGRAPHIE. Petit État désertique situé au bord du golfe Persique, le Koweït vivait traditionnellement de la pêche. Son économie a été complètement transformée par la découverte du pétrole, exploité d'abord par les compagnies étrangères, surtout américaines et anglaises. La production est aujourd'hui de l'ordre de 100 Mt, alors que les réserves sont énormes (environ 10 milliards de tonnes). Une très faible partie est raffinée sur place, le reste étant exporté brut, en majeure partie vers les pays occidentaux. La population du pays a quadruplé en un quart de siècle par suite d'un afflux d'immigrants arabes qui travaillent dans les exploitations pétrolières et dans les services, l'industrie demeurant inexistante en dehors des activités extractives. Le pays doit importer la totalité des produits alimentaires et industriels nécessaires à sa consommation, ce que permet l'énorme excédent de la balance commerciale. Cependant, la valeur moyenne du produit par habitant, qui se classe parmi les premières du monde, recouvre encore de profondes inégalités sociales.

HISTOIRE. La ville de Koweït est vraisemblablement fondée au début du XVIIIe s. par les membres de la tribu des ʿAnazas, venue de l'Arabie centrale. En 1756, le Koweït devient un émirat gouverné par la famille al-Sabbāḥ, qui règne encore aujourd'hui. Vassal des Ottomans, le cheikh du Koweït signe un traité avec la Grande-Bretagne en 1899. Cette dernière établit son protectorat sur le Koweït en 1914. Les frontières avec l'Arabie Saoudite et l'Iraq sont fixées en 1921 et en 1922. L'émirat accède à l'indépendance en 1961. Grâce aux revenus du pétrole, exploité depuis 1946, il s'est doté d'infrastructures modernes et apporte une importante aide financière à plusieurs pays arabes.

KOWLOON, partie de la colonie britannique de Hongkong*.

KOYRÉ (Alexandre), philosophe français (Taganrog, Russie, 1882 - Paris 1964). Ses travaux en histoire des sciences et des techniques, qui s'efforcent de montrer l'unité de la pensée à travers le développement discontinu de la physique et de l'astronomie, ont exercé une influence importante sur l'épistémologie*. Koyré a notamment publié *Du monde clos à l'univers infini* (1957), *Études d'histoire de la pensée philosophique* (1961) et *la Révolution astronomique. Copernic, Kepler et Borelli* (1961).

KOZHIKODE ou **KOZHICODE** → CALICUT.

KOZINTSEV (Grigori Mikhailovitch), cinéaste soviétique (Kiev 1905 - Leningrad 1973). Fondateur, en 1922, de la F. E. K. S. (École du comédien excentrique) avec Leonid Trauberg, il tourna en collaboration avec ce dernier *les Aventures d'Octobrine* (1924), *le Manteau* (1926), *la Nouvelle Babylone* (1929), la trilogie des *Maxime* (1935-1939), puis réalisa seul *Don Quichotte* (1957), *Hamlet* (1964), *le Roi Lear* (1970).

KRA, isthme de l'Asie du Sud-Est, qui unit la péninsule malaise au continent.

KRAAINEM, comm. de Belgique (Brabant), à l'E. de Bruxelles; 11 769 hab. (en 1977).

KRAFFT ou **KRAFT** (Adam), sculpteur allemand (Nuremberg v. 1460 - Schwabach 1508 ou 1509), un des derniers maîtres de l'art gothique (épitaphe de la famille Schreyer à Saint-Sebald de Nuremberg, 1492; tabernacle de Saint-Laurent; stations du chemin de croix, v. 1505, au Musée germanique).

KRAGUJEVAC, v. de Yougoslavie (Serbie), au S.-E. de Belgrade; 71 000 hab. Construction automobile.

KRAICHGAU (le), plateau calcaire de l'Allemagne fédérale (Bade-Wurtemberg), dominant la vallée du Rhin, au S. de Heidelberg.

KRAKATAU ou **KRAKATOA** (le), petite île d'Indonésie, entre Java et Sumatra, partiellement détruite en 1883 par l'explosion de son volcan, le Perbuatan.

KRAKÓW, nom polonais de CRACOVIE.

KRAMATORSK, v. de l'U. R. S. S. (Ukraine), dans le Donbass; 150 000 hab.

KRASICKI (Ignacy), prélat et écrivain polonais (Dubieck 1735 - Berlin 1801). Prince-évêque de Warmia (1766-1772), il devint archevêque de Gniezno en 1795. Par ses poèmes héroï-comiques (*la Guerre des moines,* 1778), son épopée (*la Campagne de Chocim,* 1780), ses romans (*Pan Podstoli,* 1778), ses *Fables et Apologues* (1779), il est le meilleur représentant en Pologne du « siècle des lumières ».

KRASIŃSKI (Zygmunt, *comte*), poète polonais (Paris 1812 - *id.* 1859), d'inspiration patriotique (*la Non Divine Comédie,* 1835; *Psaumes de l'avenir,* 1845).

KRASNODAR, v. de l'U. R. S. S. (R. S. F. S. de Russie), sur le

Kouban, au N. du Caucase, ch.-l. du *territoire de Krasnodar* (important producteur de gaz naturel); 464 000 hab.

KRASNOÏARSK, v. de l'U. R. S. S. (R. S. F. S. de Russie), en Sibérie, sur l'Ienissei, ch.-l. du *territoire de Krasnoïarsk;* 648 000 hab. Grande centrale hydroélectrique. Industries du bois. Aluminium. Raffinage du pétrole.

KRASNOKAMSK, v. de l'U. R. S. S. (R. S. F. S. de Russie), sur la Kama; 56 000 hab. Papier.

KRASNYÏ LOUTCH, v. de l'U. R. S. S. (Ukraine), dans le Donbass; 103 000 hab. Extraction de la houille et métallurgie.

KREBS (Hans Adolf), biochimiste allemand (Hildesheim 1900). Élève d'Otto Warburg à Berlin, Krebs, après un brillant début de carrière en Allemagne, fuit le nazisme en 1935, pour travailler à Sheffield (Angleterre) auprès de Hopkins. On lui doit principalement la découverte du « cycle de Krebs », qui établit le mode de dégradation oxydative des aliments (protides, glucides et lipides). [Prix Nobel de médecine, 1953.]

KREFELD, v. de l'Allemagne fédérale (Rhénanie-du-Nord-Westphalie), sur le Rhin; 221 000 hab. Textile. Constructions mécaniques.

KREISKY (Bruno), homme politique autrichien (Vienne 1911). Chef du parti socialiste à partir de 1967, il est chancelier de la République autrichienne depuis 1970.

KREISLER (Fritz), violoniste américain d'origine autrichienne (Vienne 1875 - New York 1962), auteur du *Tambourin chinois.* Il a composé de célèbres pastiches en les faisant passer pour des morceaux retrouvés des grands maîtres.

KREMENTCHOUG, v. de l'U. R. S. S. (Ukraine), sur le Dniepr; 148 000 hab. Centrale hydroélectrique. Industrie automobile. Raffinage du pétrole. Pétrochimie.

KREMIKOVCI, principal centre sidérurgique de la Bulgarie, près de Sofia.

Kremlin de Moscou, quartier central et ancienne forteresse de la capitale russe, dominant la rive gauche de la Moskova et entouré d'une enceinte de 2,25 km. Le Kremlin a été le lieu de résidence des princes de Moscovie, puis des tsars de Russie jusqu'en 1712. Il est le siège du gouvernement soviétique depuis 1918. Les principaux monuments datent du règne d'Ivan III (1462-1505) : cathédrale de la Dormition, collégiales de l'Annonciation et de l'Archange-Michel, de types russo-byzantins, palais à Facettes italianisant. Nicolas Ier fit construire dans le style « vieux russe » le Grand Palais et le palais des Armures (auj. musée des Arts décoratifs). Un palais des Congrès a été inséré vers 1960 dans cet ensemble.

KREMLIN-BICÊTRE (Le) [94270], ch.-l. de cant. du Val-de-Marne, dans la proche banlieue sud de Paris; 20 507 hab. Conserverie. Hospice dit « de Bicêtre ».

KŘENEK (Ernst), compositeur américain d'origine autrichienne (Vienne 1900). Il est l'auteur de l'opéra *Jonny spielt auf,* qui fit sensation par son utilisation du jazz. Il fut un des premiers à adopter la méthode sérielle.

KRETSCHMER (Ernst), psychiatre allemand (Wüstenrot 1888-Tübingen 1964). Frappé par les affinités électives de certains types physiques pour des troubles psychiques bien précis, il a élaboré un système complet de caractérologie, en établissant des corrélations entre la conformation corporelle (biotype) et le caractère* des individus.

KREUGER (Ivar), homme d'affaires suédois (Kalmar 1880 - Paris 1932). Grand industriel, éminent financier, il fonda la compagnie des allumettes Kreuger et Toll, qui lui permit de contrôler les trois quarts de la production mondiale des allumettes. Mais l'écroulement de certains établissements de crédit le conduisit en 1932 à une situation sans issue.

KREUTZBERG (Harald), danseur, chorégraphe et pédagogue allemand (Reichenberg, auj. Liberec, Tchécoslovaquie, 1902 - près de Berne 1968). Avant de fonder une école à Berne (1955), il a été une des personnalités les plus marquantes de la danse moderne allemande, créant ses propres compositions, dans lesquelles, entre le drame et l'humour, ses inventions scéniques (masques, costumes truqués) restent exemplaires.

KREUTZER (Rodolphe), violoniste et compositeur français (Versailles 1766 - Genève 1831). Professeur au Conservatoire, maître de la chapelle royale, chef d'orchestre de l'Opéra, il a écrit des concertos et des études pour son instrument. Beethoven lui a dédié sa sonate pour violon op. 47.

KREUZLINGEN, comm. de Suisse (Thurgovie), sur la rive sud du lac de Constance; 15 760 hab.

KRIENS, comm. de Suisse, dans la banlieue sud de Lucerne; 20 409 hab.

KRIṢNA, dieu du panthéon hindouiste, divinité la plus répandue parmi les manifestations de Viṣṇu. Sa légende est racontée dans le *Mahābhārata** et divers *Purāṇa**.

KRISTIANSAND, port de la Norvège méridionale, sur le Skagerrak; 59 000 hab. Raffinage du nickel.

KRIVOÏ-ROG, v. de l'U. R. S. S. (Ukraine), sur l'Ingoulets; 573 000 hab. Important gisement de fer. Grand centre sidérurgique. — Les Allemands y résistèrent pendant cinq mois aux troupes soviétiques (oct. 1943 - févr. 1944).

KRK, île yougoslave (Croatie) du nord de la côte dalmate.

KRLEŽA (Miroslav), écrivain yougoslave (Zagreb 1893). Rénovateur de la littérature croate, il introduit dans ses drames et ses nouvelles la langue de tous les jours, et même le dialecte kajkavien, pour peindre les petites gens entraînés dans les cataclysmes politiques et sociaux du monde moderne ou pour dénoncer toutes les formes d'oppression économique et culturelle (*les Glembajevi,* 1929; *le Retour de Filip Latinović,* 1932; *les Ballades de Petrica Kerempuh,* 1936; *les Drapeaux,* 1967).

KROEBER (Alfred Louis), anthropologue américain (Hoboken 1876 - Paris 1960). Auteur de recherches sur les populations indiennes de l'Amérique du Nord, il a publié *Anthropology* (1923) et *The Nature of Culture* (1952).

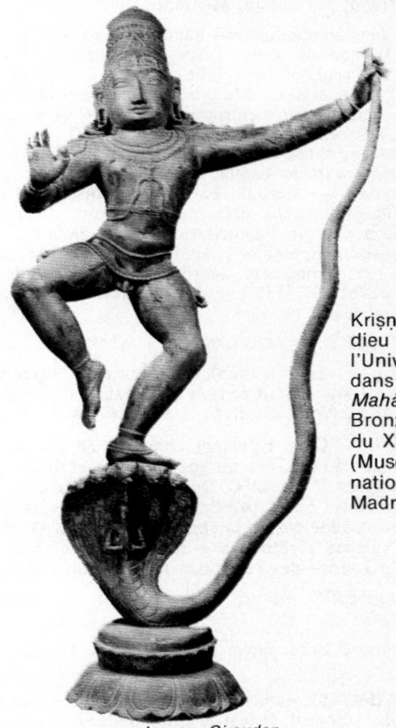

Kriṣṇa, dieu de l'Univers dans le *Mahābhārata.* Bronze du XIIe s. (Musée national, Madras.)

Lauros - Giraudon

KROG (Helge), écrivain norvégien (Oslo 1889 - *id.* 1962), auteur de romans et de pièces qui traitent des problèmes sociaux et de la condition de la femme (*le Grand Nous,* 1919; *Départ,* 1936).

KROGH (August), physiologiste danois (Grenå, Jylland, 1874-Copenhague 1949), prix Nobel de physiologie et de médecine en 1920 pour ses travaux sur les échanges respiratoires et le rôle des vaisseaux capillaires dans la circulation.

KRONCHTADT ou **KRONSTADT,** île et base navale soviétique de la Baltique, dans le golfe de Finlande, près de Leningrad. Monuments du XVIIIe s. — Le premier fort de cette importante base navale russe fut édifié par Pierre Ier en 1703. En 1893, un canal maritime ouvrit l'accès de Saint-Pétersbourg aux navires de fort tonnage. Kronchtadt est célèbre pour les mutineries militaires de 1905, de 1917 et de 1921.

KRONECKER (Leopold), mathématicien allemand (Liegnitz, Silésie, 1823 - Berlin 1891). Ses travaux portent surtout sur l'application des fonctions elliptiques à l'arithmétique et sur la théorie des corps de nombres algébriques.

KROPOTKINE (Petr Alekseïevitch, *prince*), révolutionnaire russe (Moscou 1842 - Dmitrov 1921). Affilié à l'Internationale* en 1872, il se sépare des marxistes pour devenir l'un des théoriciens — souvent poursuivi et emprisonné — de l'anarchisme.

KROUMIRIE, région montagneuse des confins de l'Algérie et de la Tunisie.

KRÜDENER (Barbara DE VIETINGHOFF, *baronne* DE), mystique russe (Riga 1764 - Karasoubazar 1824). Convertie au mysticisme, elle exerce de 1815 à 1821 une forte influence sur le tsar Alexandre Ier, inspirant le pacte mystique de la Sainte-Alliance*.

KRUGER (Paul), homme politique sud-africain (Vaalbank 1825-Clarens, Suisse, 1904). Fondateur, avec Pretorius, du Transvaal (1852), État dont il devient le vice-président (1864), ce paysan rigide et imbu d'esprit biblique organise, après l'annexion du pays par les Britanniques (1877), l'insurrection qui aboutit à la paix de Pretoria et à la création de la république du Transvaal (1881). Quatre fois président de celle-ci, il s'oppose avec véhémence à toute intrusion britannique. Au début de la guerre des Boers* (1899-1902), il est l'âme de la lutte des Afrikaners contre les Britanniques; en 1900, allant chercher en Europe des alliances, il n'y obtient que des acclamations; déçu, il se retire en Europe.

KRÜGER (Johannes), géodésien allemand (Elze, Hanovre, 1857-*id.* 1923). Il imagina la projection U.T.M. (Universal Transverse Mercator) et étudia les compensations géodésiques.

KRUGERSDORP, v. de l'Afrique du Sud (Transvaal), dans le Witwatersrand; 91 000 hab. Manganèse.

KRUPP, famille d'industriels allemands. ALFRED (Essen 1812-*id.* 1887) mit au point un nouveau type d'acier fondu et fut le premier à couler en une seule pièce un tube de canon lourd (1847). En 1862, il introduisit sur le continent le procédé Bessemer et laissa à sa mort l'une des plus puissantes entreprises industrielles de son époque. — Son fils, FRIEDRICH ALFRED (Essen 1854-*id.* 1902), après avoir acquis les gigantesques chantiers navals « Germania Werft » de Tegel, avait doublé à sa mort le capital légué par son père et employait 43 000 ouvriers. — GUSTAV, **baron von Bohlen und Halbach** (La Haye 1870-Blühnbach, près de Salzbourg, 1950), gendre du précédent, prit, avec l'autorisation de Guillaume II, le nom de **Krupp von Bohlen,** devint le directeur de l'entreprise qui eut le monopole de l'armement lourd pendant la Première Guerre mondiale et fut dès 1933 l'un des plus fermes soutiens du régime national-socialiste.

KRUŠNÉ HORY → ERZGEBIRGE.

KRYLOV (Ivan Andreïevitch), écrivain russe (Moscou 1769-Saint-Pétersbourg 1844), auteur de trois cents fables (1809-1843) inspirées à la fois de La Fontaine et de la sagesse populaire russe.

KRYPTON. — C'est l'élément chimique de n° 36 et de masse atomique Kr = 83,8. C'est un gaz incolore et inodore, monoatomique, bouillant à -152 °C. On l'extrait de l'air, qui en contient 1 cm^3 par mètre cube, par liquéfaction, en même temps que le xénon. Peu conducteur de la chaleur, le krypton est employé dans certaines lampes électriques à incandescence. Son spectre est utilisé pour fournir des radiations monochromatiques.

KSAR EL-KÉBIR, en esp. **Alcazarquivir,** v. du nord-ouest du Maroc; 48 000 hab.

KSOUR *(mont des),* partie occidentale de l'Atlas saharien, en Algérie.

KUALA LUMPUR, capit. de la Malaysia et de l'État de Selangor; 452 000 hab. Aéroport. Industrie automobile. Raffinage du pétrole.

KUALA TRENGGANU, port de Malaysia (Malaisie), capit. de l'*État de Trengganu;* 53 000 hab.

KŪBILĀY KHĀN (1214-1294), empereur mongol (1260-1294), fondateur de la dynastie des Yuan* de Chine. Élu grand khān des Mongols en 1260, Kūbīlāy transfère la capitale impériale de Karakorum à Khānbalik (actuelle Pékin) en 1264. Il achève la conquête de la Chine en 1279 et organise plusieurs expéditions en Asie du Sud-Est. C'est sous son règne que l'Empire mongol se transforme en une fédération d'États, qui connaissent un grand essor économique et culturel grâce à une exceptionnelle liberté de circulation des marchandises et des hommes.

KUBRICK (Stanley), cinéaste américain (New York 1928). Il est célèbre pour avoir réalisé en 1968 l'un des plus grands films de science-fiction de l'histoire du cinéma : *2001 : l'Odyssée de l'espace.* Il est également l'auteur de : *Ultime Razzia* (1956), les *Sentiers de la gloire* (1958), *Docteur Folamour* (1964), *Orange mécanique* (1971), *Barry Lyndon* (1975).

KUCHING, v. de Malaysia, capit. du Sarawak, sur la côte nord-ouest de Bornéo; 63 000 hab.

KUFSTEIN, v. d'Autriche, dans le Tyrol; 12 500 hab. Centre de tourisme et de sports d'hiver (alt. 504-1 694 m).

KUHLMANN (Frédéric), chimiste et industriel français (Colmar 1803-Lille 1881). On lui doit la préparation de l'acide sulfurique par le procédé de contact (1833) et celle de l'acide nitrique par oxydation catalytique de l'ammoniac (1838).

KUHN (Richard), biochimiste allemand (Vienne 1900-Heidelberg 1967). Ses recherches sur les vitamines et les caroténoïdes lui ont valu le prix Nobel de chimie en 1938.

Ku Klux Klan, société secrète américaine, née dans le sud des États-Unis après la guerre de Sécession (1865-1867). Le Ku Klux Klan avait pour but d'empêcher les Noirs de profiter en fait de la promotion liée à l'abolition de l'esclavage. Interdit en 1871, il renaît en 1915, accompagnant son action anti-Noirs, souvent violente, d'un antisémitisme et d'une xénophobie portés jusqu'aux pires excès.

Kulturkampf (« combat pour la civilisation »), nom donné à la lutte que, de 1871 à 1878, le chancelier Bismarck* mena contre le parti catholique allemand et le Vatican. Craignant les sympathies des catholiques allemands pour la France, l'Autriche, le pape et la Pologne, Bismarck renouvelle avec les lois de mai (1873-1875), en la durcissant dans un sens anticlérical, la politique joséphiste : dissolution de congrégations, laïcisation de l'enseignement, suppression des petits séminaires, limitation de la juridiction ecclésiastique, incarcération du primat de Pologne et de nombreux ecclésiastiques. Mais la réprobation de l'empereur et des conservateurs prussiens et les succès électoraux du Centre catholique et des socialistes l'obligent à composer. Profitant de l'avènement de Léon XIII (1878), Bismarck abolit en fait les lois de mai.

KUMAGAYA, v. du Japon (Honshū), au N.-O. de Tōkyō; 121 000 hab.

KUMAMOTO, v. du Japon, dans l'île de Kyūshū; 440 000 hab.

KUMANOVO, v. de Yougoslavie (Macédoine), au N.-E. de Skopje; 46 000 hab.

KUMBAKONAM, v. de l'Inde (Tamil Nadu); 113 000 hab.

KUMMER (Ernst Eduard), mathématicien allemand (Sorau 1810-Berlin 1893). On lui doit la généralisation des nombres complexes de la forme $a + bi$, qui l'amena à la notion de corps. En étudiant ces nombres dits *algébriques,* pour lesquels il constata de profondes différences avec les nombres rationnels ordinaires, Kummer introduisit un nouveau concept : les idéaux attachés au corps.

KUN (Béla), révolutionnaire hongrois (Szilágycseh 1886-en Ukraine 1939). Commissaire aux Affaires étrangères lors de la révolution de mars 1919, il est en fait le chef du Conseil exécutif des commissaires du peuple. Mais la dictature du prolétariat qu'il proclame se heurte à une situation économique et sociale effroyable; le régime de terreur qu'il instaure alors ne peut redresser la situation. L'invasion roumaine provoque la chute de la République des conseils (1er août). Béla Kun se réfugie en U.R.S.S., où il participe à la création du Komintern. Il périra victime d'une « purge » stalinienne.

KUNCKEL ou **KUNKEL VON LÖWENSTERN** (Johann), chimiste allemand (Hütten, près de Rendsburg, 1638-Pernau, Lituanie, 1703). Il prépara le phosphore et découvrit l'ammoniac.

KUNDERA (Milan), écrivain tchèque (Brno 1929). L'humour de son théâtre (*les Propriétaires des clefs,* 1962), de ses romans (*la Plaisanterie,* 1967; *La vie est ailleurs,* 1973; *la Valse aux adieux,* 1976) et de ses nouvelles (*Risibles Amours,* 1970) l'impose comme l'une des consciences les plus lucides de la littérature contemporaine.

KUNDT (August), physicien allemand (Schwerin 1839-Israelsdorf, près de Lübeck, 1894). Auteur d'une expérience qui met en évidence les ondes stationnaires, il a, en 1871, découvert la dispersion anormale de la lumière.

KUNHEIM (68320 Muntzenheim), comm. du Haut-Rhin, à 17 km à l'E. de Colmar; 1 035 hab. Cartons. Ouate cellulosique.

KUNMING → K'OUEN-MING.

KUNSAN, port de la Corée du Sud, sur la mer Jaune; 112 000 hab.

Kunsthistorisches Museum (« musée d'histoire de l'art »), à Vienne, un des plus importants musées d'Europe, installé en 1891 dans son bâtiment actuel, sur le Ring. Il a pour noyau les collections constituées par les Habsbourg à partir du XVIe s., ouvertes au public à la fin du XVIIIe s. et comportant, à côté de pièces archéologiques, d'objets d'art (tapisseries) et d'un cabinet de numismatique, un prestigieux ensemble de peintures des écoles européennes, Autriche exclue (Bruegel, Dürer, Giorgione, Titien, le Tintoret, Vélázquez, Rubens, etc.).

KUOPIO, v. de la Finlande centrale; 64 000 hab.

KUPKA (František ou François), peintre, dessinateur et graveur tchèque (Opočno 1871-Puteaux 1957). Formé à Prague et à Vienne, préoccupé de philosophie, d'occultisme et de symbolisme, il se fixe à Paris en 1894 et stigmatise la misère sociale dans ses dessins satiriques. Installé à Puteaux en 1906, touché par la libération chromatique du fauvisme, il est déjà parvenu à une complète abstraction picturale au moment de sa participation au groupe cubiste de la Section d'or (*Amorpha, fugue à deux couleurs,* 1912,

Prague). Dans son œuvre alternent les tendances à un dynamisme cosmique et à la rigueur géométrique.

KURASHIKI, v. du Japon, dans le sud de Honshū; 340 000 hab.

KURDE → IRANIEN.

KURDES, peuple d'origine indo-aryenne, parlant une langue du groupe nord-ouest des langues iraniennes et vivant au Kurdistān*. Le traité de Sèvres (1920), qui prévoyait la création d'un État autonome kurde, est remplacé par le traité de Lausanne* (1923). Mustafa Kemal* mène une politique d'assimilation forcée des minorités et réprime plusieurs révoltes kurdes. Une République démocratique kurde voit le jour en Iran (1945-46) lors de l'occupation du pays par les Soviétiques et les Britanniques. Les Kurdes participent au renversement de la dynastie hāchémite en Iraq (1958), mais, déçus par le nouveau régime, les autonomistes se rallient à Bārzānī*. À l'issue d'une longue guerre (1961-1970), des accords prévoient l'institution d'une région autonome kurde. Les différends sur la mise en application du statut d'autonomie et sur l'attribution de la région pétrolifère du Kirkūk rallument les combats en 1974. Mais l'accord conclu en mars 1975 entre le chāh d'Iran et le vice-président irakien entraîne la cessation de l'aide iranienne aux insurgés et l'arrêt des combats.

KURDISTĀN, région de montagnes et de plateaux de l'Asie occidentale, couvrant plus de 500 000 km^2 et s'étendant en Turquie, en Iraq, en Iran et en Syrie. Elle est habitée par environ 15 millions de *Kurdes* (dont, approximativement, la moitié en Turquie, plus du quart en Iran et plus de 2 millions en Iraq).

KURE, port du Japon (Honshū), sur la mer Intérieure; 235 000 hab.

KURINGEN, anc. comm. de Belgique (Limbourg), intégrée depuis 1977 à Hasselt.

KURNOOL, v. de l'Inde, dans l'ouest de l'Andhra Pradesh; 137 000 hab.

KUROSAWA AKIRA, cinéaste japonais (Tōkyō 1910). Révélé en Europe en 1951, année où son film *Rashōmon* triompha au festival de Venise, il apparut bientôt comme le plus grand cinéaste japonais contemporain avec Mizoguchi. Son œuvre, très abondante, a abordé avec un égal bonheur les « films-sabres » (*les Sept Samouraïs,* 1954; *Sanjuro,* 1961), les adaptations littéraires (*l'Idiot,* 1951; *les Bas-Fonds,* 1957; *le Château de l'araignée* [ou *le Trône de sang* ou *Macbeth*], 1957) et les sujets réalistes et sociaux (*Vivre,* 1952; *Dodes' Caden,* 1970), voire ethnographiques (*Dersou Ouzala,* 1975).

KUROSHIO ou **KOURO-SHIVO,** courant marin chaud du Pacifique occidental, remontant le littoral oriental du Japon jusqu'au nord de Honshū.

KURUME, v. du Japon, dans l'intérieur de Kyūshū; 194 000 hab.

KUSCH (Polykarp), physicien américain d'origine allemande (Blankenburg 1911). Il a reçu le prix Nobel de physique en 1955 pour sa détermination du moment magnétique de l'électron.

KUSHIRO, v. du Japon, sur la côte est de Hokkaidō; 192 000 hab. Pêche.

KÜSNACHT, comm. de Suisse (cant. de Zurich), sur le lac de Zurich; 12 193 hab.

KUSSER (Johann Sigismund) → COUSSER.

KÜTAHYA, v. de Turquie, dans l'ouest du plateau anatolien; 62 000 hab.

KUTCHUK-KAÏNARDJI, localité de Bulgarie où fut signé, le 21 juillet 1774, le traité qui mettait fin à la guerre russo-turque et donnait à la Russie des avantages tels que la « question d'Orient » fut désormais posée.

KUTNÁ HORA, v. de Tchécoslovaquie, en Bohême, à l'E. de Prague; 18 000 hab. Bel ensemble de demeures et de monuments anciens, dont la cathédrale Sainte-Barbe (XIVe-XVIe s.), richement décorée.

KUWAYT → KOWEÏT.

KUZNETS (Simon), économiste américain d'origine russe (Kharkov 1901). Il a dressé une comptabilité nationale rétrospective des pays disposant de statistiques depuis le XVIIIe et le XIXe s., et écrit *Croissance et structures économiques* (1971). Sa méthode l'éloigne de la modélisation abstraite, au profit d'une approche empirique des faits économiques. (Prix Nobel d'économie, 1971.)

KVARNER, en ital. **Quarnaro,** golfe du nord-est de l'Adriatique, au fond duquel est situé Rijeka.

KWANGJU ou **KWANG-ČU,** v. du sud-ouest de la Corée du Sud; 503 000 hab. Industrie automobile.

KWAS. — Fabriquée en U. R. S. S., cette boisson gazeuse et peu alcoolisée est préparée par fermentation et distillation d'orge et de seigle; elle est aromatisée avec des feuilles de menthe ou des baies de genièvre.

Kwashiorkor *(syndrome de)* → CACHEXIE.

KWINANA, centre industriel (alumine, raffinage du pétrole, sidérurgie) d'Australie, près de Perth (Australie-Occidentale); 10 000 hab.

KYD (Thomas), auteur dramatique anglais (Londres 1558 - *id.* 1594), un des initiateurs du théâtre élisabétain.

KYOKUTEI BAKIN (Takizawa Kai, dit), écrivain japonais (Tōkyō 1767 - *id.* 1848), auteur de romans allégoriques (*Histoire des huit chiens de Satomi,* 1814-1841).

KYONGJU ou **KYŎNG-ČU,** v. de Corée, anc. capitale du royaume de Sil-la (668-935). Elle possède l'un des plus anciens observatoires conservés en Asie et plusieurs temples, dont, dans ses environs, l'ensemble du Pul-kuk-sa (751), flanqué de deux pagodes reprenant en pierre les modèles de bois chinois, et le sanctuaire bouddhique de Sŏk-kul-am (751), grotte artificielle qui atteste la maîtrise des tailleurs de pierre coréens. Le riche mobilier funéraire des nécropoles de Sil-la est en partie au musée national.

KYŌTO, v. du Japon, dans l'intérieur de Honshū, au N.-E. d'Ōsaka; 1 419 000 hab. — Heian-kyō, comme l'a baptisée la cour impériale, qui s'y installe en 794, donne son nom à l'une des plus brillantes périodes historiques japonaises. Aujourd'hui encore centre culturel du pays, cette véritable ville-musée conserve d'innombrables monuments : Pavillon d'or (1395); Pavillon d'argent ou Ginkaku-ji, avec jardin paysager de 1485; temples bouddhiques Enryaku-ji (788) et Kiomizu-dera (805), tous deux avec des charpentes du XVIIe s., Sanjūsangen-dō, avec les mille et une figures divines (1254) du sculpteur Tankei et de son atelier; château Nijō, commencé en 1603; sanctuaire shintō Heian (1895); etc. Des chefs-d'œuvre de l'art japonais sont également conservés au Daitoku-ji et au Tofuku-ji. La ville possède de célèbres jardins paysagers, comme ceux du Saiho-ji (XIVe s.), du Ryoān-ji (fin du XVe s.) et du Daisen-in (début du XVIe s.). À Uji, de très précieuses œuvres sculptées (statue du bouddha Amida par Jōchō*) sont présentées dans le pavillon du Phénix (Hōō-dō) du Byōdō-in, ancienne résidence d'un ministre Fujiwara, transformée (1053) en monastère.

KYSTE. — Certains kystes résultent du mauvais fonctionnement d'un tissu glandulaire (v. DYSTROPHIE). Les autres traduisent la prolifération d'un tissu formant une cavité bénigne dans un organe. Parmi les *kystes de l'ovaire,* les *kystes fonctionnels,* liés à la physiologie ovarienne, s'opposent par leur traitement médical aux *kystes vrais organiques* permanents, qui déterminent peu de signes fonctionnels, mais dont les complications (torsion, compression des organes avoisinants, cancérisation, etc.) justifient leur ablation systématique. Les *kystes de la peau épidermiques,* surtout localisés au niveau de la face et du thorax, ou *dermoïdes,* d'origine embryonnaire, siégeant au niveau de la queue du sourcil et au périnée, peuvent s'infecter. Les *kystes des tissus de soutien* comprennent les *kystes synoviaux* et *mucoïdes* périarticulaires, surtout inesthétiques, les *kystes des os,* qui se révèlent souvent par une fracture spontanée, et les *kystes sacro-coccygiens,* d'origine embryonnaire, qui peuvent s'infecter et se fistuliser. Les *kystes aériens du poumon,* d'origine congénitale ou acquise (après une caverne tuberculeuse), sont généralement bien tolérés. Le *kyste hydatique,* qui résulte du développement de la larve du ténia échinocoque*, se localise souvent au niveau du foie ou du poumon, entraînant des complications qui rendent son exérèse nécessaire. Des *kystes multiples* peuvent se développer dans certains organes (maladie de Reclus du sein, maladies polykystiques du foie, du rein, etc.).

L'enkystement peut concerner un corps étranger ou un processus infectieux (isolé, le foyer infectieux ne peut plus diffuser à distance, mais il reste virulent).

KYŪSHŪ, la plus méridionale des grandes îles du Japon; 42 000 km^2; 12 080 000 hab.

Le relief de l'île résulte d'une intense activité volcanique, responsable de la formation de hauts massifs (Aso). Les plaines occupent des superficies réduites en bordure du littoral. Le climat, chaud, est rythmé par la mousson, l'été étant marqué par la fréquence des typhons dévastateurs. Il permet la croissance d'une forêt luxuriante où se mêlent bambous et camélias.

L'agriculture domine dans le sud de l'île. Une dense population rurale pratique la double récolte annuelle. Sur des terres minutieusement aménagées, le riz constitue la principale production. Dans le Nord, le développement industriel et urbain est beaucoup plus marqué. Le gisement de charbon de Chikuho alimente les diverses industries des agglomérations de Kita-kyūshū et de Fukuoka. Mais l'essor industriel de l'île souffre du déclin du charbon et de l'éloignement par rapport à la région vitale du Japon, le Kantō.

KYZYLKOUM, désert de l'Asie centrale soviétique, partagé entre l'Ouzbékistan et le Kazakhstan.

KZYL-ORDA ou **KYZYL-ORDA,** v. de l'U. R. S. S. (Kazakhstan), sur le Syr-Daria; 122 000 hab.

LAALAND → LOLLAND.

LABAN (Rudolf VON), chorégraphe et théoricien de la danse moderne autrichien d'origine hongroise (Bratislava 1879 - Weybridge, Surrey, 1958). Influencés par F. Delsarte*, E. Jaques-Dalcroze*, voire même par I. Duncan*, ses travaux ont montré l'indépendance de la danse vis-à-vis des autres arts, et ont surtout mis en évidence le rapport étroit existant entre le mouvement et l'émotion. Initiateur de l'expressionnisme allemand, il est aussi le créateur d'un système de notation chorégraphique, utilisé sous le nom de *labanotation*.

LA BARRE (Jean François LE FEBVRE, *chevalier* DE), gentilhomme français (Abbeville 1747 - *id.* 1766). Accusé d'avoir commis des sacrilèges, il est torturé et livré aux flammes. Réclamée vainement par Voltaire*, sa réhabilitation sera décrétée par la Convention.

LABASTIDE-CLAIRENCE (64240 Hasparren), ch.-l. de cant. des Pyrénées-Atlantiques, à 25 km au S.-E. de Bayonne; 844 hab.

LABASTIDE-MURAT (46240), ch.-l. de cant. du Lot, à 22 km au S.-E. de Gourdon, sur le causse de Gramat; 700 hab.

LABASTIDE-SAINT-PIERRE (82370), comm. de Tarn-et-Garonne, sur le Tarn, à 12 km au S. de Montauban; 1 848 hab. Constructions électriques.

LABE, nom tchécoslovaque de l'ELBE.

LABÉ (Louise), surnommée **la Belle Cordière,** poétesse française (Lyon 1524 - Parcieux-en-Dombes 1566). Son *Débat de folie et d'amour* et ses poésies imitées de Pétrarque expriment une passion sensuelle.

LA BÉDOYÈRE (Charles HUCHET, *comte* DE), général français (Paris 1786 - *id.* 1815). Chargé avec son régiment d'arrêter Napoléon devant Grenoble en 1815, il se rallia à l'Empereur et fut fusillé au retour de Louis XVIII.

LABEUR → IMPRIMERIE.

LABIACÉES. — Il est aisé de reconnaître une herbe de la famille des labiacées, tant à sa tige carrée portant des paires de feuilles opposées décussées (chaque paire à angle droit de la précédente) qu'à ses fleurs à deux lèvres, montrant deux ou quatre étamines et un ovaire à quatre loges. Herbacées ou ligneuses, les labiacées de notre flore sont toujours des plantes basses; beaucoup d'espèces sont aromatiques (lavande*, romarin, mélisse, origan [ou marjolaine]), d'autres servent de condiments (thym, serpolet, sarriette) ou de tisanes (menthe, mélisse); le lamier, la sauge, la germandrée, la bugle sont des espèces communes dans les forêts. Le genre *Stachys* fournit un rhizome comestible, le crosne.

LABICHE (Eugène), auteur dramatique français (Paris 1815 - *id.* 1888). Ses comédies de mœurs et ses vaudevilles, écrits souvent avec des collaborateurs, prêtent à ses personnages, bourgeois bien portants et bien nantis, une prudence sans panache et une philosophie terre à terre (*Un chapeau de paille d'Italie,* 1851; *le Voyage de M. Perrichon,* 1860; *la Poudre aux yeux,* 1861; *la Cagnotte,* 1864).

LABIENUS (Titus), chevalier romain (v. 98 - 45 av. J.-C.). Principal lieutenant de César en Gaule, il se distingua dans la campagne contre les Helvètes (58), soumit les Trévires (53) et vainquit Camulogène devant Lutèce (52). Il prit le parti de Pompée pendant la guerre civile et trouva la mort à Munda*.

LA BOÉTIE (Étienne DE), écrivain français (Sarlat 1530 - Germignan 1563). Traducteur de Xénophon et de Plutarque, il fut l'ami de Montaigne, qui conserva ses vingt-neuf sonnets et son *Discours sur la servitude volontaire* ou *Contr'un,* nourri des idées antiques sur la liberté.

LABORDE (Léon, *marquis* DE), érudit, administrateur et homme politique français (Paris 1807 - *id.* 1869). Il étudia les monuments de l'Asie Mineure et d'Égypte, fut conservateur des Antiques au Louvre (1848) et écrivit notamment, à l'occasion de l'Exposition universelle de Londres en 1851, un rapport plaidant pour le rationalisme des formes dans les arts appliqués.

LABORIT (Henri), chirurgien français (Hanoi 1914). Il a étudié les effets de l'agression sur l'organisme, introduit la chlorpromazine et a été un des créateurs de l'hibernation artificielle.

LABOUR. — Le but des labours est d'ameublir et d'assainir la couche de terre arable et de la débarrasser des mauvaises herbes. Primitivement exécutés par l'homme avec ou sans l'aide d'animaux (chevaux, bœufs, etc.), ils sont parfois effectués au treuil, et dans la très grande majorité des cas, au moyen de tracteurs. On distingue les labours de déchaumage (profondeur de 4 à 6 cm), légers (de 7 à 12 cm), moyens (de 13 à 25 cm), profonds (de 26 à 35 cm), de défoncement (de 36 à 90 cm). Ils sont effectués soit en planches (en refendant ou en adossant), avec des araires ou des polysocs simples, soit en billons (charrues billonneuses), soit à plat (charrues tourne-oreilles et brabants doubles), soit encore « en tournant » (charrues polysocs et déchaumeuses à disques). On utilise également, pour des labours superficiels, les charrues à disques et des fraises. Le labour proprement dit est ensuite complété à l'aide de herses, de rouleaux, de croskills, d'écroûteuses, etc., afin d'arriver à l'émiettement souhaitable pour obtenir une bonne levée et une bonne végétation des plantes cultivées.

LA BOURDONNAIS (Bertrand MAHÉ, *comte* DE), marin français (Saint-Malo 1699 - Paris 1753). Au service de la Compagnie des Indes, il assure le développement de l'île Maurice, puis (1741) s'établit dans les Indes, où il contribue à l'implantation des comptoirs français (Mahé, Pondichéry).

LABOUREUR (Jean Émile), peintre et graveur français (Nantes 1877 - Pénestin, Morbihan, 1943). Il a trouvé son expression la plus originale, influencée par la stylisation cubiste, dans l'emploi du burin (*Petites Images de la guerre,* 1916; *le Balcon sur la mer,* 1923). Il a illustré Larbaud, Colette, Maurois, P. J. Toulet, Giraudoux.

Labour Party → TRAVAILLISTE *(parti).*

LABRADOR. — C'est un aluminosilicate naturel de calcium et de sodium, triclinique, du groupe des plagioclases.

LABRADOR, nom donné autrefois à la grande péninsule du Canada oriental, limitée par l'Atlantique à l'E., le détroit d'Hudson au N., la baie d'Hudson à l'O., le golfe et l'estuaire du Saint-Laurent au S. Aujourd'hui, le Labrador ne désigne plus que la partie orientale de cette péninsule, appartenant à la province de Terre-Neuve (Ungava étant le nom de la partie québécoise de la péninsule). Région au climat froid, domaine de la toundra au N., de la forêt de conifères au S., le Labrador, à la topographie relativement accidentée par les glaciations, est un site de production hydroélectrique et recèle surtout d'importants gisements de minerai de fer.

LABRADOR *(courant du),* courant océanique froid, longeant, vers le S., le littoral du *Labrador.*

LABRE. — Par leurs vives couleurs, remarquables chez le mâle à l'époque du frai, les labres de nos côtes rocheuses se sont attiré le surnom de « perroquets de mer ». L'espèce la plus grande (60 cm, de 2 à 3 kg) est la *vieille.* Ces poissons construisent des sortes de nids, gardés par les mâles. On classe auprès d'eux les *crénilabres,* au préopercule crénelé, la *girelle* et le *rason.* (Famille des labridés.)

LABRÈDE (33650), ch.-l. de cant. de la Gironde, à 21 km au S. de Bordeaux; 2 341 hab. Château des XIIIe, XVe et XVIe s., où naquit Montesquieu. Vignobles.

LABRIOLA (Antonio), philosophe italien (Cassino 1843 - Rome 1904). Correspondant d'Engels, il s'efforce de mieux faire connaître le matérialisme historique, qu'il interprète comme « la négation nette et définitive de toute idéologie ». Ses œuvres principales sont : *Morale et religion* (1873), *le Matérialisme historique* (1897) et *Textes de philosophie et de politique* (publ. en 1906).

LABRIT (40420), ch.-l. de cant. des Landes, à 25 km au N. de Mont-de-Marsan; 682 hab.

LABROUSTE (Henri), architecte français (Paris 1801 - Fontainebleau 1875). Prix de Rome en 1824, féru de problèmes constructifs autant que d'archéologie, il devint, par son enseignement dans l'atelier libre qu'il ouvrit à Paris (1830-1856), le chef de l'école rationaliste (ou fonctionnaliste) face à l'éclectisme de l'Académie. Il utilisa le premier, à la bibliothèque Sainte-Geneviève (Paris, 1843), une structure intérieure de fonte et de fer non dissimulée, colonnade et voûtes dont la légèreté contraste avec l'enveloppe de pierre; il récidiva dans diverses parties de la Bibliothèque nationale.

LABRUGUIÈRE (81290), ch.-l. de cant. du Tarn, sur le Thoré, à 9 km au S. de Castres; 5 477 hab. Église et château médiévaux. Industrie du bois.

LA BRUYÈRE (Jean DE), écrivain français (Paris 1645 - Versailles 1696). Il fut précepteur, puis secrétaire du petit-fils du Grand Condé. Ses *Caractères* (1688-1696), conçus à partir d'une traduction du Grec Théophraste, peignent d'une façon vivante et souvent cruelle la société de son temps en pleine transformation (décadence des traditions morales et religieuses; mœurs nouvelles des magistrats; puissance des affairistes), en un style elliptique, nerveux, qui contraste avec la phrase périodique classique. Reçu à l'Académie française en 1693, il prit parti dans la querelle des Anciens* et des Modernes, en faisant l'éloge des partisans des Anciens.

LABYRINTHODONTES → STÉGOCÉPHALES.

LAC. — Les *lacs tectoniques* s'installent dans les zones effondrées de l'écorce terrestre. Les *lacs glaciaires* occupent les cuvettes de surcreusement ou se forment derrière les verrous ou les barrages morainiques. Les *lacs d'origine volcanique* emplissent les cratères des volcans éteints ou s'installent dans les vallées barrées par une coulée de lave. Les *lacs d'origine karstique* occupent le fond tapissé d'argile des poljés ou des dolines.

On distingue les *lacs ouverts,* d'où s'échappe un émissaire qui rejoint la mer (le Rhône est l'émissaire du lac Léman), et les *lacs fermés,* qui servent de niveau de base aux cours d'eau qu'ils reçoivent. Ces lacs fermés, surtout fréquents dans les régions arides où l'écoulement est endoréique, sont parfois temporaires et salés.

Les dimensions des lacs sont très variables : la mer Caspienne, véritable mer intérieure, a une superficie de 430 000 km^2 alors que de nombreux lacs de montagne n'atteignent pas 1 km^2.

Lac *(le),* une des *Méditations* de Lamartine (écrite en 1818), mise en musique par Niedermeyer.

LA CAILLE (abbé Nicolas Louis DE), astronome français (Rumigny, Champagne, 1713 - Paris 1762). Il ramena, d'un long séjour au cap de Bonne-Espérance (1750-1754), un catalogue d'étoiles* australes, la première détermination précise de la parallaxe de la Lune* et une mesure de la longueur d'un méridien terrestre dans la région du Cap.

LA CALPRENÈDE (Gautier DE COSTES DE), écrivain français (château de Toulgou-en-Périgord, près de Sarlat, v. 1610 - le Grand-Andely 1663). Ses romans mêlent les exploits héroïques et les galanteries raffinées (*Cléopâtre,* 1647-1658).

LACAN (Jacques), médecin et psychanalyste français (Paris 1901). Chef de file de l'*École freudienne de Paris,* il a contribué, tout en prônant un retour à Freud, à ouvrir le champ de la psychanalyse, en fondant sa théorie sur les découvertes de la linguistique et de l'anthropologie structurale. Dès 1936, avec sa description du stade du miroir, il isole le registre de l'imaginaire* et du symbolique*. Il montre que l'inconscient* doit être interprété comme un langage et institue les linéaments d'une théorie du sujet*. J. Lacan a commencé à être connu du grand public avec la parution des *Écrits* (1966), où passent trente ans de son expérience. Avec *les Quatre Concepts fondamentaux de la psychanalyse* (1973), *Encore* (1975) et *les Écrits techniques de Freud* (1975) commence la publication de son séminaire.

Ph. Charpentier

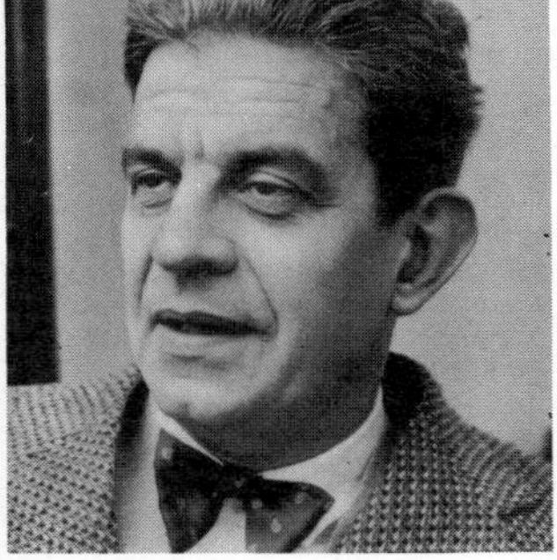

Jacques Lacan.

LACANAU (33680), comm. de la Gironde, à 46 km au N.-O. de Bordeaux, en bordure de l'*étang de Lacanau;* 2 166 hab. — À 12 km à l'O., station balnéaire de *Lacanau-Océan.*

LACANCHE (21230 Arnay le Duc), comm. de la Côte-d'Or, à 8,5 km au S.-E. d'Arnay-le-Duc; 972 hab. Constructions mécaniques.

LACAPELLE-MARIVAL (46120), ch.-l. de cant. du Lot, à 21 km au N.-O. de Figeac; 1 356 hab. Château des XIVe-XVIe s.

LACAUNE *(monts de),* plateaux cristallins du sud du Massif central, au N. de la haute vallée de l'Agout; 1 260 m au *pic de Montalet.*

LACAUNE (81230), ch.-l. de cant. du Tarn, à 47 km au N.-E. de Castres; 3 532 hab. Industries alimentaires.

LACAZE (Marie Lucien), amiral français (Pierrefonds 1860 - Paris 1955). Ministre de la Marine de 1915 à 1917, il s'attacha au problème de la lutte anti-sous-marine.

LACAZE-DUTHIERS (Henri DE), naturaliste français (Montpezat 1821 - Las-Fons 1901). Il a fait beaucoup avancer la connaissance des mollusques et des cœlentérés. On lui doit la fondation des laboratoires maritimes de Roscoff et de Banyuls.

Lac des cygnes *(le),* ballet en quatre actes, musique de Tchaïkovski, livret de V. P. Begitchev et V. Geltser. Des différentes versions qui ont été successivement produites c'est celle — intégrale — de Lev Ivanov et Marius Petipa (créée en 1895 à Saint-Pétersbourg, au Théâtre Marie) qui a été reprise et adaptée par A. Gorski, K. Sergueïev, A. Messerer, G. Balanchine, M. Skeaping, V. Bourmeister, P. Van Dijk. Cette œuvre est une des pièces maîtresses du ballet romantique.

LACÉDÉMONE, autre nom de SPARTE.

LACÉPÈDE (Bernard DE LA VILLE, *comte* DE), naturaliste et écrivain français (Agen 1756 - Épinay 1825). Ami de Gluck*, il publie une *Poétique de la musique* (1781-1785), puis entre dans l'équipe de Buffon*, pour qui il écrit l'*Histoire des quadrupèdes ovipares et des serpents* (1788-89). Après la mort du maître, titulaire d'une chaire au Muséum, il rédige l'*Histoire naturelle des poissons* (1798-1803) et l'*Histoire naturelle des cétacés* (1804). À la fin de sa vie, il écrit encore l'*Histoire générale de l'Europe* et de nombreuses œuvres, rassemblées en 1826.

LACERTILIENS. — Ce terme a remplacé celui de *sauriens* pour désigner presque tous les reptiles actuels qui ne soient ni des serpents, ni des tortues, ni des crocodiles. Les lacertiliens sont, de ce fait, très diversifiés. Les formes générales du corps diffèrent peu de celles des mammifères : quatre pattes égales et une longue queue. Le corps est couvert de replis écailleux, la peau se renouvelle par mues. Le cloaque est transversal, il existe deux pénis chez le mâle et la région fémorale comporte des glandes. On a décrit près de 2 500 espèces de lacertiliens, se répartissant entre sept groupes principaux : les *geckos**, qui grimpent à l'aide des ventouses de leurs doigts et dont les paupières sont soudées en une vitre protectrice; les *agames,* aux dents différenciées, les uns épineux, les autres capables de planer grâce à une membrane de sustentation, d'autres encore ornés d'une vaste collerette; les *iguanes** d'Amérique, très grands, souvent ornés d'une crête dorsale, et qui fournissent une viande appréciée; les *lézards** proprement dits, à langue fourchue, à la course très rapide, capables de se libérer en brisant leur queue (autotomie); les *varans**, des confins afro-asiatiques et de l'Inde, très grands (parfois 3 m et plus); les *caméléons**, si particuliers à tous égards; et enfin la série des *scinques,* seps et orvets*, aux pattes très courtes ou tout à fait absentes, rampant comme des serpents.

LA CHAISE (François D'AIX DE), religieux français (château d'Aix, Forez, 1624 - Paris 1709). Jésuite, il devient, en 1675, le confesseur de Louis XIV, qu'il ramène à la dévotion.

LACHAUD (Charles Alexandre), avocat français (Treignac 1818 - Paris 1882), l'un des plus célèbres avocats d'assises de son temps.

LA CHAUSSÉE (Pierre Claude NIVELLE DE), auteur dramatique français (Paris 1692 - *id.* 1754), créateur de la « comédie larmoyante » (*le Préjugé à la mode,* 1735).

LACHELIER (Jules) → SPIRITUALISME.

LACHINE, v. du Canada (Québec), sur le Saint-Laurent, dans la banlieue sud de Montréal; 44423 hab.

LACHOUQUE (Henri), officier et historien français (Orléans 1883-Paris 1971). Il s'est consacré à l'histoire militaire napoléonienne, fit restaurer en 1934 la maison de l'Empereur à Sainte-Hélène et a laissé de nombreux ouvrages dont *Napoléon et la garde impériale* (1957).

LA CIERVA Y CODORNÍU (Juan DE), ingénieur espagnol (Murcie 1895-Croydon 1936). Réalisateur, en 1917, du premier avion trimoteur espagnol, il inventa l'autogire, qu'il perfectionna sans cesse, et réussit en 1934 le décollage sur place à la verticale.

LACLOS (Pierre CHODERLOS DE), officier et écrivain français (Amiens 1741-Tarente 1803). Sous-lieutenant d'artillerie, il fut, pendant la Révolution, un agent de Philippe d'Orléans, fit partie du club des Jacobins, inventa le « boulet creux » et devint chef d'état-major de l'armée des Pyrénées, puis gouverneur général des établissements français de l'Inde (1792). Arrêté comme suspect en 1793, libéré au 9-Thermidor, il fut général de brigade en 1800 et mourut à Tarente, dont il devait assurer la défense. Malgré la place importante qu'occupa l'armée dans sa vie, Laclos doit sa gloire à un unique roman, *les Liaisons* dangereuses* (1782).

LA CONDAMINE (Charles Marie DE), géodésien et naturaliste français (Paris 1701-*id.* 1774). Avec Bouguer, en 1735, il dirigea l'expédition du Pérou qui détermina la longueur d'un arc de méridien de 1 degré sur l'équateur même, au sud de Quito. Il étudia un projet de mesure universelle et proposa d'adopter pour unité de longueur celle du pendule battant la seconde à l'équateur.

LACONIE, anc. contrée du sud-est du Péloponnèse.

LACORDAIRE (Henri), religieux français (Recey-sur-Ource 1802-Sorèze 1861). Avocat, il recouvre la foi (1823) et se fait prêtre (1827). Ami et disciple de La Mennais*, il milite au premier rang du catholicisme libéral*, notamment en faveur de la liberté de l'enseignement. Il ne suit pas son maître dans sa rupture avec Rome (1832) et se voit confier la chaire de Notre-Dame, où ses « carêmes » (1835-36) attirent les foules. Ayant restauré l'ordre des Dominicains en France (1839), c'est sous l'habit religieux qu'il prêche de nouveau (1841-1851). Un moment gagné par le mouvement révolutionnaire de 1848, fondateur, avec Maret et Ozanam, de l'*Ère nouvelle,* journal démocrate et chrétien, il est élu député de Marseille à la Constituante (avr.). Mais les troubles de mai-juin 1848 l'amènent à quitter le journal et l'Assemblée. Il se consacre à l'enseignement dans le cadre du collège de Sorèze, qu'il restaure (1850) et qu'il dirige en même temps que la province de France.

LACQ (64170 Artix), comm. des Pyrénées-Atlantiques, à 25 km au N.-O. de Pau, près du gave de Pau; 748 hab. Important gisement de gaz naturel, exporté après une épuration qui fournit aussi de grandes quantités de soufre.

LACROIX (Alfred), minéralogiste français (Mâcon 1863-Paris 1948). Professeur au Muséum, puis directeur du laboratoire de minéralogie à l'École des hautes études, il dirigea la mission envoyée à la Martinique après l'éruption de la montagne Pelée. Il s'est intéressé aux roches éruptives, pour lesquelles il a proposé une classification, et aux météorites. On lui doit la *Minéralogie de la France et de ses colonies* (5 vol.; 1893-1913).

LACRYMAL (appareil). — Les larmes assurent la nutrition et la protection permanente de la cornée; sécrétées par les glandes lacrymales orbitaire et palpébrale, elles sont évacuées, au niveau de l'angle interne de l'œil et dans les fosses nasales, respectivement par deux canalicules et par le canal lacrymo-nasal.

Les glandes lacrymales peuvent s'enflammer (dacryoadénite) et le sac lacrymal s'infecter (dacryocystite, souvent récidivante).

LACTAIRE. — Les champignons du groupe des lactaires doivent leur nom au latex qui suinte de leur chapeau lorsqu'on en brise le bord ou, parfois, de façon spontanée. Âcre ou doux, blanc, orangé ou vert, ce latex aide à identifier les espèces.

LACTAME. — Caractérisés par le groupement —NH—CO— relié au reste de la molécule, les lactames sont, par leur structure, analogues aux lactones.

LACTANCE, en lat. **L. Caecilius Firmianus,** apologiste chrétien de langue latine (Cirta v. 250-Trèves 325). Rhéteur païen, converti au christianisme v. 300, il fut le précepteur du fils de Constantin, Crispus. Ses deux œuvres principales sont : les *Institutions divines,* apologie et exposé de la foi chrétienne, et la *Mort des persécuteurs,* où il traite de la triste fin des empereurs persécuteurs des chrétiens; ce dernier ouvrage est une source précieuse pour l'histoire de l'Empire romain au IVe s.

LACTATION → ALLAITEMENT.

LACTIQUE (acide). — On connaît trois variétés d'acide lactique $CH_3—CHOH—CO_2H$: l'acide dextrogyre, ou sarcolactique, qui se rencontre dans le suc musculaire; l'acide lévogyre; le racémique, qui est l'acide ordinaire, obtenu dans une fermentation des sucres. C'est un liquide sirupeux, miscible à l'eau, que la chaleur déshydrate en lactide.

LACTONE. — L'acide-alcool $CH_2OH—CH_2—CH_2—CO_2H$ donne, en s'estérifiant lui-même, la butyrolactone, par exemple. Les lactones, ou olides, sont en général des liquides d'odeur agréable, que l'on emploie en parfumerie.

LACTOSE. — Le lactose $C_{12}H_{22}O_{11}$, ou sucre de lait, est dextrogyre et possède une saveur faiblement sucrée. Son hydrolyse fournit du d-glucose et du d-galactose. Il réduit la liqueur de Fehling.

LADISLAS HERMAN, duc de Pologne → PIAST.

LADISLAS Ier Łokietek, roi de Pologne → PIAST.

LADISLAS II, LADISLAS III JAGELLON, rois de Pologne → JAGELLON.

LADISLAS IV, roi de Pologne → VASA.

LADISLAS le Magnanime (v. 1376-1414), roi de Sicile (Naples) et de Hongrie (1390-1414), fils du roi Charles III et de Marguerite de Durazzo. Ayant chassé de Naples son cousin Louis II d'Anjou, prétendant au trône, il tenta vainement de prendre possession du trône de Hongrie (1403) et émit sur l'Italie des prétentions (occupation de Rome en 1408) qui inquiétèrent la papauté. Vaincu à Rocca Secca (1411) par Louis II d'Anjou et l'antipape Jean XXIII, il redressa la situation (1413); il s'apprêtait à conquérir la Romagne lorsqu'il mourut.

LADOGA *(lac),* lac du nord-ouest de l'U. R. S. S., relié à Leningrad (et au golfe de Finlande) par la Neva; 18000 km^2.

LADOUMÈGUE (Jules), athlète français (Bordeaux 1906-Paris 1973). Coureur de demi-fond, il a été le plus célèbre athlète français de l'entre-deux-guerres. Plusieurs fois recordman du monde, il n'a pu obtenir la consécration olympique, devancé sur 1500 m en 1928 par le Finlandais Larva et disqualifié sur l'accusation de professionnalisme avant les Jeux de 1932.

LAEKEN, anc. comm. de Belgique (Brabant), réunie à Bruxelles en 1921. Château royal (1782-1784).

LAENNEC (René Théophile Hyacinthe), médecin français (Quimper 1781-Kerlouanec, Finistère, 1826). Il montra la véritable nature des kystes à hydatides. Créateur de la méthode d'auscultation pulmonaire, il inventa le stéthoscope et publia, en 1819, un *Traité d'auscultation médiate.*

LAËRTE, roi d'Ithaque, père d'Ulysse.

LAFARGUE (Paul), homme politique français (Santiago de Cuba 1842-Draveil 1911). Membre de l'Internationale*, il épouse une fille de Karl Marx*. Fondateur, avec Jules Guesde*, du parti ouvrier français (1880), il est député socialiste de Lille de 1885 à 1893.

LA FAYETTE ou **LAFAYETTE** (Marie-Madeleine PIOCHE DE LA VERGNE, *comtesse* DE), femme de lettres française (Paris 1634-*id.* 1693). Elle tint salon rue de Vaugirard, où elle reçut les plus grands écrivains de son temps : son amie Mme de Sévigné, Ménage, La Fontaine, et surtout La Rochefoucauld, auquel la lia une amitié qui ne prit fin qu'à la mort de l'auteur des *Maximes.* Elle publia sous le nom de Segrais ses deux premiers récits (*la Princesse de Montpensier,* 1662; *Zaïde,* 1670), puis donna avec *la Princesse* de Clèves* (1678) le premier roman psychologique moderne. Elle est également l'auteur d'une *Histoire d'Henriette d'Angleterre* (publiée en 1720), de *Mémoires de la cour de France pour les années 1688 et 1689* (publiés en 1731) et de nouvelles historiques.

LA FAYETTE (Marie Joseph Gilbert MOTIER, *marquis* DE), homme politique français (Chavaniac 1757-Paris 1834). Dès 1777, il part pour l'Amérique où il combat aux côtés des *insurgents.* Député de Riom aux États généraux (1789), chef de la garde nationale, il apparaît comme le leader de la noblesse libérale et, avec Mirabeau, rêve de réconcilier la royauté avec la Révolution. Commandant de l'armée du Nord, il est décrété d'accusation et passe à l'ennemi (août 1792). Rentré en France en 1800, La Fayette vit retiré jusqu'aux Cent-Jours : député, il demande alors l'abdication de Napoléon (juin 1815). Député libéral de 1818 à 1824, puis à partir de 1827, il joue un rôle essentiel lors des journées de juillet 1830 comme commandant de la garde nationale et comme instaurateur de la monarchie bourgeoise de Louis-Philippe. Mais membre de la gauche dynastique, il se détache bientôt du gouvernement.

LAFERTÉ-SUR-AMANCE (52500 Fayl la Forêt), ch.-l. de cant. de la Haute-Marne, à 17 km au S. de Bourbonne-les-Bains; 421 hab.

LAFFEMAS (Barthélemy DE), sieur **de Beausemblant,** économiste français (Beausemblant, Dauphiné, 1545-Paris v. 1612). Contrôleur général du commerce en 1602, mercantiliste convaincu, il relança la culture du mûrier et favorisa la création de nombreuses manufactures (Gobelins, 1603). Sa doctrine économique inspira Colbert.

LAFFITE (Jacques), homme politique français (Bayonne 1767-Paris 1844). Banquier (1804), gouverneur de la Banque de France

(1814-1819) et député libéral (1816-1824 et 1827-1830) sous la Restauration, il est l'un des auteurs, en juillet-août 1830, de l'intronisation du duc d'Orléans, Louis-Philippe, comme roi des Français. Chef du parti du Mouvement sous la monarchie de Juillet*, il dirige le gouvernement de novembre 1830 à mars 1831.

LAFLÈCHE, v. du Canada (Québec); 15 113 hab.

LA FONTAINE (Jean DE), poète français (Château-Thierry 1621-Paris 1695). Maître des Eaux et Forêts (1652), il écrit des ballades et des madrigaux, devient le protégé de Fouquet et, au moment de la disgrâce du surintendant, témoigne de sa douleur et de son courage dans l'*Élégie aux nymphes de Vaux* (1661). Il trouve cependant une nouvelle protection en Madame, veuve de Gaston d'Orléans, et publie ses premiers recueils de *Contes* (1665-1671), ainsi que les six premiers livres des *Fables** (1668). La suppression de ses charges et la mort de la duchesse d'Orléans le laissent sans ressources, lorsque Mme de La Sablière le recueille (1672-1693). De cette époque datent deux nouvelles séries de *Contes* (1671-1674),

Lauros-Giraudon

Dessin de Benjamin Rabier, illustrant la fable «le Renard et la Cigogne». 1906.

qui lui ouvrent les portes de l'Académie française; mais il devra attendre l'approbation de Louis XIV (1684), qui lui préfère Boileau. La Fontaine prend parti pour les Anciens* contre les Modernes (*Épître à Huet,* 1687) et dédie au duc de Bourgogne un dernier livre de *Fables* (1694), alors qu'il a trouvé chez le financier d'Hervart un dernier asile. Sensuel et aimant les chastes bergeries, volage et célébrant la fidélité, courtisan mais ayant le culte de l'amitié, sa vie est l'image même de la variété de son œuvre, qui unit en une harmonie parfaite l'art et le naturel.

LA FONTAINE *(Mademoiselle)* [ou **LAFONTAINE** ou encore **DE LA FONTAINE**], danseuse française (Paris v. 1655-*id.* 1738). Première femme à avoir dansé sur scène, à l'Académie royale de musique (*le Triomphe de l'amour,* 1681).

LAFONTAINE (*sir* Louis Hippolyte), homme politique canadien (Boucherville 1807-Montréal 1864). Chef du premier ministère parlementaire du Canada (1848-1851), il est regardé comme le fondateur du parti conservateur canadien-français.

LAFORET (Carmen), femme de lettres espagnole (Barcelone 1921). Elle analyse dans ses romans les conflits psychologiques et les affrontements de générations provoqués par la guerre civile ou les mutations du monde moderne (*Néant,* 1944; *l'Insolation,* 1963).

LAFORGUE (Jules), poète français (Montevideo 1860-Paris 1887). Lecteur de l'impératrice Augusta à Berlin (1881-1886), il revint à Paris pour mourir de la tuberculose. Il n'avait fait paraître que deux recueils (*les Complaintes,* 1885; *l'Imitation* de Notre-Dame la Lune,* 1886), mais ses amis publièrent les contes en prose des *Moralités* légendaires* (1887) et le recueil des *Derniers Vers* (1890). Alliant le dandysme à l'obsession de la mort, en un style précieux et impressionniste, il fut un des créateurs du vers libre.

LA FOSSE (Charles DE), peintre français (Paris 1636-*id.* 1716). Élève de Le Brun, il passe cinq années en Italie et s'intéresse autant aux Vénitiens et au Corrège qu'aux traditionnels modèles bolonais et romains. Aussi s'écartera-t-il de son maître, participant par son style suave et brillant à la victoire, au sein de l'académisme*, des partisans de la couleur sur ceux du dessin (décors à Versailles et aux Invalides; tableaux religieux ou mythologiques).

LAFRANÇAISE (82130), ch.-l. de cant. de Tarn-et-Garonne, à 18 km au N.-O. de Montauban, au-dessus du Tarn; 2 599 hab.

LA FRESNAYE (Roger DE), peintre français (Le Mans 1885-Grasse 1925). D'abord marqué par Cézanne dans ses paysages, il s'oriente vers une sorte de cubisme qui répond à sa volonté de synthèse de la ligne, de la couleur et de l'espace; à partir de 1913, il s'attache plus particulièrement à l'étude des couleurs et de la lumière (*la Conquête de l'air,* 1913, Museum of Modern Art, New York). Après la guerre, gravement malade, il se consacre à la gouache, à l'aquarelle et surtout au dessin, ainsi qu'à l'illustration.

LA GALISSONNIÈRE (Roland Michel BARRIN, *marquis* DE), marin français (Rochefort 1693-Nemours 1756). Gouverneur du Canada (1747-1749), il renforce la défense de Québec. Il joue un rôle capital au cours de l'expédition française à Minorque (1756).

LAGASH, ancienne ville mésopotamienne, capitale de l'État sumérien du même nom, occupée dès le IVe millénaire; c'est surtout dans la seconde moitié du IIIe millénaire qu'elle prit de l'importance. Son prince le plus célèbre était Goudéa*. Lagash a été localisée près du village actuel d'al-Hiba en Iraq, à une vingtaine de kilomètres du village de Tello*, qui correspond à la ville ancienne de Girsou. Plusieurs sanctuaires ont été dégagés, parmi lesquels deux temples superposés, du IIIe millénaire, dont le plus récent et le mieux conservé, de plan ovale, rappelle celui d'Obeid*.

LAGERKVIST (Pär), écrivain suédois (Växjo 1891-Stockholm 1974). Admirateur de Baudelaire, de Rimbaud et de Strindberg, il exprime dans ses poèmes (*Angoisse,* 1916), ses drames et ses romans (*le Bourreau,* 1933; *le Nain,* 1944; *Barabbas,* 1950; *la Sibylle,* 1956) son désespoir devant la cruauté du monde. (Prix Nobel, 1951.)

LAGERLÖF (Selma), femme de lettres suédoise (Mårbacka 1858-*id.* 1940). Son premier roman (*la Saga de Gösta Berling,* 1891) marqua la renaissance du romantisme suédois, puis elle fit revivre dans ses récits pour enfants (*le Merveilleux Voyage de Nils Holgersson à travers la Suède,* 1906-07) et ses romans un passé à la fois réel et fantastique (*le Charretier de la mort,* 1912; *Charlotte Löwensköld,* 1925; *Anna Svärd,* 1928). [Prix Nobel, 1909.]

LAGHOUAT, oasis du Sahara algérien, au pied méridional de l'Atlas saharien.

LAGIDES, dynastie qui a régné sur l'Égypte hellénistique de 305 à 30 av. J.-C. et dont tous les souverains ont porté le nom de Ptolémée. Elle fut fondée par Ptolémée, fils de Lagos, lieutenant d'Alexandre*, qui, après la mort du conquérant, prend le titre de roi sous le nom de PTOLÉMÉE Ier **Sôtêr** (de 305 à 283); celui-ci inaugure une politique de prestige qu'accentuera son fils, PTOLÉMÉE II **Philadelphe** (de 283 à 246) : Alexandrie* devient alors la capitale intellectuelle du monde hellénistique et un centre économique actif. PTOLÉMÉE III **Évergète** (de 246 à 221) renouvelle les succès des pharaons du Nouvel* Empire et, intervenant en Asie, atteint Babylone*. Les règnes de PTOLÉMÉE IV **Philopatôr** (de 221 à 204/203) et PTOLÉMÉE V **Épiphane** (de 204/203 à 181) marquent le tournant du régime : après le succès inattendu de Raphia (217) contre Antiochos III* Mégas de Syrie, les querelles intestines se multiplient. Antiochos prend sa revanche en 198, rétablit son autorité sur la Syrie et prive l'Égypte de ses possessions extérieures, sauf Chypre et la Cyrénaïque. Les IIe et Ier s. ne sont que l'histoire d'une Égypte déchirée par les querelles de frères ennemis, que les Romains sauront mettre à profit. Les habiles concessions de PTOLÉMÉE VII **Évergète II** (de 145 à 116) ralentiront une décadence que précipitera, de 88 à 51, le règne fantoche de PTOLÉMÉE XIII **Aulète.** Le dernier grand souverain de l'Égypte ptolémaïque sera la reine CLÉOPÂTRE VII* qui, durant vingt et un ans (de 51 à 30), dominera l'Égypte au nom de ses frères-époux, PTOLÉMÉE XIV et PTOLÉMÉE XV, et du fils qu'elle a eu de César, PTOLÉMÉE XVI **Césarion.** En 30 av. J.-C., Octave, vainqueur à Actium*, met fin à la dynastie des Lagides et à l'indépendance de l'Égypte hellénistique.

LAGNEAU (Jules), philosophe français (Metz 1851-Paris 1894). Il préconise une méthode d'analyse réflexive qui, partant du Moi, doit parvenir à l'esprit universel. Ce spiritualisme* s'exprime dans *Fragments* (1898) et *l'Existence de Dieu* (1923).

LAGNIEU (01150), ch.-l. de cant. de l'Ain, près du Rhône, à 8 km au S. d'Ambérieu-en-Bugey; 5212 hab. Verrerie.

LAGNY-SUR-MARNE (77400), ch.-l. de cant. de Seine-et-Marne, à 29 km à l'E. de Paris; 16874 hab. (*Laniaques* ou *Latignaciens*). Église du XIIIe s. Imprimerie. Tannerie. Constructions mécaniques.

LAGOPÈDE. — L'« oiseau aux pieds de lièvre » est une sorte de perdrix aux pattes emplumées jusqu'au sol. On en connaît une espèce alpine (« perdrix des neiges »), une espèce des tourbières et de la toundra — très recherchée pour sa chair savoureuse —, le lagopède blanc, et enfin une espèce rousse d'Écosse et d'Irlande, la grouse. (Famille des tétraonidés.)

LAGOR (64150 Mourenx), ch.-l. de cant. des Pyrénées-Atlantiques, près du gave de Pau, à 31 km au N.-O. de Pau; 1274 hab.

LAGORD (17140), comm. de la Charente-Maritime, dans la banlieue nord de La Rochelle; 4061 hab.

LAGOS, capit. du Nigeria, sur le golfe du Bénin; 901000 hab. Ville administrative et commerciale, c'est aussi le principal port (avec Port Harcourt) et centre industriel du pays.

LA GRANGE (Charles VARLET, *sieur* DE), comédien français (Amiens v. 1639-Paris 1692). Son *Registre* est précieux pour l'histoire de la troupe de Molière et du Théâtre-Français à ses débuts.

LAGRANGE (*comte* Louis), mathématicien français d'origine piémontaise (Turin 1736-Paris 1813). Il s'efforça de fonder l'analyse sur une notion plus générale de la fonction et, en particulier, sur l'emploi des développements en série de Taylor. Il fut le premier à noter $f'(x)$, $f''(x)$ les fonctions dérivées. Sa *Mécanique analytique* (1788) a fait de la mécanique une discipline théorique à la fois rigoureuse et générale.

LAGRANGE (Albert), en religion **frère Joseph-Marie,** religieux dominicain et bibliste catholique français (Bourg-en-Bresse 1855-Saint-Maximin-la-Sainte-Baume 1939). Il fut le fondateur de l'École pratique d'études bibliques de Jérusalem (1890) et de la *Revue biblique* (1892), qui donnèrent aux études bibliques, en milieu catholique, une impulsion scientifique décisive. Son œuvre, ouverte au renouveau biblique mais axée sur la controverse antimoderniste, a perdu de nos jours beaucoup de son intérêt.

LAGRASSE (11220), ch.-l. de cant. de l'Aude, à 19 km au S.-O. de Lézignan-Corbières; 630 hab. Église et pont du XIVe s. Ancienne abbaye (Xe-XVIIIe s.).

LAGRENÉE (Louis Jean François), peintre français (Paris 1724-*id.* 1805). Artiste officiel, il peint avec le même métier souple, la même couleur fraîche les sujets mythologiques et ceux d'histoire antique, qui reviennent à la mode. Il excelle dans les petits formats (*Pygmalion,* musée de Detroit). — Son frère, JEAN JACQUES (Paris 1740-*id.* 1821), également peintre, a un style plus minutieux, assez rigide; il travaillera pour la manufacture de Sèvres.

La Guardia, l'un des aéroports de New York (Queens), près de l'East River. Son nom lui vient de Fiorello Henry La Guardia (1882-1947), qui fut maire de New York de 1933 à 1945.

LAGUERRE (Edmond), mathématicien français (Bar-le-Duc 1834-*id.* 1886). Son œuvre est presque entièrement consacrée à la géométrie. Il étudia également les équations algébriques, les fractions continues et les formes quadratiques.

LAGUIOLE → FROMAGE.

LAGUIOLE (12210), ch.-l. de cant. de l'Aveyron, dans l'Aubrac, à 24 km au N. d'Espalion; 1320 hab. Sports d'hiver (alt. 1200-1400 m).

LAGUNE. — Étendues d'eau saumâtre, les lagunes se forment sur les côtes en arrière des cordons littoraux et communiquent avec la pleine mer par une passe, le grau. Elles se colmatent progressivement sous l'effet de la sédimentation, d'origine continentale ou littorale.

LAGUNILLAS ou **CIUDAD OJEDA,** v. du Venezuela, au S.-E. de Maracaibo; 88000 hab. Pétrole.

LAHARPE ou **LA HARPE** (Jean François DELHARPE ou DELAHARPE, dit DE), critique français (Paris 1739-*id.* 1803), auteur du *Lycée ou Cours de littérature ancienne et moderne* (1799), d'esprit classique.

LA HARPE (Frédéric César DE), homme politique suisse (Rolle, Vaud, 1754-Lausanne 1838). Exilé par les Bernois, il mène, de l'étranger, la lutte pour l'indépendance des Vaudois. Membre du Directoire helvétique (1798-1800), il obtient du congrès de Vienne l'émancipation du canton de Vaud (1815).

LA HIRE ou **LA HYRE** (Laurent DE), peintre français (Paris 1606-*id.* 1656). D'abord tenté par des effets larges et contrastés issus du maniérisme et du caravagisme (série de « mais » de la cathédrale Notre-Dame : *la Conversion de saint Paul,* 1637), il adopte, vers 1640, un style délicat et mesuré, d'inspiration élégiaque : grandes toiles pour les couvents de Paris; tableaux destinés aux amateurs, où le paysage idéalisé reflète une influence de Poussin (*les Mères des enfants de Béthel,* 1653, musée d'Arras).

LA HIRE (Philippe DE), astronome et mathématicien français (Paris 1640-*id.* 1718). Continuateur de Descartes* en géométrie, il fit d'importantes découvertes sur les sections coniques. Son nom est resté attaché aux grands travaux géodésiques de l'époque.

LAHORE, v. du Pākistān, près de la Rāvī, capit. du Pendjab; 2148000 hab. Riche musée. Cité commerciale et centre de culture islamique, possédant quelques industries (matériel ferroviaire, textile, chaussures).

HISTOIRE. La ville ne se développe qu'après la conquête musulmane du Pendjab. Capitale des derniers Rhaznévides*, elle est prise par les Rhūrides* en 1186. Éclipsée par Delhi et ruinée par les invasions mongoles, Lahore devient une ville florissante sous les Grands Moghols* (de 1524 à la fin du XVIIe s.). Capitale de l'État sikh* de Ranjīt Singh, Lahore est occupée par les Britanniques en 1849.

BEAUX-ARTS. Nombreux témoignages de l'architecture moghole*, parmi lesquels : le fort (principalement du XVIIe s.), résidence royale aux divers pavillons; la mosquée de Wazir Khān (1634), avec très beau revêtement de céramique dans la tradition des édifices d'Ispahan*; la Mōtī Masdjid, ou mosquée de la Perle (première moitié du XVIIe s.), entièrement en marbre; la mosquée Bād'chāhī (1674), en grès rouge, ornée de marbre; les jardins de Chālīmār et de Chāhdara, avec le mausolée de l'empereur Djahāngīr.

LAHTI, v. de Finlande, au N.-E. d'Helsinki; 88000 hab. Métallurgie. Sports d'hiver.

LAI. — Le Moyen Âge a employé le même mot pour désigner deux genres poétiques : le *lai narratif,* courte composition en vers de huit syllabes à rimes plates, dont les thèmes appartiennent le plus souvent à la littérature courtoise*; le *lai lyrique,* forme strophique et musicale très libre.

LAIBACH, nom allem. de LJUBLJANA.

LAIGNES (21330), ch.-l. de cant. de la Côte-d'Or, à 17 km à l'O. de Châtillon-sur-Seine; 1004 hab. Église des XIIe-XIIIe s.

LAINE. — La laine est une fibre d'origine naturelle constituant la toison du mouton; elle est produite par la sécrétion des bulbes pileux situés sous la peau. La fibre est recouverte du suint composé de produits sécrétés par les glandes sébacées et sudoripares de l'animal. La proportion de suint varie, selon les provenances et selon les qualités, entre 15 et 75 p. 100 du poids de la laine. S'il existe de nombreuses races de moutons, on admet pour l'industrie lainière trois types principaux : le type mérinos (laine courte, mais fine), le type d'Australie (laine de longueur et de finesse moyennes) et le type Leicester et Lincoln (laine longue et de grand diamètre). On appelle *laine mère* les fibres coupées directement sur le dos du mouton vivant, par opposition aux *laines de délainage,* ou *de mégisserie,* provenant des peaux de moutons morts, et aux *laines renaissance,* provenant d'articles ayant déjà été portés et qui sont déchiquetés et remis en fabrication. La longueur des laines fines varie de 50 à 120 mm, celle des laines communes peut atteindre 350 mm. Le diamètre peut varier de 18 à 40 μ, la ténacité de 10 à 18 g/tex et l'élasticité de 25 à 40 p. 100. La laine

Fibre de LAINE (émergence et racine).

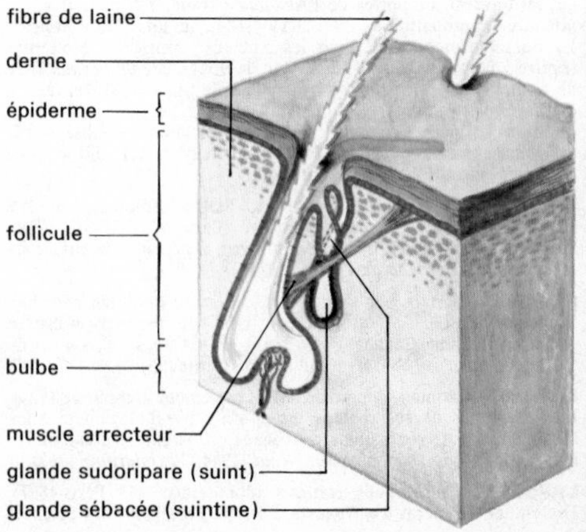

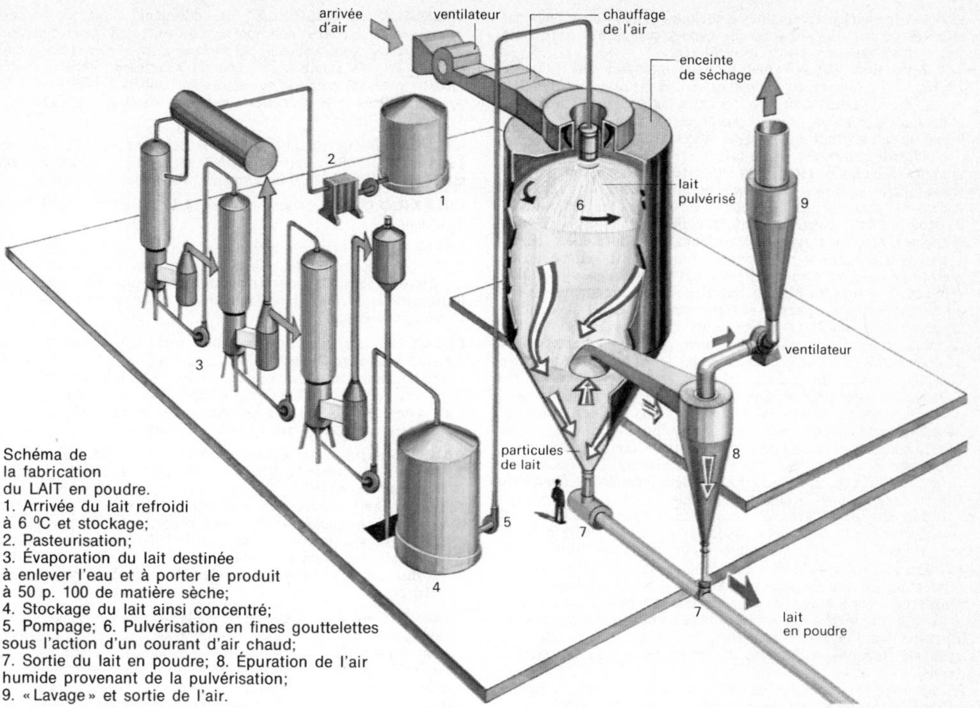

Schéma de la fabrication du LAIT en poudre.
1. Arrivée du lait refroidi à 6 °C et stockage;
2. Pasteurisation;
3. Évaporation du lait destinée à enlever l'eau et à porter le produit à 50 p. 100 de matière sèche;
4. Stockage du lait ainsi concentré;
5. Pompage; 6. Pulvérisation en fines gouttelettes sous l'action d'un courant d'air chaud;
7. Sortie du lait en poudre; 8. Épuration de l'air humide provenant de la pulvérisation;
9. « Lavage » et sortie de l'air.

possède de nombreuses utilisations : habillement, ameublement, tapis, couvertures, etc.

La production mondiale de *laine brute* plafonne, depuis 1970, légèrement au-dessus de 2,5 millions de tonnes. L'Australie demeure, de loin, le premier fournisseur, avec un apport proche du tiers de ce chiffre, précédant l'U. R. S. S. (seul producteur notable [plus de 400 000 tonnes] de l'hémisphère Nord), la Nouvelle-Zélande, l'Argentine et l'Afrique du Sud.

La géographie de la production des *filés* est très différente : elle est dominée par les États développés, faibles producteurs de laine brute — États-Unis, Japon, pays de l'Europe occidentale (Grande-Bretagne, France) —, devancés toutefois par l'U. R. S. S., qui traite la majeure partie de sa matière première.

LAING (Ronald David) → ANTIPSYCHIATRIE.

LAISSAC (12310), ch.-l. de cant. de l'Aveyron, à 25 km à l'E. de Rodez; 1 364 hab.

LAIT. — Pendant quelques jours avant et après la naissance du jeune, la mamelle sécrète le colostrum, liquide visqueux, jaunâtre, très riche en albumine, en sels minéraux et en anticorps. La durée de la sécrétion du colostrum est courte, variable suivant les espèces et les races de femelles laitières. Le colostrum ne doit pas être livré aux usines laitières.

Depuis la plus haute antiquité, l'homme a constaté que le lait des animaux domestiques constituait un excellent aliment pour les enfants, les adultes et les vieillards. Aussi a-t-il cherché par une sélection intensive à augmenter la production des femelles laitières pour en détourner la plus grande partie à son profit. Le Congrès international des fraudes (Genève, 1908) a donné du lait la définition suivante : « Le lait est le produit intégral de la traite totale et ininterrompue d'une femelle laitière bien portante, bien nourrie, non surmenée. Il doit être recueilli proprement et ne pas contenir de colostrum. »

Il n'est pas possible de donner une définition plus précise, car, produit de sécrétion biologique, ses propriétés physiques et sa composition sont variables quantitativement et qualitativement suivant l'espèce, la race, les aptitudes individuelles, l'alimentation et les conditions de vie des animaux. Les valeurs indiquées dans le tableau sont des valeurs moyennes susceptibles d'assez grandes variations. Les composants du lait s'y trouvent sous différents états physiques : solution vraie (lactose, albumine, globuline), émulsion (matières grasses), suspension colloïdale (caséine), etc. La couleur normale du lait (blanc mat) peut varier en fonction de la teneur en matière grasse et de l'alimentation des animaux. C'est, en effet, dans la matière grasse qu'est dissous un pigment (le carotène). Ce dernier est abondant dans les herbes jeunes. C'est pourquoi les beurres de printemps sont plus colorés que les beurres d'hiver. L'odeur du lait est faible et difficile à définir, mais elle peut être modifiée soit directement par la présence, dans l'alimentation des animaux, de végétaux à odeur prononcée (ail, oignon sauvage, navet, etc.), soit indirectement par fixation d'odeurs provenant de l'ambiance dans laquelle le lait est recueilli ou conservé.

Le lait n'est pas un liquide stérile. Dans la mamelle même, il contient une flore microbienne composée surtout de ferments

composition moyenne du lait de différentes espèces de mammifères
(en grammes par litre)

lait de	*eau*	*matières grasses*	*caséine*	*albumine et globuline*	*lactose*	*cendres*	*extrait sec total*	*densité à 15 °C*
femme	870	48	8	7	64	3	130	1 032
vache	876	35	28	7	47	7	124	1 031
chèvre	855	48	38	12	40	7	145	1 033
brebis	830	53	46	17	46	8	170	1 038
jument	910	10	13	7	66	4	90	1 033
ânesse	893	18	7	18	59	5	107	1 035
truie	794	87,5	73,4		33	11	205	1 035

lactiques (de quelques centaines à quelques milliers de germes par millilitre de lait). La présence de germes pathogènes dans cette flore initiale du lait est extrêmement rare.

À cette flore initiale vient toujours s'ajouter une flore de contamination, provenant, en particulier, de la vaisselle laitière, et dont la multiplication peut être très importante si l'on ne prend pas la précaution d'inhiber son développement par un refroidissement brutal du lait aussitôt que possible après la traite.

L'industrie laitière est, avant tout, une industrie de fermentation, dont les principales techniques consistent à supprimer complètement (laits stérilisés, laits concentrés non sucrés) ou partiellement (laits pasteurisés, laits concentrés sucrés, laits en poudre), à stabiliser (laits congelés, laits lyophilisés) ou à orienter (laits fermentés, beurres, fromages) les actions de la flore microbienne.

Le lait a une valeur nutritionnelle tout à fait remarquable. Ce n'est pas un aliment complet (il n'y a pas d'aliment qui puisse à lui seul satisfaire tous les besoins nutritionnels de l'homme) — il est, en particulier assez pauvre en oligo-éléments. Mais sa richesse en protéines assimilables et bien équilibrées et en calcium en fait un aliment de choix, particulièrement pour les enfants et les adolescents. Il faut à ce propos noter que le lait de femme doit être considéré comme le meilleur aliment des nourrissons et que l'allaitement maternel, au moins pendant les trois premiers mois après la naissance, est le facteur le plus efficace pour le développement harmonieux des bébés. En cas d'hypogalactie (insuffisance de la sécrétion lactée), des substances galactogènes (vitamines E, B2, etc.) peuvent être administrées à la femme.

Le lait de vache est la principale matière première de l'industrie laitière dans les pays à climat tempéré.

Il doit être coupé avec de l'eau chez le nourrisson (car il est peu digeste par la taille de ses globules lipides et par sa richesse en caséine) et enrichi de sucre et de vitamines A, C et D. (V. ALLAITEMENT.) Il peut être pollué par de nombreux germes. Sa fabrication est soumise au contrôle des services d'hygiène et de l'inspection des fraudes (le galactomètre en vérifie la densité).

Le lait de brebis est utilisé surtout pour la fabrication de fromages (en France, le roquefort); le lait de chèvre également, mais ses fromages, à l'inverse du roquefort, se font surtout à la ferme.

En ce qui concerne les quantités de lait produites, la France occupe le troisième rang dans le monde, après l'U. R. S. S. et les États-Unis. Par son chiffre d'affaires, l'industrie laitière occupe dans l'économie de la France la sixième place.

LAIT ÉCRÉMÉ → BEURRE.

LAITIER → CIMENT et FER.

LAITON → CUIVRE.

LAITUE. — Cultivée pour l'abondance de ses feuilles comestibles, groupées en multiples couronnes autour du collet, cette « salade », de la famille des composées, se présente sous diverses variétés culturales : scarole, romaine, frisée, etc. À l'état sauvage, elle porte des capitules jaunes ou violets au bout d'une longue tige où s'étagent de petites feuilles de forme extrêmement diverse selon l'espèce (genre *Lactuca*).

LA JONQUIÈRE (Pierre Jacques DE TAFFANEL, *marquis* DE), marin français (château de Lasgraïsses 1685-Québec 1752). Compagnon de Duguay-Trouin dans ses luttes contre les Anglais, il termine sa carrière comme gouverneur du Canada (1749).

LAJTHA (László), compositeur hongrois (Budapest 1892-*id.* 1963). Il est l'auteur de neuf symphonies.

LAKANAL (Joseph), homme politique français (Serres 1762-Paris 1845). Conventionnel, il fit adopter de nombreuses mesures relatives à l'instruction publique (1793-1795).

LAKISTES. — À la fin du XVIIIe s., les poètes Wordsworth, Coleridge et Southey, ainsi que leurs disciples, habitaient ou fréquentaient le district des lacs (Rydal, Grasmere, Derwentwater), au N.-O. de l'Angleterre : d'où le nom de « lakistes » donné souvent aux membres de cette première vague du romantisme.

LAKSHA DVĪPA, territoire insulaire de l'Inde, regroupant les archipels des Laquedives, Minicoy et Amindives; 32 000 hab.

LA LANDE (Michel Richard DE) → DELALANDE (Michel Richard).

LALANDE (Joseph Jérôme LEFRANÇOIS DE), astronome français (Bourg-en-Bresse 1732-Paris 1807). On lui doit une des premières mesures précises de la parallaxe de la Lune* et de bonnes observations de mouvements propres d'étoiles*.

LA LAURENCIE (Lionel DE), musicologue français (Nantes 1861-Paris 1933). Spécialiste du XVIIIe s., il a consacré un ouvrage monumental au violon (*l'École française de violon, de Lully à Viotti,* 3 vol., 1922-1924).

LALBENQUE (46230), ch.-l. de cant. du Lot, à 21 km au S.-E. de Cahors; 854 hab.

LALIBALA ou **LALIBELA,** site d'Éthiopie dans les hautes montagnes du Lasta. Il doit son nom au souverain de la dynastie salomonide, Zagoué Lalibala, qui a régné entre 1190 et 1225 et qui en fit une ville sainte et un lieu de pèlerinage. Véritable cité rupestre avec ses palais et ses magasins, Lalibala demeure célèbre pour ses églises (XIIIe s.), entièrement dégagées du rocher et ornées de peintures du XVe s.

LALINDE (24150), ch.-l. de cant. de la Dordogne, sur la Dordogne, à 22 km à l'E. de Bergerac; 3 070 hab. Anc. bastide. À 3 km, château médiéval et Renaissance de Lanquais. Plastiques. Papeteries.

LALLAING (59167), comm. du Nord, à 10 km au N.-E. de Douai; 8 382 hab.

LALLEMAND (André), astronome français (Cirey, Côte-d'Or, 1904). L'astrophysique lui doit la mise au point de photomultiplicateurs très sensibles pour la photométrie stellaire et l'invention instrumentale la plus importante depuis celle du télescope : la *caméra électronique.*

LALLY (Thomas, *baron* DE TOLLENDAL, *comte* DE), officier français d'origine irlandaise (Romans 1702-Paris 1766). À la tête d'un corps expéditionnaire qui est envoyé aux Indes en 1758, il se heurte aux traditions du pays et s'aliène ses compagnons. Ayant dû capituler dans Pondichéry (1761), il est embastillé et exécuté. Grâce à Voltaire, sa mémoire a été en partie réhabilitée.

LALO (Édouard), compositeur français (Lille 1823-Paris 1892). Altiste puis violoniste du Quatuor Armingaud, il écrit des œuvres de musique de chambre, des mélodies. Il excelle dans la musique d'orchestre avec son concerto pour violon, sa célèbre *Symphonie espagnole* (1875), son concerto pour violoncelle (1876) et sa symphonie en *sol* mineur (1886). Pour le théâtre, il laisse un ballet, *Namouna* (1882), et un opéra, *le Roi d'Ys* (1888). Il se distingue par l'emploi qu'il fait du rythme et des thèmes populaires.

LAM (Wifredo), peintre cubain (Sagua la Grande, Las Villas, 1902). Impressionné par les œuvres de Bosch, de Bruegel et de Goya, découvertes à Madrid, mais aussi profondément marqué par l'art africain, il travaille avec Picasso (1938), puis rejoint le mouvement surréaliste à Paris et en Amérique. Son œuvre, peuplée de créatures hybrides, entre l'animal et le végétal (*la Jungle,* 1943, Museum of Modern Art, New York), manifeste dans des formes agressives et hérissées la cruauté, la force et l'exubérance d'un monde primitif, mais transposées et universalisées.

LAMA. — Les régions andines sont le domaine par excellence des lamas, ou chameaux sans bosses. La variété sauvage est le *guanaco,* qui mène sur les sommets une vie de mouflon ou de chamois, sans cesse pourchassé; la *vigogne,* plus rare, se distingue du guanaco par un pelage laineux de valeur (apprécié en feutrerie, peausserie et textiles); le *lama* domestique, animal de selle et de bât, endurant et sobre, est, en outre, un excellent comestible; l'*alpaca,* ou *alpaga,* lui, est élevé pour sa laine, sur une aire beaucoup plus restreinte.

Lamas.

J.-P. Ferrero

LAMA (20218 Ponte Leccia), comm. de la Haute-Corse, à 14 km au N.-N.-O. de Ponte-Leccia; 301 hab.

LAMAÏSME → BOUDDHISME [*tibétain*].

LAMALOU-LES-BAINS (34240), comm. de l'Hérault, près de l'Orb, à 9 km à l'O. de Bédarieux; 2 787 hab. Station thermale pour le traitement des maladies nerveuses.

LAMANTIN. — C'est sur les rivages et dans la basse vallée des fleuves de l'Amérique centrale, du golfe du Mexique et d'Amazonie que l'on rencontre encore, de plus en plus rarement, des troupeaux de lamantins. Ces gros mammifères marins (jusqu'à 3 m de longueur et 500 kg) ont une sorte de nageoire caudale aplatie horizontalement, les pattes de derrière ont disparu, celles de devant sont à demi transformées en nageoires. La bouche n'a pas d'autres dents que les molaires, qui se succèdent comme chez les éléphants. La femelle porte une paire de mamelles pectorales, d'où le nom de *siréniens* donné à ce groupe d'animaux. Une espèce africaine se rencontre parfois dans le cours inférieur du Sénégal, du Niger et du Congo. Un genre plus grand, le *dugong,* de l'océan Indien, est devenu rarissime, et la *rhytine* des côtes sibériennes, encore plus grande, a été exterminée il y a deux siècles.

LAMARCHE (88320), ch.-l. de cant. des Vosges, à 16 km au N. de Bourbonne-les-Bains; 1 333 hab. Église des XIIe-XIIIe s.

LA MARCHE (Olivier DE), poète français (v. 1426 - Bruxelles 1502). Chroniqueur des ducs de Bourgogne, il est également l'auteur de poèmes et d'un roman allégorique qui célèbre l'héroïsme de Charles le Téméraire (*le Chevalier délibéré,* 1483).

LAMARCK (Jean-Baptiste DE MONET, *chevalier* DE), naturaliste français (Bazentin 1744 - Paris 1829). Dernier de onze enfants, rendu accidentellement infirme à dix-neuf ans, ruiné par des placements malencontreux, trois fois veuf, aveugle à la fin de sa vie, Lamarck eut en outre beaucoup d'ennemis : les disciples de Linné, dont sa *Flore française* (1778) n'adoptait pas le mode de classification; les dévots, choqués par ses idées évolutionnistes; Napoléon, qui ne lui pardonnait pas d'être républicain. Seule la Convention nationale, en lui confiant (1793) la chaire des « animaux à sang blanc » (invertébrés) au Muséum, lui donna l'occasion de montrer son génie. C'est, en effet, Lamarck qui sut le premier distinguer les crustacés des insectes (1799), définir les arachnides (1800) et les annélides (1802). Dans sa *Philosophie zoologique* (1809), puis dans son *Histoire naturelle des animaux sans vertèbres* (1815-1822) il énonça pour la première fois une théorie de l'évolution des espèces : selon Lamarck, l'exercice constant d'une fonction biologique crée, ou tout au moins développe et perfectionne, l'organe qui exerce cette fonction, et l'adaptation ainsi acquise se transmet dans la suite des générations. Le milieu exerce ainsi une *action modelante* sur les animaux et les plantes. Cette théorie est abandonnée aujourd'hui, du fait que l'absence de tout héritage des caractères acquis est bien établie. Mais elle a ouvert, largement, la voie à toutes les recherches ultérieures sur l'évolution, y compris à celles de Darwin.

LA MARMORA (Alfonso FERRERO), général italien (Turin 1804-Florence 1878). Commandant les forces sardes en Crimée (1855) et pendant la campagne d'Italie en 1859, président du Conseil en 1864, il conclut l'alliance avec la Prusse en 1866 et fut lieutenant du roi à Rome en 1870. — Les deux frères aînés de La Marmora, ALBERTO (Turin 1789 - *id.* 1863) et ALESSANDRO (Turin 1799 - Kadi-Koï, Crimée, 1856), furent également généraux.

LAMARQUE (Maximilien, *comte*), général et homme politique français (Saint-Sever 1770 - Paris 1832). Il combattit sous l'Empire. Élu député en 1828, il fut l'un des orateurs de l'opposition; ses funérailles donnèrent lieu à une émeute.

LAMARTINE (Alphonse DE), poète français (Mâcon 1790 - Paris 1869). Son premier recueil lyrique (*Méditations* poétiques,* 1820) lui assura une immense célébrité, et la jeune génération romantique le salua comme son maître. Mais son ambition allait à une carrière diplomatique, qu'il abandonna à l'avènement de Louis-Philippe. Il revint à la poésie (*les Harmonies poétiques et religieuses,* 1830; *Jocelyn**, 1836; *la Chute* d'un ange,* 1838), voyagea en Orient, puis mit son talent au service des idées libérales (*Histoire des Girondins,* 1847). Membre du gouvernement provisoire et ministre des Affaires étrangères en 1848, il défendit le drapeau tricolore contre le drapeau rouge, mais perdit de son influence après les journées de juin. Candidat malheureux aux élections présidentielles, il songea à se retirer en Turquie et n'écrivit plus que des récits autobiographiques (*Confidences,* 1849; *Graziella,* 1852) et, pour payer ses dettes, un *Cours familier de littérature* (1856-1869).

LAMASTRE (07270), ch.-l. de cant. de l'Ardèche, dans le nord du Vivarais, à 40 km à l'O. de Valence; 3 058 hab. Ruines féodales. Église romane.

LAMB (Charles), écrivain anglais (Londres 1775 - Edmonton 1834). Poète, dramaturge, conteur, il doit sa popularité aux essais, signés ELIA, qu'il publia de 1820 à 1825 dans le *London Magazine* et qui restent un des meilleurs exemples de l'« humour ».

LAMB (Willis Eugene), physicien américain (Los Angeles 1913), auteur de découvertes sur la structure fine du spectre de l'hydrogène et de méthodes de mesure de l'énergie atomique. (Prix Nobel de physique, 1955.)

LAMBALLE (22400), ch.-l. de cant. des Côtes-du-Nord, à 20 km à l'E. de Saint-Brieuc; 10 169 hab. *(Lamballais).* Églises médiévales, dont Notre-Dame, des XIIe-XVe s.

LAMBARÉNÉ, v. du Gabon, sur l'Ogooué; 4 000 hab.

LAMBERSART (59130), comm. du Nord, sur la Deûle, dans la banlieue nord-ouest de Lille; 30 052 hab. *(Lambersartois).*

LAMBERT (John), général anglais (Kirkby Malham 1619 - île Saint Nicholas 1684). Auxiliaire de Cromwell*, il le seconde sur les champs de bataille et contribue à son accession au protectorat (1653). Lors de la restauration de Charles II, il est jeté en prison et y meurt.

LAMBERT (Anne Thérèse DE MARGUENAT DE COURCELLES, *marquise* DE), femme de lettres française (Paris 1647 - *id.* 1733). Elle tint un salon célèbre.

LAMBERT (Jean Henri), mathématicien et physicien français (Mulhouse 1728 - Berlin 1777). Il démontra l'incommensurabilité du nombre π (1768) et édifia la trigonométrie sphérique (1770). Il fut l'un des créateurs de la photométrie, dont il donna la loi fondamentale.

LAMBESC (13410), ch.-l. de cant. des Bouches-du-Rhône, à 21 km au N.-O. d'Aix-en-Provence; 3 588 hab. Monuments anciens (du XIVe au XVIIe s.).

LAMBÈSE → TAZOULT.

Lambeth *(conférences de),* assemblées des évêques de la communion anglicane, tenues depuis 1867 dans le palais londonien de l'archevêque de Canterbury. Les sujets les plus divers y sont abordés (liturgiques, théologiques, missionnaires, œcuméniques). Ces conférences ont joué un rôle important dans l'histoire de l'œcuménisme*.

LAMBLIASE. — Maladie cosmopolite, transmise par l'ingestion de kystes de lamblia présents dans les aliments, la lambliase est souvent très bien tolérée. Toutefois, la présence du parasite dans la partie haute du tube digestif peut entraîner des troubles variés (nausées, irritabilité, etc.).

LAMBRES-LEZ-DOUAI (59500 Douai), comm. du Nord, sur la Scarpe, dans la banlieue sud de Douai; 5 509 hab. Constructions mécaniques.

LAMELLIBRANCHES → BIVALVES.

Félicité de La Mennais, par Ary Scheffer (1795-1858). [Musée du Louvre, Paris.]

Lauros - Giraudon

LA MENNAIS ou **LAMENNAIS** (Félicité DE), écrivain et socialiste français (Saint-Malo 1782 - Paris 1854). Prêtre en 1816, violemment opposé au gallicanisme impérial, à la philosophie du XVIIIe s. et à la tiédeur des gens d'Église (*Essai sur l'indifférence en matière de religion,* 1817-1823), il apparaît très vite comme le prophète d'une Église fortement ébranlée par la secousse révolutionnaire et le leader d'un catholicisme* libéral et ultramontain qui ne voit de salut pour l'Église que dans la liberté complète : « L'Église libre dans l'État libre. » Des disciples enthousiastes — Lacordaire*, Montalembert*, Gerbet — accourent à lui, et, après 1830, animent avec lui le journal *l'Avenir**, qui porte en épigraphe : « Dieu et Liberté. » Mais l'épiscopat gallican et la police contre-révolutionnaire poursuivent La Mennais, qui, blâmé par Grégoire XVI (*Mirari vos,* 1832), rompt avec l'Église (*Paroles d'un croyant,* 1834). Désormais isolé, La Mennais s'abandonne à un socialisme généreux et à un évangélisme romantique qui le rendent très populaire.

Lament for Ignacio Sanchez Mejías, « modern dance work », chorégraphie de Doris Humphrey, musique de Norman Lloyd, créé en 1947 à New York par la José Limón Dance Company, dans un décor de Michael Czaja et des costumes de Pauline Lawrence.

LAMENTIN (97129), ch.-l. de cant. de la Guadeloupe, dans le nord de Basse-Terre; 9 773 hab.

LAMENTIN (Le) [97232], ch.-l. de cant. de la côte ouest de la Martinique; 23 575 hab.

LA METTRIE (Julien OFFROY DE), médecin et philosophe français (Saint-Malo 1709 - Berlin 1751). La publication de son ouvrage matérialiste *Histoire naturelle de l'âme* (1745) le contraint à se réfugier auprès de Frédéric II. Il écrit des ouvrages de médecine : *Observations de médecine pratique* (1743), *l'Homme-plante* et *les Animaux plus que machines* (1750), dans lesquels il applique la théorie cartésienne de l'animal-machine à l'homme.

LAMÍA, v. de la Grèce, près du *golfe de Lamía* (échancrure de la côte est de la Grèce); 38 000 hab. — Elle a donné son nom à la *guerre lamiaque,* insurrection des cités grecques à la mort d'Alexandre (323-322 av. J.-C.), qui se termina par la défaite de Crannon, en Thessalie (322). La répression fut sévère; pour y échapper, Démosthène* s'empoisonna.

LAMIER. — C'est au milieu des orties, auxquelles il ressemble lorsqu'il n'est pas en fleur, que l'on peut cueillir le *lamier blanc,* type de la vaste famille des labiacées*. Forêts et prairies portent de nombreuses espèces du genre *Lamium,* diverses par la couleur des fleurs (jaunes, pourprées, blanches), mais reconnaissables à l'aspect long et dressé de la lèvre supérieure de la fleur.

LAMINAGE → FORMAGE et PLASTICITÉ.

LAMINAIRE. — C'est à marée basse, sur les côtes atlantiques, que l'on atteint les « zones à laminaires ». Ces grandes algues brunes rubanées, au goût sucré, cramponnées au sol par la base du stipe, ont en effet chacune un site linéaire correspondant à la durée d'émersion, toujours assez courte, qu'elles peuvent supporter.

LAMINAIRE (écoulement). — Dans une conduite, l'écoulement d'un liquide n'est laminaire que si sa vitesse n'excède pas une valeur critique, d'autant plus élevée que la section est plus faible. Au-delà de cette vitesse, l'écoulement devient turbulent et entraîne une perte d'énergie plus élevée.

LAMIZANA (Sangoulé), officier et homme d'État de Haute-Volta (Touga v. 1915). Chef d'état-major de l'armée, il destitue le président Yameogo en 1966 et devient président de la République et chef du gouvernement.

LAMOIGNON, famille de magistrats principalement représentée par : GUILLAUME (Paris 1617 - *id.* 1677), qui, premier président du parlement de Paris (1662-1664), joua par la suite, dans un esprit humaniste, un rôle capital dans la réforme et l'unification de la législation; GUILLAUME (Paris 1683 - *id.* 1772), petit-neveu du précédent, chancelier de France de 1750 à 1768; CHRÉTIEN GUILLAUME **Lamoignon de Malesherbes***, le fils de ce dernier.

LAMORICIÈRE (Louis JUCHAULT DE), général français (Nantes 1806 - château de Prouzel, près d'Amiens, 1865). Il reçut en Algérie, en 1847, la soumission d'Abd el-Kader. Ministre de la Guerre après les journées de juin (1848), il fut banni pour son opposition à l'Empire. Au service du pape, en 1860, il fut battu par les Italiens à Castelfidardo et dut capituler à Ancône.

LA MOTHE LE VAYER (François DE), écrivain et philosophe français (Paris 1588 - *id.* 1672). Précepteur du duc d'Orléans, puis de Louis XIV, il s'opposa à Vaugelas et aux puristes (*Considérations sur l'éloquence française de ce temps,* 1637), et fut un des principaux représentants du scepticisme au XVIIe s. (*Quatre Dialogues faits à l'imitation des Anciens,* 1630).

LAMOTTE-BEUVRON (41600), ch.-l. de cant. de Loir-et-Cher, en Sologne, sur le *Beuvron,* à 37 km au S. d'Orléans; 4 534 hab. Anc. château des XVIe-XVIIIe s. Constructions électriques. Porcelaine.

LA MOTTE-FOUQUÉ (Friedrich, *baron* DE), écrivain allemand (Brandebourg 1777 - Berlin 1843), auteur de drames, de romans et de contes romantiques (*Ondine,* 1811).

LAMOUREUX (Charles), chef d'orchestre français (Bordeaux 1834 - Paris 1899). En 1881 il fonda la Société des nouveaux concerts, qui plus tard portera son nom. Il y diffusa, notamment, les œuvres de Wagner et celles de jeunes compositeurs.

LAMPE. — Thomas Edison* mit au point la première lampe électrique d'usage pratique, basée sur l'élévation de température d'un filament dans le vide* ou dans un gaz inerte. Des progrès successifs ont permis d'obtenir des températures sans cesse plus élevées d'un filament dans lequel le tungstène* avait remplacé le carbone. En portant à 2 800 K la température de ce filament, on obtient un rendement de l'ordre de 15 à 20 lm/W, rendement que la lampe de quartz* à atmosphère d'halogène, comme l'iode* ou le brome*, permet, à 3 200 K, de porter à environ 25 lm/W. De tels rendements demeurent faibles; aussi a-t-on envisagé d'autres moyens avec des lampes à décharge* dans divers gaz, qui donnent des émissions de lumière avec un meilleur rendement, mais en spectre* discontinu. On a alors réalisé des lampes fluorescentes, dont le rendement est de l'ordre de 70 lm/W en lumière blanche, en combinant l'emploi d'une lampe à décharge dans de la vapeur de mercure* à basse pression avec un revêtement fluorescent qui capte l'énergie radiante et la restitue sous la forme d'un spectre complet.

LAMPEDUSA, île italienne de la Méditerranée, entre Malte et la Tunisie.

LAMPROIE → AGNATHES.

LAMPYRE. — Plus connu sous le nom impropre de « ver luisant », cet insecte coléoptère se singularise par sa femelle, qui est sans ailes, mais signale sa position au mâle en émettant par l'abdomen une lumière verte, à laquelle l'œil humain est particulièrement sensible. Le rendement énergétique de cette émission est remarquablement élevé (« lumière froide »).

LAMURE-SUR-AZERGUES (69870), ch.-l. de cant. du Rhône, à 30 km à l'O.-N.-O. de Villefranche-sur-Saône; 1 051 hab.

LAMY (François), officier et explorateur français (Mougins 1858 - Kousseri, Tchad, 1900). Il commanda l'escorte de la mission Foureau dans son trajet de la Méditerranée au Tchad, puis, après sa réunion avec les missions Gentil et Voulet-Chanoine, l'ensemble des trois groupes, mais il fut tué au combat.

LANAKEN, comm. de Belgique (Limbourg), au N.-O. de Maastricht; 19 951 hab. (en 1977). Papier.

LANCASHIRE, comté du nord-ouest de l'Angleterre, sur la mer d'Irlande; 1 369 000 hab. Ch.-l. *Preston.*

LANCASTER, v. d'Angleterre, dans le nord-ouest du Lancashire; 50 000 hab.

LANCASTRE, famille anglaise qui fut titulaire du comté, puis duché de Lancastre. EDMOND **le Bossu** (Londres 1245 - Bayonne 1296), second fils du roi Henri III et premier comte **de Lancastre,** fut investi, en 1255, du royaume de Sicile, mais il ne put jamais prendre possession de son trône. — Son fils aîné, THOMAS (v. 1277 - Pontefract 1322), deuxième comte **de Lancastre** (1298-1322), fut le chef de l'opposition baroniale à Édouard II; il ne sut pas profiter de sa victoire de Bannockburn (1314), et, vaincu en 1322 par Édouard II, il fut exécuté. — HENRI Ier (1281-1345), comte **de Lancastre** (1322-1345), frère du précédent, participa à la révolution de 1326, puis aida le jeune Édouard III à reprendre le pouvoir contre Mortimer. — HENRI II (Grosmont v. 1300 - Leicester 1361), comte (1345-1351), puis premier duc **de Lancastre** (1351-1361), fils du précédent, prit part aux premières batailles de la guerre de Cent Ans, qui révélèrent son talent militaire. — JEAN **de Gand** (Gand 1340 - Londres 1399), duc **de Lancastre** (1361-1399), quatrième fils d'Édouard III, épousa, en premières noces (1359), Blanche de Lancastre, fille du duc Henri II, qui lui donna un fils, le futur Henri IV d'Angleterre, puis Constance de Castille (1371) et Catherine Swynford (1396), sa maîtresse, dont il avait eu plusieurs enfants, légitimés sous le nom de Beaufort; il gouverna en fait l'Angleterre durant les dernières années du règne d'Édouard III. — Son fils, HENRI III, duc **de Lancastre,** devint roi en 1399 sous le nom d'HENRI IV*. — JEAN **de Lancastre** (1389 - Rouen 1435), duc **de Bedford,** troisième fils d'Henri IV, devint régent de France et tuteur d'Henri VI à la mort de son frère Henri V. — ÉDOUARD **de Lancastre** (1453-1471), prince **de Galles,** fils unique d'Henri VI, fut fait prisonnier à Tewkesbury et exécuté; avec lui s'éteignit la lignée directe des Lancastre.

LANCE-BOMBES, LANCE-FLAMMES, LANCE-FUSÉES, etc. — La multiplicité des armes et des projectiles apparus pendant et depuis les deux guerres mondiales a entraîné la réalisation, pour leur lancement, de dispositifs les plus divers. On citera notamment :
— les *lance-bombes,* appareils installés à bord des avions et permettant de déclencher le lancement de bombes aériennes;
— les *lance-flammes,* appareils portatifs projetant à environ 30 ou 40 m des liquides enflammés, inaugurés par les Allemands à Verdun;
— les *lance-fusées,* dispositifs rustiques de guidage et de lancement de projectiles autopropulsés, qu'il s'agisse de roquettes* d'artillerie (orgues de Staline 1944, canon multitube français 1971...), de roquettes antichar (*bazooka* américain et *Panzerfaust* allemand en 1944, roquettes antichar françaises de 73 et de 89 mm) ou de roquettes anti-sous-marines (le modèle français de 1964 comprend six tubes de 375 mm). En dehors de ces divers *lance-roquettes,* les lance-fusées comprennent les *lance-missiles.* Ce terme s'applique aussi bien à un véhicule à partir duquel est tiré un missile tactique (il comporte une rampe de lancement) qu'à un bâtiment de guerre dont l'armement principal est constitué par des missiles (croiseur, frégate, sous-marin lance-missiles);

— les *lance-grenades,* qui peuvent être de très petits mortiers ou de simples manchons adaptés au fusil, et les *lance-torpilles,* qui désignent les tubes de sous-marins permettant de lancer ces projectiles.

Lancelot du Lac, un des chevaliers de la Table ronde. Élevé par la fée Viviane au fond d'un lac, il s'éprend de la reine Guenièvre, femme du roi Arthur*, et subit par amour pour elle une série d'épreuves contées par Chrétien* de Troyes dans *Lancelot ou le Chevalier à la charrette* (v. 1168).

LANCEMENT DE NAVIRE. — Pour lancer un navire, on substitue à la partie supérieure des *tins* sur lesquels il est construit une charpente en bois qui en épouse les formes inférieures et que l'on appelle le *berceau.* Celui-ci repose sur une ou plusieurs *coulisses* graissées, le plus souvent longitudinales, qui constituent le chemin de glissement. La pente de la cale et le coefficient de frottement des coulisses sont calculés pour que le navire se mette à

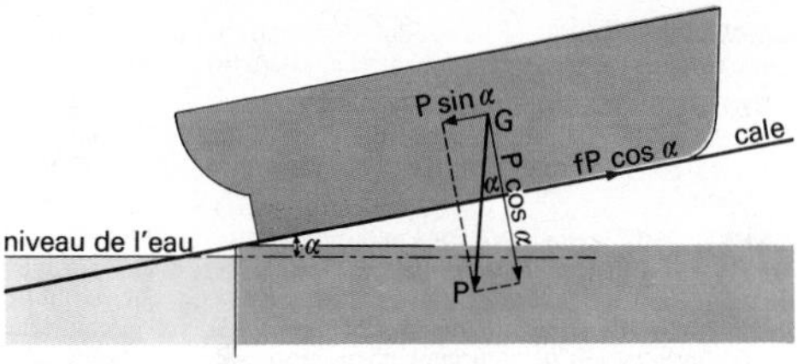

Navire sur cale avant le lancement. Si P est le poids du navire appliqué au centre de gravité G, α la pente de la cale et f le coefficient de frottement des coulisses, le glissement peut s'amorcer si l'on a : $P \sin \alpha > f P \cos \alpha$ ou $\operatorname{tg} \alpha > f$.

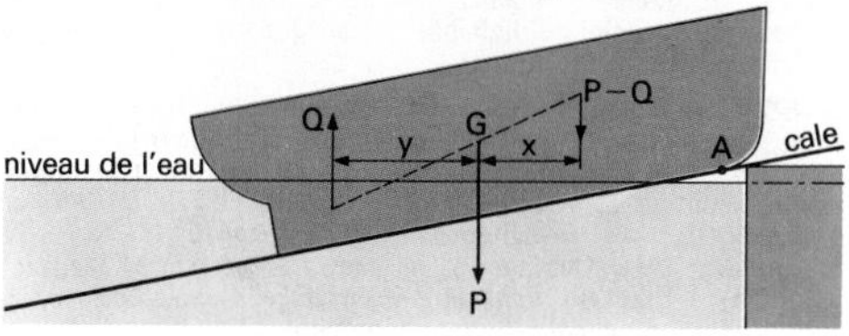

Navire en cours de glissement. La poussée Q, égale au poids de l'eau déplacée, croît pendant le lancement. La résultante des forces appliquées $P - Q$, dont la direction est à une distance $x = \frac{Qy}{P - Q}$ sur l'avant du centre de gravité, diminue progressivement. Le navire flotte librement lorsque cette résultante s'annule.

glisser sous l'effet de son propre poids. Divers moyens : tôles ou filins, clefs, linguets à échappement, etc., utilisés pour retenir le navire, sont supprimés au moment du lancement. Si le navire ne se met pas en mouvement de lui-même, une légère poussée, exercée au moyen de vérins hydrauliques, suffit, en général, pour amorcer le glissement. D'autre part, pour limiter la course du navire dans l'eau, le glissement est généralement freiné à l'aide de câbles de retenue, reliés au navire par des *bosses cassantes* (câbles moins résistants destinés à se rompre successivement) et à des paquets de chaînes ou à des traîneaux qui frottent sur le sol. Au cours du lancement, la partie arrière de la coque pénètre la première dans l'eau et le navire pivote dans le sens vertical sur le tournant de l'étrave, ou *brion,* au moment où il commence à flotter. Pour des séries d'unités construites côte à côte, on peut effectuer le lancement latéralement en utilisant un grand nombre de coulisses disposées perpendiculairement au plan longitudinal des navires.

LANCER (pêche au). — Le lancer léger se pratique à l'aide d'une canne à une main et d'un moulinet à tambour fixe dont la bobine est garnie d'un fil de Nylon, à l'extrémité duquel est généralement fixé un leurre. Le lancer lourd s'exécute soit avec une canne à une main, soit avec une canne à deux mains équipée d'un moulinet à tambour fixe ou d'un moulinet à tambour tournant. On utilise alors des fils de Nylon de plus forte section et l'on projette des leurres lestés d'un poids de 15 à 100 g ou un plomb suivi d'un bas de ligne esché (pêche en mer). L'expression de « pêche au lancer » englobe aussi les pêches à la mouche (saumon ou truite).

LANCEUR. — Pour placer des satellites* sur orbite ou pour envoyer dans l'espace des véhicules spatiaux, on utilise un engin appelé « lanceur ». Celui-ci est généralement constitué de deux ou trois étages propulsés par moteurs-fusées*. Le décollage s'effectue à la verticale, puis le lanceur s'incline progressivement suivant un programme préalablement établi. Un guidage* est assuré pendant toute la durée de la phase propulsée, l'objectif étant d'amener la charge utile en un certain point de l'espace avec une vitesse définie. Les étages sont largués après fonctionnement, afin d'alléger le reste de l'engin. Le lanceur le plus important actuellement réalisé est le « Saturn V », qui a été utilisé pour toutes les missions du programme « Apollo ».

LANCRET (Nicolas), peintre français (Paris 1690 - *id.* 1743). Élève de Gillot, puis travaillant dans le goût de Watteau, il fut reçu en 1719 à l'Académie comme « peintre de fêtes galantes ». Il eut de nombreux amateurs à travers l'Europe et se créa peu à peu un style propre, gracieux, vif de couleur, plus proche de la scène de genre que de la poésie pure (*la Camargo dansant,* v. 1730, diverses versions; *les Saisons,* peintes pour le roi en 1738, Louvre).

LANCY, v. de Suisse, banlieue de Genève; 20 523 hab.

LANDAU, v. de l'Allemagne fédérale (Rhénanie-Palatinat); 38 000 hab. — Fondée en 1224, ville libre d'Empire en 1274, Landau passa successivement au Palatinat (XIVᵉ-XVᵉ s.) et à la France (traité de Westphalie, 1648). Assiégée par les Autrichiens, délivrée par Hoche (1793), elle fut attribuée en 1815 au Palatinat bavarois.

LANDAU (Lev Davidovitch), physicien soviétique (Bakou 1908-Moscou 1968). Il est l'auteur d'une théorie de la superfluidité de l'hélium liquide et d'une théorie des champs, prolongement de la mécanique quantique et de la relativité. (Prix Nobel de physique, 1962.)

LANDE. — Végétation des régions océaniques humides, la lande est formée par l'association de bruyères, de genêts et d'ajoncs. Sauf dans les secteurs battus par les vents d'ouest, où l'arbre n'a jamais poussé (Irlande, Écosse), elle résulte de la dégradation de la forêt, responsable d'une acidification des sols.

LANDER (Alfred Bernhardt STEVNSBORG, dit **Harald**), danseur, chorégraphe et maître de ballet d'origine danoise, naturalisé français en 1956 (Copenhague 1905 - *id.* 1971). Influencé par Michel

LANCEUR

Conditions prévues du lancement d'un satellite par la fusée française « Diamant ».

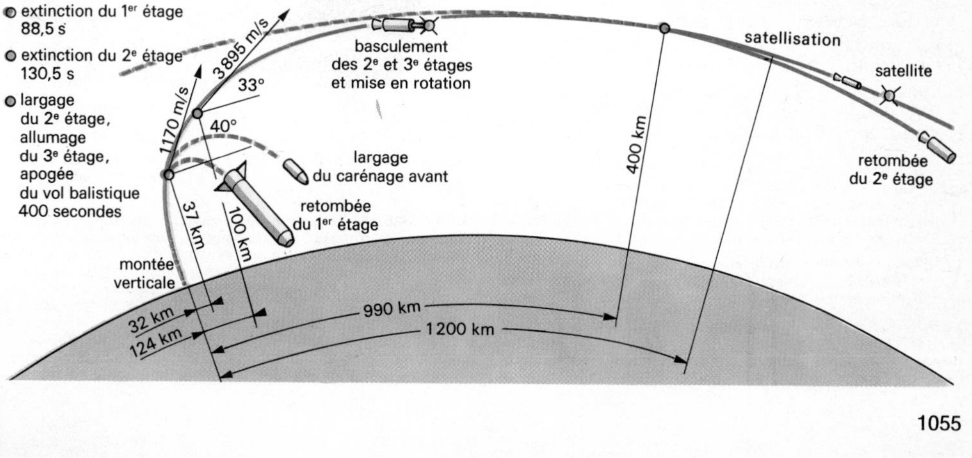

Fokine, il réorganisa les structures et rénova le répertoire du Ballet royal danois (1932-1951). Il joua un rôle non négligeable à l'Opéra de Paris, comme chorégraphe (1952), maître de ballet, puis directeur de l'école de danse (1956-1963). Il est l'auteur de *Qarrtsiluni* (1942), *Étude(s)* [1948; 1952], *les Caprices de Cupidon* (1952), *Napoli* (d'après Bournonville; 1958).

LANDERNEAU (29220), ch.-l. de cant. du Finistère, à l'embouchure de l'Élorn, à 20 km à l'E. de Brest; 15 660 hab. *(Landernéens).* Église du XVIe s. Vieilles maisons. Coopérative agricole.

LANDERSHEIM (67700 Saverne), comm. du Bas-Rhin, à 13 km au S.-E. de Saverne; 104 hab. Articles de sport.

LANDES, région de l'ouest du Bassin aquitain, sur l'Atlantique. C'est d'abord une forêt, la plus vaste de France (environ 10 000 km^2), dont le boisement est toutefois essentiellement artificiel. À la forêt naturelle, bordant un littoral, rectiligne et inhospitalier, ourlé de dunes, se sont juxtaposées (pour fixer les dunes notamment) des pinèdes, plantées à la fin du XVIIIe s. (sous la direction de Brémontier). Au début du XIXe s. encore, l'intérieur sableux — parfois marécageux (là où, en profondeur, une concrétion ferrugineuse, l'alios, empêche l'infiltration des eaux), parfois trop sec (là où cette concrétion manque et explique les incendies) — servait de terrains de parcours aux moutons. Dans la seconde moitié du siècle, sous la direction de Chambrelent, furent entrepris des travaux de drainage et l'ensemencement systématique des Landes en pins maritimes. Ceux-ci créèrent une prospérité provisoire, fondée sur la production de résine et de poteaux de mines, en recul aujourd'hui devant l'exploitation de bois d'œuvre et de bois de papeterie, activités qui ne suffisent pas, malgré les créations de scieries et de papeteries, à fixer une population importante. L'extraction d'un peu de pétrole et de lignite est surimposée à cette économie forestière, comme l'est l'animation estivale sur le littoral, en cours d'aménagement et possédant déjà quelques stations balnéaires notables (Arcachon, Mimizan, Hossegor).

LANDES (40), départ. de la Région Aquitaine; 9 237 km^2; 288 323 hab. *(Landais).* Ch.-l. *Mont-de-Marsan.* S.-préf. *Dax.*

Le département s'étend, en majeure partie, sur la moitié méridionale de la *forêt des Landes* (v. art. spécial), ce qui explique, malgré la superficie étendue, un faible effectif de population, en accroissement cependant depuis une trentaine d'années, après un déclin sensible dans la première moitié du XXe s. Mais la densité n'est encore égale qu'au tiers de la moyenne nationale.

La forêt occupe les deux tiers de la superficie totale du département, dont plus du dixième est cultivé en céréales (surtout du maïs), principalement dans le sud (boucle de l'Adour : Chalosse et Tursan), qui porte aussi localement des vignobles et élève porcins et volailles (production de foie gras). L'agriculture et la sylviculture emploient ensemble environ le cinquième des actifs (part double au moins de la moyenne nationale), moins cependant que l'industrie, qui valorise surtout la production primaire (travail du bois), en dehors d'une modeste activité extractive (pétrole [en déclin] autour de Parentis, et lignite, brûlé sur place dans une centrale à Arjuzanx). L'aménagement du littoral, ourlé de dunes et d'étangs, est entrepris pour le tourisme estival. Il n'empêche pas un courant d'émigration, favorisé par la médiocrité de la vie urbaine, Mont-de-Marsan et Dax étant les seules villes dépassant 10 000 habitants.

Landes *(Centre d'essais des),* centre militaire d'expérimentation des missiles, créé en 1962 entre Biscarrosse et Mimizan.

LANDET ou **LANDÉ** (Jean-Baptiste), danseur et maître de ballet français († Saint-Pétersbourg 1746 ou 1748). Fondateur, en 1738, d'une école de danse à Saint-Pétersbourg, berceau de la future École de ballet du Théâtre-Impérial, il est considéré comme l'introducteur du ballet académique en Russie.

LANDIVISIAU (29230), ch.-l. de cant. du Finistère, à 23 km au S.-O. de Morlaix; 7 775 hab. *(Landivisiens).* Base aéronavale.

LANDIVY (53190 Fougerolles du Plessis), ch.-l. de cant. de la Mayenne, à 23,5 km au N.-E. de Fougères; 1 473 hab.

land laws, législation agraire élaborée en Grande-Bretagne dans la seconde moitié du XIXe et au début du XXe s. en vue de garantir les tenanciers irlandais contre les lourds fermages et les évictions imposés par les grands propriétaires d'origine anglaise. Les mesures prises par Gladstone (1870), la loi Ashbourne (1885) et la loi Wyndham (1903) favorisèrent le transfert de la propriété du sol des mains des grands seigneurs en celles des fermiers.

LANDOUZY (Louis), médecin français (Reims 1845 - Paris 1917). Il étudia les maladies nerveuses, la sérothérapie, le traitement de la syphilis et de la tuberculose.

LANDOWSKA (Wanda), claveciniste et pianiste polonaise (Varsovie 1877 - Lakeville, Connecticut, 1959). Grâce à elle essentiellement, le clavecin a connu au XXe s. une résurrection spectaculaire.

LANDOWSKI (Marcel), compositeur français (Pont-l'Abbé 1915). Il est l'auteur de la symphonie *Jean de la Peur* et de l'opéra *le Fou.* Il a été nommé directeur (1966-1974), puis inspecteur général de la musique en France.

LANDRECIES (59550), ch.-l. de cant. du Nord, sur la Sambre, à 12 km au N.-E. du Cateau; 4 658 hab. Anc. place forte, reconstruite sur un plan régulier à la fin du XVIIIe s. Verrerie.

LAND'S END, cap de l'extrémité sud-ouest de l'Angleterre (Cornwall).

LANDSHUT, v. de l'Allemagne fédérale (Bavière), au N.-E. de Munich, sur l'Isar; 56 000 hab. Vieille ville aux édifices gothiques et Renaissance. Électronique.

LANDSTEINER (Karl), savant américain d'origine autrichienne (Vienne 1868 - New York 1943). Il découvrit, en 1901, les groupes sanguins et, en 1941, le facteur Rhésus et les mécanismes des iso-immunisations fœto-maternelles. (Prix Nobel de médecine, 1930.)

LANESTER (56600), comm. du Morbihan, faubourg nord de Lorient, sur le Scorff; 21 882 hab. *(Lanesteriens).*

LANEUVEVILLE-DEVANT-NANCY (54410), comm. de Meurthe-et-Moselle, sur la Meurthe, dans la banlieue sud-est de Nancy; 5 067 hab. Anc. chartreuse de Bosserville, fondée en 1666. Cartonnerie.

LANFRANC, archevêque de Canterbury (Pavie v. 1005 - Canterbury 1089). Prieur et écolâtre de l'abbaye du Bec, dont il sut faire un grand centre intellectuel, ami de Guillaume le Conquérant, il fut nommé abbé de Saint-Étienne de Caen (v. 1063), puis archevêque de Canterbury (1070) et primat d'Angleterre. Il se consacra, dès lors, à la restauration de la discipline dans l'Église anglo-normande.

LANFRANCO (Giovanni), peintre italien (près de Parme 1582 - Rome 1647). Actif à Parme, à Rome surtout et enfin à Naples, aide et émule des Carrache, puis assimilant la leçon du Corrège, il est l'auteur de tableaux d'autels et de grandes décorations qui acheminent la peinture italienne jusqu'au baroque (coupole de S. Andrea della Valle, Rome).

LANG (Fritz), cinéaste autrichien naturalisé américain (Vienne 1890 - Los Angeles 1976). Débutant comme réalisateur en 1919, il signa une suite d'œuvres que l'on peut rattacher au mouvement expressionniste, comme *les Trois Lumières* (1921), *le Docteur Mabuse* (1922), *les Nibelungen* (1923-24), *Metropolis* (1926), voire *M le Maudit* (1931). Quittant l'Allemagne à l'avènement du nazisme, il tourna en France *Liliom,* puis il émigra aux États-Unis, où il

M.G.M. (coll. D. Rabourdin)

Fritz Lang : une scène de *Furie* (1936).

poursuivit une brillante carrière : *Furie* (1936), *J'ai le droit de vivre* (1937), *la Femme au portrait* (1944), *l'Ange des maudits* (1951), *Règlements de comptes* (1953).

LANGAGE. — Le langage est la capacité, spécifique à l'espèce humaine, de communiquer au moyen d'un système de signes vocaux, la langue*. Il suppose l'existence d'une fonction symbolique et de centres nerveux génétiquement spécialisés. Il se manifeste de différentes manières (les langues) au sein des communautés humaines. L'étude du langage et des langues constitue l'objet de la linguistique*.

Dans l'état actuel des recherches, il n'existe pas encore de modèles complets d'acquisition du langage. Ce n'est guère avant la deuxième année de vie que le langage apparaît chez tous les enfants* normaux. Ce phénomène est attribué à l'existence d'une période où l'enfant est sensible au langage et qui prend fin vers cinq ou six ans. Si, pendant cette période, l'enfant n'est pas placé dans un milieu où l'on parle, il ne parlera jamais. Cette hypothèse, qui est celle notamment de N. Chomsky, se situe dans une perspective innéiste : les aptitudes linguistiques, constituant des universaux, se développeraient à l'intérieur du cerveau et ne seraient que stimulées par les énoncés perçus. L'évolution du langage chez l'enfant dépend étroitement des stimulations verbales auxquelles le soumet son entourage, et principalement sa mère. Par ce biais, entre en jeu tout l'arrière-plan socioéconomique. C'est, en effet, le milieu social qui détermine la plus ou moins grande disponibilité de la mère pour l'enfant. Parmi toutes les conséquences du statut économique de la famille, le logement, le travail de la mère, la composition de la famille, le nombre d'enfants, la stabilité du logement et de l'emploi sont les plus importants. Selon les analyses de Basil Bernstein, l'enfant issu d'un milieu favorisé est encouragé, dès son plus jeune âge, dans sa famille, à développer un langage élaboré au service de la description du monde extérieur et de ses propres sentiments, dont l'expression directe est inhibée, en même temps qu'on oriente son activité vers un avenir à long terme qui se concrétisera dans les étapes de la vie scolaire. Ce langage sert de support aux acquisitions scolaires, qui le renforcent à leur tour. Ce processus explique que la réussite scolaire soit intimement liée au niveau verbal, et que le langage contribue à renforcer la hiérarchie sociale (v. INTELLIGENCE). Au contraire, l'enfant issu de la classe ouvrière vit dans un univers où, le présent étant mal assuré, les buts à long terme tiennent moins de place. Il s'ensuit que son langage est peu raffiné et réduit au strict nécessaire, lié essentiellement à la situation concrète présente. Le langage ainsi développé est trop insuffisant pour que les acquisitions scolaires puissent se faire sans problèmes.

Des troubles du comportement linguistique et de la communication apparaissent au cours de nombreuses maladies mentales. Ils peuvent revêtir trois aspects : troubles du langage écrit, du langage intérieur (automatisme mental) et du langage oral (logorrhée, mutisme, bégaiement, schizophasie, etc.); on les distingue des troubles du langage proprement dits, d'origine organique, comme l'aphasie* ou l'audi-mutité.

LANGAGE *(Inform.).* — Pour décrire les instructions* que l'on donne à un ordinateur* ainsi que leur enchaînement, on utilise des langages de programmation*. Le langage machine est le langage binaire codé tel qu'il est reconnu par les circuits logiques de l'ordinateur. Il est pratiquement toujours obtenu à partir de langages plus symboliques, qui sont traduits par des assembleurs* et des compilateurs*.

Les *langages symboliques machine* sont spécifiques, par définition, d'un type d'ordinateur; ils sont utilisés pour la programmation des processus qui sont très près de la structure physique de la machine; ils permettent d'obtenir une optimalisation poussée des programmes*.

Les *langages symboliques algorithmiques* ont, en revanche, une structure qui s'éloigne de celle de la machine; elle se rapproche d'une langue plus naturelle ou d'une formulation mathématique plus usuelle. L'écriture d'un algorithme* d'un programme peut alors être presque totalement indépendante de l'ordinateur qui l'exécutera. Un langage algorithmique est caractérisé par un vocabulaire, ensemble de caractères et de mots clés, mis en œuvre suivant les règles très précises d'une syntaxe pour former les phrases qui sont les instructions du programme. Les instructions sont exécutables quand elles correspondent à des actions de traitement, calcul ou transfert d'information, qui sont effectivement réalisées lors de l'exécution du programme. Ce sont simplement des déclarations non exécutables, destinées au compilateur, lorsqu'elles servent à définir et à décrire des variables, des tableaux, des organisations de fichiers*. L'emploi de langages algorithmiques facilite l'écriture des programmes, les rend plus clairs, donc plus facilement modifiables et dépannables, simplifie le travail des programmeurs et rend plus aisé le transport d'un programme d'un ordinateur vers un autre. La perte de performance qui résulte, éventuellement, de l'utilisation de tels langages est de moins en moins significative. Les principaux langages algorithmiques sont : pour les applications scientifiques, FORTRAN*, ALGOL, PL/1; pour les applications de gestion, COBOL*, PL/1; pour une mise en œuvre conversationnelle, BASIC, APL; pour la simulation de système, GPSS, Simscript. Il existe de nombreux langages spécialisés, parfois plus descriptifs qu'algorithmiques : APT ou IFAPT, pour la commande numérique des machines-outils; PERT, pour la recherche opérationnelle; SYNTOL ou MISTRAL, pour la documentation automatique, etc.

La plupart des langages de programmation universels font l'objet de normes nationales et internationales, afin de garantir la signification identique d'un programme, quel que soit le compilateur* qui le traduise ou l'ordinateur qui l'exécute.

LANGE (Dorothea), photographe américaine (Hoboken, New Jersey, 1895 - San Francisco 1965). Elle a été parmi les premiers à concevoir l'importance du témoignage photographique et à faire du « documentalisme social » (reportages pour l'Administration américaine lors de la récession économique). La franchise de son œuvre est souvent exaltée par la violence de l'éclairage solaire. Parmi ses publications citons : *An American Exodus : a Record of Human Erosion, 1939,* en coll. avec Paul S. Taylor.

LANGEAC (43300), ch.-l. de cant. de la Haute-Loire, sur l'Allier, à 29 km au S.-E. de Brioude; 5 040 hab. Matières plastiques.

LANGEAIS (37130), ch.-l. de cant. d'Indre-et-Loire, sur la Loire, à 24 km au S.-O. de Tours; 3 902 hab. Château fort construit sur l'ordre de Louis XI dans le troisième quart du XVe s.; il appartient à l'Institut de France (nombreuses tapisseries des XVe et XVIe s.).

LANGENTHAL, v. de Suisse (cant. de Berne), au N.-E. de Berne; 13 007 hab.

LANGEVIN (Paul), physicien français (Paris 1872 - *id.* 1946). Il est l'auteur de travaux sur l'ionisation des gaz, les ultrasons (qu'il employa pour le sondage en mer), la relativité et l'inertie de l'énergie, ainsi que d'une théorie du magnétisme (1905).

LANGLADE, autre nom de la *Petite Miquelon**.

LANGLAND (William) ou **William de Langley,** poète anglais (dans le Herefordshire v. 1332 - † v. 1400). Son poème allégorique *la Vision de Pierre le laboureur,* dont il existe trois versions, mais dont seule la première (1362) serait authentique, présente un tableau satirique de la société de son temps et exerça une profonde influence sur l'opinion publique, dont le mécontentement éclata dans la révolte des Travailleurs (1381).

LANGLE DE CARY (Fernand DE), général français (Lorient 1849 - Pont-Scorff 1927). Il commanda la IVe armée en 1914-15, puis le groupe d'armées du Centre (1915-16).

LANGMUIR (Irving), physicien et chimiste américain (Brooklyn 1881 - Falmouth 1957). On lui doit des théories de l'électrovalence et de la catalyse par adsorption. Il inventa les ampoules électriques à atmosphère gazeuse (1913), construisit une pompe à vide moléculaire (1916) et découvrit l'hydrogène atomique. (Prix Nobel de chimie, 1932.)

LANGNAU, v. de Suisse (cant. de Berne), dans l'Emmental; 8 950 hab.

LANGOGNE (48300), ch.-l. de cant. de la Lozère, à 42 km au S. du Puy; 4 337 hab. Église romane (XIe s.) à façade gothique (XVe s.).

LANGON (33210), ch.-l. d'arr. de la Gironde, sur la Garonne, à 47 km au S.-E. de Bordeaux; 6 124 hab. Église gothique. Vignobles.

LANGOUSTE. — Au moins aussi grande que le homard, la langouste s'en distingue aisément par des pinces extrêmement réduites, de fortes antennes et une larve d'un type très particulier. Les Bretons la pêchent à partir de bateaux à double fond (viviers), sur les côtes de Mauritanie notamment. La langouste est un crustacé décapode.

LANGOUSTINE. — Ce petit crustacé décapode, aux pinces allongées, ressemble à une écrevisse, en plus grand, mais se pêche dans les mers (de la Norvège à la Bretagne).

LANGREO, v. d'Espagne (Asturies); 59 000 hab.

LANGRES → FROMAGE.

LANGRES *(plateau de),* région calcaire, pauvre, pratiquement inculte du sud-est du Bassin parisien, qui constitue une limite de partage des eaux entre les tributaires de la Manche (la Seine y prend sa source) et ceux de la Méditerranée.

LANGRES (52200), ch.-l. d'arr. de la Haute-Marne, dans le nord-est du *plateau de Langres,* au-dessus de la Marne; 12 457 hab. *(Langrois).* Constructions mécaniques et électriques. Matières plastiques.

BEAUX-ARTS. Restes de fortifications (depuis l'époque romaine). Cathédrale romano-gothique de type bourguignon, à façade de 1761 (chapelle Renaissance; deux tapisseries de la *Vie de saint Mammès,* de J. Cousin; trésor). Église Saint-Martin (XIIIe-XVIIIe s.). Demeures des XVIe-XVIIIe s. Collections d'archéologie et d'œuvres d'art dans les musées Saint-Didier et de l'hôtel du Breuil-de-Saint-Germain.

LANGRUNE-SUR-MER (14830), comm. du Calvados, à 15 km au N. de Caen; 1 047 hab. Station balnéaire.

LANG SON, localité du nord du Viêt-nam, au N.-E. de Hanoi, près de la frontière chinoise. Occupé en 1885 par les Français, Lang Son dut bientôt être évacué sous la pression des Chinois (cet incident provoqua la chute du ministère Jules Ferry). Les Français s'y battirent contre les Japonais en 1940 et en 1945, puis contre le Viêt-minh en 1953.

LANGTON (Étienne), archevêque de Canterbury (v. 1150 - Slindon 1228). Consacré par le pape sans l'assentiment du roi Jean (1207), qui rompit aussitôt avec le Saint-Siège, il fut le chef de file des opposants modérés à l'arbitraire royal et contribua à la rédaction de la Grande Charte (1215).

LANGUE *(Ling.).* — Ce terme s'emploie souvent comme synonyme de « langage ». Il s'emploie aussi pour s'opposer de manière floue au mot « dialecte* ». La définition que F. de Saussure donne de la langue, opposée à la parole*, a l'avantage de lever ces ambiguïtés. La langue est un système de signes* dont les éléments (sons, mots, etc.) n'ont pas de valeur en dehors des relations d'équivalence ou d'opposition qui les relient, « un système qui ne connaît que son ordre propre », « un système dont toutes les parties doivent être considérées dans leur solidarité synchronique ». Cette définition fonde la linguistique structurale. L'analyse consistera à étudier la structure de ce système à partir d'un corpus*; on aboutit à une classification, à une taxinomie des éléments du système. C'est cet aspect purement classificatoire que veut dépasser la grammaire générative en élaborant de la langue des modèles hypothétiques explicites.

Employé au pluriel ou avec un adjectif ethnique, le mot « langue » désigne tel ou tel de ces systèmes de communication. Il en existe un très grand nombre (de 3 000 à 4 000, selon la définition qu'on donne de la langue et du dialecte). Le classement de ces systèmes n'en est encore, vu leur complexité, qu'à ses débuts. Deux voies s'offrent dans ce domaine : la typologie et la généalogie.

La classification généalogique (l'établissement de familles de langues) est un héritage de la linguistique du XIXe s. La famille indo-européenne, qui a fait l'objet de la plupart des travaux comparatistes est la mieux connue. D'autres familles sont bien attestées : le chamito-sémitique, le finno-ougrien, les langues caucasiennes, le malayo-polynésien, les langues dravidiennes, etc. Cependant, de nombreux problèmes demeurent encore en suspens (l'apparentement du basque à la famille caucasienne, l'intégration du finno-ougrien à l'intérieur d'une vaste famille ouralo-altaïque, etc.). La généalogie des langues négro-africaines et amérindiennes est encore moins avancée.

La typologie des langues a pour but leur description en fonction de certains caractères et leur classement en fonction des affinités qui apparaissent ainsi. On peut, par exemple, caractériser les langues selon les rapports : *a*) entre la syllabe et le morphème; *b*) entre la forme et la fonction des mots; *c*) entre la grammaire et le sens. On définit ainsi trois types : *a*) les langues isolantes (ou analytiques), qui ont des mots invariables (vietnamien); si ces mots invariables peuvent se combiner pour former des unités lexicales composées (chinois), on dit que la langue est polysynthétique; *b*) les langues agglutinantes, qui ajoutent aux racines (qui n'existent pas à l'état libre) une série de morphèmes pour exprimer la fonction et le sens (turc); *c*) les langues flexionnelles, qui expriment les rapports grammaticaux par des flexions (latin). En fait, les types purs n'existent pas : une langue est plus ou moins isolante, flexionnelle, agglutinante. D'autre part, d'autres typologies, plus fines, peuvent être construites en prenant en considération un plus grand nombre de facteurs.

LANGUE *(Méd.).* — Les muscles de la langue, innervés par le nerf grand hypoglosse, lui confèrent sa mobilité. Les papilles linguales de sa face supérieure sont le siège des organes du goût.

L'examen de la langue est systématique chez tout malade, car certaines affections retentissent sur son aspect et sa consistance. La langue est saburrale dans les affections digestives et les infections, desséchée en cas de déshydratation, dépapillée dans les glossites et la scarlatine; signalons les taches linguales blanches de leucokératose et les taches rouges des glossites et de la syphilis. Les ulcérations linguales sont d'origine dentaire ou herpétique, ou traduisent, lorsque leur base est indurée, un chancre syphilitique ou un cancer.

Les affections de la langue sont inflammatoires (glossites), tumorales bénignes ou malignes (cancer souvent secondaire à une lésion préexistante), ou neurologiques (glossodynie, glossoplégie).

LANGUEDOC, pays du sud-ouest de l'ancienne France. Employée d'abord (XIIIe s.) pour désigner l'ensemble de la *patria lingue occitane,* l'expression fut peu à peu limitée aux territoires ayant fait partie de l'ancien comté de Toulouse. Cette région fut profondément romanisée dès le Ier s. av. J.-C., et les grandes invasions modifièrent dans une faible mesure le mode de vie de ses habitants. Cela explique que, dans le cadre de l'Empire carolingien, puis dans celui, plus restreint, du comté de Toulouse, ce pays ait conservé un droit fortement imprégné de tradition romaine, une culture raffinée, une vie urbaine importante et qu'il se soit doté d'un dialecte proche du latin. Un autre trait original de cette région, qui contribua à l'opposer au Nord, profondément et uniformément imprégné par le catholicisme romain, fut l'extraordinaire accueil qu'elle réserva à certaines hérésies telles que celle des cathares. La complicité que les dirigeants du pays affichèrent face au catharisme fut la principale cause de la croisade contre les albigeois qui, au XIIIe s., fit passer le Languedoc sous l'autorité directe de la monarchie capétienne. Si celle-ci lutta efficacement contre l'hérésie, elle respecta la langue, les coutumes et les privilèges du pays. En un siècle, les ruines amoncelées par les croisades furent relevées et la prospérité retrouvée assura, au lendemain du traité de Troyes (1420), le ralliement du Languedoc à la cause du dauphin Charles. Doté d'un parlement propre, résidant à Toulouse (1444), d'une cour des aides (1478) et d'une chambre des comptes (1523), le Languedoc subit progressivement la centralisation royale avant de voir disparaître, à la Révolution, ses institutions. Mais le maintien

Le littoral du Languedoc, à Sète (Hérault).

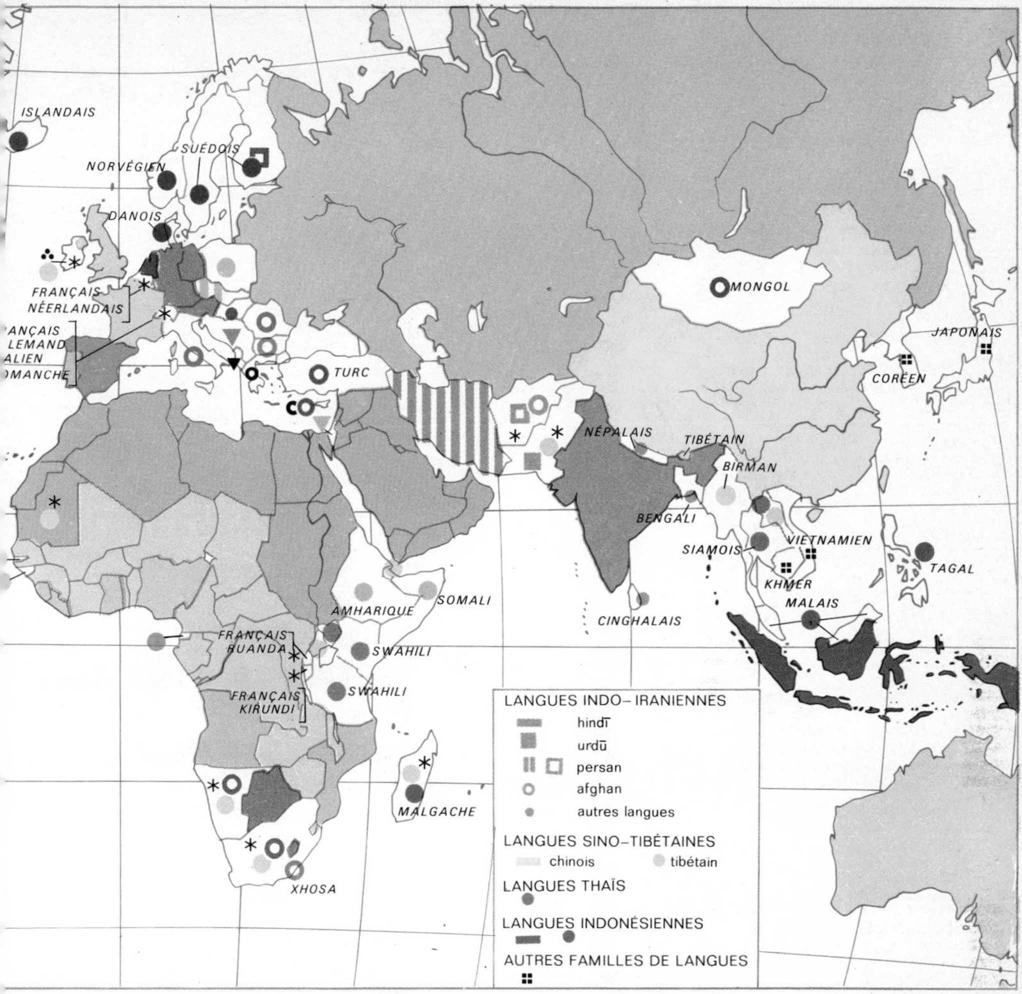

LANGUES OFFICIELLES DES ÉTATS

d'une civilisation occitane et la particularité des problèmes posés par l'évolution économique ont contribué à conserver à cette région une physionomie très originale. (V. OCCITANE [*littérature*].)

Lauros - Beaujard

LANGUEDOC-ROUSSILLON, Région de la France méridionale, regroupant cinq départements : Aude, Gard, Hérault, Lozère et Pyrénées-Orientales; 27 448 km²; 1 789 474 hab. Capit. *Montpellier.*

La Région occupe le pourtour du littoral occidental méditerranéen, du delta du Rhône à la frontière espagnole, et s'étend plus ou moins profondément sur l'arrière-pays, le plus souvent montagnard. Au N., la Lozère appartient au Massif central. L'Aude, le Gard et l'Hérault occupent une partie du sud de ce même massif, de la Montagne Noire, au S.-O., aux Cévennes, au N.-E. La plaine du Roussillon est limitée, au S., par l'avancée jusqu'à la mer de la chaîne pyrénéenne. Une bande intermédiaire (la Garrigue, notamment) s'intercale parfois entre les hauteurs et les plaines littorales, particulièrement développées au N. de l'embouchure de l'Aude. Le littoral lui-même, bas et souvent, du moins initialement, marécageux, est ourlé d'étangs lagunaires.

À l'exception de la Lozère et des sommets pyrénéens, la Région possède un climat de type méditerranéen : étés secs et chauds (les températures moyennes de juillet et d'août dépassent sensiblement 20 °C à Montpellier et à Perpignan); hivers relativement doux (près de 6 °C à Montpellier et de 8 °C à Perpignan, en moyenne), avec toutefois des possibilités de gelées; précipitations de 600 à 800 mm, avec maximum aux saisons intermédiaires, pouvant engendrer des crues catastrophiques.

La population du Languedoc-Roussillon s'est accrue de près de 300 000 unités, soit plus de 20 p. 100, dans les vingt dernières années (pour une part notable, grâce au repli de colons d'Afrique du Nord); cette évolution contraste avec le recul démographique de la première moitié de ce siècle, mais la densité régionale de population demeure sensiblement inférieure à la moyenne natio-

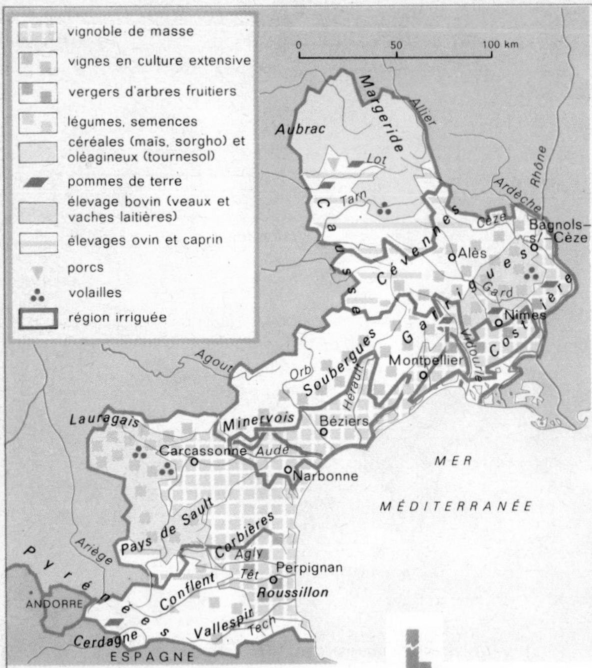
vignoble de masse
vignes en culture extensive
vergers d'arbres fruitiers
légumes, semences
céréales (maïs, sorgho) et oléagineux (tournesol)
pommes de terre
élevage bovin (veaux et vaches laitières)
élevages ovin et caprin
porcs
volailles
région irriguée
0 50 100 km
Aubrac
Margeride
Allier
Lot
Rhône
Ardèche
Tarn
Causses
Cèze
Bagnols-s/-Cèze
Cévennes
Alès
Garrigues
Gard
Costière
Nîmes
Vidourle
Montpellier
Agout
Orb
Soubergues
Hérault
Lauragais
Minervois
Béziers
Carcassonne
Aude
Narbonne
MER MÉDITERRANÉE
Pays de Sault
Corbières
Ariège
Agly
Perpignan
Têt
Roussillon
Pyrénées
ANDORRE
Conflent
Vallespir
Tech
Cerdagne
ESPAGNE

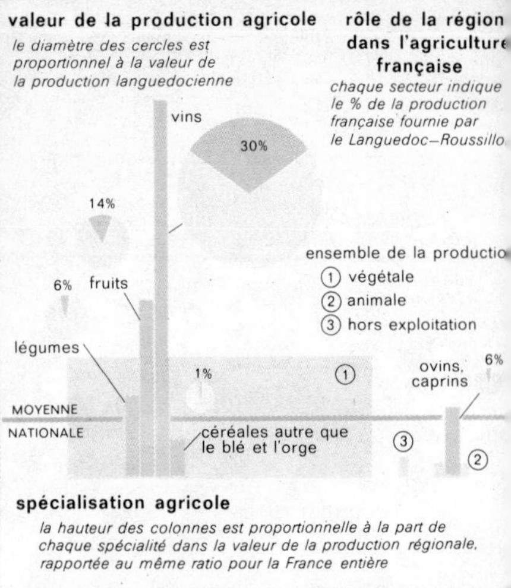
valeur de la production agricole
le diamètre des cercles est proportionnel à la valeur de la production languedocienne
rôle de la région dans l'agriculture française
chaque secteur indique le % de la production française fournie par le Languedoc-Roussillon
vins
30%
14%
6%
fruits
légumes
1%
ensemble de la production
① végétale
② animale
③ hors exploitation
ovins, caprins
6%
MOYENNE NATIONALE
céréales autre que le blé et l'orge
spécialisation agricole
la hauteur des colonnes est proportionnelle à la part de chaque spécialité dans la valeur de la production régionale, rapportée au même ratio pour la France entière

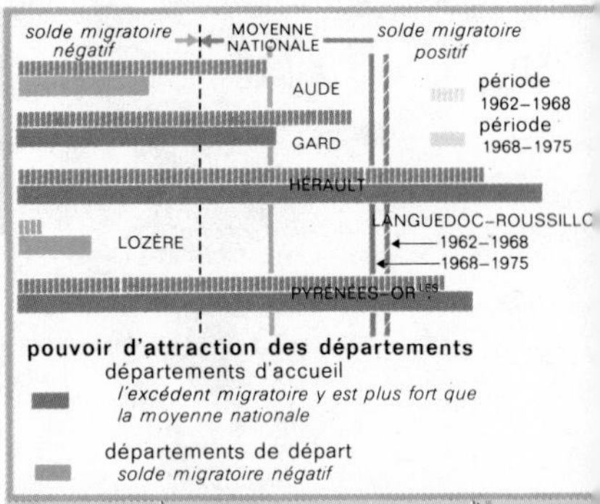
solde migratoire négatif
MOYENNE NATIONALE
solde migratoire positif
AUDE
GARD
HÉRAULT
LOZÈRE
PYRÉNÉES-OR[LES]
période 1962-1968
période 1968-1975
LANGUEDOC-ROUSSILLON
1962-1968
1968-1975
pouvoir d'attraction des départements
départements d'accueil
l'excédent migratoire y est plus fort que la moyenne nationale
départements de départ
solde migratoire négatif

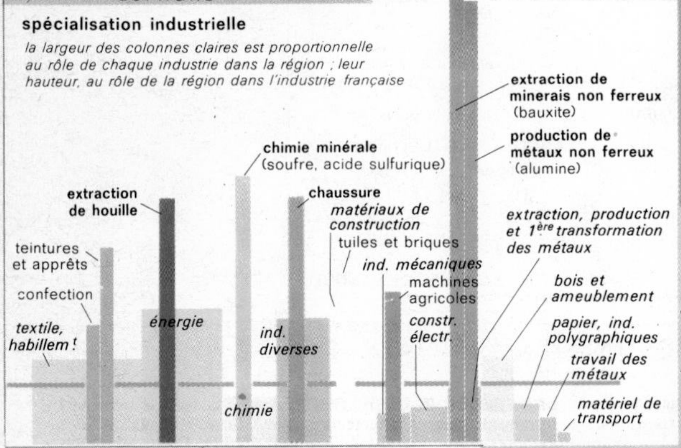
spécialisation industrielle
la largeur des colonnes claires est proportionnelle au rôle de chaque industrie dans la région ; leur hauteur, au rôle de la région dans l'industrie française
extraction de minerais non ferreux (bauxite)
production de métaux non ferreux (alumine)
chimie minérale (soufre, acide sulfurique)
extraction de houille
chaussure
matériaux de construction
tuiles et briques
ind. mécaniques
machines agricoles
constr. électr.
extraction, production et 1ère transformation des métaux
bois et ameublement
papier, ind. polygraphiques
travail des métaux
matériel de transport
teintures et apprêts
confection
textile, habillemt
énergie
ind. diverses
chimie

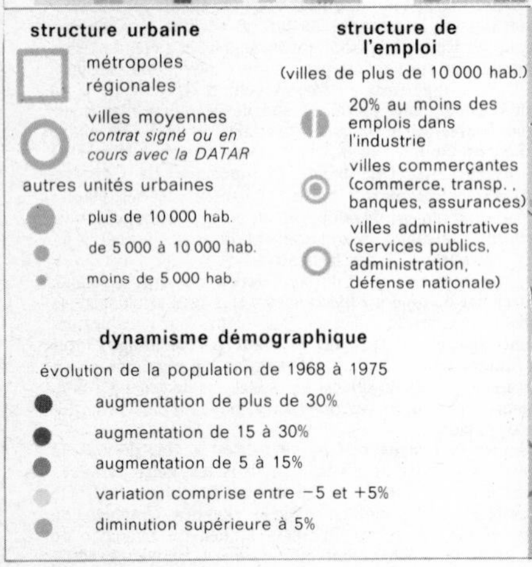
structure urbaine
métropoles régionales
villes moyennes
contrat signé ou en cours avec la DATAR
autres unités urbaines
plus de 10 000 hab.
de 5 000 à 10 000 hab.
moins de 5 000 hab.
structure de l'emploi
(villes de plus de 10 000 hab.)
20% au moins des emplois dans l'industrie
villes commerçantes (commerce, transp., banques, assurances)
villes administratives (services publics, administration, défense nationale)
dynamisme démographique
évolution de la population de 1968 à 1975
augmentation de plus de 30%
augmentation de 15 à 30%
augmentation de 5 à 15%
variation comprise entre −5 et +5%
diminution supérieure à 5%

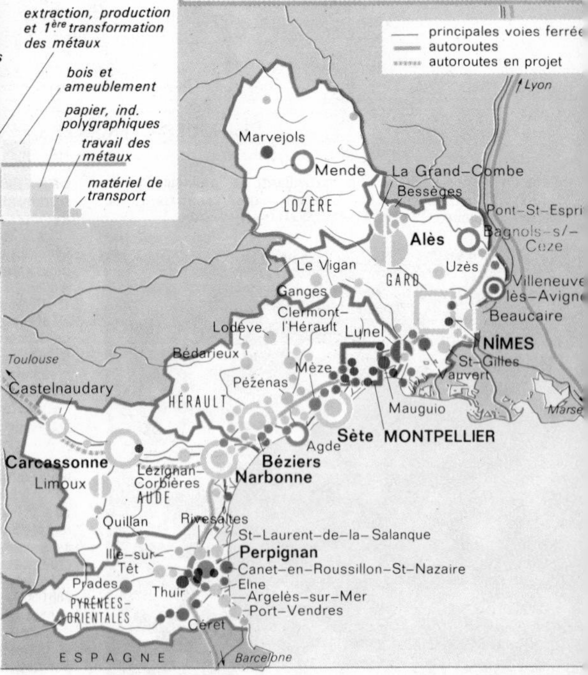
principales voies ferrées
autoroutes
autoroutes en projet
Lyon
Marvejols
Mende
LOZÈRE
La Grand-Combe
Bessèges
Pont-St-Esprit
Bagnols-s/-Cèze
Alès
Uzès
Le Vigan
GARD
Villeneuve-lès-Avignon
Ganges
Beaucaire
Clermont-l'Hérault
Lodève
Lunel
NÎMES
St-Gilles
Vauvert
Toulouse
Bédarieux
Mèze
Pézenas
Mauguio
Castelnaudary
HÉRAULT
Sète
MONTPELLIER
Agde
Carcassonne
Lézignan-Corbières
Béziers
Narbonne
Limoux
AUDE
Quillan
Rivesaltes
St-Laurent-de-la-Salanque
Perpignan
Ille-sur-Têt
Canet-en-Roussillon-St-Nazaire
Prades
Thuir
Elne
Argelès-sur-Mer
Port-Vendres
PYRÉNÉES-ORIENTALES
Céret
ESPAGNE
Barcelone

nale, et il existe des différences notables selon les secteurs. L'Aude, partiellement pyrénéenne, et surtout la Lozère sont peu peuplées, et leur évolution démographique récente a été négative. En revanche, les départements de plaine ont enregistré des gains sensibles, en particulier l'Hérault, qui regroupe aujourd'hui près de 40 p. 100 de la population régionale (moins du tiers au début du siècle). Cet essor correspond à celui des villes.

Dans l'économie rurale, la vigne demeure largement prédominante, occupant environ 40 p. 100 des terres agricoles et assurant plus de la moitié de la valeur de la production agricole; elle est surtout développée dans l'Hérault, puis dans l'Aude et le Gard. À côté de la production de masse de la plaine languedocienne, se juxtaposent quelques spécialisations (vins doux du Roussillon, blanquette de Limoux, muscats de Frontignan) qui ne rencontrent pas les mêmes difficultés d'écoulement. Ces difficultés ont provoqué une tentative de diversification des cultures, actuellement en cours — sous l'égide de la Compagnie nationale d'aménagement de la région du bas Rhône et du Languedoc —, visant à substituer au vignoble des cultures légumières et surtout fruitières grâce à l'extension de l'irrigation sur 250 000 ha. Sur les hauteurs demeurent localement la polyculture, à base céréalière, et surtout l'élevage ovin (notamment pour les fromageries voisines de Roquefort-sur-Soulzon).

L'industrie est encore peu développée. Les ressources naturelles sont réduites : l'extraction de la houille est condamnée, seules subsistent celle de la bauxite et la production du sel marin. Au point de vue énergétique, la Région possède une raffinerie de pétrole (Frontignan) et surtout des centrales électriques (hydroélectriques, thermiques et nucléaire) dans la vallée du Rhône. À côté de l'industrie du textile et des conserveries, disséminée, l'activité de transformation (constructions mécaniques et électriques, chimie) est concentrée dans les villes, notamment à Montpellier. Son développement est encore insuffisant pour assurer le plein-emploi, surtout celui des émigrés ruraux, qui se dirigent parfois vers le littoral, objet d'un équipement touristique de grande envergure — en cours depuis plus de dix ans —, dans le cadre fixé par une « mission interministérielle pour l'aménagement touristique du littoral du Languedoc-Roussillon ». Le développement touristique intéresse aussi l'intérieur avec la création du parc national des Cévennes. Entre les zones de loisirs que tendent à devenir l'ancien pays montagnard et surtout la côte, s'intercale l'axe vital régional Béziers-Montpellier-Nîmes, vers Avignon.

LANGUIDIC (56440), comm. du Morbihan, à 11 km au N.-E. d'Hennebont; 5 330 hab. Industries alimentaires.

LANJUINAIS (Jean Denis, *comte*), homme politique français (Rennes 1753 - Paris 1827). Avocat, député du Tiers État en 1789, il est l'un des fondateurs du Club breton (v. JACOBINS). Conventionnel (1792), proscrit avec les Girondins (1793), il rentre après Thermidor (1794) et contribue à la paix religieuse. Sénateur en 1800, il vote contre l'Empire. Durant la Restauration, il est, à la Chambre des pairs, l'un des chefs libéraux.

LANMEUR (29227), ch.-l. de cant. du Finistère, à 13,5 km au N.-E. de Morlaix; 2 113 hab. Chapelle de Kernitron (XIIe-XVIe s.).

Lann-Bihoué, aéroport, à 6 km de Lorient. Base aéronavale.

LANNEMEZAN *(plateau de)*, région du sud du Bassin aquitain, cône de déjection fluvio-glaciaire au pied des Pyrénées, d'où divergent la Baïse, le Gers et la Save.

LANNEMEZAN (65300), ch.-l. de cant. des Hautes-Pyrénées, au S. du *plateau de Lannemezan*, à 36 km au S.-E. de Tarbes; 8 499 hab. Aluminium. Cimenterie.

LANNES (Jean), duc **de Montebello**, maréchal de France (Lectoure 1769 - Vienne 1809). Engagé en 1792, général dans l'armée d'Italie, blessé à Arcole (1796), il commande la garde consulaire (1800) et sa victoire à Montebello permet celle de Marengo. Commandant le 5e corps, il eut un rôle important à Austerlitz, essentiel à Iéna et à Friedland, mais, après avoir dirigé le siège de Saragosse, il fut mortellement blessé à Essling.

LANNILIS (29214), ch.-l. de cant. du Finistère, dans le Léon, à 23 km au N. de Brest; 3 686 hab.

LANNION (22300), ch.-l. d'arr. des Côtes-du-Nord, à 32 km au N.-O. de Guingamp; 17 936 hab. *(Lannionnais).* Églises Saint-Jean-du-Baly, des XVIe-XVIIe s., et de Brélévenez, romane et gothique. Port sur le Léguer. Centre national d'études des télécommunications (C. N. E. T.). Constructions électriques.

LANNOY (59390 Lys lez Lannoy), ch.-l. de cant. du Nord, dans la banlieue sud-est de Roubaix; 1 355 hab.

LANOUAILLE (24270), ch.-l. de cant. de la Dordogne, à 17 km au S. de Saint-Yrieix-La Perche; 1 026 hab.

LANREZAC (Charles), général français (Pointe-à-Pitre 1852 - Neuilly-sur-Seine 1925). Commandant la Ve armée à Charleroi, il fut vainqueur à Guise (1914), mais il fut remplacé par Franchet d'Esperey en raison de sa mésentente avec French.

LANS-EN-VERCORS (38250 Villard de Lans), comm. de l'Isère, à 8 km au N.-E. de Villard-de-Lans; 946 hab. Station climatique et de sports d'hiver (alt. 1 020-1 300 m).

LANSING, v. des États-Unis, capit. du Michigan, au N.-O. de Detroit; 132 000 hab. Université.

LANSLEBOURG-MONT-CENIS (73480), ch.-l. de cant. de la Savoie, sur l'Arc, au pied du *mont Cenis;* 526 hab. (V. VAL CENIS.)

LANSLEVILLARD (73480 Lanslebourg Mont Cenis), comm. de la Savoie, sur l'Arc, près du Mont-Cenis; 306 hab. Chapelle du XVe s. avec peintures murales. (V. VAL CENIS.)

LANSON (Gustave), professeur français (Orléans 1857 - Paris 1934). Il appliqua la méthode comparative et historique à l'étude des œuvres littéraires (*Histoire de la littérature française,* 1894).

LANTA (31570), ch.-l. de cant. de la Haute-Garonne, à 19 km à l'E. de Toulouse; 908 hab.

LAN-TCHEOU ou **LANZHOU**, v. de Chine, capit. du Kan-sou, sur le Houang-ho; 700 000 hab. Textile. Raffinage du pétrole.

LANTHANE. — C'est le premier élément du groupe des terres rares, de numéro 57 et de masse atomique La = 138,92. C'est un solide de couleur gris fer, de densité 6,1, fondant à 885 °C.

LANTOSQUE (06450), ch.-l. de cant. des Alpes-Maritimes, sur la Vésubie, à 15 km au S.-E. de Saint-Martin-Vésubie; 884 hab.

LANTZ (Lazare), industriel et administrateur français (Mulhouse 1823 - *id.* 1909). Maire de Mulhouse, de 1850 à 1903, et président du Consistoire israélite de cette ville, il incarne, à partir de 1871, la résistance mulhousienne aux Allemands.

LANÚS, agglomération de la banlieue sud de Buenos Aires; 450 000 hab.

LANVÉOC (29160 Crozon), comm. du Finistère, sur la rive sud de la rade de Brest; 2 835 hab. Siège de l'École navale depuis 1961.

LANVIN (Jeanne), couturière française (Paris 1867 - *id.* 1946). Elle ouvrit sa maison de couture en 1889 et marqua l'entre-deux-guerres par une élégance de bon ton, éloignée de toute excentricité. En 1927, elle lança *Arpège,* un parfum de renommée mondiale. Dès 1926, elle avait confié à un neveu un rayon de chemiserie pour hommes. En 1968, s'ouvrit Lanvin 2, qui diffusa un prêt-à-porter masculin de luxe, et, en 1969, la maison Jeanne Lanvin, devenue Lanvin, ouvrit boutique.

LANVOLLON (22290), ch.-l. de cant. des Côtes-du-Nord, à 16 km au N.-E. de Guingamp; 1 479 hab.

LANZA DEL VASTO (Joseph Jean LANZA DI TRABIA-BRANCIFORTE, dit), écrivain français d'origine italienne (San Vito dei Normanni 1901). Il concilie la foi chrétienne et l'expérience de Gāndhī pour faire de la non-violence le moyen d'échapper aux servitudes matérielles et spirituelles du monde moderne (*le Pèlerinage aux sources,* 1944; *Approches de la vie intérieure,* 1962; *la Conversion par contrainte logique,* 1974).

LANZAROTE, île de l'archipel des Canaries; 40 000 hab.

LAO CHE ou **LAO SHE** (CHOU K'ING-TCH'OUEN, dit), écrivain chinois (Pékin 1898 - *id.* v. 1966). Après avoir pris une part active à la résistance contre les Japonais et avoir enseigné à l'étranger (Londres et Harvard), il se fixa, en 1949, dans son pays, où il apparut comme une des principales figures de la littérature moderne et populaire, par ses romans (*Journal de la cité des chats,* 1933; *Monsieur Wen, docteur ès lettres,* 1940) et son théâtre (*Tch'ang-an dans l'Ouest,* 1956). Maltraité par les gardes rouges lors des émeutes de la « révolution culturelle », il se suicida.

LAOCOON, héros de la légende grecque qui voulut empêcher les Troyens d'introduire dans leur ville le fameux cheval de bois à l'intérieur duquel les Grecs avaient caché les meilleurs de leurs guerriers. Victime de la vengeance de la déesse Athéna, il mourut étouffé, avec ses deux fils, par des serpents.

Laocoon, groupe antique du musée du Vatican, dû à trois sculpteurs rhodiens, dont l'activité a été située — grâce aux statues trouvées à Sperlonga (Latium) — dans la seconde moitié du IIe s. av. J.-C. Découverte en 1506, la sculpture rejoignit les collections du pape Jules II, qui en confia la restauration à Michel-Ange; celui-ci ne put l'achever, mais s'en inspira pour l'*Esclave rebelle.* Dès sa mise au jour, l'œuvre, par son modelé expressif, son intensité dramatique, marqua de nombreux sculpteurs et peintres, qui virent en elle la perfection des œuvres de l'Antiquité. Elle suscita également des ouvrages de critique esthétique, dont celui de G. Lessing : *Laokoon oder über die Grenzen der Malerei und Poesie* (1766). L'ensemble a été restauré en 1960 et les attitudes originales des bras ont été rétablies.

LAODICÉE, nom de plusieurs villes anciennes, dont les plus importantes sont : *Laodicée de Phrygie,* fondée par Antiochos II (de 261 à 246), et qui fut une des premières métropoles chrétiennes;

Laodicée de Syrie, fondée par Séleucos Ier (de 246 à 226); c'est l'actuelle *Lattaquié.*

LAON (02000), ch.-l. du départ. de l'Aisne, à 130 km au N.-E. de Paris; 30 168 hab. *(Laonnois).* Constructions mécaniques. Confection.

BEAUX-ARTS. Remparts et portes (XIIIe s.) de la ville haute, qui possède divers monuments élevés au milieu du XIIe s. (chapelle octogonale des Templiers) ou entrepris à la même époque (église Saint-Martin; palais de justice, anc. évêché), et surtout une insigne cathédrale gothique, commencée v. 1160 (élévation à quatre étages; triforium-galerie de passage; voûtes sexpartites) et poursuivie au début du XIIIe s. (nouveau chœur allongé; façade d'une superbe plasticité, comme les quatre tours); elle possède des vitraux du XIIIe s., mais la sculpture de ses portails a été refaite au XIXe. Musée (archéologie, beaux-arts).

LAOS, État de l'Asie du Sud-Est, à l'ouest du Viêt-nam; 236 800 km^2; 3 257 000 hab. *(Laotiens).* Capit. *Vientiane.*

GÉOGRAPHIE. Le Laos est marqué par un relief essentiellement montagneux. Les plaines se concentrent le long de la vallée du Mékong, puissant fleuve au débit irrégulier, qui forme la frontière avec la Thaïlande. Le climat de mousson, aux abondantes pluies d'été, permet la croissance d'une forêt dense, plus ou moins dégradée en savane. La population est encore peu nombreuse, mais elle s'accroît rapidement. Elle est très faiblement urbanisée, l'agriculture restant le secteur principal de l'économie. De petites exploitations traditionnelles, peu intensives, fournissent du riz, base de l'alimentation, les cultures commerciales (café) étant peu développées. La forêt (teck) apporte un complément de ressources. Le sous-sol recèle de l'étain, principal produit d'exportation. Mais l'industrie est peu importante, Vientiane regroupant l'essentiel des activités. Le pays, qui doit importer la majeure partie des biens de consommation, souffre de son absence de débouché maritime. Le lourd déficit de sa balance commerciale (les exportations représentent moins du dixième des importations) n'a été comblé que grâce à l'aide étrangère.

LAOS

HISTOIRE. L'histoire du Laos (qui avait jusqu'alors fait partie du royaume du Cambodge puis de celui, siamois, du Sukhotai) commence véritablement en 1353, avec la fondation du royaume indépendant de Lan Xang, œuvre d'un prince lao, Fa Ngum, qui, aidé par les Khmers, se fait sacrer roi, en 1353, à Luang Prabang. Le nouvel État accentue l'emprise de la culture indianisée dans le haut Mékong, où s'impose le bouddhisme cinghalais.

De 1373 à 1548, les successeurs de Fa Ngum travaillent à unifier le royaume, mettant la main, notamment, sur le Lan Na : annexion qui provoque, au XVIe s., de nombreuses incursions birmanes, lesquelles obligent le roi à s'installer à Vientiane. Les Birmans n'en imposent pas moins leur suzeraineté au Laos de 1574 à 1591. Par la suite, des compétitions dynastiques sanglantes aboutissent à la division du Lan Xang en trois royaumes rivaux : Luang Prabang, qui subit l'influence d'Ayuthia; Ventiane, vassal du Viêt-nam; Champassak, vassal du Cambodge. En 1795, Luang Prabang tombe sous la coupe du Siam, qui y impose des souverains de son choix. Les incursions birmanes et le protectorat siamois amènent le Laos à se mettre sous la protection de la France qui, à la suite de longues tractations avec le Siam, devient puissance protectrice. Occupé par les Japonais et amputé, au profit du Siam, des territoires de la rive droite du Mékong durant la Seconde Guerre mondiale (1940-1945), le royaume est travaillé par les mouvements d'indépendance. Aussi, en 1946, obtient-il une autonomie interne qui permet de réaliser l'unité lao.

En 1949, le Laos est indépendant. Mais, très vite, il est entraîné dans la guerre d'Indochine*. Aux forces du Pathet Lao (communistes) du prince Souphanouvong s'opposent les neutralistes du prince Souvanna Phouma, chef du gouvernement à partir de 1962, et les partisans de l'autorité royale regroupés autour du prince Boun Oum. Les victoires successives des forces révolutionnaires aboutissent en 1973 à la signature d'un accord de cessez-le-feu entre le prince Souvanna Phouma et le Pathet Lao, puis à l'installation d'un gouvernement d'union nationale, rapidement dominé par les partisans de Souphanouvong. En 1975, ceux-ci abolissent la monarchie et proclament la république populaire du Laos, dont Souphanouvong devient le président.

LAO-TSEU ou **LAOZI,** lettré chinois (VIe ou Ve s. av. J.-C.). Selon diverses légendes Lao-tseu aurait été archiviste à la cour des Tcheou, où il aurait connu K'ong-tseu* (Confucius). Il lui aurait même enseigné sa doctrine. Rebuté par la décadence de son époque, il serait parti vers l'Occident et aurait dicté le *Tao-tö king** aux gardiens de la frontière du royaume (V. TAOÏSME).

LAPALISSE (03120), ch.-l. de cant. de l'Allier, à 26 km au N.-E. de Vichy; 3 775 hab. Château des XVe-XVIe s. (tapisseries).

LAPAOURI (Aleksandr), danseur et chorégraphe soviétique (Moscou 1926-*id.* 1975). Il incarnait le modèle du danseur dans la tradition du Bolchoï.

LA PASTURE (Rogier DE) → VAN DER WEYDEN (ROGIER).

LA PATELLIÈRE (Amédée DE) → EXPRESSIONNISME.

LA PÉROUSE (Jean François DE GALAUP, *comte* DE), marin français (Le Guo 1741-île de Vanikoro 1788). Héros de la guerre de l'Indépendance américaine, il reçoit de Louis XVI, en 1785, le commandement d'une expédition de découverte, qui aborde à l'île de Pâques et aux Hawaii (1786), d'où La Pérouse gagne Macao, les Philippines, l'île Sakhaline, la Corée, le Kamtchatka (1787). De là, il redescend vers le Pacifique. Il aurait péri, massacré par les indigènes, sur les plages de l'île Vanikoro.

LAPERRINE (Henry), général français (Castelnaudary 1860 - au Sahara 1920). Ami du P. de Foucauld*, il pacifia, de 1902 à 1910, le territoire des Oasis et créa les compagnies sahariennes. Commandant les territoires sahariens en 1916, puis la division d'Alger en 1919, il mourut dans un accident d'avion.

LAPICQUE (Louis), physiologiste français (Épinal 1866-Paris 1952). Il a découvert la chronaxie et étudié l'excitabilité électrique des neurones.

LAPICQUE (Charles), peintre et théoricien français (Theizé, Rhône, 1898), fils du précédent. D'abord ingénieur, attiré par la valeur expressive et lyrique de la couleur pure, mais aussi intéressé par l'étude scientifique de ces phénomènes, il atteint, par le jeu baroquisant de petites surfaces contrastées, dans une œuvre qui mêle réel et imaginaire, à un dynamisme très personnel.

LAPIDAIRE. — Traités sur les propriétés des pierres précieuses, les lapidaires furent un des genres les plus florissants de la poésie didactique*, aux XIIe et XIIIe s.

LAPIÉ → KARSTIQUE *(relief).*

LAPITHES, peuple thessalien dont l'origine est légendaire. Réputés pour leur habileté à dompter les chevaux, les Lapithes, conduits par leur roi Pirithoos, vainquirent les Centaures*, mais furent exterminés par Héraclès*.

LAPLACE (Pierre Simon, *marquis* DE), astronome, mathématicien et physicien français (Beaumont-en-Auge, Normandie, 1749-Paris 1827). Il participa à l'élaboration des statuts de l'École polytechnique et de l'École normale. Napoléon, qui l'avait pris au lendemain du 18-Brumaire comme ministre de l'Intérieur, le combla d'honneurs et le nomma comte (1806). Sénateur sous l'Empire, il sera pair de France sous la Restauration, et Louis XVIII le fera marquis. On lui doit d'innombrables travaux en mathématiques pures, principalement en analyse, ainsi que dans le calcul des probabilités, en mécanique céleste et en physique. Dans son *Exposition du système du monde* (1796), il développa sa célèbre hypothèse cosmogonique sur l'origine du système solaire. Il fit, avec Lavoisier*, les premières mesures calorimétriques relatives aux chaleurs spécifiques et aux réactions chimiques. Il conçut une théorie générale de la capillarité et formula les deux lois fondamentales de l'électromagnétisme.

Laplace-Gauss *(loi de),* loi de probabilité* d'une variable* aléatoire continue X susceptible de prendre toute valeur réelle x et telle que la probabilité que X soit inférieure à x est

$$P(X < x) = \int_{-\infty}^{x} f(t)\,dt, \quad \text{avec} \quad f(t) = \frac{1}{\sqrt{2\pi}\,.\,\sigma} e^{-\frac{1}{2}\cdot\frac{(t-m)^2}{\sigma^2}}.$$

La fonction $f(t)$ est la *densité de probabilité* de X, σ l'*écart type,* et m la *moyenne* ou l'*espérance** de X. Toutes ces données définissent mathématiquement la loi de Laplace-Gauss, ou *loi normale*. La courbe représentative des variations de la fonction f est la courbe *en cloche*. L'aire totale comprise entre la courbe et l'axe des abscisses est égale à 1. Les valeurs de ces probabilités sont données dans des tables, pour t variant de 0 à 3,49, car $P(X < 3{,}49) = 0{,}999\,8$, ce qui est presque égal à 1. À partir de 3,90, on prend 1 comme probabilité.

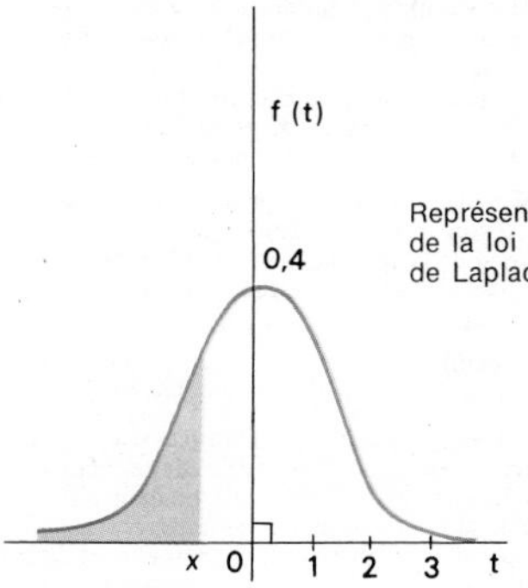

Représentation de la loi de Laplace-Gauss.

Le champ d'application de la loi normale est vaste, car un grand nombre de variables aléatoires peuvent bénéficier d'une telle représentation. D'autre part, la loi binomiale et la loi de Poisson, auxquelles obéissent de nombreuses variables aléatoires, peuvent être assimilées à une loi normale, dans certaines conditions.

LAPLEAU (19550), ch.-l. de cant. de la Corrèze, à 18 km au S.-E. d'Égletons; 542 hab.

LAPLUME (47310), ch.-l. de cant. de Lot-et-Garonne, à 13,5 km au S.-O. d'Agen; 1 101 hab. Église gothique du XVIe s.

LAPONIE, nom donné à la partie septentrionale de l'Europe, s'étendant au-delà du cercle polaire, de l'Atlantique à la mer Blanche (Norvège, Suède, Finlande et U. R. S. S.), et habitée (au moins partiellement) par les *Lapons.*

LAPOUTROIE (68650), ch.-l. de cant. du Haut-Rhin, à 19 km au N.-O. de Colmar; 1 806 hab.

LAPPARENT (Albert COCHON DE), géologue français (Bourges 1839-Paris 1908). Ingénieur des mines, membre de l'Académie des sciences en 1897, il est l'auteur de différents traités et manuels. — Son fils, JACQUES (Paris 1883-*id.* 1948), se spécialisa en pétrographie; on lui doit les *Leçons de pétrographie* (1923).

LAPPEENRANTA, v. du sud-est de la Finlande; 51 000 hab.

LAPSI. — Lors des persécutions de Decius*, en 250, beaucoup de chrétiens acceptèrent ou firent semblant d'accepter de sacrifier aux dieux de Rome, ce geste étant exigé de l'autorité impériale comme preuve de civisme. Après la persécution, l'Église se trouva confrontée au problème de la réintégration des *lapsi* (c'est-à-dire ceux qui avaient failli). Cette question, par l'opposition qu'elle fit naître entre les partisans de la sévérité et ceux de l'indulgence, joua un rôle important dans l'histoire de la discipline de la pénitence et ne fut définitivement résolue qu'au IVe s., lors du schisme donatiste. (V. DONATISME.)

LAPSUS → ACTE MANQUÉ.

LAQUE. — Une laque se prépare par fixation d'une matière* colorante organique, soluble, naturelle ou artificielle, sur un support généralement minéral (sulfate de baryum, alumine), mais on tend aujourd'hui à remplacer les laques par des pigments organiques insolubles. On appelle aussi « laque » un vernis* naturel, comme la laque de Chine, préparée à partir de la sève du laquier, et, par généralisation impropre, « peinture-laque » ou « vernis-laque » un produit donnant des feuils ayant l'apparence d'une laque naturelle par suite de son brillant spéculaire et de sa finesse de broyage.

En Chine, les premiers laques remontent aux Tcheou (v. 300 av. J.-C.), alors que la technique existe déjà sous les Chang. Dès les Han, la production des ateliers impériaux — au répertoire décoratif extrêmement libre — est exportée en Chine du Sud et en Corée. Elle demeure de grande qualité sous les T'ang et les Song : époque à laquelle apparaissent les objets travaillés dans des couches de différentes couleurs. Le laque atteint son apogée sous les Yuan (XIVe s.) et les Ming (XVe s.). Les armoires ornées de paysages, de la fin du XVIIe s., sont les dernières créations de cet art, qui sombre dans la virtuosité technique et la surcharge décorative. Au Japon, la formation d'un véritable art national du laque remonte à l'époque Heian. Sur une âme d'argile, les statues, modelées dans des tissus de chanvre imprégnés de laque, sont ensuite dorées ou polychromées. Le laque connaît alors un extraordinaire développement (objets usuels, mobilier, revêtement mural...) et une rare perfection, surtout dans le laque d'or *(makie),* dont Kōetsu* et Kōrin* sont les plus brillants représentants. Au XVIIIe s., la production, comme en Chine, dégénère dans un excès de raffinement. L'engouement français pour cette technique date de la même époque et suscite de très belles créations de l'art du meuble.

LAQUEDIVES *(îles),* archipel indien de la mer d'Oman, à 300 km environ de la côte de Malabār, partie du territoire de Laksha Dvīpa.

LA QUINTINIE (Jean DE), agronome français (Chabanais 1626-Versailles 1688). D'abord avocat, il se consacre ensuite à l'arboriculture. Ses expériences et ses observations pratiques, ainsi que l'invention d'instruments nouveaux, lui valent d'être nommé, en 1673, intendant des jardins à fruits de Louis XIV, puis directeur des jardins fruitiers et potagers de toutes les demeures royales. Il a créé les vergers de Versailles, Chantilly, Vaux, Sceaux et Rambouillet.

LARACHE, en ar. **al-Arā'ich,** port du Maroc, sur l'Atlantique; 46 000 hab.

LARAGNE-MONTÉGLIN (05300), ch.-l. de cant. des Hautes-Alpes, sur le Buech, à 17,5 km au N.-O. de Sisteron; 3 898 hab.

LARBAUD (Valery), écrivain français (Vichy 1881-*id.* 1957). Grand voyageur à l'esprit raffiné, il fit connaître à l'étranger la littérature française contemporaine et révéla au public français des écrivains comme S. Butler, Conrad et Joyce, qu'il traduisit et dont il imita le « monologue intérieur » dans *Amants, heureux amants* (1926). Son cosmopolitisme se manifeste dans ses récits (*Fermina Marquez,* 1911; *A. O. Barnabooth, poésies et journal intime,* 1913) et ses essais critiques (*Ce vice impuni, la lecture,* 1925).

LARCHANT (77132), comm. de Seine-et-Marne, à 8 km à l'O. de Nemours; 505 hab. Église des XIIe-XIVe s.

LARCHE *(col de)* ou **ARGENTIÈRE** *(col de l'),* col des Alpes-de-Haute-Provence, à la frontière italienne, menant de la haute vallée de l'Ubaye à celle de la Stura (vers Cuneo); 1 997 m.

LARCHE (19600), ch.-l. de cant. de la Corrèze, sur la Vézère, à 11 km au S.-O. de Brive-la-Gaillarde; 933 hab.

LARDERELLO, localité d'Italie, en Toscane (prov. de Pise). Vapeurs naturelles *(soffioni)* utilisées par des centrales électriques géothermiques.

LARDIN-SAINT-LAZARE (Le) [24570 Condat le Lardin], comm. de la Dordogne, sur la Vézère; 2 048 hab. Papeterie (dite « de Condat », localité voisine).

LARE. — Les lares étaient surtout des divinités protectrices du foyer. Il y avait un lare par foyer *(lar familiaris).* Aux lares domestiques s'ajoutaient de multiples lares publics, tels les *lares compitales,* dieux tutélaires des carrefours de campagne, ou les *lares viales,* protecteurs des routes.

LAREDO, station balnéaire d'Espagne (prov. de Santander), sur le golfe de Gascogne; 8 000 hab.

LA RÉVELLIÈRE-LÉPEAUX (Louis Marie DE), homme politique français (Montaigu 1753-Paris 1824). Avocat, député du tiers aux États généraux (1789), Conventionnel girondin, il échappe aux poursuites des robespierristes (1794). Directeur (1795), il protège le culte non chrétien des théophilanthropes. Auteur, avec Barras et Rewbell, du coup d'État du 18 fructidor (sept. 1797), il appelle à une croisade antibritannique. Obligé de démissionner en juin 1799, il refuse de servir Bonaparte.

LA REYNIE (Gabriel Nicolas DE), administrateur français (Limoges 1625-Paris 1709). Lieutenant de police de Paris (1667), il fit beaucoup pour assurer à la capitale sécurité et hygiène.

LARGENTIÈRE (07110), ch.-l. d'arr. de l'Ardèche, à 17 km au S.-O. d'Aubenas; 2 082 hab. Château du XVe s. Mine de plomb argentifère.

LARGILLIÈRE ou **LARGILLIERRE** (Nicolas DE), peintre français (Paris 1656-*id.* 1746). Formé à Anvers, il travaille à Londres (où Lely lui transmet la leçon de Van Dyck), puis s'installe à Paris (1682). Protégé de Le Brun, il devient le peintre officiel de la Ville de Paris et le grand portraitiste de la bourgeoisie, au style souple et brillant (*la Belle Strasbourgeoise,* 1703, musée de Strasbourg).

LARGO CABALLERO (Francisco), homme politique espagnol (Madrid 1869 - Paris 1946). Socialiste, il contribua à l'avènement de la République et devint ministre du travail en 1931. Il fut chef du gouvernement républicain de septembre 1936 à mai 1937, et s'exila après la victoire de Franco.

LARGUE → VOILIER.

LARIBOISIÈRE ou **LA RIBOISIÈRE** (Jean Ambroise BASTON, *comte* DE), général français (Fougères 1759 - Königsberg 1812). Commandant l'artillerie de la garde en 1807, il se distingua à Wagram et mourut d'épuisement à la fin de la campagne de Russie.

LARIONOV (Mikhaïl Fedorovitch), peintre français d'origine russe (Tiraspol 1881 - Fontenay-aux-Roses 1964). Au-delà de l'influence de l'impressionnisme, du cubisme et du futurisme, il crée, en 1911, avec N. Gontcharova*, le *rayonnisme* (le *Manifeste rayonniste* est publié en 1913), qui, par la primauté accordée au rapport dynamique des couleurs, apparaît comme une des premières manifestations abstraites. De 1916 à 1922, il se consacre au décor des Ballets russes de Diaghilev.

LÁRISSA, v. de Grèce, la plus grande de la Thessalie; 72 000 hab. Site éponyme d'un faciès du néolithique final grec. Vestiges antiques. Sucrerie.

LARIVEY (Pierre DE), écrivain français (Troyes v. 1540 - *id.* v. 1619). Il introduisit en France le style et les types de la comédie italienne dans des comédies en prose (*les Esprits,* 1579; *les Tromperies,* 1611), qui inspirèrent Molière et Regnard.

LARME → LACRYMAL *(appareil).*

LARMOR (*sir* Joseph), mathématicien et physicien irlandais (Magheragall, comté d'Antrim, 1857 - Holywood, Irlande, 1942). Auteur de travaux sur l'électrodynamique et la relativité, il a montré que les électrons devaient, en vertu de leur inertie, posséder une masse.

LARMOR-PLAGE (56260), comm. du Morbihan, à 6 km au S. de Lorient; 5 408 hab. Station balnéaire.

LA ROCHEFOUCAULD (François VI, *duc* DE), écrivain français (Paris 1613 - *id.* 1680). Mêlé très jeune aux intrigues de la Cour, il fut entraîné dans la Fronde par la duchesse de Longueville. Grièvement blessé au combat de la porte Saint-Antoine, il obtint son pardon du roi et mena une vie purement mondaine, fréquentant les salons de Mme de Sablé et surtout de Mme de La Fayette*, qu'il conseilla dans la composition de ses romans et qui adoucit l'amertume de ses réflexions sur la nature humaine. Si ses *Mémoires contenant les brigues pour le gouvernement à la mort de Louis XIII* parurent sans son aveu en 1662, il donna plusieurs éditions de ses *Réflexions ou Sentences et Maximes* morales* (1664-1678), dans lesquelles il s'inspire des débats sur la doctrine augustinienne pour exprimer son dégoût d'un monde où les meilleurs sentiments sont en fin de compte dictés par l'intérêt.

LA ROCHEFOUCAULD-LIANCOURT (François Alexandre, *duc* DE), philanthrope français (La Roche-Guyon 1747 - Paris 1827). Éducateur pionnier et fondateur d'une ferme modèle, membre du Conseil des hospices en 1816, il développe une activité philanthropique multiforme en faveur des enfants au travail, des vieillards, des esclaves des colonies et des prisonniers.

LA ROCHEJAQUELEIN (Henri DU VERGIER, *comte* DE), chef vendéen (château de la Durbellière 1772 - Nuaillé 1794). Cousin du marquis de Lescure, il soulève les Mauges. Battu à Cholet (oct. 1793), il se replie sur la Loire. Général en chef des troupes vendéennes, il marche sur Granville, mais, de nouveau battu à Savenay (déc.), il se livre à la guérilla. Il est tué par un « bleu » qui venait de se rendre.

LAROCHE-SAINT-CYDROINE (89400 Migennes), comm. de l'Yonne, sur l'Yonne, à 6,5 km à l'E. de Joigny; 1 323 hab. Centre ferroviaire *(Laroche-Migennes).*

LA ROCQUE (François, *comte* DE), homme politique français (Lorient 1886 - Paris 1946). Président des Croix-de-Feu (1931), il créa, après la dissolution des ligues en 1936, le parti social français (qu'il reconstitua, en 1940, sous le nom de « Progrès social français ») et prit la direction du *Petit Journal.*

LAROQUEBROU (15150), ch.-l. de cant. du Cantal, sur la Cère, à 25 km à l'O. d'Aurillac; 1 082 hab. Église du XIVe s.

LAROQUE-TIMBAUT (47340), ch.-l. de cant. de Lot-et-Garonne, à 16,5 km au N.-E. d'Agen; 1 064 hab. Chapelle du XVe s.

LAROUSSE (Pierre), grammairien, lexicographe et éditeur français (Toucy 1817 - Paris 1875). Directeur d'école primaire, il publie, à partir de 1849, de nombreux ouvrages pédagogiques qui renouvellent les méthodes de l'enseignement primaire. En 1852, il fonde, avec Augustin Boyer, la Librairie Larousse. À partir de 1866, il entreprend la publication du *Grand Dictionnaire universel du XIXe siècle,* monumental ouvrage encyclopédique (1866-1876, 15 vol., suivis de deux suppléments en 1878 et en 1888).

LARRA (Mariano José DE), écrivain espagnol (Madrid 1809 - *id.* 1837), journaliste satirique et auteur de récits et de drames romantiques (*Macías,* 1834).

LARREY (Dominique, *baron*), chirurgien militaire français (Beaudéan, près de Bagnères-de-Bigorre, 1766 - Lyon 1842). Médecin à l'armée du Rhin (1792), il devint chirurgien en chef de la Grande Armée, qu'il suivit dans toutes ses campagnes jusqu'à Waterloo, où il fut blessé.

LARSA, v. de Mésopotamie, à l'emplacement de l'actuel Senker, en Iraq. Rivale d'Our*, qu'elle conquiert, la dynastie de Larsa exerce son hégémonie entre 1822 et 1763 av. J.-C., avant de tomber sous les coups d'Hammourabi. Ziggourat, palais, temple du dieu-soleil Shamash, avec ses archives, plus d'une centaine de tablettes en cunéiforme, reliefs, etc., ont été dégagés grâce aux travaux d'une mission archéologique française.

LARTET (Édouard), paléontologue et préhistorien français (Saint-Guiraud, Castelnau-Barbarens, 1801 - Seissan 1871). Sa découverte d'un singe fossile, en 1834, dans le gisement tertiaire de Sansan (Gers), et ses propositions de classification des gisements préhistoriques, basées sur les restes de mammifères ayant coexisté avec l'homme, en font l'un des fondateurs de la paléontologie humaine.

LARTIGUE (Jacques Henri), photographe français (Courbevoie 1896). Toute son œuvre demeure le reflet de l'insouciance, de la joie de vivre et de la spontanéité de l'enfant talentueux qu'il était, à l'aube du siècle, lorsqu'il réalisa ses premières images. Parmi plusieurs albums citons : *Instants de ma vie* (1973).

LARUNS (64440), ch.-l. de cant. des Pyrénées-Atlantiques, sur le gave d'Ossau, à 36 km au S. de Pau; 1 612 hab.

LARVE. — Il est exceptionnel qu'un jeune animal ait, au sortir de l'œuf, l'aspect et les proportions de l'adulte. Mais on ne désigne le jeune sous le nom de « larve » que lorsqu'il diffère beaucoup de l'adulte, tant par l'absence de certains organes (ailes chez les insectes, appareil reproducteur fonctionnel chez tous les animaux) que par l'existence d'« organes larvaires », qui disparaîtront ensuite : ventouses abdominales des chenilles, branchies et queue des têtards, etc. Le passage de l'état de larve à l'état adulte est la métamorphose*, particulièrement nette lorsqu'elle a lieu pendant une période d'inactivité extérieure (nymphose* des insectes supérieurs) ou lorsque l'adulte se forme à partir d'une petite partie seulement de l'organisme larvaire (échinodermes : oursin formé dans le plutéus). Il n'y a, bien souvent, aucune ressemblance entre la larve et l'adulte, ni dans la forme, ni dans le milieu de vie, ni dans le régime alimentaire, et il a fallu des siècles d'observation zoologique pour attribuer à chaque espèce adulte la larve qui lui convenait. La vie larvaire est d'ailleurs parfois beaucoup plus longue que la vie adulte (chez la cigale américaine, dix-sept ans contre trois semaines), celle-ci n'ayant qu'une fonction reproductrice : ainsi, le bombyx du mûrier ne peut pas se nourrir à l'état adulte. Lorsque cette fonction peut être exercée par la larve, l'âge adulte disparaît ou devient accidentel (axolotl*). Il y a alors néoténie*. Les transformations suivantes s'observent fréquemment :

— larve nageuse et adulte fixé (anatife, balane);
— larve fixée et adulte nageur (hydroméduse);
— larve libre et adulte parasite (sacculine);
— larve parasite et adulte libre (ichneumon, chalcidiens, cynips);
— larve aquatique et adulte terrestre (crapaud, rainette, moustique, libellule).

Notons enfin que la larve âgée est souvent plus grande et plus pesante que l'adulte, ce phénomène de *décroissance* s'opposant à celui de la *croissance,* qui est beaucoup plus général.

LARYNX. — Le larynx est situé en avant du pharynx, entre l'os hyoïde, en haut, et la trachée qui le prolonge, en bas. Sa charpente est formée par des cartilages (cricoïde, thyroïde, épiglottique, arythénoïde et cartilages accessoires), qui sont réunis par des articulations, par des ligaments et par les *muscles intrinsèques du larynx :* ces derniers assurent au larynx sa mobilité et, donc, ses fonctions vocales et respiratoires.

Les *muscles extrinsèques du larynx* assurent la fixation et l'élévation du larynx. La *cavité laryngée* est tapissée par une muqueuse, dans l'ensemble assez lâche, dont la distension entraîne un œdème grave chez l'enfant (son larynx étant étroit). Les cordes vocales divisent la cavité laryngée en trois étages : supérieur, limité en avant par l'épiglotte; moyen (ou glottique), rétréci, formé par les cordes vocales; inférieur, qui s'élargit pour rejoindre la trachée.

En dehors de ses fonctions respiratoires et phonatoires, le larynx assure la protection des voies aériennes supérieures par la fermeture de la glotte lors de la déglutition.

La cavité laryngée peut être étudiée par laryngoscopie indirecte (avec un miroir) ou directe (plus précise, permettant une biopsie mais nécessitant une anesthésie) et par des radiographies.

La *dyspnée laryngée* (respiratoire lente avec tirage et cornage inspiratoires) et la *dysphonie* (trouble de la phonation) sont deux symptômes assez spécifiques des affections du larynx et imposent une laryngoscopie.

Les *traumatismes du larynx* (plaies, fractures) peuvent imposer une trachéotomie en urgence.

Les *laryngites* sont des inflammations de la muqueuse laryngée; la laryngite aiguë catarrhale est marquée par une dysphonie avec une toux rauque; la laryngite striduleuse de l'enfant enrhumé se traduit par une dyspnée laryngée, brutale, cédant en quelques minutes; dans la laryngite aiguë œdémateuse, la dyspnée intense, associée à une voix rauque, impose un traitement d'urgence en raison du risque d'asphyxie. Ces laryngites aiguës s'observent au cours de certaines maladies infectieuses (diphtérie, rougeole, scarlatine, etc.). Les laryngites chroniques entraînent une dysphonie dont l'origine sera précisée à la laryngoscopie (infection, cancer, etc.); elles peuvent toucher les cordes vocales ou le reste de la muqueuse laryngée, dont l'hyperplasie, diffuse ou localisée, doit faire craindre une dégénérescence maligne.

Les *paralysies laryngées* peuvent être unilatérales (la voix est bitonale), bilatérales (mutité) ou parfois associées à des paralysies du voile du palais, de la langue, etc.

Les *tumeurs du larynx* peuvent être bénignes (nodules vocaux, polypes, papillomes, etc.) ou malignes (épithélioma surtout).

LARZAC *(causse du),* le plus méridional des Grands Causses (Aveyron, Gard et Hérault). Camp militaire dont l'extension, décidée en 1971, est vivement critiquée par plusieurs groupements politiques, syndicaux et religieux.

LA SABLIÈRE (Marguerite DE), née HESSEIN, femme de lettres française (Paris 1636-*id.* 1693). Elle réunit chez elle une société lettrée et donna asile à La Fontaine.

LA SALE (Antoine DE), écrivain français (en Provence v. 1388-† apr. 1461). Attaché au service des ducs d'Anjou, puis précepteur de Jean de Calabre, fils aîné du roi René, il composa plusieurs ouvrages didactiques (*le Paradis de la reine Sibylle,* 1440) et un récit qui présente d'une manière originale les thèmes fondamentaux de l'amour et de la chevalerie (*Histoire et plaisante chronique du Petit Jehan* de Saintré,* 1451). On lui a attribué sans preuve les *Cent Nouvelles* nouvelles* et *les Quinze* Joyes de mariage.*

LASALLE (30460), ch.-l. de cant. du Gard, à 31 km au S.-O. d'Alès; 1018 hab.

LASALLE, v. du Canada, dans la banlieue sud de Montréal; 72912 hab.

LA SALLE (René Robert CAVELIER DE), voyageur français (Rouen 1643-en Louisiane 1687). De Montréal, il part, en 1673, avec Louis Joliet et le P. Marquette, pour reconnaître le cours du Mississippi, qu'il descend jusqu'au golfe du Mexique (1689). Il est tué au cours d'une seconde expédition.

LASALLE (Antoine, *comte* DE), général français (Metz 1775-Wagram 1809). L'un des plus prestigieux cavaliers de la Grande Armée, promu général en 1805, il fut tué à la bataille de Wagram. Ramené en France en 1891, son corps a été inhumé aux Invalides.

LASCARIS, grande famille byzantine qui régna sur l'empire de Nicée (1204-1261). THÉODORE Ier **Lascaris** († 1222), gendre d'Alexis III Ange*, fonda l'empire de Nicée au lendemain de la chute de Byzance (1204). Vainqueur du sultan d'Iconium, mais vaincu par l'empereur latin, Henri de Hainaut (1211), il ne parvint pas à s'entendre avec les Latins malgré son mariage avec la fille de Pierre de Courtenay, Marie, et dut lutter contre le despote d'Épire*, Michel Ange. Il fit de son empire un État viable. — Sa fille, IRÈNE, épousa JEAN III **Doukas Vatatzès,** qui lui succéda (de 1222 à 1254). Remarquable homme d'État, Jean III reconquit Thessalonique (1246) et la Thrace. À l'intérieur, l'excellence de son administration permit l'essor économique de l'empire. — THÉODORE II **Doukas Lascaris** (1222-1258), empereur de 1254 à 1258, fils de Jean III, dut défendre les conquêtes paternelles contre l'Épire. Sa mort prématurée permit l'usurpation de Michel VIII Paléologue qui, après avoir reconquis Constantinople, fut assez fort pour faire aveugler et écarter du pouvoir le jeune JEAN IV **Doukas Lascaris,** fils de Théodore II et dernier basileus de la lignée des Lascaris (de 1258 à 1261).

LASCARIS ou **LASKARIS** (Jean ou Janus), surnommé **Rhyndacenus,** érudit grec (Constantinople v. 1445-Rome v. 1534), bibliothécaire de Laurent de Médicis et animateur des études grecques à Rome.

LAS CASAS (Bartolomé DE), prélat espagnol (Séville 1474-Madrid 1566). Prêtre à Cuba (v. 1510), dominicain (1522), puis évêque de Chiapa, au Mexique (1544), il prit sans relâche la défense des Indiens et fut à l'origine des « nouvelles lois » interdisant les sévices et prévoyant l'extinction progressive de l'*encomienda* (1542). En 1547, découragé, il rentra en Espagne.

LAS CASES (Emmanuel, *comte* DE), écrivain français (Las Cases 1766-Passy 1842). Officier de marine, émigré, il rentre en 1802 et est promu chambellan de Napoléon Ier (1809), qu'il suit à Sainte-Hélène en qualité de secrétaire et dont il recueille les propos constituant le *Mémorial de Sainte-Hélène,* publié en 1823.

LASCAUX *(grotte de),* grotte de la comm. de Montignac (Dordogne). Due au hasard, sa découverte, en 1940, révéla l'un des ensembles d'art pariétal les plus remarquables du paléolithique supérieur, situé par l'étude stylistique à la fin du solutréen et au début du magdalénien (datation confirmée par le carbone 14, qui a donné − 15000). La disposition de la grotte permet d'envisager un sanctuaire, aux parois ornées — avec peut-être des intentions magiques — de représentations (bovidés, chevaux, cerfs, bouquetins, etc.), d'un naturalisme puissant, cernées d'un large trait noir, associées à des signes symboliques dont le sens est encore

LARYNX

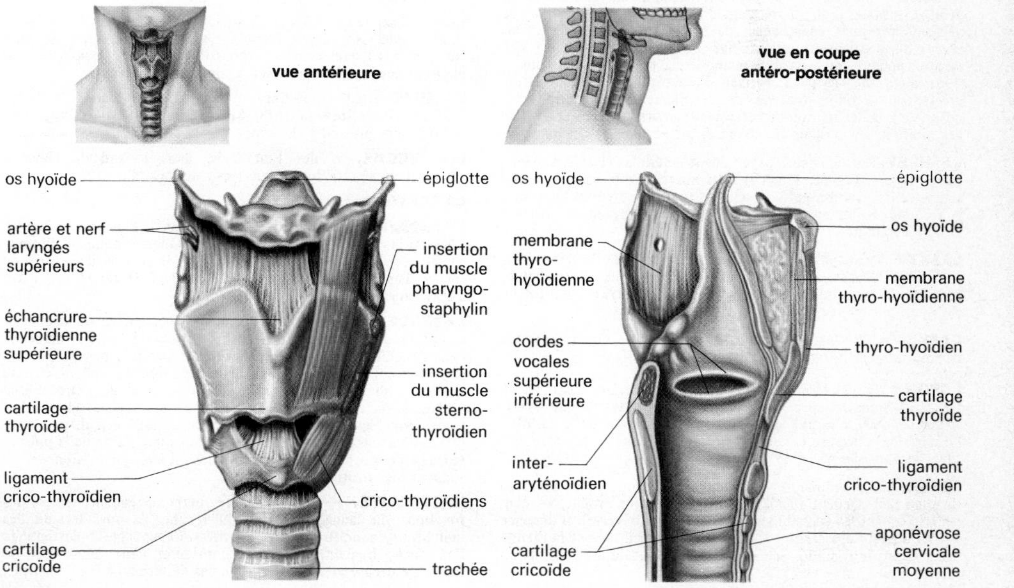

Paroi gauche de la « salle des taureaux », dans la grotte de Lascaux, en Dordogne. Magdalénien moyen.

Hinz

incertain. Afin d'enrayer sa dégradation, la grotte, fermée au public depuis 1963, est l'objet de divers traitements chimiques.

LASER. — Le laser à rubis, réalisé en 1960, comporte un bâtonnet de rubis synthétique argenté à ses extrémités. Ce cristal est soumis à la lumière d'un flash vert, qui déplace les électrons des atomes de chrome sur des orbites instables. Un faible rayon rouge, agissant par résonance, fait retomber ces électrons sur leur orbite stable, ce qui provoque l'émission d'un éclair rouge, très intense, de lumière coordonnée. Il existe également des lasers à gaz et à semi-conducteurs, produisant des ondes entretenues, qu'il est possible de moduler, ce qui permet de nombreuses applications dans le domaine des télécommunications.

SCHÉMA D'UN LASER À RUBIS

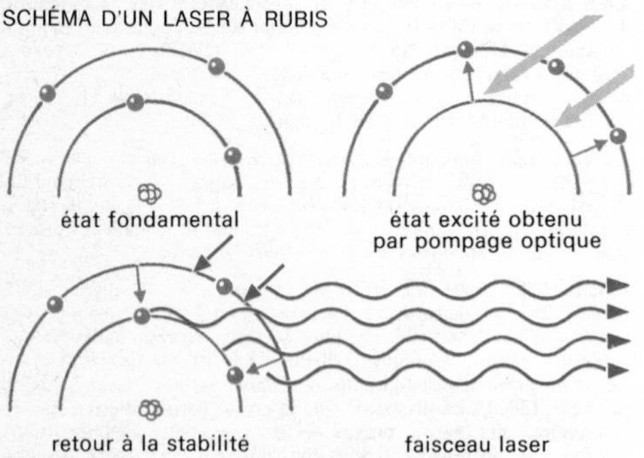

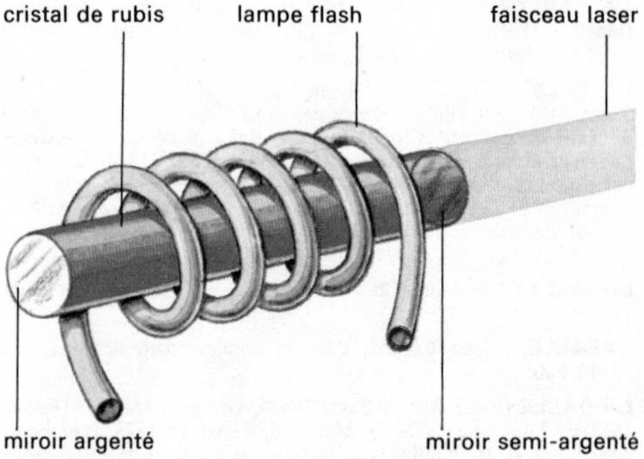

Depuis 1960, le laser est l'objet d'utilisations militaires. Le *laser à solide* est employé en télémétrie, pour le tir (d'avion ou d'artillerie), et comme faisceau directeur dans le guidage de certains missiles antichars; il est aussi utilisé pour les télécommunications à grand débit. Les *lasers à gaz* permettent d'illuminer un objectif pour le désigner aux têtes chercheuses de bombes ou de missiles. Des études se poursuivent aujourd'hui sur l'emploi des *lasers chimiques,* notamment dans le domaine de la défense antimissile.

En médecine, le laser permet d'obtenir la photocoagulation précise de la rétine (en cas de décollement rétinien, de rétinites, etc.), la destruction de certaines tumeurs cutanées et de faire des micro-incisions dans les tissus et même dans les cellules.

LASHLEY (Karl Spencer), psychologue américain (Davis, Virginie, 1890 - Poitiers, France, 1958). Il s'est intéressé aux bases neurologiques de l'apprentissage*, aux liaisons entre effecteur et récepteur. Il a étudié les comportements de rats et de singes après certaines lésions cérébrales.

LASKER (Emanuel), joueur d'échecs allemand (Berlin 1868 - New York 1941). Mathématicien, docteur en philosophie, journaliste et écrivain, il garda, durant vingt-sept ans (1894-1921), le titre de champion du monde.

LASKINE (Lily), harpiste française (Paris 1893). On la considère comme la meilleure virtuose de la harpe.

LASNIER (Rina), femme de lettres canadienne d'expression française (Saint-Grégoire, Québec, 1915). Auteur dramatique (*Féerie indienne,* 1939), elle unit dans ses poèmes l'amour de la nature à l'inspiration religieuse (*Images et proses,* 1941; *Mémoire sans jours,* 1960; *la Salle des rêves,* 1971).

LASSALLE (Ferdinand), philosophe et économiste allemand (Breslau 1825 - Genève 1864). Il prône l'association productive, dont bénéficieraient les travailleurs, et le suffrage universel. Il dénonce « la loi d'airain des salaires », nom sous lequel il baptise la théorie des salaires de Ricardo. Son socialisme est autoritaire et antibourgeois.

LASSAY-LES-CHÂTEAUX (53110), ch.-l. de cant. de la Mayenne, à 23 km au N.-E. de Mayenne; 2 602 hab. Château fort reconstruit au XVe s.

LASSEUBE (64290 Gan), ch.-l. de cant. des Pyrénées-Atlantiques, à 12 km à l'E. d'Oloron-Sainte-Marie; 1 311 hab.

LASSIGNY (60310), ch.-l. de cant. de l'Oise, à 13 km à l'O. de Noyon; 750 hab. Produits de beauté.

LASSUS (Roland DE), compositeur franco-flamand (Mons v. 1532-Munich 1594). Après avoir séjourné en Italie, il s'installe à la cour du duc de Bavière, à Munich, tout en continuant ses voyages en Europe. Maître de la polyphonie vocale, il a laissé des messes, des motets, des psaumes, des magnificat, parfois à double chœur ou chromatiques. Ses chansons françaises, ses lieder allemands, ses madrigaux italiens montrent à quel point il avait assimilé les styles des écoles européennes.

LASSWELL (Harold Dwight), sociologue américain (Donnellson, Illinois, 1902). Sa célèbre formule : « Qui dit quoi, à qui, par quel canal et avec quel effet? » a constitué pour les sociologues un nouveau schéma directeur des analyses de contenu*.

LA SUZE (Henriette DE COLIGNY, comtesse DE), femme de lettres française (Paris 1618 - *id.* 1673). Ses *Poésies* (1666) se distinguent de la littérature précieuse du temps par la sincérité de la passion.

LAS VEGAS, v. des États-Unis, dans le sud du Nevada; 126 000 hab. Centre touristique (jeux de hasard).

LATAKIEH → LATTAQUIÉ.

LATÉCOÈRE (Pierre), industriel français (Bagnères-de-Bigorre 1883 - Paris 1943). Pendant la Première Guerre mondiale il construisit des avions Salmson pour l'armée. Il créa la ligne aérienne reliant Toulouse à Barcelone (1918), puis à Dakar (1925), enfin à l'Amérique du Sud (1930).

LATENCE (période de). — Cette période, qui va du déclin du complexe d'Œdipe* (vers six ans) à la puberté, marque un repos dans l'évolution de la sexualité*. Elle est attribuée par S. Freud* à un retrait normal et physiologique de la pulsion* sexuelle. L'énergie libidinale, libérée par le complexe d'Œdipe, peut alors être utilisée à d'autres tâches : acquisitions intellectuelles, sociales et morales, forces psychiques reposant sur la sublimation* et qui, plus tard, feront obstacle à la pulsion sexuelle. Mais une partie de la pulsion sexuelle peut échapper à la sublimation, si bien que la latence n'est souvent que relative.

LATÉRALITÉ. — L'hémisphère cérébral gauche, siège des fonctions du langage* est dominant chez la quasi-totalité des individus, y compris chez les gauchers. Cependant, la plasticité de l'organisme humain interdit de considérer cette dominance de façon rigoureuse et statique car, en cas de lésion cérébrale gauche, notamment avant l'âge de six ans, l'hémisphère droit peut prendre en charge les fonctions perdues. Chez le gaucher, toutefois, la spécialisation hémisphérique est moins poussée et l'ambilatéralité plus marquée.

La dominance hémisphérique est en relation avec l'asymétrie fonctionnelle, apparaissant dans les segments corporels (main, pied, œil). Outre ce facteur neurologique, des facteurs socioculturels : outils, écriture, gestes conventionnels (poignée de main, comportement à table, etc.), exercent une contrainte qui favorise la dominance fonctionnelle de l'hémicorps droit. Lorsque la latéralité fonctionnelle est flottante, une rééducation psychomotrice peut aider l'enfant à se maintenir à droite, dans un monde où les gauchers sont minoritaires.

LATÉRITE → GISEMENT.

LATEX. — On qualifie de plantes latescentes toutes celles qui, lorsqu'on les lèse, laissent exsuder un liquide laiteux, ou latex. Ces liquides, divers par leurs propriétés et leur couleur, sont normalement contenus dans des canaux, les *laticifères,* que brise la lésion. Le latex le plus important dans l'industrie est le caoutchouc*. Selon les espèces, le latex n'est pour la plante qu'un produit d'excrétion, ou, au contraire, une réserve dans laquelle elle puisera en cas de besoin. Les latex se distinguent des résines par leur caractère d'émulsion lipidique en phase aqueuse.

LATHAM (Hubert), aviateur français (Paris 1883 - Fort-Archambault 1912). Pilote, en 1909, du monoplan *Antoinette,* il échoua en tentant la traversée aérienne de la Manche, mais il porta le record français de durée à 1 h 7 mn et atteignit l'altitude de 1000 m en 1910.

LATIFUNDIUM. — Le système des latifundia date des Romains, qui, après les conquêtes républicaines, se trouvèrent à la tête d'une quantité de terres supérieure aux possibilités des cultivateurs disponibles. De vastes domaines se constituèrent alors, que la féodalité reprit à son compte après les invasions barbares. C'est à la fin du XIXe s. seulement qu'une politique générale s'amorça, en Italie, pour réviser ce mode d'exploitation. Le fascisme* s'attaqua aux latifundia du Latium; mais le Mezzogiorno ne fut touché par la réforme foncière qu'après 1950. (V. AGRICULTURE.)

LATIN. — Issu du groupe italique des langues indo-européennes, le latin présente aussi quelques affinités avec le celtique. À l'origine langue des tribus qui s'établissent dans le Latium au IIe millénaire, le latin s'est étendu à toute la partie occidentale de l'Empire romain. De vocabulaire assez pauvre, le latin a beaucoup emprunté au grec, à toutes les époques de son histoire. Sur le plan syntaxique, le latin est caractérisé par la liberté de l'ordre des mots à l'intérieur de la phrase. Cette mobilité, rendue possible par le système de flexion nominale, donne à l'expression une grande souplesse. La langue littéraire, de Plaute à saint Augustin, présente une grande homogénéité; la langue parlée devait être, sous l'Empire, notablement différente. C'est d'elle que sont issues les langues romanes qui supplantent le latin dans l'usage oral entre le Ve et le IXe s. Adopté comme langue liturgique par l'Église catholique, le latin a été utilisé par les clercs pendant tout le Moyen Âge. Jusqu'au XVIIIe s., il a joué pour les savants et les philosophes le rôle de langue internationale et de langue de culture.

LATINA, v. d'Italie, au S.-E. de Rome, ch.-l. de prov., dans les anciens marais Pontins; 82000 hab. Centrale nucléaire.

LATIN DE CONSTANTINOPLE *(Empire),* État fondé en 1204 par les chefs de la quatrième croisade, à la suite de la prise de Constantinople (12 avr. 1204). Un collège réunissant six prélats et six barons élut empereur le comte de Flandre et de Hainaut, Baudouin. Les vainqueurs se partagèrent les territoires conquis — ou à conquérir — de l'ancien Empire byzantin. Boniface de Montferrat, devenu roi de Thessalonique, fut doté de la presque totalité de la Grèce.

Venise s'assura la domination des îles et contrôla près de la moitié de la ville de Constantinople. Baudouin Ier recueillit la Thrace et l'Asie Mineure, mais il se heurta aussitôt aux ambitions concurrentes de Théodore Lascaris, fondateur de l'Empire grec de Nicée, et du Bulgare Jean II Kalojan Asen, qui avait envahi la Thrace. Vaincu et fait prisonnier par Kalojan à Andrinople (avr. 1205), Baudouin mourut en captivité. Son frère, Henri Ier (de 1206 à 1216), parvint à redresser la situation. Il écrasa les Bulgares à Philippopoli (1208), fit reconnaître sa suzeraineté par le roi de Thessalonique et le prince d'Achaïe, s'allia avec les Turcs contre Nicée et organisa l'empire. À sa mort, son beau-frère, Pierre de Courtenay, lui succéda (1217). Capturé par le despote d'Épire (1217) et mort en prison, il eut pour successeur son frère, Robert, qui fut vaincu par Jean III Vatatzès, empereur de Nicée (1224). Lorsque les barons appelèrent au trône l'ex-roi de Jérusalem, Jean de Brienne (1231), l'empire était réduit aux alentours de Constantinople. Si Jean brisa net l'assaut de Nicée, alliée à l'Épire et à la Bulgarie, contre la capitale (1235-36), son gendre, Baudouin II de Courtenay, ne put empêcher la prise de la ville par Michel Paléologue (1261), qui, ainsi, restaura l'ancien Empire byzantin.

LATINI (Brunetto), écrivain italien (Florence v. 1220 - *id.* v. 1294). Ami et maître de Dante, il a écrit en langue d'oïl un *Livre du Trésor* (v. 1265), encyclopédie des connaissances scientifiques.

LATINS DU LEVANT *(États),* nom donné à l'ensemble des États fondés par les croisés au Proche-Orient à la suite des premières croisades (Édesse*, 1097; Antioche*, 1098; Jérusalem*, 1099; Tripoli, 1109; et, plus tard, Chypre*, 1199), grâce à l'afflux des chevaliers, des colons et des pèlerins. Ceux-ci s'établirent dans les villes, les ports ou aux environs des Lieux saints, se juxtaposant au monde musulman qui, dans le cadre des nouvelles seigneuries latines, conserva son statut antérieur et sa religion. Dès lors, le système féodal en vigueur en Occident put être instauré dans chacun de ces États : de grands barons, possesseurs de seigneuries, furent les vassaux du roi, du prince ou des comtes, et, de leur côté, ils accordèrent des bénéfices à des chevaliers qui, en contrepartie, leur assurèrent le service vassalique. Cependant, à Jérusalem, tous les chevaliers furent les hommes liges du roi, en vertu d'une «assise» adoptée, en 1163, à l'initiative du roi Amaury Ier. L'indépendance juridique de chacun des États latins n'empêcha pas, à partir du XIIe s., le royaume de Jérusalem de devenir l'élément dominant, du fait de ses interventions fréquentes dans les affaires de la principauté et des deux comtés, pour assurer leur défense.

LATINUS, roi du Latium et héros éponyme des Latins. Sa légende fut rattachée au mythe des origines troyennes de Rome. Virgile le fait régner sur Lavinium lors de l'arrivée en Italie d'Énée, auquel il donna en mariage sa fille Lavinia.

LATITUDE ET LONGITUDE. — La latitude et la longitude terrestres servent à définir la position d'un point à la surface du globe. La *latitude* est la distance angulaire mesurée à partir du plan équatorial et perpendiculairement à ce plan, de 0 à 90° vers le nord ou vers le sud. Les points d'égale latitude sont situés sur un même parallèle, ligne imaginaire parallèle à l'équateur. On évalue la latitude d'un point donné en y mesurant la hauteur d'un astre (l'étoile polaire sous nos latitudes) dont la position est connue. La *longitude* est l'angle dièdre formé par le plan méridien (passant par les deux pôles) de ce point et le plan de référence, qui est le méridien de Greenwich, en Grande-Bretagne, de 0 à 180° vers l'ouest ou vers l'est. Le décalage de l'heure entre le méridien de Greenwich et le point considéré permet de mesurer la longitude.

LATIUM, en ital. **Lazio,** région de l'Italie centrale, sur la mer Tyrrhénienne, formée des provinces de Frosinone, Latina, Rieti, Rome et Viterbe; 17203 km²; 4811000 hab. Capit. *Rome.*

GÉOGRAPHIE. La région juxtapose une partie orientale montagneuse (section de l'Apennin, où l'altitude dépasse parfois 2000 m), une bande de hauteurs moyennes, volcaniques au N., calcaires au S., encadrant une plaine littorale, développée surtout dans la province de Rome. Vignobles et oliviers couvrent les pentes, alors que les cultures maraîchères et florales remplacent partiellement les céréales dans les plaines. L'industrie est encore peu développée. En fait, le Latium est écrasé par la présence de Rome, qui regroupe près des deux tiers de sa population totale.

HISTOIRE. Au Ve s. av. J.-C., les Latins formaient une confédération *(Ligue latine)* de trente cités (Albe, Tusculum, Préneste...), dont le centre religieux était le sanctuaire de *Jupiter Latiaris,* sur le Monte Cavo (monts Albains). Rome faisait partie de cette confédération et ne possédait alors aucune hégémonie sur les Latins. C'est la première guerre samnite (343-342 av. J.-C.) qui entraîna, par un jeu compliqué d'alliances, la lutte entre le Latium et Rome : les Latins furent vaincus après une guerre de trois ans, et la Ligue latine fut dissoute en 338-335 av. J.-C.

LATONE, nom latin de la déesse grecque Lêto*, que les Romains honoraient comme déesse de la Santé.

LATOUCHE (Hyacinthe THABAUD DE LATOUCHE, dit **Henri de**), écrivain français (La Châtre 1785 - Aulnay-sous-Bois 1851). Précurseur du journalisme moderne avec les *Mémoires de Mme Manson* (1818) relatant l'affaire Fualdès, il conseilla les débuts de Balzac et de George Sand, et donna, en 1819, la première édition des poésies d'André Chénier. Il inspira une passion célèbre à Marceline Desbordes-Valmore.

LA TOUR (Georges DE), peintre français (Vic-sur-Seille 1593 - Lunéville 1652). Sa carrière est mal connue : on sait qu'en 1620 il est reçu bourgeois de Lunéville et prend un apprenti, qu'il est «peintre ordinaire du roi» en 1639 (séjournant un moment, sans doute, à Paris). Son œuvre représente la tendance la plus spiritualisée du caravagisme, auquel il emprunte ses techniques, comme beaucoup de ses sujets, enracinés dans un quotidien qu'il transcende. Oublié après sa mort, il a été redécouvert par le XXe s., que fascinent sa rigueur géométrique, son luminisme voué à l'essentiel, sa dédramatisation des antithèses chères au caravagisme (le vieillard et l'enfant, la flamme et l'obscurité, la vie et la mort...). Parmi la trentaine d'œuvres jugées authentiques aujourd'hui connues, citons : deux *Apôtres* (musée d'Albi) et *le Tricheur* (Louvre) pour les tableaux à éclairage diurne; *la Madeleine à la veilleuse* (Louvre), *la Femme à la puce* (Nancy), *les Larmes de saint Pierre* (1645, Cleveland), *le Nouveau-Né* (Rennes), *Saint Sébastien et sainte Irène* (versions de Berlin et de l'église de Broglie) pour les « nocturnes ».

LA TOUR (Maurice QUENTIN DE), pastelliste français (Saint-Quentin 1704-*id.* 1788). Il vint très jeune à Paris, où le succès de la Vénitienne Rosalba Carriera (1675-1757), en 1720, détermina peut-être sa prédilection pour le pastel. Sa première participation au Salon, en 1737, marque le début de son immense succès dans la haute société : ses portraits (famille royale, nobles, philosophes, artistes...) sacrifient les accessoires au profit du visage, qui, parfois flatté, exprime le maximum de vivacité d'un caractère (Louvre; musée Lécuyer, Saint-Quentin).

LA TOUR D'AUVERGNE (Théophile Malo Corret DE), officier français (Carhaix 1743-Oberhausen 1800). L'un des plus illustres combattants des guerres de la Révolution, appelé le « premier grenadier de France », il fut tué au combat. Son cœur est aux Invalides et son corps au Panthéon.

LATOUR-DE-CAROL (66800 Saillagouse), comm. des Pyrénées-Orientales, à 8,5 km au N.-O. de Bourg-Madame, près de la frontière espagnole; 430 hab. Station d'altitude (1 248 m). Gare internationale.

LATOUR-DE-FRANCE (66720), ch.-l. de cant. des Pyrénées-Orientales, sur l'Agly, dans les Fenouillèdes, à 31 km au N.-O. de Perpignan; 1 019 hab.

LA TOUR DU PIN CHAMBLY (René, *marquis* DE), sociologue français (Arrancy-sur-Crusne 1834-Lausanne 1924). Officier, il est fait prisonnier à Metz (1870) en même temps qu'Albert de Mun*, avec qui il se consacre, après la Commune* de Paris, à la « contre-révolution chrétienne » en faveur de la classe ouvrière. Fondateur des Cercles catholiques d'ouvriers, il élabore une « doctrine sociale chrétienne » corporatiste qui influence la rédaction et l'esprit de l'encyclique *Rerum novarum* (1891) de Léon XIII. Mais il refuse de se rallier à la cause républicaine.

LA TOUR MAUBOURG (Marie Victor Nicolas DE FAY, *vicomte,* puis *marquis* DE), général français (La Motte-Galaure 1768-Farcy-lès-Lys 1850). Officier aux gardes du corps en 1789, il émigre en 1792. Revenu en France, il est l'aide de camp de Kléber en Égypte et fait toutes les campagnes de l'Empire. Rallié à Louis XVIII, il vote la mort de Ney, puis est ministre de la Guerre (1819-1821) et gouverneur des Invalides.

Latran *(accords du),* accords passés au palais du Latran, le 11 février 1929, entre le Saint-Siège et Mussolini. Ils comportaient essentiellement la reconnaissance de la plénitude de la souveraineté papale sur l'État du Vatican* et la mise en place d'un concordat qui donnait à l'Église romaine une position privilégiée en Italie.

Latran *(conciles du),* nom donné à cinq conciles* œcuméniques qui se tinrent à Rome, dans le palais contigu à la basilique du Latran. *Latran I* (1123), IXe concile œcuménique, confirma le concordat de Worms* qui mit fin à la querelle des Investitures*. *Latran II* (1139), Xe concile œcuménique, provoqué par le schisme de l'antipape Anaclet II (1130-1138), reprit les thèmes de la réforme grégorienne. *Latran III* (1179), XIe concile œcuménique, fixa de nouvelles règles (majorité des deux tiers) pour l'élection du pape. *Latran IV* (1215), XIIe concile œcuménique lutta contre l'hérésie cathare* et prit les premières décisions doctrinales concernant la transsubstantiation; ce concile consacra, avec Innocent III*, la suprématie politique de la papauté médiévale. *Latran V* (1512-1517), XVIIIe concile œcuménique, amorça une tentative de réforme de l'Église à la veille des prises de position de Luther*.

LA TRÉMOILLE, vieille famille poitevine connue dès l'époque des croisades. On compte parmi ses principaux membres : GEORGES **de la Trémoille** (1382-Sully-sur-Loire 1446), qui fut chambellan et favori du roi Charles VII; LOUIS II **de la Trémoille,** vicomte **de Thouars,** prince **de Talmont** (Thouars 1460-Pavie 1525), qui remporta la victoire de Saint-Aubin-du-Cormier (1488) contre les révoltés de la « Guerre folle » et se couvrit de gloire en Italie.

LATRONQUIÈRE (46210), ch.-l. de cant. du Lot, à 28 km au N. de Figeac; 729 hab.

LATTAQUIÉ ou **LATAKIEH,** port de Syrie, sur la Méditerranée; 126 000 hab. Université.

LATTES (34970), comm. de l'Hérault, à 5 km au S.-E. de Montpellier; 3 963 hab. Depuis 1963, les fouilles ont permis le dégagement de neuf cités superposées, depuis celle du VIIIe s. av J.-C., en contact avec les Étrusques et les Ibères, puis avec les Grecs, jusqu'à celle des Gallo-Romains.

LATTRE DE TASSIGNY (Jean-Marie DE), maréchal de France (Mouilleron-en-Pareds 1889-Paris 1952). Membre du cabinet du général Weygand en 1933, commandant le 151e régiment d'infanterie à Metz (1935-1937), puis la 14e division en 1940, il rejoint Alger en 1943. En 1944, il débarque en Provence à la tête de la Ire armée française, qu'il conduit victorieusement jusqu'au Rhin puis au Danube (1945). Inspecteur général de l'armée, il est nommé en 1948 commandant des forces terrestres de l'Union de l'Europe occidentale. En 1950, il est envoyé à Saigon comme haut-commissaire et commandant en chef en Indochine, où il rétablit la situation militaire. Miné par la maladie, il assumera ses fonctions jusqu'à la limite de ses forces. Promu maréchal à titre posthume en 1952, il avait publié, en 1949, une *Histoire de la Ire armée française.*

Photothèque U.S.I.S.

Le général de Lattre de Tassigny en compagnie du général américain G. C. Marshall, à la fin de la Seconde Guerre mondiale.

LATTUADA (Alberto), cinéaste italien (Milan 1914). Après avoir fait partie du mouvement néoréaliste (*le Bandit,* 1946; *Sans pitié,* 1947; *le Moulin du Pô,* 1948), il tourna, notamment, *le Manteau* (1952), *la Pensionnaire* (1954), *la Tempête* (1958), *l'Imprévu* (1961), *Mafioso* (1962), *la Bambina* (1974), *Cœur de chien* (1975).

LAUBE (Heinrich), écrivain allemand (Sprottau, Silésie, 1806-Vienne 1884), l'un des chefs de la « Jeune-Allemagne » libérale (*Struensee,* 1847).

LAUBEUF (Maxime), ingénieur du génie maritime français (Poissy 1864-Cannes 1939). Il réalisa le prototype du submersible, mis en service en 1904, ancêtre du sous-marin moderne.

LAUD (William), prélat anglais (Reading 1573-Londres 1645). Évêque anglican (1621), il accède, lors de l'avènement de Charles Ier* (1625), à une véritable prééminence sur l'Église d'Angleterre. Évêque de Londres (1628), archevêque de Canterbury (1633), il défend la prérogative royale, brisant notamment la résistance puritaine. Sa politique autoritaire provoque l'insurrection nationale (1637). Abandonné par le roi, Laud est jugé et exécuté.

LAUDANUM → OPIUM.

LAUE (Max VON), physicien allemand (Pfaffendorf 1879-Berlin 1960). Il organisa, en 1912, les premières expériences de diffraction des rayons X par les cristaux, qui démontrèrent le caractère ondulatoire de ces rayons et permirent de connaître la structure des milieux cristallisés. (Prix Nobel de physique, 1914.)

LAUENBURG, ancien duché d'Allemagne incorporé à l'État de Schleswig-Holstein. Échu au Hanovre au XVIIIe s., puis au Danemark en 1816, le Lauenburg devient prussien en 1864. (V. DUCHÉS [*guerre des*].)

LAUGHTON (Charles), acteur et cinéaste britannique (Scarborough 1899-Hollywood 1962). À la scène, où il interpréta, notamment, avec grand succès, des pièces de Molière, de Tchekhov et de Shakespeare, comme à l'écran (*la Vie privée de Henry VIII,* 1933; *les Révoltés du Bounty,* 1935; *Chaussure à son pied,* 1954), il se spécialisa dans les personnages ambigus, partagés entre le sadisme et la bonhomie. Il réalisa un unique film, très insolite, *la Nuit du chasseur* (1955).

LAUNCESTON, v. d'Australie, dans le nord de la Tasmanie; 62 000 hab. Métallurgie.

LAURAGAIS ou **LAURAGUAIS,** région déprimée, terre de polyculture aquitaine (maïs, vigne, volailles), bordant le Massif central, à l'E. de Toulouse. — On donne parfois le nom de *seuil de Lauragais* au seuil de Naurouze*.

LAURANA (Luciano) → URBINO.

LAUREL ET HARDY, acteurs anglo-américains de cinéma burlesque (ARTHUR STANLEY **Jefferson,** dit **Stan Laurel** [Ulverston, Lancashire, 1890-Santa Monica 1965] et OLIVER **Hardy** [Atlanta 1892-Hollywood 1957]). Ce tandem comique, dont l'association dura près de vingt-quatre ans, tourna à partir de 1926 une centaine de films très populaires, parmi lesquels *Fra Diavolo* (1933), *Têtes de pioche* (1938), *les As d'Oxford* (1940).

LAURENCIN (Marie), peintre français (Paris 1885-*id.* 1956). Amie d'Apollinaire, elle fréquenta les cubistes. On lui doit de nombreuses compositions à figures féminines d'une stylisation gracieuse, aux harmonies douces de gris, de rose et de bleu.

LAURENS (Henri), sculpteur, dessinateur et graveur français (Paris 1885-*id.* 1954). Ami de Braque dès 1911, il participe au cubisme avec des papiers collés et des bas-reliefs polychromes. Vers 1926 s'achève sa période de géométrisation : ses rondes-bosses, sur le thème majeur du nu féminin, adoptent des lignes de plus en plus infléchies, des masses réduites à un essentiel de plénitude et de sensualité (série des *Sirènes,* 1937-1945; *Amphion,* 1937; *la Grande Baigneuse,* 1947).

LAURENT *(saint),* diacre romain d'origine espagnole, mort martyr à Rome (v. 210-v. 258). Dès l'époque de Constantin, une basilique romaine, Saint-Laurent-hors-les-Murs, lui a été dédiée. Philippe II d'Espagne lui a consacré le célèbre Escorial, à qui on donna la forme d'un gril, instrument de supplice du martyr.

LAURENT (Auguste), chimiste français (La Folie, près de Langres, 1807-Paris 1853). Il découvrit les imides, la dulcite et l'anthracène, et fut, avec Gerhardt*, le protagoniste de la doctrine atomique.

LAURENTIDES (les), lignes de hauteurs, limitant, au S.-E., le bouclier canadien, au N. des plaines du Saint-Laurent. Tourisme (parc national).

LAURIER. — Le prestige du laurier, dont les feuilles couronnaient les vainqueurs dans la Grèce antique et à Rome, a fait donner son nom à d'autres plantes de la flore méditerranéenne, botaniquement éloignées, et qui ne lui ressemblent que par la forme fuselée de leurs feuilles. Il convient donc de distinguer :
— le *laurier noble,* cultivé comme ornemental et aromatique, et dont les feuilles constituent un condiment; cet arbre, aux fleurs blanches, est le véritable laurier des Anciens et sert de type à la famille des lauracées;
— le *laurier-cerise,* arbrisseau aux feuilles toxiques, d'usage pharmaceutique (famille des rosacées);
— le *laurier-rose,* arbuste ornemental aux grandes fleurs roses et parfumées, aux feuilles persistantes très coriaces et dangereusement vénéneuses (famille des apocynacées);
— le *laurier-tin,* arbrisseau sauvage aux fleurs blanches très précoces, disposées en corymbes serrés (famille des caprifoliacées).

LAURIER (*sir* Wilfrid), homme politique canadien (Saint-Lin-des-Laurentides 1841-Ottawa 1919). Député libéral (1871), ministre des Finances (1877-78), leader de son parti, il est Premier ministre de 1896 à 1911 : il renforce l'autonomie du Canada, tout en favorisant la mise en valeur du pays. Il doit démissionner en 1911, la majorité n'approuvant pas son projet de libre-échange avec les États-Unis.

Sir Wilfrid Laurier.

Office provincial de publicité du Québec

LAURIÈRE (87370 St Sulpice Laurière), ch.-l. de cant. de la Haute-Vienne, à 22 km au S. de La Souterraine; 696 hab.

LAURISTON (Jacques LAW, *marquis* DE), maréchal de France (Pondichéry 1768-Paris 1828). Aide de camp de Napoléon en Italie (1796), puis en 1805, commissaire en Dalmatie (1806), il se bat en Espagne, à Wagram, puis en Russie, et est fait prisonnier à Leipzig (1813). Rallié aux Bourbons, il est secrétaire de la Maison du roi (1820-1824). Promu maréchal (1823), il participe à l'expédition d'Espagne.

LAUSANNE, v. de Suisse, sur la rive nord du lac Léman, ch.-l. du cant. de Vaud; 137 383 hab. *(Lausannois).* Cathédrale du XIIIe s. Château épiscopal (XIVe-XVe s., auj. siège du gouvernement cantonal). Musées des Beaux-Arts, de l'Art brut*, etc. Noyau d'une agglomération de plus de 220 000 personnes, Lausanne est surtout une ville tertiaire (commerce, banques, assurances, équipement hôtelier) et un centre culturel (université et festival international de musique), possédant cependant quelques industries (constructions mécaniques, alimentation).

Lausanne *(traité de),* traité conclu le 24 juillet 1923 entre la Turquie et les Alliés, à la suite des victoires turques sur la Grèce. Remplaçant le traité de Sèvres de 1920, il supprimait les capitulations et réglementait le passage des navires dans les détroits.

LAUSSEDAT (Aimé), officier et savant français (Moulins 1819 Paris 1907). On lui doit l'application de la chambre claire au lever des plans et l'invention de la métrophotographie.

LAUTARET *(col du),* col des Hautes-Alpes reliant l'Oisans (par la vallée de la Romanche) au Briançonnais (par celle de la Guisane).

LAUTER (la), riv. du nord de l'Alsace, affl. du Rhin (r. g.); 82 km. De Wissembourg à son confluent, elle sert de frontière entre la France et l'Allemagne fédérale.

LAUTERBOURG (67630), ch.-l. de cant. du Bas-Rhin, sur la *Lauter,* près de son confluent avec le Rhin; 2 442 hab. Anc. place forte. Église du XVe s.

LAUTERBRUNNEN, v. de Suisse (cant. de Berne), dans les Alpes bernoises; 3 431 hab. Station climatique.

LAUTRÉAMONT (Isidore DUCASSE, dit **le comte de**), écrivain français (Montevideo 1846-Paris 1870). L'ignorance où l'on est du détail de sa vie peut passer pour la preuve du désir d'effacement manifesté par son œuvre : « La poésie doit être faite par tous, non par un. » On sait simplement que, fils d'un diplomate français en Uruguay, il fit des études aux lycées de Tarbes et de Pau, avant de mourir pendant le siège de Paris et de disparaître totalement, en 1890, dans la tombe commune de l'ossuaire de Pantin. Restent cependant une foule de « portraits imaginaires » et une légende prolixe amplifiée par les surréalistes, pour qui Lautréamont est l'ancêtre majeur, « le grand serrurier de la vie des temps modernes » : le tout fondé sur un livre, *les Chants* de Maldoror* (1869), deux fascicules intitulés *Poésies* (1870) et quelques lettres à un éditeur. Or Lautréamont est bien, aux côtés de Flaubert, Rimbaud et Mallarmé, mais dans son registre propre, l'un des « porches de la modernité ». Ce qui fait la nouveauté radicale de son œuvre, ce n'est ni un répertoire de thèmes original (il use de tous les lieux communs de la tradition romantique), ni un style volontairement recherché (il part au contraire de la rhétorique la plus classique), mais une pratique parodique de l'écriture. Lautréamont « pousse » le lyrisme romantique ou la période de la phrase classique comme on « pousse » une voiture ou un gag, jusqu'au point le plus proche de l'éclatement et même au-delà de la limite tolérable par la structure ou le sens. Lautréamont subvertit l'écriture de l'intérieur. Il « fait » de l'écriture, son écriture, avec les débris d'un discours usé, des stéréotypes qu'il isole et qu'il rapproche selon une logique qui aboutit à la métaphore surréaliste et à l'« effet d'hétéroclite » (« beau comme un mémoire sur la courbe que décrit un chien courant après son maître... », « beau comme le tremblement des mains dans l'alcoolisme... »). Les sources qu'on lui trouve et qui ne cessent de se multiplier avec les exégètes (Homère, l'Apocalypse, Dante, le roman noir, Edgar Poe, Sade, Eugène Sue, *le Magasin pittoresque,* l'*Encyclopédie d'histoire naturelle* du docteur Chenu, etc.) montrent que la méthode de Lautréamont consiste à « mettre entre guillemets » la littérature, à la tenir à distance, à faire de son œuvre une immense citation — méthode qui connaît son point de perfection avec les *Poésies,* qui prennent le contre-pied des *Chants* dans leur contenu (« Je remplace la mélancolie par le courage, le doute par la certitude, le désespoir par l'espoir... ») et dans leur forme (la sécheresse et l'aphorisme remplacent les tirades lyriques), mais pour en renforcer l'effet, l'autoparodie n'étant que la contre-épreuve de la parodie. Par cette « dialectique de l'écriture », Lautréamont pose deux problèmes toujours actuels, dont les données n'ont cessé de se préciser et de se dramatiser : quelle est la place de la création face à la culture? quelle est la place de l'écrivain face à la société?

LAUTREC (81440), ch.-l. de cant. du Tarn, à 15 km au N.-O. de Castres; 1 393 hab. Église des XVe-XVIIIe s.

LAUZERTE (82110), ch.-l. de cant. de Tarn-et-Garonne, à 22 km au N. de Moissac; 1 766 hab.

LAUZÈS (46360), ch.-l. de cant. du Lot, à 28 km au N.-E. de Cahors; 152 hab.

LAUZET-UBAYE (Le) [04340], ch.-l. de cant. des Alpes de Haute-Provence, à 21 km à l'O. de Barcelonnette; 221 hab.

LAUZON, v. du Canada (Québec), sur le Saint-Laurent, en face de Québec; 12 809 hab.

LAUZUN (47410), ch.-l. de cant. de Lot-et-Garonne, à 32 km au N.-E. de Marmande; 942 hab. Église en partie du XIe s. Château surtout des XVe, XVIe et XVIIe s.

LAUZUN (Antoine NOMPAR DE CAUMONT LA FORCE, *duc* DE), officier français (Lauzun 1633-Paris 1723), époux de Mlle de Montpensier. Son insolence lui valut d'être embastillé de 1671 à 1680.

LAVAGE → CONCENTRATION DES MINERAIS ET CHARBONS.

LAVAL (53000), ch.-l. du départ. de la Mayenne, sur la Mayenne, à 292 km à l'O. de Paris; 54537 hab. *(Lavallois).* Presque à mi-chemin entre Le Mans et Rennes, Laval a connu récemment une rapide augmentation de sa population, liée à l'industrialisation croissante (constructions mécaniques, électriques et électroniques).

BEAUX-ARTS. Vestiges de remparts. Dans la vieille ville, château des XIIe-XVe s. (musée municipal et musée Henri-Rousseau, d'art naïf), château Renaissance, cathédrale en partie romane (objets d'art), demeures anciennes. Églises des anciens faubourgs, dont Notre-Dame d'Avénières et Saint-Martin, romanes.

LAVAL, v. du Canada (Québec), agglomération de la banlieue ouest de Montréal; 228010 hab.

LAVAL (François **de Montmorency**), prélat français (Montigny-sur-Avre 1623-Québec 1708). Vicaire apostolique de la Nouvelle-France (1658), il préside, durant un demi-siècle, à la vie religieuse de la colonie, qu'il dote d'une armature ecclésiastique. Évêque de Québec en 1674, il démissionne en 1688.

LAVAL (Pierre), homme politique français (Châteldon, Puy-de-Dôme, 1883-Fresnes 1945). Député socialiste (1914-1919) puis indépendant (1924-1927), il est plusieurs fois ministre de 1925 à 1930, puis président du Conseil (de janv. 1931 à févr. 1932, et de juin 1935 à janv. 1936). Après la défaite de 1940, il devient ministre d'État du maréchal Pétain (23 juin) et vice-président du Conseil (12 juill.). Partisan de la collaboration avec l'Allemagne, Laval rencontre Hitler à Montoire et y prépare l'entrevue avec Pétain. L'intervention des ministres entraîne alors son arrestation (déc. 1940), mais les Allemands obtiennent sa libération et sa nomination à la tête du gouvernement de Vichy*, en remplacement de Darlan (18 avr. 1942). Souhaitant ouvertement la victoire allemande face au bolchevisme, Laval aligne la politique de Vichy sur celle de l'Allemagne (création du Service du travail obligatoire et de la Milice en 1943). Livré, en août 1944, aux autorités françaises, il est condamné à mort et fusillé.

LA VALETTE (Jean PARISOT DE) → MALTE.

LAVAN, île iranienne du golfe Persique. Terminal pétrolier.

LAVANDE. — De vastes surfaces du sud-est de la France sont couvertes de lavandes, cultivées pour l'essence oléagineuse que l'on en extrait par distillation et qui sert en parfumerie et à divers usages industriels. La lavande est un sous-arbrisseau à souche ligneuse, formant des touffes aux tiges droites et peu rameuses, terminées par des épis de petites fleurs mauves très parfumées. L'espèce sauvage, ou *aspic,* se reconnaît à l'absence de feuilles sur quelques centimètres au-dessous des fleurs; on l'emploie pour parfumer le linge et en éloigner les mites. Une variété, la *lavande à larges feuilles,* hybridée avec le type sauvage, fournit le *lavandin,* ou lavande de culture. (Famille des labiacées.)

LAVANDOU (Le) [83980], comm. du Var, à 24 km à l'E. d'Hyères; 3800 hab. Station balnéaire sur la Méditerranée.

LAVARDAC (47230), ch.-l. de cant. de Lot-et-Garonne, sur la Baïse, à 6 km au N.-O. de Nérac; 2532 hab.

LAVARDIN (41800 Montoire sur le Loir) comm. de Loir-et-Cher, sur le Loir, à 21,5 km à l'O. de Vendôme; 222 hab. — Belles ruines du château fort des XIe-XIVe s. Église romane avec peintures murales des XIIe-XVIe s.

LAVATER (Johann Kaspar), théologien protestant suisse (Zurich 1741-*id.* 1801). Son *Art d'étudier la physionomie* (1772) et ses *Fragments physiognomoniques* (1775-1778) proposent une interprétation non scientifique de la mobilité du visage.

LAVAUR (81500), ch.-l. de cant. du Tarn, sur l'Agout, à 37 km au N.-E. de Toulouse; 8299 hab. *(Vauréens).* Deux églises de style gothique méridional (XIIIe-XIVe s.). Musée du pays vaurais dans une ancienne chapelle. Textile.

LAVE. — Magma en fusion émis par un volcan, la lave se refroidit au contact de l'air pour former une roche volcanique. Les *laves basiques* (de type basaltique), très fluides, donnent généralement de longues coulées, tandis que les *laves acides* (de type rhyolitique), visqueuses, forment des dômes ou des aiguilles. Les coulées de lave se débitent souvent en prismes, les orgues. Le débit en pillow-lavas, se traduisant par un empilement d'ovoïdes de lave, caractérise les épanchements sous-marins (au niveau des rides médio-océaniques, par exemple). En refroidissant, la lave emprisonne parfois des bulles de gaz qui lui donnent un aspect vacuolaire. La pierre ponce est une lave tellement bulleuse que sa densité est inférieure à celle de l'eau et qu'elle flotte.

LAVEDAN (le), région des Hautes-Pyrénées, correspondant au bassin supérieur du gave de Pau.

LAVELANET (09300), ch.-l. de c. de l'Ariège, à 24 km à l'E. de Foix; 9468 hab. Centre textile.

LAVE-LINGE ou **MACHINE À LAVER.** — Destiné au lavage automatique du linge, cet appareil se compose d'une cuve et d'un tambour à l'intérieur. La cuve, en tôle émaillée ou plastifiée, avec habillage interne en acier inoxydable, est à chargement frontal ou supérieur, selon la position du tambour. Celui-ci est un panier cylindrique en acier, percé de trous, dans lequel le lavage du linge s'opère par sa rotation autour d'un axe horizontal ou vertical. Le tambour tourne à des vitesses variables selon la qualité du linge à traiter, et, une fois l'eau évacuée, il peut même jouer le rôle de centrifugeuse pour essorer le linge. L'essorage s'opère à une vitesse dix fois plus grande que pour le lavage. Un programmateur permet de régler à l'avance les différents cycles du lavage, adaptés à tous les types de textiles. Les programmateurs les plus perfectionnés comportent une mémoire électronique restituant une liste d'opérations enregistrées.

LAVELLE (Louis) → SPIRITUALISME.

LAVEMENT. — Le *lavement évacuateur* est utilisé en cas de constipation tenace ou pour préparer le côlon avant une rectoscopie, un lavement baryté, etc. Les *lavements médicamenteux* ont une action locale (en cas de rectite, d'hémorroïdes, etc.) ou générale (en cas de déséquilibre hydroélectrolytique). Le *lavement baryté* permet l'étude radiologique du côlon.

LAVENTIE (62840), ch.-l. de cant. du Pas-de-Calais, à 13 km au S.-O. d'Armentières; 2877 hab.

LAVER (Rodney), tennisman australien (Rockhampton 1938). Il demeure le seul joueur à avoir remporté dans la même année — par deux fois (1962 et 1969) — les quatre grands championnats internationaux (Australie, France [Roland-Garros], Grande-Bretagne [Wimbledon] et États-Unis [Forest Hills]).

LAVÉRA (13117), écart de la comm. de Martigues (Bouches-du-Rhône), sur le golfe de Fos. Port pétrolier (point de départ d'un oléoduc vers Strasbourg et Karlsruhe). Raffinage du pétrole et pétrochimie.

LAVERAN (Alphonse), médecin et bactériologiste français (Paris 1845-*id.* 1922). Il étudia le paludisme en Algérie, en 1878, et découvrit le *plasmodium* responsable de la maladie.

LA VÉRENDRYE (Pierre GAULTIER DE VARENNES DE), explorateur canadien (Trois-Rivières 1685-Montréal 1749). Il jalonna de forts la route allant du lac Supérieur aux montagnes Rocheuses.

LAVERIE → CONCENTRATION DES MINERAIS ET CHARBONS, REMBLAYAGE.

LAVE-VAISSELLE. — Cet appareil ménager, destiné au lavage automatique de la vaisselle, comporte une cuve en tôle émaillée doublée intérieurement d'acier inoxydable, avec ouverture frontale ou supérieure. La vaisselle est disposée dans des paniers en fil métallique plastifié qui coulissent dans les appareils à chargement frontal, ou se superposent dans l'autre type de chargement. Le lavage s'effectue par l'admission de l'eau dans la cuve — par électrovanne — et par sa mise sous pression par un système de pompe : l'eau est dispersée sur la vaisselle soit par jets fixes projetés sur un panier tournant, soit par jets rotatifs; elle est chargée d'un produit détergent, puis d'un produit de rinçage; le chauffage en est assuré par thermoplongeur et réglé par thermostat. Le lavage de la vaisselle peut se dérouler suivant un cycle complet, souvent préétabli à l'aide d'un programmateur, qui comprend le prélavage, le lavage et plusieurs rinçages avec séchage en fin de programme.

LAVIGERIE (Charles), prélat français (Bayonne 1825-Alger 1892). Professeur d'histoire ecclésiastique à la Sorbonne (1854-1856), évêque de Nancy (1863), archevêque d'Alger (1866) et de Carthage (1884), cardinal (1882), il fonde, en 1868, les Missionnaires d'Afrique, dits « Pères blancs », pour l'évangélisation au Sahara et en Afrique occidentale et orientale. Dans le même temps, il combat, de toutes les manières, l'esclavagisme africain. En 1890, le toast qu'il prononce à Alger, en présence des officiers de l'escadre de la Méditerranée, prélude à la politique du ralliement* des catholiques à la République, désiré par Léon XIII.

LA VIGERIE (Emmanuel D'ASTIER DE), écrivain et homme politique français (Paris 1900-*id.* 1969). Un des chefs de la Résistance, fondateur en 1940 du mouvement puis du journal *Libération* (1941-1964), il est ministre de l'Intérieur dans le Gouvernement provisoire et député de 1945 à 1958.

LAVINIUM, anc. ville du Latium, fondée, selon la légende, par Énée en l'honneur de sa femme Lavinia. Elle demeura à l'époque historique la ville sainte du Latium.

LAVIS → DESSIN.

LAVISSE (Ernest), historien français (Le Nouvion-en-Thiérache 1842-Paris 1922). Professeur en Sorbonne (1888), puis directeur de l'École normale supérieure (1904), il contribue à la rénovation des études historiques. Son nom reste surtout attaché à une grande *Histoire de France* (1900-1922, 19 vol.).

LAVIT (82120), ch.-l. de cant. de Tarn-et-Garonne, à 22 km au S.-O. de Castelsarrasin; 1 263 hab.

LAVOIR → CONCENTRATION DES MINERAIS ET CHARBONS.

LAVOISIER (Antoine Laurent DE), chimiste français (Paris 1743-*id.* 1794). En définissant la matière par la propriété d'être pesante, en introduisant l'usage systématique de la balance, en énonçant la loi de conservation de la masse et celle de conservation des éléments, il peut être considéré comme le créateur de la science chimique. Il a élucidé le mécanisme de l'oxydation des métaux au contact de l'air, grâce à des expériences sur l'étain (1774), puis sur le mercure (1777). Il établit les compositions de l'air, de l'eau, du gaz carbonique (1781). Il fut, avec Laplace*, l'auteur des premières mesures calorimétriques. Il participa, avec Guyton* de Morveau, Fourcroy* et Berthollet*, à la création d'une nomenclature chimique rationnelle, fondée sur le concept d'élément (1787).

Antoine Laurent de Lavoisier, par Joseph Boze (1745-1826). [Académie des sciences, Paris.]

Lauros - Giraudon

Député suppléant, il fit partie de la commission chargée d'établir le système métrique (1790). En outre, Lavoisier fut, entre vingt et un et vingt-cinq ans, un auditeur assidu des cours de Bernard de Jussieu*. Ayant gardé de là une ouverture vers les sciences biologiques, il appliqua aussitôt aux êtres vivants le résultat de ses travaux sur les combustions, en assurant que la respiration et la chaleur animale qui en est la conséquence résultent de la combustion du carbone et de l'hydrogène dans les organismes.

Appartenant au corps des fermiers généraux, il se constitua prisonnier; il fut condamné et guillotiné le jour même.

LAVOÛTE-CHILHAC (43380), ch.-l. de cant. de la Haute-Loire, sur l'Allier, à 23 km au S. de Brioude; 262 hab. Importants restes (XIIIe, XVe et XVIIIe s.) d'une abbaye bénédictine.

LAVROVSKI (Leonid Mikhaïlovitch Ivanov), danseur, chorégraphe et pédagogue soviétique (Saint-Pétersbourg 1905 - Paris 1967). Directeur artistique du ballet du théâtre Maly de Leningrad, il poursuit une carrière de chorégraphe au Kirov, puis au Bolchoï, où il est également directeur artistique. À partir de 1964 il dirige la faculté de chorégraphie de l'Institut théâtral de Moscou. Il est l'auteur d'importants ballets (*Roméo et Juliette,* 1940; *le Pavot rouge,* 1949; *la Fleur de pierre,* 1952; *Symphonie classique,* 1967).

LAW (John), financier écossais (Édimbourg 1671 - Venise 1729). Après avoir parcouru l'Europe tout en apprenant la finance, il se fixe (1716) en France, où la Régence se débat au milieu des pires difficultés financières. Law, influencé par les théories mercantilistes, propose comme solution le développement du crédit et de la monnaie. Il crée, à Paris, une banque de dépôt et d'escompte, qui devient banque d'émission, les billets au porteur étant à tout moment convertibles en monnaie métallique; en 1718, elle est banque royale, la Compagnie des Indes*, rénovée, y sera associée. En 1720, Law est contrôleur général des Finances. La dette de l'État est allégée; le commerce maritime est en plein essor. Mais l'effondrement suit de près une panique provoquée par des spéculateurs sans vergogne. Law mourra à Venise, ruiné.

LAWFELD, village de Belgique (Limbourg), à l'O. de Maastricht, qui a donné son nom à une victoire du maréchal de Saxe sur Cumberland (2 juill. 1747).

LAWRENCE (*sir* Thomas), peintre anglais (Bristol 1769 - Londres 1830). Élève de Reynolds, premier peintre du roi (1792), son brio de portraitiste, d'une intensité parfois romantique, lui valut un immense succès.

LAWRENCE (David Herbert), écrivain anglais (Eastwood 1885-Vence 1930). Faisant de l'émotion la pierre de touche de la vie et de l'art, il dénonce la civilisation industrielle, les morales et les religions inhibitrices qui altèrent les instincts vitaux, et exalte le libre épanouissement de toutes les facultés humaines, à commencer par la sexualité (*Amants et fils,* 1913; *le Serpent à plumes,* 1926; *l'Amant* de lady Chatterley,* 1928).

LAWRENCE (Thomas Edward), orientaliste et agent politique anglais (Tremadoc 1888 - Moreton 1935). Passionné du monde arabe, membre de l'Intelligence Service en 1914, il cherche à édifier, aux dépens des Turcs, un Empire arabe allié des Anglais. À la tête d'une « armée arabe », il concourt, avec Allenby, à la conquête de la Palestine et fait une entrée triomphale à Damas avec l'émir Fayṣāl (1918). Révolté, en 1919, par l'éviction de ce dernier de Syrie, il démissionne, s'engage comme simple soldat dans la *Royal Air Force* et meurt dans un accident. Auteur des *Sept Piliers de la sagesse* publiés en 1926.

LAWRENCE (Ernest Orlando), physicien américain (Canton, Dakota du Sud, 1901 - Palo Alto, Californie, 1958). Ses travaux ont porté sur l'effet photoélectrique dans les vapeurs et l'émission thermo-électrique. Il est surtout connu pour son invention, en 1931, du cyclotron. (Prix Nobel de physique, 1939.)

Lawson *(critère de),* règle qui traduit les conditions que doivent remplir les éléments légers (deutérium ou tritium) pour réaliser le phénomène de fusion nucléaire. Pour le deutérium, par exemple, à la température de $2 \cdot 10^8$ degrés, le produit de la densité du plasma, en deutons par centimètre cube, par sa durée de vie, en secondes, doit atteindre 10^{16}. Ce produit est plus faible pour le tritium.

LAXATIF → CONSTIPATION.

LAXNESS (Halldór Kiljan GUDJONSSON, dit), écrivain islandais (Laxness, près de Reykjavík, 1902). Il célèbre l'endurance de son peuple dans des romans d'inspiration sociale (*Salka Valka,* 1931-32; *la Cloche d'Islande,* 1943; *le Paradis retrouvé,* 1960). [Prix Nobel, 1955.]

LAXOU (54520), comm. de Meurthe-et-Moselle, dans la banlieue ouest de Nancy; 17 468 hab. *(Laxoviens).*

LAY (le), fl. côtier de la Vendée, formé par la réunion du *Grand Lay* et du *Petit Lay,* et qui se jette dans le pertuis Breton; 125 km.

LAYARD (*sir* Austen Henry), archéologue et diplomate britannique (Paris 1817 - Londres 1894). Ses fouilles (Ninive, Nimroud, Assour, Babylone...), comme celles contemporaines de Botta* et de Place, sont à l'origine de l'assyriologie, ainsi que des riches collections du British Museum.

LAYE (Camara), écrivain guinéen d'expression française (Kouroussa 1928), auteur de romans qui peignent les croyances et les coutumes traditionnelles de son pays (*l'Enfant noir,* 1953; *le Regard du roi,* 1954; *Dramouss,* 1966).

LAYON (le), riv. de Maine-et-Loire, affl. de la Loire (r. g.), 90 km. Vignobles sur les côteaux de la vallée.

LAZARE *(saint),* ami de Jésus, frère de Marthe et de Marie. Il est seulement mentionné dans l'Évangile de saint Jean, qui rapporte sa résurrection par le Christ à la veille de la Passion. Le silence des trois premiers Évangiles sur ce miracle pose aux exégètes un difficile problème. Une pieuse légende fait de saint Lazare le premier évêque de Marseille.

Lazarillo de Tormes, récit attribué à Hurtado de Mendoza (1554), le premier roman picaresque.

LAZARISTES. — On appelle ainsi — du nom de la maison Saint-Lazare, berceau de la congrégation — la société cléricale fondée, à Paris, en 1625, par saint Vincent* de Paul et approuvée par Urbain VIII, en 1632, sous le nom de « Société des Prêtres de la Mission ». Aux missions populaires et extérieures (Afrique, Asie), les Lazaristes joignirent, dès le XVIIe s., la formation des futurs prêtres, prenant la direction de nombreux séminaires.

LAZARSFELD (Paul Felix), sociologue et statisticien américain d'origine autrichienne (Vienne 1901 - New York 1976). Le retentissement de l'étude menée par Lazarsfeld et son équipe sur le comportement des électeurs pendant la campagne présidentielle de 1940 aux États-Unis (*The People's Choice,* 1944) devait changer l'attitude générale face aux moyens de communication de masse : la thèse de Lazarsfeld consistant, en effet, à affirmer que les caractéristiques sociales déterminent le choix politique, et à s'inscrire en faux contre le thème de la toute-puissance des techniques de diffusion collective (presse, radio, télévision). Son apport fondamental à la méthodologie des sciences sociales (*The Language of Social Research,* 1955) et ses recherches mathématiques exercent une influence décisive sur l'évolution de la sociologie vers une problématique mieux formalisée (*Philosophie des sciences sociales,* 1970; *Main Trends in Sociology,* 1973).

LAZZINI (Joseph), danseur et chorégraphe français (Nice 1926).

Danseur étoile (Nice, Naples, Marseille), maître de ballet et chorégraphe (Liège), il dirige la danse à l'Opéra de Marseille (1959-1969). C'est là que ce créateur inventif, pour qui l'art n'est que mouvement, donne dans un style personnel, synthèse entre un pur académisme et un modernisme visionnaire, le meilleur de son œuvre (*Hommage à Jérôme Bosch,* 1961; *les Illuminations,* 1962; *Suite transocéane,* 1963; $E = mc^2$, 1964; *le Fils prodigue,* 1966; *Concerto champêtre,* 1967; *Ecce homo,* 1968). Après la création d'une nouvelle troupe, le Théâtre français de la danse (1969), plusieurs fois dissoute et reconstituée, il poursuit une carrière internationale.

LEACH (Edmund Ronald), anthropologue britannique (Sidmouth, Devon, 1910). Il est spécialiste des problèmes de la parenté. Critiquant le fonctionnalisme* et le structuralisme*, il a montré que les systèmes sociaux sont en constant déséquilibre (la cohérence n'apparaissant que dans les modèles construits par les anthropologues). Principales publications : *Political Systems of Highland Burma* (1954); *Critique de l'anthropologie* (1961).

LEADERSHIP → CHEF.

LEAHY (William), amiral américain (Hampton 1875 - Bethesda 1959). Chef d'état-major de la marine (1937-1939), ambassadeur des États-Unis à Vichy (1940-1942), il fut chef d'état-major particulier de Roosevelt (1942-1945).

LEAKEY (Louis Seymour Bazett), archéologue et préhistorien britannique (Kabete, Kenya, 1903 - Londres 1972). Il a poursuivi, depuis 1931, des fouilles à Oldoway* en Tanzanie, et y a découvert, en 1959, les vestiges — associés à des galets aménagés — d'un australopithèque*, qu'il a nommé « zinjanthrope », dont l'âge se situe entre 1 000 000 et 1 600 000 ans.

LEANG K'AI ou **LIANG KAI,** peintre chinois du XIIIe s. L'un des grands maîtres des Song du Sud, adepte, comme son contemporain Mou-k'i, de la secte tch'an, il crée une œuvre d'une étonnante vivacité, soutenue par une infaillible technique du lavis, dont la simplicité n'est qu'apparente. Il obtient de subtiles variations de nuances (portrait du poète Li T'ai-po, Musée nat. de Tōkyō) et traduit l'instantanéité d'une vision très personnelle. Son influence a été précoce et forte sur les Japonais.

LEAO-NING ou **LIAONING,** prov. de la Chine du Nord-Est; 230 000 km²; 30 millions d'hab. Capit. *Chen-yang.* C'est la plus petite, mais la plus peuplée, des provinces de la Chine du Nord-Est, situation résultant principalement d'une forte industrialisation (sidérurgie, notamment), favorisée par la présence d'importants gisements de charbon et de minerai de fer, et développée surtout dans les quatre centres urbains majeurs : Chen-yang, Liu-ta, Fou-chouen et Ngan-chan.

LEAO-TONG ou **LIAODONG,** péninsule de la Chine du Nord-Est (Leao-ning).

LEAO-YANG ou **LIAOYANG,** v. de la Chine du Nord-Est (Leao-ning); 102 000 hab.

LEAO-YUAN ou **LIAOYUAN,** v. de la Chine du Nord-Est (Ki-lin); 120 000 hab.

LEASING ou **CRÉDIT-BAIL.** — Les sociétés de leasing doivent obligatoirement prendre le statut de banques ou d'établissements financiers. Elles ne possèdent aucun matériel autre que celui en location. À la fin de la période de location (de trois à sept ans, en général), l'entreprise cliente peut soit restituer le matériel, soit l'acquérir pour la valeur résiduelle fixée au moment de l'élaboration du contrat. Pour le locataire, les loyers sont une charge déductible des bénéfices imposables, et pour les sociétés de leasing les biens donnés en location peuvent être amortis, puisqu'elles en sont propriétaires. Le principal inconvénient du leasing est son coût. (Il existe aussi un leasing ou crédit-bail immobilier.)

LÉAUTAUD (Paul), écrivain français (Paris 1872 - Robinson 1956). Secrétaire de la rédaction du *Mercure de France* (1908-1940), il tint, sous le pseudonyme de MAURICE BOISSARD, la chronique dramatique de la *Nouvelle Revue française* puis des *Nouvelles littéraires.* La publication de son *Journal littéraire* (1954-1965) révéla son ironie de philosophe sceptique.

LÉAUTÉ (Henry), ingénieur et mathématicien français (Belize 1847 - Paris 1916). Ses travaux essentiels concernent la mécanique appliquée, notamment les transmissions à distance et la régulation du mouvement des machines.

LEBAUDY (Paul), industriel français (Enghien 1858 - Rosny-sur-Seine 1937). Il fit construire, par l'ingénieur Julliot, une série de dirigeables semi-rigides, dont le prototype, surnommé *le Jaune,* fut le premier dirigeable militaire. Sur un autre, le *Morning-Post,* Louis CAPAZZA (1862-1928) effectua la première traversée de la Manche, en 1910.

LEBBEKE, comm. de Belgique (Flandre-Orientale), au S.-E. de Termonde; 13 164 hab. (en 1970).

LEBEDEV (Petr Nikolaïevitch), physicien russe (Moscou 1866 - *id.* 1912). Il a découvert, en 1901, la pression de radiation.

lebel (du nom de son inventeur, Nicolas Lebel, 1838-1891), fusil à répétition de calibre 8 mm, réalisé en 1886, plusieurs fois modifié (1893, 1907, 1915, 1934) et adopté par l'armée française jusqu'en 1940.

LE BEL (Achille), chimiste français (Pechelbronn 1847 - Paris 1930). Auteur de la théorie du carbone tétraédrique, il expliqua, en 1874, l'activité optique des composés organiques par l'existence d'un carbone asymétrique.

LEBESGUE (Henri), mathématicien français (Beauvais 1875 - Paris 1941). Ses travaux en analyse se rapportent presque tous à la théorie des fonctions de variables réelles. On lui doit, en particulier, un élargissement de la notion d'intégrale, dite *intégrale de Lebesgue,* qui a ouvert un champ très vaste d'applications.

LEBLANC (Nicolas), chimiste français (Ivoy-le-Pré, Berry, 1742-Saint-Denis 1806). Il découvrit, en 1790, un procédé de préparation industrielle du carbonate de sodium.

LEBLANC (Maurice), écrivain français (Rouen 1864 - Perpignan 1941), créateur dans ses romans policiers du type du gentleman cambrioleur, Arsène Lupin.

LEBŒUF (Edmond), maréchal de France (Paris 1809 - Moncel-en-Trun 1888). Polytechnicien et artilleur, il fut ministre de la Guerre dans le cabinet d'Émile Ollivier, en 1870. Major général de l'armée, il commanda le 3e corps sous Metz et fut fait prisonnier.

LEBON (Philippe), ingénieur et chimiste français (Brachay, Champagne, 1767 - Paris 1804). Le premier, il employa de façon pratique, pour l'éclairage et le chauffage, le gaz provenant de la distillation du bois (1799). On lui doit également un projet de moteur à gaz, avec pompes d'alimentation et inflammation par une machine électrique (1801).

LE BON (Gustave), médecin et sociologue français (Nogent-le-Rotrou 1841 - Paris 1931). Son livre sur *la Psychologie des foules* (1895) le rendit célèbre. Il fut l'un des premiers à mettre en lumière le mécanisme psychologique de la propagande.

LEBOURG (Albert) → IMPRESSIONNISME.

LEBOWA, État bantou d'Afrique du Sud, dans le centre du Transvaal, autonome depuis 1972; 22 000 km²; 1 100 000 hab.

LE BRAS (Gabriel), juriste et sociologue français (Paimpol 1891 - Paris 1970). Initiateur, en France, de l'examen des comportements religieux, il eut recours, principalement, à la technique de l'enquête* par sondage.

LEBRET (Louis-Joseph), religieux et économiste français (Le Minihic-sur-Rance, 1897 - Paris 1966). Dominicain (1923), il fonde, à Lyon, en 1940, « Économie et humanisme », centre d'étude et d'action économique et humaniste.

LE BRIX (Joseph), officier de marine et aviateur français (Baden 1899 - près d'Oufa, U. R. S. S., 1931). Avec Costes, il réussit le tour du monde aérien par Rio de Janeiro, San Francisco et Tōkyō (1927-28). Après avoir battu huit records mondiaux, il périt en tentant la première liaison Paris-Tōkyō sans escale.

LE BRUN (Charles), peintre et décorateur français (Paris 1619 - *id.* 1690). À Rome, où il va parfaire son éducation artistique de 1642 à 1645, il est marqué par les antiques, par Raphaël, les Bolonais, Poussin. Soutenu dans sa carrière parisienne par le chancelier Séguier, il a déjà le premier rôle dans la fondation de l'Académie royale de peinture et de sculpture, en 1648. Au service de Louis XIV et de Colbert à partir de 1661, doué d'un tempérament robuste et d'une grande puissance de travail, il va exercer une véritable dictature sur les arts (il est premier peintre du roi, chancelier à vie de l'Académie, directeur des Gobelins*). Professant l'esthétique de la « belle nature », c'est-à-dire de la réalité corrigée selon les normes antiques, il réalise une œuvre peinte importante. Décorateur du Louvre et de Versailles, il compose ce cadre de grandeur où l'on reconnaît l'expression du siècle de Louis XIV. Mais la rhétorique l'emporte chez lui sur la sensibilité. Il a décoré la voûte de l'hôtel Lambert à Paris (v. 1655), une partie des appartements de Vaux-le-Vicomte, la voûte de la galerie d'Apollon au Louvre et, avec des aides, celle de la galerie des Glaces à Versailles (1678-1684), etc. Parmi ses tableaux, citons, au Louvre, *le Sommeil de l'Enfant Jésus* (1655), *la Pentecôte, le Chancelier Séguier avec sa suite,* les immenses toiles de l'*Histoire d'Alexandre,* deux *Adorations des bergers* (1689-90).

LEBRUN (Ponce Denis ÉCOUCHARD), poète français (Paris 1729 - *id.* 1807), auteur d'odes qui lui valurent le surnom de *Pindare.*

LEBRUN (Charles François), homme politique français (Saint-Sauveur-Lendelin 1739 - Saint-Mesmes 1824). Député aux États généraux (1789), puis aux Anciens (1795), il est choisi par Bonaparte, qui voit en lui le représentant des royalistes, comme troisième consul (1799). Architrésorier d'Empire (1804), il crée la Cour des

Le général Leclerc débarquant sur une plage de Normandie, le 2 août 1944.

U.S. Army

comptes. Duc de Plaisance (1808), il représente l'Empereur en Hollande jusqu'en 1813. Il est grand maître de l'Université durant les Cent-Jours.

LEBRUN (Albert), homme d'État français (Mercy-le-Haut, Meurthe-et-Moselle, 1871 - Paris 1950). Président du Sénat (1931), il fut élu président de la République en 1932. Réélu en 1939, il s'effaça devant le maréchal Pétain en juillet 1940.

LECANUET (Jean), homme politique français (Rouen 1920). Président du Mouvement républicain populaire (1963), puis du Centre* démocrate, qu'il fonde en 1966, il est nommé garde des Sceaux en mai 1974. En 1976, il devient président du Centre des démocrates-sociaux, issu de la fusion du Centre démocrate et du Centre Démocratie et Progrès. Il est ministre chargé du Plan et de l'Aménagement du territoire d'août 1976 à mars 1977.

LECCE, v. d'Italie, ch.-l. de prov., dans la Pouille; 84000 hab. Ruines romaines. Édifices religieux construits ou transformés à l'époque baroque (entre 1650 et 1730, environ), d'une ornementation exubérante (S. Croce; ensemble de la place du Dôme). Musée provincial. Constructions mécaniques.

LECCO, v. d'Italie (Lombardie), au N.-E. de Milan, sur le *lac de Lecco* (branche sud-est du lac de Côme); 54000 hab. Textiles.

LECH (le), riv. née en Autriche (Vorarlberg), qui rejoint le Danube (r. dr.) en Allemagne fédérale, après avoir arrosé Augsbourg; 265 km.

LE CHAPELIER (Isaac), homme politique français (Rennes 1754 - Paris 1794). Avocat, député du tiers (1789), il est l'un des fondateurs du Club breton (v. JACOBINS). Le 14 juin 1791, il rapporte la loi qui porte son nom et qui interdit toute association entre gens de même métier et toute coalition. Il est exécuté durant la Terreur.

LE CHATELIER (Henry), chimiste et métallurgiste français (Paris 1850 - Miribel-les-Échelles 1936). Il réalisa des explosifs de sécurité pour les mines de houille. Il fit les premières études scientifiques de la structure des métaux et alliages, créa l'analyse thermique et la métallographie microscopique. Il énonça la loi générale de déplacement des équilibres physicochimiques et s'intéressa à l'organisation scientifique des entreprises.

LÉCHÈRE (La), station thermale de Savoie (comm. de Notre-Dame-de-Briançon), à 6 km au N. de Moûtiers. Eaux chaudes (55 °C) radioactives utilisées dans les troubles circulatoires et les affections gynécologiques.

LECH-OBERLECH, station de sports d'hiver (alt. 1450 - 2492 m) d'Autriche (Vorarlberg), dans la vallée du *Lech.*

LECLAIR (Jean-Marie), violoniste et compositeur français (Lyon 1697 - Paris 1764). Disciple de Somis à Turin et de Locatelli à Amsterdam, il fit carrière à Paris au Concert spirituel et à la Cour. Grâce à ses sonates pour un et deux violons et à ses concertos, d'une grande richesse d'écriture, d'une technique consommée, et où il tente une fusion des styles français et italien, l'école française de violon progressa considérablement.

LECLANCHÉ (Georges), ingénieur français (Paris 1839 - *id.* 1882). Il inventa, en 1867, la pile électrique qui porte son nom, utilisant comme électrolyte le chlorure d'ammonium et comme dépolarisant le bioxyde de manganèse.

LECLERC (Charles), général français (Pontoise 1772 - Cap-Français, Saint-Domingue, 1802). Au siège de Toulon (1793), puis en Italie (1796), il fut le compagnon de Bonaparte, dont il épousa la sœur, Pauline (1797). Il commanda victorieusement l'expédition de Saint-Domingue contre Toussaint-Louverture, mais il fut emporté par la fièvre jaune.

LECLERC (Philippe Marie DE HAUTECLOCQUE, dit), maréchal de France (Belloy-Saint-Léonard 1902 - près de Colomb-Béchar 1947). Officier de cavalerie, fait deux fois prisonnier en 1940, il s'évade deux fois, rejoint de Gaulle et concourt au ralliement du Cameroun à la France libre. Commandant militaire de l'Afrique-Équatoriale française, il attaque les Italiens à Koufra* (1941) et au Fezzan, puis rejoint (1943) les Britanniques à Tripoli et entre avec eux en Tunisie. À la tête de la 2e division blindée, il libère Paris (1944) et y reçoit la reddition de la Wehrmacht. Il délivre ensuite Strasbourg et entre à Berchtesgaden (4 mai 1945). Mis, peu après, à la tête des troupes françaises en Indochine, il signe au nom de la France l'acte de capitulation du Japon et réinstalle les forces françaises à Hanoi. Inspecteur des troupes d'Afrique du Nord, il meurt dans un accident d'avion et est fait maréchal à titre posthume en 1952.

LE CLÉZIO (Jean-Marie), écrivain français (Nice 1940). Son œuvre narrative et critique, qui se réclame à la fois des présocratiques, de Michaux et de Ponge, campe, au rythme d'une prose poétique qui donne à la réalité quotidienne minutieusement décrite une coloration fantastique, des personnages en quête d'une impossible prise de conscience de leur destin dans un univers indécis et destructeur (*le Procès-verbal,* 1963; *la Fièvre,* 1965; *l'Extase matérielle,* 1967; *Voyages de l'autre côté,* 1975).

LECOCQ (Charles), compositeur français (Paris 1832 - *id.* 1918). La verve et l'élégance de sa musique expliquent le succès qu'ont remporté ses opérettes *la Fille de Madame Angot* (1872) et *le Petit Duc* (1878).

LECOMTE DU NOÜY (Pierre), biologiste français (Paris 1883-New York 1947). Son étude du temps de cicatrisation, proposée par Alexis Carrel, l'amène à la conception d'un temps biologique propre à la substance vivante (thèse exposée dans *le Temps et la Vie*).

Leçon *(la),* pièce d'Ionesco (1951) : comment les sciences plus ou moins exactes participent du désir et du crime et comment la passion et l'instinct se camouflent derrière l'idéologie. Flemming Flindt a composé un ballet d'après la pièce d'Ionesco, sur une musique de Georges Delerue (Danemark, 1963; Paris, 1964).

LECONTE DE LISLE (Charles Marie LECONTE, dit), poète français (Saint-Paul, la Réunion, 1818 - Louveciennes 1894). Réagissant contre le lyrisme romantique, il prôna une poésie impersonnelle qui, tenant compte des progrès scientifiques, retrouve les grands mythes successifs de l'humanité (*Poèmes antiques,* 1852; *Poèmes barbares,* 1862; *Poèmes tragiques,* 1884). C'est autour de lui que se constitua l'école parnassienne.

LECOQ DE BOISBAUDRAN (François), chimiste français (Cognac 1838 - Paris 1912). Il a découvert et préparé le gallium (1875), puis le samarium.

LE CORBUSIER (Charles Édouard JEANNERET-GRIS, dit), architecte, théoricien et peintre français d'origine suisse (La Chaux-de-Fonds 1887 - Roquebrune-Cap-Martin 1965). Après avoir, à travers l'Europe, fréquenté l'atelier d'architectes comme T. Garnier, A. Perret, P. Behrens, il vient à Paris travailler la peinture, et fonde le purisme* avec A. Ozenfant (1918). En même temps, dans diverses revues (dont *l'Esprit nouveau,* 1920-1925), il exprime les idées architecturales (souplesse de l'espace intérieur, interpénétration intérieur-extérieur) qu'il applique dans plusieurs maisons (jusqu'à la villa Savoye, à Poissy, 1929); il développe les principes du pilier, de l'autonomie fonctionnelle de l'ossature par rapport au mur, du plan libre, de la façade libre et du toit-terrasse. Préoccupé d'urbanisme*,

Le Corbusier. Chapelle Notre-Dame-du-Haut à Ronchamp (1950-1955).

Gérard - Fotogram

il propose la répartition des activités en zones distinctes dans la ville et la séparation des différents types de circulation. Portant ses anciens projets de maisons standardisées (« Dom-ino », puis « Citrohan ») à l'échelle collective de l'« immeuble-villa » « pavillon de l'Esprit nouveau » à l'exposition des Arts décoratifs, en 1925), il construit une cité-jardin à Pessac (1926).

Dans les années 30, hormis le pavillon suisse de la Cité universitaire et l'asile de l'Armée du salut à Paris (1930-1933), Le Corbusier travaille peu en France. Faisant figure de leader des C. I. A. M. (v. CHARTE D'ATHÈNES et INTERNATIONAL [*style*]), ses grandes entreprises d'alors sont le Tsentrosoïouz (1929) et un projet pour le palais des Soviets (1931) à Moscou, des projets d'urbanisme pour l'Afrique du Nord (à Alger, il met au point le « brise-soleil » en béton armé) et pour l'Amérique du Sud.

Sa réflexion sur l'architecture et l'urbanisme aboutit aux « unités d'habitation » (Cité radieuse de Marseille, 1947; unités de Nantes-Rezé, 1952, et de Briey, 1955). Le souci plastique qui s'y manifeste dans le choix des matières (pierre et béton bruts, bois) et, parfois, dans l'emploi des couleurs (primaires et contrastées) s'affirme dans ses réalisations ultérieures, Capitole de Chandigarh* (1950-1962) ou Carpenter Center for the Visual Arts à l'université Harvard (1961), tandis qu'une volonté poétique audacieuse anime la chapelle Notre-Dame-du-Haut à Ronchamp (1950) et le couvent de la Tourette à Éveux (1957).

Le Corbusier remplaça le terme de « mobilier » par celui d'« équipement », montrant ainsi sa volonté de l'intégrer à l'architecture. Il étudia des formes standard à partir de trois éléments fondamentaux : la table, qui lui inspira une table à usages multiples; les étagères, dont il tira des éléments de rangement; et, enfin, le siège, à partir duquel il dessina une chaise à pivot, un fauteuil et une chaise-longue, en collaboration avec Ch. Perriand.

LECORNU (Léon), ingénieur français (Caen 1854 - Saint-Aubin-sur-Mer 1940). Ses nombreux travaux, tant en géométrie et en analyse qu'en mécanique rationnelle et en mécanique appliquée, se rapportent aussi bien à la science pure qu'à ses applications.

LECOURBE (Claude, *comte*), général français (Ruffey 1759 - Belfort 1815). Il se bat à Fleurus (1794), puis en Allemagne, sous Moreau (1796), et se distingue en Suisse contre Souvorov (1799). Mis en non-activité lors du procès Moreau (1801), il se rallie à Napoléon durant les Cent-Jours.

LECQUES (Les), station balnéaire de l'extrémité occidentale du Var (comm. de Saint-Cyr-sur-Mer).

LECTEUR DE CARTES. — Les lecteurs de cartes* permettent d'introduire dans les ordinateurs* des données contenues dans des cartes* perforées. Les cartes sont prises dans un magasin d'alimentation, conduites à une première station de lecture, puis à une deuxième, afin de créer, par comparaison des deux lectures, un contrôle de sécurité. Elles ressortent ensuite dans un magasin de réception. Les stations de lecture utilisent le plus souvent des cellules photoélectriques. Lorsqu'il existe une perforation, la lumière émise par une source peut exciter la cellule, qui émet une impulsion électrique. Les impulsions reçues pour l'ensemble des perforations d'une colonne de la carte permettent au lecteur d'identifier un caractère et de constituer un code* binaire équivalent, qui est transmis à la mémoire* centrale de l'ordinateur. Un lecteur de cartes peut lire de 100 à 1 000 cartes à la minute.

LECTEUR DE DISQUES. — Un lecteur de disques* est constitué de deux parties essentielles.

• La *table de lecture* comprend un moteur, qui entraîne un plateau à vitesse constante et sans vibrations, sur lequel on dispose le disque. Les vitesses de rotation normalisées sont : 16 2/3 tr/mn, 33 1/3 tr/mn, 45 tr/mn et 78 tr/mn.

• La *cellule phonocaptrice* est fixée à l'extrémité d'un bras qui permet de lire les oscillations du sillon du disque en fonction de la fréquence* des sons enregistrés. Les cellules phonocaptrices sont monophoniques ou, plus souvent, stéréophoniques. On distingue : d'une part, les cellules sensibles à l'amplitude du déplacement de la pointe, ce sont les *modèles piézoélectriques;* d'autre part, les cellules sensibles à la vitesse de déplacement de la pointe, ce sont les *modèles électromagnétiques* à réluctance* variable ou à aimant mobile.

LECTEUR MAGNÉTIQUE ET OPTIQUE. — Les cartes perforées (v. LECTEUR DE CARTES) ne sont pas la seule forme d'information qu'on puisse faire entrer dans un ordinateur. Des recherches techniques et théoriques essaient de concevoir des machines capables de lire des documents tels qu'ils sont utilisés et créés dans la vie courante. À un niveau intermédiaire entre la carte perforée et l'écriture cursive se situent des formes de codage de l'information, aujourd'hui directement exploitables par des unités de lecture spécialisées des ordinateurs.

• Le *lecteur magnétique* est utilisé dans le domaine bancaire. Sur le document, chèque par exemple, dont on veut introduire l'information à traiter dans l'ordinateur, celle-ci est inscrite sous forme d'une ligne de caractères imprimés avec une encre* magnétisable. Le jeu de caractères (les chiffres plus quelques caractères spéciaux) est codé selon les règles du CMC 7 (caractère magnétique codé à 7 éléments); chaque caractère est constitué de 7 bâtonnets verticaux, délimitant 6 intervalles : 2 larges et 4 courts. La succession de ces intervalles sous une tête de lecture magnétique permet au lecteur d'identifier le caractère. D'autre part, l'ensemble des 7 bâtonnets est modelé pour constituer un caractère lisible, en raison de sa forme, par l'œil humain.

• Le *lecteur optique* reconnaît des caractères imprimés, voire manuscrits. Mais ceux-ci doivent être stylisés selon des normes précises et inscrits à des emplacements bien définis. Un balayage optique analyse la forme du caractère et c'est un traitement logique qui en assure l'identification.

L'utilisation des lecteurs magnétiques et optiques permet de faire lire directement des documents à un ordinateur sans qu'il soit besoin de passer par l'étape intermédiaire, manuelle et coûteuse, de la perforation sur cartes.

LECTOURE (32700), ch.-l. de cant. du Gers, au-dessus du Gers, à 35 km au N. d'Auch; 4 403 hab. Restes de fortifications. Anc. cathédrale des XIIIe-XVIe s. Musée lapidaire dans l'hôtel de ville (anc. évêché du XVIIe s.). Fontaine gothique.

LECTURE. — La signification à attribuer à ce qui est lu dépend de la pratique de la langue, et l'enfant qui n'est pas familier de celle-ci ignore les liaisons internes du système linguistique (fréquence relative des mots, de telle séquence de lettre, etc.); pour attribuer un son et un sens à un message écrit, il devra connaître beaucoup d'éléments de ce message. À l'inverse, il aura besoin d'en connaître d'autant moins que ses hypothèses concernant le sens du message écrit seront plus pertinentes : qu'il aura mieux compris le contexte, les relations de dépendances des mots, etc. Cela montre que plus on lit, plus on lit vite et bien.

La *méthode globale* préconisée par O. Decroly* s'appuie sur le syncrétisme de l'intelligence* de l'enfant en âge de lire (6 ans). Elle consiste à apprendre d'abord des mots en les associant à l'image des objets qu'ils désignent, la décomposition en lettres se faisant ultérieurement. Elle a l'avantage d'attirer l'attention sur l'importance du sens du texte, mais elle ne facilite pas l'apprentissage de l'orthographe ou de la grammaire. La *méthode phonématique,* qui consiste à associer les lettres en phonèmes parlés (B − A = BA), puis en mots et en phrases, est justifiée par l'habitude d'apprendre à lire et à écrire en même temps, tout en prononçant à voix haute. Elle nécessite une capacité d'analyse que l'enfant n'atteint pas avant 7 ans.

Peu importe finalement la méthode, l'essentiel est que l'enfant trouve de l'intérêt à savoir lire, c'est-à-dire qu'un temps assez court sépare le moment où il débute son apprentissage et le moment où il est mis en présence de textes qui l'intéressent; le parachèvement de la lecture sera alors facile et rapide. Cependant, il semble que cet apprentissage ne doive pas être commencé trop tôt : la période favorable se situerait autour de 6-7 ans.

La *dyslexie* est l'impossibilité de lire correctement à l'âge habituel (8-9 ans) pour un enfant qui ne présente pas par ailleurs un déficit intellectuel ou sensoriel. Il y a des degrés dans la dyslexie : la lecture courante et expressive peut ne pas être obtenue ou, plus sévèrement, le texte lu est incompréhensible du fait de confusions de lettres — dont le graphisme ou la sonorité sont voisins —, d'inversions, etc. Toutes ces erreurs sont commises également par les débutants, mais ce qui caractérise les dyslexiques, c'est la fréquence et la persistance de ces erreurs. La dyslexie est un mal très répandu, qui a des conséquences très lourdes : redoublement de classe au niveau de la scolarité primaire.

Un certain nombre de facteurs sont à l'origine de la dyslexie. Mme S. Borel-Maisonny retrouve dans 70 p. 100 des cas un trouble du langage*. Des difficultés d'orientation spatio-temporelle — en particulier la gaucherie contrariée — et des troubles de la perception du rythme ont été aussi incriminés. Dans certains cas, la dyslexie a la valeur d'un symptôme névrotique, qui a pour origine la première enfance, au moment où l'enfant est normalement encouragé par sa mère à constituer la zone intermédiaire entre le Moi* et le Non-Moi (zone des phénomènes transitionnels*) selon la formulation de D. W. Winnicott*. Les enfants qui ne savent pas lire en fin de cours préparatoire sont plus nombreux dans les milieux socioéconomiques défavorisés, et C. Chiland, dans *l'Enfant de 6 ans et son avenir* (1971), constate que le niveau socioculturel pèse plus lourd que le Q. I. pour déterminer le niveau de lecture ou d'orthographe en fin de cours préparatoire : « Non seulement le milieu socioculturel contribue à déterminer le Q. I., mais, à Q. I. égal, il facilite ou entrave l'utilisation des possibilités intellectuelles pour l'acquisition des connaissances de base. »

La dyslexie représente une constellation de difficultés dont aucune, à elle seule, ne suffit à l'expliquer. La *dysorthographie* l'accompagne toujours, mais elle peut ne pas avoir été précédée par elle. On admet alors que l'enfant qui avait su se créer des repères lui permettant de suppléer à ses difficultés temporo-spatiales pour la lecture est débordé en ce qui concerne l'apprentissage de l'orthographe, qui, quoique de même nature, est plus complexe que celui de la lecture. Dyslexie et/ou dysorthographie peuvent être rééduquées; grâce à une sériation judicieuse d'exercices, la rééducation, conduite par un spécialiste de l'orthophonie, permet à l'enfant d'abandonner sa conduite d'échec et de fuite devant la lecture. Lorsque les difficultés affectives sont au premier plan, une psychothérapie doit être envisagée d'abord.

LÉDA, personnage de la mythologie grecque. Femme de Tyndare*, roi de Sparte, elle fut aimée de Zeus*, qui se métamorphosa en cygne pour la séduire. Ces amours produisirent deux œufs d'où sortirent deux couples de jumeaux : Castor* et Pollux, Hélène* et Clytemnestre*.

LE DANTEC (Félix), biologiste français (Plougastel-Daoulas 1869-Paris 1917). Il fut chargé par Pasteur de fonder au Brésil un laboratoire pour l'étude de la fièvre jaune. Puis il étudia le cancer avant de se tourner vers la philosophie pour défendre le lamarckisme et le déterminisme, et pour proposer finalement sa théorie d'*assimilation fonctionnelle.*

LEDE, comm. de Belgique (Flandre-Orientale), au N.-O. d'Alost; 10316 hab. (en 1970).

LEDEBERG, anc. comm. de Belgique (Flandre-Orientale), intégrée à Gand en 1977.

LEDERBERG (Joshua), biologiste américain (Montclair, New Jersey, 1925). Pionnier de la biologie moléculaire, il reçoit en 1958 le prix Nobel de médecine et de biologie pour ses découvertes concernant la recombinaison génétique et l'organisation du matériel génétique chez les bactéries. Sa découverte de la transduction bactérienne par l'intermédiaire d'un bactériophage a conduit aux travaux de Monod et de Jacob en France.

LÉDIGNAN (30350), ch.-l. de cant. du Gard, à 17,5 km au S. d'Alès; 812 hab.

LEDOUX (Claude Nicolas), architecte français (Dormans 1736-Paris 1806). Son œuvre, dont il reste peu de témoignages (château de Bénouville, près de Caen, 1768; quelques-uns des pavillons d'octroi de Paris, 1784-1787), est dominée par la manufacture des Salines de Chaux à Arc-et-Senans (1775-1779, inachevée) et les plans de la ville qui devait l'entourer. Préoccupations philosophiques et sociales ainsi qu'anticipations romantiques sont à la base de son langage, qui met à profit le répertoire antique et le symbolisme des formes géométriques simples. Ledoux a publié en 1804 *l'Architecture considérée sous le rapport de l'art, des mœurs et de la législation.*

LEDRU-ROLLIN (Alexandre Auguste LEDRU, dit), homme politique français (Paris 1807-Fontenay-aux-Roses 1874). Riche bourgeois et avocat démocrate, député à partir de 1841, il lance *la Réforme* (1843), organe du radicalisme, qui est la fraction la plus avancée du mouvement républicain. Aussi, quand éclate la révolution de février 1848, est-il naturellement porté au gouvernement comme ministre de l'Intérieur. Mais sa politique affole les classes moyennes sans contenter les socialistes. En juin 1848, il doit s'incliner devant la dictature de Cavaignac, qu'il combat par la suite. Leader de l'opposition républicaine, il est largement battu par Louis Napoléon lors de l'élection présidentielle du 20 décembre. Élu à la Législative (mai 1849), il tente, le 13 juin, d'organiser une journée — dite « du Conservatoire des arts et métiers » — contre l'Assemblée réactionnaire. Échappant de peu à l'arrestation, il gagne l'Angleterre, d'où il ne rentre qu'en 1870.

LÊ DUAN, homme politique vietnamien (prov. de Quang Tri 1908). Premier secrétaire du Lao Dong (parti communiste nord-vietnamien) depuis 1960, il a succédé à Hô Chi Minh.

LEDUC (René), ingénieur et constructeur d'avions français (Corbeil 1898-Istres 1968). Il se consacra à l'étude de la thermopropulsion, qu'il adapta à des appareils capables de voler à des vitesses supersoniques.

LEE (Richard Henry), homme politique américain (Stratford 1732-Chantilly, Virginie, 1794). Délégué de la Virginie au congrès de Philadelphie, il est l'auteur de la proposition d'indépendance des colonies anglaises d'Amérique (1776). Il préside le Congrès en 1784.

LEE (Robert Edward), général américain (Stratford 1807-Lexington 1870). Chef des armées sudistes pendant la guerre de Sécession, vainqueur à Richmond (1862) et à Chancellorsville (1863), il sera vaincu peu après à Gettysburg et capitulera à Appomatox en 1865.

LEEDS, v. du nord de l'Angleterre, dans le Yorkshire. Musées. Aux environs, ruines de l'abbaye cistercienne de Kirkstall. — La ville, qui compte à peine 500000 habitants, commande une agglomération en groupant plus du triple; c'est un important centre d'industries textiles (travail de la laine et confection notamment) et mécaniques.

LEERS (59115), comm. du Nord, à 6 km à l'E. de Roubaix; 7788 hab.

LEE TSUNG-DAO, physicien chinois (Chang-hai 1926). Travaillant aux États-Unis, son collègue Yang Chen-ning et lui ont reçu le prix Nobel de physique en 1957 pour leur découverte de la violation, pour certaines particules élémentaires, du principe de conservation de la parité.

LEEUWARDEN, v. des Pays-Bas, ch.-l. de la Frise, au N.-E. du Zuiderzee; 86000 hab. Monuments des XVIe-XVIIIe s. Musées.

LEEUW-SAINT-PIERRE, en néerl. **Sint Pieters Leeuw,** comm. de Belgique (Brabant), au S.-O. de Bruxelles; 27461 hab.

LEEWARD ISLANDS → SOUS-LE-VENT *(îles).*

LEFEBVRE (François Joseph), duc **de Dantzig,** maréchal de France (Rouffach 1755-Paris 1820). Engagé aux gardes françaises (1773), général en 1794, il se distingue à Fleurus et, commandant la division militaire de Paris, coopère au coup d'État du 18 brumaire. Maréchal en 1804, il obtient en 1807 la capitulation de Dantzig; il commandera la Vieille Garde en Russie (1812) et en France (1814). Il a épousé en 1783 Catherine Hubscher, blanchisseuse, dont Sardou a fait l'héroïne de *Madame Sans-Gêne* en 1893.

LEFEBVRE (Georges), historien français (Lille 1874-Boulogne-Billancourt 1959). Professeur à la faculté des lettres de Lille, il publie une thèse sur les *Paysans du Nord pendant la Révolution* (1924), qui fait date dans l'historiographie française. Président de la Société des études robespierristes (1932), professeur en Sorbonne (1935), il attribue dans ses travaux sur la Révolution — *la Vente des biens nationaux* (1928), *la Grande Peur* (1932), *les Thermidoriens* (1937), *le Directoire* (1946)... — une part prépondérante aux structures sociales et aux faits économiques.

LEFEBVRE (Henri), philosophe et sociologue français (Hagetmau, Landes, 1901). Il enseigne la sociologie à Strasbourg (1960-1966), puis à Nanterre, où il exerce une influence importante sur des étudiants et, par là, sur les événements de mai 1968. Son œuvre (*Critique de la vie quotidienne,* 1947; *Une république pastorale : la vallée du Campan,* 1955; *la Somme et le reste,* 1959; *le Droit à la ville,* 1973; *Hegel, Marx, Nietzsche ou le royaume des ombres,* 1975) tente de promouvoir un marxisme humaniste, notamment à partir d'enquêtes de sociologie urbaine et rurale.

LEFÈVRE d'Étaples (Jacques), humaniste et théologien français (Étaples v. 1450-Nérac 1537). Membre influent du « cénacle de Meaux » (v. BRIÇONNET*), il se consacre plus particulièrement à l'étude de la Bible, qu'il traduira et commentera. Très pieux et soucieux d'un retour aux sources bibliques, il sera soupçonné de vouloir favoriser les idées luthériennes. Il est avec Érasme* le plus brillant représentant du premier humanisme chrétien.

LEFFRINCKOUCKE (59240 Dunkerque), comm. du Nord, banlieue est de Dunkerque; 5307 hab. Métallurgie.

LE FLÔ (Adolphe), général français (Lesneven 1804-près de Morlaix 1887), ministre de la Guerre du gouvernement de Défense nationale (1870-71).

LEFOREST (62790), ch.-l. de cant. du Pas-de-Calais, à 11 km au N. de Douai; 8047 hab.

LEFUEL (Hector) → LOUVRE.

LEGA (Silvestro) → MACCHIAIOLI.

LÉGAT. — À Rome, sous la République, les légats étaient des commissaires du sénat envoyés auprès des gouverneurs de province. Ils composaient le conseil du gouverneur, surveillaient celui-ci et pouvaient éventuellement le remplacer dans ses fonctions, d'où leur nom de *legati propraetore.* Sous l'Empire également, les légats assistaient les gouverneurs des provinces sénatoriales; dans les provinces impériales, les gouverneurs, choisis au gré de l'empereur, portaient le titre de *legati Augusti propraetore. Legatus* pouvait aussi être un grade militaire : à l'époque impériale, il fut donné à l'officier commandant une légion*.

Légataire universel *(le),* comédie de Regnard (1708).

LEGÉ (44650), ch.-l. de cant. de la Loire-Atlantique, à 40 km au S. de Nantes; 3489 hab.

Légende des siècles *(la),* recueil de poèmes de Victor Hugo, comportant trois séries (1859, 1877, 1883). C'est une épopée évoquant l'évolution de l'humanité à travers ses différentes civilisations.

Légende dorée *(la),* en lat. *Legenda aurea,* primitivement dénommée *Legenda sanctorum.* Cet ouvrage est un recueil de Vies de saints composé au XIIIe s. par le dominicain et hagiographe italien Jacques de Voragine (v. 1230-1298).

LEGENDRE (Adrien Marie), mathématicien français (Paris 1752-*id.* 1833). Il participa à la préparation des grandes opérations géodésiques entreprises lors de l'adoption du système métrique. À plusieurs reprises, et de multiples façons, il tenta de démontrer le postulat d'Euclide. Mais son plus beau titre de gloire est d'avoir créé la théorie des intégrales elliptiques (1825-1832), qui fut complétée par Abel* et Jacobi*.

Galerie nationale du Canada, Ottawa

Fernand Léger : *le Mécanicien*. 1920.
(Galerie nationale du Canada, Ottawa.)

LÉGER (Fernand), peintre français (Argentan 1881 - Gif-sur-Yvette 1955). Attiré par Cézanne, lié aux cubistes et à Delaunay, il est amené à privilégier le choc dynamique des formes et des couleurs pures, jusqu'à l'abstraction des *Contrastes de formes* de 1913. Après la guerre, il revient à un univers figuré, mais mécanique, géométrique et dépersonnalisé (*les Disques,* 1918, musée d'Art moderne de la Ville de Paris), où la figure humaine, inexpressive, devient élément plastique de la composition (*le Mécanicien,* 1920, musée d'Ottawa). Il rencontre Le Corbusier, fonde une académie libre dans son atelier avec Ozenfant (1924). Sa volonté d'un art simple, efficace, voire populaire, intégré à la vie sociale, le conduit à multiplier les techniques et les supports (cinéma : *le Ballet mécanique,* 1924; décors muraux pour l'Exposition internationale de Bruxelles en 1935, le palais de la Découverte à Paris en 1937, le palais de l'O. N. U. à New York en 1952; mosaïque : église d'Assy, 1946; vitrail : église d'Audincourt, 1951; céramiques, sculptures polychromes). Dans les grandes compositions à personnages des dix dernières années de sa vie (*les Constructeurs,* 1950, version définitive au musée Fernand-Léger de Biot [Alpes-Maritimes]; *la Grande Parade,* 1954, musée Guggenheim, New York), les aplats de couleurs conquièrent parfois une quasi-indépendance par rapport au dessin.

LEGHORN → POULE.

LÉGION. — À l'origine, la légion romaine représentait l'armée dans son ensemble. L'armée primitive était constituée de 3 000 fantassins et de 300 cavaliers; les effectifs militaires étaient fournis par les patriciens et leurs clients. Avec la réforme dite « de Servius Tullius », patriciens et plébéiens prirent dans la légion une place qui était en rapport avec leur fortune. Plusieurs réformes datent de l'époque de M. Furius* Camillus, qui, selon la tradition, créa la solde : les légionnaires furent classés non plus selon la fortune, mais d'après l'âge en trois groupes *(hastati, principes, triarii);* par ailleurs, la légion, qui comptait 4 200 hommes, fut divisée en manipules (120 hommes). Marius l'ouvrit à tous les citoyens et remplaça le manipule comme unité tactique par la cohorte (600 hommes); il y eut dix cohortes par légion. La légion impériale fut à peu près celle de Marius; mais, sous Auguste, le commandement passa des tribuns militaires au légat* de légion. L'armée d'Auguste comprenait vingt-cinq légions (150 000 hommes), qui furent réparties dans les provinces. Le recrutement se fit surtout parmi les provinciaux, qui, par le fait même de leur engagement, devenaient citoyens romains.

Légion arabe, formation militaire arabe créée par les Britanniques en Transjordanie en 1922, commandée de 1939 à 1956 par Glubb pacha et qui constitua en 1946 l'armée de la Jordanie.

Légion Condor, formation militaire allemande (aviation, blindés) qui combattit de 1936 à 1939 aux côtés des forces de Franco dans la guerre civile d'Espagne.

Légion d'honneur *(ordre de la),* premier ordre national français, créé en 1802 par Bonaparte pour récompenser les services civils ou militaires. Cinq classes : grand-croix et grand officier (dignités), commandeur, officier, chevalier (grades). L'ordre, dont le chef de l'État est le grand maître, est dirigé par un grand chancelier. Son règlement a été révisé en 1962 (Code de la Légion d'honneur). En 1976 on comptait 279 000 légionnaires.

Légion étrangère, formation de l'armée française. Succédant aux régiments étrangers de l'armée française d'Ancien Régime, la Légion étrangère a été créée en Algérie en 1831. Composée de volontaires, en majorité étrangers, elle comprend des régiments d'infanterie, des unités parachutistes et le régiment étranger de cavalerie, dont les drapeaux et étendards portent la devise « Honneur et Fidélité ». En 1962, le dépôt central de la Légion a été transféré de Sidi-bel-Abbès à Aubagne, où un musée de la Légion a été inauguré en 1966. La Légion (env. 8 000 hommes en 1976), qui a conservé son uniforme traditionnel (képi blanc, épaulettes, grenade à 7 branches), a compté dans ses rangs des représentants les plus divers de soixante nations.

LÉGISLATIF (pouvoir). — Le pouvoir législatif (ou, comme le disent certains auteurs, la « fonction législative ») a pour objet d'élaborer des règles de droit de portée générale (plus rarement de portée individuelle) qui s'imposent aux citoyens ou aux institutions publiques dans leurs rapports réciproques (lois constitutionnelles). La « législation » — notamment dans les pays du monde occidental — fait, de nos jours, l'essentiel de la règle de droit (à côté de la coutume, de la jurisprudence, de la doctrine, des principes généraux du droit). Une grande partie de ce droit a été codifiée, notamment dans les codes importants de l'époque napoléonienne ou qui furent élaborés par la suite (Code civil, Code de commerce, Code pénal, etc.).

Pendant longtemps, la loi a été en France le fruit de la seule élaboration de l'organe « législatif » (Parlement). Son critère fut longtemps formel : était loi ce qui émanait de la volonté des assemblées législatives, quel que soit le contenu de la loi. La loi se caractérisait non par sa portée matérielle, mais par son origine. En ce sens, elle était la norme émanant d'une autorité (le « pouvoir législatif »), considérée comme au-dessus des autres pouvoirs de l'État (l'exécutif et le judiciaire).

La conception actuelle de la loi est différente. Duguit* apercevait déjà qu'une loi se caractérisait par son contenu (et non plus seulement par l'autorité dont elle émanait), de nombreuses mesures à portée générale pouvant être de véritables lois *par nature* sans qu'elles émanent du pouvoir « législatif » proprement dit. La Constitution de la Ve République fait sienne cette conception et partage la fonction législative entre plusieurs organes, parmi lesquels le Parlement et le gouvernement (articles 34 et 37 de la Constitution du 4 octobre 1958). De nombreuses mesures réglementaires (décrets) apparaissent en fait comme de véritables lois.

Dans certains cas délimités par la Constitution, les lois peuvent être l'objet d'un référendum devant le pays entier; elles émanent alors du citoyen-législateur. Il en est ainsi notamment lorsque, dans le cadre de l'article 89 de la Constitution, il s'agit de soumettre à la nation un projet de révision de la Constitution adopté en termes identiques par les deux assemblées (et quand le référendum est préféré à la procédure du congrès à Versailles), ou au cas où il y a

définition de quelques termes

- *Lois organiques.* Complémentaires de la Constitution, elles en précisent certains détails et figurent comme des lois intermédiaires entre les textes constitutionnels et les textes législatifs ordinaires.
- *Lois référendaires.* Ce sont les lois qui sont soumises au référendum; elles portent sur l'organisation des pouvoirs publics ou autorisent la ratification d'un traité ayant des incidences sur les institutions elles-mêmes.
- *Lois de finances.* Elles déterminent la nature, le montant et l'affectation des ressources et des charges de l'État (la loi de règlement est celle qui apure définitivement les résultats de chaque année budgétaire).
- *Lois de programme.* Elles déterminent les objectifs de l'action économique et sociale de l'État, et autorisent des dépenses portant sur plusieurs exercices.
- *Propositions et projets de lois.* Dans la plupart des pays où la pratique parlementaire est devenue courante, l'initiative des lois appartient concurremment au Parlement et au gouvernement (depuis 1830 en France). Les lois à l'initiative du gouvernement sont soumises, sous forme de « projets de loi » au Parlement; celles qui sont proposées par les parlementaires sont appelées « propositions de lois ».

cession de territoire (article 53), ou encore lorsque le président de la République décide de consulter la nation (article 11). On parle alors de « lois référendaires », et le pouvoir législatif est, dans ce cas, exercé directement par les citoyens eux-mêmes.

législative *(Assemblée)* [1791-92], une des assemblées révolutionnaires. Les 745 députés de cette Assemblée, qui se réunit le 1er octobre 1791, se groupent en trois tendances : les Indépendants, qui forment la majorité constitutionnelle (345 élus), au centre; les Feuillants (264 élus) à droite; les Girondins (136 élus), de tendance républicaine, à gauche. Le premier rôle revient d'abord aux Feuillants, qui sont éliminés en avril 1792 par Louis XVI, désireux de pratiquer la politique du pire. En effet, dès le 20 avril, le cabinet Roland-Dumouriez jette la France dans la guerre. Mais, mécontent des décrets qui frappent les prêtres réfractaires, le roi rappelle les Feuillants dès le 13 juin, ce qui provoque la journée du 20 juin*. Son impuissance et celle de l'Assemblée font finalement le jeu de la Commune* de Paris, qui, le 10 août, provoque la déchéance du roi. L'Assemblée se sépare le 20 septembre.

législative *(Assemblée)* [1849-1851], assemblée élue le 13 mai 1849 et réunie le 28. Cette Assemblée de 750 membres compte deux « blocs », qui s'affrontent aussitôt : à droite (450 élus) le « parti de l'ordre », monarcho-clérical; à gauche la « Montagne » (180 élus). Très vite, la droite s'impose, surtout après l'élimination de 34 députés montagnards à la suite de la journée du 13 juin 1849; elle multiplie les mesures réactionnaires : lois restrictives sur la presse et les clubs, expédition de Rome (1849), loi Falloux (mars 1850) et loi du 31 mai 1850, qui restreint l'exercice du suffrage universel... Puis l'Assemblée entre en conflit avec le prince-président Louis Napoléon Bonaparte, qui se débarrasse d'elle par le coup d'État du 2 décembre* 1851.

LÉGISTES. — On a donné ce nom aux juristes qui apparurent dans l'administration royale à partir du règne de Louis IX. Remarquables doctrinaires et praticiens, doués d'une connaissance approfondie du droit romain, les légistes jetèrent les fondements idéologiques d'un dépassement de la notion, purement privée et féodale, de suzeraineté royale par celle, plus politique, de souveraineté et définirent ainsi de la façon la plus large l'autorité du roi. L'effort doctrinal d'un Beaumanoir*, qui, bien que bailli royal, n'engageait que lui lorsqu'il formulait sa théorie du pouvoir, fut poursuivi par les conseillers légistes de Philippe IV le Bel (Flote, Marigny, Nogaret), qui, dans les faits, contribuèrent à consolider l'autorité royale face aux traditions féodales.

LÉGITIMATION → FILIATION.

LÉGITIMISTE. — Le parti légitimiste, formé après la révolution de 1830, défendit les droits héréditaires de la branche aînée des Bourbons, représentée par le petit-fils de Charles X, Henri (V), comte de Chambord*, dont la disparition, sans héritier, en 1883, mit fin aux activités du parti.

LEGNANO, v. d'Italie (Lombardie), au N.-O. de Milan; 48 000 hab. — Milan et les communes guelfes de la Ligue lombarde y remportèrent en 1176 une victoire sur Frédéric Ier Barberousse.

LEGNICA, v. de Pologne, en basse Silésie, à l'O. de Wrocław; 78 000 hab. Monuments du Moyen Âge. Cuivre.

LEGRENZI (Giovanni), compositeur italien (Clusone 1626 - Venise 1690). Maître de chapelle de Saint-Marc de Venise, il s'est montré un initiateur dans le domaine de la sonate et a excellé dans l'opéra, la cantate et la musique sacrée.

LEGROS (Pierre), dit **l'Ancien,** sculpteur français (Chartres 1629 - Paris 1714). Élève de Sarazin, académicien, il est l'auteur de statues pour le parc de Versailles (*l'Eau,* groupes d'enfants...). — Son fils PIERRE II (Paris 1666 - Rome 1718) se fixa à Rome et y travailla pour les églises.

LEGS. — Le mot désigne la manifestation de la volonté, exprimée dans un testament*, de faire une libéralité au profit de quelqu'un : *legs particulier* ou *legs universel,* ou *à titre universel;* le *legs « de residuo »* est fait à une personne chargée, à son décès, de remettre le bien dont elle n'aura pas elle-même disposé.

LÉGUEVIN (31490), ch.-l. de cant. de la Haute-Garonne, à 18 km à l'O. de Toulouse; 2 186 hab.

LÉGUME. — On désigne sous le nom général de « légumes » tous les végétaux utilisés pour l'alimentation humaine soit en vert, soit à l'état sec, soit encore en conserves. On pratique la culture de plein champ ou la culture maraîchère, cette dernière s'effectuant en pleine terre, sous abri, sur couche ou en serre. On distingue les légumes bulbeux (ail, oignon, échalote), les légumes constitués de racines ou de tubercules (carotte, salsifis, céleri, betterave potagère, radis, pomme de terre), les légumes à feuilles (choux, poireau, laitue, chicorée, pissenlit, mâche, cresson, épinard, etc.), les légumes potagers (haricot, pois, lentille, fève), les légumes vivaces (artichaut, cardon, asperge) et enfin les légumes-fruits (tomate, aubergine, concombre, cornichon, melon, piment, poivron, potiron et courge).

LÉGUMINEUSES. — L'alimentation humaine et animale ainsi que l'horticulture florale tirent un grand parti des plantes de l'ordre des légumineuses. Ces plantes se reconnaissent aisément à leurs fleurs papilionacées et à leurs fruits en gousse. La plupart des espèces ont des feuilles de type composé-penné. Les racines ont la faculté d'héberger des bactéries symbiotiques *(rhizobium)* qui fixent l'azote de l'air, ce qui fait des légumineuses des plantes « enrichissantes » pour les terres arables (on les enfouit parfois comme « engrais vert »). On répartit les légumineuses entre trois familles :
— les *mimosacées* (acacia, sensitive), qui portent de minuscules fleurs jaunes groupées en capitules sphériques et très parfumées ;
— les *césalpiniacées* (gainier ou arbre de Judée, caroubier, févier), qui sont des arbres aux fleurs roses;
— les *papilionacées,* herbes ou arbustes, qui comptent un très grand nombre d'espèces, les unes alimentaires (pois, haricot, fève, lentille, arachide), les autres fourragères (trèfle, sainfoin, luzerne), mellifères (genêt, mélilot, cytise), ornementales (pois de senteur, glycine, lupin), pharmaceutiques (réglisse, *Spartium*) ou utilisées pour faire des balais et des cordages (v. GENÊT), sans parler de genres peu utiles, mais très communs, tels que le lotier, l'anthyllis, l'ononis, la gesse, la vesce, etc.

LEHÁR (Franz), compositeur autrichien (Komárno 1870 - Bad Ischl 1948). D'abord violoniste et auteur de deux concertos pour violon, il trouva sa véritable voie dans l'opérette (*Kukuschka, la Veuve joyeuse* [1905], *le Comte de Luxembourg, le Tsarévitch, le Pays du sourire* [1929]), où il utilisa non seulement la valse, mais aussi des danses plus modernes et des éléments folkloriques.

LEIBL (Wilhelm), peintre allemand (Cologne 1844 - Würzburg 1900). Fixé à Munich après avoir séjourné à Paris (1870) et s'être lié avec Courbet, il fut le chef de file de l'école réaliste en Allemagne.

LEIBNIZ (Gottfried Wilhelm), philosophe et mathématicien allemand (Leipzig 1646 - Hanovre 1716). Précoce et autodidacte, il acquiert une culture encyclopédique en fréquentant la riche bibliothèque de son père et en étudiant la philosophie, les mathématiques et le droit. À vingt ans, il publie un essai d'analyse combinatoire *(De arte combinatoria),* puis il s'occupe autant de politique et de droit que de mathématiques et de philosophie. À Paris, il suit les travaux de Pascal et de Huygens, et fréquente

Gottfried Wilhelm Leibniz. Portrait anonyme, XVIIIe s. (Landesbibliothek, Hanovre.)

Giraudon

Arnauld et Bossuet; à Londres, il se lie avec Boyle et Oldenburg; en Hollande, avec Spinoza. Il invente le calcul différentiel (1676), et ce indépendamment de Newton, avec qui il se brouille à propos de la paternité de l'invention. Conseiller du duc de Hanovre, il prépare une histoire de la maison de Brunswick, dont les recherches le conduisent à Vienne et à Rome. Fondateur d'une des premières revues scientifiques, *Acta eruditorum* (1682), il est le premier président de la future Académie des sciences de Berlin (1700). Son œuvre, immense, compte peu d'ouvrages achevés (*Discours de métaphysique,* 1686; *Nouveaux Essais sur l'entendement humain,* 1704; *Essais de théodicée,* 1710; *la Monadologie**, 1714) et de nombreux opuscules, articles et lettres (notamment une *Nouvelle Méthode pour la détermination des maxima et des minima* [1684], qui formule les règles du calcul infinitésimal).

Critiquant le principe cartésien de la connaissance (le cogito), Leibniz pose que la vérité résulte de la rigueur logique pour les vérités de raison et de Dieu — principe de raison suffisante —, pour les vérités de fait. Dès lors, une connaissance universelle et nécessaire est possible, et l'homme peut logiquement connaître l'infinité du monde. Dieu, dont l'existence est rationnellement démontrable, contient toutes les vérités éternelles et nécessaires.

Comme être infini, il peut concevoir toutes les essences possibles et leurs combinaisons qui sont susceptibles de former un monde. Les substances, ou monades, que Dieu crée sont en nombre infini et contiennent en elles-mêmes toutes leurs déterminations. Les monades sont à la fois les formules qui nous permettent d'exprimer le monde et le monde lui-même. Chacune est miroir de l'univers, et l'ordre du monde résulte de l'harmonie que Dieu préétablit entre elles. Une infinité de points de vue sur le monde est donc possible. C'est la recherche de l'articulation de tous ces points de vue dans une métamathématique où les vérités seraient construites comme des expressions à partir d'axiomes et de règles déterminées qui rend impossible la séparation du mathématique et du métaphysique dans l'œuvre de Leibniz.

LEIBOWITZ (René), compositeur et musicologue français d'origine polonaise (Varsovie 1913 - Paris 1972). Il a joué un rôle capital pour la connaissance en France du dodécaphonisme sériel de Schönberg (*Introduction à la musique de douze sons,* 1950).

LEICESTER, v. du centre de l'Angleterre, dans le *Leicestershire,* au N.-E. de Birmingham; 284 000 hab. Vestiges romains. Églises, ruines d'un château et d'une abbaye du Moyen Âge. Musées. Constructions mécaniques et électriques. Textile. Chaussures.

LEINE (la), riv. de l'Allemagne fédérale, qui passe à Göttingen et à Hanovre, affl. de l'Aller (r. g.); 281 km.

LEINSTER, en gaél. **Laighen,** prov. orientale de la république d'Irlande; 1 497 000 hab. V. princ. *Dublin.*

LEIPZIG, v. de l'Allemagne orientale, ch.-l. du *district de Leipzig* (1 467 000 hab.); 574 000 hab.

GÉOGRAPHIE. Deuxième ville et centre industriel (constructions mécaniques et industries lourdes [sidérurgie, centrales thermiques, chimie] liées à la proximité de gisements de lignite) du pays, Leipzig est encore une importante cité culturelle (université, édition) et commerciale (foires internationales).

HISTOIRE. Ville marchande, Leipzig devient en 1409 le siège d'une université dont le rôle est primordial dans le mouvement de la Renaissance et de la Réforme. En 1631, Gustave-Adolphe y écrase les Impériaux; en 1813, du 16 au 19 octobre, s'y livre la « bataille des Nations », à l'issue de laquelle Napoléon Ier est obligé de battre en retraite vers le Rhin.

BEAUX-ARTS. Églises Saint-Nicolas (d'origine romane) et Saint-Thomas (église-halle surtout des XIVe et XVe s.). Anc. hôtel de ville Renaissance (musée historique), ancienne Bourse et *Romanushaus* baroques. Riche musée des Beaux-Arts. Musée Grassi (ethnographie, instruments de musique...). Bibliothèque allemande et musée du Livre. Archives Bach au *Gohliser Schlösschen,* rococo.

LEIRIS (Michel), écrivain et ethnographe français (Paris 1901). Il participa au mouvement surréaliste (*Haut Mal,* 1943; *Mots sans mémoire,* 1969), puis accompagna Marcel Griaule dans une mission ethnographique en Éthiopie (*l'Afrique fantôme,* 1934). Sa carrière au musée de l'Homme et au C.N.R.S. (où il sera chargé du département de l'Afrique noire) se confond avec son aventure littéraire, influencée à la fois par Proust et Raymond Roussel, dans la recherche patiente et passionnée de son moi, débarrassé, par l'épreuve de l'« Autre » (le Dogon, l'Éthiopien ou le romancier modèle), des conventions rhétoriques et des sentiments appris (*l'Âge d'homme,* 1939) et qui s'incarne dans l'ensemble autobiographique de *la Règle du jeu : Biffures* (1948), *Fourbis* (1955), *Fibrilles* (1966), *Frêle Bruit* (1976).

LEISHMANIOSE. — La symptomatologie de la leishmaniose varie avec la localisation du parasite. La leishmaniose viscérale, ou kala-azar, se traduit par une fièvre irrégulière et prolongée avec splénomégalie (grosse rate); son pronostic est grave. Les leishmanioses cutanées (bouton d'Orient) et cutanéo-muqueuses (lésions ulcéro-végétantes extensives parfois mutilantes) sont moins graves.

LEITHA (la), riv. d'Autriche et de Hongrie (Lajta), affl. du Danube (r. dr.); 178 km.

LEIVIK (Halpern), écrivain d'expression yiddish (près de Minsk 1888 - New York 1962). Son œuvre lyrique et dramatique, qui fait de la littérature le relais de la liturgie et de la langue celui de la foi, est une quête du sens de la souffrance et du sacrifice (*le Golem,* 1921; *les Chaînes du Messie,* 1939; *Chants à l'Éternel,* 1959).

LE JEUNE (Claude), compositeur français (Valenciennes v. 1525-Paris 1600). Musicien appartenant à la religion réformée, il a écrit nombre de psaumes et de chansons, et s'est montré un partisan de la musique « mesurée » dans le sein de l'académie Baïf. Après avoir été au service du duc d'Anjou, il devint compositeur de la chambre d'Henri IV.

LEJEUNE (Jérôme), médecin et généticien français (Montrouge 1926). Il a décrit en 1959 la première maladie humaine par aberration chromosomique, la trisomie 21, cause du mongolisme.

LEK (le), branche septentrionale du Rhin inférieur aux Pays-Bas.

LEKAIN (Henri Louis CAIN, dit), acteur français (Paris 1729 - *id.* 1778). Il fut à la Comédie-Française l'interprète de Voltaire; il introduisit plus de naturel dans la déclamation et plus d'exactitude dans la mise en scène. Il a laissé des *Mémoires.*

LEKEU (Guillaume), compositeur belge (Heuzy 1870 - Angers 1894). Élève de C. Franck, il a publié, outre des pages symphoniques, de la musique de chambre, notamment une émouvante sonate pour violon.

LE LANNOU (Maurice), géographe français (Plouha 1906). Professeur au Collège de France, spécialiste du monde méditerranéen, et en particulier de l'Italie (*Pâtres et paysans de Sardaigne,* 1941), il a publié, en 1949, une *Géographie humaine,* mettant l'accent sur les facteurs historiques et sociaux dans l'explication des paysages et des groupements humains actuels.

LELOIR (Luis Federico), biochimiste argentin d'origine française (Paris 1906). Il a isolé de nombreuses substances entrant dans le métabolisme des glucides, notamment les nucléotides (1964). [Prix Nobel de chimie, 1970.]

LE LORRAIN (Robert), sculpteur français (Paris 1666 - *id.* 1743). Élève de Girardon, il séjourne à Rome à la suite de son premier prix, obtenu en 1689. Il est académicien en 1700 et professeur en 1717. Il travaille pour Versailles et Marly avant 1715, puis pour les grands. De son œuvre, mal conservée, les frémissants *Chevaux du Soleil* (1740) de l'hôtel de Rohan, à Paris, marquent un sommet.

LELY (Pieter VAN DER FAES, dit **sir Peter**), peintre anglais d'origine néerlandaise (Soest, Westphalie, 1618 - Londres 1680). Fixé à Londres en 1641, il succéda à Van Dyck, dont il s'inspira, comme portraitiste de la Cour.

LEMAIRE de Belges (Jean), poète et chroniqueur d'expression française (Bavay, Hainaut, 1473 - † v. 1515). Disciple des rhétoriqueurs Molinet et Guillaume Crétin, il fut le poète et l'historiographe de Marguerite d'Autriche, pour qui il composa la *Couronne margaritique* (1504) et les *Épîtres de l'amant vert* (1505). Il passa ensuite à la cour d'Anne de Bretagne. Il orienta la poésie vers l'art pur, utilisant le premier la forme italienne des « tierces rimes ». Il entreprit également une histoire mythologique des peuples d'Europe (*Illustrations de Gaule et singularités de Troie,* 1509-1512) et tenta de trouver une solution au débat sur les qualités littéraires du français et de l'italien dans la *Concorde des deux langages* (1513).

LEMAÎTRE (Antoine Louis Prosper, dit **Frédérick**), acteur français (Le Havre 1800 - Paris 1876). Il triompha dans le drame romantique et le mélodrame (*l'Auberge des Adrets).*

LEMAÎTRE (*Mgr* Georges Henri), astrophysicien belge (Charleroi 1894 - Louvain 1966). Il fut le premier à proposer, en 1927, un univers* en expansion, dans le cadre de la théorie de la relativité*. Cette hypothèse devait trouver une confirmation dans la découverte de Hubble*, qui mit en évidence la fuite apparente des galaxies*. Extrapolant ces données, Lemaître formula l'hypothèse dite « de l'atome primitif », aux termes de laquelle l'univers aurait été un atome gigantesque qui a explosé.

LÉMAN *(lac),* le plus grand lac des Alpes, d'une superficie totale de 582 km^2, partagé entre la France (234 km^2) et la Suisse (348 km^2). Étiré en forme de croissant, avec une longueur maximale de 72 km (alors que la plus grande profondeur est de 310 m), traversé par le Rhône, il est divisé, par un saillant au niveau de Nyon, en un *Grand Lac,* à l'E., et un *Petit Lac,* à l'O.

Lac Léman : vue de la ville suisse de Montreux, sur la rive droite au nord du lac.

(auquel on donne souvent le nom de *lac de Genève*). Ses rives, jalonnées d'importants centres urbains (notamment en Suisse : Genève et Lausanne), constituent un secteur touristique et de séjour de réputation internationale.

LE MAY (Pamphile), écrivain canadien d'expression française (Lotbinière, Québec, 1837 - Saint-Jean-Deschaillons, Québec, 1918), auteur de contes et de poèmes rustiques (*les Gouttelettes,* 1904).

LEMBERG, nom allemand, de Lvov.

LEMBEYE (64350), ch.-l. de cant. des Pyrénées-Atlantiques, à 31 km au N.-E. de Pau; 744 hab. Église du XVe s.

LEMELIN (Roger), écrivain canadien d'expression française (Québec 1919). Ses romans font une peinture satirique des mœurs du Canada moderne (*les Plouffe,* 1948).

LEMERCIER (Jacques), architecte français (Pontoise v. 1585 - Paris 1654). Né dans une famille d'architectes, il admire à Rome les monuments antiques et classiques (1607-1613), puis devient l'architecte de Louis XIII et de Richelieu (Paris : pavillon de l'Horloge au Louvre, Palais-Cardinal [recomposé au XVIIIe s.], chapelle de la Sorbonne [1635], plans de Saint-Roch; ville de Richelieu).

LEMERCIER (Népomucène), écrivain français (Paris 1771 - *id.* 1840). Il orienta la tragédie vers les sujets nationaux (*Charlemagne,* 1816).

LÉMERY (Nicolas), apothicaire et chimiste français (Rouen 1645 - Paris 1715). Il s'est occupé des sels extraits des végétaux et des poisons. Le mélange de limaille de fer et de soufre, qui réagit vivement au contact de l'eau chaude, porte encore le nom de « volcan de Lémery ».

LEMIRE (Jules), ecclésiastique français (Vieux-Berquin 1853 - Hazebrouck 1928). Prêtre (1878), il s'intéresse très tôt aux questions sociales et suit les directives de Léon XIII sur le ralliement* des catholiques à la République. Député d'Hazebrouck à partir de 1893 — avant d'en devenir maire (1914) —, il agit en démocrate convaincu, tout en se faisant le défenseur du « terrianisme » et du bien de famille insaisissable (loi Ribot, 1908). Fondateur des jardins ouvriers, orateur écouté des démocrates-chrétiens, il connaît un moment la disgrâce auprès de son évêque.

LEMMING. — Les pays scandinaves assistent, tous les trois ou quatre ans, à la migration des lemmings. Ces petits rongeurs à queue courte, qui ressemblent un peu à des cobayes, bien qu'ils soient plus proches parents des rats, connaissent en effet des crises de surpopulation et de disette qui les déterminent à fuir droit devant eux, ne s'arrêtant même pas assez longtemps pour tirer vraiment parti des ressources alimentaires locales. On les voit alors envahir les villes ou traverser les fjords et s'y noyer en grand nombre. La cause de cette pullulation n'est pas encore entièrement élucidée.

LEMNACÉES. — On ne connaît que très peu de plantes à fleurs purement flottantes, et, parmi elles, aucune n'est aussi simple que les « lentilles d'eau », qui forment la famille des lemnacées. Ce sont de petites feuilles rondes ou ovales, très vertes, sous lesquelles pend une petite racine blanche et qui, se multipliant très rapidement par bourgeonnement latéral, ont tôt fait de couvrir certaines pièces d'eau, au point de plonger la masse des eaux dans l'obscurité, y rendant impossible toute autre vie végétale. Les lemnacées peuvent porter une ou deux fleurs vertes minuscules, mais la reproduction par graines est exceptionnelle; le genre *Wolffia* n'a même pas de racines.

Papigny

LEMNITZER (Lyman), général américain (Honesdale 1899). Président du Comité des chefs d'état-major (1960-1962), puis commandant suprême des forces alliées du Pacte atlantique en Europe (1963-1969).

LEMNOS → LÍMNOS.

LEMONNIER (Camille), écrivain belge d'expression française (Ixelles 1844 - Bruxelles 1913), romancier disciple à la fois de Zola par son souci naturaliste (*Happe-chair,* 1886) et des Goncourt par son écriture « artiste ».

LEMOYNE, famille de sculpteurs français, nés et morts à Paris. JEAN-LOUIS (1665-1755), élève de Coysevox, commença une carrière au service du roi à la fin du XVIIe s. et excella dans le buste à l'époque de la Régence. — Son frère JEAN-BAPTISTE Ier (1679-1731) est l'auteur du *Baptême du Christ* de l'église Saint-Roch, suave et maniéré, que termina son neveu. — Ce dernier, JEAN-BAPTISTE II (1704-1778), fils de Jean-Louis, est l'un des grands représentants du style rocaille. Académicien (1738) et artiste officiel comme ses aînés, il est connu pour ses bustes de Louis XV et pour ceux des grands personnages du temps, d'une admirable vivacité (*Réaumur,* 1751, terre cuite, Louvre; *Mlle Clairon en Melpomène,* Comédie-Française; *Montesquieu,* 1767, marbre, Bordeaux).

LEMOYNE (François), peintre français (Paris 1688 - *id.* 1737). Il étudie Rubens à la galerie Médicis du Luxembourg, exécute des tableaux de chevalet sur des thèmes mythologiques, obtient assez tardivement les commandes de décors monumentaux qui révèlent ses dons brillants et dont le principal est le plafond du salon

E. Hosking

Lemming d'Europe.

d'Hercule à Versailles (1733-1736). Il se suicide à quarante-neuf ans. Son œuvre annonce Boucher, qui fut son élève.

LE MOYNE DE BIENVILLE (Jean-Baptiste), gouverneur français (Ville-Marie [Montréal] 1680 - Paris 1768). Il poursuit l'œuvre de son frère, Le Moyne d'Iberville, en Louisiane, dont il est par trois fois gouverneur, de 1713 à 1743.

LE MOYNE D'IBERVILLE (Pierre), marin français (Ville-Marie [Montréal] 1661 - La Havane 1706). Vainqueur des Anglais sur la baie d'Hudson, en Acadie et à Terre-Neuve (1686-1697), il fut le fondateur et le premier administrateur de la Louisiane*.

LÉMURIENS. — Les forêts de Madagascar et de l'Asie du Sud abritent des primates aussi différents des singes que de l'homme, les lémuriens. Ceux-ci sont des arboricoles aux mœurs nocturnes, aux yeux immenses, au museau pointu, excellents grimpeurs grâce à leurs pattes au pouce opposable aux autres doigts. Citons les *makis,* à la toison laineuse, frugivores, les *loris* de l'Inde, insectivores sans queue, aux mouvements lents, et les *galagos* africains parmi les espèces à 36 dents, tandis que l'on ne compte que 30 dents chez les *sifakas* malgaches, aux mœurs et aux formes de singe, excellents sauteurs, végétariens, et chez l'*indri,* et que la denture s'abaisse à 22 dents chez l'*aye-aye,* animal extraordinaire par ses incisives de rongeur et par ses doigts d'une extrême minceur. Il faut mettre à part le *tarsier,* petit insectivore aux yeux démesurés, aux doigts munis de ventouses terminales, grimpeur et sauteur, pour lequel certains auteurs ont créé un groupe spécial de primates, les *tarsiens.*

LENA (la), fl. de l'U. R. S. S., en Sibérie; 4 270 km. Née à l'O. du lac Baïkal, la Lena coule vers le N. en contournant le grand plateau de la Sibérie centrale ou orientale, qu'elle sépare des chaînes de l'Extrême-Orient soviétique. Passant à Iakoutsk, elle rejoint l'océan Arctique dans la mer des Laptev. Gelée de longs mois l'hiver et écoulant la majeure partie de ses eaux pendant l'été, période de crues et d'inondations, c'est un cours d'eau au débit donc très saisonnier et éloigné des centres industriels; ainsi la Lena est-elle encore peu utilisée pour la fourniture d'hydroélectricité et ne présente pas d'intérêt pour la navigation.

LE NAIN, nom de trois peintres français, nés à Laon et morts à Paris, les frères ANTOINE (v. 1588?-1648), LOUIS (v. 1593?-1648) et MATHIEU (v. 1607?-1677). La distinction de leurs œuvres respectives, qu'ils n'ont jamais signées que de leur nom patronymique, est difficile et controversée. Installés à Paris, réputés tant à la Cour que dans les milieux religieux (quatre tableaux pour Notre-Dame, dont une *Nativité de la Vierge*), les Le Nain développent à partir de la fin des années 30 l'art du portrait collectif, traité en scènes de genre d'inspiration hollandaise (*le Corps de garde,* 1643, Louvre), ainsi que les sujets paysans, traditionnellement attribués à Louis et qui, tout en s'inspirant des « bambochades » nordiques et italiennes, constituent leur expression la plus personnelle. Un réalisme sincère, rejetant pittoresque ou caricature, fait la haute dignité de cet art (au Louvre : *la Forge,* d'un caravagisme retenu; *le Retour de la fenaison,* 1641, unifié par l'éclairage de plein air; *Famille de paysans dans un intérieur,* hiératique et intime).

LE NAIN DE TILLEMONT (Louis Sébastien), historien français (Paris 1637-*id.* 1698). Élève des solitaires de Port-Royal*, il est l'auteur, notamment, d'utiles *Mémoires pour servir à l'histoire ecclésiastique des six premiers siècles* (1693-1712).

LENARD (Philipp), physicien allemand (Presbourg 1862-Messelhausen, Bade-Wurtemberg, 1947). Il observa en 1894 que les rayons cathodiques peuvent sortir du tube producteur et parcourir une petite distance dans l'air. Il montra que l'effet photoélectrique n'est produit que par des radiations suffisamment courtes. (Prix Nobel de physique, 1905.)

LENAU (Nikolaus), poète autrichien (Csátad, auj. Lenauheim, en Roumanie, 1802-Oberdöbling, près de Vienne, 1850), auteur de poésies élégiaques (*Chants des joncs,* 1832) et d'un poème dramatique où il fait de Faust un héros révolté.

LENCLOÎTRE (86140), ch.-l. de cant. de la Vienne, à 18 km à l'O. de Châtellerault; 1 871 hab. Anc. abbatiale des XIIe et XVe s.

LENCLOS (Anne, dite **Ninon de**), femme de lettres française (Paris 1620-*id.* 1705). Son salon fut fréquenté par les libres penseurs.

LENGLEN (Suzanne), joueuse française de tennis (Paris 1899-*id.* 1938). Considérée comme la meilleure joueuse de tous les temps (vainqueur en simple à Wimbledon de 1919 à 1923 et en 1925, championne de France de 1920 à 1923, puis en 1925 et en 1926), elle domina le tennis féminin de son époque.

LENINABAD, v. de l'U.R.S.S. (Tadjikistan), sur le Syr-Daria; 103 000 hab.

LENINAKAN, v. de l'U.R.S.S. (Arménie), près de la frontière turque; 165 000 hab.

LÉNINE (Vladimir Ilitch OULIANOV, dit), homme d'État russe (Simbirsk [auj. Oulianovsk] 1870-Gorki 1924). Après l'exécution de son frère par la police tsariste, Vladimir Oulianov s'engage dans le mouvement révolutionnaire : il y critique le populisme* au nom du marxisme. Arrêté en 1895, il est déporté en Sibérie, d'où il est libéré en 1900; il doit s'exiler quelques mois plus tard et se rend en Suisse auprès de Plekhanov. Il fonde avec celui-ci un journal, l'*Iskra.* Il écrit alors la brochure *Que* faire?* (1901-1902), puis participe au IIe Congrès du P.O.S.D.R. (1903), où les majoritaires (bolcheviks) imposent aux minoritaires (mencheviks) une conception nouvelle de l'organisation du parti, inspirée du *Que faire?* Le parti, composé de « révolutionnaires professionnels », doit être l'avant-garde de la classe ouvrière, visant la prise du pouvoir, avec pour axe la dictature* du prolétariat. En 1905, la conception léniniste de l'organisation du parti l'emporte au sein de la IIe Internationale. Cependant, après la révolution de janvier 1905, une grève éclate en Russie, où apparaît pour la première fois une organisation spontanée, les soviets, ou conseils ouvriers, que les bolcheviks rejoignent. Mais le tsar écrase dans le sang les grèves organisées par ces derniers. Lénine doit s'exiler de nouveau. À Paris, il reçoit une correspondance considérable des révolutionnaires demeurés en Russie. En 1908, il s'installe à Genève, où il rédige *Matérialisme et empiriocriticisme,* puis à Paris, où il restera jusqu'en 1912. Au congrès de Prague (1912), comme lors de la grève du 1er mai à Saint-Pétersbourg et aux élections d'automne, les bolcheviks l'emportent sur les mencheviks : Lénine préconise à la fois le jeu des élections à la douma, le refus de collaboration avec les bourgeois démocrates — que rejoignent en fait les mencheviks — et l'alliance des ouvriers et des paysans en Russie. L'opposition de Lénine et des bolcheviks aux sociaux-démocrates éclate avec la Première Guerre mondiale. L'analyse que fait Lénine de l'impérialisme* le conduit à démontrer que la guerre est indispensable aux pays impérialistes et qu'il est possible, au sein de la Russie, maillon le plus faible de la chaîne des pays impérialistes, de transformer la guerre impérialiste en guerre civile. Tandis que les sociaux-démocrates collaborent aux gouvernements de guerre, Lénine et les bolcheviks accentuent leur action en direction des soldats. Petrograd se soulève en mars 1917, et les mencheviks dominent le soviet qui s'y forme; ils s'allient avec Kerenski. Lénine arrive en avril à Petrograd et publie seul son programme, les « thèses d'avril » (« le pain, la terre, la paix »), auquel se rallie la majorité du P.O.S.D.R. En août, devant l'offensive contre-révolutionnaire, il doit s'enfuir en Finlande, où il écrit *l'État* et la révolution.* Il revient clandestinement en octobre et doit mettre en balance, notamment contre Trotski, sa démission contre le mot d'ordre « l'insurrection est à l'ordre du jour ». Les bolcheviks prennent le pouvoir (v. RÉVOLUTION DE 1917). En décembre 1917, les pourparlers de paix à Brest-Litovsk sont interrompus par l'offensive allemande, et Lénine exige la paix, malgré l'importance des pertes territoriales (févr. 1918). La guerre civile s'étend en Russie. Le VIIIe Congrès du parti, réuni en mars 1919, s'organise en fonction du « communisme de guerre ». Lénine, cependant, s'oppose successivement aux thèses de Trotski sur la « militarisation des syndicats » et à celles de Kollontaï, préconisant le contrôle ouvrier à la base (mars 1921). La crise politique atteint un tournant décisif avec la révolte et l'écrasement des marins de Kronchtadt* : la répression exercée par les bolcheviks est telle que les anarchistes favorables à la révolution s'opposent pour des décennies au léninisme. Cependant, Lénine, reconnaissant que la répression est allée trop loin, décide de rétablir la liberté du commerce et des petites industries : c'est l'abandon du « communisme de guerre » pour la NEP*. La bureaucratisation du parti s'accentue au point que Lénine écrit que « notre pire ennemi, notre ennemi intérieur, c'est le communiste bureaucrate »; c'est pourquoi, « pour vaincre, il nous faut faire appel à la dernière source d'énergie qui nous reste : la masse des ouvriers et des paysans, leur niveau de conscience et leur degré d'organisation ». Mais les forces manquent à Lénine pour développer cette ligne de masse : en mai 1922, il est frappé d'une attaque. En mars 1923, il rompt avec Staline; mais son « testament », par lequel il demande au Congrès de remplacer Staline, sera lu, mais ne sera rendu public qu'en 1956.

Agence Intercontinentale

Lénine et Staline (v. 1920).

Lénine *(ordre de),* le plus élevé des ordres soviétiques, créé en 1930.

LÉNINE *(pic),* un des plus hauts sommets de l'U.R.S.S., dans le Pamir, aux confins du Kirghizistan et du Tadjikistan; 7 134 m.

LENINGRAD, deuxième ville de l'U.R.S.S., sur la Baltique (au fond du golfe de Finlande), à l'embouchure de la Neva; 3 513 000 hab.

GÉOGRAPHIE. Sur le 60e parallèle, c'est la grande ville du nord-ouest de la Russie, la « fenêtre de l'U.R.S.S. » (dont Leningrad est probablement le principal débouché maritime); sur la Baltique, c'est un grand centre industriel, dont l'activité est en grande partie liée au port : chantiers navals, industries du bois; la métallurgie est née du port militaire, de l'arsenal de Kronchtadt et produit surtout des biens d'équipement, alors que le marché de consommation a stimulé les productions légères (constructions mécaniques et électriques notamment). À ces fonctions économiques s'ajoute un rôle culturel et touristique de premier plan.

HISTOIRE. Pierre Ier le Grand fonde en 1703 Saint-Pétersbourg, par laquelle la Russie, ayant accès à la Baltique, s'ouvre plus largement aux influences occidentales. Capitale de l'empire depuis 1712, siège de l'Académie des sciences, fondée en 1725, Saint-Pétersbourg accueille les artistes, les techniciens et les savants occidentaux. Elle devient le grand port de la Russie, et ses industries concentrent une nombreuse population ouvrière, qui jouera un rôle décisif dans les révolutions* de 1905 et de 1917.

Siège, d'octobre 1917 à mars 1918, du premier gouvernement soviétique présidé par Lénine*, la ville, devenue Petrograd en 1914, prend le nom de Leningrad en 1924. Elle résiste au siège des armées allemande et finlandaise de la fin de 1941 à janvier 1943.

BEAUX-ARTS. La construction de la ville, par des architectes italiens ou français, marque une ouverture décisive de la Russie sur l'Occident. Après l'œuvre de Domenico Trezzini (forteresse sur la Neva), la première grande époque est le règne d'Élisabeth, avec les édifices baroques de Rastrelli* (palais d'Hiver, couvent Smolnyï), auxquels succède sous Catherine II le classicisme du palais de Marbre d'Antonio Rinaldi, de l'institut Smolnyï de Giacomo Quarenghi, de l'Ermitage* (noyau initial) et de l'académie des Beaux-Arts de Vallin de La Mothe. Dans le premier quart du XIXe s., sous Alexandre Ier, le style Empire impose sa marque aux nouvelles pièces de cet ensemble majestueux : Amirauté d'Adrian Dmitrievitch Zakharov (1761-1811), place du Sénat (auj. des Décembristes) de Carlo Rossi — avec la statue de Pierre le Grand par Falconet —, Bourse de Thomas de Thomon, cathédrale Saint-Isaac, commencée en 1819 par Ricard de Montferrand, etc.

Leningrad. Le canal Griboïedov et l'église du Saint-Sauveur.

Reichel - Top

LÉNINISME. — Aux termes de ce système politique, mis en œuvre par Lénine à partir du marxisme, le parti ouvrier social-démocrate de Russie (devenu parti communiste de l'U. R. S. S. après la prise du pouvoir) est organisé en parti d'avant-garde de la classe ouvrière et finalement dirigeant. Il a pour principe le fonctionnement du centralisme démocratique. Le léninisme repose sur des textes tels que le *Que faire?* ainsi que sur la pratique effective du P. O. S. D. R. des années de clandestinité, qui s'est renforcée dans le sens bureaucratique après la prise du pouvoir par les bolcheviks, malgré les efforts de Lénine pour maintenir vivante la politique des soviets et pour lutter contre la bureaucratisation.

LENINSK-KOUZNETSKI, v. de l'U. R. S. S. (R. S. F. S. de Russie), dans le Kouzbass; 128 000 hab.

LENK, comm. de Suisse (cant. de Berne), dans l'Oberland bernois; 1 876 hab. Station de sports d'hiver (alt. 1 100-3 300 m).

LENOIR (Étienne), ingénieur français d'origine wallonne (Mussy-la-Ville, Luxembourg, 1822 - La Varenne-Saint-Hilaire 1900). Le brevet qu'il prit en 1860 pour un *moteur à air dilaté par la combustion des gaz* peut être considéré comme la première réalisation pratique du moteur à explosion. En 1863, il perfectionna son invention en réalisant un moteur monocylindrique fonctionnant suivant le cycle à quatre temps de Beau* de Rochas.

LENOIR-DUFRESNE (Joseph), industriel français (Alençon 1768-Paris 1806). Avec François Richard*, il introduisit en France la filature du coton au moyen de la *mule jenny,* connue alors seulement en Angleterre.

LE NÔTRE (André), dessinateur de jardins et architecte français (Paris 1613 - *id.* 1700). Formé dans les ateliers de Vouet, puis de Mansart, successeur de son père comme jardinier des Tuileries en 1637, contrôleur général des Bâtiments du roi en 1656, il manifeste dans ses jardins (Vaux-le-Vicomte*, Versailles*, les Tuileries, Saint-Germain-en-Laye, Saint-Cloud, Chantilly, Sceaux, etc.) une rigueur d'ensemble fondée sur des données scientifiques (perspective, optique, physique). Le schéma géométrique, les larges perspectives, les plans et les jets d'eau ainsi que les statues contribuèrent au caractère noble et grandiose voulu par le Grand Siècle et firent la célébrité du jardin « à la française ».

LENS (62300), ch.-l. d'arr. du Pas-de-Calais; 40 281 hab. *(Lensois).* La ville est l'élément principal d'une agglomération comptant environ 330 000 habitants, à prépondérance industrielle, fondée sur l'extraction de la houille, qui a récemment fortement reculé. La métallurgie des non-ferreux, les constructions mécaniques, puis le textile et la chimie sont aujourd'hui les branches dominantes. — Le 20 août 1648 Condé y écrasa les Impériaux.

LENTIGO. — Les lentigos, disséminés surtout sur la face, apparaissent chez l'enfant et sont mieux visibles l'été que l'hiver.

LENTILLE *(Opt.).* — Les lentilles de verre, dont les faces sont en général sphériques, peuvent présenter six formes. Celles dont les bords sont plus minces que le centre sont dites « convergentes », car elles font converger des rayons primitivement parallèles; celles dont les bords sont épais sont dites « divergentes ».

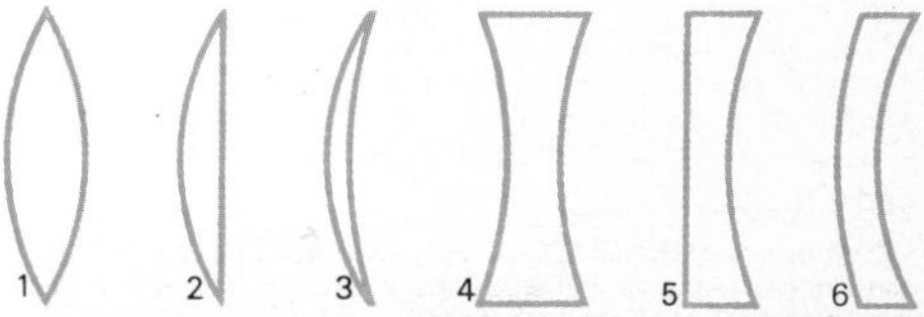

LENTILLES. 1. Biconvexe; 2. Plan-convexe; 3. Ménisque convergent; 4. Biconcave; 5. Plan-concave; 6. Ménisque divergent.

Lorsqu'une lentille est traversée par des rayons voisins de son axe (droite qui joint les centres de courbure de ses faces), elle fournit d'un point objet une image ponctuelle. En particulier, un point à l'infini a son image au foyer, réel pour une lentille convergente, virtuel pour une lentille divergente. Cette propriété n'est plus valable pour des faisceaux larges inclinés sur l'axe; la lentille présente alors des aberrations* de sphéricité. D'autre part, en lumière blanche, il existe des aberrations chromatiques dues à la dispersion de la lumière.

Les lentilles sont utilisées dans les instruments* d'optique et pour corriger les défauts de l'œil.

LENTILLE D'EAU → LEMNACÉES.

LENZ (Jakob Michael Reinhold), écrivain allemand (Sesswegen 1751 - Moscou 1792). Il fut par ses drames l'un des principaux représentants du « Sturm* und Drang » (*le Précepteur,* 1774; *les Soldats,* 1776).

LENZ (Heinrich), physicien balte (Dorpat 1804 - Rome 1865). Il énonça la loi donnant le sens des courants induits (1833) et observa l'accroissement de résistance électrique des métaux avec la température (1835).

LEOBEN, v. d'Autriche (Styrie), dans la haute vallée de la Mur; 35 000 hab. — Les préliminaires du traité de Campoformio y furent signés en 1797.

LÉOCHARÈS → HALICARNASSE.

LÉOGNAN (33850), comm. de la Gironde, à 14 km au S. de Bordeaux; 5 141 hab.

LÉON (le), région du nord du Finistère, sur la Manche, à l'O. de Morlaix. Importantes cultures maraîchères (artichauts, choux-fleurs), notamment autour de *Saint-Pol-de-Léon* et de Roscoff.

LEÓN, région du nord-ouest de l'Espagne; 38 363 km²; 1 172 000 hab. Groupant les trois provinces de León, de Zamora et de Salamanque, la région est formée essentiellement de plateaux, limités au N. par la barrière des monts Cantabriques. Abritée des influences maritimes, elle est presque aride, avec des hivers froids, des étés généralement chauds et très secs. Les difficiles conditions naturelles expliquent la faible densité moyenne de population, la persistance de l'émigration, imposée par la médiocrité d'une économie essentiellement rurale et fondée sur une culture à faibles rendements des céréales et l'élevage extensif des moutons.

LEÓN *(royaume de),* royaume ibérique issu du royaume des Asturies lorsque, au xe s., ORDOÑO II (de 914 à 924), fils d'ALPHONSE III **le Grand** (de 866 à 910), transféra sa capitale d'Oviedo à León. Amputé aussitôt du comté de Castille, qui fit sécession, le León subsista jusqu'au milieu du XIe s. : SANCHA, l'héritière du dernier roi de León, BERMUDE III (de 1028 à 1037), épousa en 1133 le fils de Sanche III le Grand, roi de Navarre, Ferdinand. À la mort de Sanche III, le partage de sa succession assura à Ferdinand le comté de Castille, qui devint royaume et absorba, pour près d'un siècle, le León. Plusieurs fois séparés (notamment de 1157 à 1230), le León et la Castille furent définitivement unis en 1230 par le roi Ferdinand III le Saint.

LEÓN, v. d'Espagne, ch.-l. de prov., dans la *région du León,* au S. des monts Cantabriques, 105 000 hab. Collégiale de S. Isidoro, foyer précoce de l'art roman : panthéon des rois (v. 1060; voûtes peintes à la fin du XIIe s.); reste de l'église rebâti à partir de la fin du XIe s. (sculptures, trésor). Cathédrale entreprise en 1255 sur le modèle de Reims (portails sculptés; vitraux et œuvres d'art; cloître en gothique tardif). Couvent S. Marcos (XVIe-XVIIIe s.), à l'immense façade plateresque (musée provincial). Palais et belles demeures.

LEÓN, v. du Mexique central, au N.-O. de Mexico, à près de 2 000 m d'altitude; 365 000 hab. Métallurgie.

LEÓN, v. du Nicaragua, au N.-O. du lac Managua; 91 000 hab.

LÉON Ier le Grand *(saint)* [† Rome 461], pape de 440 à 461. Désigné comme ambassadeur par l'empereur Valentinien III auprès d'Attila*, qui ravage la Vénétie et la Ligurie (452), il persuade le roi des Huns, qui se prépare à marcher sur Rome, d'évacuer l'Italie. Cependant, en 455, il ne peut empêcher Geiséric* et ses Vandales de piller Rome, mais il obtient que ceux-ci s'abstiennent de violences. Au point de vue doctrinal, il intervient dans la controverse christologique d'Eutychès; il joue un rôle important dans l'organisation de la liturgie romaine.

LÉON II, pape → PAPE.

LÉON III *(saint)* [Rome 750-*id.* 816], pape de 795 à 816. Accusé de simonie et d'immoralité, il se réfugia auprès de Charlemagne (799), qui, descendu en Italie, refusa de le juger et reçut de lui la couronne impériale (Noël 800). Par la suite, il entretint avec l'empereur de bonnes relations, à peine entamées par l'indépendance dont il fit preuve à son égard en matière de foi (querelle du *Filioque).*

LÉON IV, V, VI, VII, VIII, papes → PAPE.

LÉON IX *(saint)* [Bruno d'EGISHEIM-DAGSBURG] (Egisheim, Alsace, 1002-Rome 1054), pape de 1049 à 1054. Il fut élu pape par la volonté d'Henri III*, son cousin. Partisan de la réforme ecclésiastique, il exigea la démission des prélats simoniaques et donna à la papauté l'arme juridique (collection en 74 titres) qui allait permettre l'affirmation de la suprématie pontificale. La fin de son pontificat fut marquée par le désastre de ses armées face à l'invasion normande (Civitate, 1053) et par l'affrontement décisif avec le patriarche de Byzance Michel Keroularios* (1053-54).

LÉON X (Jean DE MÉDICIS) [Florence 1475-Rome 1521], pape de 1513 à 1521. Fils de Laurent le Magnifique, il pratique le népotisme. Après s'être rapproché des Français, il se rallie en 1516 à Charles Quint, qu'il soutient dans sa politique italienne. Ses besoins d'argent l'amènent à accorder des indulgences aux fidèles qui aident par leurs dons à la construction de la basilique Saint-Pierre (1517) : c'est l'origine de la révolte de Luther* (1517), que Léon X condamne par la bulle *Exsurge domine* (1520). Mécène fastueux, il protégea, notamment, Raphaël et Michel-Ange.

LÉON XI, pape → PAPE.

LÉON XII (Annibale SERMATTEI DELLA GENGA) [Genga 1760-Rome 1829], pape de 1823 à 1829. Élu par les *zelanti* à la mort de Pie VII, il organise le jubilé de 1825 et se montre l'adversaire du libéralisme en Europe.

LÉON XIII (Gioacchino PECCI) [Carpineto Romano 1810-Rome 1903], pape de 1878 à 1903. Archevêque de Pérouse (1846), cardinal (1853), il est élu pape le 20 février 1878. Adversaire du socialisme et du nihilisme (encyclique *Quod apostalici muneris,* 28 déc. 1878) ainsi que du Kulturkampf*, il préconise pour les catholiques français le ralliement* à la République (encyclique *Inter innumeras sollicitudines,* 16 févr. 1892) et favorise le rapprochement entre catholiques et anglicans, mais combat l'américanisme et la franc-maçonnerie*. Il encourage les catholiques sociaux — notamment aux États-Unis et en France — et lance, le 15 mai 1891, l'encyclique *Rerum novarum,* qui, tout en affirmant le droit de propriété, en indique aussi les limites, marquées selon lui par la dignité de l'ouvrier, qui doit non seulement bénéficier d'un juste salaire, mais aussi être protégé par des associations corporatives et une législation sociale adéquate.

LÉON Ier, empereur d'Orient de 457 à 474. Il s'empara du trône avec le soutien d'Aspar, chef des milices gothiques, poursuivit la lutte contre les monophysites et tenta vainement, en choisissant Anthémios pour collègue (467), de renforcer son contrôle sur l'empire d'Occident.

LÉON III, IV, empereurs d'Orient → ISAURIENS.

LÉON V l'Arménien, empereur d'Orient de 813 à 820. Général porté au trône à la suite d'une sédition militaire, il défendit victorieusement Constantinople contre les Bulgares (813). Il reprit la politique iconoclaste des empereurs isauriens, déposa le patriarche Nicéphore (815) et fit confirmer au concile de 815 les décisions de 753. Il fut renversé et assassiné à l'instigation de Michel le Bègue (Noël 820).

LÉON VI, empereur d'Orient → MACÉDONIENNE *(dynastie).*

LÉONARD de Pise (Leonardo FIBONACCI, dit), mathématicien italien (Pise v. 1175-† apr. 1240). Son ouvrage fondamental *Liber abbaci* (v. 1202) a propagé dans le monde chrétien les principes de calcul des Arabes, introduisant en Occident l'usage courant des chiffres dits « arabes ».

LÉONARD de Vinci, artiste et savant italien (Vinci, près de Florence, 1452-château de Cloux [auj. Clos-Lucé], près d'Amboise, 1519). Il apprend la peinture et le dessin dans l'atelier de Verrocchio vers 1470, cultive également les mathématiques et la musique. Mais Florence l'emploie peu : en 1482, Léonard part pour Milan et offre à Ludovic le More ses services d'ingénieur militaire, d'architecte, de sculpteur et de peintre. Il entreprend la statue équestre du père du duc, décore une salle du Castello Sforzesco, ordonne les divertissements de la Cour. Ludovic chassé par les Français, l'artiste passe à Mantoue (1499), à Venise, à Rome, puis rentre en 1503 à Florence, où il se mesure avec Michel-Ange (dessins pour *la Bataille d'Anghiari*). Il séjourne de nouveau à Milan (où il a des émules peintres, tels Giovanni Antonio Boltraffio, A. Solari* ou Luini*), puis à Rome, où le grand homme est alors Raphaël (qu'il a influencé) et où il fait figure de philosophe chimérique, d'instable étranger au monde réel. Désabusé, il accepte en 1516 l'invitation de François Ier, qui lui procurera à Cloux une paisible fin de vie.

Initiateur de la seconde Renaissance, Léonard est beaucoup plus que le grand peintre qu'ont surtout vu en lui ses contemporains, inventeur du *sfumato,* ce demi-jour vaporeux baignant les formes d'une poésie ineffable, et auteur de quelques-uns des plus célèbres archétypes picturaux de l'Occident : *l'Adoration des Mages,* inachevée, de 1481 (Offices), *la Vierge* aux rochers, la Cène,* murale, du couvent de S. Maria delle Grazie à Milan (1496-1498, très dégradée), *la Vierge, l'Enfant Jésus et sainte Anne* (Louvre), *la Joconde*...* Aussi doué pour l'investigation scientifique que pour les arts, aussi passionné de recherche intellectuelle qu'observateur (très en avance sur son temps) des phénomènes naturels, il montre l'étendue encyclopédique de sa curiosité (anatomie et « têtes d'expression », géologie et paysage, études d'animaux et de végétaux, mécanique, hydraulique, architecture et fortification, mathématiques, perspective, optique, etc.) dans ses nombreux carnets (Milan, Paris, Londres, Madrid...), où les dessins, associés à l'écrit, font alterner exactitude et puissance visionnaire.

LÉONARD (Nicolas Germain), écrivain français (Basse-Terre, Guadeloupe, 1744-Nantes 1793), auteur d'élégies et de romans sentimentaux.

LEONCAVALLO (Ruggero), compositeur italien (Naples 1858-Montecatini 1919). Il est l'un des maîtres du style vériste dans le domaine lyrique *(Paillasse,* 1892).

LEONE (Giovanni), homme d'État italien (Naples 1908). Démocrate-chrétien, premier ministre en 1963 et en 1968, il est élu président de la République en décembre 1971.

LÉONIDAS Ier, roi de Sparte (v. 490-480), de la famille des Agides*. À la tête de 300 hoplites, il se fait tuer, avec ses soldats, en interdisant à l'armée perse de Xerxès Ier* le défilé des Thermopyles*; il personnifie l'héroïsme spartiate.

LÉONIDES, essaim météorique paraissant émaner d'un point radiant situé dans la constellation* du Lion* et que l'on peut observer dans les nuits du 11 au 13 novembre.

LEONOV (Leonid Maksimovitch), écrivain soviétique (Moscou 1899). Ses romans et son théâtre peignent l'établissement de la société nouvelle en Russie, à travers les difficultés économiques et les épreuves de la guerre (*les Blaireaux,* 1924; *l'Invasion,* 1942).

LEONTIEF (Wassily), économiste américain d'origine russe (Saint-Pétersbourg 1906). Auteur, à la veille de la Seconde Guerre mondiale, d'un *Tableau d'échanges intersectoriel,* il met en lumière les échanges réciproques des différents secteurs de la vie économique dans sa *Structure de l'économie américaine* (1947). [Prix Nobel de sciences économiques, 1973.]

LÉOPARD → PANTHÈRE.

LEOPARDI (Giacomo, *comte*), écrivain italien (Recanati, Marches, 1798-Naples 1837). Déçu par l'amour et la politique, il s'enfonce dans une solitude désespérée et passe des rêves d'héroïsme (*À l'Italie,* 1818) à l'expression de la douleur et de l'angoisse (*Poésies lyriques,* 1824-1835; *Chant nocturne,* 1831; *le Genêt,* 1836).

LÉOPOLD Ier (Vienne 1640-*id.* 1705), empereur du Saint Empire de 1657 à 1705. Négligeant l'Allemagne, il met tous ses soins à enraciner l'État autrichien. Il doit faire face au péril ottoman, jusqu'à ce que Jean Sobieski sauve Vienne (1683), puis il écrase les velléités d'indépendance de la Hongrie, obligeant la diète de Presbourg (1687) à reconnaître l'hérédité de la couronne de saint Étienne chez les Habsbourg. En 1703, il signe la « disposition léopoldine » qui règle sa succession.

LÉOPOLD II (Vienne 1747-*id.* 1792), empereur du Saint Empire de 1790 à 1792. Frère de Joseph II*, il est d'abord (1765) grand-duc de Toscane, où il applique la doctrine joséphiste et soutient l'épiscopat janséniste. Successeur de son père sur le trône impérial, il écrase la révolution belge (1791); il meurt à la veille de la guerre avec la France révolutionnaire.

LÉOPOLD Ier (Cobourg 1790-Laeken 1865), roi des Belges de 1831 à 1865. Léopold de Saxe-Cobourg est appelé au trône de Belgique aussitôt après l'indépendance de ce pays (1831). Tout en renforçant l'amitié des Belges avec la France — il épouse en 1832 Louise d'Orléans, fille de Louis-Philippe —, il s'emploie à maintenir son royaume dans la neutralité. À l'intérieur, il fait tout pour prolonger la formule unioniste (catholiques-libéraux), née de la menace hollandaise (v. BELGIQUE), mais sa politique cléricale provoque la création, en 1846, d'un parti libéral anticlérical, qui est au pouvoir — sauf de 1855 à 1857 — de 1847 à 1870. La principale préoccupation de ces grands bourgeois est alors la défense militaire, mais surtout l'essor économique de la Belgique. Peu à peu s'opère la transition de la monarchie constitutionnelle à la monarchie parlementaire.

Léopold *(ordre de),* ordre belge civil et militaire créé en 1832. Ruban rouge ponceau.

LÉOPOLD II (Bruxelles 1835-Laeken 1909), roi des Belges de 1865 à 1909, fils et successeur de Léopold Ier. En acceptant le régime parlementaire et en se posant comme défenseur de la neutralité armée, Léopold II laisse se développer à l'intérieur le jeu politique : la chute des libéraux, après les élections de 1884, marque l'arrivée au pouvoir des catholiques, qui s'y maintiennent jusqu'en 1914. Si un essor économique inouï fait alors de la Belgique le « paradis du capitalisme » (K. Marx), il a aussi un envers : le paupérisme prolétarien, lui-même moteur d'un socialisme* militant, qui prend forme en 1885 avec la formation du parti ouvrier belge (P. O. B.). Mal à l'aise dans son petit pays, Léopold II rêve d'un empire colonial, qu'il finit par réaliser en Afrique : en 1876, il fonde l'Association internationale africaine, puis fait explorer le Congo par Stanley* (1878). En 1885, la propriété personnelle de l'État indépendant du Congo, qu'il léguera à la Belgique peu avant sa mort (1908), lui est reconnue à la conférence de Berlin.

Léopold II *(ordre de),* ordre belge créé en 1900 pour l'ancien État du Congo belge. Ruban bleu.

LÉOPOLD III (Bruxelles 1901), roi des Belges de 1934 à 1951. Appelé à succéder à son père, Albert Ier, en 1934, il est immédiatement affronté aux événements critiques de l'avant-guerre : à l'intérieur, crise économique et monétaire, montée du rexisme*; à l'extérieur, menace de guerre, à laquelle il répond en revenant au neutralisme. Mais la Belgique est de nouveau envahie par les Allemands en mai 1940. En capitulant, le 28 mai, pour éviter une hécatombe, le roi se constitue prisonnier, mais, en même temps, il donne l'impression de prendre ses distances avec le gouvernement en exil. Aussi, dès la Libération, se pose avec acuité la question royale, qui aboutit, le 16 juillet 1951, à l'abdication de Léopold III au profit de son fils Baudouin.

LEOPOLDSBURG → BOURG-LÉOPOLD.

LÉOPOLDVILLE → KINSHASA.

LÉOVIGILD ou **LIUVIGILD** († Tolède 586), roi wisigoth (567/568-586). Associé à son frère Liuva (567/568), puis seul roi (573), Léovigild unifia politiquement l'Espagne en détruisant le royaume suève (585), en repoussant les Vascons et en reprenant Cordoue et Málaga aux Byzantins.

Lépante *(bataille de),* bataille au cours de laquelle les forces de la Sainte Ligue* (formée au lendemain de la prise de Chypre par les Turcs), commandées par don Juan* d'Autriche, détruisirent la flotte ottomane (Lépante, port de Grèce, le 7 octobre 1571). Cette victoire, célébrée dans toute la chrétienté, fut sans lendemain : Chypre demeura turque et les Ottomans reconstituèrent leur flotte en une année.

LEPAUTE, famille d'horlogers français. JEAN ANDRÉ (Mogues, principauté de Sedan, 1720-Saint-Cloud 1787 ou 1789) construisit pour la plupart des observatoires d'Europe un grand nombre de pendules d'une précision jusqu'alors inconnue. — Sa femme, NICOLE REINE **Étable de Labrière** (Paris 1723-Saint-Cloud 1788) concourut avec Clairaut* et Lalande* au calcul de l'attraction de Jupiter* et de Saturne* sur la comète prédite par Halley*. — Leur petit-neveu, JEAN JOSEPH (1768-1846), exécuta l'horloge de la Bourse de Paris, chef-d'œuvre de l'horlogerie de précision.

LEPAUTRE, artistes français des XVIIe et XVIIIe s., nés et morts à Paris. ANTOINE (v. 1621-1691), architecte et graveur, construisit notamment la chapelle du couvent (auj. hôpital) de Port-Royal et l'hôtel de Beauvais (1665) à Paris, l'hôtel des Gardes à Versailles, et fut contrôleur général des bâtiments du duc d'Orléans (1660). — Son frère JEAN (1618-1682), graveur, publia de nombreux recueils de modèles d'ornements (décors architecturaux, éléments mobiliers...) qui font de lui un des créateurs du style Louis XIV. — PIERRE (1660-1744), sculpteur, fils du précédent, séjourna à Rome à la suite de son grand prix de sculpture (1683); l'*Énée et Anchise* du jardin des Tuileries est une de ses œuvres.

LE PELETIER DE SAINT-FARGEAU (Louis Michel), homme politique français (Paris 1760-*id.* 1793). Président à mortier au parlement de Paris, député de la noblesse (1789), il passe aux patriotes et, Conventionnel, vote la mort du roi (21 janv. 1793), ce qui lui vaut d'être assassiné le lendemain par le garde du corps Pâris. Son corps est transporté au Panthéon.

LEPÈRE (Auguste), graveur français (Paris 1849-Domme 1918). Praticien virtuose, mais doué d'un efficace sens plastique, il a exercé une grande influence en rendant à la gravure sur bois son caractère d'art original, et non plus seulement de procédé de reproduction. Il a travaillé pour les revues, donné des planches isolées (*Paris sous la neige,* 1890) et illustré des œuvres littéraires (*À Rebours,* en couleurs, 1903).

LÉPICIÉ (Nicolas Bernard), peintre français (Paris 1735-*id.* 1784). Fils d'un graveur du roi, académicien en 1769, il a une production très diverse. Conventionnel dans la peinture d'histoire, il excelle dans les petits tableaux de genre, d'une observation sincère, d'un métier fini (*le Lever de Fanchon,* 1773, Saint-Omer).

LÉPIDE, en lat. **Marcus Aemilius Lepidus,** homme politique romain († 13 ou 12 av. J.-C.). César le nomma consul en 46 et maître de la cavalerie en 45. Après la mort du dictateur, Lépide se rangea aux côtés d'Antoine, qui lui procura la charge de grand pontife. En 43, il fit partie du second triumvirat* avec Octavien et Antoine*, et ne reçut que l'Afrique lors du partage du monde romain (40). Il fut dépouillé en 36 de ses pouvoirs de triumvir pour avoir tenté de s'opposer en Sicile à l'action d'Octavien.

LÉPIDODENDRON. — Les empreintes de tronc de cet arbre de l'époque carbonifère sont très communes dans les schistes houillers. Les cicatrices foliaires, couvrant toute la surface, évoquent la peau écailleuse d'un reptile; d'où le nom de cet arbre, voisin des lycopodes actuels.

LÉPIDOPTÈRES. — Les insectes, très particuliers, dont la forme adulte est un *papillon,* la larve une *chenille** et la nymphe une *chrysalide* constituent l'ordre des lépidoptères. En règle générale, les chenilles sont des animaux vermiformes et végétariens, tandis que les papillons, dont la bouche porte une trompe spiralée, se nourrissent du nectar sucré des fleurs. Le terme de « lépidoptères » fait allusion aux écailles, souvent de vives couleurs, implantées dans les deux paires de vastes ailes, au battement lent, de l'adulte. De nombreux critères de classification, peu concordants, ont été proposés pour distinguer les groupes : antennes fines renflées au bout ou antennes d'une autre forme, vol diurne ou vol nocturne, ailes au repos dressées au-dessus du dos ou rabattues en toit, couleurs vives ou ternes, grande ou petite taille, existence d'une ou de deux générations chaque année, etc. Tous ces critères s'appliquent à l'adulte. Celui-ci est rarement nuisible, tandis que la chenille l'est très souvent.

Lépine *(concours),* exposition annuelle d'inventions, dotée de nombreux prix destinés à récompenser les créations d'artisans et d'inventeurs français. Elle est organisée à Paris sous ce nom depuis 1902, à la suite du Concours national de jouets et d'articles de

Paris, tenu à Paris en 1901 grâce à Louis Lépine (1846-1933), préfet de police de Paris.

LÉPINE (Pierre), médecin et virologiste français (Lyon 1901). Ses travaux portent essentiellement sur le virus neurotrope (encéphalite, rage, poliomyélite). Lépine est le créateur du vaccin français contre la poliomyélite.

LÉPIOTE. — La *lépiote élevée,* l'un des plus grands et des plus beaux champignons de notre flore, est parmi les rares espèces qui poussent aussi bien dans les champs et les prés que dans les forêts. Tachetée de beige et de brun, elle offre une curieuse particularité : une bague coulissante le long de son pied. Une espèce plus petite, la *lépiote helvéolée,* est toxique.

LÉPISME → APTÉRYGOTES.

LE PLAY (Frédéric), économiste français (La Rivière-Saint-Sauveur 1806-Paris 1882). Ingénieur des Mines, sénateur (1867), il soutient, dans *la Réforme sociale* (1864 et suiv.), la nécessité, dans les rapports sociaux, d'une autorité tempérée par l'amour. Sa doctrine influencera les écoles chrétiennes sociales dites « paternalistes ». On lui doit aussi des monographies professionnelles *(l'Ouvrier des deux mondes, les Ouvriers européens),* qui nourrissent sa méthode d'investigation sociale dite « d'enquête directe ».

LÈPRE. — Due au bacille de Hansen, la lèpre s'observe en Amérique centrale et du Sud, aux Antilles, en Afrique noire, en Asie; il en persiste en Europe quelques foyers dans les Balkans et au Portugal. La transmission se fait probablement à travers la peau. Les mauvaises conditions socio-économiques et d'hygiène favorisent l'endémie lépreuse.

• La *lèpre lépromateuse* est une forme évolutive, marquée par des nodules cutanés, des placards saillants, érythémateux (rouges), fermes, indolores, souvent insensibles à la piqûre et au chaud. S'y associent souvent des lésions muqueuses, oculaires, nerveuses, viscérales. Le bacille de Hansen est retrouvé au grattage des muqueuses nasales, sur les prélèvements des lépromes; l'intradermoréaction à la lépromine (réaction de Mitsuda) est négative. Cette forme de lèpre est la plus contagieuse.

• La *forme tuberculoïde* se manifeste par des taches à bords circinés, en relief, rouges, alors que le centre est dépigmenté. Ces taches sont ici encore insensibles. Une atteinte des nerfs périphériques est fréquente et fait la gravité de cette forme, si elle n'est pas traitée. L'examen histologique des lésions cutanées montre des infiltrats tuberculoïdes sans bacille de Hansen; celui-ci n'est pas retrouvé non plus au grattage nasal. La réaction de Mitsuda est positive. Cette forme de lèpre est peu contagieuse. Des formes de passage ou intermédiaires sont possibles. Le traitement actuel utilise les sulfones, les sulfamides retard, la rifampicine.

LE PRIEUR (Yves), officier de marine et inventeur français (Lorient 1885-Nice 1963). On lui doit de multiples inventions, notamment un conjugateur de tir à bord des navires de guerre (1912), les premières roquettes, des bombes à flotteurs contre les sous-marins, un correcteur de route pour avion, mais surtout le scaphandre* autonome (1926), qui permet de réaliser des plongées sans aucun lien avec la surface.

LEPRINCE, famille de peintres verriers français du XVIe s., ayant leur atelier à Beauvais et dont les principaux sont ENGRAND ou ENGUERRAND († Beauvais 1531) et JEAN (cité de 1496 à 1547). On leur attribue des vitraux d'une vigueur et d'une richesse techniques et stylistiques rares à Rouen (anc. église Saint-Vincent, 1515), à Beauvais (cathédrale : *Déposition de Croix,* 1522; Saint-Étienne : *Arbre de Jessé,* av. 1525), à Montmorency, à Gisors.

LEPRINCE DE BEAUMONT (Jeanne Marie), femme de lettres française (Rouen 1711 - Chavanod, près d'Annecy, 1780), qui composa des contes pour la jeunesse *(la Belle et la Bête).*

LEPRINCE-RINGUET (Louis), physicien français (Alès 1901). Spécialiste de l'étude des rayons cosmiques, il a déterminé les masses et les propriétés de plusieurs types de mésons.

LEPSIUS (Karl Richard), égyptologue allemand (Naumburg 1810-Berlin 1884). Sa découverte du « décret de Canope » (inscription en hiéroglyphe, en démotique et en grec) confirma le déchiffrement établi par Champollion*. Parmi de nombreuses publications citons une étude fondamentale sur le *Livre* des morts* (*Das Totenbuch der Ägypter,* 1842) et les résultats de ses expéditions (*Denkmäler aus Ägypten und Äthiopien,* 1849-1859).

LEPTIS MAGNA, ancienne ville de l'Afrique du Nord, située sur la côte libyenne de la Méditerranée à l'E. de Tripoli (auj. Lebda). Colonie de Sidon, elle tomba sous la domination de Carthage. Colonie romaine (sous Trajan), elle atteignit son apogée sous les Sévères : Septime Sévère, dont c'était la ville natale, l'embellit de plusieurs monuments. Ceux-ci, dégagés par les fouilles (1920-1964), présentent l'un des plus remarquables exemples d'urbanisme romain. Le marché et le théâtre ont été édifiés à l'époque augustéenne, mais, sous les empereurs sévériens, un grand luxe architectural se déploie (forum, temples, basilique, arc triomphal, etc.). Tout en étant fortement marquée par les ateliers de l'Asie Mineure (Aphrodisias*) et l'ascendant hellénistique, la décoration sculptée (musée de Tripoli) dévoile une conception nouvelle de la perspective et de la composition, qui annonce le style constantinien.

LEPTOCÉPHALE → ANGUILLE.

LEPTOSPIROSE. — Les leptospiroses appartiennent au groupe des spirochétoses. Leur symptomatologie, variable avec le type de bactérie responsable, associe toujours un syndrome infectieux sévère, parfois à rechute, et un syndrome méningé; la *leptospirose ictéro-hémorragique,* transmise par le rat (les égoutiers et les terrassiers y sont plus exposés), se traduit en outre par un ictère intense avec éruption cutanée et épistaxis. Le diagnostic repose sur la mise en évidence du germe ou sur l'examen sérologique (dosage des anticorps). Les autres leptospiroses sont moins graves : citons la *leptospirose grippo-typhosique,* transmise par les rongeurs sauvages, la *leptospirose des porchers,* transmise par le porc, la *leptospirose caniculaire,* etc.

LÉRÉ (18240), ch.-l. de cant. du Cher, à 10 km au N. de Cosne-Cours-sur-Loire; 880 hab. Église romane et gothique.

LERICHE (René), chirurgien français (Roanne 1879-Cassis 1955), innovateur de la chirurgie du sympathique et de la chirurgie vasculaire (artérite, hypertension).

LE RICOLAIS (Robert), ingénieur français (La Roche-sur-Yon 1894-Paris 1977). Depuis 1934, il s'attache à définir de nouveaux éléments modulaires de construction métallique, d'une grande rigidité par rapport à leur poids. Inventeur de structures spatiales réticulées, il se fixe en 1951 aux États-Unis, où il enseigne à Philadelphie, étudie la concordance des formes naturelles et des mathématiques, préconise des charpentes faites de réseaux de câbles d'acier prétendus, associés aux matières plastiques.

LÉRIDA, v. d'Espagne, en Catalogne, ch.-l. de prov., sur le Sègre; 91 000 hab. Dans l'enceinte de l'ancienne citadelle arabe, majestueuse cathédrale Ancienne, romane (XIIIe s.), et son cloître gothique. Église S. Lorenzo (XIIe-XVIe s.). Hôpital de S. María (XVe s.). Cathédrale Nouvelle, néoclassique. Musées. Industrie alimentaire.

LÉRINS *(îles de),* archipel de la Côte d'Azur (Alpes-Maritimes), au large de Cannes. Les deux principales îles sont Sainte-Marguerite et Saint-Honorat. Elles furent aux Ve et VIe s. un important centre monastique et théologique.

LERMA (Francisco DE SANDOVAL Y ROJAS, *duc* DE), homme politique espagnol (1552-Tordesillas 1623). Premier ministre de Philippe III, il est en fait le maître de l'Espagne de 1598 à 1618. Il expulse les Morisques d'Espagne, causant ainsi un tort énorme à l'économie du pays (1609). Entré dans les ordres (1618), le duc de Lerma meurt cardinal.

LERMONTOV (Mikhaïl Iourievitch), poète russe (Moscou 1814-Piatigorsk, Caucase, 1841). Exilé au Caucase pour avoir réclamé le châtiment du meurtrier de Pouchkine (*la Mort du poète,* 1837), il mourut, lui aussi, en duel. Imitant d'abord Pouchkine et Byron (*le Boyard Orcha,* 1835), il unit ensuite la tradition des chants populaires, les « bylines » (*le Chant du tsar Ivan Vassilievitch,* 1838), à l'inspiration romantique dans ses poèmes (*le Novice,* 1840; *le Démon**, 1841) et ses récits (*Un héros* de notre temps,* 1840).

LERMOOS, station de sports d'hiver (alt. 1 004-2 118 m) d'Autriche, dans le Tyrol, près de la Zugspitze.

LEROI-GOURHAN (André), ethnologue et préhistorien français (Paris 1911). Professeur au Collège de France, il se fonde sur de rigoureuses méthodes de fouilles (Arcy-sur-Cure, Pincevent*), associées à des études chronologiques et ethnologiques, mais aussi à des études statistiques de la technologie et de la représentation rupestre, qui lui permettent d'aborder la préhistoire sous un jour nouveau. Il élabore une théorie du symbolisme sexuel pour rendre compte de la signification de l'art pariétal paléolithique et, par là même, de la mentalité et du comportement de l'homme à cette période. Citons parmi ses ouvrages *le Geste et la parole* (1964-65), *Préhistoire de l'art occidental* (1965), *la Préhistoire* (1966). Il précise les problèmes méthodologiques de la recherche historique, et notamment l'apport de l'anthropologie, dans sa contribution à l'ouvrage collectif *Faire l'histoire* (1974).

LÉROT. — Le lérot est un rongeur assez voisin du loir, mais un peu plus petit et beaucoup plus commun. Gros mangeur de fruits en été, il s'endort en hiver comme le loir. On le reconnaît à ses oreilles ovales, de très grande taille par rapport à la tête, qui est elle-même très grande par rapport au corps. Familier et hardi, le lérot s'installe souvent dans les maisons de campagne et soutient parfois sans crainte le regard de l'homme.

LEROUX (Pierre), socialiste français (Bercy 1797-Paris 1871). Ouvrier, puis journaliste, il fonde *le Globe* (1824), qui, en 1830, se présente comme l'organe de la « religion » saint-simonienne. Ayant rompu avec Enfantin*, il lance l'*Encyclopédie nouvelle* (1836-1843) et, avec George Sand, la *Revue indépendante* (1841-1848), où il expose le déisme national, par lequel il veut remplacer les religions chrétiennes. Député à l'Assemblée constituante et à l'Assemblée législative (1849), il y défend, à partir d'un socialisme mystique, les ouvriers et se fait le défenseur du féminisme. Proscrit au 2 décembre 1851, il ne rentre en France qu'en 1869.

LEROUX (Gaston), journaliste et écrivain français (Paris 1868-Nice 1927). Il créa dans ses romans policiers le type de Rouletabille, reporter-détective (*le Mystère de la chambre jaune,* 1908; *le Parfum de la dame en noir,* 1909).

LE ROY, famille d'horlogers français. JULIEN (Tours 1686-Paris 1759) perfectionna les engrenages ainsi que l'échappement à cylindre imaginé par l'Anglais George Graham (1673-1751). — Son fils, PIERRE (Paris 1717-Viry 1785), dont les travaux sont à l'origine de la chronométrie moderne, découvrit l'isochronisme du spiral.

LE ROY LADURIE (Emmanuel), historien français (Les Moutiers, Calvados, 1929). Directeur d'études à la VIe section de l'École pratique des hautes études (1963), professeur (chaire d'histoire de la civilisation moderne) au Collège de France à partir de 1973, il se situe dans le courant novateur qui s'efforce de promouvoir une évolution des études historiques en renouvelant, par l'utilisation des séries, les approches et les objets de l'histoire.

LESAGE (Alain René), écrivain français (Sarzeau 1668-Boulogne-sur-Mer 1747). Son premier succès dramatique (*Crispin rival de son maître,* 1707) l'encouragea à fournir le théâtre de la foire Saint-Germain de pièces nombreuses, dont l'une, *Turcaret* ou le Financier* (1709), fut reprise par les comédiens-français sur l'ordre de la Cour. Lesage s'assura une gloire de romancier avec un récit présentant sous une couleur espagnole un tableau satirique des mœurs parisiennes (*le Diable* boiteux,* 1707) et ne cessa plus d'exploiter ce procédé (*Gil* Blas de Santillane,* 1715-1735; *l'Histoire de Guzman d'Alfarache,* 1732; *le Bachelier de Salamanque,* 1736).

LESAGE (Jean), homme politique canadien (Montréal 1912). Avocat, président du parti libéral québécois, il devient Premier ministre du Québec en 1960; il est l'initiateur de la «révolution tranquille», moment important du développement économique de la province. Battu aux élections de 1966 par l'Union nationale de D. Johnson, il quitte en 1969 la direction du parti libéral.

LESBOS ou **MYTILÈNE,** île grecque de la mer Égée, près de la Turquie; 2154 km^2; 115000 hab. *(Lesbiens).* Ch.-l. *Mytilène* (24000 hab.). Oliviers. — L'histoire politique de l'île est liée à celle de l'Ionie*. Aux VIIe-VIe s. av. J.-C., le poète Alcée* et la célèbre Sappho* firent de Lesbos la capitale de la poésie lyrique.

LESCAR (64230), ch.-l. de cant. des Pyrénées-Atlantiques, à 8 km au N.-O. de Pau; 4938 hab. Anc. cathédrale romane, remaniée au XVIIe s. (chapiteaux et mosaïque du XIIe s.; stalles).

LESCOT (Pierre), architecte français (Paris v. 1510-*id.* 1578). De formation plus humaniste que technique, il fait une carrière surtout parisienne, liée à celle de Goujon* : jubé de Saint-Germain-l'Auxerrois, hôtel de Ligneris (auj. musée Carnavalet, v. 1545), fontaine des Innocents, Louvre. Ce dernier l'occupe de 1456 à sa mort, avec pour noyau le corps d'hôtel («grand degré», salle des Caryatides, chambre du Roi) s'ouvrant, sur l'actuelle cour Carrée, par cette demi-façade sud-ouest qui est le premier chef-d'œuvre, savamment rythmé, de l'âge classique en France.

LESCURE (*marquis* DE) → VENDÉE *(guerre de).*

LESDIGUIÈRES (François DE BONNE, *duc* DE), connétable de France (Saint-Bonnet 1543-Valence 1626). Chef des huguenots du Dauphiné (1575), province dont il est gouverneur en 1591, il y assure la paix religieuse et l'essor économique. Maréchal de France (1609), il se convertit au catholicisme. Connétable (1622), il est le dernier titulaire de cette charge.

LÉSIGNY (77330 Ozoir la Ferrière), comm. de Seine-et-Marne, à 7,5 km au N. de Brie-Comte-Robert; 6572 hab.

LÉSION. — Les lésions peuvent être inflammatoires (évoluant vers la guérison, vers la suppuration ou vers la fibrose), dégénératives (comportant des altérations cellulaires définitives) ou tumorales (bénignes ou malignes). Leurs conséquences dépendent des possibilités de régénération de l'organe touché et de l'importance fonctionnelle de la zone atteinte.

LESNEVEN (29260), ch.-l. de cant. du Finistère, à 26 km au N.-E. de Brest; 6996 hab. *(Lesneviens).* Monuments des XVIIe et XVIIIe s.

LESOTHO, État de l'Afrique australe, membre du Commonwealth, enclavé dans la république d'Afrique du Sud; 30344 km^2; 1130000 hab. Capit. *Maseru.*

GÉOGRAPHIE. Le pays s'étend sur un ensemble de hautes terres gréseuses et basaltiques (série du Karroo), couvertes par la savane. La population, peu dense, est composée principalement de Bassoutos. Très faiblement urbanisée, elle pratique la culture du maïs, du blé et du sorgho dans des exploitations traditionnelles. Mais la principale activité est l'élevage, bovin et ovin. L'industrialisation est inexistante, le diamant extrait du sous-sol constituant avec la laine le principal produit d'exportation. Un complément de ressources est apporté par l'émigration temporaire de nombreux habitants qui vont travailler en Afrique du Sud.

HISTOIRE. Le Lesotho a été, sous le nom de «Basutoland», une création politique du XIXe s. Il est alors dominé par la personnalité du roi Moshoeshoe Ier (1787-1870), qui réussit à imposer son autorité aux clans sothos et à écarter la menace des Zoulous et des Matabélés. Mais, menacé par les Boers, il recourt à la tutelle de l'Angleterre, qui fait du Basutoland un protectorat britannique (1868). À partir de 1943, le pays s'achemine vers l'indépendance : Conseil législatif (1960), Assemblée nationale (1964). Le 4 octobre 1966, le Lesotho devient indépendant avec, comme souverain, Moshoeshoe II. En 1970, ce dernier entre en conflit avec son Premier ministre, Leabua Jonathan, qui dépose le roi, dont les partisans se révoltent. Si bien que Jonathan, véritable chef de l'État, rétablit la royauté à titre purement honorifique.

LESPARRE-MÉDOC (33340), ch.-l. d'arr. de la Gironde, à 63 km au N.-O. de Bordeaux; 3879 hab. *(Lesparrains).* Donjon du XIVe s. Marché viticole.

LESPÉROU → ESPÉROU *(l').*

LESPINASSE (Julie DE) [Lyon 1732-Paris 1776]. Demoiselle de compagnie de Mme du Deffand, elle ouvrit à son tour un salon où se réunirent les encyclopédistes.

LESPUGUE (31350 Boulogne sur Gesse), comm. de la Haute-Garonne, à 17 km au N.-N.-O. de Saint-Gaudens; 108 hab. Important gisement préhistorique — possédant des niveaux solutréen, magdalénien et azilien — qui doit sa célébrité à la statuette de «Vénus» (musée de l'Homme, Paris), en ivoire de mammouth, découverte en 1922.

LESQUIN (59810), comm. du Nord, à 7 km au S.-E. de Lille; 5364 hab. Aéroport. Réfrigérateurs.

LESSAY (50430), ch.-l. de cant. de la Manche, à 21 km au N. de Coutances; 1339 hab. Magnifique abbatiale romane (restaurée).

LESSE (la), riv. du sud-est de la Belgique, affl. de la Meuse (r. dr.); 84 km.

LESSEPS (Ferdinand DE), diplomate et administrateur français (Versailles 1805-La Chênaie, Indre, 1894). Consul en Égypte (1832-1838), il s'intéresse aux projets des saint-simoniens concernant la création du canal de Suez*. Rappelé au Caire en 1854, il obtient de Sa'id un acte de concession, puis crée la Compagnie universelle du canal maritime de Suez : celui-ci est inauguré en 1869. Lesseps et son fils aîné, Charles (1849-1923), s'intéressent au canal de Panamá, mais tous deux sont éclaboussés par le scandale de Panamá*.

LESSINES, v. de Belgique (Hainaut), au N.-E. d'Ath; 16863 hab.

LESSING (Gotthold Ephraim), écrivain allemand (Kamenz, Saxe, 1729-Brunswick 1781). Influencé par les idées des philosophes français, il voulut, cependant, libérer le théâtre allemand de l'imitation de la tragédie française (*Lettres sur la littérature,* 1759-1765). Il s'essaya à la «comédie sérieuse» (*Minna von Barnhelm,* 1767) et, prenant Shakespeare pour modèle (*Dramaturgie* de Hambourg,* 1767-1769), proposa une nouvelle discipline esthétique (*Laokoon,* 1766-1768) et éthique (*Éducation du genre humain,* 1780), qu'il illustra par ses drames bourgeois et philosophiques (*Émilia Galotti,* 1772; *Nathan le Sage,* 1779).

LESSING (Doris), femme de lettres britannique (Kermanchah, Iran, 1919). Ses pièces (*Play with a tiger,* 1962), ses récits (*le Carnet d'or,* 1962; *Briefing for a descent into hell,* 1971) et notamment ceux du cycle des *«Enfants de la violence»* (*Martha Quest,* 1952; *The Four-gated City,* 1969), ses nouvelles (*Un homme, deux femmes,* 1963) analysent les déchirements des êtres ou de la société moderne à travers l'expérience des minorités raciales (l'apartheid) ou de la condition féminine.

LEST → BATHYSCAPHE.

LE SUEUR (Eustache), peintre français (Paris 1616-*id.* 1655). Élève de Vouet, admirateur de Raphaël, il fit montre d'un sens décoratif raffiné dans le cabinet de l'Amour (v. 1646) et la chambre des Muses (v. 1652-1655) de l'hôtel Lambert à Paris (panneaux en partie au Louvre), d'un dépouillement à la fois savant et ingénu dans les vingt-deux tableaux de la vie de saint Bruno, peints de 1645 à 1648 pour la chartreuse de Paris (Louvre). Il fut l'un des douze fondateurs de l'Académie royale.

LE SUEUR (Jean-François), compositeur français (Drucat-Plessiet 1760-Paris 1837). Maître de chapelle des cathédrales de Sées, de Dijon, du Mans, de Tours et de Paris, il imposa l'orchestre au chœur, se tourna vers l'opéra romantique (*Ossian ou les Bardes,* 1804), servit Napoléon au Conservatoire, dont il fut nommé professeur de composition, puis aux Tuileries. Il est l'auteur de nombre de partitions lyriques, de messes, d'oratorios, ces derniers faisant une grande part au style dramatique et descriptif.

LESZCZYŃSKI, famille polonaise issue des comtes de Leszno, qui a fourni notamment, au XVIIIe s., un roi, Stanislas* Leszczyński, et une reine de France, fille du précédent, Marie* Leszczyńska, épouse de Louis XV.

LÉTAL (gène). — Des anomalies dans la transmission de certains caractères héréditaires ont conduit à découvrir que certains gènes*, lorsqu'ils existaient en double dans la formule chromosomique (c'est-à-dire lorsque les deux parents les avaient transmis), causaient la mort. Il n'y a donc jamais d'homozygotes pour ces gènes létaux, tels que, par exemple, celui qui entraîne l'absence de chlorophylle chez une plante.

LE TELLIER (Michel), homme d'État français (Paris 1603-*id.* 1685). Secrétaire d'État à la Guerre et ministre au Conseil (1643), il est apprécié par Mazarin, puis par Louis XIV qui lui confie des missions diplomatiques. Il est en fait, plus encore que Louvois*, son fils, le créateur de l'armée monarchique. Chancelier (1677), il contribue à la centralisation administrative de la France. Son dernier acte est la rédaction de la révocation de l'édit de Nantes (1685).

LETHBRIDGE, v. du Canada, dans le sud de l'Alberta; 41 217 hab.

LÉTHÉ, dans la mythologie grecque, un des fleuves des Enfers*, dont les eaux faisaient oublier aux âmes des morts leur passé terrestre.

LÊTO, dans la mythologie grecque, fille des Titans*, aimée de Zeus, dont elle eut Apollon* et Artémis*.

LETTONIE, république fédérée de l'U.R.S.S.; 63 700 km^2; 2 364 000 hab. *(Lettons).* Capit. *Riga.*

GÉOGRAPHIE. L'un des trois États baltes, c'est une région basse, parfois marécageuse, où la vie rurale associe cultures céréalières, fourragères et élevage bovin et porcin. L'industrie valorise les matières premières agricoles et les bois; elle est orientée aussi vers les constructions mécaniques (matériel de transport) et électriques, représentées surtout à Riga, qui groupe plus du quart de la population totale de la république, où la part des Lettons recule devant celle des Russes (déjà près du tiers).

HISTOIRE. Les Lettons proviennent d'un mélange de peuples du groupe finno-ougrien et du groupe balte qui s'installèrent dans le pays au début de l'ère chrétienne. L'installation du christianisme en Lettonie au XIIe s. est parachevée au XIIIe s. par les chevaliers Porte-Glaive et par les Teutoniques, fondateurs de *Burg* qui deviennent autant de villes. Alors se constitue la puissante féodalité terrienne des barons baltes. Un moment russe (1561-1621), la Lettonie devient ensuite suédoise et donc luthérienne. De nouveau sous le joug des tsars (la Livonie en 1710, la Courlande en 1790), elle reste dominée par l'oligarchie allemande. Ce n'est qu'à partir de 1861, après l'abolition du servage, que se constitue une classe de petits tenanciers, qui, avec la classe moyenne née dans les villes à partir de 1830, pose les premiers fondements du nationalisme letton. Celui-ci participe à la révolution socialiste de 1905, durement réprimée par les tsaristes. Cédée à l'Allemagne par le traité de Brest-Litovsk (3 mars 1918), la Lettonie proclame son indépendance le 18 novembre. Immédiatement attaquée par les Soviétiques, la jeune république tombe, le 22 mai 1919, sous le joug de corps francs allemands, qui imposent un gouvernement pro-allemand. Karlis Ulmanis, le Premier ministre en exil, réussit à se débarrasser de ceux-ci avec l'aide des Alliés. Le 11 août 1920, l'U.R.S.S. reconnaît l'indépendance de la Lettonie, qui se donne (1922) une constitution parlementaire. Mais la menace nazie incite Ulmanis à imposer sa dictature en 1934; et, dès 1939, la Lettonie retombe dans la sphère d'influence soviétique. En 1940, elle est proclamée république soviétique et incorporée à l'U.R.S.S.

LETTOW-VORBECK (Paul VON), général allemand (Sarrelouis 1870-Hambourg 1964). Commandant les forces de l'Afrique-Orientale allemande, il résista aux Alliés jusqu'en 1918.

Lettre à d'Alembert sur les spectacles, par J.-J. Rousseau (1758). C'est une riposte à l'article «Genève» de l'*Encyclopédie,* dans lequel d'Alembert souhaitait que la cité de Calvin ouvrît un théâtre. Rousseau oppose à la tragédie, qui excite les passions, et à la comédie, qui ridiculise la vertu, les plaisirs simples et champêtres et les fêtes qui réunissent le peuple dans une joie commune. Cette attaque contre les idées et les hommes de son siècle consacra la rupture de Rousseau avec les philosophes.

LETTRE DE CHANGE → EFFET DE COMMERCE.

Lettre écarlate *(la),* roman de N. Hawthorne (1850). Une femme adultère, désignée au mépris d'une colonie puritaine par une lettre rouge cousue sur sa poitrine, se sent purifiée par l'épreuve, tandis que son complice ignoré, entouré de la vénération de tous, est torturé par la conscience de son hypocrisie.

Lettres à Lucilius, de Sénèque. Recueil de 124 lettres qui forment un traité de direction morale d'inspiration stoïcienne.

Lettres de mon moulin, recueil de contes, par Alphonse Daudet (1866). Ces contes ont presque tous pour décor la Provence. Les plus célèbres sont *la Chèvre de M. Seguin, l'Élixir du R. P. Gaucher, les Trois Messes basses.*

Lettres écrites de France et d'Italie, par Paul Louis Courier, composées de 1804 à 1812 et revues en 1824 pour leur publication : document sur l'Italie au temps de la domination française et exercice de style pour atteindre au naturel.

Lettres persanes, de Montesquieu (v. 1721). La correspondance imaginaire de deux Persans sert de prétexte à une critique des mœurs parisiennes et de la société française.

Lettres philosophiques sur l'Angleterre ou **Lettres anglaises,** par Voltaire (1734) : célébration de la liberté de conscience et de la liberté politique qui règnent en Grande-Bretagne, et qui se fondent sur la liberté industrielle et la liberté commerciale.

Lettres portugaises, nom donné à cinq lettres d'amour passionné, attribuées à Mariana Alcoforado, religieuse portugaise, et adressées au comte de Chamilly. Présentées comme une traduction (1669), elles ont sans doute été écrites directement en français par Guilleragues*.

Lettres sur la danse et sur les ballets, ouvrage théorique et critique, publié à Lyon et à Stuttgart par Jean-Georges Noverre en 1760. Traduites dans le monde entier, ces *Lettres* constituent l'élément capital qui a présidé à l'évolution des structures et de l'esthétique de la danse.

Lettre sur les aveugles, à l'usage de ceux qui voient, de Diderot (1749), dans laquelle l'auteur vérifie la théorie sensualiste (v. SENSUALISME) sur une opération chirurgicale réalisée par Réaumur et propose une explication matérialiste de l'origine du monde.

LETTRISME. — Systématisant certaines recherches allitératives, déjà présentes chez Aristophane, et reprenant les tentatives de désarticulation de la phrase chères à Tzara, le lettrisme, lancé par Isidore Isou en 1945, voit dans les lettres réduites à leur réalité graphique et phonique le seul matériau de la création poétique.

LEUCADE, anc. île de la mer Ionienne (Grèce), auj. rattachée au continent.

LEUCATE *(étang de)* ou **SALSES** *(étang de),* étang du littoral méditerranéen (environ 8 000 ha), partagé entre l'Aude et les Pyrénées-Orientales, dont le cordon littoral a fait l'objet d'importants aménagements pour le tourisme balnéaire, du Barcarès, au S., au *cap Leucate,* au N.

LEUCATE (11370), comm. de l'Aude, près de l'*étang de Leucate,* à 34 km au N.-E. de Perpignan; 1 244 hab.

LEUCÉMIE. — La *leucémie myéloïde chronique* se traduit par une asthénie, une grosse rate, une leucocytose massive (polynucléose) et par un envahissement de la moelle osseuse par la lignée granulocytaire. La *leucémie lymphoïde chronique* se manifeste par des adénopathies (gros ganglions), une lymphocytose importante et un envahissement de la moelle par la lignée lymphocytaire. La *leucémie aiguë,* d'évolution rapide, se traduit par une asthénie, des infections répétées, des hémorragies et par la présence de leucoblastes, cellules jeunes malignes (lymphoblastes ou myéloblastes) dans le sang et dans la moelle osseuse. Le traitement des leucémies a progressé avec l'emploi de médicaments qui donnent des rémissions durables.

LEUCINE. — La leucine, que l'on trouve dans la rate, le pancréas, les graines de lupin, etc., est un corps lévogyre, qui cristallise en feuillets brillants, fondant à 270 °C.

LEUCIPPE → ATOMISME.

LEUCOCYTE. — Le nombre des globules blancs, ou leucocytes, dans le sang est de 5 000 à 8 000 par millimètre cube; ils se distribuent environ en 65 p. 100 de polynucléaires (neutrophiles, éosinophiles et basophiles) et en 35 p. 100 de mononucléaires (30 p. 100 de lymphocytes et 5 p. 100 de monocytes). Les polynucléaires, issus des myéloblastes médullaires, ont un rôle dans la défense de l'organisme contre les infections; en pathologie, on peut observer une granulopénie (baisse des polynucléaires, ou granulocytes), une polynucléose neutrophile (infections, cancers) ou une éosinophilie (parasitose, allergie). Les lymphocytes ont un rôle important dans les phénomènes immunitaires; une lymphocytose peut traduire une infection, une leucémie lymphoïde, etc. Les monocytes phagocytent des débris divers.

LEUCOPETRA, localité de Grèce, près de Corinthe. La victoire que les Romains y remportèrent en 146 av. J.-C. sur la ligue Achéenne* marqua la fin de l'indépendance grecque.

LEUCOPLASIE → ÉPITHÉLIUM.

Frontispice de l'édition originale du *Léviathan*, de Thomas Hobbes, imprimé en 1651, à Londres.

Bibliothèque nationale

LEUCTRES, ville de Béotie, célèbre par la victoire d'Épaminondas* en 371 av. J.-C. sur les hoplites lacédémoniens : cette bataille assura aux Thébains l'hégémonie sur la Grèce.

LEUNA, important centre d'industries chimiques de l'Allemagne orientale, près de Halle.

LEURRES (méthode des) → ÉTHOLOGIE.

LEVAGE → CARGO.

LEVAIN → PAIN.

LEVALLOIS-PERRET (92300), ch.-l. de cant. des Hauts-de-Seine, dans la proche banlieue nord-ouest de Paris; 52 731 hab. *(Levalloisiens).* Industrie automobile.

LEVANT (le), nom parfois donné aux pays du littoral oriental de la Méditerranée, Syrie et Liban notamment.

Levant *(Compagnie du),* compagnie française de commerce, créée par Colbert en 1670 pour contrôler le commerce de Marseille et qui disparut dès 1678.

LEVANT *(île du)* [83400 Hyères], une des îles d'Hyères. Centre naturiste. Centre d'essais des missiles de la marine, intégré en 1968 dans le Centre d'essais de la Méditerranée.

LEVASSOR (Émile), ingénieur et industriel français (Marolles-en-Hurepois 1843-† 1897). Associé avec son ami René Panhard*, il créa en France l'industrie des moteurs automobiles. Avec Armand Peugeot*, auquel il livrait des moteurs, il fut le premier en France à construire industriellement des voitures fonctionnant au pétrole. En 1895, il gagna la course Paris-Bordeaux-Paris sur une « Panhard et Levassor » dont il était le créateur.

LE VAU (Louis), architecte français (Paris 1612-*id.* 1670). Appartenant à une famille de maîtres maçons (son frère FRANÇOIS [1613-1676] le secondera ou travaillera seul en province), moins raffiné que Mansart, il est la figure dominante du milieu du siècle. Il travaille pour les gens de finance, élève des hôtels (Lambert, 1640) en l'île Saint-Louis à Paris, alors lieu de spéculation immobilière. Après Vaux-le-Vicomte*, l'actuel Institut* et d'autres travaux parisiens (Louvre), il établit pour le roi (dont il est premier architecte depuis 1654) les grandes lignes du palais de Versailles. Son sens de la mise en scène somptueuse ne l'empêche pas de faire évoluer la demeure patricienne vers plus de commodité.

LEVENS (06670 St Martin du Var), ch.-l. de cant. des Alpes-Maritimes, à 24 km au N. de Nice; 1 422 hab.

LEVER → CARTE, RÉVISION, TOPOGRAPHIE.

LEVERKUSEN, v. de l'Allemagne fédérale (Rhénanie-du-Nord-Westphalie), sur le Rhin; 109 000 hab. Centre chimique.

LE VERRIER (Urbain), astronome français (Saint-Lô 1811-Paris 1877). Son nom est resté attaché à sa découverte de la planète Neptune*. En 1845, Arago l'engagea à étudier les perturbations, jusqu'alors inexpliquées, que l'on constatait dans le mouvement d'Uranus*.

Le Verrier envisagea alors l'existence d'une planète inconnue à l'action de laquelle seraient dues ces anomalies. Il en détermina l'orbite et, en août 1846, il en donna la position. La planète perturbatrice fut effectivement observée, à l'endroit indiquée, par l'astronome allemand Galle* le 23 septembre 1846.

LEVERTIN (Oscar), écrivain suédois (Gryt 1862-Stockholm 1906). Poète et romancier, il s'opposa à l'esthétique naturaliste (*les Maîtres d'Oesteraas,* 1900).

LÉVESQUE (René), homme politique canadien (New Carlisle, Gaspésie, 1922). Journaliste, membre du parti libéral du Québec jusqu'en 1967 et plusieurs fois ministre, il fonde en 1968 le parti québécois (P. Q.) qui rassemble divers mouvements indépendantistes. Après la victoire de son parti aux élections de novembre 1976, il devient Premier ministre du Québec.

LEVET (18340), ch.-l. de cant. du Cher, à 18 km au S. de Bourges; 1 113 hab.

LÉVEZOU, plateau du sud du Massif central (Aveyron) entre l'Aveyron et le Tarn.

LÉVI, tribu de l'Israël ancien, dont les membres étaient consacrés aux fonctions du culte; la tribu n'avait pas de territoire distinct, mais elle était répartie dans des villes déterminées, dites *villes lévitiques.*

LÉVI (Robert), ingénieur français (Paris 1895). Spécialiste des études de signalisation dans les chemins de fer, il imagina les postes de triage automatique du type « à billes ».

LÉVIATHAN, monstre marin du folklore de l'Orient ancien; il apparaît aussi dans la Bible, où il symbolise les puissances du Mal.

Léviathan *(le),* œuvre de Th. Hobbes (1651), dans laquelle l'auteur entreprend de décrire la nature de l'État*. Son influence sur la pensée politique moderne est considérable.

LEVI BEN GERSON, dit aussi **Leo de Bagnols** ou **Leo Hebraeus,** savant français (Bagnols-sur-Cèze 1288-† 1344). Il écrivit le premier manuel de trigonométrie paru en Occident, *De sinibus, chordis et arcubus item instrumento revelatore secretorum.* En 1342, il fit connaître le bâton de Jacob, ou *arbalestrille,* imaginé au siècle précédent, qui permettait de prendre la hauteur du Soleil et des astres. On lui attribue parfois l'invention de la « chambre noire ».

LEVI CIVITA (Tullio), mathématicien italien (Padoue 1873-Rome 1941). Avec Ricci-Curbastro*, il créa l'analyse tensorielle, outil indispensable en physique. D'autre part, il introduisit la notion de transport parallèle dans les espaces de Riemann*.

LEVIE (20170), ch.-l. de cant. de la Corse-du-Sud, à 27 km au N.-E. de Sartène; 2 100 hab.

LEVIER *(Phys.).* — Dans un levier, la distance de chaque force au point d'appui est son bras de levier. On distingue trois genres de

PRINCIPE DU LEVIER

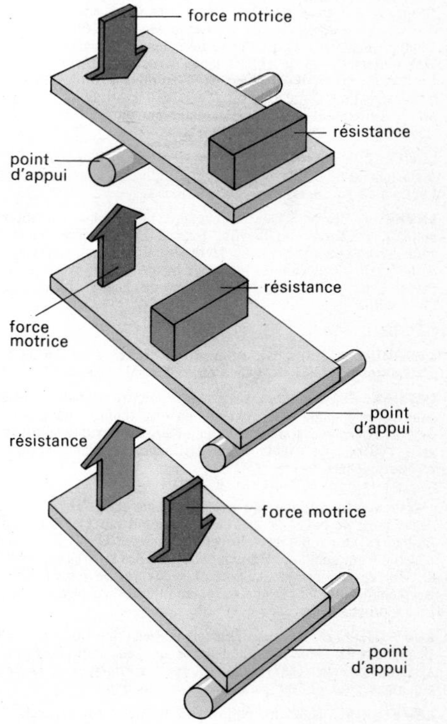

leviers : 1° appui entre les deux forces (balance romaine); 2° résistance entre l'appui et la force motrice (casse-noix); 3° force motrice entre la résistance et l'appui (pincettes). Il y a équilibre si les moments des deux forces sont égaux et de sens contraires. Le levier peut donc, suivant le cas, augmenter la force motrice et réduire le déplacement ou, au contraire, augmenter le déplacement et réduire la force.

LEVIER (effet de). — Les entreprises recourant à un endettement bénéficient d'une amélioration de rentabilité de leurs capitaux propres, amélioration que l'on appelle « effet de levier ». L'effet croît avec l'endettement. (Il est évidemment limité par la capacité d'emprunt de l'entreprise.)

LEVIER (25270), ch.-l. de cant. du Doubs, à 20 km au N.-O. de Pontarlier; 1 855 hab.

LÉVIGATION. — C'est un procédé de séparation, par exemple d'un minerai et de sa gangue, par entraînement dans un courant d'eau, des constituants d'un mélange préalablement pulvérisé.

LEVINAS (Emmanuel), philosophe français (Kaunas, Lituanie, 1905). Marquée par la phénoménologie* husserlienne et la pensée de Heidegger*, sa réflexion sur l'existence et le monde (*De l'existence à l'existant,* 1947; *le Temps et l'Autre,* 1948) se fonde sur une éthique (*Totalité et Infini,* 1962; *Difficile Liberté,* 1963; *Humanisme de l'autre homme,* 1972) enrichie par une réflexion sur le judaïsme (*Quatre Lectures talmudiques,* 1968).

LEVINSON (André Iakovlevitch), écrivain et critique de danse russe (Saint-Pétersbourg 1887 - Paris 1933). Défenseur de la tradition classique, il se déclara l'adversaire des réformes de Fokine. Il est toutefois à l'origine d'une notion nouvelle : la *critique* chorégraphique* (à partir de 1922 dans l'hebdomadaire *Comœdia*). Il a publié, entre autres, *la Danse d'aujourd'hui* (1929), *la Vie de Taglioni* (1929) et *les Visages de la danse* (1933).

LÉVIS, v. du Canada (Québec), sur la rive droite du Saint-Laurent, en face de Québec; 16 597 hab.

LÉVIS (François Gaston, *duc* DE), maréchal de France (château d'Ajac 1720 - Arras 1787). Il combattit au Canada. Après la capitulation de Montréal (1760), il fut fait gouverneur de l'Artois (1766) et maréchal de France (1783).

LÉVI-STRAUSS (Claude), anthropologue français (Bruxelles 1908). Professeur au Collège de France (1959), il est membre de l'Académie française (1973). *Tristes Tropiques* (1955) dresse le bilan des diverses missions qu'il a accomplies au Brésil entre 1935 et 1945. Influencé par la linguistique structurale de R. Jakobson, il développe le structuralisme* dans l'analyse des systèmes de parenté (*les Systèmes élémentaires de la parenté,* 1949), puis procède à une réflexion sur les méthodes des sciences humaines (*Anthropologie structurale,* 1958; *Anthropologie structurale II,* 1973). À partir d'une étude des mythes indiens de l'Amérique du Sud, il entreprend la construction d'une théorie générale des structures mythiques (*Mythologiques,* 1964-1971). Il a également publié *Race et histoire* (1960) et *la Pensée* sauvage* (1962).

Lévitique *(le),* livre biblique, le troisième du Pentateuque*. Il traite spécialement du culte israélite, dont le soin était confié à la tribu de Lévi*; d'où son nom.

LÈVRE. — Les lèvres de la bouche, replis musculo-membraneux mobiles, circonscrivent l'orifice buccal. Leurs extrémités réunies forment les commissures. La lèvre supérieure est parfois le siège d'une fissure congénitale, le bec-de-lièvre. Citons par ailleurs les petites et les grandes lèvres, qui limitent de chaque côté le vestibule de la vulve*.

LÉVRIER → CHIEN.

LEVROUX (36110), ch.-l. de cant. de l'Indre, à 20 km au N. de Châteauroux; 3 133 hab. Église du XIIIe s. Mégisserie.

LEVURE. — De nombreuses espèces microscopiques de champignons sont capables de survivre en anaérobiose, au prix d'une croissance beaucoup plus lente qu'à l'air. Ces levures se procurent alors l'énergie en décomposant partiellement le glucose selon la réaction globale

$$C_6H_{12}O_6 \rightarrow 2C_2H_5OH + 2CO_2.$$

La réaction fournit donc du gaz carbonique et de l'alcool*. C'est le dégagement de bulles de gaz carbonique qui fait « lever » les pâtes farineuses et permet la fabrication du pain. C'est la production d'alcool (fermentation alcoolique) qui fait des levures les créatrices du vin, de la bière et du cidre. Les levures se reproduisent par bourgeonnement ou par quatre spores internes, ce dernier caractère les rapprochant des ascomycètes*.

LÉVY (Maurice), ingénieur français (Ribeauvillé 1838 - Paris 1910). Il appliqua la théorie mathématique de l'élasticité à l'étude des systèmes articulés (1873) et développa les principes de la statique graphique pour utiliser celle-ci en construction (1874).

LÉVY-BRUHL (Lucien), philosophe et sociologue français (Paris 1857 - *id.* 1939). Ses recherches l'amenèrent à opposer la mentalité prélogique, caractéristique des sociétés « primitives », et la mentalité logique, des sociétés civilisées (*la Mentalité primitive,* 1922; *la Mythologie primitive,* 1935).

LEWIN (Kurt), psychologue américain d'origine allemande (Mogilno 1890 - Newtonville, Massachusetts, 1947). Dans la lignée de la théorie de la forme*, il étudie jusqu'en 1935 des problèmes de psychologie individuelle : perception, association, volonté. Émigré aux États-Unis, il s'oriente ensuite vers l'étude expérimentale des groupes* restreints; il étudie le climat autoritaire ou démocratique, le leadership, les statuts des membres du groupe. Sa théorie est fondée sur la notion de *champ psychologique.* Pour lui, le comportement d'un individu à un moment donné cherche à rétablir un équilibre rompu entre le sujet et son environnement, rupture qui se manifeste sous forme de « tension ».

C'est à Kurt Lewin que l'on doit la notion de dynamique de groupe, directement dérivée de la théorie du champ. Dans les dernières années de sa vie, Lewin a posé les fondements épistémologiques de l'action* research, conjugaison originale de la théorie des décisions de groupe avec la praxis sociale.

LEWIS (Matthew Gregory), écrivain anglais (Londres 1775 - en mer, au retour des Antilles, 1818). Son roman fantastique *Ambrosio ou le Moine* (1795) lança la mode du « roman noir ».

LEWIS (Gilbert Newton), physicien et chimiste américain (Weymouth 1875 - Berkeley 1946). Il a étudié les électrons périphériques des atomes et en a déduit, en 1916, une interprétation de la covalence. Il a baptisé « photon » le quantum d'énergie rayonnante (1926).

LEWIS (Clarence Irving), logicien américain (Stoneham, Massachusetts, 1883 - Cambridge, Massachusetts, 1964). Son élaboration de la notion d'implication* stricte, distincte de l'implication formelle de Russell*, lui permet d'interpréter rigoureusement le calcul des propositions* (1920) et le conduit à développer la logique modale*. *Symbolic Logic* (1932), écrit en collaboration avec C. H. Langford, est un ouvrage de référence pour la logique*.

LEWIS (Sinclair), écrivain américain (Sauk Centre, Minnesota, 1885 - Rome 1951). Il fit dans ses romans une peinture satirique de la bourgeoisie américaine et de ses préoccupations sociales et religieuses (*Main Street,* 1920; *Babbitt,* 1922; *Arrowsmith,* 1925; *Elmer Gantry,* 1927). [Prix Nobel, 1930.]

LEWIS (Oscar), anthropologue américain (New York 1914 - *id.* 1970). Partisan d'une anthropologie militante, il est connu pour ses travaux sur les minorités ethniques aux États-Unis. Dans son étude sur le village mexicain de Tepotzlan (1951) et *La vida, une famille portoricaine dans une culture de pauvreté : San Juan et New York* (1965), il montre l'importance des conflits dans les sociétés traditionnelles.

LEXICOGRAPHIE. — La lexicographie est la technique de confection des dictionnaires. Les principaux problèmes qui se posent au lexicographe sont la sélection des entrées lexicales (l'extension et la nature du dictionnaire), le style de la définition, le classement des sens (historique, logique, etc.), le choix des exemples (langue littéraire, langue parlée), le traitement de l'homonymie et de la polysémie.

LEXICOLOGIE. — La lexicologie est la description des structures du vocabulaire. Son domaine chevauche en partie celui de la sémantique. L'application des modèles structuraux fournis par la phonologie et la grammaire pose ici des problèmes difficiles, étant donné l'immense complexité des relations lexicales. D'autre part, les concepts fondamentaux de la lexicologie, le mot et le sens, restent l'objet de controverses. Faute de pouvoir s'appliquer à l'ensemble du lexique, les recherches lexicologiques ont porté jusqu'ici sur des champs* (lexicaux, sémantiques, conceptuels, étymologiques).

LEXINGTON, v. des États-Unis (Kentucky); 108 000 hab.

LEXY (54720), comm. de Meurthe-et-Moselle, à 4 km au S.-O. de Longwy; 3 013 hab. Métallurgie.

LEYDE, en néerl. **Leiden,** v. des Pays-Bas (Hollande-Méridionale), au N.-E. de La Haye; 98 000 hab. — Célèbre au XVe s. pour son industrie drapière, dotée en 1575 d'une université à rayonnement européen, Leyde soutint en 1574 contre les Espagnols un siège qui fut levé grâce à l'intervention de Guillaume le Taciturne.

BEAUX-ARTS. Restes de la forteresse *(Burcht),* église Saint-Pierre (XIVe s.), Hooglandse Kerk (XIVe-XVe s.) et divers édifices classiques, dont le *Lakenhal,* ancienne halle aux draps qui abrite le Musée municipal (avec, notamment, des salles consacrées aux peintres de Leyde : Cornelis Engebrechtsz [1468-1533], Lucas* de Leyde, Van Goyen*, Rembrandt* [œuvre de jeunesse], Dou*, Steen*, Metsu*...). Riches musées nationaux des Antiquités, d'Ethnographie, de Zoologie, d'Histoire des sciences.

LEYRE (la) → EYRE *(l').*

LEYSIN, comm. de Suisse (cant. de Vaud), au-dessus de la vallée du Rhône; 2752 hab. Centre climatique et de sports d'hiver (alt. 1250-2185 m).

LEYTE, île des Philippines, au N. de Mindanao; 1111000 hab. Ch.-l. *Tacloban.* Défaite navale décisive des Japonais (24-26 oct. 1944). [V. GUERRE MONDIALE *(Seconde).*]

LÉZARD. — Les lézards sont les seuls lacertiliens* de la faune française, qui en comprend deux espèces communes : le petit lézard gris des murailles, au ventre blanc, ami du soleil et infatigable chasseur de mouches, et le grand lézard vert, à la belle livrée d'émeraude, formant sur le dos une écaillure perlée, et qui ne se rencontre guère au nord de Paris. Le lézard des sables est plus rare et plus septentrional; le lézard vivipare peut s'élever jusqu'à 3000 m dans les Alpes; le lézard ocellé, qui peut atteindre 60 cm de longueur, ne se rencontre que dans le Midi.

LÉZARDRIEUX (22740), ch.-l. de cant. des Côtes-du-Nord, à 5 km à l'O. de Paimpol; 1834 hab. Église des XVIIe-XVIIIe s.

LEZAY (79120), ch.-l. de cant. des Deux-Sèvres, à 12 km au N.-E. de Melle; 2122 hab. Industrie alimentaire.

LÉZIGNAN-CORBIÈRES (11200), ch.-l. de cant. de l'Aude, à 21 km à l'O. de Narbonne; 7431 hab. *(Lézignannais).* Église du XVe s. Vins. Travail du cuir.

LEZOUX (63190), ch.-l. de cant. du Puy-de-Dôme, à 26 km à l'E. de Clermont-Ferrand; 4730 hab. Chapelle désaffectée du XIIe s. Beffroi du XVe s. Industrie agricole. — Ledosus, à l'époque gallo-romaine, était l'un des centres de fabrication de céramique sigillée, qui, vers la fin du Ier s. apr. J.-C., créait une production originale et de qualité exportée dans tout l'Empire romain.

LHASSA, v. de Chine, capit. du Tibet, à 3600 m d'altitude; 70000 hab. Ville sainte du bouddhisme tibétain. Constructions mécaniques.

L'HERBIER (Marcel), cinéaste français (Paris 1890). Il prit une part importante dans le cinéma français des années 20 : *l'Homme du large* (1920), *El Dorado* (1921-22), *l'Inhumaine* (1923), *Feu Mathias Pascal* (1925). Après l'avènement du cinéma parlant, il tourna notamment *Entente cordiale* (1938), *la Nuit fantastique* (1942). Sur son initiative fut créé en 1943 l'Institut des hautes études cinématographiques.

L'HOSPITAL (Michel DE), homme d'État français (Aigueperse 1505-Belesbat 1573). Magistrat humaniste, président du Conseil de Marguerite de Valois (1550), premier président de la Chambre des comptes (1553), il devient chancelier de France en 1560. Durant les guerres de Religion, il joue un rôle modérateur, autorisant même,

Michel de L'Hospital. Portrait anonyme, fin du XVIe s. (Musée Condé, Chantilly.)

Lauros - Giraudon

en 1562, malgré l'opposition de la Cour, les réformés à prier chez eux, en commun. Mais le colloque de Poissy, dont il est l'inspirateur, ne peut prendre figure de concile national comme il l'aurait voulu. Jusqu'à sa démission en 1568, L'Hospital développe, par ordonnances, la réforme administrative et judiciaire de la France.

L'HOSPITAL (Guillaume DE), marquis **de Sainte-Mesme,** mathématicien français (Paris 1661 - *id.* 1704). Son traité de calcul différentiel, *Analyse des infiniment petits pour l'intelligence des lignes courbes* (1696), est le premier exposé complet du calcul infinitésimal.

LHOTE (André), peintre et écrivain d'art français (Bordeaux 1885-Paris 1962). Rallié au cubisme en 1911, il a tendu, par son œuvre peint ou dessiné, par son enseignement et par ses écrits critiques et théoriques (dont le *Traité du paysage,* 1939), à concilier art moderne et tradition.

LHOTSE, quatrième sommet du globe, dans l'Himālaya, près de l'Everest; 8545 m. Il a été gravi pour la première fois en 1956.

LHUIS (01680), ch.-l. de cant. de l'Ain, à 23 km à l'O. de Belley; 592 hab.

LIAISON *(Chim.).* — La *liaison chimique* explique l'enchaînement des atomes, ions et molécules, dans les corps simples et composés. On distingue principalement la liaison *ionique,* qui se fait par transfert d'électrons et qui est le résultat de l'attraction électrostatique entre ions de signes opposés, par exemple Na^{+} et Cl^{-}; la liaison *covalente,* qui résulte de la mise en commun de deux électrons, dont chacun est, en principe, fourni par l'un des atomes. La liaison *réelle* est, en général, intermédiaire entre ces deux types.

Il existe encore la *liaison métallique,* qui met en jeu les électrons délocalisés des atomes, et des forces de liaison plus faibles, telles que la *liaison hydrogène,* qui unit cet élément à un autre fortement électronégatif, et les *forces de Van der Waals,* qui s'exercent entre molécules polaires.

Liaisons dangereuses *(les),* roman épistolaire de Choderlos de Laclos (1782). La marquise de Merteuil utilise son ancien amant, le comte de Valmont, pour pervertir Cécile de Volanges, déjà éprise du chevalier Danceny. Communiant secrètement dans l'éthique du libertinage, ils entretiennent une confession mutuelle où perce une rivalité. Valmont se laisse, cependant, prendre au charme de la présidente de Tourvel, jeune femme vertueuse et sensible. Mais ne voulant pas s'avouer un sentiment dont il a honte, il poursuit la conquête de la présidente, puis abandonne sa victime, qui meurt de douleur. Mme de Merteuil rompt avec Valmont et le fait tuer en duel par son nouvel amant, Danceny, mais perd sa fortune et sa beauté. Cécile de Volanges entre au couvent. Danceny se retire à Malte. Cette peinture d'un monde corrompu, où l'univers sensible du rousseauisme fait contrepoids à celui du libertinage et laisse subsister un doute sur le sens du drame, souleva les contemporains contre l'auteur, mais la postérité accorda à Laclos la gloire qu'il avait souhaitée et prévue.

LIAKHOV *(îles),* archipel soviétique de l'océan Arctique, à l'E. de la mer des Laptev.

LIANCOURT (60140), ch.-l. de cant. de l'Oise, à 9 km au S. de Clermont; 5762 hab. Église des XVe-XVIIe s. Métallurgie.

LIANE → GRIMPANTES *(plantes).*

LIANT → PEINTURE et VERNIS.

LIAONING → LEAO-NING.

LIAS → SECONDAIRE *(ère).*

LIBAN *(djebel),* longue (160 km) et haute (3083 m) montagne de la république du Liban, dont elle forme la partie centrale (portant aussi le nom de *chaîne du Liban*), où la densité de la population et l'activité rurale ont presque entièrement fait disparaître la forêt de cèdres.

LIBAN, État de l'Asie occidentale, sur la Méditerranée; 10400 km^{2}; 2960000 hab. *(Libanais).* Capit. *Beyrouth.*

GÉOGRAPHIE. Le lourd anticlinal calcaire du *mont,* ou *djebel, Liban* sépare l'étroite plaine côtière de la dépression de la Bekaa, drainée par l'Oronte et le Litani, et dominée à l'E. par l'Anti-Liban. Le climat méditerranéen sur la côte devient rude sur le mont Liban (où la neige est fréquente en hiver). Ce dernier arrête les influences maritimes, et la partie orientale du pays, beaucoup plus sèche, est couverte par la steppe.

Le très fort peuplement (la densité dépasse 200 hab. au km^{2} en moyenne) est lié à des conditions historiques. La population est divisée en deux communautés religieuses à peu près équivalentes numériquement, regroupant chacune diverses confessions : chrétiens (maronites, grecs catholiques, grecs orthodoxes...) et musulmans (druzes, sunnites, chī'ites...). L'équilibre précaire qui existait entre ces divers groupes a été rompu, et les affrontements ont revêtu en 1975-76 une violence extrême. Le taux d'urbanisation est modéré, les principales villes étant localisées sur le littoral méditerranéen (Beyrouth, Tripoli, Saïda), qui concentre l'essentiel de la population. L'agriculture n'occupe plus que la moitié de la population active. L'organisation rurale traditionnelle repose sur l'utilisation de l'eau qui descend de la montagne libanaise; elle a été améliorée par de nombreuses modernisations. Sur le versant occidental, les agrumes, les pommiers et les bananiers sont venus s'ajouter aux cultures de blé, de vigne, d'oliviers et de mûriers. Dans la Bekaa, des travaux d'irrigation ont permis d'accroître les rendements céréaliers et d'introduire la betterave à sucre. Les hautes pentes demeurent le domaine de l'élevage ovin et caprin.

Peu favorisé par l'absence de ressources naturelles, le dévelop-

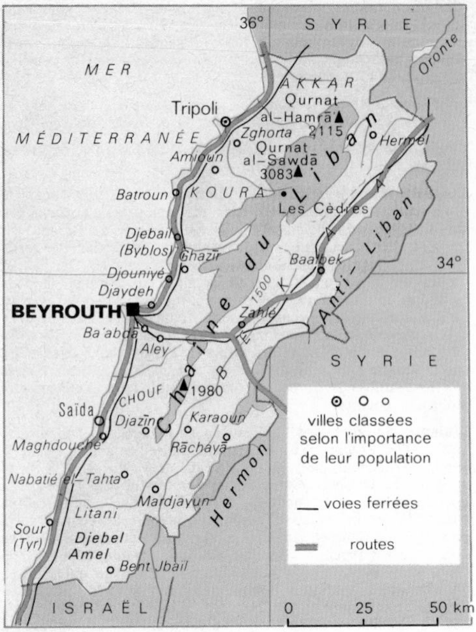

LIBAN

pement industriel reste limité. Mais le Liban, par lequel transite en particulier le pétrole du golfe Persique, a longtemps constitué la première place commerciale de tout le Moyen-Orient, avec une très grande activité bancaire. Mais la prospérité économique du pays a été ruinée par la guerre de 1975-76.

HISTOIRE. La côte libanaise a été occupée à partir du IIIe millénaire par les Cananéens*, puis par les Phéniciens*, fondateurs des cités-États de Byblos, de Berytos (auj. Beyrouth), de Sidon et de Tyr, qui dominent au début du Ier millénaire avant notre ère le commerce méditerranéen. À partir du VIIe s. av. J.-C., la Phénicie connaît les dominations assyrienne, égyptienne, perse, babylonienne, puis grecque. Elle fait partie de la province de Syrie*, organisée par les Romains en 64-63 av. J.-C. et conquise par les Arabes en 636. La communauté maronite* s'établit dans la chaîne du Liban à partir du VIIe s. La secte druze* gagne de nombreux adeptes au XIe s. et se répand à partir de l'Hermon. Les Latins du royaume de Jérusalem* (1099-1291) et du comté de Tripoli* (1109-1289) occupent la côte libanaise jusqu'à la reconquête des Mamelouks* d'Égypte. Les ports libanais accueillent des colonies de marchands occidentaux, protégés à partir du XVIe s. par les capitulations accordées par les Ottomans (maîtres du Liban depuis 1516) aux nations occidentales. L'émir druze Fakhr al-Dīn II* (de 1593 à 1633) unifie le pays une première fois. Après le règne de Bāchir II Chihāb (de 1788 à 1840), allié de Méhémet-Ali* contre les Ottomans, le Liban connaît une période de troubles. Les Français interviennent en 1860 pour mettre fin aux massacres des chrétiens par les druzes, et les puissances européennes imposent aux Ottomans l'autonomie du Mont-Liban (de 1861/1864 à 1914). Le Liban, libéré des Turcs en 1918, forme avec la plaine de la Bekaa le « grand Liban », placé sous mandat français par la S. D. N. (1922). Il est doté d'une constitution en 1926, complétée par le « pacte national » (non écrit) de 1943 qui instaure un régime confessionnel. Depuis l'indépendance (1943), le président de la République est maronite, le président du Conseil sunnite et le président de la Chambre chī'ite. Membre de la Ligue arabe depuis 1945, le Liban entend rester neutre. La politique pro-occidentale de Chamoun* (de 1952 à 1958) exacerbe les nationalistes arabes favorables à Nasser et provoque la guerre civile de 1958, à laquelle met fin l'intervention américaine et l'élection de Chehab* (de 1958 à 1964). Cependant, sous la présidence de Charles Hélou (de 1964 à 1970) et de Soleiman Frangié* (de 1970 à 1976), l'opinion libanaise se divise sur le problème des Palestiniens, réfugiés au Liban depuis 1948, et des représailles israéliennes (bombardement de l'aéroport de Beyrouth en 1968, raids israéliens dans le sud du Liban). Des affrontements entre l'armée libanaise et les commandos palestiniens ont lieu en 1969 et en 1973. Au cours d'une guerre civile extrêmement meurtrière, les milices chrétiennes de droite (dirigées par P. Gemayel* et Chamoun) affrontent les Palestiniens (depuis avril 1975), puis les forces islamo-progressistes de K. Joumblatt* (depuis septembre 1975). Les forces syriennes interviennent directement en mars 1976 et occupent le pays. Elias Sarkis est élu président de la République en mai 1976. En mars 1978, les Israéliens occupent l'extrémité sud du pays.

LIBBY (Willard Frank), chimiste américain (Grand Valley 1908). Ayant expliqué la formation du tritium et du carbone 14 dans l'atmosphère, il a créé une méthode de datation des objets antiques par dosage de cet isotope. (Prix Nobel de chimie, 1960.)

LIBELLULE. — L'ordre des *odonates,* usuellement nommés *libellules,* se singularise entre tous les groupes d'insectes par le fait que l'adulte se dégage, *sans période de nymphose,* de l'enveloppe d'une larve aquatique entièrement différente de lui. La larve de libellule est en effet parmi les plus féroces carnivores des eaux douces, avec sa pince buccale repliée en « masque » au repos et qui se détend soudain sur les proies. Elle nage activement et respire par des branchies rectales. À la métamorphose, elle grimpe le long d'une herbe aquatique dépassant la surface, et l'adulte s'en dégage. La libellule est un insecte en forme de T, du fait de son corps effilé et de ses deux paires d'ailes finement nervurées, toujours perpendiculaires au corps. Des yeux énormes lui permettent de repérer en tous sens ses proies, qu'elle gobe bouche ouverte, comme une hirondelle, au cours d'un vol très rapide et en zigzaguant au-dessus de ses eaux natales, où a lieu la ponte après un gracieux accouplement aérien.

L'anax, l'æschne, la demoiselle, l'agrion, la libellule proprement dite diffèrent par la taille, la couleur et des détails de forme, mais tous correspondent à la description ci-dessus.

LIBER. — Entre le bois et l'écorce des arbres, on observe chez certaines espèces une mince pellicule d'un vert intense : c'est le *liber.* L'observation microscopique d'une coupe transversale colorée de n'importe quelle plante vasculaire permet de retrouver ce tissu. Celui-ci est en effet d'une importance vitale, puisqu'il distribue à toutes les cellules de la plante la *sève élaborée,* riche en aliments organiques, qui provient des feuilles. Les canaux de circulation de cette sève, ou *tubes libériens,* sont coupés par places de sortes de filtres, les *cribles,* qui s'obstruent pendant le repos hibernal. Des *cellules compagnes* avoisinent les tubes et jouent un rôle important dans cette étrange circulation, qui se fait à une vitesse très inégale pour les diverses substances et n'est en rien comparable au flux sanguin ni même à l'ascension de la sève brute. Lorsqu'une striction (fil de fer trop serré) bloque la circulation libérienne d'un arbre, les aliments s'accumulent en formant un bourrelet au-dessus du niveau lésé.

libéral britannique *(parti),* parti formé au milieu du XIXe s. par la réunion des whigs, des radicaux et des tories dissidents disciples de R. Peel*, autour de la doctrine du libéralisme économique et du principe du libre-échange. Héritier de la tradition whig, le parti est dominé à partir de 1865 par la personnalité de Gladstone* et évolue progressivement vers la gauche au cours de son long passage au pouvoir (en alternance avec les conservateurs). Attachés à la démocratisation de la vie politique et à la promotion des classes moyennes, les libéraux sont divisés sur le problème de l'autonomie irlandaise : le projet de Home* Rule provoque même en 1886 une scission et la création du parti libéral unioniste*. Le parti libéral parvient, cependant, à réaliser d'importantes réformes sociales après son grand succès électoral de 1906, mais, affaibli par des dissensions internes, il perd progressivement à partir de 1922 son influence au Parlement au profit des travaillistes et des conservateurs.

LIBÉRALISME POLITIQUE. — En règle générale, on appelle « libéraux », au XIXe s., les tenants des principes de 1789. Le libéralisme politique, après la dictature impériale, se développe sous la Restauration* : les libéraux sont alors hostiles à la monarchie autoritaire, au cléricalisme, à tout retour à l'Ancien Régime et aux traités de 1815. Arrivés au pouvoir en 1830, ils se montrent souvent, sous la monarchie de Juillet*, très conservateurs; ils sont dépassés par le catholicisme libéral*, né de l'idéologie mennaisienne (v. LA MENNAIS), par l'opposition dynastique et surtout par le courant républicain, qui triomphe en 1848. Mais la IIe République devient rapidement conservatrice, cléricale et réactionnaire. Sous le second Empire, un néolibéralisme républicain se nourrit de positivisme* : il triomphe de l'ordre moral après 1877. Sous la République (IIIe, IVe, Ve), l'étiquette de « libéral » sera revendiquée par des formations politiques modérées, généralement situées au centre.

Plusieurs pays, outre la France, ont compté ou comptent des partis libéraux, les deux plus importants étant le parti libéral* britannique, successeur du parti whig, et le parti libéral belge, de coloration anticléricale, constitué en 1846 et qui, dans la Belgique* contemporaine — tiraillée entre démocrates-chrétiens et socialistes, et entre Flamands et Wallons —, joue un rôle grandissant d'arbitre.

Libération *(ordre de la),* ordre national français, créé en 1940 par de Gaulle pour récompenser ceux qui se distingueraient dans la libération de la France. (La liste de ses membres, appelés *compagnons*, a été close en 1946.)

LIBÉRATION CONDITIONNELLE → PEINE.

LIBERCOURT (62820), comm. du Pas-de-Calais, à 15 km au N.-E. de Lens; 9837 hab.

LIBÈRE *(saint)* [† 366], pape de 352 à 366. Défenseur de saint Athanase* et de la doctrine de Nicée* contre l'empereur Constance, qui favorisait l'arianisme*, il fut exilé en Thrace (355). Revenu à Rome (358), il contribua, malgré une défaillance passagère, au recul de la doctrine arienne.

LIBEREC, v. de Tchécoslovaquie, dans le nord de la Bohême; 73000 hab.

LIBERIA, État de l'Afrique occidentale; 111400 km²; 1750000 hab. *(Libériens)*. Capit. *Monrovia*.

GÉOGRAPHIE. Le pays s'étend sur un vaste plateau cristallin qui s'abaisse en pente douce jusqu'à la plaine côtière. Le climat équatorial, très humide, permet la croissance de la forêt dense, qui passe à la mangrove sur le littoral. La population, peu dense, est composée de divers groupes ethniques autochtones (Krous, Mandés, etc.) et d'anciens immigrés noirs venus des États-Unis au XIXe s., qui occupent les principales fonctions. Elle est faiblement urbanisée, la seule ville importante étant Monrovia. À côté d'une production vivrière peu intensive (riz, manioc), l'agriculture est tournée vers les produits d'exportation (hévéa, café). Le sous-sol recèle de riches gisements de fer (25 Mt) et de diamants. Mais l'industrie est peu développée. L'économie est aux mains de puissantes sociétés étrangères, principalement américaines, qui contrôlent les plantations et les mines. Le pays possède la première flotte du monde (66 Mtjb) : il s'agit d'un pavillon de complaisance, source de revenus. En fait, le niveau de vie moyen des habitants reste très bas.

LIBERIA

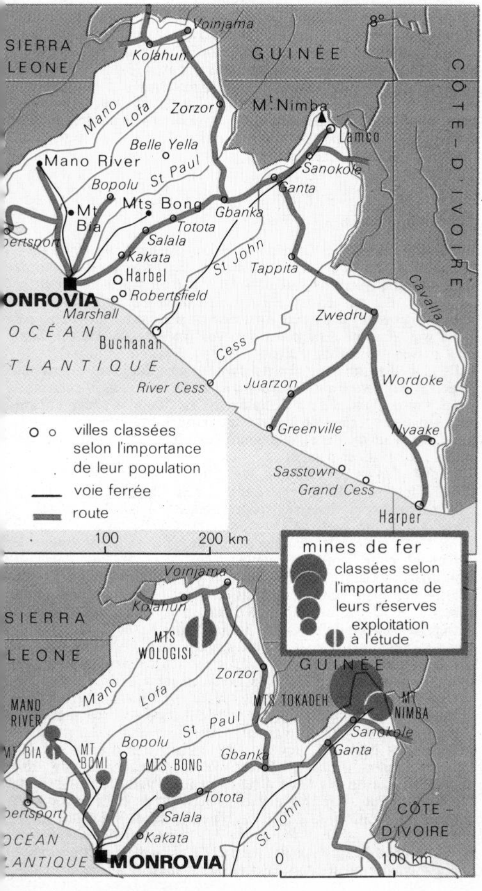

HISTOIRE. À partir de 1822, la Société américaine de colonisation, fondée en 1816, installe sur les côtes du futur État des esclaves noirs libérés. L'établissement, proclamé indépendant sous le nom de *Liberia*, est pourvu d'une constitution de type nord-américain; mais il ne prend sa forme actuelle qu'après la fusion avec le Maryland en 1857. En fait, le Liberia tombe très vite sous la coupe économique des grandes compagnies américaines. De 1943 à sa mort, en juillet 1971, William Tubman est président de la République; constamment réélu et appuyé sur le *True Whig Party*, il est le maître presque absolu du pays; il est remplacé par son vice-président, William Tolbert, qui pratique une politique autoritaire en s'appuyant sur la minorité afro-américaine.

LIBERTÉ *(Cybern.)* → AUTONOMIE.

LIBERTÉ *(Philos.)*. — Les philosophes ont, *grosso modo*, posé le problème de la liberté de trois façons. Pour certains (stoïciens, Descartes, Kant, Sartre), ma liberté est le fait de ma volonté autonome. Pour Spinoza, l'ordre du monde est nécessaire et ma volonté en dépend. Être libre, c'est alors connaître la causalité naturelle. Hobbes, Locke, Rousseau et Hegel pensent que la liberté se réalise dans l'institution par le biais de l'État*. Or, Freud montre que « l'homme n'est plus le seigneur dans sa conscience », et Marx, Nietzsche et l'anarchisme situent l'État aux antipodes de la liberté. Il est aujourd'hui plus question de libération que de liberté.

LIBERTÉS. — Le domaine des *libertés individuelles* concerne la possibilité que possède le citoyen d'aller et de venir (par opposition à la captivité), de voyager, de manifester des opinions, d'organiser comme il l'entend sa vie privée, etc. Cela suppose l'absence, dans ces domaines, de prescription autoritaire.

Les principales libertés sont la liberté de circuler et de choisir son domicile, la liberté de témoigner une opinion, le droit à l'inviolabilité de la personne, le droit au respect de la vie privée (inviolabilité du domicile et de la correspondance). Les libertés individuelles peuvent être atténuées par des mesures administratives (régime de l'état de siège, régime de l'état d'urgence, internements administratifs ou assignations à résidence), qui constituent pour les libertés autant de dangers graves si elles sont appliquées sans discernement.

LIBERTINS. — Ce courant de pensée du XVIIe s. français se manifeste dès la fin de la Renaissance par ses idées panthéistes et une morale qui se veut indépendante de la religion. Au XVIIe s. est qualifié de « libertin » tout individu « qui se livre à des pratiques profanes et à des dispositions d'esprit dangereuses pour l'autorité établie ». La crainte de la répression la plus obscurantiste et la plus féroce contraint les libertins à la prudence et à n'exprimer leurs idées, à l'image de Rabelais, que par l'humour ou la dérision.

La « cabale libertine » (1615-1625) avec Théophile de Viau et le libertinage érudit (1628-1655), à qui Gassendi* donne ses lettres de noblesse épicurienne et Molière* son premier affranchi matérialiste (Don Juan), se heurtent à la Compagnie du Saint-Sacrement, qui veille à surveiller et à punir tout défi aux pouvoirs en place. Soucieux du progrès de l'esprit humain à travers celui de ses élites, Saint-Évremond, Bayle* et Fontenelle* renforcent l'aspect laïque du courant libertin en détachant la morale de la religion pour la référer aux institutions. Ce courant s'accompagne du progrès du matérialisme* et annonce la philosophie des Lumières*.

LIBIDO. — En étudiant l'évolution de la sexualité infantile, S. Freud* a été amené à définir la libido comme étant l'énergie de la pulsion* sexuelle analogue à la faim pour le besoin de nutrition. Toujours de nature sexuelle, la libido ne peut être réduite, ainsi que le fait C. G. Jung*, à l'énergie psychique en général. L'étude des psychoses* a montré à Freud qu'elle peut s'investir sur le Moi* (libido du Moi ou libido narcissique) aussi bien que sur un objet extérieur (libido d'objet).

LIBOURNE (33500), ch.-l. d'arr. de la Gironde, au confluent de la Dordogne et de l'Isle, à 31 km au N.-E. de Bordeaux; 22988 hab. *(Libournais)*. Monuments des XIVe-XVIe s. Musée. Vignobles. Centre de tri postal. Travail du cuir.

LIBRE PARCOURS MOYEN. — C'est la distance moyenne que peut parcourir, entre deux chocs successifs, une molécule d'un gaz. À 0 °C et sous la pression atmosphérique, cette distance est de 64,7 mμ pour l'oxygène.

LIBRE PRATIQUE → SANTÉ MARITIME.

LIBRE-SERVICE → DISTRIBUTION et SURFACE *(grande)*.

LIBREVILLE, capit. du Gabon, sur l'estuaire du Gabon; 53000 hab. Université. Textile.

LIBYE *(désert de)*, partie orientale du Sahara, aux confins de la Libye et de l'Égypte.

LIBYE, État du nord de l'Afrique, sur la Méditerranée; 1759500 km²; 2257000 hab. *(Libyens)*. Capit. *Tripoli*.

GÉOGRAPHIE. Pays vaste comme trois fois la France, la Libye est une portion du désert du Sahara. Sauf sur le littoral, plus arrosé,

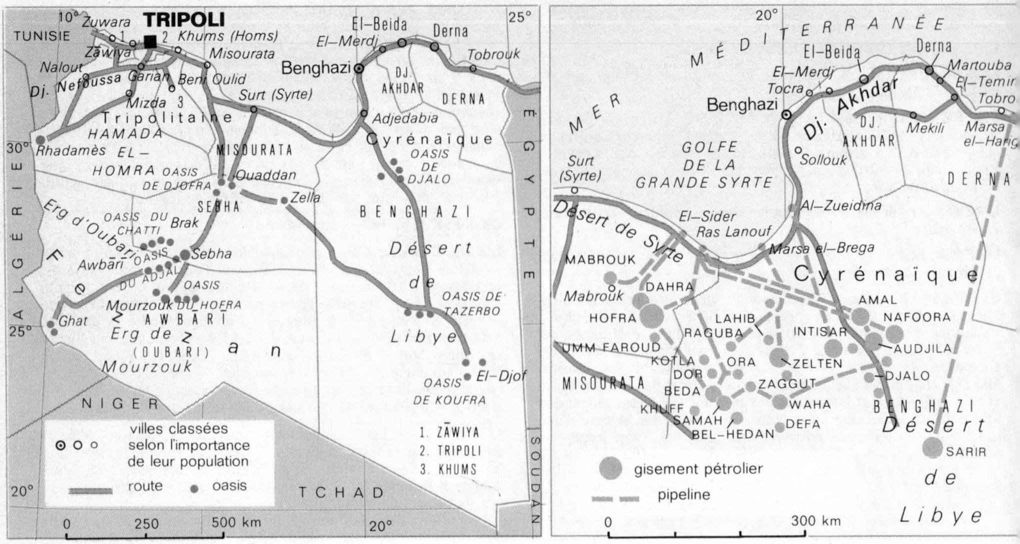

LIBYE

et dans les oasis, le climat aride empêche la croissance de la végétation. La population, très peu dense, se concentre dans les oasis et sur la côte, où se situent les deux principales villes, Tripoli et Benghazi. Traditionnellement, elle y pratique la culture sèche (blé) et surtout la culture irriguée (dattes, agrumes). L'alfa et le jonc alimentent un artisanat local. Le désert est parcouru par les troupeaux d'ovins et de chameaux des nomades. Mais la vie économique a été partiellement transformée par la découverte du pétrole. La production, qui a débuté en 1961, est de l'ordre de 75 Mt (deuxième rang en Afrique). L'exploitation a été menée au début par des sociétés étrangères, dont les installations ont été nationalisées. Le pétrole est envoyé par oléoduc des champs d'exploitation vers les ports de la Méditerranée, d'où il est exporté. Constituant l'essentiel des exportations, il a permis à la Libye de redresser sa balance commerciale. Mais, pour l'instant, il n'a guère favorisé le développement industriel et a peu modifié la vie de la plupart des habitants.

HISTOIRE. Les Grecs appelaient « Libye » la région côtière de l'Afrique du Nord, dont ils nommaient les habitants « Libyens ». Ceux-ci participent aux invasions des Peuples de la mer en Égypte (XIIIe-XIIe s. av. J.-C.). Dans l'Antiquité, la Libye ne forme pas une entité. L'histoire de la Tripolitaine* est liée à celle des territoires situés plus à l'ouest (actuelle Tunisie) : domination de Carthage* (Ve s. av. J.-C.) sur les comptoirs phéniciens de Sabratha, d'Oea (auj. Tripoli), de Leptis Magna*; conquête romaine en 146 av. J.-C. La Cyrénaïque, où les Grecs fondent les cinq colonies de la Pentapole, dont Cyrène* (v. 63 av. J.-C.) est la plus ancienne et la plus puissante, devient une riche province agricole. Elle est rattachée à l'Égypte lagide* (IVe s.) jusqu'à la conquête romaine (96 av. J.-C.). Rome s'étend jusqu'au Fezzan* en 19 av. J.-C., et la romanisation atteint son apogée au IIIe s. apr. J.-C. La décomposition du monde hellénico-romain sous l'action des révoltes et des invasions barbares ruine les provinces libyennes, dont s'emparent les Arabes en 642-643. Comme dans le reste de l'Afrique du Nord, le pouvoir central (omeyyade*, puis ʿabbāsside*), puis les dynasties maghrébines (Fāṭimides*, Zīrides*, Almoravides*, Almohades*, Ḥafṣides*) dominent les tribus berbères, plus ou moins dociles, qui s'arabisent peu à peu. La Libye sort de son isolement au XVIe s., lors de l'expansion en Afrique des Espagnols (prise de Tripoli, 1510) et de l'intervention des corsaires turcs. En 1551, Dragut († 1565) reprend Tripoli*, qu'il place sous l'autorité des Ottomans*. Ahmed Paşa Karamanlı se rend indépendant de la Porte en 1714 et étend son autorité sur la Tripolitaine et la Cyrénaïque. Ses descendants conservent le pouvoir jusqu'à la restauration de l'autorité ottomane (1835). L'Italie chasse les Ottomans de Libye (paix d'Ouchy, 1912), mais doit continuer la lutte avec les tribus libyennes et notamment avec l'ordre religieux des Senousis* jusqu'en 1931. À l'issue de la campagne de Libye (1941-1943) [v. GUERRE MONDIALE *(Seconde)*], la France administre le Fezzan, la Grande-Bretagne la Tripolitaine et la Cyrénaïque. L'O. N. U. préside à la formation d'une Assemblée nationale (1950) qui représente les trois territoires et confie la couronne à Idrīs Ier* (roi de 1951 à 1969). L'indépendance est proclamée en 1951. Le roi signe des traités d'alliance militaire et économique avec la Grande-Bretagne et les États-Unis (1953-54). Les premiers gisements de pétrole sont découverts en 1959. L'État libyen, ayant alors les moyens d'organiser un pouvoir central fort, abolit la structure fédérale du pays (1963). Des jeunes officiers dirigés par Kadhafi* renversent Idrīs Ier (1969) et proclament la république. Le Conseil de commandement de la révolution (C. C. R.) fait évacuer la dernière base américaine (1970), nationalise les banques étrangères et une partie des compagnies pétrolières. Champion de l'arabisme et de l'islām, le C. C. R. se fait un ardent défenseur de la cause palestinienne. En 1977, de nouvelles structures politiques sont mises en place pour assurer le pouvoir populaire direct.

LICENCE *(Cybern.)* → AUTONOMIE.

LICENCIEMENT. — Ce terme, synonyme de « congédiement », recouvre le fait, pour un employeur, de mettre fin à un contrat de travail (pratiquement le contrat à durée indéterminée), le salarié se trouvant par là même privé d'emploi. Le licenciement s'oppose à la *démission,* qui est la rupture de contrat, unilatéralement voulue par le salarié désirant résigner, avant leur fin normale, les fonctions qu'il assume dans l'entreprise.

Il faut distinguer le *licenciement pour faute* du salarié du *licenciement pour cause économique.* Dans le cas du licenciement pour faute du salarié, l'employeur est tenu d'observer une procédure aux termes de laquelle le salarié a droit d'être confronté avec son employeur et d'entendre exprimer les motifs qui ont présidé à son licenciement.

Dans le cas de licenciement pour cause économique (c'est-à-dire essentiellement celui où l'entreprise doit supprimer un ou des emplois pour comprimer ses charges salariales), le salarié bénéficie d'une protection particulière. Aux termes de la loi du 3 janvier 1975, tout employeur désireux de procéder à un licenciement de personnel pour motif économique doit déposer une demande d'autorisation auprès de l'inspection du travail. S'il s'agit d'un licenciement individuel pour motif économique, le licenciement est subordonné à l'autorisation de l'Administration (sauf pour les entreprises en état de règlement judiciaire ou de liquidation de biens : l'employeur ou le syndic devant, dans ce cas, seulement aviser l'Administration). S'il s'agit d'un licenciement collectif (le terme « collectif » s'entend d'un licenciement au moins égal à dix personnes pour une période de trente jours), l'employeur doit réunir les représentants du personnel (délégués du personnel ou comité d'entreprise) et donner toutes les indications sur le licenciement projeté : procès-verbal de la réunion est adressé à l'autorité administrative. L'employeur formule ensuite une demande d'autorisation de licenciement. L'autorité compétente dispose d'un délai de trente jours à compter de la demande pour prendre sa décision, le défaut de réponse valant autorisation.

Pendant une durée d'une année, les personnes licenciées pour motif économique peuvent toucher leur salaire. L'« allocation supplémentaire d'attente », ajoutée aux allocations de chômage, leur garantit dès lors des ressources égales à 90 p. 100 du salaire brut antérieur (plafonné cependant à un certain montant); néanmoins de nombreux chômeurs ne bénéficient pas de ces dispositions, l'allocation supplémentaire d'attente aux salariés licenciés pour cause économique ne concernant guère (à la fin de juin 1975) qu'environ un chômeur sur sept indemnisés à un titre quelconque et qu'un chômeur sur douze reconnus.

LI CHE-MIN ou **LI SHIMIN** († 649), empereur de Chine (627-649), de la dynastie des T'ang*, dont il est le véritable fondateur. Grand administrateur, protecteur des lettres et du bouddhisme, il réforme le Code chinois et le régime foncier. Il recevra le nom posthume de T'ai-tsong («le Grand»).

LICHEN *(Bot.).* — Des supports bien arides : les laves volcaniques récemment émises, le sol gelé de la toundra, les rochers, la pierre des monuments, l'écorce des arbres sont les biotopes préférés des lichens. Ces végétaux à la croissance très lente ont une seule exigence : l'absence de tout végétal concurrent sur les lieux. Leur aptitude à absorber l'eau et à la retenir, le parti qu'ils savent tirer des ions minéraux du support, un éclairement souvent important permettent leur survie dans ces milieux peu favorables.

Très divers par leur couleur noire, grise, jaune, orangée ou blanche, les lichens le sont aussi par leur forme encroûtante, buissonnante ou filamenteuse. Certaines espèces portent des excroissances en trompette, les *pyxides.* Une coupe transversale ou un simple broyage montrent qu'un lichen est formé par l'association de deux organismes : un champignon ascomycète, qui en constitue la masse principale, et une colonie d'algues vertes unicellulaires, les *gonidies,* souvent localisées non loin de la face éclairée. C'est un cas typique de symbiose* : le champignon

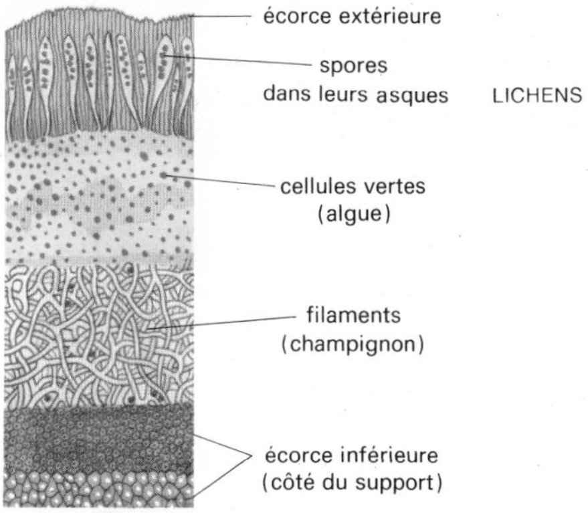

exploite l'algue en lui soutirant des glucides, mais il la protège de façon parfaite contre la sécheresse et assure son alimentation minérale. La reproduction est assurée par des boutures mixtes *(sorédies),* mais également par les spores du champignon seul, par celles du moins qui rencontrent par hasard, dès leur éclosion, des cellules d'algues à envelopper de leurs filaments.

LICHEN *(Pathol.).* — En dermatologie, le lichen plan (sans rapport avec les lichens végétaux) est une affection bénigne, fréquente, faite de petites papules violines, polygonales, brillantes et prurigineuses. Celles-ci peuvent être généralisées, mais elles sont parfois localisées, en particulier aux poignets. Une atteinte buccale ou génitale, constituée d'un réseau blanchâtre, est possible. Le lichen plan peut disparaître spontanément. Des sédatifs et une corticothérapie brève sont parfois utiles.

LICHTENSTEIN (Roy) → POP ART.

LICINIUS CRASSUS DIVES (Marcus), homme politique romain (v. 115-53 av. J.-C.). Lieutenant de Sulla, il accrut sa fortune à la faveur des proscriptions. En 72, il fut chargé de mater la révolte de Spartacus*. Consul en 70 avec Pompée, il s'employa avec lui à défaire l'œuvre de Sulla. En 60, il fit partie du premier triumvirat* avec Pompée* et César*. Consul en 55 avec Pompée, il reçut le gouvernement de la Syrie : il s'engagea dans une guerre contre les Parthes et subit un désastre à Carres (53), où il périt.

LICINIUS LICINIANUS (Flavius Valerius) [en Illyrie v. 250-Thessalonique 325], empereur romain. Officier illyrien choisi par Galère, il fut promu auguste en 308. Désireux d'agrandir ses domaines (Balkans, Illyrie) aux dépens de Maximin* Daia en Orient, il se rapprocha de Constantin*; tous deux décidèrent à Milan (313) d'appliquer une politique de tolérance religieuse. Après sa victoire de 313 sur Maximim, qui lui ouvrit les provinces d'Asie, Licinius resta seul maître de l'Orient. Un premier conflit l'opposa en 316 à Constantin. À partir de 320, Licinius persécuta les chrétiens soupçonnés de professer trop de sympathie pour son rival. Il fut vaincu par Constantin à Andrinople, puis à Chrysopolis (324) et se livra.

LICINIUS LUCULLUS (Lucius), homme politique romain (v. 106-v. 57 av. J.-C.). Consul en 74, il fut chargé de la guerre contre Mithridate VI : il remporta sur ce dernier et Tigrane, roi d'Arménie, de grandes victoires (prise de Tigranocerta, 69). Mais, ayant protégé la province d'Asie contre les excès des publicains, il ne put achever la guerre du fait des intrigues des chevaliers, qui imposèrent son rappel (66).

LICINIUS MURENA (Lucius), homme politique romain. Élu au consulat pour 62, il fut accusé de brigue par S. Sulpicius Rufus, ami de Caton d'Utique. Cicéron le défendit *(Pro Murena)* avec L. Licinius Crassus et Hortensius*, et Murena fut acquitté.

LICINIUS STOLON (Caius), tribun de la plèbe en 376 et en 367 av. J.-C. Il est l'auteur, avec Sextius Lateranus, des lois dites «liciniennes», qui comportaient une loi sur les dettes, une loi agraire et une loi abolissant le tribunat consulaire et restaurant le consulat à condition que l'un des deux consuls fût plébéien.

LICTEUR. — Les magistrats romains revêtus de l'imperium* disposaient de licteurs, appariteurs qu'ils utilisaient pour faire exécuter leurs ordres. Les licteurs étaient également chargés des exécutions capitales. Ils accompagnaient les magistrats dans leurs déplacements. Leur insigne principal était le faisceau composé de verges et d'une hache, symbole du droit de vie et de mort. Le dictateur avait vingt-quatre licteurs, les consuls douze, les préteurs deux à Rome et six en province.

LIDDELL HART (*sir* Basil), théoricien militaire anglais (Paris 1895-Marlow 1970). Élève de Fuller, il annonce dès 1926 la guerre mécanisée et acquiert par sa clairvoyance une réputation internationale. Il est l'auteur de nombreux ouvrages sur les deux guerres mondiales, la stratégie, etc.

LIDICE, village de Tchécoslovaquie (Bohême), à l'O. de Prague. — En 1942, en représailles de l'assassinat à Prague, le 27 mai, de Heydrich, «protecteur» de Bohême-Moravie, les Allemands fusillèrent 184 hommes de Lidice, internèrent les femmes et les enfants, et rasèrent le village.

LIDO, île allongée de l'Adriatique, au S.-E. de Venise. Station balnéaire.

LIE → VIN.

LIE (Jonas), romancier norvégien (Eker, près de Drammen, 1833-Christiania 1908). Son art impressionniste exerça une grande influence sur le roman scandinave (*le Pilote et sa femme,* 1874).

LIE (Sophus), mathématicien norvégien (Nordfjordeid 1842-Christiania 1899). Il fit de la théorie des groupes un outil puissant de la géométrie et de l'analyse.

LIEBERMANN (Max), peintre allemand (Berlin 1847-*id.* 1935). Il vint à Paris, travailla aux Pays-Bas et fut dans son pays un apôtre du réalisme (*les Plumeuses d'oies,* 1873, musées de Berlin), puis de l'impressionnisme (scènes de plein air aux tons éclaircis).

LIÉBERT (Philippe), sculpteur canadien (Nemours, Gâtinais, 1732-Montréal 1804). Il décora de nombreuses églises de la région de Montréal dans un style voisin de celui de la Régence.

Liebeslieder Walzer, ballet en un tableau, de George Balanchine, composé sur les valses opus 52 et 65 de Brahms, créé en 1960 à New York par le New York City Ballet.

LIEBIG (Justus, *baron* VON), chimiste allemand (Darmstadt 1803-Munich 1873). Il imagina en 1830 la méthode de dosage du carbone et de l'hydrogène dans les corps organiques. Il isola le titane, découvrit le chloroforme (1831) et le chloral (1832). Il prépara le fulminate d'argent et imagina en 1840 la fabrication des superphosphates. On lui doit des études sur le bouquet des vins et la production des extraits de viande.

LIEBKNECHT (Wilhelm), homme politique allemand (Giessen 1826-Charlottenburg 1900). Gagné aux idées socialistes, il proclame en 1848 la République badoise. Réfugié à Londres (1850-1861), il y connaît Karl Marx* et jette avec lui les bases de l'Internationale*. En 1869, il fonde à Eisenach le parti social-démocrate allemand; député au Reichstag de 1874 à sa mort, éditorialiste du *Vorwärts,* il est le chef du socialisme allemand après la fusion des diverses tendances au congrès de Gotha (1875). — Son fils KARL (Leipzig 1871-Berlin 1919) représente l'extrême gauche socialiste à la Chambre prussienne (1908), puis au Reichstag (1912), où il refuse de voter les crédits de guerre. En 1916, il fonde le *Spartakusbund* (Ligue de Spartacus), qui devient le noyau du parti communiste allemand, et dirige en janvier 1919 une insurrection, au cours de laquelle il est arrêté et assassiné.

LIECHTENSTEIN, petite principauté de l'Europe centrale, entre la Suisse et l'Autriche; 160 km^2; 23000 hab. Capit. *Vaduz.*

GÉOGRAPHIE. Le pays s'étend sur un ensemble montagneux bordé à l'O. par la vallée du Rhin. Le climat, de type continental, devient rude en altitude. La population, dense, se concentre dans les vallées. Elle pratique la culture de la vigne sur les pentes bien exposées et surtout l'élevage bovin. Le développement industriel a été favorisé par l'exploitation du potentiel hydroélectrique. Vaduz concentre l'essentiel des activités, les principales branches étant la métallurgie et le textile. Le tourisme et l'accueil de sièges de sociétés étrangères (attirées par une fiscalité « libérale ») apportent un complément de ressources à ce petit État, dont l'économie est liée à celle de la Suisse.

HISTOIRE. Constitué par les seigneuries de Vaduz et de Schellenberg, acquises par les comtes de Liechtenstein en 1699 et érigées en principauté par l'empereur Charles VI en 1719, le Liechtenstein fut doté d'une constitution en 1816, puis en 1921. D'abord rattaché sur le plan monétaire à l'Autriche, il s'est intégré économiquement, en 1921-1924, à la Suisse, qui dirige sa diplomatie.

LIED. — Synonyme de « chant », « air », « mélodie », d'inspiration profane, populaire ou religieuse, d'écriture polyphonique ou monodique, accompagné par un instrument à clavier ou un ensemble instrumental, de structure libre ou strophique, constitué de pièces isolées ou groupées en recueils ou en cycles, le lied allemand, au XIXe s., évolue vers une expression sentimentale et dramatique plus intense, supposant une fusion totale entre texte et musique (Beethoven, Schubert, Schumann, Wolf, Mahler, R. Strauss).

LIEDEKERKE, comm. de Belgique (Brabant), à l'O. de Bruxelles; 11 347 hab. (en 1977).

LIÈGE. — Le liège est l'une des couches protectrices des arbres : parfaitement imperméable, il empêche tout passage d'eau à travers l'écorce; il compromettrait même les échanges gazeux vitaux s'il n'était percé d'un réseau d'orifices respiratoires, les *lenticelles.* Tous les arbres en possèdent, mais c'est seulement chez le *chêne-liège* que ce tissu, fait de cellules mortes mais inaltérables, prend une épaisseur suffisante pour être exploité en vue de la fabrication des bouchons, des flotteurs de filet de pêche, de plaques isolantes, etc.

LIÈGE, v. de Belgique, au confluent de la Meuse et de l'Ourthe, ch.-l. de la *province de Liège;* 230 800 hab. *(Liégeois).*

GÉOGRAPHIE. La ville est le noyau d'une agglomération d'environ 440 000 habitants (600 000 dans une acception plus étendue), la troisième de Belgique. Capitale de la Wallonie, elle demeure un grand centre industriel, malgré le déclin récent de l'extraction houillère. Sidérurgie et métallurgie lourde conservent une importance notable, alimentant de nombreuses activités de transformation (matériel de transport, armurerie, matériel agricole, etc.). La chimie est née (comme la métallurgie) du charbon. L'activité tertiaire s'est développée (commerce, université), favorisée par la bonne desserte fluviale (Meuse et canal Albert [le trafic du port fluvial est de l'ordre de 15-20 Mt]), ferroviaire et autoroutière.

HISTOIRE. Née d'un *portus* mérovingien, la ville est siège épiscopal (saint Hubert) vers 720 et devient la capitale d'une importante principauté (v. LIÈGE [*principauté de*]). Au pouvoir du chapitre de Saint-Lambert s'oppose, à partir du XIIe s., un puissant patriarcat, qui, au XIIIe s., se spécialise dans le négoce de la laine et des draps, puis dans le commerce de l'argent. Au XIVe s., les gens de métiers arrachent le pouvoir aux patriciens et au prince-évêque à coups de révoltes, comme celle de 1468, qui, soutenue par Louis XI, est cruellement châtiée par Charles le Téméraire, qui ruine la ville. Dès le XVIIe s., Liège devient l'une des capitales industrielles (charbon, métallurgie) de l'Europe. En août 1914, la « cité ardente » résiste une dizaine de jours aux armées allemandes. Elle souffrira des bombardements de la Seconde Guerre mondiale.

BEAUX-ARTS. Nombreuses églises, dont la plupart conservent des parties romanes ou préromanes : Saint-Barthélemy, consacrée au XIe s. (cuve baptismale de bronze à hauts reliefs, chef-d'œuvre mosan de Renier de Huy, v. 1108); Sainte-Croix, Saint-Denis (retable brabançon de 1510), Saint-Jacques et la cathédrale Saint-Paul (trésor), reconstruites aux époques gothiques ou Renaissance... Palais des Princes-Évêques, reconstruit en 1526, puis au XVIIIe s. Musées Archéologique (plat d'ivoire mosan de l'évangéliaire de Notger, fin du Xe s.), des Arts décoratifs (meubles liégeois du XVIIIe s.), des Armes, Grétry, installés dans des demeures anciennes; musées d'Art wallon, des Beaux-Arts, etc.

LIÈGE *(principauté de),* fraction du duché de Basse-Lorraine, constituée à partir de l'évêché créé au VIIIe s., lorsque, vers 980, l'empereur Otton II accorde à l'évêque l'exercice plénier des droits comtaux. En 1477, la principauté entre dans l'orbite des Habsbourg; au XVIIIe s., les princes-évêques y rétablissent un gouvernement de type monarchique, mais la principauté disparaît lors de l'annexion par la France des Pays-Bas autrichiens (1792-1795).

LIÈGE *(province de),* prov. de l'est de la Belgique; 3 876 km^2; 1 010 000 hab. Ch.-l. *Liège.* Le sud-est occupe la partie la plus élevée du massif des Ardennes, séparé de la Meuse par le plateau du Condroz à l'O., atteignant à l'E. la Vesdre, au-delà de laquelle s'étend le pays de Herve. La majeure partie des hommes et des activités se concentre dans le sillon Meuse-Vesdre, surtout dans l'agglomération de Liège*, qui, étendue, regroupe plus de la moitié de la population provinciale et pour laquelle la région ardennaise devient une zone de loisirs.

LIÉNART (Achille), prélat français (Lille 1884-*id.* 1973). Évêque de Lille de 1928 à 1968, cardinal dès 1930, il se préoccupe activement, à la tête d'un diocèse très industrialisé, des problèmes sociaux. Au début du second concile du Vatican (1962), il joue un rôle majeur dans l'orientation des débats.

LIENZ, v. d'Autriche (Tyrol); 12 000 hab. Centre touristique. Sports d'hiver (alt. 720-2 300 m).

LIEOU CHAO-K'I ou **LIU SHAOQI,** homme d'État chinois (Yin-chan, Ho-nan, 1898-1974?). Il entre au parti communiste en 1921 et joue un rôle important dans la révolution de 1924-1927. Membre du Comité central en 1931, il participe à la « Longue* Marche » (1934-1936). En 1945, il est nommé secrétaire général du parti communiste, puis devient l'un des vice-présidents de la République populaire chinoise (1949), avant de remplacer Mao Tsö-tong à la présidence en 1959. Il apparaît alors comme le successeur de Mao Tsö-tong. Mais il est violemment attaqué lors de

Actualit - Rapho

Liège.
Vue partielle
de la ville,
avec, à l'arrière-plan,
les terrils
de charbon.

la révolution culturelle (1966). Accusé de révisionnisme, il est exclu du parti communiste et démis de ses fonctions en 1968.

LIEOU-TCHEOU ou **LIUZHOU,** v. de Chine (Kouang-si); 159000 hab.

LIEPAÏA ou **LIEPAJA,** port de l'U.R.S.S. (Lettonie), sur la Baltique; 95000 hab. Métallurgie.

LIERNAIS (21430), ch.-l. de la Côte-d'Or, à 10,5 km au S. de Saulieu; 651 hab.

LIERRE. — Le lierre est une plante extrêmement commune sur le tronc des arbres, le long desquels il s'élève verticalement. Ses feuilles, à cinq pointes, luisantes et coriaces, persistent toute l'année. Le lierre se fixe à son support par d'innombrables crampons latéraux, qui sont des racines adventives modifiées, mais qui n'ont aucune fonction nutritive, de sorte que la plante meurt, comme toute autre, au-dessus du niveau où on la coupe. (Famille des araliacées.)

LIERRE, en néerl. **Lier,** v. de Belgique (prov. d'Anvers), au S.-E. d'Anvers; 31409 hab. (en 1977). Église en gothique flamboyant brabançon (jubé, vitraux). Hôtel de ville du XVIIIe s. (beffroi gothique).

LIESSE (02350), anc. **Notre-Dame-de-Liesse,** comm. de l'Aisne, à 15 km au N.-E. de Laon; 1614 hab. Église des XIIIe-XVe s.

LIESTAL, v. de Suisse, ch.-l. du cant. de Bâle-Campagne; 12500 hab. Hôtel de ville du XVe s. Métallurgie.

LIEUVIN (le), région de Normandie (Calvados et Eure), entre la Risle et la Touques.

Lieux saints *(question des).* Après la prise de Jérusalem par les musulmans (1244), la garde des Lieux saints devient l'enjeu des rivalités entre catholiques et orthodoxes. Mais, par les capitulations de 1604, la France fait réserver implicitement la garde aux moines latins. Malgré l'« affaire des Lieux saints », qui, de 1850 à 1853, l'oppose à la Russie, la France conserve sa position prééminente jusqu'en 1923, année où débute le mandat britannique sur la Palestine. Après le départ de la Grande-Bretagne, le statut d'internationalisation adopté par l'O.N.U. (4 avr. 1950) ne peut être appliqué du fait de l'affrontement jordano-israélien.

LIÉVIN (62800), ch.-l. de cant. du Pas-de-Calais, à 5 km au S.-O. de Lens; 33178 hab. *(Liévinois).* Houille. Engrais.

LIÈVRE. — Peu différent du lapin, le lièvre s'en distingue par sa vie solitaire, son inaptitude à creuser un terrier ainsi que par des formes plus élancées, des oreilles encore plus grandes, des teintes plus rousses, une course peut-être encore plus rapide. Sa chair, savoureuse, lui vaut une chasse incessante, et sa reproduction, nettement moins prolifique que celle du lapin, ne semble pas compenser ses pertes en France, où il devient rare. La femelle est la *hase,* le jeune le *levraut,* le lieu de repos le *gîte.*

LIFAR (Serge), danseur et chorégraphe d'origine russe (Kiev 1905). Formé tardivement, mais débutant dans la troupe des Ballets russes de S. de Diaghilev, il joue un rôle capital à l'Opéra de Paris, où se déroule l'essentiel de sa carrière (1930-1945; 1947-1958; 1962-63). Il marque de sa forte personnalité tous les rôles qu'il aborde *(Giselle, l'Après-midi d'un faune...).* Chorégraphe *(David triomphant, Icare, Suite en blanc, Joan de Zarissa, Chota Roustaveli, les Mirages, les Noces fantastiques...),* il redonne tout son prestige à la danse masculine. Créateur du style néo-classique, il se fait théoricien de la danse dans son *Manifeste du chorégraphe* (1935) et publie *la Danse* (1938), *Traité de danse académique* (1949), *Histoire du ballet russe* (1950), *Ma vie* (1965), *Histoire du ballet* (1966).

LIFFOL-LE-GRAND (88350), comm. des Vosges, à 10 km au S.-O. de Neufchâteau; 3267 hab. Mobilier.

LIFFRÉ (35340), ch.-l. de cant. d'Ille-et-Vilaine, à 17,5 km au N.-E. de Rennes; 4106 hab. Forêt.

LIFTING → LISSAGE.

LIGAMENT. — Les *ligaments articulaires* limitent les mouvements des articulations (leur rupture constitue l'entorse*) ou en assurent la fixité. Les *ligaments péritonéaux* sont des replis du péritoine entourant certains organes et les rattachant à la paroi (ligament suspenseur du foie, ligament large de l'utérus, etc.).

Liget *(chartreuse du).* Elle fut fondée en 1176, en Touraine (Indre-et-Loire, arr. de Loches), par Henri II d'Angleterre : ruines des XIIe et XVIIIe s. À proximité, rotonde de Saint-Jean-Baptiste-du-Liget, au bel ensemble de peintures romanes tardives.

LIGETI (György), compositeur autrichien d'origine hongroise (Dicsöszentmárton, Roumanie, 1923). Il ne s'affirma qu'après avoir émigré en 1956, avec *Articulation,* morceau électronique (1958), et surtout *Atmosphères,* pour orchestre sans percussions (1961). Dépassant le sérialisme, il s'orienta à la fois vers la primauté des timbres, le statisme et le continu (*Volumina* pour orgue, *Lontano* pour orchestre, *Continuum* pour clavecin) et vers un style haché, dont témoignent certaines parties de son *Requiem* et l'action scénique *Aventures et Nouvelles Aventures* (1962-1965). Il a beaucoup utilisé les micro-intervalles.

LIGNE (Charles Joseph, *prince* DE), maréchal autrichien (Bruxelles 1735-Vienne 1814). Ami de Joseph II, militaire, diplomate et écrivain, il a laissé de nombreux ouvrages en français *(Mémoires et mélanges historiques).*

LIGNÉ (44850), ch.-l. de cant. de la Loire-Atlantique, à 27 km au N.-E. de Nantes; 1687 hab.

LIGNE DE CHARGE → NAVIRE DE COMMERCE.

LIGNE ÉLECTRIQUE. — Une ligne électrique est caractérisée par sa longueur, la tension et la puissance à transporter.

• Les *lignes aériennes* sont montées sur des supports en bois, en béton (poteaux) ou en acier (pylônes), qui comportent à leur partie supérieure l'*armement* (supports et isolateurs appropriés au nombre de conducteurs et à la différence de potentiel qui existe entre eux). Les conducteurs sont réunis en faisceau (THT) ou non. En basse tension (BT), on utilise des lignes aériennes isolées, tandis qu'en haute tension on fait appel à des conducteurs nus. En moyenne tension (MT), on emploie de plus en plus des torsades isolées. Les distances entre supports ou portées varient, avec la tension et la situation topographique, de 30 à 400 m. Il en est de même pour la hauteur des pylônes. Les nouvelles lignes de distribution passent dans des couloirs prévus dans les plans d'urbanisme ou le long des autoroutes et des voies ferrées. L'amarrage de la ligne sur son support se fait par des chaînes d'ancrage à isolement* renforcé ou à éclateurs, les isolateurs étant rigides ou suspendus.

• Les *lignes souterraines* ne sont pas utilisées pour le réseau à très haute tension (THT), leur prix de revient étant de huit à dix fois supérieur à celui des lignes aériennes. Pour les réseaux* de production ou de consommation, la ligne à refroidissement naturel ou forcé est d'un coût à peu près semblable, mais la puissance transportée est limitée. D'autre part, on ne peut faire de canalisations que sous la voie publique, et, en cas d'incident, la réparation sur le câble* en service peut durer de plusieurs jours à un mois. Le nombre des défauts par an en 225 kV est de 1,6 pour 100 km de lignes souterraines sous tube acier et de 0,34 pour 100 km de lignes aériennes. On tend à utiliser les lignes souterraines au voisinage des aéroports* et des agglomérations pour des raisons de pollution* et d'environnement. Les lignes souterraines à refroidissement naturel utilisent soit le câble à pression d'huile interne (câble à huile fluide ou câble *Pirelli*) et le câble au polyéthylène (câble sec), qui, tous deux, sont souples et sont en usage dans les zones urbanisées, soit le câble enfermé dans un tube d'acier à pression d'huile (câble oléostatique), posé sous les trottoirs depuis une vingtaine d'années.

LIGNE LATÉRALE. — La sensibilité des poissons aux sons et aux vibrations, qui est très grande, ne siège pas dans l'oreille, mais dans un organe pair beaucoup plus développé, la ligne latérale, qui court tout le long des flancs sous la forme d'un canal, recouvert d'écailles perforées et intérieurement bordé de récepteurs issus du nerf auditif. Cette ligne, sensible aux infrasons produits par les ébranlements de l'eau aussi bien qu'aux vibrations de fréquence sonore, localise bien la direction d'où provient le train d'ondes et, dans certaines espèces, assure une sorte d'écholocation* qui renseigne le poisson sur le voisinage des obstacles : un poisson aveuglé ne se cogne jamais aux parois de son aquarium.

LIGNIÈRES (18160), ch.-l. de cant. du Cher, à 27 km au S.-E. d'Issoudun; 1949 hab. Église des XIIe et XVIe s. Château classique par François Le Vau.

LIGNINE → BOIS.

LIGNITE. — C'est une variété de charbon, d'âge secondaire et surtout tertiaire, à faible pouvoir calorifique. La production mondiale est de l'ordre de 850 Mt, correspondant approximativement en équivalent énergétique au dixième de la production houillère. Le lignite provient essentiellement des pays de l'Europe centrale : Allemagne de l'Est (250 Mt), puis Allemagne fédérale (125 Mt), Tchécoslovaquie (80 Mt) et Pologne (33 Mt). Il est destiné surtout à être brûlé sur place dans les centrales thermiques.

LIGNON (le), riv. du Forez, affl. de la Loire (r. g.); 59 km. — Le *Lignon du Velay,* ou *Lignon du Sud,* est aussi un tributaire de la Loire (r. dr.); 96 km.

LIGNY, anc. comm. de Belgique (prov. de Namur), au N.-E. de Charleroi. — Victoire de Napoléon sur les Prussiens de Blücher le 16 juin 1815.

LIGNY-EN-BARROIS (55500), ch.-l. de cant. de la Meuse, sur l'Ornain, à 16 km au S.-E. de Bar-le-Duc; 6454 hab. *(Linéens).* Monuments des XIIIe-XVIIIe s. Verrerie. Constructions mécaniques.

LIGNY-LE-CHÂTEL (89230 Pontigny), ch.-l. de cant. de l'Yonne, sur le Serein, à 24 km au N.-E. d'Auxerre; 1038 hab. Église romane et Renaissance.

Ligue *(Sainte).* Quatre ligues portent ce nom. La première (1495-96), coalition formée contre la France par la plupart des princes italiens, l'Espagne et l'Angleterre, obligea Charles VIII à abandonner ses prétentions en Italie.

La deuxième (1508-1512), formée par le pape Jules II, aboutit à l'exclusion de Louis XII d'Italie.

La troisième (1576-1593), association des catholiques contre les calvinistes, fut dirigée par Henri de Guise, qui pensa remplacer Henri III en 1588. Après l'assassinat de ce dernier par le ligueur J. Clément (1589) la Ligue, s'appuyant sur l'Espagne, se retourna contre Henri* IV, dont l'abjuration précéda la soumission des ligueurs et la retraite des Espagnols.

La quatrième (1569-1571, puis 1664-1699) fut une coalition antiturque : la victoire de Lépante* (1571) et la paix de Karlowitz* (1699) sont à mettre à son crédit.

LIGUEIL (37240), ch.-l. de cant. d'Indre-et-Loire, à 18 km au S.-O. de Loches; 2436 hab. Église des XIIe-XVe s.

LIGUGÉ (86240), comm. de la Vienne, sur le Clain, à 9 km au S. de Poitiers; 2212 hab. Abbaye fondée en 361 par saint Martin, reconstruite au XIXe s. (église, auj. paroissiale, du XVIe s., avec vestiges antérieurs). Textile.

LIGULIFLORES. — Sous-famille de plantes composées*, dont toutes les fleurs sont en ligules (chicorée, pissenlit).

LIGURES, peuple ancien établi sur la côte méditerranéenne, approximativement entre les villes actuelles de Marseille et de La Spezia, et dans l'arrière-pays sur les Alpes. Les Ligures s'opposèrent vivement aux Romains (première guerre en 238-235 av. J.-C.), qui les soumirent vers 180 av. J.-C.

LIGURIE, en ital. **Liguria,** région de l'Italie du Nord, sur le golfe de Gênes (ou *mer Ligurienne*); 5413 km^{2}; 1869000 hab. *(Ligures).* Capit. *Gênes.* Groupant les provinces de Gênes, d'Imperia, de Savone et de La Spezia, la région forme une étroite bande maritime densément peuplée grâce à la présence de Gênes, qui regroupe près de la moitié de la population régionale, ainsi qu'à l'activité de la façade côtière, orientée vers les cultures florales et surtout vers l'industrie (métallurgie, chimie), animée encore, sur les *Rivieras,* par un intense tourisme balnéaire estival et résidentiel hivernal.

Ligurienne *(république),* république qui se substitua en juin 1797 à la république de Gênes. Dotée d'une Constitution à la française, elle fut annexée à l'Empire français en 1805.

LIKASI, anc. **Jadotville,** v. du sud du Zaïre; 146000 hab. Métallurgie.

LILAS. — Cet arbuste ornemental est apprécié pour ses grappes printanières et précoces de petites fleurs mauves ou blanches, aux pétales en croix, très parfumées. Les feuilles sont entières, pointues au sommet, disposées par paires. Le lilas est classé, au voisinage du frêne et de l'olivier, dans la famille des *oléacées.*

LILAS (Les) [93260], ch.-l. de cant. de la Seine-Saint-Denis, dans la proche banlieue nord-est de Paris; 20414 hab. *(Lilasiens).*

LILIACÉES. — L'immense famille de plantes monocotylédones à laquelle on a donné pour type le lis *(Lilium)* se caractérise notamment par ses fleurs à six pièces périanthaires égales («tépales») et à l'ovaire libre au-dessus du réceptacle. Les liliacées sont des herbes, mais des herbes vivaces, grâce à un bulbe ou à un rhizome. Beaucoup sont ornementales (lis, tulipe, jacinthe, scille, perce-neige, muguet, sceau-de-salomon, tubéreuse), alimentaires (ail, oignon, poireau, asperge) ou textiles (smilax, phormium, yucca, agave).

LILIENCRON (Detlev, *baron* VON), écrivain allemand (Kiel 1844-Alt-Rahlstedt, près de Hambourg, 1909), auteur de poèmes, de nouvelles et d'une épopée humoristique, *Poggfred* (1896-1898).

LILIENTHAL (Otto), ingénieur allemand (Anklam 1848 - Berlin 1896). Pionnier, dès 1891, du vol à voile, dont il eut l'idée par l'observation des oiseaux, il se tua au cours de son 2000e vol.

LILLE, capit. de la région Nord-Pas-de-Calais et ch.-l. du départ. du Nord, sur la Deûle, à 223 km au N. de Paris; 194916 hab. *(Lillois).*

GÉOGRAPHIE. La ville elle-même est d'importance moyenne et connaît même aujourd'hui un sensible déclin démographique, mais, en fait, elle est le noyau d'une agglomération d'un demi-million d'habitants et surtout forme avec Roubaix et Tourcoing une conurbation d'environ 900000 habitants. La zone d'urbanisation, presque ininterrompue, atteint Armentières à l'O., la frontière belge au N. et à l'E., et se soude presque à l'agglomération de Lens. Lille commande une région groupant plus d'un million d'habitants, et c'est à ce titre qu'elle apparaît comme la métropole de la France septentrionale, primauté due plus à ses fonctions tertiaires qu'à ses fonctions industrielles. C'est en effet un centre administratif (capitale régionale et préfecture), culturel (université), financier (banque et Bourse des valeurs), commercial, un port fluvial (relié à

Phot'r

l'Escaut et à Dunkerque), une petite plaque tournante aérienne (aéroport de Lesquin). L'industrie n'est, cependant, pas absente, représentée surtout dans la banlieue et dominée par le textile (coton surtout autour de Lille), les constructions mécaniques et électriques, l'alimentation et la chimie. Dans le cadre du Marché commun, entre la région parisienne et les métropoles belges et même néerlandaises, la situation de Lille paraît favorable, d'autant que la ville bénéficie d'une bonne desserte ferroviaire et autoroutière.

HISTOIRE. Constituée dès le XIe s. autour d'un *castrum* du comte de Flandre et d'un *portus* sur la Deûle, sur l'axe routier Gand-Champagne-Paris, la ville connaît aux XIIe et XIIIe s. un grand essor territorial et économique (draperie), devenant même l'un des cinq «membres» de la Flandre; sa bourgeoisie bénéficie de chartes importantes. Lille est l'une des capitales des ducs de Bourgogne et connaît une grande prospérité sous les Habsbourg. Conquise par Louis XIV (1667) et annexée au royaume (1668), elle est hollandaise de 1708 à 1713. Assiégée par les Autrichiens en 1792, elle devient le chef-lieu du département du Nord en 1804. Au XIXe s., elle prend rang parmi les grandes métropoles industrielles (coton, lin, métallurgie), annexant en 1858 quatre communes suburbaines, se dotant d'une double université et d'un évêché (1913) et passant de 75000 habitants en 1850 à 220000 en 1901. Elle a beaucoup souffert de la bataille d'octobre 1914 et de celle de mai 1940. Depuis, elle est devenue une capitale régionale.

BEAUX-ARTS. Églises Saint-Maurice et Sainte-Catherine, remontant respectivement au XIVe et au XVIe s. Hospice Comtesse (XVe et XVIIe s.). Ancienne Bourse de 1652, à l'ornementation flamande typique. Citadelle de Vauban, porte de Paris (1682) et autres monuments et demeures classiques. Important musée des Beaux-Arts (écoles flamande, hollandaise, française; dessins italiens et français de la collection Wicar).

LILLEBONNE (76170), ch.-l. de cant. de la Seine-Maritime, près de la Seine, à 35 km à l'E. du Havre; 10305 hab. Restes d'un théâtre romain et d'un château fort (XIIe-XIIIe s.). Église du XVIe s. Textile. Pétrochimie.

LILLEHAMMER, v. de Norvège, au N. d'Oslo; 21000 hab. Centre touristique. Sports d'hiver.

LILLERS (62190), ch.-l. de cant. du Pas-de-Calais, à 13 km au N.-O. de Béthune; 9498 hab. Église du XIIe s. Constructions mécaniques.

Lilliput, pays imaginaire des *Voyages de Gulliver,* de Swift; les hommes n'y ont pas plus de six pouces de haut.

LILLO (George), auteur dramatique anglais (Londres 1693 - *id.* 1739). Le succès de ses drames moraux et bourgeois (*le Marchand de Londres ou Histoire de George Barnwell,* 1731; *Marina,* 1738) encouragea Diderot à tenter en France une expérience analogue.

LILONGWE, v. du Malawi, la nouvelle capitale du pays (depuis 1975); 19000 hab.

LIMA, capit. du Pérou; 2974000 hab. — Fondée en 1535 par Pizarro, Lima s'est développée dans une oasis de la côte désertique du Pérou, à une quinzaine de kilomètres du Pacifique, où se situe son port El Callao. Siège de la vice-royauté de la Nouvelle-Castille pendant la période coloniale, capitale du pays depuis l'indépendance péruvienne (1821), elle ne comptait, cependant, qu'une centaine de milliers d'habitants à la fin du XIXe s. Son essor

Lille.
Le centre de la ville avec, de haut en bas sur la photo, le palais de la Bourse (dominé par un beffroi), la place du Général-de-Gaulle (ancienne Grand-Place) et le palais Rihour.

Lima.
La plaza San Martín. Au centre de la place, statue équestre du général de San Martín, libérateur du Pérou au XIXe s.

G. de Steinheil - Rapho

démographique a donc été prodigieux au XXe s., surtout depuis une trentaine d'années. Lima, qui groupait encore moins du dixième de la population péruvienne en 1940, en abrite près du quart aujourd'hui. Mais, malgré son incontestable primauté politique, culturelle, commerciale et industrielle, le développement de son activité n'a pas été parallèle, son insuffisance expliquant le nombre élevé des chômeurs et la population des quartiers pauvres (les *barriadas*).

BEAUX-ARTS. Cathédrale entreprise à la fin du XVIe s. sur le modèle de celle de Jaén. Par la suite, influence des styles de Cuzco : église S. Francisco (v. 1660), églises à frontispices baroques du début du XVIIIe s. (La Merced, S. Agustín...), palais Torre Tagle. Autres monuments et bel urbanisme dans la seconde moitié du XVIIIe s. Musées (musée de l'Or en particulier).

LIMACE. — On réunit sous le nom de *limaces* divers mollusques gastropodes terrestres dépourvus de coquille, ou peu s'en faut. Seule la « vraie limace », grise ou noire, est végétarienne et nuisible, tandis que la limace rouge *(arion)* est plutôt carnivore et que la *testacelle* s'attaque aux lombrics. L'accouplement a lieu en suspension au bout d'un fil de mucus tordu sur lui-même.

LIMAÇON → OREILLE.

LIMAGNES (les) ou **LIMAGNE** (la), série de plaines du Massif central, drainées par l'Allier et intensément cultivées (céréales, vergers). On distingue du S. au N. la *Limagne de Brioude,* la *Limagne d'Issoire* et la *Limagne de Clermont-Ferrand,* ou *Grande Limagne.* On réserve souvent le nom de *Limagne* à cette dernière; d'où l'emploi fréquent du singulier pour désigner cette région.

LIMANDE → PLEURONECTES.

LIMASSOL, port du sud de Chypre; 61 000 hab. Château médiéval.

LIMAY (78520), ch.-l. de cant. des Yvelines, sur la Seine, en face de Mantes-la-Jolie; 9 024 hab. Église des XIIe-XVIe s. Cimenterie.

LIMBOURG, région historique de l'Europe du Nord-Est. Duché de Basse-Lorraine acquis en 1288 par le Brabant, le Limbourg est partagé en 1648 entre les Provinces-Unies et les Pays-Bas espagnols. De 1839 à 1866, le Limbourg néerlandais (Maastricht) reste dans la dépendance de la Confédération germanique.

LIMBOURG, en néerl. **Limburg,** prov. du nord-est de la Belgique; 2 421 km^2; 692 127 hab. Ch.-l. *Hasselt.* Au N. du Demer, la Campine juxtapose cultures (pomme de terre, fourrages) et élevage, qui domine au S. dans la Hesbaye humide, où les vergers sont nombreux. L'extraction de la houille recule en Campine, où est présente (à Genk) la métallurgie lourde et de transformation.

LIMBOURG, prov. du sud-est des Pays-Bas; 2 172 km^2; 1 038 000 hab. Ch.-l. *Maastricht.* L'extraction de la houille a progressivement disparu dans le sud, extrémité orientale de la Campine et site des principales villes : Haarlem et surtout Maastricht. La province conserve cependant une densité de population très élevée, supérieure à la (forte) moyenne nationale, ce qui explique l'existence d'un courant (récent) d'émigration.

LIMBOURG (les frères DE), POL, HENNEQUIN (ou Jean) et HERMAN, peintres néerlandais du début du XVe s. Originaires de la Gueldre, neveux de J. Malouel, ils travaillent en 1402 pour Philippe le Hardi et entrent peu après dans la maison de Jean de Berry, collaborant comme miniaturistes aux *Belles Heures* du duc (musée des Cloîtres, New York), puis exécutant de 1413 à 1416 la plus grande partie des *Très Riches Heures* (musée Condé, Chantilly). Cette dernière œuvre, unique en son temps, allie connaissance de la peinture italienne et observation précise du réel au profit d'une brillante expression du style gothique international.

LIMEIL-BRÉVANNES (94450), comm. du Val-de-Marne, à 3 km au N. de Villeneuve-Saint-Georges; 16 503 hab. Électronique.

LIMERICK, en gaél. **Luimneach,** port du sud-ouest de la république d'Irlande, à la tête de l'estuaire du Shannon; 57 000 hab.

LIMES. — Commencée sous les Flaviens*, une ligne fortifiée, le limes, fut dressée le long de la frontière de l'Empire, séparant le monde romain du monde barbare. À la fin du règne d'Hadrien, l'essentiel du limes était mis en place. Le limes pouvait être fermé, c'est-à-dire composé d'une ligne continue de camps, de fossés et de murs, tels celui d'Hadrien en Bretagne et celui du Rhin; en Orient et en Afrique, le limes était ouvert, formé d'une ligne discontinue de fortins bâtis auprès des points d'eau, reliés par une route de rocade et englobés dans une zone de colonisation militaire.

LIMITE. — La limite d'une fonction* f de la variable* réelle x au point x_0, où cette fonction est définie, est une valeur l unique telle que la différence entre $f(x)$ et l tend vers zéro quand $x - x_0$ tend vers zéro. De façon précise, on peut réaliser l'inégalité $|f(x) - l| < \varepsilon$, ce qui est équivalent à $l - \varepsilon < f(x) < l + \varepsilon$, en prenant $|x - x_0| < \eta$, le nombre η résultant de ε. C'est ainsi qu'au point $x_0 = 2$ la fonction $x \mapsto f(x) = \frac{1}{1+x}$ tend vers $\frac{1}{3}$, car

$$\frac{1}{1+x} - \frac{1}{3} = \frac{2-x}{3(1+x)};$$

d'où

$$\left|f(x) - \frac{1}{3}\right| < \frac{|2-x|}{3} < \frac{\eta}{3} < \varepsilon, \quad \text{pour } \eta < 3\varepsilon,$$

le dénominateur $3(1 + x)$ étant certainement supérieur à 3, car $1 + x$ est voisin de 3.

Si $f(x) \longrightarrow l = f(x_0)$ quand $x \longrightarrow x_0$, la fonction f est dite *continue* au point x_0. C'est le cas de l'exemple $x \mapsto \frac{1}{1+x}$ au point $x_0 = 2$.

On distingue les notions de limite *à droite* et de limite *à gauche* au point x_0, x tendant respectivement vers x_0 par valeurs supérieures ou par valeurs inférieures.

Les théorèmes sur les limites permettent d'obtenir les limites de fonctions composées dans le cas où ces limites sont finies : quand $x \longrightarrow x_0$, si $f(x) \longrightarrow l$ et $g(x) \longrightarrow l'$, alors

$$f(x) + g(x) \longrightarrow l + l'; \qquad f(x) \,.\, g(x) \longrightarrow l \,.\, l'$$

et

$$\frac{f(x)}{g(x)} \longrightarrow \frac{l}{l'}$$

à condition que la valeur l' soit non nulle.

LIMNÉE. — Nos étangs et nos mares n'hébergent que peu d'espèces de mollusques, parmi lesquelles la *limnée* est l'une des plus communes. Celle-ci est un gastropode à coquille conique et pointue très légère. Inlassable mangeuse de plantes aquatiques, elle respire par un poumon : elle remonte en surface en rampant le long d'une herbe dépassante, mais elle survit à de si longues plongées qu'on la croit capable de fixer l'oxygène dissous dans l'eau, à titre de complément. En se renversant, coquille en bas, et en creusant sa sole ventrale comme une barque, elle peut ramper sous le film de surface de l'eau, mode de déplacement inconnu des autres espèces. On introduit souvent des limnées dans les aquariums pour brouter les algues sur les parois de verre.

LÍMNOS ou **LEMNOS,** île grecque du nord de la mer Égée, où sont conservées les traces d'une population primitive, identifiée par les Anciens aux Pélasges*. Dans la mythologie, elle passait, à cause de son caractère volcanique, pour être le séjour d'Héphaïstos*, qui y avait installé ses forges.

LIMOGES, capit. de la Région Limousin et ch.-l. du départ. de la Haute-Vienne, sur la Vienne, à 375 km au S. de Paris; 147 406 hab. *(Limougeauds).*

GÉOGRAPHIE. Centre administratif (capitale régionale et préfecture), commercial et intellectuel (université), Limoges demeure cependant peut-être une ville surtout industrielle. À la porcelaine (dont Limoges reste la capitale) et à l'industrie de la chaussure se sont ajoutées les constructions mécaniques (industrie automobile) et électriques, dont le développement a, toutefois, été insuffisant pour résoudre les problèmes d'emploi nés de la stagnation ou du déclin des branches traditionnelles. Les difficultés de l'industrie contribuent à expliquer la relative modestie de l'accroissement démographique récent. Malgré une desserte routière et ferroviaire (entre Paris et Toulouse) relativement satisfaisante, Limoges apparaît isolée entre un Massif central qui se dépeuple et un Centre-Ouest encore à dominante rurale.

BEAUX-ARTS. Cryptes paléochrétiennes à l'emplacement de l'anc. abbaye Saint-Martial. Cathédrale (XIIIe-XVIe s.) et autres églises gothiques. Dans l'anc. évêché (fin du XVIIIe s.), musée municipal (antiquités égyptiennes, gallo-romaines et médiévales; émaillerie* limousine; etc.). Musée national Adrien-Dubouché (porcelaines de Limoges et autres céramiques).

LIMOGNE-EN-QUERCY (46260), ch.-l. de cant. du Lot, près du *causse de Limogne,* à 23 km à l'O. de Villefranche-de-Rouergue; 616 hab.

LIMON ET LŒSS. — Le terme de *limon* s'applique à tous les dépôts dont la granulométrie est comprise entre 2 et 20 µ, intermédiaire entre les sables et les argiles. On désigne par *lœss* les limons qui ont subi un transport éolien. Souvent calcaire, le lœss, qui saupoudre les plateaux de nombreuses régions du globe (Chine, Europe moyenne), est responsable de leur fertilité.

LIMÓN (José), danseur, chorégraphe et pédagogue américain d'origine mexicaine (Culiacán, Mexique, 1908 - Flemmington, New Jersey, 1972), un des plus célèbres danseurs modernes et une des plus grandes figures de la « modern dance ». Interprète expressif et sobre (*The Lament for Ignacio Sanchez Mejías,* de Doris Humphrey), il est un chorégraphe à l'inspiration diverse, demandant à la technique d'exprimer une émotion profonde (*la Malinche* et *The Moor's Pavane,* 1949; *The Exiles,* 1950; *There is a Time,* 1956; *Missa brevis,* 1958; *My Son, my Enemy,* 1965; *Psalm,* 1967; *The Unsung* et *Dances for Isadora,* 1971; *Carlota,* 1972).

LIMONÈNE. — Il en existe trois isomères : dextrogyre, lévogyre et racémique. Le premier, très répandu dans les essences végétales, est un liquide huileux à odeur de citron, insoluble dans l'eau, fondant à 175 °C.

LIMONE PIEMONTE, station de sports d'hiver (alt. 1 010-2 120 m) d'Italie, dans le sud du Piémont, au N. du col de Tende; 2 000 hab.

LIMONEST (69760), ch.-l. de cant. du Rhône, à 13 km au N.-O. de Lyon; 2 057 hab.

LIMOSIN, émailleurs français, dont le principal est LÉONARD Ier (Limoges v. 1505 - *id.* v. 1577), superbe technicien, interprète, pour la Cour, des modèles de l'école de Fontainebleau (*Apôtres* de la chapelle d'Anet, v. 1547, musée de Chartres; deux retables à médaillons de la Sainte-Chapelle de Paris, d'après N. Dell'Abate, 1553, Louvre; portraits). — JEAN Ier (v. 1561 - v. 1610) pratiqua l'émaillerie polychrome à paillons et à rehauts d'or, LÉONARD II (v. 1550 - v. 1625) l'émail noir à résille d'or.

Page ci-contre. Paysage du Limousin : Turenne, village de Corrèze.

Vue générale de Limoges.

Geay - Lauros

LIMOURS (91470), ch.-l. de cant. de l'Essonne, à 15 km au N. de Dourdan; 4 271 hab. *(Limouriens).* Église du XVIe s. (vitraux).

LIMOUSIN, région historique du centre de la France. Pays des *Lemovices,* le Limousin tombe en 51 av. J.-C. sous la domination romaine. Après les invasions, la monarchie franque fait de l'ancienne *civitas* gallo-romaine, dont Limoges *(Augustoritum)* était le chef-lieu, le siège d'un comté. À partir du Xe s., le *pagus* est divisé en vicomtés (Limoges, Aubusson, Bridiers, Comborn, Rochechouart et Turenne) et dissocié en grandes châtellenies (Chambon, Ventadour). Située en terre d'Aquitaine, la région passe, à la suite du mariage d'Aliénor d'Aquitaine avec Henri II Plantagenêt, dans le domaine anglo-normand, puis suit la destinée du reste de l'empire continental des Plantagenêts, dont Philippe Auguste s'empare au début du XIIIe s. Traversée par la ligne frontière entre langue d'oc et langue d'oïl, objet d'un même partage entre droit coutumier et droit d'inspiration romaine, elle est sans cesse troublée par les luttes entre la France et l'Angleterre. Abandonnée aux Anglais en 1360, reconquise par les Français en 1370-1374, elle devient au XVIIe s. pays de généralité. Sous l'action de remarquables intendants (Tourny [de 1730 à 1743], Turgot [de 1761 à 1774]), s'ajoutent aux artisanats locaux (émaux [Xe s.], tapisseries de Felletin [XVe s.] et d'Aubusson [XVIe s.]) de nouvelles industries (faïence [1736], porcelaine [1771]).

LIMOUSIN, Région formée des trois départements de la Corrèze, de la Creuse et de la Haute-Vienne; 16 932 km²; 738 726 hab. Capit. *Limoges.*

D'extension plus large que l'ancienne province (qui correspondait approximativement aux actuels départements de la Corrèze et de la Haute-Vienne), la Région s'étend essentiellement sur le nord-ouest du Massif central. Le relief dominant est celui de plateaux cristallins, dont l'altitude diminue du S.-E. (du plateau de Millevaches*) au N.-O. et qui sont entaillés de profondes vallées : Dordogne, Corrèze et Vézère au S., Vienne et Creuse au N. Exposé aux influences maritimes, le climat est de type océanique, avec des précipitations toujours assez élevées (de 700 à 1 200 mm) et à peu près également réparties. Les hivers sont froids, surtout dans l'est, plus élevé. L'abondance relative des précipitations, l'affleurement quasi général des roches du socle expliquent le lessivage et la médiocrité de sols acides, favorables à la lande, qui a cependant reculé grâce aux bonifications et aux amendements (qui ont permis l'extension de l'herbe) ainsi qu'au reboisement.

Un milieu plutôt hostile contribue à expliquer la faiblesse de la densité de population, inférieure de plus de moitié à la moyenne nationale, avec toutefois des nuances départementales notables. La Creuse connaît un dépeuplement ininterrompu, alors que celui-ci est aujourd'hui arrêté en Corrèze (ce qui n'empêche pas la

Hautecœur - Atlas-Photo

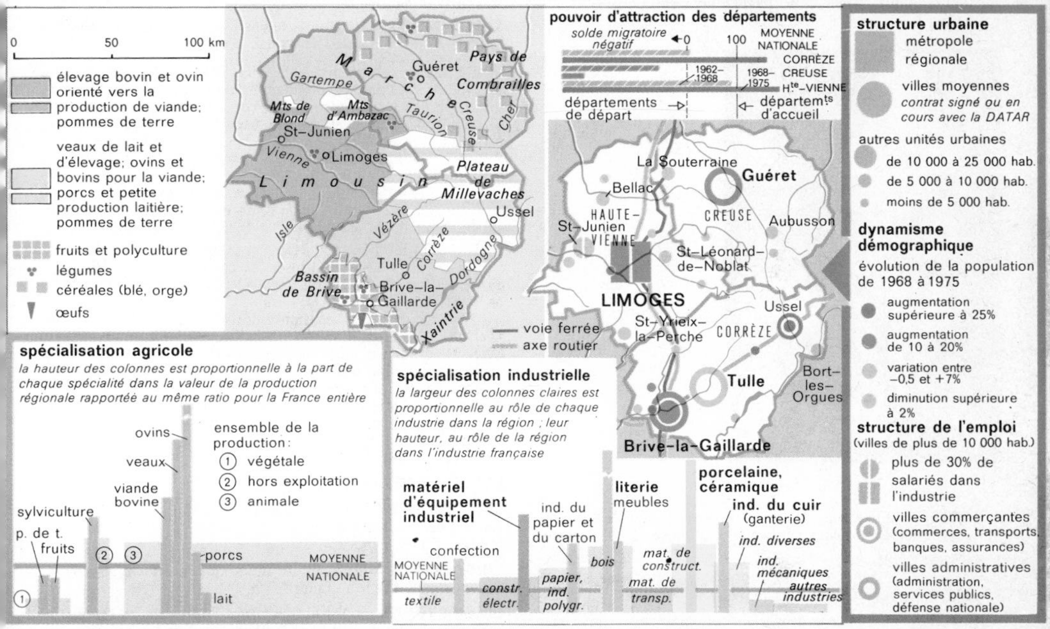

LIMOUSIN

persistance d'un courant d'émigration). La Haute-Vienne enregistre aujourd'hui une progression modeste, liée à la présence de Limoges, seule ville véritablement importante du Limousin. Corse exceptée, le Limousin est la Région la moins peuplée en valeur absolue et relative (densité).

L'agriculture est dominée par l'élevage (sauf en quelques secteurs privilégiés, comme le bassin de Brive) bovin et aussi ovin, destiné à la boucherie. L'industrie est peu développée. Une grande partie de l'hydroélectricité produite est exportée, l'activité extractive n'intéresse que le kaolin et l'uranium (Bessines), des industries traditionnelles (porcelaine, papeterie, chaussures) sont en crise. Seules, pratiquement, Limoges et Brive possèdent des branches actives. Le tourisme reste familial et les grands axes de communication ne traversent que la partie occidentale.

Au total, l'évolution démographique, déjà anciennement amorcée, doit se poursuivre : croissance modérée de Limoges et de Brive, îlots de relative prospérité au milieu de campagnes qui continueront à se vider de leur population. Pauvre en ressources naturelles, en capitaux et aussi en hommes, à l'écart des grands centres de développement et fréquemment enclavée, la Région appartient dans sa majeure partie à la zone de faible peuplement et d'activité économique qui borde à l'O. et au S. le Massif central.

LIMOUSINE (race) → BOVINS.

LIMOUX (11300), ch.-l. de cant. de l'Aude, sur l'Aude, à 23 km au S. de Carcassonne; 11 713 hab. *(Limouxins).* Église des XIIe-XVIe s. Vins blancs mousseux dits « blanquettes ».

LIMPOPO (le), fl. de l'est de l'Afrique australe, qui rejoint l'océan Indien, au Mozambique; 1 600 km. Il sépare le Botswana, puis la Rhodésie de l'Afrique du Sud.

LIMULE. — On peut qualifier de « fossile vivant » cet arthropode marin du Pacifique, nommé aussi « crabe des Moluques » et pour lequel on a créé une classe spéciale, celle des *mérostomes.* La limule a l'allure générale d'un crustacé, mais elle n'a pas d'antennes, et ses pièces buccales sont des chélicères, comme chez les araignées. Sa face ventrale montre en outre cinq paires de pattes thoraciques, à la fois marcheuses et masticatrices, et six paires de pattes abdominales, réduites à des lamelles respiratoires. Le tout

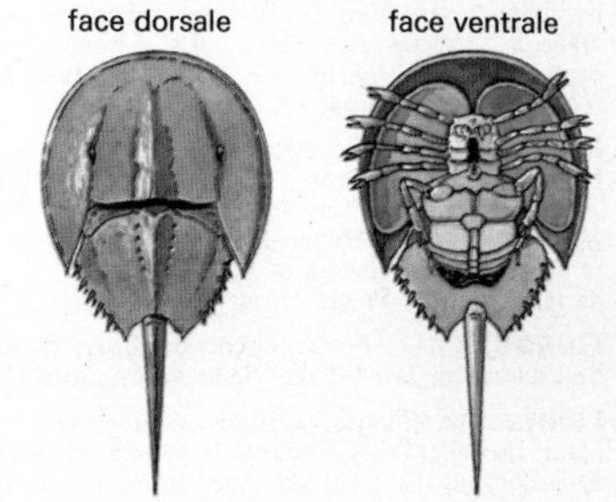

LIMULE

est abrité sous une vaste carapace dorsale en deux pièces, qui porte de gros yeux à facettes et d'où dépasse à l'arrière une longue « épée » caudale mobile. Nombreux sont les mérostomes fossiles.

LIN. — Le lin est une fibre d'origine végétale qui provient d'une plante de ce nom aux fleurs bleues. Actuellement, seules les variétés à fleurs blanches, plus rustiques et plus productives, sont cultivées. Après la récolte, le lin est étalé sur le terrain même de culture en vue du rouissage. Après stockage, il est teillé pour la séparation des fibres du liber. Sa ténacité est de 30 à 34 g/tex et son élasticité de 1,5 à 4 p. 100. Le lin est utilisé pour la lingerie fine, le linge de maison, l'ameublement, les revêtements muraux, etc. La graine fournit l'*huile de lin,* d'usage industriel (peintures, vernis, linoléum).

LIN *(saint)* → PAPE.

LINAIRE. — Les linaires sont des herbes sauvages aux fleurs mauves ou d'un jaune soufré, présentant un éperon développé et fermées à l'avant, comme les gueules-de-loup, dont elles sont proches. La linaire la plus commune est la *cymbalaire,* ou *ruine-de-Rome,* aux feuilles rondes et un peu crénelées, abondante sur tous les murs abandonnés. (Famille des scrofulariacées.)

Linaire vulgaire.

P. Nief

LINARES, v. d'Espagne (Andalousie), au pied sud de la sierra Morena; 51 000 hab. Monuments anciens et musée archéologique.

LINAS (91310 Montlhéry), comm. de l'Essonne, à 6 km au N. d'Arpajon; 3 332 hab. Église des XIIIe-XVIe s. Autodrome dit « de Montlhéry »; laboratoire d'essais routiers.

LINCOLN, v. d'Angleterre, dans le *Lincolnshire* (comté sur la mer du Nord); 74 000 hab. Restes du château de Guillaume le Conquérant. Magnifique cathédrale, reconstruite à partir de la fin du XIIe s., développée en longueur et richement ornée (abside, ou *Angel choir,* v. 1260-1280; salle capitulaire et cloître du milieu du XIIIe s.). Vieilles maisons. Musée (préhistoire, antiquités romaines).

LINCOLN, v. des États-Unis, capit. du Nebraska; 150 000 hab. Université.

LINCOLN (Abraham), homme d'État américain (près de Hodgenville, Kentucky, 1809-Washington 1865). Avocat, membre actif du parti whig et admirateur de Jackson, il est député au Congrès de 1846 à 1848, puis de nouveau à partir de 1854; il adhère alors au parti républicain et mène une campagne antiesclavagiste retentissante. Son élection comme président des États-Unis (1860) provoque la sécession de dix États du Sud, puis une terrible guerre civile (v. SÉCESSION [*guerre de*]), qui se termine, le 9 avril 1865, par la capitulation des sudistes; cinq jours plus tard, Lincoln, qui a été réélu, est assassiné par un fanatique.

Lincoln Center for Performing Arts, complexe théâtral de New York, inauguré en 1964, qui comprend le New York State Theatre (New York City Opera et New York City Ballet), la New Metropolitan Opera House, le Philharmonic Hall, la Juilliard School of Music (avec la School of American Ballet), la section « théâtre » de la New York Public Library (dont la Dance Collection).

LINDAU, v. de l'Allemagne fédérale (Bavière), dans une île du lac de Constance; 25 000 hab. Vieille ville pittoresque.

LINDBERGH (Charles), aviateur américain (Detroit 1902-Hana, île Maui [Hawaii], 1974). Il réussit le premier en 1927, à bord du *Spirit of St Louis,* la traversée aérienne sans escale de New York à Paris.

LINDBLAD (Bertil), astronome suédois (Örebro 1895-Stockholm 1965). Il est célèbre pour ses travaux sur la structure et la dynamique des galaxies*, en particulier pour l'étude qu'il fit de la rotation différentielle de la Galaxie*.

LINDE (Carl VON), industriel et inventeur allemand (Berndorf, Franconie, 1842-Munich 1934). Spécialiste des très basses températures, il construisit la première machine de réfrigération à compression (1873). En 1894, il liquéfia l'air par compression et détente avec refroidissement intermédiaire, obtenant de l'oxygène liquide et de l'azote gazeux presque purs.

LINDEMANN (Ferdinand VON), mathématicien allemand (Hanovre 1852-Munich 1939). Il démontra la transcendance du nombre π (1882), concluant ainsi la controverse de la quadrature du cercle.

LINDER (Gabriel LEUVIELLE, dit **Max**), acteur et cinéaste français (Saint-Loubès 1883-Paris 1925). Précurseur de Charlie Chaplin, il créa à l'écran un type comique de dandy ahuri qui lui valut une gloire internationale. Après avoir tourné de nombreux courts métrages (série des *Max*), il fut la vedette aux États-Unis de *Soyez ma femme* (1921), *Sept Ans de malheur* (1921), *l'Étroit Mousquetaire* (1923). Il se suicida.

LÍNEA (La), v. d'Espagne (Andalousie), à la frontière de l'enclave britannique de Gibraltar; 56 000 hab. Confection.

LINÉAIRE (application). — Dans une application* linéaire $f: E \longrightarrow F$ d'un espace vectoriel* E dans un espace vectoriel F, tous deux construits sur un même corps commutatif K, quels que soient les éléments u et v de l'espace E et quels que soient les éléments λ et μ du corps K, on a $f(\lambda u + \mu v) = \lambda f(u) + \mu f(v)$. Pour $\lambda = \mu = 1$, la relation $f(u + v) = f(u) + f(v)$ traduit le fait que l'application f est un *morphisme* pour les structures de groupes additifs. Si E = F, l'application f est un *endomorphisme* de E. C'est ainsi que, dans le plan $\mathbb{R}^2$, muni de sa structure d'espace vectoriel sur $\mathbb{R}$, l'homothétie* de centre O et de rapport k, qui transforme le point M en M' tel que $\overrightarrow{OM'} = k\overrightarrow{OM}$, est linéaire (ici $E = F = \mathbb{R}^2$).

L'*image* par f de E est l'ensemble des éléments $y = f(x)$ de F quand x décrit E. On la note $f(E)$. C'est un sous-espace vectoriel de F. Si f est surjective, $f(E) = F$.

Le *noyau* de f est l'ensemble des éléments x de E tels que $f(x) = O$, O désignant l'élément nul de F. Noté $N(f)$ ou $\ker f$ (Kernel), il est un sous-espace vectoriel de E. Si E et F sont de dimension finie, $f(E)$ et $\ker f$ sont aussi de dimension finie, puisque ce sont des sous-espaces vectoriels, et l'on a l'égalité $\dim(\ker f) + \dim(\operatorname{Im} f) = \dim E$, dim désignant la dimension.

Fondamentale dans l'étude des espaces vectoriels, la notion d'application linéaire conduit à l'étude des matrices dans le cas d'espaces de dimensions finies.

LINE ISLANDS → SPORADES ÉQUATORIALES.

LING (Per Henrik), poète suédois (Ljunga 1776-Stockholm 1839). Auteur de poèmes épiques et de drames, il fut également le fondateur de la gymnastique suédoise.

LINGOLSHEIM (67380), comm. du Bas-Rhin, à 6 km au S.-O. de Strasbourg; 10 482 hab. Tannerie.

LINGUISTIQUE. — Science du langage, la linguistique englobe dans son objet la grammaire*, la phonétique* et la phonologie*, la sémantique* et la lexicologie*. On parle de linguistique descriptive quand on envisage l'aspect synchronique du langage et de linguistique historique quand on en envisage l'aspect diachronique. La linguistique appliquée concerne surtout les recherches sur la pédagogie, la traduction automatique, l'analyse documentaire. La dialectologie étudie les langues sur le plan de leur différenciation

Mayer

Abraham Lincoln, par George P. A. Healy (1808-1894). [National Gallery of Art, Washington.]

dialectale, et la géographie linguistique cartographie ces phénomènes. Du fait de son objet, le langage, la linguistique est un domaine de travaux interdisciplinaire; de nombreuses recherches se sont établies aux frontières des autres sciences humaines : sociolinguistique, psycholinguistique, neurolinguistique, ethnolinguistique.

Le statut scientifique de la linguistique est plus ou moins ancien selon la définition qu'on donne de la science, mais les spéculations sur le langage sont, elles, extrêmement anciennes. La tradition grammaticale indienne remonte au moins au VIe s. av. J.-C. Dans l'intention de conserver intacts leurs textes sacrés (les Veda), les grammairiens indiens, dont le plus célèbre fut Pānini, ont établi des descriptions minutieuses de leur langue (le sanskrit), surtout dans les domaines de la phonétique et de la morphologie. Leurs classements des sons et des formes font penser, par leurs méthodes et leurs résultats, à la linguistique descriptive moderne.

Les grammairiens grecs ont été surtout guidés par des préoccupations philosophiques : le problème des rapports entre la pensée et le langage. La langue est-elle gouvernée par la nature ou par des conventions, est-elle une structure régulière et systématique reflétant les catégories logiques ou bien est-elle régie surtout par l'usage (ou l'anomalie)? Cette orientation pèsera sur toute la tradition occidentale, et l'étude du langage sera subordonnée d'une part à la philosophie (problèmes de l'origine du langage, des rapports entre la grammaire et la logique), d'autre part à la rhétorique (art du bien dire, souci normatif de la pureté de la langue). Ce n'est qu'au XIXe s. que les préoccupations historiques l'emportent avec la grammaire comparée*, qui a défini la notion de familles de langues. La linguistique qui se fonde alors est dominée, comme le reste des sciences humaines, par la notion d'évolution. Un renversement théorique est accompli par F. de Saussure*, qui fonde la linguistique générale et qui est à l'origine de la plupart des courants structuralistes (Cercle de Prague, glossématique, fonctionnalisme). Le structuralisme* est remis en cause par la grammaire générative* (héritière, cependant, du distributionnalisme).

LINKÖPING, v. de la Suède méridionale, à l'E. du lac Vättern; 107 000 hab. Cathédrale et château (XIIIe-XVe s.). Musées. Constructions automobiles et aéronautiques.

LINNA (Väino), écrivain finlandais d'expression finnoise (Urjala 1920), auteur de romans réalistes et historiques (*Soldats inconnus,* 1954; *Ici, sous l'étoile Polaire,* 1959-1962).

LINNÉ (Carl VON), naturaliste suédois (Råshult 1707 - Uppsala 1778). À vingt-deux ans, Linné fait la connaissance de Peter Artedi (1705-1735), qui formera équipe avec lui jusqu'à sa mort en vue d'une vaste classification de l'ensemble des êtres vivants. Quelques mois avant la mort d'Artedi, un heureux mécénat permet la publication de leur œuvre commune, *Systema naturae,* aux Pays-Bas, où Linné séjourne jusqu'en 1738, accumulant les publications de botanique systématique. De retour en Suède, il fonde l'Académie suédoise des sciences et enseigne à Uppsala. Son seul mérite, mais il est de premier ordre, est d'avoir défini, décrit et nommé d'un double nom latin plusieurs dizaines de milliers d'espèces animales et végétales, dont la majorité portent encore de nos jours le nom qu'il leur a attribué. Cette mise en ordre de flores et de faunes sans cesse envahies par de nouvelles espèces envoyées du monde entier était une base indispensable à tout travail scientifique sérieux. En revanche, la classification botanique de Linné, fondée sur le nombre des étamines, n'avait aucune valeur scientifique, et le dogmatisme fixiste de ce descripteur fut longtemps un obstacle réel au développement des sciences de l'évolution.

LINOTTE. — Au fil des saisons, les champs et les vergers d'Europe voient alterner deux espèces de *linotte,* toutes deux mangeuses de graines : en été la « linotte du chanvre », à poitrine rose et à calotte rouge; en hiver la « linotte à bec jaune ». Ces deux oiseaux sont très voisins des pinsons. (Famille des fringillidés.)

LIN PIAO ou **LIN BIAO,** maréchal et homme politique chinois (Houang-kang 1908 - Mongolie 1971). Ministre de la Défense (1959), successeur désigné de Mao Tsö-tong (1969), il joue un rôle de premier plan dans la révolution culturelle avant d'être brutalement évincé au cours de l'été 1971 et de périr, selon la version officielle, dans l'accident d'un avion qui le conduisait en U. R. S. S.

LINSELLES (59126), comm. du Nord, à 8 km à l'O. de Tourcoing; 6 555 hab.

LINTH (la), riv. de Suisse, tributaire du lac de Zurich; 53 km.

LINWOOD, v. de Grande-Bretagne, en Écosse, à l'O. de Glasgow. Construction automobile.

LINZ, v. d'Autriche, capit. de la Haute-Autriche, sur le Danube; 203 000 hab. Nombreuses églises, dont Saint-Ignace, de style baroque italien (v. 1670). Vieilles maisons. Musées. Sidérurgie.

LION. — Le « roi des animaux » impressionne par sa force musculaire, son poids (jusqu'à 250 kg), l'énorme puissance de son rugissement. Il se distingue de tous les autres félins par l'abondante crinière du mâle. C'est un chasseur nocturne, plus guetteur que coureur, finalement peu actif et peu courageux, relativement inoffensif lorsqu'il est repu. La femelle chasse plus vaillamment que le mâle. (Famille des félidés.)

LION, constellation* de l'hémisphère boréal, composée de vingt-cinq étoiles visibles à l'œil nu. — Cinquième signe du zodiaque*.

LION *(golfe du),* golfe formé par la Méditerranée, sur le littoral français, à l'O. du delta du Rhône, sur la côte du Languedoc-Roussillon.

LION-D'ANGERS (Le) [49220], ch.-l. de cant. de Maine-et-Loire, à 22 km au N.-O. d'Angers; 2 328 hab. Église romane avec peintures du XVIe s.

LIONNE (Hugues DE), homme d'État français (Grenoble 1611 - Paris 1671). Ministre d'État (1659), secrétaire d'État aux Affaires extérieures (1663), il pousse à la guerre de Dévolution* (1666) et prépare activement la guerre de Hollande, en isolant diplomatiquement les Provinces-Unies (1670-71).

Lion néerlandais *(ordre du),* ordre fondé en 1815. Trois classes.

LION-SUR-MER (14780), comm. du Calvados, à 16 km au N. de Caen; 1 748 hab. Station balnéaire.

LIORAN, écart de la comm. de Laveissière (Cantal), à 12 km à l'O. de Murat. Station de sports d'hiver, *Super-Lioran* (alt. 1 250-1 850 m). — Tunnel ferroviaire et routier entre Clermont-Ferrand et Aurillac.

LIORÉ (Fernand), ingénieur français (Paris 1874 - *id.* 1966). Spécialisé dans la construction des avions, il s'intéressa avec Henri Olivier aux hydravions à coque.

LIOTARD (Jean Étienne), pastelliste, miniaturiste et dessinateur suisse (Genève 1702 - *id.* 1789). Formé à Genève et à Paris, réputé comme portraitiste, il voyagera toute sa vie de capitale en capitale (Rome, Constantinople [v. 1740], Vienne, Paris, Londres, La Haye, Genève, etc.), recevant les commandes de l'aristocratie. Sa production est souvent raffinée (*la Belle Chocolatière,* Dresde).

LIOUBERTSY, v. de l'U. R. S. S. (R. S. F. S. de Russie), dans la banlieue sud-est de Moscou; 139 000 hab. Matériel agricole.

LIOUVILLE (Joseph), mathématicien français (Saint-Omer 1809-Paris 1882). En 1836, il fonda le *Journal de mathématiques pures et appliquées,* dit *Journal de Liouville,* qui eut sur son siècle une profonde influence. Il fut le premier à démontrer l'existence des nombres transcendants (1851).

LIPARI *(île),* la principale des îles Éoliennes, qui donne souvent son nom à l'ensemble de l'archipel. Pierre ponce.

LIPCHITZ (Jacques), sculpteur d'origine lituanienne (Druskieniki 1891 - Capri 1973). Son œuvre, fortement marquée à Paris par le cubisme, structurée et synthétique (*le Marin à la guitare,* 1914, musée national d'Art moderne), expérimente la sculpture démontable, puis « transparente » (rubans de bronze à claire-voie). Mais, progressivement, surtout aux États-Unis à partir de 1941, Lipchitz se tourne vers un baroquisme exacerbé, un lyrisme puissant, que sert le choix des thèmes (*Prométhée en lutte avec le vautour,* 1944, musée de Philadelphie).

LIPÉMIE. — Le taux plasmatique global des triglycérides, des phospholipides et du cholestérol* est donné par la lipémie (de 6 à 8 g par litre). Les hyperlipémies sont symptomatiques (néphrose lipoïdique, myxœdème, etc.) ou essentielles, souvent héréditaires.

LIPETSK, v. de l'U. R. S. S. (R. S. F. S. de Russie), au S.-E. de Moscou; 289 000 hab.

LIPIDES. — Ce terme désigne scientifiquement les graisses, c'est-à-dire les esters formés par les acides gras (acides palmitique, oléique, stéarique, etc.) avec divers alcools. Dans les *glycérides* (beurre, nombreuses huiles et graisses animales et végétales), l'alcool de constitution est le glycérol; dans les *cérides* (cire, blanc de baleine), c'est un alcool aliphatique de rang élevé; dans les *stérides* (cholestérol, vitamine D), c'est un stérol. À ces lipides simples s'opposent les lipides complexes : graisses phosphorées (myéline), lipoprotéines, etc.

Les lipides sont des aliments riches en énergie : l'ingestion d'un gramme de lipide fournit 9 calories, contre 4 pour un glucide ou un protide.

LIPMANN (Fritz Albert), biochimiste américain d'origine allemande (Königsberg 1899), prix Nobel de médecine et de physiologie en 1953 avec Krebs pour ses recherches sur la synthèse des protéines et sa découverte du coenzyme A.

LI PO ou **LI BO, LI T'AI-PO** ou **LI TAIBO,** poète chinois (v. 701-762). Bohème et fantasque (il se maria au moins trois fois, dilapida en un an une fortune considérable et vécut la rébellion de Ngan Lou-chan), il chante, avec un art de la métaphore et de l'image frappante qui lui valut le surnom de « génie céleste », les plaisirs et la vanité du monde.

LIPOLYSE. — La lipolyse s'effectue au niveau du foie pour les acides gras (oxydation) et de tous les tissus pour les triglycérides (hydrolyse). Le cholestérol est à la fois éliminé par la peau, transformé par le foie en acides biliaires et éliminé par les fèces après dégradation bactérienne.

LIPPE, famille allemande, dont les membres du rameau principal, les LIPPE-DETMOLD, obtinrent en 1720 la dignité de princes du Saint Empire. La principauté de Lippe, après avoir fait partie de la Confédération germanique (1815-1871), puis de l'Empire allemand (1871-1918), devint en 1918 une république qui fut réunie à la Basse-Saxe en 1945.

LIPPI, peintres italiens du quattrocento. FRA FILIPPO (Florence v. 1406 - Spolète 1469), moine de 1421 à 1457, associe l'influence de Masaccio au souvenir du gothique tardif dans son *retable Barbadori,* aujourd'hui au Louvre (v. 1437), ou dans le *Couronnement de la Vierge* des Offices. En 1452, il remplace l'Angelico pour exécuter, avec une cohérence spatiale nouvelle, les fresques du chœur de la cathédrale de Prato, qu'il termine en 1464, non sans donner entre-temps de nombreux tableaux d'autel. La recherche de la beauté pure et celle d'une lumière modulée marquent, à la fin de sa vie, la *Madone* des Offices et les fresques de la cathédrale de Spolète. — Son fils FILIPPINO (Prato 1457 - Florence 1504) le seconde à Spolète, puis se compose un style que caractérisent le goût des teintes délicates ainsi qu'un linéarisme et un rythme décoratif qui empruntent à Botticelli (*Vision de saint Bernard,* église de la Badia, Florence). La complexité de son œuvre, abondante, s'explique par des influences diverses, dont celle de Léonard de Vinci. Dans le *Miracle de saint Philippe,* une des fresques de la chapelle Strozzi à S. Maria Novella (1503), la dilatation de l'espace, un chromatisme transparent laissent pressentir le maniérisme.

LIPPMANN (Gabriel), physicien français (Hollerich, Luxembourg, 1845 - en mer 1921). Il étudia les phénomènes électrocapillaires, annonça la réversibilité de la piézoélectricité du quartz et imagina en 1891 un procédé de photographie des couleurs par une méthode interférentielle. (Prix Nobel de physique, 1908.)

LIPSET (Seymour Martin), sociologue américain (New York 1922). Ses analyses sur la démocratie, les systèmes politiques et la mobilité sociale font de lui un des spécialistes de la sociologie politique (*Revolution and Counter-Revolution,* 1968).

LIQUÉFACTION. — Les premières recherches systématiques sur la liquéfaction des gaz sont dues à Faraday, qui opérait par compression et refroidissement simultanés. Il est, en effet, possible de liquéfier tous les gaz par l'un ou l'autre de ces moyens, sous réserve que la température soit inférieure au point critique.

Les principaux modes de refroidissement employés ont été la détente du gaz préalablement comprimé et l'évaporation sous vide d'un gaz liquéfié. On peut, par ces procédés et grâce à l'usage d'échangeurs de températures, réaliser par cascades la liquéfaction de gaz à des températures de plus en plus basses : oxygène et azote (Cailletet, 1877), hydrogène (Dewar, 1898) et enfin hélium (Kamerlingh Onnes, 1908). Aujourd'hui, la liquéfaction de tous ces gaz, notamment de l'air, se pratique industriellement.

LIQUIDATION DE BIENS → FAILLITE.

LIQUIDE. — Les liquides sont caractérisés par leur grande mobilité et leur faible cohésion. À l'inverse des solides, ils n'offrent pas de résistance aux changements de forme et prennent celle des récipients qui les contiennent. Cependant, ils ont un volume propre qui dépend peu de la pression, et ils se distinguent ainsi des gaz, qui sont expansibles et compressibles.

LIQUIDITÉS INTERNATIONALES. — Elles représentent la faculté, pour les différents pays de la communauté mondiale, de faire face aux décaissements entraînés par leurs importations. La liquidité peut être définie comme une faculté permanente de compenser disponibilités et exigibilités. (Au XIXe s., la place de Londres offrait une très abondante liquidité, lui donnant un rôle de premier plan dans les transactions internationales.)

LIRÉ (49530), comm. de Maine-et-Loire, près de la Loire, à 3 km au S. d'Ancenis; 2 161 hab. Vignobles. Petit musée J. du Bellay.

LIS. — Type de la vaste famille des liliacées, symbole royal, emblème virginal, le lis doit son prestige à la grande dimension et à la belle blancheur de ses six « tépales » (pétales et sépales, tous semblables). Six belles étamines à l'anthère basculante et un long style droit ornent l'intérieur du périanthe. La hampe florale ne porte que de très petites feuilles, mais la base de la plante est richement feuillue. Le *lis martagon* présente des tépales roses tachetés de pourpre et fortement rabattus au-dehors. Le *lis à bulbilles,* des hautes montagnes suisses (Grisons), porte de belles fleurs orangées à taches noires. Tous les lis sont vivaces grâce à un bulbe écailleux.

LISBONNE, en portug. **Lisboa,** capit. du Portugal; 758 000 hab.

GÉOGRAPHIE. Sur la rive nord de l'embouchure du Tage (mais

F. Hers - Viva

reliée aujourd'hui par un pont routier aux faubourgs de la rive sud), Lisbonne groupe environ 1 200 000 habitants dans son agglomération, sensiblement plus du dixième de la population du pays. Principal débouché maritime (avec un trafic dépassant légèrement 10 Mt) du Portugal, l'agglomération en est aussi de loin le premier centre industriel (raffinage du pétrole et pétrochimie, chantiers navals, sidérurgie, textile). La prépondérance tertiaire (administrative, commerciale, culturelle) est encore plus écrasante, expliquant avec l'industrialisation le quadruplement de la population de l'agglomération depuis le début du siècle.

HISTOIRE. Fondée probablement par les Phéniciens, Lisbonne est aux mains des Maures de 711 à 1147. Capitale des rois de Portugal à partir du XIIIe s., elle connaît au XVe s. une fabuleuse prospérité, étant le point d'arrivée des navires des Indes et du Brésil. Détruite par le tremblement de terre du 1er novembre 1755, puis reconstruite, elle est occupée par les Français en 1807.

BEAUX-ARTS. Anc. château fort São Jorge. Cathédrale en partie romane. Tour de Belém, sur le Tage, et monastère des Hiéronymites, caractéristiques de l'exubérance manuéline (début du XVIe s.). Place du Commerce, témoin du renouveau urbain postérieur au tremblement de terre de 1755. Musées d'Art ancien (peinture, notamment portugaise des XVe et XVIe s.), des Arts décoratifs (dans un palais du XVIIe s.), des Carrosses, d'Art populaire, d'Art moderne; deux musées d'archéologie; récent musée de la Fondation Gulbenkian; etc.

LISERON. — Le liseron est une plante volubile, rampante et grimpante, très commune, caractérisée par sa corolle si parfaitement soudée en coupe évasée que l'on ne saurait en compter les pétales. Les fleurs sont roses dans la plupart des espèces, blanches chez le grand liseron des haies, bleues chez la belle-de-jour. Les feuilles, implantées à la base des pédoncules floraux, sont de forme très variable. (Genre *Convolvulus,* type de la famille des convolvulacées.)

LISIEUX (14100), ch.-l. d'arr. du Calvados, sur la Touques; 26 674 hab. *(Lexoviens).* Anc. cathédrale Saint-Pierre (XIIe-XIIIe s.). Église Saint-Jacques (v. 1500). Musée. Industrie alimentaire. Travail du bois. Constructions mécaniques. — Capitale des *Lexovii,* Lisieux est dotée au VIe s. d'un évêché, qui, en 1790, est rattaché à celui de Bayeux. Depuis le début du XXe s., la ville et son carmel sont un important centre de pèlerinage, dû au renom de sainte Thérèse* de l'Enfant-Jésus, qui y mourut en 1897. Lisieux a été aux deux tiers détruite en 1944.

LISLE-SUR-TARN (81310), ch.-l. de cant. du Tarn, à 31 km au S.-O. d'Albi; 3 391 hab. Église du XIVe s.

Lissa *(bataille de)* → AUSTRO-PRUSSIENNE *(guerre).*

LISSAGE. — Le lissage (ou *lifting*), intervention esthétique qui a pour objet d'effacer les rides de la face, donne de bons résultats à condition que la symétrie soit bien respectée et que la correction ne soit pas trop importante pour que le visage ne prenne pas un aspect figé. Le résultat se maintient pendant plusieurs années.

LISSAJOUS (Jules), physicien français (Versailles 1822 - Plombières-lès-Dijon 1880). Il a étudié les vibrations transversales des lames élastiques ainsi que la composition de plusieurs mouvements vibratoires par un procédé optique (1873).

LISSITCHANSK, v. d'U. R. S. S. (Ukraine), dans le Donbass; 118 000 hab. Centre houiller.

LISSITSKI (Eliezer, dit **El**), peintre, architecte et théoricien russe (gouvernement de Smolensk 1890 - Moscou 1941). Ingénieur de

Lisbonne. Les quartiers de l'est de la ville, que domine la forteresse São Jorge.

formation, marqué par le suprématisme de Malevitch, il élabore à partir de 1919 un art abstrait personnel avec les *Proun* (sigle de « projet d'affirmation du nouveau »), qui allient peinture et relief, et relèvent de la prospective architecturale. Ses nombreuses activités (illustration et typographie, peinture, décoration, architecture) ainsi que son enseignement et ses travaux théoriques lui ont conféré une grande audience.

LIST (Friedrich), économiste allemand (Reutlingen 1789-Kufstein 1846), l'un des premiers défenseurs de l'idée d'union douanière entre les États allemands. Dans son *Système national d'économie politique* (1840), il s'oppose au libre-échange, régime inadapté aux premiers pas des nations industriellement peu développées.

LISTER (Joseph, *baron*), chirurgien anglais (Upton, Essex, 1827-Walmer, Kent, 1912). Il démontra l'importance de l'asepsie.

LISZT (Franz), compositeur hongrois (Doborján, Hongrie [actuellement Raiding, Autriche], 1811-Bayreuth 1886). Il vécut à Vienne, à Paris, à Weimar et à Rome, d'où il voyageait sans cesse dans toute l'Europe. Pianiste virtuose, il a laissé des œuvres lyriques et didactiques importantes pour son instrument (*Années de pèlerinage,*

Franz Liszt, par Miklós Barabás. 1847. (Musée national, Pinacothèque historique, Budapest.)

Larousse

v. 1840-1883; *Études d'exécution transcendante,* 1852; *Sonate en « si » mineur,* 1853; concertos). Chef d'orchestre, il s'est intéressé au poème symphonique (*Mazeppa,* 1851; *les Préludes,* v. 1854; *la Bataille des Huns,* 1857) et à la symphonie (*Faust-Symphonie,* 1854-1857). Préoccupé par les problèmes religieux, il a écrit des messes (*Messe de Gran,* 1855; *Missa choralis,* 1865; *Messe hongroise,* 1867; *Requiem,* 1868) et des oratorios (*Christus,* 1855-1867; *Légende de sainte Élisabeth,* 1857-1862). Admirateur de Berlioz et de Wagner (dont il fut le beau-père), novateur dans le domaine de l'harmonie, il a renouvelé la technique du piano et élargi le champ orchestral.

LI T'ANG ou **LI TANG,** peintre chinois (v. 1049-1130). Il suit la Cour impériale dans le Sud et dirige l'académie de Hang-tcheou, où il exerce une profonde influence sur Ma* Yuan et Hia* Kouei. Héritier de Fan* K'ouan, il joue des traits de pinceau « en coups de hache », par lesquels il cherche à exprimer la structure interne des masses rocheuses. Son œuvre participe à la fois de la vision lointaine et ample des Song du Nord et de la vision plus intime et lyrique des peintres du Sud.

LITERIE. — La literie se caractérise par la recherche du confort et des qualités pratiques d'utilisation ainsi que par la progression des articles de couleur imprimés conçus par des stylistes. Outre le matelas de laine traditionnel, on utilise le matelas à ressorts et le matelas de mousse (polyester ou latex), qui peut se combiner avec un sommier de même nature. Le confort peut être accru par l'utilisation de couvertures ou de surmatelas chauffants à réglage thermostatique. On a amélioré la qualité pratique grâce aux draps en fibres synthétiques, surtout ceux en Tergal (en tête des ventes), et aux draps-housses, complétés par les draps et les couvertures mi-housses. Pratique aussi est la couette bourrée de plumes — d'usage courant en Europe septentrionale et en Europe centrale —, dont la housse, amovible et lavable, tient lieu de drap de dessus.

LITHARGE. — L'oxyde de plomb PbO se présente amorphe (massicot) ou cristallisé après fusion (litharge); sous cette forme, il constitue de petites écailles jaune-orangé. Il est soluble dans les acides et dans les bases, est facilement réduit par le carbone et s'oxyde au rouge pour donner du minium.

LITHIUM. — C'est l'élément chimique n° 3, de masse atomique Li = 6,94. C'est un solide blanc, de densité 0,55, fondant à 180 °C et dont les composés colorent la flamme en rouge. Très oxydable, il décompose l'eau à froid. Il est univalent dans ses sels. Son principal minerai est un silicate, le lépidolite. On peut passer de ce corps au chlorure $LiCl$, d'où l'on sépare le métal par électrolyse.

LITHOBIE. — Ce mille-pattes, l'un des plus communs de notre faune, insectivore et venimeux (inoffensif pour l'homme), vit sous les pierres — d'où son nom — et se caractérise par ses anneaux pairs et impairs d'inégale longueur ainsi que par sa teinte brune. Il a quinze paires de pattes.

LITHOGRAPHIE. — Grâce à la variété de ses techniques, ce procédé d'impression a connu un grand essor tout au long du XIXe s. Depuis, il a été supplanté par l'offset*, fondé sur le même principe : l'image imprimante accepte l'encre* grasse, alors que les parties non imprimantes, mouillées, la repoussent. Mais la lithographie continue à être employée pour des cartes géographiques, des affiches et des impressions artistiques, où elle offre à l'artiste créateur une large diversité d'expression (v. ESTAMPE). Des plaques pour petites machines offset sont toujours obtenues en dessinant sur métal avec de l'encre grasse.

LITTAU, comm. de Suisse, banlieue de Lucerne; 13 495 hab.

LITTÉRATURE. — Le domaine naguère bien net et délimité (par l'école et la critique) de la littérature a, depuis les années 50, cédé par ses deux extrémités : d'un côté, la pression des sous- et des para-littératures (roman policier, science-fiction, bande dessinée), accentuée par l'action corrosive des mass media (cinéma, radio, télévision), qui rongent le domaine de l'écrit et de la lecture; de l'autre, le développement d'une littérature savante et théorique, qui réfléchit sur ses raisons et ses moyens, et dont les idées et le vocabulaire ont plus ou moins envahi la critique universitaire et la pratique scolaire.

L'écriture n'est plus seule à rendre compte du monde, comme elle le faisait depuis Gutenberg, et l'on peut ainsi penser que le domaine de la littérature ne cesse de se restreindre. Mais, en s'interrogeant sur ses buts et ses pouvoirs, la littérature met en cause ses propres limites et tend à annexer des territoires qu'elle excluait jusque-là de sa juridiction : littérature orale et culture populaire; littérature des minorités linguistiques; littérature pour enfants; « art brut » (écrits de fous, de malades); littérature de grande consommation (roman d'espionnage, policier, etc.). Par là, l'espace littéraire s'agrandit singulièrement, et la littérature prend la forme du pluriel : il existe non plus *la,* mais *des littératures.*

D'autre part, et tout particulièrement en France, la littérature semble privilégier son aspect critique et théorique : énonçant les conditions et les processus de sa propre production, elle dénonce l'illusion du réalisme, mais fait en même temps du réel un texte dont la signification ne se livre que dans la pratique d'une « lecture/écriture » jamais achevée. La question est désormais de savoir si l'on peut tracer une limite entre ce qui est littéraire et ce qui ne l'est pas, si l'on peut fixer un critère de *littérarité.*

De cet examen de conscience de la littérature, les écrivains contemporains ont tiré deux conclusions : 1° on ne peut plus *écrire* comme autrefois; 2° on ne peut plus *lire* comme autrefois. Certes, ce double refus ne concerne pas la littérature de masse (il anime Robbe-Grillet, mais pas Guy des Cars); mais il a des racines plus profondes qu'il ne paraît. La crise d'où est issue notre modernité vient de loin. On peut la rapprocher des ruptures intervenues dans les arts plastiques (de la peinture « informelle » à l'invasion hyperréaliste des objets quotidiens) ou en musique (musique « formelle » ou « aléatoire »). On peut lui trouver des concordances politiques (*le Capital* est de 1867, *les Chants de Maldoror* de 1869) ou scientifiques (1897 est la date du *Coup de dés* de Mallarmé, mais aussi celle du traité de Max Planck sur l'interprétation statistique des lois de la thermodynamique). Mais les courants qui parcourent la littérature contemporaine peuvent se recommander de quatre « intercesseurs » capitaux : Rimbaud (qui incarne la faillite acceptée de l'art), Mallarmé (qui vit le drame de l'écriture impossible et de la recherche d'un *nouvel espace* littéraire), Lautréamont (qui fait de la parodie la matière même de son écriture), Flaubert (qui fonde son œuvre sur la répétition et la force du lieu commun). La manifestation la plus spectaculaire de cette crise littéraire a été l'éclatement de la forme typiquement moderne de l'écriture, le roman*. Par-delà aussi bien des dernières expériences de littérature engagée que des essais de roman-information (*De sang-froid* de Truman Capote, mais aussi *Grenadou* d'Alain Prévost), le *nouveau* roman* a cherché une nouvelle cohérence à l'entreprise romanesque (de l'observation patiente des *tropismes* avec N. Sarraute à l'arpentage frénétique d'un Robbe-Grillet). Mais la forme la plus rigoureuse de la modernité littéraire est à rechercher dans deux directions complémentaires : 1° le maintien au cœur de l'éclatement du monde et de son expression, qui implique une « expérience intérieure » : c'est l'épreuve physique et mystique de la dispersion (Georges Bataille), la montée progressive du silence (Beckett), le repliement autobiographique (Michel Leiris); 2° le refus de la linéarité et de l'à-plat du texte, et l'essai de matérialisation d'un nouveau rapport entre le temps et l'espace de l'écriture : c'est, reprenant l'ambition du « livre » mallarméen, la littérature conçue comme un vaste « calligramme » ou comme un « graphe ». On comprend donc que ces bouleversements de l'expression littéraire impliquent de nouveaux modes de lecture et un nouveau regard critique*; d'où la dernière querelle littéraire et le débat des années 60 autour de la *nouvelle* critique*.

LITTLE ROCK, v. des États-Unis, capit. de l'Arkansas; 132 000 hab. — À proximité (monts Ozark), gisements de bauxite.

LITTORALE (érosion). — Le littoral, point de rencontre entre le continent et la mer, est caractérisé par un mode d'érosion particulier. En fait, on peut y distinguer trois domaines. Le *domaine supralittoral* est essentiellement au contact de l'atmosphère et évolue principalement sous l'action de l'érosion continentale (gélifraction, infiltration de l'eau, solifluxion, érosion éolienne, etc.). L'action de la mer s'y exerce par l'intermédiaire des embruns, qui y sculptent des taffonis, et du déferlement des vagues, armées de galets. Le *domaine mésolittoral* correspond à la zone de balancement des marées, ou estran. Il subit l'influence des vagues et des courants de marée, et l'action biologique y est parfois importante (trous de lithophages, trottoirs d'algues). Le *domaine infralittoral* n'est jamais émergé et évolue sous l'action des courants côtiers. En fonction de la structure géologique du continent et de son modelé, ces agents contribuent à façonner différents types de côtes : à plages*, à falaises*, à fjords*, etc.

LITTRÉ (Émile), lexicographe français (Paris 1801 - *id.* 1881). Son *Dictionnaire de la langue française* (1863-1873, 4 vol. et 1 supplément en 1877) est un dictionnaire historique de la langue (exemples signés tirés surtout d'auteurs des XVIIe et XVIIIe s., partie étymologique). Disciple indépendant d'Auguste Comte, il a joué un rôle important dans le mouvement positiviste.

LITUANIE, république fédérée de l'U. R. S. S., sur la Baltique; 65 200 km²; 3 129 000 hab. *(Lituaniens).* Capit. *Vilnious.*

GÉOGRAPHIE. La plus vaste et surtout la plus peuplée des trois républiques baltes, la Lituanie est aussi la moins maritime et encore la plus agricole (céréales, pomme de terre, betterave à sucre, élevage bovin et porcin), bien que la moitié de la population (formée essentiellement de Lituaniens avec de faibles minorités de Russes et de Polonais) soit urbanisée. La capitale, Kaŭnas, et Klaïpeda dépassent chacune 100 000 habitants. Le textile, le travail du bois et du cuir sont les activités industrielles dominantes.

HISTOIRE. Le pays apparaît dans l'histoire au IXe s. sous le nom de *Litva.* La puissante Lituanie médiévale est fédérée par le grand-duc Mindaugas (v. 1200-1263), qui, vainqueur des Teutoniques en 1236, est couronné roi en 1253. L'un des successeurs, Gédymin (1316-1341), consolide ses positions en Ukraine en se rapprochant de la Pologne. Lorsqu'il meurt, la Lituanie, avec sa capitale Vilnious, est l'une des grandes puissances européennes. Le christianisme est introduit par Ladislas II Jagellon (de 1386 à 1434), qui, en 1386, est roi de Pologne et de Lituanie (v. JAGELLONS) : avec lui commence une longue période d'histoire commune, traversée de périodes d'une association poussée et d'une franche hostilité.

La Lituanie conserve son autonomie jusqu'à l'union de Lublin (1569), qui s'opère sous la pression des tsars moscovites, qui menacent la Lituanie. L'autonomisme lituanien n'émerge vraiment qu'au XVIIIe s. Cependant, en 1795, la Lituanie est partagée entre la Russie et la Prusse; en 1815, la Russie domine l'ensemble du pays, sauf la frange de Gumbinnen à Memel (Klaïpeda*), où la Prusse entretient une action pangermaniste d'autant plus efficace qu'elle tire parti du long conflit entre Russes et Polonais. En 1831 et en 1865 d'ailleurs, par suite de la politique de russification pratiquée en Lituanie, celle-ci participe au soulèvement polonais contre le joug tsariste : soulèvement sévèrement réprimé. L'émancipation des serfs, à partir de 1861, ne profite pas à la politique russe; au contraire, sous l'influence du clergé catholique, se développe un fort courant national lituanien, d'essence paysanne. Conquise par les Allemands en 1915, république indépendante, avec Augustinas Voldemaras (1883-1954) comme Premier ministre, en 1918, la Lituanie, comme les autres États baltes, sert de champ clos aux Allemands et aux bolcheviks (1918-1920). Reconnue par l'U. R. S. S. en 1920, dotée d'une constitution démocratique en 1922, elle passe sous le joug autoritaire de Voldemaras (1926-1929). En 1939, Memel est rattachée au IIIe Reich. En 1940, envahie par les Soviétiques, la Lituanie devient république de l'U. R. S. S.

LITVINOV (Maksim Maksimovitch), diplomate soviétique (Białystok 1876 - Moscou 1951). Commissaire du peuple aux Affaires étrangères (1930), signataire du pacte franco-soviétique de 1935, il est écarté en 1939 au profit de Molotov*, l'isolement diplomatique de l'U. R. S. S. lui étant reproché. De 1941 à 1943, il est ambassadeur à Washington.

LIU-CHOUEN ou **LÜSHUN,** nom chinois de PORT-ARTHUR.

LIU-TA ou **LÜDA,** conurbation de la Chine du Nord-Est (Leao-ning), regroupant Ta-lien (Dairen), Liu-chouen (Port-Arthur) et Kin. Le terme désigne souvent la seule agglomération de Ta-lien.

LIVAROT → FROMAGE.

LIVAROT (14140), ch.-l. de cant. du Calvados, dans le pays d'Auge, à 18 km au S.-O. de Lisieux; 2 874 hab. Fromages renommés. Industries du bois.

LIVERDUN (54460), comm. de Meurthe-et-Moselle, à 16 km au N.-O. de Nancy; 5 067 hab. Restes d'enceinte. Église du XIIe s. Métallurgie.

LIVERNON (46320 Assier), ch.-l. de cant. du Lot, à 18 km à l'O. de Figeac; 342 hab.

LIVERPOOL, v. d'Angleterre, sur l'estuaire de la Mersey; 606 000 hab. Important musée. Liverpool est le noyau d'une conurbation étendue (Merseyside), comptant plus d'un million et demi d'habitants. C'est surtout (hydrocarbures exceptés) le deuxième port de Grande-Bretagne, fonction à la base d'une importante industrie (raffinage du pétrole et pétrochimie, alimentation [minoteries, sucreries], métallurgie des non-ferreux), d'où émerge aussi aujourd'hui la construction automobile.

LIVET-ET-GAVET (38220 Vizille), comm. de l'Isère, sur la Romanche, à 12 km à l'E. de Vizille; 2 123 hab. Métallurgie.

LIVIE, en lat. **Livia Drusilla,** femme de l'empereur Auguste (v. 55 av. J.-C. - 29 apr. J.-C.). Issue de la famille Claudia, elle épousa Tiberius Claudius Nero, dont elle eut deux fils, Tibère* et Drusus*. Octavien la contraignit au divorce et l'épousa en 38.

LIVINGSTONE, auj. **Maramba,** v. de la Zambie méridionale, sur le Zambèze; 58 000 hab. Aéroport.

LIVINGSTONE (David), missionnaire et voyageur écossais (Blantyre 1813 - Chitambo, Rhodésie, 1873). Missionnaire protestant en Afrique du Sud, il inaugure en 1849 une série de voyages qui l'amènent aux bords du Zambèze (1851), aux chutes Victoria (1855) et aux grands lacs africains (1859-1871). Puis, avec Stanley*, il recherche les sources du Nil. Ses efforts pour libérer et éduquer les esclaves noirs ont fait de lui un des bienfaiteurs de l'humanité.

Living Theatre, troupe théâtrale américaine, fondée en 1950 par Julian Beck et Judith Malina, qui tenta d'abord la synthèse du théâtre épique de Brecht et du théâtre de la cruauté d'Artaud, et qui évolua ensuite vers une esthétique d'expression corporelle, proche du happening (*Paradise now,* 1968).

LIVIUS ANDRONICUS, poète latin (IIIe s. av. J.-C.). Traducteur de *l'Odyssée,* il fit représenter la première tragédie de langue latine.

LIVIUS DRUSUS (Marcus) [† 91 av. J.-C.]. Tribun de la plèbe en 91, il proposa d'accorder à tous les alliés d'Italie le droit de cité romaine. Mais il eut contre lui les chevaliers et une partie du sénat, et périt assassiné. Sa mort fut le signal de la guerre sociale*.

LIVONIA, v. des États-Unis (Michigan), banlieue ouest de Detroit; 110 000 hab.

LIVONIE, région historique de la Russie, entre le lac Peïpous et la mer Baltique. Le nom de *Livonie* désigne, au XIe s., l'ensemble des régions baltes conquises par les Allemands. Au XIIIe s., l'Ordre livonien — branche des Teutoniques* — et les quatre évêchés livoniens constituent la Confédération livonienne. Le dernier grand maître de l'Ordre reçoit le titre de duc de Courlande* (1562). Suédoise au XVIIe s., la Livonie forme un gouvernement russe dès 1721. (V. LETTONIE.)

LIVOURNE, en ital. **Livorno,** port d'Italie, sur la Méditerranée, en Toscane, ch.-l. de prov.; 176 000 hab. Raffinage du pétrole.

LIVRADOIS *(monts* ou *massif du),* région montagneuse du Massif central (Haute-Loire et Puy-de-Dôme), entre les vallées de l'Allier et de la Dore.

LIVRE → MONNAIE.

LIVRE (sociologie du). — Pendant de longues années, le livre est resté le dépositaire exclusif d'une culture de référence. L'histoire des livres se confondait avec celle des idées et des œuvres de l'esprit. Le livre était un bien de consommation durable, au sens des économistes. Avec les bouleversements introduits dans la seconde moitié du XXe s. dans les techniques de l'imprimerie, le livre a changé à la fois de valeur et de vocation. Parce qu'il faut peu de temps pour le fabriquer, il devient à partir des années 50 un bien « prêt-à-jeter ». Ainsi, il prend pied dans l'actualité immédiate, naguère chasse gardée de la presse écrite. Il constitue alors un nouveau moyen d'information. Et, désormais, le livre d'événement, commandé par les circonstances, voisine à la vitrine du libraire avec le livre de référence, support d'une littérature ou d'une pensée qui est censée défier le temps. L'objet de la sociologie du livre réside dans l'examen des influences réciproques et multiples du livre et de la société.

Livre de la jungle *(le),* titre de deux recueils de récits de R. Kipling (1894-95), consacrés aux aventures de Mowgli, le « petit d'homme », au milieu des animaux de la jungle : roman exotique et épopée coloniale, une allégorie de l'Angleterre impériale.

Livre des merveilles du monde, de Marco Polo, appelé aussi *le Devisement du monde* ou *Il Milione :* tableau géographique, ethnique et économique de la Chine, accompagné d'un répertoire de ses institutions et de ses croyances, ainsi que de la chronique des quinze années d'activité politique et commerciale de son auteur (1275-1291) pour le compte de Kūbīlāy khān. Ce document, qui apportait à l'Occident le premier témoignage précis sur l'Extrême-Orient, se heurta à l'incrédulité de ses contemporains.

Livre des morts, recueil d'hymnes, d'incantations et de rituels funéraires qui révèlent la ferveur religieuse de l'Égypte pharaonique. Les textes funéraires sont les plus anciens de la littérature égyptienne, mais ce n'est qu'à partir du Nouvel Empire que, sous forme de papyrus, ce viatique verbal accompagne régulièrement le défunt. Lepsius* a groupé en chapitres les textes de ces *Formules pour sortir au jour* (selon leur nom pharaonique).

LIVRET *(Mus.).* — Ce « petit livre » contient les paroles d'un ouvrage lyrique. Autrefois rédigé par des aristocrates, des lettrés, il sera ensuite confié à des librettistes spécialisés (Quinault, Métastase, Da Ponte, Meilhac et Halévy, Hofmannsthal), à moins que le compositeur ne s'en charge lui-même (Berlioz, Wagner).

LIVRON-SUR-DRÔME (26250), comm. de la Drôme, à 17 km au S. de Valence; 5 678 hab.

LIVRY-GARGAN (93190), ch.-l. de cant. de la Seine-Saint-Denis, à 10 km au N.-E. de Paris; 32 944 hab.

LIXIVIATION → MÉTALLURGIE, MINERAI.

LIZARD *(cap),* cap constituant l'extrémité méridionale de la Grande-Bretagne (Cornouailles).

LIZY-SUR-OURCQ (77440), ch.-l. de cant. de Seine-et-Marne, à 15 km au N.-E. de Meaux; 2 695 hab. Monuments des XVe-XVIIe s.

LJUBLJANA, v. de Yougoslavie, capit. de la Slovénie; 174 000 hab. Université. Métallurgie.

HISTOIRE. Ancienne colonie romaine, ville libre v. 1260, la cité passe en 1276 aux mains des Habsbourg, qui en font un siège épiscopal (1461), puis archiépiscopal (1788). Chef-lieu des Provinces Illyriennes* (1809-1813), Laibach (nom allemand de Ljubljana) est le siège, en 1821, d'un congrès européen qui décide une expédition contre les libéraux napolitains. Au XIXe s., la ville est le centre du mouvement national slovène (v. SLOVÉNIE).

BEAUX-ARTS. Château reconstruit au XVIe s. Bel ensemble de monuments et de demeures baroques ou classiques des XVIIe et XVIIIe s. Musée national (archéologie), Galerie nationale (peinture et sculpture médiévales), galerie d'Art moderne.

LLANO ESTACADO, haute plaine aride des États-Unis, dans l'ouest du Texas, au pied des Rocheuses.

LLIVIA, enclave de territoire espagnol dans le département français des Pyrénées-Orientales; 12 km^{2}; 800 hab.

LLOBREGAT (le), fl. côtier du nord-est de l'Espagne, en Catalogne, qui rejoint la Méditerranée près de Barcelone; 190 km.

LLOYD (Harold), acteur de cinéma américain (Burchard, Nebraska, 1893 - Hollywood 1971). Débutant à l'écran en 1913, il mit rapidement au point, notamment pour le compte du producteur-réalisateur Hal Roach, un type de personnage comique à la fois élégant, ahuri et au visage obstinément optimiste, derrière des lunettes d'écailles qui le rendirent très populaire aux États-Unis jusqu'à l'avènement du parlant. Il fut avec Chaplin, Keaton et Langdon l'un des plus talentueux fleurons du cinéma burlesque (*Monte là-dessus!,* 1923; *Vive le sport,* 1925).

LLOYD GEORGE (David), 1er *comte* **Lloyd-George of Dwyfor,** homme politique britannique (Manchester 1863 - Llanystumdwy, Caernarvonshire, 1945). D'origine galloise, il est député à partir de 1890 et représente l'aile gauche du parti libéral*, dont il va devenir le leader. Au Parlement, il défend le nationalisme gallois et le non-conformisme religieux, combat le capitalisme et l'impérialisme (lors de la guerre des Boers), et se montre partisan de réformes avancées, que sa nomination au poste de chancelier de l'Échiquier lui permet de réaliser (1908-1915). En 1911, il fait voter une loi sur les assurances sociales et voit son projet d'accroître l'impôt sur le revenu et les successions se heurter à la violente opposition des conservateurs. Il y répond par une loi parlementaire qui restreint les pouvoirs des lords. Au cours de la Première Guerre mondiale, il joue un rôle prépondérant comme ministre des Munitions (1915-16), puis de la Guerre et enfin comme chef du gouvernement (1916-1922). Menant avec énergie la conduite de la guerre, il renforce la coordination avec les Alliés, imposant à l'état-major l'unité de commandement sous les ordres de Foch (1918), et se montre un habile négociateur lors du traité de Versailles. Il jouit désormais d'une grande popularité, mais son alliance avec les conservateurs divise définitivement le parti libéral, dont la décadence s'accélère. En reconnaissant l'État libre d'Irlande en 1921, Lloyd George met fin à la crise irlandaise, mais, abandonné par ses partenaires conservateurs, il doit démissionner.

Lloyd's Register → CLASSIFICATION *(société de).*

LOAD-ON-TOP → PÉTROLIER, POLLUTION.

LOANGO *(royaume de),* royaume congolais, constitué au XVIe s. et disparu à la fin du XVIIIe s., qui connut une grande prospérité sous la dynastie des Mani.

LOBATCHEVSKI (Nikolaï Ivanovitch), mathématicien russe (Makarev, près de Nijni Novgorod, 1792 - Kazan 1856). Avec János Bolyai*, et indépendamment de lui, il fut l'un des fondateurs des géométries non euclidiennes, dites « géométries hyperboliques », qui abandonnèrent le postulat d'Euclide*. Il retrouva, mais de façon tout à fait autonome et originale, certains résultats que Gauss* n'avait pas publiés dans la crainte de polémiques inévitables.

LOBAU *(île),* île autrichienne du Danube, en aval de Vienne.

LOBITO, port de l'Angola; 60 000 hab. Exportation de cuivre du Zaïre et de Zambie.

LOB-NOR ou **LOB NOR,** lac peu profond de l'ouest de la Chine (Sin-kiang), où aboutit le Tarim; 2 000 km^{2}.

Locandiera *(la),* comédie de Goldoni (1753). Le jeu de l'amour, qui met aux prises, autour d'une spirituelle patronne d'auberge, deux grands seigneurs amoureux et un aristocrate misogyne, se termine au bénéfice d'un valet.

LOCARNO, v. de Suisse (Tessin), sur la rive nord du lac Majeur; 14 143 hab. Anc. château fort (musée). Églises médiévales et baroques. Centre touristique. Constructions mécaniques.

Locarno *(accords de),* pacte signé en 1925 par la France, la Belgique, la Grande-Bretagne, l'Allemagne et l'Italie dans le dessein d'établir une paix durable en Europe. Il prévoyait la reconnaissance mutuelle des frontières entre la France, la Belgique et l'Allemagne, sous la garantie de l'Italie et de la Grande-Bretagne, et le recours aux armes en cas d'invasion par l'Allemagne de la zone rhénane démilitarisée. L'Allemagne était admise à la S. D. N., et la Belgique voyait officiellement disparaître sa neutralité.

LOCATELLI (Pietro Antonio), violoniste et compositeur italien (Bergame 1695 - Amsterdam 1764). Élève de Corelli, ses sonates et ses concertos (*l'Arte del violino,* 1733) ont fait progresser la technique du violon.

LOCH → NAVIGATION *(Mar.).*

LOCHE. — Ce nom est donné, dans certaines régions, aux limaces, mais il est plus couramment appliqué à un poisson des eaux douces aux écailles minuscules, aux nombreux barbillons, à bouche protractile et dépourvue de dents, et qui présente deux adaptations extraordinaires à la vie en surface : tout d'abord, la loche respire l'air en nature, le rectum jouant ici le rôle d'un poumon pour les bulles qu'elle avale; ensuite, la vessie gazeuse enregistre les changements de température et de pression atmosphériques. (Type de la famille des cobitidés, ordre des cypriniformes.)

LOCHES (37600), ch.-l. d'arr. d'Indre-et-Loire, sur l'Indre, à 39 km au S. E. de Tours; 6 816 hab. *(Lochois).* — La ville est dominée par l'ancienne forteresse royale, vaste enceinte elliptique allant du donjon (fin du XIe s.) au Logis du roi (XIVe-XVe s.; œuvres d'art) et englobant la collégiale romane Saint-Ours (nef couverte de deux pyramides creuses), le musée du Terroir et le musée Lansyer. Hôtel de ville et maisons de la Renaissance. À 1 km, reste de l'abbaye de Beaulieu-lès-Loches (beau clocher du XIIe s.).

Loches *(paix de)* → MONSIEUR *(paix de).*

LOCHNER (Stefan), peintre allemand (Meersburg? v. 1405/1415-Cologne 1451). Grand maître de l'école de Cologne, il allie des caractères flamands à l'idéale suavité du gothique tardif (triptyque de *l'Adoration des Mages,* v. 1440, à la cathédrale; *Madone au buisson de roses,* v. 1448, musée Wallraf-Richartz...).

LOCKE (John), philosophe anglais (Wrington, Somersetshire, 1632-Oates, Essex, 1704). Il s'intéresse à la médecine pendant ses études, puis se lie avec lord Ashley (qui deviendra comte de Shaftesbury), dont l'opposition à l'absolutisme des Stuarts le contraint à se réfugier en Hollande (1683-1688). Peu avant la parution de ses *Lettres sur la tolérance,* dans lesquelles il dénie à l'État tout droit d'intervention dans le domaine religieux, il rentre en Angleterre (1689). En 1690, il publie *Du gouvernement civil* et *Essai sur l'entendement humain.* Préoccupé par des questions économiques, politiques et religieuses, il écrit *Quelques considérations sur les conséquences de la baisse de l'intérêt* (1692), *Pensées sur l'éducation* (1693) et *le Christianisme raisonnable* (1695).

Dans son *Essai sur l'entendement humain,* il s'efforce de montrer qu'aucune idée innée n'existe dans l'esprit. Cet esprit n'est qu'une page blanche sur laquelle les sens inscrivent les informations venues du monde extérieur ou de l'activité de l'esprit (v. EMPIRISME, SENSUALISME). En politique, Locke peut être tenu pour l'un des fondateurs du libéralisme. Ses conceptions ont influencé la Constitution américaine et la Déclaration des droits de l'homme.

LOCK-OUT. — Cette pratique patronale consiste à interdire aux salariés l'accès de l'entreprise pour riposter contre une grève ou pour en enrayer la menace. La jurisprudence française est partagée sur le caractère licite ou non du lock-out.

LOCKYER (*sir* Norman), astronome britannique (Ruby 1836-Salcombe Regis, Devon, 1920). Spécialiste des atmosphères stellaires, il découvrit en 1868 dans l'atmosphère solaire l'hélium*, alors inconnu sur la Terre, et fut l'un des premiers astronomes à avoir saisi l'importance du problème de l'évolution des étoiles*.

LOCLE (Le), v. de Suisse (cant. de Neuchâtel), dans le Jura; 14452 hab. Important centre horloger.

LOCMARIAQUER (56740), comm. du Morbihan, à l'entrée du golfe du Morbihan, à 13 km au S. d'Auray; 1289 hab. Importants monuments mégalithiques.

LOCMINÉ (56500), ch.-l. de cant. du Morbihan, à 28 km au N. de Vannes; 3574 hab. Église, chapelle et ossuaire de la Renaissance.

LOCOMOTION. — La locomotion est le déplacement *actif* des êtres vivants, par opposition à leur déplacement *passif :* dispersion des spores ou des semences, flottaison du plancton dans les courants marins, etc. Deux grandes modalités de déplacement sont à distinguer : le déplacement *au sein* d'une masse homogène et le déplacement *sur la surface de contact* de deux masses de nature et de consistance différentes.

• *Déplacements au sein d'une masse.* Ce sont le *vol* dans l'air, la *natation pélagique* dans l'eau, le *fouissage* dans le sol.

1. *Le vol**. Le vol actif ne s'observe que dans trois groupes d'animaux : les oiseaux, les chauves-souris et les insectes, les reptiles volants de l'ère secondaire ayant tous disparu (ptérodactyle, ptéranodonte, etc.). Il est toujours obtenu par le battement d'une ou deux paires d'ailes dorsolatérales qui prennent appui sur l'air, mettant à profit la relative viscosité de ce gaz, qui, sous une poussée rapide, se comprime sans se dérober, en opposant élastiquement une réaction suffisante. Le vol, « battu » ou « bourdonnant » selon la fréquence des battements, se fait vers le haut et vers l'avant avec une faible aptitude au virage chez les grands volatiles (rapaces, grandes chauves-souris), et il montre beaucoup plus de « souplesse » (vol sur place, de côté ou en recul) chez de nombreux insectes et chez les petits volatiles tels que les colibris.

Le vol plané, relativement passif, puisque c'est une chute ralentie, est courant chez les grands oiseaux, mais s'observe dans quelques espèces appartenant à des groupes qui ne volent pas : poissons (exocet, dactyloptère), reptiles (certains lézards), mammifères (polatouche, taguan, etc.). La surface d'appui de ces derniers est un *patagium* tendu entre les pattes de devant et de derrière le long des flancs, tandis que les poissons volants usent de leurs nageoires pectorales.

2. *La natation* pélagique.* Elle exige moins d'énergie pour vaincre la pesanteur (que la poussée d'Archimède élimine ici presque entièrement), mais en réclame davantage pour la progression horizontale, l'eau ayant une haute viscosité, mais n'étant ni compressible ni élastique. Chez les poissons, c'est surtout la *nageoire caudale* qui, agissant comme une hélice, fait avancer l'animal, dont la forme hydrodynamique réduit les frottements. Chez les serpents, les poissons serpentiformes (anguille), les vers nageurs, etc., c'est l'ondulation du corps, avec pression sur les faces arrière du « tunnel ondulé » creusé dans l'eau, qui permet l'avance. Les céphalopodes nagent par réaction, en projetant vers l'arrière une colonne d'eau sous pression. Les crustacés nagent par battement des pattes ou des nageoires, voire à l'aide des antennes (copépodes), les méduses par contraction de leur ombrelle, etc.

En eau douce, des modalités semblables se rencontrent (larves d'insectes, poissons).

3. *Le fouissage**. Vu la consistance du sol, c'est un mode de déplacement très lent, qui exige que la terre soit rejetée derrière l'animal, soit directement (taupe), soit après traversée du tube digestif (lombric).

• *Déplacements sur une surface de contact.*

1. *Interface eau-air.* Les canards et autres oiseaux palmipèdes nagent à la surface de l'eau en ramant à l'aide de pattes palmées agissant en alternance. De petits insectes aux pattes non mouillables (gerris, hydromètre, gyrin) marchent sur l'eau. La limnée, elle, rampe *sous* la surface de l'eau en creusant son pied comme une barque.

2. *Interface eau-sol.* C'est le domaine des animaux du fond marin (benthos), plus denses que l'eau, marcheurs (crabes, pycnogonides) ou rampeurs (échinodermes, mollusques).

3. *Interface air-sol.* C'est sur le sol que prennent appui tous les *marcheurs* et *coureurs :* homme, mammifères, oiseaux coureurs (autruche), reptiles, insectes, arachnides, mille-pattes, etc., tous faisant basculer à tour de rôle des *pattes* disposées par paires ventrolatérales. La course prend le nom de *saut* lorsque le corps quitte entièrement le contact du sol à chaque cycle de mouvements (criquet, kangourou, grenouille).

• *Cas particuliers.* Les surfaces solides de forme irrégulière et à grand développement vertical (arbres, rochers sous-marins, etc.) permettent tout un éventail de modes de locomotion complexes : grimper*, reptation, sauts d'une branche à l'autre, brachiation* des grands singes, etc. La reptation (serpents, escargots) peut aussi se pratiquer sur n'importe quelle surface.

LOCOMOTIVE. — • Les *locomotives à vapeur* ont permis le développement des chemins* de fer durant presque un siècle et assurent encore la remorque des trains dans de nombreux pays. Une locomotive à vapeur moderne se compose d'un véhicule supportant une chaudière* et le mécanisme d'entraînement des essieux. Le véhicule comprend le châssis, les essieux* et la suspension*. La chaudière est un ensemble comprenant le foyer, disposé à l'arrière, le corps cylindrique, dans lequel sont placés les tubes à fumée, et la boîte à fumée, contenant l'échappement, surmonté de la cheminée. Le mécanisme comprend les cylindres et les distributeurs, dans lesquels est admise la vapeur sous pression. Les pistons, mis en mouvement dans les cylindres par la détente de la vapeur, transmettent l'effort moteur aux essieux au moyen d'un embiellage. À la locomotive est souvent adjoint un *tender,* qui contient la réserve d'eau et de charbon. La locomotive à vapeur possède un rendement assez faible et nécessite beaucoup d'entretien.

• Les premières *locomotives électriques* apparaissent au début du XXe s. Elles sont généralement constituées d'une caisse contenant l'appareillage électrique et reposant sur deux bogies* à deux ou à trois essieux. Les moteurs* de traction peuvent être semi-suspendus lorsqu'ils reposent en partie sur l'essieu au moyen de paliers et sur le châssis de bogie par un dispositif élastique. Ils sont le plus souvent suspendus et fixés sur le châssis de caisse ou sur le châssis de bogie dans les locomotives modernes. Le couple moteur est transmis aux essieux par un train d'engrenages et une transmission permettant d'absorber les mouvements verticaux de la suspension. Chaque essieu moteur est généralement entraîné par un moteur. Dans le cas des bogies monomoteurs, un seul moteur entraîne simultanément les essieux du bogie, qui sont alors accouplés par un train d'engrenages. L'appareillage contenu dans la caisse dépend essentiellement du système d'alimentation utilisé. Dans les locomotives à courant continu, un rhéostat introduit dans le circuit de traction permet de faire varier la tension aux bornes des moteurs, et des commutateurs permettent de grouper ceux-ci en série, en série parallèle ou en parallèle. Sur les locomotives alimentées en courant monophasé, un transformateur* permet d'abaisser la tension d'alimentation, qu'un graduateur peut faire varier aux bornes des redresseurs alimentant les moteurs. Les deux équipements subsistent dans les locomotives polycourants, capables de circuler sous les deux types de courant. Les locomotives électriques modernes ont une puissance pouvant atteindre 8000 kW. Elles exigent peu d'entretien, et leurs performances en font des engins de traction les mieux adaptés aux chemins de fer.

• Dans les *locomotives Diesel**, l'énergie est fournie par un ou deux moteurs Diesel placés dans la caisse. La transmission de la puissance motrice aux essieux peut être entièrement mécanique sur les engins de faible puissance. Elle est hydraulique ou électrique dans les locomotives modernes. Avec la transmission hydraulique, le mouvement du moteur Diesel est transmis à un coupleur, qui le communique aux essieux au moyen de ponts et d'arbres moteurs. La transmission électrique consiste à entraîner une génératrice par le moteur Diesel et à utiliser le courant produit comme sur une locomotive électrique. Les locomotives Diesel les plus récentes ont une puissance de 3500 à 4000 kW. Elles remplacent avantageu-

Locomotive électrique CC 21001 : 1. Cabine de conduite; 2. Avertisseur sonore (deux tons); 3. Moteurs de traction; 4. Pantographe à courant monophasé; 5. Archet; 6. Disjoncteur monophasé 25 kV; 7. Réducteurs d'engrenages entre moteur de traction et essieux; 8. Redresseurs à diode et thyristors; 9. Bloc central d'appareillage et rhéostat de démarrage; 10. Disjoncteur continu 1 500 V; 11. Pantographe à courant continu (replié); 12. Ventilateur du bloc redresseur; 13. Accumulateurs; 14. Transformateur; 15. Réservoir principal d'air comprimé; 16. Câbles de retour de courant aux rails; 17. Châssis de bogie; 18. Boîte d'essieu; 19. Silentbloc de suspension secondaire; 20. Ressort de suspension primaire; 21. Brosse de contact de répétition des signaux; 22. Câblot d'accouplement de chauffage électrique; 23. Accouplement flexible (air comprimé); 24. Crochet d'attelage; 25. Projecteur.

Locomotive Diesel-électrique CC 72001 : 1. Cabine de conduite; 2. Projecteur frontal (pour circulation internationale); 3. Moteurs de traction; 4. Radiateurs; 5. Coupleur électromagnétique; 6. Soute à eau; 7. Ventilateur du moteur de traction; 8. Moteur Diesel; 9. Silencieux d'échappement; 10. Alternateur; 11. Ventilateur de caisse; 12. Bloc d'appareillage pneumatique; 13. Bloc redresseur; 14. Réducteur; 15. Bogie; 16. Soutes à combustibles; 17. Réservoir principal d'air comprimé; 18. Sablière; 19. Suspension secondaire de caisse sur bogie; 20. Éjecteur de sablière; 21. Ressort de suspension; 22. Brosse de contact (pour répétition des signaux); 23. Câblot d'accouplement de chauffage électrique; 24. Accouplement flexible (air comprimé); 25. Capot en matière plastique.

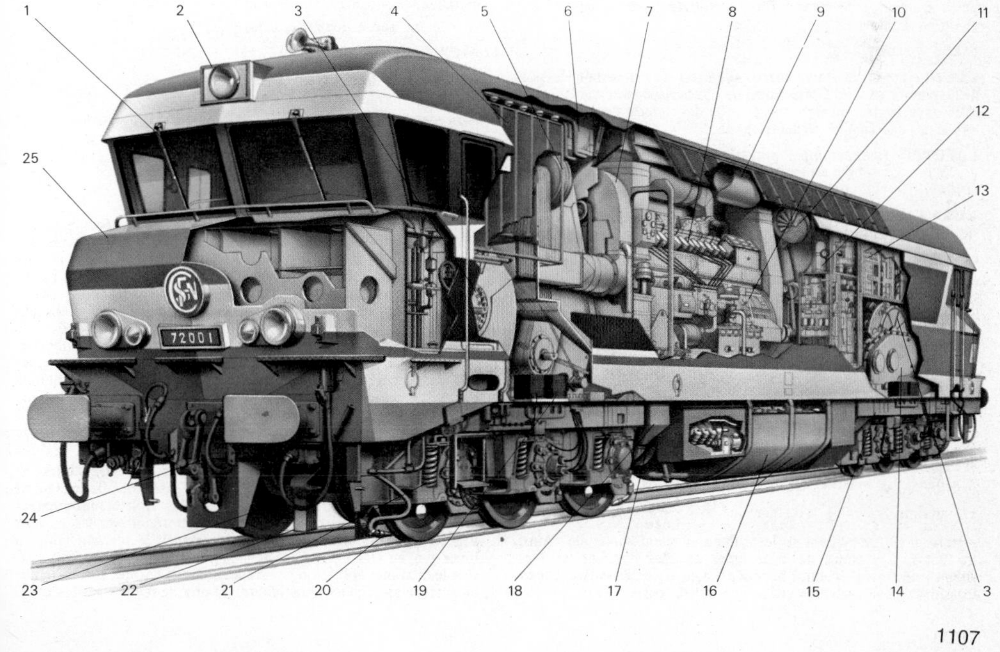

sement les locomotives à vapeur sur les lignes non électrifiées, mais elles exigent néanmoins plus de soins et d'entretien que les locomotives électriques.

LOCQUIREC (29241), comm. du Finistère, à 22 km au N.-E. de Morlaix; 1 035 hab. Station balnéaire sur la Manche.

LOCRES, cité grecque du Bruttium, fondée par les Locriens en 673 av. J.-C. Alliée de Syracuse* d'abord, d'Hannibal* ensuite, elle tomba en 205 au pouvoir des Romains; elle fut détruite au VIIe s. par les Sarrasins. La ville actuelle de *Locri,* en Calabre, est établie sur son site. Vestiges antiques.

LOCRIDE, prov. de la Grèce ancienne, au nord du golfe de Corinthe. En raison de sa pauvreté, elle vécut dans l'orbite politique de cités plus riches, en particulier Thèbes*.

LOCRONAN (29136 Plogonnec), comm. du Finistère, à 10 km à l'E. de Douarnenez; 686 hab. Ensemble bien conservé de la place avec ses maisons en granite de la Renaissance, une église du XVe s. et la chapelle du Pénity (début du XVIe s.; importantes sculptures).

LOCTUDY (29125), comm. du Finistère, à 5,5 km au S. de Pont-l'Abbé; 3 544 hab. Église romane (XIIe s.) à façade et clocher du XVIIIe s. Port de pêche.

LODELINSART, anc. comm. de Belgique (Hainaut), intégrée, depuis 1977, à Charleroi. Verrerie.

LODÈVE (34700), ch.-l. d'arr. de l'Hérault, à 54 km au N.-O. de Montpellier; 8 184 hab. *(Lodévois).* Anc. cathédrale et ses dépendances (XIVe-XVIIIe s.). Musée. Constructions mécaniques. — À proximité, gisements d'uranium.

LODGE (*sir* Oliver Joseph), physicien anglais (Penkhull 1851-Lake, près de Salisbury, 1940). Il a étudié les ondes hertziennes et la télégraphie sans fil. Son brevet de 1897 sur la syntonie fut acquis par Marconi* en 1911.

LODI, v. d'Italie, en Lombardie, sur l'Adda; 38 000 hab. Victoire de Bonaparte en 1796 (v. ITALIE [*campagnes de Bonaparte* en]).

LODS (Marcel), architecte français (Paris 1891). De son association avec Eugène Beaudouin (né en 1898) ont résulté dans la décennie 1930-1940 des réalisations exemplaires fondées sur la préfabrication : cité du Champ-des-Oiseaux à Bagneux (avec Freyssinet : béton vibré), école de plein air à Suresnes, marché couvert-maison du peuple à Clichy (1936, avec J. Prouvé* et l'ingénieur Vladimir Bodiansky [1894-1966] : construction métallique, espaces transformables).

ŁÓDŹ, v. de Pologne, au S.-O. de Varsovie; 787 000 hab. Musées, dont une riche galerie d'Art moderne. — Deuxième ville du pays (regroupant près d'un million d'habitants dans son agglomération), Łódź est surtout un grand centre industriel, traditionnellement dominé par le textile (coton, puis laine et fibres chimiques).

LOÈCHE-LES-BAINS, comm. de Suisse (Valais), au pied du col de la Gemmi; 1 056 hab. Station d'altitude et de sports d'hiver (1 411-2 316 m).

LŒSS → LIMON.

LOEWI (Otto), pharmacologue allemand (Francfort-sur-le-Main 1873-New York 1961), prix Nobel de physiologie et de médecine en 1936 avec sir H. Hallett Dale, pour sa découverte des médiateurs chimiques (adrénaline et acétylcholine).

LOFOTEN *(îles),* archipel norvégien de l'Atlantique, au N. du cercle polaire, séparé du continent par le Vestfjord, site de la pêche (morue, hareng); environ 25 000 hab.

LOGAN *(mont),* point culminant du Canada (Yukon), à la frontière de l'Alaska; 6 050 m.

LOGARITHME. — La fonction logarithme *népérien* associe à tout nombre positif x le nombre $y = \int_1^x \frac{dt}{t}\cdot$ On note $y = \operatorname{Log} x$; les variations de $\operatorname{Log} x$ sont représentées par une courbe qui est asymptote à Oy, admet au point ($x = 1$, $y = 0$) une tangente parallèle à la première bissectrice et présente une branche parabolique dans la direction de Ox.

$$\operatorname{Log} 1 = 0;\quad \operatorname{Log} x \longrightarrow -\infty,\ \text{quand}\ x \longrightarrow 0^+;$$
$$\operatorname{Log} x \longrightarrow +\infty,\ \text{quand}\ x \longrightarrow +\infty.$$

Il existe un nombre, noté e, égal à 2,718 28..., dont le logarithme est égal à 1. Ce nombre *irrationnel* est la base des logarithmes népériens. La fonction $\log_a x$ (logarithme dans la base a de x) est définie, pour $a > 0$, par $\log_a x = \frac{\operatorname{Log} x}{\operatorname{Log} a}\cdot$ En particulier, pour $a = 10$, on obtient le logarithme *décimal,* noté *log*. Ainsi, $\log 10 = 1$. Les tables de logarithmes usuelles donnent les logarithmes décimaux et aussi népériens. Les *règles de calcul* sur les logarithmes sont valables quelle que soit la base.

LOGARITHME

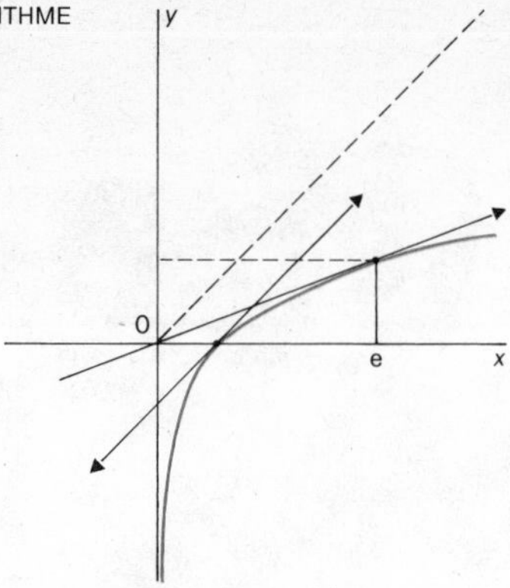

Si $a > 0$, $b > 0$, $\log(ab) = \log a + \log b$; d'où $\log a^n = n \log a$, quel que soit n entier relatif ou même réel; $\log \frac{a}{b} = \log a - \log b$. Dans le système à base 10, $-\log b$ s'appelle le *cologarithme* de b, noté $\operatorname{colog} b$; c'est le logarithme de $\frac{1}{b}$:

$$\log \frac{a}{b} = \log a + \operatorname{colog} b.$$

Les opérations à effectuer sur les logarithmes que fournit une table sont l'*addition* des logarithmes et la *multiplication* ou la *division* par un entier *petit,* de l'ordre de quelques unités. Pour effectuer facilement ces additions, on écrit les logarithmes sous forme de nombres décimaux dont la *partie décimale* est toujours *positive* : celle-ci est appelée la *mantisse*. Elle est fournie par la table, et il se peut qu'on ait à y faire des *interpolations* linéaires*. La partie entière est la *caractéristique*. Si un nombre est supérieur à 1, sa caractéristique est égale au nombre de ses chiffres avant la virgule, diminué d'une unité. Si un nombre est plus petit que 1, sa caractéristique est égale au rang de la première décimale non nulle de ce nombre. Par exemple, les caractéristiques de 23,43, de 2,343 et de 0,002 343 sont respectivement 1, 0 et − 3, cette dernière s'écrivant $\bar{3}$ pour faciliter les additions. La mantisse de 23,43, de 2,343 et de 0,002 343 est donnée par la table; elle est, pour les trois nombres, 369 77. D'où $\log 23{,}43 = 1{,}369\,77$, $\log 2{,}343 = 0{,}369\,77$ et $\log 0{,}002\,343 = \bar{3}{,}369\,77$, ce dernier étant formé d'une partie entière, $\bar{3}$, et d'une partie décimale, 0,369 77.

EXEMPLE DE CALCUL.

Déterminer la quantité $u = \frac{23{,}43}{10{,}59}$:

$\log u =$	$\log 23{,}43 = 1{,}369\,77$	$\log 10{,}59 = 1{,}024\,90$
	$+ \operatorname{colog} 10{,}59 = \bar{2}{,}975\,10$	$\operatorname{colog} 10{,}59 = \bar{2}{,}975\,10$...
	$= 0{,}344\,87$	

D'où $u = 2{,}213$.

LOGEMENT (politique du). — Un décret du 27 décembre 1975 réorganise la participation des employeurs à l'effort de construction de logements. Tous les employeurs de dix salariés et au-delà sont tenus d'investir 1 p. 100 de la masse des salaires qu'ils paient dans la construction (à l'exception de l'État, des collectivités locales et de leurs établissements publics administratifs). Ils ont une année pour effectuer cet investissement obligatoire. Ils peuvent investir sous forme de prêts aux salariés de l'entreprise, pour les assister dans le financement de leur logement, ou verser leur participation à un organisme extérieur qui affecte les fonds à l'achat de terrains, à la construction de logements ou à l'aménagement de locaux préexistants. Tous les salariés peuvent bénéficier de ces prêts, à la seule exclusion des dirigeants de l'entreprise (de leur conjoint et de leurs enfants non émancipés).

• *Logements sociaux.* Le terme générique de H. L. M. (habitations à loyer modéré) recouvre en France trois catégories de logements sociaux affectés à un usage locatif : 1° les H. L. M. proprement dites; 2° les P. L. R. (programmes à loyer réduit) et les anciens P. S. R. (programmes sociaux de relogement); 3° les immeubles à loyer moyen (I. L. M.) et les immeubles à loyer normal (I. L. N.). Ces habitations doivent répondre à certaines normes techniques et de surface ainsi qu'à des conditions de prix de revient particulières.

Elles sont attribuées à des occupants dont les ressources sont inférieures à un certain plafond. Il existe, par ailleurs, des opérations d'accession à la propriété H. L. M., répondant à des caractéristiques précises, notamment certaines conditions de ressources des bénéficiaires de ces programmes, bénéficiaires auxquels peuvent être accordés des prêts.

Loges *(Les),* pelouse au centre de la forêt de Saint-Germain. Camp militaire où a été transféré de Paris en 1969 le quartier général de la Ire région militaire.

LOGICIEL. — Les techniques de l'ordinateur* se décomposent en deux domaines, qui, pendant longtemps, ont été désignés par les termes américains de *hardware* pour ce qui est du matériel et de *software* pour le reste. En 1970, le terme de *logiciel* a été introduit par voie officielle pour traduire le mot « software ». Le logiciel sert ainsi à désigner l'ensemble des programmes*, procédés et règles relatifs au fonctionnement d'un ensemble de traitement de l'information. On distingue :
— le *logiciel de base,* qui comprend le système d'exploitation (moniteur* d'enchaînement des travaux, partage des ressources de la machine, etc.), les langages généraux (compilateurs* et bibliothèques correspondantes), les programmes généraux de gestion des programmes (éditeurs de liens, chargeurs), les utilitaires (conversions de supports, analyses de mémoires);
— le *logiciel d'application,* qui comprend les programmes réalisés par l'utilisateur et les produits-programmes fournis par les constructeurs ainsi que par les sociétés de service en informatique pour le traitement d'applications spécifiques.

LOGICISME. — Cette doctrine, qui entend faire des vérités mathématiques un sous-ensemble des vérités logiques, est formulée par G. Frege*, qui, en 1884, parvient à donner du concept de nombre* une définition purement logique. Moyennant certaines modifications, dues à l'élaboration de la théorie des types*, B. Russell* développe une conception similaire de la logique.

LOGIQUE. — La logique « n'est pas une théorie, c'est-à-dire un système d'affirmations sur des objets déterminés, mais une langue, c'est-à-dire un système de signes avec les règles de leur emploi » (Carnap*). C'est pourquoi on parle aujourd'hui de logique symbolique ou formelle ou de logique mathématique. Les mots ou locutions employés dans le langage courant sont remplacés par des symboles. La langue ainsi constituée est un système de symboles dans lequel les formes logiques prennent la place des formes grammaticales. La logique formelle consiste alors en l'étude des inférences, ou raisonnements : de leur validité.

Soit le syllogisme* :

si tous les hommes sont mortels
(1) et si tous les Grecs sont des hommes
alors tous les Grecs sont mortels.

La validité de ce raisonnement ne dépend ni des sujets déterminés (hommes, Grecs) ni du prédicat concret (mortels) qui y figurent. On peut donc les remplacer par d'autres sujets ou d'autres prédicats : l'inférence n'en perdra pas sa validité pour autant. Substituons à « hommes » la lettre B, à « mortels » la lettre A, à « Grecs » la lettre C. Nous obtenons :

si tout A est B
(2) et si tout C est B
alors tout C est A.

Quel que soit le contenu concret donné aux variables A, B, C (à condition d'en respecter la nature de sujet ou de prédicat), l'inférence demeure valide, car cette validité ne dépend que de la *forme* de l'inférence.

Outre les variables A, B, C, la formule (2) comprend des mots *(tout, et, si, alors).* Ces mots, que l'on appelle « opérateurs », déterminent la structure interne des propositions *(tout)* et les relations entre les propositions *(et, si, alors).* La logique formelle se divise ainsi en étude des relations entre propositions (v. PROPOSITIONS [*calcul des*]) et étude de la structure interne des propositions (v. PRÉDICATS [*calcul des*]). Les propositions dans lesquelles apparaissent des expressions comme « il est possible que » ou « il est nécessaire que » sont l'objet de la logique modale*.

Le calcul des propositions et le calcul des prédicats remontent à l'Antiquité (IVe-IIIe s. av. J.-C.). Aristote* est le premier à expliquer systématiquement les principaux principes et les principales procédures logiques (v. SYLLOGISME). L'école de Mégare (Eubulide, Diodore, Philon) et les stoïciens (Chrysippe surtout) accroissent le nombre des formes d'inférence fondamentale et sont les premiers à poser le problème de la sémantique en distinguant le signifiant linguistique du signifié et de l'individu dénoté.

La logique médiévale se caractérise par sa dépendance à l'égard de la tradition aristotélicienne, l'usage du latin et le rôle qu'ont joué dans son évolution les controverses théologiques. Du XIIe au XIVe s., la logique se développe surtout à travers la querelle des universaux* (v. GUILLAUME D'OCCAM).

Hormis Leibniz*, peut-être, et malgré la publication de la *Logique* ou Art de penser,* la période classique qui s'étend du XVIe au XIXe s. est une période de stagnation.

Il faut les travaux de Bolzano*, de Boole*, de De Morgan* et de Frege* pour que la logique « classique » devienne autonome, se séparant de la philosophie pour devenir logique mathématique. Inventée par Boole et De Morgan, l'algèbre de la logique se développe avec l'algèbre des classes (v. A. N. WHITEHEAD) et l'algèbre des relations (v. C. S. PEIRCE, B. RUSSELL).

Dans la mesure où il ne fait pas de la logique une partie des mathématiques, mais s'efforce de logiciser celles-ci, Gottlob Frege est le vrai fondateur de la logique formelle (v. LOGICISME). Le problème du fondement des mathématiques qui se trouve ainsi posé est au centre des travaux de R. Dedekind*, de G. Peano*, de D. Hilbert* et de B. Russell. Ce dernier ainsi que C. Burali-Forti (1861-1931), Cantor*, et Zermelo* tentent de résoudre les antinomies* qui affectent la théorie des ensembles*. L'intuitionnisme*, le cercle de Vienne* (notamment Wittgenstein* et Carnap*), A. Church*, J. Łukasiewicz*, K. Gödel*, W. Quine* et A. Tarski* représentent au XXe s. les principaux courants de la logique mathématique.

logique *(Science de la),* œuvre de Hegel (1812-1816) [v. HEGEL].

Logique de la découverte scientifique *(la),* œuvre de K. Popper* (1935; 2e éd., 1959), dans laquelle il élabore une épistémologie* en distinguant les sciences de la métaphysique*. Seules les théories falsifiables et réfutables sont, d'après lui, scientifiques.

Logique formelle, œuvre d'A. De Morgan (1847), dans laquelle il élabore, en même temps que Boole* dans *The Mathematical Analysis of Logic, being an Essay towards a Calculus of Deductive Reasoning,* l'algèbre de la logique, notamment l'algèbre des relations*.

Logique ou Art de penser, œuvre d'A. Arnauld et P. Nicole (1662). Combinant la tradition aristotélicienne et les conceptions de Descartes et de Pascal, elle établit notamment la distinction entre compréhension et extension d'une idée (v. CONNOTATION) ainsi que la relation entre logique et grammaire.

LOGIS-NEUF (Le), section de la comm. de La Coucourde (Drôme). Centrale hydroélectrique sur une dérivation du Rhône.

LOGISTIQUE. — Apparu en France au XVIIIe s., puis tombé en désuétude, ce terme, réinventé par les Américains pendant la Seconde Guerre mondiale, désigne la partie de l'art militaire embrassant l'ensemble des activités qui permettent aux forces armées de vivre, de se déplacer et d'être à tout moment aptes au combat. Le domaine de la logistique est essentiellement celui des ravitaillements, de l'entretien et des mouvements.

Ravitailler une force militaire, c'est lui procurer au lieu et au moment voulus par le commandement les approvisionnements nécessaires en vivres, en munitions, en carburant, en matériels et en équipements. Cet impératif impose une organisation complexe d'établissements industriels, de dépôts et de bases fixes ou mobiles, dont l'ensemble constitue ce qu'on appelle une *chaîne logistique.*

Son importance est illustrée par l'accroissement constant du taux d'entretien d'un homme par jour. Estimé à 4 kg au XVIIIe s., à 30 kg en 1943, ce taux dépassait 100 kg en 1970, ce qui représentait 1 000 t par jour pour une force de 10 000 hommes.

L'*entretien,* c'est le maintien en permanence du potentiel de combat d'une unité. Appelé aussi *maintenance,* il implique aussi bien l'évacuation des blessés que la réparation ou le remplacement des matériels endommagés. Cette activité est essentielle à toutes les armes techniques (blindés, aviation, où l'on estime, notamment, qu'une heure de vol d'un avion requiert de 10 à 30 heures de travail de mécanicien...). Elle explique le rôle déterminant des services du matériel* des armées de terre et de l'air.

Quant aux *mouvements* de personnel, de matériels et de munitions, ils constituent l'immense problème des transports militaires, dont la solution conditionne les autres missions de la logistique. Il exige une coordination de tous les moyens aériens terrestres et navals, comme la libre disposition, l'entretien et la remise en état des voies de communication.

L'évolution technique de matériels d'armement de plus en plus complexes, fragiles et coûteux conduit à une technicité accrue des organismes logistiques de l'âge atomique. Seule une standardisation de plus en plus poussée à l'échelon national comme à celui des alliances peut faire face aux besoins d'une logistique tributaire de l'infrastructure industrielle des nations. On notera, enfin, que, sur le plan naval, la logistique, dépassant le problème des bases portuaires, aboutit à la création de bases mobiles, ou *trains d'escadre,* formées de bâtiments spécialisés (dits *bâtiments logistiques*) permettant le ravitaillement et la réparation en mer.

LOGOMÈTRE. — Cet appareil, destiné à mesurer le rapport de deux grandeurs électriques, est constitué par deux cadres rectangulaires, dont l'ensemble est mobile dans le champ d'une bobine.

LOGONE (le), riv. de l'Afrique équatoriale, séparant le Cameroun et le Tchad, affl. du Chari (r. g.); env. 900 km.

LOGROÑO, v. d'Espagne, en Vieille-Castille, ch.-l. de prov. sur l'Èbre; 84 000 hab. Églises (XIIe-XVIIIe s.).

Lohengrin, héros d'une légende germanique rattachée au cycle des romans courtois sur la quête du Graal*. Cette légende a inspiré à R. Wagner l'opéra *Lohengrin,* dont il écrivit le livret et la musique (1845-1848). C'est Liszt qui monta à Weimar cet ouvrage. Wagner commence ici à s'affranchir des règles du drame lyrique traditionnel. Le prélude du premier acte est resté célèbre.

LOI → LÉGISLATIF *(pouvoir).*

LOING (le), riv. du Bassin parisien; 116 km. Né dans la Puisaye, le Loing draine le Gâtinais (passant à Montargis, puis à Nemours), rejoignant la Seine (r. g.), immédiatement en aval de *Moret-sur-Loing.* Sa vallée supérieure est empruntée par le canal de Briare*, auquel succède, peu en aval de Montargis et jusqu'au confluent, le *canal du Loing* (49 km).

LOIR. — Le loir est un assez grand rat frugivore, à queue touffue, à vingt dents, long de 15 cm du museau à l'anus. Moins commun que le lérot*, avec lequel on le confond ordinairement, il pratique un long sommeil hivernal.

LOIR (le), riv. du sud-ouest du Bassin parisien. Né dans le Perche, le Loir draine l'ouest de la Beauce, passe à Châteaudun, puis à Vendôme et coule dans les *Vaux du Loir,* rejoignant la Sarthe (r. g.) en aval de La Flèche; 311 km.

LOIRE (la), le plus long fleuve de France; 1 012 km. La Loire, qui draine un bassin de 115 000 km² (le cinquième de la superficie française), naît au mont Gerbier-de-Jonc, aux confins du Vivarais et du Velay, à 1 408 m d'altitude. Elle s'écoule vers le N., entaillant gorges et défilés, ouvrant des bassins (du Puy, du Forez) et entrant en plaine à Roanne, où elle n'est plus qu'à 268 m d'altitude. Peu en aval de Nevers, elle reçoit (à g.) son premier grand affluent, l'Allier, décrivant ensuite une vaste courbe qui infléchit son cours vers l'O. La vallée s'individualise alors : Val d'Orléans et Val de Loire de part et d'autre d'Orléans, Val de Touraine en aval de Tours, Val d'Anjou en amont d'Angers. La Loire reçoit (toujours à g.) d'autres grands affluents issus du Massif central : le Cher, l'Indre et la Vienne (grossie de la Creuse). Dans la banlieue sud d'Angers (aux Ponts-de-Cé), elle reçoit (à dr.) la Maine (résultant de la fusion de la Mayenne, de la Sarthe et du Loir), avant de pénétrer dans le Massif armoricain et de rejoindre l'Atlantique par un long estuaire commençant en aval de Nantes.

Alimentée surtout par les apports issus du Massif central, elle possède un régime irrégulier, avec des hautes eaux d'hiver et parfois de saisons intermédiaires, et surtout des basses eaux, très prononcées, d'été. Le débit moyen annuel approche 70 m³/s à Roanne, 350 m³/s à Gien, dépasse 600 m³/s à Saumur; les débits mensuels oscillent, en moyenne, dans un rapport de 1 à 6. Ce contraste explique les projets d'aménagement du cours supérieur destinés à régulariser le débit, moins pour la navigation (aujourd'hui inexistante en amont de Nantes) que pour la réfrigération des centrales nucléaires, qui représentent désormais la principale utilisation économique (dérivée) du fleuve, en dehors, naturellement, de la fréquente mise en valeur intensive de sa vallée, de Gien à l'Atlantique, site aussi de villes dynamiques, qui, toutefois, ne doivent pas au fleuve leur essor récent.

La vallée de la Loire à Saint-Satur (départ. du Cher), près de Sancerre.

Lauros-Beaujard

PAYS DE LOIRE

LOIRE (42), départ. de la Région Rhône-Alpes; 4 774 km²; 742 396 hab. Ch.-l. *Saint-Étienne.* S.-préf. *Montbrison* et *Roanne.*

Le département occupe une partie de la bordure orientale du Massif central. Les monts du Forez (à l'O.) ainsi que les monts du Beaujolais et du Lyonnais (à l'E.) encadrent la dépression, ou bassin, du Forez, drainée par la Loire, qui traverse du sud au nord le département. Le climat varie surtout en fonction de l'altitude : froid et humide (enneigé en hiver) sur les hauteurs, il est plus doux dans les dépressions et les vallées abritées. Malgré les conditions naturelles (climat et relief) relativement peu favorables, la densité de population est très élevée, égale, approximativement, à une fois et demie la moyenne nationale. Cette situation est liée au développement de l'industrie, qui occupe environ la moitié de la population active départementale, part exceptionnellement élevée. L'industrie a longtemps été liée à l'extraction houillère — dans la région de Saint-Étienne —, qui disparaît aujourd'hui. La sidérurgie s'est orientée vers les aciers spéciaux, et la métallurgie vers les constructions mécaniques élaborées. La reconversion du textile, prédominant dans le nord du département (vers Roanne), a été moins réussie. L'agriculture emploie aujourd'hui moins du dixième de la population active (part voisine de la moyenne nationale); elle est dominée par l'élevage, presque exclusif (avec la sylviculture) sur les hauteurs et associé aux cultures (céréales, betterave) dans les plaines du centre. La relative faiblesse du secteur tertiaire, malgré la présence d'une grande ville, Saint-Étienne, tient largement à la proximité de Lyon. Le département a connu une croissance démographique modérée, mais tout de même sensible depuis une trentaine d'années, contrastant avec une certaine stagnation pendant la première moitié du siècle et profitant surtout à la partie méridionale de la Loire, de plus en plus intégrée dans la zone d'attraction de Lyon.

Loire *(armées de la),* armées organisées à la fin de 1870 par le gouvernement de la Défense nationale pour tenter de débloquer Paris assiégé. La Iʳᵉ armée (15ᵉ et 16ᵉ corps), formée au camp de Salbris, fut commandée par le général Louis d'Aurelle de Paladines (1804-1877). Vainqueur des Bavarois à Coulmiers le 9 novembre, celui-ci reprendra Orléans, mais ses échecs à Beaune-la-Rolande (28 nov.), à Loigny et à Arthenay (2 et 3 déc.) entraînent la dislocation de ses forces, qui évacuent Orléans. Une IIᵉ armée

(60 000 hommes), commandée par le général Chanzy, sera finalement battue au Mans (10 et 11 janv. 1871). [V. FRANCO-ALLEMANDE *(guerre) 1870-71.*]

LOIRE (Haute-) [43], départ. de la Région Auvergne; 4 965 km^2; 205 491 hab. Ch.-l. *Le Puy.* S.-préf. *Brioude* et *Yssingeaux.* Entièrement englobé dans le Massif central, le département correspond essentiellement à l'ancienne province du Velay. Le relief est élevé, en majeure partie volcanique. Au centre, les monts du Velay séparent les hautes vallées de la Loire (qui draine le bassin du Puy) et de l'Allier (qui ouvre le bassin de Langeac et la limagne de Brioude). À l'E., vers le Vivarais, s'élève le lourd massif du Mégal-Mézenc. À l'O., le département occupe la partie nord-orientale de la Margeride. Le climat est à tendance continentale : il est rude en hiver sur les hauteurs, qui restent longtemps enneigées; l'été est chaud; les précipitations, oscillant généralement entre 700 et 1 000 mm, sont assez régulièrement réparties dans l'année.

L'extension des hauts reliefs explique dans une large mesure la faiblesse générale de l'occupation humaine (la densité de population est inférieure à la moitié de la moyenne nationale). Depuis près d'un siècle, le département n'a pratiquement pas cessé de se dépeupler (recul de plus d'un tiers de 1886 à 1975). L'agriculture emploie encore plus du quart de la population active (taux

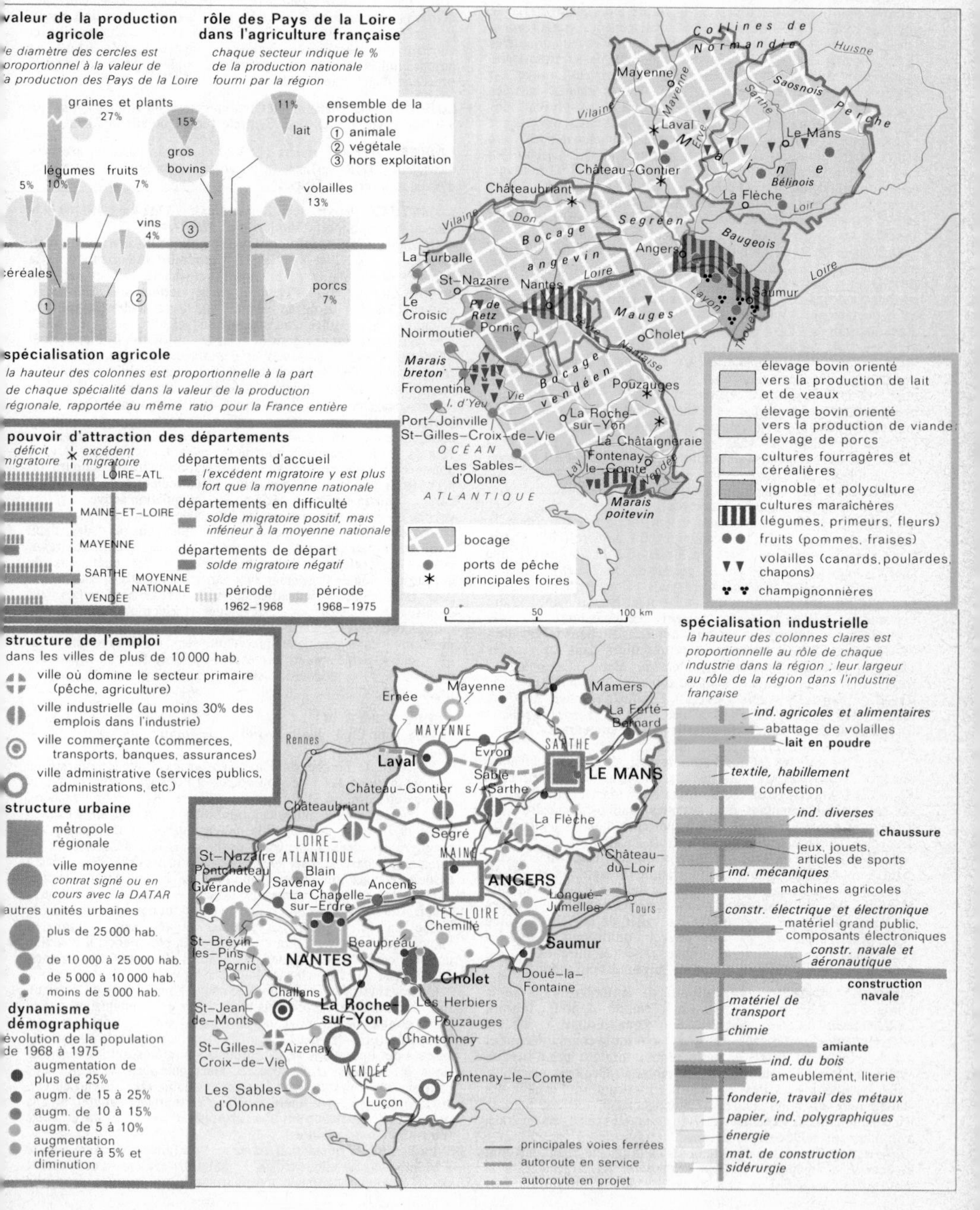

révélateur, et, d'ailleurs, moins de la moitié de la population est urbanisée); elle est fondée de plus en plus sur l'élevage, exclusif sur les hauteurs et associé à quelques cultures (céréales, lentilles) dans les bassins, notamment celui du Puy. L'industrie n'occupe guère que le tiers de la population active, importante surtout au Puy et dans les zones d'attraction de Saint-Étienne, au N.-E., de Clermont-Ferrand, au N.-O. La faiblesse du secteur tertiaire (comme celle de l'industrie) est à relier à l'absence de grande ville. Le Puy, ville moyenne, est la seule commune dépassant 10 000 habitants.

LOIRE (Pays de la), Région de l'ouest de la France, regroupant les départements de la Loire-Atlantique, de Maine-et-Loire, de la Mayenne, de la Sarthe et de la Vendée; 32 126 km²; 2 767 163 hab. Capit. *Nantes.*

La Région a approximativement la forme d'un quadrilatère (de grand axe N.-E.-S.-O.) occupant principalement les marges orientales (Mayenne et partie de Maine-et-Loire) et sud-orientales (Loire-Atlantique et Vendée septentrionale) du Massif armoricain, et atteignant à l'E. (dans la Sarthe) le Bassin parisien. Le relief est modéré, accidenté seulement par l'entaille des vallées dans les roches dures du Massif. Le littoral, précédé d'îles, présente des alternances de côtes rocheuses et sableuses. Largement ouverte sur l'Atlantique, la Région a, dans l'ensemble, un climat doux, aux écarts de températures légèrement supérieurs dans l'intérieur (les moyennes de janvier sont de 5 °C à Nantes et de 3,8 °C au Mans; celles de juillet, de 18,5 °C à Nantes et de 18,8 °C au Mans). Les précipitations sont moyennes, de 600 à 800 mm en général, plus faibles surtout dans les vallées intérieures (et aussi sur le littoral vendéen, aux affinités déjà partiellement méridionales).

La densité régionale de population est légèrement inférieure à la moyenne nationale. En fait, il faut opposer la vallée de la Loire, peuplée et urbanisée de Saumur à Saint-Nazaire, avec Angers et surtout Nantes, à des secteurs ruraux sinon vides, du moins en voie de dépeuplement : intérieur de la Vendée, majeure partie de la Mayenne (hors de l'axe méridien Mayenne-Laval-Château-Gontier) et aussi de la Sarthe (en dehors, naturellement, de la région du Mans). L'agriculture emploie encore environ le cinquième de la population active (part double de la moyenne nationale). L'élevage bovin (à la fois pour la viande et le lait) y tient une place essentielle, cependant que se maintiennent l'élevage porcin et localement l'élevage ovin (Maine) ainsi que l'aviculture (Vendée). La mise en valeur des vallées (celle de la Loire en particulier) explique le développement des cultures maraîchères et des vergers. Le vignoble est implanté dans le Saumurois (vins mousseux) — qui exploite aussi des champignonnières —, les coteaux du Layon (rosés) et la région nantaise (muscadet).

L'industrie extractive est relativement diversifiée : fer dans le Segréen, ardoises à Trélazé, uranium (l'Écarpière). L'industrie traite aussi la production agricole locale. Les bases énergétiques sont assurées par la raffinerie de pétrole de Donges et les grandes centrales thermiques (Cheviré, Cordemais) jalonnant le cours de la Loire. L'activité portuaire de l'ensemble Nantes-Saint-Nazaire explique en partie le développement des chantiers navals, le traitement des métaux non ferreux. Les constructions mécaniques et électroniques sont notamment représentées dans les grandes villes de l'intérieur (matériel agricole au Mans, électronique à Angers). Quelques branches sont en difficulté, tels le textile et le travail du cuir (chaussures à Cholet). L'industrialisation, bien que relativement développée dans le cadre de la façade atlantique française, demeure cependant insuffisante, et un courant d'émigration, dirigé surtout vers la région parisienne, persiste.

Le secteur tertiaire est aussi sous-développé, malgré la création récente de services de haut niveau (enseignement supérieur à Nantes et à Angers) et un certain essor du tourisme, surtout estival sur un littoral comptant d'importantes stations balnéaires (La Baule, Les Sables-d'Olonne), plus importantes que les petits ports de pêche (La Turballe, Saint-Gilles-Croix-de-Vie).

La Région apparaît comme une construction assez hétérogène, regroupant un département (Loire-Atlantique) maritime et historiquement lié à la Bretagne, et un autre (la Sarthe) déjà dans l'orbite de Paris, alors que la Mayenne paraît écartelée entre les influences du Mans, de Rennes et d'Angers. La vallée de la Loire est bien l'axe vital, mais n'a pas un pouvoir unificateur, hors des départements de la Loire-Atlantique et de Maine-et-Loire, qui rassemblent, il est vrai, 60 p. 100 de la population régionale.

LOIRE-ATLANTIQUE (44), départ. de la Région Pays de la Loire; 6 893 km²; 934 499 hab. Ch.-l. *Nantes.* S.-préf. *Ancenis, Châteaubriant* et *Saint-Nazaire.* Son nom résume sa double affinité : ligérienne (le département est axé sur le cours inférieur et le long estuaire du fleuve) et maritime (le littoral est long d'environ 60 km, alternativement rocheux et sableux). Géologiquement, la Loire-Atlantique appartient au Massif armoricain, où l'entaille des vallées aère un relief modéré. Climatiquement, elle est naturellement à dominante océanique (hivers doux, étés relativement frais, mais plus ensoleillés sur la côte).

Elle est l'un des rares départements de la façade atlantique dont la densité d'occupation soit supérieure (et ici largement) à la moyenne nationale. Elle doit cette situation à l'importance de l'agglomération de Nantes, qui regroupe près de la moitié de la population départementale et dont l'essor explique, dans une large mesure, le sensible accroissement intervenu depuis 1946, succédant à une longue période de stagnation, pendant la première moitié du XXe s. La croissance démographique d'ensemble ne doit pas masquer la persistance d'une émigration locale.

L'agriculture emploie encore le huitième de la population active (part légèrement supérieure à la moyenne nationale). Elle est dominée par l'élevage bovin (pour le lait et la viande), cependant qu'au S. de la Loire le vignoble tient une place notable, surtout autour de Nantes, dont la banlieue porte aussi d'importantes cultures maraîchères, fruitières et même florales (muguet). Aujourd'hui, la pêche anime moins le littoral que le tourisme estival (La Baule, Pornic). L'industrie occupe les deux cinquièmes des actifs; elle est largement liée à l'activité maritime (chantiers navals à Saint-Nazaire, raffinage du pétrole à Donges, alimentation et constructions mécaniques à Nantes). Le secteur tertiaire est devenu aujourd'hui le principal pourvoyeur d'emplois, grâce encore à la présence d'une grande ville.

LOIRE-SUR-RHÔNE (69700 Givors), comm. du Rhône, à 4 km au S.-E. de Givors; 1 788 hab. Centrale thermique sur le Rhône.

LOIRET (le), petite rivière (12 km) du Bassin parisien, née près d'Orléans, affl. de la Loire (r. g.) et qui est en fait une résurgence d'eaux infiltrées du fleuve.

LOIRET (45), départ. de la Région Centre; 6 742 km²; 490 189 hab. Ch.-l. *Orléans.* S.-préf. *Montargis* et *Pithiviers.*

Découpé dans l'ancienne province de l'Orléanais, le Loiret correspond au N. et au N.-O. à l'extrémité sud-orientale de la Beauce* (entre Patay et Pithiviers), céréalière (blé et maïs) et betteravière. Au N.-E. s'étend la partie méridionale du Gâtinais, souvent boisée (forêt de Montargis), terre d'élevage (bovins, aviculture et abeilles fournissant un miel réputé). Au S.-E., l'élevage bovin domine dans la Puisaye. Au centre, la grande forêt d'Orléans couvre des sables et des argiles détritiques tertiaires, formation que l'on retrouve dans la Sologne, assainie, amendée et plantée, juxtaposant élevage bovin, pisciculture dans les étangs, et réserves de chasse. La partie vitale du département est le Val de Loire, intensément mis en valeur (céréales, colza, cultures maraîchères et de plein champ, horticulture florale, pépinières, vergers sur les versants), jalonné de villes de dimensions variées, dominées par Orléans, dont l'agglomération regroupe aujourd'hui près de la moitié de la population départementale. L'agriculture emploie encore environ le dixième de la population active (part très voisine de la moyenne nationale), beaucoup moins, cependant, que l'industrie, qui en occupe désormais un peu plus des deux cinquièmes (part cependant inférieure à celle du secteur tertiaire) et qui s'est développée, grâce notamment à des opérations de décentralisation de l'agglomération parisienne, relativement proche. Aux traditionnelles industries alimentaires se sont notamment ajoutées les constructions mécaniques et électriques ainsi que la chimie élaborée. L'industrialisation récente explique la très forte croissance démographique intervenue depuis une vingtaine d'années, qui a, évidemment, intéressé en priorité les villes (plus des deux tiers de la population sont aujourd'hui urbanisés), Orléans notamment.

LOIR-ET-CHER (41), départ. de la Région Centre; 6 314 km²; 283 686 hab. Ch.-l. *Blois.* S.-préf. *Romorantin-Lanthenay* et *Vendôme.*

Au N.-O., le Perche vendômois est un pays bocager, formé de collines portant des forêts ou vouées à l'élevage bovin. Au N., la Beauce blésoise, ou Petite Beauce, calcaire, est surtout céréalière, mais possède aussi d'autres cultures (colza, tournesol, lentilles). Au S. de la Loire se développe la majeure partie de la Sologne (qui recouvre les deux cinquièmes de la superficie départementale). Longtemps marécageuse, mais aujourd'hui assainie, cette région associe élevage bovin, pisciculture dans les nombreux étangs, exploitation de bois et réserves de chasse. Les vallées aèrent le relief. Au N., les Vaux du Loir portent surtout des prairies; au S., la vallée du Cher juxtapose céréales et fourrages, vergers et vignobles. Le Val de Loire est la région la plus riche : il combine cultures céréalières et légumières, plantes oléagineuses et vergers, et est voué aussi à l'élevage laitier.

Cette variété des productions explique l'importance de l'agriculture, qui emploie encore plus du sixième de la population active (part double de la moyenne nationale), moins, cependant, que l'industrie (près des deux cinquièmes), qui a progressé, notamment grâce à des opérations de décentralisation intéressant les constructions mécaniques et électriques, alors que s'est implantée une centrale nucléaire à Saint-Laurent-des-Eaux (auj. Saint-Laurent-Nouan). Le secteur tertiaire bénéficie du tourisme culturel, lié à la présence de quelques-uns des prestigieux châteaux de la Loire (dont Chambord et Blois).

La densité de population est cependant faible, inférieure encore à 50 habitants au kilomètre carré, de l'ordre seulement de la moitié de la moyenne nationale, et pourtant à une période de déclin

Lola Montes (1955), de Max Ophuls.

(surtout entre les deux guerres mondiales) a succédé depuis une quinzaine d'années surtout un accroissement sensible (lié à l'industrialisation). L'urbanisation reste faible : Blois, ville moyenne, est la seule commune dépassant 20 000 habitants.

LOIRON (53320), ch.-l. de cant. de la Mayenne, à 13 km à l'O. de Laval; 965 hab.

lois *(école des)* ou **légistes** *(école des)*, école de pensée chinoise. Les quatre grandes figures de l'école des lois, dont l'origine remonte au ministre de l'État de Ts'i Kouang Tchong (v. 647 av. J.-C.), sont, aux IVe et IIIe s. av. J.-C., Chang Yang, Chen Pou-hai, Chen Tao et Han Fei. La philosophie politique que ceux-ci élaborent se caractérise par son réalisme rigide — il s'agit essentiellement d'une technique de gouvernement tyrannique, qu'a appliquée Li Sseu, à ses dépens, sous le règne des Ts'in — et son souci de rationaliser les échanges économiques, dont le volume ne cesse de croître avec l'apparition des couches des grands propriétaires terriens et des commerçants.

LOISIR. — Engendrée par la révolution industrielle, la sociologie du loisir, indissociable du progrès technique et du progrès social, s'établit sur les frontières communes à la sociologie du travail et à la sociologie des pratiques culturelles. « Meubler ses loisirs » dépend, en premier lieu, de la profession exercée et de la vie au foyer, car, comme l'a observé J. Dumazedier*, le « temps libéré » ne suffit pas à créer le loisir. Le travail professionnel trace les limites du loisir, et les contraintes de la société industrielle, société de consommation et de rentabilité, donnent naissance au travail supplémentaire et au « travail noir ». Quant aux obligations familiales et domestiques, elles ne sont pas supportées également par tous. Les différences de revenu et de niveau d'instruction créent des inégalités de loisir entre les divers groupes sociaux.

Le loisir, favorisé par la réduction de la durée du travail (professionnel ou domestique), naît aussi d'une régression d'un contrôle des institutions de base (familiales, spirituelles ou politiques) sur la vie personnelle de l'individu. Il se développe à travers des périodes (week-ends, vacances) et des activités. Le délassement, le divertissement mais aussi le dépassement de l'individu à des niveaux culturels variables dans des activités physiques, manuelles, artistiques, intellectuelles ou d'engagement politique et social sont des fonctions fondamentales du loisir.

La croissance du marché des divertissements de masse conduit à se demander si le niveau des contenus culturels du loisir de masse facilitera la communication entre les créateurs et la population et si le développement des spectacles, de l'information, de l'enseignement fera progresser ou régresser la créativité individuelle ou collective dans la culture populaire du temps de loisir.

LOISON-SOUS-LENS (62300 Lens), comm. du Pas-de-Calais, dans la banlieue nord-est de Lens; 4 806 hab.

LOISY (Alfred), exégète français (Ambrières 1857 - Ceffonds 1940). Prêtre (1879), professeur d'hébreu (1881), puis d'Écriture sainte à l'Institut catholique de Paris, il professe l'indépendance de la critique biblique par rapport à la Révélation et aux dogmes, concevant ainsi un Christ historique distinct du Christ de la foi. Privé de sa chaire en 1893, excommunié en 1908, il devient professeur d'histoire des religions au Collège de France (1909-1927).

LOKEREN, v. de Belgique (Flandre-Orientale), au N.-E. de Gand; 32 859 hab. (en 1977). Église Saint-Laurent, du XVIIIe s.

LO KOUAN-TCHONG ou **LUO GUANZHONG**, écrivain chinois du XIVe s., auquel on attribue *le Roman des Trois Royaumes*, premier roman en langue vulgaire écrit à partir de la tradition orale.

Lola Montes, film français de Max Ophuls (1955). Grandeur et décadence d'une actrice, célèbre par ses idylles malheureuses et sa liaison orageuse avec le roi de Bavière. Au terme de sa déchéance, elle finira exhibée dans un cirque par un manager cynique et sans scrupule. Ce film baroque et d'une exubérance parfois déchirante fut un échec commercial sans appel, qui entraîna les producteurs à modifier le montage du réalisateur et à proposer au public une nouvelle version, qui dénatura les intentions d'Ophuls. Dans sa version originale, toute en retours en arrière d'une déchirante mélancolie, il est considéré par beaucoup comme une œuvre majeure des années 50.

LOLLAND ou **LAALAND**, île du sud du Danemark, dans la Baltique, au S. de Sjaelland. V. princ. *Maribo.*

LOLLARDS. — Appliquée, au XIVe s., à certaines confréries de pénitents allemands, l'appellation « lollards » fut donnée en Angleterre aux disciples de John Wycliffe*. Ceux-ci menaient, en marge de l'Église officielle, dont ils condamnaient l'hypocrisie, une existence apostolique, prêchant pour la pratique d'une foi simple, fondée sur le libre accès de tous aux évangiles. Ils furent accusés d'avoir contribué par leurs prédications à la révolte paysanne de 1381, déclarés hérétiques (début du XVe s.) et pourchassés par le pouvoir. Contraints à la clandestinité, ils se fondirent au XVIe s. dans le protestantisme.

LOMAS DE ZAMORA, agglomération de la banlieue sud de Buenos Aires; 411 000 hab.

lombarde *(Ligue)*, ligue formée en 1167, sous le patronage du pape Alexandre III, par l'alliance de plusieurs villes guelfes (Bergame, Brescia, Mantoue, Parme, Plaisance, etc.) en vue de la lutte contre Frédéric Barberousse. S'étant adjoint Milan, elle vainquit ce dernier à Legnano (1176) et lui imposa la trêve de Venise-Grado (1177). Une nouvelle Ligue lombarde, constituée en 1226 contre Frédéric II, fut écrasée à Cortenuova en 1237.

LOMBARDIE, en ital. **Lombardia**, région du nord de l'Italie; 23 834 km^2; 8 712 000 hab. *(Lombards).* Capit. *Milan.* La Lombardie regroupe les provinces de Bergame, de Brescia, de Côme, de Crémone, de Mantoue, de Milan, de Pavie, de Sondrio et de Varèse.

C'est la plus peuplée des régions italiennes, celle où la densité de population est la plus forte aussi (après la Campanie), malgré l'extension de la montagne, qui occupe plus du tiers de la superficie totale. Le nord appartient en effet aux Alpes, cependant aérées par des grandes vallées (dont l'Adda) partiellement occupées par des lacs glaciaires (Majeur, Côme, Garde), sites touristiques. Une bande de collines morainiques sépare les Alpes de la plaine, s'abaissant vers la gouttière du Pô. L'ensemble, continental, a un climat assez rude, surtout en altitude.

La Lombardie est, de loin, la première région économique de l'Italie, notamment au point de vue de l'industrie. Toutes les branches industrielles sont représentées : métallurgie, constructions mécaniques, chimie, textile. Cette primauté est due à l'influence de Milan, véritable capitale économique de l'Italie. Stimulée en partie par l'important marché de consommation, l'agriculture est également développée : élevage bovin et parfois arboriculture fruitière et vignobles dans la montagne; céréales (blé, maïs, riz), betterave à sucre et surtout plantes fourragères (liées à l'élevage bovin) dans la plaine. Le secteur tertiaire est à la mesure des deux secteurs productifs, représenté en priorité, notamment au point de vue intellectuel et financier, dans l'agglomération de Milan. Les régions pauvres de la péninsule fournissent à la Lombardie une partie de la main-d'œuvre non qualifiée nécessaire.

LOMBARDO, sculpteurs italiens, dont les plus importants sont : PIETRO (Carona, Lugano, v. 1435 - Venise 1515), éduqué à Padoue, surtout actif à Venise (deux monuments funéraires, très architecturés, à l'église S. Giovanni e Paolo; décors géométriques de marbres de l'église S. Maria dei Miracoli...); son fils et aide TULLIO (? v. 1455 - Venise 1532), auteur du beau gisant de Guidarello Guidarelli à Ravenne.

LOMBARDS, peuple germanique. Installés au Ier s. sur la basse Elbe, les Lombards progressèrent vers le sud-est et s'établirent au début du VIe s. au nord du Danube moyen, avant de recevoir la Pannonie (546) de l'empereur Justinien. À partir de 568, sous l'impulsion de leur roi, Alboïn, ils envahirent l'Italie byzantine et conquirent une grande partie du pays. Alboïn s'installa dans le nord de la péninsule, à Pavie (572), tandis qu'à Spolète (570) et à Bénévent (589) se constituèrent des duchés lombards pratiquement indépendants. Païens ou ariens, les Lombards persécutèrent les chrétiens avant d'être progressivement gagnés au catholicisme (VIIe s.). Peu nombreux, ils se romanisèrent assez rapidement, tout en conservant une structure politique propre : leur roi était élu et s'appuyait pour gouverner sur ses fidèles *(gasindi)* et sur les administrateurs de ses domaines *(gastaldi).* Au cours du VIIIe s., les rois Liutprand et Aistolf tentèrent de mettre la main sur le reste de l'Italie. La chute de Ravenne (751) fut à l'origine de l'intervention de Pépin le Bref, qui aboutit à la création des États pontificaux. La politique d'expansion du successeur d'Aistolf, Didier (de 756 à 774), provoqua de nouveau l'intervention franque : ayant vaincu Didier, Charlemagne prit le titre de roi des Lombards et reçut la soumission du duc de Spolète, Hildebrand. À sa mort, la

Lombardie et Spolète furent intégrés à l'empire. Le duché de Bénévent, où une dynastie lombarde se maintint jusqu'en 1047, resta indépendant.

LOMBARD-VÉNITIEN *(Royaume),* nom porté de 1815 à 1859 par les possessions autrichiennes en Italie du Nord (Milanais et Vénétie). Une première fois révolté en 1848, le royaume éclate en 1859, quand la Lombardie revient au Piémont; en 1866, la Vénétie est, à son tour, incorporée au royaume d'Italie.

LOMBEZ (32220), ch.-l. de cant. du Gers, sur la Save, à 38 km au S.-E. d'Auch; 1 301 hab. Anc. cathédrale des XIVe-XVIe s., à deux nefs, bel exemple de gothique méridional (mobilier, trésor).

LOMBOK, île d'Indonésie, séparée de Bali par le *détroit de Lombok.*

LOMBRIC. — Le « ver de terre » joue un rôle de tout premier ordre, parfois encore méconnu, dans la fertilité des pâtures et des cultures en général. Cheminant sans cesse dans le sol, avalant de la terre, dont il rejette en surface le résidu appauvri sous forme de *tortillons,* il établit un réseau de fines galeries où circulent l'air et l'eau, et où les racines croissent dans les meilleures conditions, d'autant plus qu'il dévore maints champignons et bactéries qui pourraient nuire aux plantes. D'ailleurs, il ne peut guère quitter les sols humides, car il ne respire que par la peau, qui ne fonctionne qu'à l'humidité. En outre, oiseaux, crapauds et limaces en font leur proie favorite. Les lombrics sont hermaphrodites; ils s'accouplent, puis pondent leurs œufs dans une sorte de cocon; le plus robuste des embryons dévore ses frères et éclôt seul.

Son corps, muni ventralement de quatre soies d'accrochage par anneau, fait du lombric le type des annélides *oligochètes.*

LOMBROSO (Cesare), criminaliste italien (Vérone 1835-Turin 1909). Il proposa une classification des criminels fondée en partie sur des stigmates morphologiques.

LOMÉ, capit. et port du Togo, sur le golfe de Guinée; 193 000 hab. Aéroport.

LOMÉNIE DE BRIENNE (Étienne Charles DE), prélat et homme d'État français (Paris 1727-Sens 1794). Archevêque de Toulouse (1763), il remplace Calonne* aux Finances en 1787. Dans sa politique réformiste, fondée sur un impôt généralisé et un emprunt massif, il se heurte aux privilèges des notables et à la mauvaise volonté des parlements. Le clergé ayant refusé un don gratuit, il avance au 1er mai 1789 la convocation des états généraux; le 25 août 1788, il quitte le pouvoir. Archevêque de Sens et cardinal (déc. 1788), il prêtera en 1790 le serment constitutionnel.

LOMME (59160), comm. du Nord, dans la banlieue ouest de Lille; 29 341 hab. *(Lommois).* Textile.

LOMMEL, comm. de Belgique (Limbourg), près de la frontière néerlandaise; 24 443 hab. (en 1977). Métallurgie.

LOMONOSSOV (Mikhaïl Vassilievitch), écrivain et savant russe (Michaninskaïa 1711-Denissovka 1765). Réformateur de la poésie russe et de la langue littéraire, il publia la première *Grammaire russe* (1757) et fit créer l'université de Moscou.

LOMONOSSOV (*crête* ou *dorsale de*), relief allongé qui divise en deux bassins l'océan Arctique, entre la terre d'Ellesmere et l'archipel de Nouvelle-Sibérie.

LOMONT (le), massif du Jura, dans le nord du département du Doubs; 837 m.

LONDERZEEL, comm. de Belgique (Brabant), au N. de Bruxelles; 16 497 hab. (en 1977).

LONDINIÈRES (76660), ch.-l. de cant. de la Seine-Maritime, à 15 km au N. de Neufchâtel-en-Bray; 1 171 hab.

LONDON, v. du Canada, dans le sud de l'Ontario; 223 222 hab. Centre financier.

LONDON (John Griffith LONDON, dit **Jack**), écrivain américain (San Francisco 1876-Glen Ellen, Californie, 1916). Après avoir exercé de nombreux métiers, il peignit dans ses romans des héros ardents et primitifs, épris d'actions violentes (*le Loup des mers,* 1904), ou l'existence mystérieuse des animaux (*Croc-Blanc,* 1905). Devenu célèbre et riche, mais révolté par la société moderne, il se suicida.

LONDONDERRY, port de l'Irlande du Nord, à la tête de l'estuaire du Foyle; 52 000 hab. Centre textile. Chimie.

LONDRES, en angl. **London,** capit. de la Grande-Bretagne, sur la Tamise; 2 145 000 hab. *(Londoniens).* La ville elle-même est le noyau d'une agglomération (le *Grand Londres*) qui compte près de 7,5 millions d'habitants, chiffre d'ailleurs en baisse en raison de la relative réussite de la politique des villes nouvelles établies dans un large rayon autour de Londres et destinées à réduire l'importance au moins relative de la capitale.

GÉOGRAPHIE. Le cœur de la ville est la Cité *(City),* sur la Tamise, traditionnel quartier commercial et financier, prolongé à l'O. par

Arepi - Triskel

Londres. Coupole de la cathédrale Saint Paul, située dans la City, centre de la vie économique londonienne.

Westminster, quartier politique (résidence royale avant d'être le siège du Parlement). À l'O. (West End) domine la résidence aisée; à l'E. et au N.-E. se trouvent les secteurs plus populaires, notamment en bordure du port. Celui-ci, en fait, s'étire jusqu'à l'embouchure de la Tamise. Il demeure, de loin, le plus important du pays, avec un trafic voisin de 50 Mt (dont plus de la moitié d'hydrocarbures), dans lequel la fonction régionale (approvisionnement des industries et du marché de consommation de l'agglomération) l'emporte désormais sur celle, traditionnelle, d'entrepôt, à l'échelle au moins nationale. L'industrie n'est plus que partiellement liée à l'activité portuaire; elle est dominée par les branches élaborées (constructions mécaniques et électriques en tête), représentatives des grandes métropoles, portuaires ou non. Mais Londres est avant tout une ville tertiaire, un centre de niveau mondial au triple point de vue politique, financier (malgré le déclin de la livre sterling) et intellectuel (université, musées, édition).

HISTOIRE. Ancienne bourgade celtique *(Llyn-Din)* devenue le grand centre stratégique, maritime et commercial de la *Britannia* romaine, Londres est ruinée au Ve s. par les invasions anglo-saxonnes. Elle renaît pour devenir au VIe s. capitale du royaume d'Essex et siège d'un évêché. Endommagée par les raids scandinaves (IXe s.), enjeu des luttes entre les rois anglo-saxons et danois (X^{e}-XIe s.), elle connaît un nouvel essor sous Édouard le Confesseur, qui installe un palais et une abbaye à Westminster, et elle devient peu après la capitale du royaume anglo-normand des successeurs de Guillaume le Conquérant. Elle reçoit une charte communale (1191), se développe hors des murs de la *City* (bourg de Westminster), accueille les marchands hanséates (v. 1187), attirés par la situation privilégiée de son port, et devient l'un des grands centres européens de l'industrie drapière (XVe s.). Chef de file du capitalisme naissant, sa bourgeoisie commerçante s'empare de la direction de la Cité, tandis que l'expansion du commerce maritime vers le Nouveau Monde substitue aux hanséates les « marchands aventuriers ». De 100 000 âmes sous Henri VIII, la population passe au XVIIe s. à 500 000 habitants, dont la plupart sont encore entassés dans la Cité, surpeuplée; d'où l'ampleur de catastrophes telles que la peste de 1665 (70 000 victimes) ou l'incendie de 1666 (13 000 maisons détruites), qui, cependant, n'empêcheront pas la ville de poursuivre son développement (700 000 hab. v. 1750, 1 500 000 en 1831, 3 800 000 en 1881). Principal foyer de la vie intellectuelle et artistique anglaise, Londres devient aussi dans le courant du XIXe s. la capitale de la finance et du commerce internationaux. Pendant la bataille d'Angleterre en 1940, la ville est durement atteinte par les bombardiers allemands, puis en 1944-45 par les « V1 » et les « V2 ».

BEAUX-ARTS. Londres témoigne avec éclat du passé artistique de l'Angleterre, sans le résumer entièrement. Parmi ses monuments les plus anciens, on citera : la «Tour de Londres», dont le noyau remonte à Guillaume le Conquérant, à la limite orientale de la City; le *Hall* du palais de Westminster (1097); l'église S. Bartholomew the Great, à chœur roman; l'église circulaire du Temple, en gothique primitif (1185); l'abbaye de Westminster* (XIIIe-XVIe s.). Des palais de l'époque d'Henri VIII (style *Tudor,* teinté d'italianisme) subsistent des parties : Saint James, Hampton* Court. Au XVIIe s., I. Jones* adopte le classicisme palladien à Whitehall et au pavillon de la Reine de Greenwich. Après l'incendie de 1666, Wren* dirige la reconstruction de nombreuses églises et, sur des proportions colossales, celle de la cathédrale S. Paul; il intervient aussi à Greenwich et à Hampton Court. James Gibbs (1682-1754) le suit sur une voie baroque (église S. Martin in the Fields), distincte du classicisme de lord Burlington (1694-1753) [Burlington House, auj. Académie royale des arts; villa de Chiswick] ou de W. Chambers*. La croissance de la ville se poursuit, surtout vers l'ouest, dans la seconde moitié du XVIIIe s. (quartier des *Adelphi,* auj. dénaturé, par R. Adam*) et au début du XIXe (J. Nash* : Buckingham Palace; Nash House, auj. Institut des arts contemporains). L'ère victorienne se reconnaît volontiers dans le style néogothique (Parlement de Westminster) et dans l'architecture de fer (gare S. Pancras, 1863). Depuis la Seconde Guerre mondiale est particulièrement à citer l'ensemble culturel de la rive droite de la Tamise (Festival Hall, Queen Elizabeth Hall, Hayward Gallery...).

Grand centre de l'école anglaise de peinture et, aujourd'hui, de l'avant-garde artistique, Londres a également vu s'épanouir les métiers d'art, surtout depuis les XVIIe et XVIIIe s. : mobilier, tapisseries de Mortlake ou de Soho, orfèvrerie, porcelaines de Chelsea... Les musées sont à la mesure du rôle national et international de la ville : British* Museum, National* Gallery, Tate* Gallery, Victoria* and Albert Museum, Wallace Collection (peintures, sculptures, objets d'art et meubles, notamment du XVIIIe s. français), Courtauld Institute Galleries (primitifs italiens, impressionnistes et postimpressionnistes français...), etc.

LONDRINA, v. du Brésil, dans le nord de l'État de Paraná; 228 000 hab. Centre bancaire.

LONG (Marguerite), pianiste française (Nîmes 1874-Paris 1966). Réputée pour ses interprétations de Fauré, de Debussy et de Ravel, elle a fondé en 1946 avec J. Thibaud un concours international qui porte leur nom.

LONG BEACH, port des États-Unis (Californie), dans la banlieue sud de Los Angeles; 359 000 hab.

LONG-COURRIER → CARGO.

LONGEMER, petit lac des Vosges, à l'E. de Gérardmer.

LONGEVILLE-LÈS-METZ (57000 Metz), comm. de la Moselle, dans la banlieue ouest de Metz; 4 136 hab.

LONGÉVITÉ. — Sous nos climats, les rigueurs de l'hiver imposent à de nombreuses espèces de plantes, d'insectes, d'arachnides, etc., un cycle reproductif *annuel :* le ou les parents meurent à l'automne, et c'est l'œuf ou la graine qui passe l'hiver. On connaît des longévités plus courtes : deux générations par an (nématodes, papillons *bivoltins*) ou nombreuses générations annuelles (puceron); on en connaît de beaucoup plus longues. Chez certains arbres (séquoia, dragonnier, olivier), il ne semble pas y avoir de limite théorique à la durée de la vie. D'ailleurs, les animaux, dans leur immense majorité, sont dévorés par d'autres ou meurent de faim ou d'accident bien avant que leur organisme soit usé, de sorte que les records enregistrés dans les parcs zoologiques ne se retrouvent pas dans la nature. C'est pourquoi l'on préfère définir, pour chaque espèce, la *demi-vie,* qui n'est pas la moitié d'une vie, mais le temps au bout duquel ne survivent plus que la moitié des sujets d'une couvée d'oiseaux, d'une ponte d'insectes, etc.

LONGFELLOW (Henry Wadsworth), poète américain (Portland, Maine, 1807-Cambridge, Massachusetts, 1882). Il contribua à répandre la culture européenne aux États-Unis et publia des poèmes romantiques (*Evangeline,* 1847).

LONGHENA (Baldassare), architecte et sculpteur italien (Venise 1598-*id.* 1682). Il est le seul Vénitien à s'être haussé au niveau des grands baroques romains, tout en restant dans la continuité de Palladio (église à plan central S. Maria della Salute, entreprise en 1631 et consacrée en 1687; palais Pesaro et Rezzonico, entrepris respectivement vers 1650 et 1667).

LONGHI (Pietro FALCA, dit **Pietro**), peintre vénitien (Venise 1702-*id.* 1785). Formé à Bologne dans l'atelier de Giuseppe Maria Crespi, revenu à Venise vers 1730, il se consacre à une peinture de genre évoquant les aspects les plus divers de la vie quotidienne, populaire ou mondaine. Le sens de l'observation, la délicatesse des coloris cendrés constituent ses principales qualités. — Son fils, ALESSANDRO (Venise 1733-*id.* 1813), plus solennel, a laissé des portraits d'une grande qualité chromatique.

LONG ISLAND, île de la côte atlantique des États-Unis, dont la partie sud-ouest constitue un quartier de New York (Brooklyn).

LONGITUDE → LATITUDE ET LONGITUDE.

longitudes *(Bureau des),* organisme institué en 1795 par la Convention nationale sur la proposition de Lakanal* en vue du perfectionnement des sciences. Il donne son avis d'une part sur les questions concernant l'organisation et le service des observatoires existants ainsi que sur la fondation de nouveaux observatoires, d'autre part sur les missions scientifiques confiées aux navigateurs chargés d'expéditions lointaines. Mais sa tâche essentielle est d'assurer annuellement la publication de la *Connaissance des temps,* de l'*Annuaire du Bureau des longitudes,* des *Éphémérides nautiques* et des *Éphémérides aéronautiques.*

LONGJUMEAU (91160), ch.-l. de cant. de l'Essonne, dans la vallée de l'Yvette, à 18 km au S. de Paris; 18 193 hab. *(Longjumellois).* Église des XIIIe-XVe s. Verrerie.

LONG-MEN ou **LONGMEN,** grottes de Chine (Ho-nan). Creusées à partir de 494, ces fondations bouddhiques sont ornées de nombreux reliefs et sculptures, où se déploie le style graphique et linéaire des Wei du Nord, caractérisé par l'élégance des plicatures et l'intensité spirituelle de l'expression légèrement souriante. Les réalisations ultérieures des T'ang attestent l'évolution de la sculpture et l'aisance avec laquelle l'artiste traite le corps humain.

LONGNY-AU-PERCHE (61290), ch.-l. de cant. de l'Orne, à 18 km à l'E. de Mortagne-au-Perche; 1 557 hab. Église des XVe-XVIe s. Chapelle Renaissance.

LONGO (Luigi), homme politique italien (Fubine Monferrato 1900). Un des fondateurs du parti communiste italien, il succède à Togliatti* au secrétariat général du parti (1964-1972). Remplacé par Enrico Berlinguer en 1972, il devient président du parti.

LONGUE *(île),* péninsule du nord de la presqu'île de Crozon, sur la rade de Brest. Depuis 1970, base des sous-marins lance-missiles de la force nucléaire stratégique.

LONGUÉ-JUMELLES (49160), ch.-l. de cant. de Maine-et-Loire, à 15 km au N. de Saumur; 6 342 hab.

LONGUEAU (80330), comm. de la Somme, dans la banlieue sud-est d'Amiens; 5 606 hab. Gare de triage.

Longue Marche *(la),* retraite amorcée le 15 octobre 1934 par Mao* Tsö-tong et 100 000 soldats communistes depuis le Kiang-si vers le nord-ouest de la Chine afin d'échapper à l'étreinte des nationalistes de Tchang Kaï-chek et à l'anéantissement. Cette marche de 12 000 km, qui prend des allures d'épopée, et constitue une étape décisive de la révolution chinoise, est extrêmement éprouvante, au point que, lorsqu'elle se termine dans le Chen-si (oct. 1935), les troupes de Mao sont réduites à 10 000 hommes; il est vrai que l'arrivée de nouvelles unités rouges renforce considérablement les positions des communistes.

LONGUENESSE (62500 St Omer), comm. du Pas-de-Calais, dans la banlieue sud-ouest de Saint-Omer; 10 146 hab. Matériel téléphonique.

LONGUEUIL, v. du Canada (Québec), sur le Saint-Laurent, en face de Montréal; 97 590 hab.

LONGUEVILLE (Anne Geneviève DE BOURBON, *duchesse* DE), princesse française (Vincennes 1619-Paris 1679). Fille d'Henri II de Condé, épouse d'Henri de Longueville, ennemie déterminée de Mazarin, elle est l'âme de la Fronde* jusqu'à la paix de Rueil, qu'elle négocie en 1649. Par la suite, elle doit se réfugier en Hollande.

LONGUEVILLE-SUR-SCIE (76590), ch.-l. de cant. de la Seine-Maritime, à 16 km au S. de Dieppe; 764 hab. Ruines d'un château (XIIe-XVIe s.).

LONGUS, romancier grec (Lesbos ? IIIe ou IVe s. apr. J.-C.). On lui attribue le roman pastoral de *Daphnis et Chloé.*

LONGUYON (54260), ch.-l. de cant. de Meurthe-et-Moselle, sur la Chiers, à 18 km au S.-O. de Longwy; 7 452 hab. Église du XIIIe s.

LONGVIC (21600), comm. de la Côte-d'Or, dans la banlieue sud de Dijon; 7 456 hab. Base aérienne militaire. Constructions mécaniques et électriques.

LONGWY (54400), ch.-l. de cant. de Meurthe-et-Moselle, sur la Chiers; 20 240 hab. *(Longoviciens).* Centre minier et sidérurgique.

LON NOL, maréchal et homme d'État cambodgien (Kompong-Leau, prov. de Prey Veng, 1913). Commandant en chef des forces armées (1959), ministre de la Défense (1959-1966), il est Premier ministre en 1966-67 et à partir d'août 1969. Après la destitution, par son gouvernement, du prince Norodom Sihanouk (mars 1970), il établit un régime de dictature militaire et devient président de la République en 1972. La victoire des troupes révolutionnaires le contraint à l'exil (avr. 1975).

LÖNNROT (Elias), écrivain finlandais (Karjalohja 1802-Sammatti 1884). Il recueillit les chants populaires de Carélie et les publia sous le titre de *Kalevala* (1836-1847).

LONS-LE-SAUNIER (39000), ch.-l. du départ. du Jura, à 405 km au S.-E. de Paris; 23 292 hab. *(Lédoniens)*. Église en partie du XIe s. Pharmacie (XVIIIe s.) de l'hôpital. Musée. Industries alimentaires et mécaniques.

LOON-PLAGE (59279), comm. du Nord, à 12 km au S.-O. de Dunkerque; 5 606 hab. Station balnéaire.

LOOS (59120), comm. du Nord, sur la Deûle, dans la banlieue sud-ouest de Lille; 22 103 hab. *(Loossois)*. Industries textiles et chimiques. Imprimerie.

LOOS *(îles de)* → LOS.

LOOS (Adolf), architecte autrichien (Brünn [auj. Brno] 1870-Kalksburg, près de Vienne, 1933). Dans ses articles des dernières années du siècle, il s'en prit à la joliesse de l'architecture viennoise et aux idées de la Sécession, complétant ses prises de positions contre le décor architectural par la publication, en 1908, du manifeste *Ornement et crime*. Son œuvre bâti se distingue par l'articulation un peu sèche de plans nus, l'élégance des proportions, le luxe des matériaux (maison Steiner, Vienne, 1910; maison Tristan Tzara, Paris, 1926...).

LOOS-EN-GOHELLE (62750), comm. du Pas-de-Calais, à 5 km au N.-O. de Lens; 6 961 hab.

LOPBURI, v. de Thaïlande, ch.-l. de prov.; 30 000 hab. Des fouilles récentes font remonter l'occupation du site au mésolithique. Une nécropole a livré un mobilier funéraire de l'âge du bronze et de l'âge du fer dans son niveau supérieur. L'art de Dvāravatī laisse des vestiges de stūpa et des statues de Bouddha, alors que des monnaies d'argent (VIIe-VIIIe s.) se rattachent à la période historique et tendent à prouver l'existence d'un royaume môn indépendant avant la domination khmère. Celle-ci est attestée par les ruines de plusieurs temples, dont certains des XIIIe et XIVe s. sont à l'origine des prang (hautes tours-reliquaires) caractéristiques d'Ayuthia*. La statuaire est proche du style du Bayon d'Angkor*.

LOPE DE VEGA → VEGA CARPIO *(Lope de)*.

LÓPEZ ARELLANO (Osvaldo), général et homme d'État hondurien (né en 1921). Il s'empare du pouvoir en 1963 et devient chef du gouvernement, puis président de la République (1965-1971). Un nouveau coup d'État lui permet de revenir à la présidence (déc. 1972), mais il est lui-même destitué en avril 1975.

LÓPEZ MICHELSEN (Alfonso), homme d'État colombien (Bogotá 1917). Membre du parti libéral, il est élu président de la République de Colombie en avril 1974.

LÓPEZ PORTILLO (José), homme d'État mexicain (Mexico 1920). Candidat du parti révolutionnaire institutionnel (P. R. I.), il est élu président de la République en juillet 1976.

LORAIN, port des États-Unis (Ohio), sur le lac Érié; 78 000 hab. Sidérurgie.

LORAN → NAVIGATION.

LORCA, v. d'Espagne, au S.-O. de Murcie; 61 000 hab. Cimenterie.

LORDOSE → VERTÈBRE.

lords *(Chambre des)*, Chambre haute du Parlement anglais. Son origine se confond avec celle du Parlement, assemblée de barons devant le service de cour. L'importance de ce conseil plénier se révèle particulièrement au XIIIe (Grande Charte) et au XVe s. (guerre des Deux-Roses). Mais la décimation de l'aristocratie provoquée par ce dernier conflit profite à la monarchie Tudor; de plus, la force grandissante de la bourgeoisie dresse face aux lords une Chambre des communes*, dont la concurrence se renforce au point que les lords, au XVIIIe s., sont relégués au second plan. En 1911, une loi dépouille même les lords de leur rôle législatif. Cependant, la loi, restrictive elle aussi, de 1948 maintient leur droit de veto suspensif d'un an sur les projets de loi autres que financiers. De plus, la Chambre des lords reste un tribunal supérieur d'appel. Elle comprend environ un millier de membres (archevêques et évêques anglicans, pairs héréditaires et pairs à vie, dont neuf lords d'appel); les pairs sont nommés par le souverain suivant son gré et sans limitation de nombre.

LORENTZ (Hendrik Antoon), physicien néerlandais (Arnhem 1853-Haarlem 1928). Il expliqua l'émission de lumière et le courant électrique par la présence d'électrons dans la matière. Il admit que tout corps en mouvement se contracte dans la direction de sa vitesse; les *équations de Lorentz*, qui donnent la valeur de cette contraction, ont permis à Einstein* d'élaborer sa théorie de la relativité. (Prix Nobel de physique, 1902.)

LORENZ (Konrad), éthologiste et zoologiste autrichien (Vienne 1903). Il est considéré comme un des fondateurs de l'éthologie* moderne par ses recherches et ses observations sur des animaux en liberté ou en semi-captivité. L'analyse des phénomènes perceptifs et des modifications ontogénétiques du comportement* l'ont amené à approfondir la notion d'empreinte et à développer une théorie sur les aspects innés et acquis du comportement*. Ses principaux ouvrages sont *Il parlait avec les mammifères, les oiseaux et les poissons* (1949), *Tous les chiens, tous les chats* (1950), *l'Agression* (1963), *Évolution et modification du comportement* (1965), *Essais sur le comportement animal et humain* (1965). Dans *les Huit Péchés capitaux de notre civilisation* (1973) et *l'Envers du miroir* (1973), Lorenz s'interroge sur les fondements biologiques de notre ordre social. (Prix Nobel de médecine, 1973.)

Lorenzaccio, drame d'A. de Musset (1834). Le sujet en est emprunté à l'histoire florentine du XVIe s. : l'assassinat du duc Alexandre de Médicis par son cousin Lorenzo.

LORENZETTI (les frères), PIETRO (Sienne v. 1280-*id.* 1348?) et AMBROGIO (connu de 1319 à 1347), peintres italiens. S'écartant de l'élégance gothique d'un S. Martini, ils renouvellent l'art siennois et italien en s'appuyant sur la connaissance de Giotto et de la sculpture toscane. Chez Pietro, l'intensité psychologique est plus forte, la manière plus large, cependant que la recherche spatiale progresse du polyptyque de la *Bienheureuse Humilité* (1316, Offices), où subsiste une part d'influence de Duccio, aux *Histoires de la Passion* de l'église inférieure d'Assise (1326-1329) et à la *Nativité de la Vierge* des Offices (1342). Imagination narrative, lyrisme, sens de l'espace et de la nature dominent chez Ambrogio : fresques de S. Francesco de Sienne (v. 1330), *Histoires de saint Nicolas de Bari* (v. 1332, Offices), célèbres fresques des *Effets du bon et du mauvais gouvernement* au palais public de Sienne (1337-1339), *Annonciation* de la pinacothèque de Sienne (1344), d'une gravité contemplative, etc.

LORENZO VENEZIANO → PAOLO VENEZIANO.

LORETTE (42420), comm. de la Loire, sur le Gier, en amont de Rive-de-Gier; 4 593 hab. Constructions mécaniques.

LORETTE, en ital. **Loreto,** v. d'Italie, dans les Marches, au S. d'Ancône; 9 000 hab. Fortifications. Basilique de pèlerinage de la Santa Casa, commencée en 1468, de styles gothique et Renaissance.

LORETTEVILLE, v. du Canada (Québec); 11 644 hab. Aéroport de Québec.

LORGUES (83510), ch.-l. de cant. du Var, à 14 km au S.-O. de Draguignan; 4 453 hab.

LORI → LÉMURIENS.

LORIENT (56100), ch.-l. d'arr. du Morbihan, sur la rive occidentale de l'estuaire formé au confluent du Scorff et du Blavet; 71 923 hab. *(Lorientais)*. École de fusiliers marins. — Lorient est la principale ville du département (commandant une agglomération de plus de 100 000 habitants), la troisième de Bretagne (après Rennes et Brest). Autrefois important port de guerre (fonction dont témoignent encore surtout les arsenaux du Scorff et de Keroman) et de commerce, Lorient est devenu le deuxième port de pêche français, dont les prises alimentent la conserverie; les constructions mécaniques deviennent l'activité industrielle essentielle. — À 7 km base aéronavale de Lann-Bihoué.

LORIOL-SUR-DRÔME (26270), ch.-l. de cant. de la Drôme, à 21 km au S. de Valence; 3 523 hab. Barrage alimentant une dérivation du Rhône.

LORIOT. — Par la forme de son bec comme par son régime alimentaire, le loriot se rapproche plus des passereaux insectivores au bec fin (fauvette) que des granivores au bec large (moineau) et se situe entre ces deux extrêmes. L'espèce française, noir et jaune, migratrice, complète son menu en picorant les cerises. (Type de la famille des oriolidés.)

LORJOU (Bernard), peintre français (Blois 1908). Frondeur et passionné, ayant violemment pris parti contre l'abstraction, il s'attache à exprimer, à travers l'emphase baroque et la stridence du coloris, les réactions que suscite en lui l'actualité.

LORMES (58140), ch.-l. de cant. de la Nièvre, à 25 km au S. de Vézelay; 1 618 hab.

LORMONT (33310), comm. de la Gironde, à 6 km à l'E. de Bordeaux, sur la r. dr. de la Garonne; 18 740 hab. Cimenterie.

LOROUX-BOTTEREAU (Le) [44430], ch.-l. de cant. de la Loire-Atlantique, à 20 km à l'E. de Nantes; 3 504 hab. Peintures murales (début du XIIIe s.) dans une ancienne chapelle.

LORQUIN (57790), ch.-l. de cant. de la Moselle, à 12,5 km au S.-O. de Sarrebourg; 1 726 hab. Appareils ménagers.

LORRAIN ou **LE LORRAIN** (Claude GELLÉE, dit **Claude**), peintre français (Chamagne, près de Mirecourt, 1600-Rome 1682). C'est à Rome, où il acquiert l'essentiel de sa formation dans l'atelier du paysagiste Agostino Tassi (élève de P. Bril), qu'il mène sa carrière

The National Gallery, Londres

Claude Lorrain : *l'Embarquement de la reine de Saba.* 1648. (The National Gallery, Londres.)

et bâtit son immense réputation. Observateur passionné de la nature, il mêle réalisme et idéalisation dans des paysages, genre alors mineur, où les effets de lumière, la vibration de l'air et les lointains composent l'atmosphère poétique (*Un port de mer au soleil couchant,* 1639, Louvre). Néanmoins, les sujets mythologiques ou bibliques ne sont pas un simple prétexte dans son œuvre, et les personnages s'intègrent selon un sentiment harmonieux de la fable aux plans rigoureusement construits de ses compositions (tableaux de *l'Histoire d'Agar,* 1668, pinacothèque de Munich). L'exceptionnelle qualité synthétique de ses dessins (études d'après nature ou travaux préparatoires), tout autant que son style pictural, a justifié sa célébrité et son influence, notamment en Angleterre.

LORRAIN (Robert **Le**) → LE LORRAIN (Robert).

LORRAINE, anc. prov. de l'est de la France. Peuplée à l'époque celtique par les Leuques et les Médiomatrices, la région connaît sous la domination romaine une longue période de paix, qui favorise les défrichements, l'essor des communications par la vallée de la Moselle et l'apparition de centres urbains : Metz *(Divodurum),* Toul, etc. Envahie par les Francs (Ve s.), elle devient le noyau du royaume d'Austrasie, dont les chefs prennent Metz pour capitale. Berceau de la dynastie carolingienne, qui y possède de nombreux domaines, la Lorraine est donnée à Lothaire par le traité de Verdun (843), puis partagée entre Charles le Chauve et Louis le Germanique (870) avant de passer tout entière sous la domination germanique (880). Le duché de Lorraine (v. LOTHARINGIE) échoit en 1048 à Gérard d'Alsace. Sous les successeurs de celui-ci, le duché se disloque (indépendance du comté de Bar, luttes des ducs contre les évêques de la région) et se trouve déchiré entre les influences rivales de la France, de la Bourgogne et de l'Empire. Au XVe s., René, duc de Lorraine, s'oppose à l'annexion de ses domaines par la Bourgogne (mort de Charles le Téméraire devant Nancy, 1477). En 1532, Charles Quint reconnaît le duché « État libre et non incorporé », mais, en 1552, la France s'empare des Trois-Évêchés. Au XVIIe s., l'alliance entre la Lorraine et l'Autriche provoque l'intervention française contre le duc Charles IV. Rendu en 1697 à son duc légitime, le duché est donné par François III de Lorraine à Stanislas Leszczyński (1738), beau-père de Louis XV; finalement, le roi de France en recueille l'héritage en 1766. La Lorraine est divisée par la Révolution entre les quatre départements de la Moselle, de la Meurthe, de la Meuse et des Vosges. En 1815, Sarrelouis et Sarrebruck tombent sous la domination prussienne, et, après la défaite de 1870, une grande partie des départements de la Moselle et de la Meurthe est annexée à l'Allemagne pour, quarante-huit ans plus tard, retourner à la France. De nouveau occupée et annexée par l'Allemagne en 1940, la Lorraine est libérée en 1944.

LORRAINE, Région du nord-est de la France, regroupant les départements de Meurthe-et-Moselle, de la Meuse, de la Moselle et des Vosges; 23 540 km^2; 2 330 822 hab. *(Lorrains).* Capit. *Metz.*

À l'exception de l'extrémité sud-est, vosgienne, la Région occupe la partie orientale du Bassin parisien; les plateaux, qui constituent la forme dominante du relief, sont entaillés notamment par les vallées de la Meuse et de la Moselle, qui y déterminent des reliefs de côtes : Côtes de Meuse à l'O., Côtes de Moselle à l'E.

Lorraine : une ville industrielle, Longwy, en Meurthe-et-Moselle.

A. Dagbert - Viva

(auxquelles succède le plateau lorrain). Éloignée de l'Océan, la Lorraine possède un climat à caractère continental, caractérisé par une amplitude relativement élevée, entre des hivers assez froids (les moyennes de janvier sont de 1,7 °C à Metz et de 1,3 °C à Nancy; le nombre de jours de gelée, dans ces villes, est de l'ordre de 60 par an, dépassant 100 dans la partie vosgienne) et des étés modérément chauds (les moyennes de juillet sont de 18,2 °C à Metz et de 18,1 °C à Nancy). Les précipitations varient sensiblement

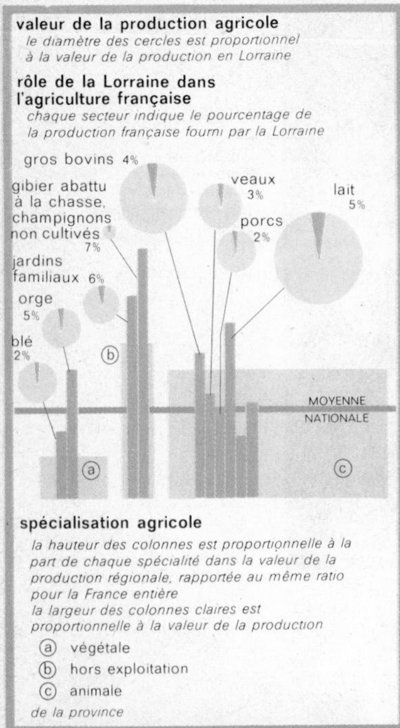
valeur de la production agricole
le diamètre des cercles est proportionnel à la valeur de la production en Lorraine
rôle de la Lorraine dans l'agriculture française
chaque secteur indique le pourcentage de la production française fourni par la Lorraine
gros bovins 4%
veaux 3%
lait 5%
gibier abattu à la chasse, champignons non cultivés 7%
porcs 2%
jardins familiaux 6%
orge 5%
blé 2%
MOYENNE NATIONALE
ⓐ ⓑ ⓒ
spécialisation agricole
la hauteur des colonnes est proportionnelle à la part de chaque spécialité dans la valeur de la production régionale, rapportée au même ratio pour la France entière
la largeur des colonnes claires est proportionnelle à la valeur de la production
ⓐ végétale
ⓑ hors exploitation
ⓒ animale
de la province

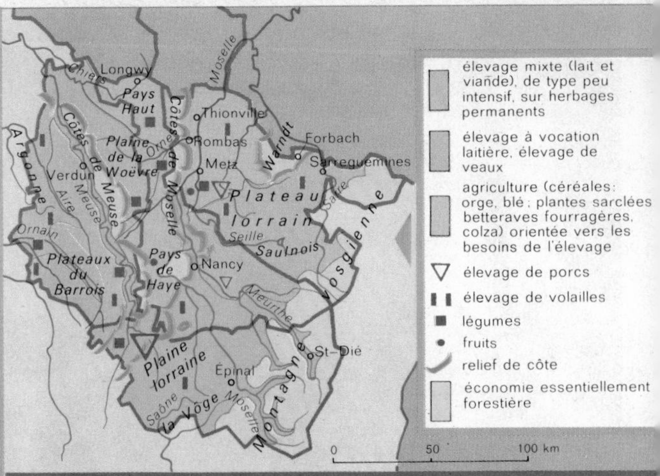
Longwy
Chiers
Pays Haut
Moselle
Côtes de Moselle
Thionville
Côtes de Meuse
Plaine de la Woëvre
Orne
Rombas
Argonne
Verdun
Meuse
Aire
Metz
Warndt
Forbach
Sarreguemines
Plateau lorrain
Sarre
Seille
Saulnois
Ornain
Plateaux du Barrois
Pays de Haye
Nancy
Meurthe
Vosgienne
Plaine lorraine
St-Dié
Épinal
Montagne
Saône
la Vôge
Moselle
élevage mixte (lait et viande), de type peu intensif, sur herbages permanents
élevage à vocation laitière, élevage de veaux
agriculture (céréales: orge, blé ; plantes sarclées betteraves fourragères, colza) orientée vers les besoins de l'élevage
élevage de porcs
élevage de volailles
légumes
fruits
relief de côte
économie essentiellement forestière
0 50 100 km

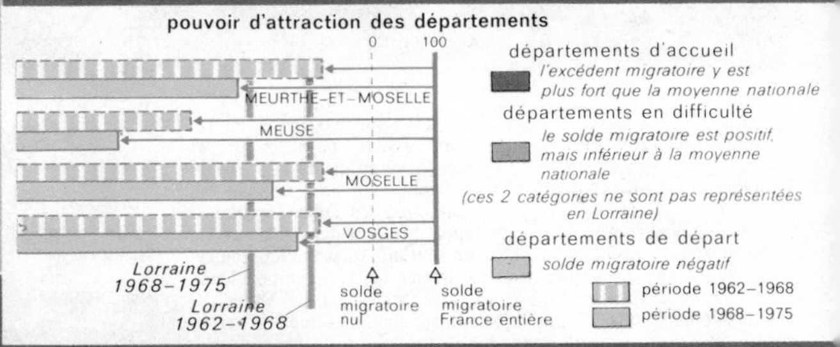
pouvoir d'attraction des départements
0 100
MEURTHE-ET-MOSELLE
MEUSE
MOSELLE
VOSGES
Lorraine 1968–1975
Lorraine 1962–1968
solde migratoire nul
solde migratoire France entière
départements d'accueil
l'excédent migratoire y est plus fort que la moyenne nationale
départements en difficulté
le solde migratoire est positif, mais inférieur à la moyenne nationale
(ces 2 catégories ne sont pas représentées en Lorraine)
départements de départ
solde migratoire négatif
période 1962–1968
période 1968–1975

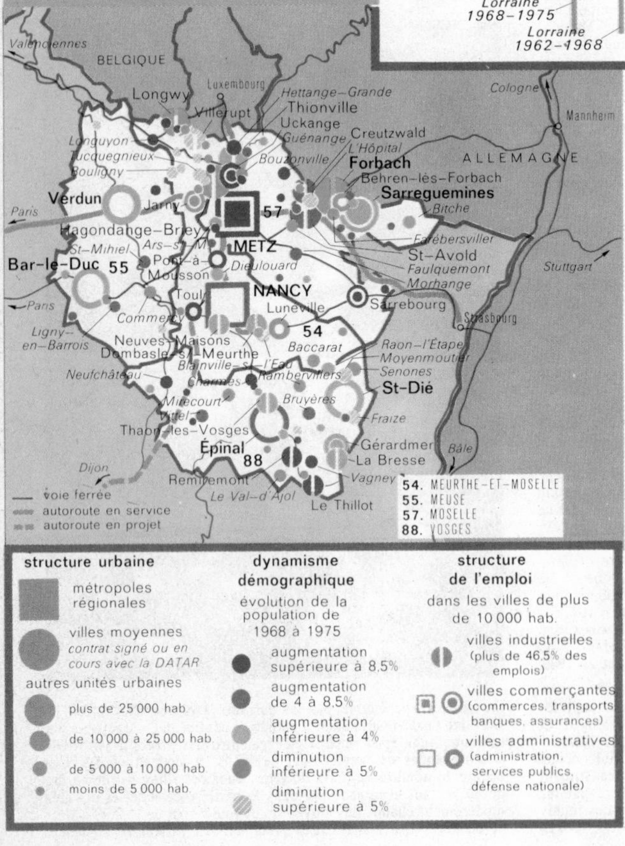
Valenciennes
BELGIQUE
Luxembourg
Longwy
Villerupt
Hettange-Grande
Thionville
Uckange
Guénange
Creutzwald
L'Hôpital
Cologne
Mannheim
Longuyon
Jœuf
Tucquegnieux
Bouligny
Bouzonville
Forbach
Behren-lès-Forbach
ALLEMAGNE
Sarreguemines
Bitche
Verdun
Jarny
Paris
57
Hagondange-Briey
St-Mihiel
Ars-s-M
METZ
Farébersviller
St-Avold
Faulquemont
Morhange
Bar-le-Duc 55
Pont-à-Mousson
Dieulouard
Stuttgart
Paris
Toul
NANCY
Lunéville
Sarrebourg
Commercy
54
Strasbourg
Ligny-en-Barrois
Neuves-Maisons
Dombasle-s-Meurthe
Baccarat
Raon-l'Étape
Moyenmoutier
Blainville-s-l'Eau
Rambervillers
Senones
Neufchâteau
Charmes
St-Dié
Mirecourt
Vittel
Bruyères
Fraize
Thaon-les-Vosges
Gérardmer
Épinal
Bâle
88
La Bresse
Dijon
Remiremont
Vagney
Le Val-d'Ajol
Le Thillot
voie ferrée
autoroute en service
autoroute en projet
54. MEURTHE-ET-MOSELLE
55. MEUSE
57. MOSELLE
88. VOSGES
structure urbaine
métropoles régionales
villes moyennes
contrat signé ou en cours avec la DATAR
autres unités urbaines
plus de 25 000 hab.
de 10 000 à 25 000 hab.
de 5 000 à 10 000 hab.
moins de 5 000 hab.
dynamisme démographique
évolution de la population de 1968 à 1975
augmentation supérieure à 8,5%
augmentation de 4 à 8,5%
augmentation inférieure à 4%
diminution inférieure à 5%
diminution supérieure à 5%
structure de l'emploi
dans les villes de plus de 10 000 hab.
villes industrielles (plus de 46,5% des emplois)
villes commerçantes (commerces, transports banques, assurances)
villes administratives (administration, services publics, défense nationale)

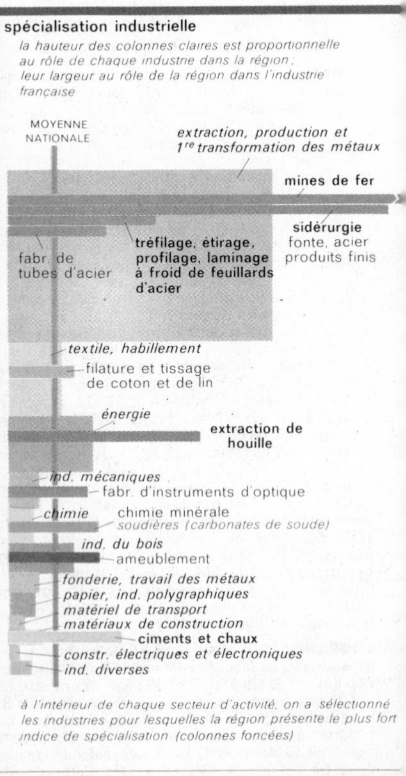
spécialisation industrielle
la hauteur des colonnes claires est proportionnelle au rôle de chaque industrie dans la région ; leur largeur au rôle de la région dans l'industrie française
MOYENNE NATIONALE
extraction, production et 1re transformation des métaux
mines de fer
sidérurgie
fonte, acier produits finis
fabr. de tubes d'acier
tréfilage, étirage, profilage, laminage à froid de feuillards d'acier
textile, habillement
filature et tissage de coton et de lin
énergie
extraction de houille
ind. mécaniques
fabr. d'instruments d'optique
chimie
chimie minérale
soudières (carbonates de soude)
ind. du bois
ameublement
fonderie, travail des métaux
papier, ind. polygraphiques
matériel de transport
matériaux de construction
ciments et chaux
constr. électriques et électroniques
ind. diverses
à l'intérieur de chaque secteur d'activité, on a sélectionné les industries pour lesquelles la région présente le plus fort indice de spécialisation (colonnes foncées)

d'une année à l'autre. Voisines, en moyenne, de 700-800 mm, elles tombent surtout en été, mais sans qu'aucune saison ne soit vraiment sèche.

La densité de population est très voisine de la moyenne française, approchant 100 habitants au kilomètre carré. Toutefois, il faut opposer le nord-est de la région (Meurthe-et-Moselle et Moselle), beaucoup plus densément peuplé, site des deux grandes villes, Metz et Nancy, et qui a connu une sensible croissance démographique de 1946 à la fin des années 60, à la bordure occidentale (Meuse) et méridionale (Vosges), beaucoup moins dynamique, à la population faiblement croissante (Vosges) ou même en recul (Meuse). Ce contraste est lié naturellement à la répartition des activités économiques.

La Meurthe-et-Moselle et la Moselle sont les départements lorrains industrialisés. La Lorraine est d'abord, et de loin, la première région ferrifère de France et même du Marché commun avec un apport annuel de minerai de l'ordre de 50 Mt (correspondant approximativement au tiers en métal contenu). Elle est devenue récemment la première région houillère nationale, avec une production voisine de 10 Mt. La présence de fer surtout explique le développement de la sidérurgie : la Lorraine produit plus de la moitié de l'acier français. Cependant, ces activités sont plus ou moins en crise depuis quelques années. Le minerai de fer est à faible teneur, et la sidérurgie migre vers les sites maritimes pouvant importer et traiter le minerai plus riche d'outre-mer. La production houillère, malgré des conditions de gisement favorables, a reculé de plus d'un tiers en une dizaine d'années. Depuis 1960, l'effectif des charbonnages et des mines de fer a diminué de plus de moitié, et celui de la sidérurgie de plus d'un tiers. On s'explique alors la quasi-stagnation de la population de l'ensemble de la Région depuis quelques années. Les bases industrielles qui ont fait la prospérité de la Lorraine sont en difficulté. Il en est de même d'autres activités, en particulier du textile vosgien. L'extraction du sel se maintient seulement. Malgré la relative prospérité de la chimie, le développement de nouvelles ressources énergétiques (raffinerie de pétrole, grandes centrales thermiques sur la Moselle), l'implantation ou l'extension d'activités plus dynamiques (constructions mécaniques et électriques notamment) et un accroissement des migrations journalières de travail vers la Sarre voisine, la crise de l'emploi n'est pas résolue. Elle l'est d'autant moins que se poursuit l'exode rural. L'élevage, destiné surtout à la production de lait, a progressé. La production de blé, autrefois dominante, se maintient tout de même avec l'augmentation des rendements. La vigne et les vergers (mirabelliers) ont reculé. La forêt recouvre plus du tiers de la superficie régionale; l'exploitation fournit surtout des feuillus sur les plateaux et des résineux dans les Vosges.

Orientée par ses deux vallées maîtresses vers le nord, la Lorraine a retrouvé une situation géographique favorable dans le Marché commun. La canalisation de la Moselle relie la Région aux pays rhénans, alors que l'ouverture de l'autoroute de l'Est améliore les relations avec Paris et Strasbourg. Ce désenclavement est un atout pour la réussite d'une reconversion, imposée, comme dans le Nord-Pas-de-Calais, par l'évolution technique. Cette reconversion doit voir s'affirmer la primauté de l'axe mosellan, de Nancy à Thionville (par Metz, devenue un nœud autoroutier de premier ordre). Ici, sur moins de 100 km du S. au N. se groupe plus de la moitié de la population régionale. Plus au S., les Vosges tendent à devenir une zone de loisirs avec le développement du tourisme, parfois curatif (vers Vittel-Contrexéville), parfois plus sportif (ski dans la partie proprement vosgienne).

LORREZ-LE-BOCAGE-PRÉAUX (77710), ch.-l. de cant. de Seine-et-Marne, à 18 km à l'E. de Nemours; 988 hab. Église du XIIIe s.

LORRIS (45260), ch.-l. de cant. du Loiret, à 22 km au S.-O. de Montargis; 2 315 hab. Église des XIIe-XVe s., halle et hôtel de ville remontant au XVIe. Verrerie, industrie alimentaire.

LORRIS (Guillaume DE) → GUILLAUME *de Lorris.*

LOS ou **LOOS** *(îles de),* archipel côtier de la Guinée, en face de Conakry. Bauxite.

LOS ALAMOS, v. des États-Unis, dans le Nouveau-Mexique, près du río Grande; 11 000 hab. — La première bombe atomique y fut expérimentée le 16 juillet 1945.

LOS ANGELES, v. des États-Unis, dans le sud de la Californie, sur le Pacifique; 2 816 000 hab. La ville est le noyau d'une agglomération (aire métropolitaine) de plus de 7 millions d'habitants, la deuxième des États-Unis, qui a connu au XXe s., et particulièrement depuis 1945, une croissance démographique exceptionnelle. Celle-ci est partiellement due à l'attrait exercé par le milieu naturel, mais résulte plus directement de l'industrialisation : à la production cinématographique déjà ancienne de Hollywood se sont ajoutées les constructions mécaniques (automobile et surtout aéronautique), la chimie (liée au pétrole), alors que les industries alimentaires se sont développées en même temps que l'agriculture irriguée de la Californie méridionale. Au point de vue commercial,

Serraillier - Rapho

Los Angeles. Vue aérienne d'un quartier résidentiel laissant apparaître le quadrillage précis organisé en fonction de la circulation automobile.

Los Angeles rayonne sur tout le Sud-Ouest américain, et son port (environ 40 Mt par an) est devenu le plus important de la façade pacifique des États-Unis. Los Angeles est enfin un centre culturel (universités, musées, édition) et administratif. Démesurément étendue (l'aire urbanisée couvre 8 000 km^2, presque l'équivalent de la Corse), l'agglomération, au parc automobile impressionnant et désormais très industrialisée, est aux prises avec de redoutables problèmes de pollution atmosphérique et aussi d'approvisionnement en eau, dans un environnement semi-désertique.

LOSCHMIDT (Joseph), physicien autrichien (Putschirn, Bohême, 1821 - Vienne 1895). En étudiant la diffusion des gaz et la valeur du libre parcours moyen, il a évalué en 1865 le nombre des atomes figurant dans un fragment de matière.

LOSEY (Joseph), cinéaste américain (La Crosse, Wisconsin, 1909). Acteur, puis metteur en scène de théâtre (*Galileo Galilei,* 1947, avec Charles Laughton), il dirigea en 1948 son premier film, *le Petit Garçon aux cheveux verts,* que suivirent *Haines* (1949) et *le Rôdeur* (1950). Inquiété pour ses opinions politiques pendant la période du maccarthysme, il émigra en Europe et tourna notamment *l'Enquête de l'inspecteur Morgan* (1959), *les Criminels* (1960), *Eva* (1962), *The Servant* (1963), *Pour l'exemple* (1964), *Accident* (1966), *Cérémonie secrète* (1968), *le Messager* (1971), *M. Klein* (1976).

LOSONCZI (Pál), homme d'État hongrois (né en 1919), chef de l'État depuis 1967.

LOS TEQUES, v. du Venezuela, capit. de l'État de Miranda; 63 000 hab.

LOT (le), riv. de la France méridionale; 480 km. Né dans le sud du Massif central, près du mont Lozère, le Lot coule vers l'O., passe à Mende, reçoit la Truyère, puis le Célé (r. g.), arrose enfin Cahors et Villeneuve-sur-Lot avant de rejoindre la Garonne (r. dr.). Il est jalonné de centrales hydroélectriques d'importance moyenne (Golinhac, Luzech, Villeneuve).

LOT (46), départ. de la Région Midi-Pyrénées; 5 228 km^2; 150 778 hab. Ch.-l. *Cahors.* S.-préf. *Figeac* et *Gourdon.*

Le département occupe la majeure partie des causses du Quercy, plateaux calcaires, froids en hiver, mais chauds et ensoleillés en été, entaillés par des vallées (Dordogne, Célé et surtout Lot), où se concentrent hommes et activités. Sa frange nord-est appartient au Massif central; elle est caractérisée par sa fréquente couverture boisée (châtaigneraies), qui progresse aussi dans les Causses. Le Lot demeure un département à prédominance rurale : moins de la moitié de la population est urbanisée, et 30 p. 100 de la population active (taux exceptionnellement élevé) sont encore employés dans l'agriculture. Celle-ci est dominée par l'élevage ovin sur les plateaux, les cultures se réfugiant dans les vallées (tabac dans celle de la Dordogne, localement vignoble et cultures maraîchères de part et d'autre de Cahors). L'industrie est peu représentée, occupant seulement le quart de la population active. Cette faiblesse explique la très basse densité de population, inférieure au tiers de la moyenne nationale. La population stagne depuis une vingtaine d'années, stagnation succédant à un fort dépeuplement, presque ininterrompu pendant un siècle (la population a pratiquement diminué de moitié depuis le milieu du XIXe s.). La modeste progression de villes, d'importance très moyenne (seules Cahors et Figeac comptent plus de 10 000 habitants), compense à peine l'exode rural général. Le tourisme n'est que localement actif (notamment dans le nord, vers Rocamadour et Padirac).

LOT, personnage biblique, neveu d'Abraham*, avec qui il émigra en Canaan. Établi à Sodome*, il échappa à la destruction de la ville.

LOTE ou **LOTTE.** — On réunit dans le genre *Lota* des espèces d'eau douce (lote de rivière) et des espèces marines (lingue, molve), très voisines de la morue* (famille des gadidés). La baudroie est parfois appelée *lote de mer.*

LOT-ET-GARONNE (47), départ. de la Région Aquitaine; 5 358 km^2; 292 616 hab. Ch.-l. *Agen.* S.-préf. *Marmande, Nérac* et *Villeneuve-sur-Lot.*

Dans le nord, les collines du Marmandais et les reliefs plus accusés du Villeneuvois sont intensément mis en valeur grâce à une active polyculture (tomates, prunes, élevage des veaux). Entre le Lot et la Garonne, le pays, calcaire, des serres laisse plus de place au blé, localement au vignoble, alors que se maintient l'arboriculture fruitière. Entre la Baïse et la Garonne, la culture du raisin est juxtaposée à celle du blé, tandis que l'ouest du département appartient à la forêt landaise. Les parties vitales du département demeurent les vallées du Lot et de la Garonne, qui portent cultures céréalières, légumières, fruitières, du tabac et qui sont les sites des principales localités (Agen, Villeneuve-sur-Lot, Marmande, Tonneins, Fumel). Celles-ci sont, toutefois, d'importance moyenne. Agen est la seule ville dépassant 25 000 habitants. Cette absence de grande ville (explicable à proximité des métropoles de Bordeaux et de Toulouse) entraîne d'abord une faible densité de population, inférieure de plus d'un tiers à la moyenne nationale. Elle explique ensuite la modestie de la croissance contemporaine de la population départementale, qui contraste cependant avec un dépeuplement continu pendant plus d'un siècle, amorcé avant le milieu du XIXe s. Elle explique enfin le faible développement du secteur secondaire (à peine 30 p. 100 de la population active) et du secteur tertiaire (plus de 40 p. 100). L'industrie valorise surtout la production agricole locale (conserveries de fruits [pruneaux] et de légumes [tomates] notamment). En contrepartie, l'agriculture emploie encore près du tiers des actifs (environ le triple de la moyenne nationale), situation qui laisse prévoir la poursuite de l'exode rural.

LOTHAIRE Ier (795-Prüm 855), empereur d'Occident (840-855), fils aîné de Louis le Pieux. Proclamé héritier de l'empire en 817, il est associé au gouvernement impérial en 825. Partisan de l'unité de l'empire, que compromet la dotation de son demi-frère, Charles le Chauve, il se soulève à deux reprises contre son père (831, 833). Devenu empereur en 840, il se voit imposer le partage de Verdun (843), lutte contre les Normands et les Sarrasins, et partage, en mourant, ses États entre ses trois fils.

LOTHAIRE II (v. 825-Plaisance 869), roi de Lotharingie (855-869), fils du précédent. Il reçoit de son père un royaume allant de la Frise aux Vosges. Il ne peut faire annuler son mariage avec Theutberge, qui ne lui a pas donné d'enfants. À sa mort, son royaume est partagé entre Charles le Chauve et Louis le Germanique.

LOTHARINGIE, royaume créé par Lothaire Ier* pour son fils Lothaire II*. S'étendant des Vosges à la mer du Nord (Frise), cet État fut, à la mort de Lothaire II (869), partagé entre Charles le Chauve et Louis le Germanique, puis soumis à la Germanie (880). Disputée entre la France et la Germanie (début du Xe s.), devenue le siège d'un duché (923), la Lotharingie fut divisée vers 960 en deux duchés, la Haute-Lotharingie, future Lorraine*, et la Basse-Lotharingie, ou Lothier, futur Brabant*.

LOTHIANS (les), région d'Écosse, au S. du golfe de Forth.

LOTI (Julien VIAUD, dit **Pierre**), écrivain français (Rochefort 1850-Hendaye 1923). Sa carrière d'officier de marine lui fit connaître les paysages et les civilisations exotiques qui inspirèrent le style impressionniste de ses romans, baignés dans l'atmosphère du désenchantement (*Aziyadé,* 1879; *le Mariage de Loti,* 1882; *Pêcheur d'Islande,* 1886; *Madame Chrysanthème,* 1887; *Ramuntcho,* 1897).

LOTIER. — Neuf espèces de papilionacées des prairies, aux fleurs jaunes, aux longues gousses droites ou peu recourbées et dont les feuilles ont un court pétiole, constituent le genre *lotus.* Elles ne doivent pas être confondues avec le nénuphar, appelé *lotus* dans les textes de l'ancienne Égypte ou de l'Inde bouddhiste.

Lötschberg *(chemin de fer du),* voie ferrée suisse reliant Berne à la vallée du Rhône par un tunnel de 14 611 m percé sous les Alpes bernoises.

LOTTI (Antonio), compositeur italien (1666-Venise 1740). Organiste et maître de chapelle de Saint-Marc de Venise, il a laissé des sonates, des cantates, des opéras et surtout des messes (dont un célèbre *Crucifixus*), des motets et des oratorios d'une belle écriture polyphonique.

LOTTO (Lorenzo), peintre italien (Venise v. 1480-Lorette 1556). Indépendant, l'un des rares Vénitiens qui résistèrent à l'influence de Titien, il mena une vie vagabonde en Vénétie, dans les Marches, en Lombardie... Ses portraits sont d'une grande intensité d'expression et dénotent son inquiétude spirituelle, comme ses compositions religieuses, complexes, qui trahissent des affinités avec l'art allemand et annoncent le baroque (tableaux d'autel à Bergame, v. 1520-1525; *les Aumônes de saint Antoine,* 1542, S. Giovanni e Paolo de Venise).

LOUAGE → BAIL.

LOUBET (Émile), homme d'État français (Marsanne 1838-Montélimar 1929). Député républicain modéré (1876-1885), puis sénateur (1885-1899), il est président du Conseil (1892), ministre de l'Intérieur (1892-93) et président du Sénat (1896) avant d'être élu président de la République (1899-1906).

LOUCHEUR (Louis), homme politique français (Roubaix 1872-Paris 1931). Ministre du Travail et de la Prévoyance sociale (1926-1930), il fait voter en 1928, pour remédier à la crise du logement, une loi, dite «loi Loucheur», sur l'aide de l'État aux constructions d'habitations à loyer modéré.

LOUDÉAC (22600), ch.-l. de cant. des Côtes-du-Nord, à 22 km au N.-E. de Pontivy; 10 135 hab. *(Loudéaciens).* Église des XVIIe-XVIIIe s. Industries alimentaires.

LOUDES (43320), ch.-l. de cant. de la Haute-Loire, à 16 km à l'O. du Puy; 750 hab.

LOUDUN (86200), ch.-l. de cant. de la Vienne, à 25 km au S.-O. de Chinon; 8 408 hab. Donjon du XIIe s. Églises médiévales et Renaissance. Demeures anciennes. Musée.

LOUE (la), riv. de l'est de la France, née dans le Jura, affl. du Doubs (r. g.); 125 km.

LOUÉ (72540), ch.-l. de cant. de la Sarthe, à 28 km à l'O. du Mans; 1 880 hab.

LOUGANSK → VOROCHILOVGRAD.

LOUHANS (71500), ch.-l. d'arr. de l'est du départ. de Saône-et-Loire, dans la Bresse, sur la Seille; 11 016 hab. Église du XVe s. Hôtel de ville, hôpital (pharmacie) et maisons de la Grande Rue des XVIIe-XVIIIe s.

SAINTS

LOUIS *(Saint)* → LOUIS IX.

LOUIS DE GONZAGUE *(saint),* jésuite italien (Castiglione della Stiviere, près de Mantoue, 1568-Rome 1591). Entré en 1585 au noviciat des Jésuites, il mourut, victime de son dévouement, au cours d'une épidémie de peste. Patron de la jeunesse.

LOUIS-MARIE GRIGNION DE MONTFORT *(saint),* missionnaire français (Montfort-sur-Meu 1673-Saint-Laurent-sur-Sèvre 1716). Prédicateur itinérant, il évangélisa la Normandie, la Bretagne, le Poitou et la Vendée, où son éloquence directe attira les foules. Il fonda les *Sœurs de la Sagesse,* pour soigner les malades et instruire les enfants, et la *Compagnie de Marie* (Pères montfortains), pour évangéliser les pauvres. Apôtre de la dévotion à la Vierge Marie, il a laissé un *Traité de la véritable dévotion à la Sainte Vierge.*

EMPEREURS

LOUIS Ier le Pieux ou **le Débonnaire** (Chasseneuil 778-près d'Ingelheim 840), roi d'Aquitaine (781-814), empereur d'Occident (814-840), fils et successeur de Charlemagne. Par l'*Ordinatio Imperii* de 817, il règle sa succession et subordonne ses puînés, Pépin et Louis (qui reçoivent chacun un royaume), à leur aîné Lothaire, associé à l'empire; il maintient ainsi l'unité de l'empire malgré la tradition germanique des partages. Il réprime la révolte de son neveu, Bernard, roi d'Italie (818). Son mariage avec Judith de Bavière (819) et la naissance de son fils Charles (823) compromettent le règlement de 817. En attribuant une part de ses États à Charles (1829), Louis Ier provoque la révolte de Lothaire, qui le détrône (833). Il est rétabli en 835 par ses autres fils.

LOUIS II (825-près de Brescia 875), empereur d'Occident (855-875), fils aîné de Lothaire, qui lui laisse le titre impérial et l'Italie. Il lutte contre les Sarrasins, puis réprime les révoltes de ses grands vassaux. À sa mort, le titre impérial échoit à Charles le Chauve.

LOUIS III l'Aveugle (Autun 880-Arles 928), roi de Provence (887-928), empereur d'Occident (901-905). Fils de Boson, roi de Bourgogne, il se fait couronner roi d'Italie (900), puis empereur (901), mais il est déposé et aveuglé par son compétiteur Béranger Ier (905).

LOUIS IV DE BAVIÈRE (Munich 1287-Fürstenfeld 1347), roi des Romains (1314-1346), empereur (1328-1346). Vainqueur de son compétiteur Frédéric d'Autriche (1322), il n'est pas reconnu par le pape Jean XXII et installe à Rome un antipape, Nicolas V. Par sa politique expansionniste, il s'aliène les princes allemands, qui cessent de le reconnaître (1346).

FRANCE

LOUIS Ier → Louis Ier le Pieux.

LOUIS II le Bègue (846-Compiègne 879), roi des Francs (877-879), fils de Charles le Chauve, qui lui donne le gouvernement du Maine (856), puis de l'Aquitaine (867) et contre qui il se révolte. Difficilement reconnu roi en 877, il meurt peu après.

LOUIS III (v. 863-Saint-Denis 882), roi des Francs (879-882). Fils aîné de Louis II, il est proclamé roi avec son frère Carloman et cède la Lotharingie à Louis le Jeune, roi de Germanie (880). Il bat les Normands à Saucourt (881), mais meurt prématurément.

LOUIS IV d'Outremer (†Reims 954), roi de France (936-954), fils de Charles le Simple. Après la mort du roi Raoul (936), il est rappelé d'Angleterre à l'instigation du robertien Hugues le Grand, qui espère exercer la réalité du pouvoir. Mais il se montre capable de régner seul. Il parvient à vaincre Hugues le Grand grâce à l'appui d'Otton Ier (948), et s'assure de l'alliance normande.

LOUIS V le Fainéant (v. 967-Compiègne 987), roi des Francs (986-87). Fils de Lothaire, associé au trône dès 978, il meurt sans héritier et a pour successeur Hugues Capet.

LOUIS VI le Gros (v. 1081-Paris 1137), roi de France (1108-1137), fils et successeur de Philippe Ier. Roi énergique, il sait aussi s'assurer d'un auxiliaire fidèle en la personne de Suger*, abbé de Saint-Denis. La majeure partie de son règne est consacrée à la pacification de l'Île-de-France et à la lutte contre les seigneurs pillards, tels que Thomas de Marle, Hugues du Puiset et Hugues de Crécy. Il combat le roi d'Angleterre Henri Ier Beauclerc, intervient sans succès dans la succession de Flandre (1127-28) et marie son fils aîné, le futur Louis VII, à l'héritière du duché d'Aquitaine. Sage administrateur, il met en valeur son domaine, accorde des privilèges aux villes et fonde des communautés rurales, où il attire les paysans par l'octroi de franchises (Lorris en Gâtinais).

LOUIS VII le Jeune (v. 1120-Paris 1180), roi de France (1137-1180), fils du précédent. Il entre en conflit avec le pape Innocent II et le comte palatin de Blois-Champagne, Thibaut, à propos de l'élection au siège archiépiscopal de Bourges. Il envahit la Champagne (1142), où s'est réfugié le candidat du chapitre de Bourges, soutenu par le pape et le comte Thibaut, mais il doit finalement s'incliner. Parti à la croisade en 1147, il est de retour en 1149. Il collabore avec le haut clergé et multiplie ses interventions dans plusieurs régions excentriques du royaume. Ayant répudié Aliénor d'Aquitaine, il ne peut empêcher celle-ci d'épouser Henri Plantagenêt (1152), qui met la main sur l'Aquitaine. Contre le Plantagenêt, devenu (1154) roi d'Angleterre, il s'allie au comte de Flandre et au comte de Champagne, Henri, dont il épouse la sœur, Adèle (mère de Philippe II Auguste).

LOUIS VIII le Lion (Paris 1187-Montpensier 1226), roi de France (1223-1226), fils et successeur de Philippe Auguste, époux de Blanche de Castille. Vainqueur de Jean sans Terre à la Roche-aux-Moines en 1214, il conduit en 1216 une expédition outre-Manche, interrompue par la mort soudaine du roi Jean. Devenu roi, il dirige une croisade contre les albigeois (1226) et prépare ainsi l'annexion du Toulousain au domaine royal.

LOUIS IX ou **SAINT LOUIS** (Poissy 1214-Tunis 1270), roi de France (1226-1270), fils et successeur du précédent. Il règne d'abord sous la régence de sa mère, Blanche* de Castille; celle-ci doit réprimer une grave révolte de vassaux et conclut avec le comte Raimond VIII de Toulouse le traité de Paris (1229), qui termine la guerre contre les albigeois et assure à la maison capétienne la possession à terme du Toulousain. Marié en 1234 à Marguerite de Provence, Louis IX gouverne seul à partir de 1240 environ. Ayant écrasé une révolte des barons conduite par le comte de la Marche (Taillebourg, 1242), il organise la septième croisade et s'embarque en août 1248 pour l'Égypte. Vaincu et fait prisonnier à Mansourah en février 1250, il est libéré contre une lourde rançon et rentre en France en 1254. Dès lors, il se consacre à la réorganisation de son royaume. Il affermit son pouvoir et réforme la justice en jetant les fondements de l'institution parlementaire. Il met fin au conflit avec l'Angleterre par le traité de Paris (1259), qui lui assure l'ancien empire Plantagenêt, à l'exception de la Guyenne, pour laquelle le roi d'Angleterre se reconnaît son vassal. Sa réputation d'intégrité et de vertu, son sens aigu de l'équité lui valent de son vivant l'estime universelle et font de lui l'arbitre de la chrétienté. La huitième croisade, qu'il entreprend en 1270, le conduit vers Tunis, où, atteint par la peste, il meurt le 25 août 1270. Louis IX sera canonisé par Boniface VIII en 1297.

LOUIS X le Hutin (Paris 1289-Vincennes 1316), roi de France (1314-1316), fils aîné et successeur de Philippe IV le Bel. Son court règne est marqué par une réaction contre l'autorité monarchique. Conseillé par son oncle Charles de Valois, le roi se débarrasse des conseillers de son père et, face au « mouvement des chartes », confirme les droits et coutumes des nobles, tout en s'attachant à en limiter la portée.

LOUIS XI (Bourges 1423-Plessis-lez-Tours 1483), roi de France (1461-1483), fils et successeur de Charles VII, du vivant duquel il prend part aux révoltes des grands contre l'autorité royale (Praguerie, 1440). Devenu roi, il renvoie les conseillers de son père et, par des mesures impopulaires, s'aliène la haute noblesse, qui, rassemblée autour de Charles* le Téméraire, forme la ligue du Bien public (1465). Il doit céder en 1465, mais reprend l'offensive en 1468 et bat le duc de Bretagne. Puis il cherche à négocier avec Charles le Téméraire, devenu (1467) duc de Bourgogne. Retenu prisonnier par ce dernier lors de la rencontre de Péronne (oct. 1468), il n'est libéré qu'à de très dures conditions, qu'il s'empresse aussitôt de ne pas respecter. Décidé à abattre la puissance bourguignonne, il neutralise l'alliance du Téméraire et d'Édouard IV d'Angleterre (traité de Picquigny, 1475), s'allie aux Suisses, qui écrasent Charles le Téméraire à Grandson et à Morat (1476), et au duc de Lorraine, qui vainc l'armée bourguignonne venue assiéger Nancy (janv. 1477). Charles le Téméraire ayant été tué dans la bataille, Louis XI occupe le duché et le comté de Bourgogne ainsi que la Picardie et l'Artois. Quelques années plus tard, il hérite du comté d'Anjou (1480), puis de la Provence (1481) et régularise par le traité d'Arras (1482) l'acquisition de la Bourgogne. À l'intérieur, il gouverne avec autorité; s'il impose lourdement son peuple, il favorise le renouveau économique (soieries de Lyon et de Tours, foires de Lyon, etc.).

Louis XI. Copie d'après un original perdu attribué à Jean Fouquet. (Brooklyn Museum, New York.)

Brooklyn Museum, New York

LOUIS XII (Blois 1462-Paris 1515), roi de France (1498-1515), fils du duc Charles d'Orléans et de Marie de Clèves. Durant la minorité de Charles VIII, il prend part à la révolte nobiliaire contre la régente Anne de Beaujeu. Fait prisonnier à Saint-Aubin-du-Cormier (1488), libéré en 1491, il se rallie à Charles VIII, au service duquel il participe à la première guerre d'Italie (1494-95). Il lui succède en 1498 et fait annuler son mariage avec Jeanne de Valois pour épouser la veuve du défunt roi, Anne, duchesse de Bretagne (1499). Petit-fils de Valentine Visconti, il ajoute aux prétentions de son prédécesseur sur Naples celles sur le Milanais, qu'il conquiert (1500) avant de se rendre maître de Naples avec l'aide de Ferdinand d'Aragon, qui ne tarde pas à l'en chasser (1504). Resté maître du Milanais, il entre dans la ligue de Cambrai (1508) contre Venise et remporte la victoire d'Agnadel (1509). Peu après, la « Sainte Ligue » constituée par Jules II (oct. 1511) entreprend de chasser les Français d'Italie. La défaite de Novare (1513) consacre la perte de Milan, tandis que la France est envahie par les Anglais et les Suisses. Louis XII parvient à signer la paix avec le nouveau pape (1514); veuf d'Anne de Bretagne, il épouse Marie d'Angleterre et meurt peu après, laissant deux filles : Claude, mariée au futur François Ier, et Renée, plus tard duchesse de Ferrare.

LOUIS XIII le Juste (Fontainebleau 1601 - Saint-Germain 1643), roi de France (1610-1643), fils d'Henri IV et de Marie de Médicis. Il n'a que neuf ans à la mort de son père; la régence de Marie* de Médicis est marquée par le mécontentement des princes et des grands, par les états généraux de 1614 et par l'influence des Concini*, dont, en avril 1617, le jeune roi, poussé par Luynes*, se débarrasse, entrant ainsi sur la scène politique. En réalité, Louis XIII laisse le pouvoir à Luynes († 1621), qui lutte contre les grands et les protestants. Après trois ans de désordres (1621-1624), il fait de Richelieu* le chef du Conseil : le cardinal va gouverner le royaume jusqu'à sa mort (1642), mais jamais il n'agira sans l'avis de Louis XIII, qui le soutiendra constamment. Il est vrai que le roi, s'il a grande foi en sa mission, n'a qu'une santé précaire et que, sur le plan affectif, son mariage avec Anne* d'Autriche, dont il a — tardivement — deux enfants, Louis XIV* (1638) et Philippe d'Orléans (1639), ne lui offre pas beaucoup de compensations.

À l'intérieur, Louis XIII et son ministre travaillent à rétablir l'autorité royale en créant le corps des intendants*, qui substituent aux offices une administration locale étroitement dépendante du roi. Dans le même temps, en développant le commerce et la marine, et en luttant contre les protestants, Richelieu applique la doctrine selon laquelle la grandeur de l'État passe par la prospérité du pays. Le point noir reste les finances : le défaut de monnaie saine et l'augmentation des impôts provoquent la misère rurale et des jacqueries sanglantes, cruellement réprimées. C'est le poids de la guerre qui explique la lourdeur des impositions et, partant, les troubles des campagnes. Adversaires du duc de Savoie et des Habsbourg en Italie et en Allemagne, Louis XIII et Richelieu jettent la France dans l'épuisante guerre de Trente* Ans, qui donne cependant à la France des frontières élargies et mieux assurées.

LOUIS XIV le Grand (Saint-Germain-en-Laye 1638 - Versailles 1715), roi de France (1643-1715), fils et successeur de Louis XIII. La fuite à Saint-Germain (1649) et la vie errante de la Cour durant les troubles de la Fronde* expliquent la profonde défiance que gardera Louis XIV à l'égard de Paris, du parlement et des grands. Majeur en 1651, il vit jusqu'en 1661 sous la tutelle de Mazarin*, qui, en 1660, lui fait épouser Marie-Thérèse* d'Autriche; celle-ci lui donnera un fils, le Grand Dauphin. Mazarin mort, le jeune souverain, apparemment préoccupé surtout de frasques amoureuses — au point que, durant vingt ans, il s'installera dans l'adultère (Mlle de La Vallière*, Mme de Montespan*...) —, s'avère tout de suite monarque absolu, aimant passionnément son « métier de roi », mais sachant s'entourer d'utiles auxiliaires, dont Colbert* et Louvois* notamment, et présider avec assiduité et compétence ses conseils.

Louis XIV.
Peinture anonyme, fin du XVIIIe s.
(Hôtel Lallement, Toulouse.)

De 1661 à 1679, s'il ne peut dominer la crise économique de 1662, il monte vers le zénith. Ce sont les grandes années de Colbert, véritable rénovateur de l'administration royale et de l'économie du royaume. La Cour, qui s'installe peu à peu à Versailles*, brille de tous ses feux : elle symbolise la domestication que le « Roi-Soleil » impose à sa noblesse. La littérature et l'art français rayonnent alors sur le monde. À l'extérieur, Louvois, Turenne, Vauban assurent à la France gloire et extension territoriale, à la suite des guerres de Dévolution (1667-68) et de Hollande (1672-1678).

La mort de Turenne (1675), puis celles de Colbert et de la reine (1683) marquent un tournant. Sous l'influence de Mme de Maintenon, qu'il épouse en 1684, Louis XIV devient « dévot » et poursuit tous « les ennemis de la foi » : protestants (révocation de l'édit de Nantes, 1685), jansénistes, quiétistes; avec le pape, son gallicanisme* sourcilleux lui vaut de longues difficultés. À l'extérieur, Louvois pratique une politique brutale de « réunions », tandis que l'administration se durcit et que le système des intendants de province se généralise. Les deux guerres de la ligue d'Augsbourg (1689-1697) et de la Succession* d'Espagne (1701-1714) affaiblissent terriblement le royaume, qui connaît par ailleurs, en 1693-94 et en 1709, la famine et une misère effroyable. Le pays étant menacé par l'invasion et ruiné par les dépenses de guerre, Louis XIV doit recourir aux financiers et aux expédients fiscaux. Mais le vieux roi se raidit dans sa majesté et durcit ses positions, alors que la mort frappe autour de lui : le Grand Dauphin (1711), le duc de Bourgogne (1712). Le redressement militaire des dernières années (Denain, 1712) lui permet le compromis honorable de la paix d'Utrecht (1713), qui laisse son petit-fils sur le trône d'Espagne et n'entame pas l'essentiel des conquêtes du règne. Mais, quand Louis XIV meurt, le pays est à bout de souffle.

LOUIS DE FRANCE (Fontainebleau 1661 - Meudon 1711), dit **le Grand Dauphin,** fils de Louis XIV et de Marie-Thérèse. Son père l'écarte des affaires. Louis eut trois fils, dont Louis, duc de Bourgogne, père de Louis XV*, et Philippe, duc d'Anjou, devenu Philippe V* d'Espagne.

LOUIS XV le Bien-Aimé (Versailles 1710 - *id.* 1774), roi de France (1715-1774). Seul survivant des fils du duc de Bourgogne, Louis, duc d'Anjou, succède à son arrière-grand-père Louis XIV. Mais il règne d'abord sous la tutelle du Régent, Philippe d'Orléans (v. RÉGENCE). Sacré en 1722, majeur en 1723, Louis XV, après la mort du Régent (1723), laisse gouverner le duc de Bourbon (1723-1726), qui lui fait épouser Marie Leszczyńska (1725). Ayant exilé le duc de Bourbon (1726), Louis XV laisse la direction de l'État au cardinal Fleury* (1726-1743), qui s'efforce de maintenir la paix en Europe, mais doit accepter la guerre de la Succession de Pologne* (1733-1738), qui se termine par le traité de Vienne (1738) : celui-ci assure la Lorraine et le Barrois à Stanislas Leszczyński, qui les rétrocédera à sa mort, en 1766, à son gendre le roi de France. L'excellente gestion du contrôleur général Orry (1730-1745) favorise l'expansion économique, cependant que le roi, s'abandonnant aux plaisirs, passe de maîtresse en maîtresse. À la mort de Fleury (1643), Louis XV manifeste la volonté de gouverner, encore que sa timidité l'incite à opposer le « secret du roi » aux décisions des conseils.

De 1744 à sa mort, en 1764, la marquise de Pompadour*, maîtresse en titre du roi, domine la politique, poussant ce dernier contre le parlement. La guerre de la Succession* d'Autriche (1740-1748) se termine par une paix blanche (Aix-la-Chapelle, 1748). Mais l'opposition parlementaire de plus en plus vive, la vie privée scandaleuse et les dépenses du souverain discréditent peu à peu celui qui fut longtemps « Louis le Bien-Aimé » : l'attentat de Damiens (1757) en est une preuve. La désastreuse guerre de Sept* Ans (1756-1763), malgré l'action de Choiseul*, aboutit à l'humiliante perte du Canada et de l'Inde (traité de Paris, 1763). L'apparition d'une nouvelle favorite, Mme du Barry, en 1768 — qui n'a pas l'intelligence de la Pompadour — marque l'ultime tournant d'un règne qui se termine dans la désaffection. Le roi, de plus en plus isolé, cède tout aux parlementaires (dissolution de la Compagnie de Jésus, 1764), jusqu'à ce que, dans une tardive réaction autoritaire, il leur oppose Maupeou*, qui supprime le parlement de Paris (1771) et procède aux réformes financières indispensables, qui consolident l'Ancien Régime pour quinze ans. Ce redressement politique, que complète l'annexion de la Lorraine (1766) et de la Corse (1768), bénéficie en outre de l'expansion économique et démographique générale.

LOUIS XVI (Versailles 1754 - Paris 1793), roi de France (1774-1791) et roi des Français (1791-92). Petits-fils de Louis XV, il épouse (1770) l'archiduchesse d'Autriche Marie-Antoinette*, qui lui donnera quatre enfants, dont (1778) Madame Royale, duchesse d'Angoulême*, et (1785) le second Dauphin, dit Louis XVII*. Honnête et simple, encore que lent d'esprit, le jeune roi est désireux de faire le bonheur de ses sujets : des mesures comme l'abolition de la torture (« question ») et la restitution d'un état civil aux protestants en témoignent. Mais ces qualités s'accordent mal avec le cadre raffiné et cynique de la cour de Versailles, d'autant moins que, peu porté vers les affaires, Louis XVI se laisse dominer par son épouse. C'est ainsi que, après avoir soutenu le grand réformateur Turgot*, le roi abandonne celui-ci (1776); même attitude en 1781 à l'égard de Necker*, qui a le tort d'afficher les gaspillages de la Cour. À l'extérieur, heureusement, la politique de Vergennes* conduit à la victoire franco-américaine, à l'issue de la guerre de l'Indépendance américaine (1778-1783). Après Necker, les intrigues courtisanes imposent le contrôleur général Calonne* (1783), puis (1787) Loménie* de Brienne, qui se montrent impuissants, le roi ne les soutenant pas devant la résistance des privilégiés. Ayant dû rappeler Necker, Louis XVI promet la convocation des états généraux pour 1789. Ne pouvant se faire avec le roi — qui écoute trop tard Mirabeau* — la Révolution* française, qui commence alors, va rapidement se faire contre lui. Réduit au rang de roi des Français par la Constitution de 1791, Louis XVI, qui a accepté la Constitution civile du clergé, réagit ensuite, mais mal : sa fuite avortée à Varennes (juin 1791) le déconsidère aux yeux d'une large opinion; sous l'Assemblée législative (1791-92), il applique son veto suspensif contre les mesures d'exception proposées par les Girondins, mais son attitude provoque le mécontentement (journée du 20 juin 1792).

Poussé par la reine, l'Autriche et les émigrés et persuadé que la France révolutionnaire sera vaincue, Louis XVI, pratiquant la politique du pire, déclare la guerre (20 avr. 1792) à François II, que rejoignent les Prussiens. Mais les premiers revers français se retournent contre lui; le 10 août 1792, les pouvoirs du roi sont suspendus; il est incarcéré au Temple avec sa famille. La Convention le condamne à mort à une faible majorité : le 21 janvier 1793, Louis XVI monte courageusement à l'échafaud. Sa mort déchaînera contre la France la coalition européenne.

LOUIS XVII (Versailles 1785 - Paris 1795), fils de Louis XVI et de Marie-Antoinette. Dauphin à la mort de son frère aîné (1789), il est incarcéré au Temple, avec les siens, en août 1792. Après la mort de son père (janv. 1793), il subit des sévices et meurt en prison. Des doutes émis sur l'identité du mort et fondés sur l'hypothèse d'une évasion du Dauphin suscitèrent de nombreux imposteurs.

LOUIS XVIII (Versailles 1751 - Paris 1824), roi de France (1814-1824). Frère de Louis XVI, le comte de Provence épouse en 1771 Louise de Savoie. Il émigre en juin 1791 et rejoint d'abord son frère le comte d'Artois (futur Charles X*) à Coblence. Il se donne alors le titre de lieutenant général du royaume; « régent » à la mort de Louis XVI (1793), il proclame son neveu roi (Louis XVII). Réfugié à Vérone, il prend en 1795, à la mort de ce dernier, le nom de Louis XVIII. Mais les puissances le boudent; une restauration des Bourbons s'avère d'ailleurs impossible en France après l'installation de Bonaparte au pouvoir (1800). Expulsé d'Italie, puis de Russie, Louis XVIII s'installe en 1807 en Angleterre. Rentré en France lors de la première Restauration* (avr. 1814), il doit se réfugier à Gand durant les Cent-Jours* (mars-juin 1815). Il comprend qu'en rejetant tout l'héritage de la Révolution et de l'Empire il perdrait à jamais sa dynastie. Il se résigne donc au régime constitutionnel de la Charte* de 1814. Sceptique, égoïste et dominé par son entourage (Decazes) immédiat, il écarte le plus possible le comte d'Artois, jugé par lui imprudent, mais l'assassinat, en 1820, du fils de ce dernier, le duc de Berry, l'oblige à renoncer au service de Decazes, accusé de libéralisme, et à appeler un ultraroyaliste, Villèle*. Louis XVIII meurt dans l'indifférence du pays; son frère, Charles X, lui succède.

ANJOU ET SICILE

LOUIS Ier (Vincennes 1339 - Bisceglie 1384), comte, puis duc d'Anjou (1360-1384), roi de Sicile, comte de Provence (1383-84). Fils de Jean II le Bon, régent de France en 1380, il est désigné comme héritier par Jeanne Ire de Sicile. Celle-ci ayant été assassinée par Charles de Durazzo, il se fait proclamer roi (1383).

LOUIS II (Toulouse 1377 - Angers 1417), roi de Naples, de Sicile, de Jérusalem, duc d'Anjou, comte du Maine et de Provence (1384-1417). Fils de Louis Ier d'Anjou, il ne peut s'emparer de Naples. Ayant épousé Yolande d'Aragon, il s'intitule roi d'Aragon (1410).

LOUIS III (1403 - Cosenza 1434), roi titulaire d'Aragon, de Naples, de Sicile, de Jérusalem, duc d'Anjou, comte de Provence (1417-1434). Fils aîné de Louis II, il revendique le royaume de Sicile contre Jeanne II, qui finit par le désigner comme son successeur. Il meurt avant d'avoir pris possession de l'héritage.

BAVIÈRE

LOUIS Ier DE WITTELSBACH (Strasbourg 1786 - Nice 1868), roi de Bavière (1825-1848). Philhellène, il fait nommer son fils Otton roi de Grèce. Poète et amateur d'art, il couvre Munich de monuments néoclassiques. Sa liaison avec Lola Montes l'oblige à abdiquer en mars 1848.

LOUIS II DE WITTELSBACH (Nymphenburg 1845 - Berg 1886), roi de Bavière (1864-1884). Adversaire de l'esprit prussien, misanthrope et mégalomane, il consacre son temps à des entreprises artistiques grandioses, soutenant les projets de R. Wagner* et construisant des châteaux; interné comme fou, il se noie.

FLANDRE

LOUIS II de Mâle → FLANDRE.

GERMANIE

LOUIS Ier (ou **II**) **le Germanique** (804 - Francfort-sur-le-Main 876), roi des Francs orientaux (817-843) et de Germanie (843-876). Doté de la Germanie par le traité de Verdun (843), il tente vainement de dépouiller son neveu Lothaire II et son frère Charles (858). À la mort de l'empereur Louis II, la couronne impériale et l'Italie lui échappent au profit de Charles le Chauve (875).

LOUIS II (ou **III**) **le Jeune** (822 - Francfort-sur-le-Main 882), roi de Germanie (876-882). Second fils de Louis le Germanique, il règne sur la Franconie, la Thuringe et la Saxe. Il prend la Bavière à son frère Carloman (879) et la Lotharingie aux rois de France (880).

LOUIS III (ou **IV**) **l'Enfant** (Œttingen 893 - Ratisbonne 911), roi de Germanie et de Lotharingie (900-911). Fils de l'empereur Arnoul, il est le dernier Carolingien à régner sur la Germanie.

HONGRIE

LOUIS Ier le Grand (Visegrád 1326 - Nagyszombat 1382), roi de Hongrie (1342-1382) et de Pologne (1370-1382). Fils de Charles-Robert d'Anjou et d'Élisabeth de Pologne, il succède à son père en Hongrie, dont il favorise l'essor économique et intellectuel, se laisse entraîner dans l'aventure italienne et intervient dans les Balkans. En 1370, il succède à son oncle, Casimir III, en Pologne, où il renforce le pouvoir de la haute noblesse (privilège de Kassa, 1374).

LOUIS II (Buda 1506 - Mohács 1526), roi de Bohême et de Hongrie (1516-1526). Fils de Ladislas VII, à qui il succède, il épouse Marie de Habsbourg (1522), sœur de Charles Quint. En butte à l'indocilité d'une noblesse trop puissante, il doit aussi faire face à la menace turque. Vaincu à Mohács par le sultan Soliman II, il se noie en tentant de fuir. Sa sœur Anne lui succède.

PORTUGAL

LOUIS Ier (Lisbonne 1838 - Cascais 1889), roi de Portugal (1861-1889). Partisan des réformes, il abolit l'esclavage dans les colonies portugaises. À partir du pronunciamiento de Saldanha (1870), il doit faire face à l'opposition républicaine.

LOUIS (Victor), architecte français (Paris 1731 - † v. 1811). Son grand prix lui permet de se pénétrer, à Rome, de la noblesse antique (1756-1759). Le Grand-Théâtre de Bordeaux (1775), un des prototypes de l'art néoclassique, fait de lui un maître de l'architecture théâtrale. À Paris, Louis construit les immeubles qui entourent les jardins du Palais-Royal (1776) ainsi que l'actuelle Comédie-Française (1786).

LOUIS (Joseph Dominique, *baron*), homme politique français (Toul 1755 - Bry-sur-Marne 1837). Ministre des Finances durant la première Restauration (1814-15) et après les Cent-Jours* (1815), il rétablit le crédit en reconnaissant les dettes de l'Empire et en lançant un emprunt extraordinaire. De nouveau ministre des Finances (1818-19 et 1831-32), il simplifie la comptabilité officielle.

Louise, roman musical en quatre actes, livret et musique de G. Charpentier (1900). Peinture du Paris populaire, cette partition se rattache au naturalisme et comporte de belles envolées lyriques (air de Louise) et des scènes pittoresques (cris de Paris).

LOUISE DE MARILLAC *(sainte),* religieuse française (Paris 1591 - *id.* 1660). Fille d'un conseiller au parlement, mariée à Antoine Le Gras, écuyer et secrétaire des commandements de Marie* de Médicis, elle a de ce mariage un fils qui entre dans les ordres. Devenue veuve en 1625, elle collabore aux œuvres de charité de saint Vincent* de Paul et fonde avec celui-ci les Filles de la Charité, dont elle est la première supérieure. Elle sera canonisée en 1934.

LOUISE DE MECKLEMBOURG-STRELITZ, reine de Prusse (Hanovre 1776 - Hohenzieritz 1810). Elle épouse en 1793 Frédéric-Guillaume (III), qui devient roi de Prusse en 1797. Populaire par sa beauté et son patriotisme, elle inspire le parti antifrançais (1805-06), mais, à Tilsit*, elle ne peut obtenir de Napoléon des conditions meilleures pour la Prusse.

LOUISE DE SAVOIE (Pont-d'Ain 1476 - Grez-sur-Loing 1531), épouse de Charles de Valois et mère de François Ier. Elle est régente de France pendant les expéditions italiennes de son fils (1515-1525) et négocie (1529) la paix de Cambrai (paix des Dames) avec Marguerite d'Autriche.

LOUISE-MARIE D'ORLÉANS, reine des Belges (Palerme 1812 - Ostende 1850). Fille aînée de Louis-Philippe Ier, elle épouse en 1832 le roi des Belges Léopold Ier.

LOUIS-GENTIL → YOUSSOUFIA.

LOUISIANE, en angl. **Louisiana,** État du sud des États-Unis, sur le golfe du Mexique; 125 674 km²; 3 643 000 hab. Capit. *Baton Rouge.*

GÉOGRAPHIE. Traversée par le 30e parallèle, la Louisiane, extrémité méridionale des plaines du Mississippi, possède un climat subtropical (hivers doux et étés chauds avec des précipitations abondantes, surtout estivales). Ce climat explique l'exubérance de la végétation, la nature des productions agricoles (riz, agrumes, soja, canne à sucre). La façade littorale est animée par une pêche active. Mais l'économie est aujourd'hui dominée par l'industrie grâce à la richesse du sous-sol (la Louisiane est, après le Texas, le premier État producteur de pétrole [plus de 100 Mt] et de gaz naturel [plus de 200 Gm³] du pays), ayant notamment donné naissance à la chimie. La Nouvelle-Orléans est la métropole de la Louisiane, dont elle regroupe dans l'aire métropolitaine plus du quart d'une population comptant toujours (malgré un déclin relatif) une importante minorité noire (30 p. 100).

HISTOIRE. Les explorations espagnoles (XVIe s.) et françaises (XVIIe s.) dans la vallée du Mississippi préparent la prise de possession du territoire par Cavelier de La Salle en 1682. La pénétration française est poursuivie par Le Moyne* d'Iberville et son frère Le Moyne* de Bienville, nommé gouverneur de la Louisiane en 1702. Une nouvelle étape de la mise en valeur est esquissée en 1717 avec l'entrée en jeu de la compagnie de commerce organisée par John Law* : l'arrivée de colons a pour complément celle des esclaves noirs. La Nouvelle-Orléans est fondée en 1718, mais l'immense territoire, que la France abandonne peu à peu, n'en végète pas moins. En 1762, la partie située à l'ouest du fleuve est cédée à l'allié espagnol; en 1763, la partie orientale devient anglaise. Cependant, en 1800, Bonaparte se fait céder la Louisiane par l'Espagne, mais, dès 1803, il la vend aux Etats-Unis, qui doublent ainsi, d'un coup, leur superficie.

Louis-Philippe Ier. Peinture anonyme, XIXe s. (Musée Condé, Chantilly.)

Lauros - Giraudon

LOUIS-PHILIPPE Ier (Paris 1773 - Claremont, Grande-Bretagne, 1850), roi des Français (1830-1848). Fils de Louis-Philippe-Joseph, duc d'Orléans, dit Philippe Égalité (1747-1793), Louis-Philippe, duc de Chartres, grandit dans un milieu cosmopolite, gagné aux idées nouvelles. Inscrit au club des Jacobins (1790), il participe aux victoires de Valmy (1792) et de Jemmapes (1792), mais déserte après Neerwinden (18 mars 1793). Errant à l'étranger, il épouse en 1809 Marie-Amélie, fille de Ferdinand Ier, roi des Deux-Siciles. Rentré à Paris en 1814, le duc d'Orléans gère ses biens; exilé de nouveau aux Cent-Jours (1815), il ne rentre qu'en 1817. Laissé à l'écart de la Cour, il entretient, pendant la Restauration*, des rapports politiques et d'affaires avec les chefs libéraux, qui, en juillet 1830, le portent au pouvoir (v. JUILLET [*monarchie de*]). Roi des Français, il se montre réservé et prudent, tout en manifestant un grand goût du pouvoir. Aussi s'appuie-t-il peu à peu sur le parti de la Résistance*, puis après 1840 sur Guizot*, qui est son « double », sa « bouche », durant huit ans. À l'extérieur, il se rapproche d'abord de la Grande-Bretagne, qu'il craint : c'est la première Entente* cordiale (1840-1846), à laquelle met fin la rivalité franco-anglaise en Méditerranée et en Espagne. Louis-Philippe esquisse alors un rapprochement avec Vienne. Les derniers mois de la monarchie sont marqués par une crise générale — financière, économique, politique et morale — et par l'inconscience du roi : celui-ci ne voit pas quel danger fait courir à sa dynastie la politique ultra-conservatrice de Guizot. Aussi son abdication, le 24 février 1848, en faveur de son petit-fils, le comte de Paris, lui apparaît-elle comme un fait imprévu. Réfugié en Angleterre, Louis-Philippe y meurt deux ans plus tard.

LOUISVILLE, v. des États-Unis (Kentucky), sur l'Ohio; 312 000 hab. Caoutchouc.

LOULAY (17330), ch.-l. de cant. de la Charente-Maritime, à 15 km au N. de Saint-Jean-d'Angély; 682 hab. Industries du bois.

LOUP. — Physiquement, le loup est presque identique au chien du type « berger allemand », avec lequel il serait d'ailleurs interfécond si une haine féroce ne les opposait. Mais il est sauvage, n'aboie pas, vit en bandes et chasse avec un sens remarquable de l'action collective. Presque disparu en France, il a tenu une place immense dans les peurs et les légendes, les chasses et la toponymie des siècles anciens. Il existe encore en nombre en Amérique du Nord, en U. R. S. S., en Inde et même dans les pays balkaniques.

LOUP (le), fl. côtier du sud-ouest des Alpes-Maritimes; 48 km.

Loup *(le)*, ballet en trois tableaux, argument de Jean Anouilh et de Georges Neveux, chorégraphie de Roland Petit, musique d'Henri Dutilleux, décors et costumes de Carzou. Il fut créé à Paris en 1953 par le Ballet des Champs-Élysées.

LOUP ou **LEU** *(saint)*, évêque de Troyes (Toul v. 383 - Troyes v. 478). Évêque de Troyes en 426, il préserva en 451 sa ville de l'invasion des Huns d'Attila*.

Loup des steppes *(le)*, roman de H. Hesse (1927). Le combat de l'esprit et de l'instinct, et l'acceptation du conflit intérieur comme gage de la découverte de la communion universelle.

LOUPE. — Une loupe est une lentille convergente de faible distance focale. Le petit objet à examiner est placé entre la loupe et son foyer, et l'œil, situé de l'autre côté, en voit une image virtuelle sous un angle plus grand que lors de la vision à l'œil nu. Le grossissement de la loupe est le rapport de ces angles. Sa puissance est le quotient du diamètre apparent de l'image par la longueur de l'objet; sa valeur en dioptries est sensiblement égale à celle de sa convergence $1/f$, où la distance focale f est exprimée en mètres.

LOUPE (La) [28420], ch.-l. de cant. d'Eure-et-Loir, à 22 km au N.-E. de Nogent-le-Rotrou; 3 760 hab. Constructions mécaniques.

LOUQSOR ou **LOUXOR,** ville de Haute-Égypte, située au sud de l'ancienne Thèbes, capitale des pharaons du Moyen* et du Nouvel* Empire. Elle abrite l'une des réalisations architecturales les plus parfaites du Nouvel Empire : le temple d'Amon, édifié par Aménophis III, célèbre pour les proportions harmonieuses de ses colonnes papyriformes et l'élégance de ses reliefs, décrivant les théogamies du roi et la fête d'Opet. L'ensemble était relié au complexe de Karnak par une allée bordée de sphinx à tête de bélier. Agrandi par Ramsès II, le temple était flanqué de deux obélisques, dont l'un orne la place de la Concorde à Paris.

LOURCHES (59156), comm. du Nord, sur l'Escaut, à 4 km au S.-O. de Denain; 4 673 hab. Cokerie.

LOURDES (65100), ch.-l. de cant. des Hautes-Pyrénées, sur le gave de Pau, à 20 km au S.-O. de Tarbes; 18 096 hab. *(Lourdais)*. Constructions mécaniques et électriques. — Cette petite cité pyrénéenne sort de l'anonymat en 1858, quand une jeune Lourdaise, Bernadette* Soubirous, se dit favorisée par des visions de la Vierge. Rapidement, Lourdes devient un lieu de pèlerinage mondial, dont l'attirance ne s'est jamais démentie (plus de 3 millions de visiteurs par an).

LOURENÇO MARQUES → MAPUTO.

LOURISTAN → LURISTĀN.

LOUROUX-BÉCONNAIS (Le) [49370], ch.-l. de cant. de Maine-et-Loire, à 27 km au N.-O. d'Angers; 1 789 hab.

LOU SIUN ou **LU XUN** (TCHEOU CHOU-JEN, dit), romancier chinois (Chao-hing 1881 - Chang-hai 1936). Premier romancier de la Chine moderne, il a décrit avec réalisme l'âme et la vie des hommes du peuple (*Histoire véridique de Ah Q,* 1921; *Contes anciens à notre manière,* 1935).

LOU-TCHEOU ou **LUZHOU,** v. de Chine (Sseu-tch'ouan); 289 000 hab. Engrais.

LOUTRE. — Sans atteindre le degré d'adaptation à la vie aquatique présenté par les phoques*, la loutre est, comme eux, un carnassier aquatique. Oreilles très courtes, museau aplati, pelage serré (d'une grande valeur en peausserie), pattes aux doigts parfaitement palmés, terrier creusé dans la berge d'une rivière, tout prépare la loutre à poursuivre et à capturer les poissons, surtout ceux dont l'âge ou la maladie ralentit la fuite. La loutre est donc non pas un fléau des rivières, mais un sélectionneur rigoureux, et la chasse que lui a value sa trop belle fourrure a été suivie d'une extension des maladies infectieuses chez les poissons.

LOUVAIN, en néerl. **Leuven,** v. de Belgique (Brabant), sur la Dyle, à l'E. de Bruxelles; 88 000 hab. Hôtel de ville du milieu du XVe s., joyau du gothique flamboyant brabançon. Églises gothiques, dont celles du Grand Béguinage et de Saint-Pierre (XVe s.; *la Cène,* chef-d'œuvre de D. Bouts). L'université occupe notamment ce qui reste de la halle aux Draps, fondée en 1317. Édifices baroques, dont l'église Saint-Michel, de 1650. Abbaye de Parc (XVIe-XVIIIe s.; peintures de Pieter Jozef Verhaghen [1728-1811]). Musée.

HISTOIRE. La première mention de Louvain remonte à 891 : les Normands y sont vaincus par l'empereur Arnulf. À la fin du Xe s., la ville devient la capitale du Brabant. Au XIVe s., elle est célèbre pour ses ateliers de tissage. Le déclin de ceux-ci, au XVe s., incite le duc de Brabant, Jean IV, à y créer l'université (1426), dont l'activité, jointe à celle de l'école de peinture et des ateliers d'imprimerie, fait de Louvain un centre intellectuel de grand renom. Supprimée en 1797, restaurée en 1817, de nouveau supprimée en 1830, l'université est reconstituée en 1835 par les catholiques comme université libre. En 1968, la querelle linguistique provoque la scission de l'université, jusqu'alors bilingue, et l'installation de la section francophone près de Wavre (Louvain-la-Neuve).

LOUVECIENNES (78430), comm. des Yvelines, au-dessus de la Seine, à 14 km à l'O. de Paris; 7 488 hab. *(Louveciennois* ou *Luciennois).* Châteaux des XVIIᵉ et XVIIIᵉ s.

LOUVERTURE → TOUSSAINT-LOUVERTURE.

LOUVET DE COUVRAY (Jean-Baptiste), homme politique et écrivain français (Paris 1760 - *id.* 1797), porte-parole des Girondins à la Convention et auteur des *Amours du chevalier de Faublas* (1787-1790).

LOUVIÈRE (La), comm. de Belgique (Hainaut), au N.-O. de Charleroi; 23 310 hab. (en 1970).

LOUVIERS (27400), ch.-l. de cant. de l'Eure, sur l'Eure, à 29 km au S. de Rouen; 18 874 hab. *(Lovériens).* Église des XIIIᵉ-XVIᵉ s. (porche flamboyant; œuvres d'art). Musée (vie locale, arts décoratifs, œuvres d'art). Constructions électriques. Textiles.

LOUVIGNÉ-DU-DÉSERT (35420), ch.-l. de cant. d'Ille-et-Vilaine, à 16 km au N. de Fougères; 4 331 hab. Granite. Confection.

LOUVOIS (François Michel LE TELLIER, *marquis* DE), homme d'État français (Paris 1639 - Versailles 1691). Fils de Michel Le Tellier*, il travaille en collaboration avec son père, qui l'associe dès 1661 au Conseil des dépêches et dès 1662 au secrétariat d'État à la Guerre. La France de Louis XIV lui doit une réforme profonde de l'armée, qu'il discipline, renforce et dote d'un corps hiérarchisé d'officiers; l'habillement et l'armement sont uniformisés, et le recrutement des réserves est assuré par les milices provinciales (1688); Louvois crée également l'hôtel des Invalides* pour les soldats estropiés. En outre, véritable ministre des Affaires étrangères de 1672 à 1689, il dirige une diplomatie brutale, qui conduit à l'attaque des Provinces-Unies (1672), à la politique des « réunions » à partir de 1679, à la dévastation du Palatinat (1689) et aussi aux féroces « dragonnades » infligées aux huguenots. Surintendant des Bâtiments, Arts et Manufactures (1683), il se montre mécène fastueux.

Louvre, anc. résidence royale, auj. musée national, à Paris. Construite sous Philippe Auguste comme ouvrage avancé de la défense ouest de Paris, la forteresse n'est guère habitée que par Charles V, qui l'agrandit. François Iᵉʳ la fait abattre et charge Lescot d'édifier un palais neuf (1546) : c'est le corps de logis qui servira de noyau à la future cour Carrée. Le palais des Tuileries, plus à l'ouest, étant entrepris par Delorme en 1564 (pour Catherine de Médicis), on décide de relier les deux ensembles par la Petite Galerie (du bâtiment de Lescot à la Seine : 1566; à l'étage, galerie d'Apollon, aménagée par Le Vau et Le Brun sous Louis XIV) et la longue galerie du Bord-de-l'Eau (1595-1610; à l'étage, Grande Galerie, réaménagée au début du XIXᵉ s., avec son éclairage zénithal, par Percier et Fontaine). Le quadruplement de la cour Carrée est l'œuvre de Louis XIII et de Louis XIV (pavillon de l'Horloge de Lemercier; grande façade vers l'est, dite « la Colonnade », regardant l'église Saint-Germain-l'Auxerrois : on l'attribue à Perrault, après les projets avortés du Bernin et de Le Vau). Louis XIV fait transformer les Tuileries dans le même temps, puis abandonne tous les travaux en 1674. Le Louvre, inachevé, devient le siège des Académies et sert à loger des artistes officiels. Les travaux reprennent sous Louis XV et Louis XVI; les constructions parisiennes qui serraient de très près le palais sont démolies, et l'on conçoit le projet d'un « Muséum central des arts », réalisé par la Convention (qui, d'autre part, établit le gouvernement aux Tuileries). De 1806 à 1814, Percier et Fontaine construisent la seconde jonction Louvre-Tuileries, du côté nord (rue de Rivoli), jusqu'au pavillon de Marsan (auj. musée des Arts décoratifs*). Sous Napoléon III seulement sont abattues les habitations qui subsistaient à l'intérieur du périmètre ainsi délimité. Louis Tullius Joachim Visconti (1791-1853), puis Hector Lefuel (1810-1881) construisent enfin les ailes intérieures encadrant la cour du Carrousel et reprennent la galerie du Bord-de-l'Eau (guichets du Carrousel, pavillon de Flore [groupe sculpté de Carpeaux]...), en respectant toujours l'esprit classique de l'ensemble. Après l'incendie de 1871, les Tuileries sont abattues (leurs points d'attache avec les ailes du Louvre, pavillon de Marsan au nord, pavillon de Flore au sud, subsistant), ce qui a pour effet d'ouvrir les jardins du Louvre sur ceux des Tuileries, axe que prolongent par-delà la place de la Concorde, grâce aux travaux de Le Nôtre au XVIIᵉ s., les Champs-Élysées, la place de l'Étoile, etc.

Le « Muséum français », constitué avec les collections royales (François Iᵉʳ, Louis XIV...), est inauguré le 10 août 1793. C'est l'amorce du musée du Louvre, qui, sans cesse augmenté, comporte aujourd'hui sept départements : antiquités orientales (constitué en 1847 [pour l'Assyrie] et 1881); antiquités égyptiennes (1826); antiquités grecques et romaines (1800); peintures (avec le Jeu de paume des Tuileries, réservé à l'impressionnisme, pour principale annexe); sculptures (issu du musée des Monuments français de 1796); objets d'art (auquel est rattaché, depuis 1927, le musée de Cluny*); cabinet des Dessins.

L'ensemble, l'un des plus riches au monde, est complété par un laboratoire et un service de restauration (qui travaillent aussi pour les musées de province), par un service éducatif, par des services

PLAN DU PALAIS DU LOUVRE

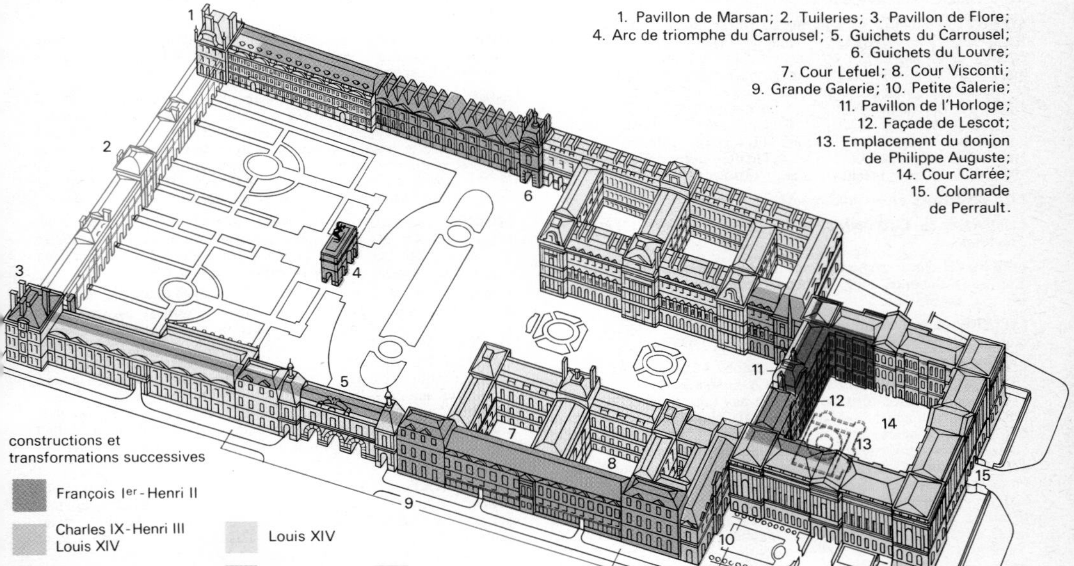

commerciaux et par l'école du Louvre, qui forme des historiens d'art et des conservateurs.

LOUVRES (95380), comm. du Val-d'Oise, au N.-O. de l'aéroport de Roissy-en-France; 8 036 hab.

LOUVROIL (59720), comm. du Nord, sur la Sambre, dans la banlieue sud-ouest de Maubeuge; 8 007 hab. Métallurgie.

LOUXOR → LOUQSOR.

LOUŸS (Pierre LOUIS, dit **Pierre**), écrivain français (Gand 1870-Paris 1925). Il publia des poèmes en prose (*les Chansons de Bilitis,* 1894) qu'il donna pour l'œuvre d'une poétesse grecque contemporaine de Sappho et fonda sa réputation sur des contes satiriques (*les Aventures du roi Pausole,* 1901) et des romans de mœurs (*Aphrodite,* 1896) où il évoque l'époque alexandrine.

LOVECRAFT (Howard Philip), écrivain américain (Providence, Rhode Island, 1890-*id.* 1937). Attiré à la fois par la littérature et l'occultisme, il inventa le *Livre maudit,* ou *Nécronomicon,* encyclopédie du Mal rédigée par un Arabe imaginaire (Abdul Alhazred), et tenta, dans ses nouvelles fantastiques, publiées dans le magazine *Weird Tales,* de fondre les dernières acquisitions de la science et ses fantasmes oniriques en une épopée cosmique (*la Couleur tombée du ciel,* 1927; *les Montagnes hallucinées,* 1936; *le Cauchemar d'Innsmouth,* 1936). Inconnu de son vivant, il a pris place depuis 1945 dans la lignée d'Edgar Poe et d'Arthur Machen.

LOVIISA, localité de Finlande, sur le golfe de Finlande, à l'E. d'Helsinki. Centrale nucléaire.

LOWE (*sir* Hudson), général britannique (Galway 1769-Chelsea 1844). Gouverneur de Sainte-Hélène en 1815, il y fut le geôlier de Napoléon.

LOWELL, v. des États-Unis (Massachusetts), au N.-O. de Boston; 94 000 hab.

LOWELL (Robert), poète américain (Boston 1917-New York 1977), qui unit à un tempérament puritain une esthétique imagée et baroque (*Terre de contrastes,* 1944; *le Château de lord Weary,* 1946).

LOWESTOFT, v. d'Angleterre, sur la mer du Nord; 46 000 hab. Port de pêche. Station balnéaire.

LOWIE (Robert Harry), anthropologue américain d'origine autrichienne (Vienne 1883-Berkeley 1957). Les travaux de ce disciple de F. Boas* eurent une influence importante sur l'anthropologie américaine des années 30. (*Primitive Society,* 1920; *The Crow Indians,* 1935; *Social Organization,* 1948).

LOWLANDS (« Basses Terres »), région déprimée du centre de l'Écosse, entre le forth of Forth et le forth of Clyde, et partie vitale de la région, avec Glasgow et Édimbourg.

LOWRY (Malcolm), écrivain anglais (Birkenhead, Cheshire, 1909-Ripe, Sussex, 1957). Après une jeunesse vagabonde, marquée par la passion de la mer et des voyages lointains, il publie un recueil de nouvelles (*Ultramarine,* 1933) et gagne les États-Unis, où il écrit le roman désespéré de la solitude (*Au-dessous* du volcan,* 1947). Hanté par le tragique de la vie, influencé par Conrad, Hemingway et surtout Melville et Joyce, il considère l'existence humaine comme une « authentique histoire d'ivrogne ». Après sa mort ont été publiés un recueil de nouvelles (*Écoute notre voix, ô Seigneur,* 1962) et un roman inachevé (*Lunar Caustic,* 1963).

LOXODROMIE → NAVIGATION *(Mar.).*

LO-YANG ou **LUOYANG,** v. de Chine (Ho-nan); 171 000 hab. Tracteurs.

LOYAUTÉ *(îles),* archipel français du Pacifique, au N.-E. de la Nouvelle-Calédonie, dont il dépend, comprenant les îles d'Uvéa, de Lifou et de Maré.

LOZÈRE *(mont),* point culminant des Cévennes, dans le département du même nom, au S.-E. de Mende; 1 699 m.

LOZÈRE (48), départ. de la Région Languedoc-Roussillon; 5 168 km²; 74 825 hab. *(Lozériens).* Ch.-l. *Mende.* S.-préf. *Florac.*

Son appartenance régionale ne doit pas faire illusion; la Lozère est un département du Massif central, plus précisément de sa bordure méridionale, fortement dépeuplée. C'est le département français qui compte le plus faible effectif de population, tant en valeur absolue qu'en valeur relative. La densité de population est, en effet, inférieure à 15 habitants au kilomètre carré, soit moins du sixième de la moyenne nationale. Elle ne cesse, d'ailleurs, de décroître : la Lozère a perdu en moins d'un siècle près de la moitié de sa population. Cette situation s'explique très largement par des conditions naturelles particulièrement défavorables : extension des hauts reliefs (Margeride au N., parties de l'Aubrac à l'O. et des Cévennes au S.-E.), où l'altitude s'abaisse rarement au-dessous de 1 000 m, et climat très rude en hiver. Le secteur primaire, dominé par l'élevage bovin et ovin, emploie encore plus du tiers de la population active (proportion exceptionnellement élevée); l'industrie, en contrepartie, est inexistante (le cinquième de la population active), et le secteur tertiaire est peu développé; cette faiblesse tient à l'absence de véritable ville. La préfecture est la seule ville dépassant (et de peu) 10 000 habitants.

L. S. D. → HALLUCINOGÈNES.

LUALABA (le), nom donné au cours supérieur du Congo (ou Zaïre), en amont de Kisangani.

LUANDA, capit. de l'Angola, sur l'Atlantique; 475 000 hab. Port. Raffinerie de pétrole.

LUANG PRABANG ou **LOUANG PRABANG,** v. du Laos, sur le haut Mékong; 44 000 hab. Résidence royale. Ramenée du Cambodge au XIVe s., sous le règne du prince Fa Ngum, la statue du bouddha le *Pra Bang* donna son nom à cette ancienne capitale du royaume laotien de Lan Xang. De nombreux temples bouddhiques (XVIe-XIXe s.) et plus d'une trentaine de pagodes sont étagés sur la colline sacrée. La ville est un centre de pèlerinage.

LUANSHYA, v. de Zambie, près du Zaïre; 119 000 hab. Extraction et concentration du cuivre.

LÜBBENAU, v. de l'Allemagne orientale, au S.-E. de Berlin; 22 000 hab. Grande centrale thermique.

LUBBOCK, v. des États-Unis, dans le nord-ouest du Texas; 149 000 hab.

LÜBECK, port de l'Allemagne fédérale (Schleswig-Holstein), près de la Baltique; 240 000 hab. Métallurgie. — Fondée en 1143 par le comte de Holstein, soumise à Henri le Lion (1158), qui y transfère le siège épiscopal d'Oldenburg, Lübeck devient « ville impériale » en 1226. Gouvernée par une active aristocratie marchande, elle organise le commerce de la Baltique et devient le centre de la Hanse. Elle atteint son apogée à la fin du XIVe s. mais décline au XVIe s. au profit de Dantzig. Annexée par la France en 1810, indépendante en 1815, Lübeck entre dans la Confédération de l'Allemagne du Nord en 1867 et dans l'empire en 1871. En 1934, elle perd son autonomie politique. En 1937, elle est incorporée au Schleswig-Holstein.

BEAUX-ARTS. Beaux monuments en brique de la vieille ville médiévale : Holstentor, porte du XVe s. (musée); hôtel de ville (XIIIe-XVIe s.); hôpital du Saint-Esprit (XIIIe s.); églises aux hautes tours (cathédrale en partie romane, Marienkirche [XIIIe-XIVe s.], Aegidienkirche...). Riche musée municipal. Galerie d'art moderne dans la Behnhaus, du XVIIIe s.

LUBERON (le), chaîne calcaire des Préalpes du Sud (Vaucluse), entre la Durance (au S.) et le Coulon; 1 125 m.

LUBERSAC (19210), ch.-l. de cant. de la Corrèze, à 24,5 km au S.-E. de Saint-Yrieix-la-Perche; 2 471 hab. Église romane. Industrie alimentaire.

LUBIN (Germaine), cantatrice française (Paris 1890). Grande interprète de Strauss et de Wagner, elle fut la première française à chanter à Bayreuth.

LUBITSCH (Ernst), cinéaste allemand naturalisé américain (Berlin 1892-Hollywood 1947). Après quelques mélodrames historiques réalisés en Allemagne (*Madame du Barry,* 1919), il se fixa aux États-Unis et s'imposa comme un auteur de comédies ironiques et frivoles, pétillantes et insolentes : *l'Éventail de Lady Windermere* (1925), *Parade d'amour* (1929), *Haute Pègre* (1932), *la Veuve joyeuse* (1934), *Ninotchka* (1939), *To be or not to be* (1942).

LÜBKE (Heinrich), homme d'État allemand (Enkhausen 1894-Bonn 1972). Député chrétien-démocrate à partir de 1949, ministre de l'Agriculture (1953-1959), il est élu président de la République fédérale allemande en 1959 et démissionne en 1969.

LUBLIN, v. de Pologne, au S.-E. de Varsovie; 249 000 hab. Château du XIVe s., rebâti au XIXe, auj. musée (fresques byzantines et gothiques du début du XVe s. dans la chapelle), églises Saint-Stanislas (XIVe-XVIIIe s.) et Notre-Dame-des-Victoires (XVe-XVIIIe s.), cathédrale (fin XVIe-XIXe s.). Métallurgie et textile. — Fondée au Xe s., détruite à plusieurs reprises par les Tatars et les Cosaques, Lublin fut, en 1569, le lieu où se tint la diète qui décida de l'union définitive de la Pologne et de la Lituanie. Pendant la Seconde Guerre mondiale, les nazis y installèrent un camp d'extermination des juifs polonais. En 1944, la ville fut le siège du gouvernement provisoire polonais.

LUBRIFIANT. — La lubrification, en interposant une mince couche d'huile ou de graisse entre deux surfaces métalliques, leur permet de s'appuyer et de glisser l'une sur l'autre tout en les protégeant contre l'échauffement, l'usure et la corrosion. Pour qu'une huile ait son meilleur pouvoir lubrificateur, il faut qu'elle soit onctueuse aux conditions d'emploi, ni trop fluide, ni trop visqueuse. La viscosité* se mesure par le temps d'écoulement du lubrifiant à travers un orifice calibré; elle décroît plus ou moins rapidement avec la température suivant l'origine et la composition de l'huile, qui a un *indice de viscosité* (V.I.) d'autant plus élevé qu'elle varie moins sous l'effet du froid et de la chaleur. Cette caractéristique est particulièrement importante pour les *huiles auto* utilisées pour la lubrification et la protection interne des moteurs de véhicules, et soumises à des alternances de chaud, en service, et de froid, à l'arrêt, la nuit, l'hiver ou en altitude. Le remplacement à chaque saison n'est plus nécessaire avec les huiles « multigrades » à très haut indice de viscosité et à très bas point de congélation (− 15 °C). Les pistons des moteurs Diesel* lents, comme ceux des navires, alimentés au fuel* lourd sulfureux, sont lubrifiés avec une *huile marine,* visqueuse, alcaline et détergente, tandis que les moteurs et réacteurs d'avion exigent des *huiles aviation,* obtenues par synthèse pétrochimique. Les lubrifiants industriels comprennent : l'*huile mouvement,* utilisée pour les paliers, butées, glissières et autres organes mouvants de machines; l'*huile engrenage* extrême pression (E. P.); l'*huile de coupe,* émulsionnable, employée pour l'usinage des métaux à la machine-outil; les *huiles pour textiles,* adhésives ou détachables pour ne pas salir les tissus; l'*huile de trempe* ou *de laminage,* utilisée en sidérurgie; l'*huile transformateur,* qui est un isolant pour l'industrie électrique; les *fluides hydrauliques* de transmission; les *huiles blanches,* qui servent aux industries alimentaire, pharmaceutique et cosmétique.

La fabrication des lubrifiants est une branche spécialisée du raffinage* du pétrole limitée à quelques grandes usines.

LUBRIFICATION. — La lubrification sert à diminuer les forces de frottement, l'usure et l'échauffement des surfaces en contact de deux éléments mécaniques en mouvement l'un par rapport à l'autre. Ce résultat est obtenu par interposition d'un film de lubrifiant liquide, gazeux, ou pâteux, voire solide (bisulfure de molybdène), entre ces surfaces de contact : le phénomène résultant, dû aux forces passives, est alors appelé *frottement lubrifié,* ou *médiat.* Sans lubrifiant, il est appelé *frottement sec,* ou *immédiat,* et peut conduire au *grippage* des deux éléments en contact. Lorsque les pièces sont recouvertes d'une mince couche (épilamen) de lubrifiant liquide ou pâteux (graissage), la lubrification est dite *onctueuse,* caractérisée par le contact quasi direct des aspérités des deux corps. La lubrification est *hydrodynamique,* ou *parfaite,* lorsqu'un film d'huile sépare complètement et continuellement les deux surfaces des éléments en mouvement malgré les charges qu'ils supportent; les forces de frottement sont alors réduites aux actions tangentielles des diverses couches de lubrifiant. Dans le cas intermédiaire, la lubrification est dite *mixte,* ou *imparfaite.* La lubrification hydrodynamique est obtenue soit par injection d'huile ou de gaz entre les surfaces de contact, soit en donnant aux surfaces de contact des formes particulières, caractérisées par une succession de surfaces d'appui (patins fixes ou mobiles); celles-ci se présentent comme des rampes conçues pour donner naissance au phénomène du *coin d'huile,* analogue au déjaugeage d'un bateau qui se soulève sous l'effet de l'action dynamique de l'eau sur la coque en mouvement rapide.

LUBUMBASHI, anc. **Élisabethville,** v. du Zaïre, ch.-l. du Shaba; 318 000 hab. Industrie du cuivre.

LUC (Le) [83340], ch.-l. de cant. du Var, à 27 km au S.-O. de Draguignan; 5 636 hab. Vieille ville au site attrayant.

LUC *(saint),* selon la tradition chrétienne, compagnon de saint Paul dans ses voyages apostoliques, auteur du troisième Évangile et des Actes* des Apôtres, et médecin de son état; une légende veut qu'il ait fait le portrait de la Vierge, ce qui explique qu'il soit à la fois le patron des peintres et celui des médecins. L'*Évangile selon saint Luc,* troisième des Évangiles canoniques, plus littéraire et plus soucieux d'information historique, reprend dans ses grandes lignes l'Évangile selon saint Marc*; il insiste davantage sur l'universalisme du message évangélique, et l'accent qu'il met sur la tendresse et la miséricorde de Jésus a fait appeler son auteur l'« écrivain de la bonté de Dieu ».

LUCAIN, poète latin (Cordoue 39 - Rome 65). Neveu de Sénèque le Philosophe, il devint le compagnon d'études et le favori de Néron, mais ses premiers succès poétiques portèrent ombrage aux prétentions littéraires de l'empereur. Entré dans la conspiration de Pison, il fut contraint de se suicider. Il laissait un vaste poème épique inachevé, *la Pharsale*.*

LUCANE. — Le « cerf-volant » *(Lucanus cervus)* est un coléoptère remarquable, non seulement par son dimorphisme sexuel, les mâles seuls ayant de fortes mandibules branchues, mais encore par son allométrie : grands mâles et petits mâles diffèrent davantage par la longueur des mandibules que par celle du corps tout entier. Larve et adulte sont fort nuisibles aux arbres.

LUCANIE, en lat. **Lucania,** région de l'Italie ancienne qui s'étendait du golfe de Tarente à la Campanie (auj. *Basilicate*). Colonisée au VIIIe s. av. J.-C. par les Grecs (Sybaris, Métaponte...), la région fut occupée au Ve s. av. J.-C. par les Lucaniens, peuple d'origine samnite, qui vainquirent la ligue de Sybaris et de Crotone à Laos, en 390-389 av. J.-C. Les Lucaniens s'allièrent ensuite aux Romains (298 av. J.-C.), mais ils firent défection lors des guerres de Pyrrhos et d'Hannibal.

LUCAS de Leyde, peintre et graveur hollandais (Leyde 1494 - *id.* 1533). Formé par Cornelis Engelbrechtsz (1468-1533), mais aussi marqué par Bosch, par Q. Matsys, puis par Dürer, il a, au-delà des influences flamandes, allemandes et italiennes, élaboré une œuvre courte, mais remarquable. La variété des thèmes (portraits, scènes de genre, sujets religieux), l'attention au réel et l'acuité psychologique, la virtuosité capricieuse en même temps que la perfection claire et délicate des gravures (burins et eaux-fortes), une écriture picturale ciselée, mais qui s'ouvre sur un sentiment nouveau de l'espace (triptyque du *Jugement dernier,* 1527, Lakenhal, Leyde), lui ont assuré une réputation européenne.

LUCÉ (28110), comm. d'Eure-et-Loir, dans la banlieue sud-ouest de Chartres; 14 026 hab.

LUCENAY-L'ÉVÊQUE (71540), ch.-l. de cant. de Saône-et-Loire, à 16,5 km au N. d'Autun; 479 hab. Dans l'église, beau gisant de Guillaume de Brazey († 1302) et autres statues.

LUC-EN-DIOIS (26310), ch.-l. de cant. de la Drôme, sur la Drôme, à 18,5 km au S. de Die; 467 hab.

LUCERNAIRE. — Cette méduse présente la particularité de vivre fixée et retournée, bouche en haut, comme un polype.

LUCERNE, en allem. **Luzern,** v. de Suisse, ch.-l. du *canton de Lucerne* (1 494 km²; 289 641 hab.), sur le lac des Quatre-Cantons; 69 879 hab. Pittoresque ville ancienne aux nombreux souvenirs du Moyen Âge, de la Renaissance et de l'âge baroque. Musées. Constructions électriques. — Longtemps dépendante de l'abbaye de Murbach, la ville est vendue par celle-ci (1291) aux Habsbourg, dont elle se rend indépendante (1386) pour devenir un canton qui, au XVIe s., restera catholique. Supprimé par la France en 1798, l'État lucernois est restauré par elle en 1803. De 1844 à 1847, Lucerne, qui a rappelé les Jésuites, doit faire face aux forces du Sonderbund*, qui la battent.

LUCHON → BAGNÈRES-DE-LUCHON.

LUCIE *(sainte),* vierge et martyre de Syracuse (IIIe s.?). Sa légende tardive est un tissu de lieux communs qui ne permettent pas de reconstituer la vie de la sainte, dont le culte se répandit en Sicile au Ve siècle.

LUCIEN d'Antioche *(saint),* prêtre de l'Église d'Antioche (Samosate? v. 235 - Nicomédie v. 312), fondateur de l'école exégétique d'Antioche. Arius fut son élève. L'orientation théologique de son enseignement ouvrit la voie à l'arianisme*.

LUCIEN de Samosate, écrivain grec (Samosate, Syrie, v. 125 - † v. 192). Conférencier à travers le monde méditerranéen, puis haut fonctionnaire en Égypte, il est l'auteur de nombreux dialogues *(Dialogues des dieux, Dialogues des morts)* et de romans satiriques *(Histoire vraie)* qui raillent traditions et préjugés.

Lucien Leuwen, roman inachevé de Stendhal, publié en partie en 1855, sous le titre *le Chasseur vert,* puis en 1894 et en 1929 sous son aspect définitif. Un jeune bourgeois, qui poursuit un amour malheureux, désire cependant servir le gouvernement de Louis-Philippe, mais ne rencontre partout que la médiocrité et le vice.

LUCILIE. — Ce nom désigne la mouche verte des excréments et des cadavres, à belle livrée métallique reflétant la lumière. Il arrive que cette mouche ponde ses œufs sur un homme sans défense et que les asticots dévorent la victime.

LUCILIUS (Caius), poète latin (Suessa Aurunca, Campanie, v. 180 - Naples v. 102 av. J.-C.). Pénétré de culture grecque, il fit partie du cercle de Scipion Émilien et donna sa forme originale à la poésie satirique latine.

LUCIOLE. — Contrairement au lampyre*, la luciole est à la fois ailée et lumineuse chez les deux sexes. Ses danses nuptiales ornent les nuits d'Italie. (Famille des lampyridés.)

LUCIUS Ier → PAPE.

LUCIUS II (Gerardo CACCIANEMICI) [Bologne - † Rome 1145], pape en 1144-45. Son court pontificat est marqué par la lutte contre la commune de Rome.

LUCIUS III (Ubaldo ALLUCINGOLI) [Lucques - † Vérone 1185], pape de 1181 à 1185. Son pouvoir étant contesté par la commune de Rome, il réside hors de cette ville, notamment à Vérone.

LUCKNER (Nicolas, *comte*), maréchal de France (Cham, Bavière, 1722 - Paris 1794). Passé au service de la France en 1763, fait maréchal en 1791, il commanda successivement les armées du Rhin, du Nord et du Centre (1792). Nommé général en chef, il devint suspect, fut arrêté (1793) puis condamné à mort et exécuté.

LUCKNOW, v. de l'Inde, capit. de l'Uttar Pradesh, dans la plaine du Gange; 749 000 hab. Université.

LUÇON (85400), ch.-l. de cant. de la Vendée, à 28 km à l'O. de Fontenay-le-Comte; 9 574 hab. *(Luçonnais).* Cathédrale (XIIe, XIIIe-

XIVe et XVIIIe s.), palais épiscopal (cloître du XVIe s.) et autres édifices religieux.

LUÇON ou **LUZON,** principale île de l'archipel des Philippines; 108 172 km²; 18 001 000 hab. V. princ. *Manille.* Île montagneuse, échancrée par des péninsules, soumise à un climat tropical (caractérisé par l'humidité très forte de l'été et la fréquence des typhons [*baguios*] dévastateurs), Luçon rassemble la moitié de la population du pays sur le tiers de sa superficie, vivant principalement des cultures du riz, du cocotier, associées à quelques plantes commerciales (tabac, abaca).

LUCQUES, en ital. **Lucca,** v. d'Italie, ch.-l. de prov. dans le nord-ouest de la Toscane; 91 000 hab. Huileries.

HISTOIRE. Ancienne colonie latine fondée vers 180 av. J.-C., résidence des marquis de Toscane au haut Moyen Âge, Lucques obtint, en 1081, une charte qui favorisa l'essor de son artisanat (draperie, soieries) et sa prospérité commerciale. Son déclin commença au XIVe s. avec la perte de son indépendance politique. Au XVIe s., elle devint un centre de propagation de la Réforme.

BEAUX-ARTS. Derrière la ceinture régulière de ses remparts (en partie d'origine romaine), la ville a conservé ses richesses monumentales et son tissu urbain d'accompagnement. Églises riches en œuvres d'art : cathédrale (X^e-XVe s.) et église S. Michele (XIIe-XIIIe s.), habillées de galeries pisanes; S. Frediano (XIIe-XVIe s.); etc. Palais des XIVe et XVe s. Musées.

LUCRÈCE, en lat. **Lucretia,** femme de Tarquin* Collatin, parent du roi de Rome Tarquin* le Superbe. Selon la tradition, elle se donna la mort après avoir été outragée par Sextus, fils de Tarquin le Superbe. Ce drame aurait provoqué à Rome la révolution qui abolit la royauté et instaura la république (v. 509 av. J.-C.).

LUCRÈCE, en lat. **Titus Lucretius Carus,** poète et philosophe latin (v. 98 av. J.-C.-55 av. J.-C.). L'histoire n'a retenu de lui que son *De rerum natura.* Soucieux de donner aux hommes les moyens d'éviter les obstacles qui jonchent les voies d'accès au plaisir (la fin de la morale* d'après lui), Lucrèce enrichit la philosophie de la nature produite par l'atomisme*. Le trouble de l'âme humaine constitue l'entrave principale au bonheur, et la peur de la mort qui n'engendre qu'angoisses et mystifications politico-religieuses est la raison de ce trouble. La physique et la théorie de la connaissance épicuriennes que Lucrèce développe mettent au jour les illusions qui sont la cause de ce trouble. Le malheur de l'homme est proportionnel aux illusions qui composent sa conception de la vie et de la nature. En analysant les causes de la tristesse et tout ce qui a besoin de la tristesse pour exercer son pouvoir, le *De rerum natura* apparaît comme une pénétrante entreprise de démystification qui évalue cette tristesse au regard de l'affirmation poétique du divers et du multiple, c'est-à-dire de l'affirmation de la vie.

LUC-SUR-MER (14530), comm. du Calvados, à 16 km au N. de Caen; 2 392 hab. Station balnéaire.

LUCULLUS (Lucius Licinius) → LICINIUS LUCULLUS (Lucius).

LUDDISME. — Le mouvement luddite, qui met en action des bandes d'ouvriers organisées pour détruire les machines, accusées par eux de provoquer le chômage, naît en Angleterre, où il se manifeste de 1811 à 1813 et en 1816. Il tire son nom d'un hypothétique Ned Lud ou Ludd, simple d'esprit du Leicestershire, qui aurait détruit en 1779 des machines à fabriquer les bas.

LUDE (Le) [72800], ch.-l. de cant. de la Sarthe, sur le Loir, à 20 km au S.-E. de La Flèche; 4 120 hab. Château surtout des XVe, XVIe et XVIIe s., restauré ensuite. Industrie alimentaire.

LUDENDORFF (Erich), général allemand (Kruszewnia 1865-Tutzing 1937). Chef d'état-major de Hindenburg sur le front oriental (1914-1916), il devient son adjoint quand celui-ci prend, en 1916, le commandement suprême. Ludendorff dirigera la stratégie et influencera la politique du IIe Reich jusqu'à sa chute en 1918. En 1923, il prend part à la tentative de coup d'État de Hitler à Munich et, en 1935, publie la *Guerre totale.*

LÜDENSCHEID, v. de l'Allemagne fédérale, au S.-E. de la Ruhr; 59 000 hab. Métallurgie.

LÜDERITZ, port de la Namibie; 6 000 hab. Pêche et conserveries.

LUDHIĀNA, v. du nord-ouest de l'Inde (Pendjab); 398 000 hab.

LUDION. — Il se compose d'un récipient en verre, presque rempli d'eau et fermé par une membrane élastique. Dans l'eau flotte une petite sphère creuse percée d'un trou, à laquelle est suspendue une figurine. Quand on appuie sur la membrane, de l'eau pénètre dans la sphère, dont le poids augmente, et le ludion descend; il remonte quand on supprime la pression.

LUDOVIC SFORZA le More (Vigevano 1452-Loches 1508), duc de Milan (1494-1500). Fils de François Ier Sforza, régent du Milanais pour le compte de son neveu Jean Galéas, il se servit de l'alliance française et devint duc de Milan après la mort (par empoisonnement?) de Jean Galéas. Arbitre de la politique italienne, protecteur des arts, il ne put faire face aux prétentions de Louis XII sur le Milanais. Capturé à Novare (1500), il fut interné à Loches.

LUDRES (54710), comm. de Meurthe-et-Moselle, à 11 km au S. de Nancy; 1 582 hab. Industries alimentaires.

LUDWIGSBURG, v. de l'Allemagne fédérale (Bade-Wurtemberg), sur le Neckar; 76 000 hab.

LUDWIGSHAFEN AM RHEIN, v. de l'Allemagne fédérale (Rhénanie-Palatinat), sur le Rhin (r. g.), en face de Mannheim; 175 000 hab. Centre de l'industrie chimique.

Luftwaffe (mot allem. signifiant *arme aérienne*), nom donné depuis 1935 à l'aviation militaire allemande.

LUGANO, v. de Suisse (Tessin), sur la rive occidentale du *lac de Lugano;* 22 280 hab. Cathédrale médiévale, aux décors Renaissance et baroques. Églises, dont S. Maria degli Angioli (début XVIe s.; fresques de Luini, 1529). Musées. Tabac.

LUGANO *(lac de),* lac du sud des Alpes, partagé entre la Suisse (Tessin) et l'Italie (Lombardie); 48 km².

LUGNÉ-POE (Aurélien Marie), acteur, directeur de théâtre et écrivain français (Paris 1869-Villeneuve-lès-Avignon 1940). Fondateur du théâtre de l'Œuvre (1893), il fit connaître en France les grands dramaturges étrangers (Ibsen, Strindberg).

LUGNY (71260), ch.-l. de cant. de Saône-et-Loire, à 25 km au N. de Mâcon; 932 hab.

LUGO, v. du nord-ouest de l'Espagne, ch.-l. de prov., en Galice; 64 000 hab. Vieille ville ceinte de murailles en partie du IIIe s., aux monuments romans ou rococo (cathédrale et son cloître).

LUGONES (Leopoldo), homme politique et écrivain argentin (Rio Seco 1874-Buenos Aires 1938), représentant du « modernisme » (*La guerra gaucha,* 1905).

LUINI (Bernardino), peintre italien (Milan? v. 1485-*id.* 1532). Se rattachant aux maîtres lombards et ombriens, il subit aussi l'influence de Léonard de Vinci (*Madonna del roseto,* v. 1525, Brera). Fresquiste, il a composé les peintures, sacrées ou profanes, de la villa Pelucca, près de Lesmo (v. 1520, auj. à la pinacothèque Brera), caractérisées par l'élégance sereine et la sensibilité paysagiste (v. 1520), et d'importants décors d'églises à Milan (S. Maurizio), Saronno, Lugano...

LUISILLO (Luis PÉREZ DÁVILA, dit), danseur et chorégraphe espagnol (Mexico 1928). Prestigieux interprète du style classique espagnol, il est aussi un « bailarin » flamenco au zapateado puissant et nuancé. Artiste sobre et rigoureux, il s'est révélé un chorégraphe capable de renouveler l'inspiration traditionnelle des danses ibériques (*La espera, Bolero* [de Ravel]) et un créateur authentique dans la tradition flamenca *(Luna de sangre, Llanto por un torero, Aguafuertes gitanos...).*

LUKÁCS (György), philosophe hongrois (Budapest 1885-*id.* 1971). Très influencé par Hegel*, il interprète Marx* dans un sens humaniste (*Histoire et conscience de classe,* 1923) et s'attache à renouveler l'esthétique* — à laquelle il n'a cessé de s'intéresser (*l'Âme et les formes,* 1911; *la Théorie du roman,* 1920) — à partir du marxisme (*le Roman historique,* 1937; *Balzac et le réalisme français,* 1952). Membre du parti communiste hongrois depuis 1918, il doit renoncer à ses responsabilités politiques et universitaires en 1949. Il est réhabilité en 1970.

ŁUKASIEWICZ (Jan), logicien polonais (Lvov 1878-Dublin 1956). Ses travaux sur le calcul des propositions*, qui prennent en compte, outre le vrai et le faux, la valeur de vérité correspondant au contingent, lui ont permis de réinterpréter la logique* d'Aristote et l'histoire du calcul des propositions.

LULEÅ, port du nord de la Suède, à l'embouchure du *Lule älv* (450 km), sur le golfe de Botnie; 60 000 hab. Exportation de minerai de fer. Sidérurgie.

LULLE (Raymond), théologien espagnol (Palma de Majorque 1233 ou 1235-Bougie? 1315). Il décide, en 1262, de se consacrer à la conversion des infidèles, apprend l'arabe, effectue de nombreux voyages en Asie et en Afrique et devient franciscain. Il a écrit, en latin, en arabe et en catalan, plus de 150 traités philosophiques, théologiques, mystiques, voire scientifiques; son savoir encyclopédique l'a fait surnommer « le Docteur illuminé ».

LULLY ou **LULLI** (Jean-Baptiste), compositeur français d'origine italienne (Florence 1632-Paris 1687). Violoniste et danseur dans les ballets de cour, il plut au jeune Louis XIV, qui le nomma surintendant de sa musique. Compositeur de motets, de divertissements, collaborateur de Molière dans la comédie *(le Bourgeois gentilhomme),* il devient directeur de l'Académie de musique, pour laquelle il écrit des tragédies lyriques. Il est le véritable fondateur de l'opéra français (*Cadmus et Hermione,* 1673; *Alceste,* 1674;

Armide, 1686). Ses partitions se caractérisent par leur noblesse (ouverture à la française), la justesse de la déclamation (récit), l'ornementation, l'emploi de danses, de chœurs homophones, la beauté de l'orchestration.

LULUABOURG → KANANGA.

LUMBAGO → VERTÈBRE.

LUMBRES (62380), ch.-l. de cant. du Pas-de-Calais, sur l'Aa, à 12 km au S.-O. de Saint-Omer; 4083 hab. Cimenterie.

LUMEN → UNITÉS.

LUMIÈRE. — La lumière est une forme d'énergie rayonnante qui se manifeste à nous par la vision. Émise par une source lumineuse, elle se propage, dans le vide ou dans les milieux matériels. On admet qu'elle est formée de rayons lumineux qui, dans un milieu transparent, homogène et isotrope, sont des lignes droites. Lorsqu'un rayon lumineux tombe sur la surface de séparation de deux milieux, il est partiellement réfléchi et partiellement réfracté. Les corps absorbent plus ou moins la lumière qui les traverse et dont l'énergie est transformée en chaleur.

Deux théories permettent d'interpréter les propriétés précédentes. Suivant la théorie de l'*émission,* qui peut seule expliquer l'effet photoélectrique, la lumière est formée de particules d'énergie, les photons, dont les rayons sont les trajectoires. Selon la théorie *ondulatoire,* qu'on doit invoquer pour interpréter la polarisation, les interférences et la diffraction, la lumière est formée d'ondes électromagnétiques. Ces théories, selon la mécanique* ondulatoire, constituent les deux aspects complémentaires d'une même réalité physique.

D'après la théorie de la relativité*, la vitesse de propagation de la lumière dans le vide est indépendante du mouvement de l'observateur. Sa valeur actuellement admise est 299792,5 km/s.

La lumière émise par le Soleil*, différente en qualité et en quantité selon l'heure, la saison et la latitude, est considérée en ses valeurs moyennes comme une lumière blanche. Elle correspond à l'émission d'un corps chaud à 6500 K, filtrée par l'atmosphère*. Elle présente un spectre* pratiquement continu dans la petite bande des ondes* électromagnétiques à laquelle l'œil est sensible. C'est une lumière assez différente qui est fournie par les lampes* à incandescence, fonctionnant vers 3000 K, et qui, en conséquence, est plus riche en radiations* rouges ou orangées et bien plus pauvre en radiations bleues et violettes. En revanche, la lampe fluorescente permet de s'en rapprocher beaucoup plus grâce à un choix judicieux des produits de revêtement interne. D'autre part, la lumière naturelle est dispensée avec des éclairements de 80000 à 100000 lm au soleil et de 10000 à 20000 lm à l'ombre, que l'on est très loin de réaliser en éclairage artificiel, pour lequel on se contente, en général, de quelques centaines de lux.

LUMIÈRE *(les frères).* AUGUSTE, biologiste et industriel français (Besançon 1862 - Lyon 1954) et LOUIS, chimiste et industriel français (Besançon 1864 - Bandol 1948). Associés dans divers travaux qui permirent d'améliorer la technique photographique, ils inventèrent, en 1895, le cinématographe et réalisèrent, en 1903, la plaque autochrome, premier procédé commercial de photographie en couleurs. Auguste s'orienta vers les grands problèmes biologiques, étudia la pathogénie de l'anaphylaxie et du rhumatisme, préconisa l'emploi des sels de magnésium en thérapeutique. Louis s'intéressa au repérage acoustique des avions, à la photographie en relief (photostéréosynthèse, 1920) et mit au point la méthode des anaglyphes, qui donna naissance au cinéma en relief.

lumières *(les),* mouvement philosophique qui s'étend en Europe dès le XVIIe s. et domine la pensée européenne au XVIIIe s. Ses principaux représentants sont : J. Locke*, D. Hume*, I. Newton*, Fontenelle*, C. Wolff*, Lessing*, Herder*, Montesquieu*, Voltaire*, Diderot*, J.-J. Rousseau*, tous les encyclopédistes, Condillac* et Buffon*. Rationaliste et anticartésienne, la philosophie des lumières substitue l'empirisme* à l'innéisme et la certitude des faits à l'évidence du cogito (v. DESCARTES). Mettant en avant l'utilité et le bonheur individuel, critiquant les hiérarchies sociale et religieuse au nom d'un humanisme axé sur la valeur de l'individu, elle est aussi une idéologie politique dont l'expansion accompagne la montée de la bourgeoisie et le déclin de la féodalité.

LUMINESCENCE. — La luminescence est le caractère propre à de nombreuses substances d'émettre de la lumière* sous l'effet d'une excitation. L'une des formes les plus usuelles est la *photoluminescence,* dans laquelle l'excitation est provoquée par une radiation, lumière ou rayons ultraviolets; cette photoluminescence peut être instantanée et cesser avec l'excitation, c'est la *fluorescence,* ou, au contraire, se prolonger avec restitution plus ou moins lente de l'énergie dans le temps, c'est alors la *phosphorescence.* La luminescence peut être également provoquée par des excitations d'origine mécanique *(triboluminescence),* thermique *(thermoluminescence* ou *cryoluminescence)* ou électrique *(électroluminescence* ou *galvanoluminescence),* par des radiations très courtes *(radioluminescence),* par des phénomènes chimiques *(chimiluminescence)* ou organiques *(bioluminescence),* ou encore par des vibrations sonores ou ultrasonores *(sonoluminescence).* Longtemps tenus pour des curiosités du cabinet de physique, ces phénomènes sont aujourd'hui largement utilisés en éclairage fluorescent dans les écrans de radiologie, de télévision, d'oscillographes, ou pour des recherches scientifiques, comme les datations archéologiques par thermoluminescence.

LUMINEUX (organes et êtres). — Il est curieux que la fonction de l'œil, organe *récepteur* de lumière, puisse s'inverser, et que des organes très semblables à des yeux par leur structure puissent *émettre* de la lumière chez divers animaux marins, en particulier chez les poulpes *(Histioteuthis)* et les crustacés. Nombreux sont les poissons des abysses qui, à l'aide d'organes dérivés de la ligne* latérale, émettent diverses lumières, notamment des espèces aveugles qui attirent ainsi leurs proies. Des animaux plus simples (méduses, gorgones, pholades, pyrosomes) produisent de la lumière dans les eaux sans organe spécial, et l'on voit même briller des protistes (noctiluques) et des bactéries. Hors de l'eau, l'émission de lumière n'est le fait que de quelques insectes : lampyres*, élatérides. Cette lumière est émise sans aucun dégagement de chaleur, c'est-à-dire avec un rendement énergétique remarquable. On croit qu'elle résulte d'une oxydation enzymatique.

LUMUMBA (Patrice), homme politique congolais (Katako-Kombé, Kasaï, 1925 - au Katanga 1961). Fondateur du Mouvement nationaliste congolais, il milite pour l'indépendance du Congo belge (auj. Zaïre) et devient Premier ministre en 1960. Il tente en vain de maintenir l'unité du pays face aux tentatives sécessionnistes des provinces (Katanga). Son orientation socialiste dresse contre lui de nombreuses oppositions, dont celle du président Kasavubu, qui le destitue. Arrêté puis transféré par le colonel Mobutu au Katanga, où il est assassiné, il sera réhabilité solennellement en 1966.

LUNA (Álvaro DE), connétable de Castille (Cañete 1388 - Valladolid 1453). Favori de Jean II de Castille, qui le fit connétable, farouche partisan de l'autorité royale, il lutta contre la noblesse castillane; mais celle-ci obtint sa disgrâce et il fut décapité.

LUNAISON → CALENDRIER.

LUNAS (34650), ch.-l. de cant. de l'Hérault, à 15 km au S.-O. de Lodève; 609 hab.

LUND, v. de la Suède méridionale, près de Malmö; 59000 hab. Université. Musées. Belle cathédrale romane du XIIe s.

Lauros

Modèle définitif (construit en série par Jules Carpentier en 1895) du cinématographe de Louis Lumière. (Conservatoire national des arts et métiers, Paris.)

LUNDEGÅRDH (Henrik), botaniste danois (Stockholm 1888 - Penningby 1969). Il a créé dans une île de la Baltique une station d'étude de la photosynthèse. On lui doit l'analyse chimique par spectrophotométrie de flamme et de nombreux travaux sur la perméabilité des racines aux ions minéraux, le cycle biochimique du gaz carbonique et les cytochromes.

LUNDSTRÖM (Johan Edvard), industriel et savant suédois (Jönköping 1815 - † 1888). Il inventa l'allumette de sûreté, dite « suédoise » (1852), dans laquelle le phosphore rouge, disposé sur un frottoir, est séparé du comburant (chlorate de potassium), constituant, avec des combustibles moins vifs (sulfure d'antimoine), le bouton de l'allumette.

LUNE. — La Lune, unique satellite de la Terre*, n'est qu'un immense désert de cailloux, criblé de cirques de toutes tailles, avec des montagnes aux formes douces pouvant atteindre des altitudes considérables (8200 m pour le mont Leibniz) et des crevasses dont certaines ont plusieurs centaines de kilomètres de long. Mais il n'y

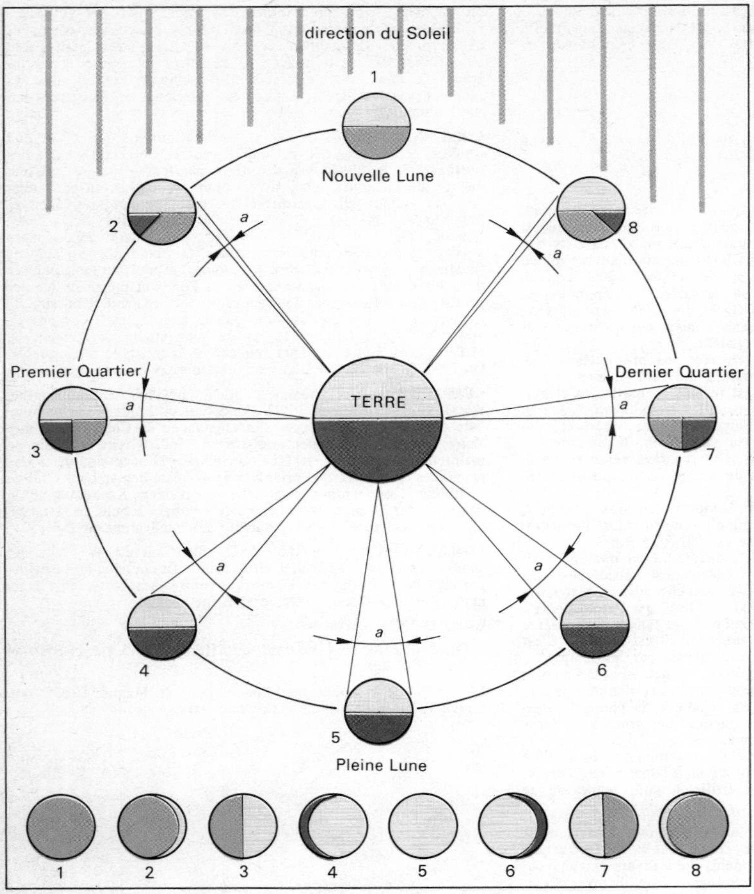

Phases de la Lune et production de la lumière cendrée. À mesure que la Lune se déplace autour de la Terre (1, 2, 3, 4, 5), on découvre plus largement (angle *a*) la partie de son globe à demi éclairé par le Soleil; puis, les mêmes apparences se reproduisent en sens inverse (5, 6, 7, 8). Vue de la Lune, la Terre présente des phases identiques, mais de sens opposé : aux environs de la nouvelle lune, la Lune voit la Terre dans son plein et en reçoit un éclairement considérable (lumière cendrée), rendant faiblement visible la partie du globe lunaire non éclairée par le Soleil.

données numériques sur la Lune

mouvement tropique moyen pour un jour	13^0 10′ 35″
révolution sidérale moyenne	27 j 7 h 43 mn
révolution synodique moyenne (ou lunaison ou mois lunaire)	29 j 12 h 44 mn
révolution anomalistique moyenne (passages successifs de la Lune par le périgée de son orbite)	27 j 13 h 19 mn
révolution draconitique moyenne (passages successifs de la Lune par le nœud ascendant de son orbite)	27 j 5 h 6 mn
inclinaison moyenne de l'orbite sur l'écliptique	5^0 8′ 43″
excentricité de l'orbite	0,054 9
demi-grand axe de l'orbite	384 400 km
inclinaison de l'équateur sur orbite	6^0 41′
révolution du nœud ascendant	18,6 ans (environ)
passages successifs de la Lune au méridien d'un lieu (moyenne)	24 h 50 mn 30 s
diamètre équatorial (Terre = 1)	0,272
diamètre apparent maximal	33′ 29″
rayon en kilomètres	1 736,7
rayon en rayon terrestre	3/11
volume en kilomètres cubes	$21\,939 \times 10^6$
volume par rapport à la Terre	0,020 3
masse par rapport à la Terre	1/81,38
pesanteur équatoriale (Terre = 1)	0,17
densité (eau = 1)	3,34
magnitude	— 12,7

a jamais eu d'eau, et à plus forte raison de vie, à sa surface. Son environnement est particulièrement ingrat, avec de très grandes variations de températures (+ 100 ^{0}C le jour à − 150 ^{0}C la nuit), qui ne sont atténuées par aucune atmosphère. De tels écarts provoquent dans les roches de surface de violentes contraintes, qui se traduisent par la formation de fractures. L'absence d'atmosphère* a pour autre conséquence d'exposer le sol de l'astre à tous les assauts du cosmos, depuis les météorites*, qui ont littéralement façonné sa surface, jusqu'aux invisibles particules du *vent solaire.* Les roches lunaires, dont l'uniformité contraste profondément avec l'extrême variété des roches terrestres, sont très âgées; celles que les astronautes ont rapportées à l'occasion des missions « Apollo » sont vieilles de 3,2 à 4,2 milliards d'années. Ces roches sont assez comparables aux basaltes, mais ne correspondent à rien qui soit connu sur la Terre. Elles gisent sur le sol, plus ou moins profondément enfoncées dans un tapis de poussière, dont l'épaisseur varie de quelques millimètres à quelques centimètres, cette poussière recouvrant elle-même un substratum très dur appelé *régolithe.* L'intérieur de l'astre a pu être étudié grâce aux sismomètres déposés en surface : au centre doit exister un *noyau* relativement chaud (1 500 ^{0}C), d'environ 1 000 km de diamètre, recouvert d'un *manteau,* délimité par une *écorce* d'environ 60 km d'épaisseur. Ces sismomètres ont, en outre, révélé l'existence de *tremblements de lune* survenant plus fréquemment lorsque l'astre se trouve, chaque mois, à sa plus proche distance de la Terre, et prenant naissance très profondément, vers 700 km. (V. ASTRONAUTIQUE.)

LÜNEBURG, v. de l'Allemagne fédérale (Basse-Saxe), au S.-E. de Hambourg, dans les *landes de Lüneburg;* 61 000 hab. Bel ensemble de constructions en brique des XIIIe-XVIe s. (hôtel de ville, églises, place Am Sande).

LUNEL (34400), ch.-l. de cant. de l'Hérault, à 24 km au N.-E. de Montpellier; 13 559 hab. *(Lunellois)*. Conserverie.

LÜNEN, v. de l'Allemagne fédérale, dans le nord-est de la Ruhr; 72 000 hab. Aluminium.

LUNETTE. — Les objets éloignés sont souvent vus sous des angles trop petits pour qu'on puisse en percevoir les détails. Les lunettes, formées de deux systèmes de lentilles, un objectif et un oculaire, en donnent des images que l'œil, placé contre l'oculaire, voit sous des angles plus grands. Le rapport de ces angles est le grossissement de la lunette. Tout se passe donc comme si l'objet était rapproché, d'où le nom de *lunettes d'approche* donné souvent à ces instruments.

La *lunette astronomique,* qui sert à l'observation des astres, se compose d'un objectif convergent, de grande distance focale F, et d'un oculaire convergent, de faible distance focale *f*. L'image de l'objet est renversée, et le grossissement est sensiblement F/*f*. C'est un instrument d'astronomie de position, à l'aide duquel on fait des visées, par exemple au passage d'un astre dans le méridien *(lunette méridienne,* ou *des passages)*.

Les *lunettes terrestres* doivent fournir une image droite. On peut, pour les réaliser, placer entre l'objectif et l'oculaire d'une lunette astronomique un dispositif redresseur, ou véhicule, formé de lentilles dans la *longue-vue,* de prismes dans la *lunette à prismes.* Dans la *lunette de Galilée,* on associe à un objectif convergent un oculaire divergent.

LUNÉVILLE (54300), ch.-l. d'arr. de Meurthe-et-Moselle, sur la Meurthe, à 29 km au S.-E. de Nancy; 24 700 hab. *(Lunevillois).* Château ducal par Boffrand (1702), auj. musée (histoire locale, faïences de Lunéville et de Saint-Clément). Originale église Saint-Jacques, à décor rocaille, par Boffrand et Héré (1730). Constructions électriques. Faïencerie. Confection. — Un traité de paix, concluant la deuxième coalition*, y fut signé avec l'Autriche le 9 février 1801; confirmant celui de Campoformio, ce traité consacrait l'accroissement de la puissance française en Italie.

LUPIN. — Le lupin, grande herbe papilionacée, se reconnaît à sa forte tige, à ses feuilles palmées aux nombreuses folioles, à sa hampe florale dressée. C'est un bon fourrage.

LUPULINE → BIÈRE.

LUPUS. — Le *lupus érythémateux fixe* se traduit par des plaques rouges et squameuses affectant surtout la face, où elles dessinent des « ailes de papillon » ou des disques; ces plaques guérissent en laissant des taches pigmentées. Le *lupus érythémateux disséminé* se manifeste, surtout chez la femme, par des signes polymorphes (asthénie, douleurs articulaires, plaques cutanées, néphropathie, etc.); la présence de cellules spéciales, dites « de Hargraves » dans le sang et la moelle, affirme le diagnostic. L'évolution est grave.

Le *lupus tuberculeux* est une forme de tuberculose* de la peau.

LUQMĀN ou **LOKMAN,** souverain légendaire d'Arabie, à qui l'on attribue des *Fables* imitées d'Ésope.

LURÇAT (Jean), peintre et cartonnier de tapisserie français (Bruyères, Vosges, 1892 - Saint-Paul-de-Vence 1966). S'intéressant à la tapisserie dès 1917, et lui consacrant l'essentiel de ses effets à partir de 1938 environ, il a grandement contribué à son renouveau par des simplifications techniques (ateliers d'Aubusson) et par la production d'œuvres où s'exprime, dans un lyrisme fait de symboles, de couleurs denses et de formes stylisées, une vision personnelle que résume le vaste ensemble du *Chant du monde* (1957-1966), conservé à Angers. — Son frère ANDRÉ, architecte et urbaniste (Bruyères 1894 - Sceaux 1970), affirme, dès ses premières réalisations, pour une clientèle privée d'amateurs et d'artistes, sa volonté de rigueur : volumes géométriques simples, utilisation rationnelle de l'espace. Mais sa préoccupation majeure demeure le contenu social de l'architecture (groupe scolaire Karl-Marx de Villejuif, 1930; travaux en U. R. S. S., 1934-1937; à partir de 1946, travaux d'urbanisme pour Maubeuge, Le Blanc-Mesnil, Saint-Denis).

LURCY-LÉVIS (03320), ch.-l. de cant. de l'Allier, à 37,5 km au N.-O. de Moulins; 2 347 hab. Église romane.

LURE *(montagne de),* chaîne calcaire des Préalpes du Sud (départ. des Alpes-de-Haute-Provence), à l'O. de la Durance; 1 827 m.

LURE (70200), ch.-l. d'arr. de la Haute-Saône, sur l'Ognon, à 32 km à l'O. de Belfort; 10 054 hab. *(Lurons).* Église des XVe et XVIIIe s. Métallurgie. Textile.

LURISTĀN, région montagneuse de l'Iran, dans le Zagros, au sud de Kermānchāh, devenue célèbre après les premières découvertes clandestines (1928) d'objets de bronze (armes offensives et défensives, pièces de harnachement, parures, etc.). Les plus anciens sont voisins des objets produits à Suse entre le IIIe et le IIe millénaire, mais la production courante s'étale entre le XIVe et le VIIe s. av. J.-C. Caractérisée par la variété de ses inspirations et l'assimilation de thèmes iconographiques étrangers, elle est remarquable par sa puissante stylisation animalière, que l'on retrouve dans l'art achéménide*, mais aussi dans celui des Scythes*.

LURY-SUR-ARNON (18120), ch.-l. de cant. du Cher, à 22 km au N. d'Issoudun; 534 hab. Fortifications médiévales.

LUSACE, en allem. **Lausitz,** région du sud-est de l'Allemagne orientale, à l'E. de l'Elbe, débordant, au S., sur le territoire tchécoslovaque (Bohême septentrionale). V. princ. *Görlitz* et *Zittau.* — Il est difficile de déterminer l'origine de la « civilisation lusacienne » du bronze moyen. Certains archéologues l'attribuent aux Slaves primitifs. Les Slaves (Sorabes*) établis dans la région sont dominés par les colons germaniques à partir du Xe s. : victoire d'Henri Ier* l'Oiseleur (929) et organisation de la marche de Lusace par Otton Ier*. Les deux margraviats de Haute- et de Basse-Lusace sont rattachés à la couronne de Bohême du XIVe au XVIIe s. Cédée à la Saxe en 1635, la Lusace est en grande partie annexée par la Prusse en 1815.

LUSAKA, capit. de la Zambie; 381 000 hab.

Lusiades *(les),* poème épique de Camões (1572); cette épopée nationale a pour sujet les découvertes des Portugais dans les Indes orientales et pour héros principal Vasco de Gama.

LUSIGNAN (86600), ch.-l. de cant. de la Vienne, à 25 km au S.-O. de Poitiers; 2 841 hab. Église romane (XIIe s.) et gothique (XVe s.).

LUSIGNAN, famille française originaire du Poitou (Xe s.). Titulaires du comté de la Marche, les Lusignan firent aussi souche dans l'Orient latin avec Gui de Lusignan (1129-1194), roi de Jérusalem (de 1186 à 1196), qui racheta (1192) l'île de Chypre, nouvellement conquise, aux Templiers, et fonda la dynastie des Lusignan de Chypre. L'un des plus célèbres Lusignan fut Hugues IX, dont la plainte portée devant son suzerain, le roi de France, contre Jean sans Terre, son seigneur, qui avait enlevé sa fiancée, Isabelle d'Angoulême, permit à Philippe Auguste de déposséder ce dernier (1202).

LUSIGNY-SUR-BARSE (10270), ch.-l. de cant. de l'Aube, à 15,5 km au S.-E. de Troyes; 990 hab. Église du XVIe s.

Lusitania, paquebot anglais qui fut torpillé par un sous-marin allemand, le 7 mai 1915, à son retour d'Amérique. 1 200 personnes périrent, dont 124 passagers américains, ce qui provoqua de violentes réactions aux États-Unis. (V. GUERRE MONDIALE [*Première*].)

LUSITANIE, en lat. **Lusitania,** ancienne région de la péninsule Ibérique. D'abord pays des Lusitains, dont la capitale était *Olisipo* (Lisbonne), elle fut province impériale romaine à partir d'Auguste, avec *Emerita Augusta* (Mérida) pour capitale. Elle comprenait les territoires des Lusitains et des Vettons, et correspondait à l'actuel Portugal. La Lusitanie fut au IIe s. av. J.-C. le théâtre de révoltes contre Rome (insurrection de Viriathe*, 147-139 av. J.-C.).

LUSSAC (33570), ch.-l. de cant. de la Gironde, à 14 km au N.-E. de Libourne; 1 488 hab. Vins.

LUSSAC-LES-CHÂTEAUX (86320), ch.-l. de cant. de la Vienne, à 12 km à l'O. de Montmorillon; 2 235 hab. Mobilier.

LUSSAN (30580), ch.-l. de cant. du Gard, à 18 km au N. d'Uzès; 294 hab.

LUTÈCE → PARIS.

LUTH. — Un corps bombé, une table d'harmonie percée d'une rose, un chevillier coudé vers l'arrière presque à angle droit, un montage en cordes doubles : telles sont les caractéristiques principales que présente cet instrument à cordes pincées, d'origine arabe, importé en Espagne, et qui a suscité une abondante littérature musicale, notamment entre le XVe et le XVIIe s.

LUTHER (Martin), réformateur allemand (Eisleben, Thuringe, 1483 - *id.* 1546). Moine augustin, docteur en théologie en 1512, professeur à l'université de Wittenberg en 1513, il mène une vie de prière, d'ascèse et de recherche théologique. Son *Commentaire de l'Épître aux Romains* met en relief la doctrine de la justification par la foi, idée essentielle du texte de saint Paul, qui allait devenir la clé de voûte du protestantisme officiel; la foi seule sauve et non les œuvres, surtout pas les fausses bonnes œuvres acquises à prix d'argent. Profondément irrité par le trafic des indulgences* auquel se livre l'archevêque Albert de Brandebourg, appuyé par la prédication des religieux dominicains, Luther jette un cri d'alarme : ce sont les 95 thèses (31 octobre 1517), dans lesquelles il s'attaque au principe même des indulgences, déniant à l'Église le pouvoir d'effacer les peines de l'au-delà. À cette époque, Luther ne songe pas à quitter une Église qu'il veut seulement débarrasser des abus qui s'y manifestent; il défend ses idées, polémiquant contre des théologiens de renom (le cardinal Cajetan, Jean Eck), mais ses positions sont finalement condamnées par le pape Léon X, en 1520. En cette même année, Luther publie les trois œuvres appelées les « grands écrits réformateurs » : le *Manifeste à la noblesse allemande,* dans lequel il s'en prend à la suprématie romaine et met fortement l'accent sur l'idée du sacerdoce universel; *la Captivité de*

Martin Luther, d'après Lucas Cranach l'Ancien. (Musée Condé, Chantilly.)

Lauros - Giraudon

Babylone, où il conteste la théorie romaine des sacrements, dont il ne conserve que le baptême et la sainte Cène (eucharistie*); enfin *De la liberté du chrétien,* où il formule une nouvelle doctrine de l'Église, non pas visible, avec ses institutions et ses dogmes, mais invisible et faite de ceux-là seuls qui vivent dans la vraie foi.

Cité devant la diète impériale, à Worms, en 1521, et ayant refusé de se rétracter, il est mis au ban de l'Empire et ses écrits sont interdits et brûlés. Caché par son protecteur, Frédéric de Saxe, au château de la Wartburg, il mettra à profit les dix mois de sa semi-captivité pour traduire en allemand le Nouveau Testament; il traduira intégralement la Bible en 1534. Il peut rentrer à Wittenberg en 1522, où il doit défendre son œuvre contre le radicalisme du théologien Karlstadt et les déviations des anabaptistes*, qui l'amènent à intervenir dans la sanglante guerre des Paysans* (1524-25). Il commence alors à organiser son Église, publie le *Petit Catéchisme* et le *Grand Catéchisme* (1529), réglemente la liturgie et le culte. Sa polémique avec Érasme* (*Du serf arbitre,* 1525) le conduit à rompre avec l'humanisme. À partir de la diète d'Augsbourg* (1530), date de la *Confession d'Augsbourg**, rédigée par Melanchthon*, et considérée avec les *Articles de Smalkalde**, dont l'auteur est Luther lui-même, comme la confession de foi des Églises luthériennes, la vie du réformateur se déroule dans une atmosphère plus détendue. Martin Luther, qui s'est marié, en 1525, avec une ancienne religieuse cistercienne, Katharina von Bora, qui lui donnera six enfants, se consacre à sa vie familiale et à la consolidation de son œuvre : les *Propos de table,* qui sont de libres entretiens, publiés par ses amis, permettent de mieux saisir la personnalité complexe de cet homme de Dieu passionné et fougueux. À l'enterrement de Luther, fut cité par Melanchthon le mot d'Érasme : « Dieu a donné au monde un rude médecin. »

LUTHERIE → INSTRUMENTS DE MUSIQUE.

LUTON, v. d'Angleterre, au N.-O. de Londres; 161 000 hab. Industrie automobile.

LUTOSŁAWSKI (Witold), compositeur polonais (Varsovie 1913). Par sa musique, il constitue le trait d'union entre le style d'avant-guerre et l'école polonaise actuelle, dont il apparaît comme le père spirituel *(Trois Poèmes d'Henri Michaux, Paroles tissées).*

LUTTE. — On distingue traditionnellement deux styles de lutte. La *lutte gréco-romaine* (appelée « française » à l'étranger, en raison de son origine; elle fut codifiée par le Lyonnais Exbrayat en 1848) ne permet de porter des prises que de la tête à la ceinture et interdit d'utiliser les jambes pour porter les prises. La *lutte libre* est, comme son nom l'indique, moins restrictive, permettant l'utilisation des jambes pour porter les prises. Les rencontres se déroulent en 9 minutes (trois périodes de 3 minutes) et peuvent se conclure, avant la limite, par tombé (les deux épaules du lutteur sont en contact avec le tapis et l'arbitre a eu le temps, en frappant le tapis, de constater le touché) ou par abandon, à la limite (la victoire est obtenue aux points). Dix catégories de poids sont fixées.

LUTTE DES CLASSES. — Élaborée par Marx, la théorie de la lutte des classes est constitutive du matérialisme* historique, qui se veut la théorie de l'histoire qui se fait et non de celle qui s'écrit. Loin d'être une vue de l'esprit, une idéologie*, la lutte des classes est, pour les marxistes, la réalité même de l'histoire. À la lutte quotidienne du capital, qui fait du travail une activité productrice de plus-value* (base matérielle de l'existence de la classe bourgeoise), s'oppose la lutte des prolétaires, pour de meilleures conditions de vie et de travail. « L'histoire n'a été jusqu'à aujourd'hui que l'histoire de la lutte des classes » *(Manifeste* du parti communiste).* Cela signifie que, pour Marx, les multiples phénomènes de l'histoire sont des formes variées de lutte de classes et que cette lutte « est le moteur de l'histoire ». « Toute lutte de classes est une lutte politique », et « le pouvoir institutionnalisé de l'État » est l'objectif de la lutte. Marx pense, en effet, que l'État est le lieu où se condensent les contradictions* d'une formation sociale. Ainsi, Marx montre, contre les libéraux, qu'il n'y a pas de classes en dehors de la lutte de classes, cette lutte ayant lieu dans tous les domaines d'une formation sociale : économie, politique et idéologie.

LUTTERBACH (68460), comm. du Haut-Rhin, à 5,5 km à l'O. de Mulhouse; 4 869 hab.

LÜTZEN, v. de l'Allemagne orientale, au S.-O. de Leipzig; 5 000 hab. Elle fut le théâtre de deux grandes batailles : le 16 novembre 1632, Gustave-Adolphe, qui fut tué au cours de l'engagement, y battit Wallenstein; le 2 mai 1813, Napoléon Ier et Ney y triomphèrent des Russes et des Prussiens.

LUX → UNITÉS.

LUXATION. — • *Luxations articulaires.* Les *luxations traumatiques,* surtout fréquentes aux membres supérieurs (épaule, coude), imposent, après leur diagnostic (douleur, déformation, impotence fonctionnelle), la recherche d'une complication (fracture, atteinte musculo-nerveuse). Au niveau du rachis, seules les subluxations peuvent se produire sans dégâts osseux. La réduction des luxations traumatiques se fait, le plus souvent, par manœuvres externes. Les *luxations congénitales,* en rapport avec des malformations articulaires prédisposantes, sont fréquentes au niveau de la hanche*.

• *Luxations dentaires.* Toujours traumatiques, elles sont incomplètes, entraînant la mortification de la pulpe, ou complètes (les fractures associées sont fréquentes).

• *Luxation du cristallin.* Presque toujours traumatique, due à la rupture des fibres de la zonule, elle peut être incomplète, entraînant un iridodonésis (tremblement de l'iris), ou complète. (La chute du cristallin en avant entraîne un glaucome aigu; en arrière, elle est bien tolérée.)

LUXEMBOURG *(grand-duché de),* État de l'Europe occidentale; 2 586 km^2; 360 000 hab. *(Luxembourgeois).* Capit. *Luxembourg.*

GÉOGRAPHIE. Le pays s'étend sur deux ensembles naturels. Au nord, l'Oesling, portion de l'Ardenne, est un plateau aux sols pauvres, qui atteint 500 m d'altitude. Il est entaillé de profondes vallées, dont les pentes sont couvertes de forêts. Il domine, au sud, le Gutland (« Bon Pays »), au climat océanique plus doux, correspondant à la terminaison du Bassin parisien.

La population, dense, est vieillie et ne s'accroît que par l'immigration : les étrangers, surtout originaires d'Italie, représentent près du cinquième du total. Il faut y ajouter les travailleurs frontaliers, qui viennent de France et de Belgique. La population, fortement urbanisée, se concentre dans le sud-ouest du pays (conurbation industrielle d'Esch-sur-Alzette, Differdange et Dudelange) et autour de Luxembourg. Les plateaux ardennais sont progressivement vidés par l'exode rural.

L'agriculture tient peu de place. Les conditions naturelles sont peu favorables. Les paysans pratiquent une polyculture très mécanisée, fournissant blé, orge, pommes de terre. La vigne couvre les coteaux bien exposés. Mais l'activité dominante est l'élevage bovin (viande, lait). Le pays tire l'essentiel de ses revenus de l'industrie lourde. La puissante sidérurgie repose sur l'importation de coke et, de plus en plus, de minerai de fer, remplaçant le minerai local, de faible teneur. Très concentrée financièrement, elle est localisée dans le Sud-Ouest (Esch-sur-Alzette, Differdange, Pétange, Dudelange, Rodange). Pour pallier les inconvénients de la prédominance de cette activité, une diversification a été tentée par la création d'industries nouvelles, mécaniques et chimiques notamment. Les industries traditionnelles (brasseries, céramique, distilleries) restent actives.

L'importance économique du Luxembourg est sans commune mesure avec l'exiguïté de sa surface. Il exporte une grande partie de sa production et son commerce extérieur a été facilité par son adhésion au Benelux, puis au Marché commun. Il bénéficie d'un dense réseau de communications, récemment amélioré par la canalisation de la Moselle (port de Mertert). La crise de l'énergie puis celle de l'acier ont provoqué un déficit de la balance commerciale, autrefois traditionnellement excédentaire.

HISTOIRE. Le Luxembourg se dégage de la dislocation de l'Empire carolingien, au sein de la Lotharingie. En 963 le comte Sigefroi acquiert un site stratégique qui portera le nom de Luxembourg. Peu à peu, le comté de Luxembourg se développe le long de l'Alzette et de la basse Sûre. Un moment unies au comté de Namur avec Henri IV (de 1136 à 1196), les possessions luxembourgeoises forment un ensemble cohérent à partir de 1196, avec la comtesse Ermesinde (de 1196 à 1247), dont les successeurs orientent l'expansion territoriale vers le sud-est. L'accession à l'Empire avec Henri VII, comte de Luxembourg de 1288 à 1309 et empereur de 1308 à 1313, ouvre à la dynastie de Luxembourg des destinées brillantes, mais entraîne, à longue échéance, l'aliénation du pays natal. Les principales acquisitions des Luxembourg sont : sous Jean l'Aveugle (de 1309 à 1346), la Bohême et la Moravie (1310), ainsi que la Silésie (1327); sous Charles IV (de 1346 à 1352, empereur de 1355 à 1378) et sous Venceslas Ier (comte de 1352 à 1354, puis duc de 1354 à 1383), le Brabant et le Limbourg (1355), la Lusace (1368) et le Brandebourg (1373); sous Venceslas II (de 1383 à 1419, empereur de 1378 à 1400), la Hongrie (1387).

La branche impériale des Luxembourg s'éteint en 1437, avec Sigismond, dernier duc de la première maison du Luxembourg. En 1443, Luxembourg tombe aux mains du duc de Bourgogne. Dès lors, et jusqu'au XIXe s., le Luxembourg partage la destinée des Pays-Bas* : les Habsbourg d'Espagne (1506), puis les Habsbourg d'Autriche (1714) le soustraient un peu plus aux visées politiques françaises. Cependant, le pays réussit à garder un vif particularisme, favorisé par sa position géographique excentrique, position qui explique aussi son retard économique. Annexé par la France de 1795 à 1814, le Luxembourg est démembré par elle, la majeure partie formant le département des Forêts. L'Empire tombé, le

LUXEMBOURG

duché de Luxembourg, ressuscité, est élevé au rang de grand-duché (1815), mais reçoit un statut compliqué, puisqu'il est donné à titre personnel au roi des Pays-Bas et qu'en même temps il entre dans la Confédération* germanique et dans le Zollverein (1842). Le roi-grand-duc ne respectant pas l'indépendance du Luxembourg, celui-ci, en 1830, se joint à la révolution belge. À la conférence de Londres (1831), le Luxembourg est de nouveau démembré : à côté du grand-duché actuel, qui reste au roi des Pays-Bas, la moitié occidentale devient la province belge du Luxembourg. Les rois des Pays-Bas n'accordent une constitution qu'en 1868; l'année précédente (1867) le traité de Londres a fait du grand-duché, qui échappe de peu à l'annexion française, un État indépendant et neutre, sous la garantie des puissances. En 1870 est créé l'évêché de Luxembourg. Quand meurt Guillaume III d'Orange-Nassau (1890), la couronne grand-ducale passe à Adolphe de Nassau, à qui succède Guillaume IV († 1912), puis la princesse Adélaïde qui, après la Première Guerre mondiale, durant laquelle le grand-duché est occupé par les Allemands, abdique en faveur de sa sœur, Charlotte de Nassau (1919) : celle-ci accorde aussitôt au pays une constitution démocratique. En 1922, le Luxembourg conclut une union économique avec la Belgique.

Après la Seconde Guerre mondiale — au cours de laquelle il est annexé par le IIIe Reich —, le grand-duché abandonne son statut de neutralité, entre dans le Benelux*, l'O. N. U. et les grandes organisations européennes et internationales. En 1964, la grande-duchesse Charlotte abdique en faveur de son fils Jean. L'évolution politique est marquée, de 1944 à 1974, par la prédominance du parti

Tholy-Rapho

Luxembourg. Vue partielle de la vieille ville (fortifications datant du Xe s.).

chrétien social (notamment avec Pierre Werner, Premier ministre de 1959 à 1974), puis par la formation d'un ministère de centre gauche, présidé par Gaston Thorn.

LUXEMBOURG, capit. du grand-duché de Luxembourg, sur l'Alzette; 76 000 hab. Palais grand-ducal (XVIe et XIXe s.). Cathédrale baroque du XVIIe s. L'agglomération regroupe environ 100 000 habitants, c'est-à-dire 30 p. 100 de la population totale du grand-duché. Relativement industrialisée (métallurgie et constructions électriques), la ville est surtout un grand centre tertiaire, dominé par les fonctions politique et financière, débordant largement le cadre national grâce, en particulier, à sa situation géographique au centre du Marché commun (Luxembourg est le siège de la Banque européenne d'investissement et de la Cour de justice des Communautés [Marché commun]).

LUXEMBOURG, prov. du sud-est de la Belgique; 4 418 km^2; 220 259 hab. Ch.-l. *Arlon.* S'étendant en majeure partie sur le massif de l'Ardenne*, souvent boisée et au climat rude, c'est la plus vaste, mais aussi la moins peuplée (à peine 50 hab. au km^2) des provinces belges, la seule dont la densité soit inférieure à 100 habitants au kilomètre carré. Elle tend à devenir une zone de loisirs pour les Bruxellois et surtout les habitants du sillon industrialisé de la Meuse namuroise et liégeoise.

LUXEMBOURG (François Henri de MONTMORENCY-BOUTEVILLE, *duc* DE), maréchal de France (Paris 1628 - Versailles 1695). Sous les ordres de Condé durant la Fronde et la guerre de Dévolution* (1667-68), il commande ensuite l'armée de Hollande (1672). Maréchal en 1675, il est victorieux à Fleurus (1690), Steinkerque (1692) et Neerwinden (1693).

Luxembourg *(palais du),* palais que Marie de Médicis fit construire à Paris, par S. de Brosse, dans un style qui lui rappelât les palais florentins (1612-1620). Rubens en décora la grande galerie de peintures relatant la vie de la reine (1622-1625, auj. au Louvre). Affecté au Sénat sous le premier Empire, le palais fut transformé intérieurement par Chalgrin. En 1836, un important bâtiment, du même style que le noyau original, lui fut adjoint du côté jardin; Delacroix décora les voûtes de la bibliothèque de 1840 à 1846.

LUXEMBURG (Rosa), socialiste allemande (Zamość 1871 - Berlin 1919). Israélite polonaise, elle milite tôt dans les rangs révolutionnaires, puis (1898) dans la social-démocratie allemande dont, à partir de 1906, elle devient, avec Karl Liebknecht*, l'un des leaders. Son œuvre maîtresse est l'*Accumulation du capital* (1913) et ses principaux apports au marxisme concernent l'impérialisme* et la théorie de la grève générale. Adversaire de la guerre en 1914, R. Luxemburg est incarcérée de 1915 à 1918 : elle écrit alors les *Lettres à Spartacus,* qui sont à l'origine du mouvement spartakiste (V. SPARTAKISME), au cours duquel elle est assassinée.

LUXEUIL-LES-BAINS (70300), ch.-l. de cant. de la Haute-Saône, à 29 km au N.-E. de Vesoul; 10 711 hab. *(Luxoviens).* Monuments des XIVe-XVIe s. Musée. Station thermale dont les eaux, chaudes et radioactives, sont utilisées dans le traitement des affections veineuses et gynécologiques. Métallurgie. Textile. — Vers 590, saint Colomban fonda, à Luxeuil, une abbaye qui devint, au Moyen Âge, un grand centre intellectuel et le siège d'une seigneurie monastique.

LUYNES (Charles, *marquis* d'ALBERT, *duc* DE), homme d'État français (Pont-Saint-Esprit 1578 - Longueville 1621). Favori de Louis XIII, il pousse au meurtre de Concini* (1617), accumulant par la suite titres et fonctions au point d'être le véritable maître du royaume. Connétable (1621), il mène la lutte contre les huguenots, mais échoue devant Montauban.

LUZARCHES (95270), ch.-l. de cant. du Val-d'Oise, à 10 km au S. de Chantilly; 2 484 hab. Église romane, gothique et Renaissance.

LUZECH (46140), ch.-l. de cant. du Lot, dans un méandre du Lot, à 20 km à l'O. de Cahors; 1 783 hab. Vieille cité, dans un site pittoresque. Restes d'un oppidum gaulois. Fortifications, église, chapelles et maisons médiévales.

LUZENAC (09250), comm. de l'Ariège, sur l'Ariège, à 8,5 km au N.-O. d'Ax-les-Thermes; 848 hab. Importante carrière de talc.

LUZERNE. — La flore française compte quelque trente espèces de luzerne, mais l'espèce fourragère de grande culture *Medicago sativa* est originaire des Alpes du Piémont (Luzerne est une petite ville des vallées vaudoises). C'est une herbe haute, aux feuilles trifoliées, aux petites grappes de fleurs violettes, aux gousses enroulées en une spirale serrée. La plupart des autres espèces ont des fleurs jaunes. (Famille des papilionacées.)

LUZON → LUÇON.

LUZ-SAINT-SAUVEUR (65120), ch.-l. de cant. des Hautes-Pyrénées, sur le gave de Pau, à 18 km au S. d'Argelès-Gazost; 1 040 hab. Église romane de la fin du XIIe s., entourée d'une enceinte et fortifiée aux XIVe et XVIe s. (musée dans une chapelle de 1600). Centrale hydroélectrique.

LUZULE. — Les luzules sont des herbes très voisines des joncs, mais se distinguant de ceux-ci par leurs feuilles poilues au limbe aplati et par leur habitat, plus forestier et surtout plus montagnard que propre aux lieux humides.

LUZY (58170), ch.-l. de cant. de la Nièvre, à 34 km au S.-O. d'Autun; 2 735 hab.

LVOV, en polon. **Lwów,** en allem. **Lemberg,** v. de l'U.R.S.S. (Ukraine), près de la Pologne; 553 000 hab. Églises Saint-Nicolas (XIIIe s.) et de la Dormition (fin XIVe s.). Cathédrale d'architecture arménienne (XIVe-XVe s.). Chapelle Boïmov (début XVIIe s.). Églises baroques de style italien au XVIIe s., en rococo polonais au XVIIIe s. Industrie automobile. — Lvov est fondée v. 1256 par Daniel Romanovitch Galitski (1201-1264), prince puis roi de Galicie*-Volhynie. Intégrée à la Pologne en 1349, elle en devient le centre du transit vers la mer Noire. La ville est secouée au XVIe s. par les conflits entre Ruthènes orthodoxes, Polonais catholiques, Juifs et Arméniens. Lvov appartient à l'Autriche de 1772 à 1918, puis revient à la Pologne et est annexée par les Soviétiques en 1939.

LVOV (Gueorgui Ievguenievitch, *prince*), homme politique russe (Toula 1861 - Paris 1925). Membre de la première douma (1906), président de l'union panrusse des zemstvos constituée en 1914 pour aider les pouvoirs publics déficients, il est le président du gouvernement provisoire de mars à juillet 1917.

LWOFF (André), biologiste et médecin français (Ainay-le-Château 1902), prix Nobel de médecine et de physiologie en 1965, avec J. Monod et F. Jacob, pour ses travaux sur la génétique.

LYALLPUR, v. du Pākistān, à l'O. de Lahore; 425 000 hab. Centrale thermique. Engrais.

LYAUTEY (Louis Hubert), maréchal de France (Nancy 1854 - Thorey 1934). Ami d'Albert de Mun et adepte du catholicisme social, il publie dans la *Revue des Deux Mondes* une étude intitulée *Du rôle social de l'officier dans le service militaire universel* (1891). Collaborateur de Gallieni au Tonkin puis à Madagascar (1894-1897), il est mis en 1906 à la tête de la division d'Oran et occupe Oujda (1907). Nommé (1912) résident général de France au Maroc, il y applique un programme de développement économique et humain qui fera de lui le créateur du Maroc moderne. Sauf un bref séjour à Paris, comme ministre de la Guerre (1916-17), il demeure au Maroc jusqu'en 1925, date de son rappel en pleine guerre du Rif. De 1927 à 1931, il organise l'Exposition coloniale de Paris. Inhumé d'abord à Rabat, son corps sera ramené aux Invalides en 1961. Lyautey a publié plusieurs ouvrages et a été le promoteur d'un humanisme militaire et colonial, fondé sur le respect de l'homme et des civilisations d'outre-mer.

LYCABETTE (le), colline de l'Attique, intégrée dans Athènes.

LYCAONIE, contrée du centre de l'Anatolie*, dont la ville principale était Iconium (Konya*). Indépendante sous le Bas-Empire, elle devint aux XIe et XIIe s., sous les Seldjoukides*, une province prospère.

LYCÉE. — La loi du 2 floréal an X (1er mai 1802) substitua aux « écoles centrales » fondées par la Convention des établissements d'enseignement qu'elle désigna du nom du gymnase où Aristote enseignait à Athènes. Multipliés par la IIIe République, les lycées dispensent aujourd'hui le second cycle d'études (de la troisième à la terminale) de l'enseignement du second degré.

LYCÉE, en gr. **Lykeion,** lieu-dit situé à l'E. d'Athènes, sur la rive de l'Ilissos. Le Lycée comprend un temple consacré à Apollon Lycéen et un gymnase conçu par Périclès. Aristote y fonde, v. 335 av. J.-C., une école philosophique. Les premiers disciples du philosophe sont Héraclide du Pont, Eudème de Rhodes et Théophraste*. Straton de Lampsaque († 268 av. J.-C.), Lycon († 225 av. J.-C.), Ariston de Céos, Critolaos de Phasélis et Diodore de Tyr (IIe s. av. J.-C.) dirigent successivement l'école et se contentent de commenter la pensée d'Aristote. Diffusée à Rome à partir de 50 av. J.-C., puis à Alexandrie (IIe s.), interprétée par la philosophie islamique (V. ISLĀM), la doctrine d'Aristote donne naissance à l'aristotélisme*.

LYCHNIS. — La nielle *(Lychnis githago)* est une mauvaise herbe des champs de céréales, et sa graine ressemble à celle du blé, de sorte qu'une farine peut être rendue toxique par un trop grand nombre de graines de lychnis. Il s'agit d'une plante assez semblable à l'œillet, dont elle est voisine (famille des caryophyllacées), mais aux feuilles velues, et dont le calice a des dents qui dépassent entre les pétales.

LYCIE, contrée montagneuse du sud-ouest de l'Asie Mineure, qui, indépendante de fait, sous des princes locaux, à cause de son isolement à l'intérieur de l'Empire perse, subsista sous la domination romaine jusqu'à la fin de l'Antiquité.

LYCOPHRON de Chalcis, poète grec (Chalcis v. 320 - † v. 250 av. J.-C.), auteur du poème *Alexandra,* dont l'obscurité était proverbiale.

LYCOPODE. — Cette plante minuscule, rampante, aux feuilles triangulaires serrées contre la tige, se reproduit par des spores et des prothalles bisexués. Ces spores, vendues sous le nom de *poudre de lycopode,* ont servi aux artificiers, dans les laboratoires de physique (matérialisation des ondes stationnaires) et pour l'hygiène cutanée des bébés. Son intérêt scientifique tient à son étroite

De Forceville-Ruyant Production

Lyon. Sur la presqu'île entre le Rhône (à gauche) et la Saône, le centre économique et commerçant; à droite, la vieille ville, étalée sur les pentes de la colline de Fourvière; à gauche, la nouvelle ville et le quartier des Brotteaux.

parenté avec les grands arbres fossiles des schistes houillers, tels que *Lepidodendron* ou *Sigillaria.* (Type de l'ordre des lycopodiales; un genre voisin, la *sélaginelle,* a des spores unisexuées, les unes mâles, les autres femelles.)

LYCOSE. — Étudiée en détails par J. H. Fabre, la lycose est une araignée sans toile, qui poursuit ses proies à la course et s'abrite dans une sorte de terrier sommaire. Elle survit à la ponte, traîne son cocon derrière elle et transporte sur son dos les jeunes qui viennent d'éclore, parfois au nombre de deux cents.

LYCURGUE, nom de plusieurs personnages de l'antiquité grecque : LYCURGUE *de Sparte* (v. le IXe s. av. J.-C.), législateur mythique lacédémonien, à qui fut attribuée l'antique législation spartiate; LYCURGUE *d'Athènes* (v. 396-323 av. J.-C.), orateur et homme d'État, qui fut, avec Hypéride*, le plus ferme appui de Démosthène* dans la lutte contre Philippe II* de Macédoine; il nous reste de lui un unique discours, *Contre Léocrate;* LYCURGUE, roi de Sparte († v. 212 av. J.-C.) qui, ayant obtenu sa royauté par corruption, se fit battre par Philippe V de Macédoine.

LYDGATE (John), poète anglais (Lydgate, Suffolk, v. 1370-Bury Saint Edmunds v. 1449). Il contribua à enrichir la langue anglaise par ses poèmes historiques et satiriques adaptés d'œuvres françaises ou italiennes (*la Chute des princes,* 1430-1438).

LYDIE, royaume de l'Asie Mineure, dont la capitale était Sardes*. Il fut prospère sous la dynastie des Mermnades (687-547 av. J.-C.), dont les rois les plus célèbres furent Gygès* et Crésus*; le royaume, qui s'étendait alors sur la moitié de l'Asie Mineure et dont la richesse était proverbiale, tomba, avec Cyrus II* le Grand, au pouvoir des Perses en 547 (ou 546).

LYLY (John), écrivain anglais (Canterbury v. 1554-Londres 1606). Auteur de comédies mythologiques (*Midas,* 1592), il fit dans ses romans allégoriques (*Euphues ou l'Anatomie de l'esprit,* 1579; *Euphues et son Angleterre,* 1580) la critique de la société londonienne, influencée par les modes italiennes, en un style précieux qui devint le modèle de l'euphuisme*.

LYMPHANGITE → LYMPHATIQUE.

LYMPHATIQUE. — Les vaisseaux lymphatiques forment un système clos : ils drainent la lymphe et la déversent dans le système veineux, après avoir fait relais dans les ganglions lymphatiques, groupés en amas sur leur trajet dans des régions spécifiques (cou, aine, creux de l'aisselle, etc.).

La *lymphographie* est utile au diagnostic (et parfois pour suivre l'évolution) des adénopathies (lymphoréticulose, lymphosarcome, lymphogranulomatose, etc.).

Les *lymphangites* sont souvent secondaires à des plaies septiques.

LYMPHE. — La *lymphe interstitielle,* située entre les cellules, qu'elle nourrit et dont elle élimine les déchets, est en échange constant avec le plasma des capillaires sanguins. La *lymphe vasculaire* est un liquide de drainage des tissus, sauf au niveau de l'intestin, où elle transporte les graisses absorbées.

LYMPHOCYTE, LYMPHOCYTOSE → LEUCOCYTE.

LYMPHOGRANULOMATOSE. — La *lymphogranulomatose bénigne,* ou sarcoïdose, a une symptomatologie polymorphe (petites tumeurs cutanées, dites « sarcoïdes », adénopathies, lésions pulmonaires évoquant parfois la tuberculose). La *lymphogranulomatose maligne,* ou maladie de Hodgkin, se traduit par des adénopathies, une hépato-splénomégalie, et parfois par d'autres atteintes viscérales; des cellules tumorales, dites « de Sternberg », sont retrouvées dans les ganglions atteints; traitée précocement, cette affection peut guérir. La *lymphogranulomatose inguinale subaiguë,* ou maladie de Nicolas et Favre, est une affection vénérienne; elle se traduit par un chancre ano-rectal et par une adénopathie inguinale qui évolue vers la suppuration.

LYMPHOGRAPHIE, LYMPHORÉTICULOSE, LYMPHOSARCOME → LYMPHATIQUE.

LYNCH (John, dit **Jack**), homme politique irlandais (Cork 1917), leader du Fianna Fáil* et Premier ministre de la république d'Irlande de 1966 à 1973, réélu en 1977.

LYNDSAY ou **LINDSAY** (*sir* David), poète écossais (Haddington v. 1490-en mission au Danemark? 1555). Auteur de la *Satire des trois états,* il détermina un fort courant en faveur de la Réforme.

LYNEN (Feodor), biochimiste allemand (Munich 1911), prix Nobel de physiologie et de médecine, avec Bloch, en 1964, pour ses travaux concernant le métabolisme des lipides.

LYNN, port des États-Unis (Massachusetts); 90 000 hab.

LYNX. — Le principal caractère distinctif de ce gros chat sauvage est la touffe de poils qui surmonte ses oreilles. Le lynx n'a que 28 dents et porte une belle fourrure, de teinte variable selon l'espèce. Très nuisible, destructeur de troupeaux, il a presque disparu de France.

LYON, capit. de la Région Rhône-Alpes et ch.-l. du départ. du Rhône, au confluent du Rhône et de la Saône, à 476 km au S.-E. de Paris; 462 841 hab. *(Lyonnais).* C'est la troisième ville de France, mais, avec ses banlieues, Lyon dépasse largement le million d'habitants (près de 1 200 000), et constitue la deuxième agglomération du pays.

GÉOGRAPHIE. La situation et le site sont exceptionnels. Lyon est le point de passage obligé entre l'Europe du Nord-Ouest et les pays de la Méditerranée occidentale. Initialement, la colline de Fourvière et la confluence facilitaient la défense de la cité. Aujourd'hui, l'agglomération remonte la vallée de la Saône jusqu'au nord de Caluire-et-Cuire, descend la vallée du Rhône jusqu'à Feyzin, escalade les derniers contreforts du Massif central, à l'ouest, et s'étend largement, à l'est, dans la plaine de confluence jusqu'à l'aéroport de Bron (éclipsé aujourd'hui par celui de *Lyon-Satolas*). L'aire urbanisée couvre environ 50 000 hectares, Lyon est un grand centre de services (administratif, bancaire et commercial, intellectuel [grande université]), où la traditionnelle fonction industrielle tient également une grande place, surtout dans la banlieue (la ville même est surtout tertiaire). La soierie n'a pas disparu, bien que dépassée par les fibres chimiques. À côté du textile, dominent la métallurgie de transformation (véhicules utilitaires [à Vénissieux], machines électriques et matériel de travaux publics, appareillage électroménager), la chimie (produits pharmaceutiques et parfumerie, matières plastiques) et naturellement le bâtiment. Mais, hors la sidérurgie et les activités extractives, toutes les branches sont en fait représentées. L'énergie est fournie par les centrales électriques voisines (Loire-sur-Rhône et Pierre-Bénite), la raffinerie de Feyzin et le gaz naturel importé. Entre Paris et la façade méditerranéenne, bien desservie par les réseaux routier et ferroviaire, bénéficiant de l'aménagement du Rhône (port fluvial Édouard-Herriot) et bientôt, sans doute, d'une liaison à grand gabarit vers le Rhin, l'agglomération dispose d'atouts importants.

HISTOIRE. Des colons romains s'installent en 62 av. J.-C. sur les pentes de la Croix-Rousse, au confluent de la Saône et du Rhône. Situation favorable, au point de rupture de charge des navires, et qui permet à Lugdunum de devenir, dès 27 av. J.-C., capitale de la Lyonnaise, puis capitale des Gaules. Sous Hadrien, elle compte 200 000 habitants; de puissants collèges corporatifs l'animent. Tout naturellement, le christianisme s'y installe dès le IIe s. Les invasions barbares réduisent l'influence de la ville qui, en 457 apr. J.-C., devient l'une des trois capitales des Burgondes. Elle est ensuite le centre d'un comté mérovingien, puis carolingien, et un archevêché. Cité de la Bourgogne transjurane en 888, elle est ruinée au Xe s. par les invasions sarrasines et hongroises. L'archevêque de Lyon, primat des Gaules en 1079, est, depuis 1032, vassal nominal de l'empereur. En fait, Lyon devient pratiquement indépendante en 1193 sous l'autorité de son archevêque et de son chapitre, qui recherchent la protection du roi de France. Siège de deux conciles généraux (1244 et 1274), la ville joue de nouveau, à partir du XIIIe s., un rôle commercial de premier plan; grâce au roi de France, ses bourgeois obtiennent une charte communale en 1320. Ville marchande, Lyon est aussi, au XVe s., une ville de juristes, avec ses deux écoles de droit (cité et bourg); en même temps, ses foires, créées par Charles VII (1420-1444) et Louis XI (1464), supplantent celles d'Avignon et de Genève, et font d'elle un centre commercial et bancaire international, à qui l'introduction de l'imprimerie donne une dimension culturelle et que révolutionne l'industrie de la soie. Chef-lieu du département de Rhône-et-Loire en 1790, Lyon rejette la dictature jacobine : sa révolte de l'été 1793 lui vaut d'être assiégée par les troupes de la Convention, d'être réduite au seul ressort de l'actuel département du Rhône et de subir la Terreur. Sous Napoléon Ier, avec le métier Jacquard, elle devient une ville industrielle, qui garde cependant des structures artisanales, avec un prolétariat — les canuts* — qui, en 1831 et 1834, se révolte contre des conditions de travail inacceptables. Le second Empire embellit la ville et fait d'elle un grand centre bancaire (Crédit Lyonnais, 1863) et ferroviaire, l'ouverture du canal de Suez (1869) lui ouvrant le marché extrême-oriental de la soie. Peu à peu, au XIXe s., le travail à façon de la soie s'efface devant la grande industrie diversifiée. Durant la Seconde Guerre mondiale, Lyon est la capitale française de la Résistance. (V. HERRIOT [Édouard].)

BEAUX-ARTS. D'importants vestiges romains ont été dégagés sur la colline de Fourvière, où s'est ouvert, en 1976, le musée, souterrain, de la Civilisation gallo-romaine. Basilique romane Saint-Martin d'Ainay, consacrée en 1107 (chœur à décor antiquisant; chapiteaux; fresques de H. Flandrin). Cathédrale gothique Saint-Jean, à chœur roman (XIIe-XVe s.; bas-reliefs de la façade, vitraux). Églises du XVe s. Saint-Bonaventure et Saint-Nizier (flamboyante). Entre les pentes de Fourvière et la Saône, ensemble de demeures renaissantes du « Vieux Lyon », dont les hôtels Bullioud (galerie par Ph. Delorme) et de Gadagne (auj. Musée historique). Monuments des XVIIe et XVIIIe s. : hôtel de ville (entrepris en 1646), église baroque Saint-Bruno (XVIIe s.), décorée par Soufflot, auteur de la monumentale façade de l'hôtel-Dieu.

Patrie de nombreux artistes, qui sont allés enrichir l'art parisien (Coysevox, les Coustou, les Audran, Chinard, Puvis de Chavannes...), Lyon a connu au XIXe s. d'intéressants courants picturaux, avec notamment les paysagistes Auguste Ravier (1814-1895), Louis Carrand (1821-1899), François Vernay (1821-1896), dont les œuvres sont présentes au musée des Beaux-Arts, par ailleurs un des plus riches de France (installé dans un ancien couvent du XVIIe s.). Citons aussi : le musée historique des Tissus (soiries lyonnaises et tissus de toutes origines, tapis d'Orient), les musées des Arts décoratifs, de l'Imprimerie (livres lyonnais illustrés du XVIe s.), de la Marionnette, etc.

LYONNAIS *(monts du),* massif de la bordure orientale du Massif central, au S.-O. de Lyon, entre les vallées du Gier et de la Brévenne; 937 m.

LYONNAISE, partie de la Gaule comprise entre la Narbonnaise*, l'Aquitaine et la Belgique. Elle forma sous Auguste une province, la *Lugdunensis,* avec pour chef-lieu *Lugdunum* (Lyon), et fut divisée à la fin du IVe s. en quatre provinces : la *Lyonnaise Ire*, ch.-l. Lyon; la *Lyonnaise IIe*, ch.-l. Rouen; la *Lyonnaise IIIe*, ch.-l. Tours; la *Lyonnaise IVe*, ch.-l. Sens.

LYONS-LA-FORÊT (27480), ch.-l. de cant. de l'Eure, à 36 km à l'E. de Rouen; 772 hab. Forêt. Église des XIIe-XVIe s. (statues). Hôtel de ville en brique et halle en charpente du XVIIIe s.

LYOPHILISATION. — Cette dessiccation à l'état congelé préserve au mieux les caractéristiques biochimiques de la substance; le produit lyophilisé offre une structure finement poreuse qui facilite sa réhydratation. Température de congélation (de -40 à $-60\,^{0}C$) et pression (de 1 à 0,1 mbar) sont ajustées en fonction de la fragilité de la substance traitée. La lyophilisation s'applique aux substances biologiques (plasma sanguin, sérums, vaccins, ferments, tissus pour greffes, etc.) et aux produits alimentaires (surtout café soluble, mais aussi champignons, crustacés, etc.).

LYOT (Bernard), astronome français (Paris 1897 - entre Le Caire et Hélouân 1952). Excellent expérimentateur, il inventa le *coronographe* (1931), qui permet d'observer la couronne solaire en dehors des éclipses, et perfectionna de nombreux appareils existants, notamment le polarimètre de Savart*. On lui doit également de nombreux progrès dans la connaissance des couches extérieures du Soleil* et des surfaces planétaires.

LYRE, petite constellation de l'hémisphère boréal contenant l'une des plus brillantes étoiles du ciel, *Véga**, la nébuleuse circulaire, dite « planétaire », M 57, prototype de ce genre d'objet céleste, et une étoile quadruple, ε *Lyræ,* dont chaque composante est visible à l'œil nu.

LYS (la), en néerl. **Leie,** riv. de la Flandre, née en France (où elle passe à Armentières) et qui rejoint l'Escaut (r. g.) en Belgique (à Gand, après avoir arrosé Courtrai); 214 km. Canalisée en majeure partie, la Lys supporte cependant un faible trafic fluvial. Elle sert de frontière entre les deux pays dans son cours moyen.

ŁYSA GÓRA, sommet (593 m) du massif des *Łisogóry (monts Chauves),* dans le sud de la Pologne, à l'O. de la Vistule.

LYSANDRE, général lacédémonien († 395 av. J.-C.), qui anéantit, en 405 av. J.-C., la flotte athénienne près de l'embouchure de l'Aigos*-Potamos; en 404, il se rendit maître d'Athènes, mettant fin ainsi à la longue guerre du Péloponnèse*.

Lys dans la vallée *(le),* roman d'H. de Balzac (1835). Il se présente sous la forme de deux lettres; la première, qui compose presque tout le roman, est la confession de Félix de Vandenesse à Nathalie de Manerville, qu'il est sur le point d'épouser : il lui révèle l'amour platonique qui le liait à une femme vertueuse, Mme de Mortsauf, vivant dans un château de la vallée de l'Indre, et qui est morte de douleur en apprenant sa liaison avec la marquise Dudley. La seconde lettre est la réponse ironique de Nathalie, qui rend à Félix sa liberté.

LYSIAS, orateur athénien (Athènes v. 440 - † v. 380 av. J.-C.). Persécuté et ruiné par les Trente, il poursuivit en justice, après la restauration du régime démocratique, l'un des tyrans *(Contre Ératosthène).* Il est resté le modèle de l'atticisme*.

LYSIMAQUE, lieutenant d'Alexandre (Pella v. 360 - Couroupédion en Lydie 281). À la mort du conquérant, il reçut le gouvernement de la Thrace*, dont il se proclama roi en 306. Au cours des luttes qui opposèrent les diadoques*, il agrandit ses possessions de la Macédoine et d'une partie de l'Asie Mineure. Son empire fut démembré, et lui-même fut tué à la bataille de Couroupédion, qui l'opposa à Séleucos Ier* Nikator en 281.

LYSIPPE, sculpteur grec du IVe s. av. J.-C., originaire de Sicyone. Admirateur de Polyclète*, il allonge cependant son canon et, à l'inverse de Praxitèle*, étudie les musculatures athlétiques. Profondément attaché au rendu de la mobilité, il privilégie la complexité des mouvements (*Apoxyomène,* ou athlète au strigile), et ses œuvres, animées d'une vie intense, se développent dans l'espace et sollicitent le regard sous tous les angles (*Hermès au repos,* copie de bronze, musée de Naples). Portraitiste d'Alexandre (*Alexandre* dit *Azara,* Louvre), il tend à reproduire fidèlement les traits et la concentration de l'expression de son modèle.

Lysistrata, comédie d'Aristophane, en faveur de la paix (411 av. J.-C.).

LYS-LEZ-LANNOY (59390), comm. du Nord, dans la banlieue sud-est de Roubaix, à la frontière belge; 11 089 hab. Métallurgie.

Lyssenko *(épisode),* mouvement idéologique apparu après 1948 en Union soviétique autour des théories de Trofim Denissovitch Lyssenko (1898-1976), président de l'Académie des sciences agricoles à partir de 1938. Il a eu pour thèmes essentiels la suppression de l'enseignement de la génétique classique en U. R. S. S. et la réfutation des thèses de Mendel sur l'hérédité. S'appuyant sur d'incontestables succès agronomiques, liés à la vernalisation, le lyssenkisme devient, avec l'appui de l'appareil d'État soviétique, l'idéologie et la pratique dominantes en Union soviétique dans l'enseignement et la recherche. Contemporain de la guerre froide divisant le monde en deux blocs, ce mouvement idéaliste vise à opposer *science bourgeoise* (qui serait liée aux pratiques du capitalisme) et *science prolétarienne* (qui seule s'appuierait sur le matérialisme dialectique). En 1952, l'appui de l'État est supprimé après l'échec du « grand plan de transformation de la nature » décidé par Staline sur les bases du lyssenkisme.

LYTTON (Edward George BULWER-LYTTON, *baron*), homme politique et romancier anglais (Londres 1803 - Torquay 1873), auteur des *Derniers Jours de Pompéi* (1834).

MA'ARRĪ (Abū al-'Ala' **al-**) → ABŪ AL-'ALA' AL-MA'ARRĪ.

MAASEIK, v. de Belgique (Limbourg), sur la Meuse, à la frontière néerlandaise; 18 992 hab. (en 1977).

MAASMECHELEN, comm. de Belgique (Limbourg), sur la Meuse; 32 204 hab. (en 1977).

MAASTRICHT ou **MAËSTRICHT,** v. des Pays-Bas, sur la Meuse, ch.-l. de la prov. du Limbourg; 112 000 hab. Important ensemble de constructions médiévales, dont la cathédrale Saint-Servais, reconstruite à partir du XIe s. (puissant narthex mosan; cloître du XVe s.; trésor), et la basilique Notre-Dame, romane et gothique. Musée d'art et d'antiquités dans l'ancien couvent des Bons-Enfants (XVIIe-XVIIIe s.).

MABILLON (Jean), érudit français (Saint-Pierremont 1632 - Saint-Germain-des-Prés 1707). Bénédictin de la congrégation de Saint-Maur, en résidence à Saint-Germain-des-Prés à partir de 1664, il a laissé une impressionnante série d'ouvrages d'érudition et de critique. Son œuvre capitale, *De re diplomatica* (1681), a fondé la science de la diplomatique*.

MABLY (42300 Roanne), comm. de la Loire, à 6 km au N. de Roanne; 6 548 hab.

MABLY (Gabriel BONNOT DE), philosophe français (Grenoble 1709 - Paris 1785). Opposé à l'innéisme cartésien et aux physiocrates, il a exercé une certaine influence sur la bourgeoisie progressiste de son temps, par ses *Entretiens de Phocion sur la morale et la politique* (1763), ses *Doutes proposés aux philosophes économistes sur l'ordre naturel et essentiel des sociétés politiques* (1768) et *De la législation ou principes des lois* (1776).

MABUSE → GOSSART (Jan).

McADAM (John Loudon), ingénieur écossais (Ayr 1756 - Moffat, Dumfriesshire, 1836). Il fut le premier à mettre en œuvre le système de revêtement des routes à l'aide de pierres cassées, auquel son nom est resté attaché.

MACAIRE *(saint),* ermite du désert d'Égypte († v. 390), longtemps considéré comme un des premiers mystiques de l'antiquité chrétienne; mais la critique moderne a fortement mis en doute l'authenticité des écrits qui lui sont attribués, notamment les *Homélies spirituelles.*

MACAIRE, prélat russe (v. 1482-1563). Archevêque de Novgorod (1526), puis métropolite de Moscou (1542), Macaire sacre Ivan IV* en 1547. La rédaction du *Stoglav* (les 100 chapitres, 1551), qui règle la vie ecclésiastique, du *Tcheti-Minei,* ménologe qui inclut les saints russes, et du *Livre des degrés,* généalogie des princes russes, scelle l'étroite union de l'Église et de l'État moscovites.

Macaire *(Robert),* personnage de *l'Auberge des Adrets,* mélodrame de B. Antier. C'est le type du bandit fanfaron. Frédérick Lemaître créa le rôle. Daumier en a fait un homme d'affaires escroc.

MACAO, en portug. **Macau,** territoire portugais de l'Asie orientale, en face de Hongkong; 15,5 km^2; 320 000 hab. Il est formé d'une petite péninsule, partie du continent chinois (au S. de la prov. du Kouang-tong) et de deux petites îles (Taipa et Coloane). Le port a perdu son importance passée, et la population, extrêmement dense, presque totalement chinoise, subsiste difficilement des cultures du riz et des légumes, et de la pêche, bénéficiant, très partiellement, des revenus d'un tourisme international, également ralenti. — Macao est le plus ancien établissement européen fondé en Chine. En effet, les Portugais l'occupèrent dès 1557 et y fondèrent un évêché en 1576; sa prospérité économique culmina au XVIIIe s. Au XIXe s., la ville fut éclipsée par Hongkong*.

MACAPÁ, v. du nord du Brésil, ch.-l. du territoire de l'Amapá, près de l'embouchure de l'Amazone; 86 000 hab.

MACAQUE. — De tous les singes, le macaque est de beaucoup le plus capable de supporter le froid (hautes montagnes d'Asie, plateau du Tibet). Une espèce, le magot, vit sur le rocher de Gibraltar. Mais d'autres espèces se rencontrent dans toute l'Asie du Sud et l'Indonésie. L'espèce *Macaca mulatta,* dite aussi *Macaca rhesus,* possède un facteur sanguin commun avec certains sujets humains, le « facteur Rhésus ». (Famille des cercopithécidés.)

MACAREUX. — Appelé aussi *calculot,* ce petit oiseau de mer, aux pattes palmées, au corps presque vertical, aux ailes très réduites, excellent plongeur, nage sous les eaux en battant des ailes à la recherche des poissons, dont il se nourrit exclusivement. Il se fait surtout remarquer par son bec aux vives couleurs, aplati verticalement et fortement strié, ainsi que par le sillon qui prolonge ses yeux vers l'arrière. C'est un voisin du pingouin; il vit en nombreuses colonies, dans des terriers, sur les côtes du nord de l'Europe, notamment en Bretagne. (Famille des alcidés.)

MacARTHUR (Douglas), général américain (Fort Little Rock 1880 - Washington 1964). Promu général à trente-huit ans, après avoir été blessé sur le front français en 1918, il dirige West Point en 1919. Chef d'état-major de l'armée (1930), il commande aux Philippines, lors de l'agression japonaise de 1941 et ne quitte Corregidor que sur l'ordre de Roosevelt, en mars 1942. Mis à la tête des forces du Pacifique sud-ouest (1942), puis de toutes les forces alliées du Pacifique (1943), il joue un rôle déterminant dans la défaite du Japon, dont il reçoit la capitulation en 1945. Commandant en chef des forces des Nations unies en Corée en 1950, il est rappelé par Truman en 1951.

MACASSAR ou **MAKASAR** *(détroit de),* bras de mer séparant les îles de Bornéo et des Célèbes.

MACASSAR ou **MAKASAR** → UJUNGPANDANG.

MACAULAY (Thomas, *baron*), historien et homme politique britannique (Rothley Temple 1800 - Londres 1859). Député whig (1834), membre du Conseil suprême de l'Inde, il poursuit parallèlement une carrière historique, qui culmine avec *Lays of Ancient Rome* (1842) et surtout avec une grande *Histoire d'Angleterre* (1848-1861), inachevée.

MACBETH, comte de Moray, puis roi d'Écosse (de 1040 à 1057). Pour faire valoir ses prétentions à la couronne écossaise, il assassina le roi Duncan Ier. Il fut tué en 1057, sur le champ de bataille de Lumphanan, par Malcolm III, fils de Duncan.

Macbeth, drame de Shakespeare (1606). Trois sorcières ont prédit la royauté à Macbeth pour lui-même, et à son ami Banquo pour ses fils. Poussé par sa femme, Macbeth assassine le roi Duncan, son hôte, puis il supprime Banquo, son complice. Mais le remords s'empare de lui, et il croit voir surgir devant lui le spectre de Banquo. Quant à lady Macbeth, elle s'imagine que ses mains restent teintes du sang de Duncan. Cette hallucination l'entraîne au suicide, tandis que Macbeth périt dans un combat.

Maccabées *(révolte des),* soulèvement national juif (167 av. J.-C.) contre la politique d'Antiochos IV* Épiphane, à l'issue duquel la Palestine retrouva, avec son indépendance, la liberté religieuse.

Les *livres des Maccabées* retracent l'histoire de cette révolte du peuple juif pour sauvegarder sa foi et son indépendance; le premier, écrit vers l'an 100 av. J.-C., est plus historique que le second (composé d'ailleurs avant le premier, v. 124 av. J.-C.), ouvrage d'édification de caractère théologique et hagiographique.

McCARTHY (Joseph), homme politique américain (Grand Chute, Wisconsin, 1909 - Bethesda, Maryland, 1957). Sénateur à partir de 1947, il déclenche en 1950 une violente campagne anticommuniste. Les excès de cette « chasse aux sorcières », menée dans les milieux politiques et intellectuels suspects de sympathies communistes, le font désavouer par le Sénat (1954).

McCARTHY (Mary), femme de lettres américaine (Seattle 1912). Son œuvre romanesque, d'inspiration autobiographique et engagée, compose une satire de la société contemporaine spécialement saisie dans ses coteries intellectuelles et artistiques (*la Vie d'artiste,* 1955; *les Oiseaux d'Amérique,* 1971).

macchiaioli («tachistes»), nom donné, à l'occasion d'une exposition florentine de 1861, à un groupe de peintres italiens parmi les plus notables du XIXe s., qui utilisaient en général une technique de touche large, de valeurs chromatiques contrastées. Les plus connus de ces artistes, influencés notamment par l'avant-garde française (école de Barbizon, réalisme), sont Giovanni Fattori (Livourne 1825-Florence 1908), Silvestro Lega (Modigliana, prov. de Forli, 1826-Florence 1895), Telemaco Signorini (Florence 1835-*id.* 1901). À Paris, un Federico Zandomeneghi (Venise 1841-Paris 1917) rallia l'impressionnisme.

McCLELLAN (George), général américain (Philadelphie 1826-Orange, New Jersey, 1885). Commandant l'armée du Potomac au début de la guerre de Sécession, il prit Richmond puis sauva Washington en battant l'armée sudiste de Lee (1862), mais, négligeant de poursuivre celle-ci, il fut relevé de ses fonctions. Il échoua aux élections présidentielles de 1864.

McCLURE (*sir* Robert John LE MESURIER), amiral britannique (Wexford, Irlande, 1807-Portsmouth 1873). Au cours d'un voyage dans l'océan Arctique, il fut bloqué par les glaces, de 1851 à 1854, avec son bateau l'*Investigator,* dut l'abandonner, mais découvrit en rentrant le passage du Nord-Ouest, entre le détroit de Béring, la baie d'Hudson et l'Atlantique. Ce passage sera franchi pour la première fois en bateau par Amundsen* (1903-1905).

McCORMICK (Cyrus Hall), inventeur et industriel américain (Walnute Grove, Virginie, 1809-Chicago 1884). Il imagina un nouveau type de moissonneuse, pour la production de laquelle il fonda un important établissement industriel (1847).

McCULLERS (Carson Smith), femme de lettres américaine (Columbus, Géorgie, 1917-Nyack, New York, 1967). Son œuvre, marquée par les thèmes du voyeurisme, de la mutilation, de la solitude, est une méditation sur l'innocence trahie et l'impossibilité de toute réelle communication humaine (*Le cœur est un chasseur solitaire,* 1940; *Reflets dans un œil d'or,* 1941; *Frankie Addams,* 1946; *la Ballade du café triste,* 1951; *l'Horloge sans aiguilles,* 1961).

MACDIARMID (Christopher Murrey GRIEVE, dit **Hugh**), écrivain britannique (Langholm 1892), initiateur de la renaissance littéraire écossaise (*A Kist of Whistles,* 1948).

MACDONALD (Alexandre), duc **de Tarente,** maréchal de France (Sedan 1765-Courcelles 1840). Il eut un rôle décisif à Wagram et fut fait maréchal en 1809. Il se distingua à Leipzig et, à la fin de la campagne de France, poussa Napoléon à abdiquer. Il se rallia aux Bourbons.

MACDONALD (*sir* John Alexander), homme politique canadien (Glasgow 1815-Ottawa 1891). Après la formation du dominion canadien, il en préside le premier cabinet (1867-1873), s'intéressant à l'expansion vers l'ouest. De nouveau au pouvoir (1876-1891), il assure la colonisation des territoires du Nord-Ouest.

MacDONALD (James Ramsay), homme politique britannique (Lossiemouth, comté de Moray, 1866-en mer 1937). Il participe à la création du parti travailliste* (1900), dont il devient le leader (de 1911 à 1914 et à partir de 1922). Partisan d'un socialisme «évolutionniste», il contribue à l'élaboration de la doctrine réformiste du parti. Son hostilité à la guerre le rend impopulaire, mais les succès électoraux de son parti lui permettent de former le premier gouvernement travailliste du Royaume-Uni (1924), puis le second (1929-1931), avec le soutien des libéraux. Il travaille alors en faveur du désarmement et de la coopération internationale, au sein de la S.D.N. Devant l'aggravation de la crise économique, MacDonald forme en 1931 un gouvernement de coalition avec les conservateurs et les libéraux, provoquant ainsi des divisions au sein du parti travailliste. Il démissionne en 1935.

MACDONALD (Brian), danseur, chorégraphe et pédagogue canadien (Montréal 1928). D'abord critique musical, puis danseur (Ballet national canadien, 1951), il se consacre ensuite à la chorégraphie et à l'enseignement. Il est l'auteur du premier ballet d'inspiration canadienne (*Rose Latulipe,* 1966).

MACÉ (Jean), écrivain français (Paris 1815-Monthiers 1894), fondateur de la Ligue française de l'enseignement*.

MACÉDOINE, région montagneuse, ouverte notamment par la vallée du Vardar, partagée entre la Bulgarie (extrémité sud-ouest du pays), la Grèce (la Macédoine est le nom d'une région du nord du pays; 34177 km^2; 1891000 hab.; capit. *Thessalonique*) et la Yougoslavie (la Macédoine y constitue une République fédérée; 25713 km^2; 1705000 hab.; capit. *Skopje*).

HISTOIRE. Le peuple macédonien s'est formé après l'invasion des Doriens* (fin du IIe millénaire av. J.-C.). Pourtant, les Grecs le considéraient comme un peuple barbare, bien que la première dynastie macédonienne, les Argéades, se soit réclamée de la descendance d'Héraclès. Le royaume de Macédoine est unifié vers les VIIe et VIe s. av. J.-C. par Perdiccas Ier, qui donne au pays les limites qu'il gardera sensiblement jusqu'à l'avènement de Philippe II*. Parmi ses successeurs immédiats, le plus important est Amyntas Ier (de 540 à 498), contemporain de Pisistrate*, avec lequel il entretient de bons rapports : les rois de Macédoine — même si Alexandre Ier (de 498 à 454) fait preuve d'une attitude équivoque aux côtés des Perses durant les guerres médiques* — ne cessent d'affirmer avec force leur qualité d'Hellènes. Perdiccas II (de 454 à 413) reprend à ses frères leur part d'héritage et rétablit l'unité du royaume à son profit. À partir de son règne, la Macédoine se trouve étroitement mêlée à l'histoire du monde grec, particulièrement à la guerre du Péloponnèse*, avec Perdiccas II et Archélaos (de 413 à 399), et les rois macédoniens louvoient entre Athènes* et Sparte*. Vers le milieu du IVe s., la Macédoine commence à jouer sur l'échiquier politique un rôle imprévu, qui va devenir dominant. Une période de troubles suit l'assassinat d'Archélaos, en 399; elle durera jusqu'à l'avènement d'Amyntas III (de 389 à 369), qui doit avoir recours aux Grecs pour conquérir son royaume. À sa mort, les troubles dynastiques reprennent : ses fils, Alexandre II, Ptolémée d'Alôros et Perdiccas III († 359), réussissent à s'emparer du pouvoir pour un temps plus ou moins long. Le fils de Perdiccas III, Amyntas IV, étant encore un enfant à la mort de son père, le pouvoir revient à son oncle Philippe* II qui, successivement régent et roi (359-336), assure à la Macédoine l'hégémonie sur le monde grec (Chéronée*, 338) et devient maître du monde hellénique; il est assassiné en 336. Son fils Alexandre III* le Grand (de 336 à 323) conduit les Macédoniens et les Grecs à la conquête de l'Égypte et de l'Orient. Après la mort du conquérant (323), qui pose de difficiles problèmes de succession, la Macédoine devient, sous les diadoques*, lieutenants et successeurs d'Alexandre, l'enjeu de luttes sans merci. Finalement, Antigonos Gonatas s'impose comme roi de Macédoine (de 276 à 239) et fonde la dynastie des Antigonides*, qui maintient la puissance et l'indépendance de la Macédoine jusqu'en 168, date à laquelle le dernier roi antigonide, Persée, est vaincu à Pydna* par les Romains. La Macédoine, réduite au rang de province en 148, sera, à la fin du IVe s. apr. J.-C., rattachée à l'Empire romain d'Orient.

Au début du VIIe s., la Macédoine est occupée par les Slaves, que Byzance, rétablissant son autorité (fin du VIIIe s.-début du IXe s.), parvient à évangéliser et à helléniser. Mais, au IXe s., les Bulgares étendent leur domination sur le pays, qui devient, avec Ohrid*, le centre de l'empire du tsar Samuel (de 997 à 1014). Disputée entre les Bulgares et les Byzantins jusqu'au XIVe s., la Macédoine fait partie de l'Empire serbe d'Étienne IX* Uroš IV Dušan, puis elle tombe sous la domination ottomane (1371-1913). C'est une des régions européennes de l'Empire ottoman* où l'immigration de population turque a été importante. Au XIXe s., se développe un mouvement de renouveau culturel et national macédonien sur lequel les Grecs et les Bulgares, puis, à la fin du siècle, les Roumains et les Serbes exercent une influence qui se voudrait exclusive. La Macédoine est libérée des Turcs en 1913, mais les Serbes et les Bulgares ne peuvent s'entendre sur son partage et, à l'issue d'une deuxième guerre balkanique (v. BALKANS), elle est partagée essentiellement entre la Serbie et la Grèce. La Bulgarie laisse les terroristes de l'Organisation révolutionnaire intérieure macédonienne (VRMO) agir en Yougoslavie à partir de son territoire, jusqu'en 1937-38. En 1945, est créée la république de Macédoine au sein de la Fédération yougoslave.

Macédoine *(campagnes de)* [*1915-1918*]. En 1915, l'échec des Dardanelles, l'attaque allemande sur la Serbie et l'entrée en guerre de la Bulgarie entraînent, à partir d'octobre, la création à Salonique d'une *armée alliée d'Orient,* confiée au général Sarrail. Le front allié est progressivement installé à la frontière gréco-serbo-bulgare (juin 1916) et se stabilise après une attaque victorieuse franco-serbe sur Monastir (auj. Bitola) [nov.]. En 1917, l'abdication de son roi, Constantin Ier, beau-frère de Guillaume II, permet à la Grèce de s'engager à fond, avec Venizélos, au côté des Alliés, tandis que le général Louis Guillaumat (1863-1940) remplace Sarrail (déc.). En 1918, Franchet d'Esperey, qui succède, en juin, à Guillaumat, déclenche le 15 septembre sur le massif du Dobro Polje (1700 m) une offensive qui, menée par les Franco-Serbes, sera décisive. Le front adverse, commandé par Mackensen est rompu; Skopje est atteinte par les Français le 29 septembre, jour où la Bulgarie, abandonnant la lutte, signe un armistice à Salonique. D'Esperey entend exploiter aussitôt sa victoire : Sofia et la frontière roumaine du Danube sont atteintes par les Français (16-21 oct.), tandis que les Anglais marchent sur Constantinople et obligent la Turquie à capituler (30 oct.). Les Serbes rentrent à Belgrade (1er nov.) et les Français pénètrent en Roumanie (nov.) et en Hongrie, où ils capturent Mackensen. (V. GUERRE MONDIALE [*Première*].)

macédonienne *(dynastie),* famille byzantine qui, de 867 à 1057, donna à Byzance huit empereurs et deux impératrices. BASILE **Ier le Macédonien** (Andrinople v. 812-† 886), empereur byzantin de 867 à 886 et fondateur de la dynastie, restaura la domination de

Byzance sur l'Italie (875), lutta avec succès contre les Arabes et mit fin au schisme (869-875). — Ses fils, Léon VI **le Sage** (866-912), empereur d'Orient de 886 à 912, et Alexandre († 913), empereur de 886 à 913, lui succédèrent conjointement. Leur règne fut marqué par une guerre désastreuse contre les Bulgares (893), par la perte de la Sicile (907) et, sur le plan juridique, par la publication des *Basiliques* (887-893), œuvre législative commencée par Basile Ier. — Constantin VII **Porphyrogénète** (905-959), fils de Léon VI et successeur, en 913, de son oncle Alexandre, régna d'abord sous la tutelle de sa mère Zoé (913-919), dut ensuite s'effacer devant son beau-père, Romain Ier **Lécapène** (de 920 à 944), et ne gouverna seul que de 945 à 959. — Romain II (939-963), fils de Constantin VII, empereur de 959 à 963, laissa gouverner à sa place sa femme Théophano et l'eunuque Bringas. Sous son règne, Nicéphore Phokas conquit sur les Arabes la Crète et Alep, puis, à sa mort, se fit proclamer empereur. — Les deux fils de Romain II, Basile II (957-1025) et Constantin VIII (960-1028), montèrent ensemble sur le trône en 976, à la mort de l'empereur Jean Ier Tzimiskès (successeur de Nicéphore Phokas). En fait, Basile II exerça seul le pouvoir. Remarquable chef de guerre, grand administrateur, il restaura la grandeur et le prestige de l'Empire byzantin. — Zoé (v. 978-1050) succéda en 1028 à son père Constantin VIII. Mariée à trois reprises, elle évinça sa sœur Théodora (995?-1056), puis la rappela au pouvoir en 1042. Après la mort de Constantin IX Monomaque, dernier époux de Zoé (1055), Théodora gouverna seule pendant un an et adopta Michel VI **Stratiotikos** († 1059); ce dernier lui succéda en 1056, mais fut renversé, dès 1057, par Isaac Comnène.

MACEIÓ, port du Brésil, dans le Nordeste, capit. de l'État d'Alagoas; 264 000 hab.

MACERATA, v. d'Italie, dans les Marches, ch.-l. de prov.; 44 000 hab. Monuments anciens, musée.

MACH (Ernst), physicien et philosophe autrichien (Turas, Moravie, 1838 - Haar, près de Munich, 1916). Il mit en évidence le rôle de la vitesse du son en aérodynamique et critiqua les principes de la mécanique newtonienne. (V. art. suiv.)

Mach *(nombre de),* rapport de la vitesse d'écoulement d'un fluide, ou celle d'un avion, à la vitesse locale du son. Les phénomènes aérodynamiques liés à l'écoulement d'un fluide* autour d'un corps en mouvement se modifient lorsque la vitesse du corps augmente. Ils dépendent, en fait, du rapport de cette vitesse v à la vitesse du son a dans le fluide $M = v/a$, paramètre appelé *nombre de Mach**, du nom du physicien autrichien qui le mit en évidence. La vitesse du son variant avec la température, pour une vitesse déterminée, le nombre de Mach dépend de l'état du fluide. Pour un avion* ou un missile* se déplaçant dans l'atmosphère, il dépend de l'altitude de vol. Selon la valeur du nombre de Mach, on peut classer les vitesses de vol en : *subsoniques,* pour M inférieur à 1; *transsoniques,* pour M compris entre 0,95 et 1,05; *supersoniques,* pour M supérieur à 1; *hypersoniques,* pour M supérieur à 5. Les formes des avions, et notamment des voilures, varient suivant le nombre de Mach de vol pour lequel ils sont étudiés.

MÁCHA (Karel Hynek), écrivain tchèque (Prague 1810 - Litoměřice 1836). Son poème lyrico-épique *Mai* (1836), influencé par Byron, Mickiewicz et Novalis, marque le début de la littérature tchèque moderne.

MACHADO (Antonio), poète espagnol (Séville 1875 - Collioure 1939). Il s'est fait le chantre de l'Andalousie et de la Castille dans des recueils qui unissent les thèmes décadents à l'inspiration folklorique (*Solitudes,* 1903; *les Paysages de Castille,* 1912; *Nouvelles Chansons,* 1924).

MACHADO DE ASSIS (Joaquim Maria), écrivain brésilien (Rio de Janeiro 1839 - *id.* 1908). Poète parnassien, mais romancier réaliste (*Dom Casmurro,* 1900), il fut le principal fondateur de l'Académie brésilienne des lettres.

MACHAON. — Ce beau papillon, dont la chenille vit sur la carotte, présente des ailes jaunes ornées de noir, celles de derrière étant munies d'une longue queue. (Type de la famille des papilionidés.)

MACHAULT (08310 Juniville), ch.-l. de cant. des Ardennes, à 17 km au S.-O. de Vouziers; 553 hab.

MACHAULT D'ARNOUVILLE (Jean-Baptiste), homme d'État français (Paris 1701 - *id.* 1794). Contrôleur général des Finances (1745-1754), il se propose d'assujettir à l'impôt les privilégiés — dont il brise l'opposition — et pourchasse les prévaricateurs. Garde des Sceaux (1750-1757) et secrétaire d'État à la Marine (1754-1757), il voit sa politique et son autorité minées par la réaction nobiliaire et la faiblesse de Louis XV. Il est disgracié en 1757.

MACHAUT (Guillaume de) → Guillaume de Machaut.

MÂCHE. — La mâche, ou doucette (nom scientifique : *Valerianella*), se ramifie par des bifurcations régulières, au niveau desquelles elle porte une paire de feuilles, chaque rameau se terminant par un glomérule de petites fleurs bleues. On mange ses feuilles en salade. (Famille des valérianacées.)

MACHECOUL (44270), ch.-l. de cant. de la Loire-Atlantique, à 40 km au S.-O. de Nantes; 4 838 hab. Ruines médiévales.

MACHIAVEL, en ital. **Niccolo Machiavelli,** philosophe, écrivain et homme politique italien (Florence 1469 - *id.* 1527). Secrétaire au service de la république de Florence (1498), il accomplit diverses missions diplomatiques en Italie, en France et en Allemagne, et réorganise l'armée. Le renversement de la république par les Médicis (1512) le contraint à l'exil. Il met à profit cette retraite forcée (1512-1520) pour écrire la majeure partie de son œuvre : *le Prince** (1513), *Discours sur la première décade de Tite-Live* (1513-1519), *l'Âne d'or* (1516-1517), *l'Art de la guerre* (1519-1520) et *la Mandragore* (1520). Revenu sur le devant de la scène politique, mais, compromis peu après, il est déchu de ses droits civiques.

L'œuvre théorique de Machiavel constitue un retournement de la perspective classique de la philosophie politique* grecque. Alors que celle-ci se préoccupe principalement d'élaborer le meilleur régime politique possible, Machiavel part, en revanche, « de la sorte où l'on vit et non de la sorte selon laquelle on devrait vivre ». La théorie qu'il élabore démasque les prétentions de la religion et de la théologie en matière politique pour leur substituer la connaissance vraie des relations qui rapportent les évaluations morales aux analyses descriptives du domaine politique. Cette théorie, qui n'a rien du bréviaire cynique du « parfait » tyran, s'efforce de promouvoir un « ordre [politique] entièrement nouveau » (c'est-à-dire moral, libre et laïque), où les plus rusés utilisent la religion pour gouverner. Et gouverner signifie, pour Machiavel, arracher l'homme à sa méchanceté naturelle pour le rendre bon.

MACHIDA, v. du Japon (Honshū), au S.-O. de Tōkyō; 203 000 hab.

MACHINE (La) [58260], ch.-l. de cant. de la Nièvre, à 8 km au N. de Decize; 5 006 hab. Constructions mécaniques.

MACHINE MARINE. — La machine marine la plus répandue est le moteur à combustion interne (moteur Diesel*), soit du type lent (95 à 135 tr/mn), à attaque directe, soit du type semi-rapide (environ 500 tr/mn) ou rapide (environ 900 tr/mn), attaquant l'arbre porte-hélice par l'intermédiaire d'un réducteur; le premier est plus économique, mais plus lourd et plus encombrant; les autres sont intéressants par leur poids réduit et leur faible hauteur. Cependant, les navires à puissance motrice élevée (grands pétroliers*, vraquiers*, porte-conteneurs, paquebots*) sont équipés le plus souvent de turbines* à vapeur. Quelques petits navires anciens sont encore pourvus de machines alternatives à vapeur et un petit nombre de navires spéciaux sont à propulsion turboélectrique ou diesel-électrique. Enfin, les turbines à gaz, rares sur les navires, sont d'un emploi fréquent pour les aéroglisseurs et les hydroptères*. Quant à la propulsion nucléaire, très utilisée pour les navires de guerre, elle est au stade expérimental dans la marine marchande.

MACHINE-OUTIL. — Elle sert à mettre en forme un matériau, soit par enlèvement de matière à l'aide d'outils coupants (usinage), soit par déformation à l'état solide, à chaud ou à froid (forgeage), soit encore par déformation plastique, à chaud et sous pression (moulage* des matières plastiques). Les matériaux façonnés sont, en général, métalliques. Mais ce type de machines sert aussi au façonnage du bois et des matières plastiques* et, dans certains cas, des matériaux minéraux, sciage thermique par exemple.

Les machines à enlèvement de matière agissent sur la pièce à usiner à l'aide d'un ou de plusieurs *outils* possédant une ou plusieurs *lèvres de coupe.* Ces outils sont en acier, en carbures métalliques frittés, en céramique sur support en acier, voire en diamant. C'est le cas des étaux-limeurs, des mortaiseuses, des raboteuses, des machines à brocher, des tours, des perceuses, des fraiseuses, des aléseuses, des machines à tailler les engrenages, etc. L'outil peut également être une meule, ou un support avec bâtons ou pastilles en abrasif*, généralement sous forme de grains agglomérés par un liant. C'est le cas des rectifieuses, des machines à affûter, des machines à roder, des machines à polir, etc. L'outil de ces machines traditionnelles est en matériaux plus durs que la matière travaillée. Les nouvelles générations de machines, dites « de techniques nouvelles » ou « avancées », utilisent comme outils des ions* ou particules élémentaires, associés à des champs* électriques ou magnétiques. Ceux-ci sont soit des ions produits dans les décharges électriques que l'on fait jaillir à l'extrémité d'une électrode bonne conductrice de l'électricité (usinage par électroérosion*), soit des ions en phase liquide (usinage électrolytique), soit encore un faisceau d'électrons* ou de photons*, intermittent, qui produit localement la désagrégation de la matière, par sublimation (usinage par bombardement électrique ou par laser*). Le bombardement électronique n'est possible que sous vide et avec des matériaux conducteurs de l'électricité. Mais, contrairement au faisceau laser, le faisceau d'électrons peut être aisément dévié, avec précision, par action d'un champ électrique ou magnétique.

Les machines travaillant par déformation à l'état solide agissent par l'intermédiaire d'*outillages;* ce sont les *rouleaux* et *galets* des laminoirs à tôle, à profilés et à tubes, les *filières* des bancs d'étirage et des presses à filer, les *matrices* d'estampage des machines à forger (marteaux-pilons, presses mécaniques ou hydrauliques, etc.), les *couteaux* rectilignes ou circulaires des cisailles à découper les tôles (ronds et profilés), les *matrices* de découpage et d'emboutissage des presses à façonner les tôles. Toutes ces machines sont construites pour donner à l'outil, par rapport à la pièce à façonner, des mouvements relatifs appropriés, précis, avec des efforts (ou énergie) suffisants. Elles comportent toutes un *bâti* rigide, des *guides de mouvement* (glissières, paliers et butées), des *parties mobiles* (chariots, arbres, volants, etc.) et des *moteurs* (électriques, hydrauliques, etc.), avec les *organes de transmission de mouvement* nécessaires (arbres, accouplements, embrayages, engrenages, boîtes de vitesses, poulies et courroies, etc.).

D'où la possibilité d'une controverse indéfinie entre les optimistes et les pessimistes, selon que l'accent est porté sur l'une ou l'autre de ces deux singularités communes aux machines de tous les temps.

MÂCHOIRE → MAXILLAIRE.

MACHU PICCHU, site archéologique du Pérou, au N.-O. de Cuzco, à 2 045 m d'altitude. Retranchée derrière d'imposantes murailles et ignorée des conquérants espagnols, cette cité inca, édifiée après 1450, n'a été découverte qu'en 1911 par H. Bingham. Dominant des cultures en terrasses, elle comprend plusieurs édifices cultuels, un observatoire, des quartiers d'habitation reliés entre eux par des escaliers, ainsi qu'un système complexe de bassins.

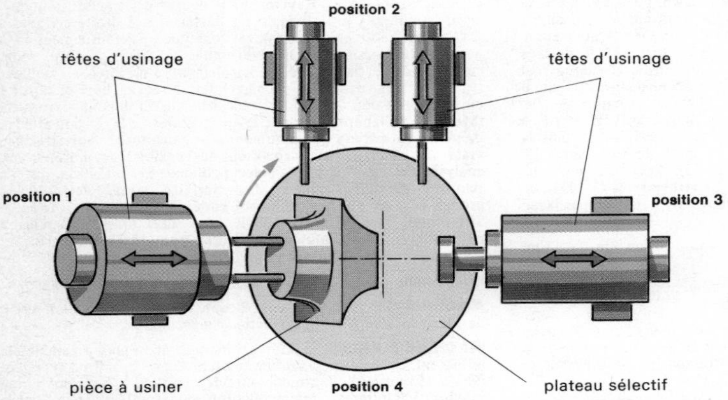

MACHINE-OUTIL

Machine à plateau sélectif à quatre postes, trois pour l'usinage et un quatrième pour le montage et le démontage de la pièce. Sur ce type de machine, la durée d'usinage est égale à trois fois la durée de l'opération d'usinage la plus longue, augmentée de la durée de montage et de démontage de la pièce.

Les *machines universelles* sont celles qui présentent de vastes possibilités de réglage pour permettre les usinages les plus divers.

MACHINE-TRANSFERT. — Les machines-transferts sont utilisées pour usiner, découper, emboutir, assembler ou traiter, automatiquement, des pièces ou des sous-ensembles à réaliser en très grande série (plus de 100 000 pièces). Elles comprennent un certain nombre de postes de travail, où s'effectuent automatiquement des opérations élémentaires de façonnage, d'assemblage ou de traitement, pendant une durée appelée *temps élémentaire de travail,* au cours duquel les pièces sont maintenues immobiles par indexage et bridage. Ces pièces sont ensuite déplacées par translation ou par rotation de poste de travail à poste de travail, avec, éventuellement, des systèmes automatiques de stockage intermédiaire. Une machine-transfert comporte, d'une part, un ensemble de machines spéciales, dites *monopostes,* à tête d'usinage généralement multiple, et, d'autre part, un *système de manutention automatique* des pièces entre les postes. Ce dernier assure, en plus, le positionnement précis des pièces. Un ensemble de circuits de commande et de contrôle électriques, le plus souvent complétés par des systèmes électroniques, réalise la coordination de toutes les opérations élémentaires de la ligne de transfert, qui peut occuper la surface de tout un atelier.

Contrairement aux machines-outils classiques, les « transferts d'usinage », comme la plupart des machines spéciales, sont construits suivant le système modulaire, en combinant, en fonction de la pièce à usiner, un ensemble choisi d'unités normalisées autonomes, préfabriquées, interchangeables et réutilisables.

Lorsque le nombre d'opérations à réaliser est réduit et que les déplacements entre postes de travail peuvent se faire par une simple rotation autour d'un axe, la machine multiposte est appelée *machine à plateau sélectif* ou *machine à plateau pivotant.* Dans le premier cas, la machine ne peut usiner simultanément qu'une seule pièce, dans le second, elle usine simultanément autant de pièces qu'elle comporte de postes de travail.

MACHINISME. — Le terme caractérise toute société marquée par un emploi généralisé des machines, en même temps qu'il illustre cet effort systématique effectué pour substituer des machines plus ou moins perfectionnées au travail humain ou à celui qui rend pénible l'utilisation des outils. Ainsi entendu, le machinisme fait partie intégrante de la civilisation née avec l'industrie. La machine n'apparaît, en effet, qu'avec la maîtrise de l'énergie, conquise définitivement au début du XIXe s. : la production de l'énergie ne dépend plus alors des caprices du vent, ni de ceux des rivières. Dans le dernier quart du XXe s., l'ordinateur prolonge avec des moyens autrement prodigieux la voie ouverte par la machine à vapeur. Ce qui permet ce rapprochement entre ces deux événements, c'est à la fois le remplacement de l'homme par la machine et l'incapacité de celle-ci à fonctionner sans les directives de celui-là.

MACIAS NGUEMA *(île),* anc. **Fernando Póo,** île de la Guinée-Équatoriale, au fond du golfe de Guinée; 2 017 km²; 61 000 hab. V. princ. *Malabo.* Le nom désigne aussi une province de la Guinée-Équatoriale (englobant encore l'île de Pagalu), dont le ch.-l. est Malabo, également capit. de l'État.

MACIAS NGUEMA (Francisco), homme politique de Guinée-Équatoriale (Msegayong, Río Muni, 1922). Premier président de la République depuis l'accession du pays à l'indépendance (1968), nommé président à vie en 1972, il a établi un régime dictatorial.

MACINA, ancien delta intérieur du fleuve Niger, au Mali. Cultures du riz et du coton.

MACK (Karl), baron **von Leiberich,** général autrichien (Nennslingen 1752-Sankt Pölten 1828). Cerné dans Ulm par Napoléon, il capitula avec 30 000 hommes sans combattre. Condamné en conseil de guerre, il sera gracié en 1808.

MACKENSEN (August VON), maréchal allemand (Haus Leipnitz 1849-Burghorn 1945). Commandant un groupe d'armées austro-allemand en Galicie, il est vainqueur à Gorlice (1915), conquiert la Pologne, puis l'emporte en Roumanie (1916). Commandant en chef dans les Balkans, il est battu en 1918 par Franchet d'Esperey en Macédoine et est fait prisonnier par les Français. Il cautionnera de son autorité morale l'alliance de la Reichswehr et du parti nazi.

MACKENZIE *(le),* fl. de l'ouest du Canada; 4 100 km. Né dans les Rocheuses, sous le nom d'*Athabasca*,* il traverse le lac d'Athabasca*, prenant en aval, et jusqu'au Grand Lac de l'Esclave, le nom de *rivière de l'Esclave* (Slave River). Au sortir de ce dernier lac, le Mackenzie proprement dit s'écoule vers l'océan Arctique, qu'il atteint dans la mer de Beaufort, après avoir longé, à l'E., les *monts Mackenzie.*

MACKENZIE (William Lyon), homme politique canadien (Dundee, Écosse, 1795-Toronto 1861). Journaliste d'opposition, député républicain et maire de Toronto, il tente vainement, en 1837, de soulever le Haut-Canada.

MACKENZIE KING → KING.

McKINLEY *(mont),* massif de l'Alaska, portant le point culminant de l'Amérique du Nord; 6 187 m. Gravi pour la première fois en 1910. Parc national.

McKINLEY (William), homme politique américain (Niles 1843-Buffalo 1901). Député républicain au Congrès (1877-1890), il fait adopter une législation protectionniste (*McKinley Bill,* 1890). Gouverneur de l'Ohio, élu président des États-Unis (1896), il développe une politique protectionniste et expansionniste (annexion des Hawaii, 1897-98; guerre hispano-américaine, 1898). Il vient d'être réélu (1900), quand il est assassiné par un anarchiste.

MACKINTOSH (Charles Rennie), architecte et décorateur écossais (Glasgow 1868 - Londres 1928). Son œuvre majeure en architecture est l'École des beaux-arts de Glasgow* (1896-1899 et 1907-1909). Comme décorateur, on lui doit l'aménagement des salons de thé d'une femme d'affaires, à Glasgow, suivi, à partir de 1890, de création de mobilier. Que ce soit les chaises à haut dossier, les tables ou les buffets, tous se distinguent de la production d'alors par leur rigueur et l'originalité des combinaisons entre lignes verticales et lignes horizontales.

McLAREN (Norman), dessinateur et cinéaste britannique (Stirling, Écosse, 1914). Après avoir rejoint, en 1941, au Canada, l'Office national du film, fondé par Grierson, il s'imposa comme un des grands virtuoses du dessin animé, jonglant avec les techniques les plus diverses : pastel animé, dessin direct sur pellicule (*Blinkity Blank,* 1954), animation de personnages humains, films de trucages, films en relief stéréoscopique.

MacLAURIN (Colin), mathématicien écossais (Kilmodan, Argyllshire, 1698 - Édimbourg 1746). Son œuvre se rapporte à la géométrie pure, à l'algèbre et au calcul infinitésimal. Son nom est resté attaché à la série entière développant une fonction quelconque suivant les puissances croissantes et entières de la variable, dont il fut le premier à donner une démonstration.

MacLEISH (Archibald), poète américain (Glencoe, Illinois, 1892). Son œuvre témoigne de l'influence des « expatriés » (Eliot, Pound) et des bouleversements économiques et sociaux de l'entre-deux-guerres (*l'Heureux Mariage,* 1924; *Discours public,* 1936).

MacLENNAN (Hugh), écrivain canadien d'expression anglaise (Glace Bay 1907). Ses romans et ses essais cherchent à définir le caractère national canadien et traitent des rapports entre les diverses communautés ethniques et culturelles (*les Deux Solitudes,* 1945).

MACLEOD (John James Rickard), physiologiste écossais (près de Dunkeld, Perthshire, 1876 - Aberdeen 1935), prix Nobel de médecine, en 1923, avec Banting, pour la découverte de l'insuline*.

McLUHAN (Herbert Marshall), sociologue canadien de langue anglaise (Edmonton 1911). Spécialiste des mass media, il est devenu célèbre grâce à l'aphorisme « le message c'est le medium », thème essentiel de son ouvrage *Pour* comprendre les media.* La formule signifie que l'important c'est moins le contenu de ce qui est communiqué que les moyens grâce auxquels celui-ci est transmis. Ainsi une culture se caractérise principalement par les techniques qui permettent sa diffusion, sa reproduction. La *Galaxie Gutenberg* (1962) est celle où l'imprimé constitue le principal moyen de communication entre les hommes.

MAC-MAHON (Edme Patrice Maurice, *comte* DE), maréchal de France et homme d'État français (Sully 1808 - château de La Forêt 1893). Il se distingue en Crimée (1855) et en Italie (1859), où il reçoit le bâton de maréchal et le titre de duc de Magenta. Gouverneur général de l'Algérie (1864-1870), il y applique la politique du « royaume arabe ». Commandant du 1er corps, il est battu à Wissembourg et à Frœschwiller (août 1870); à la tête de l'armée de secours, il capitule à Sedan le 1er septembre. Prisonnier, il est libéré pour former l'armée de Versailles, qui écrase la Commune* de Paris (mai 1871). Lors de la chute de Thiers (24 mai 1873), Mac-Mahon est élu président de la République par les monarchistes, qui le considèrent comme le « Monk d'Henri V ». Après l'échec de la restauration monarchique (3 août), il voit ses pouvoirs prorogés pour sept ans. Quand les élections de 1876 amènent à la Chambre des députés une majorité républicaine, Mac-Mahon entre en conflit avec celle-ci au sujet de la réalité du pouvoir exécutif. Ayant acculé le Premier ministre, Jules Simon, à la démission (crise du 16 mai* 1877), il le remplace par le duc de Broglie, et dissout la Chambre (juin). Mais les élections législatives d'octobre 1877 et sénatoriales de janvier 1879 ayant été favorables aux républicains, Mac-Mahon démissionne (30 janv.).

MACMILLAN (Harold), homme politique britannique (Londres 1894). Député conservateur (1924-1929 et 1931-1945), il est chargé d'importantes missions diplomatiques pendant la guerre (à Alger, en Italie) et devient ministre de la Construction et du Logement (1951), de la Défense (1954), des Affaires étrangères, puis chancelier de l'Échiquier (1955), avant de succéder à Anthony Eden comme Premier ministre et leader du parti conservateur (1957). Macmillan axe sa politique extérieure sur la détente (avec l'U. R. S. S.) et demande, à partir de 1961, l'adhésion de la Grande-Bretagne au Marché commun. L'échec de cette tentative l'engage cependant à resserrer l'alliance avec les États-Unis. Face aux problèmes posés par la transformation de l'Empire britannique, il se montre partisan de la décolonisation. Il démissionne en 1963.

McMILLAN (Edwin Mattison), physicien américain (Redondo Beach, Californie, 1907). Il est, avec Oliphant, l'inventeur du synchrotron (1946). Il réussit, en 1940, à produire du neptunium; l'année suivante, avec Seaborg*, il isolait le plutonium. (Prix Nobel de chimie, 1951.)

MacMILLAN (Kenneth), danseur et chorégraphe britannique (Dunfermline, Écosse, 1929). Formé à la Sadler's Wells Ballet School, il fait presque toute sa carrière dans le cadre du Sadler's Wells Ballet (devenu Royal Ballet en 1956, et dont il est directeur artistique depuis 1972). Chorégraphe de tradition classique, ses œuvres — dramatiques ou spirituelles — révèlent une inspiration originale et son sens musical (*Danses concertantes,* 1955; *The Invitation,* 1960; *The Rite of Spring,* 1962; *Las Hermanas,* 1963; *Romeo and Juliet,* 1965; *The Song of the Earth,* 1966; *Cain and Abel,* 1968; *Anastasia,* 1971; *Triad,* 1972; *Side Show,* 1973; *Manon,* 1974; *The Four Seasons,* 1975).

MACON, v. des États-Unis, dans le centre de la Géorgie; 122 000 hab.

MÂCON (71000), ch.-l. du départ. de Saône-et-Loire, sur la rive droite de la Saône, au pied oriental des *monts du Mâconnais,* à 402 km au S.-E. de Paris; 40 490 hab. *(Mâconnais).* Restes de l'ancienne cathédrale, remontant à l'époque romane. Musée des Beaux-Arts dans l'ancien couvent des ursulines, du XVIIe s.; collections de l'Académie de Mâcon dans l'hôtel Senecé, du XVIIIe s. Port fluvial. Constructions mécaniques et électriques.

MÂCONNAIS *(monts du),* massif de la bordure orientale du Massif central, à l'O. de *Mâcon;* 761 m. Élevage sur les hauteurs et viticulture sur la retombée vers la vallée de la Saône.

MAÇONNERIE. — Les ouvrages de maçonnerie sont à base de moellons bruts ou assisés, de pierres de taille, de briques, de parpaings ou de pierres sèches.

• Les *moellons bruts* sont posés à bain de mortier pour que celui-ci reflue par les joints. Ils sont tassés au marteau. Les joints sont garnis d'éclats de pierre. L'épaisseur des murs* en moellons n'est jamais inférieure à 40 cm. Les pierres* sont posées de manière à lier les deux parements entre eux.

• Les *moellons assisés* sont équarris pour être employés en parement. Ils sont taillés à joints réguliers ou à joints incertains *(opus incertum),* et sont posés sur leur *lit de carrière.* La liaison des parements est assurée par des *boutisses.*

• Les *pierres de taille* sont taillées à l'outil, de façon à avoir les formes et les dimensions prévues par le *calepin d'appareil.* La pose se fait sur *cales,* que l'on enlève après bourrage des joints, dont l'épaisseur est de l'ordre du centimètre.

• Les *briques,* avant leur pose, doivent tremper dans l'eau afin que le mortier des joints adhère à la céramique.

• Les *parpaings en ciment* ne doivent pas être mis en œuvre trop tôt après leur fabrication, sinon la maçonnerie risque de se fissurer par effet du retrait.

• Les maçonneries de *pierres sèches* sont dépourvues de mortier. Elles doivent être appuyées sur un support stable. On les emploie, notamment, pour réaliser des drainages dans le sol, à l'arrière des murs de soutènement.

MAC ORLAN (Pierre DUMARCHEY, dit), écrivain français (Péronne 1882 - Saint-Cyr-sur-Morin 1970). Peintre vagabond, familier de la bohème montmartroise de la Belle Époque, il a donné dans ses romans un caractère épique aux aventures exotiques ou quotidiennes (*le Quai des brumes,* 1927).

MACPHERSON (James), écrivain écossais (Ruthven, Inverness, 1736 - Belville 1796). Il publia des poèmes qu'il présenta comme des traductions de l'œuvre du barde gaélique Ossian (*Fragments de poésie ancienne,* 1760; *Fingal,* 1761; *Temora,* 1763) et qui exercèrent une influence considérable sur la littérature romantique.

MACRIN, en lat. **Marcus Opellius Macrinus** (Césarée [Cherchell] 164 - Chalcédoine 218), empereur romain (217-218). Préfet du prétoire de Caracalla*, il fit assassiner l'empereur et fut porté au pouvoir par l'armée : il fut le premier chevalier qui s'éleva à la dignité impériale. Il mécontenta l'armée par la paix qu'il acheta aux Parthes et par sa politique d'économies. Une légion d'Émèse proclama empereur Élagabal* : Macrin fut vaincu et tué en 218.

MACRO-ASSEMBLEUR → ASSEMBLEUR.

MACROBE, écrivain latin (fin du IVe-début du Ve s. apr. J.-C.). Il est l'auteur d'un commentaire du *Songe de Scipion,* de Cicéron, et des *Saturnales,* dialogues sur le génie de Virgile.

MACROBIOTIQUE. — Cette alimentation végétarienne comprend 80 p. 100 de céréales et de légumes-racines et 20 p. 100 de légumes poussant à la surface et de fruits. L'absence de protéines carnées est compensée par les féculents.

MACROÉCONOMIE → ÉCONOMIQUE *(science).*

MACROGLOBULINÉMIE → GLOBULINE.

MACROMOLÉCULE. — Ce mot est employé par opposition aux molécules légères de la chimie classique, ou micromolécules, dont les masses sont parfaitement connues. En outre, les macromolécules d'un produit à haute masse moléculaire ne sont pas, à la différence des micromolécules, égales et de même grandeur. Ces substances se forment généralement par polymérisation d'un monomère, transformation qui peut donner simultanément plusieurs polymères différents. (V. PLASTIQUES [*matières*], POLYESTER.)

MADÁCH (Imre), écrivain hongrois (Alsósztregova 1823 - Balassagyarmat 1864), auteur du poème dramatique *la Tragédie de l'homme* (1861).

MADAGASCAR, État de l'océan Indien, s'étendant sur une grande île séparée de l'Afrique par le canal de Mozambique; 587 000 km^2; 8 270 000 hab. *(Malgaches)*. Capit. *Antananarivo* (anc. *Tananarive*).

GÉOGRAPHIE. La majeure partie de l'île s'étend sur un fragment de socle précambrien aplani en un haut plateau granitique et gneissique, parfois surmonté de massifs volcaniques. À l'est, il domine une étroite plaine côtière, tandis qu'à l'ouest il est flanqué des bassins sédimentaires de Majunga et de Morondava, où dominent grès et calcaires, et dans lesquels s'est développé un relief de cuesta. L'île est entièrement comprise dans la zone tropicale et jouit d'un climat chaud, tempéré par l'altitude. L'influence de l'alizé du sud-est explique l'opposition entre les deux versants. Le versant oriental, au vent, très arrosé (3 526 mm de pluies à Tamatave), est couvert par la forêt dense. Le versant occidental, sous le vent, beaucoup plus sec (1 567 mm à Majunga), porte des forêts claires, des savanes et, au sud, de la brousse. Les hauts plateaux sont profondément latérisés.

La population est composée de divers groupes malgaches, le nombre de Français ayant beaucoup diminué depuis l'indépendance. Peu dense en moyenne, elle est faiblement urbanisée. Elle se concentre sur les hauts plateaux autour d'Antananarivo et en divers points des côtes (Tamatave, Diégo-Suarez, Majunga). Elle vit principalement de l'agriculture. Le riz, cultivé en champs irrigués, constitue la base de l'alimentation. Des cultures de manioc, de maïs et surtout l'élevage bovin (zébus) lui sont associés. Les cultures commerciales (café, canne à sucre, vanille, girofle) assurent l'essentiel des exportations. Une pêche artisanale apporte un complément de ressources. Le sous-sol recèle des gisements de chromite, de mica, de graphite, d'uranium et de pierres précieuses. Mais le développement industriel reste limité, freiné en particulier par l'insuffisance des moyens de communication. Le pays doit importer des biens de consommation et d'équipement, son partenaire principal restant la France.

MADAGASCAR

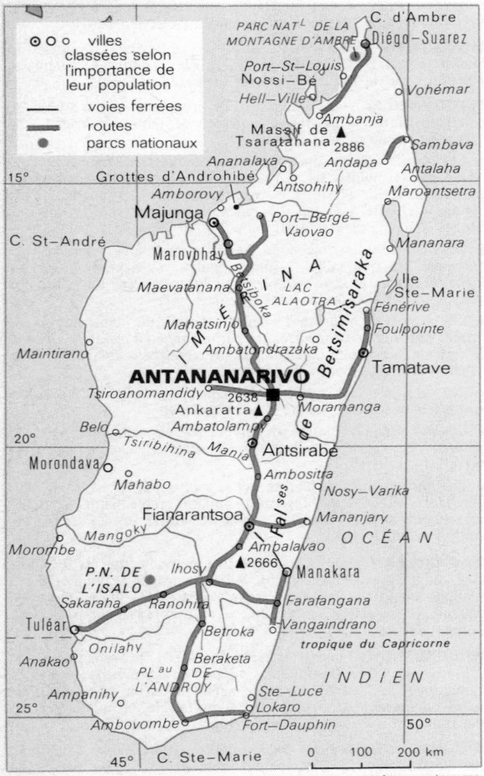

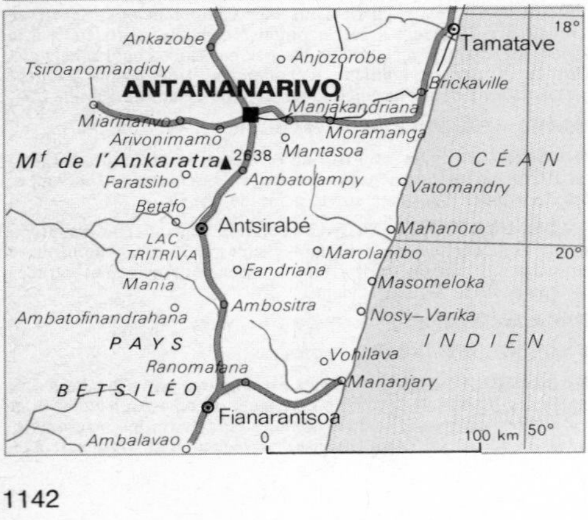

HISTOIRE. Le peuplement malgache résulte du mélange d'un peuple négro-africain et d'un peuple indonésien. Au XIIe s., des Arabes s'installent sur la côte occidentale. À partir de 1500, les Portugais visitent l'île; viennent ensuite des Hollandais, puis des Anglais, qui, en 1644, y fonderont un établissement éphémère. Les Français établissent en 1642-43 un comptoir plus durable, Fort-Dauphin, qui connaît une certaine prospérité mais est abandonné en 1674. Madagascar, délaissée par les Européens, devient un repaire de pirates et une réserve d'esclaves. Elle apparaît alors divisée en royaumes à contexture tribale. C'est le royaume imérina (centre) qui prend l'initiative d'unifier l'île : vers 1787, le roi Andrianampoinimerina († 1810) transfère sa capitale à Tananarive. Son fils, Radama Ier (de 1810 à 1828), obtient, en 1817, de la Grande-Bretagne, présente à l'île Maurice, le titre de roi de Madagascar; à sa mort, la majeure partie de l'île, ouverte au commerce étranger, dépend de Tananarive. En revanche, Ranavalona Ire (de 1828 à 1861) pratique une politique de xénophobie et de réaction, et la véritable « renaissance » malgache date du règne de Radama II (de 1861 à 1863), qui multiplie les chartes commerciales avec l'Occident et favorise les missions chrétiennes. Cette politique d'ouverture et de modernisation est poursuivie par Rasoherina (de 1863 à 1868), Ranavalona II (de 1868 à 1883), qui se convertit au protestantisme (1869), et Ranavalona III (de 1883 à 1895), dont les règnes sont dominés par le tout-puissant ministre, Rainilaiarivony, lui aussi converti au protestantisme, et par l'influence anglo-saxonne.

Mais les aspirations des colons réunionnais et les plaintes des milieux catholiques déterminent, à partir de 1883, l'intervention de la France. Celle-ci ayant laissé les mains libres aux Anglais en Égypte, Londres permet aux Français d'agir dans la Grande Île qui, dès 1885, est placée sous leur protectorat. En 1895 l'expédition Duchesne aboutit à la déchéance de Ranavalona III et à la colonisation directe de l'île par la France. L'action du général Gallieni, gouverneur de 1896 à 1905, favorise l'essor économique et démographique de Madagascar qui, au cours de la première moitié du siècle, est dotée d'infrastructures scolaires, administratives, ferroviaires et routières. L'opposition nationaliste ne se manifeste vraiment qu'après la Seconde Guerre mondiale, quand l'île est dotée d'une représentation parlementaire et devient territoire d'outre-mer (1946). En 1947-48, une violente rébellion ensanglante l'est de l'île, mais elle est très durement réprimée : le Mouvement démocratique de la rénovation malgache (M. D. R. M.), considéré comme le principal responsable, est poursuivi. Quand, en 1956, l'île est dotée d'une certaine autonomie, Philibert Tsiranana devient chef de l'exécutif. Dans le cadre de la Communauté (1958), une constitution républicaine est instaurée : Tsiranana est élu président (1959) d'une République proclamée indépendante en 1960.

La politique de Tsiranana — qui s'appuie sur le parti social-démocrate, largement majoritaire — est rigoureusement anticommuniste. Au lendemain de sa réélection (1965), elle provoque un malaise grandissant, l'opposition lui reprochant un bipartisme formel et des inégalités entretenues; une jacquerie (1971) est sévèrement réprimée. Réélu en 1972, Tsiranana doit affronter le mécontentement étudiant : il accorde alors (mai) les pleins pouvoirs au général Ramanantsoa, qui pratique une large amnistie et fait sortir Madagascar de la zone franc, mais ne parvient pas à résoudre les difficultés économiques. Après la démission de Ramanantsoa (févr. 1975) le pouvoir reste aux mains des militaires, qui orientent le nouveau régime vers le socialisme, sous la direction de Didier Ratsiraka. Celui-ci, investi (15 juin 1975) chef de l'État et du gouvernement, est soutenu par la gauche; le 30 décembre 1975, il fait proclamer la deuxième République malgache.

Madame Bovary, roman de Gustave Flaubert, publié en 1856 dans la *Revue de Paris* et l'année suivante en volume. Emma, fille d'un paysan aisé, et élevée dans un couvent élégant, devient l'épouse d'un homme médiocre, Charles Bovary, simple officier de santé. Romanesque et fière, elle cherche à s'évader de son existence ennuyeuse et devient la maîtresse d'un propriétaire campagnard, puis d'un clerc de notaire; mais déçue et accablée de dettes, elle s'empoisonne. Dans cette œuvre, qui lui valut un procès célèbre et où il soumet son génie stylistique à de multiples difficultés techniques, Flaubert a voulu réagir contre les illusions du romantisme, dont il était lui-même atteint.

Madame Butterfly, drame lyrique en trois actes, livret de L. Illica et G. Giacosa, musique de G. Puccini (1904). Cette partition répond à la fois à l'esthétique vériste et au goût de l'exotisme de l'époque.

Madame Sans-Gêne, pièce en quatre actes, de V. Sardou et E. Moreau (1893), dont l'héroïne est la maréchale Lefebvre.

MADARIAGA (Salvador DE), diplomate et écrivain espagnol (La Corogne 1886). Sa curiosité cosmopolite s'exprime aussi bien dans son activité au sein des organisations culturelles et politiques internationales que dans son œuvre d'historien et d'essayiste (*l'Amérique latine entre l'ours et l'aigle,* 1963).

MADEIRA (le), riv. du sud de l'Amazonie, affl. de l'Amazone (r. dr.); 3 250 km. Elle est formée par la Madre de Dios, le Beni et le Mamoré, issus des Andes.

MADELEINE (La), site préhistorique de la Dordogne (arr. de Sarlat-la-Canéda, comm. de Tursac), au-dessus de la rive droite de la Vézère. Recueillie par D. Peyrony, l'industrie osseuse de ce gisement éponyme permit à l'abbé Breuil* de créer les subdivisions du magdalénien supérieur.

MADELEINE (La) [59110], comm. du Nord, dans la banlieue nord de Lille; 21 181 hab. *(Madeleinois).* Textile. Chimie.

MADELEINE *(îles de la),* archipel québécois du golfe du Saint-Laurent.

MADELEINE *(monts de la),* ligne de hauteurs du Massif central, dominant, à l'O., la plaine de Roanne; 1 165 m.

Madelon *(la),* chanson créée au printemps de 1914 par Louis Bousquet, sur une marche de Camille Robert, et popularisée par les soldats français et alliés de la Première Guerre mondiale.

Mademoiselle Julie, ballet en quatre tableaux, inspiré de la pièce homonyme de Strindberg, musique de Ture Rangström, chorégraphie de Birgit Cullberg, décors et costumes d'Allan Friderica. Créé en 1950 au Riksteatern de Stockholm.

MADÈRE → VIN.

MADÈRE, en portug. **Madeira,** principale île (740 km²) d'un petit archipel portugais (796 km²) de l'Atlantique, à environ 1 000 km au S.-O. de Lisbonne. L'archipel (découvert en 1418 par les Portugais), compte 245 000 hab. et a pour capitale *Funchal.* D'origine volcanique, au climat doux (les températures moyennes mensuelles oscillent entre 16 et 21 °C à Funchal), sec en été et humide surtout aux saisons intermédiaires, l'archipel a développé les cultures de la banane et surtout de la vigne; il bénéficie aussi du tourisme. Cependant, la pression démographique considérable explique la persistance de l'émigration.

MADERNA (Bruno), compositeur et chef d'orchestre italien (Venise 1920 - Darmstadt 1973). Un des grands noms de l'avant-garde italienne, il a joué un rôle important dans la diffusion de la musique contemporaine (*Serenata per Undici Strumenti; Continuo,* pour bande magnétique; *Hyperion; La Grande Aulodia*).

MADERNO (Carlo), architecte italien (Capolago, Tessin, 1556-Rome 1629). Il s'installe à Rome en 1588, d'abord comme assistant de son oncle D. Fontana. Chargé, en 1603, d'achever la basilique Saint-Pierre*, il altère le plan de Michel-Ange en ajoutant nef et façade. Tout en adhérant, ailleurs, aux types du Vignole, il se montre un précurseur du baroque en accusant les effets plastiques, les jeux d'ombre et de lumière à la façade de S. Susanna (1603).

MADHYA PRADESH, État de l'Inde; 443 000 km²; 41 654 000 hab. Capit. *Bhopāl.* Au centre du pays, c'est le plus vaste État de l'Inde, mais venant au sixième rang seulement par la population. Le paysage de plateaux et de moyennes montagnes (monts Vindhya, Satpura) domine, avec des sols souvent médiocres, portant des cultures de riz et de blé, alors que l'industrie est inexistante.

MADIANITES, confédération de tribus nomades d'origine arabe. Installés à l'est du golfe d'‘Aqaba, mais faisant des incursions dans la péninsule Sinaïtique et sur les grandes pistes de Palestine, les Madianites eurent maille à partir avec les Hébreux, au temps des Juges. Moïse trouva refuge auprès d'eux et épousa la fille d'un prêtre madianite.

MADINA DO BOÉ, capit. de la Guinée-Bissau.

MADISON, v. des États-Unis, capit. du Wisconsin, à l'O. de Milwaukee; 173 000 hab. Université.

MADISON (James), homme d'État américain (Port Conway, Virginie, 1751 - Montpelier 1836). Il dirigea, dans le cadre de la convention de Philadelphie (1787), les travaux de la Constitution fédérale. Fondateur du parti républicain, avec Jefferson*, il succéda à ce dernier comme président des États-Unis, en 1809. Réélu en 1813, il poursuivit jusqu'à la victoire la guerre contre les Anglais (1812-1815).

MADIUN, v. d'Indonésie, dans le centre de Java; 136 000 hab.

MADONNA DI CAMPIGLIO, station de sports d'hiver (alt. 1 550-2 550 m) d'Italie, dans le Trentin.

MADOURAIS → INDONÉSIENNES *(langues)* et JAVANAIS.

MADRAS, v. de l'Inde, sur la côte de Coromandel, capit. du Tamil Nadu; 2 469 000 hab. Le Central Museum (1854) abrite de nombreux reliefs d'Amarāvatī et de superbes bronzes dravidiens. Quatrième ville de l'Inde, aujourd'hui port d'importance moyenne, Madras, encore peu industrialisée (textiles [cotonnades dites « madras »], constructions mécaniques), est surtout un centre tertiaire, métropole de l'Inde méridionale, concurrencée toutefois par les grandes villes de l'intérieur, Bangalore et Hyderābād.

MADRE *(sierra),* nom donné aux principaux alignements montagneux du Mexique. La *sierra Madre occidentale* domine la plaine côtière sur le Pacifique, et la *sierra Madre orientale* retombe sur le littoral du golfe du Mexique. La *sierra Madre du Sud* s'élève au nord de la plaine côtière (de part et d'autre d'Acapulco) du Mexique méridional, sur le Pacifique.

MADRÉPORES. — Les récifs et atolls souvent qualifiés de « coralliens » ne doivent rien au corail rouge, mais résultent de l'activité constructrice d'un autre groupe de cœlentérés, les *madréporaires* (ou hexacoralliaires). Ces animaux, rappelant les simples anémones de mer (actinies*) par leur symétrie d'ordre 6, ont deux propriétés fondamentales : ils édifient un squelette calcaire et ils se multiplient par bourgeonnement. Au bout de plusieurs millions d'années, la colonie a édifié une véritable montagne sous-marine (récif* ou atoll). À l'action des madrépores (dendrophyllie, astrée, méandrine, etc.) s'ajoute celle d'autres cœlentérés constructeurs (millépore, tubipore), ainsi que celle des algues incrustantes, des bryozoaires, des éponges calcaires, etc. En général, chaque colonie revêt un aspect massif dans les eaux agitées de vagues et une forme finement branchue au sein des eaux calmes.

MADRID, capit. de l'Espagne, à 650 m d'altitude; 3 146 000 hab. *(Madrilènes).*

GÉOGRAPHIE. Située dans le centre du pays, ville au climat parfois rude en hiver, torride (et sec) en été, capitale depuis 1561, Madrid ne comptait guère plus de 200 000 habitants au milieu du XIXᵉ s. Elle a connu ensuite une croissance démographique exceptionnelle (en Europe), surtout dans le dernier quart du siècle, Madrid dépassant alors Barcelone. La croissance a été liée initialement à la construction du réseau ferroviaire, centré sur la capitale, et, récemment, à l'expansion économique (à l'industrialisation, notamment). Cependant, Madrid, métropole sans banlieue, demeure avant tout un centre tertiaire (politique et administratif, commercial, intellectuel). L'industrie est dominée par la métallurgie de transformation, suivie par l'alimentation, le textile et la chimie, activités liées à l'importance du marché de consommation.

HISTOIRE. Ancienne forteresse arabe *(Madjrīt),* conquise en 1083 par Alphonse VI de Castille, Madrid ne fut d'abord qu'une résidence occasionnelle des rois de Castille, aux XIVᵉ et XVᵉ s. Résidence royale de Charles Quint, elle devint la capitale de l'Espagne sous Philippe II et fut embellie, au XVIIIᵉ s., par les Bourbons. Le 2 mai 1808, à la suite de l'abdication de Charles IV, elle fut le théâtre d'un soulèvement, qui fut brutalement réprimé par Murat et qui donna le signal de l'insurrection espagnole contre l'occupation française. Défendue par les républicains du général Miaja lors de la guerre civile (1936-1939), Madrid résista aux troupes franquistes jusqu'au 25 mars 1939.

BEAUX-ARTS. Rares sont les monuments antérieurs à 1561 (Capilla del Obispo, plateresque, de 1520). Sous les Habsbourg, Madrid est surtout une ville de couvents, assez sobres jusqu'au milieu du XVIIᵉ s., puis touchés par le baroque et richement ornés de peintures et de sculptures polychromes (Descalzas Reales, église S. Antonio de los Alemanes, collégiale S. Isidro el Real...). Le palais du Buen Retiro ayant, à des annexes près, disparu, la meilleure réalisation civile demeure la Plaza Mayor (1619), de Juan Gómez de Mora. Au XVIIIᵉ s., les Bourbons s'efforcent de régulariser et d'agrémenter la capitale : pont de Tolède (1719) et hospice de San Fernando (1722, auj. Musée municipal), témoins du baroque tumultueux de P. de Ribera*; palais royal, majestueux ensemble construit pour Philippe V, à partir de 1738, sur les plans des Italiens Juvara* et G. B. Sacchetti (importants décors

Everts - Rapho

Madrid. La plaza de España (place d'Espagne).

intérieurs); sous le règne de Charles III, allées du Prado et Puerta de Alcalá, à l'est de la ville, et, à l'ouest, paseo de la Florida, où, à la fin du siècle, Goya* peindra la coupole de la chapelle de S. Antonio de la Florida. Au XIXe s., des places et des jardins naissent de la démolition de nombreux couvents, tandis que les pastiches historiques sévissent dans les nouveaux quartiers du nord-est. La croissance fiévreuse du XXe s. contraste, elle aussi, avec la modestie harmonieuse des vieux quartiers.

Les musées sont très riches : Prado*, musée de l'Académie des beaux-arts (Zurbarán, Goya...), Musée archéologique national, Musée romantique, musée d'Art contemporain (dans la Cité universitaire, reconstruite depuis la guerre civile), etc.

MADRIGAL. — Né d'une fusion entre un poème profane, le plus souvent amoureux, et une musique polyphonique, le madrigal apparaît en Italie au XVIe s. D'abord influencé par la chanson franco-flamande, basé sur l'écriture contrapuntique et exécuté *a cappella*, il ya progressivement se personnaliser par des éléments expressifs. À la fin du siècle, au contact de l'opéra naissant, il se dramatisera (utilisation du récitatif, participation des instruments) et aidera à l'éclosion de la cantate* (C. de Rore, Marenzio, Gesualdo, Monteverdi). L'Angleterre connaîtra, plus tardivement, sa propre école de madrigalistes (Byrd, Morley).

MADURA, île d'Indonésie, près de la côte nord de Java.

MADURAI, anc. **Madurā,** v. du sud de l'Inde (Tamil Nadu); 549 000 hab. Université. L'immense temple (220 × 250 m) de Mīnākṣī (v. 1600) est l'exemple type du style de Madurā, phase la plus tardive de l'architecture brahmanique, caractérisée par les enceintes multiples et les pavillons d'accès (gopura) monumentaux.

MAEBASHI, v. du Japon (Honshū), au N.-O. de Tōkyō; 234 000 hab. Textile.

MAËL-CARHAIX (22340), ch.-l. de cant. des Côtes-du-Nord, à 17 km à l'E. de Carhaix-Plouguer; 1 871 hab.

MAËSTRICHT → MAASTRICHT.

MAETERLINCK (Maurice), écrivain belge d'expression française (Gand 1862 - Nice 1949). Après des poèmes d'inspiration symboliste (*Serres chaudes,* 1889) ou populaires (*Douze Chansons,* 1896), il entreprit d'évoquer, dans son théâtre, des personnages aux états d'âme mystérieux, en proie à des forces obscures et malveillantes (*la Princesse Maleine,* 1889; *Pelléas et Mélisande,* 1892) ou évoluant dans un monde de féerie (*Monna Vanna,* 1902; *l'Oiseau bleu,* 1908). Il manifesta également, dans ses essais, son attrait pour les secrets de la vie de la nature (*la Vie des abeilles,* 1901; *la Vie des fourmis,* 1930). [Prix Nobel, 1911.]

Mafia (la), ensemble d'associations secrètes siciliennes, né au milieu du XIXe s. et qui, par un réseau de liens et de complicité silencieuse, permet à ses membres de s'introduire dans les structures économiques et sociales et d'y imposer leurs intérêts.

MAGADAN, v. d'U.R.S.S. (R.S.F.S. de Russie), sur la mer d'Okhotsk; 92 000 hab. — La ville est le ch.-l. du *territoire de Magadan,* dans le nord-est de l'U.R.S.S., qui compte seulement 350 000 habitants sur une superficie supérieure au double de celle de la France (1 119 000 km^2).

MAGANGUÉ, v. du nord de la Colombie; 65 000 hab.

MAGDALENA (le), fl. de Colombie, qui rejoint la mer des Antilles, à Barranquilla; 1 700 km.

MAGDEBURG, v. de l'Allemagne orientale, ch.-l. de distr., sur l'Elbe; 273 000 hab. Ancienne abbaye Notre-Dame, romane (XIe-XIIe s.). Cathédrale reconstruite, dès 1209, en style gothique français (importantes sculptures). Musées. Métallurgie. — Magdeburg prend de l'importance sous le règne d'Otton le Grand, qui y fonde un archevêché (968) et se sert de la ville comme base de départ pour ses campagnes en pays slaves. Ville hanséatique (XIIIe s.), convertie à la Réforme (1524), Magdeburg tombe sous la domination du Brandebourg en 1648. Incorporée au royaume de Westphalie, elle est rendue à la Prusse en 1815.

MAGELANG, v. d'Indonésie, dans le centre de Java; 110 000 hab.

MAGELLAN (Fernand DE), navigateur portugais (Sabrosa 1480 - aux Philippines 1521). Au service de Charles Quint, il réalise, en 1519-20, son projet de trouver, au sud de l'Amérique, un passage vers les Moluques et les Indes orientales. Le 16 mars 1521, il découvre les Philippines, où il périt (27 avr.) : un seul de ses vaisseaux, sous le commandement de Sebastián de El Cano, parviendra à rentrer en Espagne en 1522.

MAGELLAN *(détroit de),* détroit long de 583 km, entre le continent sud-américain et les archipels (dont la Terre de Feu) qui le prolongent, reliant l'Atlantique au Pacifique.

MAGENDIE (François), physiologiste français (Bordeaux 1783 - Sannois 1855). Professeur au Collège de France, il a introduit en médecine de nombreux médicaments nouveaux. Par des expériences célèbres, il précisa les trajets respectifs des influx sensitifs et des influx moteurs dans les nerfs rachidiens. Il a écrit des *Leçons sur les phénomènes physiques de la vie* (1836-1842).

MAGENTA → ITALIE *(campagne d')* [*1859*].

MAGHREB (le *Couchant*), ensemble des pays arabes du nord-ouest de l'Afrique (Tunisie, Algérie et Maroc), entre la Méditerranée et le Sahara.

MAGIE. — La magie, dans un sens historiquement restreint, désigne la religion et la science des mages, c'est-à-dire de la caste sacerdotale des Mèdes et des Perses antiques. Dans la civilisation gréco-romaine comme chez les peuples occidentaux païens et chrétiens, le nom de *magicien* était donné à quiconque semblait doué du pouvoir de produire des phénomènes extraordinaires par la seule puissance de sa volonté, sans l'intervention de rites religieux, ni de miracles d'origine divine. On a rapproché justement cette *magie naturelle,* d'origine humaine, de l'histoire des sciences expérimentales, car un grand nombre de phénomènes, considérés comme « magiques » à une certaine époque, pouvaient être produits, par des *initiés,* grâce à leur connaissance de certaines lois de la nature, ignorées des *profanes.*

Les ethnologues (Frazer*, Malinowski*, Radcliffe-Brown*, Mauss*) et les psychanalystes (Freud*, G. Róheim) désignent par « magie » un ensemble de pratiques et de croyances religieuses en des forces surnaturelles immanentes à la nature. La magie se distingue ainsi des religions instituées, pour lesquelles le sacré est transcendant à la nature. Pour les ethnologues et les sociologues il s'agit d'un phénomène social qui répond à des fonctions précises de sublimation de l'agressivité et de résorption des tensions sociales.

La magie se retrouve davantage dans les sociétés lignagères que dans les sociétés étatiques. Pour la psychanalyse, le désir est la clef de la magie et celle-ci en constitue la satisfaction symbolique.

MAGINOT (André), homme politique français (Paris 1877-*id.* 1932). Plusieurs fois ministre de la Guerre de 1922 à sa mort, il a attaché son nom à une ligne fortifiée, édifiée de 1927 à 1936 sur la frontière française entre Montmédy et le Rhin.

MAGISTRAT *(Hist. anc.).* — En Grèce, la magistrature n'était pas une carrière, les magistrats étant désignés soit par élection, soit par tirage au sort, et tout citoyen qui n'était pas frappé d'indignité pouvant aspirer à une charge. Tous les ans, on procédait à la désignation des *archontes* (qui n'avaient guère que des fonctions religieuses et judiciaires) et des *stratèges* (chefs suprêmes politiques et militaires), ainsi que des fonctionnaires municipaux (voirie, finances, marchés, etc.). Dans quelques États, dont Sparte*, existaient des magistrats spéciaux, les *éphores,* qui disposaient de pouvoirs de contrôle étendus sur le gouvernement et sur l'application des lois.

À Rome, les magistrats étaient, avec le sénat* et les comices*, un des trois organes essentiels de la Constitution républicaine : ils représentaient le pouvoir exécutif. Les magistratures étaient électives, collégiales et annuelles (sauf la dictature et la censure). Il y avait un âge minimal pour briguer les honneurs et pour les diverses magistratures, auxquelles on accédait suivant un ordre préétabli *(cursus* honorum).* Les magistrats étaient revêtus de pouvoirs politiques et religieux : le dictateur, les consuls et les préteurs possédaient l'*imperium**, les autres magistrats n'avaient que la *potestas* (pouvoir administratif), et tous avaient le droit d'auspices* *(auspicium).* Sous l'Empire, les magistratures perdirent leur autorité au profit des fonctionnaires impériaux (préfets, curateurs, procurateurs).

MAGISTRATURE *(Instit.)* → JUSTICE *(organisation de la).*

MAGNAC-LAVAL (87190), ch.-l. de cant. de la Haute-Vienne, à 16,5 km au N.-E. de Bellac; 2 726 hab. Église du XIIe s.

MAGNAN (Bernard), maréchal de France (Paris 1791-*id.* 1865). Commandant l'armée de Paris en 1851, il prit une part active au coup d'État du 2 décembre.

MAGNANI (Anna), actrice de théâtre et de cinéma italienne (Alexandrie 1908-Rome 1973). Elle interpréta, notamment, à l'écran : *Rome, ville ouverte* (1945); *Amore* (1948); *le Carrosse d'or* (1952); *la Rose tatouée* (1955); *Mamma Roma* (1962).

MAGNARD (Albéric), compositeur français (Paris 1865-manoir des Fontaines, près de Baron, Oise, 1914). Ce disciple de V. d'Indy a parlé un langage grave, émouvant et souvent dramatique, ainsi qu'en témoignent quatre symphonies, l'opéra *Guercœur,* un *Hymne à la justice* et de nombreuses pages de musique de chambre.

MAGNASCO (Alessandro), peintre italien (Gênes 1667-*id.* 1749). Actif à Milan, Florence et Gênes, influencé par le maniérisme lombard, par S. Rosa et par Callot, il campe, dans des ambiances sombres, d'une touche capricieuse et scintillante, des groupes de petits personnages, moines de fantaisie, bohémiens, foules en prière, qui composent des visions fantastiques ou macabres.

MAGNE ou **MAÏNA,** région de Grèce, dans le sud du Péloponnèse.

MAGNELLI (Alberto), peintre italien (Florence 1888-Meudon 1971), maître d'un art très épuré, voire abstrait, installé en France en 1931 (*Paysan au parapluie,* 1919, musée national d'Art moderne).

MAGNENCE → CONSTANCE II.

MAGNÉSIE. — La magnésie anhydre MgO est une poudre blanche, fondant vers 2 500 °C, que l'eau transforme en magnésie hydratée $Mg(OH)_2$. Indécomposable par la chaleur, elle est difficile à réduire. On la prépare par calcination de la dolomie.

MAGNÉSIE du Méandre, colonie thessalienne d'Ionie, au sud d'Éphèse, près du village turc de Tekke. Puissante ville hellénistique, dont la plupart des monuments, du début du IIe s. av. J.-C. (temple d'Artémis Leucophryné, de Zeus Sosipolis [façade reconstituée au musée de Berlin]), sont dus à l'architecte Hermogène et illustrent de nouvelles conceptions architecturales : dégagement de l'espace, allégement des formes, recherche de l'effet plastique.

MAGNÉSIUM. — C'est l'élément chimique n° 12, de masse atomique Mg = 24,32. Solide blanc, il a pour densité 1,7 et fond à 650 °C. Il est malléable, mais peu tenace. Inaltérable à froid, il brûle, en ruban mince, avec une flamme éblouissante. Il est bivalent dans ses composés, dont les principaux sont : la magnésie* MgO; le chlorure $MgCl_2$, retiré de l'eau de mer, qui en contient 1,3 kg/m^3, ou de la carnallite; le sulfate $MgSO_4$, qui existe dans certaines eaux minérales (Epsom, Sedlitz); le carbonate $MgCO_3$, qui forme la giobertite et figure dans la dolomie. Tous ces sels sont incolores et ont une saveur amère. Le magnésium entre en combinaison dans les composés organomagnésiens, dont les principaux, découverts par Grignard, ont pour formule RMgX, où X est un halogène. Ils sont obtenus en faisant agir le dérivé halogéné RX sur des copeaux de magnésium dans l'éther anhydre. Ce sont des corps très réactifs, qui permettent la préparation de nombreux composés organiques.

L'extraction du métal s'effectue principalement par l'électrolyse* ignée du chlorure anhydre fondu. D'autres procédés utilisent la réduction thermique de l'oxyde ou du carbonate par le carbone* ou le ferrosilicium. La grande affinité du métal pour l'oxygène* le fait utiliser, à l'état divisé, en photographie, en pyrotechnie et dans les procédés de métallothermie comme agent réducteur* efficace. En raison de leur légèreté, les alliages* à base de magnésium (allié à l'aluminium*, au zinc*, au manganèse*) sont largement utilisés dans l'industrie automobile et dans l'aviation.

MAGNÉTISME. — L'exposé du magnétisme peut être fait suivant deux méthodes très différentes. L'une, dite « exposé coulombien », fait appel à la notion de masse magnétique, positive ou négative, caractérisant les propriétés du pôle nord ou du pôle sud d'un aimant. Analogue à la méthode d'étude employée en électrostatique, elle repose toutefois sur une notion dénuée d'existence réelle. L'autre méthode, préconisée par Ampère, ne distingue pas le magnétisme proprement dit, ou magnétostatique, de l'électromagnétisme. Elle est fondée sur l'existence de courants particulaires dans tout élément de matière, et elle a trouvé son interprétation dans le mouvement des électrons des atomes.

Si, dans un espace, un aimant est soumis à des forces, on dit qu'il y règne un champ magnétique. Ce champ est caractérisé par le vecteur induction magnétique $\vec{B}$, défini par l'action que subit un aimant ou un courant électrique placé dans le champ. Comme cette induction dépend de la nature du milieu matériel qui remplit l'espace, on définit un vecteur excitation $\vec{H}$, indépendant de la nature du milieu, tel que $\vec{B} = \mu\vec{H}$, où μ est la perméabilité magnétique du milieu.

Quant à leurs propriétés magnétiques, les différents corps peuvent être classés en trois groupes, correspondant au ferromagnétisme*, au paramagnétisme et au diamagnétisme*.

MAGNÉTISME TERRESTRE → GÉOMAGNÉTISME.

MAGNÉTO. — Une magnéto comporte un inducteur fixe constitué par des aimants juxtaposés, en forme de fer à cheval, et un induit en tôles isolées sur lequel sont enroulées quelques spires de gros fil formant le circuit primaire. Le circuit secondaire, comportant un grand nombre de spires de fil fin, est enroulé sur le premier. Il naît dans le primaire un courant alternatif, qu'un rupteur interrompt lorsqu'il atteint sa valeur maximale. Cette rupture provoque dans le secondaire un courant de haute tension qui fournit une étincelle aux bougies d'allumage. La magnéto est presque toujours remplacée dans les automobiles par l'allumage par batterie.

MAGNÉTOHYDRODYNAMIQUE. — Les générateurs magnétohydrodynamiques, objets de nombreuses recherches, doivent permettre la transformation directe d'énergie calorifique en électricité. Ils comportent une chambre de combustion suivie d'une tuyère placée dans l'entrefer d'un électroaimant. L'addition de corps facilement ionisables (métal alcalin) au gaz très chaud transforme ce dernier en plasma, qui traverse le champ magnétique avec une grande vitesse. Les ions positifs et les électrons du plasma, séparés par le champ, sont recueillis sur deux électrodes.

MAGNÉTOMÈTRE. — Il permet la mesure et l'étude des divers éléments du champ magnétique terrestre (déclinaison, inclinaison, composantes horizontale et verticale, champ total). Les instruments employés à l'étude des variations de ces éléments sont fréquemment appelés « variomètres magnétiques ».

MAGNÉTOMOTRICE (force). — Lorsque le champ magnétique est produit par un courant électrique circulant dans une bobine qui entoure le circuit magnétique, la force magnétomotrice créée dans ce circuit est proportionnelle au nombre d'ampères-tours de la bobine.

MAGNÉTOPHONE. — Le principe de fonctionnement d'un magnétophone repose sur les lois de l'induction* magnétique et de l'hystérésis. Si on fait défiler un ruban recouvert d'oxyde de fer devant l'entrefer d'un électroaimant* dont l'enroulement est parcouru par un courant modulé, on obtient des variations d'aimantation* de l'oxyde en fonction de la modulation*. En faisant passer avec une vitesse uniforme et identique la bande ainsi enregistrée devant l'entrefer d'un électroaimant, on recueille aux bornes de son enroulement une tension modulée de même fréquence que celle qui a servi à l'enregistrement. La bande conserve cette aimantation et peut être écoutée un grand nombre de fois, et sans usure. On peut effacer une bande en la faisant défiler devant l'entrefer d'un électroaimant parcouru par un courant à haute fréquence intense. L'oxyde de fer est amené à saturation, ce qui efface toute modulation primitive. Le ruban peut alors servir pour un autre enregistrement. Il existe un grand nombre de modèles de magnétophones, allant du professionnel à très haute fidélité jusqu'à la cassette du petit magnétophone bon marché.

MAGNÉTOSCOPE. — Le magnétoscope permet d'enregistrer et de reproduire les images de télévision* en noir et blanc ou en couleurs au moyen d'une bande magnétique spéciale.

• Les *matériels professionnels* utilisent une bande magnétique de 50,8 mm de large (2 pouces) défilant à la vitesse de 38 cm/s. Il faut enregistrer sur cette bande trois informations : le signal vidéofréquence jusqu'à 6 MHz, les signaux de synchronisation des lignes et des images et le son. Dans le système *Ampex,* la piste de son est placée à la partie inférieure de la bande, la piste des signaux de synchronisation en haut; quant à la vidéo, elle est enregistrée au milieu, en combinant le défilement linéaire de la bande avec la rotation des têtes magnétiques; on obtient un balayage transversal.

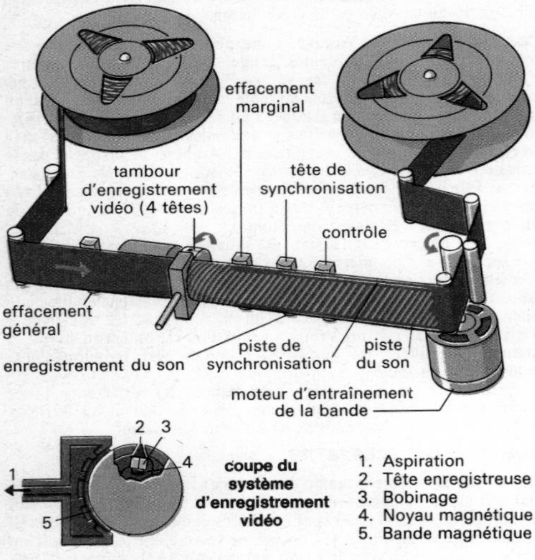

MAGNÉTOSCOPE

• Les *matériels grand public* sont plus simples, la bande est plus étroite : 25,4 mm, 12,7 mm, ou même 6,38 mm (1 pouce, 1/2 pouce, 1/4 de pouce) et défile toujours à la vitesse de 38 cm/s. Le principe du balayage transversal de la vidéo est conservé. La bande est livrée en cassette, afin de simplifier la manipulation de l'appareil.

MAGNÉTOSPHÈRE. — Elle est située entre le sommet de l'ionosphère et une frontière, dite « magnétopause », qui la sépare de l'espace interplanétaire. Les lignes de force du champ magnétique terrestre, au lieu de pouvoir s'étendre jusqu'à l'infini, sont en constante interaction avec des flux d'énergie de diverses sortes en provenance du Soleil (vent solaire). De ce fait, ces flux restent emprisonnés et ne parviennent pas jusqu'à la surface de la Terre.

MAGNÉTOSTRICTION. — Ce phénomène, particulièrement net pour les matériaux ferromagnétiques, est utilisé pour la production et la détection des ultrasons, et, par suite, pour le sondage en mer.

MAGNITOGORSK, v. de l'U.R.S.S. (R.S.F.S. de Russie), au pied sud de l'Oural; 364 000 hab. Gisements de fer. Centre sidérurgique.

MAGNOL (Pierre), médecin et botaniste français (Montpellier 1638-*id.* 1715). Directeur du jardin botanique de Montpellier, il est l'un des premiers à avoir préconisé le classement des plantes par familles (*Prodromus historiae generalis plantarum,* 1689).

MAGNOLIALES. — Selon les auteurs, cet ordre de plantes dicotylédones rassemble un nombre plus ou moins grand d'espèces présentant à la fois des caractères « primitifs » (carpelles souvent séparés, réceptacle en cône, nombreuses étamines) et quelque ressemblance avec les monocotylédones : symétrie de type 3, pétales et sépales identiques. Le magnolia et le tulipier (liriodendron) sont des arbres à grandes fleurs, très décoratifs, d'origine américaine ou asiatique. Avec la badiane (ou « anis étoilé », genre *Illicium*), ils forment la famille des magnoliacées. Mais autour de cette famille gravite toute une flore de plantes assez voisines : l'annone, le laurier* noble, le camphrier, le cannellier, le boldo, la noix muscade, le théier (v. THÉ), le camélia, l'actinidia, la corroyère des tanneurs, etc.

MAGNY (Olivier DE), poète lyrique français (Cahors v. 1529-v. 1561). Il imita le pétrarquisme et l'épicurisme de Ronsard (*les Gayetez,* 1554) et la nostalgie de Du Bellay (*les Soupirs,* 1557).

MAGNY-EN-VEXIN (95420), ch.-l. de cant. du Val-d'Oise, à 22 km au N. de Mantes-la-Jolie; 4 112 hab. Église des XVe et XVIe s.

MAGOG, v. du Canada (Québec), dans les cantons de l'Est; 13 281 hab.

MAGON, général carthaginois († 203 av. J.-C.), frère d'Hannibal, dont il fut l'auxiliaire en Italie (218-216). Il seconda Hasdrubal Barca en Espagne : vaincu par Scipion (207-206), il dut se replier aux Baléares. En 205, il débarqua en Ligurie, où il ne put élargir sa tête de pont, et fut rappelé par Carthage en 203.

MAGOT → MACAQUE.

MAGRITTE (René), peintre belge (Lessines 1898-Bruxelles 1967). Il fréquente l'Académie des beaux-arts de Bruxelles, découvre le futurisme en 1919 et De Chirico en 1922, peint sa première toile surréalisante en 1925, participe aux activités surréalistes belges, puis, installé près de Paris de 1927 à 1930, à celles du groupe français. Malgré des rapports orageux avec ce dernier, il participera à toutes les grandes expositions du surréalisme. En 1951-1953, il exécute au casino de Knokke-le-Zoute une longue peinture murale, *le Domaine enchanté,* qui résume les principaux thèmes de son œuvre. Par le moyen d'une technique figurative impersonnelle, celle-ci, d'une cohérence remarquable, aussi volontaire qu'attentive à la dictée de l'inconscient, procède à une interrogation systématique des rapports entre les choses, entre leur hypothétique réalité, leur image, leur contenu conceptuel et, parfois (série de *l'Usage de la parole,* 1928-29), les mots qui les désignent : confrontation qui, dans l'identité comme dans l'extrême décalage, ouvre de façon non moins étrange les portes de l'imaginaire.

MAGUELONNE ou **MAGUELONE,** hameau de la côte du Languedoc (Hérault), à 16 km au S. de Montpellier. Anc. cathédrale romane des XIe et XIIe s., sobre et puissante (sculptures).

MAGYAR → HONGROIS.

MAHĀBALIPURAM, site archéologique de l'Inde sur le golfe du Bengale (Tamil Nadu). La plupart des fondations religieuses des

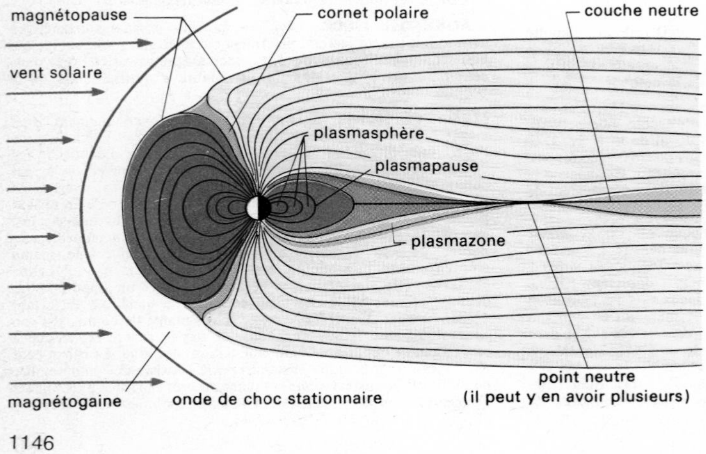

MAGNÉTOSPHÈRE

Coupe normale au plan de l'écliptique, état symétrique (époque des équinoxes).

Pallava sont conservées. D'inspiration brahmanique et essentiellement rupestres, les temples excavés, ou *ratha,* témoignent de la diversité et de la maîtrise architecturales de l'époque. Les sculptures monolithes et les reliefs pariétaux grandioses («Descente du Gange») allient la spontanéité et l'aisance à un remarquable équilibre. Premier temple maçonné, le temple du Rivage (VIIIe s.) annonce les grands temples de Kānchīpuram.

Mahābhārata, épopée anonyme dont la composition s'étend du VIe s. av. J.-C. au IVe s. apr. J.-C. env. et qui compte plus de 100 000 stances. Elle a exercé et exerce encore une influence considérable sur l'hindouisme* et la civilisation indienne.

MAHĀRĀSHTRA, État de l'Inde; 307 500 km²; 50 412 000 hab. Capit. *Bombay.* Au troisième rang par la superficie et la population, avec une densité très voisine de la moyenne nationale, l'État est occupé en majeure partie par le *plateau marathe,* séparé, par l'escarpement des Ghāts occidentaux, de la bande littorale, site de

René Magritte : *Au seuil de la liberté.* 1930. (Musée Boymans van Beuningen, Rotterdam.)

l'agglomération de Bombay. Celle-ci explique, avec la présence de sols favorables, l'importance de la culture du coton, à la base d'une notable industrie textile, à vocation partiellement internationale. — Un premier empire du Mahārāshtra se constitua au VIIe s.; le second, formé par les Yadava, atteignit son apogée au XIIIe s., mais fut annexé au début du XIVe s. au sultanat de Delhi.

MAHDĪ. — La croyance dans un mahdī, personnage guidé par Dieu qui doit apparaître à la fin des temps pour restaurer l'islām dans sa pureté originelle et faire triompher la justice, s'est développée assez tardivement et surtout dans les milieux populaires influencés par le chī'isme*. Parmi les réformateurs religieux qui se sont déclarés «mahdī», les fondateurs des dynasties almohade* et fāṭimide* et le Mahdī* du Soudan ont joué un rôle particulièrement important.

MAHDĪ (al-), titre sous lequel on désigne MUḤAMMAD AḤMAD IBN 'ABD ALLĀH (dans le Dongola 1844 - Omdurman 1885). Il se déclara «mahdī*» en 1881, et, triomphant de plusieurs expéditions envoyées contre lui (soumission du Kordofan, 1883), acquit un grand prestige. Tous les mécontents de l'administration égyptienne au Soudan (marchands d'esclaves, nomades exaspérés par les taxes sur le bétail, musulmans choqués par la mise en place de gouverneurs européens à la tête des provinces soudanaises) se rallièrent à lui. Le Mahdī, maître de presque tout le Soudan après la prise de Khartoum (1885), installa sa capitale à Omdurman*. Les Britanniques écrasèrent les mahdistes en 1898.

MAHÉ, v. de l'Inde (Kerala), sur la côte de Malabār; 18 000 hab. Entrepôt français à partir de 1721, plusieurs fois occupé par les Anglais, Mahé fut transféré à l'Union indienne en 1954.

MAḤFŪẒ (Nadjīb), écrivain égyptien (Le Caire 1912). Ses romans évoquent la vie des quartiers populaires de sa ville natale (*Rue du Pilon,* 1947) avant de témoigner de recherches formelles (*le Voleur et les chiens,* 1962; *Amour sous la pluie,* 1973).

MAHLER (Gustav), compositeur et chef d'orchestre autrichien (Kalischt, auj. Kalište, Bohême, 1860 - Vienne 1911). Héritier de la musique romantique et à l'origine de celle du XXe s., il laissa, outre une cantate de jeunesse, dix symphonies (dont la dernière inachevée) et cinq cycles de lieder *(Kindertotenlieder),* ces deux pôles de sa production étant unis par des liens très étroits. Il fut de 1897 à 1907 à la tête de l'Opéra de Vienne.

MAḤMŪD de Rhaznī → RHAZNÉVIDES.

MAHMUD Ier → OTTOMANS.

MAHMUD II (Istanbul 1784 - *id.* 1839), sultan ottoman de 1808 à 1839. L'empire dont hérite Mahmud II est attaqué de toutes parts : guerre avec la Russie (1806-1812); révolte des Serbes, qui obtiennent leur autonomie (1826); insurrection grecque (1821), qui aboutit à l'indépendance de la Grèce (1830). Méhémet-Ali* ne peut conserver la Syrie, mais il garde l'Égypte. Pour remédier à cette situation, Mahmud II impose les réformes d'occidentalisation que Selim III n'a pu entreprendre à cause des janissaires*. Ceux-ci sont massacrés en 1826, et une armée moderne est constituée, de même que sont créés des ministères spécialisés.

MAHOMET, en arabe **Muḥammad,** fondateur de la religion musulmane (La Mecque v. 570/571 ou 580 - Médine 632). Il appartient au clan de Hāchim de la tribu des Quraychites*. Orphelin et pauvre, il devient le caravanier d'une riche veuve quadragénaire, Khadīdja, qu'il épouse. Au cours de méditations solitaires dans une caverne du mont Ḥirā, il entend, vers l'an 610, la voix de l'archange Gabriel qui lui transmet la parole de Dieu. Sa prédication, recueillie dans le Coran*, ne touche d'abord qu'un cercle d'intimes (dont 'Alī* et Abū Bakr), auquel se joignent des Mecquois de basse extraction. La ténacité de Mahomet, la vigueur de son message et le succès qu'il remporte auprès des classes humbles inquiètent les riches Quraychites, qui lui deviennent hostiles. Mahomet, dans une situation critique, conclut un accord secret avec les représentants de l'oasis de Yathrib (auj. Médine*), où plusieurs tribus arabes et juives sont en luttes continuelles et cherchent un arbitre. En 622, Mahomet et ses adeptes émigrent : c'est l'hégire. À Médine, Mahomet, qui s'est jusque-là identifié à un messager de Dieu repoussé par les siens, comme l'ont été tant de prophètes bibliques, va se révéler un grand chef politique et militaire. Il organise un État et une société dans lesquels se substitue aux anciennes coutumes tribales de l'Arabie* la loi canonique (charī'a*). La foi nouvelle, l'islām*, devient arabe et indépendante des religions monothéistes précédemment révélées (judaïsme et christianisme). En 624, Mahomet change l'orientation de la prière : Jérusalem est abandonnée pour La Mecque*. En instituant la guerre sainte *(djihād),* devoir de combattre tous ceux qui n'adhèrent pas à l'islām jusqu'à ce qu'ils se convertissent ou qu'ils paient un tribut, Mahomet donne à l'islām le fondement de sa future expansion. La Mecque, contre laquelle Mahomet et ses compagnons se sont âprement battus (Badr*, Uḥud), se rend en 630 et des pactes sont conclus avec de multiples tribus de l'Arabie.

Ainsi Mahomet, «sceau des prophètes», a clos la Révélation commencée par Abraham, Moïse et Jésus, et a ouvert une nouvelle ère de l'histoire de l'humanité.

MAHÓN, port de l'île de Minorque (Baléares); 17 000 hab.

MAHONIA. — Le mahonia, ou «petit houx», est l'un des arbustes à feuilles persistantes qui, avec le fusain, l'aucuba, le buis et le houx, font l'ornement hivernal des parcs et des jardins. Les botanistes le rapprochent de l'épine-vinette. (Famille des berbéridacées.)

Mai *(Premier-),* fête du travail. En 1884 le congrès américain des Trade-Unions décida de considérer le 1er mai comme une journée de revendications sociales et syndicalistes. Le congrès international socialiste de Paris prit la même résolution en 1889. En 1947, le 1er mai est devenu en France fête légale du travail et jour férié.

mai 1877 *(crise du 16),* crise politique qui menaça la IIIe République dans ses débuts. Le 16 mai 1877, le maréchal-président Mac-Mahon* adresse à son Premier ministre, Jules Simon, une lettre de blâme au sujet de sa politique. Jules Simon ayant démissionné, une épreuve de force éclate entre le chef de l'État et la majorité républicaine à la Chambre des députés, au sujet de la réalité du pouvoir exécutif octroyé par la Constitution de 1875. Mac-Mahon, en accord avec le Sénat, dissout la Chambre (25 juin), mais les élections d'octobre ramènent une majorité républicaine. Le président se soumet, en attendant (1879) de se démettre.

mai 1958 (crise du 13), insurrection déclenchée à Alger par les partisans de l'Algérie française en vue d'établir en métropole un gouvernement favorable à leurs intérêts. Elle provoqua le retour au pouvoir du général de Gaulle* et la fin de la IVe République*.

mai 1968 *(événements de),* vaste mouvement de contestation politique, sociale et culturelle qui se développa en France en mai-juin 1968. Le malaise latent de l'Université (critique de l'enseignement traditionnel, insuffisance des débouchés, menaces de sélection) éclate dès mars 1968 à la faculté de Nanterre (Mouvement du 22 mars), dont la fermeture (2 mai), suivie de celle de la Sorbonne, provoque une série de manifestations violentes (émeutes, barricades). La révolte étudiante s'étend bientôt aux milieux ouvriers, qui se déclarent solidaires. Une grande manifestation est organisée le 13 mai à Paris par les syndicats, qui décident la grève générale. Manifestations et grèves (avec occupation des facultés et des usines) gagnent la province et paralysent la vie économique du pays (on compte environ 10 millions de grévistes à partir du 20 mai). Mais, malgré son ampleur, le mouvement est dépourvu d'unité. Face au gauchisme des groupes étudiants (anarchistes, maoïstes, trotskistes), qui souhaitent un changement radical des structures et la fin de la « société de consommation », le parti communiste et la C. G. T. insistent sur les revendications professionnelles et salariales. Les négociations de Grenelle* (25-27 mai), dont les résultats sont jugés insuffisants par une partie des travailleurs, ne mettent pas fin aux grèves. Face à la menace qui semble alors peser sur le gouvernement (les partis de gauche se déclarent prêts à assumer le pouvoir), le général de Gaulle s'assure de l'appui de l'armée et dissout l'Assemblée, tandis que ses partisans lui apportent leur soutien lors de la grande manifestation gaulliste du 30 mai. Le travail reprend progressivement en juin, et le régime sort renforcé des élections (23 et 30 juin), qui marquent la victoire de l'U. D. R. et le net recul des partis de gauche. Si les événements de mai n'ont eu que peu de conséquences immédiates, ils ont, cependant, permis une remise en cause globale de la société et de ses valeurs traditionnelles.

MAÏAKOVSKI (Vladimir Vladimirovitch), écrivain soviétique (Bagdadi [auj. Maïakovski], Géorgie, 1893 - Moscou 1930). Orphelin, il adhéra très jeune au parti bolchevique. Après avoir participé au mouvement futuriste (*le Nuage en pantalon,* 1912), il s'engagea dans l'action politique, secondant par l'affiche la propagande soviétique et exaltant la révolution dans un vers libre nouveau (*150 000 000,* 1921; *Octobre,* 1927). Il fit cependant dans son théâtre

Maïakovski devant « les fenêtres de la satire », affiches de propagande politique, d'après les dessins et textes du poète, réalisées pour l'agence soviétique « Rosta » (v. 1920-1925).

un tableau satirique des difficultés économiques et sociales du nouveau régime (*la Punaise,* 1929; *les Bains,* 1930). Déçu dans sa vie publique et privée, il se suicida.

MAÎCHE (25120), ch.-l. de cant. du Doubs, à 41 km au S. de Montbéliard; 4 651 hab. Vaste église du XVIIIe s. À 2 km, nombreuses sculptures des XVIe et XVIIe s. dans l'église de Cernay-l'Église. Mécanique de précision.

MAÏDANEK, en pol. **Majdanek,** agglomération de la banlieue sud-est de Lublin (Pologne). Camp de concentration créé par les Allemands en 1941, où furent envoyés des prisonniers soviétiques, des civils polonais et des déportés étrangers.

MAIDSTONE, v. d'Angleterre, au S.-E. de Londres; 71 000 hab.

MAIDUGURI, v. du Nigeria, ch.-l. de la région Nord-Est; 169 000 hab.

MAIGNELAY-MONTIGNY (60420), ch.-l. de cant. de l'Oise, à 15 km au S. de Montdidier; 1 700 hab.

MAIGREUR. — La diminution pondérale relève essentiellement d'une régression, voire d'une disparition des graisses de réserve. On distingue : 1° la *maigreur constitutionnelle,* qui ne peut être attribuée à aucune cause pathologique et où le facteur génétique apparaît déterminant; 2° les *maigreurs acquises,* qui peuvent être physiologiques, normales — tel l'amaigrissement survenant au cours d'efforts intensifs ou de surmenage — ou pathologiques (un amaigrissement se produit au cours de nombreuses maladies générales, infectieuses, digestives). L'insuffisance de ration alimentaire, la famine ont également pour conséquence un amaigrissement. Enfin, la maigreur s'observe au cours de certains troubles du comportement psychique, telle l'anorexie mentale.

MAÏKOP, v. de l'U. R. S. S. (R. S. F. S. de Russie), au pied nord du Caucase, ch.-l. du territoire des Adyghéens; 110 000 hab. Dès le IIIe millénaire, une brillante civilisation s'épanouit dans ce centre industriel et commercial du cuivre et du bronze.

MAILER (Norman Kingsley), écrivain américain (Long Branch, New Jersey, 1923). Son anarchisme messianique et son humour s'exercent aux dépens de tous les éléments qu'il considère comme responsables de la « névrose sociale » de l'Amérique et de l'aliénation de l'individu dans un monde qui à la fois le rejette et le récupère (*les Nus et les morts,* 1948; *Rivage de Barbarie,* 1951; *Un rêve américain,* 1964; *le Prisonnier du sexe,* 1971; *Marilyn,* 1974).

MAILLANE (13910), comm. des Bouches-du-Rhône, à 15 km au S. d'Avignon; 1 430 hab. Musée Mistral.

MAILLART (Robert), ingénieur suisse (Berne 1872 - Genève 1940). Grand novateur dans le domaine de la construction en béton armé, il a appliqué le même principe de solidarité entre les parties dans son entrepôt de Zurich (1910 : dalle armée, sans poutres, ne faisant qu'un avec les piliers champignons) et dans ses ponts, où arches et tablier forment une unité structurale homogène, d'une légèreté et d'une valeur esthétique inconnues avant lui; il ne cessa, dans ce domaine, de progresser dans la diversité des réponses données aux divers programmes (pont sur la Thur, près de Saint-Gall, 1933).

MAILLECHORT → CUIVRE et NICKEL.

MAILLEZAIS (85420), ch.-l. de cant. de la Vendée, à 13 km au S. de Fontenay-le-Comte; 899 hab. Dans une enceinte fortifiée, ruines magnifiques d'une ancienne abbatiale, puis cathédrale des XIe-XVe s. Église paroissiale romane.

MAILLOL (Aristide), sculpteur français (Banyuls-sur-Mer 1861-*id.* 1944). Condisciple de Gauguin aux Beaux-Arts de Paris en 1882, il est d'abord peintre et fait partie du groupe des nabis. Il fonde en 1893 un atelier de tapisserie à Banyuls, exécute des céramiques et des statuettes en bois, mais ne vient au modelage, puis à la pierre qu'à partir de 1900 (*la Méditerranée,* version en bronze, hôtel de ville de Perpignan). La quasi-totalité de ses sculptures sont des figures de femmes, aux formes amples et simplifiées, souvent lourdes, aux poses largement rythmées, qui évoquent l'art antique sans presque jamais tomber dans l'académisme. De son œuvre, dont un ensemble est réuni au jardin des Tuileries (donation de son ancien modèle, Dina Vierny), on citera *l'Action enchaînée,* monument à Blanqui (1906, Puget-Théniers), les monuments aux morts de Céret, de Port-Vendres et de Banyuls, *l'Harmonie,* inachevée, de 1942. Maillol a donné des lithographies et de vivaces gravures sur bois pour illustrer Virgile, Ovide, Longus.

MAILLOT (François Clément), médecin militaire français (Briey 1804 - Paris 1894), qui appliqua le premier la quinine aux soldats atteints de paludisme.

MAILLY-LE-CAMP (10230), comm. de l'Aube, à 15 km au N. d'Arcis-sur-Aube; 2 647 hab. Camp militaire, créé de 1902 à 1905.

MAIMONIDE (Moïse), en hébr. **Mosheh ben Maymon,** en ar. **Abū 'Imrān Mūsā ibn Maimūn ibn 'Abd Allāh,** médecin, théologien et philosophe israélite (Cordoue 1135 - Le Caire 1204). Il fut médecin de la cour des Ayyūbides en Égypte. Loin de se cantonner à une remarquable mise en perspective du Talmud* (*la Seconde Loi ou la Main forte,* 1170-1180), il tente de concilier foi et raison dans le *Guide des égarés* (1190), et de rapprocher la Bible et la pensée d'Aristote.

MAIN. — Le squelette de la main est constitué par les cinq os métacarpiens, les phalanges (au nombre de trois pour chaque doigt, sauf le pouce, qui n'en a que deux) et quelques os sésamoïdes. L'ensemble est articulé avec les os du carpe. La vascularisation est assurée par les branches des deux arcades artérielles palmaires, superficielle et profonde, formées par les anastomoses entre les artères radiale et cubitale. L'innervation est réalisée par des branches des nerfs médian, cubital et radial. La main est le lieu de passage des tendons des muscles fléchisseurs et extenseurs des doigts, situés dans l'avant-bras. Elle est aussi le siège des muscles qui permettent les mouvements plus spécifiques et plus fins du pouce et de l'auriculaire (muscles des éminences thénar et hypothénar) ainsi que des autres doigts (muscles lombricaux et interosseux). Ainsi, cette fonction essentielle, la préhension, est rendue possible par les mouvements du pouce, opposable aux autres doigts, et les mouvements de flexion des cinq doigts.

MAIN (le), fl. de l'Allemagne fédérale; 524 km. Né en Franconie, le Main coule vers l'O., passant à Bayreuth, à Bamberg, à Würzburg et à Francfort, et rejoignant le Rhin (r. dr.) à Mayence. Support d'un important trafic fluvial, il est l'élément principal de la liaison à grand gabarit Rhin-Danube, en voie d'achèvement.

MAINARD ou **MAYNARD** (François), poète français (Toulouse v. 1582-Aurillac 1646). Dans ses épigrammes et ses odes, il se montre un fidèle disciple de Malherbe *(À la Belle Vieille).*

MAINATE. — L'aptitude des mainates à reproduire la parole humaine, le chant et les instruments de musique dépasse de beaucoup celle des perroquets. Ces oiseaux noirs, originaires d'Indo-Malaisie, se reconnaissent à une tache jaune derrière les yeux. (Famille des sturnidés.)

MAINE (la), courte rivière (10 km) de *Maine-et-Loire,* affl. de la Loire (r. dr.), qui est formée par la réunion de la Sarthe (grossie du Loir) et de la Mayenne, et passe à Angers.

MAINE (le), région des confins du Massif armoricain (*bas Maine,* occupant principalement le nord de la Mayenne) et du Bassin parisien (*haut Maine,* correspondant à la Sarthe).

HISTOIRE. L'ancien pays des Aulerques fut christianisé à la fin de l'époque romaine (IVe-Ve s.). Il forma au haut Moyen Âge le pagus *Cenomanensis,* subit au IXe s. les incursions normandes et devint en 955 comté héréditaire. Longtemps disputé entre l'Anjou et la Normandie, le Maine fut rattaché à l'Anjou en 1126 et devint anglais après l'accession d'Henri Plantagenêt au trône d'Angleterre. Conquis par Philippe Auguste en 1203, donné (avec l'Anjou) par Saint Louis à son frère Charles Ier en 1246, il fut rattaché au domaine royal à la mort de Charles V d'Anjou (1481) et servit d'apanage à divers princes du sang au XVIe et au XVIIe s.

MAINE, État du nord-est des États-Unis; 86 027 km^2; 985 000 hab. Capit. *Augusta.* À la frontière canadienne, le Maine est un État encore largement agricole, associant cultures (pommes de terre), élevage (laitier) et surtout exploitation de la forêt (alimentant l'industrie du papier, principale branche industrielle).

MAINE (Louis Auguste DE BOURBON, *duc* DU), prince français (Saint-Germain 1670-Sceaux 1736). Fils de Louis XIV et de Mme de Montespan, il est légitimé dès 1673, marié à la petite-fille du grand Condé (1692) et reconnu apte à succéder au roi à défaut de princes légitimes (1714); mais le testament de Louis XIV est cassé le 2 septembre 1715. Le duc du Maine participe contre le Régent, Philippe d'Orléans, à la conspiration dite « de Cellamare* » et est interné (1718-1720).

MAINE (*sir* Henry James Sumner), juriste, historien et sociologue britannique (Kelso 1822-Cannes 1888). Ses recherches en anthropologie portent sur la loi « primitive » et la jurisprudence qui s'y rattache (*Ancient Law,* 1861).

MAINE DE BIRAN (Marie François Pierre GONTHIER DE BIRAN, dit), philosophe français (Bergerac 1766-Paris 1824). Le spiritualisme* qu'il élabore affirme l'infaillibilité de l'aperception interne, qui lui fait saisir son moi sous la forme d'une volonté libre (*l'Aperception immédiate,* 1807; *Rapports du physique et du moral,* 1814).

MAINE-ET-LOIRE (49), départ. de la Région Pays de la Loire; 7 131 km^2; 629 849 hab. Ch.-l. *Angers.* S.-préf. *Cholet, Saumur* et *Segré.*

Correspondant approximativement à l'ancienne province de l'Anjou, le département se situe aux confins du Massif armoricain (à l'O.) et du Bassin parisien (à l'E.), traversé d'E. en O. par la Loire. La partie occidentale (Anjou noir ou Segréen et Mauges, de part et d'autre du fleuve) est bocagère, herbagère (élevage bovin et aussi porcin, aviculture). L'est est formé, au N. de la Loire, du Baugeois, ou Anjou blanc, herbager aussi et parfois forestier. Au S. du fleuve, le Saumurois porte la majeure partie du vignoble d'Anjou. La vallée de la Loire (formant le Val [ou Vallée] d'Anjou) est intensément mise en valeur : cultures légumières et florales de plein champ, pépinières, vignoble aussi sur les coteaux. Favorisée par un climat doux, aux faibles amplitudes entre des hivers peu marqués et des étés relativement frais, mais déjà ensoleillés, l'agriculture emploie encore le cinquième de la population active (part double de la moyenne nationale). L'industrie, qui a progressé, occupe désormais plus du tiers des actifs. Les activités extractives (fer du Segréen, ardoises de Trélazé) et alimentaires (conserveries, liqueurs) sont devenues beaucoup moins importantes que les constructions mécaniques et électriques, dont le développement a partiellement pallié les difficultés de branches traditionnelles (textile et travail du cuir notamment dans le Choletais). Le secteur tertiaire est le principal fournisseur d'emplois, en grande partie grâce à la présence d'Angers, l'une des grandes villes de la vallée de la Loire. La progression d'Angers contribue à expliquer la forte augmentation de la population départementale depuis une trentaine d'années, succédant à une longue période de stagnation dans la seconde moitié du XIXe s. et même de recul après la Première Guerre mondiale.

MAIN

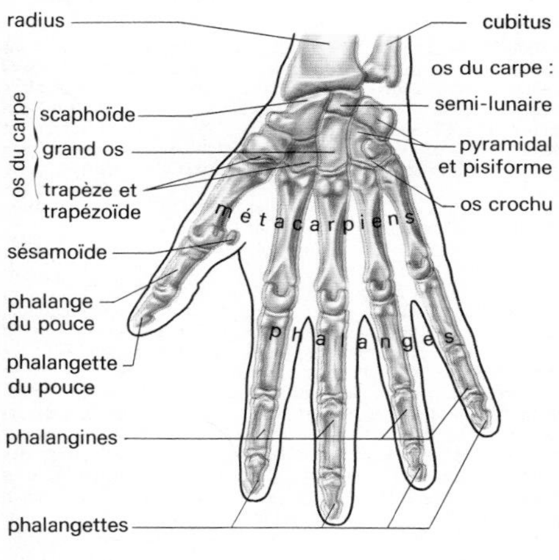

Os de la main.

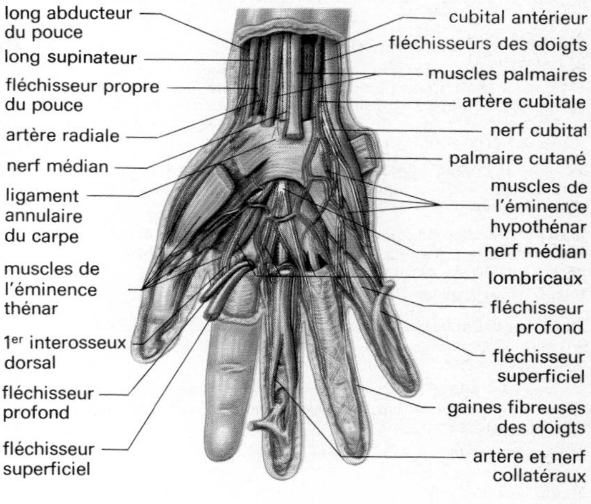

Muscles, vaisseaux, nerfs et parties molles de la main.

MAINLAND, îles principales des Orcades et des Shetland.

MAINMORTE. — Ce nom fut donné, à l'époque féodale, au droit de succession du seigneur sur les biens de ses serfs ou de ses commandés. Lorsqu'ils n'avaient pas d'héritiers en ligne directe, ceux-ci ne pouvaient disposer par testament de leurs biens, qui, à leur mort, rentraient dans le patrimoine de leur seigneur.

MAINTENON (28130), ch.-l. de cant. d'Eure-et-Loir, sur l'Eure, à 19 km au N.-E. de Chartres; 3 314 hab. Château des XIIIe-XVIIe s., donné par Louis XIV à Françoise d'Aubigné, redécoré au XIXe s.

MAINTENON (Françoise d'AUBIGNÉ, *marquise* DE) [Niort 1635-Saint-Cyr 1719]. Petite-fille d'Agrippa d'Aubigné, elle est mariée d'abord (1652) au poète Scarron* († 1660). Chargée en 1669 de l'éducation des enfants du roi et de Mme de Montespan, elle est remarquée par Louis XIV, qui l'épouse en 1684. Dès lors, la Cour subit son influence austère. À la mort du roi (1715), Mme de Maintenon se retire à l'institution de Saint-Cyr, fondée par elle pour les jeunes filles nobles sans fortune.

MAINTIEN → RÉGULATION AUTOMATIQUE.

MAINVILLIERS (28300), comm. d'Eure-et-Loir, banlieue de Chartres; 8 600 hab.

MAINZ, non allem. de MAYENCE.

MAIQUETÍA, v. du Venezuela, banlieue nord-ouest de Caracas; 110 000 hab.

MAIRE → COLLECTIVITÉS TERRITORIALES.

MAIRE (Edmond), syndicaliste français (Épinay-sur-Seine 1931), secrétaire général de la C. F. D. T. depuis 1971.

MAIRE DU PALAIS. — À l'origine, chef de la domesticité du roi mérovingien *(major domus),* le maire du palais *(major palatii)* acquiert vers la fin du VIe s. un rôle politique de premier plan. Choisi dans l'aristocratie, il devient le chef de l'administration royale et, progressivement, se substitue au roi dans la tâche gouvernementale. Devenue quasiment héréditaire dans la famille des Pépinides (fin du VIIe s.), la fonction disparaît lorsque Pépin le Bref s'empare du titre royal (751).

MAIRET (Jean), poète dramatique français (Besançon 1604-*id.* 1686), auteur de *Sophonisbe* (1634), une des premières tragédies conformes à la règle des trois unités*.

MAÏS. — Plante annuelle à haute tige, portant des fleurs femelles vers la base et des fleurs mâles vers le sommet, le maïs est soit coupé en vert pour ensilage ou consommation immédiate par le bétail, soit récolté en grains. Les grains des maïs cornés et dentés cultivés en France sont destinés à l'alimentation animale; les farines de maïs servent à la fabrication de galettes, de gâteaux, de pâtes ou de bouillies et également pour le bétail. Le maïs sucré est utilisé aux États-Unis pour l'alimentation humaine *(sweet corn).*

La production mondiale de maïs est de l'ordre de 300 Mt. Les États-Unis demeurent, et de loin, le premier pays producteur avec un apport supérieur au tiers de ce chiffre, précédant la Chine (sans doute 30 Mt) et un groupe de producteurs moyens (Brésil, U. R. S. S., France, Mexique, Argentine), qui fournissent chacun entre 8 et 15 Mt de maïs.

MAISON *(Astrol.)* → HOROSCOPE.

MAISON (Nicolas Joseph), maréchal de France (Épinay-sur-Seine 1771-Paris 1840). Combattant des campagnes du premier Empire, il commanda en 1828 l'expédition de Grèce. Ministre des Affaires étrangères (1830), puis de la Guerre (1835), il fut, entre-temps, ambassadeur à Vienne et à Saint-Pétersbourg.

Maison aux sept pignons *(la),* roman de N. Hawthorne (1851). Une demeure ancienne qui enclôt et incarne toutes les passions et toutes les tragédies sous l'extérieur rigide de la vie puritaine.

Maison-Blanche (la), nom donné *(The White House)* depuis 1902 à la résidence, à Washington, du président des États-Unis, édifiée de 1792 à 1800 et agrandie de 1949 à 1952.

MAISON-BLANCHE → DAR EL BEÏDA.

Maison de Bernarda *(la),* pièce de F. García Lorca (1936). La tyrannie d'une mère sur ses cinq filles dans la demeure ancestrale obstinément close.

Maison de poupée, drame d'Ibsen (1879). Une femme-enfant rompt avec les conventions sociales et familiales pour « développer l'être humain qui est en elle ».

MAISONNEUVE (Paul DE CHOMEDEY DE), gentilhomme français (Neuville-sur-Vannes 1612-Paris 1676). En 1642, il fonda Ville-Marie, la future ville de Montréal. Victime d'intrigues, il rentra en France en 1665.

MAISONS-ALFORT (94700), ch.-l. de cant. du Val-de-Marne, à 5 km au S.-E. de Paris; 54 552 hab. École vétérinaire.

MAISONS-LAFFITTE (78600), ch.-l. de cant. des Yvelines, sur la Seine, à 13 km au N.-O. de Paris; 23 807 hab. *(Maisonniens* ou *Maisonnais).* Château de 1642, chef-d'œuvre de Mansart, conservant une partie de son décor du milieu du XVIIe s.

MAISTRE (Joseph DE), écrivain et philosophe savoisien (Chambéry 1753-Turin 1821). Membre du sénat de Savoie, il applaudit d'abord aux idées nouvelles de 89. Mais, après l'invasion de la Savoie par les Français, réfugié en Suisse (1792), puis en Sardaigne (1799) et à Saint-Pétersbourg, où il est ministre du roi de Sardaigne (1802-1817), il se fait le théoricien de la contre-révolution politique et ultramontaine : *Considérations sur la France* (1796), *Du pape* (1819), *les Soirées de Saint-Pétersbourg* (1821). — Son frère XAVIER (Chambéry 1763-Saint-Pétersbourg 1852) composa des récits qui unissent l'imagination romantique à l'esprit du XVIIIe s. (*Voyage autour de ma chambre,* 1795; *la Jeune Sibérienne,* 1825).

Maître Jacques, personnage de *l'Avare,* de Molière. Il est tout à la fois le cocher et le cuisinier d'Harpagon. Son nom a passé dans la langue pour désigner un homme à tout faire.

Maître Puntila et son valet Matti, pièce de Brecht (écrite en 1940-41, créée en 1948). Un maître qui n'est humain que lorsqu'il est ivre illustre le thème, cher à Brecht, de la double personnalité contradictoire.

Maîtres chanteurs de Nuremberg *(les),* comédie lyrique en trois actes, livret et musique de R. Wagner (1862-1867). Le compositeur profite du tournoi poético-musical organisé au sein d'une docte corporation, qui forme la trame de l'histoire, pour stigmatiser les règles du chant italien, qu'il oppose à la création libérée des contraintes. L'ouverture est célèbre.

MAIZIÈRES-LÈS-METZ (57210), ch.-l. de cant. de la Moselle, à 11,5 km au N. de Metz; 11 091 hab. Constructions mécaniques.

MAIZURU, port du Japon (Honshū), sur la mer du Japon; 91 000 hab.

MAJEUR *(lac),* grand lac d'origine glaciaire des Alpes, partagé entre l'Italie et la Suisse; 212 km^2. Il renferme les îles Borromées, et ses rives sont un haut lieu du tourisme (Stresa et Locarno).

MAJOR. — Les emplois militaires les plus divers ont été qualifiés par l'appellation « major », utilisée seule ou en complément d'une autre. Autrefois officier supérieur, le *major* est, depuis 1975 et dans les trois armées, le grade le plus élevé de la hiérarchie des sous-officiers. Le capitaine *adjudant-major,* le *médecin-major,* le *sergent-major* n'existent plus. Mais on trouve encore le *major de garnison,* adjoint au commandant d'armes, le *major général,* adjoint à un chef d'état-major ou à un préfet maritime, le *major régional,* adjoint à un commandant de région, et le *tambour-major.*

MAJORELLE (Louis), décorateur français (Toul 1859-Nancy 1926). Il fit partie, avec Émile Gallé*, de l'école de Nancy et s'inspira de la nature pour son mobilier : incrustations de bois divers figurant des motifs floraux, pieds en forme de liane, etc.

MAJORIEN, en lat. **Flavius Julius Valerius Majorianus** († près de Tortona 461), empereur d'Occident (457-461). Proclamé empereur par Ricimer*, maître du pouvoir, il voulut anéantir la puissance vandale : l'échec de son expédition contre Geiséric fut le prétexte de sa chute. Majorien fut déposé par Ricimer en 461.

MAJORITÉ. — La majorité est l'âge à partir duquel un individu est présumé pleinement apte à gouverner sa propre personne, à passer les actes de la vie civile, à participer à la gestion des affaires publiques (majorité électorale ou politique) et à répondre de son comportement devant la loi pénale. En 1792, la majorité civile est fixée à 21 ans en France, et, après l'établissement du suffrage universel (1848), l'âge de la majorité électorale coïncide avec cette majorité, l'âge de la majorité pénale étant, par contre, fixé à 18 ans à partir de 1906. La loi du 5 juillet 1974 fixe, sauf exception, l'ensemble des « majorités » à l'âge de 18 ans.

La personne devenue majeure voit disparaître à son égard les effets de l'autorité* parentale ou de la tutelle*; elle devient pleinement capable d'accomplir d'elle-même les actes concernant son patrimoine, d'agir en justice, de faire des actes de commerce, de passer des contrats*. Les dommages causés par les majeurs de 18 ans ne sont plus couverts par l'assurance personnelle des parents. L'obligation d'entretien, à la charge de ceux-ci, subsiste par contre si l'enfant ne peut subvenir aux frais de son existence. L'*émancipation* demeure (encore que l'on se soit posé la question de la supprimer), mais ne peut être conférée que lorsque le mineur atteint l'âge de 16 ans; elle ne résulte plus d'une déclaration des seuls parents, mais d'une décision du juge des tutelles, qui en apprécie les motifs (cependant que subsiste l'émancipation de plein droit par le mariage* du mineur). Le mineur émancipé devient, pour l'essentiel de la vie juridique, un majeur, mais demeure incapable d'accomplir les actes de la vie commerciale et doit solliciter l'autorisation de ses parents pour se marier ou être adopté.

MAJORQUE, en esp. **Mallorca,** la plus grande des îles Baléares; 3 618 km^2; 400 000 hab. V. princ. *Palma de Majorque.* La moitié de la population de l'île — en partie montagneuse (1 445 m au Puig Mayor) et dont la principale ressource est le tourisme — habite Palma de Majorque.

MAJORQUE *(royaume de),* État né du testament du roi d'Aragon Jacques le Conquérant en faveur de son fils cadet Jacques (1262). Ce royaume, qui dura de 1276 à 1344, comprit les Baléares, les comtés de Roussillon et de Cerdagne, la seigneurie de Montpellier et eut pour capitale Perpignan. Dès ses débuts, qui furent assez précaires, le nouvel État eut à faire face aux ambitions concurrentes de l'Aragon et de la France. Jacques Ier (de 1276 à 1311) tenta de se libérer de la suzeraineté aragonaise en s'alliant au roi de France, Philippe III le Hardi (1283), et vit ses États tour à tour saccagés par les armées aragonaises et françaises. Si le règne de Sanche (de 1311 à 1324), fils de Jacques, fut paisible, celui de Jacques II (de 1324 à 1344) connut l'invasion aragonaise (1343) et le retour de Majorque au sein de l'Aragon.

MAJUMDAR (Rameś Candra), historien indien (Khandarpara 1888). Il a publié d'importants ouvrages relatifs à l'histoire indienne, et notamment *Corporate Life in Ancien India* (1918), *History of the Freedom Movement in India* (1962-63).

MAJUNGA, port de la côte nord-ouest de Madagascar, ch.-l. de prov.; 57 000 hab. Pêche. Textile.

MAKAL (Mahmut), écrivain turc (Demirci 1930), peintre réaliste des petites gens et des campagnes anatoliennes (*Notre village,* 1960).

MAKĀLŪ (le), sommet de l'Himālaya central, entre le Tibet et le Népal, au S.-E. de l'Everest; 8 515 m. Il a été gravi pour la première fois en 1955 par l'expédition française de J. Franco.

MAKARENKO (Anton Semenovitch), pédagogue soviétique (Biélopolie, Ukraine, 1888-Moscou 1939). Il se consacra à l'éducation et à la réadaptation des adolescents, fondant la colonie Maksim-Gorki, dont il a raconté l'aventure dans son *Poème pédagogique* (1933-1936). Marxiste, il préconisait une pédagogie directement liée à la vie sociale.

MAKÁRIOS III (Mikhaíl Khristódhoulos Mouskos), prélat et homme politique chypriote (Áno Panághia, près de Páfos, 1913-Nicosie 1977). Archevêque et ethnarque de la communauté grecque orthodoxe de Chypre depuis 1950, Makários III se fait le défenseur de l'*Enôsis* (union avec la Grèce). Tandis que l'E. O. K. A. (Organisation nationale des combattants chypriotes) du général Ghrívas mène la lutte armée (1955-1959), il tente de négocier avec les Britanniques, mais est arrêté en 1956. Il prend part aux négociations de 1959, qui aboutissent à l'indépendance de l'île. Président de la République depuis 1959, il œuvre au rapprochement des communautés turque et grecque, mais se heurte à l'opposition des partisans de l'*Enôsis,* qui l'écartent momentanément du pouvoir (juill.-déc. 1974), et des Chypriotes turcs, qui proclament en 1975 un « État autonome laïque et fédéré » dans le nord de l'île.

MAKAROVA (Natalia), danseuse d'origine soviétique (Leningrad 1940). Transfuge du ballet du Kirov, elle rejoint les États-Unis après avoir été accueillie au Royal Ballet à Londres. Elle est remarquable dans ses interprétations romantiques *(Giselle, le Lac des cygnes).*

MAKASAR → MACASSAR et UJUNGPANDANG.

MAKATEA, île de la Polynésie française, au N.-E. de Tahiti.

MAKEÏEVKA ou **MAKEEVKA,** v. de l'U. R. S. S. (Ukraine), dans le Donbass; 392 000 hab.

MAKHATCHKALA, port de l'U. R. S. S. (R. S. F. S. de Russie), sur la Caspienne, capit. de la république autonome du Daguestan; 186 000 hab.

MAKI → LÉMURIENS.

MAL. — Bien que le mal s'exprime à travers des formes diverses (mythes, tragédie, art, théologie et philosophie), il n'est jamais pensé qu'en rapport avec une certaine idée du bien, c'est-à-dire avec une norme et une valeur. Le problème du mal est, pour les Grecs, un problème métaphysique et ne relève pas seulement de la morale*. Le mal est le néant, le manque d'être dans le tout du cosmos. La théologie chrétienne, influencée par le platonisme* et l'aristotélisme*, hérite de cette définition du mal comme imperfection ontologique. L'existence d'un Dieu parfait et créateur étant posée, elle se demande comment des imperfections peuvent exister en lui. En dépit de leurs divergences, Cléanthe, saint Augustin, saint Thomas, Leibniz, Kant et même Hegel posent le problème du mal d'une manière qui aboutit à justifier l'existence de Dieu.

Il revient à Nietzsche d'avoir montré comment ce problème ne se posait plus dès lors que l'on substituait l'idée d'un monde éclaté à celle d'une totalité créée par Dieu. S'il n'y a plus ni tout, ni absolu, il n'existe plus ni bien ni mal. Tout est innocent. Mais, s'il n'y a plus de problème du mal quand Dieu est mort, il demeure un problème de la souffrance : le tragique.

MALABĀR *(côte de),* partie de la côte sud-ouest du Deccan, sur l'océan Indien.

MALABO, anc. **Santa Isabel,** capit. de la Guinée-Équatoriale, sur la côte nord de l'île Macias Nguema; 37 000 hab.

MALACCA *(presqu'île* ou *péninsule de)* ou **MALAISE** *(presqu'île* ou *péninsule),* presqu'île au S. de l'Indochine — à laquelle elle est reliée par l'isthme de Kra —, entre la mer de Chine méridionale et le *détroit de Malacca* (dépendance de l'océan Indien qui sépare la presqu'île et Sumatra). Elle correspond essentiellement à la Malaisie.

MALACCA ou **MALAKA,** port de Malaysia (Malaisie), sur le *détroit de Malacca,* et capit. de l'*État de Malacca;* 86 000 hab. La ville fut fondée vers 1402 par le prince sumatranais Paramesvara. Elle tira sa prospérité du commerce maritime entre la Chine, l'Inde et l'Occident. Albuquerque s'en empara en 1511.

MALACHIE *(saint),* archevêque d'Armagh (Armagh v. 1095-Clairvaux 1148). Ami de saint Bernard* de Clairvaux, il fut l'artisan d'une profonde réforme intellectuelle et spirituelle en Irlande. La *Prophétie sur les papes,* dite aussi « Prophétie de saint Malachie », est un ouvrage apocryphe rédigé à la fin du XVIe s.

Malachie *(livre de),* livre prophétique biblique, d'auteur anonyme (Malachie signifie en hébreu « mon messager »). Écrit vers la moitié du Ve s. av. J.-C., il stigmatise les abus et les négligences dont pâtit le culte de Yahvé.

Malade imaginaire *(le),* comédie en trois actes et en prose, de Molière (1673). Le robuste Argan se soigne comme s'il était malade. Sa femme, ses médecins et ses apothicaires font de lui leur proie. Argan veut marier sa fille Angélique à un jeune médecin pédant, mais, grâce à la servante Toinette, les hypocrites sont démasqués et Angélique peut épouser Cléante, qu'elle aime.

MALADETA ou **MALADETTA** *(massif de la),* massif des Pyrénées espagnoles (Aragon), le plus élevé des Pyrénées (3 404 m au pic d'Aneto et 3 312 m au *pic de la Maladeta*), où naît la Garonne.

MALADIE. — On distingue les maladies *locales* et les maladies *générales,* suivant qu'elles frappent une partie du corps ou l'atteignent tout entier. On distingue aussi les maladies *aiguës* et les maladies *chroniques,* selon que leurs signes sont accentués et à évolution rapide ou, au contraire, moins prononcés et à évolution lente. Les maladies sont classées suivant leurs étiologies (leurs causes). Ainsi reconnaît-on des maladies traumatiques, des maladies dues aux agents physiques (chaleur, radiations), des maladies toxiques (arsenic, venin), des maladies parasitaires et infectieuses, des maladies dyscrasiques — dues à des troubles de la nutrition ou à des troubles métaboliques —, des maladies génétiques et des maladies mentales.

MALADIE (assurance) → SÉCURITÉ SOCIALE.

MALADIE PROFESSIONNELLE. — Une maladie professionnelle reconnue et déclarée donne droit à la réparation et à la gratuité des soins. Deux régimes distincts existent : le régime général (où les agents responsables sont surtout des toxiques [plomb, mercure, etc.]) et le régime agricole (où les agents responsables sont surtout des bactéries [tétanos, brucellose, etc.]).

MALAGA → VIN.

MÁLAGA, port du sud de l'Espagne, sur la Méditerranée, en Andalousie, ch.-l. de prov.; 374 000 hab. Vestiges romains et double forteresse mauresque avec patios et jardins (musée archéologique). Cathédrale des XVIe-XVIIIe s. Église de la Victoria (fin du XVe-XVIIIe s.). Musée des Beaux-Arts. Aéroport.

MALAIS. — Écrit depuis le XVIe s. et support d'une importante littérature, le malais est parlé dans la presqu'île de Malacca et sur toutes les côtes d'Indonésie. Il doit cette diffusion exceptionnelle au fait qu'il a été adopté comme langue commune par les commerçants musulmans et chinois, puis par l'administration néerlandaise. Son expansion explique qu'il ait été choisi en 1928, aux dépens du javanais, par le mouvement nationaliste indonésien comme langue officielle de la future Indonésie.

MALAISIE (FÉDÉRATION DE) → MALAYSIA.

MALAKOFF (92240), ch.-l. de cant. des Hauts-de-Seine, dans la proche banlieue sud de Paris; 34 215 hab. *(Malakoffiots).*

Malakoff *(ouvrage de),* point central de la défense de Sébastopol, enlevé par Mac-Mahon en 1855 (v. CRIMÉE [*guerre de*]).

MALAMUD (Bernard), écrivain américain (Brooklyn 1914). L'un des représentants les plus originaux de l'école juive nord-américaine, il peint dans ses romans et ses nouvelles des personnages accablés par le destin, mais animés d'un idéal et qui vivent intensément leurs joies et leurs souffrances (*le Commis,* 1957; *le Tonneau magique,* 1958; *l'Homme de Kiev,* 1966; *Portraits de Fidelman. Une exposition,* 1969).

MALAN (Daniel François), homme politique sud-africain (Riebeek West, Le Cap, 1874-Stellenbosch 1959). Fondateur du « parti national épuré » (1934), qui regroupe les nationalistes intransigeants, Premier ministre de 1948 à 1954, il applique une rigoureuse politique de ségrégation raciale (apartheid).

MALANG, port de l'est de Java; 422 000 hab.

MALAPARTE (Kurt SUCKERT, dit **Curzio**), écrivain italien (Prato 1898-Rome 1957). Engagé volontaire dans la légion garibaldienne en 1918, correspondant de guerre sur les fronts ukrainien et finlandais en 1941, membre du parti fasciste, puis admirateur du parti communiste chinois, il doit à sa vie aventureuse le goût du cynisme brutal qui anime ses récits (*Kaputt,* 1944; *la Peau,* 1949; *Ces sacrés Toscans,* 1956), son théâtre (*Das Kapital,* 1949) et ses recueils de souvenirs (*Journal d'un étranger à Paris,* 1966). Il a également mis en scène le film *le Christ interdit* (1950).

MÄLAREN *(lac),* grand lac de la Suède centrale, au débouché duquel (sur la Baltique) est situé Stockholm; 1 140 km^2.

MALATESTA, famille italienne, qui, du XIIe au XIVe s., régna sur Rimini, contrôla une partie de la Marche d'Ancône et de la Romagne, et donna d'illustres condottieri. MALATESTA II *da Verucchio* († Rimini 1312) fonda la puissance de la famille en établissant définitivement sa seigneurie sur Rimini. Ainsi que le relate Dante dans son *Enfer,* son fils Giovanni ayant surpris son épouse Francesca avec son demi-frère Paolo, il les assassina. — SIGISMONDO PANDOLFO (Rimini 1417 - *id.* 1468) offrit ses services à la papauté, puis à Venise et s'entoura de savants et d'artistes.

MALATYA, v. de la Turquie, près de l'Euphrate; 130 000 hab. À quelques kilomètres, sur la colline d'Arslantepe, vestiges (palais, porte des Lions) de Milid, ancienne capitale (x^e-VIIIe s. av. J.-C.) d'un royaume néo-hittite (reliefs au musée archéologique d'Ankara et au Louvre). Non loin, au N.-E., à Eski Malatya, ruines byzantines et mosquée seldjoukide — remaniée aux XIVe et XVe s. — de l'antique Mélitène, fondée au Ier s. apr. J.-C.

MALAUCÈNE (84340), ch.-l. de cant. de Vaucluse, à 9,5 km au S. de Vaison-la-Romaine, au pied du Ventoux; 1 955 hab. Église reconstruite au XIVe s. par le pape Clément V. Papeterie.

MALAUNAY (76770), comm. de la Seine-Maritime, à 12 km au N. de Rouen; 4 881 hab.

MALAWI *(lac),* anc. **lac Nyassa,** grand lac de l'Afrique orientale, à l'E. du *Malawi;* 26 000 km^2.

MALAWI, État de l'Afrique orientale; 127 368 km^2; 5 180 000 hab. Capit. *Lilongwe.*

GÉOGRAPHIE. Le pays s'étend sur un ensemble de hauts plateaux dominant à l'E. un fossé tectonique, qui constitue la terminaison méridionale des rifts africains et qui est occupé par le lac Malawi. Le climat, tropical à saison sèche, est tempéré par l'altitude. Il permet la croissance de la forêt, qui a été presque partout dégradée en savane arborée. La population, composée de Bantous, est essentiellement rurale (la seule ville importante est Blantyre) et se concentre dans le sud du pays. Le maïs constitue la base de la production vivrière, le riz étant cultivé dans les zones basses. Les cultures commerciales fournissent l'essentiel des exportations : thé, tabac, arachides, coton. La pêche est pratiquée dans le lac Malawi. L'industrialisation reste limitée à la transformation des produits agricoles, et de nombreux habitants doivent émigrer temporairement en Zambie et en Rhodésie pour trouver du travail. Le pays, dont la balance commerciale est déficitaire, souffre de son absence de débouché maritime.

HISTOIRE. Un Empire maravi (malawi), qui n'est qu'une fédération de tribus, se désagrège au XIXe s. sous l'effet de la double invasion des Ngonis de l'Afrique du Sud et des Yaos du Mozambique. Parcourant ce pays (1858-1863), D. Livingstone* donne au lac Malawi le nom de *Nyassa;* par la suite, le pays des Malawis est le point de départ d'une forte activité missionnaire. L'ère coloniale s'ouvre en 1889, quand l'administrateur Harry H. Johnston (1858-1927) passe des traités de protectorat avec les chefs autochtones. En 1907, le Nyassaland britannique a ses frontières. Incorporé en 1953 dans la fédération de l'Afrique-Centrale, il est travaillé par le mouvement d'indépendance mené par le *Nyassaland African Congress,* dont le leader est Hastings Kamuzu Banda. En 1958, il reçoit une véritable autonomie; indépendant en 1964, il devient le Malawi, érigé en république, dont le chef est H. K. Banda, qui, proclamé président à vie en 1970, s'appuie sur un parti unique, le *Malawi Congress Party.*

MALAYĀLAM → DRAVIDIENNES *(langues).*

MALAYO-POLYNÉSIENNE (famille linguistique). — Elle s'étend sur une aire géographique très vaste : les îles de l'océan Indien et l'Océanie. Elle se subdivise en deux branches : la branche occidentale ou indonésienne* et la branche orientale, qui comprend les langues mélanésiennes (fidjien, langues de Nouvelle-Calédonie), les langues polynésiennes (maori, samoan, tahitien, hawaiien) et les langues micronésiennes. Dans la même région du globe, on trouve également les langues de Nouvelle-Guinée (dites « papoues ») et celles des aborigènes d'Australie et de Tasmanie, qui n'ont pu être rattachées à une famille connue.

MALAYSIA, État fédéral de l'Asie du Sud-Est, membre du Commonwealth, regroupant la fédération de Malaisie et les territoires du Sabah et du Sarawak; 333 676 km^2; 12 300 000 hab. Capit. *Kuala Lumpur.*

GÉOGRAPHIE. La Malaysia comprend deux ensembles très différents. La Malaisie s'étend sur la partie méridionale de la péninsule de Malacca, au relief montagneux. Le Sabah et le Sarawak forment deux territoires juxtaposés sur la côte nord de Bornéo, comprenant une plaine littorale, à laquelle succède une zone de collines. Le climat chaud et humide qui affecte l'ensemble du pays explique l'extension de la forêt dense, particulièrement impénétrable sur la côte de Bornéo.

La population est composée de Malais et de fortes minorités de Chinois et d'Indiens. L'hostilité du milieu naturel explique sa faible densité moyenne. Cette population se concentre sur le versant occidental de la Malaisie, où sont situées les principales villes, dont Kuala Lumpur.

L'économie repose sur la commercialisation des matières premières de la péninsule malaise, facilitée par un bon réseau de communications. La principale richesse agricole est le caoutchouc naturel, dont la Malaysia est le premier producteur mondial (1,6 Mt). La culture vivrière du riz, aux rendements faibles, ne constitue qu'une activité secondaire. La Malaysia est également le premier producteur mondial d'étain (70 000 t) et exploite d'importants gisements de fer et de bauxite. L'exportation brute (ou après première concentration) de ces produits n'a guère favorisé le développement industriel, jusqu'ici très limité.

HISTOIRE. Très tôt, la région joue un rôle de passage au contact des civilisations islamique, chinoise et indienne; cependant, l'indianisation ne marque pas la future Malaysia au même titre que Java et le Cambodge. Aux XIIIe et XIVe s., le pays est pris entre les deux sphères d'influence constituées par les Thaïs (plaine du Ménam) et par la grande thalassocratie javanaise de Majapahit; à la même époque, il s'islamise; en 1419, le prince de Malacca* passe aussi à l'islām et prend le titre de sultan. Le sultanat connaît son apogée sous Mansur Shah (de 1459 à 1477) et Ala ud-Din Riayat Shah (de 1477 à 1488); mais, en 1511, Malacca tombe aux mains des Portugais, en attendant de passer sous l'autorité des Hollandais (1641), puis des Anglais (1795). Cependant échappent aux Européens toute une série de petits sultanats : Johore, Selangor, Perak, Kedah, Pahang..., qui commercent avec Java et le Siam. La prospérité de la région provoque d'ailleurs aux XVIIe et XVIIIe s. un grand mouvement migratoire venu de Chine ou de l'Insulinde.

Au XIXe s., les Britanniques, installés en 1819 à Singapour*, étendent peu à peu leur protectorat à tous les sultanats, qui, en 1895, sont partiellement regroupés en une fédération de Malaisie, le

MALAYSIA

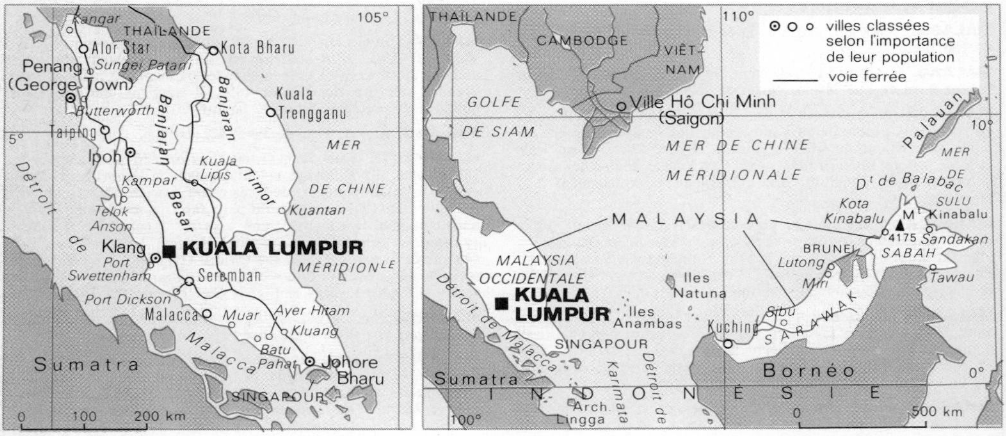

Sarawak devenant le domaine d'un aventurier, James Brooke, ancêtre des *white rajahs,* et le Sabah passant (1882) sous l'autorité de la *British North Borneo Company.* Les Britanniques rénovent l'économie du pays par la mise en valeur de l'étain et du caoutchouc. Occupée par les Japonais de 1942 à 1945, la Malaisie est, par la suite, travaillée par un fort mouvement nationaliste, qui anime une longue révolte (1948-1960). En 1957, l'indépendance est accordée dans le cadre d'une grande fédération d'États, qui est créée à Singapour sous le nom de Malaysia, le 16 septembre 1963, par la fusion de la Malaisie, de Singapour et du Sabah, l'élément malais étant prépondérant. La Malaysia doit faire face en 1964 à des hostilités, provoquées par l'Indonésie et qui se terminent en 1966 par la reconnaissance du droit du Sabah et du Sarawak à l'autodétermination.

En 1965, Singapour se retire de la fédération, qui, dépourvue d'unité ethnique, s'équilibre par la formation, en 1966, de deux grands ensembles : la Malaysia orientale (Sarawak et Sabah) et la Malaysia occidentale (péninsule malaise). Cependant, les privilèges de fait accordés aux Malais renforcent l'opposition non malaise (Chinois, Indiens) et communiste. En 1970, le Premier ministre Abdul Rahman est remplacé par Abdul Razak ; la même année est installé le roi de la Malaysia, Abdul Halim Mu'azzam, sultan de Kedah. Aux élections de 1974, le Front national, dirigé par Abdul Razak, l'emporte. Après la mort d'Abdul Razak (1976), Hussein Onn lui succède à la tête du parti et du gouvernement.

MALBAIE (La) ou **MURRAY BAY,** localité du Canada (Québec), sur la rive nord de l'estuaire du Saint-Laurent; 4036 hab.

MALCOLM III Canmore («Grosse Tête») [† près d'Alnwick, Northumberland, 1093], roi d'Écosse (1057-1093). Fils de Duncan Ier, il vainquit le roi Macbeth, meurtrier de son père, et put recouvrer sa couronne. Son mariage avec Marguerite, sœur d'Edgar Atheling, l'incita à intervenir dans les affaires anglaises. Ses campagnes contre l'Angleterre anglo-normande se soldèrent à deux reprises (1073 et 1093) par un échec.

MALDEGEM, comm. de Belgique (Flandre-Orientale), à l'E. de Bruges; 14474 hab.

MALDIVES *(îles),* État constitué par un archipel proche de l'équateur, situé à environ 650 km au S.-O. de Sri Lanka; 287 km^2; 125000 hab. Capit. *Mālé.*

L'archipel, corallien, comprend environ 2000 îles et îlots (dont le dixième seulement est habité), et vit principalement des cocotiers et de la pêche, ressources insuffisantes pour alimenter une population extrêmement dense, partiellement contrainte à l'émigration. Les Maldives ont été sous protectorat britannique de 1887 à 1965.

MÂLE. — Lorsque les deux cellules qui fusionnent lors de la fécondation* sont d'inégale dimension, ce qui est de règle, la plus petite est appelée *gamète mâle* ou *spermatozoïde**. L'organe où s'élaborent les gamètes mâles est appelé *testicule* chez les animaux, *anthéridie* chez les plantes inférieures, *grain de pollen* chez les plantes à graines. Les étamines, qui élaborent les graines de pollen, sont les «organes mâles» des fleurs; le testicule est l'«organe mâle» des animaux. Mais, chez la plupart des animaux et chez quelques plantes, certains individus n'ont que des organes mâles et sont dépourvus d'organes femelles. Ce sont alors les individus eux-mêmes qui sont qualifiés de «mâles». Chez les espèces animales terrestres (mammifères, reptiles, insectes) et chez quelques espèces marines (requins), il y a accouplement, et le mâle possède un organe d'intromission *(pénis).* En outre, en cas de dimorphisme* sexuel, de nombreux traits, qui n'ont rien à voir avec la reproduction, caractérisent le mâle : barbe et voix «mâle» de l'homme, défense du narval, bois du cerf, etc. Chez les plantes, en revanche, lorsque l'espèce est dioïque, pieds mâles et pieds femelles sont identiques, à la fleur près, qui n'a pas de pistil sur les pieds mâles. La fonction fécondante n'ayant à s'exercer que passagèrement, de nombreuses espèces animales ont un mâle nain ou une petite minorité de mâles à la vie brève, ou même pas de mâle du tout (reproduction par parthénogenèse indéfinie). Lorsque, au contraire, les lois de la génétique font apparaître mâles et femelles en nombre égal, les mâles acquièrent souvent des fonctions complémentaires : protection, soins aux jeunes, à moins qu'ils ne combattent entre eux, laissant aux plus vigoureux le soin de reproduire l'espèce *(sélection sexuelle),* ce qui explique les armes naturelles dont ils sont souvent pourvus. Chez l'homme et les mammifères, certaines maladies d'origine génétique (daltonisme, hémophilie) ne frappent que le mâle, tout au moins lorsque les deux parents sont normaux.

MĀLÉ, capit. des Maldives; 12000 hab.

MÂLE (Émile), historien d'art français (Commentry 1862 - Chaalis 1954). Il a redécouvert les significations de l'iconographie* médiévale à partir de sa thèse sur *l'Art religieux du XIIIe s. en France* (1899), suivie d'ouvrages consacrés à la fin du Moyen Âge (1908), au XIIe s. (1923) et à l'art après le concile de Trente (1932). Il a professé à la Sorbonne (1906) et a dirigé l'École française de Rome.

MALEBO *(Pool),* anc. **Stanley Pool,** lac (450 km^2) formé par un élargissement du fleuve Congo (ou Zaïre) et sur les rives duquel sont établies les villes de Brazzaville et de Kinshasa.

MALEBRANCHE (Nicolas DE), philosophe français (Paris 1638 - *id.* 1715). Il assimile vérité révélée et raison et, dans le droit fil de la méthode cartésienne, il a recours aux idées claires et distinctes pour y parvenir. Il apporte une solution originale au problème cartésien de l'union de l'âme et du corps : c'est Dieu qui garantit le parallélisme des mouvements du corps et des idées de l'âme. Malebranche a été fortement combattu par Bossuet et Fénelon. On lui doit *De la Recherche de la vérité* (1674-1678) et *Entretiens sur la métaphysique et la religion* (1688).

MALEGAON, v. de l'Inde, dans le nord du Mahārāshtra; 192000 hab.

MALÉKISME ou **MĀLIKISME.** — Une des quatre écoles juridiques de l'islām sunnite*, prédominant au Maghreb, le malékisme a été fondé par le juriste médinois Mālik ibn Anas (710-795) et se caractérise par son rigorisme.

MALENKOV (Gueorgui Maksimilianovitch), homme politique soviétique (Orenbourg [auj. Tchkalov] 1902). De 1941 à 1945, il fait partie du Comité de défense nationale; en 1953, il succède à Staline, qu'il a jusqu'alors secondé, à la tête du secrétariat du Comité central du parti et du Conseil des ministres. Mais il doit quitter le gouvernement en 1955 et le Praesidium du parti en 1957.

MALENTENDANT → SURDITÉ.

MALESHERBES (45330), ch.-l. de cant. du Loiret, sur l'Essonne, à 26 km au S.-O. de Fontainebleau; 3854 hab. Église des XIIe-XVe s. Château des XVe et XVIIe s.

MALESHERBES (Chrétien Guillaume LAMOIGNON DE), homme politique français (Paris 1721 - *id.* 1794). Premier président de la Cour des aides et directeur de la librairie (1750), il adoucit la censure et favorise l'*Encyclopédie.* Secrétaire de la maison du roi (1775-76), il améliore le régime pénal et pénitentiaire. Par la suite, il contribue à faire restituer un état civil aux protestants (1787). En 1792, devant la Convention, il assure la défense de Louis XVI. Il est exécuté durant la Terreur.

MALESTROIT (56140), ch.-l. de cant. du Morbihan, à 16 km au S. de Ploërmel; 2539 hab. Église romane et gothique. Vieilles maisons. Fromagerie.

MALET (Claude François DE), général français (Dole 1754 - Paris 1812). Général en 1799, hostile à l'Empire, il est emprisonné en 1809. Évadé en octobre 1812, il tente un coup d'État en annonçant la mort de Napoléon, alors en Russie. Condamné à mort, il est fusillé, mais l'annonce de cette conspiration émeut vivement l'Empereur et hâte son retour.

MALEVITCH (Kazimir Severinovitch), peintre et théoricien russe (près de Kiev 1878 - Leningrad 1935). Il s'affirme dans les expositions de l'avant-garde russe à partir de 1910 et est sensible aux diverses influences venues de France. Une tendance primitiviste caractérise ses toiles de 1909-10, teintées d'expressionnisme, comme les figures aux volumes géométrisés qui ouvrent, en 1911, sa période *cubo-futuriste* (*le Bûcheron,* Stedelijk Museum, Amsterdam). Tandis que Malevitch explore une forme personnelle de cubisme synthétique (1913-14), l'intuition fondamentale du *suprématisme* lui vient en 1913 (*Carré noir, Croix noire, Cercle noir,* Musée russe, Leningrad). Statiques, dynamiques, magnétiques, mystiques, les complexes compositions suprématistes se résolvent dans l'économie suprême du *Carré blanc sur fond blanc* de 1918 (Museum of Modern Art, New York), où peinture et non-peinture se confondent pour tenter de répondre au vœu de l'artiste de voir «l'homme rétabli dans l'unité originelle en communion avec le tout». Malevitch domine la vie artistique russe de 1915 à 1928, forme des disciples dans divers instituts, tel Lissitski*. L'ère de la peinture de chevalet étant révolue à ses yeux, il passe vers 1923, après s'être un temps opposé au matérialisme de Tatline*, à un stade d'études architectoniques visant à la transformation de l'environnement humain. Il entre dans l'ombre en 1928, l'avant-garde étant progressivement condamnée en U. R. S. S.

MALFORMATION. — La fréquence des malformations congénitales est d'environ de 2 à 3 p. 100. Ces malformations peuvent être dues à des facteurs *héréditaires* d'ordre chromosomique et génétique (mongolisme) ou à des facteurs *exogènes* agissant avant le troisième mois de la grossesse. Après cette date ne peuvent s'observer que des déformations. S'ils agissent intensément et très précocement, les facteurs exogènes induisent des malformations multiples et gravissimes qui réalisent des monstres. Ils sont très divers : infectieux (rubéole), chimiques (thalidomide), physiques (radiations ionisantes). L'étude de ces facteurs et des malformations qu'ils entraînent (tératologie) a un intérêt essentiel dans les possibilités de prévention qu'elle permet.

MALFRAY (Charles), sculpteur français (Orléans 1887 - Dijon

1940). Son art, d'abord influencé par Rodin, se caractérise par la plénitude des formes et la puissance expressive, dense et ramassée (monument aux morts d'Orléans).

MALGACHE → INDONÉSIENNES *(langues)* et MADAGASCAR.

MALGOVERT, centre hydroélectrique de la Savoie, sur l'Isère, à 6 km à l'E. de Bourg-Saint-Maurice.

MALHERBE (François DE), poète français (Caen 1555 - Paris 1628). Il commença à écrire des poèmes dans le goût baroque du temps (*les Larmes de saint Pierre,* 1587), puis, distingué par le cardinal du Perron et présenté à la Cour en 1605, il devint rapidement poète officiel et chef d'école. Rompant avec l'humanisme de la Pléiade, combattant les « burlesques » et les « satiriques », corrigeant les pièces de Montchrestien et critiquant les poésies profanes de Desportes, il imposa un idéal poétique de clarté et de rigueur qui est à l'origine du goût classique (*Consolation à Dupérier,* v. 1600).

MALI *(empire du),* empire de l'Afrique noire, qui s'étendit du XIe au XVIIe s. sur les États actuels du Mali, du Sénégal, de la Gambie, de la Guinée et de la Mauritanie. Il culmina au XIIIe s. avec Soundiata Keita, qui s'assura la possession de l'ancien empire du Ghāna et des royaumes voisins, et au XIVe s. avec Mansa Moussa (1312?-1337?), qui assura au Mali son extension maximale et une civilisation brillante. Sa grande richesse consistait alors dans le commerce alimenté par l'or de Guinée avec les pays méditerranéens et avec les Arabes, qui introduisirent dans l'empire l'islām et une civilisation brillante. L'empire du Mali, par la suite et jusqu'au XVIIe s., se désagrégea sous les coups des Mossis, des Touaregs et des Bambaras.

MALI *(république du),* État de l'Afrique occidentale; 1 240 000 km^2; 5 700 000 hab. *(Maliens).* Capit. *Bamako.*

GÉOGRAPHIE. Le nord et le centre du pays correspondent à une partie du désert du Sahara (Adrar des Iforas) et à sa bordure, dont le climat sahélien (moins de 400 mm de pluies par an) permet la croissance d'une maigre végétation steppique. Cette région est très faiblement peuplée par des tribus de nomades qui y font paître leurs troupeaux. Le sud du pays s'étend sur la cuvette du moyen Niger, où coule également le haut Sénégal. Le climat soudanien, plus humide (1 m de pluies par an en moyenne à Bamako), entretient une végétation naturelle de savanes, mais surtout permet la culture. La population se concentre dans les vallées du Sénégal et surtout du Niger, qui regroupent les principales villes. Essentiellement rurale, elle pratique la culture du mil, du sorgho et du riz. L'aménagement du Niger a permis l'accroissement des surfaces cultivées et l'augmentation des rendements. L'arachide et surtout le coton constituent les principaux produits d'exportation. L'industrialisation demeure très limitée. Quelques usines, créées grâce à l'aide des pays socialistes, traitent les matières premières agricoles. Mais le niveau de vie de la population reste peu élevé.

HISTOIRE. Après la ruine de l'empire du Mali* au XVIIe s., le royaume de Ségou, fondé par les Bambaras, domine une partie du Soudan au XVIIIe s. Au XIXe s., plusieurs États puissants se partagent le territoire : l'empire peul du Macina, celui d'El-Hadj Omar, celui du Malinké Samory* Touré. La pénétration européenne, amorcée à la fin du XVIIIe s., se fait au profit de la France à partir de 1857. L'occupation française est totale en 1898. Les territoires conquis constituent en 1904, dans le cadre de l'A.-O. F., la colonie du Haut-Sénégal (capitale Kayes, puis Bamako), devenue en 1920 le Soudan français, privé de la Haute-Volta*. La République soudanaise, née en 1958, est d'abord associée au Sénégal* dans la fédération du Mali. Quand celle-ci éclate, est créée la république du Mali (1960), d'orientation socialiste et dirigée par Modibo Keita. En 1968, le pouvoir passe dans les mains du colonel Moussa Traoré.

MALI

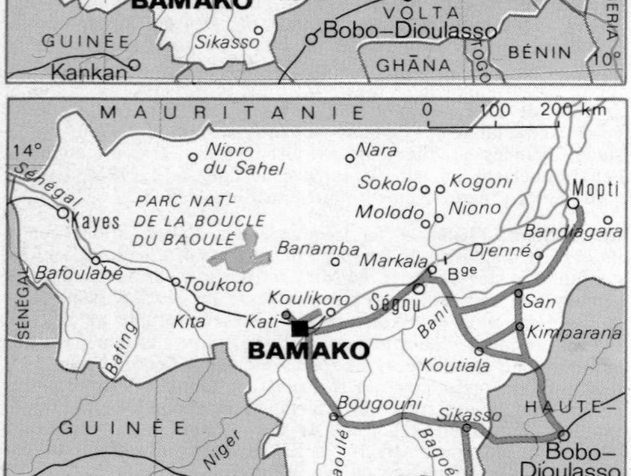

MALIA, village crétois sur la côte nord, à l'est de Cnossos*. Depuis 1921, sous l'égide de l'École française d'Athènes, un palais (v. 1700-1600 av. J.-C.), autour duquel s'organisait une ville (abandonnée v. 1450 av. J.-C.), est en cours de dégagement. Certaines parties du complexe palatial remontent aux alentours de 1800-1700 av. J.-C. et donnent les renseignements les plus précieux sur l'architecture des premiers palais. Très beaux objets (musée d'Hêraklion) recueillis sur la côte, dans la nécropole royale.

MALIBRAN (María de la Felicidad GARCÍA, dite **la**), cantatrice d'origine espagnole (Paris 1808 - Manchester 1836). Cette soprano dramatique, célébrée par Musset, brilla dans l'interprétation des œuvres de Rossini. Elle était sœur de Pauline Viardot.

MALICORNE-SUR-SARTHE (72270), ch.-l. de cant. de la Sarthe, sur la Sarthe, à 16 km au N. de La Flèche; 1 733 hab. Église du XIIe s. Château du XVIIe s. Ateliers de poterie.

MALIK AL-'ĀDIL (al-), MALIK AL-KĀMIL (al-) → AYYŪBIDES.

MALIK CHĀH (1055 - † Bagdad 1092), sultan seldjoukide* (1073-1092). Il soumet la Transoxiane et le Yémen, et affermit la domination seldjoukide en Syrie. Il laisse de grands pouvoirs à son vizir Niẓām* al-Mulk, qui accomplit son œuvre remarquable d'organisation administrative et de mécénat.

MALINES, en néerl. **Mechelen,** v. de Belgique (prov. d'Anvers), entre Anvers et Bruxelles, sur la Dyle; 78 966 hab. (en 1977). Industries mécaniques et chimiques.

HISTOIRE. Cité drapante prospère, Malines reçoit une charte communale en 1242. Siège de la Chambre des comptes de Charles le Téméraire (1473) et d'un parlement dont le ressort s'étend à tous les États septentrionaux, elle est résidence de la gouvernante des Pays-Bas et siège d'un archevêché en 1559. Depuis 1962, elle partage son titre archiépiscopal avec Bruxelles. C'est à Malines, de 1920 à 1926, qu'eurent lieu, entre le cardinal Mercier et lord Halifax, des conversations qui préludèrent au rapprochement des Églises romaine et anglicane.

BEAUX-ARTS. Cathédrale gothique des XIIIe-XVe s., à mobilier baroque. Églises Saint-Jean et Notre-Dame-au-delà-de-la-Dyle, du XVe s., avec superbes tableaux de Rubens. Église baroque Notre-Dame-d'Hanswijk, par L. Faydherbe, avec chaire luxuriante de Theodoor Verhaegen (1700-1759). Édifices civils, dont ceux de la Grand-Place, le palais de Marguerite d'Autriche (auj. palais de justice), gothique et Renaissance, l'hôtel de Jérôme Busleyden (1505, auj. musée communal), de nombreuses maisons anciennes.

MALINOVSKI (Rodion Iakovlevitch), maréchal soviétique (Odessa 1898 - Moscou 1967). Il se distingue devant Stalingrad en 1942, puis, à la tête du deuxième front d'Ukraine (1943-44), libère Odessa et occupe la Roumanie. En 1945, il prend Budapest et Vienne, puis participe à la campagne contre le Japon. Commandant en chef des forces terrestres en 1956, il remplace Joukov comme ministre de la Défense en 1957, poste qu'il occupe jusqu'à sa mort.

MALINOWSKI (Bronisław), anthropologue britannique (Cracovie 1884 - New Haven, États-Unis, 1942). Initiateur de la méthode d'enquête ethnologique sur le terrain, il est aussi un des pionniers en matière d'anthropologie* économique (*les Argonautes du Pacifique occidental,* 1922). Excellent analyste, il est surtout connu comme fondateur du fonctionnalisme* (*Une théorie* scientifique de la culture,* 1944). Il réalise ses premières enquêtes de terrains en

Nouvelle-Guinée, aux îles Trobriand (1915-1918). Ses études sur la sexualité dans les sociétés « primitives » l'amènent à remettre en cause l'universalité du complexe d'Œdipe (*la Sexualité et sa répression dans les sociétés primitives,* 1927; *la Vie sexuelle des sauvages du nord-ouest de la Mélanésie,* 1929).

MALIQUE (acide). — De formule HOCO—CH_2—CHOH—CO_2H, l'acide malique, dont la forme naturelle est lévogyre, forme des cristaux déliquescents, fondant à 100 °C.

MALLARMÉ (Stéphane), poète français (Paris 1842 - Valvins 1898). Au sortir d'une adolescence marquée par la mort de sa mère

Mallarmé, par Édouard Manet. 1876.
(Musée du Louvre, Paris.)

Giraudon

et de sa sœur, et par la lecture des *Fleurs du mal,* il devient professeur d'anglais à Tournon, à Besançon, puis à Paris. Obsédé cependant par le désir de trouver une expression poétique au « rêve » qu'il poursuit, méditant l'exemple de Baudelaire et d'Edgar Poe, il s'efforce de « peindre non la chose, mais l'effet qu'elle produit ». Le premier *Parnasse contemporain,* paru en 1866, contenant dix de ses poèmes, ne lui apporte même pas une petite notoriété, pas plus que la scène d'*Hérodiade,* publiée en 1871, ou que *l'Après-midi d'un faune,* refusé par l'éditeur Lemerre en 1874. Mais le roman *À* rebours* de Huysmans, qui contient l'éloge de l'auteur d'*Hérodiade,* et les *Poètes maudits* de Verlaine lui donnent une brusque célébrité. La génération des poètes de vingt ans, hostile à l'école parnassienne, se rassemble tous les mardis soir, rue de Rome, chez Mallarmé, qui ne publie que quelques sonnets (*le Tombeau d'Edgar Poe,* 1876) et articles dans les revues nouvelles, mais qui laisse entrevoir la naissance du « Livre », absolu, dont *Un coup* de dés jamais n'abolira le hasard* (1897) forme le premier mouvement. La mort brutale du poète fixe dans « un état d'attente illimitée et de rêve infini » une œuvre qui apparaît, malgré sa brièveté, comme une de celles qui ont déterminé l'évolution de la littérature au cours du XXe s., par le rapport explicite qu'elle établit entre le néant et la création, entre l'angoisse devant la page blanche et la pratique poétique, qui donne aux mots toute l'« initiative » dans la constitution d'un espace littéraire doué de qualités plastiques.

MALLEMORT (13370), comm. des Bouches-du-Rhône, à 18 km au S.-E. de Cavaillon; 3 386 hab. Barrage et centrale hydroélectrique sur la Durance canalisée.

MALLÉOLE → JAMBE.

MALLET-STEVENS (Robert), architecte et décorateur français (Paris 1886 - *id.* 1945). Il est l'un de ceux, peu nombreux en France, qui luttèrent contre l'éclectisme dans les années 1925-1930, maniant de façon mouvementée les formes géométriques du « style international* » (hôtels de la rue Mallet-Stevens, à Paris).

MALMAISON → RUEIL-MALMAISON.

MALMBERGET, v. de la Suède septentrionale, au N. du cercle polaire; 6 000 hab. Importante mine de fer.

MALMÉDY, comm. de Belgique (prov. de Liège), dans l'Ardenne; 9 957 hab. (en 1977). Elle a été le chef-lieu d'un district rattaché à la Prusse de 1815 à 1919.

MALMÖ, port de la Suède méridionale, sur le Sund; 259 000 hab. Anc. forteresse (musée). Église gothique Saint-Pierre, du XIVe s. Chantiers navals. Textiles. Cimenterie.

MALNUTRITION → NUTRITION.

MALO-LES-BAINS, anc. comm. du Nord, auj. intégrée à Dunkerque. Station balnéaire.

MALON (Benoît), homme politique français (Prétieux 1841 - Asnières 1893). Ouvrier, il adhère à la Ire Internationale. Membre de la Commune de 1871, il doit s'exiler en Suisse. De retour en France, il dirige la *Revue socialiste* (1880-1893), où il développe son idéal d'un socialisme humanitaire.

MALONIQUE (acide). — De formule HOCO—CH_2—CO_2H, c'est un solide soluble dans l'eau, fondant à 132 °C.

MALOT (Hector), écrivain français (La Bouille, Seine-Maritime, 1830 - Fontenay-sous-Bois 1907). Critique littéraire et romancier réaliste (*les Aventures de Romain Kalbris,* 1869), il doit sa célébrité à ses récits destinés à la jeunesse (*Sans famille,* 1878).

MALOUEL ou **MAELWAEL** (Jean), peintre néerlandais (Nimègue av. 1370 - Paris? 1419?). Au service du duc de Bourgogne, à Dijon, de 1397 à 1415, il travaille pour la chartreuse de Champmol. Aucune œuvre conservée ne lui est attribuée avec certitude (*Grande Pietà* ronde du Louvre?).

MALOUINES *(îles),* anc. nom français des îles FALKLAND.

MALPIGHI (Marcello), anatomiste italien (près de Bologne 1628 - Rome 1694). Il a été l'un des premiers à utiliser le microscope pour l'étude des tissus, ce qui lui a permis de découvrir, entre autres, les glomérules du rein, l'assise génératrice de l'épiderme humain, l'appareil urinaire et les trachées chez les insectes ainsi que divers aspects du développement embryonnaire.

MALPLAQUET, hameau du départ. du Nord, à 7 km au N.-E. de Bavay. — Le 11 septembre 1709, Villars, bien que contraint à la retraite, y infligea de lourdes pertes aux Impériaux.

MALRAUX (André), écrivain et homme politique français (Paris 1901 - Créteil 1976). Son itinéraire intellectuel et politique est souvent jugé comme le lieu d'un reniement ou, tout au moins, d'un renoncement : de l'engagement militant au musée imaginaire, de la révolution chinoise au bureau ministériel des Affaires culturelles. Et pourtant, sans recourir nécessairement à des lucidités extérieures (« En qualité d'écrivain politique, M. Malraux est encore plus éloigné du prolétariat et de la révolution qu'il ne l'est en qualité d'artiste » [Trotski, dans *Littérature et Révolution*]; « Si l'on prend un écrivain au pied de la lettre dans ses ébauches d'action, on trouvera matière à moquerie et à mépris, mais on le méconnaîtra » [Drieu la Rochelle, dans *Malraux, l'homme nouveau*]), l'œuvre témoigne d'une remarquable permanence. Dès *la Condition* humaine,* qui impose au public l'image d'un écrivain dans l'histoire et faisant de l'histoire la matière de son écriture, la mort triomphe des révolutionnaires déchirés entre leur idéal et les exigences de la politique, le poids de la condition humaine rend vain l'effort de conquérir la condition d'homme pour tous. Et, à l'autre bout, les *Antimémoires* forment le modèle réduit d'une vie de désenchantement et de désillusions : Chateaubriand a enchâssé au cœur de ses *Mémoires* la vie de Napoléon, critère lancinant non seulement de tous les hommes d'action, mais aussi des écrivains de son époque (voir Balzac, Stendhal, Hugo); Malraux a vécu avec le général de Gaulle une relation parallèle, mais ce qu'il place immédiatement au centre du miroir de sa vie, ce n'est pas l'image de l'homme dont il fut le ministre préféré, mais celle d'un

la vie et l'œuvre

1920	Écrit *Lunes en papier* (publié en 1921) et *Royaume farfelu* (publié en 1928).
1923	Départ pour l'Asie.
1926	*La Tentation de l'Occident.*
1928	*Les Conquérants.*
1930	*La Voie royale.*
1933	*La Condition* humaine.*
1935	*Le Temps du mépris.*
1936	Chef de l'aviation étrangère au service du gouvernement républicain espagnol.
1937	*L'Espoir** (roman et film).
1940	La guerre (blessé, prisonnier, évadé) et la Résistance.
1944	Colonel commandant la brigade « Alsace-Lorraine ». *Les Noyers de l'Altenburg.* Compagnon de la Libération.
1945	Ministre de l'Information dans le gouvernement provisoire.
1951	*Les Voix du silence.*
1959-1969	Ministre des Affaires culturelles.
1967	Publication des *Antimémoires,* tome I du *Miroir des Limbes.*
1976	Publication de *la Corde et les souris,* deuxième tome du *Miroir des Limbes.*
1977	*L'Homme précaire et la littérature.*

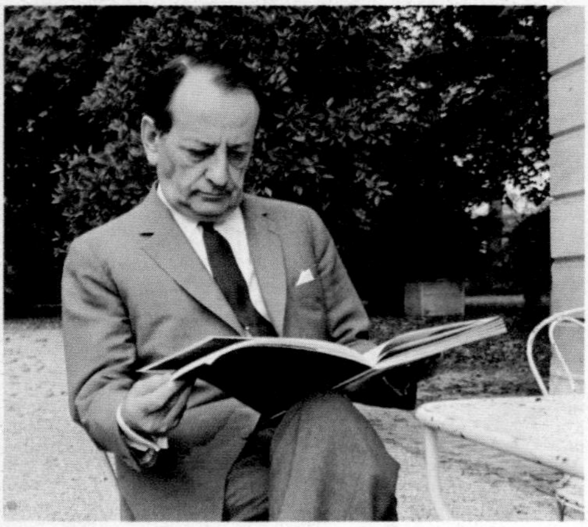

Dourdin - Rapho

André Malraux (en 1970).

aventurier indochinois manqué, David de Mayrena, dont la vie — double et triple distance — est racontée sous forme de scénario de film par un être largement fictif, le fameux Clappique. Malraux a d'ailleurs très explicitement réfléchi (*N'était-ce donc que cela?*, 1949) sur la difficulté à superposer les deux temporalités de l'action et de l'écriture à propos d'un « précurseur » qui l'obsède, Lawrence d'Arabie. L'écriture ne ment jamais : si les objets de la réflexion de Malraux ont varié (des valeurs de la civilisation occidentale à la possibilité de l'action politique, puis à la création artistique), le sens de cette réflexion est stable; il va de l'action à la mort, de l'histoire au destin, à travers cette « tentation » permanente de l'Occident, qui est l'attrait pour les civilisations orientales, c'est-à-dire des civilisations que l'Occident saisit d'abord à travers leurs manifestations esthétiques : appréhension plastique des contradictions vécues, négation passionnée du temps (d'où l'intérêt que Malraux porte à l'Inde, plus qu'à la Chine, et sa compréhension profonde d'un Nehru, alors que Mao Tsö-tong reste pour lui un « homme de bronze »). La démarche qui conduit Malraux du bruit et de la fureur de l'Histoire aux « Voix du silence » est donc logique et rigoureuse. Fort proche, d'ailleurs, de celle de Barrès : quand la fraternité humaine et le déploiement égotiste se révèlent illusoires dans la construction d'un avenir, il ne reste comme « réservoir d'énergie » que le passé (les cimetières et les musées). Les morts contre la mort. L'art est « ce chant sacré sur l'intarissable orchestre de la mort ». Dans une civilisation qui a tué Dieu et l'âme, l'art est le seul moyen de lutter contre les instincts primordiaux de dissolution; l'artiste est le nouveau prêtre garant de l'éternité : des empreintes de Lascaux aux raisins de Braque en passant par les vitraux de Chartres, la seule certitude humaine repose sur ces vestiges des angoisses et des interrogations passées, non pas mémoire de l'homme, mais langage ou plutôt signe immémorial, toujours présent et toujours compréhensible. Toutes les cultures dans un regard. La survie de l'homme est non dans l'action, mais dans la collection, non dans la multiplication des expériences extérieures, mais dans la contemplation silencieuse d'une œuvre, qui libère à la fois de la corruption du temps et de la complaisance que l'homme occidental accorde à l'agitation de son moi.

MALT → BIÈRE.

MALTASE → ENZYMES.

MALTE, État insulaire de la Méditerranée, membre du Commonwealth; 315 km²; 330 000 hab. *(Maltais)*. Capit. *La Valette.*

GÉOGRAPHIE. Malte (246 km²) est la principale île d'un archipel comprenant également Gozo et Comino, et est située entre la Sicile et l'Afrique du Nord. Elle forme un plateau calcaire, qui jouit d'un climat méditerranéen très doux. L'agriculture, médiocre, tend à se spécialiser dans la production d'agrumes. Malte a longtemps vécu surtout de la location de sa base navale à la Grande-Bretagne. Cependant, son rôle stratégique a beaucoup décliné, ce qui a conduit les Britanniques à modifier leur style d'emprise économique. Ceux-ci ont, en particulier, créé de petits établissements industriels qui bénéficient d'une main-d'œuvre à bon marché. Le tourisme apporte un complément de ressources.

HISTOIRE. Ancienne colonie phénicienne occupée par Carthage (Ve s.), puis par Rome (218 av. J.-C.), Malte, très tôt christianisée (naufrage de saint Paul), échappa aux grandes invasions jusqu'à sa conquête par l'émir de Kairouan (870 apr. J.-C.). En 1090, le comte normand Roger s'en empara et lia son destin à celui de la Sicile jusqu'au XVIe s. En 1530, Charles Quint céda Malte à l'ordre de Saint-Jean-de-Jérusalem, qui, sous l'impulsion de son grand maître, Jacques Parisot de La Valette, la fortifia pour la défendre des attaques ottomanes et résista victorieusement, du 18 mai au 12 septembre 1565, à une armée de 38 000 Turcs. Au XVIIe s., l'île tomba sous l'influence française et devint le grand centre de commerce français en Méditerranée. En 1798, Bonaparte l'occupa. Deux ans plus tard, Malte tomba aux mains de la Grande-Bretagne (sept. 1800); celle-ci, malgré la paix d'Amiens, qui prévoyait sa restitution à la France, refusa de la rendre sous le prétexte que la France n'évacuait pas les ports italiens. Au début du siècle, l'agitation autonomiste s'accrut, et, après la Seconde Guerre mondiale, qui vit l'île servir de base au débarquement de Sicile, la Grande-Bretagne se résigna à accorder à Malte le « self government » (1947), puis l'indépendance (1964) dans le cadre du Commonwealth.

Malte *(fièvre de)* → BRUCELLOSE.

Malte *(ordre souverain de),* ordre militaire et hospitalier, issu de celui des Frères de l'hôpital Saint-Jean-de-Jérusalem (fondé en Palestine v. 1070). Après la prise de Saint-Jean-d'Acre (1291), les Hospitaliers s'installent à Chypre (1291), puis à Rhodes (1309), dont Soliman II s'empare en 1522. L'ordre essaime alors à Malte, d'où il rayonne, sous l'autorité d'un grand maître élu, sur plus de 600 commanderies européennes. Quand Bonaparte s'empare de l'île de Malte en 1798, les « chevaliers de Malte » se dispersent. Reconstitué après la Révolution, l'ordre, qui compte plus de 7 000 membres, dirige des œuvres hospitalières.

MALTE-BRUN (Konrad BRUUN MALTE, dit), géographe danois (Thisted, Jylland, 1775 - Paris 1826). Banni du Danemark et vivant en France, il écrivit une *Géographie universelle* et fonda en 1821 la Société de géographie.

MALTHUS (Thomas Robert), économiste anglais (The Rookery, près de Guildford, Surrey, 1766 - Haileybury, près d'Hertford, 1834). S'attachant à la recherche des causes de la pauvreté des masses populaires, il constate que la croissance des populations est plus rapide que celle des subsistances. Il prône une politique qui tendrait à décourager la surpopulation. Outre son *Essai sur le principe de population* (dont la première édition, de 1798, est anonyme), on lui doit des contributions importantes sur le rôle de la monnaie*, de l'épargne*, des investissements*. — Le malthusianisme économique prône la restriction de la production pour diminuer l'offre, formulée sur le marché, de biens ou de services afin d'empêcher l'effondrement de leurs prix.

MALTOSE. — De formule $C_{12}H_{22}O_{11}$, H_2O, c'est un solide blanc, dextrogyre, réducteur, qui se dédouble par hydrolyse en deux molécules de glucose.

MALUS (Étienne Louis), physicien français (Paris 1775 - *id.* 1812). En 1808, il a découvert la polarisation de la lumière; il a montré que la lumière réfléchie ou réfractée est toujours partiellement polarisée.

MALVACÉES. — On rassemble dans cette famille les diverses espèces de mauve, de guimauve *(Althæa),* de lavatère et de ketmie *(Hibiscus),* herbes ornementales aux fleurs souvent roses, aux étamines nombreuses et soudées par le filet, aux feuilles plutôt arrondies.

MALVÉSI, écart de la comm. de Narbonne (Aude). Usine de concentration de l'uranium.

MALVOISIE (la), région de Grèce, constituée par une presqu'île du sud-est du Péloponnèse.

Malyï *(Théâtre),* « Petit Théâtre » d'opéra de Leningrad, établi en 1918 dans l'ex-théâtre impérial Mikhailovski. Il est célèbre par sa troupe de ballet expérimental.

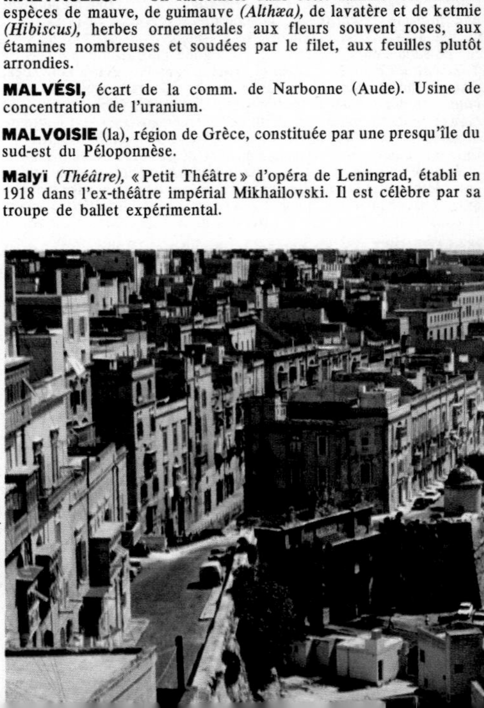

Gamet - Rapho

MÄLZEL, famille de mécaniciens autrichiens. JOHANN NEPOMUK (Ratisbonne 1772-en mer 1838) réalisa en 1816 le métronome, dont le principe était dû à Winkel. — Son frère, LEONHARD (Ratisbonne 1783-Vienne 1855), créa le *panharmonicon,* sorte d'orchestre composé de 42 automates.

MALZÉVILLE (54220), comm. de Meurthe-et-Moselle, dans la banlieue nord de Nancy; 8810 hab.

MALZIEU-VILLE (Le) [48140], ch.-l. de cant. de la Lozère, sur la Truyère, à 45 km au S.-E. de Saint-Flour; 874 hab.

MAMAIA, importante station balnéaire de Roumanie, sur la mer Noire, au N. de Constanța.

MAMELLE. — La classe des vertébrés supérieurs appelés « mammifères » doit son nom à l'existence, chez la femelle, d'une ou de plusieurs paires de fortes glandes cutanées, les *mamelles,* dont la sécrétion (lait*) constitue le meilleur aliment possible pour les jeunes mammifères. Situées ventrolatéralement, du thorax à l'aine selon l'espèce, les mamelles contiennent un réseau de canaux galactophores aboutissant à un *mamelon* en relief, entouré d'une aréole protectrice et que le jeune saisit entre ses lèvres. La succion entretient la sécrétion lactée, que la mise bas avait déclenchée. Les mamelles des cétacés sont pourvues de muscles circulaires et injectent le lait, en quelques secondes, dans la bouche du jeune cétacé en plongée. La mamelle de la vache est aussi appelée *pis;* celle de la femme est le *sein**.

MAMELOUKS, dynastie qui a régné sur l'Égypte et la Syrie de 1250 à 1517. Les mamelouks sont des esclaves que les princes musulmans enrôlent comme soldats. Recrutés en grand nombre par le sultan ayyūbide* al-Ṣaliḥ (de 1240 à 1249), ils s'emparent du pouvoir en Égypte en 1250. Ils forment une oligarchie militaire, qui se répartit les corps d'armée et les services de l'État, et parmi laquelle est choisi, au milieu d'intrigues sanglantes, le sultan. Ils se renouvellent par un système officiellement organisé d'achat d'esclaves, originaires des territoires de la Horde d'Or sous les premiers sultans mamelouks, appelés traditionnellement baḥrites de 1250 à 1382, puis du Caucase. Excellents soldats, ils arrêtent l'expansion mongole en Syrie ('Ayn Djālūt, 1260) et chassent les croisés du Levant : victoire de Mansourah (1250), reconquête d'Antioche (1268), de Tripoli (1289), de Saint-Jean-d'Acre (1291). Ils se font les protecteurs de l'islām sunnite : le sultan Baybars (de 1260 à 1277) accueille au Caire un survivant de la famille 'abbāsside, qui devient calife. Les taxes perçues sur les marchandises qui s'acheminent vers l'Occident, soit par la mer Rouge et l'Égypte, soit par le golfe Persique et la Syrie en passant par le Caire, Damas ou Alep, leur procurent leurs meilleures ressources. C'est justement la décadence de ce commerce qui ruinera le régime mamelouk. En 1516-17, les Ottomans conquièrent l'Égypte et la Syrie, tandis que les Portugais accaparent le commerce de l'océan Indien.

MAMER, comm. du Luxembourg, dont une section, Capellen, a donné son nom à un canton du grand-duché.

MAMERS (72600), ch.-l. d'arr. de la Sarthe, sur la Dive, à 25 km au S.-E. d'Alençon; 6815 hab. *(Mamertins).* Deux églises médiévales. Constructions mécaniques.

MAMERTINS, habitants de Messine dans l'Antiquité. Mercenaires osques au service d'Agathocle, les Mamertins s'emparèrent de Messine par trahison vers 288 av. J.-C. Vaincus en 269 av. J.-C. par Hiéron de Syracuse, ils firent appel aux Carthaginois qui occupèrent Messine; mais, lassés de leur domination, ils sollicitèrent l'aide des Romains : cette requête des Mamertins fut l'occasion de la première guerre punique*.

MAMMIFÈRES. — En dépit du petit nombre de leurs espèces (environ 2500 actuellement) et de leur expansion relativement récente (début du tertiaire, il y a 60 millions d'années), les mammifères dominent actuellement par leur taille et leur puissance tous les milieux terrestres et même océaniques (cétacés, pinnipèdes), même si l'on fait abstraction de l'impact inégalé de l'homme sur la planète. Ce sont des vertébrés généralement terrestres, à respiration pulmonaire, à température constante et élevée, qui se distinguent des autres classes par leur reproduction vivipare et presque toujours placentaire, leurs mamelles, leur pelage, le très grand développement de leurs hémisphères cérébraux. L'articulation de la mandibule sur le crâne est particulièrement simple et solide, les mâchoires portent une denture* généralement diversifiée, l'oreille moyenne contient des osselets.

La faune mammalienne actuelle comprend trois sous-classes très inégales : les protothériens, ou monotrèmes*, mammifères ovipares (ornithorynque, échidné); les marsupiaux*, ou métathériens; enfin les euthériens, ou mammifères supérieurs. Ces derniers se répartissent entre quelques ordres riches en représentants : insectivores et chauves-souris, rongeurs, carnassiers (terrestres et aquatiques), cétacés (tous aquatiques), porcins, ruminants, primates et quelques groupes ne comprenant, parfois après un brillant passé, qu'un très petit nombre d'espèces survivantes : dermoptères (galéopithèque*), lagomorphes (lapin*), périssodactyles (rhinocéros*, cheval*), proboscidiens (éléphant*), siréniens (lamantin*) et surtout « édentés* », ces derniers regroupant peut-être des animaux fort peu apparentés.

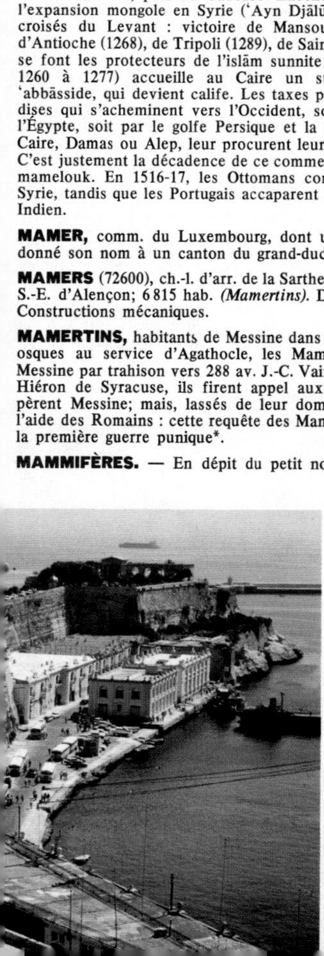
Malte. La vieille ville et le port de La Valette, capitale de l'île.

MAMMOUTH. — Le plus grand de tous les animaux terrestres que l'homme a pu rencontrer est à coup sûr cet éléphant géant, couvert d'une épaisse toison, affublé d'une bosse de graisse derrière la tête et porteur d'énormes défenses recourbées, qui lui servaient sans doute à écarter la neige. Les glaciations ont offert à cet animal des régions froides l'occasion de se répandre dans le sud de l'Europe. L'espèce a disparu, peut-être faute d'une nourriture suffisante, peut-être sous la pression de chasse de l'homme préhistorique. On a retrouvé des cadavres entiers de mammouths conservés dans la glace en Sibérie, et la représentation picturale de cet animal sur les parois des grottes est commune en Europe.

MA'MŪN ('Abd Allāh **al-**) → 'ABBĀSSIDES.

MAN *(île de),* île britannique du nord de la mer d'Irlande; 570 km²; 56000 hab. V. princ. *Douglas.* Tourisme. Pêche. Agriculture.

MAN ou **MANN** (Mendel), écrivain israélien d'origine polonaise et d'expression yiddish (Plonsk 1916-Paris 1975). Son œuvre poétique et romanesque décèle dans le réel quotidien une signification symbolique (*le Village abandonné,* 1954; *le Chêne noir,* 1969).

MANA. — D'origine mélanésienne, ce terme illustre l'importance des rapports des peuples dits « primitifs » avec le surnaturel. Puissance maléfique et/ou bénéfique, le mana se caractérise par son omniprésence; ainsi, tout phénomène inexpliqué est perçu comme le résultat de l'action du mana, force surnaturelle.

MANAAR ou **MANNAR** *(golfe de),* golfe de l'océan Indien, entre l'Inde et Sri Lanka.

MANADO ou **MENADO,** port d'Indonésie, dans l'extrémité nord-ouest de l'île des Célèbes; 170000 hab.

MANAGEMENT. — Les règles et les doctrines qui constituent le management moderne se sont formées à partir de 1930, essentiellement aux États-Unis. Plus qu'une science, le management est un ensemble de constatations de bon sens, guidées par un certain nombre d'idées générales communes, telles que : préparation méthodique de l'action (analyse et programmation); souci de la concurrence, qui, tout en entraînant un certain nombre de gaspillages, oblige à la vigilance et au souci de la rentabilité; confiance en l'homme, qui a droit à l'erreur et est jugé en principe sur des objectifs précis et mesurables; conscience de l'évolution, en s'efforçant de précéder l'événement au lieu de le subir. Le terme de *management* est différent de celui de *gestion,* qui a pris en France un sens comptable restreint, ou de celui de *direction,* qui s'applique à l'action de celui qui indique la voie, qui impose la règle sans intervenir dans l'exécution. De même, on ne peut le confondre avec le terme d'*administration,* qui s'applique à la fonction publique, ni avec celui de *gouvernement,* qui évoque plus l'idée de nation que celle d'entreprise.

MANAGUA, capit. du Nicaragua, sur la rive sud du *lac de Managua.* — La ville a été presque entièrement détruite par un tremblement de terre en 1972.

MANĀMA, capit. de Bahreïn, dans l'île de Bahreïn; 89000 hab.

MANASSÉ *(tribu de),* tribu israélite située en Transjordanie, disparue sous Salomon*. Son ancêtre éponyme est le second fils de Joseph*, fils de Jacob*.

MANAUS, anc. **Manáos,** port du Brésil, capit. de l'État d'Amazonie, sur le río Negro, près de son confluent avec l'Amazone; 312000 hab. Monuments de la fin du XIXe s. Raffinage du pétrole. Électronique. Métallurgie. Travail du jute et du caoutchouc.

MANCHE, mer bordière de l'océan Atlantique. Elle forme un large bras de mer entre la France et l'Angleterre, se resserrant au niveau du pas de Calais, seuil de 31 km de large par lequel elle communique avec la mer du Nord. D'une profondeur maximale de 172 m, elle appartient entièrement à la plate-forme continentale. La configuration des côtes y explique l'ampleur de la marée, qui atteint 11,7 m dans la baie du Mont-Saint-Michel. La pêche y est active, et la circulation maritime intense, reliant les ports français (Le Havre, Boulogne, Cherbourg) à ceux de l'Angleterre (Portsmouth, Southampton, Plymouth).

MANCHE (50), départ. de la Région Basse-Normandie; 5 947 km^2; 451 662 hab. Ch.-l. *Saint-Lô.* S.-préf. *Avranches, Cherbourg* et *Coutances.*

Extrémité occidentale de la Normandie, le département appartient au Massif armoricain et occupe principalement la presqu'île du Cotentin. La topographie dominante est celle de basses collines, mais le trait naturel essentiel est l'extension du climat océanique, avec une pluviosité abondante (généralement plus de 800 mm) et pratiquement continue, favorable à l'herbe. Le littoral possède quelques falaises rocheuses, mais les côtes basses et sableuses dominent.

L'agriculture emploie encore une très large fraction de la population active (plus du quart, soit environ le triple de la moyenne nationale); elle est pratiquée dans le cadre de petites ou de moyennes exploitations vouées essentiellement à l'élevage bovin (presque exclusivement pour le lait). Quelques cultures maraîchères (carottes) et fruitières apparaissent près du littoral. L'industrie, hors de l'agglomération cherbourgeoise, est peu développée (n'occupant guère que le quart de la population active départementale); elle est d'abord liée à la valorisation (laiteries, fromageries) de la production agricole, alors que survivent localement quelques spécialités traditionnelles (métallurgie notamment). Le secteur tertiaire est sous-développé en raison du caractère encore souvent rural du département et malgré l'existence du tourisme estival, en réalité encore modeste (si l'on excepte le cas isolé du Mont-Saint-Michel). Cherbourg est la seule commune dépassant 20 000 habitants. Actuellement, après une légère reprise après la Seconde Guerre mondiale, la population de la Manche stagne. Cette stagnation contraste avec le long et intense dépeuplement de la fin du XIXe s. et du début du XXe (au milieu du XIXe, le département comptait 600 000 habitants).

MANCHE (la), région sèche et dénudée du sud-est de la Nouvelle Castille, entre le Guadiana et le Júcar.

MANCHESTER, v. du nord-ouest de l'Angleterre; 541 000 hab. Cathédrale (chœur et nef du XVe s.). Musées. — La ville est le noyau d'un comté métropolitain, le *Grand Manchester,* comptant plus de 2 700 000 habitants. Le textile (coton), dont Manchester fut la capitale mondiale aux XVIIIe et XIXe s., a fortement reculé, devancé aujourd'hui par les constructions mécaniques et électriques, alors que s'est développée la chimie (alimentée par le raffinage du pétrole). Relié par un canal maritime à l'estuaire de la Mersey, le port a un trafic notable, de l'ordre de 15 Mt.

MANCHESTER, v. des États-Unis, dans le sud du New Hampshire; 88 000 hab.

MANCHOT. — Trop souvent confondu avec les pingouins, le manchot est l'hôte exclusif du continent antarctique. Ses courtes ailes, sans plumes, mais écailleuses, constituent pour lui d'excellentes nageoires, mais sont totalement inaptes au vol. Sa stature étant pratiquement verticale sur le sol, il laisse pendre ses ailerons comme des bras. Se nourrissant presque exclusivement de poissons, les manchots sont fortement menacés par toutes les formes de la pollution des mers. Ils se rassemblent en foules immenses *(rookeries)* sur certains rochers.

L'œuf n'est jamais mis au contact du sol gelé : la femelle le tient par-dessus ses pattes ou dans un repli du bas-ventre. Les poussins sont souvent élevés collectivement par les adultes, mais chaque couple sait reconnaître ses jeunes. On distingue quatre espèces de manchots, tous marcheurs et sauteurs. (Les manchots forment la famille des sphéniscidés.)

MANCINI, famille romaine, qui fut introduite en France à la suite du mariage de MICHELE LORENZO **Mancini** († 1656) avec Girolama Mazarini, sœur du cardinal de Mazarin*. De ce mariage sont issus deux fils et cinq filles. OLYMPE (Rome 1639 - Bruxelles 1708), aimée par Louis XIV avant de devenir comtesse de Soissons et surintendante de la maison de la reine, fut la mère du Prince Eugène*. — MARIE (Rome 1640 - Pise 1715) fut aimée par Louis XIV au point qu'il voulut l'épouser, mais Mazarin s'opposa à cette passion — qui dérangeait ses calculs politiques — et elle s'unit en un mariage malheureux avec le prince Colonna (1661). — HORTENSE (Rome 1646 - Chelsea 1699) épousa le marquis de la Meilleraye, qui, à la mort du cardinal, devint duc de Mazarin; séparée de son mari dès 1666, elle tint en Angleterre un salon fréquenté. — MARIE-ANNE (Rome 1646 - Paris 1714) épousa (1662) le duc de Bouillon, neveu de Turenne; protectrice de La Fontaine, elle fut compromise dans le procès de la Voisin.

MANDALAY, v. du centre de la Birmanie, sur l'Irrawaddy; 402 000 hab. Fondée en 1857, la ville fut, de 1860 à 1885, la capitale des derniers rois birmans. Malgré les bombardements de 1945, elle possède encore quelques monastères bouddhiques remarquables par le raffinement de leur architecture de bois et d'intéressantes pagodes, dont celle de Mahamuni, célèbre pour son grand Bouddha en bronze provenant de la province de l'Arakan et pour plusieurs bronzes khmers colossaux datant de la fin du XIIe s.

MANDARIN *(Ling.)* → CHINOIS.

MANDARINE → AGRUMES.

MANDAT DU JUGE D'INSTRUCTION. — *Le mandat de comparution* a pour objet de contraindre l'inculpé à venir devant le juge à la date indiquée par lui. *Le mandat d'amener* est l'ordre du juge donné à la force publique de conduire l'inculpé devant lui. *Le mandat de dépôt* est l'ordre donné aux autorités pénitentiaires de détenir l'inculpé. *Le mandat d'arrêt* est décerné par le juge d'instruction après avis du procureur de la République en cas de fuite (ou de résidence hors du territoire national) de l'inculpé. L'inculpé saisi en vertu d'un mandat d'arrêt est conduit à la maison d'arrêt dont la mention est faite au mandat. Comme le mandat de dépôt, le mandat d'arrêt place l'inculpé en état de détention* provisoire.

MANDCHOUKOUO, nom porté par la Mandchourie* sous la domination japonaise (1932-1945).

MANDCHOURIE, nom donné autrefois à la Chine du Nord-Est. De 1644 à 1911, époque qui correspond au règne de la dynastie mandchoue en Chine, la Mandchourie bénéficie d'un statut particulier. Mais, au début du XIXe s., la pénétration russe s'y amorce : en 1858-1860, la Russie obtient la rive gauche du fleuve Amour, le territoire situé entre l'Ossouri et la mer devenant terre commune; en 1896, elle se fait octroyer le droit d'établir une voie ferrée à travers la Mandchourie; en 1897, elle obtient la concession du territoire de Port-Arthur et Ta-lien (Dairen). Mais, à la suite de l'écrasement de la Chine au cours de la guerre sino-japonaise (1894-95), les Japonais imposent certaines prétentions sur la Mandchourie. Leur victoire sur les Russes (1904-05), précisément en territoire mandchou (Port-Arthur, Moukden), leur permet, pratiquement, de prendre leur place, sauf dans une zone d'influence russe délimitée par traités en 1907 et en 1910. Mais le traité russo-chinois de 1924 met fin à la plupart des privilèges russes dans le Nord-Est; le Japon se montre dès lors de plus en plus agressif : par l'invasion de 1931 et la proclamation d'une Mandchourie indépendante, dite « Mandchoukouo », les Nippons transforment pratiquement le pays en protectorat, qu'ils colonisent et modernisent. Leur défaite en 1945 rend la Mandchourie à la Chine.

MANDÉISME. — Les origines de cette secte, dont les derniers adeptes (quelques milliers) se rencontrent en Iraq, sont obscures. Peut-être le mandéisme remonte-t-il à quelque secte baptiste juive du Ier s. : tenant Jean-Baptiste* en haute estime, il professe une doctrine dualiste d'inspiration gnostique. Le plus important des écrits mandéens est la *ginzâ,* qui fut composée vers les VIIe ou VIIIe s.

MANDEL (Georges), homme politique français (Chatou 1885 - Fontainebleau 1944). Chef de cabinet de Clemenceau (1917), il fut notamment ministre des P. T. T. (1934-1936). Il fut assassiné par les miliciens sous l'Occupation.

Manchot royal.

F. Gohier

MANDELIEU-LA-NAPOULE (06210), comm. des Alpes-Maritimes, à 6,5 km à l'O. de Cannes; 9 655 hab. Station balnéaire. Port de plaisance.

MANDELSTAM (Ossip Emilievitch), poète russe (Varsovie 1891-Vladivostok 1938). Animateur du mouvement acméiste (*la Pierre,* 1913), soucieux de recherches rythmiques et de réflexion sur le langage (*Tristia,* 1922; *le Timbre égyptien,* 1928; *De la poésie,* 1928), il fut exilé dans l'Oural pour avoir écrit un poème satirique sur Staline, et c'est pendant son exil qu'il composa les *Cahiers de Voronej.* Libéré, puis arrêté une seconde fois, il mourut lors de son transfert dans un camp de concentration.

MANDEURE (25350 Beaulieu Mandeure), comm. du Doubs, sur le Doubs, à 13 km au S. de Montbéliard; 6 596 hab. Vestiges gallo-romains.

MANDIBULE. — La plus antérieure, et souvent aussi la plus intérieure, des paires de pièces buccales des animaux articulés (arthropodes) consiste en deux mandibules symétriques, l'une à droite, l'autre à gauche. Celles-ci sont des pièces broyeuses particulièrement puissantes, car les aliments sont directement avalés après être passés entre leurs dents. Présentes chez les insectes, les mille-pattes et les crustacés, elles sont remplacées chez les arachnides par les *talons masticateurs* des pédipalpes.

On appelle aussi *mandibule* la mâchoire inférieure des vertébrés, dont la suspension au crâne est assurée de diverses façons selon les groupes. L'*arc mandibulaire* est le premier arc branchial, d'où dérive cet organe.

MANDINGUES, groupe ethnique de l'Afrique occidentale, qui fonda un empire s'étendant sur la plus grande partie du Soudan nigérien. Cet empire atteignit son apogée au XIVᵉ s. avec Kango Moussa et disparut au XVIIᵉ s.

MANDOLINE → INSTRUMENTS DE MUSIQUE.

MANDRAGORE. — Cette plante méditerranéenne aux nombreuses fleurs de couleurs vives est surtout connue pour sa racine fourchue, dont les formes ont suscité de nombreuses croyances magiques. (Famille des solanacées.)

MANDRILL. — Ce singe cynocéphale est remarquable par son museau, d'un bleu vif et creusé de sillons longitudinaux, ainsi que par la violence de ses réactions, qui en font un animal dangereux.

MANDRIN (Louis), bandit français (Saint-Étienne-de-Saint-Geoirs 1724-Valence 1755). Chef de bande, il s'en prit aux fermiers de l'impôt et fut roué vif.

MANÈS ou **MANI** → MANICHÉISME.

MANESSIER (Alfred), peintre français (Saint-Ouen, Somme, 1911). Élève de Bissière, coloriste intense, il a abandonné la figuration afin de mieux traduire son sentiment intérieur du sacré ou de la nature. À ses huiles et à ses aquarelles s'ajoutent des cartons de tapisseries et des vitraux (les Bréseux, Doubs, 1948; chapelle de Hem, Nord, 1958; Saint-Bénigne de Pontarlier, 1975).

MANET (Édouard), peintre français (Paris 1832-*id.* 1883). Initié par Thomas Couture (dont il renie vite l'académisme) et surtout par les œuvres étudiées au Louvre, en Hollande, en Allemagne, en Italie, puis marqué par Vélasquez et Hals, il se montre bientôt préoccupé plus par la transposition picturale de ce qu'il voit et par l'authenticité de la sensation que par le sujet. Critique et public sont choqués non seulement par la modernité de ses thèmes, mais aussi par son modelé plat, ses oppositions de noirs et de couleurs claires et sa liberté de touche. Le Salon refuse des œuvres qui, comme *le Déjeuner sur l'herbe* (1863, Louvre) ou *le Fifre* (1866, *ibid.*) — l'*Olympia**, elle, est acceptée —, vont faire de l'artiste, contre son gré, un révolutionnaire et le chef de file des jeunes impressionnistes. S'il se rapproche de l'impressionnisme par son souci de la lumière de plein air et par le travail sur le motif (*Argenteuil,* 1874, musée de Tournai), Manet ne s'engage pas dans la voie de l'analyse de la lumière, du morcellement de la touche colorée. Il en retient néanmoins une palette plus claire (*Monet sur son bateau-atelier,* 1874, Munich), une vie plus frémissante (*Un bar aux Folies-Bergère,* 1882, Courtault Institute, Londres).

MANÉTHON, grand prêtre d'Héliopolis* et historien égyptien (IIIᵉ s. av. J.-C.). Il écrivit en grec une histoire d'Égypte *(Aiguptiaka),* dont ont été conservés seulement des fragments ou des abrégés. Les historiens ont adopté sa division de l'histoire égyptienne en trente dynasties.

MANFRED (1232-Bénévent 1266), roi de Sicile (1258-1266). Fils naturel légitimé de l'empereur Frédéric II, qui le fit prince de Tarente (1250), il dépossédа son neveu Conradin du royaume de Sicile (1258). Chef des gibelins, il battit les guelfes de Toscane à Montaperti (1260). Mais il fut vaincu et tué près de Bénévent par Charles Iᵉʳ d'Anjou, prétendant suscité par le pape Urbain IV.

MANGALIA, port de Roumanie, sur la mer Noire, près de la frontière bulgare; 15 000 hab. Station balnéaire.

MANGALORE ou **MANGALUR,** port de l'Inde (Karnātaka), sur la côte de Malabār; 193 000 hab.

MANGANÈSE. — C'est l'élément chimique nº 25, de masse atomique Mn = 54,93. C'est un solide blanc-gris, brillant, de densité 7,2, fondant à 1 260 ⁰C. Plus oxydable que le fer, il est employé en sidérurgie pour la purification de ce métal.

Il possède un grand nombre d'oxydes : l'oxyde manganeux MnO, vert, auquel correspondent des sels, tel $MnSO_4$; l'oxyde manganique Mn_2O_3, qui fournit des sels peu stables; l'oxyde salin Mn_3O_4; le bioxyde MnO_2, qui forme la pyrolusite naturelle et a des propriétés oxydantes : d'où son usage pour blanchir le verre (savon des verriers) et son emploi comme dépolarisant dans la pile Leclanché; l'anhydride manganique MnO_3, qui donne avec les bases des manganates; enfin l'anhydride permanganique Mn_2O_7, auquel correspondent les permanganates — tel $KMnO_4$ —, sels violets fortement oxydants, utilisés comme désinfectants.

La production mondiale (en métal contenu) est de l'ordre de 10 Mt; elle provient pour plus du quart de l'U. R. S. S., devançant l'Afrique du Sud, le Brésil et le Gabon, dont l'apport unitaire oscille autour du million de tonnes. Derrière viennent l'Australie et l'Inde. La production continentale peut être considérablement accrue, à terme, par l'exploitation des *nodules de manganèse,* dont les dragages sous-marins ont révélé la présence sur les fonds océaniques et qui sont des corps grossièrement arrondis, dont le diamètre varie de quelques centimètres à plusieurs mètres.

MANGIN (Charles), général français (Sarrebourg 1866-Paris 1925). Membre de la mission Congo-Nil de Marchand en 1895, il se distingue de 1901 à 1912 au Tonkin, en Afrique noire et au Maroc. Pendant la bataille de Verdun, il s'illustre par la reprise de Douaumont et de Vaux (oct.-nov. 1916). En 1918, après avoir brisé l'attaque allemande sur le Matz, il commande la Xᵉ armée jusqu'à la victoire. Ses *Lettres de guerre* ont été publiées en 1951.

MANGLA → JHELAM.

MANGOUSTE. — La mangouste, mammifère carnassier, a été introduite aux Antilles vers 1850 en vue d'y détruire les serpents. Elle est, en effet, particulièrement habile pour éviter la morsure des espèces venimeuses et tuer celles-ci en les mordant au cou.

C'est une sorte de belette, mais sans glandes anales et à la démarche plantigrade. On en connaît deux espèces : l'*ichneumon* méditerranéen et le *mungo* de l'Inde. (Famille des viverridés.)

MANGROVE. — Association végétale qui couvre les littoraux des régions tropicales, la mangrove est caractérisée par la prédominance des palétuviers, qui forment une forêt amphibie que leurs racines rendent particulièrement impénétrable.

MANGUIER. — Les mangues, gros fruits savoureux, proviennent d'un arbre des régions équatoriales, cultivé, le manguier, de la famille des anacardiacées. Il ne faut pas confondre cet arbre avec le *manglier (Rhizophora mangle),* qui est un palétuvier* caractéristique de la « mangrove ».

MANGUIN (Henri) → FAUVISME.

MANGUYCHLAK *(presqu'île de),* région désertique de l'ouest du Kazakhstan, sur la mer Caspienne. Pétrole.

MANHATTAN, péninsule constituant le centre de la ville de New York, entre l'Hudson, l'East River et la rivière de Harlem; env. 2 millions d'hab.

Manhattan Transfer, roman de Dos Passos (1925). Panorama de la vie new-yorkaise à travers une centaine de personnages appartenant à toutes les classes de la société et une technique romanesque qui emprunte ses méthodes de composition au montage cinématographique, au jazz, au collage pictural.

MANIACO-DÉPRESSIVE (psychose) → DÉPRESSION et MANIE.

MANICHÉISME. — Manès, ou Mani, né vers 215, vécut et prêcha surtout dans l'Empire perse sassanide* (sauf un séjour en Inde de deux ans) et mourut martyr sous le règne de Bahrām Iᵉʳ vers 275, à l'instigation des mages mazdéistes. La religion de Manès se rattachait au gnosticisme et, comme telle, était essentiellement fondée sur une « gnose », ou connaissance supérieure, qui apportait par elle-même le salut. Le manichéisme, qui associait au dualisme gnostique des éléments mazdéens, bouddhiques et chrétiens, fut une religion missionnaire, rivale sérieuse du christianisme jusqu'au Moyen Âge. La résurgence des influences manichéennes se manifesta dans les sectes médiévales des bogomiles* et des cathares*.

MANICOUAGANE ou **MANICOUAGAN,** riv. du Canada (Québec), tributaire de l'estuaire du Saint-Laurent; 500 km. Importants aménagements hydroélectriques.

MANIE. — Cet état de surexcitation peut être opposé point par point à la dépression* mélancolique. Dans l'accès maniaque, tous les processus intellectuels sont accélérés de façon désordonnée. Le flux des pensées est rapide (fuite des idées), mais bourré de digressions, et l'attention est impossible à focaliser. L'imagination débridée et la perception trop rapide donnent libre cours à la fabulation sans que l'on puisse parler d'hallucination* ou de délire*. L'exaltation domine aussi la vie affective : euphorie, confiance en soi, optimisme, débordements instinctuels, d'autant plus remarqués qu'ils contrastent avec le mode de vie habituel. Le ludisme caractérise l'hyperactivité du maniaque, qui joue en permanence avec les choses et les personnes comme il joue avec les mots.

La manie alterne souvent chez une même personne avec la mélancolie*, si bien que les cliniciens du XIXe s. ont réuni ces deux accès au sein d'une même entité, la *psychose maniaco-dépressive.* Les psychanalystes ont également montré la parenté structurale entre manie et mélancolie, qui représente deux tentatives de résolution d'un même conflit. Pour Melanie Klein, la position maniaque succède, dans le développement psychique normal, à la position dépressive, dont elle est l'opposé, le normal étant l'oscillation entre ces deux positions extrêmes. La défense maniaque est complexe, comprenant des attitudes de toute-puissance pour compenser la menace de dépression, des attitudes de négation des dangers menaçants et des fantasmes sadiques, et une idéalisation qui transforme la réalité psychique.

MANIÉRISME → RENAISSANCE.

MANIFESTATION. — Les manifestations, à l'exception de celles qui sont conformes à des usages locaux, sont soumises à une déclaration préalable. L'autorité investie du pouvoir de police peut interdire une manifestation, si celle-ci est susceptible de troubler l'ordre public, par un arrêté qu'elle notifie aux signataires de la déclaration. En cas d'interdiction, la manifestation, si elle a lieu, devient un attroupement illégal.

Manifeste du parti communiste *(le),* œuvre de Karl Marx (1848), rédigée par lui, d'après les notes d'Engels, sur la demande du second congrès de la Ligue des communistes, tenu à Londres en 1847. Marx y décrit les étapes des modes* de production et l'histoire de l'humanité sur la base de la lutte* des classes, la phase bourgeoise où l'exploitation atteint un degré encore inégalé et le rôle du parti communiste face à la classe ouvrière et ses organisations. Il y énonce notamment un programme en dix points que devra réaliser le prolétariat organisé en classe dominante, « sans attenter *despotiquement* aux rapports de production bourgeois », mais qui sont « indispensables comme moyens de bouleverser le mode de production tout entier ».

MANIFESTE LITTÉRAIRE. — Le mot « manifeste » a fait une double entrée en littérature : en 1828 d'abord, sous une forme métaphorique, avec Sainte-Beuve, qui, dans son *Tableau historique et critique de la poésie française,* comparait la *Défense* et illustration de la langue française* au « manifeste d'une insurrection soudaine »; en 1886 ensuite, sous une forme directe et explicite, avec le *Manifeste du symbolisme* de Moréas. Ouvrage théorique ou préface, le manifeste appartient au domaine de la critique, mais, œuvre d'un écrivain, il prend le caractère d'une profession de foi : sans en avoir le titre, les *Examens* de Corneille sur la tragédie ou les *Parallèles* de Perrault sont déjà des manifestes. La marque essentielle du manifeste est d'être une déclaration publique (d'où l'emprunt du terme au vocabulaire de la politique et du droit maritime) qui s'inscrit le plus souvent dans un contexte polémique : *Racine* et Shakespeare* de Stendhal et la *Préface* de *Cromwell** de Hugo dans la bataille romantique; le *Manifeste du futurisme** de Marinetti; les *Manifestes* du surréalisme;* l'article de Sartre dans les *Temps modernes* (1945) sur l'engagement* de l'écrivain, prolongé par son *Qu'est-ce que la littérature?* (1947); le recueil théorique de Robbe-Grillet *Pour un nouveau roman,* publié en 1963.

Manifestes du surréalisme, réunion, par André Breton (en 1965), de textes parus de 1924 à 1953 et qui composent une théorie et une justification du surréalisme : *Manifeste du surréalisme* (1924), *Lettre aux voyantes* (1925), *Second Manifeste du surréalisme* (1930), *Prolégomènes à un troisième manifeste du surréalisme ou non* (1942), *Position politique du surréalisme* (1935), *Du surréalisme en ses œuvres vives* (1953). Ces textes critiques et théoriques sont illustrés par un texte poétique, *Poisson soluble,* qui accompagnait la première édition du premier *Manifeste,* et prolongés par des écrits recueillis dans *les Pas perdus, le Point du jour, la Clé des champs* et *les Documents surréalistes.*

MANILLE, en esp. **Manila,** plus grande ville des Philippines, sur la côte occidentale de l'île de Luçon, au fond de la *baie de Manille;* 1 331 000 hab. Manille est l'élément prédominant d'une agglomération de plus de 2 millions d'habitants (englobant notamment la capitale nationale *Quezon City*), premier centre commercial, portuaire, intellectuel et surtout industriel (industries alimentaires, mécaniques et textiles) du pays.

MANIN (Daniele), patriote italien (Venise 1804 - Paris 1857). Leader de la révolution nationale à Venise, il proclame en mars 1848 la république, dont il devient le président. Refusant l'armistice après la défaite de Novare, il organise la résistance aux Autrichiens et ne capitule que le 22 août 1849.

MANIPULATION VERTÉBRALE → VERTÈBRE.

MANIPUR, État du nord-est de l'Inde, entre l'Assam et la Birmanie; 1 073 000 hab. Capit. *Imphāl.*

MANISA, v. de Turquie, ch.-l. de prov., au N.-E. d'Izmir; 70 000 hab. Mosquées des XIVe-XVIe s. Musée.

MANITOBA, prov. de l'ouest du Canada; 650 000 km^2; 998 000 hab. Capit. *Winnipeg.* Région de plaines et de plateaux, parsemée de lacs d'origine glaciaire, le Manitoba s'étire sur plus de 1 000 km du S. au N. La population, peu dense (la province est plus vaste que la France), se concentre dans le sud, au climat moins rude (la moyenne de janvier est cependant de − 17,5 °C à Winnipeg) et (relativement) plus humide. De vastes superficies sont consacrées au blé, culture dominante, mais l'élevage bovin progresse. Le nickel est, de loin, la principale ressource minérale. L'industrie est liée en partie à la valorisation des produits du sol (minoteries) et de l'élevage (abattoirs), cependant que se sont développées les constructions mécaniques et électriques ainsi que la chimie. Elle est représentée essentiellement dans l'agglomération de Winnipeg (seule grande ville du Manitoba), qui concentre plus de la moitié de la population provinciale.

MANITOBA *(lac),* lac du Canada, dans le sud de la *province du Manitoba;* 4 800 km^2.

MANIU (Iuliu), homme politique roumain (Şimleul-Silvaniei, Transylvanie, 1873 - Sighet 1955). Élu chef du gouvernement provisoire transylvain à Alba-Iulia, il fait proclamer l'union de la Transylvanie à la Roumanie (1918) et forme en 1926 le parti national-paysan; il devient ensuite chef du gouvernement roumain (1928-1930). Hostile à la politique dictatoriale du roi Charles II, puis à celle d'Antonescu, il est l'un des principaux chefs de la résistance à l'Allemagne pendant la Seconde Guerre mondiale, mais, opposé à l'implantation du régime communiste, il est arrêté en 1947.

MANIZALES, v. de Colombie, sur le Cauca; 222 000 hab.

MANKIEWICZ (Joseph Leo), cinéaste américain (Wilkes Barre, Pennsylvanie, 1909). Tout en abordant les genres les plus divers, il sait rester fidèle à un style élégant, voire raffiné, soulignant l'importance du dialogue et s'efforçant de saisir la vérité de la vie sous un angle pirandellien : *Chaînes conjugales* (1949), *Ève* (1950), *la Comtesse aux pieds nus* (1954), *le Reptile* (1969), *le Limier* (1972).

MANN (Heinrich), écrivain allemand (Lübeck 1871 - Santa Monica, Californie, 1950), observateur satirique de la société allemande moderne (*le Professeur Unrat,* 1905).

MANN (Thomas), écrivain allemand (Lübeck 1875 - Zurich 1955), frère du précédent. Il entreprend d'abord, dans des romans d'inspiration satirique et sociale, d'analyser deux conceptions opposées de l'existence : le culte de l'action et la vie de l'esprit (*les Buddenbrook**, 1901; *Tonio Kröger,* 1903; *la Mort* à Venise,* 1913). Opposé au pacifisme de son frère, il s'affirme nationaliste, mais la fin de la Première Guerre mondiale le voit évoluer vers la méditation et le recueillement (*la Montagne* magique,* 1924). À l'avènement de Hitler, il s'exile en France, en Suisse, puis en Californie et consacre ses récits à la défense des valeurs spirituelles et morales (*Joseph et ses frères,* 1933-1943; *Docteur Faustus,* 1947), donnant par l'étude de ses conflits intérieurs l'image même de l'ambiguïté et du déchirement de l'Allemagne moderne. (Prix Nobel, 1929.)

MANNAR *(golfe de)* → MANAAR.

MANNERHEIM (Carl Gustaf, *baron*), maréchal et homme d'État finlandais (Villnäs 1867 - Lausanne 1951). Il prend part dans l'armée russe à la guerre de 1914, commande les troupes finlandaises de libération après la révolution de 1917, bat les bolcheviks à Tampere et est élu en 1918 régent de la Finlande, dont il fait reconnaître l'indépendance par les Alliés. Il dirige en 1939-40 la résistance de la Finlande à l'U. R. S. S., qu'il combat au côtés de l'Allemagne de 1941 à 1944. Président de la République en 1944, il déclare la guerre à l'Allemagne, puis quitte la vie politique en 1946 et se retire en Suisse.

MANNHEIM, v. de l'Allemagne fédérale (Bade-Wurtemberg), au confluent du Rhin et du Neckar; 331 000 hab. Château du XVIIIe s. Musées. Constructions mécaniques (industrie automobile) et électriques. Chimie. Raffinerie de pétrole. — La ville fut, au XVIIIe s., un brillant foyer artistique.

MANNHEIM (Karl), sociologue d'origine hongroise (Budapest 1893 - Londres 1947). L'un des pères de la sociologie de la connaissance*, il est l'auteur d'*Idéologie* et utopie.*

MANNING (Henry Edward), prélat britannique (Totteridge 1808 - Londres 1892). Prêtre anglican, il adhère avec Newman* au mouvement d'Oxford. Passé au catholicisme (1850), prêtre romain (1851), il fonde les oblats de Saint-Charles pour les missions populaires (1856) avant de succéder au cardinal Wiseman comme archevêque de Westminster (1865). Son élévation au cardinalat (1875) récompense son action en faveur des ouvriers.

MANNITE. — De formule $CH_2OH—(CHOH)_4—CH_2OH$, la mannite ordinaire est dextrogyre; son oxydation fournit le *d*-mannose ou le *d*-fructose; elle a des propriétés laxatives.

MANNONI (Maud), psychanalyste française (Courtrai 1923). S'intéressant aux enfants psychotiques (v. PSYCHOSE) ou/et arriérés*, elle s'est efforcée, en s'appuyant sur les travaux de J. Lacan*, de repérer quelle est la fonction du symptôme de l'enfant, pris dans le champ du désir de ses parents et dans le mythe social qui fait de lui un inadapté exclu de la vie réelle par une ségrégation croissante (*l'Enfant arriéré et sa mère,* 1964; *l'Enfant, sa «maladie», et les autres,* 1967). Influencée par l'antipsychiatrie*, elle conteste dans *le Psychiatre, son fou et la psychanalyse* (1970) et dans *Éducation impossible* (1973) le statut donné par la société à la folie* et la médicalisation abusive de celle-ci.

MANOLETE (Manuel Rodríguez SÁNCHEZ, dit), matador espagnol (Cordoue 1917-Linares 1947). Toréant dans un style sobre et classique, il a marqué l'art taurin de son époque. Il est «mort dans l'arène» au cours de sa 508e corrida.

MANOMÈTRE. — Le *manomètre à air libre* est un tube en U contenant un liquide, dont une branche communique avec le récipient contenant le gaz dont on veut mesurer la pression et dont l'autre est ouverte; la différence des niveaux du liquide indique l'écart entre la pression du gaz et la pression atmosphérique. Dans le *manomètre à air comprimé,* la pression s'évalue d'après la valeur du volume d'une masse d'air que le fluide comprime. Il existe aussi des *manomètres métalliques;* celui de Bourdon est fondé sur la tendance qu'a un tube métallique cintré à se redresser lorsqu'il est soumis intérieurement à la pression d'un fluide; il est aisément transformable en *manomètre enregistreur.*

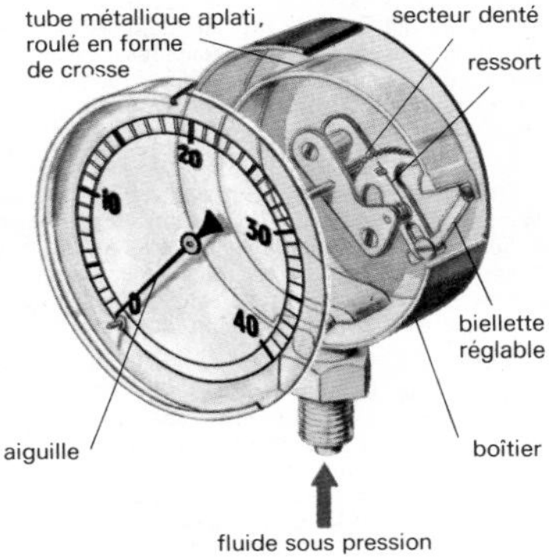

MANOMÈTRE.

Une augmentation de pression détermine le déroulement du tube métallique entraînant le déplacement de l'aiguille.

Manon, opéra-comique en cinq actes, livret de H. Meilhac et Ph. Gilles, musique de J. Massenet (1884), inspiré du roman de l'abbé Prévost.

Manon Lescaut, roman de l'abbé Prévost (1731). L'*Histoire du chevalier Des Grieux et de Manon Lescaut* n'est, originairement, qu'un épisode des *Mémoires d'un homme de qualité.* C'est la peinture de la déchéance lucide d'un homme épris d'une jeune fille à la fois naïve et perfide, amorale jusqu'à sa dernière chute, qui opère sa conversion.

Manon Lescaut, drame lyrique en quatre actes, livret de L. Illica, D. Oliva, M. Praga et G. Ricordi d'après le roman de l'abbé Prévost, musique de G. Puccini (1893).

MANOSQUE (04100), ch.-l. de cant. des Alpes-de-Haute-Provence, près de la Durance; 19570 hab. *(Manosquins).* Restes de remparts. Deux églises d'origine romane. Centrale hydroélectrique.

MANQUE (état de) → TOXICOMANIE.

MANRESA, v. d'Espagne, en Catalogne, au N.-O. de Barcelone; 58000 hab. Collégiale gothique des XIVe-XVIe s. (retables peints de l'école catalane). Pneumatiques.

MANRIQUE (Jorge), poète espagnol (Paredes de Nava v. 1440-dans un combat près du château de Garci-Muñoz 1479). Son élégie *Sur la mort de son père* fait de lui l'un des premiers poètes lyriques des cancioneros du XVe s.

MANS (Le), ch.-l. du départ. de la Sarthe, sur la Sarthe (à son confluent avec l'Huisne), à 217 km à l'O. de Paris; 155245 hab. *(Manceaux).*

Beaujard

Le Mans. La cathédrale Saint-Julien, au cœur du «Vieux Mans».

GÉOGRAPHIE. Carrefour entre Paris et la Bretagne, la Normandie et la vallée de la Loire, la ville s'est développée à partir du milieu du XIXe s. avec l'aménagement de la voie ferrée entre Paris et Rennes. C'est aujourd'hui un centre d'échanges (avec une importante foire-exposition), de services (assurances, enseignement supérieur) et une ville industrielle, dominée par les constructions mécaniques : matériel agricole et pièces détachées pour l'industrie automobile (dont Le Mans, avec la célèbre course annuelle des «Vingt-Quatre Heures», est un haut lieu). Démesurément étendue (le territoire communal représente la moitié de Paris), elle est cependant le noyau d'une agglomération qui compte aujourd'hui environ 200000 habitants, favorisée par une situation que la liaison autoroutière avec Paris doit encore valoriser.

HISTOIRE. Cité épiscopale, la ville fut cédée au XIe s. à Guillaume de Normandie, qui y réprima le mouvement communal. Prise par Philippe Auguste en 1189, rendue aux Anglais dès 1204, elle ne fit retour à la France qu'en 1481. En 1793, Marceau y remporta sur les chouans une victoire décisive. En 1871, Chanzy y résista héroïquement aux Prussiens.

BEAUX-ARTS. Enceinte gallo-romaine de la vieille ville. Cathédrale à nef romane, à transept du XIVe s., à magnifiques chœur et chevet du XIIIe s. (sculptures et vitraux). Églises Notre-Dame-de-la-Couture (sculptures, tapisseries, tableaux) et Notre-Dame-du-Pré, remontant au XIe s. Demeures des XVe et XVIe s. Église de la Visitation (1730). Musée régional et musée Tessé.

MANSART (François), architecte français (Paris 1598-*id.* 1666). Son œuvre constitue un jalon majeur du classicisme. Appartenant à une famille de bâtisseurs, Mansart bénéficie d'un apprentissage qui fait de lui un excellent technicien (stéréotomie, génie civil). Héritier des Delorme, de Brosse, Lemercier, Métezeau, il est un virtuose de la mise en valeur des éléments les uns par les autres, comme de leur intégration à un ensemble articulé, son goût de la mesure lui permettant des compositions parfaitement claires, variées et vivantes. Jamais satisfait sur cette voie de perfection, il n'hésite pas à démolir et à reprendre plusieurs fois son travail, ce qui lui fera perdre le chantier du Val-de-Grâce et refuser celui du Louvre. Bien qu'architecte du roi depuis 1625, il reçoit surtout des commandes privées, pour des particuliers (une douzaine de demeures parisiennes, dont peu subsistent : hôtel Guénégaud [v. 1652], hôtel Carnavalet, dont la façade intègre le portail de Lescot) et des congrégations (Notre-Dame-des-Anges, auj. temple Sainte-Marie, 1632). Il élève le château de Berny (disparu), l'aile Gaston-d'Orléans de Blois (1635) et le château de Maisons (1642), chef-d'œuvre de vigueur harmonieuse et pondérée. — Son petit-neveu, JULES **Hardouin-Mansart** (Paris 1646-Marly 1708), l'égale en renommée et lui ressemble par son esprit (comme par ses intrigues et ses spéculations). Il aurait, dit-on, gagné la faveur du roi par l'intermédiaire de Le Nôtre (dont il partage la vision esthétique), faveur qui durera trente ans. Il entre aux Bâtiments du roi et à l'Académie en 1675, devient premier architecte dix ans plus tard et est annobli en 1683 (baron de Jouy et comte de Sagonne : titres qui reviendront à deux architectes du XVIIIe s., ses petits-fils). Pour faire face au labeur écrasant, il crée une agence, que dirige R. de Cotte*. Ses plus importants travaux sont le nouveau Versailles*, auquel il donne son envergure définitive (1678-1684; chapelle, 1699), le Grand Trianon (1687), Marly et, à Paris, le dispositif de la place Vendôme (plans définitifs : 1699); au dôme des Invalides (1676-1706), il reprend les géniales conceptions de son grand-oncle (esquissées dans l'escalier de Blois, dans le projet pour une chapelle funéraire des Bourbons à Saint-Denis), réalisant à travers le plan central et la coupole à double coque et lanterne un modèle d'interprétation des espaces intérieurs. Grand appareilleur (voûte plate de l'hôtel de ville d'Arles), soucieux des distributions intérieures et du confort, pensant en volumes et non en dessins, Hardouin-Mansart, qui ajoutait la grâce aux froides leçons de l'Académie, a mené le classicisme français à son apogée et, par ses élèves (comme Boffrand), en a permis le rayonnement en Europe.

MANSE. — Au haut Moyen Âge, ce terme désignait, à l'intérieur des grands domaines, l'unité d'exploitation agricole confiée à une famille paysanne, à charge pour elle de contribuer à l'entretien de la « réserve » du seigneur. La superficie du manse (de 10 à 15 hectares en moyenne) était variable. La pratique du partage des manses entraîna la disparition de l'institution (XIIe s.).

MANSFIELD, v. d'Angleterre, dans le Nottinghamshire; 58 000 hab. Église des XIIIe-XVe s. Industries textiles et mécaniques.

MANSFIELD [Kathleen MANSFIELD BEAUCHAMP, dite **Katherine**), femme de lettres néo-zélandaise (Wellington, Nouvelle-Zélande, 1888 - Avon 1923). Célèbre pour ses nouvelles (*Une pension allemande,* 1911; *Félicité,* 1920; *la Garden Party,* 1922), elle a laissé également des *Lettres* (1921-22) et un *Journal* (1914-1922).

MANSHOLT (Sicco Leendert), économiste et homme politique néerlandais (Ubrum 1908). Ministre de l'Agriculture (1945-1958), il participa aux négociations qui contribuèrent à créer le Benelux, et fut vice-président de la commission exécutive de la Communauté économique européenne. On lui doit une série de projets d'organisation de l'agriculture des pays de la Communauté. S. Mansholt préconisa, dès 1971, l'arrêt de la croissance* industrielle sans condition, au profit d'une notion plus qualitative. Il présida la Communauté économique européenne en 1972.

MANSLE (16230), ch.-l. de cant. de la Charente, sur la Charente, à 26 km au N. d'Angoulême; 1 664 hab. Constructions mécaniques.

MANSOURAH, v. d'Égypte, près de la Méditerranée; 191 000 hab. — Saint Louis y fut fait prisonnier en 1250.

MANSTEIN (Eric VON LEWINSKI VON), maréchal allemand (Berlin 1887 - Irschenhausen 1973). Neveu de Hindenburg, chef d'état-major de Rundstedt en 1934, il est l'auteur du plan d'opérations contre la France, adopté par Hitler en 1940. Commandant d'armée, puis du groupe d'armées sur le front russe, il conquiert la Crimée (1942), mais ne réussit pas à dégager Stalingrad. Écarté par Hitler en 1944, il est prisonnier des Alliés jusqu'en 1953 et publie ses Mémoires *(Victoires perdues)* en 1955.

MANṢŪR (Abū Dja'far **al-**) → 'ABBĀSSIDES.

MANṢŪR (Muḥammad ibn Abī 'Amīr, surnommé **al-**) [« le Victorieux »], en esp. **Almanzor,** homme d'État et chef militaire du califat de Cordoue* (Torrox, Almería, 940 - Medinaceli 1002). Au service des califes, il s'arroge sous Hichām II le pouvoir, qu'il détient ouvertement à partir de 981. Il inaugure alors la série de ses campagnes contre les chrétiens du Nord, dont les plus célèbres sont celles contre Barcelone (985) et contre Saint-Jacques-de-Compostelle (997), qu'il détruit de fond en comble.

MAN-TCH'ENG ou **MANCHENG,** site archéologique de Chine (Ho-pei), à 150 km au S.-O. de Pékin, où, en 1968, les tombeaux d'un prince Han et de son épouse (IIe s. av. J.-C.) ont été dégagés. Parmi le mobilier funéraire (2 800 objets), on a recueilli deux linceuls, faits de plaquettes de jade cousues de fils d'or.

MANTE. — Insecte orthoptère très commun dans les régions méditerranéennes, elle se reconnaît à sa petite tête triangulaire à gros yeux et à la manière dont elle tient repliées devant elle, comme en prière, ses « pattes ravisseuses » (première paire de pattes), qu'elle déploie brusquement pour capturer ses proies. Son nom de « mante religieuse » ou de « pregadiou » fait allusion à cette attitude. La mante pond ses œufs dans une *oothèque,* petit nid compartimenté fait de mucus desséché et collé sur une pierre.

On donne aussi le nom de *mante* à une raie géante (de 8 m d'envergure et d'un poids de 3 t environ), dont la capture est dangereuse.

MANTEAU *(Astron.)* → LUNE, PLANÈTE et TERRE.

MANTEGNA (Andrea), peintre italien (Isola di Carturo, Padoue, 1431 - Mantoue 1506). L'attrait de l'art des Florentins, et particulièrement de Donatello (sensible dans les fresques de la chapelle Ovetari des Eremitani de Padoue [1450-1455], détruites en 1944), allié à son goût pour l'antique, le conduit à la recherche d'un dessin extrêmement net, d'un relief puissant, d'une perspective audacieuse, joints à des couleurs sobres (jusqu'à la quasi-monochromie des cartons du *Triomphe de César,* 1485, palais de Hampton Court). Des œuvres comme le *Retable de San Zeno* (1459, Vérone), la décoration de la *Camera degli Sposi* du palais ducal de Mantoue, ensemble d'une rare autorité spatiale (v. 1472), ou le *Saint Sébastien* du Louvre (v. 1480) consomment une rupture complète avec l'âge gothique. La dernière période de l'artiste n'est pas moins féconde, avec notamment les commandes d'Isabelle d'Este pour son *studiolo* de Mantoue (*le Parnasse,* 1497, Louvre).

MANTES-LA-JOLIE (78200), ch.-l. d'arr. des Yvelines, sur la r. g. de la Seine, à 60 km à l'O. de Paris; 42 564 hab. *(Mantais).* Belle collégiale entreprise à la fin du XIIe s. par la façade (sculptures du portail central), parente de la cathédrale de Paris. Église de Gassicourt, des XIe-XIIIe s. Industries mécaniques et chimiques.

MANTES-LA-VILLE (78200 Mantes la Jolie), ch.-l. de c. des Yvelines, dans la banlieue sud de *Mantes-la-Jolie;* 16 710 hab.

MANTEUFFEL (Edwin, *baron* VON), maréchal prussien (Dresde 1809 - Karlsbad 1885). Il prit part aux campagnes de 1864, de 1866 et de 1870, commanda l'armée allemande d'occupation en France (1871-1873) et fut statthalter d'Alsace-Lorraine (1880-1885).

MANTINÉE, cité grecque d'Arcadie. Détruite par Sparte en 385 av. J.-C., elle fut rebâtie en 370 par Épaminondas*, dont la mort, en 362, à la bataille de Mantinée, mit fin à l'hégémonie de Thèbes*.

MANTOUE, en ital. **Mantova,** v. d'Italie (Lombardie), ch.-l. de prov., sur le Mincio; 67 000 hab. Raffinage du pétrole. Chimie.

HISTOIRE. Vraisemblablement fondée par les Étrusques (VIe-Ve s. av. J.-C.), dominée par Rome (IIIe s. av. J.-C.), puis par les Lombards (601), Mantoue fut, au Moyen Âge, déchirée par des dissensions qui affaiblirent le pouvoir de ses évêques et aboutirent au triomphe du mouvement communal (1235). Le régime municipal évolua vers le podestat, et la cité tomba en 1328 aux mains des Gonzague, qui, avec le titre de marquis (1433), puis celui de ducs (1530), la gouvernèrent jusqu'en 1708. Devenue en 1710 siège d'un duché autrichien, incorporée à la république Cisalpine en 1797, puis au royaume d'Italie en 1805, elle revint aux Habsbourg en 1815 avant d'être rattachée au royaume italien (1866).

BEAUX-ARTS. Rotonde S. Lorenzo (XIe s.). Palais ducal, ensemble composite des XIIIe-XVIe s. (*Camera degli Sposi,* peinte par Mantegna*; collections de sculptures et de peintures). Églises S. Sebastiano (en croix grecque) et S. Andrea (en croix latine, avec avant-corps conçu comme un arc de triomphe romain) sur plans d'Alberti. Cathédrale reconstruite sur plans de J. Romain*, auteur du palais du Te, œuvre typique du maniérisme.

MANUCE, en ital. **Manuzio,** famille d'imprimeurs italiens, plus connus sous le nom d'**Aldes.** — TEBALDO **Manuzio** (Bassiano v. 1449 - Venise 1515) fonda à Venise une imprimerie que rendirent célèbre ses éditions *princeps* des chefs-d'œuvre grecs et latins. On lui doit le caractère *italique* (1500) et le format in-octavo. — PAUL (Venise 1512 - Rome 1574) fut un imprimeur et un érudit. — ALDE **le Jeune** (Venise 1547 - Rome 1597), fils de Paul, dirigea l'imprimerie Vaticane.

MANUEL Ier COMNÈNE → COMNÈNES.

MANUEL II PALÉOLOGUE → PALÉOLOGUES.

MANUEL Ier, roi de Portugal → AVIZ *(dynastie d').*

MANUEL II (Lisbonne 1889 - Twickenham 1932), roi de Portugal (1908-1910). Appelé au trône après l'assassinat de son père, Charles Ier, et de son frère (1908), il fut chassé dès 1910 par un soulèvement militaire.

MANUEL (Niklaus), dit **N. Manuel Deutsch,** peintre, graveur, poète et homme d'État suisse (Berne 1484 - *id.* 1530). Élève de Hans Fries (v. 1465 - apr. 1518), il accompagna les troupes bernoises en Italie, fut influencé par Hans Baldung et peignit au couvent des Dominicains de Berne une *Danse macabre* connue par des copies. On a de lui des gravures sur bois et de grandes peintures d'un style étrange et délicat (*le Jugement de Pâris,* musée de Bâle).

MANUTENTION MARITIME. — Les opérations de chargement et de déchargement des navires présentent une grande importance pour l'exploitation de ceux-ci, la rapidité de ce travail étant d'un intérêt essentiel pour les armateurs, toujours soucieux de réduire l'immobilisation de leurs unités. Une manutention bien conduite permet, de plus, de diminuer les avaries et les vols. Enfin, son coût et sa qualité sont un des éléments majeurs de la compétitivité entre ports. Bien que le gros outillage soit, généralement, fourni par les ports ou leurs concessionnaires, l'ampleur croissante du matériel à mettre en œuvre a provoqué la concentration des entreprises de manutention, dont le statut juridique a été précisé, pour la France, par la loi du 18 juin 1966. Celles-ci sont souvent désignées par la dénomination anglaise de *stevedores* (*acconiers* en Méditerranée). L'irrégularité du travail détermine pour les ouvriers, les *dockers,* un régime spécial d'embauche. Celle-ci se fait une ou plusieurs fois par jour, son importance étant fonction du nombre de navires à opérer et de la nature des chargements. Le travail est organisé soit par *vacations* (par exemple deux par jour, de quatre heures chacune), soit par *shifts,* qui peuvent être de huit heures coupées par une courte pause. La loi du 6 septembre 1947 et divers autres textes ont établi le statut de cette main-d'œuvre. Une priorité d'embauche est donnée aux dockers « professionnels », dont l'effectif est fixé suivant les besoins moyens de chaque port, une embauche complémentaire de dockers « occasionnels » étant pratiquée.

Manyō-shū, premier recueil officiel de poésies japonaises (808). Il rassemble des poèmes, œuvres d'empereurs et de courtisans, composés du IVe au VIIIe s.

MANYTCH (le), riv. de l'U.R.S.S., au N. du Caucase, à écoulement intermittent vers la mer d'Azov (par le Don) et vers la Caspienne (par la Kouma).

MANZANARES (le), riv. d'Espagne, sous-affl. du Tage; 85 km. Il passe à Madrid.

MANZANILLO, port du sud de Cuba; 91 000 hab.

MANZAT (63410), ch.-l. de cant. du Puy-de-Dôme, à 21 km au N.-O. de Riom; 1 394 hab. Dans l'église, boiseries et *Pietà* en bois du XVIIe s.

MANZONI (Alessandro), écrivain italien (Milan 1785 - *id.* 1873). Son roman historique *les Fiancés* (1825-1827) fut un modèle de pensée et de style pour les écrivains italiens du XIXe s.

MAORIS, peuple habitant la Nouvelle-Zélande. Les Maoris, venus par vagues des îles de la Société du XIIe au XIVe s., habitaient la Nouvelle-Zélande* au moment de l'arrivée des Blancs, auxquels ils opposèrent une résistance farouche : une atroce guerre se développa de 1842 à 1869. Les Maoris sortirent de la lutte décimés, mais le gouverneur Grey prit des mesures pour les protéger.

MAO TOUEN ou **MAO DUN** (CHEN YEN-PING, dit), écrivain et homme politique chinois (district de Tong-yang, prov. du Tchö-kiang, 1896). Fondateur de la Société des recherches littéraires (1921) et l'un des créateurs de la Ligue des écrivains de gauche (1930), il fut ministre de la Culture de 1949 à 1966. Premier historien de la révolution chinoise, il est l'auteur de nouvelles, de romans (*Éclipse,* 1927; *Minuit,* 1932) et de pièces de théâtre (*Aux environs de la fête de Ts'ing-ming,* 1945) qui peignent les transformations de la vie chinoise depuis la fin de l'Empire.

MAO TSÖ-TONG ou **MAO ZEDONG** ou **MAO TSÉ-TOUNG,** homme d'État chinois (Chao-chan, Hou-nan, 1893 - Pékin 1976). D'un milieu paysan relativement aisé, il entre à l'école normale de Tch'ang-cha (Hou-nan), puis devient en 1918 aide-bibliothécaire à l'université de Pékin. Profondément nationaliste, il est alors influencé par les intellectuels révolutionnaires de Pékin et découvre bientôt le marxisme. Il crée lui-même une société pour l'étude du marxisme à Tch'ang-cha (1919), où il devient en 1920 directeur d'une école primaire. En 1921, il participe à la fondation du parti communiste chinois (P.C.C.). Secrétaire du parti au Hou-nan, il occupe rapidement des responsabilités importantes comme membre du Comité central du parti (1923), puis du Comité central du Kouo-min-tang* (1924), auquel s'est allié le P.C.C. L'enquête qu'il mène au Hou-nan sur l'essor spontané du mouvement paysan le convainc dès lors de l'importance du rôle que peuvent jouer les masses paysannes dans le développement de la révolution chinoise. La répression du mouvement révolutionnaire par Tchang* Kaï-chek met fin à l'alliance avec le Kouo-min-tang. Durant la guerre civile qui oppose nationalistes et communistes, Mao Tsö-tong dirige l'insurrection du Hou-nan, qui échoue (1927), puis se réfugie au Kiang-si (1927-1934), où il organise l'armée révolutionnaire, met en place une réforme agraire qui assure aux communistes le soutien des paysans et fonde les premiers soviets. Élu en 1931 président du gouvernement provisoire des soviets, il apparaît comme le leader du mouvement communiste dans les bases rurales. Mais les dirigeants communistes, fidèles au principe de la primauté de la révolution prolétarienne et urbaine, s'opposent à la tactique militaire de guérilla, la « guerre de partisans » qui associe les masses paysannes à l'armée rouge, élaborée par Mao Tsö-tong pendant cette période. Celui-ci est exclu des organes directeurs du parti, tandis que les victoires nationalistes (1933-34) obligent les communistes à une retraite vers l'ouest du pays. C'est l'épopée de la Longue* Marche (à partir d'octobre 1934), au cours de laquelle Mao Tsö-tong prend la direction de fait du Comité central (janv. 1935), dont il deviendra officiellement président en 1945. Il oriente le P.C.C. vers une politique d'alliance avec les nationalistes de Tchang Kaï-chek pour faire face à l'agression japonaise (1937-1945), définit la tactique de lutte contre l'impérialisme japonais et rédige les textes fondamentaux qui vont guider désormais le parti : *Problèmes stratégiques de la guerre révolutionnaire en Chine* (1936), *De la pratique* (1937), *De la contradiction* (1937), *De la démocratie nouvelle* (1940). La pensée maoïste, opposée à tout dogmatisme, prend sa source dans la réalité chinoise, à laquelle elle s'efforce d'adapter le marxisme. En Chine, la révolution vient des « campagnes » (auxquelles, par la suite, Mao comparera le tiers monde), pour gagner ensuite les villes, les contradictions ville-campagne étant amenées à disparaître au même

Gamma

Mao Tsö-tong recevant G. Pompidou, en visite officielle en Chine (Pékin, sept. 1973).

titre que les oppositions entre manuels et intellectuels. Dans ce contexte, l'armée rouge a un rôle original, et ses tâches sont également politiques, sociales et éducatives. Comme le parti, elle mobilise et organise les masses paysannes, qui doivent participer à la « guerre populaire ». Le nationalisme s'insère dans le processus révolutionnaire; la bourgeoisie nationale sera réformée, « rééduquée » et assimilée au « peuple ». (Mao reprend ce thème en 1949 dans un autre texte, *De la dictature démocratique populaire.*) Les antagonismes sociaux peuvent être résolus, comme doivent l'être également les contradictions entre la société et le gouvernement.

Le prestige acquis auprès des masses par les communistes au cours de la guerre sino-japonaise leur permet de vaincre définitivement le gouvernement de Tchang Kaï-chek après une nouvelle guerre civile (1946-1949). Le 1er octobre 1949, Mao Tsö-tong proclame à Pékin la République populaire chinoise. Président du Conseil, puis de la République (1954-1958), il dirige la transition vers un socialisme original, qui va diverger progressivement par rapport au modèle soviétique, au cours de plusieurs campagnes de mobilisation idéologique (campagne des « Cent Fleurs » [1956], « grand bond en avant » [1958], accompagné de la multiplication des communes populaires). Les oppositions au sein du P.C.C. augmentent après la rupture sino-soviétique et touchent Mao Tsö-tong lui-même, qui conserve cependant la présidence du parti. Constatant l'affaiblissement de l'esprit révolutionnaire, l'apparition de « déviations de droite » et de tendances « révisionnistes », Mao Tsö-tong met en avant la théorie de la « révolution permanente » et prend l'initiative de la révolution* culturelle (1966), au cours de laquelle le « Petit Livre rouge » (recueil des citations de Mao Tsö-tong) est largement diffusé. Son prestige sort renforcé de ce vaste mouvement, mais sa mort, quelques années plus tard permet aux nouveaux dirigeants d'éliminer les éléments d'extrême-gauche.

MAPUCHES → INDIENS D'AMÉRIQUE DU SUD [*carte*].

MAPUTO, anc. **Lourenço Marques,** capitale, principale ville et port du Mozambique, dans le sud du pays, sur l'océan Indien; 355 000 hab.

MAQUEREAU. — Type de l'ordre des *scombriformes,* le maquereau est un beau poisson de mer, quelque peu migrateur, que l'on pêche en été dans la zone ouest de la Manche. Sa forme fuselée, la puissance de sa musculature caudale en font un nageur endurant et rapide. On le reconnaît à son dos, d'un bleu vif et coupé de bandes noires transversales, tandis que le ventre est argenté.

MAQUETTE *(Aéron.)* → SOUFFLERIE.

MAQUIS. — Association végétale des régions méditerranéennes, le maquis résulte de la dégradation de la forêt (surpâturage, incendies). Composé d'arbustes et de buissons (cistes, bruyères, arbousiers, chênes nains), il se développe généralement sur sol acide et forme une végétation impénétrable.

MAR *(serra do),* extrémité sud-est du plateau brésilien du Rio Grande do Sul à l'État de Rio de Janeiro, dominant l'étroite et discontinue plaine côtière atlantique.

MARABOUT. — Voisin des cigognes, cet échassier porte sur son cou, nu, une curieuse poche (« jabot »). En Inde, on le laisse errer dans les villes, où il fait fonction d'un utile nettoyeur.

MARACAIBO, v. du Venezuela, capit. de l'État de Zulia, au N. du *lac de Maracaibo;* 650 000 hab. Centre de l'industrie pétrolière.

MARACAIBO *(lac de),* dépendance de la mer des Antilles (avec laquelle le lac communique par un goulet franchi par un pont long de 9 km), dans le nord-ouest du Venezuela; 16 360 km^2. Sur ses rives et sous le lac lui-même, extraction du pétrole.

MARACAY, v. du Venezuela, à l'O. de Caracas; 255 000 hab.

MARAIS. — Les marais se développent dans les zones où l'absence de réseau hydrographique engendre la stagnation d'une eau peu profonde, dans laquelle prolifère la végétation. Ils sont fréquents dans les lits majeurs des fleuves (anciens bras) ou dans les secteurs récemment désenglacés. Dans les régions froides, ce sont souvent des tourbières*. Les marais maritimes surtout connaissent une grande extension : ils jalonnent les côtes basses dans les zones où le colmatage est important. On y distingue deux secteurs : la slikke, dans la zone de battement des marées, est une vasière à la maigre végétation; elle passe, par un net talus, au schorre, à l'abri de la plupart des marées, colonisé par la végétation et parcouru de chenaux.

MARAIS (Marin), violiste et compositeur français (Paris 1656-*id.* 1728). Joueur de viole chez le roi et à l'Académie de musique, il a laissé pour son instrument des suites de danses et des pièces descriptives d'une écriture savante et raffinée, ainsi que des tragédies lyriques *(Alcyone, Sémélé).*

Marais (le), quartier de Paris (IIIe et IVe arrond.) où s'élevèrent, au XVIe et surtout au XVIIe s., de nombreux hôtels particuliers luxueusement décorés (Carnavalet*; Lamoignon [Bibliothèque historique de la ville]; de Sully*; d'Aumont [tribunal administratif], par Le Vau; Guénégaud [musée de la Chasse], par Mansart; Amelot de Bisseuil; de Soubise* et de Rohan; etc.). La place Royale (auj. des Vosges), créée par Henri IV, y fut le centre de la vie artistocratique. Abandonné par les classes riches à partir du XVIIIe s. (au profit des faubourgs Saint-Honoré et Saint-Germain), très altéré au XIXe s. par l'artisanat comme par les décrets d'alignement, l'ensemble est en voie de réhabilitation.

MARAIS BRETON (le), région littorale aux confins de la Vendée et de la Loire-Atlantique, aujourd'hui assainie, juxtaposant cultures céréalières et élevage bovin.

MARAIS POITEVIN (le), région littorale aux confins de la Vendée et de la Charente-Maritime, autour de l'anse de l'Aiguillon, et dont les parties basses *(marais mouillés)* sont consacrées à l'élevage et les parties drainées aux céréales.

MARAMUREŞ, massif montagneux des Carpates, en Roumanie (Transylvanie); 2 306 m.

MARANGE-SILVANGE (57300 Hagondange), comm. de la Moselle, à 15 km au N.-O. de Metz; 6 510 hab.

MARANHÃO, État du nord-est du Brésil; 328 663 km^2; 2 998 000 hab. Capit. *São Luís do Maranhão.*

MARAÑÓN (le), riv. du Pérou (1 800 km), née dans les Andes, et qui constitue une des branches mères de l'Amazone, rejoignant l'Ucayali peu en amont d'Iquitos.

MARAÑÓN Y POSADILLO (Gregorio), médecin et écrivain espagnol (Madrid 1887-*id.* 1960), l'un des précurseurs de l'endocrinologie (études sur la glande thyroïde, les hormones génitales et surrénaliennes).

MARANS (17230), ch.-l. de cant. de la Charente-Maritime, sur la Sèvre Niortaise, à 23 km au N.-E. de La Rochelle; 4 108 hab.

MARAŞ, v. de Turquie, ch.-l. de prov., au N.-E. d'Adana; 105 000 hab.

MARAT (Jean-Paul), homme politique français (Boudry, Suisse, 1743-Paris 1793). Médecin aux gardes du corps du comte d'Artois (1777), il publie des ouvrages philosophico-politiques avant de se lancer, en 1789, dans le journalisme : *l'Ami du peuple,* qu'il fonde et anime, se fait l'avocat virulent des sans-culottes contre la réaction. L'action de ce membre des Cordeliers prend de l'envergure après Varennes et la fusillade du Champ-de-Mars (juill. 1791). Deux fois exilé, son journal supprimé, Marat rentre au moment de la chute de la royauté (août 1792) et reprend la publication de *l'Ami du peuple,* puis l'abandonne pour *le Journal de la République française* (sept.). Député de Paris à la Convention, il obtient le vote par appel nominal, qui décide de la condamnation à mort de Louis XVI. Principale cible des Girondins, il est décrété d'accusation (13 avr. 1793), mais, acquitté triomphalement dès le 24 avril par le Tribunal révolutionnaire, il prend une part décisive à la chute de la Gironde (2 juin 1793). Quelques semaines plus tard (13 juill.), il est assassiné par Charlotte Corday. Jusqu'à la fin de 1794, il est l'objet d'un véritable culte.

MARĀṬHĪ → INDO-ARYEN.

MARATHON, bourgade de l'Attique, célèbre par la victoire que remporta sur les Perses le général athénien Miltiade* le 13 septembre 490 av. J.-C., mettant ainsi fin à la première guerre médique*. La légende veut qu'un coureur envoyé à Athènes pour annoncer l'heureuse issue du combat mit tant de hâte à accomplir sa mission qu'il mourut d'épuisement à son arrivée. Les fouilles ont révélé une continuité d'occupation depuis l'helladique ancien, ainsi que la tombe sous tumulus des morts athéniens.

MARBORÉ (le), massif des Pyrénées centrales sur la frontière franco-espagnole, culminant au *mont Perdu* à 3 353 m d'altitude. Le *pic de Marboré* atteint 3 260 m.

MARBOT (Jean-Baptiste, *baron* DE), général français (Altillac 1782-Paris 1854). Il écrivit sur ses campagnes du premier Empire des *Mémoires,* publiés en 1891.

MARBRE → CALCAIRE.

MARBURG, v. de l'Allemagne fédérale (Hesse), sur la Lahn; 48 000 hab. Université. Église Sainte-Élisabeth (1235-1283), majestueux prototype de l'église-halle gothique, à trois nefs de hauteur égale et à deux étages de fenêtres. Château. Maisons anciennes.

Marburg *(école de),* mouvement philosophique néokantien, né avec le livre de H. Cohen*, *Kants Theorie der Erfahrung* (1871) et disparu en 1933. Le « retour à Kant » amorcé par Cohen et continué par E. Cassirer* et P. Natorp* se réalise dans la recherche d'une théorie de la connaissance* et d'une méthode. La dernière période est dominée par une crise morale, intellectuelle et scientifique qui s'achève par la dislocation du mouvement.

MARC → EAU-DE-VIE.

MARC *(saint),* un des quatre évangélistes. Bien que l'Évangile selon saint Marc figure dans le canon du Nouveau Testament après celui de Matthieu, il est, en réalité, le plus ancien des quatre Évangiles*. Rédigé en grec vers 70, il a été utilisé par Luc* et Matthieu*; la tradition l'a attribué à un disciple nommé Marc, compagnon d'apostolat de saint Paul*, et qui serait devenu plus tard secrétaire de saint Pierre*. L'Évangile selon saint Marc, écrit pour des chrétiens convertis du paganisme, proclame que Jésus est le Fils de Dieu, dont la mort sauve les hommes qui accueillent le message et la grâce qu'il apporte.

MARC *(saint)* → PAPE.

MARC (Franz) → BLAUE REITER *(Der).*

MARC AURÈLE, en lat. **Marcus Annius Verus,** puis **Marcus Aurelius Antoninus** (Rome 121-Vindobona 180), empereur romain (161-180). Adopté en même temps que Lucius Verus* par Antonin*, il succéda à ce dernier en 161 et partagea les attributions impériales (sauf le grand pontificat) avec son frère adoptif. Ce fut la première collégialité impériale. Son règne fut dominé par douze années de guerres : la campagne contre les Parthes (161-166) fut victorieuse, mais rapporta une épidémie de peste dans l'Empire. Marc Aurèle dirigea lui-même les guerres danubiennes : les Quades et les Marcomans, parvenus devant Aquilée en 168, furent vaincus (174), et la guerre se poursuivit en 175 contre les Sarmates. Puis Marc Aurèle intervint en Orient contre l'usurpateur A. Cassius Pudens (175). Cette usurpation l'incita à désigner son fils Commode* comme coempereur et successeur. En 178, Marc Aurèle revint sur le Danube, où il mourut. Malgré les luttes incessantes, il ne négligea pas la politique intérieure et, tout en collaborant avec le sénat, il renforça la centralisation administrative. Dans le domaine religieux, il fut accueillant à toutes les religions, sauf le christianisme, qu'il laissa persécuter (martyres de saint Pothin et de sainte Blandine). Dans ses *Pensées,* écrites à la fin de sa vie, Marc Aurèle apparaît comme un adepte du stoïcisme*, dont il développe l'éthique.

MARCEAU (François Séverin MARCEAU-DESGRAVIERS, dit), général français (Chartres 1769-Altenkirchen 1796). Successeur de Rossignol à la tête de l'armée de l'Ouest (1793), il se distingua dans la guerre de Vendée par ses victoires du Mans et de Savenay ainsi que par son humanité envers les chouans. Il se signala encore à Fleurus en 1794, vainquit les Autrichiens à Neuwied (1795), mais fut mortellement blessé à Altenkirchen. Ses cendres ont été transférées au Panthéon en 1889.

MARCEL Ier *(saint)* [† 309], pape en 308-309, mort en exil sous le règne de l'empereur Maxence*. La tradition qui veut que le pape Marcel, réduit au rang de palefrenier des écuries impériales, soit mort de mauvais traitements est une légende qui n'est pas antérieure au Ve s.

MARCEL II (Marcello CERVINI) [Montepulciano 1501-Rome 1555], pape du 9 avril au 1er mai 1555. Il avait joué un rôle déterminant au concile de Trente*, qu'il avait présidé.

MARCEL (Étienne), homme politique français (v. 1316-Paris 1358). Riche drapier de Paris, élu en décembre 1355 prévôt des marchands, Étienne Marcel est le chef de file d'une bourgeoisie parisienne en réaction contre l'autoritarisme royal. Après la défaite de Poitiers (1356), il assure le gouvernement de Paris et domine les états généraux d'octobre 1356 et de février 1357. Face à l'opposition du futur Charles V, il organise la révolution communale, fait assassiner les principaux conseillers du Dauphin et obtient son admission au Conseil. La fuite du Dauphin et le ralliement des états de langue d'oïl à la cause royale l'incitent à mettre en état de siège la capitale, où il règne en dictateur, et à faire appel aux Anglo-Navarrais, qu'il introduit dans Paris (juin 1358), mais qu'il doit presque aussitôt expulser devant le mécontentement populaire. Étienne Marcel est assassiné (31 juill. 1358) par un partisan du Dauphin.

MARCEL (Gabriel) → EXISTENTIALISME.

MARCELLIN *(saint)* → PAPE.

MARCELLO (Benedetto), compositeur italien (Venise 1686 - Brescia 1739). Il est l'auteur d'un recueil de cinquante paraphrases de psaumes sur des textes de Giustiniani *(Estro poetico-armonico)* et d'un écrit satirique sur la vie théâtrale *(Teatro alla moda).*

MARCELLUS (Claudius) → CLAUDIUS MARCELLUS.

MARCH (Ausiàs), poète catalan (Gandía v. 1397 - Valence 1459), d'inspiration courtoise *(Cants d'amor)* et philosophique *(Cant spiritual).*

MARCHAIS (Georges), homme politique français (La Hoguette, Calvados, 1920). Ouvrier métallurgiste, il adhère à la C.G.T. en 1936 et au parti communiste en 1947. Membre du Comité central (1956) et du Bureau politique (1959), il devient secrétaire chargé de l'organisation du parti (1961). Secrétaire général adjoint du parti communiste (1970), secrétaire général en remplacement de Waldeck Rochet depuis 1972, il contribue à l'élaboration de la stratégie d'union de la gauche, prend ses distances vis-à-vis des communistes soviétiques et oriente son parti dans la voie d'un socialisme « démocratique » adapté à la réalité française, abandonnant notamment la référence au concept de dictature du prolétariat (XXIIe Congrès, 1976).

MARCHAK (Samouil Iakovlevitch), écrivain soviétique (Voronej 1887 - Moscou 1964). Il créa à l'usage de la jeunesse une littérature didactique et humoristique inspirée des principes de la société soviétique (*les Douze Mois,* 1943).

MARCHAND (Louis), compositeur et organiste français (Lyon 1669 - Paris 1732). Virtuose du clavier au temps de Louis XIV et de Louis XV, célèbre organiste des Cordeliers de Paris, il a laissé un livre de clavecin et des pièces d'orgue de haut style.

MARCHAND (Jean-Baptiste), général français (Thoissey 1863 - Paris 1934). Chef de la mission Congo-Nil partie de Loango en 1897, il atteignit Fachoda en 1898, mais dut l'évacuer sur ordre de Paris quatre mois plus tard, en raison de l'arrivée de la mission britannique de Kitchener. Il se distingua à la tête d'une division pendant la Première Guerre mondiale.

Marchand de Venise *(le),* comédie de Shakespeare (1596).

MARCHANDISE. — Produite pour satisfaire un besoin, matériel ou spirituel, la marchandise est fabriquée pour être échangée. À ce titre, la valeur d'échange s'estime en termes quantitatifs, donc en rapport avec la valeur d'usage relative à la nature de la marchandise, d'ordre qualitatif. Ce rapport s'exprime en termes dialectiques dans la mesure où la valeur qui s'investit dans la marchandise est la résultante du besoin et des lois de l'échange. Dans le mode de production capitaliste, la force de travail humain qui se cristallise dans la marchandise est elle-même une marchandise, ce qui traduit le fait que, dans ce système, « les rapports entre les hommes se manifestent sous la forme de rapports entre les choses ».

Marchands aventuriers, compagnie londonienne fondée au début du XVe s. et qui domina le commerce entre l'Angleterre et les pays de la mer du Nord et de la Baltique, au point de supplanter le comptoir londonien de la Ligue hanséatique, supprimé en 1598. Elle servit de modèle aux grandes compagnies à charte fondées aux XVIe et XVIIe s., et ne fut dissoute qu'en 1808.

MARCHAUX (25640 Roulans), ch.-l. de cant. du Doubs, à 13,5 km au N.-E. de Besançon; 556 hab.

MARCHE *(Hist.).* — Apparu sous Charlemagne, le terme désigna au haut Moyen Âge les circonscriptions territoriales situées aux frontières de l'empire destinées à jouer un rôle de zones de défense militaire. Dirigées par des *marchiones* (marquis, margraves) investis de vastes pouvoirs civils et militaires, les marches se multiplièrent à partir du IXe s. en Franconie orientale (Marche saxonne, Marche souabe, Marche d'Autriche, de Brandebourg) et dans le royaume occidental, où, aux Marches primitives d'Espagne et de Bretagne, s'ajoutèrent celles de Neustrie, d'Aquitaine et de Bourgogne, fondées au profit de hauts personnages titulaires de plusieurs comtés, qui ne tardèrent pas à acquérir une indépendance de fait à l'égard du pouvoir royal.

MARCHE *(Physiol.).* — La marche, qui prend le nom de « course » lorsqu'elle est rapide, est le mode de locomotion* des animaux munis de pattes, lorsqu'ils se déplacent sur un sol horizontal ou en faible pente. Ses modalités (« allures ») dépendent du nombre de paires de pattes servant à l'appui.

• *Allures bipèdes.*
La *marche bipède* est une avancée alternative des pattes de derrière (homme, oiseaux).
Le *saut bipède* est une poussée simultanée des deux pattes arrière, à la suite de laquelle le corps quitte entièrement le contact du sol (kangourou, grenouille, sauterelle).

• *Allures quadrupèdes.*
Le *pas* est une avancée à peu près simultanée des pattes du même « diagonal » (par exemple avant gauche et arrière droite), tandis que l'autre diagonal assure l'appui, et vice versa.
L'*amble* est une avancée simultanée des deux pattes droites, puis des deux pattes gauches.
Le *galop* est une avancée alternée du « train de devant » et du « train de derrière », avec un léger décalage de mouvement, toutefois, entre les deux pattes du même train.
Le *saut quadrupède* (springbok) dérive du galop, avec des poussées plus puissantes et plus espacées, qui élèvent l'animal nettement au-dessus du sol.

• *Allures multipèdes.*
Les insectes ont six pattes, les arachnides huit pattes, les crustacés au moins huit pattes marcheuses, les myriapodes de nombreuses paires de pattes. Lorsque ces animaux marchent, une coordination rigoureuse des mouvements assure leur progression, ce qui se traduit, comme chez le iule, par la propagation d'une *onde de mouvement* le long de la rangée des pattes.

• *La marche chez l'homme.* L'enfant marche normalement à un an, mais de grandes variations sont observées. Au-delà de dix-huit mois, l'impossibilité de la marche est due à un état pathologique (luxation de la hanche, affections du système nerveux), dépisté souvent bien avant cette limite. Chaque pas comprend quatre temps : dans le premier temps, de double appui postérieur d'élan, le pied touche le sol par le talon antérieur, puis uniquement par les orteils; dans le deuxième temps, d'appui unilatéral, tandis que la hanche passe d'arrière en avant, la jambe, légèrement fléchie, croise l'autre membre inférieur; au cours du troisième temps, de double appui antérieur de réception, le pied touche le sol par le talon, alors que la jambe arrière ne l'a pas encore quitté; le quatrième temps, d'appui unilatéral, est long, et sa durée correspond au double des temps additionnés de double appui. Les bras sont animés d'un mouvement de sens inverse de celui des jambes. Les *troubles de la marche* sont dus à des altérations du système locomoteur (affections de la hanche, du genou, du pied). Ils peuvent aussi être secondaires à des affections du système nerveux ou des muscles.

MARCHE *(Sports).* — Paraissant, *a priori,* le sport le plus naturel, la marche est en fait un exercice athlétique, strictement réglementé, avec « un contact ininterrompu avec le sol », entraînant un déhanchement caractéristique. Elle est représentée aux jeux Olympiques par une épreuve de 20 km, mais il existe des épreuves de grand fond, dont le célèbre Strasbourg-Paris (ou Paris-Strasbourg), qui dépasse 500 km, couverts par les vainqueurs en moins de trois jours.

MARCHÉ *(Écon.).* — Le marché est une des dimensions fondamentales de tout système économique, qu'il s'agisse d'une « économie de marché » ou même, dans certaines limites, d'une économie centralisée de type planifié. Dans l'économie de marché, c'est, en principe, le libre jeu de l'offre* et de la demande* (dans un climat où se manifeste la concurrence* plus ou moins parfaite) qui réalise la confrontation des producteurs et des acheteurs, sans que, en principe, se fasse sentir l'action contraignante de l'État. Plus ces mécanismes jouent librement, plus le type de l'économie de marché s'avère pur. Un certain nombre de facteurs économiques échappe aujourd'hui aux mécanismes de l'économie de marché : le *travail* en est un exemple, les syndicats et le législateur empêchant que se manifeste le jeu de la concurrence totale dans ce domaine. Les critiques les plus graves à l'encontre de l'économie de marché sont dirigées contre le fait que les mécanismes régulateurs (qu'avait, au XIXe s., mis en lumière l'école classique) n'y jouent pas leur rôle ou ne le jouent plus d'une manière satisfaisante, des crises* économiques fréquentes révélant la faiblesse du système.

MARCHÉ (étude de). — Les études de marché sont matérialisées par des sondages* et des enquêtes qui portent soit sur des quantités (études quantitatives : nombre de clients potentiels, localisation, pouvoir d'achat, nombre de clients par strates d'âge, statut, région, etc.), soit sur des intentions (études qualitatives). Par des interviews et des tests* variés, on cherche à connaître les motivations qui poussent à acquérir tel produit, les mobiles qui peuvent freiner une intention d'achat, les images inconscientes ou conscientes évoquées par le produit proposé, etc.

Marché commun → COMMUNAUTÉ ÉCONOMIQUE EUROPÉENNE.

MARCHE-EN-FAMENNE, v. de Belgique (Luxembourg), à l'E. de Dinant; 12 328 hab. (en 1977). Église des XVe-XVIIe s. À 1 km au sud, église romane de Waha, fondée en 1050.

MARCHÉ FINANCIER → BOURSE DES VALEURS.

MARCHÉ MONÉTAIRE. — La notion recouvre, dans le sens général de marché de capitaux à court terme, les opérations consistant à prêter ou à emprunter de la monnaie et, plus particulièrement, les échanges de liquidités à très court terme (marché monétaire au sens étroit ou « marché de l'argent au jour le jour »). Les agents opérant sur le marché monétaire sont les *particuliers* et les *entreprises,* le *système monétaire* et le *système financier,* le *Trésor* et ses correspondants.

MARCHENOIR (41370), ch.-l. de cant. de Loir-et-Cher, à 28 km au N. de Blois; 667 hab. Restes de fortifications.

MARCHES (les), en ital. **Marche,** région de l'Italie péninsulaire, formée des provinces d'Ancône, d'Ascoli Piceno, de Macerata et de Pesaro e Urbino; 9 692 km^2; 1 375 000 hab. Capit. *Ancône.* — Sur l'Adriatique, entre le Nord industrialisé et le Mezzogiorno, sans grande ville (seule la capitale régionale compte plus de 100 000 habitants), les Marches sont une région de transition et de passage, comportant encore un notable secteur agricole (céréales, vigne, cultures maraîchères sur le littoral), alors que les constructions mécaniques et l'alimentation sont les activités industrielles dominantes.

MARCHIENNE-AU-PONT, anc. comm. de Belgique (Hainaut), intégrée depuis 1977 à Charleroi.

MARCHIENNES (59870), ch.-l. de cant. du Nord, à 16 km au N.-O. de Denain; 3 267 hab.

MARCIAC (32230), ch.-l. de cant. du Gers, à 22 km à l'O. de Mirande; 1 131 hab. Anc. bastide. Église des XIVe-XVIe s., à haut clocher toulousain. Chapelle du XVe s. d'un ancien couvent.

MARCIANO (Rocky), boxeur américain (Brockton, Massachusetts, 1923-près de Des Moines 1969). Frappeur exceptionnel, professionnel en 1947, il devint champion du monde des poids lourds en 1952 et, fait unique, se retira invaincu en 1956.

MARCIGNY (71110), ch.-l. de cant. de Saône-et-Loire, à 24 km au S. de Digoin; 2 611 hab. Tour du Moulin, du XVe s. (musée régional), et autres témoins du passé.

MARCILLAC-VALLON (12330), ch.-l. de cant. de l'Aveyron, à 19 km au N. de Rodez; 1 707 hab. Église des XIVe-XVe s.

MARCILLAT-EN-COMBRAILLE (03420), ch.-l. de cant. de l'Allier, à 25 km au S. de Montluçon; 1 014 hab. Château du XVe s.

MARCILLY-LE-HAYER (10290), ch.-l. de cant. de l'Aube, à 24 km au S.-E. de Nogent-sur-Seine; 471 hab

MARCINELLE, anc. comm. de Belgique (Hainaut), intégrée depuis 1977 à Charleroi. Catastrophe minière en 1956. Édition.

MARCIONISME. — Marcion, un des plus originaux des docteurs hétérodoxes du IIe s., est né à Sinope (province du Pont) vers 85. Il vint vers 140 à Rome, où son enseignement le fit excommunier en 144. Sa doctrine prône un dualisme analogue à celui des gnostiques, mais fondé sur une exégèse qui oppose le Dieu de justice de l'Ancien Testament au Dieu d'amour du Nouveau Testament : de celui-ci il ne garde que l'Évangile de saint Luc* et quelques Épîtres de saint Paul* (dix sur quatorze). Il mourut vers 160; l'Église qu'il avait fondée se maintint jusqu'au Ve s.

MARCK (62730), comm. du Pas-de-Calais, à 7,5 km à l'E. de Calais; 5 735 hab.

MARCKOLSHEIM (67390), ch.-l. de cant. du Bas-Rhin, à 15 km au S.-E. de Sélestat; 2 779 hab. Centrale hydroélectrique sur une dérivation du Rhin (grand canal d'Alsace).

MARCOING (59159), ch.-l. de cant. du Nord, sur l'Escaut, à 7 km au S. de Cambrai; 2 084 hab.

MARCOLONGO (Roberto), mathématicien italien (Rome 1862-*id.* 1943). Il établit en statique l'équation canonique de l'équilibre des fils. Ses travaux en dynamique ont porté sur le gyroscope et les mouvements gyroscopiques.

MARCONI → VOILIER.

MARCONI (Guglielmo), physicien italien (Bologne 1874-Rome 1937). Utilisant l'éclateur de Hertz*, l'antenne de Popov* et le cohéreur de Branly*, il réussit, à Bologne, à transmettre des signaux sur quelques centaines de mètres (1896). Puis il établit des communications par T.S.F. à travers la Manche (1899), puis l'Atlantique (1901). [Prix Nobel de physique, 1909.]

MARCOS (Ferdinand), homme d'État philippin (Sarrat 1917). Avocat, il participe à la résistance contre l'occupation japonaise et devient député libéral (1949). Chef du parti libéral (1961), puis du parti nationaliste (1964), il est élu à la présidence de la République en 1965. Sa politique autoritaire se durcit encore face au développement de l'agitation communiste et des mouvements sécessionnistes musulmans dans le sud du pays. Depuis 1972, le président Marcos assume les pleins pouvoirs.

MARCOTTAGE → ARBORICULTURE.

MARCOULE, lieu-dit du Gard (comm. de Codolet et de Chusclan), près de la rive droite du Rhône, à 33 km au N. d'Avignon. Centre de l'industrie nucléaire (production d'électricité [centrale à uranium naturel et surrégénérateur] et extraction du plutonium).

MARCOUSSIS (91460), comm. de l'Essonne, à 3 km à l'O. de Montlhéry; 4 022 hab. Centre de recherches électriques.

MARCOUSSIS (Louis) → CUBISME.

MARCQ-EN-BARŒUL (59700), ch.-l. de cant. du Nord, dans la banlieue nord-est de Lille; 36 269 hab. *(Marcquois).* Industries électriques, textiles et alimentaires.

MARCUSE (Herbert), philosophe américain d'origine allemande (Berlin 1898). Il s'installe aux États-Unis après l'arrivée de Hitler au pouvoir. Marqué par Hegel, influencé par Marx et Freud (v. FREUDO-MARXISME), il a des contacts nombreux avec l'école de Francfort*. Partant d'une critique de la civilisation occidentale, il explique l'aliénation* par la manipulation du surmoi* que pratique la civilisation industrielle, qui intègre l'homme dans un système de comportements unidimensionnels. La libération n'est plus possible à l'aide des moyens que fournit la gauche traditionnelle; mais les mouvements radicaux sont, de toute façon, trop minoritaires et marginaux pour y prétendre (*Raison et révolution,* 1941; *Éros et civilisation,* 1955; *l'Homme unidimensionnel,* 1964).

MARDĀN, v. du nord du Pākistān; 109 000 hab.

MAR DEL PLATA, v. d'Argentine, sur l'Atlantique; 302 000 hab.

MARDOUK, dieu de Babylone, qui, au temps d'Hammourabi*, devint le dieu principal du panthéon babylonien. Il était représenté sous la forme d'un dragon à tête de serpent.

MARÉ (Rolf DE), mécène suédois (Stockholm 1888-Kiambou, Kenya, 1964). Fondateur, avec Jean Börlin, des Ballets suédois (1920-1925), il est le créateur, avec Pierre Tugal, des Archives internationales de la danse (1931).

Mare au diable *(la),* roman de George Sand (1846), idylle rustique dans la campagne berrichonne.

MARÉCHAL. — À l'origine, sorte d'écuyer chargé des chevaux et second du connétable, le maréchal de France apparaît au XIIIe s. Au nombre de deux sous Saint Louis, les maréchaux seront vingt sous Louis XIV. Supprimée en 1793, rétablie par Napoléon en 1804, la dignité de maréchal fut confirmée par la IIIe République en 1875; elle ne sera conférée à l'occasion des deux guerres mondiales qu'aux généraux Joffre en 1916, Foch et Pétain en 1918, Fayolle, Franchet d'Esperey, Lyautey et Gallieni (à titre posthume) en 1921, Maunoury (à titre posthume) en 1923, de Lattre de Tassigny, Leclerc (à titre posthume) et Juin en 1952. L'insigne de commandement des maréchaux est un bâton recouvert de velours, qui fut successivement orné de fleurs de lys, d'abeilles et d'étoiles.

Le terme de « maréchal » s'est appliqué, en outre, à des fonctions très diverses : maréchal d'armes, de camp, de l'ost; il désigne encore aujourd'hui le maréchal des logis (sous-officier des anciennes armes montées de l'armée de terre).

MARÉE. — L'eau des océans est animée de mouvements périodiques, les marées, type d'onde océanique. Ces oscillations, diurnes ou semi-diurnes, du niveau marin résultent de l'attraction que la Lune et, à un moindre degré, le Soleil exercent sur l'hydrosphère Quand les actions de la Lune et du Soleil s'ajoutent, l'amplitude est maximale (marée de vive-eau). Quand elles s'opposent, l'amplitude est minimale (marée de morte-eau). Mais l'amplitude dépend également de la taille des bassins océaniques et de la configuration des côtes; elle atteint 19 m dans la baie de Fundy, au Canada, mais elle est presque nulle en Méditerranée. La montée (flux) et la descente (reflux) de la mer sont accompagnées de courants de marée dont le rôle dans le façonnement du relief littoral est essentiel. Lorsqu'elle pénètre dans les estuaires, la marée, en se heurtant à l'eau douce, provoque la formation d'une vague, le mascaret, qui progresse vers l'amont et gêne la navigation.

L'amplitude des marées varie avec les positions respectives de la Lune* et du Soleil*; l'action de celui-ci n'intervient que pour un tiers environ. C'est pourquoi les marées sont particulièrement importantes au moment de la Pleine Lune et de la Nouvelle Lune, lorsque les deux astres sont alignés par rapport à la Terre. Au Ve s. av. J.-C., l'astronome grec Cléomède fut le premier à attribuer le phénomène des marées à la Lune, mais il faudra attendre Newton* et la fin du XVIIe s. pour connaître la véritable explication physique.

MAREMME (la), région de l'Italie centrale, sur la mer Tyrrhénienne, au N.-O. de Rome (Toscane et Latium). Autrefois marécageuse et insalubre, mais aujourd'hui assainie, elle porte des cultures céréalières et des vignobles.

MARENGO, village d'Italie (Piémont), dans la banlieue d'Alexandrie. Victoire de Bonaparte sur les Autrichiens (14 juin 1800) [v. COALITION *(deuxième)*].

MARENNES (17320), ch.-l. de cant. de la Charente-Maritime, à 22 km au S.-O. de Rochefort; 4 224 hab. Église à clocher du XVe s.

MARENZIO (Luca), compositeur italien (Coccaglia, Brescia, 1553/54-Rome 1599). Dans ses neuf livres de madrigaux, il atteint la perfection de cette forme et influencera notamment C. Monteverdi, H. Schütz et J. Dowland.

MARÉOTIS *(lac)* → MARIOUT *(lac).*

MARETH, localité de Tunisie, au S.-E. de Gabès, qui a donné son nom à une ligne fortifiée construite par les Français entre le chott el-Djérid et la mer de 1934 à 1939. La ligne Mareth fut occupée quelque temps par les Allemands en 1943 pendant la campagne de Tunisie.

MAREUIL (24340), ch.-l. de cant. de la Dordogne, à 23 km au S.-O. de Nontron; 1 209 hab. Château et église (XIVe au XVIe s.).

MAREUIL-SUR-LAY-DISSAIS (85320), ch.-l. de cant. de la Vendée, à 10 km au N. de Luçon; 1 861 hab. Ruines féodales. Église romane et gothique.

MAREY (Étienne Jules), médecin, physiologiste et inventeur français (Beaune 1830-Paris 1904). Après avoir étudié et perfectionné l'enregistrement graphique des phénomènes physiologiques (notamment dans le domaine cardiaque), il mit au point le chronophotographe à plaque fixe (1882), puis à plaque mobile et enfin à pellicule non perforée.

MARGARITA, île des côtes du Venezuela, au N.-E. de Caracas; 1 085 km^2; 122 000 hab.

MARGATE, station balnéaire du sud-est de l'Angleterre (Kent), sur la mer du Nord; 46 000 hab.

MARGAUX (33460), comm. de la Gironde, sur la Gironde, dans le Médoc, à 28 km au N. de Bordeaux; 1 456 hab. Vins réputés *(château-margaux).*

MARGERIDE (la), région de plateaux cristallins du sud-est de l'Auvergne, occupant principalement le nord-est du département de la Lozère; 1 554 m au « truc » de *Randon.*

MARGERIE (Emmanuel JACQUIN DE), géologue et géomorphologue français (Paris 1862-*id.* 1953). Directeur du Service de la carte d'Alsace-Lorraine, il est, avec son ouvrage *les Formes du terrain* (1888, en collaboration avec G. de La Noë), l'un des fondateurs de la géographie physique.

MARGGRAF (Andreas), chimiste allemand (Berlin 1709-*id.* 1782). Il a obtenu le premier, en 1747, le sucre de betterave à l'état solide.

MARÉE

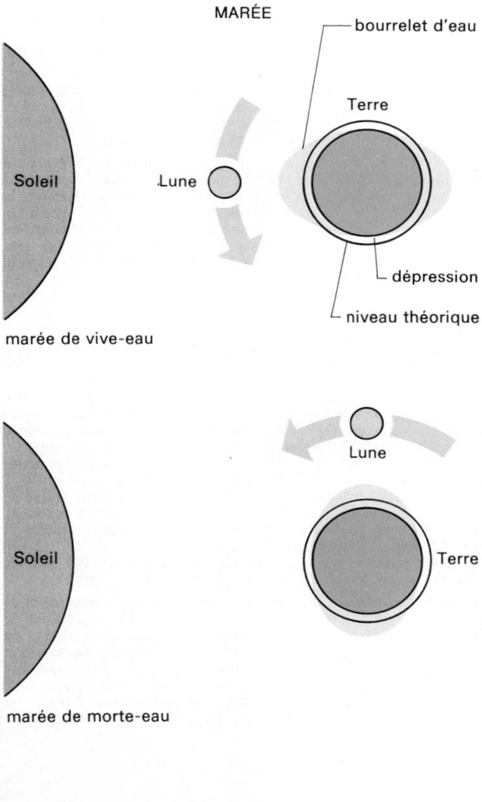

On lui doit aussi les découvertes de l'acide formique (1749), de la magnésie et de l'alumine (1754).

MARGINALISME *(Écon.).* — Pour le marginalisme (qui fut une des doctrines économiques les plus influentes du XIXe s.), la valeur n'est pas fondée sur le « coût » des biens, mais sur l'*utilité,* sur les désirs ou les besoins*, éléments psychologiques. Cette doctrine avait déjà été annoncée par Condillac*, qui avait, dans son *Traité des sensations,* esquissé une théorie psychologique de la valeur. Mais elle apparaît vraiment, après 1870, dans l'œuvre de l'Anglais Stanley Jevons*, dans celle de l'Autrichien Carl Menger* et dans celle (élaborée à Lausanne) du Français Walras* : ces auteurs affirment que l'intensité d'un besoin décroît avec sa satisfaction et que c'est la dernière partie (la moins désirée) qui détermine la valeur de l'ensemble. Ce n'est pas la doctrine (elle apportait à la science économique des instruments d'analyse rigoureux) mais le caractère d'abstraction poussée dans lequel certains marginalistes enfermèrent leurs travaux qui affaiblit l'influence de l'école. Alfred Marshall* et Vilfredo Pareto* (continuateur de Walras à Lausanne) compléteront le marginalisme en le rapprochant de la réalité concrète des comportements humains. L'héritage du marginalisme fut considérable, et l'on peut en suivre la lignée dans l'école psychologique de Vienne, avec Eugen von Böhm-Bawerk et Friedrich von Wieser, dans celle de Lausanne, dite encore « école mathématique » et dans celle de Cambridge, illustrée par A. Marshall*, où se formera J. M. Keynes*.

L'école marginaliste met en balance la « désutilité » (à peu près synonyme de « pénibilité ») des doses de travail successives, pénibilité croissant avec le nombre de celles-ci (2, 4, 6, 8, 10), et l'« utilité » gagnée par ces doses de travail, qui, elle, décroît (18, 16, 14, 12, 10, etc.). L'offreur de travail s'arrêtera d'offrir du travail supplémentaire quand toute offre supplémentaire de celui-ci entraînera une pénibilité supérieure à l'utilité qu'il en retirera. L'utilité et la désutilité marginales tendent donc à s'égaliser. C'est la *loi d'égalisation des utilités marginales.*

MARGNY-LÈS-COMPIÈGNE (60200 Compiègne), comm. de l'Oise, sur l'Oise, dans la banlieue nord de Compiègne; 5 541 hab.

MARGUERITE. — La marguerite et la pâquerette diffèrent par leurs dimensions, mais sont aussi communes l'une que l'autre dans les prairies, et leurs capitules (fausses fleurs) se ressemblent beaucoup. La marguerite est le type même des « composées-radiées » : à son sommet, le pédoncule floral s'élargit beaucoup pour former un plateau, le *réceptacle commun,* dont le rebord et la face inférieure portent les bractées, réunies en un *involucre,* tandis que la face supérieure porte les fleurs. Les fleurs du bord *(ligules)* sont faites d'un long pétale blanc, dont la base, enroulée en cornet, abrite un pistil. Ce sont donc des fleurs femelles, tandis que les fleurs non bordières *(fleurons)* sont des tubes jaunes, à cinq pétales courts, à cinq étamines soudées par les anthères en un manchon, à un pistil dont le style occupe l'axe du manchon et se partage en deux stigmates. La floraison commence par les bords, s'achève au centre et se prolonge longtemps. Les feuilles sont allongées, découpées en dents de scie sur les bords.

MARGUERITE *(sainte),* martyre (IIIe s.). Cette sainte doit sa célébrité à une légende très populaire, mais sans valeur historique; Paul VI l'a fait ôter du calendrier romain en 1969.

MARGUERITE II, reine de Danemark (Copenhague 1940). Fille de Frédéric IX, elle lui succède en 1972.

MARGUERITE D'ANGOULÊME (Angoulême 1492 - Odos, Bigorre, 1549), reine de Navarre, fille de Charles d'Orléans, comte d'Angoulême, et de Louise de Savoie, et sœur aînée de François Ier. Mariée en 1509 au duc d'Alençon, veuve en 1525, elle épousa en 1527 Henri d'Albret, roi de Navarre. Cultivée, elle anima la vie intellectuelle de la cour de France, fut la protectrice des humanistes suspectés d'hérésie, qu'elle accueillit dans ses châteaux de Pau et de Nérac, et s'appliqua à la diffusion de l'évangélisme et du platonisme. Ses poèmes (*les Marguerites de la Marguerite des princesses,* 1547), son théâtre et ses contes (*l'Heptaméron**, 1559) mêlent le réalisme pittoresque au spiritualisme mystique.

MARGUERITE D'ANJOU (Pont-à-Mousson 1430-château de Dampierre, Anjou, 1482), reine d'Angleterre. Fille de René d'Anjou, elle épousa en 1445 Henri IV d'Angleterre. Son hostilité à la maison d'York fut à l'origine de la guerre des Deux-Roses* (1455). Défaite à Towton (1461) et réfugiée en France, elle s'allia à Warwick (1471), mais son parti fut de nouveau défait à Tewkesbury, où son fils Édouard trouva la mort.

MARGUERITE D'AUTRICHE (Bruxelles 1480 - Malines 1530). Fille de Maximilien d'Autriche et de Marie de Bourgogne, elle épousa Philibert II de Savoie, en l'honneur de qui, devenue veuve, elle fit élever le fameux ensemble de Brou*. Gouvernante des Pays-Bas de 1507 à 1515 et de 1518 à 1530, elle joua un rôle important dans la diplomatie européenne, obtenant notamment en 1519 l'élection à l'Empire de son neveu Charles* Quint.

MARGUERITE DE PARME (Audenarde 1522 - Ortona 1586). Fille naturelle de Charles Quint, elle épousa en 1538 le duc de Parme, Octave Farnèse. Elle fut gouvernante des Pays-Bas de 1559 à 1567.

MARGUERITE DE PROVENCE (1221 - Saint-Marcel, près de Paris, 1295), reine de France. Fille de Raimond Béranger IV, comte de Provence, elle épousa Louis IX et lui donna onze enfants. Sous le règne de son fils, Philippe III, elle travailla à détruire la puissance de Charles d'Anjou.

MARGUERITE DE VALOIS, dite **la Reine Margot** (Saint-Germain-en-Laye 1553 - Paris 1615), reine de Navarre. Fille d'Henri II, elle épousa en 1572 le futur Henri IV. Elle vécut séparée de son mari, intrigua en faveur de son frère, François d'Alençon, et défraya la chronique de son temps par sa vie amoureuse. En 1599, elle consentit à l'annulation de son mariage avec Henri IV.

MARGUERITE D'YORK (Fotheringay 1446 - Malines 1503), duchesse de Bourgogne, fille de Richard d'York. Épouse de Charles le Téméraire (1468), veuve en 1477, elle fut l'artisan du mariage de sa belle-fille, Marie de Bourgogne, avec Maximilien d'Autriche.

MARGUERITE TUDOR (Westminster 1489 - Methven, Perthshire, 1541), reine d'Écosse. Fille d'Henri VII d'Angleterre, elle épousa Jacques IV, roi d'Écosse (1503). Devenue veuve, elle épousa en 1514 Archibald, comte d'Angus, chef du parti anglophile, dont elle se sépara, puis Henri Stewart (1527).

MARGUERITE Valdemarsdotter (Søborg 1353 - Flensburg 1412), reine de Danemark, de Norvège et de Suède. Fille de Valdemar IV, roi de Danemark, elle épousa en 1363 Haakon VI, roi de Norvège; elle gouverna pendant la minorité de son fils, Olav V, qui avait succédé à Valdemar sur le trône de Danemark (1375). Après la mort d'Olav V, elle se fit reconnaître reine (1387), mit la main sur la Suède (1389) et imposa l'union des trois royaumes (Kalmar) au profit de son petit-neveu, Érik de Poméranie (1397).

MARGUERITE-MARIE ALACOQUE *(sainte),* religieuse française (Lautecourt 1647 - Paray-le-Monial 1690). Entrée (1671) au couvent de la Visitation de Paray-le-Monial, elle est favorisée, entre 1673 et 1675, de plusieurs apparitions du Sacré-Cœur de Jésus, dont le message sera diffusé, malgré l'opposition des jansénistes, par son directeur, le jésuite Claude de la Colombière (1642-1682). Canonisée en 1920.

MARGUERITTE (Jean) → SEDAN *(batailles de)* [1870].

MARGUERITTES (30320), ch.-l. de cant. du Gard, à 6 km au N.-E. de Nîmes; 3 198 hab.

MARI, cité de la Mésopotamie antique (tell Ḥarīrī), sur le moyen Euphrate, en Syrie, près de la frontière de l'Iraq. Dès la période présargonique (jusqu'au XXIVe s. av. J.-C.), Mari est une cité-État très importante, appartenant à des dynasties sémitiques, mais fortement marquée par la civilisation sumérienne. Sa richesse attire les conquérants. Après avoir été soumise aux rois d'Akkad (XXIVe-XXIIIe s.) et sans doute aux souverains de la IIIe dynastie d'Our (XXIIe-XXIe s.), la cité connaît de nouveau une période de grande prospérité avec une dynastie amorrite, dont le plus brillant souverain sera, au XVIIIe s. av. J.-C., Zimri-Lim. La puissance d'Hammourabi* de Babylone mettra fin en 1760 av. J.-C. au royaume de Mari.

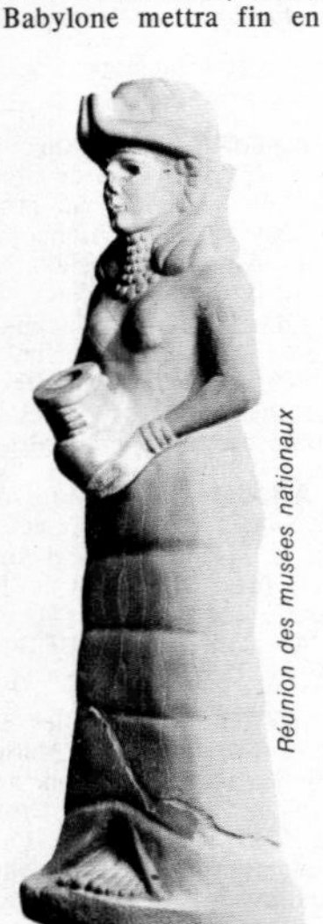

Mari. *La Déesse au vase jaillissant.* XVIIIe s. av. J.-C. (art babylonien). [Musée d'Alep, Syrie.]

Réunion des musées nationaux

Depuis 1933, cette grande capitale mésopotamienne est en cours de dégagement sous la direction d'André Parrot*. Les couches stratigraphiques se succèdent de la période séleucide jusqu'à celle du protodynastique, et le niveau vierge n'est pas atteint. La ville connut deux périodes extrêmement brillantes : au IIIe millénaire (époque présargonique), avec des vestiges en briques crues de temples et de palais, dont les murs sont conservés sur une hauteur de 4 m; de la fin de ce millénaire au début du IIe, avec, de nouveau, des édifices religieux et une résidence royale occupant 2,5 ha. D'innombrables objets sont partagés entre les musées du monde, dont ceux du Louvre et d'Alep (statues d'Ebih-il, déesse au Vase jaillissant, fragments de peinture à la détrempe, belle glyptique et milliers de tablettes : archives du roi Zimri-Lim).

Maria Chapdelaine, roman de Louis Hémon (1913). Il décrit l'existence d'une famille de défricheurs canadiens.

MARIAGE. — C'est l'union, juridiquement établie, d'un homme et d'une femme pour créer une cellule de vie stable, le foyer. Longtemps considéré comme un acte uniquement religieux (le mariage religieux valait en France authentification du mariage jusqu'en 1792), il a été, très généralement, laïcisé par les législations civiles des États modernes.

● *Les conditions du mariage.* Un certain nombre de conditions sont nécessaires à la formation d'un mariage valable; il faut distinguer les conditions *de fond* et les conditions *de forme.*

Parmi les premières, la différence de sexe est une des conditions de base du mariage. Les époux doivent, en outre, avoir atteint l'un et l'autre l'âge de la puberté. Les conditions psychologiques procèdent de l'idée selon laquelle le consentement au mariage doit avoir été donné librement. Tout ce qui vicie ce consentement est cause de non-validité du lien conjugal. L'erreur sur l'identité de la personne, la violence (inclinant à donner un consentement sous l'effet de la contrainte) s'avèrent autant de causes de nullité du mariage contracté. La polygamie et l'inceste sont prohibés.

Les conditions de forme résident dans la publication du projet avant le mariage, en l'intervention d'un officier de l'état civil lors de la célébration qui doit être publique (les portes de la salle du mariage doivent demeurer ouvertes) et dans la rédaction d'un « acte de mariage », signé par les témoins, les époux, l'officier d'état civil et les ascendants dont le consentement peut être requis.

● *Les effets du mariage.* Ce sont, en ce qui concerne les rapports personnels des époux, le devoir de fidélité, de vie commune, de secours et d'assistance et, vis-à-vis des enfants, l'exercice de l'autorité* parentale, exercée conjointement, depuis la loi du 4 juin 1970, par les père et mère sur leurs enfants mineurs, l'obligation d'assistance, d'éducation, de surveillance à l'égard des enfants vivant sous le toit des parents. Ceux-ci sont les administrateurs légaux des biens que possèdent leurs enfants.

● *La dissolution du mariage.* Le mariage prend fin par le divorce*; la séparation de corps (le lien conjugal étant seulement relâché et non dissous) peut être transformée en divorce à la demande de l'un des époux après un laps de temps de trois années.

● *Les régimes matrimoniaux.* Le régime matrimonial organise le sort des biens possédés avant le mariage par chacun des deux conjoints, celui des biens qui sont acquis au cours du mariage, le régime des dettes des époux et leur contribution aux charges de la vie commune. Il ne peut, en principe, être modifié au cours du mariage, sauf après deux années du régime primitif, par acte notarié soumis à l'homologation du tribunal ou encore par décision de justice prononçant la séparation de biens « judiciaire ».

Les régimes matrimoniaux de type « communautaire » postulent une « communauté » indivise entre les deux époux, les masses de biens demeurés personnels à chaque conjoint s'appelant les « propres ». Depuis 1965, le régime communautaire de base ou légal (il s'applique automatiquement en l'absence de tout contrat faisant élection d'un autre régime) est une communauté d'« acquêts », composée uniquement des meubles et des immeubles acquis à titre onéreux pendant le mariage (un passif commun pouvant grever d'ailleurs cette masse), chacun des époux administrant ses biens propres, le mari administrant par priorité la communauté (le consentement de la femme étant nécessaire, néanmoins, pour les actes les plus importants de cette administration).

Les régimes à base de séparation n'impliquent aucune masse de biens communs; chaque époux demeure propriétaire de ses biens acquis antérieurement ou postérieurement à l'union contractée et assume sa part des charges du ménage.

Toutes sortes de régimes composites peuvent, enfin, être adoptés (séparation de biens avec société d'acquêts, par exemple).

● *Anthropologie.* Les effets qu'entraîne le mariage (changement de statut des époux, mais surtout création de liens entre groupes de parenté) expliquent les restrictions qui affectent le choix du partenaire. Ainsi, au niveau individuel, le choix du conjoint appartient aux membres les plus influents des groupes de parenté mis en rapport. De plus, et surtout, on ne se marie pas avec n'importe quel conjoint, celui-ci étant soit prescrit (endogamie), soit interdit (exogamie) à l'intérieur d'un groupe. Il existe diverses formes de mariage : en fonction du nombre de conjoints liés par un même mariage (monogamie, polygamie [polygynie et polyandrie]) ou en fonction d'un critère de stratification sociale (hypergamie dans le cas où le mariage se fait avec un conjoint de statut social supérieur; hypogamie dans le cas inverse).

• *La «crise du mariage».* Le taux des divorces est toujours en augmentation depuis les dernières décennies, mais on constate qu'il n'altère en rien le taux de nuptialité. Force est de reconnaître que bon nombre de ruptures aboutissent à de nouvelles unions.

Si le mariage est remis en cause, ce n'est pas en tant qu'institution, mais plutôt dans le choix de son orientation. Une nouvelle conception du couple se dégage : la recherche de l'épanouissement mutuel des époux et du bonheur du couple. (V. FAMILLE, FÉMINISME, JEUNESSE.)

Mariage de Figaro *(le)* ou *la Folle Journée,* comédie en cinq actes et en prose, de Beaumarchais (1784). Elle fait suite au *Barbier* de Séville* et nous montre les efforts du comte Almaviva pour empêcher Figaro d'épouser Suzanne, qu'il désire séduire. Mais, grâce à la complicité de la comtesse et malgré les incartades de Chérubin, Figaro l'emportera sur le comte.

MARIAKERKE, anc. comm. de Belgique (Flandre-Orientale) intégrée à Gand depuis 1977.

MARIANA, ancienne cité romaine de la Corse, à 22 km au S. de Bastia. Sur le site, églises de la Canonica, consacrée en 1119 (à côté, fouilles de la cathédrale de la fin du IVe s.), et S. Parteo, toutes deux de style roman pisan.

Marianne, nom donné à l'origine par ses adversaires à la République, en souvenir d'une société secrète de province. Il n'a plus rien de péjoratif.

Marianne *(la Vie de),* roman de Marivaux (1731-1741), œuvre inachevée que continua Mme Riccoboni.

MARIANNES *(fosse des),* fosse très profonde (– 11 022 m) du Pacifique occidental, en bordure de *l'archipel des Mariannes.*

MARIANNES (îles), archipel volcanique du Pacifique, à l'E. des Philippines, administré par les États-Unis; 404 km^2; 14 000 hab. Capit. *Saipan.* Découvertes par Magellan (1521), ces îles furent annexées par l'Espagne à partir de 1668. En 1898, Guam fut cédée aux États-Unis; en 1899, les autres îles furent vendues à l'Allemagne; ces dernières passèrent en 1919 sous mandat japonais et, en 1945, sous tutelle des Nations unies, qui en confièrent l'administration aux États-Unis. Elles furent le théâtre d'une violente bataille aéronavale en juin 1944.

MARIÁNSKÉ LÁZNĚ, en allem. **Marienbad,** v. de Tchécoslovaquie, dans l'ouest de la Bohême; 20 000 hab. Station thermale.

MARIAZELL, v. d'Autriche (Styrie), au S.-O. de Vienne; 2 400 hab. Important pèlerinage. Sports d'hiver (alt. 868-1 624 m).

MARIBOR, v. de Yougoslavie (Slovénie), sur la Drave; 97 000 hab.

MARICA (la) ou **MARITZA** (la), en gr. **Evros,** fl. né en Bulgarie (passant à Plovdiv) et qui, dans son cours inférieur, sert de frontière entre la Grèce et la Turquie; 437 km.

MARIE *(sainte),* mère de Jésus*, épouse de saint Joseph*, appelée aussi «la Sainte Vierge». Ce que nous savons d'elle nous est surtout connu par les deux premiers chapitres des Évangiles de saint Matthieu* et de saint Luc*, dits «Évangiles de l'enfance», au sujet de l'historicité desquels les historiens font des réserves. Dès les premiers temps de l'Église apparaît la croyance en la conception virginale de Jésus en Marie par l'action de l'Esprit-Saint. Le développement de la foi chrétienne au cours des siècles suivants mettra en valeur le rôle important, dans l'œuvre salvatrice de Dieu, de la Vierge Marie, que le concile d'Éphèse, en 431, proclame *Mère de Dieu.* Le Moyen Âge voit un grand essor de la piété mariale (saint Bernard*, saint Bonaventure*), et, dès le XIe s., se fait jour la croyance en l'*Immaculée Conception.* La Réforme protestante, qui commence par combattre les excès et les déviations de la piété mariale, contestera finalement la doctrine elle-même. Malgré cela, se constitue peu à peu une théologie de la Vierge, la *mariologie.* Pie IX*, en 1854, érige en dogme la doctrine de l'Immaculée Conception; Pie XII, en 1950, définit dogmatiquement l'*Assomption,* et le deuxième concile du Vatican systématise, en les approfondissant, la doctrine et la piété mariales. Cet approfondissement, qui est aussi purification, devrait aider les Églises chrétiennes à surmonter leur désaccord sur la sainteté et le rôle de la mère du Christ.

MARIE DE BOURGOGNE (Bruxelles 1457 - Bruges 1482), duchesse de Bourgogne (1477-1482). Fille de Charles le Téméraire et d'Isabelle de Bourbon, elle succède à son père en janvier 1477. Dépouillée par Louis XI de la Bourgogne, de la Picardie, de l'Artois et du Boulonnais, contrainte par les États généraux des Pays-Bas à signer le Grand Privilège (févr. 1477), qui abolit les institutions centrales, elle épouse Maximilien de Habsbourg (août 1477), à qui elle donne deux enfants, Philippe le Beau et Marguerite d'Autriche.

MARIE Ire, II DE BRAGANCE → BRAGANCE *(dynastie de).*

MARIE DE FRANCE, poétesse française (seconde moitié du XIIe s.), auteur de *Fables* et de *Lais.*

MARIE DE L'INCARNATION (Marie GUYART, en religion **Mère**), religieuse française (Tours 1599 - Québec 1672). Devenue veuve (1619), elle entre chez les Ursulines, ordre qu'elle implante au Canada (1639). Ses *Relations* et ses *Lettres* sont des documents précieux sur l'histoire de la Nouvelle-France.

MARIE DE MÉDICIS (Florence 1573 - Cologne 1642), reine de France. Fille du grand-duc de Toscane, elle épouse, en 1600, Henri IV. Régente à la mort du roi (1610), elle prend le contre-pied de la politique d'Henri IV. À la tête du parti dévot, elle se rapproche de l'Espagne. Quand ses favoris, les Concini*, sont assassinés, Marie est un moment incarcérée par son fils (1617) qui fait confiance à de Luynes*. Après la mort de ce dernier, elle rentre au Conseil (1622), mais elle s'oppose bientôt à Richelieu*; ayant échoué dans sa tentative de renvoi du cardinal (journée des Dupes, 10 nov. 1630), elle doit s'enfuir à l'étranger.

MARIE LESZCZYŃSKA (Breslau 1703 - Versailles 1768), reine de France. Fille du roi de Pologne Stanislas Leszczyński, elle épouse, en 1725, Louis XV*, dont elle aura dix enfants; un seul fils survivra : le dauphin Louis.

MARIE Ire STUART (Linlithgow 1542 - Fotheringay 1587), reine d'Écosse (1542-1567). Fille de Jacques V et de Marie de Lorraine, elle est reine à sept jours. Élevée en France par les Guise*, elle épouse (1558) le futur roi François II*, qui meurt dès 1560. Marie regagne alors l'Écosse, où triomphe la révolte nobiliaire et presbytérienne. Son manque de sang-froid, ses aventures sentimentales, son autoritarisme et son catholicisme détournent d'elle progressivement l'opposition écossaise. Contrainte de se réfugier en Angleterre auprès de sa rivale Élisabeth Ire* (1568), elle se laisse impliquer dans plusieurs complots contre la reine d'Angleterre, ce qui provoque sa mise en jugement (1586) et son exécution (1587).

Marie Stuart, tragédie d'Alfieri (XVIIIe s.). — Tragédie de Schiller (1800).

MARIE II STUART (Londres 1662 - *id.* 1694), reine d'Angleterre, d'Irlande et d'Écosse (1689-1694). Fille de Jacques II* et de sa première femme, Anne Hyde, elle reste protestante et épouse en 1677 Guillaume d'Orange-Nassau, avec qui (Guillaume III) elle règne après l'abdication de Jacques II.

MARIE Ire TUDOR (Greenwich 1516 - Londres 1558), reine d'Angleterre et d'Irlande (1553-1558). Fille d'Henri VIII et de Catherine d'Aragon, restée catholique, elle persécute brutalement les protestants anglais; son mariage (1554) avec Philippe II d'Espagne — qui l'abandonne dès 1555 — indigne l'opinion, d'autant plus qu'il n'aboutit qu'à une guerre désastreuse avec la France et à la perte de Calais (1558).

Marie Tudor, drame de V. Hugo (1833).

MARIE (Pierre), médecin neurologue français (Paris 1853 - Cannes 1940). On lui doit la description de nombreuses maladies comme l'acromégalie et l'amyotrophie de Charcot-Marie et d'importantes études concernant l'aphasie.

MARIE-AMÉLIE DE BOURBON (Caserte 1782 - Claremont 1866), reine des Français. Fille de Ferdinand IV, roi de Naples, elle épouse, en 1809, le duc d'Orléans, Louis-Philippe*, qui, de 1830 à 1848, sera roi des Français.

MARIE-ANTOINETTE (Vienne 1755 - Paris 1793). Quinzième enfant de François Ier et de Marie-Thérèse, elle épouse, en 1770, le dauphin Louis, qui devient Louis XVI* en 1774. Frivole et imprudente, peu populaire, elle est déconsidérée par la coterie avide qui l'entoure et qui fait pièce aux ministres réformateurs; on la suspecte, par ailleurs, de servir l'influence autrichienne en France. Dès le début de la Révolution française (1789), elle pousse le roi dans la voie de la résistance ou de la politique du pire. Incarcérée au Temple avec sa famille (août 1792), elle passe à la Conciergerie après l'exécution de Louis XVI. À l'issue d'un procès pénible, elle est exécutée (16 oct. 1793).

MARIE-CAROLINE (Vienne 1752 - Schönbrunn 1814), reine de Naples. Fille de Marie-Thérèse, elle épouse, en 1768, Ferdinand IV de Naples, qui lui laisse la direction du pays. Obligée de se réfugier en Sicile en 1806, elle doit la quitter en 1812.

MARIE-CHRISTINE DE BOURBON (Naples 1806 - Sainte-Adresse 1878), reine d'Espagne. Fille de François Ier des Deux-Siciles, elle épouse, en 1829, Ferdinand VII d'Espagne, dont elle obtient que, au mépris des droits de don Carlos, il reconnaisse comme héritière du trône leur fille Isabelle. Régente pour Isabelle II* en 1833, elle doit faire face à la première guerre carliste (1833-1839) [v. CARLISME]. Déconsidérée par sa vie privée, Marie-Christine est chassée en 1840 par le général Espartero; revenue au pouvoir à la mort de ce dernier (1843), elle épouse son amant, Muñoz (1845), s'impose à Isabelle II, mais doit se réfugier en France après le soulèvement de 1854.

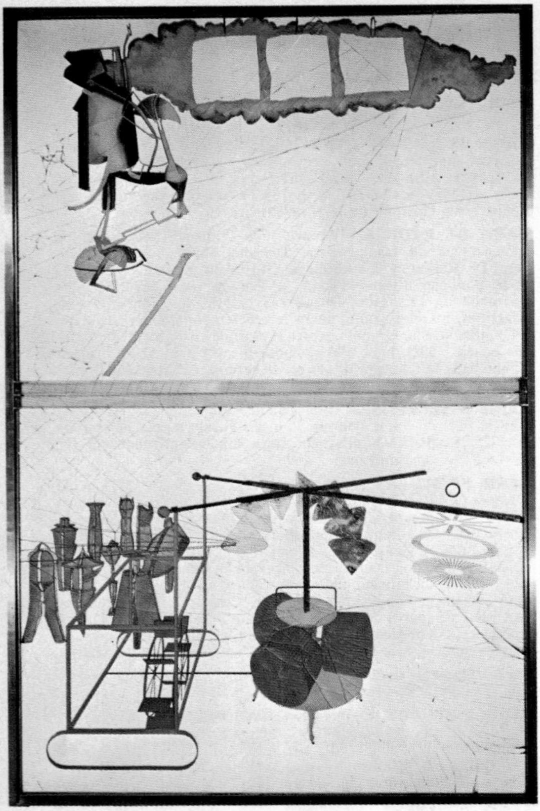

Wyatt

La Mariée mise à nu par ses célibataires, même, de Marcel Duchamp. (Musée de Philadelphie.)

MARIE-CHRISTINE DE HABSBOURG-LORRAINE (Gross-Seelowitz 1858 - Madrid 1929), reine d'Espagne. Fille d'un archiduc d'Autriche, elle épouse en 1879 le roi d'Espagne Alphonse XII*. Régente pour son fils Alphonse XIII* (de 1886 à 1902), elle assiste à l'effondrement de l'Empire espagnol.

Mariée mise à nu par ses célibataires, même *(la),* ou le *Grand Verre,* peinture, avec fils et feuilles de plomb sur panneaux de verre transparent, de Marcel Duchamp (2,80 m × 1,73 m, 1915-1923, musée de Philadelphie). Œuvre la plus ambitieuse et la plus déroutante du créateur le plus hétérodoxe, peut-être, du XXe s., laissée inachevée après avoir subi des fêlures, et surtout à un moment où son achèvement n'aurait plus relevé que d'une routine, elle réunit de nombreux éléments — d'abord traités séparément par Duchamp —, picturaux, issus du cubisme (ex. *Passage de la Vierge à la Mariée,* 1912 [partie supérieure de l'œuvre]), ou « ready-mades » et mécanistes (ex. *Broyeuse de chocolat,* 1913, *Neuf Moules Malic,* 1914 [partie inférieure]). Refus d'expression par la voie esthétique et « rétinienne », refus de message clairement décodable, elle laisse libre cours à la spontanéité d'un délire minutieux (mesures, calculs), à base de préoccupations érotiques, scientistes, voire ésotériques, ainsi que d'humour pur, sans justification (libre enchaînement des jeux de mots et autres suggestions du hasard, non sans parenté avec R. Roussel). Duchamp en a repris les composantes dans sa *Boîte verte,* multiple anthologique de 1934.

MARIE-GALANTE, île des Antilles françaises, dépendance de la Guadeloupe; environ 150 km^{2}; 15 912 hab. Ch.-l. *Grand-Bourg.*

MARIE-LOUISE DE HABSBOURG-LORRAINE (Vienne 1791 - Parme 1847), impératrice des Français (1810-1814). Fille de François Ier* d'Autriche, elle épouse, en 1810, Napoléon Ier*, dont elle a un fils (1811), le roi de Rome. Régente en 1813, elle quitte Paris en mars 1814 avec son fils. Duchesse de Parme (1815), elle épouse secrètement son amant Neipperg puis, en 1834, le comte de Bombelles.

Marie-Louise (les), nom familier donné aux conscrits des classes 1814 et 1815, appelés sous les drapeaux dès 1813, sous la régence de l'impératrice Marie-Louise.

MARIE-MADELEINE *(sainte),* pénitente (Ier s.). Il est difficile de distinguer les trois Maries dont parle l'Évangile : la pécheresse, qui arrosa de parfum les pieds de Jésus au cours d'un repas; Marie de Magdala, qui fut la première à voir Jésus réssuscité; et Marie de Béthanie, sœur de Lazare* et de Marthe*.

MARIENAU, écart de la comm. de Forbach (Moselle). Cokerie.

MARIENBAD → MARIÁNSKÉ LÁZNĚ.

MARIE-THÉRÈSE (Vienne 1717 - *id.* 1780), impératrice (1740 - 1780). Fille aînée de Charles VI, épouse d'un incapable, François Ier de Lorraine, elle s'impose à ses voisins (Prusse, Bavière), qui, à la mort de son père (1740), prétendent la dépouiller. Appuyée sur ses sujets hongrois (elle est reine de Hongrie en 1741, de Bohême en 1743) et sur l'Angleterre, elle sauve ses États; en 1745, elle fait élire empereur son mari. Cependant, la guerre de la Succession d'Autriche (1740-1748) lui coûte la Silésie, qu'elle essaie vainement de récupérer durant la guerre de Sept Ans (1756-1763). La paix revenue, elle déploie des qualités exceptionnelles de chef d'État, pratiquant un despotisme* éclairé qui lui permet de centraliser l'administration au profit de son autorité et de reconstituer son armée; en même temps, elle réduit l'influence du clergé et celle des non-catholiques. Après la mort de François Ier (1765), elle garde le pouvoir, mais en y associant Joseph* II, dont elle modère le zèle réformiste.

Marie-Thérèse *(ordre de),* ordre militaire autrichien créé en 1758 et supprimé en 1919.

MARIE-THÉRÈSE D'AUTRICHE (Madrid 1638 - Versailles 1683), reine de France (1660-1683). Fille de Philippe IV* d'Espagne, elle épouse, en 1660, Louis XIV, roi de France, à qui elle donnera plusieurs enfants, dont un seul survivra, Louis*, Grand Dauphin.

MARIETTE (Pierre Jean), éditeur d'estampes, collectionneur et érudit français (Paris 1694 - *id.* 1774). Un des créateurs de l'histoire de l'art moderne, il était connu dans toute l'Europe pour la qualité de ses jugements et de ses travaux de classification. Son *Catalogue de la vente Crozat* (1741) est un modèle du genre. De ses notes manuscrites (Bibliothèque nationale) a été tiré, au XIXe s., un dictionnaire en six volumes, dit *Abecedario.* Une partie de sa collection de dessins (marquée d'une prédilection pour l'Italie et le classicisme) est passée au Louvre.

MARIETTE (Auguste), égyptologue français (Boulogne-sur-Mer 1821 - Le Caire 1881). On lui doit le dégagement de la plupart des grands sites d'Égypte et de Nubie, leur protection et la création d'un Musée égyptologique à Boulaq, qui constitua le fond de l'actuel musée du Caire. Il a écrit : *le Sérapéum de Memphis* (1857-1864), *Abydos* (1870-1878-79), *Denderah* (1873-1875).

MARIGNAN, en ital. **Melegnano,** anc. **Marignano,** v. d'Italie (Lombardie), au S.-E. de Milan; 19 000 hab. La bourgade fortifiée de Marignan fut, les 13 et 14 septembre 1515, le théâtre de la victoire de François Ier sur les Suisses. En 1859, le maréchal Baraguay d'Hilliers y battit les Autrichiens.

MARIGNANE (13700), ch.-l. de cant. des Bouches-du-Rhône, près de l'étang de Berre, à 25 km au N.-O. de Marseille; 26 479 hab. *(Marignanais).* Aéroport de Marseille.

MARIGNY (50570), ch.-l. de cant. de la Manche, à 13 km à l'O. de Saint-Lô; 1 255 hab. Cimetière militaire allemand.

MARIGNY (Enguerrand DE), homme d'État français (Lyons-la-Forêt v. 1260 - Paris 1315). Conseiller de Philippe IV le Bel, il participa à l'altération des monnaies et tenta une réforme des finances royales. Après la mort de Philippe le Bel, il fut condamné pour prévarication et sorcellerie et fut pendu à Montfaucon.

MARIJUANA → CANNABIS.

MARILLAC (Michel DE), homme d'État français (Paris 1563 - Châteaudun 1632). Garde des Sceaux (1629), il réforme l'administration. L'un des chefs du parti dévot, il s'oppose à Richelieu; après la journée des Dupes (10 nov. 1630), il doit s'éloigner de Paris.

MARIN de Tyr, géographe romain de la fin du Ier s., l'un des fondateurs de la géographie mathématique.

MARIN Ier, II → PAPE.

MARIN (John), peintre américain (Rutherford, New Jersey, 1870 - Addison, Maine, 1953). Surtout aquarelliste, il a donné des paysages d'un style léger, animé, allusif, en partie inspiré par le cubisme et par l'art extrême-oriental.

Marine *(musée de la),* musée installé au Louvre en 1827 et transféré au palais de Chaillot en 1943. Il abrite une collection remarquable de maquettes de bâtiments de guerre et de commerce.

MARINE MARCHANDE. — La prospérité de la marine marchande dépend du développement des échanges commerciaux, dont, sur le plan international, la plus grande partie s'effectue par mer. Parmi les principaux produits solides transportés en vrac, et le plus souvent par cargaisons complètes, figurent les minerais* de fer*, le charbon, les céréales*, les phosphates, la bauxite et l'alumine*, le sucre* brut, etc. S'y ajoutent les marchandises générales, aliment important et privilégié des lignes régulières, qui commencent, pour les frets riches, à subir la concurrence de la voie aérienne. Pour les liquides, il s'agit essentiellement des hydrocarbures, dont, après une extraordinaire croissance, le transport marque, depuis la crise pétrolière, une légère régression. Les autres frets liquides sont les gaz* liquéfiés, le vin, les huiles, etc. Quant au transport maritime des passagers sur longue distance, sa chute se poursuit, au profit de l'aviation, ainsi qu'en témoignent les nombreux désarmements de paquebots*. Les perspectives semblent plus favorables pour les croisières au départ d'Europe, auxquelles la réouverture du canal de Suez peut offrir de nouvelles possibilités, et pour la clientèle, sur les courts trajets, des car-ferries.

Au 1er juillet 1975, le tonnage de la flotte mondiale s'élevait à 325,6 millions de tonneaux de jauge brute — pour 36 500 navires —, en progression de 10 p. 100 sur l'année précédente, mais ces chiffres masquent une évolution inquiétante, car il y a d'importants désarmements, notamment de pétroliers*, et les commandes d'unités neuves sont en forte régression.

Le Liberia, grâce au pavillon de complaisance*, possède la première flotte marchande. En contrepartie, la marine de la plupart des grandes puissances, États-Unis et U. R. S. S., Allemagne fédérale et France, est insuffisamment développée pour assurer la totalité de leurs échanges maritimes. L'augmentation du tonnage total n'entraîne pas une augmentation du nombre des navires, dont la caractéristique majeure est le gigantisme (les pétroliers de plus de 500 000 tonnes ont fait leur apparition), ce qui ne va pas sans soulever des problèmes — de circulation, de réception et de sécurité (liée très souvent au pavillon de complaisance).

les principales flottes de commerce
au 30 juin 1975, en Mtx

Liberia	65,8	U. R. S. S.	12,3
Japon	38	France	10,4
Grande-Bretagne	32,2	Italie	9,9
Norvège	25,8	Allemagne fédérale	8,2
Grèce	22,4	Suède	6,2
États-Unis (1)	13,7	Pays-Bas	5,4
Panamá	13,3	Danemark	4,3

(1) Le chiffre comprend la flotte des grands lacs et celle de réserve désarmée.

MARINE MILITAIRE. — Dans tous les temps, les marines, instrument d'échange, d'expansion et souvent d'hégémonie des peuples, ont exigé sécurité et protection. Ainsi se sont formées les marines de guerre, dont les navires ne se distingueront des autres bâtiments qu'à l'époque des grandes rivalités maritimes entre les États de l'Occident. À l'ère des marines portugaise et espagnole succède, au début du XVIIe s., celle de la marine hollandaise. Sa suprématie est mise en cause par l'Angleterre (Acte de navigation, 1651) qui, après avoir maîtrisé la flotte française, créée au XVIIe s. par Richelieu et Colbert, dominera les mers pendant près de deux cents ans (1750-1940). Au milieu du XVIIe s. naissent les grandes flottes de guerre, dont les bâtiments — galiotes, corvettes, frégates et, surtout, vaisseaux — sont conçus pour le combat.

À partir du XIXe s., les marines militaires connaissent de grandes mutations techniques, et leurs bâtiments se différencient définitivement de ceux des autres marines. Avec l'avènement de la vapeur, l'adoption de l'hélice, la construction en fer, puis en acier, la chauffe au mazout, apparaissent les nouveaux types de navires, qui formeront les flottes des deux guerres mondiales : cuirassés* et croiseurs*, torpilleurs et destroyers, sous-marins*. Vers 1910 naissent de l'emploi à la mer de l'avion les *aéronavales**, qui, à partir de 1918, connaîtront un essor considérable avec la réalisation des porte-aéronefs*. Vingt-cinq ans plus tard, la maîtrise de la mer cesse de s'identifier avec celle de sa surface : l'espace aérien comme la profondeur sous-marine comptent désormais autant dans la guerre navale. Les deux guerres mondiales, gagnées par les puissances maritimes, soulignent l'importance du contrôle de la mer dans la stratégie moderne.

L'année 1945 est marquée par la disparition des marines japonaise (au 3e rang en 1940) et allemande, mais aussi par l'avènement d'une révolution technique. Après l'asdic, ancêtre du sonar, le schnorchel, le déclin puis la disparition du cuirassé, les marines se distinguent, vers 1955, par trois innovations :

— l'emploi de l'*énergie nucléaire,* tant dans la propulsion des navires, et d'abord des sous-marins, que dans l'armement de ces derniers en missiles stratégiques à ogive nucléaire («Polaris*, Poseidon*»), qui en font l'élément essentiel des forces de dissuasion;

— la réalisation du *porte-avions lourd* (70 000 à 90 000 t) à propulsion nucléaire, armé d'avions à réaction et soutenu par des bâtiments logistiques, qui est devenu la pièce maîtresse des forces stratégiques d'intervention lointaine (VIe et VIIe flotte américaine en Méditerranée et dans le Pacifique);

— l'équipement généralisé des navires en *missiles tactiques,* notamment antiaériens et anti-sous-marins, qui, remplaçant l'artillerie, bénéficient de systèmes électroniques entièrement automatisés de détection et de transmission.

Cette évolution rend les marines de plus en plus dépendantes du potentiel technologique des nations. Déjà, en 1945, le poids de la puissance industrielle des États-Unis, qui construisirent en quatre ans 8 millions de tonnes de navires de guerre et 43 millions de tonneaux de navires marchands, avait été décisif dans la victoire alliée. En 1960, avec 4 millions de tonnes de navires en service, les États-Unis demeuraient la première puissance navale, mais

MARINE MILITAIRE

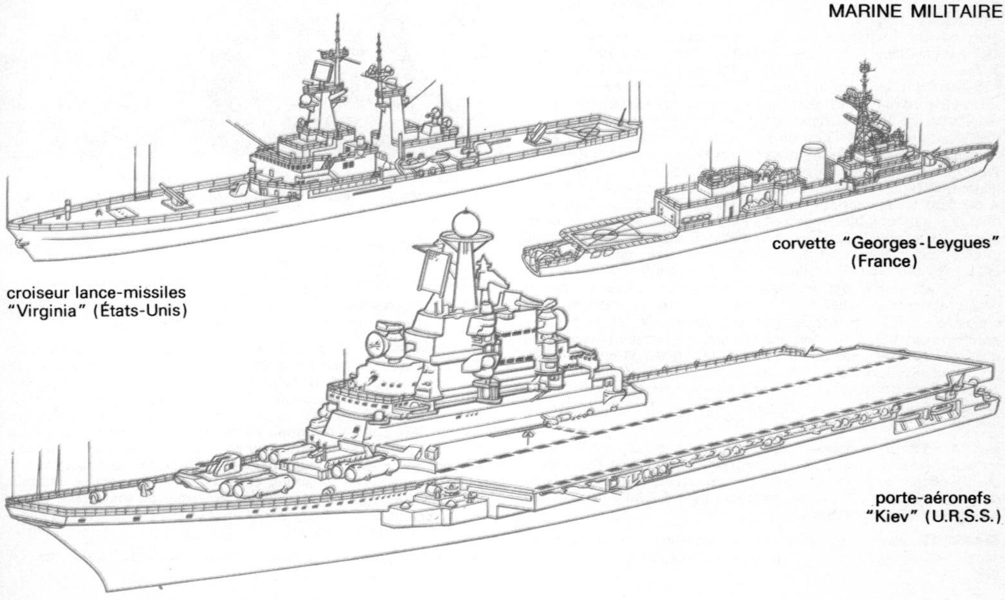

corvette "Georges-Leygues" (France)

croiseur lance-missiles "Virginia" (États-Unis)

porte-aéronefs "Kiev" (U.R.S.S.)

l'U. R. S. S., avec 1,5 million de tonnes, venait en quinze ans de conquérir la seconde place, traduisant ainsi la volonté de Moscou d'élargir à l'échelon mondial le cadre de sa politique. Présente sur toutes les mers du globe, la flotte soviétique atteignit en 1975 le niveau de sa rivale américaine dans le domaine des sous-marins. À la tête des marines de second rang demeure la flotte britannique (800 000 t), suivie des marines française, allemande (de l'Ouest), italienne et japonaise. (V. aux différents pays l'encadré « Défense et armées ».)

MARINES (95460), ch.-l. de cant. du Val-d'Oise, à 14 km au N.-O. de Pontoise; 2 102 hab. Château du XVIe s.

MARINETTI (Filippo Tommaso), écrivain italien (Alexandrie, Égypte, 1876 - Bellagio 1944), initiateur du futurisme*, dont il lança les premiers manifestes (1909-1911) et qu'il illustra par ses drames satiriques et ses récits (*Mafarka le Futuriste,* 1909).

MARINGUES (63350), ch.-l. de cant. du Puy-de-Dôme, à 18,5 km au N.-E. de Riom; 2 374 hab. Église romane et gothique.

MARĪNIDES, dynastie marocaine (1269-1465). Les Marīnides sont des Berbères Zenāta qui, profitant de la faiblesse des Almohades*, occupent, dans la première moitié du XIIIe s., Taza, Fès, Meknès et les plaines atlantiques d'une part, le Tafilalet d'autre part, dominant ainsi l'économie du Maroc. Abū Yūsuf Ya'qūb (de 1258 à 1286) élimine le dernier almohade de Marrakech (1269), fait construire Fès-la-Nouvelle, entreprend plusieurs expéditions en Espagne. Pour dominer le Maghreb, les Marīnides soumettent les 'Abdalwādides* de Tlemcen (1re moitié du XIVe s.), puis les Ḥafṣides* de Tunis (de 1347 à 1358). Avec Abū al-Ḥasan (de 1331 à 1349), la dynastie est à son apogée. Cependant, dès 1340, elle doit renoncer à ses prétentions espagnoles. À partir de la fin du XIVe s., des royaumes indépendants de Fès se forment dans le Rif et le Tafilalet. En 1415, les Portugais s'emparent de Ceuta et ce sont les confréries religieuses et les Waṭṭāsides* qui mènent la lutte contre les étrangers. Le dernier Mārinide est assassiné en 1465.

MARIN LA MESLÉE (Edmond), aviateur français (Valenciennes 1912 - Dessenheim 1945). Premier chasseur français lors de l'armistice de 1940 (20 victoires), il fut abattu en combat aérien.

MARINO, v. d'Italie (Latium), au S.-E. de Rome; 55 000 hab.

MARINO ou **MARINI** (Giambattista), poète italien (Naples 1569 - *id.* 1625), connu en France sous le nom de **Cavalier Marin.** Sa poésie (*Adonis,* 1623), surchargée de métaphores et d'antithèses, exerça une influence profonde sur la littérature précieuse.

Marion de Lorme, drame en cinq actes et en vers, de V. Hugo (1831).

MARIONNETTES. — Chargées de caractères mystico-magiques, les marionnettes apparaissent en Chine et en Égypte dès la plus haute antiquité, puis vers le VIe s. av. J.-C. en Europe. En français, le mot *marionnette* vient de *Marion,* petite *Marie,* ce qui atteste un rapport à la liturgie et des spectacles inspirés des Écritures, alors que, jusqu'au VIIe s., l'Église avait interdit l'usage des figurines anthropomorphiques. La structure et l'évolution du théâtre de marionnettes combinent un élément initiatique et religieux et un élément populaire et profane, qui reste aujourd'hui le plus sensible, à travers aussi bien le Guignol lyonnais que le Polichinelle napolitain ou le Karagöz turc. La forme de représentation du théâtre de marionnettes est fortement tributaire des techniques de manipulation, qui se répartissent en deux grands types : la manipulation *bras en l'air,* qui est celle des *marionnettes à gaine* (Guignol) ou *à tige* (*wayang golek* de Java); la manipulation *bras en bas,* qui survit dans l'*opera dei puppi* de Sicile et dans les marionnettes de Belgique (*Toone* à Bruxelles, *Tchantchès* à Liège). À ces deux techniques principales s'ajoutent de multiples variantes, dont les plus notables sont celle du *bunraku** japonais et celle, depuis les années 60, du *Bread and Puppet Theatre* américain, qui intègre aux techniques traditionnelles (usage de la *parade,* influences du carnaval allemand et des représentations médiévales des vies de saints) des recherches inspirées du théâtre contemporain (poupées manœuvrées à vue, démontage des procédés d'illusion, utilisation brechtienne du masque et du rythme — accéléré ou ralenti — de déplacement). La marionnette est d'ailleurs souvent apparue aux auteurs (*Essai sur les marionnettes,* de H. von Kleist) et aux metteurs en scène (E. G. Craig, G. Baty) comme l'interprète idéal d'un texte dramatique et même comme le support d'un art du geste qui englobe et dépasse toutes les conventions du langage articulé (Artaud).

MARIOTTE (*abbé* Edme), physicien français (Dijon ? v. 1620 - Paris 1684). Il donna la loi de déformation élastique des solides (1660), découvrit le point aveugle de l'œil et, en 1676, établit la loi de compressibilité des gaz qui porte son nom. On lui doit aussi des recherches d'hydrodynamique.

MARIOUT *(lac),* anc. **Maréotis,** lagune du littoral égyptien, séparée de la Méditerranée par une langue de terre, site d'Alexandrie.

MARITAIN (Jacques) → THOMISME.

MARITIMES (PROVINCES), provinces canadiennes de la Nouvelle-Écosse, du Nouveau-Brunswick et de l'île du Prince-Édouard.

MARITZA → MARICA.

MARIUS (Caius), général et homme politique romain (Cereatae, près d'Arpinum, 157 - Rome 86 av. J.-C.). « Homme nouveau », Marius se fait donner par le peuple le consulat pour 107 et le commandement de la guerre contre Jugurtha à la place de Q. Caecilius* Metellus. Il opère une profonde réforme militaire en admettant dans la légion* les prolétaires, et crée ainsi une véritable armée de métier, avec laquelle il réussit à vaincre Jugurtha*. Consul sans interruption de 104 à 100, il sauve Rome d'une double invasion barbare en écrasant les Teutons à Aix (102) et les Cimbres à Verceil (101). Rentré à Rome, Marius révèle son incapacité politique : il s'associe aux chefs des *populares* Saturninus et Glaucia, qui reprennent l'œuvre des Gracques, mais, dépassé par leurs outrances, il les abandonne et s'enfuit de Rome (99). À son retour, il s'oppose à Sulla* et au parti des *optimates :* avec l'appui des populaires, il se fait attribuer la guerre contre Mithridate, déjà confiée à Sulla (88); mais l'armée de Sulla pénètre dans Rome et Marius doit s'exiler en Afrique. Après le départ de Sulla pour l'Orient, il se joint à Cinna* et rentre à Rome en 86 : consul pour la septième fois, il meurt peu après son entrée en charge.

MARIVAUX (Pierre CARLET DE CHAMBLAIN DE), écrivain français (Paris 1688 - *id.* 1763). Auteur de parodies, rédacteur de journaux, il est ruiné par la banqueroute de Law et se consacre au théâtre. Il renouvelle la comédie en la fondant sur l'amour naissant, traduit en un langage délicat qu'on a appelé le « marivaudage » : *la Surprise de l'amour* (1722), *la Double Inconstance* (1723), *le Jeu* de l'amour et du hasard* (1730), *la Mère confidente* (1735), *le Legs* (1736), *les Fausses Confidences* (1737), *l'Épreuve* (1740). On lui doit également deux romans, qui sont des chefs-d'œuvre : *la Vie de Marianne* (1731-1741, inachevé), *le Paysan parvenu* (1735).

Théâtre du Val-de-Marne

Marivaux : une scène du *Jeu de l'amour et du hasard,* représenté au Théâtre du Val-de-Marne à Saint-Maur (1972).

MARJOLAINE. — Cette petite labiacée est une herbe fortement parfumée, portant des paquets de minuscules fleurs roses. La marjolaine *(Origanum)* est vivace par sa partie souterraine.

MARKERWAARD, polder (en cours d'aménagement) des Pays-Bas, dans la partie occidentale du Zuiderzee; 56 000 ha.

MARKETING. — Il a eu pour origine la prise de conscience de l'évolution économique. Cette évolution, et surtout la croissance de son accélération, se traduit, notamment, par l'expansion des besoins et donc des marchés. L'esprit de marketing consiste à profiter des opportunités de croissance et de profit supplémentaires qu'offre cette évolution en proposant un bon produit, à un bon prix, en bonnes quantités, au bon moment, au bon endroit et à la bonne personne. Le marketing ne s'efforce pas de vendre ce qui a été fabriqué, mais d'élaborer et de mettre en œuvre une stratégie de l'offre qui s'appuie sur ce qui est recherché ou souhaité. C'est un renversement complet des perspectives. L'entreprise vit en fonction des besoins du marché.

MARKHAM *(mont),* l'un des points culminants de l'Antarctique, à 83^0 de lat. S.; 4 572 m.

MARKHAM, v. du Canada (Ontario), au N. de Toronto; 36 684 hab.

MÁRKOS (Márkos VAFIÁDHIS, dit), chef communiste grec (Kastamonu, Anatolie, 1906). Secrétaire du parti communiste grec (1929), il est un des dirigeants de la résistance à l'occupation allemande puis de la lutte contre les forces gouvernementales engagée par l'ELAS (Armée nationale populaire de la libération), dont il devient le chef en 1946. Après l'échec du gouvernement républicain provisoire qu'il constitue en 1947, Márkos se retire en Pologne.

MARKOV (Andreï Andreïevitch), mathématicien russe (Riazan 1856-Petrograd 1922). Disciple de Tchebychev*, il s'est consacré surtout au calcul des probabilités. En 1907, il fut amené à considérer un type de relations, appelé *processus,* ou *chaînes de Markov,* dans lequel la loi de probabilité dépend, non de toute l'évolution antérieure du système, mais d'une valeur prise à un instant déterminé. Il introduisit la statistique en macrolinguistique (1913), en analysant dans un texte non seulement les fréquences des mots, mais aussi les fréquences des enchaînements de mots.

MARKOVA (Lilian Alicia MARKS, dite **Alicia**), danseuse britannique (Londres 1910). Elle est l'archétype de la danseuse romantique contemporaine *(Giselle).*

MARKSTEIN (le), sommet des Vosges méridionales; 1 267 m. Sports d'hiver.

MARL, v. de l'Allemagne fédérale, au N. de la Ruhr; 75 000 hab.

MARLBOROUGH (John CHURCHILL, 1er duc DE), homme de guerre anglais (Musbury 1650-Granbourn Lodge 1722). Après avoir servi sous Jacques II, il rallie la cause de Guillaume III. Sa véritable carrière commence avec l'avènement de la reine Anne (1702), qui coïncide avec l'ouverture de la guerre de la Succession* d'Espagne, au cours de laquelle Marlborough se couvre de gloire. Maintenant unie, face à Louis XIV, une coalition hétérogène, il dirige lui-même ses troupes, qu'il conduit maintes fois à la victoire (Blenheim, 1704; Malplaquet, 1709). Mais, sa femme s'étant brouillée avec la reine, il tombe en disgrâce dès 1711.

MARLE (02250), ch.-l. de cant. de l'Aisne, à 25 km au N. de Laon; 2 936 hab. Belle église de la fin du XIIe s. Sucrerie.

MARLES-LES-MINES (62540), comm. du Pas-de-Calais, à 5 km au N.-O. de Bruay-en-Artois; 7 938 hab.

MARLOWE (Christopher), poète dramatique anglais (Canterbury 1564-Deptford, Londres, 1593). Il fut, par ses tragédies historiques et ses drames, le précurseur de Shakespeare (*la Tragique Histoire du docteur Faust,* 1588).

MARLY (57157), comm. de la Moselle, à 7 km au S. de Metz; 6 126 hab.

MARLY (59770), comm. du Nord, dans la banlieue est de Valenciennes; 15 396 hab.

MARLY-LE-ROI (78160), ch.-l. de cant. des Yvelines, au-dessus de la Seine, à 4 km au S. de Saint-Germain-en-Laye; 16 143 hab. *(Marlychois).* Du domaine royal, aux treize pavillons construits par J. H.-Mansart, il ne reste que le parc. Assurances.

MARMANDE (47200), ch.-l. d'arr. de Lot-et-Garonne, sur la Garonne; 17 723 hab. *(Marmandais).* Église des XIIIe-XVIe s. Centre de production maraîchère. Industries alimentaires.

MARMARA *(mer de),* mer intérieure entre la Turquie d'Europe et la Turquie d'Asie, entre la mer Égée (à laquelle elle est reliée par le détroit des Dardanelles) et la mer Noire (atteinte par le détroit du Bosphore).

MARMION (Simon), peintre et miniaturiste français (Amiens v. 1425-Valenciennes 1489). Il est l'auteur du *Retable de saint Bertin,* peint pour l'abbaye de Saint-Bertin à Saint-Omer (v. 1459, fragments à Londres et à Berlin).

MARMOLADA (la), point culminant des Dolomites (Italie); 3 342 m.

MARMONT (Auguste VIESSE DE), duc **de Raguse,** maréchal de France (Châtillon-sur-Seine 1774-Venise 1852). Aide de camp de Bonaparte (1796-1798), commandant l'armée de Dalmatie (1806), maréchal et gouverneur des provinces Illyriennes (1809), il commande ensuite au Portugal et en Espagne (1811-12), puis devant Paris, dont il négocie, en 1814, la capitulation, rendant ainsi inévitable l'abdication de Napoléon. Ministre d'État de Louis XVIII (1817), il commande la garnison de Paris lors de la révolution de 1830, suit Charles X en exil et ne revient jamais en France.

MARMONTEL (Jean-François), écrivain français (Bort-les-Orgues 1723-Abloville, Eure, 1799). Protégé et disciple de Voltaire, il connut le succès dans les salons philosophiques moins par ses tragédies (*Aristomène,* 1749) que par ses *Contes moraux* (1763) et ses romans (*Bélisaire,* 1767; *les Incas,* 1777). Il a laissé également un récit autobiographique *(Mémoires d'un père pour servir à l'instruction de ses enfants).*

MARMOTTE. — La parfaite hibernation de la marmotte s'explique par son habitat montagnard (dans les Alpes, par exemple, au-dessus de 2 000 m et jusqu'à la limite des neiges éternelles), où l'on ne trouve aucune nourriture végétale pendant l'hiver. Après s'être bien engraissées sur les alpages d'été, les marmottes creusent un terrier à une altitude un peu moindre et s'y installent en un groupe de dix à quinze individus, sur un lit de foin. Le cœur bat alors six fois moins vite qu'en été, la respiration est ralentie huit fois, la température centrale s'abaisse et l'animal vit sur ses réserves, se bornant à uriner toutes les trois semaines. Au printemps, la marmotte se réveille en quelques heures, ayant perdu le quart de son poids en six mois. Les marmottes sont des rongeurs, elles usent de leurs pattes de devant pour tenir leur nourriture et conservent souvent une stature redressée. Aisées à domestiquer, elles font preuve de grandes qualités psychiques.

Marmotte.

J.-P. Ferrero

Marmousets, nom donné par le parti des ducs de Bourgogne et de Berry aux anciens conseillers de Charles V, que Charles VI, à sa majorité, avait rappelés au gouvernement (1388). Les Marmousets (Bureau de La Rivière, Le Mercier, Olivier de Clisson) s'efforcèrent de rétablir l'ordre dans l'État, mais la folie du roi permit le retour des princes au gouvernement et leur éviction définitive (1392).

MARMOUTIER (67440), ch.-l. de cant. du Bas-Rhin, à 6 km au S. de Saverne; 1 973 hab. Magnifique église, anc. abbatiale à façade romane (narthex, chapelle haute, trois tours), nef et transept gothiques, chœur du XVIIIe s.

Marmoutier, abbaye située à 3 km de Tours, qui fut fondée en 372 par saint Martin. Elle fut la mère de nombreux monastères anglais et français. Urbain II y prêcha la première croisade (1095).

MARNAY (70150), ch.-l. de cant. de la Haute-Saône, sur l'Ognon, à 22 km à l'O. de Besançon; 1 073 hab. Anc. château fort et restes de fortifications. Église des XIVe-XVIe s.

MARNE → AMENDEMENT CALCAIRE.

MARNE (la), riv. du Bassin parisien; 525 km. Issue du plateau de Langres, la Marne passe à Chaumont, s'écoule entre le Barrois et la côte des Bars, traverse la Champagne (en aval de Saint-Dizier), arrosant notamment Châlons-sur-Marne et Épernay, entaille la côte de l'Île-de-France, limite au N. et à l'O. la Brie (passant à Meaux), avant de rejoindre la Seine (r. dr.) immédiatement en amont de Paris. L'Ornain (r. dr.) et le Grand Morin (r. g.) sont ses principaux affluents. Rivière au régime régularisé par une grande retenue *(réservoir Marne)* près de Saint-Dizier, partiellement longée par un canal latéral, des environs d'Épernay à Vitry-le-François (prolongé par les *canaux de la Marne à la Saône* [224 km] et *de la Marne au Rhin* [315 km jusqu'au port de Strasbourg]), la Marne ne connaît pas, cependant, une intense activité fluviale.

MARNE (51), départ. de la Région Champagne-Ardenne; 8 163 km^2; 530 399 hab. Ch.-l. *Châlons-sur-Marne.* S.-préf. *Épernay, Reims, Sainte-Menehould* et *Vitry-le-François.*

Au cœur de la Champagne, entre Paris et la Lorraine (et l'Alsace), le département, malgré une densité de population encore nettement inférieure à la moyenne nationale, est le plus peuplé de la Région, dont il rassemble les deux cinquièmes de la population totale. Il s'étend en majeure partie sur la Champagne crayeuse, domaine de la grande culture céréalière (blé surtout, dont il est l'un des premiers producteurs français, puis orge, maïs et avoine) et betteravière pratiquée dans de grandes exploitations. Le célèbre vignoble, dont la production est orientée vers la champagnisation, sur la côte de l'Île-de-France (de Reims jusqu'au-delà d'Épernay), assure plus du tiers du produit agricole, tandis que l'élevage (bovin et ovin) n'en représente qu'une faible part. Malgré la haute valeur de sa production, grâce à la mécanisation, à l'emploi intensif des engrais et au remembrement, l'agriculture n'emploie guère plus du dixième de la population active.

Les deux cinquièmes de celle-ci sont engagés dans l'industrie, dominée par la métallurgie de transformation et l'alimentation, précédant le textile, la verrerie, les industries du bois. Cependant, l'industrie offre désormais moins d'emplois que le secteur tertiaire, développé (comme le secteur secondaire) grâce à l'expansion de Reims, dont l'agglomération regroupe aujourd'hui nettement plus du tiers de la population départementale. Celle-ci, longtemps stagnante ou déclinante (après les ravages de la Première Guerre mondiale), a sensiblement augmenté (de plus d'un tiers) depuis une trentaine d'années; l'économie bénéficie d'opérations de décentralisation industrielle et de l'ouverture de l'autoroute de l'Est.

Marne *(bataille de la),* ensemble des opérations victorieuses, par lesquelles, en 1914, Joffre arrêta sur la Marne l'invasion des armées allemandes. À la fin du mois d'août 1914, malgré le coup d'arrêt de la bataille de Guise*, les armées alliées en retraite n'avaient pas encore pu se rétablir sur la ligne Somme-Verdun. Pour disposer du recul nécessaire, Joffre décide, le 30 août, de poursuivre le repli jusqu'à la Seine et de couvrir Paris par une nouvelle armée (Maunoury) mise à la disposition de Gallieni pour défendre la capitale. Le 1er septembre, les reconnaissances d'aviation et de cavalerie révèlent que la Ire armée du général Alexander von Kluck (1846-1934), qui, à l'ouest de la IIe armée du général Karl von Bülow (1846-1921), forme l'aile marchante allemande, a infléchi sa marche en direction de l'est de Paris. Von Kluck, en effet, négligeant la capitale et désobéissant aux ordres de Moltke, perd le contact de Bülow et décide de couper la retraite des Alliés pour les encercler et les anéantir. Joffre signe alors, le 4 septembre, son célèbre ordre du jour donnant à ses armées le signal du demi-tour offensif. Le 5 septembre, celle de Maunoury, renforcée par Gallieni (emploi des taxis parisiens), attaque victorieusement le flanc de Kluck, et, le 6 septembre, l'offensive alliée se développe sur tout le front de l'Ourcq, à Verdun. Les succès remportés par Maunoury au nord-est de Paris, par French et Franchet d'Esperey sur les deux Morin puis sur l'Ourcq, entre Kluck et Bülow, par Foch aux Marais de Saint-Gond, par de Langle à Vitry-le-François et par Sarrail en Argonne contraignent Moltke à ordonner le repli général de l'aile droite allemande sur l'Aisne et la Vesle (10 sept.), consacrant ainsi l'échec du plan de guerre de Berlin.

On donne souvent le nom de *deuxième bataille de la Marne* à la contre-offensive victorieuse conduite par Foch du 18 juillet au 6 août 1918 pour résorber la poche allemande de Château-Thierry. (V. GUERRE MONDIALE [*Première*].)

MARNE (Haute-) [52], départ. de la Région Champagne-Ardenne; 6216 km^2; 212304 hab. Ch.-l. *Chaumont.* S.-préf. *Langres* et *Saint-Dizier.*

Dans l'Est, partie la plus élevée du Bassin parisien, au contact de la Lorraine, de la Bourgogne et de la Champagne, partagé entre les bassins de la Seine, de la Marne et du Rhône, écartelé entre les influences de Nancy, de Dijon, de Reims et de Troyes, le département, centré sur la haute vallée de la Marne, possède cependant une relative unité. Le paysage de plateaux calcaires, généralement au-dessus de 300 m d'altitude, domine. L'humidité, assez forte, a favorisé la couverture forestière, encore étendue par des reboisements en conifères. Les plateaux portent des cultures céréalières, de plus en plus destinées au bétail. L'élevage (laitier) domine, notamment, dans le sud-est, autour du Bassigny. L'agriculture n'emploie plus qu'environ 12 p. 100 de la population active. Celle-ci est engagée, pour plus des deux cinquièmes, dans l'industrie, de tradition ancienne, notamment la métallurgie, présente à Saint-Dizier et dans le Bassigny (coutellerie), alors que le travail du bois et l'alimentation sont également développés. Le secteur tertiaire tient une place un peu inférieure à la moyenne nationale. Cette faiblesse est liée à l'absence de grande ville. Aucune commune n'atteint 40000 habitants et deux seulement dépassent 20000 habitants. On s'explique alors l'évolution démographique du département, qui a connu une longue phase de dépeuplement, à partir du milieu du XIXe s., suivie d'une lente reprise, amorcée dans les années 50 et 60, puis d'une nouvelle période de dépeuplement, résultant de l'exode rural, des difficultés de branches industrielles dans un département défavorisé aujourd'hui par une situation géographique excentrée, à l'écart des grands axes de communication modernes, autoroutiers, ferroviaires et fluviaux.

MARNE-LA-VALLÉE, ville nouvelle dont le développement est prévu à l'E. de Paris, sur la rive gauche de la Marne.

MARNES-LA-COQUETTE (92430), comm. des Hauts-de-Seine, à 6 km à l'O.-S.-O. de Paris; 1646 hab.

MAROC, État de l'Afrique du Nord, sur la Méditerranée et l'Atlantique; 447000 km^2; 17830000 hab. *(Marocains).* Capit. *Rabat.*

GÉOGRAPHIE. Au nord du pays, le Rif, extrémité occidentale des chaînes telliennes, domine la Méditerranée jusqu'à Gibraltar. Au centre, les lourdes chaînes parallèles des Atlas (Moyen Atlas, Haut Atlas, qui culmine à 4165 m, et Anti-Atlas) séparent le bassin de la Moulouya, à l'est, des zones basses du littoral atlantique : plaine du Rharb, plateau de la Meseta. À l'extrême sud du pays commence le désert saharien. En raison de la latitude, l'ensemble du pays connaît un climat chaud. Mais l'écran des Atlas prive des influences océaniques le Maroc oriental, qui, à tendance aride, est couvert par la steppe. Les régions bordières de l'Atlantique, surtout au nord-ouest, sont beaucoup plus humides, et la neige est abondante en hiver sur les massifs montagneux. Mais la végétation naturelle de chênes verts et de chênes-lièges, de cèdres en altitude, a été largement dégradée.

La population a triplé en moins de 70 ans. Islamisée, elle comprend 35 p. 100 de berbérophones, qui vivent surtout dans les montagnes, le reste étant arabophone. Le nombre d'étrangers est tombé à environ 100000 depuis l'indépendance. La population se concentre dans le nord et l'ouest du pays. Elle présente une nette tendance à la sédentarisation, mais demeure en majorité rurale. Le pays compte, cependant, une série de villes importantes, anciennes cités traditionnelles (Marrakech, Meknès, Fès), parfois agrandies par des quartiers modernes datant de la période coloniale (Casablanca, Rabat).

L'agriculture emploie 60 p. 100 de la population active, mais, en fait, elle recouvre deux secteurs très différents. Les exploitations traditionnelles, très morcelées, où les pratiques culturales n'ont guère été modernisées, n'assurent que de faibles rendements (céréales, oliviers, arbres fruitiers). À côté, les grands domaines hérités de la colonisation fournissent du blé, de la vigne, du tabac, des agrumes et des légumes. La pression démographique à la campagne entretient un exode rural vers les villes.

Le développement industriel reste limité. La colonisation a développé les activités extractives : phosphate (20 Mt) surtout, fer, manganèse, plomb, zinc. Mais, malgré l'effort entrepris par l'État depuis l'indépendance, les industries de transformation restent peu nombreuses : montage automobile, industries textiles et chimiques, industries alimentaires. Diverses implantations sont dues à des capitaux étrangers, surtout américains. Elles se localisent autour de Casablanca, port qui assure l'essentiel du commerce extérieur (dominé par les exportations de phosphates), dirigé principalement vers l'Europe occidentale. Le pays souffre de manque de techniciens et de capitaux, et le niveau de vie de la population demeure peu élevé, malgré les importants revenus complémentaires apportés par le tourisme.

HISTOIRE

• *Le Maroc antique.* Les Phéniciens* fondent des comptoirs sur la côte marocaine à une date postérieure à la création de Carthage*, qui les domine à partir du VIe s. av. J.-C. L'influence de Carthage se poursuit bien au-delà de sa destruction (146 av. J.-C.) dans le royaume de Mauritanie*. Celui-ci, dont les ruines de Volubilis et de Sala attestent le développement urbain, est un pays riche grâce à l'exploitation de la pourpre, à la pêche et à l'agriculture. La Mauritanie, vassalisée par Rome, est annexée (40 apr. J.-C.), puis organisée par Claude en deux provinces : la Césarienne et la Tingitane, ayant pour capitales respectives Cherchell* et Tanger*. Occupées par les Vandales* en 435-442, les Mauritanies sont reconstituées par Justinien (534), mais les Byzantins ne se maintiennent fermement qu'à Ceuta* et à Tanger.

• *Le Maroc islamique.* Il semble probable qu''Uqba ibn Nāfi' ait atteint l'Atlantique (681-82), mais ce n'est qu'en 700-710 que le Maroc est conquis par les Arabes de Mūsā ibn Nuṣayr, qui imposent l'islām aux tribus berbères*, parfois chrétiennes ou juives, le plus souvent adeptes des cultes animistes. Les Berbères se soulèvent contre les gouverneurs omeyyades de Tanger et du Sous (739-40) au nom du khāridjisme*. Plusieurs principautés khāridjites se forment, notamment celle de Sidjilmāsa, qui ne disparaît qu'au Xe s. Idrīs Ier, venu d'Orient, fonde la dynastie idrīside* (de 789 à 985), qui, à partir de Fès*, répand la culture islamique.

Au Xe s., les Idrīsides sont submergés par les Fāṭimides* et leurs alliés, auxquels s'opposent les Omeyyades de Cordoue. Le Maroc est alors divisé en une multitude de petites principautés. Les Almoravides* (1061-1147) unifient le Maghreb et l'Andalousie en un vaste empire, qui passe aux mains des Almohades* (1147-1269). Les échanges internationaux s'intensifient : commerce entre l'Afrique noire et l'Europe et commerce en Méditerranée. Une brillante civilisation arabo-andalouse s'épanouit, notamment à Fès, à Marrakech* et à Séville. Les Marīnides* (1269-1465), après une première période de grandeur, doivent renoncer à l'Espagne (1340). Les Waṭṭāsides* ne peuvent arrêter l'expansion des Portugais, qui s'étaient emparé de Ceuta* en 1415 et qui conquièrent la côte marocaine à la charnière des XVe et XVIe s.

Le Maroc est alors en proie à l'anarchie, qui a pour conséquences le développement du nomadisme et des particularismes tribaux et le recul de la vie urbaine. Parallèlement, la vie religieuse s'oriente de plus en plus vers la dévotion populaire pour les marabouts. Le Maroc chérifien des Sa'diens* (1554-1659), puis des 'Alāwites* est assez fort pour repousser la dernière tentative portugaise à la

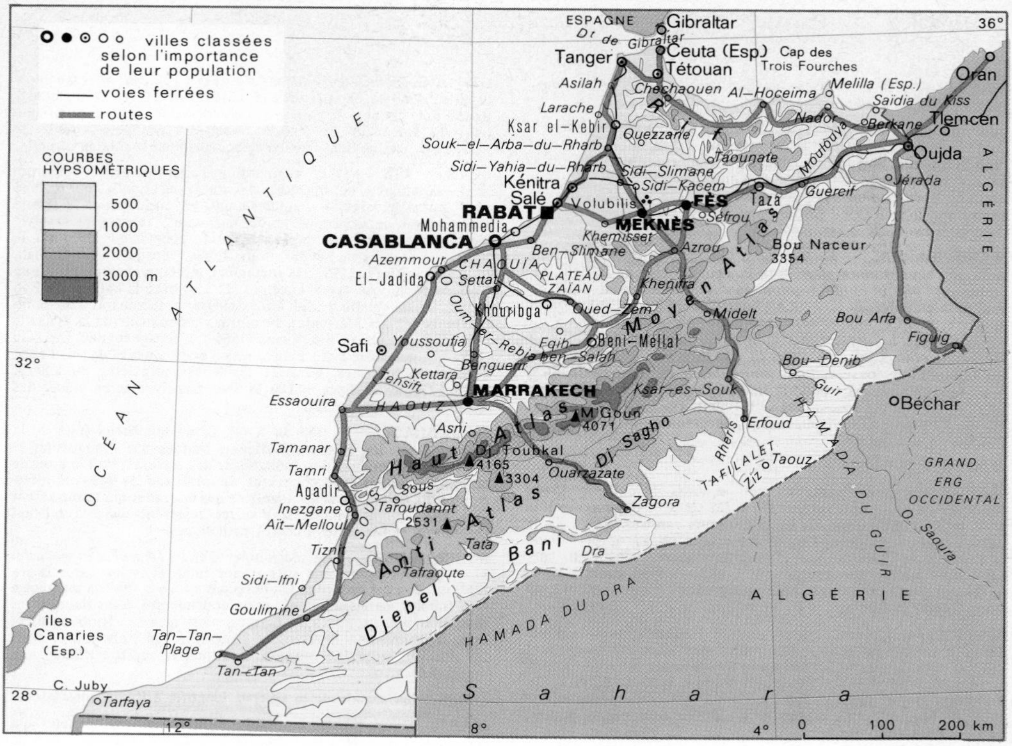

MAROC

bataille d'Alcazarquivir (1578) et pour réduire les enclaves européennes à Ceuta et Melilla*, tenues par les Espagnols, et à Mazagan (portugaise jusqu'en 1769). De même, il résiste à l'expansion ottomane. Cependant, malgré la conquête de Tombouctou (1590) par les Sa'diens qui contrôlent le commerce avec le Soudan (or et esclaves), malgré le développement de la course au XVIIe s. et la reprise du négoce avec l'Europe à la fin du XVIIIe, favorisée par les 'Alāwites, le Maroc est en pleine décadence économique : isolé, il ne participe pas au développement du monde occidental. Les puissances européennes (Grande-Bretagne, Espagne, France) obligent les sultans du Maroc à ouvrir le pays à leurs produits et à leur reconnaître sur leurs ressortissants le droit de protection (2nde moitié du XIXe s.). Cependant, le Maroc de Ḥasan Ier* (de 1873 à 1894), d''Abd al-'Azīz* (de 1900 à 1908) et de Mūlay Ḥafīẓ* (de 1908 à 1912) sauvegarde son indépendance politique grâce à la rivalité des grandes puissances.

• *Le protectorat.* La France, abandonnant l'Égypte à la Grande-Bretagne (1904) et le Congo à l'Allemagne (1911), et ayant reconnu aux Espagnols une zone d'influence au Maroc, peut entreprendre la conquête du Maroc.
— *1906.* Accords d'Algésiras.
— *1907.* Occupation d'Oujda par Lyautey* et débarquement français à Casablanca.
— *1911.* Les Français à Fès, à Meknès et à Rabat. Accord franco-allemand sur le Maroc.
— *1912.* Traité de Fès, établissant le protectorat français. Lyautey résident général (1912-1916 et 1917-1925). Les Français à Marrakech.
— *1914.* La France occupe Taza.
— *1918.* 34 000 Marocains combattent sur le front français.
— *1921-1926.* Guerre du Rif*. Reddition d'Abd el-Krim*.
— *1932-1934.* Occupant le Tafilalet, puis le djebel Sagho, les Français contrôlent l'ensemble du Maroc.

Un mouvement nationaliste s'organise peu à peu, réclamant d'abord l'application de traité de Fès garantissant la souveraineté du Maroc, puis, dans le contexte nouveau créé par la Seconde Guerre mondiale, l'indépendance du Maroc (création du parti de l'Istiqlāl, 1943). La France s'appuyant sur le Glaoui (v. 1875-1956) entre en conflit avec le sultan Muḥammad V* (de 1927 à 1961), favorable aux revendications de l'Istiqlāl, et le dépose en 1953. Cependant, devant l'ampleur de l'opposition active, elle négocie (1955). En 1956, les protectorats français et espagnol sont abolis et le statut international de Tanger abrogé.

• *Le Maroc indépendant.* Il essaie de concilier les traditions monarchiques et islamiques avec les exigences du monde moderne. L'opposition, contenue par la forte personnalité de Muḥammad V, se radicalise sous Ḥasan II*, qui règne depuis 1961. La Constitution accordée en 1962 est suspendue en 1965, et le ministre de l'Intérieur Oufkir mène une dure répression contre les opposants. Cependant, face à l'extension du chômage et à la dégradation de l'économie, l'opposition, avec l'U. N. F. P. (Union nationale des forces populaires), durcit ses positions et le roi libéralise peu à peu le régime. Le Maroc, qui n'a renoncé qu'en 1969 à ses revendications sur la Mauritanie, obtient l'évacuation par les Espagnols d'Ifni*, puis du Sahara occidental*. Mais il s'oppose à la formation d'un État sahraoui indépendant après le partage avec la Mauritanie de ce dernier territoire (1976). Les élections législatives de 1977 marquent le rétablissement du pluralisme politique.

DÉFENSE ET ARMÉES
• *1956-1960 :* constitution de l'armée royale marocaine.
• *1960-61 :* les forces françaises évacuent le Maroc.
• *1963 :* évacuation des bases aériennes américaines (Nouaceur, Sidi-Slimane).
• *1971-72 :* échec de deux tentatives militaires d'attentat contre Ḥasan II.
• *1973 :* envoi en Syrie d'un corps expéditionnaire marocain engagé dans la quatrième guerre israélo-arabe.
• *1975 :* les forces marocaines s'installent au Sahara espagnol.
• LES FORCES MAROCAINES EN 1977. Budget : env. 258 millions de dollars (2,8 p. 100 du P. N. B.). Service militaire de dix-huit mois depuis 1966. Effectifs : 73 000 hommes.
Armée : 65 000 hommes; 2 brigades (dont 1 parachutiste); 35 bataillons (dont 5 blindés). Matériel français, américain et soviétique.
Marine : 3 000 hommes; une dizaine de petits bâtiments.
Aviation : 5 000 hommes; 60 avions de combat.

MAROILLES (59550 Landrecies), comm. du Nord, à 12,5 km à l'O. d'Avesnes-sur-Helpe; 1 481 hab. Fromages*.

MAROLLES-LES-BRAULTS (72260), ch.-l. de cant. de la Sarthe, à 16 km au S. de Mamers; 1 793 hab.

MAROMME (76150), ch.-l. de cant. de la Seine-Maritime, dans la banlieue nord de Rouen; 11 687 hab. Industrie chimique.

MARONI (le), fl. d'Amérique du Sud, tributaire de l'Atlantique, séparant la Guyane française et le Surinam; 680 km.

maronite *(Église),* Église orientale catholique (1 500 000 fidèles), dont le centre principal se trouve au Liban, où réside son patriarche; elle doit son origine au monastère de Saint-Maron, au sud d'Antioche. À l'époque des croisades, v. 1180, elle s'est déclarée pour l'union avec Rome, dont elle a accepté bien des usages disciplinaires et surtout une pensée théologique où l'influence latine a été prépondérante.

MAROQUINERIE. — Le maroquin désignait originellement une peau de chèvre tannée et mise en couleur du côté de la fleur, et, également, une peau de mouton dont le grain imitait celui du maroquin véritable. Le mot fut appliqué d'abord aux cuirs travaillés au Maroc et à Cordoue et destinés à l'ameublement. Dès le XVIe s., on commença à faire du maroquin en France, dans le Midi et à Paris. Au XVIIIe s., ce mot s'étendit aux cartons couverts de peau dans lesquels on conservait des papiers et, de là, aux portefeuilles.

De nos jours, la maroquinerie englobe l'ensemble des articles de cuir utilisés comme accessoires de la toilette (sacs, ceintures, étuis) et de l'ameublement (sous-mains, accessoires de bureau), à l'exclusion des bagages.

MAROS → MUREȘ.

MAROT (Clément), poète français (Cahors 1496 - Turin 1544). Valet de chambre de François Ier, il fut soupçonné de sympathie pour la Réforme et dut s'exiler à plusieurs reprises. Resté fidèle aux formes du Moyen Âge, comme le rondeau et la ballade (*l'Adolescence clémentine,* 1532), il s'ouvre cependant aux influences humanistes, compose le premier sonnet français et se révèle, dans ses *Élégies,* ses *Épigrammes* et ses *Épîtres,* un poète de cour élégant et ironique.

MAROT (Jean), architecte et graveur français (Paris 1619 - *id.* 1679). Il est surtout connu pour la documentation que fournissent ses recueils gravés, *l'Architecture française* et le *Petit Marot,* publiés au XVIIIe s. — Son fils DANIEL (Paris v. 1660 - La Haye 1752), architecte et ornemaniste, quitta la France lors de la révocation de l'édit de Nantes, fut au service de Guillaume d'Orange à Londres, puis travailla à La Haye.

MARQUE *(Écon.).* — La marque est plus répandue dans le domaine des produits de consommation, car elle est présentée par tous les moyens de publicité* destinés au grand public. Elle est défendue par toute une législation qui cherche à prémunir les fabricants contre les plagiats. Mais elle existe pour toutes les entreprises sous la forme de l'image que le public a de l'entreprise dans son ensemble. Cette image se constitue au cours de la vie de l'entreprise par les différents contacts et messages émis par son personnel, par ses produits, par sa publicité. Elle donne une idée « en bloc » des qualités et des défauts prêtés par le public à l'entreprise.

MARQUE *(Ling.).* — Ce terme s'applique à un caractère qui oppose par sa présence ou son absence deux unités linguistiques. Ainsi le phonème /d/ est dit marqué par rapport au phonème /t/, car ils s'opposent uniquement par le trait de sonorité présent dans le premier. Cette notion de « marque », qui est à la base de la phonologie structurale, a été appliquée aux domaines syntaxique (ainsi le singulier est non-marqué par rapport au pluriel) et lexical (ainsi *tabouret* est non-marqué par rapport à *chaise*).

MARQUENTERRE (le), plaine maritime de la Picardie sur la Manche, entre les estuaires de la Somme et de la Canche, jalonnée de petits ports de pêche et de stations balnéaires (Le Crotoy, Berck, Le Touquet-Paris-Plage).

MARQUET (Albert), peintre français (Bordeaux 1875 - Paris 1947). Venu étudier la peinture à Paris, il se lie avec Matisse et Manguin, et participe aux recherches du fauvisme. Maître d'un style fluide et concis — qui éclate dans ses croquis à l'encre de Chine —, il est un peintre de figures et surtout de paysages, dont la prédilection va aux vues de ports et de rivières.

MARQUETTE (Jacques), voyageur français (Laon 1637 - sur les bords du lac Michigan 1675). Avec Louis Joliet*, il est le premier découvreur du Mississippi (1673-1675).

MARQUETTE-LEZ-LILLE (59520), comm. du Nord, dans la banlieue nord de Lille; 8 244 hab. Industries diverses.

MARQUION (62860), ch.-l. de cant. du Pas-de-Calais, à 11 km au N.-O. du Cambrai; 874 hab.

MARQUISE (62250), ch.-l. de cant. du Pas-de-Calais, à 13 km au N.-E. de Boulogne-sur-Mer; 5 030 hab. Église des XIIe, XVe et XVIe s.

MARQUISES *(îles),* archipel de la Polynésie française, au N.-E. de Tahiti; 6 000 hab.

MARRAKECH, v. du Maroc, ch.-l. de prov., dans la plaine du Haouz, au pied du Haut Atlas; 333 000 hab. Grand centre touristique. Industries alimentaires et textiles.

HISTOIRE. Fondée en 1062 par Yūsuf ibn Tāchfīn, Marrakech est jusqu'en 1269 la capitale des Almoravides* et des Almohades*. Après une certaine éclipse sous les Marīnides, elle connaît une nouvelle splendeur au XVIe s., avec les Sa'diens*. Sous les 'Alāwites*, elle ne tient plus qu'épisodiquement le rôle de capitale.

BEAUX-ARTS. La ville retient surtout l'attention par les constructions des Almohades : mosquée al-Kutubiyya (17 nefs, cour formée d'un rectangle large, 5 coupoles), qui, en enrichissant le thème architectural de Cordoue* et de Kairouan*, représente le style hispano-moresque; son élégant minaret (achevé en 1195) est le prototype de ceux de Séville* et de Rabat*; mosquée de la Casbah, ou d'al-Manṣūr (v. 1190, très remaniée), au minaret surmonté d'une frise de céramique verte; enceinte (12 km) avec la belle porte Bāb Agnāū. Le sanctuaire de Sidi Mūlāy al-Qṣūr et le minaret d'ibn Sātiḥ (1331) datent des Marīnides. Nombreux monuments de la dynastie sa'dienne : madrasa ibn Yūsuf (1564-65), mosquée Bāb Dukkāla (1557-58), mausolée aux stèles ornées d'arabesques et de très beaux décors épigraphiques. Grandes résidences princières du XIXe s. (Bahia, Dār al-Makhzen et Dār Si Said, transformée en musée des Arts décoratifs marocain).

MARRANES. — Du XVe au XVIIIe s., de nombreux juifs de la péninsule ou des colonies ibériques, traqués par l'Inquisition et convertis par crainte des spoliations, des tortures, de l'exil ou de la mort, continuèrent en secret de pratiquer la religion juive. Nombreux furent les descendants de ces marranes qui retournèrent à la foi de leurs ancêtres; d'autres restèrent dans la religion chrétienne et furent de sincères catholiques.

MARRONNIER. — Le marronnier d'Inde *(Æsculus hippocastanum)* peut atteindre une très grande taille dans les parcs et les jardins, où il est commun. On le reconnaît à ses feuilles palmées à sept folioles, paraissant dès le premier printemps, à ses fleurs roses dissymétriques groupées en thyrses, ainsi qu'à ses fruits ronds et verts à « piquants » mous, dont l'ouverture en trois valves montre une grosse graine luisante et brune, le *marron d'Inde,* non comestible.

MARS, dieu romain de la Guerre, identifié à l'Arès* des Grecs.

MARS, planète du système solaire. Mars est une planète* qui ressemble à la fois à la Terre* et à la Lune*. On a décelé à sa surface des terrains criblés de cratères, des vallées sinueuses dans lesquelles ont dû autrefois couler des rivières, des champs de neige carbonique* et des dunes de sable. On y remarque aussi des volcans éteints, aux cônes gigantesques, localisés dans l'hémisphère Nord, et un énorme canyon qui court sur un quart de circonférence (4 000 km), juste au sud de l'équateur. Cette grande faille, qui mesure par endroits 120 km de large et 6 km de profondeur, est sans doute un rift ouvert dans la croûte martienne à la suite d'un violent mouvement tectonique. Parmi les volcans, qui ne semblent pas éteints depuis très longtemps, le plus important culmine à environ 25 km d'altitude et mesure près de 600 km de diamètre à la base. L'atmosphère de Mars est extrêmement ténue, puisque la pression au sol est de 6 mbar. C'est très peu, et, en tout cas, insuffisant pour l'organisme humain. De plus, cette atmosphère est irrespirable, puisque composée essentiellement de gaz carbonique. Sa ténuité, jointe à l'éloignement du Soleil*, conduit à des températures très basses, de l'ordre de − 40 °C en moyenne. A l'équateur, à midi, en été, on peut toutefois enregistrer jusqu'à + 20 °C. En revanche, aux pôles, la température peut « tomber » à − 120 °C. Malgré la ténuité de cette atmosphère, il peut parfois se déclencher de véritables tempêtes, avec des vents soufflant à 200 km/h, soulevant de proche en proche de vastes nuages de poussière qui recouvrent parfois, pendant quelques semaines, toute la planète; ces dépôts de sable, et des zones mises à nu, ont autrefois donné l'illusion de changements de forme et de coloration à la surface de la planète. Cependant, la possibilité d'existence de certaines formes de vie rudimentaire (végétaux simples, bactéries) n'est pas totalement exclue.

MARSA EL-BREGA, port de la Libye sur la Méditerranée. Exportation et raffinage du pétrole.

MARSALA, port d'Italie, sur la côte ouest de la Sicile; 80 000 hab. Vestiges puniques et romains. Vins renommés.

MARSAN (le), petite région du départ. des Landes. V. princ. *Mont-de-Marsan.*

MARSANNAY-LA-CÔTE (21160), comm. de la Côte-d'Or, à 6 km au S.-O. de Dijon; 6 590 hab. Vignobles.

MARSANNE (26200 Montélimar), ch.-l. de cant. de la Drôme, à 16 km au N.-E. de Montélimar; 790 hab. Vestiges médiévaux. Forêt.

Marseillaise *(la),* chant national du peuple français, paroles et musique de Claude Joseph Rouget de Lisle, capitaine du génie en garnison à Strasbourg. Écrit en avril 1792, et primitivement intitulé *Chant de guerre pour l'armée du Rhin,* cet air patriotique, d'abord chanté chez le maire H. Dietrich, fut adopté par le bataillon des Marseillais appelés à Paris lors de l'insurrection du 10 août. Le

De Forceville - Ruyant Production

Marseille. Vue générale : le Vieux-Port et à gauche, les quais du bassin de la Joliette et la cathédrale.

peuple le désigna aussitôt sous le nom de « la Marseillaise », qui devait lui rester. L'hymne fut décrété chant national le 26 messidor an III (14 juill. 1795) et le 14 février 1879.

MARSEILLE, capit. de la Région Provence-Alpes-Côte d'Azur et ch.-l. du départ. des Bouches-du-Rhône, sur la Méditerranée; 914 356 hab. *(Marseillais).*

GÉOGRAPHIE. Deuxième ville de France, Marseille n'en est que la troisième agglomération (devancée par Lyon) avec près de 1,1 million d'habitants. C'est en tout cas le premier port français (le deuxième d'Europe), avec un trafic annuel dépassant 100 Mt, constitué il est vrai à plus de 80 p. 100 par les hydrocarbures, déchargés dans les annexes du port (loin de la ville, sur le golfe de Fos, à Lavéra et au port de Fos) et en partie réexportés en l'état. Outre le complexe de raffinage de l'étang de Berre et, aujourd'hui, les activités métallurgiques et chimiques du golfe de Fos, les industries plus géographiquement marseillaises sont traditionnellement liées à l'activité portuaire classique : alimentation traitant des denrées coloniales et constructions mécaniques, pour la marine notamment. Dans un site limité par des chaînons calcaires (Estaque, Étoile, Saint-Cyr), l'agglomération occupe le front de mer, de l'anse de l'Estaque au cap Croisette, s'étend vers l'intérieur, notamment dans la vallée de l'Huveaune, où elle atteint Aubagne. Les installations portuaires de Marseille même, inadaptées au trafic moderne des grands pétroliers et minéraliers, ont donc été supplantées par les terminaux du golfe de Fos, accessibles aux plus grands navires. L'agglomération, au moins au point de vue économique, se rapproche du Rhône, qui doit être un trait d'union avec Lyon et, au-delà, avec la France du Nord. La ville elle-même est un centre de premier ordre, administratif, commercial, universitaire (lié partiellement à Aix-en-Provence), culturel (Opéra, musées, presse), bancaire et financier (Bourse des valeurs).

HISTOIRE. Colonie fondée au VIe s. av. J.-C. par les Phocéens, *Massalia* connaît une longue période de prospérité (Ve-IIe s.) et crée ses propres colonies : Nice, Antibes, Agde. À la suite de la fondation de la Province romaine (IIe s.), son destin est lié à celui du monde romain, au sein duquel son rôle décroît au profit de Narbonne et d'Arles. Ballottée d'une domination à l'autre à partir de 476, elle devient, au IXe s., siège d'une vicomté dépendant du comte de Provence, puis, après la mort du dernier vicomte (1196), ville de commune (début XIIIe s.), alors même que les croisades font d'elle un port de transit vers la Terre sainte et favorisent sa renaissance commerciale. Devenue française en 1481, Marseille profite — en dépit des sièges qu'elle doit soutenir contre le connétable de Bourbon, en 1524, et contre Charles Quint, en 1536 — de la politique italienne de la France. Port franc en 1669, elle étend ses relations commerciales au monde entier. Agitée par la Révolution, victime, après son adhésion à la révolte fédéraliste (juin 1793), de l'impitoyable répression de Barras, Marseille ne retrouve qu'à la Restauration le calme favorable à l'essor de ses affaires. Dès lors, elle profite pleinement de la politique coloniale de la France.

BEAUX-ARTS. Vestiges hellénistiques et romains du quartier de la Bourse (musée des Docks romains; musée de la Marine). Basilique Saint-Victor, des XIIIe et XIVe s., avec cryptes et catacombes du Ve s. (sarcophages). Restes de l'ancienne cathédrale romane de la Major, du XIIe s. Église romane Saint-Laurent. Forts Saint-Jean (XVe et XVIIe s.) et Saint-Nicolas (XVIIe s.), encadrant le Vieux-Port. Maison Diamantée (XVIe s.; musée du Vieux-Marseille). Hôtel de ville du XVIIe s., de style baroque génois. Majestueux anc. hospice de la Charité (chapelle de 1679, par P. Puget*). Château Borély (2e moitié du XVIIIe s.; musée d'archéologie, collection de dessins). Autres musées : des Beaux-Arts, au palais Longchamp (Puget; peintures de l'école provençale et des écoles françaises et européennes; musée pour enfants); Cantini, dans un hôtel du XVIIe s. (faïences de Marseille et de Moustier; art contemporain); Grobet-Labadié.

MARSEILLE-EN-BEAUVAISIS (60690), ch.-l. de cant. de l'Oise, à 19 km au N. de Beauvais; 902 hab.

MARSH (James), chimiste anglais (Londres 1794 - Woolwich 1846). Spécialiste de chimie analytique, il est l'inventeur, en 1836, d'un appareil servant à déceler et à doser l'arsenic.

MARSHALL *(îles),* archipel d'Océanie (Micronésie), au N. de l'équateur; 181 km^2; 24 000 hab. Découvertes par les Espagnols au XVIe s., visitées par les Anglais (dont Marshall) au XVIIIe s., les îles Marshall furent possession allemande de 1885 à 1914, puis japonaise de 1920 à 1944. Depuis, l'archipel est sous administration américaine : il a été le théâtre, de 1946 à 1956, d'expérimentations nucléaires américaines sur les atolls de Bikini et d'Eniwetok.

MARSHALL (Alfred), économiste anglais (Londres 1842 - Cambridge 1924). Rénovateur de l'école classique, il essaie de concilier trois théories de la valeur* : celle de l'offre* et de la demande*, celle de l'utilité marginale, celle des frais de production. On lui doit des *Principes d'économie politique* (1890-1907).

MARSHALL (George), général américain (Uniontown 1880 - Washington 1959). Chef d'état-major de l'armée américaine à partir de 1938, il représente, de 1942 à 1945, les États-Unis au Comité des chefs d'état-major anglo-saxons et exerce une grande influence sur la conduite de la guerre. Secrétaire d'État du président Truman (1947-48), il a donné son nom au plan américain d'aide économique à l'Europe (v. art. suiv.). À l'occasion de la guerre de Corée, il est rappelé pendant un an comme secrétaire à la Défense, et reçoit le prix Nobel de la paix en 1953.

Marshall *(plan),* plan d'aide américaine à l'Europe adopté par les États-Unis en 1948, à l'initiative du général G. Marshall*. Prévu pour quatre ans, le plan Marshall devait contribuer au relèvement économique de l'Europe occidentale et concernait seize pays, dont la France, l'Italie et la Grande-Bretagne. La répartition des crédits fut confiée à un organisme européen, l'O. E. C. E. (Organisation européenne de coopération économique), qui a survécu au plan et constitue actuellement l'O. C. D. E.

MARSON (51240 La Chaussée sur Marne), ch.-l. de cant. de la Marne, à 13 km au S.-E. de Châlons-sur-Marne; 276 hab.

MARSOUIN. — Le marsouin, ou cochon de mer, est un cétacé relativement petit (moins de 2 m de long), portant des dents aux deux mâchoires et grand mangeur de sardines. Son museau, contrairement à celui du dauphin*, est régulièrement arrondi. Le marsouin est très commun dans toutes les mers.

MARSTON (John), auteur dramatique anglais (v. 1575-Londres 1634). Auteur de poésies satiriques et de tragi-comédies (*le Mécontent,* 1604), il collabora avec Ben Jonson et Chapman.

MARSUPIAUX. — Avant la découverte de l'Australie, les mammifères marsupiaux n'étaient connus que par la sarigue d'Amérique du Sud. Les zoologistes furent vivement surpris de découvrir, tant en Australie qu'en Tasmanie et en Nouvelle-Zélande, une faune de mammifères tous marsupiaux et reproduisant les adaptations respectives des insectivores, des singes, des rongeurs, des carnassiers, des grands herbivores, etc. Seul l'isolement géographique de ces terres depuis la fin du crétacé a permis l'épanouissement de cette faune, que les mammifères placentaires ont presque entièrement supplantée dans le reste du monde. Le mode de reproduction des marsupiaux est, en effet, assez précaire, puisque les jeunes naissent non viables et doivent être aussitôt hébergés et gavés passivement de lait dans la poche marsupiale de la mère, pendant assez longtemps, avant d'atteindre un degré suffisant d'autonomie. Cette poche avoisine une paire d'os marsupiaux qui existent même chez le mâle. D'autres particularités — dentition unique, nombre de dents parfois supérieur à 44, mandibule recourbée au niveau du crochet, pied au pouce opposable — distinguent (statistiquement, car il y a des exceptions) les marsupiaux des autres mammifères.

MARSYAS, musicien phrygien de la mythologie grecque, qui lui attribue l'invention de la flûte. Il fut écorché vif par Apollon*, qu'il avait osé défier dans un tournoi musical.

MARTE ou **MARTRE.** — C'est une sorte de grande belette (70 cm) à 38 dents, vivant dans les forêts, où elle s'attaque aux écureuils. On l'élève pour sa fourrure, principalement dans sa variété nordique, la *zibeline.* (Famille des mustélidés.)

MARTEL (46600), ch.-l. de cant. du Lot, sur la bordure sud-est du *causse de Martel,* à 20 km au N. de Rocamadour; 1 560 hab. Restes d'enceinte, maisons et monuments médiévaux.

MARTEL *(causse de)* → CAUSSES.

MARTEL (Édouard), spéléologue français (Pontoise 1859-près de Montbrison 1938). Fondateur de la spéléologie, il est l'auteur de nombreuses explorations et d'un important ouvrage, *la France ignorée* (1928-1930).

MARTEL (Thierry DE), chirurgien français (Maxéville 1876-Paris 1940), fondateur, avec Clovis Vincent, de l'école française de neurochirurgie.

MARTELLANGE (Étienne Ange MARTEL, *dit*), architecte et jésuite français (Lyon 1569-Paris 1641). Il fut le principal architecte des chapelles et collèges de jésuites en France (Sisteron, Vienne, Lyon, La Flèche, église Saint-Paul-Saint-Louis de Paris [façade du R. P. François Derand]...). Les façades sont riches, les intérieurs simples, de types très divers, parfois dérivés du Gesù de Vignole. De nombreux plans et projets de sa main sont conservés à la Bibliothèque nationale, ainsi qu'une remarquable série, aquarellée, de dessins topographiques et de vues de villes françaises.

MARTENOT (Maurice), inventeur français (Paris 1898). Il imagina un instrument de musique électronique à clavier oscillant (1928) dont la vibration sonore répond aux moindres gestes de l'interprète. Les ondes Martenot permettent une infinité de sons musicaux sortis d'un haut-parleur et produits par des oscillations électriques obtenues par des circuits de lampes.

MARTENSITE → ACIER et TRAITEMENT THERMIQUE ET THERMODYNAMIQUE.

MARTHE *(sainte),* sœur de Lazare* et de Marie dans l'Évangile. La légende en a fait la patronne de Tarascon et des hôteliers.

MARTÍ (José), écrivain et patriote cubain (La Havane 1853-Dos Ríos 1895), héros de l'indépendance hispano-américaine.

MARTIAL, poète latin (Bilbilis, Espagne, v. 40-*id.* v. 104). Le mordant de ses *Épigrammes* a fait prendre, après lui, à ce type de poésies courtes le sens de raillerie satirique.

MARTIAL *(saint),* évêque de Limoges au IIIe s. Des fouilles ont mis au jour son tombeau. La légende qui fait de Martial un des premiers disciples du Christ est sans appui historique.

MARTIGNAC (Jean-Baptiste Sylvère GAY, *comte* DE), homme politique français (Bordeaux 1778-Paris 1832). Partisan de Villèle, il remplace ce dernier au ministère en janvier 1828. Son passage au pouvoir — jusqu'en août 1829 — est marqué par l'ordonnance du 16 juin 1828 qui soumet les écoles ecclésiastiques au régime de l'avertissement.

MARTIGNY, v. de Suisse (Valais), sur le Rhône; 10 478 hab. Aluminium.

MARTIGUES (13500), ch.-l. de cant. des Bouches-du-Rhône, entre l'étang de Berre et le golfe de Fos, à 38 km au N.-O. de Marseille; 38 373 hab. *(Martéguaux* ou *Martigaux).* Églises du XVIIe s. Vieilles maisons. Musée. Port pétrolier et raffinage (à Lavéra).

MARTIN *(cap),* cap de la Côte-d'Azur (Alpes-Maritimes), entre Monaco et Menton.

MARTIN *(saint),* apôtre de la Gaule (Sabaria, Pannonie, v. 315-Candes 397). Soldat romain, il est ordonné par saint Hilaire* de Poitiers. Fondateur du monastère de Ligugé*, puis de celui de Marmoutier*, évêque de Tours en 371, Martin est un missionnaire dont les tournées aboutissent à la destruction du rituel païen, à l'organisation en Gaule des premières paroisses rurales et à la création de nombreux monastères. Aucun saint ne fut plus populaire en France, où 485 bourgs ou villages portent son nom.

MARTIN Ier *(saint)* [Todi, Toscane, v. 590-Chersonèsos, Crimée, 655], pape de 649 à 655. La condamnation du monothélisme* lui attira le courroux de l'empereur Constant II, qui l'exila.

MARTIN IV → PAPE.

MARTIN V (Oddone COLONNA) [Genazzano 1368-Rome 1431], pape de 1417 à 1431. Si son élection, lors du concile de Constance, mit fin au grand schisme, son pontificat resta marqué par la question conciliaire (concile de Sienne, 1423).

MARTIN (Pierre), ingénieur et industriel français (Bourges 1824-Fourchambault 1915). Il inventa, en 1865, le procédé d'élaboration de l'acier sur sole, qui porte son nom, par refusion de déchets d'acier avec addition de fonte pour dilution des impuretés et affinage.

MARTIN (Louis), médecin et bactériologiste français (Le Puy 1864-Paris 1946), qui a pratiqué avec Roux les premières injections de sérum antidiphtérique.

MARTIN (Frank), compositeur suisse (Genève 1890-Naarden, Pays-Bas, 1974). Son art ne parvint à maturité qu'assez tard (*le Vin herbé,* 1938-1941). Depuis lors, il s'est défini comme une parfaite synthèse d'éléments latins et germaniques (oratorios *In terra pax* et *Golgotha, Petite Symphonie concertante,* opéra *Monsieur de Pourceaugnac,* concertos).

MARTIN (Archer John Porter), biochimiste anglais (Londres 1910). En collaboration avec Synge, il a créé la chromatographie sur papier (1944), pour séparer les aminoacides contenus dans les protéines. Tous deux ont reçu le prix Nobel de chimie en 1952.

MARTIN DU GARD (Roger), écrivain français (Neuilly-sur-Seine 1881-Serigny, Orne, 1958). Passionné par l'étude de la crise de conscience de la jeunesse à la suite de l'affaire Dreyfus et des luttes politiques de la fin du siècle (*Jean Barois,* 1913), il collabore à la création du Vieux Colombier (*le Testament du père Leleu,* 1914), puis entreprend dans *les Thibault** (1922-1940) la peinture d'une famille française au début du siècle. Il a laissé un récit inachevé, *le Journal du colonel de Maumort,* ainsi que son propre *Journal.* (Prix Nobel, 1937.)

MARTIN-ÉGLISE (76370 Neuville lès Dieppe), comm. de la Seine-Maritime, à 6 km au S.-E. de Dieppe; 1 098 hab. Mobilier de bureau.

MARTINET. — On confond souvent les martinets avec des hirondelles, auxquelles ils ressemblent, tant par leur forme et leur couleur que par leur vol rapide, le bec largement ouvert pour gober les moucherons. Mais les martinets ont les pattes si courtes qu'ils ne peuvent pas prendre leur envol du sol : il leur faut un lieu élevé pour s'élancer. Migrants saisonniers, ils ne passent guère que trois mois en France. (Famille des micropodidés.)

MARTINET (André), linguiste français (Saint-Albans-des-Villards 1908). Élève d'A. Meillet, il a subi l'influence de L. Hjelmslev et surtout du Cercle de Prague, en particulier de N. Troubetzkoï. Son œuvre s'oriente dans trois directions principales : la phonologie descriptive (*la Prononciation du français contemporain,* 1954), la phonologie diachronique (*Économie des changements phonétiques,* 1955) et la linguistique générale (*Éléments de linguistique générale,* 1960; *Langue et fonction,* 1962).

MARTÍNEZ DE CAMPOS (Arsenio), maréchal espagnol (Ségovie 1831-Zarauz 1900). Il se battit contre les carlistes, dont il écrasa l'insurrection (1870-1876). Il fut ensuite plusieurs fois ministre (1879-1887), mais ne parvint pas à pacifier Cuba (1877-1895).

MARTÍNEZ MONTAÑÉS (Juan), sculpteur espagnol (Alcalá la Real, Jaén, 1568-Séville 1649). Puissant créateur de retables et de statues en bois polychrome, réussissant une synthèse à la fois vivace et intériorisée de l'élégance maniériste, de la noblesse classique et du réalisme, il fut surnommé le « dios de la madera » par ses contemporains (*Christ, Enfant-Jésus* et *Immaculée* de la cathédrale de Séville).

MARTINI (Simone), peintre italien (Sienne v. 1284 - Avignon 1344). Au-delà de l'influence de Duccio, son élégance, son raffinement et sa vivacité, déjà sensibles dans sa première œuvre connue, la *Maestà* du palais municipal de Sienne (1315), affirment le goût gothique au détriment du hiératisme byzantin. La suggestion de l'espace et la perspective s'accordent avec son souci narratif (*le Condottiere Guidoriccio da Fogliano,* 1328, ibid.), mais aussi avec son lyrisme et sa préciosité (*Annonciation,* 1333, Offices). Il a travaillé à Naples (1317), à Assise (fresques de la chapelle S. Martino de la basilique inférieure) et, à partir de 1340, à Avignon.

MARTINI (Francesco di Giorgio) → FRANCESCO DI GIORGIO MARTINI.

MARTINI (*Padre* Giovanni Battista), compositeur et théoricien italien (Bologne 1706 - *id.* 1784). Il fut l'un des professeurs les plus écoutés de son temps : parmi ses élèves, on peut citer J.-Chr. Bach et Mozart. D'une vaste culture, il a beaucoup écrit sur la musique (*Storia della musica).*

MARTINI (Arturo), sculpteur italien (Trévise 1889 - Milan 1947). Novateur subtil par la voie « modérée » d'une tradition archaïsante (*Clair de lune,* terre cuite de 1932, parc de Middelheim, Anvers; *Femme nageant sous l'eau,* marbre de 1941, coll. priv.), il a exercé une forte influence sur ses compatriotes, tels Marino Marini et Giacomo Manzu.

MARTINIQUE (972), île des Antilles, constituant un département français d'outre-mer; 1 090 km^2; 324 832 hab. Ch.-l. *Fort-de-France.*

GÉOGRAPHIE. Île volcanique, au relief accidenté, surtout dans le nord, où l'altitude dépasse parfois 1 000 m (montagne Pelée, Pitons du Carbet), la Martinique possède un climat tropical, caractérisé par des températures constamment élevées (en moyenne autour de 25 °C), des précipitations généralement abondantes, souvent plus de 2 m par an, moindres cependant sur le littoral du sud-ouest, abrité de l'alizé pluvieux qui frappe le littoral oriental et les hauteurs de l'intérieur. La forêt originelle a été largement défrichée, traduction d'une pression démographique d'autant plus intense que la surface utilisable ne représente que la moitié de la superficie totale et que l'activité agricole est presque exclusive. La banane est la principale ressource de l'île, devant la canne à sucre (qui alimente aussi l'industrie du rhum) et l'ananas, dont la culture s'est développée. L'industrie est inexistante (hors de la valorisation de la production agricole). Le tourisme apporte des revenus complémentaires, mais ne suffit pas à réduire une balance commerciale catastrophique (le taux de couverture des importations est de l'ordre du cinquième). L'économie ne survit qu'avec une aide massive de la métropole, vers laquelle émigrent de nombreux jeunes sans emploi. Toutefois, l'accroissement continu de la population (plus de 60 p. 100 depuis 1946) s'est aujourd'hui ralenti, en raison surtout de cette émigration.

HISTOIRE. Christophe Colomb débarque à la Martinique en 1502. Mais ce n'est qu'à partir de 1635 que la France y amorce une colonisation, y important des esclaves noirs mais aussi des Européens, et y développant la culture de la canne à sucre, puis (XVIIIe s.) du cacao et du café. Domaine de la Compagnie des îles d'Amérique, puis de la Compagnie des Indes occidentales (1664), la Martinique est rattachée en 1674 au domaine royal. L'île est anglaise de 1762 à 1763, de 1794 à 1802 et de 1809 à 1814. Les révoltes noires se multiplient ensuite jusqu'à l'abolition de l'esclavage en 1848. La Martinique est département français depuis 1946. Un mouvement nationaliste d'indépendance s'y développe.

MARTIN-PÊCHEUR. — Le martin-pêcheur est le plus vorace mangeur de poissons de notre faune. Muni d'un plumage superbe, aux reflets métalliques, presque sans queue, mais pourvu d'un long bec, il rase les eaux calmes pour y repérer et y capturer les poissons. Il creuse dans la berge d'une rivière un très long tunnel, au fond duquel il installe son nid, qu'il tient rigoureusement propre. (Type de la famille des alcédinidés.)

MARTINSON (Harry), écrivain suédois (Jämshög 1904 - Stockholm 1978), poète et romancier d'inspiration réaliste (*Voyages sans but,* 1932; *le Départ,* 1936; *le Chemin de Klockrike,* 1948; *Poésies sur la lumière et les ombres,* 1971). [Prix Nobel en 1974.]

MARTINŮ (Bohuslav), compositeur tchèque (Polička, Bohême, 1890 - Liestal, Suisse, 1959). Élève d'A. Roussel, influencé aussi bien par le folklore tchéco-morave et par Debussy que par le madrigal anglais de la Renaissance et par le concerto grosso de l'époque baroque, il évolua de la violence rythmique et polytonale de ses premières œuvres au lyrisme plus étendu de sa période américaine, puis au néo-impressionnisme de ses dernières années (six symphonies, concertos, ballets, opéras, musique de chambre).

MARTONNE (Emmanuel DE), géographe français (Chabris 1873 - Sceaux 1955). Son *Traité de géographie physique* (1909) fut une base de l'enseignement supérieur. On lui doit aussi les volumes consacrés à l'Europe centrale (1931) et à la géographie physique de la France (1942), dans le cadre de la *Géographie universelle.* Il a dirigé la publication de l'*Atlas de France.*

MARTRE → MARTE.

MARTY (André), homme politique français (Perpignan 1886 - Toulouse 1956). Officier mécanicien sur un navire opérant en mer Noire contre les bolcheviks, il se solidarise avec ceux-ci et organise une mutinerie qui lui vaut d'être condamné (1919). Amnistié, il adhère au parti communiste (1923), devient membre du bureau politique (1932) et rédacteur en chef de *l'Humanité* (1934-35). Secrétaire de l'Internationale communiste (1935), inspecteur général des brigades internationales en Espagne (1937), il entre au secrétariat du parti à la Libération, mais il est exclu en 1953.

MARTYR. — Ce mot, qui signifie « témoin », désigne, dans la primitive Église, le chrétien qui a souffert dans sa chair pour attester sa foi. Le culte des martyrs, origine du culte des saints, est donc très ancien; après la paix constantinienne, il s'amplifia avec l'habitude de transférer les reliques des martyrs dans les églises.

Martyre de saint Sébastien *(le),* mystère* composé en français par G. D'Annunzio et joué à Paris (1911) avec la musique de Cl. Debussy.

Martyrs *(les) ou le Triomphe de la religion chrétienne,* épopée en prose de Chateaubriand (1809). L'œuvre illustre la thèse exposée dans *le Génie du christianisme* et selon laquelle « la religion chrétienne est plus favorable que le paganisme au développement des caractères et au jeu des passions dans l'épopée ».

Martyrs canadiens *(les),* jésuites français missionnaires massacrés par les Hurons, au Canada, entre 1642 et 1649. Ils sont au nombre de huit : Isaac* Jogues, René* Goupil, Jean* de Lalande, Jean* de Brébeuf, Gabriel* Lalemant, Antoine* Daniel, Charles* Garnier et Noël* Chabanel. Ils ont été canonisés en 1930.

MARVEJOLS (48100), ch.-l. de cant. de la Lozère, à 28 km au N.-O. de Mende; 5 913 hab. Portes fortifiées. Église du XVIIe s.

MARVELL (Andrew), écrivain anglais (Winestead, Yorkshire, 1621 - Londres 1678), adversaire de Dryden et défenseur de Milton.

MARX (Karl), militant et théoricien socialiste allemand (Trèves 1818 - Londres 1883). Deuxième enfant d'un avocat libéral de confession israélite puis protestante, Karl Marx étudie le droit aux universités de Bonn, puis de Berlin, où il s'intéresse plus particulièrement à l'histoire et à la philosophie. En 1841, il prépare à Iéna une thèse sur les *Différences de la philosophie de la nature chez Démocrite et Épicure,* qui lui fait découvrir la critique matérialiste de la religion. Membre des jeunes hégéliens (v. HÉGÉLIANISME), il se lie aux frères Bauer et subit également l'influence de L. Feuerbach*. Il devient, en 1842, rédacteur en chef de la *Gazette rhénane,* journal d'opposition fondé par des bourgeois radicaux.

A. P. N.

Karl Marx et Friedrich Engels, à la rédaction de la *Nouvelle Gazette rhénane.* Peinture de Chapiro. (Musée Karl-Marx et Engels, Moscou.)

C'est ainsi qu'il est amené à traiter de problèmes économiques et à mieux connaître le socialisme français, notamment par la lecture de Saint-Simon*, de Fourier*, de Proudhon*, etc. En 1843, il épouse une amie d'enfance, Jenny von Westphalen, et s'installe à Paris, où il lance, à la suite de l'interdiction de la *Gazette rhénane,* les *Annales franco-allemandes,* dont un seul numéro, où figure *la Question juive,* paraît en 1844. Bien que Marx le critique, Hegel exerce une influence prégnante sur les « Manuscrits » de 1843 et 1844, dans lesquels le « jeune Marx » développe une philosophie humaniste (v. HUMANISME) dont l'aliénation* est le thème central.

Cette période, parisienne (1843-1845) puis bruxelloise (1845-1848), est marquée par une intense activité politique. Loin d'observer de l'extérieur les événements, Marx multiplie les contacts avec les militants ouvriers et les émigrés allemands, se lie avec Engels*, fonde la Société des ouvriers allemands de Bruxelles et, avec Engels, établit un réseau de correspondance communiste. Les deux hommes rédigent — entre autres — le *Manifeste* du parti communiste,* que leur demande la Ligue des communistes. Ces années sont celles de leur « règlement de compte avec leur conscience philosophique d'autrefois » et de l'élaboration du matérialisme* historique : la rupture avec leur passé est donc d'un même mouvement, politique et théorique.

Quand la révolution de 1848 éclate, Marx est expulsé de Belgique. Il se fixe alors à Cologne, où il lance *la Nouvelle Gazette rhénane* (juin 1848-mai 1849), pour laquelle il écrit de nombreux articles à l'intention des ouvriers *(Travail salarié et capital).* Expulsé d'Allemagne, puis de France, il se réfugie, en 1849, à Londres et y vit dans la misère. Il se remet alors à étudier l'économie et conçoit son œuvre majeure, *le Capital**, qui bouleverse l'économie politique et la philosophie et développe la science de l'histoire. En 1864, il est invité à prendre la direction de l'Association générale des ouvriers allemands et rédige l'*Adresse inaugurale* et les *Statuts* de la Ire Internationale*. Il est à Paris lors de la Commune* et en donne une interprétation militante dans *la Guerre civile en France* (1871). Il poursuit la rédaction du *Capital,* tout en participant activement à la définition des programmes des partis ouvriers *(Critique du programme de Gotha).* Cette lutte permanente lui permet d'affiner la théorie de la lutte* des classes et de montrer la nécessité, pour le prolétariat, d'établir sa dictature* afin de s'acheminer vers « l'abolition de l'esclavage salarié ».

les œuvres principales de K. Marx

1843	« Manuscrits de 1843 » : Critique de la philosophie de l'État de Hegel, Critique de la philosophie du droit de Hegel.
1844	« Manuscrits de 1844 » (Économie politique et philosophie).
1845	*La Sainte Famille* (avec Engels); *Thèses sur Feuerbach.*
1846	*L'Idéologie* allemande* (avec Engels).
1847	*Misère de la philosophie.*
1848	*Manifeste* du parti communiste* (avec Engels).
1850	*Les Luttes de classes en France.*
1857-1858	*Fondements de la critique de l'économie politique.*
1859	*Contribution à la critique de l'économie politique.*
1867	*Le Capital** (livre premier).
1875	*Critique du programme de Gotha.*

MARX BROTHERS, artistes burlesques et acteurs de cinéma américains : LEONARD, dit **Chico** (New York 1891-Hollywood 1961), ADOLPH, dit **Harpo** (New York 1893-Hollywood 1964), JULIUS, dit **Groucho** (New York 1895-Los Angeles 1977) et HERBERT, dit **Zeppo** (New York 1901). Après avoir débuté au music-hall, ils triomphèrent à l'écran, où leurs gags impertinents, loufoques, tant verbaux que visuels, entraînèrent le cinéma comique vers les rivages de l'absurde et de l'anarchisme. Zeppo se sépara du groupe dès 1932. Meilleurs films : *Noix de coco* (1929), *Monnaie de singe* (1931), *Soupe au canard* (1933), *Une nuit à l'Opéra* (1935), *Un jour aux courses* (1936), *Une nuit à Casablanca* (1946).

MARXISME. — L'ensemble des idées et des pratiques de Karl Marx*, de Friedrich Engels* et de leurs continuateurs repose sur le matérialisme* et le socialisme* scientifiques, constituant à la fois une théorie générale et le programme des mouvements ouvriers. En tant que tel, le marxisme ne forme pas un dogme mais une base d'action pour ces mouvements, dans la mesure où ils lient la théorie avec la pratique. Pour les marxistes, le matérialisme est l'arme par laquelle il s'agit d'abolir la philosophie comme instrument spéculatif défini par la bourgeoisie (idéalisme) et d'en faire un instrument de transformation du monde au service du prolétariat. Le matérialisme a deux bases : le *matérialisme* dialectique,* « science des lois générales du mouvement tant du monde extérieur que de la pensée humaine », et le *matérialisme* historique.* Le premier pose l'antériorité de la matière sur l'esprit, et la constitution de celui-ci par une évolution conçue comme « développement par saccades, par catastrophes, par révolution », entraînant une évolution à un degré plus élevé, grâce à « la négation de la négation » *(dialectique).* Le second pose que « c'est la réalité sociale qui détermine la conscience des hommes ». La réalité sociale, c'est l'ensemble des rapports* de production, « la base réelle, sur quoi s'élève une superstructure juridique et politique et à laquelle correspondent des formes de conscience sociale déterminée ». Or l'histoire humaine est déterminée par les contradictions des modes de production situées dans une formation sociale (elle-même dominée par un mode de production), et dans les rapports* de production, impliquant la domination d'une classe sur une autre. C'est ainsi que toute l'histoire humaine est fondée sur l'histoire de la lutte* des classes. Celle-ci connaît différentes périodes, dont la plus récente, le capitalisme, passe par différentes phases successives, que R. Luxemburg* et Lénine notamment, ont, au XXe s., approfondies en termes d'*impérialisme**. En analysant le capitalisme, Marx élabore une théorie de la valeur. La valeur est l'expression de la quantité de travail* social contenue dans une marchandise*; le travail social est le temps nécessaire à la production d'une marchandise. Or le travailleur, dans le système capitaliste, vend au propriétaire des moyens de production sa force de travail, devenue elle aussi marchandise et soumise comme telle aux lois du marché de la concurrence (chômage, baisse de salaire). La plus-value* provient de ce que le capitaliste utilise la force de travail au-delà de sa valeur marchande sans la rémunérer entièrement. Le taux de la plus-value exprime donc le degré d'exploitation du salarié. La tendance naturelle de l'exploitant est l'augmentation de la plus-value, et l'accumulation* du capital en est la conséquence. La solution n'est possible que dans la lutte pour l'expropriation des exploiteurs par les exploités eux-mêmes, et l'abolition du salariat. Pour cela, les salariés doivent s'unir en partis communistes, regroupés en Internationale*, transformer la société capitaliste en société socialiste par la dictature* du prolétariat, phase intermédiaire au cours de laquelle l'appareil d'État bourgeois doit être brisé et après laquelle l'État prolétarien s'éteindra de lui-même après la disparition des classes elles-mêmes.

Après Marx et Engels, le marxisme connaît une phase d'expansion et d'apports critiques considérable, notamment grâce à la création des partis sociaux-démocrates, puis des partis communistes, dans la plupart des pays. Développé par Plekhanov* en Russie, par Kautsky* en Allemagne, par Antonio Labriola* en Italie, il est traversé par une première crise révisionniste avec Bernstein*. R. Luxemburg développe la notion d'accumulation* du capital, Hilferding* met en évidence le rôle du capital financier, critiqué en cela par Lénine, qui souligne le rôle de l'impérialisme. C'est Lénine qui pose la thèse de l'organisation du parti communiste comme fraction « avant-garde » consciente de la classe ouvrière, reposant sur le centralisme démocratique.

Après la révolution d'Octobre et les échecs des mouvements révolutionnaires en Europe, Gramsci* jette les bases d'une conception nouvelle de la place des intellectuels; Lukács* tente de restituer le rôle de la subjectivité de l'homme dans la conscience qu'il a des lois qui le déterminent; Korsch*, qui suit une voie analogue, est exclu du mouvement communiste. Mao Tsö-tong* précise l'analyse marxiste, notamment par ses thèses sur la place des paysans dans les rapports de productions capitalistes, et, par conséquent, sur leur rôle dans la société évoluant vers le socialisme, ou encore par l'analyse qu'il donne de la contradiction*. Après la Seconde Guerre mondiale, le marxisme connaît une croissance considérable, notamment dans le tiers monde, où il constitue la référence fondamentale des mouvements de libération nationale. Il s'accompagne de développements et de scissions : la critique du stalinisme* en U.R.S.S. et de ses pratiques dans les pays occidentaux, la coupure au sein du bloc socialiste avec la Chine, le retour aux sources du « jeune Marx » avec Althusser*, et surtout l'analyse multiforme de l'impérialisme par les hommes politiques (Hô Chi Minh*, Fidel Castro*, Luis Cabral*) et par les théoriciens qui se réclament du marxisme.

MARY, anc. **Merv,** v. de l'U.R.S.S. (Turkménistan), dans une oasis formée par le Mourgab; 62 000 hab.

MARY *(puy),* sommet du massif du Cantal, au N.-O. du plomb du Cantal; 1 787 m.

MARYLAND, État de la côte atlantique centrale des États-Unis; 27 394 km²; 3 922 000 hab. Capit. *Annapolis.* Des Appalaches au littoral, c'est un État voué largement à l'élevage, en dehors de l'agglomération industrialisée de Baltimore, qui regroupe plus de la moitié de la population totale.

MASACCIO (TOMMASO DI SER GIOVANNI, dit), peintre italien (San Giovanni Valdarno 1401-Rome v. 1428). Prenant très tôt une place prépondérante dans la peinture florentine, il retrouve, au-delà des élégances gothiques, la sobriété plastique de Giotto. Le modelé et le jeu des valeurs atteignent un réalisme qu'amplifient les recherches sur la couleur, l'espace et la lumière (polyptyque du Carmine de Pise, de 1426 : *Vierge à l'Enfant,* à la National Gallery de Londres; *Crucifixion,* au musée de Naples). Dès 1425, il collabore avec MASOLINO DA PANICALE (1383-v. 1447), artiste délicat, encore tributaire du gothique international (fresques du baptistère de Castiglione d'Olona, apr. 1432). Ensemble, ils travaillent aux fresques de la chapelle Brancacci à Santa Maria del Carmine de Florence (1424-1428), où les scènes attribuées à Masaccio *(le Paiement du tribut, Adam et Ève chassés du paradis terrestre, Saint Pierre faisant l'aumône...)* portent l'intensité dramatique à son plus haut degré. À Rome, entre 1425 et 1431, ils décorent la chapelle Branda de Saint-Clément et peignent le triptyque à deux faces de Sainte-Marie-Majeure (auj. dispersé). L'expressivité, la rigueur de la

Masaccio. Détail du *Paiement du tribut,* fresque dans l'église Santa Maria del Carmine à Florence. V. 1425.

perspective, le modelé par l'ombre et la lumière ont contribué à répandre l'influence de Masaccio, du XVe s. à Michel-Ange.

MASAÏS → AFRIQUE.

MASAN ou **MA-SAN,** port de la Corée du Sud, sur le détroit de Corée, à l'O. de Pusan; 191 000 hab.

MASANOBU → KANŌ.

MASARYK (Tomáš Garrigue), homme d'État tchécoslovaque (Hodonín 1850 - château de Lány, près de Prague, 1937). Collaborateur du mouvement des Jeunes-Tchèques, qu'il représente au Parlement (1891 - 1893), il fonde ensuite le parti « réaliste » (1900) et devient député de Moravie (1907). Nationaliste et réformiste, c'est à l'étranger qu'il poursuit, à partir de 1914, sa lutte contre le gouvernement autrichien en faveur de l'indépendance tchèque et de l'établissement d'un régime démocratique. Fondateur de la République tchécoslovaque, dont il devient le premier président (1918), il dispose de pouvoirs étendus et contrôle la vie politique du pays, jusqu'à sa démission, en 1935.

MASBATE, île des Philippines, dans le groupe des Visayas; 493 000 hab. V. princ. *Masbate.*

MAS-CABARDÈS (11380), ch.-l. de cant. de l'Aude, à 24 km au N. de Carcassonne; 310 hab.

MASCAGNI (Pietro), compositeur italien (Livourne 1863 - Rome 1945). il fut l'un des principaux représentants du mouvement vériste italien (*Cavalleria rusticana,* 1890).

MASCARA, v. d'Algérie, au S.-E. d'Oran; 37 000 hab. Vins.

MASCAREIGNES *(îles),* ancien nom de l'archipel de l'océan Indien formé par la Réunion (anc. *île Bourbon*), l'île Maurice (anc. *ile de France*), les îlots Rodrigues et Cargados.

MASCARET → MARÉE.

MASCATE, en angl. **Muscat,** capit. du sultanat d'Oman*, sur le golfe d'Oman; 6 000 hab.

MAS-D'AGENAIS (Le) [47430], ch.-l. de cant. de Lot-et-Garonne, sur la Garonne, à 14 km au S. de Marmande; 1 241 hab. Église romane (*Christ en croix* de Rembrandt).

MAS-D'AZIL (Le) [09290], ch.-l. de cant. de l'Ariège, sur l'Arize, à 24 km au N.-E. de Saint-Girons; 1 568 hab. Station préhistorique dotée de plusieurs niveaux magdaléniens — avec de nombreux objets d'art mobilier —, et gisement éponyme d'une industrie lithique (l'azilien) de la période épipaléolithique.

MASDJID-I SULAYMĀN, v. du sud-ouest de l'Iran, dans le Khūzistan; 64 000 hab. Extraction du pétrole.

MASER. — Les atomes ou molécules d'une substance paramagnétique constituant un maser sont portés à un niveau énergétique élevé et instable. Un faible signal à l'entrée déclenche le rayonnement de l'énergie excédentaire sur une longueur d'onde spécifique. Les masers, qui peuvent être à gaz ou à solides, à cavités résonnantes ou à ondes progressives, se prêtent à l'amplification de signaux très faibles; ils rendent, à ce titre, de grands services en radioastronomie. Ils peuvent également fournir des oscillateurs de fréquence très stable, que l'on emploie en particulier pour la construction d'horloges atomiques.

MASERU, v. de l'Afrique australe, capit. du Lesotho; 29 000 hab.

MASEVAUX (68290), ch.-l. de cant. du Haut-Rhin, sur la Doller, à 18 km au S.-O. de Thann; 3 601 hab. Vestiges et constructions diverses du XIIIe au XVIIIe s.

MASINISSA ou **MASSINISSA,** roi des Numides (v. 238 - 148 av. J.-C.), fils de Gaia, roi des Massyles. Lors de la deuxième guerre punique, il est l'allié de Rome, qui l'aide à recouvrer son royaume envahi par Syphax*, vaincu en 203. Après Zama, Carthage doit lui laisser la maîtrise des pays numides (201). Seul souverain des territoires compris entre la Moulouya et la Tusca, il veut créer un véritable État : il transforme les nomades en laboureurs, développe la vie urbaine, fait de son royaume un pays prospère; « Grecs et Romains reconnurent en lui un vrai monarque » (S. Gsell). Son ambition est d'annexer Carthage et de faire de l'Afrique du Nord un seul royaume numide : ses empiétements en territoire punique obligent Carthage à engager les hostilités (150), fournissant ainsi le prétexte de la troisième guerre punique* (149). Il meurt l'année suivante.

MASOCHISME. — Le masochisme, tout comme son opposé complémentaire, le sadisme*, a d'abord été décrit par Krafft-Ebing dans le domaine des perversions* sexuelles en tant que pratique des souffrances multiples que le sujet se fait infliger par quelqu'un d'autre. Il a désigné cette perversion du nom de Leopold von Sacher-Masoch, dont la vie et l'œuvre littéraire en sont une illustration particulièrement démonstrative.

La psychanalyse* a étendu cette notion au-delà de la perversion manifeste. Pour S. Freud*, l'activité et la passivité, caractéristiques fondamentales du sado-masochisme, sont constitutives de la vie sexuelle, en général, le masochisme représentant une attitude passive face à la vie sexuelle, liée, selon lui, à la féminité. Après 1920, il s'est attaché à montrer que sadisme et masochisme s'enracinaient dans la pulsion de mort*.

MASOLINO da Panicale → MASACCIO.

MASPÉRO (Gaston), égyptologue français (Paris 1846 - *id.* 1916). Titulaire de la chaire d'égyptologie au Collège de France dès 1873, il prend le relais de Mariette et continue l'œuvre de sauvegarde de son prédécesseur. Il recueille (1881) dans la pyramide d'Ounas (à Saqqarah) les plus anciens textes religieux égyptiens connus, dégage, entre autres, le temple de Louqsor* et le sphinx de Gizeh*, et découvre la cachette des momies royales de Deir el-Bahari. Il a écrit l'*Archéologie égyptienne* (1re éd., 1887), *les Inscriptions des pyramides de Saqqarah* (1894), *Études de mythologie et d'archéologie égyptiennes* (6 vol.; 1893-1912), *Histoire ancienne des peuples de l'Orient* (1894-1899).

MASPÉRO (Henri), sinologue français (Paris 1883 - Buchenwald 1945), fils du précédent. Professeur au Collège de France à partir de 1920, il est l'auteur d'importants travaux, ouvrant de nouvelles perspectives sur les origines, la religion et la langue chinoises (*la Chine antique,* 1927).

MASQUE *(Anthropol.).* — Instrument de passage entre le profane et le sacré, le masque, dont la fabrication est soumise à des règles rigoureuses, est agent de sacralisation. La morphologie et le symbolisme du masque varient d'une société à l'autre. De même, ses fonctions sont très diverses. Moyen de protection (contre les ennemis, contre les morts) ou d'identification à un être surnaturel (ancêtres ou héros mythiques, dieux), il peut être aussi signe social de distinction ou instrument de puissance.

MASSA, v. d'Italie, en Toscane, ch.-l. de la *prov. de Massa e Carrare;* 64 000 hab. Château médiéval et renaissant. Cathédrale en partie du XVe s. Palais baroque Cybo-Malaspina, auj. préfecture. Mentionnée dès le IXe s., Massa appartint aux évêques de Luni, puis à diverses familles, dont les Malaspina et les Cybo, qui, au XVIe s., en firent la capitale d'un duché. En 1741, Massa passa au duché de Modène. Donnée par Napoléon à sa sœur Élisa (1806), elle fit retour à Modène en 1815, puis fut annexée au Piémont (1860).

MASSACHUSETTS, État du nord-est des États-Unis; 21 385 km^{2}; 5 689 000 hab. Capit. *Boston.* Petit, fortement urbanisé, notamment, dans l'Est atlantique, autour de Boston (dont l'aire métropolitaine regroupe près de la moitié de la population du Massachusetts) et, plus secondairement, dans la vallée du Connecticut, c'est un État industrialisé, dominé par les constructions mécaniques et électriques (électronique), qui devancent aujourd'hui des activités plus traditionnelles (textile et confection, travail du cuir).

Massada, forteresse de Palestine sur la rive occidentale de la mer Morte*, construite au temps des Maccabées*, agrandie, en 30 av. J.-C., par Hérode* le Grand. Au cours de la première révolte juive en 66, Massada fut la dernière place forte à tenir tête aux Romains : ses défenseurs, au nombre de 960, hommes, femmes et enfants, y défièrent les légions romaines jusqu'en 73 et préférèrent se donner la mort plutôt que de se rendre. Lorsque les Romains pénétrèrent dans la forteresse, ils ne trouvèrent que sept survivants, deux femmes et cinq enfants. Les fouilles ont mis au jour les constructions d'Hérode et d'émouvants souvenirs des derniers champions de l'indépendance juive.

MASSAGE. — La massothérapie fait partie des techniques de kinésithérapie. Les massages peuvent se faire par pression, par vibration ou par percussion. Ils sont indiqués : en dermatologie, pour les cicatrices fibreuses, les chéloïdes; en rhumatologie, lors d'affections douloureuses (torticolis, lumbago); en orthopédie et en traumatologie, lors d'ankylose et de contracture. Une kinésithérapie active est souvent associée. Le massage cardiaque se pratique dans les cas d'arrêt cardiaque. Il peut être externe, et pratiqué sur place, associé à la respiration artificielle par bouche à bouche, ou interne, au cours d'une intervention chirurgicale.

MASSAGÈTES, peuple nomade de l'est du Caucase, d'origine iranienne, sans doute apparenté aux Scythes*. Cyrus* II dirigea contre eux une expédition au cours de laquelle il trouva la mort, en 530 av. J.-C. Alexandre* les soumit.

MASSAOUA, port d'Éthiopie (Érythrée), sur la mer Rouge; 19 000 hab. Salines.

MASSAT (09320), ch.-l. de cant. de l'Ariège, à 27,5 km au S.-E. de Saint-Girons; 711 hab.

MASSE *(Phys.).* — La masse d'un point matériel est le quotient constant de toute force appliquée à ce point par l'accélération γ qu'elle lui imprime, ce qui se traduit par la relation $F = m\gamma$. En particulier, si P est le poids d'un corps et g l'accélération de chute libre, cette relation s'écrit $P = mg$. En un même lieu, les masses des corps sont donc proportionnelles à leurs poids, et, dans le langage courant, le terme « poids » est souvent employé à tort dans le sens de « masse ».

Les théories relativistes ont conduit à admettre l'identité de la masse et de l'énergie. Lorsqu'un système de corps subit une transformation au cours de laquelle il libère une énergie W, sa masse diminue d'une quantité m, telle que $W = mc^2$, où c est la vitesse de la lumière dans le vide. Cette variation de masse, insensible dans les transformations physico-chimiques classiques, devient appréciable dans les transformations nucléaires, qui mettent en jeu de grandes énergies. D'autre part, la masse m d'un corps en mouvement est plus grande que celle, m_0, du même corps immobile, selon la formule $m = \dfrac{m_0}{\sqrt{1 - \dfrac{v^2}{c^2}}}$, où v est la vitesse du corps.

MASSÉ (Victor), compositeur français (Lorient 1822 - Paris 1884). Professeur de composition au Conservatoire de Paris, il s'est attaché au genre de l'opéra comique et de l'opérette (*les Noces de Jeannette,* 1853).

MASSE D'AIR → PERTURBATION ATMOSPHÉRIQUE.

MASSEGROS (Le) [48500 La Canourgue], ch.-l. de cant. de la Lozère, à 9 km à l'E. de Séverac-le-Château; 278 hab.

MASSÉNA (André), duc **de Rivoli,** prince **d'Essling,** maréchal de France (Nice 1758 - Paris 1817). Ancien sous-officier du Royal italien, général en 1793, il commande en 1796 l'avant-garde de l'armée d'Italie, et fait gagner la bataille de Rivoli (1797). En 1799, sa victoire à Zurich sauve la France de l'invasion. Commandant le 4e corps, il se distingue à Essling et à Wagram (1809), mais échoue au Portugal, à Torres Vedras (1810). Napoléon l'avait surnommé « l'Enfant chéri de la Victoire ».

MASSENET (Jules), compositeur français (Montaud, Loire, 1842 - Paris 1912). Professeur de composition au conservatoire de Paris, il écrit des mélodies et des oratorios, mais s'intéresse surtout au théâtre lyrique. Il répond au goût de son public par une sensibilité mélodique, une peinture juste des personnages féminins et une instrumentation colorée (*Hérodiade,* 1881; *Manon**, 1884; *Werther,* 1892; *Thaïs,* 1894; *le Jongleur de Notre-Dame,* 1902; *Don Quichotte,* 1910).

MASSETTE. — Le roseau-massue, ou massette (famille des typhacées), dresse au bord des eaux ses épis serrés d'un brun velouté, parfaitement cylindriques, qui finalement s'effritent en graines blanches cotonneuses; juste au-dessus de cet épi femelle, la tige porte un épi mâle beaucoup moins remarquable. Cette plante est vivace par ses rhizomes.

MASSEUBE (32140), ch.-l. de cant. du Gers, sur le Gers, à 25 km au S. d'Auch; 1 858 hab.

MASSIAC (15500), ch.-l. de cant. du Cantal, à 22 km au S.-O. de Brioude; 2 057 hab.

MASSIF ARMORICAIN → ARMORICAIN (MASSIF).

MASSIF CENTRAL, ensemble des hautes terres du centre et du sud de la France. C'est une unité géologique, un massif ancien, hercynien, érodé pendant toute l'ère secondaire, localement « rajeuni », c'est-à-dire soulevé à nouveau à l'ère tertiaire, lors du plissement alpin, et affecté, au centre surtout, par le volcanisme, éteint aujourd'hui. La partie volcanique est d'ailleurs la plus élevée (1 886 m au puy de Sancy; 1 858 m au plomb du Cantal). L'influence du plissement alpin explique les altitudes moindres de l'ouest et du nord-ouest (toujours au-dessous de 1 000 m), éloignés des Alpes, et la vigueur des reliefs retombant sur la plaine languedocienne, au sud, et la vallée du Rhône, les deux seules limites topographiques nettes du Massif central, qui, au contraire, s'abaisse graduellement vers les régions sédimentaires du Bassin aquitain, le seuil du Poitou et le Berry, à l'ouest et au nord. Les formes massives dominent, les vallées, divergentes (vers le N. : Loire et Allier; vers l'O. : Dordogne, Lot, Tarn; vers l'E. : courts affluents du Rhône), aèrent le relief, mais ne créent aucune unité. Celle-ci n'existe pas davantage au point de vue climatique. L'ouest est à dominante océanique, arrosé et frais en été. Au contraire, le sud-est possède des affinités méditerranéennes, avec, notamment, des pluies très violentes aux saisons intermédiaires. Le centre, plus élevé et relativement abrité, a un climat de tendance continental, à amplitudes marquées, avec des hivers particulièrement rudes.

Région aux conditions naturelles souvent défavorables, le Massif central est peu peuplé. Depuis plus d'un siècle, c'est une « zone de répulsion », et les bordures orientale et méridionale ont été particulièrement touchées par l'exode rural. Hommes et activités se concentrent dans les deux principales vallées, celles de la Loire et de l'Allier. Le manque d'unité du Massif central a entraîné son éclatement en diverses Régions, Auvergne*, Bourgogne, Languedoc-Roussillon*, Limousin*, Midi-Pyrénées* et Rhône-Alpes*.

MASSIGNON (Louis), islamologue français (Nogent-sur-Marne 1883 - Paris 1962). Professeur au Collège de France (1926), directeur à l'École pratique des hautes études (1933), fondateur de la *Revue des études islamiques* (1927), il a laissé d'importants travaux sur la mystique de l'islām : *la Passion d'al-Hallādj, martyr mystique de l'islām* (1922); *Essai sur les origines du lexique technique de la mystique musulmane* (1922); *les Sept Dormants d'Éphèse* (1955).

MASSILLON (Jean-Baptiste), prélat et orateur français (Hyères 1663 - Beauregard 1742). Oratorien, évêque de Clermont (1717), il prononça l'oraison funèbre du prince de Conti (1709), du Grand Dauphin (1711) et de Louis XIV (1715).

MASSINE (Léonide), danseur et chorégraphe d'origine russe (Moscou 1896), naturalisé américain (1944). Souvent créateur des œuvres qu'il compose pour les Ballets russes de Serge de Diaghilev (1913-1920; 1925-1929), il s'est imposé par son style de danseur et la diversité de son inspiration de chorégraphe. Plusieurs chefs-d'œuvre émergent d'une production considérable : *les Femmes de bonne humeur* et *Parade* (1917), *la Boutique fantasque* et *le Tricorne* (1919), *Pulcinella* (1920), *le Beau Danube* (1924), *le Pas d'acier* (1927), *Choreartium* (1933), *Nobilissima Visione* (1938), *l'Étrange Farandole* (1939). Parallèlement à une carrière internationale, il dirigea sa propre troupe (le Ballet russe Highlights), le Balletto Europeo, puis le Ballet russe de Monte-Carlo, et collabora à plusieurs films *(les Chaussons rouges, le Carrousel napolitain).* Il a publié *My Life in Ballet* (1968).

MASSINGER (Philip), auteur dramatique anglais (Salisbury 1583 - Londres 1640). Il est, avec Ford, le dernier grand poète dramatique de l'époque élisabéthaine (*Une façon nouvelle de payer les vieilles dettes,* 1625).

MASSINISSA → MASINISSA.

MASS MEDIA → COMMUNICATION DE MASSE, CULTURE DE MASSE et INFORMATION.

MASSON (Antoine), physicien français (Auxonne 1806 - Paris 1858). Il signala l'existence de l'extracourant de rupture (1834), construisit un télégraphe électrique (1838) et, en 1841, la première bobine d'induction.

MASSON (André), peintre et dessinateur français (Balagny, Oise, 1896). Un temps cubiste, il s'engage, avec le surréalisme (1923), dans une peinture aux formes symboliques éclatées (*les Quatre Éléments,* 1923, coll. A. Breton). Sa mythologie personnelle, violente et cosmique, le mène vers une sorte d'abstraction aux signes graphiques d'un enchevêtrement fiévreux. Après des séjours en Espagne (1934-1936) et aux États-Unis (1940-1945), où il influence les peintres de l'*action painting,* puis la découverte de la calligraphie extrême-orientale, son œuvre, livrée à ses hantises, au jaillissement perpétuel des métamorphoses, atteint une véhémence expressionniste qui est à son zénith dans les dessins.

MASSON (Loys), écrivain mauricien d'expression française (Rose Hill 1915 - Paris 1969). Secrétaire du Comité national des écrivains en 1945, rédacteur en chef des *Lettres françaises* en 1946, il abandonna le journalisme pour son œuvre poétique (*Icare ou le Voyage,* 1950), romanesque (*les Anges noirs du trône,* 1967) et théâtrale (*Christobal de Lugo,* 1960), où il exprime son désir de communion avec la nature et de fraternité humaine.

MASSU (Jacques), général français (Châlons-sur-Marne 1908). Rallié à de Gaulle dès 1940, commandant la 10e division parachutiste à Port-Saïd (1956), il mène les opérations à Alger (1957), où il préside, en 1958, le comité de Salut public, puis commande le corps d'armée (1959). Son rappel, en 1960, est l'occasion de l'émeute des barricades. Commandant les forces françaises en Allemagne en 1966, il passe au cadre de réserve en 1969 et publie plusieurs livres de souvenirs en 1971 et 1972.

MASSY (91300), ch.-l. de cant. de l'Essonne, à 12 km au S. de Paris; 41 560 hab. *(Massicois).* Grand ensemble résidentiel. Industries électriques et chimiques.

MASTICATION. — Grâce à la mastication, les aliments sont transformés en bol alimentaire par broyage au niveau des dents. L'action mécanique est permise par la mobilité du maxillaire inférieur par rapport au maxillaire supérieur, grâce aux articulations temporo-maxillaires et aux muscles masticateurs. La salive, qui entraîne la lubrification des aliments, permet, par les enzymes qu'elle contient, le début de la transformation des matières amylacées.

MASTITE → SEIN.

MASTODONTE. — Familièrement évocateurs de force et de poids, les mastodontes de l'ère tertiaire et du début du quaternaire, ancêtres probables des éléphants, étaient pourtant plus petits que ceux-ci. Très divers par leur taille et par leurs adaptations alimentaires, ils avaient tous des molaires mamelonnées (d'où leur nom; de *mastos,* « mamelon »), presque tous des défenses, aux deux mâchoires ou à une seule; certaines espèces avaient la mandibule allongée en gouttière, comme pour déterrer des tubercules souterrains, d'autres avaient une trompe. Le grand nombre de leurs vestiges fossiles a permis de suivre leur évolution, buissonnante mais régulière, vers le type à molaires élasmodontes (crêtes transversales), qui est celui de l'éléphant d'Asie.

MASTOÏDITE → OTITE.

MASTURBATION. — Pour Freud, l'interdit porté sur la masturbation dans l'éducation traditionnelle constitue l'essentiel de l'expression de la castration. Dans ce cadre, en effet, la masturbation s'accompagne d'une menace de castration, dont les effets fantasmatiques ont un rôle structural dans le complexe d'Œdipe*.

MAS'ŪDĪ (Abū al-Ḥasan 'Alī **al-**), voyageur et encyclopédiste arabe (Bagdad v. 900-Fusṭat, Égypte, v. 956), auteur d'une chronique universelle *(les Prairies d'or).*

MASULIPATAM ou **MASULIPATNAM** → BANDAR.

MATABÉLÉ ou **MATABELELAND**, région de hauts plateaux du sud de la Rhodésie. V. princ. *Bulawayo.*

MATADI, port du Zaïre, ch.-l. du Bas-Zaïre, sur le Congo inférieur; 110 000 hab. Exportation de cuivre.

MATAGALPA, v. du Nicaragua central; 69 000 hab.

MATAMOROS, v. du nord-est du Mexique, sur le río Grande, à la frontière américaine; 128 000 hab. Électronique.

MATANZA, agglomération de la banlieue sud-ouest de Buenos Aires; 658 000 hab.

MATANZAS, port de la côte nord de Cuba, ch.-l. de prov.; 85 000 hab. Exportation de sucre.

MATANZAS, centre sidérurgique du Venezuela, près de l'Orénoque.

MATAPAN *(cap),* anc. cap **Ténare,** cap du S. du Péloponnèse. Victoire navale britannique sur les Italiens (mars 1941).

MATARÓ, port d'Espagne (Catalogne), sur la Méditerranée, au N.-E. de Barcelone; 73 000 hab.

MÂT DE CHARGE → CARGO.

MATÉ. — Classé dans le même genre que le houx *(Ilex),* le maté est une plante de l'Amérique du Sud, cultivée notamment au Paraguay, et dont les feuilles sont consommées en infusion, comme celles du thé, dont le maté partage les propriétés stimulantes.

MATELLES (Les) [34270 St Mathieu de Tréviers], ch.-l. de cant. de l'Hérault, à 16 km au N. de Montpellier; 434 hab.

MATERA, v. de l'Italie méridionale (Basilicate), ch.-l. de prov.; 46 000 hab. Site pittoresque et monuments anciens.

MATÉRIALISATION DE L'ÉNERGIE. — Lorsque des rayons gamma d'énergie suffisante sont arrêtés par un métal lourd, ils donnent naissance à un couple électron-positon présentant au total la même énergie, selon la formule $W = mc^2$. (V. MASSE.) Pour des énergies plus élevées, on a pu obtenir, par un mécanisme analogue, des couples de mésons ou de protons.

MATÉRIALISME. — Ce courant philosophique, qui remonte à l'Antiquité (v. ATOMISME, DÉMOCRITE, ÉPICURE, LUCRÈCE), repose sur la thèse ontologique : la matière constitue tout l'être de la réalité. G. Bruno*, P. Gassendi*, Hobbes*, l'invention de la physique mathématique (Galilée, Newton) et du microscope, puis la naissance de la chimie (Stahl) contribuent beaucoup au renouvellement du matérialisme. Mais ce sont les lumières* qui le diffusent le plus, en en faisant une idéologie politique, une cosmologie et une théorie de la connaissance. (V. SENSUALISME.)

MATÉRIALISME HISTORIQUE ET MATÉRIALISME DIALECTIQUE. — Exposé par Marx, le matérialisme historique construit le concept d'histoire. Dans cette optique, l'histoire, qui a pour moteur la lutte* des classes, est constituée par l'ensemble des modes* de production qui sont apparus ou à venir. S'efforçant de faire de l'histoire une science, Marx analyse les divers modes de production et, plus particulièrement, le mode de production capitaliste* (M. P. C.). En effet, c'est « le mode de production de la vie matérielle qui conditionne le processus de la vie sociale, politique et intellectuelle en général »; c'est pourquoi il est l'objet de l'histoire. Marx analyse alors les lois de fonctionnement du M. P. C. et propose une théorie du passage d'un mode de production à un autre. D'après lui, cette connaissance théorique est nécessaire à la classe ouvrière pour transformer le M. P. C.

Issu de la philosophie allemande — notamment de Hegel — et de l'établissement de la science de l'histoire, le matérialisme dialectique est « l'idéologie prolétarienne organisée en idéologie dominante » (Lénine). Loin de se substituer aux sciences, comme l'idéalisme*, le matérialisme dialectique soutient la thèse de l'indépendance et du primat du réel sur la connaissance; dans cette perspective, l'histoire non autonome de la philosophie se ramène à la lutte sans cesse renouvelée du matérialisme contre « l'idéalisme, ou philosophie bourgeoise ».

MATÉRIEL *(Mil.).* — Le *Service du matériel de l'armée de terre,* issu, en 1940, de l'ancien Service de l'artillerie (et devenu en 1976 l'*arme* du matériel), est chargé de la gestion, de la mise en place dans les unités et du maintien en condition de tous les matériels d'équipement et d'armement. Sa mission comporte donc un aspect quantitatif (maintien des dotations au complet) et un aspect qualitatif. Son principal organisme, le Service central des approvisionnements, regroupé à Satory en 1969, gère par ordinateur plus de 400 000 articles, allant du pistolet au missile, du parachute au moteur de char. La formation des ingénieurs du Service est assurée par l'École supérieure et d'application du matériel, à Bourges.

Du *Service du matériel de l'armée de l'air* relèvent les problèmes de maintenance et, notamment, la gestion des stocks de pièces de rechange (environ 300 000 pièces au niveau militaire et 800 000 au niveau industriel); cette gestion est grandement facilitée par les ordinateurs. (V. LOGISTIQUE.)

MATERNAGE. — Cette technique psychothérapique, dans laquelle le thérapeute vise à instituer une relation positive de type maternel avec son patient, a pour arrière-plan une conception étiologique des psychoses, qui attribue aux carences affectives précoces un rôle important. La relation psychothérapique vise à réparer ces frustrations en apportant au patient des satisfactions réelles et tangibles concernant ses besoins fondamentaux.

MATERNITÉ → GROSSESSE.

MATERNITÉ (assurance). — Cette branche des assurances sociales prend en charge les frais d'accouchement des femmes assurées personnellement ou conjointes d'assurés; elle garantit un revenu de compensation pendant leur repos aux femmes salariées assurées personnellement. La future mère doit déclarer sa grossesse le plus rapidement possible à l'organisme assureur (au plus tard 4 mois avant l'accouchement), puis se présenter aux examens pré- et postnataux prévus. Les indemnités journalières sont versées six semaines avant et huit semaines après l'accouchement si la future mère s'est reposée au moins pendant six semaines avant la date prévue d'accouchement. Les mères qui allaitent leurs enfants ont droit à des allocations d'allaitement.

MATHA (17160), ch.-l. de cant. de la Charente-Maritime, à 18 km au S.-E. de Saint-Jean-d'Angély; 2 336 hab. Église romane de Saint-Hérie.

MATHÉ (Georges), cancérologue français (Sermages 1922). Il est directeur de l'Institut de cancérologie et d'immunogénétique de Villejuif depuis 1965.

MATHÉMATIQUE ou **MATHÉMATIQUES.** — Pendant longtemps on a défini les mathématiques comme la science des quantités. On y distinguait l'arithmétique*, la géométrie*, la mécanique* et, plus tard, la physique mathématique et le calcul des probabilités*. Ces diverses branches ont, à partir du XVIIe s., un lien commun, l'algèbre*, que l'on pouvait définir comme le *calcul des opérations.* Jusqu'au XVIIIe s., on divise les mathématiques en *mathématiques pures,* ne faisant appel qu'au raisonnement, et en *mathématiques mixtes,* qui utilisent aussi bien le raisonnement que l'expérimentation. Vers 1800, au lieu de mathématiques mixtes, on préfère parler de *mathématiques appliquées.* La distinction entre les deux branches de la science — science pure et science appliquée — est d'ailleurs fort imprécise. C'est ainsi que la géométrie, en tant que science de l'espace physique, fut d'abord l'essentiel des mathématiques pures, alors qu'elle en est de nos jours une application. Inversement, le calcul des probabilités, rangé longtemps parmi les mathématiques appliquées, se classerait à l'heure actuelle parmi les mathématiques pures, tandis que la statistique reste dans le domaine des applications. Parfois même, des sciences qui paraissaient étrangères au domaine des mathématiques en font maintenant partie intégrante, comme la logique* que, depuis Boole*, on a tendance à y introduire. En revanche, Whitehead* et Russell* affirment que « les mathématiques sont une partie de la logique ». L'arithmétisation des mathématiques est le fait de Weierstrass* et de Méray* vers 1870. La science des nombres semble devoir absorber tout le domaine des mathématiques. Mais, avec Cantor*, vers 1880, apparaît la théorie des ensembles*. Le mot « ensemble » prend alors une acception très générale et pénètre les divers domaines des mathématiques, non sans difficultés.

Les parties les plus profondes de la nouvelle théorie nécessitent d'ailleurs, pour pouvoir être abordées, une préparation difficile. Son axiomatisation s'apparente aux aspects les plus abstraits de la métamathématique et de la logique. Deux ensembles ont même puissance s'ils peuvent être liés par une relation qui fait correspondre à chacun des éléments de l'un un seul des éléments de l'autre. Pour les ensembles finis, la notion de *puissance* est la même que celle du nombre des éléments. Pour les ensembles infinis la seconde de ces notions disparaît, alors que la première demeure. Un ensemble, dans le sens général du terme, est un être informe. Il ne prend quelque consistance que s'il est structuré. Parmi les diverses structures, on distingue les structures *algébriques,* les structures *d'ordre* et les structures *topologiques.* Les premières comprennent les structures assez connues d'espace vectoriel, d'anneau, d'idéal d'anneau et de corps. Parmi les diverses structures d'ordre figurent celles d'ordre total. Cantor y distingue les *bons ordres.* Un ensemble est bien ordonné si chacun de ses sous-ensembles possède un premier élément. En 1904, Zermelo* forge un axiome, dit « axiome du choix », qui permet de montrer que tout ensemble peut être bien ordonné.

La topologie* exploite des notions voisines de la relation d'ordre. On y trouve les idées de sous-ensemble ouvert ou fermé, de sous-ensemble connexe, de point d'accumulation, de limite, etc. Elle a pris naissance surtout dans l'analyse* mathématique, et en particulier dans la théorie des fonctions. La topologie générale s'est constituée à la suite des travaux de Fréchet* et de Hausdorff*. Dans le même ordre d'idées figurent les espaces métriques de Banach* et de Hilbert*. Actuellement, toutes les mathématiques sont dominées par la méthode axiomatique.

MATHIAS *(saint)* → MATTHIAS.

MATHIAS (Vienne 1557-*id.* 1619), empereur germanique (1612-1619). Troisième fils de Maximilien II*, il est gouverneur des Pays-Bas (1578-1581), puis gouverneur d'Autriche (1593-1606), où il conduit la guerre contre les Turcs. Empereur à la mort de son frère Rodolphe II (1612), il choisit comme héritier Ferdinand de Styrie, catholique intransigeant : choix qui provoque la défenestration de Prague (1618).

MATHIAS Ier (Kolozsvár 1440-Vienne 1490), surnommé **Corvin** (« aux cheveux noir corbeau »), roi de Hongrie (1458-1490), fils de Jean Hunyadi. Élu roi par la noblesse hongroise, il lance son pays dans la guerre contre la Bohême — dont le souverain, Ladislas II, doit lui céder la Lusace, la Silésie et la Moravie (1479) —, dépouille l'empereur Frédéric III de la Styrie et de la Basse-Autriche (1485) et annexe le nord de la Bosnie (1463). Il favorise la Renaissance en fondant la bibliothèque Corvina et l'université de Pozsony.

MATHIEU (Georges), peintre français (Boulogne-sur-Mer 1921). « Calligraphe occidental » (selon Malraux), il utilise d'abord taches et coulures, avant d'élaborer une esthétique du signe fondée sur le geste. Jaillissement total et spontané, parfois spectacle public, son abstraction lyrique se veut « révolte, vitesse et risque ». Conférencier, théoricien (*Au-delà du tachisme,* 1963), il aborde également la mosaïque, la tapisserie, la céramique, la médaille, l'affiche (série pour Air France, 1967), l'architecture.

MATHILDE (Londres 1102-Rouen 1167), impératrice du Saint Empire, puis reine d'Angleterre. Fille d'Henri Ier Beauclerc, elle épousa l'empereur Henri V (1114), puis, après la mort de celui-ci (1125), le comte d'Anjou Geoffroi V Plantagenêt (1128). Désignée par son père pour lui succéder, elle ne put, malgré la conquête de la Normandie, faire valoir ses droits contre Étienne de Blois.

MATHILDE DE FLANDRE († 1083), duchesse de Normandie, puis reine d'Angleterre. Fille du comte de Flandre Baudouin V, elle épousa, en 1053, Guillaume le Bâtard, duc de Normandie et futur roi d'Angleterre. La tradition lui a attribué à tort la « tapisserie de Bayeux », qui relate la conquête de l'Angleterre par les Normands.

MATHILDE DE TOSCANE (1046-Bondeno di Roncore 1115), fille de Boniface, marquis de Toscane. Épouse de Godefroi le Bossu, duc de Lorraine, puis de Guelf V, duc de Bavière, Mathilde, qui possédait un immense domaine dans le nord de la péninsule italienne, soutint la politique des papes contre les empereurs, reçut Grégoire VII et Henri IV à Canossa, en 1077, et disposa par testament (1077) de tous ses États en faveur de la papauté.

MATHURĀ, v. de l'Inde (Uttar Pradesh), au N.-O. d'Āgra; 140 000 hab. Centre religieux du bouddhisme, du jinisme et du brahmanisme, la cité s'épanouit sous le règne des Kuṣāṇa. Elle est alors le siège d'une école de sculpture qui, tout en assimilant les apports étrangers, se souvient des acquis de Bhārhut* et de Sāñcī*, et crée un style remarquable tant par l'harmonie des lignes que par une certaine tension dynamique. Temples des XVIe et XVIIe s. Musée.

MATHUSALEM, personnage légendaire biblique, dont le nom est passé en proverbe à cause de l'extraordinaire longévité (969 ans) que lui attribue le livre de la Genèse*.

MATIÈRE. — La matière est une catégorie philosophique qui sert à désigner, bien qu'elle ne soit pas un concept scientifique, les objets des sciences physiques ou un certain type de réalité distinct d'autres comme la vie, l'esprit, etc. C'est la catégorie fondamentale du matérialisme*. Dans le matérialisme dialectique, la matière n'est pas une substance mais un processus : elle « procède dialectiquement et non métaphysiquement. Elle ne se meut pas dans un cercle éternellement identique qui se répéterait perpétuellement, mais elle connaît une histoire réelle » (F. Engels).

MATIÈRE COLORANTE. — Une telle matière doit sa coloration au fait qu'elle absorbe certaines radiations du spectre* visible, la couleur du produit étant complémentaire des radiations* absorbées. Cette absorption est conditionnée par l'arrangement des atomes dans la molécule* et est due à la présence dans le produit d'un groupe chromophore comportant une double liaison, éthylénique ou autre. Les principales classes chimiques sont les composés nitrosés, nitrés et azoïques du diphénylméthane et du triphénylméthane, les phtaléines, les phtalocyanines, les indigoïdes, etc. On distingue : les *colorants de cuve* (coton* et rayonne), les *colorants directs* (coton, rayonne, cellulose*), les *colorants acides* (laine*, soie*, Nylon), les *colorants basiques* (soie, rayonne à l'acétate) et les *colorants dispersés* (fibres hydrophobes).

MATIÈRES PREMIÈRES. — Les matières premières sont les produits d'origine minérale ou agricole devant subir une transformation avant utilisation (la distinction n'est pas toujours évidente, le pétrole brut et surtout le charbon, par exemple, peuvent parfois être consommés en l'état). On leur accorde une attention nouvelle, en raison des perspectives d'épuisement de certaines d'entre elles et aussi de la fréquente prise de contrôle de leur exploitation par des producteurs qui ne sont pas toujours les principaux consommateurs : la sécurité d'approvisionnement est donc, parfois, doublement menacée, ce qui explique la hausse de certaines matières premières (pétrole, phosphates), ralentissant ou renversant le cours traditionnel des termes de l'échange qui tendait à privilégier les productions élaborées.

MATIGNON (22550), ch.-l. de cant. des Côtes-du-Nord, à 5 km au S. de Saint-Cast; 1 637 hab.

Matignon *(accords),* accords conclus le 7 juin 1936 entre le patronat français et la C.G.T., à la suite des grèves déclenchées par la victoire du Front* populaire aux élections de mai 1936.

MATISSE (Henri), peintre français (Le Cateau 1869-Nice 1954). Souvent considéré comme le plus grand artiste français du XXe s., chef de file du fauvisme*, il a fait l'économie de l'expérience cubiste et est resté fidèle à une figuration prétexte à d'admirables développements graphiques et chromatiques. Influencé par le néo-impressionnisme, par Van Gogh, par l'art nègre, par l'islām, il synthétise arabesque et couleur (utilisée en aplats), à leur plus haut niveau d'intensité, dans des toiles comme *la Desserte rouge* (1908) et *la Danse* (1909-10), que lui achètent des amateurs russes (l'Ermitage, Leningrad). Sa production est variée, subtile, jouant sur une épuration géométrisée dans les années 14-18, connaissant ensuite une décennie de détente, de douceur ornementale : série des *Odalisques,* qui doivent à Renoir (rencontré à Nice en 1918), à Delacroix, à Ingres. Il revient ensuite à plus de rigueur, notamment à l'occasion de son travail, à l'aide de papiers de couleur découpés, pour *la Danse* commandée par un Américain, le Dr Barnes (1931-1933). À la fin de sa vie, il cherche une symbiose de tous les arts dans le traitement graphique des murs (céramiques en blanc et noir) et les vitraux de la chapelle des Dominicaines de Vence (1950; cartons au musée Matisse, Nice), et parvient à un paroxisme d'économie expressive dans ses grands panneaux faits de papiers gouachés découpés, qui sont à la base de l'album *Jazz* (1947), ayant pour texte les réflexions de l'artiste. Matisse a, en outre, donné de nombreux dessins, d'un style linéaire très personnel, des gravures, des illustrations (*Poésies* de Mallarmé, 1932). Son œuvre de sculpteur (soixante-dix bronzes environ) présente d'étonnantes variations sur les différents modes d'expression en volume (bustes de *Jeannette,* 1910-1913).

MATO GROSSO (« Grande Brousse »), vaste État (plus du double de la superficie de la France), mais peu peuplé (1 600 000 hab.) du Brésil occidental. Capit. *Cuiabá.*

MATOSINHOS, port du Portugal septentrional, à l'O. de Porto; 23 000 hab. Église de pèlerinage du Bom Jesus.

MATOUR (71520), ch.-l. de cant. de Saône-et-Loire, à 31 km au S.-E. de Charolles; 1 250 hab.

MÁTRA *(monts),* massif du nord de la Hongrie; 1 015 m.

MATRIÇAGE. — Le matriçage est utilisé pour façonner des pièces métalliques, généralement à base de cuivre* (laiton), par déformation de la matière à l'état solide, à chaud ou à froid, au moyen d'un *outillage,* constitué par un ensemble de deux blocs en acier, appelé *matrice.* Celle-ci comporte, en creux, la forme de la pièce à réaliser, et une machine spéciale, généralement une *presse,* vient fermer plus ou moins rapidement les deux parties de la matrice autour de l'ébauche à façonner. L'effort développé par la presse doit être suffisant pour engendrer dans la matière métallique à façonner des contraintes supérieures à la limite élastique du métal considéré, afin de produire d'importantes déformations permanentes, encore appelées *déformations plastiques.* Le volume de l'ébauche doit être égal ou très légèrement supérieur au creux, ou *gravure,* de la matrice. Le surplus de matière est refoulé dans le plan de joint de la matrice sous forme d'une *bavure.*

MATRICE. — Une matrice est un tableau rectangulaire ou carré, formé de nombres réels ou complexes. Elle représente une application* linéaire d'un espace vectoriel E de dimension n dans un espace F de dimension p, tous deux construits sur le même corps $\mathbb{R}$ (corps des réels) ou $\mathbb{C}$ (corps des complexes). La matrice a alors p lignes et n colonnes.

Si $E = F = \mathbb{R}^2$, la matrice $M = \begin{pmatrix} a & b \\ c & d \end{pmatrix}$ à coefficients réels représente l'application linéaire de $\mathbb{R}^2$ dans $\mathbb{R}^2$ (endomorphisme de $\mathbb{R}^2$), qui, au vecteur colonne $V = \begin{pmatrix} x \\ y \end{pmatrix}$, associe le vecteur colonne $V' = \begin{pmatrix} x' \\ y' \end{pmatrix}$, tel que

$$\begin{pmatrix} x' \\ y' \end{pmatrix} = \begin{pmatrix} a & b \\ c & d \end{pmatrix} \begin{pmatrix} x \\ y \end{pmatrix} = \begin{pmatrix} ax + by \\ cx + dy \end{pmatrix},$$

ce dernier vecteur étant obtenu par multiplication des matrices $\begin{pmatrix} a & b \\ c & d \end{pmatrix}$ et $\begin{pmatrix} x \\ y \end{pmatrix}$.

OPÉRATIONS SUR LES MATRICES

• *Addition.* Si deux matrices ont p lignes et n colonnes, on obtient une troisième matrice à p lignes et n colonnes en additionnant les éléments des deux matrices données situés à l'intersection de la même ligne et de la même colonne.

Si $A = \begin{pmatrix} a_{11} & a_{12} & a_{13} \\ a_{21} & a_{22} & a_{23} \end{pmatrix}$ et $B = \begin{pmatrix} b_{11} & b_{12} & b_{13} \\ b_{21} & b_{22} & b_{23} \end{pmatrix}$,

on définit

$$C = A + B = \begin{pmatrix} a_{11} + b_{11} & a_{12} + b_{12} & a_{13} + b_{13} \\ a_{21} + b_{21} & a_{22} + b_{22} & a_{23} + b_{23} \end{pmatrix}.$$

On obtient la *matrice nulle,* si

$$a_{ij} = -b_{ij}, \quad \text{pour} \quad i = \{1, 2\} \quad \text{et} \quad j = \{1, 2, 3\}.$$

L'addition des matrices est *commutative :* A + B = B + A et associative : A + (B + C) = (A + B) + C; A, B et C étant trois matrices quelconques.

• *Multiplication par un scalaire*.* Pour multiplier la matrice A par un scalaire λ, on multiplie tous les éléments de A par λ. Si $\lambda = 0$, on obtient la matrice nulle.

• *Multiplication des matrices.* On peut définir le produit AB de la matrice A par la matrice B, si le nombre de colonnes de A est égal au nombre de lignes de B. On obtient une matrice à n lignes et p colonnes, n lignes comme la matrice A et p colonnes comme la matrice B.

	b_{11} b_{12} b_{13}	
	b_{21} b_{22} b_{23}	B
A	b_{31} b_{32} b_{33}	
a_{11} a_{12} a_{13}	c_{11} c_{12} c_{13}	C
a_{21} a_{22} a_{23}	c_{21} c_{22} c_{23}	
	AB = C.	

Pour chaque élément de la matrice C, le mode de calcul est celui qui est indiqué par le schéma. On a ainsi

$$c_{21} = a_{21}b_{11} + a_{22}b_{21} + a_{23}b_{31}.$$

De façon générale :

$$c_{kj} = a_{k1}b_{1j} + a_{k2}b_{2j} + a_{k3}b_{3j}.$$

La multiplication des matrices n'est pas commutative, ce qui signifie qu'en général AB ≠ BA. Elle est *associative,* ce que résume l'égalité : A (BD) = (AB) D, A, B et D étant trois matrices que l'on peut multiplier.

Henri Matisse : *l'Atelier du peintre (l'Atelier rose).* 1911. (Musée Pouchkine, Moscou.)

Novosti

CAS DES MATRICES CARRÉES. L'ensemble des matrices carrées d'ordre n (n lignes et n colonnes), muni de l'addition des matrices, est un *groupe* commutatif :* l'addition y est une loi interne, associative, munie d'un élément neutre, la matrice nulle (dont tout élément est nul), et telle que toute matrice A possède une *symétrique* ou *opposée*, $-A$,

$$A + (-A) = A - A = 0, \quad \text{matrice nulle.}$$

La multiplication est *associative* et *distributive par rapport à l'addition*. Elle possède un *élément neutre* I, matrice dont tous les éléments sont nuls, exceptés ceux de la diagonale principale qui sont égaux à 1 : $AI = IA = A$, quel que soit A.

Toutes ces propriétés confèrent à l'ensemble des matrices carrées d'ordre n à coefficients complexes (éventuellement réels) une structure d'*anneau* unitaire* non commutatif. Il peut exister, dans cet anneau, des éléments inversibles pour la multiplication : A^{-1} est l'inverse de A si $AA^{-1} = A^{-1}A = I$. Pour que A^{-1} existe, il faut et il suffit que le déterminant* de A soit non nul.

MATRIMONIAUX (régimes) → MARIAGE.

MATSUBARA, v. du Japon (Honshū), près d'Ōsaka; 112 000 hab.

MATSUDO, v. du Japon, dans la banlieue nord-est de Tōkyō; 254 000 hab.

MATSUE, v. du Japon, dans le sud-ouest de Honshū; 118 000 hab.

MATSUMOTO, v. du Japon, dans le centre de Honshū; 163 000 hab.

MATSUYAMA, port du Japon, sur la côte ouest de Shikoku; 323 000 hab. Raffinage du pétrole. Chimie.

MATSUZAKA, port du Japon (Honshū), près de la baie d'Ise; 102 000 hab.

MATSYS ou **METSYS** ou **MASSYS,** peintres flamands. QUINTEN (Louvain v. 1466 - Anvers 1530), établi à Anvers en 1491, introduisit dans la tradition flamande les innovations venues d'Italie. Auteur savant de grands triptyques (*l'Ensevelissement du Christ,* 1508-1511, musée d'Anvers), il fut aussi un portraitiste sachant adapter son style à la psychologie des modèles, et un peintre de genre (*le Banquier et sa femme,* Louvre). — Son fils JAN (Anvers v. 1505 - *id.* 1575) fut un « romaniste » influencé par l'Italie (où il séjourna) et par l'école de Fontainebleau, traitant avec une élégance froide des sujets prétextes à nudités (*Loth et ses filles,* musée de Bruxelles). — CORNELIS (Anvers v. 1508 - *id.* v. 1560), autre fils de Quinten, peintre et graveur, fut surtout un observateur de la vie populaire et des paysages ruraux.

MATTA (Roberto), peintre chilien (Santiago du Chili 1911). Lié aux surréalistes dès 1934, il tente avec ses *Morphologies psychologiques* une première exploration de l'inconscient et des pulsions primitives. Son lyrisme chargé d'érotisme (*Vertige d'Éros,* 1944, Museum of Modern Art, New York) devient plus angoissé et sarcastique avec l'apparition des silhouettes schématiques et mécanistes des « vitreurs ». Progressivement, les événements politiques viennent interférer, dans de grands formats au chromatisme acide, avec les thèmes antérieurs de l'artiste, sans préjudice pour son imagination visionnaire.

MATTERHORN, nom allemand du CERVIN.

MATTEUCCI (Carlo), physicien et homme politique toscan (Forli 1811 - Ardenza, près de Livourne, 1868). Il a étudié les effets physiologiques de l'électricité et l'électricité musculaire. Il fut ministre de l'Instruction publique (1862).

MATTHESON (Johann), compositeur allemand (Hambourg 1681 - *id.* 1764). Ami de Händel et de Telemann, représentant de la tradition de l'Allemagne du Nord, auteur d'opéras et de sonates, il est un des plus savants théoriciens de son époque.

MATTHIAS ou **MATHIAS** *(saint),* disciple du Christ (Ier s.), il fut désigné, après l'Ascension*, pour remplacer Judas* dans le collège apostolique. Selon la Tradition, il aurait évangélisé la Cappadoce et serait mort martyr.

MATTHIEU *(saint),* apôtre de Jésus. Employé d'octroi, il aurait évangélisé les Éthiopiens ou les Parthes et serait mort martyr. La Tradition lui attribue l'*Évangile selon saint Matthieu :* cet écrit paraît avoir été rédigé après 80, en utilisant peut-être une source araméenne plus ancienne, ce qui expliquerait l'attribution à l'apôtre. L'Évangile de Matthieu, qui s'adresse à des chrétiens convertis du judaïsme, montre en Jésus le Messie prédit par les prophètes de l'Ancien Testament et qui, dans sa vie et dans son œuvre, réalise ce qui avait été annoncé dans les Écritures.

MATURATION *(Biol.).* — La maturation est la phase ultime du développement d'un organe, celle qui le rend fonctionnel et lui confère la *maturité.* La formation du fruit, l'acquisition par une graine de l'aptitude à germer, les divisions cellulaires qui engendrent les gamètes sont des exemples de maturation.

MATURATION *(Métall.)* → TRAITEMENT.

MÂTURE → VOILIER.

MATURÍN, v. du nord-est du Venezuela, capit. de l'État de Monagas; 122 000 hab.

MATURIN (Charles Robert), écrivain irlandais (Dublin 1782 - *id.* 1824), l'un des maîtres du roman noir et du récit fantastique (*Melmoth, l'homme errant,* 1820).

MATUTE (Ana María), femme de lettres espagnole (Barcelone 1926). Ses romans évoquent un monde vu à travers les fantasmes d'enfants ou d'adolescents aux prises avec les bouleversements de la guerre civile ou des mutations économiques modernes (*les Abel,* 1948; *Fête au Nord-Ouest,* 1953; *Plaignez les loups,* 1958; *les Brûlures du matin,* 1959; *la Trappe,* 1968).

MAUBEUGE (59600), ch.-l. de cant. du Nord, sur la Sambre; 35 474 hab. Restes de fortifications de Vauban. Musée. La reconstruction de la ville a été dirigée par A. Lurçat. Maubeuge est l'élément principal d'une agglomération d'environ 100 000 habitants, très industrialisée : sidérurgie, constructions mécaniques et électriques, verrerie.

MAUBOURGUET (65700), ch.-l. de cant. des Hautes-Pyrénées, sur l'Adour, à 26 km au N. de Tarbes; 2 583 hab. Église en partie romane.

MAUDUIT (Jacques), compositeur français (Paris 1557 - *id.* 1627). Collaborateur de Mersenne et de Baïf, musicien de cour, auteur de messes, de motets, d'hymnes, il a excellé dans la chanson polyphonique, usant d'une prosodie parfois « mesurée à l'antique ».

MAUGES (les), partie méridionale de l'Anjou.

MAUGHAM (William Somerset), écrivain anglais (Paris 1874 - Saint-Jean-Cap-Ferrat 1965). Ses nouvelles, ses romans (*Servitudes humaines,* 1915; *le Fil du rasoir,* 1944) et son théâtre (*la Lettre,* 1927) peignent la société anglaise et la vie dans les anciennes colonies de l'océan Indien.

MAUGUIO (34130), ch.-l. de cant. de l'Hérault, à 11 km à l'E. de Montpellier, près de l'*étang de Mauguio;* 5 676 hab. *(Melgoriens* ou *Mauguiolens).* Vins.

MAUGUIO *(étang de),* étang côtier du Languedoc (Hérault), à l'O. d'Aigues-Mortes.

MAULBERTSCH (Franz Anton), peintre allemand (Langenargen, lac de Constance, 1724 - Vienne 1796). Installé à Vienne, héritier de Paul Troger (1698-1762) et de Piazzetta, il donna, pour les abbayes d'Autriche, de Moravie, de Hongrie, des décors qui sont parmi les plus fougueux du baroque germanique (Piaristenkirche, Vienne; église de Sümeg, Hongrie...).

MAULÉON (79700), ch.-l. de cant. des Deux-Sèvres, à 22 km au N.-O. de Bressuire; 8 263 hab. Monuments du XVIIIe s.

MAULÉON-BAROUSSE (65370 Loures Barousse), ch.-l. de cant. des Hautes-Pyrénées, au S.-O. de Saint-Gaudens; 246 hab.

MAULÉON-LICHARRE (64130 Mauléon Soule), ch.-l. de cant. des Pyrénées-Atlantiques, sur le *gave de Mauléon,* à 31 km à l'O. d'Oloron-Sainte-Marie; 4 488 hab. Vestiges du château fort. Hôtel d'Andurrain, de la Renaissance. Chaussures.

MAULNIER (Jacques Louis TALAGRAND, dit **Thierry**), écrivain et journaliste français (Alès 1909), défenseur d'un idéal classique dans ses essais politiques et littéraires et son théâtre.

MAUMUSSON *(pertuis de),* détroit entre l'île d'Oléron et la côte.

MAUNA KEA (le), volcan éteint, point culminant (4 208 m) de l'archipel des Hawaii, dans l'île d'Hawaii, au N.-E. du *Mauna Loa,* volcan actif (4 168 m).

MAUNOURY (Joseph), maréchal de France (Maintenon 1847 - près d'Artenay 1923). Commandant la VIe armée en 1914, il prit une part déterminante à la victoire de la Marne. Il fut promu maréchal à titre posthume en 1923.

MAUPASSANT (Guy DE), écrivain français (château de Miromesnil 1850 - Paris 1893). Encouragé par Flaubert, qui le présenta à Zola, il collabora aux *Soirées* de Médan* en publiant *Boule-de-Suif* (1880). Il entreprit alors une carrière d'écrivain réaliste, évoquant dans ses contes et ses nouvelles la vie des paysans normands et des petits bourgeois, narrant des aventures amoureuses ou les hallucinations de la folie (*la Maison Tellier,* 1881; *Contes de la bécasse,* 1883; *la Petite Roque,* 1886; *le Horla,* 1887). Il publia également des romans, où il exprime sa conception désespérée de la vie (*Une vie,* 1883; *Bel*-Ami,* 1885; *Pierre* et Jean,* 1888; *Fort comme la mort,* 1889). Souffrant de troubles nerveux, il fut interné, après une tentative de suicide, à la clinique du Dr Blanche où il mourut.

MAUPEOU (René Nicolas DE), homme d'État français (Paris 1714 - Thuit 1792). Premier président du parlement de Paris, il est nommé chancelier de France par Louis XV (1768). Avec Terray

(Finances) et le duc d'Aiguillon (Affaires étrangères), Maupeou constitue le Triumvirat antiparlementaire. Après avoir exilé le parlement de Paris (1771), il amorce une profonde réforme judiciaire et politique, démantelant le vaste ressort du parlement de Paris et modernisant la procédure. Mais, en 1774, Louis XVI, circonvenu par Maurepas* et par la reine, l'abandonne.

MAUPERTUIS (Pierre Louis MOREAU DE), mathématicien français (Saint-Malo 1698 - Bâle 1759). En 1736, il fut chargé par l'Académie des sciences de diriger l'expédition envoyée en Laponie pour mesurer la longueur d'un arc de méridien de 1^0, afin de trancher entre diverses théories sur la forme de la Terre et son aplatissement. On lui doit également le *principe de moindre action* (1744), aux termes duquel : « Le chemin que tient la lumière est celui pour lequel la quantité d'action est moindre. »

MAURAIN (Charles), physicien français (Orléans 1871 - Paris 1967). Il étudia l'action de l'air sur les avions en vol, le magnétisme et l'électricité terrestres, la séismologie et la météorologie.

MAURE-DE-BRETAGNE (35330), ch.-l. de cant. d'Ille-et-Vilaine, à 38 km au S.-O. de Rennes; 2 516 hab.

MAUREPAS (78310), ch.-l. de cant. des Yvelines, à 4 km à l'O.-S.-O. de Trappes; 13 579 hab.

MAUREPAS (Jean-Frédéric PHÉLYPEAUX, *comte* DE), homme d'État français (Versailles 1701 - *id.* 1781). Secrétaire d'État à la Maison du roi (1718-1749) ainsi qu'à la Marine et aux Colonies (1723-1749), il améliore considérablement la marine française et l'équipement portuaire. Disgracié par Mme de Pompadour (1749), il sera ministre d'État sous Louis XVI.

MAURES (les), massif côtier de la Provence (départ. du Var), entre les vallées du Gapeau et de l'Argens; 780 m au *signal de la Sauvette.* Partiellement couvert de forêts de chênes verts et de chênes-lièges, il domine de nombreuses stations balnéaires sur la Méditerranée, dont Saint-Tropez, Le Lavandou, Sainte-Maxime.

MAURIAC (15200), ch.-l. d'arr. du Cantal; 4 569 hab. *(Mauriacois).* Importante basilique romane (sculptures).

MAURIAC (François), écrivain français (Bordeaux 1885 - Paris 1970). Auteur de romans (*Genitrix,* 1924; *Thérèse* Desqueyroux,* 1927; *le Nœud* de vipères,* 1932) et de pièces de théâtre (*Asmodée,* 1938; *les Mal Aimés,* 1945) qui peignent la vie provinciale et évoquent les conflits de la chair et de la foi, il exprime les souffrances du chrétien troublé par les problèmes du monde moderne (*l'Agneau,* 1954; *le Fils de l'homme,* 1959). Il soutint également avec vigueur les causes qu'il estimait conformes à son idéal dans des articles critiques et politiques (*Bloc-Notes,* 1958-1961; *De Gaulle,* 1964), ainsi que dans des recueils de souvenirs (*Rencontre avec Barrès,* 1945; *Mémoires intérieurs,* 1959). [Prix Nobel, 1952.]

MAURICE *(île),* État insulaire de l'océan Indien; 1 865 km²; 835 000 hab. *(Mauritiens).* Capit. *Port-Louis.*

GÉOGRAPHIE. Située à l'est de Madagascar, l'île correspond à un massif volcanique, dont le centre s'est effondré en caldeira et qui est bordé par une étroite plaine littorale. Le climat, tropical, est humide surtout sur les hauteurs, qui peuvent recevoir jusqu'à 5 m de pluies par an. La population, qui compte près de la moitié d'Indiens et des minorités africaines, créoles et chinoises, est très dense (450 hab. au km²), et vit principalement de l'agriculture. L'île a été intensément mise en valeur. Les riches pentes volcaniques sont couvertes par les plantations de canne à sucre, qui fournissent plus de 80 p. 100 des exportations. Les cultures vivrières (pommes de terre, arachides, un peu d'élevage) n'occupent que des superficies restreintes, et le pays doit importer du riz et de la viande pour nourrir sa population. L'industrie, modeste, assure la transformation des produits agricoles (sucreries). Elle est concentrée dans la capitale, Port-Louis, principal port de l'île. Mais la situation économique est très fragile : la quasi-monoculture de la canne à sucre engendre une dépendance vis-à-vis des cours mondiaux et le problème de la surpopulation demeure crucial.

Maupassant. Une scène de *Boule-de-Suif,* film réalisé en 1934 par Mikhaïl Romm d'après le roman de Maupassant.

Sovexport Film (coll. J.-L. Passek)

HISTOIRE. Les Hollandais s'installent dans l'île en 1598 et lui donnent le nom de Maurice (de Nassau) : ils en font un lieu de déportation. Tombée aux mains des Français en 1715, elle devient l'« île de France »; le gouverneur François Mahé de La Bourdonnais (1699-1753) et l'intendant Pierre Poivre (1719-1786) donnent à l'économie de l'île son essor et font de Port-Louis le point d'aboutissement de la « route des Indes ». Les Anglais s'emparent de l'île en 1810 et la gardent au traité de Paris de 1814; ils lui redonnent son nom de « Maurice ». L'essor spectaculaire de l'économie sucrière au XIXe s. et l'affranchissement des esclaves (1833) expliquent l'immigration massive de travailleurs indiens. Autonome en 1948, indépendante en 1968, l'île Maurice, où l'usage du français s'est maintenu, est membre du Commonwealth.

MAURICE, en lat. **Flavius Mauricius Tiberius** (Arabissos, Cappadoce, v. 539 - † 602), empereur byzantin (582-602). Stratège autocrator (578), vainqueur des Perses à Constantina (581), il est choisi par l'empereur Tibère II comme gendre et successeur. Il réorganise l'administration de l'Empire, défend l'Italie contre les Lombards, arrête la progression des Slaves et des Avars dans les Balkans et rétablit la paix en Afrique. Il est renversé par une révolte militaire.

MAURICE DE NASSAU, homme d'État hollandais (Dillenburg 1567 - La Haye 1625). Second fils de Guillaume* le Taciturne, il succède à son père comme stathouder de Hollande et de Zélande (1584). Avec une armée nouvelle, il refoule de partout les Espagnols. Entré en conflit avec le grand pensionnaire Oldenbarnevelt, qui a signé une trêve de douze ans avec l'Espagne (1609), il le fait exécuter (1619). Devenu prince d'Orange (1618), Maurice reprend la guerre contre l'Espagne (1621).

MAURICE, comte **de Saxe,** dit **le Maréchal de Saxe** (Goslar 1696 - Chambord 1750). Fils du futur Auguste II de Pologne, il passe au service de la France dès 1720. Durant la guerre de la Succession* d'Autriche, il se révèle grand capitaine, remportant notamment les victoires de Fontenoy (1745), de Raucoux (1746) et de Lawfeld (1747). Il est fait maréchal de France en 1744.

MAURIENNE (la), région des Alpes, en Savoie, formée par la vallée de l'Arc*. Nombreux aménagements hydroélectriques (dont Orelle, Saint-Jean-de-Maurienne), qui ont favorisé l'industrialisation (électrométallurgie et électrochimie) de la vallée (à Saint-Jean-de-Maurienne, Modane, etc.).

MAURISTES. — On appelle ainsi les bénédictins de la congrégation de Saint-Maur, fondée en 1618 à Paris, dont le siège se fixa à Saint-Germain-des-Prés en 1631 et dont les moines — Tarrisse, Mabillon*, d'Achery, Martène, Montfaucon, Ruinart... — sont restés célèbres par leur érudition. La congrégation de Saint-Maur disparut en 1792.

MAURITANIE ou **MAURÉTANIE,** en lat. **Mauritania** ou **Mauretania,** dans l'Antiquité, pays situé à l'ouest du Maghreb (entre l'Ampsaga [Rummel], à l'est, et l'Atlantique, à l'ouest) et habité par les Maures. Fondé avant le IVe s. av. J.-C., le royaume des Maures était gouverné, au IIe s. av. J.-C., par Bocchus Ier, qui reçut de Rome le tiers occidental de la Numidie* après avoir livré Jugurtha* à Sulla (105 av. J.-C.). À sa mort (v. 80 av. J.-C.), la Mauritanie fut divisée en deux royaumes, puis réunifiée par Bocchus II († 33 av. J.-C.), allié de Rome. Bocchus étant mort sans héritiers, Octave la confia (25 av. J.-C.) à Juba II*, qui reçut en outre le pays des Gétules*. Ptolémée (de 23/24 à 40 apr. J.-C.), fils de Juba II, lui succéda. Caligula le fit assassiner en 40 et annexa son royaume. La Mauritanie fut organisée, sous Claude, en deux provinces procuratoriennes : la Mauritanie Césarienne (capit. Cherchell) et la Mauritanie Tingitane (capit. Tanger) [v. AFRIQUE ROMAINE]. Vers 288, Dioclétien détacha la partie orientale de la Césarienne pour créer la Mauritanie Sitifienne (capit. Sétif). Occupées par les Vandales (435-442), puis reconstituées par Justinien (534), les Mauritanies furent conquises par les Arabes au début du VIIIe s.

MAURITANIE *(république islamique de),* État de l'Afrique occidentale; 1 080 000 km²; 1 320 000 hab. *(Mauritaniens).* Capit. *Nouakchott.*

GÉOGRAPHIE. Ouvert sur l'Atlantique, le pays s'étend sur la partie occidentale du Sahara, limitée, au sud, par la vallée du Sénégal. Il est formé par une série de plateaux parfois couverts de dunes. Le climat, désertique dans la région septentrionale, dénudée (précipitations inférieures à 100 mm), devient sahélien vers le sud, permettant la croissance d'une steppe à acacias. La culture n'est possible qu'à l'extrême sud, au-delà de 300 mm de pluies par an. La population se concentre dans le tiers méridional du pays. Elle est composée de 70 p. 100 de Maures et de 30 p. 100 de Noirs, qui vivent dans la vallée du Sénégal. L'élevage nomade (ovins, caprins, chameaux) constitue la principale richesse rurale. Les terres cultivées ne représentent qu'une infime portion du territoire (vallée

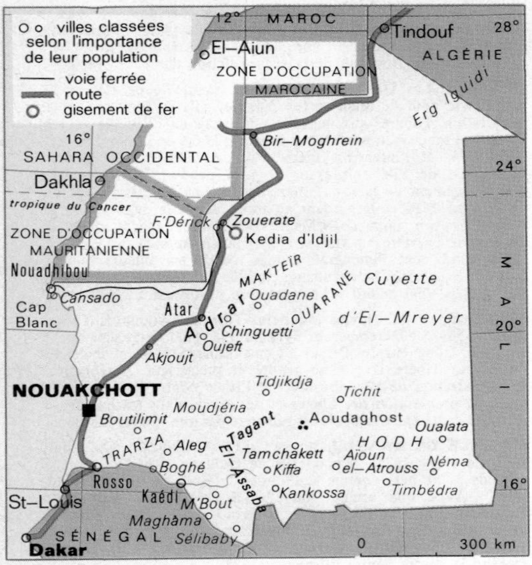

MAURITANIE

du Sénégal, oasis), fournissant mil, maïs et dattes. La pêche, généralement pratiquée par des sociétés étrangères bien équipées, apporte un complément de ressources. Mais l'économie du pays repose sur ses riches gisements de cuivre (Akjoujt) et de fer (Kedia d'Idjil). Les minerais représentent 90 p. 100 des exportations et expliquent l'excédent de la balance commerciale.

HISTOIRE. L'occupation humaine de la Mauritanie est ancienne, comme l'attestent de nombreux sites paléolithiques et néolithiques. On a retrouvé les traces d'une route des chars, du Ier millénaire av. J.-C., reliant le Sénégal au sud du Maroc. Après l'introduction du chameau en Afrique du Nord (Ier-IIIe s. apr. J.-C.), les Berbères Ṣanhādja deviennent les maîtres du Sahara occidental et de son commerce (échange de l'or du Soudan contre le sel et les produits fabriqués de l'Afrique du Nord). Ils y assurent, à partir des VIIIe et IXe s., la diffusion de l'islām. Des moines guerriers Ṣanhādja (les Almoravides*) s'emparent, au milieu du XIe s., des cités caravanières de Ghāna, d'Aoudaghost et de Sidjilmāsa, avant de conquérir leur empire maghrébin et andalou. Les Arabes Hassanes, qui atteignent le nord de la Mauritanie v. 1400, se répandent sur la côte et jusque dans le Sud. Vainqueurs des Ṣanhādja à la guerre de « Charr Babba » (1645-1674), ils deviennent les maîtres du pays. La société maure s'organise alors en tribus guerrières, maraboutiques et vassales. Le commerce de la gomme, dite « arabique », collectée par les Maures, se développe aux XVIIIe et XIXe s. La conquête française et la « pacification », commencées en 1902, se poursuivent jusqu'en 1934. Érigée, en 1920, en colonie rattachée à la fédération de l'Afrique-Occidentale française, la Mauritanie est gouvernée de Saint-Louis, puis de Nouakchott (créée en 1957). La république islamique de Mauritanie, proclamée en 1958, est indépendante depuis 1960. Le président de la République, Moktar Ould Daddah*, fait du parti du peuple mauritanien un parti unique (1964). La Mauritanie signe avec le Maroc une convention sur leur frontière commune à travers le Sahara occidental* (avr. 1976) et s'oppose à la formation d'un État sahraoui indépendant.

MAUROIS (André), écrivain français (Elbeuf 1885 - Neuilly 1967), auteur de souvenirs de guerre (*les Silences du colonel Bramble,* 1918), de romans (*Climats,* 1928), de biographies romancées (*Ariel ou la Vie de Shelley,* 1923) et d'études historiques (*Histoire d'Angleterre,* 1937; *Histoire de France,* 1947).

MAURON (56430), ch.-l. de cant. du Morbihan, à 20 km au N.-E. de Ploërmel; 3 237 hab. Église et maisons du XVIe s.

MAURRAS (Charles), écrivain et homme politique français (Martigues 1868 - Saint-Symphorien 1952). Journaliste traditionaliste et monarchiste, antidreyfusard, il fait, à partir de 1899, de l'Action* française — à la fois mouvement d'idée, ligue et journal (quotidien depuis 1908) — le fer de lance du nationalisme intégral et du néoroyalisme antiparlementaire et décentralisateur. Sur ce terrain, Maurras combat le mouvement démocrate-chrétien et exalte tout ce qui a fait la France d'autrefois. Mais son agnosticisme et son utilisation de l'Église catholique comme Église de l'ordre font condamner l'Action française par Rome en 1926. Adversaire des défaitistes en 1914-1918, Maurras salue, en 1940, l'avènement du régime de Vichy comme une « divine surprise ». Arrêté en 1944, condamné à la détention perpétuelle en 1945, il bénéficie d'une grâce médicale peu avant sa mort. De son œuvre écrite, il faut détacher : *Enquête sur la monarchie* (1900-1909), *Anthinéa* (1901), *l'Avenir de l'intelligence* (1905), *le Dilemme de Marc Sangnier* (1906), *Dictionnaire politique et critique* (1934), *la Seule France* (1941).

MAURS (15600), ch.-l. de cant. du Cantal, à 22 km au N.-E. de Figeac; 2 756 hab.

MAURYA, dynastie qui fonda en Inde un empire, qui s'y maintint de 320 env. à 185 av. J.-C. Son histoire commence avec l'arrivée sur le trône de Magadha de Candragupta, qui parvint à contrôler toute l'Inde du Nord et une partie du Deccan. Ses successeurs, Bindusāra et, surtout, Aśoka*, agrandirent ce patrimoine. En 185, le dernier Maurya, Brihadratha, fut assassiné par un de ses officiers, qui fonda la dynastie des Śuṅga. Sous les Maurya, l'Inde posséda une administration remarquablement structurée et fut dotée du régime des castes; durant ce temps, l'agriculture et l'artisanat connurent un grand essor.

MAUSOLE († 353 av. J.-C.), satrape de Carie (377-353). Devenu pratiquement indépendant de son suzerain, le roi des Perses, il agrandit sa principauté et fait d'Halicarnasse* sa capitale. Son tombeau, *le Mausolée,* qu'il avait commencé à édifier, fut achevé par sa veuve, Artémise II : ce monument massif, orné de frises, était considéré comme un des sept merveilles du monde.

MAUSS (Marcel), sociologue et anthropologue français (Épinal 1872 - Paris 1950). L'*Essai sur le don* (1925) est l'unique ouvrage achevé de Marcel Mauss, en qui l'ethnologie française reconnaît un précurseur et un maître. Sous une apparente dispersion, l'unité de la démarche se retrouve à travers ses nombreux articles, ses comptes rendus et ses conférences. Analysant les formes de l'échange par don* dans les sociétés dites « primitives », il en montre la dimension symbolique et exclut la possibilité de le réduire à ses seuls aspects juridiques ou économiques.

Le don, à l'instar des autres actes sociaux, « met en branle la totalité de la société et de ses institutions »; c'est en ce sens que M. Mauss parle d'un « phénomène social total » (v. « SOCIOLOGIE ET ANTHROPOLOGIE »).

MAUTHAUSEN, localité d'Autriche, près de Linz. Les Allemands y créèrent, en 1938, un camp de concentration où le nombre des morts (y compris ceux des Kommandos de Gusen, d'Ebensee et de Melk) atteignit 150 000 personnes (dont 10 500 Français) en 1945.

MAUVE → MALVACÉES.

MAUVEZIN (32120), ch.-l. de cant. du Gers, à 11 km à l'O. de Lannemezan; 1 760 hab.

MAUZÉ-SUR-LE-MIGNON (79210), ch.-l. de cant. des Deux-Sèvres, à 23 km au S.-O. de Niort; 2 502 hab. Église romane. Château Renaissance.

MAVROKORDHÁTOS ou **MAVROCORDATO** (Aléxandhros), homme politique grec (Constantinople 1791 - Égine 1865). Défenseur de Missolonghi et combattant à Navarin (1825), il dirigea plusieurs fois le gouvernement grec et dota son pays de la Constitution de 1844.

MAXE (La) [57140 Woippy], comm. de la Moselle, à 6 km au N. de Metz; 650 hab. Centrale thermique sur la Moselle.

MAXENCE, en lat. **Marcus Aurelius Valerius Maxentius** (v. 280 - pont Milvius 312), empereur romain (306-312). Fils de Maximien*, il se fit proclamer empereur à Rome par les prétoriens et prit le titre de *princeps* (306). Galère, refusant de le reconnaître, envoya contre lui l'empereur légitime Sévère*, qui fut tué au cours de la guerre (307). Maître de l'Italie et de l'Afrique, Maxence fut battu par Constantin* au pont Milvius (312).

MAXÉVILLE (54320), comm. de Meurthe-et-Moselle, dans la banlieue nord de Nancy; 9 515 hab. Calcaire.

MAXILLAIRE. — L'os *maxillaire inférieur,* situé à la partie inférieure de la face, constitue le squelette de la mâchoire inférieure. Son bord supérieur est creusé de cavités (alvéoles) pour les racines des dents. Son développement excessif est responsable de sa saillie en avant (prognathisme), qui peut être congénitale ou relever de l'acromégalie.

L'*os maxillaire supérieur,* os pair de la face, ferme, en s'articulant avec son homologue, la plus grande partie de la mâchoire supérieure. Le maxillaire supérieur est situé au-dessus de la cavité buccale, au-dessous de la cavité orbitaire. Il est lui-même creusé d'une cavité, le sinus maxillaire, qui occupe les deux tiers supérieurs de l'épaisseur de l'os. Le bord inférieur est creusé d'alvéoles, où s'implantent les racines des dents.

MAXIM (*sir* Hiram Stevens), industriel américain (Brockway's Mills 1840-près de Londres 1916). Établi en Angleterre en 1881, il inventa le premier fusil automatique et créa la Maxim Gun Company, qui devint la Vickers Limited. — Son frère, HUDSON (Orneville 1853-Hopatcong 1927), se consacra, aux États-Unis, à l'étude des explosifs à grande puissance.

MAXIME, empereur romain → THÉODOSE Ier.

Maximes, titre donné couramment aux *Réflexions ou Sentences et maximes morales,* de La Rochefoucauld (1664). L'auteur tend à rapporter toutes les actions et tous les sentiments à l'amour-propre et à l'intérêt personnel.

MAXIMIEN, en lat. **Aurelius Valerius Maximianus** (Pannonie v. 250-Marseille 310), empereur romain (286-305). En 285, il fut nommé césar par Dioclétien*, qui lui conféra, en 286, le titre d'auguste et le chargea d'administrer l'Occident et d'éliminer en Bretagne l'usurpateur Carausius. Maximien lutta avec succès contre les bagaudes* et contre les Francs (288), mais échoua contre Carausius. Lorsque Dioclétien transforma la dyarchie en tétrarchie*, Maximien adopta Constance* Chlore (293). D'Aquilée (ou Milan), où il résidait, Maximien s'occupait de l'Italie, de l'Espagne et de l'Afrique, où il réprima la révolte des Maures (297). Il abdiqua avec Dioclétien en 305, mais il reprit par deux fois son titre d'auguste (306 et 310) et conspira contre Constantin*, qui le contraignit au suicide (310).

MAXIMILIEN Ier, archiduc d'Autriche (Wiener-Neustadt 1459-Wels 1519), empereur germanique (1493-1519), fils de Frédéric III, qui le fit élire roi des Romains dès 1486 et auquel il succéda en 1493. Il avait épousé, en 1477, Marie de Bourgogne, fille et héritière de Charles le Téméraire, et le traité d'Arras (1482) lui avait reconnu une partie de l'héritage bourguignon, tout en prévoyant le mariage du dauphin Charles (futur Charles VIII) avec sa fille Marguerite. Ayant rompu ses fiançailles, Charles VIII lui reconnut l'Artois et la Franche-Comté, par le traité de Senlis (1493). En mariant son fils Philippe le Beau à Jeanne, héritière de l'Aragon et de la Castille (1496), il jeta les fondements de la puissance de son petit-fils et successeur, Charles Quint. À l'intérieur, où il avait dû reconnaître l'indépendance des cantons suisses (1499), il unifia l'Autriche, la Styrie, la Carinthie, la Carniole et le Tyrol, comme États héréditaires des Habsbourg, et tenta vainement d'établir à l'échelle de l'Empire un gouvernement centralisé.

MAXIMILIEN II (Vienne 1527-Ratisbonne 1576), empereur germanique (1564-1576), arrière-petit-fils du précédent, fils de Ferdinand Ier. Il épousa Marie, fille de son oncle Charles Quint (1548). Du vivant de son père, il fut élu roi des Romains (1562), de Bohême (1562) et de Hongrie (1563). Devenu empereur (1564), il adopta une attitude tolérante en matière religieuse et lutta contre les Turcs jusqu'en 1569, année où il se résigna à leur verser un tribut annuel.

MAXIMILIEN Ier (Munich 1573-Ingolstadt 1651), duc, puis Électeur de Bavière. Il prit la tête de la Sainte Ligue (1609) contre l'Union évangélique, battit l'Électeur palatin Frédéric à la Montagne Blanche (1620) et obtint la dignité électorale et les possessions de celui-ci (1623). Il lutta ensuite contre les Suédois et leurs alliés français. Les traités de Westphalie (1648) rendirent le titre héréditaire dans sa famille.

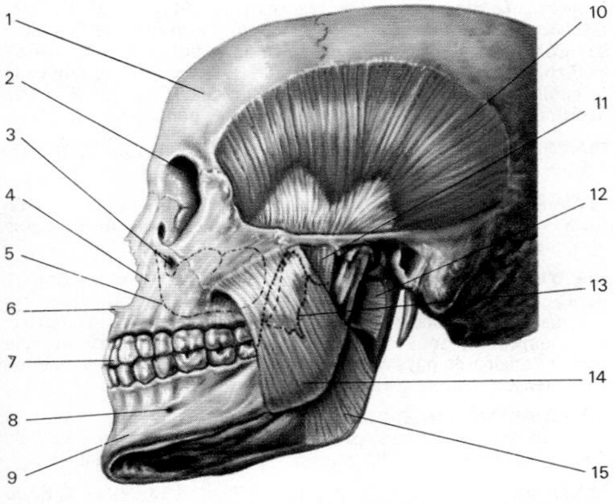

MAXILLAIRE : 1. Frontal; 2. Cavité orbitaire; 3. Trou sous-orbitaire; 4. Maxillaire supérieur; 5. Sinus maxillaire; 6. Épine nasale antérieure; 7. Dent; 8. Trou mentonnier; 9. Maxillaire inférieur; 10. Temporal gauche; 11. Masséter gauche (faisceau moyen); 12. Ptérygoïdien externe droit; 13. Apophyse ptérygoïde; 14. Masséter gauche (faisceau superficiel); 15. Ptérygoïdien interne droit.

MAXIMILIEN II (Emmanuel DE WITTELSBACH) [Munich 1662-*id.* 1726], Électeur de Bavière (1679-1726). Il épousa Marie-Antoinette, fille de l'empereur Léopold Ier (1685). Il combattit glorieusement les Turcs (1686-1688) et devint gouverneur des Pays-Bas espagnols (1691). Prétendant à une part de la succession d'Espagne, il s'allia à la France. Vaincu par le Prince Eugène (1704), il fut privé de ses États, qui ne lui furent rendus qu'en 1714.

MAXIMILIEN Ier JOSEPH (Schwetzingen 1756-Nymphenburg 1825), Électeur (1799), puis roi (1806-1825) de Bavière. Électeur de Bavière, il cède à la France ses possessions de la rive gauche du Rhin, mais Napoléon Ier, dont il est l'allié, accroît considérablement ses territoires au détriment de l'Autriche, et lui octroie le titre royal (1806). Despote éclairé, appuyé sur Montgelas*, il dote la Bavière d'un système centralisateur à la française.

MAXIMILIEN II JOSEPH (Munich 1811-*id.* 1864), roi de Bavière (1848-1864). Fils de Louis Ier, il se fait, en Allemagne, le champion d'une troisième force, constituée par les petits États, pour contrebalancer le poids de l'Autriche et de la Prusse.

MAXIMILIEN (Vienne 1832-Querétaro 1867), empereur du Mexique (1864-1867). Archiduc d'Autriche, il épouse, en 1857, la fille de Léopold Ier de Belgique, Charlotte, princesse ambitieuse qui pousse son époux à accepter la couronne mexicaine offerte par Napoléon III. Abandonné par tous, Maximilien capitule devant Juárez, qui le fait fusiller (19 juin 1867).

MAXIMILIEN ou **MAX DE BADE** *(prince),* homme politique allemand (Karlsruhe 1867-près de Constance 1929). Héritier du trône de Bade, il est appelé comme chancelier fédéral par Guillaume II, le 3 octobre 1918, mais il démissionne dès le 8 novembre, le mouvement révolutionnaire le débordant.

MAXIMIN, en lat. **Caius Julius Verus Maximinus** (173-238), empereur romain (235-238). Lorsqu'en 235 il fut proclamé empereur par les armées du Rhin, trente-trois années d'anarchie commençaient dans l'Empire. Excellent chef de guerre, Maximin lutta avec succès contre les Germains, les Sarmates et les Daces; mais, hostile au sénat et à toutes les élites, il fut renversé par la révolte d'Afrique — où les propriétaires terriens firent empereur le proconsul de la province (Gordien Ier) —, puis par celle d'Italie — où le sénat désigna deux empereurs, Pupien et Balbin (238).

MAXIMIN II DAIA, en lat. **Galerius Valerius Maximinus** († Tarse 313), empereur romain (308-313). Il fut nommé césar de Galère*, en Orient, lors de l'abdication de Dioclétien et de Maximien (305), et se proclama auguste en 308. Il persécuta les chrétiens et organisa une église païenne « structurée ». Après la mort de Galère (311), il annexa l'Asie Mineure à sa part (Syrie et Égypte) et entra en conflit avec Licinius*, qui le vainquit en Thrace (313).

MAXWELL (James Clerk), physicien écossais (Édimbourg 1831-Cambridge 1879). Il a montré, en 1860, qu'à une même température l'énergie cinétique moyenne des molécules gazeuses ne dépend pas de leur nature, établi la formule qui donne le travail électromagnétique lorsqu'un circuit se déplace dans un champ magnétique, et, surtout, édifié la théorie électromagnétique de la lumière (1865). En 1873, il donna les équations générales de la propagation du champ électromagnétique.

MAYAGÜEZ, port de la côte occidentale de Porto Rico; 90 000 hab.

MAYAS, peuple indien de l'Amérique centrale, dont l'aire de répartition est partagée entre l'Amérique centrale et le Mexique. Ce territoire a été divisé en trois zones : méridionale (côte pacifique et hautes terres du Guatemala et du Chiapas), centrale (de l'État du Tabasco au Honduras), septentrionale (péninsule du Yucatán). Les dernières découvertes archéologiques dans les hautes terres du Chiapas ont révélé l'installation, vers le milieu du IIIe millénaire, de populations à l'origine de la civilisation maya. La période préclassique (1500 av. J.-C. - 250 apr. J.-C.) est celle où des agriculteurs, fabriquant une céramique (décor de cordelettes) et utilisant des pierres à moudre — qui supposent la culture du maïs —, se groupent en villages (Kaminaljuyú*, ou, dans les basses terres, Altar de Sacrificios et Seibal). Uaxactún* et Tikal* possèdent des couches inférieures remontant au ve s. av. J.-C., et, dès 300 av. J.-C., on décèle les caractères fondamentaux de la civilisation maya : architecture avec sorte de voûte encorbellée, inscriptions hiéroglyphiques, emploi d'un calendrier « à compte long », et érection de stèles commémoratives.

La période classique (250-950) correspond à l'épanouissement de cette civilisation; les grands centres cérémoniels (Tikal, Uaxactún, Seibal au Guatemala, Copán* au Honduras, Palenque*, Uxmal*, Bonampak*, Chichén* Itzá au Mexique, etc.) se multiplient. Les grandes métropoles religieuses comprennent des édifices typiques : temples bâtis sur une plate-forme pyramidale, couverts d'une sorte

Tête représentant un jeune homme à la coiffure de plumes et de fleurs, provenant de Palenque. Classique tardif. (Musée national d'anthropologie, Mexico.)

Vautier-Decool

de voûte en encorbellement et surmontés d'une crête faîtière; palais (habitat princier ou lieu de réunion, pourvu de nombreuses galeries), dont l'agencement — en groupes distincts reliés par des chaussées surélevées — autour de vastes places atteste un certain sens de l'urbanisme; et ensemble monumental monolithe, composé d'un autel avec stèle ornée d'un décor sculpté. N'ayant jamais été réunis sous l'hégémonie d'un pouvoir central, les centres conservent chacun un style individuel. L'écriture hiéroglyphique n'est pas entièrement déchiffrée. À la suite de l'autodafé des conquérants chrétiens, seuls trois manuscrits *(Codex)* subsistent et sont datés du postclassique. Ils ont trait l'un à des rituels religieux, l'autre à la divination, le dernier à l'astronomie, qui, sans aucun instrument optique, était d'une étonnante précision. À son apogée, cette civilisation — qui ignore la roue et l'animal de trait, et ne connaît qu'un outillage de bois et de pierre — est, pour des raisons obscures, brutalement interrompue, vers le IXe s., dans la zone centrale, qui n'est pas totalement abandonnée. Le postclassique (du Xe s. à la conquête espagnole) témoigne d'une certaine renaissance due aux Toltèques*, venus de Tula*. Lorsqu'ils arrivent, vers le Xe s., on suppose que certaines grandes cités du Yucatán existent encore. L'association des deux traditions donne un nouveau style artistique « maya-toltèque », caractérisé par une architecture plus ample et plus aérée (colonnades, grands jeux de balles...) et par l'amalgame des panthéons et des motifs décoratifs (Chac, le dieu maya de la Pluie, représenté alternativement avec Quetzalcóatl, le serpent à plumes, devenu Kukulkan). Chichén Itzá est bientôt remplacée par Mayapán, qui est entourée d'un mur défensif. Désormais, l'influence mexicaine domine une production artistique très décadente.

MAYENCE, en allem. **Mainz,** v. de l'Allemagne fédérale, capit. du Land de Rhénanie-Palatinat, sur la rive gauche du Rhin; 177 000 hab. Cathédrale reconstruite autour de 1100, transformée à l'époque gothique (série de tombeaux d'archevêques). Églises médiévales ou baroques. Musées, dont celui d'Archéologie (au château des princes électeurs) et le musée Gutenberg.

HISTOIRE. — Ancien castrum romain *(Mogontiacum)* chef-lieu de la Germanie supérieure, Mayence eut pour premier archevêque saint Boniface (745) et fut le siège du primat de Germanie, devenu, au XIIIe s., le premier Électeur du Saint Empire. Ville libre impériale (1118), centre de la Ligue rhénane pendant le Grand Interrègne, Mayence fut, du fait de sa situation stratégique, assiégée ou occupée à plusieurs reprises, notamment à l'époque révolutionnaire. La ville fut rattachée à la France en 1797 et son électorat fut supprimé en 1803; en 1815 elle entra dans le duché de Hesse-Darmstadt.

MAYENNE (la), riv. de l'ouest de la France, née dans le Bocage normand, qui passe à Mayenne, Laval et Château-Gontier, avant de rejoindre la Sarthe, pour former la Maine*.

MAYENNE (53), département de la Région Pays de la Loire; 5 171 km^2; 261 789 hab. *(Mayennais).* Ch.-l. *Laval.* S.-préf. *Château-Gontier* et *Mayenne.*

Correspondant historiquement au Bas-Maine et à la partie septentrionale de l'Anjou, le département appartient géologiquement à la partie orientale du Massif armoricain. Formé surtout de plateaux et de lourdes collines, il possède un climat à dominante océanique, aux écarts de température peu accentués (sinon dans le nord, également plus humide). Le département est relativement peu peuplé, avec une densité inférieure de moitié (ou presque) à la moyenne nationale, bien plus faible qu'au milieu du XIXe s., où la Mayenne comptait plus de 370 000 habitants. Le dépeuplement a été pratiquement ininterrompu jusqu'à la Seconde Guerre mondiale. Une stagnation a suivi, précédant une montée notable contemporaine, largement liée à la progression sensible de la préfecture, qui concentre aujourd'hui l'essentiel du secteur secondaire, peu développé, puisqu'il emploie moins du tiers de la population active. Le tiers de celle-ci (taux supérieur au triple de la moyenne nationale) est toujours engagée dans l'agriculture, dominée par l'élevage bovin, pour le lait et la viande. La faiblesse du secteur tertiaire est liée à l'absence de grande ville, et Laval est la seule commune de plus de 15 000 habitants. Le département est écartelé entre les zones d'influence de Rennes, du Mans et d'Angers, voire de Nantes. L'importance du secteur agricole entraînera inéluctablement la poursuite de l'exode rural, en majeure partie hors du département, si ne s'intensifie pas une industrialisation, partiellement fondée déjà sur des opérations de décentralisation et toujours favorisée par une bonne desserte ferroviaire, routière (et bientôt autoroutière) vers la capitale.

MAYENNE (53100), ch.-l. d'arr. de la Mayenne, sur la *Mayenne,* à 30 km au N.-E. de Laval; 13 947 hab. *(Mayennais).* Château en partie des XIIIe et XVe s. Église Notre-Dame, remontant à la fin du XIIe s. Imprimerie.

MAYENNE (Charles DE LORRAINE, *duc* DE), prince français (Alençon 1554-Soissons 1611). Frère d'Henri de Guise*, ligueur, il fait proclamer roi le cardinal de Bourbon après l'assassinat d'Henri III. Le cardinal étant mort, et lui-même ayant été battu par Henri IV à Arques (1589) et à Ivry (1590), Mayenne n'ose pas prendre la couronne. En 1595, il se soumet à Henri IV.

MAYER (Julius Robert VON), physicien et médecin allemand (Heilbronn 1814-*id.* 1878). Il indiqua l'équivalence de la chaleur et du travail mécanique, et calcula, en 1842, l'équivalent mécanique de la calorie.

MAYET (72360), ch.-l. de cant. de la Sarthe, à 29 km au S. du Mans; 3 019 hab.

MAYET-DE-MONTAGNE (Le) [03250], ch.-l. de cant. de l'Allier, à 27 km à l'E. de Vichy; 2 309 hab.

Mayflower (« Fleur de mai »), nom du bateau anglais parti de Southampton (sept. 1620) pour l'Amérique du Nord avec 102 émigrants, pour la plupart puritains (v. PURITANISME), fuyant la persécution dont ils étaient l'objet en Angleterre et en Hollande. Cet exode marque le début de la colonisation de la Nouvelle-Angleterre.

MAYOL (Félix), chanteur français (Toulon 1872-*id.* 1941). Silhouette toute en rondeur, toupet frisé, gestes éloquents des mains et brin de muguet à la boutonnière, il fut, à partir de 1895, le roi des chanteurs de café-concert, créant de très nombreuses chansons *(Viens poupoule, À la cabane bambou).*

MAYOTTE, île française de l'océan Indien, dans l'archipel des Comores, la plus proche de Madagascar; 374 km^2; 32 000 hab. *(Mahorais).* Ch.-l. *Dzaoudzi.* — Alors que l'ensemble de l'archipel des Comores accède à l'indépendance en juillet 1975 (v. COMORES), les habitants de Mayotte choisissent de maintenir l'île au sein de la République française, par le référendum de février 1976. Cette décision est contestée par le gouvernement comorien.

MAYRHOFEN, localité d'Autriche, dans le Tyrol; 3 000 hab. Station de sports d'hiver (alt. 630-2 015 m).

MAY-SUR-ORNE (14320), comm. du Calvados, à 10 km au S. de Caen; 1 242 hab. Stockage de produits pétroliers dans une ancienne mine de fer.

MA YUAN, peintre chinois (actif v. 1190-1225). L'un des maîtres de l'académie des Song du Sud, qui, avec Hia* Kouei et ses disciples, fonde l'école Ma-Hia. Une technique sobre et concise, une composition souvent asymétrique alliée à la maîtrise du vide sont à l'origine de paysages, reflets de sa sensibilité poétique et de son intense émotion devant la nature.

MAZAGRAN, écart de Mostaganem (Algérie) où, après la rupture du traité de la Tafna, une garnison française résista pendant trois jours à l'attaque de 14 000 guerriers d'Abd el-Kader (1840).

MAZAMET (81200), ch.-l. de cant. du Tarn, à 18 km au S.-E. de Castres, au pied de la Montagne Noire; 14 874 hab. *(Mazamétains).* Centre de délainage. Filature et tissage de la laine. Mégisserie.

MAZĀR-I CHARĪF, v. du nord de l'Afghānistān; 41 000 hab. Belle mosquée du XVe s. Centrale thermique.

MAZARIN (Jules), en ital. **Giulio Mazarini,** homme politique français (Pescina, Abruzzes, 1602-Vincennes 1661). Issu d'une modeste famille sicilienne, il poursuit des études en droit canon, sert dans l'armée pontificale et est chargé des négociations franco-espagnoles qui aboutissent au traité de Monzón (1626), puis des négociations de Lyon (1630), où il est remarqué par Richelieu*. Vice-légat d'Urbain VIII à Avignon, il est un moment nonce extraordinaire à Paris (1634). Mais c'est en 1639 qu'il entre définitivement au service de la France, dont il adopte la nationalité. Cardinal en 1642, il remplace Richelieu, mort peu après. Louis XIII disparu à son tour (1643), Anne d'Autriche fait de Mazarin — qu'elle aime — son Premier ministre. Tout de suite le cardinal suscite la jalousie des « Importants », dont la cabale est déjouée. Les traités de Westphalie signés (1648), Mazarin subit la longue épreuve de la Fronde* (1648-1652), cristallisant sur sa personne tous les mécontentements. Il en sort plus fort que jamais. À l'extérieur, sa diplomatie aboutit au très avantageux traité des Pyrénées (1659), qui vaut à la France l'Artois, la Cerdagne et le Roussillon, et consacre la décadence des Habsbourg d'Espagne au profit du jeune Louis XIV, à qui Mazarin fait épouser Marie-Thérèse d'Autriche. À l'intérieur, Mazarin laisse les affaires, et notamment la gestion des fonds publics, dans les mains de Nicolas Fouquet*; en même temps, il se sert du mouvement janséniste pour neutraliser la papauté et saisit toutes les occasions pour parfaire la formation de son filleul Louis XIV. Quand il meurt, richissime, les conditions politiques et idéologiques qui permettront au règne de Louis XIV d'être tout de suite très brillant sont préparées.

Lauros-Giraudon

« Mazarinade » illustration d'un pamphlet sur l'exil de Mazarin pendant la Fronde (1651). [Bibliothèque nationale, Paris.]

Mazarine *(bibliothèque)*, bibliothèque publique située dans l'aile gauche du palais de l'Institut, à Paris. Formée sur l'ordre de Mazarin, elle fut ouverte au public en 1643 et rattachée à la Bibliothèque nationale en 1930.

MAZATLÁN, port du Mexique, sur le Pacifique, à l'entrée du golfe de Californie; 120 000 hab.

MAZDÉISME. — Cette religion de l'Iran* ancien, réformée v. le VIIe s. av. J.-C. sous l'influence de Zarathushtra* (Zoroastre), doit son nom au dieu Ahura-Mazdâ, ou Ormuzd*. C'est une religion dualiste : le monde est le théâtre d'une lutte entre deux esprits antagonistes — le principe du Bien, Ahura-Mazdâ, et celui du Mal, Angra-Mainyu, ou Ahriman*, le triomphe final étant assuré à Ahura-Mazdâ. Les hommes fixent leur destinée par leur choix entre l'esprit du Bien et celui du Mal. Le mazdéisme, qui survit chez les Parsis* de l'Inde et les Guèbres* d'Iran, a marqué le gnosticisme et le manichéisme*. Son livre sacré est l'*Avesta**.

MAZEPPA ou **MAZEPA** (Ivan Stepanovitch), hetman des Cosaques d'Ukraine de 1687 à 1709 (près de Kiev 1644-Bendery 1709). Soutenant Pierre Ier le Grand au début de la guerre du Nord*, il entre en pourparlers avec Stanislas Ier Leszczyński et Charles XII de Suède (1705), avec lesquels il négocie l'appui des troupes cosaques contre la reconnaissance d'une Ukraine indépendante. Il est vaincu à Poltava* (1709).

MAZIÈRES-EN-GÂTINE (79310), ch.-l. de cant. des Deux-Sèvres, à 15 km au S. de Parthenay; 894 hab.

MAZINGARBE (62670), comm. du Pas-de-Calais, à 12 km au S. de Béthune; 8 992 hab. Production d'eau lourde.

MAZOUT → DISTILLATION et RAFFINAGE.

MAZOVIE, région de Pologne, sur la Vistule moyenne. — Érigée en duché héréditaire, au profit d'une branche de la famille des Piast*, par le testament de Boleslav III (1138), la Mazovie reconnaît la suzeraineté de Casimir III* le Grand (1351-1353) et est rattachée au royaume de Pologne en 1526. Sa capitale, Varsovie*, devient celle du royaume en 1596.

MAZURIE, région du nord-ouest de la Pologne. — Colonisée par les chevaliers de l'ordre Teutonique, appelés en Prusse par Conrad de Mazovie (1226), la Mazurie fait partie du duché de Prusse d'Albert* de Brandebourg (1525), dont la succession passe en 1618 aux Électeurs de Brandebourg. La région, que les Allemands germanisent à la fin du XIXe s., revient à la Pologne en 1945.

MAZZINI (Giuseppe), patriote italien (Gênes 1805-Pise 1872). Chef de ceux qui veulent faire l'unité de l'Italie par la république, il doit, en 1830, se réfugier en France, où il fonde la Jeune-Italie*, élément moteur du Risorgimento. Il mène une vie errante jusqu'à ce que la révolution de 1848 lui permette de transformer la Jeune-Italie en Association nationale italienne. Le 5 mars 1849, Mazzini est à Rome, que le pape quitte. Il est l'un des triumvirs de la République romaine (29 mars), mais ne peut donner toute sa mesure, car l'expédition française, en rétablissant Pie IX, l'oblige de nouveau à s'exiler (juill.). Réduit à des coups de main, abandonné par les partisans des méthodes de Cavour, il joue cependant un rôle important dans l'achèvement de l'unité italienne.

M'BA (Léon), homme d'État gabonais (Libreville 1902-Paris 1967). Il fut le premier président de la république du Gabon (1961-1967).

MBABANE, capit. du Swaziland; 14 000 hab.

MBANDAKA, anc. **Coquilhatville,** v. de l'ouest du Zaïre, ch.-l. de la prov. de l'Équateur, sur le Congo; 108 000 hab.

MBINI, anc. **Río Muni,** partie continentale de la Guinée-Équatoriale; 26 000 km^2; 183 000 hab. V. princ. *Bata.*

MBUJI-MAYI, v. du Zaïre, ch.-l. de la région du Kasaï-Oriental; 335 000 hab.

MEAD (Margaret), anthropologue américaine (Philadelphie 1901). Élève de F. Boas, célèbre pour ses observations sur les mœurs en Océanie, elle s'intéresse aux problèmes de l'adolescence et des changements culturels tant dans les sociétés « primitives » que dans les sociétés industrielles (v. CULTURALISME). Elle effectue son premier travail de terrain aux Samoa (*Coming of Age in Samoa,* 1928). Autres publications importantes : *Anthropology : a Human Science,* 1964; *Culture and Commitment,* 1970; *Blackberry Winter; My early Years,* 1972).

MÉANDRE → MENDERES.

MÉAULTE (80810), comm. de la Somme, à 2 km au S. d'Albert; 1 022 hab. Construction aéronautique.

MEAUX (77100), ch.-l. d'arr. de Seine-et-Marne, sur la Marne, à 44 km à l'E.-N.-E. de Paris; 43 110 hab. *(Meldois).* Vestiges de remparts. Cathédrale des XIIIe-XVe s. (sculptures, œuvres d'art), Vieux-Chapitre (fin du XIIe s.) et anc. évêché (XIIe-XVIIe s., musée Bossuet). Constructions mécaniques. Textile. — Siège d'un évêché dès le IVe s., capitale de la Brie, Meaux fut, au XVIe s., grâce à son évêque Briçonnet*, ami de Lefèvre* d'Étaples, un foyer d'humanisme chrétien à teinte protestante (« Cénacle de Meaux », 1523-1525).

MÉCANIQUE. — • HISTOIRE DE LA MÉCANIQUE. L'histoire de la mécanique remonte aux travaux d'Archimède* sur la statique et l'hydrostatique. Beaucoup plus récente, la dynamique ne commence guère qu'avec Galilée*. Mais son véritable acte de naissance est constitué par les *Philosophiae naturalis principia mathematica* (1687) de Newton*, qui en posent les principes et en dégagent les applications aux mouvements des corps célestes. L'excellence de ses idées a été confirmée par l'observation astronomique, et, depuis l'astronautique, par l'expérimentation. Euler*, d'Alembert*, Clairaut* et Lagrange* — qui systématise tous les travaux de ses précurseurs dans sa *Mécanique analytique* (1788) — font des théories de Newton le modèle de la science théorique. Après son *Exposition du système du monde* (1796), Laplace* réunit dans sa *Mécanique céleste* (1798-1825) tous les travaux, jusque-là épars, de Newton, Halley* et Euler sur les conséquences du principe de la gravitation* universelle. Puis Jacobi* généralise et simplifie la dynamique de Hamilton*, qu'il présente sous une forme devenue classique. En 1847, Helmholtz* s'efforce à donner à la mécanique une base nettement énergétique. Mais Poincaré* discute cette thèse. Pour lui, si la théorie énergétique est moins incomplète que la théorie classique, elle soulève de nouvelles difficultés, en particulier pour les définitions des énergies* cinétique et potentielle. Au début du XXe s., la mécanique se présente comme un tout cohérent, mais ses bases ont été minées par l'évolution de l'ensemble de la science. Cependant, l'existence admise par les opticiens d'un éther emplissant l'espace doit entraîner dans le mouvement, par rapport à cet éther, des effets optiques ou électromagnétiques accessibles à l'expérience. Si les effets du « premier ordre » sont explicables, il n'en est pas de même des effets dits « de second ordre ». Einstein* s'appuie alors sur deux nouveaux principes : la *relativité** (les lois physiques sont les mêmes pour deux systèmes de référence animés l'un par rapport à l'autre d'une translation uniforme) et la *constance de la vitesse de la lumière**. La relativité restreinte aboutit d'ailleurs à la relativité générale, largement vérifiée par l'expérience, la mécanique classique newtonienne conservant une approximation suffisante lorsque les vitesses sont négligeables devant celle de la lumière.

• MÉCANIQUE RATIONNELLE. La mécanique rationnelle comprend la cinématique*, la statique* et la dynamique*, à laquelle il convient d'ajouter la cinétique*. Elle a progressé, d'abord, suivant la méthode synthétique de Newton et elle s'est étendue grâce à la méthode analytique, fondée sur le principe des travaux virtuels et les équations de Lagrange. Le système d'axes absolu de Copernic* a pour origine le centre de gravité du système solaire et les trois axes sont dirigés vers trois étoiles fixes; il n'est utilisé qu'en astronomie; mais, pour toutes autres études, on utilise le système d'axes absolu de Galilée, qui dérive de celui de Copernic par une translation rectiligne et uniforme, de telle sorte que l'accélération d'un point mobile est identique dans les deux systèmes. Tout mouvement rapporté à un système d'axes mobiles par rapport à un système fixe est relatif; il y a trois principes de base : celui de l'*inertie,* celui de l'*indépendance des effets des forces* et celui de l'*action* et de la *réaction.* En pratique, le principe de l'inertie est admis quand on substitue aux axes fixes des axes liés à la Terre : pour les actions qui se passent sur le globe, l'erreur est négligeable. Si la Terre n'était pas aplatie aux pôles, un point M, placé à la distance *r* du centre aurait une accélération dirigée suivant le rayon et inversement proportionnelle au carré de cette distance. D'autre part, la rotation angulaire ω de la Terre crée une accélération d'inertie d'entraînement $\omega^2 r \cos \lambda$, λ étant la latitude du point considéré. La direction d'un fil à plomb tient compte de l'attraction terrestre et de la force d'inertie d'entraînement. La Terre subit les attractions du Soleil* et de la Lune* : ces deux forces modifient périodiquement la direction et l'intensité de la pesanteur*; la variation d'intensité est négligeable, mais celle de direction suffit à expliquer le phénomène des marées*. Dès qu'un corps se met en mouvement sur la Terre, une force centrifuge composée apparaît, soit $2\,mv \sin \alpha$, *m* étant la masse, *v* la vitesse relative, c'est-à-dire celle qui est observée sur la Terre, et α l'angle que fait la direction de cette vitesse avec l'axe des pôles. C'est une force très faible, en raison de la lenteur de rotation de vitesse ω du globe. Ses effets sont négligeables, sauf pour des chutes à grande profondeur, où il y a une légère déviation vers l'est. Son existence est prouvée par l'expérience de Foucault* (déviation du plan d'oscillation d'un pendule*).

MÉCANIQUE ANALYTIQUE. — La mécanique analytique s'appuie sur trois principes : le *principe de d'Alembert** (les résistances d'inertie font équilibre aux forces* extérieures); le *théorème du centre de gravité* (le centre de gravité reste le même si toutes les forces et toutes les masses sont concentrées en ce point); le *principe des travaux virtuels* (la somme des travaux des forces extérieures et intérieures qui se trouvent en équilibre est nulle pour tout déplacement élémentaire du point d'application). Un déplacement virtuel est un déplacement imaginé sans s'occuper de savoir s'il se produit réellement. Le travail virtuel est le travail d'une force pour un déplacement virtuel. La statique des systèmes à liaisons bilatérales sans frottement se résume ainsi : la condition pour qu'un tel système soit en équilibre est que la somme des travaux des forces appliquées soit nulle pour tout ensemble de déplacements virtuels compatibles avec les liaisons. On ne trouble donc pas l'équilibre d'un système en introduisant telles liaisons que l'on veut. En dynamique*, le travail de toutes les forces, y compris celles d'inertie, est nul pour tous les déplacements compatibles avec les liaisons, telles qu'elles existent actuellement.

MÉCANIQUE CÉLESTE. — Tous les astres de l'Univers* sont en mouvement et se déplacent les uns par rapport aux autres en suivant des lois bien précises, dont l'ensemble constitue la mécanique céleste. Cette mécanique est fondée sur la loi d'attraction* universelle énoncée, en 1687, par sir Isaac Newton*. En vertu de cette loi, tous les corps s'attirent mutuellement avec une intensité proportionnelle à leur masse* et inversement proportionnelle au carré de leur distance. Ce principe d'attraction universelle explique ainsi les lois du mouvement des planètes* établies par Johannes Kepler* entre 1609 et 1619. Aux termes de la plus importante d'entre elles, qui permit de fixer les dimensions du système solaire, le carré des temps de révolution divisé par le cube de la distance au Soleil* est constant : plus une planète est éloignée du Soleil, plus elle tourne lentement. Pour un éloignement de 150 millions de kilomètres, qui correspond à la distance de la Terre*, cette durée de révolution est de 365 jours; c'est, par définition, une année*. En revanche, Pluton*, à environ 6 milliards de kilomètres, met près de deux siècles et demi pour boucler une révolution autour du Soleil. Dans le cas des satellites*, c'est la planète mère qui devient l'astre central. Jusqu'à l'avènement de l'astrophysique, au début du XIXe s., la mécanique céleste fut la principale branche de l'astronomie*. C'est elle qui a permis de situer exactement les astres dans l'Univers et de déterminer leur position exacte, leur vitesse, leurs mouvements, ainsi que leur masse. Actuellement, elle permet de calculer l'orbite des satellites artificiels et des sondes* spatiales.

MÉCANIQUE DES SOLS. — Un sol est un matériau complexe dont les caractéristiques mécaniques ne sont définies que si ses propriétés d'ordre physique — porosité, perméabilité*, teneur en eau et en argile, et, surtout, degré de compacité — le sont. Les limites d'Atterberg précisent l'état physique par la détermination de la *limite de liquidité* LL, de la *limite de plasticité** LP, dont la différence LL − LP = IP, ou *indice de plasticité,* met en relief l'étendue de l'état plastique, fonction de la teneur en argile très importante en géotechnique. La loi de Coulomb* sur le cisaillement des sols en fonction de la pression est exprimée par la formule $\tau = \tau_0 + \nu \operatorname{tg} \varphi$, pour les sols cohérents, dans lesquels ν est la contrainte normale, τ la contrainte de cisaillement, et τ_0 la contrainte de cisaillement pour une contrainte normale nulle : c'est la *cohésion;* φ est l'angle de frottement interne, qui varie de 5° à 20° pour les diverses argiles et de 20° à 30° pour les sables argileux et les sols cohérents. Si $\tau_0 = 0$, on a $\tau = \nu \operatorname{tg} \varphi$. Cette équation caractérise les sols pulvérulents. Le théorème fondamental des états correspondants dispose qu'un milieu cohérent est en équilibre en lui faisant correspondre un milieu pulvérulent de même forme et de même frottement interne, en supposant le massif sous l'action combinée des forces extérieures complétées par une pression hydrostatique H, constante en tous points et égale à $H = \tau_0 \operatorname{cotg} \varphi$. La *poussée* est la force P qu'exerce sur la paroi d'un mur de soutènement un massif pulvérulent, et la *butée* est la force qui s'exerce sur un massif pulvérulent, par exemple par le mur de culée d'un pont. Coulomb a trouvé pour la poussée

$$P = \frac{1}{2} \gamma h^2 \operatorname{tg}^2 \left(\frac{\pi}{4} - \frac{\varphi}{2} \right)$$

et Rankine* pour la butée

$$B = \frac{1}{2} \gamma h^2 \operatorname{tg}^2 \left(\frac{\pi}{4} + \frac{\varphi}{2} \right),$$

γ étant la masse volumique du massif et *h* la hauteur du mur. Boussinesq* a démontré que l'hypothèse de la rectilinéarité des courbes limites de glissement doit être amendée, et ses calculs l'ont conduit à des équations différentielles non intégrables, mais calculées par Caquot*.

MÉCANIQUE ONDULATOIRE ou **MÉCANIQUE QUANTIQUE.** — La *mécanique newtonienne,* qui est adaptée au mouvement des corps de dimensions macroscopiques, ne peut pas s'appliquer à celui des particules élémentaires. En 1922, L. de Broglie* a été conduit à associer au mouvement d'une particule de masse *m* et de vitesse *v* une onde dont la longueur est $\lambda = \frac{h}{mv}$, où *h* est la constante de Planck*. Cette *mécanique ondulatoire* a reçu une éclatante confirmation dans la découverte, en 1927, de la diffraction des électrons par une lame cristalline.

Schrödinger* a montré l'équivalence de cette mécanique avec la *mécanique quantique,* relative aux phénomènes de quantification et développée principalement par Heisenberg*. L'existence de quanta avait été postulée par Planck* en 1900, pour expliquer les lois du rayonnement thermique; elle avait permis à N. Bohr* d'établir, en 1913, son modèle d'atome.

MÉCANISATION → AUTOMATISATION.

MÉCANISME *(Philos.).* — Le terme désigne les philosophies de la nature (et non la science appelée « mécanique* ») qui s'efforcent d'expliquer tous les phénomènes à partir des seules lois de la théorie du mouvement. Le mécanisme est, à l'origine, un courant matérialiste, qui naît de l'explication du mouvement des atomes (v. ATOMISME). Au XVIIe s., Descartes élabore un mécanisme de type géométrique, qui prétend expliquer, par la figure et le mouvement, la formation de tous les êtres de l'Univers. Mais la mécanique galiléenne le rend déjà caduc.

Mécano de la « Générale » *(le),* film américain de Buster Keaton et Clyde Bruckman (1926). En continuant de conduire sa locomotive (la « Générale ») pendant la guerre de Sécession, Buster souligne l'absurdité du conflit et accomplit divers exploits dont celui qui lui tient le plus à cœur : reconquérir sa fiancée enlevée par des bandits. Ce rôle de poursuivant poursuivi, Keaton, impassible et obstiné, indifférent aux cataclysmes, narguant les obstacles par d'ingénieuses jongleries, l'endossa à merveille dans ce film qui est considéré comme l'un des joyaux de la comédie burlesque et poétique à l'époque du muet.

MÉCANOTHÉRAPIE → KINÉSITHÉRAPIE.

MÉCÈNE, en lat. **Caius Cilnius Maecenas,** conseiller d'Auguste (Arezzo? v. 69-8 av. J.-C.). Chevalier, protecteur des arts et des lettres, il s'entoura d'un cercle de poètes (Virgile, Horace, Properce...) qui contribua à formuler l'idéologie de l'Empire naissant. Poète lui-même, il semble avoir eu un style maniéré.

MÉCHAIN (Pierre), astronome français (Laon 1744-Castellón de la Plana 1804). Son nom est resté attaché à la prolongation de la méridienne de Paris jusqu'aux îles Baléares et à la mesure, avec Delambre*, de l'arc de méridien terrestre entre Dunkerque et Barcelone (1792-1798). On lui doit également d'importantes études sur les comètes*.

MECHELEN, nom néerl. de MALINES.

MECHHED ou **MECHED,** v. du nord-est de l'Iran, ch.-l. du Khorāsān; 410 000 hab. La ville se développa autour du mausolée du 8e imām ʿalide, Alī al-Riḍā († 818). Grand lieu de pèlerinage chīʿite, Mechhed supplanta les villes de la région après la destruction de Ṭūs par les Mongols (v. 1390) et connut un grand essor sous les Séfévides*. Ses édifices religieux sont somptueusement décorés : mosquée (1418) de la princesse Gohar Chādh, mausolée de l'imām Alī al-Riḍā (érigé [1602] par Chāh ʿAbbās). Riche musée du sanctuaire.

MECKLEMBOURG, en allem. **Mecklenburg,** anc. unité politique de l'Allemagne du Nord. — Occupé par les Germains, puis par les Slaves, le Mecklembourg ne fut christianisé qu'au XIIe s., au moment de l'offensive d'Henri le Lion (1161) après la mort de Niklot (1160), seigneur de Mecklembourg. Germanisé à partir du règne de Pribislav, fils de Niklot, il devint, en 1348, duché souverain et s'agrandit, en 1358, du comté de Schwerin. Gagné au luthéranisme en 1549, il fut divisé, en 1611, en deux duchés; le Mecklembourg-Schwerin et le Mecklembourg-Güstrow. En 1701, un second partage créa un petit Mecklembourg-Strelitz (2 929 km^2) et un Mecklembourg-Schwerin plus étendu (13 127 km^2). Les deux Mecklembourgs furent réunis en 1934, puis intégrés dans la R. D. A.

MÉCONIUM → NOUVEAU-NÉ.

MECQUE (La), en ar. **Makka,** v. de l'Arabie Saoudite, ch.-l. de la prov. du Hedjaz; 200 000 hab. — Située dans une vallée aride, où s'était fixée la tribu des Quraychites*, La Mecque est, aux VIe et VIIe s., une république marchande prospère et un centre de pèlerinage autour de la Kaʿba* et de divers lieux saints des environs. La ville, d'abord hostile à Mahomet*, qui émigre à Médine en 622, se rend à lui en 630. Elle devient la ville sainte de l'islām*, en direction de laquelle s'accomplit la prière, et vit essentiellement du pèlerinage *(ḥadjdj)*. Les chérifs ḥasanides y prennent le pouvoir v. 960 et plusieurs lignées d'entre eux s'y succèdent jusqu'en 1924, reconnaissant le plus souvent la suzeraineté de diverses puissances musulmanes (ʿAbbāssides, Mamelouks d'Égypte, Ottomans). La Mecque est conquise en 1924 par ʿAbd al-Azīz III ibn Saʿūd*.

MÉDAILLE → NUMISMATIQUE.

médaille d'honneur, la plus haute décoration militaire des États-Unis, décernée par le Congrès depuis 1862.

médaille militaire, décoration française créée en 1852, accordée pour action d'éclat ou longs services aux sous-officiers et hommes du rang, ainsi qu'à certains officiers généraux ayant commandé en chef. Son statut a été rénové, en même temps que celui de la Légion d'honneur, en 1962.

MEDAN, v. d'Indonésie, dans le nord de Sumatra, près du détroit de Malacca; 636 000 hab.

MEDAWAR (Peter Brian), biologiste anglais (au Brésil 1915). Il a démontré que le rejet de greffes de tissus était d'origine immunologique. Il a reçu, avec Macfarlane Burnet, le prix Nobel de médecine et de physiologie pour 1960.

MÈDE (La) [13220 Châteauneuf lès Martigues], écart de la comm. de Martigues* (Bouches-du-Rhône), sur la rive sud de l'étang de Berre. Raffinage du pétrole et pétrochimie.

MÉDÉA, v. d'Algérie, au S.-O. d'Alger, ch.-l. de départ.; 37 000 hab.

MÉDECIN. — La durée des études médicales est de sept années : elles comprennent un premier cycle de deux ans et un deuxième de quatre, complétés par un stage hospitalier d'un an. Elles sont sanctionnées par la soutenance d'une thèse. Ces études se font dans des centres hospitaliers et universitaires (C. H. U.) appartenant aux différentes unités d'enseignement et de recherche (U. E. R.) des académies. Le médecin peut exercer comme médecin généraliste et, dans ce cas, accomplir tout acte médical dans la mesure de ses compétences. Le médecin spécialiste possède un certificat d'études spéciales, ne peut exercer que sa spécialité et doit renoncer à l'exercice de la médecine générale. Les auxiliaires médicaux dispensent certains soins médicaux sur prescription et sous contrôle du médecin : ce sont les sages-femmes lorsqu'elles dispensent des soins infirmiers, les infirmiers, les masseurs et kinésithérapeutes, les pédicures, les orthopédistes, les orthophonistes.

Médecin de campagne *(le),* roman d'H. de Balzac (1833).

Médecin de son honneur *(le),* drame de Calderón (1635).

MÉDECINE LÉGALE. — La *médecine légale judiciaire* a pour rôle de fournir des précisions au juge en cas d'infraction à la loi ou de contestation entre plaignants, d'étudier la responsabilité d'un accusé, d'essayer de découvrir les facteurs qui l'ont poussé à commettre son acte. La *médecine légale professionnelle* précise les devoirs et les prérogatives des médecins (elle définit ce qu'est l'exercice illégal de la médecine, précise les règles de déontologie*, décide des responsabilités civile et pénale des médecins). La *médecine légale sociale* a pour objet le contrôle de l'état civil (déclaration des naissances, vérification des décès), la surveillance de l'état de santé des travailleurs, la déclaration des accidents de travail, la détermination des maladies professionnelles.

Médecin malgré lui *(le),* comédie en prose, en trois actes, de Molière (1666).

MÉDÉE, magicienne du cycle des Argonautes. Elle s'enfuit avec Jason; mais ce dernier l'ayant abandonnée, elle se vengea en égorgeant ses enfants. La légende de Médée a notamment inspiré Apollonios* de Rhodes *(les Argonautiques),* les tragédies d'Euripide (431 av. J.-C.), de Sénèque (Ier s. apr. J.-C.), de Corneille (1635), les pièces de Grillparzer (1822) et d'Anouilh (1946).

MEDELLÍN, v. de Colombie, dans les Andes, au N.-O. de Bogotá; 773 000 hab. Centre textile. Métallurgie. Chimie.

MÈDES, peuple de l'Iran* ancien, dont la présence est attestée pour la première fois au IXe s. av. J.-C. par un texte assyrien. La nécessité de résister à l'impérialisme assyrien força les tribus à se fédérer, mais l'union ne devint totale qu'avec Cyaxare (625-585 env. av. J.-C.), qui constitua l'Empire mède avec Ecbatane* pour capitale. En 612, il s'empara de Ninive*, étendant sa domination sur la plus grande partie du plateau iranien. Mais son empire fut éphémère; son fils Astyage (v. 585-550) fut vaincu par son vassal perse Cyrus II*, qui laissa aux Mèdes, dans l'Empire perse, un statut privilégié.

MÉDIA → MCLUHAN, PUBLICITÉ.

MEDIAȘ, v. de Roumanie, en Transylvanie; 59 000 hab.

MÉDIASTIN. — Cette région médiane du thorax est située entre les deux poumons, au-dessus du diaphragme, au-dessous de la base du cou, en arrière du sternum et en avant de la colonne vertébrale. Le médiastin contient des organes essentiels : le cœur entouré du péricarde, les gros vaisseaux artériels (aorte et ses premières branches, artères pulmonaires), les gros vaisseaux veineux (veines pulmonaires, veines caves), la trachée et les bronches. C'est une région de passage pour l'œsophage, plaqué entre le rachis, les nerfs pneumogastriques et récurrents, les nerfs phréniques, la chaîne sympathique thoracique, le canal thoracique, les veines azygos et les lymphatiques médiastinaux.

Les affections du médiastin sont très diverses : elles sont parfois latentes et dépistées à l'occasion d'un examen radiologique fortuit; elles se manifestent parfois par des signes de compression (douleurs thoraciques ou intercostales, dyspnée, toux, expectoration, troubles de la déglutition et de la voix). Les principales affections sont les anévrismes de l'aorte ou des gros troncs artériels, certaines affections digestives (hernie diaphragmatique), les adénopathies médiastinales, les tumeurs du médiastin (goitre plongeant), les médiastinites.

MÉDIATEUR. — En France, ce fonctionnaire est l'intermédiaire entre les pouvoirs publics et les particuliers, ceux-ci pouvant lui exprimer des revendications concernant le fonctionnement de l'Administration. Des médiateurs existent dans d'autres pays, notamment dans les pays scandinaves (ombudsman*).

Lorsqu'un particulier se trouve face à des difficultés dues à l'application abusive (ou à l'omission d'application) d'une loi, il peut, par l'intermédiaire d'un parlementaire, faire appel à l'arbitrage du médiateur. Celui-ci peut convoquer le fonctionnaire concerné et demander des éclaircissements. Il rédige des recommandations à l'adresse du ministère concerné. L'Administration a un droit de réponse au rapport du médiateur, mais elle n'en a encore guère usé.

MÉDICAMENT. — Le *médicament simple* est un produit chimique pur (telle l'aspirine) ou une drogue végétale (feuilles de belladone). Le *médicament galénique* résulte d'une transformation du produit pur pour faciliter son administration (comprimé d'aspirine, teinture de belladone). Les *spécialités pharmaceutiques* sont préparées industriellement et de plus en plus utilisées. Le visa de spécialité est accordé par le ministère de la Santé après avis d'une commission scientifique. Les médicaments peuvent être administrés par voie orale (comprimés), rectale (suppositoires), parentérale (injections sous-cutanées, intramusculaires, etc.), ils peuvent être appliqués sur les muqueuses (collyres, collutoires), sur la peau (pommades). La pharmacopée française classe les produits toxiques en plusieurs catégories, soumises à des règles strictes : tableau A, substances toxiques non stupéfiantes; tableau B, substances stupéfiantes; tableau C, substances dangereuses (notamment si on en fait un usage incorrect). Il faut noter la possibilité de l'interaction entre les différents médicaments. Ainsi la potentialisation de deux substances, dont l'effet d'association est supérieur à la somme de leurs actions prises isolément. De même, les toxicités s'ajoutent ou se potentialisent et on doit en tenir compte.

MEDICINE HAT, v. du Canada, dans le sud-est de l'Alberta; 26518 hab. Pétrochimie.

MÉDICIS, famille de banquiers florentins, mentionnée pour la première fois au XIIIe s., qui domina Florence à partir de 1434, avant d'y régner avec le titre ducal de 1532 à 1737. Ses principaux membres furent : COSME **l'Ancien** (Florence 1389-Careggi 1464), qui, s'appuyant sur le peuple, renversa l'oligarchie florentine (1434) et devint le vrai chef de la ville, tout en consolidant le patrimoine commercial et bancaire de sa famille; LAURENT **le Magnifique** (Florence 1449-Careggi 1492), petit-fils du précédent, poète, philosophe et mécène, qui fut le fondateur de la bibliothèque Laurentienne et de l'École du Jardin de Saint-Marc (qui accueillit, entre autres, Michel-Ange); il dut lutter contre le pape Sixte IV et déjouer la conspiration des Pazzi, au cours de laquelle son frère JULIEN (Florence 1453-*id.* 1478) fut assassiné; accaparé par la politique, il laissa péricliter l'affaire familiale. Il fut le père du pape Léon X*; LAURENT II (Florence 1492-*id.* 1519), dont la fille, Catherine*, devint reine de France; ALEXANDRE (v. 1510-1537), fils naturel de Laurent II et premier duc de Florence, qui, au terme d'une vie criminelle et dissolue, fut assassiné par son cousin LORENZINO (le « Lorenzaccio » de Musset); COSME Ier (Florence 1519-Villa di Castello 1574), qui devint duc de Florence (1537), puis grand-duc de Toscane (1569) et qui mena une politique d'expansion aux dépens de Sienne. Le dernier grand-duc de Toscane de la maison de Médicis fut JEAN-GASTON (Florence 1671-*id.* 1737), à la mort duquel le grand-duché passa à la maison de Lorraine.

Médicis *(villa),* villa romaine, au Pincio, construite au milieu du XVIe s., décorée de fragments de sculptures antiques et accompagnée d'un jardin luxuriant. Elle est occupée, depuis 1803, par l'Académie de France à Rome, qui y recevait en pension les lauréats des premiers grands prix de Rome, architectes, peintres, sculpteurs, graveurs et musiciens. Ces prix ont été supprimés en 1968-1971, mais l'institution héberge toujours de jeunes artistes et tend à élargir son rôle de centre culturel (expositions).

MEDINA DEL CAMPO, v. d'Espagne, en Vieille-Castille, au S. de Valladolid; 16000 hab. Imposant château fort royal de la Mota (XVe s.). Églises gothiques et mudéjars. Palais de la Renaissance. Hôpital général, de style sévère (début du XVIIe s.).

MÉDINE, v. d'Arabie Saoudite (Hedjaz); 72000 hab. L'oasis de *Yathrib* était cultivée par des tribus arabes et juives, chez lesquelles Mahomet* émigra en 622. Elle devint alors, sous le nom de « Médine », le centre politique de l'État musulman et le demeura sous les trois premiers califes. Abandonnée par 'Alī en 656, elle ne conserva que son rôle de ville sainte de l'islām. La Grande Mosquée abrite les tombeaux du Prophète, de sa fille préférée et des deux premiers califes.

MÉDINET EL-FAYOUM, v. d'Égypte, dans la vallée du Nil, au S.-O. du Caire; 134000 hab.

médiques *(guerres),* conflits qui ont opposé les Grecs à l'Empire perse (490-479 av. J.-C.). À l'origine se trouve la révolte des Ioniens (499), soutenus par Athènes, et dont Darios Ier* viendra à bout en 495. Mais les Perses comprennent que, pour maintenir leur domination sur la Grèce d'Asie, ils doivent étendre leur autorité à la Grèce d'Europe. En 490 *(première guerre médique),* Darios traverse l'Égée et, malgré des forces imposantes, est battu à Marathon (490); le Grand Roi renonce à ses projets. Son fils, Xerxès Ier*, reprend la politique de Darios et, en 481, envahit la Grèce *(deuxième guerre médique)* avec une formidable armée. Les cités grecques, oubliant leurs querelles, se groupent dans la ligue de Corinthe. Mais l'armée perse, malgré l'héroïsme de Léonidas*, aux Thermopyles* (août 480), écrase tout sur son passage; Athènes, prise, est incendiée. Thémistocle* va renverser la situation en triomphant de la flotte perse à Salamine* (sept. 480). L'armée perse en retraite, privée de sa flotte, est vaincue par le Spartiate Pausanias*, en 479, à Platées*.

Méditations *(les),* œuvre de Descartes, parue en latin en 1641 et en français en 1647. Appliquant à la métaphysique la méthode qu'il a définie dans le *Discours**, Descartes montre que si tout objet est douteux, le doute ne saurait s'appliquer au sujet (lui-même) qui doute. Mais douter n'est possible que pour un être se sachant imparfait. Or, l'imperfection n'étant qu'une limitation de la perfection, je dois en posséder l'idée qui n'a pu m'être donnée que par l'être parfait lui-même : Dieu. Dieu étant l'idée la plus claire et la plus distincte de toutes, il garantit en retour la vérité des autres idées, à proportion de leur clarté et de leur distinction respectives.

Méditations poétiques, recueil lyrique de Lamartine (1820). Cette œuvre, qui unit les thèmes élégiaques du XVIIIe s. à l'influence d'Ossian et de Byron, marqua le début du romantisme dans la poésie française. L'inspiration spiritualiste et nostalgique des pièces les plus célèbres (« le Soir », « le Vallon », « le Lac », « l'Automne ») se retrouve dans les *Nouvelles Méditations poétiques* (1823).

MÉDITERRANÉE, mer bordière de l'océan Atlantique, comprise entre l'Europe méridionale, l'Asie occidentale et l'Afrique du Nord.

Communiquant avec l'Atlantique par le détroit de Gibraltar et avec la mer Noire par les détroits du Bosphore et des Dardanelles, la Méditerranée est une mer presque fermée, marquée par la profondeur de ses fonds. Presque entièrement ceinturée par des montagnes jeunes se rattachant au système alpin, elle est caractérisée par une plate-forme littorale étroite, que dominent des côtes généralement élevées. Le resserrement entre la Sicile et la Tunisie permet de la diviser en deux bassins. La Méditerranée occidentale, avec son annexe (la mer Tyrrhénienne), atteint 3600 m de profondeur. La Méditerranée orientale, avec ses annexes (la mer Égée et l'Adriatique), est marquée par l'existence d'une série de fosses (− 5093 m au maximum), se disposant en arc de cercle au large du Péloponnèse, de la Crète et de la Turquie méridionale.

L'étroitesse du seuil de Gibraltar, dont résulte un lent renouvellement des eaux, explique, avec la forte évaporation liée à la latitude, que la Méditerranée ait une salinité supérieure à la moyenne des océans. Ses eaux, tièdes, ne sont animées que par les marées de faible amplitude, mais les tempêtes peuvent atteindre une grande violence en raison de la configuration des côtes.

Sur le plan humain, la Méditerranée a depuis longtemps perdu sa prééminence de l'Antiquité. Ses eaux, peu poissonneuses dans l'ensemble, ne suscitent qu'une pêche peu intense, souvent artisanale. Mais son rôle commercial est important. L'ouverture du canal de Suez a engendré un trafic qui reste dense en Méditerranée orientale. Les États riverains possèdent des ports importants (Marseille, Gênes, Trieste, etc.), qui sont souvent à l'origine de la création d'établissements industriels. Enfin, la douceur du climat et la beauté des côtes y ont favorisé le développement du tourisme. Mais depuis quelques années se pose un problème de plus en plus crucial : celui de la pollution.

MÉDITERRANÉEN (climat). — Le climat méditerranéen fait la transition entre la zone tempérée et la zone tropicale. Il affecte les pays du bassin méditerranéen, la Californie, le centre du Chili et le sud de l'Afrique et de l'Australie. Il est caractérisé par des hivers doux et humides, sous l'influence occidentale maritime, et des étés chauds et secs, aux ciels limpides. Les pluies tombent au printemps et, surtout, en automne sous forme d'averses violentes qui ravinent les sols. La végétation doit s'adapter à la longue sécheresse d'été : plantes xérophiles à feuilles vernissées ou à épines.

MÉDIUM → CONCENTRATION DES MINERAIS ET CHARBONS.

MEDJERDA (la), fl. de l'Afrique du Nord, né en Algérie, qui longe, au S., les *monts de la Medjerda,* en pénétrant en Tunisie, et rejoint la Méditerranée par un large delta, au N. de Tunis; 365 km. La basse vallée est intensivement mise en valeur.

MÉDOC (le), région viticole du Bordelais, sur la rive gauche de la Gironde, de Blanquefort à la pointe de Grave. Le *haut Médoc,* au S., groupe les vins les plus renommés (château-lafite, château-latour et château-margaux).

Médrano *(cirque),* cirque français appelé primitivement *Fernando,* du nom de son fondateur, FERDINAND BAERT (Courtrai 1835-Bruges 1902), dit **Fernando.** Inauguré en 1873, il ferma ses portes en 1897 mais fut racheté par le clown Médrano dit *Boum Boum* (Madrid 1849-Paris 1912), qui avait fait en partie sa renommée. Le fils de ce dernier, Jérôme Médrano, poursuivit l'œuvre de son père. En 1963, le cirque Médrano fut racheté par la famille Bouglione et prit le nom de « Cirque de Montmartre ». Il fut démoli en 1972.

MÉDUSE. — Deux classes de cœlentérés ont une forme nageuse, constituée principalement d'une cloche et de tentacules, et désignée sous le nom de « méduse ».

Les petites méduses, reproductrices des *hydrozoaires,* sont issues de formes fixées, sauf chez les trachyméduses. Les grandes méduses des *acalèphes* proviennent elles aussi d'un polype fixé, mais celui-ci correspond à un état embryonnaire et la plus grande partie de la vie se passe à l'état de méduse. Chez diverses espèces, la cloche est complétée par un battant *(manubrium)* divisé en plusieurs bras à l'extrémité, tandis que de fins tentacules peuvent garnir le rebord de la cloche. Celle-ci, appelée aussi « ombrelle », expulse de l'eau par contraction, ce qui fait avancer l'animal. Divers organes d'information et de capture des proies favorisent la vie errante des méduses à la surface des eaux.

MÉDUSE, une des trois Gorgones*. Son regard était mortel. Elle fut tuée par Persée et de son sang naquit le cheval ailé Pégase*.

MEERHOUT, comm. de Belgique, dans l'est de la province d'Anvers; 8521 hab. (en 1977).

MEERUT, v. de l'Inde (Uttar Pradesh), au N.-E. de Delhi; 271000 hab.

MÉES (Les) [04190], ch.-l. de cant. des Alpes-de-Haute-Provence, à 24 km au S.-O. de Digne, sur la Durance, au pied des *rochers des Mées;* 2128 hab.

MÉE-SUR-SEINE (Le) [77350], comm. de Seine-et-Marne, banlieue ouest de Melun; 10 058 hab.

MÉGACÉROS. — Ce grand cerf du quaternaire, retrouvé à l'état fossile dans des tourbières, était pourvu de bois géants, dont le poids et le volume ne pouvaient lui faire que du tort. C'est un exemple classique d'hypertélie (organe dont le développement évolutif finit par dépasser le degré utile).

MÉGALOPOLIS → AGGLOMÉRATION.

MÉGAPTÈRE → BALEINE.

MÉGARE, cité grecque de l'Attique. Florissante dès le VIIIe s. av. J.-C., elle fut une grande cité colonisatrice; c'est en grande partie ses démêlés avec Athènes qui déclenchèrent la guerre du Péloponnèse*. Victime de la rivalité entre Sparte et Athènes, elle retrouva au IVe s. une certaine prospérité. Ruines.

Mégare *(école de),* école philosophique fondée, vers 400 av. J.-C., par Euclide de Mégare (v. 450-v. 380 av. J.-C.). Ses principaux représentants sont Eubulide de Milet — successeur d'Euclide —, Diodore* Cronos, Philon le Mégarique et Stilpon de Mégare. Influencés par la conception de l'être de Parménide* et par la dialectique de Socrate*, les mégariques ont tenté de résoudre le problème logique de l'unité de l'être et la pluralité des prédicats* par lesquels est désigné l'être. À la suite d'Aristote*, ils ont contribué avec les stoïciens au développement de la logique* (v. ANTINOMIE).

MÉGATHÉRIUM. — Le nom désigne un édenté du pliocène, d'Amérique du Sud, aussi gros qu'un éléphant et dont les pattes portaient d'énormes griffes. On lui attribue une manière de vivre peu différente de celle des ours actuels. Il est possible également qu'il ait déraciné des arbres pour en brouter le feuillage.

MÉGÈRE, une des Érinyes*. Elle personnifie la haine et l'envie.

Mégère apprivoisée *(la),* comédie de Shakespeare (1593).

MEGÈVE (74120), anc. **Mégève,** comm. de la Haute-Savoie, à 11 km au S.-O. de Saint-Gervais-les-Bains; 5 296 hab. Église du XVIIe s. Importante station de sports d'hiver (alt. 1 113-2 040 m).

MEGHALAYA, État du nord-est de l'Inde; 22 489 km^2; 1 012 000 hab. Capit. *Shillong.*

MEGIDDO, cité cananéenne du nord de la Palestine. Sa position stratégique sur la route reliant l'Égypte à la Syrie lui conféra une grande importance dans l'histoire d'Israël et du Proche-Orient. Les fouilles ont révélé une occupation du site dès le VIe millénaire et couvrent l'histoire de la ville jusqu'au Ve s. av. J.-C.

MÉGISSERIE → LAINE.

MÉHALLET EL-KOBRA, v. d'Égypte, dans le delta du Nil; 225 000 hab.

MÉHARI → CHAMEAU.

MÉHÉMET-ALI, en ar. **Muḥammad ʿAlī** (Kavála 1769-Alexandrie 1849), wālī (vice-roi) d'Égypte de 1805 à 1848. Chef d'un contingent albanais de l'armée ottomane envoyée en Égypte contre Bonaparte, Méhémet-Ali s'empare du pouvoir et se fait reconnaître wālī d'Égypte par la Porte en 1805. Il décapite la puissance des Mamelouks (1811) et réorganise, avec le concours de techniciens européens, l'administration et l'économie égyptiennes. Ayant instauré des monopoles d'État sur les terres et le commerce, il développe l'agriculture (canaux d'irrigation, coton) et les industries de transformation. Disposant d'une armée et d'une marine modernes, il assiste les Ottomans contre les Wahhābites d'Arabie (1811-1819) et contre les Grecs (1824-1827), et conquiert pour son compte le Soudan (1820-1823). L'alliance française lui étant acquise, Méhémet-Ali songe à supplanter le sultan lui-même; son fils Ibrāhīm* pacha enlève aux Ottomans la Syrie (1831-1839). Mais les puissances européennes imposent le traité de Londres (1840), et Méhémet-Ali ne conserve que l'Égypte, à titre héréditaire, et le Soudan.

MEHMED Ier → OTTOMANS.

MEHMED II, dit **Fatih** («le Conquérant») [Edirne 1432-Tekfur Çayırı 1481], septième sultan ottoman (1444-1446 et 1451-1481). Il conquiert Constantinople (29-30 mai 1453) et décide d'en faire sa capitale. Il occupe la Serbie (1459), Lesbos (1462), la Bosnie (1463), puis l'Albanie, l'Herzégovine, et les comptoirs génois de la mer Noire, et est en guerre avec Venise (1463-1479) pour la possession de la Morée ainsi que des îles et des ports de la mer Égée. Il élimine les Comnènes de Trébizonde (1461), les Karamanides d'Anatolie (1467) et vassalise la Crimée (1475). Ses succès militaires s'accompagnent d'une remarquable activité législative (promulgation de deux recueils de lois, *kanunname*) et culturelle.

MEHMED III, IV, V, VI → OTTOMANS.

MÉHUL (Étienne), compositeur français (Givet 1763-Paris 1817). Inspecteur du Conservatoire à sa fondation, auteur de sonates pour clavier, de symphonies et d'hymnes révolutionnaires *(le Chant* du départ),* il a excellé dans les partitions lyriques (*le Jeune Henri,* 1797; *Joseph,* 1807).

MEHUN-SUR-YÈVRE (18500), ch.-l. de cant. du Cher, à 16 km au N.-O. de Bourges; 6 902 hab. Vestiges du fastueux château de Jean de Berry. Église des XIe-XIIe s. Porcelaine.

MEIJE (la), sommet des Alpes françaises, dans l'Oisans, au S. de la vallée de la Romanche; 3 983 m.

Meiji *(ère)* [«Époque éclairée»], nom donné aux années du règne de l'empereur Meiji* tennō, au cours desquelles le Japon se modernisa et devint une grande puissance mondiale.

MEIJI TENNŌ, Mutsuhito pour les Occidentaux (Kyōto 1852-Tōkyō 1912), empereur du Japon de 1867 à 1912. Succédant à son père, Kōmei tennō, il inaugure l'ère Meiji; après l'écroulement du régime shōgunal, il s'installe à Edo, devenue Tōkyō, et proclame sa volonté de réforme dans la charte de Cinq Articles (6 avr. 1868), qui met fin au régime féodal, et par la Constitution de 1889, qui instaure la monarchie constitutionnelle. Sous son règne, le Japon s'aligne sur les puissances occidentales et bat successivement la Chine (1894-95) et la Russie (1904-1905), prenant pied en Corée* et en Mandchourie.

MEILHAC (Henri), auteur dramatique français (Paris 1831-*id.* 1897). Il doit sa célébrité aux comédies (*Frou-Frou,* 1869; *Tricoche et Cacolet,* 1872) et aux opéras bouffes (*la Belle Hélène,* 1864; *la Vie parisienne,* 1866; *la Grande-Duchesse de Gérolstein,* 1867) qu'il écrivit en collaboration avec Ludovic Halévy.

MEILHAN-SUR-GARONNE (47200 Marmande), ch.-l. de cant. de Lot-et-Garonne, à 13 km à l'O. de Marmande; 1 434 hab.

MEILLET (Antoine), linguiste français (Moulins 1866-Châteaumeillant 1936). Élève de F. de Saussure, il lui succède en 1891 à l'École des hautes études. Il a travaillé dans deux directions : la grammaire comparée des langues indo-européennes (*Introduction à l'étude comparative des langues indo-européennes,* 1903) et la linguistique générale (*Linguistique historique et linguistique générale,* 1921-1936, 2 vol.). Dans ce domaine, il s'est surtout intéressé aux relations entre le langage et les faits sociaux. Son influence a été importante sur toute une génération de linguistes français (M. Cohen, G. Guillaume, É. Benveniste, A. Martinet).

Meilleur des mondes *(le),* roman d'A. Huxley (1932), un des classiques de la littérature utopique, dont la fiction n'a que peu d'avance sur les réalisations scientifiques et les contraintes étatiques du monde moderne.

MEILLON (64320 Bizanos), comm. des Pyrénées-Atlantiques, à 6 km au S.-E. de Pau; 662 hab. Gaz naturel.

Mein Kampf («Mon combat»), ouvrage publié en 1925 par Hitler et dans lequel celui-ci expose ses principes politiques.

MÉIOSE. — La méiose est le complément indispensable de la fécondation au cours du cycle reproductif des animaux et des plantes. En effet, la fusion des deux gamètes* aboutit à un œuf fécondé *(zygote)* pourvu de deux lots de *n* chromosomes, l'un fourni par le spermatozoïde, l'autre par le gamète femelle. Les cellules embryonnaires ont donc chacune 2 *n* chromosomes (phase diploïde, ou *diplophase*). Lorsqu'elles élaborent à leur tour des

MÉIOSE : Schéma simplifié de la spermatogenèse dans une espèce ayant 2 n = 4 chromosomes dans ses cellules somatiques. 1 et 2. Début de la première mitose, huit chromosomes. 3 et 4. Fin de la première mitose : deux cellules contenant chacune non pas quatre chromosomes mais deux couples chromosomiques ou dyades. 5. Début de la seconde mitose : les chromosomes de la même dyade se séparent sans se fissurer. 6. Fin de la seconde mitose : on a maintenant quatre cellules ayant chacune n = 2 chromosomes (spermatides).

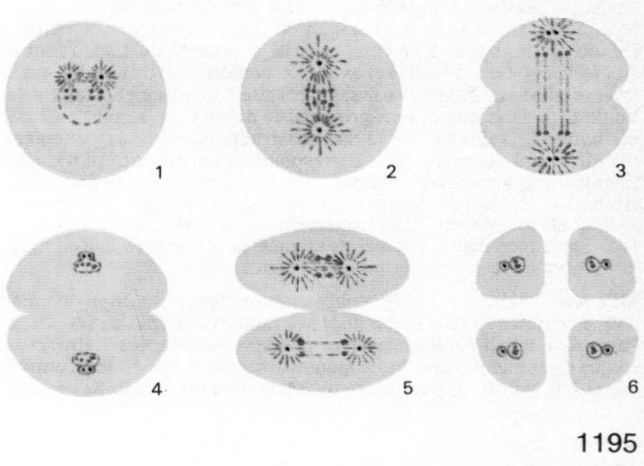

cellules reproductrices, celles-ci ne peuvent retrouver leur formule *haploïde* à *n* chromosomes que si, au cours de leur maturation, il se fait une division cellulaire sans doublement chromosomique. Telle est la fonction de la méiose.

En fait, les choses sont moins simples, et l'on dira seulement qu'au cours de deux divisions successives les chromosomes ne font que doubler leur nombre au lieu de le quadrupler, mais réalisent entre eux des échanges de gènes (phénomène du *crossing over*) qui modifient chez les descendants les associations entre caractères.

Chez le mâle animal, la méiose donne quatre gamètes immatures *(spermatides)* qui mûriront en spermatozoïdes fonctionnels *sans se diviser;* chez la femelle animale, elle ne produit qu'une seule cellule viable, géante, l'*ovotide,* et trois cellules avortées, les *globules polaires.* Chez les plantes à graines, la méiose mâle donne quatre graines de pollen ou *tétraspores :* chacune de ces spores engendre *deux* spermatozoïdes, l'un assurant la fécondation normale de l'ovotide (nommée en botanique *oosphère*), l'autre l'activation d'un noyau diploïde qui donnera l'albumen*. Du côté femelle, la subdivision de la cellule de méiose va plus loin, puisqu'en trois duplications on voit se former les huit cellules du *sac embryonnaire,* dont une seule équivaut véritablement à un ovotide.

Chez les plantes sans graines, les cellules issues de la méiose peuvent se multiplier au fil de nombreuses générations et former des organes différenciés. C'est *l'haplophase,* ou *gamétophyte.* (V. CYCLE REPRODUCTIF.)

MEIR (Golda MEYRSON, née MABOVITZ), femme politique israélienne (Kiev 1898). Elle émigre en Palestine en 1921 et milite dans le syndicat Histadrouth et le parti travailliste Mapaï. Premier ambassadeur d'Israël en U. R. S. S. (1948), ministre du Travail et des Affaires sociales (1949-1956), puis des Affaires étrangères (1956-1966), elle est élue secrétaire générale du Mapaï (1966-1968) et devient Premier ministre en 1969. Devant les critiques adressées à son gouvernement après la guerre d'octobre 1973, elle démissionne en avril 1974.

MEISSEN, v. de l'Allemagne orientale, sur l'Elbe; 44 000 hab. Cathédrale reconstruite à l'époque gothique (plaques tombales en bronze de l'atelier des Vischer; peintures). Château de la fin du XVe s. (auj. musée), où fut installée en 1710 la première manufacture européenne de porcelaine dure (célèbres figurines de Joachim Kändler [1706-1775], etc.).

MEISSONNIER (Juste Aurèle), dessinateur, ornemaniste et orfèvre français (Turin 1695 - Paris 1750). Maître orfèvre en 1724, dessinateur de la chambre et du cabinet du roi en 1726, il devient alors un des chefs de file de l'art rocaille*, que ses recueils d'ornements contribueront à diffuser.

MEITNER (Lise), physicienne autrichienne (Vienne 1878 - Cambridge 1968). Avec O. Hahn*, elle découvrit le protactinium (1918) et, avec son neveu O. R. Frisch, elle étudia la fission de l'uranium (1939).

MÉJEAN *(causse),* région aride du sud-ouest de la Lozère, entre la haute vallée du Tarn et la Jonte.

MÉKHITHAR (Pierre MANOUK, dit), théologien arménien (Sivas 1676 - Venise 1749). Moine, prêtre, il reconnaît l'autorité de Rome (1700), ce qui l'oblige à se réfugier en Morée vénitienne, près de Modon, où il fonde la congrégation des mékhitaristes (1701).

MEKNÈS, v. du Maroc, ch.-l. de prov.; 248 000 hab. Cimenterie. — Petite place forte et marché local depuis le XIe s., Meknès fut choisie pour capitale par le sultan ʿalawīte* Mūlāy Ismāʿīl (de 1672 à 1727). Délaissée ensuite, elle connut un regain d'activité à l'époque du protectorat français (1912-1956). La madrasa Bū ʿInāniyya (XIVe s.) est située au cœur de la médina. La plupart des édifices (palais, écuries, greniers, mausolées, murailles scandées de portes majestueuses) témoignent du faste architectural de la dynastie ʿalawīte. Divers palais du XIXe s. Musée des Arts décoratifs.

MÉKONG (le), grand fleuve d'Asie; 4 180 km. Il naît dans le Tibet, coule, parallèlement (vers le S.) au Yang-tseu-kiang, dans des gorges profondes, traversant le Yun-nan avant de quitter le territoire chinois. Il sépare la Birmanie, puis la Thaïlande du Laos (dont il arrose la capitale, Vientiane) avant de pénétrer au Cambodge, où il traverse Phnom Penh. Il s'assagit ensuite : une branche rejoint le Tonlé Sap, alors que le bras principal se dirige vers la mer de Chine méridionale, rejointe après la construction, dans le Viêt-nam méridional, d'un vaste delta correspondant en majeure partie à la Cochinchine historique. Fleuve au cours irrégulier, généralement rapide, au débit très variable, le Mékong a un rôle économique réduit, et les projets d'aménagement se heurtent à de difficiles problèmes techniques, financiers et aussi politiques (en liaison avec le nombre et la diversité des pays concernés).

MÉLAMPYRE. — Le mélampyre est une plante chlorophyllienne, donc capable de vivre seule, mais ses racines portent des suçoirs, à l'aide desquels il parasite diverses plantes (graminacées, hêtre, etc.) en prélevant leur sève brute pour sa nutrition minérale. Contrairement au gui, il ne peut vivre qu'enraciné dans le sol. Ses fleurs, allongées, à deux lèvres serrées, parfois accompagnées de bractées violettes *(Melampyrum nemorosum),* le font ranger parmi les scrofulariacées.

MELANCHTHON (Philipp SCHWARTZERD, dit), réformateur allemand, collaborateur de Luther* (Bretten, Bade, 1497 - Wittenberg 1560). Théologien et savant helléniste, il publie en 1521 les *Loci communes rerum theologicarum,* premier traité dogmatique de la Réforme, et rédige en 1530 la *Confession d'Augsbourg**, première charte du luthéranisme.

Melancolia, gravure au burin de Dürer (24 × 18,8 cm, 1514). Le Moyen Âge, comme l'Antiquité, répartissait les humains en quatre groupes de tempéraments, dont le *mélancolique,* commandé par la planète Saturne, qui gouverne la *géométrie.* Dürer se place au confluent des symbolismes de cet art libéral, de ce thème

Giraudon

Melancolia, burin de Dürer. 1514. (Bibliothèque nationale, Paris.)

astrologique et de ce tempérament, et peut-être pense-t-il aussi aux *vertus intellectuelles* de la scolastique (deux autres gravures de 1513-14, *le Chevalier, le Diable et la Mort* et *Saint Jérôme dans sa cellule,* se référeraient l'une aux *vertus morales,* l'autre aux *vertus théologales*). Chaque objet représenté a une signification symbolique (ex. : cloche et sablier, qui mesurent le temps; carré magique de Jupiter, qui contrecarre l'influence maléfique de Saturne) ou fonctionnelle (outils, échelle du maçon) en rapport avec la géométrie et, plus généralement, avec l'ensemble des arts dont la pratique fait appel à des opérations de mesure. Favorable, selon la tradition, à l'imagination, aux arts manuels, à l'art fondamental du dessin (le *putto,* au centre, est occupé à graver au burin), le tempérament mélancolique est aussi celui qui perçoit les limites de la réflexion logique : d'où l'abattement du personnage de droite dans le climat serein de l'œuvre (mer étale), marquée de cette éternité pour laquelle, selon la pensée de la Renaissance, travaille l'artiste.

MÉLANCOLIE → DÉPRESSION.

MÉLANÉSIE («îles des Noirs»), division de l'Océanie regroupant la majeure partie (en superficie) des terres de l'Océanie, surtout en incluant la Nouvelle-Guinée. La Mélanésie comprend encore notamment l'archipel Bismarck (avec la Nouvelle-Bretagne et la Nouvelle-Irlande), les îles Salomon (avec Bougainville et Guadalcanal), la Nouvelle-Calédonie, les Fidji et les Nouvelles-Hébrides, soit, au total, environ 550 000 km² (la superficie de la France).

MÉLANINE. — Ce pigment, dû à l'oxydation de la tyrosine, se forme au niveau de la peau, à laquelle il donne sa coloration. Il existe aussi dans les membranes de l'œil et dans certaines structures cérébrales. Il est très abondant dans la race noire. Son excès de production donne une hyperpigmentation localisée (tache café au lait) ou diffuse (mélanodermie de la maladie d'Addison, des irradiations solaires). Le défaut total de mélanine n'existe pas chez l'homme : l'albinisme est dû à une insuffisance diffuse du pigment mélanique; le vitiligo, à des absences complètes mais localisées de ce pigment au niveau de la peau.

MÉLASSE → DISTILLATION et SUCRE.

MELBOURNE, v. d'Australie, capit. de l'État de Victoria; 2 584 000 hab. Fondée en 1835, port d'arrivée des chercheurs d'or après 1850, la ville dépassait 100 000 habitants avant la fin du XIXe s. Elle a connu une croissance vertigineuse au XXe s., concentrant aujourd'hui plus de 70 p. 100 de la population du Victoria et près du cinquième de celle du pays. Le port a un trafic

Georges Méliès : *la Civilisation à travers les âges.*

notable, de l'ordre de 15 Mt, et alimente quelques branches (raffinage du pétrole et chimie) d'une industrie surtout stimulée par le marché et dominée par la métallurgie de transformation (montage automobile). Cependant, la ville demeure avant tout un centre de services : administration, commerce, finance (premier centre bancaire), culture (université). Galerie nationale du Victoria.

MELCHISÉDECH, personnage biblique, contemporain d'Abraham, prêtre-roi de Salem, ville que la tradition juive identifie à Jérusalem. On a fait du sacerdoce de Melchisédech une préfiguration du sacerdoce du Christ.

MÉLÉNA → HÉMORRAGIE.

MÊLE-SUR-SARTHE (Le) [61170], ch.-l. de cant. de l'Orne, sur la Sarthe, à 16 km à l'O. de Mortagne-au-Perche; 805 hab.

MÉLÈZE. — Cet arbre est le seul conifère indigène de France qui perde ses feuilles en hiver. Celles-ci sont des aiguilles molles, groupées en bouquets latéraux sur les rameaux. Les cônes sont petits, aux écailles peu serrées. (Nom scientifique : *Larix.*)

Melbourne. Le centre économique. À gauche, la rivière Yarra; au fond, Port Philip Bay.

MÉLIÈS (Georges), cinéaste français (Paris 1861 - *id.* 1938). Illusionniste, directeur du théâtre Robert-Houdin, il s'intéressa au cinéma dès la naissance de ce septième art. Inventeur de trucages ingénieux, constructeur des premiers studios de tournage (à Montreuil), pionnier de la mise en scène, il réalisa entre 1895 et 1913 environ 500 petits films (féeries, aventures fantasmagoriques et de science-fiction, reconstitutions historiques). *L'Affaire Dreyfus* (1899), *le Voyage dans la Lune* (1902), *le Royaume des fées* (1903), *le Voyage à travers l'impossible* (1904), *20 000 Lieues sous les mers* (1907), *À la conquête du pôle* (1912) comptent parmi les titres les plus célèbres de ce primitif inspiré.

MELILLA, v. et enclave espagnole, sur la côte méditerranéenne du Maroc; 65 000 hab. Le comptoir phénicien, puis carthaginois de *Rusaddir* fut incorporé à la Mauritanie Tingitane. Cité arabe depuis le VIIIe s., Melilla fut conquise en 1497, par les Espagnols, qui parvinrent à conserver ce préside malgré les nombreuses attaques dont il fut l'objet (1859-60; 1909; 1921 par Abd el-Krim*).

MÉLILOT. — Cette papilionacée porte en général de larges épis, de minuscules fleurs jaunes très mellifères, constamment visitées par les abeilles. Les feuilles sont trifoliées. Une seule espèce se singularise par ses fleurs bleues groupées en glomérule.

MELISEY (70270), ch.-l. de cant. de la Haute-Saône, sur l'Ognon, à 10 km au N. de Lure; 1 947 hab.

MÉLISSE et **MÉLITTE.** — Bien que ces deux plantes soient très voisines (famille des labiacées), il ne faut pas les confondre.

La *mélisse,* ou *citronnelle,* abonde au voisinage des maisons; ses feuilles, assez grandes, répandent un parfum agréable quand on les froisse; les fleurs sont visitées par les abeilles. La mélisse est une plante médicinale très appréciée, utilisée dans les liqueurs commercialisées sous le nom de divers ordres religieux : Carmes, Chartreux, Bénédictins. La *mélitte* ne ressemble à la mélisse que par ses feuilles; ses fleurs sont plus grandes, plus colorées, plus espacées et ne sont guère mellifères malgré son nom.

MÉLITOCOCCIE. — Cette maladie infectieuse, contagieuse, commune à l'homme et à diverses espèces animales, due à *Brucella melitensis* (v. aussi BRUCELLOSE), est répandue sur le pourtour de la Méditerranée chez les ovins et surtout chez les caprins. (Syn. : FIÈVRE DE MALTE, FIÈVRE MÉDITERRANÉENNE, FIÈVRE ONDULANTE.)

MELITOPOL, v. d'U. R. S. S., dans le sud de l'Ukraine; 137 000 hab.

MELK, v. d'Autriche (Basse-Autriche), sur la rive droite du Danube; 6 000 hab. Abbaye de bénédictins fondée en 1089 et reconstruite à partir de 1702 par Jakob Prandtauer (1660-1726), qui en a fait un grandiose chef-d'œuvre du baroque.

melkites ou **melchites** *(Églises),* communautés chrétiennes orientales qui ont accepté les décisions du concile de Chalcédoine (451), promulguées comme lois par l'empereur (en syriaque *malkâ*) byzantin Marcien. Ces Églises, réparties en trois patriarcats (Alexandrie, Antioche et Jérusalem), appartiennent à la communauté orthodoxe. Mais, depuis 1724, une fraction d'entre elles est entrée dans l'Église catholique romaine.

MELLE (79500), ch.-l. de cant. des Deux-Sèvres, à 28 km au S.-E. de Niort; 4 731 hab. Trois belles églises romanes du XIIe s.

MELLE, comm. de Belgique (Flandre-Orientale), sur l'Escaut, au S.-E. de Gand; 8 926 hab. (en 1970).

MELLONI (Macedonio), physicien italien (Parme 1798 - Portici 1854). Il inventa la pile thermoélectrique, qu'il utilisa pour étudier la chaleur rayonnante (1830), et montra que les rayons calorifiques peuvent, comme la lumière, être réfléchis, réfractés, polarisés et donner des interférences (1842).

MÉLODIE. — C'est de l'association étroite d'un texte poétique et d'une voix chantée soutenue par un accompagnement instrumental qu'est née, en France, la mélodie en tant que genre musical. Selon l'époque où elle voit le jour et le style qu'elle adopte, elle se rapproche d'autres genres, comme la chanson*, l'air de cour, l'ari*, la romance*, le lied*. D'un esprit intimiste, elle peut être construite (strophique) ou libre, avec le soutien d'un piano, de plusieurs instruments, voire d'un orchestre. Son éclosion se situe en France au XIXe s. et au début du XXe s. (Gounod, Chabrier, Duparc, Chausson, Fauré, Debussy, Ravel, Poulenc). La Russie connaît une semblable réussite en ce domaine (Moussorgski). [V. ÉCRITURE MUSICALE.]

MÉLODRAME. — Le mélodrame apparaît en France à la fin du XVIIIe s. Prolongeant la tradition du théâtre de la Foire*, adaptant la violence macabre du roman noir anglo-saxon, mêlant le burlesque et la sensiblerie larmoyante, soulignant de motifs musicaux les entrées des principaux personnages et les moments décisifs de l'action, il répond au goût du public de l'époque révolutionnaire, avide de spectacles à sensations. Le genre multiplie les coups de théâtre, les décors sinistres, les machinations et ne connaît que des types conventionnels : le jeune premier amoureux, l'héroïne persécutée, le traître machiavélique, le bouffon. La faveur du mélodrame se soutient, durant tout le XIXe s., dans les salles du boulevard* du Temple, surnommé le « boulevard du Crime », grâce à des acteurs comme Frédérick Lemaître et à la fécondité prodigieuse d'auteurs comme Guilbert de Pixerécourt (*Cœlina ou l'Enfant du mystère,* 1800), Benjamin Antier (*l'Auberge des Adrets,* 1823), Victor Ducange (*Trente Ans ou la Vie d'un joueur,* 1827), Anicet-Bourgeois et Paul Féval (*le Bossu,* 1862), Dennery (*les Deux Orphelines,* 1874) et Xavier de Montépin (*la Porteuse de pain,* 1889).

MELON. — Le melon est, après le potiron, le plus gros fruit produit en France en très grande quantité. Sphérique, parfois orné de côtes, il contient, sous une mince écorce verte ou blanche, une pulpe rose fondante et sucrée et, en son centre, une masse de graines plates et allongées dans un réseau de fibres molles. La plante qui le porte a de grosses tiges costulées, molles et rampantes et de larges feuilles polygonales ou arrondies. La *pastèque,* ou melon d'eau, plus allongée, a l'écorce plus verte, la chair plus rouge, plus ferme et moins sucrée que le melon. Le *potiron* est un énorme fruit jaune ou orangé en forme de tomate, dont la chair, jaune, est peu sucrée et se mange cuite (syn. *citrouille;* nom latin *Cucurbita pepo*). C'est une variété culturale de la courge; il en va de même de la courgette. Le *concombre* (genre *Cucumis*) est un fruit allongé, servi en tranches comme salade. Récolté vert et confit, il fournit le cornichon. Tous ces « cultivars » dérivent d'espèces sauvages exotiques. (Famille des cucurbitacées.)

MELOZZO da Forli, peintre italien (Forli 1438-*id.* 1494). Fresquiste, héritier de Piero della Francesca et, pour les raccourcis illusionnistes, de Mantegna, il introduisit à Rome l'art de l'encadrement perspectif *(quadraturismo)* et des figures plafonnantes. Il ne subsiste qu'une petite partie de son œuvre (dont des *Anges musiciens* volants, déposés à la Pinacothèque vaticane).

MELPOMÈNE, une des neuf Muses. À l'origine divinité du chant, elle est devenue, par la suite, la muse de la Tragédie.

MELQART, divinité phénicienne, principal dieu de Tyr*. Son nom signifie « roi de la cité »; Melqart était aussi honoré à Carthage.

MELSBROEK, anc. comm. de Belgique (Brabant), au N.-E. de Bruxelles. Aéroport de Bruxelles.

MELSENS (Louis), physicien belge (Louvain 1814-Bruxelles 1886). Il a inventé les paratonnerres à pointes, à conducteurs et à raccordements terrestres multiples.

MELUN (77000), ch.-l. du départ. de Seine-et-Marne, sur la Seine, à 45 km au S.-E. de Paris; 38 996 hab. *(Melunais).* Églises Notre-Dame (XIe, XIIe et XVIe s.) et Saint-Aspais (XVIe s. : vitraux). Melun est l'élément principal d'une agglomération d'environ 80 000 habitants, qui doit encore s'accroître considérablement avec la construction de la ville nouvelle de *Melun-Sénart,* entre Melun et la forêt de Sénart, au N.-O. Préfecture, elle est aussi une cité industrielle, dominée par les constructions mécaniques (aéronautique), à proximité de l'aérodrome d'essai de *Melun-Villaroche.*

Mélusine, personnage fabuleux, fille d'une fée, qui pouvait se métamorphoser partiellement en serpent. Les romans de chevalerie et les légendes du Poitou la représentent comme l'aïeule et la protectrice de la maison de Lusignan.

MELVILLE *(île),* île de la côte nord de l'Australie, à l'entrée de la baie de Van Diemen.

MELVILLE *(île),* île de l'archipel arctique canadien, au N. du *détroit de Melville.*

MELVILLE *(péninsule de),* presqu'île du littoral arctique canadien, au N. de la baie d'Hudson.

MELVILLE (Herman), écrivain américain (New York 1819-*id.* 1891). Ses poèmes (*Clarel,* 1876) et ses récits expriment la solitude humaine dans un univers indifférent ou hostile, et le roman d'aventures devient, avec lui, la geste de l'homme en proie à son propre orgueil, qui est à la fois sa perte et son salut (*Taïpi,* 1846; *Moby* Dick,* 1851; *Pierre ou les Ambiguïtés,* 1852; *Billy Budd,* publié en 1924). Ignoré de son vivant, Melville est aujourd'hui considéré comme un des plus grands romanciers américains.

MEMBRANE *(Cytol.* et *Histol.).* — À l'*échelon cellulaire,* il existe une membrane cytoplasmique, qui enveloppe chaque cellule et présente de multiples pertuis qui permettent les échanges avec l'extérieur, et une membrane nucléaire, qui sépare le noyau du cytoplasme. Les cellules végétales ont en outre une *paroi* cellulosique. À l'*échelon tissulaire,* les membranes sont formées de feuillets d'origine épithéliale ou conjonctive : citons les membranes de l'œil (scléroïde, choroïde, rétine) et les membranes du cerveau (méninges).

MEMBRANE *(Pathol.).* — Les membranes sont le plus souvent le résultat de processus inflammatoires : ainsi les adhérences et les brides pleurales et péritonéales. La maladie des membranes hyalines touche le nourrisson dont les voies respiratoires sont obturées par des membranes.

MEMBRANE *(Physiol.).* — Les membranes permettent de séparer des milieux différents. Il existe des membranes imperméables ou perméables seulement à l'eau et non aux sels minéraux, entre chaque côté desquelles apparaissent une pression osmotique et des potentiels électriques; enfin certaines membranes sont perméables aux sels minéraux et même à de grosses molécules.

MEMBRE. — Les pattes des animaux sont appelées *appendices* dans l'embranchement des arthropodes (insectes, etc.) et *membres* dans celui des vertébrés. Ceux-ci n'ont jamais plus de deux paires de membres. Chez les poissons, ce sont les nageoires paires : *pectorales,* implantées en arrière des ouïes, et *pelviennes,* de position fort variable. Chez les tétrapodes, ou vertébrés terrestres, ce sont les *pattes de devant,* attachées au tronc par la ceinture scapulaire (omoplate, clavicule, coracoïde), et les *pattes de derrière,* attachées au tronc par la ceinture pelvienne (ilion, ischion, pubis) et pouvant se souder au sacrum en un *bassin.* Le membre antérieur et le membre postérieur se ressemblent beaucoup dans les formes primitives. L'évolution adaptative peut les rendre très différents l'un de l'autre dans certains groupes. Le squelette typique des membres se présente comme suit :

segment		*membre antérieur*		*membre postérieur*
ceinture		omoplate clavicule coracoïde		ilion pubis ischion
stylopode	bras	humérus (coude)	jambe	fémur (rotule)
zeugopode		radius cubitus		tibia péroné
		poignet		cheville
métapode	main	carpe (7 os)	pied	tarse (7 os)
acropode		5 métacarpiens pouce à 2 phalanges 4 doigts à 3 phalanges		5 métatarsiens pouce à 2 phalanges 4 doigts à 3 phalanges

MEMBRE

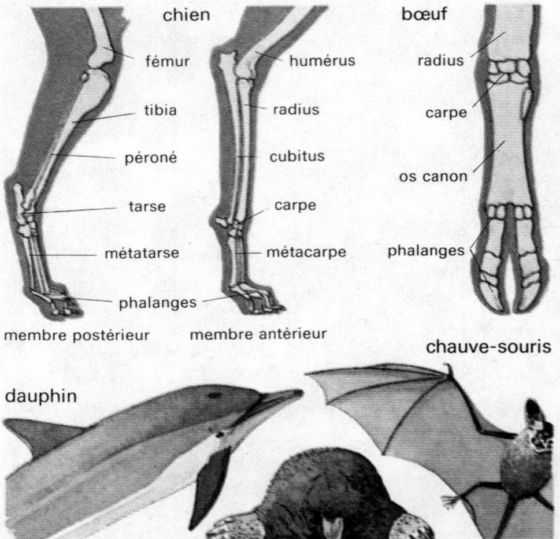

Par évolution, certains os peuvent se souder (omoplate et coracoïde chez les mammifères, ensemble du tarse et du métatarse chez les oiseaux, etc.) ou disparaître (patte à un seul doigt du cheval, patte à deux doigts de la vache, etc.). Les membres peuvent même disparaître complètement (serpents, orvet). Dans le cas général, les membres des mammifères servent alternativement à la marche* et à la station quadrupède : c'est lors des stations que l'on peut juger si l'animal est *plantigrade* (appui sur le métapode et l'acropode), *digitigrade* (appui sur les doigts) ou *onguligrade* (appui sur l'extrémité des doigts). Les membres des reptiles, des oiseaux (pattes de derrière) et des mammifères sont généralement terminés par des griffes. Deux exceptions principales : les oiseaux coureurs (autruche) et les mammifères *ongulés* (cheval, cerf, éléphant), qui ont des sabots. Le membre antérieur est transformé en aile* chez les chauves-souris et chez presque tous les oiseaux, en nageoire* chez les mammifères marins, les pingouins, les manchots, les tortues marines, en appareil de préhension chez les primates (homme, singes) et chez divers rongeurs (écureuil, marmotte). Le membre postérieur est adapté au saut chez le kangourou, à la marche bipède chez l'homme, au grimper chez les singes.

MEMEL → KLAÏPEDA.

MEMLING ou **MEMLINC** (Hans), peintre flamand (Seligenstadt, Hesse, v. 1433-Bruges 1494). Influencée par Rogier van der Weyden, son œuvre se caractérise par une sérénité qui atteint parfois au hiératisme. D'une technique parfaite, ses peintures religieuses (*le Mariage mystique de sainte Catherine,* 1479, hôpital Saint-Jean, Bruges; la *Châsse de sainte Ursule,* 1489, *ibid.,* dont les petits panneaux évoquent la miniature) et ses portraits (*Femme âgée,* v. 1470, Louvre) ont une rigueur calme qui n'exclut pas la poésie.

MEMNON, héros légendaire grec, tué par Achille* à la guerre de Troie*. Les Grecs l'identifièrent à l'une des deux statues colossales ornant l'entrée du temple d'Aménophis III à Thèbes. Cette statue, fissurée en 27 av. J.-C. par une secousse tellurique, faisait entendre au lever du soleil une vibration, «le chant de Memnon», qui cessa quand Septime* Sévère fit restaurer le colosse.

MÉMOIRE *(Inform.).* — Un ordinateur* est composé fondamentalement de trois types d'organes : une unité centrale, des mémoires et des périphériques* d'entrées-sorties. L'unité centrale trouve toujours dans des mémoires les informations* dont elle a besoin : instructions* à exécuter, données à traiter; elle y range les résultats intermédiaires de calcul. Toutes les informations sont mémorisées sous forme binaire. On distingue les *mémoires centrales,* complétées par les registres, et les *mémoires auxiliaires :* disques* et bandes* magnétiques; on peut même considérer comme des mémoires les cartes* et les rubans* perforés. La mémoire centrale est la mémoire principale de l'ordinateur. Elle est décomposée en cellules d'un octet* ou de quelques dizaines de *bits,* appelés *mots.* Ces cellules sont des emplacements où l'on peut écrire des informations, ce qui a pour effet de détruire l'information qui pouvait s'y trouver auparavant. L'information écrite peut être relue autant de fois qu'on en a besoin; si le procédé même de lecture détruit l'information, celle-ci est automatiquement régénérée. Chaque cellule possède un numéro repère qui est son adresse*. C'est en désignant, dans une instruction*, une adresse qu'on a accès à la valeur contenue dans une cellule pour la lire ou pour l'écrire. Au niveau de l'unité arithmétique et logique de l'ordinateur existent des *registres,* qui sont des cellules de mémoire à performances très rapides. Une mémoire centrale possède de 32 000 à 4 millions d'octets. Il suffit de quelques centaines de nanosecondes à l'unité de traitement pour lire ou écrire le contenu d'une cellule. Les instructions d'un programme*, de même que les données sur lesquelles il travaille, sont nécessairement dans la mémoire centrale au moment où l'unité de traitement doit exécuter une instruction. Pour simplifier l'écriture des gros programmes et pour mieux utiliser la capacité de la mémoire, certains systèmes informatiques utilisent une notion de *mémoire virtuelle* qui nécessite des dispositifs spéciaux tant matériels que logiciels; tout se passe alors comme si la mémoire réelle de l'ordinateur était beaucoup plus grande qu'elle ne l'est en réalité. Pendant vingt ans, les mémoires centrales ont été construites avec des tores de ferrite*. Chaque tore pouvait stocker la valeur d'un bit d'information, c'est-à-dire 0 ou 1 selon son sens d'aimantation. Suivant les technologies, il était traversé par deux ou quatre fils permettant son adressage et le transfert des signaux lus ou à écrire. Les tores étaient tissés sous forme de nappes superposées. Aujourd'hui, la plupart des mémoires centrales utilisent des circuits à semi-conducteurs*. Cette nouvelle technologie permet d'augmenter considérablement la taille des mémoires, tout en diminuant le prix et l'encombrement de celles-ci. Pour des raisons de performances ou pour garantir la permanence d'une information mémorisée en cas de coupure d'alimentation électrique, il existe des *mémoires mortes,* qui ne peuvent qu'être lues. Certaines sont programmables en cours de fabrication avant d'être figées; d'autres sont globalement rechargeables ou parfois même reprogrammables.

MÉMOIRE *(Psychol.).* — La mémoire comporte trois phases : mémoration ou fixation de l'information, stockage (engrammation) de l'information et enfin restitution (évocation) de l'information. Elle opère un tri dans le matériel qui doit être fixé; les souvenirs engrammés sont ceux qui répondent à une intentionnalité du sujet. Dans la théorie freudienne, l'oubli, processus inséparable de la mémoire, serait le résultat du refoulement*.

La mémoire fait intervenir des structures cérébrales précises, reliées entre elles (circuit de Papez) et situées à la face interne des hémisphères cérébraux, sur la ligne médiane : hippocampe, fornix, trigone, noyau antérieur du thalamus, cortex cingulaire. La destruction bilatérale du circuit de Papez, telle qu'elle est réalisée dans le syndrome de Korsakoff, entraîne une amnésie avec oubli à mesure (amnésie antérograde); en revanche, les acquisitions anciennes sont bien conservées. Chez les malades atteints de cette affection, des fausses reconnaissances (paramnésie) substituent un souvenir inventé au souvenir réel.

À la suite des travaux de H. Hydén et de ceux de G. Ungar, l'attention s'est portée sur l'intervention de processus biochimiques dans la mémoire. Des expériences ont montré le lien entre certains changements chimiques se produisant dans le cerveau (augmentation du métabolisme de l'A. R. N. et des protéines) et la mémorisation. On a été amené à distinguer, de ce point de vue, une mémoire à court terme (short term memory ou S. T. M.), non influencée par les enzymes inhibitrices de la synthèse des protéines, et une mémoire à long terme (L. T. M.), inhibée par ces mêmes enzymes. Parallèlement, certains chercheurs pensent que le sommeil* paradoxal joue un rôle fondamental dans la consolidation amnésique.

Outre les amnésies antérogrades, consécutives à une lésion du circuit de Papez, il existe des amnésies d'évocation (rétrogrades), que l'on rencontre dans la confusion* mentale et les crises d'épilepsie*. Les amnésies mixtes sont les plus fréquentes; elles sont au premier plan dans les démences* séniles. La mémoire peut être déficitaire sans qu'existe aucune atteinte organique de ses bases neurophysiologiques; ce sont les amnésies psychogènes qui sont des amnésies électives (oubli d'un nom ou de toute une période de la vie). Freud les a analysées comme des actes* manqués. Dans l'*ecmnésie,* les souvenirs sont vécus avec la même intensité émotionnelle qu'une expérience vécue actuelle. Ce phénomène se produit essentiellement sous l'influence d'hallucinogènes*.

MÉMOIRES. — Face au temps cyclique et balisé par les mythes des sociétés primitives, la notion de *Mémoires* implique l'idée d'un passé hiérarchisé et la perspective d'une expérience progressive. Le genre apparaît dès l'Antiquité sous son triple aspect de témoignage historique, de document biographique et d'apologie : ainsi l'*Anabase* de Xénophon, les *Commentaires* de César, les *Confessions* de saint Augustin. Mais la grande coupure, qui sépare radicalement les *Chroniques* de Joinville, les *Mémoires* de Commynes ou de Mme de La Fayette des Mémoires modernes, est celle qui fait passer du souci de situer le moi dans l'histoire au désir de retracer les histoires du moi; lisible en creux dans les *Mémoires* du cardinal de Retz et de Saint-Simon, l'entreprise devient explicite avec Rousseau *(Confessions, Rêveries du promeneur solitaire)* et Chateaubriand, qui inaugure le grand jeu de l'écriture moderne : la combinaison de temps différents. Désormais, le but secret ou avoué de l'auteur de Mémoires est non plus de réactualiser un passé dans la multiplicité de ses composantes historiques, mais de dresser son effigie immémoriale, au-delà du temps et de la mémoire individuels.

Mémoires, du cardinal de Retz (publiés en 1717-18). La Fronde vue par un de ses principaux acteurs et l'un des premiers chefs-d'œuvre de la prose classique.

Mémoires, de Saint-Simon (écrits de 1699 à 1752 et publiés en 1830). Une peinture du règne de Louis XIV et de ses suites, à travers une vision tragique de la vie, des désillusions d'une carrière politique avortée et la vigueur baroque d'un style à images et à ellipses.

Mémoires d'outre-tombe, de Chateaubriand. L'auteur en conçut le projet dès 1803 et en commença la rédaction en 1809. Jusqu'à la fin de sa vie, il ne cessa de remanier le manuscrit. En 1836, il le vendit à une société, à condition qu'il ne parût pas de son vivant. La publication en fut d'abord faite, sous forme de feuilletons, dans *la Presse* (1848-1850). Superposant perpétuellement les êtres, les paysages et les souvenirs, Chateaubriand a moins écrit le récit de sa vie que composé le grand poème lyrique de la fin d'un monde, qui, à travers la célébration de la mer, de l'amour et des ruines, est une variation sur le thème de la mort.

Mémoires écrits dans un souterrain, nouvelle de Dostoïevski (1864). Le jeu de l'humiliation et de l'offense et les ambiguïtés de la vie intérieure forment l'envers et la réplique du roman de Tchernychevski *Que faire?* (1863), nouvelle bible de la jeunesse révolutionnaire.

Mémorables, ouvrage de Xénophon, consacré à ses souvenirs sur Socrate.

MEMPHIS, ville de l'ancienne Égypte. Fondée au IVe millénaire, elle fut capitale durant l'Ancien* Empire et joua, jusqu'à la fondation d'Alexandrie en 331 av. J.-C., un rôle politique et économique important. Les Arabes la détruisirent et la remplacèrent par Le Caire*.

MEMPHIS, v. des États-Unis, principale ville du Tennessee, sur le Mississippi; 770 000 hab. Marché du bois et du coton.

MENA (Juan DE), poète espagnol (Cordoue 1411-Torrelaguna 1456), auteur d'une allégorie *(le Labyrinthe)* inspirée de Lucain et de Dante.

MENADO → MANADO.

MÉNAGE (Gilles), écrivain français (Angers 1613 - Paris 1692). Auteur de poèmes *(Poemata)* et d'ouvrages de philologie (*Observations sur la langue française,* 1672), il fut l'objet des attaques de Boileau et de Molière.

MÉNAM (le) ou **CHAO PHRAYA,** principal fleuve de Thaïlande, qui rejoint le golfe de Siam en aval de Bangkok; 1200 km. C'est la principale voie de transport du pays.

MÉNANDRE, poète comique grec (Athènes v. 342 av. J.-C. - *id.* v. 292). Il passe pour avoir composé cent huit pièces dans le style de la « comédie nouvelle » : il excellait à nouer une intrigue autour du thème de l'amour contrarié et présentait, en un style qui gardait la vivacité de la langue parlée, un tableau pittoresque de la vie familière grecque. Son œuvre ne fut, en réalité, connue que par les imitations qu'en firent Plaute et Térence jusqu'à la découverte, au début du XXe s., de papyrus égyptiens contenant des fragments de ses pièces *(le Flatteur, la Samienne).*

MENAT (63560), ch.-l. de cant. du Puy-de-Dôme, à 28 km à l'O. de Gannat; 814 hab. Église romane, anc. abbatiale (chapiteaux).

MENCHEVIKS. — Au IIe Congrès du P. O. S. D. R. (parti ouvrier social-démocrate russe) de Bruxelles et de Londres (1903), les mencheviks (minoritaires) s'opposent aux bolcheviks* sur la conception du parti. Ils dominent la conférence panrusse des soviets ouvriers et des soldats d'avril 1917, mais sont éliminés par les bolcheviks en octobre. À la suite du Xe Congrès (1921), certains rallient celui-ci, alors que d'autres rejoignent l'émigration.

MENCHIKOV (Aleksandr Danilovitch, *prince*), homme politique russe (Vladimir 1672 - Berezovo, Sibérie, 1729). Gouverneur de Saint-Pétersbourg à partir de 1703, il dirige la construction de cette ville et participe aux victoires de Pierre Ier* le Grand à Kalisz et à Poltava. Il est le favori et le conseiller de Catherine Ire*.

MENCHIKOV (Aleksandr Sergueïevitch), amiral russe (Saint-Pétersbourg 1787 - *id.* 1869). Il commanda en Crimée, où il fut battu par les Franco-Anglais (1854).

MENCIUS → MONG-TSEU.

MENDE (48000), ch.-l. du départ. de la Lozère, sur le Lot, à 571 km au S. de Paris; 11377 hab. *(Mendois).* Cathédrale des XIVe-XVIe s., très restaurée après les guerres de Religion. Pont du XIVe s. Musée.

MENDEL (Johann, en religion **Gregor**), religieux et botaniste morave (Heinzendorf, Autriche, 1822 - Brünn 1884). Novice chez les Augustins de Brünn en 1843, prêtre en 1847, professeur de physique et de sciences naturelles de 1849 à 1863, Mendel est célèbre par ses expériences sur l'hérédité des caractères chez le pois, poursuivies de 1856 à 1864. Croisant des pieds différents par *un seul* caractère (graine lisse ou ridée, fleurs blanches ou colorées, etc.), il va suivre au fil des générations et en fonction des nouveaux croisements effectués les lois de la réapparition de ce caractère, donc de sa *transmission.* Ayant obtenu des résultats décisifs, il entreprend des croisements entre plantes différant par *deux* caractères. L'ensemble de ses conclusions, publiées en 1865 dans une revue à faible tirage, passe inaperçu. C'est seulement après sa mort, en 1900, que sont redécouvertes par divers auteurs (De Vries, Correns, Tschermak, Bateson, Cuénot) les lois fondamentales de la génétique*, désormais appelées *lois de Mendel.*

MENDELEÏEV (Dmitri Ivanovitch), chimiste russe (Tobolsk 1834 - Saint-Pétersbourg 1907). Il est l'auteur de la classification périodique des éléments chimiques (1869); il laissa, dans ce tableau, des cases vides, devant correspondre à des corps inconnus dont il pouvait prévoir les propriétés, hypothèse qui se confirma.

MENDELSOHN (Erich), architecte allemand (Allenstein 1887 - San Francisco 1953). Son dynamisme expressionniste (observatoire Einstein de Potsdam, 1920) assimile la leçon fonctionnaliste dans des bâtiments comme les grands magasins Schocken (Stuttgart, 1927; Chemnitz, 1928) ou la Colombus-Haus (Berlin, 1931). Fuyant l'Allemagne nazie, il travaille en Angleterre, en Palestine (Centre médical à Jérusalem, 1937), puis aux États-Unis (hôpital Maïmonide à San Francisco, 1946; série de synagogues).

MENDELSSOHN (Moses), écrivain juif d'expression allemande (Dessau 1729 - Berlin 1786). Confrontant la philosophie de son temps à la pensée juive, il ouvrit à celle-ci la voie de la modernisation et de l'émancipation.

MENDELSSOHN-BARTHOLDY (Felix), compositeur, pianiste et chef d'orchestre allemand (Hambourg 1809 - Leipzig 1847). Il effectua de nombreux voyages en Angleterre, en Italie, en Suisse, en France et dirigea le Gewandhaus de Leipzig, ville où il fonda un conservatoire. Ami de Goethe, de Schumann, admirateur de Mozart et de Beethoven, il contribua à la résurrection de l'œuvre de J.-S. Bach. Mélodiste et virtuose dans son œuvre pour piano *(Lieder sans paroles, Variations sérieuses),* il use d'une palette orchestrale incomparable dans ses symphonies (l'« Italienne », la « Réformation »), ses concertos, ses ouvertures (*les Hébrides,* 1830-1832) et ses musiques de scène (*le Songe d'une nuit d'été,* 1826).

MENDERES (le), anc. **Méandre,** fl. de la Turquie d'Asie, qui décrit de nombreuses sinuosités *(méandres)* avant de rejoindre la mer Égée; 450 km.

MENDERES (Adnan), homme politique turc (Aydın 1899 - Yassiada 1961). Cofondateur du parti démocrate turc (1946), qui remporte les élections de 1950, Menderes est Premier ministre de 1950 à 1960. Il développe la politique de coopération avec les États-Unis et favorise la libre entreprise et les investissements étrangers. Renversé en 1960 par l'armée, il est condamné à mort par une Haute Cour de justice et pendu.

MENDÈS FRANCE (Pierre), homme politique français (Paris 1907). Avocat, député radical-socialiste à partir de 1932, il rejoint la Grande-Bretagne comme combattant volontaire dans l'aviation et participe à la Résistance. Président du Conseil en 1954-55, il met fin à la guerre d'Indochine et accorde l'autonomie interne à la Tunisie. Vice-président du parti radical-socialiste (1955-1957) et l'un des fondateurs du Front républicain, rassemblant la gauche non communiste, il devient après 1958 une des principales figures de l'opposition au régime présidentiel de la Ve République.

MENDES PINTO (Fernão), voyageur portugais (Montemor-o-Velho v. 1510 - Almada 1583). Il a fait le récit de ses voyages et de son long séjour dans les Indes orientales, *Peregrinação* (1614).

MENDIANTS (ordres). — Ce sont les ordres auxquels leur règle impose la pauvreté absolue ou, du moins, l'interdiction de posséder des bénéfices ecclésiastiques. Les quatre plus anciens — Carmes*, Frères mineurs ou Franciscains*, Frères prêcheurs ou Dominicains* et Augustins* — sont aussi les plus importants.

MENDOZA, v. d'Argentine, au pied des Andes; 119000 hab. Centre d'une région viticole.

MENDRAS (Henri), sociologue français (Boulogne-Billancourt 1927). Ses recherches portent essentiellement sur la sociologie du milieu rural français (*la Fin des paysans,* 1967).

MÉNÉ *(monts* ou *landes du),* ligne de hauteurs de Bretagne (Côtes-du-Nord), au S.-E. de Saint-Brieuc; 341 m.

Ménechmes *(les),* comédie de Plaute, imitée de Ménandre et qui a servi de modèle à Shakespeare, à Rotrou, à Regnard, à Tristan Bernard. Elle est fondée sur les quiproquos provoqués par la ressemblance entre deux frères jumeaux.

MÉNÉLAOS ou **MÉNÉLAÜS d'Alexandrie,** astronome et mathématicien grec de la fin du Ier s. apr. J.-C. Son nom est resté attaché à un théorème de géométrie plane ou sphérique relatif à un triangle coupé par une droite ou un grand cercle, théorème qui a joué un rôle capital en trigonométrie ancienne.

MÉNÉLAS → ATRIDES.

MÉNÉLIK II (1844 - Addis-Abeba 1913), négus d'Éthiopie (1889-1909). Fils du ras du Choa, il fonde Addis-Abeba (1887). Négus en 1889, il signe avec l'Italie, pour lutter contre les ras, le traité d'Ucciali, que Crispi considère comme un protectorat (1889). Dénonçant cet accord (1893), il écrase les troupes italiennes à Adoua (1896). L'Italie ayant reconnu son indépendance, il accroît ses territoires et modernise l'empire, concédant à la France la construction de la voie ferrée Djibouti-Addis-Abeba. Malade, il se retire en 1909 au profit de son petit-fils Yassou.

MENEN → MENIN.

MENÉNDEZ PIDAL (Ramón), critique littéraire et linguiste espagnol (La Corogne 1869 - Madrid 1968), auteur de travaux sur la langue et la littérature espagnoles.

MÉNÈS, d'après les Grecs, roi légendaire de l'Égypte ancienne, auquel sont attribuées la fondation de Memphis et l'unification de l'Égypte.

MENEZ HOM (le), hauteur de la Bretagne occidentale (Finistère), dominant la baie de Douarnenez; 330 m.

MENGELBERG (Willem), chef d'orchestre hollandais (Utrecht 1871 - Zuort, Suisse, 1951). Il fut à la tête de l'orchestre du Concertgebouw d'Amsterdam de 1895 à 1945.

MENGER (Carl), économiste autrichien (Neu Sandec [Nowy Sącz], Galicie, 1840 - Vienne 1921), un des principaux représentants de l'école psychologique autrichienne. Il découvre le calcul à la marge au même moment que le Français Walras* et que l'Anglais Jevons*. On lui doit *Principes d'économie politique* (1871).

MENGS (Anton Raphael), peintre allemand (Aussig [auj. Ústi nad Labem] 1728 - Rome 1779). Il se forma à Rome, fut l'ami de Winckelmann, travailla à Dresde, à Madrid, mais surtout en Italie. Son effort de retour au classicisme le conduisit à la sécheresse dans le plafond de la villa Albani (Rome, 1761).

MÉNIGOUTE (79340), ch.-l. de cant. des Deux-Sèvres, à 17 km au N.-E. de Saint-Maixent; 913 hab. Église et chapelle médiévales.

MÉNILMONTANT, quartier de l'est de Paris (XXe arr.).

MENIN, en néerl. **Menen,** v. de Belgique (Flandre-Occidentale), sur la Lys, au S.-O. de Courtrai; 34 302 hab. (en 1977).

Meninas *(las)* ou *les Filles d'honneur,* titre donné au XIXe s. à un tableau de Velázquez (3,18 × 2,76 m, v. 1656, Prado) représentant, parmi divers familiers de la Cour espagnole, l'infante Marguerite avec deux demoiselles d'honneur et l'artiste lui-même en train de peindre le couple royal — situé à notre place de spectateurs et dont l'image se reflète dans le miroir du fond. La fascination particulière

Giraudon

Las Meninas, de Velázquez. 1656.
(Musée du Prado, Madrid.)

de l'œuvre vient de la complexité des rapports spatiaux et du jeu des regards occasionné par ce schéma original, de son caractère d'instantané captant une réalité fugitive.

MÉNINGES. — Ces enveloppes fibreuses du système nerveux central sont formées de trois feuillets superposés qui entourent complètement le cerveau et la moelle épinière : 1° la *dure-mère* s'applique directement contre la face interne du crâne et du canal rachidien; elle est épaisse et résistante; 2° l'*arachnoïde* est placée au-dessous de la dure-mère; très fine, elle envoie de fines travées conjonctives jusqu'à la pie-mère, dont elle est séparée par l'espace sous-arachnoïdien, rempli de liquide céphalo-rachidien; 3° la *pie-mère* est une membrane conjonctive très fine, mais résistante; elle tapisse la surface de tout le système nerveux central en pénétrant dans les scissures et les sillons; elle est solidaire de nombreux vaisseaux qui nourrissent le cerveau.

L'irritation des méninges est responsable du *syndrome méningé,* marqué par des céphalées, des vomissements, une raideur de la nuque. C'est l'indication de la ponction lombaire. Elle peut être due à une *hémorragie méningée,* qui est la conséquence d'une rupture vasculaire dans les espaces sous-arachnoïdiens. Elle peut être secondaire à un traumatisme crânien, à des malformations vasculaires cérébrales, à une hypertension artérielle et surtout aux *méningites,* qui associent un syndrome infectieux fébrile. Les *méningites purulentes* sont liées à la présence de microbes pathogènes (surtout méningocoques et pneumocoques). Un traitement par les antibiotiques donne dans beaucoup de cas une guérison sans séquelles. Les *méningites tuberculeuses,* méningites à liquide clair, évoluent sur un mode moins aigu, mais sont graves; traitées tôt, elles peuvent, cependant, guérir sans séquelles. Les *méningites virales* (oreillons, poliomyélite, etc.) se manifestent par un syndrome méningé bénin, et le liquide céphalo-rachidien renferme des lymphocytes; ces méningites guérissent spontanément.

Les *méningiomes* sont des tumeurs bénignes révélées par des troubles compressifs. Leur ablation assure la guérison.

MÉNIPPE, poète et philosophe grec (Gadara IVe-IIIe s. av. J.-C.), dont les satires, aujourd'hui perdues, forment la première expression de la philosophie cynique.

MÉNISQUE. — Les ménisques, lames fibro-cartilagineuses interposées entre des surfaces articulaires, permettent de rétablir la concordance lorsque celles-ci ne s'adaptent pas exactement. Ainsi, le ménisque de l'articulation temporo-maxillaire est un disque biconcave entre deux surfaces articulaires convexes; les ménisques du genou sont interposés entre les condyles du fémur, qui sont convexes, et les cavités glénoïdes du plateau tibial, qui sont presque planes. Les lésions traumatiques des ménisques sont fréquentes, surtout chez le sujet jeune qui pratique des sports (football, ski) ou dans certaines professions (carreleurs).

MENNECY (91540), ch.-l. de cant. de l'Essonne, à 7 km au S.-O. de Corbeil-Essonnes; 7 648 hab. Église de la fin du XIIe s. Centre de production de porcelaines tendres au XVIIIe s.

MENNETOU-SUR-CHER (41320), ch.-l. de cant. de Loir-et-Cher, à 16 km au N.-O. de Vierzon; 984 hab. Bourg médiéval fortifié (église des XIIIe-XVe s.).

MÉNOPAUSE. — La ménopause survient le plus souvent entre 45 et 55 ans. C'est un phénomène provoqué par l'involution de l'ovaire, qui ne sécrète plus d'hormones : ni progestérone ni folliculine. Les manifestations en sont très diverses : elles peuvent être liées à l'insuffisance ovarienne (arrêt brusque ou progressif des règles, bouffées de chaleur, atrophie vulvaire et vaginale plus ou moins marquée, atrophie des seins); elles sont parfois seulement concomitantes (ainsi les troubles caractériels [tendance dépressive, irritabilité]). Certaines affections peuvent s'exagérer à la ménopause : ainsi l'obésité.

MENOU (Jacques) → ÉGYPTE *(campagne d').*

MENS (38710), ch.-l. de cant. de l'Isère, à 19 km au S. de La Mure; 1 227 hab.

MENSE. — Le mot désignait les différentes parts du patrimoine des monastères ou des évêchés dont les revenus étaient affectés à l'entretien de ses membres. À partir du IXe s., époque où se multiplièrent les abbés laïques ou bénéficiaires à la tête de monastères, on distingua la *mense abbatiale,* part de l'abbé, de la *mense conventuelle,* part des moines. Vers la même époque, les évêques partagèrent avec les chapitres les biens de leur église en *menses épiscopales* et *capitulaires.*

MENSTRUATION. — La menstruation (les « règles ») est due à la desquamation de la muqueuse utérine sous l'influence des diverses hormones sexuelles sécrétées au cours du cycle. Les premières règles caractérisent la puberté, et l'arrêt définitif marque la ménopause; les règles s'interrompent pendant la grossesse. Le rythme menstruel est très divers d'une femme à l'autre : en moyenne 28 jours. Des irrégularités de cycles sont fréquentes au moment de l'adolescence et au voisinage de la ménopause. L'intensité et la durée des règles sont variables. Des phénomènes douloureux sont possibles (dysménorrhée); ils ont des causes diverses (obstacles mécaniques, dérèglements hormonaux, troubles psychiques).

MENSUALISATION. — Le ministère du Travail français retient pour critères de la mensualisation la régularité des ressources : un travailleur est mensualisé quand son salaire lui est versé sur une base mensuelle. (Au regard d'autres critères, il faut, de plus, qu'il soit indemnisé en cas d'absence pour maladie.) C'est dans le secteur des grandes entreprises que la mensualisation est la plus fréquente.

MENSURATION. — En *médecine légale,* la mensuration des squelettes aide à l'identification des corps. En *médecine,* elle permet de surveiller la croissance et le bon état physiologique : ainsi, suivant les cas, sont mesurés la taille, le périmètre crânien, le périmètre thoracique, le périmètre abdominal. Les mensurations du bassin sont essentielles pour prévoir si l'accouchement pourra se faire par les voies naturelles : elles seront, éventuellement, complétées par la mesure du bassin osseux sur les radiographies.

MENTALE (maladie) → FOLIE.

MENTANA, v. d'Italie (Latium), au N.-E. de Rome; 10 000 hab. — Garibaldi y fut battu en 1867 par les troupes françaises et pontificales.

Menteur *(le),* comédie de P. Corneille, en cinq actes et en vers (1643).

MENTHE. — Labiacée aromatique, la menthe est utilisée en confiserie, en tisanerie et en boissons, voire en pharmacie (menthol). C'est une plante des lieux humides ou même franchement aquatique, aux petites fleurs mauves presque régulières, groupées soit au sommet des tiges, soit à l'aisselle des feuilles, qui sont ovales, légèrement charnues et parfumées.

MENTHOL. — La variété lévogyre du menthol, de formule $C_{10}H_{20}O$, est le principal constituant de l'essence de menthe poivrée; c'est un solide cristallisé de saveur brûlante, qui fond à 44 °C. Légèrement antiseptique et anesthésique, le menthol décongestionne les muqueuses; d'où ses emplois en oto-rhino-laryngologie et en dermatologie.

MENTHON-SAINT-BERNARD (74290 Veyrier du Lac), comm. de la Haute-Saône, à 9 km au S. d'Annecy, sur le lac d'Annecy; 818 hab. Château des XIIIe et XVIe s. Centre touristique.

MENTON (06500), ch.-l. de cant. des Alpes-Maritimes, à 29 km au N.-E. de Nice, près de la frontière italienne; 25 314 hab. *(Mentonnais).* Église et chapelle baroques de la place Saint-Michel. Musée (préhistoire, peinture du XXe s.). Important centre touristique sur la Méditerranée.

MENTOR, ami d'Ulysse, qui, partant pour Troie*, lui confia les intérêts de sa maison. Il est le symbole du sage conseiller.

MENTOUHOTEP Ier → MOYEN EMPIRE.

MENUET → SUITE DE DANSES.

MENUHIN (Yehudi), violoniste et chef d'orchestre américain (New York 1916). Enfant prodige, il s'est affirmé comme un des plus grands violonistes de son temps.

MENUIRES (Les), station de sports d'hiver (alt. 1 800-3 300 m) de la Savoie, à 27 km au S. de Moûtiers.

MENUISERIE. — Les *menuiseries extérieures* sont fabriquées à partir de bois dont l'humidité moyenne est de 15 p. 100 et doivent toujours être recouvertes d'une finition (vernis* ou peinture*). Les châssis de fenêtre en chêne, en épicéa ou en bois tropicaux (sipo, niangon, lauan, etc.) sont obtenus industriellement, et la tendance actuelle est d'exécuter en usine la fenêtre complète, avec vitres, ferrures et couches de finition. Des portes extérieures, des volets roulants sont également réalisés en bois massif. Les murs-rideaux, les panneaux de façade comportent des bois divers associés à des matériaux dérivés du bois (contre-plaqués*, panneaux* de fibres ou de particules). Les *menuiseries intérieures* sont faites avec des bois dont l'humidité moyenne est de 10 p. 100 et souvent recouvertes d'une finition. Les portes intérieures sont, dans la majorité des cas, des portes planes de dimensions normalisées et fabriquées en série; elles comportent un cadre en bois recouvert d'un contre-plaqué ou d'un panneau de fibres. Les parquets en chêne, en châtaignier, en pin maritime ou en bois tropicaux sont soit « traditionnels » (lames de 25 mm d'épaisseur posées sur lambourdes), soit « mosaïques » (petites lamelles de 8 mm d'épaisseur collées directement sur béton). Certains parquets sont constitués par des plaques de bois assemblées ou des panneaux de fibres ou de particules. Les escaliers sont en bois massif : chêne, orme, limbo, teck, etc. Sont également en bois certains éléments intérieurs, tels que huisseries de porte, plinthes en résineux, revêtements et décoration (lambris, pour lesquels on utilise surtout le pin maritime, placages précieux sur les murs, etc.). La *menuiserie métallique,* créée en partant de la serrurerie, relève plutôt de l'industrie mécanique.

MÉNURE. — L'« oiseau-lyre » doit son nom à ses plumes caudales, qu'il peut dresser à la façon d'un paon et qui forment alors l'image d'une lyre et de ses cordes. Bien que rangés parmi les passereaux, les ménures ont l'aspect, les mœurs et l'habitat des faisans, mais ne se trouvent qu'en Australie. Ils ont les mêmes talents d'imitation vocale que les mainates. Leur faible fécondité les met en danger de disparition.

MENZEL-BOURGUIBA, anc. **Ferryville,** v. de la Tunisie septentrionale, sur le lac de Bizerte; 34 000 hab. Sidérurgie. Pneumatiques.

MÉO → ASIE.

MEOU-TAN-KIANG ou **MUDANJIANG,** v. de la Chine du Nord-Est (Heilong-kiang); 151 000 hab.

Méphistophélès, incarnation du diable, popularisée par le *Faust* de Goethe.

MER *(Dr.).* — Les principes traditionnels du droit de la mer sont celui de la libre navigation, celui de la liberté de pêche, celui du libre survol de la mer et celui de la liberté de pose d'engins. En ce sens, la haute mer est considérée comme appartenant à tous. Les limitations ne s'appliquent qu'aux eaux territoriales, sur lesquelles l'État riverain exerce sa souveraineté et dont l'étendue est fixée traditionnellement à la portée d'un boulet de canon, soit 5,5 km environ ou 3 milles marins.

Les problèmes posés par la mer ont fait l'objet d'un profond bouleversement depuis quelques décennies avec la révélation des espaces marins comme fournisseurs de ressources alimentaires et d'énergie et ont fait apparaître de nouvelles tendances, qui se sont exprimées au cours des conférences internationales consacrées à la mer. La première tendance est celle de l'appropriation pure et simple de la mer : elle se traduit par l'extension des eaux territoriales à 6 milles, voire à 12 milles, et par l'exploitation des ressources vivantes ou minérales jusqu'à 200 milles (notion de zone économique); la deuxième est l'internationalisation de l'exploitation des grands fonds; la troisième est celle de la régionalisation, thèse en faveur dans les États ne possédant pas de littoral maritime et n'ayant donc pas d'accès naturel à la mer.

MER *(Géogr.)* → OCÉAN.

MER (41500), ch.-l. de cant. de Loir-et-Cher, à 18 km au N.-E. de Blois; 5 186 hab. Église en partie du XIe s. Literie.

MERANO, v. d'Italie (Trentin), sur l'Adige; 31 000 hab. Cathédrale des XIVe-XVe s. Château du XVe s. Musée. Centre touristique.

MÉRANTE (Louis), danseur et chorégraphe français (Paris 1828-Courbevoie 1887). On lui doit les premières versions des célèbres ballets *Sylvia ou la Nymphe de Diane* (mus. L. Delibes; 1876) et *les Deux Pigeons* (mus. A. Messager; 1886).

MÉRAY (Charles), mathématicien français (Chalon-sur-Saône 1835-Dijon 1911). Il fut le premier à fonder rigoureusement l'ensemble des nombres réels.

MERCANTILISME. — Cette doctrine économique, élaborée au XVIe et au XVIIe s., à la suite des découvertes, en Amérique, des mines d'or et d'argent, tend à considérer que, pour un État, la richesse consiste à posséder des métaux précieux et indique les moyens (compagnies de commerce, protectionnisme, interventionnisme de l'État) de se les procurer et de les faire fructifier. En France, le colbertisme (v. COLBERT) fut une forme de mercantilisme.

MERCANTOUR (le) ou **ARGENTERA,** massif cristallin du sud des Alpes à la frontière franco-italienne; 3 045 m.

MERCAPTAN. — Les mercaptans sont des liquides incolores, doués d'une odeur infecte. Ils agissent sur les bases pour donner des dérivés métalliques, les mercaptides. Le mercaptan éthylique, C_2H_5SH, bout à 36 °C et sert à préparer le sulfonal.

MERCATOR (Gerhard KREMER, dit **Gerard**), mathématicien et géographe flamand (Rupelmonde 1512-Duisburg 1594). Il construisit plusieurs cartes en utilisant un système de représentation plane de la Terre, dont la surface de projection est celle d'un cylindre tangent à l'équateur sphérique.

MERCATOR (Nicolaus KAUFMANN, dit), mathématicien allemand (Wismar 1620-Paris 1687). Il fut l'un des premiers à utiliser les séries entières (quadrature de l'hyperbole) et découvrit le développement de Log $(1 + x)$ suivant les puissances croissantes de x.

Mercenaires *(guerre des)* [241-237 av. J.-C.]. — Après la première guerre punique, Carthage, incapable de régler la solde de ses mercenaires, dut soutenir contre eux une guerre. La participation des Libyens à la révolte des mercenaires donna à la lutte l'aspect d'un conflit social. Carthage opposa aux insurgés Hannon*, puis Hamilcar* Barca et l'emporta. Cette « guerre inexpiable » a inspiré à G. Flaubert son roman *Salammbô*.*

MERCHTEM, comm. de Belgique (Brabant), au N.-O. de Bruxelles; 12 616 hab. (en 1977).

Merci *(ordre de la),* ordre religieux, fondé en 1218 par saint Pierre Nolasque et saint Raimond de Peñafort, et consacré au rachat des prisonniers chrétiens faits par les infidèles.

MERCIE (« Pays des gens du marais »), royaume angle, fondé au VIIe s. par Penda (632-654) à la suite de l'union de divers petits royaumes des Angles centraux. Prépondérant au VIIIe s., il s'affaiblit rapidement (IXe s.) au profit du Wessex et sombra sous les coups des Danois.

MERCIER (Louis Sébastien), écrivain français (Paris 1740-*id.* 1814). Ayant d'abord composé des romans, dont un récit d'anticipation (*An 2440 ou Rêve s'il en fut jamais,* 1770), il se consacra ensuite au théâtre, reprenant les idées de Diderot dans son *Traité du théâtre ou Nouvel Essai sur l'art dramatique* (1773) et les illustrant par ses drames (*la Brouette du vinaigrier,* 1775) et ses tragédies historiques. Son *Tableau de Paris* (1781-1790), en douze volumes, est une source précieuse de renseignements sur la société française à la fin de l'Ancien Régime.

MERCIER (Honoré), homme politique canadien (Iberville 1840-Québec 1894). Premier ministre du Québec de 1887 à 1891.

MERCIER (Désiré Joseph), prélat belge (Braine-l'Alleud 1851-Bruxelles 1926). Professeur de philosophie à l'université de Louvain, il contribue au renouveau du thomisme*. Archevêque de Malines (1906), cardinal (1907), il manifeste devant l'occupant allemand (1914-1918) une attitude courageuse qui lui vaut prestige et popularité. Par les « conversations de Malines* » (1921-1923) avec l'anglican lord Halifax, il ouvre la voie à l'œcuménisme*.

MERCKX (Eddy), coureur cycliste belge (Meensel-Kiezegem, Brabant, 1945). Athlète complet, excellent rouleur, grimpeur et sprinter, il a dominé le cyclisme mondial autour de 1970, remportant notamment cinq Tours de France (de 1969 à 1972 inclus et en 1974), autant de Tours d'Italie, trois championnats du monde des professionnels (1967, 1971 et 1974), presque toutes les grandes classiques internationales (souvent plusieurs fois), comme Milan-San Remo, Paris-Roubaix, le Tour de Lombardie, le Tour des Flandres, Liège-Bastogne-Liège, etc. Il a enfin porté le record du monde de l'heure à 49,431 km (à Mexico en 1972). Son palmarès est, de loin, le plus brillant de l'histoire du cyclisme.

MERCŒUR (19430), ch.-l. de cant. de la Corrèze, à 11 km au S. d'Argentat; 368 hab.

MERCŒUR (Philippe DE VAUDÉMONT, *duc* DE), gentilhomme français (Nomeny 1558 - Nuremberg 1602). Beau-frère d'Henri III, gouverneur de Bretagne et l'un des chefs de la Ligue*, il se soumet à Henri IV en 1598. Par la suite, il sert l'empereur contre les Turcs.

MERCURE. — Le mercure est l'élément chimique nº 80, de masse atomique Hg = 200,61. Connu des Anciens, il passait chez les alchimistes pour l'élément fondamental de tous les métaux. Seul métal liquide à la température ordinaire, il est blanc et brillant, se solidifie à − 39 ºC et bout à 357 ºC. Sa densité, très élevée, est de 13,6. Le mercure dissout de nombreux métaux, notamment l'or et l'argent, pour donner des amalgames. Il s'altère lentement à l'air froid et donne à 350 ºC de l'oxyde rouge HgO. Il est attaqué par le chlore et par l'acide nitrique. Il est employé dans les thermomètres, les baromètres et les lampes à vapeur de mercure. Il est univalent dans les composés *mercureux*, comme l'oxyde Hg_2O, noir, et le calomel HgCl. Il est bivalent dans les composés *mercuriques*, comme l'oxyde HgO, rouge ou jaune, le sublimé corrosif $HgCl_2$, le vermillon HgS, le fulminate $Hg(CNO)_2$, employé comme explosif d'amorçage. Il fournit aussi des composés organométalliques.

En médecine, le mercure peut être employé sous forme de sels minéraux : ainsi le chlorure mercurique (sublimé), l'oxyde jaune de mercure, utilisés comme antiseptiques ou sous forme de sels organiques antiseptiques (merthiolate de sodium), antisyphilitiques (cyanure de mercure), antiparasitaires (dérivés organomercuriels employés en agriculture). La toxicité des sels de mercure est importante. L'intoxication aiguë se manifeste par des douleurs abdominales, des vomissements, de la diarrhée, puis apparaît une anurie. L'intoxication chronique (hydrargyrisme) est responsable de divers troubles (cutanés, rénaux, neurologiques et hépatiques). Le traitement emploie le dimercaptol (B. A. L.), le tétracétate de calcium disodique.

MERCURE, dieu romain du Commerce et des Voyageurs, identifié à l'époque classique à l'Hermès* grec.

MERCURE, planète du système solaire. — Mercure est à la fois la planète* la plus petite et la plus proche du Soleil*. Dans le ciel de Mercure, le Soleil est donc un astre énorme, dispensant une énergie* dix fois supérieure à celle qui est reçue par la Terre*. En raison de cette proximité, Mercure est une planète difficilement observable, toujours noyée dans les lueurs de l'aube ou du crépuscule. Elle présente une surface jaunâtre parsemée de taches grises, dont le caractère permanent prouve l'absence d'atmosphère* dense. Son premier survol en 1974 par une sonde* spatiale a permis de constater que ce petit astre, sur lequel les températures oscillent entre + 420 ºC le jour et − 180 ºC la nuit, est une véritable réplique de la Lune* et possède un champ* magnétique relativement important. Enfin, après avoir longtemps admis que la planète présentait toujours la même face au Soleil et tournait par conséquent sur elle-même dans le temps d'une révolution, on a découvert, en 1965, que sa rotation s'effectue en 59 jours, ce qui correspond exactement aux deux tiers d'une révolution.

Mercure de France *(le),* journal hebdomadaire, fondé en 1672 par Donneau de Visé sous le titre de *Mercure galant.* Il donnait des nouvelles de la Cour, publiait des poèmes et des contes. Il prit le nom de *Nouveau Mercure* (1717), puis de *Mercure de France* (1724) et, acheté par Panckoucke, fut partagé en deux sections, l'une littéraire, l'autre politique, qui parurent jusqu'en 1825.

Mercure de France, revue littéraire, fondée en 1889 par Alfred Vallette et un groupe d'écrivains favorables au symbolisme. Marquée à son début par l'influence de Remy de Gourmont, elle s'ouvrit aux tendances les plus diverses jusqu'à sa disparition en 1965. En même temps qu'elle, Vallette créa, sous le même nom, une maison d'édition qui publia les œuvres des symbolistes et d'auteurs étrangers encore ignorés (Gorki, Lafcadio Hearn, Strindberg), et qui subsiste encore aujourd'hui.

MERCURESCÉINE → ANTISEPSIE.

MERCUREY (71640 Givry), comm. de Saône-et-Loire, à 11 km au N.-O. de Chalon-sur-Saône; 1 414 hab. Vins

MERCURIALE. — Cette euphorbiacée très commune mérite l'attention par son caractère toxique pour le bétail — qui, cependant, la broute —, par sa dioïcité (pieds mâles et pieds femelles distincts, sauf dans une sous-espèce, la « mercuriale ambiguë »), par sa multiplication végétative souterraine, qui en fait une herbe vivace, sauf dans une espèce.

MERDRIGNAC (22230), ch.-l. de cant. des Côtes-du-Nord, à 26 km à l'E. de Loudéac; 3 009 hab.

Mère *(la),* roman de Gorki (1907-1908). Une vieille femme du peuple prend peu à peu conscience de l'idéal révolutionnaire auquel son fils s'est dévoué.

MÉRÉ (Antoine GOMBAUD, *chevalier* DE), écrivain français (en Poitou v. 1607 - château de Baussay, Poitou, 1685). Dans ses essais, il définit les règles de conduite de l'« honnête homme ».

Mère Courage et ses enfants, pièce de Brecht (écrite en 1938 et créée en 1943), inspirée de Grimmelshausen. Le drame d'une cantinière qui s'obstine à vivre de la guerre qui la ruine et lui ravira ses trois enfants.

MEREDITH (George), écrivain anglais (Portsmouth 1828 - Box Hill, Surrey, 1909). Poète (*l'Amour moderne,* 1862), critique (*la Comédie et les usages de l'esprit comique,* 1877), il unit dans ses romans le souci de l'analyse psychologique à la recherche d'un style élaboré qui refuse tout lieu commun (*l'Épreuve de Richard Feverel,* 1859; *l'Égoïste,* 1879).

MEREJKOVSKI (Dimitri Sergueïevitch), écrivain russe (Saint-Pétersbourg 1865 - Paris 1941). Il publia le manifeste du symbolisme russe (*Des causes de la décadence et des tendances nouvelles de la littérature russe contemporaine,* 1893) et analysa dans ses essais et ses romans historiques les influences réciproques des problèmes politiques et religieux (*Julien l'Apostat,* 1894; *le 14 Décembre,* 1918).

MERELBEKE, comm. de Belgique (Flandre-Orientale), au S. de Gand; 19 457 hab. (en 1977).

MÉRÉVILLE (91660), ch.-l. de cant. de l'Essonne, à 17 km au S. d'Étampes; 2 367 hab. Château agrandi à la fin du XVIIIe s. (auj. à l'abandon), avec parc paysager dessiné par Hubert Robert.

MERGENTHALER (Ottmar), inventeur allemand (Hachtel, Wurtemberg, 1854 - Baltimore 1899). Il conçut le principe de la Linotype (1884) capable de « lever » les caractères typographiques à l'aide d'un clavier semblable à celui d'une machine à écrire.

MERI (Veijo), écrivain finlandais d'expression finnoise (Viipuri 1928). Il dépeint l'absurdité de la vie dans les campagnes solitaires ou dans les villes inhumaines comme un combat dérisoire, dont la guerre réelle n'est que la manifestation pathologique (*Une histoire de corde,* 1957; *le Fils du sergent,* 1971).

MÉRIBEL-LES-ALLUES (73550), station de sports d'hiver (alt. 1 450-2 700 m) de Savoie (comm. des Allues), à 18 km au S. de Moûtiers.

MÉRICOURT (62680), comm. du Pas-de-Calais, à 7 km au S.-E. de Lens; 13 807 hab.

MÉRIDA, v. d'Espagne (Estrémadure), sur le Guadiana; 38 000 hab. Exceptionnel ensemble de vestiges romains (théâtre pour 6 000 spectateurs, etc.). Restes de fortifications wisigothes et musulmanes. Riche musée archéologique.

MÉRIDA, v. du Mexique, capit. de l'État du Yucatán; 212 000 hab.

MÉRIDA, v. du Venezuela, capit. de l'*État de Mérida,* dans la *cordillère de Mérida* (5 002 m; extrémité nord-est des Andes); 74 000 hab.

MÉRIGNAC (33700), ch.-l. de cant. de la Gironde, à 6 km à l'O. de Bordeaux; 52 234 hab. Aéroport de Bordeaux.

MÉRIMÉE (Prosper), écrivain français (Paris 1803 - Cannes 1870). Attiré d'abord par la peinture, il fréquente très jeune les salons et les cénacles littéraires. Séduit par le pittoresque romantique, mais considérant avec ironie la vie et son expression littéraire, il publie un recueil de pièces qu'il prétend avoir traduites de l'espagnol (*Théâtre de Clara Gazul,* 1825) et donne un roman historique (*Chronique du règne de Charles IX,* 1829). Mais il découvre dans la nouvelle la véritable dimension de son art (*Mateo Falcone,* 1829; *Tamango,* 1829; *le Vase étrusque,* 1830) et réunit ses meilleurs récits dans *Mosaïque* (1833). Inspecteur général des monuments historiques (1833), il entreprend pendant sept ans une prospection méthodique des provinces françaises et encourage les efforts de restauration de Viollet-le-Duc, sans cesser, cependant, d'écrire (*la Vénus d'Ille,* 1837; *Colomba*,* 1840; *Carmen*,* 1845). Sous l'Empire, Mérimée, qui est depuis vingt ans lié d'amitié avec la famille de l'impératrice, devient sénateur et un des familiers de la Cour. Il donne alors des traductions des principaux écrivains russes (Pouchkine, Gogol, Tourgueniev) et publie encore quelques nouvelles (*la Chambre bleue, Lokis, Djoumâne,* 1873). Romantique par le goût de la couleur et de la violence, il appartient à l'art classique par la mesure et la concision de son style.

MÉRINOS → OVINS.

MÉRISTÈME. — On désigne sous ce nom les groupes de jeunes cellules végétales encore aptes à se multiplier et qui occupent le sommet des tiges, la zone subterminale des racines, les bourgeons, etc. Leur activité assure la croissance et la différenciation des plantes.

Mérite *(ordre national du),* ordre français, créé en 1963 pour récompenser les mérites distingués acquis dans une fonction publique ou privée. Comprenant la même hiérarchie que la Légion d'honneur, il a remplacé la plupart des anciens ordres particuliers du Mérite ainsi que les ordres dits « de la France d'outre-mer ». Seuls les ordres du *Mérite agricole* (créé en 1883) et du *Mérite maritime* (créé en 1930) ont été maintenus. Il existe de nombreux ordres du Mérite à l'étranger. On citera notamment l'ancien ordre prussien *Pour le Mérite,* créé en 1740, et l'actuel ordre du *Mérite de la République fédérale allemande,* créé en 1951.

MERKSEM, comm. de Belgique, dans la banlieue nord d'Anvers; 41 458 hab. (en 1977).

MERLAN. — On range au voisinage de la morue ce poisson de mer assez commun, pourvu de trois dorsales et de deux anales. Le genre comprend des espèces à mandibule en retrait (merlan commun, *poutassou* de la Méditerranée) et des espèces à mandibule dépassante *(lieux).*

Un genre voisin, mais qui s'en distingue par ses nageoires (seulement deux dorsales et une anale), est le *merlu,* ou *merlus* ou *merluche,* poisson qui atteint 1,30 m et se débite aisément en tranches sous le nom de *colin.* (Famille des gadidés.)

MERLE. — Le seul oiseau de nos régions qui soit entièrement noir avec un bec jaune est le merle. Migrateur, insectivore, excellent chanteur et siffleur, constructeur de nids très résistants, ce passereau est le chef de file de la famille des turdidés. Le merle blanc est, comme tous les albinos, une rareté.

MERLEAU-PONTY (Maurice), philosophe français (Rochefort 1908-Paris 1961). Dans *la Structure du comportement* (1942), *la Phénoménologie de la perception* (1945) et *Sens et non-sens* (1948), il cherche à mettre à jour la démarche psychologique qui fonde la pratique scientifique. La « foi perceptive » constitue, selon lui, l'origine de tout travail scientifique. Collaborateur de Sartre pour la revue *les Temps modernes* de 1945 à 1953, il se sépare de lui à propos de l'engagement politique (*les Aventures de la dialectique,* 1955).

MERLEBACH → FREYMING-MERLEBACH.

MERLERAULT (Le) [61240], ch.-l. de cant. de l'Orne, à 27 km à l'E. d'Argentan; 1 098 hab.

MERLIMONT (62155), comm. du Pas-de-Calais, à 10 km à l'O. de Montreuil; 1 624 hab. Station balnéaire.

Merlin, dit l'ENCHANTEUR, magicien des légendes celtiques et du cycle d'Arthur.

MERLIN (Philippe Antoine, *comte*), dit **Merlin de Douai,** homme politique français (Arleux 1754-Paris 1838). Avocat, député aux États généraux (1789) et à la Convention (1792), il s'impose comme le meilleur spécialiste du droit féodal. Membre des Anciens et ministre de la Justice (1795), il devient directeur en 1797. Il doit se retirer après le coup d'État du 30 prairial an VII (juin 1799). Sous le Consulat et l'Empire, il remplit de hautes charges judiciaires. Régicide, il devra s'exiler de 1815 à 1830.

MERLU, MERLUCHE → MERLAN.

MERMNADES → LYDIE.

MERMOZ (Jean), aviateur français (Aubenton 1901-dans l'Atlantique Sud 1936). Pionnier, avec Guillaumet, de la ligne aérienne Rio de Janeiro-Santiago du Chili, il réussit en 1930 la première liaison aérienne France-Amérique du Sud. Il disparut en mer à bord de l'hydravion *Croix-du-Sud,* au large de Dakar.

MÉROÉ, ville du Soudan, sur le Nil, au sud de Khartoum*. Elle devint la capitale du royaume de Koush vers le VIe s. av. J.-C. (?). Ce royaume, d'abord rattaché à l'Égypte, s'est développé de façon indépendante à partir de 663 av. J.-C. (chute de Thèbes) et a laissé des vestiges d'une brillante civilisation dite *méroïtique.* Constructions (palais, temple, et nécropole à pyramides, qui succéda à celle de Napata*), sculptures et objets (céramique, bijoux...) témoignent des influences égyptienne et hellénistique, mais aussi des caractères originaux propres à cette civilisation africaine, qui, au cours du IIIe s. av. J.-C., vit se développer l'écriture méroïtique, encore indéchiffrée. Méroé disparut sous la poussée du royaume d'Aksoum* vers 350 apr. J.-C.

MÉROSTOMES → LIMULE.

MÉROU. — Deux gros poissons de mer de la famille des serranidés, le *cernier* du golfe de Gascogne et le *serran géant* de la Méditerranée, sont appelés « mérous ». Ce sont des animaux aux vives couleurs bigarrées, à très grosse tête, porteurs d'une redoutable denture de carnivores, aptes aux démarrages les plus brusques et qui vivent volontiers dans les grottes immergées des côtes rocheuses.

MÉROVINGIENS, dynastie qui régna d'abord sur les Francs Saliens (Ve s.), puis, après les conquêtes de Clovis (481-511), sur la Gaule, jusqu'à son éviction par les Carolingiens (751). En dépit de l'existence présumée de Mérovée et de la tardive mention de l'hypothétique Pharamond, lointain ascendant de Clovis, les Mérovingiens n'apparurent dans l'histoire qu'avec Chlodion († v. 460), qui fut roi de Cambrai, et Childéric Ier, qui fut roi de Tournai et dont il n'est pas sûr qu'il ait été le fils de Chlodion. Mais c'est le fils de Childéric Ier, Clovis Ier* (de 481/482 à 511), qui apparaît comme le véritable fondateur de la dynastie, tant par son action d'unification du peuple franc que par la conquête de la majeure partie de la Gaule. À sa mort, ses quatre fils, Thierry Ier (de 511 à 534), Clodomir (de 511 à 524), Childebert Ier (de 511 à 558) et Clotaire Ier (de 511 à 561), se partagent ses conquêtes et poursuivent l'expansion par l'annexion du royaume burgonde (534) et par l'acquisition de la Provence (537) sur les Ostrogoths. La mort naturelle ou les assassinats provoqués par les querelles intestines aboutissent à la réunion de l'ensemble du *Regnum Francorum* entre les mains de Clotaire Ier (558), à la mort duquel (561) un nouveau partage a lieu entre ses quatre fils : Charibert devient roi de Paris (de 561 à 567), Gontran roi de Bourgogne (de 561 à 592), Sigebert Ier roi d'Austrasie (de 561 à 575), enfin Chilpéric Ier roi de Soissons (de 561 à 584). Mais la rivalité entre Chilpéric Ier, mari de Frédégonde, et Sigebert Ier, époux de Brunehaut, déclenche un conflit sanglant, marqué d'abord par les assassinats successifs de Sigebert (575) et de Chilpéric (584), puis, après la mort prématurée de Childebert II (595), fils de Sigebert, et la disparition des enfants

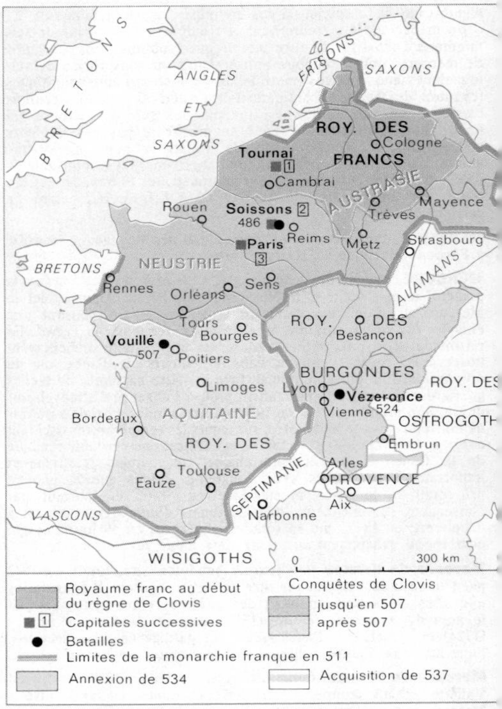

LA CONQUÊTE DE LA GAULE PAR CLOVIS ET SES FILS

de Childebert, Thierry II (roi de Bourgogne de 595 à 613) et Théodebert II (roi d'Austrasie de 596 à 612), par l'exécution de Brunehaut et de ses arrière-petits-fils, Sigebert et Corbus, à l'instigation du fils de Chilpéric Ier, Clotaire II, roi de Soissons (594), qui devient seul roi (de 613 à 628). La longue querelle dynastique a considérablement appauvri la royauté et profité aux grands du royaume, et si le règne de Dagobert Ier* donne l'apparence d'une restauration de l'unité franque et d'une royauté forte, celui de ses fils Sigebert II, roi d'Austrasie (de 638 à 656), et Clovis II, roi de Bourgogne et de Neustrie (de 638 à 656), marque le retour à la division et le passage du pouvoir aux mains des grands et de leurs chefs, les maires des palais de Neustrie, de Bourgogne et d'Austrasie. À la faveur du gouvernement du maire du palais Ébroïn, qui prend la tutelle des fils de Clovis II, Clotaire III (de 657 à 673) et Thierry III (de 673 à 691), la Neustrie affirme sa prépondérance, un instant contestée par Childéric II (662-675), successeur de Sigebert III en Austrasie, qui écarte Ébroïn, enferme

Thierry III dans un monastère et tente de régner sur l'ensemble du *Regnum Francorum* (673-675). L'assassinat (675) de Childéric II marque le retour en force d'Ébroïn et de Thierry III, ainsi que l'éphémère royauté de Dagobert II (676-679) en Austrasie, où, à partir de 679, s'affirme la puissance du maire Pépin de Herstal. La victoire de Pépin à Tertry (687) permet à l'Austrasie de substituer définitivement sa prépondérance à celle de la Neustrie. Dès lors, sous des rois fantoches (Clovis III [ou IV] (de 691 env. à 695), Childebert III [de 695 env. à 711], Dagobert III [de 711 à 715], Chilpéric II [de 715 à 721], Clotaire IV [718 et 719], Thierry IV [de 721 à 737]), que l'on désigne communément sous le nom de « rois fainéants », Pépin et ses descendants contrôlent en fait l'ensemble du *Regnum Francorum* et tissent le vaste réseau de fidélités qui permettra à Pépin le Bref d'enfermer le dernier Mérovingien, Childéric III (de 743 à 751), dans un monastère et de prendre le titre royal (751).

MERRIMACK (le), fl. du nord-est des États-Unis (New Hampshire et Massachusetts), tributaire de l'Atlantique; 270 km.

MERSCH, v. du Luxembourg, sur l'Alzette, ch.-l. du cant. du même nom; 3 500 hab.

MERSEBURG, v. de l'Allemagne orientale, sur la Saale, à l'O. de Leipzig; 55 000 hab. Cathédrale des XIIIe et XVIe s. (crypte du XIe s.; beau mobilier). Château des XVe-XVIIe s. Industrie chimique.

MERS EL-KÉBIR, v. d'Algérie, près d'Oran; 14 000 hab. Base navale, créée par la France en 1935. — Le 3 juillet 1940, une escadre française à l'ancre ayant refusé l'ultimatum anglais d'avoir à continuer la lutte contre l'Allemagne ou à se laisser désarmer fut bombardée par la Royal Navy, ce qui provoqua la mort de 1 300 marins. Modernisée après 1945 et concédée pour quinze ans à la France par les accords d'Évian en 1962, la base fut, cependant, évacuée par les Français dès 1968.

MERSENNE (*abbé* Marin), savant français (près d'Oizé, Maine, 1588 - Paris 1648). En correspondance avec Descartes et les principaux savants, il fut au centre de l'activité scientifique de son temps. Il découvrit les lois des tuyaux sonores et des cordes vibrantes, détermina les rapports des fréquences des notes de la gamme et mesura la vitesse du son (1636). Son *Harmonie universelle* (1627-1636) apparaît comme la somme de toutes les connaissances musicales de cette époque.

MERSEY (la), fl. de l'Angleterre, qui rejoint la mer d'Irlande par un long estuaire, sur la rive nord duquel se situe Liverpool*, dont l'agglomération correspond approximativement au *comté de Merseyside* (1 603 000 hab.).

MERSIN, port du sud de la Turquie, sur la Méditerranée; 114 000 hab. Raffinerie de pétrole.

MERS-LES-BAINS (80350), comm. de la Somme, à l'embouchure de la Bresle, en face du Tréport; 4 628 hab. Station balnéaire. Verrerie.

MERTERT, port du Luxembourg, sur la Moselle canalisée (peu en amont de son confluent avec la Sarre).

MERTHYR TYFDIL, v. de Grande-Bretagne, dans le pays de Galles, au N.-O. de Cardiff; 55 000 hab. Houille. Métallurgie.

MERTON (Robert King), sociologue américain (Philadelphie 1910). Ses théories s'inscrivent dans la tradition du fonctionnalisme* de Malinowski*, tout en y apportant des assouplissements. Ainsi, Merton tente de déceler la fonction de la société dans le cadre de structures plus petites, sous-systèmes de l'ensemble social, et d'étudier non seulement les fonctions apparentes, mais aussi les fonctions latentes, qui paraissent à première vue dysfonctionnelles (*Éléments de théorie et de méthode sociologiques,* 1966).

MÉRU (60110), ch.-l. de cant. de l'Oise, à 24 km au N. de Pontoise; 8 651 hab. Église des XIIIe et XVIe s. Métallurgie. Matières plastiques.

MÉRULE. — Le mérule est « le » champignon, celui dont on redoute l'invasion dans les charpentes de bois des vieux immeubles. Voisin du polypore, il s'étend à la faveur de l'humidité et du confinement. On le combat par des applications de chaux vive.

MERV → MARY.

MERVEILLEUX. — Expression du surnaturel, le merveilleux paraît être une des premières formes de l'imagination littéraire. Correspondant à la fois à un besoin de symbolisation et à un désir d'évasion, il caractérise les œuvres les plus anciennes de tous les peuples : les épopées indiennes, les poèmes homériques, les chansons de geste. Mais il reste une source permanente d'inspiration lorsque l'imagination des poètes rejoint les croyances populaires : ainsi avec Virgile, Dante, le Tasse, Milton. Si Boileau et les classiques ont jugé la mythologie chrétienne trop peu riche en fictions poétiques, Chateaubriand retrouve en elle les conditions littéraires d'un merveilleux authentique, que les romantiques ont prolongé avec l'évocation légendaire du passé (*la Légende des siècles,* de Hugo) et les poèmes mythiques et philosophiques de Lamartine *(la Chute d'un ange)* et de Vigny *(Éloa).*

MERVILLE (59660), ch.-l. de cant. du Nord, sur la Lys, à 13 km au S.-E. d'Hazebrouck; 8 661 hab.

MÉRYON (Charles), graveur français (Paris 1821 - Charenton 1868). D'abord officier de marine, il se voua à l'eau-forte à partir de 1849. Incompris de son vivant, réduit à la misère, il est aujourd'hui célèbre pour ses vues de Paris (1850-1854), qui manifestent un talent précis et vigoureux, mais enclin au fantastique.

MÉRY-SUR-OISE (95540), comm. du Val-d'Oise, à 7 km à l'E. de Pontoise; 4 708 hab. Église (XVe-XVIe s.) et château (XVIe-XVIIIe s.).

MÉRY-SUR-SEINE (10170), ch.-l. de cant. de l'Aube, à 17 km à l'E. de Romilly-sur-Seine; 1 204 hab.

MESABI RANGE, lignes de hauteurs des États-Unis (Minnesota), dominant le lac Supérieur, dans la région de Duluth. Minerai de fer.

MÉSANGE. — Oiseaux jaunes, aux formes ramassées, au bec court et large, chanteurs infatigables au printemps, les mésanges sont utiles par l'énorme quantité d'insectes qu'elles détruisent. Leur nid est une bourse accrochée aux branches. Les espèces les plus communes sont la « bleue » et la « charbonnière », reconnaissables à la couleur de leur collier. Les autres espèces sont la noire, la nonnette, la huppée, la mésange à longue queue, la rémiz des roseaux de Camargue. (Type de la famille des paridés.)

MESCALINE → HALLUCINOGÈNES.

MÉSENTÈRE → INTESTIN.

MESETA (la), nom donné au socle hercynien occupant le centre de l'Espagne et correspondant approximativement à la Castille. On emploie (moins fréquemment) aussi ce terme pour désigner la partie granitique et schisteuse du Maroc à l'O. du Moyen Atlas.

MÉSIE, en lat. **Moesia,** anc. région des Balkans, correspondant partiellement à la Bulgarie et à l'antique Thrace. Habitée essentiellement par des tribus d'origine thrace, la région, d'abord soumise aux Odryses de Thrace, fut conquise par les Romains au cours du Ier s. av. J.-C. La province de Mésie, créée vers 15 apr. J.-C., fut subdivisée en deux provinces par Domitien (86) : la Mésie supérieure (capit. *Serdica*) et la Mésie inférieure (capit. *Marcianopolis*). Très exposée aux raids barbares, la Mésie fut ravagée surtout par les Goths après l'abandon de la Dacie* par Aurélien. Les Slaves s'y établirent au VIe s.

MESLAY-DU-MAINE (53170), ch.-l. de cant. de la Mayenne, à 20,5 km au S.-E. de Laval; 2 104 hab.

MESLIER (Jean), dit **le curé Meslier** (Mazerny, près de Rethel, 1664 - Étrépigny, Champagne, 1729). Son œuvre posthume, *Mon testament,* est une critique virulente des institutions politiques et sociales qui appartient à la philosophie des lumières*.

MESMER (Franz Anton), médecin allemand (Iznang, Souabe, 1734 - Meersburg 1815). Il prétendit avoir trouvé dans les propriétés de l'aimant un remède à toutes les maladies. Installé à Paris, il mit au point son « baquet », dont le pouvoir thérapeutique était attribué à l'électricité statique.

MESNIL-LE-ROI (Le) [78600 Maisons Laffitte], comm. des Yvelines, à 15 km au N.-O. de Paris; 5 682 hab.

MESNIL-SAINT-DENIS (Le) [78320], comm. des Yvelines, à 5 km au S. de Trappes; 5 385 hab.

MÉSOBLASTE → EMBRYON.

MÉSOLITHIQUE. — Le terme définit aujourd'hui une phase culturelle postglaciaire (et non plus une division chronologique) durant laquelle des populations — fréquemment rencontrées au Proche-Orient à la suite des prédateurs paléolithiques, comme à Chānīdār (auj. en Iraq), vers 10500 av. J.-C. — sont en voie de sédentarisation et commencent à produire leur nourriture. Il désignait précédemment toute la période située entre le paléolithique* et le néolithique*, sans distinction des ethnies conservant cette attitude de prédateurs, actuellement rattachées à l'« épipaléolithique », qui persiste plus longtemps en Europe.

MÉSOMÉRIE. — Cette théorie affirme que, chaque fois qu'il est possible d'assigner à une substance deux ou plusieurs formules ne différant pas par la place des atomes, mais seulement par la distribution des électrons de liaison, ladite substance ne peut exister sous aucune des constitutions représentées par ces formules, mais sous une forme unique, pour laquelle la distribution électronique est intermédiaire entre celles que représentent les formules. D'autre part, la stabilité de la substance réelle est supérieure à celles qui correspondent à ces structures limites. Cette théorie explique que les six liaisons de l'hexagone benzénique soient équivalentes.

MÉSOMORPHE (état). — Les états mésomorphes, désignés d'abord sous le nom de « cristaux liquides », possèdent la fluidité des liquides, mais sont anisotropes et peuvent présenter la biréfringence des cristaux. La raison en est dans le parallélisme des molécules, qui se répartissent plus ou moins en couches. On distingue l'état *smectique,* le plus voisin du solide, l'état *nématique,* dans lequel le désordre moléculaire est plus grand, et l'état *cholestérique,* à structure hélicoïdale. Certains cristaux, chauffés progressivement, passent d'abord par la phase smectique, puis par la phase nématique ou cholestérique avant de donner un liquide isotrope.

MÉSON. — Les mésons sont des particules fondamentales dont la masse est intermédiaire entre celle de l'électron *m* et celle du proton 1 852 *m.* Les *mésons* π, ou *pions,* — de masse 273 *m,* ayant une charge positive ou négative égale à celle de l'électron, ou neutres, dont la durée de vie est très brève — sont les éléments de liaison des neutrons et des protons du noyau de l'atome, prévus par Yukawa en 1935 et découverts en 1948. Les *mésons* μ, ou *muons,* — de masse 207 *m,* électrisés, dont la durée de vie, cent fois plus grande que celle des pions, est de deux milliardièmes de seconde — ont été découverts en 1937 dans le rayonnement cosmique, dont ils forment la majeure partie. Les *mésons K,* ou *kaons,* — de masse 965 *m,* électrisés ou neutres, très fugitifs — sont créés dans des interactions nucléaires de très grande énergie.

MÉSOPOTAMIE, région de l'Asie entre le Tigre et l'Euphrate. Berceau de la civilisation suméro-akkadienne, elle a légué à l'Occident un héritage considérable. Vers 3450, la civilisation sumérienne (v. SUMÉRIENS) apparaît sous la forme de cités-États, les principautés rivales d'Our*, de Lagash*, de Kish et d'Ourouk*, qui, vers 2350, verront leur empire contesté par les Sémites* installés au pays d'Akkad*. Peu à peu, la domination de la Mésopotamie passera aux mains des Sémites, mais la civilisation sumérienne s'imposera aux nouveaux maîtres. À partir du XVIe s., la Mésopotamie ne compte plus que deux grands États, l'Assyrie* et Babylone, qui se disputeront la prédominance. Mais, en 612 (chute de Ninive), la puissance assyrienne se disloque sous la poussée de l'Empire néobabylonien, et, en 539, l'Achéménide Cyrus II* met fin à la souveraineté de Babylone. À cette date commence la décadence de la civilisation mésopotamienne. Le pays des Deux-Fleuves, perse avec les Achéménides*, puis grec avec Alexandre* le Grand et les Séleucides*, subira la domination des Parthes*, des Romains, des Byzantins*, des Sassanides* avant de devenir arabe en 637 de notre ère (v. IRAQ).

MESSAGE. — Tout processus de communication requiert la transmission d'un message entre un émetteur et un récepteur qui détiennent en commun, partiellement au moins, le code nécessaire à sa transcription; le code est le système de symboles et de règles grâce auquel le message peut être produit et interprété. Mais un message n'est pas forcément une information. Il n'y a information que dans la mesure où le message présente pour son destinataire potentiel une nouveauté certaine. Le message intéresse le sociologue à un double titre. D'abord parce qu'il s'inscrit dans un certain contexte social, dont il constitue un reflet plus ou moins déformant. Ensuite en raison de son contenu, qui se prête à des analyses plus ou moins fines, à base ou non de statistiques. Selon Mc Luhan*, ce qui importe, c'est moins le contenu des messages qui circulent dans nos sociétés que la technologie variée qui en permet la diffusion massive. En ce sens, les media exerceraient un véritable message sur nos modes habituels de penser et de sentir.

MESSAGER (André), compositeur et chef d'orchestre français (Montluçon 1853-Paris 1929). Ancien élève de l'école Niedermeyer, chef d'orchestre de la Société des concerts, il a excellé, par ses qualités de charme, d'élégance et d'ironie, dans le genre de l'opéra-comique *(la Basoche)* et celui de l'opérette *(les P'tites Michu, Véronique, Fortunio, Passionnément, Coups de roulis).*

MESSALI HADJ (Ahmed), homme politique algérien (Tlemcen 1898-Paris 1974). Un des chefs de l'Étoile nord-africaine, mouvement nationaliste algérien fondé à Paris en 1926, il crée le Parti populaire algérien (1937), qui s'implante en Algérie et devient en 1946 le Mouvement pour le triomphe des libertés démocratiques (M. T. L. D.). Le Mouvement se scinde à partir de 1953. Au futur Front* de libération nationale (F. L. N.), partisan de la lutte armée contre le colonialisme, s'opposent les partisans de Messali Hadj regroupés dans le Mouvement national algérien (M. N. A.) et qui ne prennent pas part à la révolution algérienne.

MESSALINE, en lat. **Valeria Messalina,** impératrice romaine (v. 25 apr. J.-C.-48), femme de l'empereur Claude*, dont elle eut deux enfants : Britannicus* et Octavie*. En 48, elle épousa Caius Silius, qui nourrissait sans doute des prétentions à l'Empire : Claude la fit exécuter ainsi que Silius.

MESSE. — En application des décisions du deuxième concile du Vatican*, la langue vernaculaire remplace progressivement le latin au cours de la messe; depuis 1967, cet usage est même appliqué au

Lenars-Atlas-Photo

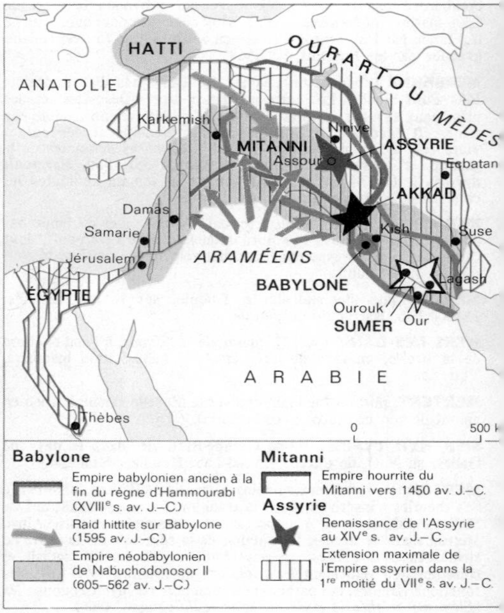

LA MÉSOPOTAMIE ANCIENNE

Mésopotamie. Ruines du palais de Nabuchodonosor à Babylone (Iraq). VIe s. av. J.-C.

canon de la messe. Les prières de la messe ont été simplifiées et la liturgie de la Parole a été renforcée, la communauté chrétienne étant invitée à participer activement à l'eucharistie.

La mise en musique d'une partie ou de la totalité des prières de l'Ordinaire constitue la messe en musique. Dès le XIIIe s. et pendant la Renaissance, les textes latins sont composés en polyphonie vocale utilisant des thèmes de plain-chant, voire des thèmes profanes en cantus* firmus, le tout étant soutenu ou non par des instruments (Guillaume de Machaut, Dufay, Josquin Des Prés, Palestrina). L'époque classique (messe concertante) et l'époque romantique (messe symphonique) adjoignent à ces chœurs des airs et un soutien instrumental (M.-A. Charpentier, J.-S. Bach, Haydn, Mozart, Beethoven, Liszt, Bruckner). Le XXe s. usera de l'une ou l'autre formule selon les besoins d'une liturgie rénovée.

MESSEI (61440), ch.-l. de cant. de l'Orne, à 5 km au S. de Flers; 1 505 hab. Métallurgie.

MESSÈNE en gr. **Messini,** v. de Grèce, dans le Péloponnèse. Vestiges de plusieurs édifices civils et des fortifications d'Épaminondas.

MESSÉNIE, région de Grèce, dans le sud-ouest du Péloponnèse. Ce pays riche fut conquis par Sparte* (VIIIe s.), qui établit sur lui sa domination, malgré de fréquentes révoltes (guerres de Messénie). Après la bataille de Leuctres (371), la Messénie retrouva son indépendance. Elle fut annexée par Rome en 146 av. J.-C.

MESSERER (Assav Mikhailovitch), chorégraphe et pédagogue soviétique (Vilnious 1903). Il assuma à partir de 1942 la direction de la classe de perfectionnement suivie par la plupart des solistes (hommes) du Bolchoï.

MESSERSCHMITT (Willy), ingénieur allemand (Francfort-sur-le-Main 1898). Après avoir conçu le chasseur Messerschmitt « 109 », construit à plus de 30 000 exemplaires (1937-1945), il mit au point le premier avion à réaction du monde, le Messerschmitt « 262 », qui vola à 866 km/h (1942).

Messiade *(la),* poème épique en vingt chants (1748-1773), de Klopstock.

MESSIAEN (Olivier), compositeur français (Avignon 1908). Titulaire de l'orgue de la Trinité depuis 1930, professeur au Conservatoire de Paris depuis 1942, il fait de son enseignement une expérience fondamentale pour toute la génération des compositeurs de la seconde après-guerre. Comme compositeur, il puise son inspiration à trois sources principales : dans sa foi catholique, car il se veut un théologien des sons et un exégète des mystères de sa religion (*l'Ascension* pour orchestre, 1933; *les Corps glorieux* pour orgue, 1939; *Visions de l'Amen* pour deux pianos, 1943; *Trois Petites Liturgies de la Présence divine,* 1944); dans les chants d'oiseaux, qu'il étudia scientifiquement à partir de 1950 environ et qu'il intégra à son langage grâce à un système de transposition aussi ingénieux que précis (*le Réveil des oiseaux,* 1953; *Oiseaux exotiques,* 1955; *Catalogue d'oiseaux* pour piano, 1956-1958); enfin dans les rythmes et les modes des musiques traditionnelles de l'Inde, de Bali, du Japon et de l'Amérique andine (*Turangalîla-Symphonie,* 1946-1948; *Chronochromie,* 1960; *Sept Haï-kaï,* 1962). Parmi ses œuvres récentes, citons *Méditations sur le mystère de la Sainte-Trinité* pour orgue (1969), et *Des canyons aux étoiles* pour orchestre. Lui-même se définit comme « compositeur de musique et rythmicien ».

MESSIANISME. — Fondé sur l'espérance en la venue d'un rédempteur (messie) et chargé de mettre fin à un certain ordre social et d'instaurer un nouvel ordre de justice et de paix, le messianisme, comme le millénarisme*, révèle une société en état de crise, provoquée le plus souvent soit par une situation de domination (ce fut le cas dans les sociétés colonisées), soit par une situation de désorganisation sociale (causalité interne). Facteur de restructuration, il peut être conservateur-réformiste ou révolutionnaire, selon le type de dynamisme (cyclique ou évolutif) qu'il impulse.

Messie *(le),* oratorio de G. F. Händel (1741). Pour raconter l'avènement du Messie, sa vie, sa passion et la diffusion de son message, le compositeur en appelle à des récitatifs, à des ariosos pathétiques, à des airs à l'italienne et à de magnifiques chœurs dramatiques ou fugués *(Alleluia).*

MESSIER (Charles), astronome français (Badonviller 1730-Paris 1817). Il est connu pour ses découvertes de comètes* et surtout pour avoir dressé le premier catalogue de nébuleuses. Celui-ci contient cent trois objets, que l'on désigne encore aujourd'hui par la lettre M suivie de son numéro d'ordre dans le catalogue.

MESSINE, v. d'Italie, ch.-l. de prov. sur la côte nord-est de la Sicile, sur le *détroit de Messine;* 256 000 hab. Cathédrale et église en partie de l'époque normande. Musée. Université. Port de voyageurs. — Fondée par les pirates cumiens, Messine (l'antique *Zancle*) tire son nom de son peuplement par des Messéniens chassés de leur patrie (486 av. J.-C.). Les Mamertins* s'en emparèrent vers 288 av. J.-C. Alliée de Rome (264 av. J.-C.), occupée par les Vandales (468), les Ostrogoths (491), puis les Byzantins, la ville fut conquise par les Normands en 1061. Ralliée à l'Aragon (1282), elle se révolta à plusieurs reprises contre la domination napolitaine (1674, 1848) et fut ravagée par plusieurs tremblements de terre (1783, 1908).

MESSINE *(détroit de),* bras de mer de la Méditerranée entre l'Italie péninsulaire et la Sicile, et reliant les mers Tyrrhénienne et Ionienne.

MESSMER (Pierre), homme politique français (Vincennes 1916), Premier ministre de 1972 à 1974.

MESTA (la), association espagnole des éleveurs des moutons transhumants. Reconnue par le roi de Castille en 1273, elle profite du développement de l'élevage des mérinos et atteint son apogée au XVIe s. Ses privilèges sont abolis en 1836.

MEŠTROVIĆ (Ivan), sculpteur yougoslave (Vrpolje, Slavonie, 1883-South Bend, Indiana, 1962). Après des études à Vienne, puis à Paris (où il rencontre Rodin et Bourdelle), il retourne en Yougoslavie (1909) et fonde l'académie de Zagreb. Les légendes et l'histoire de son pays inspirent son œuvre, dont le puissant lyrisme se teinte parfois de grandiloquence. Ses nombreux monuments publics ont fait sa réputation tant en Yougoslavie qu'aux États-Unis, où il s'est installé en 1947.

MESURE *(Métrol.)* → ERREUR.

MESURE *(Mus.)* → NOTATION MUSICALE et RYTHME.

MESVRES (71190 Étang sur Arroux), ch.-l. de cant. de Saône-et-Loire, à 14 km au S. d'Autun; 930 hab.

MÉTABIEF (25370 Les Hôpitaux Neufs), station de sports d'hiver (alt. 1 010-1 460 m) du Jura (départ. du Doubs) regroupant plusieurs centres de ski : Jougne et Super-Jougne, Les Hôpitaux-Neufs, Les Longevilles, Rochejean et la comm. de *Métabief.*

MÉTABOLISME. — Le *métabolisme matériel* transforme les substances introduites dans l'organisme : l'*anabolisme* permet la transformation d'une substance en éléments chimiques utilisables par l'organisme pour construire ou réparer sa propre substance; le *catabolisme* rejette au niveau du rein, des poumons, de l'intestin les résidus des substances qui n'ont pu être utilisées par l'organisme. Ces transformations sont soumises à des régulations très complexes.

Le *métabolisme énergétique* regroupe les transformations d'énergie qui se produisent dans l'organisme. Le métabolisme énergétique total de l'organisme au repos peut être mesuré : c'est le métabolisme de base, qui est égal en moyenne à 40 calories par mètre carré et par heure. Il est augmenté dans l'hyperthyroïdie et diminué dans l'hypothyroïdie. Il correspond à la dépense minimale nécessitée par les opérations chimiques élémentaires des activités du cœur, des muscles respiratoires, des fibres lisses du tube digestif.

MÉTACENTRE. — Un solide flottant sur un liquide est soumis à son poids, appliqué au centre de gravité du solide, et à la résultante des forces pressantes dues au liquide, appliquée au centre de poussée. Quand le corps est en équilibre, ces deux points sont sur une même verticale. Lorsque le corps s'incline, cette droite n'est plus verticale; elle rencontre la verticale du nouveau centre de poussée en un point qui est le métacentre. L'équilibre est stable ou instable suivant que ce métacentre est au-dessus ou au-dessous du centre de gravité.

MÉTAL. — L'or*, l'argent* et le cuivre* étaient utilisés dès 4000 av. J.-C. en Asie Mineure et en Égypte; le fer* apparut au Ier millénaire avant notre ère. Ensuite, on découvrit l'étain*, le plomb* ainsi que le mercure*, et les alchimistes associaient ces sept métaux connus aux sept corps célestes. Ce fut seulement à partir du XVIIIe s. que beaucoup d'autres métaux furent identifiés.

Un élément est considéré comme métal s'il présente à un degré notable plusieurs des propriétés suivantes :
— haute conductibilité* électrique et thermique;
— opacité à l'état solide, accompagnée d'un certain éclat de réflexion* à la lumière;
— aptitude à l'émission thermo-ionique*;
— diffraction* au rayonnement X*, preuve d'un état cristallisé (périodicité du réseau d'atomes*);
— dureté appréciable, en corrélation avec la résistance à la rupture par traction, par compression ou par flexion;
— faible fragilité, correspondant à une bonne ductilité;
— possibilité de déformation par élasticité et par plasticité, qui permet facilement sa mise en forme par action mécanique et est accompagnée d'un phénomène très spécifique de durcissement au cours même de la déformation (écrouissage), modifiant ainsi la possibilité de déformation ultérieure;
— ferromagnétisme* particulier au fer, au nickel* et au cobalt*;
— comportement chimique, qui conduit par oxydation* du métal à la formation d'un oxyde* basique (neutralisant d'un acide*) et par réaction avec un acide à la formation d'un sel*.

• À l'échelle de la structure *atomique,* le métal est caractérisé par un nombre réduit d'électrons de valence (4 au maximum) — d'où leur caractère électropositif — et par un type particulier de liaison entre atomes. La plupart des composés minéraux et des métalloïdes* présentent une liaison entre atomes soit *ionique,* ou hétéropolaire, soit *covalente,* ou homopolaire, dans laquelle des électrons périphériques restent sous l'action directe de l'atome dont ils sont issus. Dans la liaison métallique, la structure atomique est considérée comme un assemblage d'ions* positifs (ou atomes dépourvus de leurs électrons périphériques) baignant dans un *nuage électronique* constitué par ces électrons libres. Ce type de liaison atomique permet d'expliquer certaines propriétés particulières des métaux (conductibilité électrique ou thermique, réflexion, effet thermo-ionique, propriétés mécaniques).

• À l'échelle de la structure *cristalline,* un métal est constitué par une multitude de grains juxtaposés, dont chacun est un cristal. À l'intérieur du grain, les atomes sont régulièrement répartis selon les lois géométriques. Si l'on assimile les atomes à des sphères rigides, celles-ci sont disposées de façon à avoir le maximum de contacts entre elles. Dans un plan horizontal, une sphère est le plus souvent en contact avec six autres sphères, et, sur cette première couche, on peut en placer une autre identique, dont les sphères ont leurs centres au-dessus des vides de la première. L'ensemble d'une série de couches ainsi disposées forme le « réseau » du cristal, dans lequel chaque atome est en contact avec douze autres. D'autre part, l'arrangement des atomes dans les cristaux présente des imperfections, ou défauts, par rapport à la structure idéale. Ces imperfections nécessaires sont responsables du comportement spécifique des cristaux métalliques particulièrement dans les déformations élastiques, plastiques et anélastiques de même que dans les phénomènes de diffusion. Certains métaux se trouvent dans la nature à l'état natif (cuivre, métaux précieux); mais ils sont le plus souvent sous forme d'oxydes, libres ou combinés, ou sous forme de sulfures*.

MÉTALLIFÈRES *(monts),* nom donné à plusieurs massifs montagneux en raison de leur richesse en minerais : en Italie (Toscane) et surtout en Tchécoslovaquie (Slovaquie et aux confins de l'Allemagne orientale et de la Bohême) [v. ERZGEBIRGE].

MÉTALLISATION. — La métallisation sous vide permet de déposer des métaux* et des alliages* en couche très mince (de l'ordre du micron) sur des pièces en matériaux conducteurs ou non conducteurs de l'électricité (métaux, alliages, corps semi-conducteurs*, verre*, céramique*, matières plastiques*, papier*, textile, etc.). Les pièces à traiter sont introduites dans une enceinte, dans laquelle on réalise préalablement un vide* poussé « moléculaire » tel que la pression résiduelle soit de l'ordre de 10^{-4} à 10^{-6} torr. La matière à déposer est alors évaporée, voire sublimée, à l'aide d'une source de chaleur : filament de tungstène chauffé au rouge par effet Joule (thermoévaporation), canon* à électrons (évaporation par bombardement électronique), décharge électrique produite par un générateur haute tension (pulvérisation cathodique). Le dépôt est obtenu en quelques secondes et est généralement brillant. L'épaisseur de métal déposé est très faible, de l'ordre de quelques microns.

On peut également obtenir des dépôts métalliques par voie chimique, en phase liquide ou en phase gazeuse. Les dépôts électrolytiques (cuivrage, nickelage, chromage) ne sont possibles que sur des pièces conductrices du courant. Leur coût est, en général, plus élevé que celui de la métallisation sous vide.

MÉTALLOGRAPHIE. — L'étude des métaux* et des alliages* ainsi que celle de produits métallurgiques divers (scories, laitiers, mattes) se font suivant des méthodes variées. La détermination des caractéristiques des matériaux par différents essais* métallurgiques et l'examen des structures par métallographie microscopique ont permis d'améliorer les produits métallurgiques, de découvrir de nouveaux alliages et de mieux connaître les phénomènes physicochimiques qui conditionnent le comportement en service des métaux et des alliages (fatigue, fluage, corrosion, usure, décohésion, etc.). Grâce aux perfectionnements des procédés d'investigation et à leur acuité, l'étude des métaux s'est poursuivie à l'échelle des pièces, puis à celle des cristaux, enfin à l'échelle atomique. Parmi les principaux essais et examens métallographiques figurent :

— les *essais physiques,* qui permettent de déterminer les propriétés physiques (dilatométrie, conductibilité* électrique, thermoélectricité*, magnétométrie) et qui comprennent également l'étude de l'équilibre des phases* et de leurs transformations à chaud pour l'établissement de leurs diagrammes dans les alliages (analyse thermique) ainsi que l'étude des structures cristallines et l'analyse ponctuelle des constituants;

— la *métallographie microscopique,* ou *micrographie,* qui permet d'examiner au microscope* la surface d'un échantillon convenablement préparé par polissage mécanique ou électrolytique, sur laquelle une attaque par un réactif approprié en révèle les constituants;

— les *essais chimiques,* particulièrement de corrosion*;

— les *essais mécaniques* sur éprouvettes ou sur pièces (traction, choc, dureté, vibration, etc.);

— les *essais non destructifs* sur pièces et organes (ultrasons*, radiographie, gammagraphie, magnétoscopie, etc.);

— la *fractographie,* ou examen des cassures, qui renseigne sur l'origine des ruptures de pièces.

MÉTALLOÏDE → NON-MÉTAL.

MÉTALLOTHERMIE → ÉLABORATION et MÉTALLURGIE.

MÉTALLURGIE. — La métallurgie couvre l'ensemble des problèmes relatifs aux métaux*, qu'il s'agisse de leur extraction, de leur affinage, de leur mise en forme, de leur traitement, de leur emploi et de toutes les études concernant leur contrôle et leur comportement en service.

• La *métallurgie extractive* ou *d'élaboration** permet d'obtenir des métaux* purs (cuivre*, aluminium*, titane*) ou des alliages* particuliers (fonte*, acier*, ferro-alliages) à partir de minerais* en passant par trois stades principaux, d'inégale importance suivant les métaux.

La *préparation* et l'*enrichissement des minerais* permettent d'éliminer la gangue ainsi que certaines parties stériles, tout en amenant les produits sous une forme physique (granulés, fragments, boulettes, poudres) qui facilite leur traitement ultérieur.

L'*élaboration* proprement dite comporte les opérations essentielles les plus nombreuses, adaptées à la nature même du métal (métaux peu réactifs avec l'oxygène*, tels que le fer*, le plomb*, le cuivre*, le nickel*, l'argent*, ou métaux fortement réactifs avec l'oxygène, tels que l'aluminium*, le magnésium*, le titane*, le sodium*, l'uranium*, etc.), à la qualité physique du minerai, à sa concentration en métal à extraire et au type de combinaisons chimiques présentes dans le composé minéral complexe (oxydes*, silicates*, sulfures*, etc.). L'ensemble des traitements d'élaboration résulte de la succession d'opérations physicochimiques élémentaires soit par voie sèche, ou *pyrométallurgie* (grillage, calcination, fusion*, volatilisation, sublimation*), qui comprend des réactions chimiques (oxydation*, réduction*, carburation, sulfuration, etc.), soit par *métallothermie,* ou réduction directe d'un composé métallique par un métal particulièrement oxydable au cours d'une réaction fortement exothermique (aluminothermie, calciothermie), soit par *électrométallurgie**, qui autorise des réactions à très hautes températures, ou encore par voie humide, ou *hydrométallurgie,* qui comprend la lixiviation (mise en solution de composés), la précipitation chimique et les procédés nombreux d'électrolyse*.

L'*affinage,* ou élimination finale d'impuretés, aboutit à un métal de haute pureté (aluminium, magnésium, zinc* à 99,99 p. 100) ou à un alliage industriel tel que l'acier* à 99 p. 100 de fer avec des additions voulues nécessaires (carbone*, manganèse*, silicium*). Pour certaines applications en électronique, le germanium* doit être obtenu avec une teneur en impuretés de seulement quelques cent-millionièmes pour cent.

• La *métallurgie de transformation et de traitement* groupe l'ensemble des procédés de formage* des métaux et des alliages, de traitements* thermiques et thermochimiques, et même de finition des semi-produits ou des pièces (revêtements*). Cette mise en forme peut s'effectuer soit à partir de l'état liquide par les nombreux procédés de fonderie* (moulage* en sable, en coquille, en continu, sous vide, sous pression, etc.), soit à l'état solide, à chaud ou à température ambiante, par action de déformation mécanique (forgeage, laminage, filage*, estampage*, étirage, tréfilage, emboutissage*, profilage, etc.), soit encore par les procédés spécifiques de la métallurgie des poudres*. À ces opérations s'ajoute l'assemblage des pièces par les techniques appropriées du soudage*. Les *traitements thermiques* pratiqués sur les pièces finies ou sur les ébauches ont pour objet soit de conférer aux alliages des propriétés optimales d'emploi (résistance à la traction, tenue aux chocs, résistance à la corrosion*, etc.), soit de faciliter leur formage mécanique (recuit d'homogénéisation, recuit en cours de laminage, etc.). Les *traitements thermochimiques* tels que la cémentation de l'acier* doux par le carbone*, la nitruration, la chromisation modifient la composition chimique locale, généralement en surface, des produits et améliorent leur tenue tant aux sollicitations mécaniques qu'aux actions corrosives.

MÉTAMORPHISME. — Le métamorphisme est la transformation, à l'état solide, qui affecte une roche placée dans les conditions de température et de pression différentes de celles dans lesquelles elle s'est formée. Plus la pression et la température sont élevées, plus le métamorphisme est intense. Il se traduit par la cristallisation de minéraux nouveaux, en équilibre avec les nouvelles conditions physiques. Le *métamorphisme de contact* résulte de l'intrusion d'une masse magmatique qui, en cristallisant, réchauffe et transforme les roches encaissantes. L'intrusion est entourée d'une auréole de métamorphisme dont l'intensité décroît vers l'extérieur. Le *métamorphisme régional* affecte une portion entière de l'écorce terrestre. Il est lié à l'orogenèse, et les minéraux, cristallisant sous contrainte tectonique, s'orientent, déterminant l'apparition d'une schistosité. À température et à pression très élevées, c'est-à-dire à grande profondeur, il peut y avoir un début de fusion par le mécanisme de l'anatexie*.

MÉTAUX NON FERREUX

le marché des métaux non ferreux est très sensible aux aléas de la conjoncture :

évolution de la consommation des métaux non ferreux, en relation avec l'évolution de l'indice de la production industrielle

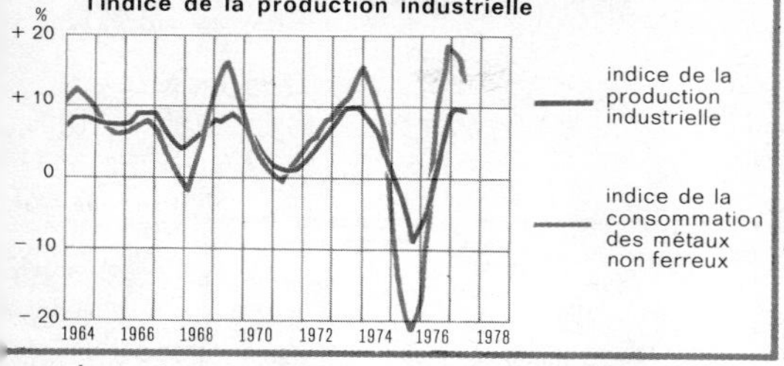

leur prix varie en fonction de la demande, entraînant une variation du revenu des États producteurs

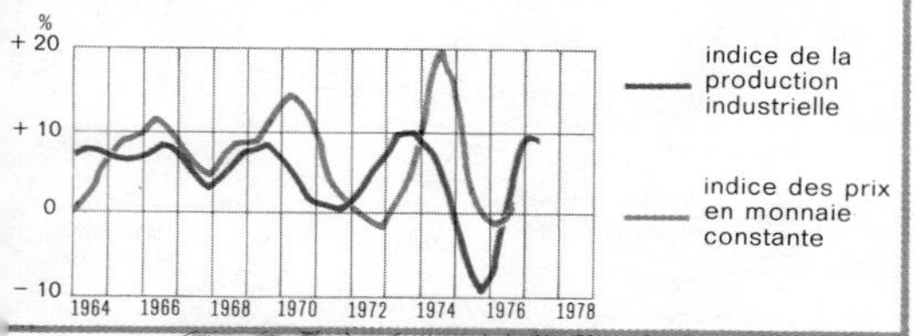

rôle décroissant de l'Europe et de l'Amérique du Nord dans la production minière ; rôle croissant des pays en voie de développement.

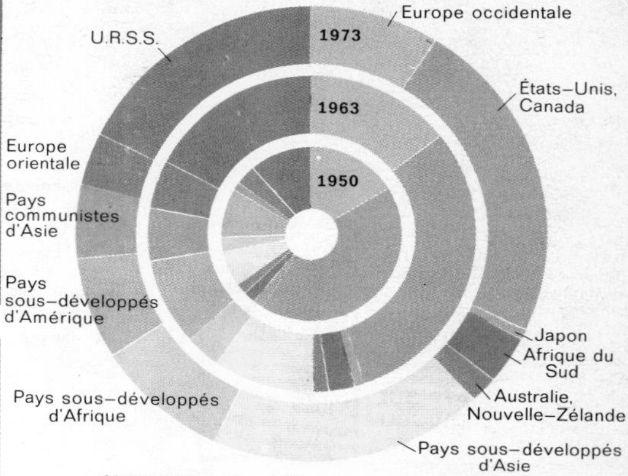

déséquilibre Nord-Sud

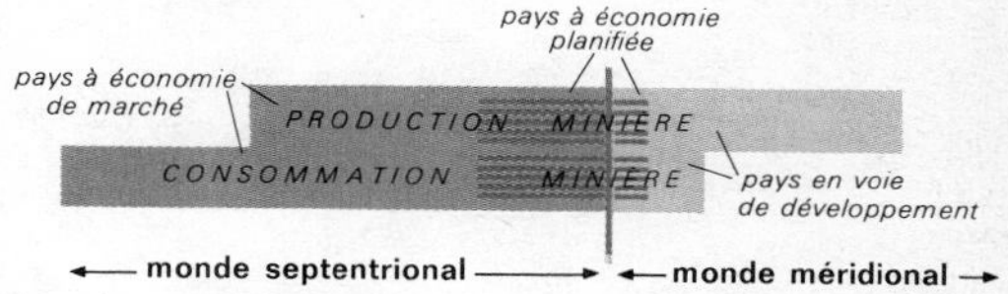

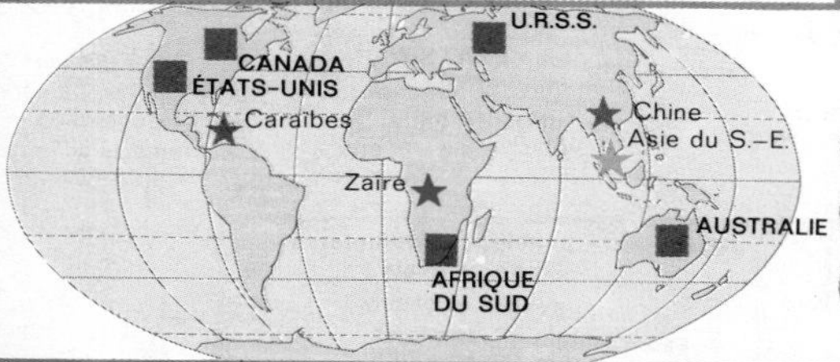

principaux pays miniers

dominant la production de plus de 20 métaux qui représentent 90% de la valeur de la production mondiale

concentrant sur leur territoire 75% des explorations

minerais échappant au contrôle direct des pays ci-contre

- ★ bauxite
- ★ cobalt
- ★ tungstène
- ★ étain

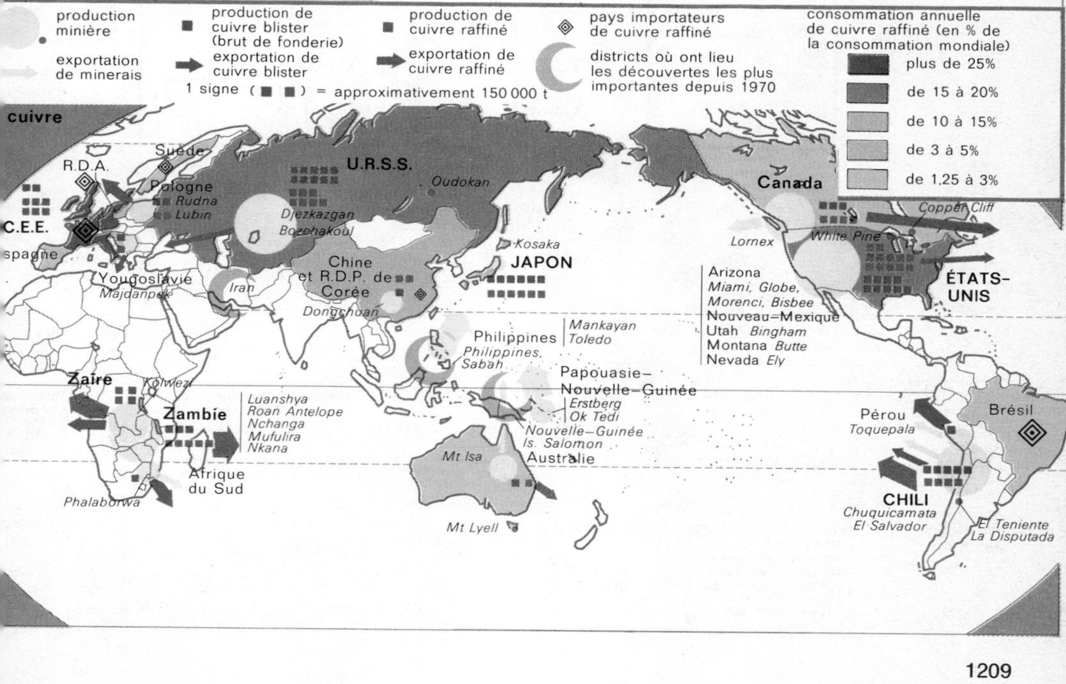

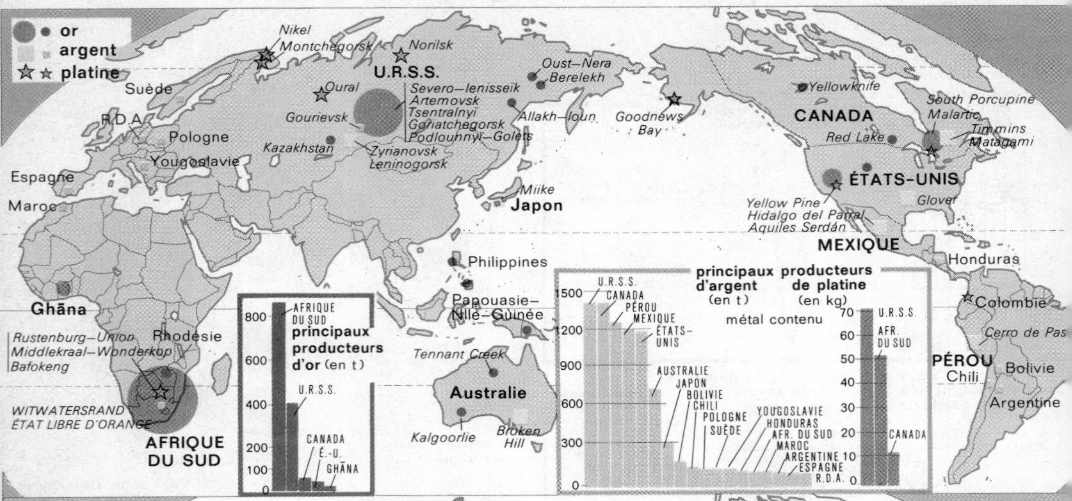
or
argent
platine
Nikel
Montchegorsk
Norilsk
U.R.S.S.
Suède
Oural
Severo–Ienisseïk
Artemovsk
Tsentralnyi
Gariatchegorsk
Podlounnyi–Golets
Oust–Nera
Berelekh
Allakh–Ioun
Goodnews Bay
Yellowknife
South Porcupine
Malartic
Timmins
Matagami
CANADA
Red Lake
R.D.A.
Pologne
Gourievsk
Kazakhstan
Zyrianovsk
Leninogorsk
Yougoslavie
Espagne
Maroc
Miike
Japon
ÉTATS-UNIS
Yellow Pine
Hidalgo del Parral
Aquiles Serdán
Glover
MEXIQUE
Philippines
Honduras
Ghāna
Papouasie–Nlle–Guinée
Colombie
Rustenburg–Union
Middlekraal–Wonderkop
Bafokeng
Rhodésie
Tennant Creek
Australie
Cerro de Pas
PÉROU
Chili
Bolivie
Argentine
WITWATERSRAND
ÉTAT LIBRE D'ORANGE
AFRIQUE DU SUD
Kalgoorlie
Broken Hill
principaux producteurs d'or (en t)
800
600
400
200
100
0
AFRIQUE DU SUD
U.R.S.S.
CANADA
É.-U.
GHĀNA
principaux producteurs d'argent (en t)
de platine (en kg)
métal contenu
1500
1200
900
600
300
0
U.R.S.S.
CANADA
PÉROU
MEXIQUE
ÉTATS-UNIS
AUSTRALIE
JAPON
BOLIVIE
CHILI
POLOGNE
SUÈDE
YOUGOSLAVIE
HONDURAS
AFR. DU SUD
MAROC
ARGENTINE
ESPAGNE
R.D.A.
70
60
50
40
30
20
10
0
U.R.S.S.
AFR. DU SUD
CANADA

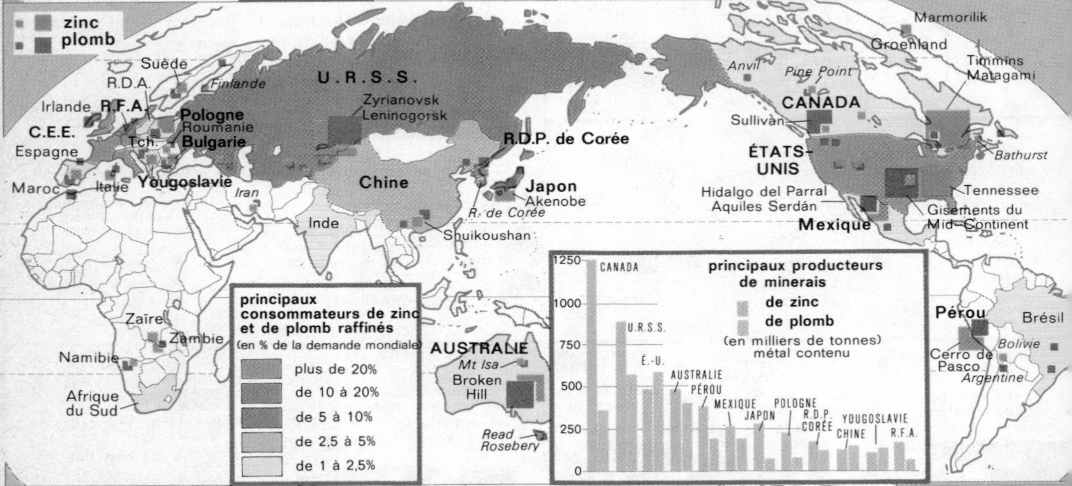
zinc
plomb
Suède
R.D.A.
Finlande
U.R.S.S.
Irlande
R.F.A.
Pologne
Roumanie
Bulgarie
C.E.E.
Espagne
Tch.
Zyrianovsk
Leninogorsk
Maroc
Italie
Yougoslavie
Iran
Chine
Inde
R.D.P. de Corée
Japon
Akenobe
R. de Corée
Shuikoushan
Marmorilik
Groenland
Anvil
Pine Point
Timmins
Matagami
CANADA
Sullivan
ÉTATS-UNIS
Bathurst
Hidalgo del Parral
Aquiles Serdán
Tennessee
Gisements du Mid-Continent
Mexique
Zaïre
Zambie
Namibie
Afrique du Sud
principaux consommateurs de zinc et de plomb raffinés
(en % de la demande mondiale)
plus de 20%
de 10 à 20%
de 5 à 10%
de 2,5 à 5%
de 1 à 2,5%
AUSTRALIE
Mt Isa
Broken Hill
Read Rosebery
principaux producteurs de minerais
de zinc
de plomb
(en milliers de tonnes)
métal contenu
1250
1000
750
500
250
0
CANADA
U.R.S.S.
É.-U.
AUSTRALIE
PÉROU
MEXIQUE
JAPON
POLOGNE
R.D.P. CORÉE
YOUGOSLAVIE
CHINE
R.F.A.
Pérou
Brésil
Cerro de Pasco
Bolivie
Argentine

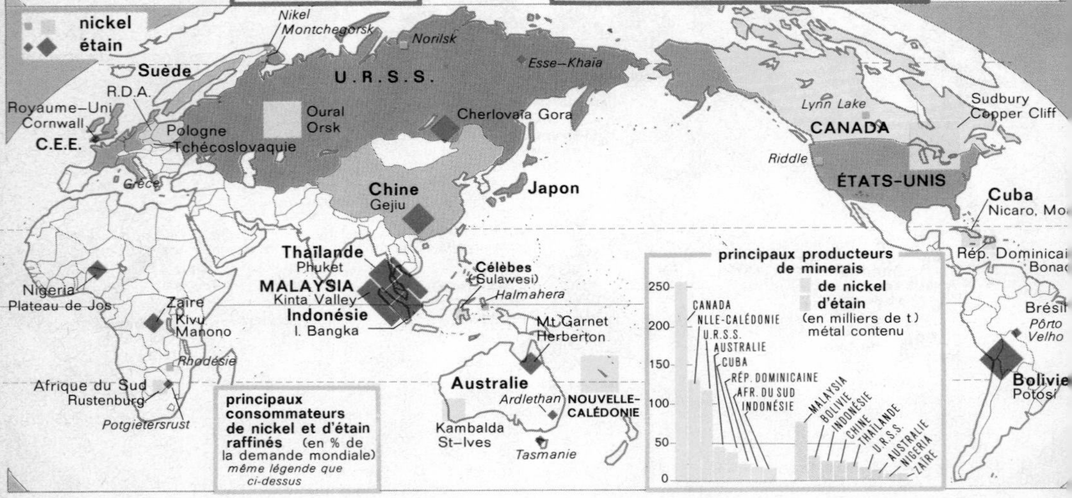
nickel
étain
Nikel
Montchegorsk
Norilsk
Esse–Khaïa
Suède
U.R.S.S.
R.D.A.
Royaume–Uni
Cornwall
C.E.E.
Pologne
Tchécoslovaquie
Oural
Orsk
Cherlovaïa Gora
Grèce
Chine
Gejiu
Japon
Lynn Lake
Sudbury
Copper Cliff
CANADA
Riddle
ÉTATS-UNIS
Cuba
Nicaro, Mo
Thaïlande
Phuket
MALAYSIA
Kinta Valley
Indonésie
I. Bangka
Célèbes
(Sulawesi)
Halmahera
Nigeria
Plateau de Jos
Zaïre
Kivu
Manono
Rhodésie
Afrique du Sud
Rustenburg
Potgietersrust
Mt Garnet
Herberton
Australie
Ardlethan
NOUVELLE-CALÉDONIE
Kambalda
St-Ives
Tasmanie
principaux consommateurs de nickel et d'étain raffinés (en % de la demande mondiale)
même légende que ci-dessus
principaux producteurs de minerais
de nickel
d'étain
(en milliers de t)
métal contenu
250
200
150
100
50
0
CANADA
NLLE-CALÉDONIE
U.R.S.S.
AUSTRALIE
CUBA
RÉP. DOMINICAINE
AFR. DU SUD
INDONÉSIE
MALAYSIA
BOLIVIE
INDONÉSIE
CHINE
THAÏLANDE
U.R.S.S.
AUSTRALIE
NIGERIA
ZAÏRE
Rép. Dominicai
Bona
Brésil
Pôrto Velho
Bolivie
Potosí

Les *roches métamorphiques* se classent essentiellement en fonction de leur composition chimique : gneiss, schistes, marbres, quartzites, etc. Les cornéennes sont des roches extrêmement compactes, résultant du métamorphisme de contact. Lorsque la roche dérive d'une roche sédimentaire, son nom est précédé du préfixe *para;* lorsqu'elle dérive d'une roche éruptive, il est précédé du préfixe *ortho* (par exemple un paragneiss dérivé d'une argile, un orthogneiss d'un granite).

MÉTAMORPHOSE. — De nombreux animaux naissent à l'état de larve*, très différents de ce qu'ils seront à l'état adulte. Après un temps plus ou moins long pendant lequel la larve grandit beaucoup, mais sans changer notablement de forme, un phénomène beaucoup plus brutal se produit : la métamorphose. On observe celle-ci chez les amphibiens (grenouille), quelques poissons (anguille), tous les insectes supérieurs, la plupart des crustacés, les échinodermes (oursins), beaucoup de cœlentérés et même de ciliés (tentaculifères). La métamorphose comporte toujours l'*élimination d'organes larvaires* (par récupération phagocytaire ou par simple rejet) et la *formation d'organes nouveaux* (ailes des insectes). C'est pour l'animal une période critique, pendant laquelle il ne peut souvent ni manger ni se défendre; chez les insectes, c'est une *nymphose,* vécue dans une sorte de « sommeil ». La mortalité est considérable lors de l'*éclosion,* plus ou moins brutale, qui suit la métamorphose lorsque celle-ci a lieu à l'abri d'une enveloppe (pupe, chrysalide, enveloppe nymphale).

Lorsque le changement de forme a lieu par étapes successives, on parle de *métamorphose progressive.*

La métamorphose est facultative dans les espèces aptes à se reproduire à l'état larvaire (axolotl).

Métamorphose *(la),* roman de Kafka (1915). Un cadre et une écriture réalistes où s'inscrit un événement fantastique : en une nuit le commis voyageur Gregor Samsa se trouve métamorphosé en un insecte géant; il mourra victime de la répugnance et de la violence de sa famille — image du destin de l'homme et de l'artiste voué à l'incompréhension.

Métamorphoses *(les),* poème d'Ovide en quinze livres, composé à partir de l'an 1 ou 2 apr. J.-C. Il rassemble toutes les légendes relatives à la transformation miraculeuse d'un être humain en pierre, en végétal ou en animal.

MÉTAPHYSIQUE. — Définie dès l'Antiquité comme la science des réalités qui ne tombent pas sous les sens, des êtres invisibles et immatériels ou comme la connaissance de ce que les choses sont en elles-mêmes par opposition à leurs apparences, la métaphysique se préoccupe du fondement des choses et de la pensée, ainsi que de leurs relations. Dès sa naissance en Occident (VIe-IVe s. av. J.-C.), elle englobe la « science de l'être en tant qu'être », ou métaphysique générale (v. ONTOLOGIE), et les métaphysiques particulières qui portent sur un type d'être (Dieu pour la théologie rationnelle, le monde pour la cosmologie rationnelle et l'âme pour la psychologie rationnelle). La pensée judéo-chrétienne, qui transforme les philosophies de Platon* et d'Aristote*, restreint la métaphysique et oublie la question ontologique de l'être. La métaphysique n'est plus que théologie, et son problème essentiel est celui des preuves de l'existence de Dieu. Descartes* transforme à nouveau la métaphysique. Il en fait la racine de tout savoir et renouvelle l'idéalisme* en instaurant le primat du sujet sur les objets de la connaissance. Malgré la critique de Kant*, qui reste elle-même métaphysique, et le développement des sciences, qui ruine les prétentions de la métaphysique, l'époque moderne voit fleurir de nombreux systèmes métaphysiques (Spinoza*, Leibniz*, Malebranche*, Fichte*, Schelling*, Hegel*). Au XIXe s., les deux grands critiques de la métaphysique sont Marx* et Nietzsche*.

Métaphysique, ensemble des quatorze livres philosophiques d'Aristote qui viennent « après la *Physique* ». Critiquant l'idée de causalité* de Thalès à Platon, l'auteur propose une nouvelle théorie de la causalité et pose le problème de la recherche de la « science de l'être en tant qu'être ». Dieu est le moteur immobile, la cause première du mouvement des êtres de la nature et, à ce titre, l'objet de la « philosophie première », ou métaphysique.

MÉTAPONTE, anc. ville grecque d'Italie, sur le golfe de Tarente. Elle était renommée pour la fertilité de son territoire. Sa rivalité avec Tarente* la poussa à s'allier avec les Athéniens lors de leur expédition en Sicile (415 av. J.-C.). Passée dans la mouvance de Rome, Métaponte sera sous l'Empire une cité obscure.

MÉTAPSYCHIQUE → PARAPSYCHOLOGIE.

MÉTASTASE. — Le transport de cellules ou d'éléments microbiens d'un point à un autre de l'organisme se fait soit par voie sanguine, soit par voie lymphatique. Les *métastases infectieuses* se produisent au cours des septicémies, des septicopyohémies ou de lésions localisées (abcès dentaires). Les abcès métastatiques se développent aux terminaisons des vaisseaux capillaires. Les *métastases cancéreuses* surviennent à un stade évolué de la maladie, mais peuvent, cependant, la révéler. La métastase reproduit plus ou moins la structure histologique du cancer originel.

MÉTASTASE, nom français de **Pietro Trapassi,** dit **Metastasio,** poète et librettiste italien (Rome 1698-Vienne 1782). Par ses drames profanes et sacrés, utilisés par de nombreux compositeurs (notamment Hasse et Jommelli), il participe à la réforme du théâtre lyrique et préconise l'usage du récitatif accompagné et du chœur à l'antique.

MÉTATARSE → PIED.

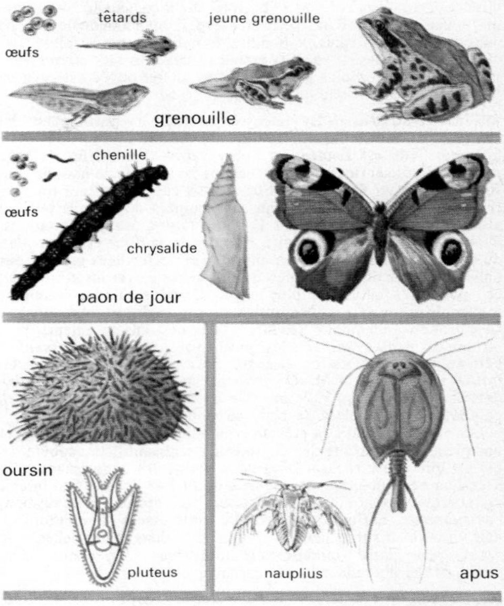

MÉTAMORPHOSE

MÉTAURE, en ital. **Metauro,** fl. de l'Italie centrale, qui se jette dans l'Adriatique; 110 km. — Sur les rives du Métaure, les consuls C. Claudius Nero et M. Livius Salinator remportèrent une victoire sur Hasdrubal* Barca, qui périt dans la bataille (207 av. J.-C.).

METAXÁS (Ioánnis), général et homme politique grec (Ithaque 1871-Athènes 1941). Ministre de l'Intérieur (1932), puis de la Guerre (1936), président du Conseil (1936), il instaura la dictature et fut proclamé chef du gouvernement à vie en 1938. En 1940, résistant à l'agression italienne, il se rangea aux côtés de la Grande-Bretagne.

METCHNIKOV ou **METCHNIKOFF** (Élie), biologiste russe (Ivanovka 1845-Paris 1916). Attaché à l'Institut Pasteur de Paris à partir de 1887, il a découvert la *phagocytose,* c'est-à-dire l'ingestion des bactéries par les globules blancs du sang, important processus de défense organique. (Prix Nobel de médecine, 1908.)

MÉTEIL → SEIGLE.

MÉTEMPSYCHOSE ou **MÉTEMPSYCOSE.** — La métempsychose est pour les Égyptiens, l'orphisme*, le pythagorisme et Platon (v. PHÉDON) la doctrine de la transmigration de l'âme d'un être dans un autre être. Cette doctrine est le pendant du saṃsāra* oriental.

MÉTENCÉPHALE → CERVEAU.

MÉTÉORES, cité monastique de Thessalie, dominant la vallée du Pénée, et longtemps inaccessible (en dehors d'échelles de cordes). La fondation de certains monastères remonte au XIIe s., mais les bâtiments actuels — perpétuant les traditions architecturales et picturales byzantines — ont été édifiés entre le XIVe et le XVIIe s.

MÉTÉORISATION. — Au contact de l'atmosphère, les roches sont attaquées par les agents météoriques (eau, gel, vent, écarts de température, etc.). Leur dégradation, ou météorisation, résulte de phénomènes physiques (fragmentation mécanique) et chimiques (dissolution par les eaux de ruissellement ou de percolation).

MÉTÉORITE. — Le système solaire, outre 9 planètes* principales, 33 satellites* et environ 2 000 astéroïdes*, est rempli de particules, d'atomes de gaz et de poussières. Balayées par la Terre* durant son périple autour du Soleil*, celles-ci s'illuminent dans le ciel nocturne en traversant l'atmosphère* pour donner des *étoiles filantes,* ou *météorites.* Elles doivent leur luminosité à la friction subie contre les molécules d'air, qui « ionise » ces dernières en créant un phénomène lumineux. Celui-ci se produit généralement entre 80 et 120 km d'altitude, suivant la masse de la météorite (une fraction de gramme) et sa vitesse (toujours comprise entre 10 et 70 km/s). La *traînée de feu* n'est qu'une illusion due à la persistance rétinienne; seules les particules beaucoup plus importantes se désagrègent en laissant derrière elles une traînée de particules incandescentes. Au-delà du kilogramme, la météorite atteint l'éclat de la pleine lune et peut parvenir au sol sans s'être totalement consumée : on a alors un *bolide.* Bien que la Terre reçoive quotidiennement 4 t de matériaux météoritiques, le nombre de bolides est très faible. Les météorites se classent en deux grandes catégories : les *pierreuses* et les *métalliques.* La plus grosse que l'on ait retrouvée est celle de Hoba West, en Afrique du Sud, qui pèse 60 t.

MÉTÉOROLOGIE. — La météorologie étudie les phénomènes qui se déroulent dans l'atmosphère terrestre dans le dessein de prévoir le temps. Elle est fondée sur l'observation. Les différents pays possèdent des services météorologiques (Météorologie nationale en France, Weather Bureau aux États-Unis), qui centralisent tous les renseignements. Des stations au sol, équipées d'appareils plus ou moins automatisés, mesurent la température, les précipitations, l'humidité de l'air, la nébulosité, l'insolation, la force et la direction du vent, etc. Des mesures en altitude sont effectuées grâce à des ballons équipés de radiosondes, qui peuvent s'élever jusqu'à 30 km, et, pour des altitudes plus élevées, grâce à des satellites météorologiques (Tiros, Nimbus) ou à des engins géostationnaires (Application Technology Satellite). Tous ces renseignements, plus ou moins denses suivant les pays, sont traités et servent à l'établissement de cartes donnant l'état de l'atmosphère à un instant donné. L'O. M. M. *(Organisation météorologique mondiale),* dans le cadre de la V. M. M. *(Veille météorologique mondiale),* coordonne l'ensemble à l'échelle du globe.

Les cartes servent à la prévision du temps. Mais celle-ci exige la compréhension parfaite des mécanismes régissant l'atmosphère, ce qui est loin d'être réalisé. Dans l'état actuel des connaissances, la précision ne peut guère aller au-delà de 24 à 48 heures. Son intérêt est pourtant essentiel pour l'agriculture (gel, orages), la navigation, l'aviation, etc. Enfin, la météorologie s'intéresse à la pollution* de l'air, aussi bien sur le plan local (concentrations industrielles) que sur le plan global (modification de la teneur en ozone de la stratosphère, libération de gaz carbonique).

MÉTÈQUE. — Les étrangers, ou métèques (Grecs d'autres États pour la plupart), domiciliés à Athènes, pour lesquels, étant donné leur nombre, fut établi un statut spécial, ne jouissaient pas des droits civils et politiques; ils devaient payer une taxe et avoir un répondant athénien. Mais ils bénéficiaient de la protection des lois de la cité : ils servaient dans l'armée et prenaient leur part des charges publiques. Ils jouèrent un rôle important dans l'industrie, le commerce et la vie intellectuelle : Aristote* était de Stagire, Hippodamos* de Milet. Les métèques recevaient parfois, à titre de récompense, les droits civils qui les assimilaient aux citoyens de plein droit (métèques *isotèles*).

MÉTEZEAU, architectes français, dont le plus connu est CLÉMENT II (Dreux 1581 - Paris 1652), qui dessina la place ducale de Charleville, travailla à Paris (au Luxembourg, sous la direction de S. de Brosse; peut-être à la façade de Saint-Gervais, où se superposent les trois ordres classiques [1616-1621]; à l'Oratoire; etc.) et dirigea en 1527 la construction de la digue de La Rochelle.

MÉTHACRYLIQUE (acide). — L'acide méthacrylique, de formule $CH_2{=}C(CH_3){-}CO_2H$, est un solide fondant à 16 °C, dont les esters donnent, par polymérisation, des *résines méthacryliques,* thermoplastiques et incolores, employées comme verre organique de sécurité (Plexiglas).

MÉTHADONE → OPIUM.

MÉTHANE. — Le méthane CH_4 se forme dans la décomposition de certaines matières organiques. Les gaz naturels, comme celui de Lacq, en renferment jusqu'à 98 p. 100; le grisou des mines est un mélange explosif de méthane et d'air. Le méthane est un gaz d'odeur faible, de densité 0,55, se liquéfiant à − 164 °C. Carbure saturé, il ne donne pas de réactions d'addition. On l'emploie pour le chauffage industriel et pour la préparation de l'hydrogène.

MÉTHANIER → GAZ et TRANSPORTEUR DE GAZ.

MÉTHANODUC → PIPELINE.

MÉTHODE *(saint)* → CYRILLE *(saint)* ET MÉTHODE *(saint).*

MÉTHODISME. — L'action apostolique de quelques jeunes théologiens, tels John Wesley* (1703-1791), son frère Charles (1707-1788) et Georges Whitefield (1714-1770) est à l'origine du mouvement de réveil religieux d'où sont nées les Églises méthodistes. Répandu dans le monde entier, le méthodisme se caractérise par le souci de l'évangélisation des foules, l'indifférence à l'égard des formes cultuelles et un sacerdoce universel admettant le ministère des laïcs.

MÉTHYLIQUE (alcool). — L'alcool méthylique, ou *méthanol,* dit encore *esprit-de-bois,* peut être retiré des goudrons de bois. Impur, il sert alors à dénaturer l'alcool éthylique. Il est préparé par synthèse, par action de l'oxyde de carbone sur l'hydrogène. C'est un liquide bouillant à 67 °C, de propriétés analogues à celles de l'alcool éthylique et que l'on emploie comme solvant.

MÉTIER → BONNETERIE, TAPISSERIE, TISSAGE.

MÉTON, astronome athénien du ve s. av. J.-C. Il imagina le cycle qui porte son nom, que la Grèce adopta en 432 av. J.-C. Ce cycle est une période de 19 ans, au bout de laquelle les lunaisons se retrouvent aux mêmes dates. Il suffit donc de connaître un cycle entier et le rang d'une année dans le cycle pour savoir à quelles dates tomberont les nouvelles lunes de l'année. Le nombre qui indique le rang d'une année dans un cycle était appelé le *nombre d'or.* Cette période de 19 ans contenait 235 lunaisons, soit 6 939,688 jours.

MÉTRAGE *(Cin.).* — La durée de projection d'un court métrage varie généralement entre 5 et 15 minutes. Au-delà de 30 minutes et jusqu'à 60 minutes, le film prend la dénomination de « moyen métrage ». Quant au long métrage, il dépasse généralement les 80 minutes de projection. En format standard de 35 mm et à la vitesse réglementaire de 24 images à la seconde, 27,360 m de pellicule se déroulent à chaque minute. La longueur moyenne d'un long métrage oscille entre 2 400 et 3 000 m.

MÉTRAUX (Alfred), anthropologue français (Lausanne 1902 - Paris 1963). Connu principalement pour ses études d'anthropologie religieuse (*Religions et magies indiennes d'Amérique du Sud,* 1967), il se préoccupe également des problèmes d'acculturation* (*le Vaudou haïtien,* 1958). Il a effectué ses premiers travaux à l'île de Pâques (*l'Île de Pâques,* 1951).

MÈTRE. — Sous la Révolution française, on avait défini le mètre par rapport à la longueur du méridien terrestre; mais, dès la construction de l'étalon de 1 m en mousse de platine agglomérée, connu aujourd'hui sous le nom de *mètre des Archives,* c'est la distance entre ses extrémités qui devint le mètre par définition. Cette même longueur fut reproduite par la distance entre deux traits gravés sur le prototype international en platine iridié conservé depuis 1889 par le Bureau international des poids* et mesures. Depuis 1960, le mètre est défini par la longueur d'onde d'une radiation* optique de l'atome de krypton* 86, l'un des isotopes du krypton naturel atmosphérique. À chaque changement de définition, la longueur du mètre est conservée, mais ses extrémités deviennent plus fines et l'on gagne en précision; de plus, on garantit mieux son invariabilité, qui est maintenant assurée par la rigueur des lois quantiques.

MÉTRIQUE (système). — Le système métrique, conçu par l'Académie des sciences, est devenu légal en France le 7 avril 1795 et obligatoire le 1er janvier 1840. Il a mis fin à un chaos d'unités devenu intolérable. C'est un système à base décimale dont l'unité de longueur fut tirée des dimensions du globe terrestre, ce qui devait lui permettre d'être adopté par tous les pays en dehors de toute susceptibilité nationale. Sa forme moderne, le système international d'unités*, adoptée par la Conférence générale des poids et mesures, est sur le point de devenir d'un usage universel.

MÉTRITE → UTÉRUS.

MÉTRONOME. — On connaît les instruments destinés à indiquer avec précision le mouvement (ou temps) d'une œuvre musicale sous le nom de « chronomètre », « métromètre », « rythmomètre », « échomètre », « métronome », etc. Le métronome, le plus répandu, est dû au physicien autrichien Johann Nepomuk Maelzel (1772-1838). L'Institut de France approuva son invention en 1819. Cet instrument est composé d'un balancier supportant un contrepoids et mû par un mécanisme d'horlogerie. Le contrepoids, placé plus ou moins haut, ralentit ou accélère les oscillations du balancier, qui, fixé à sa base devant une échelle graduée de 40 à 208, indique le nombre de celles-ci par minute.

Metropolis, film allemand de Fritz Lang (1926). C'est une anticipation symbolique sur les temps futurs. Au XXIe s., une métropole gigantesque est dirigée par une race de seigneurs qui vivent dans des jardins suspendus paradisiaques, tandis que dans des galeries souterraines travaillent comme des automates de nombreux esclaves, exhortés à la résignation par une jeune salutiste. À la ressemblance de cette dernière, un savant fou invente une femme-robot, qui va entraîner à la révolte le peuple opprimé. Plus que par son thème philosophique, assez simpliste (dû à Thea von Harbou et discutable notamment par sa conclusion optimiste, qui prônait l'union capital-travail), le film devient célèbre grâce à la mise en scène puissante de Lang, aux recherches photographiques de l'opérateur Karl Freund et aux décors expressionnistes d'Otto Hunte, d'Erich Kettelhut et de Karl Vollbrecht.

MÉTROPOLITAIN. — Les réseaux de chemin de fer métropolitains se sont développés depuis le début du XXe s. pour résoudre le problème de la circulation dans les grandes agglomérations. Malgré les travaux importants qu'entraîne le percement de voies* souterraines, cette solution a généralement été préférée au nom de l'urbanisme et de l'esthétique. Pour limiter ces travaux, le matériel utilise un gabarit réduit. Il est automoteur électrique à courant* électrique continu alimenté par un troisième rail ou par un conducteur aérien. La vitesse maximale des trains est relativement faible, mais les accélérations et les décélérations sont importantes de façon à obtenir une vitesse moyenne élevée. Les lignes sont exploitées par des trains* omnibus ou par des trains de sections. De nombreux réseaux urbains utilisent le tarif unique pour simplifier la délivrance et le contrôle des titres de transport. Le tarif différentiel est plutôt adopté sur les lignes suburbaines. Les réseaux ferrés métropolitains continuent de se développer dans les grands centres urbains. Ils sont souvent complétés par des réseaux régionaux de plus grande capacité, permettant de desservir des banlieues éloignées. À Paris, les premiers travaux pour l'établissement du réseau urbain ont commencé dès 1900. Celui-ci compte actuellement 170 km de lignes exploités par 500 trains environ et transporte annuellement 1200 millions de voyageurs. Il est complété par un Métro régional, initialement appelé *Réseau express régional* (R.E.R.), équipé de matériel au gabarit standard des chemins de fer et qui dessert les banlieues sud, est et ouest de Paris.

La Régie autonome des transports parisiens a été créée le 1er janvier 1949 par la fusion de la Compagnie du chemin de fer métropolitain et de la Société des transports en commun de la région parisienne (S.T.C.R.P.). C'est un établissement public autonome à caractère industriel et commercial, qui exploite le Métro urbain, le Métro régional et le réseau de surface avec plus de 3000 autobus.

Metropolitan Museum of Art, à New York. Fondé en 1870, c'est un vaste musée consacré aux beaux-arts et aux arts décoratifs (prestigieuses collections européennes; États-Unis) ainsi qu'à l'archéologie (Orient ancien). Il a pour annexe le « musée des Cloîtres », où ont été transportés divers éléments de monuments médiévaux européens.

MÉTRORRAGIE → UTÉRUS.

METSU (Gabriël), peintre hollandais (Leyde 1629-Amsterdam 1667). Il manifeste son goût du pittoresque et de l'anecdote dans des scènes de genre (*le Marché aux herbes d'Amsterdam,* Louvre) aux détails minutieux et aux riches coloris. L'influence de Vermeer, vers les années 1660, le porte à des compositions plus rigides et à des tons plus froids.

METTERNICH (Klemens), homme d'État autrichien (Coblence 1773-Vienne 1859). Ambassadeur à Berlin (1803), puis à Paris (1806), il devient, pour près de quarante ans, ministre des Affaires étrangères et chancelier d'Autriche (1809). L'alliance française (mariage de Marie-Louise et de Napoléon), qu'il préconise d'abord, n'est, en fait, qu'une pierre d'attente avant la revanche, qui se dessine en 1813, durant la campagne française d'Allemagne.

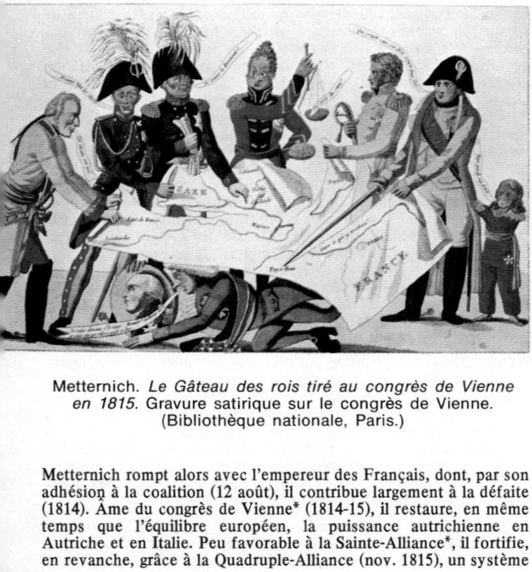

Larousse

Metternich. *Le Gâteau des rois tiré au congrès de Vienne en 1815.* Gravure satirique sur le congrès de Vienne. (Bibliothèque nationale, Paris.)

Metternich rompt alors avec l'empereur des Français, dont, par son adhésion à la coalition (12 août), il contribue largement à la défaite (1814). Âme du congrès de Vienne* (1814-15), il restaure, en même temps que l'équilibre européen, la puissance autrichienne en Autriche et en Italie. Peu favorable à la Sainte-Alliance*, il fortifie, en revanche, grâce à la Quadruple-Alliance (nov. 1815), un système conservateur, contre-révolutionnaire et, au début, antifrançais, qui, par le jeu de congrès, permet aux puissances d'intervenir partout — en Allemagne, en Italie, en Espagne — où le libéralisme menace l'ordre établi. Quand ce système s'effrite, Metternich doit se résigner à l'indépendance de la Grèce et de la Belgique (1830); les révolutions de 1830 en Europe témoignent d'ailleurs de la pérennité des idées révolutionnaires. Cette activité extérieure, tendue vers un seul but, empêche le chancelier de rénover de l'intérieur la vieille administration autrichienne, l'influence de Metternich étant, par ailleurs, limitée, à partir de 1826, par la Conférence d'État. La révolution de mars 1848 oblige le vieux chancelier à fuir.

METZ (57000), ch.-l. du départ. de la Moselle, sur la Moselle, à 312 km à l'E. de Paris; 117199 hab. *(Messins).*

GÉOGRAPHIE. Entre la Lorraine ferrifère et sidérurgique et la Lorraine houillère, Metz constitue avec ses banlieues (Montigny-lès-Metz, Woippy, etc.) une agglomération de plus de 180000 habitants. Surtout tertiaire (administrative, commerciale, universitaire

L. Schmidt

Metz. La cathédrale Saint-Étienne (XIIIe-XVIe s.), et, à droite, la place d'Armes, où s'élève l'hôtel de ville (XVIIIe s.), sur la rive droite de la Moselle.

aujourd'hui), elle est un important nœud routier et autoroutier (entre Paris et Strasbourg, entre Nancy et Sarrebruck), ferroviaire (gare de triage de Woippy) et même aérien (aéroport de Frescaty), ainsi qu'un port fluvial (canalisation de la Moselle). Elle s'industrialise (construction automobile dans la banlieue est, raffinerie de pétrole dans la banlieue nord [à Hauconcourt] et centrale thermique [à La Maxe]), alors qu'a décliné la fonction militaire. S'étirant vers le N., dans la vallée de la Moselle, l'agglomération de Metz tend à se souder à celle de Thionville pour former une nébuleuse urbaine de plus d'un demi-million d'habitants.

HISTOIRE. Cité principale d'un peuple gaulois, les Médiomatrices, Metz devient, avec les Romains, un important carrefour routier. Capitale du royaume d'Austrasie, elle participe à la Renaissance carolingienne. Le comte-évêque doit, dès le XIIe s., compter avec le dynamisme du patriciat urbain, qui, au XIIIe s., se dote d'organes municipaux; la richesse de cette bourgeoisie marchande, chrétienne ou juive, est à l'origine d'un important commerce d'argent et d'une domination de fait sur 200 villages du plat pays (« pays de Metz »). La montée d'une bourgeoisie artisanale non patricienne provoque des heurts sociaux dont tirent parti les Valois : ceux-ci finissent par annexer en fait (traité du Cateau-Cambrésis, 1559) puis en droit (traités de Westphalie, 1648) les Trois-Évêchés* (Metz, Toul et Verdun). L'intégration de Metz dans le royaume s'opère à partir de 1633, quand Richelieu y crée un parlement. Chef-lieu de la Moselle en 1790, Metz est allemande, malgré elle, de 1871 à 1918.

BEAUX-ARTS. Église Saint-Pierre-aux-Nonnains, ayant pour origine une basilique civile romaine. Diverses églises romanes et gothiques ou essentiellement gothiques (chapelle des Templiers;

anc. abbatiale Saint-Vincent, aux deux tours de chevet typiquement lorraines; Saint-Martin, au narthex à tribune). Vaste cathédrale, reconstruite du XIIIe au XVIe s., englobant dans ses premières travées le sanctuaire de Notre-Dame-la-Ronde et pourvue de magnifiques vitraux (de ceux de Hermann de Munster [XIVe s.] et de Valentin Busch [début du XVIe s.] aux œuvres de Villon et de Chagall). Abbaye Sainte-Glossinde, reconstruite au XVIIIe s. (auj. évêché), époque de renouveau qui voit s'édifier la place d'Armes sur plans de J. F. Blondel, l'actuel palais de justice sur plans de Clérisseau, l'ensemble de la place de la Comédie. Musée (collections archéologiques dans le cadre des thermes romains; collections médiévales au «grenier de Chèvremont», du XVe s.; beaux-arts).

Metz *(batailles sous)* [1870], combats qui se déroulèrent près de Metz, lors de la guerre franco-allemande* de 1870-71. Après les échecs de Frœschwiller et de Forbach (6 août), Bazaine cherche à replier ses forces sur Metz et Verdun. Devancés par les Prussiens, les Français, vainqueurs à Borny le 14 août, sont battus à Rezonville, à Gravelotte et à Mars-la-Tour (16-17 août), puis à Saint-Privat (18 août), défendu par Canrobert. Après de violents combats, les forces de Bazaine se replient sur Metz. Assiégées par les Allemands, elles capituleront le 27 octobre.

METZERVISSE (57940), ch.-l. de cant. de la Moselle, à 10 km au S.-E. de Thionville; 2027 hab.

METZINGER (Jean) → CUBISME.

MEUBLE. — Dans l'Antiquité, le mobilier se limita à quelques types de meubles : sièges, lits, tables et coffres. Au Moyen Âge, en Occident, il comprend le *coffre,* meuble de base, la *chaire,* le *banc,* le *châlit,* la table n'étant qu'une planche posée sur des tréteaux; on trouve quelques belles armoires dans les églises, des pupitres dans les couvents. Au début du XVe s., le meuble européen se perfectionne brusquement (*lits,* coffres élégants) et s'enrichit de nouveaux types, comme le *buffet.* Au XVIe s., tandis que le répertoire sculpté de la Renaissance (frontons, médaillons, trophées, grotesques...) se substitue aux lancettes et aux «plis de serviettes» du gothique, apparaissent l'*armoire* à deux corps, puis d'un seul tenant, le *dressoir* (ancêtre des *vaisseliers*), de nouveaux sièges *(chaises à bras),* les *tables* fixes. Le XVIIe s. est riche en meubles d'apparat, sièges aux montants tournés en spirale, *guéridons, cabinets* d'ébène italiens ou allemands, puis meubles de Boulle*, plaqués et marquetés à la façon italienne. Le XVIIIe s. est par excellence le siècle du mobilier diversifié, avec la création de nombreux types souvent à usage féminin : *commode, toilette, chiffonnière, secrétaire, bureau,* etc., dont le décor évolue de la rocaille (v. CRESSENT) au style rectilinéaire qui tend à s'imposer à partir de 1760 et se maintiendra avec les formes plus lourdes du style Empire (Riesener*, les Jacob*). Un Chippendale*, en Angleterre, préfigure l'éclectisme stylistique qui va croissant au XIXe s., parallèlement à la recherche d'un plus grand confort, jusqu'aux ruptures de l'Art* nouveau, puis du design* moderne (v. aussi DÉCORATION INTÉRIEURE).

MEUDON (92100), ch.-l. de cant. des Hauts-de-Seine, à 4 km au S.-O. de Paris, en bordure du *bois* ou de la *forêt de Meudon;* 53413 hab. *(Meudonnais).* Ville résidentielle (écart de *Meudon-la-Forêt* [92360]) et industrielle (métallurgie). Vestiges du château du XVIIIe s. (observatoire). Musée historique et d'art contemporain dans l'anc. maison d'Armande Béjart. Musée Rodin.

MEULAN (78250), ch.-l. de cant. des Yvelines, sur la Seine, à 15 km à l'E. de Mantes-la-Jolie; 8562 hab. Vestiges d'un château fort. Aux environs, église de Gaillon (XIe-XIIIe s.).

MEULEBEKE, comm. de Belgique (Flandre-Occidentale), à l'E. de Roulers; 10549 hab. (en 1977).

MEULIÈRE. — C'est une roche qui résulte de la silicification d'un calcaire. Lorsque cette dernière est totale, il se forme une *meulière compacte.* Mais, lorsqu'elle est partielle, l'altération superficielle dissout le calcaire restant, donnant naissance à une roche à l'aspect carrié, la *meulière caverneuse.* La meulière est abondante dans les terrains tertiaires du Bassin parisien; elle est très employée en construction.

MEUNERIE. — Dans la plupart des pays à climat tempéré, le blé est, de loin, la matière première principale de la meunerie. Pendant des siècles, la farine a été obtenue par des procédés artisanaux qui subsistent encore dans certaines régions du monde (mouture par pilon, par meules, par moulins à vent, etc.). Les procédés industriels sont apparus il y a une centaine d'années avec les appareils à cylindres. Pour obtenir des farines de bonne qualité, les grains doivent être, avant mouture, soumis à un nettoyage destiné à éliminer les impuretés qu'ils peuvent contenir : graines étrangères par séparation mécanique, débris métalliques par l'action d'aimants, impuretés légères par ventilation et aspiration, impuretés lourdes par lavage ou par différence de densité. Une fois le grain nettoyé, il faut séparer l'amande du grain de ses enveloppes. Ces dernières, intimement soudées à l'amande, sont constituées de matières cellulosiques non digestibles pour l'homme. D'autre part, le grain de blé comporte un sillon longitudinal profond, d'où les enveloppes ne peuvent être éliminées par abrasion. La mouture est obtenue par choc, cisaillement et écrasement, qui ouvrent le grain, séparent l'amande, friable, qui est brisée, tandis que les enveloppes résistent en raison de leur élasticité.

Dans les meuneries modernes, on procède à différentes opérations successives.

Le *broyage* des grains est effectué dans plusieurs séries de broyeurs constitués de deux cylindres en fonte, qui tournent en sens contraire à des vitesses différentes et qui possèdent des cannelures de plus en plus fines et de plus en plus rapprochées.

Le *blutage,* ou tamisage, des produits obtenus à la sortie des broyeurs se fait sur des plansichters, tamis à mailles de plus en plus fines, et permet de séparer farine, semoules et son.

Le *sassage,* opéré sur les semoules après séchage, sépare les semoules contenant des enveloppes (semoules vêtues) des semoules blanches; les semoules vêtues sont renvoyées au broyage.

Le *convertissage,* effectué entre des cylindres lisses, réduit les semoules blanches et les fragments d'amandes en farine.

MEUNG-SUR-LOIRE (45130), ch.-l. de cant. du Loiret, à 18 km au S.-O. d'Orléans; 4630 hab. *(Magdunois).* Église principalement des XIe-XIIIe s. Métallurgie.

MEUNIER (Constantin), peintre et sculpteur belge (Etterbeck, Bruxelles, 1831 - Ixelles 1905). Ses toiles et surtout ses sculptures (à partir de 1885) constituent une sorte d'épopée naturaliste de l'homme au travail, souffrant, esclave ou révolté. L'univers de la Belgique industrielle lui fournit les thèmes réalistes dont il donne une synthèse, tant plastique que symbolique, avec l'ensemble du *Monument au Travail,* inauguré à Bruxelles bien après sa mort.

MEURSAULT (21190), comm. de la Côte-d'Or, à 8 km au S.-O. de Beaune; 1733 hab. Vins blancs réputés.

MEURTHE (la), riv. de Lorraine, affl. de la Moselle (r. dr.); 170 km. Née dans les Vosges (formée par la réunion de la *Grande Meurthe* et de la *Petite Meurthe*), elle passe à Saint-Dié, à Lunéville et à Nancy.

MEURTHE *(département de la),* anc. département lorrain, formé en 1790 et démantelé en 1871, les arrondissements de Château-Salins et de Sarrebourg étant alors cédés à la Prusse. Avec l'arrondissement de Briey, détaché de la Moselle, les trois autres arrondissements formèrent le département de Meurthe-et-Moselle.

MEURTHE-ET-MOSELLE (54), départ. de la Région Lorraine; 5235 km^2; 722587 hab. Ch.-l. *Nancy.* S.-préf. *Briey, Lunéville* et *Toul.*

Le nord est formé d'un plateau sédimentaire s'élevant vers l'E. et retombant sur la vallée de la Moselle, dont seule la partie méridionale appartient au département. Au S. et à l'O., la forêt (dans la Haye, l'extrémité sud-est de la Woëvre) occupe de vastes espaces, comme dans l'extrémité sud-orientale, qui appartient déjà aux Vosges gréseuses. Le centre, autour de Nancy, est une zone de convergence hydrographique. C'est là aussi que se concentre la majeure partie de la population.

Celle-ci, pour l'ensemble du département, apparaît élevée, avec une densité d'occupation supérieure de moitié à la moyenne nationale. Pourtant, depuis une quinzaine d'années, le chiffre de population stagne ou presque, situation liée aux difficultés des deux piliers industriels : l'extraction du fer et la sidérurgie. Le département fournit en effet approximativement la moitié du minerai de fer français, extrait surtout dans le nord (vers Briey et Longwy) et accessoirement dans le sud (bassin de Nancy), et près du quart de l'acier français (sidérurgie implantée sur le minerai de fer dans les vallées de la Chiers et de l'Orne, mais durement concurrencée par les sites maritimes). Les autres branches (chimie liée à la présence de sel vers Dombasle-sur-Meurthe, verrerie dans l'est) ne sont pas non plus très dynamiques. Cependant, l'industrie occupe encore près de la moitié de la population active, alors que l'agriculture, fondée sur la culture céréalière et l'élevage, en emploie désormais moins de 5 p. 100. Le secteur tertiaire est devenu le premier fournisseur d'emplois. Il le doit au développement de l'agglomération de Nancy, qui regroupe désormais plus du tiers de la population totale du département. Le contraste est net d'ailleurs entre la croissance du sud du département, matérialisé par l'axe Toul-Nancy-Lunéville, et la stagnation ou le recul démographique du Pays Haut, minier et sidérurgique.

MEURTRE. — Le meurtre, ou homicide intentionnel, acte ayant entraîné la mort ou destiné à l'entraîner (la tentative non suivie d'effet étant punissable comme le meurtre lui-même), est un crime puni en France de la réclusion criminelle à perpétuité ou, s'il y a certaines circonstances aggravantes, de la peine de mort (meurtre d'un magistrat, d'un agent de la force publique, etc.). L'assassinat, meurtre commis avec préméditation, est punissable de la peine de mort. L'homicide par imprudence ou involontaire est puni, outre l'amende, d'un emprisonnement de trois mois à deux ans.

MEUSE (la), en néerl. **Maas,** fl. de l'Europe du Nord-Ouest; 950 km. Né au pied du plateau de Langres et coulant d'abord vers le N., la Meuse ouvre les *Côtes de Meuse* dans les plateaux calcaires de l'est du Bassin parisien et passe à Verdun avant d'entailler le massif ardennais, arrosant Sedan, puis Charleville-Mézières. Elle pénètre alors en Belgique, reçoit à Namur son principal affluent, la Sambre, passe à Liège et entre aux Pays-Bas, peu en amont de Maastricht. Son cours inférieur, parallèle au Rhin, mêle ses eaux à celles de ce fleuve, avec lequel la Meuse forme, sur la mer du Nord, un delta commun. La Meuse est une importante voie navigable en Belgique (où elle est reliée à Anvers par le canal Albert) et aux Pays-Bas; sa canalisation au gabarit de 1 350 t est réalisée jusqu'à la frontière française (Givet), en amont.

MEUSE (55), départ. de la Région Lorraine; 6220 km^2; 203904 hab. *(Meusiens).* Ch.-l. *Bar-le-Duc.* S.-préf. *Commercy* et *Verdun.*

Dans la partie orientale du Bassin parisien, le département est formé de plateaux calcaires s'élevant doucement vers l'E., entaillés par quelques vallées (Ornain, Aire et surtout Meuse), délimitant un certain nombre de petites régions : Barrois au S., partie méridionale de l'Argonne (entre l'Ornain et l'Aire), alors que la Meuse coupe le revers des *Côtes de Meuse,* qui dominent à l'E. la Woëvre.

Souvent forestier, le département de la Meuse est, de loin, le moins peuplé des départements de la Lorraine (dont il compte moins du dixième de la population totale). La densité d'occupation est à peine supérieure au tiers de la moyenne nationale, et, surtout depuis une quinzaine d'années, la population décroît régulièrement (évolution prolongeant d'ailleurs un déclin presque ininterrompu depuis le milieu du XIXe s). Pauvre en ressources naturelles, à l'écart des grands axes de circulation, le département ne compte pas de grande ville (aucune commune n'atteint 30000 habitants, et seules Bar-le-Duc et Verdun dépassent 10000 habitants) susceptible d'enrayer l'exode rural. L'agriculture emploie encore environ le septième des actifs. L'élevage (lait et viande) domine nettement. Il est implanté surtout dans les vallées humides, céréales et plantes sarclées couvrant une partie des plateaux. L'industrie, qui occupe les deux cinquièmes des actifs, est parfois liée à l'agriculture (laiteries et fromageries, alimentation pour le bétail), mais le département possède aussi quelques usines de métallurgie de transformation. Cependant, cette activité industrielle est peu dynamique, comme le secteur tertiaire, dont la faiblesse est à relier à celle de l'urbanisation. Le tourisme suscite quelques espoirs (le département possède la partie occidentale du parc régional de Lorraine), la Meuse tendant à devenir une zone de détente à l'ouest de la Lorraine industrialisée; mais cela ne suffit pas pour enrayer l'hémorragie démographique et réanimer l'économie.

MEXICALI, v. du nord-ouest du Mexique, à la frontière américaine, capit. de l'État de Basse-Californie; 263000 hab. Centre cotonnier.

MEXICO, capit. du Mexique; 6874000 hab.

GÉOGRAPHIE. Située au cœur du plateau central mexicain (Anáhuac) à 2250 m d'altitude, Mexico regroupe dans son agglomération près de 10 millions d'habitants (ce qui la situe parmi les plus grandes villes de l'Amérique latine), presque le cinquième de la population du pays. Durant le dernier demi-siècle, la population de l'agglomération a décuplé en raison d'un taux de natalité élevé et surtout de l'afflux de ruraux. Cette croissance est sans rapport avec celle des fonctions de la ville, qui est cependant la métropole du pays aux points de vue politique, administratif, commercial, industriel (le tiers du potentiel mexicain dans ce domaine) et culturel. Elle explique l'extension de bidonvilles *(ciudades perdidas)* à la périphérie.

HISTOIRE. Fondée en 1325 par les Aztèques, Tenochtitlán (Mexico) est détruite par Cortés en 1521. Reconstruite selon un plan en damier autour d'une place centrale, la ville est la métropole de la Nouvelle-Espagne avant de devenir (1824) la capitale du Mexique.

BEAUX-ARTS. Rares vestiges aztèques (centre cérémoniel de Tlatelolco, auj. place des Trois-Cultures), mais monuments nombreux de l'époque coloniale : cathédrale (XVIe-XVIIIe s.) et son « Sagrario » churrigueresque (par Lorenzo Rodríguez, 1749) sur la grande place du Zócalo, sanctuaire de Guadalupe (1695) et sa chapelle du Pocito (par Francisco Guerrero y Torres, 1777) admirablement décorée, couvents, églises, palais, comme le palais National (anc. résidence des vice-rois) et le palais des Mines (1797, chef-d'œuvre néoclassique de Manuel Tolsá). Après l'éclectisme du XIXe s., un renouveau s'affirme à partir de 1920-1930 avec des architectes modernes ainsi qu'avec le muralisme* de Rivera, Orozco et Siqueiros. En 1949 est entreprise la nouvelle Cité universitaire; en 1963 est construit le musée national d'Anthropologie (au parc de Chapultepec), cadre remarquable conçu par Pedro Ramírez Vázquez pour de fabuleuses collections précolombiennes et indiennes. Autres musées : Musée ethnographique (fouilles de Tenochtitlán), musée national d'Histoire, pinacothèque de la Vice-Royauté (dans l'anc. église S. Diego), musée d'Art moderne, etc.

MEXIMIEUX (01800), ch.-l. de cant. de l'Ain, à 15 km au S.-O. d'Ambérieu-en-Bugey; 3459 hab.

MEXIQUE, en esp. **México,** État fédéral de l'Amérique septentrionale et centrale; 1970000 km^2; 62330000 hab. *(Mexicains).* Capit. *Mexico.*

GÉOGRAPHIE

• *Le milieu naturel.* Le pays s'étend sur un ensemble de hauts plateaux et de chaînes montagneuses, les zones basses y occupant des superficies restreintes, localisées en bordure du littoral. Au N., la sierra Madre orientale et la sierra Madre occidentale encadrent un haut plateau, vaste étendue monotone d'altitude moyenne de 1500 m, limitée par le río Bravo (ou rio Grande), qui forme la frontière avec les États-Unis. Elles dominent à l'E. la côte du golfe du Mexique et à l'O. celle du golfe de Californie, profonde pénétration de l'océan Pacifique qui isole la péninsule étroite et montagneuse de Basse-Californie. Au centre, un arc volcanique (Orizaba, 5700 m; Popocatépetl) surmonte de hauts plateaux entrecoupés de bassins. Au S., le pays se resserre au niveau de l'isthme de Tehuantepec, puis s'élargit dans la péninsule du Yucatán, vaste plateau calcaire. En raison de l'étirement en latitude, le climat, aride dans le nord du pays, couvert par une steppe à épineux et à cactus, devient franchement tropical dans le sud, où pousse la forêt dense. Les températures, élevées dans l'ensemble, sont tempérées par l'altitude.

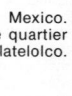

Mexico. Le quartier de Tlatelolco.

D. Darr

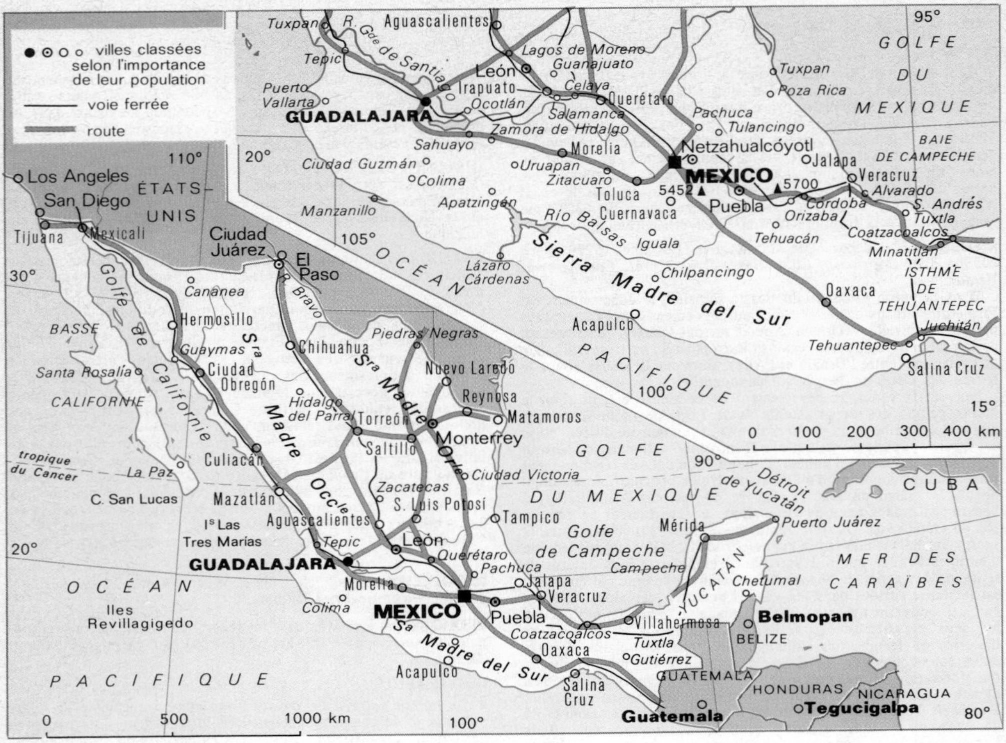

MEXIQUE

• *La population.* Elle est formée de près de 30 p. 100 d'Indiens, de 15 p. 100 de Blancs et de 55 p. 100 de métis. Concentrée sur les hauts plateaux, elle est caractérisée par un accroissement très rapide (3,5 p. 100 par an), résultant d'une baisse du taux de mortalité; le taux de natalité reste très élevé et est responsable de la pression démographique dans les campagnes, qui contraint les paysans à l'exode rural et favorise l'augmentation rapide du taux d'urbanisation. Les villes (dont Mexico, Guadalajara et Monterrey sont les plus peuplées) se sont développées très rapidement et sont caractérisées par la juxtaposition d'un centre moderne et de quartiers périphériques misérables, grossis par les chômeurs. C'est aussi le chômage qui pousse de nombreux Mexicains à aller chercher du travail, le plus souvent en fraude, aux États-Unis.

• *L'économie.* L'agriculture occupe près de la moitié de la population active. Une série de réformes agraires a permis l'abolition des grandes propriétés, les haciendas, qui ont été distribuées aux paysans. Mais les propriétaires ont souvent des parcelles trop réduites pour nourrir leur famille, et il existe encore 50 p. 100 d'ouvriers agricoles. Les petites exploitations traditionnelles, spécialisées dans la production vivrière, subsistent sur les hauts plateaux. Elles fournissent du maïs (10 Mt) et des haricots, la culture du blé étant en progression dans les plaines irriguées du Nord. Les steppes arides sont le domaine d'un élevage bovin extensif. Dans le Sud dominent les cultures tropicales destinées à l'exportation : coton — qui alimente également l'industrie textile nationale —, canne à sucre, café. La production de fruits et de légumes augmente grâce au développement de l'irrigation.

Le sous-sol recèle des gisements de fer, de zinc et de plomb, et le pays est le premier producteur mondial d'argent. La découverte de pétrole sur la côte du golfe du Mexique (40 Mt) a favorisé l'essor de la pétrochimie. La sidérurgie (5 Mt d'acier par an) est localisée à Monterrey, à Mexico et à Monclova. Elle alimente quelques industries mécaniques, dont la construction automobile. Mais l'industrie textile demeure le secteur dominant.

Actuellement le Mexique connaît une croissance rapide. Le développement industriel est favorisé par les nombreux investissements américains, attirés par une main-d'œuvre meilleur marché qu'aux États-Unis. Cela explique la localisation frontalière de beaucoup des nouveaux établissements. Cependant, la production ne couvre pas les besoins, et le tourisme ne compense qu'en partie le déficit de la balance commerciale.

HISTOIRE. Le Mexique voit s'épanouir sur la côte atlantique la grande civilisation des Olmèques*. Les cultures classiques du Ier millénaire de notre ère, qui connaissent leur apogée entre 600 et 800, sont dues, au sud, aux Mayas* et aux Zapotèques-Mixtèques*, tandis que, plus au nord, se développent les civilisations d'El Tajín, de Teotihuacán, puis des Toltèques*. L'unification du pays se fait par les Aztèques, fondateurs de Tenochtitlán (Mexico, 1325). La confédération aztèque est détruite en 1519 par Cortés*, qui, en 1521, occupe Tenochtitlán. Au choc militaire s'ajoutent les chocs microbiens et économique, qui provoquent la ruine du Mexique et sa dépopulation catastrophique (11 millions d'habitants en 1519, 2,5 millions en 1600). La domination espagnole s'accompagne d'une conversion massive et rapide au catholicisme. Durant les XVIIe s. et XVIIIe s., le Mexique s'enrichit par l'exploitation des mines, qui entraîne l'expansion de l'élevage et de l'agriculture commerciale; mais la croissance démographique et l'urbanisation s'accompagnent de tensions sociales qui, au début du XIXe s., provoquent des soulèvements. Celui de 1810-1815, conduit par le curé Hidalgo*, puis par le prêtre métis Morelos*, oppose aux Espagnols et aux créoles les classes pauvres — les Indiens — en une guerre acharnée qui ruine le pays. Cette guerre civile terminée, le corps des officiers et l'aristocratie créole opposée à l'Espagne libérale de Riego proclament l'indépendance (1821) : le vainqueur de Morelos, Agustín de Iturbide*, est proclamé empereur.

En fait, le régime ainsi établi — États-Unis du Mexique —, doté d'une constitution fédérale en 1824, s'avère fragile. Dans un pays où la masse est misérable et illettrée, l'égalité civile est un mythe et le régime parlementaire, une comédie. L'armée devient l'instrument de nombreux pronunciamientos. Dès 1823, elle oblige Iturbide à abdiquer : le général Antonio López de Santa Anna (v. 1795-1876), proclame la république et, durant près de trente ans (1828-1855), arbitre la politique, qui oppose perpétuellement conservateurs centralistes et libéraux fédéralistes. Mais Santa Anna est incapable d'empêcher la perte du Texas, qui est réuni aux États-Unis (1836-1845); la guerre qui s'ensuit (1846-1848) coûte au Mexique la haute Californie et le Nouveau-Mexique (1848). Alors, soutenus par les États-Unis, les libéraux consolident leurs forces, s'opposant aux conservateurs en une « guerre de la réforme » (1858-1861) : la victoire des libéraux — anticléricaux —, avec Benito Juárez*, provoque l'intervention de l'Europe, et notamment celle de la France, qui, après s'être entêtée à fonder au Mexique un empire catholique (1862-63), dont l'archiduc Maximilien* est le titulaire nominal (1864), finit par abandonner ce dernier, qui est exécuté par les troupes de Juárez (1867). Les libéraux se rendent alors maîtres du pays, noyant l'opposition dans le sang. Le successeur de Juárez († 1872), Sebastián Lerdo (de 1872 à 1876), accentue la politique anticléricale au point de provoquer des soulèvements paysans. Pour conjurer la guerre civile s'impose un métis, le général Porfirio Díaz*, qui — sauf de 1880 à 1884 — sera président de la République de 1876 à 1911. Ce qu'on a appelé le « porfiriat » marque un tournant capital dans l'histoire du Mexique : la fin de la crise politique endémique, la naissance de l'État moderne, les débuts du développement économique. La stabilité du pouvoir et la fin du banditisme s'accompagnent d'une forte montée démographique (de 9 millions à 15 millions d'habitants) et de l'afflux des capitaux étrangers, notamment américains. Le passif est lié au maintien de la grande propriété.

Les ambitions des classes moyennes montantes et la crise économique mondiale expliquent la chute (1911) de Porfirio Díaz à la suite d'une insurrection conduite par un grand propriétaire idéaliste, Francisco Madero* (1873-1913) : celui-ci ne peut juguler les rébellions paysannes, notamment celle que conduit dans le Sud Emiliano Zapata (1879-1919); en 1913, il est assassiné. La tentative révolutionnaire du général Victoriano Huerta (1845-1916) ne dure que dix-huit mois. Combattu par les Américains, qui débarquent à Veracruz en 1914, Huerta est remplacé par le chef des constitutionnalistes, Venustiano Carranza (1859-1920), dont se sépare bientôt Pancho Villa*, qui s'unit au Sud indien, représenté par Zapata. À la fin de 1914, Carranza est sauvé par le général Álvaro Obregón*, qui, à l'issue d'une atroce guerre civile, impose au pays la Constitution de 1917, de tendance socialisante et anticléricale, et qui renforce le centralisme et l'étatisme. Après Carranza († 1920), qui se débarrasse des partisans de Zapata († 1919), Obregón (de 1920 à 1924) puis son ami Plutarco Elias Calles de 1924 à 1928) deviennent présidents de la République; malgré la confusion ambiante, cette époque est caractérisée par la reconstruction économique. Mais l'autoritarisme et l'anticléricalisme de l'État se heurtent, au niveau de la campagne et des masses, à l'éthique chrétienne et à l'influence du clergé. Éclate alors la terrible guerre religieuse des « Cristeros » (1926-1929), dont Calles, qui, sous le président Emilio Portes Gil, a la réalité du pouvoir, ne peut venir à bout. Le président Lázaro Cárdenas (de 1934 à 1940), nationaliste populiste, se débarrasse en 1935 de la tutelle de Calles; il apaise la querelle avec l'Église, amorce une importante réforme agraire et exproprie les compagnies pétrolières étrangères (1938). Il impose ensuite ses successeurs, mais le président Ávila Camacho (de 1940 à 1946) met le point final à la révolution de Cárdenas; profitant de l'appel économique provoqué par la guerre mondiale, il lance le Mexique dans l'industrialisation. Son œuvre est poursuivie par Miguel Alemán (de 1946 à 1952) : mais l'expansion forcenée et la croissance des importations conduisent à la dévaluation de 1948. Ruiz Cortines (de 1952 à 1958) doit faire face à une inflation galopante, qui provoque une intense agitation ouvrière, encouragée par les succès du castrisme. López Mateos (de 1958 à 1964), mettant l'accent sur l'unité du pays et multipliant les nationalisations, réprime durement les mouvements sociaux. Sous Díaz Ordaz (de 1964 à 1970), le pays de la révolution institutionnaliste, du présidentialisme et de l'emprise du parti révolutionnaire institutionnel (P. R. I.) entre dans la crise politique et économique : l'université de Mexico est le principal foyer du mécontentement; en 1968, elle est le théâtre d'un véritable massacre. D'autres événements sanglants (1971) marquent la présidence de Luis Echeverría (de 1970 à 1976), qui choisit une ligne politique démocratique; il est remplacé par José López Portillo, qui se situe plus à droite.

MEXIQUE *(golfe du),* mer bordière de l'océan Atlantique, avec lequel elle communique par les détroits de Floride et du Yucatán, de part et d'autre de Cuba. Le golfe du Mexique borde le sud des États-Unis (de la Floride au Texas) et l'est du *Mexique.* La plate-forme littorale est le siège d'une intense exploitation pétrolière.

Mexique *(guerre du),* intervention française au Mexique (1862-1867). Le président mexicain Juárez ayant suspendu le paiement des intérêts de la dette extérieure mexicaine, la France, la Grande-Bretagne et l'Espagne intervinrent militairement en débarquant à Veracruz (1862). Après le désintéressement de la Grande-Bretagne et de l'Espagne, Napoléon III continua seul la lutte dans le dessein de créer au Mexique un empire faisant contrepoids à la puissance grandissante des États-Unis. Après le combat de Camerone*, les Français prirent Puebla et occupèrent Mexico (1863). En 1864, l'archiduc Maximilien d'Autriche fut proclamé empereur du Mexique. Après deux ans de lutte, Bazaine dut replier ses forces, qui se rembarquèrent à Veracruz en mars 1867. Trois mois plus tard, Maximilien était fusillé à Querétaro.

MEYER (Conrad Ferdinand), écrivain suisse d'expression allemande (Zurich 1825 - Kilchberg 1898). Il joint le sens plastique à la verve épique dans ses *Poésies* (1882) et ses romans (*Jürg Jenatsch,* 1876).

MEYER (Viktor), chimiste allemand (Berlin 1848 - Heidelberg 1897). Il est l'auteur d'une méthode de mesure rapide des densités de vapeur (1878). On lui doit les découvertes des aldoximes, des cétoximes et du thiofène.

MEYERBEER (Jacob Liebman BEER, dit **Giacomo**), compositeur allemand (Berlin 1791 - Paris 1864). Établi à Paris et fort d'une tradition lyrique italienne, française et allemande, il réussit, avec la collaboration du librettiste E. Scribe, dans le drame historique, non sans quelque grandiloquence (*Robert le Diable,* 1831; *les Huguenots,* 1836; *le Prophète,* 1849; *l'Africaine,* posthume, 1865).

MEYERHOF (Otto), physiologiste allemand (Hanovre 1884 - Philadelphie 1951), auteur de *la Transformation de l'énergie dans le muscle.* (Prix Nobel de médecine, 1922.)

MEYERSON (Émile) → ÉPISTÉMOLOGIE.

MEYLAN (38240), ch.-l. de cant. de l'Isère, dans la banlieue nord-est de Grenoble; 12 199 hab.

MEYMAC (19250), ch.-l. de cant. de la Corrèze, à 17 km à l'O. d'Ussel; 2 745 hab. Église romane et gothique du XIIe s., anc. abbatiale.

MEYRIN, comm. de Suisse, banlieue nord-ouest de Genève; 14 255 hab.

MEYRUEIS (48150), ch.-l. de cant. de la Lozère, à 35 km au S.-O. de Florac; 1 083 hab.

MEYSSAC (19500), ch.-l. de cant. de la Corrèze, à 23 km au S.-E. de Brive-la-Gaillarde; 1 218 hab.

MEYTHET (74000 Annecy), comm. de la Haute-Savoie, banlieue ouest d'Annecy; 6 648 hab.

MEYZIEU (69330), ch.-l. de cant. du Rhône, sur le Rhône, à 14 km à l'E. de Lyon; 19 505 hab.

MÈZE (34140), ch.-l. de cant. de l'Hérault, sur l'étang de Thau, à 18 km à l'O. de Sète; 5 508 hab. Église du XVe s.

MÉZEL (04270), ch.-l. de cant. des Alpes-de-Haute-Provence, à 14 km au S. de Digne; 326 hab.

MÉZENC *(mont),* massif volcanique du sud-est du Velay, aux confins de l'Ardèche et de la Haute-Loire; 1 754 m.

MÉZIDON-CANON (14270), ch.-l. de cant. du Calvados, sur la Dives, à 28 km au S.-E. de Caen; 4 123 hab. Gare de triage.

MÉZIÈRES, anc. ch.-l. du départ. des Ardennes, qui fait partie, depuis 1966, de la nouvelle commune de *Charleville-Mézières**.

MÉZIÈRES-EN-BRENNE (36290), ch.-l. de cant. de l'Indre, à 19 km au S.-O. de Buzançais; 1 179 hab. Église du XIVe s. avec belle chapelle Renaissance.

MÉZIÈRES-SUR-ISSOIRE (87330), ch.-l. de cant. de la Haute-Vienne, à 12 km à l'O. de Bellac; 1 031 hab.

MÉZIN (47170), ch.-l. de cant. de Lot-et-Garonne, à 13 km au S. de Nérac; 1 800 hab.

MEZZOGIORNO (le), ensemble des régions continentales (au S. de Rome) et insulaires de l'Italie du Sud. Le Mezzogiorno englobe le Latium méridional, les Abruzzes, le Molise, la Campanie, la Calabre, le Basilicate, la Pouille, la Sardaigne et la Sicile. Il couvre environ 130 000 km^2, soit 44 p. 100 de la superficie du pays, dont il regroupe à peine 20 millions d'habitants (36 p. 100). Il doit son unité à un état de (relatif) sous-développement par rapport aux régions industrialisées du Nord. Ici, l'industrie n'intervient que pour un tiers dans la formation de produit régional (pour la moitié dans le Nord), faiblesse expliquant en partie un revenu moyen par habitant à peine égal à la moitié de celui qui est atteint au Piémont ou en Lombardie. Plus que les caractères physiques défavorables (extension des reliefs, pauvreté des sols, manque de ressources minérales), c'est l'histoire, la longue soumission à des dominations étrangères, qui est responsable de ce retard, imposant une intense émigration, dirigée initialement vers l'étranger et aujourd'hui vers le nord du pays. L'État, par l'intermédiaire d'organismes spécialisés, financiers (Caisse pour le Midi) et industriels (Iri, Istituto per la ricostruzione industriale), tente de stimuler le développement du Mezzogiorno. Des implantations spectaculaires ont intéressé Naples (automobile), Tarente (sidérurgie), etc. Le Mezzogiorno n'a pas rattrapé son retard, mais celui-ci a cessé de s'accroître.

MEZZO SOPRANO → VOIX.

MIAJA MENANT (José), général espagnol (Oviedo 1878 - Mexico 1958). Commandant les forces républicaines pendant la guerre civile d'Espagne (1936-1939), il organisa la défense de Madrid.

MIAMI, v. des États-Unis, sur la côte sud-est de la Floride; 335 000 hab. (1 268 000 hab. pour l'aire métropolitaine). Grand centre touristique. Musées. Industries alimentaires.

MIAOULIS (Andréas VOKOS, dit), amiral grec (v. 1768 - Athènes 1835). Il commanda de 1822 à 1827 les forces navales des insurgés grecs. Considéré comme un héros national, il a été inhumé au Pirée.

MIASS, v. de l'U. R. S. S. (R. S. F. S. de Russie), dans le sud de l'Oural; 131 000 hab. Industrie automobile.

MICA. — Les micas ont une densité voisine de 3 et une dureté moyenne de 2,5. Ils existent dans une foule de roches cristallines, notamment dans le granite. Transparents, ils offrent une grande résistance à la chaleur; d'où leur emploi dans certains poêles. Ils sont utilisés comme isolants dans les condensateurs et servent, en optique, à faire des lames minces.

MICASCHISTE. — Roche métamorphique, le micaschiste est constitué principalement de quartz et de micas. Ces derniers sont orientés dans des plans parallèles, déterminant l'apparition d'une schistosité. Le micaschiste résulte de la transformation d'une roche argileuse.

MICELLE. — Dans les solutions colloïdales, les micelles possèdent une charge électrique, qui les maintient en équilibre dans le milieu. Lorsque, au lieu de rester isolées en suspension, elles se rassemblent et floculent, l'état colloïdal est détruit.

MICHAUX (Pierre), mécanicien français (Bar-le-Duc 1813 - Bicêtre 1883). Il conçut le principe du pédalier de la bicyclette (1861), qui fut réalisé par son fils ERNEST (1842-1882). En 1869, il construisit avec le concours de l'ingénieur Perreaux le premier motocycle mû par un moteur à vapeur.

MICHAUX (Henri), poète et peintre français d'origine belge (Namur 1899). Son œuvre compose un unique témoignage sur ses voyages réels ou imaginaires, sur son désir de rencontrer l'« autre », soit dans le périple extérieur et exotique, soit dans l'exploration

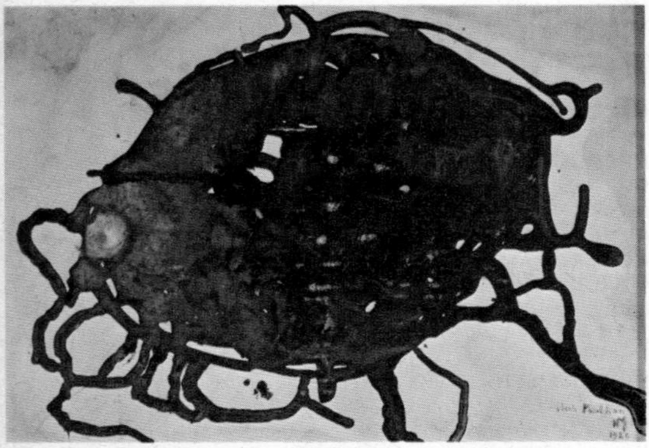

L. Joubert

Henri Michaux : *Un poulpe ou une ville.* 1926. Gouache. (Coll. privée.)

intérieure menée sous l'emprise de la drogue (*Qui je fus,* 1927; *Un barbare* en Asie,* 1932; *Voyage en Grande Garabagne,* 1936; *Plume*,* 1938; *l'Espace du dedans,* 1944; *Misérable Miracle,* 1956; *l'Infini* turbulent,* 1957; *Connaissance* par les gouffres,* 1961) ou dans l'épreuve des qualités plastiques de l'écriture (*Par la voie des rythmes,* 1974; *Idéogrammes en Chine,* 1975).

MICHÉE, prophète biblique. Il exerça son ministère entre 740 et 687 av. J.-C. dans les deux royaumes de Juda* et d'Israël*. Il fut l'annonciateur du jugement de Dieu, qui devait châtier les infidélités de son peuple.

MICHEL *(saint),* archange. Dans la Bible, Michel est l'ange par excellence, le vainqueur de Satan, le chef des armées célestes, le protecteur d'Israël. Il devint assez naturellement le protecteur de l'Église romaine; son culte s'est répandu à travers la chrétienté, particulièrement en Orient et en France.

MICHEL Ier Rangabé († apr. 840), empereur byzantin de 811 à 813, gendre de Nicéphore Ier, à qui il succéda. En 812, il reconnut à Charlemagne le titre d'empereur d'Occident. Sa prise de position en faveur des images provoqua l'hostilité du parti iconoclaste et une vive opposition dans le pays. Vaincu à Versinikia (813) par les Bulgares, Michel fut déposé par son armée.

MICHEL II ET III, empereurs byzantins → AMORION *(dynastie d').*

MICHEL VII DOUKAS, empereur byzantin → DOUKAS.

MICHEL VIII PALÉOLOGUE, empereurs byzantins → PALÉOLOGUES.

MICHEL ou **DOM MIGUEL** (Queluz 1802 - Brombach, Allemagne, 1866), roi de Portugal de 1828 à 1834. Fils de Jean VI et fiancé par son frère Pierre Ier, empereur du Brésil, à Marie II, reine du Portugal (1826), il devint régent en 1827 et se proclama roi en 1828; il s'aliéna l'opinion par son autoritarisme; à l'issue d'une guerre civile, Pierre Ier, rentré au Portugal, l'obligea à s'exiler (1834).

MICHEL Ier (Sinaia 1921), roi de Roumanie de 1927 à 1930 et de 1940 à 1947. Fils de Charles (Carol) II, héritier du trône après la renonciation de son père (1926), roi à la mort de son grand-père Ferdinand Ier (1927), Michel est écarté par Charles II en 1930. Quand celui-ci abdique pour la seconde fois (1940), il reprend son titre mais subit la tutelle d'Antonescu*, qui fait de la Roumanie l'alliée de l'Allemagne. Il se débarrasse d'Antonescu en 1944, mais l'avènement du communisme l'oblige à abdiquer (déc. 1947).

MICHEL III Fedorovitch (1596 - Moscou 1645), tsar de Russie (1613-1645). Premier tsar de la famille des Romanov*, il est élu par le Zemski* Sobor de 1613, ce qui met fin au temps des troubles*. Les Polonais ne renoncent à leurs prétentions au trône moscovite qu'en 1634 et conservent la région de Smolensk. Faible, Michel Fedorovitch abandonne la direction des affaires à sa famille (au patriarche Philarète, son père, de 1619 à 1633).

MICHEL III OBRENOVIĆ, prince de Serbie → OBRENOVIĆ.

MICHEL (Louise), révolutionnaire française (Vroncourt, Haute-Marne, 1830 - Marseille 1905). Institutrice en Haute-Marne, puis à Paris, elle s'intéresse à la misère populaire. La part active qu'elle prend à la Commune* de Paris (1871) lui vaut d'être déportée en Nouvelle-Calédonie. Amnistiée en 1880, elle reste fidèle à son idéal anarchiste et social.

MICHEL-ANGE (Michelangelo BUONAROTTI, dit), sculpteur, peintre, architecte et poète italien (Caprese, près d'Arezzo, 1475 - Rome 1564). Formé à la peinture et à la fresque dans l'atelier des Ghirlandaio, il travaille la sculpture en étudiant les antiques des jardins des Médicis. Il dépasse vite, avec la *Pietà* de Saint-Pierre de Rome (1499), l'esthétique du quattrocento et, avec le *David**, l'idéalisme classique. L'humanisme empreint de néoplatonisme en honneur dans l'entourage de Laurent le Magnifique, superposé à la foi chrétienne, anime son œuvre : non seulement sa sculpture, où la forme, délivrée de la matière, tend à la spiritualité avec une énergie souvent pathétique, mais aussi sa peinture, qui trouve dans la vigueur de la composition, dans la synthèse de la forme et de la couleur, dans l'originalité de la vision une puissance sans précédent (voûte de la chapelle Sixtine*, décorée sur les thèmes de l'Ancien Testament). La sculpture (pour le tombeau monumental, jamais achevé, de Jules II, il donne : les *Esclaves,* Louvre et Accademia de Florence; *Moïse,* 1516, S. Pietro in Vincoli à Rome; la *Victoire,* v. 1524, Palazzo Vecchio de Florence) et surtout les problèmes des rapports entre la sculpture et l'architecture restent la préoccupation dominante de l'artiste : il travaille à la façade de S. Lorenzo à Florence, au vestibule et à l'escalier de la bibliothèque Laurentienne, construit la Nouvelle Sacristie de S. Lorenzo et y dresse (entre 1526 et 1533) les tombeaux de Laurent II et de Julien de Médicis avec quatre allégories, *la Nuit* et *le Jour, le Crépuscule* et *l'Aurore,* expressions tourmentées du destin et de la souffrance humaine. Il est encore sollicité par la fresque (*Jugement dernier* de la chapelle Sixtine, 1536, d'une inspiration dantesque) et par la sculpture (*Pietà* du dôme de Florence et *Pietà « Rondanini »* du Castello Sforzesco de Milan, inachevées et pathétiques), mais il se consacre essentiellement, vers la fin de sa vie, à l'architecture (travaux pour la place du Capitole à Rome et surtout, à partir de 1547, pour le nouveau Saint-Pierre*). Le sentiment aigu des contradictions entre la matière et l'esprit, entre la détresse humaine et le monde divin, les doutes et les souffrances, l'exigence de perfection, enfin, donnent à son œuvre une humanité et une force qui ont fait de lui l'incarnation même du génie.

MICHELET (Jules), historien français (Paris 1798 - Hyères 1874). En 1831, il est nommé chef de la section historique aux Archives nationales et devient maître de conférences à la faculté des lettres de Paris; quatre ans plus tard, il professe l'histoire au Collège de France, où son enseignement, très suivi, devient une sorte d'apostolat en faveur des idées libérales et anticléricales. Parallèlement, il approfondit ses recherches historiques, demandant à l'histoire de ressusciter la vie intégrale du passé : en 1833, il amorce la publication de son *Histoire de France;* en 1847, il fait paraître le premier tome de son *Histoire de la Révolution française.* Dans le même temps, il écrit pour le peuple, qui, à ses yeux, est l'instrument de tout déroulement historique, des « cours d'éducation nationale » (*Du prêtre, de la femme, de la famille,* 1845; *le Peuple,* 1846; ...). Un moment suspendu par la monarchie de Juillet (2 janv. 1848), son enseignement est rétabli par la IIe République. Mais Louis Napoléon prive définitivement l'historien de sa chaire (2 mars 1851); ayant refusé de prêter serment à l'Empire, Michelet doit aussi quitter son poste aux Archives (1852). Désormais, sa pensée se fait plus lyrique; tout en achevant sa monumentale *Histoire de France,* Michelet multiplie les brochures consacrées aux mystères de la nature et à l'âme humaine (*l'Oiseau,* 1856; *l'Amour,* 1859; ...).

MICHELIN, famille d'industriels et de philanthropes français. JULES (Paris 1817 - Limoges 1870) entrevit dès 1833, avec son cousin

Édouard Daubrée, l'intérêt du caoutchouc manufacturé et pensa à garnir d'un bandage à base de latex les roues des voitures légères. — Ses fils, ANDRÉ (Paris 1853-*id.* 1931) et ÉDOUARD (Clermont Ferrand 1859-Orcines, Puy-de-Dôme, 1940), lièrent le nom de Michelin à l'application du pneumatique à l'automobile. En 1900, André créa le *Guide Michelin,* puis la série de cartes qu'il établit pour la France et certains pays étrangers. En 1914, il fit campagne pour le numérotage des routes, multiplia les plaques indicatrices et les poteaux de signalisation. Les deux frères furent les premiers à appliquer, dans leur entreprise, les principes de l'organisation scientifique du travail et multiplièrent les œuvres sociales.

MICHELOZZO, sculpteur et architecte italien (Florence 1396-*id.* 1472). Assistant de Ghiberti, puis, vers 1425-1433, de Donatello (tombeau du cardinal Brancacci, S. Angelo a Nilo, Naples), il est ensuite un grand bâtisseur au service des Médicis à Florence : couvent de S. Marco et, vers 1444, reconstruction de S. Annunziata (avec une rotonde à l'antique en guise de chœur) et construction du palais Médicis, prototype des palais toscans de la Renaissance. Il travaille aussi pour Pistoia, Milan, Dubrovnik, s'inspirant de Brunelleschi ou innovant, épris de simplicité, mais élaborant une grammaire décorative d'une grande élégance.

MICHELSON (Albert), physicien américain (Strzelno, Pologne, 1852-Pasadena 1931). Inventeur d'un interféromètre très sensible, il montra, dans deux expériences célèbres (1881 et 1887), qu'il était impossible de déceler un déplacement de la Terre par rapport à l'éther, en mesurant la vitesse de la lumière dans différentes directions; ce résultat fut à l'origine de la théorie de la relativité. En 1894, Michelson évalua la dimension du mètre en longueurs d'onde lumineuse. (Prix Nobel de physique, 1907.)

MICHIGAN, un des Grands Lacs de l'Amérique du Nord, le seul appartenant exclusivement aux États-Unis; 58 000 km^2. Sur sa rive sud-ouest est située Chicago.

MICHIGAN, État des États-Unis, de part et d'autre du *lac Michigan;* 150 780 km^2; 8 875 000 hab. Capit. *Lansing.* Dans la région des Grands Lacs, c'est un ensemble de plateaux et de plaines surtout sédimentaires, au climat continental, avec des hivers rigoureux et des étés relativement chauds. La forêt originelle a été largement défrichée, et les sols, souvent médiocres, en raison de dépôts glaciaires quaternaires, fournissent des céréales (maïs, blé, etc.), partiellement destinées à un important élevage laitier. Le minerai de fer est la principale ressource du sous-sol. L'industrie, activité nettement prépondérante, est dominée par la construction automobile, représentée surtout dans l'agglomération de Detroit, qui regroupe près de la moitié de la population de l'État.

MICHOACÁN, État montagneux du Mexique, entre Mexico et l'océan Pacifique; 2 324 000 hab. Capit. *Morelia.*

MICIPSA → NUMIDIE.

Mickey Mouse, personnage de dessins animés, représenté par une souris anthropomorphe espiègle et turbulente. Il fut créé en 1928 par le cinéaste Walt Disney*. Les derniers films de *Mickey* furent produits en 1955.

MICKIEWICZ (Adam), poète et patriote polonais (Zaosie [auj. Novogroudok], Biélorussie, 1798-Constantinople 1855). Initiateur du romantisme en Pologne (*Ballades et romances,* 1822), emprisonné, puis exilé par le gouvernement russe, il incarne la lutte pour l'indépendance nationale (*les Aïeux,* 1823-1832; *Konrad Wallenrod,* 1828). En France, où il publie *le Livre des pèlerins* (1832) et le poème héroï-comique *Pan Tadeusz* (1834), il est chargé des cours de langue et de littérature slaves au Collège de France (1840), puis nommé conservateur de la bibliothèque de l'Arsenal (1845). En 1848, il organise en Italie une légion polonaise.

MICOCOULIER. — Ce petit arbre du Midi, au feuillage léger, se caractérise par son tronc très droit, souvent utilisé pour faire des manches d'outil. On le cultive à cette fin. (Type de la famille des *celtidacées,* voisine des moracées et des ulmacées.)

MICROBÉTON → MORTIER.

MICROCALORIMÉTRIE. — La mesure des très petites quantités de chaleur permet, par exemple, d'étudier le mécanisme de la cristallisation, des transformations allotropiques, de la dissolution, de l'adsorption, de suivre les réactions chimiques très lentes ainsi que les transformations radioactives. L'intérêt de la microcalorimétrie n'est pas moindre en biologie, notamment dans l'étude de la thermogenèse.

MICROCLIMAT. — Il affecte un secteur réduit de la surface terrestre et est lié à des conditions atmosphériques locales : exposition des versants en montagne (opposition entre l'adret, ensoleillé, et l'ubac, à l'ombre), influence de la végétation (une forêt entretient l'humidité), présence d'une concentration urbaine, qui provoque une élévation de température de quelques degrés.

MICROÉCONOMIE → ÉCONOMIQUE *(science).*

MICROÉLECTRONIQUE → CIRCUIT ÉLECTRONIQUE et ÉLECTRONIQUE.

MICROGRAPHIE. — Elle permet de déceler les divers cristaux que contiennent les matériaux métalliques, d'apprécier leurs formes et leurs dimensions, en les examinant par réflexion sur des surfaces polies. Après un polissage spéculaire, la structure micrographique est habituellement invisible, et la surface polie doit être attaquée légèrement à l'aide d'un réactif. Un dispositif optique, constitué par une lame mince, à faces parallèles, ou par un prisme à réflexion totale, permet d'éclairer l'objet à travers l'objectif du microscope.

MICRO-INSTRUCTION → MICROPROGRAMMATION.

Micromégas, conte philosophique de Voltaire (1752).

MICRONÉSIE, ensemble d'archipels du Pacifique occidental, entre l'équateur et le tropique du Cancer. Comme son nom l'indique, la Micronésie regroupe des îles de superficie très réduite (Mariannes, Carolines, Marshall, Gilbert, etc.), au total moins de 3 300 km^2 dispersés sur une surface aussi grande que l'Europe.

MICRO-ORDINATEUR, MINI-ORDINATEUR. — Les progrès technologiques récents dans le domaine des semi-conducteurs* et des circuits* hautement intégrés ont permis de réaliser des circuits de calcul et des mémoires* à hautes performances et à très bas prix. À leur tour, ces circuits ont donné naissance à de petits ordinateurs* qui permettent de trouver des solutions autonomes à des applications particulières, soit que la nature de l'application l'exige — temps réel par exemple —, soit que l'on veuille éviter d'avoir recours à un gros système nécessairement partagé. Les micro- et mini-ordinateurs utilisent des systèmes* d'exploitation moins universels, en général, que ceux des gros ordinateurs, mais ils peuvent, en conséquence, être mieux modelés et adaptés aux caractéristiques particulières d'un problème. Leur emploi s'est rapidement développé dans toutes les applications en temps réel : acquisition* de données, laboratoire, processus et contrôle industriels, commandes, automatismes, où ils se substituent à des logiques câblées. Un micro-ordinateur peut apporter une intelligence locale dans un terminal*, gérer une procédure* et éviter ainsi que ne remonte au niveau d'un ordinateur central l'action logique la plus élémentaire.

Le développement spectaculaire des mini-ordinateurs, le ralentissement de la course aux super-ordinateurs doivent, dans un proche avenir, avoir une influence déterminante sur la structure des systèmes et des réseaux* d'informatique : la puissance de traitement et les fonctions à réaliser se trouveront réparties entre plusieurs processeurs spécialisés localement ou à distance et non plus nécessairement concentrés.

MICROPHONE. — Un microphone transforme l'énergie* acoustique en énergie électrique; les variations de pression de l'air produites par la source sonore viennent impressionner sa membrane; à la sortie, on trouve une tension électrique de même fréquence et proportionnelle à leur importance. On distingue : les microphones à charbon des pastilles téléphoniques, les microphones piézoélectriques, les microphones électrodynamiques — qui

Microphone électrodynamique unidirectionnel à gradient de pression. À gauche, schéma de construction. À droite, diagramme polaire; on note quelques irrégularités pour les fréquences les plus élevées, dues aux dimensions du boîtier.

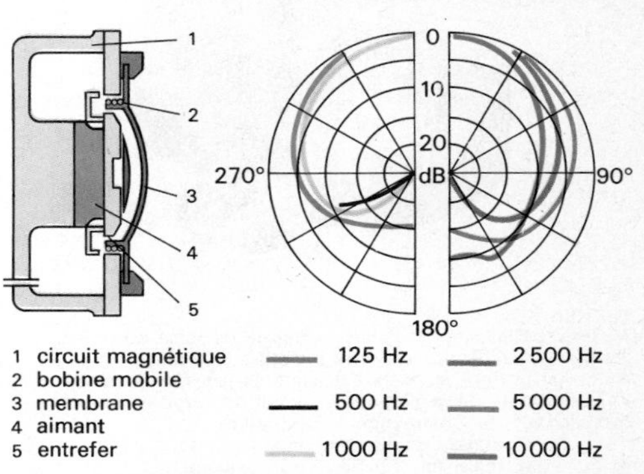

sont les plus employés en sonorisation —, les microphones électrostatiques ou à *électrets* et les microphones à ruban.

Un microphone, quel que soit son principe, est caractérisé par sa *courbe de réponse* en fréquence, qui renseigne sur sa fidélité de reproduction; son *diagramme directionnel,* qui peut être omnidirectionnel ou unidirectionnel; son *niveau de tension électrique de sortie,* en fonction de la pression de l'air; son *impédance de sortie,* qui impose les organes de liaison avec le préamplificateur.

MICROPROGRAMMATION. — Les instructions* d'un ordinateur*, qui sont utilisables au niveau de la programmation en langage-machine et dont l'ensemble définit d'une manière concrète l'ordinateur, ne sont pas nécessairement les instructions les plus élémentaires de la structure de la machine. Dans bien des cas, une instruction qui est décodée et identifiée par l'unité de traitement est dirigée vers une unité d'exécution qui, pour l'exécuter, déroule une suite d'instructions très élémentaires, très proches de la logique des circuits. Ces instructions sont des *micro-instructions.* Une instruction de l'ordinateur est exécutée par le déroulement du *microprogramme* spécifique. Les micro-instructions sont en nombre relativement réduit et sont très rapides d'exécution. Le microprogramme est lui-même enregistré dans une mémoire* morte et fait fondamentalement partie de la machine. Outre son utilisation au cœur de l'architecture des ordinateurs, la microprogrammation est aussi employée pour réaliser ou améliorer l'efficacité de fonctions particulières complexes telles qu'il peut en exister dans les systèmes* d'exploitation ou dans le traitement de processus industriels.

MICROSCOPE. — Il comporte un objectif et un oculaire. L'*objectif* est un ensemble de petites lentilles, de très courte distance focale, qui donne d'un petit objet une image réelle agrandie. L'*oculaire,* souvent formé de deux lentilles convergentes, fonctionne comme une loupe et donne une nouvelle image encore agrandie. La distance de l'objectif à l'oculaire est invariable, et la mise au point s'effectue par un petit déplacement de l'ensemble par rapport à l'objet. Celui-ci est une coupe mince, placée sur une lame de verre éclairée par-dessous à l'aide d'un condenseur. La puissance du microscope est le produit du grandissement linéaire de l'objectif par la puissance de l'oculaire. Le pouvoir séparateur, ou distance minimale de deux points dont les images sont vues

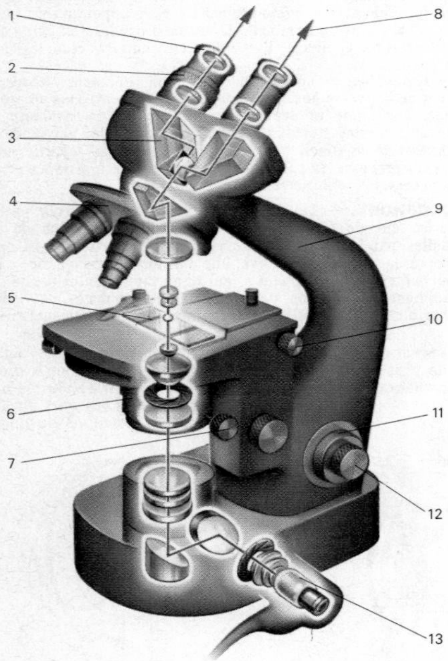

MICROSCOPE : 1. Oculaire; 2. Bague de mise au point; 3. Prismes; 4. Tourelle porte-objectifs; 5. Platine à chariot portant les objets à examiner; 6. Condenseur; 7. Commande de la platine; 8. Trajet des rayons lumineux; 9. Potence; 10. Commande de la platine; 11 et 12. Commandes du mouvement rapide et du mouvement fin; 13. Source lumineuse.

distinctes, est limité par la diffraction de la lumière. On l'améliore en donnant au faisceau incident une grande ouverture angulaire et en interposant entre l'objet et l'objectif un liquide réfringent. On arrive ainsi à séparer deux points distants de 0,1 μ.

Dans le *microscope électronique,* on remplace les faisceaux lumineux par un flux d'électrons se propageant dans le vide. Une cathode émet des électrons, qui sont concentrés sur l'objet, puis réfractés par des condensateurs ou des bobines qui jouent le rôle de lentilles. Les électrons viennent ensuite frapper un écran fluorescent ou une plaque photographique. On peut ainsi atteindre des grossissements de l'ordre de 100 000.

MICROTECTONIQUE → TECTONIQUE.

MICTION → URINAIRE *(appareil).*

MIDAS, roi de Phrygie (v. 715-676 av. J.-C.). Son royaume, qu'il étendit jusqu'à l'Ourartou, fut ruiné par les invasions des Cimmériens* en 676. La tradition grecque a fait du riche et puissant roi Midas un personnage légendaire.

MIDDELBURG, v. du sud-ouest des Pays-Bas, ch.-l. de la Zélande; 33 000 hab. Hôtel de ville des XVe-XVIe s. et autres monuments, très restaurés après 1945.

MIDDLESBROUGH, port du nord-est de l'Angleterre, sur l'estuaire de la Tees; 155 000 hab. Sidérurgie.

MIDDLETON, v. d'Angleterre, banlieue nord de Manchester; 57 000 hab.

MIDDLETON (Thomas), auteur dramatique anglais (Londres v. 1580-Newington Butts 1627). Il a écrit, seul ou en collaboration avec Rowley, des comédies et des drames réalistes.

MIDDLETOWN, v. des États-Unis (Ohio), au N. de Cincinnati; 49 000 hab. Sidérurgie.

MIDDLE WEST → MIDWEST.

MIDI *(aiguille du),* sommet effilé du massif du Mont-Blanc (Haute-Savoie); 3 843 m. Il est atteint depuis la vallée de l'Arve, près de Chamonix, par un téléphérique.

MIDI *(canal du),* canal reliant (par la Garonne et le canal latéral à la Garonne) l'Atlantique à la Méditerranée. Long de 241 km, il part de Toulouse, traverse le Lauragais (franchissant le seuil de Naurouze), emprunte la vallée de l'Aude, avant de rejoindre l'étang de Thau en aval d'Agde. Ce canal a été creusé par Riquet de 1666 à 1681; sa vétusté (faible gabarit, grand nombre d'écluses) et la concurrence du rail et de la route expliquent un trafic très réduit.

MIDI *(dents du),* massif des Alpes suisses, dans le Valais, près de la frontière française; 3 260 m.

MIDI *(pic du),* nom de deux sommets des Pyrénées. — Le *pic du Midi de Bigorre* (Hautes-Pyrénées), au S. de Bagnères-de-Bigorre, culmine à 2 877 m et possède un observatoire. — Le *pic du Midi d'Ossau* (Pyrénées-Atlantiques), atteignant 2 885 m, domine le sud de la *vallée d'Ossau.*

MIDI-PYRÉNÉES, Région du sud-ouest de la France, regroupant huit départements : Ariège, Aveyron, Haute-Garonne, Gers, Lot, Hautes-Pyrénées, Tarn et Tarn-et-Garonne; 45 382 km^2; 2 268 298 hab. Capit. *Toulouse.*

Regroupant partie ou totalité d'anciennes provinces historiques (Comminges, Couserans et comté de Foix au sud; moyenne partie de la Gascogne à l'ouest; haut Languedoc autour de Toulouse et d'Albi; Quercy et Rouergue au nord-est), la Région correspond approximativement à la zone d'influence toulousaine. Le sud appartient à la partie centrale, la plus élevée, des Pyrénées*, barrière difficilement franchissable, précédée au N. de plateaux détritiques (Lannemezan) ou de chaînes plissées plus basses (Prépyrénées). Ces moyennes hauteurs dominent la masse des coteaux gascons dans la grande boucle de la Garonne et la plaine de confluence du Toulousain, limitée au N. par les collines de l'Albigeois et du Lauragais, et communiquant avec le Languedoc méditerranéen par le seuil de Naurouze. Au N. de l'Albigeois, les plateaux du Ségala et des Causses du Quercy forment la transition entre le Massif central et le bassin d'Aquitaine, auquel se rattache la majeure partie (au moins aux points de vue humain et économique) de Midi-Pyrénées, qui peut aussi s'identifier avec le haut et le moyen bassin de la Garonne. Le fleuve et les vallées de ses grands affluents (Ariège, Tarn et Aveyron, Lot moyen) assurent une certaine unité à la Région. Celle-ci possède encore un climat à dominante océanique, mais avec une influence à la fois continentale et méditerranéenne, tenant au relatif éloignement de l'Océan et à la latitude, et se traduisant par des précipitations moins abondantes qu'en Aquitaine* et par une chaleur et une sécheresse estivales plus prononcées. À Toulouse, la température moyenne de janvier est de 4,6 °C, celle de juillet de 20,8 °C et la hauteur annuelle des précipitations, parfois orageuses, de 659 mm (900 mm à Bordeaux). Naturellement, les conditions climatiques varient à l'intérieur de la Région, la rigueur des hivers augmentant à la fois avec l'altitude et la continentalité.

Midi-Pyrénées est la plus vaste des Régions, mais ne vient qu'au neuvième rang pour la population. La densité d'occupation, voisine de 50 habitants au kilomètre carré, ne représente guère plus de la moitié de la moyenne nationale. Pourtant, cette population régionale s'est récemment accrue, mais à un rythme inférieur à celui de la moyenne française, et l'évolution des dernières années a accentué des contrastes sensibles dans sa répartition spatiale. Le

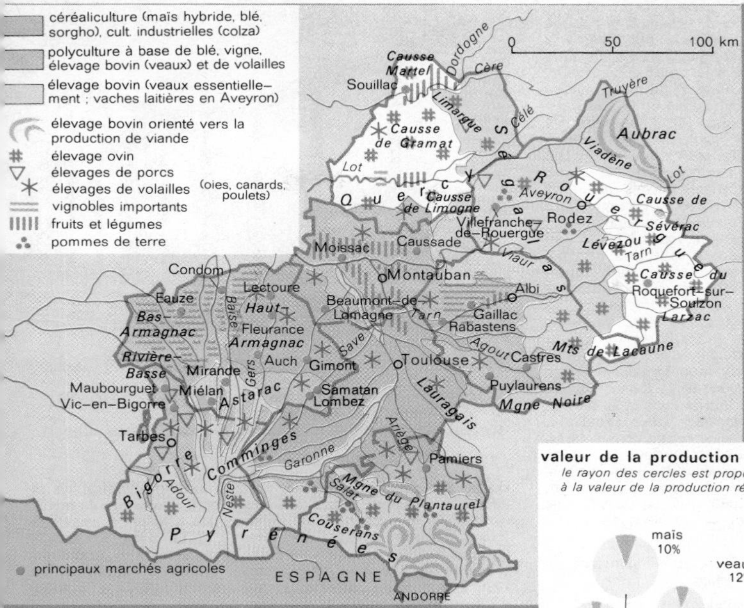

céréaliculture (maïs hybride, blé, sorgho), cult. industrielles (colza)
polyculture à base de blé, vigne, élevage bovin (veaux) et de volailles
élevage bovin (veaux essentiellement ; vaches laitières en Aveyron)
élevage bovin orienté vers la production de viande
élevage ovin
élevages de porcs
élevages de volailles (oies, canards, poulets)
vignobles importants
fruits et légumes
pommes de terre
principaux marchés agricoles
0 50 100 km
Causse Martel
Souillac
Dordogne
Cère
Limargue
Causse de Gramat
Célé
Truyère
Aubrac
Viadène
Lot
Quercy
Ségala
Causse de Limogne
Aveyron
Rouergue
Causse de Sévérac
Villefranche-de-Rouergue
Rodez
Lévezou
Tarn
Moissac
Caussade
Causse du Larzac
Roquefort-sur-Soulzon
Condom
Montauban
Viaur
Albi
Lectoure
Eauze
Bas-Armagnac
Haut-Armagnac
Baïse
Beaumont-de-Lomagne
Gaillac
Rabastens
Fleurance
Save
Agout
Castres
Mts de Lacaune
Rivière-Basse
Mirande
Auch
Gimont
Toulouse
Maubourguet
Vic-en-Bigorre
Miélan
Gers
Astarac
Samatan
Lombez
Lauragais
Puylaurens
Mgne Noire
Tarbes
Ariège
Bigorre
Comminges
Garonne
Pamiers
Adour
Neste
Salat
Mgne du Plantaurel
Couserans
Pyrénées
ESPAGNE
ANDORRE

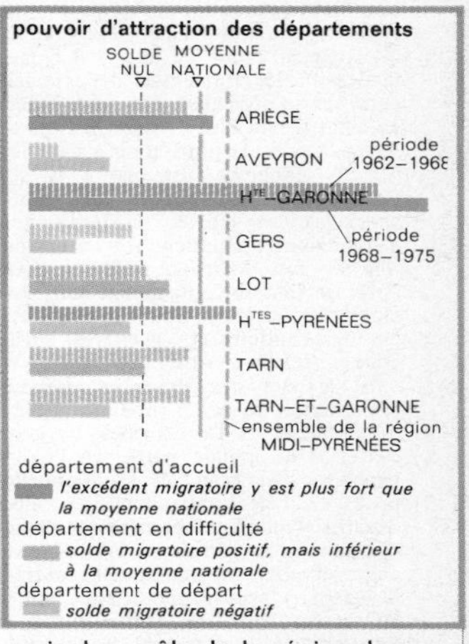

pouvoir d'attraction des départements
SOLDE NUL
MOYENNE NATIONALE
ARIÈGE
AVEYRON
période 1962–1968
HTE–GARONNE
GERS
période 1968–1975
LOT
HTES–PYRÉNÉES
TARN
TARN-ET-GARONNE
ensemble de la région MIDI-PYRÉNÉES
département d'accueil
l'excédent migratoire y est plus fort que la moyenne nationale
département en difficulté
solde migratoire positif, mais inférieur à la moyenne nationale
département de départ
solde migratoire négatif

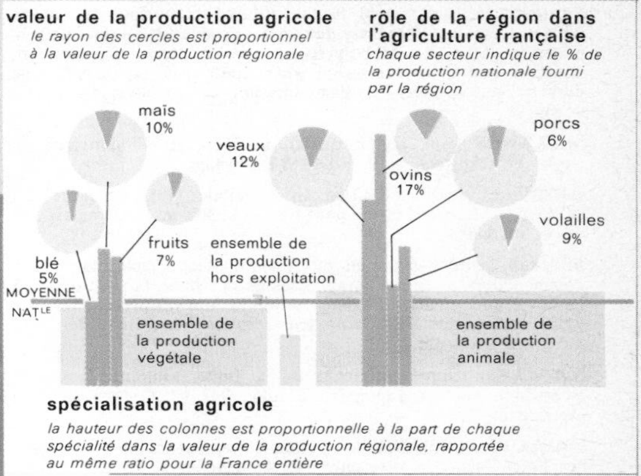

valeur de la production agricole
le rayon des cercles est proportionnel à la valeur de la production régionale
rôle de la région dans l'agriculture française
chaque secteur indique le % de la production nationale fourni par la région
maïs 10%
veaux 12%
porcs 6%
ovins 17%
fruits 7%
volailles 9%
blé 5%
MOYENNE NATLE
ensemble de la production hors exploitation
ensemble de la production végétale
ensemble de la production animale
spécialisation agricole
la hauteur des colonnes est proportionnelle à la part de chaque spécialité dans la valeur de la production régionale, rapportée au même ratio pour la France entière

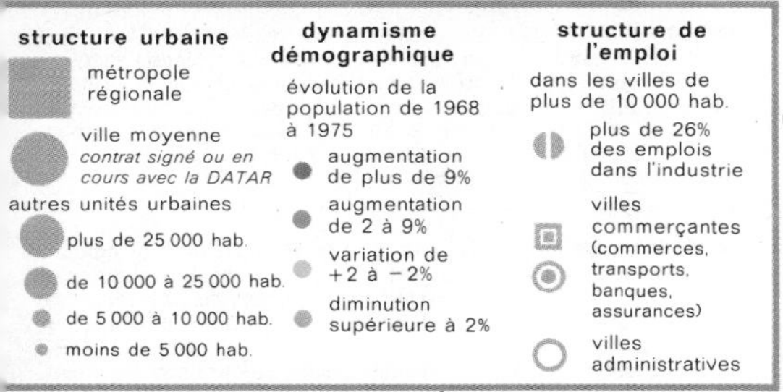

structure urbaine
métropole régionale
ville moyenne
contrat signé ou en cours avec la DATAR
autres unités urbaines
plus de 25 000 hab.
de 10 000 à 25 000 hab.
de 5 000 à 10 000 hab.
moins de 5 000 hab.
dynamisme démographique
évolution de la population de 1968 à 1975
augmentation de plus de 9%
augmentation de 2 à 9%
variation de +2 à −2%
diminution supérieure à 2%
structure de l'emploi
dans les villes de plus de 10 000 hab.
plus de 26% des emplois dans l'industrie
villes commerçantes (commerces, transports, banques, assurances)
villes administratives

Paris
Bordeaux
LOT
Figeac
Decazeville
Cahors
Capdenac-Gare
Rodez
TARN-ET-GARONNE
Moissac
Caussade
Villefranche-de-Rouergue
Millau
Carmaux
Montauban
AVEYRON
Condom
Castelsarrazin
Gaillac
Albi
St-Affrique
Fleurance
Rabastens
TARN
GERS
Auch
Graulhet
Lavaur
Castres
TOULOUSE
Labruguière
Muret
Montpellier
Bayonne
HAUTE-GARONNE
Revel
Mazamet
Tarbes
Auterive
Lannemezan
St-Gaudens
Pamiers
Narbonne
Montréjeau
Foix
Bagnères-de-Bigorre
Lourdes
St-Girons
Lavelanet
HAUTES-PYRÉNÉES
ARIÈGE
Barcelone
principales voies ferrées
autoroutes en service
autoroutes prévues

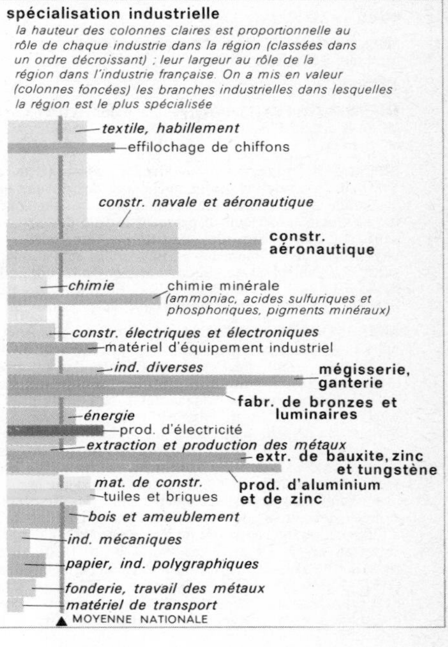

spécialisation industrielle
la hauteur des colonnes claires est proportionnelle au rôle de chaque industrie dans la région (classées dans un ordre décroissant) ; leur largeur au rôle de la région dans l'industrie française. On a mis en valeur (colonnes foncées) les branches industrielles dans lesquelles la région est le plus spécialisée
textile, habillement
effilochage de chiffons
constr. navale et aéronautique
constr. aéronautique
chimie
chimie minérale (ammoniac, acides sulfuriques et phosphoriques, pigments minéraux)
constr. électriques et électroniques
matériel d'équipement industriel
ind. diverses
mégisserie, ganterie
fabr. de bronzes et luminaires
énergie
prod. d'électricité
extraction et production des métaux
extr. de bauxite, zinc et tungstène
prod. d'aluminium et de zinc
mat. de constr.
tuiles et briques
bois et ameublement
ind. mécaniques
papier, ind. polygraphiques
fonderie, travail des métaux
matériel de transport
MOYENNE NATIONALE

seul département de la Haute-Garonne, grâce à la présence de l'agglomération de Toulouse, regroupe plus du tiers de la population régionale sur moins de 15 p. 100 de la superficie de Midi-Pyrénées : la densité départementale dépasse ici 120 habitants au kilomètre carré; partout ailleurs, elle est inférieure à la moitié de ce chiffre, au quart même dans l'Ariège, le Gers et le Lot. D'ailleurs, dans cinq départements, la population a décliné entre 1968 et 1975.

Cette évolution est liée à la structure de l'économie, où l'agriculture tient encore une grande place. Malgré quelques spécialisations locales, la traditionnelle polyculture du bassin d'Aquitaine se maintient, fondée surtout sur les cultures céréalières (blé et surtout maïs, accessoirement orge), parfois mêlées à l'élevage (bovins, notamment dans les Pyrénées et l'Aveyron [qui élève aussi un grand troupeau ovin], et volailles) et juxtaposées aux cultures fruitières et légumières, ainsi qu'à la vigne. La forêt, qui couvre près du quart de la superficie régionale est surtout présente dans le sud des Pyrénées. L'industrie est peu développée. L'extraction du gaz naturel (Saint-Marcet) et de la houille (autour de Carmaux et Decazeville), toujours de faible importance, va cesser. Une grande partie de l'hydroélectricité pyrénéenne est exportée. Les branches traditionnelles — textile et travail des peaux —, l'électrométallurgie et l'électrochimie des vallées pyrénéennes, l'industrie aéronautique de la région toulousaine sont peu dynamiques et parfois en crise. L'ensemble de la Région souffre d'une situation géographique excentrée, loin de Paris et au pied de la barrière pyrénéenne. Cependant, quelques villes (Toulouse, métropole d'équilibre, Tarbes aussi) connaissent un certain essor. Le tourisme (notamment le thermalisme et surtout les sports d'hiver dans les Pyrénées) revivifie certaines localités, mais la majeure partie de Midi-Pyrénées est une terre d'émigration, situation que ne renverseront sans doute pas rapidement une desserte autoroutière et l'amélioration des liaisons transpyrénéennes.

MIDLANDS (les), région surtout houillère et métallurgique du centre de l'Angleterre. V. princ. *Birmingham.*

MIDOU (le), riv. du sud du bassin d'Aquitaine (105 km), qui rejoint la Douze à Mont-de-Marsan pour former la *Midouze* (43 km, affl. de dr. de l'Adour).

midrash, genre littéraire du judaïsme rabbinique, consistant en des commentaires ou en des paraphrases de l'Écriture, faits en fonction de la vie quotidienne. Il existe des *midrashim* sur presque tous les livres de l'Ancien Testament; leur composition s'étend du Ier au XIIe s. de notre ère.

MIDWAY, archipel américain du Pacifique. Victoire aéronavale américaine sur les Japonais en juin 1942 (v. GUERRE MONDIALE [*Seconde*]).

MIDWEST ou **MIDDLE WEST,** partie septentrionale de la région des États-Unis, comprise entre les Appalaches et les Rocheuses.

MIEL → APICULTURE.

MIÉLAN (32170), ch.-l. de cant. du Gers, à 14 km au S.-O. de Mirande; 1 379 hab.

MIERES, v. d'Espagne (Asturies), au S. d'Oviedo; 65 000 hab.

MIEROSŁAWSKI (Ludwik), général polonais (Nemours 1814 - Paris 1878). Il dirigea l'insurrection polonaise de 1863. Battu, il se réfugia en France.

MIESCHER (Johannes), biochimiste suisse (Bâle 1844 - Davos 1895). Il découvre les acides nucléiques des noyaux cellulaires, la protamine de la laitance de saumon ainsi que les conditions de la liaison nucléo-protéique. Il pressent le rôle des acides nucléiques dans la transmission des caractères héréditaires. Il décrit la physiologie du saumon, en particulier les migrations internes de substances nutritives au cours du jeûne. On lui confie la diététique des collectivités publiques de Suisse. En 1889, Miescher organise à Bâle le premier congrès international de physiologie.

MIES VAN DER ROHE (Ludwig), architecte allemand (Aix-la-Chapelle 1886 - Chicago 1969). Après l'expérience acquise dans l'agence de Behrens et l'influence reçue de Berlage, il développe bientôt ses idées rationalistes dans des projets exposés lors des manifestations du « Novembergruppe » et dans des textes écrits pour la revue *G.* En 1927, organisateur de l'exposition du logement du Weissenhof à Stuttgart (à laquelle participent des architectes comme Gropius ou Le Corbusier), il en fait la première réalisation d'urbanisme du style international*. Le principe de l'espace continu, avec le problème de la transition entre intérieur et extérieur, ainsi que le plan libre, avec une organisation de l'espace indépendante des structures porteuses, trouvent leur meilleure expression dans le pavillon de l'Allemagne à l'Exposition internationale de Barcelone (1929), dont la perfection se retrouvera à la villa Tugendhat à Brno (1930), au musée d'Art moderne de Houston (1942) ou à la Neue Nationalgalerie de Berlin (1962). Après avoir dirigé le Bauhaus de 1930 à 1933, Mies se rend aux États-Unis (1937), où il est nommé directeur de la section d'architecture de l'actuel Illinois Institute of Technology (IIT). Il réalise alors quelques-unes des œuvres les plus significatives et influentes de l'architecture moderne, avec leur ossature de métal, leur façade de verre et leurs volumes très simples : Farnsworth House à Plano (1945), Crown Hall de l'IIT (1950) à Chicago, Seagram Building (1954) à New York. Ses recherches — parallèles à celles de M. Breuer — sur le mobilier métallique aboutissent, en 1926, à la première chaise en porte à faux et, en 1929, à la chaise « Barcelone ».

H. Blessing - U.S.I.S.

Mies van der Rohe. Façade du Crown Hall de l'Illinois Institute of Technology, à Chicago. 1950. L'espace intérieur (67 × 36 m) est exempt de tout support.

MIESZKO Ier († 992), prince de Pologne (v. 960-992). C'est avec Mieszko Ier que la Pologne apparaît véritablement dans l'histoire. Fils de Ziemomysła Piastów, Mieszko épousa en 966 la sœur de Boleslav, prince de Bohême, et, à cette occasion, reçut le baptême. Il étendit sa domination sur la Silésie, les bouches de l'Oder et jusqu'à la Baltique, créa le premier évêché (Poznań) et jeta les bases d'une administration centralisée.

MIESZKO II → PIAST.

MI FOU ou **MI FU,** calligraphe, peintre et collectionneur chinois (1051-1107). Ce lettré chinois est connu pour ses écrits critiques pertinents et pour sa calligraphie originale, dérivant de celle des maîtres T'ang, qu'il vénérait. Il exerça une profonde influence sur les écoles ultérieures en représentant des paysages sensibles, extrêmement subjectifs et dépouillés, mais aujourd'hui disparus.

MIGENNES (89400), ch.-l. de cant. de l'Yonne, à 9,5 km à l'E. de Joigny; 8 349 hab. (V. LAROCHE-SAINT-CYDROINE.)

MIGMATITE → ANATEXIE.

MIGNARD, peintres français du XVIIe s., dont le plus célèbre est PIERRE (Troyes 1612 - Paris 1695). Élève de Vouet, celui-ci travaille en Italie (1635-1657) avant de rejoindre Paris sur la demande de Louis XIV; il exécute alors plusieurs commandes, telle la coupole du Val-de-Grâce (1663). Portraitiste réputé, il sait flatter le modèle, mais aussi mêler l'expression à la grâce dans des tons clairs et frais, à l'opposé de la majesté de Le Brun. À la mort de son rival (1690), il lui succède comme premier peintre du roi et directeur de la manufacture des Gobelins. — Son frère NICOLAS (Troyes 1606 - Paris 1668), installé à Avignon après un séjour à Rome, se consacre à des tableaux religieux et à des décorations marquées d'influences italiennes. Pour Louis XIV, il décore à partir de 1665 l'appartement bas du roi aux Tuileries.

MIGNE (Jacques Paul), ecclésiastique et publiciste français (Saint-Flour 1800 - Paris 1875). Prêtre (1824), il aborde, en 1836, une œuvre immense, la *Bibliothèque universelle du clergé,* qui comporte notamment la *Patrologie latine* (218 vol., 1844-1855) et la *Patrologie grecque* (166 vol., 1856-1867), recueils qui ont rendu de grands services à la science religieuse.

MIGRAINE. — Les migraines sont caractérisées par des douleurs violentes, paroxystiques, d'une moitié du crâne, accompagnées de nausées, de vomissements, parfois de troubles visuels (lors des migraines « ophtalmiques »). La longueur de la crise migraineuse est variable : habituellement de quelques heures, elle peut s'étendre sur une période de deux à trois jours. Elle survient le plus souvent chez la femme, en particulier dans la période prémenstruelle. Certaines causes peuvent la déclencher (aliments, poussières), et l'on a pu parler de « migraines allergiques », d'autant plus qu'il existe souvent d'autres manifestations allergiques (asthme, urticaire). Les accès douloureux sont dus à des phénomènes vasomo-

Guillemette - Rapho

Milan. Vue générale avec, au premier plan, le castello Sforzesco (château des Sforza) et le parc Sempione.

teurs : c'est pourquoi sont employés dans le traitement les dérivés sympatholytiques de l'ergot de seigle (ergotamine, dihydroergotamine, méthysergide). On utilise aussi des dérivés synthétiques, destinés à neutraliser la sérotonine, qui paraît intervenir dans le déclenchement des crises.

MIGRATIONS ANIMALES. — On convient, en général, d'appeler « migrations » les déplacements collectifs à caractère saisonnier et suivis de retour ou encore les déplacements liés au cycle reproductif, suivis, eux aussi, d'un retour des géniteurs à leur lieu de naissance. Les déplacements exceptionnels et sans retour (lemming) sont des *émigrations.* C'est le cas chez les criquets* dits *migrateurs.* Les migrations de grande étendue sont le fait des animaux les mieux doués pour la locomotion rapide : chauves-souris, oiseaux, papillons, poissons.

• *Migrations saisonnières.* De nombreux oiseaux européens nous quittent à l'automne pour passer l'hiver soit dans une région sans saison froide (Guinée), soit dans une région australe aux saisons inversées (Le Cap). Il en est ainsi des hirondelles, des cigognes, des canards, etc. Tous ces oiseaux nidifient exclusivement en Europe. L'Amérique connaît des migrations du même ordre.

• *Migrations reproductrices.* Elles s'étendent sur plusieurs années et sont le fait des poissons, dont le milieu aquatique ne ressent que faiblement l'alternance des saisons. Les saumons remontent les cours d'eau pour pondre dans leurs frayères natales; on les dit *anadromes* ou *potamotoques.* Les anguilles de nos rivières traversent tout l'Atlantique pour pondre dans la mer des Sargasses; on les dit *catadromes* ou *thalassotoques.*

La connaissance des migrations est due au marquage d'innombrables individus (v. BAGUAGE). Elle favorise la pêche aussi bien que la protection des oiseaux.

MIHAJLOVIĆ (Draža), officier yougoslave (Ivanjica 1893-Belgrade 1946). Chef de la résistance serbe contre les Allemands après la défaite de 1941, nommé ministre de la Guerre par le gouvernement royal réfugié à Londres, il s'opposa aussi aux partisans de Tito. Accusé de trahison après la guerre, il fut fusillé.

MIJOUX, comm. de l'Ain, dans le Jura, sur la Valserine, à 24 km à l'E. de Saint-Claude; 191 hab. Station de sports d'hiver de *Mijoux-La Faucille* (alt. 1 000-1 550 m).

MIKI TAKEO, homme politique japonais (préf. de Tokushima 1907). Plusieurs fois ministre à partir de 1947, il devient président du parti libéral-démocrate (conservateur) et Premier ministre du Japon (1974-1976).

MIKOÏAN ou **MIKOYAN** (Anastas), homme politique soviétique (Sanain, Arménie, 1895). Membre du Comité central du parti communiste dès 1923, spécialiste des questions économiques, il est plusieurs fois commissaire du peuple à partir de 1926 et devient membre du Bureau politique (1935-1966). Premier vice-président du Conseil des ministres (1955-1964), élu président du Praesidium du soviet suprême (1964-65), il est l'un des artisans de la déstalinisation et de la détente. Il se retire de la vie politique en 1976.

MILAN. — Les milans européens sont des rapaces diurnes, aux ailes étroites, incapables de capturer un oiseau en vol, mais très doués pour s'emparer, au sol, de proies mortes, blessées ou captives, qu'ils dérobent volontiers aux autres rapaces. Vivant en sociétés nombreuses, hennissant comme des chevaux, ils sont très redoutés des aviculteurs (nom latin : *Milvus*). Les espèces américaines du genre *Milvus* sont insectivores, donc utiles.

MILAN, en ital. **Milano,** v. du nord de l'Italie, capit. de la Lombardie et ch.-l. de prov.; 1 743 000 hab. *(Milanais).*

GÉOGRAPHIE. Milan est la deuxième ville du pays (après Rome), mais la première au point de vue économique. Favorisée par une position de carrefour (en liaison avec la Méditerranée, au débouché de routes transalpines [Simplon, Splügen, San Bernardino, Saint-Gothard]), au contact de régions complémentaires (entre les Alpes et la plaine du Pô), elle est devenue le plus grand centre industriel italien (constructions mécaniques et électriques, textile, chimie, édition, alimentation, etc.), la première place commerciale (foire internationale), financière (banques, Bourses) et même culturelle (théâtre lyrique de la Scala, presse et édition, universités) du pays. À tous points de vue, elle s'identifie aux grandes agglomérations, à la fois industrielles et tertiaires, de l'Europe du Nord-Ouest.

HISTOIRE. Fondée vers 400 av. J.-C. par les Gaulois Insubres, devenue romaine en 222 av. J.-C., Milan s'affirme très vite comme un grand centre commercial. Au Bas-Empire, elle est la capitale du diocèse d'Italie, en même temps qu'une métropole religieuse dont le rayonnement est considérable (saint Ambroise*). Ravagée par les invasions des Huns (Ve s.) et des Ostrogoths (VIe s.), elle décline au profit de Pavie. Au Xe s., elle retrouve une primauté politique qui, liée à la reprise du commerce, favorise l'essor de son industrie drapière et la naissance d'une riche bourgeoisie d'affaires. Déchirée par les conflits sociaux (Patares, XIe s.), elle tente de se dégager de la tutelle impériale. Vaincue et rasée par Frédéric Barberousse (1162), elle se relève de ses ruines et contribue à la victoire de Legnagno (1176), qui lui assure l'indépendance. Au XIVe s., les Visconti*, chefs de l'aristocratie, l'emportent sur les Torriani (Della Torre), partisans de la bourgeoisie, et règnent sur Milan (1311-1450). Sous les Sforza*, qui succèdent aux Visconti (1450), la cité connaît un grand rayonnement grâce à l'essor de l'industrie de la soie et des manufactures d'armes. Mais l'occupation espagnole (XVIe s.) provoque son déclin. Devenue autrichienne en 1713, Milan est la capitale de la république Cisalpine en 1797, du royaume d'Italie en 1805 et du Royaume lombard-vénitien en 1815. En 1861, elle entre dans le royaume d'Italie.

BEAUX-ARTS. Églises remontant à la période paléochrétienne (transformées ou reconstruites par la suite : S. Lorenzo; S. Ambrogio, typiquement lombarde, à atrium du XIIe s.) ou au Moyen Âge (S. Eustorgio, des IXe et XIIIe s., avec chapelle du XVe s. par Michelozzo). Cathédrale *(Duomo),* entreprise à la fin du XIVe s., édifice gothique le plus vaste et le plus complet d'Italie. Monuments de la Renaissance, dus à des artistes venus d'autres villes italiennes : château des Sforza (avec salle *delle Asse,* à la voûte décorée par Léonard* de Vinci); hôpital Majeur, commencé par le Filarete*; charmant octogone de S. Maria presso S. Satiro par Bramante*; église et cloîtres de S. Maria delle Grazie par Guiniforte Solari* et Bramante; etc. Une école picturale se constitue à la même époque, suscitée par V. Foppa* et par l'exemple de la *Cène* de Léonard (au couvent de S. Maria delle Grazie) : elle comprend notamment le Bergognone (Ambrogio da Fossano, actif v. 1480-1520), Luini*, Andrea Solari*... Des monuments intéressants s'élèvent à l'époque maniériste, dus à G. Alessi (palais Marino,

1558), à Leone Leoni, d'Arezzo (maison des Omenoni), au Lombard Pellegrino Tibaldi (1527-1596) [église S. Fedele]. Les siècles suivants sont assez peu novateurs, mais le XXe s. fait de Milan un laboratoire de l'architecture moderne (Gio Ponti : gratte-ciel Pirelli, 1958) et du design.

Musées : riche pinacothèque de Brera — fondée par Napoléon —, pinacothèque et bibliothèque Ambrosiennes, musée du château des Sforza, musée Poldi Pezzoli, etc.

MILANAIS, région de Milan. Dès le début du XIIe s., Milan cherche à se constituer un vaste domaine aux dépens des autres villes lombardes. À la fin du XIIe s., elle parvient à imposer sa suprématie sur Côme et Lodi. Aux XIIIe et XIVe s., Bergame, Novare, Plaisance, Alexandrie et Tortona sont soumises, et, sous l'archevêque Jean Visconti (1339-1354), Milan domine quelque temps Bologne et Gênes. Jean-Galéas Visconti (1385-1402), neveu de Jean Visconti, poursuit l'œuvre d'annexion en incluant au Milanais Vérone et Vicence, seigneuries des Della Scala (1387), Padoue (1388), seigneurie des Carrare, puis Pise, Pérouse et Bologne, et il s'efforce de donner plus de cohésion à l'ensemble en prenant le titre de duc de Lombardie (1397). Compromise par ses successeurs, l'œuvre est reprise par le gendre du dernier Visconti, François Sforza, auquel la République ambrosienne (1447-1450) a fait appel contre Venise; après la paix de Lodi (1454), le nouveau duc étend l'État milanais jusqu'à la Méditerranée en annexant Gênes (1464). Usurpé par Ludovic le More (1480), occupé par les Français de 1500 à 1513 et de 1515 à 1525, puis restitué aux Sforza, le Milanais passe, après la mort du dernier Sforza (1535), aux mains du roi d'Espagne (1540), qui, en 1713, le cède à l'Autriche. Amputé de ses possessions occidentales au profit du Piémont, le pays passe sous la domination de la France (1796-1814), puis forme avec la Vénétie le Royaume lombard-vénitien (1815) avant d'être incorporé au royaume d'Italie (1861).

MILAN OBRENOVIĆ → OBRENOVIĆ.

MILAZZO, v. d'Italie, dans le nord-est de la Sicile, sur un promontoire du golfe de Milazzo; 24 000 hab. C'est l'anc. *Milai* (en lat. *Mylae*), dans la baie de laquelle eut lieu la première victoire navale de Rome remportée par le consul C. Duilius* sur les Carthaginois (260 av. J.-C.).

MILDIOU → PLANTES *(maladies des).*

MILET, cité ionienne de l'Asie Mineure. Comptoir créto-mycénien, colonisée lors de la migration ionienne (fin du IIe millénaire), elle devient, à partir du VIIIe s. av. J.-C., une grande métropole colonisatrice, un centre important de commerce et un foyer rayonnant de la culture grecque. Elle sera le siège de la célèbre école philosophique de Milet (v. IONIENS). Les fouilles ont permis de déceler une occupation continue depuis le néolithique, mais surtout de dégager le cœur monumental de la cité, reconstruite avec un véritable souci d'urbanisme selon les théories d'Hippodamos*. Milet possède d'imposants vestiges d'édifices civils et religieux des époques hellénistique et romaine, dont certains, comme la grande porte de l'Agora sud, ont été reconstruits au musée de Berlin.

MILFORD HAVEN, port de Grande-Bretagne, dans le sud-ouest du pays de Galles, sur la *baie de Milford Haven;* 14 000 hab. Importation et raffinage du pétrole. Pétrochimie.

MILHAUD (Darius), compositeur français (Marseille 1892 - Genève 1974). « Français de Provence et de religion israélite », il fut membre du groupe des Six, dont il illustra de façon saisissante l'esthétique « globale » avec *le Bœuf sur le toit* (1919), chef-d'œuvre du genre « canaille ». L'opéra *les Euménides* (1917-1922, création en 1949) est, en revanche, marqué du sceau de la plus authentique grandeur. Sa production, qui totalise près de cinq cents numéros d'opus, touche à peu près tous les genres : opéra (*Christophe Colomb,* 1928/1930; *Bolivar,* 1942/1950), ballet (*la Création du monde,* 1923), symphonies, concertos, musique religieuse, musique de chambre, sonates.

MILIAIRE. — La *miliaire pulmonaire* réalise un aspect radiologique particulier, fait d'un semis de très petits nodules nettement séparés, diffus aux deux champs pulmonaires. La cause majeure en est la tuberculose aiguë. Les autres causes sont la sarcoïdose, les pneumoconioses (silicose), certaines cardiopathies (surtout insuffisance ventriculaire gauche).

La *miliaire sudorale* est faite de petites vésicules claires, limpides, apparaissant en de nombreuses régions du corps après une transpiration abondante (fièvre élevée, chaleur).

MILICE. — Dans la France du Moyen Âge et de l'Ancien Régime, on désignait sous ce nom certaines troupes formées au sein des classes bourgeoises ou paysannes, de façon permanente ou circonstancielle, soit pour assurer la défense des villes et des campagnes, soit pour renforcer l'armée régulière. Au Moyen Âge, les milices communales, appelées aussi « milices bourgeoises » et composées de fantassins recrutés parmi les hommes de seize à soixante ans, étaient chargées de garantir l'indépendance de la commune. Elles assuraient aussi l'aide militaire due par la ville à son seigneur. L'importance de ces milices, dont l'efficacité militaire s'était affirmée au service du roi (Bouvines, 1214), parfois même contre lui (Courtrai, 1302), déclina avec l'apparition de l'armée régulière. En 1688, Louis XIV créa des milices provinciales, d'abord temporaires, puis permanentes, qui, recrutées par tirage au sort dans les paroisses, vinrent renforcer l'armée régulière. Transformées en régiments provinciaux (1771), elles furent supprimées en 1791.

MILIEU *(Biol.).* — La notion biologique de « milieu » est assez vague, puisqu'elle va du plus général (le milieu terrestre, le milieu aquatique*) au plus particulier (le biotope : sous une pierre, à un certain niveau du littoral, sur les racines de telle espèce d'arbre, etc.). Mais, dans tous les cas, un milieu rassemble un grand nombre de caractères, dont la plupart sont affaire de vie ou de mort pour ses habitants. Considéré *à un instant donné,* il a une certaine température, une certaine pression; s'il est aquatique ou édaphique (sol), il a une certaine réaction ionique (pH), une certaine salinité; il est obscur ou plus ou moins éclairé, il est plus ou moins peuplé, il héberge ou non les proies (ou les prédateurs) d'un certain animal, etc. Mais, bien plus importante est la *variation possible* du milieu : rapide ou lente, limitée ou importante, saisonnière ou non, réversible ou non, etc.

Il est, en outre, évident que les végétaux (et les animaux aquatiques fixés) sont atteints sans recours par une altération de leur milieu, tandis que les animaux peuvent fuir, si du moins ils ne sont pas enfermés entre des barrières biologiques, comme le sont beaucoup d'hôtes des marais incapables de franchir la terre ferme. On comprend dont à quel point sont complexes les problèmes que se pose l'écologie*.

MILIEU *(Chorégr.).* — Complément indispensable de la barre* et seconde partie de la « leçon », le milieu est une suite d'exercices (dont certains sont identiques à ceux de la barre) qui s'exécute au milieu du studio ou de la salle de travail (loin des parois et des points d'appui donnés par la barre), qui dispose de miroirs permettant à chaque exécutant une constante autocorrection des mouvements. Le plancher du local étant souple et légèrement en pente — deux des caractéristiques d'une scène —, les exercices s'effectuent *en descendant* ou *en remontant.* Sans que le schéma des exercices au milieu soit imposé, on procède d'une façon immuable à l'étude ou au travail des temps et des pas d'adage*, des pirouettes et des pointes*, des sauts et de la batterie*. Certains exercices peuvent être exécutés en *diagonale* (sauts de chat) ou en *manège* (piqués, grands jetés) autour de la salle.

MILIOUKOV (Pavel Nikolaïevitch), historien et homme politique russe (Moscou 1859 - Aix-les-Bains 1943). Il est l'un des fondateurs du parti constitutionnel-démocrate*. Député K. D. à la troisième et à la quatrième douma, il devient ministre des Affaires étrangères dans le premier gouvernement provisoire (mars-mai 1917). Il entre en conflit avec le soviet de Petrograd, hostile à la poursuite de la guerre impérialiste.

militaires *(écoles).* L'enseignement tient une très grande place dans les armées, qui, en permanence et à tous les niveaux d'instruction, doivent préparer, former et perfectionner des officiers, des sous-officiers, des spécialistes, des administrateurs, etc. Les écoles qui en sont chargées sont très nombreuses. Leur organisation est en constante évolution, mais on peut les classer en plusieurs catégories selon l'enseignement donné, qui va de l'instruction classique élémentaire à l'enseignement supérieur et à la recherche de type universitaire :
— les *écoles militaires préparatoires,* pour préparer le baccalauréat et les concours des grandes écoles : Prytanée militaire de La Flèche (fondé en 1604), collège militaire de Saint-Cyr (1966), collège naval de Brest (1966), école des pupilles de l'air de Grenoble (1941), notamment;
— les *écoles d'enseignement technique,* pour former des spécialistes de la mécanique et de l'électricité, telles que les écoles d'Issoire (terre), de Toulon (marine) et de Saintes (air);
— les *grandes écoles de formation des officiers* recrutés par concours ouvert aux bacheliers après une préparation spéciale : École polytechnique, École spéciale militaire de Saint-Cyr (créée par Bonaparte à Fontainebleau en 1803, transférée à Saint-Cyr en 1808, puis à Coëtquidan en 1946), École navale (créée à Brest sur l'*Orion* en 1830, puis sur les *Borda* de 1840 à 1913 avant d'être installée à terre, puis transférée à Lanvéoc-Poulmic en 1961), École de l'air (créée à Versailles en 1935 et transférée à Salon-de-Provence en 1937), les écoles du service de santé des armées de Lyon (créée à Strasbourg en 1856), et de Bordeaux (créée en 1890);
— les *écoles de formation des officiers* recrutés par concours parmi les sous-officiers, telles celles qui sont jumelées à certaines des écoles précédentes (Saint-Cyr, navale, air);
— les très nombreuses *écoles d'application, de spécialisation, de perfectionnement,* interarmées ou propres à chacune des trois armes, qui comprennent des établissements très divers, tels que les écoles d'application d'armes (infanterie, blindés,...) de l'armée de terre, le Centre d'instruction naval de Saint-Mandrier, l'École des fusiliers marins de Lorient, l'École de pilotage de Tours, l'École

interarmées des sports de Fontainebleau ou l'École des officiers de la gendarmerie de Melun;
— les *écoles ou établissements d'enseignement supérieur,* tels que les écoles supérieures de guerre (terre, mer, air), l'École supérieure de l'intendance, l'École nationale supérieure des techniques avancées (qui regroupe depuis 1970 les anciennes Écoles du génie maritime, des poudres, de l'armement et du service hydrographique) et l'École d'application militaire de l'énergie atomique de Cherbourg. Au sommet de l'enseignement militaire, on trouve le Centre des hautes études militaires et le Centre des hautes études de l'armement, puis l'Institut des hautes études de la défense nationale, créé à Paris en 1949 et qui permet aux cadres supérieurs, tant civils que militaires, d'étudier les problèmes de défense.

Military Cross, Military Medal, décorations militaires britanniques, créées en 1914.

MILL (John STUART), économiste et philosophe anglais (Londres 1806 - Avignon 1873). Influencé par Hume, Bentham, Ricardo et A. Smith, il devient l'un des grands penseurs libéraux. Anticonformiste et soucieux de protéger la liberté de l'individu face aux pressions qu'exercent la société et l'État, il est partisan d'un régime politique où la majorité ne pourrait imposer ses vues à la minorité. La morale individualiste qu'il prône, à la suite de Bentham, est l'utilitarisme*. Il a écrit *Principes d'économie politique* (1848), *la Liberté* (1854) et *l'Utilitarisme* (1861).

MILLAIS (*sir* John Everett) → PRÉRAPHAÉLITES.

MILLAS (66170), ch.-l. de cant. des Pyrénées-Orientales, sur la Têt, à 17 km à l'O. de Perpignan; 2 569 hab.

MILLAU (12100), ch.-l. d'arr. de l'Aveyron, sur le Tarn; 22 576 hab. *(Millavois).* Beffroi et église Notre-Dame des XIIe-XVIIe s. Vieilles maisons. Musée (poterie de la Graufesenque). Ganterie.

Mille et Une Nuits *(les),* recueil de contes arabes. Le roi de Perse Chāhriyār, convaincu de l'infidélité de son épouse, a résolu de la faire étrangler, puis de prendre chaque soir une nouvelle femme, qui sera mise à mort le lendemain. La fille de son vizir, Chahrāzād (Schéhérazade), s'offre elle-même pour cette union, demandant comme seule grâce que sa sœur Dinārzād passe la nuit dans la chambre nuptiale. Au milieu de la nuit, Chahrāzād commence le récit d'un conte qui passionne le roi et qui n'est pas terminé quand le soleil se lève. Le roi décide de surseoir à l'exécution de la sentence pour entendre la suite la nuit suivante. Le manège se reproduit pendant mille autres nuits, et, à la fin, le roi renonce à son dessein cruel. Les plus célèbres contes sont *Aladin ou la Lampe merveilleuse, les Aventures d'Ali Baba et des quarante voleurs, les Incomparables Pérégrinations de Sindbād le marin.*

MILLE-FEUILLE ou **MILLEFEUILLE.** — La mille-feuille, l'une des herbes sauvages les plus communes un peu partout, doit son nom à l'extrême découpure de ses feuilles, qui rappellent, en beaucoup plus petit, celles des fougères. Ses fleurs, presque microscopiques, sont groupées en capitules blancs à ligules peu nombreuses, simulant parfaitement des fleurs simples. À leur tour, ces capitules sont groupés en corymbes serrés. La mille-feuille est une plante vivace, parfois utilisée dans l'engazonnement et douée de quelques propriétés médicinales. (Famille des composées.)

MILLE-ILES, archipel du Saint-Laurent (Canada), à sa sortie du lac Ontario. Centre touristique.

MILLÉNARISME. — Englobant les notions de prophétisme et de messianisme*, la notion de millénarisme désigne l'ensemble des croyances en l'avènement d'un âge d'or (millenium). Cet âge à venir n'est pas nécessairement fondé sur l'attente d'un médiateur, comme c'est le cas pour le prophétisme et le messianisme. Religieux et sociopolitiques, les mouvements millénaristes se développent particulièrement dans les religions tournées non seulement vers la contemplation, mais aussi vers l'amélioration de la vie socioéconomique.

MILLE-PATTES. — Peu nombreux en espèces, ces animaux forment pourtant à eux seuls une classe d'arthropodes, les *myriapodes.* De nombreux caractères les rapprochent des insectes : les mille-pattes ont une paire d'antennes, trois paires de pièces buccales et ils respirent par des trachées. Mais, chez eux, rien ne distingue le thorax de l'abdomen, le corps étant formé d'une suite de segments portant chacun une paire de pattes. Les espèces carnivores (scolopendre, lithobie, géophile) ont à l'avant une paire de *crochets venimeux.* Elles chassent la nuit, saisissant parfois leurs proies avec les pattes *préhensiles* de la dernière paire. Les espèces végétariennes (iule, gloméris) ont deux paires de pattes par anneau (les segments étant soudés deux à deux), ne sont pas venimeuses, se protègent en s'enroulant (le gloméris en boule, le iule en spirale). On les trouve en abondance dans les souches mortes. Il faut faire une mention spéciale pour le *scutigère,* insectivore des maisons, seule espèce dont les pattes soient longues et qui respire par des poumons.

MILLE-PERTUIS ou **MILLEPERTUIS.** — Le mille-pertuis doit son nom à ses feuilles, qui contiennent de nombreuses poches à huile, transparentes, pouvant être prises pour des trous. L'huile est extraite à des fins médicinales. La plante est une herbe vivace très commune, aux fleurs jaunes, dont les nombreuses étamines sont groupées en trois faisceaux. (Type de la famille des hypéricacées.)

MILLER (Henry), écrivain américain (New York 1891). Son œuvre forme une autobiographie épique qui relate sa recherche passionnée d'une vitalité et d'une liberté primitives à travers la libération des contraintes sexuelles et sociales et la constitution d'un évangile dionysiaque (*Tropique du Cancer,* 1934; *Printemps noir,* 1936; *Tropique du Capricorne,* 1939; *Sexus,* 1949; *Plexus,* 1952; *Big Sur et les oranges de Jérôme Bosch,* 1956; *Nexus,* 1960; *Virage à 80,* 1973).

MILLER (Arthur Ashur), auteur dramatique américain (New York 1915). Écrivain engagé, il traduit dans son œuvre la préoccupation majeure des intellectuels de la première génération qui suivit la Seconde Guerre mondiale : l'effort de l'homme pour être reconnu et accepté de la société (*Mort d'un commis voyageur,* 1949; *les Sorcières de Salem,* 1953; *Vu du pont,* 1955; *Après la chute,* 1964; *le Prix,* 1968). Il est également l'auteur du scénario du film de J. Huston *The Misfits (les Désaxés),* interprété par celle qui fut sa femme, Marilyn Monroe.

MILLERAND (Alexandre), homme politique français (Paris 1859 - Versailles 1943). Député radical (à partir de 1885), puis socialiste, il accomplit, comme ministre du Commerce et de l'Industrie (1899-1902), d'importantes réformes sociales; mais sa participation au cabinet Waldeck-Rousseau lui vaut l'opposition des socialistes, dont lui-même s'éloigne progressivement à partir de 1905. Ministre de la Guerre (1914-15), chef du Bloc national de la droite (1919), il devient président du Conseil (1920) et succède à Deschanel à la présidence de la République (1920). La victoire électorale du Cartel des gauches l'oblige à démissionner (1924).

MILLET (Jean-François), peintre français (Gréville, Manche, 1814 - Barbizon 1875). D'abord peintre de portraits, de scènes pastorales, de nus, de sujets de genre ou d'histoire, il se consacre essentiellement à la représentation du monde paysan à partir de son installation à Barbizon*, en 1849. Son réalisme*, qui se fonde autant sur la connaissance des maîtres du passé que sur une sensibilité contemporaine, est mal reçu par la bourgeoisie, hostile au spectacle de la misère et plus encore à la dignité que le peintre confère à celle-ci (*le Semeur,* 1850, versions de Boston et de Philadelphie; *les Glaneuses,* 1857, Louvre; *l'Homme à la houe,* 1860-1862, coll. priv., États-Unis). Le paysage prend plus d'importance dans les dix ou quinze dernières années de la vie de l'artiste (*l'Hiver aux corbeaux,* 1862, Vienne; *le Printemps,* 1868-1873, Louvre; *l'Église de Gréville,* proche de l'impressionnisme, *ibid.*). Millet a exécuté de nombreux dessins préparatoires au crayon ou au fusain, de grands pastels, des eaux-fortes.

MILLETT (Kate), essayiste américaine (Saint Paul, Minnesota, 1934). Elle est considérée comme l'une des principales théoriciennes du mouvement de libération des femmes; son premier ouvrage, *la Politique du mâle* (1970), est une dénonciation du phallocentrisme à travers la littérature et la psychanalyse. Kate Millett est également l'auteur d'*En vol* (1974).

MILLEVACHES *(plateau de),* haut plateau granitique (978 m) du Limousin, occupant principalement le nord du département de la Corrèze et dont sont issues la Vienne, la Creuse, la Vézère et la Corrèze.

MILLEVOYE (Charles Hubert), poète français (Abbeville 1782 - Paris 1816), auteur d'élégies qui préfigurent le romantisme (*la Chute des feuilles,* 1811).

MILLIEZ (Paul), médecin français (Mons-en-Barœul 1912). Professeur de clinique médicale à la faculté de médecine de Paris (1959), doyen de la faculté Broussais depuis 1968, il a étudié les maladies cardio-vasculaires et l'hypertension artérielle. Il a pris des positions libérales et novatrices à l'égard des problèmes universitaires (enseignement médical) et médicosociaux (avortement).

MILLIKAN (Robert Andrews), physicien américain (Morrison, Illinois, 1868 - San Marino, Californie, 1953). Il fit en 1911 la première mesure de la charge de l'électron et il détermina en 1916 la valeur de la constante de Planck grâce à l'effet photoélectrique. (Prix Nobel de physique, 1923.)

MILLOSS (Aurél MILLOSS DE MIHOLÝ, dit **Aurel**), danseur et chorégraphe d'origine hongroise (Ozora [auj. Uzdin] 1906), naturalisé italien (1960). Il est longtemps marqué par l'expressionnisme et le réalisme allemands. Voué à une carrière internationale, il se fixe pourtant en Italie, où son action de rénovation du ballet classique (Naples, Rome, Milan) est considérable. Chorégraphe fécond, il a composé *La Giara* (1939), *le Mandarin merveilleux* (1942), *Ballata senza musica* (1950), *La Soglia del tempo* (1951), *Il Demone* (1958), *les Noces* (1966).

MILLS (Wright), sociologue américain (Waco, Texas, 1916 - Nyack, New York, 1962). Inspirée de Marx* et de Max Weber*, l'œuvre de

Mills se veut une observation critique de divers aspects de la société américaine. En même temps qu'il condamne sans appel une société qui, à ses yeux, trahit son idéal, Mills récuse une sociologie empirique tantôt pour son conformisme, tantôt pour son aveuglement (*les Cols* blancs,* 1951; *l'Élite du pouvoir,* 1956).

MILLY-LA-FORÊT (91490), ch.-l. de cant. de l'Essonne, en bordure de la forêt de Fontainebleau, à 19 km à l'O. de Fontainebleau; 3 492 hab. Restes du château et église des XIIe-XVe s. Halle de 1579. Petite chapelle décorée par J. Cocteau.

MILNE-EDWARDS (Henri), naturaliste français (Bruges 1800-Paris 1885). Il fut l'un des fondateurs de l'école française de physiologie (*Leçons d'anatomie et de physiologie,* 1855-1881). — Son fils, ALPHONSE (Paris 1835-*id.* 1900), a dirigé les importantes croisières scientifiques du *Travailleur* et du *Talisman* (1880-1883), qui ont, par dragage, fait connaître la faune des grands fonds marins.

MILNER (Alfred, *vicomte*), administrateur britannique (Bonn 1854-Sturry Court 1925). Gouverneur du Cap (1897-1901), il juge inévitable la guerre avec les Boers. Après la victoire britannique, il dirige la reconstruction et la modernisation des deux pays annexés, dont il est gouverneur (1901-1905).

MILON de Crotone, athlète grec (Crotone VIe s. av. J.-C.), disciple et gendre de Pythagore*. Célèbre par ses nombreuses victoires aux jeux Olympiques, il fut l'artisan de la victoire de Crotone* sur Sybaris* (510).

MILON (Titus Annius Papianus), homme politique romain (Lanuvium v. 95 av. J.-C.-Compsa 48), gendre de Sulla. Défenseur du sénat contre les *populares,* il contribua comme tribun (57) au retour d'exil de Cicéron. Accusé du meurtre de Clodius* (52), il fut défendu par Cicéron *(Pro Milone),* mais dut, cependant, s'exiler.

MILOŠ OBRENOVIĆ → OBRENOVIĆ.

MILOSZ (Oscar Vladislas de LUBICZ-MILOSZ, dit **O. V. de L.**), écrivain français d'origine lituanienne (Czereïa, Biélorussie, 1877-Fontainebleau 1939). Auteur de poèmes d'inspiration élégiaque et mystique (*les Sept Solitudes,* 1906) et de drames (*Miguel Mañara,* 1913), il révéla au public occidental le folklore lituanien (*Contes et fabliaux de la vieille Lituanie,* 1930).

MILTIADE, général athénien (v. 540-Athènes v. 489). Il doit sa célébrité à la part qu'il prit à la bataille de Marathon* (490). Il mourut en disgrâce après une expédition malheureuse contre Paros.

MILTIADE *(saint)* → PAPE.

MILTON (John), poète anglais (Londres 1608-*id.* 1674). Héritier, dans sa jeunesse, des thèmes de la Renaissance et des traditions élisabéthaines, il compose des poèmes philosophiques (*Allegro,* 1632; *Il Penseroso,* 1632) et pastoraux (*Comus,* 1634; *Lycidas,* 1637). Après un voyage en Italie, il prend part aux luttes politiques et religieuses et se range dans le camp puritain, dont il devient un des pamphlétaires attitrés (*Areopagitica,* 1644). Après la restauration des Stuarts, ruiné et aveugle, il revient à la poésie : il dicte le vaste poème qui exprime toutes ses préoccupations théologiques et philosophiques, *le Paradis* perdu* (1667), que prolonge *le Paradis reconquis* (1671), puis il s'identifie au héros biblique dans sa tragédie *Samson lutteur* (1671).

Milvius *(pont),* pont sur le Tibre, à 3 km de Rome. Constantin* y vainquit Maxence* en 312; selon Lactance, l'empereur, à la suite d'un songe, avait fait inscrire sur les boucliers de ses soldats un symbole chrétien.

MILWAUKEE, port des États-Unis, principale ville du Wisconsin, sur la rive occidentale du lac Michigan; 717 000 hab. (1 404 000 pour l'aire métropolitaine).

MIME. — L'Antiquité donnait ce nom à de petites pièces en vers ou en prose où le geste avait une part prépondérante et de caractère le plus souvent comique. Sophron de Syracuse (Ve s. av. J.-C.) passe pour le créateur, et Hérondas (IIIe s. av. J.-C.) pour le maître du genre. Ces pièces étaient jouées par des acteurs appelés « pantomimes » (« qui imitent tout »). Par la suite, l'art du geste se sépara de la danse, du chant et de la déclamation, pour devenir un mode d'expression autonome et pour atteindre à Rome, sous Auguste, une grande virtuosité. Puis les mots *mime* et *pantomime* se confondirent et inversèrent leurs sens : au XIXe s., la pantomime est la pièce et l'acteur le mime.

Aujourd'hui, le mime est l'art de recréer le monde dans le silence avec le seul langage du corps humain. Comme la peinture, il peut être réaliste, abstrait, symbolique. Il a bénéficié à la fois des techniques cinématographiques (de la chronophotographie aux films comiques muets), de l'étude scientifique du geste sportif et de l'évolution de la danse moderne. En France, le mime moderne connaît une carrière particulièrement riche, du *Pierrot* de Jean Gaspard Deburau (1796-1846) aux *Actes sans paroles* de Beckett, en passant par Étienne Decroux, Marcel Marceau *(Bip)* et Jacques Lecoq.

Mimesis, essai d'E. Auerbach (1946). Une analyse, culturelle et stylistique, de la notion de réalité dans la littérature occidentale.

MIMÉTISME. — Le mot évoque une idée de déguisement; contrairement à l'*homochromie,* qui consiste, pour un animal, à se confondre avec le fond en en adoptant la couleur, le mimétisme est imitation d'un objet. L'animal cherche moins à se cacher qu'à se faire prendre pour ce qu'il n'est pas. Même ainsi restreint, le mimétisme couvre plusieurs phénomènes :

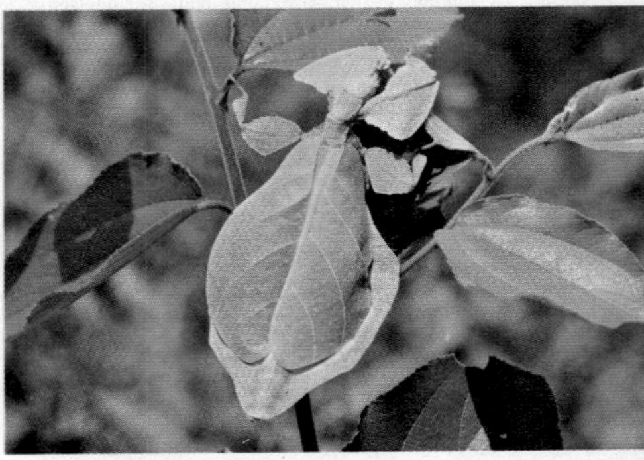

J.-P. Ferrero

Mimétisme de couleur et de forme de la phyllie (insecte orthoptère de Malaisie) avec les feuilles.

1° l'*homomorphie :* phasme ressemblant à une brindille, phyllie ou kallima à une feuille, butor, tigre ou zèbre à des herbes hautes, certaines plantes des déserts à des cailloux, etc.;
2° la *ressemblance avec des proies dangereuses :* lamier blanc ressemblant aux orties qui l'entourent, papillon (sésie) à un frelon, mouche (éristale) à une guêpe, couleuvre vipérine à une vipère, etc. (mimétisme « batésien »);
3° la *ressemblance avec l'espèce dont on fait sa proie :* selon la couleur de leurs œufs, les coucous pondent dans le nid de telle ou telle espèce aux œufs de la même couleur; des parasites et des prédateurs des bourdons ou des fourmis ressemblent à des bourdons ou à des fourmis, etc.;
4° la *ressemblance générale entre espèces du même lieu ayant les mêmes prédateurs :* cette ressemblance ne protège, évidemment, que des espèces particulièrement savoureuses et recherchées, qui, de cette façon, ne sont pas spécialement pourchassées. Entre espèces non comestibles, ce mimétisme « mullérien » réduit le nombre d'attaques de la part de prédateurs inexpérimentés.

MIMIQUE *(Chorégr.).* — Langage gestuel conventionnel, la mimique a eu comme fin de rendre intelligible le ballet classique (dit aussi « académique »), qui, après avoir perdu l'apport des actes

Bernand

MIME

Le mime Marcel Marceau.

chantés de l'opéra dans le genre dit « opéra-ballet », s'est trouvé dans la nécessité d'assumer le spectacle à lui seul. Le ballet d'action, composé sur un argument, aurait dû pouvoir être compris de tous. Pourtant de John Weaver à Jean-Georges Noverre, de Rudolf von Laban à Michel Fokine et à Kurt Jooss, nombre de chorégraphes firent intervenir la pantomime pour faire progresser l'action dansée. François Delsarte insiste très particulièrement dans ses travaux sur l'importance des gestes naturels et de leurs expressions. Contrairement au mime, qui conte ses histoires par des gestes réels sans que les objets qu'il évoque existent, la mimique traduit des sentiments, des situations par des symboles (par exemple montrer l'emplacement de son cœur = aimer, montrer le sol de l'index = ici, placer la main à plat sur la poitrine = moi). Les ballets romantiques du XIXe s. ont très souvent des scènes où la mimique est essentielle à la compréhension de l'œuvre (*Giselle,* scène de dispute). *Coppélia* offre des scènes où les protagonistes dialoguent par gestes. Inséparable du ballet jusqu'au début du XXe s., la mimique est délaissée après la venue des Ballets russes. Le mime supplée à l'expression parfois complexe de certaines œuvres contemporaines sans toutefois éclipser la danse (*le Sacre du printemps,* de M. Béjart, *Notre-Dame de Paris,* de R. Petit).

MIMIZAN (40200), ch.-l. de cant. des Landes, près de l'étang d'Aureilhan; 7 672 hab. *(Mimizannais).* Restes d'une abbatiale bénédictine (portail roman figuré). — Station balnéaire à 6 km à l'O., à *Mimizan-Plage.*

MIMNERME de Colophon, poète et musicien grec (fin du VIIe s. av. J.-C.), créateur de l'élégie érotique.

MIMOLETTE → FROMAGE.

MIMOSA. — Par un glissement de sens, les légumineuses de la petite famille des mimosacées ne portent pas le même nom dans la langue scientifique et dans le langage courant :

genre botanique	*nom usuel*
Robinia (robinier)	acacia
Acacia	mimosa
Mimosa	sensitive

Le mimosa des fleuristes (*Acacia* sp.) présente de petites boules jaunes et très parfumées, formées de minuscules fleurs papilionacées. Des inflorescences semblables sont portées par la sensitive *(Mimosa pudica),* qui présente une propriété exceptionnelle : ses feuilles, très découpées, se replient et se rabattent au moindre contact (v. NASTIE).

MIN → CHINOIS.

MĪNĀ AL-AHMADĪ, port du Koweit, sur le golfe Persique. Exportation du pétrole.

MINAMOTO, nom porté par plusieurs familles japonaises ou clans, formés au IXe s., qui se disputèrent le pouvoir au Moyen Âge.

MINAS DE RÍOTINTO ou **RÍO TINTO,** v. d'Espagne, en Andalousie, au pied de la sierra Morena, au N.-O. de Séville; 8 000 hab. Mines de cuivre.

MINAS GERAIS, État du Brésil; 11 498 000 hab. Capit. *Belo Horizonte.* Légèrement plus vaste que la France (587 172 km^2), cet État continental est formé en majeure partie de hautes terres et a un climat tropical atténué par l'altitude. Comme son nom (signifiant *Mines générales*) l'indique, il possède un riche sous-sol (fournissant aujourd'hui surtout du fer, puis du manganèse), mais l'agriculture est aussi développée localement (banane, café, maïs, riz, canne à sucre), avec un important troupeau porcin et surtout bovin.

MINATITLÁN, port du Mexique méridional, près du golfe du Mexique; 68 000 hab. Extraction et raffinage du pétrole. Pétrochimie.

MINCIO (le), riv. d'Italie, affl. du Pô (r. g.); 194 km. Il traverse le lac de Garde et passe à Mantoue.

MINDANAO, île du sud des Philippines. Montagneuse et volcanique (culminant à 2 955 m au mont Apo), Mindanao est la deuxième île de l'archipel par la superficie (99 311 km^2) et la population (7 538 000 hab.). Les cultures du riz, de la canne à sucre et de l'abaca sont les principales ressources d'une population juxtaposant catholiques et musulmans (minoritaires).

MINDEN, v. de l'Allemagne fédérale (Rhénanie-du-Nord-Westphalie), sur la Weser, à l'O. de Hanovre; 50 000 hab. Cathédrale gothique du XIIIe s.

MINDORO, île des Philippines, au S. de Luçon; 10 245 km^2; 472 000 hab.

MINDSZENTY (József), prélat hongrois (Csehimindszent 1892-Vienne 1975). Archevêque d'Esztergom et primat de Hongrie (1945), cardinal (1946), il s'oppose au gouvernement communiste hongrois, qui le fait arrêter (1948). Libéré en 1955, il reprend ses fonctions lors de la révolution d'octobre 1956, mais doit se réfugier à l'ambassade des États-Unis le 4 novembre, où il demeure jusqu'en septembre 1971.

MINE *(Industr.).* — Une mine est l'ensemble des travaux et des installations, sous terre et en surface, grâce auxquels on extrait une substance fossile ou minérale, existant en *couche,* en *filon* ou en *amas,* que l'exploitation* soit *souterraine* ou à *ciel ouvert.* S'il s'agit d'une substance plus commune, comme la pierre, l'argile, c'est une *carrière,* même si l'exploitation est souterraine. Une mine de charbon est un *charbonnage* ou une *houillère.* Dans un *bassin minier* qui groupe plusieurs mines voisines, chacune est une *fosse* ou un *siège d'exploitation.* Une mine souterraine exploite en descendant le gisement*, par *étages* successifs, matérialisés chacun par un réseau de galeries horizontales reliées au réseau situé de 40 à 120 m au-dessus (étage supérieur) par des galeries inclinées *(plans inclinés)* ou verticales *(bures, cheminées)* et par des *chantiers,* dans lesquels est faite l'exploitation. La profondeur finale d'une mine de houille ou de potasse dépasse rarement 1 200 m; elle est beaucoup moindre pour la plupart des mines métalliques, mais elle peut atteindre 3 500 m pour des filons aurifères. Une mine souterraine qui extrait de 5 000 à 10 000 tonnes par jour peut être qualifiée d'« importante » : elle a plusieurs dizaines de kilomètres de galeries* en service, avec des chantiers qui produisent chacun environ 1 000 tonnes par jour. Dans les grandes mines à ciel ouvert, la production peut atteindre 100 000 tonnes par jour et plus.

MINE *(Mil.).* — • *Mines terrestres.* Dès l'Antiquité, la guerre de siège voit l'emploi de galeries souterraines par lesquelles l'assaillant cherche à ruiner les murailles ou à surgir dans une place adverse. Depuis l'invention de la poudre, ces galeries permettent d'entasser celle-ci dans des cavités souterraines, ou *fourneaux de mines,* dont l'explosion disloque les défenses ennemies. La *guerre des mines,* conduite par les sapeurs du génie, connaît son apogée de 1914 à 1918 (Les Éparges, Massiges, cote 108...). Depuis, on appelle plutôt *mine* une petite masse d'explosif destinée à exploser soit par pression directe sur son enveloppe, soit par traction d'un fil relié à un allumeur. Il en est ainsi des *mines antichar* et des *mines antipersonnel* (de type fixe ou bondissant), qui sont employées soit en bandes formant des *champs de mines,* soit en bouchons pour interdire un point de passage obligé.

• *Mines marines.* Elles contiennent une charge détonante immergée qui doit exploser au passage d'un navire et dont l'effet est accru par la pression de l'eau formant bourrage. Apparues à la fin du XIXe s. sous forme de torpilles placées au fond ou flottant entre deux eaux grâce à un orin relié à un crapaud ancré au fond, elles furent employées massivement pendant les deux guerres mondiales. En 1939-1945, la nouveauté fut la *mine magnétique* mouillée par bateau ou par avion, dont la mise à feu se déclenche par la variation de champs magnétiques produite par le passage à la verticale d'une masse métallique. La destruction des mines marines, ou dragage, est confiée à des navires spécialisés. Les plus connus sont les dragueurs de type côtier (de 300 à 400 t) ou océanique (800 t). Ils sont renforcés depuis 1970 par des bâtiments de type nouveau : les chasseurs* de mines.

MINEPTAH → NOUVEL EMPIRE.

MINERAI. — L'exploitation d'un minerai est conditionnée par des facteurs évolutifs, tels que sa teneur en métal* à extraire, la nature de sa gangue, sa facilité de traitement et certains éléments économiques (cours du métal, situation du gisement*, coût d'exploitation). La notion de richesse du minerai est très variable; ainsi, une hématite à moins de 30 p. 100 de fer* est un minerai pauvre, alors qu'une pechblende à plus de 0,5 p. 100 d'uranium* ou un mispickel à 0,005 p. 100 d'or* sont des minerais riches. Un minéral ne devient un minerai que si les conditions sont favorables à son exploitation industrielle. À l'état brut, un minerai est constitué d'un agrégat complexe de matière minérale métallifère contenant le métal à extraire, rarement à l'état métallique (métal natif), mais généralement sous forme d'une combinaison chimique (oxyde*, sulfure*, carbonate, etc.) et de matière minérale stérile, ou *gangue* (silicates*, silicoaluminates alcalinoterreux). Les premières opérations de traitement du minerai ont pour objet d'éliminer la gangue par des actions successives physiques (gravimétrie*, triage magnétique, flottation), chimiques (attaque acide, lixiviation) ou physicochimiques (grillage, fusion*). Par ces traitements d'enrichissement du minerai, on obtient des *concentrés,* qui subiront les opérations métallurgiques d'élaboration* du métal.

MINÉRAL. — On distingue les *minéraux amorphes,* où les molécules sont disposées sans ordre, comme dans l'opale, et les *minéraux cristallisés,* où les molécules, les atomes ou les ions sont régulièrement distribués, comme dans le quartz, le mica.

MINÉRALE (eau) → EAU.

MINÉRALIER → VRAQUIER.

MINÉRALOGIE. — Cette science a pour objet l'étude et la détermination des minéraux. Elle s'intéresse d'abord aux caractères extérieurs, comme la couleur, l'éclat, la transparence, le clivage, texture, la dureté, etc. Les caractères cristallographiques et chimiques ont une grande valeur, car un minéral est défini par la nature des atomes qui le constituent et par leur arrangement géométrique. On mesure les angles des faces des cristaux à l'aide du goniomètre, et l'on détermine la nature du réseau cristallin par la spectrographie des rayons X. On étudie également les propriétés optiques par examen d'une lame mince au microscope.

La production des minéraux dans la nature se fait par les modes suivants : 1° solidification d'un magma fondu, par suite du refroidissement; 2° dépôt, dans les cavités et les cassures des roches, de substances dissoutes dans l'eau; 3° transformation de minéraux formés par les agents atmosphériques, en particulier par l'eau; 4° action réciproque d'une roche et d'un magma fondu qui la traverse (métamorphisme).

MINERVE, déesse romaine, assimilée à l'Athéna* des Grecs. Son culte fut introduit à Rome par les Étrusques; avec Jupiter et Junon, Minerve faisait partie de la Triade capitoline. Protectrice de Rome, elle patronnait les activités artisanales.

MINERVOIS (le), région viticole du bas Languedoc, au pied de la Montagne Noire.

MINETTE → GISEMENT.

MINEUR CONTINU → ABATTAGE et EXPLOITATION *(méthodes d').*

MING, dynastie qui régna sur la Chine de 1368 à 1644 et qui eut comme capitale Pékin à partir de 1409. Sous le règne de Hong-wou (de 1368 à 1398) et de son fils Yong-lo (de 1403 à 1424), le pays connaît un grand essor : la Grande Muraille est restaurée, un cadastre est établi, les travaux d'irrigation sont poussés, des greniers publics sont construits, la culture du coton s'étend. En même temps, le pouvoir central est renforcé par la création d'un grand conseil et d'une police secrète, instruments d'un régime autocratique. Les Ming — notamment entre 1405 et 1435 — organisent de grandes expéditions maritimes en direction du Moyen-Orient, de l'Insulinde et de l'Afrique orientale : ces expéditions ont pour conséquence de raviver le commerce chinois. Mais, à partir de 1450, les Mongols* reprennent l'offensive, et les côtes chinoises sont de nouveau écumées par les pirates japonais. De plus, le développement de l'aristocratie foncière rallume le mécontentement paysan, qui s'exprime par de nombreuses jacqueries. Les Mandchous s'affranchissent de la suzeraineté chinoise, et, en 1636, leur chef prend le titre dynastique de Ts'ing; en 1644, ils entrent à Pékin. Les Ming se replient vers le sud; leur dernier empereur est livré aux Mandchous, qui l'exécutent (1661).

MINGUS (Charles, dit **Charlie**), contrebassiste, compositeur et chef d'orchestre noir américain (Nogales, Arizona, 1922). Après avoir joué avec les plus grands noms du jazz, il s'imposa au cours des années 50 comme un accompagnateur et un soliste remarquablement doué, cherchant à transposer dans sa musique des préoccupations politiques, sociales et raciales (*Fables of Faubus,* 1959; *Better get it in Your Soul,* 1963).

MINHO (le), en esp. **Miño,** fl. du nord-ouest de la péninsule Ibérique; 275 km. Né en Galice, il passe à Lugo, puis à Orense et forme la frontière entre l'Espagne et le Portugal avant de rejoindre l'Atlantique.

MINHO (le), région de l'extrémité nord du Portugal. V. princ. *Braga.*

MINIATURE. — Les images en pleine page apparaissent dès le haut Moyen Âge occidental dans les livres enluminés, à côté des lettrines ornées. La tradition de cet art vient d'Égypte, de Grèce et, plus directement, de Byzance, dont la miniature connaît un âge d'or à l'époque justinienne (*Évangéliaire* de Rossano) et s'inspire, du IXe au XIIe s., de la peinture romaine (somptueux *Psautier* de la B.N., Paris). La miniature irlandaise et northumbrienne donne au contraire la prééminence à l'entrelacs, essentiellement décoratif, issu de l'art celte (*Livre de Kells,* VIIIe s., Dublin). L'époque carolingienne voit se développer les *scriptoriums* monastiques, qui combinent influences barbares et volonté antiquisante pour aboutir au style illusionniste et frémissant des dessins du *Psautier* d'Utrecht. L'Espagne, imprégnée d'éléments arabes, produit l'*Apocalypse* de Saint-Sever (XIe s., B.N.).

Grâce au réseau des relations monastiques, une certaine unification stylistique se fait à l'époque romane à travers les différents foyers : Bourgogne, Normandie, Limousin et Languedoc, Flandres, Allemagne, Angleterre, Italie... La lettre ornée permet à l'invention romane de se donner libre cours (figures zoomorphes, éléments burlesques ou fantastiques). Des cadres décorés de rinceaux ou historiés entourent souvent soit la première page des manuscrits, soit les miniatures proprement dites, plus rares. Les Bibles sont la production principale (*Bible de Coblence,* av. 1100).

Dès le début de la période gothique, la miniature connaît en France un éclat qui ne s'éteindra qu'à la découverte de l'imprimerie. Sa production comme son usage se laïcisent, liés au développement de la vie urbaine. Paris est un centre majeur de la miniature au XIIIe s. (*Psautier de Saint Louis,* B.N.). Au XIVe s.,

Bibliothèque nationale. Vienne

À la fontaine de Fortune, miniature d'un manuscrit du *Cœur d'Amour épris,* texte du roi René le Bon. V. 1465. (Bibliothèque nationale, Vienne.)

fonds d'or et cadres architecturaux cèdent la place aux fonds de couleur ou à des paysages; maître Honoré est le peintre du *Décret de Gratien* (Tours); J. Pucelle* développe dans les marges un décor aigu et foisonnant. À la suite de Charles V, des collectionneurs mécènes vont susciter des illustrations d'une audacieuse nouveauté, oscillant entre naturalisme et maniérisme, soit anonymes (*Térence des ducs,* Arsenal, Paris; *Heures de Bedford,* British Museum; *Heures de Rohan,* B.N.; *le Cœur d'Amour épris,* Vienne), soit attribuables à des maîtres comme Beauneveu*, Jacquemart* de Hesdin, les Limbourg*, J. Fouquet*... La miniature italienne est notamment illustrée par les noms de Simone Martini*, de Taddeo Crivelli au XVe s., d'Attavante degli Attavanti (qui travaille pour Mathias Corvin) et du Dalmate Giulio Clovio au XVIe s.

Mais, dès cette époque, la miniature est en voie de disparition en tant qu'illustration de manuscrits : le terme désignera surtout, dès lors, la production d'un art menu décorant boîtes et tabatières.

• *La miniature islamique.* Malgré l'interdit coranique, l'art de la miniature a été florissant dans le monde islamique. Les *écoles arabes* se développent dès le XIe s. (fāṭimide au Caire; mésopotamienne, avec Bagdad* pour centre principal au XIIe s., sous la direction de Yaḥyā al-Wāsiṭī*). Leur style, empreint de liberté et de fantaisie, rehaussé par la richesse de la palette, ne manque pas de réalisme. Traités de médecine, recueils de fables et «séances» d'al-Ḥarīrī sont les thèmes favoris.

La miniature *iranienne,* dès le XIVe s., à Tabriz*, allie subtilement les influences chinoises aux traditions nationales (*Chāh-nāmè* de Firdūsī), et le paysage devient fréquent. Fondée en 1420 par les Tīmurīdes, l'académie d'Harāt* s'attache avec Behzād* — l'un de ses membres éminents — au rendu des mouvements et à l'équilibre de la composition. La destruction d'Harāt (1510) est à l'origine de l'école de Boukhara*; Behzād, lui, se réfugie à Tabriz et donne une impulsion décisive à l'école séfévide, qui déploie ensuite sa magnificence à Ispahan*, sous le règne de Chāh ʿAbbās. Déjà enrichie sous les Tīmurīdes, la palette est de nouveau élargie, et une nonchalance raffinée domine les portraits idéalisés et les scènes intimes et érotiques, reflets du luxe de l'époque. Rezā Abbāsi préside aux destinées de l'école entre 1618 et 1634, et on lui doit l'introduction, sous l'ascendant de l'Occident, d'un certain réalisme qui modifie les valeurs typiquement iraniennes.

En *Turquie,* la miniature connaît un brillant essor au XVe s., dont témoigne l'œuvre de Mehmed Siyahkalem. Caractérisée par une extraordinaire force d'expression et un puissant dynamisme, elle révèle les influences de l'Extrême-Orient, de Byzance et du monde occidental, avant de subir à son tour l'influence séfévide.

En Inde, sous le règne des princes *moghols*,* les traditions nationales, subtilement alliées à l'influence iranienne, confèrent son originalité à une production de qualité.

MINÎÈH, v. d'Égypte, sur le Nil; 113 000 hab.

minimal art, courant artistique apparu en peinture, mais surtout en sculpture dans les années 60 aux États-Unis. Rejetant à la fois le lyrisme de l'expressionnisme abstrait et la figuration du pop art, il apporte, dans la voie ouverte par les peintres Barnett Newman* et Ad Reinhardt ou par le sculpteur David Smith*, un renouvellement de l'abstraction* fondé sur le choix de formes et de couleurs élémentaires («nouvelle abstraction» en peinture). Simplification et dépouillement formels caractérisent les «structures primaires» (souvent une forme géométrique simple, ou sa répétition) de sculpteurs comme Tony Smith, Don Judd, Robert Morris*, Dan Flavin, Carl André ou Sol Lewitt. Les matériaux industriels sont choisis pour leur rigueur, et le travail de l'artiste intervient au niveau de la conception plutôt qu'à celui de la réalisation de l'objet. Enfin, la sculpture perd sa signification en soi pour s'intégrer à l'espace et le transformer. L'absence de préoccupation plastique concernant l'objet en lui-même laisse la place à l'analyse de sa fonction et ouvre la voie aux tendances conceptuelles*.

MINIMES, ordre mendiant, fondé en 1435, en Italie, par saint François* de Paule.

MINI-ORDINATEUR → MICRO-ORDINATEUR.

MINISTÈRE PUBLIC → JUSTICE *(organisation de la).*

MINKOWSKI (Hermann), mathématicien allemand (Aleksotas, près de Kaunas, 1864 - Göttingen 1909). Il introduisit certaines conceptions géométriques dans la théorie des nombres, constituant une géométrie des nombres qu'il ne faut pas confondre avec une géométrie non euclidienne. Il donna une interprétation géométrique de la relativité* restreinte d'Einstein*.

MINNE (Georges), sculpteur belge (Gand 1866 - Sint-Martens-Latem 1941). Marqué par le symbolisme et animé d'une ferveur mystique, il recherche les volumes les plus simples et les formes les plus pures pour exprimer une intense spiritualité (*la Fontaine des agenouillés,* 1898, musée d'Essen). Il a été une des personnalités du premier groupe d'artistes de Laethem-Saint-Martin.

MINNEAPOLIS, v. des États-Unis, la plus grande ville du Minnesota, sur le Mississippi; 434 000 hab. Avec la ville voisine de Saint Paul, elle forme une aire métropolitaine de 1 814 000 hab. Industries alimentaires et chimiques. Électronique.

MINNELLI (Vincente), cinéaste américain (Chicago 1913). Il fut l'un des meilleurs spécialistes de la comédie musicale à l'écran (*Ziegfeld Follies,* 1945; *Un Américain à Paris,* 1951; *Tous en scène,* 1953; *Brigadoon,* 1954). Mais on lui doit également d'autres films, comédies ou drames psychologiques (*la Femme modèle,* 1957; *le Chevalier des sables,* 1965).

MINNESÄNGER. — L'œuvre des minnesänger, qui sont les poètes courtois de la littérature médiévale allemande, est influencée par les conceptions lyriques des troubadours et des trouvères français. Aristocratique et raffiné avec Heinrich von Morungen, Reinmar von Haguenau et Walter von der Vogelweide, leur art s'orientera ensuite vers le réalisme avec Neidhart von Reuental.

MINNESOTA, État du centre-nord des États-Unis; 217 735 km^2; 3 805 000 hab. Capit. *Saint Paul.* L'État juxtapose une partie nord, parsemée de lacs glaciaires et largement forestière, et une partie méridionale, aux sols plus fertiles. L'ensemble a un climat continental, rigoureux dans le Nord. Le blé, l'avoine, le maïs et la betterave à sucre sont les principales productions agricoles, parfois associées à un important élevage bovin laitier. Le Minnesota fournit plus de la moitié de la production américaine de minerai de fer. L'industrie de transformation est dominée par les constructions mécaniques et électriques (devançant l'alimentation, le papier), représentées surtout dans l'agglomération de Minneapolis-Saint Paul, qui regroupe près de la moitié de la population de l'État.

MIÑO (le), nom espagnol du MINHO.

MINO da Fiesole, sculpteur italien (Poppi 1429 - Florence 1484). Élève de Desiderio da Settignano (v. 1428-1464) à Florence, travaillant dans cette ville ainsi qu'à Rome, il est le maître d'une manière épurée et délicate (tombeaux, chaire de la cathédrale de Prato, bustes).

MINOENNE (civilisation). — Cette civilisation apparaît à la suite d'un néolithique à évolution relativement lente, situé à Cnossos* entre 6000 et 2600 av. J.-C. Vers le milieu du IIIe millénaire intervient en Crète la « révolution du bronze »; sans marquer de rupture, elle semble liée à un apport de population nouvelle de type dolichocéphale. Sir A. Evans*, qui, en 1900, a entrepris les premières fouilles de Cnossos, a donné un cadre chronologique à cette civilisation, en la divisant en trois grandes périodes, elles-mêmes subdivisées en trois phases : minoen ancien (env. 3000-2000), minoen moyen (env. 2000-1600) et minoen récent (env. 1600-1100).

• Le minoen ancien est caractérisé par un habitat groupé en petites villes, par diverses formes d'inhumation, par la persistance d'anciennes formes de céramique, associées à d'autres et qu'influencent les modèles en métal d'Anatolie, par une vaisselle de pierre abondante et par des bijoux et des doubles haches en bronze, important symbole de la religion crétoise.

• Le minoen moyen correspond à une évolution sociale importante, à l'expansion commerciale et à l'amorce d'un épanouissement artistique, que confirment tant les premiers palais construits dans les agglomérations, sans fortifications (Mália*, Cnossos*, Phaistos*), que la céramique polychrome (style de Camarès, orné de végétaux et d'animaux marins), la glyptique*, les vases de pierre, les armes d'apparat et la parure. Anéantie vers 1700 av. J.-C., cette brillante civilisation connaît ensuite une splendeur nouvelle. Les plans architecturaux se compliquent, les salles sont savamment disposées autour des cours, les corridors et les puits de lumière créent des liens entre les divers niveaux et l'ouverture sur la nature devient la préoccupation typique de l'architecture, dont la subtilité est probablement à l'origine de la légende de Dédale*.

• Le minoen récent, dans sa première phase, voit cette extraordinaire floraison des arts se poursuivre. Vers 1600, la plupart des ensembles palatiaux sont ornés de fresques qui témoignent non seulement d'une minutieuse observation de la nature, mais aussi de fantaisie et de liberté d'expression (*Singe bleu,* musée d'Hêraklion*).

De petites statuettes en faïence — représentant probablement une divinité féminine tenant des serpents — et de petits personnages en bronze (adorants) sont les seuls témoignages de la petite plastique. Les réussites du sculpteur crétois se rencontrent dans les reliefs évoquant les sports (boxe, tauromachie) ou dans les processions rustiques et animées, comme celle des moissonneurs (parois du vase en stéatite provenant d'Ághia Triádha, musée d'Hêraklion). La gravure des gemmes et celle des bagues d'or ont, elles aussi, atteint la perfection. Après cet apogée du bronze récent,

Civilisation minoenne : *l'Oiseau bleu parmi les fleurs.* Fresque provenant de la « Maison des fresques » à Cnossos (Crète). V. 1500 av. J.-C. (Minoen récent). [Musée d'Hêraclion.]

Hassia

le monde minoen survit à grand-peine à la destruction simultanée, vers 1450 av. J.-C., des grands centres palatiaux due à une nouvelle éruption volcanique, avant de sombrer sous la pression achéenne et l'invasion dorienne. Déchiffrées par Ventris*, les tablettes en linéaire B révèlent de véritables inventaires d'armes, ne procédant plus de l'apparat, mais bien d'une société pour qui la cité fortifiée devient refuge.

MINORITÉ → MAJORITÉ.

MINORQUE, en esp. **Menorca,** île du nord-est des Baléares; 668 km^2; 48 000 hab. Ch.-l. *Mahón.* Tourisme. — Anglaise à partir de 1713, l'île fut occupée par les Français en 1756, à la suite de l'intervention du maréchal de Richelieu sur Mahón. Espagnole de 1782 à 1799, puis de nouveau anglaise, elle revint à l'Espagne en 1802.

MINOS, roi légendaire de Crète, fils de Zeus et d'Europe, célèbre par sa justice et sa sagesse; ces vertus lui valurent, après sa mort, d'être, avec Rhadamante et Éaque, l'un des trois juges des Enfers. Les historiens voient en Minos un titre royal ou dynastique des souverains crétois : d'où l'expression de « civilisation minoenne ».

MINOT (George Richards), médecin et physiologiste américain (Boston 1885 - *id.* 1950), prix Nobel de physiologie et de médecine en 1934, avec W. P. Murphy et G. H. Whipple, pour ses recherches sur les anémies pernicieuses.

MINOTAURE, être monstrueux de la mythologie grecque, mi-homme, mi-taureau, né des amours de Pasiphaé*, femme de Minos*, et d'un taureau blanc envoyé par Poséidon*. Minos

Albright-Knox Art Gallery

Joan Miró : *Carnaval d'Arlequin.* 1924-25. (Albright-Knox Art Gallery, Buffalo.)

l'enferma dans le Labyrinthe, construit par Dédale*. Le Minotaure fut tué par Thésée*.

MINOTERIE → MEUNERIE.

MINSK, v. de l'U. R. S. S., capit. de la Biélorussie; 907 000 hab. Industrie automobile. Matériel agricole.

Minuteman, missile stratégique intercontinental américain, réalisé en 1962 et tiré à partir d'un silo. (Le « Minuteman 3 » de 1965, porteur d'une charge thermonucléaire de 1 Mt, a une portée supérieure à 10 000 km; une autre version de 1970 est dotée d'une charge multiple type « MIRV* » à trois éléments de 150 à 200 kt.)

MIOCÈNE → TERTIAIRE *(ère).*

MIONS (69780), comm. du Rhône, à 15 km au S.-E. de Lyon; 5 081 hab.

MIQUE (Richard), architecte français (Nancy 1728 - Paris 1794). Élève de J. F. Blondel, il s'inspire de celui-ci dans son palais du Gouvernement de Nancy (1763). À Versailles, il construit le couvent des Augustines (auj. lycée Hoche), puis, devenu premier architecte du roi (1775), aménage notamment pour Marie-Antoinette les jardins Anglais du Petit Trianon (fabriques néo-grecques; hameau pseudorustique). Il fut guillotiné.

MIQUELON → SAINT-PIERRE-ET-MIQUELON.

MIR. — La communauté villageoise russe *(obchtchina),* plus connue en Occident sous le nom de *mir,* possédait collectivement la terre, qu'elle distribuait périodiquement entre ses membres. L'institution du mir, dont les documents ne font guère état avant le XVIe s., s'était étendue à la fin du XVIIIe s. à toute la Grande Russie (mais était ignorée de l'Ukraine, de la Biélorussie et de la Sibérie). Le Statut de 1861, abolissant le servage, fit du mir une entité administrative qui, en plus de ses attributions traditionnelles, devait assumer la collecte des impôts et le remboursement du prêt accordé par l'État aux paysans pour le rachat des terres. Le mir s'avéra un frein à la formation d'une classe nombreuse de paysans riches (koulaks*). Les réformes de Stolypine* (de 1906 à 1911) favorisèrent l'accession du paysan à la propriété individuelle, mais le mir ne disparut qu'avec la révolution d'octobre 1917.

MIRABEAU (Victor RIQUETI, *marquis* DE), économiste français (Pertuis 1715 - Argenteuil 1789), disciple de Quesnay*, auteur de *l'Ami des hommes ou Traité sur la population* (1756).

MIRABEAU (Honoré Gabriel RIQUETI, *comte* DE), homme politique français (Le Bignon, Gâtinais, 1749 - Paris 1791), fils du précédent. Après une jeunesse orageuse, il est élu, quoique noble, représentant du tiers état d'Aix en 1789. Orateur prestigieux, idole des Parisiens, Mirabeau — qui contribue à mettre les biens du clergé à la disposition de la nation — cache derrière son libéralisme l'ambition de devenir le ministre sauveur de la monarchie. Mais, détesté par l'Assemblée et la reine, il n'est pas suivi par le roi, qu'il pousse secrètement sur la voie de la contre-révolution. Il vient d'être élu président de l'Assemblée quand la mort l'emporte.

MIRABEL, anc. **Sainte-Scholastique,** v. du Canada (Québec), au N.-O. de Montréal; 14 787 hab. Aéroport international.

MIRABELLE → EAU-DE-VIE.

MIRA CETI → ÉTOILE.

Miracle de Théophile *(le),* de Rutebeuf. Mise en scène de la légende de saint Théophile d'Adana, qui, ayant vendu son âme au diable, fut sauvé par la Vierge.

MIRADOUX (32340), ch.-l. de cant. du Gers, à 31 km au S.-E. d'Agen; 654 hab.

MIRAMAS (13140), comm. des Bouches-du-Rhône, à 11 km au S.-O. de Salon-de-Provence; 15 765 hab. *(Miramassens).* Gare de triage.

MIRAMBEAU (17150), ch.-l. de cant. de la Charente-Maritime, à 15 km au S.-O. de Jonzac; 1 401 hab.

MIRAMONT-DE-GUYENNE (47800), comm. de Lot-et-Garonne, à 23 km au N.-E. de Marmande; 4 048 hab. Industrie de la chaussure.

MIRANDA (Francisco), patriote vénézuélien (Caracas 1750 - Cadix 1816). Après avoir servi la France révolutionnaire, il est à l'origine du soulèvement du Venezuela et de la proclamation de son indépendance (1811). Mais, battu par les Espagnols (1812), il est emprisonné à Cadix.

MIRANDE (32300), ch.-l. d'arr. du Gers, sur la Baïse, à 24 km au S.-O. d'Auch; 4 150 hab. *(Mirandais).* Bastide du XIIIe s., avec église du XVe. Musée. Eaux-de-vie. Volailles.

MIRBEAU (Octave), écrivain français (Trévières 1848 - Paris 1917). Ses romans (*le Journal d'une femme de chambre,* 1900) et son théâtre (*Les affaires sont les affaires,* 1903) témoignent de l'influence réaliste. Il créa le « roman de l'automobile » avec *la 628-E 8* (1907).

MIREBEAU (21310), ch.-l. de cant. de la Côte-d'Or, à 25 km au N.-E. de Dijon; 1 107 hab. Fortifications. Église des XIIe-XVIe s.

MIREBEAU (86110), ch.-l. de cant. de la Vienne, à 30 km au N. de Poitiers; 4 925 hab.

MIRECOURT (88500), ch.-l. de cant. des Vosges, à 33 km au N.-O. d'Épinal; 9 322 hab. *(Mirecourtiens).* Lutherie. Bonneterie.

Mireille, poème provençal de Mistral (1859). Épopée sentimentale au pays de Camargue. — Sur un livret tiré de ce poème, Gounod a composé la musique d'un opéra en cinq actes, livret de M. Carré (1864) : à travers des mélodies pleines de charme, les auteurs restituent l'atmosphère provençale de la fin du XIXe s.

MIREPOIX (09500), ch.-l. de cant. de l'Ariège, sur l'Hers Vif, à 23 km à l'E. de Pamiers; 3 857 hab. Bastide du XIIIe s. (place à couverts) avec église des XVe-XVIe s., anc. cathédrale.

MIRGISSA → NUBIE.

MIRIBEL (01700), comm. de l'Ain, sur le Rhône, à 14 km au N.-E. de Lyon; 6 382 hab.

MIRNY, v. de l'U. R. S. S. (R. S. F. S. de Russie), en Iakoutie; 50 000 hab. Centre de l'industrie du diamant.

MIRÓ (Joan), peintre et sculpteur espagnol (Barcelone 1893). Débutant par des œuvres aux lignes et aux couleurs tumultueuses marquées par le fauvisme (et aussi par le cubisme), il aborde en 1918 une période « détailliste », qui porte l'analyse de ses paysages de la campagne de Montroig à la limite du réel (*la Ferme,* 1921-22, coll. priv., New York). Après avoir rencontré dès 1919 les dadaïstes et les surréalistes à Paris, il atteint un onirisme (*Terre labourée,* 1923-24, musée Guggenheim) qui s'apparente à l'automatisme avec ses éclaboussures, ses traces, ses hiéroglyphes et débouche sur le merveilleux (*Personnage lançant une pierre à un oiseau,* 1926, musée d'Art moderne, New York). Il expérimente les matériaux et les supports les plus inattendus (qu'on retrouve dans les « sacs » et « sobreteixims » de 1973), travaille la lithographie et la gravure, mais trouve dans la gouache la richesse poétique de la série des *Constellations* (1940-41). Après la guerre, il renoue avec une verve et un humour également présents dans ses sculptures composées d'éléments hétéroclites et dans les céramiques qu'il crée avec J. Llorens Artigas (murs du *Soleil* et de la *Lune* pour le siège de l'Unesco à Paris [1957-58]; panneaux du pavillon japonais de l'Exposition universelle d'Ōsaka [1970]).

MIROIR *(Opt.).* — Le *miroir plan* donne de tout objet une image nette, symétrique par rapport à sa surface, virtuelle si l'objet est réel.

Les *miroirs sphériques* peuvent être *concaves* ou *convexes.* Pour des rayons lumineux passant près de leur centre de courbure, ils sont pratiquement stigmatiques et aplanétiques. L'image d'un point à l'infini sur l'axe se forme au *foyer* F, situé à égale distance du sommet S et du centre C; ce foyer est réel pour les miroirs concaves et virtuel pour les miroirs convexes. Les figures ci-dessous donnent la construction de l'image A′B′ d'un petit objet AB perpendiculaire à l'axe.

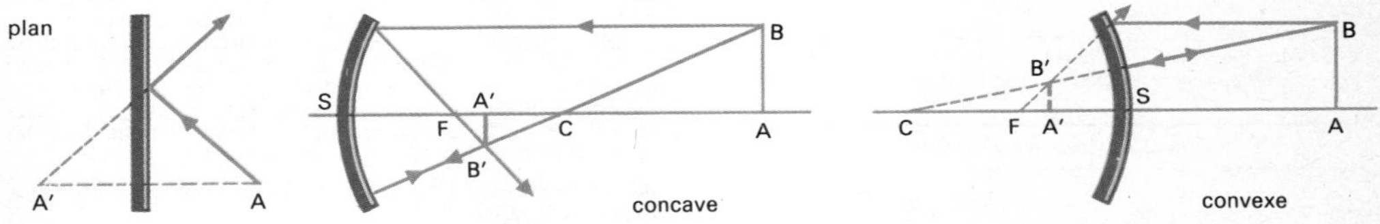

Le miroir concave est employé comme miroir grossissant, et le miroir convexe comme rétroviseur en raison de son grand champ. Dans les objectifs de télescopes, on utilise des *miroirs paraboliques,* rigoureusement stigmatiques pour le point à l'infini sur l'axe.

MIROIR (stade du) → IMAGINAIRE.

MIROITERIE. — Le pouvoir réfléchissant des miroirs est obtenu par le dépôt d'une mince couche métallique sur du verre* poli. Dans la miroiterie courante, on répand sur l'une des faces d'une feuille de verre plan une solution ammoniacale de nitrate d'argent* et d'un composé organique réducteur. Il se forme au contact du verre un dépôt adhérent d'argent qui, après rinçage et séchage, est protégé par une peinture*.

MIRV, sigle de *Multiple Independently targetable Reentry Vehicle,* charge nucléaire multiple emportée par un missile et dont les éléments peuvent être guidés chacun de façon indépendante sur un objectif déterminé. Réalisées aux États-Unis en 1970 et en U. R. S. S. en 1973, ces charges, telles celles du « Minuteman 3 » américain, ont pour objet de saturer les défenses adverses.

MIRZĀPUR, v. de l'Inde (Uttar Pradesh), sur le Gange, en amont de Bénarès; 106 000 hab. Tapis.

Misanthrope *(le),* comédie de Molière en cinq actes et en vers (1666). L'atrabilaire Alceste, ne pouvant mettre en accord sa franchise avec le scepticisme souriant de Philinte, le bel esprit d'Oronte, la pruderie d'Arsinoé et la coquetterie de Célimène, décide d'aller vivre loin du monde.

MISE EN PAGES → IMPOSITION et TYPOGRAPHIE.

Misérables *(les),* roman de Hugo (1862), qui forme, à travers ses personnages (le héros Jean Valjean, ancien forçat qui se réhabilite par sa générosité et ses sacrifices, le gamin de Paris Gavroche) et les événements qui lui servent de toile de fond (la bataille de Waterloo, l'émeute de 1832), une véritable épopée populaire.

MISHIMA YUKIO, (Hiraoba Kimitake, dit), écrivain japonais (Tōkyō 1925 - *id.* 1970). Il vit dans la création esthétique un moyen d'échapper à la fascination du néant (*le Bois du plein de la fleur,* 1944; *le Marin rejeté par la mer,* 1965; *la Mer de la fécondité,* 1970) et, désireux de restaurer les traditions nationales, il fonda la « Société du bouclier », qu'il s'efforça d'entraîner dans un coup d'État : ayant échoué, il se suicida publiquement.

Mishna, ensemble de soixante-trois traités du judaïsme rabbinique. Compilation des lois non écrites transmises par la tradition et considérées comme faisant partie de la révélation mosaïque, la Mishna est l'œuvre, pour l'essentiel, de Juda ha Nasi (v. 135-v. 220); son commentaire, la *Gemara,* constitue avec elle le Talmud*.

MISKOLC, v. du nord de la Hongrie; 191 000 hab. Monuments gothiques (temple calviniste du XIVe s.), baroques (ancien Conseil du comté, maisons) et néoclassiques (théâtre), dans un contexte architectural éclectique (XIXe s.). Musée Otto Herman (préhistoire, ethnographie). Sidérurgie.

MISNIE, en allem. **Meissen,** anc. margraviat du Saint Empire. Issu du démembrement de la Marche de Saxe orientale, ce margraviat, fondé en 965 par Otton Ier, eut pour centre la ville de Meissen. Au XVe s., l'accession de ses margraves à la dignité électorale de Saxe permit l'intégration de Meissen à la Saxe (1422).

MISPICKEL → MINERAI.

MIṢR, nom arabe de l'ÉGYPTE.

MISSI DOMINICI. — Créée sous Charlemagne (802), l'institution avait pour but d'assurer le contrôle des comtes, chefs des circonscriptions administratives appelées *pagi.* Allant toujours deux par deux (un évêque et un comte), ces agents spéciaux de l'autorité royale faisaient périodiquement et régulièrement des tournées générales d'inspection au sein d'une circonscription *(missatica)* comprenant plusieurs *pagi.* Ils enquêtaient sur place, transmettaient les instructions royales, jugeaient avec pleins pouvoirs et faisaient au roi un rapport sur les administrations contrôlées. Après Charlemagne, ces tournées cessèrent d'être régulières.

MISSILE. — Si, dans un projectile autopropulsé*, on peut par télé- ou autocommande agir sur la grandeur et la direction de la poussée du moteur-fusée ou sur des organes aérodynamiques, cette opération, dite *de guidage,* permet de corriger la trajectoire en cours de vol. On a alors affaire à un missile dont la précision dépasse de très loin celle de la roquette.

Étudié dès 1937, le premier engin de ce type, réalisé par l'ingénieur allemand von Braun, fut le « V2* », lancé en 1944-45 sur Londres et Anvers. Après la guerre, les États-Unis et l'U. R. S. S. poursuivirent les recherches, qui aboutirent à la mise en orbite du « Spoutnik » soviétique (1957) et du missile américain intercontinental « Atlas », d'une portée de 10 000 km (1958). Quinze ans après, la gamme des missiles s'est étendue, et leur classification se fonde sur la nature du lanceur et celle de l'objectif : missile surface-surface, surface-air, mer-surface, air-sol, air-air... Mais on distingue surtout les *missiles tactiques* (portée inférieure à 1 100 km), armes du combat terrestre, naval ou aérien (missiles antichars, antiaériens, d'artillerie...), et les *missiles stratégiques.* Ceux-ci comprennent, suivant leur portée :

— les « MRBM* » (de 1 100 à 2 775 km) et les « IRBM* » (de 2 775 à 5 500 km), auxquels se rattachent les « SLBM* » et les missiles français « M. S. B. S.* » et « S. S. B. S.* »;

— les « ICBM* » (portée supérieure à 5 500 km).

Un missile comprend un *système propulsif* à un ou à plusieurs étages (moteur-fusée à propergol liquide ou solide), une *tête explosive,* qui comprend la charge nucléaire ou non, unitaire ou multiple type « MIRV* », et un *système de guidage,* contenu dans une case d'équipement. Le guidage est de types divers : filoguidage des missiles antichars, guidage radio, guidage par inertie, système autodirecteur pour les missiles air-air ou sol-air.

Alors que les missiles tactiques sont lancés à partir de *transporteurs-érecteurs* mobiles, de châssis automouvants chenillés (tel le « Pluton » français, 1974) ou de dispositifs très simples (casier de transport), le lancement des missiles stratégiques pose des problèmes de vulnérabilité beaucoup plus complexes. Ceux-ci ont été résolus par le tir à partir de silos enterrés et surtout de sous-marins en plongée, qui présente le maximum d'avantages.

Les missiles de faibles portées destinés à des objectifs ponctuels ont une trajectoire entièrement *propulsée* et donc susceptible de changement continu. Au contraire, la trajectoire des missiles surface-surface comprend une phase propulsée et guidée suivie d'une phase *balistique.* Cette dernière est entièrement déterminée par la direction et la grandeur de la vitesse du missile au point d'extinction de ses moteurs, après lequel le missile se comporte comme un projectile classique soumis à la seule action des forces de gravitation. À titre d'exemple, la durée du trajet d'un ICBM d'une portée de 10 000 km est voisine de 30 mn.

On notera, enfin, que le rôle joué depuis les années 1960-1975 par les missiles stratégiques dans les forces de dissuasion des puissances nucléaires a posé particulièrement aux États-Unis et à l'U. R. S. S. le problème de la défense antimissile. (V. SALT.) Celui-ci s'avère d'autant plus ardu que les ogives des missiles stratégiques

Aérospatiale

Tir, à partir du tube servant à son transport, d'un missile tactique antichar « Milan » (fabriqué par l'Aérospatiale et la société allemande MBB). Guidage par télécommande automatique à infrarouge; vitesse : 180 m/s; portée : 150/2 000 m.

sont désormais dotées (notamment sur les « Minuteman 3 » et les « Poseidon » de 1970-71) d'aides à la pénétration destinées à gêner, voire à interdire leur acquisition par les radars de la défense.

quelques missiles stratégiques

date et désignation	*lancement*	*portée en km*
AMÉRICAINS		
1964. « Polaris A-3 »	sous-marin	4 500
1970. « Minuteman 3 » (« MIRV »)	silo	12 500
1971. « Poseidon » (« MIRV »)	sous-marin	4 500
SOVIÉTIQUES		
1965. « Scarp SS-9 »	silo	12 000
1972. « SS-N-8 »	sous-marin	7 680
1975. « SS 17 », « 18 », « 19 »	silo	env. 12 000
FRANÇAIS		
1971. « S. S. B. S. »	silo	2 500
1974. « M. S. B. S.-M2 »	sous-marin	3 000

MISSIONS. — Les missions sont chargées de la propagation de la foi chrétienne dans les pays non chrétiens. Tout naturellement, c'est l'Église catholique romaine qui multiplia ces organismes, les temps forts des missions étrangères étant le XVIe s. pour l'Amérique et l'Asie, le XIXe s. pour l'Afrique et l'Océanie. Les ordres et les congrégations missionnaires se multiplièrent au lendemain de la Révolution. Longtemps marquées par l'esprit colonial, les missions, surtout depuis le deuxième concile du Vatican (1965), sont des facteurs positifs de progrès et de conservatisme national, le clergé autochtone remplaçant peu à peu le clergé européen. Parallèlement, les protestants ont multiplié au XIXe s. les sociétés missionnaires, qui ont, généralement, doublé l'avancée de l'Empire britannique et ont reçu une impulsion nouvelle de l'expansion américaine dans le monde.

MISSISSAUGA, v. du Canada (Ontario), dans la banlieue sud-ouest de Toronto; 246 766 hab.

MISSISSIPPI (le), fl. des États-Unis; 3 780 km. Le Mississippi, qui forme avec son principal affluent, le Missouri, une artère fluviale de 6 210 km, draine un bassin de plus de 3 millions de kilomètres carrés, le tiers de la superficie des États-Unis. Il prend sa source dans le Minnesota et suit un cours guidé par la gouttière des grandes plaines, recevant successivement le Missouri en rive droite, puis l'Ohio en rive gauche. À partir de cette dernière confluence, située à 82 m d'altitude, il parcourt 1 730 km avec une pente très faible. Il coule dans un lit majeur très large, décrivant de nombreux méandres entre des levées naturelles, qu'il construit avec ses propres alluvions. Après un cours inférieur sinueux, avec de multiples bras plus ou moins morts, les bayous, il va se jeter dans le golfe du Mexique en un immense delta, qui progresse très rapidement. Le régime est marqué par des hautes eaux de printemps et d'été. Le débit moyen atteint 20 000 m^3/s à l'entrée du delta, mais est caractérisé par des crues parfois catastrophiques, dont est principalement responsable l'Ohio.

Le Mississippi a joué un rôle essentiel dans la mise en valeur des Grandes Plaines avant la construction de la voie ferrée. Il est doté d'un important réseau de digues, et son bassin est maintenant relié aux Grands Lacs. Le fleuve est jalonné par une série de villes (Saint Paul et Minneapolis, Saint Louis, Memphis, La Nouvelle-Orléans), et le trafic sur l'ensemble de son bassin dépasse 300 Mt.

MISSISSIPPI, État du sud des États-Unis; 123 584 km^2; 2 217 000 hab. Capit. *Jackson.* Bordé à l'O. par le *fleuve Mississippi* et entièrement englobé dans la plaine côtière du golfe du Mexique (atteint par l'extrémité sud-orientale de l'État), le Mississippi possède un climat subtropical, aux hivers doux, aux étés humides et chauds. Le coton demeure la culture dominante. L'extraction des hydrocarbures (pétrole et gaz naturel) est la principale activité industrielle. Héritage de l'histoire coloniale, la proportion des Noirs dans la population totale dépasse encore 35 p. 100, part supérieure au triple de la moyenne nationale.

MISSOURI (le), riv. des États-Unis. Principal affluent (r. dr.) du Mississippi (avec 4 315 km, il est d'ailleurs plus long que ce fleuve), le Missouri naît dans le nord des Rocheuses et draine l'extrémité nord-ouest des Grandes Plaines. Dangereux par ses crues (hautes eaux de printemps résultant de la fonte des neiges des Rocheuses), son régime a été régularisé par une série de grands barrages (Fort Peck, Garrison, Oahe, Fort Randall), utilisés aussi pour l'irrigation.

MISSOURI, État du centre des États-Unis; 180 456 km^2; 4 677 000 hab. Capit. *Jefferson City.* Région de transition entre l'Est humide et l'Ouest aride, l'État juxtapose plateaux calcaires et cristallins (monts Ozark) et plaines sédimentaires. Les étés sont chauds et humides, et les hivers relativement doux. L'agriculture associe cultures céréalières (blé, maïs) et élevage bovin. Le minerai de plomb est la principale production minérale. L'industrie est représentée par le matériel de transport, l'alimentation, le raffinage du pétrole et la chimie, et est implantée surtout dans les agglomérations de Saint Louis et de Kansas City.

MISTASSINI *(lac),* lac du Canada (Québec), qui se déverse par le Rupert dans la baie James.

MISTI, volcan andin du nord du Pérou, dominant la ville d'Arequipa; 5 842 m.

MISTINGUETT (Jeanne BOURGEOIS, dite), actrice de music-hall et chanteuse française (Enghien-les-Bains 1875 - Bougival 1956). Elle rencontra une popularité durable sur la scène des music-halls parisiens (Moulin-Rouge, Folies-Bergère, Casino de Paris). Interprète, avec une gouaille toute faubourienne, de nombreuses chansons à succès (*Mon homme,* 1920; *J'en ai marre,* 1921; *la Java,* 1922), elle s'illustra comme animatrice de revues à grand spectacle.

MISTRA, village de Grèce, dans le Péloponnèse. Entouré de remparts et dominé par une imposante forteresse du XIIIe s., il conserve quelques monastères et de nombreuses églises (XIVe-XVe s.) ornées de fresques révélatrices de l'art aristocratique byzantin. Vestiges du palais des Paléologues.

MISTRA *(despotat de)* ou **DESPOTAT DE MORÉE,** principauté fondée en 1348 par l'empereur Jean VI Cantacuzène au profit de son fils cadet, Manuel, et comprenant le Péloponnèse byzantin. Malgré la restauration de l'empereur Jean V Paléologue qui, en 1355, obligea Jean VI à abdiquer, Manuel réussit à conserver sa principauté et lutta victorieusement contre les Latins d'Achaïe. Pourtant, trois ans après sa mort, le despotat tomba aux mains des Paléologues avec Théodore Ier (de 1383 à 1407). Bien que vainqueurs des Latins d'Achaïe, les successeurs de Théodore se disputèrent le pouvoir et ne purent contenir l'assaut turc. Sept ans après la chute de Constantinople, la prise de Mistra par Mehmed II* (1460) devait marquer la disparition du despotat.

MISTRAL. — Vent qui se déclenche en hiver, lorsque de l'air polaire envahit le Bassin méditerranéen, le mistral descend la vallée du Rhône depuis Valence, soufflant des hautes pressions qui surmontent le Massif central vers les basses pressions établies au-dessus de la Méditerranée. Sa canalisation dans le couloir rhodanien explique sa violence (jusqu'à 200 km/h); des haies de cyprès ou des palissades de roseaux protègent les cultures.

MISTRAL (Frédéric), écrivain français d'expression provençale (Maillane 1830 - *id.* 1914). Passionné par les traditions de la langue provençale, il est, en 1854, l'un des sept participants de la réunion des poètes provençaux à Fontségugne, d'où devait sortir la première organisation du félibrige*, qu'il illustre par la publication de *Mireille* (1859), son œuvre maîtresse, et de *Calendal* (1867). Il appelle cependant, dans son *Chant de la coupe* (1868), l'union, par-delà les frontières, des félibres provençaux et des poètes catalans chassés d'Espagne par la révolution de 1868. Tout en poursuivant son œuvre poétique (*les Îles d'or,* 1875; *les Olivades,* 1912), il donne une nouvelle en vers (*Nerto,* 1884), un drame, et fonde (1899) le Musée arlésien, où il réunit toutes les formes du folklore provençal. (Prix Nobel 1904, avec Echegaray.)

MISTRAL (Lucila Godoy y Alcayaga, dite **Gabriela**), poétesse chilienne (Vicuña 1889 - Hempstead, près de New York, 1957). Institutrice rurale, elle devint célèbre dans toute l'Amérique latine avec ses *Sonnets de la mort* (1914), puis les poèmes de *Desolación* (1922). [Prix Nobel, 1945.]

MITAKA, v. du Japon, dans la banlieue ouest de Tōkyō; 156 000 hab.

MITANNI, empire qui, du XVIe au XIVe s. av. J.-C., a dominé la Mésopotamie et le nord de la Syrie; il disparut au XIIIe s. Des groupes hourrites* et aryens*, profitant du recul des puissances hittite* et égyptienne, ainsi que de la disparition des dynasties amorrites* de Syrie* et de Babylone*, réussirent à imposer leur prédominance en haute Mésopotamie. L'apogée de l'Empire mitannien couvre les XVe et XIVe s. Mais, affaibli par les dissensions internes et le retour des Hittites, il succomba sous les coups de l'Assyrien Salmanasar Ier (1270-1246).

MITAU, nom allemand de IELGAVA*.

MITCHELL *(mont),* point culminant des Appalaches, aux États-Unis (Caroline du Nord); 2 037 m.

MITCHELL (Margaret), romancière américaine (Atlanta 1900-*id.* 1949), auteur d'*Autant* en emporte le vent* (1936), grande fresque du temps de la guerre de Sécession.

MITCHELL (Arthur), danseur et chorégraphe américain (New York 1934). Premier danseur de race noire à entrer dans une compagnie de ballet classique américaine (1955, New York City Ballet), et dont il devient une des étoiles, il est le fondateur du Dance Theatre of Harlem, seule troupe de ballet classique constituée uniquement de danseurs noirs.

MITCHOURINE (Ivan Vladimirovitch), agronome russe (Dolgoie, gouvern. de Riazan, 1855-Kozlov [auj. Mitchourinsk] 1935). On lui doit la mise au point de méthodes efficaces de culture des plantes.

MITCHOURINSK, v. de l'U. R. S. S. (R. S. F. S. de Russie), au S.-E. de Moscou; 80 000 hab.

MITE. — Les mites, ou *teignes,* sont de très petits papillons aux ailes jaunâtres assez ternes, très nuisibles par leur chenille qui, selon l'espèce, attaque les lainages et les fourrures, les tapis, les bouchons, les grains ensilés, les bulbes d'oignon et de poireau, etc. Dans les maisons, on combat les mites en répandant dans les garde-robes des boules de naphtaline ou de paradichlorobenzène qui, par sublimation, produisent un gaz toxique pour elles. (Genre *Tinea,* type de la famille des tinéidés.)

MITHRA, dieu iranien que l'on retrouve dans la religion indienne à l'époque védique (v. 1300 av. J.-C.). Son culte, très populaire en Iran occidental, se répandra à l'époque hellénistique en Asie Mineure, d'où il passera, au Ier s. av. J.-C., à Rome; il y connaîtra une vogue considérable et sera parmi les cultes à mystères* l'un des plus importants. Il apparaît comme une divinité astrale, plus ou moins identifiée au Soleil, qui mène contre les forces du Mal un combat qui s'achèvera à la fin des temps par le triomphe du Bien (influence du dualisme zoroastrien). Les éléments essentiels du culte mithriaque sont l'initiation, qui comprend sept degrés en rapport avec les sept planètes, et le banquet sacré, cène mithriaque, que d'aucuns ont voulu mettre en parallèle avec la cène eucharistique.

MITHRIDATE VI Eupator, dit **le Grand** (v. 132-Panticapée, Crimée, 63 av. J.-C.), roi du Pont (111-63). Il s'empare du trône en faisant emprisonner sa mère et périr son frère, et se lance dans une politique de conquête. Exploitant les haines que soulèvent en Orient les exactions romaines et se posant en défenseur du monde grec, il envahit, en 88, la province d'Asie et s'implante dans les îles grecques et en Grèce continentale. Mais, en 85, Sulla* impose à Mithridate l'abandon des territoires conquis; en 74, un nouvel affrontement a lieu, mais le vieux roi du Pont, vaincu par Lucullus* et obligé de se réfugier en Arménie, chez son gendre Tigrane*, ne sera définitivement réduit qu'en 66 par Pompée*. Trahi par son fils et sa propre armée, il se fera tuer par un de ses soldats.

Mithridate, tragédie de J. Racine (1673). Mithridate le Grand y apparaît non seulement comme l'adversaire implacable des Romains, mais aussi comme un vieillard amoureux et jaloux.

MITIDJA (la), longue plaine d'Algérie, au S.-O. d'Alger, intensément mise en valeur (vignoble, agrumes).

MITLA, site archéologique du Mexique (État d'Oaxaca), occupé dès 900 av. J.-C. et célèbre pour les ruines d'un centre cérémoniel élevé par les Zapotèques* pendant le postclassique ancien (900-1200), qui succéda à la période de Monte* Albán. Constitué de cinq groupes de bâtiments, dont le plus remarquable est celui aux colonnes, il témoigne de la maîtrise architecturale des Zapotèques et du sens décoratif des Mixtèques, qui l'occupent à partir des XIIIe et XIVe s.

MITO, v. du Japon (Honshū), au N.-E. de Tōkyō; 174 000 hab.

MITOCHONDRIE → CELLULE.

MITOSE. — La mitose est le mode le plus habituel et le plus rigoureux de la multiplication cellulaire, le seul qui transforme à coup sûr une cellule mère en deux cellules filles identiques entre elles et à leur mère, sauf s'il s'y ajoute un phénomène de maturation ou de différenciation. Les phénomènes essentiels de la mitose sont l'effacement temporaire de la membrane nucléaire, l'apparition de deux pôles entre lesquels se forme un fuseau directeur, et l'individualisation des chromosomes, qui glissent vers l'équateur et s'y dédoublent (« plaque équatoriale »). Enfin, chacun des deux pôles attire à lui un chromosome de chaque paire, deux noyaux se reconstituent, tandis qu'une membrane, à l'équateur, coupe la cellule en deux. Entre-temps, chaque organite cellulaire s'est dédoublé et partagé. Ce processus rapide est suivi d'une longue période d'*interphase,* pendant laquelle la cellule assimile, grandit, double ses structures et prépare ainsi la mitose suivante.

MITRY-MORY (77290), comm. de Seine-et-Marne, à 20 km au N.-E. de Paris; 13 741 hab.

MITSCHERLICH (Eilhard), chimiste allemand (Neuende, Oldenburg, 1794-Berlin 1863). Il énonça, en 1820, la loi suivant laquelle des corps isomorphes ont des formules chimiques analogues, et découvrit, en 1834, les réactions de sulfonation et de nitration.

MITSUNOBU → TOSA.

Mittellandkanal, canal d'Allemagne, coupant la frontière entre la R. F. A. et la R. D. A. et reliant la vallée de l'Ems à l'Elbe.

MITTENWALD, v. de l'Allemagne fédérale, en Bavière, à la frontière autrichienne; 9 000 hab. Station estivale et de sports d'hiver (alt. 920-2 244 m).

MITTERRAND (François), homme politique français (Jarnac 1916). Député de la Nièvre (1946-1958 et à partir de 1962), il siège dans les rangs de l'U. D. S. R. (Union démocratique et socialiste de la Résistance), dont il devient président en 1953. Plusieurs fois ministre sous la IVe République (1947-1957), maire de Château-Chinon depuis 1959, il s'oppose au gaullisme et fonde, en septembre 1965, la Fédération de la gauche démocrate et socialiste (F. G. D. S.), qui rassemble les formations de la gauche non communiste. Candidat unique de la gauche lors des élections présidentielles de décembre 1965, il obtient, au second tour, 44,8 p. 100 des suffrages, face au général de Gaulle. En juin 1971, il est élu premier secrétaire du parti socialiste, dont il accentue l'orientation vers une politique d'unification de la gauche et d'alliance avec le parti communiste. Candidat de la gauche unie autour du programme commun de gouvernement (signé en 1972 par le parti socialiste, le parti communiste et les radicaux de gauche), Mitterrand est battu par V. Giscard d'Estaing, lors du second tour des élections présidentielles de mai 1974, avec 49,19 p. 100 des suffrages.

MIXAGE *(Cin.).* — Le mixage est généralement réalisé à partir de trois bandes sonores : son et commentaires, musique, bruits, qu'un technicien spécialisé (le mixeur) mélange et dose. Une fois mixée, cette nouvelle bande constitue la matrice définitive de l'enregistrement sonore.

MIXTÈQUES, Indiens du Mexique qui connurent, avant l'arrivée des Espagnols, une civilisation brillante, dont Mitla fut le centre.

Le mobilier funéraire de certaines tombes de la nécropole zapotèque de Monte* Albán, que les Mixtèques ont réutilisé, atteste leurs qualités artistiques (raffinement de leur céramique polychrome, richesse de leur orfèvrerie, maîtrise du travail de l'os et de l'albâtre). Leur sens décoratif se déploie dans des mosaïques géométriques en relief, faites de minuscules pierres assemblées, sans mortier, qui ornent leurs palais (Mitla*) et la façade de quelques tombes. On a recueilli, dans la région mixteca-puebla, plusieurs manuscrits, véritables mines de renseignements historiques, qui ne seront pas sans influencer l'art aztèque*, tout comme les quelques peintures murales qui subsistent encore.

MIYAKONOJŌ, v. du Japon, dans le sud de Kyūshū; 115 000 hab.

MIYAZAKI, v. du Japon, sur la côte orientale de Kyūshū; 203 000 hab.

MIZOGUCHI KENJI, cinéaste japonais (Tōkyō 1898-Kyōto 1956). Auteur — il débuta dans la mise en scène en 1922 — de plus de cent films, il s'affirma comme le plus sensible et le plus raffiné des réalisateurs japonais. Découvert tardivement en Europe, il devait étonner à la fois le public et la critique par son style élégant et précis, son sens esthétique de l'image et du décor, son onirisme envoûtant, son humanisme social. Parmi ses principaux films : *Pays natal* (1930), *les Sœurs de Gion* (1936), *la Vie de O'Haru femme galante* (1952), *les Contes de la lune vague après la pluie* (1953), *l'Intendant Sanshō* (1954), *les Amants crucifiés* (1954), *l'Impératrice Yang Kwei-Fei* (1955), *le Héros sacrilège* (1955).

MIZORAM, territoire du nord-est de l'Inde; 332 000 hab.

MJØSA, le plus grand lac de Norvège, au N. d'Oslo.

MNÉSICLÈS, architecte d'Athènes (Ve s. av. J.-C.), à qui l'on doit la construction — sur un terrain fortement dénivelé — des

Propylées de l'Acropole*, chef-d'œuvre d'harmonie entre le paysage et les constructions environnantes, mais aussi entre la sobriété de la façade dorique et l'élégance des colonnes ioniques intérieures.

MOABITE → CANANÉEN.

MOABITES, peuple nomade établi vers le XIIIe s. av. J.-C. à l'est de la mer Morte et apparenté aux Hébreux*, avec lesquels il eut de nombreux conflits. Les Moabites, assujettis par David, formèrent, au IXe s., un royaume indépendant : une stèle votive (conservée au Louvre), découverte en 1868, commémore la victoire du roi Mésa (Mesha) sur Israël*.

MOANDA, anc. Franceville, localité du sud-est du Gabon. Gisement de manganèse.

MOBERG (Vilhelm), écrivain suédois (Algustboda 1898-Väddö 1973), peintre des terres pauvres du Småland et auteur de romans historiques (*les Émigrants,* 1949-1959).

MOBILE, v. des États-Unis, dans le sud de l'Alabama, sur la *baie de Mobile;* 258 000 hab.

MOBILIER → MEUBLE et DÉCORATION INTÉRIEURE.

MOBILISME → DÉRIVE DES CONTINENTS.

MOBILITÉ *(Phys.).* — La *mobilité d'un ion* est représentée par un nombre égal à la vitesse de déplacement de cet ion (électrolytique ou gazeux) sous l'action d'un champ électrique égal à l'unité.

MOBILITÉ SOCIALE. — Le rôle et le statut social d'un individu, liés à son appartenance familiale, professionnelle, économique, sont déterminés par des phénomènes de mobilité à l'intérieur d'une société stratifiée. Le passage ascendant ou descendant d'une couche sociale à une autre requiert l'existence de classes « ouvertes ». À partir d'analyses sur les canaux de la mobilité (organisations professionnelles, classes sociales, mariages, groupes politiques...), sur les mécanismes de sélection (famille, école...) et sur les facteurs de mobilité (géographique, professionnel), les sociologues ont pu dégager certaines constantes propres aux pays industrialisés. La famille et l'école jouent un rôle prépondérant dans la détermination des carrières. Mais c'est le facteur professionnel qui détermine aujourd'hui la plus forte mobilité sociale, conséquence du « changement technique ».

MÖBIUS (August Ferdinand), astronome et mathématicien allemand (Schulpforta 1790-Leipzig 1868). L'un des plus grands mathématiciens de la première moitié du XIXe s., il développa dans son ouvrage *Der baryzentrische Kalkül* (1827) l'un des premiers aspects du calcul vectoriel. En topologie, il découvrit une surface n'ayant qu'un seul côté, le *ruban de Möbius.*

MOBUTU *(lac),* anc. **lac Albert,** lac de l'Afrique équatoriale, traversé par le Nil, aux confins de l'Ouganda et du Zaïre; 4 500 km^2.

MOBUTU (Joseph Désiré, puis Sese Seko), homme d'État du Zaïre (Lisala 1930). Secrétaire d'État dans le gouvernement Lumumba, en juin 1960, et chef d'état-major de l'armée congolaise, il s'empare du pouvoir en septembre 1960 (tout en laissant à Kasavubu la présidence), fait arrêter Lumumba, puis cède la place à un gouvernement civil en 1961. Un nouveau coup d'État (novembre 1965) lui permet de devenir président de la république du Congo-Kinshasa et chef du gouvernement. Mobutu établit alors un régime autoritaire et, dans le cadre de sa politique d'africanisation, donne au pays le nom de « Zaïre » (1971).

Moby Dick, roman de Melville (1851). La lutte entre Moby Dick, la Baleine blanche (couleur du mystère et de la mort reprise aux *Aventures de Gordon Pym* d'E. Poe), et le capitaine Achab, chasseur prométhéen et infirme, symbolise la quête passionnée de l'homme désireux de transcendance et qui « ne peut ni croire ni se satisfaire de son incroyance ».

MOCHICA, culture de l'Amérique précolombienne* qui s'est développée entre le IIe et le VIIIe s. apr. J.-C. sur la côte nord du Pérou. Elle a laissé les vestiges d'une architecture monumentale, ornée de peintures murales, mais surtout d'innombrables poteries funéraires aux formes variées — la plus répandue étant un vase à l'anse en étrier. Le puissant réalisme de leur décor — simultanément peint et en relief — a permis l'étude des Mochicas, peuple fortement hiérarchisé, dont la civilisation fut, vers le IXe s., remplacée par celle de Tiahuanaco*-Huari*.

MODALES (logiques). — Les logiques modales sont des logiques « non classiques » qui s'attachent à des notions telles que « p est nécessaire » ou « p est possible ».

MODANE (73500), ch.-l. de cant. de la Savoie, sur l'Arc, à 31 km à l'E. de Saint-Jean-de-Maurienne; 5 105 hab. Gare internationale à l'entrée du tunnel de Fréjus. Soufflerie.

MODE *(Ling.).* — Le mode est la façon particulière de présenter l'action indiquée par le verbe, par exemple : pour l'indicatif, une action affirmée, certaine; pour le subjonctif, une action possible, souhaitée; pour le conditionnel, une action hypothétique. On distingue les modes personnels, qui marquent les personnes grammaticales par des désinences spéciales, et les modes impersonnels (infinitif, participe, gérondif), qui sont en réalité des formes nominales du verbe.

MODE *(Mus.)* → THÉORIE MUSICALE.

MODE *(Sociol.).* — Éphémère par définition, la mode vestimentaire laisse derrière elle des images clefs significatives d'une époque et souvent d'un tournant. Elle est inséparable d'un contexte socioéconomique. Sur le plan social elle est langage. L'individu réagit à la mode pour exprimer sa relation avec le groupe social, soit qu'il cherche à s'y intégrer, soit qu'il veuille s'en différencier; son attitude est conditionnée par l'âge et le milieu socioprofessionnel. « Phénomène de masse », le vêtement a valeur de signe au sein du groupe, il définit le rang social. Les classes supérieures n'assurent plus — comme autrefois — la propagation de la mode; ce rôle incombe aux classes moyennes, qui bénéficient du phénomène de démocratisation de la mode. De là l'impact des thèmes empruntés à l'actualité et diffusés par les mass media. Actuelle, la mode est aussi communication politique : les éléments folkloriques empruntés aux pays du tiers monde visaient, au départ, à mettre en cause l'ordre bourgeois. Ils ont été, depuis, récupérés par l'« intelligentsia bourgeoise ». Parallèlement à la contestation politique, ils illustrent l'aspect ludique de la mode. Enfin, la mode, créée au service de la femme, est aussi langage sexuel : elle varie en fonction de la notion de pudeur, en découvrant telle partie du corps plutôt que telle autre, et selon la place occupée par la femme dans la société.

MODE DE PRODUCTION. — Un mode de production est, pour les marxistes, une combinaison spécifique de diverses pratiques et structures qui apparaissent comme autant d'instances ou de régions particulières de ce mode. L'unité d'un mode de production est celle d'une totalité complexe, où une instance, l'infrastructure économique, détermine la nature des autres instances (politique, droit, idéologie) en leur assignant leur place et en leur distribuant des fonctions. La détermination de la totalité par l'économie s'exprime dans le rôle dominant qu'elle attribue à l'une des instances (par exemple, à l'idéologie religieuse dans le mode de production féodal). Le mode de production pur est donc un *concept,* il n'existe pas dans la réalité historique. N'existent que des formations sociales particulières, historiquement déterminées, où se combinent de façon originale des éléments qui peuvent appartenir à divers modes de production, mais où domine *un* mode de production. Ainsi, le mode de production capitaliste* n'est pas plus américain ou français qu'allemand ou anglais. Ces quatre pays, aujourd'hui, constituent quatre formations sociales singulières où domine le mode de production capitaliste.

MODEL (Walter), maréchal allemand (Genthin 1891-près de Duisburg 1945). Commandant le groupe d'armées du Sud en Russie (1944), il fut mis ensuite à la tête du front de l'Ouest, fit exécuter l'ultime contre-offensive des Ardennes et se suicida après la capitulation des forces de la Ruhr.

MODÈLE *(Cybern.).* — Du point de vue de la cybernétique*, un modèle est un système dont l'évolution représente celle d'une des caractéristiques d'un autre système appelé « sujet ». C'est sur lui que se fonde la connaissance analogique. La pensée humaine ne dispose d'aucun autre moyen de représentation de son environnement réel ou supposé. Tout sujet comprend, parmi ses innombrables propriétés, trois domaines : celui des *performances,* celui de la *logique* et celui de la *technologie.* Tout modèle comprend également les mêmes domaines. Pour qu'entre deux systèmes il y ait relation de sujet à modèle, il faut qu'il y ait au moins en commun une partie des performances (intersection dans le domaine des performances). À ce stade, il s'agit de *simulateur.* Si, en outre, il y a intersection dans la logique, il s'agit de *modèle vrai;* s'il y a intersection dans la technologie, il s'agit de *substitut;* s'il y a intersection dans les trois domaines, on dit qu'il y a *réplique.* Dans le couple sujet-modèle, c'est l'observateur qui décide lequel est sujet, lequel est modèle. Le domaine des modèles est celui de l'*homomorphie.* Par exemple, en physique théorique, on distingue les théories formelles ne représentant en aucune façon la réalité (simulateurs) des théories structurelles qui prétendent à l'approche du réel (modèle vrai). On doit distinguer aussi les *modèles dialectiques,* qui sont constitués par le « discours descriptif », des *modèles physiques,* qui sont des objets représentatifs. Les seconds fonctionnent seuls en vertu des lois physiques auxquelles ils sont soumis; au contraire, les premiers exigent, en outre, l'application d'une logique qui leur est extérieure (logique du discours en langage naturel, logique pure, logique mathématique). C'est la manipulation de ce troisième facteur qui rend toujours suspects le discours et généralement l'utilisation de modèles mathématiques. Elle aboutit aisément au sophisme. Cette méthode présente donc des difficultés de validité, et les erreurs sont possibles dans quatre domaines : choix des paramètres du sujet que l'on va modéliser, choix de la structure propre du modèle, choix des opérateurs utilisés (modèles dialectiques), enfin choix des matériaux et de l'environnement lorsqu'il s'agit de modèle physique. Le succès de l'application d'un modèle ne préjuge en rien de son adéquation. Les critères de validité probable sont : l'utilité, la simplicité maximale, l'universalité, la fécondité, et le critère, bien méconnu, de la non-contradiction. Les aberrations qui conduisent de la connaissance au mythe sont dues à l'extension abusive du domaine de validité, ainsi qu'à celle du critère d'universalité et, surtout, à la méconnaissance grave de l'*effet de système :* lorsque plusieurs mécanismes élémentaires sont groupés en un système, d'une part, ils perdent une partie de leurs propriétés propres et, d'autre part, l'ensemble acquiert des propriétés qui n'appartiennent à aucun des systèmes élémentaires; c'est la propriété d'*émergence,* inaccessible au raisonnement cartésien.

MODÈLE *(Écon.).* — Les modèles, créations formalisées mises au service de la science économique, sont l'instrument privilégié de l'économétrie*. On peut construire des modèles *théoriques* et *déductifs,* basés sur des hypothèses simples (exemple : « Il règne une concurrence parfaite »), des modèles *inductifs,* où la confrontation avec les données de la réalité permet la vérification du modèle ou son perfectionnement, des modèles *dynamiques* ou, au contraire, *statiques,* des modèles *stochastiques,* des modèles de *prévision* et *de décision,* etc.

Les modèles visent à reproduire schématiquement des comportements d'agents économiques, ces comportements étant décrits grâce à des *équations* qui relient des variables explicatives (les « entrées ») à des variables expliquées (les « sorties »). Partant du revenu*, on « explique », ainsi, la consommation*. L'ensemble du mécanisme est fixé sur un « châssis », qui est un système d'identités comptables. Il faut « alimenter » de tels modèles en données convenablement choisies et effectuer par ailleurs un « réglage » convenable du modèle.

MODÈLE *(Log.).* — Un système d'objets est un ensemble d'objets munis de certaines relations. Le système est « abstrait », si les objets sont connus par leurs seules relations. Un modèle d'un système abstrait consiste en la donnée d'une interprétation (ou encore : réalisation) qui spécifie la nature des objets du système. (V. ISOMORPHISME.)

MODÈLE *(Métall.)* → FONDERIE.

MODEM. — La transmission des signaux à longue distance utilise généralement la modulation d'une onde porteuse comme dans le cas du téléphone*. Les systèmes informatiques travaillent sur des informations* numériques sous forme binaire. Pour les transmettre d'un système informatique à un autre système informatique éloigné, d'un ordinateur* à un autre ordinateur, ou d'un ordinateur à un terminal*, il est nécessaire de moduler l'onde porteuse à partir des informations digitales à l'aide d'un modulateur, puis de la démoduler à l'autre extrémité de la ligne. L'appareil modulateur-démodulateur qui transforme ainsi des signaux digitaux en signaux analogiques, et réciproquement, est un *modem.* Deux modems en communication doivent se synchroniser pour distinguer les signaux d'information des signaux de contrôle et de commande.

MODÈNE, en ital. **Modena,** v. d'Italie, en Émilie, ch.-l. de prov.; 173 000 hab. Constructions mécaniques.

HISTOIRE. Ancienne colonie romaine sur la via Aemilia, Modène fut, au haut Moyen Âge, le siège d'un comté, dépendant de l'Empire. Après un brillant âge communal (XIIe-XIIIe s.), la ville tomba, au début du XIVe s., sous la domination de la famille d'Este*, qui obtint, avec Reggio, le titre ducal en 1452. Le duché disparut sous les coups de Bonaparte (1796) et dépendit du royaume d'Italie (1805). Reconstitué en 1815, puis après la révolution de 1848 au profit d'un Habsbourg, le duché de Modène vota sa réunion au Piémont en mars 1860.

BEAUX-ARTS. Importante cathédrale romane entreprise par Lanfranco en 1099, continuée au XIIIe s. par les « maîtres de Campione », artistes de la région de Côme (reliefs de façade par Wiligelmo, XIIe s.; tour achevée en 1319; œuvres d'art). Autres monuments, notamment du XVIIe s. Palais des musées (dans un couvent du XVIIIe s.), avec, surtout, la galerie Estense (peinture émilienne, de Tura à Dell'Abate et au Corrège, etc.).

MODER (la), riv. du nord de l'Alsace, affl. du Rhin (r. g.); 80 km.

MODÉRATEUR. — Dans un réacteur* nucléaire, le modérateur est la substance utilisée pour ralentir les neutrons* émis au moment de la fission* des noyaux* de la matière combustible*. Lors de leur éjection, les neutrons, dits « rapides », ont une vitesse de l'ordre de 20 000 km/s; pour poursuivre la réaction en chaîne, il est indispensable de ramener cette vitesse à 2 km/s — ils deviennent alors neutrons thermiques —, d'où la nécessité d'un ralentissement au moyen du modérateur, qu'il serait plus logique d'appeler *ralentisseur.* Ce ralentissement se fait au moyen de chocs successifs sur les noyaux des atomes* de la substance dont est faite le modérateur; le poids atomique de celui-ci doit être peu élevé, de façon que les collisions entre ses propres noyaux et les neutrons de fission se fassent dans les meilleures conditions et soient élevées. De plus, le modérateur doit ralentir les neutrons en les capturant le moins possible. Le choix du modérateur dépend du combustible et du métal de la gaine. Les plus utilisés sont des solides, comme le graphite* ou la glucine (oxyde de béryllium*), des liquides, comme l'eau* lourde ou l'eau ordinaire, ou encore certains produits organiques, comme le diphényle. L'eau lourde est le meilleur modérateur, mais c'est le plus coûteux. En France, elle est fabriquée à Mazingarbe. Le graphite se trouve en grande quantité dans la nature. Sur le plan national, on peut le produire industriellement avec le degré de pureté désiré : c'est la raison pour laquelle, compte tenu de son prix, qui est moins élevé que celui de l'eau lourde, il a été utilisé dans les réacteurs* de la filière* uranium naturel-graphite-gaz (Chinon, Saint-Laurent I et II, Bugey I).

MODERN DANCE. — Ensemble des formes que prit la danse à la suite des expériences tentées aux États-Unis, la modern dance ne peut être le fruit des travaux d'une seule école. Son unité réside dans le fait que chaque voie tentait de se dégager d'un académisme rigide et sans ouverture sur le monde moderne. Un premier courant, venu d'Europe, grâce aux disciples de Mary Wigman, elle-même acquise aux théories de Rudolf von Laban* et de Jaques-Dalcroze*, apporte la vision expressionniste d'une danse sans musique ou avec percussions, libre, rythmée sur la respiration. Isadora Duncan avait déjà prouvé que la danse pouvait être autre que classique. Mais le refus des règles académiques n'était sans doute pas suffisant à lui seul pour orienter la danse vers d'autres voies. Les « pionniers » (des femmes en l'occurrence), Ruth Saint* Denis, Doris Humphrey*, Martha Graham*, Agnes De* Mille, mettent tout en œuvre pour fonder réellement une danse d'essence nouvelle. Ruth Saint Denis et son mari, Ted Shawn, ouvrent la Denishawn School, que fréquentent les futurs grands de la danse moderne (Martha Graham, Doris Humphrey, Charles Weidman), et cherchent la nouveauté dans leurs compositions d'inspiration souvent extrême-orientale. Doris Humphrey prouva très tôt l'infinie richesse de mouvements du corps humain, et ses analyses l'amènent à élaborer une technique dont le principe essentiel est le maintien constant de l'équilibre entre une infinité de chutes et de rétablissements; c'est cette alternance qui crée le rythme. Martha Graham propose une technique différente. Le corps tout entier doit être animé, mais, en même temps, doit conserver son naturel originel. Se fondant sur la science approfondie de la respiration associée à la dynamique du mouvement, elle aboutit au principe d'opposition de l'inspiration/expiration, de la contraction/décontraction. Doris Humphrey et Martha Graham, théoriciennes, feront école. Les générations de danseurs qui passeront le plus souvent

Photri

Modern dance : *Tribe,* par le Alwin Nikolais Dance Theater.

par leurs deux écoles constitueront à leur tour un rameau nouveau de la modern dance. Agnes De Mille donne des œuvres où les apports d'éléments folkloriques se combinent avec des éléments de danse moderne, créant ainsi un genre de danse essentiellement américain. Des artistes comme Harald Kreutzberg*, Kurt Jooss*, Aurél Milloss* ont été disciples de Mary Wigman ou de Rudolf von Laban. Beaucoup ont bénéficié pour leurs approches des travaux de François Delsarte et d'Émile Jaques-Dalcroze. Des créateurs comme Lester Horton*, José Limón*, Erik Hawkins, Sybil Shearer, Merce Cunningham*, Paul Taylor* sont des novateurs. Il est peu de chorégraphes contemporains qui n'aient puisé aux sources de la danse moderne : Maurice Béjart, John Butler, Joseph Lazzini, Birgit Cullberg, Glen Tetley... D'autres s'en sont déjà évadés pour une autre expression : Alwin Nikolais (théâtre total), Alvin Ailey (negro spirituals).

MODERNISME *(Hist.).* — Dans le sens général, on désigne sous le nom de « modernisme » un ensemble de doctrines et de tendances qui ont pour objet commun de renouveler la théologie, l'exégèse, la doctrine sociale et le gouvernement de l'Église, pour les mettre en accord avec ce qu'on croit être les nécessités de l'époque où l'on vit. Au sens strict, le modernisme correspond à la crise religieuse qui marqua le début du pontificat de Pie X*, pape de 1903 à 1914. Cette crise se caractérisa, notamment en Italie et en France, par un certain nombre de prises de position d'avant-garde dans le domaine exégétique, ecclésiologique, philosophique et même social. Prises de position qui amenèrent le pape à les condamner solennellement (décret *Lamentabili* et encyclique *Pascendi,* 1907) et à exclure de l'Église un certain nombre de modernistes, notamment Alfred Loisy*.

MODERNISME *(Litt.).* — Le terme désigne deux courants littéraires différents : l'un qui, autour de Rubén Darío, donna de 1883 à 1896 une nouvelle orientation à la poésie hispano-américaine (influence du Parnasse et du symbolisme français, ouverture aux mythologies antiques, orientales ou scandinaves, recherche d'images et de sonorités); l'autre qui apparaît au Brésil à partir de la « Semaine de l'art moderne », du 11 au 18 février 1922 à São Paulo (fascination de la nature tropicale, rejet de l'académisme européen, recherche de la spécificité brésilienne à travers les premiers chroniqueurs de l'époque coloniale), et qui donnera naissance à la fois à une poésie violente et hermétique (*Pau-Brasil,* en 1924, d'Oswald de Andrade; le manifeste *Antropofagia* de 1926) et à un mouvement romanesque réaliste (de *A. Bagaceira,* 1928, de J. Americo de Almeida, à *Caetés,* 1933, de Graciliano Ramos).

MODERN STYLE → ART NOUVEAU.

Modification *(la),* roman de Michel Butor (1957). Un voyage en chemin de fer comme illustration de l'évolution parallèle et permanente du temps et de l'espace; un débat intérieur qui débouche sur la reconnaissance de l'illusion de l'« ailleurs ».

MODIGLIANI (Amedeo), peintre italien (Livourne 1884-Paris 1920). Après avoir étudié à Florence et à Venise, il vient à Paris (1906), où il découvre Cézanne, la sculpture nègre et le cubisme naissant, et, sous l'influence de Brâncuşi, aborde la sculpture. Attiré surtout par le nu féminin (*Grand nu couché,* 1918-19, musée d'Art moderne, New York) et par le portrait (souvent celui de ses amis, tels Léopold Zborowski ou Jeanne Hébuterne), il confie à la ligne, élégante et souple, l'expression principale de la forme, du volume et de l'espace. Cette œuvre ne peut se séparer de la vie tourmentée de l'artiste, miné par l'alcool, la maladie, le désespoir.

MODULATEUR → CYBERNÉTIQUE, RÉTROACTION.

MODULATION. — Pour établir une liaison hertzienne, il faut qu'un oscillateur produise un signal à haute fréquence* (H. F.) rayonné par une antenne*. Pour transmettre un message, il y a lieu de superposer à la haute fréquence de l'émetteur une modulation à basse fréquence (B. F.), qui est sa traduction électrique.

• La *modulation d'amplitude* consiste à superposer le signal basse fréquence à la haute fréquence; une alternance positive B.F. s'ajoute à l'amplitude normale de l'émission H.F. non modulée; une alternance négative du signal B.F. se soustrait du niveau de la H.F. Le *taux de modulation* est constitué par le rapport de l'amplitude du signal H.F. à celle du signal B.F. Ce taux ne doit pas atteindre 100 p. 100, car, à ce moment, il n'y a plus de signal H.F. et la distorsion de la modulation B.F. devient importante. La modulation d'amplitude est adoptée en radiodiffusion pour les gammes, ondes longues, ondes moyennes, ondes courtes, ainsi qu'en télévision* pour le son.

Modulation en amplitude (A.M.) de la haute fréquence (H.F.) par la basse fréquence (B.F.).

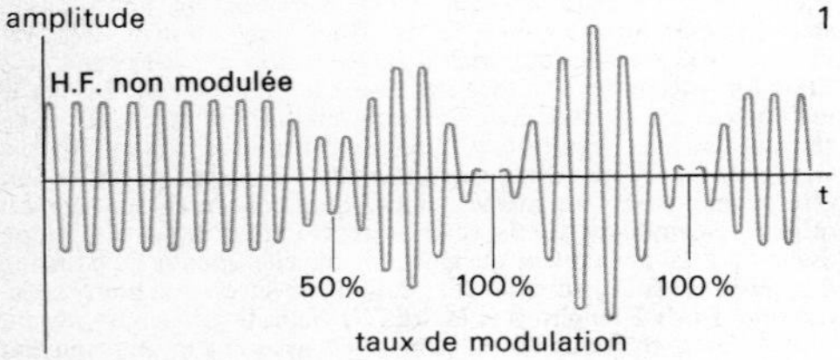

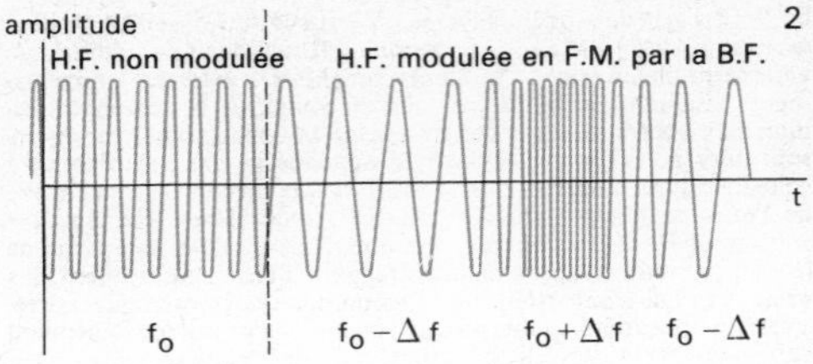

Modulation en fréquence (F.M.) de la haute fréquence (H.F.) par la basse fréquence (B.F.).

• La *modulation de fréquence* permet à l'émetteur de toujours travailler à amplitude constante du signal H.F. La modulation B.F. fait varier la fréquence du signal. La vitesse de cette variation de fréquence est provoquée par la fréquence du signal B. F. L'amplitude de la variation de fréquence Δf dépend de la puissance du signal B.F. On obtient ainsi des transmissions à haute fidélité musicale dans la bande dite « F.M. ».

MODULATION PAR IMPULSION ET CODAGE. — Une information est constituée par un phénomène variable avec le temps. Les informations naturelles correspondent à des variations programmées de l'amplitude de la grandeur physique porteuse. D'autre part, la totalité du temps est occupée par la présence de toutes les valeurs instantanées successives du signal sans solution de continuité. Une telle information est dite *analogique.*

Un deuxième procédé de traduction d'une information est basé sur une conception tout à fait différente. Si on suppose qu'une information est caractérisée par un signal, variant sinusoïdalement avec le temps, la totalité de la période T du phénomène n'est pas indispensable à la définition de l'information, et deux prélèvements très courts par période peuvent suffire à la caractériser. Ce prélèvement, appelé *échantillonnage,* permet d'obtenir une économie de temps, la durée de chacun des deux échantillons étant de l'ordre de T/100. La ligne de transmission n'est, dès lors, occupée que pendant une très petite fraction du temps et reste disponible en dehors de cette fraction pour d'autres transmissions du même type. On réalise ainsi un système multiplex à répartition dans le temps. L'information est encore à ce stade de nature analogique. Grâce à la quantification et au codage, elle devient *numérique* ou *digitale.* La quantification permet de définir une échelle de niveaux d'amplitude, chaque niveau étant affecté d'un numéro d'ordre. Plus les niveaux seront rapprochés, plus, pour une amplitude maximale donnée, ils seront nombreux. Les amplitudes des échantillons se placent dans cette échelle et sont, à une approximation par défaut ou par excès près, affectées d'un nombre entier. La numération consiste à traduire ce nombre sous une forme électrique binaire, c'est-à-dire sous forme de combinaisons de n états binaires 1 ou 0 (impulsion électrique présente ou non). Le nombre de combinaisons possibles égal à 2^n correspond au nombre de niveaux quantifiés. Ce procédé, qui porte le nom de *modulation par impulsion et codage* (MIC), présente de nombreux avantages par rapport à la modulation analogique classique. En effet, l'information, au lieu d'être représentée par des variations d'amplitude sensibles aux aléas divers de la transmission, donc sujette à distorsion, est caractérisée par la présence ou l'absence d'impulsions. Dans de très larges limites, la transmission est à peu près indépendante de la qualité de la ligne. D'autre part, la technique de traitement par des circuits logiques à état solide facilite la mise en œuvre et abaisse le coût des équipements. Néanmoins, l'approximation acceptée lors de la quantification modifie légèrement le signal, introduisant ce que l'on nomme un *bruit de quantification.*

MODULE D'ÉLASTICITÉ. — On nomme « module d'élasticité » le rapport de la force de traction à laquelle on soumet un corps à l'allongement qu'il subit, dans la limite des déformations élastiques.

MOËLAN-SUR-MER (29116), comm. du Finistère, à 10 km au S.-O. de Quimperlé; 6 347 hab.

MOELLE ÉPINIÈRE. — Formation nerveuse cylindrique étendue du trou occipital au niveau de la deuxième vertèbre lombaire, la moelle épinière est située dans le canal rachidien. Elle est constituée par une partie centrale de substance grise, en forme de croissant, qui donne issue aux racines motrices des nerfs rachidiens

Monaco. Le Rocher, avec la vieille ville de Monaco; le port et La Condamine. À l'arrière-plan Monte-Carlo.

De Forceville-Ruyant Production

MOLUQUES *(îles),* archipel de l'Indonésie, à l'O. de la Nouvelle-Guinée, bordé au N.-E. par la *mer des Moluques;* 74 505 km^2; 1 589 000 hab. Capit. *Amboine* (dans l'île du même nom). Céram et Halmahera sont les deux principales îles de l'archipel, célèbre autrefois par ses épices.

MOLYBDÈNE. — Élément chimique n° 42, de masse atomique Mo = 95,95, le molybdène a été isolé en 1782. C'est un solide blanc, dur, de densité 10,2, fondant à 2 570 °C. Inaltérable à l'air à froid, il s'oxyde au rouge et il est attaqué par les acides sulfurique et nitrique. On en connaît plusieurs oxydes, notamment l'anhydride molybdique MoO_3, qui se dissout dans les bases pour donner des molybdates, et l'oxyde MoO_2, brun-noir. Un sous-oxyde, le bleu de molybdène, est utilisé comme pigment. Dans ses sels, très nombreux, il peut présenter plusieurs valences. Il est surtout utilisé dans les aciers spéciaux au molybdène — en plus du nickel, du chrome et du vanadium — pour améliorer les caractéristiques mécaniques. Les États-Unis sont les premiers producteurs mondiaux, devant l'U. R. S. S. et le Chili.

MOMBASA ou **MOMBASSA,** v. du sud du Kenya, sur une petite île proche de la côte; 247 000 hab. Principal port du pays.

MOMENT → RÉSISTANCE DES MATÉRIAUX.

MOMMSEN (Theodor), historien et juriste allemand (Garding, Schleswig, 1817-Charlottenburg 1903). Par les études qu'il fit dans le domaine de l'épigraphie, de la philologie, de l'archéologie et du droit romain, il joua un rôle prépondérant dans la constitution de l'histoire de l'Antiquité en discipline scientifique. Mommsen, qui dirigea la collection du *Corpus inscriptionum latinarum,* a laissé une œuvre considérable : *Histoire romaine* (1856-1886), *Droit public romain* (1871-1875), *Droit pénal* (1899), *Histoire de la monnaie romaine* (1873). [Prix Nobel, 1902.]

MÔN → ASIE.

MØN, île danoise, au S.-E. de Sjaelland; 209 km^2.

MONACHISME. — La vie monastique n'est pas spécifique du christianisme; on la rencontre dans le brahmanisme, le judaïsme (esséniens*), l'islamisme. Mais c'est dans le christianisme que cette institution a tenu historiquement le plus de place. Né en Orient, sous l'influence de saint Antoine* et de son disciple Pacôme*, le monachisme chrétien, d'abord représenté par des ermites, ou anachorètes, vivant en solitaires au désert, évolue vers la forme cénobitique, communauté de moines soumis à une règle sous l'autorité d'un supérieur, ou abbé. Saint Basile* de Césarée posera les fondements de l'organisation monastique en Orient. Le monachisme occidental, malgré l'impulsion donnée, entre autres, par saint Martin* de Tours et saint Colomban*, ne prendra son élan qu'avec saint Benoît* de Nursie, au VIe s. (v. BÉNÉDICTINS). La suite de l'histoire monastique de l'Occident s'identifie avec celle du monachisme de type bénédictin, qui associe intimement travail et contemplation. Les ordres religieux postérieurs (Franciscains, Dominicains, Jésuites, etc.), davantage centrés sur l'action apostolique, ne participent plus à la vie monastique.

MONACO, principauté du littoral méditerranéen, entre Nice et Menton; 1,5 km^2; 23 000 hab. *(Monégasques).* Capit. *Monaco.*

GÉOGRAPHIE. La principauté est formée d'une agglomération continue, mais qui comprend trois centres : Monaco, Monte-Carlo et La Condamine. Son activité est orientée essentiellement vers le tourisme, qui bénéficie du Musée océanographique et de la pittoresque vieille ville de Monaco, du casino de Monte-Carlo et du port de plaisance de La Condamine. Elle accueille environ 200 000 visiteurs par an.

HISTOIRE. Antique cité phénicienne, dont le nom *(Monoïkos)* perpétue le souvenir du dieu Melqart, surnommé «l'Unique», Monaco, devenue colonie génoise (XIIe s.), doit sa renaissance à une puissante famille guelfe, originaire de Gênes, celle des Grimaldi. En 1297, François Grimaldi s'empara du Château-Vieux et fit de Monaco une base navale guelfe. Cependant, il fallut attendre l'an 1419 pour que la ville, déchirée entre les influences française, provençale et génoise, passât définitivement aux Grimaldi. Dès lors, la seigneurie du Rocher, devenue principauté en 1512, sut maintenir son indépendance, garantie tour à tour par la France (1509-1524 et 1641-1793) et par l'Espagne (1524-1641). Annexée à la France entre 1793 et 1814, elle fut rendue aux Grimaldi (traité de Paris, 1814), qui se placèrent sous la protection de la Sardaigne (congrès de Vienne, 1815). Amputée, après 1848, de Menton et de Roquebrune, réunies à la Sardaigne, pour être par la suite concédées à la France (1861), Monaco se plaça définitivement dans l'orbite française par l'union douanière (1865), tout en conservant sa souveraineté. Les impôts y furent supprimés grâce au développement des établissements de jeux. L'absolutisme princier fit place, en 1911, à un régime plus libéral qui fit l'objet de plusieurs remaniements, jusqu'à la profonde réforme constitutionnelle établie par l'actuel prince, Rainier III*, le 17 décembre 1962.

Monadologie *(la),* œuvre philosophique de Leibniz, écrite en français (1714) et publiée après sa mort. Ce discours sur les substances, ou monades simples, indivisibles et de nombre infini, sur leur hiérarchie (c'est-à-dire celle des êtres) et leurs rapports conduit son auteur à justifier l'existence de Dieu.

MONARCHIE D'ANCIEN RÉGIME. — Appliquée à l'histoire de France, cette expression désigne le système politique en vigueur depuis le règne de François Ier jusqu'à la Révolution. Il se confond alors avec la notion de monarchie absolue. La royauté ayant, à cette époque, parachevé l'œuvre d'élimination des grands féodaux et réalisé l'unité organique du royaume, elle apparaît désormais comme l'unique détentrice de la souveraineté et comme seule incarnation de l'État. Représentant de Dieu sur terre, le roi peut tout, dans les seules limites du droit naturel, des lois fondamentales

Rijksmuseum Kröller-Müller

Piet Mondrian : *Composition*. 1913. (Musée Kröller-Müller, Otterlo.)

Claude Monet : détail d'un panneau des *Nymphéas*. 1915-1923. (Musée de l'Orangerie, Paris.)

Lauros-Giraudon

du royaume et du respect des commandements divins. Mais, dans la pratique, ces moyens sont plus limités. Si le roi a réussi à mettre en place une administration centralisée, caractérisée par l'institution des intendants*, il n'est pas parvenu à réduire les privilèges des ordres des corps ou des provinces. Tout-puissant en apparence, faible en réalité, dans la mesure où la puissance de décision du roi a tendu à se diluer au niveau d'une mosaïque de groupes d'intérêt le plus souvent hostiles aux réformes proposées d'en haut, l'Ancien Régime n'a pu que déboucher sur l'affrontement de ces intérêts, la paralysie du système et la remise en cause complète des fondements mêmes de la société française.

MONASTIER-SUR-GAZEILLE (Le) [43150], ch.-l. de cant. de la Haute-Loire, à 21 km au S.-E. du Puy; 2 391 hab. Église des XIIe-XVIe s., anc. abbatiale, et autres monuments.

MONASTIR, port de Tunisie, sur le golfe de Hammamet; 20 000 hab. Casbah (IXe-Xe s.) enchâssant le ribāt fondé au VIIIe s.

MONASTIR → BITOLA.

MONATTE (Pierre), syndicaliste français (Monlet 1881-Vanves 1960). Membre du syndicat des correcteurs, il devient l'un des leaders du syndicalisme révolutionnaire, animant la revue *la Vie ouvrière,* qu'il fonde en 1909.

MONBAZILLAC (24240 Sigoulès), comm. de la Dordogne, à 7 km au S. de Bergerac; 789 hab. Vins blancs.

MONCEAU-SUR-SAMBRE, anc. comm. de Belgique (Hainaut), intégrée, depuis 1977, à Charleroi.

MONCEY (Bon Adrien JEANNOT DE), duc **de Conegliano,** maréchal de France (Palise, près de Besançon, 1754-Paris 1842). Commandant l'armée des Pyrénées en 1794, il occupa la Navarre et contraignit l'Espagne à la paix (1795). Inspecteur général de la gendarmerie (1801), maréchal (1804), il commanda le 3e corps en Espagne et prit Valence (1808). Il se distingua dans la défense de Paris en 1814, refusa de juger Ney (1815), mais fut réintégré dans l'armée en 1816 et participa à l'expédition d'Espagne (1823).

MÖNCHENGLADBACH, v. de l'Allemagne fédérale (Rhénanie-du-Nord-Westphalie), à l'O. de Düsseldorf; 151 000 hab. Église des XIe et XIIIe s., anc. abbatiale. Métallurgie.

MONCLAR (47380), ch.-l. de cant. de Lot-et-Garonne, à 18 km au N.-O. de Villeneuve-sur-Lot; 970 hab.

MONCLAR-DE-QUERCY (82230), ch.-l. de cant. de Tarn-et-Garonne, à 21 km au S.-E. de Montauban; 949 hab.

MONCONTOUR (22510), ch.-l. de cant. des Côtes-du-Nord, à 16 km au S.-O. de Lamballe; 1 149 hab. Restes de fortifications. Église des XVIe et XVIIIe s. Vieilles demeures en granite.

MONCONTOUR (86330 St Jean de Sauves), ch.-l. de cant. de la Vienne, à 22 km au S.-E. de Thouars; 1 061 hab. Donjon médiéval.

MONCOUTANT (79320), ch.-l. de cant. des Deux-Sèvres, à 16 km au S.-O. de Bressuire; 2 811 hab.

MONCTON, v. du Canada, dans le sud-est du Nouveau-Brunswick; 47 891 hab.

MONDEGO (le), fl. du Portugal central, qui passe à Coimbra, avant de rejoindre l'Atlantique; 225 km.

MONDELANGE (57300 Hagondange), comm. de la Moselle, dans la banlieue nord d'Hagondange; 6 510 hab. Constructions mécaniques.

MONDEVILLE (14120), comm. du Calvados, dans la banlieue est de Caen; 9 375 hab. Sidérurgie.

MONDONVILLE (Jean Joseph CASSANÉA DE), violoniste et compositeur français (Narbonne 1711-Belleville 1772). Attaché à la musique royale et au Concert spirituel, qu'il dirige, il écrit des sonates, des oratorios et des grands motets concertants. Il défend le point de vue français, pendant la querelle des Bouffons*, avec son opéra *Titon et l'Aurore* (1753).

MONDOR (Henri), chirurgien et écrivain français (Saint-Cernin, Cantal, 1885-Neuilly-sur-Seine 1962), auteur de plusieurs traités de chirurgie, d'ouvrages sur la vie des grands médecins et chirurgiens et de livres consacrés à S. Mallarmé et à P. Valéry.

MONDORF-LES-BAINS, station thermale du Luxembourg, à la frontière française.

MONDOUBLEAU (41170), ch.-l. de cant. de Loir-et-Cher, à 28 km au N.-O. de Vendôme; 1 807 hab. Ruines d'un château féodal.

MONDOVI, v. d'Italie, dans le Piémont, au S. de Turin; 21 000 hab. Victoire de Bonaparte sur les Piémontais (21 avr. 1796).

MONDRIAN (Pieter Cornelis MONDRIAAN, dit **Piet**), peintre hollandais (Amersfoort 1872-New York 1944). Abandonnant une peinture colorée héritée de Van Gogh et des fauves et découvrant le cubisme analytique à Paris, en 1911, il mène ses recherches vers la décomposition de la forme et l'abstraction (série des *Arbres*, 1910-1912). La peinture elle-même devient sujet dans des « compositions » de plus en plus simplifiées, caractérisées, après le retour en Hollande, par l'étude du rythme des lignes horizontales et verticales (série des *Façades*) et, bientôt, par les aplats de couleurs pures. L'artiste s'attache à définir le *néoplasticisme* et fonde, avec Van Doesburg, rencontré en 1915, la revue *De Stijl**. À Paris (1919-1938), son œuvre se développe désormais, dans des toiles rectangulaires, carrées ou losangiques, à partir de lignes orthogonales, des couleurs primaires (rouge, jaune et bleu) et des non-couleurs (blanc, noir et gris); l'asymétrie et l'équilibre des rapports sont les principes dominants d'une peinture qui exclut toute vibration dans la matière ou le tracé. Mais, aux États-Unis (à partir de 1940), remplaçant la ligne noire par des bandes composées de petits rectangles ou carrés de couleur, Mondrian parvient à une sorte de lyrisme joyeux (*Victory Boogie Woogie*, 1944, coll. priv.). Son influence, élargie par le Bauhaus et par les groupes « Cercle et Carré » puis « Abstraction-Création », a été profonde et durable.

MONEIN (64360), ch.-l. de cant. des Pyrénées-Atlantiques, à 28 km à l'O. de Pau; 3 901 hab. Gaz naturel.

MONEL → CUIVRE.

MONERGOL → PROPERGOL.

MONESTIER-DE-CLERMONT (38650), ch.-l. de cant. de l'Isère, à 33 km au S. de Grenoble; 815 hab. Station estivale.

MONESTIÉS (81400 Carmaux), ch.-l. de cant. du Tarn, à 8 km à l'O. de Carmaux; 1 222 hab.

MONET (Claude), peintre français (Paris 1840 - Giverny, Eure, 1926). Le travail en plein air, révélé par Boudin et développé avec Pissarro, avec ses camarades de l'atelier Gleyre (Renoir, Sisley, Bazille) et avec les peintres de l'académie Suisse (Guillaumin, Cézanne, Pissarro), le porte, au-delà des diverses influences qu'il reçoit, à s'attacher au rendu de l'atmosphère et de la lumière et à se fier à son seul sentiment instantané devant le « motif ». Ainsi sont posées les bases de l'impressionnisme*. Monet fragmente les touches de couleur pure (*la Grenouillère*, 1869, Metropolitan Museum, New York), s'intéresse aux sujets flous sous l'influence de Turner, étudie dans des couleurs claires et éclatantes les effets lumineux de l'eau et de l'air (*le Pont d'Argenteuil*, 1874, Louvre). À travers ses différents lieux de résidence (Argenteuil, Vétheuil, Giverny), avec un frémissement de la touche en virgule et une intensité lumineuse toujours accrus, il cherche inlassablement à saisir les effets les plus éphémères, la beauté des instants les plus fugaces. Cette quête le conduit à travailler ses thèmes par séries : ainsi les *Meules* (1890-91), la série sur la *Cathédrale de Rouen* (1892-93) ou les célèbres *Nymphéas* (1899-1926).

MONÊTIER-LES-BAINS (Le) [05220], ch.-l. de cant. des Hautes-Alpes, au pied du Pelvoux, à 15 km au N.-O. de Briançon; 832 hab.

MONFLANQUIN (47150), ch.-l. de cant. de Lot-et-Garonne, à 17 km au N. de Villeneuve-sur-Lot; 2 368 hab.

MONGE (Gaspard), comte **de Péluse,** mathématicien français (Beaune 1746 - Paris 1818). Partisan enthousiaste de la Révolution, il organisa les poudreries et fonderies de canon, puis il prit une part importante à la création de l'École normale et fut l'un des fondateurs de l'École polytechnique. Lors de l'expédition d'Égypte, il fut l'âme de toutes les recherches scientifiques. Il créa la géométrie descriptive, dont il eut l'idée dès 1768, et montra, en 1800, qu'en plus de ses applications pratiques, cette nouvelle science était une source de méthodes pour la géométrie pure, méthodes qui subsistaient même si certains éléments devenaient imaginaires.

MONGHYR, v. de l'Inde (Bihār), sur le Gange; 102 000 hab.

MONGIE (La) [65200 Bagnères de Bigorre], station de sports d'hiver (alt. 1800-2360 m) des Hautes-Pyrénées, à 24 km au S. de Bagnères-de-Bigorre, sur la route du Tourmalet.

MONGKUT ou **RÂMA IV** (1868), roi de Siam (1851-1868). Moine bouddhiste, il succède à son frère Râma III et ouvre son pays à l'influence étrangère.

MONGOL. — Parlés par environ 4 millions de personnes en Mongolie et en U. R. S. S., le mongol et ses dialectes sont très proches du turc et du toungouse, avec lesquels il constitue le groupe des langues altaïques. Le mongol s'est écrit avec l'alphabet ouïgour, puis avec un alphabet tibétain.

MONGOLIE, région de l'Asie centrale, correspondant essentiellement au désert de Gobi et à son pourtour montagneux (Altaï, T'ien-chan, Nan-chan, Grand Khingan), et partagée entre la *république populaire de Mongolie* et la Chine *(Mongolie-Intérieure).*

MONGOLIE *(république populaire de),* État d'Asie; 1 565 000 km^2; 1 403 000 hab. Capit. *Oulan-Bator.*

GÉOGRAPHIE. Située au cœur de l'Asie, la Mongolie s'étend, à l'ouest, sur une série de massifs montagneux (Altaï, Khangaï) qui sont limités, à l'est, par le désert de Gobi, haute plaine de 1 200 m d'altitude, couverte de sable. Le climat est fortement marqué par la continentalité. Les précipitations atteignent, au maximum, 500 mm par an et les amplitudes de températures sont extrêmes : moyenne de janvier − 27 °C, de juillet + 18 °C, à Oulan-Bator. La steppe qui recouvre la majeure partie du pays disparaît dans le désert.

La densité moyenne de population n'atteint pas encore 1 habitant au kilomètre carré. La vie traditionnelle était fondée sur l'élevage nomade, les Mongols vivant dans les tentes, les yourtes, et se déplaçant avec leurs troupeaux de moutons, de chèvres et de chevaux. Ce type d'économie a été partiellement modifié. Les pasteurs sont maintenant organisés en coopératives. L'agriculture se développe dans le cadre de fermes d'État qui fournissent essentiellement du blé. L'essor de l'industrie est fondé sur l'exploitation des ressources minières : charbon, phosphorites, cuivre, manganèse. La sédentarisation progressive de la population se traduit par le développement urbain, spectaculaire à Oulan-Bator et à Darkhan. (V. carte p. 1244.)

HISTOIRE. La Mongolie-Extérieure proclame son indépendance, lors du renversement de la dynastie chinoise des Ts'ing* (1911) et signe, en 1912, un traité d'amitié avec la Russie. L'autonomie de la Mongolie, garantie par le traité tripartite de 1915, est abolie par les Chinois en 1919 et restaurée en 1921, après l'occupation du pays par les troupes soviétiques. La république populaire de Mongolie, proclamée en 1924, devient indépendante après le plébiscite de 1945. La direction du parti révolutionnaire du peuple mongol (P. R. P. M.) et du gouvernement a été assurée depuis 1939 par Tchoibalsan*, auquel succède, en 1952, Iumdjagine Tsedenbal.

MONGOLIE-INTÉRIEURE, région autonome de la Chine septentrionale, en chinois **Nei-mong-kou** ou **Neimenggu;** 450 000 km^2; 9 000 000 d'hab. Capit. *Houhehot.* Formée surtout de plateaux d'une altitude moyenne de l'ordre de 1 000 m, la Mongolie-Intérieure possède un climat très rude, aride, avec des contrastes thermiques marqués entre des étés torrides et des hivers froids. L'élevage, surtout ovin, est la ressource agricole essentielle d'une population qui compte moins de 1 million de Mongols et dont la sinisation est liée au développement de l'industrie, fondé sur les richesses du sous-sol (charbon et, surtout, fer).

MONGOLISME. — Cette maladie congénitale est due à un chromosome surnuméraire (47 chromosomes au lieu de 46), le chromosome 21 (trisomie 21). La plupart des mongoliens naissent de mères âgées, et la maladie n'est pas d'origine héréditaire. Cette maladie se traduit par l'association d'arriération* mentale et de troubles dysmorphiques particuliers (les fentes palpébrales sont obliques, avec une bride interne, l'épicanthus; les yeux sont écartés, il n'existe qu'un pli palmaire médian). Le mongolisme s'accompagne parfois de malformations viscérales, telle une cardiopathie congénitale.

MONGOLS, peuple de haute Asie. On ne peut pas parler de Mongols, au sens propre du terme, avant la période gengiskhānide. On appelle « Proto-Mongols » les peuples de langue mongole qui

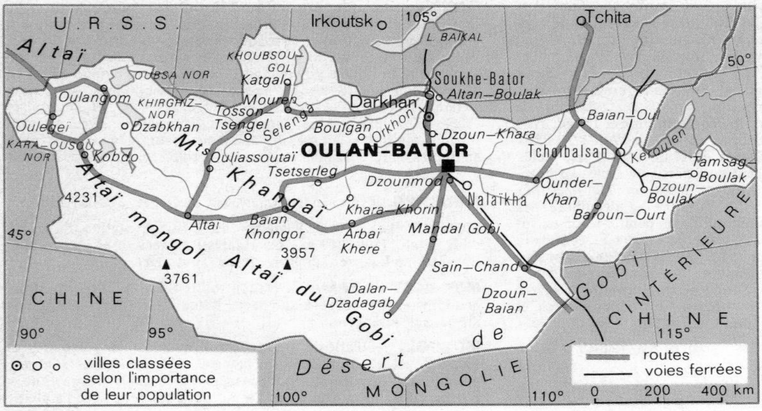

MONGOLIE

sont apparus dans l'histoire avant le XIIIe s. Plusieurs d'entre eux ont fondé des royaumes puissants : les Sien-pei et les Mou-jong (Ier-Ve s., dans le sud de la Mandchourie et le nord-est de la Chine actuelle); les Jouan-jouan* (Ve-VIe s.); les Khitans ou Kitat (dynastie chinoise des Leao [947-1124] et empire des Kara Kitay [1124-1218], en Asie centrale).

Au début du XIIIe s., cinq grandes confédérations tribales se partagent les steppes de Mongolie : Mongols proprement dits, Merkits, Keraïts, Tatars et Naïmans. Le grand *quriltay* (assemblée générale des tribus mongoles) de 1206 proclame Gengis khān* *khaghān* (empereur) de toutes les tribus nomades de Mongolie et jette les bases de l'empire : formation d'une chancellerie impériale, d'une Cour suprême, d'un système de postes *(yam),* et organisation de la grande armée impériale. Toutes ces dispositions seront consignées dans la grande loi impériale mongole, le *yasa.* L'Empire mongol s'attribue une vocation universelle et poursuit une politique conquérante.

principales étapes de la conquête mongole

1211-1216	Chine du Nord par Gengis khān.
1219-1221	Khārezm, dont le souverain est poursuivi à travers le Khorāsān et l'Azerbaïdjan.
1221-22	Khorāsān et Afghānistān par Gengis khān.
1222-23	Raid à travers la Transcaucasie et victoire de la Kalka sur les Russes et les Coumans.
1236-1242	Russie, Ukraine, Hongrie par Bātū khān*.
1243	Victoire sur les Seldjoukides d'Anatolie.
1256-1260	Iran, Iraq, Syrie par Hūlāgū*.
1260	Défaite mongole d'Ayn Djālūt par les Mamelouks* d'Égypte.
1236-1279	Chine du Sud (conquête achevée par Kūbilāy khān*).

La conquête, sauvage et destructrice, d'abord menée au profit des seuls nomades qui ruinaient la vie sédentaire, s'organise peu à peu et prend la forme d'une domination permanente des peuples soumis. L'empire a à sa tête le Clan d'Or, c'est-à-dire le clan gengiskhānide, dont les membres reçoivent en apanage les provinces de l'empire. Le grand khān Ogoday (de 1229 à 1241) dote l'empire d'une capitale, Karakorum, et d'une administration, qui se développe sous les règnes de Güyük (de 1246 à 1248) et de Möngke (ou Mangū khān) [de 1251 à 1259]. Avec Kūbilāy khān (de 1260 à 1294), l'empire se transforme en une fédération d'États, dont les dirigeants (mongols) assimilent la civilisation de leurs sujets :
— Horde* d'Or (1236, 1240-1502), État à prédominance turque, auquel sont soumis les principautés russes, la Crimée, une partie du Caucase et de la Sibérie;
— Ilkhāns* d'Iran (1251-1335);
— Djaghataïdes du Turkestan (1227-1369);
— Yuan* de Chine (1279-1368).

Cet empire, remarquable par son cosmopolitisme et sa tolérance religieuse, connaît la prospérité économique grâce au commerce, favorisé par la sécurité des frontières et la libre circulation des marchandises et des hommes à travers son immense territoire.

L'Empire mongol, encore unitaire au début du XIVe s., va peu à peu se disloquer : extinction des Ilkhāns de Perse, avènement de la dynastie nationale des Ming* en Chine, réaction nationale des Russes (1480) et de leurs alliés, les Tatars de Crimée (1502). Cependant, des princes gengiskhānides vont se maintenir à Astrakhan, à Kazan*, à Kassimov, en Crimée*, au Kazakhstan et au Turkestan (khānats ouzbeks* de Boukhara, Kokand et Khiva). En Mongolie, les tribus retombent dans l'anarchie et n'en émergent que sous les règnes de quelques grands khāns (Dayan khān, de 1488 à 1543; Altan khān, de 1543 à 1583). L'aristocratie mongole adopte à la fin du XVIe s. le lamaïsme tibétain, et une puissante Église lamaïque se constitue en Mongolie. Les Mongols orientaux (Khalkhas) se soumettent entre 1627 et 1691 aux Mandchous, fondateurs de la dynastie chinoise des Ts'ing*, qui écrasent l'empire des Mongols occidentaux (v. DZOUNGARIE) en 1755-1759. Le sud-est de la Mongolie (Mongolie-Intérieure) reste chinois après l'avènement de la république en Chine (1911). La Mongolie-Extérieure, future république populaire de Mongolie*, proclame son indépendance cette même année. Les républiques autonomes des Bouriates* et des Kalmouks* sont constituées en 1923 et en 1935, au sein de la R. S. F. S. de Russie.

MONG-TSEU ou **MENGZI,** v. de Chine (Yun-nan); 193 000 hab.

MONG-TSEU ou **MENGZI** ou **MENCIUS,** lettré chinois (v. 372-289 av. J.-C.). Après avoir suivi l'enseignement d'un disciple ou petit-fils de K'ong-tseu* (Confucius), il voyage à travers plusieurs royaumes combattants pour faire connaître ses idées à divers souverains. Déçu par les conflits qui ne cessent d'opposer les royaumes les uns aux autres, il se consacre à la méditation. L'aspect principal de ses spéculations morales et métaphysiques consiste dans l'importance qu'il donne à la notion de nature humaine. (V. CONFUCIANISME.)

MONICELLI (Mario), cinéaste italien (Viareggio 1915). Après avoir fait équipe avec le réalisateur Steno (*Gendarmes et voleurs,* 1951), il dirigea seul de nombreux films, parmi lesquels : *le Pigeon* (1958), *la Grande Guerre* (1959), *les Camarades* (1963), *l'Armée Brancaleone* (1965), *Mes chers amis* (1975), *Un tout petit bourgeois* (1977).

MONILIA → PLANTES *(maladies des).*

MONILIASE. — Les levures du genre *Candida* sont responsables de manifestations très variables — *cutanées* (intertrigo, hypodermite), des *muqueuses* (stomatite, muguet, balanite, vulvo-vaginite), *digestives,* favorisées par l'antibiothérapie — ainsi que d'*atteintes unguéales,* caractérisées par un onyxis avec périonyxis. Une localisation cardiaque, urinaire ou pulmonaire est possible.

MONIQUE *(sainte),* mère de saint Augustin (Thagaste, Numidie, 332-Ostie 387). Toute l'existence de Monique est attachée à celle de son fils Augustin*.

MONISME → ONTOLOGIE.

MONISTROL-SUR-LOIRE (43120), ch.-l. de cant. de la Haute-Loire, à 29 km au S.-O. de Saint-Étienne; 5 024 hab. Anc. château des évêques du Puy (XVe s.).

MONITEUR *(Inform.).* — Le programme moniteur, ou, plus simplement, le moniteur, est une partie du système* d'exploitation d'un ordinateur* qui gère et enchaîne les travaux exécutés par la machine. Il reçoit les travaux qui lui proviennent des lecteurs* de cartes, les organise sur disques* en une file d'attente dont il gère les priorités. Il fait préparer les fichiers* dont les programmes* peuvent avoir besoin et demande le montage des bandes* ou des disques magnétiques. Il lance l'exécution des travaux. Lorsqu'un travail est terminé, il se charge de reprendre les résultats, en général stockés sur disques, pour les éditer sur les imprimantes*.

Un moniteur de télétraitement est plus spécialement conçu pour gérer les tâches simultanées qui correspondent à l'exécution de transactions lancées par des terminaux* conversationnels travaillant ensemble.

MONITORAGE. — La surveillance de malades avec un appareil automatique, le *moniteur,* est indispensable dans les services de réanimation, dans les unités de soins intensifs et au cours de certaines interventions chirurgicales. Les moniteurs enregistrent en permanence un ou plusieurs phénomènes physiologiques chez un malade et donnent une alarme auditive ou visuelle lorsqu'un phénomène dépasse certaines limites choisies. Les modifications les plus étudiées sont celles du débit sanguin (pouls, tension artérielle) ainsi que celle de la courbe électrocardiographique.

MONIZ (António Caetano DE ABREU FREIRE **Egas**), médecin portugais (Avanca, Estarreja, 1874 - Lisbonne 1955). Ses travaux médicaux aboutirent, en 1927, à l'artériographie cérébrale. Il fit exécuter, en 1935, la première leucotomie préfrontale, intervention qu'il préconisa pour le traitement de certaines maladies mentales. (Prix Nobel de médecine et de physiologie, 1949.)

MONK (George), général anglais (Potheridge 1608 - New Hall 1670). Officier dans l'armée royale, il passe, en 1647, au service des parlementaires puis au service de Cromwell. Vainqueur des Hollandais (1653), il devient, après la mort du lord-protecteur, le maître du pays : rallié à la monarchie, il prépare les voies à Charles II, qui, rentré à Londres (1660), élève Monk à la pairie.

MONK (Thelonious Sphere), pianiste, compositeur et chef d'orchestre de jazz noir américain (Rocky Mount, Caroline du Nord, 1920). Pionnier du style be-bop au début des années 40, il exerça au sein des petites formations qu'il dirigea une influence prépondérante sur le jazz moderne. Parmi ses meilleurs enregistrements : *Misterioso* (1948), *Brilliant Corners* (1956), *Blue Monk* (1958), *Round about Midnight* (1960).

MÔN-KHMER. — Les langues môn-khmères sont parlées par environ 4 millions de personnes dans la péninsule indochinoise. Les principales sont le khmer (ou cambodgien), langue officielle du Cambodge, le môn (Birmanie) et le khasi (Assam). Le vietnamien, qui à l'origine faisait partie de ce groupe, s'en est détaché à cause des profondes influences thaï et chinoise qu'il a subies.

MONMOUTH (James SCOTT, *duc* DE), prince anglais (Rotterdam 1649 - Londres 1685). Fils naturel de Charles II, il succède à Monk* (1670) comme commandant en chef de l'armée royale. Rendu très populaire par sa victoire sur les covenantaires écossais (1679), il devient le candidat des protestants face au futur Jacques II. Quand ce dernier accède au trône (1685), Monmouth essaie vainement de le renverser. Il est exécuté.

MONNAIE. — Dans les sociétés traditionnelles, les objets utilisés comme moyens d'échange ne fonctionnent pas, à la différence de la monnaie en économie de marché, comme équivalents universels. La coexistence dans ces sociétés d'une sphère de circulation marchande et d'une sphère de circulation non marchande explique le fait que l'on y trouve, d'une part, des objets qui, tout en ayant un usage monétaire, conservent leur valeur d'usage direct (biens de production ou de consommation) ou symbolique (bien d'échange social) et, d'autre part, des objets qui ne contiennent que leur valeur d'échange (coquillages, perles de verroterie...). Seuls ces derniers, liés au développement du commerce à longue distance, peuvent être considérés comme de véritables monnaies.

Dans l'économie moderne, on distingue : la *monnaie métallique,* constituée par les espèces d'or ou d'argent; la *monnaie fiduciaire* (constituée essentiellement de monnaie papier), en principe gagée sur un montant proportionnel de métal précieux et faite de billets n'ayant aucune autre valeur que conventionnelle; la *monnaie scripturale,* constituée essentiellement des avoirs en banque et des virements et écritures qu'ils permettent et impliquent.

La monnaie est : un instrument de *circulation des richesses,* comme « compteur » de la valeur des échanges; un instrument de *crédit* (les banques « créent » de la monnaie par les aides qu'elles octroient à l'économie ou aux particuliers, et qui, en définitive, aboutissent à une émission monétaire); un instrument à la base des *échanges internationaux* aspect et rôle sur lesquels on insistera particulièrement.

Au XIXe s., l'inexistence d'une monnaie internationale, en un temps où les échanges entre nations, dès la révolution industrielle, prennent une grande importance, donne pratiquement à la livre sterling un rôle de monopole dans les règlements internationaux. À la veille du premier conflit mondial, 85 p. 100 du montant du commerce international est réglé en sterling. La conférence de Gênes (1922), tendant à permettre aux nations l'économie de l'usage de l'or grâce à des avoirs en devises (« balances dollars », « balances sterling »), aboutit pratiquement au *gold exchange standard,* substitut du régime ancien de l'étalon-or, mais régime où, déjà, certains signes d'un dérèglement du système monétaire international apparaissent.

La période qui suit le second conflit mondial peut s'analyser en plusieurs phases distinctes. Le système imaginé (Bretton-Woods, 1944) fonctionne d'abord à peu près normalement pendant quelques années; à un étalon unique, l'or, s'ajoutent deux monnaies de réserve (la livre et le dollar) à convertibilité assurée. C'est le régime et l'époque du dollar « as good as gold » (dollar aussi bon que l'or). De 1967 à 1971, le doute se lève sur la permanence de la convertibilité en or de ces monnaies; cette période de doute se termine effectivement, le 15 août 1971, par la décision du gouvernement des États-Unis de supprimer la convertibilité du dollar en or. Le système paraît dès lors gravement attaqué. Après 1971, l'étalon monétaire de fait est le dollar, mais les tendances à l'inflation* dans le monde s'amplifient dangereusement.

Les dernières années connaissent une détérioration du système monétaire international, qui est en partie cause de la crise économique mondiale de l'année 1975. Depuis la Seconde Guerre mondiale, en fait, le dollar des États-Unis est placé sur un pied de supériorité absolue par rapport aux autres monnaies : les déficits des États-Unis peuvent être réglés en dollars (et non pas en or); et, comme ils sont considérables (par suite notamment des interventions des États-Unis dans le Sud-Est asiatique), il se crée, au centre de l'économie du monde libre, de redoutables foyers d'inflation. Le système révèle au grand jour sa faiblesse originelle lors de la suspension de la convertibilité du dollar, puis lors des deux dévaluations (de 1971 et de 1973) dont cette monnaie fait l'objet.

Une autre raison du délabrement du système monétaire international réside dans l'absence de parités fixes des monnaies entre elles, malgré les efforts de certains groupes de nations (v. SERPENT MONÉTAIRE EUROPÉEN) pour arriver à les établir. En effet, ce système est aujourd'hui caractérisé par la coexistence d'un système de taux de changes flexibles, résultant du jeu de l'offre et de la demande, et d'interventions des banques centrales pour soutenir les monnaies, ou, au contraire, pour empêcher leur trop forte appréciation.

En 1975-76, trois groupes de pays, outre les États-Unis, peuvent être distingués :

— les pays à monnaie forte (R. F. A., Suisse, Pays-Bas), où l'inflation a été, ces dernières années, relativement faible (7 p. 100 annuellement en R. F. A.);

— les autres pays (France, Danemark, Belgique, Japon), où les cours des monnaies ont relativement peu varié, grâce, parfois, aux interventions des autorités monétaires « centrales », mais où l'inflation a été cependant très sensible;

— les pays à monnaies très fragiles (Italie, Grande-Bretagne).

Les pays se distinguent encore les uns des autres par les « réserves » de devises qu'ils détiennent, réserves conditionnant elles-mêmes les possibilités d'intervention — au niveau de la politique monétaire — de ces pays.

Les banques centrales des pays détiennent des « réserves » (en or et en devises, mais, en fait, essentiellement en dollars), ces avoirs provenant de ventes réalisées par des nationaux ayant exporté aux États-Unis. Si ces ventes dépassent en volume les demandes de dollars (formulées au même moment par des nationaux désireux d'importer des États-Unis), le solde excédentaire peut créer, au profit de certains pays, des montants importants de monnaie de « réserve ». (V. RÉSERVES INTERNATIONALES.) Mais un système monétaire où de telles « réserves » peuvent être constituées par des dollars (et non de l'or), devise faible et non convertible, est néfaste : les nations émettent de la monnaie nationale, non appuyée sur des réserves métalliques, mais sur des dollars. On aboutit à une création inconditionnelle et déréglée de monnaies qui, en définitive, sont non « gagées ». Ce phénomène de « duplication » de monnaies est sévèrement critiqué par certains économistes (comme Jacques Rueff), qui prônent un retour à l'étalon-or (et à des parités de change fixes).

• *La politique monétaire.* L'école « monétariste » attribue à la politique monétaire exercée par les pouvoirs publics une influence déterminante sur la régulation de l'économie : les modifications de la masse monétaire ont, pour cette école, une importance décisive (la politique budgétaire à elle seule a, par contre, une faible influence). Même sans partager les vues de cette école, on peut insister sur le rôle de la politique monétaire. Cette politique a, en principe, essentiellement des objectifs « monétaires » — principalement la réduction des tensions inflationnistes —, mais également des objectifs non strictement monétaires : redressement d'une balance commerciale, « redéploiement » de l'industrie (France 1974-75). C'est dire le caractère sélectif des mesures de la « politique monétaire », en fonction des buts qu'elle poursuit.

MONNAIE-DU-PAPE. — C'est souvent dans les décombres que l'on rencontre la *lunaire,* ou *monnaie-du-pape,* caractérisée par ses siliques plates et ovales, transparentes à maturité et dont la valve centrale porte de trois à six graines discoïdes noires. Ces fruits proviennent de fleurs violettes à quatre pétales très écartés et losangiques. (Famille des crucifères.)

Monnaies *(hôtel des),* à Paris, siège de l'administration française des Monnaies et Médailles et d'un important musée numismatique. Ce noble bâtiment néoclassique fut édifié de 1771 à 1777 par un jeune praticien choisi sur concours, Jacques Denis Antoine (Paris 1733 - *id.* 1801), dont il est le chef-d'œuvre.

MONNERVILLE (Gaston), homme politique français (Cayenne 1897). Député radical-socialiste de la Guyane (1932-1940 et 1945-46), il fait voter, en 1946, la transformation en départements français de la Guadeloupe, de la Martinique, de la Guyane et de la

Réunion. Il est président du Conseil de la République (1947-1958), puis président du Sénat (1958-1968).

MONNET (Jean), économiste français (Cognac 1888). Il propose au gouvernement, en 1945, l'adoption d'un « Plan de modernisation et d'équipement » de l'économie française et devient le premier commissaire général au Plan. Il préside, de 1952 à 1955, la Haute Autorité de la Communauté européenne du charbon et de l'acier.

MONNIER (Henri), écrivain et caricaturiste français (Paris 1799-*id.* 1877). Il a créé un type de bourgeois inepte et sentencieux, Joseph Prudhomme.

MONNOYER (Jean-Baptiste), peintre français (Lille 1634-Londres 1699). Il participe aux grandes entreprises décoratives (Paris, Vaux, Versailles, Marly) de Le Brun, dont il rejoint le style fastueux et monumental dans son domaine propre, celui de la nature morte florale (morceau de réception à l'Académie [1665] au musée de Montpellier). Il termine sa carrière en Angleterre.

MONOCLINAL (relief). — Les reliefs monoclinaux sont développés dans des couches de terrain alternativement dures et tendres, et inclinées. Si l'inclinaison est faible, il s'agit d'une *cuesta,* si elle est moyenne, d'un *crêt,* si elle est très forte, d'une *barre,* dominant une dépression monoclinale.

MONOCOTYLÉDONES. — Il se trouve que toutes les plantes à graines dont l'embryon possède un seul cotylédon ont, en outre, assez de caractères communs de tous ordres pour que l'on voie en elles un groupe naturel. Ces monocotylédones ont, en effet, des feuilles à nervures parallèles, des fleurs du type 3, une absence de « formations secondaires » qui donne un aspect particulier à la croissance en largeur des espèces arborescentes, une disposition spéciale des vaisseaux du bois et du liber, etc.

Les principaux groupes de monocotylédones sont, tout d'abord, des plantes aquatiques, voire marines (*hélobiales :* sagittaire, potamot, zostère, etc.), puis les *spadiciflores* (palmier, arum, lentille d'eau), les *liliiflores* (lis, iris, tulipe, agave, oignon, asperge, muguet, igname), les *broméliacées* (ananas), les *scitaminales* (banane), les *cypérales* (papyrus), enfin les deux vastes ordres des *glumiflores,* ou graminacées* (bambou, canne à sucre, blé, riz, pâturin, etc.), et des *orchidacées* (orchis, vanille). La part des monocotylédones dans l'alimentation humaine est, on le voit, prépondérante.

MONOCRISTAL. — C'est un cristal homogène, dont les dimensions linéaires, supérieures à quelques dixièmes de millimètre, permettent la manipulation et le rendent propre à des études cristallographiques, goniométriques, optiques ou mécaniques. Il s'oppose aux microcristaux, beaucoup plus petits, dont sont constituées les masses métalliques. Les monocristaux sont utilisés dans les semi-conducteurs.

MONOCULTURE → AGRICULTURE.

MONOD (Jacques), médecin et biologiste français (Paris 1910-Cannes 1976). Ses travaux sur les mécanismes de la régulation génétique au niveau cellulaire et la découverte de l'A. R. N. messager lui valurent de partager avec A. Lwoff et F. Jacob le prix Nobel de médecine pour 1965.

MONODIE → CHANT.

MONOMÈRE. — Une substance A est monomère d'une autre B lorsque B est un polymère de A. Ainsi, l'acétylène C_2H_2 est un monomère du benzène C_6H_6; le butadiène, celui du caoutchouc synthétique buna.

MONOMOTAPA *(empire du),* vaste État bantou de la région du Zambèze, qui, créé au IXe s., entra en décadence au XVIIe s. et passa peu à peu sous la coupe des Portugais. Sa capitale était Zimbabwe*.

MONONUCLÉOSE. — La mononucléose infectieuse est supposée être due au virus d'Epstein-Barr. Elle survient par cas sporadiques et atteint l'adolescent et l'adulte jeune. Elle est marquée par de la fièvre, une fatigue intense, une angine rouge parfois à fausses membranes, des ganglions au cou, parfois une grosse rate, un gros foie. Le nombre de globules blancs du sang est augmenté avec présence d'un grand nombre de mononucléaires à cytoplasme bleuté. La positivité de la réaction de Paul et Bunnel permet d'affirmer le diagnostic. La maladie est bénigne et guérit spontanément. Cependant, dans les formes sévères, une antibiothérapie peut être indiquée.

MONOPHYSISME. — Cette doctrine du Ve s., déclarée hérétique par le concile de Chalcédoine* (451), ne reconnaît dans le Christ qu'une seule nature, la nature divine, dans laquelle l'élément humain se trouverait absorbé comme une goutte dans l'océan. Le monophysisme fut professé par un moine de Constantinople, Eutychès (av. 378-v. 454); celui-ci, par crainte de tomber dans le nestorianisme* qui niait l'unité de personne dans le Christ, en vint à refuser la dualité de nature. Le monophysisme survit dans certaines communautés chrétiennes orientales qui ont récusé les décisions du concile de Chalcédoine. (V. ÉGLISES ORIENTALES.)

MONOPOLE → CONCURRENCE.

MONOPROCESSEUR → MULTITRAITEMENT.

MONOTHÉLISME. — Le patriarche Serge* de Constantinople, au VIIe s., dans l'espoir de réconcilier les partisans du monophysisme* avec les décisions du concile de Chalcédoine* (451), avança l'idée qu'il n'existait dans le Christ qu'une seule volonté. Cette opinion fut condamnée en 681 par le troisième concile de Constantinople.

MONOTRÈMES. — La faune d'Australie et de Nouvelle-Guinée comprend des mammifères encore plus singuliers que les marsupiaux* : ce sont les monotrèmes, ou protothériens, qui pondent des œufs (sans coquille). Munis d'un bec, d'un cloaque, d'un appareil génital entièrement pair et sans utérus, d'une paire d'os coracoïdes, ces animaux seraient à rapprocher des oiseaux, mais ils ont des pattes antérieures marcheuses, des poils, et même des mamelles rudimentaires (sans mamelon), dont le lait nourrit tant bien que mal les jeunes. Enfin, ils ont des os marsupiaux, d'ailleurs sans usage.

L'*ornithorynque* est une sorte de castor à bec de canard, vivant dans les rivières, creusant son terrier dans les berges et nageant à l'aide de pattes palmées. Le mâle possède un éperon venimeux.

L'*échidné* ressemble plus à un hérisson, du fait de son dos couvert d'épines. De son long bec effilé, il capture les fourmis. Ses griffes puissantes lui permettent de fouir le sol très rapidement.

MONOTYPE *(Impr.)* → COMPOSITION.

MONOTYPE *(Mar.).* — Un monotype est un bateau à voile construit en série, dont tous les exemplaires, aussi semblables que possible les uns aux autres, sont exécutés à partir d'un même plan, le plus souvent avec les mêmes matériaux et généralement par le même chantier. Il s'agit presque toujours de bateaux de régate*. La similitude des coques, des gréements et des voilures entraîne un classement sans correction de temps; la construction en série permet d'abaisser le prix de revient et d'augmenter le nombre des unités. Les monotypes les plus répandus sont construits à plusieurs milliers d'exemplaires. Il s'agit de dériveurs, dont la coque, généralement fabriquée en plastique* ou en bois, est exécutée sur moule; ils sont gréés soit en *cat boat,* et ils ne comportent qu'une grand-voile, soit en *sloop,* et ils utilisent alors un foc et une grand-voile. Les premiers sont menés par un seul homme, les seconds par deux. Dès lors que l'on considère des embarcations plus importantes, à dérive ou à quille, le nombre des unités construites diminue. Dans presque toutes les séries, des associations de propriétaires organisent des régates ou des championnats nationaux et internationaux.

MONPAZIER (24540), ch.-l. de cant. de la Dordogne, à 45 km au S.-E. de Bergerac; 558 hab.

MONREALE, v. d'Italie, en Sicile (prov. de Palerme); 25 400 hab. Imposante cathédrale siculo-normande (1174-1182), au magnifique revêtement intérieur de mosaïques byzantines; beau cloître.

MONROE (James), homme d'État américain (en Virginie 1758-New York 1831). Candidat républicain, il est élu, en 1816; 5e président des États-Unis; il sera réélu, sans concurrent, en 1820. Sa présidence correspond à l'« ère des bons sentiments » et à l'application, en politique étrangère, de la « doctrine de Monroe », destinée à empêcher toute intervention européenne en Amérique. En fait, cette doctrine servira d'alibi à la domination progressive du continent américain par les États-Unis.

MONROE (Norma Jean BAKER, dite **Marilyn**), actrice de cinéma américaine (Los Angeles 1926-Hollywood 1962). Elle incarna pendant une dizaine d'années le mythe de la star hollywoodienne dans toute sa beauté et sa pathétique vulnérabilité (elle se donna la mort au cours d'une dépression nerveuse). Parmi ses films les plus notables : *Les hommes préfèrent les blondes* (1953), *Rivière sans retour* (1954), *Certains l'aiment chaud* (1959), *les Misfits* (1961).

MONROVIA, capit. et port du Liberia, sur l'Atlantique; 96 000 hab.

MONS, en néerl. **Bergen,** v. de Belgique, ch.-l. du Hainaut; 93 000 hab. Collégiale Sainte-Waudru (XVe-XVIIe s.; œuvres d'art, dont des fragments du jubé, démonté, du sculpteur Jacques Dubroeucq [† 1584]) et autres monuments. Musées. Centre industriel (métallurgie, chimie, verrerie), développé à partir de l'extraction de la houille, aujourd'hui abandonnée. — En août 1914, les Anglais y livrèrent aux Allemands une bataille qui se termina par le repli britannique vers la France.

MONSÉGUR (33580), ch.-l. de cant. de la Gironde, à 13,5 km au N.-E. de La Réole; 1 618 hab.

MONS-EN-BAREUL (59370), comm. du Nord, banlieue est de Lille; 28 089 hab.

Monsieur *(paix de)* ou **paix de Beaulieu** (près de Loches), accord signé, le 7 mai 1576, à Étigny, entre catholiques et protestants, par l'intermédiaire de Monsieur, duc d'Alençon, frère du roi Henri III.

Monsieur Teste, de Paul Valéry, titre sous lequel ont été réunis (1926) *la Soirée avec M. Edmond Teste* (1896), *la Lettre d'Émilie Teste* (1925), *le Log Book de M. Teste* (1926) : l'histoire d'un héros qui est « arrivé à découvrir les lois de notre esprit » et qui ressemble étonnamment à Valéry.

MONSIGNY (Pierre Alexandre), compositeur français (Fauquembergues 1729 - Paris 1817). Fournisseur de pages musicales pour le théâtre de la Foire, il exploite sa veine mélodique dans des opéras-comiques (*Rose et Colas,* 1764; *le Déserteur,* 1869).

MONSOLS (69860), ch.-l. de cant. du Rhône, à 39 km au S.-O. de Mâcon; 764 hab.

MONSTRE → MALFORMATION.

MONT → JURASSIEN *(relief).*

MONT (64300 Orthez), comm. des Pyrénées-Atlantiques, à 4 km au N.-O. de Lacq; 729 hab. Industrie chimique.

MONTAGE. — Le montage est, selon Poudovkine, le « fondement même de l'art cinématographique ». Après avoir été synchronisé avec les enregistrements sonores et choisi parmi les différentes prises de vues, chaque plan se voit amputé des annonces (claquettes) puis monté bout à bout, à sa place, dans la continuité. Le film obtenu est alors minutieusement retravaillé, afin de donner à l'action le rythme souhaité. Le montage définitif, ou *copie de travail,* sert de modèle à l'établissement du négatif-image.

MONTAGNAC (34530), ch.-l. de cant. de l'Hérault, à 6 km au N.-E. de Pézenas; 2 776 hab.

Montagnards, nom donné aux députés de l'extrême gauche (Montagne) sous la Convention* et durant la IIe République.

MONTAGNE. — Les montagnes s'ordonnent en chaînes, de forme généralement arquée. Leur relief est conditionné par la structure géologique qui résulte du style de l'orogenèse*. On distingue des *chaînes intracontinentales,* formées de matériel sédimentaire déposé dans des bassins subsidents, puis plissés, et des *chaînes géosynclinales**, qui se forment dans des fosses, à la limite des continents, et sont accompagnées de phénomènes métamorphiques et magmatiques. Mais le relief résulte également d'un mode d'érosion particulier. Les dénivellations importantes et la raideur des pentes expliquent la fréquence des glissements en masse et la violence de l'écoulement (torrents*), au pouvoir érosif intense. L'altitude, qui engendre le froid, est responsable de la forte emprise des glaciers* et du rôle essentiel du gel dans l'attaque des roches. L'étagement en altitude explique la grande variété des climats, encore accentuée par les conditions locales (exposition). Il engendre un étagement de la végétation : dans la zone tempérée, la forêt de feuillus, puis de conifères couvre les pentes jusqu'à 2 000 m; au-delà, s'étendent les alpages, dominés, au-dessus de 2 500 m, par les parois rocheuses et les glaciers. L'évolution dans le temps permet d'opposer les *montagnes jeunes,* de type alpin, au relief vigoureux, aux *massifs anciens* (Massif central, Appalaches), aux formes lourdes, qui ont été aplanis puis rajeunis à la suite d'une reprise d'érosion.

MONTAGNE (La) [44620], comm. de la Loire-Atlantique, sur la Loire, à 15 km à l'O. de Nantes; 5 165 hab.

MONTAGNE BLANCHE (la), colline voisine de Prague, où, le 8 novembre 1620, les troupes nationales tchèques furent vaincues par les troupes impériales : cette défaite raya la Bohême indépendante de l'histoire, pour trois siècles.

Montagne magique *(la),* roman de Thomas Mann (1924). Dans le cadre du sanatorium de Davos, une radiographie de la civilisation européenne au lendemain de la Première Guerre mondiale et une méditation lyrique sur la mort et sur le temps.

MONTAGNE NOIRE, massif de la bordure méridionale du sud du Massif central, dominant la vallée du Thoré, aux confins des départements de l'Aude et du Tarn; 1 210 m au pic de Nore.

MONTAGNE NOIRE ou **MONTAGNES NOIRES,** hauteurs de la Bretagne occidentale, dominant (au S.) le bassin de Châteaulin; 326 m.

MONTAGRIER (24350 Tocane St Apre), ch.-l. de cant. de la Dordogne, à 13,5 km au N.-E. de Ribérac; 389 hab.

MONTAIGNE (Michel EYQUEM DE), écrivain français (château de Montaigne, Périgord, 1533 - *id.* 1592). À un âge (38 ans) et à une époque (les guerres religieuses) où tout homme bien né réussissait par la politique ou les armes, Michel de Montaigne entra en littérature comme on entre en religion : il se retira dans sa « librairie » (sa bibliothèque) et célébra cet événement par deux inscriptions latines que l'on voit encore aujourd'hui. Ce retrait du monde avait de quoi étonner : héritier d'un riche négociant qui avait décidé de vivre en gentilhomme, enfant prodige et cultivé (son précepteur allemand ne lui parlait qu'en latin), conseiller à la cour des aides de Périgueux, puis au parlement de Bordeaux, il s'était empressé de vendre sa charge (1570) après la mort de son père. Pour se consacrer apparemment à deux œuvres de piété : la traduction de la *Theologia naturalis* de Raymond de Sebonde, entreprise à la demande de son père; l'édition des œuvres de son ami Étienne de La* Boétie. En réalité, Montaigne était poussé à la retraite moins par dégoût des affaires publiques (il sera maire de Bordeaux en 1581, réélu en 1583, et servira Henri de Navarre dans plusieurs négociations) ou du mouvement (il fera, de juin 1580 à novembre 1581, des eaux de Plombières à celles de Lucques, un long périple qu'il relate dans son *Journal* de voyage*), que par son insatiable curiosité, qui l'entraîne paradoxalement dans une exploration intérieure : son expérience de la vie, mais surtout sa culture lui ont fait entrevoir que l'âme humaine contient plus d'espaces que toute activité mondaine n'en peut faire découvrir. Il part donc à la recherche de lui-même, mais avec une méthode et un guide : tout objet, toute idée le ramène, plus ou moins directement, à lui; le chemin qui mène au secret de ses opinions et de ses humeurs passe toujours par l'« Autre » : l'ami disparu, le cannibale, l'écrivain antique sont des catalyseurs, des pierres de touche, où il s'essaie, se met en perspective, ébauche les diverses facettes d'un même portrait. Montaigne aura toujours besoin de ce miroir où se reconnaître, témoin l'amitié de sa « fille d'alliance », Marie de Gournay, qui se dévouera à sa mémoire. Ses *Essais**, qui se déploient selon les volutes d'une écriture concentrique, traduisent la lente conquête d'un art de vivre : parti d'un héroïsme livresque et stoïcien, Montaigne éprouve peu à peu que sa lithiase biliaire a plus d'importance que les convulsions de la Réforme. Contrairement à ce que pensait Pascal, ce n'est pas un projet si sot que de se peindre. Cette ethnologie à usage interne est un des plus étonnants tests projectifs jamais proposés à un lecteur, et la première des tentatives qui, de Rousseau à Michel Leiris, consistent, par la superposition exacte de l'espace du dedans et de l'espace de l'écriture, à échapper au cauchemar de l'histoire.

Montaigne, par Martellange. (Coll. privée.)

MONTAIGU (85600), ch.-l. de cant. de la Vendée, à 34 km au S.-E. de Nantes; 4 813 hab. Combats pendant la guerre de Vendée (1793).

MONTAIGU-DE-QUERCY (82150), ch.-l. de cant. de Tarn-et-Garonne, à 30 km au S.-E. de Villeneuve-sur-Lot; 1 507 hab. Lavande.

MONTAIGUT (63700 St Éloy les Mines), ch.-l. de cant. du Puy-de-Dôme, à 17 km au S. de Commentry; 1 558 hab.

MONTALE (Eugenio), poète italien (Gênes 1896). Née du refus de la rhétorique à la D'Annunzio, sa poésie se définit comme une esthétique de la réticence et de l'hermétisme, qui transfigure les objets et les événements quotidiens en un style elliptique, marqué par la recherche du vocabulaire et la dissonance rythmique, et chargé de références littéraires (*Os de seiche,* 1925; *les Occasions,* 1939; *la Tempête et les autres,* 1956). [Prix Nobel, 1975.]

MONTALEMBERT (Marc René, *marquis* DE), général français (Angoulême 1714 - Paris 1800). Précurseur de la fortification du XIXe s., il préconisa l'adoption du tracé polygonal.

MONTALEMBERT (Charles FORBES, *comte* DE), homme politique français (Londres 1810 - Paris 1870). Disciple de La Mennais*, il ne suit pas ce dernier dans sa rupture avec Rome (1834). Il poursuit cependant, sous la monarchie de Juillet, comme journaliste et comme pair de France, la lutte en faveur des libertés de l'Église, notamment la liberté d'enseignement. Représentant du Doubs de 1848 à 1851, il passe pour le chef du parti catholique qui, par peur du socialisme, se confond avec le parti de l'ordre : Montalembert inspire l'expédition de Rome (1849), la loi Falloux (1850) et la loi du 31 mai 1850 qui restreint l'exercice du droit électoral. Rallié à Louis-Napoléon après le 2 décembre 1851, membre du corps législatif (1852-1857), il s'oppose rapidement au régime bonapartiste et bataille, dans *le Correspondant,* organe des catholiques libéraux, contre les ultramontains intransigeants de *l'Univers.* Au congrès de Malines (1863), il conclut à la possibilité d'un accord entre l'Église et l'État moderne : attitude qui, jointe à son opposition au *Syllabus* (1864) et à l'orientation infaillibiliste du premier concile du Vatican (1870), lui vaut l'hostilité de Rome.

MONTALIEU-VERCIEU (38390), comm. de l'Isère, près du Rhône, à 20 km au S. d'Ambérieu-en-Bugey; 1 756 hab. Cimenterie.

MONTALIVET (33930 Vendays Montalivet), station balnéaire du nord de la côte landaise (départ. de la Gironde), à 21,5 km au N.-O. de Lesparre-Médoc.

MONTALVO (Juan), écrivain équatorien (Ambato 1833 - Paris 1889), essayiste (*les Sept Traités,* 1883) et pamphlétaire.

MONTAN ou **MONTANUS** → MONTANISME.

MONTANA, État des États-Unis, dans le nord des Rocheuses; 381 086 km²; 694 000 hab. Capit. *Helena.* Montagneux avec des hivers rudes, l'État est faiblement peuplé. L'élevage bovin domine, cependant que le blé est la principale culture. Le sous-sol fournit surtout du cuivre et un peu de pétrole (mais l'hydroélectricité est la première source d'énergie).

MONTANA-VERMALA, station de sports d'hiver (alt. 1 500-3 000 m), de Suisse, dans le Valais, au N.-E. de Sion.

MONTAND (Ivo LIVI, dit **Yves**), chanteur et acteur français d'origine italienne (Monsummano, Toscane, 1921). Après avoir débuté à Marseille dans le tour de chant, 1938, il s'imposa, après 1945, comme l'un des grands interprètes de la chanson française. Au cinéma, il mena parallèlement une carrière riche en rôles de qualité (*les Portes de la nuit,* 1945; *le Salaire de la peur,* 1953; *La guerre est finie,* 1965; *Z,* 1968; *Un soir, un train,* 1969; *le Cercle rouge,* 1970; *l'Aveu,* 1970; *César et Rosalie,* 1972).

MONTANER (64460 Pontiacq Viellepinte), ch.-l. de cant. des Pyrénées-Atlantiques, à 22 km au N.-O. de Tarbes; 364 hab.

MONTANISME. — Vers 172, Montan, prêtre phrygien converti au christianisme, se donne comme le représentant du Paraclet (l'Esprit-Saint) venu apporter une révélation nouvelle. Soutenu dans sa prédication par deux prophétesses, Priscilla et Maximilla, il annonce la venue imminente du royaume de Dieu et prêche un ascétisme rigoureux. La secte montaniste se répandit en Orient et en Occident, où elle fera une recrue notable en la personne de Tertullien*; elle survécut jusqu'au IVᵉ s.

MONTARGIS (45200), ch.-l. d'arr. du Loiret, sur le Loing; 19 865 hab. *(Montargois).* Église des XIIᵉ-XVIᵉ s. Musée des Beaux-Arts (œuvres de Girodet-Trioson, etc.). École d'application des transmissions depuis 1946. Caoutchouc. Industries mécanique, électrique et pharmaceutique.

MONTASIO → FROMAGE.

MONTASTRUC-LA-CONSEILLÈRE (31380), ch.-l. de cant. de la Haute-Garonne, à 20 km au N.-E. de Toulouse; 1 652 hab.

MONTATAIRE (60160), ch.-l. de cant. de l'Oise, sur le Thérain, dans la banlieue sud-ouest de Creil; 13 166 hab. Sidérurgie. Industries mécanique et chimique.

MONTAUBAN (82000), ch.-l. du départ. de Tarn-et-Garonne, sur le Tarn, à 630 km au S. de Paris; 50 395 hab. *(Montalbanais).* Pont et église du XIVᵉ s., en brique. Place Nationale, à arcades, et cathédrale des XVIIᵉ-XVIIIᵉ s. Musée Ingres (histoire; peinture ancienne; souvenirs et œuvres d'Ingres, dont 4 000 dessins; salle Bourdelle). Centre administratif et commercial (expédition de fruits et légumes) possédant quelques industries (constructions électriques, mobilier, travail du cuir, produits laitiers). — Ville neuve, fondée en 1144 par le comte de Toulouse, Montauban est le siège d'un évêché, de 1317 à 1790 et à partir de 1822. Largement gagnée au calvinisme, elle souffre beaucoup, au XVIᵉ et au XVIIᵉ s., de la politique catholique des Valois et des Bourbons, qui démantèlent ses fortifications. Elle garde une faculté de théologie protestante.

MONTAUBAN (35360) ou **MONTAUBAN-DE-BRETAGNE,** ch.-l. de cant. d'Ille-et-Vilaine, à 30 km au N.-O. de Rennes; 3 377 hab. Fromagerie.

MONTAUSIER (Charles DE SAINTE-MAURE, *marquis,* puis *duc* DE), homme politique français (1610 - Paris 1690). Brillant homme de guerre, combattant sous le nom de MARQUIS DE SALLES avec Guébriant, puis maréchal de camp (1638), il devint gouverneur du Dauphin (1668-1679). Il fut un des habitués de l'hôtel de Rambouillet et épousa JULIE **d'Angennes** (Paris 1607 - *id.* 1671), fille de Charles d'Angennes, marquis de Rambouillet, et de Catherine de Vivonne, pour qui il fit composer la *Guirlande* de Julie* (1634).

MONTBARD (21500), ch.-l. d'arr. de la Côte-d'Or, sur le canal de Bourgogne; 7 749 hab. *(Montbardois).* Métallurgie.

MONTBARREY (39380 Mont sous Vaudrey), ch.-l. de cant. du Jura, à 20 km au S.-E. de Dole; 264 hab.

MONTBAZENS (12220), ch.-l. de cant. de l'Aveyron, à 12 km au S. de Decazeville; 1 313 hab.

MONTBAZON (37250), ch.-l. de cant. d'Indre-et-Loire, sur l'Indre, à 13,5 km au S. de Tours; 2 447 hab. Donjon des XIᵉ-XIIᵉ s. (vierge colossale, en cuivre, de 1866).

MONTBÉLIARD (25200), ch.-l. d'arr. du Doubs; 31 591 hab. *(Montbéliardais).* Château (XVᵉ-XVIIIᵉ s.) et autres monuments. Musées. La ville est l'élément principal d'une agglomération (englobant notamment les localités d'Audincourt, Valentigney, Sochaux) groupant plus de 130 000 hab., d'un poids démographique égal à celle de Besançon et très industrialisée (constructions mécaniques : industrie automobile, principalement).

MONTBÉLIARD *(principauté de),* fief constitué au XIIᵉ s., au profit de la maison de Bar-le-Duc, et comprenant les seigneuries d'Héricourt, Chastelot, Clermont, L'Isle et Blamont. Le comté de Montbéliard passa aux maisons de Montfaucon, puis de Wurtemberg (1397). Il fut annexé par la Convention (10 oct. 1793) et définitivement reconnu à la France par le traité de Lunéville (1801).

MONTBENOÎT (25650), ch.-l. de cant. du Doubs, sur le Doubs, à 14 km au N.-E. de Pontarlier; 182 hab. Anc. collégiale d'Augustins (XIIᵉ-XIVᵉ s.) avec chœur du XVIᵉ s. (stalles) et cloître du XVᵉ.

MONTBOZON (70230), ch.-l. de cant. de la Haute-Saône, sur l'Ognon, à 25 km au S.-E. de Vesoul; 467 hab.

MONTBRISON (42600), ch.-l. d'arr. de la Loire, à 34 km au N.-O. de Saint-Étienne; 13 305 hab. *(Montbrisonnais).* Église (XIIIᵉ-XVᵉ s.), salle du chapitre, dite « la Diana » (XIVᵉ s., auj. musée), autres monuments et maisons anciennes. Métallurgie. Jouets.

MONTBRON (16220), ch.-l. de cant. de la Charente, à 30 km à l'E. d'Angoulême; 2 541 hab.

MONTCALM *(pic de),* sommet des Pyrénées ariégeoises, dominant la vallée du Vicdessos; 3 080 m.

MONTCALM (Louis Joseph, *marquis* DE), général français (château de Candiac, près de Nîmes, 1712 - Québec 1759). Commandant des troupes du Canada en 1756, il contint longtemps la pression anglaise (juill. 1758). Mais, devant une armée renforcée, dont le but était la prise de Québec, Montcalm ne put rien : il fut tué au cours de l'engagement dans les plaines d'Abraham.

MONTCEAU-LES-MINES (71300), ch.-l. de cant. de Saône-et-Loire, sur la Bourbince; 28 204 hab. *(Montcelliens).* C'est l'élément principal d'une agglomération de plus de 50 000 habitants, industrialisée (houille [à Blanzy], chimie, textile, constructions mécaniques et électriques).

MONTCENIS (71710), ch.-l. de cant. de Saône-et-Loire, à 5 km au S.-O. du Creusot; 2 380 hab. Église gothique.

MONTCHANIN (71210), ch.-l. de cant. de Saône-et-Loire, à 7 km au S. du Creusot; 6 308 hab.

MONTCHRESTIEN (Antoine DE), auteur dramatique et économiste français (Falaise v. 1575 - Les Tourailles, près de Domfront, 1621), auteur de tragédies (*Sophonisbe,* 1596; *l'Écossaise,* 1601) et d'un *Traité de l'économie politique* (1615), donnant un tableau très complet de l'économie de la France au début du XVIIᵉ s.

MONTCUQ (46800), ch.-l. de cant. du Lot, à 25,5 km au S.-O. de Cahors; 1 151 hab. Ruines féodales.

MONT-DAUPHIN (05600 Guillestre), comm. des Hautes-Alpes, à 20 km au N.-E. d'Embrun; 83 hab. Forteresse dominant le confluent de la Durance et du Guil.

MONT-DE-MARSAN (40000), ch.-l. du départ. des Landes, au confluent du Midou et de la Douze, à 695 km au S.-O. de Paris; 30 171 hab. *(Montois).* Base aérienne militaire. L'un des deux musées de la ville (dans un donjon du XIIIᵉ s.) est consacré aux sculpteurs montois Despiau* et Robert Wlérick.

MONTDIDIER (80500), ch.-l. d'arr. de la Somme, à 36 km au S.-E. d'Amiens; 6 298 hab. *(Montdidériens).* Église du XVIᵉ s. — Objectif, en mars 1918, de l'offensive allemande qui menaça Amiens.

MONT-DORE *(massif du)* ou **MONTS DORE,** massif volcanique le plus élevé du Massif central, en Auvergne, culminant à 1 886 m, au *puy de Sancy.*

MONT-DORE (**Le**) [63240], comm. du Puy-de-Dôme, à 48 km au S.-O. de Clermont-Ferrand; 2 325 hab. Sports d'hiver (alt. 1 050-1 846 m). Station thermale — déjà importante sous les Romains —, dont les eaux chaudes (de 38 °C à 44 °C), les plus siliceuses de

France, sont utilisées pour le traitement des affections de l'appareil respiratoire (asthme, emphysème).

MONTE (Philippus DE), compositeur flamand (Malines 1521-Prague 1603). Directeur de la chapelle impériale, il compose des messes, des motets et des madrigaux polyphoniques.

MONTE ALBÁN, site archéologique du Mexique, près d'Oaxaca, occupé de la fin du préclassique moyen (1000-300 av. J.-C.) au postclassique récent (1250-1520 apr. J.-C.). Après une première phase, sous influence olmèque (relief dit «des *Danzantes*»), il devient centre cérémoniel des Zapotèques* (architecture sévère, urnes funéraires ornées d'effigies modelées de dieux), avant d'être centre urbain, dont il subsiste les plates-formes d'habitation. Abandonné vers 900, il demeure une nécropole, qui, réutilisée par les Mixtèques*, a livré de belles orfèvreries.

MONTEBELLO DELLA BATTAGLIA, localité d'Italie (Lombardie), au S. de Milan; 2 000 hab. Les Français y vainquirent les Autrichiens en 1800 et en 1859. (V. ITALIE [*campagnes d'*].)

MONTEBOURG (50310), ch.-l. de cant. de la Manche, à 7 km au S.-E. de Valognes; 2 336 hab. Cimenterie.

MONTE-CARLO → MONACO.

MONTECATINI TERME, station thermale d'Italie (Toscane), à l'O. de Florence; 18 000 hab.

MONTECH (82700), ch.-l. de cant. de Tarn-et-Garonne, à 13 km au S.-O. de Montauban; 2 596 hab. Église du XIVe s.

MONTÉCLAIR (Michel PIGNOLET DE), compositeur français (Andelot v. 1667 - Paris 1737). Ses ouvrages théoriques l'ont rendu célèbre, ainsi que sa tragédie lyrique sur un sujet biblique, *Jephté* (1732).

MONTEGNÉE, anc. comm. de Belgique, dans la banlieue ouest de Liège, réunie, en 1977, à Saint-Nicolas.

MONTEGO BAY, v. de la Jamaïque, sur la côte nord de l'île; 24 000 hab. Grande station balnéaire.

MONTÉLIMAR (26200), ch.-l. de cant. de la Drôme, sur le Roubion (affl. du Rhône), à 44 km au S. de Valence; 29 149 hab. *(Montiliens).* Château des XIIe-XVe s. et autres témoignages du passé. Nougats. Textile.

MONTEMAYOR (Jorge DE), poète espagnol (Montemor-o-Velho, Portugal, v. 1520 - en Piémont 1561), auteur d'un roman pastoral, *la Diane* (1559), qui marqua l'évolution du genre en Europe.

MONTEMBŒUF (16310), ch.-l. de cant. de la Charente, à 39 km au N.-E. d'Angoulême; 676 hab.

MONTENDRE (17130), ch.-l. de cant. de la Charente-Maritime, à 20 km au S. de Jonzac; 3 562 hab.

MONTÉNÉGRO, en serbo-croate **Crna Gora** («Montagne Noire»), république fédérale de Yougoslavie. Capit. *Titograd.* C'est la plus petite (13 812 km^2) et la moins peuplée (530 000 hab.) des six républiques yougoslaves, en grande partie montagneuse (chaînes dinariques), atteignant l'Adriatique par un littoral (Primorje) pittoresque, animé (bouches de Kotor) par le tourisme estival.

HISTOIRE. Peuplé de tribus illyriennes, le pays est inclus, au IIe s. av. J.-C., dans la province romaine de Dalmatie*. Au VIe s. de notre ère, les Byzantins soumettent la région, appelée alors Dioclée; les Serbes la contrôlent ensuite. Au XIe s. se développe l'État de Zeta. Cependant, dès le XIIe s., cet État est rattaché à la Serbie. Une dynastie locale, celle des Balšides, essaie de s'implanter au XIVe s., mais elle doit rapidement reconnaître la suzeraineté turque. Rattaché, de 1499 à 1514, au sandjak de Shkodra, le Monténégro reçoit ensuite un statut particulier sous la conduite de Skanderbeg*; à la mort de ce dernier (1468), ce statut est aboli. Toutefois, la partie montagneuse du pays, autour de Cetinje, résiste aux Turcs, qui ne la soumettront jamais complètement. Aux XVIe et XVIIe s., sous la domination turque, s'établit une «théocratie», avec un évêque élu, aidé d'un gouverneur laïque. Peu à peu, l'évêque prend allure de prince, si bien que Pierre Ier Petrović (de 1782 à 1830) établit un code de coutumes, mais il ne peut s'implanter dans les bouches de Kotor, qui sont autrichiennes jusqu'en 1918. Pierre II (de 1830 à 1851), philosophe et poète, organise l'État, tout en luttant contre les Turcs. Son fils, Danilo Ier (de 1851 à 1860), refuse l'épiscopat; prince laïque, il établit un régime administratif; au congrès de Paris (1856), il ne peut obtenir des puissances l'indépendance de son pays. À Danilo succède son neveu Nicolas (de 1850 à 1918), qui, pour secourir le joug turc, développe l'alliance avec la Serbie; en 1878, l'indépendance des Monténégrins est confirmée, mais leur territoire s'est encore restreint; il s'accroît (traité de Bucarest, 1913), après l'intervention du Monténégro dans la guerre balkanique. En 1910, Nicolas a pris le titre de roi et octroyé une constitution non démocratique, qui provoque l'opposition du parti populaire. Allié de la Serbie en 1914, il doit s'enfuir en France lors de l'invasion autrichienne (1915). Libéré en 1918, le Monténégro vote la déchéance du roi et son rattachement à la Serbie, et donc à la future Yougoslavie*.

MONTENOTTE, auj. **Cairo-Montenotte,** v. d'Italie, en Ligurie, au N.-O. de Savone; 14 000 hab. Victoire de Bonaparte sur les Autrichiens en 1796. (V. ITALIE [*campagne de Bonaparte en*].)

MONTÉPIN (Xavier DE), écrivain français (Apremont, Haute-Saône, 1823 - Paris 1902), auteur de romans-feuilletons et de drames populaires (*la Porteuse de pain,* 1884).

MONTEREAU-FAUT-YONNE (77130) ou **MONTEREAU,** ch.-l. de cant. de Seine-et-Marne, au confluent de la Seine et de l'Yonne, à 23 km à l'E. de Fontainebleau; 21 767 hab. *(Monterelais).* Église des XIVe-XVIe s. Centrale thermique. — Victoire de Napoléon pendant la campagne de France* de 1814.

MONTERÍA, v. du nord-ouest de la Colombie; 126 000 hab.

MONTERREY, v. du nord-est du Mexique; 858 000 hab. À 530 m d'altitude, groupant avec ses banlieues plus de un million d'habitants, c'est la troisième agglomération mexicaine, fortement industrialisée (sidérurgie, construction mécanique, alimentation, verrerie). Également centre commercial et intellectuel, c'est la métropole incontestée du Mexique septentrional.

MONTESPAN (Françoise DE ROCHECHOUART DE MORTEMART, *marquise* DE) [château de Lussac, Poitou, 1640 - Bourbon-l'Archambault 1707]. Épouse (1663) du marquis de Montespan, dame d'honneur de la reine (1664), elle devient en 1667 la maîtresse de Louis XIV, dont elle a huit enfants : six d'entre eux, dont le duc du Maine*, seront légitimés. Compromise dans l'affaire des Poisons en 1680, Mme de Montespan est disgraciée en 1684.

MONTESQUIEU (Charles DE SECONDAT, *baron* DE LA BRÈDE et DE), écrivain français (château de La Brède, près de Bordeaux, 1689 - Paris 1755). Issu d'une famille de magistrats bordelais, il entre au collège des oratoriens de Juilly et, après des études de droit, devient conseiller (1714), puis président (1716) au parlement de Bordeaux. Membre de l'académie locale, il se signale par ses communications sur des sujets historiques (*Dissertation sur la politique des Romains,* 1716) et scientifiques (*l'Écho, les Maladies rénales,* 1718), et tourne bientôt son esprit d'analyse vers l'étude des phénomènes sociaux : le succès des *Lettres* persanes* (1721) lui ouvre les salons parisiens, qu'il fréquente assidûment, sans cesser d'administrer son domaine familial ni d'écrire (*le Temple de Gnide,* 1725). Il vend cependant sa charge en 1726 et, peu après son élection à l'Académie française (1727), il entreprend un voyage à travers l'Autriche, l'Italie, l'Allemagne, la Hollande et l'Angleterre. Ses notes de voyage, contenues dans les cahiers publiés en 1899 sous le titre *Mes pensées* et jointes à ses réflexions sur la philosophie de l'histoire, inspirent son essai *Considérations* sur les causes de la grandeur des Romains et de leur décadence* (1734), qui annonce l'œuvre magistrale, à laquelle il travaillera encore quatorze ans, *De l'esprit* des lois* (1748). Ce livre, qui connaît vingt-deux éditions en deux ans, suscite cependant de violentes critiques, aussi bien des Jésuites que des jansénistes, et sera condamné par la Sorbonne, puis censuré à Rome. Les dernières années de la vie de Montesquieu sont attristées par une cécité presque totale : il n'écrit plus guère qu'un roman oriental (*Arsace et Isménie,* publié en 1783) et l'article *Goût* pour l'*Encyclopédie* de Diderot, tout en se tenant à l'écart des encyclopédistes. Montesquieu a jeté les bases des sciences sociales et économiques, et a été à l'origine des doctrines

Montesquieu. Portrait de l'école française du XVIIIe s. (Château de Versailles.)

Lauros - Giraudon

constitutionnelles libérales qui reposent sur la séparation des pouvoirs législatif, exécutif et judiciaire.

MONTESQUIEU-VOLVESTRE (31310), ch.-l. de cant. de la Haute-Garonne, à 34 km au S.-S.-O. de Muret; 1969 hab. Église du XIVe s. (beau clocher, façade fortifiée à portail Renaissance).

MONTESQUIOU (32320), ch.-l. de cant. du Gers, à 12,5 km au N.-O. de Mirande; 605 hab. Château ruiné.

MONTESSON (78360), comm. des Yvelines, à 3 km au N.-E. de Saint-Germain-en-Laye; 9525 hab.

MONTESSORI (Maria), médecin et pédagogue italienne (Chiaravalle 1870-Noordwijk aan Zee 1952). Pionnière de l'éducation préscolaire, elle pense que celle-ci doit favoriser une autoéducation permettant à l'enfant de progresser selon son propre rythme.

MONTET (Le) [03240], ch.-l. de cant. de l'Allier, à 30 km au S.-O. de Moulins; 505 hab.

MONTEUX (84170), comm. de Vaucluse, à 4,5 km au S.-O. de Carpentras; 6558 hab.

MONTEUX (Pierre), chef d'orchestre français (Paris 1875-Hancock, Maine [États-Unis], 1964). Il a créé, avec les Ballets russes, *Daphnis et Chloé* de Ravel et *le Sacre du printemps* de Stravinski.

MONTEVERDI (Claudio), compositeur italien (Crémone 1567-Venise 1643). Il apparaît comme l'un des plus grands créateurs de la musique, ayant assuré la transition, comme aucun autre, entre la polyphonie et le style concertant. Après avoir été au service du duc de Mantoue, il deviendra (1613) maître de chapelle de Saint-Marc.

Il a excellé dans l'art profane, comme dans l'art religieux. Ses neuf livres de madrigaux (1582-1638; 1651, posthume), dont certains aboutissent au style de la cantate, l'ont engagé sur la voie de l'opéra, dont il s'est fait l'un des promoteurs (*l'Orfeo,* 1607; *Arianna,* 1608; *le Retour d'Ulysse,* 1640; *le Couronnement de Poppée,* 1642). De ses partitions lyriques, il faut rapprocher *le Ballet des ingrates, le Combat de Tancrède et de Clorinde.* Il n'a pas moins innové dans le domaine de l'art sacré, évoluant de la polyphonie traditionnelle (messe) au psaume ou aux *Vêpres de la Vierge* (1610) et à la *Selva morale e spirituale* (1640) : vastes fresques concertantes pour solistes, chœurs et orchestre, qui annoncent l'esprit du dialogue permanent propre au XVIIe s. européen.

MONTEVIDEO, capit. de l'Uruguay; 1,4 million d'hab. Dans le sud du pays, sur le río de la Plata, Montevideo est la métropole unique de l'Uruguay, dont elle regroupe approximativement la moitié de la population totale, proportion unique. Capitale administrative et commerciale, c'est le seul centre industriel notable (alimentation, textile, métallurgie de transformation) et le débouché maritime (exportation de viande, de laine et de cuir) de l'Uruguay.

MONTEYNARD (38135 La Motte St Martin), comm. de l'Isère, à 30 km au S. de Grenoble; 154 hab. Centrale hydroélectrique sur le Drac.

MONTFAUCON (49230), ch.-l. de cant. de Maine-et-Loire, à 20 km à l'O.-N.-O. de Cholet; 617 hab.

MONTFAUCON (55270 Varennes en Argonne), ch.-l. de cant. de la Marne, à 32 km au N.-E. de Verdun; 346 hab. Victoire franco-américaine (sept. 1918). Cimetière militaire américain.

MONTFAUCON (Bernard DE), religieux français (château de Soulage 1655-Paris 1741). Bénédictin de la congrégation de Saint-Maur (1676), en résidence à Paris, il fut le chef des érudits mauristes. Outre des collections patristiques, on lui doit les précieux *Monuments de la monarchie française* (1729-1733).

MONTFAUCON-EN-VELAY (43290), ch.-l. de cant. de la Haute-Loire, à 19 km à l'E. d'Yssingeaux; 1346 hab.

MONTFERMEIL (93370), ch.-l. de cant. de la Seine-Saint-Denis, à 3 km à l'E. du Raincy; 23317 hab.

MONTFERRAND, faubourg nord-est de Clermont-Ferrand.

MONTFERRAT, illustre famille de Lombardie, issue d'ALERAN, marquis de Montferrat († 991), dont plusieurs membres s'illustrèrent en Terre sainte et régnèrent sur Jaffa, Ascalon et Tyr. L'un d'eux, RAINIER († 1183), frère de Conrad* Ier, épousa la fille de l'empereur d'Orient Manuel Ier Comnène, et devint roi de Thessalonique (1180). L'un des plus célèbres fut BONIFACE Ier († en Anatolie 1207), marquis de Montferrat, qui dirigea la 4e croisade, prit Constantinople et régna sur Thessalonique de 1204 à 1207.

MONTFORT (35160) ou **MONTFORT-SUR-MEU,** ch.-l. de cant. d'Ille-et-Vilaine, à 23 km à l'O. de Rennes; 3192 hab. Abattoir.

MONTFORT, famille seigneuriale, originaire de l'Île-de-France (Montfort-l'Amaury). — SIMON IV *le Fort,* **sire de Montfort** (v. 1150-Toulouse 1218), dirigea la croisade contre les albigeois; vainqueur du comte Raimond VI de Toulouse, il se fit reconnaître par le pape Innocent III le comté de Toulouse. Mais, défait quelque temps plus tard par Raimond VI, il fut tué en tentant d'assiéger Toulouse. — AMAURY VI, **comte de Montfort** (1192-Otrante v. 1241), fils du précédent, devint connétable de France (1230), après avoir cédé ses droits sur le Toulousain au roi Louis VIII (1224). — SIMON DE MONTFORT, **comte de Leicester** (v. 1208-Evesham 1265), frère du précédent, épousa Aliénor, sœur d'Henri III, roi d'Angleterre. Chef des barons révoltés, il triompha d'Henri III (Lewes, 1264), imposa son autorité sur l'Angleterre, mais fut vaincu et tué à Evesham.

MONTFORT-EN-CHALOSSE (40380), ch.-l. de cant. des Landes, à 18 km à l'E. de Dax; 1026 hab.

MONTFORT-L'AMAURY (78490), ch.-l. de cant. des Yvelines, à 19 km au N. de Rambouillet; 2490 hab. Ruines du château médiéval. Église reconstruite à la fin du XVe s. (vitraux du XVIe). Anc. charnier du cimetière (XVIe-XVIIe s.).

MONTFORT-LE-ROTROU (72450), ch.-l. de cant. de la Sarthe, à 22 km à l'E. du Mans; 1053 hab.

MONTFORT-SUR-RISLE (27290), ch.-l. de cant. de l'Eure, à 13 km au S.-E. de Pont-Audemer; 879 hab.

MONTGELAS (Maximilian Joseph DE GARNERIN, *comte* DE), homme politique bavarois (Munich 1759-*id.* 1838). D'origine savoyarde, il devint, à partir de 1795, le principal ministre de l'Électeur (roi en 1806) de Bavière, Maximilien-Joseph. Partisan du despotisme éclairé, il ne se retira qu'en 1817.

Monteverdi. Peinture anonyme. (Musée provincial du Tyrol, Innsbruck).

Montevideo. Le centre de la ville, située au bord du río de la Plata.

MONTGENÈVRE (05100 Briançon), station de sports d'hiver (alt. 1860-2 600 m) des Hautes-Alpes, au *col de Montgenèvre* (1 850 m), sur la route de Briançon à Sestrières.

MONTGERON (91230), ch.-l. de cant. de l'Essonne, à 2 km au S.-E. de Villeneuve-Saint-Georges; 24 061 hab.

MONTGISCARD (31450), ch.-l. de cant. de la Haute-Garonne, à 19 km au S.-E. de Toulouse; 1 281 hab.

MONTGOLFIER (*les frères* DE), industriels et inventeurs français : JOSEPH (Vidalon-lès-Annonay, Vivarais, 1740 - Balaruc - les - Bains 1810) et ÉTIENNE (Vidalon-lès-Annonay, Vivarais, 1745 - Serrières 1799) collaborèrent étroitement aussi bien à l'invention du ballon à air chaud (1783) qu'à celle de la machine servant à élever l'eau et appelée « bélier hydraulique » (1792). De plus, Étienne rénova la technique française de la papeterie et introduisit en France les procédés hollandais ainsi que la fabrication du papier « vélin ».

MONTGOMERY, v. des États-Unis, capit. de l'État d'Alabama, sur l'Alabama; 133 000 hab.

MONTGOMERY OF ALAMEIN (Bernard LAW, *vicomte*), maréchal britannique (Londres 1887 - Alton, Hampshire, 1976). Commandant la VIIIe armée en Égypte, il bat Rommel à El-Alamein (1942) et repousse les forces de l'Axe jusqu'en Tunisie (1943). Commandant le 21e groupe d'armées après le débarquement en Normandie, il libère le nord de la France et la Belgique et reçoit la reddition des forces allemandes du Nord-Ouest. Chef d'état-major impérial (1946), il est commandant adjoint des forces atlantiques en Europe de 1951 à 1958. Auteur de Mémoires (1958) et d'une *Histoire de la guerre* (1968).

MONTGUYON (17270), ch.-l. de cant. de la Charente-Maritime, à 20 km au N. de Coutras; 1 648 hab. Ruines d'un château des XIIe-XVe s.

MONTHERLANT (Henry MILLON DE), écrivain français (Paris 1895 - *id.* 1972). Héritier du culte barrésien de l'énergie, il exalte les passions qui développent la vigueur physique et morale (*les Olympiques,* 1924; *les Bestiaires,* 1926), puis exprime sa vision de moraliste désabusé dans des récits (*la Petite Infante de Castille,* 1929; *les Célibataires,* 1934; *les Jeunes Filles,* 1936-1939) et des drames qui, dans la peinture des passions politiques et des sentiments personnels, retrouvent l'austérité de la tragédie classique (*la Reine* morte,* 1942; *le Maître de Santiago,* 1948; *Malatesta,* 1950; *La ville dont le prince est un enfant,* 1951; *Port-Royal,* 1954; *la Guerre civile,* 1965). Ne pouvant supporter l'idée de devenir aveugle, il se suicida.

MONTHERMÉ (08800), ch.-l. de cant. des Ardennes, sur la Meuse, à 18 km au N. de Mézières; 3 377 hab. Église surtout du XVe s.

MONTHEY, v. de Suisse (Valais), près du Rhône; 10 114 hab. Château des XIVe et XVIIe s.

MONTHOIS (08400 Vouziers), ch.-l. de cant. des Ardennes, à 10 km au S. de Vouziers; 1 317 hab.

MONTHOLON (Charles Tristan, *comte* DE), général français (Paris 1783 - *id.* 1853). Colonel en 1809, général et chambellan du palais en 1815, il accompagna Napoléon à Sainte-Hélène, où il resta jusqu'à sa mort (1821). Il publia avec Gourgaud les *Mémoires pour servir à l'histoire de France sous Napoléon* (1822-1825) et *Récits de la captivité de Napoléon* (1849).

Tatopoulos - Explorer

MONTHUREUX-SUR-SAÔNE (88410), ch.-l. de cant. des Vosges, à 21 km au N.-E. de Bourbonne-les-Bains; 1 156 hab.

MONTI (Vincenzo), poète italien (Alfonsine 1751 - Milan 1828), principal représentant de l'esthétique néo-classique.

MONTICELLI (Adolphe), peintre français (Marseille 1824 - *id.* 1886). Dépassant le romantisme, il annonce le fauvisme par son goût des tons purs et devance l'impressionnisme par sa virtuosité du traitement de la lumière et des couleurs; Cézanne a été fasciné par la « trituration » de sa pâte et Van Gogh enthousiasmé par sa richesse chromatique.

Outre les portraits, les natures mortes et les fleurs, ses thèmes favoris sont les « fêtes galantes » imaginaires, les spectacles et les scènes de rue, tous d'une savante et subtile poésie.

MONTIER-EN-DER (52220), ch.-l. de cant. de la Haute-Marne, à 25 km au S.-O. de Saint-Dizier; 2 311 hab. Intéressante église (anc. abbatiale) de la fin du Xe s., avec beau chœur en gothique primitif de la fin du XIIe s.

MONTIERS-SUR-SAULX (55290), ch.-l. de cant. de la Meuse, à 32 km au S.-E. de Saint-Dizier; 643 hab.

MONTIGNAC (24290), ch.-l. de cant. de la Dordogne, sur la Vézère, à 25 km au N. de Sarlat-la-Canéda; 3 202 hab. Grotte de Lascaux*.

MONTIGNIES-LE-TILLEUL, comm. de Belgique, dans la banlieue sud-ouest de Charleroi; 10 124 hab. (en 1977).

MONTIGNIES-SUR-SAMBRE, anc. comm. de Belgique, intégrée, depuis 1977, à Charleroi.

MONTIGNY-EN-GOHELLE (62640), comm. du Pas-de-Calais, à 10 km à l'E. de Lens; 9 281 hab.

MONTIGNY-EN-OSTREVENT (59182), comm. du Nord, à 8 km à l'E. de Douai; 5 660 hab.

MONTIGNY-LÈS-CORMEILLES (95370), comm. du Val-d'Oise, à 10 km au S.-E. de Pontoise; 8 332 hab.

MONTIGNY-LÈS-METZ (57000 Metz), ch.-l. de cant. de la Moselle, dans la banlieue sud de Metz; 25 839 hab.

MONTIGNY-SUR-AUBE (21520), ch.-l. de cant. de la Côte-d'Or, à 22 km au N.-E. de Châtillon-sur-Seine; 451 hab. Restes du château, avec chapelle Renaissance de 1557.

MONTIVILLIERS (76290), ch.-l. de cant. de la Seine-Maritime, à 13 km au N.-E. du Havre; 10 715 hab. Importante église (anc. abbatiale) des XIe-XIIe et XVe s. Cloître-ossuaire du XVIe s.

MONTLHÉRY (91310), ch.-l. de cant. de l'Essonne, à 6 km au N. d'Arpajon; 4 232 hab. L'*autodrome* dit *de Montlhéry* est sur la comm. de Linas.

MONTLIEU-LA-GARDE (17210), ch.-l. de cant. de la Charente-Maritime, à 28 km au S. de Barbezieux; 1 317 hab.

MONT-LOUIS (66210), ch.-l. de cant. des Pyrénées-Orientales, à 9 km à l'E. de Font-Romeu; 438 hab. Citadelle de Vauban. Four solaire.

MONTLOUIS-SUR-LOIRE (37270), comm. d'Indre-et-Loire, à 12 km à l'E. de Tours; 5 717 hab. Vins blancs.

MONTLUÇON (03100), ch.-l. d'arr. de l'Allier, sur le Cher; 58 824 hab. Plus grande ville et agglomération (environ 75 000 hab.) du département, surtout industrielle (constructions mécaniques et électriques, pneumatiques, plastiques, textiles). Deux églises médiévales (sculptures et peintures des XVe-XVIIe s.). Château des XVe-XVIe s. (musée). Vieilles maisons.

MONTLUEL (01120), ch.-l. de cant. de l'Ain, à 22 km au N.-E. de Lyon; 4 651 hab.

MONTMAGNY (95360), comm. du Val-d'Oise, à 3 km au S.-E. de Montmorency; 7 400 hab.

MONTMAGNY, v. du Canada (Québec), à l'E. de Québec; 12 432 hab.

MONTMAJOUR, écart de la commune d'Arles. Anc. abbaye fondée au Xe s. : chapelle Saint-Pierre (Xe s.), abbatiale et chapelle Sainte-Croix (art roman du XIIe s.), cloître, donjon (XIVe s.), restes des bâtiments conventuels reconstruits au XVIIIe s.

MONTMARAULT (03390), ch.-l. de cant. de l'Allier, à 31 km à l'E. de Montluçon; 1 366 hab.

MONTMARTIN-SUR-MER (50590), ch.-l. de cant. de la Manche, à 9,5 km au S.-O. de Coutances; 849 hab.

MONTMARTRE, anc. comm. du départ. de la Seine, annexée à Paris en 1860. La *butte Montmartre* (XVIIIe arr., dans le nord de Paris), site légendaire du martyre de saint Denis et de ses compagnons et où un monastère s'établit au XIIe s., porte la basilique du Sacré-Cœur et constitue un haut lieu touristique.

MONTMAURIN, comm. de la Haute-Garonne à 17 km au N. de Saint-Gaudens; 191 hab. Vestiges, datant du IVe s., d'une villa gallo-romaine, impressionnante interprétation des palais d'Italie (cour d'honneur en hémicycle bordée de colonnades, plusieurs cours et péristyles, jardins, thermes, nymphée...).

MONTMÉDY (55600), ch.-l. de cant. de la Meuse, sur la Chiers, à 42 km à l'O. de Longwy; 2 716 hab.

MONTMÉLIAN (73800), ch.-l. de cant. de la Savoie, sur l'Isère, à 15 km au S.-E. de Chambéry; 3 654 hab. Constructions électriques.

MONTMIRAIL (51210), ch.-l. de cant. de la Marne, sur le Petit Morin, à 33 km au S.-O. d'Épernay; 3 434 hab. Château reconstruit aux XVIe et XVIIe s., achevé par Louvois. — Victoire de Napoléon pendant la campagne de France* de 1814.

MONTMIRAIL (72570), ch.-l. de cant. de la Sarthe, à 15 km au S.-E. de La Ferté-Bernard; 451 hab. Château du XVe s.

MONTMIREY-LE-CHÂTEAU (39290 Moissey), ch.-l. de cant. du Jura, à 17 km au N. de Dole; 137 hab.

MONTMOREAU-SAINT-CYBARD (16190), ch.-l. de cant. de la Charente, à 30 km au S. d'Angoulême; 1 221 hab. Église romane du XIIe s. Château du XVe s. avec chapelle romane.

MONTMORENCY (95160), ch.-l. d'arr. du Val-d'Oise, à 13 km au N. de Paris, en bordure de la *forêt de Montmorency* (3 500 ha); 20 927 hab. *(Montmorenciens).* Église aux belles verrières de la Renaissance (1523-1533).

MONTMORENCY (Anne, *duc* DE) [Chantilly 1493 - Paris 1567]. Compagnon d'enfance de François Ier, créé maréchal et pair de France en 1522, il négocia le traité de Madrid (1526), défendit la Provence contre Charles Quint (1536) et fut fait connétable de France (1537). Disgracié en 1541, rentré en cour (1547), il fut l'un des principaux conseillers d'Henri II, qui le fit duc (1551); il prit part, aux côtés des Guises, à la lutte contre les protestants.

MONTMORILLON (86500), ch.-l. d'arr. de la Vienne, sur la Gartempe, à 48 km au S.-E. de Poitiers; 7 421 hab. *(Montmorillonnais).* Église Notre-Dame (XIIe-XIVe s.), avec crypte décorée de peintures romanes et romano-gothiques. Anc. couvent des Augustins (église Saint-Laurent, romane; chapelle funéraire octogone).

MONTMORT (Pierre RÉMOND DE), mathématicien français (Paris 1678 - *id.* 1719). L'un des premiers à étudier le calcul des probabilités, avec son *Essai d'analyse sur les jeux de hasard* (1708, 1713).

MONTMORT-LUCY (51270), ch.-l. de cant. de la Marne, à 18 km au S.-O. d'Épernay; 460 hab. Original château en brique et pierre, à plan massé (1572). Église des XIIe-XVIe s.

MONTOIR-DE-BRETAGNE (44550), ch.-l. de cant. de la Loire-Atlantique, à 9 km au N.-E. de Saint-Nazaire; 5 369 hab. Constructions mécaniques. Engrais.

MONTOIRE-SUR-LE-LOIR (41800), ch.-l. de cant. de Loir-et-Cher, à 19 km au S.-O. de Vendôme; 4 178 hab. Chapelle de l'ancien prieuré de Saint-Gilles, avec restes de fresques (fin du XIe s.) et de peintures à la détrempe (XIIe s.) : thème du Christ en majesté, répété trois fois. Ruines d'un château des XIIe-XVe s. — Entrevue entre Hitler et Pétain (22 oct. 1940).

Montparnasse, partie du XIVe arr. de Paris, comportant le *boulevard du Montparnasse* (foyer de vie artistique, surtout entre les deux guerres mondiales), la *gare Paris-Montparnasse* (liaisons avec l'ouest de la France), le *cimetière Montparnasse,* de nouveaux ensembles de commerce et de bureaux *(tour Montparnasse).*

MONTPELIER, v. du nord-est des États-Unis, capit. du Vermont; 9 000 hab.

MONTPELLIER (34000), capit. de la Région Languedoc-Roussillon et ch.-l. du départ. de l'Hérault, sur le Lez, à 746 km au S. de Paris; 195 603 hab. *(Montpelliérains).* École militaire d'administration (1948) et École d'application de l'infanterie (1967); centre universitaire d'histoire militaire (1969).

GÉOGRAPHIE. Au contact de la garrigue et de la plaine littorale, à quelques kilomètres seulement de la Méditerranée, à laquelle elle est peu liée, l'agglomération compte près de 220 000 habitants; elle a connu un accroissement démographique récent considérable, sa population ayant doublé dans les vingt dernières années. Cette progression est partiellement due à l'arrivée de rapatriés d'Algérie, mais repose aussi sur une industrialisation (électronique, notamment) s'ajoutant aux traditionnelles fonctions, administrative, commerciale et universitaire. Montpellier bénéficie d'une bonne desserte autoroutière, la reliant (déjà ou à brève échéance) à

Sappa - Larousse

la vallée du Rhône, à Toulouse et à Barcelone. À mi-chemin entre Nîmes et Béziers, elle s'affirme de plus en plus comme la métropole du Languedoc-Roussillon.

HISTOIRE. Née à la fin du Xe s., la ville est dotée, en 1221, d'une école de médecine, et, en 1289, d'une université de grande renommée. Possession du roi d'Aragon puis du roi de Majorque (1204-1349), Montpellier est achetée en 1349 par Philippe VI. La ville connaît une nouvelle prospérité au XVIIIe s.

BEAUX-ARTS. Bel ensemble urbain des XVIIe-XVIIIe s. : nombreux hôtels particuliers, promenade du Peyrou par Daviler* et le Montpelliérain Jean Antoine Giral († 1787). Faculté de médecine ayant pour noyau les bâtiments de l'anc. abbaye Saint-Benoît, fondée par Urbain V en 1564. Musée archéologique dans un hôtel du XVIIe s. Riche musée des beaux-arts, portant le nom de F.-X. Fabre*, un de ses donateurs (peinture européenne; école française, dont Houdon, Greuze, Delacroix, Courbet, Bazille).

MONTPELLIER-LE-VIEUX, site du causse Noir (Aveyron), au-dessus de la Dourbie. Rochers dolomitiques.

MONTPENSIER (Anne Marie Louise D'ORLÉANS, *duchesse* DE), dite **la Grande Mademoiselle** (Paris 1627 - *id.* 1693). Fille de Gaston d'Orléans, elle participa à la Fronde*, sauvant Condé (1652) en faisant tirer le canon de la Bastille sur les troupes royales. Elle épousa le duc de Lauzun* en 1681 mais s'en sépara bientôt.

MONTPEZAT-DE-QUERCY (82270), ch.-l. de cant. de Tarn-et-Garonne, à 40 km au N.-N.-E. de Montauban; 1 419 hab. Restes de fortifications. Église du XIVe s. (œuvres d'art).

MONTPEZAT-SOUS-BAUZON (07560), ch.-l. de cant. de l'Ardèche, à 23 km au N.-O. d'Aubenas; 792 hab.

MONTPON-MÉNESTÉROL (24700), ch.-l. de cant. de la Dordogne, à 37 km au N.-O. de Bergerac; 5 940 hab. Aux environs, anc. chartreuse de Vauclaire (XIVe s.).

MONTPONT-EN-BRESSE (71470), ch.-l. de cant. de Saône-et-Loire, à 9,5 km au S. de Louhans; 1 106 hab.

MONTRACHET, vignoble de la Côte-d'Or, au S. de Beaune.

MONTRE → AUTOMATE, CHRONOMÈTRE et HORLOGERIE.

MONTRÉAL (11290), ch.-l. de cant. de l'Aude, à 18,5 km à l'O. de Carcassonne; 1 593 hab. Belle église du XIVe s.

MONTRÉAL, v. du Canada (Québec), sur le Saint-Laurent; 1 214 352 hab. *(Montréalais).* Montréal fut fondée en 1642 par Paul de Chomedey de Maisonneuve, sous le nom de *Ville-Marie.* C'est la plus grande ville et (à égalité avec Toronto) la principale agglomération du Canada. La population de l'aire métropolitaine dépasse 2,7 millions d'habitants, c'est-à-dire nettement plus du dixième de la population du Canada et près de la moitié de celle du Québec. Peuplée pour les deux tiers de Canadiens français, Montréal peut être considérée, au point de vue linguistique, comme la deuxième agglomération française du monde. Dépourvue de rôle

Montpellier.
L'aqueduc
Saint-Clément
(1753-1766)
et la
promenade
du Peyrou.

Montréal
et le Saint-
Laurent,
vus du parc
du Mont-
Royal.

Duboutin - Explorer

administratif majeur, elle est d'abord une métropole tertiaire et industrielle. C'est un nœud routier, ferroviaire et aérien (aéroports de Mirabel et de Dorval), un important port (avec un trafic dépassant 20 millions de tonnes, favorisé par la voie maritime du Saint-Laurent), un centre commercial, financier (banques, Bourse) et culturel (universités, musées). Au point de vue industriel dominent la métallurgie de transformation, le textile (avec la confection), l'alimentation, la chimie (liée au raffinage du pétrole notamment).

MONTRÉAL (32250) ou **MONTRÉAL-DU-GERS,** ch.-l. de cant. du Gers, à 15 km à l'O. de Condom; 1493 hab.

MONTREDON-LABESSONNIÉ (81360), ch.-l. de cant. du Tarn, à 22 km au N. de Castres; 2054 hab.

MONTRÉJEAU (31210), ch.-l. de cant. de la Haute-Garonne, sur la Garonne, à 14 km à l'O. de Saint-Gaudens; 3750 hab. Marché agricole.

MONTRÉSOR (37460), ch.-l. de cant. d'Indre-et-Loire, à 17 km à l'E. de Loches; 465 hab. Château féodal, reconstruit aux XVe-XVIe s. Église du XVIe s.

MONTRET (71440), ch.-l. de cant. de Saône-et-Loire, à 11,5 km au N.-O. de Louhans; 597 hab.

MONTREUIL (93100) ou **MONTREUIL-SOUS-BOIS,** ch.-l. de cant. de la Seine-Saint-Denis, dans la proche banlieue est de Paris; 96684 hab. *(Montreuillois).* Église gothique en partie du XIIe s. Au parc Montreau, musée historique, surtout consacré au mouvement socialiste. Centre industriel.

MONTREUIL (62170) ou **MONTREUIL-SUR-MER,** ch.-l. d'arr. du Pas-de-Calais, au-dessus de la Canche, à 37 km au S.-E. de Boulogne; 3166 hab. Anc. citadelle et remparts (XIIIe-XVIIe s.). Église Saint-Saulve, anc. abbatiale (XIe-XVIIIe s.; œuvres d'art, trésor), et autres souvenirs du passé.

MONTREUIL-BELLAY (49260), ch.-l. de cant. de Maine-et-Loire, à 16 km au S. de Saumur; 4225 hab. Restes des remparts du XVe s. Entouré d'une enceinte du XIIIe s., château aux bâtiments divers, surtout du XVe s., telle la chapelle, auj. église Notre-Dame.

MONTREUIL-JUIGNÉ (49460), anc. **Montreuil-Belfroy,** comm. de Maine-et-Loire, à 7,5 km au N.-O. d'Angers; 3832 hab. Métallurgie.

MONTREUX, v. de Suisse (Vaud), à l'extrémité orientale du lac Léman; 20421 hab. Centre touristique. — La *convention de Montreux,* signée le 20 juillet 1936 et reconduite en 1951, définissait le régime juridique international des détroits turcs du Bosphore et des Dardanelles.

MONTREVAULT (49110 St Pierre Montlimart), ch.-l. de cant. de Maine-et-Loire, à 18,5 km au S.-E. d'Ancenis; 1465 hab.

MONTREVEL-EN-BRESSE (01340), ch.-l. de cant. de l'Ain, à 16,5 km au N. de Bourg-en-Bresse; 1653 hab.

MONTRICHARD (41400), ch.-l. de cant. de Loir-et-Cher, sur le Cher, à 18 km au S.-E. d'Amboise, 3857 hab. Deux églises en partie du XIIe s. Restes d'un château fort des XIIe-XVe s.

MONTRIOND (74110 Morzine), comm. de la Haute-Savoie, à 2 km au N. de Morzine; 563 hab. Tourisme.

MONTROND-LES-BAINS (42210), comm. de la Loire, sur la Loire, à 11 km au S. de Feurs; 2779 hab. Station thermale.

MONTROUGE (92120), ch.-l. de cant. des Hauts-de-Seine, dans la proche banlieue sud de Paris; 40403 hab. *(Montrougiens).*

MONT-ROYAL, v. du Canada (Québec), banlieue de Montréal; 21561 hab.

MONTS (37260), comm. d'Indre-et-Loire, sur l'Indre, à 19,5 km au S.-S.-O. de Tours; 4480 hab. Produits pharmaceutiques. Industrie nucléaire.

MONTS (Pierre du GUA, *sieur* DE), colonisateur français (en Saintonge v. 1568-v. 1630). Il créa le premier établissement français (Port-Royal) en Acadie.

MONT-SAINT-AIGNAN (76130), comm. de la Seine-Maritime, dans la banlieue nord de Rouen; 18064 hab.

MONT-SAINT-AMAND, en néerl. **Sint-Amandsberg,** anc. comm. de Belgique (Flandre-Orientale), dans la banlieue est de Gand, réunie à Gand, depuis 1977.

MONT-SAINT-MARTIN (54350), ch.-l. de cant. de Meurthe-et-Moselle, dans la banlieue nord de Longwy; 11556 hab.

MONT-SAINT-MICHEL (Le) [50116], comm. de la Manche; 114 hab. C'est un îlot granitique à l'embouchure et au fond de la *baie du Mont-Saint-Michel,* relié à la côte par une digue. Grand site touristique. — La baie du Mont-Saint-Michel, ouverte sur la Manche, entre Granville et Cancale, est caractérisée par des marées d'une ampleur telle que l'on a imaginé de la barrer pour la production d'électricité.

Ancien lieu druidique, l'îlot fut consacré à l'Archange en 710; il fut occupé d'abord par des chanoines, puis en 966 par des moines bénédictins. L'abbaye constitue un ensemble d'un attrait unique, aux bâtiments s'échelonnant de l'époque de la fondation (Notre-Dame-sous-Terre) au XVIIIe s. (nouvelle façade de l'église abbatiale amputée), avec de remarquables parties romanes (nef de l'église) et gothiques (puissantes salles internes, réfectoire et cloître de la « Merveille » [XIIIe s.]; nouveau chœur de style flamboyant de l'église). Le village est ceint de fortifications des XIIIe-XVe s.

MONT-SAINT-VINCENT (71690), ch.-l. de cant. de Saône-et-Loire, à 10 km au S.-E. de Montceau-les-Mines; 338 hab.

MONTSALVY (15120), ch.-l. de cant. du Cantal, à 35 km au S. d'Aurillac; 1268 hab. Église en partie du XIIe s.

MONTSAUCHE (58230), ch.-l. de cant. de la Nièvre, sur la Cure, à 24 km au S.-O. de Saulieu; 851 hab.

MONTSÉGUR (09300 Lavelanet), comm. de l'Ariège, à 12 km au S.

de Lavelanet; 143 hab. Château, qui fut l'une des dernières forteresses des albigeois, auj. en ruine.

MONTSERRAT, petit massif montagneux d'Espagne, en Catalogne, à l'O.-N.-O. de Barcelone; 1237 m. Abbaye bénédictine de Montserrat, fondée au XIe s. et qui devint à l'époque moderne un important foyer théologique et un centre de pèlerinage marial.

MONTS-SUR-GUESNES (86420), ch.-l. de cant. de la Vienne, à 16 km au S.-E. de Loudun; 653 hab.

MONT-SUR-MARCHIENNE, anc. comm. de Belgique (Hainaut), intégrée, depuis 1977, à Charleroi.

MONTSÛRS (53150), ch.-l. de cant. de la Mayenne, à 23 km au N.-E. de Laval; 1959 hab.

MONTT (Manuel), homme politique chilien (Petorca 1809 - Santiago 1880). Ministre de l'Instruction publique, puis (1851-1861) président de la République, il contribua fortement à moderniser le Chili.

MONTVILLE (76710), comm. de la Seine-Maritime, à 16 km au N. de Rouen; 4111 hab. Constructions électriques.

Monuments français *(musée des),* au palais de Chaillot, à Paris. Remontant à 1937 sous sa forme actuelle, il comprend de nombreux moulages de sculpture monumentale, des relevés de fresques et des copies de vitraux surtout du Moyen Âge, ainsi que des maquettes révélant la structure des édifices les plus importants de l'art français.

MONUMENTS HISTORIQUES ET DES SITES (protection des). — La prise de conscience de la valeur irremplaçable des témoignages du passé est relativement récente. Pendant des millénaires, la création architecturale s'est en grande partie exercée sur des ruines (et cela malgré des densités humaines d'occupation des territoires bien moindres qu'aujourd'hui). En France, après certaines initiatives (avortées) contemporaines des destructions révolutionnaires, c'est l'engouement des romantiques pour le Moyen Âge (Victor Hugo) ainsi que l'action des premiers historiens d'art (érudits qui se donnent le nom d'« antiquaires », tel Adolphe Didron [1806-1867]) qui vont engager les processus de préservation. À la création, en 1830, du poste d'inspecteur général des monuments historiques succède en 1837 celle de la Commission supérieure, à rôle consultatif. Le XIXe s., avec les personnalités majeures de Mérimée* et de Viollet-le-Duc*, voit s'élaborer une doctrine pragmatique face aux problèmes que posent l'insuffisance des crédits (restaurer parfaitement quelques monuments prestigieux ou parer au plus pressé dans un maximum de cas ?) et le sens à donner à la notion de restauration (réparer ce qui subsiste ou reconstruire un édifice dans son état primitif supposé?). Après la timide loi de 1887 vient celle de 1913, qui codifie, en l'opposant aux particuliers, le *classement* des *monuments* présentant un intérêt historique ou artistique et des *œuvres d'art* (objets mobiliers). Tous les travaux à effectuer sur ces monuments sont soumis à l'agrément de l'Administration, qui participe aux frais pour moitié. Une loi de 1927 institue un degré moindre de protection des édifices, l'*inscription sur l'Inventaire supplémentaire.* Le classement ou l'inscription des *sites* naturels est organisé par une loi de 1930, l'inscription des objets sur un Inventaire supplémentaire par une loi de 1970 seulement (en réaction contre les vols dans les églises). En 1943 est instaurée une servitude de protection des *abords,* première initiative dépassant le stade du monument isolé au profit d'une prise en considération de son contexte. Les noyaux urbains anciens, depuis longtemps atteints par le pseudo-modernisme de certaines municipalités comme par toutes sortes d'ardeurs spéculatives, reçoivent à leur tour une certaine protection par la loi de 1962 créant des *secteurs sauvegardés* et par une décision de 1974 inscrivant les centres historiques de cent villes françaises sur l'Inventaire supplémentaire des sites.

En 1976, plus de 10000 édifices étaient classés, près de 20000 « inscrits », appartenant à toutes les époques (alors que, jusqu'en 1930, les monuments gallo-romains et ceux du Moyen Âge étaient presque seuls protégés); 80000 objets étaient classés au même moment; on comptait 59 secteurs sauvegardés, la mesure étant suivie d'assez peu de travaux de « réhabilitation », faute de crédits.

Distinct du *Service des monuments historiques* et de ses agences régionales existe un *Service des fouilles et des antiquités,* placé sous le contrôle du *Conseil supérieur de la recherche archéologique,* avec deux séries indépendantes de circonscriptions (préhistoire, antiquités historiques). D'autre part, un *Inventaire général des monuments et richesses artistiques de la France* a été décidé en 1962; il possède, lui aussi, ses structures propres et a commencé la lente publication « exhaustive » du patrimoine national.

Enfin signalons que la plupart des pays ont mis sur pied leur propre organisation, notamment sous l'égide de l'Unesco et de l'Icomos (Conseil international des monuments et des sites), fondé en 1964. Le sauvetage des temples d'Abou-Simbel a donné un exemple des possibilités de la coopération internationale.

MONZA, v. d'Italie (Lombardie), au N.-E. de Milan; 116000 hab. Cathédrale, reconstruite et redécorée du XIIe au XVIIIe s. (« Couronne de fer » [IXe s.] dans la chapelle de Théodelinde; trésor). Villa Royale, néoclassique (parc). Autodrome.

MONZON (Carlos), boxeur argentin (Santa Fe 1942). Grand, très résistant, frappeur redoutable, il est champion du monde des poids moyens depuis 1970.

MOORE (Thomas), poète irlandais (Dublin 1779 - Sloperton, Wiltshire, 1852). Il exprima son attachement aux légendes et à l'histoire de son pays (*Mélodies irlandaises,* 1808-1834), et donna un grand poème oriental et féerique (*Lalla-Rookh,* 1817). Byron lui confia la publication de ses Mémoires.

MOORE (George), écrivain irlandais (Moore Hall 1852 - Londres 1933). Il subit l'influence de Baudelaire, des naturalistes et des décadents, participa au mouvement de renaissance celtique et se convertit au protestantisme. Ses récits, à la fois réalistes et ironiques, portent témoignage de ses enthousiasmes et de ses désillusions (*Esther Waters,* 1894; *Salut et adieu,* 1911-1914).

MOORE (Henry), sculpteur britannique (Castleford 1898). En partie autodidacte, admirateur de l'art précolombien, influencé par Brâncuşi, Gabo et Archipenko, il est une figure majeure de l'art anglais, internationalement célèbre à partir de 1945. Ses sculptures — aux titres tels que *Mère et Enfant, Figure au repos, Groupe de famille* — affirment une recherche inlassable du volume, de l'espace, de l'équilibre des vides et des pleins, du rythme des courbes et des formes épurées. De tendance abstraite ou figurative, en bois, en pierre ou en métal, elles révèlent la connivence de l'homme et des choses, de l'homme et de la nature. Dessin et aquarelle tiennent une place importante dans l'œuvre de Moore.

MOORE (Stanford), biochimiste américain (Chicago 1913). Il a déterminé les structures de diverses protéines. (Prix Nobel de chimie, 1972).

MOORE (Lillian), danseuse, pédagogue et écrivain de la danse américaine (Chase City, Virginie, 1915 - New York 1967). Critique impartiale et précise, elle publia d'intéressantes monographies sur les premiers danseurs classiques américains (Mary Ann Lee, George Washington Smith...).

MOOREA, île de la Polynésie française, à l'O. de Tahiti; 4000 hab.

MOOSE JAW, v. du Canada (Saskatchewan), à l'O. de Regina; 31854 hab.

MOPTI, v. du Mali, sur le Niger; 34000 hab. Port fluvial.

MOQUEUR. — On doit bien distinguer les *moqueurs d'Afrique,* oiseaux insectivores au bec fin et incurvé, aux doigts antérieurs partiellement soudés, qui vivent en sociétés nombreuses dans les forêts africaines (famille des upupidés, de l'ordre des coraciadiformes), et les *moqueurs d'Amérique,* qui sont des passereaux voisins de la grive et du merle (famille des turdidés). Leur seul caractère commun est d'imiter le chant des autres oiseaux.

MOR. — Variété d'humus très acide, le mor résulte de la lente décomposition de débris végétaux dans un sol mal aéré. Il caractérise les landes et les forêts de résineux, en association avec les podzols*.

MORACÉES → FIGUIER et MÛRIER.

MORĀDĀBĀD, v. de l'Inde (Uttar Pradesh), à l'E. de Delhi; 259000 hab.

MORAINE → GLACIAIRE *(relief).*

MORAIS (Francisco DE), écrivain portugais (Bragance v. 1500-Evora 1572), auteur du roman de chevalerie *Palmerin d'Angleterre.*

MORALE. — Conçue par les chrétiens comme un ensemble de règles prescriptives réglementant la conduite de l'homme, la morale apparaît, aujourd'hui, éclatée en une pluralité de codes moraux particuliers aux peuples et à leur histoire. Ces codes et les pratiques qu'ils engendrent sont classés et expliqués par les sciences humaines* (histoire, anthropologie, sociologie, psychanalyse). Dans cette optique d'une science des mœurs est moral ce qui est considéré comme tel, car cette science se veut non normative.

La conception chrétienne de la morale a transformé la pensée grecque, qui faisait de l'éthique une doctrine du bonheur de l'homme et des moyens que celui-ci met en œuvre pour parvenir au bonheur. Il s'agissait, alors, de fonder rationnellement la morale par une investigation sur les valeurs (bien, vertus) qui constituent ce fondement et par une analyse des relations causales entre la fin et les moyens. La promotion de l'homme comme sujet conscient, libre et volontaire (v. HUMANISME) à partir du XVIIe s. entraîne un changement de point de vue : désormais, la morale ne relève plus de la connaissance (des Grecs à Spinoza), mais de la conscience (de Kant aux existentialistes). Cette philosophie morale moderne, dont le fondement est la liberté du sujet, retrouve le problème, déjà posé par les Grecs, de l'articulation entre morale et politique. Il revient à Nietzsche* d'avoir montré l'évaluation qui préside à la position des valeurs (bien/mal, bon/mauvais), et notamment celle-ci, qui est le postulat de toute philosophie morale : la moralité est elle-même valeur absolue. Nietzsche se demande alors si toute évaluation, même si elle a ses raisons, n'est pas injustifiable.

MORALES (Luis DE), peintre espagnol (Badajoz v. 1510/1520-*id.* 1586). Associant un certain archaïsme provincial à des influences maniéristes, il a fourni de nombreux retables aux églises d'Estrémadure, mais sa grave poésie s'exprime mieux dans ses tableaux d'oratoire, sur des thèmes tels que l'Ecce Homo, la Pietà, la Vierge à l'Enfant, qu'il renouvelle.

Moralités légendaires, recueil de six contes en prose de Jules Laforgue (1887), qui, de mythes littéraires éprouvés *(Hamlet, Salomé, Pan et Syrinx),* tire une philosophie de l'inconscient et de l'éphémère.

MORAND (Paul), écrivain français (Paris 1888-*id.* 1976), grand voyageur, peintre mondain et sceptique de la vie moderne (*Ouvert la nuit,* 1922; *Venises,* 1971).

MORANDI (Giorgio), peintre et aquafortiste italien (Bologne 1890-*id.* 1964). Admirateur de Giotto, d'Uccello, de Cézanne et de Seurat, prenant la nature morte (et parfois le paysage) comme prétexte dans sa période « métaphysique » (1918-19) puis dans tout le reste de sa discrète carrière, il donne à ses œuvres, à travers l'économie et la subtilité, un ton incomparable de contemplation silencieuse.

MORANE *(les frères),* industriels et aviateurs français. LÉON (Paris 1885-*id.* 1918) et ROBERT (Paris 1886-*id.* 1968) fondèrent vers 1910, avec l'ingénieur Saulnier, la firme Morane-Saulnier, spécialisée dans l'étude de prototypes d'avions et d'hydravions.

MORANGIS (91420), comm. de l'Essonne, à 4 km à l'E.-N.-E. de Longjumeau; 8565 hab.

MORAT, en allem. **Murten,** v. de Suisse (cant. de Fribourg), sur le *lac de Morat,* à l'O. de Berne; 4256 hab. — Le 22 juin 1476, les Suisses, entrés dans la coalition formée par Louis XI contre Charles le Téméraire, y vainquirent celui-ci.

MORATÍN (Nicolás FERNÁNDEZ DE), poète dramatique espagnol (Madrid 1737-*id.* 1780). — Son fils LEANDRO (Madrid 1760-Paris 1828), dit Moratín *le Jeune,* écrivit des comédies inspirées de Molière (*le Oui des jeunes filles,* 1806).

MORATUWA, v. de Sri Lanka, au S. de Colombo; 82000 hab.

MORAVA (la), riv. de Yougoslavie, affl. du Danube (r. dr.). Elle est formée par la réunion de la *Morava occidentale* (298 km) et de la *Morava orientale* (318 km) et a 245 km de long de cette réunion à la confluence avec le Danube.

MORAVA (la), riv. de Tchécoslovaquie, affl. du Danube (r. g.); 378 km. Elle a donné son nom à la *Moravie.*

moraves *(frères),* secte religieuse qui se rattache au mouvement hussite (v. HUS [*Jan*]). Elle naquit en Bohême au XVe s. et se répandit surtout en Moravie, où, au début du XVIe s., elle formait une communauté de près de 100000 membres. Dispersés après la défaite de la Montagne Blanche* (1620), les frères moraves forment, en Allemagne, en Bohême et en Amérique, des groupes missionnaires importants.

MORAVIA (Alberto PINCHERLE, dit **Alberto**), écrivain italien (Rome 1907). Assimilant toutes les modes et toutes les techniques (de l'existentialisme au nouveau roman et au freudisme de Lacan), il fait de ses romans des « raisonnements narratifs » qui traitent de tous les problèmes intellectuels et sociaux du monde moderne (*les Indifférents,* 1929; *la Belle Romaine,* 1947; *La Ciociara,* 1957; *l'Ennui,* 1960; *Moi et lui,* 1971).

MORAVIE, région de la Tchécoslovaquie centrale, entre la Bohême et la Slovaquie, drainée par la *Morava;* 26095 km^2; 3816000 hab. C'est une succession de dépressions, demeurées en grande partie rurales (céréales, fruits, légumes, élevage) dans le centre et le sud (site de la capitale historique, Brno), industrialisées dans le nord (extraction houillère et métallurgie autour d'Ostrava). Économiquement et aussi administrativement, la Moravie s'apparente à la Bohême (à l'intérieur de l'État tchèque).

HISTOIRE. Grand centre de la civilisation celte, devenue au Ier s. av. J.-C. le pays du peuple germain des Quades, la Moravie accueille dès le Ve s. les Slaves, qui s'y installent en grand nombre. Mais, dès la seconde moitié du VIe s., ceux-ci sont soumis aux attaques incessantes des Avars, qui réussissent, malgré la résistance que leur oppose au VIIe s. le royaume de Sámo, à s'implanter dans la région. Mais la puissance des Avars, vaincus par les Francs en 796, s'effondre, et dans les premières décennies du IXe s. apparaît l'empire de Grande-Moravie, fondé par le prince slave Mojmir Ier († 846). Déposé par Louis le Germanique (846), Mojmir est remplacé par son neveu Rostislav (de 846 à 870), qui tente de maintenir l'indépendance de ses États face aux Francs et aux Bulgares, qui fait appel aux missionnaires byzantins Cyrille* et Méthode, et qui étend sa domination jusqu'à la Vistule et l'Oder. Mais Rostislav est détrôné par Svatopluk (de 870 à 894). Après une courte occupation franque (871), la Grande-Moravie poursuit son expansion jusqu'à englober à la fin du IXe s., outre la Moravie proprement dite, la Slovaquie-Occidentale, la Pannonie, la Bohême, la Silésie ainsi qu'une partie de la Lusace et de la région de Cracovie. Pourtant, après la mort de Svatopluk (894), elle s'avère impuissante face aux invasions hongroises et s'effondre au début du Xe s. (908). D'abord dominé par les Magyars, le pays devient par la suite l'enjeu de luttes indécises entre la Bohême et la Pologne. Polonaise de 1003 à 1025, conquise en 1029 par le prince Břetislav Ier de Bohême, qui en fait l'apanage des puînés de la dynastie, la Moravie passe quelque temps (1173-1197) sous la domination des empereurs germaniques, qui l'érigent en margraviat (1182), avant de redevenir (1197) partie intégrante du royaume de Bohême*, dont elle suivra désormais la destinée.

MORAY *(golfe de),* golfe de la mer du Nord, au nord-est de l'Écosse.

MORBIER → FROMAGE.

MORBIHAN *(golfe du)* [mot breton signifiant *la Petite Mer*], baie de la côte sud de la Bretagne, qui a donné son nom au *département du Morbihan.* Presque fermé par la presqu'île de Rhuys, ce golfe est parsemé d'îles (île aux Moines, île d'Arz, etc.).

MORBIHAN (56), départ. de la Région Bretagne; 6763 km^2; 563588 hab. Ch.-l. *Vannes.* S.-préf. *Lorient* et *Pontivy.*

Les landes de Lanvaux séparent une partie intérieure, zone de basses collines et de plateaux ondulés (limités au N.-O. par les modestes hauteurs de la Montagne Noire et au N. par le plateau de Rohan), et une partie maritime, en bordure d'un littoral bas et sableux, ouvert par les rias (rade de Lorient, ria d'Étel, golfe du Morbihan) et précédé d'îles (dont Groix et surtout Belle-Île sont les plus importantes). Cette barrière naturelle est aussi une limite économique entre l'intérieur, encore souvent archaïque, presque exclusivement rural, et la façade atlantique, où se concentrent hommes et activités non agricoles. Dans l'intérieur, humide, aux sols pauvres, demeure encore la culture du seigle, à laquelle, grâce aux engrais, se substitue progressivement celle du blé. Près du littoral, l'élevage bovin domine, alors qu'apparaissent localement les primeurs. Mais ici les activités liées à la mer — pêche (surtout dans l'ouest [à Lorient]) et tourisme estival (Quiberon, Carnac), favorisé par un climat relativement ensoleillé —, sont prépondérantes. L'agriculture emploie encore près du quart des actifs, part légèrement inférieure à celle de l'industrie, parfois liée à la pêche (conserverie), en dehors de la métallurgie de transformation, implantée dans les deux principales villes du département, la préfecture Vannes et surtout Lorient, première agglomération du Morbihan. L'attraction de ces villes est, toutefois, insuffisante pour enrayer totalement une émigration liée à la surcharge rurale. Cependant, contrastant avec la stagnation démographique de l'entre-deux-guerres et même de l'après-guerre (jusqu'au début des années 60), s'observe aujourd'hui un accroissement de population.

MORCENX (40110), ch.-l. de cant. des Landes, à 38 km au N.-O. de Mont-de-Marsan; 6068 hab.

MORDACQ (Jean Henri), général français (Clermont-Ferrand 1868-Paris 1943). Chef du cabinet militaire de Clemenceau de 1917 à 1920, il commanda un corps d'armée à Wiesbaden et se consacra, à partir de 1923, à des études historiques et militaires. Il a publié *le Ministère Clemenceau* (4 vol.; 1930-31) et *Clemenceau* (1939).

MORDANT → ORNEMENTATION MUSICALE.

MORDELLES (35310), ch.-l. de cant. d'Ille-et-Vilaine, à 14 km à l'O. de Rennes; 3872 hab.

MORDVES *(république autonome des),* république autonome de l'U.R.S.S. (R.S.F.S. de Russie), au S. de Gorki; 1030000 hab. Capit. *Saransk.*

MORE (Thomas) → THOMAS MORE.

MORÉAS (Jean PAPADIAMANTOPOULOS, dit **Jean**), poète français (Athènes 1856-Paris 1910). D'abord symboliste (*Cantilènes,* 1886), il fonda l'*école romane* et revint à un art classique *(Stances).*

MOREAU (Louis Gabriel), dit **l'Aîné,** peintre et graveur français (Paris 1740-*id.* 1806). Il fut un des paysagistes les plus spontanés de son temps (gouaches surtout, d'un style très aéré, consacrées à l'Île-de-France). — Son frère JEAN-MICHEL, dit *le Jeune* (Paris 1741-*id.* 1814), dessinateur et graveur attaché au cabinet du roi, fut un historiographe de la Cour et un chroniqueur élégant de son époque. Sensible et précis, il a donné plus de quinze cents vignettes pour le livre (œuvres de Rousseau, 1774-1783).

MOREAU (Jean), général français (Morlaix 1763-Lahn 1813). Volontaire en 1791, successeur de Pichegru à la tête de l'armée du Nord (1794), il commanda victorieusement en 1796 l'armée de Rhin-et-Moselle, puis en 1800 l'armée du Rhin, avec laquelle il écrasa les Autrichiens à Hohenlinden (3 déc.) et parvint à 80 km de Vienne. Indisposé par ses victoires et ses intrigues avec les royalistes, Bonaparte le fit arrêter en 1804, puis le grâcia et le laissa s'exiler aux États-Unis. De retour en 1813, Moreau devint conseiller du tsar et fut tué dans les rangs ennemis à Dresde.

MOREAU (Gustave), peintre français (Paris 1826-*id.* 1898). Marqué par sa rencontre avec Chassériau, puis par les maîtres du quattrocento, étudiés en Italie (1857-1859), il entame une œuvre étrange et complexe, caractérisée par la richesse des détails et la somptuosité des couleurs, où thèmes légendaires, mythologiques et bibliques se mêlent en une inspiration fantastique, qui a séduit les surréalistes.

L'« imagination de la couleur » (qu'on retrouve dans ses aquarelles, ses esquisses et ses pastels, plus libres et plus spontanés que ses peintures) fut la principale leçon que retinrent ses élèves, Rouault, Matisse, Marquet, Manguin, etc.

MOREAU-NÉLATON (Étienne), peintre, collectionneur et historien d'art français (Paris 1859-*id.* 1927). Il a fait don au Louvre de sa riche collection de peintures et de dessins du XIXe s. français, aux auteurs desquels (Corot, Millet, Manet...) il avait consacré des monographies.

MORÉE (41160), ch.-l. de cant. de Loir-et-Cher, à 19 km au N.-E. de Vendôme; 1012 hab.

MORÉE *(despotat de)* → MISTRA *(despotat de).*

MORELIA, v. du Mexique, capit. de l'État de Michoacán, à l'O. de Mexico; 161000 hab. Ville pittoresque aux nombreux monuments coloniaux, dont la cathédrale. Musée (archéologie, histoire).

MORELLET (André), écrivain et philosophe français (Lyon 1727-Paris 1819), collaborateur de l'*Encyclopédie.*

MORELLY, philosophe français du XVIIIe s. Ses *Essais sur le cœur humain* ou *Principes naturels de l'éducation* (1745) et surtout son *Code de la nature* (1755) ont exercé une grande influence sur G. Babeuf*, E. Cabet* et les utopistes.

MORELOS Y PAVÓN (José María), patriote mexicain (Valladolid [auj. Morelia] 1765-San Cristóbal Ecatepec 1815). Curé métis, il remplace Hidalgo à la tête de la révolte mexicaine. Au congrès de Chilpancingo (1813), il fait proclamer l'indépendance du pays, l'abolition de l'esclavage et l'égalité des races, mais, battu par Iturbide, il est fusillé.

MORENA *(sierra),* rebord méridional de la Meseta ibérique, en Espagne, dominant la vallée du Guadalquivir; 1323 m.

MORENO (Jacob Levy), psychosociologue américain d'origine roumaine (Bucarest 1889-Beacon, New York, 1974). Créateur de la sociométrie*, il invente des thérapeutiques de groupe (psychodrame, sociodrame) et forge le concept de psychothérapie de groupe (*Fondements de la sociométrie,* 1954; *Psychothérapie des groupes et psychodrame,* 1965).

MORESTEL (38510), ch.-l. de cant. de l'Isère, à 15 km au N. de La Tour-du-Pin; 2359 hab.

MORETO Y CABAÑA (Agustín), auteur dramatique espagnol (Madrid 1618-Tolède 1669). Un des meilleurs continuateurs de Calderón, il est l'auteur de comédies (*Dédain pour dédain,* 1652; *le Beau Don Diègue,* 1654) et de pièces historiques.

MORET-SUR-LOING (77250), ch.-l. de cant. de Seine-et-Marne, à 10 km au S.-E. de Fontainebleau; 3147 hab. Cité pittoresque avec deux portes du XIVe s., une église des XIIIe-XVe s., quelques demeures anciennes.

MOREUIL (80110), ch.-l. de cant. de la Somme, sur l'Avre, à 20 km au S.-E. d'Amiens; 4099 hab. Bonneterie.

MOREZ (39400), ch.-l. de cant. du Jura, sur la Bienne, à 27 km au N.-E. de Saint-Claude; 7167 hab. Lunetterie.

MORGAGNI (Giambattista), anatomiste et pathologiste italien (Forli 1682-Padoue 1771), dont les principaux écrits ont été réunis sous le titre d'*Opera omnia* (1762).

MORGAN (Lewis Henry), anthropologue américain (près d'Aurora, New York, 1818-Rochester 1881). Fondateur de l'anthropologie* sociale, il est le premier à étudier de façon systématique les problèmes de parenté (*Systems of Consanguinity and Affinity of the Human Family,* 1871). Principal représentant de l'évolutionnisme*, il distingue trois stades principaux dans l'évolution des sociétés : sauvagerie, barbarie, civilisation (*Ancient Society,* 1877, traduit seulement en 1970 en français sous le titre de *la Société archaïque*).

MORGAN, famille de financiers américains. JOHN PIERPONT (Hartford, Connecticut, 1837-Rome 1913) s'assura le contrôle des grandes usines métallurgiques des États-Unis, qu'il fondit en un gigantesque trust. Il créa de nombreuses œuvres philanthropiques. — Son fils, JOHN PIERPONT (Irvington, New York, 1867-Boca Grande, Floride, 1943), contribua largement, pendant la Première Guerre mondiale, à soutenir l'effort financier des Alliés.

MORGAN (Thomas HUNT), généticien américain (Lexington 1866-Pasadena 1945). On lui doit le choix de la drosophile (mouche du vinaigre) comme matériel d'étude de l'hérédité et la théorie chromosomique de l'hérédité. (Prix Nobel de médecine, 1933.)

MORGARTEN, montagne de Suisse (cant. de Zoug et de Schwyz), au-dessus du lac d'Ægeri. — Le 15 novembre 1315, les Suisses des Trois-Cantons, luttant pour l'indépendance, y résistèrent victorieusement à une armée de 20000 Autrichiens. Morgarten fut aussi le théâtre de deux victoires remportées par les Français sur les Autrichiens en 1798 et en 1799.

MORGAT, station balnéaire du Finistère (comm. de Crozon*), sur la rive nord de la baie de Douarnenez. Pêche.

MORGE (la), riv. de l'Aube, sous-affl. de la Seine par la Barse; 15 km. Son bassin est utilisé pour constituer un réservoir destiné à recueillir les crues de la Seine (réservoir Seine ou lac d'Orient).

MORGENSTERN (Oskar), économiste américain d'origine autrichienne (Görlitz 1902-Princeton 1977), auteur, avec Neumann, d'une théorie mathématique du comportement économique. On leur doit aussi *Theory of Games and Economic Behavior* (1944).

MORGES, v. de Suisse (cant. de Vaud), sur le lac Léman; 11931 hab. Château des XIIIe et XVIe s. (musée militaire); autres monuments et demeures anciennes (musée du Vieux-Morges).

MORHANGE (57340), comm. de la Moselle, à 18 km au N.-E. de Château-Salins; 5756 hab. Travail des plastiques.

MÓRICZ (Zsigmond), écrivain hongrois (Tiszacsécse, 1879-Budapest 1942). Peintre de la vie paysanne et des petites villes de province, il fut par ses contes (*Sept Sous,* 1909), son théâtre (*le Sanglier,* 1925) et ses romans (*Fange et or,* 1911; *Transylvanie,* 1922-1934) le rénovateur de la prose magyare.

MORIENVAL (60127), comm. de l'Oise, à 15 km au S.-S.-E. de Compiègne; 742 hab. Charmante église romane des XIe-XIIe s., dont le déambulatoire montre un emploi précoce de la croisée d'ogives.

MORIGUCHI, v. du Japon (Honshū), banlieue est d'Ōsaka; 184000 hab.

MÖRIKE (Eduard), écrivain allemand (Ludwigsburg 1804-Stuttgart 1875), auteur de poèmes et de romans d'inspiration populaire et romantique (*le Peintre Nolten,* 1832).

MORILLE. — On rencontre peu de champignons comestibles au printemps; l'un des meilleurs est la *morille.* Celle-ci porte un chapeau sombre, adhérant au pied et creusé de nombreux alvéoles tapissés de sacs microscopiques (asques) contenant les spores. On la range donc parmi les *ascomycètes,* comme la truffe, tandis que les autres champignons comestibles sont des basidiomycètes.

MORIN (**Grand** [112 km] et **Petit** [90 km]), riv. du Bassin parisien, affl. de la Marne (r. g.), drainant la moitié septentrionale de la Brie.

MORIN (Arthur), général et physicien français (Paris 1795-*id.* 1880). Il est l'inventeur du premier appareil d'enregistrement pour l'étude de la chute des corps.

MORIN (Paul), poète canadien d'expression française (Montréal 1889-*id.* 1963). S'inspirant tour à tour des parnassiens et des symbolistes, il emprunte les thèmes de ses recueils à ses voyages ou à l'Antiquité classique (*le Paon d'émail,* 1911; *Poèmes de cendre et d'or,* 1922).

MORIN (Edgar), sociologue français (Paris 1921). D'abord observateur critique des mass media (*l'Esprit du temps,* 1962), Morin réfléchit, à travers le stalinisme, à la fois sur la barbarie du monde et sur la crise intérieure de l'individu (*Introduction à une politique de l'homme,* 1965). Plus tard, il s'efforcera de comprendre l'« individu sociologique » à travers ce qu'il nomme une « démarche multidimensionnelle », utilisant les ressources de la sociologie empirique et de l'observation compréhensive (*Commune en France : la métamorphose de Plodémet,* 1967).

MORI ŌGAI (Mori Rintāro, dit), écrivain japonais (Tsuwano 1862-Tōkyō 1922). Son œuvre romanesque (*Gan* [*l'Oie sauvage*], 1911) est une réaction à l'école naturaliste.

MORIOKA, v. du Japon, dans le nord de Honshū; 196000 hab.

MORISOT (Berthe), peintre français (Bourges 1841-Paris 1895). D'abord marquée par l'enseignement de Corot, puis par la fréquentation de Manet (dont elle épouse le frère), elle se lie aux impressionnistes et peint, dans une manière délicate et lumineuse, des scènes intimistes d'intérieur ou de plein air. Vers 1890, sous l'influence de Renoir, elle tend vers un dessin plus ferme, des tons plus vifs, sans rien perdre de son originalité.

MORISQUES. — Ce terme désigne les musulmans d'Espagne, qui, sur l'ordre d'Isabelle la Catholique, furent convertis au christianisme, le plus souvent par la contrainte. Soupçonnés de n'avoir abjuré l'islām qu'en apparence, les morisques furent persécutés par Philippe II. Les révoltes morisques (1568-1571) ainsi que l'échec de la politique de conversion décidèrent Philippe III à les chasser d'Espagne. L'émigration forcée toucha 275000 personnes (1609-

1611), qui, pour la plupart, vinrent s'installer dans les cités du Maghreb.

MORITZ (Karl Philipp), écrivain allemand (Hameln 1756 - Berlin 1793), dont les essais critiques influencèrent le *Sturm* und Drang.*

MORLAÀS (64160), ch.-l. de cant. des Pyrénées-Atlantiques, à 11 km au N.-E. de Pau; 2 035 hab.

MORLAIX (29210), ch.-l. de cant. du Finistère, sur la *rivière de Morlaix;* 20 532 hab. *(Morlaisiens).* Églises médiévales, dont celle des Jacobins, auj. musée. Maisons anciennes. Viaduc en granite (1861). Tabac. Mécanique de précision.

MORLANWELZ, comm. de Belgique (Hainaut), au S.-E. de La Louvière; 18 483 hab. (en 1977).

MORMANT (77720), ch.-l. de cant. de Seine-et-Marne, à 20 km au N.-E. de Melun; 2 970 hab. Église des XIIIe-XVe s.

MORMOIRON (84570), ch.-l. de cant. de Vaucluse, à 12 km à l'E. de Carpentras; 1 018 hab.

Mormons, secte religieuse américaine fondée en 1830 par Joseph Smith*. L'opposition soulevée par certains aspects de sa doctrine (autonomie théocratique et polygamie, aujourd'hui abandonnées) amena ses adeptes à émigrer dans la région du lac Salé (Utah), où ils fondèrent la ville de Salt* Lake City. Les livres sacrés mormons sont la Bible et le *Livre de Mormon.* Le mormonisme intègre dans un contexte théosophique les éléments essentiels du christianisme.

MORNANT (69440), ch.-l. de cant. du Rhône, à 24 km au S.-O. de Lyon; 2 860 hab.

MORNAY (Philippe DE), dit **Duplessis-Mornay,** homme politique français (Buhy 1549 - La Forêt-sur-Sèvre 1623). Calviniste, il devint le conseiller d'Henri de Navarre. Après l'abjuration d'Henri IV, il fonda, à Saumur, la première académie protestante (1599).

MORNE-À-L'EAU (97111), ch.-l. de cant. de la Guadeloupe, dans l'île de Grande-Terre; 15 034 hab.

MORNY (Charles, *duc* DE), homme politique français (Paris 1811-*id.* 1865). Fils naturel du général de Flahaut et d'Hortense de Beauharnais — donc demi-frère de Louis Napoléon —, il sert dans l'armée avant d'être député (1842-1849). Principal instrument, comme ministre de l'Intérieur, du coup d'État du 2 décembre 1851, il fait une brillante carrière comme président du Corps législatif (1854-1865) et oriente Napoléon III vers un empire libéral.

MORO (Antoon MOR VAN DASHORST, dit **Antonio**), peintre hollandais (Utrecht v. 1519 - Anvers 1576). Il fit une grande partie de sa carrière à la cour d'Espagne, séjournant aussi au Portugal et en Angleterre. Il a contribué, avant Velázquez, à magnifier le portrait de cour (*le Nain du cardinal de Granvelle,* Louvre).

MORO (Aldo), homme politique italien (Maglie, Lecce, 1916-† 1978). Député démocrate-chrétien à partir de 1946, plusieurs fois ministre, il remplace Fanfani à la tête de la démocratie chrétienne (1959-1963). Partisan de l'« ouverture à gauche », il préside de 1963 à 1968 un gouvernement de coalition centre-gauche. Ministre des Affaires étrangères (1969-70 et 1973-74), il est de nouveau président du Conseil de 1974 à 1976, puis est élu président de la démocratie chrétienne. Son enlèvement puis son assassinat par les terroristes des « Brigades rouges » soulèvent une intense émotion.

MORÓN, agglomération industrielle de la banlieue ouest de Buenos Aires; 486 000 hab.

MORONI, capit. de l'État des Comores, dans l'île de la Grande Comore; 12 000 hab.

MORONOBU, peintre japonais (Hota, prov. d'Awa, v. 1618 - Tōkyō v. 1694). Considéré comme le créateur de l'estampe japonaise, il est l'un des illustrateurs les plus féconds de l'histoire de l'*ukiyo-e.* L'ingénieuse disposition des noirs et des blancs et la souplesse de sa gravure rehaussent la grâce de ses modèles féminins. L'art de Moronobu ouvre la voie aux estampes en feuilles séparées, qui supplanteront bientôt les peintures.

MOROSAGLIA (20218 Ponte Leccia), ch.-l. du cant. de *Castifao-Morosaglia* (Haute-Corse), au N.-E. de Corte; 1 015 hab.

MORPHÉE, dans la mythologie grecque, dieu des Songes, fils de la Nuit et du Sommeil.

MORPHÈME. — Le morphème est la plus petite unité de sens qui peut être individualisée au sein d'un énoncé : *hier* est un morphème; *rebâtira* comporte trois morphèmes (re, bâtir, futur). Le morphème est constitué de phonèmes, le phonème étant la plus petite unité sur le plan phonétique. On distingue les morphèmes grammaticaux (désinences, affixes) et les morphèmes lexicaux (racines). On appelle « allomorphes » les variantes d'un même morphème : par exemple *all-, v-, ir-* (du verbe *aller*) sont le support de la même signification et constituent donc un seul morphème.

MORPHINE → OPIUM.

MORPHISME. — Un morphisme f d'un ensemble* E dans un ensemble F, munis de deux lois de composition* interne notées respectivement $\top$ et $\perp$, est une application* f telle que

$$\forall x \quad \text{et} \quad y \in E, \qquad f(x \top y) = f(x) \perp f(y).$$

Si on note plus simplement les deux lois comme la multiplication des nombres, on a $f(xy) = f(x) . f(y)$. L'application $x \xrightarrow{f} \operatorname{Log} x$, qui, à tout nombre *positif* x, associe son *logarithme* népérien,* $\operatorname{Log} x$, est un morphisme de l'ensemble $\mathbb{R}_+^*$ des nombres réels strictement positifs, muni de la multiplication, sur l'ensemble $\mathbb{R}$ des nombres réels, muni de l'addition. En effet, $\operatorname{Log}(x_1 x_2) = \operatorname{Log} x_1 + \operatorname{Log} x_2$; donc, si

$$x_1 \xrightarrow{f} \operatorname{Log} x_1 \quad \text{et} \quad x_2 \xrightarrow{f} \operatorname{Log} x_2,$$

$$x_1 . x_2 \xrightarrow{f} f(x_1) + f(x_2) \quad \text{ou} \quad f(x_1 x_2) = f(x_1) + f(x_2),$$

ce qui met en évidence le morphisme de $\mathbb{R}_+^*$ muni de la multiplication sur $\mathbb{R}$ muni de l'addition, $\top$ étant la multiplication et $\perp$ l'addition.

Un morphisme peut être *surjectif.* Il peut être *injectif :* c'est alors un *monomorphisme.* S'il est *surjectif* et *injectif,* c'est un *isomorphisme;* dans ce cas, si les deux ensembles E et F sont confondus, l'isomorphisme est un *automorphisme.* Sans aucune qualité particulière, un morphisme E dans E est un *endomorphisme.*

MORPHOLOGIE *(Ling.)* → GRAMMAIRE.

MORRICE (James Wilson), peintre canadien (Montréal 1864 - Tunis 1924). Installé à Paris à partir de 1890, il s'est inspiré de Whistler et, plus tard, de Marquet et de Matisse. Ses toiles ont contribué à ouvrir les voies du modernisme à l'art canadien.

MORRIS (William), dessinateur et théoricien anglais (Walthamstow, Essex, 1834 - Londres 1896). Opposé, comme Ruskin, à la production industrialisée, source de laideur, il lutta en faveur de l'artisanat, synonyme de beauté. Sa firme, fondée en 1861 avec P. Webb, D. G. Rossetti et F. Madox Brown, produisit des meubles inspirés du gothique, des vitraux et les célèbres tissus et papiers peints. Morris anima l'*Arts and Crafts Movement,* qui, à la fin du siècle dernier, contribua à l'union des beaux-arts et des sciences appliquées dans le respect de la tradition.

MORRIS (Robert), artiste américain (Kansas City 1931). Novateur parmi les plus riches de l'avant-garde, il réalise dès 1961 des « structures primaires » (v. MINIMAL ART), puis apporte sa contribution à l'*art pauvre* avec ses « Feutres », au *land art* avec ses entassements de terre et de débris (1968). Il étudie les transformations physiques de certaines pièces et de terrains *(process art),* et tente en 1972, avec *Hearing,* une nouvelle remise en cause de l'approche traditionnelle de la sculpture.

MORS → RELIURE.

MORSANG-SUR-ORGE (91390), ch.-l. de cant. de l'Essonne, à 5 km au S.-O. de Juvisy-sur-Orge; 20 160 hab. *(Morsaintois).*

MORSE. — Le morse est un très gros mammifère marin, long de 4 m et pesant 1 tonne. Il ressemble à l'otarie par ses pattes de derrière, qui peuvent servir à la marche comme à la nage, mais sa tête, sans oreilles externes, rappelle plutôt celle du phoque. Le morse n'a que dix-huit dents, mais les canines supérieures du mâle, dirigées vers le bas, sont de véritables défenses, pour la possession desquelles l'espèce a été décimée. (Nom latin : *Odobænus rosmarus;* ordre des pinnipèdes.)

MORSE (Samuel Finley Breese), inventeur américain (Charlestown, Massachusetts, 1791 - New York 1872). On lui doit l'invention du télégraphe électrique, qui, conçu dès 1832 et breveté en 1840, ne fut essayé qu'en 1844, entre Washington et Baltimore, et adopté en France qu'en 1856.

MORT. — Il est de première importance de distinguer la mort pour cause *externe* de la mort pour cause *interne.* La mort pour cause externe, c'est-à-dire à la suite de l'attaque d'un prédateur ou d'un parasite, ou faute de nourriture, ou sous l'effet de conditions physiques insupportables (hiver pour les plantes gélives), est la règle dans la nature sauvage. C'est elle qui fixe la longévité* statistique dans les diverses espèces. L'exception, c'est la véritable mort de vieillesse, résultant de l'usure organique. Cette usure est inexistante dans deux cas : chez les êtres unicellulaires, se reproduisant par multiplication asexuée (bactéries), et chez les arbres, lorsque les parties mortes (bois de cœur) soutiennent les tissus jeunes (une feuille portée par un olivier millénaire est aussi « jeune » que celle d'une plante de deux ans). La mort est, au contraire, « programmée » lorsque, après la reproduction sexuée, l'individu ne peut plus s'alimenter (bombyx) ou perd son équilibre biochimique (agave). Entre ces deux extrêmes, la mort de vieillesse elle-même est quelque peu statistique, mais dans un espace de temps beaucoup plus resserré que la mort accidentelle. Sans qu'il soit possible, ici, de faire l'analyse des causes de décès, notons seulement que, *pour chaque cellule* d'un organisme complexe, c'est presque toujours le manque d'oxygène qui cause la mort.

MORT (peine de) → PEINE.

MORT (pulsion de). — La notion de pulsion de mort a été introduite en 1920 par S. Freud* avec la publication d'*Au-delà du principe de plaisir.* Freud infère son existence des phénomènes de répétition à l'œuvre notamment dans le transfert*, les névroses* traumatiques, dont l'analyse l'amène à poser qu'il existe dans la vie psychique une tendance irrésistible à la reproduction, à la répétition, tendance qui s'affirme, sans tenir compte du principe du plaisir*, en se mettant au-dessus de lui. La pulsion de mort représente la tendance fondamentale de tous les êtres vivants à retourner à l'état inorganique antérieur à la vie (principe de nirvāna), dont le but est « de briser tous les rapports, donc de détruire toute chose ». Elle peut être orientée vers le sujet (masochisme*) ou vers le monde extérieur : portant alors le nom de « pulsion destruction », elle vise à la destruction de l'objet* (sadisme*). Il est malaisé d'en donner des exemples cliniques, car elle est étroitement fusionnée à son opposé : la pulsion* de vie (pulsion sexuelle tournée vers le monde extérieur et pulsion sexuelle tournée vers le moi) dans la plupart des activités. Ainsi, selon S. Freud, le rapport sexuel « est une agression qui tend à réaliser l'union la plus étroite »; cet équilibre entre pulsion de vie et pulsion de mort peut être rompu dans les cas pathologiques.

La pulsion de mort est une des notions les plus controversées de la psychanalyse* : Melanie Klein* fait jouer à la dualité pulsion de vie-pulsion de mort un rôle considérable dès le début de l'existence. Par contre, W. Reich* critique violemment la notion de pulsion de mort, dont l'introduction permet à Freud d'escamoter les problèmes politiques et sociaux. Se situant dans une perspective reichienne, F. Guattari (1973) écrit : « Cette pulsion de mort n'est pas une chose en soi [...]; elle est liée à une certaine façon de poser le problème du désir dans la société. »

MORT *(Vallée de la),* en angl. **Death Valley,** profonde dépression (85 m au-dessous du niveau de la mer), très aride et torride en été, des États-Unis, en Californie, au S.-E. de la sierra Nevada.

Mort à crédit, roman de L.-F. Céline (1936). Le récit d'une éducation, roman d'apprentissage de l'absurde et de la violence.

MORTAGNE-AU-PERCHE (61400), ch.-l. d'arr. de l'Orne, à 38 km au N.-E. d'Alençon; 5108 hab. *(Mortagnais).* Église de style gothique flamboyant et autres édifices anciens.

MORTAGNE-SUR-SÈVRE (85290), ch.-l. de cant. de la Vendée, à 10 km au S.-O. de Cholet; 4703 hab.

MORTAIN (50140), ch.-l. de cant. de la Manche, à 25 km au S. de Vire; 3125 hab. Église du XIIIe s. Anc. Abbaye-Blanche, romane et gothique. — Objectif d'une vaine contre-offensive allemande pendant la bataille de Normandie* (août 1944).

MORTAISAGE. — Le mortaisage permet d'usiner des ouvertures débouchantes ou borgnes, dont la section se rapproche d'un rectangle allongé et qui sont appelées *mortaises.*

• En *mécanique,* le mortaisage de pièces métalliques est utilisé pour usiner des surfaces cylindriques, de section quelconque, intérieures ou extérieures. On le réalise à l'aide d'un outil, à un seul tranchant, animé d'un mouvement de travail alternatif et de mouvements d'avance transversaux intermittents. Cette technique est analogue à celle du rabotage; toutefois, le mouvement de travail de la mortaiseuse se fait *suivant l'axe de l'outil,* quasiment à la manière d'un burin, alors que le mouvement de travail de la raboteuse a lieu *perpendiculairement à cet axe.*

• En *menuiserie,* le mortaisage du bois s'effectue à l'aide de machines différentes, comportant soit une broche avec mandrin, dans lequel est fixée une fraise, analogue à un foret, le mouvement d'avance pouvant être axial ou transversal (généralement horizontal), soit une chaîne avec des dents de coupe. Celle-ci tourne très rapidement autour d'un guide, l'avance axiale ou transversale étant obtenue par déplacement de l'ensemble de la chaîne et de son guide par rapport à la pièce travaillée.

MORTALITÉ → POPULATION.

Mort à Venise *(la),* nouvelle de Thomas Mann (1913). Un écrivain célèbre se laisse prendre au piège de la beauté d'un adolescent et de l'atmosphère envoûtante et délétère de Venise. Une adaptation cinématographique de la nouvelle fut tournée en 1970 par Luchino Visconti.

Mort de Virgile *(la),* roman de H. Broch (1945). Le monologue intérieur d'un artiste mourant qui voudrait guider l'humanité vers un nouveau système de valeurs; une composition symphonique en quatre mouvements placés sous le signe des quatre éléments *(l'Eau, l'Arrivée; le Feu, la Descente; la Terre, l'Attente; l'Éther, le Retour);* l'union de l'humanisme chrétien et de l'analyse du « malaise esthétique » à travers une interrogation sur les temporalités opposées de la vie et de la création.

MORTE *(mer),* grand lac de l'Asie occidentale, entre Israël et la Jordanie; 1015 km^2. Située dans une fosse très profonde (à 390 m au-dessous du niveau de la mer), longue de 85 km et large de 17 km en moyenne, la mer Morte est alimentée par le Jourdain, dont l'apport, cependant, compense à peine la très forte évaporation estivale. Il en résulte une salinité exceptionnellement élevée (plus de 250 p. 1000), qui élimine toute vie de ses eaux.

Morte *(manuscrits de la mer),* manuscrits anciens, écrits en hébreu et en araméen, découverts entre 1946 et 1956 sur la rive nord-ouest de la mer Morte* dans onze grottes, près du site de Qumrān*. Ces documents (environ 600 manuscrits ou fragments de manuscrits) peuvent être rangés en deux grandes catégories : d'une part, des textes bibliques et apocryphes juifs; d'autre part, des écrits propres à la secte religieuse qui vivait à Qumrān, en laquelle la majorité des historiens reconnaît des esséniens*. Datés d'une période qui s'étend du IIe s. av. J.-C. au Ier s. de notre ère, ils sont d'une grande importance pour l'histoire du judaïsme et des origines chrétiennes.

Sous l'appellation « manuscrits de la mer Morte » on range aussi un certain nombre de documents de la période romaine et byzantine découverts au sud de Qumrān, dont les principaux (lettres, textes administratifs) datent de la seconde révolte juive (132-135), dirigée par Bar-Kokheba*.

MORTEAU (25500), ch.-l. de cant. du Doubs, sur le Doubs, à 31 km au N.-E. de Pontarlier; 6971 hab. Horlogerie.

MORTEAUX-COULIBŒUF (14620), ch.-l. de cant. du Calvados, à 11 km à l'E. de Falaise; 542 hab.

Mort-Homme (le), hauteurs (295 et 265 m) sur la rive gauche de la Meuse, au N. de Verdun. D'importants combats s'y sont déroulés en 1916 et en 1917 (v. VERDUN [*bataille de*]).

MORTIER. — • Les *mortiers hydrauliques* sont des agglomérats artificiels de grains de sable réunis entre eux par une chaux* ou un ciment*. Ils constituent la partie sableuse fine du béton*. On rapporte le poids du ciment ou de la chaux au poids du mètre cube de sable sec; le poids de l'eau de gâchage est compris entre 0,50 et 0,55 du poids du liant. Ces mortiers sont utilisés comme matériaux de liaison dans les maçonneries* ou pour les enduits*. Les enduits s'appliquent soit sur maçonnerie de pierre, de brique* ou d'aggloméré*, soit sur le béton. Ils se différencient selon leur texture et leur teinte. En France, on utilise beaucoup pour l'intérieur les enduits de plâtre* et pour l'extérieur les mortiers de chaux, de ciment ou d'un mélange des deux (mortiers bâtards). Les mortiers de maçonnerie contiennent en moyenne soit 350 kg de chaux, soit 400 kg de ciment ou encore 375 kg de liant mixte (ciment plus chaux) pour les mortiers bâtards. Les mortiers d'enduit sont plus riches; ils sont dosés à 600, voire, parfois, à 700 kg de ciment par mètre cube de sable sec.

• Les *mortiers bitumineux* sont appelés *sables enrobés* ou *sandasphalt* s'ils sont pauvres en filler (en moyenne 2 p. 100); leur dosage en bitume*, rapporté au poids de la partie minérale, varie de 5,50 à 6 p. 100. Ces mortiers sont utilisés comme revêtements* minces de chaussées (épaisseur 3 cm); on les nomme *microbétons* ou *sheetasphalt* s'ils sont riches en filler (environ 12 p. 100 de filler comprenant souvent 2 p. 100 de chaux et 10 p. 100 de farine minérale calcaire); ils sont dosés à raison de 7 à 9 p. 100 de bitume en poids du minéral et servent de revêtements imperméables.

MORTIER (Adolphe), duc **de Trévise,** maréchal de France (Le Cateau-Cambrésis 1768 - Paris 1835). Volontaire en 1791, général en 1799, maréchal en 1804, il prit Hambourg et Stettin (1806), puis servit en Espagne. Commandant la Jeune Garde (1812), il participa à la défense de Paris (1814). Rallié à Louis XVIII, il fut destitué pour avoir refusé de juger Ney. Ambassadeur en Russie (1830-31), chef du gouvernement et ministre de la Guerre en 1834, il mourut victime de l'attentat de Fieschi.

MORTILLET (Gabriel DE), préhistorien français (Meylan, Isère, 1821 - Saint-Germain-en-Laye 1898), à qui l'on doit l'établissement d'un cadre chronologique de la préhistoire et de sa terminologie. Il a écrit *le Préhistorique; antiquité de l'homme* (1882).

MORTIMER (Roger), comte **de La Marche** (1287 - Londres 1330). Issu d'une puissante famille possessionnée dans les marches galloises, Roger Mortimer participa en 1321 à la révolte nobiliaire contre le roi Édouard II. En 1326, devenu l'amant de la reine Isabelle, il prit la tête de l'insurrection qui aboutit à l'abdication et au meurtre d'Édouard II (1327), et régna en maître sur l'Angleterre. Il fut exécuté à la suite d'une révolte de palais fomentée par le jeune Édouard III.

MORTON (Ferdinand Joseph LA MENTHE, dit **Jelly Roll**), pianiste, compositeur chanteur et chef d'orchestre de jazz créole américain (Gulfport, Louisiane, 1885 - Los Angeles 1941). Il fut l'un des pionniers du jazz, jouant à La Nouvelle-Orléans dès 1902, fondant à Chicago en 1926 les Red Hot Peppers et influençant la plupart des grands pianistes des années 30. Parmi ses principaux enregistrements citons *The Pearls* (1923), *Original Jelly Roll Blues* (1926), *Doctor Jazz* (1926), *Original Rags* (1939).

MORTRÉE (61500 Sées), ch.-l. de cant. de l'Orne, à 7,5 km au N.-O. de Sées; 1045 hab. Château d'O, des XVe-XVIe et XVIIIe s.

Bertot - Atlas - Photo

Moscou. La place Rouge, de nuit. À droite de la porte du Sauveur et de la tour de l'Horloge, l'enceinte du Kremlin (au pied de laquelle se trouvent les tombes de Staline et de personnalités soviétiques). Au fond, l'église Saint-Basile-le-Bienheureux.

MORTSEL, comm. de Belgique, dans la banlieue sud-est d'Anvers; 27 470 hab. (en 1977). Produits photographiques.

MORUE. — On distingue quatre espèces de morue, très voisines, mais qui diffèrent par la taille et par l'aire de pêche : la morue franche, ou cabillaud (*Gadus callarias,* 1,50 m, Atlantique Nord); l'églefin, ou haddock (*Gadus æglefinus,* 1 m, mer du Nord), qui se reconnaît à une tache noire; le tacaud (*Gadus luscus,* 30 cm, côtes de France); enfin le capelan (*Gadus capelanus,* mêmes dimensions et même habitat que le précédent). Les morues, qui appartiennent à la famille des gadidés, ont trois dorsales, deux anales, les pelviennes insérées sous la gorge, un barbillon; elles pondent des millions d'œufs flottants et se nourrissent des proies animales les plus diverses.

La morue franche est l'objet d'une pêche industrielle, surtout en hiver au voisinage de Terre-Neuve, lorsque, après s'être reproduite en eau froide, elle monte en surface, dans des eaux plus chaudes, pour y capturer les calmars.

MORVAN, massif montagneux formant l'extrémité nord-est du Massif central, aux confins de la Nièvre, de l'Yonne, de Saône-et-Loire et de la Côte-d'Or; 902 m au *Bois-du-Roi.* (Hab. *Morvandiaux* ou *Morvandeaux.*) C'est une région boisée, englobée aujourd'hui dans un parc naturel régional couvrant plus de 1 700 km^2.

MORVE → ÉPIZOOTIE.

Mosaïque romaine représentant Neptune, provenant de Sabratha (Libye). IIe s. av. J.-C. (Musée de Sabratha.)

Lenars - Atlas - Photo

MORZINE (74110), comm. de la Haute-Savoie, sur la Dranse, à 33 km au S.-E. de Thonon-les-Bains; 2 650 hab. Sports d'hiver (1 008-2 360 m).

MOSAÏQUE. — Pratiquée dès la plus haute antiquité (colonnes du temple d'Ourouk*), cette technique décorative connaît un brillant essor à l'époque hellénistique et romaine, avant d'atteindre son apogée en Occident avec les créations byzantines (Constantinople*, Ravenne*, etc.). De rares vestiges attestent son usage en Grèce dès le Ve s. av. J.-C. et les mosaïques d'Olynthe* sont encore tributaires de la peinture de vase. À Pella*, l'adaptation au cadre architectural est parfaite et, à Délos*, la richesse de la gamme chromatique nous donne une idée de l'art pictural hellénistique, bien que la partie centrale *(emblema)* soit souvent d'origine syrienne et la bordure seule originaire de Délos. La mosaïque de pavement, et plus tard celle qui sert de décoration pariétale, est extrêmement fréquente dans le monde romain, où sont pratiquées les différentes techniques dont les principales sont : l'*opus tessallatum,* exécuté au moyen de tesselles (petits éléments à peu près carrés); l'*opus sectile,* aux fragments (le plus souvent de marbre) découpés et assemblés comme une marqueterie; l'*opus vermiculatum,* aux tesselles minuscules et polychromes assemblées sans joints apparents. Le répertoire décoratif évolue depuis les pavements géométriques noir et blanc du Ier s. av. J.-C. jusqu'aux mosaïques — tapis foisonnant de motifs géométriques et figurés savamment combinés —, avant de laisser, à partir du IIe s., l'*emblema* prendre toute la place du panneau central. La mosaïque gagne alors les murs des nymphées, les voûtes et les plafonds (Herculanum*, Pompéi*) et demeure le procédé décoratif par excellence, comme l'attestent les pavements de Piazza Armerina*. La Gaule et la Germanie restent plus fidèles à la tradition hellénistique, ayant subi l'influence de la Syrie et de l'Afrique.

Héritiers des Grecs et des Romains, les Byzantins ajoutent de petits cubes de verre argentés ou dorés, qui créent de merveilleux effets de scintillement. Malgré certaines réminiscences antiques (Ravenne, mausolée de Galla Placidia, première moitié du Ve s.), leur esprit diffère, et toutes les œuvres sont empreintes de spiritualité (Ravenne, Sant'Apollinare Nuovo; Constantinople, Sainte-Sophie*), témoignent de la magnificence de ce premier art byzantin qui connaît une somptueuse renaissance du Xe au XIIe s. avec des chefs-d'œuvre comme Dhafni, près d'Athènes*, Saint-Marc de Venise*, Torcello*, Palerme*, Monreale*... Certaines résurgences de l'Antiquité se reflètent dans les créations des XIVe et XVe s., ultime âge d'or de la mosaïque : elle cède bientôt la place à la fresque. À Jérusalem*, les mosaïques de la Coupole du Rocher portent encore l'empreinte de l'Antiquité, mais Konya*, Istanbul*, Samarkand* et Ispahan* démontrent le génie islamique dans l'art de la mosaïque. Pratiqué avec autant de virtuosité par les Précolombiens (comme en témoigne le célèbre masque de jade rehaussé de nacre trouvé à Monte Albán II), cet art représente la perfection du style olmèque*.

MOSAÏQUE *(Phytopathol.)* → PLANTES *(maladies des).*

MOSCOU, en russe **Moskva,** capit. de l'U. R. S. S. et de la R. S. F. S. de Russie, sur la Moskova; 7 061 000 hab. *(Moscovites).*

GÉOGRAPHIE. Au centre de la vieille Russie, dans une position de carrefour routier, à un point de diffluence du réseau hydrographique, la ville doit beaucoup, surtout initialement, à sa situation géographique. Elle se développe d'abord lentement, avec, autour de l'actuel *Kremlin** (datant en majeure partie des XIVe et XVe s.), la juxtaposition de quartiers nouveaux : *Kitaï-gorod* (appelée à tort « Ville chinoise »), créée au début du XVIe, puis *Bielyï-gorod* (la « Ville blanche »), ceinte de fortifications à la fin du XVIe s., et *Zemlianoï-gorod* (la « Ville de terre »), qui entoure les quartiers plus anciens, débordant au S. la Moskova. Mais, fréquemment ravagée par les incendies se propageant dans les constructions en bois, elle ne compte encore guère plus de 200 000 habitants au début du XIXe s. L'accroissement démographique va être plus rapide au cours du XIXe s., puisque le million d'habitants est atteint peu avant 1900, cette progression étant liée à l'essor de la fonction industrielle, permise notamment par l'apparition du rail (dans la seconde moitié du siècle). À la veille de la révolution de 1917, Moscou compte déjà près de 2 millions d'habitants, mais la croissance va être encore plus rapide avec le développement de la fonction politique dans la nouvelle capitale soviétique. De 1926 à 1939, la population s'élève de 2 à 4,5 millions d'habitants. La croissance se poursuit après 1945, ce qui ne va pas d'ailleurs sans soulever de problèmes. Moscou est devenue au XXe s. l'une des plus grandes villes du monde, situation en rapport avec son poids politique et culturel, qui déborde largement le cadre, pourtant vaste, de l'Union soviétique, avec son importance commerciale et industrielle (principalement métallurgie de transformation, très diversifiée, puis textile). De forme grossièrement concentrique, l'agglomération étendue, le Grand Moscou, compte environ 8 millions d'habitants sur plus de 2 500 km^2.

HISTOIRE. La ville, mentionnée pour la première fois en 1147, est dotée de fortifications en bois (Kremlin) en 1156. En 1263, elle devient le centre de la principauté de Moscou, qui entreprendra le rassemblement de la terre russe et sa libération des Mongols (v. MOSCOVIE). Siège du métropolite depuis 1326, Moscou, héritière spirituelle de Kiev, devient la capitale de l'Église orthodoxe russe. La métropole est érigée en patriarcat en 1589. Capitale d'un État centralisé et grand centre de commerce depuis la fin du XVe s., Moscou est abandonnée en 1712 pour Saint-Pétersbourg par Pierre Ier* le Grand. L'incendie qui sévit dans la ville occupée par Napoléon détruit les trois quarts des constructions (1812). Moscou, siège du gouvernement soviétique depuis mars 1918, devient la capitale de l'U. R. S. S. en 1922. En décembre 1941, les Allemands subissent une grave défaite devant la ville.

BEAUX-ARTS. Ensemble monumental du Kremlin*. Église Saint-Basile-le-Bienheureux (1554), à pyramide centrale *(chater)* entourée de huit chapelles à pittoresques coupoles bulbeuses polychromes. Églises typiques du XVIIe s., à chater et à cinq coupoles, très élancées, comme Saint-Nicolas-des-Tisserands. Église de la Protection-de-la-Vierge de Fili (1693), prototype du baroque moscovite, ou « style Narychkine », au riche décor, qui se retrouve par exemple aux monastères Novodevitchi et Donskoï, vastes ensembles pourvus d'une enceinte et de nombreuses églises (XVIe-XVIIIe s.). Hôtels urbains, châteaux et édifices civils classiques de la fin du XVIIIe s. et du début du XIXe, à péristyle et à fronton, peints de couleurs pastel. Après l'incendie de 1812, aménagements du centre par Ossip Ivanovitch Bovet, architecte du théâtre Bolchoï (1821). Bâtiments en style « vieux russe » à partir du milieu du siècle : Musée historique (1883), galeries marchandes (1888, auj. Goum), galerie Tretiakov, auj. vaste musée de la peinture russe. La ville possède maints autres musées : Pouchkine (beaux-arts occidentaux, notamment école française ; égyptologie...), de l'ancien monastère Andronikov (où vécut A. Roublev), des Cultures orientales, d'Histoire de Moscou, du Théâtre, de la Révolution, etc.

Moscou *(traité de),* accord, signé à Moscou en 1963 par l'U. R. S. S., les États-Unis et la Grande-Bretagne, interdisant les expérimentations nucléaires dans l'atmosphère, dans l'espace cosmique et sous l'eau. (Ce traité, que la France et la Chine n'ont pas signé, ne concerne pas les expériences souterraines.)

MOSCOVIE, région historique de la Russie. La principauté de Moscou naît en 1263, quand le grand-prince de Vladimir Alexandre* Nevski lègue Moscou* et ses environs immédiats à son fils Daniel Nevski (de 1263 à 1303). Elle se développe économiquement et territorialement, et acquiert peu à peu, grâce à l'appui des Mongols et de l'Église orthodoxe russe, la suprématie sur les autres principautés de la terre de Vladimir-Souzdal*. Ivan Ier Danilovitch (de 1325 à 1340) reçoit de la Horde* d'Or le titre de grand-prince (1328) et le privilège de collecter le tribut perçu par les Mongols sur tous les princes russes. En 1326, le métropolite, qui résidait à Vladimir depuis la chute de Kiev, s'établit à Moscou, qui devient le siège d'un patriarcat en 1589. Dimitri Donskoï (de 1359 à 1389) organise une vaste croisade contre les Mongols, qu'il bat à Koulikovo Pole sur le Don (1380), victoire qui a un grand retentissement, bien que, dès 1382, les Mongols incendient de nouveau Moscou et la contraignent au tribut. Basile Ier (Vassili Ier [de 1389 à 1425]) et Basile II (Vassili II [de 1425 à 1462]) consolident la puissance de Moscou, un moment menacée par l'expansion lituanienne. Ivan III* (de 1462 à 1505) achève le rassemblement des terres de la Russie centrale sous l'autorité du grand-prince de Moscou, qu'il affranchit de la suzeraineté mongole, et jette les bases d'un État centralisé. Ivan IV*, premier tsar de Russie (de 1547 à 1584), annexe toute la région de la Volga et commence la conquête de la Sibérie. Ayant mis fin à la puissance des boyards, il scelle l'alliance du tsar et d'une noblesse renouvelée, qui forme les cadres de l'État. Après le règne de Boris* Godounov (de 1598 à 1605) commence le temps des troubles*, marqué par l'anarchie politique, l'invasion polonaise et les révoltes paysannes. Les premiers Romanov* (Michel III* Fedorovitch [de 1613 à 1645] et Alexis* Mikhaïlovitch [de 1645 à 1676]) préparent l'avènement de l'Empire russe de Pierre Ier* le Grand : expansion vers l'ouest (Ukraine et Biélorussie), développement de l'autocratie (le dernier Zemski* Sobor est convoqué en 1653).

MOSELEY (Henry Gwyn-Jeffreys), physicien anglais (Weymouth 1887-Gallipoli 1915). En 1913, il trouva une relation entre le spectre de rayons X d'un élément chimique et son nombre atomique, relation grâce à laquelle la classification périodique prit sa forme définitive.

MOSELLE (la), riv. de France et de l'Allemagne fédérale; 550 km. Née dans le sud des Vosges (près du col de Bussang), la Moselle se dirige vers le N., passe à Épinal, puis à Toul, reçoit la Meurthe (r. dr.) au N. de Nancy et coule au pied de la *Côte de Moselle,* arrosant Metz et Thionville. Quittant la France, elle sépare le Luxembourg de l'Allemagne fédérale, reçoit la Sarre (r. dr.), entaillant en aval de Trèves le massif schisteux rhénan, avant de rejoindre le Rhin (r. g.) à Coblence. Canalisée au gabarit de 1 500 t en amont jusqu'à Metz, elle supporte aujourd'hui un actif trafic fluvial (de l'ordre de 10 Mt à la frontière franco-allemande), débouché notamment pour la Lorraine ferrifère et sidérurgique.

MOSELLE (57), départ. de la Région Lorraine; 6 214 km^2; 1 006 373 hab. Ch.-l. *Metz;* S.-préf. *Boulay-Moselle, Château-Salins, Forbach, Sarrebourg, Sarreguemines* et *Thionville.*

La majeure partie du département s'étend sur le Plateau lorrain, gréseux, limité à l'O. par la vallée de la Moselle, qui coule au pied de la *Côte de Moselle.* L'extrémité sud-est appartient déjà aux Vosges. L'ensemble possède un climat relativement rude, souvent humide et, dans l'est, favorable à l'arbre. Le département est, de loin, le plus peuplé de la Lorraine, avec une densité d'occupation supérieure de plus de moitié à la moyenne nationale. Il le doit au développement de l'industrie, qui emploie approximativement la moitié de la population active. L'industrie a longtemps reposé sur deux bases : la houille de la région de Forbach (premier bassin français) et le fer et la sidérurgie du nord-ouest (vers Thionville). Les deux branches connaissent des difficultés, qui contribuent à expliquer un ralentissement, sensible depuis quelques années, de la croissance démographique départementale, succédant à une progression rapide de la Seconde Guerre mondiale au milieu des années 60. Plusieurs milliers de Mosellans de la région houillère vont, d'ailleurs, travailler chaque jour dans la Sarre voisine. Le secteur tertiaire tient une place notable, grâce à l'importance de l'urbanisation, surtout à la présence de l'agglomération de Metz. En revanche, l'agriculture n'occupe guère plus que 3 p. 100 de la population active. La culture céréalière et les plantes sarclées dominent dans le nord, mais elles sont orientées vers l'élevage, qui bénéficie de l'extension des prairies plus au S. Le vignoble de la Côte de Moselle a presque disparu. L'autoroute de l'Est traverse aujourd'hui le département, mais l'axe vital de celui-ci est la vallée de la Moselle. De Metz à Thionville se concentre plus de la moitié de la population départementale.

MOSKOVA (la), riv. de l'U. R. S. S., affl. de l'Oka (r. dr.); 508 km. Elle passe à Moscou (qui lui doit son nom). Victoire de Napoléon sur les Russes (1812) [v. RUSSIE *(campagne de)*].

MOSQUÉE. — Édifice cultuel de l'islām, la mosquée est essentiellement lieu de prière (*masdjid,* terme arabe que l'on distingue de celui de *djami,* réservé aux grandes mosquées, où est célébrée la prière solennelle du vendredi). Malgré une sacralisation accentuée au cours des siècles, les mosquées ont conservé leur rôle de centre de la vie sociale et même politique de la cité; peu à peu, certaines ont été associées au mausolée (mosquée funéraire) ou à l'université (mosquée-madrasa avec salle de cours et cellules). La première mosquée, édifiée par le Prophète en 622 à Médine*, est à l'origine de tous les édifices suivants; sous l'influence conjuguée des synagogues et des églises chrétiennes, les caractères fondamentaux du mouvement vont s'affirmer : vaste cour centrale ornée d'une vasque, bordée de portiques et précédant la salle de prière, plus large que profonde, dont le mur du fond indique par une niche vide, le *miḥrāb,* la direction *(qibla)* de La Mecque, le *minbar,* ou chaire à prêcher, se situant à la gauche du miḥrāb. Cette simplicité de la mosquée dite « arabe » a été, selon les régions et les climats, diversement enrichie. Le nombre de nefs de la salle de prière est variable, de même que leur agencement, parallèle au mur qibla, comme à Damas* ou au Caire* (Ibn Ṭūlūn, 827) ou perpendiculaires comme en Afrique du Nord et en Espagne.

En Iran, un type particulier de mosquée à *iwān* — vaste salle fermée sur trois côtés et ouverte sur le quatrième par un arc très élevé — apparaît : un iwān est bientôt placé au milieu de chacun des quatre côtés de la cour. L'association iwān-coupole et surtout celle de mosquées de type « arabe » et de type « iranien » à iwān amènent quantités de variations intermédiaires : iwān et coupoles très bulbeuses des édifices moghols* (Delhi*, Agrā*, Lahore*), coupole seule (Mosquée verte à Brousse*, 1424)... Complément de la mosquée, le minaret — d'où les fidèles sont appelés pour la prière — subit aussi diverses influences : clochers des églises syriennes pour ceux d'Occident, forme de la ziggourat à Samarra et en Égypte, haute tour cylindrique en Iran, pour devenir à la période ottomane* une flèche extrêmement fine couronnée en éteignoir.

MOSSADEGH (Muhammad HIDĀYĀT, dit), homme politique iranien (Téhéran 1881 - *id.* 1967). Fondateur du Front national de l'Iran (1949), député au Parlement, il fait voter l'acte de nationalisation du pétrole et de l'Anglo-Iranian Oil Company (mars 1951). Le chāh, qui l'appelle alors comme Premier ministre, tente de le démettre de ses fonctions (13 août 1953). Mossadegh est plébiscité par le peuple, qui se soulève durant trois jours. Mais le général Zahedi rétablit l'autorité du chāh (19 août) et il est arrêté.

MÖSSBAUER (Rudolf), physicien allemand (Munich 1929). Ses études de la résonance nucléaire lui ont permis de découvrir l'*effet Mössbauer* (absorption, par résonance, de rayons gamma par certains noyaux liés dans un cristal et rayonnement qui en résulte), qui permet de préciser la structure des transitions nucléaires. (Prix Nobel de physique, 1961.)

MOSSIS, importante ethnie de la Haute-Volta (2 millions d'individus). Elle est organisée en clans et dominée par un système politique formé de quatre royaumes aux dynasties apparentées. Ayant su résister à l'islām*, les Mossis ont une religion fondée sur le culte des ancêtres et sur un rituel consacré aux différentes formes de la divinité suprême, Wende.

MOSSOUL ou **MOSUL,** v. du nord de l'Iraq, sur le Tigre; 388 000 hab.

HISTOIRE. Ancienne métropole chrétienne qui succéda à Ninive*, en face de laquelle elle est située, Mossoul est conquise par les Arabes en 641. Elle se développe sous les Hamdānides (xe s.) et les Zangīdes* (de 1127 à 1261). Ottomane de 1637 à 1918, elle est attribuée à l'Iraq à la conférence de Lausanne (1923).

BEAUX-ARTS. Églises syriaques, dont celle de Mār Ichaya, fondée au VIe s. Minaret de la Grande Mosquée (XIIe s.). Mausolées et vestiges du palais royal de Badr al-Dīn Lu'lu' (XIIIe s.). Musée. Centre d'art fécond (XIIe-XIIIe s.), dont le nom reste attaché à une école d'enluminure au style caractéristique et à une école d'orfèvrerie célèbre pour la perfection de ses damasquinages.

MOST, v. de Tchécoslovaquie, dans le nord-ouest de la Bohême; 55 000 hab. Lignite.

MOSTAGANEM, port d'Algérie, ch.-l. de départ., sur la Méditerranée; 63 000 hab.

MOSTAR, v. de Yougoslavie (Bosnie-Herzégovine), sur la Neretva; 48 000 hab. Ville pittoresque avec les minarets de ses anciennes mosquées, son pont du XVIe s. Alumine.

MOT. — Un mot est une suite de lettres entre deux blancs typographiques. Unité fondamentale de la linguistique traditionnelle, le concept de mot a été délaissé par la linguistique structurale à cause de son manque de rigueur. En effet, il ne correspond pas à une unité de sens : « pomme de terre » est formé de trois mots, mais joue le même rôle dans la phrase que « carotte » ou « navet »; d'autre part, le mot « décomposable » contient trois unités de sens (dé-[négation], composer, -able [possibilité]). De plus, la notion de mot est variable selon les langues : par exemple, la phrase française « je le porte » se traduit en basque par un seul mot. La description linguistique a donc abandonné la notion de mot au profit de celle de morphème*.

MOTALA, v. de Suède, sur le lac Vättern; 49 000 hab. Station de radiodiffusion.

MOT DE PASSE → BASE DE DONNÉES.

MOTET. — Ce terme générique englobe des genres musicaux très divers et qui ont beaucoup évolué du Moyen Âge à nos jours. Il désigne plus particulièrement une composition religieuse polyphonique sur paroles latines chantée sans accompagnement (motet *a cappella*), florissante pendant la Renaissance, ou dont les voix dialoguent avec des instruments (motet concertant). Il existe aussi des motets à une seule voix avec accompagnement instrumental.

MOTEUR. — Le moteur thermique des automobiles transforme l'énergie calorifique produite par la combustion d'un mélange gazeux carburé en une énergie mécanique de mouvement. Il comporte un certain nombre de cylindres coiffés d'une culasse porteuse de soupapes de distribution (admission, échappement) et réunis à la partie inférieure par un carter réservoir d'huile. Dans chaque cylindre se meut un piston à mouvement alternatif, transformé en mouvement circulaire par une bielle articulée sur son axe et sur un coude, ou maneton, du vilebrequin moteur. Celui-ci assure également la régulation des quatre phases du cylindre*, dont trois sont résistantes, par un volant d'inertie. Sa rotation commande toutes les fonctions annexes du moteur : allumage, graissage, ventilation, etc.

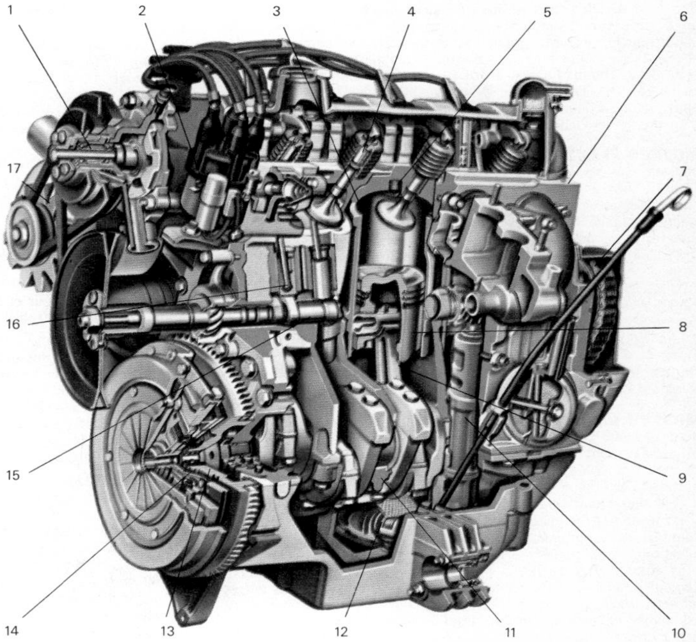

Coupe d'un MOTEUR À ESSENCE : 1. Pompe à eau; 2. Allumeur; 3. Cylindre; 4. Soupape; 5. Bougie; 6. Culasse; 7. Chaîne de distribution; 8. Piston; 9. Bielle; 10. Commande de pompe à huile; 11. Palier; 12. Pompe à huile; 13. Volant-moteur; 14. Disque d'embrayage; 15. Arbre à cames; 16. Poussoir; 17. Alternateur.

(D'après un document Citroën.)

• *Moteurs classiques.* Ils réalisent tous le cycle de Beau* de Rochas, dont les quatre phases sont accomplies en deux tours de maneton pour un moteur à quatre temps ou en un tour pour un moteur à deux temps. Celui-ci porte des ouvertures, ou lumières, de distribution (admission, échappement), pratiquées dans le cylindre et commandées par le déplacement du piston, et un canal de transfert, qui fait communiquer le carter avec la chambre d'explosion. Le piston travaille par ses deux faces. Lors de sa montée, il se crée un vide dans le carter par la face inférieure, le mélange carburé est aspiré, les gaz du cylindre sont comprimés par la face supérieure, puis l'allumage se produit. Lors de sa descente, les gaz brûlés se détendent et s'échappent par la face supérieure, alors que les gaz frais sont comprimés dans le carter par la face inférieure et passent dans la chambre d'explosion par le canal de transfert. Le moteur Diesel participe de la même technique et est réalisé en deux et en quatre temps.

• *Moteurs spéciaux.* Le moteur à piston rotatif NSU-Wankel utilise un piston triangulaire dont les pointes suivent un tracé en forme de trochoïde prévu à l'intérieur du carter (stator). Ce piston entraîne en rotation l'arbre moteur par une combinaison d'engrenages (intérieurs pour le piston et extérieurs pour l'arbre) dont le rapport des dents implique que cet arbre tourne trois fois plus vite que lui. Il est doué d'un mouvement excentré complexe en tournant sur lui-même et autour de l'arbre. Chaque face produit un cycle entier puisqu'elle est capable de construire des chambres de travail à volume variable. La distribution se fait par lumières. On enregistre trois allumages par tour de piston, mais un seul par tour de l'arbre moteur. C'est un moteur à quatre temps fonctionnant en deux temps. La turbine à gaz, malgré des résultats intéressants, ne semble pas devoir être commercialisée dans l'immédiat.

POLLUTION. Les gaz d'échappement contiennent de l'oxyde de carbone, des hydrocarbures imbrûlés, de l'oxyde d'azote et du plomb, qui sont polluants. Apporter de l'air chaud aux démarrages ainsi qu'aux ralentis ou de l'air froid après la combustion ne constitue que des solutions partielles, alors que le réacteur catalytique, efficace contre les trois premiers éléments polluants, est inopérant contre le plus dangereux des quatre, le plomb. Si l'on supprime le plomb tétraéthyle antidétonant dans l'essence, on remet en question tous les progrès accomplis ces dernières années en Europe sur les moteurs à grande puissance massique et qui aboutirent à préférer, même pour la série, la commande des soupapes par arbre à cames en tête, dont l'inertie est moindre que celle de la commande par arbre à cames inférieur avec poussoirs et culbuteurs. Diminuer le pouvoir antidétonant de l'essence à haut indice d'octane, c'est se heurter à la détonation, à moins d'augmenter la cylindrée, ce qui n'est pas souhaitable.

MOTEUR ÉLECTRIQUE. — Il existe des moteurs électriques à courant continu ou à courant alternatif. Les moteurs à courant continu sont à excitation *série* lorsqu'ils doivent assurer de fréquents démarrages avec un couple important, tels les moteurs de traction; sinon, ils sont du type *shunt.* Il est facile de régler leur vitesse, et ce sans baisse importante de rendement.

Le moteur à courant alternatif est monophasé ou triphasé. Monophasé, il nécessite un artifice pour son démarrage (bobinage auxiliaire ou collecteur). Triphasé, le moteur *synchrone* est à vitesse rigoureusement constante; il doit être lancé et n'est employé que pour des puissances importantes; son facteur de puissance est voisin de l'unité. Le moteur *asynchrone* a une vitesse qui peut varier de 4 à 5 p. 100 entre la marche à vide et la marche en charge. On peut le ralentir en insérant une résistance dans le circuit de son rotor s'il est bobiné, mais le rendement baissera.

MOTEUR LINÉAIRE. — Le moteur linéaire d'induction dérive d'un moteur* asynchrone à cage qui aurait un inducteur* (ou primaire) ouvert aux deux extrémités et alimenté par une source de courant* ainsi qu'un entrefer large dont la majeure partie est occupée par l'induit*, induit simple généralement constitué par une masse métallique homogène et isotrope (cuivre ou aluminium). C'est un moteur asynchrone à flux longitudinal. Il a pour principal avantage de supprimer toute transmission mécanique, d'ignorer les questions d'adhérence* — étant absolument statique —, et de ne provoquer aucune nuisance. Malheureusement, il présente l'inconvénient de posséder un rendement plus faible que celui des autres moteurs électriques, mais, n'ayant pas d'organe d'entraînement, il est fiable et sans usure. En traction ferroviaire, il permet des démarrages et des freinages plus faciles que les moteurs rotatifs ainsi que des vitesses et des accélérations plus élevées. L'*Aérotrain* devra avoir l'inducteur lié au véhicule et l'induit lié à la voie*. L'*Urba* (véhicule à coussin d'air) aura un induit lié à la voie et deux inducteurs situés de part et d'autre d'une armature centrale. Dans la manutention des produits en vrac (convoyeurs), l'inducteur est fixe sur la voie, alors que l'induit est mobile : c'est le cas des couloirs de manutention des houillères de Provence. Il est utilisé pour la propulsion du chariot sur les machines-outils*, les machines-transferts*, les tables circulaires, etc., pour la commande de l'ouverture des vannes sur les lignes* de production, pour la fermeture des portes glissantes : dans ce cas, l'inducteur est fixe et l'induit est formé de plaques de cuivre ou d'aluminium solidaires de la porte.

MOTHE-ACHARD (La) [85150], ch.-l. de cant. de la Vendée, à 17 km au N.-E. des Sables-d'Olonne; 1 484 hab.

MOTHERWELL, v. d'Écosse, à l'E. de Glasgow; 74 000 hab. Métallurgie.

MOTHE-SAINT-HÉRAY (La) [79800], ch.-l. de cant. des Deux-Sèvres, sur la Sèvre Niortaise, à 11 km au S.-E. de Saint-Maixent-l'École; 1 939 hab. Restes du château (du Moyen Âge à l'époque Louis XIII). Produits laitiers.

MOTIVATION *(Psychol.).* — Cette notion a été introduite par les psychologues pour expliquer le pourquoi d'un comportement*. Elle est synonyme de « mobile », « tendance », « besoin », « pulsion », notions utilisées dans des contextes différents. Les motivations sont innombrables, surtout chez l'homme, qui, sous l'influence des facteurs socioculturels, en acquiert un grand nombre (motivations secondaires). Les études expérimentales sur la motivation ont été effectuées à partir de ses effets sur l'apprentissage*, car un apprentissage est d'autant plus rapide que la motivation est plus forte. Chez l'homme, d'autres méthodes sont possibles pour estimer les motivations : les entretiens ou les questionnaires, et, d'une façon plus subtile, les tests* projectifs, qui permettent d'explorer les motivations inconscientes.

MOTOCYCLETTE. — La motocyclette est composée : d'un cadre tubulaire, formé d'un assemblage de la tête de direction supportant le guidon et se terminant par une fourche élastique assurant la liaison avec l'axe de roue; d'un tube supérieur, coiffé du réservoir à carburant dit « en selle »; d'un tube inférieur, abritant le moteur, soit par boulonnage du carter sur deux plaques brasées solidaires respectivement du tube inférieur interrompu et du tube de selle, soit par un double berceau pratiqué dans le tube inférieur, ce qui confère au cadre une certaine rigidité; d'une fourche arrière, portant la suspension et l'axe de roue; enfin d'un tube de selle, joignant le tube supérieur à la base de la fourche arrière. Contrairement à l'exemple de l'automobile, le moteur à deux temps est fréquemment employé, même dans les cylindrées moyennes, sous la forme d'un moteur à deux cylindres soit côte à côte, soit opposés (flat twin). On adopte un système de graissage indépendant, le graissage à huile perdue, par mélange de l'huile à l'essence, risquant d'être insuffisant. L'allumage par volant magnétique (cas particulier de la magnéto*) est concurrencé par l'allumage par batterie*. Les changements de vitesse, longtemps réduits à deux combinaisons, se développent sur trois et même quatre rapports commandés au pied par sélecteur. La suspension intégrale, après avoir été longuement étudiée, paraît s'être fixée sur les fourches élastiques avec amortisseurs incorporés.

• Le *cyclomoteur* s'est développé en France lorsqu'une législation spéciale l'eut dispensé de l'immatriculation et du permis de conduire, à condition que la cylindrée du moteur ne dépasse pas 50 cm^3 et la vitesse 50 km/h. On peut conduire un cyclomoteur à partir de quatorze ans. La technique incita à dépasser ce cadre étroit, si bien qu'on distingue maintenant deux classes de réalisations : la première se bornant à demeurer dans les limites de la bicyclette à moteur et l'autre évoluant vers la moto ultra-légère, dont la conduite nécessite la possession d'un permis.

• Le *scooter* a connu après la Seconde Guerre mondiale une très grande vogue. De nombreux perfectionnements, comme la coque autoporteuse, la suspension intégrale à balanciers, avec amortisseurs hydrauliques et ressorts à multiples conicités formant un ensemble élastique à flexibilité variable, du Vespa, ou l'ensemble moteur avec bras oscillant formant carter de transmission par arbre rigide du Lambretta, auraient mérité d'être retenus; mais le scooter finit par disparaître.

MOTOCYCLISME. — Ce sport propose principalement des épreuves de *vitesse* et de *cross (motocross),* disputées sur circuits fermés (les secondes sur un terrain très accidenté). Aux championnats du monde, dans les épreuves de vitesse, se disputent notamment des épreuves dans les catégories (cylindrées) de 50, 125, 250, 350, 500 et 750 cm^3; en cross, dans les catégories 125, 250 et 500 cm^3. Il existe aussi des épreuves d'endurance, dont le Bol d'Or (vingt-quatre heures consécutives) et par étapes (Tour de France).

MOTONAUTISME. — Cette activité nautique, qui se pratique à l'aide d'embarcations mues par un moyen mécanique, peut consister en promenade en mer ou sur des plans d'eau intérieurs, en pêche ou en croisière*, ou encore en compétition. Elle est née à la fin du XIXe s. lorsque les moteurs à vapeur, puis à explosion se sont perfectionnés de façon telle que leur taille et leur poids ont permis de les placer dans des coques de petites dimensions. Des progrès techniques de toutes sortes, touchant les moyens mécaniques, le dessin des coques et leur exécution à partir de matériaux nouveaux — le plastique*, notamment —, associés à l'engouement toujours croissant pour les activités de plaisance, ont provoqué un développement constant du motonautisme. D'autre part, la pratique du *ski nautique* accroît, en particulier, l'intérêt des petites sorties en mer ou en rivière. Il faut aussi noter l'utilisation de plus en plus fréquente des embarcations à moteur comme moyen de déplacement privé pendant les vacances.

À côté du canot automobile, dont la conception s'inspire étroitement de l'automobile, sont nées des embarcations nouvelles, telles que les *canots pneumatiques,* composés de boudins de caoutchouc gonflables. Les plus grosses unités de yachts à moteur, dotées d'aménagements permettant la vie à bord, bénéficient également de progrès qui leur permettent, à tonnage égal, d'aller plus vite, plus loin et dans de meilleures conditions de sécurité. Les moteurs sont de deux types. Les moteurs *hors-bord* constituent un ensemble mécanique de propulsion qui se présente en un seul bloc : la transmission ne traverse la coque en aucun point. Ils se caractérisent par leur mobilité et se fixent sur le tableau arrière du bateau. Enfin, ils permettent des échouages faciles. Les moteurs *in-bord* sont placés à poste fixe, à l'intérieur de la coque, sur un berceau et agissent sur une ou sur plusieurs hélices par l'intermédiaire d'un arbre traversant la coque. Une solution intermédiaire, permettant de s'échouer sur une plage sans risque pour l'hélice, est la formule *Z-drive,* dans laquelle le moteur intérieur est relié à l'hélice par une embase relevable.

À l'opposé de la navigation à voile, le motonautisme est peu tourné vers la compétition qui, comme la compétition automobile, n'intéresse qu'une petite élite de spécialistes. Un permis de conduire les embarcations à moteur de plus de 10 CV est exigé, et trois catégories de permis sont prévues, selon l'éloignement des côtes que l'on projette et selon le tonnage du bateau.

fondement égoïste de cette tradition et critique ses aspects les plus courants : la guerre, la richesse, les cérémonies fastueuses. Dans un monde déchiré, Mo-tseu prêche un amour universel, passe sa vie à aider les pauvres, à nourrir les affamés et à s'efforcer de mettre un terme à la guerre. L'idéal égalitaire qu'il défend, son respect du travail manuel et l'action qu'il entreprend à l'aide de disciples regroupés dans une organisation religieuse et paramilitaire ont beaucoup plus pénétré les mentalités populaires de l'époque que les idéaux de classe défendus par Confucius.

MOTTE (La) [04250], ch.-l. de cant. des Alpes-de-Haute-Provence, à 21 km au N. de Sisteron; 509 hab.

MOTTE-CHALANCON (La) [26470], ch.-l. de cant. de la Drôme, à 36 km au N.-E. de Nyons; 425 hab.

MOTTE-SERVOLEX (La) [73290], ch.-l. de cant. de la Savoie, à 6 km au N. de Chambéry; 5 798 hab.

MOTTEVILLE (Françoise BERTAUT DE), femme de lettres française (Paris v. 1621-*id.* 1689), auteur des *Mémoires pour servir à l'histoire d'Anne d'Autriche de 1615 à 1666* (publiés en 1723).

MOUCHE. — L'immense groupe des mouches et des moucherons réunit, parmi les insectes à deux ailes (diptères), tous ceux qui ont des antennes courtes et un corps plutôt trapu, par opposition aux moustiques. Ces « brachycères » sont à leur tour divisés en deux groupes : ceux dont la pupe nymphale se fend pour l'éclosion de l'adulte (les orthoraphes) et ceux dont l'adulte fait sauter un couvercle de la pupe (les cycloraphes). Les mouches les plus typiques sont les cycloraphes. Les unes sont piqueuses (taon, glossine), les autres se bornent à dissoudre leurs aliments pour aspirer le liquide obtenu (mouche domestique). Certaines espèces ont un *cuilleron* au-dessus du balancier, d'autres n'en ont pas. Le régime alimentaire est des plus variables, tant chez l'adulte que chez la larve *(asticot).* Transporteuses de microbes, gâcheuses d'aliments, parfois parasites de l'homme ou des animaux domestiques, les mouches sont en général des animaux nuisibles, dont les prédateurs doivent être protégés.

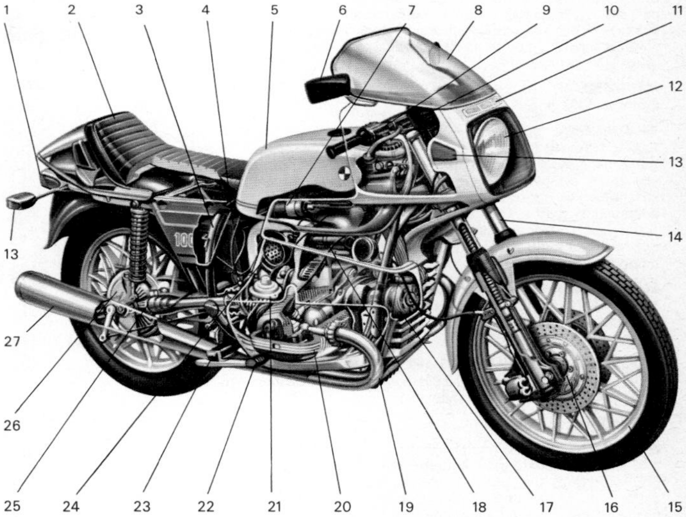

MOTOCYCLETTE
1. Feu arrière; 2. Selle monoplace; 3. Cadre à double berceau; 4. Batterie; 5. Réservoir d'essence; 6. Rétroviseur; 7. Bobine d'allumage; 8. Pare-brise; 9. Guidon (poignée des gaz et poignée de frein avant); 10. Tableau de bord (voltmètre, montre électrique et compte-tours, indicateur de vitesse); 11. Lanterne; 12. Phare à iode; 13. Indicateur de changement de direction (clignotant et signal de détresse); 14. Fourche télescopique; 15. Jante en aluminium; 16. Frein à disque; 17. Alternateur; 18. Démarreur électrique; 19. Tuyau d'échappement; 20. Cylindre; 21. Carburateur; 22. Pédale de frein arrière; 23. Repose-pied; 24. Filtre à air; 25. Transmission par cardan; 26. Pont arrière avec frein à tambour; 27. Silencieux d'échappement.

(D'après un document BMW.)

MOTONOBU → KANŌ.

MOTOR-SAILER → YACHTING.

MOTRICITÉ. — Les voies pyramidales, cheminant de l'aire motrice du cortex frontal aux cornes antérieures de la moelle, assurent la motricité volontaire. Leur atteinte se traduit par une paralysie* avec signe de Babinski. Les voies extrapyramidales assurent l'exécution et la coordination des mouvements automatiques; leurs centres (noyaux gris centraux) sont reliés au cortex et au cervelet; leur atteinte se traduit par une ataxie (maladie de Parkinson, chorée), qui peut aussi avoir pour origine une atteinte de la sensibilité profonde (tabès). Enfin, l'atteinte, non pas des mouvements élémentaires, mais du geste en ce qu'il est un mouvement organisé en fonction d'une idée, est nommée « apraxie » : elle traduit la lésion d'un hémisphère cérébral, gauche le plus souvent.

Mots *(les),* récit autobiographique de J.-P. Sartre (1964). L'évocation ironique d'une enfance qui est surtout le temps de l'apprentissage de la lecture et de l'écriture, deux « vices » qui ont fait de l'auteur l'homme d'imagination capable de percer les artifices du réel, mais aussi l'intellectuel qu'il se désespère d'être.

MO-TSEU ou **MOZI,** penseur chinois (479-381 av. J.-C.?). Tandis que Confucius s'évertue à justifier philosophiquement ce qu'il estime être vénérable dans la tradition, Mo-tseu milite contre le

MOUCHET *(mont),* sommet de la Margeride (Haute-Loire); 1 465 m. Combat entre les Allemands et les Forces françaises de l'intérieur (2-11 juin 1944).

MOUCHEZ (Ernest), astronome et marin français (Madrid 1821-Wissous 1892). Après avoir procédé au levé hydrographique de la côte du Brésil (1857-1860), puis à celui de la côte d'Algérie (1867), il observa (1874) le passage de Vénus* devant le Soleil*. Fondateur de l'observatoire du parc Montsouris, il fut un de ceux qui entreprirent la carte photographique du ciel.

MOUCHOTTE (René), officier aviateur français (Saint-Mandé 1914-en combat aérien 1943). Commandant d'un groupe de chasse, il combattit dans la Royal Air Force. Ses souvenirs (ou *Carnets*) ont été publiés en 1949-50.

MOUETTE → GOÉLAND.

Mouette *(la),* pièce de Tchekhov (1896). Semblables à la mouette qui vole librement au-dessus des eaux mais qui est à la merci d'un chasseur, trois êtres se brisent dans la conquête d'un idéal qui dépasse leur volonté et leurs forces.

MOUFFETTE. — Le nom scientifique grec de la mouffette *(Mephitis),* tout comme celui du putois, exprime le singulier moyen de défense de ces animaux : poursuivis, ils font usage de leurs glandes périanales, dites aussi «glandes répugnatoires», pour faire gicler sur le museau de leur poursuivant une sorte d'aérosol plus que malodorant, presque asphyxiant, qui décourage celui-ci. La mouffette, également nommée *skunk, skunks* ou *sconse,* a par ailleurs une superbe fourrure noire ornée de deux larges bandes blanches longitudinales. Elle vit en Amérique; un animal presque identique, la *zorille,* vit en Afrique australe. Mouffettes et zorilles sont des carnassiers de la famille des mustélidés, fouisseurs, courts sur pattes et de mœurs nocturnes.

MOUFLON. — On réunit sous le nom de *mouflons* cinq espèces de ruminants sauvages, dont quatre sont très proches du mouton, la dernière espèce rappelant davantage la chèvre. Le mouflon de Corse et de Sardaigne *(Ovis musimon),* devenu très rare, se caractérise par ses superbes cornes spiralées. L'espèce canadienne *(Ovis canadensis)* est le *bighorn,* que l'on trouve aussi en Sibérie et qui vit par troupes dans les lieux les plus escarpés. L'*argali (Ovis ammon)* du Pamir, aux cornes en anneau complet, est le plus grand des mouflons (1,30 m au garrot). L'*urial,* ou *sha (Ovis vignei),* est probablement la souche asiatique du mouton domestique. Le mouflon à manchettes *(Ammotragus lervia)* est, au contraire, très différent d'un mouton. C'est un animal de toute l'Afrique méditerranéenne, aimant les lieux arides et escarpés, caractérisé par ses «manchettes» (longs poils retombant sur les pattes de devant) et par ses cornes en demi-cercle, divergentes.

Chez tous les mouflons, les cornes sont communes aux deux sexes. (V. OVINS.)

MOUGINS (06250), comm. des Alpes-Maritimes, à 8 km au N. de Cannes; 8 492 hab.

MOUILLANT (pouvoir). — Le pouvoir mouillant constitue une qualité essentielle des détersifs. L'addition de ceux-ci à l'eau multiplie jusqu'à cinq fois son pouvoir de pénétration. Cette «eau mouillée» est particulièrement efficace dans les incendies, lorsqu'il s'agit de protéger des matières dont la porosité hâterait la combustion (paille, fourrage, textiles). En photographie, par leur action sur la tension superficielle d'une solution, les mouillants permettent à celle-ci d'imprégner plus rapidement et de façon plus homogène les corps qui y sont immergés.

MOUILLARD (Louis), ingénieur français (Lyon 1834-Le Caire 1897). Il fut l'un des précurseurs de l'aviation, construisant plusieurs planeurs, dont l'un parcourut une quarantaine de mètres en rasant le sol (1865).

MOUILLERON-EN-PAREDS (85390), comm. de la Vendée, à 15 km à l'E. de Chantonnay; 1 231 hab. Patrie de Clemenceau et du maréchal de Lattre de Tassigny.

MOUKDEN → CHEN-YANG.

MOU-K'I ou **MUQI,** moine peintre chinois, actif au milieu du XIIIe s., dont l'œuvre est caractéristique de l'art tch'an (v. ZEN). Ses représentations de fleurs, d'oiseaux, d'animaux, de plantes et de fruits sont le produit dépouillé d'une approche extatique, où l'artiste, en état d'illumination, manie son pinceau avec une spectaculaire brutalité. Le mépris des lettrés pour son art, dont le Japon, par contre, recueillera l'héritage spirituel, nous prive de tous renseignements biographiques fondés.

MOULAGE. — Son but est de permettre, en partant d'une matière plastique* fluide ou pulvérisable, de la densifier ou de lui donner sa forme définitive en même temps que, dans le cas des matières thermodurcissables*, de la réticuler généralement par la chaleur, dont l'action peut être complétée par celle de catalyseurs. Le choix du procédé de moulage dépend de la nature des produits à traiter, des dimensions des pièces à obtenir, de l'importance des séries à réaliser, des cadences à respecter. Les installations de moulage sont généralement onéreuses; aussi a-t-on cherché à les remplacer par des dispositifs de mise en forme moins coûteux.

• Dans le *moulage par compression,* applicable en principe aux thermodurcissables, on introduit la poudre à mouler dans un moule et, sous l'action de la chaleur et d'une forte pression, on la fluidifie pour ensuite la durcir. Après éjection de la pièce moulée, le cycle est recommencé.

• Dans le *moulage par injection,* réservé aux thermoplastiques*, on injecte la résine fondue dans un moule en deux parties, où celle-ci se solidifie par refroidissement, et la pièce est éjectée par ouverture du moule. La plastification initiale se fait dans un cylindre appelé *pot d'injection.*

• Dans le *moulage par transfert,* qui n'est que l'application aux thermodurcissables du moulage par injection, le produit, d'abord soumis à la chaleur dans un pot de transfert, est chassé par un piston dans un moule fermé et chauffé, où s'achève la cuisson.

• Dans le *moulage par extrusion,* on presse d'une manière continue la matière à l'état fluide, du cylindre à vis vers une filière chauffée, dont elle reproduit le profil. La matière est ensuite refroidie à l'air ou dans un bain réfrigérant. Ce procédé est applicable aux thermoplastiques et accessoirement à certains thermodurcissables.

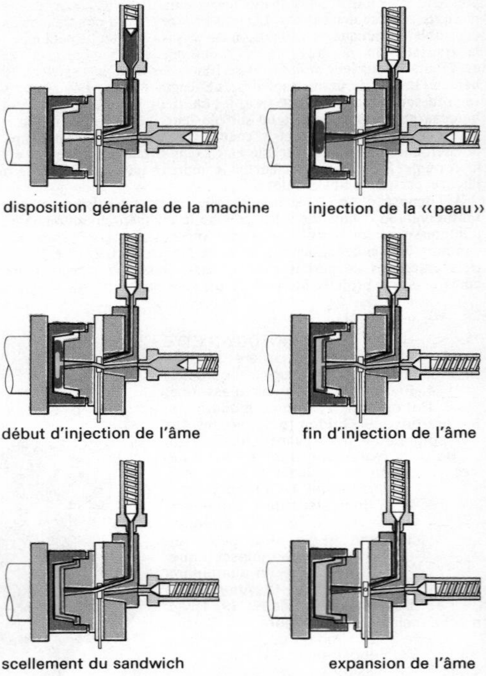

MOULAGE PAR INJECTION.

• Dans le *moulage par coulée,* on introduit la matière plastique fluidifiée dans un moule et on la durcit par catalyse*. Ce procédé est applicable aux thermodurcissables, mais également aux thermoplastiques suffisamment fluides à la température de coulée. Parmi les autres procédés qui ont été imaginés dans ce domaine figurent le moulage par rotation pour la confection d'objets creux, l'extrusion-soufflage pour la fabrication de récipients, l'extrusion-injection, le frittage, dans lequel on comprime sous pression des poudres infusibles, l'emboutissage, le calandrage, la mise en forme, avec ou sans pression, de feuilles plastiques sur des moules appropriés.

MOULE *(Métall.)* → COULÉE, FONDERIE et MOULAGE.

MOULE *(Zool.).* — Rien n'est plus commun sur les côtes rocheuses que les moules; l'élevage (mytiliculture*) de ces mollusques bivalves ne fait qu'accroître leur taille. Deux valves symétriques, noires ou peu s'en faut, en forme de virgule, laissant dépasser d'un côté un paquet de filaments adhésifs, le *byssus,* qui la fixe au support, telle paraît la moule émergée à marée basse. Dans l'eau, elle ouvre ses valves, crée un courant d'eau avec ses cils branchiaux pour se procurer nourriture et oxygène, et parfois sort son pied, forme avec celui-ci de nouveaux fils, brise d'anciens fils et peut ainsi ramper avec une extrême lenteur sans jamais se décrocher. Un petit crabe presque sphérique, le *pinnothère,* s'abrite souvent dans sa cavité.

MOULE (Le) [97160], port de la Guadeloupe, sur la côte nord de l'île de Grande-Terre; 16 733 hab.

MOULIN → MEUNERIE.

MOULIN (Jean), patriote français (Béziers 1899-† 1943). Préfet d'Eure-et-Loir en juin 1940, il s'opposa immédiatement aux Allemands, gagna Londres et fut parachuté en 1942 en France, où il devint en 1943 le premier président du Conseil national de la Résistance. Arrêté par la Gestapo en juin 1943 et torturé, il mourut

Jean Moulin.

dans le train qui l'emmenait en Allemagne. Ses cendres ont été transférées au Panthéon en 1964.

MOULINS (03000), ch.-l. du départ. de l'Allier, sur l'Allier, à 286 km au S. de Paris; 26 906 hab. *(Moulinois).* Cathédrale (chœur de la fin du XVe s.; triptyque du *Couronnement de la Vierge* du « Maître de Moulins* »), chapelle du lycée (mausolée d'Henri II de Montmorency par les Anguier, v. 1650) et autres monuments. Musée. L'agglomération (avec Yzeure) compte environ 45 000 habitants et possède des constructions mécaniques et électriques ainsi qu'une usine de chaussures.

MOULINS *(le Maître de),* peintre non identifié, actif en Bourbonnais à la fin du XVe s., auteur du célèbre triptyque de la cathédrale de Moulins, au style d'une élégante pureté, à la fois ferme et détendu (v. 1500). On rapproche de ce triptyque la *Nativité* du musée d'Autun (v. 1480) — proche de Van der Goes, mais marquée par l'ambiance spirituelle française — et diverses figures de donateurs (volets de triptyque avec les Bourbons, 1492, Louvre; etc.).

MOULINS-ENGILBERT (58290), ch.-l. de cant. de la Nièvre, à 16 km au S.-O. de Château-Chinon; 1 832 hab. Église du XVIe s.

MOULINS-LA-MARCHE (61380), ch.-l. de cant. de l'Orne, à 17 km au N. de Mortagne-au-Perche; 845 hab.

MOULMEIN, port de Birmanie, à l'embouchure du Salouen; 173 000 hab.

Il a notamment écrit *Révolution personnaliste et communautaire* (1935) et *le Personnalisme* (1949).

MOUNTBATTEN OF BURMA (Louis, 1er *comte*), amiral britannique (Windsor 1900). Chef des opérations aéronavales combinées (1942), il est mis en 1943 à la tête des forces alliées du Sud-Est asiatique, rétablit la liaison terrestre avec la Chine et chasse de Birmanie les forces japonaises, dont il reçoit la capitulation à Saigon (1945). Dernier vice-roi des Indes en 1947, il commande en 1954 le secteur Sud-Europe des forces du pacte atlantique. Premier lord de la Mer en 1955, promu amiral de la flotte en 1956, il devient chef d'état-major de la défense (1959-1965).

MOUNYCHIA, une des baies du Pirée*, dont les Athéniens firent un port militaire.

MOURENX (64150), comm. des Pyrénées-Atlantiques, à 25 km au N.-O. de Pau; 9 469 hab. Ville à proximité du gisement de Lacq.

MOURET (Jean-Joseph), compositeur français (Avignon 1682-Charenton 1738). Surintendant de la musique de la duchesse du Maine, il a animé les célèbres « Nuits de Sceaux », écrivant quantité de concerts, de symphonies, de tragédies, d'opéras-ballets *(le Triomphe de Thalie),* de cantates, de cantatilles et de motets, qui firent de lui, un temps, le musicien à la mode, appelé à diriger le Concert spirituel.

MOUREU (Charles), chimiste et pharmacien français (Mourenx 1863-Biarritz 1929). On lui doit la découverte des *antioxygènes,* une étude des dérivés acétyléniques et des recherches sur les gaz des eaux minérales.

MOURÈZE (34800 Clermont l'Hérault), comm. de l'Hérault, à 8 km à l'O. de Clermont-l'Hérault; 79 hab. Site touristique (rochers ruiniformes pittoresques : *cirque de Mourèze*).

MOURGUE (Olivier), architecte d'intérieur français (Paris 1939). Auteur de nombreux sièges entre 1960 et 1970, il collabora en 1968 aux décors du film de S. Kubrick *2001, l'Odyssée de l'espace.* Depuis 1971, il s'adonne à des recherches sur l'aménagement d'H. L. M. et d'habitat expérimental de type collectif.

MOURMANSK, port du nord-ouest de l'U. R. S. S. (R. S. F. S. de Russie), sur la mer de Barents; 309 000 hab. Pêche.

MOURMELON-LE-GRAND (51400), comm. de la Marne, à 30 km au S.-E. de Reims; 6 148 hab. Camp militaire de 9 000 ha.

MOURON. — Le *mouron des oiseaux,* ou mouron blanc *(Stellaria media),* est de la famille de l'œillet *(caryophyllacées).* C'est une plante aux fleurs blanches, semblant d'abord avoir dix pétales,

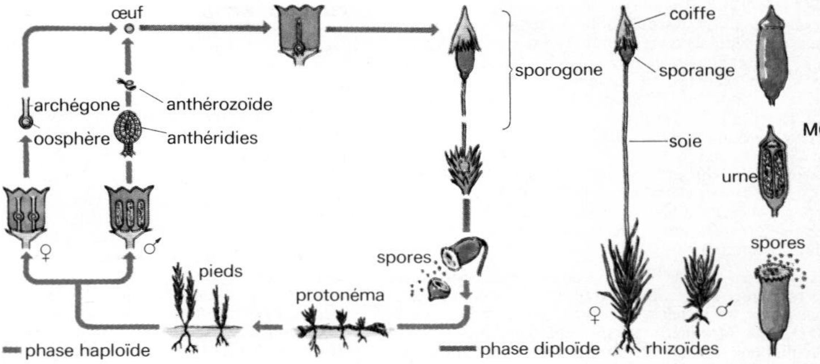

MOUSSE

MOULOUYA (la), fl. de l'est du Maroc, tributaire de la Méditerranée; 450 km. Les eaux de son cours inférieur sont utilisées pour l'irrigation.

MOUNET-SULLY (Jean Sully MOUNET, dit), acteur français (Bergerac 1841-Paris 1916). Il interpréta à la Comédie-Française les grands rôles du répertoire tragique. — Son frère PAUL **Mounet** (Bergerac 1847-Paris 1922) fut également acteur.

MOUNIER (Jean-Joseph), homme politique français (Grenoble 1758-Paris 1806). Magistrat libéral, il provoque la réunion à Vizille des états du Dauphiné (juill. 1788). Député du tiers état à Versailles, il propose le serment du Jeu de paume (20 juin 1789) et rapporte le projet de constitution. Peu à peu, la peur de la démagogie l'incline vers la monarchie à l'anglaise.

MOUNIER (Emmanuel), philosophe français (Grenoble 1905-Châtenay-Malabry 1950). Influencé par Péguy, Bergson et Maritain, il fonde la revue *Esprit* (1932) et développe une doctrine qui se veut la synthèse du christianisme et du socialisme : le personnalisme*.

leurs cinq pétales sont profondément divisés en deux. Sa graine est très recherchée des oiseaux.

Le *mouron rouge* et le *mouron bleu* sont deux sous-espèces d'*Anagallis arvensis* (famille des primulacées), dont les fleurs ont cinq pétales courts et non divisés. La graine est dangereusement toxique pour les oiseaux. Tous les mourons se ressemblent par leur petite taille, leur tige grêle, leurs petites feuilles opposées, fusiformes et sans pétiole.

MOURTIS (Le) → BOUTX.

MOURZOUK, oasis du Sahara libyen, dans le Fezzan.

MOUSCRON, en néerl. **Moeskroen,** comm. de Belgique (Hainaut), à 3 km au N.-E. de Tourcoing; 54 690 hab. (en 1977).

MOUSSE *(Bot.).* — La cellule reproductrice de la plupart des espèces de mousses (spore) est à l'origine d'un individu végétal de faible hauteur, mais parfois de grande superficie, le « tapis de mousse ». Celui-ci, au-dessus d'un réseau à peine souterrain *(protonéma),* est formé de tiges feuillues serrées, d'égale et de courte longueur. Sans racines, la mousse se nourrit par les feuilles, qui absorbent l'eau de pluie, contenant en solution les sels minéraux du sol. C'est également la pluie qui permet la reproduction sexuée : les gamètes mâles nagent vers le sommet des tiges femelles et fécondent les oosphères; le sporophyte est réduit à une *soie* surmontée d'un sporange en forme d'urne ou de capsule. Un jour sec, les sporanges se libèrent de leur couvercle, et le vent emporte les spores.

Tous ces caractères font des mousses, végétaux communs mais peu apparents, un groupe botanique très original, constituant majoritaire de l'embranchement des bryophytes*.

MOUSSE *(Industr.).* — On peut obtenir la formation de pores (à cellules ouvertes ou fermées) au sein d'une masse plastifiée par divers procédés : agitation violente de cette masse, préalablement fluidifiée, avec introduction d'air et solidification; décomposition thermique de produits porophores au sein de la matière et détente des gaz libérés; dégagement de gaz dus à la réaction de durcissement; introduction de matières fibreuses ou globulaires, que l'on élimine ensuite par dissolution. Les mousses ainsi réalisées ont une très faible densité*, sont imperméables (dans le cas des cellules fermées), isolantes thermiquement et électriquement, insonores, insensibles aux insectes comme aux moisissures et présentent des propriétés mécaniques identiques dans tous les sens. Leur résistance chimique dépend des constituants utilisés dans leur préparation. Les principales matières plastiques* transformables en mousses ou produits cellulaires sont l'acétate de cellulose, le polystyrène*, les caoutchoucs* et les latex synthétiques, le chlorure de polyvinyle, les aminoplastes* et les polyuréthannes*.

MOUSSERON. — Le nom désigne, selon les régions, des champignons fort différents : marasmes, tricholomes, clitopiles, etc., qui n'ont en commun que de pousser parfois dans la mousse.

MOUSSEY (57770), comm. de la Moselle, à 18 km au S.-E. de Dieuze; 999 hab. Importante usine de chaussures.

MOUSSON. — C'est un vent de régions tropicales et subtropicales, dont la direction s'inverse avec la saison. Elle résulte de l'ampleur du déplacement de la zone des basses pressions équatoriales, qui passe de 10^0 S. en hiver à 30^0 N. en été. Elle affecte l'Inde et l'Asie du Sud-Est, avec des variations locales, dues en particulier à la disposition du relief. En hiver, elle souffle du nord : c'est un vent froid et sec; en été, elle souffle du sud : chargée d'humidité après un long trajet sur la mer, elle déverse des pluies abondantes, souvent sous forme de cyclones tropicaux. Le climat de mousson, nuancé par la latitude et l'altitude, est ainsi marqué par des hivers froids et secs et des étés chauds et humides.

MOUSSORGSKI (Modest Petrovitch), compositeur russe (Karevo 1839-Saint-Pétersbourg 1881). Sa puissante personnalité a fait de lui l'un des principaux représentants du groupe des Cinq*. Son nom reste attaché à une centaine de mélodies — dont plusieurs constituent des cycles réalistes ou dramatiques *(les Enfantines, Sans soleil, Chants et danses de la mort)* —, à un grand ensemble pour piano *(Tableaux d'une exposition)* et à un célèbre poème symphonique *(Une nuit sur le mont Chauve).* C'est pourtant dans le théâtre que Moussorgski a donné toute sa mesure (*Boris* Godounov* 1868-69; *Khovanchtchina* 1872-1880), terminé par Rimski-Korsakov; *la Foire de Sorotchintsy,* 1876-1881). Chacune de ses fresques oppose au récitatif pathétique, qu'il confie à l'individu, les grands chœurs colorés, qui entendent évoquer le peuple prenant part à une action historique.

MOUSTIER (Le), écart de la comm. de Peyzac-le-Moustier (Dordogne), devenu, grâce à un important gisement paléolithique*, qui a notamment livré un squelette de type néandertalien, et à l'appellation de G. de Mortillet*, le site éponyme d'un faciès culturel du paléolithique moyen, le moustérien, dont l'industrie lithique appartient plus particulièrement à l'homme de Neandertal.

MOUSTIERS-SAINTE-MARIE (04360), ch.-l. de cant. des Alpes-de-Haute-Provence, à 45 km à l'O. de Castellane; 602 hab. Église et chapelle en partie romanes. À la mairie, musée consacré aux faïences que Moustiers produisit au XVIIIe s. surtout.

MOUSTIQUE. — Sous-ordre du vaste groupe des diptères*, les moustiques en sont les espèces *nématocères,* c'est-à-dire aux antennes longues et plumeuses. Ils se distinguent d'ailleurs des mouches par beaucoup d'autres traits : corps grêle, pattes assez longues, trompe piqueuse chez toutes les espèces. Mais c'est surtout par leurs larves qu'ils diffèrent profondément des mouches. Respirant l'air tout en vivant dans l'eau (ou dans d'autres liquides le cas échéant), ces larves crèvent le film de surface avec leur orifice respiratoire anal, tandis que les cils de la bouche battent l'eau pour attirer le plancton nourricier. La nymphe, elle, respire par l'avant du corps. Chez le moustique le plus commun en France, le cousin *(Culex pipiens),* le mâle est buveur de sève et la femelle buveuse de sang. L'anophèle risque, dans les régions chaudes, de transmettre à l'homme le paludisme*. Les phlébotomes, les cératopogones, les simulies s'attaquent également à l'homme. L'énorme tipule, en revanche, est inoffensive. Le chironome a pour larve le « ver de vase » des pêcheurs, rouge et vermiforme. Les larves des mycétophiles vivent dans les champignons; celles des cécidomyies font des galles* dans les feuilles.

Au sens restreint du mot, toutefois, les moustiques ne désignent que les nématocères à larve franchement aquatique.

MOÛT → BIÈRE et VIN.

MOUTARDE. — Cette plante de la famille des crucifères, dont les variétés les plus employées appartiennent aux genres *Brassica (B. nigra, B. juncea)* et *Sinapis (S. alba),* produit des graines utilisées comme aliment ou comme médicament. En France, le principal centre de l'industrie de la moutarde est la région de Dijon, qui, surtout à partir de la moutarde brune *(B. juncea),* fournit de la moutarde de table et des condiments.

MOUTHE (25240), ch.-l. de cant. du Doubs, à 30 km au S.-O. de Pontarlier; 904 hab. Sports d'hiver (alt. 940-1 180 m).

MOUTHOUMET (11330), ch.-l. de cant. de l'Aude, à 36 km au S.-E. de Limoux; 71 hab.

MOUTIER, en allem. **Münster,** v. de Suisse (cant. de Berne), dans le Jura; 8 794 hab.

MOÛTIERS (73600), ch.-l. de cant. de la Savoie, dans la Tarentaise, sur l'Isère, à 27 km au S.-E. d'Albertville; 4 868 hab. Métallurgie.

MOUTIERS-LES-MAUXFAITS (85540), ch.-l. de cant. de la Vendée, à 20,5 km au S. de La Roche-sur-Yon; 1 263 hab.

MOUTON → OVINS.

MOUTON (Georges), comte **de Lobau,** maréchal de France (Phalsbourg 1770-Paris 1838). Général et aide de camp de Napoléon en 1805, il s'illustre à Friedland (1807) et dans l'île de Lobau (1809). Fait prisonnier à Dresde en 1813, il sera blessé et de nouveau capturé à Waterloo (1815). Rentré en France en 1818, il devient député libéral en 1828. Commandant la garde nationale de Paris en 1830, il est fait maréchal par Louis-Philippe en 1831.

MOUTON BLANC, en turc **Akkoyunlu,** fédération de tribus turkmènes, qui se créa dans la région de Diyarbakır après la domination mongole (XIVe s.). Son chef, Uzun Hasan (de 1466 à 1478), s'empara des possessions du Mouton Noir*; la puissance de la fédération fut anéantie par les Séfévides* (1502-03).

MOUTON-DUVERNET (Régis Barthélemy, *baron*), général français (Le Puy 1769-Lyon 1816). Rallié à Louis XVIII en 1814, il rejoignit Napoléon et fut député pendant les Cent-Jours. Il se cacha après Waterloo, se rendit en 1816 et fut fusillé.

MOUTON NOIR, en turc **Karakoyunlu,** fédération de tribus turkmènes, d'où est issue la dynastie du même nom. Celle-ci régnait à la fin du XIVe s. sur une partie de l'Anatolie orientale, de l'Iraq, de la Djézireh et de l'Iran. Toutes ses possessions passèrent au Mouton Blanc*.

MOUVAUX (59420), comm. du Nord, dans la banlieue nord-ouest de Roubaix; 10 724 hab. *(Mouvallois).*

MOUVEMENT *(Ch. de f.).* — Parce que les trains* ne peuvent se dépasser, se croiser ou changer de direction qu'en un nombre limité de points, l'organisation de leur circulation exige une grande régularité et une grande sécurité, qui résultent du travail des services du mouvement. Ce sont les *horaires* qui servent de trait d'union aux services intéressés. Le public en prend connaissance dans les *indicateurs;* le conducteur de train suit un *livret de marche,* et le poste de commandement possède les *graphiques de circulation* de tous les trains dans la zone relevant de son autorité. La mise en circulation des trains réguliers est définie par des roulements prévoyant l'utilisation des locomotives*, du matériel remorqué et du personnel. La mise en circulation des trains facultatifs est assurée par la *permanence,* qui groupe des représentants de plusieurs services. Le contrôle de la circulation est effectué par un poste de régulation commandant une section de ligne, dont la longueur dépend de l'importance du trafic. Le régulateur, en liaison permanente avec les gares et les postes, connaît à tout moment la position des trains. Il peut, en cas de perturbations, prescrire les mesures qu'il estime propres à rétablir ou à améliorer la situation.

MOUVEMENT *(Mécan.).* — Un point matériel sur lequel n'agit aucune force conserve son état de mouvement; il est soit au repos, soit animé d'un mouvement rectiligne et uniforme. Il s'agit du principe d'inertie, dû à Galilée. D'autre part, une force constante en grandeur et en direction qui agit sur un point lui communique un mouvement uniformément accéléré.

Dans un mouvement curviligne quelconque d'un point matériel, si la position de celui-ci est fixée par un vecteur $\vec{r}(t)$, fonction du temps, la vitesse du point à l'instant t est donnée par la dérivée du vecteur $\vec{r}$ par rapport au temps et son accélération par la dérivée du vecteur vitesse, c'est-à-dire par la dérivée seconde du vecteur $\vec{r}$.

MOUVEMENT *(Mus.)* → INTERPRÉTATION.

Mouvement républicain populaire (M. R. P.), parti politique français, créé en 1944 et regroupant les divers courants démocrates-chrétiens apparus avant la guerre (Jeune République de Marc Sangnier*, parti démocrate populaire [P. D. P.] de Francisque Gay*, etc.). Fondé et dirigé par d'anciens résistants, comme Georges Bidault*, le M. R. P. connaît dès 1945 un grand succès électoral et devient le premier parti politique français. Sa participation aux gouvernements de la IVe République* (en collaboration avec les communistes et les socialistes, puis avec les socialistes seulement) marque profondément la vie politique. La présence de ses leaders soit à la présidence du Conseil (G. Bidault, Robert Schuman, Pierre Pflimlin), soit aux Affaires étrangères (R. Schuman) lui permet de jouer un rôle important dans la construction de l'Europe. Si, par son programme (réformes sociales, nationalisations, défense des libertés syndicales et du droit de la famille), le M. R. P. parvient à s'implanter dans les milieux ouvriers et les classes moyennes, son inspiration chrétienne (malgré l'abandon de tout caractère confessionnel), son attachement à la défense de l'école libre et son opposition au marxisme lui apportent le soutien des conservateurs. L'ambiguïté de ce parti, qui mène « une politique de gauche, avec des voix de droite, tout en siégeant au centre » (G. Bidault), va susciter des oppositions internes, puis déterminer son glissement progressif vers la droite. Abandonné par une partie de ses électeurs après la constitution du R. P. F. (1947), le M. R. P., qui donne son appui au général de Gaulle à partir de 1958, perd peu à peu son audience sous la Ve République au profit de l'U. D. R. et surtout du Centre* démocrate de J. Lecanuet*, devant lequel il s'efface en 1967.

MOUY (60250), ch.-l. de cant. de l'Oise, sur le Thérain, à 10 km au S.-O. de Clermont; 4 581 hab. Métallurgie. Constructions électriques.

MOUZON (08210), ch.-l. de cant. des Ardennes, sur la Meuse, à 18,5 km au S.-E. de Sedan; 3 240 hab. Belle église du XIIIe s., anc. abbatiale. Revêtements de sol.

MOY-DE-L'AISNE (02610), ch.-l. de cant. de l'Aisne, sur l'Oise, à 12 km au S. de Saint-Quentin; 1 126 hab. Textile.

MOYEN ÂGE (art du haut). — La chute de l'Empire romain sous la pression des Barbares*, au Ve s., ne signifie pas la disparition de la culture antique, que les envahisseurs — comme l'Église — vont constamment prendre pour modèle, sans oublier leur propre tradition d'un art de la parure fondé sur la vigueur décorative, la tendance à l'abstraction, les motifs animaliers stylisés venus de l'art des steppes* et des Sarmates; par ailleurs, la Méditerranée orientale maintient son influence par l'intermédiaire de la culture byzantine*. Il se produit donc une transformation du goût, et les tentatives pour faire renaître le passé antique conduisent en fait à de nouvelles créations, limitées cependant par l'instabilité des nouvelles structures politiques de l'Occident.

Les arts du métal et l'orfèvrerie des Barbares nous sont connus grâce aux objets retrouvés dans leurs tombes, puis dans leurs sarcophages, objets qui atteignent, surtout au VIIe s., une grande qualité (couronnes votives du roi wisigoth Receswinthe, Madrid; boucles de ceinture, fibules, armes des Mérovingiens; croix de l'abbatiale de Saint-Denis, attribuée à saint Éloi [perdue]). En Espagne comme en France, cependant, les traditions artistiques du Bas-Empire (et paléochrétiennes*) se prolongent, teintées d'apports orientaux, dans l'architecture et dans la sculpture : église de S. Pedro de la Nave, près de Zamora, en pierre de taille et voûtée, décorée de sculptures en méplat (dont certaines historiées); églises de plan basilical (depuis Saint-Martin de Tours, 472), parfois ornées de peintures ou de mosaïques; édifices comme le baptistère de Poitiers et les « cryptes » de Jouarre, dont les beaux chapiteaux renouvelés de l'antique, en marbre des Pyrénées, témoignent de l'activité d'ateliers installés en Aquitaine aux VIe et VIIe s. Des influences coptes* sont décelables dans le sarcophage d'Agilbert, à Jouarre, comme dans l'évolution du décor des manuscrits.

En Italie, Byzance maintient une présence dont Ravenne* nous transmet l'éclat. Les Lombards eux-mêmes, après avoir accumulé les ruines, prennent l'Antiquité et l'art byzantin pour modèles, comme le montrent les admirables fresques de Castelseprio, près de Varese, d'une vie frémissante, et les sculptures de Cividale* del Friuli, beaucoup plus tournées, cependant, vers les jeux abstraits de ligne (que l'on retrouve dans une abondante production de chancels de pierre dont la Lombardie est le centre).

On peut considérer les recherches menées dans le nord de l'Italie et de la Gaule comme les prémices du grand mouvement de renaissance carolingien, qui résulte d'un déplacement des centres principaux de civilisation de la Méditerranée aux pays entre Meuse et Rhin. À son actif figurent la redécouverte de l'urbanisme, la mise en place d'une architecture religieuse et civile de grande ambition (monuments d'Aix-la-Chapelle*, nombreuses abbayes...) ainsi que la généralisation de l'art figuratif dans l'orfèvrerie, la petite sculpture et la peinture, tout cela tendant à une synthèse des divers styles locaux (miniatures comme celles de l'*Évangéliaire de Godescalc,* v. 781, B. N., Paris).

La Grande-Bretagne, bien que peu romanisée, a participé à l'effort d'assimilation des modèles latins et orientaux. Par contre, l'Irlande impose son linéarisme expressif à tous les apports extérieurs, que ce soit dans ses croix de pierre, son orfèvrerie ou ses miniatures*, du VIe au VIIIe s. Les pays scandinaves (civilisation viking, VIIIe-Xe s.), plus encore, ont un développement autonome, qui exploite le même vieux fonds — venu des âges du bronze et du fer — que l'Irlande, avec des motifs spiralés et ondulants ainsi que d'étonnants rinceaux animaliers, qu'on retrouve encore, au XIe s., au portail de l'église d'Ørnes, en Norvège.

Une fois surmontée la terrible crise résultant, en Occident, des invasions normandes (ces mêmes Vikings) et hongroises, un brillant rétablissement de la culture se produit à la fin du Xe s., particulièrement avec les renaissances anglo-saxonne et ottonienne — en Angleterre et en Allemagne —, distinctes de l'entreprise carolingienne. Cet art de l'an mille annonce par bien des points la nouvelle synthèse qui sera celle de l'âge roman*.

MOYEN EMPIRE, appelé aussi *premier Empire thébain,* deuxième période de stabilité et de prospérité de l'Égypte pharaonique (2052-1770 av. J.-C.).

À la fin de la période de troubles qui suit l'effondrement de l'*Ancien* Empire,* les monarques de Thèbes restaurent l'unité du pouvoir en Égypte. En 2052 (XIe dynastie), Mentouhotep Ier rétablit une monarchie centrale forte, limite l'autonomie provinciale et reprend la politique d'expansion vers la Nubie. Ses successeurs, Mentouhotep II et III, règnent peu de temps. La XIIe dynastie est fondée par le vizir du dernier Mentouhotep, qui, après quelques années d'interrègne, devient roi sous le nom d'Amenemhat Ier (v. 2000-v. 1970); celui-ci transporte sa capitale à Licht, à la jonction de la Haute- et de la Basse-Égypte, et veille à maintenir l'ordre à l'intérieur du pays. Une conspiration de palais met fin à son règne. Son fils Sésostris Ier (v. 1971-v. 1928), après avoir résolu la crise interne qui risque de mener l'Égypte à la guerre civile, poursuit la politique d'expansion vers la Nubie, dont il exploite les mines d'or; ses successeurs, Amenemhat II et Sésostris II, ont des règnes assez effacés. Sésostris III (v. 1878-v. 1843) est le grand pharaon guerrier de la dynastie, qu'il conduit à son apogée. Il asservit définitivement la Nubie, sur laquelle il établit une véritable colonisation; en Asie, la prise de Sichem* accentue l'emprise égyptienne sur la Palestine et la Syrie. Amenemhat III (v. 1842-1797), fils de Sésostris III, s'attache à mettre en valeur l'économie. La XIIe dynastie s'achèvera par les règnes sans gloire d'Amenemhat IV et de la reine Sebeknefrouré, au terme desquels commence une rapide décadence. Durant la deuxième période intermédiaire (1770-1580), confuse et mal connue (de la XIIIe à la XVIIe dynastie), des princes étrangers, les Hyksos* (1670-1560), monteront sur le trône des pharaons. C'est de Thèbes encore que viendra la libération (v. NOUVEL EMPIRE).

MOYENMOUTIER (88420), comm. des Vosges, à 15 km au N. de Saint-Dié; 3 854 hab. *(Médianimonastériens).*

Art du haut Moyen Âge. Fermoir de bourse, provenant de Sutton Hoo. Émaux cloisonnés, VIIe s. (British Museum, Londres.)

MOYENNE. — Les différentes moyennes sont des nombres que l'on définit à partir d'un ensemble de nombres $x_1, x_2, ..., x_n$ et qui peuvent rendre compte globalement, suivant le problème posé, de la série de nombres étudiée.

- La *moyenne arithmétique,* notée m ou $\bar{x}$, est définie par la relation

$$\bar{x} = \frac{x_1 + x_2 + ... + x_n}{n} = \frac{\sum_{i=1}^{n} x_i}{n}.$$

Cette moyenne est utilisée en statistique, mais *pondérée.*

- La *moyenne géométrique* des nombres x_i positifs, notée g, est définie par la relation

$$g = \sqrt[n]{x_1 x_2 ... x_n},$$

égale à la racine n-ième du produit des n nombres donnés. Dans le cas de deux nombres x_1 et x_2, g mesure la hauteur d'un triangle rectangle ABC dont les côtés de l'angle droit ont des projections de mesures x_1 et x_2.

- La *moyenne harmonique,* notée h, est définie par la relation

$$h = \frac{n}{\sum_{i=1}^{n} \left(\frac{1}{x_i}\right)}.$$

Si $n = 2$, $\frac{2}{h} = \frac{1}{x_1} + \frac{1}{x_2}$; les quantités h, x_1 et x_2 sont respectivement égales aux segments $\overline{AB}$, $\overline{AC}$, $\overline{AD}$ (mesures algébriques), les quatre points A, B, C et D formant une division harmonique, c'est-à-dire $\frac{\overline{CA}}{\overline{CB}} = -\frac{\overline{DA}}{\overline{DB}}$, A et B étant conjugués harmoniques par rapport à C et à D.

- La *moyenne quadratique,* notée q, est définie par la relation

$$q = \sqrt{\frac{1}{n}\left(\sum_{i=1}^{n} x_i^2\right)},$$

égale à la racine carrée de la moyenne arithmétique des carrés des nombres x_i.

Si l'on compare les différentes moyennes, on trouve

$$h \leqslant g \leqslant m \leqslant q.$$

La moyenne géométrique est calculable par logarithmes, car $\log g = \frac{1}{n}\left(\sum_{i=1}^{n} \log x_i\right)$

MOYENNEVILLE (80870), ch.-l. de cant. de la Somme, à 11 km au S.-O. d'Abbeville; 603 hab.

MOYEN-ORIENT, expression recouvrant des acceptions diverses. La plus large englobe la totalité des pays riverains de la Méditerranée orientale (Syrie, Liban, Israël et aussi Égypte et Turquie), la péninsule d'Arabie, les États de l'Asie occidentale jusqu'au Pākistān (c'est-à-dire Jordanie, Iraq, Iran et même Afghānistān). Dans un sens plus restreint, on exclut l'Iran et l'Afghānistān, la Turquie et l'Égypte. Cette expression se rapproche alors de celle de *Proche-Orient,* qui désignait initialement les États riverains de la Méditerranée orientale, mais que l'on étend aujourd'hui aux producteurs de pétrole riverains du golfe Persique, en y incluant ou excluant, suivant les cas, l'Iran.

MOYENS DE PRODUCTION → FORCES PRODUCTIVES.

MOYEUVRE-GRANDE (57250), ch.-l. de cant. de la Moselle, à 10 km à l'E. de Briey; 12523 hab. Métallurgie.

MOZAMBIQUE, État de la côte orientale de l'Afrique; 785000 km²; 9440000 hab. Capit. *Maputo.*

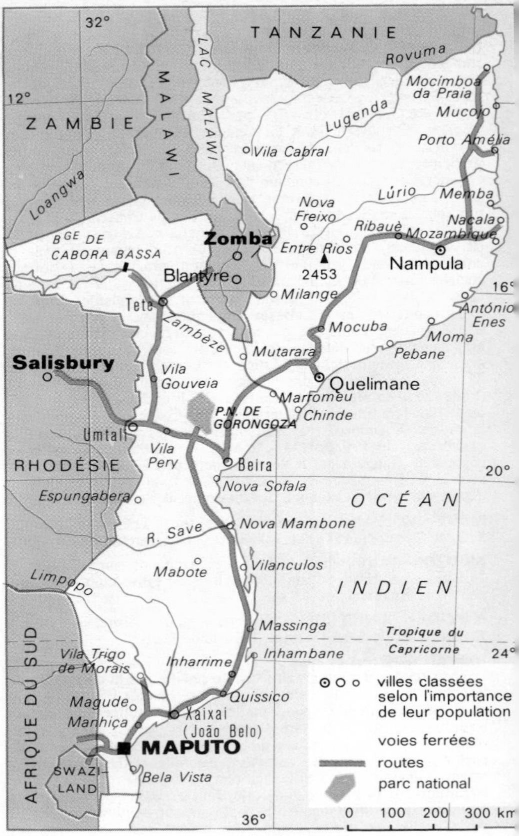

MOZAMBIQUE

GÉOGRAPHIE. La vaste plaine côtière qui borde l'océan Indien s'élève progressivement vers l'O. par une série de plateaux qui atteignent 1000 m d'altitude à la frontière rhodésienne. Le climat, tropical, comporte une saison sèche, hivernale, dont la durée augmente vers le S. Il permet la croissance de la savane, qui couvre l'essentiel du territoire, passant à la forêt-galerie le long des fleuves (Zambèze, Limpopo). La population se concentre dans la région côtière. Elle est composée en majorité de Noirs (la plupart des Portugais ayant quitté le pays lors de son accession à l'indépendance) et est faiblement urbanisée. L'agriculture demeure le secteur essentiel de l'économie. À côté de la polyculture vivrière traditionnelle (maïs, manioc), des plantations fournissent des produits destinés à l'exportation : coton, canne à sucre, coprah. Les ressources du sous-sol sont peu exploitées, et l'industrie se limite à la transformation des produits agricoles. La balance commerciale est lourdement déficitaire.

HISTOIRE. Ce sont des Bantous qui ont refoulé les premiers habitants bochimans. En 1490, le premier Portugais aborde le pays, où Vasco de Gama passe aussi; une factorerie portugaise est installée dans l'île de Mozambique dès 1502; en 1505, une forteresse est bâtie à Sofala.

En 1561, les missionnaires portugais convertissent le Monomotapa*; mais la violente réaction des musulmans provoque une expédition militaire portugaise, qui est décimée (1569). Dès lors, la pénétration portugaise sera de type commercial, les conflits interafricains permettant aux Portugais de s'insérer dans le pays par le système des concessions. Dès 1544, Lourenço Marques fonde la ville qui portera son nom. Cependant, au début du XIXe s., la domination portugaise est encore précaire, les prétentions anglaises se précisant aux frontières méridionales. Plus tard les Allemands occuperont la baie de Kionga. D'ailleurs, les limites de la colonie portugaise ne sont fixées qu'en 1893; la crise politico-financière qui sévit au Portugal au tournant du siècle permet même aux puissances coloniales rivales de rêver à un partage du Mozambique. Celui-ci restera portugais, mais au prix d'un long affrontement avec les populations autochtones. Même après la pacification, le développement économique du pays profite surtout aux capitalistes anglais et belges. Quand le Tanganyika devient indépendant en 1961, une solide organisation nationaliste s'implante au Mozambique. Le Frente de libertação de Moçambique (Frelimo) d'Eduardo Mondlane (1921-1969) amorce ses opérations de guérilla en 1964. La résistance portugaise est forte. En 1972, une loi organique transforme la «province» de Mozambique en «État» doté d'une assemblée élue : cette mesure n'arrête pas la guerre de libération. C'est le changement de régime à Lisbonne, en avril 1974, qui précipite les choses : dès le 7 septembre, un accord signé avec le Frelimo prélude à l'indépendance; celle-ci est effective le 25 juin 1975. Le Mozambique devient alors république populaire, avec, comme président, le chef du Frelimo, Samora Moïse Machel.

MOZAMBIQUE *(canal de),* bras de mer de l'océan Indien, entre l'Afrique *(Mozambique)* et Madagascar.

MOZART (Wolfgang Amadeus), compositeur autrichien (Salzbourg 1756-Vienne 1791). Fils du violoniste et théoricien Leopold Mozart (1719-1787), Wolfgang, attaché longtemps à l'archevêque de Salzbourg, mûrit progressivement son génie grâce aux voyages nombreux qu'il effectue en Italie, en France, en Angleterre, en Bohême, en Bavière, en Prusse et au Palatinat, et il se forge par lui-même un langage international, qui, nuancé par le mouvement Sturm und Drang, structuré par la découverte du contrepoint de Händel et de Bach, aboutit, par-delà la franc-maçonnerie, à laquelle il s'est affilié en 1784, à un pur classicisme viennois. Ses recherches ont porté sur quatre secteurs : dans le domaine lyrique, il est l'auteur d'*Idoménée** (1781), de *l'Enlèvement* au sérail* (1782), des *Noces* de Figaro* (1786), de *Don Giovanni* (1787 [v. DON JUAN]), de *Cosi fan tutte* (1790), de *la Flûte* enchantée* (1791). Dans le domaine religieux, il a laissé des motets, des offertoires, dix-sept messes *(Messe du Couronnement),* des vêpres et un pathétique *Requiem.* L'orchestre a fait lever sous sa plume des divertissements, des cassations, des sérénades et quarante-neuf symphonies (dont les célèbres trois dernières, 1788), à quoi il faut ajouter ses vingt-huit concertos pour piano, ses concertos pour flûte, pour cor et pour clarinette. La musique de chambre est représentée par ses sonates et fantaisies pour piano, pour piano et violon, ses trios, ses vingt-trois quatuors à cordes et ses différents quintettes. Derrière l'élégance du style, la clarté, l'ironie et souvent le sourire du discours se cache une âme inquiète, souvent tourmentée, qui témoigne d'une force et d'un souffle annonçant le romantisme beethovénien.

Musée Mozart, Salzbourg

Mozart, par Joseph Lange (1751-1831). [Musée Mozart, Salzbourg.]

MRBM, sigle de *Medium Range Ballistic Missile,* missile de portée moyenne, comprise entre 600 et 1 500 milles nautiques (de 1 100 à 2 775 km).

MROŻEK (Sławomir), écrivain polonais (Borzęcin 1930), auteur de nouvelles (*l'Éléphant,* 1957; *Une souris dans l'armoire,* 1970) et de pièces satiriques (*Tango,* 1958).

M. R. P., sigle de *Mouvement* républicain populaire.*

Mrs Dalloway, roman de Virginia Woolf (1925). Une journée londonienne d'une grande bourgeoise anglaise, scandée par l'horloge de Westminster : l'imbrication du déroulement du temps et du « fleuve de la conscience ».

M. S. B. S., sigle de *mer sol balistique stratégique,* qui désigne le missile stratégique français lancé par les sous-marins à propulsion nucléaire du type *Redoutable.* Opérationnel depuis 1971, le missile « M. S. B. S. » a une portée de 2 700 km et est équipé d'une charge de 150 kt. Le modèle « M 20 » lui succède sur l'*Indomptable* en 1977 avec une charge thermonucléaire d'une portée supérieure à 3 000 km. Les missiles étrangers de ce type sont désignés par le sigle « SLBM ».

MU'ALLAQA. — La littérature arabe désigne par ce terme, qui évoque un bijou de prix (au plur. *mu'allaqat*), d'anciennes poésies de la période préislamique, dont sept particulièrement célèbres ont été réunies au VIIIe s. par Ḥammād al-Rāwiyya.

MU'ĀWIYYA Ier → OMEYYADES.

MUCHA (Alfons Maria), peintre et dessinateur tchèque (Ivančice, Moravie, 1860-Prague 1939). Ses affiches de théâtre (notamment pour des pièces jouées par Sarah Bernhardt) et publicitaires, ses décorations, ses illustrations et ses bijoux ont fait de lui, à Paris, vers 1900, un des représentants typiques de l'Art nouveau.

MUE. — Le tégument coriace des arthropodes est pratiquement inextensible. L'animal qui s'y trouve enfermé ne peut grandir que par des *mues* successives. Le premier acte de la mue est l'*exuviation :* l'animal fend sa vieille peau (généralement sur le dos), s'en dégage, quitte à y laisser une patte, qui repoussera par la suite, et s'en éloigne. Puis vient la *croissance apparente :* sous sa jeune peau encore molle, l'animal se gonfle d'air (ou d'eau, selon son milieu vital) et acquiert les dimensions nouvelles qu'il gardera jusqu'à la mue suivante. Dans les heures qui suivent, le *durcissement* se fait, l'animal étant généralement bien caché, car il est alors des plus vulnérables. Enfin a lieu la *croissance réelle,* lente et continue : l'animal remplit de chair vivante son nouveau tégument.

L'*intermue* (intervalle entre deux mues) augmente avec l'âge de l'animal. On appelle *mue imaginale* la dernière mue, celle qui donne l'adulte reproducteur, ou « imago ».

MUFLIER. — La « gueule-de-loup », ou muflier, porte une grappe de curieuses fleurs en tube, bosselées à la base et totalement fermées au sommet, simulant un museau d'animal. Ses teintes, passant de l'orange au pourpre, en font une plante ornementale. Les bourdons percent la corolle pour atteindre le nectar; les abeilles passent après eux et récoltent ce qu'ils ont laissé. (Nom latin : *Antirrhinum majus;* famille des scrofulariacées.)

MUFULIRA, v. de Zambie, à la frontière zaïroise; 136 000 hab. Extraction et traitement du minerai de cuivre.

MUGELLO (le), région d'Italie (Toscane), dans la prov. de Florence.

MUGRON (40250), ch.-l. de cant. des Landes, à 27,5 km à l'E. de Dax; 1 470 hab.

MUGUET *(Bot.).* — Très recherché pour la fête du 1er-Mai, le muguet (*Convallaria maialis,* famille des liliacées) forme une grappe de fleurs blanches hémisphériques aux pétales peu marqués. Vivace par son rhizome, il montre tôt au printemps deux ou trois larges feuilles dressées formant un cornet, au milieu duquel poussera la hampe florale.

En pharmacologie, il est utilisé pour son action cardiaque, en raison de la présence d'un hétéroside, la convallamaroside.

MUGUET *(Pathol.).* — Le muguet est dû au *Candida albicans.* Il s'observe chez le nourrisson (muguet buccal), mais aussi chez l'adulte (muguet buccal, muguet vaginal). Le muguet se traduit par l'apparition, sur la langue et sur la face interne de la bouche, de petites élevures blanchâtres, adhérentes, sous lesquelles la muqueuse est à vif. Le traitement local (nystatine, amphotéricine B) permet la guérison.

MUḤAMMAD IBN YA'QŪB AL-NAṢIR → ALMOHADES.

MUḤAMMAD Ier IBN AL-AḤMAR, roi de Grenade → NAṢRIDES.

MUḤAMMAD Ier, sultan du Maroc → SA'DIENS.

MUḤAMMAD V IBN YŪSUF (Fès 1909-Rabat 1961), sultan (1927-1957), puis roi (1957-1961) du Maroc. En 1950, il présente à Paris un mémorandum demandant un changement du statut du Maroc; sommé, par les autorités françaises, de désavouer l'Istiqlāl* (1951), il s'exécute, mais réaffirme en 1952 ses positions. Il est alors déposé (1953) et exilé en Corse et à Madagascar jusqu'en 1955. Il signe en 1956 la convention proclamant l'indépendance du Maroc.

MUḤAMMAD DE RHŪR → RHŪRIDES.

MÜHLBERG AN DER ELBE, v. de l'Allemagne orientale, sur l'Elbe; 4 000 hab. Le 24 avril 1547, Charles Quint y vainquit les protestants confédérés de Smalkade.

MU'IZZ LI-DĪN-ALLĀH (al-) → FĀṬIMIDES.

MUKALLĀ, port du Yémen démocratique, sur le golfe d'Aden; 50 000 hab.

MULATIÈRE (La) [69350], comm. du Rhône, sur le Rhône, dans la banlieue sud de Lyon; 8 033 hab.

MULET → ÂNE.

MULHACÉN, point culminant de l'Espagne, en Andalousie, dans la sierra Nevada, au S.-E. de Grenade; 3 478 m.

MÜLHEIM AN DER RUHR, v. de l'Allemagne fédérale (Rhénanie-du-Nord-Westphalie), dans la Ruhr; 193 000 hab. Église et château remontant au XIe s. Constructions électriques.

MULHOUSE, ch.-l. d'arr. du Haut-Rhin, sur l'Ill; 119 326 hab. *(Mulhousiens).* Hôtel de ville du XVIe s. Musées.

GÉOGRAPHIE. Située dans le sud de l'Alsace, Mulhouse, la plus grande ville du département, est le centre d'une agglomération

Boutin - Atlas - Photo

Mulhouse. Vue générale.

d'environ 220 000 habitants, regroupant un peu plus du tiers de la population du Haut-Rhin. C'est une cité industrielle (se développant sur le grand canal d'Alsace et le Rhin), où le textile a été largement relayé par les constructions mécaniques (automobile) et électriques, cependant qu'au N. de la ville est toujours exploité un gisement de potasse. Proche de Bâle (avec laquelle elle partage l'aéroport de Blotzheim), elle tente d'élargir son assise commerciale, cependant qu'a été récemment créée une université.

HISTOIRE. Ville libre impériale à la fin du XIIIe s., Mulhouse fait partie de la Décapole et de la Confédération helvétique, dont elle sort en 1586 pour former une petite république marchande assez fortement gagnée au protestantisme. L'introduction, en 1746, de l'industrie des toiles peintes en fait une grande ville industrielle. Réunie à la France en 1798, Mulhouse fut annexée à l'Allemagne de 1871 à 1918.

molécules et des mouvements des électrons de l'atome l'amena à définir les orbitales atomiques et la notion d'hybridation. (Prix Nobel de chimie, 1966.)

MULOT → RAT.

MULTĀN, v. du Pakistān, près de la Chenāb; 358 000 hab.

MULTIEN (le), région de l'Île-de-France, au N.-E. de Paris, entre la Marne et l'Ourcq.

MULTIGRADE → LUBRIFIANT.

MULTIPLICATEUR *(Écon.).* — Le concept de multiplicateur reçoit en science économique plusieurs acceptions. Une des plus connues met en lumière l'effet d'une dose additionnelle d'investissement* sur le revenu* global. Une autre acception, le *multiplicateur de crédit,* permet de calculer le supplément monétaire qui se diffusera dans l'économie à la suite d'une injection de monnaie en provenance de la banque « centrale ».

MULTIPLICATEUR D'ÉLECTRONS. — C'est un tube à vide comprenant d'une part une première cathode, qui émet des électrons sous l'action de la lumière, et d'autre part plusieurs électrodes successives, qui permettent, grâce à l'émission électronique secondaire, d'obtenir dans l'électrode terminale un courant capable d'être mesuré ou transmis par relais.

MULTIPLICATION VÉGÉTATIVE. — La plupart des espèces de plantes à graines ajoutent à leur reproduction sexuée (par des semences) diverses modalités de croissance végétative, qui, lorsqu'elles s'accompagnent d'une fragmentation du pied, portent le nom de *multiplication.* Ces modalités sont parfois si efficaces que les graines deviennent stériles ou cessent de se former. Citons le bouturage naturel par bulbilles, le marcottage naturel par stolons, arceaux, drageons, la multiplication par tubercules (pomme de terre), caïeux, rhizomes, etc. Ces modes de propagation, souvent purement souterrains, peuvent être le fait d'organes pérennants chez les espèces herbacées. On a alors affaire à des « herbes vivaces ».

MULTIPLICATION VÉGÉTATIVE

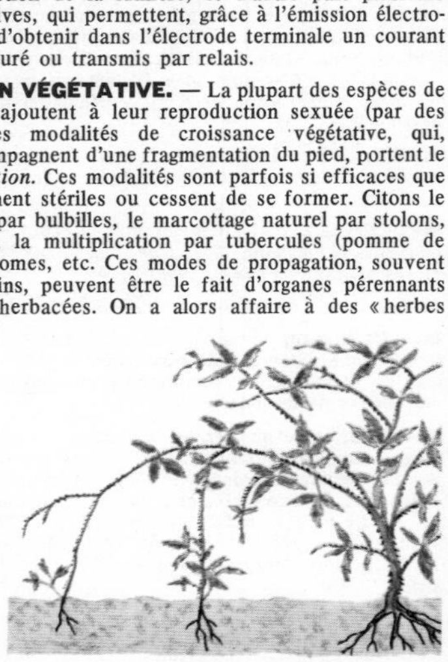

ronce avec arceaux

pied de pommes de terre avec tubercules

arbre avec drageons souterrains

fraisier avec stolons

MULL. — Le mull est un humus doux qui se forme en milieu bien aéré, sous forêt de feuillus, dans les régions tempérées. Il forme une couche noire peu épaisse, recouvrant un horizon où la matière organique se mêle à l'argile.

MÜLLER (Friedrich Max) → COMPARÉE *(grammaire).*

MULLER (Hermann), généticien américain (New York 1890 - Indianapolis 1967). On lui doit l'étude de l'association des caractères héréditaires et du phénomène de *crossing-over* (entrecroisement), ainsi que divers travaux sur les facteurs létaux et les mutations, en particulier le déclenchement artificiel de mutations par action des rayons X. (Prix Nobel de médecine, 1946.)

MÜLLER (Paul Hermann), biochimiste suisse (Olten 1899 - Bâle 1965). Il obtint le prix Nobel de médecine en 1948 pour sa découverte du D. D. T.

MULLIKEN (Robert Sanderson), chimiste américain (Newburyport, Massachusetts, 1896). L'étude de la structure électronique des

MULTIPROCESSEUR → MULTITRAITEMENT.

MULTIPROGRAMMATION. — La multiprogrammation, qui consiste à traiter simultanément plusieurs programmes* sur un même ordinateur*, permet de mieux employer les diverses ressources de la machine. Elle a été conçue initialement comme une technique du système* d'exploitation pour la meilleure utilisation des possibilités de calcul de l'unité centrale : si l'on met plusieurs programmes en mémoire* principale et si l'un d'eux est suspendu pendant quelque temps parce qu'il a fait, par exemple, une demande de transmission dont il doit attendre la fin pour poursuivre ses calculs, l'unité de traitement est mise à la disposition d'un autre programme. Les programmes présents avancent ainsi par fractions, à tour de rôle, en suivant des règles de priorité relative. Pour disposer de plusieurs programmes à un moment donné, il faut posséder des mémoires centrales de grandes tailles : pour que ce procédé n'entraîne pas des coûts prohibitifs, on a alors cherché à mieux gérer cette ressource de l'ordinateur : la pagination*; les systèmes de mémoire

Munich. Vue aérienne de la banlieue de Munich, avec les usines d'automobiles BMW.

Jeanmougin - Viva

virtuelle facilitent l'utilisation optimale de la mémoire réelle et améliorent les techniques de multiprogrammation.

MULTITRAITEMENT. — Un ordinateur* fonctionne en multitraitement lorsqu'il possède deux ou plusieurs unités centrales, ou de traitement, au lieu d'une seule, comme dans le cas le plus habituel. On dit encore qu'il est *bi-* ou *multiprocesseur,* au lieu d'être un simple *monoprocesseur.* Dans un multiprocesseur, les diverses unités de traitement partagent la mémoire* centrale et des mémoires auxiliaires, parfois même l'ensemble des périphériques*.

La structure en multiprocesseur fut recherchée à l'origine pour garantir la permanence du fonctionnement en cas de panne d'un processeur : si une unité centrale tombe en panne, une autre, qui suit constamment ce qui se passe, peut prendre la relève. Dans d'autres cas, tous les processeurs participent au travail, et, si l'un deux est défaillant, le service global est dégradé, mais maintenu. Un système multiprocesseur peut aussi être un moyen commode pour augmenter la puissance d'un ordinateur. Au niveau de leur architecture, les ordinateurs modernes sont bien souvent des multiprocesseurs d'une manière intrinsèque, car ils sont constitués de plusieurs processeurs spécialisés.

MUMMIUS (Lucius), général romain du IIe s. av. J.-C. Consul en 146, il acheva la conquête de la Grèce : vainqueur à Leucopetra (146), il prit Corinthe, qu'il livra au pillage et à l'incendie.

MUN (Albert DE), homme politique français (Lumigny 1841 - Bordeaux 1914). Après la Commune de Paris (1871), à l'écrasement de laquelle il assiste, cet officier se consacre à l'action sociale, jetant, avec La Tour du Pin*, les bases de l'Œuvre des cercles catholiques d'ouvriers. Député de la Bretagne à partir de 1876, il intervient dans la préparation de la législation sociale relative notamment au syndicalisme et au travail des femmes et des enfants.

MUNCH (Edvard), peintre norvégien (Löten 1863 - Ekely 1944). Marquée par l'impressionnisme, par Van Gogh, Seurat, Signac, Toulouse-Lautrec et surtout Gauguin, mais aussi par des rencontres comme celle de Strindberg, sa peinture atteint un des sommets de l'expressionnisme. La douleur, l'angoisse, la difficulté de vivre, l'amour, la femme sont omniprésents dans ses toiles, aux couleurs vives et contrastées, aux lignes en arabesques (*le Cri,* 1893, Galerie nationale, Oslo), ainsi que dans ses gravures sur bois en couleurs et ses lithographies.

MUNCH (Charles), chef d'orchestre français (Strasbourg 1891 - Richmond, Virginie, 1968). D'abord premier violon dans divers orchestres, dont celui du Gewandhaus de Leipzig, il fut à la tête de la Société des concerts du Conservatoire de 1936 à 1946 et de l'Orchestre symphonique de Boston de 1951 à 1963, puis fut nommé directeur de l'Orchestre de Paris lors de sa fondation en 1967.

MÜNCHENSTEIN, v. de Suisse (cant. de Bâle-Campagne), banlieue sud de Bâle; 11 777 hab.

MÜNCHHAUSEN (Karl Hieronymus, *baron* VON), officier hanovrien (Gut Bodenwerder, 1720 - *id.* 1797). Entré au service de la Russie contre les Turcs (1740), il se rendit célèbre par ses hâbleries et ses aventures imaginaires, qui le firent entrer dans la légende.

MUNDA, anc. ville d'Espagne (Bétique), qui fut le théâtre d'une lutte acharnée et de la victoire décisive de César* sur les pompéiens (Cneius et Sextus Pompée*, T. Labienus*) en 45 av. J.-C.

MUNDOLSHEIM (67450), ch.-l. de cant. du Bas-Rhin, à 8 km au N.-O. de Strasbourg; 3 545 hab.

MUNICH, en allem. **München,** v. de l'Allemagne fédérale, capit. de la Bavière; 1 338 000 hab. *(Munichois).*

GÉOGRAPHIE. Proche des Alpes, sur l'Isar, à 518 m d'altitude, éloignée des autres régions et centres urbains vitaux du pays, Munich est aujourd'hui la métropole incontestée de l'Allemagne du Sud aux points de vue administratif, culturel (universités, musées, théâtres), financier, commercial et aussi industriel (constructions mécaniques et électriques, alimentation [brasseries], chimie élaborée), connaissant une expansion démographique rapide (l'agglomération étendue compte près de 2 millions d'habitants).

HISTOIRE. Fondée vers 1158 par Henri le Lion, Munich devient dès 1255 la résidence des Wittelsbach, ducs, puis rois de Bavière*, qui vont constamment l'embellir et l'enrichir. Bastion du catholicisme en Allemagne, elle est à partir de 1923 — date du putsch manqué de Hitler — un des principaux foyers du national-socialisme*. C'est là que, dans la nuit du 29 au 30 septembre 1938, sont signés entre Hitler (Allemagne), Mussolini (Italie), Chamberlain (Grande-Bretagne) et Daladier (France) les accords qui, destinés à mettre fin à la crise germano-tchèque (v. SUDÈTES), repoussent d'un an la guerre mondiale, mais sonnent le glas de la Tchécoslovaquie — que les Allemands occuperont entièrement en 1939 — et marquent le triomphe de la politique cynique et brutale du « fait accompli », poursuivie par Hitler.

BEAUX-ARTS. Cathédrale (Frauenkirche) du XVe s. Autres églises médiévales, souvent refaites à l'époque baroque. Vaste Résidence des Wittelsbach, du XVIe au XIXe s. (théâtre de la Cour par F. de Cuvilliés*, architecte également du pavillon d'Amalienburg, dans le parc du château de Nymphenburg, aux portes de la ville). Églises Saint-Michel (fin du XVIe s.), prototype de l'architecture jésuite en Allemagne, et Saint-Jean-Népomucène, baroque, des frères Asam*. Urbanisme néoclassique à l'initiative de Louis Ier (Ludwigstrasse, Königsplatz), avec monuments de Leo von Klenze* (Glyptothèque, Pinacothèque).

Importants musées : de la Résidence, National bavarois, de Préhistoire, Glyptothèque (marbres d'Égine), Vieille Pinacothèque (très riche panorama européen), Nouvelle Pinacothèque et galerie du XXe s., Musée allemand (sciences et techniques), etc.

MUNICIPE. — Dans l'ancienne Rome, les cités italiennes qui s'en étaient remises à la volonté de Rome étaient soumises à des charges *(munera)* financières et militaires (d'où leur nom de « municipe »), mais elles conservaient leur autonomie, leurs institutions et leur droit; leurs habitants possédaient le droit de cité romaine avec ou sans *suffragium.* Après la guerre sociale*, toutes les villes d'Italie devinrent des municipes, ce terme désignant alors les villes dont l'organisation était fixée par une loi municipale : les municipes possédaient des comices, une assemblée de décurions et des magistrats (*duoviri,* édiles, questeur), et leurs habitants avaient le droit de cité complet. Dans les municipes des provinces, le statut des habitants était variable et le sol était soumis à l'impôt foncier.

MÜNNICH (Burkhard Christoph, *comte*), maréchal russe d'origine allemande (Neuenhuntorf 1683 - Saint-Pétersbourg 1767). Passé au service de Pierre le Grand (1721), maréchal et ministre de la Guerre, il chasse du trône de Pologne Stanislas Leszczyński (1734) et, à la tête des armées russes, bat les Turcs (1736-1739), à qui il enlève Azov. Par la suite, il est plusieurs fois Premier ministre.

MUNSTER (68140), ch.-l. de cant. du Haut-Rhin, à 19 km au S.-O. de Colmar; 4 969 hab. Hôtel de ville du milieu du XVIe s. Fromages*. Textile.

MUNSTER, prov. du sud-ouest de la république d'Irlande; 883 000 hab. V. princ. *Cork.*

MÜNSTER, v. de l'Allemagne fédérale (Rhénanie-du-Nord-Westphalie), dans le *bassin de Münster;* 198 000 hab. Université. Ville ancienne, avec de nombreux monuments, dont la cathédrale romane et gothique, et des musées. — Siège, en 802, d'un évêché — qui sera sécularisé en 1803 et rétabli en 1821 —, Münster fut au XVIe s. la capitale de l'anabaptisme*. C'est là et à Osnabrück que furent signés en 1648 les accords dits « de Westphalie* ».

MUNTÉNIE, région du sud de la Roumanie, à l'E. de l'Olt, entre les Carpates et le Danube, correspondant à la partie orientale de la Valachie. V. princ. *Bucarest.*

MÜNZER (Thomas), réformateur allemand (Stolberg v. 1489 - Mülhausen 1525). Maître en théologie chez les Augustins, il rencontre Luther en 1519, mais, dépassant la pensée du maître de Wittenberg, il remplace la révélation biblique par l'« illuminisme de la révélation intérieure »; en même temps, pasteur à Allstedt (1523), puis à Mülhausen (1524), il prétend préparer le règne du Christ en créant une théocratie populaire. Il est dès lors l'un des chefs de cet anabaptisme* que Luther et les princes allemands poursuivent à mort. Battu à Frankenhausen, il est exécuté.

MUQDISHO, anc. **Mogadishu** et en ital. **Mogadiscio,** capit. de la Somalie, sur l'océan Indien; 230 000 hab.

MUQUEUSE. — Membranes épithéliales recouvrant les différents conduits naturels, les muqueuses ont une constitution différente selon leur caractère sécrétant ou non. Les muqueuses buccale, œsophagienne, anale et vaginale forment une épaisse paroi, assez semblable au revêtement cutané, mais dont les cellules n'évoluent pas vers la kératinisation. Les muqueuses excréto-urinaires, qui tapissent la vessie, l'uretère, le bassinet et une portion de l'urètre, possèdent un revêtement spécial, s'opposant à la résorption de l'urine.

La muqueuse respiratoire (nasale et trachéobronchique) est faite d'un épithélium dont les éléments sont pourvus de cils destinés à rejeter à l'extérieur les poussières.

MUR *(Constr.).* — • Les *murs de sous-sol* et *de soubassement* s'exécutent le plus souvent en maçonnerie* de pierre* ou en béton* banché, quelquefois en parpaings pleins dans les petites constructions. Ils doivent résister à la charge de la superstructure et à la poussée des terres. Quand ils sont en contact avec un sol humide, on assure leur étanchéité par application d'enduits* de ciment* ou de produits spéciaux.

• Les *murs de façade* peuvent être portants ou servir de maçonnerie de remplissage entre les planchers* et les poteaux de l'ossature*. Dans tous les cas, ils doivent être étanches et suffisamment isothermiques. Les murs portants s'exécutent en pierre, en briques pleines, en béton banché, que l'on protège extérieurement par des enduits* ou des plaques de pierre. Les murs non portants ne supportent, en principe, que leur propre poids sur la hauteur d'un étage. Ils sont constitués soit d'éléments préfabriqués, soit d'une maçonnerie traditionnelle. Dans ce cas, on les construit en parpaings, en matériaux légers ou en briques creuses, que l'on recouvre d'un parement extérieur. On les double en général d'une *cloison de doublage* intérieure en réservant un vide d'isolation de 2 à 3 cm.

• Les *murs-panneaux* et les *murs-rideaux* sont des pièces préfabriquées de la hauteur d'un étage, livrées sur le chantier entièrement parementées. On les met en œuvre après achèvement de l'ossature.

• Les *murs de soutènement* s'exécutent le plus souvent en béton armé. Ils se composent d'un *voile* vertical, éventuellement renforcé par des *raidisseurs* et solidaire d'une *semelle* de fondation. Celle-ci doit, d'une part, être suffisamment large pour éviter le déversement du mur et, d'autre part, être munie d'une bêche d'ancrage pour empêcher son glissement sous la poussée des terres. À l'arrière du voile, on exécute un drainage en pierres sèches pour recueillir les eaux d'infiltration et les évacuer par des *barbacanes* aménagées à la partie basse du mur.

Mur *(le),* recueil de cinq nouvelles de J.-P. Sartre (1939) : « le Mur », « la Chambre », « Érostrate », « Intimité », « l'Enfance d'un chef ». L'amère conscience que les intellectuels et les chefs appartiennent à la même classe, à travers la description quasi clinique de cas pathologiques ou de situations fausses.

MUR (la), riv. de l'Europe centrale, qui draine le sud-est de l'Autriche, passant à Graz, et forme la frontière entre l'Autriche et la Yougoslavie, puis entre la Yougoslavie et la Hongrie, avant de rejoindre la Drave (r. g.); 445 km. Aménagements hydroélectriques.

MURAD Ier (v. 1326 - Kosovo 1389), Sultan ottoman de 1359 à 1389. Il est le premier grand conquérant ottoman de l'Europe balkanique. Les principales étapes de ses conquêtes sont la Thrace occidentale (Andrinople [Édirne*], v. 1362), Philippopolis (auj. Plovdiv), la Macédoine, la Bulgarie et la Serbie septentrionales (apr. 1371), Niš et Sofia (v. 1385-86). En 1389, Murad Ier bat les Serbes et leurs alliés à Kosovo. Parallèlement, il consolide et étend les possessions ottomanes en Anatolie.

MURAD II, III, IV → OTTOMANS.

MURĀD BEY, chef des Mamelouks d'Égypte (en Circassie v. 1750 - près de Talsta 1801). Il fut vaincu par Bonaparte à la bataille des Pyramides (v. ÉGYPTE [*campagne d'*]).

Muraille *(Grande),* ligne fortifiée édifiée au IIIe s. av. J.-C. par l'empereur Che Houang-ti pour protéger la Chine contre les incursions des tribus des steppes. Dans son tracé et son état actuels (de 2 500 à 3 000 km), elle date de la dynastie Ming* (XVe-XVIIe s.).

MURALISME. — Rejoignant la tradition de la peinture murale précolombienne, de nombreux artistes mexicains ont cherché, dans le climat de revendications sociales issu de la révolution de 1910, à élaborer un « art monumental et héroïque, humain et populaire » (Siqueiros). L'exaltation de la conscience nationale à travers le passé et les héros de l'indépendance fournit les thèmes didactiques d'œuvres souvent baroques et expressionnistes, comme celles de Jose Clemente Orozco (1883-1949), dont les volumes puissamment schématisés et les couleurs vives concourent à l'intensité dramatique (*l'Homme en flammes,* 1939, hospice Cabanas à Guadalajara), celles de Diego Rivera (1886-1957), qui, après une période cubiste, associe des formes rudes et dépouillées à l'humour et à une palette éclatante (fresques de l'école d'agriculture de Chapingo, 1926-27), et celles de David Alfaro Siqueiros (1896-1974), théoricien d'un art révolutionnaire et peintre d'un lyrisme passionné, violent et monumental (*Procès au fascisme,* 1939, siège du syndicat des électriciens de Mexico; *Marche de l'humanité,* 1967, « polyforum » de l'hôtel Mexico). Né dans les années 20 (fresques collectives de l'École nationale préparatoire de Mexico, 1922-1925), le courant muraliste a sombré dans un certain enlisement politique du Mexique, non sans permettre encore quelques réussites (décoration de la cité universitaire de Mexico, 1952) et exercer son influence au-delà des frontières du pays (États-Unis, Brésil).

MURANO, agglomération de la commune de Venise, sur une île de la lagune. Verrerie d'art. Basilique, reconstruite au XIIe s. (mosaïques). Musée de l'art du verre.

MURASAKI SHIKIBU, romancière japonaise (v. 978 - v. 1020), auteur du *Genji-monogatari** et d'un journal intime.

MURAT (15300), ch.-l. de cant. du Cantal, à 24 km au N.-O. de Saint-Flour; 3 005 hab. Église du XVe s. — En 1944, foyer actif de la Résistance.

MURAT (Joachim), maréchal de France et roi de Naples (Labastide-Fortunière [auj. Labastide-Murat] 1767 - Pizzo, Calabre, 1815). Fils d'aubergiste, il s'engage, devient aide de camp de Bonaparte et général en Italie (1796), participe au 18-Brumaire et épouse Caroline Bonaparte (1800). Fait maréchal (1804) et prince d'Empire (1805), il est nommé grand-duc de Berg et de Clèves (1806-1808), mais prend part à la campagne d'Allemagne et se bat à Eylau et à Königsberg (1807). Commandant en chef de l'armée d'Espagne, il devient en 1808 roi de Naples. Il participe à la campagne de Russie, mais, après la défaite française, signe en 1814 un traité avec l'Angleterre et l'Autriche qui lui garantit ses États. Réfugié en Corse après Waterloo, il tente de reconquérir son royaume, mais est arrêté en Calabre et fusillé.

MURATO (20239), ch.-l. de cant. du Haut-Nebbio (départ. de la Haute-Corse), à 9 km au S.-S.-O. d'Oletta; 1 840 hab. Église romane S. Michele.

MURAT-SUR-VÈBRE (81320), ch.-l. de cant. du Tarn, à 16 km à l'E. de Lacaune; 1 060 hab.

MURBAN, principal gisement pétrolifère de l'émirat d'Abū Ẓabī.

MURCIE, en esp. **Murcia,** région de l'Espagne méridionale, sur la Méditerranée; 26 175 km^2; 1 167 000 hab. Elle est formée des deux provinces de *Murcie* et d'Albacete. C'est une région au climat sec et rude dans l'intérieur montagneux, chaud et aride sur le littoral. Les cultures fruitières et légumières sont développées dans les zones irriguées. Murcie, la plus grande ville (244 000 hab.), est surtout un centre commercial, alors que Carthagène, sur le littoral, est un port et un centre industriel importants. Murcie possède une belle cathédrale gothique du XVe s. (tour en partie du XVIe s., façade rocaille du XVIIIe), des églises et des couvents classiques et baroques ainsi que des musées, dont celui qui est consacré aux *pasos* (figures de processions) du sculpteur murcien Francisco Salzillo (1707-1783).

MUR-DE-BARREZ (12600), ch.-l. de cant. de l'Aveyron, à 39 km au S.-E. d'Aurillac; 1 499 hab. Église en partie romane.

MÛR-DE-BRETAGNE (22350), ch.-l. de cant. des Côtes-du-Nord, à 16 km au N. de Pontivy; 2 259 hab.

Mur des lamentations, vestiges de l'enceinte du temple d'Hérode* à Jérusalem, traditionnel lieu de prière où les juifs viennent pleurer la ruine du Temple et l'exil d'Israël.

MURDOCH (Mrs. J. O. BAYLEY, dite **Iris**), femme de lettres britannique (Dublin 1919). Ses romans analysent la responsabilité et la culpabilité humaines à travers une forme qui unit la méditation philosophique au rythme du récit policier (*Dans le filet,* 1954; *la Gouvernante italienne,* 1964; *Une défaite assez honorable,* 1970).

MURDOCK (George Peter), anthropologue américain (Meriden, Connecticut, 1897). Célèbre pour ses études comparatives, il a établi un système permettant d'analyser par traitement statistique plusieurs centaines de sociétés. (*Social Structure,* 1949.)

MURE (La), [38350], ch.-l. de cant. de l'Isère, à 38 km au S. de Grenoble; 5 913 hab. Anthracite.

MUREAUX (Les) [78130], comm. des Yvelines, sur la Seine, à

16 km à l'E. de Mantes-la-Jolie; 28 345 hab. *(Muriautins)*. Industrie aéronautique.

MURENA (Lucius Licinius) → LICINIUS MURENA.

MURÈNE. — Les poissons osseux s'attaquant à l'homme sont peu nombreux, et la murène est l'un des plus redoutables. Poisson allongé (jusqu'à 1,60 m), sans écailles ni nageoires paires, au corps tacheté et marbré, au sang vénéneux, elle inflige aux pêcheurs des morsures qui évoluent si mal qu'on la croit venimeuse. Les Romains aimaient conserver en vivier ce redoutable poisson, qui est assez proche parent des anguilles.

MUREŞ (le), en hongr. **Maros,** riv. drainant le centre et l'ouest de la Roumanie (passant à Arad), avant de rejoindre la Tisza (r. g.) en Hongrie (à Szeged); 900 km.

MURET (31600), ch.-l. d'arr. de la Haute-Garonne, sur la Garonne, à 20 km au S.-O. de Toulouse; 15 382 hab. *(Muretains)*. Église des XIIe-XIIIe s. Musée historique. — Capitale de l'ancien comté de Comminges, Muret fut, le 12 septembre 1213, le théâtre d'une bataille où Simon de Montfort, chef de la croisade contre les albigeois, défit le comte Raimond VI de Toulouse et le roi Pierre II d'Aragon.

MURET (Marc-Antoine), humaniste français (Muret, près d'Ambazac, 1526 - Rome 1585), auteur de poésies latines *(Juvenilia)*.

MUREX. — Ce mollusque gastropode marin, carnivore, doit sa célébrité à la substance colorante (pourpre) qui imprègne son manteau, que les Phéniciens, puis les Romains ont exploitée industriellement.

MURGER (Henri), écrivain français (Paris 1822 - *id.* 1861), auteur des *Scènes de la vie de bohème* (1847-1849).

MÛRIER. — Deux plantes, par ailleurs sans aucune ressemblance, portent des fruits composés appelés *mûres :* la ronce* et le mûrier. Ce dernier est un arbre, cultivé en grand autrefois dans les régions de sériciculture, car ses feuilles sont la nourriture des « vers à soie » (chenille de *Bombyx mori*). Son fruit, blanc passant au rouge puis s'assombrissant, n'atteint pas la teinte noire de la mûre (fruit de la ronce) et offre un goût moins sucré que celle-ci. (Type de la famille des moracées.)

MURILLO (Bartolomé Esteban), peintre espagnol (Séville 1618 - *id.* 1682). D'abord marqué, dans son réalisme expressif, par l'influence du caravagisme sur l'art espagnol, il évolue à partir de 1655, sans doute après la découverte des Vénitiens et des Flamands, vers une grande liberté de touche, vers des transparences et une atmosphère qui s'accordent à des lignes souples et mouvementées. Il peint des sujets religieux (comme ses célèbres *Immaculées*), non dénués parfois de mièvrerie, mais qui lui valent de nombreuses commandes (cycles monastiques), et met sa simplicité et son naturalisme au service de scènes de genre et de spectacles de la rue où transparaît son goût de la nature morte et du portrait.

MURNAU (Friedrich Wilhelm PLUMPE, dit), cinéaste allemand naturalisé américain (Bielefeld 1888 - Los Angeles 1931). Formé à l'école de Max Reinhardt, il débuta dans la mise en scène de cinéma en 1919 et se révéla trois ans plus tard comme l'un des maîtres de l'expressionnisme avec *Nosferatu* le Vampire*. Tourné en 1922, *le Dernier des hommes* lui assura une réputation internationale. Murnau réalisa dans son pays deux autres films, *Tartuffe* (1925) et *Faust* (1926), puis émigra aux États-Unis, où il connut un cuisant échec commercial avec *l'Aurore** (1927), considéré comme l'une de ses œuvres les plus sensibles. Sur un scénario écrit en collaboration avec Robert Flaherty, il dirigea en 1931 *Tabou,* un documentaire romancé. Il se tua dans un accident quelques jours avant la première présentation du film.

MURORAN, port du Japon, sur la côte sud d'Hokkaidō; 162 000 hab. Sidérurgie.

MURPHY (Robert Cushman), ornithologue américain (New York 1887 - *id.* 1973). Il a passé la plus grande partie de sa longue vie en explorations scientifiques, dans le monde entier, en vue de doter l'American Museum d'une inégalable collection d'oiseaux (1 million de spécimens). Sa popularité lui a fait dédier deux montagnes et diverses espèces animales nouvellement décrites.

MURPHY (William Parry), médecin américain (Stoughton, Wisconsin, 1892), prix Nobel de médecine en 1934, avec G. Minot et G. H. Whipple, pour ses recherches sur le traitement des anémies pernicieuses.

MURRAY (le), principal fleuve d'Australie; 2 574 km. Né dans le sud de la Cordillère australienne, il sépare sur une grande partie de son cours le Victoria et la Nouvelle-Galles du Sud, recevant notamment le Darling avant de rejoindre l'océan Indien austral près d'Adélaïde. Il est utilisé pour la production d'hydroélectricité (cours supérieur montagnard) et l'irrigation (cours moyen et inférieur, cependant appauvri par une forte évaporation).

MURRAY (James), officier britannique (v. 1719-Battle 1794). Premier gouverneur du Canada britannique (1763-1766), il fut respectueux des traditions des Canadiens français.

MURRAY BAY → MALBAIE *(La)*.

MÜRREN, station d'été et de sports d'hiver (alt. 1 650-2 970 m) de Suisse (cant. de Berne), dans les Alpes bernoises.

MURUROA, atoll de la Polynésie française, à 1 200 km à l'E. de Tahiti. Base d'expérimentation française de charges nucléaires.

MURVIEL-LÈS-BÉZIERS (34490), ch.-l. de cant. de l'Hérault, à 14 km au N. de Béziers; 1 871 hab.

MUSACÉES. — Cette famille de plantes monocotylédones des régions chaudes comprend non seulement les bananiers*, mais une belle plante ornementale d'appartement, le *strelitzia* de l'Afrique australe, aux fleurs orangées, et un arbre de Madagascar, le *ravenala,* aux rameaux étalés dans un même plan, comme les lames d'un éventail, et dont le tronc incisé laisse couler une sève potable : d'où son nom d'« arbre du voyageur ».

MUSARAIGNE. — Les musaraignes (170 espèces) sont de petits mammifères fouisseurs et nocturnes, ressemblant à des souris (ce qui leur vaut d'être détruites par erreur), mais exclusivement insectivores. Des dents pointues, une odeur désagréable sont leurs seules armes défensives. Les musaraignes vivent ordinairement seules; certaines espèces dorment en hiver. Les plus grandes espèces *(crocidure)* atteignent la taille d'un gros rat, mais la plus petite *(suncus)* ne pèse pas plus de 2 g.

MUSASHINO, v. du Japon, dans la banlieue ouest de Tōkyō; 137 000 hab.

MUSCADET. — Le muscadet est un vin blanc sec et léger de la région nantaise.

MUSCAT → CÉPAGE.

MUSCLE. — On distingue les muscles rouges (ou striés ou volontaires), squelettiques, et les muscles blancs (ou lisses ou involontaires), généralement viscéraux. Les cellules musculaires (fibres), allongées, contiennent des myofibrilles. Les muscles sont contractiles et excitables : la fibre musculaire transforme l'énergie chimique produite par son métabolisme en énergie mécanique en modifiant la structure et la longueur des myofibrilles. Un même filet nerveux commande un groupe de fibres musculaires, ou « unité motrice ». Au niveau de la jonction nerf-muscle (« plaque motrice »), l'influx nerveux entraîne la libération d'acétylcholine,

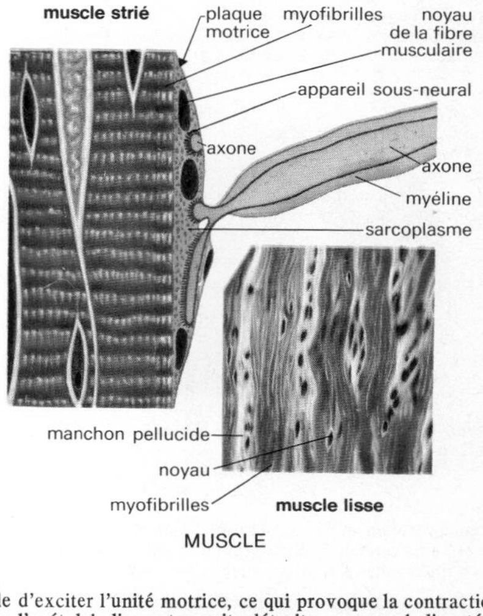

MUSCLE

capable d'exciter l'unité motrice, ce qui provoque la contraction du muscle; l'acétylcholine est ensuite détruite par une cholinestérase.

L'examen d'un muscle comprend l'étude de sa force ainsi que de sa réponse à la percussion et fait parfois appel à l'électrodiagnostic et à la biopsie. Les écrasements musculaires étendus entraînent un choc. Les dystonies sont des troubles du tonus* musculaire. Les contractures musculaires ont des causes multiples. Les myomes sont des tumeurs musculaires bénignes. Parmi les affections dégénératives des muscles citons les amyotrophies, dues à une immobilisation ou à une paralysie, les myopathies et les dystrophies (myatonie, myasthénie).

MUSÉE. — Comme rassemblement de réalisations artistiques (mais aussi scientifiques ou technologiques) dans un lieu ouvert au public, le musée est une création du XVIIIe s. Certes, Athènes et Rome ont connu des collections d'art dans les sanctuaires, les portiques, les thermes et les palais; la même idéologie de la possession et de l'accumulation multiplie les trésors de l'Église au Moyen Âge, puis les collections des rois et des princes. Mais, dès la Renaissance, avec la montée d'une nouvelle classe sociale, dont l'idéologie est le commerce et la circulation des marchandises, et qui cherche son identité à travers des valeurs passées, mais « éternelles », apparaît la passion des cabinets de « curiosités », d'antiquités et d'œuvres d'art, tandis que se développe le goût de l'analyse, de la classification et du répertoriage. Le triomphe de la bourgeoisie (finance et industrie) et de l'esprit scientifique marque le début du musée et de la muséologie dans les pays avancés (Angleterre, France, puis Allemagne) : en 1793, le « Muséum central des arts », premier musée national européen, est créé au Louvre*. La volonté didactique de montrer le monde selon sa philosophie propre pousse le nouveau pouvoir, dans la logique de l'idéologie démocratique, à ouvrir (à Paris et en province) des musées publics. Au XIXe s., les musées connaissent un immense essor en Europe ainsi qu'aux États-Unis (où ils naissent, pour la plupart, d'initiatives privées), et cet essor s'accentue encore au XXe s., surtout dans les pays riches (la moitié des 12 000 musées du monde sont américains). Mais, en même temps, les contradictions, présentes dès le début, grandissent : enfermer dans le musée les témoignages vivants de l'art suscite critiques et refus de l'institution. Pissarro, comme d'autres, nombreux, parlait de brûler les musées, souhaitant ainsi préserver la dernière activité humaine autonome.

Le musée est donc contraint, dans sa forme moderne, de dépasser son rôle conservatoire par une ouverture sur la création contemporaine : depuis 1945, les conservateurs les plus audacieux (W. Sandberg au Stedelijk Museum d'Amsterdam, H. Szeemann à la Kunsthalle de Berne, P. Hultén au Moderna Museet de Stockholm, puis au centre Pompidou de Paris) proposent le musée comme lieu d'expériences d'avant-garde, s'adaptant à elles et même les suscitant. Le musée tend donc à devenir un centre actif d'information (multiplication d'expositions temporaires, de débats, de projections de films) et de communication entre les artistes et le public. Il n'échappe ainsi aux contradictions de l'accumulation de « valeurs » que pour rencontrer celles de l'art contemporain, c'est-à-dire de la société d'aujourd'hui, souvent exprimées avec une violence provocatrice et subversive.

Muse endormie *(la)*, titre d'une série de sculptures de Brâncuşi, qui vont d'un visage incliné sortant de sa gangue de marbre à peine dégrossi, à la façon de Rodin (1906, musée de Bucarest), aux têtes reposant sur le côté des années 1908-1910, progressivement réduites à un ovoïde pur sur lequel les traits sont stylisés avec une extrême économie (musée national d'Art moderne, Paris). S'inspirant notamment des figurines de marbre des Cyclades, Brâncuşi,

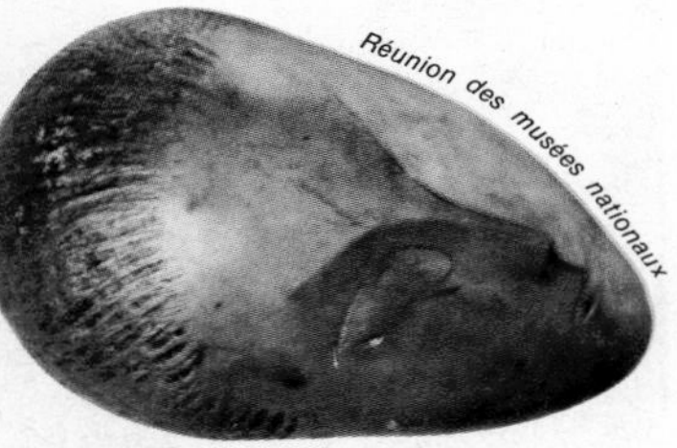

La Muse endormie, de Brâncuşi. Bronze doré d'après le marbre de 1909-10. (Musée national d'Art moderne, Paris.)

sans jamais renoncer à la figuration, donne ainsi le départ à une sculpture entièrement intériorisée, où la perfection formelle a pour mission d'exprimer l'énergie vitale de l'univers.

Muse française *(la)*, revue littéraire, qui fut en 1823-24 l'organe de l'école romantique.

Muséum national d'histoire naturelle, nom donné en 1794 aux collections du Jardin des Plantes de Paris, qui doit son origine au *Jardin du roi* (1635). Le Muséum est devenu un important centre de recherche et d'enseignement.

MUSHIN, v. du Nigeria, banlieue de Lagos; 176 000 hab.

MUSICAL (enseignement). — D'une importance primordiale au Moyen Âge, il sera dispensé pendant la Renaissance dans les maîtrises des églises, ou psallettes, et dans les chapelles princières, où on apprend le chant, la composition et la pratique des instruments. La diffusion de l'opéra en Europe et plus tard la Révolution française contribueront à laïciser cet enseignement, favorisant la création d'écoles publiques, de conservatoires (celui de Paris, réservé aux musiciens professionnels) ou d'écoles privées (école Niedermeyer, Schola cantorum). Notre époque a intégré la musique dans l'enseignement général à tous les niveaux.

MUSIC-HALL. — Le music-hall moderne, qui comporte à la fois des tours de chant et des numéros divers (d'acrobates, de danseurs, de jongleurs, de clowns, etc.), se développa en Grande-Bretagne et en France notamment à partir de 1840. Il se différencia peu à peu du café-concert (qu'il allait supplanter vers la fin de la Première Guerre mondiale), car les spectateurs ne pouvaient généralement y consommer. En France, les premiers music-halls furent la Gaîté (1868), les Folies-Bergère (1869), le Casino de Paris (1890). Suivirent l'Alhambra, Ba-Ta-Clan, l'Eldorado, l'Empire, la Scala, le Palace, les Ambassadeurs, l'Olympia. Fortement concurrencé par le cinéma, la radio, le disque et la télévision, le music-hall survécut néanmoins en se spécialisant. Certains music-halls se sont orientés vers les revues à grand spectacle; les autres sont devenus des temples de la chanson, à la fois rampes de lancement pour les artistes inconnus et lieux de consécration pour les vedettes qui viennent y donner des récitals.

MUSICOGRAPHIE, MUSICOLOGIE. — Le fait d'écrire sur la musique et les musiciens remonte aux Grecs. À leur suite, des théoriciens arabes ou européens du Moyen Âge laisseront de savants traités. À partir du XVIIe s., certains s'intéresseront davantage à l'art plus subjectif de la critique ou de l'esthétique. On distinguera leurs travaux de ceux qui sont dits « de musicologie », plus scientifiques et fondés sur des documents de première main.

MUSIL (Robert VON), écrivain autrichien (Klagenfurt 1880 - Genève 1942). Sensible à la crise sociale et spirituelle de la civilisation européenne, il tente d'abord d'exprimer, à travers les thèmes et les techniques expressionnistes (*les Désarrois de l'élève Törless,* 1906; *Trois Femmes,* 1924), la découverte esthétique et scientifique majeure du monde moderne : l'émergence de l'aléatoire et de l'irrationnel au sein même de la rationalité. Il cherche alors, dans une œuvre qu'il veut « une entreprise religieuse sans dogmatisme », à unir le dynamisme éclaté de l'expérience vécue et de la pensée critique (l'« ironie constructive ») au besoin mystique d'unité, dont le langage et la forme littéraires sont à la fois le moyen et le signe (*l'Homme* sans qualités,* 1930-1943).

MUSIQUE. — Ce langage, qui combine les sons, les timbres et les rythmes de manière intelligible, répond à une fonction sociologique différente selon les pays et les époques. Les musiques savantes et populaires ont toujours coexisté, l'improvisation remplaçant souvent l'écriture dans le second cas, notamment dans les civilisations extra-européennes, où la tradition orale domine.

En Occident, l'héritage gréco-latin se transforme sous l'influence de la chrétienté; l'art musical, codifié en des traités, sert en premier lieu l'Église durant le Moyen Âge. La Renaissance développe les polyphonies vocales, religieuses et profanes (messe*, motet*, chanson*, madrigal*), tandis que l'époque classique, après la naissance de l'opéra*, voit la montée de l'instrument (suite*, sonate*, concerto*), les spectacles et les concerts tenant lieu de divertissement à une élite sociale. Le romantisme élargira le public des mélomanes grâce à l'apogée du théâtre lyrique et à l'éclosion de la symphonie*, qui favorisent l'expression des sentiments. Le XXe siècle, tout en usant d'un répertoire des œuvres du passé, se consacre surtout à la recherche expérimentale.

MUSSET (Alfred DE), écrivain français (Paris 1810 - *id.* 1857). Introduit dans le cénacle de Nodier, il se fait connaître par ses *Contes d'Espagne et d'Italie* (1830), dont le ton parodique irrite les romantiques orthodoxes, et il s'essaie au théâtre (*la Nuit vénitienne,* 1830), où il échoue. Il réfléchit alors sur la forme nouvelle du « mal du siècle » et en fournit l'expression littéraire dans la préface du drame *la Coupe et les lèvres* (1832), puis dans *Rolla* (1833). Il compose cependant des pièces réservées à la lecture (*A quoi rêvent les jeunes filles,* 1832; *les Caprices de Marianne,* 1833; *On ne badine pas avec l'amour, Fantasio* et *Lorenzaccio**, 1834). En 1833, une liaison brève et orageuse avec George Sand bouleverse sa vie et inspire son roman autobiographique (*la Confession d'un enfant du siècle,* 1836) ainsi que les poèmes des *Nuits** (1835-1837). Le talent de l'écrivain continue, toutefois, à s'affirmer dans des fantaisies poétiques (*Une soirée perdue,* 1840; *Sur trois marches de marbre rose,* 1849) et dramatiques (*le Chandelier,* 1835; *Il ne faut jurer de rien,* 1836; *Un caprice,* 1837; *Il faut qu'une porte soit ouverte ou fermée,* 1845) ainsi que dans une satire du romantisme (*Lettres de Dupuis et Cotonet,* 1836-37). — Son frère, Paul DE MUSSET (Paris 1804 - *id.* 1880), fut romancier et essayiste.

MUSSIDAN (24400), ch.-l. de cant. de la Dordogne, sur l'Isle, à 35 km au S.-O. de Périgueux; 3 235 hab.

MUSSOLINI (Benito), homme d'État italien (Dovia di Predappio, Romagne, 1883 - Giulino di Mezzegra, Côme, 1945). Instituteur, militant socialiste, il s'exile quelque temps en Suisse (1902-1904), où il fréquente les milieux socialistes et complète sa culture en autodidacte, accumulant les lectures d'inspiration surtout anarchiste. De retour en Italie, il devient rédacteur en chef d'*Avanti!*, le journal du parti socialiste (Milan, 1912). Représentant de la tendance intransigeante du parti, anticolonialiste et neutraliste, il opère un revirement brutal à partir de 1914 et, après avoir été exclu du parti socialiste, fonde *Il Popolo d'Italia,* dans lequel il préconise l'intervention aux côtés des Alliés. Il part pour le front (1915-1917), puis reprend son journal, dans lequel il défend des positions nationalistes et annexionnistes. En mars 1919, il fonde les Faisceaux italiens de combat, futur parti fasciste. Ralliant les classes moyennes par un socialisme démagogique, rassurant la droite et l'Église par un anticommunisme violent, Mussolini utilise habilement les voies légales et l'action terroriste pour s'emparer du pouvoir à la faveur de la grave crise économique, sociale et politique qui bouleverse l'Italie. Élu député de Milan en 1921, il cautionne les actions de représailles menées par les «Chemises noires» contre les militants de gauche et contre les grévistes, et il apparaît comme le défenseur de l'ordre, face à l'anarchie. L'imposante démonstration de la «marche sur Rome», où ses partisans se rendent armés, convainc le roi Victor Emmanuel III de lui confier le gouvernement. Nommé Premier ministre en octobre 1922, Mussolini se fait donner les pleins pouvoirs par la Chambre dès novembre, écarte progressivement toute opposition parlementaire (assassinat du socialiste Matteotti, 1924) et exerce une véritable dictature à partir de 1925. Les premières réalisations du régime et la conclusion des accords du Latran (1929) valent d'abord au «Duce» une énorme popularité, entretenue par l'organisation d'un véritable culte autour de sa personne. À l'extérieur, Mussolini se montre soucieux d'établir de bons rapports avec les démocraties occidentales (signature du pacte à Quatre en 1933, accord franco-italien et entrevue de Stresa* en 1935). Mais une ambition démesurée l'entraîne dans une politique de prestige et de conquêtes ainsi qu'à une alliance avec l'Allemagne, qui va se révéler désastreuse pour l'Italie. Devant l'opposition des Français et des Britanniques à la guerre d'Éthiopie et les sanctions prises contre lui par la S. D. N. (1935-36), Mussolini se rapproche de Hitler, avec qui il forme l'axe Rome-Berlin (1936) et conclut le pacte d'Acier (1939), puis il intervient en France et en Grèce (1940). Il apparaît désormais comme l'auxiliaire de Hitler dans la guerre. Celle-ci prive l'Italie de ses colonies africaines et lui vaut une succession de défaites. Mussolini est désavoué par les chefs fascistes, qui exigent sa démission, puis il est arrêté sur l'ordre du roi (juill. 1943). Délivré par les Allemands, il tente d'organiser sous leur protection une «République sociale italienne» à Salo, dans le nord de l'Italie, et fait exécuter ses adversaires, dont son gendre Ciano. Ce simulacre de gouvernement ne survit pas à la défaite allemande, et Mussolini est exécuté par des résistants italiens le 28 avril 1945. (V. FASCISME et ITALIE.)

MUSSY-SUR-SEINE (10250), ch.-l. de cant. de l'Aube, à 20 km au S. de Bar-sur-Seine; 1682 hab. Belle église du XIIIe s. (œuvres d'art).

MUSTAFA Ier, II, III → OTTOMANS.

MUSTAFA KEMAL → KEMAL.

MUSTÉLIDÉS. — La marte, la fouine, la belette, le putois, l'hermine, la mouffette, le furet et plusieurs autres carnassiers bas sur pattes, allongés, courts d'oreilles, strictement carnivores et plus ou moins «puants» (glandes répugnatoires au voisinage de l'anus), sont rassemblés dans la famille des mustélidés. Leur faible hauteur leur permet de pénétrer dans les terriers et les taillis, de se dissimuler dans les arbres, etc. Leur denture est très tranchante.

MUTANABBĪ (Abū al-Ṭayyib Aḥmad ibn al-Ḥusayn, dit **al-**), poète arabe (Kūfa 915-près de Bagdad 965). Il prétendit dans sa jeunesse à la prophétie (d'où son surnom de «celui qui se donne comme prophète»), puis il embrassa une carrière de panégyriste à gages. Son *Divan,* qui allie les thèmes de la poésie antéislamique aux recherches stylistiques et gnomiques, compte parmi les grandes œuvres poétiques classiques.

MUTATEUR STATIQUE → CONVERTISSEUR.

MUTATION. — Le monde vivant ne saurait évoluer si le programme génétique d'un nouvel individu ne faisait jamais que recombiner les programmes de ses ancêtres. L'apparition du nouveau à titre durable ou, tout au moins, transmissible est due au hasard des *mutations,* c'est-à-dire des altérations génétiques, à la condition évidente que celles-ci soient compatibles avec la vie et la fertilité. Sur le nombre, quelques-unes de ces mutations sont même franchement favorables et donnent prise à la sélection naturelle.

On oppose la mutation à la *somation,* ou *accommodat,* adaptation individuelle intransmissible.

MUʿTAZILITES. — Les muʿtazilites, «ceux qui s'occupent de la science du kalām», sont des théologiens de l'islām. Née à Baṣra (Bassora) à la fin du VIIIe s., cette école de pensée religieuse, qui a son centre à Bagdad dès le IXe s., soutient plusieurs thèses théologiques : Dieu est un et n'a pas d'attributs; Dieu est juste, l'homme est libre et responsable; le pécheur se trouve dans une situation intermédiaire entre la foi et l'infidélité; la justice et la liberté doivent se réaliser dans la vie communautaire.

Benito Mussolini, lors de la venue de Hitler en Italie (1938).

MUTITÉ. — L'impossibilité de parler peut être due :
— à une absence de développement des centres nerveux du langage, cette anomalie étant consécutive à la surdité en rapport avec une aplasie congénitale ou des lésions graves des deux oreilles (otites), avant l'âge où l'on apprend à parler;
— à un trouble de la déglutition ou à une lésion du larynx; consécutive soit à une intervention sur celui-ci (laryngectomie), soit à une lésion de ses nerfs moteurs (les nerfs récurrents) ou encore à une trachéotomie.

MUTSUHITO → MEIJI TENNŌ.

MUTTENZ, v. de Suisse (cant. de Bâle-Campagne), banlieue sud-est de Bâle; 15518 hab.

MUTUALITÉ. — Les sociétés de secours mutuel, dont de nombreux exemples apparaissent au XIXe s., furent longtemps régies par la loi du 1er avril 1898, modifiée en 1935 et en 1937. Un statut leur a été donné par l'ordonnance du 19 octobre 1945.

Les sociétés mutualistes sont des groupements qui, grâce à des cotisations, mènent une action (généralement complémentaire de celle des régimes d'assurances sociales) de prévoyance, de solidarité, d'entraide visant la prévention de certains risques sociaux. Elles peuvent couvrir la réparation des risques *vieillesse, invalidité, accidents, décès,* créer des œuvres sociales, etc.

MUTZIG (67190), comm. du Bas-Rhin, sur la Bruche, à 3 km à l'O. de Molsheim; 5016 hab. Brasserie.

MUY (Le) [83490], ch.-l. de cant. du Var, à 14 km au S.-E. de Draguignan; 4280 hab.

MUYBRIDGE (Edward James MUGGEDIDGE, dit **Eadweard**), inventeur britannique (Kingston-upon-Thames 1830-*id.* 1904). Pionnier de la photographie animée, il se rendit célèbre en réalisant de 1872 à 1878 plusieurs expériences permettant d'enregistrer sur plaques photographiques les diverses phases d'un cheval au galop. Il inventa le zoopraxinoscope et confirma les vues théoriques de Marey avant la construction par ce dernier du chronophotographe.

MUZAFFARPUR, v. de l'Inde, dans le nord du Bihār; 127000 hab. Université.

MUZILLAC (56190), ch.-l. de cant. du Morbihan, à 16 km au N.-O. de La Roche-Bernard; 2987 hab.

MVD → KGB.

MWERU → MOERO.

MYASTHÉNIE, MYATONIE → MUSCLE.

MYCALE, montagne de l'Asie Mineure, se prolongeant dans la mer Égée par le cap Trogylion, ou Mycale, où la flotte perse fut incendiée par les Grecs en 479 av. J.-C.

MYCÉLIUM. — Une motte de terre recueillie dans un sous-bois contient toujours des réseaux de filaments blancs. Ce sont des *mycéliums,* c'est-à-dire la partie végétative et pérennante des champignons, leur thalle, sur lequel naîtront, généralement à l'automne, des *carpophores,* c'est-à-dire des champignons au sens usuel du mot. Une seule spore peut former des filaments mycéliens en toutes directions. Les «ronds de sorcières*» des prairies (plus verts que le reste du tapis herbacé) sont souvent peuplés par les champignons issus du mycélium dans ces conditions.

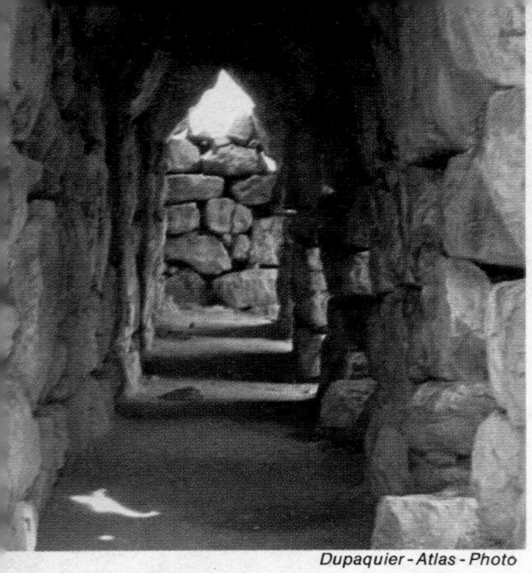

Dupaquier - Atlas - Photo

Civilisation mycénienne. Casemates de l'acropole de Tirynthe. XIIIe s. av. J.-C.

MYCÈNES, anc. ville grecque d'Argolide*, centre d'un royaume achéen*. Fondée selon la légende par Persée*, occupée dès le IIIe millénaire, elle devient à partir du XVIe s. av. J.-C. la principale cité de la civilisation mycénienne*. Capitale des Atrides*, elle est ruinée par l'invasion des Doriens* (fin du IIe millénaire).

Depuis la découverte, en 1876, du premier cercle de tombes à fosse et de leur somptueux mobilier funéraire par Schliemann*, la cité est toujours en cours de fouilles, et l'on y a décelé les traces d'un habitat néolithique. Le second cercle de tombes a été mis au jour en 1952. Parmi d'impressionnants vestiges citons la tholos d'Atrée, la porte des Lionnes, l'enceinte cyclopéenne, plusieurs quartiers d'habitations, des palais et des citernes.

MYCÉNIEN. — Le mycénien est le plus ancien dialecte grec dont nous ayons des documents écrits (XVIIIe-XVe s. av. J.-C.). Il est connu depuis peu (1952) grâce au déchiffrement, par John Chadwick et Michael Ventris, de tablettes d'argile rédigées dans une écriture d'origine crétoise, le linéaire B.

MYCÉNIENNE (civilisation). — Les découvertes archéologiques ont permis d'établir le cadre chronologique de l'âge du bronze, divisé en trois périodes principales, elles-mêmes subdivisées en trois phases : helladique ancien (2700-2500/2000), helladique moyen (2000-1570), helladique récent (1400-1100). Profondément influencée par la civilisation minoenne*, celle de Mycènes* atteint son apogée durant l'helladique récent avec les tombes à fosse des deux premiers cercles et leur riche mobilier funéraire (orfèvrerie, armes, coupes en cristal, glyptique...), butin de razzias en Crète ou totalement inspiré par l'art insulaire. Toute l'évolution artistique de Mycènes consiste en l'élaboration d'une esthétique proprement originale, dégagée de l'ascendant minoen. Celle-ci apparaît dans le décor de la céramique de la dernière période, où triomphent la stylisation linéaire et la désintégration des motifs naturalistes. Les masques funéraires découverts dans les tombes à fosse semblent être aussi une création originale des Mycéniens, de même que l'architecture funéraire et palatiale. Les tombes à fosse sont remplacées vers le XVe s. av. J.-C. par de vastes tholoi, auxquelles on accède par un dromos : c'est le cas, à Mycènes, de la tholos d'Atrée (v. 1350), dont la chambre funéraire est couverte en encorbellement. Pylos* et Tirynthe* révèlent des tendances architecturales très différentes de celles des Minoens. Le palais est agencé autour du mégaron, de plan rectangulaire, précédé d'un ou de deux vestibules. Cette articulation assez rigide est à l'origine du temple grec. La puissante civilisation mycénienne, qui — à partir de l'Argolide au XIVe s. — s'était propagée dans toute la mer Égée, mais aussi sur le continent (Béotie, Attique, etc.), disparaît à la fin du IIe millénaire sous les coups des Doriens.

MYCÉTOME → MYCOSE.

MYCOLOGIE. — Si la mycologie, ou étude scientifique des champignons, tient une place à part parmi les sciences botaniques, c'est à cause du grand nombre des espèces de champignons (100 000) et aussi de l'intérêt du public pour ces végétaux souvent comestibles et que l'on aime à récolter en pleine nature. La mise en garde contre les champignons vénéneux est de première importance. Si l'agriculture a à souffrir des champignons parasites de plantes cultivées, la médecine, elle, tire de précieux antibiotiques de diverses moisissures et il n'y aurait ni pain ni boissons fermentées sans les levures.

MYCOPLASMES. — Il n'y a que peu de temps que l'on poursuit l'étude de ces singuliers microbes, plus petits que des bactéries (de 0,1 à 1 μ), dépourvus de la membrane rigide de celles-ci, mais capables, comme elles, de vivre en saprophytes. De nombreuses plantes — pomme de terre, trèfle, tomate, vigne, etc. — ont à souffrir de *mycoplasmoses,* de même que des animaux — souris, ruminants, porc, chat, volaille, etc. — et l'homme lui-même (pneumonie atypique). La tétracycline est efficace.

MYCOSE. — Les mycoses résultent de l'action parasitaire de certaines espèces de champignons.

- Les *mycoses épidermiques* peuvent être dues à *Candida albicans* (moniliases*) ou aux *dermatophytes,* qui sont responsables de nombreuses manifestations.

En peau glabre, l'aspect est souvent celui de médaillons dont le centre, pâle, finement squameux, est entouré d'une bordure rouge, vésiculeuse; c'est l'herpès circiné trichophytique, qui peut être provoqué par *Trichophyton rubrum* ou *Microsporum canis.*
Dans les plis, les trichophyties cutanées réalisent l'eczéma marginé de Hebra, dont la base est au pli de l'aine et dont le contour inférieur, circiné, est rouge vif; entre les orteils, l'intertrigo s'étend souvent à la face dorsale des pieds *(athletic's foot).*
Dans les régions pileuses, les dermatophytes peuvent provoquer des lésions inflammatoires suppuratives : *kérions* de la barbe, souvent contractés auprès d'animaux (bovins); *teignes* du cuir chevelu (microsporiques, contractées auprès d'animaux [chats, chiens] et dues le plus souvent à *Microsporum canis;* teignes trichophytiques de contamination interhumaine, qui réalisent des plaques alopéciques finement squameuses; favus, qui détermine une alopécie très diffuse).
Aux ongles, les dermatophytes réalisent un onyxis sans périonyxis : le rebord libre de l'ongle est épaissi, friable, jaunâtre.

Dans tous les cas, le prélèvement mycologique permet l'identification du champignon. Le traitement des dermatophytes repose sur la griséofulvine, administrée par voie générale pendant une durée suffisante (un mois au minimum). Le traitement local, toujours associé, est variable selon les localisations.

- Les *mycoses profondes* sont beaucoup plus rares.

Les *mycétomes fungiques,* qui réalisent des tumeurs renfermant des grains, sont produits par introduction du parasite dans les téguments (échardes, épines); ils ne sont contractés que dans les zones équatoriales et intertropicales; seul le traitement chirurgical peut apporter la guérison.
La *sporotrichose,* cosmopolite, contractée à l'occasion d'une piqûre par une épine, une écharde, atteint le plus souvent la main, l'avant-bras et est caractérisée par une lymphangite et des ulcérations; le traitement consiste en l'administration d'iodure de potassium.
L'*aspergillose** et les *candidoses* viscérales* surviennent dans certaines circonstances (antibiothérapie prolongée, états d'immunodépression).
Enfin, l'*histoplasmose* existe sous deux formes : américaine, à localisation pulmonaire, et africaine (en fait cosmopolite), à localisations cutanées et viscérales multiples.

MYCOSIS. — Cette réticulogranulomatose cutanée est d'évolution très lente. Ses manifestations cliniques sont polymorphes : placards érythémato-squameux infiltrés et prurigineux, tuméfactions cutanées, érythrodermie. Le diagnostic est fait par l'histologie. Un traitement local est longtemps suffisant. Plus tard peuvent être employés la radiothérapie, la corticothérapie, les antimitotiques.

MYDORGE (Claude), mathématicien français (Paris 1585-*id.* 1647). On lui doit un *Grand Traité des coniques,* dans lequel il introduisit la notion de paramètre d'une ellipse.

MYDRIASE → IRIS.

MYÉLITE → MOELLE ÉPINIÈRE.

MYÉLOME. — Cette prolifération maligne de plasmocytes est le plus souvent diffuse et réalise la maladie de Kahler, qui se traduit par une atteinte de l'état général, des douleurs osseuses, une anémie. La radiographie du squelette montre des lacunes claires des os. La ponction sternale révèle la présence de plasmocytes anormaux. L'immunoélectrophorèse des protéines met en évidence la présence d'une immunoglobuline* monoclonale (le plus souvent I_{gg} ou I_{gA}). Les urines peuvent contenir la protéine thermosoluble de Bence Jones, fragment de la protéine anormale présente dans le sang. L'évolution est grave, et la chimiothérapie est difficile.

MYGALE. — Les mygales sont les seules araignées qui respirent par deux paires de poumons et soient dépourvues de trachées. Leurs crochets se meuvent parallèlement. Ces araignées sont parfois d'étonnants architectes : leur terrier, tapissé de soie, est hermétiquement clos par un clapet à charnière fait de terre enrobée de soie, totalement invisible du dehors. La mygale du Brésil est dangereuse en raison de ses grandes dimensions, mais les petites espèces du midi de la France sont inoffensives pour l'homme.

MYIASE. — Ce parasitisme, dû à des larves de diptères, tels que les mouches, atteint préférentiellement les animaux (bovins, ovins). L'homme peut être touché accidentellement. Les *myiases cavitaires,* dues le plus souvent à *Œstrus ovis,* atteignent le nez, le conduit auditif externe et sont responsables de douleurs et de suppuration; le traitement chirurgical est nécessaire. Les *myiases oculaires,* dues à *Œstrus bovis,* sont rares en France, mais fréquentes en Afrique du Nord; elles nécessitent l'extraction rapide de la larve. Les *myiases rampantes* se rencontrent en France et sont dues essentiellement à *Hypoderma bovis;* elles provoquent, en circulant sous la peau, des cordons rougeâtres et douloureux qui progressent chaque jour; elles sont source d'infection.

MYKERINUS ou **MYKÉRINOS,** pharaon de l'Ancien* Empire (v. 2600), fils de Khephren* ou peut-être de Kheops*. Son gouvernement fut moins tyrannique que celui de ses prédécesseurs. Ce pharaon est surtout connu comme le constructeur de la troisième pyramide* de Gizeh*.

MYOCARDE → CŒUR.

MYOME → MUSCLE.

MYOPIE. — Dans cette anomalie de la réfraction de l'œil, l'image se forme en avant de la rétine. L'acuité visuelle de loin est très diminuée, et l'acuité de près reste excellente. On distingue : 1° la *myopie faible,* en général inférieure à 5 dioptries, qui débute dans l'enfance, augmente pendant quelques années, puis se stabilise; 2° la *myopie forte,* qui est souvent héréditaire ou consécutive à une maladie de l'œil dans l'enfance, dépasse en règle générale 6 dioptries, est évolutive et peut se compliquer de choroïdose myopique, de décollement de la rétine et de glaucome.

MYOSIS → IRIS.

MYOSOTIS. — La « petite fleur bleue » des auteurs romantiques allemands n'est autre que le *myosotis,* appelé aussi dans toutes les langues le « ne-m'oubliez-pas » et symbole de la constance en amour. C'est une petite plante très velue, aux fleurs en cyme spiralée, roses dans le bouton, virant au bleu en s'épanouissant. Les pétales sont ronds et minuscules. (Famille des borraginacées.)

MYRDAL (Karl Gunnar), homme politique et économiste suédois (Gustaf, Dalécarlie, 1898). On lui doit notamment *le Défi du monde pauvre* (1970), résumant ses enquêtes effectuées dans le tiers monde. (Prix Nobel de sciences économiques, 1974.)

MYRON, sculpteur grec originaire d'Éleuthères et actif vers le milieu du Ve s. av. J.-C. Ses œuvres, dont la plus célèbre est *le Discobole* (que nous connaissons seulement par des copies, dont celle du musée des Thermes à Rome), laissent, malgré un équilibre instable, une impression de parfaite harmonie — due en partie au géométrisme arbitraire de la composition. Elles révèlent aussi la préoccupation essentielle de son époque : le rendu du mouvement.

MYRTACÉES. — Le myrte, seul représentant de sa famille en France, est un arbuste du Midi, très aromatique, aux fleurs blanches et qui conserve des feuilles en hiver. Mais les myrtacées les plus importantes sont les eucalyptus* d'Australie.

MYSIE, contrée du nord-ouest de l'Asie Mineure. Au VIIe s. av. J.-C., les Grecs, refoulant les populations autochtones, y fondèrent des colonies. Les Mysiens, apparentés à leurs voisins Lydiens et Phrygiens par la langue et la religion, furent au VIe s. sujets de Crésus*, puis des Achéménides*; passés, durant la période hellénistique*, sous la domination d'Alexandre* le Grand, des Séleucides* et des Attalides* de Pergame*, ils tombèrent au pouvoir des Romains en 133 av. J.-C.

MYSORE ou **MAISUR,** v. de l'Inde, dans le sud de l'État de Karnātaka (anc. Mysore); 356 000 hab. Beaux temples (XIIe-XIVe s.) à la foisonnante décoration sculptée. Université. — Le brillant royaume de Mysore tomba en 1799 entre les mains des Britanniques, qui le confièrent en 1881 à un prince indien. Demeuré assez autonome, il connut une civilisation raffinée. (V. KARNĀTAKA.)

MYSTÈRE *(Hist.).* — En Égypte, en Syrie, en Perse comme en Grèce et en Italie, les mystères ont existé partout dans le monde antique. Parmi les cultes mystico-religieux qui étaient célébrés en de nombreuses cités de l'Hellade, ceux d'Éleusis l'emportaient sur tous les autres. L'empereur Auguste*, initié à Éleusis, était l'un des hauts dignitaires de cette hiérarchie sacerdotale. Pindare, Sophocle*, Proclus, Cicéron*, Pline* ont exprimé l'admiration qu'ils éprouvaient pour les mystères de cette « Cité sainte ». D'après Aristide le Rhéteur, celle-ci aurait été alors considérée comme le « sanctuaire commun à toute la Terre », où, selon Cicéron, venaient s'initier les nations des rivages les plus lointains. Les mystères d'Éleusis étaient consacrés à Déméter et avaient pour objet mystique de célébrer l'union de Zeus avec la déesse, c'est-à-dire du Ciel avec la Terre, afin d'assurer par ces rites la fécondité de la nature et la prospérité des sociétés.

Il semble que les mystères antiques aient consisté non pas en l'exposé dogmatique d'une doctrine, mais plutôt en une série de rites initiatiques et de spectacles symboliques fondés sur un archétype immuable : la traversée des ténèbres de la mort jusqu'à la lumière d'une « naissance nouvelle » ou de la « résurrection ». En Grèce, d'autres mystères coexistaient avec ceux d'Éleusis, principalement ceux du culte de Dionysos, d'époque préhellénique, ceux du culte d'Orphée et ceux du pythagorisme. Les traditions pythagoriciennes semblent avoir été non seulement mystiques et religieuses, mais aussi philosophiques et scientifiques. Elles ont exercé une influence considérable sur la vie politique de diverses cités grecques, de l'Italie du Sud et de la Sicile.

Au cours des quatre premiers siècles de l'ère chrétienne, les cultes des « religions de mystères » et leurs diverses initiations* ont connu un développement considérable, et principalement à Alexandrie : mystères d'Isis, mystères de Cybèle, mystères de Sérapis, mystères d'Hermès, etc. À Rome, les mystères de Mithra, d'origine iranienne, furent particulièrement en honneur dans les légions et furent diffusés ainsi dans tout l'Empire. Aussi ce culte du dieu solaire fut-il longtemps le plus grand rival du christianisme naissant. De même, les mystères gnostiques s'infiltrèrent jusqu'au sein de la religion chrétienne et furent combattus sous leurs formes diverses par les Pères de l'Église. On a rapproché, non sans raison, ces influences souterraines des mystères antiques des tendances hétérodoxes du manichéisme médiéval et du catharisme.

MYSTÈRE *(Littér.).* — Le mystère est l'aboutissement du *drame liturgique* (développement de la participation des fidèles aux offices, né au Xe s. dans les monastères et qui évoque, en latin, les mystères de l'Incarnation et de la Résurrection), du *drame semi-liturgique* (qui, représenté sur le parvis, comporte des éléments profanes et des parties en langue vulgaire : *Jeu* d'Adam*) et du *miracle* (conte pieux qui célèbre une intervention d'un saint ou de la Vierge : *le Miracle* de Théophile*).

Il a l'ambition de donner une représentation totale de la vie humaine dans ses rapports avec les puissances divines. Le surnaturel côtoie le réalisme le plus trivial. Le texte, parfois d'une grande ampleur — il peut atteindre plus de 20 000 vers —, est généralement écrit en octosyllabes, groupés en couplets, dont le premier vers rime avec le dernier du précédent. L'action transporte sans cesse le spectateur dans le temps et dans l'espace. Elle est coupée d'intermèdes musicaux ou de ballets et se déroule sur plusieurs journées. Les acteurs évoluent dans un décor fixe installé sur le parvis de l'église. Ils sont groupés en confréries.

Le plus ancien mystère du répertoire de ces confréries est *la Passion du Palatinus.* Aux débuts du genre appartiennent également *la Passion de Semur* et *la Passion d'Autun,* que nous ne connaissons que par des adaptations du XVe s. On distingue volontiers trois cycles de mystères suivant le sujet traité : le cycle de l'Ancien Testament; le cycle du Nouveau Testament et des Apôtres, illustré par *le Mystère de la Passion* d'Eustache Marcadé (premier tiers du XVe s.) et *le Mystère de la Passion* d'Arnoul Gréban (v. 1450); enfin le cycle des saints (*le Mystère de Saint Louis,* 1470). Certains mystères traitent de sujets antiques (*la Destruction de Troie,* v. 1450) ou contemporains (*le Siège d'Orléans,* 1438). L'évolution du goût — les mystères donnaient de plus en plus de place au burlesque et à la grossièreté — et les attaques de la Réforme précipitèrent le déclin du genre. L'Église en vint à considérer les représentations de mystères comme sacrilèges, et le parlement de Paris les interdit en 1548. De nos jours, quelques tentatives de reconstitution du théâtre médiéval ont été faites à Paris (représentation du *Mystère de la Passion* de Gréban sur le parvis de Notre-Dame), et une ville de Bavière, Oberammergau, célèbre encore cette forme populaire de représentation dramatique.

Mystères de Paris *(les),* roman-feuilleton d'Eugène Sue (1842-43).

MYTHE ET MYTHOLOGIE. — Toute société est productrice de mythes. Œuvres toujours anonymes quels que soient leurs transcripteurs, les mythes ont pour objet les relations entre l'homme et la nature, ainsi que les rapports de l'homme et du surnaturel. Ils traitent le plus souvent de la création du monde et de l'apparition des humains. Dans de nombreuses sociétés non industrielles, le savoir mythico-religieux est détenu par des spécialistes (sorciers, chamans, etc.). Étudiés par les évolutionnistes (ils sont envisagés comme une explication du monde) et les fonctionnalistes (ils ont pour fonction de justifier l'organisation sociale), les mythes sont interprétés par C. Lévi-Strauss comme des tentatives d'explication de phénomènes insolites. Dans cette optique structuraliste, ils sont des opérateurs logiques, dont la fonction est d'expliquer l'ordre social existant en en occultant les contradictions.

MY THO, v. du Viêt-nam méridional; 110 000 hab.

MYTICHTCHI, v. de l'U. R. S. S. (R. S. F. S. de Russie), dans la banlieue nord-est de Moscou ; 119 000 hab.

MYTILÈNE → LESBOS.

MYTILICULTURE. — L'élevage des moules se fait *à plat, sur bouchots* ou *en suspension.* L'élevage à plat, qui ne peut se faire que sur fonds durs, est peu pratiqué en France. L'élevage sur bouchots convient aux zones à marées assez amples et ayant des fonds trop vaseux pour que les moules puissent y être déposées. L'élevage en suspension est le mode de culture typique des mers à très faibles marées, telle la Méditerranée, bien qu'il convienne aussi aux mers à marées fortes mais à côtes profondes, et il permet de mieux isoler du fond les moules que l'élevage sur bouchots.

MYXŒDÈME → THYROÏDE.

MYXOMATOSE → ÉPIZOOTIE.

MZAB, groupe d'oasis du nord du Sahara algérien. (Hab. *Mozabites* ou *Mzabites.*) V. princ. *Ghardaïa.*

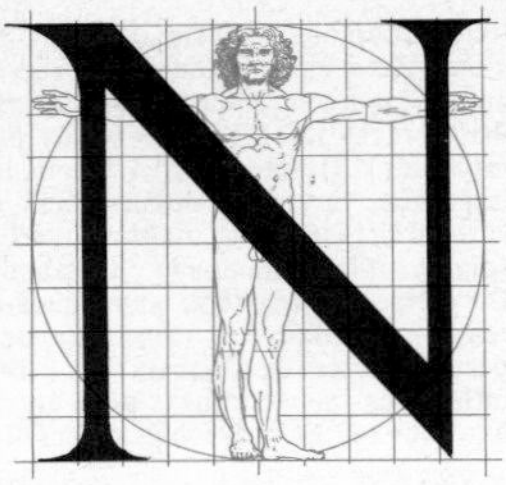

$\mathbb{N}$. — L'ensemble* $\mathbb{N}$ des entiers naturels, 0, 1, 2, ..., dont la suite est infinie, a été défini de façon axiomatique par le mathématicien Giuseppe Peano*. Cette définition permet d'établir toutes les propriétés de $\mathbb{N}$.

1. Dans l'ensemble $\mathbb{N}$ existe une application* f qui, à tout élément x de $\mathbb{N}$, associe son *successeur* $x^+ = f(x)$, *unique,* tel que, si deux éléments x et y de $\mathbb{N}$ ont même successeur ($x^+ = y^+$), ils sont égaux ($x = y$).
2. Il existe un élément de l'ensemble $\mathbb{N}$, appelé *zéro,* noté 0, qui n'est le successeur d'aucun élément de $\mathbb{N}$.
3. Tout sous-ensemble de $\mathbb{N}$ qui contient 0 et le successeur de chacun de ses éléments est confondu avec $\mathbb{N}$.

Ces axiomes peuvent paraître étranges, mais une étude complète de $\mathbb{N}$ montre qu'on peut en déduire toutes les propriétés concernant les opérations dans la structure d'ordre de $\mathbb{N}$ et la compatibilité de cette structure avec les opérations dans $\mathbb{N}$.

• Opérations dans $\mathbb{N}$.

1. L'*addition* qui à deux entiers naturels associe leur somme est une opération *interne* de $\mathbb{N}$, *associative,* car $a + (b + c) = (a + b) + c$, quels que soient a, b et c dans $\mathbb{N}$, et *commutative,* car $a + b = b + a$; il existe un élément neutre, 0, car $a + 0 = a$ quel que soit a dans $\mathbb{N}$. Tout élément est régulier pour l'addition : $a + b = a + c$ entraîne $b = c$, ce qui traduit la régularité du nombre a.
2. La *multiplication* qui à deux entiers naturels associe leur produit est une opération *interne* de $\mathbb{N}$, *associative, commutative,* car $a\,(bc) = (ab)\,c$ et $ab = ba$, possédant un élément *neutre* 1, car $1a = a$, pour tout élément a de $\mathbb{N}$, et enfin *distributive* par rapport à l'addition, car, quels que soient a, b et c, $a\,(b + c) = ab + ac$.

• Structure d'ordre de $\mathbb{N}$. On définit sur $\mathbb{N}$ une relation d'ordre de la façon suivante : quels que soient a et b appartenant à $\mathbb{N}$, b est plus grand que a, et l'on note $b \geqslant a$, s'il existe un entier naturel c tel que $b = a + c$. La relation obtenue est l'*inégalité au sens large,* b pouvant être supérieur ou égal à a, car c peut être positif ou nul. Si c est non nul, b est *strictement* supérieur à a. La structure ainsi définie sur $\mathbb{N}$ est celle d'un *ordre total :* deux entiers quelconques a et b sont toujours comparables ; on a ou bien $a \geqslant b$ ou bien $b \geqslant a$. De plus, elle est *compatible* avec l'addition et la multiplication : quels que soient a et b dans $\mathbb{N}$, avec $a \geqslant b$ et c appartenant à $\mathbb{N}$: $a + c \geqslant b + c$ et $ac \geqslant bc$; de même, pour $c \neq 0$ et $a > b$, alors, $ac > bc$. En revanche, $a > b$ et c quelconque entraînent $a + c > b + c$.

• Division et divisibilité dans $\mathbb{N}$. Si $a \in \mathbb{N}$ et $b \in \mathbb{N}^*$ (naturels non nuls), il existe $q \in \mathbb{N}$ et $r \in \mathbb{N}$, uniques, tels que $a = bq + r$ avec $0 \leqslant r < b$. Si $r = 0$, $a = bq$, a est multiple de b ou b divise a. Si $r \neq 0$, q et r sont respectivement le *quotient* et le *reste* de la division de a par b. Le reste ne peut prendre que les valeurs 0, 1, 2, ..., $b - 1$. La division n'est donc pas une opération dans $\mathbb{N}$, puisqu'en général, étant donné deux nombres a et b, b ne divise pas a.

La *relation de divisibilité,* qui lie certains couples d'éléments de $\mathbb{N}$, est une relation d'ordre, car elle est réflexive, transitive et antisymétrique : l'essentiel de l'arithmétique est dans l'étude de la divisibilité.

NABATÉENS, tribus caravanières d'origine araméenne, très tôt arabisées et qui, du IVe s. av. J.-C. au IIe s. de notre ère, constituèrent au N.-O. de la péninsule arabique un royaume, la Nabatène, dont la capitale était Pétra*. Les Nabatéens, qui s'étaient établis dans l'ancien domaine des Édomites*, s'enrichirent grâce au commerce de transit et devinrent les alliés de Rome. Ils furent annexés à l'Empire romain en 106 par Trajan* et perdirent le monopole du commerce avec l'essor de Palmyre*.

NABEUL, v. de Tunisie, ch.-l. de gouvernorat, sur la côte sud du cap Bon; 34 000 hab. Poterie. Textile.

nabis, groupe de peintres français de la fin du XIXe s. — Les influences conjuguées des peintres de Pont-Aven* (surtout de Gauguin, dont Sérusier transmet les innovations) et du symbolisme (presque tous les nabis sont d'anciens élèves de Gustave Moreau) sont déterminantes pour les artistes qui se regroupent à Paris, entre 1888 et 1900, sous le nom de « nabis » et dont les plus importants sont Bonnard*, Maillol*, Maurice Denis*, Vuillard*, Vallotton*, Sérusier*, Paul Ranson (1864-1909) et Ker-Xavier Roussel (1867-1944). Les nabis adoptent les cernes sombres, les couleurs en aplats (non sans accords de demi-tons raffinés), refusent la perspective et privilégient l'arabesque. L'importance accordée à la construction du tableau va de pair avec un goût affirmé du décoratif, qui les mène à créer des tapisseries, des céramiques ou des décors de théâtre et aussi à donner un nouvel essor à l'art religieux (fresques, vitraux, notamment de M. Denis).

NABOKOV (Vladimir), écrivain américain d'origine russe et d'expression anglaise et russe (Saint-Pétersbourg 1889 - Montreux 1977). Son œuvre unit à la peinture ironique des obsessions, des ridicules ou des vices d'une époque (*la Vraie Vie de Sébastien Knight,* 1938; *Lolita,* 1955; *Ada ou l'ardeur,* 1969) la réflexion sur cette passion de fixer les sentiments et les objets passés dans la mémoire ambiguë de l'écriture (*Feu pâle,* 1962).

NABONIDE, dernier roi de Babylone (556-539 av. J.-C.). Fils de Nabuchodonosor II*, il fut porté au pouvoir par un clan des divers clergés babyloniens. Trahi par les prêtres de Mardouk*, qui lui étaient hostiles, il fut vaincu par Cyrus II*, qui s'empara de Babylone en 539.

NABOPOLASSAR → Babylone.

NABUCHODONOSOR II, le plus célèbre des rois de Babylone* (605-562 av. J.-C.), dont le règne marque l'apogée de l'Empire néobabylonien (626-539). La victoire de Karkemish* sur les Égyptiens (605) et la prise de Jérusalem* (587), qui met fin au royaume de Juda, lui assurent la domination de la Syrie et de la Palestine. Il fait de Babylone embellie la métropole du monde oriental.

NACHTIGAL (Gustav), voyageur allemand (Eichstedt 1834 - dans le golfe de Guinée 1885). Il a attaché son nom à une importante exploration scientifique dans le Sahara et au Soudan (1869-1875).

NACRE. — La belle irisation de la face interne des coquillages est due à une sécrétion particulière du manteau des mollusques : la nacre. Cette substance organominérale (conchyoline et calcaire), à structure finement lamellaire, est utilisée en bijouterie, en tabletterie, en ébénisterie de luxe, etc.

NADAR (Félix Tournachon, dit), aéronaute, photographe, dessinateur et écrivain français (Paris 1820 - *id.* 1910). Il réalisa les premières photographies aériennes prises en ballon (1858), qu'il proposa d'utiliser pour des relevés topographiques. En 1863, il fit construire le ballon *le Géant,* de 6 000 m³. Dans son atelier à Paris s'ouvrit la première exposition des impressionnistes (1874).

NÁDASI (Ferenc), danseur, maître de ballet et pédagogue hongrois (Budapest 1893 - *id.* 1966). Il présida à la formation de la plupart des grands danseurs hongrois contemporains. Il est l'auteur de *Methodik des Klassischen Tanzes* (1963).

NADAUD (Gustave), chansonnier français (Roubaix 1820 - Paris 1893). Auteur de quelques opérettes de salon, d'un roman et de quelques récits et souvenirs de voyage, il s'illustra surtout en écrivant de très nombreuses chansons (libertines, sentimentales, satiriques), dont il composa parfois la musique (*les Reines de Mabille, le Vieux Tilleul, la Valse des adieux, les Deux Gendarmes).*

NADIAD, v. de l'Inde, dans l'est du Gujerāt; 108 000 hab.

NĀDIR CHĀH (près de Kalāt 1688 - Fathābād 1747), roi de Perse (1736-1747). Après avoir chassé les Afghans et réinstauré les Séfévides* sur le trône de l'Iran, Nādir chāh s'empare du pouvoir en 1736. Victorieux des Ottomans en Azerbaïdjan et en Géorgie, il conquiert l'Afghānistān et envahit l'Inde des Moghols (1739), d'où il ramène un énorme butin. Il meurt assassiné.

Nadja, roman d'André Breton (1928). À travers les entretiens de l'auteur avec une jeune femme douée de « voyance », l'illustration des thèmes et des méthodes surréalistes : la plongée dans le monde de l'inconscient; la connaissance acquise dans la transparence (le regard, le miroir, le cristal); l'illumination surgie de la vision d'une nature réconciliée (eau et feu); l'affirmation que « la beauté sera convulsive ou ne sera pas ».

NADJAF (Al-), v. d'Iraq, au S. de Bagdad; 128 000 hab.

NADJD, NAJD ou **NEJD,** émirat constituant le cœur de l'Arabie Saoudite, dont il occupe plus de la moitié de la superficie totale et regroupe une part presque égale de la population. Capit. *Riyāḍ.*

NADOR, v. du Maroc septentrional, ch.-l. de prov., près de Melilla; 32 000 hab.

NAEVIUS (Cneius), poète latin (en Campanie v. 270 - Utique v. 201 av. J.-C.), auteur d'une épopée sur la première guerre punique (l'un des premiers textes qui relatent les légendes de la fondation de Rome) et créateur de la tragédie à sujet national.

NÆVUS. — Les nævi, formations cutanées qui apparaissent dès la naissance ou dans l'enfance, sont de plusieurs sortes : les *nævi pigmentaires,* riches en mélanine, isolés ou groupés en formations cellulaires, tels les lentigos (grains de beauté), les nævi saillants, tubéreux, lenticulaires, etc., dont certains sont susceptibles de se transformer en mélanomes malins (nævo-carcinome); les *nævi simples,* disparates, regroupant de nombreuses lésions, tels les angiomes, les nævi verruqueux, les nævi sébacés; les *maladies næviques,* dans lesquelles les lésions cutanées ne sont que l'un des signes d'une affection générale.

NAGALAND, État du nord-est de l'Inde, le plus petit (16 527 km^2) et le moins peuplé (516 000 hab.). Capit. *Kohīma.*

NAGANO, v. du Japon, dans le centre de Honshū; 285 000 hab. Tourisme.

NAGANO (Osami), amiral japonais (Kōchi 1880 - Tōkyō 1947). Ministre de la Marine en 1936, il fut chef d'état-major de la flotte pendant la Seconde Guerre mondiale. Arrêté en 1945, il mourut en prison.

NAGAOKA, v. du Japon (Honshū), près de la mer du Japon; 162 000 hab.

NĀGĀRJUNAKONḌA, site archéologique de l'Inde (Andhra Pradesh), où se prolongea, de la fin du IIIe s. au début du IVe s., l'art d'Amarāvatī*. Il est connu pour son stūpa hémisphérique, qui recouvrait une immense roue de maçonnerie en sous-œuvre.

NAGASAKI, port du Japon, sur la côte occidentale de Kyūshū; 421 000 hab. Pêche. Chantiers navals. — Objectif, le 9 août 1945, de la deuxième bombe atomique américaine (env. 40 000 tués et 40 000 blessés).

NAGELMACKERS (Georges), administrateur belge (Liège 1845 - Villepreux 1905). En 1876, il fonda à Bruxelles la Compagnie internationale des wagons-lits et des grands express européens, qui inaugura le service des wagons-restaurants en 1880. Associée à l'agence britannique Thos Cook and Son, cette société devint, sous le nom de Wagons-lits-Cook, la plus importante organisation de voyages. En 1967, elle prit le nom de Compagnie internationale des wagons-lits et du tourisme.

NAGEOIRE. — Toute surface corporelle d'un animal apte à prendre appui sur une masse d'eau pour faire avancer l'animal dans ou sur l'eau par un mouvement actif est une nageoire, même si c'est une aile (manchot, pingouin) ou une patte marcheuse (canard). Toutefois, ce sont les poissons qui présentent les nageoires les plus typiques. Chez ces animaux, les nageoires sont des membranes soutenues par des rayons osseux ou cartilagineux de rigidité variable, capables ou non de se rabattre. On distingue deux paires de nageoires latérales, correspondant à nos membres* : les *pectorales* (bras), qui sont toujours attachées au voisinage des ouïes, et les *pelviennes* (jambes), qui ont une position variable — « abdominale », « thoracique » ou « jugulaire » —, utilisée dans la classification. Les poissons ont, en outre, des nageoires impaires, situées dans le plan de symétrie du corps : une ou plusieurs *dorsales,* une ou plusieurs *anales,* enfin et surtout une *caudale,* souvent fourchue et qui est le véritable organe moteur dans la plupart des espèces, agissant à la façon d'une hélice.

Les nageoires des crustacés et des insectes aquatiques sont des appendices variés : antennules (daphnie), pattes postérieures (crabe étrille), queue (homard). Ces organes sont souvent bordés d'une frange de poils qui évite les turbulences retardatrices.

NAGERCOIL, v. du sud de l'Inde, dans le Tamil Nadu méridional; 141 000 hab.

NAGOYA, port du Japon (Honshū); 2 036 000 hab. Sur le Pacifique, au fond de la baie d'Ise, entre Tōkyō et Ōsaka, Nagoya commande une conurbation d'environ 5 millions d'habitants, la troisième du pays. Le port a un trafic annuel dépassant 80 Mt, ayant permis le développement de la sidérurgie (et, en aval, de la métallurgie de transformation) et de la pétrochimie, éclipsant aujourd'hui le textile. — Construit en 1610 par Ieyasu avec un donjon surmonté de dauphins d'or, le château a été anéanti en 1945 et reconstitué en ciment. Il abrite un musée. Le sanctuaire d'Atsuta, l'un des plus célèbres avec Ise et Izumo, détruit lui aussi en 1945, n'a été que partiellement reconstruit. Foyer de danses traditionnelles et du théâtre *nō.*

NĀGPUR, v. de l'Inde, dans l'est du Mahārāshtra; 861 000 hab. Textiles.

NAGY (Imre), homme politique hongrois (Kaposvár 1896 - Budapest 1958). Il adhère au communisme (1917) et participe au gouvernement de Béla Kun (1919). Après un exil en U. R. S. S. (1929-1944), il devient ministre de l'Agriculture (1944), puis de l'Intérieur (1945) et préside l'Assemblée nationale (1947). Premier ministre (1953-1955), il mène une politique de libéralisation, mais il se heurte à l'hostilité des staliniens, qui l'expulsent du Comité central, puis du parti (1956). Il est rappelé au pouvoir lors de l'insurrection d'octobre 1956. Il promet le retrait des troupes soviétiques et proclame la neutralité de la Hongrie, qui se retire du pacte de Varsovie. Après l'échec du mouvement, il est exécuté.

NAHA, capit. de l'archipel des Ryūkyū, dans l'île d'Okinawa; 276 000 hab.

NAḤḤĀS PACHA (Muṣṭafa **al-**), homme politique égyptien (Le Caire 1876 - *id.* 1965). Chef du Wafd* à la mort de Zarhlūl (1927), il devient Premier ministre en 1928, en 1930 et en 1936 (il signe alors le traité anglo-égyptien). Démocrate, hostile au fascisme, il est imposé par les Britanniques (1942) à Farouk Ier*, qui le congédie en 1944 et le rappelle de 1950 à 1952.

NAHUALT → INDIENNES *(langues).*

NAHUEL HUAPÍ, lac andin de l'Argentine; 535 km^2. Centre touristique. Parc national.

NAHUM, prophète biblique de la fin du VIIe s. av. J.-C. Il chante la chute de Ninive (612), qui marque le triomphe de la justice divine.

NAÏFS. — Appelés aussi « maîtres populaires de la réalité » ou « primitifs du XXe s. », les peintres naïfs, souvent issus de la campagne ou de petites villes, ont en commun l'ignorance des principes de la culture artistique « savante » et un besoin de création et d'expression (apparu à un âge généralement tardif) dont

Lauros-Giraudon

Naïfs. *Saint Martin prêchant dans les forêts de Touraine,* d'André Bauchant. 1949. (Musée des Beaux-Arts, Tours.)

la fraîcheur, la simplicité et la sensibilité ne s'encombrent pas de recherches de perspective et d'effets chromatiques subtils. Souvent rigoureux et logique, l'art naïf manifeste sans artifice ce que l'artiste sait du monde et de la réalité (par exemple Camille Bombois) ou croit en savoir à travers sa spiritualité (le Douanier Rousseau*). Il est reconnu au début du siècle par Jarry,

Apollinaire, Picasso, Delaunay ou Wilhelm Uhde (critique d'art qui s'en fit le protecteur et le marchand), et sa vogue a permis la découverte de personnalités comme les Français Bauchant*, Camille Bombois, Louis Vivin, Séraphine, puis Jules Lefranc ou Aristide Caillaud, les Américains Grand'Ma Moses ou Morris Hirshfield, les Yougoslaves Hegedušić, Generalić et Rabuzin, l'Italien Metelli, l'Espagnol Vivancos, le Grec Théophilos, le Géorgien Pirosmani, les peintres d'Haïti ou de Cuba, ainsi que d'œuvres comme le *Palais* idéal* du facteur Cheval ou les rochers sculptés de l'abbé Fouré à Rothéneuf.

NAILLOUX (31560), ch.-l. de cant. de la Haute-Garonne, à 33 km au N.-O. de Castelnaudary; 663 hab.

NAINE → ÉTOILE.

NAINTRÉ (86530), comm. de la Vienne, à 9 km au S.-O. de Châtellerault; 3 460 hab.

NAIROBI, capit. du Kenya, à 1 660 m d'altitude; 535 000 hab. Principale ville de l'Afrique orientale. Aéroport international.

Naissance d'une nation, film américain de D. W. Griffith (1915). Cette vaste fresque, illustrant plusieurs épisodes de la guerre de Sécession, est entachée d'un climat raciste. Idéologiquement contestable, ce film a pris néanmoins une place privilégiée dans l'histoire du cinéma par l'aspect novateur de sa mise en scène. Griffith mit en application avec bonheur ses recherches personnelles sur la spécificité de l'espace filmique (profondeur de champ, mouvement d'appareil, montage alterné).

NAJA. — Ce serpent de l'Inde, encore appelé *cobra,* possède une très curieuse aptitude : il peut étaler et aplatir son cou en un « capuchon » orné dorsalement de deux anneaux noirs; d'où son surnom de « serpent à lunettes ». Le naja est un colubridé mortellement venimeux pour l'homme et des plus communs. C'est l'espèce domestique préférée des « charmeurs de serpents ».

Le *cobra royal* du Sud-Est asiatique peut atteindre 5 m de long et est très agressif. L'Afrique compte sept espèces du genre *Naja,* plus petites que les deux espèces asiatiques.

NAJAC (12270), ch.-l. de cant. de l'Aveyron, perché sur un étroit pédoncule d'un méandre encaissé de l'Aveyron, à 25 km au S. de Villefranche-de-Rouergue; 931 hab. Ruines d'un puissant château féodal. Église du XIIIe s.

NAKHITCHEVAN, république autonome de l'U. R. S. S., dépendance de l'Azerbaïdjan, à la frontière iranienne; 5 500 km^2; 202 000 hab. Capit. *Nakhitchevan* (32 000 hab.).

NAKHODKA, port de l'U. R. S. S. (R. S. F. S. de Russie), sur le Pacifique; 104 000 hab.

NAKHON PATHOM, v. de Thaïlande, ch.-l. de prov., à l'O. de Bangkok; 35 000 hab. Ancienne capitale môn du royaume de Dvāravatī (env. VIIe-XIe s.), elle est célèbre pour son grand stūpa de briques émaillées du XIXe s. Les monuments anciens, mal conservés, étaient des stūpa hémisphériques sur une base carrée en brique et décorés de panneaux de stuc enfermant des compositions narratives. La statuaire en pierre ou en bronze s'inspirait de l'Inde postgupta. La ville possède un musée archéologique.

NAKHON SI THAMMARAT, v. du sud de la Thaïlande, ch.-l. de prov.; 39 000 hab. La ville fut florissante à l'époque de Srīvijaya (env. VIIIe-XIIIe s.); certains des monuments subsistants rappellent l'architecture indonésienne. La même influence est sensible dans la statuaire bouddhique en bronze et, à un moindre degré, dans la statuaire hindouiste en pierre, qui conserve certaines traditions locales. De nombreux monuments datent de l'époque d'Ayuthia*.

NAKURU, v. du Kenya, au N.-O. de Nairobi; 47 000 hab.

NĀLANDĀ, anc. cité monastique et métropole spirituelle du monde bouddhique médiéval de l'Inde orientale (État du Bihār). Fondée au Ve s., elle resta active jusqu'à la fin du XIIe s., mais les stèles de pierre ou les bronzes subsistants ne remontent qu'au VIIe s. La plupart appartiennent au style pāla et révèlent un souci d'équilibre, une grâce affectée, un goût prononcé pour l'ornement et une subordination étroite à l'iconographie bouddhique.

NALTCHIK, v. de l'U. R. S. S. (R. S. F. S. de Russie), capit. de la république autonome des Kabardins et Balkars, au N. du Caucase; 146 000 hab.

NAMANGAN, v. de l'U. R. S. S. (Ouzbékistan), dans la Fergana; 175 000 hab.

NAM DINH, v. du nord du Viêt-nam, sur le fleuve Rouge; 86 000 hab. Textiles.

NAMIB *(désert du),* plaine côtière désertique de la *Namibie.*

NAMIBIE ou **SUD-OUEST AFRICAIN,** territoire de l'Afrique australe, sur l'Atlantique; 825 000 km^2; 880 000 hab. Capit. *Windhoek.*

GÉOGRAPHIE. Les hauts plateaux, entaillés dans le bouclier africain et occupant le centre du pays, sont bordés à l'O. par le désert côtier du Namib et à l'E. par la cuvette désertique du Kalahari. Un peu plus humides, couverts par la steppe, ils concentrent l'essentiel d'une population très clairsemée. Celle-ci, composée surtout de Bantous, comprend une minorité de Blancs, qui contrôlent l'économie. L'élevage (bovins, ovins, caprins) est la principale activité rurale. La pêche industrielle se développe sur la côte autour de l'enclave de Walvis Bay. Mais le pays tire l'essentiel de sa richesse de ses mines : diamants, cuivre, plomb.

HISTOIRE. Occupé par les Bochimans, que rejoignent au XIIe s. les Hottentots et que refoulent les Bantous au XVIe s., le pays n'intéresse guère les Boers. Si bien qu'il passe à partir de 1840, grâce aux missionnaires, sous l'influence allemande. En 1884, Bismarck assure au grand négociant allemand Adolf Lüderitz (1834-1886) et à ses établissements la protection du Reich. Peu après, les Bantous reconnaissent le protectorat allemand sur ce qu'on appelle le « Sud-Ouest africain ». Mais les Allemands doivent affronter de forts soulèvements locaux, qu'ils répriment très durement. Conquis par les Sud-Africains dès 1915, le pays passe en 1920 sous le mandat de l'Afrique du Sud, qui, en 1948, l'annexe et y étend l'apartheid. À partir de 1966 y progresse un mouvement de libération, le SWAPO (South West African People's Organization); l'Afrique du Sud répond à son action en faveur de l'indépendance de ce qui s'appelle depuis 1968 la « Namibie » en créant des territoires autonomes, mais ces mesures sont rejetées par le SWAPO, instigateur, à partir de 1974, d'actions de guérilla et d'opérations de boycottage des élections.

NAMPULA, v. du nord du Mozambique; 126 000 hab.

NAMUR, v. de Belgique, ch.-l. de la *prov. de Namur,* au confluent de la Meuse et de la Sambre; 100 060 hab. *(Namurois).*

GÉOGRAPHIE. Bien desservi par le réseau routier et autoroutier, Namur est un centre administratif, religieux, universitaire et touristique où l'industrie (alimentation, constructions mécaniques) est surtout présente dans la périphérie de la ville, agrandie par annexions en 1977.

HISTOIRE. Siège d'un comté, la ville joue un rôle stratégique important aux XVIIe et XVIIIe s., subissant plusieurs sièges français ou hollandais. Chef-lieu du département de Sambre-et-Meuse de 1794 à 1814, elle fut démantelée à partir de 1862.

BEAUX-ARTS. Citadelle du XVIIe s. Belle église baroque Saint-Loup (1621-1645). Cathédrale reconstruite en style classique au milieu du XVIIIe s. Riche musée archéologique (époque romaine et haut Moyen Âge). Trésors de la maison des sœurs de Notre-Dame et du musée diocésain.

NAMUR *(province de),* prov. de Belgique; 3 660 km^2; 398 916 hab. Ch.-l. *Namur.* De part et d'autre du sillon Sambre-Meuse (dans la partie la moins industrialisée) et touchant à l'Ardenne au S., la province est relativement peu peuplée et encore largement agricole (élevage et sylviculture dans le sud, plus élevé [fréquenté aussi par les touristes], élevage dans le Condroz, blé et betterave à sucre au N. du sillon Sambre-Meuse). L'industrie est représentée à Namur et surtout dans l'ouest (métallurgie de transformation, verrerie, chimie), où elle est née du charbon, dont l'extraction a cessé.

Nana, roman d'É. Zola (1880). Histoire d'une courtisane qui corrompt une société en décadence.

NĀNAK, fondateur de la secte des sikhs* (Talvandī, Lahore, 1469-† 1538). Après que Dieu lui eut révélé sa mission de prophète auprès des hommes, Nānak fonde une religion syncrétique et monothéiste qui procède d'une critique de l'islām et de l'hindouisme*. Il parcourt alors l'Inde du Nord pour prêcher sa foi et recruter des disciples, puis écrit un recueil de prières, qu'Arjun* Dev reprendra pour composer l'encyclopédie religieuse des sikhs : l'*Adi Granth.*

NĀNĀ SĀHIB → CIPAYES *(guerre des).*

NANÇAY (18330 Neuvy sur Barangeon), comm. du Cher, à 18 km au N.-E. de Vierzon, en Sologne; 717 hab. L'observatoire de radioastronomie qui y est installé comprend un ensemble de deux bases fixes orientées l'une E.-O., l'autre N.-S., qui peut être appliqué aussi bien à l'étude des radiosources qu'à celle du disque solaire. D'autres instruments permettent notamment certaines observations concernant les propriétés de la haute atmosphère terrestre et le rayonnement solaire.

NANCY, ch.-l. du départ. de Meurthe-et-Moselle, sur la Meurthe et le canal de la Marne au Rhin, à 308 km à l'E. de Paris; 111 493 hab. *(Nancéiens).*

GÉOGRAPHIE. À l'écart de l'autoroute de l'Est (à laquelle, cependant, une antenne la relie) et nœud ferroviaire d'importance moyenne, Nancy se situe à l'extrémité méridionale de l'axe régional vital, la vallée de la Moselle. Ville historique (qui était au cœur du duché de Lorraine), elle est avant tout un centre tertiaire (administratif, commercial et surtout universitaire). Mais l'industrie (constructions mécaniques et électriques, alimentation, travail

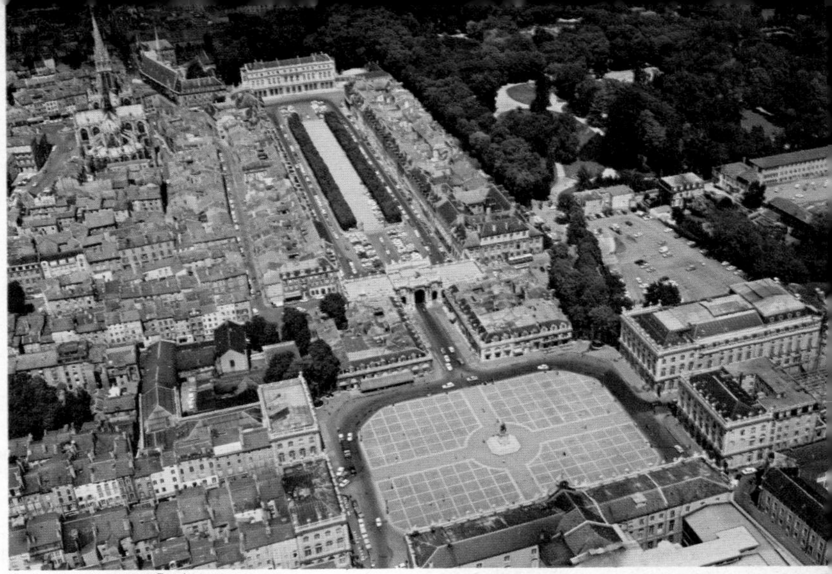

Nancy.
La place Stanislas, l'arc de triomphe, la place de la Carrière fermée par le palais du Gouvernement. À droite, la promenade de la Pépinière.

De Forceville - Ruyant Production

du cuir, verrerie) tient une place non négligeable, surtout dans les banlieues (dont Vandœuvre-lès-Nancy, Laxou, Villers-lès-Nancy, etc.). Celles-ci expliquent la croissance démographique de l'agglomération, qui compte aujourd'hui près de 300 000 habitants, alors que la ville elle-même se dépeuple.

HISTOIRE. Développée à l'abri du château de Gérard d'Alsace (1069), incendiée en 1218 par Henri de Bar, Nancy est reconstruite par le duc de Lorraine Mathieu II, qui en fait sa capitale. Charles le Téméraire périt sous ses murs en 1477 en voulant la reprendre au duc René II. Considérablement agrandie par Charles III (1588), embellie au XVIIIe s. par Léopold, qui y crée une cour souveraine, la ville, qui a été détrônée au profit de Lunéville, connaît une nouvelle période faste grâce au roi-duc Stanislas Leszczyński* (1738-1766) : celui-ci ranime son économie, la dote d'un ensemble architectural grandiose et y installe un collège de médecine et une université. En 1777, devenue française, Nancy est évêché. Elle est chef-lieu du département de la Meurthe (1790) puis de celui de Meurthe-et-Moselle. En septembre 1914, une grande bataille s'y livre (Grand-Couronné).

BEAUX-ARTS. Dans la Vieille Ville, porte de la Craffe, de la fin du XIVe s., église des Cordeliers, de la fin du XVe (chapelle octogonale de 1607, avec cénotaphes des ducs de Lorraine), anc. palais ducal, du XVIe s. (Musée historique lorrain : œuvres de Callot*, Bellange*, G. de La Tour*, etc.; arts décoratifs, ethnographie...). La Ville neuve, aménagée au XVIIIe s., offre l'église Saint-Sébastien, la cathédrale et surtout les différentes réalisations du Nancéien Emmanuel Héré (1705-1763), disciple de Boffrand : gracieuse place Stanislas (v. 1750) [hôtel de ville; musée des Beaux-Arts], aux superbes grilles de Jean Lamour (1698-1771), place de la Carrière et, au sud-est de la ville, église Notre-Dame-de-Bon-Secours (tombeau de la reine C. Opalinska par N. S. Adam*). Petit musée des Arts décoratifs, consacré à l'école de Nancy (maîtres de l'Art nouveau : Gallé*, Majorelle*, V. Prouvé*, Eugène Vallin, les frères Daum...). Musée de l'Histoire du fer, de 1966.

NANDA DEVI (la), sommet de l'Himālaya, en Inde (Uttar Pradesh), gravi pour la première fois en 1936; 7 816 m.

NANDOU → RATITES.

NANGA PARBAT (le), sommet de l'Himālaya occidental (Cachemire), gravi pour la première fois en 1953; 8 120 m.

NANGIS (77370), ch.-l. de cant. de Seine-et-Marne, à 22 km à l'O. de Provins; 6 739 hab. Église des XIIIe-XVIIIe s. Mairie dans l'ancien château. À 4 km, église de Rampillon, au beau portail figuré du XIIIe s. Industrie chimique.

NANISME. — Les nanismes par défaut de développement statural sont représentés par l'achondroplasie et par certaines affections endocriniennes (insuffisance de la thyroïde* et de l'hypophyse*) ou métaboliques (nanisme rénal dû à une néphrite chronique, cardiopathies congénitales ou acquises, insuffisance pancréatique, etc.). Les nanismes par déformation des os ont des causes variables (rachitisme, ostéomalacie, cyphoses, scolioses, tuberculose, etc.).

NANKIN ou **NANJING,** v. de Chine, capit. du Kiang-sou, sur la rive sud du Yang-tseu-kiang; 1 670 000 hab. L'industrie s'y est considérablement développée depuis 1949, métallurgie lourde et de transformation et chimie s'ajoutant aux traditionnelles usines textiles et alimentaires.

HISTOIRE. Fondée au IIe s. av. J.-C., Nankin fut la capitale de la Chine sous les « Six Dynasties » et les deux premiers empereurs Ming, puis sous les T'ai-p'ing et enfin sous le Kouo-min-tang*. Le 29 août 1842 y fut signé entre la Grande-Bretagne et la Chine le traité qui mit fin à la guerre de l'Opium*.

BEAUX-ARTS. Nankin doit aux Ming sa physionomie actuelle. Des pans entiers de son enceinte de brique subsistent, mais le palais impérial n'est plus que ruines. Le tombeau de l'empereur Ming Tchou Yuan-tchang, mort en 1398, est situé dans les collines de l'Est et construit sur le même plan que les tombeaux des Ming à Pékin. Non loin de là s'élève le mausolée de Sun Yat-sen.

NAN-NING ou **NANNING,** v. du sud de la Chine, capit. du Kouang-si, sur le Si-kiang; 264 000 hab.

NANSEN (Fridtjof), explorateur norvégien (Store-Fröen 1861-Lysaker 1930). À partir de 1888, il multiplie les voyages dans le Groenland vers le pôle Nord, parvenant en 1895 à la latitude la plus haute atteinte jusqu'alors. Professeur à l'université de Christiania, il poursuit ses explorations tout en contribuant activement à la séparation de la Norvège d'avec la Suède (1905). Après la Première Guerre mondiale, il se consacre à d'importantes entreprises humanitaires, attachant son nom à l'organisation Nansen (1921), chargée de résoudre les problèmes des réfugiés, et au passeport Nansen (1922), qui donne une identité aux réfugiés.

NANT (12230 La Cavalerie), ch.-l. de cant. de l'Aveyron, à 34 km au S.-E. de Millau; 959 hab. Belle église, anc. abbatiale, en majeure partie romane, et autres témoignages du passé.

NAN-TCH'ANG ou **NANCHANG,** v. de Chine, capit. du Kiang-si, sur le Kan-kiang; 508 000 hab.

NAN-TCH'ONG ou **NANCHONG,** v. de Chine (Sseu-tch'ouan); 165 000 hab.

NANTERRE (92000), ch.-l. du départ. des Hauts-de-Seine, à 7 km à l'O. de Paris; 96 004 hab. *(Nanterrois).* Évêché. Préfecture (depuis 1965), siège d'une université (devenue en 1969 Paris-X), Nanterre est aussi une commune de banlieue très industrialisée (constructions mécaniques et électriques notamment).

NANTES, capit. de la Région Pays de la Loire et ch.-l. du départ. de la Loire-Atlantique, sur la Loire (au confluent de l'Erdre), à 394 km à l'O.-S.-O. de Paris; 263 689 hab. *(Nantais).* [Plus de 460 000 dans l'agglomération.]

GÉOGRAPHIE. À 54 km de la mer et à 16 km de l'estuaire de la Loire, Nantes s'est développée comme port; ce dernier, particulièrement actif aux XVIIe et XVIIIe s., a été partiellement relayé par Saint-Nazaire (à partir de la seconde moitié du XIXe s.) en raison de l'accroissement du tonnage des navires. Le trafic est aujourd'hui de l'ordre de 3 Mt (15 Mt pour l'ensemble du port autonome, englobant le trafic de Saint-Nazaire et surtout l'importation de pétrole brut à Donges), consistant en majeure partie en l'arrivée de denrées alimentaires tropicales destinées à l'industrie locale. Comme l'alimentation (biscuiterie notamment), la construction navale est liée au port; mais d'autres branches se sont développées, en particulier les constructions mécaniques et électriques, ainsi que la chimie. L'industrie est largement répandue dans la banlieue (dont les localités les plus importantes sont Saint-Herblain, Rezé, Orvault); la ville est à prépondérance tertiaire (administrative, commerciale et aujourd'hui universitaire). Métropole d'équilibre, développée avec le commerce maritime, mais davantage liée aujourd'hui au continent, Nantes est la seule grande agglomération industrielle de la façade occidentale de la France, avec les estuaires de la Seine et de la Gironde.

HISTOIRE. Ville de commerce et d'administration sous les Romains, ravagée par les Barbares, puis par les Normands, Nantes devient, à partir du XIIe s., l'objet de la convoitise des Capétiens et des Plantagenêts. Son histoire se confond dès lors avec celle de la Bretagne; Nantes fait figure de seconde capitale des ducs, qui y établissent leur Cour des comptes et y résident à partir du XVe s. Française en 1491, elle est ligueuse sous les Valois. Henri IV, le 13 avril 1598, y promulgue le fameux édit qui accorde aux protestants français la liberté du culte, édit que Louis XIV révoquera brutalement le 18 octobre 1685, faisant des huguenots des apatrides. Nantes atteint son apogée au XVIIIe s., car, à son traditionnel trafic de sel et de toile, elle joint le commerce triangulaire; la traite des Noirs, le sucre, le tabac, le rhum, l'indigo, les bois précieux font la fortune des grandes familles d'armateurs et de négociants. En 1789, la ville est le premier port de France. Chef-lieu de la Loire-Inférieure (1790), elle est — durant la

Lauros-Geay

Naples. Vue partielle de la ville et du port sur la baie de Naples. À l'arrière-plan, le Vésuve.

Nantes. Vue aérienne, vers le nord. Au premier plan, la Loire, rejointe par la Sèvre Nantaise.

Révolution — le principal point de résistance des « bleus » contre les vendéens et les chouans. Ruinée par les guerres, le Blocus continental, la perte de Saint-Domingue et la suppression de l'esclavage, elle vit des jours difficiles jusque sous le second Empire.

BEAUX-ARTS. Château des ducs de Bretagne, forteresse rebâtie aux XVe et XVIe s. (musées d'Art populaire régional, d'Art décoratif et de la Marine). Cathédrale (pour l'essentiel des XVe-XVIIe s.), porte Saint-Pierre et Psalette (XVe s.). Beaux ensembles d'architecture civile du XVIIIe s., rocaille (quai de la Fosse, anc. île Feydeau) ou néoclassique (préfecture [anc. Chambre des comptes], place Graslin, Grand Théâtre, place Royale, etc.). Importants musée des Beaux-Arts et musée Dobrée (archéologie, arts décoratifs, histoire).

Nantes à Brest *(canal de)*, voie navigable de la Bretagne, qui n'est plus utilisable que de Nantes au barrage et lac de Guerlédan, dans les gorges du Blavet; 227 km par la partie ouverte à la navigation, au trafic très réduit.

NANTEUIL (Robert), buriniste et pastelliste français (Reims v. 1623-Paris 1678). Travaillant d'après nature ou reproduisant Champaigne, Le Brun, Mignard, il fut le meilleur graveur portraitiste de son temps (Mazarin, Louis XIV, Turenne, Colbert...).

NANTEUIL (Célestin), peintre, dessinateur, aquafortiste et lithographe français (Rome 1813-Marlotte 1873). Il a illustré les œuvres de Hugo, de T. Gautier, de Dumas père et donné les frontispices de nombreuses chansons romantiques.

NANTEUIL-LE-HAUDOUIN (60440), ch.-l. de cant. de l'Oise, à 19 km au S.-E. de Senlis; 2063 hab. Église du XIIIe s.

NANTIAT (87140), ch.-l. de cant. de la Haute-Vienne, à 18,5 km au S.-E. de Bellac; 1416 hab. Constructions mécaniques.

NANTISSEMENT → SÛRETÉS.

NAN-T'ONG ou **NANTONG,** v. de Chine (Kiang-sou), sur le Yang-tseu-kiang; 260000 hab.

NANTUA (01130), ch.-l. d'arr. de l'Ain, sur le *lac de Nantua* (1,4 km^2), à 41 km à l'E. de Bourg-en-Bresse; 3604 hab. Église en partie romane, anc. abbatiale (*Saint Sébastien* de Delacroix).

NANTUCKET, île des États-Unis (Massachusetts), dont le port, *Nantucket,* fut une base de baleiniers juqu'au milieu du XIXe s.

NAO *(cap de la),* cap d'Espagne, sur la Méditerranée, entre Valence et Alicante.

NAPATA, anc. capitale du royaume koushite de Nubie*, en aval de la 4e cataracte du Nil. Elle fut aussi le centre religieux du royaume (nombreux temples, dont le plus ancien remonte au règne de Thoutmosis III, alors que la ville était la limite des frontières sud). Après l'accession de Méroé* au rang de capitale, elle conserva ses prérogatives religieuses, dont témoigne sa nécropole royale, en usage jusqu'au milieu du IIIe s. av. J.-C. et caractérisée par des pyramides aux pentes aiguës.

NAPHTA → VAPOCRAQUAGE.

NAPHTALÈNE. — Le naphtalène, $C_{10}H_8$, est le constituant principal de la naphtaline du commerce qui est le naphtalène impur. Il se dépose par refroidissement de l'huile de goudron de houille recueillie entre 200 et 250 °C. Il forme des feuillets brillants d'odeur forte, fondant à 80 °C et insolubles dans l'eau. Sa formule développée comporte deux noyaux benzéniques accolés possédant deux carbones communs. Chimiquement, le naphtalène donne, comme le benzène, des réactions de substitution et d'addition.

Employé parfois comme antimite, il sert à la préparation de la tétraline, de la décaline, des naphtols, des naphtylamines et de l'anhydride phtalique, matière importante de synthèses.

B. et C. Desjeux

NAPHTOL. — Il existe deux isomères de ce phénol $C_{10}H_7OH$, les naphtols α et β. Préparés par fusion alcaline des dérivés sulfonés du naphtalène, ces naphtols sont des solides cristallisés incolores, à faible odeur phénolique. Ils servent à la préparation de colorants; on les emploie en parfumerie et comme antiseptiques intestinaux.

NAPHTYLAMINE. — Cette arylamine $C_{10}H_7NH_2$ a deux isomères, α et β, solides incolores brunissant à l'air, de propriétés analogues à celles de l'aniline. Elle sert à la préparation de nombreux colorants.

NAPIER, port de la Nouvelle-Zélande, sur la côte orientale de l'île du Nord; 46 000 hab. Industries alimentaires.

NAPIER ou **NEPER** (John), baron **de Merchiston,** mathématicien écossais (Merchiston, près d'Édimbourg, 1550 - *id.* 1617). On lui doit l'invention des logarithmes (1614), qu'il imagina par la comparaison de deux progressions, après avoir trouvé un moyen de simplifier les calculs numériques par l'emploi de baguettes chiffrées, connues sous le nom de *réglettes de Neper.*

NAPLES, en ital. **Napoli,** v. d'Italie, capit. de la Campanie et ch.-l. de prov.; 1 222 000 hab. *(Napolitains).*

GÉOGRAPHIE. Sur la mer Tyrrhénienne (sur la rive nord du *golfe de Naples*), à l'O. du Vésuve, Naples est la troisième ville italienne, de loin la première du Mezzogiorno. C'est un port notable (trafic dépassant 15 Mt, avec, de plus, un important mouvement de voyageurs), où l'industrie s'est développée (constructions mécaniques [automobiles], textile, alimentation, etc.), représentée surtout dans la banlieue, aussi peuplée que la ville. Celle-ci est surtout un centre tertiaire — administratif, commercial et aussi touristique, cette dernière fonction étant favorisée par le site (*baie de Naples,* proximité des îles de Capri et d'Ischia, etc.) et les témoignages du passé (vers Pompéi et Herculanum).

HISTOIRE. Fondée par des Athéniens et des Chalcidiens (ve s.) à proximité de *Parthénope,* hypothétique colonie de Cumes (VIIe s.), *Neapolis* (la « Ville nouvelle ») est prise par les Romains en 326 av. J.-C. Dominée au haut Moyen Âge par les Byzantins, qui en font la capitale d'un duché, Naples tombe en 1139 aux mains des Normands de Sicile et devient la capitale du royaume de Naples (1282). Siège d'une université à partir de 1224, enrichie par l'essor du grand commerce et de l'industrie textile (XVe s.), elle subit la domination aragonaise (1442) avant de devenir la capitale des Bourbons (1734-1860), qui en font un centre culturel brillant. Soumise à l'occupation française (1806-1815), éprouvée par l'insurrection des *carbonari* (1820-21), elle perd son rang de capitale lors de la chute du royaume des Deux-Siciles (1860).

BEAUX-ARTS. Églises remontant à l'époque gothique et à la domination angevine, dont S. Lorenzo Maggiore, S. Domenico Maggiore, S. Chiara et la cathédrale (vestiges paléochrétiens; nombreuses œuvres d'art). Castel Nuovo, forteresse du XIIIe s., où s'insère l'arc d'Alphonse V d'Aragon (1454), dû à des artistes non autochtones, comme tous ceux qui introduisent les modèles de la Renaissance à Naples (église S. Anna dei Lombardi). Brillante école picturale baroque, avec des étrangers (le Dominiquin, Lanfranco, Ribera) et des Napolitains (Giovanni Battista Caracciolo, Massimo Stanzioni, Mattia Preti, S. Rosa*, L. Giordano*, F. Solimera*), qui s'illustrent notamment dans les décors de la chartreuse de S. Martino. Palais royal (XVIIe s.) et palais de Capodimonte (première moitié du XVIIIe s.). Théâtre San Carlo et église S. Francesco di Paola, néoclassiques (début du XIXe s.). Musée archéologique (exceptionnel ensemble provenant surtout des fouilles de Pompéi et d'Herculanum). Galerie de Capodimonte (riche pinacothèque, arts décoratifs, porcelaines de Capodimonte [milieu du XVIIIe s.]). Musée de la chartreuse de S. Martino. Etc.

NAPLES *(royaume de),* nom donné à la partie péninsulaire du royaume de Sicile, conservée par la dynastie angevine à la suite de son expulsion de la Sicile proprement dite (Vêpres siciliennes, 1282). Fief du Saint-Siège, cet État, qui, sous les dynasties normande et des Hohenstaufen, a été un modèle de centralisation, sombre dans l'anarchie féodale. Après un court redressement, marqué par la première partie du règne de Robert d'Anjou (1309-1343), qui s'oppose avec succès aux visées allemandes sur l'Italie, met la main sur la Provence et favorise la prospérité économique de son pays, la faillite des banquiers florentins (1326-1330) et l'arrêt de la colonisation franco-provençale consacrent le retour aux vieux maux : rivalités nobiliaires et misères paysannes, accrues par les brigandages de la petite noblesse et l'essor des *latifundia.* Dévasté par les querelles que se livrent entre eux les membres de la maison d'Anjou (Hongrie, Durazzo, Tarente), le royaume finit par échoir à Alphonse V d'Aragon (1442), qui le réunit momentanément (1442-1458) à la Sicile, puis à son fils bâtard, Ferdinand Ier (de 1458 à 1494), avant de devenir, avec l'invasion de Charles VIII, roi de France (1494-95), un enjeu pour les grandes puissances. Rattaché en 1504 à l'Aragon, il subit pendant deux siècles la domination espagnole, marquée par la présence d'un vice-roi et par une fiscalité très lourde, qui achève de ruiner la paysannerie. Après l'avènement des Bourbons (1734), la tentative de rénovation commencée par Charles VII (de 1734 à 1759) et maladroitement poursuivie par Ferdinand IV (de 1759 à 1825) se heurte à l'opposition de l'élite réformatrice. Lorsqu'en janvier 1799 les Français occupent le pays, celle-ci proclame l'éphémère république Parthénopéenne, qui s'effondre peu après le départ de l'occupant avec la sanglante restauration de Ferdinand IV (juin 1799). Confisqué par Napoléon, le royaume est attribué à Joseph Bonaparte (1806), puis à Murat (1808), qui tente vainement de s'y maintenir (1814-15). Restauré, Ferdinand IV rétablit l'unité territoriale de Naples et de la Sicile; son royaume prend alors le nom de « royaume des Deux*-Siciles » (1816).

NAPLOUSE, en ar. **Nābulus,** v. de Jordanie, en Cisjordanie, au N. de Jérusalem; 50 000 hab. Ancienne *Flavia Neapolis,* fondée en 72 apr. J.-C. à proximité de l'ancienne Sichem*, Naplouse est occupée par les Arabes en 636. Attribuée à l'État arabe de Palestine en 1947, elle est rattachée à la Jordanie depuis 1949 et occupée par les Israéliens depuis 1967.

NAPOLÉON Ier (Ajaccio 1769 - Sainte-Hélène 1821), empereur des Français (1804-1814 et 1815). Issu d'une famille nombreuse de petits notables corses, les Bonaparte*, Napoléon fait ses études militaires en France (Brienne, Paris). Quand éclate la Révolution française (1789), lieutenant dans l'artillerie, il participe aux luttes politiques de la Corse, où son ambition inquiète Paoli; quand celui-ci rompt avec la Convention, les Bonaparte se réfugient sur le continent (1793). Jacobin, Napoléon Bonaparte est poussé en avant par Saliceti, qui le fait nommer chef de l'artillerie dans l'armée chargée de reprendre Toulon aux royalistes : le jeune officier s'y couvre de gloire (sept.-déc. 1793). La chute de Robespierre (juill. 1794) le rejette dans l'ombre; un moment emprisonné, rayé des cadres (mars 1795), Bonaparte est rappelé par Barras*, qui le charge de réprimer un soulèvement royaliste (13 vendémiaire [5 oct. 1795]). Quelques jours avant d'épouser Joséphine de Beauharnais*,

Napoléon Ier. Portrait inachevé de l'empereur, en 1808, par David. (Musée Bonnat, Bayonne.)

il reçoit le commandement de l'armée d'Italie (mars 1796). Au cours d'une campagne fulgurante (v. ITALIE [*campagnes de Bonaparte en*]), il se révèle stratège génial, mais aussi chef d'État sans le titre (1796-97). Ayant battu Piémontais et Autrichiens, il leur impose la paix (Campoformio, 18 oct. 1797) et modèle l'Italie — sa seconde patrie — à sa guise, détruisant notamment l'État vénitien et créant la république Cisalpine, futur royaume d'Italie. Le Directoire, qui n'a pas osé intervenir, l'éloigne en lui confiant le commandement de l'expédition d'Égypte* (1798-99) : sa flotte détruite à Aboukir* par les Anglais, Bonaparte organise l'Égypte et bat les Turcs en Syrie, mais, jugeant l'aventure sans issue, il rentre en France (oct. 1799), où les modérés lui confient bientôt le soin de les débarrasser du Directoire*.

Il retire tout le bénéfice du coup d'État de brumaire an VIII (9-10 nov. 1799). Se faisant proclamer Premier consul de la République (v. CONSULAT), il impose au pays une constitution autoritaire, dite « de l'an VIII », qui lui octroie la réalité du pouvoir exécutif et l'initiative des lois. Il est vrai que, pour tenir le rôle écrasant de chef de l'État et de chef des armées, il possède des qualités exceptionnelles : intelligence vive, réalisme dans le choix des moyens, mais en même temps imagination créatrice et extraordinaire capacité de travail. Une confiance illimitée en lui-même ainsi qu'un parfait mépris des hommes complètent sa nature. L'hiver 1800 suffit au Premier consul pour réorganiser la justice, l'administration et l'économie. Dans le même temps, il se tourne contre l'Autriche, qui, durant son séjour en Égypte, a fomenté une seconde coalition, d'abord victorieuse. À l'issue d'une seconde campagne d'Italie, il lui impose la paix de Lunéville (9 févr. 1801); à la paix d'Amiens (25 mars 1802), les Anglais, à leur tour, déposent les armes, pour peu de temps il est vrai. Parachevant son œuvre de pacification intérieure, Bonaparte signe avec Pie VII le concordat* de 1801, qui met l'Église de France au service du régime.

Consul à vie, président de la République italienne (1802), médiateur de la Confédération helvétique et réorganisateur de l'Allemagne (1803), il supporte mal l'opposition. Dès 1803, la guerre reprend avec l'Angleterre, et, un complot royaliste ayant été découvert, Bonaparte se fait proclamer, sous le nom de « Napoléon Ier », empereur des Français (1804), puis roi d'Italie (1805).

Le régime établi devient vraiment une monarchie avec la création d'une cour et d'une noblesse d'Empire. Tout en consolidant son pouvoir — qui est sans limites —, l'Empereur poursuit la modernisation et la centralisation d'une France élargie par ses conquêtes. Aucun domaine ne lui échappe : ni l'enseignement (Université impériale, 1806), ni l'édilité et l'urbanisme, ni l'économie, ni la littérature et les beaux-arts, qui sont domestiqués; le code Napoléon (1804) donne une base juridique à la société issue de la Révolution (v. EMPIRE [*premier*]).

Cependant, la guerre accapare rapidement l'Empereur. Napoléon réitère, en quelques années, l'épopée d'Alexandre et de César. S'il échoue sur mer devant les Anglais (Trafalgar, 1805) et dans son projet d'envahir l'Angleterre (camp de Boulogne), il réussit, au cours d'une fulgurante suite de campagnes marquées par les deux grandes victoires d'Austerlitz (1805), contre les Austro-Russes, et d'Iéna (1806), contre les Prussiens, à écraser les troisième et quatrième coalitions (1805-1807). Après le traité de Tilsit (1807), il se consacre à l'édification du Grand Empire, qui compte bientôt 132 départements et une série d'États vassaux, dont plusieurs — comme la Confédération du Rhin — sont créés de toutes pièces. De plus, il profite de la paix sur le continent pour donner vie au Blocus* continental (1806), qui, dans son esprit, doit ruiner l'Angleterre. Mais les conséquences du Blocus l'amènent à prendre des décisions dangereuses, notamment l'annexion des États pontificaux et l'emprisonnement de Pie VII, mais surtout l'intervention au Portugal et en Espagne (1809), intervention qui va se solder par une atroce guerre nationale espagnole, épuisante pour les forces françaises. L'Empereur est obligé d'intervenir lui-même en Espagne, mais, sur ses arrières, l'Autriche forme la cinquième coalition, dont il triomphe avec quelque difficulté (Wagram, 1809). Désireux de s'assurer des héritiers, Napoléon épouse en 1810 Marie-Louise* d'Autriche, qui, en 1811, lui donne un fils, le roi de Rome (Napoléon II*).

Mais le tsar Alexandre Ier, sur lequel, après Tilsit, il a compté pour maintenir la paix en Europe, prend une attitude belliqueuse : Napoléon, le précédant, envahit la Russie à la tête de la Grande Armée (1812); il atteint Moscou après la sanglante bataille de la Moskova (sept.), mais la retraite qu'il est obligé d'ordonner se transforme en désastre (oct.-nov.). Alors, l'Europe orientale se réveille et, en 1813, en Allemagne, l'Empereur, avec de jeunes troupes, doit faire face à une coalition à laquelle l'Autriche adhère (août). La « bataille des Nations » à Leipzig (16-19 oct.) ayant tourné au profit des Alliés, la France est envahie par l'est et aussi par le sud (Vitoria, juin 1813). Durant la courte campagne de France (févr.-mars 1814), Napoléon déploie son génie militaire, mais il ne peut empêcher les Alliés d'entrer à Paris (31 mars) et il est acculé à l'abdication en faveur de son fils (4 avr.), puis à la renonciation totale (Fontainebleau, 6 avr.). Ses vainqueurs lui laissent la dérisoire souveraineté de l'île d'Elbe, où, de mai 1814 à mars 1815, il ronge son frein, tandis que le congrès de Vienne* détruit ce qui fut en Europe le Grand Empire.

Ayant échappé à la surveillance anglaise, l'Empereur rentre en mars 1815 dans une France où les éléments libéraux voient surtout en lui le Jacobin adversaire des Bourbons et du cléricalisme. Le deuxième règne — qui coalise de nouveau l'Europe contre la France — est éphémère (v. CENT-JOURS); au lendemain du désastre de Waterloo* (18 juin 1815), Napoléon abdique de nouveau (22 juin) et s'en remet aux Anglais, qui lui assignent comme prison la lointaine île de Sainte-Hélène, où l'Empereur s'éteint, loin des siens, le 5 mai 1821. Mais déjà la légende napoléonienne, portée par l'imagerie et la littérature, a pris sa revanche sur l'Histoire.

Napoléon, film français d'Abel Gance (1925-26). Une reconstitution historique exubérante imaginée par le plus hugolien des cinéastes français. Le scénario mêle dans un savant désordre les envols lyriques et la naïveté psychologique, les visions inspirées et la surcharge la moins crédible. Ce film, qui retrace les principaux épisodes de Thermidor et les premiers triomphes de Bonaparte pendant la campagne d'Italie, fut une date importante dans l'histoire du cinéma grâce à ses innovations techniques (utilisation du triple écran à la projection [polyvision], recherches touchant la mobilité de la caméra et les effets de surimpressions multiples).

NAPOLÉON II (François Charles Joseph BONAPARTE, dit), fils de Napoléon Ier et de Marie-Louise d'Autriche (Paris 1811-Schönbrunn 1832). Héritier de l'Empire, il reçut à sa naissance le titre de roi de Rome; mais, dès avril 1814, il fut emmené par sa mère à Vienne, auprès de son grand-père François Ier. Devenu prince de Parme, puis (1818) duc de Reichstadt, il ne devait jamais revoir la France ni son père, à la mémoire duquel il resta cependant attaché. Ses cendres furent rendues à la France en 1940 par Hitler.

NAPOLÉON III (Paris 1808 - Chislehurst, Kent, 1873), président de la IIe République française (1848-1852), empereur des Français (1852-1870). Troisième fils de Louis Bonaparte, roi de Hollande, et de Hortense de Beauharnais, Louis Napoléon doit se réfugier en Suisse avec sa famille. En 1831, avec son frère aîné, Napoléon Louis, qui meurt en Romagne, il participe à une insurrection libérale dans les États pontificaux; l'année suivante, à la mort de Napoléon II, il se considère comme le chef dynastique des Bonaparte*; à ce titre, il essaie vainement de s'emparer du pouvoir à Strasbourg (1836). Un séjour aux États-Unis, puis à Londres, lui permet de mûrir sa doctrine politique et de l'exprimer dans *les Idées napoléoniennes* (1839). Ayant échoué une seconde fois dans une tentative de prise de pouvoir à Boulogne (1840), Louis Napoléon est condamné à la détention perpétuelle : au fort de Ham, il élabore une doctrine sociale, qui va le rendre populaire (*Extinction du paupérisme,* 1840). Évadé de Ham en 1846, il gagne Londres. Quand éclate la révolution de février 1848, il rentre en France et est élu représentant du peuple (sept.) : soutenu par le Comité de la rue de Poitiers et par l'attachement des masses au mythe napoléonien, il est élu, le 10 décembre, président de la IIe République.

Tout en s'appuyant sur le « parti de l'ordre », il entre en conflit

Lauros-Giraudon

Napoléon III, l'impératrice Eugénie et le prince impérial Eugène Louis. Gravure. (Château de Compiègne.)

Vautier-Decool

Nara. Le « Yumedono » (salle des rêves) au Hōryū-ji. VIIe s.

avec l'Assemblée législative, à majorité monarchiste (v. RÉPUBLIQUE [IIe]). Il s'en débarrasse par le coup d'État du 2 décembre* 1851, qui, largement ratifié par plébiscite, lui permet d'éliminer l'opposition républicaine et socialiste et d'instaurer, en s'appuyant sur la Constitution du 14 janvier 1852, un régime autoritaire et centralisé, qui, tout naturellement, se transforme rapidement en monarchie héréditaire (v. EMPIRE [*second*]). Proclamé empereur des Français le 2 décembre 1852 sous le nom de « Napoléon III », il épouse en 1853 Eugénie de Montijo, qui lui donnera un fils, Eugène Louis (1856-1879).

Napoléon III pratique volontiers la politique du secret. Sa volonté de changement social se heurte en fait à l'action de ministres qui ne dépendent que de lui, mais qui sont les maîtres d'une administration pléthorique et fortement centralisée. Cependant, par une série de mesures volontairement prises, l'empereur, après 1860, et malgré les conséquences de l'attentat d'Orsini* (1858), fait évoluer son régime vers un empire libéral, qui, au début de 1870, avec la désignation d'Émile Ollivier comme Premier ministre, prend même une allure parlementaire. Dans le domaine économique, Napoléon III impose, en 1860 encore, le passage du protectionnisme au libre-échange. Il fait multiplier en province les travaux d'irrigation et d'assèchement, et appuie personnellement la politique d'édilité pratiquée à Paris par Haussmann*.

À l'extérieur, comme son oncle, il caresse l'idée d'une Europe pacifiée où les nationalités désunies seraient regroupées. C'est ce qui explique ses interventions en Crimée* (1854-1856) et en Italie* (1859) : l'annexion de la Savoie et de Nice à la France (1860) est la récompense de cette dernière campagne. Par la suite, l'empirisme de Napoléon III est pris largement en défaut lors de l'aventure mexicaine (1862-1867) et aussi, après 1866, quand Bismarck se joue de l'empereur en pratiquant la politique des pourboires.

La politique de l'empereur favorise à la longue les mécontentements : sa politique italienne lui aliène les catholiques et sa politique libre-échangiste les industriels. Alors que l'industrialisation rapide du pays — encouragée par le saint-simonisme financier et mercantile, dont Napoléon III se sent solidaire — rend plus sensible le paupérisme d'une classe ouvrière qui s'enfle, le « socialisme » paternel de l'empereur est vite dépassé par les doctrines révolutionnaires (Proudhon, Marx) et par le progrès de l'idée républicaine. Napoléon III — malade et dominé par l'impératrice et par Rouher — voit monter une opposition ouvrière qui s'appuie sur l'opposition républicaine : celle-ci s'organise surtout après les élections de 1863. Cependant, le plébiscite du 8 mai 1870 est favorable à l'empereur. Mais la guerre franco-allemande, dans laquelle, en juillet 1870, Napoléon III laisse s'engager sans préparation la France, lui est fatale. Prisonnier à Sedan (2 sept.), l'empereur, qui est déclaré déchu le 4 septembre à Paris, est emmené en captivité en Allemagne : il ne la quitte (19 mars 1871) que pour rejoindre l'impératrice en Angleterre, où il meurt le 9 janvier 1873.

Napoléon *(route),* route allant de Cannes à Grenoble, par Gap et le col Bayard; 324 km. Elle reconstitue le trajet suivi par Napoléon Ier à son retour de l'île d'Elbe.

Napoli *ou le Pêcheur et sa fiancée,* ballet en trois actes, musique de Paulli, Helsted, Gade et Lumbye, chorégraphie d'August Bournonville, créé en 1842 au Théâtre royal de Copenhague. Encore dansé aujourd'hui, mais le plus souvent dans la version en un acte produite par Harald Lander en 1954, *Napoli* est un des ballets danois les plus populaires.

NAPOULE (La), station balnéaire des Alpes-Maritimes (comm. de *Mandelieu-La Napoule*), à 8 km au S.-O. de Cannes.

NAPPAGE → TAPIS.

NAPPE *(écoulement en)* → RUISSELLEMENT.

NAPPE DE CHARRIAGE → CHARRIAGE.

NARA, v. du Japon (Honshū), à l'E. d'Ōsaka; 208 000 hab. Ancienne capitale du Japon de 710 à 784/794 sous le nom de « Heijō-kyō », elle fut construite sur le plan en damier de la capitale chinoise des T'ang, Tch'ang-ngan*. Avec la venue du bouddhisme et sous le patronage de la Cour, elle connut une activité artistique intense : les temples se multiplièrent. Le Hōryū-ji, fondé au début du VIIe s. sur le plan chinois symétrique et orienté vers le sud, est un bel exemple de la première architecture bouddhique : le sanctuaire principal, ou *kōndo,* la pagode et la porte intérieure sont en bois sur des terrasses en terre damée pavée, des colonnes soutenant de larges toits débordants. Les peintures murales ornant le *kōndo,* disparues lors d'un incendie en 1949, attestaient des influences indiennes et sassanides venues par l'Asie centrale et la Chine. Vinrent ensuite le temple du Kōfuku-ji, celui du Yakushi-ji et celui du Tōdai-ji, célèbre pour l'image du Bouddha de bronze, haut de 17 m, qu'il abritait. Des sculpteurs ont orné ces sanctuaires d'images proches de la statuaire des T'ang, caractérisée par l'élégance des proportions, le réalisme des visages et les rehauts peints.

NARĀYANGANJ, port du Bangladesh, près de Dacca; 425 000 hab. Industrie du jute.

NARBADĀ (la), fl. de l'Inde (1 230 km), tributaire de la mer d'Oman, entre les monts Sātpura et Vindhya, traditionnelle limite septentrionale du Deccan.

NARBONNAISE, en lat. **Narbonensis,** province de la Gaule romaine constituée par Auguste en 27 av. J.-C. Elle correspondait à l'ancienne *Provincia,* région du sud-est de la Gaule, conquise par Rome entre 154 et 121 av. J.-C., et constituée en province romaine en 121 av. J.-C. La *Provincia,* dont la métropole était Narbonne*, s'étendait de la région de Toulouse au lac Léman, englobant la Savoie, le Dauphiné, la Provence et le Languedoc. Elle prit sous Auguste le nom de «Narbonnaise» et devint en 22 av. J.-C. province sénatoriale. Très urbanisée et très romanisée, elle fut comme un prolongement de l'Italie; César et Auguste donnèrent à ses principales villes (Narbonne, Aix, Arles, Orange, Nîmes, Vienne) le droit latin ou même le droit romain. Elle fut divisée à la fin du IVe s. en Viennoise (ch.-l. Vienne), en Narbonnaise Ire (ch.-l. Narbonne) et en Narbonnaise IIe (ch.-l. Aix).

NARBONNE (11100), ch.-l. d'arr. de l'Aude; 40 543 hab. *(Narbonnais).* Nœud ferroviaire (gare de triage) et autoroutier entre l'Aquitaine, la Provence et la Catalogne, et centre commercial (vins), Narbonne possède quelques industries (raffinage de l'uranium notamment).

HISTOIRE. *Narbo Martius,* première colonie romaine fondée en Gaule (118-117 av. J.-C.), après la création de la *Provincia,* devient, en même temps qu'un grand port maritime, l'une des villes les plus opulentes de l'Occident romain. Prise par les Wisigoths en 413, occupée par les Sarrasins en 719, reconquise par les Francs en 759, elle est la capitale du duché de Gothie, puis se trouve partagée entre l'archevêque et le vicomte local avant d'être réunie à la Couronne (1507). En 1320, la brusque modification du cours de l'Aude met fin à son activité portuaire.

BEAUX-ARTS. Vestiges romains au musée lapidaire, dans une ancienne église médiévale. Église Saint-Paul-Serge, reconstruite au XIIIe s. sur une nécropole paléochrétienne. Cathédrale ne comportant qu'un chœur élancé de style gothique septentrional (XIIIe-XIVe s.). Ancien archevêché (XIIe-XIVe et XIXe s.) abritant l'hôtel de ville, le musée archéologique et le musée d'Art et d'Histoire.

NARCISSE. — Au printemps, certaines prairies se couvrent de narcisses, fleurs à six pétales blancs étalés en étoile et portant au centre une courte collerette orangée. Outre ce «narcisse des poètes», le genre *Narcissus* comprend le narcisse jaune à longue collerette, ou jonquille*, le petit narcisse jaune, ou coucou, etc.

NARCISSE, personnage de la mythologie grecque. Séduit par sa propre image reflétée par l'eau d'une fontaine, il meurt de ne pouvoir saisir cet autre lui-même dont il était devenu amoureux. À la place où il mourut naquit la fleur qui porte son nom, le narcisse.

NARCISSE, en lat. **Narcissus,** affranchi de l'empereur Claude († 54 apr. J.-C.). Il fut, avec Pallas*, l'un des plus célèbres affranchis impériaux qui eurent, sous Claude*, la haute main sur les affaires de l'État. Conseiller privé du prince, chef du bureau des correspondances *(ab epistulis),* il joua un rôle considérable dans le gouvernement. En 48, il provoqua la chute de Messaline*. Partisan de Britannicus*, il fut tué en 54 à l'instigation d'Agrippine.

NARCISSISME → LIBIDO.

NARCOANALYSE → VIGILANCE.

NARCOLEPSIE → SOMMEIL.

NAREW (le), en russe **Narev,** riv. née en U. R. S. S. (Biélorussie), affl. du Bug (r. dr.), drainant une partie du Nord-Est polonais, 480 km.

NARGHILÉ → PIPE.

NARITA, aéroport international de Tōkyō, à l'E. de la ville.

NARSÈS, général byzantin (v. 478 - Rome 568). Arménien d'origine, devenu l'homme de confiance de Justinien, il parvint à faire échec à la sédition Nika (532). Envoyé en Italie, il pacifia le pays (552-555), en chassa les envahisseurs francs et alamans (554-555), et, chargé de son gouvernement, en réorganisa l'administration.

NARVA, v. de l'U. R. S. S. (Estonie), au S.-O. de Leningrad; 66 000 hab. Anc. château des chevaliers Teutoniques. Centrales thermiques. — Suédoise de 1581 à 1700, la ville revint aux Russes en 1704. Pierre Ier de Russie y avait été vaincu par Charles XII le 30 novembre 1700.

NARVÁEZ (Ramón María), homme politique espagnol (Loja 1800 - Madrid 1868). Vainqueur des carlistes, il suit Marie-Christine en France (1840-1843) avant de renverser Espartero (1844) et de dominer autoritairement la politique espagnole de 1845 à 1868.

NARVAL. — Le narval est un grand dauphin blanc (de 4 à 5 m de long), des mers froides, recherché pour l'huile comestible qui imprègne son corps. La femelle est dépourvue de dents; le mâle en a une seule, mais géante : l'incisive supérieure gauche, baguette horizontale d'ivoire torsadé, atteignant parfois 3 m de longueur et sans doute totalement inutile.

NARVIK, port de la Norvège septentrionale; 13 000 hab. Exportation de minerai de fer suédois. — Théâtre, en 1940, d'importants combats navals et terrestres entre Allemands et Franco-Anglais (v. NORVÈGE [*campagne de*]).

NARYN, riv. de l'U. R. S. S., en Asie centrale, branche mère du Syr Daria. Grands aménagements destinés à l'irrigation et à la production hydroélectrique.

NASA (sigle de *National Administration for Space and Aeronautics*), organisme américain de recherches aéronautiques et spatiales, effectuant aussi bien des études pures sur les différents problèmes aérodynamiques de l'avenir que des travaux techniques d'intérêt immédiat.

NASBINALS (48260), ch.-l. de cant. de la Lozère, à 30 km au N.-O. de Marvejols; 650 hab.

NASH (John), architecte anglais (Londres? 1752 - Cowes, île de Wight, 1835). Il fut un maître de l'éclectisme pittoresque dans ses demeures de campagne (castels gothiques ou renaissants; cottages; Royal Pavilion de Brighton, 1815, féerie «hindoue» utilisant la fonte de fer) et, à Londres, le grand urbaniste du temps, préservant ses nouvelles percées (Regent Street, à partir de 1811) de toute monotonie grâce à des éléments incurvés.

NASHE ou **NASH** (Thomas), écrivain anglais (Lowestoft v. 1567 - Londres v. 1601). Ses pamphlets (*l'Anatomie de l'absurdité,* 1588), son théâtre et son roman picaresque *le Voyageur malheureux ou la Vie de Jack Wilton* (1594) forment un tableau satirique de la société de son temps.

NASHVILLE, v. des États-Unis, capit. du Tennessee; 448 000 hab. Centre d'édition musicale.

NĀSIK, v. de l'Inde (Mahārāshtra), au N.-E. de Bombay; 176 000 hab. Ancienne cité sacrée et lieu de pèlerinage, Nāsik possède des monuments bouddhiques rupestres datant environ des Ier-IIe s. apr. J.-C. et caractéristiques de la période Sātavāhana.

NASIQUE. — Une espèce de singe semnopithèque a été surnommée le «nasique» : les mâles de ce singe de Bornéo sont, en effet, affublés d'un énorme nez pendant et charnu, atteignant parfois une longueur de 8 cm.

NAṢRIDES, dynastie arabe du royaume de Grenade* (1238-1492). Muhammad Ier ibn al-Aḥmar (de 1238 à 1272) crée une principauté indépendante à Arjona en 1231, s'empare de Grenade en 1238 et se reconnaît vassal du roi de Castille. Ses successeurs (de 1272 à 1340) se placent sous la protection des Mārinides* du Maroc. Les rois de Castille combattent les Naṣrides, et le royaume de Grenade succombe en 1492 sous le règne de Boabdil*.

NASSAU, capit. des Bahamas, dans l'île de New Providence; 102 000 hab.

NASSAU, famille allemande, installée dans la région de la Lahn et descendant des comtes de Laurenburg, qui construisirent le château de Nassau. Elle a fourni de nombreuses branches, dont la plus importante, les Nassau-Beilstein, en acquérant au XVe s. des possessions étendues en Hollande, fit souche dans ce pays. En devenant prince d'Orange, le comte de Nassau, Guillaume Ier* le Taciturne, stathouder de Hollande, créa la branche d'Orange*-Nassau, qui s'éteignit en 1702 avec Guillaume III*, roi d'Angleterre. La succession de ce dernier fut recueillie par Jean Guillaume Friso (1696-1711), tige de la branche d'Orange-Nassau-Diez, qui règne encore aux Pays-Bas.

NASSER *(lac)* → NIL.

NASSER (Gamal Abdel), homme d'État égyptien (Beni Mor 1918 - Le Caire 1970). Il entre à l'Académie militaire en 1937, lorsque le Wafd* en démocratise le recrutement. Il fonde avec de jeunes officiers nationalistes humiliés par la défaite de la guerre de Palestine de 1948-49 le Comité des officiers libres. En juillet 1952, ces officiers obligent Farouk* à abdiquer et font appel au général Néguib*. Le Conseil supérieur de la révolution, composé de onze officiers supérieurs, gouverne le pays et, en juin 1953, la république est proclamée. Nasser élimine Néguib en novembre 1954 et est élu président de la République en 1956. Il s'engage dans la voie du «neutralisme positif», tel que l'a défini la conférence afro-asiatique de Bandung* (1955). À l'abandon du projet de financement du haut barrage d'Assouan* par les États-Unis, il riposte par la nationalisation du canal de Suez* (1956), dont les revenus serviront à la construction du barrage. Cela provoque l'affaire de Suez : action

B. Barbey-Magnum

Gamal Abdel Nasser, en juillet 1969.

armée d'Israël, de la France et de la Grande-Bretagne, arrêtée sur l'ordre de l'U. R. S. S. et des États-Unis. Ce qui peut être considéré comme une défaite militaire tourne au triomphe politique en Égypte et dans le monde arabe. Fort de cette victoire, Nasser accélère le processus d'étatisation de l'économie et de son « égyptianisation ». La production industrielle augmente de 50 p. 100 de 1961 à 1965 (1er plan quinquennal). Parallèlement, Nasser se fait le champion de l'unité arabe et organise l'union de l'Égypte et de la Syrie au sein de la R. A. U. (1958-1961), dont il est le président. Le retrait de la Syrie de la R. A. U. est pour lui une grave déconvenue. Nasser consolide alors les assises du régime : Charte nationale (1962), Constitution de 1964, qui définit la R. A. U. comme une république démocratique et socialiste. Il resserre les liens avec l'U. R. S. S., principal bailleur de fonds et d'armes de l'État égyptien. La défaite de 1967 remet en cause l'œuvre nassérienne, mais Nasser, démissionnaire, est plébiscité. Il travaille d'arrache-pied à la reconstruction du pays et déclare en 1969 la guerre d'usure contre Israël. En dépit des échecs militaires et des pratiques autoritaires du régime instauré en Égypte, il joue le rôle du « ra'īs », du guide des masses arabes et égyptiennes, pour lesquelles il est devenu le symbole de la lutte contre le sous-développement et l'impérialisme.

NASTIE. — Il n'est pas entièrement vrai que les plantes n'aient d'autres mouvements que ceux de leur croissance. Des réactions motrices, parfois rapides, à des incitations extérieures s'observent dans de nombreuses espèces. Ce sont les *nasties.* La plus commune est la *nyctinastie* (mouvement des feuilles qui s'abaissent et se replient pendant la nuit), mais on connaît aussi des cas de *thermonastie* (réaction motrice aux différences de température) et surtout de *thigmonastie* (réaction aux contacts solides). La sensitive (*Mimosa pudica* [v. MIMOSA]) replie ses folioles dès qu'on la touche, les feuilles de dionée se rabattent sur l'insecte qui en frôle les poils, de nombreuses vrilles réagissent par un mouvement d'enroulement au contact d'une baguette. Aucune plante ne réagit au choc des gouttes de pluie, si grosses soient-elles.

NAT (Yves), pianiste français (Béziers 1890-Paris 1956). Il est resté célèbre par ses interprétations de Beethoven et de Schumann, et a composé un *Concerto pour piano* (1954).

NATAL, prov. de l'Afrique du Sud, sur l'océan Indien. Capit. *Pietermaritzburg.*

GÉOGRAPHIE. C'est la plus petite (87 000 km^2), mais, avec 4 246 000 hab., la plus densément peuplée des provinces du pays. L'ouest est accidenté (partie du Grand Escarpement avec le Drakensberg); l'est est formé de collines dominant une plaine littorale s'élargissant vers le N. Le climat subtropical (le Natal s'étend entre 27 et 31^0 de latitude S.) a favorisé la culture de la canne à sucre. L'industrie est fondée sur la présence du charbon (métallurgie) et l'activité du port de Durban, de loin la plus grande ville d'une province qui compte moins de 10 p. 100 de Blancs, mais plus de 70 p. 100 de Noirs (Zoulous) et plus du dixième d'Asiatiques.

HISTOIRE. Le Natal doit son nom à Vasco de Gama*, qui le découvrit le jour de Noël *(dies natalis)* 1497. En fait, le pays n'est colonisé qu'après l'établissement des Britanniques au Cap en 1806 ; en 1824, ceux-ci installent un entrepôt dans le port de Durban. En 1837 arrivent les Boers, qui, ayant battu les Zoulous, organisent l'État du Natal et fixent sa capitale à Pietermaritzburg. Mais les mines de charbon attirent les Britanniques, qui, en 1844, font du Natal une colonie, d'abord unie au Cap, puis autonome à partir de 1856 : les Boers ont gagné l'État libre d'Orange. Le Natal reçoit un gouvernement responsable en 1893; son exploitation est assurée par une nombreuse colonie de coolies recrutés aux Indes. En 1897, le Natal annexe le Zoulouland et le Tongaland. En 1910, ses habitants votent en faveur du rattachement à l'Union sud-africaine.

NATAL, port du nord-est du Brésil, capit. de l'État du Rio Grande do Norte; 265 000 hab.

NATALITÉ → POPULATION.

NATANYA, port d'Israël, sur la Méditerranée, au N. de Tel-Aviv; 71 000 hab.

NATATION *(Sport).* — Les premiers championnats du monde de natation n'ont eu lieu qu'en 1973, mais la natation est représentée aux jeux Olympiques depuis leur rénovation en 1896. Ce sport a connu une évolution accélérée, traduite sur le tableau indiquant la progression des records du monde dans les principales spécialités à dix ans d'intervalle. On remarque aussi que nombre de records féminins actuels sont proches des records masculins établis seulement dix ans auparavant. Aux jeux Olympiques de 1976, les records du monde ont été améliorés dans douze des treize épreuves masculines et dans neuf des treize épreuves féminines. Cette progression exceptionnelle est largement expliquée par l'intensification relativement récente de l'entraînement quotidien (trois à six heures par jour), qui nécessite une disponibilité imposant au moins un semi-professionnalisme et qui, par son côté fastidieux, répétitif et aussi épuisant, limite à quelques années la durée d'un champion, très tôt au sommet de sa forme, aux alentours de 16-18 ans pour les femmes et de 20 ans pour les hommes.

Quatre styles de nage sont reconnus en compétition, et, en général, hommes et femmes nagent séparément les mêmes distances. La *nage libre* (c'est-à-dire le crawl, style le plus rapide) comporte le 100, le 200 et le 400 mètres (le 1 500 mètres chez les hommes est remplacé chez les femmes par un 800 mètres), auxquels s'ajoutent des relais 4 × 100 mètres pour les femmes et 4 × 200 mètres pour les hommes. Dans la *nage sur le dos,* la *brasse* et la *nage papillon* ne sont disputées que des épreuves courtes, le 100 et le 200 mètres pour les deux sexes, qui nagent aussi deux épreuves dans lesquelles se succèdent les quatre styles : la course individuelle de 400 m en changeant de style tous les 100 m et le relais 4 × 100 mètres.

Beaucoup de noms, mais qui, toutefois, passent souvent très vite, jalonnent l'histoire de la natation. L'Américain Johnny Weissmuller (qui interpréta Tarzan à l'écran) fut le premier homme, en 1922, à nager le 100 mètres en moins d'une minute, exploit réédité quarante ans plus tard par une femme, l'Australienne Dawn Fraser (triple championne olympique de la distance). L'exploit le plus retentissant a sans doute été réalisé par l'Américain Mark Spitz, qui, aux jeux Olympiques de 1972, remporta sept titres (quatre dans les courses individuelles et trois en relais), battant ou contribuant à battre à chaque fois des records du monde, d'ailleurs tous améliorés depuis.

les principaux records du monde

hommes

	1966	1976
100 mètres nage libre	52 s 9/10	49 s 44/100
200 mètres nage libre	1 mn 56 s 2/10	1 mn 50 s 29/100
400 mètres nage libre	4 mn 9 s 2/10	3 mn 51 s 93/100
1 500 mètres nage libre	16 mn 41 s 6/10	15 mn 2 s 40/100
100 mètres dos	59 s 6/10	55 s 49/100
100 mètres brasse	1 mn 6 s 9/10	1 mn 3 s 11/100
100 mètres papillon	57 s	54 s 27/100
400 mètres quatre nages	4 mn 45 s 4/10	4 mn 23 s 68/100
4 × 100 mètres nage libre	3 mn 33 s 2/10	
4 × 200 mètres nage libre	7 mn 52 s 1/10	7 mn 23 s 22/100

femmes

	1966	1976
100 mètres nage libre	58 s 9/10	55 s 65/100
200 mètres nage libre	2 mn 10 s 5/10	1 mn 59 s 26/100
400 mètres nage libre	4 mn 38 s	4 mn 9 s 89/100
100 mètres dos	1 mn 7 s 4/10	1 mn 1 s 51/100
100 mètres brasse	1 mn 15 s 7/10	1 mn 10 s 86/100
100 mètres papillon	1 mn 4 s 5/10	1 mn 0 s 13/100
400 mètres quatre nages	5 mn 14 s 9/10	4 mn 42 s 77/100
4 × 100 mètres nage libre	4 mn 3 s 8/10	3 mn 44 s 82/100

NATATION *(Zool.)* → LOCOMOTION et NAGEOIRE.

NATATOIRE (vessie). — Mieux nommée « vessie gazeuse », cet organe, possédé par de nombreux poissons osseux, mais non par tous, semble avoir des fonctions assez diverses, lorsqu'il n'est pas inutile. C'est une poche ventrale, aux parois élastiques et parfois musclées, parfois reliée par un tube à l'œsophage (esturgeon) ou par une chaîne d'osselets au statocyste (carpe), mais souvent dépourvue de toute connexion. La vessie gazeuse possède souvent un ou plusieurs *corps rouges,* qui lui fournissent de l'oxygène gazeux, et un *ovale,* qui, à l'inverse, absorbe cet oxygène au profit du sang. Son rôle peut être d'égaliser rigoureusement la densité du poisson et celle de l'eau où il nage, pour lui éviter tout effort de sustentation. Mais cet organe est dangereux pour une espèce marine à déplacements verticaux rapides, car ses variations spontanées de volume allègent le poisson quand il monte et l'alourdissent quand il descend. Un réflexe correcteur (sécrétion ou dégagement d'oxygène) doit alors intervenir. Des fonctions diverses : réserve d'oxygène, émission de sons, etc., ont aussi été attribuées à la vessie gazeuse de certaines espèces.

Natchez *(les),* récit épique et romanesque de Chateaubriand, commencé en Amérique, écrit à Londres pendant son exil et publié en 1826.

National Gallery, à Londres, l'un des plus importants musées de peinture occidentaux, fondé en 1824 (achat par l'État anglais de la collection d'un riche amateur) et installé en 1838 dans un bâtiment neuf à Trafalgar Square. Toutes les écoles européennes y sont représentées, des primitifs à l'impressionnisme; une grande partie du vaste fonds anglais du XIXe s., toutefois, a été transférée à la Tate* Gallery, tandis que la National Portrait Gallery abrite les portraits des principaux personnages de l'histoire d'Angleterre.

NATIONALISATION. — Les marxistes distinguent deux sortes de nationalisations selon le type de système politique. Dans un pays capitaliste, la nationalisation apparaît dans un premier temps — ce fut le cas en France après la Libération — comme le moyen privilégié par lequel est brisé le monopole privé de la production : très vite, ces nationalisations deviennent un secteur privilégié d'intervention de l'État, considéré, par les marxistes, comme l'instrument politique de la classe dominante. C'est pourquoi la nationalisation dans le système capitaliste ne peut constituer qu'une étape avant ou avec un changement au niveau de l'appareil d'État. La nationalisation qui s'accompagne de ce changement constitue l'autre nationalisation, par laquelle la bourgeoisie est effectivement expropriée des grands moyens de production et d'échange, lesquels, dans la perspective marxiste, deviennent propriété de l'État prolétarien.

• *Les nationalisations en France.* Un grand nombre de nationalisations ont été effectuées par les pays d'économie libérale du monde occidental (Grande-Bretagne, France, Italie notamment) depuis les trente dernières années. Un des exemples en est donné par le groupe des nationalisations françaises de 1945-46.

La Constitution française de 1946 affirmait le principe selon lequel toute entreprise dont l'exploitation a (ou acquiert) les caractères d'un service public national ou d'un monopole de fait « doit devenir la propriété de la collectivité ». Le processus peut s'opérer de diverses manières : soit par la disparition de l'ancienne société privée et la reprise par l'État des éléments de son patrimoine, soit par le maintien de l'ancienne société, mais avec le transfert des actions qui en constituaient le capital au profit de la puissance publique. Les entreprises nationalisées figurent surtout dans le secteur des industries de base (charbonnages, production d'électricité et de gaz, hydrocarbures [extraction, raffinage et distribution]), dans la construction automobile (Renault, Saviem) et dans certains services (banques, assurances, transports ferroviaires, maritimes et aériens).

NATIONALITÉ. — C'est la reconnaissance juridique par un État de l'appartenance d'une personne à la population de cet État. Il s'agit d'un lien légal qui s'impose au national et non pas d'un rapport contractuel librement choisi. La filiation est la source essentielle et normale de la nationalité, mais d'autres modes juridiques sont susceptibles de la conférer dans un certain nombre de cas. La nationalité française est attribuée, à titre de nationalité d'origine, à l'enfant (légitime ou naturel) né en France, dont l'un des parents est français. Si l'enfant est né hors de France d'un seul parent français, il pourra répudier la nationalité française dans les six mois précédant sa majorité. La nationalité peut être acquise, postérieurement à la naissance, par une personne née en France de parents étrangers : celle-ci acquiert de plein droit la nationalité française à la majorité si, à cette date, elle a sa résidence en France depuis cinq ans. Le mariage peut également, dans certaines conditions, octroyer la nationalité. L'acquisition par décret de la nationalité (naturalisation) est octroyée par le gouvernement à l'étranger qui en fait la demande. Cette « naturalisation » est octroyée après une enquête effectuée sur la personne du postulant.

NATIONAL-SOCIALISME. — L'essor du parti ouvrier allemand national-socialiste, fondé par Hitler* en 1920, est comparable à celui du fascisme*, qui se développe parallèlement en Italie à la faveur d'une crise économique, sociale et politique analogue. Sur de nombreux points, les deux mouvements sont animés d'une idéologie semblable : même opposition au libéralisme et à la démocratie parlementaire, même haine du marxisme, même conception d'un État totalitaire et centralisé — associée au culte du chef *(Führer),* qu'exprime la devise hitlérienne « Ein Volk. Ein Reich. Ein Führer » —, et même apologie de la force et de la violence. Mais la doctrine nationaliste exposée par Hitler dans *Mein Kampf** (1923-24), fondée sur la suprématie de la race germanique, repose sur un concept essentiellement raciste et antisémite. La création du « grand Reich » allemand (réunion des minorités allemandes à l'empire et annexion des régions de langue germanique) doit s'accompagner d'une « régénération » de la race germanique par l'élimination des races inférieures impures (essentiellement les Juifs, rendus responsables de l'affaiblissement de l'Allemagne), afin de préserver la race aryenne nordique, jugée supérieure.

Les aspects « socialistes » de la doctrine hitlérienne se résument en des slogans contre la grande propriété et le capitalisme destinés à rallier la classe ouvrière, l'objectif essentiel étant la planification et l'étatisation de la politique économique et sociale.

Sans réelle originalité, le programme du parti national-socialiste reprend et vulgarise des thèmes déjà familiers de la pensée allemande et abondamment développés sous la république de Weimar, dans la tradition de l'impérialisme allemand, du pangermanisme* et de l'antisémitisme. Il n'en répond que mieux aux aspirations confuses de l'Allemagne, en proie au malaise économique, politique et social de l'après-guerre, et humiliée par les conditions de l'armistice. Dans ce climat de désillusion, la doctrine du parti nazi, qui se propose de rétablir le prestige national et de ruiner l'œuvre du traité de Versailles, rencontre un large écho. Exploitant le mécontentement général, qui s'aggrave avec la crise de 1929, le parti s'implante surtout dans les classes moyennes et dans les milieux ouvriers, et bénéficie de l'appui d'une partie de la bourgeoisie et des industriels. Sa rapide progression électorale à partir de 1930 permet l'accession de Hitler au pouvoir et la mise en place d'un État national-socialiste.

Doté par Hitler d'une structure hiérarchisée, dirigé jusqu'en 1941 par R. Hess*, puis par M. Bormann, le parti s'appuie sur de nombreuses organisations parallèles : sections d'assaut (SA*) ou « Chemises brunes », créées dès 1921; garde personnelle de Hitler (SS*), confiée à partir de 1929 à Himmler*; police secrète d'État (Gestapo*); groupements de femmes, de jeunes, d'universitaires... L'endoctrinement idéologique à tous les niveaux, la prise en charge de l'éducation de la jeunesse, le développement d'une propagande intensive sous l'autorité de Goebbels* permettent au parti (devenu parti unique en 1933) de rassembler un nombre croissant d'adhérents et d'étendre son contrôle sur l'ensemble des activités du pays.

Les défaites militaires allemandes entraînent l'écroulement du nazisme, tandis que le procès de Nuremberg* (1946) révèle l'ampleur des crimes commis par les chefs nazis. La doctrine nationale-socialiste continue, cependant, d'animer en Allemagne et ailleurs des mouvements néonazis.

NATOIRE (Charles), peintre et graveur français (Nîmes 1700 - Castelgandolfo 1777). Prix de Rome en 1721, il fit un long séjour dans cette ville, où il s'installa de nouveau en 1751 comme directeur de l'Académie de France. Décorateur d'une aimable virtuosité, il travailla à l'hôtel de Soubise à Paris, au château de Versailles, puis exécuta à Rome la voûte principale de Saint-Louis-des-Français.

NATORP (Paul), philosophe allemand (Düsseldorf 1854 - Marburg 1924). Membre de l'école de Marburg*, il étudie les méthodes de la connaissance notamment chez Descartes, Platon et Kant, puis la psychologie (*Psychologie générale d'après la méthode critique,* 1912). Sortant du cadre des recherches sur l'idée de méthode, il tente de rendre compte de l'éthique et de l'esthétique, et il développe une conception du logos comme lieu d'origine et d'enracinement de tout discours et de toute existence (*Philosophische Systematik,* 1958).

NATSUME SŌSEKI, écrivain japonais (Tōkyō 1867 - *id.* 1916). Son œuvre romanesque, en marge des courants à la mode, et notamment du naturalisme, peint les bouleversements causés par l'adaptation de son pays au monde moderne (*Sanshirō,* 1908; *Kokoro* [*le Pauvre Cœur des hommes*], 1914; *Meian* [*Ombre et lumière*], 1916).

NATTA (Giulio), chimiste italien (Imperia 1903). À partir de 1952, grâce à ses catalyseurs « stéréospécifiques », il a préparé des hauts polymères à structure régulière, très résistants. (Prix Nobel de chimie, 1963.)

NATTIER (Jean-Marc), peintre français (Paris 1685 - *id.* 1766). Spécialisé dans le portrait à prétexte mythologique, il devient peintre de la reine et de ses filles à partir de 1740 (portraits à Versailles).

NATURALISME *(Littér.).* — L'école naturaliste se constitue entre 1860 et 1880 sous la double influence du réalisme de Flaubert et du positivisme de Taine. Par leur souci du document vrai, les Goncourt appartiennent déjà au naturalisme. Mais c'est Zola qui incarne la nouvelle esthétique, dont il se fait le théoricien (*le Roman expérimental,* 1880) : il fonde la vérité du roman sur l'observation scrupuleuse de la réalité et sur l'expérimentation, qui soumet l'individu au déterminisme de l'hérédité et du milieu. *Les Soirées* de Médan* (1880), qui rassemblèrent autour de Zola Maupassant, Léon Hennique, Henry Céard, Paul Alexis et Huysmans, forment le manifeste de l'école nouvelle, à laquelle se rattachent A. Daudet, O. Mirbeau, J. Renard, J. Vallès, etc. Le naturalisme s'imposa également au théâtre avec l'œuvre de H. Becque (*les Corbeaux,* 1882) et les mises en scène d'Antoine au Théâtre-Libre.

natura rerum *(De)* → LUCRÈCE.

NATURE *(Philos.).* — Qu'elle soit l'ordre qui préside à la constitution du cosmos (Aristote) ou la cause productrice du développement d'un être (Spinoza), la nature s'oppose au hasard et engendre l'idée d'un déterminisme*. L'opposition nature-culture (Hobbes, Rousseau) et la conception d'une évolution qui conduirait de la nature à la culture sont critiquées par l'anthropologie* structurale. En analysant cette opposition et cette conception évolutionniste dans les relations de parenté, les structures des mythes et de la pensée sauvage, Lévi-Strauss montre que l'influence de la nature est nulle pour ce qui concerne la reproduction humaine et la formation des institutions socioéconomiques.

NATURELLE (histoire). — On a longtemps, à la suite de l'œuvre magistrale de Buffon, désigné par « histoire naturelle » le compte rendu des observations faites en pleine nature sur les animaux et les plantes : description externe, anatomie, comportement animal, écologie, relation avec l'homme dans les diverses sociétés, etc. L'histoire naturelle a conduit à classer les êtres vivants *(systématique),* à en conserver des collections (herbiers, etc.), à rechercher les ancêtres des formes actuelles (paléontologie, collection de fossiles), mais elle a très vite évolué vers les études expérimentales en laboratoire, qui l'ont quelque peu supplantée. Physiologie, génétique, éthologie animale ont opéré sur des animaux d'élevage et des plantes de culture *séparés de leur milieu naturel.* Armé des connaissances précieuses ainsi acquises et disposant de nouveaux moyens, tels que le marquage radioactif, le naturaliste tend, aujourd'hui, à retourner sur le terrain.

NATURE MORTE → PEINTURE.

NATURISME. — Le naturisme est une réaction contre les inconvénients et les agressions de la vie urbaine. Toutefois, il se fonde plus sur des réflexions éthiques que scientifiques. Ainsi, si la vie au grand air est stimulante, l'humidité, l'exposition excessive au soleil, les régimes végétariens mal adaptés, etc., sont parfois néfastes pour l'organisme.

NAUCELLE (12800), ch.-l. de cant. de l'Aveyron, à 36,5 km au S.-O. de Rodez; 2 689 hab.

NAUCORE. — C'est parmi les proches parents de la nèpe, de la ranatre et de la notonecte que se situe la naucore. Cette « punaise » carnassière des eaux douces produit le soir une sorte de stridulation musicale. Son corps, ovale et lisse, ressemble, par convergence, à celui d'un petit dytique.

NAUDIN (Charles Victor), biologiste français (Autun 1815 - Antibes 1899). Ses travaux sur le datura en font un précurseur de Mendel.

NAUKRATIS, anc. ville égyptienne du delta du Nil. Comptoir fondé par les Milésiens au VIIe s., elle joue un rôle important dans les échanges commerciaux avec la Grèce jusqu'à la fondation d'Alexandrie* (331 av. J.-C.).

NAULT (Fernand Noël BOISSONNEAULT, dit **Fernand**), danseur, chorégraphe et pédagogue canadien (Montréal 1921). Codirecteur artistique et un des chorégraphes des Grands Ballets canadiens, il est l'auteur d'œuvres originales, notamment d'une version de *Carmina Burana* (mus. de C. Orff, 1967), de *Tommy* (opéra rock, mus. des « Who », 1970), de *Ceremony* (1973).

NAUMBURG, v. de l'Allemagne orientale, sur la Saale, au S.-O. de Leipzig; 37 000 hab. Cathédrale romane et gothique, riche de célèbres sculptures (jubé occidental, v. 1225; grandes statues de donateurs, d'un art réaliste et sévère, v. 1250), et autres monuments. Musée.

NAUPACTE, ville de l'ancienne Grèce, à l'entrée du golfe de Corinthe. Elle servit de base maritime à la flotte athénienne au Ve s. av. J.-C. Au Moyen Âge, elle devint *Lépante**.

NAUPLIE, port de Grèce, ch.-l. de l'Argolide, sur la côte orientale du Péloponnèse *(golfe de Nauplie);* 9 000 hab. Citadelle.

NAUROUZE *(seuil de),* passage reliant le bassin d'Aquitaine et le Midi méditerranéen, entre Toulouse et Carcassonne, sur la ligne de partage des eaux entre l'Atlantique et la Méditerranée; alt. 190 m. Il est utilisé par le rail, la route et le canal du Midi (obélisque à la mémoire de son constructeur, Riquet).

NAURU, atoll de la Polynésie, formant depuis 1968 un État indépendant, membre du Commonwealth; 21 km²; 6 000 hab. Le pays vit de l'exploitation de ses mines de phosphates, exportés vers l'Australie et la Nouvelle-Zélande.

NAUSÉE. — La nausée s'observe dans les affections bucco-pharyngiennes, gastriques, hépatiques, encéphaliques, toxiques, etc., et dans le mal de mer. Le réflexe nauséeux est déclenché par attouchement de la paroi postérieure du pharynx.

NAUSICAA, personnage de la mythologie grecque, fille du roi des Phéaciens. Elle accueillit Ulysse regagnant Ithaque, sa patrie, après la guerre de Troie.

NAUTILE. — Le groupe des mollusques céphalopodes à coquille spiralée présente une histoire paléontologique surprenante : tandis que les ammonites* évoluaient très rapidement durant l'ère secondaire et disparaissaient brusquement, les nautiles, leurs proches parents, restaient presque inchangés depuis l'ère primaire et existent encore. Ces superbes animaux de l'océan Indien occupent seulement le dernier tiers de tour de leur coquille (chambre d'habitation), dont tout le reste est divisé en compartiments remplis de gaz et communiquant par un tuyau médian (siphon). On admet que l'animal peut ainsi régler finement sa densité. L'orifice de la coquille laisse dépasser une tête à nombreux tentacules sans ventouses.

Nautile.

J.-M. Bassot-Jacana

NAVACELLES *(cirque de),* méandre recoupé de la Vis (dans le nord du départ. de l'Hérault), encaissé dans les calcaires du sud-est du causse du Larzac.

NAVALE (construction). — La branche a connu un essor considérable du début des années 60 à 1975, en liaison avec le développement du commerce international, l'essor du transport du pétrole surtout. Le tonnage lancé annuellement est supérieur de plus de dix fois à celui de l'immédiat avant-guerre et dépasse aujourd'hui 35 millions de tonneaux de jauge brute. Sur le plan spatial, cette progression est largement le fait des chantiers japonais; ceux-ci assurent approximativement la moitié de la production mondiale, précédant le groupe compact des pays de l'Europe occidentale (Allemagne fédérale, Suède, France, Espagne, Danemark, Grande-Bretagne, Italie, Norvège), qui lancent chacun entre 1 et 2,5 millions de tonneaux de jauge brute. Cette croissance, traduite par le lancement de navires* de plus en plus grands (dépassant parfois 500 000 tonnes de port en lourd), se ralentit à la suite d'une saturation du marché et aussi en raison du freinage de la progression du commerce maritime. (Voir carte p. 1290.)

navale *(École)* → *MILITAIRES (écoles).*

Navarin *(bataille de),* défaite d'une flotte turco-égyptienne par une escadre franco-anglo-russe (1827) au cours de la guerre d'indépendance grecque. (V. PYLOS.)

NAVARRE, prov. de l'Espagne du Nord; 10 421 km²; 465 000 hab. Ch.-l. *Pampelune.*

GÉOGRAPHIE. Entre l'Èbre et les Pyrénées, la Navarre est une région assez humide, souvent boisée, où le blé est la principale culture, en dehors de vallées irriguées, portant des cultures de fruits et de légumes. Le tiers de la population est concentré à Pampelune.

HISTOIRE. Peuplée par les Vascons (Basques), ou Navarrais, la région de Pampelune fut un centre de résistance contre les envahisseurs wisigoths (VIe-VIIe s.), francs (Roncevaux, 778) et

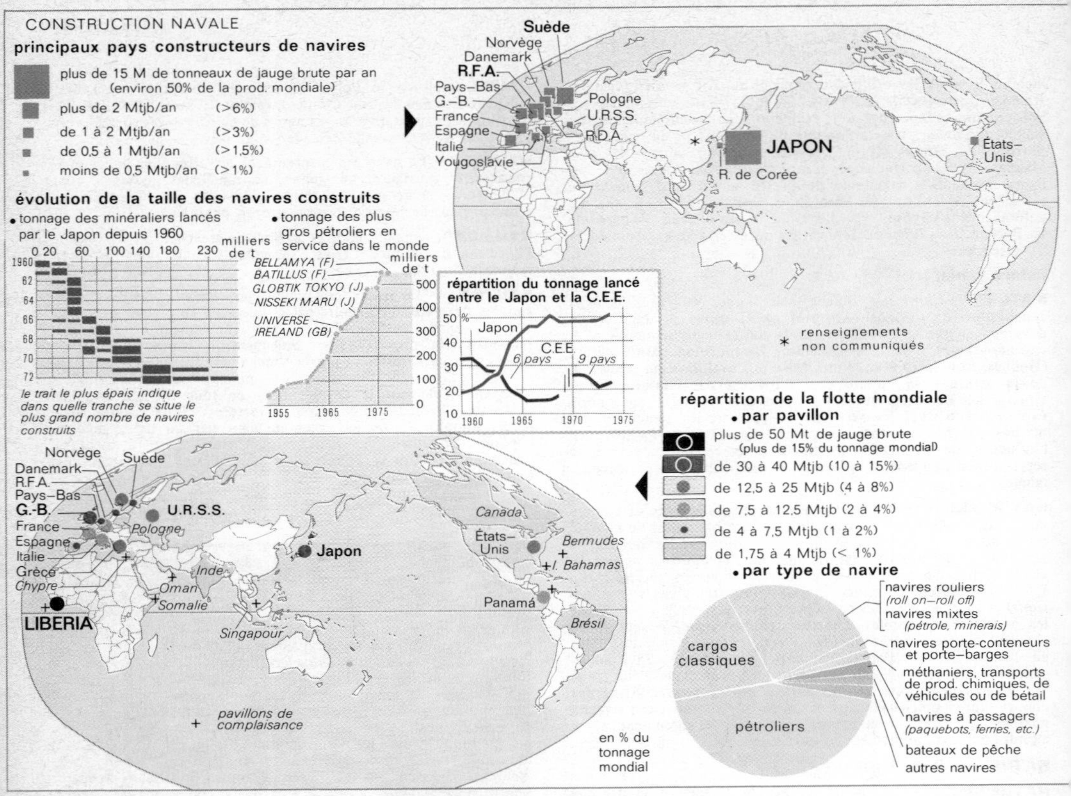

CONSTRUCTIONS NAVALES

musulmans (843-844 et 860-861). Dès le début du IXe s., on trouve la trace d'une dynastie locale, celle d'Iñigo Arista, dont est peut-être issu Sanche Ier Garcés, premier roi historique de Navarre (de 905 à 925). Au début du XIe s., Sanche III le Grand (de 1000 à 1035) profite de l'effondrement du califat de Cordoue pour se rendre maître de toute l'Espagne chrétienne, en réunissant à son royaume la Castille et l'Aragon et en établissant son hégémonie sur la Catalogne et le León. Contrôlant les cols pyrénéens, il ouvre son pays à l'influence de l'Europe occidentale. Mais sa mort met fin à l'hégémonie navarraise sur l'Espagne chrétienne. Son héritage est divisé entre ses fils : la Navarre revient à l'aîné, García IV Sánchez III (de 1035 à 1054), la Castille et le León à Ferdinand Ier, l'Aragon à Ramire Ier. Dès lors, c'est le déclin, marqué par la menace castillane et par l'union temporaire avec l'Aragon (1076-1134). Si, au XIIe s., le royaume recouvre son indépendance, c'est pour tomber sous l'influence française : après la mort de Sanche VII le Fort (de 1194 à 1234), il échoit à la maison des comtes palatins de Champagne (1234-1284), puis est uni à la France sous Philippe le Bel, époux de Jeanne de Champagne, et sous ses trois fils, avant de tomber aux mains d'une autre branche de la lignée capétienne, la maison d'Évreux (1328). Après une courte période de prépondérance aragonaise (1429-1479), la Navarre passe à la maison de Foix (1479), puis à celle d'Albret (1484). En 1512, la Navarre espagnole tombe aux mains du roi d'Aragon, Ferdinand II. La Navarre française échoit par mariage à Antoine de Bourbon, dont le fils, Henri III, roi de Navarre, assure par son avènement au trône de France (Henri IV, 1589) l'union définitive des deux pays.

NAVARRE (Henri), général français (Villefranche-de-Rouergue 1898), commandant en chef en Indochine au moment de la bataille de Diên Biên Phu (1953-54). Auteur d'*Agonie de l'Indochine* (1956).

NAVARRENX (64190), ch.-l. de cant. des Pyrénées-Atlantiques, à 22 km au N.-O. d'Oloron-Sainte-Marie; 1 169 hab. Fortifications du XVIIe s. Église du XVe s.

NAVAS DE TOLOSA (Las), hameau espagnol, au pied de la sierra Morena (prov. de Jaén). Le 16 juillet 1212, les rois Alphonse VIII de Castille, Pierre II d'Aragon et Sanche VII de Navarre y remportèrent sur les Almohades de Muḥammad ibn Ya'qūb une victoire qui est l'un des épisodes les plus glorieux de la *Reconquista*.

NAVEZ (François Joseph), peintre belge (Charleroi 1787 - Bruxelles 1869). Formé dans l'atelier de David à Paris, puis à Bruxelles, directeur de l'Académie royale des beaux-arts de Bruxelles (1830), il fut surtout un grand portraitiste.

NAVIGATION *(Aéron.).* — La navigation des avions* de transport fait essentiellement appel aux ondes radioélectriques. De nombreux systèmes d'aides à la navigation ont été élaborés. Le plus simple utilise des *radiophares à émission* non dirigée, qui émettent des ondes* dans toutes les directions et permettent de faire le point comme pour un navire en mer. Les *radiophares d'alignement,* au contraire, matérialisent une route par l'intersection de deux diagrammes d'émission radioélectriques; l'avion est alors conduit à se diriger vers la station en suivant la route ainsi balisée (navigation dite «en homing»). Enfin, les *radiophares omnidirectionnels* émettent un signal tournant dont la phase varie avec le temps; la mesure de la variation de phase par rapport à un signal de référence permet d'effectuer le relèvement de l'avion par rapport à la station. Avec les vitesses actuellement atteintes par les avions de transport, ces procédés sont insuffisants et ont fait place à des procédés entièrement automatiques. Tel est le cas des systèmes hyperboliques, qui mesurent la différence des distances entre l'avion et deux stations distinctes, et situent ainsi l'avion sur une hyperbole; avec deux couples de stations, on obtient la position de l'avion par l'intersection de deux hyperboles. Parmi les différents systèmes hyperboliques les plus employés figurent le Loran et le Decca. Le premier utilise des impulsions synchronisées émises par les stations, et l'avion mesure la différence de temps à la réception; le second repose sur l'émission, par les stations, d'ondes entretenues, et l'avion mesure la différence de phase entre les signaux reçus. La précision sur la mesure des distances est de l'ordre du millième. Pour les avions militaires, il a fallu mettre au point des systèmes de navigation qui soient indépendants de toute aide extérieure; tel est l'intérêt de la navigation par inertie. Celle-ci repose sur la mesure des composantes, suivant trois axes rectangulaires, de l'accélération de l'avion; par une double intégration, on obtient les coordonnées par rapport aux axes choisis. Un système de navigation par inertie comporte donc essentiellement trois accéléromètres, montés sur une plate-forme stabilisée par gyroscopes, afin que les axes choisis restent fixes quelles que soient les évolutions de l'avion. Un tel système a été également adopté pour le guidage des engins balistiques.

NAVIGATION *(Dr.).* — Le caractère essentiel du droit de la navigation est d'être un *droit international,* la communauté maritime ayant, par nature, une valeur supranationale particulièrement affirmée.

En droit maritime international, le navire se définit comme un « engin apte à affronter d'une manière autonome les périls de la mer », quelle que soit son importance. Il est, contrairement aux engins terrestres, soumis à un contrôle particulièrement étroit de l'État et bénéficie, quoiqu'il soit une chose, d'une certaine personnalité, qui en fait un être juridique. Il dispose en effet d'une nationalité, d'un port d'attache, d'un nom, d'une immatriculation, d'une inscription sur le fichier des navires, de mesures de signalement, etc. (V. NAVIRE DE COMMERCE.)

L'équipage est commandé par un capitaine, qui a de larges pouvoirs, est le seul maître à bord, est responsable de la marche du navire et des incidents que celui-ci est susceptible de créer, et qui est tributaire de la juridiction du tribunal maritime commercial. L'équipage jouit d'un statut particulier : seuls des Français font partie de l'équipage d'un navire français. L'équipage dispose de protections à l'égard de son armateur, qui ne peut ni abuser du droit de résilier les engagements, ni licencier son personnel dans un port étranger. Des assurances spéciales à la marine, issues de régimes parfois très anciens, continuent de fonctionner en matière de maladies ou d'accidents. Un régime de responsabilité existe à la charge de l'armateur, qui répond des actes de ses préposés, mais qui, cependant, n'est pas responsable des dommages causés aux choses transportées lorsqu'il y a faute de navigation du capitaine.

Il existe une série de réglementations concernant les contrats* destinés à l'exploitation des navires de transport, contrats de types variés, où il faut essentiellement distinguer les *contrats de transport* et les *contrats d'affrètement.* Les premiers sont conclus entre un transporteur qui effectue un service régulier de tel port à tel port et un ou des chargeurs qui désirent voir transporter une marchandise de ce port à l'autre; les contrats d'affrètement sont conclus entre un « armateur » et un « chargeur » désirant acheminer une cargaison importante, occupant la totalité ou la quasi-totalité du navire.

NAVIGATION *(Mar.).* — Afin de vérifier que le navire suit la *route* prévue et, éventuellement, de rectifier celle-ci, le navigateur doit *faire le point,* c'est-à-dire déterminer à l'aide de divers moyens la position du navire, définie par la latitude et par la longitude, celle-ci étant comptée à partir du méridien international de Greenwich. La trajectoire la plus courte entre les points de départ et d'arrivée est l'arc de grand cercle passant par ces points : c'est l'*orthodromie.* Si l'on navigue *à cap constant,* la route se définit sur une carte (en projection de Mercator) par une ligne droite : c'est la *loxodromie.* Pour leur navigation, les navires doivent être pourvus de nombreux *instruments nautiques :* les divers *compas* (magnétiques et gyroscopiques), qui donnent le cap du navire; le *loch,* pour mesurer la vitesse sur l'eau; le *télémètre,* pour la mesure des distances; les divers *sondeurs* (à main, mécaniques, acoustiques, à ultrasons*), pour mesurer la profondeur de l'eau; le *sextant,* pour estimer la hauteur des astres; les *chronomètres,* pour les calculs astronomiques; les *appareils radioélectriques* (radiogoniomètre, radars*, Decca, Loran, etc.). D'autre part, ils doivent posséder des documents : instructions et éphémérides nautiques, annuaire des marées, livres des phares et des radiosignaux, code international de signaux, cartes marines, etc.

La *navigation par l'estime* permet de déterminer la route et la vitesse du navire entre deux points et en un temps donnés, par l'estimation de la *dérive* (angle entre le cap et la route effectivement suivie) et compte tenu des vents et des courants.

La *navigation côtière* est réalisée, au voisinage des côtes, par des mesures d'angles relatifs à des objets très visibles : amers, sur la côte, balises ou feux (phares, bateaux-feux, bouées lumineuses).

La *navigation astronomique* est fondée sur la détermination simultanée de la hauteur angulaire d'un astre au-dessus de l'horizon et de l'heure de temps universel, la déclinaison et l'angle horaire de l'astre étant fournis par les éphémérides nautiques.

La *navigation radioélectrique* est effectuée à l'aide d'appareils radioélectriques utilisés concurremment avec les autres instruments de navigation.

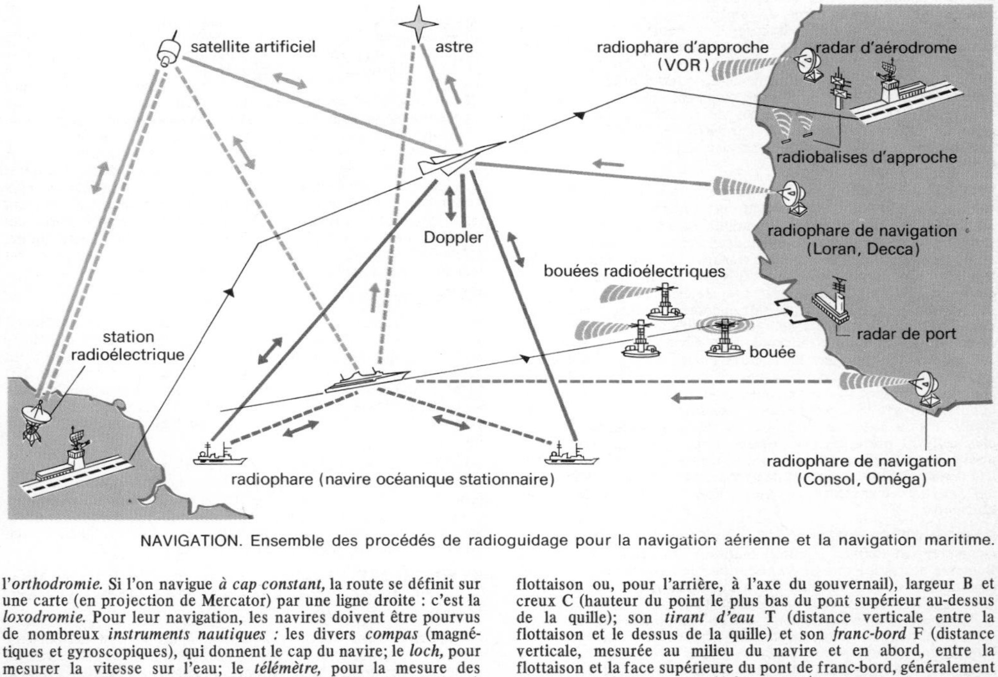

NAVIGATION. Ensemble des procédés de radioguidage pour la navigation aérienne et la navigation maritime.

NAVILLE (Pierre), sociologue français (Paris 1904). Spécialiste de la sociologie du travail, il est l'auteur de nombreux ouvrages sur la formation professionnelle et l'automation (*la Formation professionnelle et l'école,* 1948; *le Nouveau Léviathan,* t. I : *De l'aliénation à la jouissance. La genèse de la sociologie du travail chez Marx et Engels,* 1967; t. II et III : *le Salaire socialiste,* 1970).

NAVIRE. — Un navire est un *flotteur* partiellement immergé, de forme allongée dans le sens de la marche et symétrique par rapport au plan longitudinal. La partie immergée est la *carène,* ou *œuvres vives* et la partie émergée les *œuvres mortes,* le plan qui délimite ces deux parties étant la *flottaison,* qui correspond à la surface de l'eau. La paroi extérieure du navire, bordé extérieur et ponts découverts, ainsi que sa charpente constituent la *coque.* Celle-ci comporte souvent un *double-fond* et est compartimentée en *entreponts* et en *cales* par des *ponts* et par des *cloisons* transversales et longitudinales. Le pont continu le plus élevé, étanche ou surmonté de constructions étanches, est le *pont supérieur.* Les constructions au-dessus de ce pont sont les *superstructures,* dont les parois latérales prolongent les *murailles* de la coque, et les *roufs.* Les caractéristiques usuelles d'un navire sont : ses *dimensions,* c'est-à-dire longueur L (L_t totale ou L_W mesurée entre les perpendiculaires menées aux extrémités de la flottaison ou, pour l'arrière, à l'axe du gouvernail), largeur B et creux C (hauteur du point le plus bas du pont supérieur au-dessus de la quille); son *tirant d'eau* T (distance verticale entre la flottaison et le dessus de la quille) et son *franc-bord* F (distance verticale, mesurée au milieu du navire et en abord, entre la flottaison et la face supérieure du pont de franc-bord, généralement le pont supérieur); son *déplacement* Δ, poids total du navire équilibré par la poussée de l'eau déplacée, en particulier le déplacement *en charge* Δ_C (maximal autorisé) et le déplacement *lège* Δ_L, c'est-à-dire sans équipage, ni passagers, ni bagages et sans aucun chargement ou approvisionnement; son *volume de carène* W (on a $W = C_B L_W BT$ et $\Delta = \varpi W$, C_B étant le coefficient de remplissage de la carène et ϖ le poids volumique de l'eau); son *port en lourd* D_w, poids total que le navire peut embarquer sans s'immerger au-delà de sa flottaison en charge (on a $D_w = \Delta_C - \Delta_L$) et, pour un navire de commerce, sa *jauge** (jauge brute et jauge nette), volume intérieur du navire mesuré selon des règlements de jaugeage particuliers.

• Les caractéristiques générales du navire sont déterminées pour un programme donné : vitesse, rayon d'action, port en lourd et volume correspondant nécessaire, éventuellement nombre de passagers et degré de leur confort, en tenant compte de toutes les exigences relatives à la sécurité, à la solidité et à l'hygiène ainsi que des servitudes de l'exploitation. Des formules statistiques sont souvent utilisées pour les caractéristiques principales du navire en fonction des éléments du programme fixé. L'emploi d'ordinateurs permet, en faisant intervenir simultanément tous les éléments complexes mis en jeu, de trouver la solution optimale pour le coût d'exploitation le plus faible. La puissance propulsive nécessaire dépend de la résistance à l'avancement de la carène pour la vitesse prévue, cette résistance étant souvent déterminée expérimentalement, sur des modèles réduits, dans des *bassins d'essais,* au moyen d'essais en remorquage et en autopropulsion (à l'aide d'hélices à l'échelle du modèle). Pour déterminer la puissance à fournir à l'hélice, il faut faire entrer en ligne de compte la résistance de l'air, la rugosité de la carène ainsi que l'influence de l'état de la mer et le temps moyen rencontrés. D'autre part, pour définir les « échantillons » des éléments de la charpente du navire, on assimile ce dernier à une poutre soumise, en eau calme et sur houle, à des efforts qui sont des poids et des poussées à partir desquels on détermine les efforts tranchants et les moments de flexion en chaque point de la longueur. En outre, il faut tenir compte de divers efforts additionnels, dus en particulier aux mouvements du navire et aux charges locales diverses.

• La construction du navire est précédée de plusieurs étapes, comme la définition du programme par l'armateur, la soumission de projets et de prix par les chantiers consultés et la commande du navire par l'armateur. Le chantier choisi procède à l'établissement des plans de construction du navire, qui peuvent être, selon leur objet, soumis à l'approbation du Secrétariat général de la marine marchande, de la société de classification*, qui surveille la construction, et de l'armateur. La construction est réalisée soit sur une *cale* inclinée, à partir de laquelle le lancement* du navire est effectué, soit dans une *forme de construction,* que l'on met en eau le moment venu. Après traçage, le chantier procède à la construction et au montage de la coque, généralement par éléments préfabriqués soudés. Après mise à flot, le navire est achevé à un *quai d'armement,* où, habituellement, sont montés l'appareil moteur et les divers auxiliaires, souvent sous-traités à des entreprises spécialisées. Des essais de recette ont lieu avant la prise en charge du navire par l'armateur et l'inspection de la Commission de visite de mise en service, qui dépend du Secrétariat général de la marine marchande.

NAVIRE-CITERNE. — Ce terme s'applique à des navires de charge dont les cales constituent ou contiennent des citernes, généralement non pourvus d'écoutilles de chargement (sauf les vraquiers*-pétroliers) et chargés ou déchargés au moyen de pompes et de tuyauteries. Ces navires transportent en vrac soit des hydrocarbures liquides (pétroliers*), soit des gaz* naturels ou des gaz de pétrole liquéfiés dans des cuves isolées intégrées ou non à la coque (transporteurs* de gaz), soit encore des cargaisons liquides inflammables diverses. Ils sont munis d'installations de sécurité et de protection contre l'incendie très développées. Les navires conçus pour le transport de liquides comestibles tels que le vin (pinardiers), l'huile, etc., quoique, généralement, de dimensions moindres, présentent de grandes analogies avec les navires-citernes. Ils peuvent comporter des citernes de cargaison faisant corps avec la coque ou être pourvus de cuves indépendantes, le plus souvent protégées intérieurement par étamage, revêtement plastique*, vitrification, etc., ou construites en acier inoxydable. Les tuyauteries et les pompes de cargaison doivent être réalisées en un matériau n'exerçant aucune action nocive sur le liquide transporté.

NAVIRE DE COMMERCE. — La personnalité d'un navire de commerce est définie, en droit maritime français, par plusieurs éléments portés à l'*acte de francisation :* la *nationalité,* le *nom,* le *domicile* (port d'immatriculation à l'Administration des affaires* maritimes et port d'attache en douane) et la *jauge**. La construction et l'équipement d'un navire marchand doivent, d'une part, assurer à celui-ci une solidité convenable, une réserve de flottabilité et de stabilité suffisante, même après avarie, la protection contre les incendies, une navigation sûre avec les instruments et documents nautiques nécessaires, et d'autre part, permettre le sauvetage*, en cas de sinistre, des personnes présentes à bord au moyen d'engins d'une capacité suffisante ainsi que la bonne habitabilité des logements et l'observation des règles d'hygiène requises. Toutes ces exigences sont codifiées dans plusieurs conventions internationales, et notamment : la Convention internationale de 1966 sur les lignes de charge, pour la détermination du franc-bord minimal, les limites d'enfoncement admises devant être indiquées par un *anneau de franc-bord* et plusieurs *lignes de charge* (pour les différentes saisons et régions du globe) apposées sur les murailles du navire; la Convention internationale de 1974, pour la sauvegarde de la vie humaine en mer; la Convention de 1949, concernant le logement de l'équipage à bord. Dans chaque pays, les dispositions de ces conventions sont reprises et complétées par des règlements nationaux. Les règles relatives à la solidité de la structure sont définies par les règlements des sociétés de classification*, telles que le Bureau Veritas en France. Les navires et les bateaux de commerce se différencient notamment par le *genre de navigation* (navigation maritime au long cours ou au cabotage* et navigation fluviale), par *l'utilisation commerciale* (transport de passagers et de leurs voitures sur les paquebots* et les transbordeurs ou transport de marchandises à bord de cargos* ordinaires ou de navires de charge spéciale, tels que polythermes*, navires-citernes*, vraquiers*, porte-conteneurs et porte-barges, transporteurs* de gaz, etc.) et, éventuellement, par des *utilisations spéciales* en rapport avec la marine marchande (câbliers*, brise-glace*, remorqueurs et pousseurs, bateaux-pilotes et bateaux-phares, dragues* et engins de servitude divers).

NAVIRE DE GUERRE → MARINE MILITAIRE, CHASSEUR DE MINES, CORVETTE, CROISEUR, CUIRASSÉ, ESCORTEUR, FRÉGATE, PORTE-AÉRONEFS, SOUS-MARIN.

NAVIRE DE PÊCHE. — On distingue trois types de pêche* :
— la *pêche côtière,* pratiquée sur de petites unités, souvent en bois, de moins de 25 m de long, qui effectuent des sorties quotidiennes et, par suite, ne sont pas pourvues de cales réfrigérées;
— la *pêche hauturière,* qui utilise des bateaux de 25 à 50 m de long, dont les sorties peuvent durer une dizaine de jours et qui ramènent le poisson frais dans des cales réfrigérées;
— la *grande pêche,* effectuée dans des secteurs lointains (Terre-Neuve, Groenland, Afrique du Sud, etc.), sur des navires de 55 à 90 m de long, pourvus d'installations de congélation.

Les engins de pêche employés sont les dispositifs qui utilisent des appâts vivants, comme les *lignes à hameçon,* ou les *filets* que l'on déplace : *chaluts,* grandes poches que le navire traîne sur le fond ou entre deux eaux, ou *sennes,* très grands filets triangulaires avec lesquels on entoure les bancs de poissons. Les filets sont posés et relevés au moyen de potences ou de portiques desservis par un *treuil de pêche.* Les conditions d'exploitation très particulières des navires de pêche exigent notamment : une grande solidité en raison de leur utilisation intensive au cours des campagnes de pêche et de la navigation par très gros temps; une réserve de stabilité importante du fait de la présence fréquente d'eau de mer sur les ponts et de la formation de glace dans les hauts; la possibilité de naviguer entre 12 et 16 nœuds en route libre et à 3 ou 4 nœuds en pêche : d'où le choix fréquent de moteurs* Diesel semi-rapides avec réducteur et d'une hélice* à ailes orientables. À côté des navires de pêche traditionnels, il existe d'autres navires spécialisés : *chalutiers-usines,* qui transforment eux-mêmes leurs prises sous leur forme commerciale; *navires-usines,* qui récoltent les prises d'une flottille de pêche et les traitent; *navires-bases,* qui stockent dans leurs cales frigorifiques les prises d'une flottille, ravitaillent celle-ci, effectuent certaines réparations et apportent leur aide aux équipages, dont ils assurent la relève.

NAXOS, anc. cité grecque de la Sicile orientale.

NAXOS, la plus grande (428 km^2) des îles Cyclades (Grèce); 17 000 hab. Ch.-l. *Naxos.* Conquises au lendemain de la quatrième croisade (1205-1207) par le Vénitien Marco Sanudo, qui s'en vit confirmer la seigneurie, en même temps que le titre ducal, par l'empereur Henri de Constantinople, Naxos et les autres Cyclades ne tardèrent pas à passer sous la suzeraineté des princes de Morée, puis sous celle de Venise (1262). Turc en 1566, le duché revint à la Grèce en 1832.

NAYARIT, État du Mexique, sur le Pacifique (544 000 hab.), dont le nom reste attaché à un style céramique de l'époque classique. Proche de celui de Colima*, bien qu'ici les figurines soient peintes et non polies, ce style est remarquable par le traitement caricatural des personnages (quelques-uns atteignent 70 cm), saisis avec vivacité dans leurs activités quotidiennes.

NAY-BOURDETTES (64800), ch.-l. de cant. des Pyrénées-Atlantiques, sur le gave de Pau, à 18 km au S.-S.-E. de Pau; 3 728 hab. Textile.

nazaréens, nom donné par Gœthe à un groupe de peintres allemands profondément religieux, qui, entre 1810 et 1820 environ, vécurent en confrérie à Rome, étudiant les maîtres de la Renaissance (le Pérugin, Raphaël), dont ils associaient la leçon à celle du gothique allemand et de Dürer. Les nazaréens les plus connus (à côté de Franz Pforr, de Wilhelm von Schadow, de Julius Schnorr von Carolsfeld, etc.) sont Johann Friedrich Overbeck (Lübeck 1789 - Rome 1869), qui, le seul d'entre eux, demeura à Rome toute sa vie, et Peter von Cornelius (Düsseldorf 1783 - Berlin 1867), qui reçut de vastes commandes en Allemagne (fresques de la Glyptothèque de Munich, 1819-1826). Leur art de sensibilité mystique, imitant la technique des primitifs, leur valut de leur temps un grand succès, malgré une certaine disproportion entre noblesse des intentions et efficacité plastique.

NAZARETH, v. du nord-est d'Israël, en Galilée; 33 000 hab. Selon les Évangiles, Jésus y passa son enfance.

NAZCA, culture indienne classique (Ier-VIIIe s.) de la côte sud du Pérou, qui possède des affinités avec celle, préclassique, de Paracas*. Les centres sont répartis dans les vallées de Pisco, d'Ica, d'Acarí, et la ville la plus importante, Cahuachi, est située dans la vallée de Nazca. L'agriculture intensive de terres irriguées est, comme chez les Mochicas* contemporains, la base économique de Nazca. Les tombes — en chambre creusée et accessible par un puits — ont livré un matériel funéraire abondant; les vêtements des momies sont ornés de motifs anthropomorphes et zoomorphes qui, par leur variété et leurs coloris, attestent l'habileté des tisserands. La céramique fine est polychromée avant cuisson; les motifs décoratifs — zoomorphes, anthropomorphes, associés à des monstres hybrides — sont des évocations symboliques difficiles à traduire. L'architecture semble être limitée à l'aménagement de collines naturelles. Tracés sur le sol, d'étranges réseaux de lignes, de longueur variable (de 500 m à 8 km), enchevêtrées de représentations d'animaux, ont été découverts par photographie aérienne. Leur destination — observations astronomiques, rôle cultuel, calendrier — demeure une énigme.

NAZOR (Vladimir), écrivain yougoslave (Postire 1876 - Zagreb 1949), poète (*Livre de poésies,* 1942) et romancier (*Stoimena,* 1946), rénovateur de la littérature croate.

N'DJAMENA, anc. **Fort-Lamy,** capit. du Tchad, sur le Chari; 133 000 hab. Université.

NDOLA, v. de Zambie, à la frontière zaïroise; 222 000 hab. Raffinage du cuivre. Pneumatiques.

NEAGH *(lough),* lac d'Irlande, à l'O. de Belfast; 396 km².

NEANDERTAL ou **NEANDERTHAL,** vallon affluent de la Düssel, à l'E. de Düsseldorf (Allemagne), dont l'une des grottes recélait une calotte crânienne, mise au jour par le docteur Fuhlrott en 1856. Cette découverte permit pour la première fois de reconnaître un paléolanthropien ayant vécu au paléolithique moyen, et qui se distinguait des autres hominiens surtout par la forme et la capacité de son crâne. L'industrie lithique de l'homme de Neandertal (levalloiso-moustérienne) atteste son habileté, et plusieurs découvertes confirment ses pratiques funéraires.

NÉARQUE, navigateur grec, amiral de la flotte d'Alexandre* (IVe s. av. J.-C.). Le récit de sa navigation des bouches de l'Indus à la mer Rouge, connu sous le nom de *Périple,* est un document important de la géographie antique.

NEBIT-DAG → NEFTEDAG.

NEBRASKA, État du centre-ouest des États-Unis; 200 017 km²; 1 484 000 hab. Capit. *Lincoln.* À l'O. du Missouri, s'élevant vers les Rocheuses, le Nebraska est une région agricole, juxtaposant cultures (maïs et betterave à sucre notamment) et élevage (porcins et surtout bovins). Le sous-sol fournit un peu de pétrole.

NÉBULEUSE → ASTÉROÏDE, NÉBULOSITÉ GALACTIQUE et RADIOASTRONOMIE.

NÉBULIUM. — Cet élément n'existe pas, car les raies spectrales qu'on lui attribuait sont dues à des atomes connus fortement ionisés.

NÉBULOSITÉ GALACTIQUE. — L'examen du ciel fait parfois apercevoir des taches lumineuses, diffuses, plus ou moins irrégulières : les nébulosités galactiques. Il faut bien se garder de confondre celles-ci avec les galaxies*, qui forment aussi dans le ciel des taches diffuses, mais généralement régulières et qui sont d'origine totalement différente, puisque situées bien en dehors de notre Galaxie* : la confusion vient de ce qu'autrefois on ne connaissait pas la nature de ces deux catégories d'astres, et on les nommait pareillement *nébuleuses.* Les nébulosités galactiques sont de gigantesques nuages de poussières et de gaz, illuminés par les étoiles* qu'ils entourent. Elles correspondent à des régions de l'espace où la matière cosmique est plus dense que la moyenne, de l'ordre de 10^{-22} g/cm³, au lieu de 3.10^{-24} g/cm³.

D'autres nébulosités galactiques sont constituées par des nuages de gaz et de poussières denses et froids. Aucune étoile ne les illumine, mais ces nuages absorbent la lumière des étoiles situées derrière eux; ils apparaissent ainsi dans le ciel comme des taches sombres, des régions où ne brille aucune étoile : ce sont les *nébuleuses obscures,* ou *nuages sombres.* Les astronomes attachent

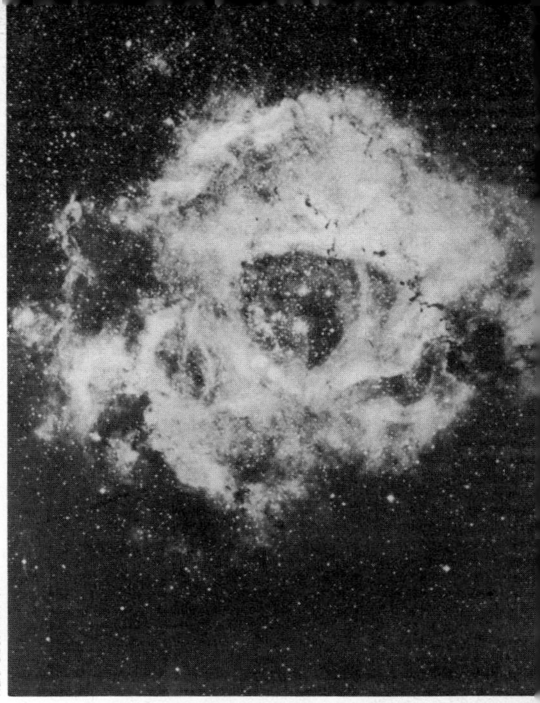

Hale Observatory

NÉBULOSITÉ GALACTIQUE. Une nébuleuse brillante : la nébuleuse de la Rosette.

beaucoup d'importance à leur étude, car ils les soupçonnent d'être les régions où les étoiles sont en train de naître. Parfois des étoiles y sont déjà formées, mais elles ne sont pas encore assez chaudes ni assez brillantes pour que leur lumière perce le nuage de poussières qui les entoure et puisse nous parvenir; cependant, leur rayonnement infrarouge*, qui, lui, n'est pas arrêté par les poussières, permet de révéler leur présence. Certaines nébulosités galactiques, dites *restes de supernova,* sont produites par le gaz éjecté d'une étoile qui a explosé, comme la nébuleuse du Crabe.

La Galaxie contient encore de nombreux nuages de gaz qui ne sont ni assez denses ni assez chauds pour être visibles et constituer des nébulosités, mais qui peuvent être détectés par la radioastronomie*, en particulier grâce à la raie 21 cm de l'hydrogène*.

NÉCESSITÉ (état de). — C'est la situation spéciale où, le fonctionnement régulier des institutions et des pouvoirs publics étant impossible, les titulaires de la fonction gouvernementale reçoivent des pouvoirs exceptionnels et quasi dictatoriaux. Une application particulière en est fournie par l'article 16 de la Constitution française du 4 octobre 1958, selon lequel le président de la République peut prendre des mesures particulières adaptées à la situation, certaines conditions précises devant, cependant, être réunies à cet effet.

NECHAKO (la), riv. du Canada occidental (Colombie britannique), affl. du Fraser (r. dr.); 400 km.

NÉCHAO II → BASSE ÉPOQUE.

NECK → VOLCANIQUE *(relief).*

NECKAR (le), riv. de l'Allemagne fédérale, affl. du Rhin (r. dr.); 367 km. Né près des sources du Danube, à l'E. de la Forêt-Noire, il draine la majeure partie du Bade-Wurtemberg, passant à Tübingen, à Stuttgart, à Heidelberg avant de confluer à Mannheim. Son cours inférieur, en aval de Stuttgart, accessible aux chalands de 1 350 t, est une voie navigable active.

NECKARSULM, v. de l'Allemagne fédérale (Bade-Wurtemberg), sur le Neckar, au N. de Stuttgart; 20 000 hab. Industrie automobile.

NECKER (Jacques), financier et homme d'État français d'origine suisse (Genève 1732 - Coppet 1804). Dès 1772, ce banquier se retire, fortune faite : mais le salon de sa femme, née Suzanne Curchod (1739-1794), à Paris, prépare son ascension politique. Adversaire des physiocrates et de Turgot*, Necker succède à ce dernier comme directeur général des finances (1777). Tout en multipliant les réformes de détail en matière d'économies, il n'opère pas la réforme fiscale indispensable, ne voulant pas heurter de front les privilégiés. Il recourt donc à l'emprunt, qui précipite le désastre financier. Violemment attaqué et jalousé, il publie en 1781 son *Compte rendu au Roy,* qui révèle à l'opinion l'étendue de la dette publique et des dépenses somptuaires. Disgracié aussitôt, il s'acquiert une immense popularité, d'autant plus qu'il a créé des assemblées provinciales et adouci la procédure criminelle. Rappelé d'urgence alors que le pays est menacé par la banqueroute (25 août 1788), redevenu directeur des finances, il ne peut que convoquer les états généraux*. Son renvoi, dès le 11 juillet 1789, provoque la fureur populaire, manifestée lors du 14 juillet notamment. Le faible Louis XVI le rappelle alors (16 juill.), mais Necker ne peut plus maîtriser les événements : en septembre 1790, il démissionne.

NÉCROSE. — Les nécroses d'origine infectieuse s'accompagnent de la formation de pus (furoncle) ou d'un tissu blanchâtre (gommes de la syphilis) ou grumeleux (caséum de la tuberculose). Les nécroses d'origine circulatoire (ischémie) peuvent entraîner une liquéfaction ou une sclérose secondaire; elles permettent généralement au reste de l'organe de fonctionner (infarctus, nécrobiose).

NECTAIRE. — L'organisation de toutes les fleurs montre, en dépit des différences de forme, une remarquable unité : verticilles de sépales, pétales, étamines et carpelles, réceptacle et bractées ont les mêmes positions respectives. Un seul type d'organes floraux fait exception : les nectaires. Ceux-ci sont les organes producteurs du liquide sucré, ou *nectar,* qui attire et récompense les insectes pollinisateurs. Or, ils peuvent se trouver n'importe où et dériver de n'importe quelle région de l'ébauche florale.

NEDERLAND, nom néerlandais des PAYS-BAS.

NEDJD → NADJD.

NÉEL (Louis), physicien français (Lyon 1904). Il a découvert l'antiferromagnétisme et le ferrimagnétisme, complétant ainsi les théories de P. Curie, de Weiss et de Langevin. (Prix Nobel de physique, 1970.)

NÉERLANDAIS. — Issu du germanique occidental, le néerlandais, appelé « hollandais » aux Pays-Bas et « flamand » en Belgique, est parlé par environ 20 millions de personnes. À côté des nombreux dialectes, il s'est développé à partir du XVIIe s. une langue cultivée, qui s'est imposée rapidement aux Pays-Bas, mais qui n'a été adoptée en Belgique qu'à la fin du XIXe s. (progrès du flamingantisme). L'afrikaans, qui est depuis 1925 langue officielle (à côté de l'anglais) de la république d'Afrique du Sud, est directement issu du néerlandais, mais s'en distingue aujourd'hui par un certain nombre de traits phonétiques, syntaxiques et lexicaux (influence de l'anglais).

NEERPELT, comm. de Belgique (Limbourg), en Campine; 11 908 hab.

NEERWINDEN, anc. comm. de Belgique (prov. de Liège), au S.-E. de Tirlemont. Le 29 juillet 1693, le maréchal de Luxembourg y battit le prince d'Orange. Le 18 mars 1793, les Prussiens y vainquirent Dumouriez*, qui allait déserter peu après.

Nef des fous *(la),* poème satirique de Sebastian Brant (1494), qui inspira à Jérôme Bosch un tableau célèbre.

NÉFERTITI, reine d'Égypte, épouse d'Aménophis IV* - Akhenaton (XIVe s. av. J.-C.). Elle fut une adepte fervente de la réforme religieuse entreprise par son époux. Les musées du Caire, de Berlin et du Louvre conservent de très belles représentations de la reine.

NÉFLIER. — Le néflier *(Mespila germanica)* est un petit arbre tortueux, connu pour ses fruits (nèfles) en forme de toupie, surmontés par des sépales persistants et contenant cinq noyaux. À l'état blet, les nèfles peuvent être mangées sans inconvénient. (Famille des rosacées.)

NEFOUD → NUFŪD.

NEFTEDAG, région pétrolifère de l'U. R. S. S. (Turkménistan), au bord de la Caspienne. V. princ. *Nebit-Dag* (60 000 hab.).

NÉGATON → RADIOACTIVITÉ.

NÈGREPELISSE (82800), ch.-l. de cant. de Tarn-et-Garonne, à 16 km au N.-E. de Montauban; 2 589 hab.

NEGRI (Cesare), maître à danser italien (Milan 1530 - † v. 1604). Auteur de *Le Gratie d'amore* (1602), révisé et réédité sous le titre de *Nuovi Inventionni di ballo* (1604), il mentionna les « cinq positions » fondamentales de la danse académique.

NÉGRIER (François DE), général français (Le Mans 1788 - Paris 1848). Il se distingue en Algérie et, député en 1848, sera tué au cours des journées de Juin.

NEGRI SEMBILAN, État de la Malaysia (Malaisie), sur le détroit de Malacca. Capit. *Seremban.*

NÉGRITUDE. — Apparu peu avant 1935 sous la plume de Léopold Sédar Senghor* et d'Aimé Césaire*, ce terme a connu de nombreuses acceptions. Considérée par Senghor comme « le patrimoine culturel, les valeurs et surtout l'esprit de la civilisation négro-africaine », la négritude est pour Césaire « simple reconnaissance d'un fait, qui implique acceptation, prise en charge de son destin de Noir, de son histoire et de sa culture », mais elle apparaît à Alioune Diop comme « le génie nègre et en même temps la volonté d'en révéler la dignité ». Cette prise de conscience d'une culture spécifique, d'une « certaine attitude affective à l'égard du monde » est en réalité l'aboutissement d'une longue réflexion psychologique, politique et littéraire sur les composantes de l'âme noire. Commencée dès le XIXe s. par les voyageurs et les missionnaires, cette réflexion se poursuit à travers les travaux des ethnologues européens (Frobenius, Griaule) et l'admiration que les peintres du début du siècle (Derain, Vlaminck, Picasso, Matisse) éprouvent pour les arts plastiques de l'Afrique noire.

Lorsqu'en 1921 Blaise Cendrars publie son *Anthologie nègre* et que le prix Goncourt couronne *Batouala* de René Maran, le sentiment d'une personnalité africaine est déjà vif chez les premiers écrivains noirs de langue française des Antilles et d'Haïti. Mais son expression reste très conventionnelle, et les poètes antillais s'affirment encore comme des héritiers de Villon et de Vigny. Cependant l'« africanisme » prend corps chez les étudiants antillais et africains de Paris, grâce à la revue *Légitime Défense* (1932), puis au journal *l'Étudiant noir* (1934), qui rassemble le Guyanais Léon Damas, le Martiniquais Aimé Césaire, le Sénégalais Léopold Sédar Senghor. De la découverte, par André Breton, à la Martinique, de la revue *Tropiques* (1941) à la parution, en décembre 1947, à Paris et à Dakar, du premier numéro de *Présence africaine,* la Seconde Guerre mondiale a influé profondément sur la définition de la négritude : les difficultés politiques et le retour aux sources africaines ont conduit les écrivains à poser le problème de la colonisation. L'accès des territoires africains à l'indépendance a donné naissance à un mouvement littéraire véritable, illustré notamment par les Sénégalais Birago Diop (né en 1906), Abdoulaye Sadji (1910-1961), Ousmane Sembène (né en 1923) et Cheikh Hamidou Kane (né en 1929), l'Ivoirien Bernard Dadié (né en 1916), le Guinéen Camara Laye (né en 1928) et les Camerounais Ferdinand Oyono (né en 1929) et Mongo Beti (né en 1932).

Les pays africains qui ont naguère subi la domination anglaise connaissent une variante de la notion de négritude, l'*African Personnality.* Le grand problème des écrivains africains est, cependant, de trouver un moyen d'expression qui ne les coupe pas de leur milieu natal, tout en gardant à leur œuvre une audience suffisante. Lorsqu'ils écrivent dans une langue européenne, leur public est en effet, dans sa majorité, étranger à l'Afrique. S'ils écrivent dans leur langue maternelle, ils se condamnent à n'être compris que de leur propre tribu.

Aujourd'hui, avec l'apparition d'une nouvelle génération d'écrivains, bien des thèmes initiaux de la négritude sont devenus anachroniques : les Africains cherchent moins à se définir par rapport à l'Occident qu'à poser les problèmes spécifiques au développement économique et culturel de l'Afrique, ainsi qu'à son expression. Depuis le congrès panafricain d'Alger en 1969, nombreux sont les écrivains et les théoriciens (l'historien voltaïque Joseph Kizerbo, le Camerounais Marcien Towa, le Dahoméen S. Adotévi) qui voient dans la notion de *négritude* un concept passéiste, inadapté à la compréhension des difficultés du monde moderne et qui pousse « à voir nègre quand il faut voir juste ». Bien des termes ont été proposés pour remplacer ce concept *(mélanisme, négrisme, négrité, panafricanisme),* mais aucun n'a encore prévalu.

NEGRO *(río),* fl. de l'Amérique du Sud, né en Colombie, qui sépare ensuite ce pays du Venezuela, avant de rejoindre l'Amazone (r. g.) au Brésil; 2 200 km.

NEGRO *(río),* fl. d'Argentine, formé par la réunion (à Neuquén) du río Limay et du río Neuquén; 1 000 km.

NÉGRO-AFRICAINES (langues). — Les langues négro-africaines sont très nombreuses et encore aujourd'hui mal connues; la classification la plus récente fait appel à sept cent trente langues et dialectes. Leur domaine s'étend au sud d'une ligne ouest-est qui part du fleuve Sénégal, puis s'infléchit au niveau du Nil vers le Kenya. Il faut en excepter les enclaves khoin du sud-ouest de l'Afrique. On distingue généralement la famille soudanaise (sara, songhaï), les langues tchadiennes — dont la plus importante est le haoussa avec 15 millions de locuteurs —, la famille nilotique, dite aussi « chari-nil », et la famille nigéro-congolaise, à laquelle on rattache quelquefois les langues bantoues*. Cette dernière famille comporte des langues parlées par des ethnies assez nombreuses. Elle se subdivise en un groupe atlantique-occidental (ouolof, peul), en un groupe mandingue (malinké, bambara), en un groupe kwa (éwé, krou, yorouba, ibo) et en divers autres groupes (gour, camerounais).

Les langues négro-africaines sont souvent caractérisées par le rôle différenciatif des tons musicaux, la richesse du système vocalique, la prédominance de l'expression de l'aspect sur le temps, la richesse du vocabulaire concret.

NEGROS, île des Philippines, au N.-O. de Mindanao; 1 832 000 hab. V. princ. *Bacolod.*

NEGRO SPIRITUAL. — Ce chant religieux, interprété par les Noirs des États-Unis, se nomme également *gospel song* (chant d'évangile). Son origine remonte au XVIIIe s. Les hymnes wesleyens et méthodistes enseignés par les missionnaires protestants et catholiques à leurs fidèles de couleur subirent avec le temps des modifications rythmiques et harmoniques, et constituèrent le répertoire de base des negro spirituals. Il faut distinguer deux tendances opposées dans l'art vocal religieux noir. La première, représentée notamment par Marian Anderson, tend à interpréter à la manière européenne (bel canto) les thèmes des negro spirituals. La seconde, représentée plutôt par des chœurs, tend à exalter des vertus rythmiques et expressives proches du jazz (effets de répétition mélodique, claquements de mains). L'art du gospel s'illustre de nos jours aussi bien dans les congrégations religieuses (avec participation active des fidèles) que dans les cabarets ou les music-halls, où se produisent des chanteurs ou des groupes professionnels. Parmi les plus grands interprètes de negro spirituals, citons Mahalia Jackson, Sister Rosetta Tharpe, Marion Williams, Paul Robeson, le Golden Gate Quartet.

NEGRUZZI (Constantin), écrivain moldave (près d'Iaşi 1808 - *id.* 1868), l'un des initiateurs de la littérature nationale roumaine (*Nouvelles et scènes historiques,* 1840).

NÉGUEV, région désertique constituant le sud de l'État d'Israël, s'enfonçant entre l'Égypte (Sinaï) et la Jordanie pour atteindre le golfe d'ʿAqaba et partiellement mise en valeur par l'irrigation.

NÉGUIB ou **NAGĪB** (Muḥammad), général et homme politique égyptien (Khartoum, 1901). Amené au pouvoir par le coup d'État des officiers libres (1952), il obtient l'abdication de Farouk* et devient président de la République (proclamée en juin 1953). Il est définitivement écarté par Nasser* en novembre 1954.

NÉHÉMIE, restaurateur, avec le prêtre Esdras*, de Jérusalem et de la communauté juive après l'Exil (445 av. J.-C.). Il releva les murs de Jérusalem et opéra d'importantes réformes religieuses. Le livre biblique qui porte son nom, *livre de Néhémie,* rédigé un peu avant 300, avec le livre des Chroniques* et le livre d'Esdras*, relate l'œuvre de restauration de Néhémie.

NEHRU (Jawaharlāl), homme d'État indien (Allāhābād 1889 - New Delhi 1964). Issu d'une famille de riches brahmanes, élevé à l'anglaise, il ouvre un cabinet d'avocat en 1912. Très vite, les excès de la colonisation britannique le font passer dans le camp des nationalistes indiens, auprès de Gāndhī* : neuf arrestations, neuf ans de prison témoignent de son activité. Jusqu'en 1929, J. Nehru n'est que l'un des leaders du Congrès, dont il représente l'aile gauche progressiste et moderniste. Cependant il s'éloigne de Gāndhī sur deux points importants : pour lui, la non-violence est seulement un moyen d'action politique et non pas un fondement moral; et puis, alors que Gāndhī est attaché au développement de l'artisanat indien, Nehru donne la priorité à une industrialisation planifiée. Néanmoins, en 1929, Gāndhī le pousse à la présidence du Congrès national indien; jusqu'à l'indépendance, Nehru sera en effet quatre fois président du Congrès. Ces présidences sont entrecoupées par des séjours en prison et des voyages d'études politiques à l'étranger.

Appelé en 1946, par le vice-roi lord Wavell, au poste de Premier ministre du gouvernement provisoire, Nehru devient, après l'assassinat de Gāndhī en 1948, le vivant symbole de l'unité indienne. Chef du gouvernement (1947), il peut amorcer l'application d'un programme qui vise à faire de l'Inde un pays uni, officiellement neutre sur le plan confessionnel et dont l'économie sera assurée par une planification appuyée sur un «socialisme» qui est à mi-chemin entre le libéralisme et le collectivisme, et qu'on a appelé la «voie indienne». Sa réélection à la présidence du Congrès en 1951 lui permet de s'imposer un peu plus, notamment face aux conservateurs, effrayés par son dynamisme. Désormais, Nehru exerce en Inde une espèce de «principat». En même temps champion du neutralisme, il est, avec Tito* et Nasser*, la personnalité la plus en vue du tiers monde : en 1955, la conférence de Bandung* est pour lui une apothéose. (V. INDE.)

NEIGE → PRÉCIPITATIONS.

NEIGE *(crêt de la),* point culminant du Jura (Ain), au S.-E. de Saint-Claude; 1 723 m.

NEIGES *(piton des),* point culminant de l'île de la Réunion; 3 069 m.

NEILL (Alexander Sutherland), pédagogue britannique (Forfar [auj. Angus] 1883 - Aldeburgh 1973). Fondateur de l'école Summerhill, il préconise une pédagogie* libertaire inspirée des idées de S. Freud* et de W. Reich*.

NEISSE (la) ou **NEISSE DE LUSACE,** en polon. **Nysa Łużicka,** riv. de l'Europe centrale; 256 km. Née en Tchécoslovaquie, elle forme la frontière entre l'Allemagne orientale et la Pologne, avant de rejoindre l'Oder (r. g.).

NEIVA, v. de Colombie, sur le Magdalena; 90 000 hab.

NEKRASSOV (Nikolaï Alekseïevitch), poète et publiciste russe (Iouzvino 1821 - Saint-Pétersbourg 1877). Directeur des revues libérales *le Contemporain* puis *les Annales de la patrie,* il réclama dans ses poèmes l'affranchissement des serfs et l'amélioration des conditions de vie des paysans (*Pour qui fait-il bon vivre en Russie?,* 1869-1874).

NEKRASSOV (Viktor Platonovitch), écrivain soviétique (Kiev 1911). Il exprima d'abord son expérience de la guerre (*Dans les tranchées de Stalingrad,* 1946), puis les réactions des nouvelles générations aux problèmes économiques et culturels (*Kira,* 1961) ou à l'adaptation dans les terres vierges de Sibérie (*la Vie bénie,* 1969). Il s'exila en 1974.

NÉLATON (Auguste), chirurgien français (Paris 1807 - *id.* 1873), qui soigna Garibaldi, blessé à Aspromonte (1862), et le prince impérial atteint de coxalgie.

NELLIGAN (Émile), poète canadien d'expression française (Montréal 1879 - *id.* 1941). Son œuvre, écrite avant l'âge de vingt ans, témoigne de l'influence de Rimbaud et des symbolistes (*le Vaisseau d'or,* 1903).

NELLORE, v. de l'Inde, dans le sud de l'Andhra Pradesh; 134 000 hab.

NELSON (le), fl. du Canada, dans le Manitoba; 650 km. Émissaire du lac Winnipeg, il rejoint la baie d'Hudson. Aménagement hydroélectrique en cours.

NELSON (Horatio NELSON, *vicomte*), duc **de Bronte,** amiral britannique (Burnham Thorpe, Norfolk, 1758 - au large du cap Trafalgar 1805). Marin à l'âge de douze ans, il servit aux Indes, participa à la guerre d'Amérique et, à partir de 1793, aux opérations menées contre les Français par l'escadre de la Méditerranée, notamment au siège de Calvi (où il perdit un œil en 1794) et à la bataille du cap Saint-Vincent (1797). En 1798, il anéantit à Aboukir l'escadre française. Après avoir conquis Malte (1800), Nelson, désormais considéré comme un héros national, est mis en 1803 à la tête de la flotte de la Méditerranée, avec laquelle il remporte en 1805 la victoire décisive de Trafalgar contre les flottes française et espagnole réunies. Il est tué au cours de l'action.

P. Popper

Nehru et Indira Gāndhi (sa fille).

NÉMATHELMINTHES ET NÉMATODES. — Ces deux termes seraient synonymes, sans le petit groupe des *acanthocéphales,* qui sont des némathelminthes sans être des nématodes. Ces derniers, appelés aussi «vers ronds», forment un groupe zoologique nettement défini : corps fusiforme non annelé axé sur un tube digestif complet, entouré d'un tégument chitineux qui nécessite une croissance par mues; ni flagelles ni cils vibratiles, mais des cellules dites «myoépithéliales» d'un type particulier. Les nématodes pullulent dans le sol végétal, les mousses, parasitent parfois les plantes cultivées *(anguillule du blé)* et peuvent supporter sans mourir de longues périodes de dessiccation. Les nématodes mâles sont rares; tous les modes de parthénogenèse ou d'hermaphrodisme, voire d'autofécondation, ont été décrits. De nombreux nématodes (ascaris ou ascarides, oxyures, ankylostomes, trichines, filaires) sont parasites de l'homme ou des animaux domestiques.

NÉMÉE, ville grecque de l'Argolide où étaient célébrés les *jeux Néméens* dont les odes de Pindare* attestent l'importance. Selon la légende, Héraclès* y tua un terrible lion *(le lion de Némée),* qui désolait le pays.

NÉMÉSIS, déesse grecque de la Vengeance, dont les principaux sanctuaires étaient à Rhamnonte en Attique et à Smyrne*.

NEMOURS (77140), ch.-l. de cant. de Seine-et-Marne, sur le Loing, à 15 km au S. de Fontainebleau; 11233 hab. *(Nemouriens).* Château remontant au XIIe s. (musée), église du XVIe. Verrerie.

NEMOURS, v. d'Algérie → GHAZAOUET.

NEMOURS (Louis Charles Philippe D'ORLÉANS, *duc* DE), prince français (Paris 1814-Versailles 1896). Second fils de Louis-Philippe, il prend part au siège d'Anvers (1832) et se distingue en Algérie (1834-1842). Après 1871, rentré en France, il aide à la fusion des royalistes (1873).

NEMROD, personnage de la Bible, transposition, dans le folklore hébreu, d'un héros ou d'un dieu mésopotamien difficile à identifier.

NENNI (Pietro), homme politique italien (Faenza 1891). Il adhère en 1921 au socialisme, dirige l'*Avanti!* et est contraint d'émigrer en France, où il devient, en 1931, le secrétaire général du parti socialiste italien; il participe à la guerre d'Espagne (1936-1938). Vice-président du Conseil en 1945, puis ministre des Affaires étrangères (1946-47), il provoque par sa politique d'alliance électorale avec les communistes une scission entre ses partisans et ceux de G. Saragat*, qui forment le P. S. D. I. (parti social-démocrate) en janvier 1947. Après 1956, il se rapproche de la démocratie chrétienne, devient (1963) vice-président du Conseil dans le cabinet de coalition présidé par A. Moro et quitte le secrétariat général du P. S. I. Après la réunification du P. S. I. et du P. S. D. I. (1966), il est élu président du parti socialiste unifié et redevient ministre des Affaires étrangères (1968-69), mais il ne peut empêcher une nouvelle scission du parti socialiste (juill. 1969). Il abandonne alors la présidence du parti, mais est réélu en 1971 et en 1973.

NÉNUPHAR. — Étangs et pièces d'eau s'ornent souvent des feuilles arrondies et flottantes du nénuphar blanc *(Nymphea alba)* ou du nénuphar jaune *(Nuphar luteum),* les deux seules espèces françaises de la famille des nymphéacées. Ces plantes vivaces et rhizomateuses ont aussi des feuilles immergées, d'un type différent. Les fleurs ont de nombreux pétales et étamines et fournissent des fruits à nombreuses loges, qui mûrissent hors de l'eau, puis tombent au fond et libèrent leurs graines dans la vase.

NÉO-CÉSARÉE, ancienne ville du Pont, en Asie Mineure, siège de deux synodes au IVe s. Grégoire le Thaumaturge (v. 213-v. 270), l'apôtre de la Cappadoce, y naquit et en fut l'évêque (v. 240-v. 270).

NÉOCLASSICISME. — À l'origine d'un mouvement artistique qui se développe en Europe approximativement dans la période 1760-1830 se trouvent une transformation des idées politiques et morales, guidée par la philosophie des lumières, la redécouverte de l'Antiquité par l'archéologie*, un approfondissement de la réflexion sur l'art, qui ne se limite plus aux « vies d'artistes », mais se fait critique* et histoire de l'art. La réaction contre les dernières formes du baroque*, rococo et rocaille*, est aussi une réaction morale et intellectuelle contre la société aristocratique à laquelle elles sont liées. L'admiration portée à la République romaine et la force de symbole accordée aux formes issues de l'art antique sont sous-tendues par une connaissance de l'Antiquité bien meilleure que celle qui conditionnait le classicisme des XVIe et XVIIe s. : étude du Palatin à Rome (1720) et de la villa Hadriana, fouilles d'Herculanum, du Forum romain (découvertes que transpose l'œuvre de Piranèse*), révélation des temples grecs de Paestum et, enfin, des monuments de la Grèce même (publication en Angleterre des *Antiquités d'Athènes,* de Stuart et Revett, à partir de 1762).

C'est d'abord le courant palladien, à travers lord Burlington (v. CHÂTEAU), qui est à l'origine des précoces réalisations anglaises en matière d'architecture et de décoration. L'art pompéien inspire ensuite Robert Adam*, puis le dorique grec John Soane*. En France, le projet (1755) de Soufflot* pour l'église Sainte-Geneviève marque le désir de rendre aux ordres* une valeur fonctionnelle. Formes cubiques sans toits visibles, façades peu mouvementées, portiques à entablements souvent dépourvus de frontons caractérisent l'exigence de simplicité et de logique de J. A. Gabriel* (dont l'œuvre définit, avec dix ans d'avance, l'harmonie du style Louis XVI) ou de J. D. Antoine (hôtel des Monnaies* de Paris). Monumentalité et recherche des effets de perspective s'accentuent avec le Grand-Théâtre de Louis*, à Bordeaux (1775), jusqu'aux visions utopiques de Ledoux* et de Boullée*. Influences française et italienne concourent à l'aspect solennel du Saint-Pétersbourg (v. LENINGRAD) de Catherine II, tandis qu'aux États-Unis Clérisseau* est le conseiller de Jefferson pour l'élaboration du Capitole de Richmond, adaptation de la Maison carrée de Nîmes. Une version prussienne de l'architecture à l'antique sera donnée par F. Gilly* et par Schinkel*, architecte en 1822 de l'Altes Museum de Berlin (le

Néoclassicisme. *La Liberté ou la Mort,* de Jean-Baptiste Regnault. 1793 ou 1794. (Musée de Hambourg.)

temps des musées*, symptomatiquement, a commencé dans la seconde moitié du XVIIIe s.) et déjà enclin, par ailleurs, à l'éclectisme*.

Plus sensible encore est la transformation de la peinture, préparée en France par Greuze* et par Joseph Marie Vien (1716-1809), en Italie par des Romains d'adoption comme Mengs*. David*, élevé dans un milieu d'architectes, a demandé conseil à ceux-ci : d'où la colonnade dorique qui sert de fond au *Serment des Horaces* (1784). Les bas-reliefs antiques dictent souvent la composition — en frise, avec éclairage latéral —, la vigueur des contours, la tension plastique et narrative de toiles au coloris sobre, qui se veulent militantes, porteuses de l'idéal politique de la Révolution. Prud'hon* et Jean-Baptiste Regnault (1754-1829) doivent plus que David à la délicatesse du XVIIIe s., mais leur goût de l'allégorie est un autre aspect de l'état d'esprit révolutionnaire. Girodet-Trioson*, illustrateur de Virgile et d'Anacréon, P. N. Guérin*, qui puise son inspiration dans le théâtre (Racine), appartiennent à une seconde génération, qui prépare le romantisme* comme, déjà, un Füssli* en Angleterre.

Raison et froideur, aussi bien, ne sont qu'un aspect de l'époque. Chez le grand sculpteur néoclassique Canova*, la violence d'un groupe comme *Hercule et Lichas* le montre, à côté d'œuvres qui ne semblent que surenchère de la statuaire antique.

NÉOCOLONIALISME. — La situation coloniale peut être définie comme l'assujettissement d'un territoire plus ou moins vaste, capable d'exister en tant que nation, par une puissance étrangère. Celle-ci est censée apporter, outre les atouts de la civilisation, la concorde intérieure et la sécurité extérieure. En théorie, l'accession à l'indépendance met fin, dans la violence ou par la négociation, à cette situation. C'est en ce sens que le mot « néocolonialisme » appartient au vocabulaire polémique de la période postcoloniale. Il illustre d'abord cette conviction que la conquête de la souveraineté est une condition nécessaire mais non suffisante de l'indépendance. Mais surtout, il dénonce les formes subreptices et diverses de la domination des anciennes puissances coloniales : collusion avec les nouvelles élites, maintien de certaines traditions culturelles, modalités particulières des échanges économiques.

NÉODYME. — C'est l'élément chimique n° 60, de masse atomique Nd = 144,27. Il a été découvert en 1885, en même temps que le praséodyme, par Auer von Welsbach, qui montra que le didyme était formé de ces deux éléments. C'est un solide blanc, de densité 7, qui fond vers 900 °C.

NÉOGRAMMAIRIENS. — Née vers 1870 à Leipzig, parmi des élèves de Curtius, l'école des néogrammairiens (K. Brugmann, A. Leskien, H. Osthoff) a poussé à l'extrême les principes de la grammaire comparée*. La linguistique doit être avant tout une science historique : il ne s'agit pas seulement de faire des comparaisons entre les langues afin d'établir des parentés, mais d'étudier en détail l'évolution de chaque langue. La thèse centrale de leur doctrine est celle qui concerne la régularité absolue des lois phonétiques qui n'admettent de variations qu'en conformité avec d'autres lois.

NÉO-IMPRESSIONNISME. — Poursuivant les recherches impressionnistes sur la lumière et les vibrations colorées, mais avec des moyens nouveaux et systématisés, les néo-impressionnistes (groupés de 1884 à 1891) fondent leur travail sur des données scientifiques : le contraste simultané des couleurs, découvert par E. Chevreul* — qui fait que deux points voisins de couleur différente se mélangent au niveau de la perception rétinienne —, leur suggère le « mélange optique », c'est-à-dire la création des tons, des valeurs et des vibrations par la juxtaposition de touches divisées de couleurs pures (d'où les noms de « divisionnisme » et de « pointillisme » donnés à cette technique). Seurat* développe la méthode dès 1884-85, avec Paul Signac (1863-1935), qui en est l'adepte rigoureux (*le Château des papes à Avignon,* 1900, musée national d'Art moderne) et le théoricien (*D'Eugène Delacroix au néo-impressionnisme,* publié en 1899), suivi notamment par Pissarro*, Henri Cross (1856-1910), Charles Angrand (1854-1926), Maximilien Luce (1858-1941), le Belge Théo Van Rysselberghe (1862-1926). Quelques peintres symbolistes, divers fauves et futuristes à leurs débuts tireront également parti du divisionnisme.

NÉOKANTISME → CASSIRER (E.), COHEN (H.), MARBURG *(école de),* NATORP (P.).

NÉOLITHIQUE. — Cette période préhistorique, définie par Michel Brézillon comme « la phase du développement technique des sociétés humaines correspondant à leur accession à une économie productive », peut, par cet aspect socio-économique, être considérée comme révolutionnaire, bien plus que par l'emploi de la pierre polie, d'où elle tire son nom. En effet, l'élevage et surtout l'agriculture sont à l'origine de la sédentarisation de l'homme, de son établissement en communautés villageoises et, par là même, de l'architecture. Il semble que le néolithique se soit diffusé à partir de plusieurs foyers, dont les principaux sont situés en Amérique centrale (vallée de Tehuacán*), dans le Sud-Est asiatique (Non Nok Tha, en Thaïlande), en Chine (Yang-chao*) et au Proche-Orient, où les premiers établissements remontent à environ 8000 av. J.-C. (niveau le plus profond du tell de Jéricho*). Çatal* höyük, Hacilar*, Ras Shamra-Ougarit* sont, avec Jarmo et Hassuna, les sites types du néolithique au Proche-Orient.

À Jarmo (Iraq), une quinzaine de niveaux se superposent. L'habitat se compose de maisons à plusieurs pièces, avec foyer, silos à grains et fours aménagés. L'outillage lithique atteste l'activité agricole des habitants. L'argile crue sert à modeler des animaux domestiques et des personnages féminins, mais les récipients sont encore en pierre polie et en vannerie. Dans les niveaux supérieurs apparaît la céramique, inventée à l'extrême fin du VIIe millénaire; elle est typique à Hassuna, où six niveaux successifs ont été repérés, du plus ancien, acéramique, contemporain de Jarmo, vers le milieu du VIIe millénaire, à celui comportant une céramique blanche décorée de motifs soit peints, soit incisés, ou à la fois peints et incisés. La céramique dite « de Samarra* » (v. 5080) lui succède. Vient enfin celle d'Halaf, faciès culturel particulièrement étudié grâce aux découvertes d'Arpachiyah*, où la culture d'Halaf connaît son plein épanouissement, avec production de céréales, élevage, fabrication de textiles, sculpture de statuettes (pierre ou terre cuite) féminines ou zoomorphes (permettant de supposer des préoccupations religieuses) et construction de rues pavées de galets (indiquant un souci d'urbanisme). Le néolithique du Proche-Orient atteint son apogée vers le milieu du VIe millénaire dans la région du « Croissant fertile » (du golfe Persique à la Syrie); les premiers objets de cuivre martelé se situent au Ve millénaire; une profusion de cultures très diverses se développent au IVe millénaire et sont à l'origine du néolithique européen. Le néolithique du Proche-Orient prend fin vers 4300 avec la culture d'Obeid*.

À Sesklo*, le retard sur le Proche-Orient est minime et l'influence de cette culture thessalienne n'est pas négligeable sur le reste de l'Europe, atteinte par ce nouveau mode de vie vers le Ve millénaire. Il y parvient d'une part par la voie méditerranéenne, où se répand le courant cardial (d'après sa céramique ornée d'impressions réalisées avec ce coquillage) et d'autre part par celle qui s'étend le long des grands fleuves (Danube et Rhin). Le fossile directeur de ce courant danubien est une céramique d'abord à décor rubané, puis à décor poinçonné. L'habitat collectif devient ensuite de dimensions plus modestes et individuel. De multiples faciès culturels caractérisent le néolithique en France; ils sont en général définis par les formes et le décor de leur céramique (cardial, rubané, poinçonné) : céramique fine et lustrée à Chassey (Saône-et-Loire), gobelets « tulpiformes » rarement décorés de l'est de la France, faisant partie de la culture de Michelsberg, originaire d'Allemagne, et se retrouvant dans les palafittes de Suisse et en Belgique. Les cultures de Fontbouisse, de Seine-Oise-Marne, de Peu-Richard et d'Horgen datent du néolithique final et se rattachent au chalcolithique.

Le néolithique final, le chalcolithique et le début de l'âge du bronze sont marqués par la civilisation mégalithique, particulièrement développée dans l'ouest et le sud de la France. Cette civilisation se distingue par d'énormes blocs de pierre : les menhirs, dressés isolément (Ardèche, Lot); les alignements, ordonnés en rangées et souvent associés à des tumuli (Carnac*); les cromlechs, disposés en cercles (Stonehenge*); les dolmens, grandes dalles reposant sur des orthostates gravés ou non (Locmariaquer*, Gavr'inis*); les allées couvertes, fréquentes dans les bassins de Seine, Oise et Marne. Sanctuaires ou tombeaux, ces monuments procèdent d'une préoccupation religieuse, mais leur destination et

Néolithique. Surmodelage en plâtre d'un crâne humain, provenant de Jéricho (Israël). Vers 6000 av. J.-C. (British Museum, Londres.)

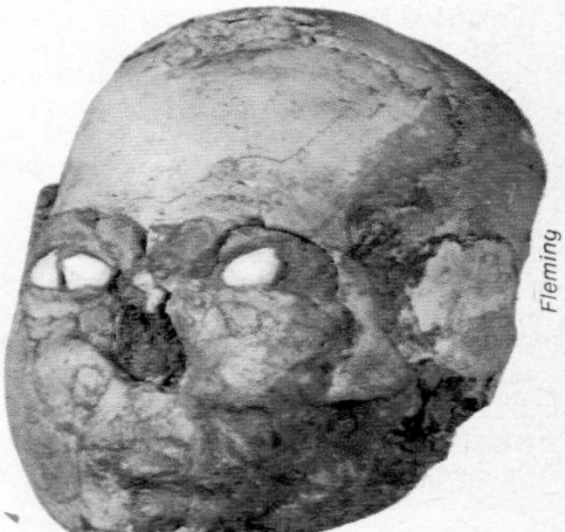

Fleming

leur signification demeurent inexpliquées. La considérable expansion (dans toute l'Europe occidentale) de la céramique campaniforme, provenant du sud de l'Espagne, est l'un des traits de cette culture définie par la forme de ses gobelets de céramique — décorés de bandes horizontales —, par des plaquettes de pierre dites « brassards d'archers » et par des poignards de cuivre. Cette phase liée au chalcolithique est très probablement à l'origine de la diffusion du cuivre, qui, allié à l'étain (v. 1800 av. J.-C.), introduit l'Europe dans la protohistoire* avec l'âge du bronze.

NÉOLOGISME. — Un néologisme est un mot ou une expression apparus récemment dans la langue, soit pour désigner une réalité nouvelle, soit pour remplacer un autre terme, qui fait alors figure d'archaïsme. Il peut s'agir d'un mot forgé grâce aux procédés de préfixation et de suffixation *(minijupe, alunir),* d'un emprunt à une langue étrangère sous sa forme originale *(container)* ou adaptée *(conteneur),* d'un calque sur un mot étranger *(gratte-ciel,* formé sur *skyscraper).* Il peut s'agir aussi d'un sens nouveau attribué à un mot ancien, soit par métaphore (faire un *créneau* avec sa voiture), soit par influence étrangère *(réaliser* au sens de « comprendre », d'après l'anglais *to realize).*

NÉON. — Élément chimique n° 10, de masse atomique Ne = 20,18, le néon est un gaz incolore, monoatomique, de densité 0,7, qui ne se liquéfie qu'à − 246 °C. Placé sous faible pression dans un tube, il est facilement traversé par le courant électrique, en donnant une lumière rouge-orangé, utilisée pour l'éclairage publicitaire. On l'extrait de l'air, qui en contient 1/70 000 en volume, par liquéfaction fractionnée, et on le sépare de l'hélium par absorption sélective dans le charbon activé.

NEOPILINA. — C'est en 1952 que furent recueillis, par 3 570 m de fond, dans le Pacifique, dix exemplaires de cet extraordinaire mollusque, « fossile vivant » auquel ne ressemblent que des formes éteintes depuis 300 millions d'années. L'animal a la forme extérieure d'une patelle, avec une organisation toute différente.

NÉOPLASME → TUMEUR.

NÉOPLATONISME → PLATONISME.

NÉOPOSITIVISME → POSITIVISME.

NÉOPTOLÈME → PYRRHOS.

NÉOPYTHAGORISME → PYTHAGORISME.

NÉORÉALISME. — Le néoréalisme cinématographique apparut en Italie dans les dernières années de la dictature mussolinienne (*Ossessione* [1942] de Luchino Visconti). Né du constat des drames et de la misère qu'engendrèrent la défaite du fascisme et les séquelles de la guerre et dont aucun regard, aucune caméra ne pouvait se détourner désormais au profit des mélodrames bourgeois à « téléphones blancs » et des nobles reconstitutions historiques, qui, jusqu'alors, avaient fait les beaux jours des productions de Cinecitta, le néoréalisme est, avant tout, une prise de conscience de la réalité sociale par un groupe de cinéastes. Les grands metteurs en scène néoréalistes furent Roberto Rossellini (*Rome ville ouverte* [1945], *Païsa* [1946]), Vittorio De Sica (*le Voleur de bicyclette* [1948], *Umberto D* [1952]) et son scénariste Cesare Zavattini, Luchino Visconti (*La Terre tremble* [1948]), Aldo Vergano, Renato Castellani, Pietro Germi, Alberto Lattuada, Giuseppe De Santis et, dans une certaine mesure, Federico Fellini et Michelangelo Antonioni à leurs débuts.

NÉOTECTONIQUE → TECTONIQUE.

NÉOTÉNIE. — L'accession d'un animal à l'état adulte* se définit par l'aptitude à reproduire son espèce; il est rare que l'adulte ainsi défini continue à grandir, encore plus rare qu'il continue à changer de forme. C'est pourquoi une reproduction précoce, par des larves ou des individus d'aspect infantile, peut, en se généralisant, faire disparaître l'état morphologique de l'adulte dans certaines espèces. C'est ce qui s'est passé pour l'axolotl* des lacs mexicains, dont la forme adulte (amblystome) n'apparaît plus qu'accidentellement. Il y a *néoténie.* De façon plus générale, la néoténie offre peut-être à une lignée animale spécialisée le seul moyen de perdre sa spécialisation pour la remplacer par une autre. Selon Bolk, la lignée humaine est faite de singes néotènes.

NÉOTHOMISME → THOMISME.

NÉOTTIE. — Dépourvue de chlorophylle, une orchidacée, la *néottie nid d'oiseau,* vit en saprophyte du sol forestier comme un champignon. Elle doit son nom au curieux enchevêtrement de ses racines courtes, larges et arrondies au bout. Ses feuilles sont atrophiées.

NÉOUVIELLE ou **NEOUVIEL** *(massif de),* massif des Hautes-Pyrénées, culminant au *pic de Néouvielle* (3 092 m). Réserve naturelle.

N. E. P., abréviation pour *Nouvelle Politique économique,* ensemble de mesures prises de 1921 à 1928 par le gouvernement soviétique et destinées à substituer au communisme de guerre une politique économique plus libérale. (V. U. R. S. S.)

NÉPAL, État de l'Asie, au nord de l'Inde; 140 000 km^2; 12 860 000 hab. *(Népalais).* Capit. *Katmandou.*

GÉOGRAPHIE. Le pays s'étend sur le versant sud de l'Himālaya* central. Il comprend une série d'unités parallèles, orientées est-ouest : la plaine alluviale du Terai, couverte par la jungle, les chaînons des Siwālik, puis les hauts sommets du Moyen Himālaya et du Grand Himālaya (l'Everest, notamment, se situe à la frontière tibétaine). La population se concentre dans le Terai et surtout dans le bassin de Katmandou. La difficulté des communications explique la persistance de l'économie traditionnelle, fondée sur la culture des céréales (riz, millet, blé). Mais les échanges avec l'Inde se développent et le pays sort un peu de son isolement. Le tourisme apporte un complément de ressources.

NÉPAL

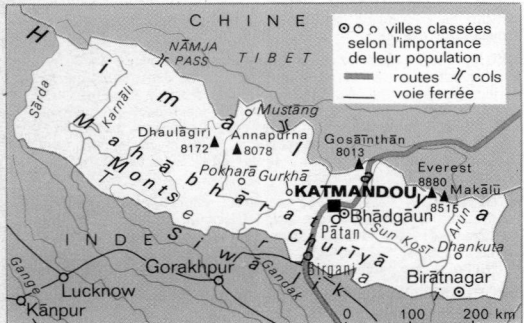

HISTOIRE. Depuis la plus haute antiquité, la région sert de tampon entre le sous-continent indien et la Chine : populations indiennes et tibétaines s'y mélangent en de multiples subdivisions. Haut lieu spirituel qui a vu naître, à ses confins, Gautama le Bouddha, le Népal ne s'affirme comme État indépendant qu'au VIIIe s. de notre ère : l'ouverture des grands cols himalayens fait alors du Népal — et principalement de Katmandou et de Lalitpur (Pātan) — un carrefour, pays d'escale, une sorte de Suisse d'Asie. Dès lors, l'influence indienne s'y fait de plus en plus forte. Le Népal va bientôt se caractériser par une société de castes fortement hindouisées et la présence d'un puissant foyer bouddhiste. En fait, ce n'est qu'au XVIIIe s. que le Népal est unifié par la caste militaire des Gurkhās, maîtres du pays à partir de 1765. Leur dynamisme est tel que les Britanniques doivent, pour les contenir, leur livrer la guerre (1814-1816) : battus, les Gurkhās reculent, tandis qu'un résident britannique s'installe à Katmandou. Cependant, moyennant une aide militaire — qui, lors de la révolte des cipayes (1857), s'avérera bénéfique — le Népal gurkhā garde son indépendance. En 1846, un putsch, fomenté par Jung Bahādur, donne la réalité du pouvoir à la dynastie des Bahādur Rānā, « maires du palais » qui réduisent les Gurkhās au rôle de « rois fainéants ». Cette dynastie s'appuie sur une société très féodalisée.

En 1951, le roi Tribhuvana chasse les Rānā et proclame la monarchie constitutionnelle. À sa mort (1955), son fils, Mahendra Bir Bikram, fait admettre son pays à l'O. N. U.; il s'efforce constamment de maintenir l'équilibre entre l'alliance indienne et l'amitié chinoise (reconnaissance *de jure,* en 1956, de la souveraineté de la Chine sur le Tibet). À l'intérieur, même souci de rester également indépendant du parti communiste et du parti népalais du Congrès, influencé par l'Inde : d'où un abandon du parlementarisme et un régime personnel imposé par le roi en 1960. Le mécontentement qui grandit s'accroît des insuffisances de la réforme agraire et de la volonté du roi de moderniser le pays en brisant certaines traditions religieuses (castes). Après la mort du roi Mahendra (1972), son fils, Birendra Bir Bikram, ne modifie pas l'autoritarisme du régime, qui se méfie de plus en plus du communisme prochinois.

BEAUX-ARTS. L'art du Népal, essentiellement religieux, porte, comme toute sa culture, l'empreinte des traditions venues de l'Inde*, mais offre une délicatesse et un raffinement originaux. Il constitue la charnière entre l'art indien et les œuvres tibétaines anciennes. L'architecture et la sculpture architecturale en bois sont particulièrement remarquables : les sanctuaires en pierre ou les édifices en briques roses surmontés de toits étagés — aux portes, aux fenêtres, aux entablements, etc., sculptés en bois — sont d'une rare harmonie. Les sculpteurs sur pierre et les bronziers n'en sont pas moins réputés : certains travaillèrent en Chine, au XIIIe s., et au Tibet*. Dans leurs œuvres domine l'influence de l'art indien pāla (VIIIe-XIIe s.); dans la peinture aussi, surtout dans les miniatures du XIe s. et dans les portraits de divinités bouddhiques et brahmaniques du XIVe au XVIe s. Aux XVIIe et XVIIIe s., les peintres s'inspireront des écoles indiennes mogholes* et rājpūtes, mais les traditions pāla subsisteront parallèlement jusqu'à nos jours.

NÉPALAIS → INDO-ARYEN.

NÈPE. — La nèpe, hôte commun des mares, se reconnaît sans peine à son corps aplati en forme d'écusson, à sa paire de pattes antérieures ravisseuses et au long tube respiratoire qui prolonge l'arrière du corps. Cet insecte hétéroptère est un féroce carnivore, qui pique ses victimes, dissout tout l'intérieur de leur corps et suce le liquide ainsi obtenu. C'est une « punaise d'eau ».

NÉPENTHÈS. — La particularité du népenthès d'Asie et d'Océanie est la prolongation de ses feuilles, au-delà de leur pointe, par un appareil compliqué, l'*ascidie,* sorte d'urne à couvercle semi-ouvert, pleine d'eau, dans laquelle les insectes se noient et sont digérés par les enzymes digestives que sécrètent les parois. Cette urne est donc un piège sans mouvement.

NEPER → NAPIER.

NÉPHÉLÉMÉTRIE. — Cette méthode optique de microanalyse s'effectue soit en comparant le liquide étudié à une gamme de précipités étalonnés, soit par photométrie. D'une précision relative, mais rapide, elle est employée pour le dosage, après floculation, des protéines, pour la numération des germes microbiens, pour l'étude des émulsions de graisses, etc.

NÉPHRECTOMIE → REIN.

NÉPHRITE. — L'atteinte inflammatoire du rein peut avoir une cause infectieuse, toxique, allergique ou métabolique, ou encore être consécutive à une lésion des voies urinaires (obstacle à l'écoulement de l'urine). Les principaux symptômes sont les douleurs lombaires, les œdèmes, la présence d'albumine dans l'urine, l'élévation de l'urée sanguine. Selon les cas, l'atteinte porte principalement sur l'un des éléments du néphron : glomérule (glomérulopathie), ou tubule (tubulopathie), ou sur le tissu interstitiel (néphropathies interstitielles). Dans les atteintes chroniques prolongées (néphrite chronique, ou mal de Bright), tous les éléments finissent par être atteints, ce qui conduit à l'insuffisance rénale, nécessitant l'hémodialyse ou la transplantation rénale.

NÉPHROSE → REIN.

NEPHTALI, tribu du nord de la Palestine, dont l'ancêtre éponyme était un fils de Jacob*; elle n'a joué qu'un rôle modeste dans l'histoire des Hébreux*.

NEPTUNE, dieu romain de l'Eau, dont les fêtes, les *Neptunalia,* étaient célébrées au mois de juillet, au moment de la sécheresse. Il deviendra plus tard, par contagion avec la légende de Poséidon*, le dieu de la Mer et le patron des pêcheurs et des bateliers.

NEPTUNE, planète du système solaire. Cette planète* fut

observée pour la première fois en 1846, à Berlin, par l'astronome allemand Johann Gottfried Galle*, sur des indications fournies la même année par Le Verrier*, qui avait déterminé sa position par le calcul, position que l'étudiant anglais Adams avait également fixée dès 1845. Invisible à l'œil nu, en raison de son éloignement, Neptune possède deux satellites* et n'a pas bouclé une révolution depuis sa découverte.

NEPTUNIUM. — Cet élément artificiel, de n° 93, a été obtenu en 1940 par bombardement neutronique de l'uranium; il est radioactif et se transforme en plutonium.

NÉRAC (47600), ch.-l. d'arr. de Lot-et-Garonne, sur la Baïse, à 30 km à l'O.-S.-O. d'Agen; 7 644 hab. *(Néracais).* Restes du château des Albret (fin XVe s.; musée) et autres monuments. Sur la rive droite de la Baïse, promenade de la Garenne et maisons anciennes du Petit-Nérac. Eaux-de-vie (armagnac).

NÉRÉIDE. — La classe des annélides polychètes (pour la plupart marines) comprend des espèces de vers atteignant un haut degré de complexité. Parmi elles, l'une des plus communes est la néréide, qui possède des yeux, des tentacules, des palpes, une trompe munie de mâchoires, des anneaux munis de deux paires de rames couvertes de soie, et, intérieurement, les mêmes organes et tissus que les insectes. La néréide peut ramper, fouir, nager. À la maturité sexuelle, la partie postérieure du corps se transforme, se détache (sous le nom d'*hétéronéréide*) et assure la fécondation à la surface de la mer, occasion de vastes rassemblements.

NÉRÉIDES, divinités marines, filles du dieu marin Nérée. Elles étaient au nombre de cinquante et personnifiaient peut-être les vagues de la mer. Trois d'entre elles sont particulièrement connues : Amphitrite*, Galatée* et Thétis*.

NERF *(Méd.).* — Les nerfs sensoriels conduisent les incitations provenant des organes des sens vers le cerveau; les nerfs moteurs transmettent les ordres du cerveau aux muscles; les nerfs mixtes groupent ces deux fonctions. Les *nerfs crâniens,* au nombre de 12 paires, traversent les trous du crâne et se répartissent dans la tête et le cou, à l'exception du pneumogastrique (10e paire), qui descend dans le tronc. Ils sont sensoriels (olfactif, optique, auditif), sensitivo-moteurs (trijumeau) ou uniquement moteurs (grand hypoglosse). Les *nerfs rachidiens,* issus de la moelle épinière, où ils prennent une racine postérieure sensitive et une racine antérieure motrice, sont des nerfs mixtes : ils émergent du canal rachidien par les trous intervertébraux et se répartissent aux différents organes du tronc et des membres. Les nerfs sympathiques (v. NEUROVÉGÉTATIF) règlent les fonctions des vaisseaux et des viscères.

L'inflammation d'un nerf, ou névrite, est cause de douleurs, les névralgies, dont la topographie correspond à son territoire, et de parésies ou de paralysies, s'il s'agit d'un nerf moteur. Les névralgies peuvent également être dues à la compression du nerf près de son émergence du canal rachidien (par un disque intervertébral ou un ostéophyte). Les douleurs peuvent parfois nécessiter la section du nerf, ou névrotomie. Parmi les tumeurs des nerfs, celles provenant de la fibre nerveuse (névromes) sont rares alors que celles qui sont issues des tissus de soutien (gliomes, neurinomes) sont assez fréquentes. (V. NERVEUX [*système*].)

NERF *(Rel.)* → DORURE.

NÉRIS-LES-BAINS (03310), comm. de l'Allier, à 8 km au S.-E. de Montluçon; 2 929 hab. Station thermale aux eaux bicarbonatées sodiques, radioactives, utilisées dans le traitement des affections du système nerveux et de certaines affections gynécologiques. Vestiges gallo-romains (musée). Nécropole mérovingienne à côté de l'église, reconstruite aux XIe et XIIe s.

NERNST (Walther), physicien et chimiste allemand (Briesen, Prusse, 1864 - Ober-Zibelle, près de Muskau, 1941). Il a inventé une lampe électrique à incandescence et édifié, à la suite de travaux sur les solutions d'électrolytes, une théorie de la force électromotrice des piles. Il a mesuré les chaleurs spécifiques des solides aux très basses températures. (Prix Nobel de chimie, 1920.)

NÉRON, en lat. **Lucius Domitius Tiberius Claudius Nero** (Antium 37 apr. J.-C. - Rome 68), empereur romain (54-68). Fils d'Agrippine* la Jeune et de Cn. Domitius Ahenobarbus, il est adopté par Claude* en 50 et lui succède en 54. Les débuts de son règne sont prometteurs : conseillé par Sénèque* et Burrus*, il revient aux pratiques constitutionnelles d'Auguste, et poursuit, à l'extérieur, une heureuse politique de conquête (Cn. Domitius Corbulo conquiert l'Arménie) et d'apaisement (en Bretagne). Mais, après la disgrâce de Sénèque et la mort de Burrus (62), Néron tombe sous l'influence du préfet du prétoire Tigellin et de sa seconde femme, Poppée*, et se laisse aller à gouverner en despote oriental. Le règne, resté célèbre par les extravagances et les cruautés (meurtre de Britannicus [55] et assassinat d'Agrippine [59]) de l'« empereur de la populace », fut caractérisé par la persécution des nobles. Néron remet en vigueur la loi de majesté; en 64, il fait supplicier les chrétiens qu'il accuse de l'incendie de Rome. La reconstruction de Rome et des prodigalités (construction de la Maison dorée) épuisent le trésor : Néron abaisse donc le poids de l'or et de l'argent et les confiscations lui fournissent les ressources d'un vaste domaine impérial (en Afrique surtout). La sanglante tyrannie de l'empereur suscite des complots (conjuration de C. Calpurnius* Pison), auxquels Néron réplique par la terreur. En 66-67, il se rend en Grèce, où il exhibe dans les jeux ses talents d'acteur, de chanteur et d'aurige. Mais, en 68, éclate une insurrection républicaine : en Gaule, Vindex* se soulève, suivi par Galba* en Tarraconaise. À Rome, Néron est proclamé ennemi public par le sénat et se donne la mort (juin 68).

NÉRONDE (42510 Balbigny), ch.-l. de cant. de la Loire, à 25 km au S.-O. de Tarare; 687 hab.

nerfs crâniens (12 paires symétriques) :

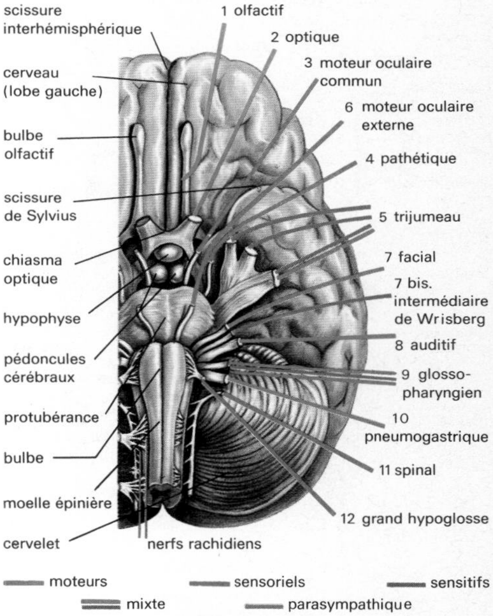

NERFS

NÉRONDES (18350), ch.-l. de cant. du Cher, à 33 km à l'O. de Nevers; 1 334 hab. Église du XIIe s. Châteaux, manoir.

NERPRUN. — Cet abrisseau épineux des taillis, aux feuilles opposées, dentelées, aux nervures courbes, porte à l'automne de petits fruits noirs ressemblant à des prunes, d'où son nom. Il est très commun dans les haies. (Famille des rhamnacées.)

Nerthe *(tunnel de la),* tunnel ferroviaire, long de 4 638 m, perçant l'extrémité orientale de la chaîne de l'Estaque, au N.-O. de Marseille.

NERUDA (Neftalí Ricardo REYES, dit **Pablo**), poète chilien (Parral 1904 - Santiago 1973). Il a consacré son œuvre à la terre chilienne et à la révolte contre les injustices qui ont accablé les Araucans, de l'époque des conquérants espagnols à celle des industriels américains (*le Chant général,* 1950; *le Mémorial de l'île noire,* 1964). [Prix Nobel, 1971.]

NERVA (Marcus Cocceius) [Narni, Ombrie, 26 apr. J.-C. - Rome 98], empereur romain (96-98). Sénateur choisi par les membres de la conspiration qui renversa Domitien*, Nerva fit de son règne un temps d'apaisement politique (collaboration avec le sénat, remise en ordre des finances) et social (loi agraire prévoyant l'achat de terres pour les distribuer par lots aux pauvres). Alors que les Flaviens* avaient opté pour le principe de l'hérédité dynastique, Nerva eut recours, pour lui succéder, à l'adoption du « plus digne » : en 97, il adopta Trajan* et l'associa à l'Empire.

NERVAL (Gérard LABRUNIE, dit **Gérard de**), écrivain français (Paris 1808 - *id.* 1855). Il passa son enfance dans le Valois, qu'il évoque dans *Sylvie**, l'une des nouvelles des *Filles* du feu* (1854), et se fit connaître par sa traduction (1828) du *Faust* de Goethe. Lié avec tous les grands écrivains du groupe romantique, il mène une vie bohème et noctambule, où le rêve l'emporte sur la réalité. Sa passion malheureuse pour l'actrice Jenny Colon exaspère sa sensibilité et il est interné une première fois (1841) dans la clinique du Dr Blanche. Il écrit cependant pour le théâtre (*Léo Burckart,* 1839), rapporte d'un voyage en Égypte et en Turquie les récits pittoresques du *Voyage en Orient* (1851), et unit, dans ses recueils en prose, le goût des légendes fantastiques au ton de la fantaisie légère (*les Illuminés,* 1852; *la Bohème galante,* 1855). Mais ses sonnets des *Chimères** et son roman *Aurélia** (1855) font de lui le double précurseur de l'esthétique baudelairienne et de l'exploration surréaliste de l'inconscient. Plusieurs fois repris par la folie, il fut trouvé pendu un matin d'hiver dans une rue du centre de Paris.

NERVEUX (système). — Pour peu qu'un organisme vivant dépasse les dimensions ordinaires d'une cellule, son unité fonctionnelle ne peut être assurée que par des dispositifs particuliers de communication entre ses parties. Chez les plantes, cette communication, assurée par la circulation des sèves, ne permet que des réactions très lentes. Chez les animaux, la concurrence vitale s'exerçant toujours en faveur des espèces qui ont les réactions les plus rapides (fuite, capture des proies), on voit, dès les formes les plus simples, apparaître des organes d'information («organes des sens»), des organes du mouvement (muscles) et des organes assurant la liaison entre muscles et organes sensoriels (système nerveux). Chez les méduses, par exemple, il ne s'agit guère que de groupes de fibres de transmission, de nerfs rudimentaires. Mais déjà chez les annélides il existe un véritable système nerveux, comportant non seulement des nerfs mais des centres (ganglions), au niveau desquels se font les «aiguillages nerveux» : confluence de plusieurs informations suscitant la réaction du même effecteur, diffluence d'une seule information qui met en action de nombreux effecteurs, dispositifs cybernétiques, de type «feed-back», par exemple, assurant l'appropriation des réactions à l'état général de l'organisme. Un animal commence à manger parce qu'il s'est jeté de façon réflexe sur une proie, mais il cesse de manger sans que rien d'extérieur ait changé, simplement parce qu'il n'a plus faim : l'état physiologique général a modifié les réglages nerveux. Outre cette appropriation aux circonstances, le système nerveux assure la coordination des mouvements élémentaires en vue de l'exécution des gestes compliqués : un mille-pattes n'avance pas chaque patte sans tenir compte du mouvement des autres pattes!

LE SYSTÈME NERVEUX ANIMAL

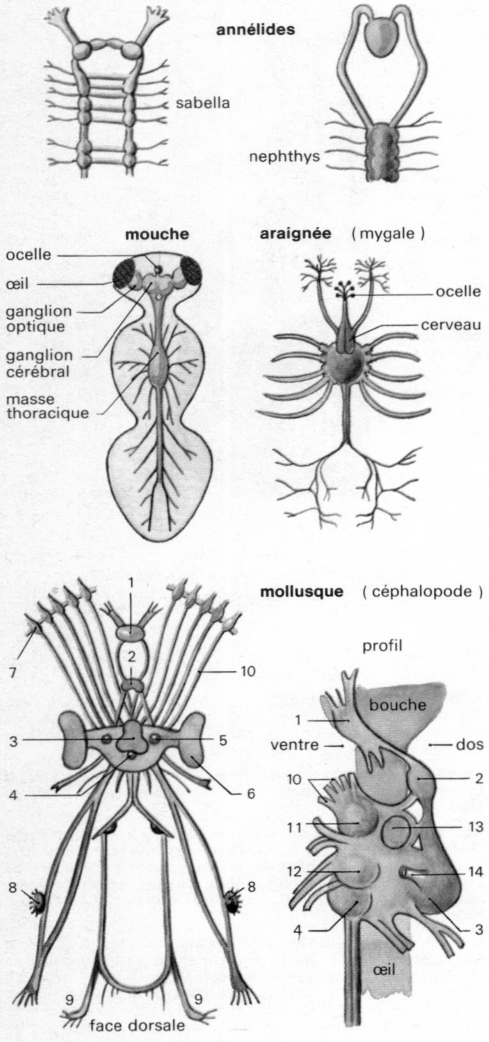

1. Ganglion buccal intérieur; 2. Ganglion buccal supérieur; 3. Ganglion cérébroïde; 4. Ganglions viscéraux; 5. Otocyste; 6. Œil; 7. Ganglions des bras; 8. Ganglions branchiaux; 9. Ganglions stomacaux; 10. Nerfs des bras; 11 et 12. Ganglions pédieux; 13. Triangle latéral; 14. Nerf optique.

À ces fonctions déjà très complexes, les animaux les plus élevés en organisation nerveuse ajoutent un second ensemble de fonctions, celles qui assurent l'intégration dans le temps et non plus seulement dans l'espace organique. Mémoire, conditionnement, perception des rythmes diurne, «tidal» (marées) et annuel, adaptabilité, etc., supposent des centres nerveux très riches en liaisons. Ceux-ci étant presque toujours situés dans la tête, ce perfectionnement est lié à la céphalisation (insectes et araignées, céphalopodes, vertébrés amniotes) et conduit à l'apparition d'un véritable cerveau. À l'extrême limite (espèce humaine, dauphin, insectes sociaux...), un troisième groupe de fonctions entre en jeu : la communication informative entre individus, dont le présent texte est, comme tout langage, un exemple, mais qui passe aussi par la danse frétillante des abeilles butineuses, les «sifflements» des dauphins, etc. Dans le cas de l'homme, l'analyse par un cerveau humain des mécanismes fonctionnels d'un autre cerveau humain bute sur une limite théorique (par définition, le chercheur ne domine pas son objet) et sur une limite pratique (l'excessive complexité), de sorte que, bien à contrecœur, le physiologiste lui-même accepte la notion de liberté, pourtant antiscientifique par essence.

Voilà donc ce que «fait» le système nerveux. Mais comment «est fait» ce système? Il est constitué de cellules vivantes d'un type particulier, les neurones. Un neurone est une cellule ronde ou polygonale qui ne serait pas très originale si elle ne se prolongeait par des fibres : un certain nombre de fibres sans gaine, extrêmement ramifiées, souvent courtes, les dendrites, et un prolongement unique, généralement entouré d'une gaine lipidique et pouvant mesurer plusieurs mètres de longueur, l'axone, ou cylindraxe. Ce qui, sous le nom d'«influx nerveux», parcourt le neurone, est une onde de dépolarisation de la membrane, qui, en règle générale, pénètre par une dendrite, traverse le corps cellulaire et s'éloigne de lui le long de l'axone. Une exception est à faire pour les nerfs sensitifs du tronc et des membres, qui ont deux axones, l'un afférent, l'autre efférent. Mais de toute façon, tout neurone est parcouru en sens unique.

Comment les neurones sont-ils associés? Si certains axones aboutissent à un organe effecteur (muscle ou glande), d'autres étalent leur arborisation terminale au voisinage d'un ou de plusieurs autres neurones, plus précisément de leurs dendrites. C'est par un intermédiaire chimique élaboré au niveau d'une telle synapse (adrénaline, acétylcholine, dopamine, sérotonine, etc.) que l'influx «passe», sans perte de puissance, d'un neurone à un autre. Mais à quel autre? Comment le message «choisit-il» sa voie? Louis Lapicque avait cru éclairer le problème avec les notions d'isochronisme (l'influx passerait seulement au neurone capable de le transmettre à la même vitesse que le neurone afférent) et de métachronose (d'autres neurones modifieraient, selon les besoins, la vitesse de transmission en question), mais cette théorie est fortement contestée aujourd'hui. On est encore, dans ce domaine, à l'aube de la recherche.

Dernier aspect de la question : l'anatomie macroscopique du système nerveux. Si l'on «descend» de l'homme aux poissons, en passant par les oiseaux, les reptiles et les amphibiens, on constate une réduction massive des dimensions relatives des hémisphères cérébraux et du cervelet par rapport aux lobes olfactifs, au diencéphale, aux tubercules quadrijumeaux et au bulbe. Toutefois, l'ensemble des vertébrés se caractérise par l'existence d'un axe nerveux dorsal cérébro-spinal (névraxe), auquel s'ajoute un système neurovégétatif à structure ganglionnaire. C'est pourquoi les vertébrés et leurs voisins sont aussi appelés *épineuriens* (système nerveux «au-dessus», du côté du dos). Au contraire, chez les invertébrés supérieurs, les centres nerveux ne sont « au-dessus » que dans la tête, et un « collier œsophagien » réunit ces centres au reste du système nerveux qui, lui, est ventral et de type ganglionnaire.

• *Le système nerveux de l'homme.* Il coordonne les fonctions des différents organes et permet les relations de l'organisme avec le milieu extérieur. On distingue : le *système nerveux cérébro-spinal* (composé du cerveau*, du cervelet*, de la moelle* épinière), qui est le support de la sensibilité, de la motricité volontaire et des fonctions supérieures de l'esprit; le *système neurovégétatif**, qui règle les fonctions des viscères.

Le système nerveux a pour origine la tunique externe de l'embryon, l'ectoderme, qui se creuse en une gouttière à la partie dorsale, puis la gouttière se referme en un tube qui se sépare de l'ectoderme : c'est le tube neural. Celui-ci se développe plus à la partie céphalique, formant trois puis cinq vésicules, qui sont les ébauches des différentes portions du cerveau et du tronc cérébral.

Les *troubles vasculaires* (athérosclérose, cause de thrombose, d'embolies, d'hémorragies) provoquent des lésions cérébrales, cérébelleuses et médullaires. Enfin un certain nombre de maladies du système nerveux restent encore inexpliquées, telles la sclérose en plaques, la sclérose latérale amyotrophique, etc.

NERVI (Pier Luigi), ingénieur et entrepreneur italien (Sondrio 1891). Envisageant globalement les problèmes esthétiques et techniques et les traitant avec audace, il emploie le béton armé et fait appel à la préfabrication pour édifier des bâtiments dont les structures, allégées et mises en évidence, deviennent parti pris formel : piliers-champignons, réseaux de poutres, panneaux nervés et cintrés. Ses principales œuvres sont le stade municipal de Florence (1930), le palais des Expositions de Turin (1948), l'usine de filature Gatti à Rome, le palais de l'Unesco à Paris (avec Breuer et Zehrfuss, 1952-1958), le stade Flaminio, le Petit et le Grand Palais des sports de Rome (1956), le gratte-ciel Pirelli à Milan (avec Gio Ponti, 1958), le gigantesque Palais du travail à Turin (1961).

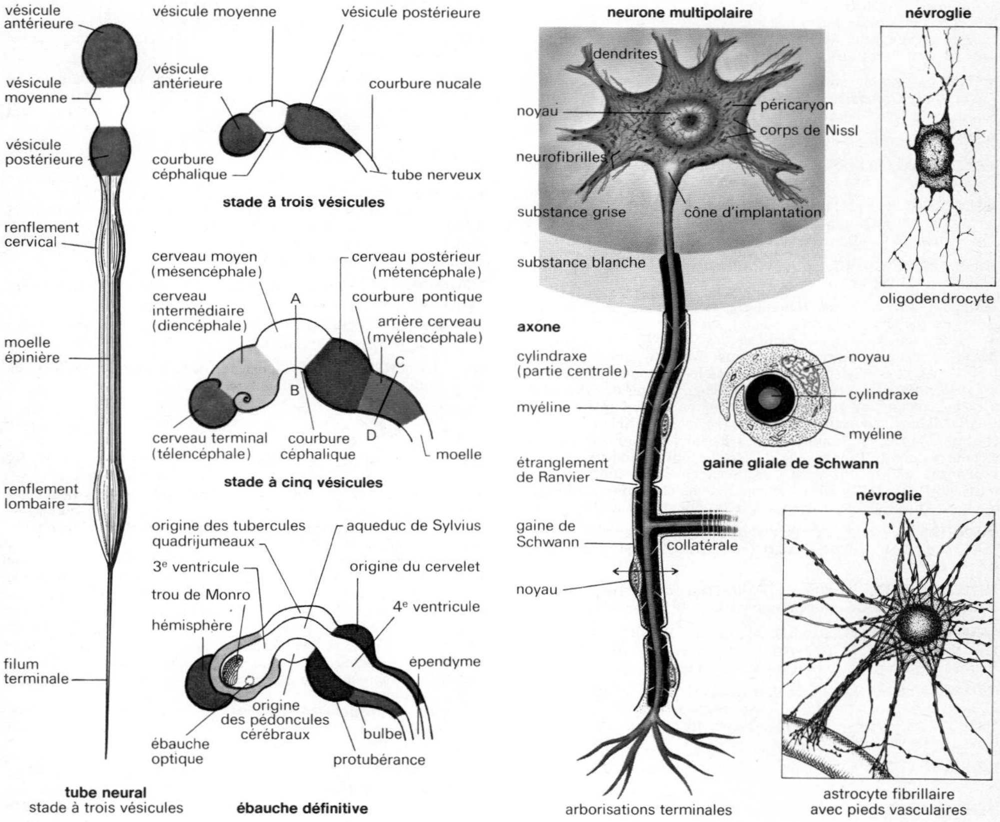

LE SYSTÈME NERVEUX DE L'HOMME

La cavité centrale du tube forme les ventricules cérébraux et le canal de l'épendyme, dans la moelle épinière.

Les *malformations* du système nerveux peuvent avoir une cause génétique, toxique, infectieuse ou mécanique. Citons la non-fermeture du tube neural, qui produit la spina-bifida, une mauvaise circulation du liquide céphalo-rachidien, qui entraîne l'hydrocéphalie.

Les *traumatismes* des centres nerveux (fractures du crâne, du rachis, compression par hématome) provoquent des comas, des paralysies, des troubles sensoriels et peuvent laisser des séquelles neurologiques de gravité variable.

Les *intoxications* peuvent léser le cerveau comme les nerfs périphériques (alcool, plomb, cyanure, etc.). Certaines *infections virales* touchent électivement le système nerveux : poliomyélite, rage, tétanos, encéphalite léthargique.

NESEBĂR, ville de Bulgarie, sur la mer Noire. La cité ancienne, bâtie sur une presqu'île rocheuse, est un haut lieu de la chrétienté bulgare du Moyen Âge (églises byzantines des XIe-XIVe s.).

NESLE (80190), ch.-l. de cant. de la Somme, à 26 km au S. de Péronne; 2 836 hab. Industrie alimentaire.

NESS *(loch),* lac d'Écosse, au S.-O. d'Inverness.

NESSELRODE (Karl Robert *comte* VON), diplomate russe (Lisbonne 1780 - Saint-Pétersbourg 1862). Délégué du tsar au congrès de Vienne (1814), puis ministre des Affaires étrangères (1816), il représente en Russie le courant germanophile. Il doit démissionner en 1856, après la défaite russe en Crimée.

NESSOS, centaure tué par Héraclès* pour avoir tenté de faire violence à Déjanire, femme du héros. En mourant, Nessos donna à

Déjanire sa tunique trempée de son sang, comme un talisman qui devait assurer à celle-ci la fidélité de son époux. Héraclès, lorsqu'il l'eut revêtue, éprouva de telles douleurs qu'il mit fin à ses jours.

NESTE D'AURE ou **GRANDE NESTE** (la), riv. des Pyrénées (départ. des Hautes-Pyrénées); 65 km. Drainant la *vallée d'Aure* (passant notamment à Arreau), grossie d'autres *Nestes* (dont celle de Louron), elle alimente (ainsi que ses affluents) plusieurs centrales hydroélectriques (dont celles de Saint-Lary et de Beyrède) et aussi le *canal de la Neste,* appoint estival de rivières issues du plateau de Lannemezan (Gers, Save et Gimone, notamment).

NESTORIANISME. — L'enseignement de Nestorius — moine et prêtre d'Antioche (Germanica Cesarea v. 380-Khargèh 451), patriarche de Constantinople (428-431) —, concernant le rapport entre la divinité et l'humanité de Jésus-Christ, fut jugé hérétique par le concile d'Éphèse* en 431. Nestorius n'admettait pas l'union, mais seulement un lien entre la personne humaine de Jésus et la divinité, refusant ainsi à la Vierge Marie* le titre de *Theotokos* (Mère de Dieu). À l'intérieur des Églises* orientales, l'*Église nestorienne* regroupa les communautés chrétiennes demeurées fidèles à la pensée de Nestorius; prospère au XIIIe s., cette Église est maintenant réduite à quelques groupes, subsistant principalement dans le nord de l'Iraq.

NÈTHE (la), riv. du nord de la Belgique, formée par la réunion (à Lierre) de la *Grande Nèthe* (90 km) et de la *Petite Nèthe* (64 km), et qui, avec la Dyle, constitue le Rupel.

NÉTHOU, autref., autre nom du pic d'Aneto.

NETZAHUALCÓYOTL, v. du Mexique, banlieue est de Mexico; 580 000 hab.

NEUBOURG (Le) [27110], ch.-l. de cant. de l'Eure, dans la *plaine du Neubourg,* à 25 km au N.-O. d'Évreux; 3 692 hab. Église du XVIe s. Aux environs, château du Champ-de-Bataille (fin XVIIe s.).

NEUBRANDENBURG, v. de l'Allemagne orientale, au N. de Berlin; 56 000 hab.

NEUCHÂTEL, en allem. **Neuenburg,** v. de Suisse, ch.-l. du *cant. de Neuchâtel* (797 km^2; 169 173 hab.), sur la rive nord-ouest du lac de Neuchâtel; 38 784 hab. Château des XIIe-XVe s., collégiale en partie romane et autres monuments. Musées, dont celui des Beaux-Arts et de l'Histoire. — En 1648 le territoire de Neuchâtel est reconnu principauté souveraine; celle-ci, à partir de 1707, passe à titre personnel au roi de Prusse, tout en restant associée à la Confédération helvétique. Non comprise dans la Suisse en 1798, elle est donnée par Napoléon Ier à Berthier (1806-1814). Rendue ensuite au roi de Prusse, elle devient canton helvétique en 1815; cependant, les Hohenzollern y maintiennent leurs droits jusqu'au traité de Paris (1857), qui reconnaît Neuchâtel comme république, le roi de Prusse gardant cependant le titre de prince de Neuchâtel.

NEUCHÂTEL *(lac de),* lac de l'ouest de la Suisse, au pied du Jura (à 429 m d'alt.), de forme allongée (longueur : 38 km; largeur : de 3 à 8 km).

NEUENGAMME, localité de l'Allemagne occidentale, près de Hambourg. Camp de concentration allemand de 1938 à 1945.

NEUF-BRISACH (68600), ch.-l. de cant. du Haut-Rhin, à 18 km au S.-E. de Colmar; 2 579 hab. *(Brisaciens).* Anc. place forte créée par Vauban. Port sur le grand canal d'Alsace. Laminage de l'aluminium.

NEUFCHÂTEAU (88300), ch.-l. d'arr. des Vosges, sur la Meuse, à 35 km au N.-O. de Vittel; 9 633 hab. *(Néocastriens).* Vestiges d'un château fort, deux églises médiévales (œuvres d'art) et autres témoignages anciens. Mobilier.

NEUFCHÂTEAU, v. de Belgique (Luxembourg), dans l'Ardenne; 2 670 hab. (en 1970).

NEUFCHÂTEL → FROMAGE.

NEUFCHÂTEL-EN-BRAY (76270), ch.-l. de cant. de la Seine-Maritime, à 36 km au S.-E. de Dieppe; 6 139 hab. Église des XIIe-XVIe s. Musée. Reconstruction de la ville, après la Seconde Guerre mondiale, par Robert Auzelle. Produits laitiers.

NEUFCHÂTEL-SUR-AISNE (02190 Guignicourt), ch.-l. de cant. de l'Aisne, à 21 km au N. de Reims; 427 hab.

NEUHAUSEN AM RHEINFALL, comm. de Suisse (cant. de Schaffhouse), sur le Rhin; 12 103 hab.

NEUILLÉ-PONT-PIERRE (37360), ch.-l. de cant. d'Indre-et-Loire, à 20 km au N.-O. de Tours; 1 365 hab. Église des XIIIe-XVIe s.

NEUILLY-EN-THELLE (60530), ch.-l. de cant. de l'Oise, à 9,5 km au N. de Chambly; 1 898 hab.

NEUILLY-LE-RÉAL (03340), ch.-l. de cant. de l'Allier, à 14 km au S.-E. de Moulins; 1 084 hab.

NEUILLY-PLAISANCE (93360), ch.-l. de cant. de la Seine-Saint-Denis, à 12 km à l'E. de Paris; 18 185 hab. *(Nocéens).*

NEUILLY-SAINT-FRONT (02470), ch.-l. de cant. de l'Aisne, à 21 km au N.-O. de Château-Thierry; 1 717 hab. Sucrerie.

NEUILLY-SUR-MARNE (93330), ch.-l. de cant. de la Seine-Saint-Denis, à 15 km à l'E. de Paris; 30 209 hab. *(Nocéens).* Église de la fin du XIIe s.

NEUILLY-SUR-SEINE (92200), ch.-l. de cant. des Hauts-de-Seine, limitrophe (à l'O.) de Paris, au N. du bois de Boulogne; 66 095 hab. *(Neuilléens).* Banlieue de résidence aisée. Hôpital américain de Paris.

NEUMANN (Johann Balthasar), architecte et ingénieur allemand (Eger 1687 - Würzburg 1753). Maître de savantes structures qui lui servent à traiter les espaces intérieurs selon une dynamique ascensionnelle et une fantaisie anticlassiques, il a conduit l'art baroque* aux limites de ses possibilités illusionnistes (résidence de Würzburg, à partir de 1720 environ; escalier du château de Brühl; église de Vierzehnheiligen, à partir de 1743; etc.).

NEUMANN (Franz Ernst), physicien allemand (Joachimsthal 1798 - Königsberg 1895). Il étendit à certains composés chimiques la loi des chaleurs spécifiques de Dulong et Petit (1831), étudia la dilatation des cristaux et introduisit, en 1845, la notion de potentiel en électrocinétique.

NEUMANN (Johannes VON), mathématicien américain d'origine hongroise (Budapest 1903 - Washington 1957). Il s'est surtout occupé de la théorie abstraite des ensembles, de la théorie des jeux* et des calculatrices électroniques.

NEUME → NOTATION MUSICALE.

NEUMEIER (John), chorégraphe américain d'origine germano-polonaise (Milwaukee 1942). Danseur, il se consacre très tôt à la chorégraphie et se révèle rapidement un créateur inventif et original, renouvelant mise en scène *(Roméo et Juliette, l'Oiseau de feu...)* et conception chorégraphique *(Invisible Frontier, le Sacre, Dammern, 3e Symphonie* [de Mahler]).

NEUMÜNSTER, v. de l'Allemagne fédérale (Schleswig-Holstein), au N. de Hambourg; 86 000 hab.

NEUNG-SUR-BEUVRON (41210), ch.-l. de cant. de Loir-et-Cher, à 20 km au N. de Romorantin-Lanthenay; 1 155 hab.

NEUNKIRCHEN, v. de l'Allemagne fédérale (Sarre), au N.-E. de Sarrebruck; 46 000 hab. Métallurgie.

NEURATH (Otto) → VIENNE *(cercle de).*

NEUROCHIRURGIE → CHIRURGIE.

NEUROLEPTIQUE. — Utilisés depuis 1952 en psychiatrie*, les neuroleptiques constituent une classe de psychotropes* caractérisée par son action réductrice des psychoses*. Ils appartiennent à deux grandes séries chimiques : les dérivés de la phénothiazine et ceux de la buthyrophénone. Suivant la structure chimique du produit, prédomine l'action sédative majeure — utilisée pour combattre l'agitation de l'anxiété, ainsi que l'activité délirante et hallucinatoire — ou l'action désinhibitrice, dans l'autisme et l'apragmatisme de la schizophrénie*. L'administration prolongée de neuroleptiques induit des effets secondaires extrapyramidaux (raideurs, tremblements, dyskinésie), neurovégétatifs (hyposialie, constipation, hypotension orthostatique) et endocriniens (aménorrhée, galactorrhée, prise de poids). Ces troubles nécessitent l'administration conjointe de correcteurs; ils cessent, en général, à l'arrêt du traitement.

Les neuroleptiques sont également utilisés en anesthésie-réanimation pour la déconnexion qu'ils induisent, le sujet devenant indifférent à l'égard des agressions les plus sévères.

NEUROLOGIE. — Cette spécialité médicale, qui a pour objet l'étude des affections du système nerveux* à l'exclusion des maladies mentales, a bénéficié du perfectionnement des techniques d'exploration (électriques, radiologiques, ultrasonoscopiques, etc.) et des progrès de la neurochirurgie.

NEURONE → NERVEUX *(système).*

NEUROTROPE. — La fixation élective sur le système nerveux (neurotropisme) de virus (de la poliomyélite, du zona, etc.), de poisons (neurotoxines tétanique et diphtérique, cocaïne, etc.) et de certains médicaments (neuroleptiques, neuroplégiques, etc.) explique leurs effets, néfastes ou bénéfiques suivant leur nature.

NEUROVÉGÉTATIF (système). — Le système neurovégétatif, ou système nerveux autonome, règle en permanence les fonctions des viscères et le calibre des vaisseaux. Il est constitué de deux systèmes de nerfs d'actions opposées — le sympathique et le parasympathique —, et de centres neurovégétatifs répartis dans le cerveau de la moelle.

• Le *système sympathique,* ou grand sympathique, est formé de deux chaînes de ganglions nerveux disposées en avant de la colonne vertébrale sur toute sa hauteur. Ces ganglions sont reliés entre eux, à la moelle épinière (rameaux communicants) et aux organes qu'ils commandent. Au niveau de ceux-ci, les filets nerveux libèrent de l'adrénaline* : le système sympathique est dit « adrénergique* ». Il accélère le cœur, contracte les vaisseaux, dilate les bronches et les pupilles, freine les mouvements du tube digestif et ses sécrétions. La section des filets sympathiques, ou *sympathectomie,* lève le spasme des vaisseaux et leur redonne une perméabilité suffisante en cas d'artérite.

• Le *système parasympathique* est formé essentiellement par les nerfs pneumogastriques (10e paire de nerfs crâniens), qui descendent dans le thorax et l'abdomen, commandant cœur, poumons, estomac et intestin, et par des filets nerveux issus de l'extrémité inférieure de la moelle épinière, constituant le parasympathique pelvien, qui commande les organes génitaux et urinaires. Les filets nerveux du parasympathique libèrent de l'acétylcholine : ce système est dit « cholinergique ».

Il ralentit le cœur, dilate les vaisseaux, fait contracter les bronches et la pupille, accélère les mouvements du tube digestif et augmente ses sécrétions.

Les centres nerveux sympathiques et parasympathiques sont échelonnés dans le tronc cérébral (pédoncules cérébraux, protubérance annulaire et bulbe rachidien), où ils forment un réseau, dit « substance réticulée », qui est connecté avec les différentes parties du cerveau et dans la moelle épinière.

• *Pathologie.* À l'état normal, le sympathique et le parasympathique s'équilibrent. Si le premier prédomine, il y a *sympathicotonie,* avec palpitations, hypertension, sécheresse des muqueuses, digestions lentes. Si c'est le second, il y a *vagotonie* (le nerf pneumogastrique étant dit aussi « nerf vague »), avec cœur lent, sudation, accélération du trajet intestinal. Ces deux types de troubles peuvent se succéder, s'imbriquer, constituant la *dystonie neurovégétative,* qui s'accompagne le plus souvent de perturbations psychiques plus ou moins importantes.

NEUSIEDL *(lac de),* en hongr. **Fertő,** lac à la frontière de l'Autriche et de la Hongrie, au S.-E. de Vienne; 200 km^2.

NEUSS, v. de l'Allemagne fédérale, sur le Rhin, en face de Düsseldorf; 117 000 hab. Église romane et gothique. Musée.

NEUSTRIE, royaume qui regroupait les provinces du nord et du nord-ouest de la Gaule mérovingienne, et qui apparut lors du partage du *Regnum Francorum* entre les fils de Clotaire Ier, au profit de Chilpéric. Fréquemment opposée au royaume voisin d'Austrasie, sur lequel elle exerça un temps son hégémonie, la Neustrie sombra vite dans l'anarchie et subit, à la fin du VIIe s., la prépondérance austrasienne. Les Pippinides, maires du palais d'Austrasie, firent l'unité des deux royaumes avant de s'en proclamer rois. À la fin du IXe s., la Neustrie devint le centre de la puissance naissante des Robertiens, ancêtres de Hugues Capet.

NEUTRA (Richard Josef), architecte américain d'origine autrichienne (Vienne 1892-Wuppertal 1970). Influencé par Loos, O. Wagner et F. L. Wright, ainsi que par sa collaboration avec Mendelsohn, établi aux États-Unis dès 1923, il s'attache dans ses maisons individuelles à concevoir de nouveaux rapports entre l'espace intérieur et l'environnement extérieur et naturel (maison Corwin Hansch à Claremont, 1955). Comme théoricien, il fait figure de précurseur dans les recherches écologiques.

NEUTRALITÉ. — C'est la situation juridique d'un État qui, au moment d'un conflit armé, demeure à l'écart de ce conflit et reste en paix avec les États belligérants, soit qu'il en décide ainsi pour un conflit particulier, soit qu'une neutralité permanente s'impose d'une manière générale aux autres nations ainsi qu'à lui-même, auquel cas il s'agit d'un « statut » de neutralité.

L'État neutre a, essentiellement, droit au respect de son intégrité territoriale et de son indépendance politique (déclaration de La Haye, 1907). Les belligérants doivent s'abstenir de porter la guerre sur le territoire de l'État neutre. Les nationaux de l'État qui ne prend pas part à la guerre sont considérés comme neutres et ne peuvent être traités en ennemis. Les biens privés neutres en territoires ennemis doivent être respectés.

NEUTRINO. — Cette particule subatomique, non chargée et de masse pratiquement nulle, est émise en même temps qu'un électron au cours de la radioactivité bêta. Son existence, d'abord postulée, a été reconnue en 1954, près d'un réacteur nucléaire.

NEUTRON. — Découverte en 1932 par Chadwick, cette particule constitutive du noyau des atomes n'a pas de charge électrique et sa masse est légèrement supérieure à celle du proton. À l'état libre, le neutron est instable et se transforme en proton, avec une période de 15 mn. Les neutrons peuvent être obtenus par des réactions nucléaires, notamment par fission de l'uranium. Leur absence de charge leur donne un grand pouvoir de pénétration, d'où leur emploi pour la production de radio-isotopes. Les neutrons suffisamment ralentis par des chocs successifs sur des noyaux légers peuvent déterminer la fission de l'uranium ou du plutonium.

NEUVES-MAISONS (54230), ch.-l. de cant. de Meurthe-et-Moselle, à 14 km au S.-O. de Nancy; 6 812 hab. Sidérurgie.

NEUVIC (19160), ch.-l. de la Corrèze, à 20 km au S. d'Ussel; 2 306 hab. Église des XIIe et XVe s.

NEUVIC (24190), ch.-l. de cant. de la Dordogne, à 24 km au S.-O. de Périgueux; 2 941 hab. Industrie de la chaussure.

NEUVILLE-AUX-BOIS (45170), ch.-l. de cant. du Loiret, au N. de la forêt d'Orléans, à 21 km au S.-O. de Pithiviers; 3 301 hab.

NEUVILLE-DE-POITOU (86170), ch.-l. de cant. de la Vienne, à 18 km au N.-O. de Poitiers; 3 313 hab.

NEUVILLE-EN-FERRAIN (59960), comm. du Nord, à 3 km au N. de Tourcoing; 8 090 hab.

NEUVILLE-LÈS-DIEPPE (76370), comm. de la Seine-Maritime, dans la banlieue est de Dieppe; 13 663 hab. *(Neuvillais).*

NEUVILLE-SUR-SAÔNE (69250), ch.-l. de cant. du Rhône, à 16 km au N. de Lyon; 5 885 hab. Industrie pharmaceutique.

NEUVY-LE-ROI (37370), ch.-l. de cant. d'Indre-et-Loire, à 27 km au N.-N.-O. de Tours; 1 084 hab. Église des XIIe-XVIe s.

NEUVY-SAINT-SÉPULCHRE (36230), ch.-l. de cant. de l'Indre, à 16 km à l'O. de La Châtre; 1 777 hab. Collégiale fondée au XIe s., avec rotonde à trois étages du XIIe s. Constructions mécaniques.

NÉVA (la), fl. du nord-ouest de l'U. R. S. S.; 74 km. Issue du lac Ladoga, elle rejoint la Baltique (golfe de Finlande) par un delta sur lequel est construit Leningrad.

NEVADA, État de l'ouest des États-Unis; 286 297 km^2; 489 000 hab. Capit. *Carson City.* Haut plateau intérieur, dont l'aridité explique, avec le relief, la faiblesse du peuplement, seulement ponctuel. Plus de la moitié de la population est concentrée dans l'aire urbaine de Las Vegas et le cinquième dans celle de Reno, deux grands centres touristiques. L'élevage, extensif, associe bovins et ovins.

NEVADA *(sierra),* massif du sud de l'Espagne (Andalousie), partie la plus élevée de la chaîne Bétique*, dominant le bassin de Grenade.

NEVADA *(sierra),* haute chaîne étirée du nord au sud des États-Unis, dans l'est de la Californie, entre le haut plateau du Grand Bassin (occupant la majeure partie de l'*État du Nevada*) et la Grande Vallée de Californie; 4 418 m au mont Whitney (point culminant des États-Unis, Alaska exclu).

NEVERS (58000), ch.-l. du départ. de la Nièvre, à 232 km au S.-E. de Paris; 47 730 hab. *(Nivernais).*

GÉOGRAPHIE. Au confluent de la Loire et de la Nièvre, Nevers forme avec ses banlieues (dont Varennes-Vauzelles) une agglomération de 60 000 habitants, administrative et commerciale, où l'industrie (constructions mécaniques et électriques, caoutchouc, matériel ferroviaire, éclipsant la faïencerie) a contribué à une croissance démographique exceptionnelle dans le département.

BEAUX-ARTS. Vaste église Saint-Étienne, anc. abbatiale romane consacrée en 1097 (influences auvergnates et bourguignonnes). Cathédrale remontant au XIe s., reconstruite du XIIIe au XVIe s., à double transept et absides opposées. Palais ducal des XVe-XVIe s. Église Saint-Pierre, anc. chapelle des jésuites, à beau décor italien en trompe l'œil, et chapelle Sainte-Marie, à façade baroque, du XVIIe s. Musée archéologique dans une porte fortifiée du XIVe s. Musée municipal (beaux-arts; faïences de Nevers).

Neveu de Rameau *(le),* roman de Diderot, composé en 1762 et publié après sa mort (en allemand en 1805; en français en 1821, puis en 1891) : mise en scène d'un bohème authentique qui est aussi un double de l'auteur.

NEVILLE (Richard), comte **de Warwick** (1428-Barnet 1471). Partisan des York contre les Lancastre, il impose Édouard IV comme roi d'Angleterre (1461). Révolté contre ce dernier (1469), il est vaincu et doit fuir en France. Réconcilié avec les Lancastre, il rentre en Angleterre et restaure Henri VI (1470); mais Édouard IV, aidé par Charles le Téméraire, bat son adversaire : Neville est tué au cours de l'action.

NEVIS, île des Petites Antilles, territoire « associé » à la Grande-Bretagne; 12 000 hab.

NÉVRALGIE, NÉVRITE → NERF.

NÉVROPTÈRES. — Depuis qu'on en a retiré avec raison l'ordre des odonates (libellules*), le groupe des névroptères ne comprend plus qu'un assez petit nombre de types communs, tels que les fourmis-lions*, les panorpes, les mantispes (sous-ordre des planipennes) et les phryganes* (sous-ordre des trichoptères). Tous les névroptères volent à l'aide de quatre ailes, à nombreuses nervures, et présentent des métamorphoses complètes avec nymphose.

NÉVROSE. — Pour Henri Ey, la névrose représente « une forme mineure de maladie mentale dont le paradigme serait la psychose ». Dans les névroses, un secteur seulement de la personnalité est touché, les sujets sont lucides et souvent conscients du caractère morbide de leurs troubles. Le meilleur exemple est celui de la névrose obsessionnelle, caractérisée par l'irruption d'idées parasites qui assiègent à n'importe quel moment la conscience. Ce sont souvent des représentations absurdes ou incongrues, ressenties par le sujet comme lui étant étrangères (obsessions*). C'est donc le névrosé lui-même qui est conscient d'être en rupture avec ce qu'il considère comme étant la normalité, ressentant ses troubles comme une entrave à sa liberté.

Freud* décrit les troubles psychiques en termes de conflit entre les trois instances qui composent l'appareil psychique : Moi*, Ça* et Surmoi*, et définit la névrose comme un conflit entre le Moi et le Ça, alors que la psychose* serait le résultat d'un conflit entre le Moi et le monde extérieur. Dans la solution névrotique, le Moi « reste fidèle à son allégeance vis-à-vis du monde extérieur et cherche à bâillonner le Ça», écrit Freud, qui précise : « la névrose ne dénie pas la réalité, elle veut seulement ne rien savoir d'elle ». Cependant, la frontière entre névrose et psychose est moins tranchée qu'il n'y paraît, comme en témoigne l'existence d'« états-limites », ou « borderline* ». Suivant la prédominance de tel ou tel symptôme, on distingue : l'hystérie*, la névrose d'angoisse*, la névrose obsessionnelle (v. OBSESSION) et la névrose phobique (v. PHOBIE).

NÉVROTOMIE → NERF.

NEWARK, port des États-Unis (New Jersey), sur la *baie de Newark,* dans l'agglomération étendue de New York; 382 000 hab.

NEW BEDFORD, port de la côte atlantique des États-Unis, dans le sud-est du Massachusetts; 102 000 hab. Pêche.

NEW BRITAIN, v. des États-Unis (Connecticut); 83 000 hab.

NEWCASTLE, v. de l'Afrique du Sud, dans l'intérieur du Natal. Sidérurgie.

NEWCASTLE, port de l'Australie (Nouvelle-Galles du Sud), sur le Pacifique, au N. de Sydney; 146 000 hab. Sidérurgie. Chantiers navals.

NEWCASTLE (William CAVENDISH, 1er *duc* DE), homme politique anglais (1592-1676). De 1639 à 1644, il servit la cause — finalement perdue — de Charles Ier. Après la Restauration, il se consacra aux lettres.

NEWCASTLE UPON TYNE ou **NEWCASTLE,** port du nord-est de l'Angleterre, près de l'embouchure (dans la mer du Nord) de la Tyne; 222 000 hab. Chantiers navals.

NEWCOMB (Simon), astronome américain (Wallace, Nouvelle-Écosse, 1835 - Washington 1909). Auteur de nombreux travaux d'astronomie fondamentale et de mécanique céleste, il a calculé les valeurs des constantes fondamentales de l'astronomie : constante de la précession, constante de la mutation et de l'aberration annuelle, parallaxe solaire, etc., valeurs qui ont été universellement adoptées depuis la conférence de Paris (1896).

NEWCOMEN (Thomas), mécanicien anglais (Darmouth 1663 - Londres 1729). Avec Thomas Savery (v. 1650 - 1715), il construisit en 1705 la première machine à vapeur qui fut vraiment utilisable, et qui fut perfectionnée en 1767 par James Watt*.

New Deal (« nouvelle donne »), ensemble de mesures économiques et sociales appliquées à partir de 1933 aux États-Unis* par le président Roosevelt* pour faire face au développement de la grande crise économique.

NEW DELHI, capit. de l'Inde, intégrée dans l'espace urbain de *Delhi**; 302 000 hab.

NEWERLY (Igor ABRAMOV, dit **Igor**), écrivain polonais (Białowieza 1903), auteur de récits historiques à travers lesquels il fait le bilan de son expérience (*le Garçon des steppes de Sala,* 1948) et de l'évolution de son pays (*Souvenir de « Cellulose »,* 1952).

NEWFOUNDLAND, nom anglais de TERRE-NEUVE.

NEW HAMPSHIRE, État du nord-est des États-Unis; 24 097 km^2; 738 000 hab. Capit. *Concord.* État largement boisé où l'élevage (bovins, volailles) est la principale ressource agricole, les constructions mécaniques et électriques, le travail du cuir et le textile étant les activités industrielles les plus importantes.

NEWHAVEN, port de l'Angleterre méridionale (Sussex), sur la Manche, près de Brighton; 8 000 hab. Trafic maritime de passagers avec Dieppe.

NEWHAVEN, port des États-Unis (Connecticut), au N.-E. de New York; 138 000 hab. Université Yale.

NE WIN (Maung Shu Maung, dit **Bo**), général et homme d'État birman (Paungdale, district de Prome, 1911). Nationaliste, il lutte pour l'indépendance et devient Premier ministre de 1958 à 1960. Il reprend le pouvoir avec l'aide de l'armée en mars 1962 et instaure une dictature militaire à programme socialiste, qui réprime sévèrement toute opposition.

NEW JERSEY, État de la façade atlantique des États-Unis; 20 295 km^2; 7 168 000 hab. Capit. *Trenton.* C'est l'État le plus densément peuplé et le plus urbanisé du pays, grâce à la proximité de New York (dont l'agglomération déborde d'ailleurs sur le New Jersey, englobant Newark, Jersey City et Paterson, les trois plus grandes villes de l'État) et à la puissance de l'industrie (liée à cette proximité), dominée par la chimie, les constructions électriques, la métallurgie de transformation et l'alimentation. Plus que la pêche, en déclin du fait de la pollution croissante, le tourisme anime le littoral, surtout méridional.

NEWMAN (John Henry), théologien et prélat anglais (Londres 1801 - Edgbaston 1890). Curé anglican, il entre dans l'Église catholique (1845), devient prêtre (1847) et fonde, à Edgbaston, l'Oratoire* anglais. Recteur de l'université catholique de Dublin (1851-1858), cardinal (1879), il développe dans ses ouvrages, notamment *Grammar of Assent* (« la Grammaire de l'assentiment », 1870), une spiritualité très élevée mais non conformiste.

NEWMAN (Barnett), peintre américain (New York 1905 - *id.* 1970). Évoluant vers une rigueur toujours plus grande, son œuvre a été déterminante pour la nouvelle abstraction* américaine et le minimal* art. À travers le contraste des couleurs (appliquées en aplats), la sévérité des formes (raies et bandes verticales) et la monumentalité dépouillée de ses toiles, il atteint, vers 1949, une peinture « absolue » qui est à elle-même sa propre réalité.

NEW MEXICO, nom anglais du NOUVEAU-MEXIQUE.

NEW ORLEANS, nom anglais de LA NOUVELLE-ORLÉANS.

NEWPORT, port du sud du pays de Galles, sur l'estuaire de la Severn; 112 000 hab. Sidérurgie.

NEWPORT NEWS, port de la côte atlantique des États-Unis (Virginie), sur la baie de Chesapeake; 137 000 hab. Chantiers navals.

NEW SOUTH WALES, nom anglais de la NOUVELLE-GALLES DU SUD.

NEWTON → UNITÉ.

NEWTON (*sir* Isaac), physicien, mathématicien et astronome anglais (Woolsthorpe, Lincolnshire, 1642 - Kensington 1727). Il donna, en 1669, une théorie de la composition de la lumière blanche, qu'il pensait formée de corpuscules, expliquant ainsi l'arc-en-ciel et les irisations produites par les lames minces; en 1671, il inventa le télescope à miroir. En 1687, il fit publier ses

J. Scarle Austin

Isaac Newton. Portrait anonyme. (Royal Society, Londres.)

Principes mathématiques de philosophie naturelle,* où il énonçait les lois de l'attraction universelle, sans doute élaborées depuis longtemps; cet ouvrage expose aussi les lois du choc, étudie le mouvement des fluides, calcule la précession des équinoxes, donne la théorie des marées, etc. Il a également composé un *Traité de la quadrature des courbes,* où il posait les règles du calcul des fluxions, au moment où Leibniz* inventait le calcul différentiel. On raconte que c'est la chute d'une pomme qui, vers 1666, à l'époque de la peste de Londres, l'aurait mis sur la voie de la découverte de la gravitation, car il pensa que l'attraction de la Terre pouvait s'étendre jusqu'à la Lune, et celle du Soleil expliquer les lois de Kepler sur les planètes.

NEW WESTMINSTER, v. du Canada (Colombie britannique), près de l'embouchure du Fraser; 42 835 hab. Papier.

NEW WINDSOR → WINDSOR.

Froissardey - Atlas-Photo

New York. À la pointe de la presqu'île de Manhattan, au bord de l'Hudson, les tours du World Trade Center (412 m).

NEW YORK, v. des États-Unis (État de New York), sur l'Atlantique, à l'embouchure de l'Hudson. La ville elle-même est formée des cinq *boroughs* de Manhattan, Bronx, Queens, Brooklyn et Richmond et compte 7 896 000 habitants *(New-Yorkais).* L'agglomération, avec les seules banlieues situées dans l'État de New York, atteint 11 572 000 habitants, et, avec les banlieues situées dans l'État voisin du New Jersey, dépasse 16 millions d'habitants (16 207 000 hab.). L'agglomération new-yorkaise apparaît ainsi comme la plus peuplée du monde.

GÉOGRAPHIE. À partir du milieu du XIXe s., le rail accentue la primauté de la ville. En 1850, celle-ci compte déjà plus de 500 000 habitants. Dix ans plus tard, l'agglomération dépasse le million et demi d'habitants, elle franchira en 1900 le seuil des cinq millions (dont les deux tiers dans la ville même). L'avènement du métro au début du XXe siècle étend le périmètre urbanisé, alors que se poursuit jusqu'en 1914 l'afflux des immigrants. À la veille de la Première Guerre mondiale, l'agglomération compte près de 7,5 millions d'habitants (dont cinq millions à New York). La croissance s'est ralentie après 1945, elle s'est même arrêtée dans la ville proprement dite et la proche banlieue, où le départ des Blancs a été seulement compensé par l'installation de Porto-Ricains et surtout de Noirs, qui sont plus de un million et demi dans la ville, en grande partie dans le ghetto de Harlem. L'énormité de l'agglomération, l'importance de minorités ethniques et raciales, parmi lesquelles sévissent le chômage et parfois la misère, expliquent certains des problèmes de cette métropole (pollution et plus généralement entretien de la ville, drogue et insécurité) qui ne doivent pas masquer sa prodigieuse activité.

Dans l'agglomération étendue, l'industrie occupe plus de un million et demi de personnes. Les constructions électriques, la confection, la chimie, l'édition, la construction aéronautique et automobile, l'alimentation sont les branches dominantes. Le port demeure le plus important des États-Unis, avec un trafic annuel dépassant 100 Mt. Par les trois aéroports (Newark, La Guardia et surtout J.-F. Kennedy) transitent annuellement une quarantaine de millions de personnes. Le développement du réseau routier et surtout autoroutier, malgré un site parfois difficile, est à la mesure d'un parc de près de dix millions de véhicules. Le commerce occupe presque autant d'actifs que l'industrie, et les services gouvernementaux, plus d'un demi-million. New York n'est cependant pas une capitale administrative américaine, mais son rayonnement politique est largement assuré par le siège de l'O. N. U., alors que demeure sa primauté, nationale dans le domaine de la culture et mondiale dans celui de la finance (dont la bourse de Wall Street, le New York Stock Exchange, est le symbole).

HISTOIRE. Achetée aux Indiens par les Hollandais en 1626, remise aux Anglais en 1664, la colonie de la Nouvelle-Amsterdam prend alors le nom de « New York » en l'honneur du frère de Charles II, duc d'York. Celui-ci, devenu Jacques II, réunit la région aux colonies anglaises voisines pour former la Nouvelle-Angleterre (1688). À la veille de la Révolution américaine, la ville abrite 25 000 habitants, mais elle est éclipsée par Philadelphie. L'indépendance américaine fait la fortune de New York, capitale provisoire des jeunes États-Unis. En 1825, l'ouverture du canal Érié lui assure le contrôle des exportations des blés du Middle West, alors que depuis longtemps les commerçants new-yorkais expédient vers l'Europe les cotons du Sud. À partir de 1850, le développement des chemins de fer confère à New York un atout de plus; centre commercial et bancaire (Stock Exchange, 1817) de premier plan, premier port maritime de l'Amérique, la ville attire une population cosmopolite, s'étend et gonfle la population de son agglomération.

BEAUX-ARTS. Riche ensemble de musées, principalement : Metropolitan* Museum of Art, Frick Collection, Pierpont Morgan Library, Brooklyn Museum (ethnologie, archéologie), Museum of Modern Art (centre majeur de promotion de l'art du XXe s.), Solomon R. Guggenheim* Museum, Whitney Museum (depuis 1966 dans un intéressant bâtiment de M. Breuer : art moderne américain).

NEW YORK *(État de),* État du nord-est des États-Unis, 128 400 km^2; 18 237 000 hab. Capit. *Albany.* Spatialement au moins, l'État ne se confond pas avec sa principale ville, homonyme, puisqu'il couvre une superficie presque égale au quart de celle de la France, s'étendant des Grands Lacs (Érié et Ontario) et du Saint-Laurent à l'Atlantique, englobant notamment les monts Adirondack, qui prolongent les Appalaches. Cependant, près des deux tiers de la population de l'État se concentrent dans l'agglomération new-yorkaise; celle de Buffalo dépasse toutefois le million, seuil qu'approche l'aire métropolitaine de Rochester. L'industrie, très diversifiée, est toutefois dominée par les constructions mécaniques et électriques, le textile (avec la confection), la chimie, l'édition, toutes branches liées à l'important marché de consommation, qui déborde d'ailleurs largement le cadre de l'État et correspond, selon les secteurs, au nord-est ou à l'ensemble du territoire nord-américain.

NEXØ (Martin Andersen), écrivain danois (Copenhague 1869 - Dresde 1954). Il est, par ses romans, le principal représentant du courant littéraire prolétarien (*Ditte, enfant des hommes,* 1917-1921).

NEXON (87800), ch.-l. de cant. de la Haute-Vienne, à 21 km au S. de Limoges; 2 420 hab.

NEY (Michel), duc **d'Elchingen,** prince **de la Moskova,** maréchal de France (Sarrelouis 1769 - Paris 1815). Engagé en 1787, général dix ans plus tard, maréchal à trente-cinq ans, il est surnommé par ses soldats *le Brave des braves.* Commandant le 6e corps de la Grande Armée, vainqueur à Elchingen (1805), il s'illustrera pendant la campagne de Russie, décidant notamment de la victoire de la Moskova et commandant l'arrière-garde lors de la retraite. Rallié à Louis XVIII, qui le fait pair de France en 1814, il rejoint Napoléon pendant les Cent-Jours et se bat encore à Waterloo. Condamné à mort par la Cour des pairs, il est fusillé.

NEYAGAWA, v. du Japon (Honshū), banlieue nord-est d'Ōsaka; 210 000 hab.

NEZ. — La pyramide nasale, saillie médiane de la face, a des formes et des dimensions très variables suivant les races et les individus, contribuant pour chacun à l'expression du visage.

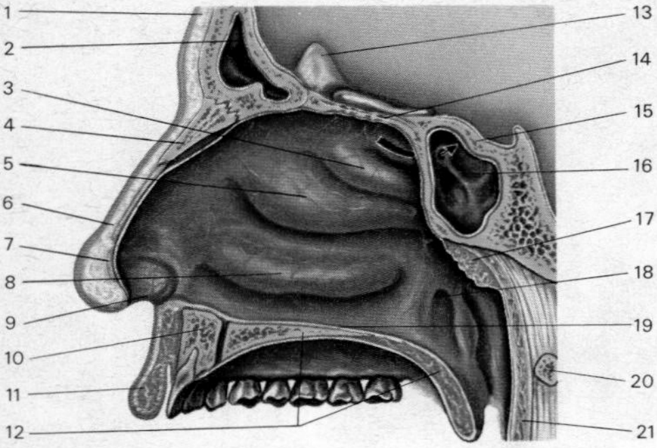

NEZ : 1. Os frontal; 2. Sinus frontal; 3. Cornet supérieur. 4. Os propre du nez; 5. Cornet moyen; 6. Cartilage de la cloison; 7. Cartilage de l'aile du nez; 8. Cornet inférieur; 9. Narine; 10. Maxillaire supérieur; 11. Lèvre supérieure; 12. Voûte et voile du palais; 13. Apophyse crista-galli de l'ethmoïde; 14. Lame criblée de l'ethmoïde; 15. Sphénoïde; 16. Sinus sphénoïdal avec sa communication nasale (flèche); 17. Amygdale pharyngienne; 18. Trompe d'Eustache (orifice pharyngien); 19. Muqueuse pituitaire (coupe); 20. Atlas; 21. Paroi postérieure du pharynx.

Les *narines,* que le nez surplombe comme un auvent, sont les orifices antérieurs des *fosses nasales,* cavités de la face limitées par l'ethmoïde en haut, le sphénoïde en arrière, les maxillaires supérieurs sur les côtés et en bas, et séparées l'une de l'autre par une cloison ostéo-cartilagineuse. Les fosses nasales filtrent et réchauffent l'air inspiré et sont le siège de l'odorat par les terminaisons du bulbe olfactif qui traversent l'ethmoïde.

NEZVAL (Vitězslav), poète tchèque (Biskupovice, près de Třebíč, 1900-Prague 1958). Il évolua de l'inspiration prolétarienne au surréalisme, pour revenir à la poésie sociale et politique pendant l'occupation allemande, puis au lyrisme personnel (*le Pont,* 1922; *Poèmes de la nuit,* 1930; *le Chant de la paix,* 1950; *les Bleuets et les villes,* 1955).

NF *(marque)* → NORMALISATION.

NGAN-CHAN ou **ANSHAN,** v. de la Chine du Nord-Est (Leao-ning); 900 000 hab. Important centre sidérurgique.

NGAN-HOUEI, AN-HOUEI ou **ANHUI,** prov. de la Chine orientale; 140 000 km^2; 38 200 000 hab. Capit. *Ho-fei.* Province de transition entre la Chine du Nord et la Chine du Sud, le Ngan-Houei juxtapose kaoliang et blé dans la partie septentrionale, qui correspond au bassin aménagé de la Houai, et rizières et plantations de théiers dans la partie méridionale, au S. de la vallée du Yang-tseu-kiang. La présence de minerai de fer a permis l'apparition de la sidérurgie, mais la province, densément peuplée, est à large dominante rurale.

NGAN-K'ING ou **ANQING,** v. de Chine (Ngan-houei); 105 000 hab.

NGAN-TONG ou **ANDONG,** port de la Chine du Nord-Est (Leao-ning); 420 000 hab.

NGAN-YANG ou **ANYANG,** v. de Chine (Ho-nan); 125 000 hab. La ville a été la capitale chinoise du XIVe au XIe s. av. J.-C., lors de l'apogée de la dynastie Chang, à l'âge du bronze. Les fouilles des tombes royales ont révélé que le roi était accompagné dans l'au-delà par des chevaux harnachés, parfois des chars et même des serviteurs. Les bronzes exhumés témoignent d'une grande maîtrise de la technique, des formes et du décor et comptent parmi les plus belles réalisations de l'art du métal.

NGÔ DINH DIÊM, homme d'État vietnamien (Quang Binh 1901-Saigon 1963). Catholique, il est chef du gouvernement du Viêt-nam du Sud lors de l'accession du pays à l'indépendance (1954) et devient président de la République après la destitution de Bao Daï (1955). Avec l'appui des États-Unis, il établit un régime dictatorial qui se heurte à l'opposition grandissante du F. N. L.*, puis des nationalistes et des bouddhistes. Il est renversé par un coup d'État militaire au cours duquel il est tué.

NGOUABI (Marien), homme d'État congolais (Ombele 1938-Brazzaville 1977). Il s'empare du pouvoir par un coup d'État militaire (août 1968), mais maintient l'orientation socialiste du régime; président de la république populaire du Congo à partir de 1969, il est victime d'un attentat en mars 1977.

NGUYÊN, dynastie qui régna au Viêt-nam* de 1802 à 1945; elle devint impériale avec l'avènement de Gia-long*.

NGUYÊN VAN THIÊU, général et homme d'État vietnamien (Phan Rang 1923). Il participe au coup d'État militaire qui renverse Ngô* Dinh Diêm (1963) et devient, en 1965, vice-président du Conseil et ministre de la Défense nationale, puis chef de l'État et président de la république du Viêt-nam du Sud (sept. 1967). Soutenu par les États-Unis, il poursuit la guerre contre le F. N. L.*. Face à une opposition grandissante, et incapable d'enrayer l'avance des troupes révolutionnaires, il démissionne et quitte le pays (avr. 1975).

NHA TRANG, port du Viêt-nam; 195 000 hab.

NIAGARA (le), rivière longue de 50 km reliant les lacs Érié et Ontario et constituant la frontière entre les États-Unis et le Canada. Elle est coupée par les *chutes du Niagara,* hautes d'une cinquantaine de mètres, qui constituent un grand site touristique et alimentent une importante centrale hydroélectrique.

NIAGARA FALLS, v. du Canada (Ontario), près des *chutes du Niagara;* 67 163 hab.

NIAGARA FALLS, v. des États-Unis (État de New York) en face de la ville homonyme du Canada; 86 000 hab.

NIAMEY, capit. du Niger, sur le moyen Niger; 102 000 hab.

NIAUX (09400 Tarascon sur Ariège), comm. de l'Ariège, à 20 km au S. de Foix, sur le Vicdessos; 221 hab. Près de 800 m de galeries de la très vaste grotte sont ornés de peintures pariétales, rattachées au magdalénien moyen, dont le célèbre *salon noir,* où bisons, chevaux, bouquetins, cervidés, félins, etc., sont tracés à l'oxyde de manganèse dans un style puissant et vigoureux.

Nibelungen *(Chanson des),* épopée germanique, écrite vers 1200 en moyen haut allemand. Elle raconte les exploits de Siegfried, maître du trésor des Nibelungen, pour aider Gunther à conquérir la main de Brunhild, son mariage avec Kriemhild, sœur de Gunther, sa mort sous les coups du traître Hagen et la vengeance de Kriemhild.

NICARAGUA, État de l'Amérique centrale, entre le Costa Rica et le Honduras; 148 000 km^2; 2 049 000 hab. *(Nicaraguayens).* Capit. *Managua.*

GÉOGRAPHIE. La région montagneuse et volcanique, qui forme l'axe du pays, est accidentée par les dépressions tectoniques occupées par les lacs Nicaragua et Managua. Elle sépare la plaine côtière, large mais insalubre, de la mer des Caraïbes (côte des Mosquitos) de l'étroit littoral du Pacifique. Le climat, tropical, est très humide sur le versant atlantique, couvert par la forêt, mais vers le sud-ouest apparaît une saison sèche.

La population, composée principalement de métis, s'accroît à un rythme très rapide. Moyennement urbanisée, elle se concentre dans la région occidentale : sur la côte pacifique et autour de Managua. L'agriculture occupe la moitié de la population active. Les plantations, aux mains de grands propriétaires, fournissent de la canne à sucre, du café et surtout du coton, destinés à l'exportation. L'élevage est spécialisé dans la production de viande. L'industrie se limite à la transformation des produits agricoles. La balance commerciale est lourdement déficitaire.

HISTOIRE. À l'époque coloniale, le Nicaragua appartient à la capitainerie générale du Guatemala*. Il devient république indépendante après la disparition des Provinces-Unies de l'Amérique centrale (1838), et est alors l'objet des convoitises rivales des États-Unis et de la Grande-Bretagne. Cette dernière contrôle une partie de la côte. Intéressés par la position stratégique du Nicaragua sur la route de l'isthme, les Américains signent, en 1850, avec leurs rivaux britanniques, le traité Clayton-Bulwer par lequel les deux puissances s'engagent à renoncer à toute conquête dans la région. Après la défaite, en 1857, de l'aventurier américain William Walker (1824-1860), maître du Nicaragua depuis 1855, le pays connaît la lutte entre les factions libérale et conservatrice. Les conservateurs ont le pouvoir de 1863 à 1893; suit la dictature libérale de José Santos Zelaya, qui lutte contre l'emprise britannique mais doit compter avec la présence des « marines » américains; ceux-ci, après avoir fomenté un soulèvement fatal à Zelaya (1907), restent au Nicaragua jusqu'en 1924, y jouant le même rôle qu'à Haïti. Président de 1924 à 1934, Augusto César Sandino (1895-1934) contraint, par la guérilla, les « marines » à rembarquer (1932). Mais sa victoire est sans lendemain : Sandino est assassiné en 1934 par le chef de la garde nationale formée par les États-Unis, Anastasio Somoza (1896-1956). Président en 1937, Somoza gère la République comme une propriété privée, exterminant l'opposition et perpétuant par personne interposée l'hégémonie américaine. Après son assassinat (1956), le clan Somoza reste à la tête du pays, notamment avec Anastasio Somoza junior, au pouvoir depuis 1967.

NICCOLINI (Giovanni Battista), écrivain italien (Bagni di San

Giuliano 1782 - Florence 1861), auteur de tragédies (*Antonio Foscarini,* 1827).

NICE, ch.-l. du départ. des Alpes-Maritimes, sur la Méditerranée, à 933 km au S.-E. de Paris; 346 620 hab. *(Niçois).*

GÉOGRAPHIE. Avec la banlieue (Cagnes-sur-Mer, Saint-Laurent-du-Var, Villefranche, etc.), l'agglomération compte environ 450 000 habitants, concentrant plus de la moitié de la population du département. C'est, de loin, la plus importante de la Côte d'Azur. La ville comptait moins de 20 000 habitants au début du XIXe s. et guère plus de 50 000 il y a un siècle. La fonction touristique, favorisée par la douceur des hivers et la relative modération de la chaleur estivale, demeure largement prépondérante, devançant le rôle commercial (marché floral), mais la fonction universitaire s'est implantée et l'industrie s'est surtout développée (avec des branches élaborées : constructions mécaniques et électriques). Dans une situation géographique excentrée, mais possédant une bonne desserte ferroviaire, autoroutière et aérienne (l'aéroport est, avec celui de Marseille, le premier de province), Nice élargit son assise, contestant la prépondérance marseillaise dans l'est de la Région Provence-Alpes-Côte d'Azur.

HISTOIRE. Fondée au Ve s. av. J.-C. par les Massaliotes, Nice *(Nikê* ou *Nikaia)* tombe sous l'influence romaine (IIe s. av. J.-C.), avant d'être englobée dans la province procuratorienne des Alpes maritimes (27 av. J.-C.). Siège d'un évêché dès le IVe s., la ville est pillée par les Sarrasins (813), puis annexée au comté de Provence (Xe s.). Ville libre dès le XIe s., elle passe sous la domination des comtes angevins de Provence (1246), puis, en 1388, à la maison de Savoie. Détruite en 1543 par les Français et les Turcs, occupée à plusieurs reprises par la France (1691, 1706, 1744), qui l'annexe de 1793 à 1814, Nice fait à chaque fois retour au Piémont. Le 24 mars 1860, le roi de Sardaigne la cède définitivement à la France.

BEAUX-ARTS. Vieille ville, des XVIIe-XVIIIe s. (églises). Musées «Masséna», «Jules-Chéret», du palais Lascaris, etc. À Cimiez, vestiges romains, église avec panneaux des Brea*, musée Matisse et musée national *Message biblique* Marc Chagall. Au pied du mont Boron, gisement paléolithique de Terra Amata.

NICÉE, ville grecque de Bithynie*, fondée, v. 316 av. J.-C., par Antigonos* Monophthalmos. À l'époque romaine, elle devient un des principaux centres culturels de la province. Deux conciles œcuméniques siégeront à Nicée (v. NICÉE [*conciles de*]). Prise par les Turcs Seldjoukides* en 1078, elle sera la capitale du sultanat seldjoukide de Rūm. Reprise par les chrétiens en 1097, elle devient, de 1204 à 1261, le siège de l'Empire byzantin durant l'occupation de Constantinople par les croisés.

Nicée *(conciles de).* En 325, le *premier concile de Nicée* (1er œcuménique), convoqué par Constantin*, condamne l'arianisme* et élabore un symbole de foi *(symbole de Nicée).* En 787, le *deuxième concile de Nicée* (7e œcuménique) définit contre les iconoclastes la doctrine orthodoxe sur le culte des images.

NICÉE *(empire de)* → LASCARIS.

NICÉPHORE Ier le Logothète († 811), empereur byzantin (802-811). Administrateur du Trésor (logothète) sous l'impératrice Irène, il prit le pouvoir après la déchéance de celle-ci (802). Il réforma les finances, supprima les immunités fiscales du clergé et accrut l'étendue des obligations militaires de la paysannerie. Si sa politique slave restaura la domination byzantine dans les Balkans, il fut vaincu par Ḥārūn al-Rachīd et échoua contre les Bulgares qui le massacrèrent avec son armée (811).

NICÉPHORE II PHOKAS → MACÉDONIENNE *(dynastie).*

NICÉPHORE III Botanéiatès († apr. 1081), empereur byzantin (1078-1081). Proclamé empereur par l'armée d'Orient en révolte contre Michel VII, il ne parvint pas à mettre fin à la guerre civile, et, par son alliance avec le Turc Süleyman, facilita la conquête de l'Asie byzantine par les Turcs. Il fut renversé par Alexis Comnène.

NICHOLSON (William), chimiste et physicien anglais (Londres 1753 - *id.* 1815). On lui doit un aréomètre. Modifiant, en 1800, la pile de Volta, il réalisa ainsi, avec Carlisle*, les premières électrolyses, celles de l'eau et de divers sels métalliques dissous.

NICIAS, homme politique et général athénien (v. 470 - Syracuse 413 av. J.-C.). Il négocia avec Sparte*, en 421, la paix dite «de Nicias» et périt dans l'expédition de Sicile qu'il avait désapprouvée.

NICKEL. — Le nickel est l'élément chimique no 28, de masse atomique Ni = 58,69. C'est un solide blanc, de densité 8,8, fondant à 1 455 °C. Ferromagnétique à froid, il perd cette propriété à 370 °C. Malléable et ductile, il est le plus dur des métaux usuels.

Il ne s'oxyde pas à froid, mais au rouge, se combine au chlore, au soufre et à l'arsenic, se dissout dans les acides chlorhydrique et sulfurique. Réduit à partir de son oxyde, c'est un catalyseur d'hydrogénation. Il est bivalent dans ses composés, notamment son oxyde NiO, gris-vert, son sulfure NiS, noir, ses autres sels, dont les solutions aqueuses sont vertes.

De Forceville-Ruyant Production

Nice. L'avant-port, le port de plaisance et la colline du château.

Deux principaux types de gisements sont exploités : ceux qui contiennent des silicates* (garniérite de Nouvelle-Calédonie) et ceux qui sont formés de sulfures* (pyrites complexes du Canada). Ces procédés de traitement des minerais* utilisent la réduction* de l'oxyde*, la fusion* réductrice, la volatilisation d'un gaz carbonyle (nickel *Mond*) ou l'extraction électrolytique. À l'état pur, le nickel s'emploie, en raison de sa bonne résistance à la corrosion*, dans les industries chimique et alimentaire. Sous forme de revêtement* électrolytique (nickelage), il sert à protéger des alliages* ferreux ou cuivreux. Il améliore les propriétés de nombreux alliages, en ce qui concerne leur tenue à la corrosion, leur résistance à la chaleur, leurs caractéristiques mécaniques ou leur facilité de traitement* thermique : aciers* et fontes* spéciales, aciers inoxydables et réfractaires, cupro-nickels, maillechort, etc.

La production, en métal contenu, a triplé pendant les vingt dernières années et dépasse aujourd'hui 700 000 tonnes. Elle est géographiquement très concentrée puisque le Canada fournit un peu plus du tiers de ce chiffre, la France (Nouvelle-Calédonie) et l'U. R. S. S., environ le sixième chacune.

NICOBAR *(îles),* archipel indien du sud du golfe du Bengale. (V. ANDAMAN [*îles*].)

NICOL. — Le nicol, qui ne laisse passer qu'un seul des deux rayons dans la double réfraction du spath d'Islande, sert comme producteur et analyseur de lumière polarisée.

NICOL (William), physicien anglais (en Écosse v. 1768 - Édimbourg 1851). En 1828, il inventa le prisme polariseur qui porte son nom.

NICOLAÏTES. — Cette secte hérétique, mal connue, du Ier siècle chrétien, annonçait les spéculations gnostiques du IIe s. et concédait la participation aux repas rituels païens. Aux Xe et XIe s., le terme de «nicolaïtes» désigna ceux qui n'admettaient pas le célibat des prêtres.

NICOLA Pisano, sculpteur italien (dans les Pouilles v. 1220 - ? entre 1278 et 1284). Il est le principal représentant d'un art novateur, ample et vigoureux, qui se nourrit de la tradition antique (chaire du baptistère de Pise, 1260) et s'épanouit de façon plus complexe en accord avec la culture gothique (chaire octogonale de la cathédrale de Sienne, 1268). — Son fils, GIOVANNI (? v. 1248 - Sienne apr. 1314), collabore avec lui, par exemple à la Fontaine majeure de Pérouse (1278), puis participe au décor extérieur du baptistère de Pise. Il est maître d'œuvre de la façade de la cathédrale de Sienne (statues d'une grande force expressive), puis maître d'œuvre à Pise. Ses chaires de Pistoia (v. 1300) et de la cathédrale de Pise tirent leur tension dramatique d'un modèle puissant.

NICOLAS *(saint),* évêque de Myre (IVe s.). La vie de cet évêque d'Asie Mineure est surtout constituée d'une légende dorée (bourses d'or fournies à trois filles pauvres, résurrection de trois petits enfants), qui explique le culte extraordinaire dont saint Nicolas — patron de la Russie, patron des écoliers... — jouit aussi bien en Orient qu'en Occident, notamment dans l'Europe du Nord-Ouest.

NICOLAS Ier *(saint)* [Rome v. 800-*id.* 867], pape de 858 à 867. Il s'affirme face aux grands dignitaires ecclésiastiques et au roi Lothaire II, et accueille les Bulgares dans l'Église romaine.

NICOLAS II (Gérard DE BOURGOGNE) [Chevron v. 980-Florence 1061], pape de 1059 à 1061. Pape réformateur, il combat la simonie et le nicolaïsme et fait décréter que l'élection des papes serait désormais commise aux seuls cardinaux.

NICOLAS III (Giovanni Gaetano ORSINI) [Rome v. 1210-château de Soriano 1280], pape de 1277 à 1280. Par des tractations avec Charles d'Anjou et Rodolphe de Habsbourg, il obtient d'importantes cessions de territoires.

NICOLAS IV (Girolamo MASCI) [Lisciano 1230-Rome 1292], pape de 1288 à 1292. Protecteur de la maison d'Anjou, il envoie des franciscains en Mongolie.

NICOLAS V (Tommaso PARENTUCELLI) [Sarzana v. 1398-Rome 1455], pape de 1447 à 1455. Il met fin, en 1449, au schisme de Félix V (Amédée de Savoie), et s'efforce de réformer les mœurs ecclésiastiques tout en pratiquant un mécénat généreux : il fonde, notamment, la Bibliothèque vaticane.

NICOLAS Ier, roi de Monténégro → MONTÉNÉGRO.

NICOLAS Ier (Tsarskoïe Selo 1796-Saint-Pétersbourg 1855), empereur de Russie (1825-1855). Troisième fils de Paul Ier*, il était destiné à la carrière militaire. À la mort de son frère Alexandre Ier*, Nicolas Ier fait prêter serment aux troupes à Constantin*, en attendant que ce dernier confirme sa renonciation au trône de Russie. Cet interrègne est mis à profit par les décabristes*, dont la révolte est durement réprimée. La politique de Nicolas Ier est fondée sur la défense de l'autocratie et de l'orthodoxie et sur une conception étroitement nationaliste *(narodnost)*, qui inspirent les programmes de l'enseignement officiel élaborés par S. S. Ouvarov. Conscient des méfaits du servage, Nicolas Ier n'entreprend aucune réforme fondamentale, craignant une réaction en chaîne qui bouleverserait l'ordre établi. Cependant, il travaille à l'amélioration du fonctionnement des institutions existantes : contrôle de la machine administrative et répression de ses abus, codification des lois de l'empire, entreprise par Speranski* de 1830 à 1839, réformes de l'administration des paysans de l'État (1837-1841). Après les révolutions de 1848 en Europe, les efforts de rationalisation de l'autorité de l'État disparaissent.

En politique extérieure, Nicolas Ier apparaît comme le « gendarme de l'Europe ». Après avoir réprimé la révolte polonaise (1830-31), il resserre ses liens avec la Prusse et l'Autriche (Münchengrätz, 1833) et se porte au secours de celle-ci lors de la révolution hongroise (Világos, 1849). Tout en profitant de toutes les occasions pour étendre l'empire et son influence (paix de Tourkmantchaï [1828] avec l'Iran, qui cède une partie de l'Arménie), Nicolas Ier et son ministre Nesselrode* évitent de heurter de front les intérêts des autres puissances, en Grèce, dans les Balkans (convention d'Akkerman, 1826), dans le conflit entre Méhémet-Ali* et le Sultan ottoman (traité d'Unkiar-Skelessi [1833], conventions de Londres sur les Détroits [1840 et 1841]). Mais, après 1848, le tsar veut anéantir la domination ottomane. En 1853, il provoque les Ottomans sur la question des Lieux saints et de la protection des sujets orthodoxes de leur empire. Le tsar se heurte alors, contrairement à ses prévisions, à la résistance concertée de la France et de l'Angleterre, qui s'engagent dans la guerre de Crimée* (1854-1856). Celle-ci s'achève sur un grave échec russe, qui permet la mise en cause d'une des assises du système : le servage.

NICOLAS II (Tsarskoïe Selo 1868-Iekaterinbourg [auj. Sverdlovsk] 1918), empereur de Russie (1894-1917). Fils aîné d'Alexandre III, il demeure attaché aux principes autocratiques de son père, mais irrésolu et instable, il subit fortement l'influence de sa femme, elle-même sous l'emprise du charlatan thaumaturge Raspoutine*, à partir de 1905. Grâce à la politique de Witte*, les capitaux étrangers affluent, notamment de France. L'alliance franco-russe se resserre, et Nicolas II fait un voyage officiel en France, en 1896. La politique d'expansion en Mandchourie et en Corée entraîne la Russie dans la désastreuse guerre russo-japonaise* (1904-05), et les défaites qu'elle subit en Extrême-Orient, provoquent la révolution* de 1905. Le tsar doit consentir à promulguer le manifeste du 30 octobre (17 anc. style), qui garantit les principales libertés. Isolés, les derniers soviets ouvriers, qui tentent de poursuivre la lutte, sont démantelés (déc. 1905-janv. 1906). Nicolas II n'accepte pas une véritable expérience constitutionnelle et, ayant renvoyé les deux premières doumas*, il appelle Stolypine* au ministère de l'Intérieur (1906-1911) et fait modifier la loi électorale. En septembre 1915, il ne cède pas à la pression de la douma, qui réclame un ministère possédant la confiance du pays, et prend même en main la direction des armées engagées dans la Première Guerre mondiale. Le malaise s'épaissit durant l'année 1916. En février-mars 1917, Nicolas II ordonne de rétablir l'ordre dans Petrograd révoltée (v. RÉVOLUTION RUSSE DE 1917). Il doit abdiquer le 15 mars (2 anc. style) et est assassiné avec toute sa famille dans la nuit du 16 au 17 juillet 1918.

NICOLAS de Cusa (Nikolaus KREBS ou CHRYPFFS, dit), théologien et savant allemand (Kues, près de Trèves, 1401-Todi, Ombrie, 1464). Cardinal, légat itinérant en Bohême (1450), il prône une réforme des mœurs et développe l'instruction populaire. D'une pénétrante érudition, il inaugure un mode de penser nouveau, notamment en critiquant la cosmologie dualiste d'Aristote, pour lui substituer la conception d'une sphère infinie sans centre ni circonférence, et la logique de l'*Organon**, pour élaborer une méthode de « la coïncidence des opposés » (*la Docte Ignorance,* 1440; *Dialogues sur la Genèse, Compléments mathématiques,* 1455; *le Non-Autre,* 1462).

Nicolas Nickleby, roman de Ch. Dickens (1839).

NICOLAS NIKOLAÏEVITCH ROMANOV *(grand-duc),* général russe (Saint-Pétersbourg 1856-Antibes 1929). Petit-fils de Nicolas Ier et oncle de Nicolas II, il fut généralissime des armées russes d'août 1914 à septembre 1915. Il commanda ensuite le front du Caucase (1915-1917) et se retira en France après la Révolution.

NICOLE (Pierre), écrivain français (Chartres 1625-Paris 1695), janséniste et professeur à Port-Royal-des-Champs, auteur d'*Essais de morale* (1671-1678).

NICOLLE (Charles), bactériologiste français (Rouen 1866-Tunis 1936), qui découvrit le mode de transmission du typhus exanthématique, l'origine canine du kala-azar et l'agent transmetteur de la fièvre récurrente. Il reçut le prix Nobel de médecine en 1928.

NICOMÈDE, nom de quatre rois de Bithynie* : NICOMÈDE Ier (279-250), qui unifia la Bithynie; NICOMÈDE II (v. 149-v. 128) et son fils NICOMÈDE III (v. 128-v. 94), dont la volonté d'expansion territoriale fut contrecarrée par leurs alliés romains; NICOMÈDE IV (v. 94-75), qui, à sa mort, légua le royaume en héritage à Rome.

Nicomède, tragédie de P. Corneille (1651).

NICOMÉDIE, ville de Bithynie fondée par Nicomède Ier qui en fit sa capitale (v. 264 av. J.-C.). Devenue à l'époque romaine métropole de la province de Bithynie, résidence de Dioclétien*, elle fut, au IVe s., un des bastions de l'arianisme*. Elle perdra par la suite de son importance au bénéfice de Constantinople.

NICOPOLIS, anc. ville de Dacie (auj. *Nikopol*), où, en 1396, les troupes ottomanes de Bayezid Ier* rencontrèrent les croisés de Sigismond de Luxembourg et leur infligèrent un désastre.

NICOSIE, capit. de Chypre, dans l'intérieur de l'île; 117 000 hab. Monuments gothiques, dont l'ancienne cathédrale, transformée en mosquée. Restes d'une enceinte vénitienne (1567).

NICOT (Jean) → DICTIONNAIRE.

NICOTINE → TABAC, TABAGISME.

NID. — Contrairement au terrier, qui est un abri creusé, le nid est un abri construit, généralement de végétaux (herbes, brindilles, mousse) ou de terre. Outre les oiseaux, les espèces nidifiantes comprennent quelques mammifères (souris des moissons), amphibiens (rainette), poissons (épinoche, macropode), insectes (hyménoptères), etc. En revanche, certains oiseaux (autruche) ne font pas de nid. Le nid le plus usuel chez les passereaux est une coupe posée à la fourche de deux branches. Mais les mésanges ont un nid en forme de bourse suspendue. Les nids d'hirondelle sont en terre gâchée, celui de la salangane de Chine en gélose d'algue, celui du fournier est bâti en terre sur le sol. Le martin-pêcheur creuse un terrier et fait un nid tout au fond.

Le nid sert à la ponte, à la couvaison, à l'éclosion, au nourrissage des jeunes, jusqu'à leur premier envol chez les oiseaux *nidicoles.* Dans les espèces *nidifuges* (poule), il ne sert qu'à la couvaison.

NIDATION. — Chez les mammifères euthériens, le très jeune embryon, au stade de la *morula,* ne peut poursuivre son développement que s'il se fixe à la paroi de l'utérus pour y puiser sa nourriture. Cette fixation est la nidation. L'empêchement de la nidation est l'un des moyens anticonceptionnels possibles chez la femme.

NIDWALD → UNTERWALD.

NIEDERBRONN-LES-BAINS (67110), ch.-l. de cant. du Bas-Rhin, à 20 km au N.-O. d'Haguenau; 4 461 hab. Station hydrominérale aux eaux froides chlorurées sodiques pour les maladies du tube digestif, l'obésité, l'hypertension.

NIEDERMEYER (Louis), compositeur français d'origine suisse (Nyon 1802-Paris 1861). Il a donné son nom à une école de musique classique et religieuse, d'où sont sortis Fauré, Messager et maints organistes, ainsi que des compositeurs d'opérettes. On lui doit un *Traité d'accompagnement du plain-chant,* des opéras, des romances *(le Lac).*

NIEL, comm. de Belgique (prov. d'Anvers), au S.-O. d'Anvers; 8 790 hab.

NIEL (Adolphe), maréchal de France (Muret 1802-Paris 1869). Commandant le 4e corps en Italie (1859), il devint ministre de la

Guerre en 1867, tenta de réorganiser l'armée, fit adopter le fusil Chassepot et créa la garde nationale mobile.

NIELLE. — On appelle « nielles » divers animaux et plantes qui n'ont rien de commun, sinon de mêler leurs produits nuisibles aux grains de blé ou de riz lors du battage. Citons la nigelle des champs (renonculacée), la nielle « des blés » (genre *Agrostemma,* caryophyllacée), dont les graines intoxiquent gravement le bétail, la nielle du riz (un champignon), la nielle « du blé » (un ver nématode du genre *Tylenchus* qui forme des galles dans les épis), etc.

NIELSEN (Carl), compositeur danois (Nørre Lyndelse 1865-Copenhague 1931). On le considère comme le créateur de la musique moderne dans son pays et comme le plus grand compositeur scandinave du XXe siècle après Sibelius (six symphonies, trois concertos, quatre quatuors, opéras *Saul et David* et *Mascarade*).

NIEMCEWICZ (Julian Ursyn), homme politique et écrivain polonais (Skoki, Lituanie, 1757-Paris 1841), aide de camp de Kościuszko et auteur de *Chants historiques* (1816) et de *Mémoires.*

NIÉMEN (le) fl. du nord-ouest de l'U. R. S. S. (Biélorussie et Lituanie), tributaire de la Baltique; 880 km.

NIEMEYER (Oscar), architecte brésilien (Rio de Janeiro 1907). Après avoir participé avec L. Costa*, à la construction du ministère de l'Éducation nationale à Rio de Janeiro (architecte consultant : Le Corbusier) et du pavillon du Brésil à l'Exposition internationale de New York (1939), il s'impose, sans renier les apports essentiels du style international, par ses recherches formelles et plastiques. Exploitant les possibilités du béton armé, il multiplie les courbes, les ondulations, les rampes d'accès monumentales et les coupoles. Sa place des Trois-Pouvoirs à Brasília (1956-1960) est un chef-d'œuvre de monumentalité et d'harmonie. Après des travaux en Israël, il donne en Algérie les universités de Constantine (1969) et d'Alger (1972) et, en France, le siège du parti communiste à Paris (1971).

NIEPCE (Nicéphore), physicien et inventeur français (Chalon-sur-Saône 1765-*id.* 1833). Il imagina, en 1807, un moteur à explosion destiné à la propulsion d'un bateau. Puis, intéressé par la lithographie, il utilisa le chlorure d'argent, qui noircit à la lumière, pour reproduire en épreuves négatives les dessins et les gravures. Sollicité par Daguerre, il s'associa avec lui et parvint, en 1829, à fixer sur des plaques d'argent les images de la chambre noire. Mais il mourut avant d'avoir pu se faire reconnaître comme l'inventeur de la photographie. — Son neveu, ABEL **Niepce de Saint-Victor** (Saint-Cyr, près de Chalon-sur-Saône, 1805-Paris 1870), imagina un procédé de photographie sur verre et une technique d'héliogravure sur métaux (1853).

NIEPPE (59850), comm. du Nord, à 5 km au N.-O. d'Armentières; 6 903 hab.

NIETZSCHE (Friedrich Wilhelm), philosophe allemand (Rökken, près Lützen, 1844-Weimar 1900). Issu d'une famille de pasteurs, orphelin de père dès cinq ans, il étudie la théologie et la philologie. Il découvre Schopenhauer, rencontre Wagner et partage avec lui une grande admiration pour Beethoven. Nommé professeur de philologie antique à Bâle (1869-1878), il écrit *l'Origine de la tragédie* (1871), *la Naissance de la philosophie à l'époque de la tragédie grecque* (publié en 1896) et *Considérations intempestives* (1873-1876). Il prend alors ses distances vis-à-vis de Schopenhauer et de Wagner, puis démissionne de l'enseignement à la suite de crises de céphalée. Il publie *Humain, trop humain* (1878-1886), séjourne à Venise en compagnie de son ami P. Gast, puis à Gênes et au bord des lacs de Sils-Maria. Très affecté par la rupture avec Lou Andreas-Salomé, qu'il espérait épouser, il s'enferme dans sa solitude et sa souffrance. Critiquant les préjugés moraux, il développe dans *Aurore* (1881) le thème de l'« esprit libre », qui s'affranchit des servitudes morales et religieuses en utilisant la pensée scientifique (*le Gai Savoir,* 1882-1887). Mais les thèmes de la transmutation des valeurs, du surhomme et de l'éternel retour, à travers lesquels s'affirme l'esprit libre, sont développés dans *Ainsi parlait Zarathoustra* (1883-1885), *Par-delà bien et mal* (1886), *la Généalogie* de la morale* (1887), *le Cas Wagner* (1888), *le Crépuscule des idoles* (1889) et *les Dithyrambes de Dionysos* (1891). Atteint d'une crise de démence en janvier 1889 à Turin, Nietzsche survit onze ans auprès de sa mère et de sa sœur, dont le mari, nationaliste et antisémite, est au départ de la pseudo-récupération de la pensée nietzschéenne par le nazisme.

La critique nietzschéenne de l'idéalisme métaphysique, ou « onto-théologie », porte sur les catégories fondamentales de l'idéalisme* (être, essence, sujet) et sur les valeurs morales qui les conditionnent. Opposant le flux héraclitéen à l'affirmation parménidienne et platonicienne de l'être, Nietzsche considère que tout ce qui se dit de l'être dépend d'une certaine perspective. Cette conception implique un changement de méthode : la généalogie des valeurs à laquelle procède Nietzsche est une recherche du sens, et plus particulièrement du sens de la question « qu'est-ce que le vrai? ». Il s'agit alors d'interroger la perspective dans laquelle se pose une telle question : que vaut cette position de la valeur de vérité? Questionner la valeur des valeurs morales revient à décrire leur origine et leur histoire, et à évaluer la valeur d'origine. Les valeurs morales ont pour origine la réaction des faibles, qui posent le bien comme négation des actions des puissants. Le bien est donc défini négativement, et la morale qui en découle valorise cette négation. Mais, selon Nietzsche, cette négation est négation de la vie au profit d'un idéal, et Socrate, Platon, le judaïsme, le christianisme et le « socialisme » sont des expressions de ce nihilisme*. C'est contre cette perspective négative qu'il envisage une transmutation des valeurs. Si être, c'est poser une valeur authentique et vouloir son retour éternel, il faut affirmer joyeusement la vie comme Dionysos et accepter sa diversité. Tel est l'essentiel du surhomme dont Zarathushtra annonce la venue.

Friedrich Wilhelm Nietzsche.

NIEUL (87510), ch.-l. de cant. de la Haute-Vienne, à 15 km au N.-O. de Limoges; 1 004 hab.

NIEUPORT, en néerl. **Nieuwpoort,** v. de Belgique (Flandre-Occidentale), au S.-O. d'Ostende; 8 052 hab.

NIEUPORT (Édouard DE NIÉPORT, dit **Édouard**), aviateur et ingénieur français (Blida 1875-sur le champ d'aviation de Charny, près de Verdun, 1911). L'un des premiers constructeurs d'avions (1909), il exerça par ses recherches sur l'aérodynamisme une influence décisive sur l'aviation.

NIÈVRE (la), riv. du sud du Bassin parisien, dans le départ. du même nom; 53 km. Formée de la réunion de la *Nièvre de Champlemy* et de la *Nièvre de Bourras,* elle reçoit la *Nièvre de Prémery* (38 km), avant de rejoindre la Loire (r. dr.) à Nevers.

NIÈVRE (58), départ. de la Région Bourgogne; 6 837 km²; 245 212 hab. Ch.-l. *Nevers.* S.-préf. *Château-Chinon, Clamecy* et *Cosne-Cours-sur-Loire.*

Située dans le sud-est du Bassin parisien, la Nièvre est un département au relief varié, avec une prédominance de collines (dont les collines du Nivernais) entre la Loire et le Morvan (dont la partie occidentale appartient à la Nièvre). L'élevage pour la viande, développé dès le XIXe s., est la ressource agricole dominante, reculant cependant devant l'extension de la forêt, qui tend à accentuer un caractère de réserve naturelle, favorisé déjà par le déclin démographique. La population du département approchait 350 000 habitants à la fin du XIXe s.; elle a enregistré un recul presque ininterrompu, marqué surtout dans l'entre-deux-guerres, mais sensible encore aujourd'hui. Les hommes, les cultures (céréales, très localement [vers Pouilly-sur-Loire], vignobles) et les activités non agricoles se concentrent surtout dans la vallée de la Loire, de Decize à Cosne-Cours-sur-Loire. L'industrie, pourtant de tradition ancienne, n'emploie qu'un peu plus du tiers de la population active (dont un peu moins du sixième est occupé dans l'agriculture). Elle connaît des difficultés dans le sud — où s'était développée une active métallurgie — avec l'arrêt de l'extraction houillère (ancien bassin de La Machine); elle est plus dynamique (constructions mécaniques et électriques) vers Nevers, seule localité dépassant 15 000 habitants. La faiblesse de l'urbanisation et celle de l'industrialisation expliquent la persistance de l'exode rural. La densité moyenne d'occupation, voisine de la moyenne nationale à la fin du XIXe s., est inférieure à la moitié de celle-ci aujourd'hui. Le contraste s'accentue entre la vallée de la Loire, proche de Paris, à la desserte routière et ferroviaire satisfaisante, et le reste du département, à l'écart des grands axes de circulation, mais, globalement, la Nièvre appartient bien à l'ensemble sous-peuplé du sud du Bassin parisien.

NIGELLE. — La nigelle est une petite herbe très gracieuse, aux feuilles finement découpées en lanières, aux fleurs d'un joli bleu pâle, à cinq sépales arrondis, mais pointus du bout, ressemblant à des pétales, tandis que les véritables pétales sont jaunes et beaucoup plus petits. La graine, quoique vénéneuse, est employée à petite dose comme condiment sous le nom de « quatre-épices ». (Famille des renonculacées.)

NIGER (le), principal fleuve de l'Afrique occidentale; 4200 km. Le Niger prend sa source dans la Dorsale guinéenne, au pied du mont Loma. Il décrit une grande boucle vers le nord, s'élargissant dans son cours moyen jusqu'à former un véritable delta intérieur aux multiples bras. Il se resserre dans son cours inférieur, encaissé, et reçoit la Benoué avant de se jeter dans le golfe de Guinée en un vaste delta. En raison de zones climatiques qu'il traverse, ses eaux sont modérément abondantes et son régime est marqué par une crue annuelle correspondant à la saison humide estivale. Le Niger arrose Bamako, Tombouctou et Niamey, et il est navigable par biefs, séparés par des rapides. Ses eaux sont utilisées pour l'irrigation, surtout au Mali.

NIGER, État de l'Afrique occidentale; 1267000 km^2; 4476000 hab. Capit. *Niamey.*

GÉOGRAPHIE. Le pays s'étend sur un ensemble de plaines et de plateaux accidenté par le massif cristallin de l'Aïr. Il se situe au contact entre deux zones climatiques : au N., la zone désertique, partie du Sahara, où la végétation est quasi absente (erg du Ténéré), et, au S., la zone sahélienne, où les précipitations, d'origine tropicale, dépassent 300 mm et permettent la croissance de la steppe. La population est très clairsemée. Elle est composée de tribus de Touaregs nomades au N. et de Noirs (Haoussas principalement) généralement sédentaires au S. Elle se concentre dans la partie méridionale du pays, qui regroupe les principales villes, et surtout dans la vallée du Niger, site de la capitale, Niamey.

L'agriculture demeure le fondement de l'économie. Les steppes servent de pâturage à de grands troupeaux de bovins et de caprins. La culture n'est pratiquée que dans la vallée du Niger, où, à côté du mil et du sorgho, se développent la production maraîchère, l'arachide et la riziculture grâce à l'irrigation. Les gisements d'étain et d'uranium (Arlit) sont exploités, mais l'industrie se limite à la transformation des produits agricoles. Le commerce extérieur, déficitaire, souffre de l'absence de débouché maritime.

HISTOIRE. Le Niger n'est devenu entité politique qu'à l'époque coloniale. L'occupation humaine y est cependant fort ancienne, notamment au Sahara, dont l'assèchement (5000 ans env. av. J.-C.) provoque la migration des Noirs cultivateurs vers le sud. Ceux-ci sont à leur tour refoulés par les Berbères blancs, ancêtres des Touaregs. Un Empire songhaï, très tôt islamisé, se développe dès le VIIe s. à partir de Gao : détruit en 1591 par les Marocains, il fait place à de petits royaumes, qui passent peu à peu sous le contrôle des Peuls*. À l'extrême fin du XIXe s., la progression française du Niger vers le Tchad s'opère dans un pays très morcelé et dont les possibilités de résistance sont, de ce fait, affaiblies. Les premiers postes français sur le Niger datent de 1897, mais la soumission des Touaregs n'est effective qu'à partir de 1906 : elle n'empêche pas des révoltes durant la Première Guerre mondiale. Dès 1900, le Niger prend en gros sa configuration actuelle sous la dénomination de « IIIe Territoire militaire », avec Zinder, puis Niamey comme capitale. Devenu le territoire du Niger (1921), puis la colonie du Niger (1922), il est doté en 1946 d'une assemblée territoriale, où domine, à partir de 1956, le parti Sawaba. République en 1958, indépendant en 1960, il est dirigé en fait par le Rassemblement démocratique africain (R. D. A.), dont le leader, Hamani Diori (né en 1916), est élu président de la République. Réélu en 1965 et en 1970, Hamani Diori est renversé en 1974 par le lieutenant-colonel Seyni Kountché (né en 1931), que la situation économique catastrophique créée par la sécheresse semble avoir incité à agir vite.

NIGERIA, État de l'Afrique occidentale, membre du Commonwealth; 924000 km^2; 79759000 hab. *(Nigérians).* Capit. *Lagos.*

GÉOGRAPHIE • *Le milieu naturel.* Une série de plateaux tranchés dans le socle précambrien et plus ou moins recouverts de sédiments s'abaissent vers la côte du golfe de Guinée. Les hautes terres, au N., dépassent 500 m d'altitude. Les basses terres, au S., sont constituées de plateaux cristallins à l'O. et de collines sableuses à l'E.; elles sont limitées par le littoral marécageux. Le Nigeria est drainé par le cours inférieur du Niger et son principal affluent, la Bénoué. Mais c'est surtout le climat, toujours chaud, mais inégalement humide, qui contribue à différencier les paysages naturels. Soudanien au N., en particulier au bord du lac Tchad, il devient de plus en plus humide vers le S. et franchement tropical sur la côte. Parallèlement, la végétation passe de la steppe à la savane arborée, puis à la forêt claire et enfin à la forêt dense sur le littoral; elle devient mangrove dans le vaste delta du Niger.

• *La population.* Le Nigeria est le pays le plus peuplé d'Afrique. La population est formée de divers groupes ethniques, parmi lesquels quatre prédominent : les Peuls et les Haoussas, au N., sont surtout des éleveurs; les Ibos, au S.-E., ont défriché la forêt dense, et leur densité peut atteindre 500 habitants au kilomètre carré; les Yoroubas, à l'O., sont les plus anciennement urbanisés. La coexistence de ces différents groupes ne se fait pas sans problème. Le taux d'accroissement de la population est rapide, mais l'urbanisation reste modeste, puisque le quart seulement des habitants résident dans des villes. Les deux plus importantes villes, Lagos et Ibadan, sont situées dans le Sud-Ouest, et le pays compte tout de même vingt-cinq villes de plus de 100000 habitants.

• *L'économie.* Elle a été fortement marquée par la période coloniale, mais des transformations sont en cours, visant à diminuer la part des matières premières dans les exportations.

L'agriculture emploie les deux tiers de la population active, mais ne représente même plus la moitié du produit national brut. La culture vivrière fournit du millet au N., du manioc au S., tandis que le riz et le maïs sont produits un peu partout. Les plantations se concentrent dans la zone tropicale. Elles fournissent du cacao (deuxième rang mondial), de l'huile de palme, de l'arachide, du coton, du caoutchouc. Au N. prédomine l'élevage (bovins, caprins), qui reste cependant productif.

Le développement industriel a été fondé non seulement sur

NIGER

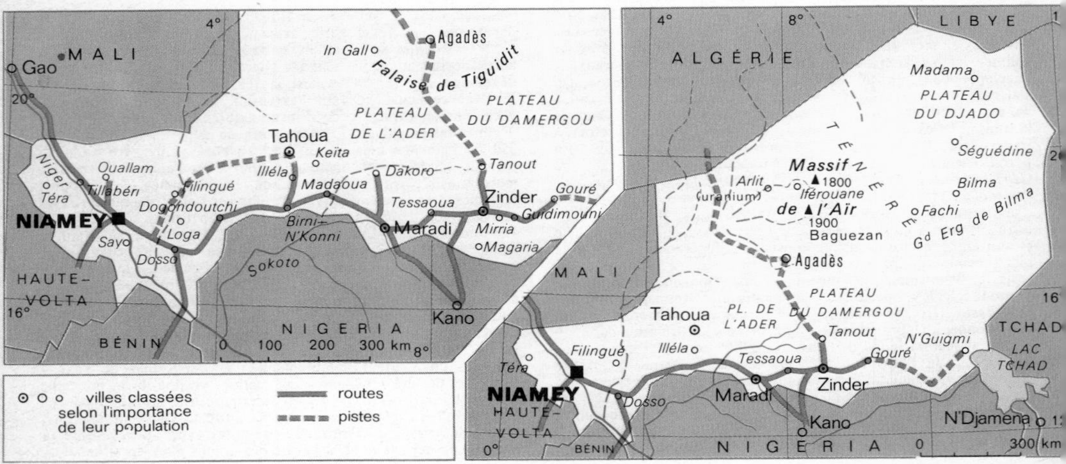

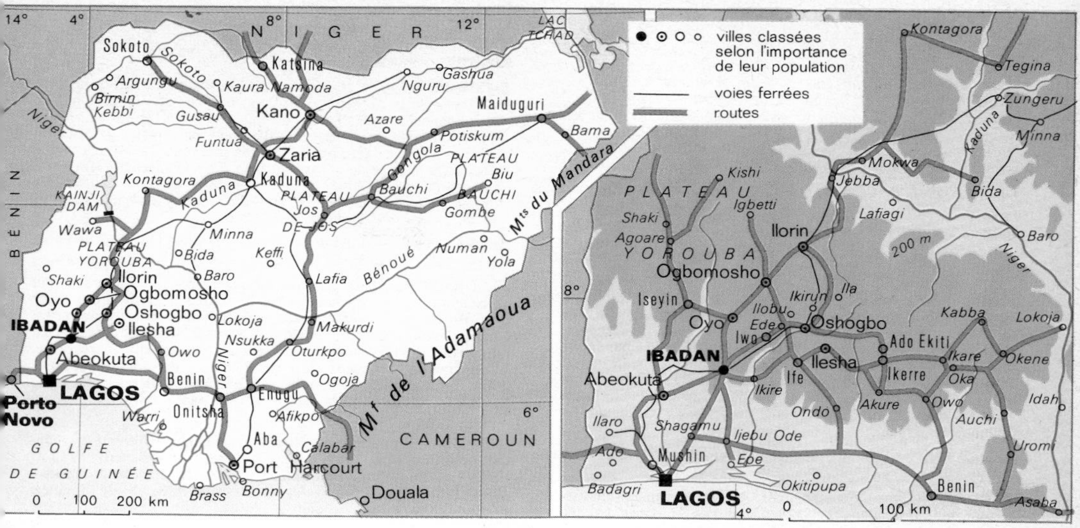

NIGÉRIA

l'abondance des matières premières de l'agriculture, mais également sur les richesses minières : étain, niobium et surtout hydrocarbures (la production annuelle de pétrole est de l'ordre de 100 Mt). À côté de la transformation des produits agricoles (huileries, fabriques de pneumatiques) se sont créées des usines textiles, de montage automobile et de matières plastiques.

La production industrielle demeure cependant insuffisante, et le pays doit importer des biens d'équipement. La balance commerciale est largement excédentaire, et le Nigeria bénéficie d'un bon réseau de communications, hérité de la période coloniale et relié aux deux principaux ports : Lagos et Port Harcourt. Le niveau de vie moyen de la population reste faible, mais l'avenir économique du pays est prometteur, à condition que celui-ci puisse résoudre ses problèmes internes.

HISTOIRE. Centre de la civilisation de Nok* (v. 900 av. J.-C.-200 apr. J.-C.), le Nigeria a été soumis pendant tout le Moyen Âge à un intense brassage de populations, au cours duquel, du VIIe au XIe s., les Haoussas se sont installés dans le Nord et les Yoroubas dans le Sud.

Les royaumes du Nord entrent dans la mouvance de l'islām avec la conversion d'Houmé (1097), souverain du Kanem : ce royaume s'affaiblit progressivement au profit des royaumes haoussas, notamment celui de Kano, dont la dynastie embrasse l'islām au XIVe s. et qui atteint son apogée avec Mohammed Rimfa (1463-1499). Au XVIe s., le Kano est éclipsé par la renaissance du Bornou. L'ensemble Kanem-Bornou connaît son apogée avec Idrīs Alaoma à la fin du XVIe s. Au XVIIe s., les royaumes haoussas entrent dans une phase de régression, l'élément novateur étant les Peuls* musulmans. Au début du XIXe s. se développe la révolte peule sous forme de guerre sainte : elle aboutit à la formation d'un État théocratique et centralisé, avec Sokoto comme capitale : seul le Bornou échappe à son emprise.

Au sud, où se développe, au XIIIe s., la civilisation d'Ife*, la situation est caractérisée par l'emprise croissante du royaume du Bénin*, qui, à partir de 1472, établit des relations commerciales fondées essentiellement sur la traite des esclaves avec les Portugais.

En 1553, les Anglais prennent le relais de ces derniers; mais ce n'est qu'en 1851 qu'ils occupent Lagos et, de là, jettent les bases des futurs protectorats en Nigeria. La création, en 1879, de l'United African Company, devenue en 1886 la Royal Niger Company, marque le début d'une pénétration britannique systématique dans le pays. La Compagnie à charte disparue, le Nigeria passe en 1900 sous la juridiction du Colonial Office. En 1914, le Sud et le Nord fusionnent pour former la colonie et le protectorat du Nigeria, auquel une partie du Cameroun sera par la suite annexée. Parallèlement, l'exploitation du pays fait de celui-ci l'une des zones colonisées les plus actives d'Afrique.

Le nationalisme nigérian s'éveille après 1945, notamment chez les Ibos, les Yoroubas s'avérant plus conservateurs. En fait, la création d'un gouvernement représentatif en 1951 et l'établissement de la Constitution fédérale (trois Régions) de 1954 sont pratiquement bloqués par les tensions tribales. Celles-ci apparaissent aux élections de 1959, un an avant l'indépendance (1er oct. 1960) de l'ensemble du pays. Devenu république en 1963, avec comme président le docteur Azikiwe, le Nigeria est tout de suite agité par des troubles, notamment dans la région ouest, qui supporte difficilement la domination effective du Nord. En 1966, un Ibo, le général Ironsi, s'empare du pouvoir et prend des mesures centralisatrices au détriment du Nord : éclatent alors de sanglantes émeutes raciales contre les Ibos. Après l'assassinat d'Ironsi (1966), le lieutenant-colonel Yakubu Gowon, nouveau chef de l'État, ne peut arrêter les massacres d'Ibos dans le Nord, si bien qu'éclate la terrible guerre du Biafra* (1967-1970), qui se termine par la capitulation des troupes biafraises. Deux nouveaux coups d'État militaires renversent Y. Gowon (en 1975), puis son successeur (en 1976).

NIHILISME. — En traçant la généalogie du nihilisme, F. Nietzsche esquisse la possibilité de son dépassement. Angoisses, protestations et révoltes sont les manifestations de l'effondrement de l'idéalisme onto-théologique, qui fait de l'être (Dieu) une réalité intelligible et la valeur. Or, pour Nietzsche, Dieu est mort, et cet être « est un nihil qui frappe de nullité toutes les valeurs qu'on lui accroche » (J. Grenier). Le nihilisme apparaît alors comme la « morale des esclaves », qui ont besoin de la fiction de Dieu ou de l'idéal pour se consoler de leur impuissance dans la vie réelle. Volonté de néant, il procède de la logique idéaliste de la négation : il nie la vie au profit de la conscience au lieu de l'affirmer, comme l'« esprit libre », à travers l'art. Heidegger, en revanche, voit dans le nihilisme un élément constitutif de la pensée occidentale, qui, pour identifier valeur et étant, s'interdit, en réalité, de poser la question de l'être.

NIHILISTES. — Dans son roman *Pères et fils* (1862), Tourgueniev applique le terme de « nihiliste » à Bazarov, personnage qui remet en cause toutes les valeurs reçues de la génération précédente. Bazarov représente une partie de l'intelligentsia russe des années 1860, qui veut soumettre au doute systématique toutes les valeurs morales, esthétiques ou sociales traditionnelles et construire sur des bases rationnelles et scientifiques une société nouvelle. Cette tendance a pour principal publiciste D. I. Pissarev. Le nihilisme rejoint, sans se confondre avec lui, le radicalisme politique et social, dont Herzen* et N. G. Tchernychevski représentent en Russie les deux principales tendances.

NIIGATA, port du Japon (Honshū), sur la mer du Japon; 384 000 hab. Raffinage du pétrole. Pétrochimie. Aluminium.

NIIHAMA, port du Japon, sur la côte nord de Shikoku; 126 000 hab.

NIJINSKI (Vaslav Fomitch), danseur russe d'origine polonaise (Kiev 1890 - Londres 1950). Célèbre dès le début de sa brève carrière dans les Ballets russes de Serge de Diaghilev (1909-1914), où il crée l'ensemble des œuvres de Fokine *(Schéhérazade, Petrouchka),* entré dans la légende avec son bond prodigieux du *Spectre de la rose* (chorégr. M. Fokine, 1911), il suscita scandale et admiration en présentant ses propres œuvres : *l'Après-midi d'un faune* (1912) et *le Sacre du printemps* (1913). À partir de 1917, sa raison décline et il sombre dans la folie. — Sa sœur, BRONISLAVA NIJINSKA (Varsovie [ou Minsk] 1891 - Los Angeles 1972), danseuse polonaise, s'illustra au théâtre Mariinski, puis avec les Ballets russes de Diaghilev (le rôle de la Ballerine dans *Petrouchka* de

M. Fokine). Elle s'impose comme chorégraphe dans cette même troupe avec *la Belle au bois dormant* (Londres, 1921), *Renard* (1922), *les Noces* (1923), *les Biches* (1924). Collaboratrice de plusieurs compagnies internationales (Grand Ballet du marquis de Cuevas, Royal Ballet), elle pensait que la danse académique devait s'enrichir des théories et des innovations de Rudolf von Laban*. Excellente pédagogue, elle fonda et dirigea plusieurs écoles.

NIJLEN, comm. de Belgique (prov. d'Anvers), au N.-E. de Lierre; 18 131 hab.

NIJNI-NOVGOROD, anc. nom de la ville de GORKI.

NIJNI TAGUIL, v. de l'U. R. S. S. (R. S. F. S. de Russie), dans l'Oural central; 378 000 hab.

NIKKŌ, v. du Japon (Honshū), au N. de Tōkyō; 40 000 hab. Centre touristique. Parc national. — Grand centre de pèlerinage du Japon, Nikkō jouit d'une notoriété internationale grâce à ses trésors architecturaux : notamment le temple Rinnō-ji, édifié par la secte bouddhique Tendai et qui abrite trois statues colossales et une bibliothèque de 10 000 volumes, et le sanctuaire Tōshōgū, mausolée de Ieyasu (1542-1616), fondateur du shōgunat des Tokugawa, où l'or et les couleurs rutilent dans une décoration extravagante, peu commune au Japon.

NIKOLAÏEV, port de l'U. R. S. S. (Ukraine), sur la mer Noire; 331 000 hab.

NIKOLAIS (Alwin), compositeur et chorégraphe américain (Southington, Connecticut, 1912). S'il étudie la danse avec des disciples de Mary Wigman, avec Martha Graham et Louis Horst, il s'éloigne ensuite de ses maîtres pour mener parallèlement à la danse moderne une aventure « multimedia ». Explorant le monde des mouvements, des lumières, des couleurs et des sons, il anime un « théâtre total », où danseurs et accessoires conjuguent leurs gestes et leurs formes pour créer l'illusion. Parmi plus d'une centaine d'œuvres, on peut citer *Masks, Props and Mobiles* (1953), *Kaleidoscope* (1956; sa première composition musicale), *Totem* (1960), *Imago* (1963), *Somnyloquy* (1967), *Tent* (1968), *Structures* (1970), *Scenario* (1971), *Foreplay* (1972), *Cross Fade* (1974), *Sanctum* (1974). Nikolais est l'auteur d'un système de notation chorégraphique : *Choroscript* (1957).

NIKON (Nikita MININE, dit), prélat russe (près de Nijni-Novgorod 1605-Iaroslavl 1681). Métropolite de Novgorod (1648), puis patriarche de Moscou (1652), Nikon est partisan du retour de l'orthodoxie russe à ses sources grecques. L'opposition des traditionalistes à ses réformes provoque le schisme (raskol*) des vieux-croyants. Partisan de la suprématie du spirituel sur le temporel, Nikon se brouille (1658) avec le tsar Alexis Mikhaïlovitch, qui le fait déposer par le concile de 1666.

NIKOPOL, v. de l'U. R. S. S. (Ukraine), sur le Dniepr; 125 000 hab.

NIL (le), principal fleuve d'Afrique; 6 700 km.

Le Nil prend sa source au Burundi, puis se jette dans le lac Victoria sous le nom de « Kagera ». Devenu le Nil Victoria, il traverse les lacs Kioga et Mobutu. Il en sort pour s'étaler dans la vaste cuvette marécageuse du Soudan méridional, où il reçoit le Bahr el-Ghazal. Ensuite, devenu le Nil Blanc, il reçoit le Nil Bleu (à Khartoum), puis l'Atbara. Il traverse alors la Nubie et l'Égypte par une série de biefs, puis se jette dans la Méditerranée en un grand delta, qui commence au Caire et progresse le long de deux branches (branches de Rosette et de Damiette). Le régime de son cours inférieur est marqué par une crue d'été qui résulte des eaux issues de son bassin supérieur, situé en zone intertropicale. Le Nil charrie d'énormes quantités de limons, qu'il abandonne lors de la décrue et qui fertilisent son lit majeur. Depuis l'Antiquité, ses eaux ont servi à l'irrigation, et, dans sa partie inférieure, son cours apparaît comme une longue oasis traversant le désert. Arrosant toute une série de villes depuis Khartoum jusqu'à son embouchure, le Nil constitue également une grande artère navigable. Son cours a été régularisé par une succession de barrages équipés d'usines hydroélectriques, dont le principal (haut barrage d'Assouan) retient le lac Nasser, long de 500 km.

NILGAUT → ANTILOPE.

NĪLGIRI *(monts),* massif montagneux du sud de l'Inde; 2 535 m.

NILVANGE (57240 Knutange Nilvange), comm. de la Moselle, à 12 km à l'O.-S.-O. de Thionville; 7 018 hab. Minerai de fer. Métallurgie.

NIMAYRĪ (Dja'far **al-**) ou **NEMEYRI** (Gafaar **el-**), général et homme d'État soudanais (Omdourman 1930). Principal responsable du coup d'État de 1969, il devient chef de l'État, instaure un régime de type socialiste, mais réprime sévèrement l'opposition communiste, qui se développe à partir de 1971. Il met fin à la rébellion des provinces du Sud en leur octroyant l'autonomie (1972). En 1976, il rejoint le camp des pays arabes antisoviétiques.

NIMBA *(monts),* massif situé aux confins de la Côte-d'Ivoire, de la Guinée et du Liberia; 1 750 m. Minerai de fer.

NIMBUS → NUAGE.

NIMÈGUE, en néerl. **Nijmegen,** v. des Pays-Bas (Gueldre), sur le Waal, près de la frontière allemande; 149 000 hab. Chapelle-baptistère octogonale (VIIIe s.). Grande Église (XVe s.). Hôtel de ville et *Waag* (XVIe-XVIIe s.). Musée (antiquités romaines). — Nimègue adhère à la Hanse. Membre de l'Union d'Utrecht (1579), elle est de 1676 à 1679 le siège du congrès qui met fin à la guerre de Hollande. Ce congrès se termine par la signature de plusieurs traités (1678-1679), qui consolident les frontières du royaume de France et font de Louis XIV l'arbitre de l'Europe.

NÎMES (30000), ch.-l. du départ. du Gard, à 694 km au S. de Paris; 133 942 hab. *(Nîmois).* École d'application de l'artillerie sol-air.

GÉOGRAPHIE. Dans une situation géographique favorable (au croisement de l'axe rhodanien et de la route menant de la Catalogne à la Provence), valorisée aussi aujourd'hui par les autoroutes, Nîmes s'est développée comme centre administratif et commercial; l'industrie (textile surtout) est encore faiblement représentée. Cependant, la population s'est considérablement accrue depuis le milieu des années 50 (de moitié dans les vingt dernières années) par l'afflux de ruraux et aussi par l'arrivée de rapatriés de l'Afrique du Nord.

HISTOIRE. Capitale des Volques Arécomiques *(Nemausus),* conquise par Rome en 120 av. J.-C., Nîmes reçut sous Auguste l'apport d'une colonie de vétérans romains (*Colonia Augusta Nemausus,* 19 av. J.-C.), et devint l'une des cités les plus brillantes de l'Empire. Patrie d'origine des Antonins, elle fut rattachée à la Narbonnaise Ire et ravagée par les Vandales (407) et les Sarrasins (725) avant de faire partie des possessions des comtes de Toulouse (1185). Prise par Louis VIII lors de la croisade albigeoise (1226) et annexée au royaume (1229), elle devint au XVIe s. l'un des bastions du protestantisme cévenol. Soumise à Louis XIII (1629) après le soulèvement huguenot de 1621, enrichie par l'industrie textile, elle souffrit beaucoup de la révocation de l'édit de Nantes (1685).

BEAUX-ARTS. Magnifiques monuments de l'époque romaine, dont la *Maison carrée* (temple bâti par Agrippa, auj. musée des Antiques), les Arènes (amphithéâtre du Ier s., pour 23 000 spectateurs), le temple de Diane (début du IIe s.), situé près d'une source qui a donné lieu, au XVIIIe s., au déploiement du beau jardin de la Fontaine. Musée préhistorique, archéologique et d'histoire naturelle dans l'anc. collège des Jésuites (XVIIe s.). Musée des Beaux-Arts.

Nîmes. La ville et les Arènes, construites au Ier s. apr. J.-C.

De Forceville-Ruyant Production

NIMITZ (William), amiral américain (Fredericksburg, Texas, 1885 - Yerba Buena, Californie, 1966). Commandant les forces aéronavales alliées dans le Pacifique de 1942 à 1945, il vainquit la flotte japonaise. Chef d'état-major de la marine de 1945 à 1947.

NIMROUD, ville de l'Assyrie ancienne, sur le Tigre, près du confluent du Grand Zāb. Fondée par Salmanasar Ier, souverain d'Assyrie de 1276 à 1246 av. J.-C., elle devient importante lorsque Assour Nasirpal II (883-859 av. J.-C.) la choisit comme capitale. Éclipsée à partir du VIIIe s. av. J.-C. par Khursabād et par Ninive, elle sera prise et saccagée en 612 et abandonnée par la suite.

Percheron-Ziolo

Ivoire polychrome représentant une lionne terrassant un personnage dit « éthiopien ». VIIIe s. av. J.-C. (British Museum, Londres.)

Commencées en 1845 par Layard*, poursuivies par Rawlinson et, depuis 1949 par M. E. L. Mallowan, les fouilles ont livré les vestiges de plusieurs temples et palais ainsi que la décoration d'orthostates sculptés de ces derniers, illustrant les fastes de la Cour assyrienne au IXe s. av. J.-C. (chasse d'Assour Nasirpal). Les ivoires recueillis ont permis de déceler, à côté des importations syro-phéniciennes, une intéressante production locale.

NIN (Anaïs), femme de lettres américaine (Paris 1903 - Los Angeles 1977). Fille d'un pianiste espagnol et d'une chanteuse danoise, partagée entre des cultures et des langues différentes, elle fait de cet écartèlement un moyen d'exploration de sa vie intérieure dans son *Journal* (1969-1975) et ses romans (*les Miroirs dans le jardin,* 1946; *Séduction du Minotaure,* 1961).

NING-HIA ou **NINGXIA,** région autonome de la Chine du Nord-Ouest; 170 000 km²; 2 millions d'habitants. Capit. *Yin-tch'ouan.*

NING-PO ou **NINGBO,** v. de Chine (Tchö-kiang); 240 000 hab. Port de pêche.

NINIVE, ville de la Mésopotamie ancienne, sur le Tigre. Elle ne devient importante, au point de vue politique, qu'à partir du VIIIe s. av. J.-C., quand Sennachérib* en fait la capitale de l'Assyrie*. Sa chute en 612 av. J.-C., sous les coups conjugués des Mèdes et des Babyloniens, marque la fin de l'Empire assyrien.

Botta*, Layard*, Place et d'autres ont exploré Ninive au XIXe s., mais les fouilles scientifiques remontent à l'expédition anglaise de 1927-1932. Le site fut occupé dès le Ve millénaire, comme l'ont confirmé les niveaux archéologiques découverts dans les environs (Arpachiyah*, Gawra...) et sous les palais assyriens. Mais la pleine floraison de Ninive est liée à son rôle de capitale. Temples et palais immenses ont livré de nombreuses œuvres d'art, dont la célèbre tête en bronze (musée de Bagdad) — probable portrait de Sargon d'Akkad —, des dalles historiées (chasse d'Assourbanipal, British Museum) et surtout près de 25 000 tablettes en cunéiforme, constituant la bibliothèque d'Assourbanipal.

NINO PISANO → ANDREA PISANO.

NINOVE, v. de Belgique (Flandre-Orientale), à l'O. de Bruxelles; 33 160 hab. Belle église, anc. abbatiale norbertine des XVIIe-XVIIIe s. (boiseries et confessionnal par le Malinois T. Verhaegen, 1736).

NIOBÉ, héroïne de la mythologie grecque. Changée en source par Zeus, elle est la figure de la mère douloureuse pleurant la mort de ses enfants.

NIOBIUM. — Le niobium, ou columbium, est l'élément chimique nº 41, de masse atomique Nb ou Cb = 92,91. C'est un solide gris, de densité 8,6, fondant à 1 950 °C et inoxydable à froid. Il ressemble au tantale, qu'il accompagne toujours dans ses minerais. Son principal composé est l'oxyde Nb_2O_5, poudre blanche qui, fondue avec les alcalis, fournit divers niobates.

NIOLU-OMESSA, cant. de la Haute-Corse (arr. de Corte).

NIORT (79000), ch.-l. du départ. des Deux-Sèvres, sur la Sèvre Niortaise, à 414 km au S.-O. de Paris; 63 965 hab. *(Niortais).* Donjon remontant au XIIe s. (musée). Église Notre-Dame, de la fin du gothique, remaniée. Anc. hôtel de ville des XIVe-XVIe s. (musée « du Pilori »). Musée des Beaux-Arts. — Éloignée des grands axes de communication, Niort a connu cependant un essor rapide, lié à l'industrialisation (travail du bois, fabrication de contre-plaqué, constructions mécaniques et électriques s'ajoutant à la ganterie), et un développement de la fonction de services (mutuelles d'assurances), se juxtaposant au rôle administratif et commercial.

NIPIGON, lac du Canada (Ontario), qui se déverse dans le lac Supérieur par le *Nipigon.*

NIPPON, nom par lequel les Japonais désignent leur pays.

NIPPOUR, anc. ville de la basse Mésopotamie, qui joua un rôle important à l'époque sumérienne comme centre religieux. Extrêmement étendue, comme Mari*, Nimroud* et Ourouk*, elle est toujours en cours de fouilles depuis le XIXe s. On a dégagé le temple de la déesse Inanna ainsi que le temple et la ziggourat du dieu Enlil (dont Nippour était le siège). La ville, florissante entre le IIIe et le Ier millénaire, demeura ensuite un important carrefour commercial. Elle est l'un des plus importants gisements de tablettes cunéiformes qui ont permis la résurrection des littératures mésopotamiennes.

NIRVĀNA. — Dans la pensée orientale, le nirvāṇa désigne l'arrêt de l'indéfinie succession des existences (v. SAṂSĀRA). Plus particulièrement, il signifie, dans le bouddhisme*, la disparition totale d'une chose et, ainsi, le salut qui consiste à être libéré du saṃsāra. Il s'agit, par conséquent, de l'extinction totale de la douleur inhérente à toute existence dans la mesure où s'éteignent les passions qui contraignent l'être à renaître.

NIŠ, v. de Yougoslavie, dans le sud de la Serbie, sur la *Nišava;* 133 000 hab. Nécropole paléochrétienne. Anc. forteresse turque. Musée archéologique.

NISHINOMIYA, v. du Japon (Honshū), entre Ōsaka et Kōbe; 377 000 hab.

NITERÓI, v. du Brésil, près de Rio de Janeiro, sur la baie de Guanabara; 324 000 hab.

NITRA, v. de Tchécoslovaquie, dans l'ouest de la Slovaquie, sur la *Nitra;* 49 000 hab.

NITRATE. — Les nitrates sont des solides cristallisés, solubles dans l'eau, qui se décomposent par la chaleur et qui ont par suite des propriétés oxydantes. Certains nitrates, comme le sel de potassium (salpêtre) et le sel de sodium (nitrate du Chili), existent dans la nature; les autres sont préparés artificiellement. On utilise les nitrates alcalins, le nitrate de calcium et le nitrate d'ammonium comme engrais; ce dernier sert aussi comme explosif.

NITRATE-FUEL → EXPLOSIF.

NITRÉ. — Les *dérivés nitrés* sont obtenus aisément en série aromatique. On peut substituer sur un noyau benzénique un, deux ou, au plus, trois groupes $—NO_2$, qui se placent en méta les uns par rapport aux autres. Les dérivés polynitrés sont explosifs. L'hydrogène naissant, transformant le radical NO_2 en NH_2, conduit aux arylamines.

Les *explosifs nitrés* sont constitués par un ester nitrique (nitroglycérine) ou par un dérivé nitré de carbure (tolite), de phénol (acide picrique) ou d'amine (hexogène).

NITREUX. — L'*anhydride nitreux,* ou azoteux, N_2O_3, est obtenu en refroidissant un mélange d'oxyde azotique NO et de peroxyde d'azote NO_2. C'est un liquide bleu, qui bout à 3 °C en se dissociant.

L'*acide nitreux,* ou azoteux, HNO_2, n'est connu qu'en solution, car il est instable. En revanche, ses sels (nitrites ou azotites) sont des solides cristallisés, qui peuvent être oxydants ou réducteurs. Ils réagissent sur l'aniline pour donner des diazoïques*.

On nomme *vapeurs nitreuses* un mélange gazeux des oxydes NO, N_2O_3 et NO_2.

NITRIFICATION. — Cette transformation, connue depuis longtemps, nécessite l'intervention de micro-organismes (travaux de Schlœsing et Müntz en 1884 sur les eaux d'égout) et comporte deux étapes, que Vinogradski a révélées : la nitrosation, ou transformation de l'azote ammoniacal en nitrites, faisant intervenir le *nitrosomonas;* la nitratation, ou oxydation des nitrites en nitrates, réalisée par le *nitrobacter.* Ces réactions, très importantes pour l'agriculture, nécessitent un sol aéré et suffisamment humide; la température optimale dans les régions tempérées est comprise entre 25 et 30 °C.

NITRILE. — Les nitriles, de formule générale RCN, découverts en 1834 par Pelouze, résultent de la déshydratation des amides $RCONH_2$. Par hydrogénation, ils donnent des amines RCH_2NH_2, et leur hydrolyse conduit au sel d'ammonium RCO_2NH_4.

NITRIQUE. — L'*anhydride nitrique,* ou azotique, N_2O_5, est un solide blanc, fondant à 30 °C, qui se décompose dès cette température et qui est un oxydant énergique.

L'*acide nitrique,* ou azotique, HNO_3, est un liquide incolore et fumant à l'air. Il bout à 86 °C en se décomposant partiellement. La température d'ébullition monte progressivement jusqu'à 123 °C, et il distille un mélange azéotrope à 69 p. 100, qui constitue l'acide commercial.

L'acide nitrique est un oxydant; à température plus ou moins élevée, il oxyde l'hydrogène, le soufre, le carbone, etc., avec production de vapeurs nitreuses, ainsi qu'un grand nombre de corps organiques, ce qui explique son caractère corrosif. C'est un monoacide fort, qui donne, avec les bases, des sels, les nitrates ou azotates. Il attaque presque tous les métaux, mais sans jamais donner d'hydrogène, en raison de son caractère oxydant. L'action sur le cuivre est utilisée dans la gravure; l'acide nitrique porte le nom d'« eau-forte ». Il réagit aussi sur les alcools, notamment la glycérine et la cellulose, qu'il transforme en nitroglycérine* et en nitrocellulose*. Il agit enfin sur les composés benzéniques pour donner des dérivés nitrés*, par exemple le nitrobenzène*. Beaucoup de ces nitrations conduisent à des explosifs.

L'ancienne préparation de l'acide nitrique consistait à traiter les nitrates naturels à chaud par l'acide sulfurique. On utilise maintenant une synthèse indirecte, en envoyant un mélange d'ammoniac et d'air à 700 °C sur une toile fine de platine qui sert de catalyseur; il se forme de l'oxyde azotique NO, qui, par refroidissement au contact de l'air, se transforme en peroxyde NO_2. Celui-ci, envoyé dans des tours d'absorption où ruisselle de l'eau, fournit de l'acide nitrique dilué, que l'on peut concentrer.

L'acide nitrique sert surtout à la préparation des nitrates, employés comme engrais, d'éthers nitriques et de dérivés nitrés, utilisés comme explosifs ou pour la préparation de colorants.

NITROBENZÈNE. — Préparé par action de l'acide nitrique fumant sur le benzène, le nitrobenzène, $C_6H_5NO_2$, est une huile incolore, bouillant à 209 °C, à odeur d'amandes amères. Employé en parfumerie sous le nom d'« essence de mirbane », il est transformé en aniline par action de l'hydrogène naissant et constitue par suite une matière première pour l'industrie des colorants.

NITROCELLULOSE. — Avec un degré de nitration élevé, les nitrocelluloses servent à la fabrication des poudres et portent alors les noms de « pyroxyle », « pyroxyline », « fulmicoton » ou « coton-poudre ». À un degré de nitration inférieur, elles servent à la fabrication des collodions et de vernis-laques, par dissolution dans un mélange d'alcool et d'éther ou dans l'acétone.

NITROGLYCÉRINE. — Découverte en 1847 par Sobrero, la nitroglycérine est obtenue par action du mélange sulfonitrique sur la glycérine anhydre. C'est un liquide visqueux incolore, de densité 1,6, qui gèle à 13 °C, mais qui reste facilement en surfusion. C'est un explosif très puissant, mais sa sensibilité au choc la rend très dangereuse, et, depuis Nobel, on ne l'emploie aux travaux de minage que sous forme de dynamite. La nitroglycérine entre aussi dans la composition des poudres sans fumée.

On l'utilise en thérapeutique sous le nom de *trinitrine* dans l'angine de poitrine, en raison de son pouvoir vasodilatateur.

NITRURE. — On distingue les *azotures,* sels de l'acide azothydrique HN_3, et les *nitrures,* dérivés de substitution de l'ammoniac, comme les nitrures de lithium Li_3N, de magnésium Mg_3N_2, de bore BN, etc.

NI TSAN ou **NI ZAN,** peintre chinois (1301-1374). L'œuvre de cet éminent paysagiste de l'époque Yuan, calligraphe et poète, est exemplaire de la noble désinvolture et du détachement intérieur de l'esthétique lettrée. Ni Tsan organise systématiquement ses peintures en trois plans, où, en l'absence de toute présence humaine et de toutes couleurs, se jouent les touches d'encre sèche et mouillée, dans le dépouillement frémissant du lyrisme intime propre au sud de la Chine et au lac T'ai-hou, son sujet favori.

NIVAL, NIVOGLACIAIRE, NIVOPLUVIAL → RÉGIME.

NIVE (la), riv. de l'ouest des Pyrénées-Atlantiques, qui rejoint l'Adour (r. g.) à Bayonne; 78 km.

NIVEAU DE BASE → PROFIL D'UN COURS D'EAU.

NIVEAU DE VIE. — En relation avec la notion (voisine, mais distincte) de *pouvoir d'achat,* le concept de niveau de vie s'attache à mesurer la quantité de biens et de services dont une population (ou une famille, etc.) peut réellement disposer à un moment donné.

Le niveau de vie est difficile à cerner, car on doit faire entrer en ligne de compte non seulement les éléments quantitatifs, mais également les aspects qualitatifs. Le revenu ne suffit pas à mesurer le niveau de vie; la notion de besoins assouvis semble la base du niveau de vie, car on pourrait imaginer des situations où de hauts revenus donneraient néanmoins un niveau de vie médiocre. Il s'agit de satisfaire des besoins physiques (aliments, vêtements, habitation), des besoins socioculturels (éducation, culture), des besoins de qualité de vie (cadre de vie, environnement, espaces verts, silence) et des besoins de santé.

Niveleurs (en angl. *levellers*), républicains qui, durant la guerre civile anglaise (1647-1649), tout en étant fermement hostiles à la monarchie, se méfièrent tellement des tendances autoritaires de Cromwell* que celui-ci ne tarda pas à les combattre, leurs doctrines sociales avancées, grosses de révoltes paysannes, inquiétant par ailleurs les grands propriétaires.

NIVELLE (Robert), général français (Tulle 1856 - Paris 1924). Brillant chef du 3e corps, puis, en mai 1916, de la IIe armée, il prit une part essentielle à la victoire de Verdun. Succédant en décembre à Joffre comme commandant en chef, il déclencha en avril 1917 l'offensive du Chemin des Dames, dont l'échec entraîna son remplacement par Pétain.

NIVELLEMENT. — Le *nivellement de précision* (nivellement général de la France) fournit de façon précise les altitudes de repères de nivellement disposés le long des voies de communication, par rapport au niveau moyen de la Méditerranée à Marseille.

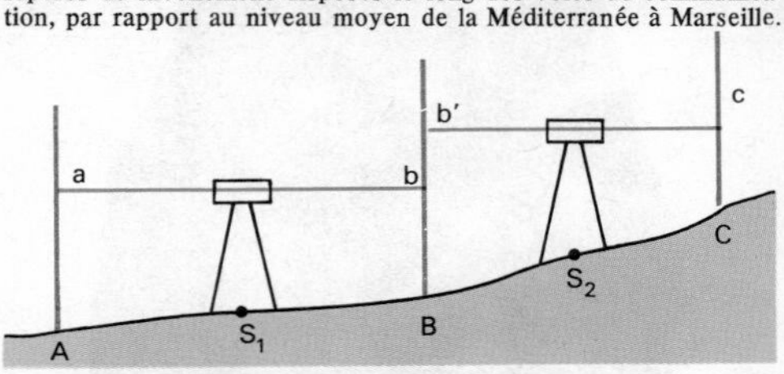

Principe du nivellement direct. S_1, S_2 : stations du niveau; ab, b'c : visées effectuées selon l'horizontale. La dénivelée entre A et B a pour valeur : d_{nA}^{B} = Aa − Bb. L'opération correspondante est une nivelée.

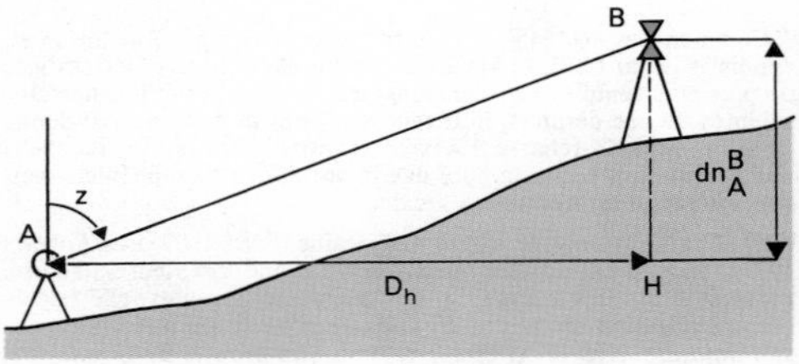

Principe du nivellement géodésique. A et B : points géodésiques distants de D_h(3 à 4 km); z : distance zénithale mesurée au théodolite. La dénivelée entre A et B a pour valeur : $d_{nA}^{B} = D_h.\text{cotg } z$.

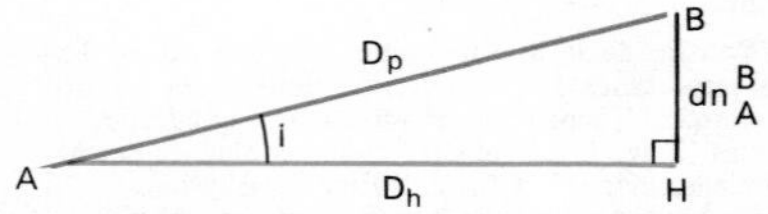

Principe du nivellement indirect. i : site mesuré au tachéomètre ou à l'alidade; D_h : distance horizontale entre A et B. La dénivelée entre A et B a pour valeur : $d_{nA}^{B} = D_h.\text{tg } i$.

Les opérations sont faites au niveau par nivellement direct. Le *nivellement géodésique* étend le nivellement précédent aux bornes géodésiques. Le *nivellement topographique,* en général indirect, permet de déterminer les altitudes d'un grand nombre de points et de représenter les formes du terrain par des courbes de niveau.

NIVELLES, v. de Belgique (Brabant), au S. de Bruxelles; 16 126 hab. Imposante collégiale, typique de l'architecture mosane, reconstruite pour l'essentiel aux XIe-XIIIe s. Musée archéologique.

NIVERNAIS, région historique de France, dont la capitale était Nevers*. Érigé en comté dès le IXe s., donné au comte Landri à la fin du Xe s., le Nivernais devint sous les successeurs de Landri une puissante principauté. Échu à Pierre de Courtenay grâce au mariage de celui-ci avec Agnès de Nevers (1184), il passa par la suite aux maisons de Donzy, de Flandre, de Bourgogne (Philippe le Hardi) et de Clèves (1491). Érigé en duché-pairie (1539), il appartint à la famille de Gonzague (1565), puis à Mazarin (1659), qui en fit don aux Mancini. Démembré par la Révolution, il forme dans sa majeure partie le département de la Nièvre.

Nivernais *(canal du),* canal reliant l'Yonne à la Loire, entre Auxerre et Decize; 174 km.

NIVILLERS (60510 Bresles), ch.-l. de cant. de l'Oise, à 7 km au N.-E. de Beauvais; 294 hab.

NIXON (Richard Milhow), homme d'État américain (Yorba Linda, Californie, 1913). Avocat, député républicain (1947-1951), puis sénateur (1951-1953), il représente alors la tendance conservatrice violemment hostile au communisme et à l'U. R. S. S. Vice-président des États-Unis (1953-1960), il est battu par Kennedy* aux élections présidentielles de 1960. Modifiant sa politique, il atténue ses positions anticommunistes et se présente comme candidat modéré aux élections de 1968, qui le portent à la présidence des États-Unis. Si le bilan de sa politique intérieure est médiocre (malaise économique et social, inflation, dévaluation du dollar), il obtient des succès diplomatiques importants. Il renoue avec l'Europe, se rapproche de l'U. R. S. S., avec laquelle il négocie la limitation des armements stratégiques, reconnaît la Chine populaire et se rend à Pékin. Surtout il entame le processus de désengagement américain au Viêt-nam et obtient la signature d'un cessez-le-feu (1973). Facilement réélu à la présidence (1972), il doit démissionner à la suite du scandale politique du Watergate (août 1974).

NIZAMABAD, v. de l'Inde, dans le centre du Deccan (Andhra Pradesh); 115 000 hab.

NIZĀM AL-MULK (Abū ʿAlī Ḥasan), homme d'État et écrivain persan (près de Tus 1018 - près de Nehavend 1092). Vizir (de 1063 à 1092) des sultans seldjoukides* Alp Arslan et Malik Chāh*, il écrit à l'intention de ce dernier le *Livre de politique.* Fervent partisan du sunnisme, il crée des universités *(madrasa)* à Nichāpur, à Bagdad, à Ispahan et à Merv, et meurt assassiné par un ismaélien.

NIZĀMĪ ou **NEZĀMI,** poète persan (Gandja v. 1140 - *id.* 1209). L'influence du soufisme mystique marque ses poèmes *(les Amours de Laylā et de Madjnūn, le Trésor des secrets)* et ses épopées romanesques *(le Roman d'Alexandre),* qui servirent de modèles aux poètes persans et turcs.

NIZAN (Paul), écrivain français (Tours 1905 - Audruicq 1940). Il adhéra au communisme, avec lequel il rompit lors du pacte germano-soviétique. Ses essais (*Aden Arabie,* 1931; *les Chiens de garde,* 1932) et ses romans (*la Conspiration,* 1938) tentent de faire d'une culture apprise et contestée un moyen de compréhension du monde réel.

NIZZOLI (Marcello), designer et architecte italien (Boretto 1887 - Camogli 1969). D'abord peintre, il crée des tissus, des affiches et s'intéresse à l'architecture d'intérieur (aménagements d'expositions). Sa collaboration, exemplaire, avec la firme Olivetti, entamée en 1931, se développe après 1945 : design de machines à écrire *(Lettera 22),* construction, avec A. Fiocchi, de logements (Ivrée) et de bureaux (Milan : Palazzo Olivetti, 1954).

NKRUMAH (Kwame), homme d'État ghanéen (Nkroful 1909 - Bucarest 1972). De formation catholique et universitaire, il prend en 1947 la tête du mouvement d'opposition nationaliste, créant en 1949 son propre parti : le Convention People's Party (CPP), qui, à la suite des élections fédérales de 1951, constitue la majorité de l'Assemblée ghanéenne. Premier ministre (1952), il lutte pour l'indépendance du Gold Coast, qu'il obtient en 1957. À la tête du jeune Ghāna, il fait en même temps figure de dirigeant panafricaniste. En 1960, alors qu'il vient d'être élu président de la République, il proclame l'union — qui sera éphémère — du Ghāna, de la Guinée et du Mali; en 1963, il participe, à Addis-Abeba, à la rédaction de la charte de l'O. U. A. En 1966, au cours d'un voyage de Nkrumah en Chine, le général J. A. Ankrah s'empare du pouvoir.

NKVD → KGB.

NŌ. — La forme théâtrale du nō, qui allie la poésie à la danse et à la musique, fait alterner les dialogues en prose avec des récitations lyriques confiées à un chœur. Chaque pièce a deux personnages essentiels : le *shite,* danseur principal, et le *waki.* Le nō prit ses proportions définitives au XIVe s. grâce à Kanami et à son fils Zeami, théoricien des tendances esthétiques inspirées du bouddhisme zen. Le répertoire comprend deux cent quarante pièces environ. Chacune est divisée en deux parties : la première a un caractère d'énigme, et les esprits s'y confondent avec les vivants; la seconde est une révélation. Un programme de six heures comprend cinq pièces (de dieux, de guerriers, de femmes, de fous et de démons), alternant avec des farces burlesques, ou *kyōgen.* Le décor est très dépouillé (un éventail figure tour à tour un bouclier, un luth ou une coupe; quelques pas à travers la scène représentent un long voyage), et les acteurs sont masqués.

NÔ *(lac),* dépression marécageuse du Soudan méridional, constitué par les crues du Bahr el-Ghazal et du Bahr el-Gebel, et d'où est issu le Nil* Blanc (ou Bahr el-Abiad).

NOAILLES (60430), ch.-l. de cant. de l'Oise, à 15 km au S.-E. de Beauvais; 1 538 hab.

NOAILLES, famille française, originaire de Noailles en Limousin. ANNE JULES, duc **de Noailles** (Paris 1650 - Versailles 1708), pair et maréchal de France, accompagna Philippe V à Madrid. — LOUIS ANTOINE, cardinal **de Noailles** (château de Peynières 1651 - Paris 1729), frère du précédent, archevêque de Paris (1695), observa à l'égard des jansénistes une attitude ambiguë, qu'explique son amitié pour Quesnel*. — ADRIEN MAURICE, duc **de Noailles** (Paris 1678 - *id.* 1766), fils d'Anne Jules, président du Conseil des finances durant la régence, se montra hostile au système de Law*; maréchal de France (1734), ministre des Affaires étrangères (1744-45), il conclut l'alliance prussienne. — LOUIS MARIE, vicomte **de Noailles** (Paris 1756 - La Havane 1804), petit-fils du précédent, beau-père de La Fayette*, combattit en Amérique; député de la noblesse aux États généraux (1789), il prit l'initiative, dans la nuit du 4 août, de l'abolition des privilèges.

NOAILLES (Anna, *princesse* BRANCOVAN, *comtesse* MATHIEU DE), femme de lettres française (Paris 1876 - *id.* 1933), auteur de recueils lyriques (*le Cœur innombrable,* 1901).

NOBEL (Alfred), chimiste suédois (Stockholm 1833 - San Remo 1896). En 1866, il réussit à rendre la nitroglycérine maniable en

LISTE DES LAURÉATS DES PRIX NOBEL

physique

1901	W. C. Röntgen (All.)
1902	H. A. Lorentz (P.-B.)
	P. Zeeman (P.-B.)
1903	H. Becquerel (Fr.)
	P. et M. Curie (Fr.)
1904	J. W. S. Rayleigh (G.-B.)
1905	P. Lenard (All.)
1906	J. J. Thomson (G.-B.)
1907	A. A. Michelson (É.-U.)
1908	G. Lippmann (Fr.)
1909	G. Marconi (It.)
	K. F. Braun (All.)
1910	J. D. Van der Waals (P.-B.)
1911	W. Wien (All.)
1912	G. Dalén (Suède)
1913	H. Kamerlingh-Onnes (P.-B.)
1914	M. von Laue (All.)
1915	W. H. Bragg (G.-B.)
	W. L. Bragg (G.-B.)
1916	Non attribué
1917	C. G. Barkla (G.-B.)
1918	M. Planck (All.)
1919	J. Stark (All.)
1920	C. E. Guillaume (Suisse)
1921	A. Einstein (All.)
1922	N. Bohr (Dan.)
1923	R. A. Millikan (É.-U.)
1924	K. M. G. Siegbahn (Suède)
1925	J. Franck (All.)
	G. Hertz (All.)
1926	J. Perrin (Fr.)
1927	A. H. Compton (É.-U.)
	C. T. R. Wilson (G.-B.)
1928	O. W. Richardson (G.-B.)
1929	L. V. de Broglie (Fr.)
1930	C. V. Raman (Inde)
1931	Non attribué
1932	W. Heisenberg (All.)
1933	E. Schrödinger (Autr.)
	P. A. M. Dirac (G.-B.)
1934	Non attribué
1935	J. Chadwick (G.-B.)
1936	V. F. Hess (Autr.)
	C. D. Anderson (É.-U.)
1937	C. J. Davisson (É.-U.)
	G. P. Thomson (G.-B.)
1938	E. Fermi (It.)
1939	E. O. Lawrence (É.-U.)
1940	Non attribué
1941	Non attribué
1942	Non attribué
1943	O. Stern (É.-U.)
1944	I. I. Rabi (É.-U.)
1945	W. Pauli (Autr.)
1946	P. W. Bridgman (É.-U.)
1947	E. V. Appleton (G.-B.)
1948	P. M. S. Blackett (G.-B.)
1949	H. Yukawa (Jap.)
1950	C. F. Powell (G.-B.)
1951	J. D. Cockcroft (G.-B.)
	E. T. S. Walton (Irl.)
1952	F. Bloch (É.-U.)
	E. M. Purcell (É.-U.)
1953	F. Zernike (P.-B.)
1954	M. Born (G.-B.)
	W. Bothe (All.)
1955	W. E. Lamb (É.-U.)
	P. Kusch (É.-U.)
1956	W. Shockley (É.-U.)
	J. Bardeen (É.-U.)
	W. H. Brattain (É.-U.)
1957	C. N. Yang (Chine)
	T. D. Lee (Chine)
1958	P. A. Tcherenkov (U.R.S.S.)
	I. M. Frank (U.R.S.S.)
	I. E. Tamm (U.R.S.S.)
1959	E. Segrè (É.-U.)
	O. Chamberlain (É.-U.)

LISTE DES LAURÉATS DES PRIX NOBEL

physique

1960 D. A. Glaser (É.-U.)
1961 R. Hofstadter (É.-U.)
R. Mössbauer (All.)
1962 L. Landau (U.R.S.S.)
1963 E. Wigner (É.-U.)
M. Gœppert-Mayer (É.-U.)
J. Hans D. Jensen (All.)
1964 Ch. H. Townes (É.-U.)
N. G. Bassov (U.R.S.S.)
A. M. Prokhorov (U.R.S.S.)
1965 S. Tomonaga (Jap.)
J. Schwinger (É.-U.)
R. Feynman (É.-U.)
1966 A. Kastler (Fr.)
1967 H. Bethe (É.-U.)
1968 L. Alvarez (É.-U.)
1969 M. Gell-Mann (É.-U.)
1970 H. Alfvén (Suède)
L. Néel (Fr.)
1971 D. Gabor (G.-B.)
1972 J. Bardeen (É.-U.)
L. Cooper (É.-U.)
J. Schrieffer (É.-U.)
1973 L. Esaki (É.-U.)
I. Giaever (É.-U.)
B. D. Josephson (G.-B.)
1974 M. Ryle (G.-B.)
A. Hewish (G.-B.)
1975 J. Rainwater (É.-U.)
A. Bohr (Dan.)
B. Mottelson (Dan.)
1976 B. Richter (É.-U.)
S. Ting (É.-U.)
1977 P. Anderson (É.-U.)
Sir N. Mott (G.-B.)
J. H. van Vleck (É.-U.)

chimie

1901 J. H. Van't Hoff (P.-B.)
1902 E. Fischer (All.)
1903 S. A. Arrhenius (Suède)
1904 W. Ramsay (G.-B.)
1905 A. von Baeyer (All.)
1906 H. Moissan (Fr.)
1907 E. Buchner (All.)
1908 E. Rutherford (G.-B.)
1909 W. Ostwald (All.)
1910 O. Wallach (All.)
1911 M. Curie (Fr.)
1912 V. Grignard (Fr.)
P. Sabatier (Fr.)
1913 A. Werner (Suisse)
1914 T. W. Richards (É.-U.)
1915 R. M. Willstätter (All.)
1916 Non attribué
1917 Non attribué
1918 F. Haber (All.)
1919 Non attribué
1920 W. Nernst (All.)
1921 F. Soddy (G.-B.)
1922 F. W. Aston (G.-B.)
1923 F. Pregl (Autr.)
1924 Non attribué
1925 R. Zsigmondy (All.)
1926 T. Svedberg (Suède)
1927 H. Wieland (All.)
1928 A. Windaus (All.)
1929 A. Harden (G.-B.)
H. K. von Euler-Chelpin (Suède)
1930 H. Fischer (All.)
1931 C. Bosch (All.)
F. Bergius (All.)
1932 I. Langmuir (É.-U.)
1933 Non attribué
1934 H. C. Urey (É.-U.)
1935 F. Joliot-Curie (Fr.)
I. Joliot-Curie (Fr.)
1936 P. J. W. Debye (P.-B.)
1937 W. N. Haworth (G.-B.)
P. Karrer (Suisse)
1938 R. Kuhn (All.)
1939 A. F. J. Butenandt (All.)
L. Ružička (Suisse)
1940 Non attribué
1941 Non attribué
1942 Non attribué
1943 G. Hevesy de Heves (Suède)
1944 O. Hahn (All.)
1945 A. I. Virtanen (Finl.)
1946 J. B. Sumner (É.-U.)
J. H. Northrop (É.-U.)
W. M. Stanley (É.-U.)
1947 R. Robinson (G.-B.)
1948 A. W. K. Tiselius (Suède)
1949 W. F. Giauque (É.-U.)
1950 O. Diels (All.)
K. Alder (All.)
1951 E. M. McMillan (É.-U.)
G. T. Seaborg (É.-U.)
1952 A. J. P. Martin (G.-B.)
R. L. M. Synge (G.-B.)
1953 H. Staudinger (All.)
1954 L. C. Pauling (É.-U.)
1955 V. Du Vigneaud (É.-U.)
1956 C. N. Hinshelwood (G.-B.)
N. N. Semionov (U.R.S.S.)
1957 A. R. Todd (G.-B.)
1958 F. Sanger (G.-B.)
1959 J. Heyrovský (Tchécosl.)
1960 W. F. Libby (É.-U.)
1961 M. Calvin (É.-U.)
1962 J. C. Kendrew (G.-B.)
M. F. Perutz (G.-B.)
1963 G. Natta (It.)
K. Ziegler (All.)
1964 D. Crowfoot Hodgkin (G.-B.)
1965 R. B. Woodward (É.-U.)
1966 R. S. Mulliken (É.-U.)
1967 M. Eigen (All.)
R. G. W. Norrish (G.-B.)
G. Porter (G.-B.)
1968 L. Onsager (É.-U.)
1969 D. H. Barton (G.-B.)
O. Hassel (Norv.)
1970 L. F. Leloir (Arg.)
1971 G. Herzberg (Canada)
1972 C. Anfinsen (É.-U.)
S. Moore (É.-U.)
W. Stein (É.-U.)
1973 E. O. Fischer (All.)
G. Wilkinson (G.-B.)
1974 P. J. Flory (É.-U.)
1975 V. Prelog (Suisse)
J. Cornforth (Austr.)
1976 M. Lipscomb (É.-U.)
1977 I. Prigogine (Belg.)

physiologie et médecine

1901 E. A. von Behring (All.)
1902 R. Ross (G.-B.)
1903 N. R. Finsen (Dan.)
1904 I. P. Pavlov (Russ.)
1905 R. Koch (All.)
1906 C. Golgi (It.)
S. Ramón y Cajal (Esp.)
1907 C. L. A. Laveran (Fr.)
1908 P. Ehrlich (All.)
E. Metchnikov (Russ.)
1909 T. Kocher (Suisse)
1910 A. Kossel (All.)
1911 A. Gullstrand (Suède)
1912 A. Carrel (Fr.)
1913 C. Richet (Fr.)
1914 R. Bárány (Autr.-Hongr.)
1915 Non attribué
1916 Non attribué
1917 Non attribué
1918 Non attribué
1919 J. Bordet (Belg.)
1920 A. Krogh (Dan.)
1921 Non attribué
1922 A. V. Hill (G.-B.)
O. Meyerhof (All.)
1923 F. G. Banting (Canada)
J. J. R. Macleod (Canada)
1924 W. Einthoven (P.-B.)
1925 Non attribué
1926 J. Fibiger (Dan.)
1927 J. Wagner
von Jauregg (Autr.)
1928 C. Nicolle (Fr.)
1929 C. Eijkman (P.-B.)
F. G. Hopkins (G.-B.)
1930 K. Landsteiner (Autr.)
1931 O. Warburg (All.)
1932 C. S. Sherrington (G.-B.)
E. D. Adrian (G.-B.)
1933 T. H. Morgan (É.-U.)
1934 G. H. Whipple (É.-U.)
W. P. Murphy (É.-U.)
G. R. Minot (É.-U.)
1935 H. Spemann (All.)
1936 H. H. Dale (G.-B.)
O. Loewi (Autr.)
1937 A. Szent-Györgyi
von Nagyrapolt (Hongr.)
1938 C. Heymans (Belg.)
1939 G. Domagk (All.)
1940 Non attribué
1941 Non attribué
1942 Non attribué
1943 E. A. Doisy (É.-U.)
H. Dam (Dan.)
1944 J. Erlanger (É.-U.)
H. S. Gasser (É.-U.)
1945 A. Fleming (G.-B.)
E. B. Chain (G.-B.)
H. Florey (Austr.)
1946 H. J. Muller (É.-U.)
1947 C. F. Cori (É.-U.)
G. T. Cori (É.-U.)
B. A. Houssay (Argent.)
1948 P. H. Müller (Suisse)
1949 A. C. de Abreu Freire Egas Moniz (Port.)
W. R. Hess (Suisse)
1950 P. S. Hench (É.-U.)
E. C. Kendall (É.-U.)
T. Reichstein (Suisse)
1951 M. Theiler (Un. sud-afr.)
1952 S. A. Waksman (É.-U.)
1953 H. A. Krebs (G.-B.)
F. A. Lipmann (É.-U.)
1954 J. F. Enders (É.-U.)
T. H. Weller (É.-U.)
F. C. Robbins (É.-U.)
1955 A. H. T. Theorell (Suède)
1956 A. F. Cournand (É.-U.)
W. Forssmann (All.)
D. W. Richards Jr. (É.-U.)
1957 D. Bovet (It.)
1958 G. W. Beadle (É.-U.)
E. L. Tatum (É.-U.)
J. Lederberg (É.-U.)
1959 S. Ochoa (É.-U.)
A. Kornberg (É.-U.)
1960 F. M. Burnet (Austr.)
P. B. Medawar (G.-B.)
1961 G. von Bekesy (É.-U.)
1962 M. H. F. Wilkins (G.-B.)
F. H. Compton Crick (G.-B.)
J. D. Watson (É.-U.)
1963 A. L. Hodgkin (G.-B.)
A. F. Huxley (G.-B.)
J. C. Eccles (Austr.)

1964 K. E. Bloch (É.-U.)
F. Lynen (All.)
1965 F. Jacob (Fr.)
A. Lwoff (Fr.)
J. Monod (Fr.)
1966 F. P. Rous (É.-U.)
C. B. Huggins (É.-U.)
1967 R. Granit (Suède)
H. K. Hartline (All.)
G. Wald (All.)
1968 R. Holley (É.-U.)
G. Khorana (É.-U.)
M. Nirenberg (É.-U.)
1969 M. Delbruck (É.-U.)
A. Hershey (É.-U.)
S. Luria (É.-U.)
1970 J. Axelrod (É.-U.)
B. Katz (G.-B.)
U. von Euler (Suède)
1971 E. Sutherland (É.-U.)
1972 G. Edelman (É.-U.)
R. Porter (G.-B.)
1973 K. Lorenz (Autr.)
K. von Frisch (Autr.)
N. Tinbergen (P.-B.)
1974 A. Claude (Belg.)
C. de Duve (Belg.)
G. Palade (É.-U.)
1975 H. M. Temin (É.-U.)
R. Dulbecco (É.-U.)
D. Baltimore (É.-U.)
1976 B. Blumberg (É.-U.)
C. Gajdusek (É.-U.)
1977 R. Guillemin (É.-U.)
A. V. Schally (É.-U.)
R. Yalow (É.-U.)

paix

1901 H. Dunant (Suisse)
F. Passy (Fr.)
1902 E. Ducommun (Suisse)
A. Gobat (Suisse)
1903 W. R. Cremer (G.-B.)
1904 Institut de droit intern. de Gand
1905 B. von Suttner (Autr.)
1906 T. Roosevelt (É.-U.)
1907 E. T. Moneta (It.)
L. Renault (Fr.)
1908 K. P. Arnoldson (Suède)
F. Bajer (Dan.)
1909 A. M. F. Beernaert (Belg.)
P. H. B. Balluat d'Estournelles de Constant (Fr.)
1910 Bureau international de la paix, à Berne
1911 T. M. C. Asser (P.-B.)
A. H. Fried (Autr.)
1912 E. Root (É.-U.)
1913 H. La Fontaine (Belg.)
1914 Non attribué
1915 Non attribué
1916 Non attribué
1917 Comité international de la Croix-Rouge, à Genève
1918 Non attribué
1919 T. W. Wilson (É.-U.)
1920 L. Bourgeois (Fr.)
1921 K. H. Branting (Suède)
C. L. Lange (Norv.)
1922 F. Nansen (Norv.)
1923 Non attribué
1924 Non attribué
1925 J. A. Chamberlain (G.-B.)
C. G. Dawes (É.-U.)
1926 A. Briand (Fr.)
G. Stresemann (All.)
1927 F. Buisson (Fr.)
L. Quidde (All.)
1928 Non attribué
1929 F. B. Kellogg (É.-U.)
1930 Nathan Söderblom (Suède)
1931 J. Addams (É.-U.)
N. M. Butler (É.-U.)
1932 Non attribué
1933 N. Angell (G.-B.)
1934 A. Henderson (G.-B.)
1935 C. von Ossietzky (All.)
1936 C. Saavedra Lamas (Argent.)
1937 Vicomte E. Cecil of Chelwood (G.-B.)
1938 Comité Nansen
1939 Non attribué
1940 Non attribué
1941 Non attribué
1942 Non attribué
1943 Non attribué
1944 Comité intern. de la Croix-Rouge
1945 C. Hull (É.-U.)
1946 E. G. Balch (É.-U.)
J. R. Mott (É.-U.)
1947 The Friends Service Council (G.-B.)
The American Friends Service Committee (É.-U.)
1948 Non attribué
1949 J. Boyd Orr (G.-B.)
1950 R. Bunche (É.-U.)
1951 L. Jouhaux (Fr.)
1952 A. Schweitzer (Fr.)
1953 G. C. Marshall (É.-U.)
1954 Haut-Commissariat des Nations unies pour les réfugiés, à Genève
1955 Non attribué
1956 Non attribué
1957 L. B. Pearson (Canada)
1958 G. Pire (Belg.)
1959 P. Noel-Baker (G.-B.)
1960 A. Luthuli (Rép. sud-afr.)
1961 D. Hammarskjöld (Suède)
1962 Linus C. Pauling (É.-U.)
1963 Comité inter. de la Croix-Rouge
Ligue internationale des sociétés de la Croix-Rouge
1964 M. L. King (É.-U.)
1965 Fonds international de secours à l'enfance (F.I.S.E.)
1966 Non attribué
1967 Non attribué
1968 R. Cassin (Fr.)
1969 Organisation intern. du travail
1970 N. E. Borlaug (E.-U.)
1971 W. Brandt (All.)
1972 Non attribué
1973 H. Kissinger (É.-U.)
Lê Duc Tho (Viêt-nam)
1974 E. Sato (Jap.)
S. Mac Bride (Irl.)
1975 A. Sakharov (U.R.S.S.)
1976 Non attribué
1977 Amnesty international

littérature

1901 R. Sully Prudhomme (Fr.)
1902 T. Mommsen (All.)
1903 B. Bjørnson (Norv.)
1904 F. Mistral (Fr.)
J. Echegaray (Esp.)
1905 H. Sienkiewicz (Pol.)
1906 G. Carducci (It.)
1907 R. Kipling (G.-B.)
1908 R. Eucken (All.)
1909 S. Lagerlöf (Suède)
1910 P. von Heyse (All.)
1911 M. Maeterlinck (Belg.)
1912 G. Hauptmann (All.)
1913 Rabindranāth Tagore (Inde)
1914 Non attribué
1915 Romain Rolland (Fr.)
1916 V. von Heidenstam (Suède)
1917 K. Gjellerup (Dan.)
H. Pontoppidan (Dan.)
1918 Non attribué
1919 C. Spitteler (Suisse)
1920 K. Hamsun (Norv.)
1921 A. France (Fr.)
1922 J. Benavente (Esp.)
1923 W. B. Yeats (Irl.)
1924 W. Reymont (Pol.)
1925 G. B. Shaw (G.-B.)
1926 G. Deledda (It.)
1927 H. Bergson (Fr.)
1928 S. Undset (Norv.)
1929 T. Mann (All.)
1930 S. Lewis (É.-U.)
1931 E. A. Karlfeldt (Suède)
1932 J. Galsworthy (G.-B.)
1933 I. A. Bounine (Russ.)
1934 L. Pirandello (It.)
1935 Non attribué
1936 E. O'Neill (É.-U.)
1937 R. Martin du Gard (Fr.)
1938 Pearl Buck (É.-U.)
1939 F. E. Sillanpää (Finl.)
1940 Non attribué
1941 Non attribué
1942 Non attribué
1943 Non attribué
1944 J. V. Jensen (Dan.)
1945 G. Mistral (Chili)
1946 H. Hesse (Suisse)
1947 A. Gide (Fr.)
1948 T. S. Eliot (G.-B.)
1949 W. Faulkner (É.-U.)
1950 B. Russell (G.-B.)
1951 Pär Lagerkvist (Suède)
1952 F. Mauriac (Fr.)
1953 W. L. S. Churchill (G.-B.)
1954 E. Hemingway (É.-U.)
1955 H. Laxness (Isl.)
1956 J. R. Jiménez (Esp.)
1957 A. Camus (Fr.)
1958 B. Pasternak (U.R.S.S.) [décline le prix]
1959 S. Quasimodo (It.)
1960 Saint-John Perse (Fr.)
1961 Ivo Andrić (Yougosl.)
1962 J. Steinbeck (É.-U.)
1963 G. Séféris (Grèce)
1964 J.-P. Sartre (Fr.) [décline le prix]
1965 M. A. Cholokhov (U.R.S.S.)
1966 N. Sachs (Suède)
S. J. Agnon (Israël)
1967 M. A. Asturias (Guat.)
1968 Y. Kawabata (Japon)
1969 S. Beckett (Irl.)
1970 A. Soljenitsyne (U.R.S.S.)
1971 P. Neruda (Chili)
1972 H. Böll (All.)
1973 P. White (Austr.)
1974 E. Johnson (Suède)
H. Martinson (Suède)
1975 E. Montale (It.)
1976 S. Bellow (É.-U.)
1977 V. Aleixandre (Esp.)

sciences économiques

1969 J. Tinbergen (P.-B.)
R. Frisch (Norv.)
1970 P. Samuelson (É.-U.)
1971 S. Kuznets (É.-U.)
1972 J. R. Hicks (G.-B.)
K. J. Arrow (É.-U.)
1973 V. Leontieff (É.-U.)
1974 F. von Hayek (G.-B.)
G. Myrdal (Suède)
1975 T. C. Koopmans (É.-U.)
L. Kantorovitch (U.R.S.S.)
1976 M. Friedman (É.-U.)
1977 B. Ohlin (Suède) J. Mead (G.-B.)

inventant la dynamite. Il fonda, par testament, cinq prix annuels au profit des auteurs d'œuvres littéraires, scientifiques et philanthropiques du monde.

NOBEOKA, v. du Japon, dans l'est de Kyūshū; 128 000 hab.

NOBILE (Umberto), général aviateur et explorateur italien (Lauro 1885). Il prit part avec Amundsen à la première expédition polaire en dirigeable (1926). Reparti à bord du dirigeable *Italia* en 1928, il se perdit au large du Spitzberg et fut recueilli par un bâtiment soviétique. Il devint expert aéronautique en U. R. S. S.

NOBILI (Leopoldo), physicien italien (Trassilico 1787 - Florence 1835). Il inventa en 1826 le système dit « astatique », formé de deux aiguilles aimantées, pour augmenter la sensibilité du galvanomètre, et imagina en 1830 une pile thermoélectrique grâce à laquelle il étudia, avec Melloni*, la chaleur rayonnante.

NOBLESSE. — Il est difficile de donner une définition commune à l'ensemble des castes nobiliaires apparues à diverses époques en de nombreuses régions du globe, sauf à constater chez celles-ci la quasi-permanence de certains traits dominants : d'une part, l'origine guerrière et le fait que la charge de combattre reste le monopole d'un petit groupe d'hommes auxquels la force ouvre la double perspective d'une domination sur les plus faibles et d'une appropriation de la terre, support économique de leur puissance; d'autre part, la transmission héréditaire, au sein de la famille noble, de cette condition et des privilèges qui en découlent. Ainsi retrouve-t-on ces traits généraux au sein des noblesses guerrières qu'ont connues les empires d'Asie Mineure, chez les Eupatrides de la Grèce antique comme chez les patriciens romains. Mais, en Grèce comme à Rome, le progrès économique, qui a favorisé l'éclosion d'une classe de riches commerçants, a entraîné la remise en cause de la prédominance de la noblesse. Politiquement ruinée en Grèce par les progrès de la démocratie, la noblesse a tendu, à Rome, à se fondre, de concert avec les plus riches familles plébéiennes, dans une aristocratie fondée sur l'argent.

Ce sont les Grandes Invasions qui, en Europe occidentale, amènent à replacer le guerrier à la tête de la société. Au sein des royaumes francs apparaît très vite une caste aristocratique, dans laquelle les Mérovingiens, puis les Carolingiens choisissent les titulaires d'*honores (ducs, comtes).* Premières bénéficiaires du déclin de l'Empire carolingien, ces lignées comtales s'adjoignent des soldats professionnels, qu'elles chargent de la défense des forteresses situées sur leurs terres et qu'elles rétribuent par la concession de fiefs. Dès lors, la consolidation du système féodal amène cette classe de chevaliers à se fermer; ainsi se constitue, du prince territorial au simple *miles,* une noblesse (XIe s.) qui se perpétue par l'hérédité ou à laquelle on ne peut accéder que par décision du roi, qui, très vite, se réserve le droit d'anoblir (en France à partir du XIIIe s.). Cependant, l'essor économique de l'Europe (XIIe-XVIIIe s.) favorise la bourgeoisie aux dépens de l'aristocratie. Dès lors, sociologiquement, le sens du mot « noblesse » se transforme profondément. Dans la France des XVIIe et XVIIIe s., la noblesse, définitivement ruinée sur le plan politique par les guerres de Religion, regroupe les vieilles familles chevaleresques, qui forment le gros de la noblesse d'épée, et celles dont l'ancêtre a été anobli, soit automatiquement, par l'occupation de charges anoblissantes (militaires, communales [noblesse de cloche], judiciaires [noblesse de robe] ou financières), soit par des lettres royaux. Cependant, le mot « noblesse » reste synonyme de « privilèges » (honorifiques [port de l'épée, armoiries], judiciaires [jugement par les pairs] et fiscaux [exemption de nombreux impôts]) et implique un mode de vie particulier (v. DÉROGEANCE), qui distingue le noble du bourgeois et du vilain. Bannie par le tiers état, victime de la Révolution (suppression des privilèges [4 août 1789] et des titres de noblesse [19 juin 1790]), la noblesse renaît sous l'Empire napoléonien (1808) comme noblesse de titres, dépourvue de privilèges. Désormais, seul le titre désigne le noble : d'où, sous la Restauration, la pratique des titres de courtoisie conférés par le roi aux nobles d'Ancien Régime. Supprimés par la IIe République, les titres nobiliaires ont été rétablis en 1852.

NOBUNAGA → ODA NOBUNAGA.

NOCÉ (61340), ch.-l. de cant. de l'Orne, à 14 km au N.-O. de Nogent-le-Rotrou; 633 hab.

Noces *(les),* ballet en quatre tableaux, musique et livret de Stravinski, chorégraphie de Bronislava Nijinska, décors et costumes de Gontcharova, créé à Paris en 1923 par les Ballets russes de Serge de Diaghilev. Versions de Maurice Béjart (Bruxelles, 1962) et de Jerome Robbins (New York, 1965).

Noces de Figaro *(les),* opéra en quatre actes, livret de L. Da Ponte d'après *le Mariage de Figaro* de Beaumarchais, musique de W. A. Mozart (1786). Les imbroglios de cette histoire galante se font et se défont dans l'allégresse, grâce à une série d'airs fort bien venus et à un orchestre plein de verve et de couleur.

Noces de sang, pièce en trois actes de García Lorca (1933). La prédestination de l'amour et l'impossibilité d'échapper à sa fatalité.

NOCTILUQUE. — Les mers chaudes et tempérées brillent parfois, la nuit, d'une lueur diffuse due à l'extrême abondance d'un protiste flagellé lumineux, la noctiluque, qui épaissit parfois l'eau à la consistance d'une soupe.

NOCTUELLE. — On rencontre en France plus de 630 espèces de noctuelles, ou noctuidés, papillons de nuit, généralement nuisibles aux plantes par leur chenille. Les genres les plus communs sont *Mamestra* (brassicaire du chou, potagère), *Agrotis* (noctuelle des moissons, des céréales), *Plusia* (noctuelle des trèfles), *Catocala* (lichénée des peupliers), etc. Tous ces papillons ont des ailes ternes, brunâtres et tachées de noir.

NODIER (Charles), écrivain français (Besançon 1780 - Paris 1844). Passionné d'histoire naturelle, affilié à la société des Philadelphes, il témoigne très tôt de la fantaisie de son imagination (*les Tristes ou Mélange tiré des tablettes d'un suicidé,* 1806; *Dictionnaire raisonné des onomatopées,* 1808). Bibliothécaire et directeur de journal à Laibach (1812), il s'initie à la littérature fantastique et à l'exotisme illyrien, qui inspirent ses nouveaux récits (*Jean Sbogar,* 1818; *Smarra ou les Démons de la nuit,* 1821; *Trilby ou le Lutin d'Argail,* 1822). Bibliothécaire de l'Arsenal (1823), il réunit, dans les soirées où il déploie son talent de conteur (*Histoire du chien de Brisquet,* 1844), la jeune école romantique et se réfugie de plus en plus dans le monde du rêve et des chimères, ouvrant ainsi la voie à Nerval et au surréalisme (*la Fée aux miettes,* 1832).

NOÉ, héros du Déluge* biblique. Son nom et son histoire sont une transposition, dans le folklore hébreu, du mythe suméro-akkadien du déluge. Une autre tradition fait de Noé le premier vigneron de l'humanité.

NOËL, fête chrétienne commémorant la naissance de Jésus*, instituée en Occident vers 330. Le choix du 25 décembre a été déterminé par le souci de christianiser la fête païenne du solstice d'hiver, *Natalis Solis invicti* (fête du Soleil invaincu), qui, dès le IIIe s., avait pris une importance considérable, le Soleil étant devenu à cette date la divinité tutélaire de l'Empire.

La fête de la Nativité a, de tout temps, suscité des cantiques de caractère populaire. Après les tropes des chants de Noël et les pastorales des mystères du Moyen Âge, les XVIIe et XVIIIe s. connaîtront de nombreux noëls vocaux (N. Saboly) ou variés à l'orgue (d'Andrieu, d'Aquin, Balbâtre). Le XIXe s. et le XXe s. sacrifient encore, autour de la crèche, à ce genre théâtral ou intimiste *(Minuit, chrétiens; Il est né, le divin enfant; Stille Nacht).*

NOËL CHABANEL *(saint),* jésuite français (Saugues 1613 - au Canada 1649). Profès jésuite, il s'embarque en 1643 pour le Canada, où il est assassiné par un Indien. Il est canonisé en 1930.

NOETHER (Max), mathématicien allemand (Mannheim 1844-Erlangen 1921). Il joua un rôle considérable dans le développement des fonctions algébriques. — Sa fille, EMMI (Erlangen 1882 - Bryn Mawr, Pennsylvanie, 1935), exerça une profonde influence sur le développement de la topologie et de l'algèbre moderne.

Nœud de vipères *(le),* roman de F. Mauriac (1932). Un être ravagé par la passion de vengeance qu'il exerce sur les siens est en retour un objet de haine pour sa famille.

NŒUX-LES-MINES (62290), ch.-l. de cant. du Pas-de-Calais, à 6 km au S.-E. de Béthune; 13 569 hab. *(Nœuxois).*

NOGARET (Guillaume DE), légiste français († 1313). Professeur de droit à Montpellier, juge à Beaucaire, puis à la cour du roi (1296), il devient l'un des principaux conseillers de Philippe IV le Bel. Adversaire farouche de Boniface VIII, il est l'instigateur de l'attentat d'Anagni contre le pape. Auteur du manifeste royal contre les Templiers (1307), il joue un rôle de premier plan dans la répression qui s'abat sur ceux-ci.

NOGARO (32110), ch.-l. de cant. du Gers, à 20 km au N.-E. d'Aire-sur-l'Adour; 2 393 hab. Église romane avec parties modernes. Eau-de-vie (armagnac).

NOGENT, anc. **Nogent-en-Bassigny** (52800), ch.-l. de cant. de la Haute-Marne, à 21,5 km au S.-E. de Chaumont; 5 324 hab. Coutellerie.

NOGENT-LE-ROI (28210), ch.-l. de cant. d'Eure-et-Loir, à 8 km au N. de Maintenon; 2 527 hab. Lunetterie.

NOGENT-LE-ROTROU (28400), ch.-l. d'arr. d'Eure-et-Loir, sur l'Huisne, à 21 km au N.-E. de La Ferté-Bernard; 13 586 hab. *(Nogentais).* Château des XIe-XVe s. Églises médiévales. Constructions mécaniques et électriques.

NOGENT-SUR-MARNE (94130), ch.-l. d'arr. du Val-de-Marne, sur la Marne, à 5 km à l'E. de Paris; 25 801 hab. *(Nogentais).* Église des XIIe-XVe s. Musée du Vieux Nogent.

NOGENT-SUR-OISE (60100 Creil), ch.-l. du cant. de *Creil-Nogent-sur-Oise* (départ. de l'Oise), dans la banlieue nord-ouest de Creil; 15 682 hab. *(Nogentais).* Église des XIIe-XVIe s. Métallurgie de l'aluminium.

NOGENT-SUR-SEINE (10400), ch.-l. d'arr. de l'Aube, à 17 km au S.-E. de Provins; 4682 hab. Église des XIVe-XVIe s.

NOGENT-SUR-VERNISSON (45290), comm. du Loiret, à 18 km au S. de Montargis; 2099 hab. Accessoires d'automobile.

NOGUÈRES (64150 Mourenx), comm. des Pyrénées-Atlantiques, à 6 km au S. de Lacq; 186 hab. Usine d'aluminium.

NOGUÈS (Charles), général français (Monléon-Magnoac 1876-Paris 1971). Disciple de Lyautey, il fut résident général au Maroc de 1936 à 1943. Commandant les forces de l'Afrique du Nord en 1940, il s'opposa en 1942 au débarquement américain au Maroc, puis il se rallia à Darlan et à Giraud.

NOGUÈS (Maurice), aviateur français (Rennes 1889-Corbigny 1934). Il réalisa en 1923 la première liaison aérienne commerciale Bucarest-Constantinople-Ankara et en 1930 le premier service postal France-Indochine.

NOGUINSK, v. de l'U.R.S.S. (R.S.F.S. de Russie), à l'E. de Moscou; 104000 hab.

NOHANT-VIC (36400 La Châtre), comm. de l'Indre, à 6 km au N. de La Châtre; 514 hab. Église avec remarquables fresques romanes (début du XIIe s.?). «Château» de George Sand.

NOIR (corps) [*Phys.*]. — On réalise approximativement un corps noir en utilisant une cavité noircie intérieurement et percée d'un petit trou. La lumière qui entre par le trou est presque intégralement absorbée. Le pouvoir émissif d'un tel corps, supérieur à ceux de tous les autres corps à une même température, est pris comme base de comparaison.

NOIR *(le Prince)* → ÉDOUARD, fils d'Édouard III.

NOIR AUX ÉTATS-UNIS (problème). — La présence d'une minorité noire de 23 millions de personnes aux États-Unis pose d'importants problèmes, qui s'enracinent dans l'histoire nationale. C'est en 1619 que les premiers Noirs débarquent en Virginie; ceux-ci sont 240000 en 1740, 1700000 en 1820, 4,5 millions (la plupart esclaves dans les États du Sud) au moment de la guerre de Sécession (1861-1865), qui éclate précisément parce que Lincoln* et le Nord, où la servitude est abolie depuis 1808, sont partisans de l'abolition de l'esclavage. Théoriquement émancipés après la victoire des Nordistes et le vote du treizième amendement, les Noirs sont, en fait, victimes, dans le Sud surtout, d'un véritable «apartheid», fait de discriminations multiples et de persécutions allant jusqu'au lynchage : la terreur antinègre devient même mystico-religieuse avec le Ku Klux Klan*. Des leaders noirs luttent contre cet état de choses et, soit par l'éducation de leurs frères, soit par le boycottage, les meetings et le *sit in,* obtiennent lentement (entre 1909 et 1950) la disparition officielle de la ségrégation.

Mais le problème noir, qui s'étend désormais à toutes les grandes villes américaines, prend d'autres aspects : parqués dans des quartiers à taudis devenus des ghettos, les Noirs constituent le gros du sous-prolétariat américain, encore qu'il existe une importante «bourgeoisie noire». Nombreux sont ceux qui défendent, dès lors, la notion de *Black* Power!,* certains se montrant même partisans de la violence et du séparatisme.

NOIRE *(Mus.).* → NOTATION MUSICALE.

NOIRE *(mer),* vaste mer intérieure, comprise entre l'U.R.S.S., la Roumanie, la Bulgarie et la Turquie. D'une superficie de 413000 km^2 (441000 avec sa dépendance septentrionale, la mer d'Azov), la mer Noire est presque fermée, communiquant seulement avec la Méditerranée par les détroits du Bosphore et des Dardanelles. Dans la partie septentrionale, la profondeur dépasse rarement 50 m, alors qu'elle excède 2000 m (maximum de 2251 m) dans le centre et le sud. Relativement peu salée, la mer Noire est alimentée notamment par le Danube, le Dniepr et (grâce au détroit de Kertch, le reliant à la mer d'Azov) par le Don.

NOIRÉTABLE (42440), ch.-l. de cant. de la Loire, à 25 km à l'E. de Thiers; 1985 hab.

NOIRMOUTIER *(île de),* île française de l'Atlantique, couvrant 48 km^2 et constituant un canton du département de la Vendée (8094 habitants). Ch.-l. *Noirmoutier-en-l'Île* (4177 hab.). Reliée au continent par le Gois, passage carrossable à marée basse et par un pont (enjambant le goulet de Fromentine). Pêche. Tourisme.

NOISETIER. — Cet arbuste, nommé aussi *coudrier* (nom latin : *Corylus avellana*), a de larges feuilles rondes, pointues du bout, aux nervures secondaires bien marquées. Les fleurs mâles forment des chatons pendants, et les fleurs femelles des sortes de bourgeons. Le fruit (noisette), contenant une amande savoureuse sous un tégument ligneux, est enchâssé dans une collerette verte et dentelée. Le noisetier porte des fruits à partir de l'âge de dix ans.

NOISY-LE-GRAND (93160), ch.-l. de cant. de la Seine-Saint-Denis, à 18 km à l'E. de Paris; 26765 hab. *(Noiséens).*

NOISY-LE-ROI (78590), comm. des Yvelines, à 9 km au N.-O. de Versailles; 5587 hab.

NOISY-LE-SEC (93130), ch.-l. de cant. de la Seine-Saint-Denis, à 10 km au N.-E. de Paris; 37734 hab. Centre ferroviaire. Métallurgie.

NOK, localité du Nigeria central, devenue site éponyme d'une culture africaine dont l'aire d'expansion s'étend sur près de 500 km d'ouest en est et sur plus de 300 km du nord au sud. La culture de Nok est caractérisée par des statuettes de personnages en terre cuite extrêmement stylisées. Il semble que l'on soit en présence d'une civilisation de transition entre la pierre et les métaux, dont les limites chronologiques se situent entre 900 av. J.-C. et 200 apr.

NOLAY (21340), ch.-l. de cant. de la Côte-d'Or, à 15 km au N.-O. de Chagny; 1686 hab. Halle en bois du XIVe s. Église du XVIIe s.

NOLDE (Emil HANSEN, dit **Emil**), peintre et graveur allemand (Nolde, Schleswig, 1867-Seebüll, Frise du Nord, 1956). Son travail de la couleur (stimulé par l'exemple de Van Gogh ou de Gauguin) et sa volonté d'expression et d'émotion le rapprochent du groupe *die Brücke* (auquel ce grand voyageur participe, à Dresde, en 1906-1907). Comme le noir et blanc de certaines gravures, la couleur, saturée, arbitraire et d'une violence lyrique, est mise au service d'une spiritualité déchirée, qui laisse apparaître certains fantasmes érotiques (tableaux religieux des années 1909-1915) et scrute passionnément le monde dans des scènes de rues, des marines, des paysages tourmentés. Nolde s'installe en 1927 à Seebüll, où une fondation lui est consacrée.

NOLLET (*abbé* Jean Antoine), physicien français (Pimprez, Île-de-France, 1700-Paris 1770). Il a découvert la diffusion des liquides et inventé l'électroscope (1747). Il inaugura au Collège de Navarre un enseignement de physique expérimentale.

NOMADISME. — C'est parfois une adaptation aux pratiques primitives de la chasse ou de la cueillette (Pygmées de l'Afrique équatoriale, Bochimans de l'Afrique australe, tribus d'Amazonie). Mais, le plus souvent, il est d'origine pastorale, lié à la recherche de points d'eau et de pâturages pour le troupeau dans la zone aride (Sahara et Arabie, Asie centrale). L'urbanisation, l'industrialisation et l'irrigation des régions bordières amènent une sédentarisation progressive et le recul du nomadisme, qui décline aussi dans les régions méditerranéennes, où, sous une forme particulière, la *transhumance,* étaient associées des régions complémentaires (basses prairies hivernales et prairies montagnardes estivales).

NOMBRE. — Le nombre ne reçoit de sens précis en mathématiques qu'à la condition de spécifier l'ensemble auquel il appartient (ex. : nombres rationnel, algébrique, etc.).

Toutefois, et ce depuis Pythagore, le nombre entier est le nombre par excellence, ce privilège s'étant accentué avec le mouvement d'arithmétisation des mathématiques qui s'est effectué dans la seconde moitié du XIXe s. : «Dieu a créé le nombre entier, tout le reste est l'œuvre de l'homme» (Kronecker). Le concept de nombre entier ne semble alors justiciable d'aucune analyse mathématique, l'arithmétique se «contentant» d'en enchaîner les propriétés. Mais, à la fin du XIXe s., Frege* et Cantor* changent les données du problème. Le premier, en adoptant dans ses *Fondements de l'arithmétique* (1884) une définition purement logique : le nombre *n* est le représentant de l'ensemble des ensembles équipotents (Frege dit «équinumériques») à un ensemble ayant *n* éléments. Le second, en définissant le nombre cardinal comme «le concept général obtenu par le travail de notre intelligence appliquée à un ensemble M lorsque nous négligeons la nature de ses éléments et l'ordre dans lequel ils nous sont donnés». Certes, ces deux définitions se heurtent très vite à des problèmes : celle de Frege fait appel à la définition d'une classe d'équivalence sur l'ensemble «paradoxal» de tous les ensembles (v. ANTINOMIE); celle de Cantor est intuitive et fait appel à des notions qui ne sont pas opératoires dans la théorie des ensembles. Mais l'œuvre de Cantor permet de développer une arithmétique des cardinaux transfinis (v. ÉQUIPOTENCE et DÉNOMBRABLE), la définition du nombre cardinal devenant relationnelle et non plus notionnelle : à tout ensemble A on associe le cardinal de A (noté «card A»); card A = card B si et seulement si A et B sont équipotents.

Nombres *(livre des),* quatrième livre du Pentateuque*, ainsi nommé à cause des nombreux recensements qu'il rapporte. Il contient le récit de la vie errante d'Israël depuis le Sinaï* jusqu'au commencement de la conquête de la Terre promise.

NOMENY (54610), ch.-l. de cant. de Meurthe-et-Moselle, à 15 km à l'E. de Pont-à-Mousson; 919 hab.

NOMINALISME. — Le nominalisme est au Moyen Âge l'une des prises de parti dans la querelle des universaux*. Les nominalistes (Abélard*, Pierre* Lombard, Bérenger de Tours, Roscelin, Guillaume* d'Occam) soutiennent qu'un universel, ou concept général, n'est qu'un mot susceptible de désigner une pluralité d'individus et que seuls ces derniers sont réels. La solution nominaliste est réélaborée par les logiciens modernes (v. RUSSELL et VIENNE [*cercle de*]). Soulignant le rôle du langage dans la connaissance, ceux-ci montrent que les processus cognitifs sont une combinaison de signes qui n'ont aucune signification hors de leur contexte.

NOMINOË, roi de Bretagne (fin du VIIIe s. - Vendôme 851). Comte de Vannes, puis duc (début du IXe s.), il lutta contre Charles le Chauve, qu'il vainquit en 845 à Ballon et à qui il imposa la reconnaissance d'un royaume breton indépendant, dont il fut le premier souverain (846-851).

noms *(école des),* école de pensée chinoise, dont les deux grands penseurs sont Houei Che (v. 370 - 319 av. J.-C.) et Kong-souen Long (350 - 260 av. J.-C.). Elle s'efforce de faire coïncider les dénominations avec les réalités, d'instaurer un ordre du discours afin que règne un ordre politique dans la mesure où elle pense que les dénominations commandent l'action. Critiquant les « disputeurs » de l'époque, les sophistes, les penseurs de cette école visent, par une réforme du discours, à rendre intelligibles les rythmes de la vie dans la nature et la société en vue d'ajuster les comportements humains à l'ordre établi.

NONANCOURT (27320), ch.-l. de cant. de l'Eure, à 13 km à l'O. de Dreux; 1 892 hab. Église gothique (XVIe s.).

NON-DIRECTIVISME. — Fondé par le psychologue américain Carl Rogers (Chicago, 1902), le non-directivisme repose sur une attitude de disponibilité et d'authenticité absolue qui permet de percevoir dans sa totalité le message de l'interlocuteur. Le psychothérapeute non directif se contente de reformuler, en l'explicitant, le contenu affectif du message du client afin de faciliter les communications spontanées de celui-ci avec lui-même. Il s'abstient de fournir à son interlocuteur des conseils ou des interprétations au sens psychanalytique du terme.

Pour soutenir sa théorie, Rogers part d'un acte de foi rousseauiste en la bonté naturelle de l'homme, dont les tendances fondamentales, nécessairement positives, iront toujours dans le sens d'une reconstruction de sa personnalité, pourvu que le thérapeute valorise de façon positive et inconditionnelle toutes les manifestations de celles-ci, le sujet pouvant alors s'accepter totalement. L'agent essentiel du succès de cette méthode est la capacité d'empathie* du thérapeute et les liens affectifs réciproques qui s'établissent. La relation non directive n'est pas limitée au cadre psychothérapique; elle intervient aussi dans les groupes*, et l'un de ses champs d'application privilégiés est la pédagogie*. Puisqu'il n'y a rien à apprendre d'autrui, Rogers préconise l'abolition de tout enseignement, des examens et des contrôles, pour créer dans la classe un climat de compréhension et d'échange grâce auquel chaque enfant tirera le maximum de ses possibilités.

Les objections les plus fondamentales que l'on peut formuler à l'égard du non-directivisme de Rogers concernent sa méconnaissance des données historiques, économiques et sociales, qui fondent toute relation humaine, et sa méconnaissance du transfert* au sens psychanalytique.

NONIUS (Pedro NUNES, plus connu sous le nom latin de), astronome et mathématicien portugais (Alcácer do Sal 1492 - † 1577). On lui doit un procédé pour la graduation des instruments destinés à mesurer avec précision des petits angles. Nonius montra que le chemin le plus court entre deux points de la surface terrestre est l'arc de grand cercle passant par ces deux points et non la courbe coupant les méridiens sous un angle constant.

NON-MÉTAL. — Les non-métaux, précédemment désignés sous le nom de *métalloïdes,* se distinguent des métaux par leurs propriétés physiques, mécaniques et chimiques. Ils ne sont pas forcément solides, mais, dans ce cas, ils n'ont pas l'éclat métallique et sont mauvais conducteurs de la chaleur et de l'électricité; ils ne sont ni malléables ni ductiles et présentent une faible ténacité. Leurs oxydes ne sont pas basiques et ils ne constituent jamais des cations dans les électrolyses.

On les classe, d'après leur valence, en non-métaux *univalents* (fluor, chlore, brome, iode), *bivalents* (oxygène, soufre, sélénium, tellure), *trivalents* (azote, phosphore, arsenic, antimoine), *quadrivalents* (carbone, silicium). On leur adjoint encore le bore ainsi que les gaz rares et, le plus souvent, l'hydrogène.

NONNOS, poète grec (né à Panopolis, Haute-Égypte, v. 410 apr. J.-C.), auteur d'une épopée mythologique, *les Dionysiaques.*

NONO (Luigi), compositeur italien (Venise 1924). Un des chefs de file de la musique actuelle, artiste engagé, il n'en refuse pas moins toute concession esthétique *(Il Canto sospeso; Intolleranza, Ricordi cosa ti hanno fatto in Auschwitz, Come una ola di fuerza y luz).*

non-prolifération *(traité de),* accord élaboré par les États-Unis et l'U. R. S. S. et signé de 1968 à 1976 par 112 pays. Il interdit le transfert d'armes nucléaires ou, pour les pays non nucléaires, l'acceptation de ce transfert. Israël, la France et la Chine n'ont pas signé ce traité.

NONTISSÉ. — On appelle « nontissé » une structure composée de fibres, de filaments ou de fils répartis directionnellement ou au hasard et dont la cohésion est assurée par des moyens mécaniques, physiques ou chimiques.

• La *formation* du voile ou de la nappe peut être obtenue pour les fibres à partir d'une carde (voie sèche, dite également *voie textile*) ou par mise en suspension des fibres dans une solution d'eau et de liants (voie humide, dite également *voie papetière*), pour les filaments à partir de polymères fondus passant à travers les orifices d'une filière et pour les fils à partir de dévidage de bobines.

• Le *liage* des voiles ou des nappes peut se faire soit par aiguilletage, procédé qui consiste à assurer l'enchevêtrement des fibres au moyen d'un grand nombre d'aiguilles munies de multiples barbes, soit par des techniques dites « de couture-tricotage », au moyen d'aiguilles spéciales assurant la formation de points de liage. On peut également l'obtenir soit chimiquement, en incorporant à la masse fibreuse des produits à l'état de liquide, de poudre ou de pâte, soit en utilisant les propriétés thermoplastiques de certains matériaux constituants, dont on accentue le pouvoir de consolidation par l'action de la chaleur. Les nontissés ont trouvé des débouchés importants dans les tissus industriels, dans les intérieurs de vêtements et dans des articles à jeter après usage.

NONTRON (24300), ch.-l. d'arr. de la Dordogne, à 49 km au N. de Périgueux; 4 088 hab. *(Nontronnais).* Articles chaussants.

NON-VIOLENCE. — À l'origine de l'hindouisme et illustrée par Gāndhī*, la doctrine qui prône la non-violence *(ahiṃsā)* inspira en Occident un courant de pensée qui y dénonçait certains aspects des sociétés industrielles au nom même des principes dont celles-ci se réclament. Répondre à toutes les formes de violence par la non-violence, telle fut la doctrine de Martin Luther King* aux États-Unis pour essayer d'établir un moyen de pression pacifiste sur le pouvoir et sur l'opinion publique.

NONZA (20217 St Florent), comm. de la Haute-Corse, à 32,5 km au N.-O. de Bastia; 206 hab.

NOPAL. — Le nopal est un cactus* très voisin de l'*opuntia.* Jusqu'à une date récente, on l'a cultivé au Mexique pour élever à ses dépens la cochenille de la laque. L'extension des colorants de synthèse a fait disparaître cette culture.

NORADRÉNALINE → ADRÉNALINE.

NORANDA, v. du Canada, dans l'ouest du Québec; 10 741 hab.

NORBERT *(saint),* fondateur des Prémontrés (Xanten, Rhénanie, v. 1080 - Magdeburg 1134). Seigneur allemand, il se convertit en 1115, se fait prêtre et fonde à Prémontré, près de Laon (1120), un ordre de chanoines réguliers, dits « Prémontrés ».

NORD (59), départ. de la Région Nord-Pas-de-Calais; 5 738 km^2; 2 511 478 hab. Ch.-l. *Lille.* S.-préf. *Avesnes-sur-Helpe, Cambrai, Douai, Dunkerque* et *Valenciennes.*

Étiré du N.-O. au S.-E. de la mer du Nord à l'Ardenne (sur environ 170 km), le long de la frontière belge, le département du Nord est aujourd'hui le plus peuplé de France. Cependant, la croissance démographique, sensible pendant tout le XIXe s. et le début du XXe, arrêtée entre les deux guerres mondiales et de nouveau vigoureuse après 1945, est ralentie depuis une douzaine d'années. Cette relative stagnation est liée aux difficultés de certaines branches d'une industrie qui est, depuis longtemps, l'activité prépondérante, puisqu'elle emploie approximativement la moitié de la population active départementale. Il s'agit notamment de l'extraction de la houille, dont la production a fortement reculé et paraît, à moyen terme, condamnée, du textile, en crise aussi à l'échelle nationale, et de la métallurgie lourde (toutefois, ici, le déclin de la partie orientale est compensé par le développement de la sidérurgie maritime vers Dunkerque). Le potentiel industriel demeure cependant impressionnant dans ces deux dernières branches, auxquelles s'ajoutent notamment la chimie (née du charbon) et l'alimentation. L'agriculture n'occupe plus qu'environ 5 p. 100 des actifs; les cultures sont développées dans l'ouest (Flandre), surtout les céréales et la betterave, parfois associées à l'élevage bovin, prépondérant dans l'est. L'importance du secteur tertiaire est à relier à celle de l'urbanisation, dominée par l'agglomération ou plutôt la conurbation de Lille-Roubaix-Tourcoing-Armentières, qui regroupe environ 1 million d'habitants. On s'explique alors une densité moyenne de population proche de 500 habitants au kilomètre carré (environ cinq fois la moyenne nationale). Le Nord s'apparente aux régions industrialisées de Belgique et de l'Allemagne fédérale, dont il est proche. La situation géographique, valorisée aujourd'hui par une bonne desserte autoroutière, est d'ailleurs, avec la densité de population, un atout pour traverser une crise qui constitue largement la rançon de la précocité de la révolution industrielle et de l'évolution technique.

Nord *(canal du),* voie navigable reliant Noyon (sur l'Oise) à Arleux (sur la Sensée). Accessible aux péniches de 700 t (en convois poussés), ce canal facilite les relations entre la région du Nord et Paris.

NORD *(canal du),* détroit entre l'Écosse et l'Irlande du Nord, reliant l'Atlantique à la mer d'Irlande.

NORD *(cap),* cap de la Norvège, dans l'île de Magerøy, constituant le point le plus septentional de l'Europe (îles de l'Arctique exclues), à 71^0 15′.

Nord *(guerre du),* guerre qui opposa, de 1700 à 1721, la Suède à une coalition comprenant le Danemark, la Russie, la Saxe et la Pologne, nations qui cherchaient à chasser les Suédois des rives méridionales de la Baltique. Après une série de victoires (1700-1709), Charles* XII échoua à Poltava devant Pierre le Grand (juill. 1709). Pour sauver la Suède, menacée de toutes parts, il quitta son refuge turc (1714); mais sa mort, dès 1716, mit fin au conflit, qui se termina par une série de traités (1719-1721) qu'on appelle la « seconde paix du Nord », la première paix du Nord (1660-1661), très favorable à la Suède, ayant marqué la fin de la guerre de Trente* Ans dans la mer Baltique. De la guerre du Nord, la Suède sortit affaiblie, tandis que la Russie entrait dans la politique européenne.

NORD *(mer du),* mer bordière de l'océan Atlantique, au nord-ouest de l'Europe. Elle baigne la France, la Grande-Bretagne, la Belgique, les Pays-Bas, l'Allemagne fédérale, le Danemark et la Norvège.

Appartenant à la plate-forme continentale, elle est limitée au S. par le pas de Calais, à l'E. par les détroits danois et au N.-O. par le talus continental, au-delà duquel commencent les fonds de l'Atlantique. Peu profonds dans l'ensemble, ces fonds ont été en partie émergés au quaternaire et modelés par les glaciers. La mer du Nord est cependant accidentée par la fosse norvégienne qui longe les côtes méridionales de la Norvège. Elle est moins salée que la moyenne des océans. Ses eaux sont animées de fréquentes tempêtes parfois catastrophiques pour les secteurs littoraux.

La mer du Nord joue en Europe un rôle économique essentiel. Ses eaux, fortement agitées, sont poissonneuses, et la pêche y est active. Mais la mer du Nord baigne surtout de grandes régions économiques (dont six pays appartenant au Marché commun) et compte trois des plus grands ports du monde : Rotterdam, Londres et Anvers. L'intensité du trafic y exige une réglementation précise. Mais la découverte de pétrole et de gaz naturel a encore augmenté l'importance de la mer du Nord. Les gisements, d'exploitation coûteuse, localisés principalement dans les eaux britanniques et norvégiennes, constituent la principale réserve en hydrocarbures de l'Europe occidentale.

NORD *(Territoire du),* en angl. **Northern Territory,** territoire de la moitié septentrionale de l'Australie. Capit. *Darwin.* Couvrant, avec 1 346 000 km^2, plus du double de la superficie de la France, c'est une région aride, désertique même, ne comptant guère qu'une centaine de milliers d'habitants, mais disposant, cependant, de quelques ressources minérales (bauxite, cuivre, etc.).

NORDENSKJÖLD (Adolf Erik, *baron*), explorateur suédois (Helsinki 1832-Dalbjö 1901). Professeur à Stockholm, il participa dès 1858 à plusieurs expéditions arctiques; en 1864 et en 1868, il dirigea en personne deux autres expéditions au Svalbard. Par la suite, il s'acharna à trouver le passage du Nord-Est : ce fut chose faite en 1879. — Son neveu OTTO (Sjögelö 1869-Göteborg 1928) accomplit un séjour de vingt-deux mois (1901-1903) sur la terre de Graham.

NORD-EST *(passage du),* route maritime entre l'océan Arctique (au N. de la Sibérie) et le Pacifique, empruntant le détroit de Béring. Ouverte par Nordenskjöld (1878-79), elle est utilisable de juin à septembre.

NORDESTE (le), région du Brésil, couvrant neuf États : Alagoas, Bahia, Ceará, Maranhão, Paraíba, Pernambouc, Piauí, Rio Grande do Norte et Sergipe; 1 549 000 km^2; 28 150 000 hab. Zone la plus proche de l'Europe et la plus anciennement peuplée, le Nordeste est aujourd'hui une région sous-développée. Les cultures coloniales de la canne à sucre et du cacao ont décliné ou se maintiennent dans le cadre de grandes exploitations employant une main-d'œuvre misérable, alors même que l'industrialisation est inexistante. En arrière de la plaine littorale, les précipitations, réduites et variant considérablement d'une année à l'autre, empêchent toute mise en valeur agricole, rendant même aléatoire un élevage bovin pratiqué également dans le cadre de très grands domaines, juxtaposant propriétaires, parfois absentéistes, peu soucieux d'intensifier la production, et prolétariat agricole. La population rurale, en accroissement rapide, afflue vers les villes portuaires, dont deux, Recife et Salvador, dépassent le million d'habitants, seuil qu'approche Fortaleza. Conditions naturelles et sociales se combinent pour expliquer et maintenir le retard du Nordeste, contrastant avec l'activité des régions de Rio de Janeiro et surtout São Paulo.

NORDIQUE. — Le nordique forme le rameau septentrional des langues germaniques. Vers la fin du IXe s., il s'est diversifié en une branche occidentale (norvégien, islandais) et en une branche orientale (danois, suédois).

NÖRDLINGEN, v. de l'Allemagne fédérale (Bavière), au N. du Danube; 14 000 hab. Remparts (tours des XIVe-XVIe s.). Église Saint-Georges (XVe-XVIe s.). Musées. — Le 6 septembre 1634, les Impériaux y battirent les Suédois; le 3 août 1645, Condé et Turenne l'emportèrent sur le maréchal autrichien Mercy.

NORD-OUEST *(passage du),* route maritime qui relie l'océan Atlantique à l'océan Pacifique, à travers l'archipel arctique canadien. Ce passage a été ouvert par Amundsen*.

NORD-OUEST *(Territoires du),* en angl. **Northwest Territories,** partie septentrionale du Canada, entre le Yukon et la baie d'Hudson, comprenant les districts du Mackenzie, de Keewatin et de Franklin; 3 379 307 km^2; 34 807 hab. Ch.-l. *Yellowknife.* S'étendant au-dessus de 60^0 de latitude N., c'est une région grande comme six fois la France, désolée, dont la population est formée pour les deux tiers d'Indiens et d'Esquimaux.

NORD-PAS-DE-CALAIS, Région de la France, formée des deux départements du Nord et du Pas-de-Calais; 12 378 km^2; 3 913 773 hab. Capit. *Lille.*

Le sud-ouest (Artois) et le sud-est (Cambrésis et Avesnois, annonçant l'Ardenne) sont formés de collines d'altitude modeste (dépassant rarement 200 m dans l'Avesnois et, exceptionnellement dans l'Artois), encadrant la plaine flamande, où l'altitude est généralement inférieure à 50 et même à 30 m. Il s'agit donc d'un pays bas, presque plat, et l'on comprend, en l'absence de tout relief notable, l'extension du climat océanique à l'ensemble de la région. À Lille, la température moyenne de janvier est de 2,5 ^{0}C, celle d'août de 17,4 ^{0}C, et la hauteur moyenne annuelle des précipitations est de 637 mm, tombant en 171 jours. L'amplitude thermique est donc réduite, augmentant cependant avec l'éloignement de la mer; les précipitations sont voisines de la moyenne nationale, avec près d'un jour de pluie sur deux.

Île-de-France exceptée, c'est la région la plus densément peuplée, en moyenne nettement plus de 300 habitants au kilomètre carré, plus du triple de la moyenne nationale. Cependant, la croissance démographique régionale s'est considérablement ralentie depuis une quinzaine d'années, évolution liée à la crise de branches industrielles initialement à la base de la prospérité de la Région.

Le secteur secondaire est, en effet, largement prépondérant, puisqu'il emploie ici approximativement la moitié de la population active, avec des branches occupant une main-d'œuvre nombreuse, comme l'extraction de la houille, la sidérurgie et le textile. Aujourd'hui, la production de charbon, handicapée par des conditions de gisement difficiles, limitant sa compétitivité, est en déclin sensible. Elle a diminué de plus des deux tiers dans les quinze dernières années et doit cesser avant dix ans. La Région fournit environ le tiers de l'acier français, mais la production a migré de l'est (vallées de la Sambre et de l'Escaut) vers le littoral

Nord-Pas-de-Calais. La place de Bailleul (département du Nord), vue depuis le beffroi.

A. Dagbert-Viva

NORD-PAS-DE-CALAIS

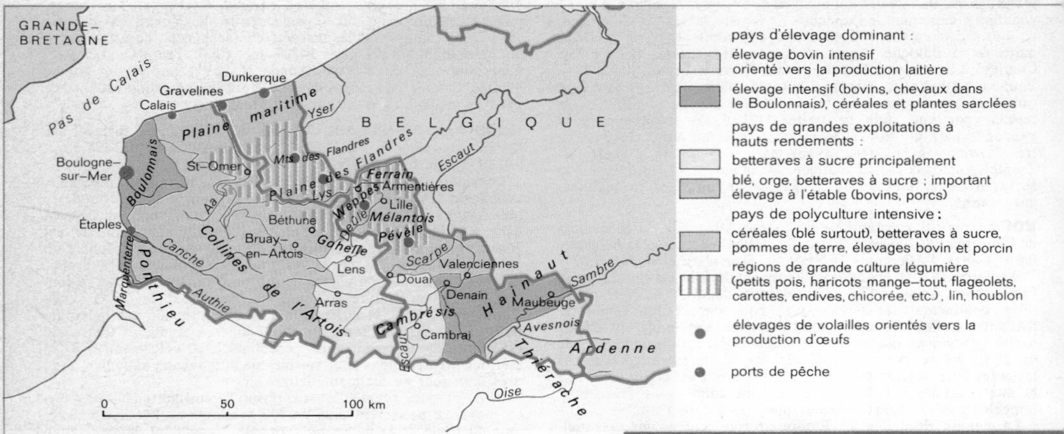
GRANDE-BRETAGNE
Pas de Calais
Dunkerque
Gravelines
Calais
Plaine maritime
Yser
B E L G I Q U E
Boulogne-sur-Mer
Boulonnais
St-Omer
Mts des Flandres
Plaine des Flandres
Ferrain
Armentières
Lys
Escaut
Aa
Weppes
Lille
Deûle
Mélantois
Pévèle
Étaples
Béthune
Bruay-en-Artois
Gohelle
Collines de l'Artois
Canche
Ponthieu
Marquenterre
Lens
Scarpe
Valenciennes
Douai
Denain
Hainaut
Sambre
Maubeuge
Authie
Arras
Cambrésis
Cambrai
Escaut
Avesnois
Thiérache
Ardenne
Oise
0
50
100 km
pays d'élevage dominant :
élevage bovin intensif orienté vers la production laitière
élevage intensif (bovins, chevaux dans le Boulonnais), céréales et plantes sarclées
pays de grandes exploitations à hauts rendements :
betteraves à sucre principalement
blé, orge, betteraves à sucre ; important élevage à l'étable (bovins, porcs)
pays de polyculture intensive :
céréales (blé surtout), betteraves à sucre, pommes de terre, élevages bovin et porcin
régions de grande culture légumière (petits pois, haricots mange-tout, flageolets, carottes, endives, chicorée, etc.), lin, houblon
élevages de volailles orientés vers la production d'œufs
ports de pêche

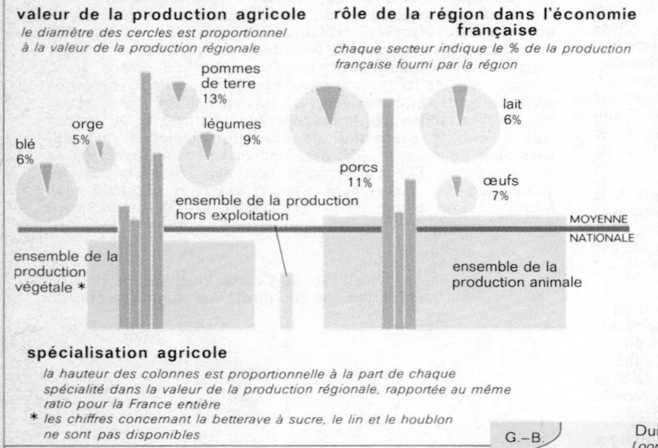
valeur de la production agricole
le diamètre des cercles est proportionnel à la valeur de la production régionale
rôle de la région dans l'économie française
chaque secteur indique le % de la production française fourni par la région
pommes de terre 13%
orge 5%
blé 6%
légumes 9%
porcs 11%
lait 6%
œufs 7%
ensemble de la production hors exploitation
MOYENNE NATIONALE
ensemble de la production végétale *
ensemble de la production animale
spécialisation agricole
la hauteur des colonnes est proportionnelle à la part de chaque spécialité dans la valeur de la production régionale, rapportée au même ratio pour la France entière
* les chiffres concernant la betterave à sucre, le lin et le houblon ne sont pas disponibles

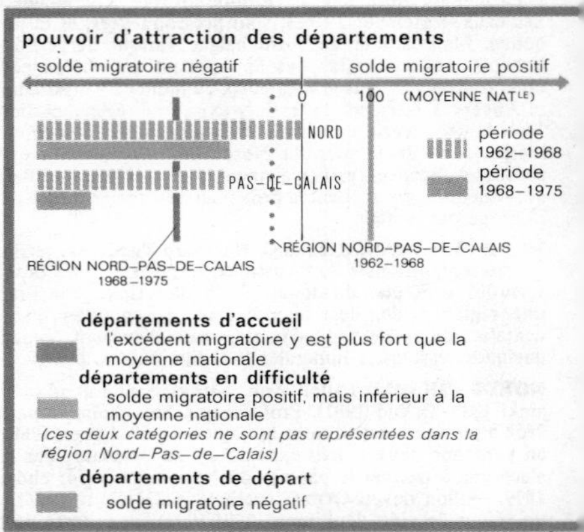
pouvoir d'attraction des départements
solde migratoire négatif
solde migratoire positif
0
100 (MOYENNE NAT^LE)
NORD
PAS-DE-CALAIS
période 1962–1968
période 1968–1975
RÉGION NORD–PAS–DE–CALAIS 1968–1975
RÉGION NORD–PAS–DE–CALAIS 1962–1968
départements d'accueil
l'excédent migratoire y est plus fort que la moyenne nationale
départements en difficulté
solde migratoire positif, mais inférieur à la moyenne nationale
(ces deux catégories ne sont pas représentées dans la région Nord–Pas-de-Calais)
départements de départ
solde migratoire négatif

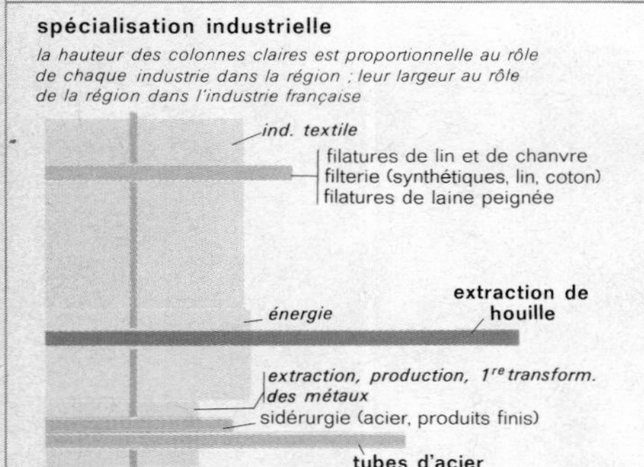
spécialisation industrielle
la hauteur des colonnes claires est proportionnelle au rôle de chaque industrie dans la région ; leur largeur au rôle de la région dans l'industrie française
ind. textile
filatures de lin et de chanvre
filterie (synthétiques, lin, coton)
filatures de laine peignée
extraction de houille
énergie
extraction, production, 1re transform. des métaux
sidérurgie (acier, produits finis)
tubes d'acier
ind. mécaniques
ind. chimiques
produits amylacés (amidon, maltose, glucose)
verre
ind. alimentaires
conserves de légumes
sucreries
distilleries, malteries, brasseries
fonderie, travail des métaux
mat. de transport
matériel ferroviaire
ind. du papier
matériaux de construction
constr. électrique et électronique
ind. du bois
constr. navales et aéronautiques
ind. diverses

G.-B.
Dunkerque
Loon-Plage
Bourbourg
Bray-Dunes
Bergues
Arques
Hazebrouck
St-Venant
Merville
Bailleul
B E L G I Q U E
Gand
Bruxelles
Gravelines
Calais
Marquise
Wimereux
Boulogne-s/-M.
Watten
Lumbres
N O R D
P A S -
D E -
C A L A I S
Desvres
St-Omer
Aire-Isbergues
Étaples
Berck
Béthune
Bruay-en-A.
Wavrin
Lens
Hesdin
St-Pol-sur-Ternoise
Arras
Annœullin
Carvin
Douai
Denain
Cambrai
Masnières
Paris
Estaires
Armentières
Comines
LILLE
LILLE-EST (Villeneuve-d'Ascq)
Templeuve
Thumeries
Orchies
Cysoing
Seclin
Marchiennes
St-Amand-les-
Hornaing
Wallers
Valenciennes
Le Quesnoy
Feignies
Maubeug
Aulnoye
Aymerie
Trélon
Fourmie
Solesmes
Le Cateau
Caudry
Avesnes-sur-Help
bassin houiller
voies ferrées
autoroutes
structure urbaine
métropole régionale
ville nouvelle
villes moyennes
contrat signé ou en cours avec la DATAR
autres unités urbaines
plus de 25 000 hab.
de 10 000 à 25 000 hab.
de 5 000 à 10 000 hab.
moins de 5 000 hab.
dynamisme démographique
évolution de la population de 1968 à 1975
augmentation de plus de 10%
augmentation de 5,5 à 10%
augmentation de 2,5 à 5,5%
variation comprise entre –0,5 et 2,5%
diminution supérieure à 0,5%
structure de l'emploi
dans les villes de plus de 10 000 hab.
l'industrie est l'activité dominante
centres de commerce, de transports, de banques et d'assurance
villes administratives (services publics, défense nationale)

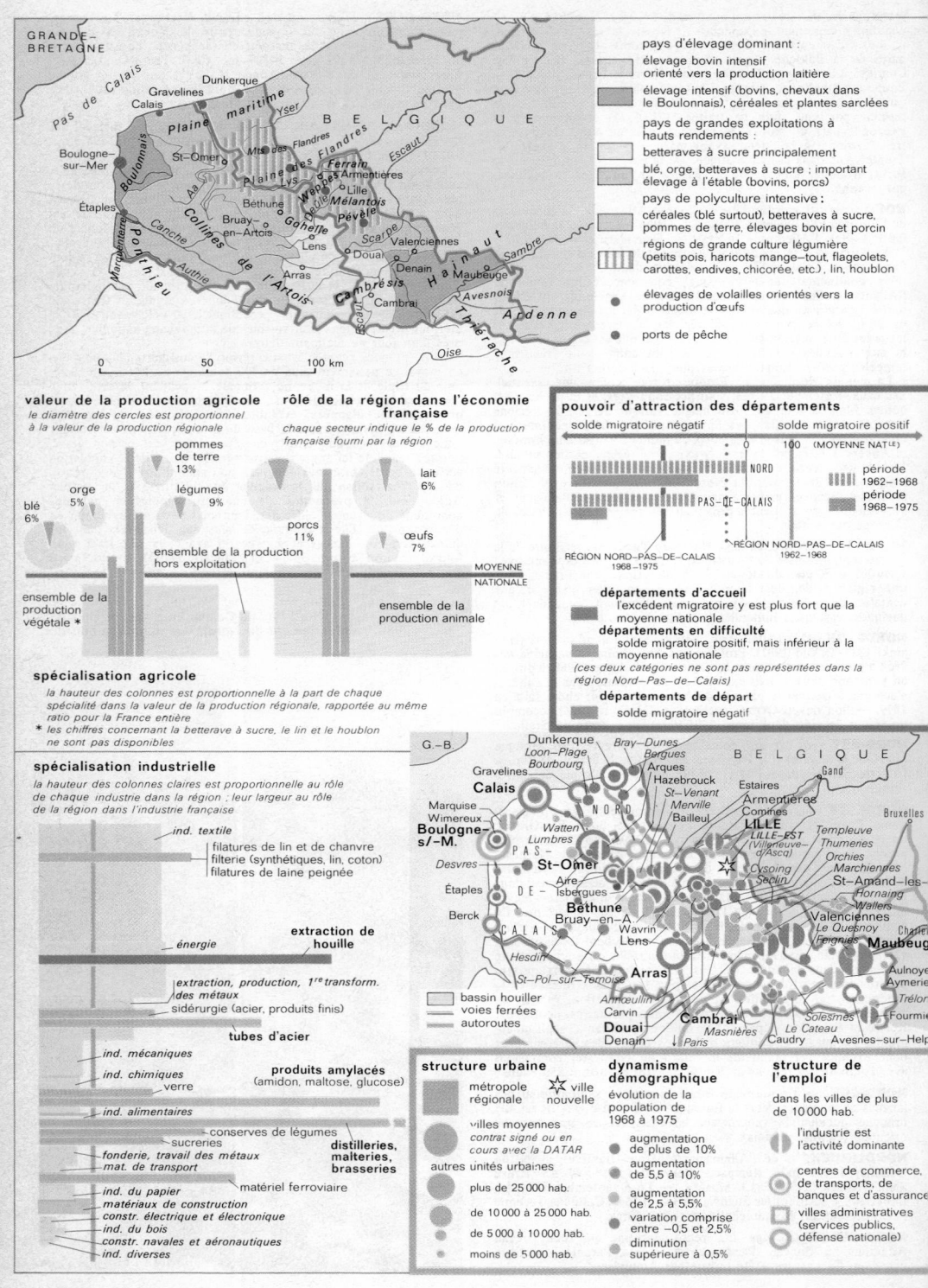

(Dunkerque), et la modernisation des installations a libéré une fraction importante du personnel. Il en a été de même dans le textile, représenté surtout dans le centre (autour de Roubaix notamment). Certes, ces branches n'ont pas disparu et ne sont pas condamnées (charbon excepté). Le Nord-Pas-de-Calais est notamment le premier centre textile de l'Europe du Nord-Ouest (coton, laine surtout, fibres synthétiques, tapis, confection). Il tient encore une place importante dans de nombreux autres domaines : chimie, production d'électricité, verrerie, industries alimentaires, etc. Le développement du raffinage du pétrole (Dunkerque, Valenciennes) et l'importation du gaz de Groningue suppléent au déclin du charbon dans l'approvisionnement énergétique, cependant que les implantations de la métallurgie de transformation (construction automobile) visent à faciliter la reconversion du bassin houiller. Il n'empêche que, globalement, l'emploi industriel n'a pas suffisamment progressé et que cette insuffisance explique bien le ralentissement de la progression de l'ensemble de la population régionale.

En contrepartie, l'agriculture occupe moins du dixième de la population active, et cependant, grâce à la mécanisation, à l'emploi intensif d'engrais, la production est importante notamment pour les cultures industrielles (betterave à sucre, houblon, lin) et les pommes de terre, moindre pour les céréales (blé, orge, avoine). L'élevage porcin est plus développé que l'élevage bovin. Sur le littoral, Dunkerque est (hydrocarbures exceptés) le premier port français de marchandises. Calais occupe le même rang pour les voyageurs, de même que Boulogne-sur-Mer pour la pêche.

Urbanisé sur le littoral, le Nord-Pas-de-Calais l'est encore davantage dans l'intérieur, avec l'agglomération de Lille (qui regroupe environ le quart de la population de la Région) et les villes de l'ancien bassin houiller d'Auchel à Valenciennes (en passant par Lens et Douai). Environ 80 p. 100 de la population sont urbanisés.

Pénalisée aujourd'hui pour la précocité de son développement industriel, la Région dispose cependant de nombreux atouts, et en particulier d'une situation géographique au cœur de l'Europe du Nord-Ouest, entre Paris, le Benelux, le bassin de Londres et la Ruhr, valorisée par une bonne desserte autoroutière et même fluviale et aérienne. Elle s'est développée depuis le XIXe s. comme une entité industrielle largement fondée sur les ressources locales. Aujourd'hui, dans la partielle reconversion économique en cours, devient fondamentale la notion de carrefour et s'affirme une ouverture débordant largement (ce qui n'est pas nouveau), du fait de la position frontalière, le cadre national.

NORFOLK, comté d'Angleterre, sur la mer du Nord.

NORFOLK, port des États-Unis (Virginie), au S. de la baie de Chesapeake; 268 000 hab.

NORFOLK (Thomas HOWARD, 3e *duc* DE), homme politique anglais (1473-Kenninghall 1554). Tout-puissant après la chute de Thomas Cromwell (1540), il fut disgracié par Henri VIII après l'exécution de sa nièce, Catherine Howard, cinquième femme du roi.

NORILSK, v. de l'U. R. S. S. (R. S. F. S. de Russie), dans le nord de la Sibérie; 135 000 hab. Centre d'une région minière (nickel, cuivre, lithium et platine).

NORIQUE, en lat. **Noricum,** province de l'Empire romain, bordée par le Danube au N. et les Alpes Carniques au S. Peuplé d'Illyriens et de Celtes (Taurisques), le royaume de Norique (capit. *Noreia* [Neumarkt]) fut annexé à l'Empire romain en 16 av. J.-C. Sous Claude, il devint province procuratorienne. Marc Aurèle remplaça le procurateur par un légat résidant à *Lauriacum* (Lorch). Après Dioclétien, la province fut divisée en *Noricum ripense,* au N., et en *Noricum mediterraneum,* au S.

NORMALISATION. — Une norme doit, en s'appuyant sur les résultats de la science, de la technique et de l'expérience, résulter du consensus des divers intérêts qui se rapportent à son objet et être approuvée par une autorité reconnue. La normalisation permet, notamment dans le domaine industriel, la simplification des études et l'organisation rationnelle des fabrications; elle assure l'interchangeabilité* des divers organes d'une installation; elle facilite la rédaction des commandes par la référence à la norme; elle donne des garanties précises de qualité, de régularité et de sécurité; elle permet enfin la diminution des prix de revient par la réduction du nombre de types d'objets. Elle peut être réalisée à plusieurs niveaux : individuel (entreprise), professionnel, national, européen et international. En France, l'Association française de normalisation (AFNOR), créée en 1926 et placée sous l'autorité d'un commissaire à la normalisation, nommé par le ministre de l'Industrie, centralise et coordonne tous les travaux relatifs à l'établissement des normes françaises, dont elle assure la diffusion et édite la plus grande partie.

Les travaux préparatoires sont effectués par des *bureaux de normalisation* propres à chaque branche professionnelle, avec le concours des principaux intéressés (constructeurs, utilisateurs, organismes spécialisés et services ministériels) et en liaison avec l'AFNOR, qui soumet généralement les projets de norme à une *enquête publique.* Après mise au point définitive, les normes sont soit *homologuées* par arrêté publié au *Journal officiel,* et leur application devient alors obligatoire pour les marchés passés avec l'État et les collectivités publiques, soit *enregistrées* par décision du commissaire à la normalisation. D'autres documents, comme les feuilles et les fascicules de documentation, ainsi que les normes expérimentales font, après une procédure simplifiée, l'objet d'une décision du directeur général de l'AFNOR. Dans plusieurs pays, la conformité aux normes est garantie par une *marque de qualité,* comme la marque NF en France, qui est accordée à la suite de contrôles exercés, dans le cadre de l'AFNOR, par des organismes dont les membres, nommés par le commissaire à la normalisation, représentent les différents intéressés.

Les travaux de normalisation internationale sont menés par l'Organisation internationale de normalisation (International Organization for Standardization [ISO]), fondée en 1947 et dont le siège est à Genève. L'ISO est une fédération mondiale d'organismes nationaux de normalisation; elle comporte plus de cent cinquante *comités techniques,* propres chacun à une branche particulière de la technique ou de l'industrie, qui établissent principalement des *normes internationales.* Dans le domaine de l'électrotechnique, les travaux de normalisation sont effectués par la Commission électrotechnique internationale (C. E. I.), dont le siège est également à Genève. D'autre part, le Comité européen de normalisation (C. E. N.), qui siège à Bruxelles et est formé des représentants des associations nationales de quinze pays, établit de son côté des *normes européennes,* lesquelles, dans le cadre de la Commission des communautés européennes, peuvent être utilisées pour faciliter la suppression des « entraves aux échanges ».

NORMANDE (race bovine) → BOVINS.

NORMANDIE, anc. province du nord-ouest de la France, sur la Manche, divisée aujourd'hui en deux Régions (et cinq départements). La *Haute-Normandie* regroupe la Seine-Maritime et l'Eure, couvre 12 258 km², compte 1 595 695 habitants et a pour capitale Rouen. La *Basse-Normandie* regroupe le Calvados, la Manche et l'Orne, couvre 17 583 km², compte 1 306 152 habitants et a pour capitale Caen.

GÉOGRAPHIE. Région historique, la Normandie ne constitue pas une entité naturelle. Géologiquement, elle appartient, à l'O.

Normandie. Paysage bocager près du cap Lévy (département de la Manche).

P. Lorne

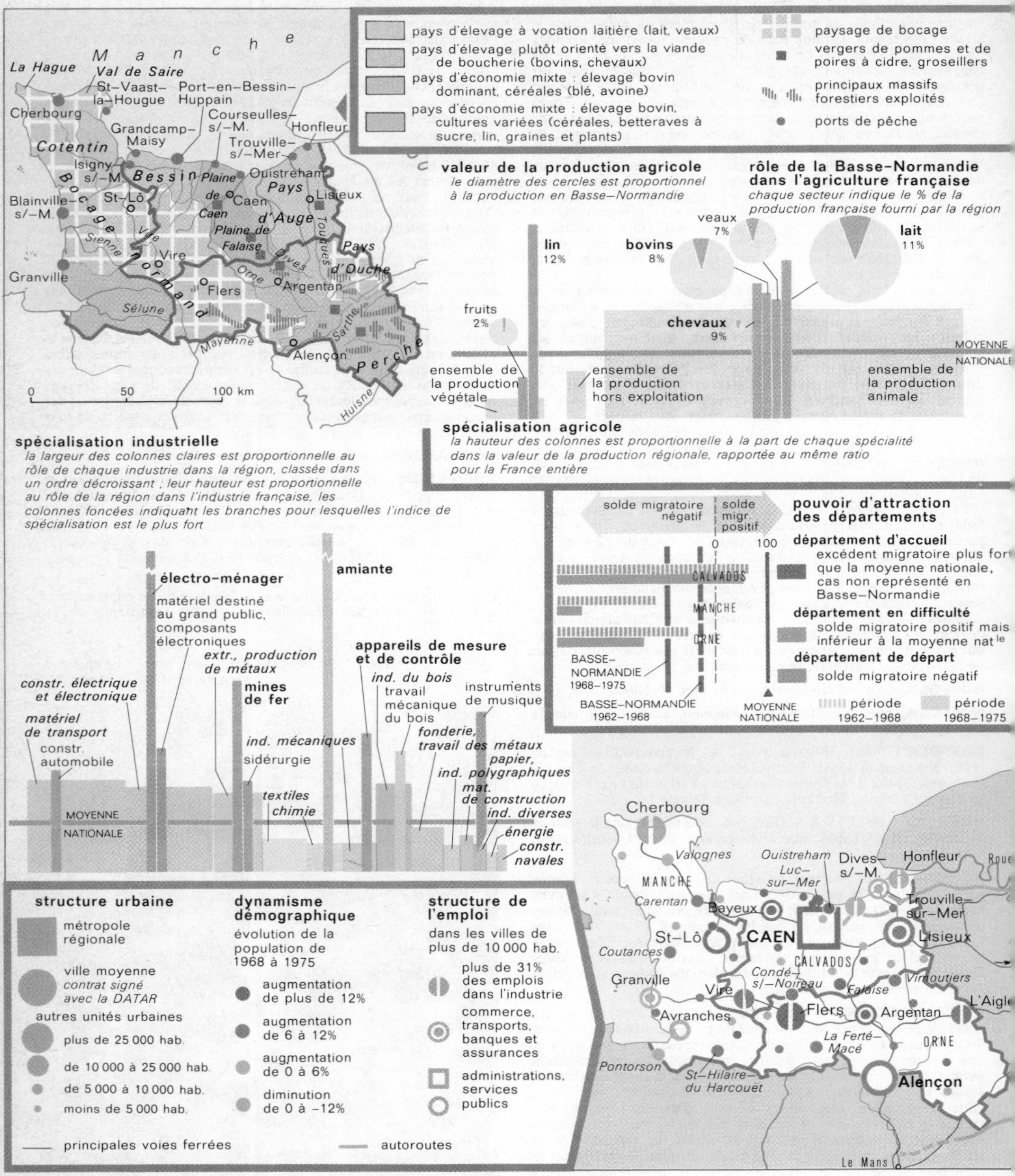

NORMANDIE (Basse-)

(Cotentin et moitié occidentale du département de l'Orne), au Massif armoricain et, à l'E., au Bassin parisien sédimentaire, avec des assises secondaires (jurassique et crétacé) souvent argileuses, parfois (de part et d'autre de la vallée de la Seine) recouvertes de lœss. La nature généralement imperméable du sol explique l'extension de l'herbe (phénomène capital pour l'économie agricole), favorisée par un climat océanique, presque partout doux et humide. À Rouen, la température moyenne de janvier est de 3,3 °C, et celle de juillet de 17,6 °C (l'amplitude thermique moyenne est réduite, puisqu'elle est inférieure à 15 °C); en moyenne, les précipitations sont de 680 mm répartis sur 167 jours (presque un jour sur deux).

Nettement moins étendue que la Basse-Normandie la Haute-Normandie est cependant sensiblement plus peuplée qu'elle, et l'écart s'accroît. Les effectifs de population des deux Régions étaient à peu près identiques après la Seconde Guerre mondiale. De 1946 à 1975, la population de la Haute-Normandie s'est accrue d'environ 500 000 unités et celle de la Basse-Normandie de la moitié de ce chiffre à peine. La Haute-Normandie bénéficie de la proximité et de l'influence de Paris, par la vallée inférieure de la Seine, la

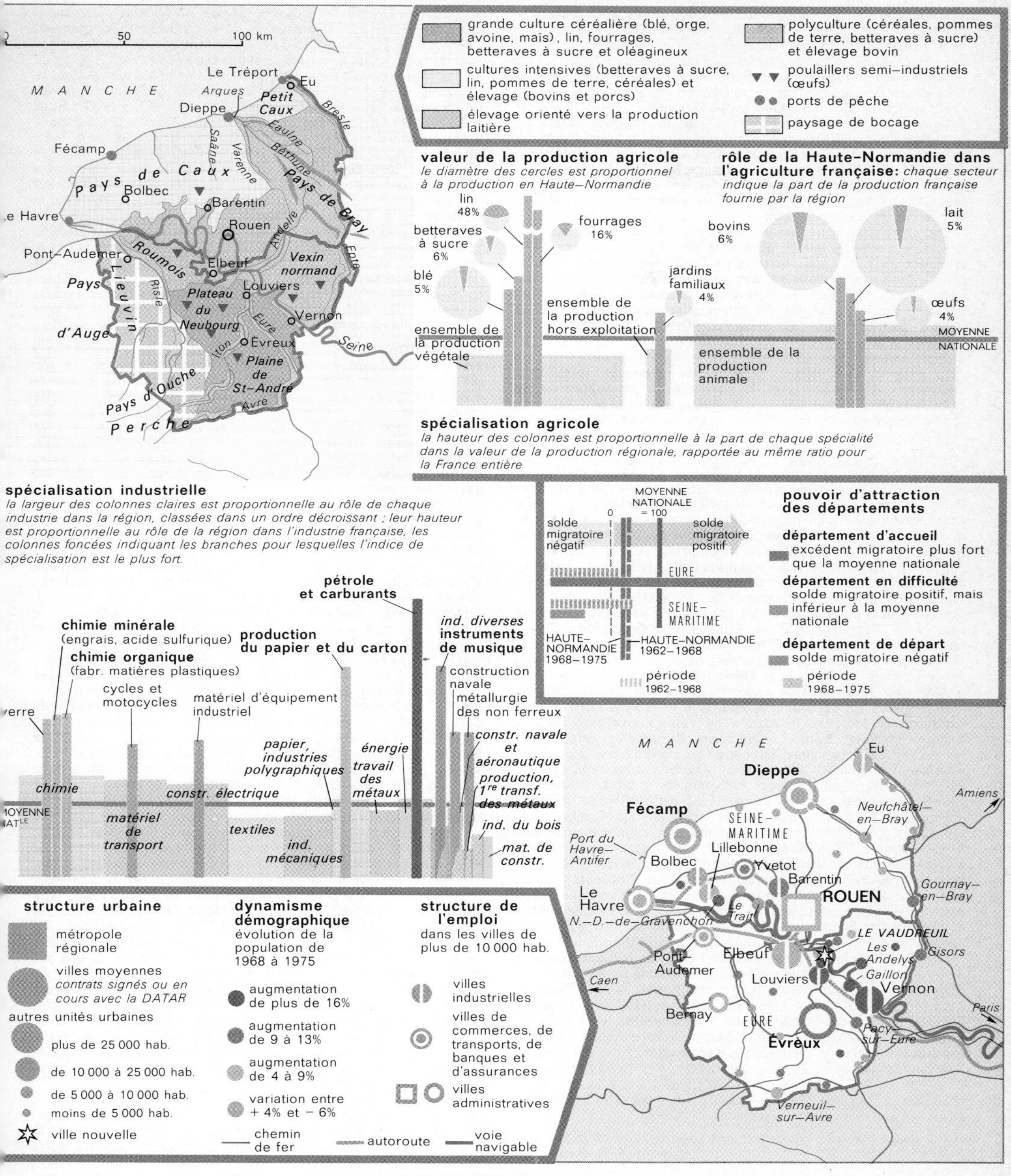

NORMANDIE (Haute-)

Basse-Seine, débouché maritime de la capitale, cependant que se sont multipliées les opérations de décentralisation industrielle dans l'est de l'Eure, proche de Paris. En Basse-Normandie s'est opéré un exode de population rurale des campagnes de la Manche et de l'Orne que ne masque pas entièrement la rapide croissance de l'agglomération de Caen.

On distingue une Haute-Normandie urbanisée et industrialisée, et une Basse-Normandie où l'activité agricole demeure plus importante. Ici, l'élevage bovin tient toujours une place essentielle, notamment dans le Cotentin, le Bessin et le pays d'Auge, avec la production de fromages (camembert, livarot, pont-l'évêque, etc.), ainsi que dans le Perche. L'élevage bovin gagne même de traditionnelles terres à culture, comme la plaine (ou campagne) de Caen, et, en Haute-Normandie, les plaines de l'Eure (plaine de Saint-André, du Neubourg) et, au-delà de la Seine, le pays de Caux, où demeure cependant la production de blé et de betterave à sucre. La pêche anime quelques ports (dont Dieppe, Cherbourg et Fécamp), mais apporte moins de ressources que le tourisme, développé notamment de Trouville à Cabourg en passant par Deauville.

L'industrie emploie aujourd'hui près des deux cinquièmes de la population active (approximativement le double de la part occupée dans l'agriculture). Elle est dominée par la métallurgie : sidérurgie dans la banlieue de Caen (proche d'un gisement de fer) et surtout constructions mécaniques, notamment dans la Basse-Seine. Celle-ci possède aussi le premier complexe français du raffinage du pétrole, avec quatre unités (dont Gonfreville-l'Orcher et Petit-Couronne) pouvant traiter annuellement plus de 50 Mt de brut (près du tiers de la capacité nationale) et ayant donné naissance à la pétrochimie. Le Havre et son annexe (Antifer) importent aussi du brut à destination des raffineries de la région parisienne et même de Valenciennes. Le textile a reculé, replié surtout autour de Rouen, alors que les industries alimentaires (produits laitiers principalement) sont plus dispersées, proches des lieux d'élevage.

Une part croissante de la population se concentre dans un triangle urbanisé et industrialisé dont les sommets sont les villes majeures de Rouen, du Havre et de Caen, bien desservies par le réseau routier et ferroviaire, sur ou près d'une façade maritime active. L'est, c'est-à-dire la partie orientale de la Haute-Normandie, bénéficie des retombées du desserrement des activités industrielles de la région parisienne. En revanche, l'Orne et la Manche appartiennent déjà à la façade occidentale de la France, encore largement agricole, peu urbanisée. L'écart démographique entre les deux Régions, traduction d'un dynamisme économique inégal, doit continuer à s'accroître, avec la poursuite du développement de l'axe de la Basse-Seine, qui rassemble la moitié de la population de la Haute-Normandie et plus du quart de celle de l'ancienne province.

HISTOIRE. Peuplé, avant la conquête romaine (56 av. J.-C.), de Celtes et de Belges (à l'est), de Ligures et d'Ibères (à l'ouest), le pays qui deviendra la Normandie est incorporé sous Auguste dans la Lyonnaise, puis forme sous Dioclétien la seconde Lyonnaise avec Rouen pour capitale. Gagné au christianisme dès le IVe s., occupé au Ve s. par les Francs, il devient partie intégrante de la Neustrie (VIe s.), tandis qu'y pénètre en profondeur le monachisme bénédictin (abbayes de Saint-Wandrille [649], de Jumièges [v. 654], de Fécamp [v. 658]). Mais, au IXe s., il est dévasté par les incursions scandinaves, qui ne s'arrêtent qu'avec l'établissement, à demeure, des Normands de Rollon sur les terres que Charles III le Simple cède à ce dernier (traité de Saint-Clair-sur-Epte, 911). Si cet abandon ne porte que sur la haute Normandie, Rollon et son fils, Guillaume Ier Longue-Épée, étendent rapidement leur domination sur le Lieuvin, l'Hiémois et le Bessin (924), puis sur l'Avranchin et le Cotentin (933). Dans ce cadre territorial qui, par la suite, ne variera guère, les descendants de Rollon vont constituer un État centralisé et prospère (fondation de villes nouvelles : Dieppe, Falaise, Argentan, Saint-Lô, Cherbourg, Barfleur et surtout Caen [v. 1025]), à la tête duquel le comte (qui s'intitule duc à partir de Richard II le Bon [de 996 à 1026]) détient une autorité presque absolue. Seule la minorité de Guillaume II, le futur Conquérant, connaît en l'espace de douze ans (1035-1047) divisions et luttes intestines. Après la conquête de l'Angleterre par Guillaume II (1066), les deux pays sont unis sous une même autorité nominale. Et si, à sa mort (1087), l'État anglo-normand est partagé entre l'aîné, Robert Courteheuse, qui reçoit la Normandie, et le cadet, Henri Ier Beauclerc, investi de l'Angleterre, la victoire de Tinchebray (1106), remportée par le second sur le premier, rétablit l'unité des deux pays. Devenue au XIIe s., sous l'action d'Henri II, la « clé de voûte » de l'empire des Plantagenêts, la Normandie ducale atteint alors son apogée, marquée par une profonde réorganisation administrative (réforme de l'Échiquier, création de baillis) et par une politique d'octroi des libertés communales (établissements de Rouen, 1170). Mais c'est aussi sous Henri II et surtout sous Richard Cœur de Lion (de 1189 à 1199) et Jean sans Terre (de 1199 à 1204) qu'elle devient l'enjeu des rivalités entre Plantagenêts et Capétiens. Confisquée et conquise en 1202-1204 par Philippe Auguste, elle est aussitôt incorporée au domaine royal et perd peu à peu ses libertés. Ravagée par la guerre de Cent Ans, annexée en fait à l'Angleterre de 1420 à 1450, elle est reconquise par Charles VII, puis donnée en apanage à Charles de France, frère de Louis XI (1465), pour être enfin rattachée au domaine royal en 1469.

Normandie *(bataille de),* une des grandes batailles de la Seconde Guerre mondiale. La Normandie a été en 1944 le théâtre du débarquement des forces alliées commandées par Eisenhower, puis des opérations qui provoquèrent la rupture du front allemand de l'Ouest. Préparé depuis plusieurs mois par une puissante offensive aérienne en profondeur et à partir du 2 juin par le bombardement des ouvrages du « mur de l'Atlantique » de Cherbourg au Pas-de-Calais, le débarquement (opération *Overlord*) a lieu le 6 juin sur la côte du Calvados. Le commandement allié, qui dispose de la maîtrise quasi totale du ciel, met en œuvre plus de 5 000 navires, et l'assaut initial est mené par cinq divisions débarquées et trois divisions aéroportées larguées près de Caen et de Carentan. Les Allemands, qui attendaient les Alliés sur les côtes du Pas-de-Calais, sont surpris et perdent la bataille des plages (7-11 juin). Un front continu (Montebourg-Isigny-Bayeux-nord de Caen) est établi, et plus de 300 000 hommes débarquent, en utilisant notamment le port artificiel d'Arromanches*. À l'ouest, les Américains commandés par Bradley* isolent la presqu'île du Cotentin le 17 et prennent Cherbourg le 26, tandis qu'à l'est les Britanniques et les Canadiens sont stoppés devant Caen, qui n'est prise que le 9 juillet. À partir du 10, les Alliés, établis sur la ligne Lessay-Saint-Lô-Caumont-Caen, se préparent à l'attaque, que les Américains déclenchent le 25. Coutances est prise le 28, Granville le 30, Avranches le 31, et une brèche de 30 km est ouverte, dans laquelle Bradley lance l'armée Patton. Rennes est libérée le 5 août, Laval le 6, Vannes le 7, Le Mans le 9, Alençon et Chartres le 10, en dépit de la contre-attaque déclenchée le 6 août en direction d'Avranches par les blindés allemands, qui, écrasés par l'aviation alliée, ne peuvent déboucher de Mortain. Le 13 août, l'ordre de retraite générale est donné par le maréchal von Kluge, qui, depuis le 4 juillet, remplace von Rundstedt à la tête des forces allemandes de l'Ouest. La prise de Falaise par les Canadiens le 17 août et la jonction de ceux-ci avec les forces de Patton le 20 achèvent l'encerclement des Allemands de Normandie, tandis que la Seine est atteinte à Vernon et à Mantes le 19, à Fontainebleau et à Sens le 21. Quatre jours plus tard, la 2e division blindée française (Leclerc), rattachée depuis le 1er août à l'armée Patton, entre à Paris. (V. GUERRE MONDIALE [*Seconde*].)

NORMANDS, nom *(Nordmanni, Nortmanni)* sous lequel on a pris coutume, dans le monde franc, d'évoquer ces peuples germains originaires de Scandinavie qui, eux-mêmes, se nomment « Vikings ». Norvégiens, Danois ou Suédois, les habitants de cette région sont à la fois guerriers et marins. Ils possèdent une technique éprouvée de la navigation maritime (orientation par les astres) et un remarquable navire : le *snekkja* (on dit aussi *drakkar,* mot désignant la figure de proue). On hésite encore sur les causes qui les conduisent, vers la fin du VIIIe s., à monter des expéditions qui les mèneront vers les îles de l'Atlantique, l'Europe occidentale et le monde slave : la surpopulation, une possible pression de puissants voisins, la recherche de débouchés commerciaux et l'attrait des richesses du monde chrétien sont autant de facteurs probables de l'expansion normande, qui va, pendant plus de deux siècles, semer ruines et terreur à travers l'Europe. La première vague migratoire (VIIIe-début du Xe s.) s'opère dans trois directions. Les Norvégiens, qui, vers 700, ont colonisé les îles Shetland, orientent surtout leur expansion vers l'Atlantique : les Orcades, le nord de l'Écosse, les Hébrides, l'île de Man et la côte irlandaise sont atteints et colonisés. La découverte de l'Irlande vers 860 est suivie, à partir de 890, d'une colonisation par l'aristocratie norvégienne, hostile à la montée du pouvoir royal dans le pays d'origine. De leur côté, les Suédois vont orienter leur expansion vers le monde slave : ils entreprennent la traversée du continent du nord au sud et atteignent la mer d'Azov (839) et le Bosphore (860). Dans les villes slaves, les Varègues suédois s'approprient le pouvoir (Novgorod, Kiev) et fondent des dynasties princières, tandis qu'à Constantinople ils viennent constituer les cadres de la garde du basileus (Xe s.). Ce sont essentiellement les Danois qui, à partir de 810, portent leur attaque sur les côtes septentrionales et occidentales de l'Europe ainsi que, subsidiairement, dans l'est et le nord de l'Angleterre. Un moment freinée par la flottille de défense construite sur l'ordre de Charlemagne, la pénétration normande de l'Occident par voie fluviale atteint son paroxysme dans les années 856-862. L'ampleur de la catastrophe incite Charles le Chauve à inaugurer (845) la pratique du versement d'un tribut *(danegeld)* à l'envahisseur, pratique qui, loin de calmer l'ardeur offensive des Normands, se révèle désastreuse pour l'économie occidentale. En Angleterre, Alfred le Grand (871-899) fait construire une puissante flotte de guerre et couvre son pays de forteresses. Il n'en doit pas moins abandonner aux Danois la moitié nord-est du pays (le Danelaw), où se forment trois États normands : les royaumes d'York (876-954), d'East-Anglia (877-917) et des Cinq-Bourgs (877-942). En territoire franc, cinq États normands voient le jour, dont celui de Nantes (919-937) et surtout celui de Rouen (911). Entre 930 et 980, les invasions normandes s'interrompent et la plupart des États normands disparaissent dans la contre-offensive entreprise par les Occidentaux.

Plus brève (fin du Xe s.-milieu du XIe), marquée par la découverte (981) du Groenland par le Norvégien Erik le Rouge, puis du Vinland (probablement le Canada) par son fils Leif, la seconde vague de migrations voit aussi culminer la poussée danoise sur l'Angleterre anglo-saxonne, avec Sven, qui contrôle tout le pays (1014), et son fils Knud le Grand, qui crée un vaste empire centré sur la mer du Nord. Mais ce royaume ne survit pas à Knud. Redevenue anglo-saxonne (1042), l'Angleterre est envahie par Guillaume le Conquérant (1066), qui, en 1069, écrase le Danelaw. Dès lors, c'est par le relais du duché fondé en 911 que se poursuit l'aventure normande : au XIe s., quelques lointains héritiers des Normands reprennent la route de la Méditerranée à la recherche de terres à conquérir; ils fonderont les comtés d'Aversa (1030) et de Pouille (1043), les principautés de Capoue (1058) et d'Antioche (1098), enfin le comté (1072), puis royaume (1130) de Sicile.

NORME. — Une norme est une grandeur attachée à chacun des éléments d'un espace vectoriel et dont les propriétés généralisent celles de la valeur absolue pour les nombres réels et celles du module pour les nombres complexes. C' est une application* f d'un espace vectoriel E construit sur le corps $\mathbb{R}$ des réels, dans l'ensemble* des nombres réels positifs ou nuls, $\mathbb{R}_+$, satisfaisant aux axiomes suivants :

$$f(\lambda x) = |\lambda| f(x), \quad \forall \lambda \in \mathbb{R} \text{ et } \forall x \in E; \quad (1)$$

$$f(x + y) \leqslant f(x) + f(y), \quad \forall x \text{ et } \forall y \in E; \quad (2)$$

$$f(x) = 0 \iff x = 0. \quad (3)$$

La norme de x est notée $\|x\|$.
EXEMPLES. $E = \mathbb{R}$, f est l'application qui à tout nombre réel x associe sa valeur absolue.

Les trois axiomes sont vérifiés de façon évidente. $E = \mathbb{R}^2$, f est l'application qui à un vecteur associe sa norme (ou module), définie par $f(x) = \sqrt{x^2 + y^2}$, x et y étant les composantes du vecteur x : les axiomes (1) et (3) sont évidemment vérifiés. L'inégalité (2) est simplement l'inégalité triangulaire : $AB \leqslant AC + CB$, ABC étant un triangle quelconque.

Étant donné une norme, on peut lui associer une distance et définir ainsi une structure d'espace métrique sur l'espace vectoriel E, sur lequel est définie la norme.

NORODOM Ier (1835-1904), roi du Cambodge de 1859 à 1904. En 1863, il signa avec la France un accord de protectorat. Il entreprit d'importantes réformes intérieures, supprimant notamment la corvée et l'esclavage.

NORODOM SIHANOUK, homme d'État cambodgien (Phnom Penh 1922). Roi du Cambodge de 1941 à 1955, il promulgue une constitution de type parlementaire (1947) et fait reconnaître par la France l'indépendance du Cambodge (1953). Chef du gouvernement après avoir abdiqué en faveur de son père, il prend le titre de chef d'État à la mort de celui-ci (1960). Il s'efforce de moderniser le pays et de maintenir sa neutralité, mais il est renversé en 1970 par un coup d'État militaire dirigé par le général Lon* Nol. En exil à Pékin, il s'allie avec les forces nationalistes révolutionnaires (les Khmers rouges) pour combattre le nouveau régime et fonde le gouvernement royal d'union nationale khmer (G. R. U. N. K.). Après la victoire des Khmers rouges (avr. 1975), conservant ses fonctions de chef de l'État, il cautionne quelque temps la politique du gouvernement révolutionnaire, puis démissionne (avr. 1976).

NOROY-LE-BOURG (70000 Vesoul), ch.-l. de cant. de la Haute-Saône, à 13,5 km à l'E. de Vesoul; 508 hab.

NORRENT-FONTES (62120 Aire), ch.-l. de cant. du Pas-de-Calais, à 7 km au S. d'Aire; 1 405 hab.

NORRIS (Frank), écrivain américain (Chicago 1870 - San Francisco 1902). Il s'appelait lui-même « Zola junior », et il donna dans ses romans (*McTeague*, 1899 [adapté à l'écran par E. von Stroheim sous le titre *les Rapaces*]; *la Pieuvre,* 1901) l'expression la plus systématique du roman réaliste et social américain.

NORRISH (Ronald George), chimiste anglais (Cambridge 1897). Avec son adjoint, G. Porter*, grâce à la « photolyse éclair », il a mis en évidence la formation de radicaux libres au cours des réactions rapides. Tous deux ont reçu le prix Nobel de chimie en 1967.

NORRKÖPING, port de Suède, sur la Baltique, au S.-O. de Stockholm; 116 000 hab. Pneumatiques.

NORRLAND (le), partie septentrionale de la Suède.

NORTHAMPTONSHIRE, comté du centre de l'Angleterre. V. princ. *Northampton* (127 000 hab.), qui possède une église circulaire du Saint-Sépulcre (début du XIIe s.) et des musées.

NORTH BAY, v. du Canada (Ontario), sur le lac Nipissing; 49 187 hab.

NORTHROP (John Howard), biochimiste américain (Yonkers, New York, 1891). Il a étudié les enzymes et les virus-protéines, dont il a obtenu certains à l'état cristallisé. (Prix Nobel de chimie, 1946.)

NORTHUMBERLAND, comté du nord-est de l'Angleterre, sur la mer du Nord.

NORTHUMBRIE, en celtique **Nordhanhymbre,** royaume angle (le plus septentrional de l'Heptarchie) fondé à l'extrême fin du VIe s. par la réunion des deux royaumes de Deira et de Bernicie sous l'autorité du Bernicien Æthelfrith (593-616). Sa capitale fut *Eoforwic* (York). Jusqu'au troisième quart du VIIe s., ce royaume s'étendit vers le pays de Galles, au S.-E., et jusqu'aux hautes terres d'Écosse, au N., puis recula devant la Mercie et les Celtes d'Écosse. Évangélisé au VIIe s. par les moines irlandais, devenu le chef de file de la civilisation anglo-saxonne, il sombra sous les coups des envahisseurs scandinaves (IXe-Xe s.).

NORTH VANCOUVER, v. du Canada (Colombie britannique), dans la banlieue nord de Vancouver; 31 847 hab.

NORTON (Thomas), auteur dramatique anglais (Londres 1532 - Sharpenhoe, Bedfordshire, 1584). Il composa, en collaboration avec T. Sackville, la première tragédie régulière anglaise, *Gorboduc ou Ferrex et Porrex* (1561-62).

NORT-SUR-ERDRE (44390), ch.-l. de cant. de la Loire-Atlantique, à 29 km au N. de Nantes; 4 629 hab.

NORVÈGE, en norv. **Norge,** État de l'Europe septentrionale; 325 000 km²; 4 010 000 hab. *(Norvégiens).* Capit. *Oslo.*

GÉOGRAPHIE. • *Le milieu naturel.* S'étendant sur la partie occidentale de la péninsule scandinave, la Norvège est un État montagneux au relief très compartimenté. Limitée au N. par les plateaux du Finnmark, la chaîne ancienne des Scandes, qui forme la frontière avec la Suède, s'étire sur presque toute la longueur du pays. Massive, mais d'altitude moyenne (2 468 m), elle est interrompue au centre par la dépression de Trondheim. Elle est bordée par une zone littorale étroite qui est découpée en une succession de fjords et s'élargit au S. dans la région d'Oslo. L'emprise glaciaire est partout visible : des glaciers couvrent les hautes surfaces, tandis qu'à une altitude plus basse le relief est

NORVÈGE

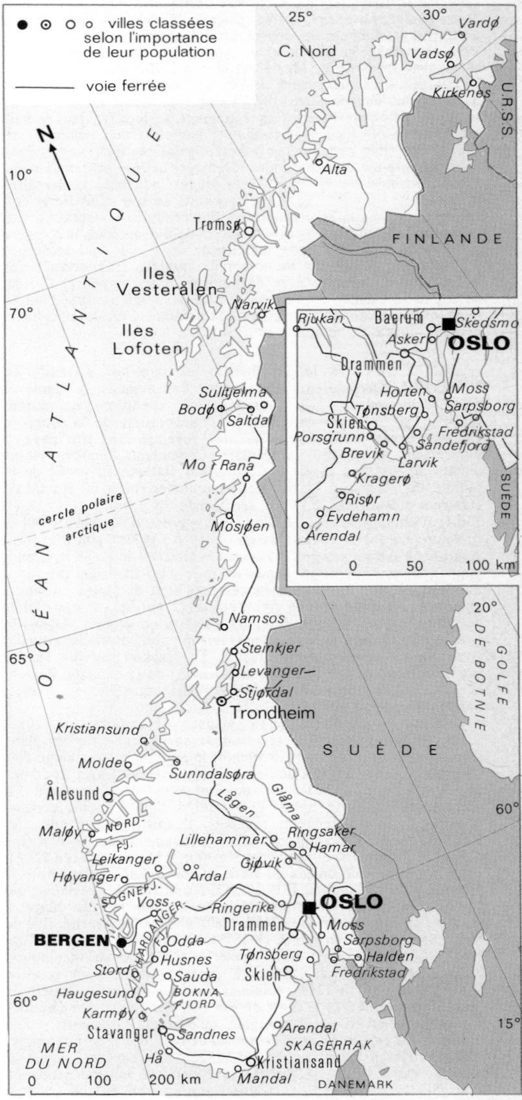

fortement marqué par les glaciers quaternaires (moraines, vallées en auge, fjords). Le climat, froid en raison de la latitude, s'adoucit un peu au S. et à proximité des côtes sous l'influence océanique (à Bergen, la température moyenne de janvier est de 4,5 °C, celle de juillet de 15,7 °C et les précipitations annuelles sont de 2 725 mm). La forêt, qui couvre l'essentiel des pentes montagneuses, est remplacée vers le N. par la toundra quand le froid interdit la croissance de l'arbre.

• *La population.* La population, peu dense, se concentre sur une étroite frange côtière, principalement au S. Elle s'accroît à un rythme lent, dû à la faiblesse du taux de natalité. L'émigration a cessé depuis longtemps, mais, actuellement, une redistribution intérieure s'opère : l'exode rural provoque une augmentation de la population urbaine. L'agglomération d'Oslo regroupe plus du cinquième de la population totale.

• *L'économie.* Les conditions naturelles sont peu favorables à la culture : 3,2 p. 100 du territoire seulement sont labourés. Concentrés dans le Sud, ils fournissent essentiellement pommes de terre et céréales, la culture maraîchère se développant autour d'Oslo. L'activité dominante est l'élevage bovin (laitier) et ovin. Mais l'exploitation de la forêt apporte des revenus appréciables. Elle fournit la matière première aux florissantes industries du bois et du papier. La pêche, active, place la Norvège au premier rang européen et alimente les conserveries (harengs).

La recherche du pétrole et du gaz naturel (mer du Nord) a été fructueuse (près de 10 Mt de pétrole en 1975), mais c'est surtout l'équipement, encore partiel, de l'énorme potentiel hydroélectrique qui a fourni l'énergie nécessaire à l'industrialisation. L'essentiel des activités, peu concentrées financièrement, se localise dans le Sud, autour d'Oslo. L'électrométallurgie, active (acier, aluminium), repose en faible part sur les richesses minières (fer, molybdène). Elle alimente des constructions mécaniques et des chantiers navals. L'électrochimie est en plein essor, et les industries alimentaires progressent. Le pays exporte les produits de son industrie et doit importer des matières premières et des produits alimentaires. Les échanges passent par les ports d'Oslo et de Bergen, mais la Norvège possède la quatrième flotte marchande du monde, qui dessert le monde entier et procure de nombreux emplois. L'exportation des hydrocarbures, appelée à se développer, doit compenser l'actuel déficit de la balance commerciale, et le pays, qui a refusé l'entrée dans le Marché commun, assure à ses habitants l'un des plus hauts niveaux de vie du monde.

HISTOIRE. C'est à la fin du VIIIe s. que les Vikings*, ou Normands*, s'aventurent vers les îles Britanniques, la Gaule et aussi le Groenland et le Labrador. Ces expéditions, qui durent jusqu'au XIe s., sont capitales pour l'évolution de la Norvège elle-même, car de nombreux Vikings, revenus dans leur pays, y introduisent la culture occidentale. Cependant, l'épopée viking n'empêche pas les essais d'organisation étatique au profit de la famille des Ynglingar. La tradition veut que ce soit le roi Harald Ier Hårfager qui ait réalisé l'unité territoriale du pays.

Il faut attendre le règne d'Olav Ier Tryggvesson (de 995 à 1000) et surtout celui d'Olav II Haraldsson (de 1016 à 1030) [saint Olav], qui sera tué en luttant contre l'invasion des troupes de Knud le Grand, pour voir une dynastie s'imposer : le christianisme est alors introduit en Norvège. Leurs successeurs sont de moins en moins attirés par l'activité de type viking et s'efforcent, au XIIe s., d'établir une organisation étatique. En 1163, l'Église, en sacrant Magnus V Erlingsson, donne à la royauté norvégienne une autorité spirituelle. Avec un souverain comme Haakon IV Haakonsson (de 1223 à 1263), la Norvège fait figure de grand État : de sa capitale, Bergen, le roi étend son autorité sur les îles de l'Atlantique (Féroé, Orcades, Shetland) et aussi sur l'Islande et le Groenland.

Le règne du fils d'Haakon IV, Magnus VI Lagaböte (de 1263 à 1280), marque l'apogée de la grandeur norvégienne sur les plans administratif et culturel. Mais bientôt le pouvoir monarchique doit compter avec les intérêts de l'aristocratie et surtout avec ceux des riches marchands de la Hanse*, qui font de la Norvège un véritable protectorat. La peste noire (1349), qui décime et ruine le pays, favorise l'afflux d'émigrants suédois, danois et allemands. Cet affaiblissement s'accompagne d'un effacement de la Norvège devant le Danemark et la Suède. Haakon V Magnusson (de 1299 à 1319) marie sa fille unique au frère du roi de Suède; son petit-fils Magnus VII Eriksson (de 1319 à 1343) réunit Norvège et Suède, qui se séparent avant sa mort. Mais le second fils de Magnus, Haakon VI Magnusson (de 1343 à 1380), épouse Marguerite, fille de Valdemar, roi de Danemark († 1375), et hérite de son frère Erik († 1359) la Suède, qu'il doit disputer à Albert de Mecklembourg. Marguerite, régente en Danemark et en Norvège pour son fils Olav V (de 1380 à 1387), finit par anéantir le parti d'Albert de Mecklembourg. Après la mort de son fils, elle choisit pour héritier son petit-neveu Erik de Poméranie, qu'elle fait reconnaître par la noblesse des trois royaumes de Suède, de Norvège et de Danemark.

C'est l'Union de Kalmar* (1397-1523), au sein de laquelle la Norvège est sacrifiée. La Suède ayant retrouvé son indépendance avec Gustave Vasa (1523), la Norvège n'est plus qu'une « dépendance du royaume de Danemark », qui supprime son conseil d'État (1536), lui impose le luthéranisme et la langue danoise; la marine hollandaise remplace les Hanséates dans l'exploitation du pays. Dans les conflits du XVIIe s., la Norvège subit les contrecoups de la politique danoise, perdant plusieurs territoires, notamment le Jämtland et Trondheim; sa population tombe à moins d'un demi-million d'habitants.

Cependant, après 1660, l'établissement de l'absolutisme monarchique, au détriment de la noblesse, par Frédéric III, roi de Danemark et de Norvège de 1648 à 1670, est profitable à la bourgeoisie norvégienne; la décision de vendre une partie des terres de la Couronne pour faire face aux dépenses militaires profite aux paysans, qui achètent ces terres et voient leur condition s'améliorer. Au XVIIIe s. l'économie norvégienne (bois de construction, chantiers navals, métaux, poisson) prend un réel essor.

L'affaiblissement du Danemark, pris entre l'alliance britannique et l'alliance française durant la Révolution et l'Empire, frappe aussi les Norvégiens, mais le sentiment national se développe.

Cependant, le traité de Kiel (14 janv. 1814) ne rend pas son indépendance à la Norvège, mais cède celle-ci à la Suède. Une résistance, groupée autour de l'héritier de Danemark, Christian-Frédéric, s'organise; elle va jusqu'à faire élire celui-ci roi de Norvège par une assemblée nationale (17 mai 1814). Mais l'armée suédoise réduit à rien ce début d'indépendance, encore que Bernadotte reconnaisse aux Norvégiens une constitution propre avec une assemblée législative, ou *storting,* chaque État constituant « un royaume libre et indépendant sous un même roi », le roi de Suède-Norvège. En fait, la majorité des Norvégiens supporte mal cette « Union », et la gauche, après 1860, fait tout pour affaiblir la prérogative royale. En 1884, son chef, Johan Sverdrup (1816-1892), oblige même Oscar II* à reconnaître le régime parlementaire en Norvège et à le nommer lui-même Premier ministre. Tout-puissant, le Storting, où un parti social-démocrate est représenté à partir de 1887, multiplie alors les réformes libérales, instaurant notamment le suffrage universel (1898). Dans le même temps, la Norvège connaît un développement économique remarquable : à la fin du siècle, la marine norvégienne est la troisième du monde; l'exploitation rationnelle et moderne du bois et des gisements de fer lapons, la modernisation de la pêche et de la chasse à la baleine caractérisent cette évolution économique.

Le 7 juin 1905, le Storting déclare l'indépendance de la Norvège; son vote est ratifié par un plébiscite (13 août) et entériné par la Suède (27 oct.) : le prince Charles, petit-fils de Christian IX de Danemark, devient alors roi de Norvège sous le nom d'Haakon VII (18 nov.). Rapidement, la Norvège devient une démocratie avancée (vote des femmes, 1913), dotée d'une législation sociale modèle, à laquelle contribue un syndicalisme fortement structuré. Le parti travailliste parvient au pouvoir en 1935. Cependant, la crise mondiale de 1930 touche fortement le pays jusqu'en 1937. Délibérément neutraliste, la Norvège n'en est pas moins envahie par les troupes de Hitler, qui convoite ses riches ressources minières et ses fjords, abri idéal pour les sous-marins (9 avr. 1940).

Tandis qu'un pronazi, Quisling, prend le pouvoir à Oslo, le roi et le gouvernement s'installent à Londres. Après la Libération (1945), les travaillistes renforcent le rôle de l'État en vue de redresser l'économie du pays, ravagé par la guerre. En 1957, Olav V succède à son père, Haakon VII, décédé; en 1965, les travaillistes perdent le pouvoir au profit d'une coalition modérée. Les remous provoqués par la non-adhésion au Marché commun ramènent les travaillistes, avec Trygve Bratteli (1971), puis Odvar Nordli (1976), au gouvernement, encore que leur base électorale soit plus étroite qu'autrefois.

Norvège *(campagne de),* une des campagnes de la Seconde Guerre* mondiale (1940). Répondant à l'occupation du Danemark par la Wehrmacht et à un débarquement allemand en Norvège (9-13 avr.), les Alliés débarquent à leur tour du 14 au 19 avril un corps franco-anglo-polonais, qui concentre son effort sur Narvik. La ville est prise par les Français le 28 mai. En raison des événements de France, les Alliés évacuent la Norvège entre le 3 et le 7 juin.

NORVÉGIEN. — Le norvégien est issu du nordique occidental. La Norvège étant devenue danoise au XVe s., le danois le remplace comme langue écrite. Deux langues se sont alors développées simultanément : celle de la bourgeoisie urbaine, le bokmål, qui est une forme de danois, et celle du peuple et des campagnes, le landsmål, qui est à la base du nynorsk (néonorvégien), créé au cours du XIXe s. Aujourd'hui, les deux langues coexistent officiellement, et l'on fait un effort pour les rapprocher et les fondre en une langue commune, le samnorsk.

NORWICH, v. de l'est de l'Angleterre (Norfolk); 122 000 hab. Cathédrale et autres monuments médiévaux. Musées. Deux peintres de Norwich, John Crome (1768-1821) et John Sell Cotman (1782-1842), ont fait progresser l'art anglais du paysage.

NORWID (Cyprian), poète polonais (Laskowo-Głuchy 1821 - Paris 1883). Exilé et méconnu, il a traduit dans un lyrisme marqué par son activité de peintre et de sculpteur le malheur de sa patrie et son désespoir de prophète incompris (*Rhapsodie funèbre à la mémoire de Bem,* 1850; *les Sibéries,* 1865).

Nosferatu le Vampire, film allemand de F. W. Murnau (1922). Une étape importante dans l'évolution du film expressionniste allemand des années 20. Cette « symphonie de la terreur », inspirée par le roman de Bram Stoker, *Dracula,* est une promenade oppressante dans le royaume du fantastique et du surnaturel. La lenteur des gestes des acteurs, les jeux d'ombre et de lumière, l'étrangeté morbide de plusieurs séquences contribuèrent à entourer ce film d'une aura légendaire.

NOSSI-BÉ, île située au N.-O. de Madagascar, dont elle dépend.

NOSTOC → CYANOPHYCÉES.

NOSTRADAMUS (Michel DE NOSTRE-DAME ou), astrologue français (Saint-Rémy-de-Provence 1503-Salon 1566). Les prophéties de ses *Centuries astrologiques* (1555) sont restées célèbres.

NOTAIRE. — Cet officier ministériel n'est pas un fonctionnaire public. Nommé par arrêté du garde des Sceaux, il a la possibilité, moyennant finance, de présenter un successeur à l'agrément des pouvoirs publics. Il exerce ses fonctions sous la surveillance et le contrôle du ministère public et répond devant les tribunaux judiciaires des fautes commises dans l'exercice de ses attributions.

Les notaires confèrent l'authenticité aux actes qu'ils reçoivent. Ces actes font foi jusqu'à inscription de faux entre les parties contractantes et leurs héritiers ou ayants cause, et reçoivent date certaine. Les notaires peuvent recevoir aussi des actes sous seing privé, qui sont déposés au rang de leurs minutes. Ils délivrent des « expéditions », qui sont les copies des minutes, dont ils ne se dessaisissent pas. On appelle « grosse » la copie délivrée en forme exécutoire. La discipline des notaires est garantie par des organisations professionnelles*, les chambres des notaires.

NOTATION CHIMIQUE. — La notation chimique actuelle, dont la première idée remonte à Berzelius (1815), est la notation atomique. Chaque élément est représenté par un *symbole,* formé d'une ou de deux lettres de son nom, auquel est associée la masse atomique de l'élément. Chaque corps composé est représenté par une *formule,* constituée par un assemblage des symboles des éléments qui figurent dans ce composé, ces symboles étant affectés d'un indice indiquant le nombre d'atomes de l'élément existant dans la molécule du composé, donc sa composition centésimale. Ainsi, l'eau, formée par l'union de deux atomes d'hydrogène et d'un atome d'oxygène, est représentée par la formule H_2O, qui montre que 2 g d'hydrogène ($H = 1$) y sont associés à 16 g d'oxygène ($O = 16$). D'une façon plus générale, la formule est la traduction globale la plus simple de la composition atomique d'un corps dans les nombreux cas où il n'y a pas à proprement parler de molécules; par exemple : chlorure de sodium, NaCl; alun, $KAl(SO_4)_2$, 12 H_2O.

Cette notation permet, dans une certaine mesure, de préciser les propriétés fondamentales des composés et de rappeler les analogies chimiques. Elle aboutit à la représentation des réactions chimiques par des équations et elle est utilisée dans les calculs stœchiométriques.

NOTATION CHORÉGRAPHIQUE. — Les premières tentatives de notation chorégraphique furent réalisées au XIVe s., et les différentes « chorégraphies* » qui en résultèrent ne furent que des ébauches d'écriture de la danse. Le système élaboré par le Russe Vladimir Stepanov (1866-1896), *l'Alphabet des mouvements du corps humain* (Paris, 1892), fut le premier à être efficace. Utilisé par Aleksandr Gorski* et Nikolaï Sergueïev, qui reconstituèrent les grandes œuvres de Marius Petipa* *(la Belle au bois dormant, le Lac des cygnes...),* il permit à Léonide Massine* de transcrire ses propres œuvres. La notation chorégraphique trouva quelques solutions dans les ouvrages de Margaret Morris (*Danscript,* 1928), de Pierre Conté (*Chorégraphie,* 1930), d'Alwin Nikolais* (*Choroscript,* 1945), etc. À côté de ces méthodes d'utilisation restreinte prévalurent la *labanotation,* issue des travaux de Rudolf von Laban*, qui, en 1928, publie à Vienne sa *Notation du mouvement,* et le Benesh System, conçu par Joan (née en 1920) et Rudolf (1916-1975) Benesh, et décrit dans *Introduction to Benesh Dance Notation* (Londres, 1955). Le système de R. von Laban, divulgué par ses élèves et ceux de Kurt Jooss*, est d'une lecture lente et complexe (de bas en haut et de droite à gauche sur trois lignes figurant le corps du danseur), mais il peut servir à transcrire toutes les danses. Certaines œuvres de George Balanchine, de Doris Humphrey, de Jerome Robbins ont été notées avec ce système, dont le Dance Notation Bureau de New York est le centre de diffusion. Le Benesh System (qui est fondé sur la transcription d'un schéma de pas juxtaposé à une portée musicale) préside à la conservation de la plupart des créations du Royal Ballet de Grande-Bretagne. À Paris, le Centre national de l'écriture du mouvement, créé en 1958 par Théodore d'Erlanger*, forme les notateurs professionnels. Autrefois vouée à l'oubli, l'œuvre chorégraphique peut désormais affronter l'épreuve du temps.

NOTATION MUSICALE. — La musique s'écrit au moyen de signes représentant l'intonation, la durée et l'intensité des sons. On place la majorité d'entre eux sur la *portée,* composée de cinq lignes superposées. Sur les lignes et entre les lignes, les *notes* représentent les sept sons musicaux, désignés par UT (DO), RÉ, MI, FA, SOL, LA, SI, et dont la série s'appelle *gamme.*

NOTATION MUSICALE. Les clés.

Les *altérations* élèvent (dièse) ou abaissent (bémol) l'intonation des notes naturelles, le bécarre annulant leur effet. Placées après la clé, elles définissent le ton d'une œuvre et agissent pendant toute sa durée. La *clé* détermine le nom des notes et leur place dans l'échelle musicale en donnant son nom à celle qui occupe la même ligne qu'elle.

La forme des notes indique différentes durées. Depuis le XVIIe s. environ, les figures de notes sont la ronde, la blanche, la noire, la croche et la double-croche. Dans cet ordre, la valeur de chaque

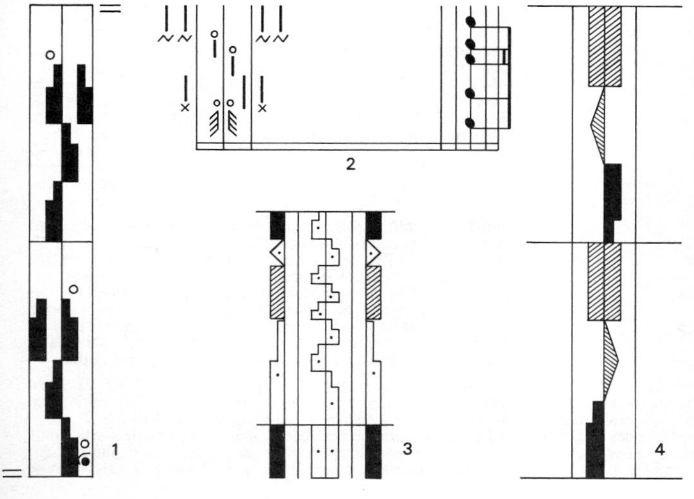

NOTATION CHORÉGRAPHIQUE

La notation de Laban est fondée sur un système complexe dans lequel interviennent des signes conventionnels indiquant les directions, les positions dans l'espace et les segments de membres ou les parties du corps qui effectuent gestes, pas, déplacements. L'importance de chacune des parties d'un schéma, et par suite d'un schéma entier, est liée à la durée musicale. Par exemple, si on considère la croche comme unité de temps et le tracé qui la représente comme unité linéaire, la durée de la noire sera traduite par un trait deux fois plus long et la ronde par un trait quatre fois plus long. Chaque série de symboles s'ordonne de part et d'autre de trois lignes parallèles, l'espace étant partagé en deux parties égales par la ligne médiane. Ces « portées » sont jumelées avec celles de la partition musicale. 1. Pas de csardas; 2. Décomposition d'un mouvement de bras (mesure à 2 temps); 3. Exemple de rythme (mesure à 4 temps); 4. Temps de valse.

note est toujours moitié plus grande que celle de la suivante. À chaque figure de notes correspond un *silence :* la pause, la demi-pause, le soupir, le demi-soupir et le quart de soupir. Ces signes ont entre eux les mêmes rapports que les notes entre elles.

Dans la musique ancienne, la mélodie procède par successions de groupes de deux ou trois notes, ou *neumes,* qui consignent la direction mélodique sans en préciser les intervalles soit par rapport à un degré fixe (ligne de clé), soit par rapport au groupement voisin.

Un morceau de musique est fractionné en parties égales dites *mesures,* de telle sorte qu'une valeur de note représente l'unité qui en résulte. Les temps divisibles en deux (binaires) ou en trois (ternaires) constituent les parties d'égale durée contenues dans une mesure. L'espace compris entre deux barres de mesure se nomme aussi « mesure ».

NOTO, v. d'Italie, dans le sud-est de la Sicile; 27 000 hab. Monuments baroques (cathédrale) insérés dans l'harmonieux plan de reconstruction de la ville (à 20 km de l'ancienne) après le séisme de 1693. Musée (archéologie).

NOTONECTE. — Le seul insecte des mares qui nage sur le dos, ce qui lui a valu le nom de « notonecte », est un redoutable carnivore piqueur et suceur de sang, voisin de la nèpe (ordre des hétéroptères). C'est principalement la troisième paire de pattes, frangée de poils, qui assure sa natation.

NOTRE-DAME-DE-BELLECOMBE (73590 Flumet), comm. de Savoie, à 15 km au N.-E. d'Ugine; 410 hab. Sports d'hiver (alt. 1 134-1 800 m).

NOTRE-DAME-DE-BONDEVILLE (76150 Maromme), comm. de la Seine-Maritime, dans la banlieue nord de Rouen; 6 335 hab.

NOTRE-DAME-DE-GRAVENCHON (76330), comm. de la Seine-Maritime, à 5 km au S.-E. de Lillebonne; 8 336 hab. *(Gravenchonnais).* Raffineries de pétrole (*Gravenchon* et Port-Jérôme) en bordure de la Seine.

Notre-Dame-de-la-Belle-Verrière, dénomination traditionnelle d'une Vierge à l'Enfant de la vitrerie de la cathédrale de Chartres. Objet de vénération, échappée à l'incendie de 1194, elle fut remontée au milieu d'une verrière du XIIIe s. (collatéral sud du

Giraudon

Notre-Dame-de-la-Belle-Verrière (cathédrale de Chartres).

chœur). Contemporaine des vitraux de la façade occidentale et de l'achèvement des sculptures de cette même façade (portail Royal) [v. 1150-1155], Vierge en trône tenant l'Enfant, qui bénit, elle se signale par une composition hiératique encore proche des créations romanes, mais elle possède, avec la grâce, toute l'exceptionnelle vigueur technique de ce premier âge du vitrail gothique.

NOTRE-DAME-DE-LORETTE, hauteur (165 m) à 12 km N.-N.-O. d'Arras, haut-lieu des combats d'Artois* en 1915.

Notre-Dame de Paris, roman historique de V. Hugo (1831).

Notre-Dame-du-Mont-Carmel *(ordre de),* ordre de chevalerie français, fondé en 1606 par Henri IV et réuni en 1608 à celui de Saint-Lazare. (Il a été aboli en 1789.)

NOTTINGHAMSHIRE, comté d'Angleterre. V. princ. *Nottingham* (300 000 hab.), sur la Trent. Nottingham, centre d'industries mécaniques et textiles, possède un château reconstruit au XVIIe s. (musée : histoire et beaux-arts).

NOUADHIBOU, anc. **Port-Étienne,** port de Mauritanie; 21 000 hab. Exportation de minerai de fer. Base de pêche. Aéroport.

NOUAKCHOTT, capit. de la Mauritanie, près de l'Atlantique; 55 000 hab. Cette ville fut créée en 1958.

NOUMÉA, capit. de la Nouvelle-Calédonie, sur la côte sud-ouest de l'île; 56 078 hab.

NOUREÏEV ou **NUREYEV** (Rudolf), danseur d'origine soviétique, naturalisé britannique en 1962 (né dans un train dans la région d'Irkoutsk en 1938). Ayant abandonné la troupe du Kirov en 1961, il est, depuis 1962, attaché au Royal Ballet de Grande-Bretagne et partenaire, principalement, de Margot Fonteyn*. À ses rôles du répertoire classique *(Roméo et Juliette, le Lac des cygnes, le Corsaire...),* il a su adjoindre des créations de facture moderne : *les Chants du compagnon errant* (de M. Béjart), *Aureole* (de P. Taylor), *The Moor's Pavane* (de J. Limón).

NOURRICE. — Les nourrices ne sont agréées qu'après examen médical et présentation de diverses attestations définies par décrets (situation de famille, installation du foyer, etc.). Les enfants placés en nourrice doivent être déclarés dans les mairies; leur surveillance sanitaire et sociale est exercée par des assistantes sociales.

NOURRISSON. — Le développement de l'enfant de 1 mois à 2 ans comporte d'importantes transformations tant sur le plan staturo-pondéral que sur le plan psychomoteur. Le nourrisson double son poids de naissance vers 3 mois et le triple à 1 an. Il grandit de 20 à 25 cm, et son périmètre crânien augmente rapidement jusque vers 15-18 mois. Tous les tissus subissent une maturation, mais, sur le plan immunologique, le nourrisson reste fragile et n'acquerra que progressivement la résistance aux infections. Sur le plan mental, il reconnaît sa mère et sourit vers 2 mois; il redresse la tête à 3 mois et se tient assis vers 6 mois, âge auquel apparaissent les premières dents. La station debout est acquise vers 9-10 mois, et la marche entre 12 et 15 mois. Le nourrisson prononce quelques mots entre 1 et 2 ans, mais ce n'est qu'à la fin de cette période qu'il commence à parler et à faire de petites phrases.

NOURRIT (Adolphe), chanteur français (Paris 1802 - Naples 1839). Ténor de l'Opéra de Paris, professeur au Conservatoire, il a créé des rôles importants du répertoire.

Nourritures terrestres *(les),* d'A. Gide (1897). L'exaltation d'un être jeune qui se libère de toutes les contraintes et cherche le bonheur dans l'obéissance à tous les désirs.

NOUVEAU (Germain), poète français (Pourrières 1851 - *id.* 1920). Il mena une vie errante, entrecoupée de crises de mysticisme, fréquenta Rimbaud et Verlaine, et exerça par son œuvre, publiée contre sa volonté (*Poésies d'Humilis,* 1910), une influence certaine sur le lyrisme moderne.

NOUVEAU-BRUNSWICK, en angl. **New Brunswick,** une des provinces « maritimes » du Canada, sur l'Atlantique; 73 437 km^2; 634 557 hab. Capit. *Fredericton.* Région au climat assez rude (la côte orientale est bloquée par les glaces près de cinq mois dans l'année), le Nouveau-Brunswick est une province relativement peu urbanisée (Saint John et Moncton sont les deux principales villes), vivant surtout de la sylviculture (et des industries annexes), de l'élevage laitier, de la pêche et de l'extraction des minerais divers (dont le plomb et le zinc). Environ le tiers de la population (les descendants des Acadiens) est francophone.

NOUVEAU-MEXIQUE, en angl. **New Mexico,** État du sud-ouest des États-Unis; 315 000 km^2; 1 016 000 hab. Capit. *Santa Fe.* En dehors du Sud-Est, appartenant à la haute plaine aride du Llano Estacado, l'État occupe la partie méridionale, également sèche, des Rocheuses. Les cultures (dont le coton) se concentrent dans les zones irriguées, hors desquelles dominent un élevage bovin et ovin extensif. L'industrie extractive (uranium, potasse, cuivre, etc.) est la principale ressource de l'État, dont Albuquerque, seule ville de plus de 50 000 habitants, concentre le quart de la population.

NOUVEAU-NÉ. — Depuis la naissance jusque vers 21 jours, l'enfant doit s'adapter à la vie aérienne et aux apports nutritifs par le tube digestif (allaitement maternel ou artificiel). Peu de temps après la naissance ou dès celle-ci, il émet une première selle noire, visqueuse, le *méconium.* Ce n'est que plusieurs jours plus tard que le cordon ombilical (sectionné à 4 ou 5 cm à la naissance) se détachera de l'ombilic. L'ictère du nouveau-né est dû à une hémolyse et disparaît en quelques jours.

NOUVEAU-QUÉBEC ou **UNGAVA,** région du Canada oriental entre la baie d'Hudson, la frontière de la province de Terre-Neuve dans le Labrador et la rivière Eastmain. Minerai de fer.

NOUVEAU ROMAN. — Ce vocable collectif rassemble un certain nombre d'écrivains qui manifestent un refus commun à l'égard du roman traditionnel. Ce refus, pressenti dès 1949 par Sartre (v. ANTIROMAN), frappe d'interdit le personnage type du roman post-balzacien, sa psychologie et son évolution saisies à travers une série linéaire d'événements. D'autre part, mais dans une perspective moins déterminée, il implique, au début du moins, le rejet du didactisme et de l'engagement, bien que la déconstruction de l'espace et du temps du récit apparaisse aujourd'hui à beaucoup d'écrivains ou de théoriciens comme une activité révolutionnaire. Les écrivains qui se réclament du « nouveau roman » ne forment pas, à proprement parler, une école littéraire, bien qu'ils aient tendance à se regrouper dans des colloques (Cerisy-la-Salle 1971) et, sporadiquement, autour de revues *(Tel Quel, Change).* Le nouveau roman est au départ, et malgré les prédécesseurs avoués (Flaubert, Dostoïevski, Kafka, Joyce, Faulkner, Beckett, etc.), une expérience et non une théorie : *Pour un nouveau roman* (1963) de Robbe-Grillet et *Pour une théorie du nouveau roman* (1971) de Jean Ricardou, même s'ils rassemblent des textes plus anciens, sont largement postérieurs aux récits qui illustrent la méthode. Ainsi, dès 1939, Nathalie Sarraute s'est attachée *(Tropismes)* à saisir le foisonnement de la vie psychologique et des mouvements intérieurs; avec *les Gommes* (1953), Robbe-Grillet entreprenait de regarder le monde « sans autre pouvoir que celui des yeux ». Mais, par-delà la violence dislocatrice d'un Claude Simon*, la fantaisie parodique d'un Robert Pinget*, le « nouveau roman » s'est engagé dans l'exploration moins du monde extérieur que du fonctionnement du récit, passant de la mise en cause d'une écriture univoque à la mise en œuvre d'une écriture « plurielle » avec Michel Butor*, Claude Ollier (*Enigma,* 1973), Jean Ricardou (*Révolutions minuscules,* 1971).

NOUVEAU THÉÂTRE. — La critique réunit souvent sous ce vocable l'ensemble des manifestations du théâtre d'avant-garde dans les années 50, marquées notamment par l'apparition des œuvres d'Adamov, de Beckett, d'Ionesco, de Genet, de Vauthier.

NOUVEL EMPIRE, dit aussi *Second Empire thébain,* troisième et dernière période de prospérité de l'Égypte pharaonique (1580-1085 av. J.-C.).

En 1580 av. J.-C., Ahmosis Ier (de 1580 à 1558 env.), fondateur de la XVIIIe dynastie (1580-1314), met fin à la domination des Hyksos* et, renouant avec la prospérité du Moyen* Empire, restaure la suzeraineté égyptienne en Palestine, en Phénicie et en Nubie. Ses successeurs, Aménophis Ier (de 1558 à 1530) et Thoutmosis Ier (de 1530 à 1520) consolident son œuvre. Mais de graves questions dynastiques vont se poser. Aménophis Ier n'ayant eu que des filles, c'est un bâtard, Thoutmosis Ier, qui lui succède, et celui-ci, pour légitimer ses droits au trône, épouse une demi-sœur. À sa mort se pose le même problème de succession, et c'est encore un fils illégitime, Thoutmosis II (de 1520 à 1505), qui, pour régulariser sa situation, épousera sa demi-sœur Hatshepsout. Mais Thoutmosis II ne laissera d'enfants légitimes que des filles et un bâtard, qui deviendra roi sous le nom de Thoutmosis III (de 1504 à 1450); celui-ci étant encore un enfant, c'est sa tante Hatshepsout qui, durant une vingtaine d'années, sous le couvert d'une régence, gouvernera l'Égypte, et son règne sera brillant tant au point de vue économique que politique. À la mort de sa tante en 1484, Thoutmosis III* prend effectivement le pouvoir; stratège avisé, il étend son empire en Orient jusqu'au Mitanni*. Son fils Aménophis II (de 1450 à 1425) maintient son œuvre; sous ses successeurs directs, Thoutmosis IV (de 1425 à 1408) et Aménophis III (de 1408 à 1372), l'empire, pacifié, vit aisément du fruit de ses richesses. Mais, à la fin du règne d'Aménophis III, la poussée des Hittites* menace les possessions égyptiennes d'Orient. Le danger deviendra pressant sous le successeur d'Aménophis III, Aménophis IV*-Akhenaton (de 1372 à 1354), le roi mystique, qui, de sa nouvelle capitale, Amarna* (il a abandonné Thèbes* à cause de l'opposition du puissant clergé thébain), poursuit une œuvre de rénovation religieuse à tendance monothéiste, qui prend le pas sur la politique; à l'intérieur le trouble s'installe, tandis qu'à l'extérieur s'effrite la puissance égyptienne en Asie. À la confusion qui suit le règne d'Aménophis IV, avec Smenkhkaré, Toutankhamon* et Aï, mettra fin le général Horemheb, qui, en 1314 av. J.-C., laisse une Égypte pacifiée au successeur qu'il s'est désigné : son ancien vizir déjà âgé, Ramsès Ier (de 1314 à 1312), fondateur de la XIXe dynastie (1314-1200), qui sera celle des grands capitaines. Séti Ier (de 1312 à 1298) rétablit, par la première victoire de Qadesh* sur les Hittites*, la prépondérance de l'Égypte dans le Proche-Orient jusqu'au sud de la Syrie. Ramsès II* (de 1298 à 1235) se heurte de nouveau à la puissance hittite et, par la seconde et célèbre victoire de Qadesh, confirme l'hégémonie égyptienne en Asie; mais, face à la montée de la puissance assyrienne, Égyptiens et Hittites signent vers 1278 un traité d'alliance qui assurera durant quelque quarante ans la paix de l'Orient. Cependant, cette paix va être compromise à la fois par la poussée assyrienne et par l'invasion des Peuples* de la mer, qui constitueront pour l'Égypte un grave danger. À la mort de Ramsès II, son fils Mineptah (de 1235 à 1224) réussit à contenir les envahisseurs indo-européens. Mais des successeurs trop faibles, malgré le sursaut de la XXe dynastie (1200-1085), l'emprise grandissante du clergé d'Amon*, la dégradation de l'autorité royale et l'infiltration étrangère, auront raison du Second Empire thébain; la chute de ce dernier sera suivie d'une période de décadence, dont l'Égypte pharaonique ne se relèvera pas (v. BASSE ÉPOQUE).

Nouvel État industriel *(le),* ouvrage de l'économiste américain J. K. Galbraith (1967). La thèse principale de l'auteur est que la grande entreprise industrielle « manœuvre » les consommateurs; les impératifs de la technologie contemporaine et le type d'organisation des grandes entreprises déterminent la « forme » de la société économique. L'auteur admet, cependant, la présence du monde — répondant à des normes différentes — de la petite entreprise.

NOUVELLE. — La nouvelle apparaît dans la littérature française au XVe s. Le sens même du mot est influencé par le mot italien *novella,* qui désigne un conte satirique en prose, d'où est exclu tout élément merveilleux. Les nouvelles écrites alors en France mêlent l'imitation des contes italiens à la tradition médiévale des fabliaux (*les Cent Nouvelles* nouvelles,* 1462). Sous l'influence des modèles espagnols (*Nouvelles* exemplaires* de Cervantès), le genre s'enrichit au XVIIe s., mais La Fontaine donne le titre de *Nouvelles* (1664) aux récits en vers qu'il tire de Boccace et de l'Arioste. Bien que l'on ait tendance à réserver le titre de « contes » aux récits qui contiennent des éléments merveilleux ou fantastiques, la confusion entre conte et nouvelle se prolonge jusqu'au XIXe s. : ainsi, Maupassant, maître de la nouvelle réaliste, intitule certains de ses recueils *Contes de la bécasse, Contes du jour et de la nuit.* Le genre reste bien défini dans la littérature moderne, où la condensation du récit et l'« objectivité » du narrateur semblent être ses caractères essentiels. L'influence des nouvellistes russes (Gogol, Tourgueniev, Tchekhov), anglais (K. Mansfield), américains (Hemingway) s'unit au développement de la presse pour faire de cette forme littéraire un genre particulièrement vivant (M. Aymé, J. D. Salinger, J. Updike, F. O'Connor, I. Kazakov).

NOUVELLE-AMSTERDAM (la), île française du sud de l'océan Indien (37° 30′ de latitude S.). Station de recherches.

NOUVELLE-AMSTERDAM (La), nom que les Hollandais donnèrent en 1626 à la future New York*.

NOUVELLE-ANGLETERRE, ensemble des États américains correspondant aux anciennes colonies anglaises fondées au XVIIe s. sur la côte atlantique des États-Unis* : New Hampshire, Massachusetts, Rhode Island, Connecticut, Vermont et Maine.

NOUVELLE-BRETAGNE, en angl. **New Britain,** île volcanique la plus grande (37 812 km^{2}) de l'archipel Bismarck, à l'E. de la Nouvelle-Guinée; 166 000 hab. V. princ. *Rabaul.* Elle fut sous protectorat allemand de 1884 à 1914; confiée en mandat à l'Australie en 1921, elle fit partie des territoires du Commonwealth australien de 1946 à 1975. Depuis elle appartient à la Papouasie-Nouvelle-Guinée.

NOUVELLE-CALÉDONIE, territoire français d'outre-mer, dans le sud-ouest du Pacifique, à 1 500 km de l'Australie et à 20 000 km de la France; 133 233 hab. *(Néo-Calédoniens).* Ch.-l. *Nouméa.*

GÉOGRAPHIE. Le territoire couvre 19 103 km^{2}, dont 16 750 pour la Grande Terre, qui constitue la Nouvelle-Calédonie proprement dite. Celle-ci est une île montagneuse, allongée sur 400 km du N.-O. au S.-E., avec un climat chaud (du fait de la proximité du tropique), cependant que le relief introduit une dissymétrie entre la côte orientale, arrosée grâce à l'alizé, et la côte occidentale, abritée, plus sèche. La population juxtapose des autochtones, Mélanésiens (plus de 50 000), des Européens (et assimilés), aussi nombreux, et une notable minorité venue des autres archipels océaniens. Le secteur agricole (café, élevage bovin) stagne, et la ressource essentielle de l'île est depuis longtemps le nickel, dont la Nouvelle-Calédonie fournit plus de 15 p. 100 de la production mondiale. Une partie du minerai est exportée brute vers le Japon. L'autre partie est traitée sur place à Doniambo, près de Nouméa*.

HISTOIRE. C'est James Cook qui découvre l'île en 1774. Au XIXe s., elle passe peu à peu sous l'influence de la France : en 1853, la Nouvelle-Calédonie devient officiellement française; sa capitale, Port-de-France, fondée en 1854, prend le nom de « Nouméa » en 1866. D'abord rattachée aux Établissements français d'Océanie, l'île devient dès 1860 colonie distincte. La présence d'un bagne à partir de 1864 nuit à la colonisation libre; cependant, la main-d'œuvre gratuite que constituent les condamnés — dont l'arrivée cesse en 1896 — aide au développement de la colonie. Malgré plusieurs insurrections canaques (1860-1879), la France tient à cette possession où, à partir de 1870, sont découverts d'importants gisements miniers. Le remplacement de l'administration militaire par des gouverneurs civils en 1884 et l'essor de la colonisation libre après 1896 contribuent au développement économique de l'île. Ralliée à la France libre dès 1940, la Nouvelle-Calédonie, base américaine, joue un rôle capital au cours de la Seconde Guerre mondiale. En 1946, elle devient territoire français d'outre-mer.

NOUVELLE CRITIQUE. — Dans son acception la plus large, la *nouvelle critique* réunit l'ensemble des méthodes de lecture et d'analyse des textes littéraires (v. CRITIQUE) inspirées des recherches et des acquis des sciences humaines (psychanalyse, sociologie, anthropologie, formalisme* russe, linguistique, etc.). Dans un sens plus restreint, elle désigne les partisans des méthodes scientifiques appliquées à un objet littéraire, présent ou passé, par opposition aux tenants de la critique universitaire traditionnelle qui ont animé la querelle des années 60 entre R. Barthes (*Sur Racine,* 1963; *Critique et vérité,* 1966) et R. Picard (*Nouvelle Critique, nouvelle imposture?,* 1965) sur la lecture et l'interprétation de Racine.

NOUVELLE-ÉCOSSE, en angl. **Nova Scotia,** une des provinces « maritimes » du Canada, sur l'Atlantique; 55 490 km^2; 788 960 hab. Capit. *Halifax.* Formée de bas plateaux (de 300 à 500 m), profondément découpée par la mer, la Nouvelle-Écosse possède un climat humide, assez rude. L'activité agricole est orientée vers l'élevage; la province possède en outre quelques cultures fruitières (pommes). La pêche tient une place importante, surtout en valeur (homards). L'extension de la forêt (les deux tiers du territoire) explique le développement de la sylviculture et des industries annexes (scieries, pâte à papier et papier). Le sous-sol fournit du charbon. Halifax regroupe dans son agglomération plus du quart de la population de la province, où le nombre des francophones, malgré une implantation française initiale, est aujourd'hui réduit (à peine 40 000).

NOUVELLE-FRANCE, nom sous lequel on désigna le Canada* jusqu'en 1763.

NOUVELLE-GALLES DU SUD, en angl. **New South Wales,** État du sud-est de l'Australie; 801 428 km^2; 4 738 000 hab. Capit. *Sydney.* Les hautes terres de la Cordillère séparent les vastes plaines du Murray (domaine d'un important élevage ovin : plus de 50 millions de têtes), à l'O. de la façade côtière, industrialisée et urbanisée. Le charbon alimente la sidérurgie de Newcastle et de Port Kembla, sur le littoral, de part et d'autre de Sydney, qui regroupe plus de la moitié de la population de l'État.

NOUVELLE-GRENADE, ancien nom de la COLOMBIE.

NOUVELLE-GUINÉE, grande île, partagée entre l'Indonésie (Irian occidental), à l'O., et l'État de Papouasie-Nouvelle-Guinée, à l'E.; 771 900 km^2; 3 300 000 hab. environ.

GÉOGRAPHIE. L'île est axée sur la puissante chaîne centrale, qui dépasse 5 000 m d'altitude. La montagne domine les vastes plaines alluviales du Sud, tandis qu'au nord elle est séparée de la chaîne du Nord, d'ampleur plus modeste, par une longue dépression d'origine tectonique. Située dans la zone équatoriale, la Nouvelle-Guinée est caractérisée par un climat très humide; chaud près des côtes, où poussent la mangrove ou la forêt dense, il se tempère avec l'altitude. L'hostilité du milieu explique la faiblesse du peuplement. Les tribus de Papous se concentrent aux altitudes tempérées de la chaîne centrale, où elles pratiquent une agriculture sur brûlis. Les plantations créées par les Européens fournissent les principaux produits d'exportation : thé, café, cacao, coprah, caoutchouc. Les ressources minières connues sont limitées, et l'industrialisation est inexistante.

HISTOIRE. Découverte au XVIe s. par les Portugais, convoitée par l'Espagne, puis par la Hollande, la Nouvelle-Guinée est visitée au XVIIIe s. par les Anglais : mais l'annexion proclamée, à la fin du siècle, par la Compagnie anglaise des Indes n'est que verbale. En 1828, les Hollandais occupent la partie nord-ouest, puis toute la partie occidentale. À partir de 1840, des missions britanniques s'installent sur la côte sud-orientale, autour de Port-Moresby. En 1880, c'est le tour de commerçants allemands : d'où l'inquiétude des Australiens, qui, en 1883, annexent le territoire sud-oriental (Papouasie) au nom de la Grande-Bretagne, qui déclare le prendre officiellement sous sa protection en 1884, en attendant de le confier au Commonwealth australien (1906). Bismarck réplique en annexant la partie nord-orientale de l'île (Terre de l'Empereur-Guillaume), dont, en 1914, les troupes australiennes s'emparent et dont, en 1921, l'Australie obtient le mandat.

De leur côté, à partir de 1905, les Hollandais ont établi leur domination sur toute la Nouvelle-Guinée occidentale. Durant la Seconde Guerre mondiale (1942-43), les Japonais s'implantent solidement au nord de la Nouvelle-Guinée, qui, par la suite, sert de base militaire à la VIe armée américaine.

En 1946, l'O. N. U. confirme la tutelle australienne sur le nord-est de l'île; l'État de Papouasie-Nouvelle-Guinée* accède à l'autonomie interne (1973), puis à l'indépendance (1975), le dernier gouverneur-général étant Sir John Guise et le Premier ministre Michael T. Somare. La Nouvelle-Guinée occidentale hollandaise est annexée par l'Indonésie en 1963 avec l'accord de l'O. N. U.

Nouvelle Héloïse *(la)* → JULIE.

NOUVELLE-IRLANDE, en angl. **New Ireland,** île de l'archipel Bismarck; 7 252 km^2; 51 000 hab. V. princ. *Kavieng.* Découverte en 1616, cette île devint territoire de la Nouvelle-Guinée* allemande en 1884. De 1921 à 1975, elle fut sous mandat australien. Depuis, elle appartient à la Papouasie-Nouvelle-Guinée.

NOUVELLE-ORLÉANS (La), en angl. **New Orleans,** v. des États-Unis, dans le sud-est de la Louisiane, sur le Mississippi, à 110 km du golfe du Mexique; 594 000 hab. Le port est le deuxième des États-Unis (après New York), avec un trafic annuel dépassant 100 Mt, dominé par les hydrocarbures, à la base de son renouveau et du développement de l'industrie (raffinage du pétrole, chimie). L'agglomération compte plus de 1 million d'habitants (dont les deux cinquièmes de Noirs), regroupant plus du quart de la population totale de la Louisiane.

HISTOIRE. La ville est fondée en 1718 par Jean-Baptiste Le* Moyne de Bienville pour être la résidence du gouverneur et de l'archevêque de la Louisiane*. Cédée à l'Espagne en 1762, elle prend un caractère espagnol marqué. En 1803, la France, qui vient de rentrer en possession de la Louisiane, vend celle-ci aux États-Unis, qui s'intéressent surtout à La Nouvelle-Orléans, débouché naturel de la vallée du Mississippi. De 17 000 habitants en 1810, elle passe à 170 000 en 1860. Mais la guerre de Sécession* porte un coup décisif à la Louisiane comme à sa capitale.

Nouvelle Revue française *(la)* [*N. R. F.*], revue mensuelle, fondée en 1909. Interrompue de 1943 à 1953, elle s'appela, de sa réapparition jusqu'en 1959, *la Nouvelle Nouvelle Revue française,* puis reprit son ancien titre.

Nouvelles exemplaires, par Cervantès (1613). Picaresques *(la Petite Gitane),* réalistes *(le Colloque des chiens)* ou idéalistes *(les Deux Jeunes Filles),* elles sont « exemplaires », car la morale y est toujours sauve.

NOUVELLES-HÉBRIDES, en angl. **New Hebrides,** archipel volcanique d'Océanie, en Mélanésie, au N.-E. de la Nouvelle-Calédonie; 15 000 km^2; 90 000 hab. (dont environ 3 000 Européens). Ch.-l. *Port-Vila* ou *Vila* (dans l'île Vaté).

GÉOGRAPHIE. L'archipel compte une soixantaine d'îles, dont les plus grandes sont Espíritu Santo (3 900 km^2), Mallicolo (2 540 km^2), Erromango ou Erromanga (970 km^2) et Vaté (915 km^2). Entre 13 et 20^0 de latitude S., il possède un climat constamment chaud et humide, et est atteint périodiquement par des cyclones. Le coprah, puis le café et le cacao sont les principales ressources commerciales, cependant qu'un modeste gisement de manganèse est exploité dans l'île Vaté.

HISTOIRE. Découvert en 1606 par les Portugais, l'archipel est doté de son nom par James Cook en 1774. La colonisation européenne est, en fait, tardive (dernier tiers du XIXe s.) et prend le relais d'un effort tout d'abord missionnaire. En 1887 un traité franco-britannique soumet les Nouvelles-Hébrides à la domination conjointe de la France et de la Grande-Bretagne par le truchement d'une commission d'officiers de marine des deux États. Ce condominium est consolidé par l'accord du 8 avril 1904 : à cette occasion, deux hauts-commissaires résidents remplacent l'administration militaire. La première assemblée représentative du condominium est élue le 10 novembre 1975 : elle est dominée par le National Party, qui regroupe les partisans de l'indépendance.

NOUVELLE-SIBÉRIE, archipel des côtes arctiques de l'U. R. S. S., au N. de la Sibérie, entre la mer des Laptev et la mer de Sibérie orientale; 35 800 km^2. Les principales îles sont Kotelnyï, Fadeïev, Liakhov et *Nouvelle-Sibérie.*

Nouvelles littéraires, artistiques et scientifiques *(les),* journal hebdomadaire d'information, de critique et de bibliographie, fondé en 1922 par André Gillon.

Nouvelles nouvelles *(les Cent),* recueil de contes (1462), dans la tradition des fabliaux et des conteurs italiens, composé dans l'entourage du duc de Bourgogne Philippe le Bon et attribué à Antoine de La Sale.

NOUVELLE-ZÉLANDE, en angl. **New Zealand,** État de l'Océanie, membre du Commonwealth; 270 000 km^2; 3,1 millions d'hab. *(Néo-Zélandais).* Capit. *Wellington.*

GÉOGRAPHIE

• *Le milieu naturel.* Le pays s'étend sur un archipel comprenant deux îles principales. L'île du Sud est axée sur les Alpes néo-zélandaises, chaîne montagneuse qui culmine au mont Cook (3 764 m) et fortement marquée par l'emprise glaciaire. L'île du Nord a été hachée de failles par des mouvements tectoniques récents, et le volcanisme y est intense (volcans éteints ou actifs, geysers, fumerolles, etc.). La Nouvelle-Zélande est entièrement comprise dans la zone tempérée. L'influence des vents d'ouest, chargés d'humidité, explique le contraste entre le versant ouest, très arrosé (jusqu'à 5 m de pluies par an), et le versant est, abrité

NOUVELLE-ZÉLANDE

(552 mm de pluies à Christchurch), de l'île du Sud. L'île du Nord jouit d'un climat plus doux (à Auckland, la température moyenne de janvier est de 18,7 °C, celle de juillet de 11,4 °C et les précipitations annuelles sont de 1 081 mm). La forêt constitue la végétation naturelle de l'ensemble du pays, à l'exception de la côte est de l'île du Sud, à tendance steppique.

• *La population.* Elle est essentiellement d'origine européenne, constituée surtout de Britanniques, descendant des anciens colons ou ayant immigré après 1945. Les indigènes, les Maoris, sont peu nombreux (270 000), mais leur importance relative s'accroît en raison de leur taux de natalité élevé. La plupart des habitants vivent dans l'île du Nord; 80 p. 100 résident dans les villes, dont les principales sont Auckland, Christchurch et Wellington.

• *L'économie.* L'élevage constitue l'activité rurale dominante. Au traditionnel troupeau de moutons (55 millions de têtes [près de 20 par habitant]) est venu s'ajouter l'élevage bovin (10 millions de têtes) pour le lait et la viande. La modernisation des installations (emploi de fourrage artificiel, traite électrique, etc.) a permis une forte augmentation des rendements, et l'élevage fournit l'essentiel des exportations (laine, peaux, viande et lait), qui partent par le port d'Auckland. L'hydroélectricité pallie en partie la médiocrité des ressources du sous-sol et le pays doit importer du pétrole. En dehors de la transformation des produits agricoles, l'industrie se limite à des usines textiles, de constructions mécaniques ou de montage automobile. Cependant, la Nouvelle-Zélande, qui souffre de son éloignement des pays occidentaux, assure à ses habitants un niveau de vie très élevé.

HISTOIRE. Les premiers habitants de la Nouvelle-Zélande sont les Maoris; le marin hollandais Abel Tasman (1603-1659) est le premier Européen à aborder les îles (1642); James Cook fait le tour de celles-ci en 1769-70. Les Britanniques s'introduisent alors peu à peu en Nouvelle-Zélande : aux trafiquants, baleiniers et bagnards évadés d'Australie, s'ajoutent des missionnaires. En 1841, le consul William Hobson devient gouverneur des îles, qui sont prises en charge et colonisées systématiquement par une compagnie dirigée par Edward G. Wakefield (1796-1862). Cette colonisation — qui s'opère au détriment des Maoris — profite surtout à l'île du Sud. Cependant, la brutale politique de Wakefield provoque les guerres maories (1843-1847, 1860-1870), qui affaiblissent l'économie du pays, surtout dans l'île du Nord, et déciment les autochtones. L'isolement de la colonie vaut naturellement à celle-ci une large autonomie, entrée dans les faits avec la Constitution de 1852.

La paix (1870) et la découverte de l'or rendent sa prospérité à la Nouvelle-Zélande, qui, vers 1880, atteint 500 000 habitants. L'économie s'oriente alors vers l'élevage extensif et l'exportation massive de viande, de laine et de produits laitiers vers l'Europe. La récession des années 80 et l'instauration du suffrage universel (1889) favorisent l'accession au pouvoir du parti libéral, qui, de 1891 à 1912, domine la vie politique : celle-ci se caractérise par une large démocratisation, le développement du syndicalisme et la mise en place d'une législation sociale très avancée. En 1907, la Nouvelle-Zélande devient un dominion britannique. La naissance du Labour Party (1916) s'accompagne du déclin momentané du parti libéral et de l'arrivée au pouvoir du parti réformiste (1910-1928). Environ 16 000 Néo-Zélandais périssent sur les champs de bataille de la Première Guerre mondiale : la démographie et l'économie du pays sont gravement affectées par cet effort de guerre, puis par la crise mondiale de 1930. Le parti national, conservateur, constitué pour faire face à ces difficultés, occupe le pouvoir de 1931 à 1935, puis doit l'abandonner au parti travailliste, qui, avec Michael J. Savage (1872-1942), résorbe le chômage.

Durant la Seconde Guerre mondiale, la Nouvelle-Zélande perd encore 12 000 hommes. Mais, après la défaite japonaise (1945), elle prétend — face à la Couronne et aux États-Unis — être un partenaire à part entière dans l'Asie du Sud-Est et le Pacifique; en 1951, elle signe avec les États-Unis et l'Australie le traité tripartite de sécurité qui établit le Conseil du Pacifique (Anzus).

En 1949, les travaillistes quittent le pouvoir au profit du parti national, qui, après une courte éclipse (1957-1960), se maintient jusqu'aux élections de 1972, qui voient la victoire des travaillistes. Ceux-ci établissent des relations diplomatiques avec la Chine communiste (1972) et protestent contre les expériences nucléaires de la France dans le Pacifique. Le parti national revient au pouvoir lors des élections de 1975.

NOUVELLE-ZEMBLE, en russe **Novaïa Zemlia** («Terre nouvelle»), archipel soviétique (formé de deux îles) de l'océan Arctique, entre la mer de Barents et la mer de Kara; 82 600 km^2.

NOUVION (80860), ch.-l. de cant. de la Somme, à 13 km au N. d'Abbeville; 1 007 hab.

NOUVION-EN-THIÉRACHE (Le) [02170], ch.-l. de cant. de l'Aisne, à 20,5 km au N.-E. de Guise; 3 254 hab.

NOUZONVILLE (08700), ch.-l. de cant. des Ardennes, sur la Meuse, à 7,5 km au N. de Charleville-Mézières; 7 797 hab. Métallurgie.

NOVAÏA ZEMLIA → NOUVELLE-ZEMBLE.

NOVA IGUAÇU, v. du Brésil, dans la banlieue nord-ouest de Rio de Janeiro; 728 000 hab.

NOVALIS (Friedrich, *baron* VON HARDENBERG, dit), écrivain allemand (Wiederstedt 1772-Weissenfels 1801). À Iéna, où il rencontra les frères Schlegel et Fichte, dont l'idéalisme l'influença profondément, il suivit les cours d'histoire de Schiller. La mort de sa jeune fiancée, Sophie von Kühn, l'orienta vers l'exaltation mystique (*Hymnes* à la nuit,* 1800). Tout en se tournant vers la recherche scientifique (il devait entrer dans l'Administration des mines), il entreprit une méditation philosophique et allégorique sur les phénomènes de la nature (*les Disciples à Saïs,* commencés en 1798), puis participa activement à la vie du groupe romantique d'Iéna. Il laissait à sa mort des *Cantiques* et un roman inachevé, *Henri d'Ofterdingen* (1802), évocation du poète romantique à la recherche de l'idéal.

NOVA LISBOA → HUAMBO.

NOVARE, en ital. **Novara,** v. d'Italie, ch.-l. de prov. du Piémont; 102 000 hab. Monuments du Moyen Âge à l'époque néoclassique. Musées. Édition. — Fondée par César, dominée au Moyen Âge par Milan, la ville de Novare fut, le 10 avril 1500, le théâtre d'une bataille à l'issue de laquelle Ludovic Sforza, duc de Milan, tomba aux mains des Français. Le 23 mars 1849, le roi de Sardaigne y fut vaincu par les Autrichiens de Radetzky.

NOVATIANISME. — Novatien, prêtre et théologien romain du IIIe s., s'opposa au pape Corneille*, qu'il trouvait trop indulgent à l'égard des chrétiens qui avaient apostasié (v. LAPSI) durant la persécution. Il prit la tête d'un parti rigoriste et se fit même sacrer pape par trois évêques. Le schisme des novatiens, qui excluait les apostats de l'Église et prônait une discipline pénitentielle très sévère pour toute faute grave, ne disparut qu'au VIIe s.

NOVEMPOPULANIE, en lat. **Novempopulonia,** province de la Gaule romaine, résultant de la division de l'Aquitaine au IIIe s. et qui, avec Eauze pour métropole, comprenait douze cités. Elle couvrait la Gascogne et le Béarn.

NOVERRE (Jean Georges), danseur, chorégraphe et écrivain de la danse français (Paris 1727-Saint-Germain-en-Laye 1810). À peu près méconnu ou inconnu des danseurs professionnels de l'époque, il fut pourtant un authentique réformateur. Révolutionnaire dans ses conceptions — ses *Lettres sur la danse et les ballets* (1760) en témoignent —, il voulut rompre avec tout ce qui encombrait la tradition classique (masques, robes à paniers, chaussures à talons) et doter la danse de nouvelles règles et de nouveaux supports (musique, décors, mise en scène). Novateur du ballet d'action, où l'expression dramatique et la pantomime conservent la priorité sur l'exécution, il a collaboré avec Gluck (*Médée et Jason,* 1763) et Mozart (*les Petits Riens,* 1778). Plus écrivain que danseur et chorégraphe — il a pourtant composé plus de cent cinquante ballets —, il a su, dans ses écrits, dénoncer, mais aussi construire.

NOVES (13550), comm. des Bouches-du-Rhône, à 4,5 km à l'E. de Châteaurenard; 3 593 hab.

NOVGOROD, v. de l'U. R. S. S. (R. S. F. S. de Russie), au S. de Leningrad; 128 000 hab.

HISTOIRE. Novgorod est une des plus anciennes villes russes. Cité commerçante, elle passe sous la domination des Varègues*, qui donnent aux Slaves orientaux la dynastie des Riourikides*. Sur la « route des Varègues aux Grecs », qui emprunte soit le cours du Dniepr, soit celui de la Volga, elle subit l'influence civilisatrice de Byzance. Apanage du fils aîné du prince de Kiev*, la principauté de Novgorod développe le système kiévien du *vetche* (assemblée municipale), qui élit le prince, et devient à partir de 1136 une « république » (le prince, qui était généralement celui de Vladimir* ou de Souzdal*, disparaît en 1270). Novgorod, qui a colonisé un vaste territoire s'étendant jusqu'à la mer Blanche et l'Oural, devient un intermédiaire important dans les relations commerciales avec l'Occident. L'essentiel du commerce est assuré à partir du milieu du XIIIe s. par la Hanse*. Novgorod, annexée en 1478 par Ivan III*, qui ferme le comptoir hanséatique en 1494, est définitivement ruinée par l'expédition punitive d'Ivan IV (1570).

BEAUX-ARTS. Cathédrale Sainte-Sophie, s'inspirant de celle de Kiev* tout en établissant le type russe de la masse cubique surmontée de cinq coupoles (milieu du XIe s.). Cathédrale Saint-Georges du monastère Iouriev, à trois coupoles asymétriques et à tour-escalier en hors d'œuvre, spécifiques de Novgorod (début du XIIe s.). Petites églises, certaines décorées de fresques, de la seconde moitié du XIIe s. Après la crise de l'invasion mongole du XIIIe s., dont la ville, bien qu'épargnée, subit le contrecoup, Novgorod est le centre de l'architecture russe au XIVe s. : églises à la décoration extérieure faite de motifs géométriques de brique, comme Saint-Théodore-le-Stratilate ou l'église du Sauveur (fresques de Théophane le Grec). Au XVe s., constructions nouvelles dans l'enceinte du Kremlin, puis soumission au style moscovite.

École d'icônes remontant au XIIe s. et dont l'apogée se situe à la fin du XIVe s. (avec l'installation de Théophane le Grec, v. 1370) et au XVe s. : simplicité des sujets, statisme, couleurs vives et pures.

NOVI LIGURE, v. d'Italie (Piémont), au N. de Gênes; 32 000 hab. Sidérurgie.

NOVION-PORCIEN (08270), ch.-l. de cant. des Ardennes, à 12 km au N. de Rethel; 498 hab.

NOVI SAD, v. de Yougoslavie, sur le Danube, ch.-l. de la Vojvodine; 142 000 hab.

NOVOCHAKHTINSK, v. de l'U. R. S. S. (R. S. F. S. de Russie), dans le Donbass oriental, au N. de Rostov-sur-le-Don; 102 000 hab. Houille.

NOVOKOUÏBYCHEV, v. de l'U. R. S. S. (R. S. F. S. de Russie), au S.-O. de Kouïbychev; 104 000 hab.

NOVO-KOUZNETSK, v. de l'U. R. S. S. (R. S. F. S. de Russie), en Sibérie, dans le Kouzbass; 499 000 hab. Centre sidérurgique.

NOVOMOSKOVSK, v. de l'U. R. S. S. (R. S. F. S. de Russie), au S. de Moscou; 134 000 hab. Centre chimique.

NOVOROSSISK, port de l'U. R. S. S. (R. S. F. S. de Russie), sur la mer Noire; 133 000 hab.

NOVOSSIBIRSK, v. de l'U. R. S. S., en Sibérie occidentale, sur l'Ob; 1 161 000 hab. Située sur le Transsibérien et proche du Kouzbass (qui a permis l'essor de la métallurgie de transformation), Novossibirsk est la plus grande ville soviétique à l'E. de l'Oural, la capitale d'une région économique et un important centre intellectuel (avec la « cité des savants » d'Akademgorodok).

NOVOTCHERKASSK, v. de l'U. R. S. S. (R. S. F. S. de Russie), au N.-E. de Rostov-sur-le-Don; 162 000 hab. Matériel ferroviaire.

NOVOTNÝ (Antonín), homme d'État tchécoslovaque (Letňany, près de Prague, 1904 - Prague 1975). Membre du parti communiste tchécoslovaque depuis sa création en 1921, il devient premier secrétaire du parti (1953), puis est élu président de la République (1957). Représentant la tendance stalinienne et dogmatique du parti, il mène une politique conservatrice. Écarté du pouvoir par les artisans du « printemps de Prague », il doit céder à Dubček ses fonctions de premier secrétaire du parti (janv. 1968), puis abandonne la présidence de la République (mars), avant d'être exclu du parti.

NOVOVORONEJ, centrale nucléaire de l'U. R. S. S. (R. S. F. S. de Russie), sur le Don, près de *Voronej.*

Novyï Mir, revue littéraire soviétique, fondée en 1925. Ouverte d'abord à toutes les tendances esthétiques, elle passa sous le contrôle de l'Union des écrivains. Elle contient des rubriques sur les littératures étrangères, l'histoire, les sciences et l'économie.

NOWA HUTA, centre sidérurgique de la Pologne, dans la banlieue de Cracovie*.

NOYADE. — L'asphyxie due à la submersion de la tête est précédée d'intenses mouvements respiratoires, au cours desquels l'eau envahit les voies respiratoires. Puis se produisent une perte de connaissance et des convulsions, et la mort survient au bout de six à huit minutes. Accident fréquent chez les sujets ne sachant pas nager et qui tombent à l'eau, la noyade peut être provoquée, même chez les bons nageurs, par l'hydrocution; dans ce cas, c'est la perte de connaissance qui précède la submersion et la pénétration de l'eau. Il faut pratiquer la respiration artificielle et, éventuellement, le massage cardiaque externe.

NOYANT (49490), ch.-l. de cant. de Maine-et-Loire, à 32 km au N.-N.-E. de Saumur; 1 705 hab.

NOYAU *(Astron.)* → LUNE, PLANÈTE, TERRE.

NOYAU *(Chim.).* — On nomme « noyaux » certaines chaînes fermées (comme celle du benzène), caractérisées par une grande stabilité et se transportant en bloc au cours de certaines réactions. On distingue les noyaux carbocycliques et les noyaux hétérocycliques.

NOYAU *(Phys.).* — Le noyau d'un atome est un édifice très petit, de l'ordre de 10^{-13} cm. Il détient presque toute la masse de l'atome et porte une charge électrique positive, opposée à celle des électrons planétaires. On admet qu'il est constitué de protons et de neutrons. Certains noyaux sont instables, notamment les plus lourds, ce qui est la cause de leur radioactivité.

NOYAU CELLULAIRE → CELLULE *(Biol.).*

NOYAU DES FRUITS. — Chez les fruits à noyau, ou *drupes* (cerise, pêche, abricot, prune, etc.), la paroi interne, située en bordure de la cavité contenant la graine, durcit jusqu'à prendre la consistance du bois. Ainsi se constitue le noyau, dans lequel est enclose une graine, ou *amande* (au sens large de ce mot). Le noyau ne s'ouvre qu'à la germination.

NOYELLES-GODAULT (62950), comm. du Pas-de-Calais, à 3 km à l'E. d'Hénin-Beaumont; 5 050 hab. Centre métallurgique (plomb et zinc).

NOYELLES-SOUS-LENS (62340 Sallaumines), comm. du Pas-de-Calais, dans la banlieue est de Lens; 8 779 hab.

NOYER. — Ce grand et bel arbre des forêts et des prairies, à l'écorce claire et aux feuilles composées de folioles ovales très espacées, est cultivé pour son bois, aux usages multiples (ébénisterie principalement), et pour ses fruits, les noix, dont l'amande est comestible et fournit une huile; l'enveloppe des noix donne une teinture noire, le *brou de noix.* (Famille des juglandacées.)

NOYERS (89310), ch.-l. de cant. de l'Yonne, à 22 km au S. de Tonnerre; 840 hab. Bourg pittoresque, conservant une partie de ses fortifications, son église et ses maisons médiévales. Musée.

NOYERS-SUR-JABRON (04200 Sisteron), ch.-l. de cant. des Alpes-de-Haute-Provence, à 11 km à l'O.-S.-O. de Sisteron; 232 hab.

NOYON (60400), ch.-l. de cant. de l'Oise, à 24 km au N.-E. de Compiègne; 14 033 hab. *(Noyonnais).* Remarquable cathédrale, remontant à la fin du XIIe s., et ses dépendances. Hôtel de ville (autour de 1500, restauré). Musée Calvin. Métallurgie.

NOZAY (91620 La Ville du Bois), comm. de l'Essonne, à 4 km au N.-O. de Montlhéry; 1 830 hab. Constructions électriques.

NOZAY (44170), ch.-l. de cant. de la Loire-Atlantique, à 28 km au S.-O. de Châteaubriant; 3 240 hab.

NOZEROY (39250), ch.-l. de cant. du Jura, à 15 km au N.-E. de Champagnole; 431 hab. Ruines féodales, église du XVIe s.

NUAGE. — Ensembles de particules d'eau ou de glace en suspension dans l'atmosphère, les nuages se forment par évaporation (à partir de la surface du sol et des océans, qui fait augmenter la teneur en vapeur d'eau de l'air), puis par condensation. Celle-ci résulte d'un refroidissement de l'atmosphère au contact d'une surface froide ou par ascendance, d'origine dynamique ou orographique par exemple. Il existe différents types de nuages, aux formes très variées, classés en trois grands groupes. Les nuages à grand développement vertical, tels que les cumulus ou les cumulo-nimbus, porteurs de pluies violentes, traduisent une forte ascendance de l'air, due à la convection thermique. Les nuages à développement horizontal s'étalent en nappes à différentes altitudes : cirrus et cirro-stratus à l'étage supérieur, alto-stratus à l'étage moyen et stratus à l'étage inférieur. Enfin, les nuages à développement mixte se déploient à la fois horizontalement et verticalement : le nimbo-stratus, par exemple, est générateur de pluies durables.

Chaque type de nuage possède une signification particulière quant à l'état de l'atmosphère. Ainsi, dans la zone tempérée, le long du front polaire, les nuages s'ordonnent en systèmes nuageux comprenant une tête, caractérisée par la présence de cirrus et de cirro-stratus, un corps, où dominent les nimbo-stratus, et une traîne, marquée par des nuages à grand développement vertical. L'étude de la nébulosité de l'atmosphère joue donc un rôle important dans la météorologie.

NUANCE *(Mus.)* → INTERPRÉTATION.

NUBIE, région de l'Afrique ancienne du Nord-Est, de part et d'autre de l'actuelle frontière égypto-soudanaise, délimitée au N. par la première cataracte du Nil (région d'Assouan*) et au S. par le confluent du Nil Blanc et du Nil Bleu (région de Khartoum*). Les Égyptiens l'appelaient le « pays de Koush ». Dès l'Ancien* Empire, les pharaons y font des expéditions, d'où ils ramènent de l'or, des pierres dures, de l'ivoire et du gros bétail. Le Moyen* Empire, avec les Amenemhat et les Sésostris, soumet la Basse-Nubie, dont il organise l'exploitation systématique; le Nouvel* Empire y étend sa puissance jusqu'aux limites de l'Afrique noire. À la décadence de la puissance pharaonique (v. BASSE ÉPOQUE), la Nubie, qui s'est constitué un pouvoir fort autour de Napata* (VIIIe s. av. J.-C.), impose à l'Égypte son hégémonie (XXVe dynastie, dite « koushite » ou « éthiopienne »). Repoussés en Afrique par les Assyriens en 663 (chute de Thèbes*), les Nubiens fonderont le royaume de Méroé*, qui disparaîtra vers 330 av. J.-C. sous la poussée du royaume d'Aksoum*. Christianisée au VIe s., la Nubie est partagée en plusieurs royaumes qui, malgré la conquête arabe de l'Égypte (639-642), résistent à l'islamisation jusqu'aux XVe-XVIe s.

BEAUX-ARTS. Le barrage d'Assouan et la création d'un lac artificiel de 500 km de long ont suscité, sous l'égide de l'Unesco, de multiples campagnes de fouilles, dont le but principal était la sauvegarde des principaux monuments ou leur étude avant la mise en eau de la région. L'ensemble de l'île de Philae* est en cours de démontage; celui de Kalabchah, construit sous Auguste, le sanctuaire rupestre de Ramsès II de Beit el-Ouali et le kiosque de Qertassi ont été reconstruits près de Chellal et forment — associés à des gravures rupestres du paléolithique — un site archéologique artificiel. D'autres temples (d'Amada, de Derr, d'Ouadi es-Seboua et d'Aniba, vaste agglomération et ancienne résidence du vice-roi de Nubie) sont démontés et seront ultérieurement réinstallés — comme ceux d'Abou-Simbel* — sur les rivages du lac. Des salles du musée de Khartoum ont été aménagées pour accueillir les temples de Bouhen et de Semna (XVIIIe dynastie). Comme ces deux derniers sites, Mirgissa était l'une des forteresses des pharaons du Moyen Empire; ses fortifications ont été étudiées, ainsi que ses habitations et une agglomération nubienne hors enceinte. Plusieurs nécropoles la jouxtaient; l'une d'elles, avec inhumations accompagnées d'une foule de serviteurs, appartenait à la civilisation de Kerma, contemporaine de la seconde période intermédiaire. Plus au sud, à Soleb*, le grand temple jubilaire d'Aménophis III a été l'objet d'une étude approfondie; non loin, à Sedeinga, la même mission archéologique a repéré une nécropole méroïtique toute proche du petit temple de la reine Tii (XVIIIe dynastie). En plus des vestiges pharaoniques, la Nubie conserve les témoignages de son passé koushite (Napata et Méroé) et chrétien (peintures murales de Faras*, réparties entre les musées de Khartoum et de Varsovie), même si la métropole chrétienne a été engloutie sous les flots.

NUCLÉAIRE (énergie) → CENTRALE, ÉLECTRICITÉ et ÉNERGIE.

NUCLÉAIRES (armes). — Ce sont celles dans lesquelles la puissance explosive a pour origine la libération d'énergie obtenue par le développement non contrôlé d'une réaction en chaîne. Elles peuvent, comme dans une bombe d'avion ou une mine, constituer l'essentiel d'une munition ou faire partie intégrante d'un projectile. C'est le cas de l'obus, de la roquette ou du missile, qui comportent un vecteur, un système de lancement et des moyens de préparation du tir. Parmi ces armes, on distingue les *armes stratégiques* et les *armes tactiques.* Les premières comprennent les bombes* aériennes et les missiles* à très grande portée (supérieure à 1 100 km) lancés du sol ou de sous-marins, d'où sont dérivées ensuite par miniaturisation de leur volume, de leur poids et de leur puissance les armes dites « tactiques ». Les premières d'entre elles furent en 1951 la roquette « Honest John » américaine, capable de recevoir une charge nucléaire, puis en 1953 un canon de 280 mm tirant des projectiles dont la charge atomique allait de 2 à 20 kt. Ce canon a été remplacé en 1962 par un canon de 203 mm monté sur châssis de char, puis par un canon de 175 chenillé et un obusier de 155 mm. Mais c'est dans le domaine des missiles que les armes nucléaires tactiques se sont surtout développées. Ceux-ci arment aussi bien les avions que les bâtiments de guerre ou les troupes terrestres, tel le missile sol-sol tactique français « Pluton », monté sur châssis de char « AMX 30 » (portée de 130 km, charge de 15 kt, en service depuis 1974). À ce type d'armes se rattachent enfin les bombes aériennes tactiques, telle l'« AN 52 » française de 1972, dont la charge est la même que celle du « Pluton » (v. BOMBE). Étant donné la puissance de ces armes et le risque d'escalade que comporterait leur emploi, la décision d'utiliser les armes nucléaires tactiques relève, dans tous les pays qui en possèdent, du pouvoir politique.

NUCLÉIQUES (acides). — Ce sont des solides blancs amorphes, dextrogyres, d'origine animale ou végétale. Ils paraissent constitués par la combinaison de nucléotides, substances formées par l'union d'une base purique (guanine ou adénine) ou pyrimidique (cytosine ou thrymine) avec un ose (ribose ou désoxyribose) et de l'acide phosphorique.

Il existe deux types d'acides nucléiques : l'acide *désoxyribonucléique,* ou A. D. N., constitutif des chromosomes, et l'acide *ribonucléique,* ou A. R. N., formé sous le contrôle du premier et qui porte l'information génétique du noyau cellulaire au cytoplasme (A. R. N. messager), puis permet la synthèse des protéines (A. R. N. ribosomique et A. R. N. de transfert). Ainsi ces substances jouent-elles un rôle de toute première importance dans la conservation et dans l'expression du code* génétique des cellules vivantes.

Nuée d'oiseaux blancs, roman de Kawabata Yasunari (1949-1951). Des amours tragiques qui se déroulent selon le cérémonial symbolique de l'art du thé.

Nuées *(les),* comédie d'Aristophane (423 av. J.-C.), satire dirigée contre Socrate, considéré comme un sophiste.

NUEVO LAREDO, v. du nord-est du Mexique, sur le río Grande, en face de la ville américaine de *Laredo* (Texas); 143 000 hab.

NUEVO LEÓN, État du nord-est du Mexique. Capit. *Monterrey.*

NUFŪD ou **NEFOUD,** désert de sable de l'Arabie Saoudite, s'étendant principalement (Grand Nufūd) au S. du désert de Syrie.

NUISANCE ET POLLUTION. — Une politique française des déchets solides a été définie en 1973, prélude à la loi du 15 juillet 1975 relative à leur élimination et à la récupération des matériaux. Onze millions de tonnes d'ordures ménagères doivent, en France, être traitées annuellement et autant de déchets industriels; s'y ajoute la masse, dix fois plus importante, des résidus des industries extractives. Un million de véhicules sont, chaque année, hors d'usage, huit millions de tonnes d'emballages sont perdues, etc. C'est dire l'étendue du problème à résoudre!

Le « déchet » est un objet mobilier abandonné par son détenteur. Le caractère d'abandon est prédominant. Le producteur ou le détenteur de déchets doit assurer leur élimination dans un souci de protection de l'environnement. Une « agence nationale pour la récupération et l'élimination des déchets » est prévue par la loi. Le concept nouveau, en politique économique, est celui d'« internalisation » des coûts des nuisances (ou des coûts d'élimination des nuisances) en vertu de l'adage « Tout pollueur paie » : les entreprises devront inclure ces charges nouvelles dans leurs comptes d'exploitation. (V. POLLUTION.)

Nuit des rois *(la),* comédie en cinq actes de Shakespeare (1600-1601).

Nuit et Brouillard (en allem. *Nacht und Nebel*), dans les camps de concentration allemands de la Seconde Guerre mondiale, termes employés par les SS pour qualifier les détenus dont ils avaient décidé la suppression sans laisser de trace.

Nuits *(les),* poème d'Edward Young (1742-1745), méditation en vers sur la mort.

Nuits *(les),* poèmes d'Alfred de Musset, publiés dans *la Revue des Deux Mondes : la Nuit de mai* (1835), *la Nuit de décembre* (1835), *la Nuit d'août* (1836) et *la Nuit d'octobre* (1837). Le poète y exprime sa douleur à la suite de sa rupture avec George Sand.

NUITS-SAINT-GEORGES (21700), ch.-l. de cant. de la Côte-d'Or, à 16 km au N.-E. de Beaune; 5 072 hab. *(Nuitons).* Grand vignoble de la Bourgogne *(côte de Nuits),* donnant surtout des vins rouges.

NUKU-HIVA, la plus grande des îles Marquises*; 117 km^2.

NUMANCE, en lat. **Numantia,** anc. ville d'Espagne, près de l'actuelle Soria. Capitale des Celtibères Arévaques, elle résista avec acharnement à la conquête romaine. Elle fut détruite en 133 av. J.-C. par Scipion Émilien après un long siège. Vestiges de la place forte celtibère et ville romaine de la fin du Ier s. en partie dégagée.

Numance, tragédie de Cervantès (v. 1582). L'héroïque autodestruction de la ville assiégée par Scipion Émilien; un drame où les romantiques virent une préfiguration de leurs conceptions esthétiques.

NUMA POMPILIUS, second roi légendaire de Rome (v. 715-v. 672 av. J.-C.). Il serait originaire de Cures, en Sabine. La tradition lui attribue la création des institutions religieuses et des sacerdoces de Rome. C'est lui, dit Tite-Live, qui donna « le droit, les lois, les mœurs à une ville fondée par la force et les armes ».

NUMAZU, port du Japon (Honshū), au S.-O. de Tōkyō; 189 000 hab.

NUMÉRATION. — Le problème de la numération est celui de l'écriture de tous les nombres à l'aide d'un ensemble *fini* de symboles, les chiffres 0, 1, 2, 3, 4, 5, 6, 7, 8, 9, ..., cette suite n'étant pas limitée; chaque *système de numération* emprunte un certain nombre de symboles à cette liste, à partir de 0 : système binaire : $\{0, 1\}$; système décimal : $\{0, 1, 2, ..., 9\}$.

Dans tous les systèmes, la *base* s'écrit 10, et le nombre x noté $u_n u_{n-1} ... u_1 u_0$, qui est une suite de symboles empruntés aux symboles de la numération adoptée, représente un polynôme en a, a désignant la base :

$$x = u_n a^n + u_{n-1}\, a^{n-1} + ... + u_1 a + u_0.$$

Par exemple, dans le système décimal,

$$42\,785 = 4.10^4 + 2.10^3 + 7.10^2 + 8.10 + 5$$
$$= 40\,000 + 2\,000 + 700 + 80 + 5$$

Pour écrire un nombre, il faut donc connaître son polynôme, relativement à une base donnée.

EXEMPLES. • Le nombre 4237 est écrit dans le système décimal. Pour l'écrire dans le système à base 7, on utilise des divisions successives par 7 jusqu'à l'obtention d'un quotient plus petit que 7 : $4237 = 7 \times 605 + 2$; $605 = 7 \times 86 + 3$; $86 = 7 \times 12 + 2$; $12 = 7 \times 1 + 5$; d'où

$$4237 = 7(7 \times 86 + 3) + 2$$
$$= 7^2(7 \times 12 + 2) + 7 \times 3 + 2$$
$$= 7^3(7 \times 1 + 5) + 7^2 \times 2 + 7 \times 3 + 2$$
$$= 7^4 \times 1 + 7^3 \times 5 + 7^2 \times 2 + 7 \times 3 + 2,$$

qui est le polynôme du nombre 4237 du système décimal dans le système à base 7. D'où l'écriture du nombre 15232.

• Le nombre 4312, écrit dans le système à base 5, est égal à $4 \times 5^3 + 3 \times 5^2 + 1 \times 5 + 2 = 500 + 75 + 5 + 2 = 582$ dans le système décimal.

On passe du système à base a au système à base b par l'intermédiaire du système décimal.

NUMÉRATION GLOBULAIRE → HÉMOGRAMME et SANG.

NUMIDIE, pays des Numides avant et pendant la conquête de l'Afrique du Nord par les Romains. Les Numides étaient des Berbères nomades qui constituèrent au IIIe s. av. J.-C. deux royaumes situés de part et d'autre de l'Ampsaga (Rummel) : à l'O., celui des Masaesyles (voisin de la Mauritanie*); à l'E., celui des Massyles (aux confins du territoire de Carthage*). L'*aguellid* (roi) des Masaesyles Syphax* († 203 ou 202 av. J.-C.) régna sur toute la Numidie après avoir annexé le royaume des Massyles à la mort de son roi, Gaia. Mais sa puissance s'effondra en 203 avec la prise de Cirta (Constantine*) par Masinissa*, fils de Gaia; allié de Rome (v. PUNIQUES [*guerres*]), qui lui laissa en 201 tous les territoires numides, Masinissa créa un important État berbère, dont la capitale était Cirta; il entreprit de fixer les Numides au sol et de les urbaniser; il voulut faire de la Berbérie un État unifié et indépendant, mais sa tentative fut brisée par l'impérialisme romain; à la mort de Masinissa, Scipion Émilien divisa son royaume entre les trois fils du souverain, dont un seul survécut, Micipsa (de 148 à 118), qui se montra allié fidèle de Rome. Après la mort de Micipsa, Rome imposa un partage entre ses deux fils et son neveu Jugurtha*; mais ce dernier ne s'y résigna pas et entra en conflit (112) avec Rome : il fut vaincu par Marius et livré en 105 par le roi de Mauritanie Bocchus Ier. La Numidie, amputée de l'Ouest, donné à Bocchus, fut alors divisée et confiée à des rois qui furent pour Rome de fidèles clients. Mais Juba Ier († 46 av. J.-C.) soutint les pompéiens dans la guerre civile; après l'avoir vaincu à Thapsus (46 av. J.-C.), César annexa son royaume, dont il fit une province, *l'Africa nova* (v. AFRIQUE ROMAINE). Rattachée à la Proconsulaire (25 av. J.-C.), la Numidie fut érigée par Caligula (37) en territoire militaire confié au légat de la *Legio III Augusta*. Septime Sévère la transforma en province autonome (198). Rome donna un grand essor à l'agriculture et à l'urbanisation (Timgad, Djemila [Cuicul]), que les royaumes numides, en s'hellénisant, avait déjà favorisée. La province souffrit au IVe s. des troubles causés par le donatisme* et les révoltes des circoncellions. L'invasion vandale (429) et la conquête arabe (VIIe-VIIIe s.) entraînèrent la ruine économique du pays.

NUMISMATIQUE. — Le caractère presque inaltérable des objets qu'étudie cette discipline permet d'apporter un précieux témoignage sur la géographie, l'histoire, l'iconographie, la civilisation et, naturellement, sur la connaissance des échanges et de l'économie à toutes les époques, et ce grâce à la composition et au poids des alliages employés, à la répartition des trouvailles monétaires et à la diffusion de telle ou telle espèce (v. MONNAIE). Cette science a pris depuis le XVIe s. un développement remarquable, avec les études — plus économiques que morphologiques — de Guillaume Budé (*De asse,* 1514), de l'Autrichien J. H. Eckhel (*Doctrina numorum veterum,* 1792) ou de T. E. Mionnet (*Description de médailles antiques...,* 1819). Puis se sont succédé des études approfondies sous forme de traités (E. Babelon, *Traité des monnaies grecques et romaines*), de monographies des principaux cabinets des Médailles d'Occident (Londres, Berlin, Paris, Bruxelles, Vienne, New York, Athènes) ou de *corpus* de toutes les espèces émises dans une région. D'autres études ont porté sur la typologie, l'iconographie des souverains, la métrologie, l'art monétaire.

Monnaies et, beaucoup plus tard, médailles commémoratives sont liées à l'histoire de l'art par leur fréquente ambition esthétique et par ceux qui ont eu la charge d'en donner les maquettes, parfois sculpteurs ou peintres de renom. L'invention de la *monnaie* se répand dans le monde grec à partir du VIIIe s. av. J.-C. Chaque cité adopte un type caractéristique : chouette pour Athènes, figure d'Aréthuse ou superbe quadrige pour Syracuse, etc. La technique de frappe est sommaire, mais les *coins* sont gravés avec un soin extrême. L'époque hellénistique répand le portrait, surtout de profil, des princes. Les monnaies grecques sont démarquées par les Gaulois : imitations fantastiques et débridées, d'un style rude et puissant. Rome multiplie les représentations au *revers* de ses monnaies, adopte à partir de César l'effigie de l'*imperator* à l'*avers.* Byzance hiératise les portraits et introduit la Croix. En France, la monnaie royale supplante les émissions féodales à partir de Philippe Auguste; les sujets (effigies du roi assis, debout, chevauchant; symboles religieux) sont inspirés de la sigillographie*.

Ce n'est qu'à la fin du XIVe s. que sont produites en Italie les premières *médailles,* à l'effigie des ducs de Ferrare et de Padoue. Le plus souvent en bronze, elles sont frappées au marteau, à l'aide de coins, ou fondues; de cette seconde technique relèvent les chefs-d'œuvre de Pisanello*, puis, en France, les œuvres italiennes ou italianisantes commandées par François Ier. Inventée à Nuremberg, la frappe mécanisée, au *balancier,* des monnaies et des médailles, mal acceptée par les praticiens français sous Henri II, ne s'impose que vers 1640, grâce à un grand commis et artiste, le Liégeois Jean Varin (ou Warin, 1604-1672), auteur d'effigies de Louis XIII, de Richelieu, de Louis XIV et de *médaillons* comme celui qui commémore la fondation du Val-de-Grâce. Entre-temps ont été produits les admirables médaillons de Germain Pilon* et ceux, extrêmement vivaces, de Guillaume Dupré (v. 1574-1647), sculpteur d'Henri IV. La production du règne de Louis XIV constitue une « Histoire métallique » royale confinée au dithyrambe; le XVIIIe s. français est plus libre et donne le ton à l'Europe. À côté du style, assez froid, de la frappe monétaire au XIXe s. se distinguent les apports de David* d'Angers et ceux, occasionnels, de Rude ou de Carpeaux. Un renouveau se dessine lorsque Hubert Ponscarme (1827-1903), rompant avec l'académisme, revient à cette saveur réaliste et à cette liberté formelle qui faisaient déjà, au XVe s., le modernisme d'un Pisanello. Oscar Roty (1846-1911) donne le type monétaire de la *Semeuse* (1897) et de nombreuses *plaquettes* rectangulaires. Récemment, l'engouement des collectionneurs a conduit à un développement de la production des médailles dans de nombreux pays.

NUMMULITES. — Les foraminifères fossiles du groupe des nummulites ressemblent à de petites pièces de monnaie par leur forme discoïdale. Sous leur revêtement externe apparaît une fine spirale cloisonnée en de nombreuses loges. Ces animaux ont connu un immense développement au début de l'ère tertiaire, au point que le paléogène (éocène et oligocène) est appelé parfois *nummulitique.*

NÚÑEZ (Álvaro), navigateur espagnol († Séville v. 1560). Il explora la Floride, la Louisiane et le Río de la Plata (1528-1540).

NUNGESSER (Charles), aviateur français (Paris 1892-1927). As de la chasse française avec quarante-trois victoires en 1918, il disparaît avec Coli à bord de son avion l'*Oiseau blanc* en tentant la traversée de l'Atlantique Nord.

NUPTIALITÉ. — La nuptialité mesure le nombre de mariages ramené à une population donnée. Elle a baissé en France en 1973 et en 1974 (la population en âge de se marier continuant pourtant de progresser). En Suède, la probabilité de se marier est tombée de 95 p. 100 (en 1960-1966) à 55 p. 100 (en 1973).

NURAGIQUE *(civilisation),* civilisation qui succède en Sardaigne à un néolithique attardé et qui, née vers 1500 av. J.-C. (pendant l'âge du bronze), persista jusqu'à 238 av. J.-C. avec une pleine floraison entre le Xe et le VIe s. av. J.-C. (correspondant à l'âge du fer). Elle est essentiellement caractérisée par le *nuraghe,* sorte de tour en forme de cône tronqué, à la chambre voutée en encorbellement — dont l'architecture devient plus complexe avec le temps : dimensions plus vastes de la chambre, édification de plusieurs étages, communication par escalier en spirale et enfin disposition de plusieurs nuraghi au centre d'une enceinte. De nombreuses statuettes en bronze représentant des personnages traités dans un style vigoureux et austère sont également l'un des traits caractéristiques de cette civilisation insulaire et fortement individualisée.

NŪR AL-DĪN MAḤMŪD → ZANGĪDES.

NUREMBERG, en allem. **Nürnberg,** v. de l'Allemagne fédérale (Bavière), sur la Pegnitz; 480 000 hab. Centre industriel (constructions mécaniques et électriques, jouets, brasserie).

HISTOIRE. La ville doit son essor à sa position à la croisée des routes rejoignant l'Italie à l'Allemagne du Nord, d'une part, et l'Allemagne rhénane à la Bohême, d'autre part. Elle reçut de Frédéric II le statut de ville libre impériale (1219), connut très vite une grande activité commerciale et devint l'un des plus grands foyers d'échange entre l'Orient et l'Occident. Centre d'un artisanat du bronze et de l'or qui fit d'elle la cité la plus prospère de l'Allemagne des XVe et XVIe s., elle fut l'un des foyers les plus actifs de la Renaissance culturelle de l'Europe. Parce qu'elles modifièrent les voies d'échanges dont elle avait été longtemps le carrefour, les grandes découvertes provoquèrent son déclin économique. Incorporée à la Bavière en 1806, Nuremberg fut à partir de 1933 le théâtre des grandes manifestations nazies avant d'être le siège, en 1945-46, du procès des criminels de guerre.

BEAUX-ARTS. Le centre historique, entouré d'une enceinte des XIVe-XVIe s., conserve une partie de son cachet ancien et de ses monuments, plus ou moins restaurés : château impérial, remontant aux XIe-XIIe s.; églises médiévales Saint-Sebald (châsse du saint, par les Vischer*), Saint-Laurent (XIVe-XVe s.; tabernacle d'Adam Krafft, Rosaire de W. Stwosz* et autres œuvres d'art), Notre-Dame, etc.; maison de Dürer* (XVe s.). Musée national germanique, vaste panorama de toutes les branches de la civilisation allemande, fondé en 1852 dans une ancienne chartreuse du XIVe s.

NŪRISTĀN, anc. **Kāfiristān,** région montagneuse du nord-est de l'Afghānistān.

NURMI (Paavo), athlète finlandais (Turku 1897 - Helsinki 1973). Il domina le demi-fond mondial durant dix ans, de 1920 à 1930, ayant remporté dans l'intervalle six titres olympiques (dont, en 1924, dans la même journée, ceux du 1 500 et du 5 000 mètres) et détenu tous les records du monde, du 1 500 mètres (3 mn 52 s 6/10) à l'heure (19,210 km) en passant par le mile (4 mn 10 s 4/10), le 3 000 mètres (8 mn 20 s 4/10), le 5 000 mètres (14 mn 28 s 2/10) et le 10 000 mètres (30 mn 6 s 2/10).

NUṢAYRĪS → 'ALAWĪTES.

NUTRITION. — Tout être vivant, du fait même qu'il vit, doit se nourrir, c'est-à-dire incorporer et assimiler une matière étrangère. Cette nutrition revêt trois aspects fondamentaux : l'aspect matériel, l'aspect énergétique et l'aspect fonctionnel.

• *Nutrition matérielle.* Pour grandir, se multiplier, se reproduire, le vivant doit édifier de nouvelles structures, cellules, tissus, organes, propres à son espèce. L'alimentation doit fournir, en quantité suffisante, non seulement chacun des éléments chimiques (corps simples) nécessaires à ces édifices, mais parfois des composés dont l'organisme est incapable de faire lui-même la synthèse (acides aminés : tryptophane, lysine). Même chez l'adulte, qui ne grandit plus, un renouvellement incessant affecte les globules rouges, la paroi intestinale, la peau, les poils, etc. Une partie de l'alimentation doit compenser les pertes de matière ainsi causées.

• *Nutrition énergétique.* Chez les êtres vivants *hétérotrophes* (c'est-à-dire pratiquement dans toutes les espèces autres que les plantes vertes), l'énergie nécessaire aux diverses activités vitales (dont la construction de nouveaux tissus n'est pas la moindre) est exclusivement fournie par l'ingestion d'aliments riches en énergie : des « combustibles » tels que lipides, glucides et protides, appelés à être dégradés en molécules simples et incombustibles (eau, gaz carbonique, urée, sels minéraux...), qui seraient rejetées (v. EXCRÉTION).

• *Nutrition fonctionnelle.* Les animaux et plus encore les plantes vertes doivent être « traversés » chaque jour par une énorme quantité d'*eau*. Ils en rejettent autant qu'ils en absorbent. La présence d'eau en eux crée un milieu intérieur indispensable aux fonctions actives de la vie. Ces organismes ne peuvent la recycler que très incomplètement, de sorte qu'ils doivent la renouveler sans cesse. La vie se poursuit « dans un courant d'eau ».

D'autres substances, principalement les *vitamines**, sont comme les outils de la vie, outils que l'espèce ne peut pas toujours façonner elle-même et qu'elle doit alors emprunter aux autres espèces. En leur absence, ni la matière ni l'énergie apportées par la ration alimentaire ne sont correctement utilisées.

• *Fonctions de nutrition.* Elles sont nombreuses : capture et ingestion des proies, digestion*, absorption*, mise en réserve* et mobilisation des réserves, circulation* du sang et des sèves, respiration*, synthèses et dégradations cellulaires, excrétion*, etc.

• *Maladies de la nutrition chez l'homme.* Certaines maladies de la nutrition portent sur l'ensemble des métabolismes, telles l'obésité* (par excès d'apport alimentaire ou par trouble hormonal), la maigreur (due à une dénutrition ou à une malnutrition [apport insuffisant ou mal équilibré, troubles digestifs, etc.]). D'autres maladies n'affectent qu'un seul métabolisme : par exemple celui des glucides dans le diabète, celui de l'acide urique dans la goutte.

NYASSA, anc. nom du lac MALAWI.

NYASSALAND → MALAWI.

NYCTALOPIE → VISION.

NYCTHÉMÉRAL *(rythme).* — L'alternance des jours et des nuits exerce une influence capitale sur les phénomènes biologiques les plus variés, tant chez les animaux et chez l'homme (sommeil*) que chez les plantes supérieures (espèces fleurissant en « jours longs » ou en « jours courts », etc.). Placés en lumière continue ou, au contraire, dans l'obscurité permanente, divers organismes conservent plus ou moins longtemps des variations rythmiques « circadiennes », c'est-à-dire d'une période peu différente de vingt-quatre heures. Le rythme nycthéméral s'est inscrit en eux.

NYERERE (Julius), homme d'État de Tanzanie (Butiama 1922). Il milite pour l'indépendance du Tanganyika et devient Premier ministre en 1960. Élu président de la République en 1962, il négocie la formation de l'État fédéral de Tanzanie* — unissant le Tanganyika et Zanzibar (1964) —, dont il assume la présidence. Il oriente la Tanzanie dans la voie d'un socialisme original, respectueux des traditions africaines, et pratique une politique d'indépendance nationale et de non-alignement.

NYIRAGONGO (le), volcan du Zaïre, au N. du lac Kivu; 3 470 m.

NYÍREGYHÁZA, v. du nord-est de la Hongrie; 80 000 hab.

NYKÖPING, v. de Suède, au S.-O. de Stockholm; 62 000 hab.

NYLON → AROMATIQUES *(hydrocarbures),* PÉTROCHIMIE, PNEUMATIQUE, POLYAMIDE, STRATIFIÉ.

NYMPHÉACÉES → NÉNUPHAR.

NYMPHOSE. — Propre aux insectes supérieurs, la nymphose est une étape très particulière du développement, précédant et préparant l'âge adulte. Elle se caractérise par trois traits principaux :
— l'*immobilité,* qui évoque celle des animaux en hibernation ou en diapause;
— la *protection* sous une dépouille larvaire dure, parfois complétée par un cocon de soie (bombyx du mûrier) et qui, jointe à la dissimulation (enfouissement ou homochromie), réduit le nombre des attaques par des prédateurs, contre lesquels la nymphe serait sans défense;
— la *transformation complète du corps :* tous les organes peuvent être détruits et reconstruits, sauf le cœur et le système nerveux. Les muscles, en particulier, sont digérés (histolyse), et c'est à partir de petits massifs cellulaires, les *disques imaginaux,* que se forme l'organisme adulte, ailé et reproducteur. Après la nymphose, l'éclosion ressemble plus à la sortie de l'œuf qu'à la mue imaginale, si délicate, des insectes sans nymphose.

La nymphose a lieu chez les insectes dits « holométaboles » : coléoptères, hyménoptères, lépidoptères, diptères. La nymphe des lépidoptères est la *chrysalide,* et celle des diptères la *pupe.*

NYON, v. de Suisse (Vaud), sur le lac Léman; 11 424 hab. Vestiges romains. Château en partie des XIIe-XIIIe s. Temple, anc. église des XIIe-XVe s. Musée (archéologie, folklore, porcelaines de Nyon).

NYONS (26110), ch.-l. d'arr. du sud de la Drôme, sur l'Eygues; 5 904 hab. Pont du XIVe s. et pittoresque quartier des Forts.

NYROP (Kristoffer), linguiste danois (Copenhague 1858 - *id.* 1931). Spécialiste de la langue française, il est l'auteur d'une *Grammaire historique de la langue française* (1899-1930; 6 vol.).

NYSA ŁUŻYCKA → NEISSE.

Nystad *(paix de),* traité signé à Nystad (auj. Uusikaupunki, en Finlande) le 10 septembre 1721. Il mit fin à la guerre du Nord* entre la Suède et la Russie; la première de ces puissances céda à la seconde les provinces baltiques ainsi que la Carélie orientale.

NYSTAGMUS. — Cette succession de mouvements rythmés des globes oculaires traduit soit une atteinte du cervelet, soit une atteinte des organes de l'équilibration (labyrinthe de l'oreille interne et voies vestibulaires du cerveau).

Nyugat, revue littéraire hongroise (1908-1941). Elle évolua d'une esthétique impressionniste vers des préoccupations humanistes et fut dirigée successivement par Ernő Osvát, Zsigmond Móricz et Mihály Babits.

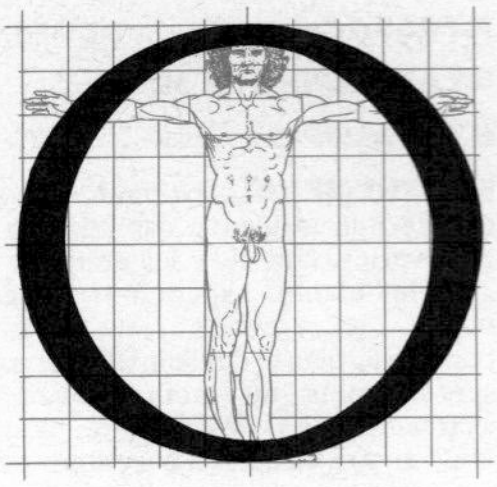

OAHU, île la plus peuplée de l'archipel américain des Hawaii, où se localisent la capitale *(Honolulu)* de l'État et le port militaire de *Pearl Harbour;* 1 570 km²; 631 000 hab.

OAKLAND, v. des États-Unis (Californie), sur la baie de San Francisco, en face de San Francisco; 362 000 hab. Industries métallurgiques et chimiques.

OAK RIDGE, v. des États-Unis, dans l'est du Tennessee; 28 000 hab. Centre de l'industrie nucléaire.

OAKVILLE, v. du Canada (Ontario), au S.-O. de Toronto; 61 483 hab. Constructions mécaniques.

O. A. S., sigle de l'*Organisation armée secrète,* mouvement clandestin qui, après l'échec du putsch militaire de 1961, tenta de s'opposer par la violence à l'indépendance de l'Algérie.

OASIS → AGRICULTURE et DÉSERT.

OASIS *(département des),* départ. du Sahara algérien; 1 243 000 km² (plus de la moitié de la superficie du pays et du double de celle de la France); 573 000 hab. Ch.-l. *Ouargla.*

OATES (Titus), aventurier anglais (Oakham 1649 - Londres 1705). Cet intrigant attacha son nom, sous Charles II*, à un prétendu « complot papiste » qui déchaîna dans le pays une vague de persécutions contre les catholiques.

OAXACA ou **OAXCACA DE JUÁREZ,** v. du Mexique méridional, capit. de l'*État d'Oaxaca;* 99 000 hab. Monuments d'époque coloniale (surtout des XVIIe-XVIIIe s. : églises baroques). Musée (riches collections provenant de Monte* Albán).

OB, fl. de l'U. R. S. S.; 4 012 km. Né dans l'Altaï, il traverse du S. au N. la Sibérie occidentale, rejoignant l'océan Arctique (mer de Kara) en formant un long (près de 1 000 km) golfe ramifié. En aval de Biisk, à plus de 3 000 km de la mer, il coule déjà en plaine, et la pente infime explique, avec une fonte printanière des glaces commençant à l'amont, des inondations gigantesques, faisant alors d'une grande partie de la Sibérie occidentale un vaste marécage. L'Ob passe à Barnaoul et à Novossibirsk, et, beaucoup plus en aval, il reçoit son principal affluent, l'Irtych.

OBEÏD (El-), site archéologique d'Iraq, proche de l'ancienne ville d'Our* et dont l'occupation s'étend du IVe millénaire jusqu'à la Ire dynastie d'Our. Il est devenu le site éponyme d'une phase de la protohistoire de la basse Mésopotamie*, définie par une céramique à décor géométrique peint. Les traces d'un sanctuaire édifié sur une haute terrasse ainsi que d'intéressants reliefs en bronze (British Museum) et en coquille (Bagdad, Iraq Museum) ont été dégagés.

OBEÏD (El-), v. du Soudan, au S.-O. de Khartoum, ch.-l. du Kordofan; 61 000 hab.

OBERAMMERGAU, v. de l'Allemagne fédérale (Bavière), au S.-O. de Munich; 5 000 hab. Localité célèbre par son théâtre populaire (représentation de la *Passion* tous les dix ans).

OBERGURGL, station touristique et de sports d'hiver (alt. 1 930-3 082 m) d'Autriche (Tyrol), dans le massif de l'Ötztal.

OBERHAUSEN, v. de l'Allemagne fédérale (Rhénanie-du-Nord-Westphalie), dans la Ruhr; 245 000 hab. Sidérurgie.

OBERKAMPF (Christophe Philippe), industriel français (Weissenbach, Bavière, 1738 - Jouy-en-Josas 1815). Il fonda à Jouy-en-Josas la première manufacture de toiles imprimées à l'aide de planches de cuivre gravées (1759) et installa à Essonnes la première filature française de coton.

OBERLAND BERNOIS, région montagneuse de Suisse (cant. de Berne), au N. du Rhône, formée par le bassin des affluents de l'Aar supérieur et par la haute vallée de la Sarine, et dominée par les hauts sommets (Jungfrau, Finsteraarhorn, Mönch) du massif de l'Aar.

Oberman, roman d'analyse psychologique d'É. de Senancour (1804). Dans la lignée du « mal du siècle », mis à la mode par le *René** de Chateaubriand, une réflexion sentimentale plus proche du journal intime et de la confession rousseauiste que du roman systématique.

OBERNAI (67210), ch.-l. de cant. du Bas-Rhin, à 30 km au S.-O. de Strasbourg; 8 401 hab. Ville pittoresque aux nombreux témoins du Moyen Âge et de la Renaissance. Musée dans l'ancienne halle aux blés (art religieux, mobilier des XVIe-XVIIIe s.). Importante brasserie.

OBERON, roi des elfes, dans les romans du haut Moyen Âge *(Huon de Bordeaux)* et dans les œuvres de Chaucer, de Spenser, de Shakespeare, de Wieland.

Oberon, opéra en trois actes, livret de J.-R. Planché d'après Wieland, musique de C. M. von Weber (1826). Créée à Londres, cette partition fait alterner le parlé et le chanté, et montre le goût du compositeur pour le féerique et le fantastique. Les chœurs et l'orchestration sont remarquables.

OBERSTDORF, v. de l'Allemagne fédérale (Bavière), au S.-O. de Munich; 13 000 hab. Station de sports d'hiver (alt. 824-2 224 m).

OBERTH (Hermann), ingénieur allemand (Hermannstadt [auj. Sibiu, Roumanie] 1894). L'un des précurseurs de l'astronautique, il travailla pendant la Seconde Guerre mondiale à la réalisation des fusées allemandes.

OBERUZWIL, comm. de Suisse (cant. de Saint-Gall); 4 659 hab. Constructions mécaniques.

OBÉSITÉ. — L'importance de la surcharge graisseuse et de l'excès pondéral se définit par rapport au poids théorique normal, dont la valeur s'apprécie en fonction de la taille, de l'âge et du sexe. Est obèse tout sujet dont le poids dépasse de 10 p. 100 le poids théorique normal. On distingue deux grands types d'obésité : l'*obésité androïde,* qui prédomine sur la moitié supérieure du corps; l'*obésité gynoïde,* qui se marque principalement sur la moitié inférieure du corps. Les causes en sont variables : elles sont le plus souvent dues à une suralimentation et à la sédentarité; certaines obésités sont liées à une atteinte organique du système nerveux central; plus fréquentes sont les obésités observées après un traumatisme psychoaffectif; les obésités d'origine endocrinienne (myxœdème, hypercorticisme) sont rares; enfin, il existe des obésités constitutionnelles, qui doivent faire rechercher un diabète.

OBIHIRO, v. du nord du Japon (Hokkaidō); 132 000 hab.

OBJAT (19130), comm. de la Corrèze, à 19,5 km au N.-O. de Brive-la-Gaillarde; 3 228 hab. Marché agricole. Mobilier. Industrie alimentaire.

OBJECTIF *(Opt.).* — Dans le microscope et dans les lunettes, l'objectif fournit de l'objet une première image, que l'oculaire

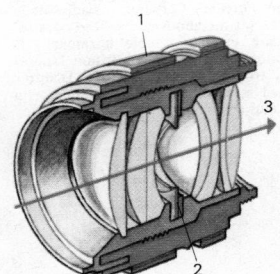

COUPE D'UN OBJECTIF.

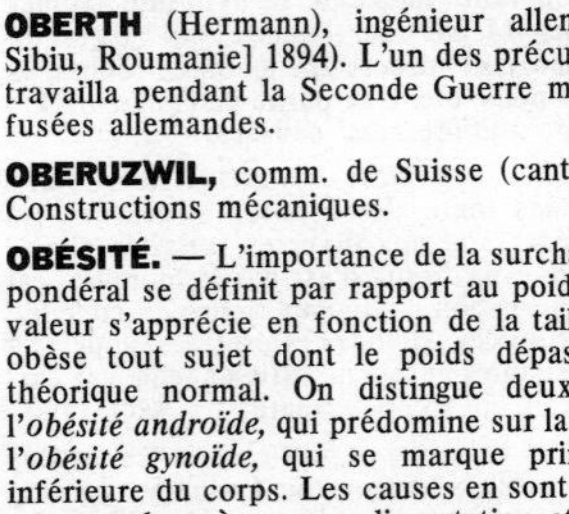

1. Bague de mise au point;
2. Diaphragme iris;
3. Trajet de la lumière.

permet d'examiner. Dans un appareil photographique, il contient les lentilles qui fournissent l'image. Il est caractérisé par sa distance focale, son ouverture relative et son angle de champ. Il est formé d'une monture portant les lentilles, le diaphragme et souvent l'obturateur. À l'avant, une bague reçoit le parasoleil; à l'arrière, la monture est filetée pour pouvoir être vissée sur l'appareil photographique.

OBJECTIF *(Organ.)* → PRÉVISION.

OBJECTIVITÉ, OBJET. — L'objet de la connaissance*, donné dans la perception*, est, selon la perspective classique, le lieu où s'exerce l'acte de connaître. L'objet s'oppose au sujet* comme le matériel au spirituel. Prenant acte de la physique newtonienne, qui ruine la perspective classique, Kant tente d'élaborer une problématique de l'objectivité en distinguant rigoureusement ce qui est propre au sujet de ce qui appartient à l'objet (et non à l'étendue et au mouvement comme Descartes) dans le processus qui le fait s'exposer au sujet en s'opposant à lui. L'objectivité est le produit des énoncés scientifiques, nécessaires, universels et vérifiés expérimentalement (v. EXPÉRIENCE ET EXPÉRIMENTATION). Le développement des sciences et la diversification de la physique au XXe s. imposent, aujourd'hui, de définir les diverses formes d'objectivité propres à chaque pratique scientifique.

OBJET *(Psychan.).* — L'objet est le moyen par lequel la pulsion* cherche à atteindre son but. L'objet libidinal varie au cours du développement, mais son choix définitif dépend de l'histoire infantile. Pour S. Freud*, lorsque le Moi* se voit contraint de renoncer à un choix objectal, il peut s'identifier (v. IDENTIFICATION) à l'objet perdu et se proposer à l'amour du Ça*. L'objet de la pulsion n'est pas forcément la personne totale : aux pulsions partielles correspondent les objets partiels, ainsi que Melanie Klein l'a montré. Au cours du développement, les relations d'objet (modes de structuration des relations de la personne avec son entourage) évoluent de l'objet partiel vers l'objet total. L'étude de leur instauration s'inscrit dans une perspective génétique. La genèse des relations objectales apparaît comme un processus complexe, qui répond, selon D. W. Winnicott*, de deux ordres de phénomènes : la maturation et l'environnement. Contrairement à S. Freud, Melanie Klein pense, que dès les premiers jours, l'enfant possède un Moi suffisamment organisé pour lui permettre d'établir des relations objectales et d'éprouver de l'angoisse. Le sein et le pénis sont les premiers objets internes partiels ressentis par l'enfant au cours de la première phase de son développement (position schizo-paranoïde). Le clivage* instaure alors deux sortes d'objets : l'objet idéal, auquel le nourrisson attribue toutes ses expériences gratifiantes d'amour, et le mauvais objet, sur lequel il projette (v. PROJECTION) une partie de la pulsion de mort*. Vécus comme persécuteurs, les mauvais objets engendrent l'angoisse paranoïde, qui est une peur de l'anéantissement du Moi et de l'objet idéal. L'étape suivante (position dépressive) est caractérisée par la capacité d'établir des relations avec des objets totaux. L'angoisse du huitième mois, individualisée par R. Spitz*, est le désarroi qui saisit l'enfant lorsque sa mère s'absente, et qui montre qu'il est devenu capable de reconnaître celle-ci en tant qu'objet total, distinct de lui. À cette époque le sein ou le pénis peuvent être ressentis comme bons objets appartenant à la bonne mère et au bon père. Le bon objet, à la différence de l'objet idéal, peut être ressenti comme frustrant : ce qui signifie que le nourrisson conserve le souvenir d'un objet éventuellement capable de le satisfaire. La peur d'endommager les objets aimés par sa propre agression, est appelée « angoisse dépressive » par Melanie Klein.

TYPES DIVERS D'OBJECTIFS.

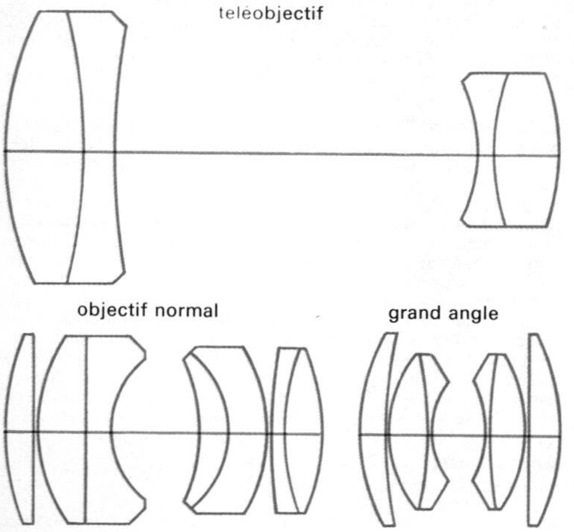

OBLIGATION → VALEUR MOBILIÈRE.

OBLIQUE *(action)* → PAULIENNE *(action).*

Oblomov, roman de Gontcharov (1859). L'apathie intellectuelle et morale de la noblesse terrienne russe.

OBOCK, port de la République de Djibouti, sur la côte nord du golfe de Tadjoura; 700 hab.

OBRADOVIĆ ou **OBRADOVITCH** (Dositej), écrivain serbe (Čakovo 1742-Belgrade 1811), organisateur de l'enseignement en Serbie et rénovateur de la prose serbe.

OBRECHT (Jacob), compositeur néerlandais (Bergen op Zoom? 1450-Ferrare 1505). Ce savant contrapuntiste a laissé des messes, des motets et des chansons polyphoniques.

OBRENOVIĆ, dynastie qui régna en Serbie* au XIXe s. Elle eut comme fondateur MILOŠ OBRENOVIĆ Ier (Dobrinja 1780-Topčider 1860) : pâtre, celui-ci participe à la guerre contre les Turcs (1804-1813) avant d'être désigné prince par ces derniers après la fuite de Karageorges (v. KARADJORDJEVIĆ); en 1815, il proclame la guerre sainte et force la Porte à le reconnaître comme « prince suprême de la nation serbe », puis en 1830 comme prince héréditaire. Mais, en 1839, les Turcs l'obligent à abdiquer en faveur de son fils MILAN OBRENOVIĆ II, qui meurt presque aussitôt et qui est remplacé par son frère MICHEL OBRENOVIĆ III (Kragujevac 1823-Košutnjak 1868); celui-ci, dès 1842, est renversé par Alexandre Karadjordjević* et rejoint en exil son père, qui, en 1858, redevient maître de la Serbie. À la mort de ce dernier, il remonte sur le trône; il s'efforce de moderniser le pays tout en s'appuyant constamment sur la Russie; il obtient l'évacuation des troupes turques (1867), mais son absolutisme provoque son assassinat (1868). Son cousin MILAN OBRENOVIĆ IV (Mărăşeşti 1854-Vienne 1901) lui succède, sous la coupe de Jovan Ristić (1831-1899), Premier ministre de 1868 à 1878. Ayant engagé la Serbie dans la guerre contre la Turquie (1876), il obtient l'appui des Russes, si bien que le traité de San Stefano (1878) reconnaît l'indépendance de la Serbie. Il écarte alors Ristić, se fait proclamer roi de Serbie (1882), s'appuyant désormais sur l'Autriche-Hongrie. Son inconduite et son autoritarisme provoquent son abdication (1889) et son exil, mais, par deux fois (1893-1895, 1897-1900), il vient appuyer le régime autocratique de son fils et successeur ALEXANDRE OBRENOVIĆ V (Belgrade 1876-*id.* 1903). Celui-ci instaure un régime d'arbitraire; son mariage morganatique et l'alliance qu'il signe de nouveau avec les Russes provoquent sa rupture avec le parti radical, appui de sa dynastie : le 11 juin 1903, le roi, la famille royale et les principaux ministres sont massacrés par des militaires. L'heure des Karadjordjević a de nouveau sonné.

O'BRIEN (William Smith), homme politique irlandais (Dromoland 1803-Bangor 1864). Adjoint d'O'Connell*, puis membre de la Jeune-Irlande, il essaya vainement, en 1848, de fomenter un soulèvement.

OBRIGHEIM, localité de l'Allemagne fédérale (Bade-Wurtemberg), sur le Neckar. Centrale nucléaire.

observatoire de Paris, établissement fondé en 1667 par Louis XIV et destiné à l'étude et à l'observation des phénomènes célestes et atmosphériques. Équipé de nombreux services de photographie, de spectroscopie et de recherches physiques, il coopère à l'établissement de la carte photographique du ciel, assure la transmission de l'heure par radio et est le siège du Bureau international de l'heure. Rattaché à l'observatoire de Paris, auquel il est réuni sous une même direction, l'observatoire de Meudon, installé en 1877, est spécialement consacré à l'étude du Soleil ainsi qu'à l'observation des planètes et des comètes.

OBSESSION. — Les obsessions sont des idées parasites qui font irruption n'importe quand dans la conscience et l'assiègent. Elles sont ressenties par le sujet, parfaitement conscient de leur caractère morbide, comme étrangères, absurdes ou incongrues. Elles prennent souvent la forme du doute : ruminations et interrogations portant sur des thèmes métaphysiques ou religieux (obsessions idéatives). Elles se rencontrent dans un grand nombre de maladies mentales, mais elles constituent le principal symptôme de la *névrose* obsessionnelle.* Dans cette affection, fréquentes sont aussi les craintes liées — comme les phobies* — à certains objets ou à certaines situations, mais qui surviennent en dehors même de la présence de ces objets ou de ces situations *(obsession phobique),* ou les impulsions qui incitent l'obsédé à commettre un acte absurde, un crime par exemple, ou à tenir des propos orduriers. L'obsessionnel lutte anxieusement contre tous ces phénomènes par toutes sortes d'interdictions, de renoncements, de subterfuges, véritables rituels conjuratoires fonctionnant sur le mode magique.

Pour les psychanalystes, les symptômes obsessionnels constituent des *formations réactionnelles* du Moi*, exigées par un Surmoi* très sévère pour lutter contre la fixation de la libido* au stade sadique anal*. Ainsi, la saleté et l'agressivité de tendances sadiques sont transformées en méticulosité, en scrupule, en moralisme dans la formation réactionnelle obsessionnelle. La complexité du cérémonial obsessionnel se constitue à partir de l'annulation et de l'isolation, mécanismes de défense* propres à cette névrose. L'*annulation* est un processus magique par lequel l'accomplissement d'un deuxième acte efface un premier non conforme au désir, alors que l'*isolation* consiste à dépouiller un événement de son retentissement émotionnel.

OBSOLESCENCE *(Écon.).* — On appelle « obsolescence » le fait, pour des actifs immobilisés, de perdre de leur valeur par suite de l'évolution de la technologie. Le remplacement des équipements non pas à l'identique mais par des matériels sans cesse plus perfectionnés est une conséquence de cette notion, qui ajoute ses effets à ceux, classiques, de l'usure. L'« obsolescence psychologique » (J. P. Dupuy et F. Gerin) est celle qui s'impose au consommateur lorsque, celui-ci étant possesseur d'un bien donné, l'apparition d'un bien de même nature mais aux *caractères accessoires* modifiés fait apparaître obsolescent le bien antérieur, alors que le nouveau bien aura, peut-être, des caractéristiques moins satisfaisantes que celles du précédent.

OBSTÉTRIQUE. — La plupart des problèmes techniques des accouchements* sont pratiquement résolus. Les chercheurs se penchent maintenant sur toutes les causes morbides affectant le futur être humain juste avant, pendant et juste après la naissance, qui sont pour une grande part responsables de handicaps.

OBTURATION. — L'insertion, dans une cavité dentaire convenablement préparée, d'un matériau adéquat permet de reconstituer la forme naturelle de la dent. Différentes matières sont utilisées : l'oxyphosphate de zinc, l'amalgame (composé de mercure et divers métaux) et l'or fin.

OBWALD → UNTERWALD.

OCAGNE (Maurice D'), mathématicien français (Paris 1862 - Le Havre 1938). Créateur des abaques à points alignés (1884), il fonda de toutes pièces la « nomographie », dont les applications s'étendent à tout ce qui peut être calculé.

O. C. A. M., sigle de l'*Organisation* commune africaine et mauricienne.*

O'CASEY (Sean), auteur dramatique irlandais (Dublin 1880 - Torquay, Devon, 1964). Il donna dans ses drames une image pathétique des luttes politiques et sociales qui agitèrent sa patrie (*l'Ombre d'un franc-tireur,* 1923; *la Charrue et les étoiles,* 1926; *la Coupe d'argent,* 1928), puis s'orienta vers un théâtre symbolique, par lequel il tenta de traduire les multiples aspects de la vie, mêlant poésie et burlesque, rêve et réalité (*Roses rouges pour moi,* 1942).

Bernand

O'Casey. Représentation, par le Théâtre de l'Est parisien, de *Coquin de coq* (festival d'Avignon, 1975; mise en scène de Guy Rétoré).

OCCAM (Guillaume D') → GUILLAUME D'OCCAM.

OCCIDENT *(empire d'),* partie occidentale de l'Empire romain. La séparation définitive *(partitio imperii)* entre l'empire d'Occident (capit. Rome) et l'empire d'Orient (capit. Constantinople) a lieu dans les années 395-410 : elle résulte de l'échec de Stilicon* (régent de 395 à 408), qui ne peut maintenir l'entente entre les deux jeunes empereurs Honorius* et Arcadius*, qui règnent depuis la mort de leur père, Théodose Ier*, l'un sur l'Occident, l'autre sur l'Orient. L'unité constitutionnelle de l'Empire subsiste cependant au Ve s.; mais l'opposition s'accentue entre les deux parties de l'Empire, inégalement touchées par les invasions barbares; et, tandis que l'empire d'Occident disparaît en 476 (v. BAS-EMPIRE), l'empire d'Orient, où se trouvent « toutes les forces vives de l'Empire » (P. Lemerle), survit jusqu'en 1453 (v. BYZANTIN [*Empire*]).

OCCITAN. — On appelle « occitan » ou « langue d'oc » ou « provençal » (au sens large) l'ensemble des dialectes du sud de la France, par opposition au groupe des dialectes du nord, qui constitue la langue d'oïl *(oc* et *oïl* étant les deux façons de dire *oui).* L'occitan a constitué au Moyen Âge une grande langue de civilisation, mais il n'a pu s'unifier du fait des circonstances historiques. Il a connu au XIXe s., avec le félibrige, une renaissance spectaculaire, qui se confirme actuellement dans l'affirmation d'une conscience régionale occitane (v. art. suiv.). Sa frontière septentrionale n'a guère varié depuis le Moyen Âge : il s'agit d'une ligne qui part de la Gironde, remonte au nord pour englober le Limousin et l'Auvergne, et qui s'infléchit ensuite vers le sud-est pour atteindre la frontière italienne au nord de Briançon. Cet ensemble présente trois grandes aires dialectales : le nord-occitan (limousin, auvergnat, provençal-alpin), l'occitan moyen, qui est le plus proche de la langue médiévale (languedocien et provençal au sens restreint), et le gascon (à l'ouest de la Garonne).

OCCITANE (littérature). — La littérature ancienne en langue d'oc du midi de la France (celle de la *Provincia romana*), qu'on la qualifie de « provençale », d'« occitane » ou de « limousine », remonte aux Xe-XIe s., avec des poèmes religieux *(Sur Boèce, Sainte Foi d'Agen)* et les vers profanes du comte de Poitiers, Guillaume IX. Dans le cours de cette littérature, brutalement interrompu par la croisade contre les Albigeois, on peut distinguer trois périodes : 1° une période d'unité (XIe-XVe s.), durant laquelle s'est partout écrite, sinon parlée, une langue littéraire homogène — c'est le temps de la poésie courtoise* et satirique des troubadours, puis de la « nouvelle », ou roman de mœurs *(Flamenca);* 2° une période de dispersion (XVIe-XVIIIe s.), marquée par le développement d'une grande variété de dialectes provinciaux ainsi que par l'œuvre poétique du Gascon Pey de Garros et celle du Toulousain Goudouli; 3° une période de redressement (XIXe-XXe s.), préparée par des travaux érudits et des œuvres solitaires (Fabre d'Olivet, Jasmin, La Fare-Alais, Victor Gelu), et consacrée par le félibrige* et l'école de Mistral*, dont le succès tend à identifier le phénomène de la langue et de la littérature d'oc au seul domaine provençal*. En réalité, et sans compter les conflits prosodiques ou idéologiques marqués par la fondation, contre les « Provençaux », de l'Escòla occitana (1919), de la Societat d'estudes occitans (1930), de l'Institut d'estudes occitans (1945), la poésie de langue d'oc n'est nullement inféodée au félibrige et témoigne depuis 1950 d'une vigueur et d'une diversité toutes particulières en Languedoc (Léon Teissier, Henri Chabrol, René Nelli, Max Rouquette, Léon Cordes, Robert Lafont, Yves Rouquette, Jean Larzac), en Quercy (Jules Cubaynes, Sylvain Toulze, Félix Castan), en Gascogne (Pierre Bec, Delfin Darion, Xavier Ravier), en Limousin (Jean Mouzat, Amédée Carriat, Roger Tenèze), en Périgord (Marcel Fournier, Bernard Lesfargues), en Roussillon (Edmond Brazès, Antoine Cayrol). Plus tardif, le roman occitan, qui ne compte guère pendant deux siècles que quelques œuvres notables (*Vie de Jean-on-l'a-pris,* 1762, de l'abbé J.-B. Favre; *Noël Granet,* 1856, de Gelu; *la Bête du Vacarès,* 1926, de Joseph d'Arbaud), s'épanouit avec les récits de Jean Mouly (*Et le buisson fleurit,* 1948) et de Jean Boudou, avant d'entrer de plain-pied dans la modernité avec Robert Lafont (*Joan Larsinhac,* 1951), Bernard Manciet, Jean-Pierre Tennevin.

OCCLUSION INTESTINALE. — Cet arrêt du transit intestinal est marqué par quatre signes cliniques : les douleurs abdominales, variables dans leur siège et leur intensité; les vomissements, abondants ou remplacés par un état nauséeux, l'arrêt des matières et des gaz, plus ou moins précoce; le météorisme abdominal (gonflement), immobile ou animé de mouvements péristaltiques. La radiographie sans préparation de l'abdomen, en montrant des niveaux hydroaériques, permet de confirmer le diagnostic. Les causes les plus fréquentes de l'occlusion intestinale sont : chez le nouveau-né, les malformations intestinales (atrésie intestinale, imperforation anale); chez le nourrisson, l'invagination intestinale aiguë; chez l'enfant, une appendicite compliquée; chez l'adulte, une torsion d'anse intestinale sur bride cicatricielle ou inflammatoire ou autour de son axe vasculaire (volvulus); ou encore une obstruction par tumeur ou corps étranger. Chez le vieillard, il peut s'agir d'une paralysie de la musculation intestinale d'iléus biliaire (par calcul biliaire), ou plus souvent, d'obturation par tumeur maligne.

OCCULTISME. — Alphonse Louis Constant (1810-1875), plus connu sous le pseudonyme d'Eliphas Lévi, a été l'inventeur de ce mot. À partir de 1890, sous l'influence d'Eliphas Lévi, divers littérateurs, comme Stanislas de Guaïta (1861-1897) dans son

Temple de Satan (1891) ou Joséphin Péladan (1859-1918), tentent de rénover le spiritualisme catholique en le reliant à l'occultisme et au rosicrucianisme, tels qu'ils l'imaginent. Plus digne d'intérêt, le docteur Gérard Encausse (1865-1916), alias Papus, apporte une synthèse nouvelle, qu'annonce son *Traité élémentaire de science occulte* (1888); sa revue *l'Initiation* (1888-1914) accueille les principaux représentants des écoles « occultistes » et des milieux littéraires du « symbolisme* », comme Jollive-Castelot, Albert Poisson, Albert Jounet, etc. L'influence du mouvement occultiste français sur Huysmans*, Mallarmé*, Villiers de L'Isle-Adam a été incontestable.

O. C. D. E., sigle de l'*Organisation de coopération et de développement économique* → ORGANISATIONS INTERNATIONALES.

OCÉAN, OCÉANOGRAPHIE et **OCÉANOLOGIE.** — Les océans occupent 71 p. 100 de la superficie de la planète. On distingue trois océans : le Pacifique*, l'Atlantique* et l'océan Indien*, auxquels s'ajoutent de nombreuses mers en bordure des continents, qu'elles pénètrent plus ou moins profondément. Leur étude, essentielle dans la connaissance de la Terre, exige des moyens d'investigation particuliers. Elle est l'objet de l'*océanographie* (ensemble des recherches d'ordres physique, chimique et naturel, dont le domaine est l'eau marine et les fonds océaniques*) et de l'*océanologie* (ensemble des connaissances, des études et des techniques relatives à l'océan et à son utilisation). Ces sciences ont beaucoup progressé grâce aux récentes améliorations techniques. La connaissance du plancher océanique passe par les sondages sismiques, les dragages et les forages sous-marins. Les navires océanographiques effectuent également des prélèvements d'eau, mesurent la force et la direction des courants, etc. Des appareils tels que les scaphandres, les cloches à plongée et les sous-marins permettent l'exploration directe des fonds. Dans les différents pays, les recherches océanographiques sont concentrées dans de grands organismes, tels que le C. N. E. X. O. (Centre national pour l'exploitation des océans) en France ou la Scripps Institution of Oceanography aux États-Unis. (V. aussi OCÉANIQUES [*fonds*].)

• *Composition et température de l'eau de mer.* L'eau de mer contient en moyenne 35 g/l de sels dissous, le plus abondant étant le chlorure de sodium. Mais la salinité varie avec la température : plus forte dans les zones tropicales, elle diminue vers les pôles, où l'évaporation est faible. L'eau de mer contient également des gaz dissous en proportions variables, en particulier de l'oxygène, indispensable à la vie sous-marine. En surface, la température des eaux marines dépend du climat et est donc sensible aux variations saisonnières; elle diminue des régions tropicales vers les pôles, où la mer peut geler. Mais, en profondeur, elle se stabilise vers 3 000 à 4 000 m, où elle atteint environ 4 °C. Moins sensibles aux écarts de température que les continents, les océans exercent un rôle de régulateur thermique à l'échelle du globe.

OCÉANIE, une des cinq parties du monde; 8 970 000 km²; 22 millions d'hab. *(Océaniens).*

Le moins étendu des continents se distingue également par sa configuration particulière : en dehors de l'Australie, véritable microcontinent, puisqu'elle représente à elle seule près de 85 p. 100 de la superficie totale, il est constitué par une multitude d'îles dispersées dans le Pacifique. On distingue généralement trois ensembles, correspondant essentiellement à des divisions ethnographiques : la *Mélanésie,* avec notamment la Nouvelle-Guinée, la Nouvelle-Calédonie, les Bismarck, les Salomon, les Fidji et les Nouvelles-Hébrides; la *Micronésie,* avec les Mariannes, les Carolines, les Marshall, les Palaos et les Gilbert; la *Polynésie* avec la Nouvelle-Zélande, les Samoa, les Hawaii, les Tonga, les Ellice, les Phœnix et la Polynésie française.

Si l'on excepte les grandes îles, Nouvelle-Guinée, Nouvelle-Zélande et surtout Australie, fragment de l'ancien socle de Gondwana dérivé vers l'est, la structure géologique permet de distinguer deux types. Les îles occidentales (Mariannes, Tonga, Kermadec, etc.) correspondent à des chaînes montagneuses en cours de surrection. Elles sont constituées de roches sédimentaires plissées, et les manifestations volcaniques y sont intenses. Limitées par de profondes fosses océaniques, ces îles se rattachent à la ceinture de feu du Pacifique. Les îles orientales (Hawaii, Marshall, Tahiti, etc.) correspondent, elles, à de grands édifices volcaniques construits sur les planchers océaniques. Parfois ce ne sont pas les volcans eux-mêmes qui émergent, mais des constructions coralliennes formant des atolls.

En dehors de l'Australie et de la Nouvelle-Zélande, qui atteignent la zone tempérée, les îles jouissent d'un climat tropical. L'exposition locale peut engendrer d'importantes variations, opposant notamment un versant au vent, humide, et un versant sous le vent, plus sec. Les cyclones sont fréquents et dévastateurs. La faune et la flore sont marquées par l'abondance des espèces endémiques, qu'explique l'insularité.

Le peuplement et l'économie permettent d'individualiser l'Australie et la Nouvelle-Zélande, peuplées en majorité d'Européens (les indigènes ayant été refoulés dans les régions les moins hospitalières) et qui forment des États indépendants, dont le développement industriel et le niveau de vie sont comparables à ceux des pays occidentaux. Dans les autres îles, malgré la colonisation européenne et l'immigration asiatique, les populations autochtones (Mélanésiens et Polynésiens) restent prépondérantes. Elles continuent à pratiquer le genre de vie traditionnel, fondé sur la cueillette, la pêche côtière et la culture du cocotier. Mais le genre de vie a été en partie modifié par les Européens, à l'origine notamment du développement de cultures commerciales (caféier, bananier, ananas, etc.) et de l'exploitation des richesses minières, localement abondantes (phosphates de Nauru, nickel de Nouvelle-Calédonie). La situation des îles au cœur du Pacifique explique leur rôle d'escale aérienne et parfois de bases stratégiques pour les États dont elles dépendent politiquement (essentiellement États-Unis, France et Grande-Bretagne). Le tourisme se développe localement (Hawaii, Tahiti). Cependant, le frein essentiel au développement de l'Océanie demeure l'émiettement des îles et l'éloignement des pays occidentaux, ce qui pénalise les échanges commerciaux.

BEAUX-ARTS. Malgré la diversité stylistique, l'art témoigne d'une unité de pensée, et la division géographique n'est utilisée que dans un dessein de simplification. Liens entre le monde des morts et celui des vivants, les créations artistiques traduisent l'angoisse de l'au-delà et unissent le mythe à la vie quotidienne.

• *Mélanésie.* Elle possède les centres artistiques les plus importants, parmi lesquels la Nouvelle-Guinée, dont la production est inspirée par l'étroite symbiose entre vivants et morts. Objets de la vie quotidienne et instruments cérémoniels sont ornés avec un réalisme saisissant ou une schématisation abstraite (massues de pierre ronde, sculptées en tête de diamant, boucliers, haches-ostensoirs de Nouvelle-Calédonie, transparentes et au manche soigneusement décoré). Coquillages, dents d'animaux et cheveux accentuent l'étrangeté des masques en bois ou en vannerie, rehaussés de

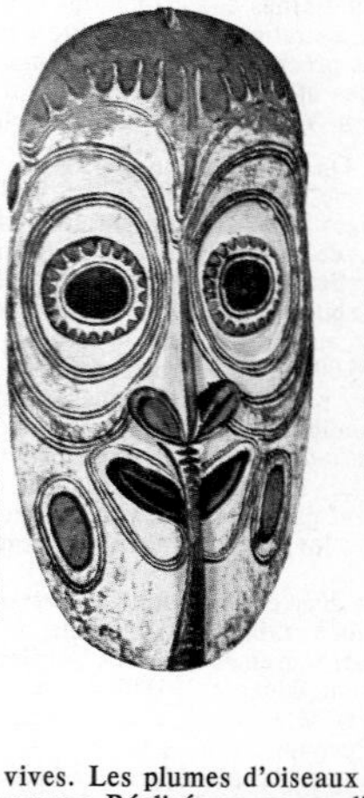

Field Museum of Natural History, Chicago

Océanie.
Tête de pignon d'une case monumentale. Région du moyen Sepik, Nouvelle-Guinée orientale. (Field Museum of Natural History, Chicago.)

couleurs vives. Les plumes d'oiseaux sont abondamment utilisées pour les parures. Réalisée au moyen d'herminettes à lame de pierre ou de coquille, la sculpture — en dehors des tambours monumentaux des Nouvelles-Hébrides, de la vaisselle de bois, des proues et des poupes de pirogues ainsi que des masques — se déploie dans l'ornementation des grandes cases communautaires des Nouvelles-Hébrides, sur les pignons de celles de Nouvelle-Guinée et sur les charpentes de celles de Nouvelle-Calédonie. Pratiquée de nos jours aux seules îles Fidji, la poterie existait aux Nouvelles-Hébrides il y a deux ou trois millénaires. Les habitants de la vallée du Sepik ont créé des œuvres sculptées et peintes qui seront une révélation pour les surréalistes.

• *Micronésie.* Moins abondante, mais remarquable par la pureté de ses formes, la sculpture s'y manifeste, comme en Mélanésie, sur les poteaux de soutènement et au faîtage des cases ainsi que dans la vaisselle de bois, rehaussée d'inscrustations de nacre. Les plus beaux décors de pirogues sont ceux des îles Carolines. Les tatouages rappellent ceux de Polynésie. Les *tapas* (tissus de papier obtenus par collage et martelage des écorces d'arbre) sont ornés de motifs géométriques souvent réalisés par tressage des fibres.

• *Polynésie.* La sculpture sur bois y est moins abondante qu'en Mélanésie, et celle sur pierre est destinée aux enclos sacrés (île de Pâques*). Armes, outils et instruments rituels sont finement gravés. Les frontons des cases de Nouvelle-Zélande et les poteaux de soutènement, peints en rouge, sont le support d'un répertoire décoratif complexe, constitué de personnages mythiques. La Polynésie possède en effet une cosmogonie et un symbolisme très compliqués, qu'évoquent les extraordinaires enchevêtrements de spirales des tatouages, des crânes surmodelés et des pirogues des Maoris. L'un des motifs courants, le *tiki,* représente le premier homme de la Terre. Tout comme celui des Maoris, l'art des îles Marquises est servi par la virtuosité technique, et le dessin incisé tend à envahir l'objet. Les îles de Tahiti et d'Hawaii se distinguent par des vêtements cérémoniels, véritables chefs-d'œuvre de mosaïques de plumes. Répandus dans toute la Polynésie, les *tapas* de grande taille y sont signe de prestige. Les motifs sont peints ou obtenus par estompage ou impression d'objets. La parure et le tatouage sont très élaborés dans tout l'archipel.

• *Australie.* Le nord de l'île ne semble pas ignorer les créations de Nouvelle-Guinée, mais, malgré cet ascendant, conserve sa propre symbolique. La création artistique est essentiellement constituée par des peintures rupestres (les plus anciennes [grotte de Koonalda] remontent à 20 000 ans), des gravures et des sculptures. Des motifs curvilignes ou linéaires, encadrant des silhouettes humaines ou des animaux totémiques, symbole d'un clan, se retrouvent sur les barques, les coquillages, les plaques de bois et d'écorce ainsi que sur des pierres allongées, dites *churingas* ou *tjurungas,* objets sacrés réservés aux initiés. Éphémères, les dessins sur le sable sont l'une des manifestations artistiques participant du rituel magique et religieux de ces populations nomades, qui n'ont pas dépassé le stade de la pierre polie (outillage de type moustérien associé à une pointe lancéolée digne du néolithique européen), mais dont l'organisation sociale et religieuse s'avère d'une extrême complexité, et dont le symbolisme est très poussé.

Océanie *(Établissements français de l'),* nom donné en 1885 à la colonie correspondant à l'actuelle Polynésie* française.

OCÉANIQUE (climat). — Il affecte les façades occidentales des continents de la zone tempérée. Il est marqué par l'influence maritime. La mer exerce une influence adoucissante sur les températures : les amplitudes diurnes et saisonnières (hivers doux, étés frais) sont faibles. Elle entretient une humidité permanente, qui explique l'abondance des précipitations, avec un maximum en saison froide. À proximité des côtes, la violence du vent empêche la croissance des arbres, et la végétation naturelle est la lande.

OCÉANIQUES (fonds). — On distingue quatre grands types de reliefs sous-marins.
Les continents sont prolongés sous la mer par une *plate-forme* continentale, peu profonde, de pente faible, dont la largeur est d'autant plus grande que le relief qu'elle borde est peu élevé. Cette plate-forme correspond à la zone bathyale. Par un talus continental à pente plus forte, souvent entaillé de canyons, elle passe aux *plaines abyssales,* de 3 000 à 5 000 m de profondeur, qui constituent l'essentiel de la superficie des planchers océaniques et s'ordonnent en bassins séparés par des seuils. Ces plaines sont accidentées par des *dorsales,* ou *rides médio-océaniques,* véritables chaînes de montagnes sous-marines qui dominent les plaines d'environ 3 000 m; ces dorsales émergent parfois en îles et parcourent le fond des océans sur 65 000 km de long, leur largeur moyenne étant de 1 500 km.

Les dorsales sont souvent décalées par des failles transversales et accidentées par une vallée axiale longitudinale, le rift, qui correspond à un fossé d'effondrement. Enfin, localement, des *fosses océaniques,* qui peuvent dépasser 10 000 m de profondeur (– 11 022 m dans la fosse des Mariannes), s'ouvrent en contrebas des chaînes de montagnes récentes.

Du point de vue géologique, la plate-forme continentale est constituée de croûte continentale, mais ailleurs, sous une épaisseur plus ou moins grande de sédiments, on trouve la croûte océanique, de nature basaltique. La théorie des plaques* a apporté une explication globale à la disposition du relief sous-marin.

OCÉANOGRAPHIE, OCÉANOLOGIE → OCÉAN.

OCELLE. — Les arthropodes adultes dépourvus d'yeux composés (arachnides, certains myriapodes) possèdent le plus souvent des organes visuels simples, les ocelles. Ceux-ci, situés au-dessus de la tête chez le scorpion, ont la structure d'une facette de l'œil composé, mais une taille beaucoup plus grande. Certains insectes (abeille par exemple) disposent, entre leurs yeux composés, de trois ocelles, disposés en triangle sur le front et dont la fonction est, peut-être, de percevoir le plan de polarisation de la lumière.

OC-ÈO, anc. port du royaume du Fou-nan, situé au sud de la péninsule indochinoise et qui semble avoir prospéré du Ier au VIIe ou VIIIe s. Fouillé en 1944, ce site s'avéra de première importance pour l'étude du Sud-Est asiatique, attestant des relations commerciales avec Rome, l'Iran sassanide, l'Inde et la Chine, et l'existence d'un fertile artisanat local.

OCH, v. de l'U. R. S. S. (Kirghizistan), dans la Fergana; 120 000 hab. Centre cotonnier.

OCHS (Pierre), homme politique suisse (Nantes 1752 - Bâle 1821). Chancelier d'État, il est chargé par Bonaparte de préparer la Constitution de la République helvétique (1797). Directeur, il est écarté dès 1799; mais il participe en 1803 à la consulte réunie à Paris pour l'Acte de médiation.

OCKEGHEM ou **OKEGHEM** (Johannes), compositeur flamand (en Flandre v. 1425 - Tours 1497). Au service de la cour de France, auteur de messes, de motets et de chansons, il est à la source d'une école polyphonique européenne qui s'étendra jusqu'à la fin du XVIe s. Il fut le maître de Josquin Des Prés.

O'CONNELL (Daniel), homme politique irlandais (près de Cahirciveen 1775 - Gênes 1847). Descendant d'aristocrates irlandais dépossédés par les Anglais, avocat catholique, il met son talent au service de la cause nationale; sa popularité, immense, lui vaut le titre de « Libérateur ». À la tête de la Catholic Association, fondée en 1823, il pratique à l'égard des Anglais la résistance passive. Bien qu'inéligible, il est élu triomphalement député en 1828 : Londres transige alors, et O'Connell peut alors développer sa lutte, dans le cadre parlementaire, contre l'Union. Lord-maire de Dublin (1841), il déçoit les cadres nationalistes en cédant aux exigences anglaises en matière de réunion (1843-44). Il lance alors (1845) la Jeune-Irlande, mouvement révolutionnaire et romantique, mais il ne peut rien contre la misère et la famine qui déciment son pays.

O'CONNOR, illustre famille d'Irlande, qui régna sur le Connacht et dont plusieurs membres accédèrent à la dignité d'Árd Rí. RORY **O'Connor** (1116-1198), fils de l'Árd Rí Turloch O'Connor (1088-1156) et roi de Connacht (1156-1186), fut le dernier Árd Rí d'Irlande. Vaincu par Richard Strongbow, il signa le traité de Windsor (1175), qui reconnaissait la suzeraineté d'Henri II Plantagenêt sur l'Irlande, et tenta en vain de restaurer l'indépendance de son pays sous la régence du prince Jean.

OCTANE. — L'octane normal $CH_3(CH_2)_6CH_3$, à chaîne linéaire, est un liquide incolore qui bout à 125 °C.

OCTANE (indice d'). — On exige des moteurs* à essence des performances de plus en plus élevées. Cette évolution est limitée, en ce qui concerne le taux de compression, par l'autoallumage et la détonation prématurée et brutale du mélange carburant, phénomène perçu par une perte de puissance accompagnée d'un bruit caractéristique, le *cliquetis.* La qualité antidétonante d'une essence se mesure dans un moteur de laboratoire, monocylindrique à compression réglable, en comparant le cliquetis obtenu avec celui de deux carburants de référence : l'isooctane, très antidétonant, auquel on attribue par définition la valeur 100, et l'heptane normal, très détonant, dont l'indice est nul. L'indice d'octane de l'essence ordinaire est 91 et celui du supercarburant 98, tandis que celui de l'essence pour avions atteint 100/130 (respectivement en carburation pauvre et riche).

OCTAVE *(Mus.)* → THÉORIE MUSICALE.

OCTAVE, nom d'Auguste* avant son adoption par César.

OCTAVIE, en lat. **Octavia** (v. 70-11 av. J.-C.), sœur d'Auguste. De son premier mari, C. Claudius Marcellus (consul en 50), elle eut un fils, M. Claudius Marcellus, qu'Auguste destinait à l'Empire et maria à sa fille Julie*. En 40, elle épousa Antoine*, qui la répudia en 32.

OCTAVIE, en lat. **Octavia** (v. 42-62 apr. J.-C.), impératrice romaine, fille de Claude et de Messaline, sœur de Britannicus. Sur les instances d'Agrippine, elle épousa le futur Néron (53), qui la répudia pour épouser Poppée* (62). Elle fut ensuite exilée dans l'île de Pandateria et assassinée.

OCTAVIEN, en lat. **Octavianus,** nom pris par Octave* après son adoption par César. En passant, par adoption, dans la maison julienne, Octave (Caius Octavius) acquit le nom de *Caius Julius Caesar Octavianus.*

OCTET. — Le bit, qui est l'unité d'information* élémentaire, est une quantité trop petite, difficile à manier. On lui a rapidement substitué l'*octet,* qui est un groupe de 8 bits. La valeur d'un octet peut être représentée en notation binaire (par exemple 10110110), ou en notation héxadécimale* (B6). Un octet peut prendre 2^8, soit 256 valeurs différentes. Dans la pratique, il peut contenir deux chiffres décimaux, un caractère alphanumérique ou une valeur binaire quelconque de 0 à 255. Les capacités de mémoires* sont très souvent exprimées en octets ou en multiples de 1 024 octets, appelés K. Ainsi, une mémoire centrale de 128 K contient 131 072 octets ou encore 1 048 576 bits.

OCTEVILLE (50130), ch.-l. de cant. de la Manche, dans la banlieue sud de Cherbourg; 16 071 hab.

Octobre *(révolution d')* → RÉVOLUTION RUSSE DE 1917.

octobre 1789 *(journées des 5 et 6),* journées révolutionnaires, causées par le chômage et le renchérissement du pain (à Paris notamment), ainsi que par les rumeurs d'un transfert de l'Assemblée nationale de Versailles à Paris. L'intervention massive de la population parisienne obligea le roi et sa famille puis l'Assemblée à s'installer à Paris, qui redevenait ainsi effectivement la capitale de la France et le moteur de la Révolution.

OCTOCORALLIAIRES. — C'est aux huit tentacules de leurs polypes que ces cœlentérés coloniaux doivent leur nom. Pour le reste, ils sont des plus divers. C'est parmi eux que se classe le corail* rouge, en compagnie des gorgones*, des alcyons, des pennatules, etc.

OCTOPODES → CÉPHALOPODES.

OCTROI. — Institué en France à la fin du XIIIe s., l'octroi était une taxe perçue à l'entrée des villes, au profit des municipalités, sur certaines denrées ou objets destinés à la consommation locale. Supprimé par la Constituante (1791), rétabli sous le Directoire et le Consulat, il fut, durant tout le XIXe s., source de recettes pour les communes. Il a été définitivement supprimé en 1948.

OCTUOR → SONATE.

OCULAIRE. — L'oculaire le plus simple est une lentille convergente, qui joue le rôle d'une loupe pour examiner l'image donnée par l'objectif. Mais on utilise plutôt des groupes de deux lentilles, qui forment un oculaire positif ou négatif selon que l'image objective sert pour eux d'objet réel ou virtuel. L'oculaire de Galilée est une simple lentille divergente.

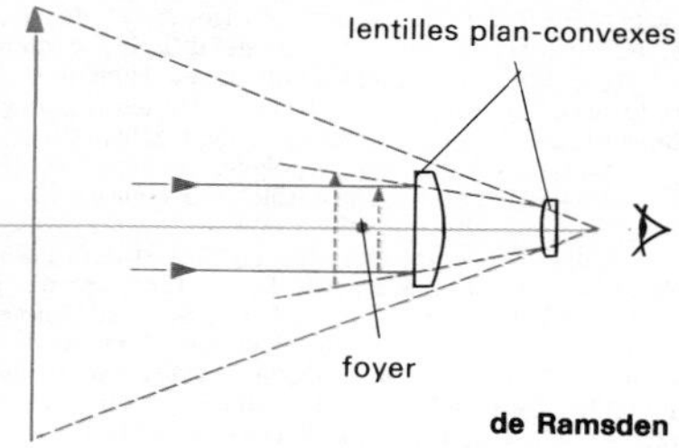

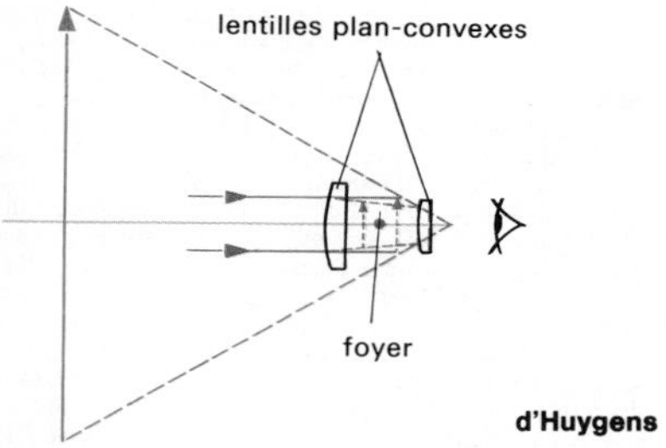

Dans un microscope ou une lunette astronomique, on nomme *cercle* ou *anneau oculaire* l'image réelle de l'objectif donnée par l'oculaire. Ce petit cercle brillant marque la place que doit occuper la pupille de l'œil pour voir l'ensemble du champ de l'instrument.

OCYTOCINE → HYPOPHYSE.

ODA NOBUNAGA, homme politique japonais (Owari 1534-Kyōto 1582). Ayant obligé le dernier des shōgun Ashikaga à abdiquer (1573), il devient le chef effectif du gouvernement, unifiant le Japon par l'organisation d'un gouvernement centralisé, favorisant le christianisme et les relations avec l'Occident. Une rébellion l'accule au suicide.

ODAWARA, v. du Japon (Honshū), au S.-O. de Yokohama; 157 000 hab.

ODE. — L'ode est chez les Anciens un poème chanté, de forme variée selon la nature de l'inspiration lyrique. Elle apparaît à Lesbos dès le VIIe s. av. J.-C., avec Alcée et Sappho, sous forme de chansons guerrières ou d'amour accompagnées de la lyre et divisées en couplets de quatre vers. Plus légère, l'*odelette* d'Anacréon (VIe s. av. J.-C.) offre le modèle de la chanson gracieuse, que pasticheront les *Odes anacréontiques* de l'*Anthologie palatine.* L'ode solennelle est représentée par les *épinicies,* ou *odes triomphales* en l'honneur d'athlètes vainqueurs, de Bacchylide et de Pindare (Ve s. av. J.-C.), dont l'unité rythmique s'élargit dans la *triade,* formée d'une *strophe* et d'une *antistrophe* de même rythme, suivies d'une *épode* de rythme différent.

À Rome, Horace reproduit dans ses odes les formes du lyrisme éolien, mais le genre est désormais indépendant de toute composition musicale. L'ode est introduite en France par les poètes de la Pléiade, mais c'est Malherbe qui crée la grande strophe lyrique française. Le XVIIIe s. ne sait pas soutenir le ton héroïque de l'ode, malgré Jean-Baptiste Rousseau et Écouchard Lebrun. Le romantisme favorise la renaissance du genre, qui prend avec Hugo une forme plus souple et qui se prolonge dans les fantaisies de Théodore de Banville *(Odes funambulesques),* la virtuosité de Valéry, le lyrisme mystique de Claudel *(Cinq Grandes Odes).*

ODENATH ou **ODEYNAT** (Septimius), prince de Palmyre († 266 ou 267). Chargé par Gallien* de la défense de l'Orient, il lutta avec succès contre le roi sassanide Châhpuhr Ier, lui prenant la Mésopotamie et assiégeant Ctésiphon : ainsi, « il rétablit la situation de Rome » *(Histoire Auguste)* et reçut le titre de « correcteur de tout l'Orient ». Sa femme, Zénobie*, lui succéda.

ODENSE, port du Danemark, ch.-l. de l'île de Fionie; 167 000 hab. Cathédrale du XIIIe s. Industries alimentaires et métallurgiques.

ODENWALD, massif montagneux de l'Allemagne fédérale, dans le sud de la Hesse, dominant la vallée du Rhin; 626 m.

Odéon *(théâtre de l'),* théâtre fondé à Paris en 1797, incendié et réédifié deux fois, et qui devint en 1841 le second théâtre national. Annexé en 1946 à la Comédie-Française sous le nom de *Salle Luxembourg,* il reprit son autonomie en 1959, comme *Théâtre de France,* sous la direction de J.-L. Barrault, puis devint en 1971 le *Théâtre national de l'Odéon.*

ODER, en polon. **Odra,** fl. de l'Europe centrale; 848 km. Né en Tchécoslovaquie (Moravie) et arrosant Ostrava, il draine le sud-ouest de la Pologne, passant notamment à Wrocław, et, en aval du confluent de la Neisse, forme la frontière entre la Pologne et l'Allemagne orientale, avant de rejoindre la Baltique dans le golfe de Szczecin (en aval de cette ville).

Oder-Neisse *(ligne),* limite occidentale de la Pologne fixée par les Alliés lors des accords de Potsdam (1945). Considérée d'abord comme une frontière provisoire, la ligne Oder-Neisse constituait un déplacement de la Pologne vers l'O. aux dépens de l'Allemagne. Elle fut reconnue progressivement comme une frontière définitive par la plupart des pays, y compris l'Allemagne occidentale en 1970.

Odes d'Horace, composées à partir de 30 av. J.-C. L'auteur imite Alcée, Sappho et Pindare.

Odes de Ronsard (1550-1552), poésies tantôt solennelles, tantôt familières, qui s'inspirent de la poésie antique.

Odes et Ballades, recueil de poésies lyriques de V. Hugo (1822). Encore classiques de forme, mais de thèmes romantiques, elles s'inspirent des *lieder* allemands et des légendes médiévales.

Odes funambulesques, recueil poétique de Th. de Banville (1857).

ODESSA, v. de l'U. R. S. S., dans le sud de l'Ukraine; 892 000 hab. Principal port soviétique sur la mer Noire. — Catherine II fit construire en 1792-93 la forteresse autour de laquelle s'édifia la ville, qui prit le nom d'« Odessa » en 1795. Dans la seconde moitié du XIXe s., Odessa devint le second port de l'Empire russe grâce à l'exportation des céréales. La ville a beaucoup souffert des destructions de la guerre civile (oct. 1917-mai 1920) et de l'occupation allemande (oct. 1941-avr. 1944).

ODESSA, v. des États-Unis, dans l'ouest du Texas; 81 000 hab.

Odes triomphales, de Pindare → ÉPINICIES.

ODET, fl. de la Bretagne occidentale, qui rejoint l'Atlantique en aval de Quimper; 56 km.

ODILE *(sainte),* abbesse (VIIe s.). Selon la tradition, Odile, née aveugle, fut guérie à la suite de son baptême. Elle devint abbesse d'un monastère fondé sur le Hohenburg, devenu le mont Sainte-Odile : c'est un des hauts lieux de l'Alsace.

ODILON *(saint)* [962-Souvigny 1048]. Cinquième abbé de Cluny* (994), Odilon prend figure de véritable chef de la chrétienté médiévale, les papes comme les princes suivant ses conseils. À la féroce société féodale, il impose la « trêve de Dieu ». On lui doit aussi l'institution de la fête des Morts, le 2 novembre.

ODIN → WOTAN.

ODOACRE (v. 434-Ravenne 493), roi des Hérules. Il devient chef de l'armée « romaine », alors composée d'Hérules, de Skires et de Ruges, qui se soulèvent en 476 en réclamant le statut fédéré. Élu roi par ses troupes, il dépose l'empereur d'Occident Romulus* Augustule et renvoie à Constantinople les insignes impériaux (476); ce faisant, il met fin à la fiction d'un Empire romain d'Occident et rétablit l'unité de l'Empire au profit de l'empereur d'Orient Zénon*, qui le nomme patrice. Durant quatorze ans, il gouverne l'Italie en maître absolu. Inquiet de sa puissance grandissante, Zénon envoie contre lui Théodoric*, qui l'assiège dans Ravenne et le contraint à capituler (493).

ODON *(saint),* abbé de Cluny (dans le Maine v. 879-Tours 942). Deuxième abbé de Cluny*, il donne à la vie clunisienne son véritable caractère, appliquant la réforme de son ordre à de nombreuses abbayes bénédictines.

ODONATES → LIBELLULE.

ODONTOME → DENT.

ODONTOSTOMATOLOGIE. — Cette discipline, exercée par les chirurgiens-dentistes et par les médecins stomatologistes, étudie le système dentaire et ses annexes osseuses. Elle assure la prévention ainsi que le traitement médical et chirurgical (orthopédie dentofaciale) des lésions pouvant l'atteindre.

ODORAT. — La fonction d'identification des molécules véhiculées par le milieu vital (air ou eau) ou émises en surface par les fleurs, les aliments, les excréments, les diverses espèces d'animaux, etc., est l'*olfaction.* En milieu aquatique, elle est nommée plutôt *flair olfactif;* en milieu aérien, c'est l'odorat proprement dit. Chez les invertébrés, celui-ci siège en des sites organiques assez variés : base des antennules des crustacés, antennes des insectes, etc. Chez les vertébrés, la tête porte une paire de capsules olfactives en rapport avec les lobes olfactifs de l'encéphale. Chez les vertébrés supérieurs, généralement terrestres, la surface olfactive s'intègre aux voies respiratoires supérieures (narines). Le monde sensoriel (environnement, au sens strict du mot) des animaux est essentiellement olfactif : c'est à l'odeur qu'un animal identifie ses proies, ses prédateurs, ses rivaux, son partenaire sexuel, ses compagnons habituels; c'est d'après leur odeur qu'il choisit ses aliments végétaux et qu'il évite les espèces toxiques. Le nombre d'odeurs différentes ainsi discernées dépasse souvent le millier; le discernement qualitatif d'odeurs voisines dépasse les possibilités de l'analyse chimique en laboratoire, et la sensibilité quantitative atteint un seuil physiquement insurpassable quand *une seule* molécule réelle suffit à informer l'animal, ce qui n'est pas rare. L'homme est, à cet égard, le moins doué des animaux.

ODRA, nom polonais de l'ODER.

ODUBER QUIRÓS (Daniel), homme d'État costaricien (Cartago 1921). Candidat du parti de libération nationale (centre gauche), il est président de la république de Costa Rica de 1974 à 1978.

Odyssée *(l'),* poème en vingt-quatre chants, attribué, comme *l'Iliade,* à Homère. Tandis que Télémaque va à la recherche de son père (chants I-IV), Ulysse, recueilli après un naufrage par Alcinoos, roi des Phéaciens, raconte ses aventures depuis son départ de Troie (chants V-XIII) : il est passé du pays des Lotophages à celui des Cyclopes, a séjourné dans l'île de Circé, navigué dans la mer des Sirènes, entre Charybde et Scylla, et a été pendant des années retenu par Calypso. La troisième partie du poème (chants XIV-XXIV) raconte son arrivée à Ithaque et la ruse qu'il dut employer pour se débarrasser des prétendants qui courtisaient sa femme, Pénélope.

O. E. A., sigle de l'*Organisation* des États américains.*

ŒBEN (Jean François), ébéniste français d'origine allemande (Ebern, Franconie, av. 1720-Paris 1763). Il émigre jeune à Paris et épouse la fille de l'ébéniste François Vandercruse. Installé comme ébéniste du roi aux Gobelins en 1754, à l'Arsenal en 1756, bon mécanicien, il est l'auteur de nombreux meubles à machineries (tables à transformations). Son chef-d'œuvre est le bureau de Louis XV (Versailles), décoré de marqueterie et de bronzes, dont le dispositif de fermeture par un volet fait de lattes parallèles fut achevé après sa mort par un de ses auxiliaires, Riesener*.

ŒCOLAMPADE (Johannes HAUSSCHEIN, dit), réformateur allemand (Weinsberg 1482-Bâle 1531). Humaniste lié avec Érasme*, il est en 1523 professeur à Bâle, où il organise l'Église suivant les principes de la Réforme*. Dans la controverse sur la réalité de la présence eucharistique, qui oppose Luther* et Zwingli*, il essaie de rapprocher les deux réformateurs tout en se situant dans l'interprétation spirituelle de Zwingli (v. EUCHARISTIE).

ŒCUMÉNISME. — À l'origine de l'œcuménisme contemporain, il y a la conférence internationale des missions (Édimbourg, 1910), groupant les représentants des diverses confessions protestantes pour éviter la dispersion des efforts. Puis naissent les mouvements *Life and Work* (1925) et *Faith and Order* (1927), noyaux du Conseil œcuménique des Églises (1948), dont le siège est à Genève et qui groupe un grand nombre de confessions protestantes ainsi que la plupart des orthodoxes orientaux. Longtemps étrangère au mouvement œcuménique, l'Église catholique, sous Jean XXIII, multiplie les contacts avec les non-catholiques et les non-chrétiens; lors du deuxième concile du Vatican (1962), le pape invite des observateurs non catholiques. Le schéma conciliaire *De œcumenismo,* voté le 21 novembre 1964, manifeste un changement considérable dans l'optique de Rome vis-à-vis des autres chrétiens.

ŒDÈME. — Cette infiltration de sérosité dans les tissus de l'organisme peut avoir une cause mécanique, qui est une gêne dans la circulation de retour du sang vers le cœur (insuffisance cardiaque, phlébites, lymphangites), ou une cause physicochimique, qui modifie l'équilibre entre le sang et les tissus au niveau de la paroi des capillaires. L'*œdème sous-cutané* se manifeste par un gonflement de la peau et des tissus sous-jacents. Il s'observe dans les inflammations aiguës (abcès), les affections allergiques (urticaire, œdème de Quincke), etc. L'*œdème des muqueuses* est fréquent au cours des syndromes inflammatoires aigus (nez, larynx). L'*œdème aigu du poumon* se traduit par une dyspnée brutale, intense, une expectoration abondante, mousseuse, l'envahissement des poumons par des râles crépitants.

ŒDIPE, héros de la légende grecque, fils de Laïos, roi de Thèbes, et de Jocaste (Épicaste pour Homère). L'oracle de Delphes ayant prédit à son père que son fils serait son meurtrier et l'amant de sa mère, il le fit abandonner sur une montagne, mais l'enfant, recueilli par des bergers, fut élevé par le roi de Corinthe. Adulte, Œdipe se rendit à Delphes pour consulter l'oracle sur le mystère de sa naissance; en chemin, il se prit de querelle avec un vieillard et le tua (c'était son père); puis, arrivé aux portes de Thèbes, il trouva la solution de l'énigme posée par le Sphinx, qui terrorisait la cité; en récompense, il devint roi et épousa la veuve de Laïos, sa mère. Héros tragique par excellence, il permet à Sophocle *(Œdipe roi, Œdipe à Colone)* de poser le problème de la responsabilité et de la fatalité, et à Aristote de définir la tragédie*, tandis que son mythe se prolonge dans celui de sa fille, Antigone*, et de ses frères ennemis, Étéocle et Polynice. Le thème d'Œdipe a connu une durable fortune littéraire : incarnation de l'aveuglement humain sous des formes plus sanglantes (Sénèque, Dryden), plus galantes (Corneille, Voltaire) ou plus satiriques (Gide, Cocteau), il devient la formule la plus subtile du roman policier (l'enquêteur découvre qu'il est le coupable) avec Robbe-Grillet *(les Gommes).*

Œdipe *(complexe d'),* étape décisive dans la structuration de la personnalité, qui a été dégagée par S. Freud. C'est une des notions clés de la psychanalyse. Freud décrit la structure œdipienne, qui se met en place au moment du stade phallique*, comme l'ensemble des sentiments amoureux et hostiles que chaque enfant éprouve à l'égard du couple parental, sentiments qui ne sont pas orientés de la même façon chez le petit garçon et chez la petite fille.

Selon S. Freud (1923), le petit garçon « manifeste un grand intérêt pour son père : il voudrait devenir et être ce qu'il est, le remplacer à tous égards », et simultanément il manifeste « un attachement pour sa mère, comme pour un objet purement sexuel ». Aux stades oral* et sadique-anal*, l'attachement qu'il éprouvait vis-à-vis de sa mère était aussi sexuel, mais ce qui change alors, c'est qu'il va même jusqu'à exprimer le désir de tuer son père et d'avoir un enfant de sa mère, exactement comme dans *Œdipe roi* de Sophocle; d'où le nom de « complexe d'Œdipe » que Freud donne à cet ensemble de sentiments : « Œdipe qui tue son père et épouse sa mère ne fait qu'accomplir un des désirs de notre enfance. » Le fils s'aperçoit que son père lui barre l'accès à sa mère; l'identification avec le père prend alors une teinte hostile. Venant s'immiscer dans la relation à deux, mère-enfant, le père est le troisième personnage; il incarne la loi et interdit l'inceste. Se rendant compte que la mère a déjà choisi le père, le petit garçon renonce alors à la séduction de sa mère et à la compétition directe avec son père. L'angoisse de castration, née de la constatation qu'il existe des êtres qui n'ont pas de pénis* (les filles), et la crainte que son désir de la mère ne le fasse punir de castration contribuent à lui faire abandonner le terrain de la rivalité avec le père. L'énergie libidinale ainsi libérée s'investit dans des activités de remplacement, tels les jeux agressifs avec des camarades. Au déclin du complexe d'Œdipe, deux éventualités peuvent se produire pour le garçon : renforcement de l'identification avec le père, qui est l'issue normale — cela lui permet de conserver un certain degré de tendresse pour la mère et renforce les tendances masculines —, l'autre issue étant l'identification avec la mère, considérée comme pathogène pour le développement psychique ultérieur.

Chez la petite fille, le complexe d'Œdipe est soumis à plus de vicissitudes (v. FEMME), car, éprouvant des sentiments amoureux à l'égard de son père, elle doit lutter contre son premier objet d'amour, qui est la mère, tout comme le garçon. L'identification à la mère est chez la petite fille l'issue normale du complexe d'Œdipe. Ces identifications parentales contribuent à donner naissance au Surmoi* : Freud fait donc de celui-ci l'héritier du complexe d'Œdipe. Approfondissant le complexe d'Œdipe, il tente de démontrer, dans *Totem et tabou* (1912), que le père est perçu comme un dieu et que le complexe d'Œdipe n'est que la réactivation, à travers l'histoire individuelle, du meurtre du père de la horde primitive.

Alors que Freud prétend avoir décrit avec le complexe d'Œdipe une structure universelle, B. Malinowski* conteste ce caractère, en montrant qu'il varie avec les structures familiales, et décrit des cultures (sociétés matrilinéaires) où les sentiments pour le père n'ont rien d'hostile, l'oncle maternel exerçant la fonction d'interdiction. Par contre, G. Róheim* met en évidence les mêmes conflits, les mêmes passions, fixés sur des équivalents de père et de mère dans les sociétés matrilinéaires comme dans les sociétés patrilinéaires. Dans *Structures élémentaires de la parenté,* C. Lévi-Strauss vient renforcer les thèses freudiennes, en montrant que la barre entre nature et culture est constituée par la prohibition de l'inceste, liée à l'exogamie dans un système où l'échange culturel est la loi.

La critique la plus radicale envers la notion de complexe d'Œdipe est venue de *l'Anti-Œdipe** (1972) de G. Deleuze* et F. Guattari, qui y voient une domestication du désir. Appliquer le schéma œdipien au désir, c'est le focaliser sur un mythe, « une image leurrée à laquelle le désir se laisse prendre ». C'est l'opération « par laquelle la psychanalyse castre l'inconscient ».

OEHLENSCHLÄGER (Adam Gottlob), écrivain danois (Copenhague 1779-*id.* 1850). Il fut, par ses poèmes et ses drames, le premier et le principal représentant du romantisme danois (*les Cornes d'or,* 1803; *Écrits poétiques,* 1805; *la Saga de Hroar,* 1817; *Hrolf Krage,* 1828).

OEHMICHEN (Étienne), ingénieur français (Châlons-sur-Marne 1884-Paris 1955). Spécialiste de l'envol vertical des machines volantes, il fut le premier, sur un appareil à voilure tournante qu'il avait construit, à se maintenir dans l'air, sans le secours de *l'effet de sol* et en vol contrôlé (1921), et à parcourir un kilomètre en circuit fermé sur un hélicoptère de sa construction (1924). Il établit les lois du pilotage des gyravions et imagina l'hélice de queue, dite « anticouple », des hélicoptères, qui évite à la carlingue d'entrer en rotation.

ŒIL *(Anat.* et *Méd.).* — Le globe oculaire est situé dans une cavité osseuse de la face, l'orbite, qui le cache en partie et le protège. Dans l'orbite, il est maintenu en place par les muscles oculo-

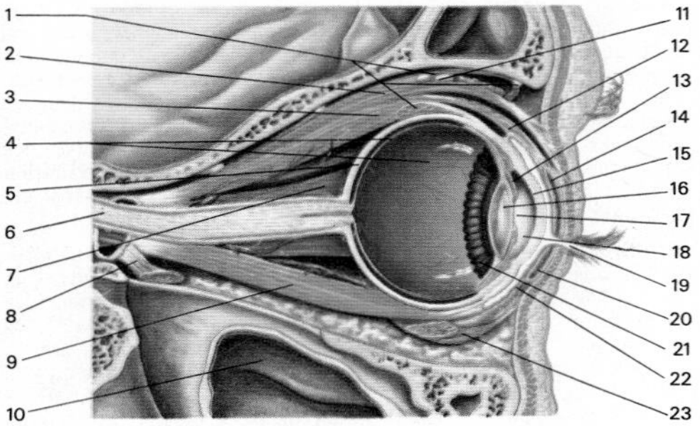

ŒIL : 1. Muscle grand oblique; 2. Muscle releveur de la paupière supérieure; 3. Muscle droit supérieur; 4. Choroïde et globe oculaire; 5. Capsule de Tenon; 6. Nerf optique; 7. Muscle droit interne; 8. Muscle droit externe; 9. Muscle droit inférieur; 10. Sinus maxillaire; 11. Nerf sus-orbitaire; 12. Muscle palpébral supérieur; 13. Iris; 14. Tarse supérieur et glande de Meibonius; 15. Cornée; 16. Cristallin; 17. Pupille; 18. Chambre antérieure (humeur aqueuse); 19. Fente palpébrale; 20. Humeur vitrée (corps ciliaire); 21. Tarse inférieur; 22. Conjonctive; 23. Muscle petit oblique.

moteurs, qui assurent sa mobilité. Les paupières, supérieure et inférieure, délimitent en avant la fente palpébrale. Le globe oculaire est constitué de plusieurs tuniques. La tunique externe, résistante, est la *sclérotique;* sa calotte antérieure est transparente (c'est la *cornée*). La tunique moyenne, nerveuse et vasculaire, est l'*uvée,* constituée en arrière par la *choroïde,* en avant par le *corps ciliaire* et plus en avant par l'*iris**. La tunique interne, la *rétine,* est la membrane sensorielle. L'intérieur du globe est occupé par les milieux transparents. Le *cristallin* est la lentille optique de l'œil; sa convergence est accommodée à la distance. En arrière se trouve le *corps vitré,* et, en avant, la cavité oculaire est remplie par l'*humeur aqueuse.*

Les maladies du globe oculaire peuvent toucher la cornée (kératite), la conjonctive (conjonctivite), la sclérotique (épisclérite), le cristallin (cataracte), l'iris (uvéite), la rétine (rétinite). L'œil peut être atteint dans sa totalité (ophtalmie). Les tumeurs de l'œil comprennent celles de la rétine (rétinoblastomes), chez l'enfant et celles de la choroïde, plus fréquentes chez l'adulte. Les anomalies de réfraction des milieux transparents de l'œil entraînent la myopie, l'hypermétropie, l'astigmatisme, alors que le défaut d'accommodation du cristallin entraîne la presbytie.

● *L'œil des animaux.* Chez les animaux vertébrés, l'œil n'est pas essentiellement différent de celui de l'homme. On croit, cependant, que de nombreuses espèces sont dépourvues de la vision des couleurs. La vision des oiseaux est, en revanche, supérieure à la nôtre. Les serpents ont des paupières transparentes et soudées qui ne permettent pas les mouvements du globe oculaire. Par convergence, les yeux des mollusques céphalopodes (poulpe) ont acquis les plus grandes ressemblances avec l'œil humain. Au contraire, deux groupes d'arthropodes (crustacés et insectes) portent des *yeux composés,* aux nombreuses facettes ayant chacune la structure d'un œil très simple. Ce type d'organe visuel est particulièrement apte à percevoir les mouvements. Les ocelles*, les stemmates des larves d'insectes, les yeux des mollusques gastropodes ou bivalves, etc., sont des organes beaucoup plus rudimentaires. (V. VISION.)

ŒIL *(Imprim.)* → CARACTÈRE D'IMPRIMERIE.

ŒILLET. — Par ses feuilles opposées et sa tige renflée aux nœuds, cette plante odorante de grande culture se rattache à la famille des caryophyllacées. La flore sauvage de France en compte dix-sept espèces, toutes très semblables : feuilles étroites et lancéolées, calice vert tubuleux, cinq pétales roses ou rouges libres entre eux et découpés sur leur bord externe, deux styles. L'espèce d'où parviennent les variétés cultivées est l'œillet-giroflée *Dianthus caryophyllus.*

ŒNOLOGIE → VIN.

OERLIKON → ÖRLIKON.

ŒRSTED (Christian), physicien danois (Rudkøbing 1777-Copenhague 1851). En 1820, dans une célèbre expérience, il a découvert le champ magnétique créé par les courants électriques. Il étudia la compressibilité des liquides et des solides (1822).

OERTER (Al), athlète américain (New York 1936). Dans un sport universel, l'athlétisme, il a réussi l'exploit unique de remporter quatre fois de suite (1956, 1960, 1964 et 1968) le titre olympique du lancement du disque, épreuve dont il fut aussi le recordman du monde.

ŒSOPHAGE. — Ce segment du tube digestif qui relie le pharynx à l'estomac est un ruban musculaire creux, long de 25 cm et de 2 à 3 cm de calibre. Il chemine en avant de la colonne vertébrale, traverse le thorax et le diaphragme, puis pénètre dans l'abdomen et s'ouvre dans l'estomac au niveau du cardia.

Parmi les lésions inflammatoires de l'œsophage citons les brûlures dues à l'ingestion de caustiques chimiques, qui peuvent se compliquer tardivement de rétrécissements, et les lésions traumatiques dues à l'ingestion de corps étrangers, surtout chez l'enfant. Le cancer de l'œsophage, qui atteint surtout le sexe masculin, se révèle par une dysphagie (difficulté à avaler) accentuée.

ŒSTRAL (cycle). — Le cycle œstral, ou cycle menstruel normal, se déroule en quatre phases : la *phase folliculaire,* qui s'accompagne d'une sécrétion de folliculine (celle-ci permet à la muqueuse utérine de se régénérer dès la fin des règles); la *phase d'ovulation,* qui correspond à la libération de l'ovule; la *phase lutéale,* pendant laquelle le corps jaune sécrète la folliculine et la progestérone (cette dernière agit sur la muqueuse utérine en l'épaississant); la *menstruation**.

ŒSTRE. — Les éleveurs de moutons redoutent cette grosse mouche parasite, dont les larves, pénétrant par le nez, envahissent les sinus frontaux des brebis en provoquant le *faux tournis.*

ŒSTROGÈNE. — Les œstrogènes sont essentiellement sécrétés par l'ovaire, sous l'action des stimulines de l'hypophyse. Les principaux sont la folliculine, l'œstradiol et l'œstriol. Les œstrogènes de synthèse, utilisés en thérapeutique, possèdent des propriétés analogues.

Les œstrogènes sont indispensables à la maturation des organes génitaux. Pendant le cycle œstral*, ils permettent la prolifération de la muqueuse utérine et développent la glande mammaire.

ŒTA, montagne de Grèce, en Thessalie; 2152 m.

ŒUF *(Biol.).* — Pour les biologistes, le nom d'*œuf* doit être réservé au *zygote,* c'est-à-dire à la cellule vivante résultant immédiatement de la fécondation. Mais l'usage courant est fort différent : l'ovule mûr mais non fécondé est appelé *œuf vierge,* et le zygote *œuf fécondé,* tandis que l'embryon et ses enveloppes protectrices forment ensemble l'*œuf embryonné.* En revanche, l'œuf n'est tenu pour tel qu'après sa ponte.

ŒUF *(Parasitol.).* — Les *œufs de parasites,* tels ceux d'oxyures, d'ascaris, de douves, sont émis par les femelles adultes. Le diagnostic d'un certain nombre de parasitoses à vers repose sur leur mise en évidence dans les selles, les urines.

ŒUVRES MORTES, ŒUVRES VIVES → NAVIRE et RÉPARATION NAVALE.

OFFENBACH, v. de l'Allemagne fédérale (Hesse), à l'E. de Francfort-sur-le-Main; 120000 hab. Métallurgie. Textile.

OFFENBACH (Jacques), compositeur français d'origine allemande (Cologne 1819-Paris 1880). Violoncelliste, chef d'orchestre, directeur de théâtre, il exerce sa verve comique et satirique pour divertir une société bourgeoise qui aime le spectacle et applaudit ses opéras bouffes et ses opérettes (*la Vie parisienne,* 1866; *la Grande-Duchesse de Gérolstein,* 1867; *la Périchole,* 1868; *les Brigands,* 1870;

Orphée aux Enfers, 1874). À la fin de sa vie (1880), il écrit un opéra fantastique, *les Contes* d'Hoffmann.*

OFFICE. — À l'origine, l'office était une fonction confiée par le roi à ses serviteurs pour la gestion de son domaine. À partir du XIIIe s., le développement du pouvoir royal accrut considérablement le nombre de ces officiers royaux, qui provenaient de moins en moins souvent de l'entourage du roi et que celui-ci prit l'habitude de ne plus déplacer à sa guise. Dès la fin du Moyen Âge, dans les domaines de la justice, des finances et de la police, les titulaires de charges finirent ainsi par posséder sur leur office une sorte de droit, que Louis XI reconnut en 1467, en s'interdisant de révoquer ou de déplacer un officier. À l'inamovibilité s'ajoutèrent bientôt la vénalité et l'hérédité des offices. On permit la résignation de l'office en faveur d'un tiers moyennant paiement d'un droit, et, sous François Ier, la royauté tenta de tirer profit de ce trafic en créant le Bureau des parties casuelles, chargé de le diriger, et en multipliant les offices. Puis l'hérédité fut accordée à ceux qui accepteraient de payer un droit annuel (la paulette, 1604). Source de profit pour la royauté, mais constituant aussi, du fait de l'inamovibilité et de l'hérédité de la charge, un danger pour elle (Fronde parlementaire), le système des offices disparut à la Révolution.

Office national de la navigation → BATELLERIE.

Offices (les), palais construit à Florence par Vasari, à partir de 1560, pour les services de l'Administration. Accueillant dès cette époque une partie des collections des Médicis, ouvert au public dans la seconde moitié du XVIIIe s., il abrite notamment, aujourd'hui, une galerie de peintures parmi les plus riches d'Europe, surtout pour l'école italienne (de Cimabue à Guardi, en passant par le quattrocento, Botticelli, Léonard, le Corrège, Raphaël, les maniéristes, les Vénitiens du XVIe s., le Caravage, etc.).

OFFICIERS DE LA COURONNE (grands). — Sous la monarchie française, ce nom était donné aux chefs des services domestiques du roi. Les principaux grands officiers furent, à l'origine, le sénéchal, le connétable, le chambrier, le bouteiller et le chancelier. À l'exception de ce dernier, dont le rôle devint primordial, ils perdirent peu à peu leur importance, et la plupart disparurent (sénéchal, 1191; bouteiller, 1449; connétable, XVIe s.).

Offrande musicale, recueil de pièces écrites par J.-S. Bach sur un thème que lui avait donné Frédéric II à Potsdam (1747), véritable somme de l'art du contrepoint.

OFFRANVILLE (76550), ch.-l. de cant. de la Seine-Maritime, à 7,5 km au S.-S.-O. de Dieppe; 2 477 hab. Constructions mécaniques.

OFFRE. — En analyse économique, l'offre est plus complexe à analyser que la demande*, dans la mesure où, à l'inverse de celle-ci, elle n'est pas l'expression d'un besoin solvable ressenti par un agent économique, mais se trouve sous l'emprise du producteur du bien ou du service. En règle générale, le volume d'une offre est directement proportionnel au prix du bien ou du service qui la concerne; cette offre est, dit-on, « fonction » croissante du prix, le producteur offrant d'autant plus que le prix est élevé.

OFFRE DE MONNAIE. — L'offre de monnaie — réalisée par les banques — a été éclairée par l'économiste français Divisia, qui a pu noter que la banque, qui dispose d'un volume de dépôts, réalise par ailleurs un volume de prêts : ces deux volumes ne s'équilibrant pas, la différence est comblée par une « création de monnaie », émise à découvert sous forme de création bancaire; une offre « nette » de monnaie existe chaque fois qu'un prêt n'est nourri d'aucun dépôt préalable. Les « émetteurs de monnaie » sont la banque centrale, les banques commerciales, le Trésor, la Caisse des dépôts.

OFFSET. — Dans ce procédé d'impression*, les formes d'impression sont généralement des plaques en zinc*, en aluminium* ou en papier* plastifié, obtenues soit par report métallographique, soit le plus souvent par report photomécanique. Sur la presse* offset, la plaque est fixée autour d'un cylindre. Sa surface est d'abord humidifiée par un dispositif de mouillage, puis encrée par les rouleaux encreurs. Elle décalque son encre sur le blanchet en caoutchouc toilé, enroulé sur le cylindre porte-blanchet, qui, à son tour, décalque sur le papier, ce qui permet l'emploi de papiers dont la surface n'est pas lisse. Il existe une grande diversité de plaques, adaptées à toutes les natures des travaux et à des tirages allant de quelques dizaines d'exemplaires (imprimés de bureau) à plusieurs centaines de mille (périodiques, emballages). On utilise des machines à feuilles une, deux, quatre couleurs ou retiration (imprimant recto et verso en une seule passe) et des rotatives* qui impriment sur du papier en bobines.

OFFSHORE. — Les mers peu profondes et les approches côtières des océans contiennent sous le plateau continental des réserves de pétrole* au moins égales à celles qui sont connues sur terre, mais la découverte de ces gisements dits « offshore » nécessite des méthodes nouvelles et un matériel puissant, qui permet, actuellement, de travailler par tous les temps sous 300 m d'eau et à une centaine de milles au large. Dans le monde entier, les nations riveraines se sont réparti les zones offshore et ont entrepris de capter ces ressources proches, disponibles en devises nationales et

OFFSET. Schéma d'une presse offset à une couleur. La presse offset imprimant une couleur possède trois cylindres d'égal diamètre. Le cylindre supérieur reçoit la plaque; le cylindre du milieu porte un blanchet de tissu caoutchouté d'épaisseur calibrée et à surface très lisse; le cylindre inférieur, ou cylindre de pression, entraîne la feuille de papier au moyen de pinces. Un dispositif de mouillage humidifie la plaque, qui est encrée par un ensemble de rouleaux disposés en cascade.

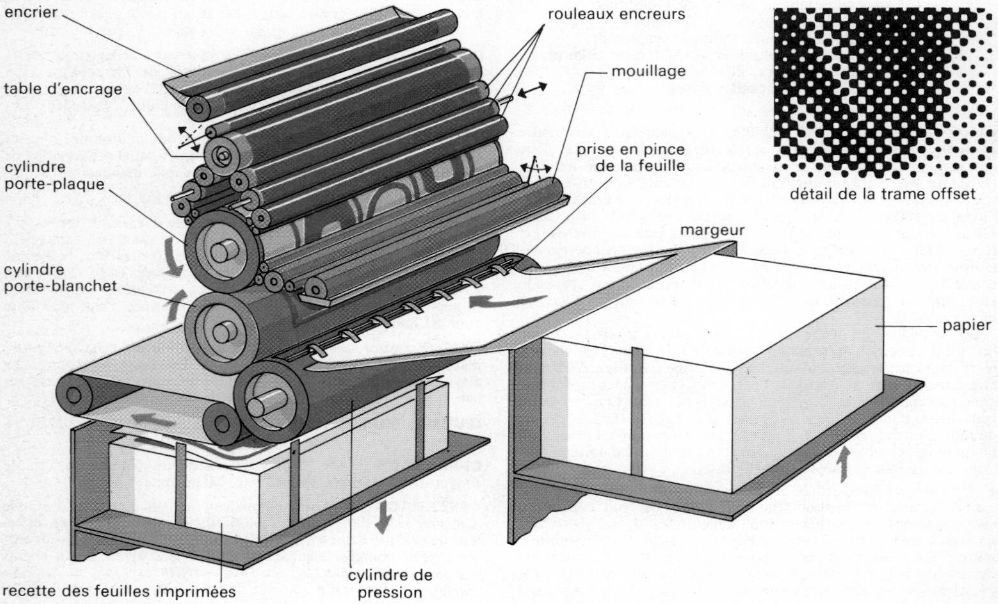

soumises à leur seule fiscalité. Le positionnement exact de l'avion de reconnaissance, du navire ou de l'engin de forage par rapport à la topographie s'obtient par radiolocalisation, en utilisant des émetteurs d'ondes hertziennes situés à terre ou à partir d'un satellite, et par sonar, en balisant le fond à l'aide d'émetteurs d'ondes sonores. Les techniques de prospection offshore, magnétométrie aéroportée et gravimétrie marine, sont une adaptation des méthodes géophysiques classiques mesurant le magnétisme* et la pesanteur*. Néanmoins, la recherche sismique en mer, où l'on déclenche de petites secousses telluriques artificielles pour étudier la réflexion d'ondes élastiques sur les diverses couches du sous-sol, demande des équipements très particuliers. Les microphones de détection, ou *hydrophones,* sont remorqués en ligne sur 1 km environ derrière le navire-laboratoire, où se trouvent les instruments enregistreurs. L'ébranlement du milieu marin est obtenu par le tir de quelques kilogrammes d'explosif à 1 ou 2 m d'immersion. Sur les lieux de pêche, cette méthode trop brutale doit être remplacée par un dispositif immergé à tir rapide utilisant une décharge électrique, un canon à mélange gazeux détonant, un canon

Offshore. Photographiée en mer du Nord, la plate-forme de forage pétrolier offshore « Pentagone 83 », de fabrication française. Sa capacité de forage est de 9000 m par 200 m de fond.

C. F. E. M.

à air comprimé, de brusques jets de vapeur d'eau sous pression ou le choc de « cymbales ». La géophysique ayant identifié une structure sous-marine intéressante, on procède au forage de reconnaissance si possible à l'aide d'une plate-forme fixe, derrick géant reposant sur le fond et dont le plancher émerge au-dessus des plus hautes vagues, soit à 20 m par temps calme. Lorsque la profondeur d'eau dépasse 50 m, il est préférable de recourir à un engin mobile, qui, une fois le puits terminé, se rend sur un nouvel emplacement. Les plates-formes mobiles *auto-élévatrices* sont composées d'un grand caisson flottant équipé de trois ou quatre jambes, piles escamotables pendant le remorquage, que l'on descend, à l'aide de puissants vérins, jusqu'à reposer au fond, et qui servent à soulever le plancher de forage à la hauteur voulue. Les plates-formes *semi-submersibles* sont munies de quatre pieds, ou flotteurs, immergés à 20 m, que l'on déballaste plus ou moins pour obtenir la hauteur voulue sur l'eau, l'aplomb au-dessus du forage étant maintenu par des ancres géantes et des hélices de positionnement. Les engins les plus lourds (40000 t) disposent d'un équipage de 80 marins-sondeurs et peuvent forer par tous les temps jusqu'à 300 m de fond. Les navires de forage comportent un derrick central et des hélices transversales de réglage de position. Légers, mobiles et autonomes, comme le *Pélican* (1972), ils sont particulièrement adaptés aux campagnes de reconnaissance rapide des formations offshore. Une fois le gisement sous-marin découvert, les problèmes posés par son exploitation sont résolus grâce à des *plates-formes de production,* îles artificielles construites dans des chantiers navals à terre, remorquées sur les lieux, immergées et ancrées. Les opérations concentrées sur une de ces îles sont les suivantes : forer les puits d'exploitation, procéder à la complétion (mise en production contrôlée), recueillir, stabiliser et stocker le pétrole brut, stimuler et régler le débit des puits, pomper le brut vers la côte par pipeline immergé et, le cas échéant, le charger en tanker. Le gaz associé au pétrole doit, de son côté, être comprimé et réinjecté dans le gisement ou traité et envoyé à la côte par gazoduc sous pression, l'excédent étant brûlé dans une torche. La plupart des plates-formes de production sont en forme de pylône de charpente en acier, dont les quatre jambes sont immergées aux deux tiers et qui est surmonté d'une usine de 125 personnes pour les plus grosses, avec leurs quartiers d'habitation, les derricks, la machinerie (diesel ou turbines à gaz) et la piste à hélicoptères, le tout pesant jusqu'à 60000 t. Le béton armé est également utilisé pour ces constructions. La mer du Nord, dont la plus grande partie a été attribuée à la Norvège et à la Grande-Bretagne, recèle des richesses pétrolières évaluées entre 3 et 5 Gt d'huile et à 2 Tm^3 de gaz. Le gisement d'Ekofisk, secteur norvégien, est exploité depuis 1974, d'abord par tanker chargé sur place, puis par oléoduc vers l'Angleterre et gazoduc vers l'Allemagne. Plus au nord, les champs de Forties, de Beryl et de Frigg sont reliés à l'Écosse, et ceux de Brent et de Thistle aux îles Shetland.

La part de l'offshore dans la production mondiale de pétrole et de gaz atteint déjà 20 p. 100 et pourrait dépasser 50 p. 100 avant la fin du siècle. Néanmoins, le prix de revient du pétrole offshore, avec les installations spéciales requises, est de beaucoup supérieur à celui du brut terrestre.

ŌGAKI, v. du Japon (Honshū), au N.-O. de Nagoya; 135000 hab.

OGAREV (Nikolaï Platonovitch), poète russe (Saint-Pétersbourg 1813-Greenwich 1877). Poète d'inspiration romantique et humanitaire (*Poésies,* 1856), il dirigea avec Herzen la revue *la Cloche.*

OGBOMOSHO, v. du sud-ouest du Nigeria; 387000 hab.

OGDEN, v. des États-Unis, dans le nord de l'Utah; 169000 hab.

OGINO KYUSAKU, gynécologue japonais (Toyohashi, préfecture d'Aichi, 1882-Niigata 1975). Il mit au point en 1923 une méthode de contrôle naturel des naissances qui porte son nom, en affirmant que l'ovulation, donc la période de fécondité de la femme, se produit treize jours avant le début de la menstruation avec une fluctuation possible de deux jours avant et de deux jours après.

OGLIO, riv. de l'Italie du Nord (Lombardie), qui traverse le lac d'Iseo avant de rejoindre le Pô (r. g.); 280 km.

OGNON, riv. de l'est de la France, affl. de la Saône (r. g.); 190 km.

OGODAY → MONGOLS.

OGOOUÉ, fl. de l'Afrique équatoriale, tributaire de l'Atlantique, coulant presque entièrement au Gabon; 970 km.

OHANA (Maurice), compositeur français (Casablanca 1914). D'origine andalouse, mais fixé en France dès l'enfance, il apparut d'abord comme un héritier du dernier Falla, puis se forgea un langage personnel, rebelle à toute influence germanique (dodécaphonique comprise) et se réclamant d'un lyrisme méditerranéen africain ou grec tout autant qu'ibérique. Son art ne s'en situe pas moins dans l'ambiance sonore des courants postsériels (*Llanto por Ignacio Sánchez Mejias, Syllabaire pour Phèdre, Autodafé,* 24 préludes pour piano).

O. HENRY (William Sydney PORTER, dit), écrivain américain (Greensboro 1862-New York 1910), auteur de nouvelles humoristiques (*Choux et rois,* 1905; *les Quatre Millions,* 1906).

O'HIGGINS (Bernardo), homme politique chilien (Chillán 1776-Lima 1842). Fils d'Ambrosio O'Higgins (dernier vice-roi du Pérou), il devient le lieutenant de San Martín. Après la victoire de Chacabuco (1817), il est nommé « Directeur suprême de la nation » par la junte de Santiago. Il proclame alors l'indépendance du Chili*; il est renversé en 1823.

OHIO, riv. des États-Unis; 1580 km. Formé à Pittsburgh par la réunion de l'Allegheny et de la Monongahela, il coule vers le S.-O., passant à Cincinnati, à Louisville, à Evansville et formant les limites méridionales des États de l'Ohio, de l'Indiana et de l'Illinois, avant de rejoindre le Mississippi, dont il constitue le principal affluent de rive gauche.

OHIO, État américain de la région des Grands Lacs; 106765 km^2; 10652000 hab. Capit. *Columbus.* Entre le lac Érié et la rivière Ohio, l'Ohio est une région de bas plateaux et de plaines, au climat continental, avec des hivers relativement rudes et des étés chauds, pendant lesquels tombent une part importante de précipitations assez abondantes. L'agriculture, dominée par le maïs et associée à l'élevage bovin, est éclipsée par l'industrie, en particulier par la métallurgie (sidérurgie, constructions mécaniques et électriques), fondée sur l'extraction, toujours importante, du charbon. Plus des trois quarts de la population sont urbanisés. Deux agglomérations (Cleveland et Cincinnati) dépassent le million d'habitants; cinq autres (Columbus, Dayton, Akron, Toledo et Youngstown-Warren) comptent plus de 500000 habitants.

Oh les beaux jours, pièce de Samuel Beckett, créée en anglais en 1961, en français en 1963. Une image de la misère de l'homme digne d'un prédicateur médiéval : Winnie, femme préoccupée de son charme et de ses objets familiers, est enlisée jusqu'à la taille dans un espace désertique; elle tente de se rattacher aux choses et aux mots quotidiens, et à la tendresse qu'elle porte à son compagnon, Willie, réduit à quelques grognements et à quelques gestes manqués.

OHM. — Les étalons sont vérifiés, par l'intermédiaire du Bureau international des poids* et mesures, sur la base d'expériences faisant appel à la seule définition de l'ohm et non pas à des étalons préalablement connus. Les expériences les plus précises partent d'un condensateur* spécial, dont la capacité* est calculable d'après ses seules dimensions géométriques, mesurées en mètres. On compare ensuite cette capacité à une résistance* au moyen d'un pont à courant alternatif avec une fréquence* connue en hertz.

OHM (Georg Simon), physicien allemand (Erlangen 1789 - Munich 1854). Il a énoncé en 1827 la loi fondamentale des courants électriques et défini de façon précise la quantité d'électricité, l'intensité et la force électromotrice.

OHMMÈTRE. — Les ohmmètres les plus simples sont constitués par des voltmètres, qu'on met en série avec la résistance à mesurer sous une tension constante et déterminée pour chaque appareil. D'autres sont des ponts de Wheatstone, combinés avec un galvanomètre.

OHŘE, en allem. **Eger,** riv. née en Allemagne fédérale (près de Bayreuth), qui draine le nord-ouest de la Bohême avant de rejoindre l'Elbe (r. g.); 310 km.

OHRID ou **OKHRID,** lac situé à la frontière de la Yougoslavie et de l'Albanie; 348 km^2. — Sur la rive orientale se trouve la ville de Yougoslavie (Macédoine) du même nom (15 000 hab.). Site de la ville antique de Lychnidos, Ohrid devient au IXe s. un centre chrétien important grâce à l'œuvre des saints Clément et Naoum. Siège d'un patriarcat, du règne du tsar Samuel (de 997 à 1014) jusqu'à la destruction de l'Empire bulgare par Basile II (1018), elle demeure jusqu'au XVIIIe s. le siège d'un archevêché indépendant. Elle possède des vestiges romains, une grande forteresse (Xe s.) et des églises byzantines (XIe-XIVe s.), dont certaines, comme l'ancienne cathédrale Sainte-Sophie (1037-1056, au plan en croix grecque inscrite) se rattachent à l'architecture byzantine de Macédoine; le style symbolique des fresques révèle le monde grave et intensément croyant de l'époque des Comnènes.

OÏDIUM → PLANTES *(maladies des).*

OIGNIES (62590), comm. du Pas-de-Calais, à 6 km au N.-E. d'Hénin-Beaumont; 11 651 hab. *(Oigninois).* Textile.

OIGNON. — Cet organe végétal comestible est le bulbe* d'une espèce de liliacées, *Allium cepa.* Par extension, divers bulbes (jacinthe, tulipe, etc.) sont qualifiés d'« oignons ».

OÏL (langue d'). — On appelle « langue d'oïl » l'ensemble des dialectes parlés dans la moitié nord de la France, par opposition à la langue d'oc, ou occitan*. Ces dialectes correspondent en gros aux anciennes provinces : c'est ainsi qu'on distingue le picard, le wallon (en Belgique), le champenois, le lorrain, le bourguignon, le morvandiau, le franc-comtois, le francien, le berrichon, le normand, l'angevin, le gallo (est de la Bretagne), le poitevin et le saintongeais. Ces dialectes, extrêmement vivants au Moyen Âge, sont aujourd'hui réduits à l'état de patois.

OISANS, région des Alpes françaises, dans le sud-est du département de l'Isère, formée par la vallée de la Romanche et les montagnes (dont la Meije) qui l'encadrent. V. princ. *Bourg-d'Oisans.* Électrométallurgie et tourismes estival et hivernal (l'Alpe-d'Huez).

OISE, riv. née en Belgique, qui draine le nord-est du Bassin parisien; 302 km. Coulant vers le S.-O., l'Oise passe à Compiègne (à proximité, elle reçoit son principal affluent, l'Aisne), à Creil et à Pontoise avant de rejoindre la Seine (r. dr.) immédiatement en aval de Conflans-Sainte-Honorine. Rivière relativement régulière et à faible pente, elle est navigable sur la majeure partie de son cours, canalisée sur plus de 100 km, doublée par un canal latéral (vers le canal de Saint-Quentin) et surtout reliée à la Région Nord-Pas-de-Calais par le canal du Nord (qui aboutit à Noyon). Avec ce dernier, elle constitue encore le troisième axe fluvial français (après la Seine et le grand canal d'Alsace).

OISE (60), départ. de la Région Picardie; 5 857 km^2; 606 320 hab. Ch.-l. *Beauvais.* S.-préf. *Compiègne, Clermont* et *Senlis.*

Au N. de Paris, de forme rectangulaire, c'est un pays de bas plateaux et de plaines calcaires, souvent recouverts de limon, parfois de sables (et alors forestiers) et entaillés par les vallées de l'Oise et du Thérain : ces vallées sont le site des principales villes (Compiègne et Creil pour la vallée de l'Oise; Beauvais pour celle du Thérain). Le climat est à dominante océanique, sans écarts thermiques marqués et avec des précipitations relativement abondantes (de l'ordre de 700 mm en moyenne).

L'agriculture, qui emploie moins du dixième de la population active, occupe cependant plus des deux tiers de la superficie départementale, et la production, dans le cadre de grandes exploitations (mécanisées et faisant un large appel aux engrais), est importante, associant céréales (blé, maïs) à la betterave à sucre. L'élevage est surtout développé dans l'ouest, aux confins de la Normandie. L'industrie est, cependant, largement développée : employant près de la moitié de la population active; elle est dominée aujourd'hui par la métallurgie, implantée notamment dans la vallée de l'Oise (comme la chimie et la verrerie, autres branches notables). Le textile a reculé, alors que se maintient l'alimentation (sucreries surtout), qui valorise la production agricole. Le secteur tertiaire est relativement plus faible. Cela tient à l'absence de grande ville, elle-même liée à la proximité de Paris; Beauvais est la seule commune dépassant 50 000 habitants, et la principale agglomération du département, celle de Creil, avoisine seulement 80 000 habitants. En fait, le sud du département, fortement urbanisé aujourd'hui, appartient à l'agglomération étendue de Paris. C'est ici qu'est enregistré en majeure partie le très rapide accroissement de population. Immédiatement avant et après la Seconde Guerre mondiale, la population de l'Oise était inférieure au chiffre du milieu du XIXe s. Dans les trente dernières années, elle s'est accrue de plus de moitié. Troisième (et dernier) des départements de la Région Picardie en 1962, l'Oise en est maintenant nettement le plus peuplé.

OISEAU. — Bien que nombreuse (20 000 espèces environ), la classe des oiseaux est assez homogène pour que l'on puisse décrire « l'oiseau » en général, en n'excluant que quelques espèces atypiques telles que le kiwi *(apteryx)* ou le manchot. Ainsi délimité, l'oiseau est un vertébré à température constante et élevée, couvert de plumes (c'est là son seul trait totalement original), pondant des œufs à coquille calcaire, muni d'un bec corné sans véritables dents, possédant un jabot et un gésier, marchant exclusivement à l'aide des pattes de derrière, qui sont digitigrades, et dont les pattes de devant sont conformées en ailes permettant le vol.

La classification des oiseaux, récemment modifiée, fait apparaître vingt-cinq ordres principaux, dont l'un, celui des passériformes, compte à lui seul près de la moitié du nombre total des espèces. Les oiseaux aux pattes palmées (anciens *palmipèdes*) forment six ordres, les oiseaux aux longues pattes (anciens *échassiers*) en forment trois.

Les phénomènes biologiques les plus remarquables chez les oiseaux, outre le vol, sont la construction du nid*, la couvaison et l'élevage des jeunes, le chant, les migrations annuelles, enfin l'adaptation des diverses espèces aux biotopes les plus variés : forêts, rivages, marais, montagnes, etc.

Oiseau de feu *(l'),* ballet en trois tableaux, livret et chorégraphie de Michel Fokine, musique de Stravinski, décors et costumes d'Alexandre Golovine (le costume de l'Oiseau, de Léon Bakst), créé à Paris en 1910 par les Ballets russes de Serge de Diaghilev. Tirant son sujet d'un conte populaire russe, l'œuvre inspira plusieurs chorégraphes. Abandonnant la tradition de « l'Oiseau-danseur étoile », Maurice Béjart (Paris, 1970) créa une œuvre construite autour d'un thème révolutionnaire où le rôle-titre est tenu par un danseur. La partition est d'une grande somptuosité orchestrale, héritée de Rimski-Korsakov.

Oiseaux *(les),* comédie d'Aristophane (414 av. J.-C.) : une utopie politico-religieuse en faveur du panthéon traditionnel.

OISEMONT (80140), ch.-l. du cant. de la Somme, à 20 km au S. d'Abbeville; 1 259 hab.

OISSEL (76350), comm. de la Seine-Maritime, à 11,5 km au S. de Rouen; 11 860 hab. *(Oisselais).* Industries chimiques. Constructions mécaniques.

OÏSTRAKH (David), violoniste russe (Odessa 1908 - Amsterdam 1974). Il a été un des plus grands interprètes de sa génération.

O.I.T., sigle de l'*Organisation internationale du travail* → ORGANISATIONS INTERNATIONALES.

ŌITA, port du Japon, sur la côte nord-est de l'île de Kyūshū; 261 000 hab. Sidérurgie. Raffinage du pétrole. Pétrochimie.

OKA, riv. de l'U. R. S. S., drainant le centre de la Russie d'Europe (passant à Orel et à Riazan et recevant la Moskova), qui constitue le principal affl. de la Volga (r. dr.), rejointe près de Gorki; 1 480 km.

OKAPI. — Son extrême rareté et son étroite localisation (forêts du nord-est du Zaïre) ont retardé la découverte de l'okapi par le monde scientifique, qui ne l'a décrit qu'en 1900. Voisin de la girafe, l'okapi n'en a pas le long cou. Il se reconnaît surtout aux rayures horizontales des quatre pattes. (V. illustration p. 1350.)

OKAYAMA, v. du Japon, dans le sud-ouest de Honshū; 375 000 hab.

OKAZAKI, v. du Japon (Honshū), au S.-E. de Nagoya; 211 000 hab.

O'KEEFFE (Georgia), peintre américain (Sun Prairie, Wisconsin, 1887). Dans le milieu artistique de la galerie *291,* à New York, elle donne quelques-unes des premières œuvres modernes de la peinture américaine. Proche des formes de la nature, mais préoccupée

picvert
pinson
aigle royal
moineau
merle
mouette tridactyle
hibou grand duc
cincle plongeur
huîtrier pie
manchot empereur
hirondelle de cheminée
canard col-vert
perroquet ara
kiwi
colibri
héron cendré
autruche
♀
paon bleu ♂

A. Visage - Jacana

Okapi.

d'équivalence symbolique, sa peinture atteint une rigueur abstraite presque « minimale » (*Blue Lines,* 1916); néanmoins, elle ne renonce pas à une vision lyrique, nourrie notamment des paysages du Nouveau-Mexique et servie par une palette subtile.

OKHOTSK *(mer d'),* mer bordière de l'océan Pacifique, entre l'Extrême-Orient soviétique et le Kamtchatka, l'île de Sakhaline et l'archipel des Kouriles.

OKHRID → OHRID.

OKINAWA, principale île de l'archipel japonais des Ryūkyū*. Après une violente bataille, l'île fut conquise en 1945 par les Américains, qui en firent une importante base militaire stratégique. Okinawa a fait retour au Japon en 1972, mais les États-Unis ont conservé l'usage de certaines installations militaires dans l'île.

OKLAHOMA, État du centre-sud des États-Unis; 181 090 km^2; 2 559 000 hab. Capit. *Oklahoma City.* Formé de plaines dont l'altitude augmente vers l'est, alors que la pluviosité décroît dans la même direction, l'Oklahoma est un important producteur de blé et de foin (associé à un notable élevage bovin). Le sous-sol fournit de grandes quantités de pétrole et de gaz naturel. Les agglomérations d'Oklahoma City et de Tulsa concentrent près de la moitié d'une population comportant encore une importante minorité indienne.

OKOUMÉ. — Le bois rose, tendre et léger fourni par *Aucoumea klaineana,* du Gabon, est d'un grand usage industriel, en particulier pour le placage (production annuelle 400 000 m^3).

ŌKYO, peintre japonais (Anau 1733 - Kyōto 1795). Fondateur du shasei-ga, ou peinture réaliste, après être passé à l'école Kanō de Kyōto, Maruyama Ōkyo s'intéresse à la perspective occidentale. Sa longue carrière sera un effort continu pour cerner de plus près la réalité objective, mais sans se départir jamais du sens lyrique et décoratif propre à l'âme japonaise. Il laissera de nombreux élèves, dont le plus connu est Goshun (1752-1811).

ÖLAND, île suédoise de la Baltique, reliée au continent par un pont long de 6 km. V. princ. *Borgholm.*

OLARGUES (34390), ch.-l. de cant. de l'Hérault, à 26 km à l'O.-S.-O. de Bédarieux; 551 hab. Tour et pont gothiques.

OLAUS PETRI (Olof PETERSSON, en lat.), réformateur suédois (Örebro 1493 - Stockholm 1552). Sous l'influence de Luther, il implante la réforme luthérienne en Suède (1520-1525). Chancelier du roi (1531), il est disgracié en 1539. On a de lui d'importants ouvrages religieux en langue suédoise.

OLAV Ier Tryggvesson, OLAV II Haraldsson → NORVÈGE.

OLAV V (Appleton House, près de Sandringham, Angleterre, 1903), régent (1955), puis roi de Norvège (1957).

OLBRACHT (Kamil ZEMAN, dit **Ivan**), écrivain tchèque (Semily 1882 - Prague 1952). Il évolua de l'analyse psychologique à l'engagement politique (*Anne la prolétaire,* 1928; *Nikola Šuhaj, bandit,* 1933).

Oldbury, centrale nucléaire de Grande-Bretagne, sur l'estuaire de la Severn.

OLDENBARNEVELT (Johan VAN), homme politique hollandais (Amersfoort 1547 - La Haye 1619). Pensionnaire de Rotterdam (1577), grand pensionnaire de Hollande (1586), il obtient de la France et de l'Angleterre la reconnaissance de la République (1596), avant de négocier avec Philippe III la trêve de Douze Ans, par laquelle l'Espagne reconnaît l'indépendance des Provinces-Unies* (1609). Adepte d'Arminius, il s'attire la haine de Maurice de Nassau, qui, mécontent par ailleurs de l'attitude républicaine d'Oldenbarnevelt, le fait décapiter.

OLDENBURG, anc. État de l'Allemagne. Le comté d'Oldenburg fut, à l'origine, dépendant du duché de Saxe avant de devenir fief direct de l'Empire. Le plus illustre des comtes d'Oldenburg fut sans doute Christian VIII (1426-1481), fils du comte Dietrich et de l'héritière du Slesvig-Holstein, qui devint, sous le nom de Christian Ier, roi du Danemark (1448), de Norvège (1450) et de Suède (1457), et abandonna l'Oldenburg à son frère cadet, Gérard (1454-1500). Gagné par la Réforme, mais peu atteint par la guerre de Trente Ans, le comté passa à la lignée d'Holstein-Gottorp (1773). Accru des possessions de l'évêché de Lübeck et érigé en duché (1777), puis en grand-duché (1815), l'Oldenburg devint État de l'empire allemand en 1871. Le dernier grand-duc abdiqua en 1918.

OLDENBURG, v. de l'Allemagne fédérale (Basse-Saxe), à l'O. de Brême; 132 000 hab.

OLDENBURG (Claes) → POPART.

OLDHAM, v. d'Angleterre, au N.-E. de Manchester; 106 000 hab.

OLDOWAY, site préhistorique de Tanzanie, au S.-O. du lac Natron. Découvert en 1911, il est exploité pour son important gisement d'animaux. À partir de 1931, il est fouillé par Leakey*, qui détermine cinq couches archéologiques. L'horizon le plus ancien atteste la contemporanéité du zinjanthrope et de l'*Homo habilis,* dont les ossements étaient associés à une industrie de galets aménagés. Dès l'horizon II, des progrès techniques sont confirmés par un outillage acheuléen associé à la calotte crânienne d'un archanthropien.

OLÉACÉES. — En dépit de leur différence d'aspect, l'olivier, le frêne, le troène, le forsythia, le jasmin et le lilas sont classés dans la même famille, celle des oléacées.

OLÉFINES. — Les oléfines se trouvant surtout dans les fractions lourdes du pétrole brut, c'est au craquage, au reformage ou à la déshydrogénation des paraffines qu'on a recours pour augmenter leur proportion. Les principales oléfines, l'éthylène*, le propylène et les butylènes, sont des matières premières importantes.

OLÉINE. — On trouve ce triester oléique de la glycérine dans les graisses et les huiles non siccatives. C'est un liquide distillable sous pression réduite, soluble dans l'éther et le benzène.

OLÉIQUE (acide). — C'est un liquide incolore et inodore, de densité 0,898, cristallisant à 14 °C, soluble dans l'alcool et l'éther. Au contact de l'air, il jaunit et prend une odeur rance. Non saturé, il peut fixer deux atomes d'hydrogène pour se transformer en acide stéarique.

OLEN, comm. de Belgique, dans l'est de la prov. d'Anvers; 8 675 hab. Raffinage des métaux.

OLÉODUC → PIPELINE et TURBINE.

OLÉRON *(île d'),* île de l'Atlantique, au large de l'embouchure de la Charente, reliée au continent par un pont long de près de 3 km; 175 km^2; 16 360 hab. Elle forme deux cantons (dont les chefs-lieux sont *Le Château-d'Oléron* et *Saint-Pierre-d'Oléron*) de la Charente-Maritime. Ostréiculture. Tourisme estival.

OLETTA (20232), ch.-l. du cant. de la Conca-d'Oro (Haute-Corse), à 8,5 km au S.-E. de Saint-Florent; 1 030 hab.

OLETTE (66360), ch.-l. de cant. des Pyrénées-Orientales, sur la Têt, à 15,5 km au S.-O. de Prades; 544 hab.

OLÉUM. — Ce nom est donné aux acides sulfuriques fumants contenant plus d'anhydride SO_3 que l'acide normal H_2SO_4. Ce sont des liquides épais, brunâtres, laissant souvent déposer des cristaux d'acide pyrosulfurique $H_2S_2O_7$, et qui servent dans les réactions de sulfonation et de nitration.

OLFACTION → ODORAT.

OLIER (Jean-Jacques), ecclésiastique français (Paris 1608 - *id.* 1657). Prêtre (1633), il prêche des missions avant de se fixer à Vaugirard, où il fonde un séminaire (1641). Curé de Saint-Sulpice (1642-1652), il joue un rôle éminent comme pasteur et réformateur. En 1645, il installe le séminaire sur sa paroisse : sous son impulsion, le séminaire de Saint-Sulpice devient le prototype des séminaires tels que les avait désirés le concile de Trente* : une formation religieuse profonde trouvant son complément dans une solide formation intellectuelle et pastorale. Pour le séminaire et la paroisse, Monsieur Olier institue la Compagnie des prêtres de Saint-Sulpice*, ou Sulpiciens.

OLIGISTE. — C'est une substance gris de fer ou rouge, rhomboédrique, présentant de nombreuses variétés, qui constitue un minerai de fer important.

OLIGOCÈNE → TERTIAIRE *(ère).*

OLIGOCHÈTES → LOMBRIC.

OLIGOCLASE. — Voisine de l'albite par sa composition chimique, l'oligoclase forme des cristaux tricliniques blanchâtres ou verdâtres.

OLIGOÉLÉMENTS. — De nombreux éléments chimiques ne sont présents qu'à une dose extrêmement faible dans les organismes animaux ou végétaux. L'expérience a pourtant démontré que la présence de ces « oligoéléments » était utile, voire indispensable à la vie. Citons le lithium, le bore, le fluor, l'iode, l'aluminium, le titane, le cuivre, le zinc, le nickel, le cobalt, le magnésium, le manganèse, voire le fer, pourtant plus commun.

OLIGOPOLE → CONCURRENCE.

OLINDA, v. du nord-est du Brésil, auj. banlieue nord de Recife; 196 000 hab. Fondée en 1535, elle conserve de sobres monuments religieux de la fin du XVIIe et du début du XVIIIe s.

Oliva *(traité d'),* traité signé à Oliva (auj. Oliwa, en Pologne), le 3 mai 1660. Le roi de Pologne renonçait à ses prétentions sur la Suède, et la Prusse devenait État souverain.

OLIVARES (Gaspar de GUZMÁN, *comte-duc* D'), homme d'État espagnol (Rome 1587 - Toro 1645). Favori de Philippe IV, chancelier des Indes, grand chambellan, il est le véritable maître du royaume entre 1621 et 1643. Il prend d'importantes mesures pour assainir les finances, mais lui-même pratique la concussion. Sa politique centralisatrice provoque des soulèvements en Biscaye, au Portugal et en Catalogne. Il fait entrer l'Espagne dans la guerre de Trente Ans (1636); il est disgracié en 1643.

OLIVER (Joe OLIVER, dit **King**), trompettiste, compositeur et chef d'orchestre de jazz noir américain (La Nouvelle-Orléans 1885 - Savannah 1938). Pionnier du jazz, il popularisa le style dit « Nouvelle-Orléans », faisant évoluer la polyphonie sommaire des premiers orphéons vers des improvisations collectives équilibrées. Émigrant à Chicago en 1918, après la fermeture de Storyville, il organisa le Creole Jazz Band (1920) et engagea, en 1922, Louis Armstrong dans son orchestre. Parmi ses meilleurs enregistrements : *Mabel's Dream* (1923), *Dippermouth Blues* (1923), *London Café* (1923) et *Show Boat Shuffle* (1927).

OLIVET → FROMAGE.

OLIVET (45160), ch.-l. de cant. du Loiret, sur le Loiret, dans la banlieue sud d'Orléans; 12 382 hab. *(Olivetains).* Pépinières et roseraies. — Aux environs, sources du Loiret.

OLIVIER. — L'olivier, arbre fruitier de grande culture, caractérise si bien les régions méditerranéennes que la limite fixée à celles-ci par les géographes correspond sensiblement à celle des cultures d'olivier. C'est un arbre au tronc et aux branches tordus et noueux, aux feuilles ovales, coriaces et persistantes, aux fruits ovales d'un vert sombre contenant un noyau allongé. L'huile extraite des olives est un comestible très apprécié. Le rameau d'olivier est un symbole de paix. (Famille des oléacées.)

Olivier, héros légendaire de *la Chanson de Roland.* En face de Roland, fougueux et emporté, il est le symbole de la sagesse et de la modération.

OLIVIER (Juste), écrivain suisse d'expression française (Eysins, Vaud, 1807 - Genève 1876). Il fut lié avec Sainte-Beuve.

OLIVIER (*sir* Laurence Kerr), acteur, metteur en scène et directeur de théâtre anglais (Dorking, Surrey, 1907). Entré à l'Old Vic Theatre en 1937, il s'est spécialisé dans l'interprétation et la mise en scène de l'œuvre de Shakespeare, dont il a porté à l'écran plusieurs pièces : *Henri V* (1945), *Hamlet* (1948), *Richard III* (1955). En 1963, il a pris la direction du National Theatre. Il fut également l'interprète de plusieurs films en Allemagne, puis à Hollywood et dans son pays natal (*les Hauts de Hurlevent,* 1939; *Rebecca,* 1940; *le Limier,* 1972; *Marathon Man,* 1976; *Betsy,* 1977).

Olivier Twist, roman de Ch. Dickens (1838).

OLLIERGUES (63880), ch.-l. de cant. du Puy-de-Dôme, sur la Dore, à 21 km au N.-N.-O. d'Ambert; 1 381 hab.

OLLIOULES (83190), ch.-l. de cant. du Var, à 8 km à l'O. de Toulon; 8 810 hab. Église romane.

OLLIVIER (Émile), homme politique français (Marseille 1825 - Saint-Gervais-les-Bains 1913). Avocat républicain, il est l'un des « cinq » députés de l'opposition élus en 1857-58. Réélu en 1863, il se rapproche de l'empereur sous l'influence de Morny* et se rallie, après les élections de 1869, au Tiers Parti : avec lui, il réclame un régime parlementaire. Le 2 janvier 1870, il est chargé par Napoléon III de former le cabinet. Il poursuit la transformation du régime (sénatus-consulte du 20 avr. 1870, qui enlève au Sénat son pouvoir constituant) et provoque le plébiscite du 8 mai, largement favorable à l'empire. Mais, ayant dû endosser la responsabilité de la guerre franco-allemande (juill.), E. Ollivier est entraîné par les premières défaites et se retire le 9 août.

OLMÈQUES, peuple ancien du Mexique dont la culture se développa dans la province de Veracruz et l'État de Tabasco actuels, et dont le rayonnement s'étendit sur tout le Mexique et même jusqu'à Chavín*. Née aux alentours du IIe millénaire, avec une période d'épanouissement entre 1200 et 600 av. J.-C., cette culture disparaît vers 200 av. J.-C. Elle est essentiellement caractérisée par ses œuvres sculptées, où gravure et sculpture sont souvent associées, notamment dans les nombreuses figurines de jade, objets de lointaines exportations. D'impressionnants monolithes de basalte possèdent les traits communs de tous les personnages olmèques : mâchoires carrées, bouches lippues aux coins tombants, joues grasses, jambes et bras courts. L'architecture en matériaux légers n'a pas laissé de traces : cependant, les Olmèques élevaient de grandes pyramides d'argile colorée, et les traces de leurs centres cérémoniels (La Venta*, San Lorenzo, Tres* Zapotes) révèlent un souci d'orientation selon un axe N.-S. Deux stèles, datées l'une de 162 av. J.-C. et l'autre de 31 av. J.-C., permettent d'attribuer aux Olmèques l'invention du calendrier méso-américain, perfectionné par les Mayas et encore utilisé par les Aztèques.

Le panthéon olmèque était composé de plusieurs dieux, dont le principal, le jaguar, est souvent représenté sous les traits d'un enfant-jaguar, probable dieu de la Pluie. Il semble que ce soit une organisation économico-militaire (peut-être sous la férule d'une autorité religieuse) qui soit à la base de cette culture.

Olmèques. Figurine d'enfant, en jade. Civilisation olmèque préclassique. (Musée national d'anthropologie, Mexico.)

OLMETO (20113), ch.-l. de cant. de la Corse-du-Sud, à 22 km au N.-O. de Sartène; 1 248 hab.

OLMI (Ermanno), cinéaste italien (Bergame 1931). Après avoir tourné *Le temps s'est arrêté* (1959), il connut un succès international avec *Il Posto* (1961), puis réalisa *les Fiancés* (1962), *Et vint un homme* (1964), *Un certain jour* (1968), *I Recuperanti* (1970), *Durante l'estate* (1971), *La Circostanza* (1973). Son œuvre discrète et chaleureuse lui conféra une place à part dans le cinéma italien des années 60, dont il fut l'un des meilleurs représentants.

OLMÜTZ → OLOMOUC.

OLOF Skötkonung († 1022), roi de Suède (994-1022). Vainqueur, au combat naval de Svolder (1000), du roi norvégien Olav Ier, il s'empara d'une partie de ses possessions. Baptisé par saint Sigfrid en 1008, il favorisa la pénétration du christianisme dans son pays, par l'intermédiaire de missionnaires anglais.

OLOMOUC, en allem. **Olmütz,** v. de Tchécoslovaquie, en Moravie; 81 000 hab. C'est là que, le 29 novembre 1850, le roi de Prusse s'inclina devant un ultimatum autrichien et renonça à ses desseins unitaires. Monuments anciens (XIIe-XVIIIe s.)

OLONNE-SUR-MER (85340), comm. de la Vendée, à 5 km au N. des Sables-d'Olonne; 6 254 hab.

OLONZAC (34210), ch.-l. de cant. de l'Hérault, à 12 km au N. de Lézignan; 1 705 hab.

OLORON *(gave d'),* riv. du sud-ouest de la France, formée à *Oloron-Sainte-Marie,* par la réunion des gaves d'Aspe et d'Ossau, et qui rejoint le gave de Pau (r. g.); 120 km.

OLORON-SAINTE-MARIE (64400), ch.-l. d'arr. des Pyrénées-Atlantiques, à la naissance du *gave d'Oloron,* à 29,5 km au S.-O. de Pau; 13 138 hab. *(Oloronais).* Église Sainte-Marie, anc. cathédrale, des XIIe-XIVe s. (portail roman). Église Sainte-Croix, romane, parmi de vieilles maisons. Construction aéronautique. Textile.

O. L. P., sigle de l'*Organisation* de libération palestinienne.*

OLSZTYN, v. du nord de la Pologne; 99 000 hab. Caoutchouc.

OLT, riv. de Roumanie, née dans les Carpates orientales, affl. du Danube (r. g.); 600 km.

OLTEN, v. du nord de la Suisse (cant. de Soleure), sur l'Aar; 21 209 hab. Constructions mécaniques.

OLTÉNIE, région du sud de la Roumanie, à l'O. de l'*Olt*.

OLYMPE, massif montagneux de la Grèce, aux confins de la Macédoine et de la Thessalie, dominant le golfe de Thessalonique; 2 911 m. Les anciens Grecs en avaient fait le séjour des dieux.

OLYMPIA, v. du nord-ouest des États-Unis, capit. de l'État du Washington; 23 000 hab.

Olympia, toile de Manet (1,30 m × 1,90 m, 1863, Louvre) qui fit scandale au Salon de 1865, comme *le Déjeuner sur l'herbe* au Salon des refusés, en 1863. Le titre de l'œuvre est tiré d'un poème de Zacharie Astruc, *la Fille des îles,* sa composition inspirée de la *Vénus d'Urbin* de Titien et des *Maja* de Goya. Manet ne désirait nullement passer pour révolutionnaire; mais la crudité réaliste avec laquelle il traite son modèle, la crudité du contraste de valeurs qu'il établit (nonobstant la délicatesse de sa palette) ne pouvaient que choquer par rapport aux grâces enveloppées de l'académisme. Salué par les futurs impressionnistes, il en viendra, après 1871, gagnant en spontanéité à leur contact, à délaisser les noirs, à diviser sa touche et à peindre en plein air.

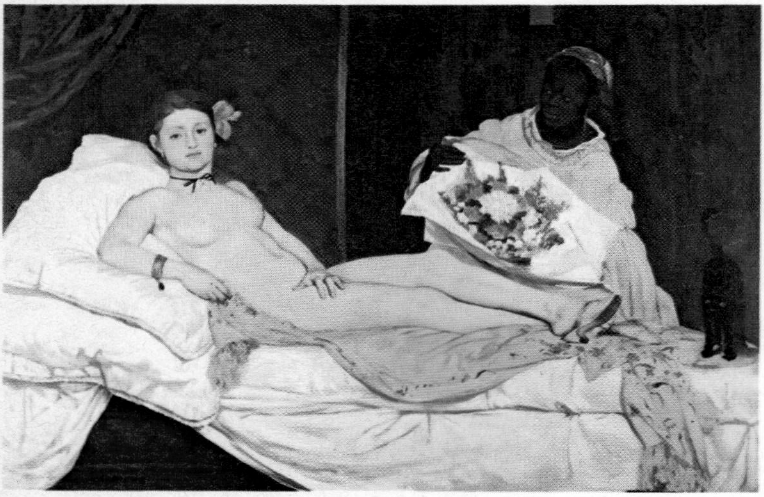

Olympia, d'Édouard Manet. 1863. (Musée du Louvre, Paris.)

Giraudon

OLYMPIAS, princesse d'Épire (v. 375 - Pydna 316 av. J.-C.), reine de Macédoine (v. 357). Épouse de Philippe II* de Macédoine et mère d'Alexandre* le Grand, elle disputa le pouvoir aux diadoques* à la disparition de son fils et fut assassinée.

OLYMPIE, ville de l'ancienne Grèce, centre religieux du Péloponnèse, célèbre par son sanctuaire de Zeus* Olympien et par les jeux Olympiques* qui y étaient célébrés en l'honneur de ce dieu. Vestiges du temple d'Héra (VIIe-VIe s. av. J.-C.), du Prytanée, du Bouleutêrion, du premier stade (VIe s.), du stade monumental, de la terrasse des Trésors et, surtout, du temple de Zeus (Ve s.), dont l'architecture et la magnifique décoration sculptée (musée d'Olympie), parfaitement associées, portent l'empreinte de la rigueur dorienne. Temple de Métroon, la mère des dieux, du IVe s. Portiques du IIIe s. av. J.-C.

Olympio, nom poétique sous lequel V. Hugo se désigne lui-même dans certains poèmes *(Tristesse d'Olympio).*

Olympiques *(jeux),* jeux panhelléniques de la Grèce antique, célébrés en l'honneur de Zeus à Olympie*. Ils avaient lieu tous les quatre ans (la première *olympiade* date de 776 av. J.-C.) et réunissaient l'ensemble du monde grec. Aux épreuves sportives s'ajoutèrent des concours musicaux et littéraires. Les jeux Olympiques furent supprimés en 393, par un décret de Théodose Ier*, comme manifestations du paganisme.

Rénovés par Pierre de Coubertin, à la fin du XIXe s., les jeux Olympiques ont connu une audience croissante, sinon par le nombre de sports au programme (généralement de l'ordre de 20, depuis 1900), du moins par celui des nations et des concurrents représentés. Ce succès même constitue une menace pour leur survie : le sport tendant à s'effacer devant la politique et, accessoirement, devant les excès de la commercialisation. Rassemblement mondial de l'élite sportive, dont le retentissement est amplifié par les techniques modernes de l'audiovisuel, les jeux Olympiques, menacés de gigantisme, sont devenus une tribune politique, comme l'a montré en 1976 le retrait de la quasi-totalité des pays africains (voulant protester contre la participation de la Nouvelle-Zélande, accusée de soutenir la politique d'apartheid d'une Afrique du Sud d'ailleurs exclue des Jeux pour cette raison), succédant à l'attentat meurtrier, perpétré en 1972, contre la délégation israélienne par des Palestiniens. Le cérémonial de la remise des médailles (médaille d'or, ou plus précisément de vermeil, au premier, médaille d'argent au deuxième, médaille de bronze au troisième), avec exécution de l'hymne national et montée au mât du drapeau du pays du vainqueur flatte un nationalisme qui explique la politique de gouvernements favorisant la préparation de leurs représentants, en bafouant ouvertement l'amateurisme (qui, il est vrai, n'est plus de mise à ce niveau de compétition), parfois en couvrant une aide « médicale » relevant du dopage. Le Comité international olympique (le C. I. O.) s'efforce de lutter tout à la fois contre le professionnalisme et contre la politisation. Les jeux (d'été) de 1980 doivent se dérouler à Moscou.

jeux Olympiques (d'été)

1896	Athènes	1924	Paris	1956	Melbourne
1900	Paris	1928	Amsterdam	1960	Rome
1904	Saint Louis	1932	Los Angeles	1964	Tōkyō
1908	Londres	1936	Berlin	1968	Mexico
1912	Stockholm	1948	Londres	1972	Munich
1920	Anvers	1952	Helsinki	1976	Montréal

jeux Olympiques (d'hiver)

1924	Chamonix	1948	Saint-Moritz	1964	Innsbruck
1928	Saint-Moritz	1952	Oslo	1968	Grenoble
1932	Lake Placid	1956	Cortina d'Ampezzo	1972	Sapporo
1936	Garmisch-Partenkirchen	1960	Squaw Valley	1976	Innsbruck

OLYNTHE, ville de la Grèce continentale près de la frontière macédonienne. Son nom évoque trois harangues de Démosthène* *(les Olynthiennes)* par lesquelles le grand orateur essaya de persuader ses compatriotes de porter secours à Olynthe, assiégée par Philippe II* de Macédoine. L'intervention tardive d'Athènes ne sauva pas Olynthe, qui fut prise et rasée (348 av. J.-C.). Abandonnée et jamais reconstruite, la ville a livré un témoignage de l'architecture civile et de l'urbanisme des Ve et IVe s. av. J.-C., reflétant les théories d'Hippodamos* de Milet.

OMAHA, v. des États-Unis, principale agglomération du Nebraska, sur le Missouri; 346 000 hab. Constructions électriques.

OMAN, État de l'Asie occidentale, ouvert sur le *golfe* et la *mer d'Oman;* 212 457 km^2; 759 000 hab. Cap. *Mascate.*

GÉOGRAPHIE. Le sultanat d'Oman est situé à l'extrémité sud-est de la péninsule arabique. Les montagnes du djebel Akhdar séparent la partie occidentale du pays, vaste étendue désertique, de la plaine côtière du golfe d'Oman. La population, peu nombreuse, se concentre dans les vallées montagnardes et dans les oasis de piémont, surtout sur la côte. La vie traditionnelle est fondée sur la culture du palmier-dattier et des agrumes, ainsi que sur la pêche côtière. Les étendues arides sont parcourues par des troupeaux de chameaux, d'ovins et de caprins. Mais l'extraction, récente, de pétrole (16,5 Mt) peut transformer l'économie.

HISTOIRE. La péninsule d'Oman, productrice d'encens, avait dans l'Antiquité une activité commerciale importante. Elle pratiquait une agriculture irriguée grâce à un système de canaux souterrains *(faladj).* L'autorité des califes ne fut jamais établie fermement dans la péninsule, où les khāridjites de la secte ibāḍite trouvèrent refuge et élirent leur premier imān v. 750. Les Portugais s'emparèrent des ports de la péninsule (de Mascate et de Ṣuḥār en 1508), mais, en 1649-50, les Omaniens les en chassèrent et acquirent à leurs dépens Mombasa, Kilwa, Zanzibar et Pemba. À la suite du partage de cet empire maritime, le sultanat de Zanzibar* devint indépendant en 1861. Depuis la fin du XIXe s., les Britanniques, dont l'influence s'est consolidée par des traités successifs, soutiennent la dynastie des Bū Sa'īd (qui règne sur le sultanat de Mascate-et-Oman depuis 1750), en conflit avec les tribus ibāḍites de l'intérieur et avec les rebelles du Ẓufār (Dhofar). Le sultan Qābūs ibn Sa'īd a pris le pouvoir en 1970, afin d'entreprendre la modernisation du pays à laquelle son père était hostile. Il poursuit la lutte avec l'aide militaire de l'Iran, contre les maquisards du Ẓufār.

OMAN *(mer d'),* partie nord-ouest de l'océan Indien, entre les péninsules Arabique et Indienne, parfois appelée aussi *mer Arabique.* — Au nord-ouest, le *golfe d'Oman* en forme la partie la plus étroite, en bordure du *sultanat d'Oman*.*

OMBELLIFÈRES. — Les plantes de cette famille se reconnaissent aisément à leurs petites fleurs, généralement blanches, groupées en *ombelles,* c'est-à-dire en une sorte de plateau, et soutenues par des pédoncules partant du même point de la tige. Leurs feuilles, au limbe souvent très découpé, ont une gaine très large et embrassante. De nombreuses espèces sont aromatiques ou alimentaires (carotte, persil, cerfeuil, fenouil, angélique, céleri); d'autres sont vénéneuses (ciguë).

OMBILIC. — L'ombilic, ou *nombril,* forme un creux un peu au-dessous du milieu de la paroi abdominale. Avant la naissance, l'ombilic est le lieu de passage des vaisseaux du cordon ombilical qui relie le **fœtus* à la mère.**

OMBLE. — Peu de poissons de rivière ont une aussi large extension que l'omble chevalier *(Salvelinus alpinus),* qui se rencontre dans les lacs et les rivières de toutes les régions froides ou montagneuses de l'hémisphère Nord. C'est un voisin de la truite, caractérisé par ses écailles minuscules. L'omble de fontaine *(S. fontinalis)* vivait naguère dans les Grands Lacs canadiens. (Famille des salmonidés.)

OMBRE *(Opt.).* — Un corps opaque interposé sur le trajet d'un faisceau lumineux intercepte la lumière; en arrière de ce corps, une portion de l'espace ne reçoit aucune lumière; on dit qu'elle est dans l'*ombre.* Quand la source lumineuse n'est pas ponctuelle, l'ombre est entourée d'une zone de transition appelée *pénombre,* où parvient une partie plus ou moins grande de la lumière de la source. On distingue l'*ombre propre,* partie non éclairée du corps opaque, et l'*ombre portée,* partie non éclairée des corps qui entourent celui-ci.

OMBRE *(Zool.).* — Ce poisson, cantonné dans le bassin supérieur de la Saône, se reconnaît à sa grande dorsale ornée en damier. Il ne mange que des proies minuscules. C'est un salmonidé du genre *Thymallus,* qu'il ne faut pas confondre avec l'omble.

OMBRIE, en ital. **Umbria,** région de l'Italie péninsulaire, formée des prov. de Pérouse et de Terni; 8 456 km^2; 786 000 hab. Capit. *Pérouse.* Transition entre l'Italie du Nord et le Mezzogiorno, sans contact avec la mer, l'Ombrie englobe une partie de l'Apennin calcaire, qui domine un ensemble confus de collines encadrant des plaines intérieures. Les cultures du blé, de la vigne et de l'olivier sont pratiquées dans des petites exploitations très morcelées. La métallurgie est la principale branche industrielle, devant l'alimentation et le textile. Le tourisme anime Pérouse, Orvieto et Assise.

OMBUDSMAN. — La Constitution suédoise de 1809 donne sa portée à l'institution de l'ombudsman. Élu par la Chambre basse, il est chargé de « concilier la liberté et la monarchie ». Sa compétence est, pour ainsi dire, universelle et, en 1957, elle a été étendue au contrôle des autorités municipales. En 1915 avait été institué un ombudsman militaire. De nombreux pays ont établi une institution analogue à celle de l'ombudsman suédois : la Finlande (1919), le Danemark (1953), la Norvège (1953 et 1962), la R. F. A. (ombudsman militaire, 1957), la Nouvelle-Zélande (1967), la Grande-Bretagne (« commissaire parlementaire », 1967), le Québec (1968), l'Irlande du Nord (1970), la France (3 janv. 1973). [V. MÉDIATEUR.]

OMDURMAN ou **OMDOURMAN,** v. du Soudan, sur le Nil, en face de Khartoum; 259 000 hab. Elle fut la capitale du Mahdī* (1885). En 1898, les forces anglo-égyptiennes de Kitchener y battirent les troupes mahdīstes du calife 'Abd Allāh ibn Muḥammad.

OMEYYADES, dynastie arabe qui régna de 661 à 750. Famille quraychite* de La Mecque, les Omeyyades (en ar. Banū 'Umaiyya),

L'EXPANSION DE L'ISLĀM AU TEMPS DES OMEYYADES (661-750)

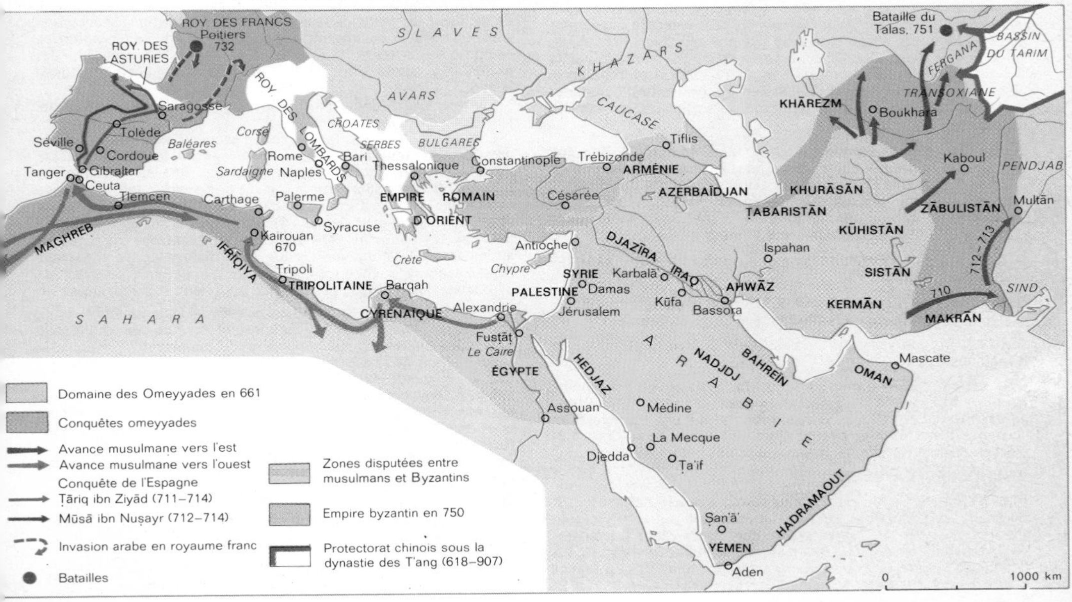

d'abord hostiles à Mahomet, à l'exception de Uthmān ibn 'Affān (qui deviendra calife de 644 à 656), rallient le prophète et occupent dès lors de hautes fonctions dans la communauté musulmane. Mu'āwiyya, gouverneur de Syrie hostile au calife 'Alī* (de 656 à 661), ayant obtenu la renonciation du fils de celui-ci, Ḥasan, s'empare du califat et fonde la dynastie des Omeyyades. Mu'āwiyya Ier (de 661 à 680) délaisse les villes saintes de l'Arabie et Damas* devient la capitale de l'empire. Il désigne pour lui succéder son fils, Yazīd Ier (de 680 à 683), introduisant le principe de succession héréditaire dans l'Empire musulman. Cet empire connaît alors une grande expansion : jusqu'aux années 700, « l'islām affermit ses conquêtes, revenant s'installer là où il n'avait fait que razzier » (A. Miquel), puis il gagne, à l'est, la plaine de l'Indus (710-713), la Transoxiane (709-711) et est victorieux des Chinois à la bataille du Talas (751). À l'ouest, l'Espagne est conquise avec le concours des Berbères (711-714). Les Arabes, refoulés à Poitiers (732), n'abandonnent Narbonne qu'en 759. Alors que Mu'āwiyya Ier avait conservé l'administration héritée des Perses et des Byzantins, 'Abd al-Malik (de 685 à 705) entreprend les réformes destinées à « unifier, islamiser et arabiser » l'empire. L'économie — et particulièrement le commerce et l'artisanat — se développe. Grands bâtisseurs, les Omeyyades dotent les villes de mosquées (Damas, Jérusalem*, Kairouan*) et, dans le désert (Palmyrène et Transjordanie), construisent des châteaux.

Mais l'Empire omeyyade est secoué par des crises perpétuelles, dues à l'instabilité politique des Arabes, organisés en tribus rivales, à l'opposition religieuse chī'ite et khāridjite et aux injustices sociales : l'aristocratie arabe jouit de grands privilèges fiscaux et fonciers, tandis que les mawālī, musulmans non arabes, sont astreints par Hichām (de 724 à 743) à payer l'impôt foncier *(kharādj)*. La révolte de l'agitateur chī'ite Abū Muslim, partie du Khurāsān en 747-748, renverse le calife Marwān II (de 744 à 750). Les 'Abbāssides* font assassiner tous les membres de la famille omeyyade. 'Abd al-Raḥmān Ier échappe au massacre et fonde l'émirat omeyyade de Cordoue* (756-1031), érigé en 929 en califat rival de Bagdad.

ŌMIYA, v. du Japon (Honshū), au N.-O. de Tōkyō; 269 000 hab.

OMO, riv. du sud de l'Éthiopie, affluent du lac Rodolphe et dont la vallée est bordée de formations quaternaires atteignant plusieurs centaines de mètres d'épaisseur. Entre 1932 et 1933, C. Arambourg en a étudié la faune, chronologiquement située à la frontière du tertiaire et du quaternaire. Actuellement, une mission internationale retrouve de nombreux vestiges d'australopithèques, dans des couches datées avec certitude de 3 750 000 ans; des galets aménagés remontent, eux, à deux millions d'années. Le gisement de l'Afar, sur les rives de l'Aouache, est à rapprocher de celui-ci par sa richesse et par la similitude des découvertes.

OMONT (08430 Poix Terron), ch.-l. de cant. des Ardennes, à 26,5 km au S. de Charleville-Mézières; 44 hab.

OMOPLATE. — L'omoplate, os large, plat et triangulaire, s'applique sur la partie postérieure et supérieure du thorax. Sa face postérieure est divisée en fosses sus- et sous-épineuse par l'épine de l'omoplate, prolongée en dehors par une apophyse, l'acromion, qui s'articule avec la clavicule. L'angle externe supporte la cavité glénoïde (qui s'articule avec la tête de l'humérus) et l'apophyse coracoïde (où s'insèrent des muscles du bras). Les omoplates constituent avec les clavicules la ceinture scapulaire, qui unit les bras au tronc.

OMRI, souverain du royaume d'Israël (885-874 av. J.-C.). Bien que la Bible, qui envisage l'œuvre d'Omri sous le seul angle religieux, ne parle de lui que très brièvement, on sait par les textes cunéiformes qu'il fut un roi remarquable. Il fonda Samarie*, soumit la Transjordanie et contrôla le pays de Moab. Mais sa politique religieuse lui valut d'être blâmé par l'auteur biblique.

O. M. S., sigle de l'*Organisation mondiale de la santé* → ORGANISATIONS INTERNATIONALES.

OMSK, v. de l'U. R. S. S. (R. S. F. S. de Russie), en Sibérie occidentale, sur l'Irtych; 821 000 hab. Raffinage du pétrole. Chimie.

ŌMUTA, port du Japon, sur la côte ouest de Kyūshū; 175 000 hab. Aluminium.

ONAGRACÉES. — Les herbes les plus connues de cette petite famille sont l'épilobe (10 espèces sauvages en France) et l'onagre, ou œnothère. Les épilobes se reconnaissent à leurs fleurs roses et surtout à leur très long ovaire, situé au-dessous de la fleur. Les onagres portent des fleurs jaunes rappelant les renoncules.

ONCHOCERCOSE → VER.

ONDATRA. — Ce rongeur est plus souvent appelé « rat musqué ». Originaire de l'Amérique du Nord et introduit imprudemment en Europe, c'est un rat des berges et des digues, dont les terriers compromettent la solidité. Gros mangeur de plantes aquatiques, il a la taille du cobaye et les mœurs du castor. Son extension en France est difficile à contrôler. (Famille des cricétidés.)

ONDE *(Phys.)*. — Si l'on produit un ébranlement en un point d'un milieu, cet ébranlement se transmet de proche en proche à tous les points du milieu. C'est ce que l'on observe quand on jette une pierre à la surface d'une eau tranquille. On dit qu'une onde se propage. Dans l'exemple ci-dessus, chaque point de la surface du liquide subit, quand l'onde l'atteint, un déplacement perpendiculaire à la surface; l'onde est dite alors *transversale.* Lorsque le déplacement est parallèle à la direction de propagation, l'onde est dite *longitudinale;* c'est le cas des ondes sonores. Lorsque le milieu est soumis à une oscillation périodique, l'état vibratoire de la source, au bout d'une période T, s'est transmis à une distance $\lambda = VT$ (V étant la vitesse de propagation), appelée *longueur*

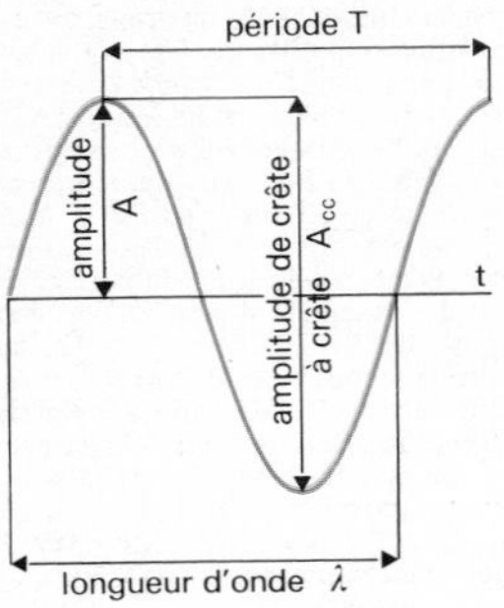

ONDE
Paramètres d'une onde sinusoïdale pure.

d'onde. Tous les points séparés par un nombre entier de longueurs d'onde ont des états vibratoires identiques; on dit que leurs vibrations sont « concordantes » ou « en phase ». Ces points se répartissent sur des *surfaces d'onde.* Dans un milieu homogène et isotrope, et pour une source ponctuelle, ces surfaces d'onde sont des sphères.

On distingue les *ondes matérielles,* qui se propagent par vibrations de la matière (gazeuse, liquide ou solide), et les *ondes électromagnétiques**, dues à la vibration d'un champ électromagnétique, en dehors de tout support matériel. Parmi les premières, figurent, pour des fréquences comprises entre 16 et 20 000 hertz, les ondes sonores; les ultrasons ont des fréquences plus élevées, les infrasons des fréquences plus basses. Les ondes électromagnétiques comprennent, selon leur longueur, les rayons gamma (de 0,005 à 0,25 angström), les rayons X (jusqu'à 0,001 micron), l'ultraviolet (de 0,02 à 0,4 micron), la lumière visible (de 0,4 à 0,8 micron), l'infrarouge (de 0,8 à 300 microns), les ondes radioélectriques (du millimètre à plusieurs dizaines de kilomètres). Toutes ces ondes se propagent, dans le vide, à la vitesse de 300 000 km/s.

Parmi les ondes radioélectriques (ou hertziennes [v. art. suiv.]), on distingue les *ondes entretenues,* dont les oscillations successives sont identiques en régime permanent, et les *ondes amorties,* composées de trains successifs dans lesquels l'amplitude des oscillations, après avoir atteint un maximum, décroît graduellement.

La mécanique* ondulatoire associe une onde immatérielle aux particules en mouvement.

L'*onde de choc* est formée par l'accumulation des ondes de pression que tout mobile crée autour de lui lorsque sa vitesse atteint celle du son. L'air subit alors une brusque variation de pression et de température à travers une surface qui se déplace avec le mobile : c'est l'onde de choc, qui a la forme d'un cône de révolution ayant pour sommet la position actuelle du mobile. En aviation, les ondes de choc apparaissent avant que l'appareil ait atteint la vitesse du son*; elles sont une cause de résistance supplémentaire à l'avancement et sont à l'origine du bruit de détonation, ou « bang », produit par les avions supersoniques.

• *Onde stationnaire.* Si le milieu de propagation est limité, toute onde issue d'une source d'ébranlement se réfléchit quand elle atteint les limites du milieu. Pour un ébranlement périodique, la superposition de l'onde directe et de l'onde réfléchie peut donner lieu au phénomène d'ondes stationnaires, où certains points du milieu restent constamment au repos (nœuds), tandis que d'autres ont une amplitude maximale (ventres). Ainsi, une corde tendue entre deux points fixes peut vibrer en formant un ou plusieurs fuseaux; elle est le siège d'une onde stationnaire transversale. De même, l'air d'un tuyau sonore rendant un son est le siège d'une onde stationnaire longitudinale.

ONDE *(Radioélectr.)*. — En radioélectricité le rayonnement électromagnétique est souvent appelé *ondes hertziennes,* en hommage au physicien Hertz* qui, en 1887, a mis en évidence ce rayonnement.

L'explication de la création des ondes hertziennes est complexe et fait appel à la théorie des quanta* et à la mécanique* ondulatoire.

Un circuit oscillant, accordé sur une fréquence élevée et entretenu par un transistor* ou par un tube* d'émission, produit un courant qui est appliqué à une antenne*. Les électrons* composant ce courant produisent autour d'eux un champ* magnétique qui se propage à 300 000 km/s. Ce champ magnétique est lié au conducteur et n'est pas un rayonnement. En revanche, si l'électron, d'abord accéléré par la première partie de l'alternance positive du courant, est brusquement arrêté, puis accéléré en sens contraire par la seconde partie de cette alternance, l'énergie contenue dans le champ magnétique n'a pas le temps de regagner le conducteur et est libérée sous la forme de rayonnement. Plus la fréquence du circuit oscillant est élevée, plus l'accélération positive et négative des électrons est importante et plus le rayonnement de l'antenne est facilité. Ce rayonnement électromagnétique a nécessairement la même fréquence que celle du circuit oscillant. Il se propage à la vitesse de 300 000 km/s; d'où la définition de la longueur d'onde : c'est la distance parcourue par une oscillation du rayonnement exprimée par la formule $\lambda = \frac{c}{f}$.

Dans cette formule, λ représente la longueur de l'onde exprimée en mètres, c la vitesse de la lumière égale à 300 000 km/s et f la fréquence du rayonnement en kilohertz.

classification officielle des ondes hertziennes

désignation	*longueur*	*fréquence correspondante*
ondes décakilométriques	100 km-10 km	3 kHz-30 kHz
ondes kilométriques	10 km-1 km	30 kHz-300 kHz
ondes hectométriques	1 km-100 m	300 kHz-3 MHz
ondes décamétriques	100 m-10 m	3 MHz-30 MHz
ondes métriques	10 m-1 m	30 MHz-300 MHz
ondes décimétriques	1 m-0,1 m	300 MHz-3 GHz
ondes centrimétriques	0,1 m-0,01 m	3 GHz-30 GHz
ondes millimétriques	0,01 m-0,001 m	30 GHz-300 GHz

La lumière, les rayons X, les rayons gamma et les rayons cosmiques sont de même nature, mais possèdent une fréquence de plus en plus élevée.

ONDULEUR. — Un onduleur constitue un générateur à résistance presque nulle, bien qu'il ait une puissance nominale finie. Quoique délivrant une tension alternative sinusoïdale, il est exclusivement statique et, par essence, monophasé. Il n'existe pas de relation fréquence*/charge, sauf dans le cas des onduleurs auto-oscillants. Il utilise pour la transformation du courant* continu en courant alternatif des redresseurs* contrôlés au silicium, qui sont presque exclusivement des thyristors. Un onduleur est *assisté,* ou *non autonome,* lorsqu'il alimente un réseau* alternatif qui lui impose la fréquence et la forme de la tension de sortie. Il est *autonome,* lorsqu'il débite sur un réseau alternatif passif; il détermine alors lui-même sa fréquence, sa phase et sa tension alternative de sortie. Un onduleur autonome est *piloté* lorsque la fréquence est imposée par un circuit pilote. Il est *auto-oscillant* lorsque les impulsions de commande sont empruntées au circuit d'utilisation.

ONEGA *(lac),* lac du nord-ouest de l'U. R. S. S. (9 900 km^2), relié au lac Ladoga (et à Leningrad) par la Svir canalisée, et à la mer Blanche (dans le *golfe d'Onega*) par une autre section du canal Baltique-mer Blanche.

O'NEILL, dynastie royale irlandaise qui, à partir de la seconde moitié du Ve s., conquit la majeure partie de l'Ulster et arracha (483) la dignité d'Árd Rí d'Irlande à la dynastie de Connacht. Au XIIIe s., BRIAN **O'Neill,** Árd Rí d'Irlande (1258), tenta de secouer la tutelle anglaise et fut vaincu et tué à la bataille de Drumderg (1260). Conservant le titre royal de Tyrone jusqu'en 1567, connus après cette date sous le titre de comtes **de Tyrone,** les O'Neill luttèrent contre l'occupant anglais (Shane O'Neill en 1561; Hugh O'Neill en 1595; Owen Roe O'Neill en 1642).

O'NEILL (Eugene Gladstone), auteur dramatique américain (New York 1888-Boston 1953). Après une jeunesse aventureuse, il écrit des pièces (*Route à l'est vers Cardiff,* 1916; *la Lune des Caraïbes,* 1918) pour une petite troupe, les « Provincetown Players », qui vont renouveler le théâtre américain. Empruntant aux Anciens la technique du masque, aux Allemands les procédés de l'expressionnisme, à Freud les données essentielles de la psychanalyse, il passe du réalisme (*Anna Christie,* 1922; *le Désir sous les ormes,* 1924) à une vision essentiellement poétique, dont les thèmes majeurs sont l'incapacité de l'homme à s'intégrer à un univers qui le déroute (*Empereur Jones,* 1921; *le Singe velu,* 1922) et, dans l'esprit de la tragédie grecque, la lutte d'êtres d'exception contre l'inexorable destin (*l'Étrange Intermède,* 1928; *Le deuil* sied à Électre,* 1931). Sa dernière pièce, *Long Voyage dans la nuit,* écrite en 1940 et jouée en 1956, est d'inspiration autobiographique. (Prix Nobel, 1936.)

ONET-LE-CHÂTEAU (12000 Rodez), comm. de l'Aveyron, à 6 km au N.-O. de Rodez; 6 656 hab. Constructions mécaniques et électriques.

ONEX, comm. de Suisse, banlieue sud-ouest de Genève; 13 524 hab.

ONGLE. — Mince et plat, l'ongle est implanté par trois bords dans les téguments, mais surtout par son bord supérieur, où se trouve la matrice qui assure sa croissance. La lunule forme le croissant clair situé à sa base. De nombreuses maladies, générales ou cutanées, peuvent provoquer des altérations des ongles : citons la fragilité, dont une des causes est la pratique des travaux ménagers, les mycoses*, qui atteignent l'ongle par son bord libre, réalisant un onyxis, et qui peuvent se propager à la matrice et constituer le périonyxis.

ONGULÉS. — Les classificateurs ont cru devoir rassembler en un seul ordre, celui des ongulés, tous les mammifères aux doigts munis de sabots. Un sabot est un ongle très développé entourant entièrement la dernière phalange et reposant sur le sol par sa face inférieure. Son usage implique une marche *onguligrade,* c'est-à-dire sur la pointe des doigts. Ceux-ci sont en nombre d'autant plus réduit que le sabot est plus typique. L'éléphant, plantigrade et à peine ongulé, a cinq doigts; le cheval, dont le sabot peut peser 500 g, n'a qu'un doigt par patte. Mais l'un et l'autre, de même que les tapirs et les rhinocéros, sont des « imparidigités » ou périssodactyles (nombre impair de doigts par patte), tandis que porcins et ruminants sont « paridigités » (quatre ou deux doigts par patte). [V. illustration p. 1354.]

ONITSHA, v. du Nigeria, sur le Niger; 197 000 hab.

ONK *(djebel),* montagne de l'Algérie orientale, près de la Tunisie. Phosphates.

ONNAING (59264), comm. du Nord, à 6,5 km au N.-E. de Valenciennes; 9 721 hab.

On ne badine pas avec l'amour, proverbe d'Alfred de Musset (1834), représenté au Théâtre-Français en 1861.

ONOMASTIQUE. — L'onomastique est la partie de la linguistique qui recherche l'origine des noms propres. On distingue l'anthroponymie, qui étudie les noms de personnes (noms, prénoms, surnoms), et la toponymie, qui étudie les noms de lieux. L'onomastique d'un pays est intimement liée à son histoire, en particulier aux mouvements de population. C'est ainsi que l'étude des toponymes français permet de dégager quatre couches principales : préceltique, celtique, gallo-romaine, germanique.

ONOMICHI, port du Japon (Honshū), sur la mer Intérieure; 101 000 hab.

ONSAGER (Lars), chimiste américain d'origine norvégienne (Oslo 1903-Miami 1976). Dès 1931, il a étudié la thermodynamique des processus irréversibles, pour lesquels il a établi ses « relations de réciprocité ». (Prix Nobel de chimie, 1968.)

ONTARIO, prov. du Canada; 1 068 582 km^2; 7 703 000 hab. Capit. *Toronto.* D'une superficie presque double de celle de la France, l'Ontario est la province la plus peuplée et la plus développée économiquement du Canada. Hommes et activités se concentrent

O'Neill. *Une lune pour les déshérités,* par la Comédie-Française au théâtre de l'Odéon (Paris, 1975).

Bernand

ONGULÉS

presque exclusivement (les neuf dixièmes de la population sur moins du dixième de la superficie de la province) dans les basses terres bordant la région aval des Grands Lacs (Huron, Érié et Ontario) et la vallée du Saint-Laurent. L'hiver y est déjà assez rude (la température moyenne de janvier est de − 4 °C à Toronto, de − 11 °C à Ottawa) et enneigé. La rigueur du climat s'accentue vers le nord, dans la partie ontarienne du bouclier canadien et surtout dans les basses terres bordant la baie d'Hudson (de − 20 à − 25 °C

Ontario. Vue panoramique sur les rives canadiennes du Niagara.

en moyenne en janvier, sur ses rives). La forêt de feuillus (avec érables), dominante dans le sud, cède rapidement la place aux boisements mixtes, avec pins, puis à la forêt de conifères et même à la toundra boisée.

L'industrie occupe près de la moitié des actifs canadiens de ce secteur et contribue pour une part encore légèrement supérieure à la valeur des produits manufacturés canadiens. La métallurgie (sidérurgie, constructions mécaniques et électriques [notamment matériel de transport]), la chimie (avec le raffinage du pétrole), l'alimentation sont les branches dominantes. Au point de vue minier, le sous-sol fournit surtout du nickel et du cuivre. L'agriculture, réfugiée dans la partie méridionale sédimentaire, associe culture de maïs et élevage laitier. La sylviculture exploite les forêts méridionale et, surtout, centrale (pâte à papier).

L'importance de l'industrie, le développement du secteur tertiaire expliquent un taux d'urbanisation élevé (plus de 80 p. 100) et une concentration progressive dans les grandes agglomérations. Celle de Toronto rassemble environ le tiers de la population ontarienne. Les agglomérations d'Hamilton et d'Ottawa avoisinent le demi-million d'habitants. La densité est élevée dans le triangle Toronto-London-Saint Catharines.

ONTOLOGIE. — La métaphysique* générale, ou philosophie première, qu'Aristote définit comme « la science de l'être en tant qu'être », est un discours qui pose deux séries de problèmes. La première série tente d'articuler l'être au logos (pensée, langage), de rapporter le logos à l'être comme à son fondement. La seconde série cherche à délimiter le domaine de l'être en prenant soin de distinguer l'être des étants (Heidegger).

Les ambiguïtés du terme « être » ont été analysées par Platon et Aristote, notamment, qui ont mis en question l'usage du verbe « être » dans le langage et le langage lui-même : tant ce que le langage dit que la manière dont il le dit. Cette investigation est renouvelée par les logiciens modernes (Russell*, Wittgenstein* et Quine* plus particulièrement) et se complique du fait du développement des sciences qui pose en termes nouveaux les questions du statut de la réalité et des niveaux de réalité.

La pensée grecque réfère la définition d'une chose à son essence (ce pourquoi elle est telle) et distingue celle-ci de ses propriétés ou accidents ou modes. L'essence apparaît alors comme ce qui permet l'intelligibilité d'une chose. Dans cette optique, que partagent la plupart des philosophes classiques (qu'ils n'admettent qu'une seule réalité fondamentale [monisme] ou deux [dualisme]), les essences sont différenciées des existences. Quelle est, dans ce cas, la nature des relations essence-existence? La connaissance des essences se confond-elle avec celle des existences? Quels sont les critères qui permettent d'affirmer l'existence d'une chose? Les réponses à ces questions sont en même temps prises de position face à l'argument ontologique*.

La naissance et le développement de la mécanique quantique, qui appréhende la réalité sous les formes combinées onde-corpuscule, font de l'objet de la microphysique une entité théorique à la fois construite et observée. La microphysique est ainsi à l'origine d'une nouvelle problématique de l'ontologie : problématique physique et non plus métaphysique.

Le positivisme* logique élabore cette nouvelle problématique en faisant de la logique* symbolique l'instrument que doit appliquer la philosophie à l'élucidation de tout énoncé. Dans la mesure où le discours fait référence au monde, sa structure nous apprend-elle quelque chose de la structure du monde? C'est en effet, le fait que le discours fasse signe vers le monde qui constitue l'implication ontologique du langage. Mais, dès lors, se repose le problème du jugement d'existence. Or celle-ci n'est affirmée que par un sujet* qui en fait l'expérience. C'est pourquoi l'existentialisme* attribue à un certain type d'existence (celle du sujet) une valeur supérieure à celles des autres existants. Mais refuser de privilégier ainsi le sujet n'implique-t-il pas de faire du langage «la demeure de l'être» (Heidegger)?

ONTOLOGIQUE (argument). — Cet argument, qui constitue la réponse à la question : Est-il possible de démontrer l'existence de Dieu?, remonte à Anselme*. Kant le ramène à trois preuves : physico-théologique, cosmologique et ontologique. Cette dernière preuve (l'idée de Dieu est celle d'un être suprême et parfait, s'il n'existait pas il ne serait pas parfait; donc il existe) doit sa formulation à Descartes. Supposée par les deux autres, la troisième preuve postule que l'on puisse conclure l'existence d'une chose à partir de l'idée de cette chose. Or, rationnellement, on ne peut, à partir de l'idée d'une chose, que supposer l'existence de cette chose mais non la *déduire.* À strictement parler, il n'y a donc pas de preuve de l'existence de Dieu.

O. N. U., sigle de l'*Organisation des Nations unies* → ORGANISATIONS INTERNATIONALES.

ONYXIS → ONGLE.

OÔ *(lac d'),* petit lac des Pyrénées (Haute-Garonne), formé par la *Neste d'Oô.*

ŌOKA SHŌHEI, écrivain japonais (Tōkyō 1909), auteur de récits inspirés par son expérience de la guerre (*les Feux dans la plaine,* 1950).

OOLITHE. — Concrétions sphériques de 1 mm de diamètre environ, se formant autour d'un germe (débris de fossiles, grains de quartz), les oolithes sont généralement constituées de calcite, plus rarement d'oxyde de fer. Cimentées, elles donnent naissance à une roche à structure oolithique, comme, par exemple, le *calcaire oolithique.*

OORT (Jan Hendrik), astronome néerlandais (Franeker 1900). Très connu par ses travaux sur la structure et la dynamique de la Galaxie*, il mit en évidence, en 1927, la rotation galactique et montra le caractère différentiel de cette rotation.

OOSPHÈRE. — Le terme d'*oosphère* désigne le gamète femelle principal des plantes supérieures; fécondée, l'oosphère deviendra l'œuf-plantule, puis la plantule proprement dite, tandis que le «noyau secondaire», sorte de gamète atypique mais cependant fécondable, fournira l'albumen destiné à nourrir la plantule.

OOSTAKKER, anc. comm. de Belgique (Flandre-Orientale), depuis 1977 incorporée à Gand.

OOSTKAMP, comm. de Belgique (Flandre-Occidentale), au S. de Bruges; 18 677 hab.

OOTHÈQUE. — Diverses femelles d'insectes (mante religieuse, par exemple) pondent leurs œufs dans les loges d'une sorte de boîte, faite d'une sécrétion pâteuse durcissant à l'air. Ce n'est pas un nid, puisque la mère n'y donne aucun soin aux œufs ou aux jeunes, ce n'est pas un cocon, faute d'être soyeux. C'est une oothèque.

OPAVA, v. de Tchécoslovaquie, en Moravie; 48 000 hab.

OPEN MARKET. — On appelle ainsi la pratique par laquelle la banque d'émission intervient sur le marché monétaire pour acheter ou pour vendre des effets de commerce, dans le but d'influencer le taux d'intérêt sur ce marché.

O. P. E. P., sigle de l'*Organisation* des pays exportateurs de pétrole.*

OPÉRA. — Sous ce terme générique et abrégé, on englobe tout genre musical chanté et représenté, quel que soit le titre réel que lui a donné le compositeur (opera in musica, dramma per musica, favola, pastorale, melodramma, drame lyrique, dramma giocoso, opera seria, tragédie lyrique, opéra-ballet, opera buffa, opéra-comique, singspiel, zarzuela, comédie lyrique, opéra-féerie, légende dramatique, action théâtrale, roman musical...).

À partir de là se dégagent des types différents qui correspondent à des époques, des écoles, des modes, et qui peuvent soit se transmettre d'un pays à l'autre en s'adaptant (opera seria), soit fleurir, puis disparaître (pastorale, opéra-ballet, singspiel), ou encore rester attachés à un pays, mais en y subissant de profondes transformations (opéra-comique). L'opéra naît en Italie à l'aube du XVIIe s. Il réalise déjà un spectacle total, réunissant une narration (recitar cantando, ou recitativo), une expression collective (chœurs hérités de l'ancien madrigal) et gestuelle (danses issues du ballet de cour), à des éléments visuels (décors, machinerie).

D'inspiration pastorale, mythologique, historique, cet ouvrage prendra le nom d'*opera seria,* dont les Florentins, Romains, Vénitiens et Napolitains donneront des exemples achevés (Monteverdi, Cavalli, A. Scarlatti). L'expression des sentiments suscitera l'éclosion de l'aria*, le plus souvent *da capo,* et engendrera une virtuosité vocale qui, au XVIIIe s., prendra le pas sur le récitatif. L'opera seria se répand alors en Europe, notamment dans les pays germaniques, où Keiser, Hasse, Händel l'exploitent, en attendant qu'à Vienne, Gluck, Mozart et Beethoven ne tentent de l'adapter à l'esprit allemand. La France réussit, autour de 1670, sous le titre de *tragédie lyrique,* à transposer en musique les modèles fournis par Corneille et Racine : équilibre entre la raison et la passion, entre une prosodie juste, noble, des chœurs homophones et des danses (Lully). Ce type classique durera jusqu'à la mort de Rameau. Le geste déborde parfois l'action, entraînant une série de danses, insérées plus ou moins logiquement dans l'histoire. La France favorise, sous Louis XIV et Louis XV, ce spectacle, réunissant plusieurs actes de ballet sur des sujets mythologiques, pastoraux, héroïques ou galants ayant un lien psychologique entre eux (Campra, Rameau). On appellera plus tard ces ouvrages des *opéras-ballets.* Le romantisme voit le fossé se creuser entre les tendances européennes. Les Italiens continuent d'accorder leur préférence à la voix (Donizetti, Bellini, Verdi, Puccini); les Français sacrifient aussi à l'air, mais aiment s'attacher à la psychologie des personnages (Berlioz, Gounod) jusqu'en une expression naturaliste (Bruneau, G. Charpentier). Les Russes mettent en scène des drames historiques et populaires (Moussorgski, Borodine), tandis que, chez les Allemands, l'orchestre devient un partenaire puissant du chant, en des ouvrages fantastiques (Weber), mythiques (Wagner), galants (R. Strauss) ou réalistes (Berg).

En réaction contre le grand opéra, surgit, au début du XVIIIe s., un type de partition lyrique allégée, aimable. Les Italiens l'insèrent dans une action grave, à titre d'intermezzo (Pergolèse), avant de lui offrir une vie indépendante sous le nom d'*opera buffa,* pièce animée, d'un comique poussé (Cimarosa, Rossini, *Falstaff* de Verdi, *Gianni Schicchi* de Puccini). Les Allemands recherchent le côté populaire de l'action et font alterner scènes parlées et chantées *(singspiel).* Les Français voient d'abord dans l'*opéra-comique* une occasion de caricaturer la tragédie lyrique sur des tréteaux de foire. Le genre s'ennoblit dans la seconde moitié du XVIIIe s., tout en restant fidèle au naturel dans une intrigue bourgeoise ou paysanne (Monsigny, Grétry, Philidor). Le romantisme et le début du XXe s. maintiennent l'épithète de «comique», mais donnent à l'œuvre une dimension dramatique (*Faust* de Gounod, *Carmen* de Bizet), renouant parfois avec le système ancien de la déclamation musicale continue (*Pelléas* de Debussy).

En dépit de cette bifurcation, la tradition comique se poursuit, en France et en Allemagne, dans l'*opérette,* genre léger, où un texte plein de verve alterne avec des couplets agréables (Offenbach, J. Strauss, Lecocq, Chabrier, Messager, Lehar, Scotto).

Opéra *(théâtre de l'),* théâtre lyrique français, à Paris. Depuis sa première représentation en 1671, l'Académie de musique a occupé successivement treize salles (notamment au Palais-Royal et rue Le Peletier), avant d'aboutir au Palais Garnier, inauguré en 1875.

L'actuel Opéra de Paris, entrepris en 1861, est le chef-d'œuvre de l'architecte Charles Garnier (Paris 1825-*id.* 1898). Ample de conception, rationnel dans sa construction, richement décoré avec le concours de peintres officiels (Paul Baudry [1828-1886] : grand foyer), il est le produit d'un éclectisme sincère et généreux, inspiré à Garnier, prix de Rome à vingt-trois ans, par cinq années de voyages en Italie, en Sicile, en Grèce et à Constantinople.

OPÉRA-BALLET, OPERA BUFFA, OPÉRA-COMIQUE → OPÉRA.

Opéra-Comique *(théâtre de l'),* théâtre lyrique français à Paris. Installé à l'origine dans les loges des foires, ce spectacle s'abrita dans divers locaux avant de se fixer salle Favart, plusieurs fois détruite et reconstruite.

Opéra de quat' sous *(l'),* pièce de B. Brecht (1928), inspirée de *l'Opéra du gueux* (1728), de John Gay; musique de Kurt Weill. En 1931, sous le même titre, Brecht écrivit le scénario d'un film de

G. W. Pabst, qui comporte deux versions, l'une allemande, l'autre française. Dans les deux cas, un même monde manipulé par les receleurs et les entrepreneurs de misère, et fasciné par les bandits : bas-fonds et hauts lieux de la société échangent leurs mutuels reflets.

OPÉRATEUR. — Le chef opérateur (ou directeur de la photographie) est un technicien à qui incombent, pendant le tournage d'un film, l'éclairage, le cadrage et la composition plastique des images en accord avec le metteur en scène. Il dirige, en règle générale, une équipe comprenant le premier opérateur (ou cadreur, ou cameraman), l'assistant (ou pointeur, ou deuxième opérateur), le second assistant et les travellingmen, qui poussent le chariot de la caméra. Mais la composition d'une telle équipe n'est pas fixe et dépend souvent du budget dont dispose le film. Dans certaines productions, le rôle de l'opérateur est primordial (films expressionnistes allemands, par exemple). Parmi les grands chefs opérateurs, on peut citer Henri Alekan, Billy Bitzer, Leonce Henri Burel, Ghislain Cloquet, Raoul Coutard, William Daniels, Henri Decae, Gionni Di Venanzo, Arthur Edeson, Gabriel Figueroa, Karl Freund, Bert Glennon, James Wong Howe, Boris Kaufman, Christian Matras, Kazuo Miyagawa, Andrei Moskvine, Sven Nykvist, Claude Renoir, Giuseppe Rotunno, Eugen Schüfftan, Harry Stradling, Armand Thirard, Édouard Tissé, Gregg Toland, Fritz Arno Wagner.

OPÉRATION. — Une opération, ou loi de composition*, est une application* de l'ensemble* produit $A \times B$ dans l'ensemble C; A, B et C étant trois ensembles quelconques, distincts ou non, $A \times B$ désignant l'ensemble des couples (a, b) avec $a \in A$ et $b \in B$. L'ordre dans lequel on prend les éléments a et b intervient, $A \times B$ étant formé de couples ordonnés.

EXEMPLES. 1. Si A est l'ensemble des réels, B = C est l'ensemble des vecteurs du plan : si $\alpha \in A$ et $v \in B$, $\alpha v \in C$.
2. L'ensemble $A = B = C = \mathbb{R}^3$ représente l'espace euclidien réel de dimension trois. À deux vecteurs v_1 et v_2, $v_1 \in A$, $v_2 \in B$, on associe leur produit vectoriel $v_1 \wedge v_2 \in C$. On a, ici, $v_1 \wedge v_2 = - v_2 \wedge v_1$, ce qui met en évidence l'ordre des éléments.

Si B et C coïncident avec un même ensemble E et si A est distinct de E, on a une *opération externe à gauche*. C'est le cas de l'exemple 1. Les éléments de A sont des opérateurs à gauche.

Si A et C coïncident, mais si B est différent, on a une *opération externe à droite*. C'est encore le cas de l'exemple 1, car l'on peut prendre $A = C = \mathbb{R}^2$ et $B = \mathbb{R}$.

Si les trois ensembles A, B et C coïncident, on a une *opération interne,* car à deux éléments a et b d'un ensemble E, pris dans cet ordre, on fait correspondre un troisième élément c de E. C'est le cas de l'exemple 2.

L'étude des lois de composition internes est très féconde. Elle conduit aux notions de structures : groupes*, anneaux*, corps.

Une loi de composition interne peut être *associative,* si, quels que soient les éléments a, b et c de l'ensemble E où opère la loi, on a $a(bc) = (ab)c$, en utilisant la notation multiplicative. On pourrait noter $a \top (b \top c) = (a \top b) \top c$, $\top$ désignant l'opération. On pourrait utiliser n'importe quel autre signe. La multiplication et l'addition des nombres réels sont associatives.

Une loi est *commutative,* si, quels que soient a et b de E, $ab = ba$. C'est le cas de l'addition et de la multiplication des réels.

Une partie A d'un ensemble E est *stable* pour la loi de E, si, quels que soient a et b dans A, $ab \in A$. C'est le cas des nombres réels positifs dans l'ensemble $\mathbb{R}$ des nombres réels muni de la multiplication, puisque le produit de deux nombres positifs est positif.

Un élément x de E est *régulier* pour la loi de E, si, quels que soient a et b de E, les égalités $ax = bx$ et $xa = xb$ entraînent $a = b$. C'est le cas de tout nombre réel non nul dans $\mathbb{R}$ muni de la multiplication ou de tout nombre réel vis-à-vis de l'addition, car $a + x = b + x$ entraîne $a = b$, quel que soit x

Un élément e de E est *neutre* pour la loi de E, si $ex = xe = x$, quel que soit l'élément x de E. C'est le cas de 0 pour l'addition et de 1 pour la multiplication dans $\mathbb{R}$.

Un élément x de E est *inversible,* si, dans E, il existe x' tel que $xx' = x'x = e$ (ceci suppose l'existence de e). On peut étudier les propriétés relatives de deux lois internes ou de deux lois dont l'une est interne et l'autre externe. Dans E muni de $\top$ et $\perp$, $\top$ est *distributive par rapport à* $\perp$, si, quels que soient a, b et c de E,

$$a \top (b \perp c) = (a \top b) \perp (a \quad c)$$

et

$$(b \perp c) \top a = (b \top a) \perp (c \top a).$$

C'est le cas de la multiplication par rapport à l'addition, dans le corps des nombres réels et de la multiplication par un scalaire par rapport à l'addition vectorielle, dans l'ensemble des vecteurs d'un espace vectoriel.

OPÉRATION CHIRURGICALE. — Les opérations chirurgicales permettent de réparer une région traumatisée, d'enlever un organe malade ou une tumeur, de rétablir les fonctions normales d'un organe, etc. Toutes les opérations sont précédées de soins préopératoires, tels que la correction des troubles de la coagulation du sang, de l'équilibre électrolytique, etc. Elles se pratiquent sous anesthésie générale ou locale, dans un lieu approprié, le bloc opératoire*. Les soins postopératoires sont importants.

OPÉRATOIRE (bloc). — Un bloc opératoire comporte deux secteurs indépendants : le *secteur aseptique,* où se déroulent les interventions qui doivent être à l'abri de toute contamination microbienne; le *secteur septique,* où ont lieu les interventions portant sur des lésions infectées. Annexées à ces salles se situent des salles destinées au rangement des instruments, à leur nettoyage et à leur stérilisation.

OPÉRETTE → OPÉRA.

OPFIKON, comm. de Suisse, dans la banlieue nord de Zurich; 11 115 hab.

OPHIOLITE. — Association de roches éruptives comprenant de bas en haut des roches ultrabasiques* (péridotites ou serpentines), des gabbros* et des basaltes* à débit en pillow-lavas, recouverts par des roches sédimentaires siliceuses (radiolarites), l'ophiolite caractérise les chaînes montagneuses formées dans les géosynclinaux* (Alpes, chaînes californiennes, etc.). Mais les forages effectués dans les planchers océaniques y ont révélé la même succession de roches, et les ophiolites sont maintenant considérées comme des fragments de croûte océanique disloqués et portés en altitude lors de l'orogenèse*.

OPHIUCUS, importante constellation* équatoriale, enchevêtrée avec celle du Serpent*.

OPHIURE. — Voisines des étoiles de mer, les ophiures s'en distinguent par la gracieuse souplesse de leurs longs bras, nettement distincts du disque central. Elles se livrent à des danses surprenantes.

OPHRYS. — Ce genre d'orchidacées réunit des espèces au labelle brun réticulé pendant sous trois sépales roses et simulant souvent un insecte butineur, d'où les noms d'*ophrys-mouche, ophrys-abeille, ophrys-frelon,* etc., donnés à diverses espèces.

OPHTALMIE → ŒIL.

OPHTALMOLOGIE. — Cette spécialité médicale a pour objet les maladies du globe oculaire et de ses annexes, et leur traitement. La correction des anomalies de réfraction de l'œil (myopie, presbytie, astigmatisme, etc.) par des verres est faite sur prescription de l'ophtalmologiste.

OPHTALMOSCOPIE. — Pratiqué avec l'ophtalmoscope, cet examen consiste à éclairer, à examiner le fond de l'œil et à en déceler les anomalies.

OPHULS (Max OPPENHEIMER, dit **Max**), cinéaste et metteur en scène de théâtre français d'origine allemande (Sarrebruck 1902 - Hambourg 1957). Il commença sa carrière en signant la mise en scène de plusieurs pièces de théâtre avant d'aborder le cinéma en 1931. Il réalisa, notamment : *la Fiancée vendue* (1932), en Allemagne; *Liebelei* (1932), en Autriche; *Divine* (1935), *la Tendre Ennemie* (1936), *De Mayerling à Sarajevo* (1939), en France; *l'Exilé* (1947), *Lettre d'une inconnue* (1948), *les Désemparés* (1949), aux États-Unis; *la Ronde* (1950), *le Plaisir* (1951), *Madame de...* (1952) et *Lola Montes** (1954), en France de nouveau. Dans ses mises en scène de théâtre et d'opéra comme dans ses films, il sut exprimer, avec un art baroque délicat et raffiné, la nostalgie des destins individuels à travers le luxe trompeur qui les entoure, et dépeindre au milieu de la somptuosité des décors la difficile quête du bonheur. Toute son œuvre, souvent incomprise du public et même de la critique, évoque la « gaîté déchirante » de Mozart.

OPILIONS → FAUCHEUX.

OPINION PUBLIQUE. — Principal objet de la psychologie sociale, l'opinion publique constitue pour les gouvernants et les gouvernés un fait social d'autant plus fascinant qu'il leur paraît insaisissable. Mais elle est aussi, et surtout, l'un des aspects de la réalité collective, sinon le seul, qui offre une prise, au moins en apparence, à l'observation scientifique. Ce n'est sans doute pas un hasard si le développement récent des enquêtes* par sondage* a marqué un tournant important dans les sciences sociales.

Reste que l'expression oscille entre deux acceptions passablement différentes. Au sens large, et passablement équivoque, l'opinion publique est le jugement que porte une collectivité à propos de n'importe quel événement, ou de n'importe quelle question, dès lors que la société estime devoir lui prêter attention. Au sens étroit — celui des instituts d'observation de l'opinion —, celle-ci réside, selon la définition de Jean Stoetzel*, dans l'ensemble des « manifestations consistant dans l'adhésion à certaines formules d'une attitude qui peut être évaluée sur une échelle objective ». En ce deuxième sens, l'opinion publique n'est rien d'autre que ce que révèlent les enquêtes par sondages.

Nul doute, en effet, que l'opinion publique, lieu privilégié où s'observent les interactions entre les individus et leurs groupes d'appartenance, n'aurait jamais pris une telle importance dans la société moderne si les enquêtes ne lui fournissaient en permanence le moyen de s'exprimer et de s'« autoentretenir » de façon continue.

OPITZ (Martin), poète allemand (Bunzlau, Silésie, 1597 - Dantzig 1639). Il réforma la métrique et substitua aux lois du nombre des syllabes un vers fondé sur l'accentuation (*le Livre de la poésie allemande,* 1624).

OPIUM. — L'opium et ses dérivés répondent à la définition, donnée par l'Organisation mondiale de la santé, des substances toxicomanogènes (v. TOXICOMANIE). Originaire de l'Asie Mineure, l'opium est constitué par le suc de la capsule du pavot blanc *(Papaver somniferum),* épaissi par dessiccation. Jusqu'à la fin du XIXe s., il était en vente libre, sous forme de pilule d'opium, de laudanum, d'élixir parégorique (efficace contre les diarrhées) ou de codéine (sirop contre la toux). Actuellement, la culture du pavot blanc est réglementée et la production de l'opium et de ses alcaloïdes (une vingtaine) est contingentée et limitée aux besoins médicaux. Parallèlement, il en existe une production clandestine, vendue aux toxicomanes, et qui est l'objet d'un trafic lucratif.

La morphine fut le premier alcaloïde connu (1804) de l'opium, qui en contient de 8 à 12 p. 100. La morphine-base est obtenue par des procédés extractifs classiques. Elle est insoluble dans l'eau et utilisée sous forme de chlorhydrate soluble, qui ne peut être administré qu'en injection. C'est un analgésique puissant (douleur* terminale des cancers) et un hypnotique. La morphine crée chez les toxicomanes un sentiment d'efficience intellectuelle accrue, de sérénité intérieure et de calme extérieur, mais lorsque les effets s'en sont dissipés, succède l'angoisse du manque, qui ne peut être calmée que par une nouvelle injection.

L'héroïne (découverte en 1898) est beaucoup plus maniable que la morphine, car on peut la priser ou la faire dissoudre soi-même, mais, à poids égal, elle est trois fois moins active. Elle fut à l'origine commercialisée comme calmant de la toux, et son pouvoir de stupéfiant ne fut reconnu qu'en 1912. La transformation de morphine-base en héroïne est une opération délicate et dangereuse qui nécessite des chimistes avertis. L'héroïne est réputée comme étant la drogue la plus dure, car elle peut engendrer l'assuétude dès la première injection, et la déchéance physique qu'elle entraîne est plus rapide encore que celle de la morphine.

Les morphiniques de synthèse (le *Dolosal* et le *Palfium* sont les plus connus) se sont multipliés au cours de ces dernières années, ils ont une action analogue à celle de la morphine et sont responsables des mêmes toxicomanies. La *méthadone,* autre morphinique de synthèse, était utilisée parfois, aux États-Unis et en Europe, dans les cures de désintoxication des héroïnomanes, car elle avait la réputation de ne pas procurer de bien-être. Ce traitement tend à être abandonné, car on s'est rendu compte que, si on augmentait les doses, elle engendrait les mêmes sensations que l'héroïne, et entraînait la même sujétion.

La *nalorphine* est l'antidote vrai de l'intoxication aiguë aux opiacés, qui se manifeste par nausées, constipation, myosis, coma, spasme bronchique avec apnée terminale.

Opium *(guerre de l'),* conflit qui, de 1840 à 1842, opposa la Chine et l'Angleterre et qui eut pour cause l'interdiction, par l'empereur de Chine, de l'importation de l'opium. Vainqueurs, les Anglais obtinrent, par le traité de Nankin (29 août 1842), d'importants avantages, notamment : la cession de Hongkong, l'ouverture au commerce européen de plusieurs ports, Canton et Chang-hai entre autres, et l'abaissement à 5 p. 100 des droits de douane.

OPOLE, v. de Pologne, sur l'Odra; 90 000 hab. Ciment.

OPOSSUM. — La fourrure de l'opossum (v. SARIGUE) est brun-gris, à fond blanc à l'état naturel, ou teinte pour imiter le sconse ou la martre. La plus recherchée est celle de Virginie.

OPOTHÉRAPIE. — L'emploi thérapeutique de préparations à base d'organes ou de tissus animaux est encore indiqué dans le diabète insipide, où sont utilisés les extraits de posthypophyse, et dans le myxœdème, où sont toujours employés les extraits tyroïdiens.

OPPENHEIMER (Robert Julius), physicien américain (New York 1904 - Princeton 1967). Auteur de travaux sur la théorie quantique de l'atome, il fut nommé en 1943 directeur du centre de recherches de Los Alamos, où ont été élaborées les premières bombes nucléaires.

OPPENORDT (Gilles Marie), architecte et ornemaniste français (Paris 1672 - *id.* 1742). Fils d'un ébéniste néerlandais collaborateur de Boulle, sans doute formé par Berain et par J. H.-Mansart, ayant dessiné, à Rome (1692-1699), les nouveautés baroques plus que les antiques, il est, malgré sa retenue encore classique, un des initiateurs du style rocaille* (décors, disparus, au Palais-Royal).

OPTIMUM ÉCONOMIQUE. — Cette notion, attribuée à Vilfredo Pareto*, souligne qu'une situation est optimale, au plan de la production, s'il est impossible d'augmenter la production d'un bien sans diminuer celle d'au moins un autre bien. Du point de vue de la répartition, l'optimum est atteint lorsqu'il est impossible de modifier la répartition des revenus pour améliorer la situation d'un seul individu sans diminuer, ce faisant, celle d'au moins un autre individu.

Un producteur d'un bien ou d'un service peut parfaitement distinguer une *production maximale* (en fonction, notamment, de sa capacité de production) d'une *production optimale,* qui lui assure le profit le plus élevé. De même, l'offreur d'un certain nombre d'heures de travail peut envisager de fournir un *nombre maximal* d'heures ou le *nombre optimal* de celles-ci.

OPTIQUE. — On distingue l'*optique géométrique* et l'*optique physique.* La première est une étude des propriétés de la lumière, développée à partir de principes fondamentaux (propagation rectiligne, lois de la réflexion et de la réfraction), sans qu'il soit fait d'hypothèses sur sa nature. L'optique physique comporte l'interprétation de ces propriétés par la connaissance de cette nature; elle se divise elle-même en *optique ondulatoire,* la lumière étant considérée comme formée par la vibration d'un champ électromagnétique qui se propage, et en *optique corpusculaire,* la lumière étant considérée comme formée par des photons, particules d'énergie localisée en mouvement rapide. Si les phénomènes de polarisation, d'interférences et de diffraction ne peuvent s'expliquer que par la théorie ondulatoire, l'effet photoélectrique et l'effet Compton exigent une interprétation corpusculaire. Ces deux aspects sont « complémentaires » d'une même réalité.

OPTIQUE ÉLECTRONIQUE. — Les électrons en mouvement sont déviés par l'action de champs électriques ou magnétiques. Des champs de symétrie axiale agissent sur les faisceaux d'électrons à

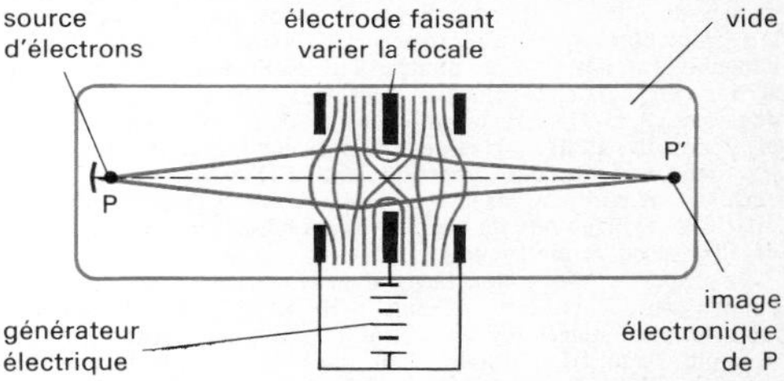

LENTILLE ÉLECTROSTATIQUE.

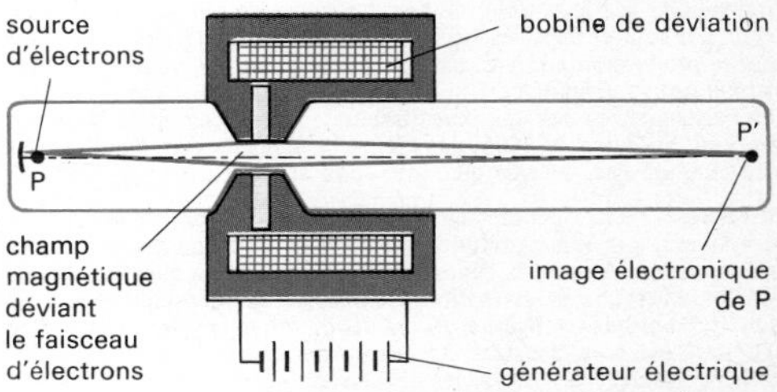

LENTILLE ÉLECTRONIQUE MAGNÉTIQUE.

la façon de lentilles. Les « lentilles électroniques » sont soit électrostatiques (condensateurs cylindriques), soit électromagnétiques (bobines ou électroaimants). Il est donc possible, grâce à elles, de constituer de véritables instruments d'optique à électrons (microscope et télescope électroniques).

OPUNTIA → NOPAL.

Opus Dei, association de fidèles catholiques, d'extension et de régime universels, composée de laïques — hommes et femmes — et de prêtres séculiers qui s'efforcent, par l'exercice de leur profession et de leur travail dans la société, de vivre les vertus chrétiennes. Fondée en 1928 par un prêtre espagnol, José María Escrivá de Balaguer (1902-1975), l'*Opus Dei* est dirigée par un président général, aidé par un conseil général, qui a son siège à Rome.

OPWIJK, comm. de Belgique (Brabant), au N.-O. de Bruxelles; 11 018 hab.

OR. — • *Chimie.* L'or est l'élément chimique no 79, de masse atomique Au = 197,2. C'est le plus anciennement connu de tous les métaux, car il était employé dès le Ve millénaire av. J.-C. Sa belle couleur jaune, son inaltérabilité et sa rareté en font le métal précieux par excellence. De densité 19,5, il fond à 1 064 °C et émet des vapeurs violettes à plus haute température. Il est le plus malléable et le plus ductile de tous les métaux; on peut le réduire en feuilles de 1/10 000 mm d'épaisseur, qui laissent percer une lumière verte. Mais il est assez mou, ce qui oblige à l'allier au cuivre. Inaltérable dans l'air à toute température, il est attaqué par le chlore et le brome et se dissout dans le mercure. Aucun acide isolé n'agit sur lui, mais il est dissous par l'eau régale, mélange d'acides chlorhydrique et nitrique. Trivalent dans les sels auriques, qui sont les plus importants, l'or est univalent dans les sels aureux. Son composé le plus courant est le chlorure aurique $AuCl_3$, qui forme des cristaux prismatiques rouges, et dont la solution est jaune. Celle-ci agit comme oxydant sur les sels ferreux, l'acide sulfureux, les matières organiques, avec précipitation d'or métallique pourpre. Avec les sels d'étain, elle donne la *pourpre de Cassius,* employée dans la peinture sur porcelaine. Le chlorure d'or forme avec l'acide chlorhydrique un composé d'addition, l'acide aurichlorhydrique $HAuCl_4$. Les sels d'or donnent également des complexes avec les cyanures.

• *Production.* La production mondiale annuelle avoisine depuis plusieurs années 1 500 tonnes. Un peu plus de la moitié provient d'Afrique du Sud et probablement un tiers de l'U. R. S. S. Loin derrière viennent le Canada, les États-Unis, le Japon, le Ghāna, avec un apport unitaire variant entre 20 et 60 tonnes. L'or soviétique étant parcimonieusement commercialisé, on conçoit la primauté sur le marché mondial de l'Afrique du Sud, où le niveau de l'extraction, est, en contrepartie, assez étroitement tributaire des cours et des perspectives (à terme) du produit.

• *Économie.* L'or n'a pas cessé, historiquement, de voir son rôle monétaire se dégrader. Les monnaies*, primitivement *constituées* par un métal précieux, puis seulement *convertibles* en ce métal, ensuite *rattachées* (d'une manière très lâche) à celui-ci, finissent par s'en *séparer* presque complètement. Une des raisons de l'affaiblissement du rôle monétaire de l'or tient au fait que son prix réel sur le marché libre est très supérieur au prix officiel déterminé par les banques centrales : l'or ne pourrait être réellement remonétisé que si son prix officiel rejoignait son prix « libre », ou même le dépassait. À la Martinique, au début de 1975, un accord entre les présidents des États-Unis et de la République française a prévu que les banques centrales procéderaient à l'évaluation de leurs encaisses or non plus sur la base de 42,22 dollars l'once d'or (« prix officiel »), mais au prix du marché (de 4 à 5 fois supérieur, au début de 1975, à ce dernier cours).

La proportion d'or « monétaire » dans le total de la production est donnée par les chiffres suivants : 10 p. 100 de la production annuelle sont utilisés par l'industrie comme une marchandise (par exemple l'industrie dentaire); 60 p. 100 stationnent dans les banques d'État; 30 p. 100 sont thésaurisés par les particuliers. Zurich et Londres demeurent les plus importantes places de transaction sur le marché de l'or, les cours des États-Unis suivant ceux qui sont enregistrés sur ces deux places. L'offre est alimentée par la production minière, par les stocks et par les ventes d'origine monétaire; la demande est faite par les thésauriseurs, par l'industrie et l'artisanat, et par les investisseurs privés. Les États-Unis ont rouvert, au début de 1975, dans leurs Bourses de marchandises, les marchés de l'or, fermés quarante-deux ans auparavant.

ORACLE. — Les peuples anciens ont essayé de percer le mystère de l'avenir par l'interprétation de certains événements ou phénomènes. L'oracle était la réponse de la divinité à la question de ses fidèles. La magie, la divination, l'astrologie, la nécromancie sont le fait de multiples religions : l'oracle du dieu égyptien Amon*, à Thèbes, est très consulté au temps du Nouvel* Empire, et les chênes sacrés de Dodone* bruissent aussi dans le monde mésopotamien. L'originalité de la mantique grecque vient du fait qu'elle a constitué des centres oraculaires organisés qui ont joué un rôle important d'organismes politiques panhelléniques. Le plus ancien des oracles grecs était celui de Zeus*, à Dodone, et le plus célèbre celui d'Apollon*, à Delphes*.

ORADEA, v. du nord-ouest de la Roumanie, près de la frontière hongroise; 145 000 hab. Métallurgie.

ORADOUR-SUR-GLANE (87520), comm. de la Haute-Vienne, à 12 km au N.-E. de Saint-Junien; 1 762 hab. La population fut massacrée par les Allemands le 10 juin 1944. Il y eut 642 victimes, dont plus de 450 femmes et enfants, brûlés vifs dans l'église.

ORADOUR-SUR-VAYRES (87150), ch.-l. de cant. de la Haute-Vienne, à 11,5 km au S. de Rochechouart; 1 947 hab.

ORAGE. — Perturbations atmosphériques violentes, les orages résultent d'une ascendance rapide de l'air, qui provoque la formation de cumulo-nimbus. Ils sont accompagnés de pluies brutales, souvent de grêle, et de phénomènes électriques, les éclairs, correspondant à des décharges de l'électricité atmosphérique et dont le tonnerre constitue la manifestation audible.

ORAGE MAGNÉTIQUE. — Se traduisant par des oscillations irrégulières et subites des aiguilles aimantées, les orages magnétiques, qui coïncident souvent avec l'apparition d'aurores polaires, peuvent durer plusieurs jours et affecter des étendues considérables. Ils sont liés à l'existence de taches solaires et d'éruptions chromosphériques.

ORAISON (04700), comm. des Alpes-de-Haute-Provence, à 11 km à l'E. de Forcalquier; 2 667 hab. Centrale hydroélectrique sur la Durance.

ORAL (stade). — Faisant remonter les manifestations de la sexualité* aux premiers jours de la vie, Freud décrit (1905) la succion comme « le type même des manifestations sexuelles de l'enfance ». Le plaisir de sucer, d'abord lié à un besoin organique, est aussi le lieu d'une activité autoérotique spécifique, qui constitue le premier mode de toute satisfaction sexuelle. Le plaisir sexuel dépend étroitement de la satisfaction d'une fonction vitale : la nutrition, à cette époque de la vie. Le rapport qui s'instaure au stade oral (qui couvre la première année de la vie) avec l'objet* du désir est de l'ordre de l'incorporation, prototype de ce qui sera plus tard l'identification*.

Pour M. Klein le stade oral est lié à la relation entre l'enfant et le sein maternel, objet* partiel, à la fois bon et mauvais (v. CLIVAGE). L'ensemble de cette période est empreint de sadisme*, la succion étant fantasmatiquement un désir d'épuiser et de vider le sein.

ORAN, port de l'Algérie, ch.-l. de départ., sur la Méditerranée; 327 000 hab. Deuxième ville du pays. Université. Centre commercial et industriel (métallurgie, verrerie, alimentation, textile). — On attribue la fondation de la ville (v. 903) à des musulmans andalous. Oran est, jusqu'au XVe s., un centre commercial prospère, puis la piraterie remplace le commerce. Aux mains des Espagnols de 1509 à 1708, et à partir de 1732, Oran, qu'un séisme détruit en 1790, devient, en 1792, la capitale du *beylik* turc de l'Ouest. Occupée par les Français en 1831, la ville est alors le principal point d'appui de la colonisation française dans l'ouest de l'Algérie.

ORANGE → AGRUMES et ORANGER.

ORANGE (84100), ch.-l. de cant. de Vaucluse, près de l'Eygues, à 25 km au N. d'Avignon; 26 468 hab. *(Orangeois).* Base aérienne militaire. Vestiges romains, dont l'arc de triomphe, de l'époque d'Auguste, orné de reliefs, et le théâtre, au puissant mur de scène. Cathédrale romane. Verrerie.

ORANGE, fl. de l'Afrique australe, tributaire de l'Atlantique; 1 680 km. Né dans le Drakensberg, au Lesotho, il sépare la province du Cap de l'État libre d'Orange (v. art. suiv.), puis de la Namibie. Important aménagement en cours pour la fourniture d'hydroélectricité et surtout l'irrigation.

ORANGE *(État libre d'),* prov. de la république d'Afrique du Sud; 129 152 km²; 1 716 000 hab. Capit. *Bloemfontein.*

GÉOGRAPHIE. C'est un ensemble de hautes terres (plateaux étagés entre 1 000 et 2 000 m) où la pluviosité (comme l'altitude) décroît vers l'ouest. Ainsi l'Est est le domaine du blé et aussi du maïs et de la luzerne, associés à un élevage bovin intensif, alors que l'élevage ovin extensif domine dans l'Ouest (hors des périmètres irrigués). Le sous-sol fournit surtout de l'or (approximativement le tiers de la production sud-africaine) et de l'uranium.

HISTOIRE. La première ébauche d'un État d'Orange a lieu à partir de 1834, lors du « Grand Trek* ». Après l'occupation du Natal (1842), les Britanniques entrent en conflit avec les Boers (1846-1848), mais les difficultés qu'ils rencontrent avec les Sothos les obligent à reconnaître l'indépendance de l'État libre d'Orange (1854), qui, tout en luttant contre les Sothos, refuse l'incorporation au Transvaal* (1858). Cependant, de 1859 à 1863, Marthinus Pretorius (1819-1901) est président à la fois de l'Orange et du Transvaal. Les découvertes minières font renaître la menace britannique, si bien que les deux États boers instituent, en 1898, un Conseil fédéral. Mais cette union est impuissante à empêcher la défaite des Boers en 1902. (V. AFRIQUE DU SUD.)

ORANGE-NASSAU, famille noble d'Allemagne, dont sont issus les stathouders des Provinces-Unies* et les souverains des Pays-Bas*. La branche des Nassau*, dite « des Orange-Nassau », entre dans l'histoire avec GUILLAUME Ier* **le Taciturne** (1533-1584), stathouder de Hollande, de Zélande et d'Utrecht. — Son fils, MAURICE* (1567-1625), prince d'Orange, lutte comme lui contre la domination espagnole. Il a pour successeur son frère, FRÉDÉRIC HENRI, prince d'Orange (Delft 1584-*id.* 1647), capitaine général et troisième stathouder des Provinces-Unies*, dont la puissance est telle qu'il songe à s'emparer des Pays-Bas méridionaux et à prendre la couronne : mais le parti antiorangiste fait échouer ses desseins. Néanmoins, en mariant son fils Guillaume (II) à la fille du roi Charles Ier, il ouvre la voie qui mènera la famille d'Orange sur le trône d'Angleterre. — Sous GUILLAUME II* **d'Orange-Nassau** (1626-1650), stathouder de Hollande de 1647 à 1650, l'indépendance des Provinces-Unies est reconnue par l'Espagne (paix de Münster, 1648). — Son fils, GUILLAUME III* (1650-1702), stathouder des Provinces-Unies de 1672 à sa mort, et roi d'Angleterre, d'Écosse et d'Irlande à partir de 1689, se montre le plus décidé et le plus efficace des adversaires de Louis* XIV; étant mort sans enfants (1702), le titre de prince d'Orange passe à la ligne collatérale des Nassau-Diez, en la personne de JEAN-GUILLAUME **Friso** (1687-1711), mais la république est réinstaurée et le stathoudérat supprimé : il est cependant rétabli et déclaré héréditaire, en 1747, au profit du fils de Jean-Guillaume Friso, GUILLAUME IV **d'Orange** (1711-1751), à l'occasion de la guerre de la Succession d'Autriche; le stathouder est un homme effacé, tout comme son fils et successeur, GUILLAUME V **Batave** (1748-1806); la guerre que celui-ci livre aux Anglais (1780-1784) est un désastre pour le pays. Aussi, le parti des «patriotes», s'inspirant des idées françaises, prend-il du poids; il passe au pouvoir en 1795, quand les armées de la Révolution chassent Guillaume V, qui doit se réfugier en Angleterre. La République batave* qui est alors instaurée est remplacée, de 1806 à 1810, par le royaume de Hollande*, avec Louis Bonaparte. Puis le pays est annexé à l'Empire napoléonien (1810-1814).

Mais, dès décembre 1813, le fils de l'exilé, GUILLAUME VI **d'Orange** (La Haye 1772-Berlin 1843), est proclamé prince souverain des Pays-Bas*, en attendant de devenir, en 1815, roi et grand-duc de Luxembourg*, sous le nom de GUILLAUME Ier. Rapidement, celui-ci est aux prises avec l'opposition grandissante des Belges, qu'il s'aliène par des mesures sectaires; aussi peut-il être tenu pour le principal responsable de la révolution et de la sécession belge de 1830; cependant, ce n'est qu'en 1839 que Guillaume Ier reconnaît l'indépendance de la Belgique*. Ayant dû alors accepter un régime parlementaire, il préfère abdiquer en 1840. — Son fils, GUILLAUME II (La Haye 1792-Tilburg 1849), roi de Hollande et grand-duc de Luxembourg de 1840 à 1849, doit accepter, en 1848, une constitution parlementaire qui enlève à la royauté la réalité du pouvoir. — Ce régime parlementaire est appliqué, contre son gré, par GUILLAUME III (Bruxelles 1817-Château de Loo 1890), roi des Pays-Bas et grand-duc du Luxembourg de 1849 à 1890, père de WILHELMINE*, reine des Pays-Bas de 1890 à 1948. — Celle-ci a pour successeur (1948) sa fille, JULIANA*, qui, de son mariage avec Bernard de Lippe-Biesterfeld, a quatre filles, l'héritière du trône étant BÉATRIX (née en 1938) : celle-ci, en 1966, épouse un Allemand, Claus von Amsberg.

Orange-Nassau *(ordre d')*, ordre néerlandais civil et militaire créé en 1892.

ORANGER. — L'oranger est cultivé à l'échelle industrielle dans divers pays épargnés par le gel : Espagne méridionale, Maghreb, Israël, Afrique du Sud, Californie. L'arbre peut atteindre 10 m de hauteur et fournir jusqu'à 10 000 fruits. Par ailleurs, dans les jardins publics de nos régions, on cultive de petits orangers en bacs, à des fins purement ornementales, en ayant soin de les rentrer en hiver dans des serres spéciales (orangeries).

ORANGISTES. — On désigne ainsi les protestants irlandais restés fidèles à l'union avec l'Angleterre et à Guillaume III d'Orange. Leur opposition aux catholiques s'exacerba avec la fondation de l'ordre d'Orange, société secrète fondée en 1794 par les presbytériens d'Ulster, et qui, officiellement dissoute en 1832, ne tarda pas à se reconstituer. L'orangisme se manifesta de nouveau avec vigueur au début du XXe s., dressant le protestantisme irlandais contre le projet de Home Rule*, voté en 1912. Il est resté le fer de lance du protestantisme intransigeant dans l'Irlande* du Nord.

ORANG-OUTAN. — Ce singe supérieur *(Pongo pygmæus)* ne vit que dans les forêts marécageuses de Sumatra et de Bornéo. Un front élevé, de longs bras, un pelage très fourni, des mouvements lents et prudents caractérisent cet animal, dont l'intelligence et l'éducabilité diffèrent peu de celles du chimpanzé.

Oratoire *(l')*, nom porté par deux sociétés ecclésiastiques, fondées à l'époque de la réforme catholique (XVIe-XVIIe s.).

Le premier *Oratoire* est établi en Italie, en 1564, par saint Philippe* Neri. Société cléricale, elle est érigée en congrégation en 1575; ses membres ne prononcent pas de vœux mais vivent en communauté; leurs tâches principales sont la prédication et l'enseignement.

L'*Oratoire de France* est fondé en 1611, à Paris, par le cardinal de Bérulle*. Cette société cléricale, vouée à toutes les tâches d'évangélisation, d'enseignement et de recherches théologiques et scientifiques, essaime rapidement : quarante-deux établissements se fondent entre 1611 et 1629. Reconstituée en 1852 par le P. Gratry*, la société, dispersée en 1880 et en 1903, a repris vie en 1920.

ORATORIO. — Faire prier en musique : tel est le dessein de ce genre lyrique non représenté, écrit sur paroles latines ou vernaculaires souvent tirées des Écritures saintes. Narration et méditation alternent en cette œuvre, qui groupe des récitatifs, des airs et des chœurs soutenus par les instruments.

Descendant du mystère du Moyen Âge, de la laude, du motet dramatique de la Renaissance et du dialogue spirituel, né en Italie (Cavalli, Carissimi) en même temps que l'opéra* et la cantate*, dont il offre l'élargissement, l'oratorio se répand en Europe sous différents noms : histoire sacrée, oratoire, concerto da chiesa, concert spirituel... (M.-A. Charpentier, Schütz, A. Scarlatti, Mondonville). Il subit l'influence de l'opéra (Händel, Haydn), utilise le choral* protestant (Mendelssohn) ou le plain*-chant et s'annexe les acquisitions symphoniques au XIXe s. (Liszt, Franck). Le XXe s. ne néglige pas cet aspect de la religiosité musicale (Pierné, Honegger, Frank Martin).

Il faut rattacher à ce genre celui de la *Passion*, qui, avec les mêmes préoccupations édifiantes et les mêmes moyens musicaux, relate les derniers jours de la vie de Jésus (Bach, Telemann, Penderecki), voire ses derniers instants (chemin de la croix, *les Sept Paroles du Christ*), la part réservée à l'orgue ou à l'orchestre pouvant être prépondérante.

ORB, fl. issu des Cévennes, qui passe à Béziers, avant de rejoindre la Méditerranée; 145 km.

ORBE, riv. du Jura; 57 km. Née en France (près de Morez), elle pénètre en Suisse, traverse le lac de Joux, en ressort *(source de l'Orbe)* pour prendre le nom de *Thièle,* traverse le lac de Neuchâtel, puis celui de Bienne, où elle mêle ses eaux à une partie de celles de l'Aar.

ORBEC (14290), ch.-l. de cant. du Calvados, à 20 km au S.-E. de Lisieux; 3 517 hab. Église et chapelle de l'hospice de la fin du Moyen Âge. Nombreuses demeures anciennes.

ORBIGNY (Alcide DESSALINES D'), naturaliste français (Couëron 1802-Pierrefitte 1857). Il fut, peu après Cuvier, l'un des fondateurs de la paléontologie stratigraphique, c'est-à-dire de la paléontologie appliquée à la datation des terrains (travaux sur les foraminifères, 1825). Chargé d'une mission scientifique en Amérique du Sud, il en rend compte dans *l'Homme américain* (1840). Ses traités de géologie et de paléontologie sont longtemps restés classiques. Fixiste résolu, il expliquait le changement des formes par les «révolutions du globe». — Son frère, CHARLES (Couëron 1806-Paris 1876), géologue, est l'auteur de nombreux traités et d'un *Dictionnaire universel d'histoire naturelle* (1839-1849).

ORBITE *(Anat.)* → ŒIL.

ORBITE *(Astron.)* → ANNÉE, COMÈTE, ÉCLIPSE, SATELLITE.

ORCADES, en angl. **Orkney,** archipel britannique, au N. de l'Écosse; 880 km^2; 18 000 hab. Ch.-l. *Kirkwall,* dans l'île de Mainland, la plus grande de l'archipel, qui en compte 90 et vit principalement de la pêche et de l'élevage.

ORCADES DU SUD, en angl. **South Orkney Islands,** archipel de l'Atlantique Sud, au N.-E. de la terre de Graham et partie du territoire britannique de l'Antarctique.

ORCAGNA (Andrea DI CIONE, dit **l'**), peintre, sculpteur et architecte italien, actif à Florence de 1343 à 1368. Auteur, plein d'une tension à la fois spirituelle et plastique, de l'immense fresque du *Jugement dernier* de l'église S. Croce, exécutée après la peste de 1348 et dont on ne conserve que des fragments, du grand tabernacle d'Orsammichele (reliefs de *la Mort* et de *l'Assomption de la Vierge*) et du retable du *Christ en trône entre des saints* de la chapelle Strozzi à S. Maria Novella (1354-1357), tournant le dos aux innovations spatiales de Giotto, il donna des canons nouveaux à l'art de son temps. — Son frère, NARDO DI CIONE (connu de 1343 à 1365), auteur des fresques de la chapelle Strozzi, manie couleur et modelé avec une subtile délicatesse.

ORCHA, v. de l'U. R. S. S. (Biélorussie), sur le Dniepr; 101 000 hab.

ORCHESTRATION, ORCHESTRE → INSTRUMENTS DE MUSIQUE.

ORCHESTRE DE JAZZ. — Tout orchestre de jazz comprend une section mélodique et une section rythmique. Alors qu'une petite formation (combo) laisse une très grande liberté aux solistes, le grand orchestre (big band) doit, en revanche, utiliser des arrangements. Dans l'histoire du jazz, les grands orchestres apparurent vers le milieu des années 20 (orchestre de Fletcher Henderson, que relaiera celui de Duke Ellington) et rencontrèrent une large popularité au cours des années 30 (orchestres de Jimmie Lunceford, Benny Carter, Benny Goodmann, Artie Shaw, Glenn Miller, Gene Krupa). Après la Seconde Guerre mondiale, les équipes de musiciens, conduites par Lionel Hampton ou Dizzy Gillespie, connurent également la faveur du public. Mais, en dehors de quelques brillantes formations, comme celle de Duke Ellington, Count Basie, Woody Herman, ou Stan Kenton, les grands orchestres se raréfièrent à partir des années 50. Les petites formations, elles, s'échafaudent généralement autour d'une personnalité créatrice, entourée d'une manière régulière ou fortuite (jam sessions, concerts) de partenaires divers. Citons, parmi celles-ci : le Hot Five de Louis Armstrong, le Benny Goodman Quartet puis Sextet, le quintette de Charlie Parker, le quintette à cordes de Django Reinhardt, le Modern Jazz Quartet de John Lewis, les Jazz Messengers d'Art Blakey, le quartette de John Coltrane, les trios des pianistes Nat King Cole, Oscar Peterson ou Bill Evans, le trio d'Ornette Coleman.

ORCHIDACÉES. — L'immense famille des orchidacées (plus de douze mille espèces) ne fournit à l'homme qu'une seule espèce de grande culture : la vanille. Mais elle comprend d'innombrables espèces ornementales. Ce sont des herbes très originales : la fleur est finement adaptée à la pollinisation par les insectes, étamine (unique) et pistil sont soudés, les grains de pollen restent agglomérés en *pollinies,* l'ovaire est tordu sous la fleur, les graines

J.-P. Ferrero

Orchidacées. Sabot de Vénus *(Cypripedium).*

ne peuvent germer que si elles sont infestées par un champignon. De nombreuses espèces sont épiphytes et laissent pendre sous les branches des arbres équatoriaux de longues *racines-voiles* capables d'absorber l'humidité atmosphérique. Genres principaux : *Cypripedium, Orchis, Ophrys, Listera, Neottia, Vanda, Vanilla, Cattleya.*

ORCHIES (59310), ch.-l. de cant. du Nord, à 19 km au N.-E. de Douai; 5 791 hab.

ORCHITE → TESTICULE.

ORCHOMÈNE, anc. v. de Béotie. Traces d'habitat néolithique. Belle tholos funéraire, d'époque mycénienne, dégagée par Schliemann* et dite « trésor de Minyas ». Vestiges de l'enceinte du VIIe s. et surtout du IVe s. av. J.-C.

ORCIÈRES (05170), ch.-l. de cant. des Hautes-Alpes, à 33 km au N.-E. de Gap; 855 hab. Sports d'hiver (alt. 1 820-2 650 m) à *Orcières-Merlette.*

ORCINE ou **ORCINOL.** — Contenue dans certains lichens, l'orcine cristallise hydratée en prismes incolores, fondant à 56 °C. Elle est l'homologue supérieur de la résorcine et présente des propriétés analogues.

ORDERIC VITAL, historien français (Attingham, Angleterre, 1075-† apr. 1143). Moine à Saint-Évroul, il poursuivit l'œuvre de Guillaume de Jumièges. Il est l'auteur d'une *Histoire ecclésiastique,* d'une grande valeur documentaire.

ORDINATEUR. — Un ordinateur est plus qu'un calculateur*, car il est capable d'ordonner des informations*, c'est-à-dire qu'en plus de l'exécution des calculs il peut analyser, trier et transférer des données. D'une façon pratique, il transforme, par le traitement qu'on lui a défini et qu'il applique, des données d'entrées en résultats de sortie. N'ayant pas été conçu pour traiter une seule fois un seul problème, l'ordinateur est une machine universelle : étant programmable, et ses possibilités élémentaires, les instructions*, étant extrêmement rudimentaires, il peut être utilisé pour les travaux les plus divers. Il est bien souvent capable d'exécuter plus de un million d'instructions à la seconde.

L'ordinateur est constitué d'un ensemble d'unités spécialisées interconnectées, dont les principales sont : l'*unité centrale de traitement,* la *mémoire* principale,* les *mémoires auxiliaires* et les *unités d'entrée-sortie,* ou *périphériques**. Pour pouvoir résoudre les problèmes qu'on lui soumet ce matériel doit nécessairement être étoffé par un logiciel*, constitué des programmes* d'application, des programmes généraux destinés à exécuter ceux-ci — c'est le système* d'exploitation —, et enfin des logiciels de base.

Dans un ordinateur toute l'information est codée sous forme binaire. Ce sont ces bits, concrétisés eux-mêmes par des signaux électriques, qui sont transférés, mémorisés, composés logiquement dans les circuits de traitement. Les circuits électroniques ont une logique qui relève de l'algèbre de Boole* et les fonctions qu'ils réalisent sont le ET, le OU et le NON. L'évolution spectaculaire de la technologie des circuits* intégrés permet de rassembler sur quelques millimètres carrés les milliers de fonctions élémentaires qui correspondent à une petite unité centrale ou à une petite mémoire*. Les ordinateurs fonctionnent selon le principe théorique dit « de la machine de von Neumann », qui enchaîne des instructions stockées dans une mémoire. Une instruction de calcul comporte les adresses de deux opérandes et l'adresse où doit être stocké le résultat de l'opération. Les adresses peuvent être celles de cellules de la mémoire centrale ou bien des adresses de registres rapides où sont conservés des résultats intermédiaires de calcul. Lorsque l'unité de traitement a fini d'exécuter une instruction, elle va chercher dans la mémoire l'instruction suivante, soit à l'adresse suivant celle de l'instruction qui vient d'être exécutée, soit à une adresse quelconque désignée explicitement par l'instruction qui vient d'être exécutée. L'instruction nouvelle est alors analysée, puis exécutée à son tour : recherche des opérandes, composition de leurs valeurs dans l'unité arithmétique et logique, obtention d'un résultat, et enfin passage à l'instruction suivante. De nombreux circuits annexes de contrôle et de vérification sont destinés à reconnaître toute erreur ou incident, voire à les réparer. La mémoire centrale contient de quelques dizaines de milliers à quelques millions d'octets* individuellement adressables par l'unité centrale. L'ensemble de tous les programmes, de toutes les données, ne peut être contenu au même instant dans la mémoire centrale. Il est nécessaire, en conséquence, de transférer les informations dont on a besoin depuis les organes d'entrée vers la mémoire et depuis la mémoire vers les organes de sortie. De même, il doit exister des transferts d'information entre la mémoire centrale et les mémoires auxiliaires : disques* ou bandes* magnétiques. Ces transferts sont faits sous le contrôle de l'unité de traitement, mais sont exécutés par des processeurs spécialisés, les *unités d'échange,* qui travaillent en parallèle avec l'unité de traitement : le temps de lecture d'une carte perforée étant équivalent à celui de l'exécution de 50 000 instructions, il serait dommage de suspendre le travail de l'unité centrale pendant un temps aussi long!

ORDJONIKIDZE, v. de l'U. R. S. S. (R. S. F. S. de Russie), sur le versant septentrional du Caucase, capit. de la république autonome de l'Ossétie du Nord; 236 000 hab. Métallurgie.

ORDINATEUR. Schéma de principe.

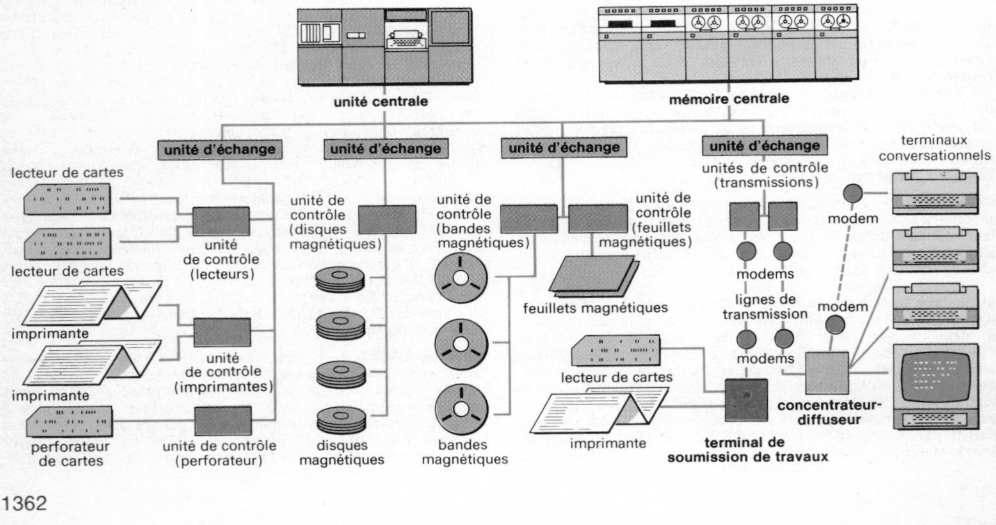

ORDONNANCE *(Dr.).* — On appelle « ordonnance » la décision judiciaire rendue non par la formation collégiale d'une cour ou d'un tribunal, mais par un seul des membres de cette juridiction, qui est, en général, le président ou parfois un simple juge.

Les *ordonnances de référé* sont rendues à l'issue d'un débat contradictoire; les *ordonnances rendues sur requête* le sont lorsque le magistrat se prononce sans avoir entendu la partie adverse si celle-ci n'a pas à être appelée; il peut en être ainsi pour des mesures de nature conservatoire ou provisoire ayant un degré d'urgence (l'autorisation donnée à un créancier d'apposer les scellés ou de les lever, l'autorisation de pratiquer une saisie conservatoire, etc.).

En droit constitutionnel, les ordonnances sont des mesures qui, bien qu'émanant du pouvoir exécutif, sont, cependant, par leur portée, de nature législative. On distingue notamment :
— les *ordonnances prises dans le cadre de l'article 38 de la Constitution du 4 octobre 1958* (le gouvernement peut, pour l'exécution de son programme, demander au Parlement l'autorisation de prendre par voie d'ordonnances, pendant un certain délai, des mesures qui sont normalement du ressort de la loi. Ces ordonnances sont prises en Conseil des ministres après avis du Conseil d'État, mais doivent faire l'objet d'une ratification par le Parlement);
— les *ordonnances prises dans le cadre de l'article 47 de la Constitution,* qui interviennent au cas où le Parlement ne s'est pas saisi en temps voulu des projets de lois de finances.

ORDONNANCE *(Hist.).* — Désignant, à l'origine (XIIe s.), toute législation ou « établissement » émanant du souverain, ce terme prit un sens plus précis sous la monarchie absolue : l'ordonnance s'opposait à l'édit proprement dit, par son caractère général et la variété des domaines qu'elle traitait. Rédigée par le Conseil privé, elle était scellée du grand sceau de cire verte. En règle générale, elle devait être enregistrée par les cours souveraines avant d'être applicable dans leur ressort.

ordonnances de juillet 1830, mesures préparées par Polignac* et prises par Charles X à Saint-Cloud le 25 juillet 1830. Ces cinq ordonnances, en rétablissant la censure et en réduisant le nombre des députés au profit des plus riches électeurs et au détriment des commerçants, provoquèrent, le 26 juillet, une protestation de quarante-quatre journalistes, rédigée par Adolphe Thiers*, et presque aussitôt la révolution* de juillet 1830.

ORDOS, plateau de la Chine, dans la grande boucle du Houang-ho.

ORDOVICIEN → PRIMAIRE *(ère).*

ORDRE *(Archit.).* — La stricte organisation des membres architectoniques (colonne*, entablement, etc.) et leur codification en un certain nombre de systèmes logiques et harmonieux tant sur le plan de la construction que sur celui du décor ont été, en Occident, l'œuvre des Grecs et des Romains. La redécouverte des monuments antiques et l'interprétation du traité de Vitruve* ont engendré avec la Renaissance italienne, dès le XVe s., une architecture* maçonnée utilisant avec plus ou moins de liberté les ordres romains, leur modénature et leurs ornements caractéristiques. Tour à tour classique, maniériste ou baroque, puis néoclassique et enfin éclectique, cette architecture a dominé — au moins comme rhétorique formelle — une période de quatre siècles, jusqu'à ce que l'apparition de matériaux nouveaux (fer* et ses dérivés, béton* armé) et la prise en considération de leur logique fonctionnelle propre l'aient fait lentement tomber en désuétude.

Il y a trois ordres grecs : le *dorique* (colonne sans base, chapiteau à simple échine), l'*ionique* (chapiteau à volutes) et, le plus tardif, le *corinthien* (chapiteau à corbeille de feuilles d'acanthe). Les Romains les ont réinterprétés et y ont ajouté l'ordre *toscan* (colonne à fût lisse, avec chapiteau dorique et base) et un ordre qu'Alberti* a appelé *composite* (dont le chapiteau combine volutes de l'ionique et acanthes du corinthien); ils ont aussi pris l'habitude de les superposer dans les bâtiments à plusieurs étages selon la hiérarchie : dorique, ionique, corinthien, du plus trapu et « constructif » (le dorique, au niveau inférieur) au plus svelte et ornemental (le corinthien). L'ordre est dit *colossal* lorsque la colonne, la colonne engagée ou le pilastre encadrent plusieurs étages à la fois. L'ordre *rustique* garde aux pierres une apparence brute ou fait appel aux bossages « vermiculés », aux « congélations ». Les proportions relatives des différents éléments d'une architecture à ordres, variables, sont calculées en fonction du *module* (demi-diamètre de la colonne à la base du fût). L'architecture classique tend à soumettre l'ensemble des plans d'un édifice à ce système de calcul *modulaire.*

ORDRE *(Log.).* — Une relation d'ordre est une relation :
(i) réflexive $(x \leq x)$;
(ii) antisymétrique $[(x \leq y \text{ et } y \leq x) \rightarrow (x = y)]$;
(iii) transitive $[(x \leq y \text{ et } y \leq z) \rightarrow (x \leq z)]$.
On appelle ordre sur un ensemble la définition sur cet ensemble d'une relation d'ordre. Un ensemble est dit partiellement (resp. totalement) « ordonné » si tous les éléments de l'ensemble ne sont pas comparables pour la relation (resp. s'ils le sont tous). Il existe plusieurs types d'ordre (par exemple l'ordre de $\mathbb{Q}$ est « dense » : entre deux éléments il en existe toujours un autre).

ORDRE *(sacrement de l').* — L'Église est, dans sa constitution, hiérarchiquement structurée dès sa fondation. Jésus, selon les Évangiles, a confié un pouvoir dirigeant au collège apostolique avec l'apôtre Pierre* à sa tête. L'ordre est reçu dans sa plénitude par l'évêque* et en participation par le prêtre* et le diacre*; la transmission de ce pouvoir à trois degrés remonte à l'âge apostolique. Le ministre du sacrement de l'ordre est l'évêque, seul dépositaire de la plénitude du pouvoir de gouvernement dans l'Église. Le caractère sacramentel de l'ordre n'est pas reconnu par les Églises protestantes.

ORDRE PROFESSIONNEL → PROFESSIONNELLES *(organisations).*

ORDURES MÉNAGÈRES. — Dans les petites localités, les ordures ménagères sont entassées dans des *décharges,* où elles se

Incinération des ORDURES MÉNAGÈRES, avec production d'électricité et de vapeur pour chauffage urbain.

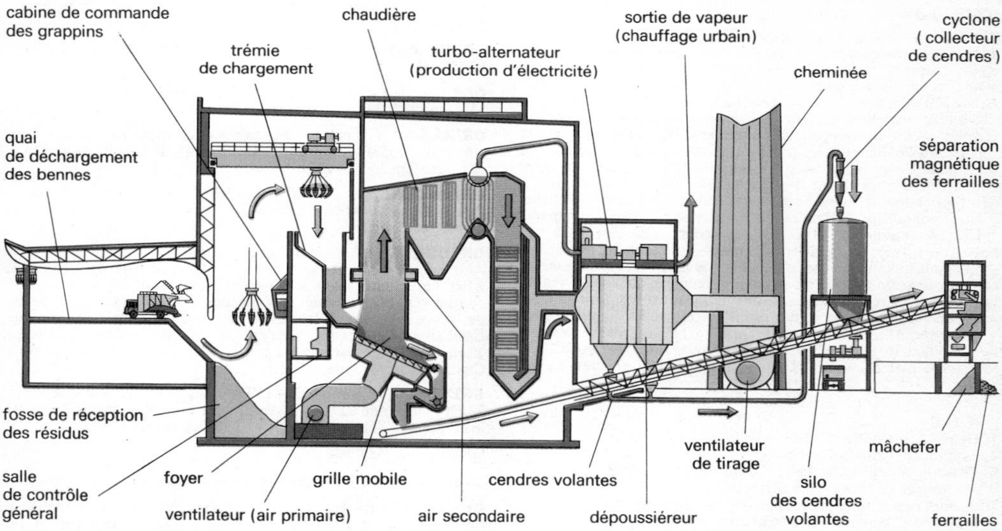

transforment en *gadoues vertes* avant de fermenter, puis en *gadoues noires* après un certain temps de fermentation. Après criblage, les gadoues sont utilisées comme engrais.

Dans les grandes agglomérations, l'enlèvement et la destruction des ordures ménagères constituent un service public placé sous l'autorité des municipalités. Les ordures sont soit transformées en engrais après broyage, soit incinérées dans des centrales de chauffe pour produire de la vapeur qui sert au *chauffage urbain* ou à la production de courant électrique.

Or du Rhin *(l')* → TÉTRALOGIE.

ÖREBRO, v. de la Suède centrale, à l'O. de Stockholm; 116 000 hab.

OREGON, État du nord-ouest des États-Unis, sur le Pacifique; 251 180 km²; 2 091 000 hab. Capit. *Salem.* L'Est est le domaine de hauts plateaux, limités vers l'O. par la chaîne des Cascades (plus de 3 000 m), qui domine la vallée de la Willamette, séparée du Pacifique par les chaînes côtières (Coast Range). La sylviculture, favorisée par l'extension de la forêt, est la ressource essentielle, loin devant l'agriculture (élevage laitier surtout), la pêche et même l'industrie (bénéficiant, cependant, d'une importante production d'hydroélectricité, provenant surtout de l'aménagement de la Columbia). Les principales villes jalonnent le cours de la Willamette : Eugene, Salem et surtout Portland (près de son confluent avec la Columbia).

OREILLARD. — Petite chauve-souris* à grandes oreilles.

OREILLE. — L'*oreille externe* est formée du pavillon, qui présente une excavation centrale, la conque, entourée de quatre saillies (hélix, anthélix, tragus, antitragus), d'une partie inférieure, le lobule, et du *conduit auditif externe,* qui se termine au tympan, qui sépare l'oreille externe de l'oreille moyenne.

L'*oreille moyenne* est formée par un ensemble de cavités remplies d'air : la trompe d'Eustache, la caisse du tympan et les cellules mastoïdiennes. La trompe d'Eustache est un conduit qui fait communiquer la caisse du tympan avec le pharynx; la caisse du tympan contient la chaîne des osselets (marteau, enclume, étrier), qui transmettent les sons du tympan à l'oreille interne; les cellules mastoïdiennes sont de simples diverticules de la caisse du tympan.

L'*oreille interne* est située dans le rocher. Elle comprend : le *labyrinthe osseux,* formé de trois parties — le vestibule, les canaux semi-circulaires, le limaçon, ou cochlée; le *labyrinthe membraneux,* contenu dans le précédent et qui est rempli d'un liquide (endolymphe) ainsi que de minuscules concrétions mobiles, les otolithes. Au niveau du vestibule et des canaux naissent les fibres du nerf vestibulaire; dans le limaçon, ou canal cochléaire, repose l'organe de l'audition (organe de Corti). Les filets nerveux qui en partent forment le nerf cochléaire. Le conduit auditif interne, creusé dans le rocher, est parcouru par le nerf auditif, formé par le nerf cochléaire et le nerf vestibulaire.

L'oreille est l'organe de l'audition* et joue aussi un rôle majeur dans l'équilibration*. Elle comporte un appareil de transmission des sons et un appareil de perception.

L'*appareil de transmission* est un transformateur d'énergie : les sons sont captés par le pavillon, canalisés par le conduit auditif externe et font vibrer le tympan : cette vibration entraîne celle de la chaîne des osselets. Ces mouvements provoquent le déplacement des liquides de l'oreille interne, ce qui excite l'organe de Corti.

L'*appareil de perception,* l'organe de Corti, transforme l'énergie mécanique en énergie nerveuse; l'influx nerveux parcourt le nerf cochléaire, les voies cochléaires centrales et va impressionner les centres nerveux du cerveau.

Les maladies de l'oreille externe peuvent être dues à une obstruction du conduit (bouchon de cérumen, corps étranger), à une infection (impétigo). Les maladies de l'oreille moyenne sont essentiellement inflammatoires (otites*). Celles de l'oreille interne sont très variées : une surdité ou des troubles de l'équilibre en sont souvent la conséquence.

OREILLE :
1. Hélix; 2. Anthélix; 3. Fibrocartilage du pavillon; 4. Tragus; 5. Couche glandulaire; 6. Conduit auditif externe; 7. Cavité de la conque; 8. Antitragus; 9. Apophyse styloïde; 10. Lobule et coupe du lobule; 11. Marteau et son ligament supérieur; 12. Enclume et son ligament supérieur; 13. Étrier; 14. Canaux semi-circulaires; 15. Limaçon (canal cochléaire); 16. Conduit auditif interne; 17. Nerf facial; 18. Nerf vestibulaire; 19. Nerf cochléaire; 20. Fenêtres ovale et ronde; 21. Caisse du tympan; 22. Membrane du tympan; 23. Trompe d'Eustache.

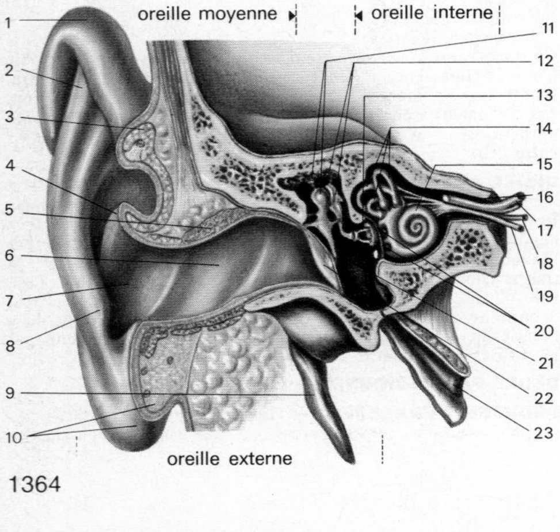

OREILLETTE → CŒUR.

OREILLONS. — Cette maladie infectieuse et contagieuse est due à un virus spécifique. Elle est caractérisée par une parotidite bilatérale apparaissant vingt et un jours après la contamination et disparaissant vers le dixième jour. D'autres organes peuvent être atteints par le virus : surtout les testicules (le risque, rare, en est l'atrophie), le pancréas et les méninges.

OREKHOVO-ZOUÏEVO, v. de l'U. R. S. S. (R. S. F. S. de Russie), à l'E. de Moscou; 120 000 hab.

OREL, v. de l'U. R. S. S. (R. S. F. S. de Russie), sur l'Oka, au S. de Moscou; 232 000 hab. Grande aciérie.

ORELLANA (Francisco DE), explorateur espagnol (Trujillo?-en Amazonie 1550). Compagnon de Pizarro*, il attacha son nom à l'exploration de l'Amazonie.

ORENBOURG, v. de l'U. R. S. S. (R. S. F. S. de Russie), sur le fleuve Oural; 344 000 hab. Centre d'une région productrice de pétrole et de gaz naturel.

ORÉNOQUE, en esp. **Orinoco,** fl. du Venezuela, qui rejoint l'Atlantique, par un vaste delta, en face de l'île de la Trinité; 2 160 km. Contournant le bouclier guyanais, il décrit une vaste courbe vers l'O., séparant le Venezuela et la Colombie. Une partie de ses eaux rejoint le bassin de l'Amazone par le bras de Cassiquiare. Le cours inférieur du fleuve, proche de riches gisements de fer, est jalonné par les villes de Ciudad Bolívar et de Ciudad Guayana (centre sidérurgique).

ORENSE, v. du nord-ouest de l'Espagne, en Galice, ch.-l. de prov.; 73 000 hab. Pont du XIIIᵉ s., cathédrale romane (portails sculptés) avec apports gothiques et autres édifices religieux.

ORESTE → ATRIDES.

Oreste, tragédie d'Euripide (408 av. J.-C.).

Orestie *(l'),* trilogie dramatique d'Eschyle, jouée à Athènes (458 av. J.-C.) et comprenant les trois tragédies *(Agamemnon, les Choéphores, les Euménides)* dont les aventures d'Oreste sont le sujet.

ØRESUND → SUND.

OREZZA-ALESANI, cant. de la Haute-Corse. Ch.-l. *Piedicroce**.

Orfeo → ORPHÉE.

ORFÈVRERIE. — Le domaine de l'orfèvrerie comprend non seulement les techniques propres au travail des métaux précieux, mais aussi celles de matériaux de qualité entrant dans la réalisation de certaines pièces : l'émail, le nielle, les pierres précieuses, l'ivoire, etc. Certains métaux moins précieux traités avec ces techniques font appartenir leurs transformations à l'orfèvrerie : l'étain (Briot [XVIᵉ s.], Brateau [XIXᵉ s.], orfèvres d'étain), les armures (celle d'Henri II au Louvre), le métal argenté (surtout de Napoléon III par Christofle). Tous les peuples ont laissé en témoignage de leur degré de civilisation et de raffinement des ouvrages d'orfèvrerie civils ou religieux, et certains de ces ouvrages sont célèbres, tels les trésors d'Our (3000 av. J.-C.), le pectoral de Ramsès II (Égypte), le canthare de Berthouville, la coupe de Khosrô (cabinet des Médailles), le calice de Gourdon, la statue de sainte Foy (Conques, époque préromane), l'aiguière de Suger, le ciboire d'Alpais (Louvre), le calice de Charles V (British Museum, Moyen Âge), la salière de Benvenuto Cellini (Vienne, Renaissance), les pièces montées de Louis XIV (Louvre), l'écuelle de Thomas Germain* (Louvre), les soupières de F. T. Germain* (Lisbonne, XVIIIᵉ s.), l'orfèvrerie de Marie-Louise par Biennais (Metropolitan Museum), celle de l'empereur Napoléon Iᵉʳ par Auguste* (Malmaison, XIXᵉ s.). Toutes ces pièces sont réunies par des techniques propres à un art resté artisanal : le martelage, la retreinte, la recingle, l'ornementation, qui comprend tous les procédés du repoussé, de la gravure, de la ciselure, de l'émaillage*, du niellage, du champlevé, etc. Seule l'orfèvrerie de métal argenté utilise les ressources du progrès industriel, nécessaire à sa grande diffusion. L'orfèvrerie a toujours été réglementée par une législation, souvent sévère. Sous l'Ancien Régime, les règlements des corporations*, qui réunissaient les orfèvres, fixaient les conditions de l'apprentissage (8 ans), du compagnonnage* (3 ans) et de la maîtrise. Depuis la loi du 10 brumaire an VI (9 nov. 1797), les orfèvres sont soumis à un contrôle strict de leurs productions, dont sont chargés les bureaux de garantie*. Les marchands doivent tenir des livres d'entrée et de sortie des pièces paraphés par les autorités de police. Des visites d'agents du contrôle de la garantie assurent la bonne apposition des différents poinçons* et leur légalité.

ORFF (Carl), compositeur allemand (Munich 1895). Il doit sa célébrité à la méthode d'éducation musicale par le rythme qui porte son nom et à la cantate *Carmina burana* (1936), adaptation de chants d'étudiants contestataires du Moyen Âge.

ORFILA (Mathieu Joseph Bonaventure), médecin et chimiste français d'origine espagnole (Mahon 1787-Paris 1853). Spécialiste de toxicologie, il créa une clinique d'accouchement et fonda le musée Dupuytren.

ORFRAIE. — Syn. de PYGARGUE*.

ORGANE. — Le langage courant distingue dans le corps humain, animal ou végétal, des parties souvent bien délimitées, telles que l'œil, la main, la langue, qui exercent une fonction particulière à laquelle concourent tous leurs éléments. La science nomme de telles parties des « organes ». Dans le cas le plus simple, l'organe a une seule fonction — le cœur ne sert qu'à faire circuler le sang — et la fonction un seul organe — seule, la glande thyroïde sécrète la thyroxine. Mais la vision exige tout un système : deux yeux, dont l'un domine l'autre, des voies optiques, des relais, le lobe occipital du cerveau. Mais le pancréas a deux sécrétions, l'une externe et l'autre interne, qui n'ont aucun rapport. D'autre part, certains organes sont *homogènes* — tous les lobules hépatiques exercent les mêmes fonctions, de même que tous les lobules pulmonaires ou toutes les pyramides des reins — alors que d'autres (œil, oreille, encéphale) sont *hétérogènes*. Enfin, on peut opposer les organes *pairs* (membres, yeux, oreilles, reins, gonades) aux organes *impairs* (tube digestif, axe nerveux, colonne vertébrale...).

Chez les végétaux, on constate que, dans une espèce donnée, la fleur a toujours le même nombre d'étamines, tandis que le nombre de fleurs portées par le pied est hautement variable ; or, le terme d'*organe* est aussi bien appliqué à la fleur entière qu'à chacune des pièces qui la composent. Il est donc difficile de fixer une échelle de grandeur aux « organes », et l'association d'une unité de fonction, d'une localisation anatomique et d'une délimitation précise suffira à les qualifier.

ORGANICISME. — L'analogie entre l'organisation physiologique du corps humain et l'ordre qui permet un certain fonctionnement de la société, voire la métaphore plus descriptive d'un tout cohérent, capable de s'autoréguler et de s'adapter, où sont intégrées les fonctions vitales, est constitutive de la pensée politique moderne (depuis Machiavel). Cette conception a été systématisée par A. Comte* dans son *Système de politique positive* et par H. Spencer* dans ses *Principes de sociologie*. E. Durkheim*, M. Weber*, Radcliffe-Brown* et R. K. Merton* se sont efforcés de limiter la portée d'une telle analogie sans, pour autant, biffer la possibilité d'un recours au modèle de l'organisme en vue de construire une théorie générale du système social.

ORGANIGRAMME *(Inform.)*. — Au moment de l'analyse d'un problème, puis lors de l'élaboration du programme* correspondant, une représentation graphique de la logique des traitements à mettre en œuvre est réalisée à l'aide d'organigrammes. Des symboles conventionnels permettent de figurer des opérations, des fichiers*, des liaisons, des appareils, les conditions d'enchaînement des opérations.

ORGANIQUE (architecture). — Le monde naturel et biologique peut inspirer l'architecture* selon diverses modalités. Au XXe s., et par-delà les précédents de Gaudí* et de l'Art* nouveau, il s'est agi de propositions antithétiques du style international* dans son acception la plus abstraite (choix *a priori* de formes géométriques considérées comme sources de beauté). F. L. Wright* a lui-même qualifié d'« organique » son architecture, qui tendait souvent à une symbiose de la construction avec le site environnant (par le plan et par les matériaux, souvent naturels : bois, pierre) ou empruntait des structures et des formes aux organismes vivants. Unité et continuité quasi organique d'édifices dont le terrain a souvent commandé le plan ont été recherchées de même par E. Mendelsohn* ou par Aalto*. L'« organicisme » de Hugo Häring (1882-1958) et de Scharoun* a plutôt été un fonctionnalisme, les structures de l'édifice-organe découlant pour eux, sans aucun préalable formel, du programme qu'il doit remplir.

ORGANIQUE (chimie). — Les *substances organiques* étaient autrefois uniquement extraites des organismes vivants. On croyait même à l'existence d'une *force vitale* nécessaire à leur élaboration. Mais cette théorie fut rejetée quand ces corps furent reproduits par synthèse, notamment l'urée (Wöhler, 1828). D'autre part, de nombreuses substances analogues n'existant pas dans la nature purent être préparées.

Le carbone a la particularité de pouvoir engendrer un nombre considérable de combinaisons (on en connaît plus d'un million) par la faculté qu'ont ses atomes de se souder en chaînes, ouvertes, fermées, de formes diverses, pouvant mettre en œuvre des liaisons simples ou multiples. En dehors du carbone, les corps organiques ne contiennent qu'un nombre restreint d'éléments, qui sont, par ordre d'importance, l'hydrogène, l'oxygène, l'azote et, plus rarement, le soufre et le phosphore. L'étude de ces nombreux composés n'a été rendue possible que par l'établissement de formules développées, rendant compte de la position relative des atomes et expliquant les diverses isoméries. Ces formules, qui reposent sur la quadrivalence du carbone, font apparaître des groupements fonctionnels, permettant une classification. Les corps sont divisés, d'après la nature de la chaîne carbonée, en série acyclique (ou grasse), qui comprend les composés à chaîne ouverte, et en série cyclique, qui renferme les composés à chaîne fermée.

La nomenclature met en évidence les fonctions et les radicaux substituants (par exemple alcool éthylique, C_2H_5OH). Un congrès international, réuni à Genève en 1892, a codifié un certain nombre de règles. Les corps, suivant leur fonction, sont caractérisés par une désinence : *-ane* pour les hydrocarbures saturés, *-ène* pour les éthyléniques, *-yne* pour les acétyléniques, *-ol* pour les alcools, *-al* pour les aldéhydes, *-one* pour les cétones, *-oïque* pour les acides, etc. On détermine le carbure dont dérive le corps, on numérote les atomes de carbone et l'on énonce successivement, avec leur numéro, les radicaux et les fonctions. Ainsi, le corps de formule

$$\overset{5}{CH_2}{=}\overset{4}{CH}{-}\underset{\displaystyle CH_3}{\overset{3}{CH}}{-}\overset{2}{CHOH}{-}\overset{1}{CO_2H}$$

est le méthyl-3-pentène-4-ol-2-oïque.

Organisation commune africaine et mauricienne (O. C. A. M.), organisme régional regroupant les États francophones de l'Afrique noire. L'O. C. A. M., qui comprenait initialement Madagascar, fut créée en 1965 à Nouakchott sous le nom d'« Organisation commune africaine et malgache » dans le dessein de développer la coopération entre les pays membres. L'admission de l'île Maurice (1970) en fait l'Organisation commune africaine, malgache et mauricienne (O. C. A. M. M.) jusqu'au retrait de Madagascar en 1973. Les départs successifs de la Mauritanie (dès 1965), du Zaïre et de la république populaire du Congo (1972), du Cameroun, du Tchad et de Madagascar (1973), puis du Gabon (1976) affaiblissent l'Organisation et témoignent de ses nombreuses difficultés. En 1974, l'O. C. A. M. transfère son siège de Yaoundé à Bangui et s'ouvre aux pays africains non francophones.

Organisation de coopération et de développement économique (O. C. D. E.) → ORGANISATIONS INTERNATIONALES.

Organisation de libération palestinienne (O. L. P.), organisation de la résistance palestinienne*, fondée en 1964 par le congrès national des Arabes de Palestine réuni à Jérusalem. L'O. L. P. est financée par la Ligue arabe*, dont elle est membre depuis 1976. Elle dispose, depuis 1965, d'une armée régulière : Armée de libération de la Palestine (A. L. P.). Présidée par Aḥmad Chuqayrī (de 1964 à 1967), puis par ʿArafāt*, elle est reconnue depuis 1974 par les pays arabes comme « seul et légitime » représentant du peuple palestinien et a le statut d'observateur permanent à l'Organisation des Nations unies.

Organisation de l'unité africaine (O. U. A.), organisation politique regroupant les États indépendants d'Afrique, à l'exception de l'Afrique du Sud et de la Rhodésie. Créée en 1963 par la Conférence interafricaine d'Addis-Abeba, l'O. U. A. a pour principaux objectifs la libération politique et économique de l'ensemble du continent ainsi que le développement de la coopération politique, économique et culturelle entre les États membres. Posant comme principes le maintien du statu quo territorial (constitué par les anciennes frontières coloniales), le droit des peuples colonisés à l'autodétermination et l'indépendance absolue de chaque État, elle s'est efforcée de jouer un rôle conciliateur dans les conflits entre pays africains. Malgré quelques réussites, elle a subi de sérieux échecs (problème du Congo, guerre du Biafra), révélant sa faiblesse et ses divisions internes. Si un large accord a réuni ses membres autour des problèmes de la décolonisation, de la lutte contre la politique d'apartheid de l'Afrique du Sud et de la Rhodésie, de la question du Proche-Orient et de la libération des colonies portugaises d'Afrique, l'O. U. A. a été gravement divisée par le conflit angolais et par le problème du Sahara occidental.

Organisation des États américains (O. E. A.), organisme fondé en 1948 pour assurer la paix et la sécurité du continent américain, résoudre les problèmes communs aux États et développer entre eux la coopération économique, sociale et culturelle. Dominée depuis sa création par l'influence des États-Unis, l'O. E. A., qui regroupe la quasi-totalité des États américains (sauf le Canada), s'est surtout employée à combattre l'implantation du communisme, et en particulier du castrisme, sur le continent (Cuba a été exclue de l'Organisation en 1962). Mais la prédominance des États-Unis est de plus en plus contestée par les pays de l'Amérique latine.

Organisation des Nations unies (O. N. U.) → ORGANISATIONS INTERNATIONALES.

Organisation des pays exportateurs de pétrole (O. P. E. P.), organisation dont le siège est à Vienne. Créée en 1960, l'O. P. E. P. compte aujourd'hui treize membres : Abū Ẓabī, Algérie, Arabie Saoudite, Équateur, Gabon, Indonésie, Iran, Iraq, Koweït, Libye, Nigeria, Qaṭar et Venezuela. Elle a produit 1 303 Mt de brut en 1975 (1 500 Mt en 1974), pratiquement la moitié de la production mondiale, exportant plus de 90 p. 100 des quantités extraites. L'O. P. E. P. détient au moins les deux tiers des réserves prouvées de pétrole et plus du tiers de celles de gaz naturel. En 1974, les revenus pétroliers de l'O. P. E. P. ont avoisiné 90 milliards de dollars. Fondée pour protéger les revenus des pays producteurs, l'O. P. E. P. détermine unilatéralement le prix du pétrole et a permis à ses membres d'acquérir le contrôle effectif de l'extraction et souvent de la commercialisation des hydrocarbures.

Organisation du traité de l'Asie du Sud-Est (O. T. A. S. E.) → ASIE DU SUD-EST *(Organisation du traité de l').*

Organisation du traité de l'Atlantique Nord (O. T. A. N.) → ATLANTIQUE NORD *(traité de l').*

Organisation internationale du travail (O. I. T.), Organisation mondiale de la santé (O. M. S.) → ORGANISATIONS INTERNATIONALES.

ORGANISATIONS INTERNATIONALES. — On appelle ainsi les groupements de caractère gouvernemental ou, éventuellement, non gouvernemental ayant comme objectif d'assurer la sécurité collective des États, celle des nationaux au sein de la communauté internationale ainsi que la promotion culturelle, sociale, médicale, etc., des nations. La plus importante de ces institutions est l'*Organisation des Nations unies.* Au lendemain de la Première Guerre mondiale, la Société des Nations (S. D. N.) fut instituée par une charte fondamentale, le pacte de la Société des Nations, adopté à l'unanimité à la conférence des préliminaires de paix du 28 avril 1919, puis intégré au texte du traité de Versailles du 28 juin 1919, entrant en vigueur le 10 janvier 1920. Ses objectifs étaient de régler les conflits entre nations, de garantir l'intégrité territoriale et l'indépendance des États contre l'agression extérieure, enfin de décider éventuellement des sanctions. Mais le départ de plusieurs pays de la S. D. N. affaiblit celle-ci à la veille du second conflit mondial. La S. D. N. devait disparaître à l'issue de celui-ci, dissoute par une résolution de son assemblée, en date du 18 avril 1946, et remplacée par l'*Organisation des Nations unies.*

Celle-ci tire son origine de la Charte des Nations unies (26 juin 1945), appelée également « Charte de San Francisco », traité international signé par cinquante pays. La Charte entra en vigueur le 24 octobre 1945. Les objectifs de l'Organisation des Nations unies sont, essentiellement, le maintien de la paix et de la sécurité internationales, le développement de relations amicales entre les nations, la coopération économique, sociale, culturelle et humanitaire, le renforcement du respect des droits de l'homme et des libertés fondamentales. Mais les voies et moyens destinés à la poursuite de ces objectifs apparaissent en fait relativement limités : il s'agit d'engagements des membres de ne pas recourir à la force et de régler les différends par des voies pacifiques, d'actions de l'Organisation contre les États qui ne respecteraient pas leurs engagements (mais limitées, du fait que l'Organisation ne peut intervenir dans les domaines de compétence purement nationale des États).

L'admission de nouveaux membres à l'O. N. U. se fait par voie d'une décision de l'Assemblée générale, sur recommandation du Conseil de sécurité. Un État membre peut être *suspendu,* la décision étant prise par l'Assemblée générale, se prononçant sur recommandation du Conseil de sécurité (celui-ci étant compétent pour décider du rétablissement de l'État dans l'exercice de ses droits et privilèges). Un État peut également être exclu de l'Organisation.

L'*Assemblée générale* comprend tous les membres de l'Organisation, chacun y disposant d'une voix et pouvant y désigner un maximum de cinq délégués; l'Assemblée tient une session annuelle et, éventuellement, des sessions extraordinaires. Les décisions sont prises à la majorité des membres présents et votants ou à la majorité des deux tiers dans les questions dites « importantes » (admission de nouveaux membres notamment).

Le *Conseil de sécurité* est composé de cinq pays (États-Unis, U. R. S. S., Royaume-Uni, France, Chine), qui y occupent un siège permanent, auxquels s'ajoutaient, à l'origine, six autres membres non permanents, élus pour deux années par l'Assemblée et renouvelables par moitié chaque année. (Une résolution de l'Assemblée, le 17 décembre 1963, a porté de onze à quinze le nombre des membres du Conseil, augmentant de six à dix le nombre des membres non permanents.) Chaque membre dispose d'une voix. Les votes sont obtenus à la majorité, qui doit comprendre cependant l'unanimité des votes des membres permanents. (Cela mène à ce que l'on appelle le « droit de veto ».)

Le *Conseil économique et social* a pour objectif d'assurer la protection des droits individuels et des libertés fondamentales ainsi que de coordonner les activités des institutions spécialisées.

Le *Conseil de tutelle* a pour mission de contrôler l'administration des territoires dont la « tutelle » a été confiée à tel ou tel pays. Il se compose des puissances administrant des territoires sous tutelle, des membres permanents du Conseil de sécurité et de membres élus par l'Assemblée générale. (La fin de la colonisation a diminué de beaucoup, en fait, l'importance de la tutelle.)

Le *Secrétariat* est la cellule permanente assurant le fonctionnement de l'Organisation; il est dirigé par le *secrétaire général* de l'Organisation, qui est le plus haut fonctionnaire de celle-ci; le secrétaire général nomme le personnel de l'Organisation, lui-même étant désigné, pour une durée de cinq années, par l'Assemblée générale sur recommandation du Conseil de sécurité. L'article 99 de la Charte lui permet d'attirer l'attention du Conseil de sécurité sur toute affaire qui pourrait, à son avis, mettre en danger la paix et la sécurité internationales : de là une activité diplomatique importante du secrétaire général. Les secrétaires généraux successifs ont été : Trygve Lie* de 1946 à 1953, Dag Hammarskjöld* de 1953 à 1961, Sithu U Thant de 1961 à 1971, Kurt Waldheim* depuis 1972.

La *Cour internationale de justice* (C. I. J.), juridiction créée en vertu de l'article 32 de la Charte des Nations unies, a vu son statut calqué sur celui de sa devancière, la Cour permanente de justice internationale. Ses membres sont élus par l'Assemblée générale et par le Conseil de sécurité de l'O. N. U. Certains États non-membres de l'O. N. U., comme la Suisse, font partie de la Cour.

Quelques organisations internationales à vocation particulière.

Banque internationale pour la reconstruction et le développement (B. I. R. D.), organisation internationale créée en 1944 et qui a son siège à Washington. Avec son associée l'A. I. D. (Association internationale de développement), créée en 1960 et qui siège également à Washington, elle est notamment chargée d'assister financièrement les nations les plus pauvres.

Conférence des Nations unies pour le commerce et le développement (C. N. U. C. E. D.), organisation internationale réunissant 111 pays (à l'origine 77, d'où le nom de « groupe des 77 ») et dont les travaux sont orientés vers l'organisation économique du monde et, notamment, vers la résolution des problèmes des pays en voie de développement*. Sa quatrième session s'est ouverte en mai 1976 à Nairobi (Kenya), les sessions précédentes s'étant tenues à Genève (1964), à New Dehli (1968) et à Santiago du Chili (1972).

Fonds monétaire international (F. M. I.), organisation internationale créée en 1944 par les accords de Bretton-Woods et qui a son siège à Washington. Son but est de veiller à l'organisation du système monétaire international.

Organisation de coopération et de développement économique (O. C. D. E.), organisation internationale dont le siège est à Paris, et qui a été initialement créée en 1948 pour gérer l'aide Marshall, octroyée à une Europe ruinée par le second conflit mondial. Changeant en 1961 son sigle d'O. E. C. E. en O. C. D. E., elle est devenue un carrefour de concertation et d'échange pour les vingt-quatre nations « occidentales » qui en font aujourd'hui partie. Son but est de promouvoir des politiques d'expansion économique.

Organisation internationale du travail (O. I. T.), organisation internationale créée en 1919 (dans la partie XIII du traité de Versailles); dotée d'une assemblée dénommée « Conférence internationale du travail », elle associe à ses travaux des représentants des employeurs et des travailleurs. Elle siège à Genève.

Organisation mondiale de la santé (O. M. S.), organisation internationale créée en 1948 et dont le but est de promouvoir la santé des peuples. Elle a son siège à Genève.

Organisation des Nations unies pour l'alimentation et l'agriculture (FAO), organisation internationale créée en 1945 et dont le rôle est primordial dans la lutte contre la faim dans le monde. Elle a son siège à Rome.

Unesco, organisation des Nations unies pour l'éducation, la science et la culture, constituée en 1946 et qui a son siège à Paris.

ORGANISME. — Un organisme, c'est un corps vivant, une structure organisée, considérée dans sa globalité et non dans l'une de ses parties. Dire qu'un organisme humain est intoxiqué par l'alcool, qu'un organisme végétal souffre de la sécheresse, c'est dire que l'être tout entier est atteint et menacé par ces facteurs.

ORGANOMÉTALLIQUES. — Presque tous les métaux peuvent donner de tels composés; il existe des organométalliques simples, comme le zinc-éthyle, $Zn(C_2H_5)_2$, et des organométalliques mixtes, comme RMgX, contenant un atome d'halogène X. Ces organomagnésiens mixtes, découverts par Grignard, sont les plus importants; très réactifs, ils permettent un grand nombre de synthèses.

Organon, recueil des traités d'Aristote sur la logique*, qui comprend *Catégories, Interprétation, Premiers Analytiques, Derniers Analytiques, Topiques, Réfutations des sophistes.* C'est dans ce recueil qu'Aristote développe la théorie du syllogisme*.

ORGASME → COÏT.

ORGE. — En dehors des mauvaises herbes, telle l'orge des rats, on classe les orges cultivées d'après le nombre d'épillets fertiles sur chaque « étage » du rachis : orge à deux rangs, orge à quatre rangs et escourgeon (ou orge à six rangs). Selon la durée du cycle végétatif, on distingue les orges de printemps et les orges d'hiver, ces dernières communément appelées à tort « escourgeons ». Les orges destinées à la brasserie* (dont la demande croît) doivent germer à 95 p. 100, ce qui implique qu'elles soient récoltées mûres, sèches et que les grains soient intacts (non fêlés) et bien conservés.

ORGE, affl. de la Seine (r. g.), dont le cours est presque entièrement situé dans l'Essonne (passant à Dourdan, à Arpajon, à Juvisy, à Savigny); 50 km.

ORGELET → PAUPIÈRE.

ORGELET (39270), ch.-l. de cant. du Jura, à 20 km au S.-S.-E. de Lons-le-Saunier; 1 812 hab. Restes de remparts, église des XIIe-XVIe s. et autres témoignages du passé.

ORGÈRES-EN-BEAUCE (28140), ch.-l. de cant. d'Eure-et-Loir, à 23 km à l'E.-N.-E. de Châteaudun; 987 hab.

ORGNAC *(aven d'),* grotte du bas Vivarais, dans le sud du département de l'Ardèche.

ORGON (13660), ch.-l. de cant. des Bouches-du-Rhône, sur la Durance, à 19 km au N. de Salon-de-Provence; 2 285 hab. Ruines féodales. Église du XIVe s.

ORGUE. — Doté de couleurs propres, l'orgue ne peut être comparé à l'orchestre. Alignés sur des sommiers, dans lesquels l'air est envoyé sous pression, les tuyaux, de bois ou de métal, correspondent à des registres dits de « fonds », de « mutations » ou d'« anches ». Ces registres, ou jeux, sont répartis sur un ou plusieurs claviers manuels et un clavier pédalier. La mécanique est de traction mécanique ou électrique.

L'orgue permet la mise en valeur d'une littérature européenne (XIVe-XXe s.) qui se subdivise en deux genres : l'un strictement liturgique (fondé sur le commentaire du plain-chant romain ou du cantique luthérien), l'autre de concert. Titelouze, Frescobaldi, Grigny, Buxtehude, J.-S. Bach, Liszt, Widor, Vierne, Tournemire, Messiaen ont excellé dans la musique d'orgue.

ORHAN (1288 - v. 1359), souverain ottoman (1326-1359). Il fit de Brousse*, qu'il venait de prendre avant son avènement, sa capitale, prit Nicée et Nicomédie, soumit diverses principautés turques d'Anatolie et organisa son empire (création du corps des janissaires*). Il mit à profit le conflit entre Jean VI Cantacuzène et Jean V Paléologue pour prendre pied en Europe (Gallipoli, 1354).

ORIBASE, médecin grec (Pergame 325 - Byzance 403). Élève de Zénon de Chypre, il aurait découvert les glandes salivaires.

Orient *(empire d'),* partie orientale de l'Empire romain (capit. *Constantinople*). [V. OCCIDENT *(empire d').*]

Orient *(parc régional de la forêt d'),* réserve naturelle de la Champagne (Aube) à l'E. de Troyes, couvrant près de 60 000 ha et englobant la *forêt d'Orient* et le *lac de la forêt d'Orient* (2 500 ha) [qui résulte de l'aménagement du bassin supérieur de la Seine].

Orient *(question d'),* ensemble des problèmes posés, au XVIIIe et au XIXe s. notamment, par la liquidation de l'Empire ottoman.

Orientales *(les),* recueil poétique de V. Hugo (1829), inspiré par le soulèvement de la Grèce et qui présente des descriptions colorées d'un Orient d'imagination.

ORIENTATION *(Géod.).* — On appelle *azimut* d'une direction AB l'angle que fait celle-ci avec le nord géographique. La détermination de l'azimut, qui permet l'orientation, peut être obtenue par quatre méthodes. Dans la *méthode astronomique,* on vise au théodolite le Soleil ou une étoile S, dont on calcule l'azimut Az_S par des formules de trigonométrie sphérique. La mesure de l'angle α permet de déduire l'azimut de AB : $Az_{AB} = Az_S + \alpha$.

Dans la *méthode gyroscopique,* on emploie un gyrothéodolite, qui comporte un gyroscope dont les oscillations s'effectuent de part et d'autre du nord géographique.

Dans le *mode décliné,* on utilise un déclinatoire ou une boussole qui contient une aiguille aimantée; celle-ci s'oriente dans la direction du nord magnétique (NM). La connaissance de la

Orientation astronomique : $Az_{AB} = Az_S + \alpha$

Orientation en mode décliné : β, angle donné par la boussole ou le déclinatoire; δ, angle de déclinaison magnétique : $Az_{AB} = \beta - \delta$.

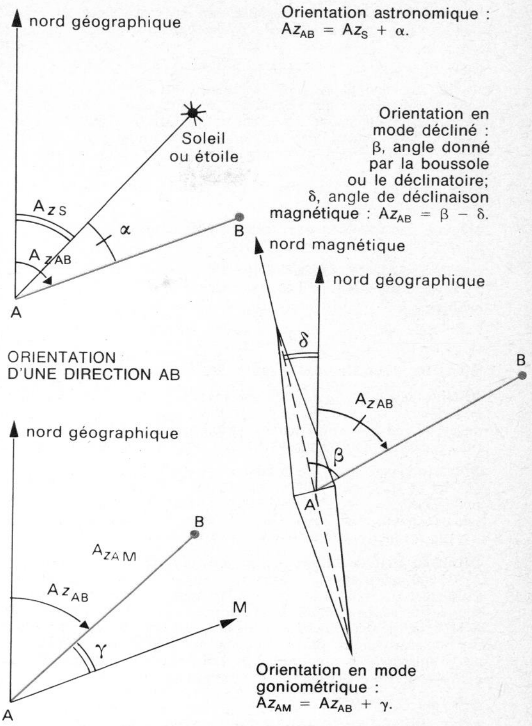

ORIENTATION D'UNE DIRECTION AB

Orientation en mode goniométrique : $Az_{AM} = Az_{AB} + \gamma$.

déclinaison* magnétique permet d'obtenir l'orientation par rapport au nord géographique.

Dans le *mode goniométrique,* on détermine l'azimut de la direction AM par rapport à une direction d'azimut connu AB en mesurant l'angle BÂM.

ORIENTATION *(Psychol.).* — L'orientation scolaire a pour objet la répartition des enfants dans les différentes filières éducatives. Elle soumet, non sans un certain déphasage, la formation scolaire aux besoins de l'économie. Plus elle intervient précocement dans le cursus scolaire, moins elle est défavorable aux enfants issus des classes défavorisées, car ces enfants ne peuvent surmonter que tardivement leur handicap socioculturel. Les enseignants jouent un rôle primordial dans l'orientation de leurs élèves : ils sont parfois appuyés par des conseillers d'orientation, qui ont une formation de psychologues. Ces conseillers font appel aux tests* d'intelligence ou d'aptitude* pour diriger l'enfant vers telle ou telle voie.

ORIENTATION *(Zool.).* — Tous les animaux ayant un nid, un terrier ou un gîte sont capables d'y retourner après s'en être éloignés, voire après en avoir été éloignés expérimentalement. Ce « retour chez soi » *(homing)* est particulièrement frappant lors des grandes migrations* (oiseaux, poissons), pendant lesquelles la simple reconnaissance des lieux parcourus semble impossible, ou encore chez les abeilles butineuses qui s'éloignent beaucoup de la ruche. En milieu aquatique, on invoque la reconnaissance des cours d'eau d'après leur odeur propre (saumon); en milieu aérien, le soleil, les constellations et parfois le champ magnétique terrestre semblent ajouter leurs informations à celles que fournit la mémoire, sans que l'on soit loin d'expliquer entièrement la perfection d'un « sixième sens », dont le baguage* des oiseaux et des poissons confirme chaque jour la rigueur.

ORIGÈNE, écrivain grec chrétien, théologien et commentateur de la Bible, Père de l'Église (Alexandrie v. 185 - Césarée ou Tyr entre 252 et 254). Il dirige d'abord l'école catéchétique d'Alexandrie*, dont il fera une véritable école de théologie, orientant sa recherche vers l'étude scientifique de la Bible et le haut enseignement chrétien. Sa science lui attire de nombreux disciples et aussi beaucoup de jalousies. Vers 230, Origène se réfugie à Césarée* de Palestine, où il reconstitue l'école théologique d'Alexandrie. Il est trop célèbre pour ne pas être atteint par la persécution de Decius* en 250; il mourra, des suites des supplices endurés, trois ou quatre ans après. De son œuvre, il faut retenir les *Commentaires* et les *Homélies* sur l'Écriture, un ouvrage de critique textuelle de l'Ancien Testament, les *Hexaples,* un ouvrage apologétique, le *Contre Celse,* et une synthèse philosophico-théologique, *Sur les principes.*

ORIGÉNISME. — La doctrine d'Origène, de son vivant, avait suscité des inquiétudes. Dans les siècles suivants se développe un courant théologique qui systématise certains aspects contestables de la pensée du maître d'Alexandrie*; à titre d'exemple, l'allégorisme excessif dans l'interprétation de l'Écriture et la doctrine sur la préexistence et la destinée des âmes (qui amène à concevoir une restauration universelle dans l'amour de Dieu) conduisent à la négation pratique de la damnation éternelle. Ce courant de pensée suscitera en Orient de vives controverses et disparaîtra au VIe s.

origine des espèces par voie de sélection naturelle *(De l'),* un des principaux ouvrages de Darwin (1859).

ORIGNY-SAINTE-BENOITE (02390), comm. de l'Aisne, à 15 km à l'E. de Saint-Quentin; 2260 hab. Cimenterie.

ORIHUELA, v. d'Espagne, au N.-E. de Murcie; 45000 hab. Cathédrale des XIVe-XVIe s. et autres édifices religieux et civils jusqu'au XVIIIe s. Musée diocésain.

ORILLIA, v. du Canada (Ontario), au N. de Toronto; 24040 hab.

ORION, géant de la mythologie grecque et chasseur renommé qu'Artémis* fit périr de la piqûre d'un scorpion, qui, en récompense, devint une constellation. Orion, qui était fils de Poséidon, fut changé lui-même en constellation, mais à l'opposé du ciel.

ORION, constellation* de la zone équatoriale, l'une des plus belles du ciel et riche en nombreuses étoiles, dont les principales sont *Bételgeuse, Rigel* et *Bellatrix.* Elle contient la *Nébuleuse d'Orion,* signalée par Peiresc* en 1610 et étudiée par Huygens* en 1656 : c'est le prototype des nébulosités* galactiques à raies d'émission.

ORISSA, État de l'Inde, sur le golfe du Bengale; 156000 km^2; 21935000 hab. Capit. *Bhubaneswar.* Au S. du tropique du Cancer s'observe un contraste entre l'intérieur, parfois montagneux, souvent boisé, peu peuplé, et le littoral, essentiellement le delta de la Mahānadī, intensément mis en valeur. La riziculture domine, loin devant la production du jute. Le sous-sol fournit du fer (à la base de la sidérurgie locale, implantée à Rourkela, deuxième ville de l'Orissa, derrière Cuttack) et du manganèse.

ORIYĀ → INDO-ARYEN.

ORIZABA, v. du Mexique, à l'E. de Mexico, au pied du *volcan d'Orizaba,* ou Citlaltépetl*; 56000 hab.

ORKNEY → ORCADES.

ORLANDO (Vittorio Emanuele), homme politique italien (Palerme 1860 - Rome 1952). Plusieurs fois ministre de 1903 à 1917, il devient président du Conseil (oct. 1917 - juin 1919). Il participe à la Conférence de la paix (avr.-mai 1919), joue un rôle important dans l'élaboration du pacte de la S. D. N., puis s'oppose à Mussolini.

Orlando, roman de Virginia Woolf (1928). L'existence, sur trois siècles, d'un personnage étrange, successivement homme et femme, cherchant tout aussi vainement à épuiser les sensations qu'à les fixer dans l'écriture.

ORLÉANISME. — Dans le sens restreint, l'orléanisme est l'opinion de ceux qui, adversaires de la branche aînée des Bourbons, voulaient l'avènement d'un prince de la maison d'Orléans. Par extension, on désigne de ce nom le parti ou l'attitude politique de tous ceux — bourgeois d'affaires surtout — qui, au XIXe s., souhaitèrent le rétablissement ou le maintien d'une monarchie constitutionnelle fondée sur le consentement national, appuyée sur la richesse et les capacités, et ayant pour but l'expansion économique dans le respect de l'ordre social établi. La monarchie de Juillet*, règne de Louis-Philippe Ier d'Orléans, marqua le triomphe de l'orléanisme, dont Adolphe Thiers* et François Guizot* représentèrent deux tendances, l'une plus libérale, l'autre plus conservatrice.

En droit constitutionnel, on appelle « orléanisme » le système d'organisation des pouvoirs où le Premier ministre se trouve contrôlé à la fois par le Parlement et par le chef de l'État, ce dernier détenant d'importantes attributions politiques et gouvernementales. La Constitution de 1958 réalise à peu près cette situation.

ORLÉANS, capit. de la Région Centre et ch.-l. du départ. du Loiret, sur la Loire, à 116 km au S. de Paris; 109956 hab. *(Orléanais).* Proche de Paris, carrefour routier et ferroviaire (après avoir été un centre de la batellerie), Orléans est l'élément essentiel d'une agglomération d'environ 210000 habitants (englobant notamment les communes de Fleury-les-Aubrais [gare], de Saint-Jean-de-la-Ruelle, de Saint-Jean-de-Braye et d'Olivet), en rapide développement, puisqu'elle s'est accrue de moitié dans les quinze dernières années. Le secteur tertiaire domine grâce à l'administration (capitale régionale et préfecture), au commerce (concentrant notamment la riche production légumière et florale de la partie centrale du Val de Loire) et à l'enseignement (université). L'industrie, bénéficiant d'opérations de décentralisation, occupe une place notable : aux usines d'alimentation se sont notamment ajoutées les constructions mécaniques et électriques.

BEAUX-ARTS. Églises Saint-Aignan (XVe s., crypte du XIe), Saint-Euverte (chœur gothique du XIIe s.), Notre-Dame-de-Recouvrance (XVIe s.). Cathédrale, reconstruite à la fin du XIIIe s., puis de nouveau, en style flamboyant, de 1601 au XIXe s. (façade ouest du XVIIIe). Urbanisme du XVIIIe s. Musée historique à l'hôtel Cabu, du milieu du XVIe s. (archéologie : bronzes de Neuvy-en-Sullias; céramique et imagerie orléanaises; etc.). Musée des beaux-arts dans l'ancien hôtel de ville (riche cabinet d'estampes et de dessins; peinture, surtout française, des XVIIe-XIXe s.).

ORLÉANS *(forêt d'),* grande forêt (près de 35000 ha) du Loiret, à l'E. d'*Orléans,* sur la rive droite de la Loire.

ORLÉANS *(maisons d'),* nom de quatre familles princières de France issues des Capétiens.

La première commence et s'éteint avec PHILIPPE Ier, duc d'Orléans (1336-1375), cinquième fils du roi Philippe VI, qui meurt sans postérité légitime.

La deuxième est fondée en 1392 par le second fils du roi Charles V, LOUIS Ier **d'Orléans** (1372 - Paris 1407), qui reçoit de Charles VI le duché d'Orléans en 1392. L'assassinat de Louis Ier par des émissaires de Jean sans Peur est à l'origine des guerres civiles entre Armagnacs et Bourguignons (v. CENT ANS [*guerre de*]). CHARLES **d'Orléans** (v. art. spécial) est le fils de Louis Ier et le père de LOUIS II **d'Orléans,** qui deviendra en 1498 le roi Louis XII.

La troisième famille a pour origine le don fait par Louis XIII du duché d'Orléans à son frère GASTON **d'Orléans** (Fontainebleau 1608 - Blois 1660), personnage faible, jouet des intrigues qui se nouent autour de sa personne; Gaston participe à tous les complots contre Richelieu*. Lieutenant général du royaume de 1644 à 1646, il

M. Guillard

Orléans. La cathédrale Sainte-Croix et la Loire.

est, durant la Fronde*, exilé par Mazarin dans son château de Blois. Comme il ne laisse que des filles, dont Mlle de Montpensier*, la troisième maison d'Orléans s'éteint avec lui.

La quatrième commence avec le frère de Louis XIV, PHILIPPE Ier **d'Orléans** (Saint-Germain-en-Laye 1640 - Saint-Cloud 1701), qui se distingue durant la guerre de Dévolution et la guerre de Hollande. De son second mariage avec la princesse palatine Charlotte Élisabeth de Bavière († 1722), Philippe Ier a six enfants, dont PHILIPPE II **d'Orléans** (Saint-Cloud 1674 - Versailles 1723), dit le *Régent,* car, ayant fait casser le testament de Louis XIV* qui laissait le pouvoir au duc du Maine, bâtard légitimé du roi défunt, il se fait désigner comme régent de France, charge qu'il exerce de 1715 à sa mort; homme brillant, intelligent, mais profondément corrompu, Philippe II préside à l'épanouissement de l'esprit Régence*, caractérisé par une forte réaction contre l'austérité des dernières années de Louis XIV. Appuyé sur le cardinal Dubois*, il mène une politique étrangère opposée à celle du Roi-Soleil : d'où de graves démêlés avec Philippe V d'Espagne; à l'intérieur, le système de Law* ne peut rétablir une situation financière difficile. Son fils, LOUIS **d'Orléans** (Versailles 1703 - Paris 1752), est surtout un érudit; il finit ses jours à l'abbaye de Sainte-Geneviève. Le fils de Louis, LOUIS PHILIPPE **d'Orléans** (Versailles 1725 - Sainte-Assise 1785), est lieutenant général du royaume en 1744. Son fils, LOUIS PHILIPPE JOSEPH, dit *Philippe Égalité* (Saint-Cloud 1747 - Paris 1793), dignitaire de la franc-maçonnerie, est ouvert à toutes les nouveautés; à partir de 1778, il passe même à l'opposition ouverte. Député de la noblesse aux États généraux (1789), il fait du Palais-Royal, sa résidence, un foyer d'agitation révolutionnaire. Député de Paris à la Convention sous le nom d'« Égalité » (1792), il vote la mort du roi, son cousin (1793), ce qui ne le sauve pas aux yeux des Montagnards, qui provoquent son arrestation et sa condamnation à mort (nov.). Il laisse plusieurs enfants, dont LOUIS-PHILIPPE*, roi des Français de 1830 à 1848. Celui-ci, de son mariage avec Marie-Amélie des Deux-Siciles († 1866), a dix enfants. L'aîné, FERDINAND PHILIPPE (Palerme 1810 - Neuilly-sur-Seine 1842), duc d'Orléans lors de l'avènement de son père au trône (1830), se distingue en Algérie; mais il meurt à trente-deux ans d'un accident de voiture, laissant deux fils en bas âge, dont PHILIPPE **d'Orléans,** comte **de Paris** (Paris 1838 - Stowe House, Angleterre, 1894); en 1871 celui-ci se pose comme le chef du parti orléaniste; en 1873, il négocie avec son cousin le comte de Chambord* un accord qui reconnaît ce dernier comme l'héritier du trône (« Henri V »). La mort, sans héritier, du comte de Chambord en 1883, fait de lui le chef de la maison de France; mais la loi d'exil (1886) l'oblige à se retirer en Angleterre. Son fils PHILIPPE (Twickenham 1869 - Palerme 1926), duc d'Orléans, chef de la maison de France en 1894, étant mort sans postérité, les droits de succession passent à son cousin et beau-frère JEAN, duc **de Guise** (1874-1940), puis au fils de ce dernier, HENRI **d'Orléans,** comte **de Paris** (Le Nouvion-en-Thiérache 1908). Celui-ci vit en exil jusqu'en 1950 et a onze enfants, dont l'aîné, HENRI (né en 1933), comte de Clermont, héritera de ses droits.

ORLÉANS (Charles D'), poète français (Paris 1394 - Amboise 1465), fils de Louis d'Orléans, frère de Charles VI. Il fut fait prisonnier à Azincourt et resta captif en Angleterre pendant un quart de siècle. À son retour en France, il épousa Marie de Clèves, qui lui donna un fils, le futur Louis XII, et tint à Blois une cour raffinée. Son œuvre poétique comprend surtout des rondeaux et des ballades.

ORLÉANSVILLE → ASNAM *(El-).*

ÖRLIKON ou **OERLIKON,** faubourg de Zurich. Constructions mécaniques.

ORLY (94310), ch.-l. de cant. du Val-de-Marne, à 12 km au S. de Paris; 26 244 hab. *(Orlysiens).* Grand aéroport international. Traitement des eaux.

ORME. — L'orme est un grand arbre des forêts et des prairies (certains individus atteignent 40 m de hauteur). Ses feuilles aux nervures secondaires parallèles, dissymétriques par rapport à la nervure axiale, ses petits fruits entourés d'une aile ronde, son écorce fendue en largeur le distinguent du charme, qui lui ressemble. Seule l'espèce champêtre fournit un bois apprécié. C'est le type de la famille des ulmacées.

ORMESSON-SUR-MARNE (94490), comm. du Val-de-Marne, à 12 km au S.-E. de Paris; 8 807 hab. Château à plan massé de la fin du XVIe s. et du milieu du XVIIIe.

ORMONDE (James BUTLER, *1er duc* D'), homme politique irlandais (Londres 1610 - † 1688). Protestant et royaliste fervent et tolérant, il s'efforça, comme lord-lieutenant d'Irlande (1642-1647, 1661-1688), de défendre les intérêts irlandais contre le Parlement anglais.

ORMUZ ou **HORMUZ,** île iranienne, sur le *détroit d'Ormuz.*

ORMUZ ou **HORMUZ** *(détroit d'),* détroit reliant le golfe Persique au golfe d'Oman.

ORMUZD ou **AHURA-MAZDÂ,** dieu du mazdéisme*, principe du Bien, auquel s'oppose l'esprit du Mal, Ahriman*. Il est le créateur, la sagesse et la loi du monde qui impose à l'esprit du Mal sa souveraineté, comme le feu, symbole d'Ormuzd, triomphe des ténèbres, figure du Mal.

ORNAIN, riv. de l'est du Bassin parisien, sous-affl. de la Marne (par la Saulx); 120 km. L'Ornain arrose Bar-le-Duc, et sa vallée est empruntée par le canal de la Marne au Rhin.

ORNANO (Sampiero D') ou **Sampiero d'Ornano,** patriote corse (Bastelica 1501 - La Rocca 1567). Venu combattre en Corse les Génois (1553-1559), il étrangla sa femme, Vanina, qui voulait négocier la paix (1563). Après une nouvelle tentative, il fut assassiné par ses beaux-frères, achetés par Gênes.

ORNANO (Philippe Antoine, *comte* D'), maréchal de France (Ajaccio 1784 - Paris 1863). Il commanda la cavalerie de la Garde (1813-14), s'exila, puis reprit du service en 1828. Gouverneur des Invalides (1853), il fut fait maréchal en 1861.

ORNANS (25290), ch.-l. de cant. du Doubs, sur le *plateau d'Ornans,* à 25 km au S.-E. de Besançon; 4 395 hab. Église reconstruite au XVIe s. à l'initiative des Granvelle. Vieilles maisons. Musée Courbet* à la mairie.

ORNE, riv. de Lorraine (86 km), affl. de la Moselle (r. g.), dont la vallée inférieure est jalonnée de centres métallurgiques (sur le gisement de fer lorrain) de Jarny à Rombas, en passant par Auboué et Jœuf.

ORNE, fl. de Normandie (152 km), né dans le *département de l'Orne.* Il passe à Caen (dont il forme le port) et est longé jusqu'à son embouchure dans la Manche par le canal de Caen à la mer.

ORNE (61), départ. de la Région Basse-Normandie; 6 100 km^2; 293 523 hab. *(Ornais).* Ch.-l. *Alençon.* S.-préf. *Argentan* et *Mortagne-au-Perche.*

L'ouest appartient au Massif armoricain, dont il constitue d'ailleurs la partie la plus élevée (417 m à la forêt d'Écouves); il est humide, bocager (extrémité méridionale du Bocage normand), herbager ou forestier. Au centre, vers Argentan, Sées, Alençon, s'ouvrent de petites plaines, associant cultures et élevage bovin. Celui-ci redevient prédominant dans l'est, sur les hauteurs du Perche, également souvent boisées.

L'agriculture demeure encore un secteur essentiel de l'économie, employant près du quart de la population active, et largement dominée par l'élevage bovin. L'industrie occupe plus de 35 p. 100 de la population active. Le textile et la petite métallurgie ont reculé, partiellement relayés, grâce en partie à des opérations de décentralisation industrielle, par les constructions mécaniques et électriques. La faiblesse du secteur tertiaire est à rapprocher de l'absence de grandes villes. La préfecture est la seule commune dépassant 20 000 habitants; elle occupe d'ailleurs une situation géographique excentrée, qui limite son rayonnement dans un département partagé entre les zones d'attraction de Caen et du Mans. L'Orne est le moins peuplé des départements normands; la densité d'occupation y est inférieure de moitié à la moyenne nationale. Le département comptait près de 450 000 habitants au milieu du XIXe s. et a enregistré un déclin ininterrompu jusqu'à la Seconde Guerre mondiale. Depuis s'est opéré un léger redressement au profit exclusif des villes (Alençon et Argentan essentiellement), mais l'exode rural continue. Le département souffre de l'absence de grandes voies de communication, celles-ci passant au N. (vers Caen) et au S. (vers Le Mans et la Bretagne).

ORNEMENTATION MUSICALE. — À l'aide de notes brèves ou de signes, le compositeur ou l'interprète enrichit et assouplit une mélodie.

Écrite en caractères fins, l'*appoggiature,* formée d'une ou deux notes, précède d'un intervalle de seconde inférieure ou supérieure une note réelle et lui emprunte la moitié de sa valeur rythmique. (Barrée, on l'exécute brièvement.)

Le *gruppetto* (∽), formé de trois ou quatre notes, se joue plus ou moins vite suivant le caractère de la phrase musicale.

Le *mordant* (∼) comprend deux notes brèves conjointes (la note principale et son appoggiature supérieure ou inférieure) précédant une note principale.

Le *trille* (tr∼∼) implique la répétition alternative et rapide de deux notes conjointes. Il se prolonge pendant la durée de la note principale, au-dessus de laquelle il est indiqué.

L'*arpège* naît de la désagrégation d'un accord. Limité à un signe (≀), il indique l'interprétation consécutive des notes de cet accord.

ORNITHORYNQUE. — Le bec et les pattes d'un canard, associés aux formes générales d'un petit mammifère, l'habitat, les mœurs et la queue d'un castor, tels sont les traits de cet animal australien, qui pond des œufs, d'ailleurs sans coquille, puis allaite ses petits, d'ailleurs sans avoir de mamelles, car le lait suinte de toute la peau du ventre. Situé ainsi au carrefour des reptiles, des oiseaux et des mammifères, l'ornithorynque, type de la petite sous-classe des monotrèmes*, a aussi des singularités, telles que l'éperon venimeux des pattes postérieures du mâle.

ÖRNSKÖLDSVIK, port de Suède, sur le golfe de Botnie; 60 000 hab.

OROBANCHE. — Voisines des linaires et des gueules-de-loup, les orobanches se singularisent par leur mode de nutrition : entièrement dépourvues de chlorophylle, n'ayant pour feuilles que de minuscules écailles, elles vivent en parasites des espèces vertes, et nombreuses sont les plantes cultivées qui ont à souffrir de leur attaque.

ORODÈS II → PARTHES.

OROGENÈSE. — Ensemble des processus responsables de la formation d'une chaîne de montagnes, l'orogenèse est un phénomène lent, quasiment imperceptible à l'échelle humaine, mais que l'on peut reconstituer en étudiant les montagnes du globe. Les chaînes de montagnes se forment en des secteurs localisés de l'écorce terrestre, les zones orogéniques, instables, qui s'opposent aux zones stables, les cratons. La formation d'une montagne passe par plusieurs étapes : dépôt de sédiments, généralement dans un géosynclinal*; déformation des matériaux (tectogenèse) et formation du relief (orogenèse au sens strict); attaque du relief par l'érosion. Ces différentes étapes constituent un cycle orogénique. Plusieurs cycles se sont succédé au cours des temps géologiques : en France, par exemple, les massifs anciens se sont formés lors du cycle hercynien et les chaînes jeunes lors du cycle alpin.

Deux types de théories s'affrontent : les unes donnent la priorité aux mouvements verticaux (théories verticalistes), les autres aux mouvements horizontaux (théories horizontalistes). C'est à ce second type que se rattache la théorie de la tectonique des plaques*, la plus en vigueur actuellement.

ORONGE. — Très apprécié dès l'Antiquité romaine, ce bon champignon orangé, aux lamelles et au pied jaunes, sans collerette, assez rare en France, sauf dans le Sud-Ouest, fait partie des quelques espèces vendues en conserve industrielle. Il est facile à distinguer de la « fausse oronge », dont le chapeau est couvert de pellicules blanches et dont le pied, blanc et long, porte une collerette (la fausse oronge est vénéneuse en France : elle occasionne l'ivresse muscarinique).

ORONTE, en ar. **Nahr al-'Aṣī,** fl. du Proche-Orient, né dans le nord du Liban, qui traverse la Syrie, passant à Homs, puis à Hamā, avant de pénétrer en Turquie et de rejoindre la Méditerranée en aval d'Antioche; 570 km. Ses eaux sont utilisées pour l'irrigation, notamment en Syrie (aménagement du Rhāb).

OROSE, en lat. **Paulus Orosius,** prêtre espagnol (fin du IVe s.-première moitié du Ve). Chassé par les invasions vandales, il se réfugie en 414 à Hippone, près de saint Augustin*; en 415, il est en Palestine avec saint Jérôme*, qu'il assiste dans ses luttes contre le pélagianisme*. Revenu en Afrique, il écrit, sur le conseil de saint Augustin et dans la perspective de la *Cité* de Dieu*, les sept livres de son *Histoire contre les païens,* qui contribueront à faire de l'histoire chrétienne une province de l'apologétique.

OROYA (La), v. du Pérou, au N.-E. de Lima; 25 000 hab. Centre métallurgique.

OROZCO (José Clemente) → MURALISME.

ORPHÉE, poète et musicien de la légende grecque, héros d'un double mythe qui unit Éros et Thanatos : prophète d'une religion de salut exprimée par les poèmes orphiques*; victime exemplaire de l'amour fatalement malheureux, symbolisé par la perte d'Eurydice, qu'il ramenait des Enfers, mais vers laquelle il se retourne avant d'être arrivé à la lumière. Des *Géorgiques* de Virgile au *Tombeau d'Orphée* (1941) de P. Emmanuel, Orphée est une des figures littéraires majeures de l'initiation cosmogonique ou poétique : archétype du poète-mage (Marsile Ficin, Novalis, Nerval, Hugo) et signe même du prix que le créateur doit payer par son déchirement (les femmes thraces, selon Ovide notamment, tuèrent Orphée et le dépecèrent pour se venger de ses dédains) pour atteindre à l'harmonie de l'art (Apollinaire, Segalen, Rilke, Blanchot). Mais il doit à sa double nature d'avoir inspiré des pièces (Lope de Vega, Calderón, Anouilh), des ballets (Balanchine-Stravinski), des films (Cocteau, Marcel Camus) et des œuvres musicales. C. Monteverdi (*La Favola d'Orfeo,* 1607) traite le sujet dans le goût de la pastorale (danses, chœurs madrigalesques), mais atteint au drame dans son récitatif. C. W. Gluck donne une version italienne (*Orfeo ed Euridice,* 1762), puis une version française remaniée (*Orphée et Eurydice,* 1774) d'un opéra qui concrétise l'essentiel de sa réforme du drame lyrique dans le sens du naturel. F. Liszt (*Orpheus,* 1854) retrace en un poème symphonique coloré la légende de l'aède grec. J. Offenbach (*Orphée aux Enfers,* 1858 et 1874) parodie l'histoire en un opéra bouffe plein de verve, tandis que D. Milhaud (*les Malheurs d'Orphée,* 1926) en fait un opéra de chambre.

ORPHIE. — Ce poisson de nos côtes se distingue par son long museau aux dents fines et nombreuses ainsi que par la couleur verte de ses arêtes. Son nom usuel d'*aiguille de mer* indique assez sa forme générale. (Famille des scombrésocidés.)

ORPHIQUES (poèmes). — On désigne ainsi une abondante littérature poétique et philosophique rattachée à la personne mythique d'Orphée, qui se développe du VIe s. av. J.-C. jusqu'à la fin du paganisme. Rassemblant des ouvrages liturgiques, des hymnes, des chants de purification, des discours sacrés, des traités cosmogoniques à tendances morales, les poèmes orphiques complètent les religions publiques en ce qui concerne la conception du destin de l'homme après la mort. La doctrine orphique se rapproche ainsi des mystères d'Éleusis et du pythagorisme. Elle se fonde sur une ascèse obtenue par une discipline de vie et la transmigration de l'âme.

ORPIERRE (05700 Serres), ch.-l. de cant. des Hautes-Alpes, à 29 km au N.-O. de Sisteron; 293 hab.

ORRES (Les) [05200 Embrun], comm. des Hautes-Alpes, à 12 km à l'E.-S.-E. d'Embrun; 307 hab. Station de sports d'hiver (alt. 1 650-2 660 m).

ORRY (Philibert), homme politique français (Troyes 1689-La Chapelle, près de Nogent-sur-Seine, 1747). Contrôleur général des Finances (1730), il fait des économies, rétablit le dixième pour ne pas accroître la taille et met à contribution les fermiers généraux et le clergé. Colbertiste convaincu, il développe l'industrie nationale et encourage le commerce extérieur. Mme de Pompadour provoque sa disgrâce en 1745.

ORSAY (91400), ch.-l. de cant. de l'Essonne, à 5 km au S.-O. de Palaiseau, sur l'Yvette; 13 581 hab. *(Orcéens).* Établissement d'enseignement scientifique. Électronique.

ORSINI, famille romaine, rivale des Colonna, qui dut sa fortune à l'accession de GIACINTO **di Bobone** à la papauté (Célestin III, pape de 1191 à 1198). Mais ce fut l'arrière-petit-neveu de Célestin III, MATTEO ROSSO († v. 1246), qui fonda la puissance politique de la famille : élu sénateur de Rome (1241), défenseur de la ville contre Frédéric II (1241), il eut pour fils GIOVANNI GAETANO, qui devint pape sous le nom de Nicolas III. Traditionnellement alliés à la papauté et hostiles aux Colonna, les Orsini se divisèrent en plusieurs branches, dont celle des princes de Tarente, et fournirent encore un pape à l'Église : VINCENZO MARIA (Benoît XIII).

ORSINI (Felice), patriote italien (Meldola 1819-Paris 1858). Membre de la Jeune-Italie, député à la Constituante romaine de 1849, il se brouille avec Mazzini* et gagne l'étranger. À Paris, il prépare des bombes pour tuer Napoléon III, traître, selon lui, à la cause italienne. Mais l'attentat qu'il fomente le 14 janvier 1858, s'il fait des morts et des blessés, n'atteint pas l'empereur. Orsini sera exécuté.

ORSK, v. de l'U. R. S. S. (R. S. F. S. de Russie), sur le fleuve Oural, dans le sud de l'Oural; 225 000 hab. Métallurgie.

ORS Y ROVIRA (Eugenio D'), écrivain espagnol (Barcelone 1882-Villanueva y Geltrú, Barcelone, 1954). Il écrivit d'abord des chroniques en catalan, puis rejeta provincialisme (en s'exprimant en castillan) et nationalisme (en prenant le pseudonyme de XENIUS), avant d'identifier héroïsme et perfection créatrice dans ses romans (*la Belle Plante,* 1911) et ses essais, qui traitent des rapports entre tradition et imagination, baroque* et classicisme, et qui cherchent à définir une philosophie et une pédagogie de la culture (*Trois Heures au musée du Prado,* 1923; *l'Art de Goya,* 1928; *les Idées et les formes,* 1928; *la Philosophie de l'intelligence,* 1950).

ORTEGA Y GASSET (José), écrivain espagnol (Madrid 1883-*id.* 1955). Fondateur de la *Revue de l'Occident* (1923), il exprima dans ses essais une philosophie libérale qui considère la vie comme la réalité fondamentale, tout en la soumettant à la discipline de la raison (*Méditations de don Quichotte,* 1914; *la Déshumanisation de l'art,* 1925; *la Révolte des masses,* 1930). Député aux Cortes (1931-1933), il quitta l'Espagne de 1936 à 1942.

ORTEIL → PIED.

ORTHEZ (64300), ch.-l. de cant. des Pyrénées-Atlantiques, sur le gave de Pau, à 37 km au S.-E. de Dax; 11 517 hab. *(Orthéziens).* Donjon (XIIIe s.-XIVe s.), pont fortifié (XIVe s.), église (XIIIe-XVe s.) et maisons anciennes. Mobilier.

ORTHO-. — Ce préfixe sert, en chimie, à désigner, dans la série benzénique, les dérivés disubstitués en 1-2. On l'emploie également, en chimie minérale ou organique, pour désigner des corps (acides, aldéhydes, cétones) présentant un degré supérieur d'hydratation (par exemple *acide orthophosphorique*).

ORTHODOXES (Églises). — On désigne ainsi, dans l'ensemble des Églises* orientales, les Églises restées fidèles aux formulations doctrinales du concile de Chalcédoine (451), en dehors de la communion avec l'Église romaine.

La « communion orthodoxe », ou encore « orthodoxie », rassemble environ 160 millions de fidèles; elle se présente comme une communion dans la foi et dans l'adhésion à une commune tradition liturgique et disciplinaire, qui reconnaît au patriarche de Constantinople une primauté d'honneur. Depuis le XIIe s., c'est la liturgie byzantine qui, dans la diversité des langues, est célébrée dans toutes les Églises orthodoxes.

Les Églises orthodoxes comprennent, avec le patriarcat œcuménique de Constantinople, les patriarcats grecs orthodoxes melkites* d'Alexandrie, d'Antioche et de Jérusalem, les patriarcats de Moscou, de Serbie, de Roumanie et de Bulgarie, les archevêchés de Grèce, de Chypre et de Tirana, les Églises orthodoxes de Pologne, de Tchécoslovaquie et du Japon ainsi que l'Église autonome de Finlande.

ORTHODROMIE → NAVIGATION.

ORTHOGENÈSE. — Ce sont les découvertes paléontologiques accumulées au cours du XIXe s. qui ont conduit les biologistes à la notion d'orthogenèse. On remarque, en effet, qu'au cours de très longues périodes (entre 10 et 100 millions d'années) les espèces d'un même groupe zoologique évoluent souvent « en ligne droite », c'est-à-dire que tel ou tel de leurs caractères s'accentue toujours plus, parfois au point de dépasser la valeur optimale et de devenir nuisible *(hypertélie)*. Par exemple, la taille d'un animal s'accroît jusqu'au gigantisme, les sutures des loges des ammonites se compliquent à l'extrême, le nombre de doigts des équidés descend à un seul par patte, les canines supérieures du smilodonte et les bois du cerf *Megaceros* deviennent géants. Aisée à expliquer lorsqu'elle a été favorisée par la sélection naturelle, l'orthogenèse l'est moins lorsque ses effets sont nuisibles, et l'on conçoit qu'elle ait pu étayer les diverses théories de l'évolution « pour cause interne » (Smuts, Rosa, etc.).

ORTHOGRAPHE. — L'orthographe d'un mot est la manière particulière dont il s'écrit dans une langue, manière qui est considérée comme la seule correcte. La correspondance entre la suite de sons prononcés et la suite de lettres écrites peut être plus ou moins étroite. L'idéal serait que chaque son ait une représentation unique, toujours la même : c'est le principe de l'alphabet* phonétique. En fait, peu de langues ont une orthographe satisfaisante de ce point de vue : l'allemand, l'italien, l'espagnol s'en approchent; le français, au contraire, en est très éloigné. Ainsi, une même suite de lettres peut noter des sons différents : par exemple, *ch* sert à écrire [ʃ] *(chemin)* ou [k] *(chœur)*. D'autre part, un même son peut avoir de multiples graphies : *o, au, eau, ot* pour [o].

L'état actuel de l'orthographe française, particulièrement compliquée, quelquefois aberrante, est le résultat d'une longue évolution. L'orthographe établie au XIIe s. est simple et suit à peu près la prononciation des mots. Elle se complique à partir du XIVe s. : des lettres sont ajoutées pour différencier les homonymes ou par souci de rappeler l'étymologie latine du mot. Au XVIe s., l'invention de l'imprimerie impose une fixation de l'orthographe : les règles établies alors par les imprimeurs érudits, en particulier par Robert Estienne, sont consacrées par la première édition du *Dictionnaire de l'Académie française* (1694). Depuis la fin du XIXe s., de nombreux projets de réforme tendant à une simplification de l'orthographe ont été proposés, mais aucun n'a pu aboutir.

ORTHOPÉDIE. — L'orthopédie a pour objet l'étude et le traitement de l'appareil locomoteur. Elle permet le traitement non seulement des lésions traumatiques (telles les fractures), mais aussi des lésions non traumatiques (déviations vertébrales, luxations congénitales, etc.). Parmi les appareils d'orthopédie citons les semelles orthopédiques, les bandages herniaires, les lombostats, etc.

ORTHOPHONIE → LECTURE.

ORTHOPHOTOGRAPHIE. — Une photographie* aérienne si bien réalisée soit-elle comporte toujours des déformations dues au relief du terrain. On remédie à ce grave inconvénient en la remplaçant par une orthophotographie. Celle-ci est une photographie ayant les propriétés métriques d'une carte*. On l'obtient sur un plan horizontal mobile en hauteur, que l'on place dans un stéréorestituteur projectif. Le film est insolé par une fente mobile étroite animée d'un mouvement uniforme, parcourant le modèle en suivant des lignes parallèles successives. La hauteur du film peut être réglée en temps réel par observation stéréoscopique ou par dispositif électronique (stéréomat). On peut opérer aussi en temps différé en utilisant des profils préalablement établis (3e chambre).

ORTHOPTÈRES. — Le groupe des insectes orthoptères réunissait à l'origine tous les insectes à deux paires d'ailes, ou aptères, aux métamorphoses restreintes, à l'appareil buccal broyeur, capables de marcher rapidement ou de sauter : blattes, mantes, termites, sauterelles et phasmes. Il est actuellement limité aux sauteurs : locustes, criquets, sauterelles, grillons, courtilières. La plupart de ces animaux ont les pattes postérieures fortes et conformées pour le saut, et, lorsqu'ils sont ailés, les ailes de la seconde paire se replient en éventail sous les ailes antérieures, qui jouent le rôle d'élytres.

ORTHOSE. — De formule $KAlSi_3O_8$, c'est un aluminosilicate de potassium monoclinique du groupe des feldspaths, l'un des constituants des roches éruptives.

ORTIE. — L'ortie est en France la seule plante *venimeuse*, c'est-à-dire conformée pour inoculer une substance irritante à ceux qui la frôlent. Elle se caractérise en outre par son besoin important de sels calcaires, qui la fait croître en abondance dans les décombres, dont elle constitue un élément floral caractéristique. Ses petites fleurs vertes, très peu visibles, la distinguent de la « fausse ortie » (lamier blanc), qui lui ressemble par ses feuilles et pousse souvent au milieu de ses touffes. Cuite, l'ortie perd son venin et devient comestible. (Type de la famille des urticacées.)

ORTIGUEIRA, v. du nord-ouest de l'Espagne, en Galice; 20 000 hab. Station balnéaire.

ORTISEI, comm. d'Italie (prov. de Bolzano), dans les Dolomites; 4 000 hab. Station touristique et de sports d'hiver (alt. 1 236-2 450 m).

ORTLER ou **ORTLES,** massif des Alpes italiennes, entre les hautes vallées de l'Adige et de l'Adda, au N.-O. de Trente; 3 899 m.

ORTOLAN. — Autrefois très prisé des gastronomes, cet oiseau est un bruant* d'élevage.

ORURO, v. de Bolivie, au S.-E. de La Paz, à plus de 3 500 m d'altitude; 120 000 hab. Centre minier et métallurgique.

ORVAULT (44700), comm. de la Loire-Atlantique, dans la banlieue nord-ouest de Nantes; 20 239 hab. Matériel téléphonique.

ORVET. — Dépourvu de pattes, l'orvet est souvent pris pour un serpent et détruit à ce titre. Pourtant, ses yeux munis de paupières, sa bouche qui s'ouvre modérément, la finesse de ses écailles ventrales, sa queue sectile (pouvant se détacher en cas de capture) le font ranger sans hésiter parmi les lézards, et, bien entendu, il n'est pas venimeux. Il se rend même utile en dévorant, la nuit, beaucoup d'insectes. (Type de la famille des anguidés.)

ORVIETO, v. d'Italie, en Ombrie, au S.-O. de Pérouse; 25 000 hab. Magnifique cathédrale romane et gothique (bas-reliefs du XIVe s. à la façade; à l'intérieur, fresques des XIVe-XVIe s., dont celles de Signorelli*). Palais du Peuple (XIIIe s.), palais des Papes et autres monuments. Riche musée archéologique (collections étrusques).

ORWELL (Eric BLAIR, dit **George**), écrivain anglais (Motihari, Inde, 1903-Londres 1950). Il a tenté de faire prendre conscience à ses contemporains de l'inhumanité grandissante du monde moderne par une allégorie à la manière de Swift (*la République des animaux*, 1945) et par un récit d'anticipation (*1984*, 1949).

ORYCTÉROPE. — Ce mammifère d'Afrique noire est assez original pour constituer à lui seul un ordre particulier, celui des *tubulidentés*. On l'a appelé « cochon de terre » à cause de son aspect général et du vaste terrier qu'il creuse pour s'abriter. L'oryctérope se nourrit en léchant des termites. Ses dents, toutes semblables, ont la forme de courts tubes serrés.

ORZESZKOWA (Eliza), née **Pawłowska**, femme de lettres polonaise (Milkowszczyzna 1841-Grodno 1910), auteur de récits d'inspiration patriotique et humanitaire (*Martha*, 1873).

OS. — Le *tissu osseux* comporte des cellules, les ostéoblastes, et, entre celles-ci, une substance fondamentale composée d'une

OS

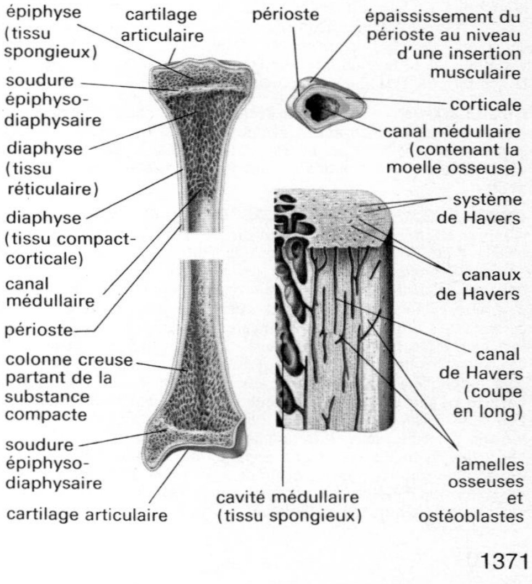

protéine analogue au collagène, dans laquelle les ostéoblastes déposent au cours de l'ossification du phosphate de calcium, qui confère la dureté et la résistance à l'os.

On distingue trois variétés d'os : les *os courts* (carpe, tarse, vertèbres), formés d'une couche de tissu osseux compact recouvrant du tissu spongieux; les *os plats* (voûte du crâne, os iliaque, sternum), qui comportent une mince couche de tissu compact; les *os longs,* qui sont constitués d'une partie moyenne, la *diaphyse,* creusée d'une vaste cavité médullaire entourée de tissu compact disposé en colonnes autour de cavités parallèles (les canaux de Havers) et contenant les vaisseaux, et des extrémités, les *épiphyses.* Les os sont recouverts de périoste, sauf aux régions articulaires, où ils ont un revêtement cartilagineux.

Les traumatismes provoquent des fractures ou des fêlures des os. Les infections sont à l'origine des ostéites ou des ostéomyélites. Les tumeurs des os peuvent être primitives : elles sont alors bénignes (ostéochondromes, exostoses) ou malignes (ostéosarcomes). Elles peuvent être secondaires : métastases de cancers du sein, de la prostate, etc.

ŌSAKA, v. du Japon, dans le sud de Honshū, au fond de la *baie d'Ōsaka* (à l'extrémité orientale de la mer Intérieure); 2 980 000 hab. Ōsaka est l'élément principal d'une grande conurbation (la deuxième du Japon), comptant environ 12 millions d'habitants et étendue de Kōbe, à l'O., à Kyōto, au N.-E. La traditionnelle industrie textile demeure, mais elle est devancée aujourd'hui par la métallurgie (sidérurgie, constructions mécaniques et électriques); la chimie est née du raffinage du pétrole. Le trafic du port est de l'ordre de 75 Mt (mais une partie de l'agglomération est desservie par Kōbe), avec une prédominance des importations (matières premières : houille, minerai de fer, pétrole, coton). La pénurie de terrains explique l'extrême concentration des hommes et des activités; du fait de la nature de celles-ci (industries lourdes en grande partie), la pollution atmosphérique est très élevée.

OSASCO, v. du Brésil, banlieue ouest de São Paulo; 283 000 hab.

OSBORNE (John), écrivain anglais (Londres 1929). Il s'imposa comme le chef de file des « jeunes* hommes en colère » en attaquant dans ses drames, avec violence ou ironie, les conformismes et les préjugés nationaux ou privés (*la Paix du dimanche,* 1956; *le Monde de Paul Slickey,* 1959; *Luther,* 1961; *Témoignage irrecevable,* 1964).

OSCAR Ier (Paris 1799 - Stockholm 1859), roi de Suède et de Norvège de 1844 à 1859. Fils de Charles XIV (Bernadotte), il pratique une politique assez incohérente. Frappé d'aliénation mentale en 1857, il doit laisser la régence à son fils Charles (XV).

OSCAR II (Stockholm 1829 - *id.* 1907), roi de Suède de 1872 à 1907 et de Norvège de 1872 à 1905. Frère et successeur de Charles XV, il doit accepter la rupture de l'union suédo-norvégienne.

OSCILLATEUR. — Un oscillateur se présente sous la forme d'un tube* électronique qui comprend un circuit accordé d'inductance L et de capacité* C dans son circuit anodique, couplé à une inductance L dans son circuit de grille. Il est également possible de monter le circuit accordé dans le circuit de grille. Un courant de grille, utilisé grâce à une résistance et une capacité (en parallèle dans le premier cas et en série dans le second), assure automatiquement la stabilité des oscillations. Il existe de très nombreuses variantes de ces montages de base, pour lesquels dans tous les cas la stabilité est primordiale. Elle est assurée par l'utilisation d'un cristal* piézoélectrique (quartz) dans le circuit de grille. L'épaisseur de la lame de quartz détermine sa fréquence* propre. Lorsque les variations de la tension de grille sont en résonance avec le quartz, la stabilité du système est pratiquement parfaite.

OSCILLATION. — Quand on décharge un condensateur dans un circuit inductif, le courant de décharge, qui garde un sens constant si la résistance du circuit est assez grande, prend la forme d'oscillations plus ou moins vite amorties si la résistance est assez petite.

OSCILLOGRAPHE ou **OSCILLOSCOPE.** — Il existe des oscillographes électromécaniques, dérivant de galvanomètres de faible inertie. Pour l'étude des oscillations de haute fréquence, on emploie des *oscillographes cathodiques,* qui utilisent les déviations d'un faisceau d'électrons sous l'action d'un champ électrique ou magnétique. Ces appareils sont constitués par un tube à vide contenant : un canon électronique, système producteur d'un faisceau d'électrons rapides; une double paire de plaques de déviation, les unes horizontales et les autres verticales, auxquelles sont appliquées des tensions variables; un écran fluorescent, normal à l'axe du tube et sur lequel se dessinent les courbes que l'on veut observer. La grandeur à étudier doit être traduite par une tension variable, que l'on applique aux plaques de déviation verticale; en même temps, on applique aux plaques de déviation horizontale une tension en dents de scie, de période égale à celle de la tension étudiée. La courbe formée sur l'écran permet une analyse du phénomène périodique.

OSE. — Les oses se distinguent en sucres aldéhydiques, ou *aldoses,* et en sucres cétoniques, ou *cétoses.* Les premiers ont, pour la plupart, pour formule $CH_2OH—(CHOH)_{n-2}—CHO$, et les seconds $CH_2OH—(CHOH)_{n-3}—CO—CH_2OH$. Selon le nombre d'atomes de carbone de la chaîne, ils portent le nom de *trioses,* de *tétroses,* de *pentoses,* d'*hexoses,* etc. Certains existent sous forme cyclique. Les oses sont généralement d'origine végétale. On les trouve soit à l'état libre, soit sous forme d'*osides,* qui les engendrent par hydrolyse. Ce sont des solides solubles dans l'eau et de saveur sucrée. Les aldoses sont réducteurs et peuvent être caractérisés par la précipitation d'oxyde cuivreux au contact de la liqueur de Fehling. Les principaux sont le glucose, le galactose, le mannose, le ribose. Les principaux cétoses sont le fructose (lévulose), le sorbose, etc. Les différents oses de même formule plane sont inverses optiques ou diastéréo-isomères.

OSÉE, prophète biblique. Il exerce son ministère dans le royaume d'Israël durant les années troublées qui précèdent la chute de Samarie (722 av. J.-C.). Prophète de l'alliance entre Yahvé et son peuple, il a, pour parler de l'amour miséricordieux de Yahvé prêt à accueillir son peuple repentant, des accents qui ont une résonance évangélique.

OSEILLE. — Ce sont les feuilles, en forme de fer de flèche, du *Rumex acetosa* (famille des polygonacées) qui sont consommées sous le nom d'« oseille ». Les fleurs de cette plante, rougeâtres et minuscules, sont distribuées en longs épis lâches. Les tissus de l'oseille contiennent un acide organique très simple, l'acide *oxalique.* Il est à signaler que le genre botanique *Oxalis* appartient à une tout autre famille et n'a de commun avec l'oseille que sa richesse en acide oxalique.

OSHAWA, port du Canada (Ontario), sur le lac Ontario; 91 587 hab. Industrie automobile. Caoutchouc.

OSHOGBO, v. du sud-ouest du Nigeria; 253 000 hab.

OSIER. — Le matériau de vannerie appelé *osier* est issu des jeunes rameaux de cinq espèces de saule*, pour des usages à peine différents. Cueillis en hiver, les brins sont immergés et ne seront décortiqués qu'en mai, pour être ensuite séchés et utilisés en vannerie.

OSIJEK, v. de Yougoslavie (Croatie), sur la Drave; 94 000 hab.

OSIRIS, dieu égyptien de la Végétation, époux d'Isis*. Le mythe de sa mort et sa résurrection font de lui le type du dieu sauveur. Le culte d'Osiris, très important sous le Moyen* Empire, avait pour centre principal Abydos*, où l'on célébrait un drame commémorant la mort et la résurrection du dieu. Associé à celui d'Isis*, il se répandit dans le monde gréco-romain; mais, dans les mystères* d'Isis et Osiris, c'est la déesse qui occupe la place principale.

ÖSLING, région nord du Luxembourg.

OSLO, capit. de la Norvège, au fond du *fjord d'Oslo;* 468 000 hab.

GÉOGRAPHIE. Oslo est la métropole administrative, culturelle, commerciale (le trafic du port dépasse 5 Mt) et aussi industrielle (constructions mécaniques et électriques, textile, alimentation) de

Principe de l'OSCILLOGRAPHE.

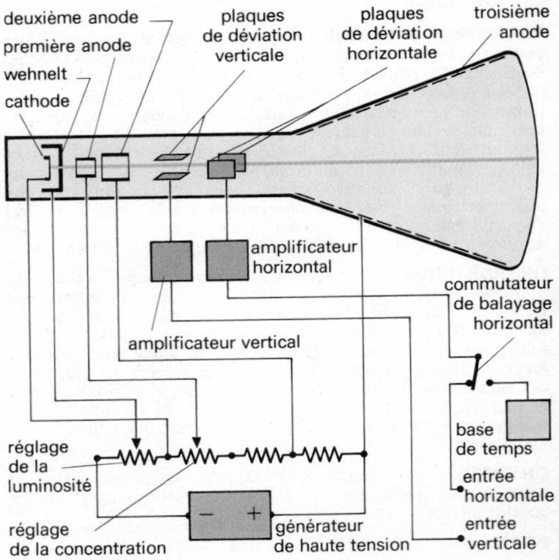

la Norvège, au cœur d'une agglomération d'environ 800 000 habitants, regroupant le cinquième de la population totale du pays.

HISTOIRE. Fondée vers 1048 par Harald III Hårdråde, la ville devient la capitale de la Norvège au début du XIVe s. Mais bientôt elle subit la concurrence de la Hanse, puis des Hollandais. Incendiée au XVIIe s., elle est rebâtie par Christian IV de Danemark sous le nom de *Christiania.* Capitale de la Norvège indépendante (1905), elle reprend son nom d'*Oslo* en 1925.

BEAUX-ARTS. Château d'Akershus (v. 1300 et XVIIe s.). Nombreux musées : historique, des Arts décoratifs, folklorique national de plein air (à Bygdøy : ancienne architecture de bois, art religieux,

M. Guillard

Oslo. Le port et une partie de la ville.

vie quotidienne, bateaux vikings), Galerie nationale, musées Munch* et du sculpteur Gustav Vigeland (1869-1943), fondation Sonja Henie (à Hövikodden : art contemporain), etc.

OSMAN I, II, III → OTTOMANS.

OSMAN PACHA Gazi, maréchal turc (Amasya 1837 - Istanbul 1900). Il défendit victorieusement Plevna contre les Russes (1877), fut ministre de la Guerre jusqu'en 1885 et dirigea la campagne contre la Grèce en 1897. (V. BALKANS.)

OSMIUM. — C'est l'élément chimique n° 76, de masse atomique Os = 190,2. C'est, avec l'iridium, un des trois métaux lourds de la famille du platine. C'est un solide bleuté, très dur, de densité 22,5, fondant vers 2 700 °C. Il ne s'oxyde qu'au rouge vif, en donnant le peroxyde OsO_4, solide blanc, à odeur forte. Il peut former d'autres oxydes ainsi que plusieurs séries de sels. Il est rarement utilisé pur, mais l'osmiure d'iridium, inaltérable et très dur, sert à la fabrication de pointes, de pivots, etc.

OSMOMÈTRE. — L'osmomètre de Pfeffer est formé d'un tube vertical se terminant par une petite cloche fermée à sa partie inférieure par une membrane semi-perméable. On emplit le tube et la cloche de la solution à étudier, et l'on plonge le bas de l'appareil dans un vase contenant le solvant pur. On observe que le liquide monte peu à peu dans le tube jusqu'à une certaine hauteur, qui mesure la pression osmotique.

OSMOND (Floris), métallurgiste français (Paris 1849 - Saint-Leu 1912). On le considère comme le créateur de la métallographie, dont il imagina les deux principaux procédés d'investigation : la métallographie microscopique et l'analyse thermique.

OSMONDE → FOUGÈRE.

OSMOSE. — La diffusion des particules dissoutes dans l'eau ou dans tout autre liquide peut être ralentie ou supprimée par l'interposition d'une membrane *semi-perméable* entre la solution étudiée et le solvant pur ou, tout au moins, une solution plus étendue. On applique au départ la même pression hydrostatique sur les deux faces de la membrane (même niveau d'eau par exemple), mais la solution concentrée attire et retient les molécules d'eau qui traversent cette membrane, de sorte que son volume augmente et qu'on voit son niveau s'élever. Au maximum du phénomène, la différence de niveau dans les deux récipients donne la mesure de la *pression osmotique,* alors égale à la pression hydrostatique, qu'elle équilibre. Longtemps après, le passage des ions dissous — en sens inverse du précédent — à travers la membrane permet le retour des deux surfaces au même niveau. Dans le monde vivant, la concentration des cellules en ions dissous étant toujours supérieure à celle du milieu où elles baignent, la cellule se gonfle élastiquement (état de *turgescence*). C'est pourquoi on appelle le passage de l'eau *endosmose* (vers l'intérieur) et celui des ions *exosmose* (vers l'extérieur). Mais, évidemment, les surfaces absorbantes (poils des racines, muqueuse interne de l'intestin, etc.) absorbent non seulement de l'eau, mais aussi des substances nutritives en dissolution dans l'eau, en vertu de *transferts actifs* qui modifient profondément les conditions de l'osmose.

OSMOTIQUE (pression). — Les molécules (ou les ions) du corps dissous, en perpétuel mouvement, sont assimilables à des molécules gazeuses, ce qui explique l'existence d'une pression osmotique proportionnelle au nombre de molécules contenues dans l'unité de volume de la solution.

OSNABRÜCK, v. de l'Allemagne fédérale, dans le sud de la Basse-Saxe; 144 000 hab. Cathédrale d'origine carolingienne. Églises, restes de fortifications et hôtel de ville du Moyen Âge. Musée. Sidérurgie. — La ville fut le siège, en même temps que Münster*, des négociations de la paix de Westphalie* (1644-1648), qui mit fin à la guerre de Trente* Ans.

OSNY (95520), ch.-l. de cant. du Val-d'Oise, à 3,5 km au N.-O. de Pontoise; 7 408 hab.

OSORNO, v. du sud du Chili; 69 000 hab.

OSQUES, en lat. **Osci,** peuple sabellien de l'Apennin central, venu s'établir en Campanie (seconde moitié du Ve s. av. J.-C.), où ils fondèrent trois fédérations autour de Capoue, de Nocera et de Nola. Les Osques subirent une profonde influence grecque, mais conservèrent leur langue, qui était très proche du latin.

OSSA, montagne de la Grèce, en Thessalie, près de la mer Égée; 1 955 m.

OSSATURE *(Constr.).* — L'ossature des constructions modernes peut être en métal, en béton* armé ou en béton précontraint.

Quand l'ossature est *métallique,* les planchers* sont constitués soit d'une dalle de béton armé, soit de voûtains reposant sur les solives et recouverts d'une chape de béton.

Quand l'ossature est en *béton armé,* les planchers se composent soit d'une dalle pleine de béton armé éventuellement nervurée, soit de poutrelles coulées en œuvre ou préfabriquées, entre lesquelles sont placés les hourdis de remplissage recouverts d'une dalle de compression.

Les ossatures doivent être conçues pour résister au poids des planchers et des maçonneries*, aux surcharges de service, du vent et de la neige, aux sollicitations résultant des variations de température et du retrait du béton, et, dans certaines conditions, aux secousses telluriques ainsi qu'aux incendies. En France, dans les bâtiments d'habitation, les effets du retrait et des variations de température sont pratiquement négligeables si les dimensions en plan des ossatures, entre joints de dilatation, ne dépassent pas 25 m dans les régions chaudes et sèches, et 50 m dans les zones tempérées et humides.

OSSAU *(gave d')*, torrent du sud-est des Pyrénées-Atlantiques, branche mère du gave d'Oloron; 80 km. Il parcourt la *vallée d'Ossau* et comporte quelques aménagements hydroélectriques (dont Geteu et Saint-Cricq).

Osservatore Romano *(L')*, quotidien officiel du Saint-Siège depuis 1861.

OSSÈTE → IRANIEN.

OSSÉTIE, région de l'U. R. S. S. (habitée par les *Ossètes*, ou *Osses*), dans le Caucase, partagée entre la *république autonome d'Ossétie du Nord* (dépendance de la R. S. F. S. de Russie; 8 000 km²; 553 000 hab. Capit. *Ordjonikidze*) et la *province autonome d'Ossétie du Sud* (dépendance de la Géorgie; 3 900 km²; 99 000 hab. Capit. *Tskhinvali*).

OSSIAN, barde écossais légendaire du IIIe s., fils de Fingal, roi de Morven. Sous son nom, Macpherson publia en 1760 un recueil de poésies d'une mélancolie sombre et grandiloquente, qui n'était qu'une imitation très libre d'un texte original en langue erse, qui fut traduit en 1807.

OSSIFICATION → OS.

OSSOURI, riv. de l'Asie orientale, affl. de l'Amour (r. dr.), frontière entre la Chine du Nord-Est et l'Extrême-Orient soviétique; 900 km.

OSSUN (65380), ch.-l. de cant. des Hautes-Pyrénées, à 12,5 km au S.-O. de Tarbes; 1 837 hab. Constructions aéronautiques.

OSTÉITE → OS.

OSTENDE, en néerl. **Oostende,** v. de Belgique (Flandre-Occidentale), sur la mer du Nord; 71 227 hab. Grande station balnéaire. Musée des Beaux-Arts (expressionnisme flamand, etc.). Maison d'Ensor* (musée). — Village de pêcheurs, qui accéda au statut de ville en 1267, Ostende soutint de 1601 à 1604 un siège célèbre contre les Espagnols. Centre de la Compagnie d'Ostende (1722-1731), qui obtint de l'empereur Charles VI le monopole pour le commerce des Indes, elle connut la prospérité sous Joseph II.

OSTÉOCHONDROSE → CARTILAGE.

OSTÉOMALACIE. — Cette maladie du squelette osseux est provoquée par une disparition progressive dans les os des sels de calcium, alors que la trame protéique reste inchangée. Elle peut être due à un excès d'élimination urinaire du phosphore (hyperparathyroïdie, traitements hormonaux) ou à un défaut de pénétration du calcium dans le milieu intérieur par carence alimentaire, troubles digestifs, insuffisance rénale. Elle se manifeste cliniquement par des douleurs osseuses et par une décalcification du squelette.

OSTÉOMYÉLITE, OSTÉOSARCOME → OS.

OSTÉOSYNTHÈSE → FRACTURE.

ÖSTERSUND, v. de Suède, ch.-l. du Jämtland, sur le lac Storsjö; 53 000 hab.

OSTIE, port (auj. comblé) de la Rome antique, près de l'embouchure du Tibre. Grande station balnéaire *(Lido di Ostia* ou *Lido di Roma)*.

L'antique Ostie était le port de Rome*. Située à l'embouchure *(ostium)* du Tibre, elle fut, selon la légende, une fondation coloniale du roi Ancus* Martius; en réalité, les vestiges les plus anciens ne remontent qu'aux alentours de 350 av. J.-C. Dès le IIIe s. av. J.-C., Ostie fut le port d'attache d'une flotte militaire. Elle devint sous l'Empire un grand port de commerce qui recevait les convois destinés au ravitaillement de Rome. Saccagée par Marius (87) et restaurée par Sulla, elle connut son apogée au Ier s. apr. J.-C. et supplanta Pouzzoles* : Claude et Trajan la dotèrent de deux bassins creusés un peu au nord de l'embouchure du Tibre, sans doute pour éviter l'ensablement. Ostie, port de l'annone, fut jusqu'au IVe s. une ville commerciale florissante. Elle déclina à partir du règne de Constantin : mal fortifiée et démunie des ressources de l'activité portuaire, elle se dépeupla progressivement.

Les vestiges de la cité et de ses installations portuaires sont encore l'objet de fouilles. Celles-ci attestent une certaine planification de l'urbanisme romain (maisons [insulae] identiques, à plusieurs étages, divisées en appartements). Parmi les principaux monuments citons l'ensemble de la place des Corporations, entourée d'un quadriportique, le théâtre, le forum, le mithraeum, plusieurs thermes, la nécropole...

OSTRACISME. — Cette procédure, particulière à Athènes et attribuée à Clisthène* (fin du VIe s. av. J.-C.), avait pour objet d'éviter le retour de la tyrannie : tout citoyen paraissant par son influence ou son ambition un candidat possible à la dictature pouvait être frappé, par un vote populaire, d'une peine de bannissement de dix ans. L'ostracisme tomba en désuétude après 417 av. J.-C. en raison du danger d'arbitraire qu'il présentait.

OSTRAVA, v. de Tchécoslovaquie, ch.-l. de la Moravie-Septentrionale; 280 000 hab. Houille. Sidérurgie et métallurgie.

OSTRÉICULTURE. — L'ostréiculture comporte généralement trois phases : le *captage*, ou récolte des larves, l'*élevage*, correspondant à la croissance, et l'*affinage*, destiné à améliorer la condition de l'huître. L'élevage du naissain (larves fixées) peut être fait sur place (Japon, Amérique du Nord) ou hors du collecteur (Europe). La jeune huître isolée va grandir sur les parcs, soit sur le sol dans la zone émergente ou en eaux profondes, soit dans des casiers grillagés surélevés du sol, soit encore en suspension à des engins flottants. L'huître plate est commercialisée entre 3 et 5 ans, la portugaise entre 3 et 4 ans et la japonaise, à croissance plus rapide, entre 18 mois et 2 ans.

OSTRICOURT (59162), comm. du Nord, à 4,5 km au S.-E. d'Oignies; 6 821 hab.

OSTROGOTHS ou **OSTROGOTS,** ancien peuple germanique, constituant l'une des grandes fractions des Goths*. Les Ostrogoths, « Goths Brillants » ou « Goths de l'Est », forment au IVe s. un puissant royaume s'étendant de part et d'autre du Dniepr lorsqu'ils sont surpris par la brusque attaque des Huns* vers 375. Obligée de se soumettre, la majeure partie du peuple ostrogoth est conduite en Pannonie par les Huns et partage leur errance pendant près de trois quarts de siècle. Ce n'est qu'après la mort d'Attila* (453) que renaît la puissance des Ostrogoths. Fédérés à Rome vers 455, d'abord installés dans la région du lac Balaton, ceux-ci gagnent la Macédoine (473), puis, sous la direction de leur chef Théodoric Ier* l'Amale, la Mésie inférieure, où ils deviennent une menace permanente pour l'empire romain d'Orient. Ayant ruiné tout l'Illyricum entre 479 et 483 et mis le siège devant Constantinople afin de convaincre l'empereur Zénon de lui céder la province d'Italie, Théodoric rassemble une armée de 12 000 hommes et pénètre en Italie (489). Vainqueur d'Odoacre* (Ravenne, 493), il devient le seul maître de l'Italie et de ses dépendances (Dalmatie, Rhétie, Norique, Pannonie et Provence). Proclamé roi en 493, il installe sa capitale à Ravenne et gouverne son État en s'appuyant sur l'aristocratie italienne. Bien qu'arien, il respecte au départ l'originalité religieuse des autochtones et encourage la culture latine. Mais, à partir de 524, Théodoric compromet son œuvre en rompant à la fois avec les Romains traditionalistes et avec les catholiques. C'est une Italie divisée, livrée à l'usurpation de Théodat (de 534 à 536), cousin du jeune roi Athalaric (de 526 à 534), que Justinien entreprend de reconquérir (535). Dès les premiers succès de Bélisaire*, l'État romano-gothique s'effondre. Avec Totila (de 541 à 552) et Teias (552), les Ostrogoths résistent encore quelques années. En 555, le destin de ce peuple s'achève avec la dernière capitulation, celle de Compsa (Conza), et la déportation vers l'Orient des Ostrogoths survivants.

OSTROVSKI (Aleksandr Nikolaïevitch), auteur dramatique russe (Moscou 1823 - Chlykovo 1886). Par ses comédies de mœurs (*Entre amis, on s'arrangera,* 1850) et ses drames bourgeois ou historiques, il est le fondateur du répertoire national.

OSTROVSKI (Nikolaï Alekseïevitch), écrivain soviétique (Vilija, Volhynie, 1904 - Moscou 1936). Aveugle et infirme, il devint le maître spirituel des jeunesses communistes et l'un des principaux représentants du réalisme socialiste (*Et l'acier fut trempé,* 1932-1934).

OSTWALD (67400 Illkirch Graffenstaden), comm. du Bas-Rhin, dans la banlieue sud-ouest de Strasbourg; 8 688 hab.

OSTWALD (Wilhelm), chimiste allemand (Riga 1853 - Grossbothen 1932). Il appliqua en 1888 la loi d'action de masse à l'ionisation des électrolytes et étudia la catalyse en définissant la vitesse de réaction. Il mit au point en 1907 la préparation de l'acide nitrique par oxydation catalytique de l'ammoniac.

OSWALD (Genevieve), conservateur de musée américaine (Buffalo 1923). Conservateur de la Dance Collection à la New York Public Library (1947), elle a dirigé la publication du *Dictionary Catalog of the Dance Collection* (1964-1974; 10 vol.).

OŚWIĘCIM → AUSCHWITZ.

OTAKAR Ier, II → BOHÊME.

O. T. A. N., sigle de l'*Organisation du traité de l'Atlantique* Nord.*

OTARIE. — Très voisines des phoques*, les otaries s'en distinguent par l'existence d'oreilles externes bien visibles, leurs nageoires sans ongles, la possibilité de se déplacer sur le sol à l'aide des deux paires de nageoires. Hôtes des rivages du Pacifique, elles constituent cinq espèces, dont deux sont pourchassées pour leur belle fourrure. Faciles à élever et à dresser, elles sont par ailleurs d'excellentes bêtes de cirque.

OTARU, port du Japon (Hokkaidō), au N.-O. de Sapporo; 192 000 hab.

O. T. A. S. E., sigle de l'*Organisation du traité de l'Asie* du Sud-Est.*

Otello, opéra en quatre actes, livret de F. Berio d'après Shakespeare, musique de G. Rossini (1816). L'auteur y remplace le recitativo secco par le recitativo accompagnato. — Opéra en quatre actes, livret d'A. Boïto, musique de G. Verdi (1887). Le compositeur traite ce drame de la jalousie avec intensité, en une déclamation où le récitatif et l'air se rejoignent.

OTHE (*pays* ou *forêt d'*), petit massif boisé du Bassin parisien, au S.-O. de Troyes, partagé entre les départements de l'Aube et de l'Yonne.

Othello *ou le Maure de Venise,* drame en cinq actes, de Shakespeare (1604). Othello, général maure au service de Venise, est aimé de Desdémone, qu'il étouffe dans un accès de jalousie, provoqué par la ruse du traître Iago.

OTHON, en lat. **Marcus Salvius Otho** (Ferentinum 32 apr. J.-C. - Brixellum 69), empereur romain (69). Il fut l'un des empereurs éphémères qui se succédèrent après la mort de Néron (68). Favori de Néron, devenu gouverneur de Lusitanie (58-68) après sa disgrâce (mariage de Poppée*), il rallia autour de lui les « néroniens », la plèbe et les prétoriens, qui le portèrent à l'Empire après avoir tué Galba* (janv. 69). Mais l'armée de Germanie, qui avait proclamé son chef Vitellius*, marcha sur Rome : vaincu à Bedriac (près de Crémone) [avr. 69], Othon se tua.

OTITE. — Les inflammations des cavités de l'oreille moyenne sont aiguës ou chroniques, suppurées ou non. Ces otites *moyennes* sont secondaires à une infection du pharynx, du nez ou des sinus et sont plus fréquentes chez l'enfant. Elles sont marquées par de la fièvre et une vive douleur. L'usage des antibiotiques a modifé le pronostic en réduisant la fréquence des complications (otites chroniques, mastoïdites, otite *interne* ou labyrinthite).

OTOCYSTE → STATOCYSTE.

OTOPENI, aéroport international de Bucarest (Roumanie).

OTO-RHINO-LARYNGOLOGIE. — Le traitement des affections des oreilles, du nez et de la gorge a bénéficié, d'une part, de l'introduction en thérapeutique des antibiotiques et des anti-inflammatoires, et, d'autre part, des progrès des sciences fondamentales. La pathologie s'est modifiée du fait de la prévention d'accidents graves, telles les mastoïdites. La restauration des formes du nez et des oreilles bénéficie des progrès de la chirurgie plastique; la chirurgie de l'oreille moyenne guérit certaines surdités.

OTRANTE, port du sud de l'Italie (Pouille), sur le *canal d'Otrante;* 4 000 hab. Importante cathédrale, remontant au XIe s., et autres témoignages monumentaux.

OTRANTE *(détroit d'),* détroit entre l'Italie et l'Albanie, reliant l'Adriatique à la mer Ionienne.

ŌTSU, v. du Japon (Honshū), à l'E. de Kyōto; 172 000 hab.

OTTAWA ou **OUTAOUAIS,** riv. du Canada, affl. du Saint-Laurent (r. g.), qui passe à *Ottawa;* 1 100 km. La majeure partie de son cours constitue la limite entre le Québec et l'Ontario.

OTTAWA, capit. fédérale du Canada, dans l'Ontario, sur la *rivière Ottawa* ou *Outaouais;* 302 341 hab. (603 000 pour l'agglomération). Galerie nationale du Canada. Musée national (histoire naturelle, anthropologie). Modeste bourgade au milieu du XIXe s., Ottawa s'est développée après sa promotion comme capitale du Dominion en 1867. La fonction politique y est largement prépondérante (près de la moitié des emplois); l'industrie (papier notamment) est disséminée dans la banlieue, qui déborde au Québec voisin, sur la rive orientale de la *rivière Ottawa.*

OTTERLOO, section de la comm. d'Ede* (Pays-Bas). Dans le parc Hoge Veluwe, musée royal Kröller-Müller (peinture ancienne et moderne [collection Van Gogh]; parc à sculptures modernes).

OTTMARSHEIM (68490), comm. du Haut-Rhin, à 13 km au N.-E. de Mulhouse; 1 848 hab. Église octogonale, anc. abbatiale (XIe s.). Centrale hydroélectrique sur le grand canal d'Alsace. Port fluvial et zone industrielle (chimie).

OTTO (Nikolaus), ingénieur allemand (Holzhausen 1832 - Cologne 1891). Constructeur du premier moteur à gaz (1863), il présenta en 1876 le premier moteur à grande vitesse de régime fonctionnant suivant le cycle à quatre temps de Beau* de Rochas.

OTTOMANS, en turc **Osmanlı,** dynastie de souverains turcs qui, à partir de leur principauté d'Asie Mineure, ont conquis du XIVe au XVIe s. un vaste empire européen et asiatique, dont la dissolution a été entérinée par le traité de Sèvres* (1920).

HISTOIRE • *La formation de l'Empire ottoman.* La tribu dont est issue la dynastie ottomane fait partie de la fédération des Oghouz (Turcs occidentaux). Les Seldjoukides* lui avaient octroyé un fief dans le sud de la Bithynie, qui échoit à Osman (de 1290 env. à 1326). Osman se rend indépendant des Seldjoukides (sans doute v. 1299) et étend sa principauté aux dépens de Byzance. Son fils Orhan* (de 1326 à 1359) conquiert Brousse* (1326), dont il fait sa capitale, Nicée, Nicomédie et prend pied en Europe (Gallipoli, 1354). Il crée l'armée régulière des janissaires*. Murad Ier* (de 1359 à 1389) conquiert Andrinople (Édirne*) vers 1362, puis la Thrace, la Macédoine et la Bulgarie. Il prend le titre de sultan et jette les bases d'un grand État : administration centralisée *(divan)* dirigée par le grand vizir, contrôle des pays conquis par des militaires qui reçoivent des terres en fiefs *(timar).* Ces pays conservent l'essentiel de leur organisation sociale, religieuse et économique, mais sont soumis à l'impôt et doivent fournir un nombre déterminé de soldats auxiliaires. Bayezid Ier* (de 1389 à 1403) s'intéresse autant à l'Asie (où il atteint l'Euphrate) qu'à l'Europe (où il atteint la frontière hongroise et remporte la victoire de Nicopolis*, 1396). Mehmed Ier (de 1413 à 1421) reconstitue l'Empire anatolien, qu'avait détruit Tīmūr* Lang (1402), et Murad II (de 1421 à 1451) reprend l'expansion en Europe. Mehmed II* (de 1451 à 1481) conquiert en 1453 Constantinople (futur Istanbul*), qui devient ainsi une des métropoles de l'islām.

• *L'apogée de l'Empire ottoman (1453-1566).* L'expansion se poursuit avec les conquêtes de Mehmed II : Serbie, Bosnie, Albanie, Crimée, émirat de Karaman. Bayezid II (de 1481 à 1512) est renversé par Selim, soutenu par les janissaires. Avec Selim Ier* (de 1512 à 1520), les conquêtes reprennent : Anatolie orientale (1514), Syrie (1516), Égypte (1517). Le chérif de La Mecque reconnaît la suprématie du sultan et lui confie la protection des Lieux saints. Le dernier calife 'abbāsside* se rend à Constantinople. On ne sait pas s'il a renoncé au califat* au profit de Selim Ier. Mais c'est seulement au XVIIIe que les sultans portent le titre de calife. Avec Soliman* le Magnifique (de 1520 à 1566), l'Empire est à son apogée : domination établie sur la Hongrie (victoire de Mohács*, 1526), sur l'Algérie, la Tunisie et la Tripolitaine, siège de Vienne (1529). Soliman dispute l'hégémonie en Europe à Charles Quint et devient l'allié de François Ier.

• *La stagnation et le déclin.* À la fin du XVIe s. et durant le XVIIe, l'Empire est gouverné par des sultans assez médiocres : Selim II (de 1566 à 1574), Murad III (de 1574 à 1595), Mehmed III (de 1595 à 1603), Ahmed Ier (de 1603 à 1617), Mustafa Ier (de 1617 à 1618 et de 1622 à 1623), Osman II (de 1618 à 1622), Murad IV (de 1623 à 1640), Ibrahim (de 1640 à 1648), Mehmed IV (de 1648 à 1687), Soliman ou Süleyman II ou III (de 1687 à 1691), Ahmed II (de 1691 à 1695), Mustafa II (de 1695 à 1703). Il se maintient à l'intérieur de ses frontières, qui vont de l'Autriche au golfe Persique, de la mer Noire aux confins marocains. Sous l'égide des vizirs Köprülü*, il acquiert la Crète (1669). Mais déjà « se dessine le courant commercial qui va se transformer peu à peu en une exploitation des ressources de l'Empire ottoman..., conséquence des progrès industriels accomplis en Occident et de l'inadaptation, pour des raisons diverses, des Orientaux aux transformations survenues dans ce domaine » (R. Mantran).

Le traité de Karlowitz* (1699) marque le premier recul des Ottomans (perte de la Hongrie), celui de Passarowitz* (1718) le

Ottawa. Bâtiment, de style néogothique, proche du siège du Parlement, à Parliament Hill (colline du Parlement), le long de Wellington Street.

Boutin - Atlas-Photo

triomphe des Autrichiens, et celui de Kutchuk-Kaïnardji* (1774) celui des Russes. Désormais, la question d'Orient* alimente les rivalités entre puissances occidentales. Après les règnes d'Ahmed III (de 1703 à 1730), de Mahmud Ier (de 1730 à 1754), d'Osman III (de 1754 à 1757), de Mustafa III (de 1757 à 1774), d'Abdülhamid Ier (de 1774 à 1789), Selim III (de 1789 à 1807) essaie de réformer l'Empire, mais est assassiné. Mahmud II* (de 1808 à 1839) entreprend une série de réformes (suppression des janissaires en 1826), qui seront reprises et complétées par Abdülmecid Ier* (de 1839 à 1861). L'Empire ottoman est secoué par les révoltes à caractère national de la Serbie, de la Grèce (indépendante en 1830), de l'Égypte (autonome en 1840) et perd l'Algérie (1830). Il traverse une crise financière aiguë, qui entraîne une plus grande ingérence des Occidentaux dans les affaires ottomanes sous Abdülaziz (de 1861 à 1876) et Abdülhamid II* (de 1876 à 1909). Les Ottomans perdent la Serbie et la Roumanie (traité de Berlin*, 1878), la Tunisie (1881), la Bulgarie (1908). Les Jeunes-Turcs* prennent le pouvoir et gouvernent durant le règne de Mehmed V (de 1909 à 1918). Ils mènent une politique ultranationaliste qui exaspère les révoltes des pays arabes et balkaniques (v. BALKANS). Le triumvirat Talat* paşa-Djamāl* pacha-Enver* paşa engage l'Empire ottoman dans la Première Guerre mondiale aux côtés de l'Allemagne, et le traité de Sèvres (1920) consacre la dissolution de celui-ci. Abdülmecid II (de 1922 à 1924), qui a succédé à Mehmed VI (de 1918 à 1922), est déposé par Mustafa Kemal*, qui abolit le califat en 1924.

BEAUX-ARTS. Très rapidement, la Cour ottomane devient un foyer artistique important et original, qui, sans ignorer l'art seldjoukide* (Brousse* en est le premier centre), procède de la tradition byzantine. Celle-ci est à l'origine des combinaisons de coupoles et de demi-coupoles, qui sont l'un des traits dominants de l'architecture, fortement influencée par Sainte-Sophie après la conquête de Constantinople. C'est Sinan* qui amène l'architecture de la mosquée* ottomane à sa pleine maturité. Il élargit la coupole de la salle médiane (mosquée Süleymaniye à Istanbul*), la contre-bute par les demi-coupoles des salles latérales et obtient ainsi un espace idéal et dégagé pour la prière collective, en ayant substitué un plan en largeur au plan en profondeur. L'élégance, la hauteur et la finesse des minarets, contrastant avec les effets de volumes des coupoles, sont également caractéristiques de la mosquée ottomane. Creuset d'un véritable humanisme, la Cour ottomane encourage le développement des arts mineurs : miniature*, tapis* et céramique*. Cette dernière, avec le centre d'Iznik — dont la production s'étend de 1490 au XVIIIe s. —, connaît un somptueux épanouissement, surtout dans la première moitié du XVIe s. Les carreaux servant de revêtement mural ne sont plus assemblés en mosaïque, mais constituent de grands panneaux au décor de fleurs et de rinceaux peu stylisé, rehaussé de couleurs riches et variées qui confèrent aux édifices une parure originale et éclatante.

OTTON Ier le Grand (912-Memleben 973), roi de Germanie (936-973) et d'Italie (951-973), premier empereur du Saint Empire (962-973), fils de Henri Ier, auquel il succède en 936. Renouant avec la tradition carolingienne (sacre d'Aix-la-Chapelle, 8 août 936), il utilise les structures ecclésiastiques, s'en assurant la soumission en dotant les évêchés, dont il nomme les titulaires, d'importants privilèges. Ayant mis fin à la révolte des grands-ducs nationaux (Souabe, Lorraine, Franconie, Bavière), il intervient contre la France de Louis IV d'Outremer (942), puis descend en Italie, où il se fait proclamer roi (23 sept. 951). La révolte de son fils Liudolf (953-954) et les invasions hongroises et slaves font un instant vaciller sa puissance. Mais deux victoires, celle de Lechfeld contre les Hongrois (10 août 955) et celle de Recknitz (16 oct.) contre les Slaves, écartent le danger barbare. Désormais, Otton Ier apparaît comme le champion de la chrétienté. Couronné empereur à Rome par le pape Jean XII (2 févr. 962), il poursuit la politique d'expansion vers le nord et l'est (pénétration en pays slave et magyar, évangélisation de l'Allemagne orientale), et s'attache à placer l'Italie entière et la papauté (déchéance de Jean XII, de Benoît V) sous son autorité.

OTTON III (Kessel, Clèves, 980-Paterno, près de Viterbe, 1002), roi de Germanie (983), empereur germanique (996-1002). Sacré empereur à l'âge de seize ans (21 mai 996), il transféra le siège de son gouvernement à Rome, dont il rêvait de faire le centre d'un nouvel Empire romain chrétien, et tenta d'englober sous sa tutelle les peuples nouvellement convertis (Hongrois, Slaves). Peu populaire en Italie, il ne put se maintenir à Rome (1001).

OTTON IV DE BRUNSWICK (en Normandie 1175/1182-Harzburg 1218), roi des Romains (1198), empereur germanique (1209-1218). Fils d'Henri le Lion, élevé à la cour de son oncle, Richard Cœur de Lion, il fut élu roi des Romains par le parti guelfe et reconnu par Innocent III (1201). Il dut combattre l'empereur Philippe de Souabe, son rival, et, après l'assassinat de ce dernier (1208), se soumettre à une nouvelle élection. Couronné empereur par Innocent III (4 oct. 1209), il fut, un an plus tard, excommunié pour avoir envahi la Sicile et se vit opposer par le parti souabe le fils d'Henri VI, Frédéric II (1211), qui soutenait Philippe Auguste. Vaincu à Bouvines (juill. 1214), il ne put empêcher l'accession de Frédéric II* à la royauté romaine (1216).

OTTON Ier (Salzbourg 1815-Bamberg 1867), roi de Grèce de 1832 à 1862. Fils du roi Louis Ier de Bavière, il est désigné en 1832, par la conférence de Londres, pour le trône de Grèce. Incapable de s'opposer à l'intervention constante des Français et des Anglais dans les affaires grecques et crétoises, il doit abdiquer en 1862.

OTWAY (Thomas), auteur dramatique anglais (Trotten, Sussex, 1652-Londres 1685). S'il doit à l'influence des auteurs classiques français la rigueur de ses constructions dramatiques, il garde dans ses comédies (*Amitiés à la mode,* 1678) et ses tragédies (*Venise sauvée,* 1682) la puissance du théâtre élisabéthain.

ÖTZTAL, massif (3 774 m d'alt.) et vallée des Alpes autrichiennes, dans le Tyrol.

O. U. A., sigle de l'*Organisation* de l'unité africaine.*

OUADAÏ ou **OUADDAÏ,** région du Tchad, à l'E. du lac Tchad.

OUADI NATROUN, site du désert libyque, à 100 km au N.-O. du Caire, abritant plusieurs monastères coptes*, dont certains sont encore occupés par les moines. Deir Abu Makar, l'ensemble le plus important, possède un remarquable iconostase du IVe s. Ces monuments sont caractérisés par leurs églises superposées et par les hauts remparts qui cernent l'ensemble sacral et sépulcral.

OUAD-MEDANI, v. du Soudan, au S.-E. de Khartoum, sur le Nil Bleu; 79 000 hab.

OUAGADOUGOU, capit. de la Haute-Volta; 132 000 hab.

OUARGLA, oasis et ville (18 000 hab.) du Sahara algérien, ch.-l. du départ. des Oasis.

OUARSENIS, massif montagneux de l'Algérie, au S. de l'oued Chélif; 1 985 m.

OUATE. — La fabrication des ouates est basée essentiellement sur la formation de nappes homogènes de fibres, qui subiront ou non, selon leurs utilisations, des traitements mécaniques ou chimiques. On classe les ouates en deux grandes catégories.

- Les *ouates pour pansements* peuvent posséder soit des qualités non absorbantes, soit des qualités hydrophiles.
- Les *ouates industrielles,* appelées parfois ouates chiffonnières, sont utilisées pour le ouatinage de vêtements, le rembourrage et le matelassage en tapisserie et en carrosserie, les filtres, etc.

OUBANGUI, riv. de l'Afrique équatoriale; 1 160 km. Formé par la réunion de l'Uélé et du M'Bomou, l'Oubangui sépare le Zaïre d'abord de l'Empire centrafricain (passant à Bangui), puis du Congo, avant de rejoindre le fleuve Congo (dont il est le principal affluent de rive droite).

OUBANGUI-CHARI → CENTRAFRICAIN *(Empire).*

OUCHE, riv. du départ. de la Côte-d'Or, affl. de la Saône (r. dr.), qui passe à Dijon; 85 km.

OUCHE *(pays d'),* région argileuse de Normandie, dans le sud-ouest du département de l'Eure, traversée par la Risle. Forêts et élevage bovin.

OUCHY, port de Lausanne, sur le lac Léman.

OUDENAARDE, nom néerlandais d'AUDENARDE.

OUDINOT (Nicolas Charles), duc **de Reggio,** maréchal de France (Bar-le-Duc 1767-Paris 1847). Lieutenant-colonel des volontaires de la Meuse (1792), il se distingua en Italie (1799), à Austerlitz, à Friedland et surtout à Wagram, ce qui lui valut en 1809 le bâton de maréchal. Commandant le 2e corps en Russie, il s'illustra encore à Bautzen et pendant la campagne de France. Rallié à Louis XVIII, il commanda la garde nationale et fut grand chancelier de la Légion d'honneur (1839). — Son fils, NICOLAS CHARLES VICTOR, général (Bar-le-Duc 1791-Paris 1863), commanda en 1849 le corps expéditionnaire français qui rétablit le pouvoir du pape à Rome.

OUDMOURTES *(république autonome des),* république de l'U. R. S. S., dépendance de la R. S. F. S. de Russie, dans le bassin de la Kama; 42 100 km²; 1 418 000 hab. (dont un tiers d'*Oudmourtes,* ou Votiaks). Capit. *Ijevsk.*

OUDRY (Jean-Baptiste), peintre français (Paris 1686-Beauvais 1755). Élève de Largillière, influencé par la peinture flamande, il essaie divers genres, puis se spécialise dans la peinture d'animaux. Académicien en 1719, il devient peintre officiel des chiens et des chasses du roi, peintre (1726), puis directeur artistique de la manufacture de tapisseries* de Beauvais. Assurant le même directorat aux Gobelins* vers 1733, il fait notamment tisser ses *Chasses de Louis XV* aux Gobelins, ses *Fables de La Fontaine* à Beauvais. Doué pour le trompe-l'œil, il a exécuté de belles natures mortes.

OUD-TURNHOUT, comm. de Belgique (prov. d'Anvers), faubourg de *Turnhout;* 9 245 hab. (en 1970).

OUED (El-), oasis du nord-est du Sahara algérien, dans le Souf.

OUED-FODDA, localité d'Algérie, près d'El-Asnam. Barrage sur l'*oued Fodda.*

OUED-ZEM, v. du Maroc, au S.-E. de Casablanca; 33 000 hab.

OUENZA, montagne de l'Algérie orientale, près de la Tunisie. Minerai de fer.

OUESSANT (29242), île de Bretagne (15,6 km^2), constituant un canton du Finistère, correspondant à la seule commune d'*Ouessant;* 1 450 hab. *(Ouessantins).* Pêche. Agneaux de prés salés. — Au large d'Ouessant se livrèrent trois batailles navales franco-anglaises à la fin du XVIIIe s. : la plus célèbre, en 1794, se termina par la défaite de Villaret de Joyeuse par l'amiral britannique Howe.

OUEZZANE, v. du Maroc, au N.-O. de Fès; 33 000 hab.

OUFA, v. de l'U.R.S.S. (R.S.F.S. de Russie), ch.-l. de la Bachkirie*, à l'O. de l'Oural, sur l'*Oufa;* 771 000 hab. Raffinage du pétrole.

OUGANDA, État de l'Afrique orientale, membre du Commonwealth; 243 410 km^2; 11 940 000 hab. *(Ougandais).* Capit. *Kampala.*

GÉOGRAPHIE. L'ensemble du pays correspond à un vaste plateau entaillé dans le socle cristallin précambrien, surmonté de grands édifices volcaniques et où s'étalent les lacs Kyoga et Victoria. Il

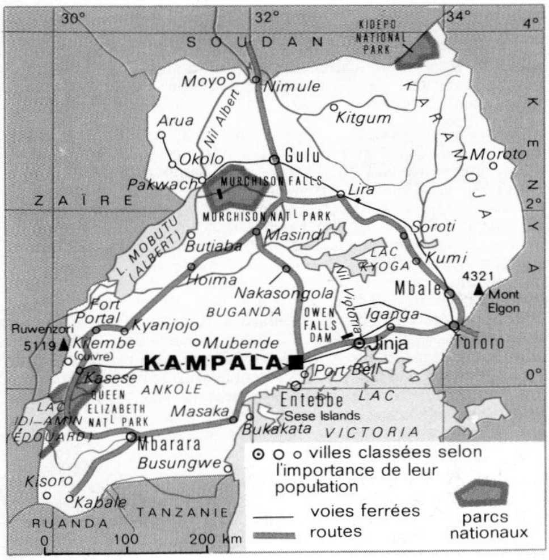

OUGANDA

se relève vers l'O., dominant la Rift Valley de l'Est africain, qu'occupent les lacs Mobutu et Idi-Amin-Dada, séparés par le grand horst du Ruwenzori (5 119 m). Situé sous l'équateur, l'Ouganda connaît un climat humide, s'asséchant un peu vers le N.-E., où les températures sont tempérées par l'altitude, et la savane arborée couvre la majeure partie du pays.

La population, relativement dense (45 hab. au km^2), est composée presque exclusivement d'Africains, en majorité des Bantous. Elle est essentiellement rurale, 90 p. 100 des habitants vivant à la campagne et la seule ville notable étant la capitale, Kampala. Elle vit de la culture du bananier, remplacée au N. par le sorgho, le manioc et des légumes variés. Des plantations fournissent les principaux produits d'exportation : coton, thé et surtout café (plus de la moitié en valeur des exportations). La savane est parcourue par des troupeaux de bovins. L'industrialisation est limitée. Le cuivre, principale richesse du sous-sol, est en grande partie exporté brut. Kampala concentre le textile, les constructions mécaniques et les industries alimentaires. La Grande-Bretagne demeure le principal partenaire pour le commerce extérieur, qui souffre de l'absence de débouché maritime national.

HISTOIRE. Peuplé de paysans bantous, l'Ouganda est, du XVIe au XIXe s., envahi par des pasteurs chamitiques qui refoulent les agriculteurs vers les grands lacs. Les rois-prêtres qui s'installent alors contrôlent mal leurs États vassaux : ainsi le Buganda s'affranchit sous Mutesa Ier († 1884), qui, menacé par l'Égypte, accueille missionnaires protestants et pères blancs (1862-1879). Le successeur de Mutesa, Mwanga, débordé par les troubles intérieurs et par la pression des compagnies européennes, ne peut empêcher son pays de passer en 1890 dans la zone d'influence britannique et de devenir en 1894 le protectorat de l'Ouganda. Le développement économique du pays est alors rapide, en partie grâce à l'importante immigration asiatique. Cependant, à l'intérieur du protectorat, le royaume du Buganda, fortement structuré, se maintient, au point que, lorsque, après 1945, il est question de rendre indépendant l'Ouganda, les Bugandais souhaitent garder leur autonomie. Quand, en 1952, le gouverneur sir Andrew Cohen se montre désireux de conduire rapidement un État unitaire ougandais à l'indépendance, c'est avec l'accord du roi du Buganda, Mutesa II, qu'il démocratise la Constitution. Mais la Grande-Bretagne ayant parlé de la possible constitution d'une confédération d'Afrique orientale (juin 1953), Mutesa II proteste; il est exilé par les Britanniques, mais ceux-ci doivent finalement accepter la formation d'une fédération ougandaise où le Buganda aurait une part prépondérante. C'est le 9 octobre 1962 que, Apollo Milton Obote étant Premier ministre, la fédération des cinq États ougandais est proclamée indépendante. En 1963, devenu souverain, mais membre du Commonwealth, l'Ouganda se donne comme président Mutesa, ancien roi du Buganda. Très vite, des conflits opposent les Bugandais aux autres États. En 1966 Obote suspend la Constitution et institue un régime militaire et centralisateur, dont le Parlement l'élit président; Mutesa doit s'enfuir à Londres. La situation économique se dégradant, Obote est renversé le 25 janvier 1971 par le général Idi Amin Dada, qui expulse les Asiatiques et pratique une politique à la fois démagogique et tyrannique.

OUGARIT, cité antique de la côte syrienne, à 16 km au N. de Lattaquié*, sur le tell de Ras Shamra. L'arrivée des Amorrites* (IIIe millénaire) fit la prospérité de la cité, qui devint au IIe millénaire un très riche centre commercial, où prédomina l'influence égyptienne et hittite. Ougarit fut détruite au XIIe s. par l'invasion des Peuples* de la mer.

Découvert en 1928 et fouillé ensuite par C. Schaeffer et d'autres archéologues, le tell, qui s'étend sur plus de 35 ha, a livré les vestiges de l'une des grandes cités phéniciennes du IIe millénaire. Le premier habitat — un gros bourg fortifié — remonte au VIIIe millénaire. L'influence de la Mésopotamie est présente dès le Ve millénaire. Le site connaît une phase obscure entre 3700 et 3000; l'urbanisation n'apparaît qu'à la fin du IIIe millénaire, et son épanouissement se situe au IIe millénaire. Les maisons sont pourvues d'un caveau voûté en encorbellement, que l'on retrouve dans les deux immenses palais qui ont livré de très intéressants dépôts d'archives et des textes littéraires, attestant une étonnante diversité de langues et cinq systèmes d'écriture, dont l'écriture alphabétique ougaritique.

OUGARITIQUE → CANANÉEN.

OUGRÉE, anc. comm. de Belgique, dans la banlieue sud-ouest de Liège, fusionnée depuis 1977 avec Seraing. Sidérurgie.

OUÏGOUR. — Langue turque, l'ouïgour ancien fut une langue littéraire très importante au Moyen Âge (traductions de textes bouddhiques et manichéens). Il s'écrivait grâce à un alphabet d'origine araméenne transmis par des missionnaires sogdiens, qui a servi de base aux alphabets mongol et mandchou. L'ouïgour moderne est un ensemble de dialectes parlés par environ 5 millions de locuteurs dans le Sin-kiang.

OUÏGOURS, tribu turque. Les Ouïgours remplacèrent les T'ou-kiue (v. TURCS) à la tête de l'empire de Mongolie (de 745 env. à 840) jusqu'à l'invasion des Kirghiz. Une partie d'entre eux s'établirent alors dans le T'ien-chan et dans le bassin du Tourfan, où ils développèrent jusqu'au XIIIe s. leur culture manichéenne, bouddhique ou nestorienne. Les Mongols* leur empruntèrent leur alphabet, leur science et leurs élites. Le terme d'« ouïgour » s'applique actuellement à la population majoritaire du Sin-kiang.

OUISTITI. — Très primitif, ce petit singe d'Amérique du Sud (20 cm de longueur sans la queue) se reconnaît à ses touffes de poils blancs sur les oreilles (« pinceaux »). Sa queue, non prenante, et le nombre de ses dents (32) le rapprochent des singes d'Afrique, mais ses doigts sont terminés par des griffes. L'ouistiti vit en groupes bruyants dans la forêt amazonienne.

OUISTREHAM (14150), comm. du Calvados, à 14 km au N.-N.-E. de Caen; 6 143 hab. Station balnéaire. Église romane et gothique.

OUJDA ou **OUDJDA,** v. du nord-est du Maroc, ch.-l. de prov., près de l'Algérie; 176 000 hab.

OULAN-BATOR, capit. de la Mongolie, sur la Tola; 267 000 hab.

OULAN-OUDE, v. de l'U.R.S.S. (R.S.F.S. de Russie), capit. de la république autonome des Bouriates, au S.-E. du lac Baïkal; 254 000 hab.

OULANOVA (Galina), danseuse soviétique (Saint-Pétersbourg 1910). Élève d'Agrippina Vaganova, elle commence au ballet du théâtre Kirov de Leningrad (1928) une carrière qui se poursuit dans le ballet du Bolchoï à Moscou (1944-1960). Remarquable « Giselle », elle reste aussi une incomparable Odile-Odette du *Lac* *des cygnes* et l'émouvant oiseau de *la Mort du cygne.* Depuis sa retraite, elle se consacre à l'enseignement.

OULCHY-LE-CHÂTEAU (02210), ch.-l. de cant. de l'Aisne, à 20 km au S. de Soissons; 759 hab. Belle église des XIe et XIIe s.

OULIANOVSK, v. de l'U. R. S. S. (R. S. F. S. de Russie), sur la Volga; 351 000 hab. Patrie de Lénine *(Oulianov).*

OULLINS (69600), ch.-l. de cant. du Rhône, sur le Rhône, dans la banlieue sud de Lyon; 27 993 hab. Château des XVe et XVIIe s.

OULU, port de Finlande, sur le golfe de Botnie; 85 000 hab.

OUM ER-REBIA, fl. du Maroc occidental, né dans le Moyen Atlas, tributaire de l'Atlantique; 556 km. Importants barrages d'irrigation (dont Im-Fout).

OUR, cité antique de la basse Mésopotamie. La plus ancienne occupation du site paraît remonter à la fin du VIe millénaire ou au début du Ve. Mais la période historique commence au IIIe millé-

Gerster - Rapho

Our. La ziggourat, élevée sur une esplanade sacrée, dédiée au dieu-Lune Nannar et à Ningal, son épouse. IIIe dynastie, env. XXIIe s. av. J.-C.

naire avec les deux premières dynasties d'Our, à la puissance desquelles viendra mettre fin l'empire d'Akkad* [v. 2325-2200]. Après que l'invasion des Gouti, Barbares venus du Zagros, eut ruiné la domination akkadienne, Our passe sous le contrôle de Lagash*. La IIIe dynastie d'Our (2133-2025) marque la période la plus brillante de la cité, qui étend son empire sur toute la Mésopotamie. Mais la puissance d'Our, minée par les infiltrations étrangères, s'effondre sous les coups conjugués des Amorrites* et de l'Élam*. Our est soumise aux rois d'Isin et de Larsa, puis incorporée en 1762 au royaume d'Hammourabi* de Babylone*. Délaissée à l'époque assyrienne, elle ne retrouve quelque importance qu'au temps de l'Empire néobabylonien avec Nabonide* (556-539); l'arrivée des Achéménides* marque son déclin définitif.

Les fouilles scientifiques du site ont été entreprises après la Première Guerre mondiale par une mission anglo-américaine sous la direction de Leonard Woolley, et cette agglomération de 60 ha est encore en cours de dégagement de nos jours. Le premier habitat néolithique remonte au VIe millénaire; la première urbanisation (3700-3000) n'a pas été véritablement atteinte par les fouilles. La première floraison du site correspond au Dynastique archaïque (3000-2350) avec les fameuses tombes royales (chambres voûtées en encorbellement accessibles par un puits) du XXVIe s. Celles-ci ont livré un mobilier funéraire extraordinairement riche (bijoux, casque d'or, harpes, lyre, étendard incrusté sur fond de lapis-lazuli, etc. [British Museum]), et révèlent la pratique de sacrifices humains massifs — fait exceptionnel dans le monde sumérien. Une nouvelle prospérité (2133-2025) est attestée par de nombreuses tablettes, plusieurs édifices religieux (dont la ziggourat de 20 m de haut) construits en briques crues et désormais — comme les grands hypogées voûtés en encorbellement — ornés de briques cuites.

OURAL, fl. de l'U. R. S. S., né dans les *monts Oural,* qui rejoint la mer Caspienne; 2 534 hab.

OURAL, chaîne de montagnes de l'U. R. S. S., qui s'étire sur environ 2 500 km du N. (mer de Kara) au S. (abords de la Caspienne) et constitue la traditionnelle limite entre l'Europe et l'Asie (Sibérie). En fait, culminant seulement à 1 894 m (Narodnaïa), coupé par des cols à moins de 1 000 m d'altitude, l'Oural n'est pas une barrière (sinon aux dépressions venant de la Baltique : le versant occidental reçoit en moyenne 1 000 mm de précipitations annuelles, le double du versant oriental). Il constitue aujourd'hui une région économique autonome, qui, dans ses parties centrale et méridionale, est une importante réserve de matières premières (liée à la forte minéralisation de la chaîne) et un grand foyer d'industries lourdes. Celles-ci sont notamment fondées sur l'extraction du fer (principalement), du cuivre, de la bauxite, etc. La relative pénurie de charbon impose (pour des industries fortes consommatrices) un approvisionnement énergétique complémentaire (hydroélectricité et hydrocarbures [produits en grandes quantités dans l'avant-pays occidental]). La production d'acier dépasse 30 Mt (plus que la production française), alimentant une puissante métallurgie de transformation (biens d'équipement surtout). La chimie lourde (engrais, soude) occupe également une place importante. La région économique, plus vaste (680 000 km^2) que la France, compte plus de 15 millions d'habitants, dont les deux tiers environ vivent dans les villes, parmi lesquelles émergent Sverdlovsk, Tcheliabinsk et Magnitogorsk dans l'Oural lui-même, Perm et Oufa sur le piedmont occidental.

OURALO-ALTAÏQUES (langues). — Il s'agit d'un vaste ensemble, encore hypothétique, où l'on distingue traditionnellement d'une part une branche ouralienne, comprenant la famille finno-ougrienne*, le samoyède et le youkagir (langues de Sibérie), et d'autre part une branche altaïque (turc, mongol, toungouse).

OURALSK, v. de l'U. R. S. S. (Kazakhstan), sur l'*Oural;* 134 000 hab.

OURANOS, personnification du Ciel dans la mythologie grecque. Il joue un grand rôle dans la théogonie d'Hésiode* ainsi que dans la théogonie orphique.

OURARTOU, royaume de l'Orient ancien (IXe-VIe s. av. J.-C.), dont le centre était constitué par le bassin du lac de Van*, en Arménie. Durant une partie du VIIIe s., surtout avec Sardouri II (v. 765-733) et Rousâ Ier (v. 733-714), ce royaume sera une grande puissance du Proche-Orient, qui menacera l'Empire assyrien. Toutefois, Téglat-phalasar III* d'Assyrie (745-727) et Sargon II* (722-705) mettent un frein à l'expansion ourartéenne. Les invasions des Cimmériens* et des Scythes*, venues s'ajouter aux attaques des Assyriens, affaiblissent le royaume d'Ourartou, auquel les Mèdes de Cyaxare (v. 625-585) porteront le coup final au début du VIe s. av. J.-C.

Plusieurs des citadelles de l'Ourartou (Arin-berd [VIIIe-VIIe s.], et Karmir-Blour [VIIe s.], près d'Erevan, Noemberian [VIIe-VIe s.]) récemment dégagées en Arménie soviétique attestent le talent de leurs bâtisseurs, qui utilisent également le bois, la pierre et la brique crue. Malgré une forte influence assyrienne et une façon de traiter les thèmes animaliers proche de celle des Scythes*, les objets recueillis (poteries, bronzes, peintures murales, etc.) témoignent d'une incontestable originalité.

OURCQ, riv. du Bassin parisien (au N.-E. de Paris), affl. de la Marne (r. dr.); 80 km. Combats en 1914 (v. MARNE [*bataille de la*]). — Le *canal de l'Ourcq* (108 km) relie l'Ourcq à la Seine (aboutissant à Paris) en empruntant partiellement la vallée de la Marne (passant à Meaux).

OURDISSAGE → TISSAGE.

OURDOU → URDŪ.

OURO PRÊTO, v. du Brésil (Minas Gerais), au S.-E. de Belo Horizonte; 9 000 hab. Ville d'art dans un site montagneux, ensemble homogène de l'architecture luso-brésilienne du XVIIIe s., d'un grand charme rococo (églises de l'Aleijadinho*).

OUROUK, anc. ville de basse Mésopotamie, dont le site a été occupé du VIe millénaire au IIIe s. av. J.-C. (auj. *Warka*).

Scala

Ourouk. Vase rituel, en pierre calcaire, orné de hauts-reliefs. Début du IIIe millénaire. (Musée de Bagdad, Iraq.)

L'implantation humaine est attestée à Ourouk vers 5500, et durant les périodes suivantes se forme une communauté urbaine. L'histoire d'Ourouk sort peu à peu de la légende au IIIe millénaire. Vers 2700, le fabuleux Gilgamesh* règne sur une ville qu'entoure une enceinte de 10 km, et le roi de la cité d'Oumma, Lougal-zaggesi (v. 2375-v. 2350), choisit Ourouk comme capitale de l'empire qu'il s'est taillé en Mésopotamie. Après la destruction de l'Empire akkadien par les Gouti, Barbares venus du Zagros* (v. 2200), Ourouk est la première cité à se libérer des envahisseurs; mais, à partir de la IIIe dynastie d'Our* (v. 2133-v. 2025) jusqu'à l'époque perse, elle ne joue plus qu'un rôle secondaire. Toutefois, elle reprend de l'importance durant les périodes séleucide* et parthe*, après lesquelles son déclin est définitif.

Ourouk est l'un des foyers de la civilisation urbaine et de l'art, constitué de trois tells, dont celui de la ziggourat, le plus riche, représente l'ensemble sacral le plus complet. Près d'une vingtaine de niveaux archéologiques se succèdent sans interruption, depuis l'habitat néolithique du VIe millénaire jusqu'à celui des périodes séleucide et parthe. La pleine floraison d'Ourouk, commencée à la fin du IVe millénaire avec les premiers temples monumentaux aux colonnes ornées de mosaïques faites de cônes de terre polychrome et les premiers témoignages de la glyptique, se poursuit durant la période de Djemdet-Nasr*, à laquelle se rattachent l'ensemble sacral de la zone de l'Eana (temple allongé au plan tripartite, construit en briques crues, parfois en pierres calcaires, aux façades ornées de redans), les premières œuvres sculptées (vase de l'offrande à Inanna, «Dame d'Ourouk»), les plus anciens pictogrammes et sceaux-cylindres. Durant l'époque dynastique la ville est l'objet de grandes restaurations. Plus tard, les Kassites, les Néo-Babyloniens, les Séleucides et les Parthes y élèvent des temples, et, jusqu'au IIIe s. apr. J.-C., la cité demeure ville sainte avant de disparaître jusqu'à ce que les fouilles (1912) d'une mission allemande mettent au jour ses vestiges.

OUROUMTSI ou **TI-HOUA,** v. du nord-ouest de la Chine, capit. du Sin-kiang; 275 000 hab.

OUROUNDI → RUANDA.

OURS. — Les caractères qui définissent les mammifères carnassiers ne sont présentés qu'à un faible degré par les ursidés ou ours. Ces animaux, pour la plupart très grands et couverts d'une épaisse fourrure, ont en effet une démarche plantigrade et parfois bipède (marchant debout, ils utilisent leurs pattes de devant comme des mains) ainsi qu'un régime omnivore, voire végétarien, qui va de pair avec une denture aux molaires plus broyeuses que tranchantes. Leur queue est des plus réduites. Leur puissance musculaire et leurs longues griffes les rendent redoutables. L'ours blanc vit souvent sur la banquise, nage avec endurance, et se nourrit de mammifères marins (phoques, dauphins) et de gros poissons. À terre, il attaque rennes et renards. L'ours brun, hôte des montagnes et des forêts d'Eurasie, de mœurs très solitaires et dormeuses, grimpe aisément aux arbres. Il mange pratiquement de tout, le miel ayant toutefois sa préférence. Il pratique un sommeil hivernal plutôt entrecoupé. La femelle met bas, tous les deux ans seulement, un ou deux oursons (de sexe opposé s'il y en a deux). Le plus grand des ours américains est le grizzli, qui peut mesurer jusqu'à 3,50 m de longueur. Il ne vit plus guère que dans les parcs nationaux, où il se montre inoffensif. Le baribal («ours noir») est beaucoup plus petit, de même que l'«ours à collier» d'Asie et surtout l'agile «ours des cocotiers» du Sud-Est asiatique. Le *mélurse,* ou *prochile,* avec sa langue filiforme, lèche termites et fourmis.

OURS *(grand lac de l'),* lac du nord du Canada (Territoires du Nord-Ouest), sur le cercle polaire, relié au Mackenzie par la *grande rivière de l'Ours;* 29 000 km^2.

OURS *(île aux),* île norvégienne de l'Arctique, au S. du Spitzberg.

OURSE, nom de deux constellations* de l'hémisphère boréal, toujours visibles sous la latitude de Paris.

- La *Grande Ourse* se reconnaît par la disposition de sept étoiles représentant grossièrement la forme d'un chariot avec son timon ou, plus exactement, le profil d'une casserole avec sa queue. Elle contient une importante galaxie, M 81, et une nébuleuse planétaire, M 97.

- La *Petite Ourse* se reconnaît par une figure analogue et parallèle à celle de la Grande Ourse, mais plus petite et dirigée en sens contraire. À l'extrémité de cette figure se trouve la *Polaire**, ou α Petite Ourse, qui, située actuellement à $1^0\ 25'$ de la direction du pôle, définit la direction du Nord. On la trouve en menant une ligne droite par les deux étoiles α et β de la Grande Ourse, que l'on prolonge au-delà de α d'une quantité égale à environ cinq fois la distance β α. (V. ÉTOILE.)

OURSIN. — Le «hérisson de mer», qui porte d'ailleurs le nom déformé de son homonyme terrestre, n'a qu'un seul caractère commun avec celui-ci : la possession de piquants articulés. Défensifs, ceux-ci servent aussi à la locomotion, comme des échasses. Mais le déplacement à la surface des rochers sous-marins est surtout assuré par des ventouses microscopiques, les *ambulacres,* ou *podia,* que gonfle ou dégonfle un système compliqué de circulation de l'eau. Enfin, des pinces venimeuses à deux ou à trois mors, plus petites encore que les ambulacres et nommées *pédicellaires,* assurent le nettoyage de la peau. Sous cette peau, l'oursin présente un test calcaire rond, à symétrie axiale d'ordre 5 et formé de plaques juxtaposées. La bouche, à cinq dents coulissantes, occupe le pôle inférieur, au contact du sol. L'anus, qui occupe le pôle supérieur, est entouré des orifices génitaux et avoisiné du seul organe externe qui rompe la symétrie axiale : la plaque poreuse par où pénètre l'eau des ambulacres. Comestible par ses glandes génitales à certaines périodes de l'année, l'oursin commun peut être vert, violet, beige, etc. On connaît des oursins dits «irréguliers» à symétrie bilatérale surajoutée, des oursins aplatis sur les grands fonds, des oursins aux échasses démesurées mais non piquantes. La larve des oursins est un *plutéus* à symétrie bilatérale, dont une petite partie seulement, lors de la métamorphose, se développe pour donner l'adulte. (Type de la classe des échinodermes.)

OURTHE, riv. de Belgique, qui rejoint la Meuse (r. dr.) à Liège; 165 km.

OURVILLE-EN-CAUX (76450 Cany Barville), ch.-l. de cant. de la Seine-Maritime, à 18 km à l'E. de Fécamp; 756 hab.

OUSE, riv. de Grande-Bretagne, qui rejoint la mer du Nord dans le golfe du Wash; 269 km. — Riv. de Grande-Bretagne, qui s'unit à la Trent pour former l'estuaire du Humber; 102 km.

OUSSOURISK, v. de l'U.R.S.S. (R.S.F.S. de Russie), au N. de Vladivostok; 128 000 hab. Centre de la chaussure.

OUST, riv. de Bretagne, affl. de la Vilaine (r. dr.); 155 km.

OUST (09140 Seix), ch.-l. de cant. de l'Ariège, à 17 km au S.-E. de Saint-Girons; 581 hab.

Oustacha, société secrète croate, fondée en 1930, à caractère violemment nationaliste et qui s'opposa, dès l'origine, à l'emprise des Serbes sur la Yougoslavie. Responsables de l'assassinat, en 1934, du roi Alexandre* Ier, les oustachis obtinrent de Hitler, en 1941, la création d'un État indépendant de Croatie*, qui fut détruit en 1944. Depuis, ils poursuivent, par des moyens violents, leur action revendicatrice.

OUST-KAMENOGORSK, v. de l'U.R.S.S., dans l'est du Kazakhstan; 230 000 hab. Métallurgie.

OUST-OURT, plateau désertique de l'U.R.S.S. (Kazakhstan et Ouzbékistan), entre la mer Caspienne et la mer d'Aral.

OUTARDE. — L'«oiseau lent» *(Otis tarda)* doit cette épithète à son vol médiocre, mais il court, en revanche, très vite sur des pattes dépourvues de pouce. L'outarde ressemble à un dindon qui aurait le bec pointu. Elle se nourrit de graines, ce qui la rend nuisible. Plus petite, la *canepetière (Tetrax)* est aussi plus commune. (Famille des otitidés.)

OUTARVILLE (45480), ch.-l. de cant. du Loiret, à 22 km à l'O. de Pithiviers; 1 268 hab.

OUTREAU (62230), comm. du Pas-de-Calais, dans la banlieue sud de Boulogne-sur-Mer; 14 731 hab. Métallurgie.

OUTREMONT, v. du Canada (Québec), dans l'agglomération de Montréal; 28 552 hab.

OUVÉA → UVÉA.

OUVERTURE *(Mus.).* — Cette pièce instrumentale sert d'introduction à un ouvrage lyrique, sacré ou profane, ou à une suite. (On l'appelle parfois «sinfonia», «intrada», «praeambulum», «prélude»...)

L'ouverture adopte à l'époque classique le type «à l'italienne» (vif-lent-vif), chez A. Scarlatti par exemple, ou «à la française» (grave-fugato), de Lully à Telemann. La seconde moitié du XVIIIe s. l'assimile à la forme allegro de sonate (Mozart). Le romantisme lui imprime un caractère dramatique qui la rapproche du poème* symphonique *(Léonore III, Tannhäuser)* ou la réduit à un pot-pourri des thèmes principaux de la partition *(le Barbier de Séville, Carmen).* L'ouverture peut encore précéder une pièce de théâtre avec musique de scène ou former un tout n'annonçant aucun texte parlé ni chanté (ouverture de concert).

OUVERTURE *(Opt.).* — Dans un instrument d'optique, l'ouverture détermine la luminosité, le pouvoir séparateur, la largeur de champ ainsi que les aberrations.

OUVRIER (contrôle). — C'est l'ensemble du pouvoir exercé par tous les travailleurs de l'entreprise à l'aide d'organes effectifs (par exemple les comités d'usine), rassemblant les représentants des employés et du personnel technique. Dans cette perspective, Lénine a fait adopter plusieurs décrets sur le contrôle ouvrier (1919, 1920) qui définissent le pouvoir à la base après la prise du pouvoir par les travailleurs. Il s'agit, bien sûr, d'une phase de transition, l'entrepreneur restant le « partenaire social » pour qui, selon les termes mêmes de Lénine, il est « obligatoire d'exécuter les décisions prises par les organes du contrôle ouvrier ». Celles-ci concernent « le droit de surveiller la production, de fixer un minimum de production et de prendre toutes les mesures utiles pour déterminer le coût de production des produits ». La phase du contrôle ouvrier est ainsi une phase de réappropriation par les travailleurs et de désaliénation par rapport à l'instrument de production.

OUVRIÈRE (classe). — Selon les marxistes, la classe ouvrière rassemble l'ensemble des salariés qui vendent leur force de travail aux propriétaires de moyens de production et d'échange, et qui, par là même, fournissent la plus-value*. L'appartenance de classe ne découle pas seulement de ces conditions générales déterminées par le mode de production capitaliste, car elle équivaudrait à la simple appartenance au prolétariat, par opposition à la bourgeoisie*. C'est ainsi que certains marxistes d'aujourd'hui, en analysant une société fortement différente de celle qui a été observée par Marx et Engels, rattachent à la classe ouvrière tous les travailleurs, manuels ou intellectuels, qui, par leur fonction au sein de la production, contribuent à la réalisation de la plus-value. Dans cette perspective, la classe ouvrière s'étendrait des travailleurs des usines, des champs, aux techniciens, aux employés des services de contrôle et de planning, aux travailleurs des communications, etc. : la triple condition serait de ne pas être propriétaire des moyens de production, de produire et de ne pas participer au partage de la plus-value.

OUVRIÈRE (question). — La notion de classe ouvrière (v. art. spécial) est liée à la révolution industrielle*. L'Angleterre, premier pays à être touché, dès le XVIIIe s., par cette révolution, est aussi le premier à connaître en son sein une masse prolétarienne misérable. La réforme électorale de 1832, qui donne un rôle prépondérant à la bourgeoisie industrielle, renforce le capitalisme en même temps que le paupérisme; la loi des pauvres* de 1834 fait de l'ouvrier un esclave, que les crises cycliques jettent dans la misère. L'excès même de cette misère provoque l'unionisme ouvrier et le mouvement chartiste (v. CHARTISME) [1834-1848], qui obtient le vote d'une législation sociale importante. Sur le continent, le mouvement ouvrier est plus lent, mais il accompagne l'industrialisation de la Rhénanie, de la Silésie, de la Belgique (Borinage, bassin de Liège), de la France (Nord, Est, Centre).

En France, la prise de conscience de l'existence d'un prolétariat misérable né avec la grande révolution industrielle se développe sous la monarchie de Juillet, quand le premier catholicisme* social et le socialisme* dit « utopique » prennent leur essor. Sous le second Empire*, alors que le pays s'industrialise fortement, le mouvement ouvrier s'amplifie, grâce aux doctrines de Proudhon* et à l'exemple fourni par les trade-unions* anglais. La fondation, à Londres (28 sept. 1864), de la Ire Internationale* précipite ce mouvement. Après la Commune*, le marxisme* s'implante fortement sur le continent, donnant au socialisme une doctrine solide et un but politique bien défini. L'essor du syndicalisme — en France après 1880 — et du mouvement social chrétien accélère un processus qui débouche nécessairement sur une législation ouvrière plus efficace et plus complète en Allemagne, aux États-Unis, en Angleterre et en Scandinavie qu'en France.

La révolution russe et la formation, après 1917, de la IIIe Internationale*, regroupent les espoirs ouvriers et fournissent aux partis communistes* une direction et des troupes. Entre les deux guerres, la grande crise mondiale née aux États-Unis en 1919, en exaspérant la misère ouvrière, oblige les gouvernements à prendre des mesures sociales importantes (v. FRONT POPULAIRE). Au lendemain de la Libération, cette législation est considérablement renforcée (conventions collectives, Sécurité sociale...).

OUZBEK → TURC.

OUZBÉKISTAN, république fédérée de l'U. R. S. S.; 449 600 km²; 11 799 000 hab. Capit. *Tachkent.* Entre la mer d'Aral et les montagnes de l'Asie centrale, l'Ouzbékistan est en grande partie désertique (plateau d'Oust-Ourt, désert de Kyzylkoum). Population et activités se concentrent dans l'Est, formé d'oasis, valorisées encore grâce à l'extension de l'irrigation. C'est à celle-ci, intéressant environ 3 millions d'hectares, que l'Ouzbékistan doit d'être la première région productrice du monde de coton (plus de 2 Mt), la première d'U. R. S. S. pour le riz et la luzerne, alors que vergers et vignobles sont également nombreux. Le sous-sol fournit du charbon, un peu de pétrole et surtout du gaz naturel. Vallées et piémonts montagnards sont équipés pour la fourniture d'hydroélectricité; c'est là aussi que se concentrent les centres urbains majeurs, Tachkent (la plus grande ville de l'Asie soviétique), Samarkand, Namangan, Kokand, parfois, comme aussi Boukhara), hauts lieux touristiques, mais surtout centres industriels travaillant en priorité la production agricole (coton, laine aussi grâce à un notable élevage ovin aux confins du désert).

OUZBEKS, peuple de l'Asie centrale. Les hordes soumises aux Chaybānides, dynastie de Mongols* gengiskhānides qui nomadisaient entre la Caspienne et le lac Balkhach, prirent vers le milieu du XIVe s. le nom d'« Ouzbeks ». Les Kazakhs* se séparèrent du reste des Ouzbeks vers 1465. L'Empire ouzbek (1500-1599), dont l'expansion fut arrêtée en 1510 par les Séfévides*, eut pour centre la Transoxiane. Il se morcela en principautés indépendantes : khānat de Boukhara (1500-1920), khānat de Khiva (1512-1920), sur lesquels les Russes établirent leur protectorat en 1868 et en 1873, et khānat de Kokand (v. 1700-1876). En 1924 fut créée la république soviétique d'Ouzbékistan.

OUZOUER-LE-MARCHÉ (41240), ch.-l. de cant. de Loir-et-Cher, à 32 km à l'O. d'Orléans; 1 371 hab.

OUZOUER-SUR-LOIRE (45570), ch.-l. de cant. du Loiret, à 16 km au N.-O. de Gien; 1 405 hab.

OVAIRE *(Anat.* et *Pathol.).* — Les glandes génitales, ou gonades, de la femme, au nombre de deux, sont situées dans le petit bassin de part et d'autre de l'utérus. La partie périphérique de l'ovaire, ou corticale, contient les éléments de la gamétogenèse. Elle renferme les follicules de De Graaf, au nombre de 400 000, dont seulement 400 iront jusqu'à maturation. Quand le follicule est arrivé à maturation, survient l'ovulation*. Ensuite apparaît le corps jaune, dû à la prolifération des cellules progestatives; en l'absence de fécondation, il régresse. L'ovaire libère un ovule tous les vingt-huit jours, de la puberté à la ménopause. Il sécrète les hormones sexuelles féminines : folliculine du premier au douzième jour du cycle et progestérone et folliculine jusqu'à la veille des règles. (V. GÉNITAL [*appareil*].)

Les ovaires peuvent être le siège de maladies organiques (inflammations, kystes, tumeurs) et de maladies fonctionnelles (hyper- ou hypofolliculinie).

L'ovaire des animaux a la même fonction que celui de notre espèce : l'élaboration des ovules*, ou gamètes femelles fécondables.

OVAIRE *(Bot.).* — Les botanistes ont imposé le terme d'*ovaire* pour désigner l'organe végétal creux situé au centre de la fleur et au sein duquel s'élaborent les graines. En fait, par ses fonctions à la fois protectrices et nutritives, par ses connexions avec l'embryon, par son ouverture finale lors du rejet des graines, cet « ovaire » exerce plutôt les fonctions d'un utérus. L'ovaire végétal constitue en effet la base d'une couronne de *carpelles* soudés entre eux et dont le sommet forme les autres parties du pistil*. Parfois, il est formé d'un seul carpelle soudé à lui-même par les bords (légumineuses, renonculacées). On nomme *placentation* la disposition des ovules végétaux (futures graines) à l'intérieur de l'ovaire : *axile* (sur l'axe) ou *pariétale* (sur la paroi). Lorsque l'ovaire fait saillie sur le réceptacle floral comme les autres pièces, on le dit *libre* ou *supère.* Lorsque, à l'inverse, la base de toutes les pièces florales adhère à sa paroi, de sorte qu'il paraît situé au-dessous de la fleur, on le dit *infère* ou *adhérent.* Enfin, l'ovaire peut être *monosperme* (une seule graine) ou *polysperme* (plusieurs graines). Dans toutes les espèces, il se transforme en fruit* après la fécondation des ovules.

OVERBECK (Friedrich) → NAZARÉENS.

OVERIJSE, comm. de Belgique (Brabant), au S.-E. de Bruxelles; 19 790 hab.

OVERIJSSEL, prov. de l'est des Pays-Bas; 3 806 km²; 967 000 hab. Ch.-l. *Zwolle.* L'élevage bovin est la ressource agricole essentielle, alors que l'industrie (textile, métallurgie de transformation) est surtout présente dans le sud-est (région de la Twente), fortement urbanisé (Deventer, Almelo, Hengelo et surtout Enschede).

ØVERLAND (Arnulf), écrivain norvégien (Kristiansund 1889 - Oslo 1968), poète de l'engagement politique aux côtés des marxistes (*Pain et vin,* 1919; *Front rouge,* 1937) et de la résistance au nazisme (*Nous survivrons à tout,* 1945; *les Minutes de la vie,* 1965).

OVERPELT, comm. de Belgique, dans le nord du Limbourg; 10 816 hab. Métallurgie.

OVIDE, en lat. **Publius Ovidius Naso,** poète latin (Sulmona 43 av. J.-C. - Tomes [auj. Constanța], Roumanie, 17/18 apr. J.-C.). Auteur favori de la société mondaine du début de l'Empire, qui apprécie ses œuvres légères *(les Amours, les Héroïdes, l'Art* d'aimer, les Fards)* et ses poèmes mythologiques *(les Métamorphoses*)* ou descriptifs *(les Fastes*),* il fut banni (8 apr. J.-C.) pour une raison restée mystérieuse et mourut en exil, malgré les supplications de ses dernières élégies *(les Tristes, les Pontiques).*

OVIEDO, v. du nord-ouest de l'Espagne, ch.-l. de la région des Asturies (prov. d'Oviedo); 154 000 hab. Remarquables édifices en pierre, voûtés, du temps du royaume asturien (IXe s.), à Santullano et sur le Monte Naranco (décors peints ou sculptés). Cathédrale de style gothique flamboyant avec chapelles des IXe et XIIe s. (trésor des rois asturiens). Autres monuments, du XVIe au XVIIIe s.

OVINS. — Cette sous-famille de bovidés comprend les mouflons et les moutons. Le groupe racial le plus important dérive, en race pure ou en croisement, des mérinos espagnols : son « aptitude laine » est très développée et son « aptitude viande » moyenne. Les races anglaises sont celles du type Longwool, très répandues dans le monde, sauf dans les régions productrices de laine, et les races Down, de très bonne conformation. Il existe aussi des races rustiques, surtout développées dans le bassin méditerranéen : certaines sont exploitées pour la production laitière et beaucoup de brebis de cette zone sont soumises à la traite. En Asie, parmi de nombreuses races rustiques, on peut citer le karakul, dont l'agneau, sacrifié à la naissance, donne l'astrakan, et des races très prolifiques, comme le romanov ou le finnois, qui donnent fréquemment naissance à trois et parfois à quatre agneaux.

Le troupeau ovin est de l'ordre du milliard de têtes, dont environ le cinquième en Océanie (145 M en Australie et 55 M en Nouvelle-Zélande). Le troupeau soviétique se situe approximativement au niveau de celui de l'Australie. L'élevage ovin est important sur le pourtour de la Méditerranée (Turquie, Espagne, Maroc et Algérie), beaucoup moins dans l'Europe du Nord-Ouest (Grande-Bretagne exceptée). Cette répartition s'explique par le développement prioritaire de l'élevage ovin dans les régions sèches, aux maigres pâturages, impropres aux cultures et même à l'élevage bovin, qui nécessite une couverture végétale plus dense.

OVIPOSITEUR → TARIÈRE.

OVOVIVIPARITÉ → VIVIPARITÉ.

OVULATION. — La survenue de l'ovulation est conditionnée par la mise en jeu du couple hypophyso-ovarien sous la dépendance d'influences cérébrales et hypothalamiques. L'ovulation survient vers le 14e jour du cycle œstral*. Il n'y a aucun signe précis pouvant l'indiquer; cependant, l'étude de la courbe thermique permet de déterminer sa date. L'absence d'ovulation peut être habituelle et relever de facteurs ovariens (agénésie) ou neurohypophysaires. Elle peut être occasionnelle, surtout à la puberté ou à la préménopause.

OVULE *(Bot.).* — Ce terme désigne la future graine*, c'est-à-dire un organe complexe, aisément visible à l'œil nu et sans aucun rapport avec un ovule de femme ou d'animal femelle. La masse principale de l'ovule végétal est le *nucelle,* aux fonctions nutritives. Relié aux parois de l'« ovaire » (futur fruit) par un *funicule,* entouré d'une ou de deux enveloppes qui laissent libre un orifice de fécondation, ou *micropyle,* l'ovule élabore un minuscule prothalle, généralement réduit à huit cellules, le *sac embryonnaire.* Dans la plupart des espèces de plantes à graines, deux de ces huit cellules copulent en formant un *noyau secondaire* diploïde. Trois autres s'isolent au pôle opposé au micropyle : ce sont les *antipodes.* Les trois dernières s'isolent face au micropyle, mais une seule, l'*oosphère,* sera fécondée (c'est cette cellule qui correspond à l'ovule du règne animal), les deux autres étant les *synergides.* Chose curieuse, le noyau secondaire, lui aussi, est fécondé, ce qui donne un embryon à 3 n chromosomes, inorganisé, l'albumen*.

OVULE *(Zool.).* — L'ovule est le gamète femelle fécondable, c'est-à-dire une cellule unique, généralement géante, mais ne contenant qu'un demi-noyau cellulaire (n chromosomes, formule « haploïde ») ou, tout au moins, sur le point d'éliminer la moitié de ses chromosomes par le processus de la méiose* (expulsion des « globules polaires »). La lignée germinale femelle se différencie de la lignée mâle par trois caractères : le *grand accroissement* de la cellule juste avant la méiose, l'*inégalité* des quatre cellules haploïdes issues de la méiose (un seul ovule et trois globules polaires), enfin l'*état quiescent* de l'ovule, qui peut demeurer longtemps sans changement dans un follicule de l'ovaire avant d'être rejeté et fécondé.

OWEN (Robert), théoricien socialiste britannique (Newtown 1771-*id.* 1858). Gallois d'origine modeste, il devient rapidement un riche manufacturier en Écosse et procède à des expériences philanthropiques en faveur de ses ouvriers. Dès lors, persuadé qu'il est possible de concilier un haut niveau de productivité avec le bien-être des salariés, il va développer une théorie assez utopique, qui doit conduire à une transformation radicale de la société; il s'efforce, malgré les échecs, de faire pénétrer ses conceptions dans les syndicats et les coopératives. Mais la science de la société qu'il affirme apporter ne promet le bonheur que dans la mesure où sera assuré un système de coopération générale et de propriété collective. S'il meurt oublié, Owen n'en est pas moins l'un des plus grands pionniers du socialisme*.

OWEN (*sir* Richard), naturaliste anglais (Lancaster 1804-Londres 1892). C'est par la chirurgie et l'anatomie qu'il a été conduit à l'anatomie comparée et à la paléontologie, sciences dans lesquelles il s'est illustré au point d'être surnommé « le Cuvier anglais ». Mais, à l'inverse de Cuvier, il était évolutionniste. Ses principaux travaux ont porté sur les dents des vertébrés, les fossiles d'Angleterre, la parthénogenèse, etc.

OWENDO, localité du Gabon, près de Libreville. Nouveau port minéralier.

OWENS (James CLEVELAND, dit **Jesse**), athlète américain (Decatur, Alabama, 1914). En 1935, en moins de trois heures, il bat cinq records du monde (dont celui de la longueur avec un bond de 8,13 m, qui ne sera dépassé qu'en 1960). L'année suivante, aux jeux Olympiques de Berlin, il remporte trois titres individuels (100 mètres, 200 mètres et saut en longueur) et contribue à la victoire du relais américain dans le 4 × 100 mètres.

OWEN SOUND, port du Canada (Ontario), sur la baie Géorgienne; 18 469 hab.

OXALIQUE (acide). — Découvert par Scheele en 1776, l'acide oxalique, $CO_2H—CO_2H$, est répandu sous forme d'oxalates de potassium et de calcium dans le règne vivant. On peut le préparer par oxydation de l'amidon ou de la cellulose, mais on le fabrique plutôt par synthèse à partir de l'acide formique. L'acide ordinaire est hydraté; c'est un solide incolore, qui fond vers 100 °C en se décomposant. Il possède deux fonctions acide, dont la première est assez forte. Il est réducteur et est oxydé en gaz carbonique par le permanganate. On l'emploie comme rongeant en teinture et dans la préparation de colorants.

OXENSTIERNA (Axel Gustavsson), homme d'État suédois (Fånö 1583-Stockholm 1654). Chancelier (1612), il est le bras droit de Gustave-Adolphe*, qu'il remplace au gouvernement pendant ses campagnes. Chef du Conseil de régence de Christine (1632), il réforme le royaume par la Constitution de 1634, qui divise le Riksdag en collèges; il crée le service des postes et l'université d'Åbo. Sa politique extérieure, prudente, lui permet d'obtenir pour la Suède, lors des traités de Westphalie*, la Poméranie occidentale et les bouches de l'Oder, avec Stettin et Brême.

OXFORD, v. d'Angleterre, sur la Tamise, la principale du *comté d'Oxford (Oxfordshire),* à l'O.-N.-O. de Londres; 109 000 hab. *(Oxoniens* ou *Oxfordiens).* Ville pittoresque avec ses nombreux collèges universitaires (certains remontant au XIIIe s.). Cathédrale romane et gothique. Bodleian Library (manuscrits enluminés). Ashmolean Museum, riche musée d'archéologie (Crète, etc.) et d'arts orientaux.

HISTOIRE. À l'origine de la ville est un village saxon *(Oxnaford)* qui, devenu bourg royal, prend de l'importance au XIIe s., quand Oxford devient un centre universitaire de renommée mondiale. C'est là que, le 11 juin 1258, le roi Henri III doit accepter un programme de réformes appelé « provisions ou statuts d'Oxford », qu'il annule d'ailleurs dès 1266. Au XIXe s., c'est de l'université d'Oxford que part le mouvement ritualiste dit « mouvement d'Oxford », qui porte des clergymen, presque tous professeurs à l'université, à rénover l'Église anglicane, ou Église établie. Ce mouvement, appelé encore « puseyisme », du nom de l'un de ses principaux animateurs, Edward Pusey (1800-1882), est principalement alimenté par John Keble (1792-1866) et par Newman*, dont les *Tracts for the Times* (1833-1841) — qui ont fait parfois appeler ce mouvement « mouvement tractarien » — contribuent à réveiller le sens critique et évangélique de nombreux intellectuels anglicans. La crise éclate en 1843; mais, alors que beaucoup de « tractariens » — dont Newman — passent à l'Église romaine, d'autres — dont Pusey et Keble — restent fidèles à l'Église anglicane rénovée.

OXHYDRIQUE (chalumeau). — Le chalumeau oxhydrique, dont la flamme bleuâtre atteint une température de 2 250 °C, a été imaginé par Drummond en 1820.

OXIME. — Les oximes d'aldéhydes, ou *aldoximes,* ont pour formule générale $RCH{=}NOH$, et les oximes de cétones, ou *cétoximes,* $RC({=}NOH)R'$. Ce sont des corps neutres, dont l'hydrogénation conduit à des amines.

OXONIUM. — Les ions oxonium résultent de l'addition d'un proton H^+ ou d'un cation organique R^+ avec un atome d'oxygène d'une molécule. Rarement isolables, les sels d'oxonium semblent jouer un rôle important comme formes transitoires dans de nombreuses réactions.

OXYDASE → ENZYME.

OXYDATION. — Au sens étroit, l'oxydation est la fixation d'oxygène sur un corps, et l'on nomme *réduction* la transformation inverse. Ces phénomènes sont généralement couplés en une *oxydoréduction.* Ainsi, le carbone réduit l'oxyde de cuivre à l'état de cuivre, en s'oxydant sous forme de gaz carbonique. Mais plusieurs éléments, tels que le chlore, le soufre, se comportent comme l'oxygène dans certaines réactions. On convient de dire, par exemple, que la combustion du sodium dans le chlore est une oxydation, au même titre que sa combustion dans l'oxygène. Cette réaction donne du chlorure de sodium, NaCl, dans lequel les atomes constitutifs sont sous forme d'ions Na^+ et Cl^-. L'oxydation du sodium est donc obtenue par enlèvement d'un électron, tandis que la réduction du chlore résulte de la fixation d'un électron. Cette manière de voir constitue une généralisation des notions d'oxydation et de réduction.

OXYDE. — Parmi les oxydes des corps simples, on peut citer l'eau, H_2O, les oxydes de métalloïdes, comme NO, P_2O_5, CO_2, et les oxydes métalliques, tels ZnO, Al_2O_3, PbO_2, etc. Parmi les oxydes de radicaux mentionnons les éthers-oxydes, comme $(C_2H_5)_2O$. Les oxydes de métalloïdes sont souvent des anhydrides d'acides, tandis que les oxydes métalliques sont plutôt basiques. Beaucoup d'oxydes peuvent être réduits à haute température par l'hydrogène ou le carbone, en libérant le métalloïde ou le métal.

Il existe un grand nombre d'oxydes dans la nature. Pour préparer artificiellement des oxydes, on peut combiner directement l'élément à l'oxygène ou décomposer par la chaleur un sel métallique oxygéné. Le grillage des sulfures produit aussi des oxydes métalliques.

OXYDORÉDUCTION → OXYDATION.

OXYGÈNE. — L'oxygène est l'élément chimique n° 8, de masse atomique O = 16. Il a été découvert par Priestley en 1772, par calcination du nitre. À partir de 1775, Lavoisier établit ses propriétés, montra qu'il existait dans l'air et dans l'eau, et indiqua son rôle dans les combustions et la respiration.

L'oxygène est un gaz incolore et inodore, de densité 1,105, qui ne se liquéfie qu'à −183 °C; il est peu soluble dans l'eau. Très électronégatif, il s'unit aux métalloïdes (à l'exception des halogènes) et aux métaux, sauf l'or et le platine. Ces combinaisons, qui dégagent en général de la chaleur, sont nommées « combustions* »; elles peuvent être vives ou lentes. Les composés formés d'éléments combustibles sont en général eux-mêmes combustibles, notamment les combinaisons d'hydrogène et de carbone. Leur combustion fournit de la vapeur d'eau et du gaz carbonique, mais, si l'oxygène est en quantité insuffisante, l'hydrogène brûle avant le carbone, dont une partie rend la flamme éclairante et se retrouve sous forme de noir de fumée. Il en est de même des composés du soufre, du phosphore, des métaux. De nombreux composés peuvent aussi subir une oxydation lente; grâce à certains ferments, l'ammoniac se transforme en oxydes de l'azote, et l'alcool en acide acétique. Enfin, la respiration produit une combustion lente des matières alimentaires dans les tissus vivants.

L'oxygène est l'élément le plus abondant du globe terrestre. Il forme environ le cinquième de l'air, les huit neuvièmes du poids de l'eau; il figure dans la plupart des constituants du sol (silicates, carbonates) et des substances organiques. Dans l'industrie, on le prépare, en même temps que l'azote, par distillation fractionnée de l'air liquide. L'oxygène est stocké gazeux dans des bouteilles d'acier, sous une pression de 120 atmosphères.

OXYGÉNÉE (eau) → EAU OXYGÉNÉE.

OXYGÉNOTHÉRAPIE. — L'oxygénothérapie est indiquée dans tous les cas d'anoxie (insuffisance respiratoire aiguë, collapsus). Elle est utilisée aussi au cours de l'anesthésie générale. On emploie des débits de 2 à 6 litres par minute, de façon discontinue ou continue. L'administration peut se faire par sonde nasale, par masque, par tente à oxygène, ou par chambre à oxygène; elle se fait parfois sous une pression supérieure à la pression atmosphérique (oxygénothérapie hyperbare).

OXYURE → VER.

ÔYAMA IULAO → RUSSO-JAPONAISE *(guerre)*.

OYAPOCK, fl. de l'Amérique du Sud, servant de frontière entre la Guyane française et le Brésil; env. 500 km.

OYASHIO, courant froid du Pacifique, issu de la mer de Béring et longeant, vers le S., le littoral oriental du Kamtchatka, des Kouriles, de Hokkaidō et du nord de Honshū.

OYAT. — C'est par des plantations d'oyats (ou gourbets) qu'a été réalisée la première étape de la fixation des dunes mobiles de la côte landaise. Cette graminacée des sables arides, aux longues feuilles enroulées, aux épis allongés, possède en effet de très longs rhizomes traçants, qui, en quelques années, constituent un réseau serré capable de retenir les sables.

OYO, v. du sud-ouest du Nigeria; 136 000 hab.

OYONNAX (01100), ch.-l. de cant. de l'Ain; 23 345 hab. *(Oyonnaxiens)*. Centre de l'industrie des matières plastiques. Lunetterie.

OZANAM (Frédéric), historien catholique français (Milan 1813-Marseille 1853). En 1833, il crée la Société de Saint-Vincent-de-Paul*, qui devient rapidement un foyer international d'action charitable. Professeur de littérature étrangère à la Sorbonne (1841), il approfondit les origines de la civilisation chrétienne en Europe. Profondément démocrate, il salue avec enthousiasme la IIe République et fonde avec Lacordaire le journal *l'Ère nouvelle* (1848), que les catholiques traditionalistes attaquent violemment et qui disparaît dès 1849.

OZENFANT (Amédée) → PURISME.

OZOIR-LA-FERRIÈRE (77330), comm. de Seine-et-Marne, à 10 km au N. de Brie-Comte-Robert; 11 789 hab. *(Ozoiriens)*. Golf.

OZONE. — L'ozone, de formule O_3, est un gaz bleu, d'odeur forte, de densité 1,66, qui se liquéfie à − 112 °C. Il peut se produire réversiblement vers 1 500 °C à partir d'oxygène O_2, mais, à froid, il est instable et tend à donner de l'oxygène. Cette instabilité explique son caractère oxydant. L'ozone oxyde à froid l'iode, le mercure, l'argent, les combinaisons de l'hydrogène et les matières organiques. Dans ces réactions, un seul des trois atomes est actif, les deux autres se dégageant à l'état d'oxygène ordinaire. D'autre part, la molécule d'ozone est fixée par les corps organiques non saturés, avec formation d'ozonides. On reconnaît et dose l'ozone par son action sur l'iodure de potassium.

L'ozone existe en petite quantité dans l'air. Il forme aussi vers 25 km d'altitude une couche (ozonosphère), produite par les radiations solaires ultraviolettes. Cette couche, qui, sous la pression atmosphérique normale, aurait une épaisseur de 2,5 mm, absorbe l'ultraviolet court, qui rendrait la vie impossible sur la Terre.

On prépare l'oxygène ozonisé, contenant au plus 10 p. 100 d'ozone, à l'aide d'un ozoniseur, dans lequel un courant d'oxygène est traversé par l'effluve électrique.

L'ozone est utilisé en raison de son pouvoir oxydant et bactéricide pour le renouvellement de l'air, la stérilisation des eaux, le blanchiment, etc.

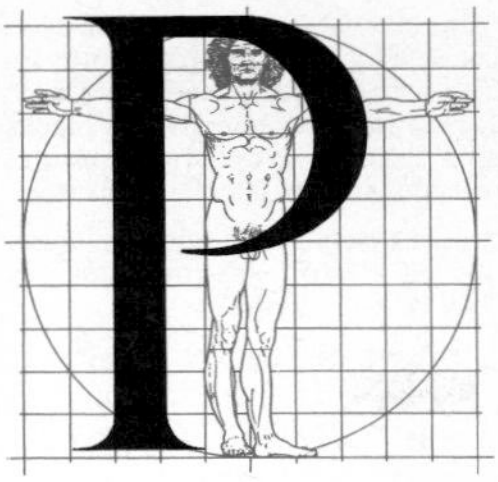

PABIANICE, v. de Pologne, au S.-O. de Łódź; 64 000 hab. Textile.

PABST (Georg Wilhelm), cinéaste allemand (Raudnitz [auj. Roudnice nad Labem], Bohême, 1885 - Vienne 1967). Il s'imposa, dès 1925, avec *la Rue sans joie,* comme l'un des meilleurs réalisateurs allemands. Il tourna successivement *l'Amour de Jeanne Ney* (1927), *Loulou* (1928), *le Journal d'une fille perdue* (1929), *Quatre de l'infanterie* (1930), *la Tragédie de la mine* (1931) et son œuvre la plus célèbre, *l'Opéra de quat' sous* (1931). Ses films ultérieurs eurent moins de force et d'inspiration : *l'Atlantide* (1932), *Don Quichotte* (1934), *Salonique, nid d'espions* (ou *Mademoiselle Docteur,* 1937), *Paracelsus* (1943) et *le Procès* (1947).

PACAUDIÈRE (La) [42310], ch.-l. de cant. de la Loire, à 24 km au N.-O. de Roanne; 1 279 hab.

PACEMAKER → STIMULATEUR CARDIAQUE.

Pacem in terris, encyclique du pape Jean XXIII, publiée le 11 avril 1963. Elle eut un immense retentissement parce que, rompant avec le style habituel des documents pontificaux, elle était un appel à « tous les hommes de bonne volonté » pour promouvoir une paix fondée sur la vérité, la justice, la charité et la liberté.

PACHECO (Francisco), peintre et théoricien espagnol (Sanlúcar de Barrameda 1564 - Séville 1644). Il passa la plus grande partie de sa vie à Séville, où son atelier devint le lieu de rencontre de l'élite artistique de la ville. Son art est d'un maniérisme assez sec, avec, dans le portrait, des recherches naturalistes. Il collabora avec Martínez Montañés et eut Velázquez pour élève et pour gendre.

PACHELBEL (Johann), compositeur et organiste allemand (Nuremberg 1653 - *id.* 1706). Successivement organiste à Vienne, Eisenach, Erfurt, Gotha, Nuremberg, il a laissé une abondante littérature pour son instrument (préludes, fugues, fantaisies, toccate, chorals figurés, partite variées, versets de *Magnificat*), qui vaut par la clarté de la polyphonie, la rigueur du discours, la place éminente donnée au contrepoint.

PACHER (Michael), peintre et sculpteur autrichien (Neustift?, près de Bruneck, v. 1435 - Salzbourg? 1498), un des plus grands artistes de la fin du Moyen Âge germanique. Les influences flamandes et surtout italiennes (maîtrise de la perspective, puissance du modelé) se conjuguent dans les volets, peints, de ses retables sculptés (celui du *Couronnement de la Vierge* à Sankt Wolfgang; celui de Brixen, incomplet, à la Pinacothèque de Munich).

PACHTO → IRANIEN.

PACHUCA DE SOTO, v. du Mexique, capit. de l'État d'Hidalgo, au N.-E. de Mexico; 84 000 hab.

PACIFIQUE *(océan),* la plus grande masse maritime du globe, comprise entre l'Amérique, l'Asie, l'Australie et l'Antarctique; 180 millions de km^2. Découvert en 1513 par l'Espagnol Balboa et traversé pour la première fois en 1520 par Magellan, le Pacifique couvre le tiers de la planète, représentant à lui seul la moitié de la superficie des océans, et atteint également les plus grandes profondeurs. De forme grossièrement circulaire, il est largement ouvert sur l'Antarctique, mais il communique, au nord, avec l'océan Arctique par l'étroit passage du détroit de Béring.

• *Les fonds.* Entouré par les chaînes récentes de la *ceinture de feu du Pacifique,* l'Océan est parcouru par un système de dorsales. La dorsale du Sud-Est pacifique prolonge, par l'intermédiaire de la dorsale pacifico-antarctique, celle de l'océan Indien, et disparaît au niveau de la Californie. Elle émerge parfois en îles et c'est à la hauteur de Juan Fernández que l'atteint la dorsale du Chili, qui rejoint la côte sud de l'Amérique. Ces dorsales, souvent accidentées par de grandes failles transversales, divisent le Pacifique en trois ensembles. Le bassin pacifico-antarctique, au sud, et les bassins chilien et péruvien, à l'est, limités par une série de fosses en contrebas des Andes, sont de dimensions modestes. Le troisième ensemble, correspondant à la plaque pacifique, comprend une série de bassins limités par des seuils. Il est bordé, à l'ouest, par des guirlandes d'îles (Aléoutiennes, Kouriles, Japon, Mariannes, Philippines, Salomon, Tonga, Kermadec), arcs insulaires dominant de profondes fosses (− 10 542 m à la fosse des Kouriles; − 11 022 m à la fosse des Mariannes). Ces arcs isolent des mers marginales en bordure de l'Australie et de la façade orientale du continent asiatique (mers de Corail, de Banda, de Chine, du Japon, d'Okhotsk et de Béring). Sur les fonds océaniques, toujours constitués de basaltes couverts de sédiments, s'alignent parfois de grands édifices volcaniques, tantôt aux sommets tronqués (guyots), tantôt émergeant en îles (Hawaii, Marquises, Marshall, etc.), souvent couronnés de constructions coralliennes (atolls).

La présence des fosses océaniques périphériques, en contrebas de la ceinture de feu, s'explique par la théorie des plaques*. Selon elle, le plancher océanique du Pacifique est en expansion à partir des dorsales; à la périphérie, il plonge, à l'est, sous la plaque américaine et, à l'ouest, sous les plaques eurasiatique et indo-australienne, déterminant la formation de ces fosses. Ce plongement provoque le rebroussement des plaques supérieures, responsable de la formation des chaînes péripacifiques, qui s'accompagne d'une activité volcanique et séismique intense, expliquant la fréquence des raz-de-marée dans l'Océan.

• *Les eaux.* La taille du bassin Pacifique y explique la simplicité relative des courants marins. Les courants nord- et sud-équatorial s'écoulent de l'est vers l'ouest, déterminant l'existence de courants chauds le long des façades orientales des continents, compensés par des courants froids descendant vers l'équateur le long des façades occidentales. Ces courants chauds se heurtent, aux hautes latitudes, aux eaux froides issues des régions polaires. Ce phénomène est particulièrement net dans l'hémisphère Nord où le Kuroshio, chaud, se heurte à l'Oyashio, froid, au large du Japon.

Dans l'ensemble, la salinité des eaux est peu élevée. Les valeurs maximales ne dépassent jamais 36,5 p. 1 000. Les températures des eaux de surface se disposent zonalement, augmentant des pôles vers les tropiques. La chaleur des eaux de la zone intertropicale y permet la prolifération des coraux, qui forment des îles (atolls) ou des barrières en bordure des continents. Mais les eaux les plus poissonneuses se situent aux latitudes tempérées où le brassage par les courants assure une excellente oxygénation.

Pacifique *(campagnes du)* [*1941-1945*] → GUERRE MONDIALE *(Seconde).*

Pacifique *(Centre d'expérimentation du),* organisme créé en 1962 pour remplacer les sites sahariens de Reggane et d'In-Eker, et qui a été installé en 1964 et 1965. Il comprend une base arrière à Papeete (Tahiti), une base avant à Hao (900 km plus à l'est) et deux sites de tir dans les îles de Mururoa et de Fangataufa, au sud-est de Hao. De 1966 à 1976, le Centre a réalisé quarante-six explosions, dont celle de la première bombe thermonucléaire française en 1968. Après la protestation de plusieurs pays américains (notamment le Pérou), de l'Australie et de la Nouvelle-Zélande, la France décidait, en 1974, de ne plus procéder qu'à des explosions souterraines.

PACINOTTI (Antonio), physicien italien (Pise 1841 - *id.* 1912). En 1864, il eut l'idée de donner la forme d'un anneau à l'induit des machines électriques et il montra que celles-ci pouvaient servir de moteurs.

PACKARD (Vance), journaliste et sociologue américain (Granville Summit 1914). Il a consacré plusieurs ouvrages à dénoncer la société contemporaine, notamment le conditionnement des masses par les media, les portant à des consommations artificielles au seul avantage de l'instrument de production (*les Obsédés du standing,* 1959; *le Sexe sauvage,* 1968).

PACÔME *(saint),* fondateur du cénobitisme égyptien (v. 292-346). Issu d'une famille païenne, il se convertit au christianisme après un court passage dans l'armée. Gagné à l'ascétisme, il fonde, v. 325, le premier monastère en Thébaïde*, puis huit autres couvents placés sous son autorité. La règle de saint Pacôme, traduite en latin par saint Jérôme, sera une des sources du monachisme* occidental.

PACTOLE, rivière de Lydie qui roulait, selon les anciens auteurs, des paillettes d'or. Dans la vallée du Pactole se trouvaient des mines d'or qui firent la fortune des rois de Lydie*.

PACY-SUR-EURE (27120), ch.-l. de cant. de l'Eure, à 18 km à l'E. d'Évreux; 3554 hab. Église gothique.

PADANG, port d'Indonésie, sur la côte ouest de Sumatra; 196000 hab.

PADERBORN, v. de l'Allemagne fédérale, dans l'est de la Rhénanie-du-Nord-Westphalie; 58000 hab. Chapelle Saint-Barthélemy, du XIe s., à coupoles byzantines. Importante cathédrale reconstruite au XIIIe s., église-halle à traits poitevins conservant une puissante tour du XIe s. Constructions mécaniques.

PADEREWSKI (Ignacy), compositeur, pianiste et homme politique polonais (Kuryłówka, Podolie, 1860 - New York 1941). Pianiste de notoriété internationale, il milite pour l'indépendance de la Pologne. Devenu président du Conseil de la République polonaise et ministre des Affaires étrangères (janv.-nov. 1919), il participe à la signature du traité de Versailles. En 1940, il accepte de présider le gouvernement polonais en exil.

PADIRAC (46500 Gramat), comm. du Lot, sur le causse de Gramat, à 11 km au N.-E. de Rocamadour; 162 hab. Le *gouffre de Padirac,* grand site touristique, exploré par Martel, est profond de 75 m et conduit à un cours d'eau souterrain, la *rivière de Padirac.*

PADMA (la), principal bras du delta du Gange; env. 300 km.

PADOUE, en ital. **Padova,** v. d'Italie, en Vénétie, ch.-l. de prov., à l'O. de Venise; 234000 hab. *(Padouans).* Université.

HISTOIRE. Padoue devint, sous la domination romaine, une cité prospère. Constituée en commune au XIe s., elle lutta contre Vérone et Venise, puis entra dans la Ligue lombarde (1167). Soumise à la maison d'Este, puis aux Carrara (1318-1405), elle fut annexée par Venise (1405). À la chute de Venise, elle fit partie de la république Cisalpine, puis du royaume d'Italie et subit, de 1815 à 1866, la domination autrichienne, avant d'entrer dans le nouveau royaume d'Italie.

BEAUX-ARTS. La ville a plusieurs fois joué un rôle créateur et servi de relais entre la Toscane et l'Italie du Nord. Importants monuments, dont : la basilique à coupole du Santo (XIIIe s.; bronzes de Donatello; fresques d'Avanzo et Altichiero, 1380), devant laquelle se dresse la statue du Gattamelata de Donatello; la cathédrale, avec un baptistère du XIIIe s.; la chapelle de l'Arena et l'église des Eremitani, célèbres l'une pour ses fresques de Giotto, l'autre, jadis, pour celles de Mantegna*; le palazzo della Ragione (XIIe-XIVe s.). Près du Santo, scuola del Santo (fresques de la vie de saint Antoine, notamment de Titien, 1511) et musée municipal (antiquités, peinture italienne).

Padoue *(école de),* humanistes padouans de la fin du XVe s. et du début du XVIe s. Rivale de l'école de Florence*, l'école de Padoue est influencée par l'aristotélisme et l'averroïsme*. Volontiers polémiques, incisifs dans les domaines social et religieux, les membres de l'école de Padoue, tel Pomponazzi, soutiennent la thèse de l'immortalité de l'âme et critiquent les miracles et les croyances des chrétiens.

PADUCAH, v. des États-Unis (Kentucky), au confluent de l'Ohio et du Tennessee; 32000 hab. Traitement de l'uranium.

PAER (Ferdinando), compositeur italien (Parme 1771 - Paris 1839). Après des débuts à Parme, à Venise et à Vienne, qui lui permettent de donner sa mesure dans l'opéra, il reçoit à Paris la direction de la chapelle impériale, du Théâtre-Italien, puis (1832) de la musique du roi. Il doit une partie de sa renommée à sa pièce *le Maître de chapelle ou le Souper imprévu* (1821).

PAESIELLO (Giovanni) → PAISIELLO.

PAESTUM, fraction de la commune de Capaccio, en Italie (prov. de Salerne), sur la côte Tyrrhénienne, à une centaine de kilomètres au S. de Naples. Colonie de Sybaris fondée au cours du VIIe s. av. J.-C., l'antique *Poseidônia* tomba sous la domination des Lucaniens (fin Ve s.), qui lui donnèrent le nom dont les Romains feront *Paestum.* Elle devint en 273 av. J.-C. colonie latine. Ses monuments, construits entre le milieu du VIe et le milieu du Ve s. av. J.-C., représentent les plus belles réalisations de l'architecture religieuse de l'époque classique et la perfection de l'ordre dorique : temples d'Héra II et d'Héra I, dit « la basilique »; agora; imposante enceinte. Intéressant musée abritant notamment certaines tombes, récemment découvertes et reconstituées, ornées de fresques des Ve et IVe s. av. J.-C.

PAÉZ (José Antonio), homme politique vénézuélien (Acarigua 1790 - New York 1873). S'étant proclamé dictateur (1826), il fut à l'origine de l'indépendance effective du Venezuela* (1830). Par la suite, il occupa trois fois le poste de la présidence de la République (1831-1835, 1839-1843, 1861-1863).

PAGALU *(île),* anc. **Annobón,** petite (17 km^2) île du golfe de Guinée, partie de la Guinée-Équatoriale.

PAGAN, site de Birmanie, sur le cours moyen de l'Irrawaddy, abritant l'ancienne capitale du royaume (XIe-XIIIe s.), fondée selon les chroniques en 108. Pagan compte des milliers de monuments essentiellement bouddhiques. La diversité des influences (Môns, Pyus, de Bodh-Gayā*) est à la base de l'originalité de l'art de Pagan, dont les stūpa (dits « pagodes ») les plus importants sont élevés entre le XIe et le XIIIe s. Le décor — pierre sculptée ou terre cuite souvent émaillée ou dorée — est très sobre. La statuaire est marquée par la tradition indienne pāla. (V. NALANDA.)

PAGANINI (Niccolò), violoniste et compositeur italien (Gênes 1782 - Nice 1840). Ses *Caprices* et ses concertos pour violon témoignent de son génie à exploiter les ressources techniques de l'instrument dont il fut l'un des plus grands virtuoses.

PAGET (*sir* James), chirurgien anglais (Yarmouth 1814 - Londres 1899) qui décrivit une maladie osseuse et un type de cancer du sein qui portent son nom.

PAGINATION *(Inform.).* — La mémoire* centrale d'un ordinateur* est souvent organisée en pages de quelques milliers d'octets* chacune. La technique de pagination permet de découpler, au niveau de la page, la valeur des adresses* utilisées dans les programmes (adresses virtuelles) de la valeur des adresses réelles des cellules de la mémoire où le programme* est implanté. Des tables et des automatismes de l'unité centrale gèrent cette correspondance entre les adresses (ou pages) virtuelles et les adresses (ou pages) réelles. Les pages d'un programme sont stockées sur disques*. Seules sont amenées en mémoire centrale les pages strictement indispensables à l'exécution du programme au point où il en est arrivé; elles peuvent être implantées n'importe où dans la mémoire. Cette technique permet d'utiliser au mieux la mémoire centrale : elle évite de l'encombrer par des informations inutiles; de plus, elle élimine la nécessité de mettre les informations à une place déterminée dès l'origine de l'écriture du programme et qui ne peut qu'entrer en conflit avec l'environnement pratique, toujours renouvelé au moment de l'exécution d'un programme.

PAGNOL (Marcel), écrivain et cinéaste français (Aubagne 1895 - Paris 1974), auteur de comédies *(Topaze, Marius),* de films (*César, Angèle,* etc.) et de souvenirs d'enfance *(la Gloire de mon père, le Château de ma mère, le Temps des secrets, le Temps des amours),* à l'inspiration attendrie et satirique.

PAGURE. — Le groupe des pagures, ou bernard-l'ermite, rassemble des crustacés décapodes à l'abdomen mou et incurvé, qui ne peuvent vivre qu'en abritant leur corps dans une coquille de gastropode de taille convenable. Même l'avant du corps est dissymétrique (une grande pince et une petite). Nombreux sont les commensaux qui s'installent sur la coquille du pagure pour profiter des restes de ses repas : anémones de mer, éponges, annélides, etc.

PAGUS. — Formant à l'époque gallo-romaine la division rurale de la cité, le pagus prit une importance essentielle à l'époque carolingienne. Il désigna alors une circonscription territoriale, aux limites souvent calquées sur celles des circonscriptions ecclésiastiques (évêchés, archidiaconés), et gouvernée par le comte *(comes),* agent de l'autorité royale (la Gaule carolingienne fut divisée en 300 pagi). Le pagus, d'où sortit le comté *(comitatus),* se disloqua aux Xe-XIe s., au profit des seigneuries châtelaines.

PAHANG, État de la Malaysia (Malaisie), sur la mer de Chine méridionale; 503000 hab. Capit. *Kuantan.*

PAHLAVI → PERSE.

PAHLAVI, dynastie régnante d'Iran*. Elle fut fondée, en 1926, par **Rezā chāh** (Sevād Kūh, Māzandarān, 1878 - Johannesburg 1944). Colonel du régiment iranien des cosaques, Rezā khān dirige le coup d'État de 1921, qui renverse le gouvernement anglophile du dernier chāh qādjār* (qui sera déposé en 1925). Devenu chāh d'Iran (1926-1941), il institue un régime centralisé et s'attache à la modernisation et à l'occidentalisation de l'armée, de l'économie et de la société. Sa politique d'indépendance nationale est battue en brèche par l'entrée en Iran des troupes britanniques et soviétiques (août 1941), qui provoque son abdication en faveur de son fils. Ce dernier, **Muḥammad Rezā** (Téhéran, 1919), règne depuis lors sur l'Iran. Il entre en conflit avec Mossadegh* et doit quitter l'Iran pendant quelques jours, en août 1953, lors du soulèvement populaire fomenté par celui-ci. Le nouveau régime d'exploitation du pétrole lui fournit les fonds nécessaires à la mise en valeur du pays, qu'il veut transformer par les réformes de la « révolution blanche » (1962-63).

Paillasse, personnage de farce de l'ancien théâtre napolitain. En France, bouffon des théâtres forains.

PAILLE. — Désignés sous le nom de « pailles », les résidus des plantes herbacées cultivées pour leurs graines constituent une source abondante de matière organique, susceptible de rendre de grands services en période de disette. La majorité des pailles est constituée par celle des céréales : si les pailles d'avoine et d'orge ont la valeur alimentaire la plus élevée, les pailles de blé, de seigle et de maïs sont justiciables de traitements préalables (hachage, macération) avant leur consommation par les animaux.

PAIMBŒUF (44560), ch.-l. de cant. de la Loire-Atlantique, sur la rive sud de l'estuaire de la Loire, en face de Donges; 3 690 hab. Hôpital du XVIIe s. Engrais.

PAIMPOL (22500), ch.-l. de cant. des Côtes-du-Nord, sur la *baie de Paimpol,* à 46 km au N.-O. de Saint-Brieuc; 8 498 hab. *(Paimpolais).* Port de pêche et centre touristique. École nationale de la navigation.

PAIMPONT *(forêt de),* forêt de Bretagne, aux confins de l'Ille-et-Vilaine et du Morbihan, couvrant plus de 6 000 ha. — C'est sans doute la forêt connue sous le nom de *Brocéliande.*

PAIN. — Il existe encore de nombreuses variétés de pain, dont la forme et la structure ont été mises au point en fonction des cultures céréalières locales et du goût du consommateur. Fabrications ménagères ou artisanales subsistent, mais des techniques industrielles se sont implantées dans les pays évolués et mettent en œuvre des procédés de fabrication de plus en plus mécanisés (travail en continu).

La transformation de la farine en pain consiste à fabriquer une pâte, en incorporant à la farine de l'eau (environ 60 g d'eau pour 100 g de farine) et divers ingrédients : 2 p. 100 de sel, pour des raisons gustatives; 1 p. 100 environ de levure.

Les levures sont des micro-organismes qui, en anaérobiose (milieu privé d'air), se nourrissent aux dépens de sucres fermentescibles contenus dans la farine (1 p. 100 environ) ou formés au cours de la fabrication par transformation partielle de l'amidon de la farine. Elles sont les agents de la « fermentation panaire », qui produit du gaz carbonique, provoque la levée de la pâte par formation de petites cavités. La pâte doit être suffisamment élastique pour que ces cavités (de dimensions plus grandes en France que dans les pays anglo-saxons) se forment, suffisamment ferme pour qu'elles subsistent et suffisamment imperméable pour que le gaz carbonique ne s'échappe pas. Élasticité, fermeté et imperméabilité dépendent des propriétés plastiques de la farine, et, en définitive, de la valeur boulangère des grains, qui est différente suivant les variétés de blé. Pendant longtemps, les levures ont été apportées dans les fabrications au moyen de levains empiriques (mélange de différentes espèces de micro-organismes). La fabrication de pain au levain nécessite une multiplication de ces microbes en trois opérations, effectuées à plusieurs heures d'intervalle. On a remplacé les levains empiriques fabriqués à la boulangerie par des levures sélectionnées, multipliées industriellement.

Pour fabriquer le pain, on commence par pétrir (opération du pétrissage) les ingrédients nécessaires : farine, eau, sel, levure. La pâte obtenue subit une première fermentation en cuve; puis elle est fractionnée et mise en forme, subit une deuxième fermentation, puis une cuisson dans des fours à une température de 250 °C, pendant 15 à 20 minutes. Le chauffage direct des fours au moyen de bois est remplacé dans les boulangeries industrielles par un chauffage indirect au mazout. Après cuisson, les pains sont sortis du four et refroidis (ressuage) avant d'être mis en vente.

PAIN DE SUCRE, en portug. **Pão de Açúcar,** relief granitique à l'entrée de la baie de Guanabara, à Rio de Janeiro.

PAINE (Thomas), publiciste et homme politique américain d'origine anglaise (Thetford 1737 - New York 1809). Quaker émigré aux États-Unis (1774), il prend parti pour les *insurgents* contre l'Angleterre, publiant, en 1776, *Common Sense,* dont l'immense succès renforce le parti de l'indépendance. Gagné aux idées de la Révolution française, et revenu en Angleterre, il exprime son enthousiasme dans *The Rights of Man* (1791-92). Réfugié en France (1792), il reçoit la citoyenneté française et un siège à la Convention. Mais mal vu, pour son déisme, par les Jacobins, il retourne aux États-Unis.

PAINLEVÉ (Paul), homme politique et mathématicien français (Paris 1863 - *id.* 1933). Spécialiste de l'analyse et de la mécanique, il étudia plus particulièrement le frottement. Grand théoricien de l'aviation, il fut le premier passager de Wilbur Wright au-dessus du camp d'Auvours (1908), puis, peu après, celui d'Henri Farman à Mourmelon. En 1910, il obtint le vote du premier crédit pour l'aviation. Député républicain socialiste, il dirigea les ministères de l'Instruction publique (1915-16) et de la Guerre (1917), puis devint président du Conseil (sept.-nov. 1917), tout en conservant le ministère de la Guerre. Fondateur du Cartel* des gauches, Painlevé fut élu président de la Chambre des députés (1924-25) et retrouva la présidence du Conseil (avr.-nov. 1925). De nouveau ministre de la Guerre (1925-1929), il accomplit plusieurs réformes dans l'armée française, fit voter la loi sur le service militaire d'un an (1928) et prit les premières décisions concernant la ligne Maginot. Il fut ensuite ministre de l'Air (1930-31; 1932-33).

PAINLEVÉ (Jean), cinéaste français (Paris 1902), fils du précédent. Docteur en médecine, il se spécialisa, à partir de 1928, dans le cinéma documentaire de vulgarisation zoologique, biologique et médicale. Il fonda, en 1930, l'Institut de cinéma scientifique.

PAÏOLIVE *(bois* ou *rochers de),* site touristique du sud-ouest du départ. de l'Ardèche, formé par un labyrinthe creusé dans les calcaires de l'extrémité méridionale des Cévennes.

PAIRIE. — L'institution de la pairie trouve ses racines dans la société féodale, où les pairs étaient les vassaux d'un même seigneur, assujettis au devoir de former sa cour et de le conseiller. C'est à partir du XIIIe s. (1216) qu'est clairement attestée l'existence, dans l'entourage du roi, de douze pairs (six laïques, six ecclésiastiques), dont l'une des principales missions était de juger les grands du royaume. Devenues très vite purement honorifiques, les pairies, généralement attachées aux titres de prince et de duc, étaient près d'une cinquantaine au XVIIIe s. La Révolution les supprima; la Restauration rétablit la pairie à vie (1814), puis héréditaire (1815), et l'assemblée des pairs joua le rôle de Chambre haute. L'hérédité fut supprimée en 1831 et les pairs de la monarchie de Juillet furent surtout recrutés dans la bourgeoisie d'affaires.

PAISIELLO ou **PAESIELLO** (Giovanni), compositeur italien (Tarente 1740 - Naples 1816). Sa carrière internationale le conduisit quelque temps au service de Catherine II de Russie, puis à Paris comme maître de musique du Premier consul. Il écrivit des opéras pour les grandes scènes lyriques *(Nina ou la Folle par amour).*

PAIN. Schéma de fabrication.

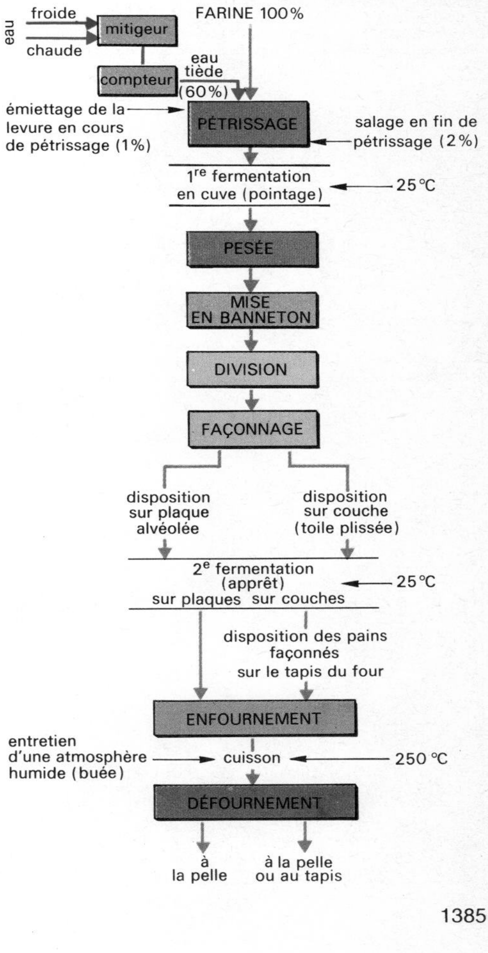

PAISLEY, v. d'Écosse, ch.-l. du comté de Renfrew; 95 000 hab. Aéroport de Glasgow.

PAIX *(rivière de la),* en angl. **Peace River,** riv. de l'ouest du Canada, affl. de la rivière de l'Esclave (r. g.); 1 700 km. Aménagement hydroélectrique.

Paix *(la),* comédie d'Aristophane (421 av. J.-C.), qui prend parti contre la guerre, au moment où les négociations entre Sparte et Athènes, qui devaient aboutir à la « paix de Nicias », étaient menacées d'échec.

PAJOU (Augustin), sculpteur français (Paris 1730 - *id.* 1809). Élève de J.-B. Lemoyne, prix de Rome (1748), sculpteur attitré de Mme du Barry, il participe à des entreprises décoratives (Opéra de Versailles), accumule honneurs et charges officielles sous deux règnes et au-delà. Il est bon portraitiste et perpétue, jusqu'à une date tardive, la grâce classique du milieu du siècle (*Psyché abandonnée,* marbre de 1790, Louvre).

PA KIN ou **BA JIN,** écrivain chinois (Tch'eng-tou, Sseu-tch'ouan, 1905). Ses romans peignent les conflits de génération et les transformations sociales de la Chine à travers les guerres et la révolution (*le Torrent,* 1930-1932; *Famille,* 1931; *le Feu,* 1938-1943; *la Nuit froide,* 1947).

PĀKISTĀN, État de l'Asie; 803 900 km^2; 64 892 000 hab. *(Pakistanais).* Capit. *Islāmābād.*

GÉOGRAPHIE

• *Le milieu naturel.* Le pays est axé sur la vaste plaine alluviale de l'Indus et de ses affluents, ouverte sur la mer d'Oman, et qui se relève, au nord, dans le piémont himalayen, région de plateaux détritiques (Potwar, Pendjab) disséqués par les cours d'eau, dominée par les hauts sommets de la terminaison occidentale de l'Himālaya et du Karakorum. À l'ouest, le sillon de l'Indus est bordé par une série de chaînes parallèles, aux altitudes plus modestes, percées de larges cols et flanquées du lourd plateau du Baloutchistan. Le climat est marqué par l'aridité, l'influence de la mousson étant très atténuée. À l'exception du versant himalayen, l'ensemble du pays ne reçoit guère plus de 500 mm de pluies par an (moins de 100 mm dans le désert de Thar), et la steppe constitue la végétation naturelle prédominante.

PĀKISTĀN

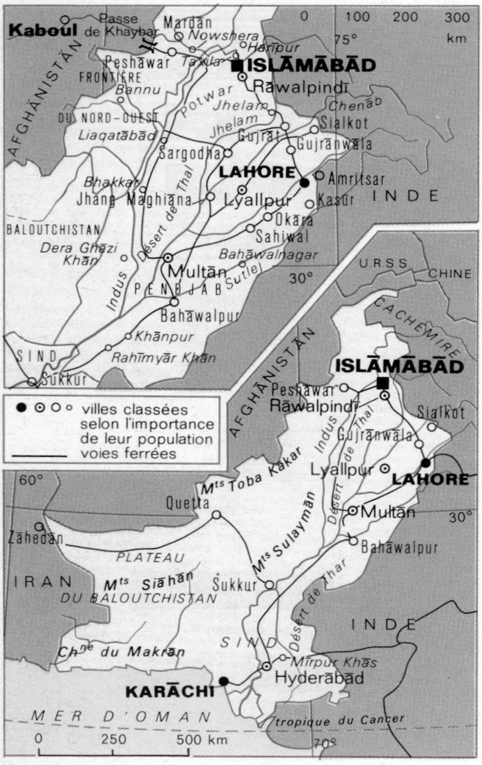

• *La population.* Islamisée, elle se concentre dans la plaine de l'Indus, partie vitale du pays. La densité y dépasse parfois 500 habitants au kilomètre carré, contrastant avec celle des montagnes périphériques, rarement supérieure à 10 habitants au kilomètre carré. L'accroissement naturel très rapide (au moins 3 p. 100 par an) fait peser une menace de surpeuplement dans certains secteurs. Le taux d'urbanisation est faible puisque les trois quarts au moins des habitants résident encore à la campagne. Cependant, le réseau urbain, en partie hérité de l'administration coloniale, se développe rapidement, parallèlement à l'industrialisation. Le pays compte une vingtaine de villes de plus de 100 000 habitants, dont Karāchi, Lahore, Lyallpur, Hyderābād, Rāwalpindī et Multān, qui sont les plus peuplées.

• *La vie économique.* L'agriculture occupe la majeure partie de la population. Dans les montagnes, elle se concentre dans les oasis, les pentes étant parcourues par les troupeaux. Mais l'essentiel des ressources vient de la plaine de l'Indus, mise en valeur par l'irrigation, grâce à des barrages créés sous l'administration britannique, surtout dans le Pendjab et le Sind. L'irrigation permet deux récoltes par an : en hiver, la culture *rabi* (blé, orge); en été, la culture *kharīf* (riz au sud, maïs au nord, millet). Le coton et la canne à sucre constituent les principaux produits d'exportation.

Le développement industriel a profité de l'énergie hydroélectrique fournie par les barrages et du gaz naturel du Baloutchistan. Le sous-sol recèle également du charbon, du chrome et du sel gemme. Les usines modernes d'industries chimiques, mécaniques, textiles remplacent peu à peu l'artisanat traditionnel, encore notable. Cependant, l'économie demeure fragile, car elle repose en grande partie sur les échanges avec l'extérieur. Le pays a aussi souffert de la séparation du Bangladesh.

HISTOIRE. Muḥammad ʿAlī Jinnah (1876-1948), qui, avec la Ligue musulmane, lutte aux côtés du parti du Congrès indien contre la domination britannique, réclame, à partir de 1940, la création de l'État islamique du Pākistān, séparé de l'Inde et regroupant les musulmans du sous-continent indien. Le principe de la partition est accepté par le parti du Congrès et la Ligue musulmane en 1947 : le Pākistān indépendant sera formé des provinces, à majorité musulmane, du Bengale oriental, du Sind et du Baloutchistan, les États princiers étant libres de leur choix. Deux d'entre eux, Hyderābād et le Cachemire*, ayant remis en cause le principe de la partition, sont annexés par l'Inde, annexion que refuse de reconnaître le Pākistān.

La création du nouvel État, divisé en deux parties distantes de 1 700 km, s'accompagne d'un important mouvement de population, cause d'émeutes raciales et d'un important marasme économique. Cependant est élue une Assemblée constituante (1947-1954), dominée par la Ligue musulmane et présidée par ʿAlī Jinnah, « le père de la nation », qui est aussi le premier gouverneur général du Pākistān. À sa mort (1948), Liaqat ʿAlī khān, Premier ministre et président de la Ligue musulmane, lui succède à la tête de l'Assemblée, le gouvernement général passant à Khawaja Nazimuddin, puis, en 1955, à Iskander Mīrzā (1899-1959). Après l'assassinat d'ʿAlī khān, en 1951, la Ligue musulmane se divise, la ligue du Pākistān oriental préconisant l'autonomie régionale.

Doté, le 29 février 1956, d'une Constitution, le Pākistān, république islamique, forme une fédération de deux provinces, également représentées à l'Assemblée fédérale. Le premier président de la République est Iskander Mīrzā : celui-ci, face aux troubles favorisés par une situation économique désastreuse, abroge la Constitution dès 1958 et proclame la loi martiale. Mais, presque aussitôt, il est renversé par le général Ayyūb* khān qui, devenu président de la République, applique une réforme agraire (1959) : celle-ci permet une réorganisation totale de l'agriculture et protège les petits paysans. La vie politique s'organise grâce à un programme de « démocraties de base » (1960). En 1962, une nouvelle Constitution, de type présidentiel, remplace celle de 1956, de type fédéral.

Cependant, le problème du Cachemire reste une source de tensions entre l'Inde et le Pākistān : en 1965, une courte guerre oppose les deux pays, sans régler le problème. Ce conflit contribue à renforcer l'impression d'isolement des populations du Bengale (Pākistān oriental), où la ligue Awami, qui réclame l'autonomie régionale, trouve un chef actif en la personne du cheikh Mujibur Rahman. D'autre part, les mécontentements du Pākistān occidental sont tels qu'Ayyūb khān démissionne (25 mars 1969) et remet ses pouvoirs au chef de l'armée, le général Yaḥyā khān, qui abroge la Constitution, remplacée par une autre, de type fédéral. Mais, fort de l'appui de la population bengalie, Mujibur Rahman refuse (1971) de participer à la mise en place d'une Constitution qui ne tient pas compte de l'autonomie du Pākistān oriental. Alors Yaḥyā khān rétablit la loi martiale, met hors la loi la ligue Awami et fait arrêter Mujibur Rahman (mars 1971). La résistance bengalie s'organise; un gouvernement provisoire bengali se forme en Inde; le 17 avril 1971, la république du Bangladesh* est proclamée, mais l'armée pakistanaise tient le pays, d'où s'enfuient des millions de réfugiés. Le

3 décembre 1971, un conflit armé éclate entre l'Inde et le Pākistān : les troupes pakistanaises sont vite débordées; dès le 16 décembre, les troupes indiennes sont à Dacca. Le successeur de Yahyā khān, Ali Bhutto, président de la République de 1971 à 1973, rencontre alors Indira Gāndhī (juin 1972) : l'indépendance du Bangladesh est confirmée.

Privé de sa partie orientale, le Pākistān est doté, par A. Bhutto, le 20 octobre 1972, d'une Constitution qui donne d'importants pouvoirs au Premier ministre. Remplacé par Chaudhri Fazal Elahi à la présidence de la République, A. Bhutto devient Premier ministre en 1973 et doit faire face à une situation économique grave et à des troubles sociaux liés à la partition du Bangladesh et à la montée de l'opposition. À l'extérieur, A. Bhutto règle le contentieux avec l'Inde, reconnaît l'indépendance du Bangladesh (1974) et resserre ses liens avec les pays musulmans, la Chine et les États-Unis. Mais, en juillet 1977, il est renversé par un coup d'État militaire, dirigé par le général Zia Ul Haq.

PĀKISTĀN ORIENTAL → BANGLADESH.

PALACKÝ (František), historien et homme politique tchèque (Hodslavice 1798-Prague 1876). À la tête de la société d'édition «la Ruche», il eut un rôle essentiel dans le réveil national tchèque, en particulier avec la publication de son *Histoire de la Bohême* (5 vol., 1836-1867). Président du congrès panslave de Prague (juin 1848), il se fit le partisan de l'autonomie de la Bohême dans un Empire autrichien où les Slaves joueraient un rôle prédominant.

PALADRU (38137), comm. de l'Isère, sur le *lac de Paladru* (390 ha), à 21 km au S.-E. de la Tour-du-Pin; 503 hab. Centre touristique.

PALAIS *(Anat.)* → BOUCHE.

PALAIS (Le) [56360], ch.-l. de cant. du Morbihan, sur la côte est de Belle-Île; 2649 hab. Anc. citadelle des XVIe-XVIIe s.

PALAISEAU (91120), ch.-l. d'arr. de l'Essonne, sur l'Yvette, à 20 km au S.-S.-O. de Paris; 28294 hab. *(Palaisiens).*

Palais idéal *(le)*, monument échappant aux normes traditionnelles du goût, opiniâtrement élaboré de 1879 à 1912, à Hauterives (Drôme), par le facteur des Postes Ferdinand Cheval (1836-1924) [haut. 10 à 12 m; long. 26 m; larg. 12 à 14 m]. Celui-ci, ayant rêvé à un palais étrange, le construisit avec des pierres aux formes non moins bizarres qu'il avait remarquées dans la région et qu'il se mit à ramasser durant ses tournées. Temple-montagne traversé d'une galerie, surmonté d'une terrasse, l'œuvre se hérisse de sculptures composites réparties en toutes sortes de scènes historiques, orientales, religieuses. Admirée par les surréalistes, d'un fantastique qui évoque grottes naturelles et architectures de l'Inde, elle atteste les possibilités de la création brute*, spontanée, «kitsch» à l'ère industrielle, et aussi ses limites, notamment sur le plan de la désaliénation individuelle, comme le suggèrent les inscriptions sentencieuses que le facteur poète y a portées ici et là.

PALAIS-SUR-VIENNE (Le) [87410], comm. de la Haute-Vienne, à 8 km au N.-E. de Limoges; 3872 hab. Raffinage du cuivre.

PALAMAS (Grégoire), moine du mont Athos* et théologien de l'Église grecque (Constantinople v. 1296-Thessalonique 1359), archevêque de Thessalonique (1347-1359). Il consacre l'essentiel de son œuvre à la justification théologique de l'hésychasme*; sa pensée a suscité au XIVe s. un renouveau spirituel.

PALAMÁS (Kostís), écrivain grec (Patras 1859-Athènes 1943), partisan de l'emploi littéraire de la langue populaire, dans une œuvre poétique qui témoigne de tous les genres et de toutes les influences, du romantisme au symbolisme (*le Tombeau,* 1898; *Vie immuable,* 1904; *les Nuits de Phémius,* 1935; *Feu du soir,* 1944).

PALAOS ou **PALAU** *(îles),* archipel d'Océanie (Micronésie), sous tutelle américaine, à l'E. de Mindanao; 487 km^2; 13000 hab.

PALATIN *(mont),* en lat. **Palatium,** une des sept collines de la Rome antique, formée primitivement de trois sommets (Palatin, Germale au N., Velia vers l'Esquilin). C'est le site de la *Roma quadrata* de Romulus. Couvert jusqu'à la fin de la République de maisons privées (Cicéron, Marc Antoine), le Palatin devint à partir d'Auguste la colline impériale par excellence (maison de Livie, palais de Tibère, palais des Flaviens, *Domus Augustana*).

PALATINAT, en allem. **Pfalz,** terme qui désignait, dans le cadre du Saint Empire, le domaine des comtes palatins. À partir du XIIe s., il fut réservé aux biens du comte palatin du Rhin, dont Heidelberg était la capitale. Échu aux Welfs (1194), puis aux Wittelsbach de Bavière, le pays passa à une branche cadette (1329), qui reçut, en 1356, la dignité électorale. Amputé, au profit de la Bavière, du Haut-Palatinat (traité de Westphalie, 1648), le Palatinat électoral, désormais limité à la région du Bas-Rhin, fut, après les guerres de la Révolution, démembré au profit de la France (rive gauche) et des duchés de Bade et de Hesse-Darmstadt.

PALAUAN ou **PALAWAN,** île des Philippines, au N. de Bornéo; 14896 km^2; 237000 hab.

Lauros - Giraudon

Le Palais idéal, de Ferdinand Cheval.

PALAVAS-LES-FLOTS (34250), comm. de l'Hérault, à 11,5 km au S. de Montpellier; 3633 hab. Station balnéaire.

PALAWAN → PALAUAN.

PALE → GIRAVIATION, HÉLICE, ROTOR.

PALEMBANG, port d'Indonésie, dans le sud de Sumatra; 583000 hab. Exportation de pétrole. Engrais.

PALENCIA, v. d'Espagne, en Vieille-Castille, ch.-l. de prov., au N. de Valladolid; 58000 hab. Belle cathédrale des XIVe-XVIe s., avec crypte des VIIe-XIe s. et nombreuses œuvres d'art de qualité. Églises avec parties gothiques, de la Renaissance, etc. Musée.

PALENQUE, ancienne ville maya* (Mexique, État de Chiapas), dont les ruines attestent la splendeur de l'architecture ainsi que la qualité de la décoration stuquée, à l'époque classique. Nombreux édifices civils et religieux, dont les temples du Soleil, de la Croix, des Inscriptions, avec la sépulture d'un roi ou d'un prêtre datée de 633.

PALÉOASIATIQUES (langues). — On appelle langues paléoasiatiques un ensemble de langues parlées en Sibérie par quelques dizaines de milliers de locuteurs. On distingue un groupe oriental (tchouktche, gilyak) et un groupe occidental, ou iénisseïen. Cette classification a des bases uniquement géographiques, et ces langues n'ont aucun lien de parenté apparent.

PALÉOBOTANIQUE. — Ce sont principalement les schistes houillers de l'époque carbonifère qui ont fourni à la paléontologie végétale ses documents de base, révélant notamment des groupes entièrement disparus d'arbres fossiles, ptéridophytes ou gymnospermes surtout. Mais l'étude microscopique des bois silicifiés, l'étude quantitative des dépôts de pollen (palynologie), l'étude des flores du quaternaire, etc., ont fait connaître non seulement la végétation, mais aussi le climat ancien de bien des régions. Toutefois, la paléobotanique se heurte à une difficulté que la paléontologie animale rencontre moins souvent : comment savoir si telle graine, telle feuille, telle racine découvertes séparément appartiennent à la même espèce? Jusqu'au jour où l'on rencontre ces organes associés, on leur attribue un nom provisoire différent.

PALÉOCHRÉTIEN (art). — L'art des premiers chrétiens est divisé en deux grandes périodes : la première, phase d'élaboration, va des origines (fin du IIe s.) à l'édit de Constantin (313), et la seconde, lorsque cet art se déploie au grand jour, s'étend de 313 à l'édit de Théodose. La semi-clandestinité dans laquelle il prend naissance ne permet pas la création d'une architecture spécifique. Les lieux de réunion cultuels sont, d'une part, des salles dans de simples maisons d'habitation (Doura*-Europos, où l'une des peintures murales permet de reconnaître un baptistère), et, d'autre part, les catacombes, nécropoles souterraines qui, à Rome, s'organisent d'abord autour de la tombe de saint Pierre (sous le Vatican), marquée par un baldaquin à colonnes surmonté d'un fronton. C'est dans ces concessions funéraires que se développent la peinture murale et la sculpture des sarcophages. Les thèmes (Ancien et Nouveau Testament), dont certains existent dans les décorations païennes, sont choisis pour leur correspondance symbolique; le style reste empreint d'un certain classicisme. Après 313, libéré de pesantes contraintes, l'art chrétien connaît un brillant essor. De nombreux sanctuaires sont élevés dans tout l'Empire, selon deux plans principaux : le plan basilical (v. BASILIQUE) et le plan central : circulaire, pour l'architecture funéraire (Sainte-Constance, milieu du IVe s., Rome), ou octogonal, souvent réservé aux baptistères et emprunté aux thermes antiques. Dans les mausolées, la décoration architecturale est constituée de peintures et de mosaïques. Le répertoire iconographique pictural est enrichi de nouvelles scènes de l'Évangile, et le style devient plus expressif. Le canon trapu, les attitudes raides et le regard fixe marquent la sculpture du début du IVe s., qui retrouve ensuite une certaine forme de classicisme, avant de subir l'influence orientale en adoptant la raideur hiératique. Le besoin accru d'objets de culte favorise le développement des arts mineurs, fabriqués selon les techniques luxueuses de l'Antiquité.

PALÉOCLIMATOLOGIE. — La reconstitution des climats anciens passe par l'étude des roches de la période considérée (présence de dépôts glaciaires, de sables éoliens, de sols latériques, etc.) ainsi que par celle de la faune et de la flore, par l'intermédiaire des fossiles. On a ainsi pu mettre en évidence de grandes variations climatiques dont les causes sont encore mal élucidées (facteurs cosmiques, modification de la circulation atmosphérique, dérive des continents, etc.).

PALÉOGÉOGRAPHIE. — Visant à reconstituer la répartition des terres et des mers au cours des temps géologiques, la paléogéographie s'appuie en particulier sur l'étude des roches sédimentaires, dont le faciès* renseigne sur le milieu (continental, lacustre, marin) dans lequel elles se sont déposées.

PALÉOGRAPHIE. — Science auxiliaire de l'histoire, la paléographie étudie les systèmes d'écriture, en retrace l'histoire et s'attache à déchiffrer les textes anciens. Historiquement, les premières recherches de paléographie ont porté sur les écritures grecques et latines. C'est au début du XVIIIe s. que la paléographie grecque est née en Occident, grâce au bénédictin Bernard de Montfaucon, qui publia, en 1707, une *Paleographia graeca.* C'est aussi un bénédictin que l'on trouve aux origines de la paléographie latine : Jean Mabillon qui, en 1681, publia son *De re diplomatica.* Deux autres bénédictins français, dom Toustain et dom Tassin, dans leur *Nouveau Traité de diplomatique* (1760-1765) établirent une histoire abécédaire fondée sur une méthode de classement des lettres d'après leur forme, classification largement abandonnée depuis les travaux de W. Wattenbach (1866) et de L. Delisle, qui ont proposé l'étude des lettres non plus d'après leur forme, mais par la recherche du mouvement de la plume qui engendre ces lettres. Moins avancée que la paléographie gréco-romaine, l'étude des écritures du Proche-Orient antique a pris un nouvel essor grâce à de récentes découvertes, telle celle des manuscrits hébreux de Qumrān (mer Morte).

PALÉOLITHIQUE. — Cette période, située en majeure partie dans l'ère quaternaire à l'âge des glaciations, se déroule en Europe dans des conditions climatiques tantôt périglaciaires, tantôt tempérées. Elle doit son nom à l'industrie de la pierre taillée qui la caractérise et la distingue du néolithique*, qui lui succède; elle prend fin à des époques très différentes selon les régions (– 10500 en Iraq; XIXe s. apr. J.-C. chez les Esquimaux ou les aborigènes d'Australie).

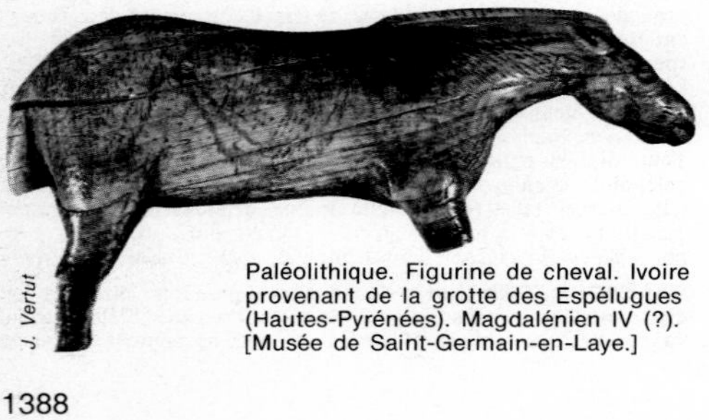
J. Vertut

Paléolithique. Figurine de cheval. Ivoire provenant de la grotte des Espélugues (Hautes-Pyrénées). Magdalénien IV (?). [Musée de Saint-Germain-en-Laye.]

• *Paléolithique inférieur.* La *pebble culture* (galets sommairement aménagés) se rattache aux australanthropiens; ses plus anciens vestiges actuellement connus remontent à au moins trois millions d'années et ont été découverts dans les gisements de la vallée de l'Omo*, à Melka Kontouré, dans la vallée de l'Aouache, et à Oldoway*. L'évolution technique de l'industrie lithique et sa terminologie — due en grande partie à Lartet*, Mortillet*, Peyrony et Breuil*, et établie d'après les sites éponymes français — définissent le cadre chronologique de l'Europe en général. Après les galets aménagés, différentes méthodes de débitage coexistent : celles des industries façonnant le nucléus primitif et celles utilisant l'éclat. L'abbevillien (Abbeville, Somme), et ses bifaces grossièrement taillés, ainsi que l'acheuléen (Saint-Acheul, Somme), aux retouches fines et rectilignes, qui lui succède et qui persiste durant les débuts de la glaciation de Würm, sont les faciès principaux des industries à nucléus. Découvert dans des couches géologiques très anciennes (parfois antérieures à – 400000), le clactonien (Clacton-on-Sea, Angleterre) semble l'industrie à base d'éclats la plus ancienne.

• *Paléolithique moyen.* L'outillage lithique, celui des paléoanthropiens, est caractérisé d'une part par la taille levalloisienne (au plan de frappe préparé) et, d'autre part, par les instruments moustériens (racloirs et pointes) réalisés à partir d'éclats. Les néandertaliens, auteurs de cette industrie, la diversifient et associent différentes traditions qui amènent une industrie levalloiso-moustérienne. Les plus anciennes pratiques funéraires, souvent unies à l'utilisation de colorant comme l'ocre, remontent à cette époque, mais il est impossible de savoir si elles ont une signification métaphysique. Apparue vers la fin de l'interglaciaire Riss-Würm, la culture moustérienne continue à se développer au début de la glaciation de Würm, avant de disparaître totalement.

• *Paléolithique supérieur.* Il se situe entre – 35000 environ et les alentours de – 10000. La spécialisation de l'outil devient de plus en plus poussée; l'industrie lithique, très diversifiée, est associée à une abondante industrie osseuse; l'une et l'autre sont dues aux néanthropiens, ou *Homo sapiens,* répartis en plusieurs groupes raciaux dont ceux de Cro-Magnon*, de Chancelade et de Grimaldi* en Europe. L'évolution technique se poursuit de façon continue et les faciès se succèdent du plus ancien, le châtelperronien (Châtelperron, Allier) [– 35000], encore tributaire d'une certaine technique néandertalienne, en passant par l'aurignacien (Aurignac, Haute-Garonne) [de – 30000 à – 27000] et sa riche industrie osseuse, le gravettien (La Gravette, Dordogne) [de – 27000 à – 20000] et le solutréen (Solutré, Saône-et-Loire) [de – 20000 à – 15000], aux belles pointes de silex foliacées, retouchées sur les deux faces (feuilles de laurier), typiques de la phase moyenne, et celles de la phase récente, étroites, retouchées sur une seule face (feuilles de saule), pour finalement atteindre le magdalénien (La Madeleine, Dordogne) [de – 13000 à – 8000], divisé en six périodes, par Breuil, d'après l'évolution des sagaies et des harpons. L'un des traits marquants du paléolithique supérieur est l'apparition de préoccupations esthétiques. Deux formes d'expression se développent simultanément : l'art mobilier (galets et os gravés, statuettes, outils décorés...) et l'art pariétal, qui, dans le sud-ouest de la France et le nord-ouest de l'Espagne, forme un ensemble cohérent souvent dénommé franco-cantabrique; d'autres exemples d'art pariétal sont disséminés en Europe. La chronologie des styles artistiques, établie par l'abbé Breuil en fonction des procédés techniques, a été modifiée par les études de Leroi-Gourhan*, qui distingue une évolution stylistique continue, tant dans l'art mobilier que dans l'art pariétal, et cela à partir de la période préfigurative (v. – 35000), où seuls quelques traits groupés sont peut-être le signe d'un certain sens esthétique.

La *période primitive* va de – 30000 à – 20000. Les représentations animales, simples et malhabiles (La Ferrassie, Isturits, Gargas, Pair-non-Pair) deviennent peu à peu plus détaillées. Les figurations féminines sont celles du type de Willendorf*, Lespugue*, Brassempouy...

La *période archaïque* s'étend de – 20000 à – 15000. L'homme est évoqué par des traits extrêmement schématiques. L'animal est structuré par un large trait cervico-dorsal (La Pasiega, Lascaux*).

Le *style classique* (de – 15000 à – 12000) correspond à un incontestable épanouissement : détails et modelé confèrent aux animaux un puissant réalisme (Font-de-Gaume*, Les Combarelles, Niaux*, Altamira...).

La *période tardive* (v. – 10000), surtout riche en art mobilier, voit le réalisme s'accentuer encore, jusqu'à traduire le mouvement comme à Limeuil ou à Teyjat (Dordogne).

D'abord considéré comme seul divertissement, puis uniquement comme support de pratiques magiques, il semble bien que cet art, lié à l'activité essentielle de l'homme, la chasse, possède une origine religieuse et métaphysique. En effet, Leroi-Gourhan a repéré la fréquence de certaines associations — animaux-signes — représentées à des emplacements similaires (semble-t-il volontairement) dans ces grottes, probables sanctuaires, véritablement organisés, mais dont la symbolique demeure incertaine.

PALÉOLOGUES, famille de l'aristocratie byzantine, apparue au milieu du XIe s., avec NICÉPHORE **Paléologue** et son fils GEORGES (qui contribua à l'avènement d'Alexis Comnène; 1081), et qui régna sur l'Empire byzantin de 1261 à 1453. En 1258, la mort prématurée de Théodore II Lascaris, empereur de Nicée, permit l'usurpation de MICHEL VIII **Paléologue** (de 1258 à 1282). Ayant reconquis Constantinople (1261), Michel VIII ceignit la couronne (sept. 1261) et fit aveugler l'héritier légitime, Jean IV Doukas Lascaris. Face à Charles Ier d'Anjou, roi de Sicile, qui projetait de restaurer l'Empire latin en regroupant une vaste coalition (Serbie, Bulgarie, Épire, Thessalie) contre Byzance, Michel VIII fit alliance avec les Hongrois et les Tatars et parvint à se concilier Rome en reconnaissant la primauté du pape et la foi romaine (1274). S'il put ainsi éloigner les dangers d'une croisade occidentale, il fut moins heureux en Orient, où il ne put empêcher l'avance des Turcs dans la péninsule balkanique, où s'affirmait la puissance de la Serbie. Le règne d'ANDRONIC II (de 1282 à 1328), fils de Michel VIII, inaugura la longue agonie de l'empire. Il fut marqué, à l'intérieur, par la rupture de l'union religieuse avec Rome, le délabrement des finances publiques, le relâchement du système administratif et la réduction des effectifs de l'armée; il se révéla tout aussi catastrophique à l'extérieur : submergé en Asie Mineure par l'expansion turque, l'empereur ne put s'opposer à la progression des Serbes et des Bulgares en Macédoine et en Thrace. Il fut détrôné par son petit-fils, ANDRONIC III (de 1328 à 1341), qui, secondé par Jean Cantacuzène, entreprit une réforme de l'appareil judiciaire, conquit l'Épire et la Thessalie, mais, accaparé par la poussée serbe, ne put empêcher les Turcs d'achever la conquête de l'Asie. Sa mort (1341) et la guerre civile, opposant l'usurpateur, Jean Cantacuzène (de 1341 à 1354), au basileus légitime, JEAN V **Paléologue** (de 1341 à 1391), profitèrent aux Turcs, qui, s'emparant de Gallipoli (1354), prirent définitivement pied en Europe. Devenu seul basileus, Jean V chercha vainement l'alliance de l'Occident. Humilié par Venise, qui le retint prisonnier comme débiteur insolvable (1371), inquiété à l'intérieur par les usurpations de son fils, ANDRONIC IV (de 1376 à 1379), et de son petit-fils, JEAN VII (1390), il laissa en mourant à son fils, MANUEL II (de 1391 à 1425), un empire réduit à sa seule capitale, dont le sultan ottoman commença le siège dès 1394. Abandonné, après le désastre de Nicopolis (1396), par l'Occident, l'Empire byzantin trouva un allié inattendu dans le khān mongol, Tīmūr Lang, qui, en détruisant l'armée turque (Ankara, 1402), retarda d'un demi-siècle son agonie. En pure perte, JEAN VIII (de 1425 à 1448) se tourna vers la papauté : l'union religieuse (1439) aggrava la désunion intérieure et la croisade occidentale mise sur pied pour sauver Byzance s'acheva dans la déroute de Varna (1444). Lorsque, en 1453, Mehmed II décida de lancer le dernier assaut contre Constantinople, CONSTANTIN XI **Dragasès** (de 1449 à 1453) n'espérait plus aucun secours de l'Occident. Après une défense désespérée de sept semaines, la ville fut prise et le basileus se fit tuer à la tête de ses troupes.

PALÉOMAGNÉTISME. — Les méthodes physiques utilisées en paléomagnétisme sont les mêmes que celles qui sont à la base de l'archéomagnétisme*. Mais, au lieu de briques de fours ou d'objets fabriqués, on s'adresse à des roches naturelles ou à des sédiments (lacustres, en particulier). Cette étude a montré que le champ magnétique terrestre a été plusieurs fois inversé au cours de l'évolution géologique de notre globe.

PALÉONTOLOGIE. — Tout reste fossile* pouvant fournir des renseignements sur les êtres vivants des époques géologiques est du ressort de la paléontologie. Celle-ci commence par la recherche et la récolte des documents; l'étude de ceux-ci en laboratoire est ensuite poussée le plus loin possible; enfin, d'après la répartition des formes dans le temps et dans l'espace, la science peut formuler des hypothèses sur l'évolution* des lignées, dégager les lois générales de cette évolution et dresser un arbre généalogique des groupes. Bien des problèmes relatifs aux animaux et aux végétaux du monde actuel ont été éclairés par la connaissance de leurs ancêtres, au point de conduire à de profonds remaniements de la classification.

La paléontologie humaine ne dispose pas seulement d'ossements fossiles mais aussi de traces d'activité humaine, dont l'étude est la préhistoire*.

PALÉOSOL → SOL.

PALÉOTHÉRIUM. — La description de ce mammifère ongulé à trois doigts par patte, découvert d'abord dans le gypse de Montmartre, est l'un des titres de gloire de Cuvier*. Ses espèces, de taille diverse, ont vécu pendant tout le paléogène.

PALERME, en ital. **Palermo,** v. d'Italie, capit. et principale ville de la Sicile, ch.-l. de prov., sur la côte nord de l'île; 650 000 hab. Université. Industries alimentaires et chimiques.

HISTOIRE. Colonie phénicienne conquise, en 254 av. J.-C., par Rome, Palerme (en grec *Panormos,* en lat. *Panormus*) devint une *civitas libera,* puis, sous Auguste, une colonie romaine. Intégrée dans l'Empire byzantin (VIe s.), tombée aux mains des Arabes (831), qui en firent la capitale de la Sicile (948), elle fut, en 1072, conquise par le Normand Roger de Sicile, sous les successeurs duquel elle devint l'un des grands centres intellectuels de l'Europe. Ayant rejeté la domination angevine (Vêpres siciliennes, 1282), elle appartint à l'Aragon, puis à l'Espagne, avant d'être acquise aux Bourbons de Naples, contre lesquels elle se révolta en 1848; le 27 mai 1860, Garibaldi s'empara de la ville, qui fut annexée avec le reste de la Sicile au royaume d'Italie.

BEAUX-ARTS. Églises de l'époque normande associant des traits byzantins et arabes, dont la splendide chapelle Palatine, entreprise en 1132 pour Roger II (mosaïques, voûte de bois ouvragé). Cathédrale fondée en 1185, très remaniée ensuite, à traits siculo-normands et aragonais (gothique du XVe s.). Églises du Gesù et S. Caterina, de la fin du XVIe s., aux riches décors baroques du XVIIe; oratoires garnis des stucs gracieux du sculpteur palermitain Giacomo Serpotta (1656-1732). Palais baroques. Riche musée national archéologique (sculptures de Sélinonte, etc.). Galerie nationale de Sicile (sculptures des Gagini, artistes lombards du XVIe s.; peintures d'Antonello da Messina; etc.).

PALESTINE, contrée du Proche-Orient, ancienne terre des Cananéens*, devenue, à partir du XIIIe s. av. J.-C., le pays des Hébreux*. Les Grecs et, après eux, les Romains lui donnèrent le nom de Palestine (pays des Philistins*).

Après la rude répression consécutive aux deux révoltes juives, la Galilée devient le principal centre de la pensée juive : un nouveau sanhédrin se forme, dont le patriarche *(nassi)* préside à la vie du judaïsme (composition de la Mishna* entre 135 et 220). La conversion de l'empereur Constantin* change la situation religieuse : le christianisme devient triomphant en Palestine, malgré ses divisions, sans que diminue pour cela l'activité religieuse juive (Talmud* palestinien).

La Palestine est conquise par les Arabes (636-640). Chrétiens, Juifs et Samaritains deviennent des sujets protégés *(dhimmīs)* de l'Empire musulman, omeyyade* puis ʿabbāsside*, au sein duquel la Palestine va peu à peu s'islamiser et s'arabiser. À partir de la fin du IXe s., son sort est lié aux dynasties indépendantes d'Égypte (Ṭūlūnides*, Fāṭimides*). Les croisés fondent, en 1099, le royaume latin de Jérusalem*, dont les dernières possessions sont reconquises par les Mamelouks* en 1291. Ceux-ci dominent le pays jusqu'à la conquête ottomane. La population de la Palestine ottomane (1516-1917) se compose d'une majorité de musulmans, d'une importante minorité de chrétiens et d'un petit nombre de Druzes et de Juifs. L'immigration juive commence à devenir importante à partir de 1880, sous l'influence du sionisme*.

La Grande-Bretagne se fait confier par la S. D. N. un mandat sur la Palestine (1922). Elle s'engage à favoriser le développement du « foyer national juif » promis par la déclaration Balfour (1917), sans transformer la Palestine en un État juif. Les Arabes protestent contre la colonisation sioniste et des troubles sanglants éclatent à Jérusalem, Haïfa, Jaffa (1928, 1929, 1933, 1936, 1939). Les Britanniques publient, en 1939, un *Livre blanc* qui impose des restrictions à l'immigration et à l'achat de terres par les Juifs. Une campagne de terrorisme sioniste se déchaîne alors, et, après la Seconde Guerre mondiale, les Britanniques confient à l'O. N. U. la recherche d'une solution. L'O. N. U. établit en 1947 un plan de partage de la Palestine entre un État arabe et un État juif, avec internationalisation du district de Jérusalem. L'indépendance de l'État d'Israël est proclamée en 1948, suivie de la première guerre israélo-arabe*. La Palestine cisjordanienne, annexée par la Jordanie* en 1949, est occupée par Israël depuis 1967. La plupart des Palestiniens des territoires qui ont été attribués à Israël se réfugient dans les pays arabes limitrophes, où l'Office de secours et de travaux des Nations unies (United Nations Relief and Works Agency [UNRWA]) leur vient en aide. La résistance palestinienne* s'organise, tandis que se développe le sentiment national palestinien.

palestinienne *(résistance),* ensemble des organisations politiques et militaires, qui défendent les droits du peuple palestinien. Les plus importantes sont : al-Fatḥ (fondée à Gaza en 1956), l'Organisation* de libération palestinienne, ou O. L. P. (fondée à Jérusalem en 1964), et le Front populaire de libération de la Palestine, ou F. P. L. P. (créé en 1967), d'obédience marxiste. La résistance palestinienne ne peut agir qu'à partir des pays limitrophes d'Israël, qui, à la suite des raids de représailles israéliens, cherchent à contrôler son action; d'où des conflits entre les Palestiniens et les autorités jordaniennes (1970-71) ou libanaises (guerre civile de 1975-76). La résistance palestinienne a organisé un certain nombre d'actions spectaculaires (détournements d'avions, attaque de l'équipe israélienne des jeux Olympiques de Munich, en 1972) qui, tout en provoquant la réprobation de l'opinion publique mondiale, ont fait prendre conscience de l'existence du fait palestinien.

PALESTRINA, comm. d'Italie (Latium), dans les monts Prenestini, à l'E. de Rome; 10 300 hab. Les tombes Barberini et Bernardini (VIIe s. av. J.-C.) témoignent par leur somptueux mobilier funéraire (musée de la villa Giula) — importé et de fabrication locale — de la prospérité des princes étrusques à l'époque archaïque. L'antique

Préneste, l'une des plus puissantes villes du Latium, devint cité alliée de Rome après la dissolution de la Ligue latine (338-335 av. J.-C.). En 82 av. J.-C., les partisans de Sulla y assiégèrent Marius le Jeune, fils adoptif de Marius, et Sulla mit la ville à sac. Disputée au Moyen Âge entre les papes et les Colonna, la ville devint, en 1630, possession des Barberini. Elle possédait un sanctuaire de la Fortune datant du IIe ou du Ier s. av. J.-C. (vestiges de ses terrasses étagées).

PALESTRINA (Giovanni Pierluigi DA), compositeur italien (Palestrina 1525 - Rome 1594). Successivement « maître des enfants » de Saint-Pierre de Rome, maître de chapelle de Saint-Jean-de-Latran, de Sainte-Marie-Majeure, il dirigea pendant vingt-trois ans la maîtrise de Saint-Pierre. Il s'impose comme l'un des plus grands spécialistes de l'art polyphonique religieux, par l'équilibre et la rigueur de son discours, la souplesse, la limpidité de son contrepoint, dont témoignent près d'une centaine de messes, près d'un millier de motets, des magnificat, des offertoires, des psaumes et des madrigaux spirituels ou profanes.

PALÉTUVIER. — Les côtes marécageuses des régions chaudes (Brésil, Afrique, Asie du Sud-Est) sont souvent peuplées d'arbres aux racines émergeant de l'eau pour former de hautes arcades. Ces espèces, *Rhizophora, Avicennia, Bruguiera,* toutes désignées par le nom de « palétuvier », se reproduisent par des graines qui germent sur l'arbre en formant une racine-flèche *(arrow-root)* et qui, en tombant, se plantent dans la vase. La côte à palétuviers *(mangrove)* abrite une faune très particulière : crabe *uca,* poissons vivant hors de l'eau (périophtalme), etc.

PĀLGHĀT *(trouée* ou *passe de),* dépression de l'Inde méridionale, zone de passage entre la côte de Malabār et le golfe du Bengale.

PĀLĪ. — D'origine indo-aryenne, le pālī est la langue littéraire du bouddhisme méridional (Birmanie, Sri Lanka, où il est encore utilisé à des fins religieuses). Il est le support d'une abondante littérature (textes canoniques et commentaires sur ces textes, traités techniques divers).

PALIKAO, en chin. **Pa-li-k'iao** ou **Baliqiao,** bourg de Chine, à 12 km à l'E. de Pékin. En 1860, victoire franco-anglaise sur les Chinois, où se distingua le général Cousin-Montauban.

PALINGES (71430), ch.-l. de cant. de Saône-et-Loire, à 17 km au N.-N.-O. de Charolles; 1 796 hab.

PALISSANDRE. — Parmi les bois exotiques d'ébénisterie, le palissandre (nom scientifique : *Dalbergia*) se caractérise par ses teintes rouge sombre et sa dureté. On l'emploie surtout en placage.

PALISSY (Bernard), potier émailleur, savant et écrivain français (Saintes ou Lacapelle-Biron v. 1510 - Paris 1589/90). Il est célèbre pour ses *rustiques figulines,* terres cuites émaillées ornées de plantes, de fruits, d'animaux en relief. Pour Catherine de Médicis, il composa, dans cet esprit, une grotte de céramique aux Tuileries (débris au Louvre). Il a aussi donné des plats aux *émaux jaspés,* décorés dans l'esprit de l'école de Fontainebleau. Il a été très imité de son temps, au XVIIe s. et au XIXe.

PALK *(détroit de),* bras de mer de l'océan Indien, séparant l'Inde et Sri Lanka.

PALLADIO (Andrea DI PIETRO DALLA GONDOLA, dit), architecte italien (Padoue 1508 - Vicence 1580). Il est l'un des premiers génies de la Renaissance qui soit, plutôt qu'un intellectuel polyvalent, un praticien : tailleur de pierre, puis maître maçon. Dès ses travaux initiaux, dans la région vicentine (v. 1535-1540), apparaissent certains traits typiques : la « travée palladienne » (où l'architrave est interrompue par une archivolte), la baie en arc de décharge, et d'abord une composition aérée, ponctuée d'absides et de portiques. La rencontre de l'humaniste Gian Giorgio Trissino, vers cette époque, est capitale; Andrea reçoit les conseils de celui-ci pour l'étude des monuments antiques (voyages à Rome, etc.) et s'imprègne de Vitruve*, dont il illustrera une nouvelle édition et auquel il se référera constamment dans son propre traité, les *Quatre Livres d'architecture* (1570). La célébrité vient à Palladio lorsqu'il triomphe des meilleurs architectes du temps (Sansovino*, Michele Sammicheli, J. Romain*...) à l'occasion de la réfection du palazzo della Ragione, de Vicence, la « Basilique » (1545). Il élève dans sa ville d'adoption des édifices d'une inspiration de plus en plus animée : palais Chiericati (1550), largement ouvert sur le paysage; palais Thiene, aux bossages massifs; palais Valmarana (1566); Loggia del Capitanio (1571), avec un ordre corinthien géant; théâtre Olympique (1580, terminé par Vincenzo Scamozzi). Aux églises qu'il bâtit à Venise, il tente d'adapter la conception du temple antique (S. Francesco della Vigna, 1562; S. Giorgio Maggiore, 1565; le Redentore, 1577-1592). Des articulations complexes et cristallines, une adaptation poussée aux sites caractérisent enfin ses villas de Vénétie, où l'artiste, qui n'ignore ni Michel-Ange, ni le courant maniériste, utilise le vocabulaire classique avec une admirable variété (la Rotonda, à partir de 1550; la Malcontenta et la villa Barbaro, v. 1560...). L'œuvre de Palladio eut très vite un large retentissement en Italie, puis, notamment, en Grande-Bretagne (I. Jones*), avant de devenir un ferment de toute l'architecture occidentale à l'époque néoclassique* (Ledoux) et au-delà.

PALLADIUM. — C'est l'élément n° 46, de masse atomique Pd = 106,7, découvert par Wollaston en 1803. C'est un métal léger de la mine de platine. Solide blanc, de densité 11,4, fondant vers 1 500 °C, il absorbe jusqu'à 1 000 fois son propre volume d'hydrogène. Il s'oxyde à chaud superficiellement et se dissout dans l'acide nitrique. Bivalent dans les composés palladeux, il est quadrivalent dans les composés palladiques. Il est employé comme catalyseur; il forme avec le cuivre ou l'argent des alliages pour contacts électriques et pour prothèses dentaires.

PALLANZA, station touristique d'Italie, sur la rive occidentale du lac Majeur.

PALLAS, petite planète*, la deuxième dans l'ordre de leur découverte. Observée en 1802 par Wilhelm Olbers (1758-1840), elle circule entre Mars et Jupiter. Son diamètre est estimé à 490 ± 50 km.

PALLAS, affranchi et favori de l'empereur Claude († 63 apr. J.-C.). Claude lui confia la direction du bureau *a rationibus,* véritable ministère des Finances. Sur son conseil, l'empereur épousa Agrippine et adopta Néron. De concert avec Agrippine, Pallas fit empoisonner Claude, mais il fut lui-même empoisonné par Néron.

PALLICE (La), avant-port de La Rochelle (Charente-Maritime), sur le pertuis d'Antioche, à 5 km de La Rochelle, dont il dépend administrativement. Engrais.

PALLIDUM → CERVEAU.

PALLUAU (85670), ch.-l. de cant. de la Vendée, à 23 km au N.-O. de La Roche-sur-Yon; 574 hab. Château en ruine. Peintures romanes dans le chœur de l'anc. église Saint-Laurent.

PALMA (La), île de l'archipel espagnol des Canaries; 68 000 hab.

PALMA ou **PALMA DE MAJORQUE,** capit. des îles Baléares, sur la côte sud de l'*île de Majorque;* 234 000 hab. Aéroport. Port et grand centre touristique. — Vestiges arabes. Anciens palais des rois de Majorque : château de Bellver (début du XIVe s.), au patio circulaire à deux étages d'arcades, et *Almudaina,* à galerie gothique ouverte sur la mer. Grandiose cathédrale (v. 1300-1600; musée dans le palais épiscopal). Églises, dont S. Francisco (XIIIe s.; cloître). Lonja, chef-d'œuvre du gothique du XVe s. (musée provincial). Demeures luxueuses du XVe au XVIIIe s. Musée Raymond Lulle.

PALMA le Vieux (Iacopo NIGRETTI, dit), peintre italien (Serina, Bergame, v. 1480 - Venise 1528). Les grands Vénitiens l'influencèrent successivement : Giovanni Bellini, Giorgione, Titien, Lotto. C'est un coloriste opulent, peintre de scènes religieuses sereines, de portraits et de nus. — Son petit-neveu, IACOPO NIGRETTI, dit **Palma le Jeune** (Venise 1544 - *id.* 1628), fut également peintre. Ayant séjourné à Rome, puis travaillé dans l'atelier de Titien, il devint le plus actif des décorateurs vénitiens de la fin du XVIe s.

PALMA (Ricardo), écrivain péruvien (Lima 1833 - Miraflores, Lima, 1919). Poète d'inspiration romantique (*Rodil,* 1851; *Pasionarias,* 1870), il a évoqué le passé de son pays dans un recueil d'anecdotes, de légendes et de scènes de mœurs (*Traditions péruviennes,* 1872-1918).

PALMAS (Las), principale ville de l'île espagnole de la Grande-Canarie*, ch.-l. de prov.; 287 000 hab. Cathédrale des XVe-XIXe s. et autres monuments. Demeures anciennes. Musées de la Casa de Colón (XVe s.) et des Canaries.

PALME (Olof), homme politique suédois (Stockholm 1927). Succédant à Tage Erlander comme président du parti social-démocrate suédois et Premier ministre (oct. 1969), il s'efforce d'accélérer la socialisation du pays, augmentant en particulier les impôts sur les gros revenus, et engage la Suède dans une politique étrangère plus active, favorable au tiers monde et hostile à l'intervention américaine au Viêt-nam. Mais il se heurte au développement d'un certain malaise social (grèves sauvages, chômage). La défaite du parti social-démocrate aux élections de septembre 1976 contraint O. Palme à démissionner.

PALMER *(péninsule de)* → GRAHAM *(terre de).*

PALMERSTON (Henry TEMPLE, 3e *vicomte*), homme politique britannique (Broadlands 1784 - Brocket Hall 1865). Député tory (1807), il est secrétaire à la Guerre de 1809 à 1828. S'étant rapproché des whigs, il entre, en 1830, dans le cabinet libéral de lord Grey comme ministre des Affaires étrangères (1830-1841), poste qu'il retrouve sous Russell (1846-1851). Hostile aux puissances continentales — notamment à la France et à la Russie —, il défend les intérêts britanniques. Son intervention la plus spectaculaire se situe lors du conflit turco-égyptien (1839-40), lorsqu'il fait échec à la fois à la France et au tsar. Ministre de l'Intérieur de 1853 à 1855, Premier ministre de 1855 à 1858 et de 1859 à sa mort, il stoppe les ambitions russes en s'engageant dans la guerre de Crimée (1854-1856), mais il ne peut empêcher Napoléon III de devenir l'arbitre de l'Europe.

Palmes académiques *(ordre des),* décoration française instituée en 1808, transformée en ordre en 1955 pour récompenser les services rendus à l'enseignement, aux lettres et aux beaux-arts. Trois classes. Ruban violet.

PALMIER. — Le vaste groupe des palmiers rassemble des arbres au tronc peu ou pas ramifié, couvert de cicatrices foliaires, surmonté d'une frondaison globuleuse aux feuilles composées, souvent palmées (d'où le nom du groupe) mais parfois pennées. Classé parmi les monocotylédones, l'ordre des palmiers ne comprend aucune espèce supportant les fortes gelées, d'où sa localisation dans les régions chaudes ou tempérées chaudes. Divers palmiers fournissent des produits utiles : dattes *(Phœnix dactylifera),* noix de coco *(Cocos nucifera),* raphia *(Raphia pedunculata),* rotin *(Calamus rotang),* huile de palme *(Elæis guineensis),* etc. On a décrit quatre mille espèces de palmiers.

PALMIPÈDES. — Les zoologistes contemporains ont démembré l'ancien ordre des palmipèdes, qui rassemblait des oiseaux aux pattes palmées et conformées pour la natation : par leurs autres caractères, ces oiseaux différaient trop les uns des autres. Exemples : oie, canard, pélican, fou de Bassan, frégate, cormoran, sterne, goéland, albatros, pétrel. Cette liste, on le voit, correspond dans l'ensemble à celle des grands types d'oiseaux marins, ou tout au moins de mœurs aquatiques.

PALMIRA, v. de Colombie, au S.-O. de Bogotá; 154 000 hab.

PALMITIQUE (acide). — De formule $CH_3(CH_2)_{14}CO_2H$, ce corps est répandu à l'état de glycéride, la palmitine, dans la plupart des corps gras, d'où on l'extrait par saponification. C'est un solide blanc, inodore et onctueux, fondant à 62 °C, insoluble dans l'eau. Ses sels alcalins sont des constituants des savons. La substance des bougies est un mélange d'acides palmitique et stéarique.

PALMYRE, ville ancienne dont les ruines sont situées dans le désert syrien, entre Damas* et l'Euphrate*, à 150 km environ de Homs*. À l'origine, elle s'appelait *Tadmor* (la «Cité des palmiers»). Oasis du désert de Syrie, carrefour de caravanes, elle constituait une étape importante du commerce de transit entre la Mésopotamie et la côte méditerranéenne. Successivement aux mains des Amorrites*, des Araméens*, des Syriens hellénisés et des Arabes*, elle perd une part de sa liberté en devenant, au début de l'Empire, alliée de Rome. La ruine du royaume nabatéen, en 106, permet à Palmyre de détourner à son profit le trafic de Pétra* et de monopoliser ainsi la plus grande partie du commerce oriental; l'époque des Antonins* (IIe s.) marque son apogée. Mais, au IIIe s., la prospérité va décliner du fait de l'avènement des Sassanides*, qui défavorisent le commerce de transit, et aussi des difficultés de l'Empire romain. Après la disparition des Sévères*, en 235, le conflit entre Rome et la Perse permet à Palmyre de prendre ses distances avec la suzeraineté romaine. Odenath*, prince de Palmyre, à qui l'empereur saura gré de ses campagnes victorieuses contre les Sassanides*, et la reine Zénobie*, qui profitera de l'anarchie du monde romain, constituent un État qui contrôle, avec la Syrie, une partie de l'Asie Mineure et étend son influence jusqu'à l'Égypte. Mais Aurélien* brisera cette domination. Palmyre, saccagée et incendiée en 273, vivra la vie précaire d'une place forte des frontières de l'Empire, à laquelle mettra fin en 634 la conquête arabe.

BEAUX-ARTS. D'impressionnants vestiges de styles hellénistique et romain (temple du dieu Bêl, entouré, à la manière orientale, d'un mur d'enceinte scandé de portiques, grande avenue bordée de boutiques, arcs monumentaux, thermes, agora, temple de Baalshamêm avec cella pourvue de fenêtre, etc.) témoignent de la prospérité de la ville entre le Ier et le IIIe s. de notre ère. La nécropole est constituée de tombes très diverses; les plus originales — des tours funéraires à plusieurs étages et à usages collectifs — ont livré d'innombrables reliefs et bustes-stèles, caractérisés par la frontalité, le hiératisme et la fixité du regard.

PALOMAR *(mont),* montagne des États-Unis (Californie); 1 871 m. On y a installé un observatoire astronomique équipé d'un télescope de 5 m d'ouverture.

PALOS, cap de la côte méditerranéenne de l'Espagne, au S.-E. de Murcie.

PALUDAN (Jakob), écrivain danois (Copenhague 1896 - Birkerœd 1975), dénonciateur de la civilisation industrielle et de la société de consommation (*Jorgen Stein,* 1932-33).

PALUDINE. — D'origine marine, ce mollusque gastropode bénéficie d'une reproduction vivipare qui lui a permis d'étendre de plus en plus largement son domaine aux eaux douces. Les étapes de cette invasion ont pu être observées par les zoologistes.

PALUDISME. — Cette maladie tropicale et subtropicale est due à des protozoaires parasites du sang (hématozoaires) du genre *Plasmodium.* Ces parasites sont transmis par la piqûre de moustiques (anophèles).

La première atteinte du paludisme se manifeste par une fièvre continue, des céphalées, des nausées et des vomissements. Ensuite les accès, typiques, se reproduisent toutes les 48 heures (fièvre tierce due à *Plasmodium vivax* ou à *P. ovale*), toutes les 72 heures (fièvre quarte due à *P. malariæ*) ou d'une façon irrégulière (accès pernicieux dus à *P. falciparum*). Ces accès commencent par une grande sensation de froid et des frissons; la température monte à plus de 40 °C pendant une heure, puis redescend, et une sudation abondante inonde le malade, qui est alors soulagé.

Le paludisme peut être évité par la prise régulière d'antipaludéens, dès le départ vers la zone d'endémie. La prophylaxie collective repose sur la destruction des moustiques. Le traitement curatif utilise la quinine et les antipaludéens.

PALYNOLOGIE → POLLEN.

PAMIERS (09100), ch.-l. d'arr. de l'Ariège, sur l'Ariège; 15 159 hab. *(Appaméens).* Restes de fortifications. Cathédrale et église Notre-Dame-du-Camp, en brique, toutes deux reconstruites à l'époque classique, mais conservant de belles parties du XIIe et surtout du XIVe s. Autres monuments, vieilles maisons. Métallurgie.

PAMIR, haute chaîne de l'Asie centrale, partiellement englacée (le glacier Fedtchenko a près de 80 km de longueur), en U. R. S. S. (Tadjikistan); 7 495 m au *pic Communisme* (point culminant de l'U. R. S. S.) et 7 134 m au *pic Lénine.*

PAMPA (la), région herbacée de l'Argentine centrale, entre les ríos Salado et Colorado, domaine d'un important élevage bovin, stimulé par la relative proximité de Buenos Aires (marché de consommation et port d'importation).

PAMPELONNE (81190 Mirandol Bourgnounac), ch.-l. de cant. du Tarn, à 15 km au N.-E. de Carmaux; 833 hab. Anc. bastide du XIIIe s.

PAMPELUNE, en esp. **Pamplona,** v. du nord de l'Espagne, ch.-l. de la prov. de Navarre; 147 000 hab. Citadelle du XVIe s. Belle cathédrale reconstruite à partir de la fin du XIVe s. en gothique français, avec toutes ses dépendances canoniales (œuvres d'art; trésor dans l'anc. réfectoire). Monuments divers. Musée de Navarre dans l'ancien hôpital, à façade plateresque (1556).

PAMPHYLIE, région méridionale de l'Asie Mineure à l'est de la Cilicie*, arrière-pays de l'actuel golfe d'Antalya*. La Pamphylie, ouverte à la pénétration occidentale au XIVe s. av. J.-C., sera touchée seulement en partie par l'influence grecque, qui se limitera à quelques comptoirs. Successivement lydienne et perse, soumise ensuite aux Séleucides*, à Pergame* et à Rome*, elle sera christianisée au Ier s. par saint Paul*.

PAMPLEMOUSSE → AGRUMES.

PAN, dieu grec des bergers et des troupeaux. Il deviendra chez les poètes et les philosophes une des grandes divinités de la nature.

PANAMÁ, capit. de la *république de Panamá,* sur le Pacifique *(golfe de Panamá);* 418 000 hab.

PANAMÁ, État de l'Amérique centrale, entre la Colombie et le Costa Rica; 75 000 km²; 1 720 000 hab. *(Panamiens* ou *Panaméens).* Capit. *Panamá.*

GÉOGRAPHIE. Le pays s'étend sur la partie la plus étroite de l'isthme de l'Amérique centrale. Il est axé sur une chaîne montagneuse volcanique peu élevée, accidentée par une dépression centrale, El Interior, et bordée par des plaines côtières discontinues sur l'Atlantique et le Pacifique. Le climat, tropical, est très humide dans le sud du pays, couvert par la forêt dense, qui cède la place à la savane vers le nord.

La population, très mêlée, comprend des métis, des Blancs, des Noirs et des Indiens. Peu dense encore, elle s'accroît cependant à un rythme très rapide et se concentre dans la dépression centrale et autour de la zone du canal de Panamá*. C'est là que se situe la capitale, Panamá (418 000 hab.), principale ville du pays.

L'économie demeure essentiellement rurale. Les cultures vivrières fournissent riz, maïs et haricots, et la savane est le domaine de l'élevage, pratiqué dans les haciendas. Mais l'essentiel des ressources vient des plantations (bananes, canne à sucre, café, cacao), créées par de grandes compagnies américaines (United Fruit) et aussi de l'activité liée au trafic du canal.

HISTOIRE. Dès le XVIe s., les conquérants espagnols envisagent la possibilité de percer l'isthme (50 km) qui sépare les deux océans dans la région de l'actuelle république de Panamá. À partir de 1848, lors de la grande ruée vers l'or californien, la route transisthmique se réveille; en 1855 est créé le chemin de fer américain reliant Panamá et Colón. À cette date, l'isthme de Panamá est une province colombienne pauvre et isolée. Ferdinand de Lesseps* obtient de la Colombie le droit de construire un canal le long de la voie ferrée; mais, après neuf ans de travaux pénibles (1880-1889), la «Compagnie universelle du canal interocéanique» fait faillite (v. PANAMÁ [*scandales de*]). Après cet échec, le canal semble condamné; mais, forts de leur victoire sur l'Espagne (1898) et de leur implantation à Cuba et à Porto Rico, les Américains — d'abord favorables à un canal du Nicaragua — rachètent, en 1902, ses droits à la Compagnie française et proposent à la Colombie de lui louer une zone large de 10 miles, le long du futur canal. La Colombie refuse, mais, épuisée par la guerre civile des «mille jours» (1899-1903), elle ne peut s'opposer à la création d'une république indépendante de Panamá. Celle-ci, en échange de la concession perpétuelle d'une bande territoriale de 10 miles, obtient des États-Unis une redevance annuelle et la garantie de son indépendance.

Après un travail colossal de terrassement et d'assainissement, le canal est mis en exploitation en 1914. Depuis, la Compagnie, dont le seul actionnaire est le ministère américain de la Défense, a amorti près de trois fois le capital investi. Il est vrai que la république de Panamá, du fait du canal, est le plus riche des États de l'Amérique centrale. Cependant, les Panaméens obtiennent à plusieurs reprises la révision du traité de 1903. De violentes et sanglantes émeutes nationalistes et antiaméricaines éclatent, notamment en 1959 et en 1964. En 1965, le président Marco Aurelio Robles — réélu en 1964 — prépare un traité avec Washington, qui prévoit la souveraineté effective du Panamá sur la zone du canal et l'intégration économique de cette dernière au reste du pays. Mais, accusé de concussion, A. Robles est destitué en 1968. Les élections qui suivent (mai) donnent la victoire au leader nationaliste Arnulfo Arias — déjà président en 1940-41 et de 1949 à 1951 — qui, fort de l'appui des travailleurs, entame avec Washington des négociations. Mais, dès le 12 octobre 1968, Arias est renversé par un coup d'État militaire dirigé par le colonel José M. Pinilla; celui-ci est assisté du colonel Omar Torrijos qui, en mars 1969, écarte ses rivaux et, en 1972, est investi des pleins pouvoirs. O. Torrijos, appuyé sur les syndicats ouvriers et paysans, réclame à temps et à contre-temps, y compris devant l'O. N. U., la reconnaissance de la souveraineté panaméenne sur la zone du canal : il se heurte au veto américain. Cependant, en 1977, un accord est conclu avec les États-Unis, prévoyant la restitution de cette zone en l'an 2000.

Panamá *(canal de),* canal d'Amérique reliant l'Atlantique au Pacifique. Le canal, en service depuis 1914, est long de 79,6 km et a une profondeur minimale de 12,5 m (devant être portée à 13,7 m), ce qui interdit le passage des gros navires. Le trafic est cependant considérable, puisque voisin de 150 Mt (transportés par 14000 navires), avec une nette prépondérance du courant dirigé vers le Pacifique. Le canal, coupant presque en son milieu la république de Panamá*, est bordé par une bande de terre administrée par les États-Unis, la *zone du canal de Panamá,* qui couvre 1676 km^2 (dont 712 km d'eaux intérieures) et compte 45000 habitants (dont près de 90 p. 100 d'Américains).

Panamá *(congrès de),* congrès interaméricain convoqué par Bolívar* à Panamá, en 1826. Bolívar y suggéra une assemblée commune, mais le congrès ne réunit que les délégués de quelques États libérés, qui d'ailleurs ne s'engagèrent guère.

PANAMÁ *(golfe de),* golfe formé par le Pacifique, sur la côte sud de la *république de Panamá.*

PANAMÁ *(isthme de),* étroite bande de terre, longue de 250 km et large en moyenne de 70 km, reliant les deux masses continentales américaines, du Costa Rica à la Colombie.

Panamá *(scandales de).* — L'échec de Ferdinand de Lesseps* dans l'isthme américain donna naissance au plus grand scandale de la IIIe République*. Ce fut, en fait, un scandale financier et un scandale politique.

Le scandale financier est lié au fait que les frais engagés par la Compagnie universelle du canal interocéanique dépassent de beaucoup les prévisions optimistes de Lesseps, et sont couverts par des apports d'argent de financiers qui font payer de plus en plus cher, sous forme de primes, leur rôle d'intermédiaires.

Le scandale politique a beaucoup plus de retentissement. L'autorisation de la Chambre des députés étant indispensable pour une émission d'obligations à lots rendue nécessaire par l'état désastreux des finances de la Compagnie, la corruption parlementaire naît et se répand, qui permet l'adoption, le 9 juin 1888, d'une loi autorisant la Compagnie à lancer un emprunt à lots de 600 millions : il a si peu de succès que, le 5 février 1889, la liquidation de la Compagnie doit être prononcée, ce qui lèse près de un million de petits porteurs. Les «dessous de Panamá» ne sont révélés qu'en 1892, par la droite, qui dénonce les libéralités de Charles de Lesseps, libéralités qui ont profité à de nombreux parlementaires — les «chéquards». Cinq d'entre eux voient leur immunité parlementaire levée. Finalement, le procès en corruption est singulièrement clément (1893). En fait, malgré son tumulte, le scandale de Panamá ne sera pas un désastre pour le régime, puisque les républicains l'emportent largement aux élections de 1893. Si des hommes politiques de gauche, comme Maurice Rouvier et Georges Clemenceau* — éclaboussés par le scandale — sont momentanément écartés du pouvoir au profit d'une jeune classe politique, ils reviendront rapidement à la surface.

PANARIS → DOIGT.

PANATHÉNÉES. — Les Athéniens célébraient tous les ans une fête en l'honneur d'Athéna*, déesse protectrice de leur cité. Mais, à partir de Pisistrate* (VIe s. av. J.-C.), les *athénées* deviennent des *panathénées,* fêtes panhelléniques conçues sur le modèle de celles d'Olympie* et de Delphes*. Elles étaient célébrées tous les cinq ans et comportaient une procession religieuse, des concours musicaux, hippiques et athlétiques, dont les vainqueurs recevaient comme prix une amphore décorée, dite «panathénaïque», pleine de l'huile produite par les oliviers sacrés de la déesse.

PANAX. — C'est de cet arbrisseau, de la famille du lierre, que l'on utilise, sous le nom de *ginseng,* la racine aux propriétés tonifiantes.

PANAY, île du centre de l'archipel des Philippines; 10478 km^2; 1851000 hab.

PANAZOL (87350), comm. de la Haute-Vienne, à 5 km à l'E. de Limoges; 5282 hab.

PANČEVO, v. de Yougoslavie (Vojvodine), au N.-E. de Belgrade; 54000 hab. Raffinage du pétrole.

PANCHEN-LAMA (de *panchen,* «érudit», en tibétain). — Le panchen-lama est le gardien de la doctrine tantrique tibétaine (v. TANTRISME et BOUDDHISME). En ce sens, son importance spirituelle est supérieure à celle du dalaï-lama*. (V. TIBET.)

PANCKOUCKE, famille d'éditeurs et de libraires français. — ANDRÉ (Lille 1700-*id.* 1753) fonda à Lille une maison de librairie. — Son fils, CHARLES JOSEPH (Lille 1736-Paris 1798), fonda à Paris une librairie (1762) et une imprimerie (1774), acquit, avec son beau-frère Suard, le *Mercure de France* et créa *le Moniteur universel* (1789).

PANCRÉAS. — Cette glande mixte joue un rôle essentiel dans la digestion, par sa sécrétion externe, et dans la régulation de l'équilibre glucidique, par sa sécrétion interne.

Profondément placé dans l'abdomen, entre la colonne vertébrale et l'estomac, le pancréas, de forme triangulaire, a une tête située à droite — et entourée par le duodénum, dans lequel il déverse sa sécrétion externe — et une queue située à gauche. Il est constitué d'acini glandulaires, dont les canalicules se réunissent pour former les canaux de Wirsung et de Santorini, qui se jettent dans le duodénum. Entre les acini, se trouvent des groupements de cellules glandulaires, les îlots de Langerhans, qui produisent la sécrétion interne (l'insuline).

La sécrétion externe, déversée dans le duodénum, contient des enzymes qui permettent de digérer les glucides (amylases), les protéines (trypsine) et les graisses (lipases) de l'alimentation. La sécrétion interne, déversée dans le sang, contient l'insuline, qui abaisse la glycémie, et une autre hormone, le glucagon, douée d'une action inverse.

Les inflammations du pancréas, ou pancréatites, peuvent être aiguës ou chroniques. Leur diagnostic nécessite des investigations radiologiques et biochimiques et leur traitement peut nécessiter le recours à la chirurgie. Des tumeurs bénignes (kystes, faux kystes) et malignes (cancer) atteignent le pancréas, nécessitant la pancréatectomie partielle ou totale.

PANDA. — On nomme *pandas* deux espèces de mammifères de la famille des procyonidés, très différentes l'une de l'autre. Le «petit panda», ou «panda éclatant» *(Ailurus fulgens),* est un plantigrade végétarien de l'Himālaya, vivant dans les arbres, que son pelage d'un roux éclatant et sa longue queue font ressembler à un renard. Sa taille est celle d'un blaireau. Beaucoup plus connu du public, le «grand panda», ou «ours du père David» *(Ailuropus melanoleucus),* est en fait plus rare encore. Il vit dans les forêts de bambous du Yun-nan, se nourrit principalement de pousses de bambou et ressemble en tous points à un ours aux taches noires et blanches. En dépit de leur régime alimentaire, ces animaux font partie de l'ordre des carnassiers.

PANDANUS. — Cet arbre des régions chaudes de l'Ancien Monde porte de longues feuilles épineuses recherchées comme textiles (sacs, nattes, toitures). Il appartient à un type assez primitif de plantes monocotylédones.

PANDORE, première femme de l'humanité, selon la mythologie hellénique, que les dieux dotèrent de tous les dons (d'où son nom). Comme l'Ève* de la Bible, elle est responsable de la venue du mal sur la Terre, pour avoir ouvert (ou laissé ouvrir) le vase où Zeus* avait enfermé les misères et les maux; dans le fond de la *boîte de Pandore,* il ne resta plus pour les humains que l'espérance en guise de consolation.

PANEL. — Mise au point par Paul Lazarsfeld*, la technique du panel permet, à l'aide de questionnaires* ou d'interviews répétés, d'interroger à intervalles réguliers un groupe de personnes ou un échantillon restreint, mais permanent et représentatif, d'une population. Cette méthode permet de cerner l'évolution des attitudes ou des opinions pendant une période donnée et de déterminer les causes et les facteurs de ces évolutions. Le principal reproche fait à ce procédé est la difficulté de maintenir pendant un temps assez long un échantillon homogène (v. ÉCHANTILLONNAGE, ENQUÊTE).

PANGE (57530 Courcelles Chaussy), ch.-l. de cant. de la Moselle, à 16,5 km à l'E. de Metz; 505 hab.

PANGERMANISME. — Né d'une réaction contre certains principes de la Révolution française et du système napoléonien implantés en Allemagne, le pangermanisme exalte, à la lumière du passé, la prédestination de l'Allemagne au gouvernement du monde. Plus tard, sous l'influence de Gobineau*, de Nietzsche* et de Stewart Chamberlain, il préconise l'union, sous l'égide allemande, de tous les Germains et des peuples d'origine germanique. La politique coloniale de Bismarck*, puis les ambitions de Guillaume II* et la mégalomanie de Hitler* donnent au pangermanisme une allure de plus en plus inquiétante et le font déboucher sur des actions belliqueuses, qui bouleversent l'Europe durant toute la première moitié du XXe s.

PANGOLIN. — De loin, le pangolin semble une pomme de pin géante, en raison du revêtement d'écailles (ayant une structure comparable à celle des ongles) qui le recouvre presque entièrement. Les espèces arboricoles ont une queue préhensile et munie d'une ventouse. Les griffes, longues et puissantes, permettent à l'animal de gratter le sol pour éventrer fourmilières et termitières, dont il lèche les habitants avec sa longue langue visqueuse. C'est là la seule nourriture de cet animal dépourvu de dents, qui vit dans l'Asie du Sud-Est et forme à lui seul l'ordre des pholidotes (anc. section des édentés).

PANHARD, famille d'ingénieurs et de constructeurs automobiles français. — RENÉ (Paris 1841 - La Bourboule 1908) s'associa en 1886 avec Émile Levassor* et fonda la société Panhard et Levassor, qui construisit la première voiture automobile à essence. Cette société, qui prit un essor extraordinaire, fabriqua la première automitrailleuse (1899). — Son neveu, PAUL (Versailles 1881 - Neuilly-sur-Seine 1969), et le fils de ce dernier, JEAN (Paris 1913), se consacrèrent au développement et à l'expansion de la marque. Parmi les innombrables brevets que celle-ci prit, figurent notamment la boîte de vitesses (1895), la visibilité panoramique (1933), le rattrapage de jeu des soupapes, etc. En 1965, les établissements Panhard et Levassor furent absorbés par Citroën.

PANICAUT. — Cette grande ombellifère (genre *Eryngium*), très ornementale, ressemble aux composées du groupe des chardons*.

PANINE (Nikita Ivanovitch, *comte*), homme politique russe (Dantzig 1718 - Saint-Pétersbourg 1783). Catherine II* lui confie en 1763 la direction du collège des Affaires étrangères. Il tente de regrouper les puissances du Nord (Russie, Suède, Pologne, Prusse et même Angleterre) au sein d'un système d'alliances, mais la tsarine lui impose une politique polonaise contraire à ses vues et se rapproche de l'Autriche. Il démissionne en 1781.

PĀNINI → LINGUISTIQUE et SANSKRIT.

PANISLAMISME. — Le panislamisme, en tant que mouvement religieux et politique visant à unir tous les musulmans face à la colonisation européenne, est né à la fin du XIXe s. Abdülhamid II* (de 1876 à 1909), sultan ottoman, en fut le principal protagoniste. Le califat* ayant été supprimé en 1924 par Mustafa Kemal*, le problème de la restauration d'une autorité spirituelle unique en islām s'est avéré insoluble (congrès de La Mecque et du Caire, 1926). Cependant, malgré l'évolution des États musulmans, qui ont adopté des idéologies différentes et adhéré à des alliances internationales opposées, l'idée panislamique anime un certain nombre d'institutions et de congrès (Rabat, 1969; Djedda, 1970; Lahore, 1974).

PANJĀBĪ → INDO-ARYEN.

PANJIM, v. de l'Inde, sur la mer d'Oman, ch.-l. du territoire de Goa, Damān et Diu; 35 000 hab.

PANKOW, quartier de Berlin. Ancien siège du gouvernement de la République démocratique allemande.

PANNE (La), en néerl. **De Panne,** comm. de Belgique (Flandre-Occidentale), près de la frontière française; 9 722 hab. Station balnéaire sur la mer du Nord.

PANNEAU DE FIBRES ET DE PARTICULES. — • Les *panneaux de fibres* sont réalisés à partir de copeaux de bois qui sont défibrés par action chimique (vapeur à 8-10 bar) et mécanique (défibreur). Il existe deux procédés de fabrication : la *voie humide* permet la fabrication de panneaux isolants (0,25 g/cm^{3}), de 10 à 30 mm d'épaisseur, et de panneaux durs (de 0,5 à 1 g/cm^{3}) à une face lisse, de 2 à 5 mm d'épaisseur; la *voie sèche* donne uniquement des panneaux durs à deux faces lisses, de 2 à 12 mm d'épaisseur. Une fois constitué, le matelas de fibres est séché sans pression pour les isolants, tandis que, pour les durs, il est mis sous une presse chauffante, sans colle, à 170 °C et 60 bar pour le procédé humide, avec colle phénol-*formol et à 250 °C et 70 bar pour le procédé sec. Les panneaux isolants ne servent que pour l'isolation, les durs sont utilisés dans la construction (coffrage perdu, sous-toiture, etc.), dans l'ameublement* et l'emballage*.

• Les *panneaux de particules* sont obtenus à partir de particules fines de bois (0,2-0,4 mm d'épaisseur) qui, après encollage avec des colles urée* ou phénol-formol, sont mises en matelas dans l'air et agglomérés sous presse chauffante (120-150 °C, 10-15 bar). Ce sont les panneaux dits « à plat » (homogènes ou à 3-5 couches), de grandes dimensions, de 6 à 70 mm d'épaisseur, et qui sont plus stables que le bois massif. Un procédé spécial donne les *panneaux extrudés,* de 30 à 70 mm d'épaisseur, avec trous circulaires, utilisés surtout pour la réalisation de cloisons. Les panneaux à plat sont employés dans l'ameublement, la construction, l'emballage, etc.

PANCRÉAS

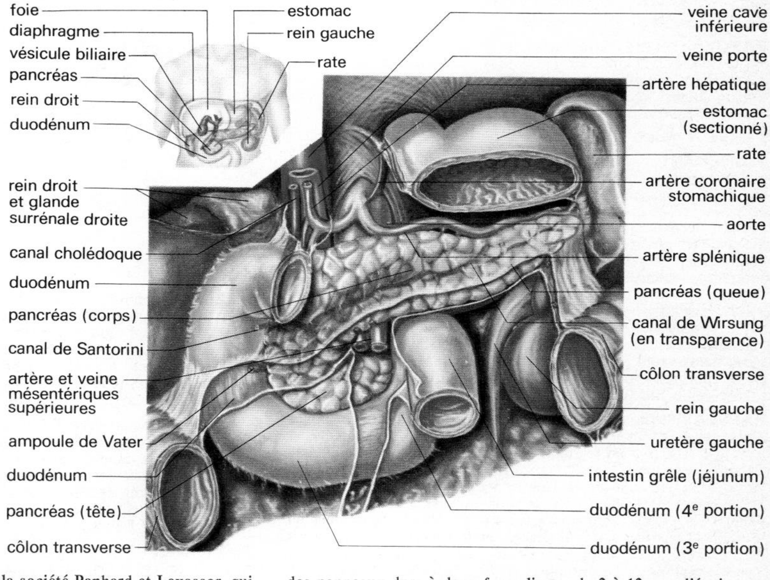

PANNINI (Giovanni Paolo), peintre italien (Plaisance 1691 - Rome 1765). Élève des Bibiena, il devint, avant Canaletto, le premier des grands « vedutistes », dépassant la minutie topographique dans ses vues de Rome, ses arrangements imaginaires de ruines, ses représentations de cortèges et de fêtes.

PANNONIE, en lat. **Pannonia,** anc. région bordée par le Danube, le Norique, l'Illyricum et la Mésie. Peuplée d'Illyriens et de Celtes, elle fut conquise par Rome entre 35 av. J.-C. et 9 apr. J.-C. et intégrée à l'Illyricum; elle en fut détachée en 9 apr. J.-C. et devint province autonome impériale. Trajan divisa la province en Pannonie supérieure (capit. Savaria [Szombathely]) et Pannonie inférieure (capit. Sirmium [Mitrovica]). Aux Ve et VIe s., la Pannonie fut successivement envahie par les Huns, les Ostrogoths, les Lombards et les Avars (568); ces derniers l'occupèrent jusqu'à l'arrivée des Magyars (IXe s.).

PANNONIEN *(Bassin),* nom donné à la région de plaines comprise entre les Alpes à l'O., les chaînes dinariques au S., les Carpates au N. et à l'E. Le Bassin pannonien, drainé par le Danube moyen et son affluent, la Tisza, englobe une grande partie de la Hongrie, le nord-est de la Yougoslavie et l'extrémité occidentale de la Roumanie.

PANOFSKY (Erwin), historien d'art américain d'origine allemande (Hanovre 1892 - Princeton 1968). Professeur à Hambourg puis à Princeton (1935), il a développé la méthode iconologique (v. ICONOGRAPHIE), visant à la « lecture » de l'œuvre d'art dans son contexte de civilisation et selon ses différents « niveaux de signification » (*Essais d'iconologie, thèmes humanistes dans l'art de la Renaissance,* 1939; *l'Œuvre d'art et ses significations,* 1955; etc.).

PANORPE. — Avec son long rostre, ses ailes tachetées et, chez le mâle, une pince caudale recourbée comme un dard de scorpion, la panorpe est facile à reconnaître. Elle se nourrit de cadavres d'insectes. Sa larve, très semblable à une chenille, vit dans la terre. La panorpe est peut-être voisine des ancêtres communs aux deux immenses ordres des diptères* et des lépidoptères*, ce qui lui confère un grand intérêt zoologique.

PANOVA (Vera Fedorovna), femme de lettres soviétique (Rostov-sur-le-Don 1905 - Leningrad 1973). Ses nouvelles et ses romans peignent les bouleversements nés de la guerre et des transformations politiques et sociales de la Russie moderne (*Compagnons de route,* 1946; *Récits de Leningrad,* 1959).

PANSE → RUMINANTS.

PANSEMENT. — Les pansements sont destinés à protéger mécaniquement et bactériologiquement les plaies et les lésions cutanées ou muqueuses, à absorber les liquides pathologiques, à maintenir en place des médicaments topiques ou à arrêter une hémorragie par compression. Toutefois, les pansements ont des inconvénients (macération des tissus par la sueur, adhérence); c'est pourquoi les petites plaies et les brûlures, les plaies chirurgicales suturées (notamment de la face) ont intérêt à être laissées à l'air libre. Les pansements courants comportent une compresse de gaze stérile, éventuellement imprégnée d'antiseptique, une couche de coton hydrophile, une couche de coton cardé et une bande de contention ou un sparadrap adhésif pour maintenir le tout. Les pansements « tout prêts », dits « américains », les sparadraps avec gaze iodoformée peuvent être appliqués directement après nettoyage des petites plaies.

PANSLAVISME. — L'idée de l'appartenance de tous les peuples d'origine slave à un ensemble ethnique et linguistique unique et leurs aspirations à un regroupement au sein d'une entité politique s'élaborent à partir du XVIe s. : travaux du Croate J. Križanić (1618-1683), des Tchèques J. Dobrovský (1753-1829) et F. Palacký*, du Slovaque J. Kollár*, des slavophiles russes du XIXe s. Les peuples slaves, encore dominés, au XIXe s., par les Autrichiens ou les Turcs, aspirent à leur libération et à leur regroupement sous l'égide des Russes, dont le concours leur est indispensable. La Russie exploite cette situation à des fins impérialistes. Les divergences d'intérêts entre les nationalismes des différents peuples slaves et l'impérialisme russe expliquent que les congrès panslaves de Prague (1848) et de Moscou (1867) n'aient pu déboucher.

Pantagruel *(Horribles et Épouvantables Faits et Prouesses du très renommé),* le premier roman de Rabelais (1532). Le récit des aventures de Pantagruel précède celui des prouesses de son père, Gargantua*, et campe la figure majeure de Panurge*.

Pantalon, personnage de la comédie italienne. Pantalon est docteur et porte la culotte longue qui a pris son nom. C'est un vieillard quinteux, libidineux et avare.

PANTELLERIA, île italienne entre la Sicile et la Tunisie; 83 km^2; 10 000 hab.

PANTHÉISME. — Le mot « panthéisme » désigne les philosophies monistes où est affirmée l'identité de Dieu avec la totalité de l'être qui inclut la nature ou s'y réduit. Le panthéisme s'oppose à toute doctrine de la transcendance de Dieu et à tout dualisme de l'être. Il sape ainsi les fondements de la religion pour développer une philosophie de l'homme sage, libre et conscient de l'unité fondamentale qui le lie à l'être et à lui-même. Les principaux représentants de ce courant sont : Plotin*, Spinoza*, G. Bruno*, Schelling* et Hegel*.

Scala

Le Panthéon, à Rome. Consacré au culte chrétien au début du XVIIe s., il abrite notamment les tombeaux de Raphaël, de Victor-Emmanuel II et de Humbert Ier.

Panthéon, temple de Rome, dédié aux sept divinités planétaires et construit par Agrippa au Ier s. av. J.-C. L'édifice actuel, à peu près intact, date de l'époque d'Hadrien. Par la valeur de son espace intérieur (sous un dôme surbaissé à ouverture centrale), c'est l'une des réalisations les plus impressionnantes de l'architecture romaine, dont les répercussions seront constantes sur l'architecture occidentale de la Renaissance au néoclassicisme.

Panthéon, monument de Paris, sur la montagne Sainte-Geneviève, construit à partir de 1764 par Soufflot*, comme église dédiée à la patronne de la capitale, achevé par J.-B. Rondelet* v. 1790. La Révolution, suivie par les républiques successives, en fit un temple destiné à recevoir les restes des grands hommes (crypte). Peintures murales, dont celles de Puvis* de Chavannes; à la façade, fronton (1830-1837) par David d'Angers.

PANTHÈRE. — La panthère (ou *léopard :* les deux termes sont rigoureusement synonymes) a une aire de distribution immense : toute l'Afrique, toute l'Asie, sauf la Sibérie, et même les îles de la Sonde. C'est un « gros chat » au pelage diversement tacheté de fauve et de noir, beaucoup plus doué que le chat pour grimper aux arbres, sauter à terre, traverser les fleuves à la nage ou se dissimuler. Carnivore, vorace et rusée, difficile à chasser, impossible à domestiquer, la panthère est le plus dangereux des félins. Il existe des variétés mélaniques (panthère noire) ou albinos, mais seule l'*once* des montagnes de l'Asie centrale est une espèce différente de la panthère commune.

PANTIN (93500), ch.-l. de cant. de la Seine-Saint-Denis, dans la proche banlieue nord-est de Paris; 42 744 hab. *(Pantinois).* Constructions mécaniques et électriques. Meunerie.

PANTOGRAPHE → CAPTAGE et TRAMWAY.

PANTOMIME → MIME.

PANTON (Verner), architecte et designer danois (Copenhague 1926). Auteur de bâtiments de bureaux circulaires en R. F. A., il a réalisé des tapis, des luminaires et des sièges : chaises coniques exécutées en réseaux de fil de fer ou garnies de tissu. Il est très attaché à la couleur.

Panurge, personnage créé par Rabelais dans *Pantagruel.* Son nom, transcrit du gr. *panourgos,* signifie « industrieux », « capable de tout ». Paillard, poltron, cynique, mais d'esprit fertile, il est le compagnon fidèle de Pantagruel. Le *Tiers Livre,* le *Quart Livre* et le *Cinquième Livre* de Rabelais sont consacrés aux consultations successives auxquelles procède Panurge pour savoir s'il doit se marier, et aux voyages qu'il entreprend pour entendre l'oracle de la Dive Bouteille.

PANZINI (Alfredo), écrivain italien (Senigallia 1863 - Rome 1939). Disciple de Carducci, il ajoute aux principes classiques un lyrisme teinté d'ironie dans la peinture qu'il fait de la société contemporaine (*la Lanterne de Diogène,* 1907).

PAO-KI ou **BAOJI,** v. de Chine, dans l'ouest du Chen-si; 130 000 hab.

PAOLI (Pascal), patriote corse (Morosaglia 1725 - Londres 1807). Général en chef de la Corse en 1755, Paoli organise la résistance contre Gênes, puis, après 1768, contre la France. La défaite de Ponte-Novo contre les Français (1769) l'oblige à abandonner ses projets d'indépendance et à se réfugier en Angleterre. Lors de son retour en Corse (1790), poursuivant son vieux rêve d'indépendance, Paoli intrigue avec les Anglais. Mais très vite déçu, abandonné par ses compatriotes, il repart pour l'Angleterre en 1795.

PAOLO VENEZIANO, peintre italien, actif à Venise de 1310 environ à 1360. Son œuvre reste très proche encore de l'art byzantin, mais ses emprunts au linéarisme et à l'iconographie gothiques font de lui un « moderne », et il est considéré, à ce titre, comme le fondateur de l'école vénitienne (*Madone* d'un polyptyque, 1352, Louvre). Le caractère précieux (or, couleurs brillantes) de son art se retrouve, avec plus de souplesse, chez ses disciples, qui, tel LORENZO VENEZIANO (actif à Venise, à Bologne, à Padoue de 1345 environ à 1380), se rapprochent du gothique international.

PAON. — Aucun oiseau gallinacé n'atteint le même degré de dimorphisme* sexuel que le paon. Le mâle, en effet, possède un éventail de plumes caudales érectiles aux reflets métalliques, ornées chacune d'une superbe tache ronde, l'« œil ». L'étalage de cet ornement fait partie de sa conduite de cour. En revanche, le cri du paon, souvent noté « léon », est peu harmonieux. Le paon n'est élevé en captivité qu'à des fins ornementales.

PAO-T'EOU ou **BAOTOU,** v. de Chine, au sommet de la grande boucle du Houang-ho; 650 000 hab. Sidérurgie.

PAO-TING ou **BAODING,** v. de Chine (Ho-pei), au S.-O. de Pékin; 265 000 hab.

PAOUSTOVSKI (Konstantine Gueorguievitch), écrivain soviétique (Moscou 1892 - *id.* 1968). Auteur de romans d'aventures (*les Nuages étincelants,* 1929), il tourna sa passion des exploits héroïques vers la peinture de la construction du socialisme (*Kara-Bougaz,* 1932), avant d'appliquer son esthétique de poétisation du réel au récit de sa propre vie (*Histoire d'une vie,* 1946-1963, 6 vol.).

PAPADHÓPOULOS (Georges ou Gheórghios), officier et homme politique grec (Heliokhorion 1919). Principal responsable du coup d'État militaire d'avril 1967, il devient Premier ministre et ministre de la Défense (déc. 1967), et accroît progressivement ses pouvoirs. Après la tentative de contre-coup d'État royaliste (1973), il dépose le roi et fait proclamer la république, dont il devient président. Mais il est renversé (nov.) par un coup d'État militaire.

PAPÁGHOS ou **PAPAGOS** (Aléxandros), homme politique grec (Athènes 1883 - *id.* 1955). Commandant les forces grecques contre les Italiens en 1940, il fut fait prisonnier par les Allemands jusqu'en 1945. De 1949 à 1951, il commanda de nouveau l'armée contre les forces communistes de Márkos. Artisan principal de la restauration de la monarchie, il fut chef du gouvernement de 1952 à 1955.

PAPANDHRÉOU (Georges ou Gheórghios), homme politique grec (Patras 1888 - Athènes 1968). Fondateur du parti social-démocrate (1935), il entre dans la Résistance après l'invasion allemande et devient le chef du gouvernement grec en exil au Caire (1944). Il crée le parti libéral démocratique (1959) et regroupe l'opposition au gouvernement de Caramanlis dans un Centre unifié, dont il devient le chef. Le succès centriste aux élections de 1963 lui permet d'accéder à la présidence du Conseil, mais l'hostilité du roi Constantin le contraint à démissionner (1965).

PAPANINE (Ivan Dmitrievitch), explorateur soviétique (Sébastopol 1894). Directeur de stations scientifiques polaires, il se laisse dériver dans l'Arctique sur une banquise pendant huit mois (1937-38). En 1939, il est mis à la tête de la voie maritime du Nord.

PAPAUTÉ. — Dans l'Église catholique, il est de foi que le Christ a voulu son Église fondée sur Pierre*, établi par lui chef du collège apostolique. Pierre, venu d'abord de Jérusalem à Antioche, fixe son siège à Rome, où il souffre le martyre sous Néron. « Le fait de Pierre » a comme conséquence que la capitale du monde devient, pour la suite des siècles, le centre de l'unité chrétienne et de la catholicité. Le pape est à la fois évêque de Rome et chef de l'Église universelle.

Le pape jouit d'une double prérogative : la primauté et l'infaillibilité. C'est l'enseignement dogmatique du premier concile du Vatican* (1870) qui a donné à ces privilèges sa forme la plus précise; d'après cet enseignement, le pouvoir du pape est à concevoir comme une primauté suprême de juridiction et comme un magistère suprême. La primauté de juridiction signifie un pouvoir épiscopal véritable et direct sur l'ensemble de l'Église, et donc un pouvoir législatif suprême, un droit de regard suprême et l'autorité judiciaire la plus haute.

En tant que docteur suprême, le pape possède le privilège d'être, par grâce, préservé de l'erreur en matière de foi, tel que le Christ l'a promis à son Église : c'est l'infaillibilité, dont l'objet comprend toutes les vérités révélées par Dieu, dans le Christ, à son Église, mais également tout ce qui est nécessaire pour mettre cette vérité révélée à l'abri de toute altération et de toute déformation.

Cependant, comme la foi de l'Église a son histoire, il est certain que même les formules infailliblement définies et vraies ne sont pas des formules définitives et complètes qui embrasseraient tout. D'ailleurs, le pape n'est jamais infaillible dans son comportement personnel ni dans ses opinions privées. Si elle appartient au pape seul quand, en tant que docteur suprême de l'Église — *ex cathedra* —, il prend une décision doctrinale qui oblige au nom de la foi d'une manière universelle et définitive, l'infaillibilité appartient aussi au concile œcuménique (avec le pape) et à l'ensemble de l'épiscopat quand, sous l'autorité du pape, il propose à l'unanimité une doctrine comme révélée par Dieu pour l'Église.

Il pourrait se faire, dans l'avenir, qu'on distingue de nouveau plus clairement le rôle du pape en tant que patriarche latin de l'Occident et son rôle en tant que primat de l'Église universelle. Le deuxième concile du Vatican* (1962-1965) a, d'autre part, commencé à dégager la signification propre et autonome du pouvoir épiscopal de droit divin, que le pape ne peut annuler.

PAPAVÉRACÉES. — Les papavéracées constituent une importante famille d'herbes aux fleurs à quatre pétales, au fruit sec en forme de capsule. Elles sécrètent un latex. Le coquelicot est l'hôte habituel des champs de céréales. La chélidoine se caractérise par son suc jaune et abonde aux bords des chemins. L'eschscholtzia est cultivé comme ornementale. Le pavot, cultivé en grand dans toute l'Asie, fournit l'opium*.

PAPE. — Dans l'Église primitive, le pape est élu par le clergé romain, par le peuple et par les évêques de la province, ceux-ci ratifiant le choix des premiers. Les pressions extérieures deviennent telles, au haut Moyen Âge, que les papes sont amenés à restreindre le corps électoral, en éliminant tout élément laïque et le clergé inférieur. Nicolas II* (1059-1061) décide que l'élection papale appartiendra désormais aux cardinaux-évêques. Alexandre III* statue, en 1179, que tous les cardinaux auront le droit de suffrage, mais que, pour la validité de l'élection, il faudra que les deux tiers des voix se réunissent sur le même nom. De nouveaux abus étant intervenus, Grégoire X, en 1274, promulgue la bulle qui formule les règles des futurs conclaves (*cum clave :* sous clef), règles strictes qui obligent physiquement les cardinaux à hâter l'élection d'un pontife. En 1622, Grégoire XV met au point un minutieux cérémonial d'élection qui sera en usage jusqu'à nos jours; mais ces formalités seront progressivement simplifiées. En 1970, Paul VI* décide que les cardinaux âgés de plus de quatre-vingts ans ne pourront plus participer à l'élection du pape; en 1973, il propose que tous les patriarches orientaux et les évêques membres du conseil du synode soient aussi électeurs du pape. (V. tableau p. 1396.)

PAPE-CARPANTIER (Marie), pédagogue française (La Flèche 1815 - Villiers-le-Bel, Seine-et-Oise, 1878). Elle organisa en France les premières salles d'asile, ou écoles maternelles.

PAPEETE, ch.-l. de la Polynésie française, port sur la côte nord-ouest de Tahiti; 25 342 hab.

PAPEN (Franz von), homme politique allemand (Werl, Westphalie, 1879 - Obersasbach, Bade-Wurtemberg, 1969). Député du centre catholique (1921-1932), chancelier du Reich en 1932, il devient vice-chancelier en 1933, puis ambassadeur d'Autriche (1934-1938) et prépare l'Anschluss*. Accusé de crimes de guerre, il est acquitté lors du procès de Nuremberg (1946).

PAPHLAGONIE, anc. province du nord de l'Asie Mineure. Indépendante à l'origine, elle conserva, sous les dominations successives des Mèdes, des Perses, des royaumes de Pergame* et du Pont*, sa dynastie princière jusqu'à la fin du Ier s. av. J.-C., où elle devint romaine. (V. princ. *Gangra* et *Sinope.*)

PAPHOS, ville de Chypre, bâtie vers le XIIe s. av. J.-C. par des colons phéniciens, fameuse par son sanctuaire d'Aphrodite.

les papes

Pierre (saint)
Lin (saint)
67-76
Anaclet ou Clet (saint)
76-88
Clément Ier* (saint)
88-97
Évariste (saint)
97-105
Alexandre Ier (saint)
105-115
Sixte Ier (saint)
115-125
Télesphore (saint)
125-136
Hygin (saint)
136-140
Pie Ier (saint)
140-155
Anicet (saint)
155-166
Soter (saint)
166-175
Éleuthère (saint)
175-189
Victor Ier (saint)
189-199
Zéphyrin (saint)
199-217
Calixte
ou Calliste Ier (saint)
217-222
Urbain Ier (saint)
222-230
Pontien (saint)
230-235
Antère (saint)
235-236
Fabien* (saint)
236-250
Corneille* (saint)
251-253
Lucius Ier (saint)
253-254
Étienne Ier (saint)
254-257
Sixte II (saint)
257-258
Denys (saint)
259-268
Félix Ier (saint)
269-274
Eutychien (saint)
275-283
Caïus (saint)
283-296
Marcellin (saint)
296-304
[*Vacance du Saint-Siège*]
Marcel Ier* (saint)
308-309
Eusèbe (saint)
309-310
Miltiade (saint)
311-314
Sylvestre Ier* (saint)
314-335
Marc (saint)
336
Jules Ier (saint)
337-352
Libère
352-366
Damase Ier* (saint)
366-384
Sirice (saint)
384-399
Anastase Ier (saint)
399-401
Innocent Ier* (saint)
401-417
Zosime (saint)
417-418
Boniface Ier (saint)
418-422
Célestin Ier* (saint)
422-432
Sixte III (saint)
432-440
Léon Ier* (saint)
440-461
Hilaire (saint)
461-468
Simplicius
ou Simplice (saint)
468-483
Félix III (saint)
483-492
Gélase Ier* (saint)
492-496
Anastase II
496-498
Symmaque (saint)
498-514
Hormisdas (saint)
514-523
Jean Ier (saint)
523-526
Félix IV (saint)
526-530
Dioscore
530
Boniface II
530-532
Jean II (Mercurius)
533-535
Silvère (saint)
536-537
Vigile
537-555
Pélage Ier
556-561
Jean III (Catelinus)
561-574
Benoît Ier
575-579
Pélage II
579-590
Grégoire Ier* (saint)
590-604
Sabinien
604-606
Boniface III
607
Boniface IV (saint)
608-615
Dieudonné Ier
ou Adéodat (saint)
615-618
Boniface V
619-625
Honorius Ier
625-638
[*Vacance du Saint-Siège*]
Séverin
640
Jean IV
640-642
Théodore Ier
642-649
Martin Ier* (saint)
649-655
Eugène Ier (saint)
654-657
Vitalien (saint)
657-672
Dieudonné II ou Adéodat
672-676
Domnus ou Donus
676-678
Agathon (saint)
678-681
Léon II (saint)
682-683
Benoît II (saint)
684-685
Jean V
685-686
Conon
686-687
Serge
ou Sergius Ier (saint)
687-701
Jean VI
701-705
Jean VII
705-707
Sisinnius
708
Constantin Ier
708-715
Grégoire II (saint)
715-731
Grégoire III (saint)
731-741
Zacharie (saint)
741-752
Étienne II
752-757
Paul Ier (saint)
757-767
Étienne III
768-772
Adrien Ier
772-795
Léon III* (saint)
795-816
Étienne IV
816-817
Pascal Ier (saint)
817-824
Eugène II
824-827
Valentin
827
Grégoire IV
827-844
Serge ou Sergius II
844-847
Léon IV (saint)
847-855
Benoît III
855-858
Nicolas Ier* (saint)
858-867
Adrien II
867-872
Jean VIII*
872-882
Marin Ier ou Martin II
882-884
Adrien III (saint)
884-885
Étienne V
885-891
Formose
891-896
Boniface VI
896
Étienne VI
896-897
Romain
897
Théodore II
897
Jean IX
898-900
Benoît IV
900-903
Léon V
903
Serge ou Sergius III
904-911
Anastase III
911-913
Landon
913-914
Jean X
914-928
Léon VI
928
Étienne VII
928-931
Jean XI
931-935
Léon VII
936-939
Étienne VIII
939-942
Marin II ou Martin III
942-946
Agapet II
946-955
Jean XII
955-964
Léon VIII
963-965
ou Benoît V
964-966
Jean XIII
965-972
Benoît VI
973-974
Benoît VII
974-983
Jean XIV
983-984
Jean XV*
985-996
Grégoire V
996-999
Sylvestre II*
999-1003
Jean XVII
1003
Jean XVIII
1004-1009
Serge ou Sergius IV
1009-1012
Benoît VIII
1012-1024
Jean XIX
1024-1032
Benoît IX
1032-1044
Sylvestre III
1045
Benoît IX
1045
Grégoire VI
1045-1046
Clément II
1046-1047
Benoît IX
1047-1048
Damase II
1048
Léon IX* (saint)
1049-1054
Victor II
1055-1057
Étienne IX
1057-1058
Nicolas II*
1059-1061
Alexandre II
1061-1073
Grégoire VII* (saint)
1073-1085
Victor III
(bienheureux)
1086-1087
Urbain II* (bienheureux)
1088-1099
Pascal II
1099-1118
Gélase II
1118-1119
Calixte II*
1119-1124
Honorius II
1124-1130
Innocent II*
1130-1143
Célestin II
1143-1144
Lucius II*
1144-1145
Eugène III* (bienheureux)
1145-1153
Anastase IV
1153-1154
Adrien IV
1154-1159
Alexandre III*
1159-1181
Lucius III*
1181-1185
Urbain III
1185-1187
Grégoire VIII
1187
Clément III*
1187-1191
Célestin III
1191-1198
Innocent III*
1198-1216
Honorius III
1216-1227
Grégoire IX
1227-1241
Célestin IV
1241
[*Vacance du Saint-Siège*]
Innocent IV*
1243-1254
Alexandre IV
1254-1261
Urbain IV
1261-1264
Clément IV
1265-1268
[*Vacance du Saint-Siège*]
Grégoire X (bienheureux)
1271-1276
Innocent V (bienheureux)
1276
Adrien V
1276
Jean XXI
1276-1277
Nicolas III*
1277-1280
Martin IV
1281-1285
Honorius IV
1285-1287
Nicolas IV*
1288-1292
Célestin V* (saint)
1294
Boniface VIII*
1294-1303
Benoît XI (bienheureux)
1303-1304
Clément V*
1305-1314
[*Vacance du Saint-Siège*]
Jean XXII*
1316-1334
Benoît XII
1334-1342
Clément VI
1342-1352
Innocent VI*
1352-1362
Urbain V (bienheureux)
1362-1370
Grégoire XI
1370-1378

GRAND SCHISME D'OCCIDENT

papes de Rome

Urbain VI*
1378-1389
Boniface IX
1389-1404
Innocent VII
1404-1406
Grégoire XII
1406-1415

papes d'Avignon

Clément VII
1378-1394
Benoît XIII
1394-1423

papes de Pise

Alexandre V
1409-1410
Jean XXIII
1410-1415

fin du schisme

Martin V*
1417-1431
Eugène IV*
1431-1447
Nicolas V*
1447-1455
Calixte ou Calliste III
1455-1458
Pie II
1458-1464
Paul II
1464-1471
Sixte IV*
1471-1484
Innocent VIII*
1484-1492
Alexandre VI*
1492-1503
Pie III
1503
Jules II*
1503-1513
Léon X*
1513-1521

Adrien VI
1522-1523
Clément VII*
1523-1534
Paul III
1534-1549
Jules III
1550-1555
Marcel II*
1555
Paul IV
1555-1559
Pie IV*
1559-1565
Pie V* (saint)
1566-1572
Grégoire XIII
1572-1585
Sixte V*
1585-1590
Urbain VII
1590
Grégoire XIV
1590-1591

Innocent IX
1591
Clément VIII
1592-1605
Léon XI
1605
Paul V
1605-1621
Grégoire XV
1621-1623
Urbain VIII*
1623-1644
Innocent X*
1644-1655
Alexandre VII*
1655-1667
Clément IX
1667-1669
Clément X
1670-1676
Innocent XI* (bienheureux)
1676-1689
Alexandre VIII
1689-1691

Innocent XII*
1691-1700
Clément XI*
1700-1721
Innocent XIII
1721-1724
Benoît XIII*
1724-1730
Clément XII
1730-1740
Benoît XIV*
1740-1758
Clément XIII
1758-1769
Clément XIV
1769-1774
Pie VI*
1775-1799
Pie VII*
1800-1823
Léon XII*
1823-1829
Pie VIII
1829-1830

Grégoire XVI*
1831-1846
Pie IX*
1846-1878
Léon XIII*
1878-1903
Pie X* (saint)
1903-1914
Benoît XV*
1914-1922
Pie XI*
1922-1939
Pie XII*
1939-1958
Jean XXIII*
1958-1963
Paul VI*
1963

PAPIER. — Feuille sèche et mince faite de toutes sortes de substances végétales réduites en pâtes*, le papier est utilisé pour écrire, imprimer, envelopper, etc. Connu depuis la plus haute antiquité en Chine (IIe s. av. J.-C.) et fabriqué à base de fibres diverses et en particulier de bambou, il pénètre peu à peu jusqu'au Turkestan. Il gagne l'Islām, puis l'Europe, où il arrive par l'Afrique du Nord à la fois en Espagne et en Sicile au commencement du XIIe s. À cette époque, les chiffons sont mis à pourrir dans de l'eau, puis battus et déchiquetés par des maillets de bois mus par une chute d'eau. La pâte très diluée que l'on obtient ainsi est mise dans une cuve, puis reprise sur des tamis secoués à la main; il reste une feuille humide et molle que l'on dépose sur un feutre* sec. Les feutres sont empilés et pressés, puis les feuilles sont reprises une à une, généralement collées dans un bain de gélatine, ou colle d'os.

PAPIER. Schéma de la fabrication du papier

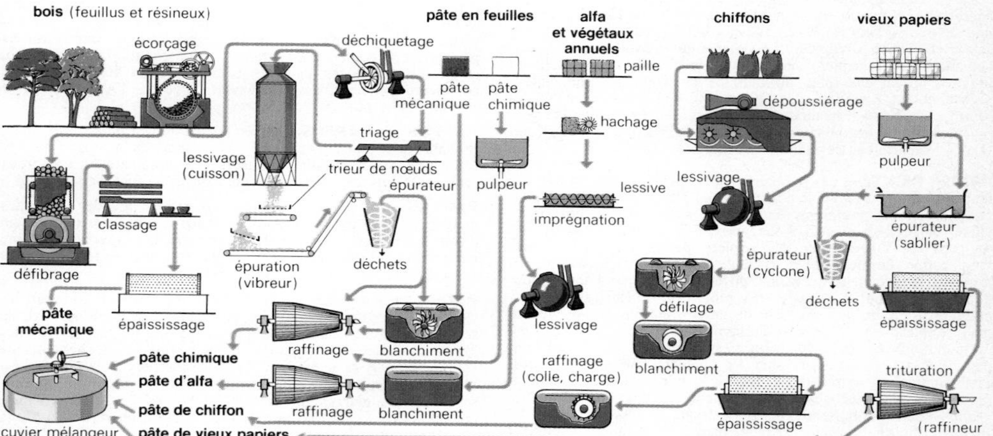

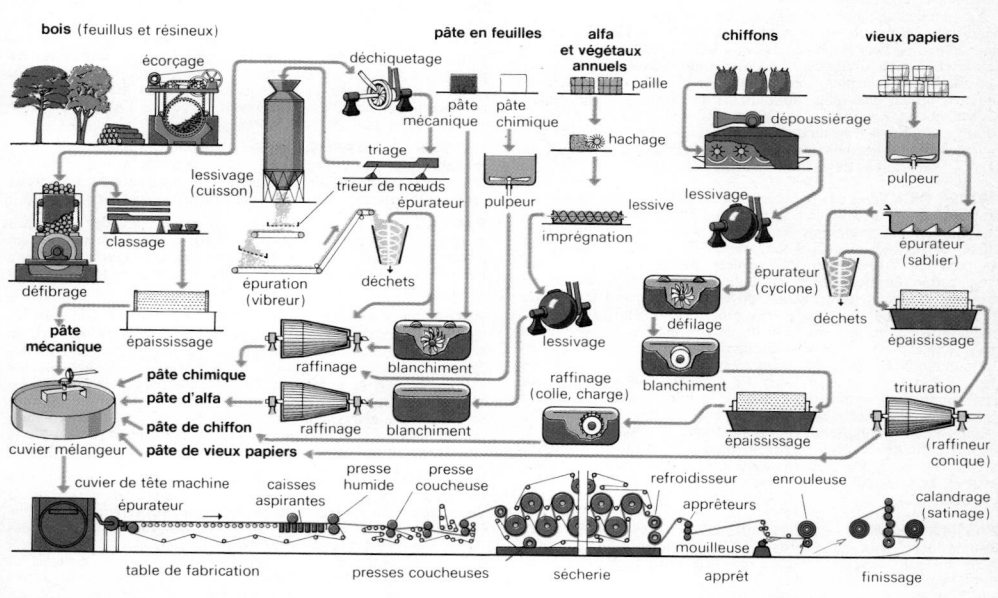

Elles sont ensuite repressées, puis mises à sécher sur des étendoirs. Vers 1800, un ouvrier papetier d'Essonnes, Nicolas Louis Robert (1761-1828), a alors l'idée d'une machine permettant la fabrication industrielle du papier. La forme à la main est remplacée par une toile de cuivre continue, animée d'un mouvement longitudinal, d'une part, et d'un branlement transversal, d'autre part, et sur laquelle la pâte* se répand en nappe mince et s'égoutte comme sur la forme. Cette pâte est reprise sur un feutre et ensuite pressée et séchée sur des cylindres chauds. La baisse de prix de revient obtenue par ce procédé permet la fabrication de papiers plus ordinaires, à base de chiffons de couleurs ou de déchets de papier, et celle des papiers d'emballage*. Devant l'augmentation de la consommation, on est bientôt à court de chiffons. En 1844, l'Allemand Friedrich Gottlob Keller (1816-1895) découvre la pâte mécanique, obtenue à partir de bois râpé et qui fut ensuite employée dans la fabrication du papier journal. Peu après, l'Allemand Eilhard Mitscherlich (1794-1863) et l'Américain Benjamin C. Tilghman (1821-1901) réussissent à fabriquer les premières pâtes de bois chimiques, qui permettent l'essor industriel pris depuis par le papier. La progression de la production est alors très rapide. En France, elle passe de 20 000 t en 1800 à 50 000 t en 1850, à 400 000 t en 1900, à 700 000 t en 1930, à 1 057 000 t en 1950, à 2 230 000 t en 1960, pour atteindre 3 994 000 t en 1970. Il existe plusieurs grandes familles de papier : papier à usage graphique ou analogue, papier journal, papier d'impression*, papier pour dossiers et registres, bristol et papier-calque, papier destiné à la reproduction (photo, Diazo, etc.), papier pour les éditions de grand luxe, papier pour titres et papier-monnaie. Les papiers couchés, destinés à l'impression de reproductions photographiques, comportent une enduction de kaolin pour avoir une surface parfaitement lisse après calandrage. Les papiers d'emballage, à l'origine, étaient faits de déchets de papier refondu ou de chiffons colorés; ensuite on utilisa de la paille traitée à chaud jusqu'à ce qu'apparaisse le *papier kraft,* à base de pâte de pin à la soude, fabriqué en particulier dans les pays scandinaves et en France dans les Landes. Parmi les papiers spéciaux et industriels figurent le papier parcheminé, le papier sulfurisé, le papier cristal, le papier de tenture, le papier support d'abrasif*. Enfin, il existe de nombreux papiers minces spéciaux : papier à cigarettes*, papier bible, support carbone, papier pour condensateur, ouate de cellulose, etc. Le principe de la fabrication moderne reste toujours le même, mais les dimensions des appareils ont augmenté et la fabrication s'oriente vers le continu. Les pâtes sont désintégrées et mélangées dans des pulpers, puis raffinées dans des raffineurs coniques, qui remplacent les anciennes piles. Elles passent ensuite sur des machines à papier, dont les principes sont toujours les mêmes que ceux des anciennes. Cependant, les longueurs des toiles ont augmenté, ainsi que celles des sécheries. Elles permettent des fabrications en grande largeur, jusqu'à 8 m, à des vitesses qui atteignent 600 m/mn et même 1 000 m/mn. Enfin, l'un des gros avantages du papier est de ne pas être polluant et surtout d'être biodégradable.

La production mondiale annuelle de papier (carton inclus), en accroissement rapide, est aujourd'hui de l'ordre de 150 Mt, fournie pour plus d'un tiers par les États-Unis, qui précèdent le Canada, le Japon et l'Union soviétique. Le sixième environ de ce chiffre est constitué par le papier journal, dont le Canada est de loin le premier producteur (plus du tiers de la production mondiale), précédant les États-Unis, le Japon, l'U. R. S. S. et les pays de l'Europe du Nord (Finlande, Suède, Norvège). La production est, évidemment, géographiquement liée à l'extension de la forêt (Japon, importateur de matière première, excepté).

PAPIER PEINT. — Les premiers papiers peints datent du XVIe s.; ils étaient exécutés à l'aide d'une planche gravée en relief et peints au pochoir. Les premières impressions sur rouleaux sans fin à l'aide de cylindres gravés apparurent à la fin du XVIIIe s. Aujourd'hui, l'impression des papiers peints est réalisée par l'application de peinture à la colle effectuée avec autant de rouleaux qu'il y a de couleurs différentes ou par l'application d'encre selon une technique très proche de l'héliogravure. Les cylindres sont en bois incrusté de cuivre, en caoutchouc ou en matière plastique et gravés directement. Très à la mode ces dernières années, le papier peint s'est diversifié : papier gaufré, papier à relief, papier-velours ou papiers qui utilisent des techniques de contrecollage, tels le papier vinyle, le papier métallisé et le papier japonais. Après l'engouement pour des motifs géants d'inspiration florale ou géométrique, réminiscences de la première moitié du siècle, les semis dans le style Liberty prennent le pas. La pose des papiers peints est facilitée grâce au papier émargé, au préencollé et au strippable (constitué de deux couches contrecollées).

PAPILIONACÉES. — La plupart des plantes de l'ordre des légumineuses* sont classées dans la famille des papilionacées. La fleur des papilionacées est d'un type très particulier : construite selon une symétrie bilatérale, elle présente un vaste pétale supérieur dressé *(étendard),* deux pétales latéraux libres *(ailes)* et enfin deux pétales inférieurs soudés en une *carène* qui renferme les étamines (au nombre de dix, dont neuf sont soudées entre elles) et le pistil (ovaire allongé, formé d'un seul carpelle et qui deviendra la *gousse*). À maturité, la gousse s'ouvre brusquement, et les graines sont libérées, voire projetées (genêt). Nombreuses sont les espèces alimentaires (pois, fève, haricot, lentille...), fourragères (trèfle, luzerne, sainfoin...), ornementales (pois de senteur).

PAPILLE. — Les *papilles de la peau* renferment les corpuscules tactiles de Meissner et de Krause; elles sont tapissées par la couche basale de l'épiderme; leur prolifération constitue des tumeurs bénignes, les papillomes. Les *papilles de la langue* renferment les terminaisons sensorielles du goût. La *papille optique,* origine du nerf optique, située sur la rétine, en dedans de l'axe optique de l'œil, correspond à la tache aveugle.

PAPILLON → LÉPIDOPTÈRES.

PAPIN (Denis), physicien et inventeur français (Chitenay, près de Blois, 1647 - Londres 1714). Après avoir mis au point son *digesteur,* ou *marmite de Papin,* pour lequel il inventa la soupape de sûreté (1679), il donna la théorie d'une machine fonctionnant par le jeu alternatif d'un piston (1687) et décrivit celle-ci en 1707. La même année, il construisit à Kassel le premier bateau à vapeur, qu'il essaya sur la Fulda, mais qui fut détruit par les bateliers de Minden (Hanovre), jaloux de leurs privilèges.

PAPINEAU (Louis Joseph), homme d'État canadien (Montréal 1786 - Montebello 1871). Député à partir de 1808, il combat le projet d'union avec l'Angleterre (1823). Président de l'Assemblée législative de 1825 à 1838, chef du parti patriote, il lutte pour l'application d'un régime représentatif fondé sur la souveraineté populaire, exaltant les droits du nationalisme canadien face au gouverneur; il est un des instigateurs de la rébellion de 1837, ce qui lui vaut l'exil. Revenu dans son pays, il est réélu député en 1848.

PAPINI (Giovanni), écrivain italien (Florence 1881 - *id.* 1956). Polémiste fougueux, il passa par plusieurs idéologies contradictoires avant de se convertir au catholicisme. Ses récits et ses essais critiquent la société contemporaine et ses préjugés (*Un homme fini,* 1912; *l'Expérience futuriste,* 1920; *Gog,* 1931; *le Diable,* 1953).

PAPINIEN, en lat. **Aemilius Papinianus,** jurisconsulte romain († 212 apr. J.-C.). Il fut l'un des plus grands juristes de l'époque sévérienne. Papinien devint préfet du prétoire (203) sous Septime Sévère* et fut mis à mort sur ordre de Caracalla*.

PAPOUASIE-NOUVELLE-GUINÉE, État de l'Océanie, correspondant à la partie orientale de l'île de Nouvelle-Guinée; 462 000 km^2; 2 650 000 hab. Capit. *Port Moresby.* Il a accédé à l'indépendance le 16 septembre 1975.

Le pays s'étend sur deux ensembles naturels : au N., une chaîne montagneuse accidentée par un profond sillon longitudinal; au S., une vaste plaine marécageuse. Le climat, tropical humide, localement tempéré par l'altitude, explique la grande extension de la forêt. La population, peu dense en raison des conditions naturelles défavorables, est composée de Papous. Dans les montagnes, les tribus pratiquent l'agriculture sur brûlis (patate douce). Près des côtes, les Australiens ont créé des plantations qui fournissent les principaux produits d'exportation (caoutchouc, coprah, cacao, café), les ressources minières étant modestes (or, cuivre). Le commerce extérieur, essentiellement dirigé par l'Australie, passe surtout par le port de Port Moresby.

PAPPOS ou **PAPPUS,** mathématicien d'Alexandrie, qui vivait probablement sous Dioclétien, au début du IVe s. Dans sa *Collection mathématique,* il analyse et commente de nombreux passages d'œuvres antérieures, dont on ne saurait rien sans lui.

PAPYRUS. — C'est un souchet *(Cyperus),* grande herbe des marécages à section triangulaire et aux gros rhizomes traçants, qui a fourni aux Égyptiens la matière première des papyrus. La plante ne se rencontre plus qu'en Afrique du Nord (où ses rhizomes sont comestibles), au Gabon et par endroits en Italie.

PÂQUE et **PÂQUES,** fête célébrée par les juifs et par les chrétiens. La première graphie correspond à la tradition juive, la seconde à la tradition chrétienne. La *pâque* juive, ou fête des azymes, commémore la sortie d'Égypte du peuple hébreu; elle est la fête de la libération. La fête chrétienne de *Pâques* est historiquement liée à la pâque juive, la passion et la mort de Jésus se situant au moment de la fête juive. Les Pâques chrétiennes commémorent la résurrection de Jésus, qui est libération du péché et de la mort, et que préfigure la délivrance de la sortie d'Égypte.

PAQUEBOT. — On distingue le *paquebot de ligne,* desservant un itinéraire fixe, de moins en moins répandu en raison de la concurrence de l'aviation, le *paquebot de croisière,* conçu spécialement pour cette utilisation, et le *transbordeur,* exploité sur des lignes très courtes, comme des bras de mer, qui peut embarquer directement un train de voyageurs (train-ferry) ou à bord duquel les passagers embarquent eux-mêmes leur voiture dans de vastes garages (car-ferry). Le *paquebot mixte* et le *cargo mixte,* qui transportent en même temps des passagers et des marchandises, tendent à disparaître. Les navires à passagers doivent satisfaire à des réglementations internationales et nationales particulièrement exigeantes pour assurer, en toutes circonstances, la sécurité des personnes présentes à leur bord. En particulier, ils doivent conserver, après envahissement d'un ou de plusieurs compartiments étanches, une flottabilité ainsi qu'une stabilité convenables et ils doivent être pourvus de moyens de pompage suffisants pour l'épuisement des locaux envahis. En outre, la protection contre l'incendie doit être assurée par un cloisonnement spécial d'incendie (cloisons coupe-feu et cloisons-écrans), par l'emploi généralisé de matériaux incombustibles ou difficilement inflammables et par des dispositifs de détection et d'extinction. D'autre part, les paquebots modernes sont souvent munis de *stabilisateurs de roulis,* et les transbordeurs, qui doivent pouvoir manœuvrer rapidement en raison de leurs horaires, sont généralement équipés de deux hélices à ailes orientables, de propulseurs d'étrave et, quelquefois, afin de faciliter les évolutions en marche arrière, d'un second gouvernail* à l'avant.

PÂQUERETTE. — La plus petite, mais aussi la plus commune des composées-radiées est la pâquerette, dont le petit capitule, aux fleurons jaunes et aux ligules blanches, reste fleuri presque toute l'année (nom latin : *Bellis perennis*).

PÂQUES *(île de),* île du Pacifique, à près de 4000 km à l'O. des côtes du Chili, dont elle dépend; 179 km²; 800 hab. Les principaux témoignages de la culture qui s'y est développée sont : des mégalithes taillés dans le tuf volcanique, placés sur des plates-formes, le dos à l'océan et sculptés selon un modèle unique, au caractéristique visage prognathe (dont la tête était, à l'origine,

Île de Pâques. Statuette d'ancêtre, en bois. (Musée de l'Homme, Paris.)

surmontée d'un cylindre de tuf rouge figurant la coiffure); des statuettes masculines et féminines en bois très schématisées, aux torses décharnés; des pétroglyphes et des pictogrammes, probables symboles sacrés. Origine ethnique, chronologie et signification symbolique de cette culture demeurent une énigme.

PARA- *(Chim.).* — Se dit des dérivés disubstitués du benzène en position 1-4.

PARÁ, vaste État du nord du Brésil; 1 248 042 km²; 2 161 316 hab. Capit. *Belém.*

PARABOLE *(Math.)* → CONIQUE.

PARABOLOÏDE → QUADRIQUE.

PARACAS, culture de la côte sud du Pérou, découverte en 1925 par J.-C. Tello et qui se développa à partir du IXe s. av. J.-C. Elle appartient à une population agricole pratiquant l'irrigation et dont l'habitat (maisons en terre sèche) est groupé en petits villages. Elle a été définie d'après sa céramique et ses deux nécropoles : *Paracas Cavernas,* la plus ancienne (poterie polychrome à motifs géométriques incisés, rattachée à l'horizon Chavín*, et momies en chambre commune enveloppées de grandes pièces de tissu [*mantos*]), et *Paracas Necropolis* (poterie monochrome et momies — *fardo* funéraire enfoui dans le sable —, également enveloppées dans des mantos). Les mantos, ornés de motifs zoomorphes et anthropomorphes, disposés en damiers, comptent parmi les chefs-d'œuvre de l'art textile. Vers le Ier s. apr. J.-C., il semble bien que Paracas soit à l'origine des grandes agglomérations de la culture de Nazca*.

PARACELSE (Philippus Aureolus Theophrastus BOMBASTUS VON HOHENHEIM, dit), père de la médecine hermétique (Einsiedeln v. 1493 - Salzbourg 1541). Rejetant la médecine de Galien, d'Avicenne et de Rhazès (al-Rāzī), il prône une prétendue correspondance entre le monde extérieur (macrocosme) et les différentes parties de l'organisme humain (microcosme).

PARACENTÈSE. — La paracentèse du tympan est le geste essentiel du traitement des otites moyennes. La paracentèse du péritoine permet d'évacuer le liquide d'ascite.

PARACHUTE. — Un parachute sert essentiellement à ralentir la chute* des corps dans l'atmosphère*. Il est utilisé pour le largage de troupes ou de matériels et pour l'évacuation de l'équipage des avions militaires en cas de destruction en vol. Enfin, il est à la base du parachutisme, sport qui connaît un développement intense depuis 1950. Un parachute se compose des éléments suivants : une *voilure* en tissu (soie, Nylon), qui assure le ralentissement; des *suspentes* en soie ou en Nylon tressé; un *harnais,* permettant l'amarrage de la charge; une *commande d'ouverture* et un *extracteur.* La forme de parachute la plus fréquente est celle d'une couronne hémisphérique comportant une cheminée au sommet; elle est généralement retenue pour les parachutes de matériels. Depuis quelques années, des perfectionnements ont été apportés afin de permettre de mieux diriger le parachute au cours de la descente : c'est ainsi qu'on a imaginé le *parachute à fente,* dans lequel il manque un fuseau à la coupole, et le *parachute à tuyères.* Enfin, on utilise également des parachutes pour le freinage des avions à l'atterrissage*; ces parachutes sont alors constitués de rubans qui vont d'un bord à l'autre de la coupole en contournant la cheminée.

Le saut à *ouverture automatique* est utilisé pour la formation et le parachutage des troupes aéroportées. Le saut à *ouverture commandée* et le saut à *ouverture retardée* sont surtout adoptés pour le parachutisme sportif; dans ce dernier saut, le parachutiste peut effectuer une chute libre sur plusieurs centaines ou milliers de mètres avant de commander l'ouverture. Pour diriger la descente après ouverture du parachute, il suffit de tirer sur les suspentes du côté du déplacement souhaité. Lors de l'ouverture d'un parachute, il se produit un choc, dû à la brusque décélération engendrée et qui peut varier pour les parachutages de personnel entre 500 et 1 000 kg. Pour atténuer les effets subis par le corps humain, on interpose entre les suspentes et le harnais des dispositifs d'amortissement. Une récente application du parachute concerne la récupération des engins spatiaux et des têtes de fusées-sondes. Pour les capsules spatiales habitées, le freinage s'effectue en deux temps; on met d'abord en œuvre aux hautes altitudes un premier parachute de faible diamètre, puis, à quelques milliers de mètres du sol, un ou plusieurs parachutes principaux (trois de 27 m de diamètre pour les capsules « Apollo »).

PARACHUTISTE. — Les unités de parachutistes formèrent à la veille de la Seconde Guerre mondiale le noyau des troupes aéroportées*. Des régiments français de parachutistes furent engagés dans les combats de la Libération, notamment en Bretagne (1944), puis en Indochine, à Port-Saïd (1956) et en Algérie, où furent constituées deux divisions de parachutistes. Appartenant à toutes les armes, instruits à l'école des troupes aéroportées de Pau, les parachutistes constituent les éléments de choc des forces d'intervention. L'emploi de leurs unités est préparé par des équipes de combattants d'élites, appelés depuis 1965 *chuteurs opérationnels,* disposant de parachutes à ouverture commandée, et entraînés à une très grande précision dans l'atterrissage.

PARADE. — Scène plus ou moins burlesque jouée à la porte d'un théâtre forain pour appâter le public, la parade connut un essor particulier dans la seconde moitié du XVIIIe s. (Lesage, Collé, Piron) et devint même *littéraire* dans les salons, où l'on jouait des saynètes présentant des types et un langage pseudo-populaires.

PARADIGMATIQUES (rapports). — Les rapports paradigmatiques sont les rapports virtuels que les unités linguistiques entretiennent entre elles. Ces unités, pouvant figurer dans un même contexte, s'excluent mutuellement à l'intérieur de ce contexte. Ainsi *pur, frais, transparent,* etc., sont en rapport paradigmatique dans le syntagme *une eau —.* Ces rapports s'opposent aux rapports syntagmatiques qu'entretiennent les unités linguistiques apparaissant effectivement le long de la chaîne parlée. Ces deux types de rapports sont simultanément mis en œuvre dans chaque acte de parole : il y a sélection des unités sur l'axe paradigmatique et combinaison sur l'axe syntagmatique.

PARADIS (Grand), en ital. **Gran Paradiso,** massif italien des Alpes occidentales, au S. d'Aoste; 4061 m. Parc national.

PARADISIER. — L'« oiseau de paradis », que l'on rencontre en Polynésie, présente un fort dimorphisme* sexuel : le mâle, en effet, porte un éventail de superbes plumes caudales dont l'axe, souple, dépasse longuement les vexilles. Les couleurs, très diverses selon l'espèce, sont d'une éclatante beauté, qui a valu à ces oiseaux d'être largement massacrés sur leur terre d'origine, la Nouvelle-Guinée. On apparente aux paradisiers les « oiseaux à berceau », chez qui le mâle construit d'extraordinaires huttes de parade, ornées de fleurs et de coquillages, afin d'être agréé par la femelle.

Paradis perdu *(le),* poème épique de Milton. Publié en dix chants en 1667 et en douze en 1674, il a pour sujet la chute d'Adam et Ève. — *Le Paradis reconquis* (1671) est une suite où l'on voit Satan tenter le Christ pour empêcher l'accomplissement de la Rédemption.

Paradoxe sur le comédien, dialogue en prose de Diderot (écrit vers 1770, publié en 1830). Contre l'opinion de son temps, l'affirmation que la distance à l'égard des émotions et la lucidité dans la représentation des sentiments sont nécessaires à l'acteur désireux de toucher le spectateur par un jeu dont il garde sans cesse le contrôle.

PARAFFINE. — Solide aux conditions normales, mais se liquéfiant très facilement, entre 48 et 62 °C, la paraffine est, de ce fait, l'un des produits pétroliers aux usages les plus variés : fabrication de bougies et de cierges, imprégnation de papier, de carton et autres emballages, fabrication de cires, d'encaustiques, de pommades pharmaceutiques, de pâtes dentaires et de cosmétiques, protection et conservation des aliments, isolation de câbles et de matériels électriques, etc. De couleur blanche, onctueuse au toucher, elle est composée d'hydrocarbures à chaîne droite ayant une masse moléculaire comprise entre 320 et 400. Avec les cires microcristallines, plus lourdes et moins fusibles, elle est extraite du pétrole* comme sous-produit indésirable dans les lubrifiants*.

PARAGUAY (río), riv. de l'Amérique du Sud, affl. du Paraná (r. dr.) ; 2 206 km. Né dans le sud-ouest du Brésil, le río Paraguay sépare ce pays de la *république du Paraguay,* qu'il traverse ensuite (passant à Asunción), avant de constituer de nouveau une frontière entre l'extrémité méridionale de cet État et l'Argentine.

PARAGUAY, État de l'Amérique du Sud ; 406 752 km^2 ; 2 570 000 hab. *(Paraguayens).* Capit. *Asunción.*

GÉOGRAPHIE. La partie orientale du pays, zone de plateaux limitée par le Paraná, correspond à la terminaison du socle brésilien. Elle s'oppose à la vaste plaine alluviale du Chaco, à l'O. du río Paraguay, qui se relève doucement vers les Andes. Le climat, tropical, est humide dans l'Est, couvert par la forêt dense, et s'assèche progressivement vers l'O., la végétation passant à la savane, puis à la steppe.

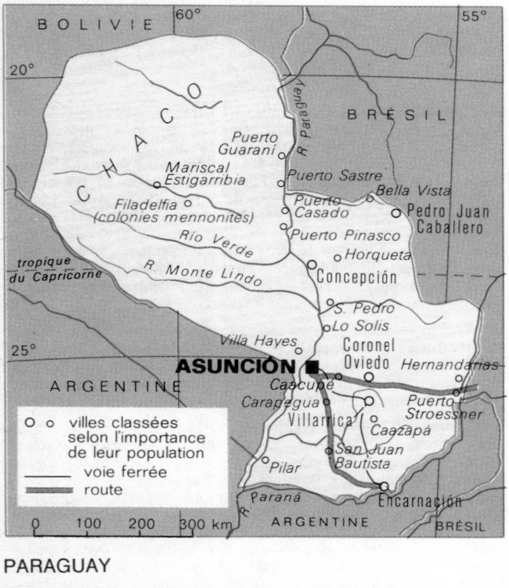

PARAGUAY

La population, peu dense (6 hab. au km^2), est composée en grande majorité d'Indiens et de métis. Les habitants se concentrent dans la plaine centrale, où se situe Asunción, principale ville du pays. Ils vivent essentiellement de l'agriculture. Maïs et manioc constituent les principales productions vivrières, tandis qu'un élevage bovin extensif est pratiqué dans les plaines et que des plantations fournissent coton, café et canne à sucre destinés à l'exportation. L'exploitation de la forêt (quebracho, acajou) apporte un complément de ressources. Mais le développement économique souffre de la difficulté des communications et de l'absence de débouché maritime. Le revenu par habitant reste l'un des plus faibles de l'Amérique latine.

HISTOIRE. À la fin du XVIe s., la conquête du Paraguay, patrie des Guaranis, n'est pas achevée du fait de la résistance acharnée de ce peuple indien. Pour sauver les Indiens de la servitude en les isolant de la société espagnole, les Jésuites fondent une trentaine de *réductions,* qui servent à la fois à l'évangélisation des Indiens et à leur organisation économique et sociale selon un schéma rationnel et planifié : ainsi se réalise une république jésuite, qui, à partir de 1630, par sa vitalité et son essor, inquiète les colons blancs. Avec la complicité des autorités coloniales, les chasseurs d'esclaves ravagent les réductions, mais les Indiens, armés, résistent efficacement contre les Espagnols et les Portugais du Brésil. Au XVIIIe s., le groupe de pression coloniale hostile aux *réductions* finit par l'emporter : la suppression de la Compagnie de Jésus au Portugal (1759), en Amérique (1767) et son abolition par Rome (1773) sonnent le glas des *réductions* des Guaranis, qui sont mises au pillage et partagées, lors de l'indépendance de l'Amérique latine, entre le Paraguay, l'Uruguay et l'Argentine : un véritable génocide accompagne ces spoliations.

Le Paraguay se détache de ses voisins par la volonté du dictateur José Gaspar Rodríguez de Francia (1766-1840), maître, de 1812 à 1840, d'un pays sans aristocratie blanche importante, peuplé surtout de métis et d'Indiens, à qui il assure l'indépendance en même temps que le bien-être. Les successeurs de Francia, Carlos Antonio López (de 1844 à 1862) et Francisco Solano López (de 1862 à 1870) maintiennent son rigoureux autoritarisme et poursuivent le développement du pays. Mais Francisco Solano López, désirant récupérer des territoires guaranis sur la frontière brésilienne, mène durant cinq ans (1865-1870) contre le Brésil, l'Argentine et l'Uruguay une guerre héroïque mais terrible, qui lui coûte la vie ainsi qu'à un million de Paraguayens. Ce désastre favorise l'implantation du système oligarchique, le triomphe des grands propriétaires, qui, conservateurs ou libéraux, sont au pouvoir alternativement de 1870 à 1932, imposant au pays leur autoritarisme. De 1932 à 1935, c'est une nouvelle saignée avec la guerre du Chaco*, au terme de laquelle la Bolivie est vaincue et le Paraguay épuisé. Dès lors, les militaires, réalisant l'absurdité des sacrifices liés aux intérêts oligarchiques, découvrent le nationalisme révolutionnaire et prennent en main les rênes du pays. Depuis 1954, malgré une opposition grandissante, qui prend même la forme de guérillas, le général Alfredo Stroessner, constamment réélu président de la République, est le maître absolu du Paraguay.

PARAÍBA, État du nord-est du Brésil ; 56 372 km^2 ; 2 385 000 hab. Capit. *João Pessoa.*

PARAÍBA DO SUL (le), fl. du Brésil, né dans la serra do Mar, qui rejoint l'Atlantique dans l'État de Rio de Janeiro ; 1 058 km.

PARALYSIE. — L'arrêt du fonctionnement d'un muscle peut résulter d'une lésion de sa jonction avec le nerf (plaque motrice), d'une section ou d'une compression du nerf moteur, ou d'une lésion des centres nerveux. Dans ce dernier cas, plusieurs groupes de muscles sont généralement atteints : on parle de *paraplégie* (deux membres inférieurs paralysés) en cas d'atteinte dorso-lombaire de la moelle, de *quadriplégie* (quatre membres atteints) en cas d'atteinte cervicale, d'*hémiplégie* (une moitié du corps, opposée à la lésion) en cas d'atteinte des voies motrices dans le cerveau.

Les paralysies peuvent être consécutives à un traumatisme (plaie, section ou compression de nerf, fracture de la colonne vertébrale), à une infection (diphtérie, poliomyélite), à une intoxication (saturnisme), à une tumeur (médullaire ou cérébrale) ou à une malformation, mais, le plus souvent, elles résultent de lésions nerveuses d'origine vasculaire (spasmes artériels, thromboses, embolies) qui provoquent des destructions (ramollissements) plus ou moins étendues du tissu nerveux.

PARALYSIE GÉNÉRALE → DÉMENCE et SYPHILIS.

PARAMAGNÉTISME. — C'est la propriété de substances qui s'aimantent comme le fer, mais plus faiblement.

PARAMARIBO, capit. du Surinam, sur l'estuaire du fleuve Surinam ; 123 000 hab.

PARAMÉ (35400 Saint Malo), section de la comm. de Saint-Malo. Station balnéaire. Thalassothérapie.

PARAMÉCIE. — La paramécie est la plus connue des espèces de protozoaires ciliés à cause de sa grande taille (jusqu'à un tiers de millimètre) et de son abondance dans les infusions de fleurs coupées ou de graines. C'est une cellule ovale, aplatie en feuille, entièrement couverte de cils nageurs, qui lui assurent une progression très rapide. Elle ingère ses proies par une bouche latérale et rejette les déchets au niveau d'une sorte d'anus, après un parcours interne bien défini. Deux vésicules pulsatiles, battant en alternance, assurent l'excrétion urinaire. La cellule possède deux noyaux, dont le plus petit est parfois échangé avec celui d'un congénère. Cette *conjugaison,* sans être une véritable fécondation, semble, pourtant, « rajeunir » la lignée et réactiver la multiplication asexuée. Les tactismes de la paramécie à l'égard de l'oxygène, du sel, de diverses températures, etc., ont été l'objet d'études très poussées.

PARAMÉDICALES (professions). — Les membres des professions paramédicales — infirmiers, masseurs kinésithérapeutes, manipulateurs d'électroradiologie, audioprothésistes, etc. — concourent, avec le corps médical, au traitement des malades. Le Conseil supérieur des professions paramédicales, créé en 1973, harmonise les conditions d'études, de diplômes et d'exercice.

PARAMÈTRE. — Un paramètre est un *scalaire,* c'est-à-dire un nombre, qui figure dans une équation et qui est susceptible de prendre, au cours d'un problème, plusieurs valeurs. C'est ainsi que, dans l'équation $2x + mx = 3$, x est l'inconnue et m un paramètre réel; on factorise sous la forme $(2 + m)x = 3$; d'où, si $m + 2 \neq 0$ ou $m \neq -2$, $x = \frac{3}{m+2}$; si $m = -2$, l'équation $0x = 3$ n'a pas de solution. On discute donc de la résolution de l'équation suivant les valeurs de m, et à chaque valeur de m différente de -2 correspond une solution dont la valeur dépend de celle de m. Un paramètre peut intervenir dans plusieurs équations simultanément. De façon générale, on désigne par paramètre toute donnée pouvant intervenir dans la formalisation d'un problème précis. (V. CONIQUE.)

PARANÁ, fl. de l'Amérique du Sud; 3 350 km. Il naît au Brésil, formé par la réunion des ríos Paranaíba et Grande, et coule d'abord vers le S.-O., bordant l'*État de Paraná.* Il forme ensuite la frontière entre le Paraguay et le Brésil d'abord, puis entre le Paraguay et l'Argentine. Passant à Santa Fe, puis à Rosario, il rejoint l'Atlantique au fond du Río de la Plata.

PARANÁ, État du Brésil méridional; 199 554 km^2; 6 937 000 hab. Capit. *Curitiba.* Le Paraná est un important producteur de café.

PARANÁ, v. d'Argentine, sur le *fleuve Paraná,* au N.-O. de Buenos Aires; 128 000 hab.

PARANOÏA. — Cette psychose* est caractérisée par l'organisation logique des thèmes délirants, qui s'édifient à partir de prémisses fausses : intuition ou interprétation délirantes. Le développement de ces délires* chroniques est insidieux, et leur début difficile à saisir : d'où leur puissance de conviction sur l'entourage.

La paranoïa prend de multiples formes suivant le thème du délire : un des thèmes les plus fréquents est le « délire de revendication » (le malade est éternellement en démarches et en procès pour que justice lui soit rendue). La paranoïa peut également se manifester par un « délire de jalousie » (se sentant bafoué et abandonné, le malade utilise toute son énergie à accumuler les preuves de l'infidélité de l'autre) ou par un délire érotomaniaque (intuition délirante d'être aimé). Lorsque l'interprétation délirante de faits exacts est au centre de la maladie, on parle de « délire d'interprétation ». La persécution est le thème le plus fréquent de ces délires : les moindres gestes ou paroles des proches ou d'inconnus revêtent une signification menaçante pour le sujet, qui y voit la preuve d'un complot dirigé contre lui.

Les psychanalystes caractérisent la paranoïa par une forte tendance sado-masochiste, un Surmoi* sévère et un choix homosexuel de l'objet*. Dans les délires à thèmes de persécution, l'énoncé primaire homosexuel « Je l'aime lui » est dévié en « Je ne l'aime pas, je le hais », énoncé projeté secondairement en « Il me hait ».

PARAPHRÉNIE → DÉLIRE et PSYCHOSE.

PARAPLÉGIE → PARALYSIE.

PARAPSYCHOLOGIE. — Les phénomènes paranormaux auxquels s'intéresse la parapsychologie (ou *métapsychique,* selon le terme proposé par Charles Richet) étaient considérés autrefois comme des manifestations du surnaturel; celle-ci les étudie comme le résultat de l'interaction de deux organismes vivants (ou d'un organisme vivant et de son environnement) sans intervention de sources d'énergie ou de moyens de transmission de l'information connus. On distingue les phénomènes purement mentaux *(paragnostiques),* qui relèvent de la communication extrasensorielle (télépathie), de la perception extrasensorielle d'événements présents, passés ou à venir (voyance, prédiction, vision du passé), et les phénomènes supposés relever d'une forme inédite d'énergie *(paraergiques),* qui déclenchent des réactions physiques (déplacement, déformation d'un objet) en dehors des modalités physiques connues. À ce dernier groupe appartiennent les tables tournantes, les coups frappés, la lévitation, la matérialisation, ou ectoplasmie. La parapsychologie se heurte à un double problème : avant l'explication des phénomènes paranormaux, il lui reste à prouver leur authenticité. Certains, comme C. Richet et J.-B. Rhine, ont tenté de montrer que les lois du hasard pouvaient être bouleversées par l'aptitude à la clairvoyance ou à la télépathie, que chaque personne possède plus ou moins.

PARASITISME. — Lorsqu'un être vivant puise sa nourriture dans l'organisme d'un autre être vivant, trois modes différents d'exploitation de la proie peuvent se présenter :

1° *la prédation* (la panthère saute sur un singe, le tue, puis le dévore partiellement);

2° *le prélèvement* (des vaches broutent l'herbe sans la détruire; un moustique prend un peu de sang à un homme; dans certains cas limites, toutefois, l'animal prolonge son séjour sur son hôte et l'exploite régulièrement [pou, puce], ce qui rapproche du mode suivant);

3° *le parasitisme,* qui implique que le prédateur s'installe de façon permanente sur sa proie *(exoparasitisme)* ou même à l'intérieur de sa proie *(endoparasitisme).*

En ce sens restreint, le parasitisme oblige le prédateur à posséder d'importants *organes de fixation* (crochets, ventouses, etc.), qui empêchent l'hôte de se débarrasser de lui. La difficulté pour un parasite enfermé dans son hôte d'y rencontrer un partenaire sexuel explique la fréquence de l'hermaphrodisme avec autofécondation, voire de la parthénogenèse, chez les animaux parasites. En revanche, abrité des périls extérieurs, blotti dans le silence et l'obscurité, le parasite peut se passer d'organes nerveux et sensoriels, qui se réduisent ou disparaissent. L'appareil digestif peut également se simplifier (ténia). Quant aux plantes parasites (cuscute, orobanche), elles n'ont besoin ni de feuilles, ni de chlorophylle, ni même de racines, puisqu'elles empruntent tout à leur hôte. C'est pourquoi on parle de *dégradation parasitaire,* ce qui laisse entendre que l'organisme des ancêtres vivant librement était plus complexe que celui des formes parasites qui en descendent.

La victime (que l'on appelle *hôte*) n'est pas tuée par son parasite (qui y perdrait la source de sa nourriture) ou l'est le plus tard possible : les chenilles parasitées par les larves d'ichneumon ne meurent qu'à la métamorphose de ces larves. Mais elle est maladive et peut perdre son aptitude reproductrice *(castration parasitaire)* ou présenter les déformations les plus diverses (galles* des végétaux). Des réactions défensives, immunitaires ont été décrites.

Bien entendu, le parasitisme présente tous les degrés et peut être diversement *incomplet,* soit dans le temps (espèces animales qui ne sont parasites qu'à l'état larvaire ou, au contraire, qu'à l'état adulte), soit parce que le prédateur a une autre source d'aliments (plantes vertes hémiparasites : gui, rhinanthe, mélampyre). Enfin, chez diverses espèces, le mâle reste nain et vit en parasite de son énorme femelle (poisson *Ceratias,* géphyrien *Bonellia*), mais, s'exerçant à l'intérieur d'une même espèce, ce mode de vie ne répond pas tout à fait à la définition du parasitisme.

PARASITOLOGIE. — La parasitologie médicale étudie les parasites animaux et végétaux de l'homme et ceux des animaux domestiques ou sauvages qui peuvent être atteints (réservoirs de virus) et transmettre (vecteurs) des maladies parasitaires.

Englobant les vers, ou helminthes, les insectes, les acariens, ainsi que les protozoaires et les champignons microscopiques, le domaine de la parasitologie est difficile à séparer de celui de la bactériologie. Le diagnostic parasitologique fait appel à la mise en évidence du parasite, de ses œufs ou de ses formes larvaires ainsi qu'aux techniques sérologiques et immunologiques. Bon nombre de parasitoses ont un traitement spécifique, mais la prophylaxie (hygiène, désinsectisation, destruction de réservoirs de virus, etc.) reste le meilleur moyen de lutte contre ces maladies.

PARASYMPATHIQUE → NEUROVÉGÉTATIF *(système).*

PARATHYROÏDES. — Ces petites glandes endocrines, au nombre de deux à six, sont situées dans le cou, à côté de la glande thyroïde. Elles sécrètent une hormone, la *parathormone,* qui relève le taux du calcium sanguin (calcémie) quand celui-ci s'abaisse, en mobilisant le calcium des os et en freinant son élimination rénale. Leur insuffisance de fonctionnement provoque des crises de tétanie, des lésions de la peau et des phanères, des opacités du cristallin, et leur excès l'ostéite fibrokystique de Recklinghausen avec douleurs osseuses, fractures spontanées, lithiase rénale.

PARATONNERRE. — Le paratonnerre de Franklin comprend : une tige de fer de 5 à 10 m de longueur, terminée par une pointe de cuivre et que l'on fixe verticalement à la partie supérieure d'un édifice; un câble métallique conducteur de l'électricité; un « perd-fluide », destiné à établir une bonne communication entre ce conducteur et le sol, et qui est constitué par des plaques enfouies dans le sol ou par un tube plongeant dans un puits. On admet que la tige protège l'intérieur d'un cône de révolution ayant la pointe pour sommet et dont le diamètre de base vaut trois ou quatre fois la hauteur de la pointe. (V. FOUDRE.)

PARATYPHOÏDE → TYPHOÏDE.

PARAY-LE-MONIAL (71600), ch.-l. de cant. de Saône-et-Loire; 12 128 hab. *(Parodiens).* Magnifique basilique romane d'influence clunisienne. Musée eucharistique. Hôtel de ville de 1525 (petit musée). Céramique. — Cette petite ville bourguignonne est devenue au XIXe s. un lieu de pèlerinage, le culte du Sacré-Cœur y ayant été implanté au XVIIe s. par sainte Marguerite-Marie* Alacoque.

PARAY-VIEILLE-POSTE (91550), comm. de l'Essonne, en bordure de l'aéroport d'Orly; 7 679 hab. Industrie automobile.

PARC NATIONAL. — En 1864 Abraham Lincoln créa le premier parc national du monde, celui de Yosemite et de Mariposa, en Californie, en vue d'y protéger les séquoias. Mais c'est lors de la création du parc de Yellowstone, dans le Wyoming, en 1872, que l'objet et les conditions d'un parc national ont été énoncés. Il a fallu attendre près de cent ans pour que la France crée son premier parc national, celui de la Vanoise (1963). C'est actuellement le continent africain qui possède les plus vastes et les plus nombreux parcs.

L'Union internationale de conservation de la nature n'accorde le label de « parc national » qu'aux territoires exempts de toutes les formes d'exploitation par l'homme, effectivement protégés contre cette exploitation et présentant une superficie et une forme qui évitent des effets de lisière ou de voisinage nuisibles. En revanche, le tourisme est admis dans les parcs nationaux, ce qui n'est pas le cas dans les *réserves naturelles intégrales.*

PARC NATUREL RÉGIONAL. — Aux termes du décret du 24 octobre 1975 un parc naturel régional peut être créé sur le territoire de tout ou partie d'une ou de plusieurs communes lorsque sa protection est justifiée par l'intérêt qu'il présente pour la détente, l'éducation, le repos des hommes, le tourisme, en raison de la qualité de son patrimoine. La Région, en accord avec les collectivités* locales ou sur leur proposition, a l'initiative de la création du parc et élabore la charte de celui-ci.

PARCQ (Le) [62770], ch.-l. de cant. du Pas-de-Calais, à 4 km à l'E. d'Hesdin ; 633 hab.

PARC ZOOLOGIQUE. — On compte actuellement en France cent dix parcs zoologiques, de dimensions très inégales. Ce sont des installations pour l'élevage et la présentation au public, en plein air, de diverses espèces animales exotiques. On s'y interdit aussi bien le dressage à des fins spectaculaires que le commerce des animaux, tant morts que vivants. Le critère de succès le plus recherché est la reproduction des animaux sur place.

PARDIES (64150 Mourenx), comm. des Pyrénées-Atlantiques, à 8 km au S.-E. de Lacq; 1 060 hab. Industries chimiques.

PARDUBICE, v. de Tchécoslovaquie, dans l'est de la Bohême, sur l'Elbe; 71 000 hab. Industries chimiques.

PARÉ (Ambroise), chirurgien français (Bourg-Hersent, près de Laval, v. 1509 - Paris 1590). Considéré comme le père de la chirurgie moderne, il introduisit de nombreuses méthodes nouvelles, dont la ligature des artères.

PAREJA DÍEZ-CANSECO (Alfredo), écrivain équatorien (Guayaquil 1908), le plus représentatif des romanciers régionalistes du « groupe de Guayaquil » (*El muelle,* 1933; *Las tres ratas,* 1944).

PARENCHYME. — Les botanistes englobent sous le nom de « parenchymes » tous les tissus végétaux vivants dépourvus de spécialisation ou même certains tissus physiologiquement spécialisés (tissus palissadique et lacunaire des feuilles), mais dont les parois cellulaires sont restées purement cellulosiques et d'épaisseur normale. C'est dire combien ce terme est général.

PARENT (Claude), architecte français (Neuilly-sur-Seine 1923). Adepte d'une sorte de *brutalisme* (rejet des compositions de façade, emploi du béton brut), il s'attache à la définition d'une « fonction oblique » de l'architecture, susceptible d'offrir de nouvelles possibilités plastiques et fonctionnelles (église Sainte-Bernadette de Nevers, avec Paul Virilio [né en 1932], 1963; M. J. C. à Troyes, avec le designer Georges Patrix [né en 1920], 1964; hypermarché GEM à Reims-Tinqueux, 1969; etc.).

PARENTALE (autorité). — À l'ancienne « puissance paternelle » fait suite, depuis la loi du 4 juin 1970, l'« autorité parentale », ensemble de pouvoirs, de devoirs et de droits conférés conjointement aux père et mère sur la personne et les biens de leurs enfants mineurs, pour leur permettre d'accomplir leur rôle de parents et d'éducateurs à leur égard. L'autorité parentale est exercée, pendant le mariage, en commun par les père et mère, l'un ou l'autre des époux pouvant en *perdre l'exercice* dans un certain nombre de cas précis. En cas de divorce ou de séparation de corps, elle est exercée par celui des époux à qui a été confiée par le tribunal la garde de l'enfant. L'enfant naturel subit l'autorité parentale de celui des père et mère qui l'a volontairement reconnu. Si l'un et l'autre l'ont reconnu, l'autorité est, en principe, exercée par la mère, sauf décision du tribunal. S'il n'y a plus ni père ni mère en état d'exercer l'autorité parentale, il y a lieu à ouverture de la tutelle*.

En ce qui concerne le patrimoine de l'enfant, les père et mère ont l'administration et la jouissance des biens. L'administration légale est exercée par le père ou par la mère sous le contrôle du juge. La jouissance légale appartient à celui des parents qui a la charge de l'administration.

PARENTÉ. — Relation sociale, la parenté se distingue de la consanguinité (parenté biologique). Principe d'organisation sociale, elle classe les individus en excluant de leur parenté certains de leurs consanguins *(filiation).* La filiation* peut être réelle (c'est le cas pour le lignage [groupe de filiation patrilinéaire ou matrilinéaire, dont les membres se considèrent comme descendant en ligne directe d'un ancêtre commun, connu et nommé]), fictive (c'est le cas pour les descendants d'esclaves ou de captifs) ou mythique (c'est le cas pour les membres du clan*). Bien qu'elle désigne l'organisation interne du groupe de parenté (filiation), la notion de parenté recouvre aussi le principe d'organisation des relations externes (alliance). Ainsi, à la suite de C. Lévi-Strauss* *(les Structures élémentaires de parenté),* on distingue deux grands types d'échange matrimonial : l'échange restreint, où les relations d'intermariage se font entre deux groupes, et l'échange généralisé, où la réciprocité, mettant en relation trois groupes ou plus, est différée et indirecte. L'importance qu'accordent la plupart des anthropologues aux problèmes de parenté provient du caractère dominant des rapports de parenté dans les sociétés non industrielles. Pouvant fonctionner à la fois comme rapports* de production, comme système d'autorité et comme système de représentations, les rapports de parenté sont à la fois éléments infrastructurels et superstructurels (M. Godelier).

PARENTIS-EN-BORN (40160), ch.-l. de cant. des Landes, à l'E. de l'*étang de Biscarrosse et de Parentis;* 4 262 hab. Principal gisement pétrolier français.

PARESSEUX. — Le nom donné à ces mammifères arboricoles d'Amérique chaude s'explique par l'étonnante lenteur de leurs mouvements et de leurs réactions ainsi que par leur attitude habituelle : ils se tiennent immobiles sous une branche d'arbre horizontale, suspendus par les longues griffes de leurs quatre pattes. Leur fourrure, pendante et moussue, les dissimule. Les paresseux sont végétariens. On distingue l'*aï,* à trois doigts par patte, et l'*unau,* un peu moins inerte, qui n'en a que deux. D'importantes différences anatomiques séparent ces deux genres.

PARETO (Vilfredo Frederigo SAMASO, *marquis*), économiste et sociologue italien (Paris 1848 - Céligny, Suisse, 1923). Successeur de Walras*, en 1893, dans la chaire d'économie politique de l'université de Lausanne (où il enseigna également la sociologie), il prolongea l'école de Lausanne en appuyant la science économique sur les mathématiques. Dans son *Traité* de sociologie générale,* il considère la sociologie comme la science de l'action sociale et, dans cette perspective, concentre l'attention sur la distinction, à ses yeux fondamentale, entre les actions logiques et les actions non logiques. Récusant l'interprétation marxiste de la lutte des classes, il a proposé une théorie de la circulation des élites selon laquelle le groupe que celles-ci constituent serait contraint de se renouveler sans cesse sous la pression des masses.

PARFUMERIE. — Elle englobe les produits alcoolisés (essences, lotions), les produits capillaires et les produits de beauté*. L'industrie française des parfums est située dans la banlieue parisienne et aux environs de Grasse, où la culture traditionnelle des plantes à parfum est en régression. La plupart de celles-ci sont importées d'Afrique et d'Asie, d'où l'on fait venir également des produits animaux naturels (musc, civette). Parfumerie et couture ont été associées dès les années 20 chez Poiret et Chanel; il en va de même aujourd'hui, où, très souvent, la société de parfum aide à financer la maison de couture.

Les parfums naturels, rares et coûteux, sont d'origine végétale et animale, les produits animaux étant utilisés comme fixateurs. Ils sont obtenus par distillation des huiles essentielles du végétal. Ils sont, de plus en plus, remplacés par les parfums de synthèse.

La parfumerie de synthèse, découverte en 1904 par F. Paquet, permet l'élaboration de parfums diversifiés et beaucoup moins coûteux. Ceux-ci résultent d'une transformation chimique effectuée sur certains extraits d'essences naturelles, ou sont des produits chimiques extraits du goudron de houille; dans ce dernier cas, ils sont totalement artificiels.

Pour créer un parfum, on doit tenir compte de la réactivité des divers constituants, de leur évolution en cours de vieillissement et du degré de volatilité dont dépendra la ténacité du parfum.

PARICUTÍN, volcan du Mexique, à l'O. de Mexico, surgi en 1943.

PARIDÉS. — La famille des paridés groupe de charmants passereaux chanteurs au corps trapu, au bec court et conique, tels que les mésanges*, les roitelets* et les troglodytes*. Les paridés sont des oiseaux insectivores, donc utiles.

PARIÉTALES. — Voisines des rhœadales, ces plantes, définies par la placentation pariétale des ovules, forment un ordre important de plantes dicotylédones à pétales libres. On y rassemble en effet les cistacées (hélianthème), les fumariacées (fumeterre), les violacées (violette), les droséracées (dionée), les passifloracées et, pour certains auteurs, les cucurbitacées, qui se distinguent cependant par leur ovaire infère.

PARINI (Giuseppe), poète italien (Bosisio 1729 - Milan 1799), auteur d'un poème en vers libres, *la Journée,* satire de la noblesse milanaise.

PARIS, capit. de la France et de la Région Île-de-France, constituant un département (75); 2 317 227 hab. *(Parisiens)* [2 299 830 en excluant la population « comptée à part », c'est-à-dire temporaire : internes des lycées par exemple].

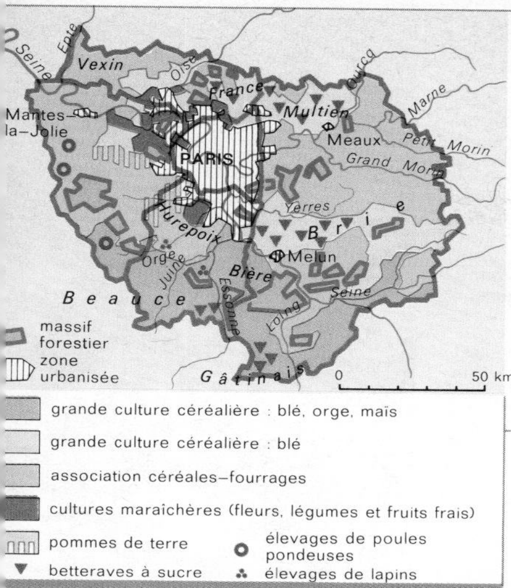
Vexin
Mantes-la-Jolie
France
Multien
PARIS
Meaux
Petit Morin
Grand Morin
Hurepoix
Brie
Yerres
Melun
Bière
Beauce
Gâtinais
Seine
Marne
Oise
Ourcq
Epte
Orge
Juine
Essonne
Loing
0 50 km
massif forestier
zone urbanisée
grande culture céréalière : blé, orge, maïs
grande culture céréalière : blé
association céréales–fourrages
cultures maraîchères (fleurs, légumes et fruits frais)
pommes de terre
betteraves à sucre
élevages de poules pondeuses
élevages de lapins

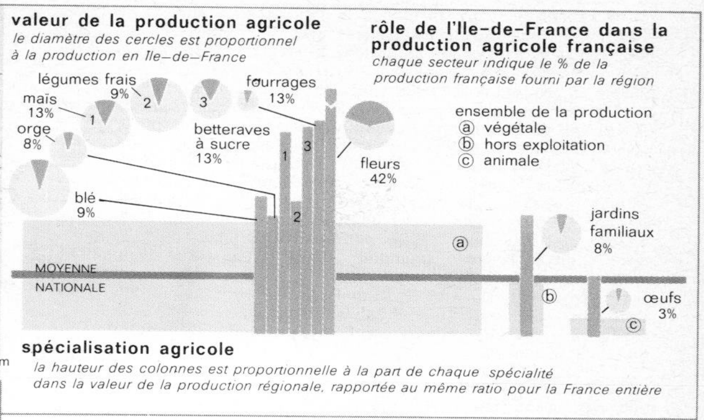
valeur de la production agricole
le diamètre des cercles est proportionnel à la production en Île-de-France
légumes frais 9%
maïs 13%
orge 8%
fourrages 13%
betteraves à sucre 13%
fleurs 42%
blé 9%
MOYENNE NATIONALE
rôle de l'Ile-de-France dans la production agricole française
chaque secteur indique le % de la production française fourni par la région
ensemble de la production
ⓐ végétale
ⓑ hors exploitation
ⓒ animale
jardins familiaux 8%
œufs 3%
spécialisation agricole
la hauteur des colonnes est proportionnelle à la part de chaque spécialité dans la valeur de la production régionale, rapportée au même ratio pour la France entière

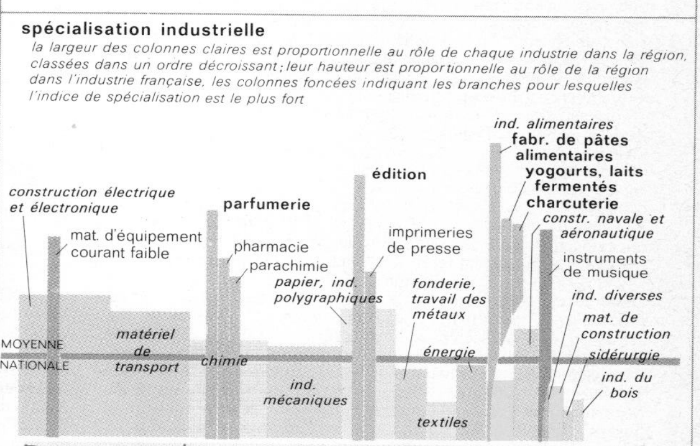
spécialisation industrielle
la largeur des colonnes claires est proportionnelle au rôle de chaque industrie dans la région, classées dans un ordre décroissant ; leur hauteur est proportionnelle au rôle de la région dans l'industrie française, les colonnes foncées indiquant les branches pour lesquelles l'indice de spécialisation est le plus fort
construction électrique et électronique
mat. d'équipement courant faible
parfumerie
pharmacie
parachimie
édition
imprimeries de presse
papier, ind. polygraphiques
fonderie, travail des métaux
ind. alimentaires
fabr. de pâtes alimentaires
yogourts, laits fermentés
charcuterie
constr. navale et aéronautique
instruments de musique
ind. diverses
mat. de construction
sidérurgie
ind. du bois
MOYENNE NATIONALE
matériel de transport
chimie
ind. mécaniques
énergie
textiles

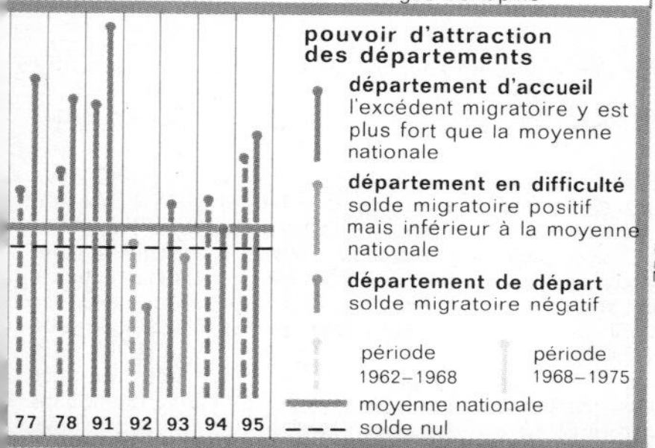
pouvoir d'attraction des départements
département d'accueil
l'excédent migratoire y est plus fort que la moyenne nationale
département en difficulté
solde migratoire positif mais inférieur à la moyenne nationale
département de départ
solde migratoire négatif
période 1962–1968
période 1968–1975
moyenne nationale
solde nul
77 78 91 92 93 94 95

«Exode» des parisiens vers les banlieues lointaines
limite de l'agglomération de Paris
Pontoise
95. VAL-D'OISE
93-NORD
92-NORD
Nanterre
Bobigny
93. SEINE-SAINT-DENIS
93-EST
78-OUEST
92.
92-OUEST
77-EST
78.
HAUTS-DE-SEINE
Versailles
YVELINES
94-EST
92-SUD
94-SUD
Créteil
94.
VAL-DE-MARNE
SEINE-ET-MARNE
77.
91
91. ESSONNE
Évry
77-SUD
évolution du nombre des résidences principales entre 1968 et 1975
de +30 à +43,2%
de +20 à +30%
de +10 à +20%
de 0 à +10%
de 0 à −10%
de −10 à −23,9%
dominante de l'emploi dans les différents secteurs de l'agglomération parisienne

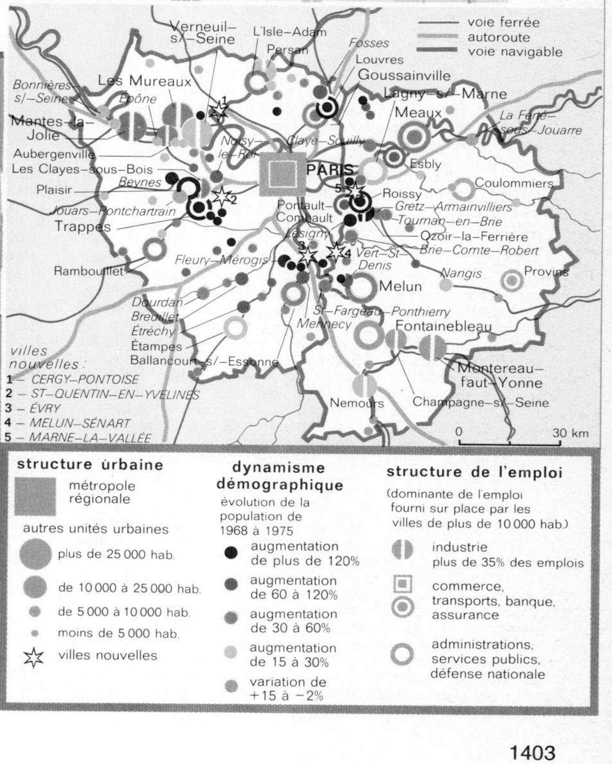
Verneuil-s/-Seine
L'Isle-Adam
Persan
Fosses
Louvres
Goussainville
Les Mureaux
Bonnières-s/-Seine
Épône
Lagny-s/-Marne
Meaux
La Ferté-sous-Jouarre
Mantes-la-Jolie
Aubergenville
Les Clayes-sous-Bois
Noisy-le-Roi
Claye-Souilly
PARIS
Esbly
Plaisir
Beynes
Roissy
Coulommiers
Jouars-Pontchartrain
Trappes
Pontault-Combault
Gretz-Armainvilliers
Tournan-en-Brie
Ozoir-la-Ferrière
Lésigny
Brie-Comte-Robert
Vert-St-Denis
Fleury-Mérogis
Rambouillet
Nangis
Provins
Melun
Dourdan
Breuillet
Étréchy
Étampes
Ballancourt-s/-Essonne
St-Fargeau-Ponthierry
Mennecy
Fontainebleau
Montereau-faut-Yonne
Nemours
Champagne-s/-Seine
0 30 km
voie ferrée
autoroute
voie navigable
villes nouvelles :
1 – CERGY-PONTOISE
2 – ST-QUENTIN-EN-YVELINES
3 – ÉVRY
4 – MELUN-SÉNART
5 – MARNE-LA-VALLÉE
structure urbaine
métropole régionale
autres unités urbaines
plus de 25 000 hab.
de 10 000 à 25 000 hab.
de 5 000 à 10 000 hab.
moins de 5 000 hab.
villes nouvelles
dynamisme démographique
évolution de la population de 1968 à 1975
augmentation de plus de 120%
augmentation de 60 à 120%
augmentation de 30 à 60%
augmentation de 15 à 30%
variation de +15 à −2%
structure de l'emploi
(dominante de l'emploi fourni sur place par les villes de plus de 10 000 hab.)
industrie plus de 35% des emplois
commerce, transports, banque, assurance
administrations, services publics, défense nationale

Ces chiffres ne concernent que le Paris administratif et ne rendent pas compte du poids démographique du véritable Paris : l'agglomération parisienne, qui englobe la ville et la partie de la banlieue formant avec la ville un tissu urbain presque continu, compte un peu plus de 8,5 millions d'habitants (près du sixième de la population française); ceux-ci sont répartis sur environ 1 800 km² (0,3 p. 100 de la superficie nationale), englobant notamment la quasi-totalité des départements limitrophes (appelés pour cette raison « de la première ou de la petite couronne [urbaine] » : Hauts-de-Seine, Seine-Saint-Denis et Val-de-Marne), les communes les plus proches (les plus peuplées généralement) des départements découpés exclusivement dans l'ancienne Seine-et-Oise (Essonne, Val-d'Oise et Yvelines), qualifiés parfois de départements « de la seconde ou de la grande couronne », et enfin une partie de la Seine-et-Marne. Paris et les sept départements qui viennent d'être cités constituent la Région Île-de-France (l'ancienne Région parisienne), qui compte 9 878 565 habitants (près du cinquième de la population française), répartis sur 12 008 km² (2,2 p. 100 de la superficie nationale).

Paris. Le Centre national d'art et de culture Georges-Pompidou, plateau Beaubourg (4e arrondissement), inauguré en 1977. Architectes : Renzo Piano et Richard Rogers.

GÉOGRAPHIE. À l'intérieur de l'agglomération, densité de population ainsi que nature et intensité des activités varient. Le Paris historique et touristique, en forme d'ovale, borde les rives de la Seine, de Notre-Dame à l'Étoile, et s'étend de Montmartre, au N., à Montparnasse, au S. Correspondant aux huit premiers arrondissements, il ne couvre guère que 20 km² (105 pour la ville entière, y compris les bois de Boulogne et de Vincennes), et compte désormais moins de 500 000 habitants permanents, mais offre environ un million d'emplois, très souvent dans les services de haut niveau. Dans le reste de la ville, les activités artisanales et aussi industrielles tiennent une plus grande place, malgré la progression quasi générale du secteur tertiaire. Ce développement des bureaux explique que Paris soit devenu une ville qui se dépeuple : le maximum de population a été atteint en 1921 (2 906 472), et, depuis une vingtaine d'années, la décroissance est ininterrompue, très nette même récemment (près de 300 000 habitants en moins de 1968 à 1975). On retrouve, atténuée, la même évolution dans de nombreuses communes de la proche banlieue, anciennement urbanisée et industrialisée : la population de l'ensemble des Hauts-de-Seine a légèrement décru de 1968 à 1975, celle de la Seine-Saint-Denis et du Val-de-Marne a presque stagné. Ce sont désormais presque exclusivement les départements de la seconde couronne (et la Seine-et-Marne) qui enregistrent un gain de population (par excédent naturel et immigration), et cela explique la poursuite, ralentie cependant, de la croissance démographique de l'agglomération. En revanche, spatialement, celle-ci ne cesse de progresser. Dans une acception étendue, elle atteint Chantilly et Senlis (donc le département de l'Oise) au N., une ligne joignant Dourdan, Arpajon et Corbeil-Essonnes au S., Versailles, Saint-Germain-en-Laye et Pontoise à l'O., Lagny-sur-Marne à l'E. Le tissu urbain n'y est guère interrompu que par les aéroports (Orly au S., Le Bourget et Roissy-en-France au N.-E.) et surtout les massifs forestiers, que l'on s'efforce de préserver, alors qu'au contraire l'activité rurale recule rapidement devant les lotissements.

Un certain équilibre de la Région Île-de-France est aujourd'hui recherché, notamment par le développement de centres urbains, relativement autonomes au point de vue de l'emploi par rapport à la ville et à la proche banlieue. Cinq villes nouvelles sont en cours d'aménagement : deux à l'O., Cergy-Pontoise et Saint-Quentin-en-Yvelines; deux au S. (de part et d'autre de la Seine), Évry et Melun-Sénart; une à l'E., Marne-la-Vallée. À terme, cet effort doit atténuer en particulier le problème des transports des marchandises et surtout des personnes : surcharge aux heures de pointe du réseau routier et autoroutier, des transports en commun (quotidiennement 4 millions de voyageurs dans le métro, 1 million dans les autobus urbains, 1,5 million dans les autobus suburbains et autant dans les trains de banlieue). Ce rééquilibre spatial ne diminuera pas, en revanche, le poids économique de l'agglomération. Plus de 1,5 million de personnes travaillent dans l'industrie, notamment dans la métallurgie de transformation, le bâtiment et les travaux publics. Le nombre d'emplois est voisin de 2 millions dans le secteur tertiaire (dont près de la moitié dans le secteur public et parapublic). La prépondérance parisienne (celle de la ville) est écrasante dans les domaines politique, financier et culturel.

Cette gigantesque concentration d'hommes et d'activités connaît les problèmes de la plupart des grandes agglomérations mondiales : difficultés d'approvisionnement de toute nature (malgré, outre le rail et la route, un important trafic fluvial sur la Seine, la création du grand marché de Rungis, l'implantation, plus ou moins près de Paris, de raffineries de pétrole et de centrales électriques pour la fourniture d'énergie, la construction de barrages-réservoirs pour celle d'eau, etc.), pollution atmosphérique et fluviale, allongement démesuré des temps de transport du domicile au lieu de travail, conditions de logement parfois mauvaises, notamment pour les travailleurs étrangers (plus de 1 million, avec leurs familles, dans l'agglomération), insécurité dans certains quartiers et difficultés de circulation. On s'explique alors le ralentissement de la croissance de l'agglomération. Cette décroissance relative, démographique et industrielle, ne s'accompagne pas d'une déconcentration des pouvoirs de décision, des services supérieurs (politiques et financiers notamment), ce qui explique la persistance d'un certain antagonisme Paris-province.

HISTOIRE. C'est avec la conquête romaine (52 av. J.-C.) que Lutèce, principale agglomération de la tribu celtique des *Parisii*, entre réellement dans l'histoire. Intégrée, comme chef-lieu de la *civitas* des *Parisii*, dans la province de Lyonnaise, devenue le point de convergence d'un important réseau routier, Lutèce déborde rapidement son site primitif, l'île de la Cité. Au Ier s. apr. J.-C., les Romains en transfèrent le centre aux pentes de la montagne Sainte-Geneviève, où surgissent forum, thermes et amphithéâtre, et en font une cité prospère, peuplée d'environ 15 000 âmes. Ravagée dès le IIIe s. par les invasions germaniques, la ville se replie dans l'île, transformée en forteresse, et prend le nom de son peuple, *Paris*. Siège de l'administration militaire de Julien, qui, en 360, s'y fait proclamer Auguste, christianisé au Ve s., Paris résiste, sous la conduite de sainte Geneviève, à l'invasion hunnique (451). Conquis par les Francs, il devient la résidence de Clovis et de ses successeurs, qui en font la capitale du *Regnum Francorum*, y fondant de nombreuses abbayes (Saint-Denis, Sainte-Geneviève, Saint-Germain-des-Prés). Sous les Carolingiens, il perd sa primauté politique et doit subir la pression des Normands, qui l'incendient en janvier 857, mais qui l'assiègent en vain en 885-886, du fait de la résistance opiniâtre que leur oppose son comte, Eudes, fils de Robert le Fort et ancêtre des Capétiens. En 987, l'avènement d'Hugues Capet au trône de France favorise son réveil politique et commercial. Les Capétiens établissent à Paris leur résidence principale, favorisent l'essor du port de Grève, situé sur la rive droite de la Seine et près duquel se développe rapidement le bourg marchand, protégé, dès le XIe s., par une enceinte de fortifications. À la fin du XIe s., les « marchands de l'eau » s'arrogent le monopole du commerce fluvial, et, au XIIe s., l'essor du grand commerce parisien permet la multiplication des foires et des marchés, dont le plus important, les Halles de Paris, prend une extension telle que Louis VI le fait transférer hors les murs, au lieu dit « les Champeaux », où il subsistera jusqu'en 1969.

À la même époque, l'évêque Maurice de Sully entreprend la construction de Notre-Dame, et, quelques décennies plus tard, Philippe Auguste ordonne l'érection d'une seconde enceinte, qui porte la superficie de Paris de 40 à 273 ha. C'est sur la rive gauche, à l'abri des nouvelles murailles, que naît, sous l'action de ce roi, l'Université de Paris (1200-1215). Celle-ci accueille les maîtres les plus brillants (Bonaventure, Albert le Grand, saint Thomas d'Aquin) et acquiert un prestige international. Dès lors, face au Paris commerçant de la rive droite, le quartier universitaire de la rive gauche s'urbanise grâce à l'afflux d'étudiants (10 000 au XIVe s.), qui nécessite la fondation de nombreux collèges (la Sorbonne*, 1257). Sous les premiers Capétiens, l'administration de la ville a été confiée à un prévôt royal.

Mais, dès le début du XIIe s., les marchands des eaux ont acquis aux enchères la prévôté de Paris. Conscient du danger que peut représenter pour la royauté une telle appropriation, Louis IX instaure, à côté du prévôt des marchands et d'une municipalité élue, un prévôt royal révocable *ad nutum* par le souverain.

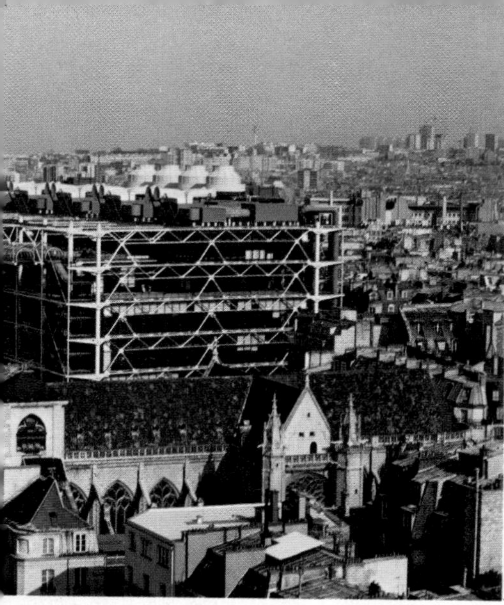
Lauros

Pourtant, profitant de l'instabilité politique liée à la guerre de Cent Ans, Paris se révolte contre le Dauphin (Étienne Marcel, 1356-1358) et, au début du XVe s., pactise un moment avec les Bourguignons. Désormais, les rois de France se défieront de Paris. Hostile à la Réforme (massacre de la Saint-Barthélemy, 1572), rallié à la Ligue, qui contraint le roi Henri III à s'enfuir (1588), Paris refuse longtemps de recevoir Henri IV, roi hérétique, et, contre Mazarin, prend le parti du parlement (journée des Barricades, 26 août 1648).

Son abandon par la royauté, qui, avec Louis XIV, s'installe à Versailles, ne compromet pas sa prospérité. L'urbanisme n'est pas négligé, et de grands travaux sont réalisés aux XVIIe et XVIIIe s. Paris est le grand foyer européen de l'esprit et de l'élégance, où s'élaborent les idées nouvelles (salons et clubs).

Mais le Paris du XVIIIe s. est aussi une vaste métropole (env. 600 000 hab.) qui ne cesse d'absorber le flot croissant des victimes de l'exode rural. Pour une grande part, la Révolution française, dans sa phase violente, est l'œuvre des déshérités de Paris : ceux-ci attaquent la Bastille (14 juill. 1789), marchent sur Versailles (5 et 6 oct.) et imposent dans leurs clubs (Jacobins, Cordeliers) l'esprit républicain, qui préside à la chute de la royauté, aux massacres de Septembre (1792) et à la constitution d'un gouvernement révolutionnaire montagnard (2 juin 1793). Après Thermidor, la bourgeoisie reprend le dessus, et le peuple assiste, passif, aux journées de Brumaire et à la proclamation de l'Empire, sous lequel Paris s'enrichit de monuments à la gloire du régime napoléonien.

Dans les années qui suivent la chute de l'Empire, le clivage social s'accentue : la bourgeoisie moyenne s'enrichit et, en dépit des épisodes révolutionnaires de 1830 et de 1848, qui rapprochent l'ensemble des Parisiens, tend à s'isoler de la masse et à se retirer dans l'ouest de la capitale. Sous le second Empire, la ville, divisée en vingt arrondissements, change de physionomie avec les grands travaux entrepris par Haussmann* (Boulevards, Étoile, Opéra, gares de chemin de fer, Halles) et cesse de s'accroître au profit des communes suburbaines. Mais ces transformations ont aggravé le clivage social, et la chute de l'Empire, suivie de la proclamation de la république bourgeoise, fait renaître dans la ville, encerclée par l'ennemi, l'esprit du « grand mouvement interrompu » le 9 thermidor an II. Au soir du 28 mai 1871, le rêve révolutionnaire de la Commune* s'écroule dans le sang et le feu.

Sous la IIIe République, le fer impose sa marque dans le décor (tour Eiffel, métropolitain), tandis qu'aux anciennes fortifications, au-delà desquelles s'est réfugié le sous-prolétariat rejeté par la ville bourgeoise, se substituent les boulevards extérieurs et qu'autour de la ville s'élargit la ceinture industrielle.

STATUT DE LA VILLE. La loi du 31 décembre 1975 porte réforme du régime administratif de la Ville de Paris. Le territoire de Paris est le territoire de deux entités juridiquement distinctes, la *commune de Paris* et le *département de Paris,* et une même assemblée, le *Conseil de Paris,* gère ces deux collectivités territoriales. Aux termes de la loi nouvelle, le Conseil de Paris est composé de cent neuf membres ; à sa tête se trouvent un *maire de Paris* et ses adjoints, dont le nombre est de dix-huit (des adjoints supplémentaires ne pouvant être plus de neuf). Les *conseillers de Paris* (pour l'arrondissement ou le groupe d'arrondissements où ils sont élus) peuvent se voir déléguer par le maire de Paris les fonctions d'état civil, et des officiers municipaux sont nommés, en outre, dans chaque arrondissement pour exercer ces fonctions.

Dans chaque arrondissement de Paris est créée une *commission d'arrondissement* (elle se réunit à la mairie d'arrondissement), qui prend le nom de *mairie annexe,* chargée d'assurer la vie locale et de donner son avis au maire et au Conseil de Paris sur les affaires qui lui sont soumises par ceux-ci.

Le Conseil de Paris exerce, pour le département de Paris, les attributions dévolues normalement à un conseil général. Le préfet de Paris et le préfet de police assurent la représentation de l'État.

Les dépenses et les recettes de Paris sont ordonnancées par le maire, à l'exception des dépenses et des recettes de la préfecture de police, qui font l'objet d'un budget spécial.

BEAUX-ARTS. L'orgueilleuse capitale a perdu beaucoup de ses monuments anciens et du tissu de ses quartiers historiques au profit de l'urbanisme non sans noblesse du second Empire et de la IIIe République, qui a créé des ensembles cossus dont l'agrément est aujourd'hui compromis par la circulation automobile. Elle perd maintenant ses quartiers populaires que supplante une architecture froide, à la fois peu concertée et peu imaginative.

De l'époque gallo-romaine subsistent principalement les thermes « de Cluny » (v. la fin du IIe s.), de l'époque romane reste la structure essentielle de l'abbatiale de Saint-Germain-des-Prés (rebâtie à partir de 990). C'est avec l'essor du XIIe s. et l'art gothique* que les réalisations parisiennes deviennent exemplaires de l'art français (prééminence qui s'est, en général, maintenue depuis) : cathédrale Notre-Dame (fondée en 1163), chœur de Saint-Germain-des-Prés, Sainte-Chapelle*, parties du XIVe s. de la Conciergerie (restes du palais de l'île de la Cité). La fin du gothique (XVe-XVIe s.) offre les églises Saint-Germain-l'Auxerrois, Saint-Merri, Saint-Gervais, Saint-Nicolas-des-Champs, Saint-Séverin, Saint-Étienne-du-Mont, et l'hôtel des abbés de Cluny.

La Renaissance se signale par l'entreprise (1532) de la magnifique église Saint-Eustache, encore gothique de structure, par celle du nouveau Louvre*, par les œuvres de sculpteurs comme J. Goujon* et G. Pilon*. Du XVIIe s. subsistent des hôpitaux, ou hospices (Saint-Louis, Val-de-Grâce, Salpêtrière, Invalides*), le monastère de Port-Royal, le collège des Quatre-Nations (auj. Institut*), les développements du Louvre (et l'idée d'axe est-ouest qui s'y relie), le Luxembourg*, quatre « places royales », des églises et des chapelles (façade de Saint-Gervais, Saint-Paul-Saint-Louis, Saint-Roch, Sorbonne, la Visitation [auj. temple Sainte-Marie], Saint-Louis-en-l'Île, dôme des Invalides, etc.), de nombreux hôtels particuliers de l'île Saint-Louis et du Marais*, édifices dont les principaux architectes ont nom S. de Brosse*, Lemercier*, Mansart*, Le Vau*, Lepautre*, Bruant*, Bullet*, J. H.-Mansart* et où travaillèrent des peintres comme Rubens*, Gian Francesco Romanelli, Vouet*, Champaigne*, La Hire*, Le Sueur*, Le Brun*, Mignard*, La Fosse*. Le XVIIIe s. voit l'achèvement de la vaste église Saint-Sulpice (commencée en 1646) par Oppenordt* et par Servandoni*, la création de la place Louis-XV (auj. de la Concorde*) par J.-A. Gabriel*, la construction de l'École militaire, du futur Panthéon*, de l'hôtel des Monnaies*, du nouvel ensemble du Palais-Royal (V. Louis*), du théâtre de l'Odéon, etc., tous édifices d'esprit classique ou néoclassique. La construction aristocratique est active, notamment au faubourg Saint-Germain (où E. Bouchardon* décore la fontaine de la rue de Grenelle), et c'est là (ainsi qu'aux hôtels de Rohan et de Soubise*) que l'on peut évaluer l'impact du décor rocaille* dans la première moitié du siècle (hôtels par Boffrand*, de Cotte*, J. Aubert*...). À partir de la fin du XVIIIe s. s'urbanise le secteur de la Chaussée-d'Antin, au nord des Grands Boulevards (demeures « à l'antique », dont il reste peu, dues à Bélanger* ou à Ledoux*). Après l'œuvre esquissée par Napoléon avec ses architectes Fontaine* et Percier, ainsi qu'avec Chalgrin*, Brongniart*, Pierre Alexandre Vignon (le temple de la Gloire, auj. Madeleine), l'histoire de l'architecture parisienne se confond avec celle de l'éclectisme*, fort vaste, ainsi qu'avec celle de l'emploi du fer* et du béton*.

Si les monuments parisiens ne sont pas, ou plus, d'une extrême richesse en œuvres d'art, ce que conservent les musées représente une somme exceptionnelle : musées d'art nationaux (du Louvre*, de Cluny*, Guimet*, des Arts africains et océaniens, d'Art moderne [transféré pour l'essentiel au Centre* national d'art et de culture, il reflète bien l'étroite liaison entre art du XXe s. en France et activité parisienne], petit musée des Arts* et Traditions populaires); musées municipaux (Carnavalet*, du Petit-Palais, Cognacq-Jay, Cernuschi [Extrême-Orient], d'Art moderne); musées à gestion semi-publique (Jacquemart-André et Marmottan [qui dépendent de l'Institut], des Arts décoratifs*); musées scientifiques nationaux (Conservatoire national des arts et métiers [dans l'anc. abbaye Saint-Martin-des-Champs], Muséum* d'histoire naturelle et musée de l'Homme [anthropologie], palais de la Découverte). Bien d'autres musées sont consacrés à tel ou tel domaine particulier (des Gobelins*, de l'Opéra, de la Marine, de la Légion d'honneur à l'hôtel de Salm, etc.) ou à des grands artistes (Hugo, Balzac, Rodin...). La Bibliothèque nationale possède un fonds considérable de manuscrits, d'estampes et de monnaies de toutes provenances.

Paris *(libération de)*. Le 17 août 1944, les forces de Patton, qui ont atteint Dreux, prennent contact avec le Conseil national de la Résistance, qui déclenche le 19 l'insurrection des F.F.I. de la capitale. Le 24, les chars de la 2e division blindée française sont à la porte d'Italie. Ils entrent le 25 à Paris, où von Choltitz, commandant allemand du « Grand Paris », se rend au général Leclerc. De Gaulle arrive le 26 à Paris, où il réinstalle le gouvernement le 31. (V. GUERRE MONDIALE [*Seconde*].)

Paris *(siège de)* [1870-71], l'un des événements majeurs de la guerre franco-allemande* de 1870-71. Après leur victoire à Sedan, les IIIe et IVe armées allemandes investissent Paris, dont la défense est dirigée par le général Trochu. De nombreux combats (Châtillon, sept. 1870; Bagneux, La Malmaison et Le Bourget, en oct.) et trois tentatives de sorties (Champigny, 30 nov.; Le Bourget, 21 déc.; Buzenval, 19 janv. 1871) se soldent par des échecs. Paris, bombardé depuis le 29 décembre, est menacé de famine, et, le 28 janvier 1871, Jules Favre doit signer à Versailles, avec Bismarck, l'acte de reddition de la capitale.

Paris *(traités de)*. Le 11 avril 1229, un traité mit fin à la guerre des albigeois*; le 4 décembre 1259, un autre fut signé entre Louis IX de France et Henri III d'Angleterre. Le 10 février 1763, un accord conclut la guerre de Sept* Ans, qui coûta à la France le Canada, la Louisiane (donnée à l'Espagne), plusieurs Antilles et ses comptoirs en Inde, et à l'Espagne — son alliée — la Floride. Le 30 mai 1814, lors de l'effondrement de l'empire français de Napoléon Ier*, la France fut réduite à ses frontières de 1792, sauf quelques territoires, qu'elle perdit lors du « deuxième traité de Paris » (20 nov. 1815), consécutif à la victoire anglo-prussienne de Waterloo*, et elle fut occupée par les Alliés durant plusieurs années. Le 10 décembre 1898, le traité de Paris mit fin au conflit hispano-américain. Quant aux traités de Paris du 10 février 1947, ils réglèrent le contentieux des anciens alliés de l'Axe : Italie, Roumanie, Hongrie, Bulgarie, Finlande.

PARIS (*comtes* DE) → ORLÉANS (*maisons* D').

PARIS (Paulin), érudit français (Avenay, Marne, 1800 - Paris 1881), auteur d'études sur la littérature du Moyen Âge. — Son fils GASTON (Avenay 1839 - Cannes 1903), auteur de travaux sur la poésie du Moyen Âge, contribua à créer un enseignement scientifique de la philologie.

PÂRIS, héros du cycle troyen, fils de Priam* et d'Hécube*. Pris comme arbitre de la querelle opposant les trois déesses Héra*, Athéna* et Aphrodite*, chacune prétendant être la plus belle, Pâris trancha en faveur d'Aphrodite, qui lui avait promis l'amour d'Hélène*. Fort de la promesse de cette déesse, il enleva Hélène et fut cause de la guerre de Troie*.

PÂRIS (François DE), dit **le diacre Pâris** (Paris 1690 - *id.* 1727). Resté diacre par humilité, il mène une vie très austère qui lui vaut une réputation de sainteté. Le tombeau de cet ardent adepte du jansénisme*, au cimetière de Saint-Médard, deviendra un lieu de pèlerinages bizarres, au cours desquels des convulsionnaires se livreront à des excès de mysticisme. Aussi, l'archevêque de Paris fera-t-il fermer le cimetière en 1732.

PARISIEN *(Bassin)*, région géologique constituant la plus vaste unité de ce type en France, puisqu'elle recouvre presque exactement le quart du territoire national. C'est un ensemble sédimentaire d'altitude moyenne modeste (178 m), qui est formé d'auréoles secondaires et tertiaires, de plus en plus anciennes vers la périphérie, et constituées surtout de roches calcaires, fréquemment recouvertes de fertiles dépôts de lœss, ce qui explique (en partie), avec une topographie dominante de plaines et de bas plateaux, la richesse de l'agriculture de la quasi-totalité du Bassin. La majeure partie de celui-ci appartient au réseau hydrographique de la Seine, mais la périphérie est drainée par la Loire (au S.), la Somme (au N.) et les cours d'eau lorrains (Meuse et Moselle à l'E.). La faiblesse des reliefs explique l'extension des influences climatiques maritimes, avec, cependant, une progression de la continentalité vers l'E. et le S.-E., également (légèrement) plus élevés, où domine le paysage de plateaux (Lorraine et Champagne), que l'on retrouve partiellement en Normandie (pays de Caux). Les plaines occupent la partie centrale, de la Picardie, au N., au Berry, au S., et les collines, l'ouest (Perche). La végétation naturelle, forestière et herbacée, a souvent disparu d'abord devant l'intensité de la mise en valeur agricole, puis avec l'urbanisation et parfois l'industrialisation. Les divisions régionales s'expriment surtout aujourd'hui en termes économiques, d'influences urbaines, celle de Paris prédominant largement (débordant d'ailleurs le cadre du Bassin parisien), ce qui justifie le renvoi de l'étude humaine de cet ensemble aux départements et aux Régions (Paris [Île-de-France], Centre, Champagne-Ardenne, Lorraine, Picardie et Normandie essentiellement).

PARITARISME. — Aux termes de cette pratique, des « commissions paritaires » étudient et élaborent des textes relatifs à des points particuliers de la politique salariale et du système des relations dans l'entreprise. Les « partenaires sociaux » (patronat et salariat) figurent ensemble dans ces commissions.

PARITÉS FIXES. — Ce système caractérise des échanges de devises effectués à des taux de conversion définis. Il implique un mécanisme régulateur obligeant la Banque centrale d'un pays concerné à défendre (par des rachats) sa monnaie, en cas d'offre trop importante de celle-ci ou, réciproquement, à « casser » par des ventes sa hausse excessive. Le déséquilibre de la balance des paiements de certains pays, lorsqu'il est chronique, empêche pratiquement le système d'être conservé. Le système des monnaies flottantes s'oppose aux parités fixes. (V. FLOTTEMENT DES MONNAIES OU DES CHANGES, MONNAIE, SERPENT MONÉTAIRE.)

PARK (Mungo), voyageur écossais (Foulshiels 1771 - Boussa, Nigeria, 1806). Au service de la Société africaine de Londres, il se rendit en Gambie (1795) et fut le premier Européen à descendre le Niger de Ségou à Silla. Plus tard il revint en Gambie et descendit le Niger de Bamako (1805) jusqu'aux rapides de Boussa, où il périt.

PARK CHUNG-HEE, général et homme d'État sud-coréen (Sonsan-gun 1917). Membre de la junte qui prend le pouvoir en mai 1961, il devient président de la république de Corée en 1963; il établit un régime présidentiel et appuie d'abord la politique américaine en Asie.

PARKER (Charlie Christopher), saxophoniste de jazz noir américain (Kansas City 1920 - New York 1955). Il fut l'un des principaux créateurs du style be-bop, qui transforma radicalement le jazz au cours des années 1945-1950. Travaillant notamment avec Dizzy Gillespie, Max Roach et Miles Davis, il se distingua par une grande liberté rythmique, un timbre dur dénué de vibrato et d'emphase, un débit haché et rapide, et une émancipation harmonique particulièrement audacieuse. Parmi ses principaux enregistrements citons *Billie's Bounce* (1945), *Ko-Ko* (1945), *Cool Blues* (1947), *Parker's Mood* (1948), *Bloomdido* (1950), *Love for Sale* (1954).

PARKINSON (James), médecin anglais (Hoxton, Middlesex, 1755 - Londres 1824). Il décrivit en 1817 la paralysie agitante.

Parkinson *(maladie de)*, « paralysie agitante », décrite par James Parkinson. C'est une affection dégénérative de nature inconnue, atteignant environ 1 p. 100 de la population. Un syndrome parkinsonien peut également s'observer au cours de certaines maladies du système nerveux et après des encéphalites.

Les lésions observées touchent les noyaux gris centraux du cerveau (noyau caudé, putamen, pallidum, locus niger), et les troubles résultent de perturbations de la voie extrapyramidale (dont ces noyaux font partie), qui règle les mouvements automatiques et la bonne exécution des mouvements volontaires. Le tremblement débute à la main, s'étend ensuite au membre supérieur, puis à tout le corps : c'est un des symptômes les plus gênants de la maladie. Il disparaît pendant les mouvements volontaires et le sommeil. L'akinésie produit un aspect figé, inexpressif du visage, qui peut, néanmoins, traduire une émotion. La raideur (hypertonie) de tous les groupes musculaires cède par à-coups, donnant une impression de roue dentée; elle engendre une attitude voûtée, des gestes maladroits, une marche à petits pas.

Le traitement repose sur l'emploi des parasympatholytiques et surtout sur celui de la dopamine (sous forme de L. Dopa). Diverses interventions neurochirurgicales peuvent être nécessaires.

PARLEMENT. — Issu, au cours du règne de Louis IX (1226-1270), de la *Curia regis*, le *parlamentum*, futur parlement de Paris, constituait une Haute Cour de justice, composée, à l'origine, d'un personnel stable ainsi que de seigneurs et de prélats dont la présence était occasionnelle. La multiplication des affaires donna progressivement naissance à plusieurs chambres distinctes : la Grand-Chambre, ou Chambre des plaids, qui jugeait en première instance les causes importantes et en appel les sentences des autres cours royales, et dont se détacha au XVe s. la Tournelle, commission chargée des procès du sang; la Chambre des requêtes (1296), chargée d'entendre les requêtes et de statuer en appel sur certains jugements; la Chambre des enquêtes (1308), chargée des moindres causes. Par la suite, le roi donna mission au parlement de vérifier les ordonnances et lui faire, le cas échéant, des remontrances avant de procéder à leur enregistrement. Plus tard, les remontrances devaient fournir aux parlementaires l'occasion de chercher à s'ériger en véritable conseil de gouvernement. Dès le XVe s. apparurent les parlements de province, qui, sans avoir le même prestige que celui de Paris, exercèrent une activité analogue. Dans la monarchie absolue, les heurts furent nombreux entre la royauté et les parlements (opposition au concordat de Bologne, à l'édit de Nantes, Fronde parlementaire [1648], etc.). Au XVIIIe s., les prétentions du parlement de Paris à s'ériger en gardien des lois fondamentales contre l'arbitraire aboutirent au démantèlement provisoire de l'institution (réforme de Maupeou, 1771). Restaurés dès 1774, les anciens parlements manifestèrent de plus en plus leur opposition (révolte de 1788) et disparurent dans la tourmente révolutionnaire.

Parlement *(Court)*, nom donné au Parlement anglais qui, convoqué par Charles Ier* le 13 avril 1640, refusa de lui accorder les subsides demandés et fut renvoyé dès le 5 mai.

Parlement *(loi sur le)* [PARLIAMENT ACT], loi britannique, votée par la Chambre des lords* en août 1911 et qui limita strictement les droits des lords au profit de la Chambre des communes*.

Parlement *(Long),* nom donné au Parlement anglais qui, d'octobre 1640 au 6 décembre 1648, s'opposa constamment à Charles Ier* et provoqua la révolution* d'Angleterre.

PARLEMENTAIRE (régime). — • Les *fonctions des parlements.* Elles débordent largement la seule fonction législative*. Dans les régimes où le parlementarisme est poussé à son point ultime, le Parlement « crée » le pouvoir gouvernemental (J.-L. Parodi), la composition des groupes parlementaires déterminant la « couleur » du gouvernement, et, à la tête du gouvernement, la personne du chef du pouvoir exécutif (président du Conseil ou Premier ministre). Le Parlement peut mettre fin à l'existence du gouvernement en le censurant ou en ne lui octroyant plus, par ses votes, l'appui de sa « confiance ».

La fonction législative est, normalement, la mission du Parlement. L'initiative de propositions par les parlementaires marquant un certain déclin, elle devient en réalité de plus en plus une fonction d'enregistrement (ou de refus d'enregistrement) de « projets » élaborés en grande majorité par le gouvernement; cette évolution est sensible dans de nombreux pays pratiquant le régime parlementaire.

Un parlement peut, enfin, remplir des fonctions accessoires, comme celle d'assurer le recrutement des personnels gouvernants, le Parlement étant le lieu où ceux-ci accomplissent leur apprentissage préalable.

Le parlementarisme s'accommode de la présence d'une chambre (monocamérisme) ou de deux chambres (bicamérisme). Sur les 126 pays du monde dotés par leur Constitution d'une « représentation parlementaire », on en compte 53 pourvus de deux chambres. Mais un certain nombre de « bicamérismes » sont dus en réalité à des raisons particulières (représentation des États fédérés dans les États fédéraux), et il reste peu d'États, en définitive, où la deuxième chambre soit réellement une chambre de réflexion destinée à tempérer les éventuelles impulsions de la première.

• Les *commissions parlementaires.* En France, le travail d'élaboration législative s'effectue essentiellement par l'intermédiaire des *commissions.*

Les *commissions spéciales* sont créées à l'initiative d'une assemblée ou du gouvernement pour examiner un projet ou une proposition de loi; elles cessent d'exister en même temps que le texte qui a justifié leur naissance. Composées de 31 à 33 membres à l'Assemblée nationale, elles ne peuvent compter plus de 24 membres au Sénat.

Les projets et les propositions pour lesquels il n'a pas été institué de commission spéciale sont renvoyés par le président de l'Assemblée à l'examen d'une des *commissions permanentes,* qui nomme aussitôt un rapporteur. Celui-ci fait le rapport au nom de la commission, qui doit en approuver les termes.

Les commissions permanentes sont limitées à 6 dans chaque assemblée; les groupes politiques y sont représentés par référence à leur importance dans l'Assemblée; le bureau est désigné au scrutin majoritaire. Leurs effectifs vont de 62 à 123 membres à l'Assemblée nationale et de 36 à 70 membres au Sénat. Tout parlementaire fait normalement partie d'une commission permanente, mais ne peut appartenir qu'à une commission (il s'agit, à l'Assemblée, des commissions suivantes : Affaires culturelles, familiales et sociales; Affaires étrangères; Défense nationale et Forces armées; Finances, Économie générale et Plan; Lois constitutionnelles, législation et administration générale de la République; Production et échanges.

Les *commissions mixtes paritaires* (7 députés, 7 sénateurs et autant de suppléants) élaborent un texte commun lorsque les assemblées n'arrivent pas à se mettre séparément d'accord.

• *Enquêtes parlementaires.* On appelle ainsi les investigations auxquelles une assemblée procède grâce à un certain nombre de ses membres désignés spécialement à cet effet. Ces enquêtes peuvent être ordonnées sur tous les problèmes intéressant le pays. L'organe qui en est chargé est, en France, la *commission d'enquête* ou *de contrôle.* Ces enquêtes sont particulièrement tournées vers le contrôle du pouvoir exécutif.

• *Parlementaires en mission.* Dix-huit parlementaires en mission ont été nommés en octobre 1974, chargés de présider les comités d'usagers créés auprès des principaux ministères et secrétariats d'État, l'un d'entre eux se voyant confier la coordination de leur action auprès du Premier ministre.

PARLEMENT EUROPÉEN → COMMUNAUTÉ ÉCONOMIQUE EUROPÉENNE.

PARMA, v. des États-Unis (Ohio), près de Cleveland; 100 000 hab.

PARME, en ital. **Parma,** v. d'Italie, ch.-l. de prov., en Émilie; 175 000 hab.

HISTOIRE. Fondée par les Étrusques (VIe s. av. J.-C.), conquise par les Gaulois Boïens (v. 350 av. J.-C.), Parme devint colonie romaine en 183 av. J.-C. Au Moyen Âge, l'évêque de Parme supplanta le comte (fin du IXe s.) dans le gouvernement de la cité. Mais son pouvoir recula devant celui de la commune, jusqu'à disparaître au XIIIe s. Membre de la Ligue lombarde en 1167, Parme soutint la politique de Frédéric II avant de tomber aux mains des guelfes (1247), puis sous la coupe des Visconti (1346) et des Sforza (1449). Cédée au Saint-Siège (1512), elle fut détachée de l'État pontifical par Paul III, qui l'érigea en duché au profit de son neveu Pier Luigi Farnèse, dont la dynastie dura jusqu'en 1731. En 1748, elle passa à Philippe de Bourbon. Administrés par la France dès 1802, intégrés à l'Empire en 1808, la ville et son duché furent donnés en 1815, à titre viager, à l'ex-impératrice Marie-Louise (1815-1847), puis firent retour aux Bourbons (1847-1859) jusqu'au soulèvement de 1859, qui aboutit à la réunion au Piémont (1860).

BEAUX-ARTS. Ensemble romano-gothique de la cathédrale (coupole du Corrège*) et du baptistère, construit et décoré de sculptures par Benedetto Antelami (fin du XIIe s.-début du XIIIe). Églises du XVIe s. : S. Giovanni Evangelista (coupole du Corrège), la *Steccata* (fresques du Parmesan*). Palais de la *Pilotta* (XVIe-XVIIe s.), abritant le théâtre Farnèse, une bibliothèque, le musée national d'Antiquités et une riche pinacothèque.

PARMÉNIDE, philosophe grec (Élée, Grande-Grèce, v. 540 av. J.-C.-v. 450 av. J.-C.). Il a écrit un poème *(De la nature)* dont il reste environ cent soixante vers. Il y formule une proposition fondamentale qui constitue l'acte de naissance de l'ontologie* occidentale : « Il est » ou « Il est Un » ou « Être est ». Critiquant la thèse héraclitéenne du devenir, il montre que cette proposition fondamentale n'a pas de sujet et qu'aucun mélange de l'être et du non-être n'est possible. L'être *est* pleinement, absolument, d'un seul tenant; il est continu et éternel.

Parménide ou *Sur les idées,* dialogue de Platon, qui se propose de montrer que l'essence de l'Un est multiple, que le multiple est Un et que les idées participent réciproquement les unes aux autres. Ce dialogue a exercé une influence considérable sur le platonisme*.

PARMÉNION, général macédonien (v. 400-Ecbatane v. 330). Lieutenant de Philippe II*, il joue un rôle important dans la guerre contre les Grecs. Disgracié sous Alexandre, il sera assassiné.

PARMENTIER (Antoine Augustin), pharmacien militaire français (Montdidier 1737-Paris 1813). Il développa la culture de la pomme de terre en France et consacra de nombreux travaux aux problèmes de l'alimentation.

PARMESAN → FROMAGE.

PARMESAN (Francesco MAZZOLA, dit **le**), peintre italien (Parme 1503-Casalmaggiore 1540). Actif à Rome (1524), à Bologne (1527), à Parme (1531), élève du Corrège, il surenchérit sur le style de ce dernier dans une *manière* inventive, alambiquée, de haute distinction, qui atteint à une poésie subtile et enchantée (*Autoportrait au miroir convexe,* 1524, Vienne; *la Madone au long cou,* v. 1535, palais Pitti, Florence; fresques de la Steccata, Parme, 1531-1539).

PARNASSE, montagne de la Grèce, au N. du golfe de Corinthe, au N.-E. de Delphes; 2 457 m. Dans l'Antiquité, le Parnasse, montagne des Muses*, était consacré à Apollon*.

Parnasse contemporain *(le),* titre sous lequel parurent en 1866, 1869 et 1876 trois recueils de vers qui forment à la fois le manifeste et l'illustration de l'école « parnassienne ». Du premier fascicule, qui se place sous le patronage de Baudelaire, au troisième, qui écarte *l'Après-midi d'un faune* de Mallarmé, le Parnasse, qui défend la théorie de « l'art* pour l'art » et se veut un exil littéraire, loin du rythme de la vie et de l'écriture modernes, se dissout dans la versification gratuite et l'éclatement de visions aussi diverses que celles de Banville, Leconte de Lisle, Coppée, Villiers de L'Isle-Adam, Sully Prudhomme, Catulle Mendès ou Anatole France.

PARNELL (Charles Stewart), homme politique irlandais (Avondale 1846-Brighton 1891). Ce grand propriétaire protestant, ému par les exactions dont est victime la paysannerie irlandaise, se voue à la cause de son pays. Élu aux Communes (1875), il prend la direction du parti nationaliste (1877), que sa ferme autorité transforme en un instrument politique efficace. Pratiquant d'abord, et avec bonheur, l'obstruction parlementaire, il se bat, à partir de 1879, à la tête de la Ligue agraire irlandaise; mais l'agitation violente des « Invincibles » contrecarre son action. Cependant, appuyé sur Gladstone*, revenu au pouvoir en 1886, Parnell fait avancer l'idée de Home Rule. Un drame privé éloigne de lui Gladstone et le clergé irlandais.

PARNY (Évariste Désiré DE FORGES, *chevalier,* puis *vicomte* DE), poète français (Saint-Paul, île Bourbon, 1753-Paris 1814) dont les *Chansons madécasses* et les *Poésies érotiques* (1778) exercèrent une certaine influence sur Lamartine et le romantisme.

PARODI (Hippolyte), ingénieur français (Bois-Colombes 1874-Nice 1968). Spécialiste de l'électrification ferroviaire, il établit la première ligne de transport à 220 kV existant en France. On lui doit également un programme général de modernisation de l'exploitation des chemins de fer qui servit de base aux études de la S.N.C.F.

PARODONTOSE. — L'inflammation des gencives (gingivite), leur hémorragie (gingivorragie), leur rétraction, l'arthrite du ligament qui les fixe puis sa suppuration (pyorrhée alvéolo-dentaire) font partie du processus qui aboutit au déchaussement des dents, puis à leur chute. Une parfaite hygiène bucco-dentaire, une surveillance odonto-stomatologique régulière et la recherche de causes (infectieuses, métaboliques, endocriniennes, etc.) permettent de limiter l'évolution des parodontoses, qui obligent parfois à extraire des dents saines en raison de leur mobilité excessive.

PAROISSE. — Employé à l'origine pour désigner n'importe quel territoire ecclésiastique, le terme s'attache plus spécialement, à partir du haut Moyen Âge, à l'église de quartier, du bourg rural ou du domaine campagnard, ainsi qu'à la circonscription desservie par son curé. Mais c'est aussi dans le cadre de la paroisse, voire dans l'église, pôle d'attraction de la communauté des habitants, que sont traités les intérêts temporels des paroissiens; ainsi, sous l'Ancien Régime, la paroisse est-elle une circonscription administrative au sein de laquelle est réparti l'impôt direct et sont élus les collecteurs d'impôts. À la Révolution, l'apparition des communes a fait disparaître la fonction administrative de la paroisse, désormais confinée dans son rôle religieux.

PAROLE. — Dans la théorie de F. de Saussure, la parole désigne, par opposition à la langue*, la partie individuelle du langage*. Alors que la langue est le code qui permet à l'homme de communiquer à l'intérieur de sa communauté linguistique (fait social), la parole est la mise en œuvre de ce code par des actes concrets (fait individuel). D'autre part, la parole est acte de création alors que la langue est un ensemble de faits de mémoire. Cette opposition langue/parole a été reformulée par N. Chomsky sous la forme compétence* (langue)/performance (parole).

Parole en archipel *(la),* recueil poétique de René Char (1962) : les mots rares du poète émergent et se groupent sur la mer silencieuse et insignifiante du quotidien.

Paroles, recueil poétique de J. Prévert (1945).

PAROPAMISUS, chaîne de montagnes du nord-ouest de l'Afghānistān; 3 135 m.

PÁROS, île grecque du groupe des Cyclades*. Centre de commerce et d'art, dont les carrières ont fourni aux artistes grecs le plus beau marbre statuaire. Elle fut occupée vers le XIIe s. av. J.-C. et ses habitants fondèrent Thásos* vers le début du VIIe s. Durant l'époque classique, éclipsée par la gloire de Délos et la puissance d'Athènes, elle ne tint dans la vie politique des cités grecques qu'un rôle modeste. Successivement romaine, byzantine, vénitienne et turque, elle redevint grecque en 1821. L'île possède des églises byzantines, dont Panaghía Hekatonpyliani et Aghíos Nikhólaos, qui conservent des parties d'époque justinienne.

PAROTIDE. — Cette glande salivaire, située en arrière de la branche montante du maxillaire inférieur, en avant du pavillon de l'oreille, envoie sa sécrétion dans la bouche par le canal de Sténon, qui s'ouvre à la face interne des joues, près des molaires.

Les oreillons* se manifestent par une parotidite bilatérale, mais on peut observer des parotidites unilatérales à germes banals. Des calculs peuvent se former dans le canal de Sténon (lithiase salivaire). Les tumeurs mixtes (tissu glandulaire et tissu conjonctif) de la parotide sont bénignes mais nécessitent une intervention délicate, car elles peuvent dégénérer en cancer.

PARQUES, divinités gréco-romaines, personnification du Destin. Les Grecs les appelaient *Moires.* Elles étaient trois, Clotho, Lachésis et Atropos, qui présidaient successivement à la naissance, à la vie et à la mort des humains.

PARQUET *(Constr.)* → MENUISERIE.

PARQUET *(Dr.)* → JUSTICE *(organisation de la).*

PARRHASIOS, peintre grec actif dans la seconde moitié du Ve s. av. J.-C., rival de Zeuxis*. On ne le connaît que par les textes anciens qui vantent la puissance expressive de ses œuvres.

PARROCEL, peintres et graveurs français, dont les principaux sont JOSEPH, dit **Parrocel des Batailles** (Brignoles 1646 - Paris 1704), qui connut J. Courtois à Rome, décora un réfectoire des Invalides *(les Conquêtes de Louis XIV)* et peignit maints autres sujets de guerre, et son fils, CHARLES (Paris 1688 - *id.* 1752), qui, après un séjour à l'Académie de France à Rome, exécuta *l'Entrée de l'ambassadeur turc par le jardin des Tuileries* et *la Sortie de l'ambassadeur* [...] (Versailles), des batailles, deux portraits de Louis XV.

PARROT (André), archéologue français (Désandans, Doubs, 1901). Directeur des fouilles de Tello* et de Larsa*, et surtout de celles de Mari*, qui lui doit sa résurrection, il a publié de nombreux ouvrages sur l'archéologie mésopotamienne dont : *Mari, une ville perdue* (1936), *Archéologie mésopotamienne* (1946-1953), *Sumer* (1960), *Assur* (1961), *Terre du Christ. Archéologie. Histoire. Géographie* (1966), *l'Art de Sumer* (1970), *Mari, capitale fabuleuse* (1974).

PARRY *(îles),* partie de l'archipel arctique canadien (Territoires du Nord-Ouest).

PARRY (*sir* William Edward), explorateur anglais (Bath 1790 - Greenwich 1855). Il conduisit plusieurs expéditions dans les régions polaires et s'avança jusqu'à 82° 45′ de latitude (1827).

Parsifal, « action théâtrale solennelle », en trois actes, paroles et musique de R. Wagner (1882). Tiré de la geste des chevaliers du Graal, ce drame mi-sacré, mi-païen, développe le thème de la pureté (Parsifal, le « chastefol ») et contient des scènes chorales et symphoniques intenses (« Enchantement du vendredi saint », cérémonie au temple du Graal).

PARSIS. — Ces adeptes du mazdéisme*, qui, lors de l'islamisation de l'Iran, au VIIe s., émigrèrent en Inde, sont actuellement environ 150 000 dans la région de Bombay.

PARSONS (*sir* Charles Algernon), ingénieur britannique (Londres 1854 - au cours d'une croisière aux Indes 1931). Il imagina la turbine à vapeur à étages de pression fonctionnant par réaction, à laquelle son nom est resté attaché (1884).

PARSONS (Talcott), sociologue américain (Colorado Springs 1902). Son œuvre illustre la tentative pour constituer une théorie générale des systèmes d'action dans la société. À ce titre, il considère, après Max Weber, que la sociologie est la science de l'action sociale... Mais il intègre à son appareil conceptuel des notions comme celles de rôle, statut ou groupe de référence, toutes issues de la psychologie sociale. Au fonctionnalisme, il emprunte le postulat aux termes duquel chaque élément de la réalité sociale ne peut être compris que replacé dans un ensemble plus vaste. Simultanément, il concentre l'attention sur les structures sociales, qu'il définit comme des ensembles de relations interpersonnelles relativement stables. Sa méthode, dite « structuro-fonctionnaliste », est illustrée par cette définition qu'il donne du système social : celui-ci consiste en une pluralité d'acteurs individuels inclus dans un processus d'interactions qui se déroule dans une situation affectée de propriétés physiques. Ces actions sont motivées selon une tendance à rechercher un optimum de satisfaction, et leur situation leur est définie et médiatisée par un système de symboles organisé par la culture à laquelle ils participent. Il a publié *The Negro American* et *Societies* en 1966, *Sociological Theory and Modern Society* en 1967, *Politics and Social Structures* en 1969.

PARTAGE. — C'est l'acte qui met fin à une indivision en répartissant les biens entre les indivisaires, que l'indivision provienne soit d'une société (civile ou commerciale), soit d'une communauté conjugale ou d'une succession. Le partage d'ascendant est une donation de biens faite du vivant du donateur, assurant par anticipation le partage entre les donataires, mais impliquant, d'ores et déjà, la dépossession du donateur.

Partage de midi, drame en trois actes de Paul Claudel (publié en 1905; créé en 1948) : reprise du thème de Tristan et Iseut et de l'amour impossible.

PARTAGE DE TEMPS ou **TIME SHARING** *(Inform.).* — Dans l'utilisation la plus classique d'un ordinateur, le *traitement par lots,* un programme* est introduit dans la machine sous forme d'un paquet de cartes* et les résultats du traitement sortent sous forme de papier imprimé. Durant l'exécution du calcul, le programme se déroule conformément aux instructions* décrites dans les cartes perforées : aucune interaction n'est possible à ce moment-là entre le programme et le programmeur. Or, de nombreuses applications nécessitent un dialogue entre le programme d'un côté, et le programmeur ou l'utilisateur de l'application de l'autre : conception assistée par ordinateur, aides à la mise au point des programmes, besoin d'accès rapide à des bases* de données, consultations et mises à jour des fichiers* dans les systèmes de réservation de places, etc. Il est inconcevable que l'ordinateur travaille dans ces conditions conversationnelles avec un seul utilisateur tant que celui-ci a besoin de dialoguer avec son programme : l'ordinateur ne serait utilisé qu'une infime partie de son temps, son rendement serait déplorable et le service catastrophique. Puisque, malgré tout, à un instant donné, la machine ne peut exécuter qu'une instruction pour un programme précis, le système* d'exploitation est amené à mettre en œuvre une technique de *partage de temps* (time sharing), qui consiste à distribuer de courtes tranches de temps successivement aux divers programmes en présence. À titre d'exemple, et d'une façon schématique, si 10 utilisateurs sont simultanément en présence conversationnelle sur le même ordinateur, chacun d'eux recevra chaque seconde une tranche de temps de l'unité centrale de 100 ms. Tout se passe pour l'un de ces utilisateurs comme s'il disposait d'un ordinateur 10 fois plus lent, ce dont il ne se rend généralement pas compte, mais qui lui serait exclusivement consacré. Par extension, cette technique de partage de temps interne au système d'exploitation est devenue synonyme des techniques conversationnelles elles-mêmes. Certains langages* de programmation, comme APL ou BASIC, sont très bien adaptés à ce mode de travail.

PARTHENAY (79200), ch.-l. d'arr. des Deux-Sèvres, sur le Thouet; 13 039 hab. *(Parthenaisiens).* Foires (bovins). Vestiges de l'anc. citadelle féodale. Églises ou parties d'églises romanes du XIIe s., dont celle de Parthenay-le-Vieux (portails sculptés). Maisons gothiques à pans de bois. Briqueterie.

PARTHÉNOGENÈSE. — Il y a parthénogenèse (animale ou végétale) chaque fois qu'un gamète femelle non fécondé se développe et donne un nouvel individu. Cette définition est plus restrictive qu'il ne paraît, car elle exclut tous les phénomènes de bourgeonnement, bouturage naturel, multiplication végétative, etc., qui tirent leur origine d'une cellule somatique diploïde, inféconcable de toute façon. Elle couvre cependant des cas bien divers.

Le cas extrême est la *parthénogenèse constante* des espèces sans mâle (daphnie) ou à mâles très rares (« spanandrie » : phasme). Plus fréquente est la *parthénogenèse cyclique,* ou saisonnière, par exemple des pucerons, vivipares en été, mais qui se sexualisent et s'accouplent à l'automne pour pondre des œufs, seuls capables de supporter l'hiver. Chez certains hyménoptères sociaux (abeille), la femelle, disposant d'une provision importante de sperme à la suite de l'accouplement, peut priver de fécondation quelques-uns de ses œufs : ces œufs vierges donneront des mâles. On a enfin décrit des cas de *parthénogenèse inapparente :* l'accouplement a lieu, mais le noyau du gamète mâle dégénère au sein du gamète femelle, de sorte que le spermatozoïde ne joue qu'un rôle d'activation, non d'apport génétique (mérospermie : nématodes).

De nombreuses méthodes de *parthénogenèse expérimentale* ont été mises au point en laboratoire (Loeb, Delage, Bataillon...). Elles sont si diverses que l'on a pu écrire : « À une stimulation quelconque, l'œuf réagit en se développant. »

Parthénon → ACROPOLE.

Parthénopéenne *(république),* république éphémère, créée en janvier 1799 par le Directoire*, et qui se substitua au royaume de Naples (Parthénope). Elle disparut dès le 13 juin, Nelson en ayant chassé les troupes françaises; le 7 juillet, les Bourbons de Naples retrouvèrent leur trône.

PARTHES, peuple apparenté aux Scythes*, installé vers le IIIe s. av. J.-C. dans la région nord-est de l'Iran (auj. Khurāsān) qui, dès lors, s'appela « Parthie ». Sous la conduite d'Arsace* (v. 250), qui donne son nom à la dynastie des Arsacides*, et de son frère Tiridate Ier (de 248 à 214 env.), les Parthes forment un royaume indépendant qui s'étend, avec Artaban Ier (de 214 env. à 191) et surtout avec Mithridate Ier (de 171 env. à 138 env.), sur la majeure partie de l'Iran* et sur la Mésopotamie*. Mais les Parthes ne peuvent éliminer les Séleucides*, et ce seront les Romains qui viendront à bout de la grande monarchie hellénistique. À partir du Ier siècle av. J.-C., Parthes et Romains entrent en contact; en 92, Sulla* reconnaît la souveraineté de Mithridate II (de 123 env. à 86) sur les territoires en bordure de l'Euphrate. Mais les incessantes querelles dynastiques des Arsacides et l'intérêt commercial des routes traversant l'Empire parthe incitent les Romains à de nombreuses interventions, qui ne sont pas toutes heureuses : sous Orodès II (de 55 à 37), Licinius* Crassus subit à Carres (53), dans le désert syrien, une défaite mémorable. Profitant des troubles qui suivent la mort de César* (44 av. J.-C.), les Parthes lancent contre les possessions romaines en Asie des expéditions meurtrières; Rome sera capable de les vaincre mais non de les chasser. Auguste*, habile politique, inaugure avec eux des relations amicales, et Néron* place sur le trône d'Arménie*, enjeu de frictions perpétuelles entre Parthes et Romains, un prince arsacide, Tiridate (66 apr. J.-C.), frère de Vologèse Ier (de 51 à 77), qui, de ce fait, renverse sa politique en faveur de Rome. Les campagnes de Trajan* (113-117), de Septime* Sévère (197), de Caracalla* et de Macrin* (216-217) n'ont pas plus de lendemains que les raids parthes en Arménie ou en Syrie. La dynastie parthe disparaîtra en 224 sans que soit réglée la querelle entre les deux empires : un dynaste local, Ardachêr, renverse le dernier Arsacide, Artaban V, au profit d'une nouvelle dynastie, les Sassanides*.

• *L'art des Parthes.* L'association des traditions orientales aux influences occidentales et à celle des cavaliers de l'Iran* extérieur (créateurs de l'art du Luristān*) est la base de l'art parthe, qui tend vers un nationalisme de plus en plus poussé, trait marquant de l'art sassanide qui lui succède. De grands sites, comme Hatra (Ier-IIe s.), révèlent l'architecture palatiale, dont seule l'apparence extérieure est grecque, mais les piliers avec demi-colonnes, la décoration de masques encastrés dans les parois, proche de celle de Palmyre, et surtout les hautes salles voûtées ouvertes sur l'extérieur — à l'origine de l'iwān de l'Iran islamique — sont typiquement orientaux. À Kouh-i-Khwaja (Ier et IIIe s.), les ruines du palais ont livré d'intéressantes peintures murales, dont certaines, représentant des personnages, annoncent l'hiératisme byzantin. La ronde-bosse en pierre, peu fréquente, et le bas-relief sont dominés par l'influence orientale : pas de recherche de modelé, ni de perspective, relief peu accentué et frontalité hiératique des attitudes. L'orfèvrerie, tout comme la statue monumentale en bronze découverte à Shami (Ier s. av. ou apr. J.-C., musée de Téhéran) — représentant un personnage de face, à la coiffure et au regard fixe caractéristiques, et donnant de précieuses indications sur le costume parthe —, atteste la persistance des traditions iraniennes dans la perfection du travail du métal.

PARTICIPATION. — Le mot est souvent employé comme synonyme de « cogestion », désignant la gestion de l'entreprise exercée par le chef d'entreprise et les représentants du salariat, ceux-ci « participant » dans ce cadre aux prises de décisions.

La participation n'est pas prévue par la législation française du travail, hormis certaines mesures très limitées, comme la présence (à titre consultatif) de représentants du comité d'entreprise aux séances du conseil d'administration ou de surveillance des sociétés anonymes, mais certains pays européens pratiquent des formes de participation plus avancées.

L'Allemagne a introduit, en 1951, dans l'industrie du charbon et dans la sidérurgie, une « cogestion » paritaire — cinq représentants des actionnaires, cinq des travailleurs et un onzième représentant (élu par les dix premiers), chargé d'arbitrer. Une nouvelle loi (1976) introduit dans le reste de l'industrie allemande une « cogestion » quasi paritaire : le nombre de sièges est égal pour les deux collèges, mais le président est un représentant du capital et a une voix supplémentaire. La loi ne s'applique qu'aux grandes entreprises.

Au Danemark, les salariés des entreprises de plus de cinquante personnes ont le droit d'avoir deux représentants au conseil d'administration, si 50 p. 100 des salariés de l'entreprise votent en faveur de cette représentation. En Norvège, depuis 1973, un tiers des membres du conseil d'administration de toutes les sociétés employant de cinquante à trois cents salariés doit être élu par les travailleurs de l'entreprise. Pour les sociétés de plus de deux cents salariés, une « assemblée d'entreprise » contrôle le directoire (elle comporte, au minimum, douze membres, dont un tiers est élu par les ouvriers). En Autriche, une loi sur la « cogestion », de juillet 1974, prévoit qu'un tiers des postes du conseil de surveillance est occupé par des salariés, dans toutes les sociétés anonymes et dans les sociétés à responsabilité limitée de plus de trois cents salariés. Les représentants des salariés peuvent s'exprimer sur la marche de la société, à l'exception de la nomination du directoire. Leur nomination est assurée par le comité d'entreprise qui, lui-même élu, a des prérogatives étendues en matière d'information et de consultation ainsi qu'en matière sociale et dans les questions touchant aux conditions de travail.

PARTICULE *(Phys.).* — Dans l'acception actuelle la plus usuelle, les particules élémentaires sont celles qui apparaissent comme les termes élémentaires entre lesquels s'établissent les principaux types d'interaction, incluant les quanta des champs correspondants. Leur classification s'effectue selon les lois de conservation qu'elles respectent. Les seules particules subissant l'interaction forte sont les hadrons, parmi lesquels on distingue les baryons, qui sont des fermions, et les mésons, qui sont des bosons. Les fermions, insensibles aux interactions fortes, forment la famille des leptons (électrons, muons, neutrinos), tandis que le photon est le boson caractéristique du champ électromagnétique. Les progrès dans la connaissance des sous-structures de ces particules passent par l'étude de la diffusion de particules-projectiles sur des particules-cibles.

PARTIE *(Math.)* → BINÔME DE NEWTON, COMBINATOIRE *(analyse),* ENSEMBLES *(théorie des).*

PARTIEL. — Tout corps vibrant présente des points ou des lignes d'immobilité (nœuds ou lignes nodales), de sorte qu'il se divise en « parties » qui semblent vibrer indépendamment. Pour rappeler ce fait, on appelle « partiels » les sons qu'il émet quand il vibre suivant les différents modes possibles. Par exemple, une corde émet, en général, le son fondamental, ou premier partiel, en vibrant en un seul fuseau. Mais on peut aussi la faire vibrer en deux fuseaux identiques; elle émet alors le second partiel, presque à l'octave du premier, et ainsi de suite. Les partiels d'une corde vibrante forment ainsi une série de sons à peu près harmoniques. Mais tel n'est pas le cas d'autres corps vibrants, du diapason par exemple.

Parti pris des choses *(le),* recueil de Francis Ponge (1942; édition revue et augmentée, 1949) : le poète prend son parti de l'existence des objets qu'il cherche à mimer par son écriture, qui, du même coup, dévoile l'imaginaire de la nature.

PARTON. — Le modèle des partons a été introduit par Feynman, en 1969, pour interpréter des propriétés dynamiques dans le cas de collisions entre hadrons à très haute énergie, mais il a pris son importance du fait des résultats obtenus dans les expériences de diffusion des leptons de très grande énergie sur les hadrons avec production d'excitations variées : on obtient une figure de diffraction caractéristique de diffuseurs ponctuels. Si les hadrons sont composés de partons, il est tentant d'identifier ces derniers aux quarks*.

PARULIE → DENT.

PASADENA, v. des États-Unis (Californie), dans la banlieue nord-est de Los Angeles; 113 000 hab. Musée d'art. Électronique.

PASAJES, port d'Espagne, dans le Pays basque, près de Saint-Sébastien; 13 000 hab. Pêche.

PASARGADES, une des capitales de l'Empire achéménide*. Elle fut fondée par Cyrus II*, après sa victoire sur les Mèdes (v. 550 av. J.-C.). Darios Ier* (522-486) lui substituera Persépolis*. Vestiges de palais attestant un raffinement architectural remarquable. Tombeau de Cyrus au sommet d'un monumental socle pyramidal.

PASAY, v. des Philippines, dans la banlieue de Manille; 231 000 hab.

PASCAL → UNITÉ.

PASCAL Ier et II → PAPE.

PASCAL (Blaise), mathématicien, physicien et écrivain français (Clermont, auj. Clermont-Ferrand, 1623-Paris 1662). Valéry lui reprochait de « s'amuser à coudre des papiers dans ses poches au lieu de donner à la France la gloire du calcul de l'infini ». Mais le *Mémorial* qu'il porta jusqu'à sa mort dans la doublure de ses vêtements gardait la trace d'un événement majeur : dans une nuit d'extase, le 23 novembre 1654, Pascal avait fait en sens inverse le trajet accompli trente-cinq ans plus tôt par Descartes, dans une même nuit de novembre; il était allé des mathématiques à Dieu,

Lauros-Giraudon

Blaise Pascal. Portrait anonyme. (Château de Versailles.)

la vie et l'œuvre

1623	Naissance à Clermont; son père, Étienne Pascal, est président à la cour des aides.
1626	Mort de sa mère.
1631	Étienne Pascal s'installe à Paris et veille lui-même à l'éducation de ses enfants.
1635	Pascal fréquente le cercle scientifique des amis de son père.
1640	*Essai sur les coniques.*
1642	Pascal conçoit une machine arithmétique pour aider son père chargé d'un contrôle fiscal en Normandie.
1646	« Première conversion ». Avec son père, Pascal renouvelle à Rouen les expériences de Torricelli sur le vide.
1647	Publication des *Expériences nouvelles touchant le vide.* Entretiens avec Descartes. La santé de Pascal est compromise.
1648	Pascal entre en relation avec Port-Royal. *Essai sur la génération des sections coniques.*
1651	*Traité du vide.*
1652	Période mondaine : Pascal se lie avec le duc de Roannez et le chevalier de Méré*.
1654	Conversion définitive.
1655	Retraite à Port-Royal. Entretien avec M. de Saci.
1656	Première *Lettre provinciale* (23 janv.).
1658	*Lettre circulaire relative à la cycloïde.* Conférence à Port-Royal sur le plan de l'*Apologie.*
1660	*Prière pour demander à Dieu le bon usage des maladies.*
1662	Mort de Pascal (19 août).

alors que l'inventeur de la *Méthode* chercha, à partir d'une illumination initiale, « la vérité à travers les sciences ». Pourtant, il est difficile de voir dans l'activité scientifique de Pascal une carrière avortée : à peine âgé de 17 ans, Pascal publie un *Essai sur les coniques;* en 1642, il donne le premier modèle d'une machine arithmétique additionneuse, l'un des plus anciens prototypes des calculatrices mécaniques; en 1654, il rédige son *Traité du triangle arithmétique* et entreprend avec Pierre de Fermat une correspondance qui est à l'origine du calcul des probabilités. Et c'est après sa conversion définitive qu'il aborde la rédaction de ses *Éléments de géométrie,* qu'il développe, au sujet de la *cycloïde,* des techniques d'intégration qui inspireront Leibniz, et qu'il fonde son apologétique sur l'argument du pari (l'existence de l'homme l'oblige à parier sur l'existence de Dieu) en lui donnant une formulation mathématique rigoureuse. Il reste que son choix proclamé du cœur contre la raison et son engagement janséniste en ont fait un personnage quasi théâtral (« presque un emploi de la comédie de la connaissance », dit encore Valéry, « une manière d'Hamlet »). Contre l'optimisme patient de la science, Pascal s'est installé dans l'inconfort et l'angoisse. Par impatience, par cette « extrême vivacité de son esprit » qui frappait tant ses proches et qui faisait de lui un perpétuel insatisfait en même temps que l'écrivain fulgurant et elliptique des *Pensées**. Ce « chrétien géomètre » voulait aller vite à l'essentiel, et la science, dont il n'ignorait nullement les possibilités, lui paraissait trop lente. Aller au but, le plus rapidement possible, par le sarcasme *(les Provinciales**) ou par la sensibilité (« Dieu sensible au cœur »). Lutter contre la « nonchalance de salut » qu'il a vécue lui-même et dans laquelle se complaît le libertin. La « méthode » pascalienne se fonde sur une intuition esthétique qui concilie les contraires (d'où la présence des antithèses à chaque page des *Pensées*) et qui double le réseau des arguments rationnels (d'où l'imbrication des interrogations et des exclamations, prises dans un style mélodique, et des formules concises répétées inlassablement). Elle a pour objet non des certitudes parcellaires, mais l'unique vérité de Dieu. Avec ce corollaire paradoxal : Pascal ne cesse d'affirmer que c'est Dieu qui accorde la grâce; donc il reconnaît la vanité de son entreprise de persuasion. La seule raison de sa vie est l'apologie de Dieu, et il sait que l'apologiste ne peut pas donner la foi : l'œuvre pascalienne est bien le modèle rigoureux de la condition humaine qui lie indissolublement sa grandeur et sa misère.

PASCAL (Jacqueline), sœur de Blaise Pascal (Clermont, Auvergne, 1625-Paris 1661), religieuse janséniste. On retrouve en elle le mysticisme de son frère. — Sa sœur aînée, GILBERTE (**Mme Périer**) [Clermont 1620-Paris 1687] a publié une *Vie de Blaise Pascal.*

PASCH (Moritz), mathématicien allemand d'origine polonaise (Wrocław 1843-Hambourg 1930). Auteur d'une première axiomatisation de la géométrie, il mit en évidence l'existence de concepts primitifs à partir desquels l'énoncé de postulats permet de démontrer logiquement les autres propositions ou théorèmes (1882).

PASCIN (Julius PINKAS, dit **Jules**), peintre et dessinateur naturalisé américain (Vidin 1885-Paris 1930). Né en Bulgarie, il a travaillé en Allemagne, aux États-Unis (1914) puis en France (1920). Il collabora au journal *Simplicissimus* à Munich, fut, à Paris, une personnalité bohème de l'après-guerre et se donna la mort. Il a peint des sujets bibliques, quelques grandes scènes d'un orientalisme bouffon, et surtout des figures féminines à l'érotisme insidieux, dont un sfumato délicat estompe l'acuité graphique. Il a illustré H. Heine, P. Morand, P. Mac Orlan.

PASCOLI (Giovanni), écrivain italien (San Mauro, Romagne, 1855-Bologne 1912). Disciple de Carducci, il est l'auteur de poèmes de facture impressionniste et d'inspiration mystique (*Myricae,* 1891; *Chants de Castelvecchio,* 1903).

PAS DE CALAIS → CALAIS *(pas de).*

PAS-DE-CALAIS (62), départ. de la Région Nord-Pas-de-Calais; 6 639 km^2; 1 402 295 hab. Ch.-l. *Arras.* S.-préf. *Béthune, Boulogne-sur-Mer, Calais, Lens, Montreuil, Saint-Omer.*

Le Pas-de-Calais est nettement moins peuplé que le département du Nord. Il possède, cependant, une densité d'occupation élevée, puisque dépassant 200 habitants au kilomètre carré, plus du double de la moyenne nationale. Il s'étend en majeure partie sur le plateau de l'Artois (s'abaissant, du N.-O. vers le S.-E., d'environ 200 m à 100-120 m), qui domine, au N., la plaine flamande et s'incline doucement vers le S., entaillé par les vallées de la Canche et de l'Authie. Le climat est doux, favorable à l'agriculture, qui emploie près du dixième de la population active, avec l'élevage bovin, dominant dans le nord-ouest, et les cultures du blé et de la betterave, prépondérantes dans le sud-est. La pêche est active à Boulogne-sur-Mer, de loin le premier port français, rang qu'occupe Calais pour les voyageurs. Le tourisme anime surtout le littoral méridional (Le Touquet, Berck). L'industrie, qui emploie approximativement 45 p. 100 des actifs, a souffert du déclin marqué de l'extraction houillère (surtout dans l'ouest du bassin, vers Auchel-Bruay) et des difficultés d'autres branches (textile), partiellement relayées par les constructions mécaniques (automobile) et électriques. La part du secteur tertiaire est relativement réduite. Cependant, l'urbanisation est forte, mais il s'agit souvent de villes ou d'agglomérations industrielles, les services supérieurs (université, notamment) étant concentrés à Lille. La lourdeur du secteur industriel explique un ralentissement très net de la croissance démographique depuis 1960, contrastant avec une progression antérieure presque ininterrompue, nette en particulier dans l'immédiat après-guerre. Aujourd'hui, c'est la partie occidentale, proche du littoral, qui se développe, alors que les arrondissements du bassin minier (qui occupe le quart nord-est du département), ceux de Béthune et de Lens, se dépeuplent. Pourtant les atouts ne manquent pas : desserte autoroutière et fluviale, situation géographique favorable dans le cadre de l'Europe du Nord-Ouest.

PASDELOUP (Jules Étienne), chef d'orchestre français (Paris 1819-Fontainebleau 1887). Désirant mettre la musique à la portée de tous, il fonda, en 1861, la société des Concerts populaires, au cirque d'Hiver.

Pas de quatre *(le),* divertissement chorégraphique, composé par Jules Perrot sur une musique de Cesare Pugni et dansé pour la première fois à Londres en 1845 par quatre des plus grandes danseuses romantiques : Maria Taglioni, Carlotta Grisi, Fanny Cerrito, Lucile Grahn. La reconstitution, d'après des documents de l'époque, d'Anton Dolin (1941), est toujours dansée actuellement.

PAS-EN-ARTOIS (62760), ch.-l. de cant. du sud du Pas-de-Calais, à 12 km à l'E. de Doullens; 959 hab.

PASIPHAÉ, reine légendaire de Crète*, épouse de Minos*, dont elle eut Ariane et Phèdre*. De ses amours avec un taureau naquit le Minotaure*.

PASKIEVITCH (Ivan Fedorovitch), maréchal russe (Poltava 1782-Varsovie 1856). Vainqueur des Perses (1825-1827) puis des Turcs (1829), il réprima, en 1831, l'insurrection polonaise, devint gouverneur de Varsovie puis brisa la révolution hongroise en 1849.

PASOLINI (Pier Paolo), écrivain et cinéaste italien (Bologne 1922-Ostie 1975). Il appliqua dans la *Poésie dialectale du XXe siècle* (1952), puis dans l'*Anthologie de la poésie populaire* (1955) des méthodes de critique marxiste, inspirées de Gramsci. Poète (*les Cendres de Gramsci,* 1957; *Poésie en forme de rose,* 1961-1964), il peint dans ses romans la vie misérable de la banlieue romaine (*Jeune Racaille,* 1955; *Une vie violente,* 1959). Scénariste et metteur en scène, il a réalisé plusieurs films (*Accattone,* 1961; *Mamma Roma,* 1962; *l'Évangile selon saint Matthieu,* 1964; *Œdipe-Roi,* 1967; *Théorème,* 1969; *le Décaméron,* 1971; *Salò, ou les 120 Journées de Sodome,* 1975).

PASQUIER (Étienne), juriste français (Paris 1529-*id.* 1615). Avocat au parlement de Paris (1549), puis avocat général près la Chambre des comptes (1583), il s'opposa à la Ligue et suivit Henri III à Blois (1588). Très variée, son œuvre comprend des ouvrages de philosophie politique (*Pour parler du prince,* 1560) et de droit *(Interprétation des « Institutes »),* une encyclopédie méthodique *(Recherches de la France)* et des recueils de poésie.

PASSACAILLE → SUITE DE DANSES.

PASSAGE (Le) [47000 Agen], comm. de Lot-et-Garonne, dans la banlieue ouest d'Agen; 7 862 hab.

PASSAIS (61350), ch.-l. de cant. de l'Orne, à 11,5 km au S.-O. de Domfront; 1 016 hab. Mégalithes. Église du XVe s.

PASSAMAQUODDY *(baie de),* échancrure du littoral nord-américain (Nouveau-Brunswick [Canada] et Maine [États-Unis]), sur l'Atlantique, dépendance de la baie de Fundy.

Passarowitz *(paix de),* paix, signée à Passarowitz (auj. Požarevac, Serbie), le 21 juillet 1718, et qui consacrait la victoire de l'empereur Charles VI sur les Turcs et l'expansion territoriale autrichienne en Valachie et en Serbie.

PASSAU, v. de l'Allemagne fédérale (Bavière), sur le Danube, à la frontière autrichienne; 33 000 hab. Cathédrale et églises avec éléments allant de l'époque romane au baroque. Sur la rive gauche du Danube, château d'Oberhaus (musée régional).

PASSE (mot de) [*Inform.*] → BASE DE DONNÉES.

PASSEMENTERIE. — La passementerie, qui englobe les garnitures diverses d'ameublement (galon, frange, pompon, cordon), est d'origine ancienne. L'Égypte nous a transmis des modèles de franges nouées et ornées de perles; la Grèce la fit connaître en Italie. En France, au XVIe s., on distinguait les passementiers, qui brodaient à la main, des tissutiers-rubaniers, qui tissaient. Ces deux groupes seront réunis en 1784. En 1566, Charles IX confirma le statut des passementiers et, sous Henri IV et Louis XIII, ceux-ci eurent le droit de faire des passements de dentelle de fil blanc et de fil de couleur.

La passementerie est en accord avec le style de l'époque : volumineuse et écrasante sous Louis XIV, où elle est signe de richesse, pompeuse et dorée sous l'Empire, surchargée avec Napoléon III. En revanche, elle sera beaucoup plus discrète par les motifs et les tons sous Louis XVI et sous le Directoire. Elle utilise principalement la frange, le galon, le gland, le pompon, la tresse. La passementerie contemporaine se caractérise par l'emploi de fibres naturelles (lin, soie, coton) et de fibres synthétiques. À côté des passementeries de style, le galon, baptisé « Macapass », a pris un caractère résolument moderne, par la largeur de 7 à 16 cm et par l'emploi de coloris très vifs.

PASSEREAUX. — Près de la moitié des espèces d'oiseaux sont classées parmi les *passereaux.* Ce sont le plus souvent, mais non toujours, de « petits oiseaux », vivant dans les arbres, percheurs, chanteurs et constructeurs de nids. Leur vol battant, des plus aptes aux virages rapides, leur permet de circuler parmi les branchages. Certaines espèces sont adaptées à un régime déterminé : graines, fruits, insectes, mais la plupart mangent des proies très diverses. L'élevage des jeunes exige une vie de couple relativement durable. La classification rassemble, sous le nom de *passériformes,* les passereaux répondant le mieux à la description ci-dessus : hirondelle, fauvette, rouge-gorge, rossignol, merle, grive, roitelet, mésange, bergeronnette, alouette, bengali, moineau, bouvreuil, chardonneret, serin, pinson, étourneau, loriot, pie, corbeau et toutes les espèces voisines. Moins nombreux, les *micropodiformes* groupent des espèces aux pattes réduites, incapables de marcher : martinet, engoulevent, colibri. Les *coraciadiformes,* souvent plus grands et moins forestiers, comptent parmi eux le martin-pêcheur, le guêpier et la huppe. D'autres petits ordres de passereaux ont été créés pour les tyrannidés (gobe-mouches d'Amérique) et pour les fourniers.

PASSERO, cap de l'extrémité sud-est de la Sicile.

PASSERON (Jean-Claude), sociologue français (Nice 1930). Attentif aux méthodes dans les sciences sociales, il a ordonné, en collaboration avec P. Bourdieu*, un ensemble de listes qui permet d'évaluer les mérites respectifs de la sociologie dite « quantitative » et de la sociologie dite « qualitative ». Mais il s'est principalement attaché à mettre à nu les mécanismes, brutaux ou subreptices, qui aboutissent à la reproduction des inégalités sociales. À cet égard, le système éducatif lui paraît violer en permanence les principes dont il se réclame, agissant comme un agent du conservatisme.

PASSIFLORE. — La « fleur de la passion », ainsi nommée pour ses étamines et stigmates rappelant des marteaux et des clous, ses filets « en couronne d'épines » et sa couleur rouge sang, ne forme pas moins de cent espèces en Amérique du Sud. Le fruit est comestible. La pharmacie en extrait un sédatif.

PASSION → ORATORIO.

Passion de Jeanne d'Arc *(la),* film français de Carl Dreyer (1928). Jeanne d'Arc face à ses juges. Établie d'après les minutes du procès, une reconstitution sobre et minutieuse du cinéaste danois Carl Dreyer aidé par l'opérateur Rudolf Maté et le décorateur Hermann Warm. L'influence du Kammerspiel et d'Eisenstein est sensible dans cet oratorio muet, où la succession rapide des gros plans permet à l'intensité d'un regard et à l'esquisse d'un geste de prendre toute leur signification émotionnelle.

X (coll. J.-L. Passek)

La Passion de Jeanne d'Arc (1928). Un des personnages du film de Carl Dreyer.

PASSY, quartier de l'ouest de Paris (XVIe arr.).

PASSY, comm. de la Haute-Savoie; 9 688 hab. Centrale hydroélectrique sur l'Arve. Électrochimie. Station climatique au *plateau d'Assy* (74480), à 800 m d'alt.

PASSY (Hippolyte Philibert), économiste français (Garches 1793-Paris 1880). Il fut un des promoteurs de la doctrine libre-échangiste en France. — Son neveu, FRÉDÉRIC (Paris 1822 - Neuilly-sur-Seine 1912), économiste, fut un pacifiste ardent et reçut le prix Nobel de la paix en 1901.

PASTEL. — Nommé aussi *guède,* le pastel est une herbe tinctoriale de la famille des crucifères. Ses fleurs sont jaunes, mais les feuilles broyées fournissent un colorant bleu tenace. Longtemps cultivée en France, cette plante *(Isatis tinctoria)* a été concurrencée par l'indigo*, puis par les colorants synthétiques.

PASTENAGUE. — C'est parmi les poissons les plus venimeux qu'il faut ranger la pastenague, animal très semblable à une raie, mais pourvu, sur la face dorsale de la queue, d'un ou de plusieurs aiguillons barbelés pouvant injecter un venin très dangereux. (Famille des dasyatidés.)

PASTÈQUE. — Plus lisse que le melon, la pastèque s'en distingue en général par un goût plus fade. Peu cultivée en France, elle est d'un grand usage dans les pays méditerranéens les plus chauds et aux États-Unis, où poussent des variétés plus sucrées.

PASTERNAK (Boris Leonidovitch), écrivain soviétique (Moscou 1890 - Peredelkino, près de Moscou, 1960). Son œuvre, d'abord d'inspiration futuriste, célèbre l'élan créateur de l'existence (*Ma sœur, la vie,* 1922) et traduit l'émerveillement du poète devant l'éternelle nouveauté du monde. Après une méditation sur le destin de la poésie dans un univers dominé par les valeurs politiques (*l'An 1905,* 1926), il donne un nouveau recueil lyrique (*la Seconde Naissance,* 1931) et un récit autobiographique en prose (*Sauf-Conduit,* 1929). En désaccord avec les principes littéraires officiels, il se tient à l'écart de la vie publique à partir de 1935 et se consacre à la traduction d'auteurs français, allemands et anglais. En 1957, il fait paraître, en Italie, un roman, *le Docteur Jivago,* dont la publication n'avait pas été autorisée dans son pays. Il est aussitôt l'objet d'une vive campagne de critiques, qui l'obligent à décliner le prix Nobel qui lui est décerné en 1958.

PASTEUR (Louis), chimiste et biologiste français (Dole 1822 - Villeneuve-l'Étang, Marnes-la-Coquette, 1895), fondateur de la microbiologie. Ses premières recherches, portant sur la cristallographie, sont à l'origine de la stéréochimie. Puis il étudie les fermentations lactiques, alcooliques et butyriques, et décèle qu'elles sont dues chacune à un ferment spécifique. Il découvre les bactéries anaérobies, ce qui l'amène à établir sa doctrine de la non-spontanéité des germes. En 1865, ses travaux sur le ver à soie et sa

Louis Pasteur dans son laboratoire.
Peinture d'Albert Edelfelt. 1885. (Château de Versailles.)

maladie (pébrine) aboutissent au grainage cellulaire, qui sauve la sériciculture. Entre 1870 et 1886, il met en évidence de nombreux germes (vibrion septique, staphylocoque, streptocoque...), causes de maladies infectieuses, et découvre le moyen d'empêcher les vins de fermenter (pasteurisation). En 1879, avec Chamberland et Roux, en étudiant le choléra des poules, il énonce le principe de la sérothérapie préventive. En 1881, avec Roux, il commence ses études sur la rage, qui aboutissent, en 1885, à la mise au point d'un vaccin.

Pasteur *(Institut),* établissement scientifique, fondé au lendemain des recherches de Pasteur sur la rage et inauguré le 14 novembre 1888. Son rôle est de faire progresser la microbiologie et de mettre au point des agents de prévention et de traitement des maladies infectieuses (vaccins, sérums, etc.). Son enseignement lui assure un rayonnement international. Par décret du 24 février 1967, l'Institut Pasteur est devenu une fondation financièrement indépendante.

PASTEURISATION. — La pasteurisation est un traitement thermique destiné à détruire partiellement la flore microbienne qui peut peupler les liquides alimentaires. Elle a eu tout d'abord pour but essentiel de permettre une plus longue conservation de ces liquides en détruisant la majeure partie de la flore microbienne banale qu'ils contiennent et qui est susceptible d'en provoquer l'altération (ferments lactiques, levures, moisissures, etc.). Puis, à cet objectif technologique, est venu s'ajouter un objectif sanitaire, qui est aujourd'hui considéré comme le plus important par les hygiénistes : détruire totalement la flore microbienne pathogène susceptible de provoquer des troubles de la santé des consommateurs (tuberculose, typhoïde, colibacillose, etc.).

Les températures atteintes dans la pasteurisation sont toujours inférieures aux températures d'ébullition des liquides traités, car un chauffage à une température supérieure à l'ébullition risque de produire des altérations irréversibles de la structure physique ou de la composition chimique de leurs éléments biochimiques (vitamines, diastases, et, dans certains cas, protéines), ainsi que de leurs caractéristiques organoleptiques (couleur, goût et odeur).

Les différents procédés de pasteurisation sont des combinaisons temps-température. Plus l'intensité du chauffage est forte, plus sa durée est courte. C'est ainsi que, dans l'industrie laitière, on utilise trois de ces combinaisons :
— pasteurisation basse : 63 ^{0}C pendant 30 minutes;
— pasteurisation HTST (High Temperature, Short Time) : 72 ^{0}C pendant 15 secondes;
— pasteurisation haute : 85 à 90 ^{0}C pendant 1 à 5 secondes.

Tous les germes microbiens ne sont pas détruits par la pasteurisation. La plupart des germes thermorésistants, et surtout toutes les formes sporulées, résistent à tous les procédés de pasteurisation et ne peuvent être tués que par la *stérilisation.*

La pasteurisation est d'autant plus efficace que le peuplement microbien des liquides traités est plus faible. Elle est employée surtout en industrie laitière, soit pour les laits de consommation distribués dans les centres urbains, soit pour les laits destinés à la fabrication de fromages ou pour les crèmes utilisées pour la fabrication du beurre. Les expressions « fromages pasteurisés » ou « beurres pasteurisés » ne signifient pas que les fromages ou les beurres ainsi dénommés ont été soumis à la pasteurisation, mais qu'ils ont été fabriqués à partir de laits ou de crèmes pasteurisés. La pasteurisation est également employée pour le traitement de la bière, du cidre et, beaucoup plus rarement, du vin.

PASTEUR VALLERY-RADOT (Louis), médecin français (Paris 1886 - *id.* 1970). Petit-fils de Louis Pasteur, il a étudié l'anaphylaxie, les maladies allergiques et les affections rénales. Il mena, en outre, une carrière politique à partir de 1940.

PASTICHE. — Le mot « pastiche » apparaît au XVIIe s., dans le vocabulaire des beaux-arts, qui l'emprunte à l'Italie, pour désigner un exercice d'école qui permet à un peintre de montrer qu'il a su assimiler les leçons des maîtres. Il s'agit d'un phénomène non d'identification, mais de mimétisme. Le pastiche n'est pas un faux; il est, suivant la définition de Marmontel, « une imitation affectée de la manière et du style d'un grand artiste ». Le pastiche n'a de prise que sur l'extérieur, les artifices techniques. Il retient les traits les plus accusés d'une œuvre picturale ou littéraire : c'est ainsi que les pastiches de Proust (*Pastiches et mélanges,* 1919) saisissent les styles de Balzac, de Flaubert, des Goncourt, de Saint-Simon, à travers leurs rythmes spécifiques, leurs tics (« sous les paroles, l'air de la chanson... »). C'est là une manière originale de comprendre un écrivain de l'intérieur et de faire de la critique « en action ». Le pastiche peut adopter des formes variées : du *pastiche total* (les *Contes drolatiques* de Balzac) au *pastiche local* (la page des *Caractères,* où La Bruyère fait parler Montaigne); du *pastiche inconscient* (c'est le cas de beaucoup d'œuvres de jeunesse : les premiers vers de Breton sont du Valéry, et ceux de Valéry du Verlaine...) au *pastiche conscient,* qui peut lui-même être *avoué* (les *Pastiches* de Proust) ou *caché :* c'est alors, selon les cas, un *plagiat* ou une *parodie,* et quelquefois les deux ensemble comme dans l'œuvre de Lautréamont*, qui veut ainsi faire échapper l'écriture à la responsabilité individuelle (« La poésie doit être faite par tous. Non par un. Pauvre Hugo! Pauvre Racine!... Tics, tics et tics. »).

PASTO ou **SAN JUAN DE PASTO,** v. du sud de la Colombie; 113 000 hab.

PASTORAL (genre). — Le genre pastoral englobe toutes sortes d'œuvres d'inspiration champêtre (églogues, bergeries, pastourelles), d'origine antique (bucoliques grecs, Virgile) et médiévale (*Jeu de Robin et Marion).* La *pastorale* est une composition poétique, romanesque ou dramatique, ayant pour sujet les amours de bergers et de bergères et traduisant le rêve, cher à l'aristocratie de la Renaissance, d'une vie d'innocence et de simplicité. Ce genre conventionnel se développe en Italie, avec Sannazzaro (*l'Arcadie,* 1502), le Tasse (*Aminta*,* 1573) et Guarini (*Il Pastor* fido,* 1590), en Espagne, avec Montemayor (*Diane,* 1559) et Cervantès (*Galatée,* 1585), en Angleterre avec Philip Sidney (*l'Arcadie,* 1590), avant de marquer profondément le roman français (*l'Astrée**, 1607-1628, d'Honoré d'Urfé) et l'idylle dramatique (*les Bergeries,* 1625, de Racan; *Sylvanire,* 1629, de Mairet). Le XVIIIe s. a connu une « pastorale philosophique » qui opposait les vertus naturelles à la corruption sociale (*Estelle et Némorin,* 1788, de Florian).

Pastor fido *(Il),* pastorale dramatique en cinq actes et en vers de Guarini (publiée en 1590, représentée en 1595).

PA-TA CHAN-JEN ou **BADA SHANREN,** peintre chinois (1626-1705). Considéré comme l'un des grands moines-peintres individualistes de l'époque Ming, il est connu pour ses peintures de paysages, de fleurs et d'oiseaux, et excelle dans la technique du lavis dépourvu de cerne.

PATAGONIE, partie méridionale de l'Argentine, au S. du río Negro. C'est une région aride, au climat de plus en plus rude vers le sud, domaine de la steppe, utilisée pour un élevage extensif du mouton. Gisements de pétrole près de l'Atlantique (Comodoro Rivadavia). Les Indiens qui peuplaient la Patagonie ont disparu à la suite de l'arrivée des Blancs, au XIXe s.

PĀṬALIPUTRA, cité de l'Inde continentale, près de Paṭnā, fondée à l'époque du bouddha Śākyamuni, qui y séjourna. Le troisième concile bouddhique s'y tint en 341 av. J.-C. Conquise et embellie par Candragupta, cette capitale de la dynastie des Maurya connut son apogée sous le règne d'Aśoka (IIIe s. av. J.-C.). Elle fut rasée par les Huns (du Ve au VIIe s. après J.-C.). Centre artisanal et commercial, en relation avec la Grèce et l'Iran, elle possédait une enceinte de 560 tours et de près de 60 portes; un groupe de colonnes monolithes suggère l'existence d'une salle d'audience proche de celle de Darios à Persépolis*.

PĀTAN, v. du Népal, près de Katmandou; 135 000 hab.

PATAÑJALI, grammairien indien du IIe s. av. J.-C., auteur du *Mahā-Bhāṣya* ou *Grand Commentaire.*

patarins, membres d'une association chrétienne fondée à Milan, vers 1055, pour la réforme des mœurs du clergé. Hostile au haut clergé, le mouvement fut soutenu par les milieux réformistes de Rome, et le pape Grégoire VII prit le parti des patarins contre l'archevêque de Milan. Ils se dispersèrent en 1075, mais, au XIIIe s., les cathares d'Italie s'attribuèrent la même dénomination.

PATATE. — La patate, ou *batate,* est une plante de la famille du liseron (convolvulacées), croissant en Amérique tropicale et dont la culture est importante aux États-Unis. C'est son tubercule qui constitue la *patate douce* comestible. Par analogie, le nom de « patate » est parfois appliqué à l'igname*, voire (familièrement) à la pomme de terre. Nom scientifique : *Ipomœa batatas.*

PATAY (45310), ch.-l. de cant. du Loiret, à 25 km au N.-O. d'Orléans; 2 048 hab. — En remportant à Patay, le 18 juin 1429, une victoire sur les Anglais, Jeanne d'Arc ouvrit à l'armée royale la route de Reims. Le 4 décembre 1870, la Ire armée de la Loire y fut défaite par les armées prussiennes.

PATCH (Alexander McCARRELL), général américain (Fort Huachuca 1889-San Antonio 1945). Vainqueur à Guadalcanal* (1943), il commanda en 1944 la VIIe armée qui débarqua, avec l'armée de Lattre, en Provence, libéra avec elle la Franche-Comté et l'Alsace, puis conquit la Bavière.

PÂTE À PAPIER. — La pâte à papier* est une matière fibreuse obtenue à partir de vieux papiers, de vieux chiffons, de bois*, de paille, etc., que l'on utilise pour fabriquer du papier. Jusqu'au milieu du XIXe s., on a employé du chiffon, puis, du fait du développement du papier, on a été amené à chercher une matière première plus abondante, le bois. Quelle que soit son essence, le bois est constitué de fibres cellulosiques de longueur variable, amalgamées les unes aux autres par une substance thermoplastique, la *lignine.* Le problème consiste à dissocier cet ensemble afin d'individualiser les fibres. Les *pâtes mécaniques* sont apparues en 1843, inventées par l'Allemand Friedrich Gottlob Keller (1816-1895). C'est du bois râpé, soit par une meule dont la surface arrache les fibres, soit par des désintégrateurs à disques qui donnent une meilleure qualité. Les *pâtes chimiques* sont soit du type procédé acide — ce sont les pâtes dites « au bisulfite » —, soit du type procédé alcalin — ce sont les pâtes dites « au sulfate ». Le rendement est de 45 à 55 p. 100. Les opérations se déroulent dans des lessiveurs, dont la capacité est de l'ordre de 300 m^3. Dans le procédé au bisulfite, imaginé par l'Américain Benjamin C. Tilghman (1821-1901), on met en œuvre une liqueur de bisulfite de calcium*, de sodium*, de magnésium* ou d'ammonium* en présence de gaz sulfureux, et le cycle des opérations varie de 8 à 12 heures. Dans le procédé au sulfate, mis au point, à la fin du XIXe s., par l'Allemand Carl Ferdinand Dahl (1839-1892), on utilise comme réactif la soude* caustique, et le cycle des opérations dure de 4 à 8 heures dans des lessiveurs plus petits. Entre le procédé mécanique et les procédés chimiques se placent les *pâtes mi-chimiques,* ou *mécanochimiques,* dont les rendements sont également intermédiaires. La construction d'une usine de pâte nécessite des investissements très lourds (2 fois la valeur de la production annuelle). La production mondiale atteint plus de 100 Mt/an. L'Amérique du Nord en produit la moitié, la Scandinavie le quart; la France vient au huitième rang.

PATELLE. — Aucun mollusque n'est plus commun sur les rochers côtiers battus par les vagues que les patelles, dites aussi *berniques, arapèdes* ou *chapeaux chinois.* Ces gastropodes se singularisent par une coquille conique non spiralée, dont les rebords s'appliquent exactement au rocher. L'animal rampe lentement sur celui-ci pour brouter les algues minuscules qui le recouvrent. Sa chair orangée est comestible.

PATENTE → TAXE.

PATER (Jean-Baptiste), peintre français (Valenciennes 1695-Paris 1736). Élève de Watteau, il est, malgré une production parfois hâtive, son héritier le moins infidèle (*les Délassements de la campagne,* musée de Valenciennes; *Femmes au bain,* Berlin, Grenoble...).

PATERNELLE (puissance) → PARENTALE *(autorité).*

PATERNITÉ → FILIATION.

PATERSON, v. des États-Unis (New Jersey), au N.-O. de New York; 145 000 hab.

PÂTES ALIMENTAIRES → BLÉ.

PÂTEUSE (fusion). — On appelle « fusion pâteuse » le passage progressif de l'état solide à l'état liquide, qui se produit dans le cas des verres et, plus généralement, pour les solides amorphes.

PATHÉ (Charles), industriel et producteur français (Chevry-Cossigny 1863-Monte-Carlo 1957). Promoteur de l'industrie phonographique française, il fonda, en 1896, la Société *Pathé Frères,* qui connut une rapide et florissante expansion. Abandonnant à son frère ÉMILE (1860-1937) la direction de la branche « phonos », il s'intéressa tout particulièrement au développement de la branche « cinéma », fabriquant de la pellicule et construisant des appareils, produisant des films, construisant des studios (à Montreuil) et des laboratoires (à Joinville), élargissant peu à peu ses propres circuits de distribution, acquérant de nombreuses salles de cinéma, éditant le premier journal d'actualités cinématographiques et chapeautant de nombreuses filiales disséminées dans le monde entier.

Pathelin ou **Patelin** *(la Farce de Maître Pierre),* farce d'auteur inconnu, écrite vers 1464. Cette pièce, qui connut seize éditions avant 1550, présente une intrigue qui repose totalement sur la psychologie des personnages et met en œuvre, par deux fois, le thème du trompeur trompé : un avocat marron extorquant une pièce de drap au marchand Guillaume est à son tour berné par un simple berger.

Pathet Lao, mouvement nationaliste et progressiste laotien, fondé en 1950 par le prince Souphanouvong*. Regroupant les forces de gauche, le Pathet Lao organise la résistance armée contre la France et lutte pour l'indépendance nationale, avec l'appui du Viêt-nam du Nord. Après 1954, il poursuit son action sous le nom de « Neo Lao Hak Sat » (Front patriotique laotien), parti politique d'orientation nettement communiste, présidé par Souphanouvong. S'opposant aux forces de droite, soutenues par les États-Unis, le Pathet Lao participe, en 1961, à une éphémère tentative de gouvernement d'union nationale, mais reprend, dès 1963, la lutte ouverte contre le gouvernement central de Souvanna* Phouma et les troupes américaines. À partir de 1964, les forces révolutionnaires contrôlent le nord du pays et les hauts plateaux. Leur implantation progressive dans le reste du pays aboutit, en 1973, à la signature d'un accord de paix avec le gouvernement central et à la mise en place d'un gouvernement provisoire d'union nationale, rapidement contrôlé par le Pathet Lao, qui accède ainsi, pacifiquement, au pouvoir (août 1975). En décembre 1975, le prince Souphanouvong devient le premier président de la république populaire du Laos, proclamée après l'abolition de la monarchie.

PATHOLOGIE. — La pathologie s'attache à la description des états morbides (signes et symptômes, syndromes, formes cliniques, évolution), à l'étude des lésions organiques (anatomie pathologique), à celle des causes des maladies (étiologie) et à leur classification (nosologie). La distinction entre pathologie médicale et pathologie chirurgicale est fondée sur les moyens thérapeutiques que l'on peut opposer aux états pathologiques, alors qu'on parle de pathologie infectieuse, tropicale, du nouveau-né, du vieillard, etc., suivant les types de maladies, leur répartition géographique, ou les groupes humains qu'elles atteignent.

PATIĀLA, v. du nord-ouest de l'Inde (Pendjab); 152 000 hab.

PATIN (Gui), médecin et écrivain français (Hodenc-en-Bray, Picardie, 1601 - Paris 1672), dont les *Lettres* (1692-1718) constituent une chronique précieuse de son époque.

PATINAGE → SPORTS DE GLACE.

PATINIR ou **PATENIER** (Joachim), peintre des anciens Pays-Bas du Sud (Dinant ou Bouvignes v. 1480 - Anvers 1524). Il fut le premier à donner une part prépondérante au paysage — mi-réaliste, mi-imaginaire —, dans ses tableaux, dont il a parfois fait peindre les figures par d'autres artistes (Q. Matsys). Sa vie est mal connue (contacts avec G. David?; franc-maître à Anvers en 1515), comme son œuvre, dont le succès donna lieu à de multiples pastiches et copies (*le Passage du Styx,* Prado; *le Repos pendant la fuite en Égypte,* versions du Prado, de Vienne, de Berlin, etc.).

PATINKIN (Don), économiste israélien (Chicago 1922). Son analyse présente un modèle dont l'équilibre s'appuie sur quatre types de biens économiques susceptibles d'échanges : les services du travail; les produits, biens et services; la monnaie; les titres. On lui doit notamment *Money, Interest and Prices* (1956) et *Studies in Monetary Economics* (1972).

PÂTISSERIE. — Les Grecs en furent les initiateurs avec des gâteaux à base de miel. L'oublie, sorte de gaufre cuite entre deux fers, déjà connue des Romains, fut la pâtisserie principale du Moyen Âge avec la galette et la fouace. La pâtisserie ne prit vraiment son essor qu'au XIXe s., notamment avec Carême, créateur des pièces montées. Ce fut l'époque des grands pâtissiers : Rouget, Leblanc, Jacquet, Félix, Lesage suivis, entre autres, par la dynastie des Julien.

Parmi les pâtes qui sont faites à base de farine, d'eau, de lait et d'œufs — avec ou sans levain — on distingue : les pâtes levées, soit par l'emploi de levure, soit par la dilatation de l'air; les pâtes sèches, comme la pâte brisée, la pâte feuilletée, la pâte sablée; les pâtes diverses, comme la pâte à frire ou à crêpe. Les crèmes à base de lait, d'œufs et de sucre sont la crème anglaise, la crème renversée et la crème pâtissière (avec adjonction de farine).

PÁTMOS, île grecque du Dodécanèse*. Selon une tradition chrétienne, l'apôtre saint Jean* y aurait été exilé sous Domitien et y aurait composé (v. 96) l'Apocalypse*.

PAṬNĀ, v. de l'Inde, sur le Gange, capit. du Bihār; 473 000 hab. Université. — À proximité, ruines de Pāṭaliputra*.

PATOIS → DIALECTE.

PATON (Alan Stewart), écrivain sud-africain d'expression anglaise (Pietermaritzburg 1903). Il évoque dans une langue biblique et une perspective chrétienne les problèmes raciaux de son pays (*Pleure, ô pays bien-aimé,* 1948).

PATOU (Jean), couturier français (Paris 1887 - *id.* 1936). Sa maison de couture, ouverte le 2 août 1914 et rouverte en 1919, fut avec celle de Chanel une des plus importantes de l'entre-deux-guerres, puisqu'elle compta jusqu'à 1 500 employés. Patou créa *Joy,* le parfum le plus cher du monde.

PATRAS, port de Grèce, dans le nord du Péloponnèse, sur le *golfe de Patras;* 112 000 hab. Textile. Pneumatiques. — Alliée d'Athènes durant la guerre du Péloponnèse*, la ville joua un rôle important dans la constitution de la ligue Achéenne*. Au Moyen Âge, elle fut la capitale de la principauté d'Achaïe*.

PATRIARCAT. — La nécessité, pour les évêques d'une même région, d'adopter face à des problèmes importants une attitude commune est à l'origine, vers les Ve et VIe s., de regroupements autour de quelques grands sièges épiscopaux : Rome, Constantinople, Alexandrie, Antioche, Jérusalem; en 1589 vint s'y ajouter le patriarcat de Moscou. Tandis qu'en Occident l'évêque de Rome demeurait l'unique patriarche, en Orient les sièges patriarcaux se multiplièrent du fait des divisions religieuses (monophysisme*, nestorianisme*, schisme d'Orient) et de l'extension de l'orthodoxie (v. ORTHODOXES [*Églises*]). Le ralliement à Rome de certaines communautés orientales a amené la création de patriarcats catholiques orientaux. Dans l'Église latine contemporaine, le titre de patriarche est honorifique.

PATRIARCHES BIBLIQUES. — La Bible donne deux listes des ancêtres d'Israël : les patriarches antédiluviens, d'Adam à Noé, et les patriarches postdiluviens, de Noé à Abraham*. Il ne faut chercher dans ces généalogies ni une histoire ni une chronologie, mais l'expression d'antiques légendes mésopotamiennes repensées en fonction de l'histoire et de la religion d'Israël. L'extraordinaire longévité des patriarches (Mathusalem* atteindra 969 ans) se retrouve dans les listes des rois mythiques mésopotamiens et égyptiens, et elle diminue suivant les divers âges du monde. La signification de ces chiffres est obscure : il faut, toutefois, se rappeler qu'en Orient et chez les peuples anciens les nombres ont autant un sens symbolique qu'une valeur mathématique.

Dans le langage courant, on appelle « patriarches hébreux » Abraham*, Isaac*, Jacob* et ses douze fils. (V. HÉBREUX.)

PATRICIAT. — À Rome, les patriciens étaient, semble-t-il, les descendants des *patres* de l'époque royale, c'est-à-dire les pères de famille qui composaient le sénat. Dans la Rome archaïque, seuls les patriciens constituaient l'État romain. En face de ce patriciat, qui, au début de la République, disposait des magistratures, de la religion et de la justice, se dressa la plèbe*; celle-ci, dépourvue de tous droits politiques et religieux, lutta aux Ve et IVe s. av. J.-C. pour acquérir l'égalité civile et politique avec le patriciat. À la fin de la République, celui-ci ne conférait plus guère d'avantages et s'était progressivement intégré dans une *nobilitas* patricio-plébéienne, comprenant l'ensemble des familles dont un membre était parvenu à une magistrature curule.

Dans certaines républiques urbaines du Moyen Âge et des Temps modernes, le patriciat regroupait les membres des familles les plus fortunées et les plus anciennes de la bourgeoisie qui avaient réussi à instaurer à leur profit un monopole de fait sur le gouvernement de la cité. Il en fut ainsi dans la plupart des cités autonomes de l'Italie, de Flandre et d'Allemagne, où, à partir des XIIe-XIIIe s., les plus riches formèrent vite une caste oligarchique, coupée de la bourgeoisie, dont ils étaient issus. Parfois contesté par des révolutions populaires, leur rôle politique dura généralement jusqu'à la disparition de l'autonomie urbaine.

PATRICK *(saint),* apôtre de l'Irlande (Ve s.). Ayant reçu la prêtrise et l'épiscopat en Gaule, il convertit au christianisme, malgré de fortes hostilités locales, l'Irlande, dont il est le patron.

PATRISTIQUE (philosophie). — La philosophie des Pères* de l'Église apparaît comme une formule de compromis entre les exigences des Écritures saintes et une tradition philosophique grecque. Cette tradition, qui, à des degrés divers, a influencé tous les Pères, se ramène à trois courants : le platonisme*, l'aristotélisme* et le stoïcisme*. De Platon, les Pères retiennent essentiellement des citations d'un petit nombre de dialogues (surtout *Parménide, Théétète* et *Timée*), d'une portée théologique manifeste. D'Aristote, ils ne connaissent (jusqu'au IVe s.) que certains textes ésotériques et non les grands traités. Des stoïciens, enfin, ils ne prêtent attention qu'à la morale.

PATROCLE, héros du cycle troyen, compagnon d'Achille*, tué par Hector* sous les remparts de Troie*.

patronat français *(Conseil national du)* **[C. N. P. F.],** association, régie par la loi de 1901, regroupant les établissements industriels, commerciaux, bancaires, d'assurances, de transports (elle regroupe, en fait, des syndicats professionnels, auxquels adhèrent les entreprises elles-mêmes). Le *C. N. P. F.* a fait suite à la Confédération générale de la production française (1919), puis à la Confédération générale du patronat français (1936) et a été constitué le 12 juin 1946. Il assume auprès des pouvoirs publics et auprès des syndicats de salariés la représentation des entreprises françaises.

PATTE → MEMBRE.

PATTERN CULTUREL. — Employé pour la première fois par F. Boas et popularisé par R. Benedict (*Patterns of Culture,* 1934), ce terme, qui implique que dans toute société l'ensemble des traits culturels est dominé par un modèle unificateur *(pattern)* des conduites et des pensées, témoigne du recours des culturalistes à la psychologie pour expliquer les phénomènes sociaux.

PATTI (Adelina), cantatrice italienne (Madrid 1843 - Craig-y-Nos Castle 1919). Soprano, elle a triomphé à New York, à Londres et à Paris dans Mozart, Rossini, Gounod et Verdi.

PATTON (George), général américain (San Gabriel 1885 - Heidelberg 1945). Spécialiste des chars dès 1918, il s'illustre en 1943 en Tunisie et en Sicile, puis en 1944 à la tête de la IIIe armée, de la Normandie à Metz, qu'il libère (nov.). Après avoir franchi le Rhin (1945), il ne s'arrête sur ordre qu'à 90 km de Prague, mais meurt dans un accident d'auto.

PÂTURAGES, anc. comm. de Belgique (Hainaut), au S.-O. de Mons, auj. intégrée à Colfontaine.

PÂTURIN. — Cette graminacée (genre *Poa*) constitue une part importante de bien des prairies fourragères, sous d'innombrables formes, assez mal délimitées. Le chaume porte de nombreux épillets, assez espacés au bout de longs pédoncules et souvent de teinte violacée à maturité.

PAU (64000), ch.-l. du départ. des Pyrénées-Atlantiques, sur le *gave de Pau,* à 760 km au S.-S.-O. de Paris; 85 860 hab. *(Palois).* École des troupes aéroportées. Bureau central des archives administratives militaires. Château des XIIIe-XVIe s., très restauré (magnifique collection de tapisseries flamandes et françaises des XVIe-XVIIIe s.; musée Béarnais). Musée des Beaux-Arts. Musée Bernadotte. Traditionnel centre tertiaire (administration, commerce [aujourd'hui université]), la ville de Pau doit une spectaculaire croissance démographique récente à l'industrialisation, favorisée notamment par la découverte du gaz de Lacq (métallurgie de transformation s'ajoutant à l'alimentation et au textile). Elle comptait seulement 50 000 habitants, au milieu des années 50. Elle est aujourd'hui le noyau d'une agglomération (englobant notamment Billère et Jurançon) d'environ 130 000 habitants, s'étant accrue de moitié dans les quinze dernières années.

PAU *(gave de),* riv. du sud-ouest de la France, principal affl. de l'Adour (r. g.); 120 km. Descendant du cirque de Gavarnie, le gave de Pau passe à Lourdes, à Pau et à Orthez.

PAUILLAC (33250), ch.-l. de cant. de la Gironde, à 48 km au N.-N.-O. de Bordeaux; 6 413 hab. Grands vins (château-lafite, château-latour, château-mouton-rothschild). Raffinage du pétrole.

PAUL *(saint),* apôtre de Jésus-Christ (Tarse, Cilicie, entre 5 et 15 de notre ère - Rome 62-64 ou 67). D'origine juive, mais citoyen romain, il reçoit une forte éducation religieuse, qui fait de lui un pharisien fervent, adversaire des chrétiens; une vision du Christ sur le chemin de Damas (v. 36) le transforme en *Apôtre des gentils* (c'est-à-dire des païens). L'activité missionnaire de Paul s'articule autour de trois grands voyages (45-49, 50-52 et 53-58), au cours desquels celui-ci visite Chypre, l'Asie Mineure, la Macédoine et la Grèce, établissant des Églises dans les villes importantes. En 58, Paul est arrêté à l'instigation des autorités juives, sur ordre du procurateur; sa qualité de citoyen romain lui vaut d'être déféré au tribunal de l'empereur et envoyé à Rome, où il passera deux années en liberté surveillée. À partir de cette date, l'historien entre dans le domaine de l'hypothèse : les Actes* des Apôtres, principale source de la vie de saint Paul, arrêtent là leur récit. Certains auteurs tiennent que Paul serait mort martyr à Rome entre 62 et 64; d'autres, se fondant sur une très ancienne tradition romaine, veulent qu'il ait été libéré et, après de nouveaux voyages missionnaires, décapité en 67 à Rome sur la voie d'Ostie. L'importance de saint Paul est si grande dans l'évangélisation du Ier s. que certains ont voulu faire de lui le second fondateur du christianisme.

Les lettres que Paul écrivait à ses communautés donnent un aperçu de sa personnalité et de sa pensée. La tradition a retenu quatorze Épîtres de saint Paul : aux Romains, aux Corinthiens (I et II), aux Galates, aux Éphésiens, aux Philippiens, aux Colossiens, aux Thessaloniciens (I et II), à Timothée (I et II), à Tite, à Philémon et aux Hébreux. L'authenticité de certaines, surtout celles à Tite, à Timothée et aux Hébreux, est contestée.

PAUL Ier, II, III, IV, V → PAPE.

PAUL VI (Jean-Baptiste MONTINI) [Concesio 1897], pape depuis 1963. Prêtre en 1920, il fait à partir de 1924 une longue carrière à la secrétairerie d'État, devenant en 1952, au titre de prosecrétaire d'État, le collaborateur le plus proche de Pie* XII. Archevêque de Milan (1954) et cardinal (1958), il succède en 1963, sous le nom de Paul VI, à Jean XXIII*, dont il approfondit l'œuvre de réforme ecclésiale et pastorale, d'abord au sein du deuxième concile du Vatican*, qu'il clôture en 1965. Il crée toute une série d'organismes destinés à prolonger l'œuvre de ce concile, et ce jusque dans les milieux non chrétiens. Soucieux de promouvoir, dans une Église restée très monarchique, un esprit de collégialité, il convoque régulièrement des synodes épiscopaux et réforme la curie* romaine dans le sens de la démocratisation et de l'internationalisation. Dans le même temps, il pousse l'Église romaine dans la voie de l'œcuménisme actif : sa rencontre, en 1964, à Jérusalem, avec le patriarche Athénagoras* illustre cette volonté de rapprochement entre les chrétiens. Paul VI, le premier, multiplie les voyages lointains, se présentant même en 1965 à l'O. N. U. pour y supplier les hommes de renoncer à la guerre. Ses encycliques se situent, par contre, dans un contexte plus traditionnel, le pape étant soucieux de rappeler les positions doctrinales de l'Église face aux problèmes graves nés des bouleversements contemporains. Cependant, l'encyclique *Populorum progressio* (1967), relative au développement solidaire de l'humanité au sein de la civilisation technique, et la lettre apostolique *Octogesimo anno* (1971), sur l'action des chrétiens dans le monde industrialisé, manifestent l'attention du pape aux besoins de la société moderne. À partir de 1976, le pape doit compter avec l'opposition des intégristes.

Paul VI (en 1963).

I. Berry - Magnum

PAUL Ier (Saint-Pétersbourg 1754 - *id.* 1801), empereur de Russie (1796-1801). Fils de Pierre III* et de Catherine II*, il fut élevé par N. I. Panine*, mais fut tenu à l'écart des affaires publiques par sa mère, qui souhaitait désigner comme successeur le fils de Paul, le futur Alexandre Ier. À la faveur de la campagne d'Égypte*, Paul Ier obtint des Ottomans le droit de faire passer une flotte russe par les Détroits (1798) et occupa les îles Ioniennes. Il adhéra à la deuxième coalition*. Mais, déçu par ses alliés autrichiens et anglais, il se rapprocha de la France (1800). Il annexa en 1801 la Géorgie. L'aristocratie, soumise aux caprices et aux brutalités du tsar, fomenta un complot qui aboutit à l'assassinat de Paul Ier.

PAUL Ier (Athènes 1901 - *id.* 1964), roi de Grèce de 1947 à 1964. Fils du roi Constantin Ier, il quitte la Grèce lors de la proclamation de la république (1923). Il rentre dans son pays en 1935, puis de nouveau en 1946; en 1947, il succède à son frère Georges II.

PAUL DIACRE (Paul WARNEFRIED, connu sous le nom de), historien et poète de langue latine (dans le Frioul v. 720 - Mont-Cassin v. 799). Moine, il quitta l'Italie pour la cour d'Aix-la-Chapelle et séjourna entre 782 et 786 parmi les érudits dont s'entourait Charlemagne. Il écrivit notamment le *De gestis longobardorum,* histoire des Lombards des origines jusqu'en 744, une *Vie de saint Grégoire le Grand* et une chronique du Mont-Cassin.

PAUL ÉMILE le Macédonique, en lat. **Lucius Aemilius Paulus Macedonicus,** général romain (v. 230 - † 160 av. J.-C.). Consul en 182 et en 168, il remporta sur le roi de Macédoine*, Persée, la victoire de Pydna* (168), qui marqua la fin du royaume des Antigonides*.

Paulette *(édit de la),* acte dû à l'initiative du financier Charles Paulet (déc. 1604) et qui permettait aux officiers versant annuellement une taxe (paulette), correspondant au soixantième du prix de leur charge, de n'acquitter que la moitié des droits de mutation s'ils la vendaient et de la transmettre à leurs héritiers sans être astreints à la *resignatio in favorem,* laquelle, auparavant, n'était valable que si elle avait eu lieu quarante jours au moins avant leur décès. Assurant ainsi l'hérédité des offices, cet édit resta en vigueur jusqu'à la Révolution.

Paul et Virginie, roman de Bernardin de Saint-Pierre (1787), qui inaugura en France le genre « exotique ».

PAULHAGUET (43230), ch.-l. de cant. de la Haute-Loire, à 16 km au S.-E. de Brioude; 1 129 hab.

PAULHAN (Jean), critique et essayiste français (Nîmes 1884 - Boissise-la-Bertrand 1968). Préoccupé par les problèmes du langage (*les Fleurs de Tarbes,* 1941), il a exercé une certaine influence sur la production littéraire contemporaine par son action à la direction de la *Nouvelle Revue française.*

PAULI (Wolfgang), physicien suisse d'origine autrichienne (Vienne 1900 - Zurich 1958). On lui doit en 1925 le *principe d'exclusion,* selon lequel deux électrons d'un atome ne peuvent avoir les mêmes nombres quantiques. Avec Fermi*, en 1931, Pauli affirma l'existence des neutrinos. (Prix Nobel de physique, 1945.)

PAULIENNE (action). — L'action paulienne est intentée par un créancier pour faire *révoquer* un acte juridique de son débiteur tendant à accroître le caractère d'insolvabilité de celui-ci (par exemple une vente). Elle s'oppose à l'action « oblique », qui consiste, de la part d'un créancier, à agir *au nom du débiteur* pour exercer, *à sa place,* les droits qu'il négligerait de faire valoir, ce qui diminuerait d'autant les possibilités du créancier de rentrer dans les siens.

PAULIN de Nola *(saint),* évêque et poète chrétien (Bordeaux 353 - Nola, Campanie, 431). Gouverneur de Campanie, il entre dans les ordres et se retire à Nola, dont il devient évêque en 409. Ses poèmes [*Carmina*] témoignent d'un goût délicat; sa correspondance est précieuse pour l'histoire religieuse de son temps.

PAULIN (Pierre), designer français (Paris 1927). Il fait partie de l'atelier d'art contemporain du Mobilier national et a collaboré à divers aménagements : maison de la Radio (1963), section de peinture au musée du Louvre (1968), salons de l'Élysée (1970).

PAULING (Linus Carl), chimiste américain (Portland, Oregon, 1901). Il a introduit la mécanique quantique en chimie atomique et étudié la structure des molécules et les liaisons chimiques. (Prix Nobel de chimie, 1954; prix Nobel de la paix, 1962.)

PAULOWNIA. — Le paulownia est un très bel arbre ornemental, aux grandes feuilles, aux fleurs bleues sentant la violette. Originaire du Japon, il appartient à la famille des scrofulariacées.

PAULUS (Friedrich), maréchal allemand (Breitenau 1890 - Dresde 1957). Auteur du plan d'attaque contre l'U. R. S. S. (1940-41), il commanda la VIe armée, qui, après avoir été encerclée (nov. 1942), dut capituler devant Stalingrad (1943). Prisonnier des Soviétiques jusqu'en 1953, il signa en 1944 un appel aux Allemands contre Hitler.

PAUPÉRISATION. — La paupérisation relative résulte, d'après *le Capital**, de l'accroissement de la productivité des industries productrices des biens de consommation ouvrière. Elle correspond à un abaissement de la valeur de la force de travail, et donc du salaire, et à une augmentation du taux de profit. Si les économistes libéraux reconnaissent aujourd'hui le bien-fondé de cette thèse, il n'en va pas de même pour celle de la paupérisation absolue. Celle-ci signifie l'extension de la prolétarisation consécutive à l'accumulation du capital et au développement des forces productives. Elle se traduit par des conditions de travail et de vie plus pénibles pour les prolétaires.

PAUPIÈRE. — La mobilité des paupières est due au muscle orbiculaire et au muscle releveur de la paupière supérieure. Munies de cils à leur bord libre, les paupières protègent le globe oculaire et assurent son humidification en faisant progresser les larmes. L'inflammation de la paupière, ou *blépharite,* peut se localiser à la base d'un poil, provoquant un orgelet. Le bord libre de la paupière peut se rabattre en dehors *(ectopion)* ou en dedans *(entropion);* dans ce dernier cas, les cils ulcèrent la cornée.

PAUSANIAS, prince lacédémonien de la branche des Agides* († 471/470 av. J.-C.). Vainqueur des Perses à la bataille de Platées en 479 (v. MÉDIQUES [*guerres*]), il occupe une partie de Chypre et Byzance afin d'assurer aux Grecs le contrôle des Détroits. Il meurt victime de ses visées ambitieuses.

PAUSANIAS, écrivain grec du IIe s. apr. J.-C., auteur d'une *Périégèse de la Grèce.* Ce « Tour de Grèce » fournit de précieux renseignements topographiques et archéologiques, que les fouilles, pour une grande part, ont confirmés.

PAUSE → NOTATION MUSICALE.

pauvres *(lois sur les)* [en angl. *poor laws*], série de lois promulguées en Angleterre, à partir du règne d'Élisabeth (1563), en vue d'organiser l'assistance aux pauvres particulièrement touchés par la dissolution des institutions ecclésiastiques (milieu du XVIe s.) et par la crise économique. Financé par l'impôt, organisé dans le cadre administratif des paroisses, le système d'assistance fut profondément remanié au XIXe s. Une réforme de 1927-28 donna son aspect moderne à l'institution.

PAUVRETÉ. — La pauvreté est la condition de personnes dont les ressources ne permettent pas de satisfaire les besoins minimaux.

Sans mentionner le milliard d'habitants de la planète vivant au-dessous du « seuil » du minimum de survie, les pauvres demeurent une réalité économique et sociale dans les pays industrialisés eux-mêmes. Les États-Unis en compteraient 25,9 millions (sur environ 212 millions d'habitants), la France 11 millions (sur une population de l'ordre de 53 millions).

Peuvent faire l'objet de la qualification de « pauvres » en France (d'après les travaux de Lionel Stoleru) la moitié des personnes âgées de plus de 65 ans (soit 2 600 000 personnes), les handicapés physiques et moteurs de moins de 65 ans (2 millions), la moitié des ouvriers spécialisés (1 300 000), la plupart des manœuvres (1 100 000), les inadaptés sociaux (1 million), les deux tiers des veuves ayant un enfant à charge (1 million), les deux tiers des personnels de service (800 000), un quart des commerçants et artisans (800 000) et la plupart des salariés agricoles (600 000). Par ailleurs, les appréciations du secrétariat d'État à l'Action sociale donnent un chiffre de 1 Français sur 10 parmi les « exclus ».

PAVESE (Cesare), écrivain italien (San Stefano Belbo, Piémont, 1908 - Turin 1950). Après des poèmes narratifs (*Travailler fatigue,* 1936), il publia des récits où le réalisme de l'observation s'allie à une angoisse profonde des destinées du monde contemporain (*la Plage,* 1942; *le Bel Été,* 1949; *la Lune et les feux,* 1950). Après son suicide, on a publié notamment *le Métier de vivre* (1952), journal intime de la période 1935-1950.

PAVIE, en ital. **Pavia,** v. d'Italie, ch.-l. de prov., en Lombardie, sur le Tessin; 87 000 hab.

HISTOIRE. Cité des Gaulois Insubres, devenue romaine, Pavie fut détruite par Odoacre en 476. Relevée par les Lombards, elle fut la capitale de leur royaume jusqu'en 774, année où Charlemagne la prit. Au Moyen Âge, elle fut le centre de la résistance gibeline contre Milan, avant de tomber sous la domination des Visconti (XIVe s.). Dès lors, elle suivit le sort de Milan. Le 24 février 1525, l'armée de François Ier qui l'assiégeait fut écrasée par l'armée impériale de secours commandée par Lannoy; François Ier fut fait prisonnier. Prise par les Français en 1796, autrichienne à partir de 1814, la ville fut annexée au royaume d'Italie en 1860.

BEAUX-ARTS. Églises de style lombard (XIIe s.). Château des Visconti (XIVe-XVe s.; musées). Cathédrale (XVe-XIXe s.). Importante chartreuse, dont l'église, par son riche décor de façade (partie inférieure [fin du XVe s.] par Giovanni Antonio Amadeo [1447-1522]), influença la première Renaissance française.

PAVIE (Auguste), explorateur français (Dinan 1847 - Thourie, Ille-et-Vilaine, 1925). Fonctionnaire en Indochine, il s'intéresse à la civilisation khmère; vice-consul à Luang-Prabang (1886), puis consul général à Bangkok (1891), il contrecarre les ambitions du Siam et, au cours de ses explorations, assure par la rivière Rouge la jonction avec le Tonkin. Commissaire au Laos de 1893 à 1895, il facilite la pénétration française dans le haut Laos.

Pavillon des cancéreux *(le),* roman de Soljenitsyne (1963-1966). L'univers de la maladie et celui de la bureaucratie policière se rejoignent dans la constitution d'un même cancer moral.

Pavillons-Noirs, soldats irréguliers chinois, qui furent combattus par les forces françaises de l'amiral Courbet au Tonkin et en Chine (1883-1885).

PAVILLONS-SOUS-BOIS (Les) [93320], ch.-l. de cant. de la Seine-Saint-Denis, à 6 km au N.-E. de Paris; 18 638 hab. *(Pavillonnais).*

PAVILLY (76570), ch.-l. de cant. de la Seine-Maritime, à 19,5 km au N.-O. de Rouen; 5 595 hab. Anc. abbatiale, en partie du XIIIe s.

PAVIN *(lac),* lac volcanique d'Auvergne, de forme circulaire, dans les monts Dore; 44 ha.

PAVLODAR, v. de l'U. R. S. S., dans le nord-est du Kazakhstan; 187 000 hab. Alumine.

PAVLOV (Ivan Petrovitch), physiologiste et psychologue soviétique (Riazan 1849 - Leningrad 1936). Ses travaux ont profondément influencé la psychophysiologie et la psychologie expérimentale, dont il est considéré comme l'un des fondateurs. Sa découverte des réflexes* conditionnels (ou conditionnés), de leur nature et de leur fonctionnement, a orienté toutes les recherches sur l'apprentissage*. Pavlov voit dans ces réflexes une des manifestations de l'activité nerveuse supérieure, qu'il identifie à l'activité psychologique et dont la méthode expérimentale lui paraît être la seule méthode d'approche valide. (Prix Nobel de physiologie et de médecine, 1904.)

PAVLOVA (Anna), danseuse russe (Saint-Pétersbourg 1882 - La Haye 1931). Issue du Théâtre-Impérial de Saint-Pétersbourg, première partenaire de Nijinski dans les Ballets russes de Diaghilev, elle créa en 1905 l'œuvre de Michel Fokine, *la Mort* du cygne.*

PAVOT. — Le pavot *(Papaver somniferum)* fournit deux produits : l'huile d'œillette, extraite des graines, qui en contiennent jusqu'à 40 p. 100 de leur poids, et l'opium*, obtenu par incision des fruits verts. La plante est aussi cultivée dans les jardins comme ornementale. À l'éclosion, la corolle de la fleur se détord et s'étale en quatre larges pétales, tandis que les deux sépales tombent. Le fruit est une capsule, d'où les graines sortent par de minuscules trous. Le coquelicot appartient au même genre. (Type de la famille des papavéracées*.)

PAWTUCKET, v. des États-Unis (Rhode Island); 77 000 hab.

PAYEN (Anselme), chimiste français (Paris 1795 - *id.* 1871). Il découvrit avec Persoz, en 1833, que l'agent de saccharification de l'amidon était non le ferment, mais une diastase et il identifia la cellulose.

PAYERNE, en allem. **Peterlingen,** v. de Suisse (Vaud), à l'O. de Fribourg; 6 899 hab. Anc. abbatiale romane (X^{e}-XIIe s.; clocher gothique) et autres monuments. Musée.

PAYRAC (46200 Souillac), ch.-l. de cant. du Lot, à 13 km au N.-E. de Gourdon; 463 hab.

PAYSAGE → PEINTURE.

PAYSAN. — Les paysans constituent une catégorie sociale relativement difficile à délimiter. Tout en ayant pour point commun d'être liés par le travail de la terre, les uns sont salariés, les autres sont ou propriétaires ou gérants à bail des instruments de production : le sol, les instruments agricoles, les animaux (bétail, etc.). Les premiers se rattachent au prolétariat par la condition même de salariés. Mais les seconds constituent, au moins en France, un ensemble hétéroclite; la diversité des conditions économiques suivant les régions contribue à nuancer toutes les définitions et à rendre difficile l'application de concepts trop rigides qui rangeraient les paysans dans la bourgeoisie : la durée du bail pour les fermiers et métayers, l'endettement (par exemple pour l'achat de matériel agricole), la dépendance à l'égard des circuits de distribution sont autant d'éléments qui jouent contre les petits propriétaires. Ces derniers sont ainsi amenés à s'opposer de plus en plus aux grands propriétaires et au grand capital. L'évolution des chiffres relatifs aux travailleurs agricoles et aux propriétés paysannes est significative : il y a, en France en particulier, une chute considérable, depuis la fin de la guerre, du nombre des paysans, toutes catégories confondues, une diminution du nombre d'exploitants et une concentration qui s'est traduite par exemple par une disparition de 385 000 exploitations entre 1955 et 1963. Selon l'I. N. S. E. E. il y avait, en 1962, 763 900 salariés agricoles et 3 029 300 non-salariés dans la branche agriculture; en 1973, ces chiffres étaient respectivement de 403 000 et 1 953 300. Il y a donc aujourd'hui un peu plus de 2 356 300 travailleurs de l'agriculture, soit 11,05 p. 100 des travailleurs actifs. Près de 70 p. 100 de producteurs ou de paysans possèdent moins de 20 ha (il y a environ 1 million et demi d'exploitations en France). Enfin le mode de vie contribue à rendre plus visible la contradiction entre les petits exploitants et les grands propriétaires : pour les premiers, la vie de famille est mêlée étroitement au métier (le lieu d'habitation est le même que le lieu de travail); les heures de travail sont tributaires de la nature des productions, du rythme des saisons, des conditions météorologiques, etc.; le capital d'exploitation et la propriété personnelle sont la plupart du temps indissociables. L'évolution vers une polarisation des rapports sociaux, même si elle est parfois loin d'être partout également ressentie et traduite au niveau des revendications des organisations professionnelles et syndicales, n'en est pas moins réelle. (V. AGRICULTURE, FRANCE.)

Paysan de Paris *(le),* récit d'Aragon (1926). Un guide surréaliste des curiosités parisiennes ou comment voir la ville et la vie chaque jour avec un regard neuf.

PAYSANDÚ, v. d'Uruguay, sur le fleuve Uruguay; 60 000 hab.

Paysans *(guerre des),* insurrection de paysans allemands, qui, en 1524-25, traduisit un mécontentement déjà ancien contre l'exploitation seigneuriale et celle des usuriers. Elle fut encouragée par les anabaptistes*, de Thomas Münzer*, ennemis de l'ordre établi. Désavoués par Luther*, les insurgés furent écrasés par les princes en mai 1525, puis traqués férocement.

Paysans *(les),* roman de Balzac (1844), peinture de la lutte des paysans contre un grand propriétaire terrien. La seconde partie du roman fut rédigée par Mme Hanska, d'après les notes laissées par le romancier.

PAYS-BAS, nom donné au cours de l'histoire à des territoires d'étendue variable du nord-ouest de l'Europe. Habitée par des peuples celtes — Ménapiens, Nerviens, Éburons —, et germaniques — Frisons, Bataves —, la région située entre l'Ems, la mer du Nord, les collines de l'Artois et les massifs des Ardennes est pénétrée en 57 av. J.-C. par les forces de César, qui se stabilisent sur les rives du Vieux Rhin. Érigée en province de Gaule Belgique, elle demeure longtemps une zone d'insécurité (révolte des Bataves, 27-47 et 69-70). La domination romaine s'y maintient pourtant jusqu'au IVe s., époque où les invasions germaniques (Saxons et Francs) la submergent, détruisant les premières communautés chrétiennes établies autour de l'évêché de Tongres. La période carolingienne marque la difficile soumission, par Charlemagne, des Saxons et des Frisons (772-804) ainsi que la poursuite de l'évangélisation (Boniface, Ludger). Puis le pays est affaibli par les partages territoriaux (traités de Verdun [843] et de Meerssen [870]) et les incursions normandes (810-891), et il se décompose en un grand nombre de principautés féodales (Frise, évêché d'Utrecht, Gueldre, Hollande, Brabant, Flandre, Hainaut, évêché de Liège). Pourtant, dès le XIe s. se confirme l'essor économique des Pays-Bas. Les villes s'enrichissent dans le commerce de la draperie (Flandre), les industries alimentaires (Hollande) et métallurgiques (Wallonie), et arrachent à leurs seigneurs des chartes communales qui facilitent la désagrégation du régime féodal. Toutefois, l'intensité des conflits sociaux qui, en Flandre, opposent le patriciat urbain au peuple et qui obligent les patriciens à rechercher l'appui du roi de France (XIVe s.), et, de façon plus générale, le maintien des princes territoriaux dans l'essentiel de leurs droits régaliens empêchent les cités de transformer l'autonomie municipale en véritable indépendance politique.

Au XIVe s. s'opère un regroupement des grandes seigneuries aux mains des Wittelsbach de Bavière (Hollande et Hainaut) et de la maison de Bohême (Brabant, Limbourg) tandis que le mariage de Marguerite de Flandre avec le duc capétien de Bourgogne Philippe le Hardi (de 1384 à 1404) fait de la Flandre la première principauté des Pays-Bas à être incorporée aux États bourguignons. Par achats, mariages ou héritages, les successeurs de Philippe le Hardi deviennent comtes de Hollande, de Zélande et de Hainaut (1428), de Namur (1421), ducs de Brabant et de Limbourg (1430), parviennent à contrôler les évêchés de Cambrai, d'Utrecht et de Liège, et ainsi unifient le pays, qu'ils dotent d'un gouvernement centralisé. Échu à Maximilien d'Autriche (de 1477 à 1494), époux de Marie de Bourgogne, puis à son fils Philippe le Beau (de 1495 à 1506) et à sa fille Marguerite d'Autriche (de 1507 à 1515), le pays, possession des Habsbourg, s'accroît, sous Charles Quint, de la Frise (1524), d'Utrecht (1528), de Groningue (1536) et de la Gueldre (1543); l'ensemble, soit dix-sept provinces, est érigé en cercle d'empire (cercle de Bourgogne, 1548). Les idées de la Réforme s'y diffusent largement, provoquant dès les années 1520 les premières manifestations de l'Inquisition. Dès lors, le problème de la liberté religieuse va se trouver, de pair avec le réflexe national, au cœur de la révolte contre l'absolutisme de Philippe II d'Espagne.

Provoquée par une première réaction nobiliaire (Breda, 1566) contre l'Inquisition et par l'agitation populaire (août-sept. 1566), la répression impitoyable menée par le duc d'Albe débouche sur la révolte générale de la Hollande et de la Zélande; cette révolte est conduite par Guillaume d'Orange (1568) et est suivie (1576) par celle du Brabant, du Hainaut et de la Flandre. La pacification de Gand (8 nov. 1576) marque l'expulsion des troupes espagnoles et le retour à la tolérance religieuse. Cependant, les révoltés se divisent : les provinces du Sud, en majorité catholiques, se soumettent à l'Espagne (Union d'Arras, 6 janv. 1579), à laquelle elles seront rattachées jusqu'à la date de leur acquisition par l'Autriche (1713), tandis que les provinces du Nord (Gueldre, Hollande, Zélande, Utrecht, Frise et Overijssel), calvinistes, proclament l'Union d'Utrecht (23 janv. 1579), qui pose les bases des Provinces-Unies*, et répudient solennellement l'autorité de Philippe II (1581). Il faudra plus de soixante années de guerre, marquées dans une première phase par l'alliance avec l'Angleterre et l'affirmation de la puissance maritime des provinces du Nord, puis, après la fin de la trêve de Douze Ans (1609-1621), par le soutien français (1635) dans le cadre de la guerre de Trente Ans (1618-1648), pour que l'Espagne reconnaisse, par le traité de Munster (1648), l'indépendance des Provinces-Unies.

PAYS-BAS *(royaume des),* en néerl. **Nederland,** État de l'Europe occidentale, sur la mer du Nord; 33 491 km^2; 13 540 000 hab. *(Néerlandais).* Capit. *Amsterdam* (siège du gouvernement et de la Cour : *La Haye*).

GÉOGRAPHIE

• *Le milieu naturel.* Terminaison occidentale de la grande plaine de l'Europe du Nord, les Pays-Bas sont marqués par l'extrême platitude de leur relief. Les altitudes se relèvent légèrement au S.-E., dans la Veluwe et surtout le Limbourg (322 m), régions de collines morainiques héritées de périodes glaciaires du quaternaire. Mais tout le reste du pays correspond à une large plaine argileuse drainée par les cours inférieurs du Rhin, de l'Escaut et de la Meuse, aux inondations fréquentes, et où les dunes littorales constituent les seuls reliefs notables. En fait, près de la moitié du territoire se situe au-dessous du niveau des hautes eaux marines et fluviales, et a été gagnée sur les marécages ou sur la mer. La conquête des polders, grâce à un système de digues et de canaux, a commencé dès le Moyen Âge. Mais ce n'est qu'à une époque récente qu'ont été entrepris des travaux de grande ampleur, tels que l'aménagement du Zuiderzee*. La création des polders est rendue plus difficile par le climat océanique, humide et doux, qui règne sur l'ensemble du pays (à Utrecht, la température moyenne de janvier est de 1,7 ^{0}C, celle de juillet de 17 ^{0}C et les précipitations annuelles sont de 765 mm). En hiver, le volume des précipitations est supérieur à l'évaporation, et le surplus doit être évacué vers la mer.

• *La population.* Les Pays-Bas connaissent la plus forte densité de population du monde : 400 habitants au kilomètre carré. De plus, les régions périphériques, en particulier le Sud-Est, sont relativement moins peuplées, et l'essentiel de la population se concentre dans l'Ouest, dans un secteur restreint compris entre le Rhin, Utrecht et Amsterdam, où la densité avoisine alors 1 000 habitants au kilomètre carré. Cette population ne s'accroît plus que très lentement, en raison de la chute du taux de natalité, inférieur aujourd'hui à 14 p. 1 000. L'exiguïté du territoire explique l'imbrication des populations rurale et urbaine, et bon nombre de Néerlandais résidant à la campagne travaillent en fait dans la ville proche. Le pays possède un important réseau urbain, dominé par Amsterdam, Rotterdam et La Haye.

• *La vie économique.* Malgré leur superficie très réduite, les Pays-Bas jouent un rôle important dans l'économie mondiale.

L'agriculture est caractérisée par son intensivité. L'emploi massif d'engrais permet d'obtenir de très forts rendements. Les productions sont variées : blé, pommes de terre, betteraves à sucre, lin. Les cultures de fleurs, de fruits et de légumes sont en progrès constants, et l'utilisation de serres permet une production quasiment continue. L'élevage bovin bénéficie des riches prairies des polders; il est tourné vers la production laitière et la fabrication du beurre et du fromage. Les Pays-Bas exportent une grande partie des produits de leur agriculture, mais doivent importer notamment du blé pour l'alimentation de leur population.

L'industrialisation a été peu favorisée initialement par les richesses du sous-sol. Cependant, aux modestes gisements de charbon (Limbourg) et de pétrole (Drenthe) est venu s'ajouter le gaz naturel de Groningue. Son exploitation (90 milliards de mètres cubes par an) a modifié la politique énergétique du pays et devrait favoriser l'essor industriel du Nord-Est. Un réseau de gazoducs

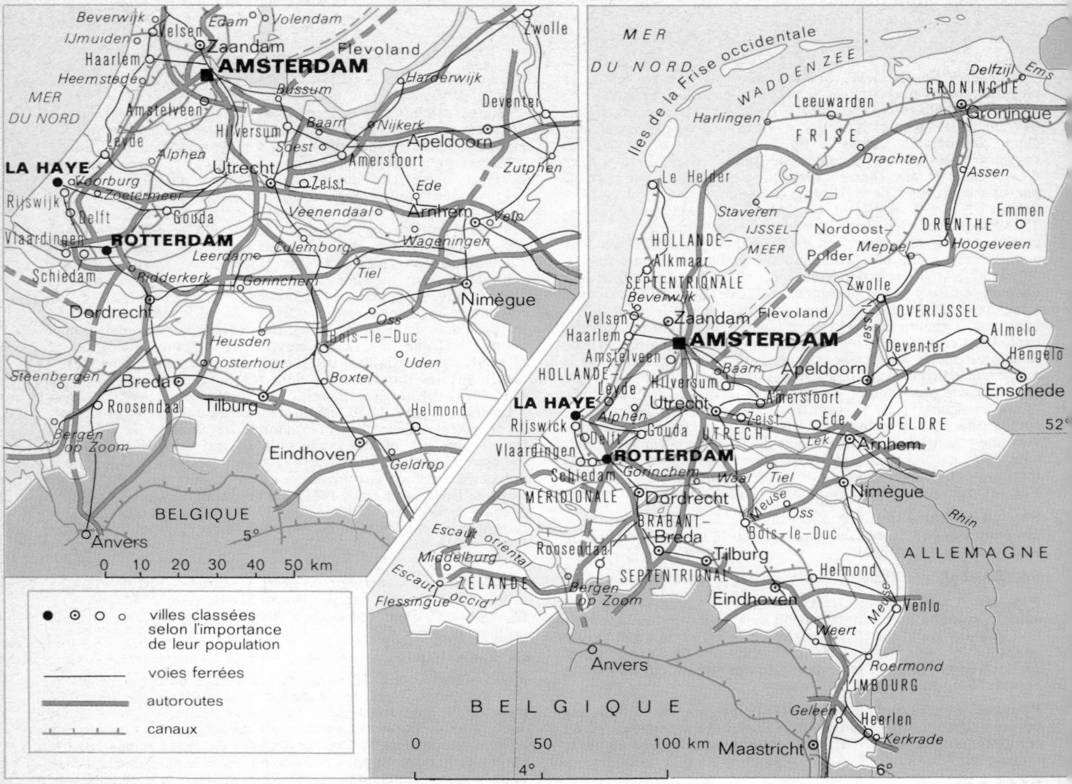

PAYS-BAS

assure la distribution du gaz sur l'ensemble du territoire et dans certains pays de l'Europe occidentale. Mais les Pays-Bas doivent importer les autres matières premières, en particulier les minerais et le pétrole. Les activités traditionnelles (faïences, draperies, taille des diamants) sont éclipsées par les branches modernes. La sidérurgie et la métallurgie de l'aluminium alimentent les constructions mécaniques (machines agricoles, automobile) et aéronautiques, et surtout l'électronique. La chimie et la pétrochimie sont en progrès constants. Les industries se localisent surtout dans l'Ouest, autour d'Amsterdam et du port de Rotterdam. L'activité commerciale occupe en effet une place très importante dans l'économie du pays, intégré dans le Benelux et le Marché commun. Les exportations représentent près de la moitié du produit national brut, part exceptionnellement élevée. La Bourse d'Amsterdam et les grandes banques néerlandaises témoignent du rôle international des Pays-Bas. Au commerce extérieur, équilibré, s'ajoute la circulation intérieure des marchandises, favorisée par un très bon réseau de communications par canaux, routes et voies ferrées.

divisions administratives

provinces	*capitale*	*provinces*	*capitale*
Groningue	Groningue	Hollande-Septentrionale	Haarlem
Frise	Leeuwarden	Hollande-Méridionale	La Haye
Drenthe	Assen	Zélande	Middelburg
Overijssel	Zwolle	Brabant-Septentrional	Bois-le-Duc
Gueldre	Arnhem	Limbourg	Maastricht
Utrecht	Utrecht		

HISTOIRE. Le royaume est constitué en 1815 par l'union des anciennes Provinces-Unies* et des anciens Pays-Bas* autrichiens (Belgique*), la couronne revenant à Guillaume Ier*, de la famille d'Orange-Nassau*.

Guillaume Ier (de 1815 à 1840), aidé de son principal ministre, Gijsbert Karel Van Hogendorp (1762-1834), patronne de nombreux travaux d'assèchement, favorise voies d'eau et voies ferrées, mais reste fidèle au protectionnisme, lié lui-même au colonialisme de profit (Indonésie); d'autre part, il s'efforce de maintenir un équilibre à la fois politique, culturel et économique entre Belges (francophones ou flamands) et Hollandais. En fait, l'union belgo-hollandaise se heurte à de multiples antagonismes. Si bien que l'indépendance de la Belgique* — révoltée à partir du 25 août 1830 — est un fait que l'Europe entérine dès 1831, mais que le roi des Pays-Bas, battu par les Français, qui s'emparent d'Anvers en 1832, ne reconnaît qu'en 1838; le traité de Londres de 1839 laisse d'ailleurs une partie du Limbourg* aux Néerlandais; il est vrai que les Belges gardent une partie du Luxembourg*.

La longue lutte menée contre les Belges dissidents a affaibli le royaume des Pays-Bas, réduit pratiquement aux limites des anciennes Provinces-Unies*. Aussi Guillaume Ier doit-il compter avec la montée du parti libéral, dont le leader est Johan Rudolf Thorbecke (1798-1872) et qui obtient en 1840 une révision de la Constitution dans un sens favorable à la responsabilité ministérielle, au détriment du contrôle royal. Le roi peut, il est vrai, s'appuyer sur le Réveil calviniste, contre-révolutionnaire, mené par Guillaume Groen Van Prinsterer (1801-1876).

Devenu très impopulaire, Guillaume Ier abdique en 1840 en faveur de son fils, Guillaume II (de 1840 à 1849), qui doit tenir compte d'un large courant libéral et réformiste. La grande crise frumentaire des années 40 et les mouvements révolutionnaires européens de 1848 incitent le roi à accorder en 1848 une constitution très libérale, qui instaure un système d'élection directe (mais censitaire) pour les deux chambres, les états provinciaux et les conseils municipaux.

Guillaume III (de 1849 à 1890) poursuit la politique de son père, faisant de Thorbecke le pilier de son régime. Cependant, l'« ère Thorbecke » (1849-1853, 1862-1866 et 1871-72) connaît quelques éclipses, favorables aux conservateurs et à leur leader, Floris Adriaan Van Hall (1791-1866). L'une des difficultés de la vie politique réside alors dans la reconstitution de la hiérarchie catholique en 1853. Finalement, malgré l'opposition primitive des calvinistes conservateurs, la traditionnelle tolérance hollandaise permet aux catholiques de s'intégrer profondément à la vie politique du pays. Après la mort de Thorbecke (1872), l'éventail politique se diversifie et se complique, du fait, notamment, de la question scolaire, le loyalisme à l'égard de la maison d'Orange cimentant l'immense majorité de la population. En 1887, la Constitution est modifiée dans un sens plus libéral.

Le long règne de Guillaume III est, d'autre part, caractérisé par l'essor économique des Pays-Bas, essor favorisé par le libre-échange à l'anglaise, instauré en 1862 : le pays joue alors de nouveau son rôle de région de transit, qui l'enrichit. Mais, comme partout, cette prospérité a comme envers la paupérisation du prolétariat industriel et agricole. Sous l'influence des libéraux, une importante législation sociale est mise en place, notamment sous le ministère dirigé de 1897 à 1901 par Nicolas Gerard Pierson (1839-1909), tandis que se développent un puissant syndicalisme et un socialisme de combat : celui-ci prend forme en 1881 avec l'Union sociale-démocrate de Ferdinand Domela Nieuwenhuis (1846-1919). Parallèlement, le catholicisme d'action sociale trouve un leader dans un prêtre catholique, Alphonse Ariëns (1860-1928).

À Guillaume III succède sa fille Wilhelmine*, qui n'a que dix ans et qui, jusqu'à son couronnement en 1898, règne sous la régence de sa mère, Emma de Waldeck-Pyrmont (1858-1934). La jeune reine, qui se rendra très populaire, est à la tête d'un pays en pleine mutation, ce qui provoque, face au parti calviniste antirévolutionnaire, au pouvoir de 1901 à 1905 avec son fondateur, Abraham Kuyper (1837-1920), la montée d'un courant socialiste révolutionnaire, républicain et anticlérical, avec Pieter Jelles Troelstra (1860-1930), fondateur, en 1894, du parti social-démocrate. Celui-ci, en battant les libéraux en 1905, oblige la coalition chrétienne à élargir la législation sociale. La démocratie hollandaise trouve son assiette en 1917 avec l'instauration du suffrage universel (en 1919 pour les femmes) et le pacte scolaire, qui établit l'égalité absolue entre l'enseignement d'État et l'enseignement privé.

Siège de la Cour internationale de La Haye, les Pays-Bas tiennent beaucoup à leur neutralité. Celle-ci s'affirme de 1914 à 1918, encore que le pays, isolé, ait beaucoup à souffrir économiquement des hostilités. Malgré la pression sociale-démocrate, la coalition chrétienne se maintient au pouvoir en 1918. L'action du leader du parti antirévolutionnaire, Hendrikus Colijn (1869-1944), au pouvoir en 1925-26, puis de 1933 à 1939, est particulièrement sensible sur le plan social. Mais la crise économique mondiale, la montée du nationalisme en Indonésie et la formation d'un petit parti nazi favorisent la reconstitution de la coalition chrétienne avec D. J. De Geer (1870-1960), Premier ministre en août 1939.

Le 10 mai 1940, les Pays-Bas sont envahis par les Allemands; dès le 14 mai, l'armée doit capituler, tandis que la reine et le gouvernement se réfugient à Londres. Les Pays-Bas connaissent jusqu'en 1945 la plus grande tragédie de leur histoire : déportations (d'ouvriers et de Juifs surtout), destructions et humiliations provoquent la formation d'une active résistance, la reine Wilhelmine restant l'âme du pays. La capitulation allemande et la rentrée de la reine (mars-mai 1945) préludent à la Libération, qui est suivie d'une période d'intense reconstruction économique; la vie politique se simplifie avec la formation, en 1946, du parti du Travail, qui absorbe plusieurs formations de gauche et les sociaux-démocrates, et qui, allié au parti catholique populaire, garde le pouvoir jusqu'en 1959, d'abord (1946) avec le catholique Louis Beel (né en 1902), puis (1948) avec le socialiste Willem Drees (né en 1886).

La reine Wilhelmine abdique en 1948 en faveur de sa fille Juliana*, qui, de son mariage avec Bernard de Lippe-Biesterfeld, a quatre filles, dont l'héritière du trône, Béatrix (née en 1938). Le principal problème auquel est affronté la reine Juliana est celui de l'Empire* colonial néerlandais, qui échappe aux Pays-Bas presque totalement à partir de 1954. Privés du commerce colonial, les Pays-Bas opèrent alors une véritable révolution économique, en développant notamment leur industrie; l'assèchement du Zuiderzee et l'application du plan Delta contribuent à faire de Rotterdam le premier port européen. Tout naturellement, les Pays-Bas recherchent avec leurs voisins la coopération économique; d'où la formation du Benelux* (1944-1948), puis l'entrée dans la C. E. C. A. (1951-52) et dans le Marché commun (1957).

Le morcellement des partis maintient une certaine instabilité politique, encore que catholiques et socialistes — alternativement au pouvoir — restent les partis les plus représentatifs. En décembre 1977, après une longue crise politique, un gouvernement de coalition de centre droit, dirigé par Andreas Van Agt (chrétien-démocrate), succède à la coalition du centre gauche, qui était dirigée par Joop den Uyl, au pouvoir depuis 1973, premier chef de gouvernement socialiste dans l'histoire du pays.

Pays de neige, roman de Kawabata Yasunari (1937; édition définitive, 1948). Les bonheurs passagers d'un amour impossible dans un pays à la fois réel et mythique, où le froid modifie le déroulement du temps et le développement des sentiments.

PAZ (La), v. de Bolivie, à 3 658 m d'alt., à l'E. du lac Titicaca; 562 000 hab. Siège du gouvernement. Archevêché. Université.

PAZ (Octavio), écrivain mexicain (Mexico 1914). Attiré à la fois par les traditions indiennes et la civilisation européenne, il déploie une grande activité politique et littéraire (fondant aussi bien une école pour ouvriers et paysans que plusieurs revues : *Barandal, Taller*), et cherche dans ses recueils de vers, qui unissent l'inspiration populaire à l'influence surréaliste (*Pierre de Soleil,* 1957; *Salamandre,* 1961), et dans ses essais (*le Labyrinthe de solitude,* 1950; *l'Arc et la lyre,* 1956; *Courant alternatif,* 1967) à retrouver la « partie perdue » de son être, qu'il poursuit dans ses errances géographiques et culturelles.

PAZARDŽIK, v. de Bulgarie, sur la Marica; 55 000 hab. Caoutchouc. Constructions électriques.

PAZ DEL RÍO, centre sidérurgique de la Colombie, dans la Cordillère orientale.

PAZZI, famille de l'aristocratie florentine, dont les membres abandonnèrent la noblesse (fin du XIIIe s.) pour se consacrer à l'activité bancaire. L'épisode le plus célèbre de l'histoire des Pazzi, depuis longtemps rivaux des Médicis*, fut la conjuration de 1478, fomentée par Francesco Pazzi et son oncle Iacopo, avec l'appui secret du pape Sixte IV, en vue d'assassiner Laurent et Julien de Médicis. Julien fut tué, mais Laurent le Magnifique échappa à l'attentat. Francesco et Iacopo furent arrêtés et tués sur-le-champ, et les Pazzi bannis de Florence.

PEACH BOTTOM, centrale nucléaire des États-Unis, dans le sud de la Pennsylvanie.

PEACOCK (Thomas Love), écrivain anglais (Weymouth, Dorset, 1785 - Lower Halliford, Middlesex, 1866), qui a raillé les excès du romantisme (*l'Abbaye de Cauchemar,* 1818).

PÉAGE-DE-ROUSSILLON (Le) [38550], comm. de l'Isère, près du Rhône, à 19 km au S. de Vienne; 6 243 hab. Industrie chimique.

PÉAN (Jules Émile), chirurgien français (Marboué 1830 - Paris 1898). Il mit au point les techniques de la laparotomie et de l'ovariotomie.

PEANO (Giuseppe), logicien et mathématicien italien (Cuneo 1858 - Turin 1932). Son *Formulaire de mathématique,* où il donne un exposé axiomatique et déductif de l'arithmétique, de la géométrie projective, de la théorie générale des ensembles, du calcul infinitésimal et du calcul vectoriel, fait de lui un des promoteurs de la logique mathématique. À la suite de Leibniz* et de Frege*, notamment, Peano élabore une langue formaliste (la pasigraphie), que Russell et Whitehead développent dans leurs *Principia* mathematica.* La « courbe de Peano », qui passe successivement par tous les points intérieurs d'un carré, a permis d'approfondir les notions de continuité et de dimension.

PEARL HARBOR, rade des îles Hawaii (île d'Oahu). Base aéronavale américaine, créée en 1906, où l'escadre américaine du Pacifique fut attaquée par surprise et détruite par la flotte japonaise de l'amiral Yamamoto le 7 décembre 1941. Cette attaque provoqua l'entrée des États-Unis dans la Seconde Guerre* mondiale.

PEARSON (Lester Bowles), homme politique canadien (Toronto 1897 - Ottawa 1972). Leader du parti libéral à partir de 1958, il fut Premier ministre de 1963 à 1968. (Prix Nobel de la paix, 1957.)

PEARY (Robert Edwin), explorateur américain (Cresson Springs 1856 - Washington 1920). Il explora à partir de 1891 l'intérieur du Groenland*, établissant la preuve de son insularité. Il atteignit le premier le pôle Nord le 6 avril 1909.

PEAU. — La peau comprend, de la superficie à la profondeur, l'épiderme, le derme et l'hypoderme.

L'*épiderme* comporte une assise basale qui assure sa régénération constante. Les cellules basales deviennent les cellules de la couche de Malpighi, maintenues entre elles par des « ponts » intercellulaires; plus en surface se trouve la couche granuleuse, dans laquelle

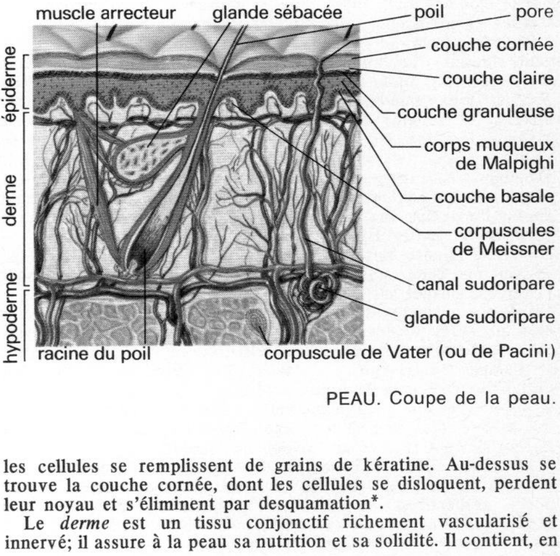

PEAU. Coupe de la peau.

les cellules se remplissent de grains de kératine. Au-dessus se trouve la couche cornée, dont les cellules se disloquent, perdent leur noyau et s'éliminent par desquamation*.

Le *derme* est un tissu conjonctif richement vascularisé et innervé; il assure à la peau sa nutrition et sa solidité. Il contient, en outre du tissu collagène, des fibres élastiques, le bulbe des poils, les glandes sébacées et sudoripares.

L'*hypoderme* est un tissu graisseux.

Certains muscles possèdent une insertion mobile sur la peau : ce sont les peauciers (les muscles des paupières, du nez, des lèvres, le peaucier du cou).

La peau assure une protection efficace contre les variations de température; elle est solide et élastique, et résiste à certains traumatismes; elle assure une barrière contre la pénétration de germes microbiens et de substances toxiques. Grâce aux nombreuses terminaisons nerveuses, elle permet les trois sensations du toucher (contact, température, douleur). Elle produit deux sécrétions : la matière sébacée, qui assouplit la couche cornée, et la sueur, qui règle par son évaporation la dépense thermique.

La peau peut être le siège de lésions traumatiques (plaies, érosions), de lésions inflammatoires, infectieuses, métaboliques, etc. (psoriasis, eczéma), et de lésions tumorales, bénignes ou malignes.

Peau-d'Âne, conte de Perrault, en vers (1715).

Peau de chagrin *(la),* roman de Balzac (1831). Un exposé de la « philosophie » balzacienne à travers un objet magique (qui permet à son possesseur de réaliser tous ses désirs, mais qui limite du même coup son existence : la peau de chagrin se rétrécit après chaque désir assouvi), symbole de l'insurmontable contradiction humaine entre le vouloir-vivre et l'usure vitale.

PÉCARI. — Le pécari est un très petit sanglier américain vivant en troupes nombreuses dans les forêts. On l'élève de plus en plus souvent pour son cuir (ganterie) et pour sa chair.

PECHBLENDE → MINERAI, RADIUM, URANIUM.

PÊCHE. — En eau douce, on distingue les pêches aux lignes (pêche à la ligne flottante, au coup, à la dandinette, à la fouette [ou à la volante], au lancer lourd, au lancer léger et à la mouche), les pêches aux filets et engins, et enfin certaines pêches particulières, comme la pêche à la traîne, au trimmer, à la fouène, aux lignes de fond, à la pelote (ou à la vermée).

En mer, il existe quatre formes de pêche très différentes : la pêche à pied, pratiquée le long des grèves et des plages par des bassiers amateurs ou professionnels; la pêche côtière ou littorale (pêche aux hameçons [maquereaux, lieus, merlans], aux cordes et palangres [congres, poissons plats], aux filets fixes, dérivants ou traînants [soles, turbots, raies, sardines], aux casiers et au tramail à crabes, à la drague [oursins, huîtres, coquilles Saint-Jacques], au feu [anchois, sardines]); la pêche hauturière ou de haute mer (thoniers ou sardiniers notamment), enfin la grande pêche, qui s'exerce à grande distance des côtes et qui recherche des poissons principalement destinés à être conservés ou salés (harengs, morues).

En pêche maritime, le total des prises s'est élevé rapidement de 1955 (encore moins de 30 Mt) à 1970 (avoisinant le seuil des 70 Mt). Depuis, il tend à stagner, pause qui traduit une surexploitation au moins locale, expliquant des fluctuations, dont le Pérou (tributaire des anchois au large de ses côtes) offre un exemple extrême : plus de 12 Mt (premier rang mondial) en 1970, moins de 2,5 Mt en 1972. En fait, il y a surexploitation de certaines régions (40 p. 100 des prises s'effectuent dans l'Atlantique, alors que la part des immenses mers australes est infime), qui peut s'effacer avec le développement de la grande pêche au large, favorisée initialement par la modernisation (possibilité de conservation du poisson) des navires et qui risque ensuite d'être imposée à certains États par l'extension de la notion d'eaux territoriales navales réservées aux seuls riverains. Le Japon et l'U. R. S. S., notamment, sont présents dans toutes les mers du globe; ils se situent d'ailleurs aux deux premiers rangs mondiaux, avec des prises de l'ordre de 10 Mt pour chacun, suivis sans doute de près par la Chine. Loin derrière viennent le Pérou, les États-Unis, la Corée et un bloc compact de l'Europe occidentale, mené par la Norvège, précédant l'Espagne, le Danemark et le Royaume-Uni. La France, malgré l'étendue de ses côtes, n'occupe qu'un rang moyen, avec un apport annuel stagnant depuis longtemps aux environs de 0,8 Mt, légèrement inférieur à celui de la petite Islande (250 fois moins peuplée), dont on comprend l'intérêt porté au problème du « partage de la mer », qui connaît une acuité nouvelle avec cette menace de pénurie pesant justement surtout sur l'Atlantique septentrional.

[*Dr.*] La pêche maritime concerne la capture des animaux marins ainsi que la récolte des végétaux qui se trouvent dans la mer et celle qui est effectuée dans les parties de fleuves, de rivières, de canaux et d'étangs où les eaux sont salées. Un décret du 7 juin 1967, portant extension de la zone interdite à la pêche pour les navires étrangers, prohibe en principe celle-ci dans une zone de 12 milles marins des côtes de France. L'exercice de la pêche dans les eaux territoriales est réservé aux nationaux français.

La pêche fluviale concerne l'ensemble des procédés avec lesquels on capture dans des eaux courantes des espèces d'eau douce susceptibles de servir à l'alimentation. Une législation réglemente la capture de ces espèces dans les fleuves, les rivières et les canaux ainsi que dans les étangs et les lacs non clos.

La loi du 15 avril 1829 et celle du 31 mai 1865 ont été pendant longtemps les textes de base de la réglementation de la pêche; modifiées depuis, intégrées au Code rural, elles sont augmentées de nombreux textes postérieurs. Les mesures essentielles concernent la détention du droit de pêche (État ou particuliers), la taxe piscicole, l'interdiction d'utiliser des barrages dans les cours d'eau, le dépôt de substances nuisibles, les périodes où la pêche est interdite, la taille des poissons, les filets et engins prohibés, le colportage et la vente de poisson, etc. La police de la pêche est spécialement chargée de la recherche et de la constatation des délits. Le décret du 26 mai 1975 attribue au ministre de la Qualité de la vie la surveillance et la police de la pêche dans les eaux soumises à la réglementation de la pêche. (V. NAVIRE DE PÊCHE.)

PECHELBRONN, écart de la comm. de Merkwiller-Pechelbronn (Bas-Rhin). Ancienne exploitation de pétrole.

PÊCHER. — Cet arbre fruitier de grande culture, mais de rentabilité incertaine, exige une protection absolue contre le gel et les brouillards givrants. Ses fleurs, roses, paraissent au premier printemps, avant les feuilles. Le fruit, ou pêche, est une grosse drupe à la peau veloutée, au noyau rugueux, à la chair savoureuse et sucrée, mais de brève conservation : d'où de redoutables problèmes de commercialisation. De nombreuses variétés se distinguent par la peau (lisse chez les *brugnons*), par la couleur de la chair (blanche ou jaune), par le noyau libre ou adhérent, etc. (Famille des rosacées.)

PECH-MERLE *(grotte de),* grotte près de la comm. de Cabrerets (Lot), qui abrite un ensemble de peintures préhistoriques d'époque magdalénienne.

PECQ (Le) [78230], ch.-l. de cant. des Yvelines, sur la Seine, près de Saint-Germain-en-Laye; 17 584 hab.

PECQUENCOURT (59146), comm. du Nord, sur la Scarpe, à 11 km à l'E. de Douai; 8 157 hab.

PECQUET (Jean), médecin et anatomiste français (Dieppe 1622-Paris 1674). Il découvrit en 1647 les vaisseaux chylifères et leur aboutissement dans le canal thoracique.

PÉCS, v. du sud de la Hongrie; 157 000 hab. Université. La vieille ville conserve, dans un tissu baroque du XVIIIe s., des monuments paléochrétiens (catacombes peintes), romans (crypte de la cathédrale, musée lapidaire), gothiques (remparts, barbacane) et turcs (anc. mosquées, tombeaux).

PÉDAGOGIE. — Le pédagogue, dans l'Antiquité, n'était autre que l'esclave chargé de conduire l'enfant à l'école. Il faisait la liaison entre l'univers familial et la palestre, lieu de l'enseignement. L'étymologie contient déjà en germe l'ambiguïté de la fonction pédagogique : d'une part, la revendication d'une indépendance de la relation éducative, souvent au mépris des connaissances, jugées inessentielles; d'autre part, la défense des contenus, conçus comme des blocs de connaissances, plus ou moins rigides et déjà structurés, ce qui entraîne une méfiance spontanée à l'égard des problèmes de relation ou de méthode pédagogiques.

Du XVIe au XIXe s., la carence massive en instruction élémentaire relègue au second plan la carence éducative. L'école s'installe dans l'instruction, obsédée dès le départ par le contenu de son enseignement. Pourtant, les Jésuites, qui en sont les premiers maîtres, attachent de l'importance à la forme (concours, examens, distribution des prix), la concurrence devenant ainsi le moteur du travail scolaire, sous couvert d'« émulation ».

La pédagogie officielle est l'objet d'une double transgression : elle est soit invalidée comme rapport éducatif — on a dans cette perspective le questionnement non directiviste (v. NON-DIRECTIVISME*) avec C. Rogers*, mais déjà avec J.-J. Rousseau* et même Socrate* —, soit invalidée radicalement comme institution — c'est le cas, par exemple, de la déscolarisation d'I. Illich*. Dans ces deux derniers exemples, la recherche d'une relation d'émancipation réciproque entre le maître et l'élève ne change pas en fait grand-chose au statut de l'un et de l'autre dans la référence à une institution occultée ou niée.

Célestin Freinet*, par contre, se situe d'emblée dans une orientation de transformation radicale du rapport éducatif et des structures de la classe. Il s'agit d'une véritable politique de l'expression, où l'enfant concrétise sa pensée en groupe, avec d'autres et pour d'autres (le journal, la correspondance), ou seul (le texte libre, le dessin libre). N'étant plus isolée dans une institution anonyme — l'école —, la classe est fondée sur les échanges entre les élèves et le maître, et entre les classes qui correspondent. Simultanément à la socialisation mise en œuvre par ces échanges et par les travaux de groupe, une individualisation matérielle de l'enseignement (fichiers autocorrectifs, bandes enseignantes) permet l'articulation d'une progression personnelle à la vie du groupe. Car la « classe Freinet » est constituée avant tout de techniques pédagogiques, reprises dans une vie de groupe réellement coopérative, où le maître est responsable institutionnel d'une coopération pédagogique et démocratique dans la classe. Les techniques Freinet reposent sur une visée mutualiste : la coopération sociale.

La pédagogie institutionnelle constitue un prolongement et un approfondissement de la pensée de Freinet. Elle prend en compte dans la classe à la fois l'analyse des institutions (les règles, les lois de la classe, les rôles, les statuts des uns et des autres dans les équipes de travail) et l'analyse des relations affectives (identifications*, transferts*). Elle intègre donc à la vie coopérative de la classe une perspective psychosociologique et une perspective psychanalytique. Les sociogrammes, comme certains concepts psychanalytiques, rendent ainsi plus transparent le fonctionnement de la classe en tant que groupe. Le maître n'en devient pas pour autant sociologue ou psychanalyste. Les techniques coopératives l'ayant rendu disponible, il est un animateur, un responsable.

PÉDIATRIE. — Cette spécialité médicale, consacrée aux enfants, fait appel à de nombreuses disciplines. Elle a pour but la prévention, le dépistage et le traitement des affections atteignant l'être humain, depuis la période précédant et suivant immédiatement la naissance *(périnatalogie)* jusqu'à l'adolescence, en surveillant attentivement son développement, son hygiène et son alimentation *(puériculture),* et en corrigeant ses anomalies ostéo-articulaires et de locomotion *(orthopédie).*

PÉDICURE → PIED.

PÉDIMENT et **PÉDIPLAINE.** — Dans les régions au climat semi-aride, le *pédiment* est une vaste surface plane façonnée au pied des reliefs par le ruissellement en nappe. Les pédiments sont particulièrement bien développés dans les roches granitiques, dont l'arénisation facilite l'aplanissement. Par élimination des reliefs résiduels (inselbergs*), on passe à une *pédiplaine,* à pente quasiment nulle.

PÉDOLOGIE → SOL.

PEDRELL (Felipe), compositeur et musicographe espagnol (Tortosa 1841 - Barcelone 1922). Ses nombreuses compositions musicales ont été éclipsées par ses travaux littéraires et musicographiques. Créateur de l'école musicologique espagnole (dictionnaires, catalogues, répertoires, études spécialisées), Pedrell a publié de nombreuses anthologies d'œuvres anciennes (musique religieuse, musique populaire, musique d'orgue) et édité l'œuvre de Victoria.

PEEL (*sir* Robert), homme politique britannique (Chamber Hall 1788 - Londres 1850). Député tory (1809), secrétaire pour l'Irlande (1812-1818), il se convertit aux idées des économistes classiques (Ricardo*). Ministre de l'Intérieur de 1822 à 1827 et de 1828 à 1830, il humanise la législation criminelle et fait passer la loi d'émancipation des catholiques (1829). Premier ministre en 1834-35 et de 1841 à 1846, il accomplit de nombreuses réformes libérales : il abolit notamment les « corn laws » pour faire cesser la famine en Irlande.

PEELING. — La destruction de la couche superficielle de l'épiderme par un produit provoquant la desquamation permet la régénération de l'épiderme et la suppression des petites irrégulatités de la peau : rides, cicatrices, crasse sénile, etc. Un peeling léger peut être fait dans les instituts de beauté, mais le peeling profond, qui utilise des produits caustiques et qui est plus efficace mais plus dangereux, est réservé aux dermatologues.

PEENEMÜNDE, port de l'Allemagne orientale, sur l'estuaire de la Peene (riv. tributaire de la Baltique; 180 km). De 1939 à 1945 base d'expérimentation, alors dirigée par von Braun, d'engins téléguidés allemands (notamment « V1 » et « V2 »).

PÉGASE, cheval ailé de la mythologie grecque, considéré comme un symbole de l'inspiration poétique.

PÉGASE, constellation* de l'hémisphère boréal, de forme analogue à celle de la Grande et de la Petite Ourse, et qui contient l'amas* globulaire M 15 ainsi qu'un groupe de quatre étoiles brillantes, le *Carré de Pégase.*

PÉGOUD (Adolphe), aviateur français (Montferrat 1889 - près de Belfort 1915). Pionnier de l'aviation, et notamment du saut d'avion en parachute et du looping (1913), il fut tué en combat aérien.

PEGU, v. de Birmanie, au N. de Rangoon; 125 000 hab.

PÉGUY (Charles), écrivain français (Orléans 1873 - Villeroy, Seine-et-Marne, 1914). En 1894, Péguy, reçu au concours de l'École normale supérieure, s'inscrit au parti socialiste et commence un drame sur *Jeanne d'Arc.* Tout Péguy est là : ténacité et goût du travail bien fait, générosité et désir de combattre l'injustice, « ressourcement » permanent dans les valeurs et les figures de la « terre charnelle ». Toutes ses ambiguïtés aussi : Péguy vit le socialisme comme une véritable expérience religieuse, un effort pour rendre les hommes « libres pour la vie intérieure ». Quand il demande à chacun de « socialiser sa vie », il interprète la politique en termes de morale. Contre les dogmes dégradés des partis et de l'Église, il fonde une véritable mystique du réel et du concret. En effet, si le mot d'ordre des *Cahiers de la quinzaine* est « Dire la vérité, toute la vérité, rien que la vérité, dire bêtement la vérité bête, ennuyeusement la vérité ennuyeuse, tristement la vérité triste », il ne s'agit pas de la vérité désincarnée des intellectuels et

Charles Péguy.

Harlingue

des politiques : « C'est dans une morale souple que tout apparaît. » Contre la rigidité des théories, Péguy exige un dynamisme vital capable d'intégrer tout l'imprévu de la vie. Avec un entêtement paysan, il amasse les expériences, il entasse les strophes de ses drames lyriques, il ne rejette rien. Ce qu'il cherche à perdre, c'est la « raideur », celle de l'idéologue face à la réalité quotidienne, celle de l'homme face à la miséricorde divine. « Renoncement », « désistement », « abandonnement », autant de termes qui reviennent dans le piétinement d'une poésie incantatoire, dans la violence d'une œuvre pamphlétaire, autant d'indices sur un itinéraire spirituel. Cette oblation personnelle, Péguy l'a étendue à toute sa génération (« Nous sommes une génération sacrifiée », *À nos amis, à nos abonnés,* 1909) : d'où la ferveur et le détachement (le 1er août 1914, il suspend au milieu d'une phrase la rédaction de sa *Note conjointe sur M. Descartes* pour répondre à l'ordre de mobilisation) avec lesquels il part pour la « dernière des guerres » et pour s'inscrire à jamais parmi les dédicataires de sa *Jeanne d'Arc :* « À toutes celles et à tous ceux qui seront morts pour tâcher de porter remède au mal universel. »

la vie et l'œuvre

1873	Naissance à Orléans.
1885	Boursier au lycée d'Orléans.
1892	Service militaire.
1894	Reçu à l'École normale supérieure. S'inscrit au parti socialiste. Commence *Jeanne d'Arc.*
1895	Apprend la typographie et fonde un groupe socialiste.
1898	Combat pour Dreyfus. Échoue à l'agrégation de philosophie et abandonne l'université.
1899	Collaboration à la *Revue blanche.* Rupture avec le parti socialiste.
1900	Fondation des *Cahiers de la quinzaine.*
1906	Début des *Situations,* analyses sur l'histoire et le monde moderne.
1908	Péguy retrouve la foi catholique.
1909	Entreprend *Clio**, qui sera publié en 1917.
1910	*Le Mystère de la charité de Jeanne d'Arc; Notre jeunesse; Victor-Marie, comte Hugo.*
1911	*Le Porche du mystère de la deuxième vertu.*
1912	*Le Mystère des saints innocents.* En juin, pèlerinage à Chartres. *La Tapisserie de sainte Geneviève et de Jeanne d'Arc.*
1913	*L'Argent**; *la Tapisserie de Notre-Dame.*
1914	*Note sur M. Bergson et la philosophie bergsonienne.* Mort de Péguy le 5 septembre, dans les premières contre-attaques de la bataille de la Marne.

PEIGNAGE. — Cette opération de filature, qui a pour objet essentiel d'éliminer les fibres courtes contenues dans un ruban de filature*, enlève en même temps les impuretés encore présentes dans ce ruban. De plus, elle individualise et parallélise les fibres. Elle est réalisée par passage de plusieurs rubans sur un cylindre rotatif, dont tout un secteur est garni de rangées d'aiguilles (ou peignes), et sur un peigne fixe rectiligne. Les fibres courtes, appelées « blousses », sont récupérées; le pourcentage varie en fonction de l'intensité du peignage. Pour obtenir des fils fins et réguliers, il faut effectuer le peignage. La dénomination *fil peigné* est réservée aux fils composés de fibres qui ont subi cette opération.

PEIGNE *(Zool.).* — Ce grand mollusque bivalve, nommé aussi *coquille Saint-Jacques (Pecten jacobæus),* présente une curieuse substitution de symétrie : les deux valves sont différentes (l'une creuse et l'autre plate), mais chacune d'elles est symétrique par rapport à son plan médian. Le peigne nage assez vivement en battant des valves. Son manteau est bordé de nombreux organes visuels, et son odorat est développé, ce qui lui permet parfois d'échapper à ses prédateurs habituels, les étoiles de mer. La chair de ce mollusque est comestible.

PEILLE (06440 L'Escarène), comm. des Alpes-Maritimes, à 20 km au N. de Monaco; 1 437 hab. Cimenterie.

PEINE. — On dénomme ainsi la sanction attribuée à une infraction à la loi pénale. Le coupable peut être frappé de peines touchant son être physique (peines corporelles), ses biens, ses droits, son honneur, séparément ou cumulativement.

• *Les peines corporelles.* La *peine de mort* peut être, en France, prononcée à l'encontre des civils et des militaires. Un grand nombre d'États l'ont abandonnée. Certains États, rares, connaissent encore les châtiments corporels.

La *privation de liberté* peut être une mesure préventive (détention) ou une punition proprement dite. Elle peut aller de la réclusion criminelle, perpétuelle ou temporaire, à l'emprisonnement correctionnel (de deux mois à cinq ans) ou à l'emprisonnement de police (de un jour à deux mois).

Les condamnés ayant agi pour motifs *politiques* subissent la *détention,* qui est un régime particulier. Ils ne sont astreints ni au costume pénal ni au travail et, par ailleurs, ils bénéficient d'un régime plus favorable en matière de visites, de correspondance, etc.; ils sont isolés des détenus «de droit commun».

Le régime carcéral (v. PRISON) peut se trouver modifié par des dispositions particulières : la *mise en cellule,* qui est une aggravation des conditions dans lesquelles se purge la peine, ou, au contraire, la *semi-liberté* et la *libération conditionnelle;* le *sursis,* ou dispense d'exécuter la peine; la *tutelle* pénale* (qui a remplacé la relégation) pour les multirécidivistes; l'*interdiction de séjour;* l'*assignation à résidence.*

• *Les peines patrimoniales.* Ce sont : l'*amende,* dont la loi pénale fixe le minimum et le maximum, et qui est versée au Trésor; la *confiscation des choses dangereuses ou illicites* ayant participé à l'accomplissement de l'infraction (armes notamment); la *fermeture d'établissement.*

• *Les peines privatives de droits.* Il s'agit de l'incapacité de disposer et de recevoir à titre gratuit, de la dégradation civique, de l'interdiction des droits civils, civiques et de famille, etc.

• *Les peines applicables aux mineurs.* Elles sont particulières : il s'agit plus d'éduquer (ou de rééduquer) que de punir. Le juge des enfants, magistrat bénéficiant d'un large pouvoir de décision, décide du régime de la peine que subira le mineur (placement en liberté surveillée, remise à un parent, semi-liberté, etc.).

Giraudon

Peinture. *Saint Luc peignant la Vierge,* de M. Van Heemskerck. Milieu du XVIe s. (Musée des Beaux-Arts, Rennes.)

PEINTURE *(Bx-arts).* — Malgré les évolutions, du paléolithique (peintures rupestres de Lascaux ou d'Altamira) au XXe s., la permanence d'un support, de pigments de couleur, d'un liant, d'un diluant et d'un enduit définit techniquement, depuis la plus lointaine antiquité, le travail pictural.

Jusqu'à la mise au point de la peinture à l'huile, l'eau constitue la base des divers procédés : la *fresque,* réalisée sur un mur enduit de mortier frais et dont le prestige ancien est renouvelé par les peintres italiens du XIVe au XVIe s. (Giotto, Masaccio, Fra Angelico, Mantegna, Michel-Ange...) ou encore du XVIIIe s. (Tiepolo); la *détrempe* ou la *tempera* (soit simples, avec de la colle ou de la gomme, soit complexes, avec de l'œuf, de l'huile, de la résine ou de la cire), associées souvent à la fresque (Pompéi), mais surtout employées au Moyen Âge pour la peinture des panneaux et des retables (sur bois enduit); l'*aquarelle**; la *gouache,* déjà utilisée par les enlumineurs médiévaux, et particulièrement appréciée par les artistes français des XVIIe et XVIIIe s. Avec l'adoption généralisée, au XVIe s., de l'*huile* comme liant de la peinture (procédé attribué par Vasari à Van Eyck) et de la toile comme support, la technique picturale se modifie : la gamme des couleurs s'étend; la pâte autorise le travail en nombreuses reprises, les effets de touches (Giorgione, Titien) et de matière (empâtements ou glacis), les jeux de translucidité ou de fusion et les gradations les plus subtiles (*sfumato* de Léonard de Vinci, clair-obscur du Corrège ou du Caravage). Les couleurs en tubes, standardisées à partir du XIXe s., permettent une simplification technique et offrent une gamme plus étendue de couleurs vives (impressionnisme, fauvisme...). Enfin, la chimie moderne propose des matériaux plus résistants à la lumière et encore plus éclatants (peintures glycérophtaliques, vinyliques ou acryliques).

• La qualité d'une œuvre a été, de la Renaissance à la fin du XIXe s., largement déterminée en fonction de son sujet, les divers genres étant codifiés et hiérarchisés.

La *peinture d'histoire,* catégorie noble par excellence, «grande peinture» des XVIIe (Le Brun) et XVIIIe s. (David), puise ses sujets aux sources antiques, mythologiques, bibliques, ou, à proprement parler, historiques; le XIXe s., avec le romantisme (Delacroix), donne encore quelques beaux exemples d'un genre bientôt promis à la décadence.

À l'opposé de ce goût héroïque, la *peinture de genre,* attachée aux scènes de la vie quotidienne et de mœurs, connaît son grand essor au XVIIe s., d'une part avec la truculence flamande (Brouwer) et hollandaise (Steen), déjà présente chez Bruegel l'Ancien, d'autre part avec le réalisme, hérité du Caravage, de certains peintres italiens ou installés en Italie (tel Pieter Van Laer, célèbre pour ses «bambochades» pittoresques); elle trouve la simplicité et l'humanité chez les Le Nain ou chez Vermeer et P. de Hoogh, la distinction élégante au XVIIIe s. avec Watteau, Boucher ou Longhi, et le XIXe s. lui donne parfois une dimension satirique (Daumier). Le *paysage,* devenu véritable sujet chez les peintres du Nord à partir du XVIe s. (Patinir, Bruegel, puis Van Goyen, Ruysdael, mais aussi Rubens, Vermeer...), atteint la perfection classique avec Poussin et Claude Lorrain, la subtilité lumineuse et colorée avec les «védutistes» vénitiens (Canaletto, Guardi). Au XIXe s., des peintres anglais (Constable, Turner) aux impressionnistes, en passant par l'école de Barbizon, le paysage s'attache aux recherches de lumière et d'atmosphère, tandis qu'une volonté d'analyse et de construction anime Cézanne, puis le cubisme, et que Van Gogh et l'expressionnisme privilégient le contenu émotionnel.

Le *portrait* va du réalisme souvent âpre, mais parfois sensuel, des peintres du Nord depuis le XVe s. (Van Eyck, Holbein, Dürer, Hals, Rembrandt...) à l'idéalisation des artistes du quattrocento italien et de Léonard de Vinci, de Raphaël ou de Titien. Impitoyable avec Velázquez, puis surtout avec Goya, il recherche la vivacité au XVIIIe s. avec M. Q. de La Tour ou Fragonard, l'élégance avec les Anglais Gainsborough et Reynolds. Après l'apparition de la photographie, il est encore traité pour ce qu'il peut exprimer de la nature humaine (Van Gogh, les expressionnistes...) ou comme prétexte plastique.

La *nature morte,* représentation de choses inanimées (fruits, fleurs, nourritures, instruments, objets...), trouve au XVIIe s. son âge d'or avec, en Hollande, l'abondance des «tables servies» ou la méditation des «vanités», tandis que la leçon du Caravage rayonne jusqu'en Espagne (*bodegones* de Zurbarán). En France, à côté de la pureté d'un Baugin, se développe un style plus décoratif (Monnoyer), puis Chardin, au XVIIIe s., donne au genre une nouvelle richesse. Le XXe s. traite celui-ci comme morceau de réalité à analyser et à structurer, affirmant par là une égalité de statut de chaque élément du visible, mais privilégiant aussi l'imaginaire : d'où une dévalorisation de la figuration.

PEINTURE *(Industr.).* — Une peinture est composée d'un milieu de suspension (liant) et de constituants solides. Le *liant,* ou élément feuillogène, à base d'huiles et de résines en solution dans un solvant* volatil, est additionné de diluant* et peut contenir des siccatifs*, des plastifiants, des stabilisants, des matières* colorantes en solution et des agents protecteurs. Les *constituants solides* comprennent des pigments* minéraux ou organiques, des laques* et des matières de charge*. Les peintures peuvent être grasses (à l'huile), aux vernis gras, aux résines glycérophtaliques, nitrocellulosiques, acétocellulosiques, à base de résines synthétiques ou d'élastomères, à liant minéral ou encore à l'eau. Il existe aussi des peintures dont le liant est constitué par une émulsion ou une dispersion aqueuse ou organique. Les méthodes manuelles d'application des peintures (brosses, rouleaux, pinceaux, trempé) ont fait place à des méthodes semi-automatiques ou automatiques : au tambour, par pistolage avec ou sans air comprimé, à la filière, par arrosage, par couchage, par dépôt électrophorétique ou électrostatique et par application sous forme d'aérosol*. L'essai des peintures porte sur le produit lui-même (viscosité*, masse spécifique, pouvoir couvrant, point d'éclair, stabilité, vitesse de séchage) et sur la peinture après application et séchage (résistance au vieillissement, au farinage et aux produits corrosifs, dureté, souplesse, résistance aux rayures, etc.). Le séchage des peintures s'effectue à la température ordinaire ou à chaud, par induction* ou faisceau d'électrons*.

PEÏPOUS *(lac)* ou **TCHOUDSK** *(lac)*, lac du nord-ouest de l'U. R. S. S. (Estonie et R. S. F. S. de Russie), dont l'émissaire, la Narva, rejoint le golfe de Finlande.

PEÏRA-CAVA (06440 L'Escarène), station d'altitude et de sports d'hiver (alt. 1 420 - 1 650 m) des Alpes-Maritimes, à 39 km au N. de Nice.

PEIRCE (Charles Sanders), logicien américain (Cambridge, Massachusetts, 1839 - Milford, Pennsylvanie, 1914). Il est surtout connu pour ses travaux de logique* mathématique. Il mit au point la méthode des tables de vérité du calcul des propositions*, un système de notation encore utilisé et une logique triadique (3 valeurs : le vrai, le faux, le possible) que Łukasiewicz* a développée. Il est également l'un des précurseurs de la sémiologie* et de la phénoménologie*, et l'un des concepteurs du pragmatisme*.

PEIRESC (Nicolas Claude FABRI DE), savant français (Belgentier, Provence, 1580 - Aix-en-Provence 1637). Il découvrit la nébuleuse d'Orion* (1610) et entreprit l'établissement d'un atlas lunaire.

PEKALONGAN, v. d'Indonésie, près de la côte nord de l'île de Java; 112 000 hab.

PÉKIN, en chin. **Pei-king** ou **Beijing,** capit. de la Chine; 7 500 000 hab.

GÉOGRAPHIE. Pékin (« capitale du Nord ») constitue une municipalité urbaine autonome, couvrant 17 800 km², directement administrée par le gouvernement, placée dans une situation de contact entre le foyer industriel de Mandchourie, au N.-E., le front pionnier du plateau mongol, au N., et la région houillère du Chan-si, à l'O. Capitale politique et administrative, elle s'est fortement industrialisée depuis 1949 avec le développement du textile, des constructions mécaniques et de la chimie. Elle est constituée de trois ensembles concentriques. La « Ville murée » traditionnelle, couvrant seulement 60 km², juxtapose la « Ville intérieure » (englobant la Cité impériale, qui renferme elle-même la « Ville pourpre interdite »), du XVe s., et la « Ville extérieure » (possédant des espaces verts : parcs du temple du Ciel), du XVIe s. Elle est bordée par trois arrondissements urbains (couvrant environ 1 350 km²), où se concentre la majeure partie des installations industrielles, universitaires, les ambassades et l'aéroport. Le peuplement est moins dense dans les faubourgs, troisième élément de la municipalité, où se concentre une notable activité agricole destinée surtout à satisfaire les besoins de la capitale, mais qui renferme aussi des établissements d'enseignement supérieur (au N.-O.).

HISTOIRE. Pékin est connue comme la capitale de l'État de Yan dès le Ve s. av. J.-C. Mais, jusqu'au Xe s., la région reste une « marche » septentrionale de la Chine. La ville ne prend son essor qu'au XIIIe s., quand les Mongols s'y installent. Reconquise en 1368 par le premier empereur Ming*, elle ne devient officiellement capitale, sous le nom de *Pei-king* (« capitale du Nord »), qu'au début du XVe s. Désormais et jusqu'au XXe s., elle est à la fois le siège de la bureaucratie d'État et la capitale intellectuelle de la Chine; en même temps, elle est le centre d'un artisanat de luxe.

La ville est occupée en 1860 par les Franco-Anglais et en 1901, à l'occasion de la guerre des Boxers, par un corps international. Prise par les Japonais en 1937, libérée en 1945, elle ne reprend son rang de capitale que lors de sa conquête par les armées de la Chine populaire, en 1949.

BEAUX-ARTS. Après la conquête mongole, la ville fut retracée selon un axe nord-sud et elle a peu changé depuis. Le palais impérial, ou Cité interdite, commencé en 1406, rénové et reconstruit du XIVe au XIXe s., forme un vaste rectangle entouré d'un mur et d'un fossé, où se succèdent cours et bâtiments le long d'un axe central et suivant une ordonnance rythmée qui en fait un ensemble admirable par l'homogénéité du style et le jeu des couleurs. Des temples impériaux, seul subsiste le temple du Ciel, édifié en 1420 et restauré; il comprend un autel circulaire relié par une large chaussée au temple; ses édifices, aux toits bleus incurvés, en font une parfaite illustration de la conception monumentale chinoise.

PEKKANEN (Toivo), écrivain finlandais (Kotka 1902 - Copenhague 1957), l'un des principaux représentants du roman prolétarien (*A l'ombre de l'usine,* 1932).

PELADE. — La *pelade en plaques* forme plusieurs plaques arrondies, et glabres sur le cuir chevelu ou la barbe; la repousse est constante et est favorisée par les thérapeutiques locales. La *pelade décalvante totale* rend glabre tout le crâne; les cils, les sourcils, les poils du corps peuvent tomber aussi; la repousse est difficile à obtenir, et les récidives sont fréquentes. Un traumatisme psychoaffectif est souvent à l'origine des deux types de pelade.

PELAGE. — Le pelage, appelé *fourrure* lorsqu'il est utilisable dans les industries de vêtement, est l'ensemble des poils d'un mammifère. On y distingue souvent au moins deux types de poils différents : le *duvet,* fin, souple et serré, et les *jarres,* longs, raides et plus espacés. Les mammifères des régions froides présentent des mues saisonnières, le pelage d'hiver étant souvent blanc et épais. L'ornementation (bandes ou taches) est caractéristique des espèces, bien plus que la couleur. Une mutation donne à certains individus un pelage blanc dans la plupart des espèces de mammifères : c'est l'*albinisme.* Hormis les cas de ce genre, le pelage est très souvent apte à dissimuler l'animal dans son milieu habituel. Il est très fréquent que le ventre soit moins coloré que le dos et les flancs. Rares sont les espèces de mammifères chez lesquelles le pelage devient épineux (hérisson, porc-épic), écailleux (pangolin), restreint (espèce humaine) ou inexistant (mammifères aquatiques : baleine, dauphin).

PÉLAGE → PÉLAGIANISME.

PÉLAGE Ier (Rome v. 500 - *id.* 561), pape de 556 à 561. Issu d'une famille de l'aristocratie romaine, archidiacre de Rome, il fut apocrisiaire à Constantinople (536-547) et prit une part importante à la condamnation de l'origénisme (543). Il fut interné pour avoir pris la défense des « trois chapitres ». Il dut à Justinien sa nomination comme successeur du pape Vigile († 555) et ne put s'imposer à Rome que grâce au concours de Narsès.

Pékin. L'avenue Tian'anmen, grande artère située dans la « Ville intérieure ».

Goure - A. A. A.

PÉLAGE II → PAPE.

PÉLAGE († 737), roi des Asturies. Sa victoire sur les Arabes en 718 marque le début de la Reconquista*.

PÉLAGIANISME. — Pélage, moine de Grande-Bretagne (v. 360-422), fixé à Rome vers 384 puis, après le sac de Rome par Alaric* en 410, passé en Égypte et finalement en Palestine, enseigna une doctrine qui minimisait le rôle de la grâce et exaltait le primat et l'efficacité de l'effort personnel. La grâce divine ne joue, selon Pélage, qu'un rôle d'adjuvant; le péché d'Adam n'aurait affecté qu'Adam et non toute l'humanité, et se réduit à un mauvais exemple. Cette doctrine trouva en saint Augustin* un adversaire redoutable. Une forme adoucie de pélagianisme, dite *semi-pélagianisme,* sera également rejetée comme hérétique.

PÉLARGONIUM → GÉRANIACÉES.

PÉLASGES, habitants préhellènes de la Grèce, selon la tradition grecque. On ne sait à quelle réalité historique répond cette dénomination. On trouve les Pélasges mentionnés dans Homère* et dans Hérodote*.

PELÉ (Edson Arantes DO NASCIMENTO, dit), footballeur brésilien (Très Coraçōes, Minas Gerais, 1940). Sans doute le meilleur footballeur de tous les temps, triple vainqueur de la Coupe du monde (1958, 1962 [blessé, il ne participa pas à la finale] et 1970), il alliait une technique irréprochable à un sens du but et à un opportunisme qui faisaient de lui un danger constant pour les défenses adverses. Véritable « chasseur de buts », merveilleux soliste, il savait aussi se transformer en meneur de jeu, au service de l'équipe nationale et de son club, Santos.

PELÉE *(montagne),* sommet volcanique (1 397 m) du nord de l'île de la Martinique, dont l'éruption, en 1902, détruisit Saint-Pierre*.

PELÉEN → VOLCAN.

PÈLERIN (criquet) → CRIQUET.

PÈLERIN de Maricourt (Pierre LE), savant et philosophe français (né à Maricourt au XIIIe s.). Dans une lettre publiée pour la première fois en 1558, il a posé en même temps les bases du magnétisme et de la méthode expérimentale.

PÈLERINAGE. — Toutes les religions possèdent des hauts lieux de piété où leurs fidèles se rendent en pèlerinage. Les Grecs avaient Delphes*, Épidaure, Dodone, les Égyptiens le temple d'Amon; les musulmans ont La Mecque*, les hindous Bénarès... Le christianisme a toujours été riche en pèlerinages : Jérusalem, Rome et, au Moyen Âge, Saint-Jacques*-de-Compostelle. À l'époque moderne, les pèlerinages ont connu, chez les catholiques, un fort regain, qu'il s'agisse du culte du Sacré-Cœur (Montmartre, Paray-le-Monial), de celui d'un saint ou d'une sainte (Lisieux), ou surtout du culte marial (Chartres, La Salette, Lourdes*, Pontmain, Fátima*...).

Pèlerinage à l'île de Cythère, titre aujourd'hui donné à une toile de Watteau longtemps appelée *l'Embarquement pour Cythère,* morceau de réception de l'artiste à l'Académie (1717, 129 × 194 cm, Louvre). Chef-d'œuvre de la « fête galante », cette peinture évoquerait, dans un automne blond, vaporeux, encore idyllique, la mélancolie des couples quittant un à un Cythère, havre de l'amour et symbole de la vie humaine. Réplique à Berlin.

PELETIER (Jacques), écrivain français (Le Mans 1517 - Paris 1582), l'un des poètes de la Pléiade* et auteur d'un *Art poétique français* (1555).

PÉLIADE → VIPÈRE.

PÉLICAN. — Cet oiseau aquatique possède deux particularités : ses doigts réunis tous les quatre par une palmure et le vaste sac « à provisions » de son bec inférieur, dans lequel il rapporte des poissons à sa nichée. Il a la taille et la forme d'une oie.

PELIGOT (Eugène Melchior), chimiste français (Paris 1811 - *id.* 1890). Il établit avec J.-B. Dumas les propriétés de la fonction alcool (1835) et découvrit l'uranium métallique (1841).

PELINDABA, localité de l'Afrique du Sud (Transvaal), près de Pretoria. Centre nucléaire.

PÉLISSANNE (13330), comm. des Bouches-du-Rhône, à 5 km à l'E. de Salon-de-Provence; 5 155 hab.

PÉLISSIER (Aimable), duc **de Malakoff,** maréchal de France (Maromme 1794 - Alger 1864). Successeur de Canrobert à la tête de l'armée française de Crimée, il prit Malakoff, ce qui entraîna la chute de Sébastopol (1855). Ambassadeur à Londres (1858), il fut gouverneur de l'Algérie de 1860 à sa mort.

PELLA, anc. ville de Macédoine, capitale du royaume du Ve s. av. J.-C. à 168 av. J.-C. Sa décadence commence avec la conquête romaine. — Son dégagement systématique depuis 1957 autorise l'étude de son architecture domestique; ses beaux pavements mosaïqués — réalisés au moyen de galets aux tons naturels, subtilement disposés —, permettent d'imaginer les grandes réalisations hellénistiques dans le domaine pictural.

PELLA, anc. ville de Palestine, en Transjordanie. La communauté chrétienne s'y réfugia lors de la première révolte juive (66-70 apr. J.-C.). La retraite à Pella marque dans l'histoire du christianisme primitif la fin de la prééminence de l'Église de Jérusalem.

PELLAGRE. — Ce déficit en vitamine PP (ou B 3) peut être dû à une carence d'apport chez les populations à régime pauvre et déséquilibré, à une carence d'absorption (gastrectomies, diarrhées), à une carence d'utilisation (alcooliques). La pellagre débute généralement après une exposition solaire. Elle se manifeste par des signes cutanés (érythème et desquamation) et digestifs (stomatite, gastrite, entérocolite); des troubles psychiques, des céphalées, des vertiges et de l'anxiété peuvent aboutir à un tableau de démence totale. Le traitement est à la fois diététique et vitaminique.

PELLAN (Alfred), peintre canadien (Québec 1906). Son installation à Montréal en 1940, après qu'il eut travaillé en France, a contribué à l'essor d'un art moderne avancé dans cette ville. Il a donné des décors de théâtre et des cartons de tapisseries.

Telarci - Giraudon

Pèlerinage à l'île de Cythère (1717), de Watteau. (Musée du Louvre, Paris.)

Pelléas et Mélisande, drame lyrique en cinq actes, tiré de l'œuvre de Maurice Maeterlinck, musique de Claude Debussy (1902). Ce chef-d'œuvre, qui valut à son auteur la célébrité, est en violent contraste avec l'esthétique de Wagner, malgré ses motifs conducteurs et son déroulement symphonique continu, et s'oppose tout autant, par son récitatif infini, modelé étroitement sur la langue française, à celle du bel canto. Paradoxalement, il tire son efficacité dramatique du refus de l'effet et reste une source d'émerveillement aussi bien par son atmosphère crépusculaire que par la souplesse de son langage harmonique et rythmique.

PELLEGRUE (33790), ch.-l. de cant. de la Gironde, à 26 km au N.-N.-E. de La Réole; 1 144 hab.

PELLERIN (Le) [44640], ch.-l. de cant. de la Loire-Atlantique, sur la rive sud de la Loire, à 20 km à l'O. de Nantes; 3 013 hab.

PELLERIN (Jean Charles), imprimeur et marchand d'images français (Épinal 1756-*id.* 1836). Fils d'un marchand cartier, il ne semble commencer à publier des images populaires que sous l'Empire, surtout à partir de 1809. Son fils NICOLAS (né en 1793) l'aide bientôt à diriger une importante fabrique. Celle-ci a cent ouvriers vers 1830-1835, époque où son dessinateur en chef, François Georgin, donne, en alternance avec des sujets religieux, la vingtaine de sujets napoléoniens qui la rendront célèbre.

PELLETIER (Pierre Joseph), chimiste et pharmacien français (Paris 1788-Clichy-la-Garenne 1842). En collaboration avec Caventou*, il a découvert la strychnine (1818), la brucine (1819), la vératrine et la quinine (1820).

PELLETIER-DOISY (Georges), général aviateur français (Auch 1892-Marrakech 1953). Surnommé PIVOLO, il fut un pionnier des grandes lignes aériennes, notamment celle de Paris à Tōkyō en 1924.

PELLICER (Carlos), poète mexicain (Mexico 1899-*id.* 1977). Influencé par le surréalisme, il évoque la nature tropicale et les mythes précolombiens (*Couleurs sur la mer,* 1921; *Pratique du vol,* 1956).

PELLICO (Silvio), écrivain italien (Saluces 1789-Turin 1854). Libéral, auteur de tragédies célèbres pour leurs allusions patriotiques (*Francesca da Rimini,* 1815), il fut soupçonné de sympathie pour les carbonari et emprisonné au Spielberg (1822-1830). Ses Mémoires (*Mes prisons,* 1832), dans lesquels il montre comment la souffrance le fit revenir aux croyances chrétiennes de sa jeunesse, gagnèrent nombre d'esprits à la cause des patriotes italiens.

PELLICULE *(Méd.)* → DESQUAMATION.

PELLICULE *(Photogr.).* — Un film cinématographique comprend une couche antihalo, un support, le substratum, l'émulsion et une couche de gélatine antiabrasive. À l'origine, la pellicule était en Celluloïd pur. Mais, devant les dangers que présentait le nitrate de cellulose (produit inflammable et pourvu de propriétés explosives et asphyxiantes par dégagement de vapeurs nitreuses), des recherches furent entreprises pour éviter tout risque d'accident. Après divers essais (notamment avec l'acétate de cellulose) peu concluants, un nouveau support dit « de sécurité » (ou safety film) fut internationalement adopté (il est obligatoire depuis 1951). Ses bases sont des triacétates de cellulose, alliés à des plastifiants qui augmentent la souplesse et la résistance de la pellicule.

PELLISSON (Paul), écrivain français (Béziers 1624-Paris 1693). Défenseur de Fouquet, il fut embastillé. Devenu historiographe de Louis XIV, il rédigea une *Histoire de l'Académie française.*

PELLOUTIER (Fernand), syndicaliste français (Paris 1868-Sèvres 1901). Un moment gagné au guesdisme, il entre en contact avec les milieux anarchistes et fait sienne l'idée de grève générale. Secrétaire de la Fédération des Bourses du travail (1895), il lance une revue d'économie sociale, *l'Ouvrier des deux mondes.*

PÉLOPIDAS, homme d'État et général thébain (v. 420-Cynoscéphales 364 av. J.-C.). Réfugié à Athènes après l'occupation spartiate en 382, il concourut, avec Épaminondas*, à libérer Thèbes du joug lacédémonien.

PÉLOPONNÈSE, presqu'île du sud de la Grèce, rattachée au continent par l'isthme de Corinthe. Formée de l'Argolide, de l'Arcadie, de l'Achaïe, de l'Élide, de la Laconie et de la Messénie, le Péloponnèse couvre 21 439 km² et compte 987 000 habitants. En majeure partie montagneux, il se dépeuple avec le recul de l'économie rurale (fondée sur le petit élevage et les cultures des céréales et de l'olivier), insuffisamment compensée par le développement d'une industrie présente presque exclusivement à Patras, la seule ville notable, et par l'essor du tourisme culturel, favorisé par la qualité des vestiges du passé et aussi par le climat, rude en hiver, mais chaud et ensoleillé en été. — Au IIe millénaire le Péloponnèse est le centre de la brillante civilisation mycénienne*. Son histoire, à l'époque classique, se confond avec l'histoire de Sparte* et de la Grèce. Le démembrement de l'Empire byzantin* fera du Péloponnèse le despotat de Morée (v. MISTRA [*despotat de*]).

Péloponnèse *(guerre du),* conflit qui opposa Sparte* et Athènes* de 431 à 404 av. J.-C. et dont l'enjeu était l'hégémonie sur le monde grec. Dans un premier temps (431-421), les belligérants ravagent réciproquement le territoire ennemi; la lutte confuse mais acharnée se termine par la paix de Nicias*, qui n'est qu'une trêve. Au cours de la seconde période (421-413), après quelques années de guerre larvée, les hostilités reprennent en 415 avec la malheureuse expédition de Sicile, qu'Alcibiade*, qui l'a voulue, s'acharne à faire échouer; l'aventure se termine en 413 par l'écrasement de l'armée athénienne devant Syracuse*, à qui Sparte a envoyé de l'aide. La troisième période (413-404) marque la fin du conflit et la chute d'Athènes. Un corps expéditionnaire spartiate s'établit en Attique et occupe la forteresse de Décélie, d'où les Lacédémoniens lancent sans répit des attaques sur le territoire athénien. Malgré les quelques succès d'Alcibiade, rentré provisoirement en grâce (408), Sparte réussit à reconstituer sa flotte grâce aux subsides du roi des Perses; le navarque lacédémonien Lysandre*, sans adversaire à sa taille après l'exil d'Alcibiade (407), anéantit à l'embouchure de l'Aigos*-Potamos (405) la puissance militaire athénienne. En 404, Athènes, assiégée et affamée, doit accepter une paix humiliante, qui la prive de son empire et consacre le triomphe de Sparte.

Péloponnésienne *(ligue),* symmachie (association politico-militaire) constituée par Sparte* avec certaines cités grecques du Péloponnèse* dans la seconde moitié du VIe s. av. J.-C. La ligue joua un rôle important dans les guerres médiques* et la guerre du Péloponnèse*. L'affaiblissement de la suprématie de Sparte amena sa disparition au milieu du IVe s.

PÉLOPS, héros légendaire grec, père d'Atrée et de Thyeste (v. ATRIDES), ancêtre éponyme du Péloponnèse.

PELOTAS, v. du sud du Brésil (Rio Grande do Sul); 208 000 hab. Industries alimentaires.

PELOUZE (Théophile Jules), chimiste et pharmacien français (Valognes 1807-Paris 1867). Il étudia avec Cahours* la constitution des pétroles, imagina une méthode de synthèse des acides organiques et découvrit les nitriles en 1834.

PELTIER (Jean), physicien français (Ham 1785-Paris 1845). En 1834, il découvrit l'effet calorifique produit par le passage du courant d'un métal dans un autre *(effet* Peltier).* Il mesura la température de l'eau en caléfaction.

PELTON (Lester Allen), ingénieur américain (Vermilion, Ohio, 1829-Oakland 1908). Il inventa la turbine hydraulique à action qui porte son nom. Cette turbine est constituée par une roue munie d'augets périphériques qui, recevant d'un injecteur un jet d'eau à très grande vitesse, transforment l'énergie cinétique de ce dernier en énergie mécanique.

PÉLUSE, ville de l'Égypte ancienne, à l'extrémité orientale du Delta. En 525 av. J.-C., Cambyse II* y remporta sur Psammétik III une victoire qui lui assura la maîtrise de l'Égypte. Florissante sous l'Empire romain, Péluse fut ruinée lors des croisades.

PÉLUSSIN (42410), ch.-l. de cant. de la Loire, au pied du mont Pilat, à 24 km au S.-O. de Vienne; 2 755 hab.

PELVOUX, haut massif cristallin des Alpes françaises, aux confins des départements de l'Isère et des Hautes-Alpes; 4 103 m à la *barre des Écrins.*

PEMATANG SIANTAR, v. d'Indonésie, dans le nord-ouest de Sumatra; 129 000 hab.

PEMBA, île de Tanzanie, dans l'océan Indien, au N. de Zanzibar*; 984 km²; 164 000 hab. Ch.-l. *Chake Chake.* Culture du giroflier.

PEMPHIGUS. — Parmi les différents pemphigus, citons : le *pemphigus vulgaire,* affection rare, caractérisée par des bulles profuses, survenant en peau saine, atteignant également les muqueuses; son évolution était mortelle à court terme jusqu'à l'apparition de la corticothérapie, qui en a transformé le pronostic; le *pemphigus épidémique du nourrisson,* qui est une éruption bulleuse due au staphylocoque doré; le *pemphigus syphilitique,* qui est marqué par des lésions bulleuses palmoplantaires.

PENANG, État de la Malaysia, en Malaisie, comprenant l'*île de Penang.* Capit. *Penang* (anc. George Town) [270 000 hab.].

PEÑARROYA-PUEBLONUEVO, v. d'Espagne, en Andalousie, dans la sierra Morena, au N.-O. de Cordoue; 24 000 hab. Industrie métallurgique et chimique.

PÉNATES. — Les pénates étaient, chez les Romains, les divinités protectrices du foyer, d'où leur union avec Vesta*, elle aussi déesse du Foyer. Ils étaient volontiers associés au lare*, avec lequel ils étaient honorés dans une chapelle spéciale, le laraire. Au nombre de deux, les pénates veillaient sur les provisions de bouche *(penus)* et, plus généralement, sur le bien-être de la maison et de ses habitants. Il existait aussi des pénates publics, protecteurs de l'État : ils possédaient un culte à Lanuvium, à Albe et à Rome (dans le temple de Vesta).

PENCK (Albrecht), géographe allemand (Leipzig 1858-Prague 1945). Il a défini les quatre glaciations des Alpes à l'ère quaternaire.

PENDERECKI (Krzysztof), compositeur polonais (Dębica 1933). Chef de file de l'école polonaise contemporaine, il se fit connaître sur le plan international en 1960 avec *Anaklasis* pour cordes et percussion, pièce illustrant à merveille le style à la fois pointilliste et tachiste qui devait se développer par la suite dans son pays. Suivirent notamment *Threnos* « à la mémoire des victimes d'Hiroshima » pour 52 cordes et *Fluorescences* pour grand orchestre. Avec la *Passion selon saint Luc* (1963-1965), il s'orienta vers un style éclectique teinté de néoromantisme, qui est le fait également de l'opéra *les Diables de Loudun* (1968-69). *Utrenja* (ou *Messe russe*) est une vaste fresque chantée en vieux slavon.

PENDJAB, région de l'Asie, partagée entre l'Inde et le Pākistān.

GÉOGRAPHIE. Le Pendjab est limité à l'O. par la vallée de l'Indus, au N. par les chaînes prolongeant l'Himālaya, à l'E. par la vallée de la Jamna et au S. par le désert de Thar. Il correspond au piémont formé par les alluvions des cinq rivières (Pendjab signifie « Pays des cinq rivières ») affluents de l'Indus : la Jhelam, la Chenāb, la Rāvi, la Biās et la Sutlej. Le climat est assez sec; les précipitations, variant entre 300 et 600 mm, décroissent vers l'O. La mise en valeur agricole (blé) a été permise par l'irrigation.

Le *Pendjab indien* forme un État de la fédération (50 362 km^2; 13 551 000 hab.; capit. *Chandigarh*), peuplé surtout de sikhs et dont Amritsar, Ludhiāna et Jullundur sont les principales villes. Le *Pendjab pakistanais* constitue une province (206 012 km^2) qui, groupant de 35 à 40 millions d'habitants, est de loin la plus peuplée et la plus active du pays; Lahore et la nouvelle capitale, Islāmābād, sont situées dans cette partie du Pendjab.

HISTOIRE. Étape de choix au débouché des grandes passes, le Pendjab est traditionnellement la route des invasions. La civilisation de l'Indus*, détruite par les Aryens, s'y développa de 3000 à 1700 av. J.-C. À partir du XVIe s., l'histoire du Pendjab s'identifie avec celle des sikhs*, secte fondée par le guru Nānak : il s'agit d'un essai de synthèse entre hindouisme et islām en même temps qu'une réaction contre un brahmanisme trop rigide. Persécutés par Aurangzeb, les sikhs se transforment en redoutable communauté guerrière. Leur passion de la liberté provoque une véritable indépendance de fait du Pendjab, dernière puissance indienne avec laquelle les conquérants britanniques doivent compter. Mais, après le règne glorieux de Ranjīt Singh (1780-1839), l'anarchie s'installe : les Britanniques, au prix de deux guerres sikhs très dures (1845-1849), annexent le pays.

La partition de 1947 brise l'unité du Pendjab, partagé entre l'Inde et le Pākistān.

PENDULE *(Phys.).* — Le *pendule pesant,* ou *pendule composé,* est formé par un solide quelconque, mobile autour d'un axe horizontal et soumis à son poids. Le *pendule simple,* dont on ne peut obtenir qu'une réalisation approchée, est composé d'un point matériel pesant, suspendu à un point fixe par un fil sans masse, rigide et inextensible.

Le pendule est en équilibre stable lorsque la verticale de son centre de gravité G passe par le point ou l'axe de suspension O, G étant au-dessous de O. Lorsque, à partir de cette position, on l'écarte d'un angle aigu α, son poids mg tend à le ramener à cette position. Si le pendule est alors abandonné à lui-même, il prend un mouvement oscillatoire périodique d'amplitude α. Lorsque cet angle α est assez petit, on peut le confondre avec son sinus; le moment de la force agissante est alors proportionnel à l'angle d'écart, et le mouvement du pendule est sinusoïdal. L'élongation θ est donnée en fonction de l'amplitude α et de la période T par la formule $\theta = \alpha \sin \frac{2\pi t}{T}$. La période du mouvement est $T = 2\pi\sqrt{\frac{I}{mga}}$, I étant le moment d'inertie du pendule par rapport à l'axe de suspension. Dans le cas du pendule simple, cette formule devient $T = 2\pi\sqrt{\frac{l}{g}}$, l étant la longueur du pendule. On voit que cette période ne dépend pas de l'amplitude; c'est la loi de l'isochronisme des petites oscillations.

Pratiquement, à cause de la résistance de l'air et des frottements des supports, les oscillations s'amortissent progressivement.

PÉNÉE (le), nom de deux fleuves de Grèce. Le premier (200 km), né dans le Pinde, draine la Thessalie avant de rejoindre la mer Égée. Le second (80 km), coulant dans le nord-ouest du Péloponnèse, se jette dans la mer Ionienne.

PÉNÉLOPE, héroïne de la mythologie grecque, épouse d'Ulysse*, mère de Télémaque*. Elle est le symbole de la fidélité conjugale.

Pénélope, opéra en trois actes, poème de R. Fauchois, musique de G. Fauré (1913). Cette partition s'impose par une mélodie d'un intense lyrisme et d'une vibrante ardeur (stances de Pénélope, scène de l'arc).

PENG-POU ou **BENGBU,** v. de Chine (Ngan-houei), au N.-O. de Nankin; 253 000 hab.

PÉNICAUD (Léonard ou Nardon), émailleur français († v. 1542), mentionné en 1493, consul à Limoges en 1513, premier peintre sur émail limougeaud identifié (*Crucifixion* de 1503, musée de Cluny; *Couronnement de la Vierge,* panneau central d'un triptyque, polychrome à dominante de bleu profond, Louvre). Son atelier, maintenu tout au long du XVIe s. par ses parents Jean Ier, II et III ainsi que Pierre, est parmi les premiers (v. 1535) à peindre en grisaille, ce qui crée un effet de bas-relief; à la même époque, les gravures italiennes (Raimondi) tendent à se substituer comme modèles aux allemandes (Dürer).

PÉNICILLINE. — Découvert par A. Fleming en 1928, le premier antibiotique fongique ne fut isolé, produit industriellement et utilisé en thérapeutique qu'en 1941-42 grâce aux travaux de E. B. Chain et de H. W. Florey. Il existe plusieurs pénicillines naturelles (F, G, V, K), la plus couramment employée étant la pénicilline G. Des modifications de la formule chimique ont permis d'obtenir des produits semi-synthétiques doués d'action prolongée (pénicillines retard) ou particulièrement actifs sur certains germes, tel le staphylocoque (oxacilline), ou encore agissant sur un large spectre microbien (ampicilline), s'étendant des bactéries Gram + aux bactéries Gram −.

PÉNIS → PHALLUS et VERGE.

PÉNITENCE. — Ce sacrement* est pour les catholiques celui de la conversion et du retour à Dieu. La discipline de la pénitence s'est organisée peu à peu au cours de l'histoire de l'Église. L'enseignement théologique actuel essaie de dégager la pénitence du légalisme, de l'orienter dans un sens communautaire, car le péché non seulement atteint la personne du pécheur, mais aussi obère l'ensemble de la communauté chrétienne.

PEN-K'I ou **BENQI** ou **BENXI,** v. de la Chine du Nord-Est (Leao-ning); 530 000 hab. Centre houiller et sidérurgique. Centrale thermique.

PENMARCH (29132), comm. du Finistère, près de la *pointe de Penmarch* (site du phare d'Eckmühl), à 30 km au S.-O. de Quimper; 6 921 hab. Église gothique (XVIe s.). Pêche. Conserveries.

PENN (William), quaker anglais (Londres 1644-Field Ruscombe 1718). Fuyant avec les quakers* la persécution anglicane, il obtient de Charles II la concession du territoire américain qui sera la Pennsylvanie* (1681). Fondateur de Philadelphie*, il dote la Pennsylvanie, dont il veut faire un *Holy Experiment* (expérience sacrée), d'institutions tolérantes et pacifiques.

PENN (Arthur), cinéaste américain (Philadelphie 1922). Il s'est imposé comme l'un des meilleurs réalisateurs américains parmi ceux qui débutèrent à la fin des années 50 : *le Gaucher* (1958), *Miracle en Alabama* (1961), *la Poursuite impitoyable* (1965), *Bonnie and Clyde* (1967), *Little Big Man* (1970), *la Fugue* (1974), *The Missouri Breaks* (1976).

PENNE-D'AGENAIS (47140), ch.-l. de cant. de Lot-et-Garonne, à 10 km à l'E. de Villeneuve-sur-Lot; 1 957 hab. Ruines féodales.

PENNES-MIRABEAU (Les) [13170 La Gavotte], comm. des Bouches-du-Rhône, à 15 km au N. de Marseille; 15 040 hab.

PENNE-SUR-HUVEAUNE (La) [13400 Aubagne], comm. des Bouches-du-Rhône, à 12 km à l'E. de Marseille; 5 095 hab.

PENNINES (les), ligne de hauteurs (881 m au Cross Fell) du nord de l'Angleterre, étirée du N. au S. des monts Cheviot (à la frontière écossaise) aux Midlands (région de Birmingham). Domaine d'un élevage extensif de bovins et surtout d'ovins, les Pennines, chaîne primaire, sont frangées de bassins houillers (Lancashire à l'O., Yorkshire et Durham à l'E.).

PENNSYLVANIE, en angl. **Pennsylvania,** État du nord-est des États-Unis; 117 412 km^2; 11 794 000 hab. Capit. *Harrisburg.*

GÉOGRAPHIE. Entre le lac Érié et l'Atlantique (atteint par une étroite plaine côtière), l'État s'étend en majeure partie sur les Appalaches*, juxtaposant plateaux, vallées et moyennes montagnes. La situation sur l'Atlantique explique l'ancienneté du peuplement, la richesse en charbon (et autrefois en pétrole), l'urbanisation et l'industrialisation. La production de charbon dépasse aujourd'hui encore 80 Mt et alimente une sidérurgie très importante (plus de 30 Mt d'acier), qui, à son tour, a favorisé l'essor de la métallurgie de transformation. Les quatre cinquièmes de la population sont urbanisés. Les deux agglomérations majeures de l'Est (Philadelphie) et de l'Ouest (Pittsburgh) regroupent ensemble plus de la moitié de la population totale de l'État, où la part des Noirs, sollicités par l'industrie (au dynamisme réduit aujourd'hui), a considérablement augmenté depuis le début du siècle.

HISTOIRE. Fondée en 1681 par William Penn*, cette colonie modèle attire d'Angleterre et du pays de Galles de nombreux quakers*, auxquels viennent se joindre une foule de sectateurs persécutés de l'Europe centrale (frères moraves, mennonites). La Pennsylvanie devient rapidement le grenier à blé et la grande réserve de bois de l'Amérique anglo-saxonne; en même temps, grâce notamment à Benjamin Franklin*, elle est un foyer intense de vie culturelle. Dès 1776, elle adopte une constitution démocratique; dès lors, avec Philadelphie, elle joue un rôle éminent dans la révolution qui aboutit à l'indépendance* américaine.

PÉNOMBRE → OMBRE.

PENSÉE *(Bot.).* — Peu différente de la violette*, cette plante a toutefois des pétales plus grands, plus étalés et plus diversement colorés, surtout dans les variétés horticoles.

PENSÉE *(Philos.).* — Valorisant la pensée comme phénomène spécifiquement humain, les Grecs désignaient par « logos » la nécessité de fixer ce qui flotte et de faire durer ce qui s'évanouit. Ils présupposaient ainsi l'existence d'un sens à ordonner, à fixer, à classer, à distribuer. De ce point de vue, qui constitue le fondement de la culture occidentale, il faut reconnaître l'existence d'une « pensée sauvage » qui classe les choses et les êtres en fonction de leurs vertus curatives, de leurs couleurs et de leurs odeurs. Si de Descartes à la psychologie incluse, la pensée est avant tout subjectivité, elle est aujourd'hui (après Marx*, Nietzsche*, Freud*, l'épistémologie* et les sciences humaines*) moins la faculté d'un sujet que le lieu où s'articule le langage*, par lequel le monde devient intelligible.

Pensée sauvage *(la),* œuvre de C. Lévi-Strauss (1962), dans laquelle il refuse l'opposition traditionnelle entre mentalité « primitive » et mentalité « civilisée », et démontre que la pensée des peuples non atteints par la civilisation industrielle, dits « primitifs », est d'une logique de style classique (classificatoire, binaire, etc.).

Pensées, de Pascal, titre sous lequel ont été publiées (1670), après sa mort, les notes que Pascal avait rédigées en vue d'un grand ouvrage consacré à l'*Apologie de la religion chrétienne.* La première partie devait démontrer la *misère de l'homme sans Dieu :* Pascal, s'inspirant souvent de Montaigne, y dénonce les innombrables faiblesses de la nature humaine. La seconde partie, plus théologique, cherche à faire connaître la *félicité de l'homme avec Dieu,* c'est-à-dire la vérité de la religion chrétienne.

PENSION → VIEILLESSE.

PENSION ALIMENTAIRE → ALIMENT.

PENTACRINE. — Aucun animal n'a des formes aussi semblables à celles d'une plante que la pentacrine (ou encrine, ou lis de mer), qui forme des « prairies » dans les grandes profondeurs océaniques. Ses crampons évoquent des racines, son pédoncule une tige rameuse, son calice, entouré de dix bras, une frondaison. Mais la symétrie d'ordre cinq, l'alimentation microphage, l'appareil à circulation d'eau de mer, le squelette, etc., apparentent ce « fossile vivant » (qui fut surabondant au secondaire) aux oursins et le font classer dans l'embranchement des échinodermes*.

Pentagone, édifice de Washington, ainsi nommé en raison de sa forme et qui abrite depuis 1942 l'état-major des armées et le ministère de la Défense des États-Unis.

Pentateuque, nom donné, dans la diaspora* grecque, vers le IIIe s. av. J.-C. (v. SEPTANTE), aux cinq premiers livres de la Bible : Genèse*, Exode*, Lévitique*, Nombres* et Deutéronome*. Les Juifs désignent ces cinq livres, qui présentent une unité littéraire certaine, sous le nom de *Torah* (la Loi), parce qu'ils contiennent l'essentiel de la législation israélite. La composition du Pentateuque, fusion de quatre traditions hébraïques d'âges différents, s'étend du IXe au IVe s. av. J.-C.

Pentecôte, fête juive et chrétienne. La Pentecôte juive, célébrée cinquante jours après la pâque (d'où son nom : *pentêkostê,* cinquantième), fut d'abord la fête des moissons; elle commémora par la suite la remise des Tables de la Loi à Moïse sur le Sinaï.

La Pentecôte chrétienne, historiquement liée à la Pentecôte juive, est devenue la fête de l'Esprit-Saint; selon les Actes* des Apôtres, c'est le jour de la Pentecôte juive que l'Esprit de Dieu descendit sur les Apôtres réunis au Cénacle et que ceux-ci commencèrent à prêcher l'évangile.

PENTECÔTISME. — Cette secte est née aux États-Unis au début du XXe s. Ses membres, fondamentalistes, acceptent l'infaillibilité littérale des Écritures et sont convaincus que les dons du Saint-Esprit — notamment la glossolalie — opèrent encore à l'âge moderne et que leur octroi à un croyant converti se signalerait par un baptême du Saint-Esprit et par des manifestations charismatiques.

PENTÉLIQUE (le), montagne de la Grèce, dans l'Attique, entre Athènes et Marathon, célèbre par ses carrières de marbre blanc.

PENTHIÈVRE, station balnéaire du Morbihan (comm. de Saint-Pierre-Quiberon*), à 9 km au N. de Quiberon.

PENTODE → TUBE ÉLECTRONIQUE.

PENZA, v. de l'U.R.S.S. (R.S.F.S. de Russie), au S.-E. de Moscou; 374 000 hab.

PEORIA, v. des États-Unis (Illinois), au S.-O. de Chicago; 127 000 hab. Matériel agricole et industries alimentaires.

PEPE (Guglielmo), général italien (Squillace 1783 - Turin 1855). Il dirigea l'insurrection napolitaine de 1820, mais fut vaincu à Rieti par les Autrichiens (1821).

PÉPIN de Herstal → MÉROVINGIENS.

PÉPIN le Bref (Jupille v. 715 - Saint-Denis 768), roi des Francs de 751 à 768. Second fils de Charles Martel, Pépin lui succède à la mairie du palais en même temps que son frère Carloman (741). Aussitôt les deux maires doivent faire face aux révoltes de Griffon, leur demi-frère (741), et des duchés limitrophes, et jugent prudent de rétablir un Mérovingien, Childéric III, tout en conservant pour eux la réalité du pouvoir. En 747, à la suite de l'abdication de Carloman, Pépin est le seul maître du *Regnum Francorum.* Il triomphe d'une nouvelle insurrection en Bavière (748-49), fomentée par Griffon, et prépare son accession au trône. C'est dans ce dessein qu'en 750 il obtient du pape Zacharie l'avis favorable qui lui permet de déposer Childéric III et de se faire élire roi des Francs par l'Assemblée des grands (751). Puisé dans la tradition judaïque, le sacre que lui confère saint Boniface fait de lui l'élu de Dieu et légitime son usurpation. Sollicité, trois ans plus tard, par le pape Étienne III, qui le sacre une seconde fois (754), Pépin bat Aistolf, roi des Lombards, et l'oblige à faire donation de l'exarchat de Ravenne à « Saint-Pierre » (756). Lorsqu'il meurt, son royaume, agrandi de la Septimanie, enlevée aux musulmans (752-759), et de l'Aquitaine, arrachée au duc Waifre (760-768), est partagé entre ses deux fils, Carloman et Charles (Charlemagne).

PEPSINE → DIGESTION.

PEPTONE → PROTIDE.

PEPYS (Samuel), écrivain anglais (Londres 1633 - Clapham 1703), auteur d'un *Journal* sur la vie à Londres de 1660 à 1669.

PERA, en turc **Beyoğlu,** quartier d'Istanbul.

PERAK, État de la Malaysia (Malaisie), sur le détroit de Malacca. Capit. *Ipoh.*

PERÇAGE. — Le perçage est utilisé pour l'usinage des ouvertures cylindriques de révolution, passantes ou borgnes, dans des matériaux les plus divers : métaux* et alliages*, bois, matières plastiques*, matières minérales (briques*, pierres*, béton*).

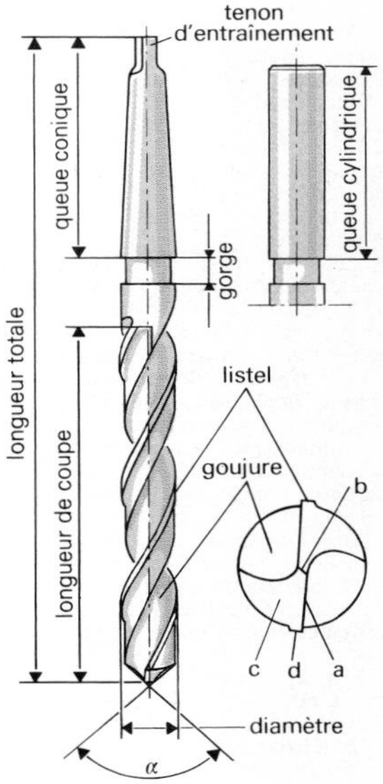

PERÇAGE
Foret de perçage : *a*) tranchant principal; *b*) tranchant transversal (noyau); *c*) face libre (surface en dépouille); *d*) hélice; α) angle de pointe dont la valeur, voisine de 120°, est fonction de la matière à percer (on donne généralement 140° pour l'acier dur, 120° pour l'acier, 100° pour les métaux malléables [aluminium, cuivre, etc.], de 40 à 80° pour les matières plastiques).

L'outil employé, appelé *foret,* comporte deux lèvres de coupe, en bout, et ressemble aux fraises cylindriques à queue, à deux tailles, avec deux tranchants en hélice. Généralement en acier rapide, parfois avec lèvres de coupe en carbure métallique pour le perçage des matières minérales, il est fixé dans un mandrin, solidaire de la broche d'une perceuse, d'une aléseuse ou d'une fraiseuse, son axe étant confondu avec l'axe de rotation de la broche. Le mouvement d'avance se fait suivant cet axe. Les perceuses *à percussion,* destinées au perçage des matières minérales, font tourner le foret tout en le soumettant à une succession ininterrompue de percussions, dans le sens de son axe.

PERCÉ *(rocher),* falaise creusée d'arches naturelles, de l'est du Canada (Québec), sur le littoral de la péninsule de Gaspésie.

PERCE-NEIGE. — Cette petite plante tôt fleurie (d'où son nom) provient d'un bulbe, d'où sortent, au-delà d'une longue gaine, deux ou trois feuilles dressées et une unique fleur blanche, aux sépales plus grands que les pétales. (Nom scientifique : *Galanthus nivalis;* famille des amaryllidacées.)

PERCEPTION. — La mise en question de la croyance naïve en l'existence d'objets extérieurs à l'homme suscite diverses recherches sur la perception. Toutes les investigations menées jusqu'à aujourd'hui se réfèrent à la notion de sujet*. Une perspective classique insiste sur la passivité du sujet percevant et sa réceptivité aux sollicitations du monde extérieur. Malgré leurs divergences, Épicure*, Berkeley*, Hume*, Condillac*, la psychologie de la forme* et le béhaviorisme* partagent ce point de vue. Une seconde perspective classique, que l'on pourrait dire « intellectualiste », inaugurée par Platon* et renouvelée par Kant* et Piaget*, met l'accent sur l'activité constructive d'un sujet logique. Enfin, une perspective moderne (Brentano*, Husserl*, Merleau*-Ponty) s'efforce de marquer la spécificité du percevoir (donc du sujet sensible) et de sa croyance en la réalité des objets extérieurs. La perception est ainsi située à la croisée de la psychologie et de la philosophie.

L'adaptation de tout organisme vivant à son environnement suppose le traitement, à différents niveaux, de l'information issue des stimulations qui en proviennent. La perception réside dans ce traitement de l'information. La discrimination d'un signal, l'identification d'un objet ou d'un événement attestent de la réalité de l'acte perceptif, qui ne peut être étudié scientifiquement qu'à partir des réactions qu'il déclenche. Les récepteurs sensoriels ne recueillent qu'un échantillon très réduit des stimulations, qui dépend de la structure du récepteur (c'est-à-dire de sa capacité d'excitabilité). Chaque espèce animale possède un type dominant de récepteur, en fonction duquel l'environnement s'organise : la vue chez l'homme, l'odorat chez le poisson, etc. Le champ sensoriel est hétérogène, ce qui permet d'y opérer des différenciations, car des ensembles s'en détachent en tant que figures *(Gestalt)* par rapport à un fond. Une ségrégation dépend d'un certain nombre de facteurs, mis en évidence par la théorie de la forme*, surtout en ce qui concerne la perception visuelle.

Une perception déclenchée par une stimulation est toujours dépendante du contexte perceptif, simultané ou successif, s'exerçant selon la même modalité sensorielle. Ainsi, depuis les travaux de J. Piaget*, on s'intéresse à l'interaction des éléments d'un même champ perceptif perçus simultanément *(effets de champ).* Piaget a montré qu'un stimulus précis sur lequel se porte l'attention était surestimé par rapport aux autres *(effet de centration).* Il s'agit d'un phénomène très général, qui rend compte, en particulier, des illusions optico-géométriques, comme celle de Müller-Lyer ou celle de Delbœuf. Comme tous les effets de champ, ces illusions sont maximales pendant l'enfance; elles diminuent quantitativement avec l'âge, mais elles conservent les mêmes propriétés qualitatives.

La perception n'est pas un phénomène mécanique soumis entièrement à la structure du champ sensoriel ou à celle du système nerveux. Elle dépend également des *activités perceptives* du sujet : c'est-à-dire de son dynamisme par rapport à l'objet, dans lequel entrent en ligne de compte son intelligence, son expérience antérieure et aussi sa personnalité. Les activités perceptives se traduisent par une exploration systématique et dirigée de la figure, et s'opposent aux effets de champ. En accumulant les points de centration du regard sur les parties significatives de la figure, elles compensent les effets de champ. Elles rendent compte des *constances perceptives :* en dépit des modifications apparentes du champ sensoriel dues à l'éloignement de l'objet, à ses changements de position ou d'éclairement, cet objet continue à être perçu avec sa grandeur, sa luminosité ou sa forme « réelle ». La perception visuelle ne peut donc être considérée comme une fonction simple et directe de l'image rétinienne.

La personnalité* du sujet, dans ses caractéristiques affectives, intervient aussi sur la perception, et c'est ce que démontre avec éclat le test de Rorschach*, dans lequel le sujet attribue à des stimuli visuels ambigus une signification qui est fonction de sa personnalité et de son histoire propres. Loin d'être une réception passive, la perception apparaît largement déterminée par le sens que revêt la situation pour le sujet.

Perceval *ou le Conte du Graal,* roman de Chrétien de Troyes (v. 1182), dernière œuvre du poète, restée inachevée. Perceval, élevé par sa mère dans la solitude, se voue cependant à la carrière des armes et parvient au château du roi Pécheur, où il assiste à la procession du Graal. Mais sa timidité l'empêche de poser la question libératrice et de parvenir à la vérité. Une suite de ce roman a été écrite au XIVe s. par Gerbert de Montreuil, et le poète allemand Wolfram von Eschenbach a repris le sujet dans son *Parzival,* qui inspira Wagner.

PERCHE *(Sport)* → ATHLÉTISME.

PERCHE *(Zool.).* — La perche est un poisson de référence pour le vaste ordre des percomorphes, et principalement pour la famille des percidés. C'est un poisson des rivières, à opercules et anale munis d'épines, à deux dorsales très différentes, dont la première est, elle aussi, fort épineuse. La perche porte des taches brunes sur le dos. C'est un carnivore redoutable. Ses voisins européens sont le sandre (qui se répand actuellement dans les fleuves de France), l'apron, plus petit, la grémille, aux deux dorsales soudées. Mais les États-Unis ont d'autres types de perches, formant la famille des centrarchidées : deux espèces de black-bass et la perche-soleil (importée avec succès en Europe). Ces poissons nidifient et protègent leurs alevins. Quant aux cichlidés des régions chaudes, à une seule dorsale, ils pratiquent l'« incubation buccale », c'est-à-dire que les alevins trouvent refuge dans la bouche des parents.

L'anabas du Sud-Est asiatique a été appelé « perche grimpeuse » : il peut, en effet, grâce à un appareil respiratoire particulier, demeurer plusieurs jours hors de l'eau et grimper dans les buissons.

Enfin des poissons aussi divers que le gourami, le combattant et l'archer (toxotes) ont de nombreux caractères de perches.

PERCHE (le), région de collines humides et boisées de l'ouest du Bassin parisien, partagée entre les départements de l'Orne et d'Eure-et-Loir, célèbre autrefois pour l'élevage des chevaux (percherons), partiellement reconvertie aujourd'hui vers celui des bovins. — Ancien fief du duché de Normandie, le Perche fut, du Xe au XIIIe s., aux mains d'une famille comtale, à l'extinction de laquelle Louis VIII prit possession du pays (1226).

PERCHE *(col de la),* col des Pyrénées-Orientales, entre le Conflent et la Cerdagne; 1 577 m.

PERCIER (Charles) → FONTAINE (Pierre).

PERCNOPTÈRE. — Ce nom désigne le vautour* blanc d'Égypte, actif nettoyeur des rues aux Indes, en Afrique et en Europe du Sud.

PERCUSSION *(Mécan.).* — Si, dans un système en mouvement, une force* de percussion est appliquée en l'un de ses points, on détermine son effet, qui se produit dans un temps très court, en considérant le système comme immobile durant ce temps, ce qui permet de négliger les autres forces et leurs actions; la percussion provoque un changement de vitesse v, donc de quantité de mouvement mv; d'après le théorème des quantités de mouvements, on a donc :

$$\Delta\left[m\,\frac{\mathrm{d}x}{\mathrm{d}t}\right] = \int_0^\theta \mathrm{X}\,\mathrm{d}t;\quad \Delta\left[m\,\frac{\mathrm{d}y}{\mathrm{d}t}\right] = \int_0^\theta \mathrm{Y}\,\mathrm{d}t;$$

$$\Delta\left[m\,\frac{\mathrm{d}z}{\mathrm{d}t}\right] = \int_0^\theta \mathrm{Z}\,\mathrm{d}t.$$

Le vecteur de composantes $\int_0^\theta \mathrm{X}\,\mathrm{d}t;\ \int_0^\theta \mathrm{Y}\,\mathrm{d}t;\ \int_0^\theta \mathrm{Z}\,\mathrm{d}t$ est l'*impulsion* de la force de percussion. La variation de la quantité de mouvement est égale à l'impulsion de la force de percussion, même s'il y a d'autres forces, car leur action est négligeable vis-à-vis d'une force de percussion. S'il y a plusieurs forces de percussion agissant sur le même point, la variation de la quantité de mouvement mv est égale à l'impulsion de leur résultante, même si leurs durées très courtes diffèrent. Quand on ajoute brusquement, dans un système, des liaisons persistantes, il y a une perte de force vive égale à la force vive qui correspond aux vitesses perdues ou gagnées. Le travail des forces vives est toujours négatif et a pour valeur $-\frac{1}{2}\Sigma m\,(u^2 + v^2 + w^2)$ avec $u = \frac{\mathrm{d}x}{\mathrm{d}t}$, $v = \frac{\mathrm{d}y}{\mathrm{d}t}$ et $w = \frac{\mathrm{d}z}{\mathrm{d}t}$. Le travail correspondant à une impulsion ne correspond pas à une quantité de travail bien déterminée : ce paradoxe apparent s'explique du fait que l'intégrale d'un vecteur force porte sur l'étendue d'un *parcours,* tandis que l'impulsion est une intégrale qui porte sur une *durée.*

PERCUSSION *(Méd.).* — Ce mode d'investigation, qui consiste à frapper une partie du corps avec un ou deux doigts, directement ou par l'intermédiaire des doigts de l'autre main, permet de délimiter des zones sonores (contenant de l'air comme le poumon, l'intestin) et des zones mates (organes pleins [foie, rate], épanchements liquides [péricardites, pleurésies, ascites]).

PERCUSSION *(Mus.)* → INSTRUMENTS DE MUSIQUE.

PERCY (50410), ch.-l. de cant. de la Manche, à 9,5 km au N. de Villedieu-les-Poêles; 2 269 hab.

PERDICCAS, général macédonien († 321 av. J.-C.), un des lieutenants (diadoques*) d'Alexandre* le Grand. Après la mort du conquérant, il essaya de conserver l'empire aux héritiers légitimes. En butte aux ambitions des autres diadoques, il fut assassiné.

PERDICCAS Ier, II, III → MACÉDOINE.

PERDITANCE. — La perditance d'une installation électrique est égale au quotient des pertes totales dans l'isolation par le carré de la valeur efficace de la tension alternative appliquée.

PERDRIX. — Gibier très recherché, la perdrix se présente en Europe sous trois formes : la *perdrix rouge,* de la taille d'un pigeon, peu douée pour le vol; la *bartavelle* des Alpes, devenue rare; la *perdrix grise,* aux mœurs familiales très remarquables. (Famille des phasianidés.)

PERDU *(mont),* en esp. **monte Perdido,** sommet des Pyrénées espagnoles (Aragón); 3 355 m.

PÈRE DE L'ÉGLISE. — Écrivains chrétiens de l'Antiquité, les Pères de l'Église, par leurs œuvres, la valeur de leur doctrine, la sainteté de leur vie et l'approbation de l'Église, furent des témoins et des docteurs de la foi chrétienne. L'époque patristique se termine en Occident avec Isidore* de Séville († 636) et en Orient avec Jean* Damascène († v. 750). C'est à partir du ve s. que le témoignage des Pères commença à être invoqué comme argument dans les débats théologiques (v. PATRISTIQUE [*philosophie*]). Mais leur importance religieuse ne doit pas faire oublier la place qu'ils occupent dans l'histoire de la littérature ancienne, notamment gréco-romaine : ils sont les derniers représentants de l'Antiquité classique, dont l'art se reflète dans leurs œuvres.

Père Goriot *(le),* roman d'H. de Balzac (1834-35) [*Scènes de la vie privée*]. Goriot a poussé l'amour paternel jusqu'à la monomanie : il s'est sacrifié à ses filles, qui l'ont abandonné dans la misérable pension Vauquer, sur la montagne Sainte-Geneviève. Un de ses voisins de pension, l'étudiant Rastignac, est témoin de la déchéance du vieillard. Il l'assiste dans son agonie, accompagne sa dépouille au Père-Lachaise et conçoit au spectacle de cet enlisement un profond mépris pour la société et pour Paris, qu'il décide de conquérir. Mais il refuse l'appui que lui offre l'ancien forçat Vautrin et demande à sa cousine, Mme de Beauséant, de lui ouvrir les salons du faubourg Saint-Germain.

PÉRÉGRIN. — Dans l'Antiquité romaine, étaient désignés sous le nom de « pérégrins » des hommes libres qui n'étaient pourvus ni du droit de cité* ni du droit latin et se trouvaient résider sur le territoire de Rome. En 241 av. J.-C., on créa pour eux un préteur spécial, dit « pérégrin », qui était chargé des procès entre pérégrins et aussi entre pérégrins et citoyens. En 212 (édit de Caracalla*), tous les pérégrins de l'Empire obtinrent le droit de cité romain.

PEREIRA, v. de Colombie, dans la vallée du Cauca; 224 000 hab.

PEREIRE (Jacob Émile), homme d'affaires français (Bordeaux 1800-Paris 1875). Avec son frère ISAAC (Bordeaux 1806-Armainvilliers 1880), il est gagné à la doctrine de Saint-Simon*; enthousiasmé par le chemin de fer, il crée, avec James de Rothschild, en 1835, la ligne Paris-Saint-Germain; en 1846, est inauguré le chemin de fer du Nord, qu'il a fondé. Créateur du Crédit mobilier (1852), Pereire entre en concurrence avec les Rothschild, ce qui ne l'empêche pas de se lancer dans de multiples activités bancaires et immobilières, attachant particulièrement son nom à la Compagnie générale transatlantique. Député de la Gironde (1863-1869), il est soutenu par Napoléon III. Mais l'échec du Crédit mobilier (1868) le rejette dans l'ombre.

PEREKOP *(isthme de),* isthme reliant la Crimée au continent.

PÉRENCHIES (59840), comm. du Nord, à 7,5 km au N.-O. de Lille; 6 858 hab. Textile.

PÉRET (Benjamin), poète français (Rezé, Loire-Atlantique, 1899-Paris 1959). Membre du groupe surréaliste et opposé à toute forme de récupération morale et politique du mouvement (*le Déshonneur des poètes,* 1945), il fut l'un des plus fidèles disciples d'André Breton (*le Grand Jeu,* 1928).

PEREY (Marguerite), physicienne française (Villemomble 1909-Louveciennes 1975). En 1939, elle a découvert l'élément chimique numéro 87, le francium.

PÉREZ DE AYALA (Ramón), écrivain espagnol (Oviedo 1880-Madrid 1962). Ses récits composent une évocation pittoresque et satirique de la vie espagnole (*Bellarmin et Apollonius,* 1920).

PÉREZ GALDÓS (Benito), écrivain espagnol (Las Palmas 1843-Madrid 1920). Célèbre par ses romans de mœurs (*Doña Perfecta,* 1876; *Miséricorde,* 1897), il a composé, avec les quarante-trois volumes des *Épisodes nationaux,* l'épopée romanesque de l'Espagne du XIXe s.

PÉREZ RODRIGUEZ (Carlos Andrés), homme d'État vénézuélien (Rubio, Táchira, 1922). Candidat du parti « Action démocratique », il est élu président de la République en décembre 1973 et succède à Rafael Caldera*.

PERFORATION *(Méd.).* — Les perforations des ulcères gastroduodénaux et celles de l'intestin par typhoïde, plaie abdominale ou tumeur ulcérée, provoquent une péritonite qu'il faut opérer au plus tôt. Les perforations de la vessie par fracture du bassin nécessitent également une intervention rapide ainsi que les perforations de l'utérus après manœuvres abortives, causes d'hémorragies importantes. Les perforations du tympan, traumatiques ou consécutives à une otite, se traitent par tympanoplastie.

PERFORATRICE → CARTE PERFORÉE.

PERFORMANCE *(Ling.)* → COMPÉTENCE.

PERFORMANCE *(Psychol.)* → TEST.

PERFUSION. — L'introduction lente de liquides (solutions salines ou médicamenteuses, sang, etc.) dans le système circulatoire permet d'agir vite, progressivement et de façon prolongée. On emploie pour les perfusions des dispositifs dits « goutte-à-goutte », intercalés sur le tuyau allant du flacon à la veine du patient, et qui assurent le réglage du débit (aux environs de 1 goutte par seconde).

PERGAME, ancienne ville de Mysie*, en Asie Mineure, qui fut, de 282 à 133 av. J.-C., la capitale du royaume des Attalides*, ou *royaume de Pergame.* D'origine probablement très ancienne, elle prend toute son importance à partir du IIIe s. av. J.-C. avec la dynastie des Attalides, qui en font la capitale d'un des principaux royaumes hellénistiques, et un centre artistique et intellectuel : sa bibliothèque compte environ 200 000 volumes. Lorsque son dernier souverain, Attalos III Philomêtôr (138-133), aura légué son royaume aux Romains, Pergame devient la capitale de la province d'Asie; son prestige durera jusqu'à l'époque byzantine, après laquelle commence son déclin.

BEAUX-ARTS. La magnificence de son architecture — parfaitement intégrée au paysage et étagée autour de terrasses naturelles rythmées de portiques — en fait l'une des plus intéressantes réalisations de l'urbanisme hellénistique. Entreprises, en 1878, par l'Allemand C. Humann, les fouilles ont dégagé les temples, le grand autel de Zeus, les palais, la bibliothèque, le gymnase, etc., puis la ville basse réservée au commerce et à l'habitat. Pergame a été le siège d'une école de sculpture, caractérisée par un dynamisme exubérant et un profond sens du tragique alliés à la perfection des rendus anatomiques : le plus bel exemple en reste la décoration (gigantomachie) du grand autel de Zeus, IIe s. av. J.-C., reconstitué à Berlin (Pergamon Museum).

PERGAUD (Louis), écrivain français (Belmont, Doubs, 1882-près de Verdun 1915), observateur savoureux de la vie des bêtes (*De Goupil à Margot,* 1910) et auteur de récits sur la vie paysanne (*la Guerre des boutons,* 1912).

PERGOLÈSE (Giovanni Battista), en ital. **Pergolesi,** compositeur italien (Jesi 1710-Pouzzoles 1736). Violoniste d'origine, c'est à Naples qu'il apprit la composition auprès de Durante, et qu'il fit sa carrière. On lui doit des opéras-comiques dont les élégantes mélodies, les effets faciles eurent une constante influence sur les compositeurs français et étrangers de la seconde moitié du XVIIIe s. Sa *Serva Padrona* (1733) provoqua à Paris, au moment de sa reprise, en 1752, la « guerre des Bouffons ». Son *Stabat Mater* témoigne de la densité et de la gravité de son style.

PÉRI (Gabriel), journaliste et homme politique français (Toulon 1902-Paris 1941). Journaliste à *l'Humanité* (1924), membre du Comité central du parti communiste (1929), député de Seine-et-Oise (1932), il entre de plain-pied dans la Résistance*. Arrêté par les Allemands, il est fusillé le 15 décembre 1941.

Péri *(la),* poème dansé de Paul Dukas (1912), qui illustre une légende persane d'après laquelle le prince Iskander a ravi la « fleur d'immortalité » à la Péri, qui danse et se fait séduisante pour la lui reprendre, à travers une symphonie aux somptueuses couleurs. La chorégraphie, due à Ivan Clustine, fut créée à Paris par Natacha Trouhanova, à laquelle l'œuvre était dédiée, et par les Ballets russes.

Sur la même partition existent des versions de Frederick Ashton (1931 et 1956), Serge Lifar (1946) et George Skibine (1966).

PÉRIANDRE, tyran de Corinthe (627 à 585 av. J.-C.), de la famille des Cypsélides. Souverain énergique, il encouragea le commerce et les arts et embellit Corinthe de nombreux monuments. La tradition l'a mis au nombre des Sept Sages* de la Grèce.

PÉRIANTHE → FLEUR.

PÉRIARTHRITE. — Fréquente à l'épaule, cette affection touche les tissus situés autour de l'articulation : ligaments, tendons musculaires, capsule articulaire, bourses séreuses, plutôt que l'articulation elle-même. Les anti-inflammatoires, la rééducation et les cures thermales sont les éléments du traitement.

PÉRIBONKA (la) ou **PÉRIBONCA** (la), riv. du Canada (Québec), tributaire du lac Saint-Jean; 480 km.

PÉRICARDE, PÉRICARDITE → CŒUR.

PÉRICLÈS, homme d'État athénien (v. 495 - Athènes 429 av. J.-C.). Descendant par sa mère de la famille des Alcméonides, Périclès entre dans la vie politique avec Éphialtès*, un des chefs de la faction démocratique, à qui il succède comme chef du parti populaire (461). Devenu stratège, il poursuit, dès lors, la démocratisation de la vie politique athénienne, ouvrant aux citoyens, sans distinction de classe et de fortune, les plus hautes magistratures et instituant une indemnité de fonction permettant à tous d'exercer les charges publiques. Il lance un programme de grands travaux, qui permettent de répartir sur une grande masse de travailleurs une part des richesses de l'État. Autour de lui se groupe une équipe d'artistes, parmi lesquels Phidias*, son ami; les œuvres dont ceux-ci doteront l'art grec vaudront à ce temps le nom de *siècle de Périclès.* En politique extérieure, le souci de Périclès est de développer la puissance de l'Empire athénien. Luttant sur un double front, à la fois contre les Perses et contre Sparte* et ses alliés, il assure à Athènes deux succès importants, avec la paix de Callias* (449), signée avec le Grand Roi, et la trêve de Trente Ans (446) — qui durera moins que prévu —, conclue avec Sparte. La politique impérialiste, dans laquelle Périclès a engagé les Athéniens, relance le conflit avec les Lacédémoniens; rendu responsable des premiers déboires de la guerre du Péloponnèse*, il est écarté du pouvoir en 430. Rappelé en 429, il meurt de la peste.

PÉRIDINIENS. — Appelés aussi *dinophycées* ou *dinoflagellés,* ces protistes marins, chlorophylliens et pourvus, en outre, d'un pigment brun, nagent rapidement à l'aide de deux flagelles, l'un moteur, vers l'arrière, l'autre logé dans une gouttière transversale et réglant la direction. Certaines espèces capturent des proies. Les types les plus connus sont la noctiluque* et le cératium, ce dernier possédant de puissantes cornes cellulosiques.

L'existence de nématocystes chez un péridinien typique *(Polykrikos)* permet de tenir ce groupe pour un ancêtre possible des cœlentérés.

PÉRIDOT. — Cristallisant dans le système orthorhombique, ce silicate naturel de fer et de magnésium, ordinairement verdâtre et translucide, est abondant dans certaines roches basiques.

PÉRIDOTITE. — Roche ultrabasique* formée essentiellement d'olivine et de pyroxène, la péridotite est peu répandue. Elle se présente en massifs isolés ou à la base des séries ophiolitiques, mais on la considère aussi comme le constituant du manteau.

PERIER, famille française originaire de Grenoble, qui a comme véritable fondateur CLAUDE **Perier** (Grenoble 1742 - Paris 1801), fabricant de toile, enrichi dans la banque durant la Révolution et qui pousse Bonaparte vers le pouvoir en brumaire an VIII. Il a six fils, qui se partagent sa succession; le plus remarquable est CASIMIR **Perier** (Grenoble 1777 - Paris 1832). Régent de la Banque de France et directeur de la banque paternelle, il est, durant la Restauration*, l'un des chefs de l'opposition libérale. Chef du parti de la Résistance sous Louis-Philippe, il devient Premier ministre le 13 mars 1831; il s'attache surtout à clore l'ère des révolutions et à réprimer les troubles sociaux, notamment la révolte des canuts* lyonnais (nov.-déc. 1831). Il est emporté par le choléra. — Son fils, AUGUSTE **Casimir-Perier***, et son petit-fils, JEAN **Casimir-Perier,** joueront un rôle important sous la IIIe République, l'un comme ministre, l'autre comme chef de l'État.

PÉRIERS (50190), ch.-l. de cant. de la Manche, à 15 km au N. de Coutances; 2 843 hab.

PÉRIGLACIAIRE. — Le système d'*érosion périglaciaire* affecte les régions situées à la périphérie des glaciers, aussi bien en montagne qu'aux hautes latitudes. Il est caractérisé par la prédominance du gel comme agent d'érosion.

L'alternance gel-dégel fait éclater les roches par variation du volume de l'eau emprisonnée dans leurs pores : c'est le phénomène de la gélifraction, ou gélivation, encore appelé cryoclastie, fournissant d'énormes quantités de débris anguleux qui masquent les versants. La constance du froid explique la permanence d'un sol gelé, le pergélisol, qui dégèle en surface, en été, pour donner le mollisol, imbibé d'eau, glissant facilement sur les versants (gélifluxion). Les pressions de la glace à l'intérieur du sol engendrent des déformations se traduisant par des figures de cryoturbation. Le gel exerce aussi une ségrégation des matériaux en fonction de leur taille, aboutissant, notamment, à la formation de sols polygonaux, constitués de débris fins entourés de débris grossiers disposés en polygones jointifs. Enfin, la rareté de la végétation, due au froid, explique l'intensité de l'action éolienne*.

Ce système d'érosion affecte environ 15 p. 100 de la superficie des terres émergées, mais son extension a été plus grande, notamment lors des glaciations quaternaires, et il est en grande partie responsable, par exemple, du modelé actuel du Bassin parisien.

PÉRIGNON (*dom* Pierre), bénédictin de la congrégation de Saint-Varme (Sainte-Menehould 1638 - abbaye d'Hautvillers, près d'Épernay, 1715). On lui doit l'amélioration de la fabrication des vins mousseux, à laquelle la Champagne doit sa renommée.

PÉRIGNON (Dominique, *marquis* DE), maréchal de France (Grenade-sur-Garonne 1754 - Paris 1818). Ancien officier de l'armée royale, général en 1793, il se distingua contre les Espagnols. Ambassadeur à Madrid, il négocia, en 1796, l'alliance avec l'Espagne. Maréchal en 1804, il commanda l'armée de Naples en 1808 et se rallia aux Bourbons (1814).

PÉRIGNY (17000 La Rochelle), comm. de la Charente-Maritime, dans la banlieue est de La Rochelle; 6 906 hab. Construction automobile.

PÉRIGORD, région de plateaux du nord du Bassin aquitain, occupant les parties centrale et méridionale du département de la Dordogne. On distingue un *Périgord blanc,* au N. (vers Périgueux), et un *Périgord noir,* au S. (à l'E. de Bergerac). Entaillant ces plateaux calcaires, souvent boisés, les vallées (Isle, Vézère, Dordogne), peuplées depuis la préhistoire (grottes des Eyzies, de Lascaux, etc.), concentrent hommes et activités agricoles (fruits, blé, maïs, tabac, vigne, élevage bovin et porcin) et urbaines.

HISTOIRE. Habité aux époques gauloise et romaine par le peuple des *Petrocorii,* le Périgord forma un comté dès les temps mérovingiens. Dépendant de l'Aquitaine au haut Moyen Âge, il fut uni à l'Angoumois, puis à la Marche au Xe s. Une dynastie comtale qui descendait de Boson Ier († 968), comte de la Marche, gouverna le Périgord jusqu'à l'extrême fin du XIVe s., époque où la région fut annexée par Charles VI. Le Périgord passa ensuite aux maisons d'Orléans (1400), de Penthièvre (1437) et d'Albret (1481). Son dernier possesseur, Henri IV, réunit le comté au domaine royal.

PÉRIGUEUX (24000), ch.-l. du départ. de la Dordogne, sur l'Isle, à 476 km au S.-O. de Paris; 37 630 hab. *(Périgourdins).* Avec les communes de la banlieue (dont Coulounieix-Chamiers est la plus grande), Périgueux constitue une agglomération de près de 60 000 habitants, de loin la plus grande du département. La ville est un centre administratif, commercial, avec quelques industries (chaussures, bâtiment, alimentation, ateliers ferroviaires).

BEAUX-ARTS. Vestiges romains (jardin des arènes; cella circulaire d'un temple, dite « tour de Vésone »; restes d'enceinte). Églises romanes Saint-Étienne (anc. cathédrale du XIIe s., mutilée) et Saint-Front (cathédrale, anc. abbatiale, à plan en croix grecque, très restaurée au XIXe s.; cloître avec musée lapidaire), toutes deux à amples coupoles sur pendentifs. Maisons médiévales et Renaissance. Musée du Périgord.

PERIM, île du détroit de Bāb al-Mandab, partie de la république démocratique et populaire du Yémen.

PÉRINATALOGIE → PÉDIATRIE.

PÉRINÉE. — Le plancher musculaire du petit bassin diffère chez l'homme et chez la femme. Dans les deux sexes, un orifice postérieur laisse passer le canal anal, alors que l'orifice antérieur, étroit chez l'homme, où il ne laisse passer que l'urètre, est beaucoup plus grand chez la femme, puisqu'il livre passage à l'urètre et au vagin. La distension par l'accouchement des muscles du périnée de la femme est cause de prolapsus (descentes d'organes), nécessitant une intervention, la *périnéorraphie.*

PÉRIODE → DÉCROISSANCE RADIOACTIVE et RADIOACTIVITÉ.

PÉRIODE GÉOLOGIQUE → CHRONOLOGIE.

PÉRIOSTE → OS.

PÉRIPATES. — Appelés aussi *onychophores* à cause de leurs fortes griffes, ces curieux animaux des forêts ressemblent beaucoup à des vers annélides, mais ils ont des trachées comme les insectes. Ils capturent leurs proies par un jet de glu. Leur distribution géographique « gondwanienne » (Amérique du Sud, Afrique du Sud, Australie et Nouvelle-Zélande), jointe à leurs caractères primitifs, fait voir en eux les ancêtres des arthropodes terrestres. (Embranchement des pararthropodes.)

PÉRIPATÉTISME → ARISTOTE, ARISTOTÉLISME.

PÉRIPHÉRIQUE *(capitalisme)* → CAPITALISME PÉRIPHÉRIQUE.

PÉRIPHÉRIQUE *(Inform.).* — Un ordinateur est composé d'une unité arithmétique et logique, d'une mémoire* centrale et d'unités périphériques, appelées le plus souvent « périphériques ». Ces unités périphériques n'ont pas de possibilités propres de calcul; elles servent à mémoriser des données ou à échanger des informations entre l'ordinateur et le monde extérieur.

Au sens large, on classe parmi les périphériques les mémoires auxiliaires : disques* et bandes* magnétiques. Dans une acception plus stricte, les périphériques sont principalement les lecteurs* de cartes et les imprimantes*. Par leurs fonctions, les périphériques possèdent, outre une électronique de commande et de circulation des informations, des organes électromécaniques précis et complexes. Un périphérique peut être proche de l'ordinateur ou déporté à distance au travers de lignes de transmission; dans ce cas, il peut prendre le nom de « terminal* ».

PÉRISSODACTYLES. — On appelle ainsi les ongulés* *imparidigités* (cheval, rhinocéros...).

PÉRISTALTIQUES (mouvements). — Provoqués par la progression d'ondes de contraction puis de relâchement des muscles circulaires du tube digestif, les mouvements péristaltiques permettent la progression du bol alimentaire du pharynx à l'anus.

PÉRITOINE. — Cette membrane séreuse mince et résistante tapisse la face interne de la paroi de l'abdomen (péritoine pariétal) et la surface des organes qui y sont contenus (péritoine viscéral).

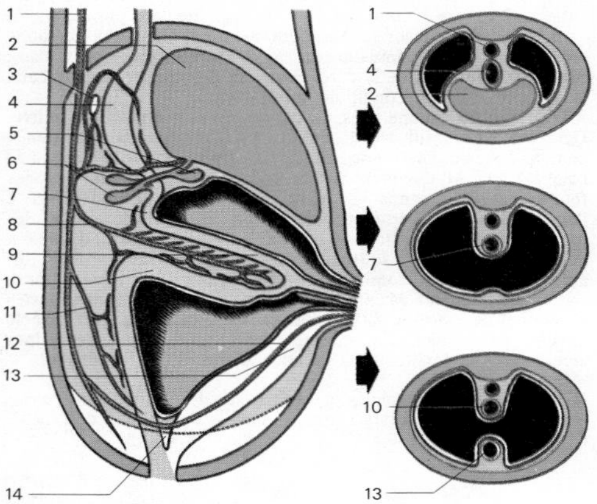

PÉRITOINE de l'embryon : 1. Aorte; 2. Foie; 3. Ébauche de la rate; 4. Estomac; 5. Ébauche vésiculaire; 6. Ébauches pancréatiques; 7. Duodénum; 8. Artère mésentérique supérieure; 9. Intestin grêle; 10. Côlon; 11. Artère mésentérique inférieure; 12. Artère ombilicale; 13. Allantoïde; 14. Éperon périnéal. PÉRITOINE de l'adulte : 1. Diaphragme; 2. Foie; 3. Hiatus de Winslow; 4. Vésicule biliaire; 5. Estomac; 6. Péritoine pariétal antérieur; 7. Mésocôlon transverse; 8. Côlon transverse; 9. Péritoine viscéral; 10. Grand épiploon; 11. Anses grêles; 12. Côlon sigmoïde; 13. Vessie; 14. Symphyse pubienne; 15. Urètre; 16. Aorte; 17. Arrière-cavité des épiploons; 18. Petit épiploon; 19. Pancréas; 20. Duodénum; 21. Racine du mésentère; 22. Canal rachidien; 23. Mésentère; 24. Intestin grêle (sectionné); 25. Péritoine pariétal postérieur; 26. Promontoire sacré; 27. Mésocôlon iliopelvien; 28. Rectum; 29. Prostate; 30. Anus.

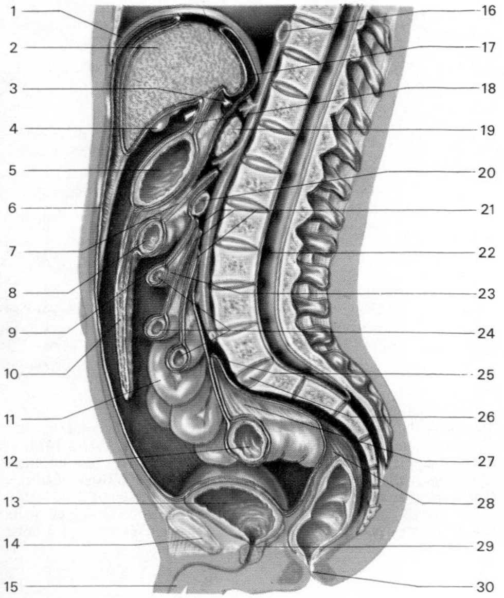

Le péritoine viscéral est relié au péritoine pariétal par des *mésos*, formés de deux feuillets péritonéaux entre lesquels cheminent les vaisseaux et les nerfs des organes (mésogastre, mésentère, mésocôlon). Le tube digestif, s'allongeant beaucoup plus que l'abdomen qui le contient, doit subir des courbures et des rotations pour trouver sa forme définitive, entraînant le péritoine qui le recouvre. Celui-ci forme ainsi des replis, les *épiploons*, et certaines portions du tube digestif se fixent avec accolement des feuillets pariétal et viscéral (duodénum, côlon droit, côlon gauche).

Des anomalies dans le développement embryologique du péritoine peuvent entraîner des anomalies de position de certains organes (cæcum et appendice à gauche, par exemple), des défauts d'accolements (responsables de la mobilité anormale de certains organes) ou des accolements anormaux.

L'inflammation du péritoine résulte le plus souvent de la propagation de l'infection d'un des organes abdominaux (appendice, vésicule biliaire, trompes), dont la rupture provoque l'inondation de la cavité péritonéale et une péritonite aiguë généralisée. Dans certains cas, un cloisonnement autour de la lésion aboutit à une péritonite aiguë localisée. Des péritonites chroniques ne s'observent qu'au cours de la tuberculose, le symptôme révélateur étant un épanchement dans la cavité péritonéale, l'ascite. La rupture d'un segment du tube digestif fait passer le gaz qu'il contient dans le péritoine : c'est le pneumopéritoine.

PERKIN (*sir* William Henry), chimiste anglais (Londres 1838 - Sudbury 1907). En 1856, il découvrit la mauvéine, première couleur d'aniline, et il fonda à Harrow, en 1874, une fabrique de couleurs d'aniline.

PERLE. — La sphère de nacre que constitue une perle s'est formée dans le manteau d'un mollusque bivalve, par exemple d'une pintadine, en réaction à la pénétration d'un ver parasite (perle naturelle) ou à l'insertion d'un petit fragment de nacre (perle de culture). L'irisation s'explique par les interférences lumineuses entre les très minces lamelles concentriques.

PERM, v. de l'U. R. S. S. (R. S. F. S. de Russie), dans l'ouest de l'Oural, sur la Kama; 850 000 hab. Raffinage du pétrole. Industries chimiques.

PERMÉABILITÉ → GISEMENT PÉTROLIER et PIERRE.

PERMÉABILITÉ MAGNÉTIQUE. — C'est le quotient de l'induction magnétique régnant dans une substance par le champ magnétique inducteur qui l'a créée. Elle est liée, dans les systèmes rationalisés, à la susceptibilité magnétique k par la relation $\mu = 1 + k$. Celle du vide a pour valeur, en unités M. K. S. A. rationalisées, $\mu_0 = 4\pi \times 10^{-7}$. La *perméabilité relative* est le rapport de la perméabilité d'une substance à celle du vide.

PERMEKE (Constant), peintre et sculpteur belge (Anvers 1886 - Ostende 1952). Il fait partie avant 1914 du second groupe de Sint-Martens-Latem et est considéré à partir de 1920, par son réalisme aux effets plastiques d'une puissance élémentaire (qui doivent au cubisme et à l'art nègre), comme le chef de file de l'expressionnisme flamand. Au cycle marin d'Ostende succède un cycle rustique lors de son installation (1929) à Jabbeke, en Flandre-Occidentale, où son atelier est devenu musée Permeke.

PERMIEN → PRIMAIRE *(ère)*.

PERMIS DE CHASSER → CHASSE.

PERMITTIVITÉ. — C'est le quotient du vecteur déplacement D, ou induction électrique, par le vecteur champ E qui le produit.

La formule de Coulomb relative à la force qu'exercent l'une sur l'autre deux charges électriques ponctuelles q et q', situées à une distance r dans un diélectrique, s'écrit, dans un système rationalisé, $f = \frac{1}{4\pi\varepsilon} \frac{qq'}{r^2}$, ε étant la *permittivité absolue* du diélectrique. Dans le système M.K.S.A., la permittivité du vide est

$$\varepsilon_0 = \frac{1}{36\pi \times 10^9}.$$

La permittivité relative ε_r (ou constante diélectrique) d'un milieu est le rapport de sa permittivité absolue à celle du vide.

PERMOSER (Balthasar), sculpteur allemand (près de Traunstein, Haute-Bavière, 1651 - Dresde 1732). Après un long séjour en Italie, où il s'imprègne de l'art du Bernin, il devient en 1689 sculpteur de la cour de Dresde, dirigeant la fougueuse décoration du Zwinger. Il a donné d'intenses statues religieuses et, en 1721, le groupe de l'*Apothéose du Prince Eugène* (musée du Baroque, Vienne), d'une virtuosité tourmentée.

PERNAMBOUC, État du nord-est du Brésil; 5 167 000 hab. Capit. *Recife* (anc. *Pernambouc*).

PERNES-LES-FONTAINES (84210), ch.-l. de cant. de Vaucluse, à 6 km au S. de Carpentras; 6 088 hab. Église romane. Fortifications des XIIIe-XVIe s.

PERNIK, v. de Bulgarie, au S.-O. de Sofia; 76 000 hab. Lignite. Sidérurgie.

PERNIS, faubourg de la ville de Rotterdam. Grand centre de raffinage du pétrole et de la pétrochimie.

PERÓN (Juan Domingo), homme d'État argentin (Lobos, Buenos Aires, 1895-Buenos Aires 1974). Officier de carrière, il participe au coup d'État militaire de 1943 et devient vice-président de la République (1944), ministre de la Guerre et secrétaire d'État au travail. Élu président de la République (1946), il met en application la doctrine du « justicialisme », qui allie les projets de réformes et de justice sociales au dirigisme économique et à la neutralité en matière de politique étrangère, doctrine que Perón lui-même présente comme une « troisième voie » entre le capitalisme et le communisme. Les premières mesures du régime (expropriation des grands domaines, nationalisation de certaines grandes industries, protection des ouvriers) valent au président une grande popularité, entretenue par l'action de sa femme EVA **Duarte** (Los Toldos, Buenos-Aires, 1919-Buenos Aires 1952), sa collaboratrice à la tête de l'Aide sociale et la fondatrice du parti laboriste féminin, qui se consacre à la défense des déshérités, les « descamisados ». Face aux difficultés économiques grandissantes, le régime modère progressivement ses projets socialistes à partir de 1950, et renforce ses aspects dictatoriaux. Perón se heurte à l'Église, puis à l'armée, qui l'oblige à se démettre (1955). De l'Espagne, où il s'est réfugié, il garde le contrôle de ses partisans, qui se regroupent dans le Mouvement national justicialiste (1958) et entretiennent sa popularité. Les victoires électorales des justicialistes permettent le retour de Perón, qui est réélu président de la République (sept. 1973). Combattant le marxisme et l'action des groupes d'extrême gauche, il rompt avec l'aile gauche de son mouvement. À sa mort, sa troisième femme, MARÍA ESTELA, dite **Isabel Martínez** (La Rioja 1931), vice-présidente de la République, lui succède à la présidence (1974) et renforce l'évolution du parti justicialiste vers la droite. Sa politique répressive ne met pas fin à l'anarchie politique, économique et sociale, qui provoque finalement l'intervention de l'armée et la destitution de la présidente (févr. 1976).

Juan Perón et Isabel Martinez (son épouse), lors d'une réception donnée à l'occasion du retour de Perón en Argentine, en juin 1973.

PÉRONÉ → JAMBE.

PÉRONNE (80200), ch.-l. d'arr. de la Somme, sur la Somme, à 28 km à l'O.-N.-O. de Saint-Quentin; 9 414 hab. *(Péronnais).* Château médiéval et fortifications des XVIe-XVIIe s. Église gothique reconstruite après 1918. Musée (monnaies antiques et gauloises). Textile. — Ancienne capitale du Vermandois, Péronne est disputée, au XVe s., par les ducs de Bourgogne aux rois de France. En 1468, Charles le Téméraire y impose à Louis XI un traité humiliant, que le roi s'empresse de rétracter. La ville, redevenue française en 1477, fut détruite durant la Première Guerre mondiale.

PÉROTIN, le principal compositeur de l'école de Notre-Dame de Paris dans le premier tiers du XIIIe s. Il est l'auteur de plusieurs *organa* à quatre voix *(Viderunt; Siderunt)* et de conduits. Sa technique, ample et complexe, eut une considérable influence sur le monde occidental musical.

PÉROU, en esp. **Perú,** État de l'Amérique du Sud, sur le Pacifique; 1 285 000 km^2; 16 millions d'hab. *(Péruviens).* Capit. *Lima.*

GÉOGRAPHIE. Le pays s'étend sur trois ensembles naturels. La haute chaîne des Andes comprend la Cordillère occidentale, souvent volcanique, et la Cordillère orientale, encadrant un haut plateau de 4 000 m d'altitude, la Puna. Le climat, tropical à saison sèche, est tempéré par l'altitude, et la végétation naturelle est la steppe, parfois arbustive. L'est du pays correspond à une partie du bassin de l'Amazone, vaste plaine couverte par la forêt dense. À l'ouest, l'étroite plaine côtière connaît un climat à tendance désertique (23 mm de pluies par an à Lima).

La population est composée en majorité d'Indiens et de métis. Peu dense en moyenne (11 hab. au km^2), elle se concentre dans les Andes et en quelques points de la côte, la plaine amazonienne n'étant peuplée que de rares tribus indiennes. Elle s'accroît à un rythme très rapide (environ 3 p. 100 par an), dû à un taux de natalité élevé. Le surpeuplement qui menace dans les campagnes entretient un fort exode rural. Plus de la moitié de la population vit dans les villes, mais les grandes agglomérations (Lima [qui regroupe près du quart de la population du pays], Trujillo, Arequipa, Callao), situées surtout près de la côte, comptent de nombreux chômeurs, qui vivent dans des conditions misérables.

L'agriculture occupe près de la moitié de la population active. Dans les Andes subsiste la culture vivrière traditionnelle (maïs, pomme de terre) aux rendements très faibles, à laquelle est associé l'élevage (17 M d'ovins). Sur la côte, des plantations irriguées fournissent riz, canne à sucre, coton, agrumes, destinés à l'exportation. Le Pérou exporte aussi une grande partie des produits de la pêche, activité essentielle, premier poste, d'ailleurs, des exportations. Le sous-sol recèle des richesses variées : or, argent, cuivre, zinc, plomb, fer, pétrole et gaz naturel; sur le littoral, on récolte le guano. Mais la plupart de ces produits sont exportés bruts, par le port de Lima, Callao. Ils n'ont guère favorisé le développement industriel, qui reste limité, malgré quelques usines alimentaires et textiles et la création d'une aciérie à Chimbote.

HISTOIRE. Les Quechuas de l'État-cité de Cuzco, après avoir incorporé les petits États aymaras, sous la domination de l'Inca*,

PÉROU

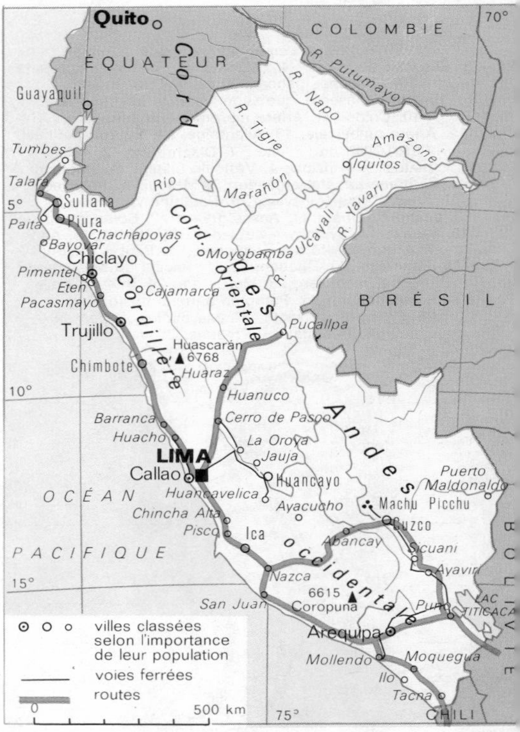

dominent la région andine. Leur expansion s'accomplit, aux XVe-XVIe s., sous les règnes de Túpac Yupanqui (de 1471 à 1493) et d'Huayna Cápac (de 1493 à 1527). Une guerre civile entre Atahualpa, fils préféré d'Huayna Cápac et l'héritier légitime, Huáscar, prépare le terrain au conquérant espagnol : en effet, vainqueur à Quipaypán (1532), Atahualpa voit se réveiller la résistance des peuples récemment conquis par les Incas. En deux ans, Francisco Pizarro* réussit, par la ruse et la violence, à s'emparer de l'Empire inca, dont il se dispute la conquête avec Diego de Almagro. Cependant, des membres de la dynastie inca poursuivent la lutte dans les provinces éloignées. Finalement, la monarchie espagnole met sur pied une solide organisation bureaucratique, héritant des structures incas et reléguant au second plan les grands propriétaires fonciers. La victoire du pouvoir central profite à l'aristocratie bureaucratique et militaire, en même temps qu'aux négociants et aux financiers. Une fois les créoles défaits, le vice-roi Francisco de Toledo (1569-1581) entreprend l'intégration des masses indiennes, qu'il protège d'ailleurs contre les propriétaires. Mais, à la longue, ce mouvement, accentué au XVIIIe s. par le despotisme éclairé, mécontente toutes les classes de la société.

De la conjonction des oppositions, celle des grands propriétaires créoles et celle des négociants — rendue possible par la passivité des paysans qui succède à l'écrasement des rébellions indiennes —, naît l'épisode de l'émancipation. En fait, l'indépendance du Pérou intervient tardivement, le 28 juillet 1821; encore est-elle imposée de l'extérieur par les armées de San Martín* et de Bolívar*. Ce n'est d'ailleurs qu'en 1824 que la bataille d'Ayacucho, gagnée par Sucre*, décide du sort du pays. Celui-ci, ravagé par la guerre et rendu fragile par le départ de l'administration espagnole, bascule dans un cadre néoféodal, celui des grands domaines. Désormais, même au temps de l'éphémère confédération Pérou-Bolivie (1836-1839), le pouvoir réel appartient aux grands propriétaires, au détriment des masses indiennes. Quant à la domination extérieure, elle revient à l'Angleterre. Celle-ci est, en effet, le principal acheteur et exportateur du guano, cet engrais naturel qui représente l'une des grandes ressources du Pérou moderne. Cette prospérité facilite la mise sur pied, de 1845 à 1851 et de 1855 à 1862, du régime autoritaire du président et général Ramón Castilla (1797-1867), mais n'empêche pas le pays d'être constamment menacé par la guerre civile, les rébellions indigènes et les crises politiques.

De 1879 à 1883, le Pérou livre au Chili la guerre du Pacifique, qui se termine par un désastre, le traité d'Ancón (20 oct. 1883), donnant au Chili tout le Sud péruvien, riche en nitrates. À long terme, cette guerre signifie la fin du monopole politique exercé par les généraux métis de la sierra. Le caudillisme militaire est, en effet, liquidé par Nicolás de Piérola (1839-1913), président de 1879 à 1881 et de 1895 à 1899, qui s'efforce de mettre en place une administration civile et préside à l'essor d'une bourgeoisie industrielle et capitaliste. Jusqu'en 1919, c'est dans l'esprit de Piérola que ses successeurs dirigent le Pérou, qui bénéficie d'une conjoncture économique favorable au commerce international.

L'ouverture du canal de Panamá et la Première Guerre mondiale (1914) constituent un tournant important de l'histoire du Pérou. D'une part, la domination britannique cède le pas à l'influence nord-américaine; d'autre part, la guerre provoque une flambée des prix et de la production nationale; la spéculation agraire et minière réveille la sierra. De 1919 à 1930, le président dictateur Augusto Bernardino Leguía (1863-1939) instaure un régime national populiste, mobilise les classes moyennes et favorise l'idéologie « indigéniste ». Ensuite, la crise mondiale, qui touche aussi le Pérou, favorise la montée du mouvement révolutionnaire A. P. R. A. (Alliance populaire révolutionnaire américaine), fondé au Mexique en 1924, et voit se développer les affrontements entre réformistes et oligarques. Ces derniers sont en fait au pouvoir de 1939 à 1945 et de 1956 à 1962, avec le président Manuel Prado y Ugarteche (1889-1967), un banquier. C'est ensuite le temps de Fernando Belaúnde Terry (né en 1912) qui, élu en 1963, entame une expérience réformiste : elle se heurte au déclenchement de la guérilla, qui est liquidée par l'armée. Celle-ci s'empare du pouvoir en 1968, alors que l'inflation se développe dangereusement. Dirigée par le général Juan Velasco Alvarado, qui devient chef de l'État (1968-1975), la junte militaire met en place un régime de type socialiste (réforme agraire, nationalisation des richesses naturelles et des principaux secteurs de l'économie, expropriation des entreprises étrangères, participation ouvrière). Face au développement des oppositions de droite et d'extrême gauche, les aspects autoritaires de cette « révolution nationaliste » se renforcent (interdiction des partis politiques, contrôle de l'État sur tous les moyens d'information, « socialisation » de la presse), tandis que la déposition, en août 1975, du président Alvarado et son remplacement par le général Francisco Morales Bermudez traduisent des dissensions importantes au sein de la junte. La détérioration de la situation économique entraîne, à partir de 1976, un net durcissement du régime, qui s'engage dans une politique d'austérité.

PÉROUSE, en ital. **Perugia,** v. d'Italie, capit. de l'Ombrie et ch.-l. de prov.; 132 000 hab. Industrie alimentaire et textile.

HISTOIRE. Pérouse fut l'une des plus importantes cités de la confédération étrusque. Rome la soumit en 295 av. J.-C. En 41, la ville fut pillée et incendiée par Octave, qui y assiégea le frère d'Antoine, Lucius Antonius *(guerre de Pérouse).* Dévastée par Totila (548 apr. J.-C.), puis reprise par Narsès, elle fut ensuite conquise par les Lombards. Elle tomba sous la domination papale en 1540, se révolta en 1859 et fut annexée au royaume d'Italie (1861).

BEAUX-ARTS. Vestiges des fortifications étrusques et romaines. Églises S. Angelo (V^e-VIe s.) et S. Pietro (X^e-XVIe s.), cathédrale gothique (XIVe-XVe s.; musée de l'Œuvre), oratoire de S. Bernardino (par Agostino* di Duccio), etc. Fontaine majeure (1278), aux sculptures de Nicola* et de Giovanni Pisano. Palazzo dei Priori (XIIIe-XVe s.), abritant la Galerie nationale de l'Ombrie (œuvres d'artistes toscans; peintres ombriens, dont le Pérugin* et le Pinturicchio*; etc.). Collège du change (XVe s., fresques du Pérugin). Maisons gothiques. Musée national archéologique.

PEROXYDE. — Certains peroxydes sont des antiseptiques, ainsi le peroxyde d'hydrogène, ou eau oxygénée, le peroxyde de zinc, employé en dermatologie, le peroxyde de magnésium, antiseptique gastrique.

PERPÉTUE et **FÉLICITÉ** *(saintes),* martyres chrétiennes de Carthage, en 203. Le récit de leurs martyres *(Passion des saintes Perpétue et Félicité),* dont la rédaction a été attribuée à Tertullien*, est un important document historique pour la connaissance du christianisme africain au IIIe s.

PERPIGNAN (66000), ch.-l. du départ. des Pyrénées-Orientales, sur la Têt, à 925 km au S. de Paris; 107 971 hab. *(Perpignanais).* L'agglomération (avec Saint-Estève, Cabestany, Pia) compte près de 120 000 habitants et demeure surtout à vocation administrative et commerciale, peu industrialisée, zone de passage (desservie par autoroute) entre le Languedoc et la Catalogne espagnole.

HISTOIRE. Principale cité du Roussillon, Perpignan fut réunie à l'Aragon (1172) avant de devenir la capitale du royaume de Majorque (1276-1344). De nouveau réunie à l'Aragon (1344) par Pierre IV, qui y fonda une université (1349), elle s'enrichit à la faveur de l'expansion aragonaise en Méditerranée. Prise par les Français (1642), elle fut cédée par l'Espagne à la France (1659).

Arne-C. E. D. R. I.

Perpignan. Le Castillet, édifice militaire élevé au XIVe s. À l'arrière-plan, le sommet enneigé du Canigou (2 786 m).

BEAUX-ARTS. Castillet des XIVe et XVe s. (musée catalan). Citadelle du XVIe s. englobant le palais des rois de Majorque, des XIIIe-XIVe s. Cathédrale des XIVe-XVe s. (chapelle romane de l'édifice antérieur; « Dévot Christ »; retables catalans sculptés). Église Saint-Jacques (retable de la fin du XVe s.). Loge de mer de 1388 et hôtel de ville des XIIIe-XVIIe s. (œuvres de Maillol*), etc. Musée de peinture, dit « Hyacinthe-Rigaud », dans un hôtel du XVIIIe s.

PERRAULT (Claude), médecin, physicien et architecte amateur français (Paris 1613 - *id.* 1688). Membre de l'Académie des sciences en 1666, il fait partie, en 1667, de la commission qui délibère sur la façade dont le Louvre* doit être doté du côté de l'est. Son frère Charles affirmera que la « colonnade » est son œuvre, Boileau le niant. En 1673, Claude publie une célèbre traduction de Vitruve. Jusque vers 1675, le rôle des deux frères dans les entreprises architecturales de l'époque (Observatoire, aménagements de Versailles...) est certain. Par la suite, Claude se consacre à la recherche scientifique et participe à la querelle des Anciens et des Modernes.

PERRAULT (Charles), écrivain français (Paris 1628-*id.* 1703), frère du précédent. Contrôleur général de la surintendance des Bâtiments, il fut, dès 1670, membre de l'Académie des inscriptions et belles-lettres; élu, en 1671, à l'Académie française, il contribua à établir les règlements de la compagnie. Son poème *le Siècle de Louis le Grand* (1687) réveilla la querelle des Anciens* et des Modernes (1688-1698). Perrault développa sa thèse dans les *Parallèles des Anciens et des Modernes* (1688-1698), puis dans *les Hommes illustres qui ont paru en France pendant le XVIIe siècle* (1697-1701). Mais il doit sa célébrité aux contes qu'il recueillit pour l'amusement des enfants (*Contes de ma mère l'Oye,* 1697) et qu'il publia sous le nom de son fils, PERRAULT D'ARMANCOUR (1678-1700).

PERRÉAL (Jean), peintre, dessinateur, décorateur et poète français, connu de 1480 à 1530 environ. Célèbre en son temps, il fut employé par la ville de Lyon, fut peintre en titre de Charles VIII, Louis XII et François Ier, donna les dessins du tombeau des parents d'Anne de Bretagne (sculpté par M. Colombe, Nantes), fut conseiller artistique de Marguerite d'Autriche dans son entreprise de Brou... Mais on ne possède de lui qu'une peinture certaine, miniature-frontispice pour son propre poème *Complainte de Nature à l'Alchimiste errant* (1516, musée Marmottan, Paris); d'autres œuvres, portraits surtout, peuvent en être rapprochées.

PERRÉGAUX → MOHAMMEDIA.

PERRET *(les frères),* architectes et entrepreneurs français qui ont donné à l'architecture de béton* armé ses lettres de noblesse, dans le sens d'un effort de prolongement des traditions classiques. Tous trois sont nés à Bruxelles (où leur père, entrepreneur, était réfugié comme communard) et morts à Paris. Collaborant avec GUSTAVE (1876-1952) et CLAUDE (1880-1960), c'est AUGUSTE (1874-1954) qui a la responsabilité principale dans les créations de l'entreprise familiale : immeuble, 25 *bis* rue Franklin, à Paris (1903), théâtre des Champs-Élysées (1911-1913, sur une composition déterminée dans ses grandes lignes esthétiques par H. Van de Velde*), église du Raincy (1922, œuvre lumineuse et élégante, aux éléments de structure préfabriqués), salle Cortot à l'École normale de musique de Paris (1928), Garde-meuble national (1934), reconstruction du Havre après 1945, etc.

PERREUX (42120 Le Coteau), ch.-l. de cant. de la Loire, à 5 km à l'E. de Roanne; 2242 hab.

PERREUX-SUR-MARNE (Le) [94170], ch.-l. de cant. du Val-de-Marne, à 12 km à l'E. de Paris; 28333 hab.

PERRIN (Jean), physicien français (Lille 1870-New York 1942). Il a montré, en 1895, que les rayons cathodiques étaient formés d'électrons. Il fit des recherches sur les émulsions, le mouvement brownien, les lames minces, pour déterminer de plusieurs façons le nombre d'Avogadro. En 1901, il fut le premier à assimiler l'atome à un système solaire en miniature. Dès 1920, il fit observer que la transformation d'hydrogène en hélium pourrait rendre compte du rayonnement solaire. Sous-secrétaire d'État à la Recherche scientifique (1936), il créa le palais de la Découverte (1937). [Prix Nobel de physique, 1926.] — Son fils FRANCIS (Paris 1901) a étudié la matérialisation du rayonnement et établi la possibilité de réactions nucléaires en chaîne, en calculant les dimensions critiques.

PERRONET (Jean Rodolphe), ingénieur français (Suresnes 1708-Paris 1794). Premier ingénieur du roi (1763), il conçut et fit exécuter de nombreux travaux, notamment des ponts : ponts de Neuilly, sur la Seine (1768-1774), de Pont-Sainte-Maxence, sur l'Oise (1774-1785), de la Concorde, à Paris (1787-1791), et de Nemours, sur le Loing (1795-1804), qui présentent un intérêt exceptionnel par la nouveauté de leur technique. Mais son principal titre de gloire est la création, avec Trudaine, de l'École des ponts et chaussées.

PERRONNEAU (Jean-Baptiste), peintre et pastelliste français (Paris 1715-Amsterdam 1783). Portraitiste doué de finesse et de vivacité, il est reçu à l'Académie, en 1753, avec les portraits à l'huile d'Oudry et de L. S. Adam (Louvre), mais emploie plus souvent le pastel. La Tour monopolisant les commandes des grands personnages, il travaille plutôt pour la bourgeoisie et va souvent chercher sa clientèle en province et à l'étranger (musée d'Orléans).

PERROQUET et **PERRUCHE.** — Il n'y a qu'une différence de taille entre les perroquets et les perruches, qui sont plus petites. Ces oiseaux, de la famille des psittacidés, sont très singuliers, tant par leurs pattes, qu'ils peuvent utiliser comme des mains pour porter la nourriture à la bouche, que par leur bec, aux deux mandibules courbées en sens contraire, l'inférieure s'engageant dans la supérieure. Ce bec collabore avec les pattes lorsque ces oiseaux grimpent verticalement. Mais ce sont leurs superbes couleurs, et, accessoirement, leur aptitude à imiter la voix humaine, qui ont fait des perroquets le type même de l'oiseau d'agrément élevé en appartement. En outre, leur longévité égale celle de l'homme.

Les *aras* sont les perroquets à longue queue, d'Amazonie. Les *cacatoès,* d'Indonésie, grands et blancs, ont une huppe derrière la tête. Le *jaco* est le meilleur parleur du groupe. Le *nestor* de Nouvelle-Zélande a des mœurs de rapace. Chez les *perruches ondulées,* le mâle montre un extrême attachement à sa femelle. Cette unité du couple atteint son plus haut degré chez les «inséparables» *(Agapornis).* Les *loris* se nourrissent de nectar et de pollen, à l'aide d'une langue «poilue». (Famille des psittacidés.)

PERROS-GUIREC (22700), ch.-l. de cant. des Côtes-du-Nord, sur la côte du Trégorrois, à 11 km au N. de Lannion; 7793 hab. Pêche. Station balnéaire. Thalassothérapie.

PERROT (Jules), danseur et chorégraphe français (Lyon 1810-Paramé 1892). Doté d'un physique ingrat, il devint cependant un des plus grands danseurs de son temps, sous la férule d'Auguste Vestris. Surnommé «Perrot l'aérien», tant son élévation était grande, il a été aussi un chorégraphe romantique, à qui on doit le *Pas de quatre* (1845) et *Giselle** (1841), qu'il composa avec Coralli.

PERROUX (François), économiste français (Lyon 1903), professeur au Collège de France en 1955. L'économie du XXe s. n'est plus pour Perroux une économie de concurrence parfaite, des effets de puissance se faisant sentir entre dominants et dominés. Perroux met en lumière l'influence des «pôles* de croissance» et prône une doctrine nouvelle du développement*, soulignant l'égoïsme des nations riches.

PERSAN → PERSE.

PERSAN (95340), comm. du Val-d'Oise, sur l'Oise, à 7 km au N.-E. de L'Isle-Adam; 9347 hab. Industries mécaniques et chimiques.

PERSE. — Langue du groupe iranien, le perse est connu depuis le VIe s. av. J.-C. Le vieux perse, qui était la langue des souverains achéménides, est attesté par de nombreuses inscriptions datant surtout des règnes de Darios Ier et de Xerxès. Ces inscriptions, qui ne présentent pas de valeur littéraire, étaient écrites en caractères cunéiformes* et en trois versions (vieux perse, babylonien, élamite), dont la comparaison a permis, au XIXe s., le déchiffrement de cette écriture. Le moyen perse, ou pahlavi, était la langue officielle de l'Empire sassanide. Il est connu par une abondante littérature, surtout religieuse (textes mazdéens et manichéens). Il s'écrit dans un alphabet d'origine araméenne qui ne notait que les consonnes. Du moyen perse est issu directement le persan, qui a fait en outre un grand nombre d'emprunts à l'arabe. Langue de civilisation très importante au Moyen Âge et aux Temps modernes, le persan est l'organe d'une riche littérature qui remonte au Xe s. Il s'écrit grâce à l'alphabet arabe augmenté de quelques signes diacritiques. Parlé par plus de 30 millions de locuteurs, il est langue officielle de l'Iran et de l'Afghānistān (avec le pachto). Le tadjik, langue nationale de la république soviétique du Tadjikistan, est une forme de persan.

PERSE, anc. nom de l'IRAN.

PERSE, en lat. **Aulus Persius Flaccus,** poète latin (Volterra 34-Rome 62). Influencé par la morale stoïcienne, il a cherché à faire de la satire un genre élevé, mêlant les procédés oratoires à l'observation pittoresque.

PERSÉE, héros de la mythologie grecque, fils de Zeus et de Danaé. Il coupa la tête de Méduse*, délivra Andromède*, qu'il épousa, et régna sur Tirynthe et Mycènes.

PERSÉE (v. 212 av. J.-C.-Alba Fucens 166), dernier roi de Macédoine (179-168), de la dynastie des Antigonides*. Il poursuivit la politique de son père, Philippe V, visant à soustraire la Macédoine au contrôle de Rome. Vaincu par Paul* Émile à Pydna*, en 168, et déposséde de son royaume, il mourut captif en Italie.

PERSÉE, constellation* de l'hémisphère boréal, renfermant l'étoile variable *Algol,* des étoiles doubles, un amas* double NGC 869 et 884 que l'on peut distinguer à l'œil nu et un amas ouvert M 34.

PERSÉIDES, essaim météorique qui paraît émaner de la constellation de Persée* et dont les éléments sont très rapides (60 km/s).

PERSEIGNE *(forêt de),* forêt du nord du départ. de la Sarthe, à l'E. d'Alençon; env. 5000 ha.

PERSÉPHONE, dite aussi **Coré,** fille de Déméter*. Le culte de cette déesse de la Végétation et de la Mort rejoignit celui de sa mère Déméter. À Rome, Perséphone était adorée sous le nom de *Proserpine.*

PERSÉPOLIS, une des capitales de l'Empire achéménide*. Fondée par Darios Ier (522-486) au début de son règne, agrandie et embellie par ses successeurs, elle fut accidentellement incendiée en 330 av. J.-C., lors de la conquête d'Alexandre* le Grand. Grandiose complexe palatial — élevé sur une terrasse artificielle de 13 ha, adossé à la montagne — il est l'exemple le plus parfait de l'architecture achéménide*, marquée par l'éclectisme des souverains et des variations sur un thème unique : celui de la salle hypostyle. Importante décoration sculptée.

PERSES, peuple de langue aryenne, du sud-ouest de l'Iran. Il constitua la base de deux empires, celui des Achéménides* (VIe-IVe s. av. J.-C.) et celui des Sassanides* (IIIe-VIIe s. apr. J.-C.), et finit par imposer sa culture à tout l'ensemble iranien. (V. IRAN.)

Perses *(les),* tragédie d'Eschyle (472 av. J.-C.) : tableau du désespoir de Xerxès à la suite du désastre de Salamine.

PERSHING (John Joseph), général américain (Laclede, Missouri, 1860 - Washington 1948). Après avoir commandé une expédition contre le Mexique (1916), il fut mis à la tête des forces américaines en France (1917-18).

PERSIQUE *(golfe),* parfois appelé **golfe Arabo-Persique,** dépendance peu profonde de l'océan Indien, entre le littoral de l'Arabie (Émirats arabes unis, Qaṭar, Arabie Saoudite et Koweït) et celui de l'Iran. Sur ses rives et dans le golfe lui-même, extraction du pétrole, faisant du golfe Persique, de loin, la première région productrice du monde.

PERSONALES. — Il s'agit d'un ordre important de plantes dicotylédones très évoluées, dont la corolle à symétrie bilatérale peut ressembler à un masque de théâtre (muflier ou gueule-de-loup). Les espèces européennes sont des herbes, rassemblées pour la plupart dans la famille des scrofulariacées (linaire, muflier, digitale, mélampyre...), mais aussi dans de petites familles de plantes parasites (orobanche) ou carnivores (grassette, utriculaire).

PERSONNALISME. — Critiquant l'aspect individualiste du personnalisme de Renouvier, E. Mounier* soutient la thèse du caractère premier des rapports interpersonnels. Cette idée philosophique provient de la croyance chrétienne en un Dieu personnel et des débats théologiques sur l'unité des trois personnes divines que le P. Laberthonnière a développés dans son *Esquisse d'une philosophie personnaliste* (1942).

PERSONNALITÉ. — La notion de personnalité est une reconstruction théorique élaborée pour rendre compte de la conduite de l'être humain concret. Déduit des comportements observés ainsi que des dispositions de l'individu considéré comme une singularité, le terme de « personnalité » est limité par la psychologie contemporaine à leur composant affectivo-dynamique, c'est-à-dire à ce que le langage courant appelle le « caractère ». Les aspects cognitifs de la personnalité sont les aptitudes* et l'intelligence*. Le tempérament renvoie à la constitution physiologique stable, et en grande partie héréditaire, qui constitue le squelette biologique de la personnalité, et qui sous-tend les réactions affectives de l'individu dans une situation concrète. Selon E. Kretschmer*, le tempérament est caractérisé par sa sensibilité (allant du pôle « sensible » au pôle « obtus »), par la disposition générale de l'humeur (allant du pôle « gai » au pôle « triste ») et par son rythme psychique. Les typologies constituent des systèmes de description et de classification des individus, où l'aspect morphologique joue un grand rôle. Elles partent du principe qu'il existe des corrélations entre les sphères physiologiques, morphologiques et psychologiques de la personne. Les plus connues sont celle de Kretschmer et celle de Sheldon, cette dernière classant les individus, selon le degré de développement des trois feuillets embryonnaires, en endomorphes, ectomorphes, et mésomorphes. Certains systèmes de description de la personnalité condensent les innombrables qualificatifs utilisés par la psychologie naïve en un petit nombre de dimensions (trait de personnalité). Le choix des dimensions jugées opérantes s'effectue en fonction de la théorie psychologique de son auteur. C'est ainsi que, pour C. G. Jung*, l'introversion-extraversion constitue la dimension fondamentale. Elle dépend de la qualité de la relation de la personne au monde extérieur, celle-ci se classant dans un continuum allant du pôle intraversion au pôle extraversion. L'analyse factorielle des réponses à des questionnaires d'individus différents a permis à Eysenck (1947) de dégager deux facteurs bipolaires, constitutifs de la personnalité : le nervosisme et l'extraversion-intraversion. Gilford (1959), en utilisant la même méthode, en a établi une liste beaucoup plus étendue. Ces systèmes de description supposent une certaine unité de la personnalité et son identité à travers le temps, c'est-à-dire que des conduites variées, et même conflictuelles, puissent être attribuées au même sujet.

La psychanalyse* fournit un système de description structural et dynamique de la personnalité. Selon cette théorie, la personnalité dépend du jeu des trois instances : Moi*, Ça* et Surmoi*, de leurs conflits, et des conflits pouvant survenir au sein d'une même instance entre dérivés pulsionnels contradictoires.

Certaines perspectives (béhaviorisme*, anthropologie culturelle) insistent sur l'importance de l'éducation, intermédiaire par lequel la culture d'un groupe donné crée et façonne la personnalité des membres de ce groupe. Le concept de personnalité de base, introduit en 1939 par A. Kardiner, désigne une configuration particulière de personnalité plus ou moins commune aux membres d'un groupe donné en vertu d'expériences de satisfaction ou de frustration infantiles similaires. La personnalité de base est un modèle qui sous-tend les formes concrètes et individuelles de la personnalité.

PERSONNE MORALE. — Le terme s'applique à des sujets de droit qui, n'étant pas des êtres vivants, sont néanmoins, à l'instar des personnes physiques, titulaires de droits, ou peuvent en acquérir et passer des contrats. Ces groupements ont la « personnalité morale », sont titulaires d'un patrimoine, etc.

On distingue : les *personnes morales de droit public,* qui ne peuvent être créées ou supprimées que par l'État et sont investies de la puissance publique, et parmi lesquelles on peut citer (en plus de l'État) les départements, les communes, les établissements publics, les ordres professionnels (v. PROFESSIONNELLES [*organisations*]); les *personnes morales de droit privé,* qui comprennent les fondations, les sociétés*, les associations*, les syndicats*; les *personnes morales de droit mixte,* qui sont à mi-chemin des personnes morales de droit privé et des personnes morales de droit public (personnes morales publiques soumises aux règles du droit privé, comme les banques nationalisées).

Une personne morale ne « meurt » pas, mais elle peut néanmoins disparaître, par la volonté de l'État ou par celle des intéressés, lorsque ceux-ci en décident dans une assemblée générale.

PERTH, v. d'Australie, sur l'océan Indien, capit. de l'Australie-Occidentale; 725 000 hab. Raffinage du pétrole. Construction automobile.

PERTH, v. d'Écosse, ch.-l. du *comté de Perth,* au S. de Dundee; 42 000 hab. Église S. John (XVe s., parties du XIIe). Musée.

PERTHARITE († 688), roi des Lombards en 661 et de 671 à 688. Corneille l'a pris pour héros d'une de ses tragédies (1651), qui fut son premier échec.

PERTHES-EN-GÂTINAIS (77930), ch.-l. de cant. de Seine-et-Marne, à 11 km au S.-O. de Melun; 1 297 hab.

PERTHOIS, région de la Champagne, occupant principalement le sud-est du département de la Marne, zone de passage empruntée par le rail et la voie fluviale entre Paris et l'Est (Lorraine et Alsace).

PERTHUS *(col du),* passage des Pyrénées-Orientales, à 290 m d'alt., à la frontière franco-espagnole, à 30 km au S. de Perpignan.

Michaud - Rapho

Persépolis. Vue panoramique sur la salle aux Cent Colonnes (au premier plan), l'Apadana de Darios (salle du trône, au deuxième plan) et le « Tatchara » (petit palais de Darios, au fond, à gauche).

PERTUIS (84120), ch.-l. de cant. de Vaucluse, à 20 km au N. d'Aix-en-Provence; 10117 hab. Église gothique et Renaissance.

PERTURBATION ATMOSPHÉRIQUE. — Les perturbations atmosphériques se forment généralement au contact de deux masses d'air bien individualisées et caractérisent en particulier la zone tempérée, où l'air polaire froid entre en contact avec l'air tropical chaud. Ce contact a lieu le long du front polaire, qui dessine une succession de festons se déplaçant d'ouest en est sous l'influence de la circulation atmosphérique générale. Un feston comprend un front chaud, correspondant au passage de l'air chaud sur l'air froid antérieur, le long d'une surface à pente faible, et un front froid, correspondant au glissement de l'air froid postérieur sous l'air chaud, le long d'une surface beaucoup plus raide. Zone privilégiée d'ascendance de l'air, un front est accompagné d'une dépression atmosphérique, ou cyclone. Le passage d'une perturbation atmosphérique se traduit par le passage d'un système nuageux et le déclenchement de précipitations.

PERTUSATO *(cap),* extrémité sud de la Corse.

PÉRUGIN (Pietro VANNUCCI, dit **le**), peintre italien (Città della Pieve, Pérouse, v. 1448 - Fontignano 1523). Élève, à Florence, de Verrocchio, averti du langage de Piero della Francesca, il partage son activité entre Rome (fresque de la chapelle Sixtine, 1481, synthèse de douceur ombrienne et de rigueur toscane), Florence (tableaux d'autels, d'une harmonie un peu monotone; fresque de la *Crucifixion* au couvent de S. Maria Maddalena dei Pazzi, 1495) et Pérouse, où il triomphe avec les fresques du Collegio del Cambio, sur un thème humaniste (1496-1500). Appelé de nouveau au Vatican, il y est bientôt supplanté par le jeune Raphaël, qui a appris de lui l'assouplissement des formes, le fondu des couleurs, l'amplification du paysage, l'unité de la conception.

PERUTZ (Max Ferdinand), chimiste anglais d'origine autrichienne (Vienne 1914). Avec son adjoint Kendrew*, grâce à la diffraction des rayons X, il a établi la structure tridimensionnelle de l'hémoglobine. Tous deux ont reçu le prix Nobel de chimie en 1962.

PÉRUWELZ, v. de Belgique (Hainaut), au S.-E. de Tournai; 17124 hab.

PERUZZI, ancienne famille florentine, connue dès le XIIIe s., qui participa activement à la vie politique et économique de Florence jusqu'à l'ascension des Médicis. La renommée des Peruzzi était principalement liée à leur compagnie commerciale et bancaire, dont l'activité s'étendait sur le sud de l'Italie, l'Angleterre et la France. Consentant d'importants prêts aux souverains italiens et étrangers, les Peruzzi furent acculés à la faillite en 1343.

PERUZZI (Baldassare), architecte, ingénieur, peintre et décorateur italien (Sienne 1481 - Rome 1536). Sa carrière se déroule principalement à Rome, où il est attaché dès 1503 — et jusqu'à la fin de sa vie — au chantier de Saint-Pierre et construit la gracieuse et antiquisante villa Chigi (la « Farnésine », 1506-1511) ainsi que le palais Massimo, d'une originalité maniériste (1532).

PERVENCHE. — La torsion spirale conservée par les pétales de la pervenche après éclosion est un cas presque unique dans la flore française. La pervenche est une herbe rampante des lieux boisés ou buissonneux, vivace par ses stolons et munie de feuilles persistantes. (Famille des apocynacées.)

PERVENCHÈRES (61360), ch.-l. de cant. de l'Orne, à 14,5 km au S.-O. de Mortagne-au-Perche; 404 hab.

PERVERSION. — Toutes les manières de recherches de plaisir sexuel en dehors du coït* avec un individu de même espèce et de sexe opposé, défini comme étant le comportement sexuel normal, sont considérées comme des perversions. On les classe en perversions par rapport au but (pédophilie, autoérotisme, homosexualité*, nécrophilie, zoophilie) ou par rapport aux moyens (sadisme*, masochisme*, fétichisme*, voyeurisme).

Selon la théorie freudienne, la pulsion* sexuelle subit un grand nombre de remaniements au cours de son évolution : celle-ci se fait vers la primauté du génital sur les pulsions* partielles établie au moment de l'adolescence. L'enfant est un « pervers polymorphe », selon l'expression de S. Freud*, car au cours de son développement libidinal il passe normalement par toutes les formes de perversions que l'on retrouve chez l'adulte et où domine telle ou telle pulsion partielle : oralité, analité, sadisme, etc. L'organisation ultérieure de la sexualité sur un mode pervers dépend de la quantité d'énergie libidinale, fixée à un stade prégénital auquel le sujet peut régresser après une tentative de sexualité normale. À la différence du névrosé, le pervers n'organise pas de système de défense* compliqué pour lutter contre cette domination des pulsions partielles. La perversion est assumée par le Moi*; pour Freud la névrose* est l'envers de la perversion, c'est-à-dire le résultat du refoulement* de la perversion; pour Lacan*, la structure perverse est marquée par l'absence de l'application de la loi du père.

PERVOOURALSK, v. de l'U.R.S.S. (R.S.F.S. de Russie), dans l'Oural; 117000 hab.

PESANTEUR. — La pesanteur, due à l'attraction de la Terre sur les corps matériels, se traduit par l'existence d'une force verticale, le *poids* du corps, appliquée au centre de gravité. En un lieu donné, cette force est proportionnelle à la masse du corps, et leur quotient $g = \frac{p}{m}$ est dit *intensité de la pesanteur.* Sa valeur, que l'on peut déterminer grâce au pendule ou à l'aide de gravimètres, dépend de l'altitude et de la latitude. Au niveau de la mer et à la limite de Paris, elle est de 9,8088 m/s^2. Ses valeurs théoriques à l'altitude 0 sont, à l'équateur, 9,7085 m/s^2 et, au pôle, 9,8333 m/s^2. Pour un accroissement d'altitude de h mètres, sa variation est $\Delta g = -0{,}000\,308\,h$. La différence entre la valeur théorique en un point et la valeur observée constitue une anomalie, dont la connaissance est importante en prospection géophysique et minière. Cette intensité g mesure également l'accélération du mouvement de chute libre des corps pesants.

PESARO, v. d'Italie, dans les Marches, ch.-l. de prov.; 86000 hab. Station balnéaire sur l'Adriatique. Palais et forteresse des Sforza. Musée (peintures, majoliques).

PESCADORES (« Pêcheurs »), archipel du détroit de Formose, ou T'ai-wan, dépendance de T'ai-wan. Occupé par les Hollandais au XVIIe s., par les Français en 1885, l'archipel, comme T'ai-wan (Formose), fut japonais de 1895 à 1945.

PESCARA, v. d'Italie, dans les Abruzzes, ch.-l. de prov.; 126000 hab.

PESÉE → KILOGRAMME.

PESHĀWAR, v. du Pākistān, ch.-l. de prov., au débouché de la passe de Khaybar; 273000 hab. — Capitale de l'ancien royaume du Gāndhāra*, puis de l'empire Kuṣāṇa de Kaniṣka, la ville conserve plusieurs témoins de ce passé. Monastère bouddhique, devenu temple hindou. Mosquée moghole* de Mahābat Khān (1630). À proximité, vestige d'un très vaste stūpa bouddhiste du IIe s. Le musée possède une importante collection d'art du Gāndhāra.

PESMES (70140), ch.-l. de cant. de la Haute-Saône, à 19 km au S. de Gray; 995 hab. Vestiges féodaux. Église gothique (œuvres d'art).

PESSAC (33600), ch.-l. de cant. de la Gironde, dans la banlieue sud-ouest de Bordeaux; 51444 hab. *(Pessacais).* Grands vins (haut-brion).

PESSAIRE → UTÉRUS.

PESSOA (Fernando), poète portugais (Lisbonne 1888 - *id.* 1935). Il chercha à recomposer une personnalité éclatée et multiple dans une œuvre qu'il attribue en partie à trois poètes imaginaires et qui exerça après sa mort une grande influence sur le lyrisme portugais (*Message,* 1934; *Poésies de Fernando Pessoa,* 1942; *Poésies d'Álvaro de Campos,* 1944; *Poèmes d'Alberto Caeiro,* 1946; *Odes de Ricardo Reis,* 1946).

PESSÕA CÃMARA (Hélder), prélat brésilien (Fortaleza 1909). Archevêque de Récife (1964), il soutient les partisans de réformes sociales hardies. En 1968, il fonde le mouvement Action, Paix, Justice, qui se propose d'obtenir, par la non-violence, la réforme de structures qu'il considère comme injustes et contraires à l'Évangile.

PEST, partie basse de *Budapest*,* sur la rive gauche du Danube.

PESTALOZZI (Johann Heinrich), pédagogue suisse (Zurich 1746-Brugg 1827). Disciple de J.-J. Rousseau*, il popularisa, en les corrigeant, les idées pédagogiques de ce dernier. Estimant que le but de toute éducation doit être de permettre le développement progressif des qualités innées de l'enfant, il préconise le respect de la personnalité de chacun. Il s'est intéressé à l'enseignement mutuel et à l'éducation des enfants pauvres.

PESTE. — Cette maladie infectieuse grave, due au bacille de Yersin, atteint l'homme et les animaux (chien, rat). Elle est transmise à l'homme par piqûre de certaines puces, ou directement d'homme à homme en cas d'atteinte pulmonaire.

La *peste bubonique* succède à une piqûre de puce, et se manifeste par une fièvre élevée, un état toxi-infectieux et un gros ganglion très douloureux dans le territoire de la piqûre. La propagation de l'infection au poumon, ou *peste pulmonaire,* est une complication grave, pour le malade et pour l'entourage, car la transmission directe par voie respiratoire étend rapidement l'épidémie. La *peste septicémique,* foudroyante, est une forme terminale des deux premières.

Le traitement repose sur la streptomycine. La prévention utilise les sulfamides et la vaccination. Les pesteux doivent être isolés, les insectes vecteurs et les rongeurs détruits.

Peste *(la),* roman d'Albert Camus (1947). En décrivant l'invasion de la ville d'Oran par une épidémie meurtrière, l'auteur brosse un tableau pathétique de la condition humaine.

PESTICIDES. — Limitée jusqu'à la Seconde Guerre mondiale à quelques produits chimiques minéraux ou organiques (sels de cuivre, d'arsenic, acide sulfurique, etc.), la liste des pesticides, produits antiparasitaires à usage agricole, s'est singulièrement enrichie en raison des progrès incroyablement rapides de la chimie, et particulièrement de la chimie de synthèse. En France, on connaît actuellement plus de 200 matières actives entrant dans la fabrication de 3000 à 4000 spécialités commerciales utilisées pour détruire insectes ou acariens, microbes ou moisissures, ou pour éliminer les plantes adventices (chardons, coquelicots, bleuets, etc.).

Il faut être réaliste et affirmer la nécessité absolue de la lutte : l'interdiction d'emploi des pesticides aurait pour conséquence inéluctable une baisse spectaculaire des rendements des cultures ou de l'élevage, faisant réapparaître les menaces de disette que connaissait dans les siècles passés une Europe beaucoup moins peuplée qu'aujourd'hui. Mais il est évident que tout produit toxique pour les espèces végétales ou animales peut présenter des dangers pour l'homme, dangers variables suivant la composition et les caractéristiques des produits, les doses ingérées, le mode d'ingestion, etc. Or, les progrès des méthodes analytiques, et en particulier la découverte de la chromatographie en phase gazeuse, ont permis de montrer que beaucoup de denrées alimentaires contenaient des résidus de pesticides, et de mesurer de façon précise les quantités parfois infimes de ces résidus (la précision du chromatographe à capture d'électrons est de l'ordre du picogramme [milligramme pour 1000 tonnes]). On a pu constater que, si certains pesticides sont rapidement dégradés — par divers processus biologiques ou chimiques — dans le sol, dans les plantes, dans le tube digestif animal ou humain, d'autres ne sont pas biodégradables, ont une rémanence de plusieurs années et peuvent s'accumuler dans certaines cellules (en particulier dans les graisses) végétales, animales ou humaines.

Encore qu'il ne faille pas exagérer les risques que fait courir à la santé humaine cette pollution par les pesticides, tous les moyens doivent être mis en œuvre pour limiter l'emploi des pesticides non biodégradables (en particulier les pesticides organochlorés) et pour les remplacer par des pesticides biodégradables. Ce n'est que par une action conjuguée des pouvoirs publics (qui, en France, ont déjà interdit ou limité l'emploi des pesticides organochlorés), des chercheurs, des fabricants de pesticides et des utilisateurs, que l'on pourra parvenir à ramener à des niveaux acceptables la pollution des denrées alimentaires.

PETAH-TIKVA, v. d'Israël, à l'E. de Tel-Aviv; 92000 hab.

PÉTAIN (Philippe), maréchal de France (Cauchy-à-la-Tour 1856-île d'Yeu 1951). Professeur d'infanterie à l'École de guerre (1901-1910), il se distingue au début de la Première Guerre mondiale à la bataille de la Marne (1914), puis en Artois (avec le 33e corps) et en Champagne (où il commande la IIe armée) en 1915. Il dirige en 1916 la résistance victorieuse de Verdun, d'abord à la tête de la IIe armée puis (mai) du groupe d'armées du Centre. Nommé commandant en chef en 1917, après l'échec du Chemin des Dames, il parvient à redresser le moral des armées françaises, qu'il conduit ensuite, sous les ordres de Foch, à la victoire décisive de 1918, qui lui vaut le bâton de maréchal. En 1925, au Maroc, il rétablit la situation militaire compromise par la révolte d'Abd el-Krim. Ministre de la Guerre dans le cabinet Doumergue en 1934, ambassadeur à Madrid auprès de Franco en 1939, il est nommé, le 18 mai 1940, vice-président du Conseil par Paul Reynaud. Il lui succède le 16 juin, conclut aussitôt un armistice avec l'Allemagne et l'Italie, reçoit le 11 juillet les pleins pouvoirs de l'Assemblée nationale et devient chef de l'État français. Installé à Vichy, en zone non occupée, il mène parallèlement à une «révolution nationale» (v. VICHY [*gouvernement de*]), une politique qui oscille entre la résistance aux exigences allemandes et la collaboration avec le Reich : rencontre avec Hitler à Montoire (oct. 1940), renvoi de Laval (déc.), maintien du contact avec Churchill et Roosevelt, éviction de Weygand (1941), rappel de Laval, auquel il abandonne définitivement, en avril 1942, la direction du gouvernement. Conduit de force par les Allemands (sept. 1944) à Sigmaringen, Pétain refuse désormais d'exercer aucune fonction. Il parvient à passer en Suisse et rentre volontairement en France (avr. 1945). Condamné à mort par une Haute Cour (août), il voit sa peine commuée en détention perpétuelle à l'île d'Yeu.

Le maréchal Pétain et le général américain Pershing, en 1931 (à bord du bâtiment *The City*).

N. Y. T.

PÉTALE → FLEUR.

PÉTANGE, v. du sud-ouest du Luxembourg; 11800 hab.

PÉTAURISTE. — Ce petit marsupial australien du groupe des phalangers* existe sous deux espèces, l'une grande comme un écureuil, l'autre comme une souris, et toutes deux remarquablement douées pour le vol plané grâce à la vaste membrane (patagium) qui borde leurs flancs et à leur queue touffue.

PETCHENÈGUES, peuple turc. Chassés des bords de la Caspienne par les Khazars et d'autres tribus turques dans les dernières années du IXe s., les Petchenègues s'établissent dans les steppes entre le Dniepr et l'embouchure du Danube, d'où ils attaquent la Russie kiévienne et l'Empire byzantin. Battus par les Russes en 1039, les Petchenègues sont écrasés par les Coumans, auxquels ont fait appel les Byzantins en 1091, et éliminés de Valachie en 1122.

PETCHORA (la), fl. de l'U. R. S. S., né dans l'Oural, qui rejoint la mer de Barents; 1789 km.

PETERBOROUGH, v. d'Angleterre, au N. de Londres; 87000 hab. Belle cathédrale romane et gothique.

PETERBOROUGH, v. du Canada (Ontario), au N.-E. de Toronto; 58111 hab.

PETERLINGEN → PAYERNE.

PETERMANN (Auguste), géographe allemand (Bleicherode 1822-Gotha 1878), fondateur de la revue *Petermanns Mitteilungen* (1855).

PÉTIOLE → FEUILLE.

PÉTION (Anne Alexandre SABÈS, dit), homme d'État haïtien (Port-au-Prince 1770-*id.* 1818). Il participe à la révolte contre les Blancs (1791), se brouille avec Toussaint Louverture et se réfugie en France (1801). Revenu avec Leclerc, il passe de nouveau du côté des insurgés, rompt avec Dessalines, puis avec Christophe et proclame la République haïtienne, dont il devient président (1807-1818).

PÉTION DE VILLENEUVE (Jérôme), homme politique français (Chartres 1756-Saint-Émilion 1794). Maire de Paris (nov. 1791), il contribue à la chute de la royauté le 10 août 1792. Président de la Convention, il soutient les Girondins*, ce qui lui vaut d'être englobé dans les proscriptions du 2 juin 1793. Après avoir essayé vainement de soulever la Normandie, il s'enfuit dans le Bordelais, où, traqué, il se suicide.

PETIPA (Marius), danseur et chorégraphe français (Marseille 1818-Saint-Pétersbourg 1910). Né dans une famille d'artistes et de danseurs, il étudie la danse avec son père Jean Antoine (1789-1855), puis avec Auguste Vestris. Il débute à Bruxelles et poursuit une carrière itinérante, qui le conduit en Amérique (1839), puis en Russie, où il se fixe. Fort en vue comme danseur au Théâtre-Impérial de Saint-Pétersbourg, il a bientôt la direction de l'école de danse grâce à laquelle il parvient à forger le ballet et même à créer l'école russe de ballet, à qui il impose la pure tradition de l'école classique française. Ses compositions, rigoureuses, élégantes et réglées le plus souvent en fonction des interprètes, constituent un apport important au ballet du XIXe et même du XXe s. Entre *la Fille du pharaon* (1862) et *Roxane ou la Belle Monténégrine* (1878), son succès connaît une large éclipse. Mais, à partir de sa collaboration avec Tchaïkovski, les chefs-d'œuvre renaissent : *la Belle au bois dormant* (1890), *Casse-Noisette* (1892) [mais achevé par Lev Ivanov, son assistant], *le Lac des cygnes* (1895, en collaboration avec L. Ivanov). Avec Glazounov, il règle *Raymonda* (1898), et, avec Riccardo Drigo, *les Millions d'Arlequin* (1900). Le déclin de Petipa est d'autant plus accéléré que la jeune génération de danseurs que Cecchetti et lui-même ont formés est acquise aux idées nouvelles, diffusées par Serge de Diaghilev et ses Ballets russes.

PETIT (Alexis Thérèse), physicien français (Vesoul 1791-Paris 1820). Avec Dulong*, il a mesuré la dilatation absolue du mercure et énoncé la loi, qui porte leur nom, sur les chaleurs spécifiques des corps simples solides.

PETIT (Roland), danseur et chorégraphe français (Villemomble 1924). Produit de l'Opéra, mais ayant quitté le théâtre national avant sa pleine maturité, il s'impose à la tête de la génération d'après-guerre (*les Forains,* 1945). Marqué par le style néo-classique de son maître Serge Lifar, il est attiré par le music-hall (il a dirigé le Casino de Paris de 1970 à 1975), et son œuvre reste contrastée, élégante, parfois légère, souvent émouvante ou cruelle : *le Jeune Homme et la mort* (1946), *Carmen* (1949), *le Loup* (1953), *Cyrano de Bergerac* (1959), *Notre-Dame de Paris* (1965), *Formes* (1967), *Turangalîla* (1968), *Pelléas et Mélisande* (1969), *Pink Floyd Ballet* (1972), *les Intermittences du cœur* (1974), *l'Arlésienne* (1975), *Septentrion* (1975), une version de *Casse-Noisette* (1976).

PETIT-BOURG (97170), ch.-l. de cant. de la Guadeloupe, sur la côte est de Basse-Terre; 12016 hab.

Petit Chaperon rouge *(le),* personnage et titre d'un conte de Perrault.

Petit Chose *(le),* roman d'A. Daudet (1868), récit autobiographique sur son enfance et la dure condition de sa jeunesse.

PETIT-COURONNE (Le) [76550], comm. de la Seine-Maritime, dans la banlieue sud de Rouen; 5715 hab. Raffinage du pétrole. Industries chimiques.

PETITE BOURGEOISIE. — C'est un ensemble social disparate, constitué par les petits commerçants, les petits artisans, les professions libérales (médecins, avocats, etc.), fournissant eux-mêmes la force de travail et possédant leurs moyens de production; à cette catégorie certains auteurs rattachent les travailleurs salariés non productifs ou non directement productifs, dont l'activité se rattache au secteur qualifié de «tertiaire». Deux problèmes intéressent l'observateur : 1° cette dernière catégorie est-elle ou non rattachée à la bourgeoisie, puisque, s'il est vrai que son comportement, ses goûts, ses options politiques électorales la font ressembler souvent à la bourgeoisie, elle n'est pas propriétaire des moyens de production? 2° faut-il attribuer à la petite bourgeoisie, constituée de ces deux catégories, une situation et une position de classe distinctes?

PETITE-PIERRE (La) [67290 Wingen sur Moder], ch.-l. de cant. du Bas-Rhin, à 23 km au N. de Saverne; 632 hab. Anc. forteresse médiévale. Église à chœur du XVe s. (peintures).

PETITE-ROSSELLE (57540), comm. de la Moselle, à 5 km au N.-O. de Forbach; 7794 hab.

PETITE-SYNTHE (59640), anc. comm. du Nord, rattachée (depuis 1972) à Dunkerque.

PETITJEAN → SIDI-KACEM.

PETITOT (Jean), peintre en émail (Genève 1607-Vevey 1691). Il travailla à la cour d'Angleterre, puis obtint en 1649 une pension du roi de France et un logement au Louvre. Il fit de nombreux portraits et traduisit en émail les tableaux de Le Brun, Mignard, Champaigne...

Petit Poucet *(le),* principal personnage et titre d'un conte de Perrault.

Petit Prince *(le),* conte de Saint-Exupéry (1943).

PETIT-QUEVILLY (Le) [76140], comm. de la Seine-Maritime, sur la Seine, dans la banlieue ouest de Rouen; 22494 hab. *(Quevillais).* Chapelle Saint-Julien, qui conserve aux voûtes du chœur des peintures gothiques (autour de 1200) consacrées à la Vierge et à la naissance de Jésus, d'une grande qualité décorative.

PETLIOURA (Simon Vassilievitch), homme politique ukrainien (Poltava 1877-Paris 1926). Il est l'un des fondateurs du parti social-démocrate ukrainien (1905) et fait partie de la Rada (conseil) centrale qui se constitue à Kiev en mars 1917 et est renversée en avril 1918 par les Allemands. En décembre 1918, il forme un Directoire de cinq membres à la tête de la République nationale ukrainienne. Pour sauvegarder l'indépendance de celle-ci, il s'allie aux Polonais lors de la guerre polono-soviétique. Il se réfugie à Paris, où il est assassiné, en 1926, par un juif voulant venger les pogroms accomplis en Ukraine par les troupes de Petlioura.

PETŐFI (Sándor), poète hongrois (Kiskőrös 1823-Segesvár 1849). Très tôt célèbre pour ses poésies d'inspiration populaire et patriotique (*le Marteau du village,* 1844), il déclencha la révolution hongroise, le 15 mars 1848, en enflammant la foule par son chant national *Debout, Magyar!* Tué à la bataille de Segesvár, il est resté la figure la plus pure du romantisme hongrois.

PÉTRA, anc. ville d'Arabie. Occupée d'abord par les Édomites*, elle devient avec l'arrivée des Nabatéens*, qui en font leur capitale (IVe s. av. J.-C.), une riche cité commerciale et un important centre caravanier. La concurrence de Palmyre* au IIIe s. apr. J.-C. causera son déclin. Les façades des temples et des tombes monumentales taillées dans le roc, ainsi que les édifices civils construits vers les IIe-IIIe s., reflètent l'architecture hellénistico-romaine, alors que l'organisation des temples de plein air (cour taillée dans le rocher, autel et tables d'offrandes) demeure originale. Remarquables installations hydrauliques.

PÉTRARQUE, poète et humaniste italien (Arezzo 1304-Arqua 1374). Fils d'un exilé de Florence, il étudie à Pise, à Bologne, à Montpellier et à Avignon. Dans cette dernière ville, il rencontre en 1327 Laure de Noves, qui lui inspire un amour idéalisé qui durera toute sa vie, à travers les voyages, les recherches érudites, la vie de cour et les honneurs. Convaincu, cependant, de la vanité des succès mondains, il fait de fréquents séjours dans son ermitage de Vaucluse. Couronné au Capitole le jour de Pâques 1341, il réfléchit sur la vie dans une confession en forme de dialogue (*le Secret,* 1342-1358). En 1370, il se fixe à Arqua. Pour ses contemporains, il était avant tout un humaniste : il découvrit et fit copier des manuscrits anciens, publia des études historiques et philosophiques (*les Hommes illustres,* 1338; *la Vie solitaire,* 1346-1356; *le Repos des religieux,* 1347), un poème épique (*l'Afrique,* v. 1338), des *Lettres* (1366). Mais il doit sa gloire à son œuvre poétique, les *Rimes* et les *Triomphes,* réunis dans le *Canzoniere,* publié en 1470. Modèle du poète élégiaque, il y exprime son déchirement entre ses aspirations ascétiques et les séductions du monde grâce à de multiples jeux d'antithèses, qui resteront un des éléments fondamentaux du pétrarquisme. Il donne, cependant, d'un amour irréalisable une image figée en une perfection immuable, qui fait du temps humain un reflet de l'éternité divine, créant ainsi le lyrisme moderne sous son double aspect du mysticisme et de l'expression d'une expérience intime.

PÉTREL. — Les pétrels sont parmi les oiseaux de mer les plus fréquents dans les mers froides, tant boréales (fulmar) qu'australes (damier, ossifrage). On en rapproche les «oiseaux des tempêtes» *(océanites),* qui pêchent en rasant les flots. Les pétrels sont palmipèdes et classés dans l'ordre des procellariiformes.

PETRETO-BICCHISANO (20140), ch.-l. de cant. de la Corse-du-Sud, à 23 km au N.-E. de Propriano; 1102 hab.

PETRIE (*sir* William Matthew Flinders), archéologue et égyptologue anglais (Charlton 1853-Jérusalem 1942). On lui doit l'amélioration des méthodes et des techniques de fouilles, et surtout l'idée d'obtenir — pour les civilisations pré- et protohistorique — un cadre chronologique, grâce à la classification des tessons de poterie. Il a écrit : *Histoire d'Égypte* (1894-1905), *Methods and Aims in Archaeology* (1904), *Gaza ancienne* (1931-1938).

PÉTROCHIMIE. — L'industrie du pétrole*, à partir de 1950, a ajouté à son activité principale, les carburants* et les combustibles, un certain nombre de fabrications dites «pétrochimiques», et principalement les oléfines*, les aromatiques*, l'ammoniac* et l'acétylène*, tant produits finis que bases destinées à alimenter l'industrie chimique proprement dite. Les *oléfines,* hydrocarbures non saturés de la série C_nH_{2n}, sont obtenues par vapocraquage* (steam-cracking), qui, procédé fondamental de la pétrochimie, consiste en une pyrolyse en présence de vapeur d'eau, sans catalyseur, vers 800 °C. Les principales oléfines sont l'éthylène*, $CH_2{=}CH_2$, et le propylène, $CH_2{=}CH{-}CH_3$, auxquels la présence de la double liaison procure une grande réactivité. L'oxydation des oléfines et d'autres hydrocarbures permet d'obtenir d'innombrables produits de chimie organique : acides, glycols*, amines*, éthers*, aldéhydes*, alcools* et cétones*. La chloration de l'éthylène est la filière la plus utilisée pour obtenir le chlorure de vinyle, polymérisé ensuite en plastique universel P.V.C. Celui-ci est de plus en plus concurrencé par les polymères directs des oléfines : le polyéthylène à basse densité est formé de macromolécules ramifiées condensées à haute pression (1500 bar), tandis que le polyéthylène à haute densité, plus dur, est constitué de chaînes droites ...$-CH_2-CH_2-CH_2-CH_2-$... L'une et l'autre variété sert, par moulage ou extrudage, à fabriquer une foule d'objets courants (jouets, récipients) et à de multiples applications industrielles. La production mondiale de polyéthylène, comme celle de P.V.C., est de 5 Mt environ; celle de polypropylène, plastique plus spécialisé, est beaucoup plus faible. Le vapocraquage* donne également des dioléfines comme le butadiène, $CH_2{=}CH{-}CH{=}CH_2$, gaz liquéfié auquel sa double liaison permet d'être le réactif de base de toute une industrie, celle des élastomères et des caoutchoucs* de synthèse, du polybutadiène, du styrène-butadiène et du nitrile. L'essence* de pyrolyse, elle aussi tirée du vapocraquage, contient une forte proportion d'aromatiques, hydrocarbures à noyau benzénique non saturé, que l'on peut également extraire, en raffinerie, des essences catalytiquement réformées et qui constituent une autre précieuse matière première : le Nylon dérive du benzène* par l'intermédiaire du phénol*, le Tergal du paraxylène et le polystyrène, plastique et isolant, du benzène encore. L'*acétylène* est un autre produit de pyrolyse, obtenu par craquage* déshydrogénant de fractions pétrolières légères dans des fours poussés à 1600 °C. Il a pour principaux débouchés le caoutchouc néoprène, les fibres textiles acryliques*, l'acétate de cellulose*, les adhésifs* et les peintures* vinyliques. L'*hydrogène** peut être séparé des gaz du vapocraquage, où il est présent en assez faible quantité; il est généralement fabriqué par décomposition catalytique d'hydrocarbures, le méthane* par exemple, en présence de vapeur d'eau à 850 °C, suivant la réaction globale

$$CH_4 + 2H_2O \rightarrow CO_2 + 4H_2.$$

L'une des principales utilisations de l'hydrogène est ensuite la synthèse de l'*ammoniac* vers 500 °C en présence d'un catalyseur à l'oxyde de fer : c'est la base mondiale de la fabrication de fertilisants azotés (urée). Nécessaire pour lutter contre la corrosion et la pollution*, la désulfuration* du gaz naturel et des produits pétroliers libère des tonnages considérables de *soufre** élémentaire, matière première de la chimie sulfurique. Enfin, pour compléter la destruction des résidus lourds à faible valorisation, les raffineries de pétrole obtiennent par craquage thermique poussé (coking) du *carbone** à l'état pur pour la fabrication d'électrodes*, d'encres* et d'autres spécialités.

PÉTRODOLLAR. — Le terme est utilisé (depuis 1974) pour désigner sur le marché des eurodollars* les dollars provenant des pays exportateurs de pétrole (ceux-ci, disposant de disponibilités accrues du fait de l'augmentation du prix des bruts, placent — le plus souvent à court terme — sur ce marché une partie de leurs excédents de balance commerciale), ainsi que, sur le marché des États-Unis, les placements effectués par ces mêmes pays. (On dit aussi ARABODOLLAR ou encore DOLLAR PÉTROLIER.)

PETROGRAD → LENINGRAD.

PÉTROGRAPHIE → ROCHE.

PÉTROLE. — • *De la formation à la distribution.* Le pétrole est une roche sédimentaire liquide sans doute d'origine organique marine, composée de diverses variétés d'hydrocarbures. Il résulte de la décomposition, à l'abri de l'air, de débris organiques (plancton) déposés dans le fond de la mer, à faible profondeur (lagunes, estuaires) ou au pied du talus continental. Cette décomposition donne naissance à une huile qui, de faible densité, reste rarement à l'endroit de sa formation. Cette huile a tendance à migrer et va imprégner une roche poreuse, appelée « roche-magasin », surmontée par une couche imperméable. Le gaz naturel, dont l'origine est comparable, est souvent associé aux gisements pétrolifères, mais peut aussi se présenter en gisements isolés.

Chaque gisement* contient des milliers d'hydrocarbures : le pétrole brut peut être plus ou moins paraffinique, naphténique, aromatique ou sulfureux suivant sa teneur en paraffines C_nH_{2n+2}, en naphtènes C_nH_{2n} cycliques, en benzéniques C_nH_{2n-6} à noyau et en soufre*. Le raffinage* consiste à séparer le brut en fractions lourdes et légères, suivant l'utilisation prévue, à purifier celles-ci en extrayant les éléments indésirables et à créer par synthèse des hydrocarbures utiles, trop peu nombreux à l'état naturel. Les principaux produits finis tirés du pétrole sont, par densité croissante : les *gaz* liquéfiés,* propane et butane, commercialisés en bouteilles sous pression pour les usages industriels (oxycoupage) et domestiques (chauffage, cuisine); les *essences**, carburants et supercarburants; les essences spéciales (solvants); les *kérosènes,* pétrole lampant et carburéacteurs; les *gasoils**, carburant pour les moteurs Diesel* et, après coloration, combustible pour petites chaufferies (fuel-oil domestique); les *fuel-oils**, combustibles lourds pour fours*, chaudières* industriels, et moteurs Diesel marins; les *lubrifiants**, huiles de graissage et graisses; les *paraffines** et cires de pétrole; les *bitumes**, asphalte ou brai pour l'imperméabilisation de routes, de toitures, de sols, de câbles. La séparation des produits lourds peut aller jusqu'au *coke de pétrole,* utilisé dans la fabrication des encres, des électrodes, etc. De plus, le pétrole fournit des matières premières variées, gaz, naphta (essence lourde), gasoil, soufre, aromatiques*, hydrogène*, etc., pour l'industrie chimique (pétrochimie*), pour l'industrie alimentaire du bétail, et même des protéines*.

La prospection* pétrolière, sur terre ou offshore*, explore d'abord en surface par des méthodes géophysiques, puis en profondeur jusqu'à près de 10 km par forage* de reconnaissance. Après sa découverte, le gisement est mis en exploitation grâce à un ensemble de puits de production, par lesquels le pétrole remonte à la surface d'abord sous l'effet de la pression naturelle artésienne, ensuite à l'aide de pompes ou d'une injection dans le gisement de gaz recomprimé. Cette récupération « primaire » ne dépassant pas 20 p. 100 du pétrole en place, on en extrait encore autant par les méthodes « secondaires » : drainage à l'eau, au gaz, à la vapeur, à l'eau chaude, au gaz inerte (CO_2) ainsi qu'à l'explosif, par combustion contrôlée et même par explosion nucléaire. Malgré tout, un gisement « épuisé » contient encore, en moyenne, 60 p. 100 de son pétrole initial, non récupérable par des méthodes rentables. Les *réserves* prouvées de pétrole, c'est-à-dire économiquement exploitables avec les prix et les techniques actuelles, résultent d'un équilibre entre la consommation mondiale (2,87 Gt en 1974) et la recherche de nouvelles ressources : on les estime à une centaine de gigatonnes, soit de quoi satisfaire les besoins pendant trente-cinq ans.

Les principaux gisements se trouvant à une grande distance des centres consommateurs, l'indispensable *transport massif* du pétrole brut se fait par navire pétrolier* (tanker) et par oléoduc (pipeline*). Les ports du Havre (Antifer) et de Fos sont équipés pour recevoir les plus gros navires actuels, dont la cargaison de 500 000 t est déchargée en un jour, tandis que le port de Marseille peut radouber ces navires en cale sèche. Les plus grands pipelines construits jusqu'ici sont ceux qui relient l'U. R. S. S. à l'Europe centrale avec des diamètres de 1,20 m pour le brut et de 1,42 m pour le gaz, puis les deux lignes de 1,07 m de Suez à Alexandrie. Les *raffineries de pétrole* sont situées dans les zones portuaires des pays consommateurs ou le long des oléoducs, comme le pipeline Sud-Européen (étang de Berre-Lyon-Strasbourg-Suisse-Sarre-Allemagne). Ce sont des usines fortement automatisées, spécialement conçues pour minimiser le bruit et la pollution* de l'air, du sol et de l'eau, et dotées de moyens de sécurité* importants pour prévenir et combattre les incendies.

La *distribution* des produits pétroliers couvre l'ensemble du pays en faisant appel aux transports maritime, ferroviaire, fluvial et routier; des oléoducs spécialisés relient les raffineries aux dépôts de stockage* et à de gros utilisateurs : aéroports pour le kérosène, centrales thermiques pour le fuel lourd, centres d'emplissage de bouteilles pour les gaz liquéfiés, usines de pétrochimie, etc. L'effort financier et technique nécessaire au développement de l'industrie pétrolière conduit à une concentration en un petit nombre de puissantes compagnies multinationales, qui sont américaines (Esso, Texaco, Mobil, Gulf, etc.), anglo-hollandaise (Shell), britannique (BP), française (Total) ou belge (Fina), parfois avec une participation gouvernementale, qui s'est aujourd'hui généralisée.

La plupart des pays consommateurs réglementent les prix de vente et utilisent les produits pétroliers comme support de taxes indirectes, particulièrement les carburants, dont le prix à la pompe comporte 70 p. 100 de prélèvement fiscal, en France comme dans les autres parties de l'Europe.

PÉTROCHIMIE

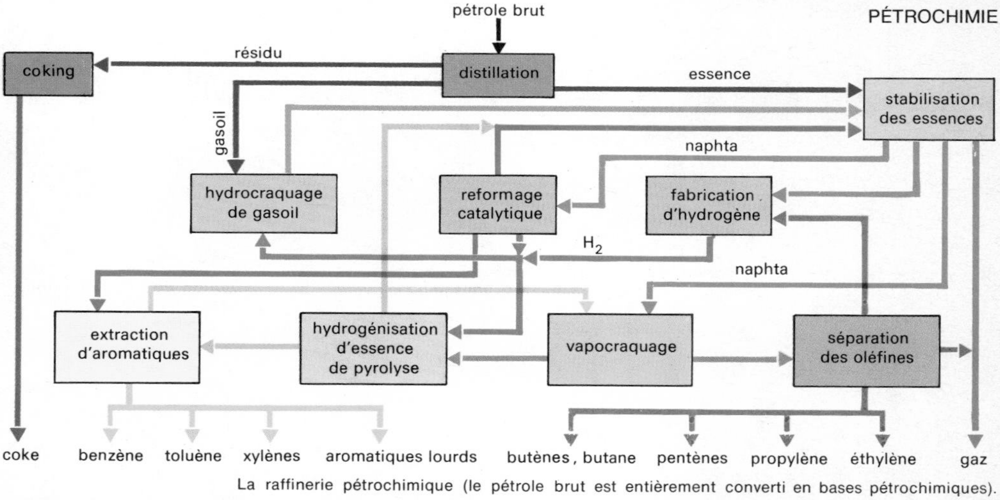

La raffinerie pétrochimique (le pétrole brut est entièrement converti en bases pétrochimiques).

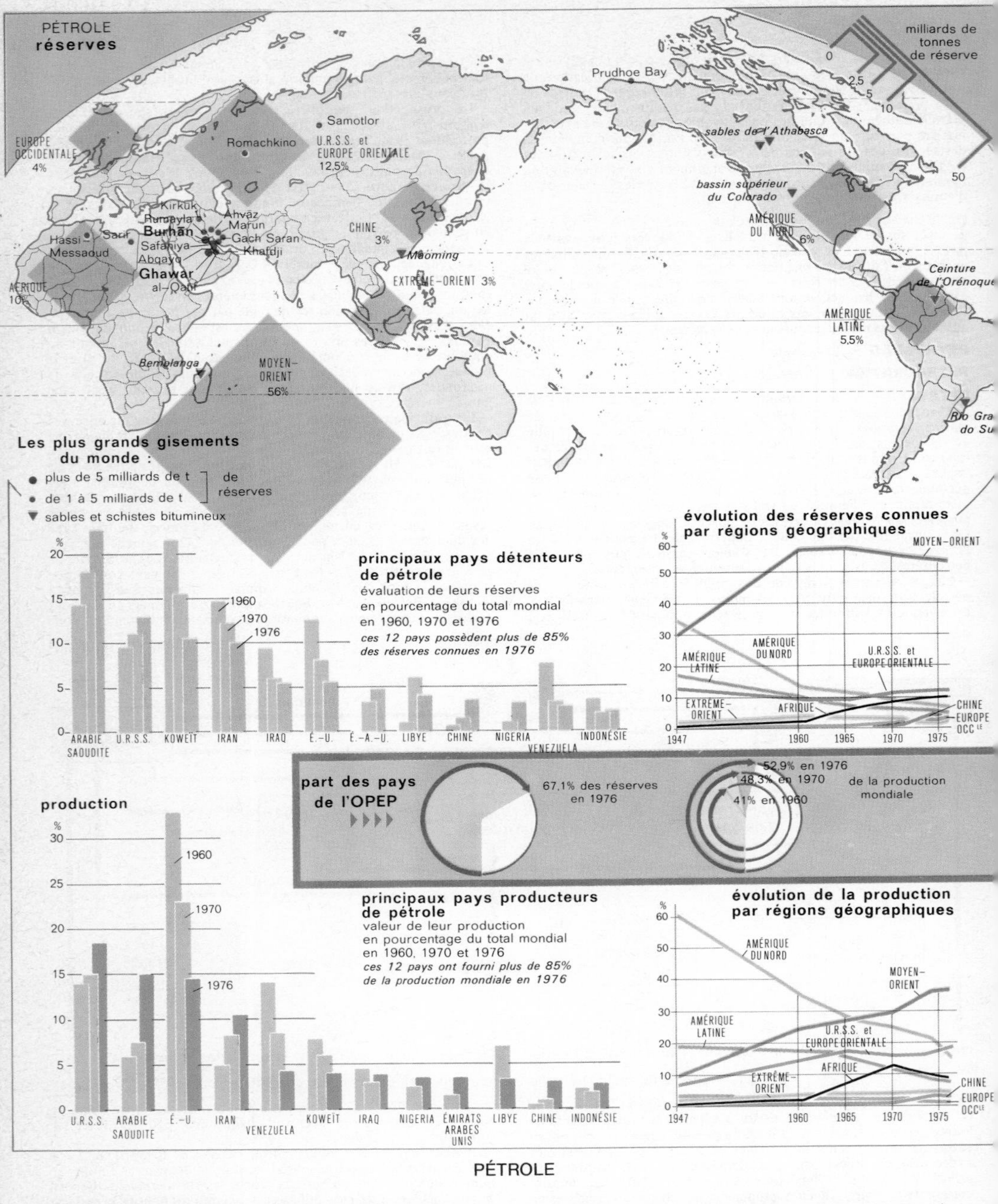

PÉTROLE

• *Pays producteurs et consommateurs.* Le pétrole est aujourd'hui la première source d'énergie*. Il connaît une progression ininterrompue ou presque de son extraction pendant plus d'un siècle. Débutant en 1859, la production approche 20 Mt en 1900. Elle franchit le cap des 100 Mt au début des années 20, celui des 200 Mt au début des années 30, mais s'accroît surtout rapidement après la Seconde Guerre mondiale : plus de 500 Mt en 1950, plus de 1 milliard de tonnes en 1960, plus de 2 milliards en 1968, et le seuil des 3 milliards (2 848 Mt) n'est plus très éloigné en 1973, quand éclate la crise pétrolière. Celle-ci est liée, en partie, à une progressive mutation géographique de la production. Les États-Unis et la Russie sont les seuls producteurs notables à la fin du XIXe s. Le Venezuela entre sur la scène internationale entre les deux guerres mondiales, mais surtout le Moyen-Orient devient peu à peu après 1960 la première région productrice. Englobant notamment l'Arabie Saoudite, l'Iran, le Koweït et l'Iraq, il assure aujourd'hui plus du tiers de la production mondiale, alors que les États-Unis n'en fournissent plus que le sixième (plus de la moitié en 1950) et sont même devancés aujourd'hui par l'U. R. S. S., à la croissance régulière et devenue le premier pays producteur avec un apport voisin de 500 Mt. D'autres régions productrices ont émergé : l'Asie du Sud-Est (Indonésie) et surtout l'Afrique, saharienne (Libye et Algérie) et occidentale (Nigeria); le Canada est aussi un producteur notable.

La géographie de la consommation ne se superpose pas à celle de la production. L'Europe occidentale est devenue la première région

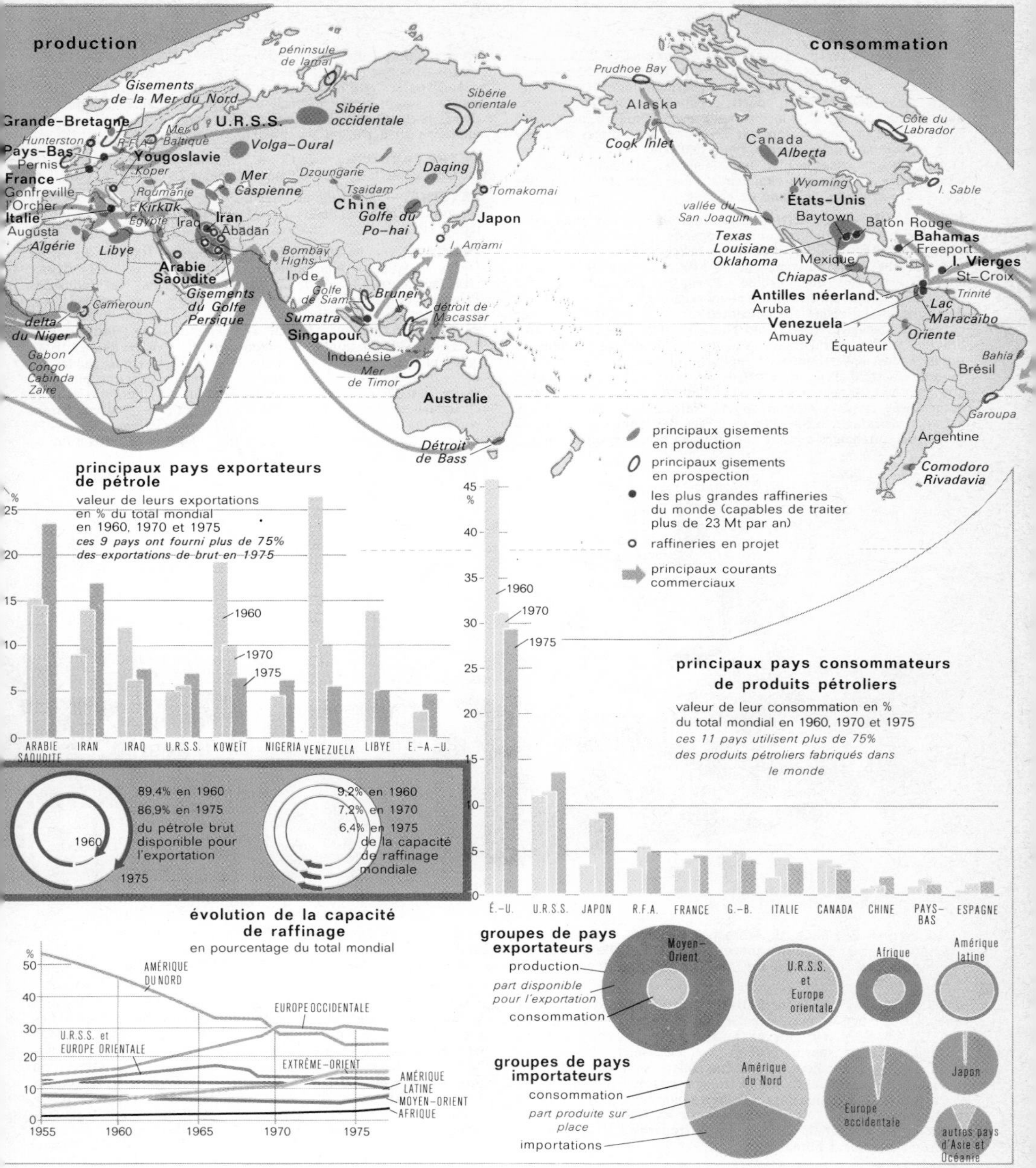

consommatrice (plus de 750 Mt) d'un pétrole qu'elle ne produit pratiquement pas. Les États-Unis sont de plus en plus nettement importateurs (tendant le marché international). En revanche, la consommation locale des pays du Moyen-Orient et de l'Afrique est faible eu égard à leurs disponibilités.

Cette distorsion spatiale n'était pas très gênante pour le monde développé dans la mesure où l'abondance du produit modérait son coût et surtout où l'extraction et la commercialisation étaient contrôlées par les grandes compagnies internationales. Mais 1973 a vu la fin (ou le début de la fin) du règne de ces grandes compagnies, s'effaçant devant les pays producteurs, regroupés au sein de l'Organisation* des pays exportateurs de pétrole (O. P. E. P.), qui ont pris rapidement le contrôle de la production après avoir imposé une hausse très nette (quadruplement du prix du brut). Il s'est donc ensuivi un déséquilibre fréquent des balances commerciales des pays importateurs, qui ont cherché à réduire leur consommation, objectif facilité par une récession générale de l'économie du monde développé, qu'il ne faut pas lier trop étroitement à la hausse du prix du pétrole. Ainsi s'expliquent le ralentissement de la croissance de la production (2 873 Mt en 1974), puis un recul (2 702 Mt en 1975), suivi, il est vrai, par une légère remontée, la production atteignant 2 855 Mt en 1976.

Les deux tiers des réserves prouvées appartiennent aux pays membres de l'O. P. E. P. (l'Arabie Saoudite étant particulièrement bien dotée [plus de 20 milliards de tonnes de réserves, approximativement la consommation française actuelle pendant deux siècles]);

plus du dixième de ces réserves se trouvent en U. R. S. S., contre seulement 5 p. 100 aux États-Unis et 4 p. 100 dans l'ensemble de l'Europe occidentale (malgré les découvertes de la mer du Nord). Cette répartition de la production potentielle est encore plus inquiétante pour les pays occidentaux que celle de la production actuelle. Elle explique le souci de diversifier les sources d'énergie et le recours au nucléaire en premier lieu pour éviter d'abord une hémorragie de devises et tout simplement une dépendance presque totale dans un secteur vital pour l'ensemble de l'économie, c'est-à-dire la vie quotidienne de chacun.

PÉTROLIER. — Le navire-citerne pétrolier (tanker) de taille courante possède aujourd'hui une capacité de transport (port en lourd) de 250 000 t. Il est doté d'une hélice unique, entraînée par une machine d'une puissance de 30 MW, qui est soit un moteur Diesel* lent, soit une turbine* à vapeur alimentée par des chaudières* à moyenne pression et qui assure une vitesse maximale de 18 nœuds. La coque est constituée par un assemblage soudé de cuves rectangulaires (tanks) qui contiennent la cargaison, pétrole brut ou produit pétrolier, ou l'eau de mer de ballast pendant les trajets à vide. À l'arrière sont superposés la machine, les locaux, la salle de contrôle (P. C.) et la cheminée; avec un équipage réduit à une trentaine de personnes, la conduite d'un pétrolier est très automatisée, faisant largement appel à l'informatique. Pour éviter la pollution de la mer, les résidus de lavage des tanks sont retenus à bord, puis surchargés avec la cargaison de brut suivante (load-on-top). Les premiers tankers de 500 000 t sont entrés en service, mais il n'existe que peu de ports capables de les recevoir pour charger (golfe Persique), pour décharger (Le Havre, Fos) et pour radouber (Marseille). Le transporteur* de gaz, ou méthanier, ainsi que les butaniers, les propaniers et les éthyléniers sont des pétroliers spéciaux; il existe aussi des pétroliers mixtes, minéraliers ou charbonniers. Les compagnies pétrolières internationales possèdent leurs propres flottes privées pour amortir les fluctuations saisonnières et conjoncturelles des taux de fret, mais il subsiste un important armement libre.

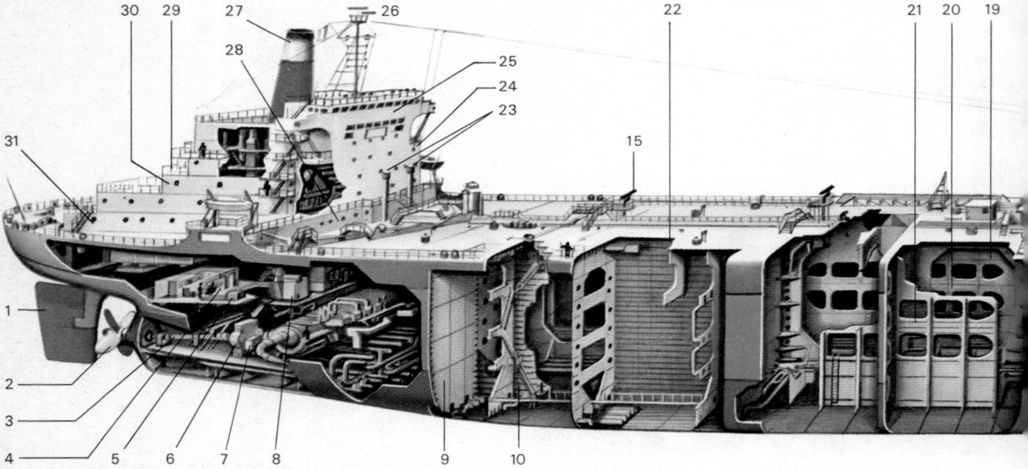

1. Gouvernail; 2. Hélice; 3. Arbre porte-hélice; 4. Salle de contrôle; 5. Diesel-alternateur; 6. Réducteur; 7. Turbines; 8. Chaudières; 9. Cloison transversale; 10. Échelle de visite; 11. Bulbe d'étrave; 12. Gaillard d'avant; 13. Projecteurs; 14. Mât avant; 15. Plate-forme incendie (canon à mousse); 16. Pont principal; 17. Main courante;

PÉTRONE, en lat. **Caius Petronius Arbiter,** écrivain latin (Ier s. apr. J.-C.). On l'identifie généralement avec le familier de Néron, compromis dans la conjuration de Pison et dont Tacite a raconté les derniers moments. Pétrone est l'auteur d'un roman réaliste et licencieux, le *Satiricon**.

PETROPAVLOVSK, v. de l'U. R. S. S., dans le nord du Kazakhstan; 173 000 hab.

PETROPAVLOVSK-KAMTCHATSKI, port de l'U. R. S. S. (R. S. F. S. de Russie), ch.-l. de la *prov. du Kamtchatka,* sur le Pacifique; 154 000 hab.

PETRÓPOLIS, v. du Brésil, au N.-E. de Rio de Janeiro; 189 000 hab. Palais impérial et musée.

PETROSSIAN (Tigran Vartanovitch), joueur d'échecs soviétique (Tbilissi 1929). Plusieurs fois champion d'U. R. S. S. et vainqueur de nombreux tournois, il fut champion du monde de 1963 à 1969.

Petrouchka, ballet d'Igor Stravinski (1911), créé par les Ballets russes dans une chorégraphie de Fokine et des décors et costumes d'A. Benois. Cette partition est remarquable par ses citations de rengaines populaires, ses structures d'ordre cumulatif, la brutalité de ses juxtapositions harmoniques et sonores, et sa glorification du quotidien au détriment du sublime.

PETROZAVODSK, v. de l'U. R. S. S. (R. S. F. S. de Russie), sur le lac Onega, capit. de la république autonome de Carélie; 184 000 hab.

PÉTUNIA. — D'origine américaine, cette plante est cultivée pour ses grandes et belles fleurs aux pétales soudés. Elle est voisine du tabac. (Famille des solanacées.)

PEUGEOT, famille d'industriels et d'ingénieurs français. Les deux frères JEAN-PIERRE (Hérimoncourt 1768-† 1852) et JEAN-FRÉDÉRIC (Hérimoncourt 1770-† 1822) furent à l'origine des industries Peugeot actuelles. Ils créèrent une fonderie et se spécialisèrent dans le laminage à froid de l'acier pour la fabrication des lames de scie. — Deux des fils de Jean-Pierre, JULES (Hérimoncourt 1811-† 1889) et ÉMILE (Hérimoncourt 1815-Valentigney 1874), créèrent la société en commandite *Peugeot frères,* tandis que les fils de Jean-Frédéric fondaient une autre société, devenue plus tard *Peugeot et Cie* et spécialisée dans la vente de l'outillage agricole et industriel. En 1891, les différentes activités Peugeot furent regroupées sous la raison sociale *Les Fils de Peugeot frères.* — Le fils de Jules, EUGÈNE (Hérimoncourt 1844-† 1907), et le fils d'Émile, ARMAND (Valentigney 1849-Neuilly-sur-Seine 1915), furent les promoteurs des fabrications de cycles et d'automobiles en France. Les fils d'Eugène, PIERRE (Hérimoncourt 1871-Paris 1927), ROBERT (Hérimoncourt 1873-Seloncourt 1945) et JULES (Hérimoncourt 1882-Valentigney 1959), créèrent avec leur oncle Armand la *Société anonyme des automobiles et cycles Peugeot* (1910). Après 1920, les différentes firmes Peugeot continuèrent leur développement : *Les Fils de Peugeot frères* et *Peugeot et Cie* se spécialisèrent dans l'outillage et les aciers spéciaux; *Peugeot Cycles* se consacra aux deux-roues, tandis que *Peugeot Automobiles* connaissait un essor continuel. En 1974, le rapprochement Peugeot-Citroën forma un nouveau groupe automobile de dimension internationale PSA Peugeot-Citroën, rassemblant environ 180 sociétés industrielles, commerciales, financières et de service.

PEULS, ethnie dispersée à travers l'Afrique occidentale. Animistes et nomades-éleveurs, les Peuls descendirent du Fouta-Djalon vers le Macina (Mali), où ils constituèrent un royaume au XVe s.; de là ils se dispersèrent à travers la frange sahélo-soudanienne de l'Afrique occidentale. C'est en 1810, au Macina, que s'édifia le royaume peul le plus caractéristique : d'essence théocratique, islamique, il eut pour fondateur Cheikhou Ahmadou († 1845), mais il succomba en 1862 sous les coups du rival toucouleur El-Hadj Omar. Les Peuls se débarrassèrent de celui-ci (1864), mais bientôt la colonisation effaça toute histoire spécifique des Peuls.

PEUPLES DE LA MER, nom donné, d'après les textes égyptiens, à des envahisseurs indo-européens venus de la zone de la mer Égée et qui, à partir du XIIIe s. av. J.-C., déferlèrent par vagues successives dans le Sud-Est méditerranéen. Les Peuples de la mer détruisirent l'Empire hittite (v. HITTITES) avant de s'attaquer à la Syrie* et à l'Égypte* qui brisa leur élan (début du XIIe s.). Certains de leurs éléments s'établirent sur la plaine côtière du couloir syrien : ce sont les Philistins* *(pelishtim),* qui donnèrent leur nom à la Palestine*.

PEUPLIER. — Exigeant une riche alimentation en eau, les peupliers ne poussent bien que dans les sols les plus humides. Ces hauts arbres au port fastigié (branches dressées le long du tronc) portent, au bout d'un long pétiole, des feuilles au revers blanc, qui, chez le *peuplier blanc* et chez le *tremble,* frémissent au vent. Le *peuplier noir* est moins typique, tant dans son port que dans ses feuilles.

Le bois des peupliers est d'un grand usage pour le déroulage (caisserie, contre-plaqué, etc.). [Ordre des amentifères.]

PEUR → ANGOISSE.

Peur *(la Grande),* ensemble des troubles et des phénomènes de panique qui, en juillet-août 1789, naquirent, dans les campagnes françaises, de la crainte d'une réaction nobiliaire violente sous forme d'un « complot aristocratique ».

PÉVÈLE, région de la Flandre française (départ. du Nord), entre les vallées de la Deûle et de la Scarpe, au S. de Lille.

PEYREHORADE (40300), ch.-l. de cant. des Landes, sur le gave de Pau, à 22 km au S. de Dax; 3 066 hab. Vestiges féodaux. Château dit « de Montréal », en partie du XVIe s. Aux environs, restes des anc. abbayes d'Arthous (église romane) et de Sorde-l'Abbaye (vestiges romains; bâtiments du Xe au XVIIe s.).

PEYRELEAU (12720), ch.-l. de cant. de l'Aveyron, à 21 km au N.-E. de Millau; 110 hab.

PEYRIAC-MINERVOIS (11160 Caunes Minervois), ch.-l. de cant. de l'Aude, à 24 km au N.-E. de Carcassonne; 1 041 hab. Aux environs, église romane polygonale de Rieux-Minervois.

PEYROLLES-EN-PROVENCE (13860), ch.-l. de cant. des Bouches-du-Rhône, à 22 km au N.-E. d'Aix-en-Provence; 2 297 hab. Chapelle du Saint-Sépulcre (XIVe s.).

PEYRUIS (04310), ch.-l. de cant. des Alpes-de-Haute-Provence, sur la Durance, à 20 km au N.-E. de Forcalquier; 1 621 hab.

PÉZENAS (34120), ch.-l. de cant. de l'Hérault, à 23 km au N.-E. de Béziers; 8 058 hab. *(Piscénois).* Beaux hôtels des XVIe-XVIIIe s.

PEZIZE. — C'est sous forme de petites coupes, parfois d'un beau rouge-orangé, qu'apparaît ce champignon très commun, de la classe des ascomycètes*.

PFÄFERS, comm. de Suisse (cant. de Saint-Gall), près du Rhin; 1 936 hab. Sources thermales.

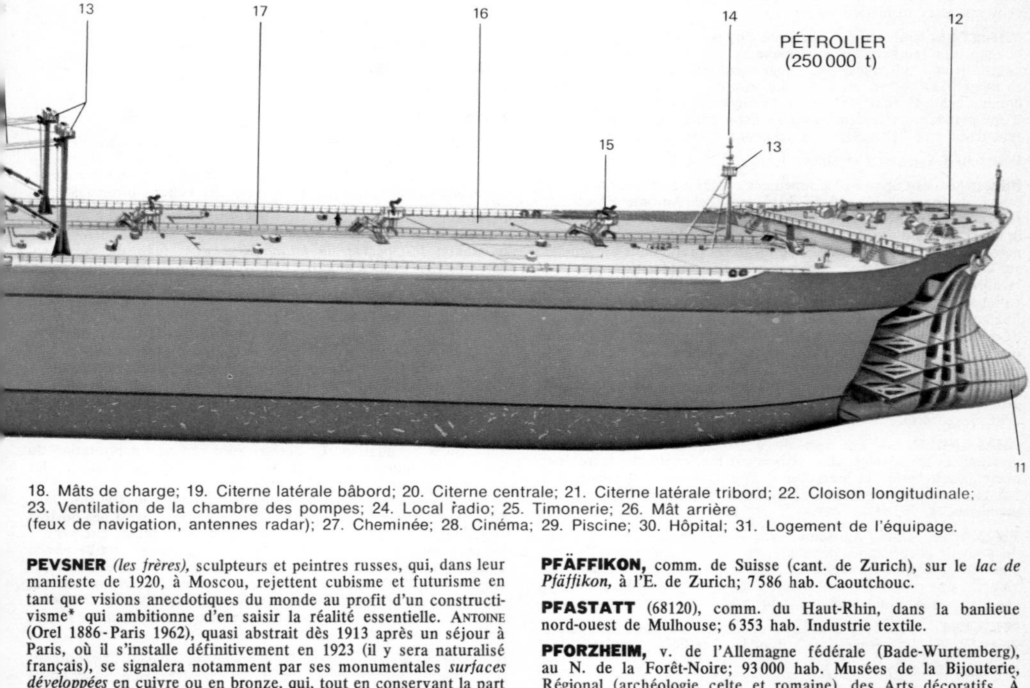

18. Mâts de charge; 19. Citerne latérale bâbord; 20. Citerne centrale; 21. Citerne latérale tribord; 22. Cloison longitudinale; 23. Ventilation de la chambre des pompes; 24. Local radio; 25. Timonerie; 26. Mât arrière (feux de navigation, antennes radar); 27. Cheminée; 28. Cinéma; 29. Piscine; 30. Hôpital; 31. Logement de l'équipage.

PEVSNER *(les frères),* sculpteurs et peintres russes, qui, dans leur manifeste de 1920, à Moscou, rejettent cubisme et futurisme en tant que visions anecdotiques du monde au profit d'un constructivisme* qui ambitionne d'en saisir la réalité essentielle. ANTOINE (Orel 1886-Paris 1962), quasi abstrait dès 1913 après un séjour à Paris, où il s'installe définitivement en 1923 (il y sera naturalisé français), se signalera notamment par ses monumentales *surfaces développées* en cuivre ou en bronze, qui, tout en conservant la part de l'instinct artisanal dans leur élaboration, empruntent aux mathématiques beaucoup de leur élan spiralé (musée national d'Art moderne). — NAUM, surnommé **Gabo** (Briansk 1890-Waterburg, Connecticut, 1977), travaille à Berlin, à Paris, en Grande-Bretagne de 1923 à 1946, date de son installation aux États-Unis, où il sera naturalisé américain. De formation scientifique, il réalise en 1920 la première sculpture *cinétique* (une tige d'acier galbée, qui, mue par un moteur, dessine un volume virtuel) et utilise le métal ou les matières plastiques pour faire naître et interférer les surfaces dans l'espace (œuvres translucides en fil de Nylon, etc.).

PEYER (Bernhard), paléontologiste suisse (Schaffhouse 1885-† 1963). En 1924, il commença, dans le trias du lac de Lugano, des fouilles qui fournirent en trente ans une remarquable collection de reptiles fossiles.

PEYOTL. — Cette cactacée mexicaine *(Echinocactus williamsonii)* fournit une drogue hallucinogène apparemment peu dangereuse pour les fonctions mentales supérieures et dont divers peuples indiens font un usage rituel.

PFÄFFIKON, comm. de Suisse (cant. de Zurich), sur le *lac de Pfäffikon,* à l'E. de Zurich; 7 586 hab. Caoutchouc.

PFASTATT (68120), comm. du Haut-Rhin, dans la banlieue nord-ouest de Mulhouse; 6 353 hab. Industrie textile.

PFORZHEIM, v. de l'Allemagne fédérale (Bade-Wurtemberg), au N. de la Forêt-Noire; 93 000 hab. Musées de la Bijouterie, Régional (archéologie celte et romaine), des Arts décoratifs. À Tiefenbronn, *Retable de la Madeleine* (1532), de Lukas Moser.

pH → ACIDO-ALCALIMÉTRIE.

PHACOCHÈRE. — Ce porcin sauvage est d'une laideur caractéristique, avec son énorme museau verruqueux, ses boutoirs retroussés, sa peau partiellement chauve. Il vit en Afrique.

PHAÉTON, fils d'Hélios*, le Soleil, dans la mythologie grecque. Il s'empara du char de son père et faillit, par son inexpérience, provoquer l'embrasement de la Terre. Il fut foudroyé par Zeus.

PHAGOCYTOSE. — Mode d'alimentation des êtres unicellulaires (protozoaires), la phagocytose joue un rôle d'élimination de déchets ou de substances étrangères dans les organismes pluricellulaires. Elle est exercée chez ceux-ci par les leucocytes polynucléaires (dits « microphages » parce qu'ils phagocytent les bactéries) et par les grands lymphocytes, les monocytes et des cellules fixes du tissu conjonctif et des vaisseaux (dits « macrophages » parce qu'ils phagocytent des débris cellulaires plus importants, des poussières, des corps étrangers, etc.). Si la substance absorbée est nocive

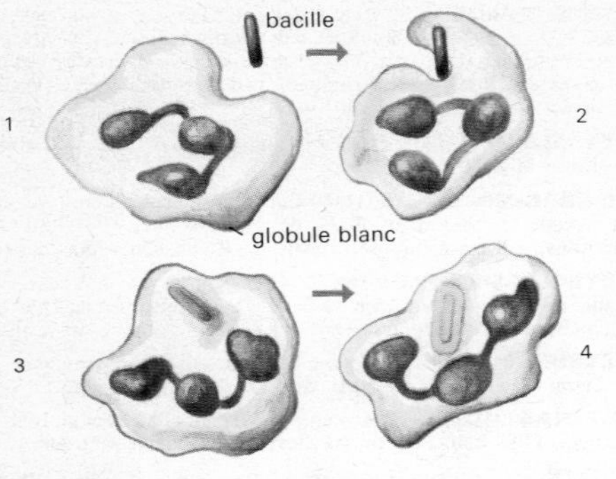

PHAGOCYTOSE :
1. Le globule blanc émet des pseudopodes vers le bacille;
2. Le bacille est capturé; 3. Il est englobé;
4. Il commence à être digéré.

(bactérie par exemple), la cellule qui l'a phagocytée peut être tuée, et il y a alors formation de pus*.

PHAÏSTOS, site archéologique du sud-ouest de la Crète, dont l'occupation remonte au néolithique et qui, vers 2000 av. J.-C., possédait déjà un palais, qui connut ensuite plusieurs états jusqu'à sa démolition (XVe s. av. J.-C.). Le plan de ce palais est organisé, comme celui de Cnossos* (mais de façon plus cohérente), autour d'une grande cour rectangulaire. Phaïstos fut le centre de production d'une très belle céramique pendant le minoen moyen.

PHALANGE *(Anat.)* → DOIGT.

Phalange espagnole, groupement politique et paramilitaire espagnol, fondé à Madrid en 1933 par José Antonio Primo* de Rivera. Son programme, inspiré de l'idéologie fasciste, préconisait la construction d'un État centralisé et fort, face aux revendications autonomistes des provinces, et appuyait les prétentions espagnoles sur Gibraltar et le Maroc. Unis par la devise « Espagne une, grande et libre », les phalangistes prirent une part active au soulèvement nationaliste de 1936. Après la guerre civile, Franco* unifia la Phalange et les autres partis de droite en un parti unique (1937), qui devint le principal instrument du régime. Les phalangistes occupèrent alors les postes clés du gouvernement et de l'Administration, mais leur influence baissa à partir de 1942, au profit des militaires et des catholiques. En axant la Phalange sur les problèmes sociaux (1957), Franco réduisit le rôle politique de celle-ci, qui disparut en 1967.

PHALANGER. — Le nom de « phalangers » est donné aux marsupiaux arboricoles, caractérisés par leur queue prenante, leur alimentation variée et leurs dents d'insectivores. Les phalangers ont une fourrure très recherchée. Certains possèdent un planeur membraneux. (V. PÉTAURISTE.)

PHALARIS, tyran d'Agrigente* (v. 570-554 av. J.-C.). Il s'empara du pouvoir avec l'appui populaire, étendit le territoire de la cité, dont il développa le commerce. Ses méthodes énergiques lui valurent une réputation de cruauté : on raconte qu'il faisait brûler ses victimes dans un taureau de bronze.

PHALÈNE. — Le nom usuel de « phalènes » désigne les papillons de la famille des géométridés*, dont la chenille est arpenteuse.

PHALLOÏDE → AMANITE.

PHALLUS *(Psychan.)*. — Le phallus désigne l'organe mâle dans sa valeur symbolique en tant qu'« emblème de la différence, par excellence irréductible, celle des sexes » écrit S. Leclaire, alors que le pénis le désigne dans sa réalité anatomique. Jacques Lacan* a recentré la théorie analytique sur le phallus; il fait de celui-ci le signifiant primordial, la référence indispensable à toute tentative de se situer en tant que sujet* ou objet*. Le statut théorique du phallus avait déjà été dégagé en partie par S. Freud*, qui parle d'une *phase phallique* (entre trois et six ans), dans laquelle dominerait pour les deux sexes le désir du phallus. Cette phase débouche sur le complexe d'Œdipe*. Cette référence systématique à l'étalon-phallus (phallocentrisme) est fortement remise en question par le réveil des mouvements de libération des femmes*, notamment par Kate Millett* (1970). Ceux-ci dénoncent le fait que Freud ne parle de sexualité féminine qu'en terme d'absence de pénis.

PHALSBOURG (57370), ch.-l. de cant. de la Moselle, à 11 km à l'O. de Saverne; 4 348 hab. Restes de fortifications de Vauban.

PHAM VAN DONG, homme politique vietnamien (Ho duc 1906). Collaborateur de Hô Chi Minh* à partir de 1925, il est l'un des fondateurs du Viêt-minh*, qu'il représente à la conférence de Genève (mai 1954). Ministre des Affaires étrangères (1954-1961) et Premier ministre (à partir de 1955) de la république démocratique du Viêt-nam (Viêt-nam du Nord), il devient en juillet 1976 Premier ministre de la république socialiste du Viêt-nam réunifié.

PHANARIOTES, groupe social grec qui tire son nom du quartier du Phanar, à Istanbul. Nobles, prélats ou riches commerçants, les Phanariotes participèrent à partir du XVIIe s. au système administratif de l'Empire ottoman*. Ils occupèrent des charges de drogmans (grands interprètes) et de hospodars de Moldavie* (de 1711 à 1821) et de Valachie* (de 1716 à 1821). Ils jouèrent un rôle important dans la lutte pour l'indépendance de la Grèce (1830).

PHANÈRES. — L'embranchement des vertébrés est divisé en classes en fonction de nombreux caractères, mais, parmi ceux-ci, l'un des plus nets est constitué par les *phanères.* On appelle ainsi des organes protecteurs d'origine épidermique ou dermo-épidermique, implantés dans la peau et généralement tournés vers l'arrière du corps.

La diagnose est la suivante :

pas de phanères	agnathes, amphibiens
écailles placoïdes	sélaciens
écailles ganoïdes, cycloïdes ou cténoïdes	poissons osseux
replis écailleux cornés	reptiles
plumes	oiseaux
poils	mammifères

Les exceptions à cette correspondance sont rares.

PHANÉROGAMES → SPERMAPHYTES.

PHANOTRON → CONVERTISSEUR.

PHAN THIÊT, port du sud du Viêt-nam; 57 000 hab.

PHARAON. — L'emploi de ce terme pour désigner le roi d'Égypte n'est attesté qu'à partir du XIVe s. av. J.-C. « Pharaon » signifie en égyptien *la Grande Maison,* ce qui équivaut à *la Sublime Porte,* expression désignant le gouvernement des sultans ottomans.

PHARE. — On distingue trois catégories de phares côtiers ou fluviaux : les *phares de grand atterrissage,* à éclats blancs très puissants; les *phares de jalonnement des côtes,* de puissance moyenne; les *phares d'entrée de port et de balisage.*

Un phare est une tour surmontée d'une lanterne contenant la source lumineuse et le système optique qui produisent les *feux.* Les phares côtiers sont établis soit sur des falaises, soit sur des récifs près des côtes. Leur hauteur peut atteindre 75 m. Ils sont construits en maçonnerie*, en béton* armé ou en béton précontraint et sont conçus pour résister aux ouragans ainsi qu'aux chocs des lames de fond quand leur base risque d'être atteinte par les flots. Les phares modernes sont équipés de lampes à arc et de systèmes optiques leur assurant, par temps clair, des portées qui peuvent atteindre une cinquantaine de kilomètres. Les feux sont soit fixes, soit à éclat ou à occultation. Les éclats sont obtenus par rotation du système optique, qui repose sur un bain de mercure, et les occultations par rotation de panneaux.

Les *radiophares,* apparus après la Seconde Guerre mondiale, sont associés aux principaux phares. Ils peuvent avoir des portées supérieures à 1 000 milles, mais ne peuvent être utilisés que par des bateaux pourvus de radiogoniomètres. L'aviation se sert de *phares aériens* pour guider par radio ou par leurs feux les pilotes au-dessus des terrains d'atterrissage. Ces phares sont installés le plus souvent sur des tripodes peu élevés pour qu'ils ne gênent pas la circulation aérienne. Leurs feux balaient l'horizon et tout le ciel, et la cadence de leurs éclats permet aux pilotes d'identifier le terrain.

pharisiens, membres d'une secte religieuse juive qui apparut dans la seconde moitié du IIe s. av. J.-C. Leur attachement à la loi de Moïse et aux traditions des Anciens a fait d'eux le soutien le plus ferme du judaïsme, qu'ils sauvèrent de la disparition après 70. Leur pensée et leur enseignement se sont fixés dans la littérature rabbinique et dans le Talmud*. Leur légalisme et leur intransigeance leur suscitèrent bien des ennemis, et les Évangiles ont fait d'eux un portrait peu flatteur qu'il faut nuancer.

PHARMACIEN. — L'exercice de la pharmacie est réservé aux titulaires du diplôme de pharmacien; toutefois, dans les localités où il n'y a pas d'officine, un médecin dit *propharmacien* est autorisé à délivrer des médicaments.

PHARMACIEN-CHIMISTE. — Les *pharmaciens-chimistes des armées,* appelés jusqu'en 1965 *pharmaciens militaires,* jouent au sein des armées un rôle analogue à celui des pharmaciens hospitaliers civils. Ils participent en outre aux recherches aérospatiales et nucléaires ainsi qu'à l'étude des moyens de défense contre d'éventuelles agressions bactériologiques ou chimiques. Depuis 1974, ils bénéficient d'un nouveau statut et sont formés, avec les *médecins* des armées,* dans les *écoles du service de santé des armées* de Lyon et de Bordeaux.

PHARMACOCINÉTIQUE. — Cette étude du devenir des médicaments dans l'organisme porte sur leur absorption (digestive ou parentérale), sur les taux et la durée de leur présence dans le sang, sur leur fixation dans les organes et sur leur élimination.

PHARMACODÉPENDANCE → TOXICOMANIE.

PHARMACODYNAMIE. — L'étude expérimentale de l'action des médicaments se fait sur des organismes animaux, sains ou pathologiques. Elle porte sur un ou plusieurs organes particuliers ou sur l'ensemble du corps et elle permet de connaître tous les effets du produit.

PHARMACOLOGIE. — L'étude scientifique des médicaments porte sur leur origine, sur leurs caractères organoleptiques (aspect, propriétés physiques) et sur leurs propriétés chimiques. Les médicaments sont classés selon leur origine (minérale, animale, végétale), leur structure chimique et leur activité thérapeutique (antibiotiques, anti-inflammatoires, tonicardiaques, etc.).

PHARMACOPÉE. — La *pharmacopée française* comprend l'ensemble des éditions du « Codex » parues de 1818 à 1972. Elle décrit tous les médicaments de base et donne leurs modes de préparation et leurs critères de contrôle. La *pharmacopée européenne* est destinée aux pays du Marché commun. La *pharmacopée internationale* vise à harmoniser les définitions et les compositions des médicaments industriels mis sur le marché mondial.

PHARNACE II → BOSPHORE *(royaume du).*

PHAROS, île de l'ancienne Égypte, réunie en 285 av. J.-C. à Alexandrie* par un môle. Ptolémée II Philadelphe (v. LAGIDES) y fit élever une tour de marbre blanc au sommet de laquelle brillait un feu visible en mer à grande distance. Cette tour, « phare » le plus célèbre de l'Antiquité, classée parmi les sept merveilles du monde, subsista jusqu'en 1302, date à laquelle elle fut ruinée.

PHARSALE, en gr. **Pharsalos,** usuellement **Fársala,** v. de Grèce, en Thessalie, au S. de Lárissa; 6 000 hab. César y vainquit Pompée (48 av. J.-C.).

Pharsale *(la),* poème épique (inachevé) de Lucain (v. 60 apr. J.-C.), sur la lutte entre César et Pompée.

PHARYNX. — Ce conduit musculo-membraneux constitue un carrefour où se croisent les voies respiratoire et digestive.

Le *rhinopharynx,* ou *cavum,* se trouve en haut : sa partie antérieure communique avec les fosses nasales par leurs orifices postérieurs, les choanes; ses faces latérales comportent les orifices des trompes d'Eustache, qui le font communiquer avec les oreilles.

L'*oropharynx* est situé au-dessous du précédent; il en est séparé par le voile du palais, qui correspond à la partie du pharynx visible par la bouche. Il communique avec la cavité buccale par l'intermédiaire de l'isthme du gosier, formé des piliers antérieurs des loges amygdaliennes, occupées par les amygdales.

L'*hypopharynx,* situé en arrière de la base de la langue, communique en bas avec le larynx (en avant) et avec l'œsophage (en arrière).

La paroi postérieure du pharynx, continue dans les trois portions, comporte au niveau du cavum l'amygdale pharyngée.

L'inflammation du cavum, ou rhinopharyngite, très fréquente chez le petit enfant, s'accompagne d'obstruction nasale et est la cause principale des otites moyennes. L'hypertrophie de l'amygdale pharyngée constitue les végétations adénoïdes, qu'on enlève seules ou en même temps que les amygdales. L'oropharynx est le siège des angines, des amygdalites et des pharyngites aux multiples formes. Le voile du palais peut être malformé (division du voile); il est parfois le siège d'infections, ou de paralysies gênant la déglutition. L'hypopharynx est le siège de tumeurs se propageant vers le larynx, et qui sont surtout observées chez les fumeurs.

PHASE *(Autom.)* → CYCLE *(Thermodynam.).*

PHASE *(Chim.).* — On appelle *phase* toute partie homogène dont un système de corps est constitué : un mélange de solides comporte en général autant de phases qu'il y a de corps purs, alors qu'un mélange de gaz ou de vapeurs ne forme jamais qu'une phase; un mélange de liquides, enfin, peut comporter une ou plusieurs phases.

La *loi* (ou *règle*) *des phases,* de Gibbs, fixe la variance d'un système en équilibre réversible par l'expression $v = c + 2 - \varphi$, où v, variance du système, est le nombre maximal de facteurs (température, pression, concentrations ou pressions partielles) dont l'opérateur peut, *a priori* et simultanément, se donner les valeurs sans modifier l'espèce du système, c'est-à-dire sans risquer de voir disparaître une phase; où c est le nombre des constituants indépendants, c'est-à-dire le nombre minimal de corps purs au moyen desquels on peut exprimer la composition de chacune des phases du système; et où φ est le nombre des phases. Ainsi, supposons un équilibre eau liquide-vapeur d'eau, on a $c = 1$ et $\varphi = 2$; d'où $v = 1$; le système est univariant; l'opérateur peut se fixer uniquement un facteur, la température par exemple; la pression d'équilibre est déterminée.

Le système serait invariant si l'on supposait en présence les trois phases : glace, eau liquide, vapeur d'eau.

PHASE *(Phys.).* — Dans la fonction sinusoïdale $y = a \sin(\omega t + \varphi)$, où a est l'amplitude et t le temps, on appelle *phase* l'angle $\omega t + \varphi$, φ étant la phase à l'origine du temps. Lorsque deux grandeurs sinusoïdales ont une même période T, donc une même pulsation $\omega = \frac{2\pi}{T}$, leur différence de phase reste constante. Les courants alternatifs *triphasés* sont des courants sinusoïdaux identiques, présentant entre eux des différences de phase égales à $\frac{2\pi}{3}$ radians.

PHASIANIDÉS → FAISAN.

PHASME. — L'ordre des *chéleutoptères,* ou phasmes, comprend de très singuliers insectes herbivores, au corps démesurément allongé, ce qui a notamment pour effet un grand espacement des trois paires de pattes.

Vivant sur des brindilles de même couleur, les phasmes ne sont guère visibles tant qu'ils ne bougent pas. La plupart des espèces n'ont pas d'ailes; plusieurs sont sans mâles et se reproduisent par parthénogenèse* constante. C'est chez le phasme qu'a été décrite pour la première fois la *coaptation,* c'est-à-dire l'exact ajustement de pièces anatomiques formées séparément dans l'embryon.

PHÉACIENS, peuple légendaire dont parle Homère dans *l'Odyssée**. L'île des Phéaciens, où Nausicaa* accueillit Ulysse*, est généralement identifiée à Corcyre (auj. Corfou*).

Phédon, dialogue de Platon, qui met en scène les derniers moments de Socrate et traite de l'immortalité de l'âme. Philosopher signifie, pour l'âme, se purifier des choses du corps afin d'accéder au monde des idées. En ce sens, « philosopher, c'est apprendre à mourir », car cela revient à se détacher du monde sensible.

PHÈDRE, héroïne grecque, fille de Minos* et de Pasiphaé*, femme de Thésée*. La passion coupable de Phèdre pour Hippolyte*, son beau-fils, a inspiré Sophocle et Euripide, et de nombreux autres auteurs. Les mythologues se demandent si Phèdre ne fut pas primitivement une déesse qui, peu à peu déchue de sa grandeur, devint une mortelle.

PHÈDRE, écrivain latin (en Macédoine 15 av. J.-C.-† apr. 50 apr. J.-C.). Il imita Ésope dans ses cent vingt-trois fables, qui dotèrent la littérature latine d'un genre nouveau.

Phèdre, dialogue de Platon, qui fait suite au *Banquet.* L'âme qui, dans une vie antérieure, a contemplé les essences en retrouve sur terre le reflet à travers les beaux corps et les belles âmes. Sous l'influence de l'amour, l'âme s'élève vers le monde des essences par la rhétorique philosophique et la dialectique. Au contraire, la rhétorique des sophistes* contraint l'âme à se cantonner dans le monde sensible.

Phèdre, tragédie de Racine (1677). Le poète s'y inspire d'Euripide et de Sénèque. Retrouvant le sens du sacré, essentiel à la tragédie grecque, il met en relief le personnage de Phèdre, dévorée de passion, consciente de ses fautes, mais incapable d'en assumer la responsabilité.

Phèdre, tragédie chorégraphique de Jean Cocteau, inspirée de Racine, chorégraphie de Serge Lifar, décors et costumes de J. Cocteau et Brassaï, musique de Georges Auric, créée à l'Opéra de Paris en 1950. — Sur le même thème et la même partition, mais avec un argument adapté des trois tragédies d'Euripide, de Sénèque et de Racine, Milko Sparemblek composa pour la télévision (1966) une œuvre chorégraphique sur le mode de la tragédie antique. Martha Graham donna également (1962) une version en modern dance sous le titre de *Phaedra* (musique de Robert Starer, décors d'Isamu Noguchi).

PHÉNAKISTISCOPE. — Cet appareil, imaginé par Plateau en 1832, comporte un cyclindre creux d'axe vertical, percé de fentes longitudinales régulièrement espacées, en face desquelles sont dessinées, à l'intérieur du cylindre, les phases successives d'un mouvement. Lorsque le cylindre tourne assez rapidement, l'œil observe à travers les fentes les images situées en face, dont la rapide succession semble animer le sujet. Le principe sur lequel repose cet instrument a conduit au cinématographe.

PHÉNICIEN → ALPHABET et CANANÉEN.

Phéniciennes *(les),* tragédie d'Euripide (409/408 av. J.-C.), reprise de la tragédie d'Eschyle *les Sept contre Thèbes* (467 av. J.-C.).

PHÉNICIENS, peuple sémitique de l'Orient ancien, qui occupa le couloir syrien et fonda sur le pourtour méridional de la Méditerranée jusqu'à l'Atlantique des villes et des comptoirs.

Au début du IIIe millénaire s'installe sur le littoral du couloir syrien un peuple d'origine sémitique, auquel s'ajouteront, du XXIVe au XIXe s. av. J.-C., d'autres éléments de population, dont les mieux connus sont les Amorrites*. La région syro-palestinienne connaît alors une civilisation, que les historiens appellent « cananéenne » (v. CANANÉENS); les Grecs emploieront le terme de « Phoinikes », à cause de la pourpre (en grec *phoinix*), production caractéristique de cette région. Le XIIe s. av. J.-C. amène dans le couloir syrien,

Phéniciens. Pectoral en or, provenant de Byblos. XVe-XIVe s. av. J.-C. (Musée du Louvre, Paris.)

affranchi de la tutelle égyptienne par l'effondrement du Nouvel* Empire, de nouvelles ethnies — Philistins*, Araméens*, Hébreux* —, qui réduisent à une bande côtière le domaine cananéen. La Phénicie, soumise non seulement aux influences sémitiques, mais aussi à celles des Hittites*, des Hourrites* et des peuples de la mer Égée*, forme alors un ensemble de cités-États, parmi lesquelles Byblos*, Sidon* et Tyr* exercent une influence prédominante. Toutes ces unités politiques ont en commun, avec la religion (cultes de Baal*), leur langue, leur écriture (simplifiée par l'invention de l'alphabet), leurs institutions et surtout leurs activités commerciales. Acculés à la mer, les Phéniciens, par nécessité vitale, se transforment d'agriculteurs et d'habiles artisans qu'ils étaient en marins et en commerçants. Dès le IXe s. av. J.-C., ils fondent des comptoirs à Chypre* et sur le littoral de la mer Égée*; leur avance vers l'ouest les amènera en Sardaigne*, en Afrique jusqu'au Maroc et sur les côtes méridionales de l'Espagne. Leur fondation la plus importante sera Carthage*, qui, devenue une puissance, soumettra à sa tutelle les établissements phéniciens du centre et de l'ouest de la Méditerranée, et, dès lors, le domaine carthaginois aura son histoire propre. Les cités de Phénicie ont, d'ailleurs, fort à faire pour défendre leur indépendance, que menace la poussée assyrienne; elles sont soumises à de lourds tributs, et leurs révoltes seront encouragées par l'Égypte, inquiète des visées de l'Assyrie sur le couloir syrien. Après la chute de Ninive (612 av. J.-C.), la Phénicie passe sous la domination de l'Égypte (609), puis de Babylone (605) et est incorporée à l'Empire perse (539); Alexandre*, après avoir soumis les autres cités, s'empare de Tyr en 332 après un siège de sept mois. Disputées ensuite par les Lagides* et les Séleucides*, les cités phéniciennes, atteintes dans leur prospérité, minées par leurs discordes, sont rattachées en 64-63 à l'Empire romain.

PHÉNIX, oiseau fabuleux de la mythologie égyptienne. Il désigne sans doute le héron cendré lié au culte du dieu Rê* à Héliopolis*. Comme la légende lui attribuait le pouvoir de renaître de ses propres cendres, il devint un symbole de l'immortalité.

PHÉNOL. — Le phénol ordinaire, C_6H_5OH, découvert en 1834 par Runge dans le goudron de houille, peut être extrait de ce produit. On le prépare plutôt par fusion alcaline du dérivé sulfoné du benzène, par hydrolyse du chlorobenzène ou par chauffage du peroxyde de cumène. Le phénol est un solide incolore, fondant à 43 ^{0}C, soluble dans l'eau, caustique et assez vénéneux. Il est employé à la préparation de colorants, de médicaments, d'explosifs et de matières plastiques. Sa solution (eau phéniquée) est utilisée comme antiseptique.

Les phénols présentent des analogies avec les alcools : formation de dérivés sodés, d'esters et d'éthers-oxydes; ils s'en distinguent par une acidité plus forte, car ils agissent sur les alcalis pour donner des phénates. Ils sont facilement nitrés, sulfonés et se condensent avec les diazoïques (colorants), l'anhydride phtalique (phtaléines), le formol (Bakélites).

Phénomène bureaucratique *(le),* œuvre de M. Crozier (1964). Selon la définition qu'en donne l'auteur, le phénomène bureaucratique évoque « la lenteur, la lourdeur, la routine, la complication des procédures, l'inadaptation des organisations aux besoins qu'elles devraient satisfaire et les frustrations qu'éprouvent de ce fait leurs membres et leurs clients ou leurs assujettis ». Mais le sociologue l'a surtout considéré comme caractéristique des sociétés industrielles développées. Il met en évidence l'existence, un peu partout dans l'organisation sociale, de véritables hiérarchies parallèles et de pouvoirs de fait, qui tirent leur origine de cette capacité d'initiative que seule confère la compétence d'experts irremplaçables.

PHÉNOMÉNOLOGIE. — Ce mot apparaît pour la première fois dans *le Nouvel Organon* de J.-H. Lambert (1728-1777) et signifie « doctrine de l'apparence ». Dans la *Phénoménologie* de l'esprit* de Hegel, la phénoménologie est la « science de l'expérience que fait la conscience ». Bien qu'elle ait fait l'objet d'une élaboration différente par C. S. Peirce*, elle désigne aujourd'hui la pensée de Husserl* et de ses disciples. La phénoménologie husserlienne, « c'est d'abord le désaveu de la science » (Merleau-Ponty) pour lui substituer le « retour aux choses elles-mêmes ». Or, ces choses sont les phénomènes que vise la conscience intentionnelle, et la tâche assignée à la phénoménologie est de décrire ces visées et les modes d'apparition des phénomènes afin de saisir leur essence, qui, pour Husserl, est la structure de leur signification. Cette saisie des essences exige la « mise entre parenthèses » des objets empiriques et rend possible la question de l'engendrement progressif du sens intentionnel (donné par la conscience pure) de toute chose. Hormis l'auteur de *l'Être* et le temps,* les principaux continuateurs de Husserl sont Merleau-Ponty*, Sartre*, E. Fink (né en 1905), Ricœur* et Levinas*.

Phénoménologie de l'esprit *(la),* œuvre de Hegel (1807). Dans un premier temps, l'auteur se propose d'acheminer la conscience sensible de l'individu à la Raison et de la faire participer ainsi à la communauté spirituelle. Dans un second temps, il retrace l'évolution de l'esprit qui conduit l'esprit immédiat au savoir absolu, dans lequel « c'est l'idée éternelle existant en et pour soi qui se manifeste, s'engendre elle-même éternellement et jouit éternellement de soi comme esprit absolu ».

PHÉNOPLASTE. — Les phénoplastes sont préparés par polycondensation, en milieu alcalin, de phénol* ou de phénol substitué (crésol) et de formol. On peut les modifier par des huiles ou des acides* gras pour la préparation de vernis* au four, par de la colophane* en vue de leur incorporation dans les vernis cellulosiques et gras, par des caoutchoucs* pour la préparation de masses de garnissage et de produits d'enduction des câbles* électriques, enfin par estérification* par l'alcool butylique ou par des aminoplastes*. On a aussi préparé des phénoplastes par réaction de phénol-furfurol, de résorcinol-formol, qui trouvent les mêmes applications. Des résines phénoliques, préparées spécialement, sont utilisées comme échangeurs* d'ions pour l'adoucissement des eaux. Les phénoplastes utilisés comme poudre à mouler (Bakélite) ont d'excellentes propriétés mécaniques, sont ininflammables et bénéficient d'une bonne résistance aux solvants* organiques, mais présentent une faible résistance aux acides et aux bases* fortes. Ils sont aussi employés soit sous la forme de stratifiés* ou d'agglomérés de bois, soit comme colles.

PHÉNOTYPE → GÈNE.

PHÉOPHYCÉES. — On désigne ainsi les grandes algues marines de couleur brune, si communes dans le varech et le goémon de coupe, telles que les fucus, les laminaires, les ascophylles, les pelvéties, etc. (V. ALGUES.)

PHÉROMONES. — Souvent appelées par erreur « phérormones », ces substances, chimiquement très variées, jouent le premier rôle dans les relations entre individus d'une même espèce animale. Émis à très faible dose par l'ensemble du tégument, les glandes sudoripares des pattes (souris), l'urine ou les excréments, ces corps chimiques, éminemment volatils, sont le plus souvent perçus par les organes de l'odorat. La « substance royale » de la reine d'abeille est perçue par les organes du goût lorsque les ouvrières lèchent leur reine. Les effets sociaux des phéromones sont des plus variés : les phéromones de la femelle attirent les mâles, celles des mâles mettent la femelle en état de réceptivité sexuelle, d'autres augmentent ou diminuent l'agressivité entre mâles, servent à délimiter un territoire, assurent l'identification des individus les uns par les autres, la cohésion des bancs de poissons. Chez l'abeille, trois phéromones distinctes agissent, l'une pour bloquer le développement ovarien des ouvrières, les deux autres pour les dissuader de construire des « loges royales » et les inciter à construire des alvéoles d'ouvrières. On soupçonne les phéromones d'agir puissamment dans l'espèce humaine malgré une inhibition psychique qui empêche de ressentir consciemment leur odeur.

PHIDIAS, sculpteur grec du Ve s. av. J.-C., dont les principales œuvres (statues chryséléphantines d'Athéna Parthénos [438] et du Zeus d'Olympie [432], qui l'avaient rendu célèbre dans l'Antiquité) ne nous sont connues que par des descriptions des Anciens ou des copies tardives. Périclès* lui avait confié la direction des travaux et de la décoration sculptée (442-432) du Parthénon (v. ACROPOLE).

PHILADELPHIE, en angl. **Philadelphia,** v. des États-Unis (Pennsylvanie), sur la Delaware, au S.-O. de New York; 1 951 000 hab. Musées, dont un important musée d'art.

GÉOGRAPHIE. L'aire métropolitaine est la quatrième du pays, groupant 4 820 000 habitants (dont près de 1 million dans l'État voisin de New Jersey). L'industrie est l'activité dominante : le textile et la métallurgie de transformation (construction navale), alimentée par une sidérurgie « sur l'eau », sont les branches principales, précédant l'alimentation et la chimie. La fonction industrielle est liée au port, le deuxième de la côte atlantique avec un trafic de l'ordre de 60 Mt.

HISTOIRE. Fondée en 1681 par William Penn*, qui a voulu en faire la « cité de l'amour fraternel » (Philadelphie), la ville devient rapidement l'« Athènes de l'Amérique coloniale ». Jusqu'au début du XIXe s., elle demeurera en effet la plus importante et la plus raffinée des villes de l'Amérique anglo-saxonne, dont elle est aussi l'une des plus riches, compte tenu de sa situation géographique, de l'importance de son port et de ses établissements financiers (Bank of North America, 1781). C'est à Philadelphie que les colons américains réunirent leur congrès qui, en 1776, proclama l'indépendance de leur fédération. En 1787, c'est aussi dans cette ville — où le gouvernement fédéral siégea jusqu'en 1800 — que s'élabora la Constitution américaine. Au XIXe s., Philadelphie perdit deux atouts, le rang de capitale étant dévolu à Washington* et New York* l'emportant sur la vieille cité des quakers*.

PHILAE, île d'Égypte, sur le Nil, en amont d'Assouan*. Elle fut à partir du IVe s. av. J.-C. un centre très fréquenté du culte d'Isis*, qui se maintint jusqu'au Ve s. de notre ère, et fut un des derniers refuges du paganisme. L'ensemble de ses monuments — dont le sanctuaire d'Isis, d'époque ptolémaïque, presque totalement submergé par les eaux du Nil — va être, selon les méthodes utilisées à Abou-Simbel*, transféré sur l'île toute proche d'Agilkia.

PHILANTHE. — Cet insecte hyménoptère se rend nuisible en s'attaquant aux abeilles, qu'il paralyse et dont il nourrit ses larves. (Famille des sphégidés.)

PHILÉMON, poète comique grec (en Cilicie 361-Le Pirée 262 av. J.-C.), un des principaux représentants de la comédie de mœurs, ou *comédie* nouvelle.*

PHILÉMON ET BAUCIS, couple légendaire de la mythologie grecque, récompensé par Zeus et Hermès de sa généreuse hospitalité. Lorsqu'ils moururent, Philémon et Baucis furent métamorphosés en deux arbres qui se dressaient côte à côte et mêlaient leurs branches. Ils sont le symbole de l'amour conjugal.

PHILIDOR (François André DANICAN), compositeur français et joueur d'échecs (Dreux 1726-Londres 1795), appartenant à une célèbre dynastie de musiciens. Avec quelques partitions de musique religieuse, une somptueuse tentative d'oratorio profane (*Carmen saeculare,* d'après Horace), on lui doit surtout des partitions lyriques, qui vont du vaudeville et de l'opéra comique *(Blaise le savetier, le Sorcier)* au grand opéra avec chœurs *(Tom Jones, Ernelinde, Persée).*

PHILIPE (Gérard), acteur français (Cannes 1922-Paris 1959). Après avoir créé *Caligula* (1945) d'Albert Camus, il entra au Théâtre national populaire, où il interpréta notamment *le Cid, le Prince de Hombourg* de Kleist (1951), *Lorenzaccio* de Musset (1953), tout en poursuivant une carrière cinématographique (*l'Idiot,* 1946; *le Diable au corps,* 1947; *Fanfan la Tulipe,* 1951; *le Rouge et le Noir,* 1954; *Monsieur Ripois,* 1954; *les Grandes Manœuvres,* 1955; *les Liaisons dangereuses,* 1959).

PHILIPPE *(saint),* un des douze apôtres de Jésus, originaire, comme André et Pierre, de la région du lac de Tibériade. Il est épisodiquement question de lui dans l'Évangile. On ne sait rien de son apostolat; une légende veut qu'il ait évangélisé la Phrygie, où il serait mort martyr.

PHILIPPE NERI *(saint),* prêtre italien (Florence 1515-Rome 1595). Ce prêtre gai, serviable et très populaire dans le petit peuple romain restaura en 1575 une église qui allait devenir le centre de la communauté séculière de l'Oratoire*; celle-ci joua un rôle important dans la réforme catholique (v. CONTRE-RÉFORME); Philippe fut son premier supérieur.

ANTIQUITÉ

PHILIPPE II (v. 382-Aigai 336 av. J.-C.), régent (359), puis roi de Macédoine (356-336). Arrivé au pouvoir à vingt-trois ans comme régent de son neveu Amyntas IV, qu'il évincera par la suite, il rétablit en Macédoine* l'autorité royale et fait de son royaume l'arbitre du monde grec. Il réorganise les finances et crée la phalange. Ayant affermi ses positions contre ses voisins illyriens et thraces, il s'oriente vers la Grèce; Athènes*, qui, malgré les avertissements de Démosthène*, ne s'était pas émue de la conquête des cités grecques du littoral de l'Égée, ne commence réellement à s'inquiéter qu'en 339, après la prise d'Élatée. Un an après, la victoire de Chéronée* (338) fait de Philippe le maître de la Grèce. Celui-ci s'apprête à marcher contre les Perses lorsqu'il est assassiné (336), peut-être à l'instigation d'Olympias*, son épouse répudiée. Son fils Alexandre* continuera son œuvre.

PHILIPPE V, roi de Macédoine → ANTIGONIDES.

EMPIRE ROMAIN

PHILIPPE l'Arabe, en lat. **Marcus Julius Philippus** (Idumée v. 204-Vérone 249), empereur romain (244-249). Il célébra avec faste le millénaire de Rome (248); il battit les Carpes, tribu dace du delta du Danube, en 246-247, dégagea la Dacie et supprima le tribut payé aux Goths. Mais des usurpateurs se dressèrent contre lui, et l'armée de Mésie proclama empereur Decius* (248).

FRANCE

PHILIPPE Ier (1052-Melun 1108), roi de France (1060-1108). Fils et successeur d'Henri Ier, il gouverne d'abord sous la tutelle de son oncle Baudouin V, comte de Flandre (1060-1066), et ne peut s'opposer à la conquête de l'Angleterre par son vassal Guillaume* le Conquérant. Son règne est marqué par l'annexion au domaine royal des comtés de Vermandois, de Gâtinais (1068) et du Vexin français (1077) ainsi que par les premiers affrontements entre les royautés capétienne et anglo-normande.

PHILIPPE II Auguste (Paris 1165-Mantes 1223), roi de France (1180-1223), fils de Louis VII et d'Adèle de Champagne. Sacré du vivant de son père (1179), il règne dès la mort de celui-ci et épouse Isabelle de Hainaut, qui lui apporte l'Artois (1180). Il doit d'abord faire face à une révolte féodale, dont il sort victorieux, annexant les comtés d'Amiens et de Montdidier (traité de Boves, 1185). Puis il entame la lutte contre l'empire des Plantagenêts, dont la

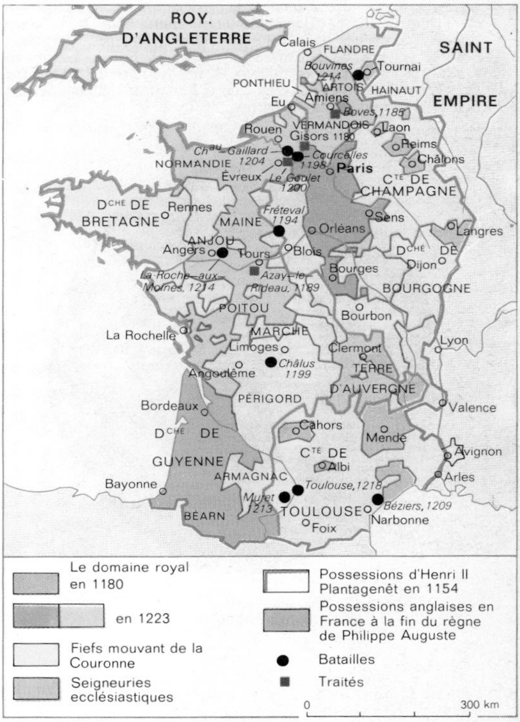

LA FRANCE AU TEMPS DE PHILIPPE AUGUSTE, 1180-1223

puissance constitue une menace permanente pour la monarchie capétienne. Soutenant la révolte des fils d'Henri II contre leur père, il y gagne une partie du Vermandois et impose à Henri II l'humiliante capitulation d'Azay-le-Rideau (1189). Il participe ensuite à la troisième croisade avec Richard Cœur de Lion. Rentré en France dès 1191, il occupe le Vexin normand et fait arrêter Richard par le duc Léopold d'Autriche (1192). Libéré (1194), le roi d'Angleterre engage les hostilités contre lui et écrase à deux reprises ses armées (Fréteval, 1194; Courcelles, 1198). Sa mort sauve le roi de France. S'il reconnaît Jean sans Terre en échange d'une partie du Vexin normand et du pays d'Évreux (1200), Philippe Auguste profite peu après du refus de soumission vassalique du roi d'Angleterre pour confisquer ses fiefs (1202) et conquérir la Normandie (1204), le Maine, l'Anjou, la Touraine et la majeure partie du Poitou. Quelques années plus tard, la coalition suscitée par Jean contre la France se conclut par la double victoire française de La Roche-aux-Moines et de Bouvines (1214). Si, en détruisant l'empire des

Plantagenêts, Philippe Auguste a ouvert la voie à l'expansion de l'autorité capétienne dans le royaume, il a aussi largement contribué, en créant baillis et sénéchaux, et en organisant la *curia regis* comme organe de gouvernement, à l'éclosion des institutions, qui seront les instruments de la centralisation monarchique.

PHILIPPE III le Hardi (Poissy 1245 - Perpignan 1285), roi de France (1270-1285). Fils de Louis IX, il recueille en 1271 la succession de son oncle Alphonse de Poitiers (Poitou, Auvergne, Saintonge Toulousain, Albigeois), dont il remet une partie (sud de la Saintonge et Agenais) au roi d'Angleterre en échange de l'hommage pour la Guyenne (1279). En 1274, il cède le comtat Venaissin à la papauté. Il soutient Charles d'Anjou, roi de Sicile, contre Pierre III d'Aragon et entreprend la « croisade d'Aragon », au cours de laquelle sa flotte est vaincue à Las Hormigas (1285).

PHILIPPE IV le Bel (Fontainebleau 1268 - *id.* 1314), roi de France (1285-1314), fils du précédent. Grand homme d'État, réaliste et retors, il s'entoure de remarquables conseillers formés au droit romain (Pierre Flotte, Guillaume de Nogaret, Enguerrand de Marigny). En Flandre, il soutient le patriciat urbain contre le comte de Flandre, Gui de Dampierre (1297-1300). Mais la présence française provoque la révolte des cités flamandes. Écrasée à Courtrai (11 juill. 1302), l'armée royale est victorieuse à Mons-en-Pévèle (18 août 1304), et Philippe IV impose le traité d'Athis-sur-Orge (23 juin 1305) au nouveau comte, Robert de Béthune. À l'est, il accroît son royaume du Barrois, de Lyon et de Viviers.

Roger Segalat

Sceau de majesté du roi Philippe IV le Bel. (Bibliothèque nationale, Paris.)

Mais la grande affaire du règne demeure le grave différend qui l'oppose au pape Boniface VIII. Commencé en 1296, lorsque le roi décida de prélever des décimes sur le clergé français, le conflit s'aggrave en 1301, lorsque Philippe fait arrêter l'évêque de Pamiers, accusé d'intriguer avec l'Aragon. Le pape adresse des remontrances au roi (bulle *Ausculta fili,* 1301) et charge un concile de juger l'affaire. Le souverain riposte par la convocation d'une assemblée de barons, de prélats et de représentants des villes (10 avr. 1302), qui interdit aux évêques de se rendre à ce concile, puis par l'attentat d'Anagni, au cours duquel Boniface VIII est assailli par Guillaume de Nogaret (1303). Le conflit ne s'achève qu'après l'avènement de Clément V (1305), qui se fixe à Avignon et casse les décisions de Boniface VIII. Au-delà du triomphe de la théorie de l'indépendance du roi à l'égard du chef de l'Église, cet épilogue consacre la mainmise française sur la papauté.

À l'intérieur, avec l'aide de ses légistes, Philippe IV perfectionne les institutions centrales, accroît l'importance de la chancellerie et précise le rôle du parlement. L'administration financière est réformée (1er projet de budget), et c'est vraisemblablement pour résoudre les difficultés de trésorerie que Philippe fait arrêter les chefs du Temple (1307) et procéder à la confiscation des richesses de l'ordre. Si sa mort est suivie d'une réaction féodale, Philippe IV reste, pour l'historien, l'un des plus actifs artisans de l'édification d'une monarchie puissante et centralisée.

PHILIPPE V le Long (1293 - Longchamp 1322), roi de France (1316-1322). Il devient régent à la mort de son frère Louis X, dont l'épouse est alors enceinte de Jean Ier. Celui-ci n'ayant vécu que quelques jours, Philippe V accède au trône, écartant sa nièce, Jeanne de France. Peu après, il obtient de Jeanne qu'elle renonce à ses droits et crée ainsi le précédent écartant les femmes du trône. Il mate une réaction baronniale, met fin à la guerre de Flandre, réunit Lille, Douai et Orchies au domaine royal, et reprend la politique de Philippe le Bel (perfectionnement du parlement, de l'administration financière, consultation des trois ordres).

PHILIPPE VI DE VALOIS (1293 - Nogent-le-Roi 1350), roi de France (1328-1350), fils de Charles de Valois et neveu de Philippe IV le Bel. Nommé régent à la mort du dernier Capétien direct, Charles IV, il est reconnu roi par les barons du royaume au détriment d'Isabelle, fille de Philippe le Bel, et de son époux, Édouard III d'Angleterre. Il obtient la renonciation de Jeanne de France, fille de Louis X, à la Champagne en échange de la Navarre (1328). La même année, il intervient brillamment en Flandre en faveur du comte Louis de Nevers et vainc les Flamands à Cassel. Mais sa mésentente avec Édouard III d'Angleterre à propos de la Guyenne et de la Bretagne provoque la guerre de Cent* Ans, dont les premiers développements s'avèrent désastreux pour la France. Battue sur mer à L'Écluse (1340), l'armée du roi est écrasée sur terre à Crécy (1346). Philippe perd Calais (1347), et son allié, Charles de Blois, prétendant au trône de Bretagne, ne peut venir à bout des Montfort, soutenus par Édouard III. À l'intérieur, le royaume connaît une crise économique sans précédent, aggravée par la Grande Peste (1347-48). Face aux difficultés financières, le souverain est contraint de réunir les états généraux (1346-47) et impose un impôt sur le sel, la gabelle. L'achat du Dauphiné (1343) et de Montpellier (1349) ne compense guère une fin de règne désastreuse pour la France.

PHILIPPE D'ORLÉANS → ORLÉANS *(maisons d').*

PHILIPPE ÉGALITÉ → ORLÉANS *(maisons d').*

BOURGOGNE

PHILIPPE Ier DE ROUVRES (Rouvres 1346 - *id.* 1361), duc de Bourgogne (1349-1361). Petit-fils d'Eudes IV, duc de Bourgogne, et de Jeanne, comtesse de Bourgogne et d'Artois, il règne sous la tutelle de sa mère, Jeanne de Boulogne et d'Auvergne, et du second mari de celle-ci, Jean II le Bon, roi de France. Il meurt sans héritiers directs, et ses États sont démembrés : la Bourgogne va à Philippe le Hardi; l'Artois et la Comté échoient à Marguerite de France, l'Auvergne et le Boulonnais à Jean, comte de Montfort.

PHILIPPE II le Hardi (Pontoise 1342 - Hal 1404), duc de Bourgogne (1363/64-1404), comte d'Artois, de Flandre, de Bourgogne, de Rethel, de Nevers (1384-1404) et de Charolais (1390-1394). Fils de Jean II le Bon, il s'illustre à Poitiers (1356) et reçoit en apanage le duché de Bourgogne (1363). Marié en 1369 à Marguerite de Flandre, veuve de Philippe* de Rouvres, il hérite de son beau-père (1384) des comtés de Flandre, de Rethel, de Nevers, de Bourgogne et d'Artois. Tuteur de Charles VI, il dirige la politique française dans l'intérêt de son État et prépare, par une habile politique matrimoniale, l'expansion de sa maison. Écarté en 1388, il revient au pouvoir dès 1393 et s'oppose alors à son neveu, Louis d'Orléans.

PHILIPPE III le Bon (Dijon 1396 - Bruges 1467), duc de Bourgogne (1419-1467), fils de Jean sans Peur. Il épouse en 1419 la fille de Charles VI, Michelle de France († 1422), qui lui apporte les villes de la Somme, le Boulonnais et la Picardie. Après le meurtre de son père (1419), dont il rend le Dauphin responsable, il s'allie à Henri V d'Angleterre, qu'il reconnaît comme héritier du trône de France (1420), puis comme roi après la mort de Charles VI. Du régent Bedford, époux (1423) de sa sœur Anne, il reçoit Tournai (1423), les comtés de Mâcon et d'Auxerre ainsi que la châtellenie de Bar-sur-Seine (1424); puis il prend possession de Namur (1428), du Limbourg et du Brabant (1430), et s'empare des comtés de Hainaut, de Zélande et de Frise (1433). Enfin, il achète le Luxembourg (1441) et étend sa protection aux évêchés de Thérouanne, de Cambrai, de Liège, d'Utrecht et aux duchés de Guelfe et de Clèves. Occupé par l'œuvre d'unification des Pays-Bas, il n'apporte dans la lutte contre le Dauphin qu'un appui médiocre aux Anglais. Dès 1435, il fait alliance avec Charles VII, moyennant la confirmation de ses acquisitions françaises. Mais peu ardent dans sa guerre contre l'Angleterre, celui qui s'intitule le « grand-duc du Ponant » s'occupe davantage de doter son immense État d'institutions puissantes. Fondateur de l'ordre de la Toison d'or (1429), il promulgue les « Coutumes générales de Bourgogne » (1459), crée l'université de Dole (1422), les Cours de Brabant et de Hollande (1428), et perfectionne le « Grand Conseil de Bourgogne » (1446). La fin de son règne est marquée par l'arrivée aux affaires de son fils Charles le Téméraire, qui, dès 1465, gouverne effectivement l'Empire bourguignon.

ESPAGNE

PHILIPPE Ier le Beau (Bruges 1478 - Burgos 1506), souverain des Pays-Bas (1482-1506), roi de Castille (1504-1506). Fils de Maximilien de Habsbourg et de Marie de Bourgogne, il hérite de sa mère les Pays-Bas (1482), puis l'Artois, la Franche-Comté et le Charolais, restitués par Charles VIII (traité d'Amiens, 1493). Il reçoit en 1495 le gouvernement des Pays-Bas, s'oppose à son père et mène une politique personnelle. Époux de Jeanne la Folle (1496), fille de Ferdinand et d'Isabelle, qui lui donne six enfants, dont le futur Charles Quint, il s'impose en Castille.

PHILIPPE II (Valladolid 1527-Escorial 1598), roi d'Espagne et de ses dépendances (1556-1598), roi de Portugal (1580-1598), fils et successeur de Charles Quint*. Alors que Philippe est encore infant, Charles Quint lui fait épouser en 1543 Marie de Portugal, qui meurt dès 1545, puis en 1554 Marie* Tudor. De 1554 à 1556, il lui abandonne successivement toutes ses couronnes. Philippe II est tout de suite affronté à l'interminable conflit entre la France et les Habsbourg : finalement, par le traité du Cateau-Cambrésis (1559), Henri II lui abandonne pratiquement l'Italie et lui donne en mariage sa fille, Élisabeth de Valois († 1568). Après avoir confié le gouvernement des Pays-Bas à Marguerite de Parme et à Granvelle (1559), Philippe II regagne l'Espagne, qu'il ne quittera plus. Remarié en 1570 avec Anne d'Autriche († 1580), il aura d'elle cinq enfants, dont un seul, le futur Philippe III*, survivra.

Le roi mène à l'Escorial — qu'il s'est fait construire en plein désert — une vie retirée et dévote, tout en restant attentif à ses obligations. Méfiant, prudent, mais incapable d'embrasser l'ensemble des problèmes touchant à son immense empire, il met sur pied un lourd et précis système bureaucratique. Toujours à court d'argent, il veille surtout à la bonne administration des territoires américains et à l'arrivée régulière en Espagne des métaux précieux. Se considérant comme le principal défenseur de la foi catholique en Europe, il débarrasse l'Espagne de ses protestants et de ses morisques (1559-1571), bat les Turcs à Lépante* (1571), mais est incapable, malgré des mesures draconiennes, de réduire le protestantisme aux Pays-Bas*, qui se révoltent en 1572 et s'érigent en Provinces-Unies* (1579). Dès lors, il doit redoubler d'efforts pour paralyser l'Angleterre et la France, qui tentent d'exploiter ses embarras. En France, il appuie les Guise*, puis la Sainte Ligue* contre les protestants et notamment contre Henri de Navarre (Henri IV*). Ses tentatives contre l'Angleterre d'Élisabeth Ire échouent (Invincible Armada, 1588).

S'il réussit à annexer le Portugal* (1580), Philippe se voit déchu par les patriotes néerlandais en 1581. En France, l'avènement d'Henri IV met fin définitivement à l'influence espagnole dans ce pays (traité de Vervins, 1598).

Lauros - Giraudon

Philippe II d'Espagne, par Titien. 1551. (Musée du Prado, Madrid.)

PHILIPPE III (Madrid 1578-*id.* 1621), roi d'Espagne (1598-1621). Fils et successeur de Philippe II, il se montre incapable de poursuivre son effort. Il abandonne le pouvoir à des favoris, notamment à Francisco de Sandoval y Rojas (1553-1623), duc de Lerma, puis, après 1618, au fils de ce dernier, Cristóbal, duc d'Uceda († 1624). La politique menée par ceux-ci accélère la ruine de la monnaie et du Trésor en même temps que la misère du peuple. D'autre part, l'expulsion de 500 000 morisques (1609-1611) prive le pays de ses travailleurs les plus actifs. Malgré cette décadence évidente, le règne de Philippe III marque l'apogée des lettres espagnoles (Cervantès, Quevedo, Lope de Vega). À l'extérieur, l'Espagne fait la paix avec l'Angleterre; avec la France, l'alliance est soudée par deux mariages : celui de Louis XIII avec Anne d'Autriche, fille de Philippe III, et celui de Philippe (IV) avec Élisabeth de France, fille d'Henri IV. En 1609, la perte des Provinces-Unies est pratiquement entérinée par l'Espagne.

PHILIPPE IV (Valladolid 1605-Madrid 1665), roi d'Espagne (1621-1665), fils et successeur de Philippe III. Souverain cultivé, qui contribue à l'éclat de l'art espagnol (Velázquez), il laisse d'abord le pouvoir aux favoris, notamment au comte-duc d'Olivares*, dont la politique centralisatrice provoque en 1640, en Catalogne et au Portugal — qui redeviendra indépendant en 1668 —, de durs soulèvements. Après la disgrâce d'Olivares (1643), Luis Méndez de Haro (1598-1661), neveu de ce dernier, développe une politique plus prudente. À l'extérieur, la décadence espagnole s'accélère. Engagée dans la guerre de Trente* Ans, l'Espagne se heurte à Richelieu* et aux intérêts français : les victoires de Condé à Rocroi (1643) et à Lens (1648) marquent la fin de l'épopée de l'infanterie espagnole. Lors des traités de Westphalie* (1648), Philippe IV doit officiellement reconnaître l'indépendance des Provinces-Unies*. Il commet alors la faute de poursuivre contre la France de Mazarin*, qu'il croit affaiblie par la Fronde*, une guerre qui s'avère pour lui désastreuse. Lors de la paix des Pyrénées (1659), il perd le Roussillon, une partie de la Cerdagne, l'Artois et plusieurs villes de Flandre. Ruiné, il doit alors négocier le mariage de sa fille Marie-Thérèse avec Louis XIV (1660), ce qui ne sauvera pas la monarchie des Habsbourg en Espagne (v. CHARLES II).

PHILIPPE V (Versailles 1683-Madrid 1746), roi d'Espagne (1700-1746). Second fils du Grand Dauphin de France, Louis, petit-fils de Louis XIV et arrière-petit-fils de Philippe IV*, le duc d'Anjou monte en 1700 sur le trône d'Espagne sous le nom de Philippe V, conformément aux volontés de Charles II*, dernier souverain de la maison d'Autriche, mort sans héritier. Mais la couronne d'Espagne étant aussi revendiquée par le futur empereur Charles VI*, un Habsbourg, éclate alors la longue et sanglante guerre de la Succession* d'Espagne (1701-1714), qui oppose aux Franco-Espagnols presque toute l'Europe. Finalement, Philippe V, qui garde son trône, est obligé de renoncer à la couronne de France et de céder les Pays-Bas, la Sicile, Minorque et Gibraltar (Utrecht-Rastatt, 1713-1715). L'Espagne perd ainsi sa prépondérance en Europe.

À l'intérieur, triomphe d'abord l'influence française, qui favorise la centralisation. En 1714, Philippe V tombe sous la coupe de sa seconde femme, Élisabeth Farnèse, et d'Alberoni*, qui prétendent annuler les conséquences d'Utrecht et de Rastatt en ce qui concerne les territoires italiens, qui seraient donnés aux deux fils d'Élisabeth, Charles (III) et Philippe. Mais les troupes espagnoles sont vaincues par les Franco-Anglais (1719) : Philippe V renvoie Alberoni et adhère à la Quadruple-Alliance (France, Angleterre, Provinces-Unies, Autriche). Le 10 janvier 1724, le roi, de plus en plus neurasthénique, abdique en faveur de son fils aîné, Louis, mais la mort de ce dernier, dès le 31 août, l'oblige à reprendre le pouvoir. Tandis que l'infant Charles entre enfin en possession des duchés de Parme et de Toscane (1732), Philippe V est entraîné, par son alliance avec la France, dans la guerre de la Succession* de Pologne (1733-1738) et dans celle de la Succession* d'Autriche (1740-1748). À l'intérieur, il multiplie les institutions à la française.

GRANDE-BRETAGNE

PHILIPPE DE GRÈCE ET DE DANEMARK *(prince)*, duc **d'Édimbourg** (Corfou 1921), époux de la reine Élisabeth II de Grande-Bretagne.

PHILIPPE de Vitry, compositeur français et théoricien (1291-1361). Au service du roi Philippe VI, humaniste, évêque de Meaux, il est l'auteur d'une quinzaine de motets et d'un traité, l'*Ars* nova,* qui résume la théorie musicale de son temps et a donné son nom à une période de l'histoire de la musique.

PHILIPPE (Charles-Louis), écrivain français (Cérilly, Allier, 1874-Paris 1909). Ses récits, nourris de souvenirs autobiographiques, unissent dans une même sympathie les pauvres gens et les humbles choses (*Bubu de Montparnasse,* 1901; *le Père Perdrix,* 1902).

PHILIPPES, en gr. **Philippoi,** en lat. **Philippi,** anc. ville de Macédoine, non loin de la mer Égée. Appelée d'abord *Crénides,* elle fut conquise sur les Thraces par Philippe de Macédoine (358 av. J.-C.), qui la rebaptisa et en fit le centre des exploitations minières du mont Pangée. En 42 av. J.-C., Octave et Antoine* y vainquirent Brutus* et Cassius*. Philippes devint colonie romaine sous Auguste. Saint Paul y séjourna lors de son deuxième voyage.

PHILIPPEVILLE, v. de Belgique (prov. de Namur), au S. de Charleroi; 2 076 hab (en 1970).

PHILIPPEVILLE, v. d'Algérie → SKIKDA.

PHILIPPINES, État et archipel de l'Asie du Sud-Est; 300 000 km^2; 43 750 000 hab. *(Philippins).* Capit. *Quezon City.*

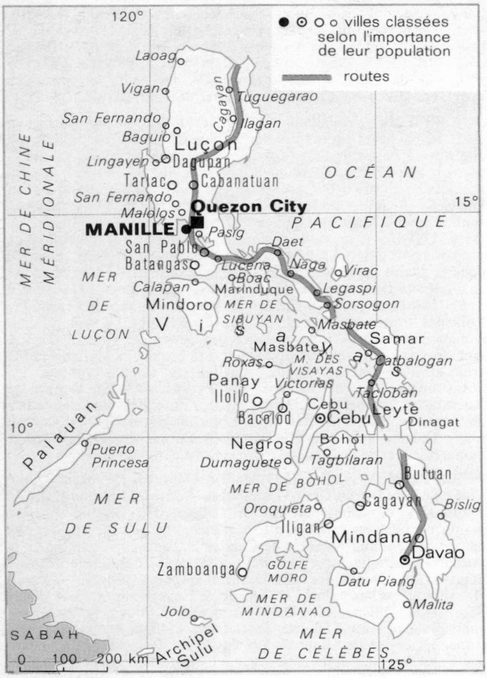

PHILIPPINES

GÉOGRAPHIE. Situé à l'E. de la péninsule indochinoise, l'archipel comprend plus de 7000 îles, dont les deux principales, Luçon et Mindanao, représentent environ les deux tiers de la superficie totale. Bordées par de très profondes fosses sous-marines, les îles ont un relief montagneux résultant de mouvements tectoniques très récents, se poursuivant encore aujourd'hui, ce qui explique l'intense activité volcanique et sismique. Les plaines, étroites et discontinues, occupent des surfaces très restreintes. L'ensemble de l'archipel connaît un climat tropical humide, à saison sèche hivernale, localement nuancé par la disposition du relief (à Manille, la température moyenne de janvier est de 27 °C, celle de juillet de 28 °C et les précipitations annuelles sont de 2167 mm).

La population comprend divers groupes ethniques, parmi lesquels dominent les Deutéro-Malais. Les Européens sont très peu nombreux, mais la prédominance de la religion catholique témoigne de la longue occupation espagnole. La densité moyenne est relativement élevée (140 hab. au km^2) et, de plus, elle atteint localement le seuil de la surpopulation. Des migrations intérieures spontanées, dirigées surtout vers Mindanao, ont un peu amélioré cette situation, que le rapide accroissement naturel risque de rendre critique. La population reste essentiellement rurale, mais le pays compte une vingtaine de villes de plus de 100000 habitants, les plus importantes étant Cebu, Davao, Quezon City et surtout Manille, métropole économique du pays.

L'agriculture occupe les deux tiers de la population active. Le riz, principale culture, constitue avec le maïs la base de l'alimentation, tandis que la canne à sucre, le tabac, l'abaca (chanvre de Manille) et le coprah sont destinés à l'exportation. Les richesses minières sont variées (or, argent, manganèse, cuivre, fer, chrome, etc.), mais sont exportées brutes. Le développement industriel reste, en effet, limité. Manille regroupe quelques industries légères, en particulier textiles, et c'est par son port que s'effectue l'essentiel du commerce extérieur, les échanges se faisant surtout avec le Japon et les États-Unis.

HISTOIRE. Situé à proximité de la grande route maritime qui relie la Chine à l'océan Indien, l'archipel philippin a toujours été un lieu de passage et un carrefour d'influences. La Chine et l'Inde y ont très tôt commercé. Mais l'influence la plus importante est sans doute celle de l'islām, qui, venu de Sumatra et de Malaisie, pénètre dans les îles du Sud au XVe s. Plusieurs sultanats sont installés dans l'archipel quand débarquent les Espagnols, Magellan en tête (1521). Plusieurs expéditions font de Manille (1571) le centre de la présence espagnole dans l'archipel. Mais, si l'île de Luçon* est conquise assez vite, la résistance durera jusqu'au XIXe s. dans les îles du Sud. Dès la fin du XVIe s., une liaison régulière est établie avec le Mexique; les Espagnols apportent aux Philippines des hommes et de l'argent d'Amérique et remportent les produits d'Extrême-Orient (soieries). Parallèlement, le catholicisme est implanté dans l'archipel par des missionnaires espagnols. Cependant, les conquérants doivent compter avec les Chinois, qui fondent des comptoirs, avec les Japonais, qui, jusqu'en 1608, contrôlent une partie de Luçon, et surtout avec les Hollandais, qui, plusieurs fois au XVIIe s., tentent de s'emparer de Manille. D'autre part, de nombreuses révoltes des Philippins jalonnent l'histoire de la domination espagnole; plusieurs petits souverains musulmans restent même indépendants.

La fondation de Singapour* en 1819, puis l'ouverture de la Chine et du Japon incitent les Espagnols à développer de grandes plantations de produits tropicaux (sucre, tabac). Se forme alors une classe moyenne *(ilustrados)*, sensible aux idées libérales venues d'Europe. La révolte de Cavite, en 1871, est noyée dans le sang. Cette répression n'arrête pas la montée du mouvement d'indépendance; ce dernier est soutenu notamment par le célèbre romancier José Rizal* — fondateur, en 1891, à Hongkong, de la Liga filipina, et qui est fusillé en 1896 — et aussi par la société secrète Katipunan, fondée en 1892 par Andrès Bonifacio, qui proclame la république et prend le maquis. Mais les nationalistes ne s'entendent pas entre eux : Emilio Aguinaldo fait exécuter Bonifacio et se met à la tête du mouvement.

En 1898, cependant, le régime colonial succombe sous les coups des États-Unis, qui, vainqueurs des Espagnols (traité de Paris, déc. 1898), reçoivent l'autorité sur les Philippines. Les Américains écrasent les insurgés philippins et instaurent un régime militaire, qui, en 1904, est transformé en un gouvernement civil. Mais les nationalistes, regroupés autour de Manuel Quezón*, réclament l'indépendance. La crise mondiale de 1930 oblige les Américains à composer et à créer (1935) le Commonwealth des Philippines, dont l'exécutif est confié au président M. Quezón.

La guerre du Pacifique fournit un nouvel aliment au nationalisme philippin. Dès 1943, les Japonais, maîtres de l'archipel depuis janvier 1942, proclament l'indépendance des Philippines; mais la masse des résistants leur est hostile. Quand MacArthur rentre à Manille (févr. 1945), les liens avec les État-Unis se rétablissent très vite. En retour d'une intervention économique et d'une implantation militaire (plus de vingt bases aéronavales), les Américains confirment dès 1946 l'indépendance des Philippines. L'emprise des États-Unis se précise en 1954, lors de la signature à Manille du traité constituant l'Organisation du traité de l'Asie du Sud-Est.

L'antiaméricanisme se développe aux Philippines de 1946 à 1961, à la suite de la montée du chômage et de l'activité des communistes d'inspiration chinoise. Élu président de la République (1961), le chef du parti libéral, Macapagal, ne peut juguler le néonationalisme antiaméricain (alimenté par les revendications sur le Nord-Bornéo). Aussi, en 1965, doit-il laisser la place au chef du parti nationaliste, Ferdinand Marcos*. Celui-ci, ne pouvant se passer du concours financier américain, doit se résoudre à aider les États-Unis dans la guerre du Viêt-nam; en contrepartie, les Américains accroissent leur aide économique (1966).

Cette orientation provoque l'hostilité des formations de gauche, notamment à Luçon, où les prochinois sont nombreux. En septembre 1972 F. Marcos proclame la loi martiale, qui sera maintenue les années suivantes; en janvier 1973, il assure les fonctions de chef de l'État et de chef du gouvernement, et bloque tout l'appareil législatif. Désormais, l'armée est constamment requise pour faire face à la rébellion des autonomistes musulmans qui se développe dans le sud de l'archipel.

Philippines *(bataille des)*. Dès leur entrée dans la Seconde Guerre* mondiale, les Japonais débarquent à Luçon (10 déc. 1941), puis à Cebu et à Mindanao (mars 1942). Les Américains de MacArthur se replient sur Bataan et à Corregidor, qui tient jusqu'en mai 1942. Les Philippins organisent alors une active guérilla contre les Japonais, qui aidera la reconquête de l'archipel par MacArthur. Celle-ci débute en octobre 1944 par le débarquement à Leyte, où se livre une bataille navale au cours de laquelle la flotte de combat japonaise est détruite. Après la libération de Manille (févr. 1945), les Philippines sont reconquises malgré la résistance des Japonais.

PHILIPPINES *(mer des)*, partie de l'océan Pacifique entre l'archipel des Philippines (bordé par une fosse marine où la profondeur de 10540 m a été mesurée) et les îles Mariannes.

Philippiques *(les)*, harangues politiques de Démosthène* contre Philippe* II de Macédoine.

Philips *(courbe de)*, relation (mise en lumière, à la fin des années 1950, par l'économiste britannique A. W. Philips) existant entre l'inflation et le taux de chômage, qui, lorsqu'il est élevé, paraît essentiellement lié à un taux d'inflation* faible. La théorie a été utilisée durant les années 60 aux États-Unis et en Grande-Bretagne, servant de base à des politiques d'augmentation des disponibilités monétaires. Les années 70 la contredisent, de fortes poussées de chômage étant associées à des tensions inflationnistes.

PHILISTINS, tribu indo-européenne amenée par la migration des Peuples* de la mer. Après l'échec de l'invasion de ceux-ci, arrêtés par l'Égypte (XIIe s. av. J.-C.), les Philistins s'installèrent en Palestine dans la région côtière qui s'étend de Gaza* au mont Carmel*. Leur force militaire constitua pour les Hébreux un véritable danger national au temps des Juges* et au début de la période monarchique (défaite et mort de Saül à Gelboé vers 1010). Les Philistins furent soumis par David* (v. 1010-v. 970); on perd leur trace en tant que peuple au VIIIe s. av. J.-C.

PHILODENDRON. — Cette grande plante d'appartement, aux grandes et belles feuilles ovales, souvent ajourées, porte des fleurs en cornet, parfumées. (Famille des aracées.)

PHILOLAOS, philosophe et mathématicien grec (Crotone, en Tarente, v. 470-Héraclée fin du Ve s.). Philosophe de l'école pythagoricienne, il enseigna à Thèbes. Il imagina un système cosmogonique non géocentrique, dans lequel la Terre* et sa sœur jumelle l'Anti-Terre tournent autour du feu central et non pas autour du Soleil*.

PHILOLOGIE. — La philologie ne s'est séparée de la linguistique qu'au début du XXe s., quand celle-ci s'est donné pour tâche d'étudier le langage dans son ensemble et pour lui-même et non plus à travers ses manifestations écrites. Son objet est de rechercher à travers les textes écrits, en particulier les textes littéraires, le génie propre d'un peuple ou d'une civilisation. Il s'agit de conserver les documents, de les dater, de rechercher le texte original en comparant les variantes et en interprétant les fautes et les interpolations que présentent ces variantes. Les résultats de ce travail peuvent être utilisés par l'historien, par le linguiste ou par le critique littéraire.

PHILON de Larissa → ACADÉMIE.

PHILON le Juif, philosophe grec (Alexandrie v. 13 av. J.-C.-† 54). Constatant que certains membres de la communauté israélite d'Alexandrie abandonnaient les croyances traditionnelles pour les doctrines grecques, il entreprit de les ramener à l'orthodoxie en s'efforçant d'établir la complémentarité de la Bible et de ces philosophies, et plus particulièrement celle de Platon. Son œuvre, qui est surtout celle d'un exégète de la Torah *(l'Exposition de la loi),* contient aussi des traités de philosophie *(Sur la Providence, Sur la liberté du sage).* Elle a exercé une forte influence sur les Pères* de l'Église et la patristique*.

PHILOPŒMEN, homme politique grec (Megalopolis 253-Messène 184 av. J.-C.). Réorganisateur de la ligue Achéenne*, dont il fut élu huit fois stratège à partir de 208, champion de la liberté de la Grèce, il mérita, par son courage malheureux contre les Romains, d'être appelé le « Dernier des Grecs ».

Philosophe sans le savoir *(le),* « comédie sérieuse », en cinq actes, en prose, de Sedaine (1765).

PHILOSOPHIE. — Les significations que la philosophie a revêtues et revêt sont tributaires de son histoire et de l'histoire en général. D'abord synonyme de « savoir », dans la mesure où elle occupait le rôle aujourd'hui dévolu aux sciences exactes et aux sciences humaines*, la philosophie a été et demeure la continuation de la politique par d'autres moyens. Ces moyens sont, d'une part, des catégories — distinctes des concepts* scientifiques —, comme celles d'État, de vertu, de pratique, etc., que la philosophie élabore en s'efforçant de les démarquer des opinions confuses, et, d'autre part, des méthodes, comme la dialectique (Platon, Hegel, Marx) ou l'« ordre géométrique » (Spinoza).

Le développement des sciences a bouleversé la philosophie. Appelée, dans ce cas, « épistémologie* », elle a deux aspects principaux. Selon le premier, elle consiste plus à soutenir des thèses (par exemple celle de la primauté de la matière sur l'esprit) qu'à proposer des réponses invérifiables et à tracer une ligne de démarcation entre les différentes sciences et la philosophie. D'après le second, elle s'interroge sur les processus des connaissances scientifiques, sur la manière dont sont élaborés les concepts (par exemple celui de nombre entier naturel), sur leur mode d'emploi, sur les rapports qu'ils entretiennent entre eux et avec leur champ d'appartenance (par exemple le concept de nombre entier naturel dans l'ensemble des entiers naturels). [V. ARISTOTE, CONNAISSANCE, DESCARTES, EMPIRISME, ÉPICURE, ÉPISTÉMOLOGIE, EXISTENTIALISME, GUILLAUME D'OCCAM, HEGEL, HUMANISME, HUMAINES *(sciences),* HUME, IDÉALISME, IDÉOLOGIE, KANT, LEIBNIZ, LOGIQUE, MARX, MATÉRIALISME, MÉTAPHYSIQUE, MORALE, NIETZSCHE, ONTOLOGIE, PENSÉE, PHÉNOMÉNOLOGIE, PLATON, PLOTIN, POLITIQUE, POSITIVISME LOGIQUE, PRÉSOCRATIQUES, RATIONALISME, SCIENCE, SPINOZA, STOÏCISME, SUJET.]

Philosophie de la misère *ou Système des contradictions économiques,* ouvrage de Proudhon (1846), dans lequel l'auteur cherche à concilier les intérêts des ouvriers avec ceux du système capitaliste. Marx l'a critiqué dans *Misère de la philosophie.*

philosophie positive *(Cours de),* ouvrage d'A. Comte (1830-1842), dans lequel l'auteur expose son système, le positivisme, et plus particulièrement la loi des trois états de l'esprit humain et la classification des sciences.

PHIMOSIS → VERGE.

PHLÉBITE. — L'inflammation de la tunique interne de la veine provoque la formation d'un caillot sanguin (ou thrombus) et constitue la thrombophlébite.

La douleur spontanée et à la pression sur les trajets veineux, l'empâtement, le gonflement des tissus (œdème) et une fièvre discrète avec accélération du pouls constituent le mode habituel de début des phlébites. Si le caillot se détache, on assiste à la complication majeure des phlébites, l'embolie pulmonaire. Les suites d'accouchement, d'interventions chirurgicales et de traumatismes, ainsi que les cardiopathies, les tumeurs malignes et les infections générales sont les causes les plus fréquentes de phlébites. Le traitement repose sur les anticoagulants et sur la mobilisation rapide des membres.

PHLÉBOGRAPHIE → ANGIOGRAPHIE.

PHLÉBOTOME. — En été, la femelle de ce minuscule moustique peut infliger à l'homme des piqûres douloureuses. (Famille des psychodidés.)

PHLEGMON. — Le phlegmon *diffus* s'étend de proche en proche, sans formation de pus, chez des sujets aux défenses amoindries (diabétiques, alcooliques, insuffisants rénaux), et son pronostic est sévère. Le phlegmon *circonscrit* évolue vers la suppuration et la formation d'une collection (abcès) que l'on peut drainer. Les infections banales de la main peuvent se propager aux gaines synoviales des tendons, provoquant des phlegmons.

PHLÉGRÉENS *(champs),* région volcanique à l'O. de Naples.

PHLOGISTIQUE. — La théorie du phlogistique, développée surtout par Stahl pour expliquer les combustions, fut victorieusement combattue par Lavoisier.

PHLOX. — Le phlox est une plante ornementale aux fleurs odorantes et vivement colorées groupées en un bouquet serré au sommet de la tige. (Famille des polémoniacées.)

PHNOM PENH, capit. du Cambodge, sur le Mékong. Monuments postangkoriens. Musée. Port fluvial dans une situation de convergence hydrographique, Phnom Penh, seule grande ville du pays, comptait plus de 600 000 habitants en 1968 et sans doute plus de 1,5 million (plus du quart de la population du pays), en raison de l'affluence de réfugiés, avant la fin de la guerre civile en 1975. Le nouveau régime imposa un exode vers les campagnes à la population de Phnom Penh.

PHOBIE. — Les phobies sont des craintes déraisonnables à l'égard d'objets, de situations ou de personnes bien définis, dont le sujet reconnaît le caractère injustifié, mais dont il ne peut se débarrasser. Elles sont fréquentes dans l'enfance (phobies d'animaux, de l'obscurité, etc.) et ont rarement un caractère pathologique. Chez les adultes, elles sont en rapport avec l'espace — *claustrophobie* (crainte des espaces fermés), *agoraphobie* (crainte des larges espaces) — ou ont trait à la saleté, à la maladie ou à la mort d'un proche. Les objets « phobogènes » sont soigneusement évités par le sujet, qui s'impose toutes sortes de conduites d'évitement ou de fuite, ce qui lui permet de ne pas éprouver d'angoisse*. La phobie constitue le symptôme central de la névrose* phobique, mais se rencontre également dans un grand nombre d'autres affections. S. Freud a montré que la phobie présente l'avantage de substituer à un danger pulsionnel, donc interne et inévitable, un danger extérieur, que l'on peut éviter.

PHOBOS → SATELLITE.

PHOCÉE, cité ionienne de l'Asie Mineure, qui eut dès le VIIe s. av. J.-C. une grande importance commerciale. Pour développer leur commerce, les Phocéens fondèrent de lointains comptoirs, et notamment Massilia (Marseille), Emporion (Ampurias), en Catalogne, et Alalia (Aléria), en Corse. Phocée, prise et saccagée par les Perses en 546 av. J.-C., retrouva sous les Séleucides* un regain d'activité, qui se termina avec l'Empire romain. Vers 1300, la colonisation génoise redonna à la Phocée nouvelle, bâtie à côté de la Phocée antique, un essor commercial.

PHOCIDE, région de la Grèce au N. du golfe de Corinthe*. C'est dans ce pays de forêts et de pâturages que s'élevait le sanctuaire de Delphes*, qui fut l'occasion des guerres sacrées*, à la fin desquelles les Phocidiens furent écrasés par la phalange de Philippe II* de Macédoine. Les villes principales étaient Delphes et Élatée*.

PHOCION, homme d'État athénien (v. 402-Athènes 318 av. J.-C.). Alors que Démosthène pousse ses concitoyens à résister à Philippe II*, il préconise l'entente avec les Macédoniens. À la mort d'Alexandre* (323), il déconseille la révolte et soutient le gouverneur macédonien Nicanor. Sa modération lui vaudra d'être condamné à mort comme « collaborateur ».

PHŒNIX → PALMIER.

PHŒNIX *(îles),* petit archipel (28 km^2) d'Océanie, à l'E. des îles Gilbert.

PHŒNIX, v. des États-Unis, capit. de l'Arizona, dans une oasis irriguée par la Salt River; 582 000 hab. (plus de 860 000 pour l'agglomération, soit près de la moitié de la population de l'État). Électronique.

PHOLADE. — Les roches tendres des rivages, la craie par exemple, sont parfois perforées de cavités profondes, à l'ouverture rétrécie et dans lesquelles s'abrite un mollusque bivalve, la pholade, qui a creusé lui-même sa loge à l'aide des aspérités de sa coquille. Nourriture et respiration sont assurées par un courant d'eau entretenu par les mouvements du mollusque : ce dernier héberge souvent des bactéries qui rendent lumineuse l'eau expulsée.

PHONATION. — L'émission de signaux sonores, ultrasonores ou infrasonores est extrêmement répandue dans le monde animal, non seulement dans les groupes terrestres (mammifères, oiseaux, insectes), mais aussi chez les espèces marines, dont l'univers sonore est l'objet de nombreuses études aujourd'hui. Moyen de communication et d'information, voire d'identification entre les individus de la même espèce, atteignant chez le dauphin la valeur d'un quasi-langage, la phonation peut aussi, par les échos qu'elle provoque, fournir au phonateur une image spatiale de son environnement : c'est l'écholocation* des chauves-souris. Chez les vertébrés, l'organe phonateur est généralement situé sur les voies respiratoires et met à profit le courant d'air qui les traverse. Chez les insectes, au contraire, un type particulier de phonation, la *stridulation,* est obtenue par frottement des élytres entre eux ou d'une patte sur un élytre (par exemple : cigale, sauterelle, grillon). Le *bourdonnement,* effet du battement rapide des ailes des insectes, ne semble pas avoir les fonctions d'une phonation. En revanche, la *cascabelle* des « serpents à sonnettes » (crotales) est, à coup sûr, un avertisseur sonore.

PHONE. — Un son ou un bruit a une intensité de 1 phone s'il a même intensité physiologique qu'un son pur de fréquence 1 000 hertz, dont l'intensité physique est de 1 décibel au-dessus du seuil d'audibilité à cette même fréquence. Les sons que l'oreille peut percevoir se situent entre 0 phone (seuil d'audibilité) et environ 130 phones (seuil de douleur).

PHONÈME. — Le phonème est la plus petite unité distinctive que l'on puisse délimiter dans la chaîne parlée. Au contraire du morphème, il est dépourvu de sens. Chaque langue possède un nombre limité de phonèmes qui excède rarement 50 (36 en français). Ceux-ci se combinent pour constituer les signifiants et s'opposent ponctuellement pour distinguer les messages les uns des autres. Un phonème est une classe de sons possédant en commun un certain nombre de traits qui l'opposent à tous les autres phonèmes de la langue. D'autre part, deux phonèmes appartenant à deux langues différentes ne peuvent jamais être semblables, puisqu'ils entrent dans des systèmes d'oppositions différents. Par exemple, le /r/ français peut être prononcé roulé ou grasseyé, mais les deux sons ne constituent qu'un seul phonème, puisqu'ils ne commutent pas pour distinguer des morphèmes; par contre, ils commutent en arabe et constituent alors deux phonèmes différents.

PHONÉTIQUE. — La phonétique est la science qui étudie les sons du langage dans toute l'étendue de leurs propriétés physiques, indépendamment de leur fonction dans la langue (v. PHONOLOGIE). Il existe deux manières d'aborder cette étude : en envisageant la production des sons, la phonétique articulatoire étudie les mouvements des organes phonateurs lors de l'émission de la voix; se préoccupant de la transmission des sons par les vibrations de l'air, la phonétique acoustique étudie la nature physique du son (sa hauteur, sa fréquence, son intensité). Dans les deux cas, l'analyse utilise des techniques d'expérimentation de plus en plus perfectionnées. (V. aussi ALPHABET PHONÉTIQUE INTERNATIONAL.)

PHONOLITE. — Roches volcaniques à structure microlitique, les phonolites sont constituées principalement de feldspaths et de feldspathoïdes. Très visqueuses, elles donnent des reliefs en pitons (Velay, Atakor) et se débitent en dalles sonores, utilisées notamment dans le Massif central pour la couverture des toits.

PHONOLOGIE. — La phonologie étudie les sons du langage du point de vue de la fonction qu'ils occupent dans le système de la langue. Elle s'est dégagée lentement de la phonétique : déjà vers 1870, Baudouin* de Courtenay avait ébauché une distinction entre une psychophonétique et une physiophonétique, mais la naissance de la phonologie n'a été possible que par l'application des concepts contenus dans le *Cours de linguistique générale* de F. de Saussure* (distinction langue/parole, notions de système et de valeur, de signifiant et de signifié, de syntagme et de paradigme). On distingue deux parties à l'intérieur de la phonologie : d'une part, la phonématique, qui étudie les phonèmes*; d'autre part, la prosodie, qui étudie les traits suprasegmentaux, c'est-à-dire les éléments phoniques accompagnant la réalisation des phonèmes et qui ont, eux aussi, une fonction distinctive dans le système de la langue (les accents*, les tons*). Le but de l'analyse phonématique est de dresser la liste des phonèmes de la langue étudiée, de les classer, d'étudier leurs combinaisons. La méthode le plus souvent employée consiste à rechercher un certain nombre de paires minimales, c'est-à-dire de mots de signifiant différent et de signifié identique à un seul élément phonique près : par exemple, la comparaison de *peur* et de *beurre* permet de différencier les phonèmes /p/ et /b/.

PHONON. — Einstein a supposé que l'énergie vibratoire de chaque oscillateur d'un solide devait, comme l'énergie lumineuse, être quantifiée. Le quantum de cette énergie, ou phonon, a pour valeur $E = h\nu$, ν étant la fréquence des vibrations et h la constante de Planck. Cette hypothèse a permis d'expliquer qu'au voisinage du zéro absolu les chaleurs massiques des solides tendent vers zéro.

PHOQUE. — Le langage courant qualifie de « phoques » tous les mammifères marins de l'ordre des pinnipèdes*. Les zoologistes réservent ce nom aux espèces aux doigts munis d'ongles et aux pattes postérieures adaptées exclusivement à la natation. Le « veau marin », animal côtier des mers froides et tempérées, se rencontre jusque dans la Caspienne, où il a pénétré lorsqu'elle communiquait encore avec les océans. Le *phoque du Groenland,* lui, se cantonne sur la banquise. Le *phoque moine* hante les eaux semi-tropicales (Adriatique, Madère, Canaries). L'« éléphant de mer » est un énorme animal (le mâle atteint 7 m), qui présente, mais chez le mâle seulement, une sorte de trompe : d'où son nom. Il fréquente les côtes de l'Amérique du Sud.

Phormion, comédie de Térence (161 av. J.-C.). Molière s'en inspira dans *les Fourberies de Scapin.*

PHORMIUM. — C'est en Nouvelle-Zélande que pousse le *Phormium tenax,* belle liliacée dont les feuilles, parfois longues de 2 m, fournissent une fibre extrêmement résistante, utilisable pour les cordages. Mais la faible durée de conservation de cette fibre a amené l'abandon de la culture de cette plante.

PHOSGÈNE. — Le phosgène, $COCl_2$, dit encore « oxychlorure de carbone » ou « chlorure de carbonyle », est un gaz incolore, se liquéfiant à 8 °C, extrêmement toxique et que l'on a utilisé comme gaz de combat (collongite). Chlorure de l'acide H_2CO_3, c'est un agent chlorurant, employé notamment dans l'industrie des colorants. On le prépare par union du chlore et de l'oxyde de carbone au contact du charbon, qui sert de catalyseur.

PHOSPHATASE → ENZYMES.

PHOSPHATE. — Les phosphates sont employés comme engrais*. La production mondiale, en accroissement continu, dépasse aujourd'hui 100 Mt et est très concentrée géographiquement, puisqu'elle est assurée pour plus d'un tiers par les États-Unis (près de 40 Mt), précédant l'U. R. S. S. et le Maroc (environ 20 Mt chacun). Ce dernier pays, à la différence des deux autres États, ayant peu de besoins nationaux à satisfaire, est de loin le principal exportateur mondial; il cherche, d'ailleurs, à accentuer sa primauté sur le marché international en prenant le contrôle des gisements de l'ancien Sahara espagnol.

PHOSPHÈNE → VISION.

PHOSPHORE. — Découvert en 1669 par H. Brand, qui le retirait de l'urine, le phosphore a été isolé par Scheele. C'est un solide polymorphe, dont deux variétés sont bien connues. Le *phosphore blanc,* mou, translucide, de couleur ambrée, d'odeur alliacée, cristallise dans le système cubique. De densité 1,85, il fond à 44 °C et est soluble dans le sulfure de carbone. C'est un poison violent. Il est obtenu par refroidissement brusque de la vapeur de phosphore. Le *phosphore rouge* a une teinte qui varie du rose au violet. De densité 2,2, il se sublime à 550 °C, est insoluble dans le sulfure de carbone et n'est pas toxique. Il s'obtient lentement par chauffage modéré du phosphore blanc. Ces deux corps ont sensiblement les mêmes propriétés chimiques, le premier donnant toutefois des réactions plus vives. Ils brûlent avec une flamme éblouissante en donnant de l'anhydride phosphorique, P_2O_5. À froid, le phosphore blanc subit dans l'air une combustion lente, en émettant une lueur bleuâtre, et la chaleur dégagée par cette réaction le fait souvent s'enflammer spontanément; aussi doit-on le conserver sous l'eau. Le phosphore s'enflamme au contact des halogènes, s'unit à chaud au soufre et à la plupart des métaux. Réducteur, il décompose la vapeur d'eau et de nombreux oxydes.

Il existe dans les organismes vivants sous forme de phosphates de calcium dans les os et les dents (métabolisme phosphocalcique), d'esters orthophosphoriques (associé à des oses, à des acides aminés, à des bases), d'esters di- ou triphosphoriques (adénosine diphosphorique ou A. D. P., adénosine triphosphorique ou A. T. P., qui jouent un rôle important de réserve énergétique), de nucléotide dans l'acide désoxyribonucléique (A. D. N.).

On l'isole en traitant le phosphate tricalcique au four électrique, avec un mélange de silice et de charbon.

Le phosphore sert dans la fabrication des allumettes et des pâtes phosphorées pour la destruction des rats. On l'emploie aussi à la préparation des bronzes phosphorés et à la synthèse de l'acide phosphorique.

Sous ses formes métalloïdiques, le phosphore rouge est sans danger, mais le phosphore blanc est très toxique. L'intoxication aiguë provoque un syndrome dysentérique et un ictère grave suivi d'un collapsus et de la mort. Les gaz phosphorés provoquent un œdème pulmonaire, et la projection sur la peau est la cause de graves brûlures. L'intoxication chronique, ou phosphorisme, provoque des nécroses osseuses et dentaires.

PHOSPHORESCENCE. — La phosphorescence, analogue à la fluorescence* et d'une interprétation similaire, en diffère en ce que le phénomène lumineux se poursuit pendant un temps plus ou moins long après que l'excitation a cessé. Elle peut subsister plusieurs jours pour des sulfures alcalins. Un grand nombre de corps possèdent cette propriété; la couleur émise dépend de la nature du corps et se trouve souvent affectée par la moindre trace d'impureté. (V. LUMINESCENCE.)

PHOSPHOREUX. — L'anhydride phosphoreux, P_2O_3, est un solide cristallisé incolore, fondant à 24 °C. L'acide phosphoreux normal, H_3PO_3, est un solide cristallisé déliquescent, fondant à 70 °C; c'est un biacide, doué de propriétés réductrices.

PHOSPHORIQUE. — L'anhydride phosphorique, P_2O_5, est une poudre blanche ayant l'aspect de la neige, sublimable vers 250 °C et très avide d'eau : d'où son emploi pour la dessiccation des gaz. L'acide orthophosphorique, H_3PO_4, est un solide incolore cristallisé, fondant à 42 °C et très soluble dans l'eau. Triacide, il donne avec les bases trois séries de sels, dont le plus important est le phosphate tricalcique, $Ca_3(PO_4)_2$; en traitant celui-ci par l'acide sulfurique, on peut obtenir des phosphates acides, employés comme engrais sous le nom de « superphosphates », ou isoler l'acide phosphorique. Chauffé, l'acide orthophosphorique se déshydrate pour donner successivement l'acide pyrophosphorique, $H_4P_2O_7$, et l'acide métaphosphorique, HPO_3, l'un et l'autre vitreux et incolores, très solubles dans l'eau.

PHOSPHORISME → PHOSPHORE.

PHOSPHORITE. — Cette roche sédimentaire résulte de la cimentation de débris osseux, riches en phosphore*, provenant de squelettes d'animaux. Les phosphorites du Quercy, souvent concrétionnées, sont emballées dans l'argile qui tapisse les poches de dissolution du calcaire des Causses.

PHOSPHURE. — Le phosphore ne s'unit pas directement à l'hydrogène, mais il se combine à chaud avec la plupart des métaux pour donner des phosphures solides, comme Ca_3P_2. Ces phosphures sont décomposés par l'eau avec production de phosphures d'hydrogène. Le plus important de ceux-ci est le phosphure gazeux PH_3, dit aussi « hydrogène phosphoré ». C'est un gaz incolore, d'odeur alliacée et décomposable par la chaleur. La présence d'impuretés le rend spontanément inflammable au contact de l'air. Ce phosphure s'unit aux hydracides halogénés pour donner des sels de phosphonium, tel l'iodure PH_4I.

PHOTIOS, théologien et érudit byzantin (Constantinople entre 810 et 820 - v. 891/892), patriarche de Constantinople de 858 à 867 et de 877 à 886. En 858 l'empereur Michel III fait destituer le patriarche Ignace et confie le siège de ce dernier à Photios. Le pape Nicolas Ier* refuse de reconnaître la validité de cette nomination (863). La rivalité entre les clergés grec et latin en Bulgarie envenime le conflit. En 867, Photios réunit un concile qui excommunie le pape. Mais Basile Ier prend le pouvoir en 867 et rétablit Ignace. Photios est condamné au concile de Constantinople IV (869-870). Il succède à Ignace, mort en 877, et sollicite la réconciliation avec Rome, qu'entérine le concile de Constantinople V (879). Il est contraint de démissionner en 886 par l'empereur Léon VI. Ses écrits développent des conceptions théologiques, notamment sur le Saint-Esprit, différentes de celles qui prédominent en Occident et qui serviront de fondement au schisme* d'Orient (1054).

PHOTOCHIMIE. — De nombreuses réactions chimiques peuvent être accélérées ou provoquées par la lumière. Certaines s'accompagnent d'un dégagement d'énergie; de vitesse pratiquement nulle à l'obscurité, elles deviennent plus ou moins rapides à la lumière, dont l'action s'apparente au phénomène de catalyse. Tel est le cas, par exemple, de la combinaison du chlore avec l'hydrogène. D'autres, au contraire, ne peuvent se produire d'elles-mêmes, car elles s'accompagnent d'un accroissement d'énergie du système, et l'appoint est fourni par l'énergie rayonnante. C'est le cas de la transformation d'oxygène en ozone. Seules les radiations absorbées peuvent produire une telle réaction, dite « photochimique ». L'activité des diverses radiations va généralement en croissant avec leur fréquence; ainsi, les rayons ultraviolets sont particulièrement actifs.

PHOTOCOMPOSEUSE → COMPOSITION.

PHOTOCONDUCTEUR. — Un corps devient photoconducteur du fait de la libération d'électrons périphériques de certains de ses atomes, libération provoquée par l'action de la lumière, surtout par les radiations de faible longueur d'onde.

PHOTOCOPIE → REPROGRAPHIE.

PHOTODIODE → PILE SOLAIRE.

PHOTOÉLASTICITÉ. — Cette propriété, découverte en 1816 par Brewster, est exploitée dans la photoélasticimétrie. Il s'agit d'une méthode optique qui permet d'étudier, sur modèles réduits en matière plastique transparente, la répartition et la valeur des contraintes et des déformations internes dans la masse d'une pièce mécanique, d'un ouvrage d'art, etc.

PHOTOÉLECTRICITÉ. — Hertz, en 1887, puis Hallwachs, en 1888, ont constaté que la lumière ultraviolette fait perdre la charge des substances électrisées négativement. Ce phénomène, expliqué par Einstein, est fondé sur la cession d'énergie par un photon à un électron.

PHOTOÉLECTRIQUE (cellule). — Il existe quatre types de cellules photoélectriques. La *cellule photoconductrice* ou *photorésistante* comporte un semi-conducteur dont la résistance varie avec l'éclairement. La *cellule photoémettrice* est un tube électronique dans lequel circule un flux d'électrons sous l'effet d'un éclairement de la cathode. La cathode est en général formée d'argent oxydé recouvert de cæsium, et l'anode a la forme d'une boucle pour laisser passer la lumière. Le courant produit doit être amplifié.

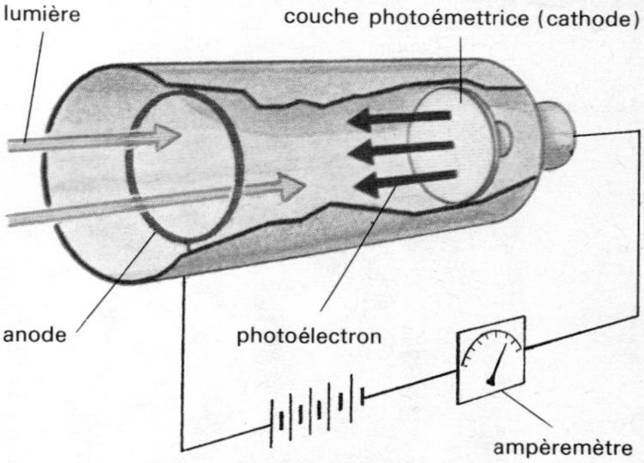

Schéma d'une cellule photoémettrice.

Cette cellule a des applications multiples : traduction des images en cinéma et en télévision, relais, dispositifs télémécaniques, appareils de mesure. La *cellule photovoltaïque* ou *photopile* est formée de deux électrodes rapprochées séparées par une couche semi-conductrice. L'une des électrodes est souvent en cuivre oxydé recouvert de sélénium; l'autre est une couche transparente d'or ou de platine. Lorsque la cellule est éclairée, elle produit une force électromotrice sans nécessiter une tension auxiliaire. Elle est utilisée comme posemètre en photographie et pour l'alimentation en courant des satellites artificiels. La *cellule à phototransistor* comporte une photodiode combinée à un transistor.

PHOTOGÈNES (organes) → LUMINEUX *(organes et êtres).*

PHOTOGRAMMÉTRIE. — Elle permet, à partir de deux photographies* d'un même objet prises de points de vue différents, de reconstituer un modèle semblable à l'objet. Sa principale applica-

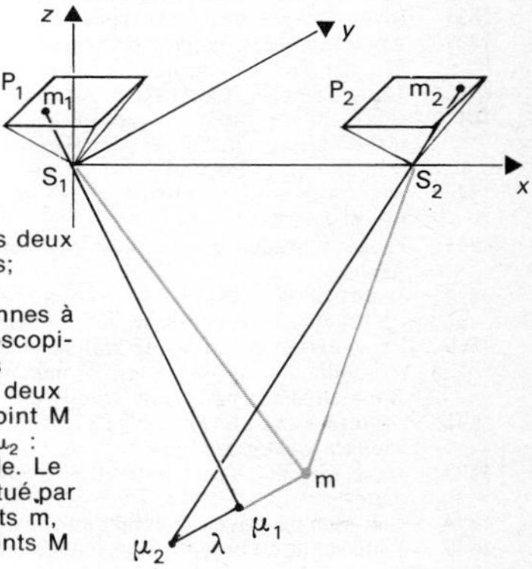

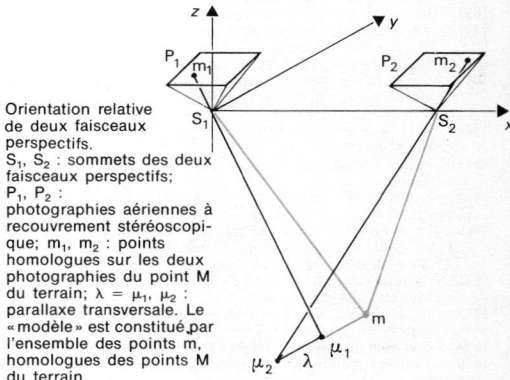

Orientation relative de deux faisceaux perspectifs. S_1, S_2 : sommets des deux faisceaux perspectifs; P_1, P_2 : photographies aériennes à recouvrement stéréoscopique; m_1, m_2 : points homologues sur les deux photographies du point M du terrain; $\lambda = \mu_1, \mu_2$: parallaxe transversale. Le « modèle » est constitué par l'ensemble des points m, homologues des points M du terrain.

tion est l'établissement de cartes topographiques à partir de photographies aériennes. Pour former le modèle, on reconstitue d'abord avec précision sur un stéréorestituteur le faisceau perspectif correspondant à chaque photographie aérienne. Il faut ensuite orienter les deux faisceaux perspectifs de façon relative, de manière que tous les rayons homologues se rencontrent, afin d'éliminer la parallaxe transversale. On procède ensuite à la mise à l'échelle* et à l'orientation* absolue du modèle, opérations qui nécessitent un canevas de restitution, obtenu soit par stéréopréparation*, soit par aérotriangulation*. Le modèle ainsi formé, on procède à la restitution* photogrammétrique. Il existe d'autres procédés photogrammétriques, tels que le redressement* et l'orthophotographie*.

PHOTOGRAPHIE. — Le principe de la photographie est fondé sur la transformation ou la destruction de composés minéraux ou organiques sous l'effet de la lumière ou des radiations actiniques : l'image ainsi obtenue n'étant pas stable, il convient alors de traiter la couche sensible dans des bains appropriés.

Les deux conditions nécessaires pour obtenir des images photographiques étaient connues depuis longtemps. D'une part, les alchimistes savaient que la lumière noircissait l'« argent corné » (chlorure d'argent); d'autre part, le phénomène de la formation de l'image dans la chambre noire était connu depuis le XIIIe s. (Roger Bacon). La chambre avait été munie d'une lentille dès le milieu du XVIe s. (Jérôme Cardan, Giambattista Della Porta). Il fallut, cependant, attendre les expériences de Nicéphore Niepce entre 1816 et 1827 pour que l'on puisse véritablement parler d'invention de la photographie. Niepce utilisa le bitume de Judée comme couche sensible. Des poses de près de huit heures étaient alors nécessaires pour obtenir l'image d'un paysage. Le procédé de base étant découvert, les chercheurs rivalisèrent d'ingéniosité, et, tout au long du XIXe et du XXe s., cette émulation permit à la photographie d'accomplir des progrès techniques (et artistiques) considérables.

La photographie comporte trois opérations : la prise de vue dans l'appareil photographique, le développement et enfin le tirage des positifs. Un appareil photographique comprend une chambre noire, à l'avant de laquelle se trouve une ouverture munie de l'optique (objectif) et à l'arrière de laquelle est placée l'émulsion qui reçoit l'image formée. On adjoint à l'objectif un diaphragme réglable et un viseur soit indépendant, soit incorporé (dans les appareils à visée réflexe). Un triple réglage s'impose pour la prise de vue : réglage du temps (ou durée d'obturation), réglage du diaphragme (ou dimension de l'ouverture) et réglage de la distance (du sujet ou objet photographié à l'objectif). Les deux premiers réglages dans les appareils modernes sont souvent automatiques (grâce à l'incorporation d'une cellule photoélectrique). L'émulsion sensible peut être une plaque de verre, un film plastique en support ou un film enroulé dans un chargeur.

Le développement comprend deux opérations principales : l'immersion dans le bain révélateur, qui transforme l'image latente

PHOTOGRAPHIE

Écorché d'un appareil photographique reflex 24 × 36 (d'après un document Leica
1. Contact pour surimpression;
2. Déclencheur; 3. Affichage des vitesses;
4. Viseur; 5. Griffe porte-accessoires avec contact central; 6. Rebobinage;
7. Affichage des sensibilités (DIN/ASA);
8. Correction d'exposition;
9. Bague des diaphragmes;
10. Table des profondeurs de champ;
11. Bague des distances; 12. Objectif;
13. Miroir escamotable; 14. Contact retardement; 15. Obturateur;
16. Aimant de l'obturateur;
17. Commutateur de mesure intégrale ou sélective.

principales dates de l'histoire de la photographie

1829	Niepce et Jacques Daguerre s'associent.
1835	Daguerre découvre l'action de la vapeur de mercure sur l'iodure d'argent impressionné (ce qui lui permet de *développer* ses images).
1837	Daguerre réussit à dissoudre l'iodure résiduel dans une solution de sel marin (c'est le *fixage* de l'image développée).
1838	Invention des daguerréotypes.
1839	Apparition des mots « photographie » et « photographe ». William Fox-Talbot, aidé dans ses travaux par l'astronome John Herschel, expérimente la photographie sur papier.
1841	Fox-Talbot présente le procédé calotype. Premier appareil métallique construit par Voigtländer et utilisant l'objectif calculé par J. Petzval.
1847	Abel Niepce de Saint-Victor invente l'émulsion d'albumine sur plaque de verre.
1851	Procédé négatif au collodion présenté par Frederick Scott Archer.
1855	James Clerk Maxwell fait la première tentative de sélection trichrome et de synthèse des couleurs.
1869	Présentation à la Société française de photographie d'une méthode de synthèse trichrome par Charles Cros et simultanément par Louis Ducos du Hauron.
1871	Première émulsion au gélatino-bromure d'argent par Richard Leach Maddow.
1873	Hermann W. Vogel obtient des émulsions orthochromatiques.
1884	Émission négative sur papier en rouleau (George Eastman).
1888	Lancement du premier appareil Kodak chargé avec bobine.
1889	Remplacement du papier par une pellicule transparente de nitrocellulose.
1891	Samuel W. Turner, de la maison Eastman, lance le film en bobines permettant le chargement en plein jour; Louis Ducos du Hauron invente la stéréoscopie par anaglyphes. Photographie en couleurs par interférences de Gabriel Lippmann.
1895	Découverte des rayons X et de la radiographie par Wilhelm C. von Röntgen.
1904	Louis et Auguste Lumière réalisent la plaque autochrome, premier procédé commercial de la photographie en couleurs.
1905	Benno Homolka invente l'émulsion panchromatique.
1924	Premier appareil de petit format utilisant le film cinématographique de 35 mm, inventé par Oskar Barnack et construit par Leitz en Allemagne.
1928	Rolleiflex de Reinhold Heidecke.
1929	Découverte des lampes éclair pour flash par J. Ostermeyer.
1932	Premier appareil à mise au point par télémètre couplé (Leica).
1935	Perfectionnement du procédé Kodachrome par Leopold D. Mannes et Leopold Godowsky.
1941	Film Kodacolor et tirages en couleurs sur papier.
1947-1951	Mise au point de l'appareil photominute d'Edwin H. Land.
1963	Lancement du Kodachrome X, de l'Ektachrome X et du Kodacolor X.
1966	Commercialisation du film infrarouge en couleurs.

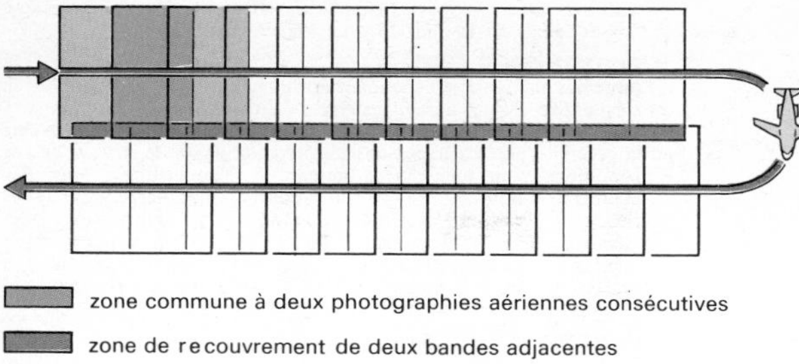

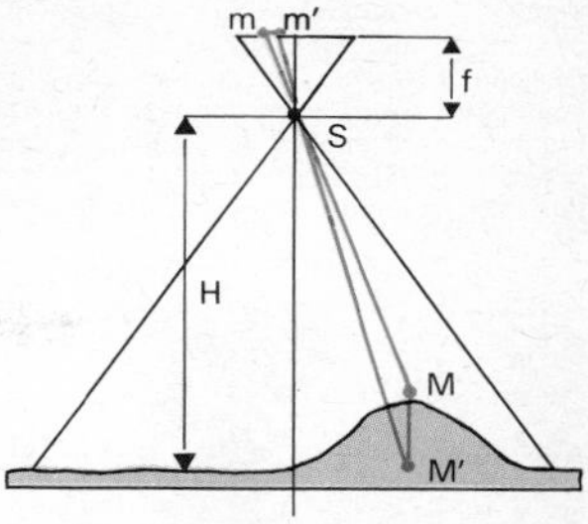

Coupe montrant une photographie aérienne et le terrain photographié. L'image d'un point M du terrain est m sur la photographie, alors que sur une carte ou une orthophotographie, elle serait m′. Le segment mm′ est la déformation due au relief.

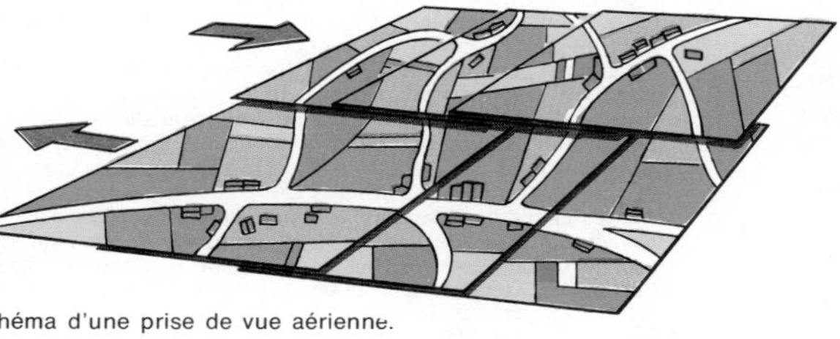

Schéma d'une prise de vue aérienne.

PHOTOGRAPHIE AÉRIENNE

en image visible, constituée par de l'argent réduit, et le bain de fixage, qui, après rinçage, élimine les sels d'argent inutilisés. Les formules de révélateur sont nombreuses : suivant la composition, on obtient des clichés doux ou contrastés. Le tirage s'effectue sur couche sensible à image latente (papier, plaque ou film) par exposition de durée déterminée à la lumière blanche et se traite comme les négatifs dans des bains similaires.

La photographie a conduit à de nombreuses techniques particulières : ainsi, on peut citer la photographie-minute, la macro- et la microphotographie, la photographie ultrarapide, la photographie en lumière monochromatique, en lumière polarisée, en lumière rasante, en ultraviolet ou en infrarouge, la fluographie, la radiographie, etc.

• *L'art de la photographie.* Dans ses débuts, la photographie subit fortement l'ascendant de la peinture : les premiers photographes sont des portraitistes perspicaces (Nadar*, Carjat*, J. M. Cameron...), des paysagistes (C. Nègre, G. Le Gray, H. Le Secq...) ou des peintres d'histoire réalisant d'immenses compositions allégoriques (O. G. Rejlander). Les perfectionnements techniques sont à l'origine de la photographie documentaire : C. Marville fixe l'image de Paris, avant les bouleversements du baron Haussmann; Maxime Du Camp accompagne Flaubert et ramène de passionnants documents de leur lointain périple; courageux précurseur, R. Fenton assiste à la chute de Sébastopol; M. Brady, T. O. Sullivan, A. Gardner et d'autres témoignent des atrocités de la guerre de Sécession, alors que L. W. Hine révèle les conditions inhumaines du travail des enfants dans les filatures de coton aux États-Unis. La précision de ces documents — non dépourvus de poésie, tels ceux d'Atget* — suscite la réaction, et, à l'aube du xxe s., la tentation picturale domine de nouveau la production. Juste avant la Première Guerre mondiale, Lartigue* fixe avec sa seule spontanéité le monde de son enfance. Stieglitz*, après son séjour en Europe, devient un adepte convaincu de la photographie picturale aux États-Unis. Sous son impulsion et celle de sa revue *Camera Work* et du groupe « Photo-Secession », qu'il a fondé, une prodigieuse génération de photographes (C. H. White, A. L. Coburn, G. Käsebier, E. Steichen*...) créent et exposent leurs œuvres. Après la Première Guerre mondiale, les partisans de la photographie-vérité recherchent la simplicité; parmi eux, citons Stieglitz et Steichen, bientôt suivis par P. Strand et C. Sheeler (v. PRÉCISIONNISTES), dont les photographies rendent la texture des matériaux. Ce souci de précision est aussi celui de Weston*, qui renie la photographie artistique et crée avec Adams*, notamment, le groupe « f. 64 » (la fermeture extrême du diaphragme symbolisant leur attachement à la définition et à la netteté de l'image). Cette virtuosité technique, associée à un cadrage original, est le trait distinctif de l'école documentariste américaine (W. Evans, D. Lange*, M. Bourke-White, etc.). Le chantre européen de la photographie pure, A. Renger-Patzsch, veut transcrire objectivement la nature, alors que les recherches en laboratoire, pratiquées par Moholy-Nagy*, Hanna Höch, Man Ray*, etc., sont à l'origine d'un courant abstrait mené par O. Steinert*, Sudre et M. White. Brassai*, Kertész* et Sudek privilégient l'insolite, alors que R. Doisneau saisit avec tendresse ses compatriotes dans leurs activités banales et quotidiennes. Le considérable développement de la presse suscite celui du reportage, où s'affirment E. Salomon, A. Eisenstaedt, A. F. Weegee, W. E. Smith, D. C. Seymour, Capa*, Cartier-Bresson*, M. Riboud, Brandt*, E. Haas* et G. Freund (dont les portraits sont mondialement célèbres). Les domaines beaucoup plus sophistiqués de la mode et de la publicité portent toujours l'empreinte des travaux de Steichen, ainsi que de ceux d'I. Penn et de R. Avedon*. La réalité poétique de L. Clergue ou le réalisme implacable et cruel de l'univers de L. Model, de D. Arbus et de J. Dater témoignent de l'activité actuelle de la photographie et des courants, souvent diamétralement opposés, qui l'animent.

PHOTOGRAPHIE AÉRIENNE. — Une photographie aérienne, à axe généralement vertical, peut être prise à partir de vecteurs variés : satellite, ballon stratosphérique, avion. Les prises de vues aériennes sont effectuées dans un dessein de photogrammétrie* ou de photo-interprétation*. Aussi couvre-t-on le terrain de bandes parallèles ayant entre elles un recouvrement de 15 p. 100 environ, deux clichés consécutifs ayant entre eux un recouvrement de 60 p. 100, qui permettra l'examen stéréoscopique. Les photographies aériennes prises d'avion ont des échelles* moyennes $\frac{1}{E}$ comprises entre $\frac{1}{3\,000}$ et $\frac{1}{130\,000}$. Pour une échelle $\frac{1}{E}$ déterminée et un appareil photographique de focale f, on a la relation $\frac{1}{E} = \frac{f}{H}$, H étant la hauteur de vol. Chaque photographie aérienne réalise une projection conique introduisant des déformations dues au relief; l'image d'un point M du terrain est différente de ce qu'elle serait sur une carte* ou sur une orthophotographie*.

PHOTOGRAVURE. — Le travail de photogravure comprend deux séries d'opérations : d'abord la photographie des documents originaux, qui donne des images sur films, puis la copie de ces films sur métal et la gravure du métal. La première série est commune à tous les procédés d'impression*. La seconde utilise des techniques différentes selon les procédés (typo, offset* ou hélio).

En impression typo ou offset, l'encre a partout la même épaisseur et la même intensité. Pour obtenir des demi-teintes, on décompose la surface imprimante en petits éléments très rapprochés, également noirs, mais plus ou moins grands. C'est le rôle de la *trame,* sorte de quadrillage qu'on intercale entre le film et le sujet, lors de la photographie ou d'une opération de copie. Pour la reproduction des couleurs, on confectionne les clichés en observant les lois de la trichromie* : impression avec les trois encres primaires, jaune, rouge et bleue, auxquelles s'ajoute le noir. La photogravure fait la sélection des couleurs en interposant des écrans filtres colorés et obtient un film ou un cliché pour chaque couleur. Le résultat est contrôlé par un tirage d'épreuves, impression à quelques exemplaires soumise au client pour obtenir son accord. Les retouches nécessaires sont faites sur les films. Autrefois artisanales, les opérations de photogravure se sont automatisées et normalisées. Les appareils de reproduction, programmés, commandent automatiquement la pose sur les films, qui passent ensuite dans des bains de développement, de fixage et de rinçage contrôlés. Les couches de copie et les conditions de la copie sont normalisées. L'utilisation de moyens électroniques pour l'obtention de clichés de couleurs a conduit à la construction de *scanners* de sélection. Un pinceau lumineux explore point par point l'original; la lumière transmise est divisée en ses constituants jaune,

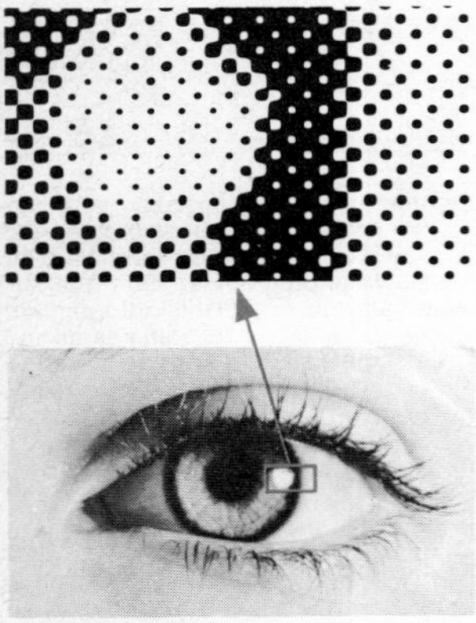

Photogravure. Agrandissement (en haut) de la trame d'un cliché.

rouge et bleu, convertis en signaux électriques. Modifiés suivant la programmation, ces signaux sont reconstitués en faisceaux lumineux qui insolent les films des trois couleurs ainsi qu'un quatrième film, celui du noir. D'autres machines fonctionnant suivant un principe analogue gravent directement des clichés typo en métal ou en plastique.

PHOTO-INTERPRÉTATION. — La photo-interprétation, ou interprétation des photographies* aériennes, permet d'obtenir des renseignements sur le terrain photographié. Les applications les plus intéressantes touchent les sciences de la Terre — géologie, géomorphologie, hydrologie, pédologie, biogéographie — et certaines sciences humaines — géographie économique, géographie historique, urbanisme, archéologie, etc. L'échelle* joue un rôle déterminant selon que l'on veut étudier les ensembles naturels du globe (photos de satellites*, échelles de 1/10 000 000 à 1/1 000 000), les structures naturelles ou celles qui sont créées par l'homme (photos d'avion, échelles de 1/130 000 à 1/10 000) ou des objets de l'ordre du mètre (photos d'avion ou d'hélicoptère, échelles de 1/5 000 à 1/500). L'émulsion sur laquelle a été effectuée la prise de vue joue aussi un rôle important. Outre les émulsions panchromatiques, on utilise des émulsions infrarouges* (détection de zones humides), en couleurs ou en fausses couleurs.

PHOTOLUMINESCENCE. — Elle prend le nom de « fluorescence* » si elle est instantanée et de « phosphorescence* » si elle se prolonge après la suppression de l'excitation. (V. LUMINESCENCE.)

PHOTOMÉTRIE. — Les principales grandeurs photométriques sont le flux lumineux, l'intensité, l'éclairement et la luminance. Leur mesure peut se faire à l'aide d'un photomètre, grâce auquel on compare la lumière à étudier à celle d'une lampe-étalon, dont l'éclairement est réduit, dans une proportion connue, par un coin absorbant. On ne peut, d'ailleurs, comparer avec précision que des lumières de même longueur d'onde; d'où l'utilisation de monochromateurs. D'autre part, la comparaison se fait de plus en plus par des procédés photoélectriques.

PHOTOMULTIPLICATEUR *(Astron.)* → ASTRONOMIE.

PHOTOMULTIPLICATEUR (tube). — Ce tube, inventé par Zworykin, utilise l'action combinée de l'effet photoélectrique et de l'émission secondaire, où les électrons émis par la photocathode sont projetés sur une dizaine de plaques successives, appelées « dynodes », constituées par un métal présentant une forte émission secondaire.

PHOTON. — Les diverses formes d'énergie rayonnante se transmettent par ondes électromagnétiques, correspondant à un champ électrique et à un champ magnétique sinusoïdaux de fréquence *n*. Mais, dans certains phénomènes, tel l'effet photoélectrique, tout se passe comme si l'énergie était localisée dans un espace très réduit. Aussi Einstein a-t-il supposé, en 1905, que les quanta d'énergie lumineuse se comportent comme des projectiles, capables de provoquer, par leurs chocs contre les atomes, les effets des bombardements par corpuscules. Chaque photon, correspondant à la fréquence *n*, transporte un quantum d'énergie *q* tel que $q = hn$, où *h* est la constante de Planck.

PHOTOPÉRIODISME. — La floraison* des végétaux est le principal phénomène dépendant étroitement de la « photopériode », c'est-à-dire de la durée respective du jour et de la nuit. Les expériences réalisées en phytotron* ont permis de montrer à la fois la diversité des exigences des espèces florales et la rigueur de ces conditions pour une espèce déterminée. On distingue ainsi des plantes de « nuit courte », de « jour court », « nycthémérales » (elles fleurissent toujours si l'alternance dure vingt-quatre heures) et même quelques espèces qui exigent le très faible complément de lumière fourni par une nuit de pleine lune. La photopériode agit également sur les migrations* et les phénomènes sexuels des oiseaux, ainsi que sur bien d'autres phénomènes biologiques.

PHOTOSPHÈRE → SOLEIL.

PHOTOSYNTHÈSE. — Contrairement à l'homme contemporain, l'ensemble des êtres vivants ne disposent pratiquement que d'une seule et unique source d'énergie : le rayonnement solaire. Celui-ci n'est lui-même capté et son énergie n'est mise en réserve que par un groupe particulier d'espèces vivantes, les *plantes vertes,* ou plantes à chlorophylle*. Comme cette « assimilation chlorophyllienne » d'énergie se traduit par la *synthèse* d'aliments riches en énergie, on la nomme « photosynthèse ». A partir de composés simples et totalement incombustibles, tels que gaz carbonique (CO_2) de l'air, eau (H_2O), ions nitriques (NO_3^-) et autres ions minéraux du sol, les grains de chlorophylle (ou chloroplastes) édifient en effet des glucides (amidon), des graisses, des protéines, etc., qui seront ensuite solubilisés et distribués dans toute la plante par la sève libérienne. Extérieurement, le seul rejet associé à ces synthèses est celui d'oxygène moléculaire O_2. L'étude du cheminement des isotopes radioactifs a montré que cet oxygène provient d'une photolyse de l'eau :

$$2\,H_2O + \text{énergie} \rightarrow 4H^+ + O_2\nearrow$$

et non, comme on le supposait, d'une photolyse du gaz carbonique :

$$CO_2 + \text{énergie} \rightarrow C + O_2\nearrow$$

L'intervention de l'A.T.P. (adénosine triphosphorique) et d'un cercle fermé de réactions, le *cycle de Calvin,* la distinction faite par Blackmann entre une courte phase de photoréception et une longue phase « sombre », l'étude de la répartition spectrale en fonction des quanta lumineux, la notion des niveaux d'énergie électroniques ont fait apparaître l'extrême complexité du phénomène, longtemps masquée par la simplicité de son bilan.

On a décrit, chez les plantes des déserts chauds, des types particuliers de photosynthèse qui évitent à la plante une perte d'eau excessive. Les cactus, par exemple, évitent d'ouvrir leurs stomates pendant le jour, en stockant le gaz carbonique sous forme d'acide malique. Le rendement de la photosynthèse *stricto sensu* n'est guère que de 1 p. 100, mais une part notable de l'énergie lumineuse reçue par les feuilles vertes joue d'autres rôles utiles, par exemple celui d'assurer le renouvellement de l'eau par transpiration*.

PHOTOTITREUSE → COMPOSITION.

PHOTOTROPISME → TROPISME.

PHOTOVOLTAÏQUE → PHOTOÉLECTRIQUE *(cellule).*

PHRASE. — La phrase peut être définie de diverses manières : suite de mots commençant par une majuscule et finissant par un point (critère graphique), une phrase est aussi une unité de sens (critère sémantique) et une unité mélodique entre deux pauses (critère prosodique). D'autre part, sur le plan syntaxique, c'est une unité dont tous les éléments (ou syntagmes) doivent assumer une fonction. La phrase est donc une unité linguistique au même titre que les phonèmes, les morphèmes et les syntagmes, mais, au contraire de ceux-ci, elle n'entre pas dans des unités de rang supérieur : la combinaison des phrases n'appartient pas au domaine de la langue, mais à celui de la parole*. La phrase peut donc être considérée à la fois comme le terme ultime de l'analyse syntaxique et comme l'unité de base de l'analyse du discours*.

PHRATRIE. — Dans le monde grec, dès le temps des Achéens, des groupements, ou phratries, sont constitués dans le culte d'un ancêtre commun au nom d'une parenté à la fois familiale, politique et religieuse. Mais, à partir de la réforme démocratique de Clisthène* au VIe s., la phratrie perd l'importance politique qu'elle a eue tant que les familles aristocratiques occupaient la première place.

PHRÉATIQUE (nappe). — Une partie de l'eau de pluie arrivée au sol ruisselle, et une autre partie s'infiltre. Celle-ci percole à travers le sol et les roches sous-jacentes jusqu'à ce qu'elle rencontre un niveau imperméable. Elle forme alors la *nappe phréatique,* nappe d'eau souterraine continue. La proportion des eaux d'infiltration et des eaux de ruissellement est très variable : elle dépend de l'intensité de la pluie, de la porosité du sol, de la nature et de la densité de la végétation. La nappe phréatique s'écoule lentement suivant le pendage et réapparaît en sources sur les versants des vallées. Peu sensible aux variations saisonnières des précipitations, elle alimente les puits. Mais le développement industriel rend préoccupants les risques de pollution des nappes.

PHRYGANE. — La larve de phrygane, beaucoup plus connue que l'adulte, est le *traîne-bûches,* qui agglutine autour de son fourreau de soie une gaine de petits cailloux, de brindilles, de minuscules coquillages, etc., et qui ne laisse dépasser que l'avant du corps, en vue de se traîner sur le fond des ruisseaux. Extraite de son fourreau, elle est un appât pour la pêche à la ligne. L'adulte ressemble quelque peu à un papillon de nuit. (Ordre des trichoptères.)

PHRYGIE, région du nord-ouest de l'Asie Mineure, entre la mer Égée et le Pont-Euxin. Occupée par des envahisseurs indo-européens descendant probablement des pays balkaniques (début du IIe millénaire av. J.-C.), la Phrygie devint un royaume qui domina une partie de l'Asie Mineure et dont les souverains portèrent alternativement les noms de Gordias et de Midas*. L'invasion des Cimmériens*, au VIIe s. av. J.-C., réduisit le royaume phrygien à de petites principautés, qui furent intégrées à la Lydie par Crésus* (VIe s. av. J.-C.). La Phrygie, annexée par les Perses en 547, passera de la domination des Achéménides* à celle d'Alexandre*, des Séleucides*, des Galates* (275) et des rois de Pergame* (188), pour finir en 103 comme province romaine.

PHRYNÉ, courtisane grecque (IVe s. av. J.-C.). Elle fut la maîtresse de Praxitèle*, à qui, en raison de sa grande beauté, elle aurait servi de modèle. Accusée devant le tribunal des héliastes, elle fut défendue par Hypéride*, qui obtint l'acquittement de sa cliente en dévoilant sa beauté.

PHRYNICHOS, poète grec (fin du VIe s.-en Sicile début du Ve s. av. J.-C.), l'un des créateurs de la tragédie et à qui on attribue l'invention du masque.

PHTALIQUE (acide). — C'est l'orthodiacide $C_6H_4(CO_2H)_2$, obtenu par oxydation du naphtalène. Son anhydride forme des aiguilles flexibles fondant à 138 °C. Il se condense avec les phénols pour donner des phtaléines et divers colorants. Avec les polyols, et notamment la glycérine, il fournit les résines synthétiques dites « glyptals ».

PHTIOTIDE ou **PHTHIOTIDE,** région de Grèce, sur la mer Égée, au N. du Parnasse. Ch.-l. *Lamía.*

PHTIRIASE. — Les poux de tête *(Phtirius capitis),* de corps *(P. corporis)* et du pubis (*P. pubis* ou morpion) provoquent de vives démangeaisons et doivent être détruits avec des préparations à base de D. D. T. Les deux premiers transmettent des rickettsioses (typhus) et des fièvres récurrentes (borrélioses).

PHUKET, île de la côte sud de la Thaïlande. Étain.

PHYLLIE. — Originaire de Malaisie, la phyllie est remarquable par la perfection avec laquelle son corps imite l'aspect d'une feuille, avec ses nervures, ses attaques par des parasites, voire ses changements de teinte saisonniers. Cet insecte chéleutoptère est l'exemple classique de l'*homomorphie* (imitation non seulement des couleurs, mais des formes du support habituel).

PHYLLOTAXIE. — On désigne sous ce nom la disposition des feuilles d'une plante sur la tige ou le rameau qui les porte. Le cas le plus simple est celui des feuilles en *rosette,* toutes rassemblées à la base du pédoncule floral, au contact du sol (pissenlit). Lorsque les feuilles s'étagent en hauteur, elles peuvent être *verticillées* (plus de deux feuilles par nœud : gaillet), *opposées* (deux feuilles par nœud : labiacées, etc.) ou *alternes* (une seule feuille par nœud). Dans ce dernier cas, l'angle de deux feuilles successives est souvent de deux cinquièmes de tour (hélice foliaire), ce qui permet aux feuilles de ne pas être privées de lumière par celles qui les surmontent.

PHYLLOXÉRA → PLANTES *(maladies des).*

PHYLUM. — La notion de phylum résulte de la vision évolutionniste du monde vivant actuel et fossile. En fonction des formes, des dates, des biotopes et des adaptations, on s'efforce d'établir des listes d'espèces dont chacune a pu être l'ancêtre des suivantes. Ces constructions, pour hypothétiques qu'elles soient, n'en rendent pas moins un immense service aux sciences biologiques, tant en facilitant (ou en remettant en cause) la classification qu'en faisant apparaître, de façon statistique et empirique, quelques grandes lois de l'évolution, s'appliquant aux groupes les plus variés : augmentation de la taille, sortie des eaux, spécialisation, augmentation du nombre des chromosomes, concrescence des pièces florales, doublement du coefficient de céphalisation, réduction du nombre des dents ou des doigts, etc., sont des traits communs à plusieurs phylums n'ayant entre eux que peu de parenté.

PHYSALIE. — Une vaste cloche flottant sur les eaux et laissant pendre sous elle de longs filaments venimeux, telle est la physalie, type du groupe des *siphonophores.* C'est le venin de la physalie qui a permis la découverte de l'anaphylaxie*. En fait, la physalie est une colonie, dont les individus *(zoïtes),* de plusieurs sortes, exercent des fonctions complémentaires au service de l'ensemble. La colonie se nourrit en capturant des poissons.

PHYSIOCRATES. — Cette école d'économistes, illustrée notamment, au XVIIIe s., par le docteur Quesnay*, voit dans la terre le facteur essentiel de la création de richesses (v. ÉCONOMIQUES [*sciences*]). Ses contributions les plus notables concernent les analyses de la demande* et de l'utilité, de l'échange et de la valeur*, la notion de valeur-coût de production, celle de salaire de subsistance et le concept de fonds des salaires.

PHYSIOGNOMONIE. — Cette doctrine, qui connut un grand succès au XIXe s., a été introduite par le pasteur suisse J. K. Lavater* (1741-1801). Elle estime que la morphologie du visage et la mimique sont révélatrices de la personnalité* de l'individu.

PHYSIOLOGIE. — La physiologie est par excellence la science de la vie, puisqu'elle étudie le mode de fonctionnement permanent des organismes animaux et végétaux, laissant à l'*anatomie* et à l'*histologie* la description des formes et des structures, à la *biologie* celle du cycle reproductif, à l'*écologie* celle des milieux naturels, à la *systématique* le classement des espèces. Son domaine propre est donc l'étude des grandes « fonctions » : nutrition, information, mouvement, régulation, etc.

L'histoire de la physiologie est jalonnée par les noms de William Harvey (1578-1657) [circulation du sang], de Haller (1708-1777) [irritabilité des tissus], de Lavoisier (1743-1794) [respiration], de Claude Bernard (1813-1878) [notion de « milieu intérieur », régulation de la glycémie], de Helmholtz (1821-1894) [physiologie des sensations] et, pour la physiologie végétale, par ceux d'Edme Mariotte (1620-1684) [distinction entre sève brute et sève élaborée], d'Ingen-Housz (1730-1799) [photosynthèse], de Hales (1677-1761) [circulation des sèves et transpiration], de Pasteur (1822-1895) [anaérobiose], de Van't Hoff (1852-1911) et Arrhenius (1859-1927) [lois de l'osmose], etc.

Physiologie du mariage, par H. de Balzac (1829). Méditation plaisante sur la vie conjugale.

PHYLLOTAXIE

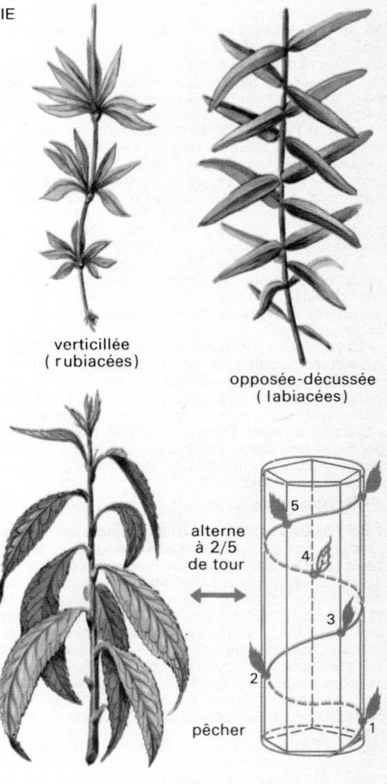

PHYSIOTHÉRAPIE. — Les agents physiques employés en thérapeutique peuvent être naturels (soleil, sources d'eau chaude, etc.) ou artificiels (appareils produisant divers types de rayons, eau chauffée, installations mécaniques, etc.). Dans tous les cas, une prescription et une surveillance médicales sont nécessaires.

L'emploi des diverses eaux (hydrothérapie) remonte à l'Antiquité; on utilise des eaux de source thermales (naturellement chaudes) ou de l'eau de rivière ou de mer chauffée; on pratique ainsi des bains (balnéothérapie), des douches, des affusions, des irrigations, des pulvérisations, etc. L'action bénéfique du rayonnement solaire (héliothérapie) ne doit pas faire oublier les risques de brûlures, d'insolation, de coups de chaleur. La production artificielle de rayons infrarouges et ultraviolets permet de suppléer à l'absence de soleil. Dans tous ces cas, la durée, la répartition et l'intensité de l'irradiation doit être mesurée. La radiothérapie* et la curiethérapie* entrent également dans le cadre de la physiothérapie. Les mouvements actifs et passifs de la kinésithérapie, faisant appel ou non aux moyens de la mécanothérapie, ainsi que les massages et la gymnastique médicale donnent de bons résultats.

PHYSIQUE. — Les *sciences physiques* étudient les propriétés générales de la matière. Celles-ci peuvent subir des modifications, qu'on nomme « phénomènes » : ainsi la chute d'une pierre, la fusion de la glace. Mais, parmi les divers phénomènes que présente la matière, les uns ne modifient que d'une façon passagère l'aspect et les propriétés des corps, sans dépendre de leur nature, et leur étude est l'objet de la *physique;* les autres, au contraire, produisent des modifications permanentes et varient avec la nature des corps; ils résultent de l'action réciproque de substances qui disparaissent pour donner naissance à une matière différente; leur étude constitue la *chimie.*

Ainsi, si l'on chauffe du phosphore blanc dans un récipient clos, sa température s'élève, puis il fond; ensuite, le liquide entre en ébullition. Si l'on refroidit alors le tube, les transformations inverses se produisent, et l'on retrouve le phosphore initial. Les phénomènes de variation de température, de fusion et de vaporisation appartiennent à la physique; ils n'affectent pas profondément les propriétés des corps; ils s'appliquent non seulement au phosphore, mais aussi à la plupart des solides.

Enflammons le même fragment de phosphore au contact de l'air; après combustion, on obtient une poudre blanche, l'anhydride phosphorique, différente du corps primitif; cette transformation, définitive, est caractéristique du phosphore; il s'agit d'un phénomène chimique.

La physique est d'abord une science expérimentale. Mais, au lieu d'observer simplement les phénomènes, il vaut mieux, pour connaître l'influence de tel ou tel facteur, avoir recours à l'expérimentation et employer des instruments divers, plus sensibles que nos sens et permettant des mesures. L'expérience comporte en outre l'interprétation du phénomène observé, en en précisant les causes, et elle peut conduire à l'établissement d'une loi, qui traduit par une relation les liaisons qu'impose la nature aux valeurs numériques.

PHYTOPHTORA → PLANTES *(maladies des).*

PHYTOSOCIOLOGIE. — Contrairement aux animaux, les plantes sauvages ont un lieu de vie absolument fixe. Le recensement des espèces présentes en un lieu non cultivé renseigne donc sur la concurrence vitale pour l'occupation du terrain, le rôle du climat et de la nature du sol, les effets d'entraide ou d'exclusion, le rythme et l'abondance de la reproduction, etc. La phytosociologie, étude quantitative et qualitative des associations végétales, est une science géographique qui vise à l'établissement de cartes, une science historique lorsqu'elle explique la flore présente comme consécutive à une intervention passée de l'homme ou du climat, une science appliquée lorsqu'elle guide les spéculations des agriculteurs ou les démarches des écologistes.

PHYTOTRON. — Une connaissance approfondie des meilleures conditions de développement des plantes cultivées ne peut se borner aux observations sur le terrain. Il est apparu indispensable de disposer de vastes locaux dont l'éclairement, la température, l'humidité, la nature du sol, etc., puissent être réglés et modifiés à volonté et séparément. C'est à cette fin qu'ont été édifiés des *phytotrons,* d'abord à Pasadena (États-Unis), puis en divers lieux, notamment à Gif-sur-Yvette, près de Paris. Dans bien des cas, des conditions tenues pour « antinaturelles » y ont permis des taux remarquables de croissance et de fructification. De telles expériences constituent un guide précieux pour les agronomes.

PI ou **π.** — π est le nombre par lequel il faut multiplier le diamètre d'un cercle pour obtenir la longueur de sa circonférence : $l = 2\pi R$.

Le nombre π est *irrationnel :* il n'existe aucune fraction égale à π. De plus, π n'est *pas algébrique :* il n'existe aucune équation à coefficients entiers admettant π pour racine. π est un nombre *transcendant.* La construction de π avec la règle et le compas ainsi que la rectification de la circonférence et la quadrature du cercle sont alors impossibles. La valeur approchée par défaut à moins de 10^{-5} près de π est 3,141 59. On utilise couramment dans les calculs la valeur 3,14. On peut retenir de façon mnémonique les dix premières décimales de π à l'aide de la phrase suivante :

que j'aime à faire connaître ce nombre utile au sage,
3 1 4 1 5 9 2 6 5 2 4

en comptant le nombre de lettres de chaque mot.
Depuis des temps très anciens, on utilise des valeurs approchées de π.

- $\pi = 3 = 3{,}0$; erreur 5 p. 100, valeur utilisée en Mésopotamie, en Chine, en Palestine et que l'on trouve dans la Bible.
- $\pi = \sqrt{10} = 3{,}162$; erreur $\frac{1}{150}$, mesure de l'hypoténuse d'un triangle rectangle de côtés 1 et 3.
- $\pi = \left(\frac{4}{3}\right)^4 = 3{,}160\,5$; erreur 0,5 p. 100, valeur utilisée par les Égyptiens pour calculer l'aire d'un cercle.
- $\pi = \frac{22}{7} = 3{,}142\,8$; erreur 0,04 p. 100, valeur connue par Archimède. Elle donne une valeur simple pour $\frac{1}{\pi}$.

PIAF (Giovanna GASSION, dite **Édith**), chanteuse française (Paris 1915-*id.* 1963). Découverte en 1935, alors qu'elle chantait dans la rue, par Louis Leplée, directeur d'un petit cabaret parisien, elle s'imposa, grâce à la radio, au disque et au music-hall, comme une authentique interprète populaire, dont la voix, forte et tragique, contrastant avec une silhouette plutôt fragile, sut gagner durablement le cœur des foules. Son répertoire fit le plus souvent appel à la fatalité du destin et à l'irrésistible force de l'amour : *Mon légionnaire, l'Hymne à l'amour, la Vie en rose, la Goualante du pauvre Jean, Milord, les Amants d'un jour.*

PIAGET (Jean), épistémologue et psychopédagogue suisse (Neuchâtel 1896). Ses travaux de philosophie et de psychologie le conduisent à projeter la reconstitution de l'aventure de la connaissance* à partir de l'ontogenèse des notions et de l'histoire du sujet des sciences. À travers une psychologie du développement de l'intelligence* (*la Naissance de l'intelligence chez l'enfant,* 1936; *la Genèse du nombre chez l'enfant,* 1941; *la Formation du symbole chez l'enfant,* 1945; etc.), Piaget analyse les structures successives du savoir et dégage les principes d'une construction dont il pense qu'elle est orientée dans le sens d'une conceptualisation toujours plus abstraite et plus générale. Sa théorie du sujet* de la connaissance, qu'il élabore notamment dans l'*Épistémologie génétique* (1970), néglige cependant les processus spécifiques par lesquels se constituent les sciences : c'est-à-dire leur histoire réelle.

PIAN → TRÉPONÈME.

PIANA (20115), ch.-l. du cant. des Deux-Sevi (Corse-du-Sud), près de la côte sud du golfe de Porto; 661 hab.

PIANO. — Appelé à l'origine *pianoforte,* par allusion aux possibilités de nuances qu'il offrait, le piano appartient à la famille des instruments à cordes et à clavier, et dérive du clavicorde, premier instrument de cette nature, dans lequel une petite fiche métallique (tangent) placée sur la touche frappe la corde à un endroit précis et en détermine la longueur vibrante, en la divisant en deux. Dans le piano, les cordes sont frappées par des marteaux actionnés par les touches du clavier.

Très rares sont les compositeurs qui négligèrent le piano (Berlioz, Verdi). À l'époque classique, Haydn et Mozart exploitèrent les capacités de l'instrument. Avec Beethoven, Chopin, Schumann et Liszt, le piano devint le confident intime du compositeur; avec Schubert, il fut le plus fidèle allié de la voix humaine. La période moderne est marquée par Fauré, Debussy, Ravel, Prokofiev, Bartók et, dans le jazz, par Erroll Garner, Thelonious Monk et Art Tatum.

PIAST, dynastie polonaise, issue des princes des Polanes établis à Gniezno, auxquels la tradition donne pour ancêtre un certain Piast. Fondatrice du premier État polonais, cette dynastie présida à ses destinées jusqu'en 1370. C'est avec MIESZKO Ier* (de 960 à 992) que la principauté polonaise, regroupant la Grande Pologne, la Mazovie, la Petite Pologne, la Silésie et la Poméranie, entre dans l'histoire en même temps que dans la chrétienté romaine (966). Son État, dont il a réussi à préserver l'indépendance face à l'Empire germanique, échoit en 992 à son fils BOLESLAS *le Vaillant* (de 992 à 1025). Ce dernier exploite d'abord les bonnes dispositions de l'empereur Otton III, qui autorise l'organisation d'une province ecclésiastique autonome de Pologne, reconnaît l'indépendance du duc et va jusqu'à lui promettre la couronne royale. Mais l'hostilité d'Henri II, successeur d'Otton III, provoque le conflit armé avec l'Empire, à la faveur duquel Boleslas étend sa domination sur la Lusace, la Moravie et se taille un empire s'étendant du Danube à la Baltique et de l'Elbe au Bug. Couronné roi de Pologne en 1025, Boleslas meurt quelques semaines plus tard, laissant son trône à son fils cadet,

MIESZKO II (de 1025 à 1034). Celui-ci voit son règne marqué par la révolte de son frère aîné et déboucher sur la reconnaissance de la suzeraineté impériale et le morcellement du pays. D'abord chassé du trône, son héritier, CASIMIR Ier (de 1039 à 1058), reprend pied dans son pays, transfère sa capitale à Cracovie et s'emploie à restaurer les institutions et la puissance militaire de la Pologne.

Le succès de l'entreprise permet à BOLESLAS II *le Hardi* (de 1058 à 1079) de reprendre les grands desseins du premier roi de Pologne. Bravant l'Empire, Boleslas II prend le parti de Grégoire VII contre Henri IV et reçoit la couronne des mains des légats pontificaux (1076). Mais une révolte nobiliaire le renverse (1079), et son frère LADISLAS HERMAN (de 1079 à 1102), qui lui succède, est l'instrument docile de l'Empire et de la noblesse polonaise. Après sa mort, la décomposition de l'État polonais est accélérée par la querelle entre l'aîné de ses fils, Zbigniew (v. 1070-1112), et le cadet, BOLESLAS *Bouche-Torse* (de 1102 à 1138), qui l'emporte (1107), puis, après la mort de ce dernier, par les rivalités au sein de la famille (1138-1306). C'est au XIVe s., grâce à LADISLAS Ier Łokietek ou *le Bref* (de 1306 à 1333), que la dynastie recouvre son autorité, en mobilisant l'énergie du peuple polonais contre les entreprises de la Bohême et de l'ordre Teutonique. Le fils de Ladislas, CASIMIR III* *le Grand* (de 1333 à 1370), sera le dernier représentant de la dynastie.

PIATIGORSK, v. d'U. R. S. S. (R. S. F. S. de Russie), sur le versant nord du Caucase; 70 000 hab.

PIATRA NEAMȚ, v. de Roumanie, en Moldavie, près de la Bistrița; 64 000 hab.

PIAUÍ, État du nord-est du Brésil. Capit. *Teresina.*

PIAVE *(le* ou *la),* fl. du nord-est de l'Italie, en Vénétie, né dans les Alpes, tributaire de l'Adriatique; 220 km.

PIAZZA ARMERINA, v. d'Italie, en Sicile, au S.-E. d'Enna; 25 000 hab. À 6 km, villa romaine de Casale, qui a livré un grandiose décor de mosaïques (plus de 3 000 m^2), probablement du IVe s., caractéristique des ateliers africains.

PIAZZETTA (Giovan Battista), peintre et dessinateur italien (Venise 1682-*id.* 1754). Il tranche sur le brio léger des Vénitiens contemporains par l'efficacité dramatique de ses grandes compositions religieuses (*la Vierge avec saint Philippe Neri,* v. 1725, S. Maria della Fava, Venise). Il a aussi traité des sujets de genre (*la Devineresse,* aux harmonies et jeux de lumière savants, 1740, Accademia).

PIBRAC (Guy DU FAUR, *seigneur* DE), magistrat, diplomate et poète français (Pibrac 1529-Paris 1584), auteur de *Quatrains contenant préceptes et enseignements* d'inspiration stoïcienne et chrétienne.

PIC. — Le pic *épeiche* et le picvert, ou *pivert,* sont les représentants en France de l'ordre des grimpeurs. Ces oiseaux, en effet, grimpent aisément le long des troncs les plus droits, grâce à l'appui que leur fournit leur plumage caudal raide et grâce à leurs pattes, dont deux doigts sont tournés vers l'arrière. De leur bec fort et pointu, ils piquent l'écorce des arbres, puis glissent entre bois et écorce leur langue vermiforme, qui récolte les nombreux insectes de ce site. On rattache aux pics les *torcols* américains, mangeurs de fourmis, les *barbus,* les *toucans* et les *jacamars,* l'ensemble formant l'ordre des piciformes.

PICABIA (Francis), peintre français (Paris 1879-*id.* 1953). Fortuné, aussi à l'aise dans la « société » que parmi les artistes d'avant-garde, essayant de ne jamais séparer l'art de la vie, il est fêté comme peintre de tendance impressionniste avant de tirer du cubisme une version abstraite et dynamique (*Udnie,* 1913, musée national d'Art moderne) et de participer, à New York, aux prémices de dada* (dérision de la machine : *l'Enfant carburateur,* musée Guggenheim), dont sa revue *391* (Barcelone, New York, Zurich, Paris, 1917-1924) sera l'un des pivots. Il vit ensuite sur la Côte d'Azur, exécute des peintures à motifs superposés, dites *transparences,* et revient à la fin de sa vie à l'abstraction.

PICARD (*abbé* Jean), astronome et géodésien français (La Flèche 1620-Paris 1682). Élève de Gassendi, il réalisa, avec Auzout*, le micromètre à fil mobile, et fut l'un des premiers astronomes à faire des observations précises. Son nom reste attaché à la mesure de l'arc de méridien entre Paris et Amiens (1669-70), dont il tira une valeur du rayon terrestre qui permit à Newton* d'établir les lois de la gravitation* universelle.

PICARD (Émile), mathématicien français (Paris 1856-*id.* 1941). L'un des plus éminents analystes de la première moitié du XXe s., il étudia plus particulièrement les fonctions analytiques uniformes, les intégrales algébriques associées à une surface algébrique et la géométrie projective. En développant la méthode des approximations successives dans la théorie des équations différentielles, il transforma ce procédé en méthode de calcul.

PICARDIE, anc. province du nord de la France. Le pays a fourni les plus anciens témoignages de l'activité humaine en Europe : la science préhistorique, avec Boucher* de Perthes, naquit d'ailleurs en Picardie. La paix romaine fut marquée par un puissant essor agricole, qui est à l'origine de la richesse de la région. Au XIIe s., l'activité industrielle, textile surtout (drap, plus tard velours et toiles), s'affirme et les villes acquièrent leurs libertés. Convoitée très tôt par les Capétiens, la Picardie n'est définitivement française qu'après la mort de Charles le Téméraire (1477). Province-frontière, elle souffre — jusqu'à la conquête de l'Artois en 1659, par Mazarin — des guerres du début du XVIIe s.

PICARDIE, Région regroupant les trois départements de l'Aisne, de l'Oise et de la Somme; 19 411 km^2; 1 678 644 hab. *(Picards).* Capit. *Amiens.*

GÉOGRAPHIE. Dans le nord du Bassin parisien, c'est une région au relief modéré (l'altitude n'y atteint jamais 300 m), juxtaposant plateaux de calcaires résistants du Valois, du Soissonnais et de la Brie au S.-E., plaines de craie blanche à l'O., hauteurs de craie marneuse de la Thiérache au N.-E., entaillés par les vallées du bassin de l'Oise (dont l'Aisne et le Thérain) et la Somme. La proximité, parfois relative, de la Manche explique l'extension d'un climat de tendance océanique, teinté cependant de continentalité (pluies dominantes en été) dans l'intérieur (départ. de l'Aisne), mais l'amplitude thermique moyenne annuelle demeure modérée, de l'ordre de 15 °C, avec des moyennes de janvier partout supérieures à 0 °C et des moyennes de juillet inférieures à 20 °C.

Le cadre physique offre des conditions relativement favorables à l'occupation humaine. Cependant, la densité moyenne de population est (assez légèrement) inférieure à la moyenne nationale. Cette situation tient largement à l'ancienne prépondérance de la vie agricole, et à l'intensité de l'exode rural qui en est résulté, dans une région longtemps sans grande ville (à l'exception d'Amiens). La population, avoisinant le million et demi d'habitants au milieu du XIXe s., a diminué de 15 p. 100 jusqu'en 1946, avant d'enregistrer une remontée spectaculaire depuis une trentaine d'années (accroissement d'un tiers).

Cette remontée est liée à la fois à l'excédent naturel et, fait récent, au renversement du solde migratoire, auparavant déficitaire. La Picardie a profité de l'expansion démographique et économique de l'agglomération parisienne, qui atteint le sud du département de l'Oise (vers Chantilly, Creil, Senlis), dont elle explique le passage du dernier au premier rang des départements régionaux pour la population. La vallée de l'Oise (en aval de Compiègne) et l'agglomération d'Amiens sont les secteurs de fort peuplement. Ce sont aussi les plus industrialisés.

Manquant de ressources minérales (énergétiques, entre autres), la Picardie bénéficie toutefois d'une ancienne tradition métallurgique et textile, qui a favorisé certaines opérations de décentralisation. La métallurgie (surtout de transformation) est, de loin, la principale branche régionale, occupant plus du tiers des actifs industriels (matériel de transport et de travaux publics, machines agricoles, constructions électriques, avec le maintien de quelques spécialités [serrurerie et robinetterie du Vimeu]), loin devant le textile (où le coton, la confection et la bonneterie reculent devant les fibres synthétiques), la chimie, la verrerie et les industries agricoles et alimentaires, liées à l'importance du secteur primaire. Celui-ci emploie, désormais, relativement peu d'actifs, mais souvent dans des grandes exploitations mécanisées, utilisant massivement les engrais, malgré la fréquence des riches sols limoneux. La Région est la première de France pour la fourniture de betterave à sucre et tient une place essentielle pour le blé, l'orge, la pomme de terre. L'élevage est varié, bovins pour le lait et la viande, porcins. Pêche et tourisme n'animent que temporairement une façade littorale étroite.

La relative faiblesse du secteur tertiaire est liée à l'absence de grandes villes, si l'on excepte Amiens, et toute la moitié méridionale de la région vit plus ou moins dans l'orbite de Paris — du moins pour les services de haut niveau —, en partie d'ailleurs grâce à la fréquente facilité des communications, qui constituent un atout pour la Région. La Picardie, bien située entre Paris et le Nord, est desservie par l'autoroute, le rail et aussi la voie d'eau (vallée de l'Oise, canaux de Saint-Quentin et du Nord).

PICARESQUE. — Le roman picaresque s'attache à décrire les mœurs des *picaros,* vauriens et déclassés de toute sorte qui manifestent la plus grande mobilité le long de l'échelle sociale. Du *Lazarillo de Tormes* (1554) au *Buscón* (1626), de Quevedo, et au *Diable* boiteux* (1641), de Vélez de Guevara, les récits picaresques dominent la littérature romanesque espagnole. Le genre exerça une influence profonde en France (Lesage, Marivaux), en Angleterre (Defoe, Fielding) et en Amérique latine (notamment au Mexique).

PICASSO (Pablo Ruiz), peintre, dessinateur et sculpteur espagnol (Málaga 1881-Mougins 1973). Au-delà de la peinture traditionnelle, y compris celle de ses débuts (périodes « bleue » [1901-1904] et « rose » [1904-05], dont le symbolisme évoque le poids du destin et de la misère à travers des personnages populaires et pathétiques, puis des saltimbanques), il lance dans le milieu parisien, en 1907, la « bombe » esthétique des *Demoiselles* d'Avignon,* et développe le cubisme* conjointement à Braque : il analyse les objets, les décompose (*Portrait d'Ambroise Vollard,* 1909-10, musée Pouchkine, Moscou) et, après avoir réintroduit la réalité par des

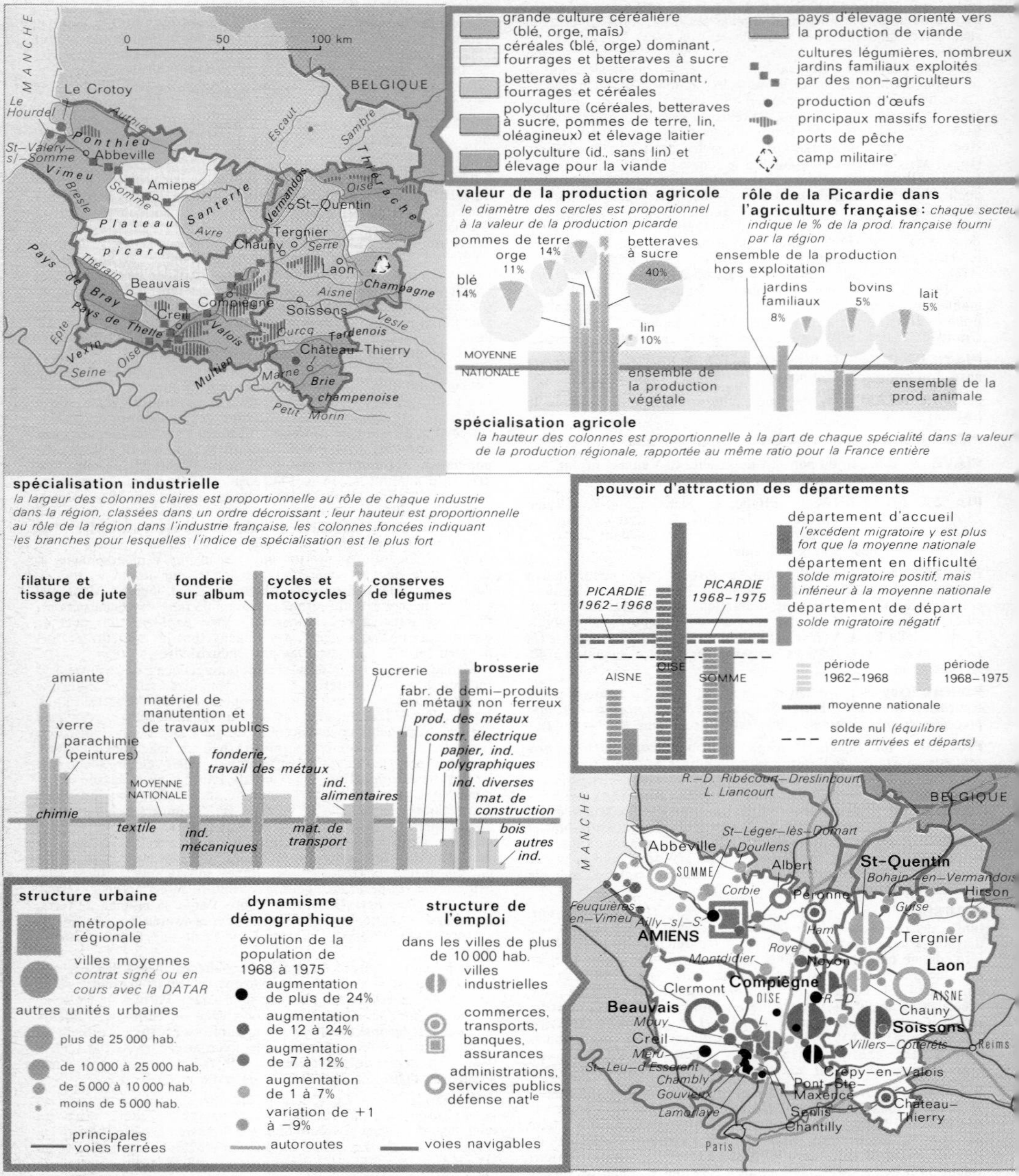

PICARDIE

lettres ou des chiffres et par des collages (*Nature morte à la chaise cannée,* 1912, coll. de l'artiste), en donne une synthèse à partir de plans et d'éléments géométriques (*l'Arlequin,* 1915, Museum of Modern Art, New York). À la tentation d'un certain classicisme succède celle du surréalisme (*la Danse,* 1925, Tate Gallery, Londres) et d'un érotisme sensuel (*le Rêve,* 1932, coll. priv., New York) ou sadique (*Baigneuses au bord de la mer,* 1929, Museum of Modern Art). L'angoisse de la guerre se traduit dans le grand panneau de *Guernica** (1937), ou dans de nouvelles déformations du visage féminin (*Femme dans un fauteuil,* Kunstmuseum, Bâle). Puis l'extrême fécondité de Picasso renoue avec la joie et la sensualité (*la Joie de vivre,* 1946, musée Grimaldi, Antibes). Installé dans le Midi, l'artiste travaille la sculpture et la gravure (comme, déjà, à l'époque cubiste et dans les années 30), la lithographie, le lavis et l'aquarelle, la céramique, et développe des variations sur des toiles célèbres comme *les Demoiselles des bords de la Seine* (1950, Kunstmuseum, Bâle) d'après Courbet, les séries des *Ménines* (1957) d'après Velázquez ou du *Déjeuner sur l'herbe* (1960) d'après Manet. Enfin, il se concentre sur le thème du *Peintre et son modèle,* symbolique, en tant que combat amoureux, de toute une œuvre qui, par ses interrogations et ses inventions, a bouleversé l'art moderne.

Piccadilly, grande artère de l'ouest de Londres.

PICCARD (Auguste), physicien suisse (Bâle 1884 - Lausanne 1962). Professeur à l'université de Bruxelles, il a exploré le premier la stratosphère, dépassant en ballon l'altitude de 16 000 m (1932). Il a mis au point un bathyscaphe pour l'exploration des grandes profondeurs sous-marines.

PICCINNI (Niccolo ou Nicolas), compositeur italien (Bari 1728 - Passy 1800). Brillant représentant de l'école napolitaine, il écrit quantité d'opéras bouffes pour Rome. Il est appelé à Paris en 1776, où sa rivalité avec Gluck fait naître la querelle des *gluckistes* et des *piccinnistes.* On lui doit les opéras *Roland, Armide, Iphigénie en Tauride, Didon.*

PICCOLOMINI (Ottavio), officier italien au service des Habsbourg (Pise 1600 - Vienne 1656). Durant la guerre de Trente* Ans, il combat les Suédois et les Français. De 1643 à 1648, il commande les forces espagnoles aux Pays-Bas. En 1654, il est fait prince du Saint Empire.

PIC DE LA MIRANDOLE (Jean), en ital. **Giovanni Pico Della Mirandola,** humaniste italien (Mirandola, Modène, 1463 - Florence 1494). Il se distingua par l'étendue de ses connaissances et sa précocité, en même temps que par la hardiesse de ses thèses en philosophie et en théologie : il voulait prouver la convergence de tous les systèmes philosophiques et religieux vers le christianisme, convergence dominée par la magie car, d'après lui, « il n'y a pas de science qui donne plus de certitude de la divinité du Christ que la magie et la kabbale ».

PICENUM, anc. région de l'Italie, entre l'Apennin et l'Adriatique. Peuplée par des Ombriens, puis par des Sabins, elle avait pour centres principaux Asculum (auj. Ascoli Piceno) et Ancône. Rome la soumit en 268 av. J.-C.

PICHEGRU (Charles), général français (Les Planches-près-Arbois 1761 - Paris 1804). Successeur de Jourdan à la tête de l'armée du Rhin puis à celle du Nord, il conquit les Pays-Bas (1795) puis trahit la Révolution en prenant contact avec l'armée des émigrés. Démissionnaire en 1796, il présida les Cinq-Cents (1797), fut arrêté au 18-Fructidor et déporté en Guyane, d'où il s'évada (1798). Il participa, en 1804, au complot de Cadoudal, fut arrêté et trouvé mort dans sa prison.

PICHETTE (Henri), écrivain français (Châteauroux 1924). Son théâtre (*les Épiphanies,* 1947; *Nucléa,* 1952) et ses poèmes (*le Point vélique,* 1950) forment une dénonciation lyrique de la guerre et des oppressions du monde moderne.

Pick *(maladie de)* → DÉMENCE.

PICKERING, localité du Canada (Ontario), près du lac Ontario; 2 537 hab. Centrale nucléaire.

PICKFORD (Gladys Mary SMITH, dite **Mary**), actrice américaine (Toronto 1893). Elle fut l'une des premières grandes stars du cinéma américain. Surnommée « la petite fiancée du monde », elle tourna de 1909 à 1933 plus de deux cents films (*Un bon petit diable* [1913], *Madame Butterfly* [1915], *la Petite Princesse* [1917], *Coquette* [1929]). En 1919, elle fonda la firme des *Artistes Associés* [United Artists] avec Charlie Chaplin, D. W. Griffith et Douglas Fairbanks.

Pickwick *(les Aventures de M.),* roman de Dickens (1837), groupant un club d'originaux autour de M. Pickwick et de son domestique Sam Weller.

PICQUIGNY (80310), ch.-l. de cant. de la Somme, sur la Somme, à 13 km au N.-O. d'Amiens; 1 322 hab. Dans l'enceinte du château, ruiné, église des XIIIe-XVe s. — Le 29 août 1475 eut lieu à Picquigny une entrevue entre Louis XI et Édouard IV d'Angleterre, à la suite de laquelle furent signées plusieurs conventions qui mirent définitivement fin à la guerre de Cent-Ans.

PICRIQUE (acide). — C'est le trinitrophénol 2-4-6 $C_6H_2(NO_2)_3OH$, solide cristallin jaune, fondant à 122 °C. Il donne des picrates avec les bases. Il a été employé comme colorant et sert comme explosif, sous le nom de *mélinite,* pour le chargement des obus.

PICTES → ÉCOSSE.

PICTET (Raoul), physicien suisse (Genève 1846 - Paris 1929). Il a liquéfié l'oxygène et l'azote (1877) et montré que les affinités chimiques disparaissent aux basses températures.

PIDGIN. — Les pidgins sont des langues mixtes nées d'un contact de langues. Au contraire des sabirs*, ils possèdent une structure grammaticale cohérente et un lexique riche répondant à l'ensemble des besoins de communication de leurs utilisateurs. À la différence des créoles*, sont toujours langues secondes et ne sont pas appris comme langues maternelles.

PIE. — La pie est connue pour son plumage noir et blanc contrasté, sa longue queue, son vol médiocre, son goût pour la récolte des objets brillants, enfin son activité vocale incessante et peu harmonieuse. C'est un oiseau des plus communs. (Famille des corvidés.)

PIE Ier, II, III → PAPE.

PIE IV (Jean Ange DE MÉDICIS) [Milan 1499 - Rome 1565], pape de 1559 à 1565. En 1562, il réunit, pour la troisième fois, le concile de Trente*. Il adoucit le rigoureux *Index** de Paul IV et attache son nom à la profession de foi tridentine.

PIE V *(saint)* [Antonio Ghislieri] (Bosco Marengo 1504 - Rome 1572), pape de 1566 à 1572. Dominicain, évêque de Nepi et Sutri en 1556, cardinal en 1557, il est nommé, l'année suivante, inquisiteur général. Successeur de Pie IV en 1566, il mène une vie édifiante et austère, travaille à rétablir la discipline ecclésiastique et monastique, exige l'application des décrets du concile de Trente* sur la fondation des séminaires diocésains, fait du thomisme la théologie privilégiée de l'Église et publie le bréviaire (1568) et le missel romains (1570). Adversaire acharné du protestantisme, il excommunie — sans effet pratique — la reine Élisabeth Ire d'Angleterre. Peu avant sa mort, il a la joie de voir la croisade contre les Turcs aboutir (bataille de Lépante, 1571). Canonisé en 1712.

PIE VI (Giannangelo BRASCHI) [Cesena 1717 - Valence, France, 1799], pape de 1775 à 1799. Administrateur zélé, quoique mondain, il combat le joséphisme* et le fébronianisme, encore que sa visite à Vienne, en 1782, n'aboutisse à rien; il condamne le jansénisme* italien en la personne de Scipione de' Ricci, évêque de Pistoia (1794). Surtout, Pie VI est affronté à la Révolution française : après un long temps d'hésitation, il condamne, le 10 mars 1791, la Constitution* civile du clergé. Sous le Directoire*, ses États sont envahis; en 1797, il doit se séparer de la Romagne et d'Ancône (traité de Tolentino); un an plus tard (15 févr. 1798), il est arrêté, tandis que le Directoire fait proclamer la République romaine. Amené en France, Pie VI y meurt le 29 août 1799.

PIE VII (Barnaba CHIARAMONTI) [Cesena 1742 - Rome 1823], pape de 1800 à 1823. Bénédictin, évêque de Tivoli, d'Imola, et cardinal (1785), il est élu à Venise, le 14 mars 1800, pour remplacer Pie VI. En juillet, il rentre à Rome, et, presque tout de suite, Bonaparte amorce avec lui les pourparlers qui aboutiront au concordat* français du 15 juillet 1801, concordat que le Premier consul flanque d'« articles organiques » (1802), décidés de sa propre initiative. En 1804 (2 déc.), Pie VII, désirant marquer avec éclat le retour de la France dans le bercail de l'Église, vient à Paris couronner l'empereur Napoléon Ier. Mais, le pape ayant refusé d'entrer dans le système du Blocus* continental, Napoléon fait occuper Rome et ses États (1808), en attendant (1810) de les annexer. Pie VII excommunie l'Empereur, ce qui lui vaut d'être interné à Savone (1809), puis (1812) à Fontainebleau, où, après avoir semblé s'incliner devant les exigences de Napoléon, il lui résiste. Rentré à Rome le 25 mai 1814, Pie VII récupère ses États et s'empresse de rétablir la Compagnie de Jésus*. Après Waterloo (1815), il donne généreusement asile à la famille Bonaparte*. Dans les années qui suivent, le pape multiplie les concordats en Europe, mais condamne à plusieurs reprises les sociétés secrètes, foyers d'idées libérales et anticléricales.

PIE VIII → PAPE.

PIE IX (Giovanni Maria MASTAI-FERRETTI) [Senigallia 1797 - Rome 1878], pape de 1846 à 1878. Évêque d'Imola (1832), cardinal (1840), il succède à Grégoire XVI et prend dans ses États un certain nombre de mesures libérales qui le rendent populaire. Mais quand, en 1848, éclate en Europe et en Italie un vaste mouvement révolutionnaire, Pie IX refuse de participer à la guerre nationale contre l'Autriche, ce qui provoque à Rome de graves troubles. Le 24 novembre, le pape se réfugie à Gaëte, dans le royaume de Naples, tandis qu'est proclamée la République romaine*. Pie IX est rétabli dans son pouvoir temporel par les troupes françaises (1849-50), et, désormais, dominé par le cardinal Giacomo Antonelli (1806-1876), secrétaire d'État de 1849 à sa mort, il apparaît comme le défenseur de l'ordre et de la religion face à la révolution, au libéralisme, au laïcisme, au socialisme. Après avoir défini, en 1854, le dogme de l'Immaculée-Conception, il publie, en 1864, sous la forme d'un *Syllabus* et d'une encyclique *(Quanta cura),* une condamnation solennelle des idées modernes. S'il perd, en septembre 1870, quand les Piémontais s'emparent de Rome, son pouvoir temporel — dont il refuse d'ailleurs d'entériner la perte (v. ÉTATS DE L'ÉGLISE) —, Pie IX voit grandir son autorité spirituelle, notamment au cours des années qui suivent le premier concile du Vatican* (1870), où est définie l'infaillibilité pontificale. Dans ses dernières années, Pie IX doit affronter le Kulturkampf* allemand.

Pie IX *(ordre de),* ordre institué en 1847 pour récompenser les services rendus au Saint-Siège.

PIE X *(saint)* [Giuseppe SARTO] (Riese 1835 - Rome 1914), pape de 1903 à 1914. Évêque de Mantoue (1884), patriarche de Venise et cardinal (1893), il succède à Léon XIII en 1903. Tout de suite, ce saint prêtre est affronté aux graves problèmes de son époque :

Pie X condamne, en 1906, la rupture du concordat* de 1801 par le gouvernement français, et rejette le projet d'associations cultuelles; peu favorable à la démocratie, il condamne le Sillon* de Marc Sangnier (1910), mais hésite à condamner l'Action* française. Le principal adversaire auquel Pie X est confronté est le modernisme*, qu'il poursuit dans la personne de ses principaux représentants — Romulo Murri en Italie, Tyrrell en Angleterre, Loisy* en France — et condamne solennellement (1907) par le décret *Lamentabili* et l'encyclique *Pascendi.* Ce pape, qui passe pour « intégriste », a mis cependant à la disposition de l'Église des instruments mieux adaptés de sanctification et d'apostolat, grâce à d'importantes réformes, dont celle de la musique sacrée (1903), le développement de la communion quotidienne (1905) et de la communion des enfants (1910), la réforme du bréviaire (1911) et la refonte du droit canonique. Canonisé en 1954.

PIE XI (Achille RATTI) [Desio 1857 - Rome 1939], pape de 1922 à 1939. De formation érudite, archevêque de Milan et cardinal (1921), il succède à Benoît XV*, le 6 février 1922. Sensible à tous les progrès modernes, il crée la station de Radio-Vatican (1931) et l'Académie pontificale des sciences (1936); profondément pieux, il institue la fête du Christ-Roi (1925) et met son pontificat sous le patronage de sainte Thérèse* de l'Enfant-Jésus, qu'il canonise (1925). Signataire de dix-huit concordats, dont un avec l'Allemagne (1933), il règle avec Mussolini*, par les accords du Latran* (1929), le contentieux de la souveraineté temporelle des papes (v. VATICAN). Mais sur le plan de la doctrine, cet adversaire de tout étatisme pouvant humilier la personne humaine se montre intraitable, comme le prouve la condamnation de l'Action* française (1926), du fascisme (1931), du communisme athée (encyclique *Divini Redemptoris*) et du national-socialisme (encyclique *Mit Brennender Sorge*) en 1937. Pape des missions, Pie XI met tous ses soins à la formation et à l'exaltation du clergé indigène. Sensible aux progrès de la déchristianisation dans les pays dits « chrétiens », il cautionne officiellement la naissance des différents mouvements d'Action catholique (encyclique *Ubi arcano Dei,* 1922).

PIE XII (Eugenio PACELLI) [Rome 1876 - Castel Gandolfo 1958], pape de 1939 à 1958. Nonce en Allemagne, cardinal (1929), il est le secrétaire d'État de Pie XI à partir de 1929; il lui succède le 2 mars 1939. Lui-même, après 1944, se passera de secrétaire d'État. Durant la Seconde Guerre mondiale, Pie XII donne asile à de nombreux réfugiés, juifs notamment; mais on lui reprochera son « silence » officiel face aux atrocités nazies. Sur le plan doctrinal et disciplinaire, Pie XII, pontife autoritaire, se montre fidèle à la ligne traditionnelle de l'Église. En 1950, il définit comme dogme l'assomption de la Vierge.

PIECK (Wilhelm), homme d'État allemand (Guben, Brandebourg, 1876 - Berlin 1960). Spartakiste, il est membre du Comité central du parti communiste allemand (1918) et député communiste au Reichstag (1928). Il devient président du parti socialiste unifié (SED), formé en 1946, puis président de la République démocratique allemande (de 1949 à sa mort).

PIED. — Le squelette du pied comprend le *tarse* (formé de l'astragale, du calcanéum, du cuboïde, du scaphoïde et des trois cunéiformes), le *métatarse* (formé de cinq métatarsiens) et les *phalanges* des cinq orteils. L'articulation tibio-tarsienne unit le tibia et le péroné à l'astragale. Les squelettes du tarse et du métatarse forment une voûte à double concavité (antéropostérieure et transversale), telle que le pied ne s'appuie sur le sol, en station debout, que par le talon, le bord externe du pied, les articulations métatarso-phalangiennes et les orteils.

Parmi les malformations du pied, les pieds bots (*varus équin* [pointe du pied déviée en dedans et abaissée, plante regardant en dehors], *talus* [dos du pied relevé]) et les pieds plats sont les plus fréquentes; un traitement orthopédique précoce (dès la naissance) en atténue beaucoup les conséquences.

Les plaies du pied s'infectent souvent en raison de la proximité du sol et de l'effort demandé aux tissus.

Les différents traumatismes du pied (entorses, fractures, luxations) ont souvent des séquelles : raideurs, impotences, déformations, ostéoporose, et prédisposent à l'installation d'arthroses. Les pédicures peuvent traiter diverses affections des pieds, notamment les durillons et les cors, mais ils ne doivent pas exécuter d'interventions sanglantes.

PIEDICROCE (20229), ch.-l. du cant. d'Orezza-Alesani (Haute-Corse), à 35,5 km à l'O. de Cervione; 252 hab. Deux églises baroques, dont l'une en ruine.

PIE-GRIÈCHE. — De la taille d'un merle, et fort différentes des véritables pies*, les pies-grièches (famille des laniidés) sont de féroces carnivores. L'une d'entre elles a même reçu le nom d'*écorcheur.* Elles guettent leurs proies, les tuent à l'aide du bec et souvent les empalent sur une épine pour les conserver.

PIE-MÈRE → MÉNINGE.

PIÉMONT. — Plaine d'accumulation s'étendant au pied des reliefs montagneux, le piémont résulte de la coalescence des cônes alluviaux des cours d'eau issus de la montagne.

PIÉMONT, en ital. **Piemonte,** région de l'Italie du Nord; 25 399 km^2; 4 512 000 hab. Capit. *Turin.* Il est formé de six provinces (Alexandrie, Astie, Coni, Novare, Turin et Verceil).

GÉOGRAPHIE. La montagne, c'est-à-dire les Alpes (en dehors d'une petite fraction de l'Apennin, au S.), occupe près de la moitié de la superficie totale, bordée par une zone de collines qui la sépare de la plaine du Pô supérieur. L'écran montagneux explique l'extension d'un climat à tendance continentale (hivers froids, étés assez chauds et humides), favorable aux céréales (blé, riz et surtout maïs) en plaine, aux vignobles (Asti) sur les collines, à l'élevage bovin et surtout à la sylviculture en montagne (exploitée aussi pour l'hydroélectricité). Mais l'industrie est l'activité prédominante — employant plus de la moitié de la population active —, dominée par les constructions mécaniques (avec l'automobile à Turin), devant le textile, la chimie, l'alimentation. Le Piémont bénéficie de liaisons aisées avec le reste du pays, et surtout de routes et de tunnels transalpins (Simplon, Mont-Blanc et Grand-Saint-Bernard, notamment), qui favorisent également le tourisme. La capitale, Turin, est la seule grande ville du Piémont, dont elle rassemble d'ailleurs plus du quart de la population totale.

PIED

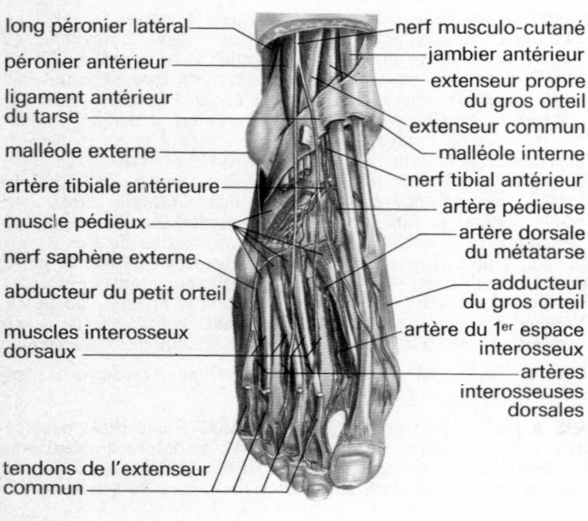

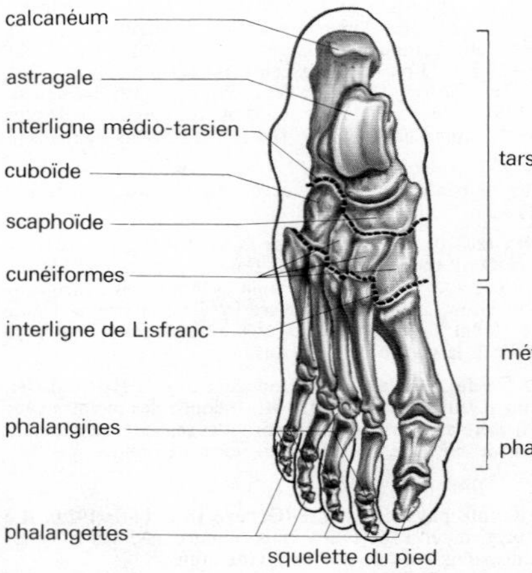

squelette du pied

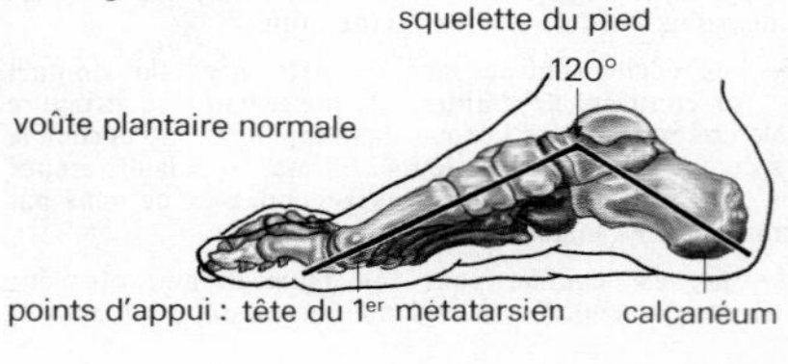

HISTOIRE. Après avoir fait partie de la Ligurie à l'époque romaine, le Piémont est conquis par Odoacre (de 476 à 493), puis par Théodoric (de 493 à 526), avant de retomber aux mains des empereurs byzantins (555). Envahie par les Lombards, qui la divisent en duchés, la région est conquise (VIIIe s.) par les Francs, qui y installent l'administration comtale. À la suite des incursions hongroises et sarrasines, les divers comtés se regroupent sous l'autorité du marquis d'Ivrée (Xe s.), puis se divisent de nouveau entre les trois marches d'Ivrée, de Turin et de Ligurie (v. 950). Réunifié par Oderic Manfred, marquis de Turin (XIe s.), le Piémont passe, par mariage, à la maison de Savoie*, qui le perd, dès le XIIe s., pour ne le recouvrer qu'au début du XIIIe s. Apanage d'une branche cadette de cette famille (de 1245 à 1419), le Piémont devient progressivement, à partir du XVe s., le centre politique des États de la maison de Savoie. Le duc Emmanuel-Philibert (de 1553 à 1580) installe définitivement sa capitale à Turin (1562). Par la suite, la Savoie tend à n'être plus qu'une province d'un État monarchique, s'étendant, à partir du XVIIIe s., au Piémont et à la Sardaigne. Annexé (1799), puis divisé (1802) en départements par la République française, le Piémont est rendu au roi Victor-Emmanuel Ier (traité de Paris, 1814-15), mais reste marqué par les idées libérales introduites par la Révolution française (journées de mars 1821, révolution de 1848). En 1860, le Piémont, dont le souverain, Victor-Emmanuel II, est porté au trône d'Italie, s'intègre dans le nouveau royaume.

PIENNES (54490), comm. de Meurthe-et-Moselle, à 14 km au N.-O. de Briey; 3 032 hab. Minerai de fer.

PIE NOIR (race) → BOVINS.

PIÉRIDE. — Le « papillon du chou », dont la chenille vit sur ce végétal, est fort commun en France, et très nuisible. On le reconnaît à ses ailes jaune pâle, portant une seule tache noire chez le mâle (plusieurs chez la femelle). D'autres piérides attaquent la rave et le navet.

PIERNÉ (Gabriel), compositeur français (Metz 1863 - Ploujean 1937). Grand prix de Rome, organiste, chef d'orchestre à la tête des Concerts Colonne, membre de l'Institut, il a parlé un langage musical qui témoigne d'une constante élégance, d'un grand sens de l'orchestre *(Paysages franciscains),* du ballet *(Cydalise et le Chèvrepied),* de la musique de chambre (quintette), du théâtre *(Fragonard)* et de l'oratorio *(l'An Mil).*

PIERO della Francesca, peintre italien (San Sepolcro, Arezzo, v. 1410-1420 - *id.* 1492). Il travaille à Florence, en 1439, avec Domenico* Veneziano, puis à la cour de Ferrare (où il rencontre Mantegna et Van der Weyden; fresques disparues), à Rimini, à Arezzo (cycle majeur des fresques de la *Légende de la Croix,* v. 1452-1460), à San Sepolcro, à Rome et à la cour d'Urbino. Héritier de la première Renaissance florentine, il réalise la synthèse la plus haute des recherches sur la forme, l'espace et la couleur du milieu du XVe s., étudie la géométrie et la perspective (traités dédiés au duc d'Urbino) et, dans sa phase ultime, averti de certains aspects de la technique flamande, adoucit sa manière au profit d'effets subtils, notamment dans l'éclairage (*Madone de Senigallia,* Galerie nationale d'Urbino). Son exemple a constitué l'une des plus grandes forces de propagation de la Renaissance en Italie. Encore célébré par Vasari, oublié par la suite, Piero della Francesca a été redécouvert au XXe s.

PIERO di Cosimo (Piero DI LORENZO DI CHIMENTI, *dit*), peintre italien (Florence 1462 - *id.* 1521). Assistant de Cosimo Rosselli (1439-1507) à la chapelle Sixtine (1481), il se rapproche bientôt de Verrocchio, de Léonard et des Flamands, se consacrant surtout au portrait et à des thèmes profanes traités avec une sensibilité tourmentée (*la Mort de Procris,* National Gallery, Londres).

PIÉRON (Henri), psychologue français (Paris 1881 - *id.* 1964). Il fut en France un des pionniers de la psychologie scientifique, dont il créa les cadres d'enseignement et de recherche. Ses travaux concernent des domaines multiples et variés : sensation*, adaptation réflexe*, rêve* et sommeil*, mémoire*, psychologie* différentielle (docimologie*, orientation* professionnelle). Pour Piéron, la psychologie se fonde sur la physiologie, mais dans l'activité psychique de l'homme interviennent aussi des conditions sociales qui sont également déterminantes, ce qui devait amener le psychologue à se préoccuper des problèmes de l'éducation. Il anima en particulier, la commission Langevin-Wallon pour la réforme de l'enseignement (1946).

PIE ROUGE (race) → BOVINS.

PIERRE. — Les pierres naturelles sont utilisées en construction* et dans les travaux publics. On les extrait de roches éruptives (porphyres et basaltes), cristallophylliennes (marbres), métamorphiques (grès et schistes durs) ou sédimentaires (calcaires durs). Leur extraction se fait à partir de bancs sains, homogènes et faciles à débiter. Les blocs doivent être sans défauts, de façonnage ou de taille faciles. On en vérifie l'homogénéité par le choc du marteau. La densité* moyenne varie de 2,400 (grès) à 2,700 (granites et porphyres) et 2,900 (basaltes). Les pierres les plus employées en construction, bien que les moins résistantes à l'écrasement, sont les calcaires durs, de densité 2,500 ou plus, d'une résistance de 750 bar ou plus. La résistance R (exprimée en bars) et la densité d des calcaires sont liées par la formule de Mesnager : $R = 150 \dfrac{d - 0{,}83}{2{,}82 - d}$.
La *porosité absolue* est le rapport du volume des vides au volume total. La *densité relative* est le rapport du maximum du volume d'eau imbibé au volume total. La *perméabilité* est la faculté de se laisser traverser par l'eau, et l'*hygroscopicité* celle d'absorber l'eau par capillarité*. Le module d'élasticité* E est lié à la résistance R, exprimée en bars, par les relations $E = 15\,000 \sqrt{R}$ (dans le cas des calcaires) et $E = 11\,000 \sqrt{R}$ (dans le cas des granites et des porphyres).

● Les *pierres artificielles* sont des bétons* très compacts et résistants, moulés et compactés par pression, vibration ou choc. Les pierres reconstituées sont faites de granulats* de choix, liés avec un ciment* blanc (marbre artificiel, par exemple) : tels sont le granito, le lap, la basaltine. Les pierres dites « inusables » contiennent du carbure de silicium* ou de la grenaille de fonte. Les agglos courants sont pleins, évidés ou extra-creux. On fabrique aussi des briques céramiques, des briques de laitier, et des briques en silico-calcaire.

PIERRE, v. des États-Unis, capit. du Dakota du Sud, sur le Missouri; 10 000 hab.

PIERRE *(saint),* apôtre de Jésus-Christ, chef du collège apostolique, considéré par la tradition romaine comme le premier pape († Rome entre 64 et 67). Sa primauté dans le collège apostolique, que lui reconnaissent les Évangiles*, survécut à la mort de Jésus; selon les Actes* des Apôtres, Pierre exerça une autorité supérieure dans l'Église de Jérusalem. Sa venue à Rome ne saurait être historiquement contestée : la tradition compte saint Pierre parmi les victimes de la persécution de Néron*. Les fouilles entreprises sous la basilique vaticane, emplacement présumé de son tombeau, n'ont pas apporté de résultats décisifs; elles montrent toutefois que, dès le début du second siècle (v. 120), le souvenir de l'apôtre Pierre était déjà vénéré en ce lieu. Des deux Épîtres* que la tradition attribue à Pierre, la première est généralement datée de l'époque de Domitien* (81-96) et la seconde de la première moitié du IIe s., à cause de la polémique contre les gnostiques*.

PIERRE CANISIUS *(saint),* théologien jésuite (Nimègue 1521 - Fribourg, Suisse, 1597). Entré jeune dans la Compagnie de Jésus, il mène une existence partagée entre l'enseignement, la controverse antiprotestante et la prédication. Professeur de théologie puis recteur de l'université d'Ingolstadt, fondateur du collège — future université — de Prague, provincial de son ordre pour l'Allemagne, il joue un rôle capital dans la Contre-Réforme*. En 1554, il rédigea un catéchisme pour combattre l'influence luthérienne. Canonisé et proclamé docteur de l'Église en 1925.

PIERRE CÉLESTIN *(saint)* → CÉLESTIN V.

PIERRE III le Grand (1239 - Villafranca del Panadés, Barcelone, 1285), roi d'Aragon (1276-1285) et de Sicile (Pierre Ier) [1282-1285]. Fils du roi Jacques Ier le Conquérant, il épousa Constance de Hohenstaufen, fille de Manfred, roi de Sicile (1262). Après les « Vêpres siciliennes » (30 mars 1282), il se fit couronner roi à Palerme (1er sept.) et, excommunié par le pape, dut lutter contre les Angevins réfugiés à Naples et soutenus par le roi de France Philippe III le Hardi.

PIERRE Ier (Queluz 1798 - *id.* 1834), empereur du Brésil de 1822 à 1831 et roi de Portugal (Pierre IV) en 1826. Fils de Jean VI* de Portugal, il suit sa famille au Brésil (1807). Quand son père rentre à Lisbonne (1821), Pierre est prince-régent du Brésil; nommé « défenseur perpétuel » du pays, il en proclame l'indépendance (7 sept. 1822), avant d'en devenir empereur (12 oct.). Roi de Portugal à la mort de son père (1826), il laisse ce royaume à sa fille Marie II, qui est déposée en 1828 par Michel, frère de Pierre. Pierre, renonçant, en 1831, à la couronne brésilienne en faveur de son fils (Pierre II), reconquiert le Portugal et restaure Marie II (1834).

PIERRE II (Rio de Janeiro 1825 - Paris 1891), empereur du Brésil de 1831 à 1889. Fils et successeur de Pierre Ier, influencé par le positivisme et les idées libérales, il abolit l'esclavage au Brésil (1888), attitude qui lui vaut l'hostilité des notables, des propriétaires et du clergé. En 1889, il doit abdiquer.

PIERRE Ier Mauclerc → BRETAGNE.

PIERRE Ier († 969), tsar de Bulgarie (927-969). Il succède à son père, Siméon, principal artisan de l'unification bulgare. Mais il ne sait pas préserver l'héritage paternel de la décadence, et son règne est marqué par la révolte de la Serbie, le développement des structures féodales, l'hérésie des bogomiles, qui prônaient une société ascétique et égalitaire, enfin par les attaques conjuguées de Byzance et de la principauté de Kiev.

PIERRE le Cruel, roi de Castille et León → CASTILLE.

PIERRE II PETROVIĆ NJEGOŠ, prince-évêque et poète monténégrin (Njegoš 1813-Cetinje 1851). Par son poème dramatique *les Lauriers de la montagne,* il est un des créateurs de la littérature nationale de son pays.

PIERRE Ier, roi de Portugal → BOURGOGNE *(dynastie de).*

PIERRE II (Lisbonne 1648-*id.* 1706), roi de Portugal (1683-1706). Régent jusqu'à la mort de son frère Alphonse VI (1683), qu'il a écarté du pouvoir, il obtient de l'Espagne la reconnaissance de l'indépendance portugaise (1668). Roi, il s'allie à l'Angleterre (1703), qui trouve ainsi dans le Portugal un allié contre les Bourbons et un débouché pour son commerce.

PIERRE IV, roi de Portugal → PIERRE Ier, empereur du Brésil.

PIERRE Ier le Grand (Moscou 1672-Saint-Pétersbourg 1725), tsar puis empereur (depuis 1721) de Russie (1682-1725). Fils d'Alexis* Mikhaïlovitch et de sa seconde femme Nathalie Narychkine, Pierre Ier succède à Fédor III en 1682. Une révolte des régiments de streltsy l'oblige à partager le pouvoir avec son demi-frère, Ivan V (tsar de 1682 à 1696), et lui impose la régence de Sophie* Alekseïevna (de 1682 à 1689). Pierre Ier n'avait pas reçu d'éducation systématique et il s'était initié aux techniques artisanales et aux exercices militaires avec ses compagnons du « faubourg des étrangers » de Moscou (le Suisse Lefort, le Britannique P. Gordon). Il compléta cette éducation empirique au cours de son voyage en Europe occidentale de 1697-98. Ainsi s'explique la personnalité du tsar : « C'est un réalisateur, terriblement dynamique, un peu brouillon, une force de la nature,

Lauros-Giraudon

Pierre Ier le Grand, par Pierre Gobert (1662-1744). [Château de Versailles.]

pressé d'aboutir, sans perspectives lointaines... » (R. Portal). La transformation de la Moscovie en un État moderne et son occidentalisation, amorcées sous le règne d'Alexis Mikhaïlovitch, sont menées avec rudesse et précipitation : construction d'une flotte de guerre pour la prise d'Azov (1696), développement de l'enseignement (militaire et technique surtout), réorganisation de l'armée et des industries sidérurgique et textile, après la défaite de Narva (1900) infligée par Charles XII*. En effet, Pierre le Grand, allié des rois de Pologne et de Danemark, a engagé la Russie dans la guerre du Nord* (1700-1721). Les efforts qu'il impose au pays (nouveaux impôts, fixation des paysans sur leurs terres, travail forcé) portent bientôt leurs fruits. En 1709, Pierre le Grand bat Charles XII et Mazeppa* à Poltava* et rétablit Auguste II sur le trône de Pologne. Il réussit à s'établir fermement sur la Baltique : fondation de Saint-Pétersbourg (1703), annexion de la Livonie, de l'Estonie, de l'Ingrie et d'une partie de la Carélie, confirmée à Nystadt (1721). Parallèlement, il réforme les institutions de l'État : création d'un Sénat (1711) et de collèges (1718-1722) chargés des divers départements d'État, promulgation d'une « table des rangs » (*tçhin,* 1722) qui établit une hiérarchie nobiliaire liée au service de l'État. Il impose à l'Église, qui perd son patriarche, un Saint-Synode (1721). Cette même année, il se fait décerner par le Sénat le titre d'« empereur de Russie » et il fait couronner Catherine Ire* impératrice en 1724. L'œuvre de Pierre le Grand permettra le développement du puissant Empire russe des XVIIIe et XIXe s.

PIERRE III Fedorovitch (Kiel 1728-Ropcha, près de Saint-Pétersbourg, 1762), empereur de Russie (janv.-juin 1762). Fils de Charles-Frédéric de Holstein-Gottorp et d'Anna Petrovna, petit-fils de Pierre le Grand, il succède à Élisabeth* Petrovna. Il rappelle les troupes russes engagées dans la guerre de Sept* Ans et signe une paix séparée avec Frédéric II. Il libère les nobles de l'obligation du service de l'État. Pierre III, renversé par un complot qui donne le pouvoir à sa femme, Catherine II*, est assassiné.

PIERRE Ier et II, rois de Serbie → KARADJORDJEVIĆ.

PIERRE l'Ermite ou **PIERRE d'Achères** ou **PIERRE d'Amiens** (Amiens v. 1050-Neufmoustier, près de Huy, 1115). Ce prédicateur de grand talent réussit à constituer une croisade populaire, en marge de la première croisade. Mais, tout à fait inorganisée, l'expédition fut anéantie par les Turcs le 21 octobre 1096. À son retour en Europe (1100), Pierre l'Ermite fonda le monastère de Huy.

PIERRE Lombard, théologien (Novare v. 1100-Paris 1160). Il doit son importance à ses quatre livres des *Sentences,* qui eurent une grande influence sur la théologie médiévale et qui furent, avant la *Somme théologique* de saint Thomas* d'Aquin, l'exposé de base de l'enseignement de la foi.

PIERRE de Montreuil, maître d'œuvre français (Montreuil-sous-Bois ou Montereau, début du XIIIe s.-Paris v. 1266). L'un des maîtres du gothique rayonnant, il apparaît sur les chantiers de l'abbaye de Saint-Germain-des-Prés (chapelle de la Vierge, détruite), de Saint-Denis, et dirige, en 1265, l'œuvre de Notre-Dame de Paris (façade du croisillon sud, commencée par Jean de Chelles).

PIERRE-BÉNITE (69310), comm. du Rhône, dans la banlieue sud de Lyon; 10 049 hab. Centrale hydroélectrique sur le Rhône.

PIERRE-BUFFIÈRE (87260), ch.-l. de cant. de la Haute-Vienne, à 20 km au S.-E. de Limoges; 1 237 hab. Église des XIIe-XVe s.

PIERRE-DE-BRESSE (71270), ch.-l. de cant. de Saône-et-Loire, à 32 km au N. de Louhans; 2 050 hab. Château reconstruit au XVIIe s.

Pierre et Jean, roman de Maupassant (1888), qui donne dans sa préface une définition de son esthétique : elle unit l'analyse psychologique à l'objectivité du récit.

PIERREFEU-DU-VAR (83390 Cuers), comm. du Var, à 19 km au N. d'Hyères; 4 203 hab.

PIERREFITTE-NESTALAS (65260), comm. des Hautes-Pyrénées, à 6,5 km au S. d'Argelès-Gazost; 1 638 hab. Industries métallurgique et chimique.

PIERREFITTE-SUR-AIRE (55260), ch.-l. de cant. de la Meuse, à 15 km à l'O. de Saint-Mihiel; 187 hab.

PIERREFITTE-SUR-SEINE (93380), ch.-l. de cant. de la Seine-Saint-Denis, à 3 km au N. de Saint-Denis; 20 854 hab.

PIERREFONDS (60350 Cuise la Motte), comm. de l'Oise, à 14 km au S.-E. de Compiègne; 1 723 hab. Église des XIe-XVe s. Château, forteresse de Louis d'Orléans rebâtie et décorée, sous la direction de Viollet-le-Duc, pour Napoléon III.

PIERREFONDS, v. du Canada (Québec), dans la banlieue ouest de Montréal; 33 010 hab.

PIERREFONTAINE-LES-VARANS (25510), ch.-l. de cant. du Doubs, à 31 km au S.-E. de Baumes-les-Dames; 1 501 hab.

PIERREFORT (15230), ch.-l. de cant. du Cantal, à 32 km au S.-O. de Saint-Flour; 1 344 hab. Église fortifiée (XIIe-XVe s.).

PIERRELATTE (26700), ch.-l. de cant. de la Drôme, près du Rhône, à 21 km au S. de Montélimar; 10 045 hab. Usine de séparation isotopique de l'uranium.

PIERRELAYE (95480), comm. du Val-d'Oise, à 4,5 km au S.-E. de Pontoise; 5 586 hab.

PIERRE-SAINT-MARTIN (la), gouffre très profond (1 270 m) des Pyrénées-Atlantiques, à la frontière espagnole, exploré par Martel dès 1908.

Pierrot, personnage traditionnel des pantomimes, habillé de blanc et la figure enfarinée.

Pierrot lunaire, œuvre clé de la musique du XXe siècle, due à Arnold Schönberg (1912). Quatre traits de style définissent ces vingt et un mélodrames rassemblés en trois groupes de sept : l'atonalité, la courte durée de chacun des morceaux, la modestie et l'acidité de l'effectif instrumental, qui, en outre, varie chaque fois, et le traitement de la voix selon le principe du *Sprechgesang* (chanté parlé). Les personnages de la commedia dell'arte aussi bien que le diabolisme et la neurasthénie étaient à l'ordre du jour : Schönberg fut le seul à mêler les deux, et à faire évoluer Pierrot, le « pâle dandy bergamasque », dans un climat de messe noire, de perversité maladive et de sado-masochisme sanglant. — En 1962, la partition de Schönberg à inspiré un ballet en un acte à Glen Tetley (décors et costumes de Rouben Ter-Arutunian). Ce ballet a été repris en 1967 par le Ballet Rambert, à Londres (avec Christopher Bruce).

PIETERMARITZBURG, v. de l'Afrique du Sud, capit. du Natal, au N.-O. de Durban; 114 000 hab.

PIÉTIN → PLANTES *(maladies des).*

PIÉTISME. — Ce mouvement religieux protestant — appelé encore « nouvelle réformation » — est né en Europe à la fin du XVIIe s.; l'Alsacien Philippe Jakob Spener (1635-1705) en est considéré comme le père. Il s'agit d'une réaction essentiellement spirituelle contre le dogmatisme et l'installation des « grandes Églises ». Le piétisme a joué un rôle important dans le renouveau biblique et mystique et dans la naissance de l'œcuménisme. L'Allemagne du XVIIIe s. fut le foyer principal du mouvement, dont le plus grand représentant est Friedrich Schleiermacher*.

PIEU ET PALPLANCHE. — • Les *pieux* utilisés dans les fondations ont pour objet de reporter les charges sur le bon sol à travers des couches de terrain de faible résistance. Si le sol résistant se trouve à une trop grande profondeur, ils agissent par frottement (pieu flottant).
— Les *pieux en béton* armé préfabriqués et battus* sont de section carrée ou octogonale. La pointe que l'on fiche dans le sol est munie d'un sabot métallique pour faciliter la pénétration du pieu dans le terrain et éviter la désagrégation du béton.
— Les *pieux moulés dans le sol* s'exécutent en enfonçant des tubes métalliques verticalement jusqu'au niveau d'une couche suffisamment résistante. Le fonçage du tube se fait soit par battage ou vibration, soit par havage. Dans le premier cas, le fond du tube est obstrué par un bouchon de béton qui empêche les entrées de terre et demeure enfoui dans le sol. Dans le second cas, on utilise une tarière à vis ou un crapaud pour extraire la terre à la base du tube, ce qui permet de l'enfoncer sans percussion, par pression sur la tête. Le havage présente l'avantage sur le battage de ne pas ébranler les constructions voisines. Quand le tube a atteint la couche résistante, on y introduit les armatures, puis le béton est coulé et pilonné par couches successives de hauteur réduite. Entre deux coulées, le tube est soulevé de quelques décimètres de façon à y maintenir une garde de béton suffisante pour éviter que la terre ne se mélange au béton frais et que celui-ci ne soit délavé par des « renards », à la traversée des terrains aquifères. Cette opération se poursuit jusqu'à ce que la dernière couche de béton atteigne le niveau du sol et que le tube puisse être récupéré.

• Les *palplanches,* généralement en acier, sont utilisées sur les chantiers de constructions maritimes ou fluviales. Grâce à leurs dispositifs d'emboîtement, elles permettent de réaliser, après battage, des voiles rectilignes, courbes ou circulaires, pour la protection contre les venues d'eau ou pour le soutènement des terres.

Le battage des pieux et des palplanches se fait, après leur mise en fiche, à l'aide de sonnettes munies de moutons, simples ou automoteurs, qu'on laisse tomber sur les casques protégeant la tête des pieux, ou directement sur les palplanches, autant de fois qu'il est nécessaire pour obtenir le refus calculé. Celui-ci est l'enfoncement maximal admissible sous une volée de dix coups. Il se détermine en fonction du poids et de la hauteur de chute du mouton, du poids de la pièce à enfoncer et de la charge qu'elle doit supporter. Le fonçage peut se faire également à l'aide de vibrofonceurs. Ces appareils ébranlent moins les constructions voisines que les machines à percussion.

PIEUVRE → CÉPHALOPODES.

PIEUX (Les) [50340], ch.-l. de cant. de la Manche, à 20 km au S.-O. de Cherbourg; 1 222 hab.

PIEYRE DE MANDIARGUES (André), écrivain français (Paris 1909). Grand voyageur, influencé par le surréalisme et la peinture moderne, il manifeste dans ses essais, ses poèmes (*les Incongruités monumentales,* 1948; *l'Âge de craie,* 1961), ses récits (*le Lis de mer,* 1956; *la Marge,* 1967; *Mascarets,* 1971; *Sous la lame,* 1976) et son théâtre (*Isabella Morra,* 1974) une esthétique qui se veut l'incarnation d'un rêve éveillé.

PIÉZOÉLECTRICITÉ. — En taillant une lame de quartz de quelques millimètres d'épaisseur, parallèlement à l'axe optique et perpendiculairement à un axe électrique, et en plaçant des plaques métalliques sur les faces, on réalise une sorte de condensateur doué de piézoélectricité. Selon qu'on exerce une pression ou une traction sur ces faces, on obtient une charge, dans un sens ou dans l'autre, du condensateur. Le phénomène est d'ailleurs réversible, c'est-à-dire qu'en électrisant les plaques métalliques, on détermine une déformation de la lame. Un courant alternatif de fréquence convenable entraîne des vibrations du quartz, et inversement. La fréquence propre des vibrations du quartz étant d'une constance remarquable, les quartz sont utilisés pour la production d'ondes radioélectriques et pour le contrôle d'horloges garde-temps.

PIGALLE (Jean-Baptiste), sculpteur français (Paris 1714-*id.* 1785). Élève de R. Le Lorrain et de J.-B. II Lemoyne, il entre à l'Académie, après des débuts difficiles, en 1744 (*Mercure attachant sa talonnière,* marbre, Louvre), reçoit des commandes du roi et de Mme de Pompadour. Enclin au réalisme et à la virilité, il tient la balance égale entre baroque et classicisme (mausolée du maréchal de Saxe, 1753-1776, Saint-Thomas, Strasbourg; bustes).

PIGAULT-LEBRUN (Guillaume PIGAULT DE L'ESPINOY, dit), écrivain français (Calais 1753-La Celle-Saint-Cloud 1835), auteur de comédies et de romans qui sont de précieux documents d'histoire sociale (*Monsieur Botte,* 1802).

PIGEON. — Le pigeon marche en hochant fortement la tête. Son cri est le roucoulement. On distingue la *palombe,* ou *ramier,* des forêts et des villes, le *colombin,* plus petit, le *biset,* ou *pigeon de roche,* des falaises, et de nombreuses variétés domestiques, dont le croisement avec le biset a fourni la plupart des pigeons de ville.

Les facultés d'orientation de certains pigeons les ont fait employer pour le transport de dépêches militaires pendant les guerres de 1870 et de 1914. Le dressage des « pigeons voyageurs » est la colombophilie; « colombe » est, en effet, le nom poétique du pigeon, appliqué surtout aux individus à plumage blanc.

Tous les types de pigeon possèdent à la base du bec supérieur une excroissance molle, la *cire.* Tous également, tant mâles que femelles, sécrètent du jabot, au moment de l'éclosion des œufs, un aliment gras, le « lait de pigeon », dont ils nourrissent leurs jeunes. (Type du petit ordre des columbiformes, qui comprend aussi les tourterelles et les gouras.)

PIGMENT *(Biol.).* — La plupart des êtres vivants ont une certaine couleur ou un certain jeu de couleurs qui les caractérise extérieurement. Les substances qui produisent ces couleurs sont appelées « pigments ». Une place à part est à faire à la chlorophylle*, « pigment assimilateur », véritable capteur de l'énergie lumineuse, parfois accompagnée de pigments complémentaires bruns ou rouges (algues marines). Particuliers également sont les pigments associés à l'appareil visuel et favorisant la distinction des couleurs ou évitant l'éblouissement. Le pigment brun (mélanine) de la peau et des phanères protège l'organisme contre les radiations nécrosantes (rayons ultraviolets). Les autres pigments animaux ont surtout une fonction dissimulatrice (v. HOMOCHROMIE) ou servent à la reconnaissance des individus de la même espèce. Le mode de transmission des pigments a souvent été étudié en génétique, en particulier les transmissions d'une mutation très répandue chez les vertébrés, l'*albinisme,* qui consiste dans l'absence totale de pigments. L'excès de pigments est le *mélanisme.*

On étend le nom de « pigment » à des substances colorées que la nature n'expose pas à la lumière, telles que le *carotène* des racines de carotte ou l'*hémoglobine* du sang, qualifiée de « pigment respiratoire ».

PIGMENT *(Technol.).* — On distingue : les *pigments minéraux,* blancs ou colorés, naturels ou artificiels, constitués le plus souvent d'oxydes*, de carbonates, de sulfates*, de chromates, de sulfures*, d'antimoniates, d'acétates ou de sels complexes (la branche la plus importante); les *pigments organiques,* ou *colorants pigmentaires,* insolubles dans les milieux de suspension usuels; les *laques**, obtenues par fixation d'une matière* colorante soluble sur un support métallique; les *pigments métalliques,* sphériques ou lamellaires; les *pigments noirs,* à base de carbone*. Un pigment est caractérisé par ses propriétés physiques (densité, solubilité, forme des particules, finesse de broyage, facilité de dispersion, tenue à la lumière et à la chaleur), optiques (couleur massique et après dilution, pouvoir couvrant, opacité) et chimiques (pureté, résistance à l'eau, aux agents atmosphériques et aux produits chimiques). Ils sont introduits dans des produits liquides (encres*, peintures*) ou solides (plastiques*, caoutchouc*), pour les colorer ou en modifier certaines caractéristiques.

PIGNEROL, en ital. **Pinerolo,** v. d'Italie (Piémont), au S.-O. de Turin; 38 000 hab. Cathédrale et demeures médiévales. — Cette ancienne ville fortifiée, clé du Piémont, fut l'enjeu de rivalités entre la France et la Savoie. Fouquet, Lauzun et le Masque de fer furent enfermés dans sa forteresse.

PIGNON (Édouard), peintre français (Bully-les-Mines 1905). D'abord ouvrier, venu à Paris en 1927, il devient lithographe puis metteur en pages, rencontre Picasso en 1937 et fait sa première exposition particulière en 1939 (*les Joueurs de billard,* coll. de l'artiste). Sa notoriété grandit à partir de la Libération, à travers des séries de peintures d'abord solidement structurées (ex. : voiliers et marins d'Ostende, 1947-1949), puis d'une articulation de plus en plus dynamique (*Collines de Bandol,* 1957-58; *Combats de coqs,* 1959-60), d'un lyrisme éclaté (*Plongeurs,* 1965) ou solaire (*Nus rouges,* 1973).

PIGOU (Arthur Cecil), économiste britannique (Ryde 1877-Cambridge 1959). Un des maîtres les plus réputés de l'école dite « de Cambridge », il se situe dans la ligne des néoclassiques, tout en approfondissant des concepts nouveaux, comme l'utilité sociale, qu'il fait intervenir — après Wieser — à côté des utilités individuelles, et comme l'économie de bien-être, etc. Il admet une certaine intervention de l'État.

PIJPER (Willem), compositeur néerlandais (Zeist 1894-Leidschendam 1947). Influencé par Mahler et par Debussy, il est considéré comme le créateur de la musique moderne dans son pays, où il joua un rôle important comme professeur et critique (trois symphonies, cinq quatuors, opéras *Halewijn* et *Merlijn*).

PILAT *(mont)*, massif de la bordure orientale du Massif central, à l'E. de Saint-Étienne; 1434 m.

PILATE *(mont)*, montagne suisse dominant Lucerne et le lac des Quatre-Cantons; 2132 m. Funiculaire.

PILATE (Ponce), chevalier romain, procurateur de Judée (de 26 à 36). Son administration dure et maladroite lui valut d'être démis de ses fonctions par le légat de Syrie. Il est mentionné dans les Évangiles pour avoir prononcé la sentence de mort contre Jésus*.

PILAT-PLAGE, station balnéaire de la Gironde (comm. de La Teste), sur la côte landaise, au S. d'Arcachon, au pied de la *dune de Pilat* (114 m).

PILÂTRE DE ROZIER (François), chimiste et aéronaute français (Metz 1756-Wimereux 1785). Avec le marquis d'Arlandes, il fit, en 1783, le premier voyage aérien en montgolfière, du château de la Muette à la Butte-aux-Cailles. Il périt dans l'incendie de son ballon en tentant de traverser le pas de Calais.

PILCOMAYO (le), riv. de l'Amérique du Sud; 2500 km. Née dans les Andes de Bolivie, elle draine le Chaco, séparant le Paraguay et l'Argentine, avant de se jeter dans le río Paraguay (r. dr.), près d'Asunción.

PILE. — Une pile électrique est constituée par deux conducteurs de natures différentes plongeant dans un électrolyte. La première pile, due à Volta en 1800, était composée de disques de cuivre et de zinc, séparés par des rondelles de drap imbibées d'acide sulfurique dilué. Entre ces électrodes s'établit une différence de potentiel.

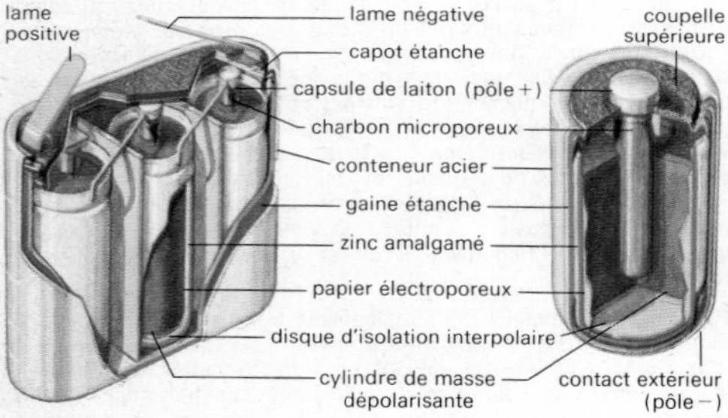

Pile électrique.

Lorsque la pile débite, les produits de l'électrolyse dénaturent les surfaces des électrodes : c'est la polarisation, qui fait baisser la force électromotrice. On évite ce phénomène grâce à l'addition d'un dépolarisant (bichromate de potassium, bioxyde de manganèse, oxygène de l'air). On réalise aussi des piles impolarisables, à deux liquides, en plongeant deux lames de métaux différents, chacune dans une solution d'un de ses sels (cuivre et zinc dans la pile Daniell).

PILE À COMBUSTIBLE. — Dans les piles à combustible se produit la transformation inverse de celle qui a lieu dans l'électrolyse. La plupart de ces piles utilisent l'hydrogène comme combustible. Leur mise au point présente encore des difficultés.

PILE SOLAIRE. — Le rayonnement solaire peut être transformé en énergie* électrique par conversion *thermoélectrique*, par conversion *thermoïonique** ou encore par conversion *photovoltaïque*. L'effet photovoltaïque a l'avantage de convertir l'énergie rayonnante directement en courant* continu, en utilisant des cellules à semi-conducteurs*. La photodiode utilisée doit avoir un rendement optimal; le silicium* donne un rendement de conversion de 10 à 15 p. 100 : le flux de rayonnement solaire, à midi, en été, sous une latitude de 45^0, est de l'ordre de 1 kW/m^2. Un élément de pile solaire se présente comme une photodiode de grande surface (quelques centimètres carrés). Plusieurs éléments peuvent être assemblés en séries parallèles pour former des panneaux de plusieurs mètres carrés. Les piles solaires sont utilisées pour fournir une énergie gratuite en des lieux d'accès difficile : relais de télécommunication*, véhicules spatiaux — où elles sont très largement utilisées —, postes de radiotélévision dans des systèmes ou des régions isolés, etc. De faible puissance et de prix élevé, elles ont des applications spécifiques et limitées.

PILIER → EXPLOITATION *(méthodes d')* et FOUDROYAGE.

PILLNITZ, village d'Allemagne, en Saxe, sur l'Elbe, où, le 27 août 1791, l'empereur Léopold II rencontra le roi de Prusse Frédéric-Guillaume II. Les deux souverains publièrent une déclaration menaçante à l'adresse de la France révolutionnaire et dont le principal résultat fut d'exalter le patriotisme français.

PILNIAK (Boris Andreïevitch VOGAU, dit **Boris**), écrivain soviétique (Mojaïsk 1894-† 1937). Il célébra, dans un style inspiré de Belyï* et dans une perspective romantique, la révolution d'Octobre, dans laquelle il voyait à la fois une libération des forces élémentaires et un triomphe de la civilisation russe sur la culture européenne (*la Bourrasque*, 1917; *l'Année nue*, 1922; *Machines et loups*, 1925), avant de chercher à s'adapter au réalisme socialiste (*La Volga se jette dans la Caspienne*, 1930; *la Viande*, 1936). Arrêté en 1937 et sans doute exécuté la même année, il a été réhabilité en 1956, mais son œuvre reste proscrite en U. R. S. S.

PILON (Germain), sculpteur français (Paris v. 1528-*id.* 1590), le plus grand de son temps avec J. Goujon. Fils d'un sculpteur, il assiste Bontemps et obtient la consécration avec les *Trois Grâces*, très bellifontaines, du monument du cœur d'Henri II (marbre, 1563, Louvre), peut-être d'après le Primatice. Le tombeau, avec gisants et priants, de Henri II et de Catherine de Médicis, à Saint-Denis, est un de ses chefs-d'œuvre, de même que le priant de René de Birague (bronze, 1584, Louvre), d'un réalisme puissant et majestueux. La gamme expressive de Pilon, aussi diverse qu'est grande sa virtuosité, le mènera aux accents pathétiques, prébaroques, de la *Vierge de pitié* destinée à Saint-Denis, qui doit sans doute sa composition pyramidale à Michel-Ange (église Saint-Paul-Saint-Louis, Paris). Contrôleur général des monnaies en 1572, Pilon exprime son talent de portraitiste dans ses médailles des Valois, représentés de trois quarts, et dans celle de R. de Birague, qui réalise un exceptionnel accord de vérité et d'harmonie.

PILOTAGE. — Le pilotage d'un avion* ou d'un missile* a pour objet d'en commander les évolutions afin qu'il suive une trajectoire déterminée. Il s'appuie sur les informations fournies par les systèmes de navigation* ou de guidage*. Dans le cas d'un avion, le pilote a à sa disposition la *commande des gaz*, qui régit la puissance motrice, et les *commandes de vol*, qui permettent de modifier la résultante aérodynamique. Ces dernières sont au nombre de trois : la *commande de profondeur* (manche à balai), qui entraîne l'avion à piquer ou à cabrer; la *commande de direction* (palonnier), qui agit sur le gouvernail de direction et permet à l'avion de virer dans un sens ou dans l'autre; la *commande de gauchissement*, agissant sur les ailerons, également par l'intermédiaire du manche à balai, et qui permet d'incliner l'avion latéralement lors des virages. Le poste de pilotage d'un avion moderne comprend, outre le manche à balai et le palonnier, de nombreux instruments de contrôle du vol et de tous les systèmes assurant le fonctionnement correct de l'avion. Sur les avions de transport, il comporte un doublement des dispositifs de commande pour le pilote et le copilote. Sur les avions de combat, il groupe également tous les instruments pour la conduite du tir.

● *Pilotage automatique.* Les progrès de l'électronique ont permis d'élaborer des systèmes de pilotage qui ne nécessitent aucune intervention du pilote. Ils comportent des *détecteurs*, qui mesurent tous les paramètres nécessaires au contrôle du vol, un *calculateur* et des *servomoteurs*, qui actionnent les gouvernes*. Les plus perfectionnés peuvent même prendre en charge l'atterrissage*. Ces dispositifs ont amélioré l'exploitation des avions de transport, en permettant d'effectuer des vols par tous temps.

PILOTAGE MARITIME. — Les capitaines des navires ne pouvant connaître les conditions d'accès de tous les ports qu'ils fréquentent, la nécessité s'est imposée depuis la plus haute antiquité de les assister de marins spécialement formés : les *pilotes*. Le pilotage est, en général, obligatoire, dans une zone réglementairement fixée, pour les navires dépassant un tonnage ou une longueur déterminés, ce qui se traduit par la perception d'une taxe, que le service ait été requis ou non. Quelques exceptions peuvent jouer, par exemple pour les unités des marines nationales ou des engins de servitude portuaires. Les pilotes sont propriétaires du matériel de chaque station dont la gestion est, sous le contrôle de l'administration des Affaires* maritimes, assurée par leur syndicat.

PILSEN → PLZEŇ.

PIŁSUDSKI (Józef), maréchal et homme politique polonais (Żułowo, Lituanie, 1867-Varsovie 1935). Socialiste, il participa, en 1904-05, au terrorisme pendant la révolution russe, puis, de 1914 à 1916, il servit dans la Légion polonaise, qui se battit aux côtés des empires centraux. En 1919, il devint, avec des pouvoirs dictatoriaux, chef de l'État et de l'armée de la Pologne indépendante, et dirigea (1920) les opérations de la guerre polono-soviétique*. Après avoir abandonné le pouvoir en 1923, il le reprit en 1926 et demeura jusqu'à sa mort le maître de la Pologne.

PILULE. — Les pilules préparées par les pharmaciens permettent d'administrer par doses précises de faibles quantités de médicaments actifs. Par extension, divers comprimés dragéifiés sont qualifiés de « pilules », notamment les œstro-progestatifs de synthèse employés pour la contraception* (« la pilule ») et dont les principales contre-indications sont le diabète et les tendances thrombo-emboliques.

PIMENT. — Proches parentes de la tomate, les solanacées* du genre *Capsicum* ont pour fruits les divers types de piments. Verts, virant parfois au rouge à maturité, ces fruits creux, en forme de pyramide allongée, inégalement doux ou caustiques selon la variété, jouent un rôle croissant en cuisine à titre de condiments.

PIMPRENELLE. — Cette petite herbe aux feuilles composées pennées (comestibles à l'état jeune) appartient à la famille des rosacées.

PIN. — De tous les conifères* de France, le pin est le seul qui abonde sous plusieurs formes spécifiques différentes. Tous les pins ont une écorce fortement crevassée, des aiguilles souples groupées en verticilles tout autour des rameaux, des fruits (« pommes de pin ») petits et ligneux, tombant de l'arbre longtemps après les graines. Les feuilles tombent en toute saison, recouvrant le sol d'un tapis continu. Le *pin sylvestre,* aux branches en couronne, aux aiguilles pointues, et le *pin maritime,* aux longues aiguilles souples groupées par deux, sont les deux espèces les plus communes (l'immense forêt landaise est faite de pins maritimes, fournisseurs de résine). Mais d'autres espèces se sont acclimatées en France : le grand *pin Weymouth,* le *cembrot* (ou *pin arole*), le *pin d'Alep,* méditerranéen, le *pin à crochet* (les écailles du cône sont crochues), répandu dans les montagnes, le *pin Laricio,* qui n'existe guère qu'à l'état cultivé, enfin le *pin parasol* (ou *pin pignon*), aux graines comestibles.

PINARD (Adolphe), médecin accoucheur et homme politique français (Méry-sur-Seine 1844-*id.* 1934). Rénovateur de la symphyséotomie, il fut un apôtre de la puériculture et l'initiateur de la législation familiale.

PINAR DEL RÍO, v. de l'ouest de Cuba, ch.-l. de la *province de Pinar del Río;* 93 000 hab. Tabac.

PINARDIER → NAVIRE-CITERNE.

PINAY (Antoine), homme politique français (Saint-Symphorien-sur-Coise 1891). Maire de Saint-Chamond à partir de 1929, député radical indépendant (1936-1938), puis indépendant (1946-1958), il devient président du Conseil et ministre des Finances (1952), et prend d'importantes mesures pour stabiliser les prix, dont l'émission d'un emprunt à garantie or (« emprunt Pinay »). Il fait ratifier les accords de Paris et aménage l'autonomie interne de la Tunisie. De nouveau ministre des Finances en 1958 (puis en 1959-60), Pinay procède à la dévaluation du franc et à l'institution du franc lourd. De 1973 à 1974, il est médiateur*.

PINCEMENT (effet de). — On nomme *effet de pincement* (angl. *pinch effect*), en physique, la striction se produisant dans un plasma parcouru par un courant intense, par suite de l'action de son propre champ magnétique.

PINCEVENT, site préhistorique de plein air, dans la vallée de la Seine, près de Montereau, dont l'étude depuis 1964, sous la direction de Leroi-Gourhan*, a révélé les vestiges, en place et parfaitement conservés, d'un campement de chasseurs du paléolithique supérieur (magdalénien final, v. − 10000). La station est devenue un centre de recherches archéologiques; le moulage de l'habitat aux trois foyers ainsi que le matériel lithique et osseux constituent le fonds du musée.

PINCUS (Gregory Goodwin), médecin biologiste américain (New Jersey 1903-Boston 1967), qui mit au point en 1956 le premier contraceptif oral (« la pilule »).

PINDARE, poète grec (Cynoscéphales, près de Thèbes, 518-Argos? 438 av. J.-C.). De famille aristocratique, il passe pour avoir été l'élève du joueur de flûte Scopélinos et des poétesses Corinne et Myrtis. Il fut l'hôte de plusieurs tyrans de Sicile et mourut comblé d'honneurs. Son œuvre touche à tous les genres du lyrisme choral : hymnes, péans, dithyrambes, thrènes, parthénées, etc. Le seul recueil qui nous soit parvenu est celui des *Épinicies** ou *Odes triomphales,* en l'honneur des athlètes vainqueurs des jeux. Évoquant rapidement les circonstances de la victoire, Pindare développe à travers un récit mythique une vérité religieuse et morale : la gloire est liée à la vertu, et la victoire n'est que la manifestation de cette vertu, rendue possible par l'intervention de la puissance divine.

PINDE (le), massif de la Grèce occidentale; 2 632 m.

PINÉALE (glande) → ÉPIPHYSE.

PINEAU → VIN.

PINEL (Philippe), médecin français (Saint-André-d'Alayrac 1745-Paris 1826). Nommé médecin de Bicêtre pendant la Terreur, il y libéra de leurs chaînes les aliénés des cachots. Premier médecin à avoir été introduit comme tel dans l'asile, il inaugura la médicalisation de la folie*. Il contribua à établir le cadre nosologique des maladies mentales (*Nosographie philosophique,* 1798-1818) et s'engagea sur la voie du traitement moral de la folie. (V. PSYCHIATRIE.)

PINÈNE. — Le pinène $C_{10}H_{16}$, dextrogyre ou lévogyre, est un liquide incolore, d'odeur particulière, de densité 0,86, bouillant à 155 °C, insoluble dans l'eau; il sert à la synthèse industrielle du camphre.

PINEY (10220), ch.-l. de cant. de l'Aube, à 21 km au N.-E. de Troyes; 1 037 hab.

PINGET (Robert), écrivain français (Genève 1919). Ses romans (*Mahu ou le Matériau,* 1952; *Graal flibuste,* 1957; *l'Inquisitoire,* 1962; *le Libera,* 1968; *Cette voix,* 1975) et son théâtre (*Architruc,* 1961), qui mettent en scène des héros et des événements dérisoires, sont très représentatifs du nouveau* roman.

PINGOUIN. — C'est sous l'effet d'une simple convergence que se ressemblent les *manchots* (famille des sphéniscidés) et les *pingouins* (famille des alcidés). Ces derniers, voisins des guillemots et des macareux, ont quelques plumes aux ailes et peuvent à la rigueur voler un instant. On ne les rencontre que dans les régions arctiques.

Pingouins.

Mangeurs de poissons, plongeurs, ils nagent sous l'eau en battant des ailes. Ils vivent en foules innombrables. Le petit pingouin *(Alca torda)* niche jusqu'en Bretagne et à Jersey, le grand pingouin *(Alca impennis),* inapte au vol, a été entièrement exterminé en 1844.

Ping-Pong *(le),* pièce d'Adamov (1955) : la machine à sous symbole des rêves et des désillusions produits par la machine économique.

P'ING-TONG ou **PINGDONG,** v. du sud de T'ai-wan; 150 000 hab.

PIN-KIANG → HARBIN.

PINNIPÈDES. — Le remarquable groupe de mammifères aquatiques rassemblé dans l'ordre des pinnipèdes s'apparente de près aux carnassiers, notamment par la denture. Ces animaux n'ont perdu ni leur pelage, ni leurs quatre pattes, et ils se reproduisent hors de l'eau. Mais, la forme générale du corps, l'abondance de la graisse dermique, la conformation des pattes en nageoires, les rendent aptes aux longues plongées qui leur permettent de se nourrir presque exclusivement de poissons. On reconnaît les *phoques** à la persistance des ongles, les *otaries* à l'existence d'un pavillon auditif et à l'usage terrestre qu'ils peuvent faire de leurs pattes de derrière, enfin les *morses* aux énormes défenses (canines supérieures) des mâles.

PINNOTHÈRE. — Tous les consommateurs de moules connaissent ce petit crabe rose et rond, qui s'abrite entre les valves du mollusque. Au passage, le pinnothère prélève un modeste tribut sur la nourriture de son hôte, auquel il ne semble pas faire tort.

Pinocchio, héros d'un roman pour la jeunesse (1883) de l'écrivain italien Collodi. Une marionnette se métamorphose en un jeune garçon espiègle.

PINOCHET UGARTE (Augusto), général et homme d'État chilien (Valparaiso 1915). Commandant en chef des forces armées chiliennes (août 1973), il dirige la junte militaire qui renverse en septembre le président Salvador Allende. Il instaure un régime dictatorial et engage une impitoyable répression contre les partisans d'Allende et les forces de gauche. En décembre 1974, il est nommé président de la République.

PINOLS (43300 Langeac), ch.-l. de cant. de la Haute-Loire, à 36 km à l'E. de Saint-Flour; 385 hab.

PINON (02320 Anizy le Château), comm. de l'Aisne, à 16 km au N.-E. de Soissons; 1916 hab. Constructions métalliques.

PINOT → CÉPAGE.

PINS *(île des)*, île française d'Océanie, au S.-E. de la Nouvelle-Calédonie.

PINSON. — Le type moyen du passereau est bien représenté par ce petit oiseau percheur et chanteur, constructeur de nids en coupe et mangeur de graines. La livrée du pinson est diversement colorée, son chant très mélodieux. (Type de la famille des fringillidés.)

PINTADE. — Voisines des poules*, les pintades ont un plumage gris régulièrement semé de taches blanches, et très joli. De nombreuses excroissances charnues ornent la tête et le cou. Elles vivent en bandes dans les landes buissonneuses d'Afrique. Une espèce a été domestiquée pour ses œufs et sa chair.

PINTER (Harold), acteur et auteur dramatique britannique (Londres 1930). Scénariste de cinéma (notamment pour J. Losey), acteur pour la radio, admirateur de Dylan Thomas et de Beckett, il tire de son expérience de la difficulté de communiquer avec autrui un théâtre dominé par le thème de l'espace clos et rassurant que de mystérieuses forces extérieures tentent perpétuellement, à travers les mots et les situations quotidiennes, de détruire (*l'Anniversaire,* 1957; *le Gardien*,* 1960; *la Collection,* 1962; *l'Amant,* 1962; *le Retour,* 1965; *C'était hier,* 1970; *No Man's Land,* 1975).

PINTURICCHIO (Bernardino DI BETTO, dit **il**), peintre italien (Pérouse 1454-Sienne 1513). Élève du Pérugin, illustrateur brillant, il travaille surtout à Rome (appartements Borgia au Vatican, 1493) et à Sienne (libreria Piccolomini, à la cathédrale, 1503-1508 : *Vie de Pie II*).

PINYIN → CHINOIS.

PINZÓN (Martín), navigateur espagnol (Palos de Moguer 1440-La Rábida 1493). Compagnon de Christophe Colomb (1492), il s'efforça de faire valoir ses prétentions à la découverte du Nouveau Monde. — Son frère, VICENTE YÁÑEZ († apr. 1523), commanda lui aussi un bâtiment de l'expédition décisive de C. Colomb. Plus tard, il découvrit l'embouchure de l'Amazone, la côte du Brésil et celle du Yucatán.

PIOMBINO, port d'Italie (Toscane), en face de l'île d'Elbe; 40000 hab. Sidérurgie. — Possession des Appiani depuis 1399, Piombino fut érigé en principauté par Rodolphe II, en 1594. Passant aux Ludovisi (1634) puis aux Boncompagni (1706), la principauté fut ensuite cédée à la France par le roi des Deux-Siciles (1801). En 1805, Napoléon Ier l'attribua à sa sœur, Élisa Baciocchi, mais, lors du congrès de Vienne*, Piombino fut finalement incorporé au grand-duché de Toscane (1815).

PIONSAT (63330), ch.-l. de cant. du Puy-de-Dôme, à 26 km au S. de Commentry; 1176 hab.

PIOTRKÓW TRYBUNALSKI, v. de Pologne, au S.-E. de Łódź; 62000 hab. Métallurgie.

PIOVENE (Guido), écrivain italien (Vicence 1907-Londres 1974), critique et romancier (*Lettres d'une novice,* 1941; *les Étoiles froides,* 1970).

PIPA. — L'un des plus curieux exemples d'incubation* est fourni par le pipa, gros crapaud des Guyanes, sans langue, sans dents, sans paupières et sans tympans. Le mâle étale, en effet, les œufs sur toute la surface du dos de la femelle, une alvéole se forme autour de chaque œuf et se referme par-dessus, des échanges nutriciels de type placentaire s'établissent et les jeunes éclosent tour à tour sous une forme semblable, en réduction, à celle de l'adulte. (Ordre des aglosses.)

PIPE. — Alors qu'on s'en servait avant le XVIe s. pour fumer, en Europe, du chanvre* et, en Asie, du hachisch, la pipe était déjà utilisée pour le tabac* en Amérique continentale et aux Antilles. Chez les Indiens, c'était le *calumet.* Puis la pipe devint, en Europe, le premier ustensile pour fumer le tabac, que l'on consomma tout d'abord plutôt en prise et en chique. Il y eut des fabriques de pipes en Grande-Bretagne et en Hollande dès 1625. Au Proche-Orient, entre le fourneau et l'embouchure, s'intercalait un vase empli d'eau dans lequel la fumée s'épurait en barbotant, le *narghilé.* Il y eut surtout, d'abord, des pipes en terre cuite ou en pierre évidée d'un seul tenant, puis ont prédominé les pipes à embouchure séparée, reliée à un fourneau pouvant être en métal, en pierre — telle l'écume de mer d'Asie Mineure —, ou plus généralement, aujourd'hui, en bois très dur et peu combustible, ne se carbonisant que légèrement à l'intérieur — telle la racine de bruyère.

PIPELINE. — L'état actuel des techniques de métallurgie* et de soudure permet la construction de pipelines d'un diamètre supérieur à 1 m, enterrés dans le sol, en plaine, en montagne ou au fond des mers. On distingue :
— les *pipes à brut,* oléoducs reliant les gisements de pétrole aux ports de chargement et les ports de déchargement aux raffineries situées dans les régions industrialisées;
— les *pipes à produits finis,* oléoducs reliant les raffineries aux dépôts de distribution, aux centrales électriques ou aux usines de pétrochimie, les pipes à fuel* lourd étant spécialement calorifugés pour éviter le refroidissement et le figeage du produit;
— les *gazoducs* ou *méthanoducs,* reliant les gisements de gaz naturel aux réseaux de distribution industrielle et domestique, ou aux usines portuaires de liquéfaction pour le chargement des méthaniers;
— les *sea-lines,* oléoducs ou gazoducs sous-marins reliant les gisements offshore* à la côte ou à une bouée d'amarrage;
— les *pipelines spécialisés,* pour le transport d'oxygène, d'hydrogène, d'azote, de produits chimiques, d'éthylène (éthylénoducs), de saumure provenant des gisements de sel, etc.

La construction d'un pipeline commence par une étude d'ingénierie, tracé, diamètre, pression, perte de charge étant comparés au coût de l'énergie pour le pompage ou la compression du fluide véhiculé, et par une étude domaniale pour la négociation, parcelle par parcelle, des droits de passage. Le tube fourni par les usines de sidérurgie est obtenu par cintrage et soudure, à l'aide de machines automatiques, de tôle d'un acier à haute limite élastique (de 36 à 45 kg/mm^2). La pose comprend l'ouverture de la tranchée, le bardage des éléments de tube, leur soudure à l'avancement, le revêtement protectif isolant, la descente en fouille et le remblaiement : c'est un chantier continu, allongé sur plusieurs kilomètres, entièrement mécanisé à l'aide d'engins motorisés — trancheuses, tracteurs chenillés à flèche latérale, cintreuses, envelopeuses, pelles — et de machines à souder. La pose d'un sea-line se fait à partir d'une barge de haute mer pour la soudure et le revêtement continu du tube, qui est alors descendu dans une souille creusée au jet d'eau. Les pipelines de l'Arctique sont installés au-dessus du sol marécageux en été, gelé en hiver, et reposent sur des supports fondés dans le sous-sol congelé en permanence. L'exploitation d'un pipeline et de ses ramifications se fait à partir du centre de dispatching qui télécommande vannes, pompes et compresseurs, et comptabilise en informatique les quantités transportées. Compléments ou concurrents du transport maritime, les pipelines les plus importants sont situés aux États-Unis, où le plus récent traverse l'Alaska du nord au sud (1300 km, 122 cm). Citons également celui qui relie la Sibérie à l'Europe centrale (brut, 120 cm; gaz, 142 cm) et celui qui va de Suez à Alexandrie (2 × 107 cm). En France, le réseau de pétrole brut « Sud-Européen » relie le port de Marseille (Lavéra-Fos) aux raffineries de Lyon, de Suisse, d'Alsace, de Sarre et d'Allemagne (86 et 102 cm), tandis que l'oléoduc « Méditerranée-Rhône » relie les quatre raffineries de l'étang de Berre à Lyon et à Genève (41 cm). La région parisienne est desservie à partir du Havre par de nombreux pipelines à brut (50 cm), à gaz naturel liquéfié et regazéifié (50 cm) et à produits finis (lignes de 25, 30, 50 et 86 cm).

PIPÉRACÉES → POIVRIER.

PIPISTRELLE. — Cette petite chauve-souris, assez sociable, capable d'un vol rapide, pénètre souvent dans les maisons pour y chasser les mouches. L'existence d'oreillons (second pavillon, plus petit, à l'intérieur du pavillon principal) la fait classer parmi les vespertilions, de même que sa queue, incluse dans la membrane interfémorale.

PIPIT. — Voisins des alouettes*, mais plus strictement insectivores, les pipits ont les pattes et le bec plus longs et plus fins que celles-ci. On distingue la *farlouse,* qui trotte dans les prairies humides, et le *cujelier* qui court sur les branches des arbres. (Famille des motacillidés.)

PIPRIAC (35550), ch.-l. de cant. d'Ille-et-Vilaine, à 23 km au N.-E. de Redon; 2672 hab.

PIQUE (la), torrent pyrénéen, affl. de la Garonne supérieure (r. g.); 28 km. Centrales hydroélectriques.

PIQUE-BŒUF. — Ce passereau africain passe sa vie sur le dos des gros mammifères, en particulier des rhinocéros et des bœufs, dévorant les parasites cutanés que ces animaux hébergent. C'est un très proche parent du sansonnet. (Famille des sturnidés.)

PIQÛRE. — Les piqûres septiques (par clou, épine de rosier, etc.) exposent à l'infection locale (panaris, abcès) et surtout au tétanos. Les piqûres d'insectes (abeilles, guêpes, etc.) exposent à des accidents allergiques. (Pour les piqûres thérapeutiques, v. ACUPUNCTURE et INJECTION.)

PIRANDELLO (Luigi), écrivain italien (Girgenti [auj. Agrigente] 1867-Rome 1936). Le théâtre de Pirandello est, avant celui de Brecht, l'entreprise la plus systématique de renouvellement de la dramaturgie moderne. Et pourtant Pirandello n'a abordé le théâtre qu'à près de cinquante ans, et son activité dramatique ne représente que le tiers d'une œuvre qui compte tout autant de nouvelles, de romans et de poèmes. Comme celle de Brecht encore, son œuvre a donc souffert de la même réduction de la part de ses contemporains, et la critique théâtrale a même tenté de ramener l'ensemble de ses pièces à un contenu philosophique, le « pirandellisme », conflit dialectique entre la vie et la forme, la raison et la folie.

la vie

1867	Naissance à Girgenti (Agrigente).
1886	Université de Palerme. Fiançailles avec sa cousine Lina.
1889	Université de Bonn. Rupture de ses fiançailles.
1893	S'établit à Rome.
1894	Épouse Antonietta Portulano, fille d'un associé de son père.
1897	Chargé d'enseignement à l'« Istituto Superiore di Magistero » de Rome; il enseignera jusqu'en 1922.
1903	Ruine de la soufrière dans laquelle il avait investi tous ses capitaux. Premiers symptômes paranoïaques d'Antonietta.
1910	Première représentation de ses deux premières pièces : *l'Étau* et *Cédrats de Sicile.*
1919	Internement d'Antonietta.
1922	Première création pirandellienne à Paris : *la Volupté de l'honneur,* dans une mise en scène de Dullin.
1924	S'inscrit au parti fasciste.
1925-1928	Fondation du « Teatro d'arte di Roma », dont Pirandello est directeur.
1930	À Hollywood, Pirandello suit le tournage de *Comme tu me veux,* interprété par Greta Garbo.
1934	Prix Nobel.
1936	Mort à Rome, le 10 décembre.
1959	Mort d'Antonietta, en clinique psychiatrique.

l'œuvre

POÉSIE
Mal giocondo (1889); *Pasqua di Gea* (1891); *Pier Gudro* (1894); *Elegie renane* (1895); *Scamandro* (1909); *Fuori di chiave* (1912).

ROMANS
L'Exclue (1901); *Chacun son tour* (1902); *Feu Mathias Pascal* (1904); *les Vieux et les Jeunes* (1909); *Son mari* (1911); *On tourne* (1915); *Un, personne et cent mille* (1926).

NOUVELLES
Nouvelles pour un an : édition intégrale des 242 nouvelles de Pirandello, parues de 1894 à 1937.

THÉÂTRE
L'Étau, Cédrats de Sicile (1910); *le Devoir du médecin* (1913); *la Raison des autres* (1915); *Liola* (1916); *Chacun* sa vérité, la Volupté* de l'honneur* (1917); *la Greffe* (1919); *Comme avant, mieux qu'avant, Cécé* (1920); *Six* Personnages en quête d'auteur* (1921); *Henri IV, Vêtir ceux qui sont nus* (1922); *Comme ci ou comme ça* (1924); *la Nouvelle Colonie* (1928); *Ou d'un seul ou d'aucun* (1929); *Comme tu me veux, Ce soir, on improvise* (1930); *Se trouver* (1932); *Quand on est quelqu'un* (1933); *la Fable de l'enfant échangé* (1934); *On ne sait comment* (1935); *les Géants de la montagne* (1937).

Or Pirandello s'est toujours défendu de faire œuvre de philosophe ou de metteur en scène; il a toujours affirmé, dans son théâtre, la primauté d'un texte que toute interprétation trahit fatalement et la parenthèse que forme sa production dramatique dans une œuvre dont la « véritable nature » est le récit. Il est cependant difficile de trouver une unité à l'œuvre pirandellienne, qui unit tous les genres et tous les tons, du roman vériste *(l'Exclue)* au récit fantastique *(Feu Mathias Pascal),* du vaudeville *(Cécé)* au drame métaphysique *(Henri IV),* en passant par la comédie bourgeoise *(la Volupté de l'honneur).* En revanche, l'œuvre présente une grande cohérence structurale, due en grande partie à la méthode de composition de Pirandello, l'*autocitation* (28 de ses 43 pièces sont tirées de nouvelles ou de romans antérieurs). D'autre part, les pièces qui ne redoublent pas l'œuvre narrative ont le dédoublement pour ressort dramatique. L'œuvre entière de Pirandello est donc à lire comme un rigoureux *système du double,* ordonné autour de deux grands thèmes : celui du *miroir* (symbole

Bernand

Luigi Pirandello. *L'Homme, la bête et la vertu,* au théâtre Montansier (Versailles, 1975).

d'une expérience de dédoublement vécue par Pirandello à la fois comme horreur de son propre corps et comme aliénation au discours d'autrui, particulièrement au délire paranoïaque de sa femme) et celui de la *gémellité* (à la fois inversion et récupération de l'expérience biographique du dédoublement). Système qui culmine dans la trilogie du « théâtre dans le théâtre » *(Six Personnages en quête d'auteur; Comme ci ou comme ça; Ce soir, on improvise),* qui forme la réflexion critique la plus élaborée sur les conditions de toute représentation : celle-ci ne peut avoir lieu en dehors du système qui codifie, d'une part, les rapports des divers éléments constitutifs du théâtre, et, d'autre part, la relation du théâtre et de la société. Ainsi le théâtre pirandellien n'est que la représentation d'une représentation impossible.

PIRANÈSE (Giovanni Battista PIRANESI, dit en franç.), graveur et architecte italien (Mogliano Veneto 1720-Rome 1778). Formé à Venise comme bâtisseur et scénographe, établi à Rome en 1745, il a très peu construit, mais, par ses séries d'eaux-fortes recréant l'Antiquité de façon visionnaire (notamment les *Antiquités de Rome,* 4 vol., 1756) ou en diffusant, avec éclectisme, les motifs décoratifs (*Diverses Manières d'orner les cheminées,* 1769), il a été l'un des catalyseurs du néoclassicisme*. Sa vision du passé comme le caractère baroque et dramatique de ses *Prisons* (1750, seconde éd. 1760) font aussi de lui un précurseur du romantisme.

PIRANHA ou **PIRAYA.** — La traversée des fleuves du bassin de l'Amazone est rendue dangereuse par l'abondance des piranhas, qui s'y sont multipliés depuis que leur seul prédateur naturel, le crocodile, a été pratiquement détruit. Ces petits poissons aux dents tranchantes comme des scies, fortement attirés par l'odeur du sang, peuvent dévorer l'homme ou les animaux en ne laissant que le squelette. (Famille des characidés.)

PIRATERIE AÉRIENNE. — On entend généralement par « piraterie aérienne » les actes de capture d'aéronefs. Le délit de piraterie aérienne n'est pas limité aux détournements commis dans des buts privés, mais il s'étend aux actes de détournement réalisés quels qu'en soient les motifs.

La piraterie aérienne représente aujourd'hui un très grave problème, puisqu'elle concerne pratiquement les nationaux de tous pays et met en jeu la sécurité et la vie de personnes qui n'ont aucun rapport avec les objectifs poursuivis par les auteurs de ce crime. Les attaques ont pris un tour dramatique lors, notamment, de l'entrée sur la scène politique de la résistance palestinienne — l'aspect psychologique de ces actions terroristes est considérable auprès de l'opinion publique mondiale — et ont atteint des proportions alarmantes puisque, du début de l'année 1969 à la fin de juin 1970, les compagnies aéronautiques de 47 nations, et 7 000 passagers, eurent à subir des faits de piraterie et ont eu à déplorer 96 tués et 57 blessés.

Le fait de détourner un aéronef de la part d'un passager de l'appareil n'entre pratiquement pas dans les catégories d'infractions prévues par le droit. Aussi le problème est-il particulièrement ardu à résoudre. Réunie en août-septembre 1963 à Tōkyō, une conférence internationale sur le droit aérien a élaboré une convention relative aux infractions et autres actes survenus à bord des aéronefs. Cette convention de Tōkyō vise les actes commis à l'intérieur de l'appareil en vol. La réunion de 73 États (50 furent signataires) aboutit à la convention de La Haye (déc. 1970), en progrès sur la convention de Tōkyō. Elle fait de la capture illicite d'aéronefs un délit international soumis à la juridiction de tous les États contractants. La convention de Montréal, approuvée le 23 septembre 1971, oblige les États contractants à extrader ou à traduire en justice les saboteurs d'avions ou de toute autre installation de l'aviation civile.

Indépendamment des mesures prévues par les conventions internationales, les législations répressives des États prévoient des dispositions à l'encontre des faits de piraterie aérienne, ainsi que, dans les aérogares, des mesures de sécurité tendant à les prévenir.

PIRATES *(côte des)* → ARABES UNIS *(Fédération des Émirats).*

PIRE (Dominique Georges), religieux belge (Dinant 1910-Louvain 1969). Entré chez les Dominicains en 1928, il enseigne la philosophie avant de se consacrer aux personnes déplacées. (Prix Nobel de la paix, 1958.)

PIRÉE (Le), faubourg industriel (métallurgie, chimie, textiles) d'Athènes, dont il constitue le port (trafic annuel proche de 10 Mt). Le Pirée devint à l'époque des guerres médiques* (ve s. av. J.-C.) le principal port d'Athènes*, et joua, dès lors, un rôle important dans l'histoire de la grande cité grecque, à laquelle il était relié par un système défensif, les *Longs Murs,* œuvre de Thémistocle*, Cimon* et Périclès*. Le port était constitué par trois bassins : le *Kantharos* (port commercial), *Zéa* et *Mounychia** (ports militaires). Les diverses zones des installations portuaires de Périclès ont été repérées. On a découvert des inscriptions permettant une restitution de l'arsenal et, en 1959, plusieurs sculptures, dont un kouros de bronze archaïque.

PIRENNE (Henri), historien belge (Verviers 1862-Uccle-lès-Bruxelles 1935). Professeur à l'université de Gand (1886-1930), il s'intéressa particulièrement à l'histoire économique et sociale du Moyen Âge. Parmi ses travaux, il faut signaler *la Hanse flamande de Londres* (1899), *les Villes au Moyen Âge* (1927), *Histoire de la Belgique* (7 vol., 1899-1932), et, posthume, *Mahomet et Charlemagne* (1937). — Son fils, JACQUES (Gand 1891-Hierges 1972), a écrit *les Grands Courants de l'histoire universelle* (7 vol., 1945-1956).

PIRIAC-SUR-MER (44420 La Turballe), comm. de la Loire-Atlantique, à 14 km au N.-O. de Guérande; 1 110 hab.

PIRMASENS, v. de l'Allemagne fédérale, dans le sud de la Rhénanie-Palatinat, près de la France; 52 000 hab. Chaussures.

PIRON (Alexis), poète français (Dijon 1689-Paris 1773). Il dut sa célébrité aux monologues qu'il composa pour le théâtre de la Foire (*Arlequin-Deucalion,* 1722) et à sa comédie *la Métromanie* (1738). Louis XV ne ratifia pas son élection à l'Académie française.

PIROU (Gaétan), économiste français (Le Mans 1886-Paris 1946). On lui doit de nombreux ouvrages d'économie, consacrés notamment à la monnaie*.

PISANELLO (Antonio PISANO, dit **il**), peintre et médailleur italien (? av. 1395-? apr. 1450). Formé à Vérone, sans doute auprès de Stefano da Zevio (1374/75-apr. 1438, l'un des représentants du « gothique international »), il exécute diverses fresques, auj. disparues (avec Gentile* da Fabriano, à Venise ou à Rome), à l'exception de *la Légende de saint Georges,* peinte à Vérone v. 1436 (Castelvecchio), et d'un cycle redécouvert en 1968 à Mantoue. Il y associe au raffinement courtois et à la virtuosité linéaire un sentiment de la nature dont témoignent ses dessins. Les portraits peints, notamment pour la cour de Mantoue, conduisent au traitement large et franc, à la densité nouvelle des effigies métalliques (*Jean VIII Paléologue,* 1439, première médaille de la Renaissance).

PISANO → ANDREA PISANO (et Nino), NICOLA PISANO (et Giovanni).

PISCATOR (Erwin), metteur en scène et directeur de théâtre allemand (Ulm 1893-Starnberg 1966). Il usa des innovations techniques les plus hardies (scène tournante, décor à étage, projection cinématographique, apostrophes au public) pour faire saisir aux spectateurs l'imbrication des problèmes esthétiques, sociaux et politiques. Directeur de la Volksbühne à Berlin, il connut son plus grand succès avec *les Aventures du brave Švejk,* de Hašek. Émigré aux États-Unis, il revint en Europe après la Seconde Guerre mondiale et dirigea notamment le théâtre Am Kurfürstendamm de Berlin (1962-1966).

PISCICULTURE. — C'est l'art de multiplier et d'élever les poissons, soit dans des bassins ou des enclos, soit dans des lacs, des étangs, des rivières. On distingue une pisciculture industrielle (orientée vers la production la plus économique du poisson de consommation), une pisciculture de repeuplement, en vue de la production d'œufs et de jeunes poissons destinés à être immergés dans les rivières ou les lacs, enfin un élevage en eaux closes, aménagées pour la pêche sportive. La carpiculture et surtout la salmoniculture sont les éléments essentiels de la pisciculture.

PISE, en ital. **Pisa,** v. d'Italie, en Toscane, ch.-l. de prov., sur l'Arno; 103 000 hab. Université. Verrerie.

HISTOIRE. Ville étrusque, alliée (IIIe s. av. J.-C.) puis colonie de Rome (180 av. J.-C.), Pise est, dans l'Antiquité, un port très actif. Au Moyen Âge, elle devient l'un des principaux centres de résistance aux razzias entreprises par les Sarrasins sur les rives de la mer Tyrrhénienne. Mise à sac en 1004, elle réagit en occupant la Sardaigne (1015), détruit la flotte arabe à Palerme (1063) et monte des expéditions contre les Sarrasins de Mahdia (1087) et de Valence (1092). L'importance de sa participation à la première croisade

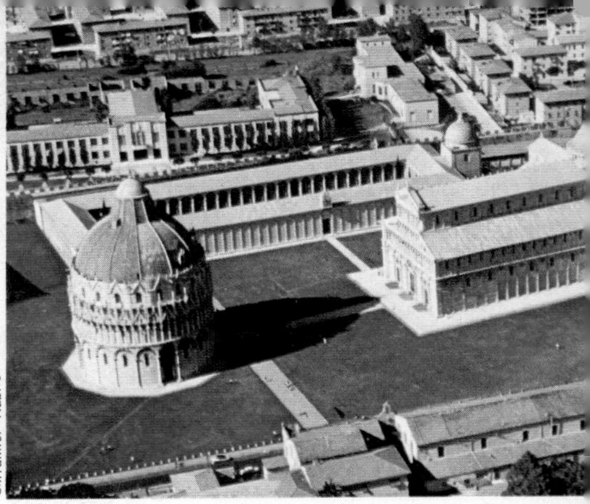
Serraillier - Rapho

(1096), qui lui permet d'acquérir des comptoirs dans l'Orient latin, la prise d'Ibiza et de Majorque (1114), qui lui confère le quasi-monopole du commerce dans la Méditerranée occidentale, font de Pise une grande puissance maritime. L'essor commercial et l'affirmation d'une bourgeoisie d'affaires permettent l'évolution des institutions de la cité : d'abord soumise à son archevêque, elle passe, durant le XIIe s., sous le régime communal. À la même époque, elle lie ses destinées à l'empereur germanique contre ses rivales guelfes, Lucques, Florence et Gênes. Elle est victorieuse de Gênes, sous le règne de Frédéric II (1241), mais elle décline après la mort de celui-ci (1250). Gênes l'abat à la Meloria en détruisant sa flotte (1284), puis s'empare de ses principaux comptoirs. Au XIVe s., la ville connaît le régime de la seigneurie personnelle avant de tomber aux mains de Florence (1406). Du 25 mars au 7 août 1409, s'y tient un concile destiné à mettre fin au schisme* d'Occident; en réalité, il ne fait qu'aggraver ce schisme.

BEAUX-ARTS. À l'écart de la ville ancienne, exceptionnel ensemble de la place des Miracles, aux monuments décorés d'arcatures plaquées (niveau inférieur) ou détachées (étages superposés), caractéristiques du style pisan : cathédrale romane (1063-fin du XIIe s.; porte aux vantaux de bronze par Bonanno Pisano [v. 1180], chaire de Giovanni Pisano, etc.); baptistère circulaire (1153 - seconde moitié du XIIIe s.; chaire de Nicola* Pisano); campanile (v. 1174-fin du XIIIe s.); Camposanto, cimetière rectangulaire à galeries gothiques (v. 1280-XIVe s.; vaste cycle de fresques, endommagées en 1944 : *Triomphe de la Mort, Jugement universel,* etc., du XIVe s.; scènes de l'Ancien Testament de Gozzoli...). Églises romanes et gothiques. Palais Médicis (XIIIe et XIVe s.). Place des Cavaliers, du XVIe s. (église et palais sur plans de Vasari). Musée national dans un anc. couvent : art pisan, siennois, florentin, du XIIe au XVe s. (sculptures des Pisano, dont les statues d'évangélistes de Giovanni, provenant du décor externe du baptistère, ainsi que des œuvres d'Andrea* et de Nino).

PISISTRATE, tyran d'Athènes (v. 600-528/527 av. J.-C.). Chef du parti populaire, il établit la tyrannie en 560 et l'exerça jusqu'à sa mort à l'exception de deux périodes d'exil, auxquelles il fut contraint par les aristocrates. Continuateur de l'œuvre sociale de Solon*, il encouragea l'industrie et le commerce; son administration financière donna une grande prospérité à Athènes, qu'il embellit par la construction de monuments et par des travaux d'urbanisme. Dans le domaine des lettres, il ouvrit une bibliothèque publique, où il fit rassembler les œuvres de l'époque homérique. Ses fils, Hippias et Hipparque, dits « les Pisistratides », ne surent continuer son œuvre.

PISSARRO (Camille), peintre et graveur français (Saint-Thomas, Antilles, 1830-Paris 1903). Sa rencontre avec Corot éveilla sa vocation de paysagiste. Il connut Monet et Cézanne à l'académie Suisse, à Paris, et exposa en 1863 au Salon des refusés. Doyen des impressionnistes, toujours prêt à aider les jeunes artistes, il participa à toutes les expositions du groupe. Sensible à l'atmosphère et aux nuances, il était attentif aux problèmes techniques et se rallia un moment au néo-impressionnisme. — Son fils LUCIEN (Paris 1863-Hewood, Somerset, 1941) fut également peintre.

PISSENLIT. — Cette composée aux fleurs en ligules jaunes, très commune dans les prairies, est connue pour sa couronne de feuilles basales découpées « en dents de lion » et pour ses fruits à aigrette qui s'envolent au moindre souffle. On récolte les feuilles comme salade.

PISSOS (40410), ch.-l. de cant. des Landes, à 24 km à l'E. de Parentis-en-Born; 809 hab.

PISTACHIER. — C'est la graine de cette belle anacardiacée de l'Asie Mineure, cultivable en France, qui fournit la *pistache* des confiseurs et des glaciers. Le bois peut servir en ébénisterie.

Pise. La piazza dei Miracoli (ou piazza del Duomo), avec le baptistère (à gauche), le Camposanto (au second plan), la cathédrale et le campanile (ou Tour penchée).

William Pitt le Second, par John Hoppner (1758-1810). [National Portrait Gallery, Londres.]

Fleming

PISTE *(Aéron.)* → AÉROPORT.

PISTE *(Inform.)* → DISQUE.

PISTOIA, v. d'Italie, en Toscane, au N.-O. de Florence, ch.-l. de prov.; 94 000 hab. Nombreuses églises riches en œuvres d'art, dont un groupe de style roman pisan, avec effets accentués d'appareil polychrome, auquel appartiennent la cathédrale (XIIe-XIIIe s.; trésor) et S. Andrea (chaire de Giovanni Pisano). Baptistère octogonal du XIVe s. Palais communal des XIIIe-XIVe s. (musée); hôpital del Ceppo, du XIVe s., avec frise céramique de l'atelier des Della Robbia sur le portique, ajouté au XVIe s.; etc. Métallurgie. Textile.

PITCAIRN, petite île britannique d'Océanie, au S.-E. de Tahiti; 4,6 km^2; 74 hab. (descendants des mutins du *Bounty*).

PITCHPIN. — Ce beau pin de l'Amérique du Nord, très résineux, fournit à l'industrie du meuble un bois lourd et coloré, peu coûteux, très résistant à l'humidité et d'une bonne dureté, mais trop fissile. On en fait aussi des parquets et des portes.

PITE ÄLV (le), fl. du nord de la Suède, tributaire du golfe de Botnie; 370 km. À son embouchure est situé le port de *Piteå* (35 000 hab.).

PITEŞTI, v. du sud de la Roumanie, au N.-O. de Bucarest; 84 000 hab. Industrie automobile.

PITHÉCANTHROPE. — Ce grand singe anthropoïde de la base du pléistocène, décrit d'abord sur un spécimen trouvé à Java (1891), a été retrouvé à de nombreux exemplaires en Chine sous une forme légèrement différente *(sinanthrope)*. Son aspect intermédiaire entre celui de l'homme et celui des singes supérieurs a fait de lui l'objet de discussions passionnées.

PITHIVIERS (45300), ch.-l. d'arr. du Loiret, sur l'Œuf (branche de l'Essonne), à 42 km au N.-E. d'Orléans; 10 442 hab. *(Pithivériens)*. Église du XIIe s., reconstruite au XVIe. Musée dans la chapelle de l'Hôtel-Dieu, du XVIIIe s. Industries alimentaires.

PITOËFF (Georges), comédien et directeur de théâtre français d'origine russe (Tiflis 1884 - Genève 1939). Il a mis en scène et interprété avec sa femme LUDMILLA (Tiflis 1895 - Rueil-Malmaison 1951) nombre d'œuvres du théâtre contemporain (Ibsen, Strindberg, Tchekhov, Pirandello, Synge, Anouilh), en fondant son esthétique sur la primauté de l'acteur.

PITOT (Henri), ingénieur et physicien français (Aramon 1695 - *id.* 1771). On lui doit de nombreux travaux d'art, ainsi que le *tube de Pitot,* qui mesure la pression, et, par suite, la vitesse d'écoulement d'un fluide.

PITT (William), 1er *comte* **de Chatham,** homme d'État anglais (Londres 1708 - Hayes 1778). Gagné à la cause de la faction whig*, opposée à la politique de Walpole, William Pitt, député à partir de 1735, devient le leader d'un nationalisme qui trouve un écho chez le Britannique moyen. Déterminé à faire cesser la corruption et la mollesse attachées au régime de Walpole et de George II, il fait également tout pour abattre, sur mer et dans les colonies, les Bourbons français et espagnols. Les débuts de la guerre de Sept* Ans étant peu favorables aux Anglais, Pitt devient, en 1756, Premier ministre et ministre de la Guerre. Bientôt, les Anglais sont vainqueurs partout, mais le nouveau roi, George III, oblige son ministre à démissionner (1761). Quand la situation s'aggrave — en Amérique, notamment — Pitt est rappelé au pouvoir (1766), mais il désavoue vite la politique royale et démissionne dès 1768.

PITT (William), dit **le Second Pitt,** homme d'État anglais (Hayes 1759 - Putney 1806). Entré au Parlement, en 1781, comme « whig indépendant », le Second Pitt ne cesse de dénoncer la désastreuse guerre d'Amérique. Chancelier de l'Échiquier (1782), puis Premier ministre (1785), il met d'abord toutes ses forces à la restauration des finances; la prospérité, qui renaît vite, est accentuée par la signature du traité de commerce avec la France (1786). Mais, si Pitt réorganise les colonies de l'Inde, il ne peut promouvoir la réforme électorale souhaitée. Au début de la Révolution française, Pitt, heureux de voir les Bourbons ébranlés, adopte une attitude de neutralité bienveillante; mais l'expansionnisme économique et idéologique de la France ne tarde pas à l'inquiéter. Au début de 1793, il rompt avec la Convention* : c'est le début d'une interminable lutte qui ne se clôturera qu'à Waterloo. Conduisant sans défaillance la coalition contre la France, mais n'ayant nulle envie d'intervenir sur le continent, Pitt mène la guerre avec sa marine (Aboukir, 1798) et ses finances. Mais cette guerre s'avère être un gouffre financier; aussi, malgré la confiance que lui assurent les Anglais, Pitt décide-t-il une pause : c'est la paix d'Amiens, qui est signée (1802) alors qu'il n'est plus au pouvoir, la question irlandaise l'ayant fait trébucher. Quand la guerre reprend, Pitt, le « pilote », redevient très vite indispensable; de 1804 à sa mort, il gouverne le pays avec la même rigueur, son triomphe étant le désastre français de Trafalgar* (1805).

PITTACOS, tyran de Mytilène, cité de l'île de Lesbos* (v. 650 - v. 569 av. J.-C.). Il exerça le pouvoir pendant dix ans (v. 595-v. 585) et abdiqua volontairement. Il figure au nombre des Sept Sages* de la Grèce.

PITTI, ancienne famille florentine connue dès le XIIe s. Ses principaux représentants sont : BUONACCORSO (1354 - v. 1430), auteur d'une *Chronique,* inachevée, sur les événements de son temps (1412-1430), et son fils LUCA (1394-1472), qui entreprit la construction du palais Pitti. Vers la fin du XVe s., la famille, enrichie par le commerce, perdit son influence et se divisa en plusieurs branches. Elle s'éteignit au XVIIIe s.

Pitti *(palais),* à Florence, demeure patricienne entreprise en 1440 sur plans de Brunelleschi, agrandie notamment au XVIe s., par Bartolomeo Ammannati, pour les Médicis, qui viennent de l'acquérir; les jardins Boboli sont aménagés derrière à la même époque. Décoré de fresques au XVIIe s. (P. de Cortone), aujourd'hui musée, le palais abrite une partie des collections médicéennes. Objets précieux; galerie de peinture ancienne (Raphaël, Fra Bartolomeo, A. del Sarto, Titien, Rubens, etc.); galerie d'art moderne (peintres des XIXe et XXe s., dont les *macchiaioli*).

PITTSBURGH, v. des États-Unis (Pennsylvanie); 520 000 hab. (L'aire métropolitaine compte 2 401 000 hab.) Musée de l'institut Carnegie. À la naissance de l'Ohio*, Pittsburgh, à proximité de la houille cokéfiable, approvisionné par le minerai de fer du lac Supérieur, s'est développé, depuis le début du XIXe s., comme l'un des plus grands centres métallurgiques du monde. La sidérurgie domine toujours (loin devant les constructions mécaniques et électriques, le textile, l'alimentation), puisque la production d'acier est de l'ordre de 30 Mt (supérieure à la production française).

PITYRIASIS. — Parmi les affections caractérisées par une fine desquamation, citons les deux plus fréquentes : le *pityriasis rosé de Gibert,* affection bénigne de nature infectieuse, guérissant spontanément en un à deux mois; le *pityriasis versicolor,* de nature mycosique, guérissant par l'application d'antiseptiques locaux.

PIURA, v. du nord du Pérou; 187 000 hab.

PIVERT → PIC.

PIVOINE. — La pivoine, plante ornementale vivace, aux grandes fleurs rouges, aux étamines nombreuses, aux carpelles à demi soudés, se reconnaît aussi à ses feuilles composées aux folioles dissymétriques et parfois sessiles. Elle est vénéneuse. (Famille des renonculacées.)

PIXERÉCOURT (René Charles GUILBERT DE), auteur dramatique français (Nancy 1773 - *id.* 1844). Il écrivit cent onze pièces, dans lesquelles il use abondamment de la terreur et du pathétique, et qui font de lui le père du mélodrame* (*Victor ou l'Enfant de la forêt,* 1798; *Cœlina ou l'Enfant du mystère,* 1800; *le Château de Loch-Leven,* 1822; *Latude ou Trente-Cinq Ans de captivité,* 1834).

PIZARRO (Francisco), conquistador espagnol (Trujillo v. 1475 - Lima 1541). Ayant cherché fortune en Amérique, il projette la conquête du fabuleux Pérou*. En novembre 1524, il s'embarque avec 114 hommes, mais échoue; il en va de même en 1526. Une troisième expédition, en 1531, réussit grâce à la guerre civile qui ravage l'Empire inca et au guet-apens qui aboutit à l'exécution d'Atahualpa*, en 1533. Le pays est alors systématiquement pillé par les troupes de Pizarro. Celui-ci entre bientôt en conflit avec son rival Almagro*, qui est exécuté (1538); mais Pizarro périt assassiné par un officier almagriste (1541).

pK. — Quand un électrolyte, de formule type MA, subit une faible dissociation ionique $MA \rightleftarrows M^+ + A^-$, on peut écrire $\frac{[M^+][A^-]}{[MA]} = K$, où les crochets représentant les concentrations molaires ou ioniques, et K la constante d'ionisation de l'électrolyte, qui ne dépend que de la température. Cette constante étant très petite, il est commode, comme on l'a fait pour définir le pH, de poser $pK = -\log K$, nombre qui est d'autant plus petit que l'électrolyte est plus fort.

PLA (Josep), journaliste et écrivain espagnol d'expression catalane (Palafrugell 1897), auteur de récits de voyages et d'écrits autobiographiques (*les Paysans,* 1952; *le Cahier gris,* 1965).

PLABENNEC (29212), ch.-l. de cant. du Finistère, à 14 km au N.-N.-E. de Brest; 5 307 hab.

PLACAGE. — Les *placages d'ébénisterie* (épaisseur : de 0,5 à 0,8 mm), d'essences précieuses (chêne, noyer, acajou), sont obtenus par *tranchage* d'une bille de bois réalisé à l'aide d'un couteau animé d'un mouvement de va-et-vient. Les *placages ordinaires* (épaisseur : de 1 à 5 mm), d'essences courantes (okoumé, hêtre, peuplier), pour la production de contre-plaqué*, sont fabriqués par *déroulage* d'une bille de bois tournant devant un couteau dont l'avance soulève une feuille de bois. Les placages tranchés sont séchés à l'air ou au séchoir, les placages déroulés ne le sont qu'artificiellement.

PLACENTA. — Organe essentiellement temporaire, qui se forme et fonctionne lors du développement du jeune dans l'organisme maternel, le placenta se rencontre chez presque tous les mammifères (excepté les marsupiaux et les monotrèmes), chez divers reptiles, amphibiens et poissons (requins) et, par ailleurs, chez les plantes supérieures à graines.

Chez les mammifères, l'organe résulte d'une intrication profonde entre les structures progestatives endométriales de l'utérus et les villosités du chorion de l'œuf. Vaste surface d'échange entre le sang maternel et le sang fœtal, le placenta assure, en outre, une certaine filtration sélective : les éléments du sang maternel ne passent pas tous dans le fœtus. Mais la sélection est imparfaite : divers virus (rubéole) et des substances toxiques peuvent le traverser. La forme du placenta fait partie des éléments de classification des mammifères; elle a guidé, notamment, le démembrement de l'ordre des édentés. Discoïde chez les rongeurs, les insectivores et chauves-souris, et chez les primates supérieurs (homme compris), le placenta est zonaire chez les carnassiers et les pinnipèdes, cotylédonaire chez la plupart des ongulés, diffus chez les cétacés et les lémuriens. Quant au placenta végétal, c'est la zone d'insertion du funicule de la graine dans la paroi interne de l'« ovaire » qui joue, chez les plantes, le rôle d'un utérus. Il intervient également dans la classification, puisque l'on distingue les placentations *pariétale* (le long des parois externes : crucifères), *axile* (le long de l'axe : lis, géranium), *centrale* (à la base : primevère, tomate) et *septale* (le long des cloisons : nénuphar).

PLACENTAIRES → MAMMIFÈRES.

PLACER → GISEMENT.

PLAÇURE → BROCHAGE *(Rel.).*

PLAFOND *(Aéron.)* → VOL *(mécanique du).*

PLAFOND *(Constr.).* — Les plafonds se classent en deux catégories, selon qu'ils sont adhérents à la sous-face des planchers* ou en sont séparés par un vide d'isolation.

• Les premiers sont le plus souvent exécutés en plâtre* projeté en deux couches quand la sous-face du plancher est plane. Sinon, le plâtre est appliqué sur un lattis que l'on a fixé, au préalable, sous les poutrelles pour assurer l'horizontalité du plafond. La première couche est en plâtre gros. La seconde, en plâtre fin, est talochée et dressée à la berthelée. Il existe également des plafonds de cette catégorie constitués de plaques à base de plâtre, surfacées et quelquefois perforées, que l'on colle directement sous le plancher.

• Les plafonds de la seconde catégorie sont constitués de panneaux légers et surfacés, à base de plâtre (staff) ou de céramique que l'on enduit après coup. Ils sont suspendus au plancher par des fils de fer galvanisés, ou reposent sur un réseau de petits rails métalliques accroché au plancher par des suspentes en acier. Les plafonds suspendus sont en général fragiles, notamment ceux qui sont à base de céramique. Ces derniers doivent être isolés des murs et des cloisons par des joints pour éviter qu'ils ne se fissurent sous l'effet des déformations de la construction.

PLAGE. — Constituée de sable ou de galets, la plage se forme par accumulation de matériel provenant de la dégradation du relief littoral ou apporté par les courants marins. Généralement localisées dans les zones abritées (baies, golfes), les plages évoluent constamment sous l'action de la houle.

PLAGNE (La), station de sports d'hiver (alt. 1 970-2 742 m) de Savoie, dans la Tarentaise, à 32 km au S.-O. de Bourg-Saint-Maurice.

PLAID. — Au haut Moyen Âge, le mot lat. *placitum* désignait l'assemblée des grands du royaume (évêques, abbés, comtes et grands propriétaires), réunis autour du roi et chargés à la fois de le conseiller et de jouer le rôle d'une haute cour de justice. Aux temps carolingiens, c'est au sein du *placitum generale,* appelé aussi « champ de mai », qu'étaient élaborés les capitulaires, actes royaux ou impériaux ayant valeur législative. À partir du Xe s., époque à laquelle s'effondra la puissance royale, le mot « placitum » fut employé pour désigner les assemblées, à vocation essentiellement judiciaire, réunies autour des nouveaux détenteurs du pouvoir de ban, les comtes et les seigneurs châtelains.

Plaideurs *(les),* comédie en trois actes et en vers de Racine (1668), inspirée des *Guêpes* d'Aristophane : une satire des plaideurs incorrigibles (Chicanneau et la comtesse de Pimbêche) et des juges maniaques (Perrin Dandin).

PLAIE. — Les plaies superficielles doivent être nettoyées, désinfectées, et, si nécessaire, isolées par un pansement*. Les plaies profondes sont explorées chirurgicalement avant suture. Dans tous les cas, la prévention du tétanos par sérum et rappel de vaccin doit être assurée.

PLAIN-CHANT. — Lié à la célébration d'un culte, ce chant est essentiellement liturgique. Monodique, il utilise la langue latine et ignore la tonalité. La mélodie, composée d'une suite de neumes, évolue en toute liberté. Codifié à la fin du VIe s. par le pape Grégoire Ier, qui lui a donné son nom (chant grégorien), il représente à la fois l'aboutissement de pratiques millénaires et la plate-forme sur laquelle s'édifiera la polyphonie. Parce qu'elles doivent leur degré d'ornementation, leur allure mélodique et rythmique, leur tempo à leur fonction au sein d'un culte, les formes du plain-chant, nombreuses en apparence, se distinguent plus les unes des autres par leur signification liturgique, leur fusion avec le texte latin que par leur structure musicale.

Il en existe trois catégories principales : les formes récitatives, chants déclamés sur une seule note (leçon, oraison, préface, psaume); les formes mélodiques, où dominent les vocalises (antienne servant d'introduction et de conclusion au psaume, introït, communion dans le propre de la messe, trait, graduel, offertoire); les formes mélismatiques, où les syllabes sont distendues et ornées de notes brèves (alléluia).

Au IXe s., naquirent la séquence, qui emprunte sa mélodie aux dernières notes d'un alléluia, le trope, chant syllabique inséré dans un épisode généralement vocalique, et les hymnes, cantiques de forme strophique.

PLAINE. — Zone basse de l'écorce terrestre, la plaine résulte de l'ablation de roches tendres sous l'action de l'érosion, ou de l'accumulation de matériel alluvial (le long des vallées ou au pied des reliefs) ou marin (sur les côtes).

PLAINFAING (88230 Fraize), comm. des Vosges, à 17,5 km au S.-S.-E. de Saint-Dié; 2 402 hab. Textile.

PLAISANCE (tourisme de). — Le tourisme de plaisance s'est démocratisé. En vingt ans, le nombre des bateaux est passé, sur le littoral français, de 20 000 à plus de 300 000 (en 1975). Ce type de tourisme est à l'origine de l'aménagement, tout au long des côtes françaises, de nombreux ports de plaisance (153 nouveaux ports en l'espace de dix ans), dont la majorité se situe dans le Midi. Depuis 1973, ces ports sont rattachés au domaine public maritime, ne pouvant, dès lors, accueillir que des équipements collectifs. Néanmoins, nombre de marinas, déjà bâties, ont été l'œuvre de promoteurs privés : Cannes-Marinas, Marinas-Baie-des-Anges, les Marines de Cogolin, Port-Bormes (ce dernier port ayant été arrêté en cours de construction, à la suite de la réglementation régissant l'empiètement sur la mer), Port-la-Galère et Port-Grimaud.

PLAISANCE, en ital. **Piacenza,** v. d'Italie, en Émilie, ch.-l. de prov., sur le Pô; 107 000 hab.

HISTOIRE. Colonie fondée par les Romains (218 av. J.-C.), Plaisance fut embellie et fortifiée sous l'Empire. Elle fut ravagée par Totila, en 546. Urbain II y tint un concile pour combattre Henri IV (mars 1095). Commune au XIIe s., membre des deux ligues lombardes, elle passa, à partir de 1254, en de nombreuses mains. Elle fut quelques temps possession de Milan (1448-1511), avant d'être conquise par le pape Léon X (1512). Le pape Paul III la donna, en même temps que Parme*, à son fils, Pier Luigi Farnèse (1545), premier duc de Parme et de Plaisance.

BEAUX-ARTS. Cathédrale romane et gothique. Palais communal gothique sur la piazza dei Cavalli (statues équestres de deux ducs Farnèse, v. 1620). Églises, notamment du XVIe s. Palais Farnèse, entrepris par le Vignole. Galerie d'art moderne.

PLAISANCE (32160), ch.-l. de cant. du Gers, à 30,5 km au S.-E. d'Aire-sur-l'Adour; 1 537 hab.

PLAISIR (78370), comm. des Yvelines, à 15 km à l'O. de Versailles; 21 274 hab. Constructions aéronautiques.

PLAISIR (principe de). — Selon la psychanalyse*, le principe de plaisir régit, avec le principe de réalité, le fonctionnement mental. L'inconscient*, qui ne connaît pas le temps ni la réalité extérieure, n'obéit qu'au principe de plaisir, c'est-à-dire à la satisfaction immédiate d'une pulsion*, quelles qu'en soient les conséquences ultérieures. Le système conscient-préconscient, lui, reconnaît le principe de réalité : il est capable de différer la satisfaction d'une pulsion ou d'en adapter le but en fonction de la réalité extérieure.

PLAN *(Cin.).* — Le plan constitue l'élément premier du film, comme le mot dans un texte ou la note dans une partition. Il s'agit d'une courte scène au cours de laquelle les personnages principaux sont enregistrés selon un même cadrage et sous un même angle, à une même distance de la caméra. A mesure que le cadre enveloppe un champ spatial de plus en plus étendu, on distingue le très gros plan (ou insert), le gros plan (ou close-up), le premier plan, le plan américain, le plan moyen (ou medium shot), le grand ensemble, le plan général et le plan lointain.

PLANAIRE. — De nombreux travaux scientifiques ont été faits sur la planaire, « ver » plat des eaux douces en forme de minuscule limace à deux tentacules, portant la bouche au milieu du ventre et trois cæcums intestinaux. Les yeux et le cerveau sont très développés, ainsi que les appareils génitaux mâle et femelle, car la planaire est hermaphrodite. Il n'y a pas d'anus. Les œufs, groupés dans des cocons, sont riches en réserves vitellines. La régénération de la planaire est très poussée et a été étudiée en détail. On peut donner à l'animal des réflexes conditionnés, que certains auteurs ont cru transmissibles par ingestion (cannibalisme). Ce fait extraordinaire n'a pas été confirmé. (Type de l'ordre des triclades, classe des turbellariés, embranchement des plathelminthes.)

PLAN CARPIN (Jean DU), en ital. **Giovanni da Pian del Carpine,** franciscain italien (Pian del Carpine, Ombrie, v. 1182 - Antivari 1252). Il fut l'un des premiers disciples de saint François. Envoyé en mission auprès du khān des Mongols par le pape Innocent IV, il arriva au camp de Bātū* khān, sur la Volga, en avril 1246 et atteignit Karakorum en juillet, où il assista à l'intronisation du grand khān Güyük. A son retour, il écrivit une *Historia Mongolorum,* qui est la plus ancienne description historico-géographique de l'Asie centrale.

PLANCHE (Gustave), critique littéraire français (Paris 1808 - *id.* 1857). Il passa des publications romantiques à *la Revue des Deux Mondes,* où il pratiqua une critique dogmatique (*Portraits littéraires,* 1836-1849).

PLANCHER. — • Les *planchers en bois* ne sont plus utilisés que dans les petites constructions, quand les portées sont faibles. Ils doivent être protégés de l'humidité. C'est pourquoi les pièces qui s'encastrent dans les murs* humides sont peintes avec un produit à base de goudron. Certains bois étant attaqués par des larves d'insectes, il faut les désinfecter avant leur mise en œuvre.

• Les *planchers métalliques* se composent de poutres et de poutrelles formant un maillage, dont on comblait naguère les vides avec un mélange de mâchefer et de plâtre*. Mais celui-ci attaque l'acier en milieu humide. Aujourd'hui, pour réaliser le remplissage entre les éléments de l'ossature, on utilise des voûtains en béton* ou en céramique, qui reposent sur les ailes des poutrelles et sur lesquels on coule une dalle de béton.

Max Planck, dans son laboratoire.

• Les *planchers en béton armé* ou *en béton précontraint,* qui sont les plus fréquents et d'un coût moins élevé que les précédents, du moins pour les portées et les surcharges les plus courantes, présentent l'avantage de ne pas nécessiter d'entretien, de ne pas souffrir de l'humidité et de résister assez bien au feu.

• Les *planchers à hourdis* et *à poutrelles coulées en œuvre* se composent d'éléments en céramique ou en mortier* de ciment*. On les pose sur un platelage provisoire en bois. Leur forme permet, au cours de cette opération, de réserver des saignées dans lesquelles on coule des poutrelles de béton armé avec la dalle de compression. Les poutrelles peuvent aussi être préfabriquées ou précontraintes. Elles comportent des armatures qui émergent de leur partie supérieure. On les pose sur des étais provisoires, en bois ou en métal, en files parallèles et à écartement régulier, pour placer les hourdis de remplissage sur leurs talons. Sur le dessus, on coule une dalle de compression solidaire des poutrelles.

• Les *planchers en dalles pleines* sont très fréquemment employés en construction. Leur épaisseur, dans les bâtiments d'habitation, doit être au moins de 14 cm pour assurer une isolation* phonique suffisante. On les coule sur des coffrages lisses en contre-plaqué, de sorte que la sous-face puisse être suffisamment plane pour qu'on n'ait pas à la redresser avant de la peindre.

PLANCHES-EN-MONTAGNE (Les) [39150 St Laurent en Grandvaux], ch.-l. de cant. du Jura, à 13,5 km au S.-E. de Champagnole; 186 hab.

PLANCHON (Roger), metteur en scène, directeur de théâtre et auteur dramatique français (Saint-Chamond 1931). Fondateur du théâtre de la Comédie à Lyon, puis directeur du théâtre de la Cité à Villeurbanne, il assure depuis 1972 la direction du nouveau Théâtre national populaire, avec Patrice Chéreau* et Robert Gilbert. Il s'inspire de l'esthétique de Brecht, des techniques de Piscator, du drame élisabéthain, pour créer une écriture scénique qui concentre l'attention du public sur la conduite sociale des personnages (*George Dandin* de Molière; *Édouard II* de Marlowe). Son œuvre personnelle compose une critique pleine d'humour des conventions sociales et littéraires (*la Contestation et la mise en pièces de la plus illustre des tragédies françaises, « le Cid », de Pierre Corneille,* 1969; *le Cochon noir,* 1973).

PLANCK (Max), physicien allemand (Kiel 1858 - Göttingen 1947). Pour expliquer les lois du rayonnement, il envisagea la discontinuité de l'énergie et créa, en 1900, la théorie des quanta. La *constante de Planck,* qui en est à la base, a pour valeur : $h = 6{,}625 \times 10^{-27}$ erg/seconde.

PLANCOËT (22130), ch.-l. de cant. des Côtes-du-Nord, à 17 km au N.-O. de Dinan; 2 467 hab. Eaux minérales.

PLANCTON. — Dans toutes les eaux océaniques et lacustres, une énorme masse de matière vivante, dépourvue de moyens de locomotion active, mais d'une densité égale à celle de l'eau, flotte passivement. C'est cette masse qui forme le plancton, par opposition au necton, ou ensemble des animaux nageurs. On distingue, selon qu'il y a ou non de la chlorophylle dans les cellules, le *phytoplancton* et le *zooplancton.* Le phytoplancton, utilisateur direct de l'énergie solaire, est « producteur » ou « capteur d'énergie ». Le zooplancton, qui dévore le précédent, est un « consommateur primaire » ou « transformateur d'énergie ». L'un et l'autre forment la nourriture exclusive de très nombreux animaux de toutes sortes, les planctonophages (rotifères, sabelles, moules,

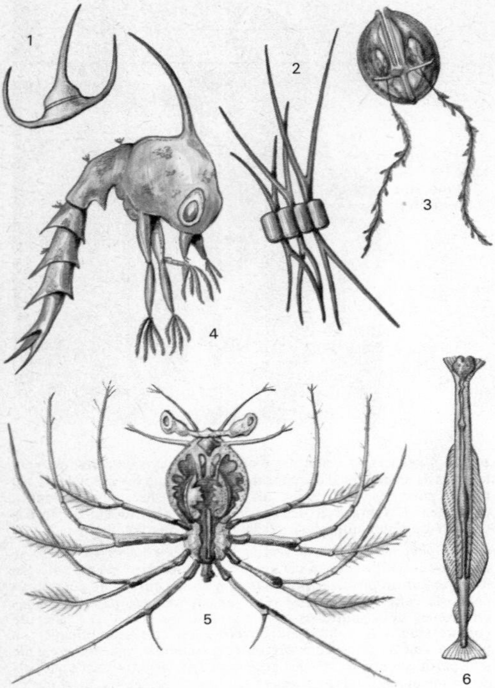

PLANCTON : 1. *Ceratium longipes;* 2. *Chaetoceros decipiens;* 3. *Pleurobrachia pileus;* 4. Zoé de *Inachus;* 5. Phyllosome de *Palinurus;* 6. *Eukrohnia hamata.*

polypiers, éponges, etc.), qui créent un courant d'eau dans lequel les proies sont entraînées. Le plancton abonde près de la surface, mais sa masse décroît lorsqu'on descend en profondeur. De nombreuses espèces ne font partie du plancton que pendant une période de leur existence (écophase), œufs ou larves par exemple.

PLAN-DE-CUQUES (13380), comm. des Bouches-du-Rhône, à 10 km au N.-E. de Marseille; 5 895 hab.

PLAN D'OCCUPATION DES SOLS (P. O. S.) → URBANISME.

PLANÉTAIRE *(Astron.).* — Les planétaires ont précédé les horloges mécaniques, construites en Europe au XIVe s. Une recherche astronomique, très élaborée, est décrite dans le manuscrit de Richard de Wallingford († 1335), datant de 1330, ainsi que dans le *Planetarium* (1348) et l'*Astrarium* (1364) de Giovanni Dondi (1318-1389). Les positions relatives des planètes, et leurs révolutions, sont représentées selon le système géocentrique de Ptolémée*. La théorie héliocentrique de Nicolas Copernic*, en 1543, n'aura d'applications qu'un siècle plus tard. Le planétaire d'Oronce Fine (1494-1555), la sphère céleste (1580) de Jost Burgi (1552-1632) et le globe (1588) de Johan Reinhold († 1600) reflètent encore un ciel astronomique traditionnel. En 1682, le beau planétaire de Christiaan Huygens* est héliocentrique. Les sphères mouvantes fabriquées par Claude de Passemant (1702-1769), en 1749 et en 1754, et par Antide Janvier (1751-1835), en 1773, en 1789 et en 1800, atteignent la perfection. En 1939, le Belge Louis Zimmer (né en 1888) et, en 1947, le Français E. J. Senac créent des horloges planétaires de démonstration, automatiques.

PLANÉTAIRE *(Autom.)* → BOÎTE DE VITESSES et DIFFÉRENTIEL.

Planétarium *(le),* roman de N. Sarraute (1959) : la dissolution du système romanesque dans l'autonomie dérisoire de personnages qui sont leur propre narrateur et leur propre spectateur.

PLANÈTE. — À la différence d'une étoile*, une planète n'émet aucun rayonnement propre et ne brille que parce qu'elle réfléchit la lumière du Soleil*. Celui-ci est entouré de 9 planètes et d'un anneau d'astéroïdes*, qui circulent autour de lui à des distances comprises entre 50 millions de kilomètres pour Mercure*, au périhélie, et 6,5 milliards de kilomètres pour Pluton*, à l'aphélie, conduisant à des périodes de révolution allant de 3 mois à 248 ans. Les planètes comprennent deux groupes distincts : les *telluriques* (Mercure, Vénus*, Terre*, Mars*), de taille moyenne (5 000 à 13 000 km de diamètre) et de densité* assez forte (environ 5 g/cm^3); les *géantes,* mille fois plus volumineuses, pour une densité cinq fois plus faible, voisine de celle de l'eau. Cela tient essentiellement au fait que les grosses planètes sont constituées d'éléments légers (hydrogène*, hélium*); en conséquence, elles ne possèdent vraisemblablement pas de surface rocheuse, solide, à la différence des planètes du premier groupe, formées d'un *noyau* métallique entouré d'un *manteau* et d'une *écorce* de silicates. Entre les deux groupes circulent les astéroïdes. Pluton, qui marque actuellement les limites du système solaire, s'apparente plutôt aux planètes du type terrestre, et suit une orbite qui se différencie nettement des autres. Cet astre n'est apparemment pas à sa place, et l'on pense qu'il ne s'agit pas d'une vraie planète, mais d'un ancien satellite de Neptune*. Toutes les planètes possèdent une atmosphère*; dans le cas de Mercure, cependant, la pression au sol est dix milliards de fois inférieure à celle qui règne sur Terre. Sur Vénus, en revanche, cette pression atteint près de 100 fois la pression terrestre au niveau de la mer. Ces atmosphères sont constituées de gaz carbonique* dans le cas de Vénus et de Mars, d'azote* et d'oxygène* pour la Terre, de méthane* et d'ammoniac* pour les quatre planètes géantes; on n'a aucune indication concernant Pluton. Jupiter* possède un champ* magnétique important, ceux de la Terre et de Mercure le sont moins. Pour Vénus et Mars ces champs sont pratiquement inexistants. Un grand nombre d'étoiles possèdent très vraisemblablement des planètes plus ou moins semblables à celles du système solaire. Il est évidemment impossible de les observer en raison de leur distance, mais une lente oscillation dans le mouvement apparent de certaines étoiles a toutefois permis de déceler indirectement leur existence.

PLANEUR. — Aéronef dépourvu de puissance motrice, le planeur vole en faisant appel aux courants ascendants qui prennent naissance dans l'atmosphère*. Comme il ne peut décoller par ses propres moyens, il doit être remorqué en altitude par un avion* à moteur. Il se caractérise par une aile* de très grand allongement, qui présente un comportement aérodynamique excellent aux basses vitesses. Comme, de plus, il doit être très léger, sa construction utilise beaucoup le bois et les matières plastiques*. Le record de distance parcourue en planeur dépasse 1 000 km, et la vitesse moyenne pour des vols en circuit fermé peut atteindre 100 km/h. La pratique du planeur constitue un sport baptisé *vol* à voile.*

PLANIFICATION. — La planification répond, dans les économies contemporaines, à la volonté des pouvoirs publics d'organiser et d'encadrer le développement économique de la nation et d'en prévoir l'évolution dans un laps de temps de quelques années.

On distingue deux types de planification, la *planification indicative* et la *planification impérative;* les comportements des agents économiques sont dictés d'une manière rigide par cette dernière, tandis que la planification indicative ne fait, au contraire, que prévoir des « scenarii » de développement et laisse libres, pour l'essentiel, les agents économiques dans les décisions qu'ils prendront. C'est, pratiquement, la planification de type occidental. À titre d'exemple, les États-Unis s'orientent vers une planification globale de leur économie : un projet de loi, déposé en 1975, et portant le titre de « loi 1975 pour l'équilibre de la croissance et la planification économique » vise, pour la première fois dans l'histoire économique des États-Unis, à mettre en place un système global de planification économique, qui rencontre d'ailleurs une résistance dans de nombreux milieux américains.

La planification peut se réaliser à long, à moyen ou à court terme. Les plans à long terme s'étendent sur une durée de l'ordre de vingt à vingt-cinq années; ils impliquent des hypothèses sur le futur (par exemple sur le progrès technique). Les plans pour le moyen terme se situent à un horizon de quatre à sept ans (la planification française, depuis 1945, s'étage par plans d'une durée de l'ordre de cinq ans).

Il existe dans les pays occidentaux, à défaut de techniques de contrainte, des incitations à la réalisation des objectifs des plans, dont la plus efficace est fournie par le budget* de l'État. Aussi, une synchronisation est-elle opérée entre les budgets et les plans à moyen terme de ces pays.

LA PLANIFICATION EN FRANCE.

- *Ier Plan (1947-1953) :* reconstruction; développement des industries lourdes (charbon, gaz, électricité, acier).
- *IIe Plan (1954-1957) :* recherche scientifique; modernisation de l'appareil productif; industrie chimique et agriculture; équilibre des échanges commerciaux.
- *IIIe Plan (1958-1961) :* développement de la scolarité; mise en place des équipements collectifs; équilibre des échanges extérieurs.
- *IVe Plan (1962-1965) :* mise en valeur des régions; modernisation de la S. N. C. F. et du réseau autoroutier; problèmes de l'arrivée des jeunes sur le marché de l'emploi.

PLANÈTES. De gauche à droite : Mercure, Vénus, Terre, Mars, Jupiter, Saturne, Uranus, Neptune, Pluton.

données relatives aux planètes principales du système solaire

nom	*demi-grand axe de l'orbite (UA)*	*distance moyenne au Soleil (10^6 km)*	*excentricité de l'orbite*	*inclinaison de l'orbite sur l'écliptique*	*inclinaison de l'équateur sur l'orbite*	*diamètre équatorial (Terre = 1)*	*diamètre apparent maximal*	*volume (Terre = 1)*	*masse (Terre = 1)*	*densité (eau = 1)*	*pesanteur équatoriale (Terre = 1)*	*révolution sidérale*	*rotation sidérale*	*symbole*	*nombre de satellites*
Mercure	0,387 1	57,93	0,206	7,00	$< 7^{0}$	0,382	12″,9	0,052	0,054	5,4	0,37	87 j, 969	58 j, 67	☿	—
Vénus	0,723 3	108,22	0,007	3,39	178^{0}	0,949	66″,7	0,855	0,815	5,2	0,91	224 j, 701	243 j, 08	♀	—
Terre	1,000 0	149,60	0,017	0	$23{,}45^{0}$	1		1	1	5,52	1	365 j, 256	23 h 56 mn 4 s	♁	1
Mars	1,523 7	227,85	0,093	1,85	$25{,}0^{0}$	0,532	25″,0	0,150	0,107	3,9	0,38	1 an 321 j, 73	24 h 37 mn 23 s	♂	2
Jupiter	5,203	778,8	0,048	1,31	$3{,}1^{0}$	11,192	49″,8	1 305	317,9	1,31	2,54	11 ans 315 j	9 h 50 mn	♃	13
Saturne	9,547	1 428,5	0,056	2,49	$26{,}7^{0}$	9,47	20″,6	755	95,23	0,69	1,08	29 ans 167 j	10 h 14 mn	♄	10
Uranus	19,20	2 870,4	0,047	0,77	$97{,}9^{0}$	4,06	4″,0	64	14,58	1,21	0,88	84 ans 7 j	10 h 9 mn	♅	5
Neptune	30,11	4 500,5	0,009	1,77	$28{,}8^{0}$	3,88	2″,7	58	17,26	1,67	1,15	164 ans 280	15 h 48 mn	♆	2
Pluton	39,49	5 910	0,249	17,22	?	0,45	0″,2	0,094	0,1	5,2	0,43	247 ans 249	6 j 39	♇	—

• *Ve Plan (1965-1970) :* meilleure répartition des revenus; résolution des difficultés propres à l'entrée de la France dans le Marché commun; intensification des échanges avec l'extérieur.

• *VIe Plan (1970-1975) :* choix d'une forte croissance : l'« impératif industriel »; recherche du plein-emploi; amélioration du cadre de vie.

• *VIIe Plan (1976-1980) :* réduction des inégalités sociales; aménagement du territoire; croissance compatible avec une amélioration qualitative de l'existence des Français; affirmation de la nation dans la communauté internationale.

PLANIMÉTRIE. — En topographie* et en cartographie*, la planimétrie est constituée par l'ensemble des détails localisables en coordonnées, *x, y;* elle s'oppose donc au nivellement* qui intéresse seulement la dimension *z.* La planimétrie de tout levé topographique est codifiée par un tableau de *signes conventionnels,* système de différents graphismes ainsi que symboles en noir et blanc ou en couleurs, à chacun desquels est associée une nature de détail déterminée. Le passage de la planimétrie très détaillée de la carte* de base à celle des cartes dérivées s'effectue par des opérations de généralisation, où on opère une sélection des détails et une schématisation de leurs formes. (V. schéma p. 1476.)

PLAN INCLINÉ → MINE.

PLANIOL (Marcel), juriste français (Nantes 1853-Paris 1931). On lui doit, notamment, un *Traité élémentaire de droit civil* (1899-1901), élaboré en collaboration avec Ripert.

PLANISPHÈRE → CARTOGRAPHIE.

PLANNING FAMILIAL. — Le contrôle des naissances comporte, d'une part, la contraception* et, d'autre part, le traitement des stérilités*. Le rôle de l'État est très variable suivant les pays et se fonde essentiellement sur l'évolution démographique.

PLANORBE. — Seule de tous les gastropodes, la planorbe de nos mares présente un enroulement spiral presque aussi plan que celui d'une ammonite, l'ombilic étant à peine plus creux du côté ventral. Au demeurant, l'animal a la structure et le mode de vie de la limnée*, dont elle est proche parente. Les petites coquilles de planorbe sont très recherchées par les larves de phrygane* pour consolider leur fourreau.

PLANS DE PROVENCE (les), plateaux calcaires de Provence, au S. du cours moyen du Verdon.

PLANTAGENÊT, surnom du comte d'Anjou Geoffroi V, couramment employé pour désigner la lignée royale issue de ce personnage et de son épouse, Mathilde d'Angleterre, petite-fille de Guillaume le Conquérant. La dynastie des Plantagenêts commença avec le fils de Geoffroi, Henri II, roi d'Angleterre en 1154, et s'éteignit en 1485, année de la mort de Richard III et de l'avènement du premier Tudor, Henri VII. Son histoire se divise en deux grandes périodes : celle de la branche aînée (1154-1399), représentée par huit souverains; celle des branches collatérales — maisons de Lancastre et d'York —, qui fournirent les six derniers rois de la dynastie. Sous son fondateur, Henri II, la nouvelle dynastie atteignit d'un coup toute sa puissance en réunissant les successions angevine (Anjou, Maine, Vendômois, Touraine), poitevine (Poitou, Angoumois, Aunis, Saintonge, Berry, Limousin, Périgord, Gascogne) et anglo-normande (Angleterre, Normandie). Cependant, le règne du fils d'Henri, Richard Ier (de 1189 à 1199), marqué par la rivalité entre France et Angleterre, fit apparaître l'extrême fragilité de l'édifice; celui-ci s'effondra sous Jean sans Terre (de 1199 à 1216), dont le règne inaugura une période de repli insulaire et se caractérisa par une profonde évolution des institutions anglaises (Grande Charte de 1215). Restaurée par Édouard Ier (de 1272 à 1307), fils du pâle Henri III, un instant compromise par le velléitaire Édouard II (de 1307 à 1327), la puissance de la dynastie parut à son apogée dans la première moitié du règne d'Édouard III (de 1327 à 1377), souverain ambitieux, dont l'objectif fut de restaurer l'Empire angevin, voire de conquérir la couronne de France. Ses succès sans lendemain plongèrent

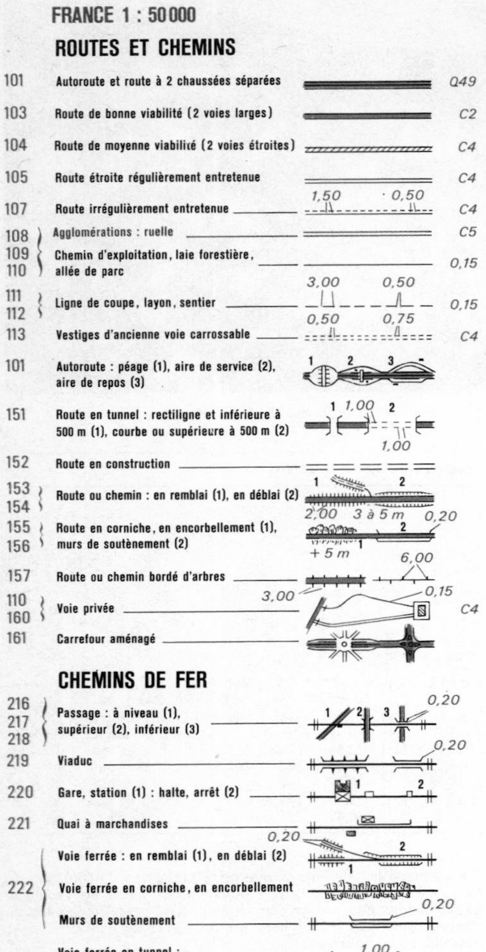
FRANCE 1 : 50 000
ROUTES ET CHEMINS
101 Autoroute et route à 2 chaussées séparées Q49
103 Route de bonne viabilité (2 voies larges) C2
104 Route de moyenne viabilité (2 voies étroites) C4
105 Route étroite régulièrement entretenue C4
107 Route irrégulièrement entretenue 1,50 0,50 C4
108 Agglomérations : ruelle C5
109 110 Chemin d'exploitation, laie forestière, allée de parc 0,15
111 112 Ligne de coupe, layon, sentier 3,00 0,50 0,50 0,75 0,15
113 Vestiges d'ancienne voie carrossable C4
101 Autoroute : péage (1), aire de service (2), aire de repos (3)
151 Route en tunnel : rectiligne et inférieure à 500 m (1), courbe ou supérieure à 500 m (2) 1,00 1,00
152 Route en construction
153 154 Route ou chemin : en remblai (1), en déblai (2)
155 156 Route en corniche, en encorbellement (1), murs de soutènement (2) 2,00 3 à 5 m 0,20 + 5 m
157 Route ou chemin bordé d'arbres 6,00
110 160 Voie privée 3,00 0,15 C4
161 Carrefour aménagé
CHEMINS DE FER
216 217 218 Passage : à niveau (1), supérieur (2), inférieur (3) 0,20
219 Viaduc 0,20
220 Gare, station (1) : halte, arrêt (2)
221 Quai à marchandises 0,20
222 Voie ferrée : en remblai (1), en déblai (2)
Voie ferrée en corniche, en encorbellement
Murs de soutènement 0,20
223 Voie ferrée en tunnel : rectiligne et inférieure à 500 m (1), courbe ou supérieure à 500 m (2) 1,00 1,00
LIGNES ÉLECTRIQUES
251 Ligne aérienne de transport d'énergie électrique

PLANIMÉTRIE. Extrait de signes conventionnels d'une carte de France au 1/50 000.

l'Angleterre dans la guerre de Cent Ans, et les échecs de la seconde moitié du règne renforcèrent l'autorité du Parlement, auquel se heurta le fils d'Édouard III, Richard II (de 1377 à 1399), lorsqu'il tenta de restaurer l'absolutisme royal. La déposition de Richard et son remplacement par son cousin, Henri de Lancastre (Henri IV, de 1399 à 1413), marqua l'accession au trône de la première branche collatérale, qui triompha en France avec Henri V (de 1413 à 1422), avant de sombrer, avec Henri VI (de 1422 à 1461), dans la guerre civile consécutive à l'incurie du roi, faible d'esprit, aux échecs sur le continent et à l'ambition d'une autre branche de la famille, la maison d'York (v. DEUX-ROSES [*guerre des*]). Henri VI fut déposé par Édouard d'York (Édouard IV), dont le règne s'avéra bénéfique pour l'Angleterre. Mais la maison d'York se déchira elle-même : le jeune Édouard V, fils d'Édouard IV, fut victime des ambitions de son oncle, Richard de Gloucester, dont l'accession au trône (Richard III) raviva l'opposition, dirigée par Henri Tudor, descendant des Lancastre par sa mère. La bataille de Bosworth, où fut vaincu le dernier des Plantagenêts (1485), inaugura le règne du premier Tudor.

PLANTAIN. — Une couronne de larges feuilles basales aux nervures parallèles, une hampe florale terminée par un épi serré de fleurs minuscules, aux étamines fortement dépassantes, tel est l'aspect de la majorité des vingt espèces de plantain de la flore de France. L'herbe aux puces, ou *pulicaire,* est un plantain. (Type de la famille des plantaginacées.)

PLANTAUREL (le), avant-monts pyrénéens (départ. de l'Ariège); 764 m.

PLANTE. — Tout comme un animal, une plante est un individu végétal nettement séparé de ses congénères. Mais la délimitation de l'individu est moins aisée que chez les animaux. Les diverses modalités de la multiplication végétative (bouturage naturel, stolons, rhizomes, drageons, etc.) font apparaître plusieurs pieds, parfois totalement indépendants les uns des autres, à partir d'une seule graine, donc d'un seul zygote (œuf fécondé), ou à partir d'une seule spore (tiges d'un tapis de mousse, champignons). On serait tenté de dire que chaque pied est une plante. Mais des relations peuvent se maintenir entre les parties souterraines de ces pieds. Une touffe, un coussin, un tapis continu ont une évidente unité. La graine d'une plante supérieure terrestre fournit toutefois, en général, un *appareil végétatif* autonome, formé d'une partie souterraine non verte, l'*appareil radiculaire,* et d'une partie aérienne chlorophyllienne, l'*appareil foliaire* (tige principale, rameaux, feuilles). C'est sur l'appareil foliaire que se développe l'*appareil reproducteur* (fleurs, fruits, graines). L'étude des plantes est la botanique*.

PLANTÉ (Gaston), physicien français (Orthez 1834-Bellevue 1889). En 1859, il inventa l'accumulateur électrique.

PLANTE MÉDICINALE. — Les plantes médicinales ont conservé une grande importance thérapeutique malgré l'essor de la chimiothérapie. Plus de cent espèces sont encore employées. Certaines, très actives, ne doivent être préparées et vendues que par les pharmaciens (digitale, belladone, pavot à opium, etc.), d'autres sont d'usage courant (boldo, camomille, guimauve, rhubarbe, tilleul, etc.), mais on ne doit employer les plantes que si on est certain de leur identification, en raison des nombreuses espèces toxiques.

PLANTES (maladies des). — Les plantes cultivées sont soumises aux attaques (favorisées par la concentration des cultures) de multiples ennemis, appartenant tant au règne animal qu'au règne végétal.

Parmi les premiers, allant des nématodes* (anguillules du blé, de la betterave) aux vertébrés (corbeaux, campagnols, rats et mulots), il faut citer également les mollusques* (escargots et limaces), les acariens* (érinose de la vigne, araignées rouges, tétranyques), les myriapodes, ou mille-pattes* (scutigérelles et blaniules), et surtout les insectes* (sauterelles, pucerons, parmi lesquels le phylloxéra, cochenilles, taupins, doryphores, charançons, hannetons, chenilles de tous les lépidoptères, nombreuses mouches).

Quant aux organismes végétaux attaquant les plantes cultivées, ils sont extrêmement variés : ce sont des virus (enroulement de la pomme de terre, jaunisse de la betterave, mosaïques, court-noué de la vigne), des mycoplasmes (stolbur des aubergines, des poivrons et des tomates), des bactéries (chancre bactérien des arbres à noyau, gale commune de la pomme de terre), mais surtout des champignons (hernie du chou, gale poudreuse et galles verruqueuses de la pomme de terre, phytophtora, encre du châtaignier, mildiou, rouilles, charbons nus et couverts, caries, pourridié, cloques, moniliose, pourriture grise, black-rot, piétins, ergot, oïdium, anthracnose, rhizoctones).

Depuis l'introduction, en 1847, de l'oïdium, d'origine américaine, celle du phylloxéra, en 1865, et celle du mildiou, il y a cent ans, l'arsenal des moyens de lutte contre les maladies des plantes, primitivement limité au soufre, au sulfure de carbone, à la bouillie bordelaise et à quelques autres produits, s'est considérablement enrichi avec les progrès de la chimie, et les pesticides* se comptent aujourd'hui par milliers.

PLANTULE. — La plantule est l'embryon d'une plante supérieure à l'état d'arrêt du développement, qui caractérise cet embryon lorsque la graine* est mûre et que la germination* n'est pas encore commencée.

La partie la plus différenciée de la plantule est souvent la *radicule,* ou future racine, qui sera le premier organe à sortir de la graine germante. Elle est surmontée en continuité par une courte *tigelle,* où sont insérés face à face deux *cotylédons* (plantes dicotylédones : la majorité des espèces), ou plus de deux cotylédons (gymnospermes), ou enfin un seul cotylédon (plantes monocotylédones : graminacées, liliacées, palmiers, etc.). Au-dessus du (ou des) cotylédon(s) est sise la *gemmule,* d'où proviendra presque toute la partie aérienne de la plante, et qui peut déjà présenter une paire de feuilles différenciées (haricot). Chez le haricot, comme chez toutes les espèces dites « sans albumen », les cotylédons ne jouent pas le rôle de feuilles, mais celui d'organes de réserve, contenant les aliments que la partie active de la plantule consommera lors de sa germination. Chez les espèces ayant un albumen, le (ou les) cotylédon(s) joue(nt) le rôle d'organe

PLANTE. 1. Pissenlit : feuilles en rosette et hampe florale; 2. Un arbre : le chêne; 3. Un buisson; 4. Une plante grasse des déserts : l'échinocactus; 5. Plante flottante non enracinée : la lentille d'eau; 6. Polymorphisme des feuilles chez la sagittaire; 7. Une plante volubile : le liseron.

absorbant, par l'entremise duquel les aliments parviennent aux parties actives de la plante.

PLANUDE (Maximos), écrivain byzantin (Nicomédie v. 1260-† 1310), compilateur de l'*Anthologie grecque* et des *Fables d'Ésope.*

PLAQUES (théorie des). — La théorie des plaques, mise au point vers 1960 par un certain nombre de géophysiciens, a révolutionné les sciences de la Terre* en apportant une explication globale à de nombreux phénomènes. Selon cette théorie, l'enveloppe externe de la Terre est formée de plaques de lithosphère rigides se déplaçant sur une couche visqueuse, l'asthénosphère, située vers 100 km de profondeur. Ces plaques sont limitées par les rides médio-océaniques, les arcs insulaires, les chaînes de montagnes récentes et les failles transformantes. Elles se déplacent les unes par rapport aux autres et sont en perpétuel renouvellement. Elles se forment dans les rides médio-océaniques, où se crée la croûte océanique (théorie de l'expansion des fonds océaniques), et se déplacent latéralement, à une vitesse qui a été évaluée à environ 1 cm par an, entraînant les continents qui en sont solidaires. Lorsque deux plaques se déplaçant en sens inverse se rencontrent, la plus dense s'enfonce sous la plus légère et va se fondre dans l'asthénosphère. Dans la zone de contact se produisent des mouvements de rebroussement responsables de la formation des arcs insulaires, en milieu océanique, et des chaînes de montagnes, en milieu continental, limités par de profondes fosses. Enfin les failles transformantes correspondent aux zones de coulissage latéral entre deux plaques limitrophes.

On a pu mettre en évidence l'existence de six plaques principales (les plaques Eurasie, Amérique, Afrique, Antarctique, Pacifique, indo-australienne) et de quelques plaques mineures. La théorie des plaques permet de rendre compte de la répartition des tremblements de terre — localisés aux marges, les plaques étant quasiment asismiques —, de la formation des chaînes de montagnes, de la dérive* des continents, etc. L'écartement de l'Afrique et de l'Amérique, par exemple, serait dû au déplacement en sens inverse des plaques Afrique et Amérique, qui se forment dans la ride médio-atlantique.

LES SIX GRANDES PLAQUES LITHOSPHÉRIQUES

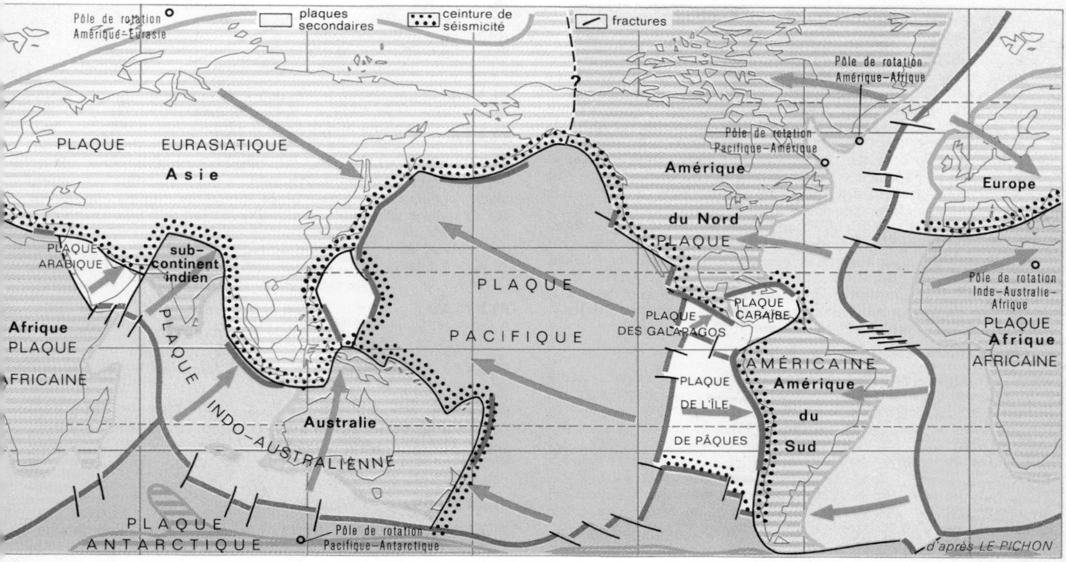

PLAQUETTE SANGUINE → SANG.

PLASMA *(Méd.).* — Le plasma sanguin diffère du sérum par la présence de fibrinogène nécessaire à la coagulation du sang. On peut séparer le plasma des globules du sang par plasmaphérèse, pour diverses applications thérapeutiques.

PLASMA *(Phys.).* — L'état de plasma est le plus répandu dans l'univers, puisque le Soleil et les étoiles en sont essentiellement constitués. On peut l'obtenir, dans les chalumeaux à plasma, par une forte élévation de température, le taux d'ionisation d'un gaz augmentant avec celle-ci. La présence de particules électrisées rend le plasma très conducteur de l'électricité. Il est possible de le confiner dans un récipient de verre ou de métal, grâce à l'action d'un champ magnétique intense; mais la grande vitesse d'agitation des particules constitutives le rend très instable, et on ne peut le conserver que quelques dix-millièmes de seconde. Grâce aux plasmas, des tentatives sont faites pour la domestication de l'énergie thermonucléaire et pour la transformation directe d'énergie thermique en énergie électrique. (V. MAGNÉTOHYDRODYNAMIQUE.)

PLASMA. Schéma du chalumeau à plasma.

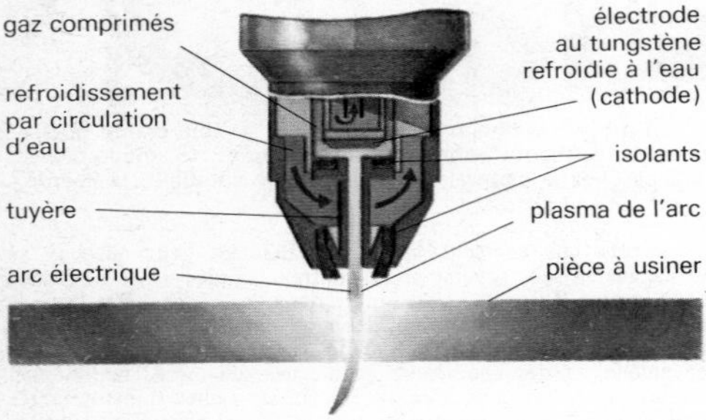

PLASMOLYSE. — La fanaison de l'ensemble des parties aériennes d'une plante herbacée est le plus souvent consécutive à la sécheresse. Son explication à l'échelle cellulaire est la plasmolyse : tant par exosmose dans le sol (v. OSMOSE) que par transpiration dans l'air, l'eau quitte les cellules vivantes, qui perdent du volume, n'occupent plus leur loge cellulosique, cessent d'assurer la rigidité de l'appareil aérien (ramure et feuilles) et meurent assez rapidement. Un accident semblable atteint les globules sanguins de l'homme et des animaux en cas de perte excessive d'eau par le sang : c'est la « mort de soif ».

PLASTE. — Les plastes, organites cellulaires propres au règne végétal, sont de quatre types principaux : les *chloroplastes,* ou grains de chlorophylle*, les *amyloplastes,* ou grains d'amidon, les *chromoplastes,* ou grains de pigment, les *leucoplastes,* ou petits grains blancs.

PLASTICITÉ. — Lorsqu'un matériau subit une contrainte supérieure à sa limite d'élasticité, il se déforme par plasticité, en conservant une déformation permanente après suppression de la contrainte. La plasticité pratique du métal* s'explique par des phénomènes de glissements, ou cisaillement, élémentaires des plans atomiques, auxquels s'ajoutent des perturbations ou des défauts de structure à l'échelle du réseau atomique (dislocations). Ainsi se développe le phénomène d'*écrouissage,* qui limite la plasticité du matériau. La plasticité des métaux est une propriété de base pour le formage* par déformation mécanique (forgeage, laminage, étirage, etc.). Dans des conditions de température appropriées, certains métaux et alliages* présentent le phénomène de *superplasticité,* avec des déformations permanentes particulièrement importantes. Sous l'effet de contraintes croissantes, on atteint la limite de la plasticité avec la rupture du matériau; cette rupture peut être *ductile* ou *fragile,* suivant la nature du métal ou de l'alliage, sa température et les conditions d'application de la contrainte.

PLASTIQUE (chirurgie) → CHIRURGIE.

PLASTIQUE (matière). — Les hauts polymères, ou macromolécules, que constituent les matières plastiques sont formés, dans le cas des homopolymères, par la répétition, un grand nombre de fois, du motif de base A, le composé obtenu —A—A—A—A—A— s'écrivant $(A)_n$, ou, dans le cas d'un copolymère, par l'enchaînement du motif A—B, le produit obtenu étant représenté par la formule $(A—B)_n$. Les propriétés du polymère dépendront tout d'abord de la valeur de *n,* donc du poids moléculaire. Cependant, l'enchaînement du motif de base peut se faire dans trois dimensions, d'où les trois structures fondamentales suivantes :

• *Structure linéaire.* Plusieurs cas sont possibles. Dans le cas d'un homopolymère, un monomère* A n'ayant que deux sites réactifs ne peut fournir qu'une molécule* linéaire —A—A—A—A—A—. Dans le cas d'un copolymère de A et B, la structure linéaire peut prendre trois aspects différents. Dans la structure linéaire alternée, les motifs A et B se succèdent alternativement : —A—B—A—B—A—B—. Dans la structure linéaire séquencée, de longues séquences de motifs A succèdent à des motifs B : —A—A—A—B—B—B—A—A—A—B—B—B—. Enfin, dans la structure linéaire statistique, l'alternance des monomères A et B ne suit aucune loi définie; elle est due au hasard : —A—A—B—A—A—A—B—B—A—B—A—A—. Le greffage est un cas particulier de la copolymérisation et s'obtient par introduction volontaire d'une ramification latérale sur un polymère linéaire, ou par dissolution d'un polymère déjà formé dans un solvant* lui-même non polymérisable.

• *Structure bidimensionnelle.* Elle existe naturellement dans le règne animal ou dans le domaine biologique, mais elle n'a pas été réalisée par synthèse.

• *Structure tridimensionnelle.* La macromolécule occupe un volume dont toutes les dimensions sont du même ordre de grandeur et le monomère doit comporter au moins trois sites réactifs pour que le développement dans les trois dimensions de l'espace puisse se faire. La préparation des macromolécules repose sur deux réactions de base : d'une part, la *polycondensation,* qui fait intervenir des réactions simples avec élimination d'un sous-produit, l'eau le plus souvent, et qui peut être linéaire ou tridimensionnelle, suivant le nombre de fonctions susceptibles de réagir; d'autre part, la *polymérisation**, qui est la formation de macromolécules par réunion de molécules simples conservées intactes, le poids moléculaire du produit étant un multiple exact de celui du produit de départ. La réaction dans ce cas comporte trois étapes : amorçage, croissance et interruption. L'amorçage peut se faire selon deux modes : par *radical* libre,* polymérisation radicalaire caractérisée par la présence d'un électron* impair avide de s'unir à un autre radical, atome* ou groupe d'atomes; par *ion**, polymérisation cationique ou anionique, selon la charge électrique de l'ion. L'opération s'effectue, dans ce dernier cas, grâce à la présence de catalyseurs ioniques capables de donner ou de recevoir une paire d'électrons. La polycondensation s'effectue en masse, tandis que la polymérisation s'opère aussi bien en masse qu'en solution, en émulsion ou en suspension.

Les matières plastiques se divisent en deux grandes catégories : les *thermoplastiques** et les *thermodurcissables**. Les thermoplastiques sont transformés en thermodurcissables par introduction d'un tiers polymère réticulable.

La production récente a connu un essor foudroyant, puisqu'elle a décuplé dans les vingt dernières années, se substituant progressivement au métal et au verre. Elle dépasse d'aujourd'hui 40 Mt, assurée presque exclusivement par les pays développés : les États-Unis en produisent le quart environ, l'Allemagne fédérale et le Japon près du sixième chacun, précédant un groupe de producteurs encore notables (France, Italie, Grande-Bretagne et aussi U. R. S. S.), dont l'apport unitaire est voisin de 2 Mt.

PLASTIRAS (Nikolaos), général et homme politique grec (Karditsa 1883-Athènes 1953). Il prit part à la guerre contre les Turcs (1920) et obtint l'abdication du roi Constantin (1922). Exilé en France après la restauration de 1935, il rentra en Grèce en 1944 et fut chef du gouvernement en 1945, 1950 et 1951-52.

PLATA (La), v. de l'Argentine, ch.-l. de la prov. de Buenos Aires, près du *Río de la Plata,* au S.-E. de Buenos Aires; 391 000 hab.

PLATA *(Río de la)* → RÍO DE LA PLATA.

PLATANE. — Le platane est adapté au milieu semi-aride et largement pollué, où il est d'usage de le planter : bords des routes, places publiques et avenues dans les agglomérations. Son écorce qui desquame en plaques sinueuses, ses larges feuilles dentées à trois lobes, ses fruits minuscules groupés en boule au bout d'un long pédoncule le distinguent de tous les autres arbres. Il atteint 30 m de hauteur et peut vivre plusieurs siècles. (Il forme à lui seul la famille des platanacées, très isolée dans la classification.)

PLATEAU (Joseph), physicien belge (Bruxelles 1801-Gand 1883). Il inventa le phénakistiscope (1832) et étudia les phénomènes capillaires des lames minces (1861).

PLATEAU CENTRAL, nom souvent donné autrefois au Massif central.

PLATÉES, ville de Béotie. La victoire qui y fut remportée par les Grecs sur les Perses en 479 av. J.-C. mit fin aux expéditions perses vers la Grèce (v. MÉDIQUES [*guerres*]). L'agression de Thèbes contre Platées en 431 av. J.-C. fut l'une des causes de la guerre du Péloponnèse*.

PLATE-FORME → ROUTE et VOIE.

PLATE-FORME CONTINENTALE ou **PLATEAU CONTINENTAL** → OCÉANIQUES *(fonds).*

PLATHELMINTHES. — Ce nom est donné à l'embranchement des « vers plats ». Ce sont des animaux assez inférieurs, généralement dépourvus d'orifice anal et parfois de cœlome; la plupart des espèces vivent en parasites. Un type cellulaire particulier, les « cellules flammes », caractérise leurs organes excréteurs (néphridies). On les divise en quatre classes : les *némertiens (Lineus)* et les *turbellariés* (planaire) sont des formes libres, les *trématodes* (douve du foie) et les *cestodes* (ténia) sont parasites.

PLATINE. — Le platine est l'élément n° 78, de masse atomique Pt = 195,23. C'est un solide blanc-gris, malléable et tenace. De densité 21,4, il ne fond qu'à 1 755 °C. Il absorbe les gaz, notamment l'hydrogène, surtout lorsqu'il est divisé. Inoxydable à toute température, il se combine à chaud au chlore, au soufre, aux métaux fusibles. Inattaquable par les acides, il se dissout dans l'eau régale. C'est un catalyseur d'oxydation, notamment la mousse de platine, masse spongieuse qui enflamme le mélange d'hydrogène et d'oxygène.

Le platine est bivalent dans les composés platineux, quadrivalent dans les composés platiniques, dont les plus importants sont les chlorures $PtCl_2$ et $PtCl_4$, qui donnent des complexes avec l'acide chlorhydrique, l'ammoniac et les cyanures.

PLATON, philosophe grec (Athènes 427 av. J.-C. - *id.* v. 347 av. J.-C.). Il aurait rencontré Socrate* à vingt ans et aurait vécu huit ans auprès de lui pour s'initier à la philosophie. Issu d'une illustre famille, il aurait fait l'expérience des relations entre philosophie, justice et politique à l'occasion de la condamnation de son maître. Il voyage beaucoup : en Grèce, en Égypte, à Cyrène, en Italie du Sud (où il se lie avec le pythagoricien Archytas, qui avait instauré à Tarente un gouvernement dont les principes reposaient sur la philosophie), à Syracuse, sur l'invitation du tyran Denys l'Ancien (qui le chasse), puis sur celle de Denys le Jeune (qui l'assigne à résidence). En 387 av. J.-C., il fonde, à Athènes, l'Académie* à l'entrée de laquelle était écrit : « Que nul n'entre ici s'il n'est géomètre. »

L'œuvre de Platon compte vingt-huit dialogues authentifiés. Avant de voyager, il compose des dialogues, dans lesquels il met en scène Socrate, et s'efforce de définir des notions comme le mensonge *(Hippias mineur),* le devoir *(Criton),* la nature de l'homme *(Alcibiade),* la sagesse *(Charmide),* le courage *(Lachès),* l'amitié *(Lysis),* la piété *(Euthyphron),* la rhétorique *(Gorgias, Protagoras).* Entre 387 et 361 av. J.-C., il écrit *Ménexène, Ménon* (De la vertu), *Euthydème* (De l'éristique), *Cratyle* (De la justesse des noms), *le Banquet* (De l'amour), *Phédon**, *la République** (De la justice), *Phèdre**, *Théétète* (De la science) et *Parménide**. Les dialogues de la maturité sont *le Sophiste* (De l'être), *le Politique, Timée* (De la nature), *Critias* (l'Atlantide), *Philèbe* (Du plaisir) et *les Lois.*

Le dialogue dans lequel on ne fait jamais profession que d'ignorance constitue le moment inaugural de la philosophie en tant qu'elle est amour *(philia),* donc désir, c'est-à-dire manque, du savoir *(sophia).* D'un savoir vrai, par opposition à celui des sophistes, dans la mesure où le monde intelligible est distingué du monde sensible. Le mythe de la caverne *(la République)* décrit l'itinéraire qui conduit du monde sensible des apparences au monde intelligible de la vérité. Selon Platon, la vraie vie correspond à ce que l'opinion commune croit être la mort, autrement dit l'état dans lequel renaît l'âme chaque fois qu'elle se sépare de la « prison » du corps. De même que l'amour charnel doit se transformer en amour de la beauté idéale, les mathématiques partent des figures sensibles pour aboutir à l'intuition de « figures absolues, objets dont la vision ne doit être possible pour personne autrement que par le moyen de la pensée ». Amour et mathématiques sont donc les deux voies qui conduisent à la vérité. Mais elles doivent être relayées par la dialectique pour atteindre le principe suprême : le Bien anhypothétique, que simule le soleil dans le mythe de la caverne. La dialectique est à la fois le chemin qui mène aux idées et la science de l'articulation des idées, de leur participation réciproque. La théorie des idées permet à Platon de rendre compte de l'erreur, de l'illusion et du mensonge dont les sophistes* sont, d'après lui, les victimes. Une fois en possession de la vérité, le philosophe doit retourner dans la caverne, « sur la place du marché ».

C'est là, en effet, que s'enracine l'un des aspects essentiels de la philosophie de Platon : la politique*. Quel est le meilleur régime possible *(la République)?* Le meilleur régime réalisable *(les Lois)?* Qu'est-ce que la compétence en matière politique? En quoi consiste une politique juste? Autant de questions dont les réponses sont commandées par l'idéalisme* platonicien. Si le bien est une idée, alors la justice dépend du savoir. Or celui qui connaît le bien est le philosophe, le philosophe doit donc être roi. Parce que la cité sur laquelle règne le philosophe est juste, l'homme est heureux car il vit conformément à sa nature. Même s'il est esclave, d'après Platon.

PLATONISME. — L'Académie* transforme la philosophie de Platon, et c'est une doctrine qui n'a plus grand-chose de celle de son fondateur qui pénètre à Rome sous l'influence de Philon* le Juif, au Ier s. Ce platonisme romain est un éclectisme où se retrouvent des thèses épicurienne, stoïcienne et aristotélicienne. Apollonios de Tyane (Ier s.), Apulée (IIe s.) et certains gnostiques accentuent la convergence du platonisme et du pythagorisme*. Plotin* ouvre la voie au néoplatonisme, en faisant du principe de l'Un-Bien la pierre de touche de tout platonisme véritable. De ce point de vue, le *Parménide** devient le dialogue principal. Proclus*, Porphyre*, Damaskios (début du VIe s.), Scot* Érigène et Jamblique* commentent l'œuvre de Platon et tentent, à partir d'elle, de résoudre les nouvelles questions issues du développement de la spéculation. Gémiste* Pléthon et Marsile Ficin* sont à l'origine d'un renouveau du platonisme, que Galilée renforce en le rattachant à la naissance de la physique mathématique. Aujourd'hui, le terme de platonisme sert à désigner la doctrine selon laquelle à chaque objet mathématique correspond un ensemble d'entités « absolument » existantes.

PLATONOV (Andreï Platonovitch KLIMENTOV, dit), écrivain soviétique (Voronej 1899 - Moscou 1951). Son œuvre, qui oscille entre le grotesque et le pathétique, compose, à travers la peinture réaliste de la révolution et de ses conséquences chez les petites gens, une méditation sur le sens de la vie, en marge du réalisme socialiste (*les Écluses d'Épiphane,* 1927; *En réserve,* 1931; *la Famille d'Ivanov,* 1946).

PLÂTRE. — Ce matériau de construction résulte de la cuisson, à température modérée (150 °C environ), suivie de mouture, de gypse*, ou sulfate de calcium* bihydraté. Le plâtre renferme environ 7 p. 100 d'eau (semihydrate). En fait, c'est une matière très complexe, car il existe deux variétés de semihydrate, donnant lieu, à plus haute température, à deux variétés de sulfate anhydre (anhydrite), suivant les conditions d'hygrométrie* et de température de cuisson. Le plâtre préparé sans précaution particulière est un mélange de différentes variétés, donc assez irrégulier, mais les techniques modernes de cuisson permettent d'obtenir l'une ou l'autre variété. Gâché avec de l'eau, le plâtre fait prise et durcit en se réhydratant pour donner le sulfate bihydraté, comme le gypse initial. C'est le plâtre de construction proprement dit, qui est, de beaucoup, le plus employé : pour le dressage des murs* et des plafonds* ainsi que pour les enduits*. On distingue aussi les plâtres spéciaux : plâtre à mouler, plâtre chirurgical, plâtre dentaire, plâtre pour amendements, etc.

PLATYRHINIENS. — Les singes du continent américain ont reçu le nom de « nez-plats » à cause de leurs narines séparées par une épaisse cloison. Leur denture comporte toujours trois prémolaires par demi-mâchoire. Très arboricoles, ils ont souvent une queue préhensile. Bien qu'ils vivent surtout sous les climats chauds, leur fourrure est épaisse. On les classe en deux familles : les *hapalidés* (trente-deux dents, queue non préhensile, doigts munis de griffes [ouistiti]) et les *cébidés* (trente-six dents, queue préhensile, doigts terminés par des ongles plats [hurleur, capucin, atèle]).

PLAUEN, v. du sud de l'Allemagne orientale; 81 000 hab. Industries textiles et mécaniques.

PLAUTE en lat. **Maccius** (ou **Maccus**) **Plautus**, poète comique latin (Sarsina, Ombrie, 254 - Rome 184 av. J.-C.). Sa vie est mal connue. La tradition veut qu'il ait été entrepreneur de spectacles et qu'ayant fait de mauvaises affaires il se soit vendu comme esclave. Il se mit cependant à composer des pièces qui plurent aux organisateurs des jeux publics et qui furent jouées de 210 av. J.-C. jusqu'à sa mort. Des quelque cent trente comédies qu'on lui attribuait, Varron n'en reconnaissait que vingt et une comme authentiques. Ces pièces nous sont parvenues intégralement, sauf la dernière, la *Vidularia (la Valise).* Les sujets sont d'inspiration hellénistique : il s'agit le plus souvent d'un amour contrarié, dans lequel interviennent le jeune homme prodigue, l'entremetteur, le père inflexible, la belle esclave qui se découvre de naissance libre et le valet rusé dont les machinations sont bouleversées par la naïveté de son maître. L'action progresse par bonds, et les événements comptent moins que les personnages, qui annoncent déjà les types de la commedia* dell'arte *(Amphitryon**, *Aulularia**, *les Ménechmes**, *Mostellaria, Miles gloriosus, Curculio, Mercator, Rudens, Trinummus).*

PLEAUX (15700), ch.-l. de cant. du Cantal, à 20 km au S.-O. de Mauriac; 2 666 hab. Église des XVe-XVIe s.

PLÈBE. — L'origine de la plèbe reste discutée. L'hypothèse la plus vraisemblable fait d'elle un ensemble disparate, composé d'étrangers installés à Rome, d'anciens esclaves affranchis et de déclassés, dont le trait commun fut sans doute l'absence d'encadrement familial (*gens**) et, par conséquent, de culte ancestral. Tenue à l'écart du culte de la cité, la plèbe, sur laquelle s'étaient appuyés les rois étrusques (VIe s. av. J.-C.), tomba, après l'instauration de la République, sous la domination des patriciens. Contre ces derniers, les plébéiens s'organisèrent en assemblées *(concilia plebis),* élirent leurs magistrats (tribuns, édiles) et tentèrent, par des méthodes révolutionnaires (sécessions, refus du service militaire), d'améliorer leur condition. Effrayé par l'apparition de ce véritable État dans l'État romain, le patriciat* céda progressivement : il reconnut la validité des mariages entre patriciens et plébéiens (ve s.), accorda à ceux-ci l'accès aux magistratures (ive s.), puis aux sacerdoces (iiie s.). Bientôt, les patriciens n'eurent plus guère que des privilèges honorifiques, tandis que la plèbe bénéficia de la puissance considérable du tribunat. Au cours du iiie s., les différends s'apaisèrent entre patriciens et chefs de la plèbe, qui se fondirent bientôt en une aristocratie de la fortune *(nobilitas).*

PLÉBISCITE. — En droit constitutionnel, le plébiscite est la procédure par laquelle le peuple peut confirmer ou révoquer le mandat donné à un gouvernant. Il est le corollaire du principe (écrit dans la Constitution de janvier 1852) d'un chef de l'État responsable et non pas (comme dans les monarchies parlementaires) d'un chef de l'État irresponsable.

En France, le plébiscite fut une des pièces essentielles du bonapartisme et fut utilisé en 1799, 1802, 1804 (par le Consulat et le premier Empire), en 1851, 1852 et 1870 (par le second Empire). La question posée à la population, appelée à répondre par son vote, est présentée dans le plébiscite d'une manière telle que, pratiquement, elle implique une réponse forcée.

Pléiade *(la).* La littérature connaît deux groupes de poètes qui ont pris cette constellation pour patronage. Le premier, au iiie s. av. J.-C., rassemblait, dans l'Alexandrie des Ptolémées, Lycophron de Chalcis, Alexandre l'Étolien, Philiscos de Corcyre, Sosiphanes de Syracuse, Homère de Byzance, Sosithée d'Alexandrie et Dionysiades de Tarse. Le second groupe réunit en France, sous Henri II, et autour des figures majeures de Ronsard* et de Du Bellay*, Rémy Belleau, Jodelle, Baïf, Pontus de Tyard et J. Peletier du Mans, remplacé à sa mort par Dorat. Prenant pour modèle le lyrisme antique, et ouverte à toutes les recherches de l'humanisme comme à l'inspiration philosophique et scientifique de l'école lyonnaise (Scève), la Pléiade française a joué, malgré les critiques de Malherbe et de Boileau, un rôle capital dans la constitution d'une littérature nationale.

PLÉIADES, nom donné, dans la mythologie grecque, aux sept sœurs divinisées, filles du géant Atlas, qui devinrent les sept étoiles de la constellation dite « des Pléiades ».

PLÉIADES *(les),* groupe d'étoiles, dans la constellation du Taureau*, qui contient des nébulosités* galactiques très caractéristiques.

PLEINE-FOUGÈRES (35610), ch.-l. de cant. d'Ille-et-Vilaine, à 15 km au S.-S.-O. du Mont-Saint-Michel; 1927 hab.

PLÉISTOCÈNE → QUATERNAIRE *(ère).*

PLEKHANOV (Gueorgui Valentinovitch), socialiste russe (Goudalovka, gouv. de Tambov, 1856-Pitkäjärvi, Finlande, 1918). Fils d'un gentilhomme campagnard, il adhère au populisme* puis le critique. Devenu marxiste, il crée à Genève, avec P. B. Akselrod et V. I. Zassoulitch, le groupe « Libération du travail » (1883), puis écrit un *Essai sur le développement de la conception moniste de l'histoire* (1895). Il se rapproche alors de Lénine et fonde, avec lui et Martov, l'*Iskra* (1900). À partir de 1903, il appartient aux mencheviks et prône une politique de collaboration avec la bourgeoisie. Il condamne la prise du pouvoir par les bolcheviks et la dissolution de l'Assemblée constituante russe (janv. 1918).

PLÉLAN-LE-GRAND (35380), ch.-l. de cant. d'Ille-et-Vilaine, à 34 km à l'O.-S.-O. de Rennes; 2284 hab.

PLÉLAN-LE-PETIT (22270 Jugon), ch.-l. de cant. des Côtes-du-Nord, à 15 km à l'O. de Dinan; 1268 hab.

PLÉNEUF-VAL-ANDRÉ (22370), ch.-l. de cant. des Côtes-du-Nord, à 16,5 km au N. de Lamballe; 3963 hab. Station balnéaire. Château de Bienassis (xvie-xviie s.).

PLÉRIN (22190), comm. des Côtes-du-Nord, à 4,5 km au N. de Saint-Brieuc; 9893 hab. *(Plérinais).*

PLÉSIOSAURE. — Le vaste groupe des reptiles plésiosaures, qui a vécu dans les eaux marines au cours de toute l'ère secondaire, comprend des formes à quatre membres égaux, disposés en nageoires à large palette, un tronc muni de côtes sur toute sa longueur et légèrement convexe dorsalement, une queue relativement courte, un cou au contraire de plus en plus long au cours de l'évolution du groupe. C'étaient de rapides nageurs et leur cou, hautement flexible, leur permettait de capturer de grandes proies. On en connaît de très nombreux squelettes.

PLESSIS-BELLEVILLE (Le) [60330], comm. de l'Oise, à 18 km au N.-O. de Meaux; 1478 hab. Constructions mécaniques.

PLESSIS-BOUCHARD (Le) [95130 Franconville], comm. du Val-d'Oise, à 2 km au S.-E. de Taverny; 5591 hab.

PLESSIS-ROBINSON (Le) [92350], ch.-l. de cant. des Hauts-de-Seine, à 5 km au S.-O. de Paris; 22333 hab.

PLESSIS-TRÉVISE (Le) [94420], comm. du Val-de-Marne, à 4 km à l'E. de Champigny-sur-Marne; 12991 hab.

PLESTIN-LES-GRÈVES (22310), ch.-l. de cant. des Côtes-du-Nord, sur la Manche, à 18 km au S.-O. de Lannion; 3241 hab. Église du xvie s.

PLEUMARTIN (86450), ch.-l. de cant. de la Vienne, à 22 km au S.-E. de Châtellerault; 1173 hab. Vestiges féodaux.

PLEUMEUR-BODOU (22670), comm. des Côtes-du-Nord, à 7 km au N.-O. de Lannion; 2941 hab. Centre de télécommunications spatiales.

PLEURÉSIE → PLÈVRE.

PLEURONECTES. — Les poissons de cet ordre : turbot, carrelet, limande, sole, etc., présentent un cas typique de « substitution de symétrie ». Le jeune est aplati verticalement, selon une symétrie bilatérale normale, mais bientôt a lieu la *verse :* l'animal se pose au fond de l'eau, couché sur un côté, qui est aveugle et décoloré, tandis que le côté supérieur porte les deux yeux et une pigmentation normale, remarquablement apte à se modifier selon la couleur du fond, afin d'imiter celle-ci. Le turbot et la barbue montrent leur côté gauche, le flétan, le carrelet (ou plie), la limande, le flet et la sole montrent leur côté droit. Ces poissons restent horizontaux quand ils nagent, les yeux tournés vers le haut.

PLEUROTE. — On nomme « pleurotes » des champignons souvent comestibles au pied nettement excentré. Le pleurote de l'olivier qui, lui, est toxique, a des lamelles lumineuses dans l'obscurité.

PLEURTUIT (35730), comm. d'Ille-et-Vilaine, à 7 km au S. de Dinard; 3768 hab. Aérodrome.

PLEVEN, v. du nord de la Bulgarie; 79000 hab. La ville fut conquise par les Russes sur les Turcs en 1877 (v. BALKANS [*campagne des*]).

PLÈVRE. — L'enveloppe séreuse du poumon comporte un feuillet viscéral, appliqué sur l'organe, et un feuillet pariétal, qui tapisse l'intérieur du thorax. Les deux feuillets glissent facilement l'un sur l'autre grâce à une pellicule de liquide séreux; ils se rejoignent au niveau du hile. L'inflammation de la plèvre, ou *pleurésie,* peut être provoquée par des germes banals ou par le bacille tuberculeux. Elle se caractérise par une douleur thoracique, de la fièvre et un épanchement de liquide entre les feuillets de la plèvre, qu'il faut ponctionner. Le liquide prélevé peut être séro-fibrineux ou purulent, et le traitement dépend du germe en cause. L'irruption d'air dans la plèvre, traumatique, thérapeutique ou spontané constitue le pneumothorax.

PLEYBEN (29190), ch.-l. de cant. du Finistère, à 10 km à l'E. de Châteaulin; 3911 hab. Enclos paroissial avec belle église du xvie s. (clocher-porche Renaissance, charpente) et remarquable calvaire en forme d'arc de triomphe.

PLEYEL (Ignaz), compositeur autrichien (Ruppersthal 1757-Paris 1831). Élève de J. Haydn, il fut maître de chapelle à Strasbourg. Après de nombreux voyages, à Londres surtout, il s'installa à Paris, où il fonda une maison d'éditions musicales et une fabrique de pianos (1807). Il associa son fils Camille à son entreprise, en 1821. S'inspirant des méthodes de la facture anglaise, ils construisirent des instruments dotés de cette mécanique souple et docile qui convenait particulièrement au jeu de Chopin.

PLIAGE. — Le pliage permet la mise en forme de tôles minces, soit en acier, soit en alliages légers, dont l'épaisseur peut atteindre, et même dépasser, 10 mm. L'opération s'effectue le plus souvent à l'aide de machines à plier et de presses d'emboutissage. Préalablement découpée sous forme de flan ou d'ébauche, la pièce, généralement plane, subit une déformation permanente, à faible rayon de courbure, localisée dans une zone rectiligne, pour lui donner la forme d'un angle dièdre dont les deux plans se raccordent suivant une zone cylindrique plus ou moins étendue. Le rayon de courbure de cette zone cylindrique, appelé *rayon de pliage,* et la valeur de l'angle dièdre caractérisent l'opération de pliage. Si le rayon de pliage est trop faible, ou la matière trop cassante, l'opération peut entraîner la rupture de la pièce. Dans le cas contraire, le pliage peut être répété plusieurs fois sur la même ébauche pour aboutir à des pièces de forme et de section les plus diverses. Lorsque la zone cylindrique est étendue et présente un grand rayon de courbure, l'opération est appelée *cintrage* ou *cambrage.* Celle-ci peut également être effectuée sur des ronds, des tubes, voire des profilés.

PLIE → PLEURONECTES.

PLI ET PLISSEMENT. — Un anticlinal est un pli dont la convexité est tournée vers le haut, les roches les plus anciennes se situant au cœur; un synclinal est un pli dont la convexité est tournée vers le bas, les roches les plus récentes se situant au cœur (dans le cas contraire, on parle d'« antiforme » et de « synforme »). La charnière du pli joint les points de courbure maximale d'une couche, le plan axial étant le plan contenant les charnières des différentes couches. Suivant l'inclinaison du plan axial, un pli peut être *droit* (plan axial vertical), *déjeté* (plan axial formant avec la

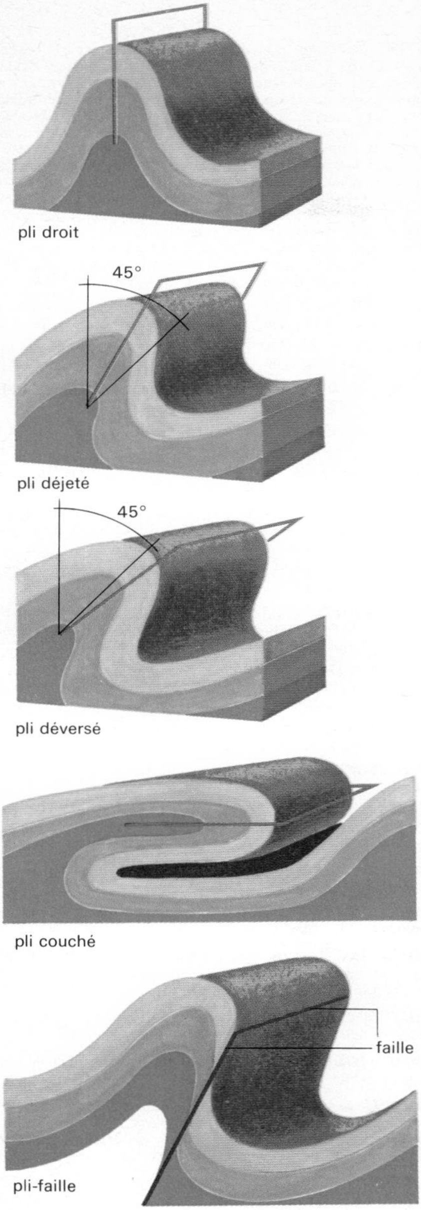

DIFFÉRENTS TYPES DE PLIS

verticale un angle inférieur à 45°), *déversé* (plan axial formant avec la verticale un angle supérieur à 45°) ou *couché* (plan axial horizontal). Si la déformation s'accompagne d'une rupture des couches, on parle de *pli-faille.* Tous les terrains ne réagissent pas aux plissements de la même manière : une couche très plastique (argile) peut se décoller des couches rigides encaissantes et être beaucoup plus déformée, il y a alors disharmonie. Les régions plissées ont un relief de style jurassien*, évoluant vers l'inversion de relief puis l'aplanissement. Le rajeunissement d'une surface aplanie peut conduire à un relief appalachien*.

PLIEVIER (Theodor), écrivain allemand (Berlin 1892 - Avegno, Suisse, 1955), auteur de récits d'inspiration socialiste et d'une trilogie qui peint la débâcle allemande au terme de la Seconde Guerre mondiale (*Stalingrad,* 1945; *Moscou,* 1952; *Berlin,* 1954).

PLINE l'Ancien, naturaliste et écrivain latin (Côme 23 - Stabies 79). Il était amiral de la flotte de Misène quand survint, en 79, l'éruption du Vésuve, au cours de laquelle il périt. Il est l'auteur d'une *Histoire naturelle,* vaste compilation scientifique.

PLINE le Jeune, écrivain latin (Côme 62 - † v. 114). Adopté par son oncle Pline l'Ancien, il devint un avocat célèbre et remplit, de 91 à 100, toutes les magistratures jusqu'au consulat. Sous Trajan, dont il composa le *Panégyrique,* il fut légat en Bithynie. Ses *Lettres,* destinées à être lues dans des lectures publiques, forment un document de grande valeur sur les mœurs de son temps.

PLIOCÈNE → TERTIAIRE *(ère).*

PLISNIER (Charles), écrivain belge d'expression française (Ghlin 1896 - Bruxelles 1952). Dans ses nouvelles et ses cycles romanesques, il fait un tableau satirique de la vie bourgeoise et marque son attrait pour les âmes de révoltés et de révolutionnaires (*Faux Passeports,* 1937; *Meurtres,* 1939-1941; *Mères,* 1946-1950).

PLISSEMENT → PLI ET PLISSEMENT.

PLISSETSKAÏA (Maïa Mikhaïlovna), danseuse soviétique (Moscou 1925). Dominant, par ses qualités techniques et artistiques, le répertoire classique *(la Mort du cygne, le Lac des cygnes),* elle s'impose également dans des œuvres contemporaines *(Spartacus, Carmen-Suite).*

PLIURE *(Arts graph.)* → BROCHAGE.

PLOBANNALEC (29138 Lesconil), comm. du Finistère, à 5 km au S. de Pont-l'Abbé; 2 835 hab. Pêche et station balnéaire de *Lesconil.*

PŁOCK, v. de Pologne, sur la Vistule, au N.-O. de Varsovie; 77 000 hab. Raffinerie de pétrole. Pétrochimie.

PLOEMEUR (56270), comm. du Morbihan, à 5,5 km à l'O. de Lorient; 10 115 hab. Kaolin.

PLOËRMEL (56800), ch.-l. de cant. du Morbihan, à 46 km au N.-E. de Vannes; 7 022 hab. *(Ploërmelais).* Église gothique et Renaissance. Hôtel des ducs de Bretagne et autres demeures anciennes.

PLŒUC-SUR-LIÉ (22150), ch.-l. de cant. des Côtes-du-Nord, à 23 km au S. de Saint-Brieuc; 3 226 hab.

PLOGASTEL-SAINT-GERMAIN (29143), ch.-l. de cant. du Finistère, à 13 km à l'O. de Quimper; 1 684 hab.

PLOIEȘTI ou **PLOEȘTI,** v. de Roumanie, au N. de Bucarest; 169 000 hab. Centre de l'extraction du pétrole. Verrerie. Pneumatiques. Constructions électriques.

PLOMB. — Le plomb est l'élément chimique n° 82, de masse atomique Pb = 207,21. C'est un solide gris bleuâtre, brillant quand il n'est pas corrodé. Mou, au point qu'on peut le rayer à l'ongle, il est malléable, mais peu tenace. De densité 11,3, il fond à 327 °C. Il résiste bien aux agents chimiques, mais se ternit à l'air, par suite de la formation superficielle d'un carbonate basique. Ce carbonate se dissout dans l'eau de pluie, ce qui la rend toxique, mais non dans l'eau de source, qui contient des sulfates.

Ses principaux oxydes sont : l'oxyde basique PbO (massicot, ou litharge), jaune-orangé; l'oxyde salin Pb_3O_4, ou minium, rouge-orangé; le bioxyde PbO_2, ou oxyde puce, brun-noir. Le plomb est, en général, bivalent dans ses sels, dont les principaux sont : le chlorure $PbCl_2$, blanc; le sulfure PbS, noir, qui constitue la galène, principal minerai du plomb; le carbonate $PbCO_3$, blanc, qui forme la cérusite naturelle. La céruse, dite aussi « blanc de plomb » ou « blanc d'argent », est un carbonate basique artificiel. La plupart des sels de plomb sont insolubles, sauf le nitrate et l'acétate; ils sont vénéneux.

Le plomb est extrait de deux minerais principaux, un sulfure *(galène)* et un carbonate *(cérusite),* par grillage agglomérant donnant l'oxyde, qui est ensuite réduit par le carbone*. Le métal obtenu, *plomb d'œuvre,* est impur et doit être raffiné par des traitements successifs, pour éliminer et récupérer les impuretés (arsenic*, antimoine*, étain*, argent*, bismuth*). En raison de sa résistance à de nombreux milieux corrosifs, le plomb est utilisé pour les plaques d'accumulateurs, les tuyauteries sanitaires, les couvertures de toitures, les revêtements anticorrosion d'appareils chimiques, l'isolation de parois et la protection de câbles. Par revêtement* électrolytique ou par immersion, le plombage protège les pièces mécaniques en acier*. Le plomb forme des alliages* avec l'antimoine, l'étain et le cuivre* (caractères* d'imprimerie, soudures, antifrictions*, alliages fusibles).

La production du minerai (exprimée en métal contenu) stagne depuis plusieurs années aux environs de 3,5 Mt. Les États-Unis et l'U. R. S. S. fournissent chacun approximativement le sixième de ce total, précédant un groupe de producteurs moyens (Australie, Canada, Mexique, Pérou, Chine, Yougoslavie et Bulgarie), dont l'apport unitaire oscille entre 100 000 et 400 000 tonnes. La production de fonderie provient des grands producteurs (États-Unis et U. R. S. S. en tête), mais aussi d'États développés importateurs teurs de minerai, comme l'Allemagne fédérale, le Japon, la Grande-Bretagne et la France.

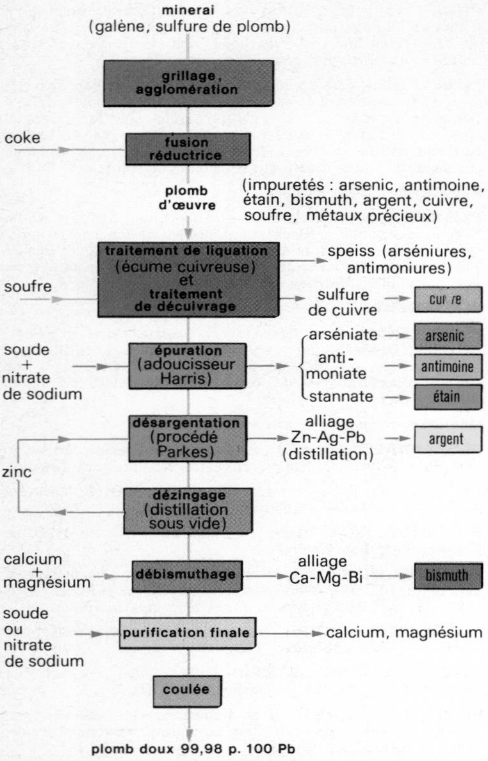

Schéma de la métallurgie du plomb.

L'intoxication chronique par le plomb, ou saturnisme, est une maladie professionnelle fréquemment observée dans la fonderie et la tréfilerie, la récupération des métaux, la peinture, l'imprimerie. Elle se manifeste par de violentes douleurs abdominales, les coliques de plomb, par des paralysies touchant particulièrement les avant-bras; plus rarement, par une atteinte rénale, une hypertension ou une goutte, dite « saturnine ». Le dosage du plomb dans le sang et les urines, l'étude des globules rouges permettent le diagnostic. Le traitement emploie un chélateur, le calcitétracémate disodique. La prévention est essentielle.

PLOMBAGINACÉES. — Les herbes de cette famille ont souvent un port rappelant celui des plantains : rosette basale de feuilles, fleurs petites et groupées en haut d'un long pédoncule commun, mais leur morphologie détaillée les rapproche surtout des primulacées (primevères, etc.). Le sac embryonnaire du genre *Plumbagella* ne comprend que quatre noyaux haploïdes, rappelant les quatre cellules issues de la méiose, dans le règne animal. Autres genres : arméria des montagnes et du littoral, statice du littoral et des terrains salés, plumbago.

PLOMB DU CANTAL → CANTAL.

PLOMBIÈRES-LES-BAINS (88370), ch.-l. de cant. des Vosges, à 14 km au S.-O. de Remiremont; 3 379 hab. Station thermale aux eaux radioactives sulfatées sodiques, utilisées dans le traitement des désordres neurovégétatifs, des affections gastro-intestinales et des rhumatismes. Vestiges de piscine romaine. Édifices du XVIIIe s. — Le 21 juillet 1858, Cavour* et Napoléon III se rencontrèrent à Plombières, où l'empereur faisait une cure : l'intervention armée de la France en faveur de l'unité italienne fut décidée.

PLONÉOUR-LANVERN (29120 Pont l'Abbé), comm. du Finistère, à 7 km au N.-O. de Pont-l'Abbé; 4 364 hab.

PLONGEON *(Zool.)*. — Les plongeons, types de la famille des colymbidés, sont des oiseaux de mer aux pattes palmées, excellents nageurs, aussi bien sur l'eau qu'en profondeur, nidifiant sur l'eau parmi les roseaux des mares littorales, médiocres voiliers et très mauvais marcheurs, leurs pattes étant situées trop à l'arrière du corps.

PLOTIN, philosophe alexandrin néoplatonicien (Lycopolis?, Égypte, v. 203-Campanie v. 270). Élève d'Ammonios Sakkas à Alexandrie, il vient s'établir à Rome vers 244 et y ouvre un cercle de philosophie que fréquentent beaucoup d'aristocrates romains. Porphyre* a recueilli les discours de son maître dans *les Ennéades**. La pensée plotinienne excède celle de Platon en posant la question de l'être de l'étant (ce qui fait qu'un étant est un étant) et d'une temporalité non réductible à un présent permanent. L'Un est le principe premier, générateur du multiple, inaccessible à toute expérience* sensible et à toute détermination intellectuelle. Ainsi le monde intelligible n'a pas son fondement en lui-même mais en l'Un. Plotin est donc néoplatonicien (v. PLATONISME), parce qu'il essaie de penser l'impensé de Platon (la dualité du principe formel [Un] et du principe matériel [dyade]) et développe ainsi un monisme de l'Un, conçu comme au-delà des étants, et, de ce fait, ineffable.

PLOUAGAT (22170 Châtelaudren), ch.-l. de cant. des Côtes-du-Nord, à 12 km à l'E. de Guingamp; 1 826 hab.

PLOUARET (22420), ch.-l. de cant. des Côtes-du-Nord, à 14 km au S. de Lannion; 2 222 hab.

PLOUAY (56240), ch.-l. de cant. du Morbihan, à 12 km au N.-E. de Pont-Scorff; 4 130 hab.

PLOUBALAY (22650), ch.-l. de cant. des Côtes-du-Nord, à 10 km au S.-O. de Dinard; 2 217 hab.

PLOUDALMÉZEAU (29262), ch.-l. de cant. du Finistère, à 26 km au N.-O. de Brest; 4 477 hab.

PLOUDIRY (29220 Landerneau), ch.-l. de cant. du Finistère, à 9,5 km à l'E. de Landerneau; 677 hab. Église à beau porche Renaissance (XVIIe s.).

PLOUESCAT (29221), ch.-l. de cant. du Finistère, à 15 km à l'O. de Saint-Pol-de-Léon; 4 067 hab.

PLOUGASNOU (29228), comm. du Finistère, à 17 km au N. de Morlaix; 3 368 hab. Station balnéaire à *Primel-Trégastel*. Église et chapelle de cimetière du XVIe s.

PLOUGASTEL-DAOULAS (29213), comm. du Finistère, à 11 km à l'E.-S.-E. de Brest; 8 223 hab. *(Plougastels)*. Célèbre calvaire du début du XVIIe s. Fraises.

PLOUGUENAST (22150 Plœuc sur Lié), ch.-l. de cant. des Côtes-du-Nord, à 12 km au N. de Loudéac; 2 006 hab.

PLOUGUERNEAU (29232), comm. du Finistère, dans le Léon, à 5,5 km au N. de Lannilis; 5 471 hab.

PLOUHA (22580), ch.-l. de cant. des Côtes-du-Nord, à 9 km au N.-O. de Saint-Quay-Portrieux; 4 310 hab. Aux environs, chapelle de Kermaria-an-Isquit (peintures murales du XVe s., sculptures).

PLOUHINEC (29149), comm. du Finistère, à 4,5 km à l'E. d'Audierne; 5 593 hab.

PLOUIGNEAU (29234), ch.-l. de cant. du Finistère, à 10 km à l'E. de Morlaix; 3 337 hab.

PLOUMANAC'H, écart de la comm. de Perros-Guirec (Côtes-du-Nord), sur la Manche. Station balnéaire. Rochers granitiques pittoresques.

PLOUTOS, divinité grecque, personnification de la richesse. Une comédie d'Aristophane lui est consacrée (v. PLUTUS).

PLOUZÉVÉDÉ (29225), ch.-l. de cant. du Finistère, dans le Léon, à 11 km au N. de Landivisiau; 1 571 hab.

PLOVDIV, v. de Bulgarie, sur la Marica; 223 000 hab. Foire internationale. Pittoresque vieille ville. Anc. mosquée. Églises de style byzantin reconstruites au XIXe s. Musées, dont celui d'archéologie (trésor gréco-thrace de Panagjurište, IVe s. av. J.-C.).

PLÜCKER (Julius), mathématicien et physicien allemand (Elberfeld 1801-Bonn 1868). Considéré comme l'un des fondateurs de la géométrie analytique moderne, il étendit la notion de coordonnées (coordonnées triangulaires, tétraédriques, pluckériennes, etc.). En physique, il a étudié, avec Hittorf*, les spectres des gaz raréfiés (1865) et observé la déviation des rayons cathodiques par les champs magnétiques (1868).

PLUIE → PRÉCIPITATIONS.

Pluie, vapeur, vitesse, toile de Turner (1844, 91 × 122 cm, National Gallery). Le peintre avait déjà associé l'air, l'eau, le feu dans certaines de ses tempêtes marines des années précédentes, réalisant la même fusion lyrique des éléments par un traitement de la matière picturale qui pouvait passer pour extravagant à l'époque. Mais la puissance suggérée ici, toute nouvelle, est celle de l'homme et de la machine, en l'espèce celle du « Great Western », un train qui avait atteint la vitesse record de 144 km/h. L'œuvre a étonné Monet et Pissarro lors de leurs visites à Londres (1870, etc.).

PLUME. — Phanère caractéristique des oiseaux, la plume est un

Fleming

Pluie, vapeur, vitesse, de Turner. (National Gallery, Londres.)

organe complexe. Les *pennes* (*rémiges* de l'aile, *rectrices* de la queue) ont un axe, ou *rachis,* creux à sa base et portant sur le reste de sa longueur deux *vexilles,* ou surfaces pennaires. Chaque vexille est formée de nombreux poils serrés et parallèles, les *barbes,* unis entre eux par des *barbules* entrecroisées, dont certaines portent des crochets. Les *tectrices,* ou *couvertures,* qui revêtent le corps sont plus petites. Le *duvet* (jeunes oiseaux, ventre des adultes) n'a pas de véritable rachis, et ses longues barbes s'étalent en tous sens, ce qui emprisonne de l'air et évite à l'animal les pertes de chaleur.

Couvertes d'une graisse, issue de la *glande uropygienne* et que l'oiseau, de son bec, étale sur tout son plumage, les plumes sont imperméables à l'air et à l'eau : c'est ce qui rend possibles le vol, la natation et la plongée.

Plume, recueil d'Henri Michaux (1938), réunissant, en six parties : *Lointain intérieur* (1926); *Poèmes; Difficultés* (1930); *Un certain Plume* (1930) — augmenté de quatre chapitres inédits (1936) — et deux essais dramatiques, *Chaînes* (1937) et *le Drame des constructeurs* (1930).

PLUMÉLIAU (56150 Baud), comm. du Morbihan, à 14 km au S. de Pontivy; 3 530 hab.

PLUS-VALUE — « Si le procès de travail ne dure que jusqu'au point où la valeur de la force de travail payée par le capital est remplacée par un équivalent nouveau, il y a simple production de valeur; quand il dépasse cette limite, il y a production de plus-value » *(le Capital).* Pour Marx, la plus-value correspond à un « travail non payé de l'ouvrier ». Il distingue la plus-value absolue, « produite par la simple prolongation de la journée de travail », de la plus-value relative, « qui provient au contraire de l'abréviation du temps de travail nécessaire » due à la transformation des procédés techniques (productivité) et des conditions du travail (cadences). Intérêts bancaires et commerciaux, profits boursiers et rente foncière ne sont, d'après Marx, que des formes particulières de la plus-value. (V. PROFIT.)

PLUS-VALUE *(Fin.).* — Un projet de loi instituant une taxation des plus-values de capital a été voté par l'Assemblée nationale le 23 juin 1976. Les plus-values réalisées par des personnes physiques ou des sociétés de personnes lors de la cession à titre onéreux de biens ou de droits sont passibles de l'impôt sur le revenu, ou du même impôt mais *selon certaines conditions particulières,* si les biens ont été cédés après une possession de longue durée. (Pour les immeubles, la plus-value s'éteint en tout cas au bout de vingt ans; pour les terrains, elle s'éteint au bout de trente ans.)

PLUTARQUE, écrivain grec (Chéronée, Béotie, v. 50 - *id.* v. 125). Issu probablement d'une famille de commerçants aisés, il étudia la rhétorique et les sciences à Athènes, voyagea en Égypte et à Rome, où il donna des conférences, et fit partie du collège sacerdotal de Delphes. Il composa un grand nombre de traités, que l'on divise depuis l'Antiquité en deux groupes : les *Œuvres morales* et les *Vies* parallèles.* Il s'inspire le plus souvent du platonisme, critique le stoïcisme et l'épicurisme, et veut surtout faire œuvre de moraliste, par la peinture pittoresque des événements historiques ou légendaires. La traduction d'Amyot* fit de Plutarque l'auteur ancien le plus lu et le plus médité en France jusqu'au XIXe s.

PLUME

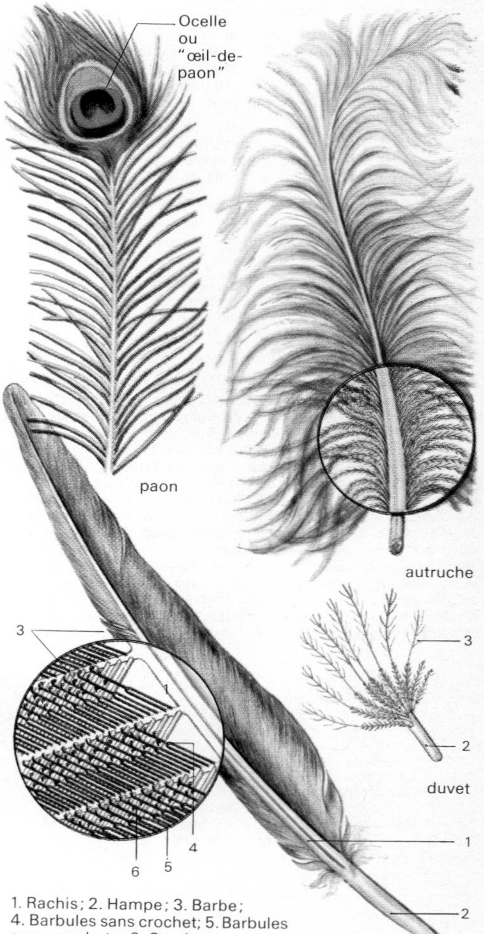

1. Rachis; 2. Hampe; 3. Barbe; 4. Barbules sans crochet; 5. Barbules avec crochets; 6. Crochets.

PLUTON, surnom rituel du dieu des Enfers, Hadès*.

PLUTON, planète* découverte en 1930. Fort mal connue, cette planète marque actuellement la limite extrême du système solaire. De petite taille, à peine plus grosse que Mercure*, elle n'a rien de comparable avec les quatre planètes géantes qui la précèdent. Tournant sur elle-même en six jours, elle se distingue par une orbite très particulière, qui se trouve être à la fois la plus elliptique et la plus inclinée de toutes. À certaines époques, et c'est le cas depuis 1968, Pluton pénètre à l'intérieur de l'orbite de Neptune*, dont elle serait un ancien satellite*. Des évaluations permettent d'estimer sa température de surface à − 220 °C.

PLUTONIQUES (roches). — Résultant de la cristallisation lente d'un magma* en profondeur, les roches plutoniques sont caractérisées par une structure* grenue. Elles se présentent généralement en massifs circonscrits, les batholites, en intrusion dans les roches encaissantes. Les plus répandues sont les granites*.

PLUTONIUM. — Élément chimique transuranien, de n° 94, le plutonium, très radioactif, n'existe pas dans la nature. Son isotope 239 est obtenu dans les piles atomiques; il provient de l'uranium 238, qui, ayant absorbé des neutrons ralentis, donne successivement l'uranium 239, le neptunium 239, puis le plutonium. Ce métal présente le même phénomène de fission que l'uranium 235, d'où son emploi dans certaines bombes nucléaires.

Plutus, en gr. *Ploutos,* comédie d'Aristophane (388 av. J.-C.), satire sociale sur la mauvaise répartition des richesses.

PLUVIAN. — Depuis Hérodote, le pluvian, petit oiseau du Nil, est connu pour ses mœurs de commensal du crocodile, entre les dents duquel il vient picorer les débris alimentaires, pour le plus grand profit de son hôte. (Famille des charadriidés.)

PLUVIER. — Les pluviers ne sont en France que des oiseaux de passage : leurs troupes s'observent à l'automne, lors de leur migration vers l'Afrique. Ils se reproduisent l'été en Europe du Nord. Ce sont des oiseaux extrêmement actifs, inlassables chercheurs d'insectes, de vermisseaux et de mollusques. (Famille des charadriidés.)

PLUVIGNER (56330), ch.-l. de cant. du Morbihan, à 13 km au N. d'Auray; 4540 hab. Église et deux chapelles, de l'époque romane au XVIIe s. Aux environs, deux châteaux du XVIe s.

PLUVIOMÈTRE, PLUVIOSITÉ → PRÉCIPITATIONS.

PLYMOUTH v. du sud-ouest de l'Angleterre (Devon), sur la Manche; 239 000 hab. Son faubourg, *Devonport,* est un important port militaire.

PLZEŇ, en allem. **Pilsen,** v. de Tchécoslovaquie, ch.-l. de la Bohême-Occidentale, au S.-O. de Prague; 147 000 hab. Églises des XIIIe, XVe et XVIIIe s. Demeures de la Renaissance et baroques. Musées. Métallurgie. Brasserie.

P. N. B., sigle de *produit national brut* → AGRÉGAT.

PNEUMATIQUE. — Imaginé en 1845 par l'Écossais Robert William Thomson, le pneu n'a véritablement connu un essor sans cesse affirmé qu'avec John Boyd Dunlop*, en 1888, et les frères Michelin*, en 1891. L'architecture d'un pneu est, en fait, extrêmement complexe : chaque partie du pneu (bande de roulement, armature de sommet, carcasse, flanc, protecteur de bourrelet, gommes internes, enrobage de tringle) est constituée de mélanges différents, dont la composition varie en fonction des propriétés désirées. Les câbles qui constituent la carcasse sont généralement, dans les petites dimensions, du textile (rayonne, Nylon, polyester*); dans les pneus pour poids lourds et dans les plus grandes dimensions, ces câbles sont le plus souvent en acier. Dans les pneus souvent appelés « conventionnels », les nappes qui constituent la carcasse sont placées de biais et s'entrecroisent. En roulage, ces nappes croisées subissent des frottements importants, entraînant un échauffement notable qui nuit à la longévité du pneu. Dans le pneu radial, mis au point par Michelin en 1948, les câbles de la carcasse sont disposés comme des rayons et ceinturés par une ou par plusieurs nappes de câbles qui renforcent et stabilisent la bande de roulement. Cette technique améliore les qualités du pneu (sécurité, confort et longévité accrus, échauffement moindre, résistance à l'avancement plus faible). Les performances exigées pour le pneumatique en font un ensemble de plus en plus complexe, devant être capable de supporter à la fois des vitesses élevées, une résistance à l'usure suffisante et un échauffement faible, tout en conservant une bonne tenue* de route ainsi qu'une excellente adhérence* sur divers types de sols, secs ou humides. Les recherches se poursuivent dans tous ces domaines et également dans la création de nouveaux types de pneus, permettant de supporter des roulages à plat.

PNEUMATIQUE (machine). — Cette pompe à vide est due à Otto von Guericke, vers 1650. L'appareil de démonstration se compose de deux corps de pompe, munis chacun d'un piston, dont les déplacements sont commandés par un levier. Les cylindres communiquent, par l'intermédiaire de soupapes, avec un conduit qui aboutit au centre d'un plateau appelé « platine », sur lequel est placée la cloche dans laquelle on veut faire le vide. Cette machine n'a plus qu'un intérêt historique.

PNEUMOCONIOSE. — La pénétration de poussières dans les voies respiratoires provoque une inflammation chronique des bronches et des poumons, qui engendre des réactions fibreuses et peut aboutir à une insuffisance respiratoire grave. Les substances les plus fréquemment en cause sont la silice (silicose), l'amiante (asbestose), le béryl (bérylliose), les fibres végétales de coton, de chanvre ou de lin (byssinose). Par contre, les poussières de charbon (anthracose), de fer (sidérose), d'étain (stannose) ne provoquent que des maladies de surcharge.

PNEUMOCOQUE → BACTÉRIE.

PNEUMOGASTRIQUE → NEUROVÉGÉTATIF *(système).*

PNEUMOLOGIE. — Surtout orientée à ses débuts vers l'étude et le traitement de la tuberculose pulmonaire (pneumophtisiologie), la pneumologie dirige actuellement ses efforts sur les tumeurs du poumon, la bronchite chronique et l'asthme. Le diagnostic précoce de ces affections est facilité par les progrès de la radiologie, de l'endoscopie et de l'allergologie.

PNEUMONECTOMIE → POUMON.

PNEUMONIE. — L'inflammation des alvéoles pulmonaires peut être due à une infection bactérienne ou virale. L'atteinte massive et exclusive par le pneumocoque d'un lobe pulmonaire constitue la pneumonie franche lobaire aiguë. Elle se manifeste par une fièvre élevée durant neuf jours (en l'absence de traitement), par de la toux, des crachats rouillés, une douleur thoracique, et, à l'auscultation, par un souffle et un foyer de râles crépitants. La crise pneumonique, avec chute de la température, sueurs, augmentation des urines et souvent chute de tension artérielle, termine la maladie aussi brutalement qu'elle avait commencé.

L'atteinte disséminée de zones situées autour des bronches constitue la broncho-pneumonie, de pronostic sévère.

L'atteinte limitée à un ou à plusieurs lobules s'observe surtout dans les infections virales (grippe), de loin les plus fréquentes.

PNEUMOPÉRITOINE → PÉRITOINE.

PNEUMOTHORAX → PLÈVRE.

PNOM PENH → PHNOM PENH.

PNYX (la), colline de l'Athènes antique, au sommet de laquelle, dès la fin du VIe s. av. J.-C., on réunit l'Assemblée du peuple (ecclesia), qui se tenait auparavant sur l'agora. Elle fut, à partir de Clisthène*, le haut lieu politique de la cité.

PÔ (le), principal fleuve italien; 652 km. Né sur le flanc du mont Viso (à 2 022 m d'alt.), il coule vers l'est, drainant la *plaine du Pô,*

Architecture de PNEUMATIQUES.

1. Croisée conventionnelle, par empilage de nappes textiles inclinées par rapport à la section du pneu (de 4 à 32 nappes);
2. Radiale avec nappes d'armature croisées entre elles (2, 3 nappes ou plus).

1

2

en aval de Turin, seule grande ville traversée avant l'embouchure du fleuve, dans l'Adriatique, constituée par un vaste delta. Fleuve des Alpes, alimenté surtout par les affluents issus des Alpes (dont la Doire Ripaire, la Doire Baltée, le Tessin et l'Adda), le Pô connaît des crues brutales dans sa basse plaine, dont s'explique ainsi la faible urbanisation. Voie navigable, du delta à la hauteur de Pavie, le Pô est aussi utilisé pour l'irrigation.

La *plaine du Pô,* entre les Alpes, au N., et l'Apennin, au S., occupe une partie des grandes régions historiques et économiques de l'Italie du Nord, notamment le Piémont, la Lombardie et la Vénétie, au N. du fleuve. Elle est entièrement mise en valeur par l'agriculture et fortement urbanisée — à l'écart des crues des fleuves — de Milan à Venise (en passant par Brescia, Vérone et Padoue) au N., de Parme à Bologne au S.

POBEDONOSTSEV (Konstantine Petrovitch), homme politique russe (Moscou 1827-Saint-Pétersbourg 1907). Professeur de droit civil à l'université de Moscou, il devient le précepteur d'Alexandre III* (1865), sur lequel il exerce une influence dominante jusqu'à la fin des années 1880, lui inspirant une politique ultraconservatrice, en réaction contre les réformes d'Alexandre II. Il est procureur général au Saint-Synode de 1880 à 1905.

POBEDY *(pic),* point culminant du T'ien-chan, à la frontière de l'U. R. S. S. (Kirghizistan) et de la Chine (Sin-kiang); 7 439 m.

PODENSAC (33720), ch.-l. de cant. de la Gironde, sur la Garonne, à 14 km au N.-O. de Langon; 1 925 hab. Vins.

PODGORNYÏ (Nikolaï Viktorovitch), homme d'État soviétique (Karlovka, Ukraine, 1903). Secrétaire du Comité central du parti communiste soviétique en 1963, il succède à Mikoïan comme président du Praesidium du Soviet suprême (chef de l'État) en 1965. Il est démis de ses fonctions en 1977.

PODLACHIE (la), plaine peu fertile de la Pologne orientale, dans le bassin du Bug. — La région a appartenu à la Russie de Kiev, puis à la principauté de Volhynie, et enfin à la Lituanie. La colonisation polonaise s'y est développée à partir de la Mazovie. La Podlachie a été définitivement réunie à la Pologne par l'Union de Lublin (1569).

PODOLIE (la), plateau de l'ouest de l'Ukraine, avant-pays des Carpates, dans le bassin supérieur du Dniestr. — La Podolie fut, après le déclin de la Russie kiévienne, partagée entre la Pologne (1366) et la Lituanie (1396), que l'Union de Lublin (1569) réunit en une seule république. Les Ottomans l'occupèrent de 1672 à 1699. Lors des partages de la Pologne, la Podolie orientale revint à la Russie (1793) et la Podolie occidentale à l'Autriche (1772). Cette dernière, restituée à la Pologne en 1918, a été rattachée à l'Ukraine soviétique en 1945.

PODOLSK, v. de l'U. R. S. S. (R. S. F. S. de Russie), au S. de Moscou; 169 000 hab.

PODZOL. — Type de sol très lessivé, le podzol possède un profil caractérisé par un horizon organique épais, composé de débris végétaux incomplètement décomposés, un horizon éluvial d'aspect cendreux, riche en silice, et un horizon d'accumulation peu épais. Le podzol se forme sous climat humide et frais, principalement sur roche siliceuse (sable, grès) et sous couverture de résineux ou de lande. Son extrême acidité le rend peu favorable à la culture.

POE (Edgar Allan), écrivain américain (Boston 1809-Baltimore 1849). Fils de comédiens errants, orphelin à l'âge de deux ans, il est recueilli par un planteur de Richmond. Il connaît cependant une jeunesse instable, abandonne successivement l'université de Virginie, un emploi chez son père adoptif, l'école militaire de West Point, et va chercher fortune à New York, où il commence à écrire des contes. Il épouse (1836) sa jeune cousine Virginia Clemm, qui mourra en 1847, et, tout en collaborant plus ou moins régulièrement à des revues, cherche dans l'alcool l'inspiration et l'oubli de la vie quotidienne. Poète (*le Corbeau,* 1845), hostile aux effusions lyriques du romantisme (*Eureka,* 1848; *le Principe de la poésie,* 1850), il fait dans ses nouvelles l'application systématique d'une technique de la sensation poussée jusqu'aux frontières du morbide et donne le modèle de ces constructions paralogiques qu'imiteront par la suite les romans policiers (*les Aventures d'Arthur Gordon Pym,* 1837; *Histoires* extraordinaires,* 1840; *Nouvelles Histoires extraordinaires,* 1845). Méconnue par ses compatriotes, l'œuvre d'Edgar Poe fut révélée à l'Europe par les traductions de Baudelaire.

Poèmes antiques, par Leconte de Lisle (1852), recueil dont les sujets sont empruntés aux mythes de l'Inde et de la Grèce antique.

Poèmes antiques et modernes, par A. de Vigny (1822-1826). Les trois parties du recueil (poèmes mystiques, poèmes antiques, poèmes modernes) composent une fresque épique des âges successifs de l'humanité.

Poèmes barbares, par Leconte de Lisle (1862), dont la matière est empruntée aux récits bibliques, celtiques et scandinaves.

POÈME SYMPHONIQUE. — L'éclatement de la symphonie* avec Beethoven, le subjectivisme de la *Symphonie* fantastique* de Berlioz, les progrès de l'orchestre au XIXe s. ont favorisé l'éclosion d'un genre symphonique basé sur un programme littéraire, descriptif, narratif ou symbolique. L'argument détermine la forme, qui peut emprunter à la sonate*, à l'ouverture* dramatique, à la variation* ou au procédé cyclique*, et même s'adjoindre des chœurs (Liszt, Franck, Saint-Saëns, Dvořák, R. Strauss, les Russes).

Poésie et vérité, autobiographie de Goethe (1811-1833).

Poésie ininterrompue, recueil poétique d'Eluard (1946-1953).

POÉTIQUE. — La poésie consista longtemps dans l'application d'une *poétique,* définie plus ou moins nettement par les différents «arts* poétiques» qui jalonnent l'histoire de la littérature. Aujourd'hui, la poétique n'impose plus des règles techniques et pratiques; elle est devenue une activité critique, une science qui s'applique à comprendre le fonctionnement de l'écriture poétique : elle relève moins du poète que du linguiste ou du sémiologue.

La notion moderne de poétique prend sa source dans les travaux des formalistes* russes, qui distinguent dans le langage différentes fonctions hiérarchisées. La distinction majeure s'établit entre une fonction utilitaire du langage, dans son activité quotidienne de communication, et une fonction esthétique, qui a pour objet moins l'information que l'évocation, moins la vue immédiate que la vision. En ce sens, la question essentielle que se pose la poétique, à la suite de Roman Jakobson*, c'est «Qu'est-ce qui fait d'un message verbal une œuvre d'art?». C'est-à-dire : Comment reconnaît-on une œuvre littéraire? Quel est le critère de *littérarité* d'un texte?

Aujourd'hui, les recherches poétiques semblent se diviser en deux courants : l'un espère atteindre un niveau de généralité suffisamment abstrait pour formuler les règles logiques d'engendrement des textes (pour G. Genette, étudier le récit proustien, c'est le confronter «au système général des possibles narratifs»); l'autre, plus sensible à la place faite au sujet et à l'histoire dans la linguistique contemporaine, se refuse à construire des modèles théoriques pour saisir les rapports concrets du texte à son environnement idéologique et culturel. Dans les deux cas, l'objet de la poétique s'est déplacé d'une *langue* spécifique appelée «poésie» au *langage* considéré dans son fonctionnement global.

POGGE (le), en ital. **Gian Francesco Poggio Bracciolini,** humaniste italien (Terranuova, Florence, 1380-Florence 1459). Il découvrit de nombreuses œuvres de l'Antiquité romaine. Il est l'auteur d'une *Histoire de Florence,* qui va de 1350 à 1455, et de *Facéties,* traduites sous le titre de *Contes de Pogge Florentin.*

POGGENDORFF (Johann Christian), physicien allemand (Hambourg 1796-Berlin 1877). Inventeur de la pile au bichromate (1842), il imagina la méthode optique de mesure des petites rotations.

POGROM. — Ce terme russe, qui signifie «massacre», s'applique plus particulièrement aux massacres de juifs en Russie, qui eurent lieu entre 1881 (assassinat d'Alexandre II) et 1921 (fin de la guerre civile). Les ghettos juifs des villes et des villages de l'Ukraine, de la Biélorussie et de la Bessarabie (zone occidentale, où le statut de 1882 contraignait les juifs à se fixer) étaient attaqués et pillés par les populations slaves de ces régions dès que s'aggravait leur situation économique ou politique. Les autorités civiles ou militaires les laissaient faire ou même les encourageaient, afin de détourner ainsi le mécontentement général des populations.

PO-HAI ou **BOHAI,** golfe de la mer Jaune, sur la côte de la Chine, au N. de la péninsule du Chan-tong.

POHER (Alain), homme politique français (Ablon-sur-Seine 1909). Démocrate chrétien, président du Sénat depuis 1968, il assure à ce titre l'intérim de la présidence de la République après la démission du général de Gaulle (avr.-juin 1969). Candidat à la présidence, il est battu par G. Pompidou. Après la mort de celui-ci, il est de nouveau président de la République par intérim (avr.-mai 1974).

POIDS *(Sport).* → ATHLÉTISME.

poids et mesures *(Bureau international des),* organisme scientifique intergouvernemental. En 1875, 17 chefs d'État se mirent d'accord, en signant le traité dit *Convention du mètre,* pour fonder et entretenir à frais communs un Bureau international des poids et mesures. Sa mission est l'unification et le perfectionnement des unités et des étalons des mesures, qui s'étendent maintenant aux grandeurs de longueur, de masse, d'électricité, de photométrie, de température, de temps et de fréquence, et de rayonnements ionisants. Il possède des laboratoires et un personnel scientifique. Il convoque des assemblées internationales pour réaliser un accord sur les travaux à effectuer ou les décisions à prendre, comme le changement de la définition du mètre* (1960) ou de la seconde* (1967), l'échelle internationale pratique de température, etc. Cet organisme est situé en France, au pavillon de Breteuil, dans le parc de Saint-Cloud, près de Sèvres. Ses ressources financières sont les cotisations des États participants, au nombre de 44 (1975); leur montant est décidé tous les quatre ans, par accord entre les représentants de ces États réunis à Paris en conférence générale des poids et mesures.

POIGNET. — L'articulation radio-carpienne (entre radius et carpe) est le siège d'entorses, qu'il ne faut pas confondre avec une fracture de l'extrémité inférieure du radius. La nécrose de l'os semi-lunaire (du carpe) par des vibrations (marteaux pneumatiques) est une maladie professionnelle.

POIGNY (77160 Provins), comm. de Seine-et-Marne, banlieue sud-sud-ouest de Provins; 337 hab. Optique.

POIL → PELAGE et PHANÈRES.

Poil de Carotte, nouvelle (1894) et pièce en un acte (1900) de Jules Renard : histoire d'un petit garçon roux qui est le souffre-douleur de sa mère.

POINCARÉ (Henri), mathématicien français (Nancy 1854-Paris 1912). Par la remarquable façon dont il a appliqué l'analyse à la mécanique rationnelle, à la physique et à l'astronomie, sans être lui-même un mécanicien, un physicien ou un astronome, au sens littéral, il fit réaliser à ces sciences des progrès considérables. En analyse, son plus beau titre de gloire réside dans la découverte des fonctions automorphes, qu'il appela *fonctions fuchsiennes* en l'honneur du mathématicien allemand Lazarus Fuchs*, dont les travaux lui avaient servi. Ces fonctions sont des généralisations des fonctions elliptiques et sont invariantes pour certains groupes d'application du plan de la variable complexe sur lui-même. Elles permettent d'exprimer les solutions de toute équation différentielle linéaire à coefficients algébriques, et résolvent en même temps le problème de l'uniformisation des fonctions algébriques. Poincaré étudia ensuite les groupes qu'il dénomma *kleinéens,* groupes discontinus les plus généraux, formés de substitutions linéaires. En physique proprement dite, il s'est notamment penché sur la polarisation de la lumière par diffraction, les ondes hertziennes et la théorie de Lorentz, où il préfigure certains aspects de la relativité restreinte. En mécanique analytique, l'un de ses plus intéressants travaux concerne les figures d'équilibre relatif que peut affecter une masse fluide homogène, animée d'un mouvement de rotation uniforme autour d'un axe et dont toute les molécules s'attirent conformément à la loi de Newton. Enfin, en mécanique céleste, il étudia plus particulièrement les mouvements de trois masses ponctuelles soumises à leurs seules attractions mutuelles, suivant la loi de Newton, problème fondamental, dit *problème des trois corps.*

POINCARÉ (Raymond), homme d'État français (Bar-le-Duc 1860-Paris 1934). Avocat réputé, député de la Meuse dès 1887, il se pose en républicain libéral. Spécialiste des débats financiers, il est porté, jeune, au pouvoir, les scandales de Panamá* frappant l'équipe en place. À partir de 1893, Poincaré assume différents portefeuilles ministériels; c'est lui qui, en 1896, attache son nom à la loi qui regroupe les facultés en universités. Un moment éloigné du pouvoir par le triomphe du Bloc des gauches, il est rappelé aux Finances en 1906; de janvier 1912 à janvier 1913, il préside un cabinet d'Union nationale, où il se réserve les Affaires étrangères : son attitude énergique rassure l'opinion face au danger allemand. Élu président de la République le 17 février 1913, Raymond Poincaré renforce, par sa présence à Londres (1913) et à Saint-Pétersbourg (1914), l'Entente cordiale et l'alliance franco-russe. Mais, durant la Grande Guerre, s'il incarne aux yeux des Français la patrie éprouvée, il se sent mal à l'aise dans une fonction qui l'oblige à rester en retrait du président du Conseil : c'est surtout le cas lors du ministère Clemenceau (1917-1920). Élu sénateur de la Meuse (1920), R. Poincaré apparaît, face à la politique de conciliation d'Aristide Briand*, comme le tenant d'une attitude ferme à l'égard de l'Allemagne vaincue. Président du Conseil et ministre des Affaires étrangères de 1922 à 1924, il fait occuper la Ruhr* par les troupes françaises; mais, finalement, il doit s'incliner devant le plan Dawes*. La victoire du Cartel* des gauches, aux élections de 1924, l'écarte encore du pouvoir; mais la grave crise financière qui accompagne l'échec de ce cartel le ramène, pour trois ans (1926-1929), à la présidence du Conseil et au ministère des Finances, d'abord à la tête d'un gouvernement d'Union nationale (1926-1928), puis d'un gouvernement privé des radicaux (1928-29). Investi de pouvoirs spéciaux, Poincaré doit se résigner à faire voter la loi monétaire du 24 juin 1928, qui définit le franc par un poids d'or, mais au cinquième de sa valeur d'avant-guerre.

POINÇON. — Les poinçons sont obligatoires ou facultatifs sur les pièces mobiliaires de métal, précieux (or*, argent*, platine*) ou autres (étain, bronze, métaux argentés ou dorés, etc.), et sur certains meubles (marques d'ébénistes). En France, les poinçons sont obligatoires sur les pièces d'orfèvrerie*. La création de ces poinçons remonte à 1260. Jusqu'en 1789, ils sont généralement au nombre de quatre sur une pièce : le *poinçon de maître* (signature de l'orfèvre), le *poinçon de charge* (prise en charge par le fermier général), le *poinçon de jurande* (garantie du titre) et le *poinçon de décharge* (attestation du paiement de l'impôt). À la fin de l'Ancien Régime, la loi du 19 brumaire an VI (9 nov. 1797) crée la forme actuelle du poinçon de maître : un losange contenant son emblème, ses initiales ou son nom. À partir de 1797, les poinçons de garantie comprennent trois périodes : 1797-1809, poinçons dits « au 1er coq »; 1809-1819, poinçons dits « au 2e coq »; 1819-1838, poinçons dits « à la tête de vieillard ». En 1838, ont été institués des poinçons de garantie* dits « à la tête de Minerve », toujours en vigueur.

POINSOT (Louis), mathématicien français (Paris 1777-*id.* 1859). Ses recherches concernent surtout la géométrie et la statique. On lui doit, notamment, une théorie des couples et surtout des travaux d'une importance exceptionnelle sur le mouvement d'un corps solide autour d'un point fixe (1834).

POINT *(Mar.)* → NAVIGATION *(Mar.).*

POINTE-À-PITRE (97110), ch.-l. d'arr. de la Guadeloupe, sur la côte ouest de Grande-Terre; 23 889 hab. Port.

POINTE-AUX-TREMBLES, v. du Canada, dans la banlieue nord de Montréal; 35 567 hab.

POINTE-CLAIRE, v. du Canada (Québec), banlieue sud-ouest de Montréal; 27 303 hab.

POINTE-GATINEAU, v. du Canada, dans l'ouest du Québec, banlieue nord d'Ottawa; 15 640 hab.

POINTE-NOIRE, principal port du Congo, au N. de l'embouchure du Congo; 79 000 hab. Tête de ligne du chemin de fer Congo-Océan.

POINTES *(Chorégr.).* — Le renforcement de l'extrémité du chausson de danse a considérablement modifié la technique et le style de la danse académique, pratiquée, jusqu'au XIXe s., d'abord en chaussures à talon, puis en sandales basses et chaussons souples, qui permettaient d'exécuter les pas en « demi-pointes ». À l'époque romantique, les premières danseuses à utiliser les pointes, à peu près simultanément, sont Marie Taglioni, Avdotia Istomina, Amalia Brugnoli, qui dansèrent toutes les trois en Europe, entre 1823 et 1826. Geneviève Gosselin (1791-1818) semblerait avoir dansé sur pointes vers 1815.

Les pointes (au début obliques, puis verticales dans la technique contemporaine, très arquées dans le style néo-classique de Serge Lifar), en allongeant la silhouette, en dissolvant les angles de l'articulation du pied, suggèrent une plus grande élévation et offrent un constant défi aux lois de l'équilibre (les « points d'orgue » sur pointes de la Spessivtseva ou de Rosella Hightower sont restés célèbres).

POINTES (pouvoir des). — Les pointes des corps conducteurs laissent s'écouler les charges électriques d'une manière continue.

POIRE → EAU-DE-VIE et POIRIER.

POIRÉ-SUR-VIE (Le) [85170 Belleville sur Vie], ch.-l. de cant. de la Vendée, à 13 km au N.-O. de La Roche-sur-Yon; 3 809 hab.

POIRET (Paul), couturier français (Paris 1879-*id.* 1944). Vers 1908, il renouvela la mode en éliminant du costume féminin le corset et tout ce qui surchargeait la silhouette : postiche, passementerie, etc. Il souligna le corps avec souplesse et l'enveloppa de tissus somptueux, souvent d'inspiration orientale. Il était secondé pour cela par toute une équipe de peintres (Vlaminck, P. Iribe, R. Dufy). La Première Guerre mondiale, des ennuis financiers et une mode qui avait perdu toute somptuosité mirent fin à cette période de gloire. Après plusieurs essais pour reconquérir sa célébrité (réouverture d'une maison de couture et de parfumerie, aménagement de trois péniches *Amour, Délice* et *Orgue,* à l'Exposition des arts décoratifs, en 1925), il se retira en Provence et écrivit en 1931 ses Mémoires *(En habillant l'époque).*

POIRIER. — On cultive souvent en espaliers ou en cordons cet arbrisseau voisin du pommier, et dont le fruit (poire), d'une forme très particulière, offre une pulpe « fondante » susceptible de blettir par autolyse. (Famille des rosacées.)

POIS. — Cette papilionacée aux graines comestibles se distingue du haricot* par ses cotylédons hémisphériques, qui ne sont pas soulevés de terre lors de la germination. Le *pois chiche,* beige et bosselé, le *petit pois,* sphérique et vert, sont les deux types principaux.

POISEUILLE (Jean-Louis), médecin et physicien français (Paris 1799-*id.* 1869). Son étude de la circulation du sang l'amena, en 1844, à établir les lois de l'écoulement laminaire des fluides visqueux.

POISON. — Les toxiques sont connus depuis l'Antiquité. Citons l'aconit, l'anémone, l'euphorbe, le strophantus, les curares, la strychnine, l'arsenic, etc. La chimie moderne a multiplié, dans des buts divers, les corps dangereux — gaz de combat, désherbants, défoliants, insecticides —, et de nombreux médicaments mal employés deviennent des poisons.

POISSON. — Il s'en faut de beaucoup que la classe des poissons (plus de vingt mille espèces) ait la même unité zoologique que celle des oiseaux ou des mammifères. Réunissant au XVIIe s. tous les vertébrés marins, y compris les cétacés, comprenant encore au début du XXe s. les agnathes* (lamproie), les poissons sont aujourd'hui définis comme des vertébrés aquatiques à respiration branchiale permanente (ce qui n'exclut pas une respiration pulmonaire *en plus*), ayant des nageoires, généralement des écailles dermiques ou dermo-épidermiques, mais aussi une bouche à deux mâchoires souvent pourvues de dents, une reproduction le plus souvent ovipare, assortie d'une fécondation externe, et divers traits anatomiques particuliers. Cette définition est donc surtout statistique et s'accommode de nombreuses exceptions. Toutefois, la faune actuelle comprend seulement deux groupes vraiment importants par le nombre des espèces et celui des individus : les sélaciens* (requins et raies) et les téléostéens* (99 p. 100 des espèces de poissons osseux).

La plupart des poissons n'ont pas besoin de se reposer au fond de l'eau : grâce à une *vessie gazeuse,* ils ont exactement la densité du liquide qu'ils déplacent. De légers mouvements des nageoires pectorales, par exemple, suffisent à assurer leur équilibre statique; leur natation à l'horizontale est fortement facilitée par leur forme hydrodynamique (fuselée ou serpentiforme) et par le mucus lisse qui couvre leurs flancs. C'est principalement la nageoire caudale qui joue le rôle d'hélice motrice. Pour la respiration, l'eau entre par la bouche et ressort par les ouïes (poissons osseux) ou directement (sélaciens) après avoir traversé les fentes branchiales et baigné les branchies, où se fait la fixation de l'oxygène par le sang. L'univers sensoriel des poissons est avant tout olfactif, et d'une extrême sensibilité chimique, mais les vibrations de l'eau sont, elles aussi, très bien perçues par une *ligne latérale.* La vue est moins remarquable. De nombreux poissons exigent une eau à température à peu près constante (sténothermes) ou de salinité constante (sténohalins). D'autres (anguille, saumon) effectuent des migrations de grande ampleur à travers les mers et les cours d'eau.

On rencontre dans la classe des poissons tous les régimes alimentaires : végétariens (algues), mangeurs de plancton* (« microphages »), fouilleurs de vase, nécrophages et chasseurs, parfois redoutables (piranha, requin). Tous les biotopes aquatiques — torrents, lacs, eaux vaseuses, fleuves, littoral, haute mer (surface, pleine eau), fonds océaniques, abysses, et même arbres et buissons côtiers de la mangrove — hébergent des espèces caractéristiques de poissons. (V. illustration p. 1488.)

POISSON (Denis), mathématicien français (Pithiviers 1781 - Paris 1840). Son œuvre intéresse l'analyse mathématique, la mécanique céleste, la capillarité, l'élasticité et surtout le calcul des probabilités, où son nom est resté attaché à la *distribution de Poisson.* Il est l'un des créateurs de la physique mathématique.

POISSON AUSTRAL, constellation* de l'hémisphère austral, dont la principale étoile est Fomalhaut.

POISSONS, constellation* zodiacale et douzième et dernier signe du zodiaque*.

POISSONS (52230), ch.-l. de cant. de la Haute-Marne, à 7,5 km à l'E.-S.-E. de Joinville; 720 hab.

POISSY (78300), ch.-l. de cant. des Yvelines, sur la Seine, à 7,5 km au N.-O. de Saint-Germain-en-Laye; 37 637 hab. *(Pisciaçais).* Belle église romane et gothique (XIIe-XVIe s.). Industrie automobile.

Poissy *(colloque de),* assemblée de théologiens qui se tint à Poissy, en 1561, sous la présidence de Catherine de Médicis et de Michel de L'Hospital, en vue d'un rapprochement entre catholiques et calvinistes. Ce colloque échoua.

POITEVINE → CHÈVRE.

POITIERS (86000), capit. de la Région Poitou-Charentes et ch.-l. du départ. de la Vienne, sur le Clain, à 340 km au S.-O. de Paris; 85 466 hab. *(Poitevins).*

GÉOGRAPHIE. Une des principales villes entre Loire et Gironde, l'agglomération, qui compte environ 100 000 hab., doit en partie son expansion récente au développement de l'industrie (constructions mécaniques et électriques), alors que demeurent ses traditionnelles fonctions tertiaires (Administration et université, principalement).

HISTOIRE. Ancienne capitale du peuple des Pictaves, dont elle prit le nom au IIIe s. apr. J.-C., Poitiers devint le siège d'un évêché et l'un des plus grands centres religieux de la Gaule. Attaquée par les Arabes (732), pillée à plusieurs reprises par les Normands (IXe s.), la ville devint la capitale d'un comté relevant du duc d'Aquitaine, et passa, au XIIe s., sous la domination des rois d'Angleterre. Henri II Plantagenêt lui octroya une charte de commune. Rattachée au domaine royal (début du XIIIe s.), cédée à l'Angleterre (1360) après le désastre qu'y subit Jean le Bon (1356), elle fut reprise par du Guesclin en 1372. Charles VII en fit le siège provisoire de son parlement (1423-1436) et y créa une université (1431). En 1654, elle devint le chef-lieu de la généralité de Poitou.

BEAUX-ARTS. Monuments du haut Moyen Âge (baptistère Saint-Jean, remontant au IVe s. : sarcophages, fresques des XIIe-XIIIe s.; chapelle funéraire mérovingienne, dite « hypogée des Dunes ») et bel ensemble d'églises romanes, dont Saint-Hilaire, grandiose et complexe (XIe-XIIe s.), Sainte-Radegonde (clocher-porche et abside de la fin du XIe s.), Notre-Dame-la-Grande, au fastueux décor sculpté de façade (milieu XIIe s.). Cathédrale gothique entreprise v. 1165, à trois nefs presque d'égale hauteur et voûtes bombées angevines (vitraux, stalles, portails du XIIIe s.). Grande Salle du palais des Comtes (XIIIe s., embellie pour Jean de Berry). Logis de la Renaissance. Collège des Jésuites (XVIIe s., auj. lycée). Moderne musée Sainte-Croix (archéologie, beaux-arts).

Lauros - Beaujard

Poitiers. Vue générale.

POITOU, anc. province de France. Au point de vue géographique, le Poitou est une région déprimée de terrains jurassiques, seuil ou carrefour, entre le Massif armoricain et le Massif central d'une part, le Bassin parisien et le bassin d'Aquitaine d'autre part. Il juxtapose cultures céréalières, sur des calcaires décomposés (terres de groie), et élevage, sur des sols argileux (terres de brandes) [v. POITOU-CHARENTES].

HISTOIRE. Le Poitou tire son nom du peuple gaulois des Pictaves. Soumise à Rome dès 56 av. J.-C., gagnée au christianisme (saint Hilaire [† v. 367]), la région est occupée par les Wisigoths (Ve s.), puis conquise par Clovis (Vouillé, 507), avant de s'intégrer dans le premier duché d'Aquitaine (fin du VIIe s. - 768). Les Carolingiens en font un *pagus,* administré par le comte de Poitiers, qui, dès le IXe s., profite des incursions normandes pour affermir son pouvoir. Rannoux Ier (de 839 à 866) est le fondateur d'une dynastie comtale qui se consolide avec Rannoux II († v. 890), premier comte de la lignée à s'intituler duc d'Aquitaine. Ses successeurs des Xe et XIe s. s'efforcent d'étendre leur suzeraineté jusqu'aux Pyrénées. Mais, en Poitou, ils s'avèrent impuissants à juguler la dislocation territoriale. En 1152, le mariage d'Aliénor d'Aquitaine avec Henri II Plantagenêt fait entrer le Poitou sous l'influence anglaise. Échu à Jean sans Terre (1204), le comté est conquis par Philippe Auguste et annexé au domaine royal par Louis VIII (1224). Apanage d'Alphonse, fils de Louis VIII, il est donné, en 1311, au futur Philippe V le Long. Ravagé dès le début de la guerre de Cent Ans, il tombe quelque temps sous la domination anglaise (1360-1369) et devient, entre 1417 et 1436, le centre politique du gouvernement du dauphin Charles.

POITOU-CHARENTES, Région de l'ouest de la France; 25 790 km²; 1 528 118 hab. Capit. *Poitiers.*

Elle regroupe les quatre départements suivants : Charente, Charente-Maritime, Deux-Sèvres et Vienne. Des confins de la Touraine au Bordelais et de l'Atlantique au Limousin, la Région englobe le haut Poitou et les trois provinces charentaises : Aunis, Saintonge et Angoumois. Le milieu naturel est dominé par l'extension du climat océanique, avec des précipitations régulièrement réparties dans l'année, variant, localement, entre 600 et 800 mm en moyenne. Les écarts thermiques sont peu marqués (la moyenne de janvier est de l'ordre de 5 °C, celle de juillet, de 20 °C), augmentant vers l'intérieur, relativement moins influencé par l'Atlantique et un peu plus élevé. Mais la modération du climat a

carpe
brochet
silure
perche
anguille
saumon
esturgeon
périophtalme
cœlacanthe
requin
raie
hippocampe
protoptère
exocet
turbot
thon
maquereau
morue

pour égale celle du relief. Si l'on excepte les confins du Massif armoricain, au N.-O., et du Limousin, à l'E., le pays se compose de plaines, de collines ou de bas plateaux souvent calcaires, à peine entaillés par les vallées, davantage cependant dans le nord-est (Vienne et Clain) que dans l'ouest, où la Charente et la Sèvre Niortaise aboutissent sur un littoral bas, parfois marécageux (Marais poitevin) et précédé d'îles (Ré et Oléron).

La densité de population est assez faible, de l'ordre de 60, inférieure d'un tiers environ à la moyenne nationale, avec une répartition assez homogène. La Région appartient à la façade atlantique de la France, encore fortement rurale (la moitié seulement de la population est urbanisée). Les trois quarts de la superficie totale sont consacrés à l'agriculture. L'élevage (bovins et ovins) tient une place importante, orienté vers la viande dans le nord (Gâtine vendéenne) et l'est (Confolentais, proche du Limousin), vers le lait dans les plaines de l'ouest et du sud (pays charentais, notamment). Les céréales (blé, puis orge et maïs) occupent près de 600 000 ha, dominant dans le centre, cédant fréquemment la place à la vigne au S. de la Charente (Cognac).

L'industrie tient encore une place peu importante, valorisant surtout la production agricole (distilleries, laiteries), plus spécialisée dans les principales villes : Poitiers*, La Rochelle*, Angoulême*, Niort*. Parmi celles-ci, aucune n'émerge réellement, les populations des agglomérations des trois premières sont très proches, toutes voisines de 100 000 habitants. Cela accentue le caractère homogène de la Région, mais explique l'absence de métropole régionale (la Région est écartelée entre les zones d'influence de Nantes, au N., de Bordeaux, au S., de Limoges même, à l'E., et aussi de Paris, vers le N.-E.), la relative faiblesse du secteur tertiaire (et également du secteur secondaire) et, finalement, la faible densité moyenne et la lenteur de la croissance de la population régionale. Celle-ci, dans les quinze dernières années, ne s'est guère accrue que de 3 p. 100. Encore ce chiffre résulte-t-il de l'expansion des principales villes (et ne doit pas masquer l'exode rural) et de l'excédent naturel, comblant, et au-delà, le solde déficitaire du bilan migratoire (lié naturellement à cet exode rural). Le tourisme, plus que la pêche (ou localement l'ostréiculture), anime le littoral. Cela ne suffit pas à développer une économie initialement défavorisée par l'inexistence des ressources minérales et énergétiques, l'insuffisance des capitaux, de l'armature urbaine, et, aujourd'hui, à l'exception de la partie orientale, à l'écart des grands axes de communication.

POIVILLIERS (Georges), ingénieur français (Draché 1892 - Neuilly-sur-Seine 1968). Spécialiste de la photogrammétrie, il a imaginé de nombreux appareils de stéréophotogrammétrie aérienne.

POIVRIER. — Les nombreux arbustes grimpants du genre *Piper,* et en particulier le poivrier noir, cultivé en Amérique chaude, portent des baies qui, desséchées, constituent les grains de poivre. On distingue le *poivre noir* (non décortiqué, à surface noirâtre et ridée) et le *poivre blanc* (décortiqué et de saveur moins accentuée). [Type de la famille des pipéracées.]

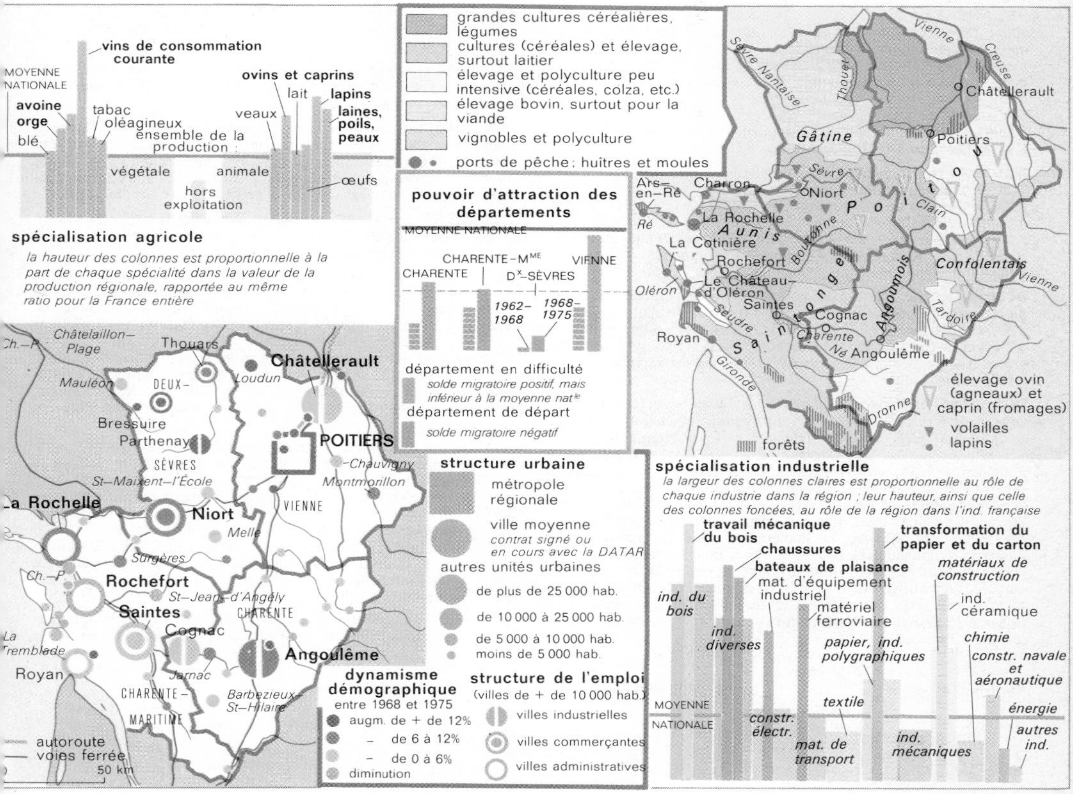

POITOU-CHARENTES

POIX-DE-PICARDIE (80290), ch.-l. de cant. de la Somme, à 28 km au S.-O. d'Amiens; 2 172 hab. Église de style flamboyant.

POIX-DU-NORD (59218), comm. du Nord, à 9 km au S. du Quesnoy; 2 259 hab. Textile.

PO KIU-YI ou **BO JUYI,** poète chinois (Hsin-tcheng 772 - Lo-yang 846). Il réagit contre la poésie érudite et voulut que ses poèmes puissent être compris à l'audition, et non plus seulement à la lecture des lettrés, aussi bien par leur forme (simplicité de structure et de vocabulaire) que par leurs thèmes (peinture de la vie quotidienne du peuple, satire de la Cour). Il est aujourd'hui aussi célèbre par ses poèmes « engagés » *(Chansons du pays de Ts'in)* que par ses poèmes d'amour *(la Chanson des regrets sans fin).*

POLABÍ, région limoneuse de l'ouest de la Tchécoslovaquie, en Bohême, dans le bassin supérieur du Labe (Elbe), portant de riches cultures (blé, betterave).

POLAIRE (climat). — Le climat polaire affecte les régions des hautes latitudes. La température moyenne annuelle est inférieure à 0 °C : le gel d'hiver est très profond et le réchauffement estival médiocre. La permanence du froid explique la persistance de hautes pressions, d'où s'échappent des vents très violents. La hauteur des précipitations varie suivant la situation (on distingue un climat polaire océanique et un climat polaire continental), mais ces précipitations tombent presque exclusivement sous forme neigeuse. Ce type de climat, très rigoureux, empêche la croissance de la végétation, limitée à quelques lichens et à de rares graminées.

POLAIRE *(la)* ou **ÉTOILE POLAIRE** → ÉTOILE.

POLAIRES *(régions),* nom donné aux régions limitées par les cercles polaires. Elles couvrent 43 millions de kilomètres carrés (le douzième de la surface du globe), occupés principalement par la mer dans l'Arctique*, par la terre dans l'Antarctique*.

POLANSKI (Roman), cinéaste polonais (Paris 1933). Il fit son apprentissage de comédien et de metteur en scène en Pologne, où, après quelques courts métrages insolites, il se fit remarquer dès son premier film de fiction *le Couteau dans l'eau* (1962). Il opta ensuite pour une carrière internationale, tournant, notamment en Grande-Bretagne, aux États-Unis et en France, des œuvres reconnaissables par leur climat à la fois fantastique et insolite : *Répulsion* (1964); *Cul-de-sac* (1966); *le Bal des vampires* (1967), *Rosemary's Baby* (1968); *Chinatown* (1974); *le Locataire* (1976).

POLANYI (Karl), économiste d'origine hongroise (Budapest 1886-† 1964). Émigré en Grande-Bretagne en 1933, il y enseigna l'histoire économique, avant de gagner les États-Unis et de devenir professeur d'histoire économique à l'université de Columbia. Ses recherches ont porté sur les « systèmes » économiques et sur les sociétés non marchandes. On lui doit, notamment, *The Great Transformation* (1944).

Polaris, missile stratégique américain destiné à être lancé en plongée d'un sous-marin. Le premier type, « A 1 », d'une portée de 2 200 km, date de 1960. Le « Polaris A 3 » (1964), d'une portée de 4 500 km, a été doté en 1967 de charges multiples, type MRV. Il armait encore dix sous-marins en 1977, mais est remplacé par le missile « Poseidon* ».

POLARISATION. — La lumière qui émane directement d'une source est dite « naturelle », et, sur un miroir, elle donne naissance à un rayon réfléchi, dont l'intensité reste constante dans tous les azimuts si l'on fait tourner le miroir sans changer l'angle d'incidence. Mais, après réflexion ou réfraction, cette propriété disparaît et, lorsque le rayon tombe sur un deuxième miroir que l'on fait tourner, l'intensité du nouveau rayon réfléchi varie en passant par deux maximums et deux minimums pendant une révolution. On dit que la lumière réfléchie ou réfractée est *polarisée.* Ce phénomène prouve que les vibrations lumineuses sont transversales, et l'on nomme *plan de polarisation* un plan caractérisant l'orientation de ces vibrations. Pour produire de la lumière polarisée, on s'adresse plutôt à la double réfraction, en utilisant un prisme de Nicol, ou à des substances dichroïques, dans les films Polaroïd.

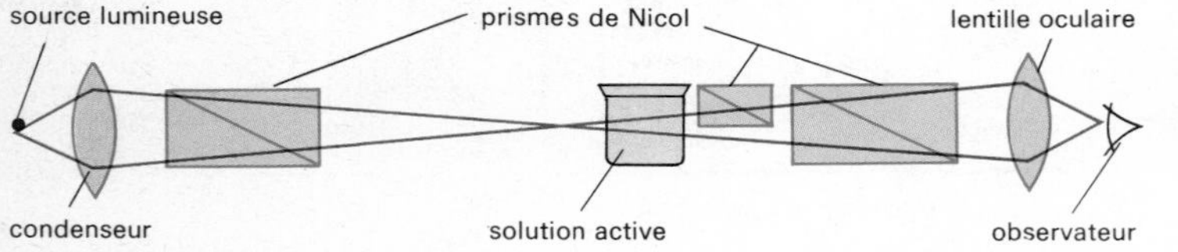

POLARISATION
Mesure de la polarisation rotatoire.

Certaines substances, dites « optiquement actives », ont la propriété de faire tourner le plan de polarisation de la lumière. C'est la *polarisation rotatoire,* découverte par Arago. La substance est dite « dextrogyre » ou « lévogyre », selon le sens de la rotation.

POLAROGRAPHIE. — La polarographie utilise, dans l'électrolyse d'une solution saline, une microcathode, goutte de mercure en formation à l'extrémité d'un tube capillaire. On mesure le courant, qui varie avec la tension appliquée et tend vers une limite. Cette limite fournit la valeur de la molarité des ions déchargés sur l'électrode. Cette méthode d'analyse a été imaginée en 1922 par le Tchèque Heyrovský.

POLATOUCHE. — Ce petit écureuil planeur d'Amérique du Nord a acquis une grande ressemblance de forme avec un marsupial planeur australien, le pétauriste*.

POLDER → AGRICULTURE et PAYS-BAS.

POLE (Reginald), prélat anglais (Stourton Castle 1500-Lambeth 1558). Brouillé avec Henri VIII, son parent, à propos du divorce royal, il se fixa en Italie. Cardinal (1536), il présida le concile de Trente en 1542, avant de devenir archevêque de Canterbury (1555). Le cardinal Pole joua un rôle éminent dans la réforme catholique.

PÔLE DE CROISSANCE. — Ce concept (dégagé notamment par F. Perroux*) prend en compte le fait que la croissance* n'apparaît pas partout en même temps et qu'elle se manifeste de préférence en des points donnés et avec des intensités variables. Se constituèrent en France, comme « pôles de croissance » lors de la première révolution industrielle (1830-1870), le Nord, la région lyonnaise, l'Est (Vosges, Lorraine, Alsace); constituent de nos jours des pôles de croissance la côte ouest des États-Unis, la Floride, etc.

Le pôle de croissance voit expliquer sa naissance et son développement par les économies externes dont il bénéficie et qu'il déclenche à son tour par l'effet d'incitation et d'émulation, par les possibilités d'intégration (amont ou aval) qui caractérisent la proximité réciproque de nombreuses industries, etc.

POLÉSIE (la), plaine souvent marécageuse (marais de Pinsk) de l'ouest de l'U. R. S. S. (Biélorussie et Ukraine), traversée par le Pripet.

POLEVOÏ (Boris Nikolaïevitch KAMPOV, dit), écrivain soviétique (Moscou 1908), auteur de romans patriotiques (*Un homme véritable,* 1946; *Berlin 596 km,* 1972).

POLIAKOFF (Serge), peintre français d'origine russe (Moscou 1906-Paris 1969). Installé à Paris en 1923, musicien converti à la peinture, il parvient autour de 1950 à la manière qui lui vaudra le succès : un découpage souple de grands secteurs d'une couleur-matière vibrante, aussi loin de la géométrie que de l'informel.

POLICE *(Dr.).* — Il faut, en France, distinguer la *police judiciaire,* dont les objectifs sont répressifs, et la *police administrative,* dont la mission est essentiellement préventive.

• La *police judiciaire* s'exerce sous la direction des procureurs de la République, sous la surveillance des procureurs généraux et sous le contrôle des chambres d'accusation; elle a pour objet de constater les infractions à la loi pénale, d'en rassembler les preuves et d'en rechercher les auteurs.

Son noyau est constitué par les *officiers de police judiciaire :* maires et adjoints, officiers et gradés de la gendarmerie, contrôleurs généraux, commissaires et officiers de la police nationale, directeur et sous-directeur de la police judiciaire, directeur et sous-directeur de la gendarmerie.

• La *police administrative* est, sur le plan national, exercée par le Premier ministre (en vertu de son pouvoir réglementaire général), le président de la République, le Conseil des ministres (qui l'exerce par des décrets). Dans le département, le préfet en est le titulaire (polices spéciales, police de la circulation, pouvoirs de police dans les communes où la police est étatisée et dans les autres si l'autorité municipale n'a pas pris les mesures nécessaires). Dans la commune, le titulaire de la police administrative est le maire. Le ministre de l'Intérieur se voit, par une série de textes, confier des pouvoirs en matière d'ordre public.

• *Polices municipales et police nationale.* Les *polices municipales* se trouvent sous l'autorité des maires, à l'exception de celle de la Ville de Paris et de celles des villes des trois départements dits « de la petite couronne » entourant Paris.

La loi du 9 juillet 1966 a créé une *police nationale* (réunissant, sous cette nouvelle appellation, la *sûreté nationale* et la *préfecture de police*). Les fonctionnaires de la police nationale sont répartis en trois groupes : ceux qui exercent dans des polices urbaines de province; ceux qui servent dans les polices urbaines des départements de la « petite couronne »; ceux qui sont mis à la disposition du préfet de police de Paris.

POLICE *(Imprim.)* → CARACTÈRE D'IMPRIMERIE.

Polichinelle, personnage comique des théâtres de marionnettes. Bossu, braillard et querelleur, il est différent du *Pulcinella* italien (dont il tire son nom); celui-ci, vêtu de blanc, n'est pas difforme.

POLICIÈRE (littérature). — Les Français achètent chaque mois près de 3 millions de volumes de romans policiers ou d'action violente, et chaque volume est lu par trois ou quatre personnes. Chaque titre d'une collection « installée » (type « Fleuve noir ») est tiré à environ 200 000 exemplaires; un seul roman de la littérature consacrée peut parfois rivaliser avec les tirages du roman policier : celui que couronne le prix Goncourt. Le lecteur de romans policiers n'achète pas le livre d'un auteur, mais le numéro d'une série homogène et stable (dans son format, son nombre de pages, la disposition de la couverture, la fréquence des chapitres), qui garantit la composition de produits remplissant un office précis et limité. Les auteurs de romans policiers disparaissent derrière leurs créatures (Simenon derrière Maigret, Fleming derrière James Bond); la littérature disparaît derrière le produit de grande consommation (il y a quelque 3 500 librairies en France, mais 35 000 points de vente offrent des romans policiers). Littérature populaire ou sous-littérature, la littérature policière est donc une composante essentielle de la lecture des Français.

Si Edgar Poe apparaît comme le précurseur du genre *(la Lettre volée, Double Assassinat dans la rue Morgue)* et si Émile Gaboriau campe, dès 1869, le type du policier professionnel *(Monsieur Lecoq),* c'est Conan Doyle (*les Aventures de Sherlock Holmes,* 1892) qui donne sa forme définitive à la première manière du roman policier (un jeu d'esprit fondé sur une énigme à résoudre, dont le héros est un détective privé ou amateur), dont S. S. Van Dine énoncera les règles (*Mystère Magazine,* n° 38, mars 1951), alors que la littérature policière sera entrée dans une nouvelle phase. Le roman policier, de la fin du XIXe s. à la Seconde Guerre mondiale, est, en gros, le contraire du roman ordinaire : alors que dans celui-ci la narration suit l'ordre des événements, dans le roman policier « le récit suit l'ordre de la découverte ». Le roman policier commence au point où se termine le roman d'aventures classique et repose sur un assaut d'ingéniosité entre l'auteur et le lecteur (la première des règles de Van Dine est que « le lecteur et le détective doivent avoir des chances égales de résoudre le problème »). Dans sa première phase, il pose donc un problème dont la solution dépend essentiellement du bon fonctionnement des « petites cellules grises » des chevaliers Dupin (E. Poe) et autres Hercule Poirot (Agatha Christie) : dans *Murder off Miami* (1936), de D. Y. Wheatley, le récit est constitué par un simple dossier de police sans élément narratif ou descriptif; le policier (et le lecteur), situé à plusieurs centaines de kilomètres du crime, découvre le criminel au seul examen du dossier.

À partir des années 30, le roman policier évolue, et d'abord dans le domaine américain, sous la double influence des bouleversements économiques et sociaux et des techniques cinématographiques (notamment la systématisation du *suspense*). L'intrigue policière se complique de péripéties violentes (le *thriller*) et se charge d'une sorte de réalisme noir (*le Faucon maltais,* 1930, de Dashiell Hammett) qui englobe l'univers du criminel et celui du policier, mais aussi le milieu qui sert de toile de fond au récit (*le Grand Sommeil,* 1939, de Raymond T. Chandler; *Cet homme est dangereux,* 1944, de Peter Cheyney). C'est dans cette voie, qui veut unir Zola à Ponson du Terrail, que le roman policier est toujours engagé, jouant d'une combinatoire savamment dosée et enrichie par le recours à l'exotisme, à l'érotisme, à l'actualité politique. Cette fabrication consciente a d'ailleurs sécrété sa propre parodie, burlesque avec le San Antonio de Frédéric Dard, fantastique avec Jorge Luis Borges et Adolfo Bioy Casares (*Six Problèmes pour don Isidro Parodi,* 1942).

POLICOLOGIE. — La policologie recouvre l'ensemble des règles présidant à l'organisation et aux interventions de la police. Faisant appel à un faisceau de sciences nombreuses (le droit pénal, la criminalistique, la science administrative, la sociologie, etc.), elle tend à résoudre les problèmes posés à la police pour le maintien de l'ordre, pour l'information politique, les tâches de police judiciaire et de police administrative, etc.

POLIGNAC (Melchior DE), cardinal français (Le Puy 1661 - Paris 1742), diplomate et écrivain, auteur de l'*Anti-Lucrèce,* poème latin cherchant à réfuter le matérialisme.

POLIGNAC (Jules Auguste, *prince* DE), homme politique français (Versailles 1780 - Paris 1847). Élevé dans l'émigration, il participe en 1804 au complot de Cadoudal* : en prison, il élabore une conception théocratique du monde et de l'histoire. Évadé en 1813, il rejoint le comte d'Artois. Rentré en France, il est fait pair (1814) et milite avec les « chevaliers de la foi ». Type du « chevau-léger » opposé à toute concession libérale, il est ambassadeur à Londres de 1823 à 1826, avant de prendre, en 1829, la tête d'un gouvernement anachronique, qui devient vite impopulaire et dont la chute, en juillet* 1830, entraîne celle de Charles X*. Condamné à la détention perpétuelle et à la déchéance civique par la Chambre des pairs (déc. 1830), il est amnistié en 1836.

POLIGNY (39800), ch.-l. de cant. du Jura, à 11 km au S.-S.-O. d'Arbois; 4 893 hab. Églises anciennes, dont Saint-Hippolyte (XVe s.; belles statues de style bourguignon). Hôtel-Dieu du XVIIe s.

POLIOMYÉLITE. — L'atteinte de la substance grise des cornes antérieures de la moelle épinière par le virus poliomyélitique s'observe surtout chez les enfants (paralysie infantile), mais elle n'épargne pas les adultes. Après un épisode fébrile aigu se constituent des paralysies de plusieurs groupes musculaires (membres inférieurs, supérieurs) avec abolition des réflexes, mais sans aucun trouble sensitif. Si l'atteinte remonte au bulbe, les troubles respiratoires nécessitent l'assistance respiratoire (« poumon d'acier »), sans laquelle l'asphyxie est inévitable. Les séquelles musculaires et ostéo-articulaires sont améliorées par la kinésithérapie. La prévention par les vaccins (virus atténués ou tués) a fait régresser considérablement le fléau de la poliomyélite.

Politburo, bureau politique du Comité central du parti communiste soviétique, qui assure la direction politique du parti. Institué en octobre 1917 par Lénine, cet organisme a pris le nom de « Praesidium du Comité central » de 1952 à 1966.

POLITIEN (Angelo AMBROGINI, surnommé **il Poliziano,** appelé en France **Ange**), humaniste italien (Montepulciano 1454 - Florence 1494). Précepteur des enfants de Laurent de Médicis, il composa des poésies en grec et en latin ainsi que des œuvres en toscan : *les Stances pour le tournoi* (1478), qui célèbrent un exploit de Julien de Médicis, et la *Fable d'Orphée* (1480), dont Monteverdi s'inspira dans son *Orfeo.*

Politique, œuvre d'Aristote. La politique est inséparable de l'éthique. C'est pourquoi l'homme, « animal politique », doit pouvoir bien vivre (c'est-à-dire vertueusement) dans la cité et ne le peut que dans ce cadre. Au terme d'une analyse des formes de communauté, des constitutions et des types de gouvernement, Aristote prône une république modérée.

POLITIQUE (philosophie). — Ni pratique* politique, ni « science » politique, ni politisation de la pensée, la philosophie politique recherche la vérité de la nature du politique et de son rapport aux valeurs*. Au lieu de se cantonner aux faits (aux pratiques et aux institutions), la philosophie politique classique (Platon, Aristote, Xénophon, Cicéron) part des liens entre ce qui se fait et ce qui devrait être.

Au contraire, la philosophie politique moderne (Machiavel, Spinoza, Hobbes, etc.) s'appuie sur l'histoire et les sciences, et détache la politique de l'éthique. Distinguant la réalité de nos désirs, elle rattache ces derniers à un rapport de forces qui les détermine, de même qu'il détermine tout l'espace politique.

Elle apparaît ainsi « comme la recherche de ce qui constitue l'État en tant qu'organisation d'une communauté historique, qui permet à celle-ci de prendre des décisions engageant sa forme de vie et sa survie » (E. Weil). Partant, son problème capital est de savoir qui décide quoi et comment, qui exécute ces décisions et comment. L'État* est alors son objet central, puisqu'il est « l'ensemble organisé des procédures et des procédés du pouvoir* destinés à éliminer ou à résoudre les conflits intérieurs ou extérieurs » *(id.).* [V. POUVOIR.]

POLITIQUE (science). — Il y a plusieurs conceptions de la science politique, soit que l'on considère que son champ d'étude recouvre le fonctionnement des institutions « politiques » de l'État (elle s'oppose dès lors au droit public, qui s'intéresse surtout à l'étude de ces institutions elles-mêmes), soit qu'on lui attribue l'étude de toute organisation où se manifestent des phénomènes de « pouvoir ».

La science politique fait appel à des procédés divers, utilisant la réflexion et l'abstraction mais aussi des méthodes qui, apparues plus récemment, s'apparentent aux procédés des sciences exactes, à base d'observation rigoureuse, de numération et d'explication des faits. Elle se sert même des modèles mathématiques.

POLITIQUE (sociologie). — Le champ de la sociologie politique est étendu : depuis la description des institutions gouvernementales jusqu'à la sociologie électorale* en passant par l'étude des partis politiques et celle des divers groupes de pression*. Aussi les politicologues utilisent-ils tout l'éventail des méthodes et des techniques des sciences sociales. À l'histoire, la sociologie politique emprunte d'abord l'observation critique pour considérer les institutions politiques. Elle y ajoute la méthode comparative, à seule fin de mieux comprendre les mécanismes qui président au fonctionnement des régimes, des partis et des groupes de pression.

Aujourd'hui, elle se veut également fonctionnelle et systématique. Fonctionnelle, en ce sens qu'elle considère la façon dont les fonctions inhérentes à tout gouvernement sont remplies à l'intérieur d'une société particulière donnée. Systématique, puisqu'elle se refuse à réduire la réalité politique à l'un seulement des éléments qui déterminent celle-ci ou qui en constituent un aspect singulier. C'est dire qu'en ce sens elle ne se borne plus au seul examen de ce qu'il est convenu d'appeler la « politique », c'est-à-dire le « gouvernement de la cité ».

POLITIQUE-FICTION. — Dérivant à la fois de l'utopie* et du roman d'anticipation*, la politique-fiction se distingue de la science-fiction par la faible amplitude de sa projection dans le futur et par l'intérêt qu'elle porte non plus à l'évolution scientifique ou technologique, mais aux transformations des rapports sociaux ou économiques et des appareils qui en assurent l'organisation.

POLITZER (Georges), philosophe et psychologue français (Nagyvarád [auj. Oradea] 1903-fusillé par les nazis au mont Valérien, 1942). Marxiste, il formula une critique de la psychanalyse*, à qui il reprocha son spiritualisme. Il proposa une « psychologie concrète » où le déterminisme psychologique n'agit qu'à travers le déterminisme économique.

POLJÉ → KARSTIQUE *(relief).*

POLLACK (Sydney), cinéaste américain (South Bend, Indiana, 1934). Formé par la télévision, il devint au cours des années l'un des plus brillants metteurs en scène de sa génération : *Propriété interdite* (1966), *Un château en enfer* (1969), *On achève bien les chevaux* (1969), *Jeremiah Johnson* (1972), *Nos plus belles années* (1973), *les Trois Jours du Condor* (1975), *Bobby Deerfield* (1977).

POLLAIOLO (Antonio BENCI, dit **del**), peintre, sculpteur et graveur italien (Florence v. 1432-Rome 1498). Formé dans l'atelier de Ghiberti, il est d'abord orfèvre. Dessinateur vigoureux, passionné d'anatomie, il peint une série des *Travaux d'Hercule* pour le palais Médicis (disparue; versions de petit format aux Offices), puis des compositions où s'impose le rapport des figures en mouvement à un vaste paysage (*Martyre de saint Sébastien,* 1475, National Gallery, Londres). Nerveux dans ses petits bronzes *(Hercule et Antée)* et dans ses gravures au burin (*Combat d'hommes nus,* v. 1470), il soumet sa verve décorative à la netteté de l'ordonnance dans les tombeaux de Sixte IV (1484-1493) et d'Innocent VIII à Saint-Pierre de Rome. — Son frère PIERO (Florence v. 1443-Rome 1496) collabora avec lui, surtout en peinture *(Travaux d'Hercule).* Il est l'auteur de portraits ainsi que du fébrile *Couronnement de la Vierge* de S. Gimignano (1483).

POLLAKIURIE → URINE.

POLLEN. — Produits en grand nombre par les étamines des plantes à fleurs*, les grains de pollen sont transportés par le vent ou par les insectes butineurs jusque sur le stigmate gluant d'une fleur de même espèce (pollinisation). Germant alors à la façon d'une graine microscopique, le contenu du grain perce son enveloppe et développe le long du style un filament unicellulaire, le *tube pollinique.* Le « noyau reproducteur » du grain émigre au bout du tube, face au micropyle d'un ovule, et se divise en deux gamètes mâles fécondants. L'aspect extérieur des grains de pollen caractérise chaque espèce. La reconstitution des flores et des climats anciens par dénombrement des grains de pollen de diverses espèces est la *palynologie,* ou analyse pollinique.

Le pollen fournit aux abeilles et à de nombreux autres insectes une nourriture appréciée.

POLLENSA, v. des Baléares, près de la côte nord de l'île de Majorque; 9 000 hab. Pêche. Station balnéaire.

POLLOCK (Jackson), peintre américain (Cody, Wyoming, 1912-Southampton, New York, 1956). Arrivé à New York en 1929, il surmontera le provincialisme de la peinture américaine d'alors grâce à l'influence des muralistes mexicains (Orozco, Siqueiros), à celle de Picasso, puis à la découverte de l'automatisme surréaliste (rencontre des artistes européens réfugiés, à la galerie de Peggy Guggenheim, à partir de 1942). Associant d'abord, vers 1943, une gestualité expressionniste à des sortes d'idéogrammes mythiques, rituels, totémiques, il aboutit en 1947, à travers la méthode du *dripping,* à une abstraction* dans laquelle la couleur, projetée sur de grandes toiles posées au sol, engendre un tissu continu *(all over)* de vibrantes calligraphies.

POLLUTION. — La souillure des différents milieux de vie (air, eau, terre) par l'introduction de substances nocives a pour résultat des effets nuisibles variés. La pollution s'exerce sur les êtres humains par la contamination du sol, des rivières, des océans, de l'atmosphère. Même à d'infimes concentrations sans nocivité directe, certaines substances deviennent dangereuses par le mécanisme des transmissions biologiques successives des plantes aux herbivores, puis aux carnivores et à l'homme.

La pollution du sol des villes et des agglomérations résulte de la surpopulation, de la prolifération du nombre des véhicules à moteur, de la suppression des espaces verts, du développement des industries. Le sol des grandes agglomérations est englué par une poussière grasse qui adhère à tout. Le plomb tétraéthyle de l'essence des moteurs est cause de saturnisme. Les suies, riches en benzopyrène, contiennent des substances cancérigènes. La pollution du sol des campagnes a des causes très diverses, en particulier les engrais chimiques, les insecticides et les pesticides*. La pollution des zones suburbaines s'observe principalement en cas d'absence de station d'épuration des eaux usées provenant des réseaux d'égouts.

La pollution des eaux des lacs, des rivières et des fleuves est due à des déversements inconsidérés d'eaux résiduaires (eaux d'égout, eaux industrielles). La pollution des nappes souterraines se constate notamment dans des zones où naguère la qualité des eaux permettait d'obtenir des bières réputées (Pays-Bas, Belgique, Munich). Le traitement des eaux potables est rendu difficile, notamment par l'absence de méthode sûre pour les débarrasser des détergents à mousse, non biodégradables.

La pollution de l'air par des substances chimiques résulte de divers procédés industriels (usines sidérurgiques, électrolyse ignée de l'aluminium, industries chimiques, cimenteries, raffineries de pétrole, usines de pâte à papier, usines d'incinération d'ordures ménagères, briqueteries); elle est due aussi à la combustion (combustibles solides, liquides et gazeux qu'utilisent les foyers domestiques ou industriels); elle provient encore des véhicules automobiles (monoxyde de carbone, oxydes d'azote, amiante); elle a enfin des origines diverses (brûlage sauvage de déchets, envol, sous l'effet du vent, de produits mal entreposés, etc.). La pollution atmosphérique par la radioactivité a une origine naturelle (radon, thoron); elle a aussi une origine artificielle (présence dans l'air d'aérosols radioactifs et de produits de fission), les sources principales étant fournies par les usines nucléaires et les explosions de bombes atomiques. La pollution dans l'air ambiant, après dispersion, a d'abord des effets locaux. Les effets chroniques sont difficiles à discerner; toutefois, dans les villes, on constate généralement un excès de mortalité par rapport à la campagne. S'il est impossible d'en déterminer la cause exacte (entassement, tabagisme, alcoolisme, teneur en dioxyde de soufre comprise en moyenne annuelle entre 0,05 et 0,15 mg/m^3), les effets de la pollution sur la santé sont, d'une façon générale, observés dans les maladies pulmonaires chroniques (bronchites et emphysème), l'asthme et le cancer. Les effets régionaux et les effets planétaires de cette forme de pollution ont été mis en évidence.

Les moyens de lutte contre la pollution de l'air ambiant comportent des actions de prévention et la mise en œuvre de dispositifs d'épuration, toutes mesures soumises à des réglementations strictes.

Les conséquences de la pollution atmosphérique sont importantes, car l'équilibre biologique peut être rompu durablement. Ainsi, les régions industrielles, même en dehors des grandes agglomérations, sont des milieux très pollués, surtout lorsqu'il y a conjoncture des temps stables et des forts rejets de matières nocives. Une géographie de la pollution atmosphérique est capitale dans l'étude des implantations urbaines et industrielles pour tenter de limiter les effets nocifs du phénomène.

La pollution des mers a deux origines : pélagique (polluants introduits au large par l'exploitation des fonds marins, les transports, les précipitations et les transports éoliens) et tellurique (apports des cours d'eau, rejets et dépôts à la côte).

Les principaux polluants sont alors des toxiques rémanents qui se trouvent à des concentrations pouvant être multipliées par des millions entre le milieu ambiant et les animaux situés en bout de chaîne (mercure, plomb, cadmium, D. D. T., etc.), puis les hydrocarbures, les détergents, certains micro-organismes pathogènes, les matières organiques dissoutes, les matières en suspension, les déchets solides divers.

D'autres types de pollution sont particuliers : ainsi, lors d'irrigations continues (Algérie), il a été constaté une remontée du gypse du sous-sol. D'autre part, l'usage des pesticides a des conséquences sur la vie des oiseaux, des lacs et s'est révélé dangereux pour l'homme. Il faut envisager aussi la pollution alimentaire (additifs dangereux), la pollution thermique, d'origine industrielle, et la pollution acoustique (nuisance).

La lutte contre la pollution est engagée dans tous les pays avec des fortunes diverses, car il faut faire la part de ce qui est inévitable, de ce qui tient à l'ignorance et de ce qui tombe sous le coup de la loi. (V. NUISANCE ET POLLUTION.)

● *La pollution dans l'industrie du pétrole.* La production, le transport et le raffinage du pétrole ainsi que l'utilisation des produits pétroliers sont des causes de pollution. Celle de la mer provient d'éruptions de puits offshore*, de collisions et de naufrages, de déversements industriels et du rejet au large, encore autorisé dans certaines zones, des résidus de nettoyage des navires. À la suite d'accords internationaux, les pétroliers pratiquent de plus en plus le « load-on-top », qui consiste à retenir à bord les rinçures polluantes pour les mélanger à la cargaison suivante; dans chaque port, les nappes de « mazout » accidentellement épandues sur l'eau sont encerclées par un barrage flottant, recueillies et ramenées à une raffinerie ou incinérées. Les nuisances provoquées sur l'environnement par le raffinage* et les autres industries comprennent le bruit, les odeurs, les fumées des cheminées, les torches de sécurité et le rejet des effluents aqueux en mer ou en rivière. Des législations très contraignantes ont été promulguées dans tous les pays pour la protection de la nature, avec pour conséquence une technologie nouvelle d'antipollution industrielle. La vidange à l'égout des huiles usagées provenant des usines et des garages pollue et noircit les cours d'eau : ces lubrifiants usés doivent être ramassés et rendus à la raffinerie. La pollution atmosphérique peut être maintenue dans des limites acceptables, si l'on restreint la teneur en soufre* des carburants Diesel et des combustibles brûlés dans les fours des usines et les foyers domestiques ainsi que la teneur en additifs antidétonants au plomb* de l'essence* et du supercarburant.

POLLUX → CASTOR ET POLLUX.

POLLUX → ÉTOILE.

POLO (Marco), voyageur vénitien (Venise 1254-*id.* 1324). Né pendant un voyage effectué par son père, Niccolo, et son oncle Matteo, négociants, en Asie centrale, il repart en leur compagnie en 1271 et gagne la Chine par l'Arménie, la Perse, le Khūrasan, le Pamir et le désert de Gobie. En 1275, il est reçu à Pékin par le maître du pays, Kūbīlāy, qui le comble d'honneurs et le charge de diverses missions. Seize ans plus tard, il rentre en Europe par Sumatra, les côtes méridionales de l'Asie et le golfe Persique. Fait prisonnier au cours d'une guerre entre Venise et Gênes (1296 ou 1298), il dicte dans sa prison la relation de ses voyages à l'écrivain Rustichello *(Livre* des merveilles du monde).*

POLOGNE, en pol. **Polska,** État d'Europe; 312 000 km^2; 34 360 000 hab. *(Polonais).* Capit. *Varsovie.*

GÉOGRAPHIE

• *Le milieu naturel.* Le nord du pays correspond à une partie de la grande plaine de l'Europe du Nord, vaste étendue plane drainée par la Vistule et la Warta, affluent de l'Odra; au quaternaire, un inlandsis l'a recouverte en grande partie, et son empreinte est encore visible sous la forme de nombreuses collines morainiques, de multiples lacs et de larges chenaux fluvio-glaciaires. Au N., la plaine s'ouvre sur la Baltique par une côte basse et sableuse. Au S., on passe par une série de collines, saupoudrées de lœss, à la bordure méridionale montagneuse du pays, boisée. Celle-ci comprend à l'O. les monts des Sudètes et des Géants, qui se rattachent à la Bohême hercynienne, et à l'E. les Tatry (Tatras), qui appartiennent au système des Carpates, de type alpin.

L'ensemble du pays connaît un climat continental, aux hivers rigoureux (avec un long enneigement) et aux étés chauds et orageux (à Varsovie, la température moyenne de janvier est de − 3 °C, celle de juillet de 20 °C et les précipitations annuelles sont de 550 mm).

• *La population.* La Pologne a beaucoup souffert du dernier conflit mondial, au cours duquel elle a perdu environ 9 millions d'habitants. Une grande partie d'entre eux ont péri dans les combats ou ont été exterminés dans les camps de concentration (en particulier les Juifs). De plus, le déplacement des frontières en 1945 a été accompagné de l'évacuation vers l'Allemagne des populations allemandes des territoires de l'Ouest et du Nord, qui a été en partie compensée par la venue des Polonais d'Ukraine et de Biélorussie. Actuellement, les minorités ont à peu près disparu, les Polonais représentant 95 p. 100 de la population. La fin de la guerre a été suivie par une hausse brutale du taux de natalité (jusqu'à 30 p. 1 000). Aujourd'hui, ce taux est seulement de l'ordre de 18 p. 1 000, et le taux annuel d'accroissement est voisin de 1 p. 100. Le pays n'en est pas moins caractérisé par une densité de population élevée (109 hab. au km^2), les habitants, en grande majorité catholiques, se concentrant dans le Centre et le Sud. Le taux d'urbanisation (un peu plus de la moitié des habitants) est moyen, mais progresse rapidement : la Pologne compte vingt-cinq villes de plus de 100 000 habitants, dont Varsovie (qui a largement dépassé le million), Łódź, Cracovie, Wrocław, Poznań, Gdańsk, Szczecin et Katowice sont les plus importantes.

• *La vie économique.* Elle a été complètement désorganisée par les destructions de la dernière guerre. Le nouveau régime a entrepris le redressement économique sur des bases socialistes, en mettant l'accent sur le développement industriel.

L'agriculture est peu favorisée par les conditions naturelles, les sols pauvres l'emportant largement sur les rares terres lœssiques fertiles. Après la guerre, la réforme agraire s'est soldée par un

POLOGNE

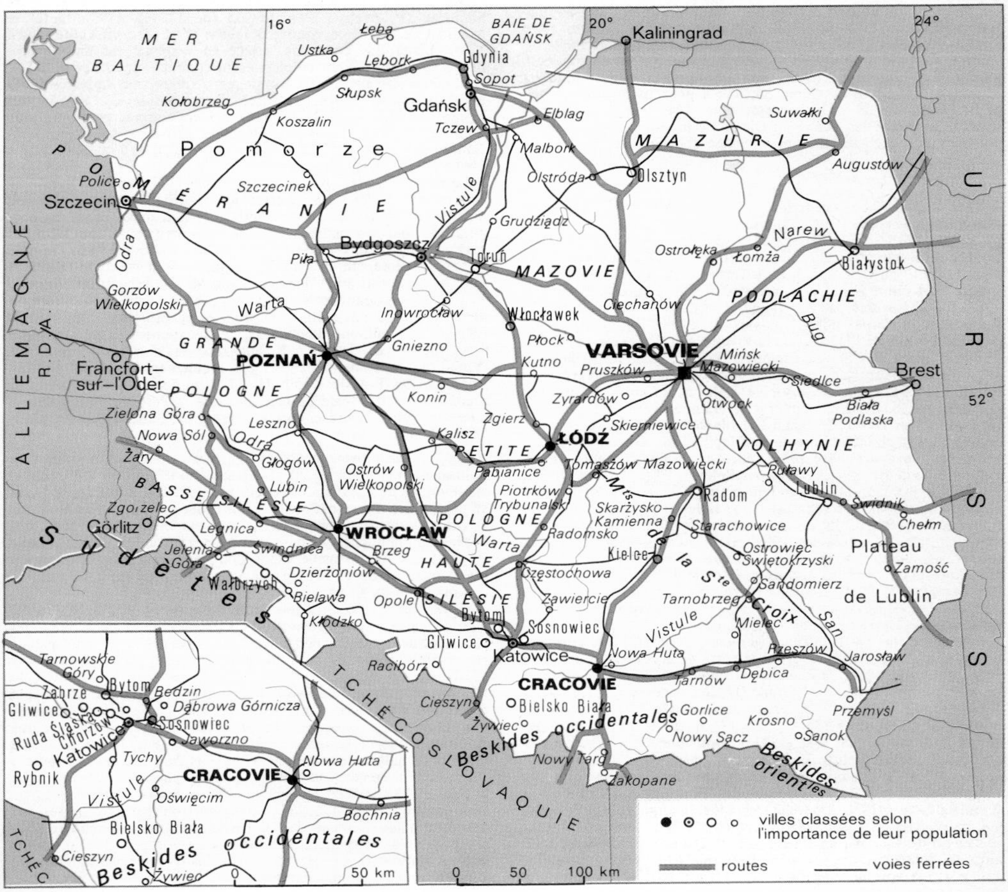

démantèlement des grandes propriétés, partagées entre les petits paysans, mais les tentatives de collectivisation ont été mal acceptées, et le gouvernement a dû reculer. Actuellement, les fermes d'État et les coopératives de production représentent moins de 20 p. 100 de la surface cultivée. Les paysans sont, cependant, regroupés au sein de cercles agricoles, qui leur fournissent engrais, semences et tracteurs, mais les rendements ne progressent guère. L'agriculture occupe encore le tiers de la population active. La Pologne reste un grand producteur de seigle (8 Mt, deuxième rang mondial), de blé et d'orge, de pommes de terre surtout (plus de 50 Mt, deuxième rang mondial) et de betterave à sucre. Les cultures de fruits et de légumes progressent pour l'alimentation des marchés urbains. L'élevage ovin régresse au profit de celui des bovins. La pêche (harengs) est active sur la côte de la Baltique.

Mais la Pologne est surtout un grand pays industriel. L'industrie existait déjà avant la guerre, mais elle s'est surtout développée depuis, en partie sous l'impulsion de l'U. R. S. S. Les ressources du sous-sol sont abondantes. Le charbon de la haute Silésie (plus de 170 Mt) classe la Pologne au quatrième rang mondial. La découverte de modestes gisements de pétrole et surtout de gaz naturel n'a pas entamé la prépondérance du charbon et du lignite dans la consommation énergétique, et l'essentiel de la production d'électricité est d'origine thermique. Le pays possède un peu de fer, mais surtout des métaux non ferreux (plomb, zinc, cuivre, nickel) et des gisements de soufre, de sel et de potasse.

Les plans ont donné la priorité à l'industrie lourde. La sidérurgie (15 Mt d'acier), qui utilise du fer importé d'U. R. S. S., est implantée surtout en haute Silésie. Elle alimente des constructions mécaniques variées (machines-outils, tracteurs, mécanique de précision), localisées dans les grandes villes, notamment autour de Varsovie, qui constitue, après la haute Silésie, la deuxième région industrielle du pays. L'industrie chimique (engrais, caoutchouc synthétique, matières plastiques) utilise le charbon et du pétrole, importé d'U. R. S. S. par l'oléoduc de l'Amitié et dont la consommation est en constante progression. Les constructions navales, qui exportent une large partie de leur production vers l'U. R. S. S., sont implantées à Gdańsk et à Szczecin. L'industrie textile (coton) reste importante, mais Łódź a perdu sa prééminence d'avant 1939.

Cependant, la Pologne manque de biens de consommation, qu'elle doit importer en échange de charbon et de produits agricoles. Rattachée au Comecon, elle a pour partenaires principaux l'U. R. S. S. et la Tchécoslovaquie. Mais elle tend, actuellement, à diversifier son industrie et à intensifier les contacts commerciaux avec les pays de l'Europe occidentale.

HISTOIRE

● *Des origines à l'extinction des Jagellons.* Les recherches archéologiques permettent de supposer l'existence d'un peuplement protoslave dès le IIIe millénaire av. J.-C. Entre 1400 et 200 av. J.-C. se succèdent une civilisation lusacienne et une civilisation poméranienne. Du Ier au VIe s. apr. J.-C., le territoire polonais, animé par la « route de l'ambre », entre en contact avec la civilisation romaine avant d'être traversé par les grandes invasions. À partir du VIIe s., qui marque la fin des migrations slaves, l'ethnie polonaise, établie dans les bassins de l'Odra et de la Vistule, se différencie au sein de la communauté des Slaves occidentaux. Du régime des tribus, on passe lentement au stade de l'unification, qui part de Gniezno et se fait autour de la Grande (ou Vieille) Pologne, au profit des princes polanes, les Piast*. Le premier souverain de cette dynastie, qui règne du Xe au XIVe s., Mieszko Ier* (de 960 à 992), fait entrer son peuple dans la chrétienté romaine et donne à son État les frontières qui sont, à peu de chose près, celles de la Pologne après 1945. L'apogée de la dynastie se situe sous Boleslas Ier le Vaillant (de 992 à 1025), qui est couronné roi de Pologne en 1025, mais dont l'empire s'écroule après lui. Les successeurs de Boleslas ont à affronter une féodalité active, qui, au XIIe s., accélère la formation de duchés autonomes; en réaction, les villes marchandes s'organisent, et la bourgeoisie, qui compte de nombreux Allemands, se montre favorable aux souverains étrangers. Dans le même temps se forme une civilisation d'une culture proprement polonaise — élément d'unité —, les évêchés (Cracovie, nouvelle capitale) et les monastères jouant le rôle de catalyseurs.

Cependant, malgré la menace germanique permanente (Brandebourg, chevaliers Teutoniques) et la perte de la fenêtre (Gdańsk et Poméranie) sur la mer, la Pologne est réunifiée — sans la Silésie — au XIVe s. grâce surtout à Casimir III* le Grand (de 1333 à 1370), fondateur, en 1364, de l'université de Cracovie. À la mort de ce dernier, la couronne passe à Louis Ier* d'Anjou, roi de Hongrie, puis à Ladislas II* (de 1386 à 1434), fondateur de la dynastie des Jagellons*. Celle-ci porte la Pologne à son apogée, le lien établi entre elle et la Lituanie* permettant de concentrer la lutte sur l'ordre Teutonique. Après la défaite des Teutoniques à Tannenberg (Grunwald) en 1410, la Prusse est, en 1454, incorporée à la Pologne, qui, par la paix de Toruń (1466), récupère la Poméranie et Gdańsk, et s'ouvre de nouveau un accès à la mer. L'humanisme qui rayonne alors de l'université de Cracovie (Copernic*) ne peut faire oublier que le XVe s. voit aussi le retour au servage, le développement de l'économie domaniale et de la démocratie nobiliaire : celle-ci triomphe avec le système bicaméral — un Sénat désigné par le roi et une Chambre des nonces (1493) — et surtout avec le privilège de Piotrków (1496), qui réserve à la noblesse non seulement la propriété foncière, mais aussi toutes les hautes fonctions.

L'apogée de la Pologne est atteint sous les deux derniers Jagellons, Sigismond Ier le Vieux (de 1506 à 1548) et Sigismond II Auguste (de 1548 à 1572); le pays pousse son expansion vers l'est et la Baltique, et se fortifie par l'union, réelle et non plus seulement personnelle, du royaume de Pologne et du grand-duché de Lituanie* (Union de Lublin, 1569). En 1596, Varsovie — acquise en 1526 par l'extinction des Piast de Mazovie — devient capitale.

● *La décadence.* Mais l'extinction des Jagellons permet à la noblesse (la *szlachta*) de soumettre à la diète le roi, qui est désormais élu par tous les nobles et dont les pouvoirs seront rigoureusement contrôlés par les *pacta conventa.* C'est ainsi qu'est désigné en 1573 Henri de Valois (futur Henri III* de France), puis Étienne Ier* Báthory (de 1576 à 1586), prince de Transylvanie. Accède ensuite au trône la dynastie suédoise des Vasa, dont les ambitions excessives, marquées par des désastres, favorisent la montée des magnats, qui, au cours du XVIIe s., dépossèdent à leur profit l'État de ses fonctions. Dans le même temps, le succès de la Contre-Réforme* fait de la Pologne le bastion du catholicisme dans l'Europe du Nord. Jean II Casimir (de 1648 à 1668), aux prises avec les Cosaques et les Suédois, est obligé de céder la Livonie à la Suède (1660) ainsi que Smolensk et la rive gauche du Dniepr à la Russie (1667). Le pays est alors ruiné; l'anarchie politique s'accélère avec l'application, à partir de 1652, du *liberum veto,* par lequel un seul opposant peut rompre la diète.

Dès lors, et pour un siècle (1668-1763), la Pologne sombre dans la décadence. Tandis que l'économie régresse, la couronne — si l'on excepte le règne de Jean III* Sobieski (de 1674 à 1696), vainqueur des Turcs (1683) — passe à des princes sans pouvoir, qui sont tantôt les créatures de la Russie, comme Auguste II (de 1697 à 1704, et de 1709 à 1733), Auguste III (de 1733 à 1763) et Stanislas II* Auguste Poniatowski (de 1764 à 1795), tantôt le candidat de la France, comme Stanislas Ier* Leszczyński (de 1704 à 1709). L'anarchie polonaise, érigée en système, est un anachronisme au milieu d'États en plein essor et dont l'appétit territorial ne peut qu'en être aiguisé. La Russie, particulièrement, appuyée sur la noblesse conservatrice, s'efforce de maintenir la « Pologne en léthargie ». Mais la brutalité de sa présence armée provoque sous Stanislas II un sursaut des éléments patriotes, qui forment la Confédération de Bar (1768-1772), soutenue par la France et dirigée contre le roi et les Russes.

Le premier partage partiel de la Pologne (1772) entre la Russie, la Prusse et l'Autriche a pour effet de surexciter le sursaut national, qu'alimente toute une classe d'intellectuels inspirés par la philosophie française des lumières. L'économie renaît sous l'impulsion des magnats physiocrates. Le triomphe de la révolution à Paris favorise le parti patriote, qui, le 3 mai 1791, impose à la « Grande Diète » le vote d'une constitution démocratique. Mais la terreur qu'inspire la France révolutionnaire condamne ce renouveau et accélère le dépècement du pays. En 1793, Russes et Prussiens réduisent la Pologne à 4 millions d'habitants; ce deuxième partage provoque l'insurrection de Tadeusz Kościuszko* (1794), mais, privée de l'appui de la France, celle-ci est rapidement réprimée par les Russes et les Prussiens, qui, dès 1795, en accord avec l'Autriche, procèdent au troisième partage, qui raie la Pologne de la carte et même du vocabulaire : Varsovie est prussienne, Cracovie autrichienne, Wilno russe.

● *La Pologne martyre.* Alors les patriotes polonais se tournent vers la France, et singulièrement vers Napoléon Ier, qui, en 1807, crée le grand-duché de Varsovie*, État qui adopte la législation française et se dote d'une armée nationale commandée par Józef Poniatowski* et qui participe activement aux guerres napoléoniennes. Mais, dès 1813, le grand-duché s'effondre, et le congrès de Vienne sanctionne les partages, la Posnanie étant donnée à la Prusse et l'ancien grand-duché, redevenu russe avec Varsovie pour capitale, formant le « royaume du Congrès ».

Si bien que toute l'histoire de la Pologne, de 1815 à 1914, n'est que la longue et tragique lutte d'un peuple cherchant à recouvrer son identité et son indépendance, face surtout au tsar, maître de la plus grande partie du pays. Il faut cependant dire que la marge de liberté laissée au royaume en 1815 favorise le maintien du patrimoine culturel : l'université de Varsovie est créée en 1816; la protection douanière, l'ouverture du marché russe et l'assainissement financier (Banque de Pologne, 1828) stimulent l'essor d'une industrie moderne (charbon, métallurgie, textile); la baisse du blé favorise la culture de la pomme de terre et de la betterave à sucre.

En fait, le régime libéral se révèle éphémère, surtout sous Nicolas Ier*. Aussi, en novembre 1830, la Pologne russe s'insurge-t-elle contre le tsar, dont les troupes finissent par avoir raison des patriotes polonais (sept. 1831). Une répression impitoyable s'accompagne d'une russification brutale. Un statut organique remplace la Constitution (1832) : plus de diète, plus d'armée. Alors s'amorce vers l'Occident, et singulièrement vers Paris, la grande émigration des patriotes (Adam Mickiewicz*, Frédéric Chopin*), dont le sort intéresse tout le romantisme occidental.

Avec l'avènement du tsar Alexandre II* (1855), qui passe pour libéral, l'espoir renaît en Pologne. Très vite, il est déçu, et une nouvelle insurrection éclate en 1863; elle est sauvagement réprimée (1864), ce qui provoque une nouvelle émigration vers l'Occident. Dans ce que les Russes appellent désormais le « territoire de la Vistule », tout particularisme est effacé; la russification s'intensifie, avec pour corollaire la montée de l'analphabétisme. Dans la Pologne prussienne, Bismarck* persécute les catholiques et germanise écoles et administration. Seule la Galicie-Ruthénie autrichienne jouit d'une large autonomie, si bien que les universités de Cracovie et de Lwów sont les havres de la culture nationale. Le réveil de cette culture dans le « royaume » est l'œuvre d'une pléiade d'intellectuels, de la Ligue polonaise, et, après 1900, d'un réseau d'écoles clandestines de tous niveaux. En Galicie, la social-démocratie polonaise, à base ouvrière, amorce un renouveau de la vie politique : dans le « royaume », la bourgeoisie s'organise en 1897 au sein du parti national-démocrate. Si bien que la révolution de 1905, en Pologne, est à la fois socialiste et nationaliste; après son échec, les nationaux-démocrates boycottent la douma.

Quand éclate la guerre de 1914, les Polonais sont mobilisés dans les deux camps : la « question polonaise » apparaît presque insoluble. C'est la révolution russe de 1917 qui clarifie la cause de l'indépendance polonaise, celle-ci bénéficiant de l'appui des révolutionnaires russes, du président Wilson et de la France, laquelle cautionne chez elle la formation d'une armée polonaise.

● *La IIe République.* La débâcle de l'Autriche permet la constitution à Lublin, le 7 novembre 1918, d'un gouvernement populaire provisoire, où s'impose bientôt le général Józef Piłsudski*. Celui-ci rentre dès le 10 novembre à Varsovie, où il proclame la république indépendante de Pologne, et devient dictateur en fait à la tête d'un cabinet socialiste. Inquiets, les Alliés réservent leur confiance au Comité de Paris, dominé par les nationaux-démocrates de Dmowski*. De son côté, l'émigration rentre à Varsovie dans le cabinet d'union d'I. Paderewski*. Si bien que, par peur du bolchevisme, la diète constituante, élue le 26 janvier 1919, est dominée par le centre et la droite : Piłsudski lui remet le pouvoir; elle l'élit chef de l'État.

Le traité de Versailles (1919) règle le difficile problème des frontières de la Pologne ressuscitée. À l'ouest, seul le partage de la haute Silésie — dont la Pologne reçoit la partie sud-est (1921) — fait véritablement problème. À l'est, par contre, la décision échappe aux Alliés; la Pologne, au nom de ses frontières de 1772, mène contre l'armée rouge une longue lutte (1919-20) [V. POLONO-SOVIÉTIQUE *(guerre)*].

La Pologne reconstituée (27 millions d'habitants, 390 000 km^2) reste fragile, du fait de ses interminables frontières, difficiles à défendre. Ruinée, elle doit renoncer au système fédéraliste et même à la démocratie, le régime autoritaire — renforcé par le « coup d'État » de 1926 — de Piłsudski, maître de la IIe République (Constitution du 17 mars 1921), assurant une reconstruction, qui sera achevée en 1929. Mais, bientôt, la crise économique mondiale atteint le pays (1932) et la Constitution de 1935 — peu avant la mort de Piłsudski — renforce le régime présidentiel à type autoritaire, qui est implicitement rejeté par le pays (« plébiscite des abstentions » en 1935), car la misère a renforcé les revendications du prolétariat, qui, de plus en plus, met son espoir dans le parti communiste (KPP), fondé en 1918.

Sur le plan extérieur, la Pologne restaurée, coincée entre l'Allemagne, bientôt gagnée au nazisme, et la Russie bolchevique, n'est qu'un pion sur l'échiquier des Alliés. Le gouvernement polonais, inféodé de fait au système français d'« alliances de revers », essaie, par des traités de non-agression — avec la Russie en 1932, avec l'Allemagne en 1934 —, de se prémunir contre toute attaque; mais, celle-ci devenant de plus en plus probable, il signe avec la France et l'Angleterre un pacte d'alliance, qui joue lorsque, le 1er septembre 1939, Hitler attaque la Pologne.

L'armée polonaise est rapidement submergée par les Allemands, qui se rendent maîtres du pays, sauf de la Pologne orientale, occupée par les Soviétiques (v. POLOGNE [*campagnes de*]). Une fois encore, la Pologne cesse d'exister : dans la partie annexée au Grand Reich et dans le Gouvernement général, soumis aux nazis, la germanisation radicale s'accompagne d'expropriations, d'expulsions, de déportations massives, dont la population juive — anéantie avec le ghetto de Varsovie en 1943 — fait particulièrement les frais. Au total, près de 9 millions de Polonais périssent. À cet « holocauste » et à ce martyre répond une intense résistance. Mais, bientôt, au « gouvernement polonais de Londres », appuyé par les Alliés, s'oppose le Conseil national du peuple, communiste, soutenu par Staline. C'est ce dernier qui triomphe, la Pologne étant libérée par les Russes. Le 22 juillet 1944, le Comité polonais de libération nationale proclame une réforme agraire radicale et la nationalisation de l'industrie. À Yalta (févr. 1945), les trois grands décident que le nouvel État polonais aura pour frontière la ligne Curzon et recevra des compensations à l'ouest et à l'est. Le 21 avril 1945, le Comité de Lublin, transféré à Varsovie, signe un traité

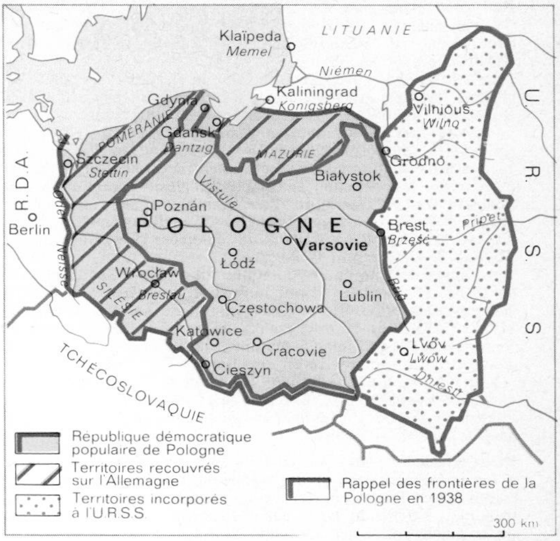

LA POLOGNE DEPUIS 1945

d'amitié et de coopération avec l'U. R. S. S. Le gouvernement d'unité nationale s'engageant à organiser des élections libres, les Occidentaux cessent de reconnaître le gouvernement de Londres.

● *La Pologne socialiste.* En fait, les premières élections, en 1947, sont marquées par le triomphe écrasant des communistes et de leurs alliés; bientôt, le parti communiste absorbe le parti socialiste épuré et prend le nom de « parti ouvrier unifié polonais » (PZPR). L'alignement sur le modèle soviétique est l'œuvre du stalinien Bolesław Bierut (1892-1956), qui, déjà chef de l'État, devient en 1948 le secrétaire du parti. La Constitution de 1952 entérine la transformation de l'État polonais en démocratie populaire; la diète, unicamérale, constituée de députés élus sur la liste unique du Front d'unité nationale, désigne parmi ses membres un Conseil d'État constitué de dix-sept personnes, qui assument collectivement depuis 1952 les fonctions de chef de l'État.

Rigide et très centralisée jusqu'en 1956, la planification s'assouplit après la révolte de la « base » en 1956. De plus, la mort de Staline (1953) oblige Bierut († 1956) à desserrer la rigueur du régime; l'action modératrice du président du Conseil des ministres Józef Cyrankiewicz (1954-1970) conjure les risques d'une insurrection à la fois antisoviétique et anticommuniste. Et puis l'unanimité de l'« Octobre polonais » (1956) fait de Gomułka*, premier secrétaire du Comité central de 1956 à 1970, le symbole de la démocratisation du régime. Mais s'il prend ses distances avec Moscou, Gomułka se coupe peu à peu du pays en raison de la gestion dogmatique de la bureaucratie. Le soulèvement de 1970 provoque son remplacement par Edward Gierek* (né en 1913), qui conserve les grandes options gomulkistes de 1956. Mais ces options doivent compter non seulement avec les problèmes économiques et sociaux liés à la montée des jeunes, mais aussi avec les relations, toujours difficiles, entre l'État et l'Église catholique.

À l'extérieur, tout en maintenant intangible son amitié avec l'U. R. S. S., la Pologne socialiste tend essentiellement à garantir sa frontière occidentale; de longues négociations aboutissent (traité de Varsovie, déc. 1970) à la reconnaissance de ces frontières par l'Allemagne fédérale.

DÉFENSE ET ARMÉES

Membre du pacte de Varsovie (1955). Service militaire de deux ans (armée et aviation), de trois ans (marine). Armement et équipement soviétiques.

● LES FORCES ARMÉES EN 1977. Budget : 2 252 millions de dollars (3,1 p. 100 du P. N. B.). Effectifs : 290 000 hommes (dont 194 000 conscrits) et 80 000 hommes des forces de sécurité.

Armée : 204 000 hommes (5 divisions blindées, 8 motorisées, 1 aéroportée et 1 amphibie). Chars « T 54 » et « T 62 ». Missiles « Frog » et « Scud », à capacité nucléaire tactique.

Aviation : 61 000 hommes, 804 avions de combat.

Marine : 25 000 hommes, 4 sous-marins, 4 destroyers, 6 escorteurs et environ 120 petits bâtiments.

Pologne *(campagnes de)* [1939 et 1944]. Pendant la Seconde Guerre* mondiale, la Pologne fut le théâtre des opérations qui entraînèrent, au début, son partage et, à la fin, la création de la République populaire.

Le 1er septembre 1939, sans déclaration de guerre, la Pologne est envahie par les armées allemandes de Bock* au nord et de Rundstedt* au sud (1 500 000 hommes), qui, surprenant en pleine mobilisation les 750 000 hommes du maréchal Edward Rydz-Śmigły (1886-1944), se rejoignent dès le 10 septembre devant Varsovie. Le 16, ces armées atteignent respectivement Brest et Lwów, opérant de nouveau leur jonction et complétant ainsi l'encerclement des Polonais. Le 17 septembre, l'armée rouge pénètre en Pologne orientale; le 18, le gouvernement passe en Roumanie, et, le 27, Varsovie capitule. Par le traité du 28 septembre 1939 l'Allemagne et l'U. R. S. S. se partagent la Pologne.

Au cours de l'été de 1944, l'armée rouge chasse les Allemands de la Prusse-Orientale, atteint la Vistule et installe à Lublin un gouvernement provisoire polonais. Le général Tadeusz Bór-Komorowski (1895-1966) déclenche alors, le 1er août, l'insurrection de Varsovie, que les Allemands répriment sauvagement, l'armée rouge ayant arrêté son offensive en direction de la capitale le 4 août.

L'armée rouge, qui ne franchit la Vistule que le 12 janvier 1945, conquiert Varsovie le 17, Cracovie le 18, Łódź et Kutno le 19 et Poznań le 27. Le 1er février, les Allemands sont chassés de la quasi-totalité de la Pologne.

POLONAIS. — Parlé par environ 34 millions de personnes, le polonais fait partie du groupe occidental des langues slaves. Les traces écrites les plus anciennes du polonais remontent au XIIe s., mais c'est à partir du XVIe s. que se forme la langue littéraire, base de la langue parlée actuellement. C'est également à cette époque que se fixe l'orthographe polonaise et que les imprimeurs adoptent l'alphabet latin, complété par quelques signes diacritiques et par des lettres doubles.

POLONCEAU, famille d'ingénieurs français. ANTOINE RÉMY (Reims 1778 - Roche, Doubs, 1847) construisit la route du Simplon (1801), puis celle du Lautaret (1808) et développa largement l'utilisation du rouleau compresseur. — Son fils, BARTHÉLEMY CAMILLE (Chambéry 1813 - Viry-Châtillon 1859), construisit le chemin de fer de Paris à Versailles et imagina le système de combles avec arbalétriers et tirants auquel son nom est resté attaché.

POLONIUM. — Première substance radioactive découverte en 1898 par P. et M. Curie dans la pechblende, le polonium est l'élément chimique no 84, de masse atomique Po = 210. Au point de vue chimique, il se rapproche du bismuth et du tellure. C'est un métal radioactif alpha avec une période de 140 jours.

POLONNARUWA, anc. capitale de Ceylan (Sri Lanka) du VIIIe au XIIIe s. Elle doit sa gloire au roi Parākrama Bāhu le Grand (de 1153 à 1186), qui la dota de fortifications et de nombreux monuments civils et religieux, tel le grand ensemble rupestre Gal-Vihāra, sanctuaire-caverne encadré de gigantesques statues taillées dans le roc (un bouddha couché de 15 m de long), et le groupe Laṅkātilaka, temple de brique aujourd'hui très endommagé.

polono-soviétique *(guerre),* conflit qui opposa en 1920 la Pologne à l'U. R. S. S. Pour répondre aux Polonais, qui avaient franchi la ligne Curzon et pénétré en Ukraine (avr. 1920), l'armée rouge, commandée par Kamenev, passe à l'offensive (juin), atteint le Bug et menace Varsovie (août), sauvée par une contre-attaque conduite par Piłsudski* avec l'aide de la mission alliée du général Weygand*. Un armistice intervient en octobre, confirmé le 18 mars 1921 par le traité de Riga, qui fixera jusqu'en 1939 la frontière orientale de la Pologne.

POLTAVA, v. de l'U. R. S. S. (Ukraine), au S.-O. de Kharkov; 220 000 hab. La victoire que, le 8 juillet 1709, le tsar Pierre le Grand y remporta sur Charles XII, roi de Suède, marqua la fin de la prépondérance suédoise en Baltique et l'entrée de la Russie dans le concert européen.

POLYACRYLIQUE. — Ce type de résine est préparé en utilisant comme monomère* soit l'acide acrylique*, $CH_2{=}CH{-}CO_2H$, soit l'acide méthacrylique, $CH_2{=}C(CH_3)CO_2H$, soit surtout leurs esters ou encore le nitrile* acrylique, $CH_2{=}CHCN$. On obtient l'acide acrylique à partir d'acétylène*, d'oxyde de carbone et d'un alcool*, l'acide méthacrylique en faisant agir l'acétone* sur l'acide cyanhydrique* et le nitrile acrylique par action de l'acétylène sur l'acide cyanhydrique. La polymérisation* des monomères s'effectue en bloc, en émulsion, en solution ou en perles. La solubilité de ces produits est nulle dans l'eau, mais ceux-ci sont solubles dans les bases* aromatiques, chlorées ou non, les cétones* et les esters. Leur résistance est bonne aux bases et aux acides* (sauf acides nitrique* et sulfurique*), mais très faible aux alcalis dans le cas des polyacrylates. Si les esters acryliques et le nitrile acrylique sont peu utilisés dans le domaine des matières plastiques*, les polyesters* méthacryliques sont des produits thermoplastiques* mis en forme par coulée, par injection, par compression, par extrusion et par enduction. Ils se caractérisent par un indice de réfraction* proche de celui du verre*. Ils s'emploient également sous forme de copolymères avec le chlorure de vinylidène, le styrène, les éthers et les esters vinyliques. Les polyacrylates sont utilisés pour le revêtement des matériaux poreux, tels que le cuir, le bois, les tissus, ou comme adhésifs* et vernis*. Le copolymère butadiène-nitrile acrylique sert à la préparation du caoutchouc* acrylique Buna N.

POLYAMIDE. — Ce haut polymère est obtenu par réaction de polyacides sur des polyamines, ce qui permet de faire varier à volonté les propriétés des produits obtenus en agissant sur le choix, la proportion des constituants et les conditions de la polycondensation. On obtient ainsi le Nylon par action de l'acide adipique sur l'hexaméthylènediamine, préparés eux-mêmes en partant du cyclohexane, et le Rilsan par polycondensation de l'acide amino-undécanoïque, dont la molécule* contient les deux fonctions essentielles : amine* et acide*. On peut également partir de caprolactame préparé à partir de phénol* et ouvrir ce composé hétérocyclique pour libérer les deux fonctions nécessaires. Les polyamides sont des thermoplastiques* translucides, inodores et stables. Leur résistance mécanique et leur élasticité sont élevées. Ils résistent aux produits pétroliers, aux huiles, aux graisses, à un grand nombre de solvants*, aux acides dilués, aux alcalis même concentrés et à de multiples réactions chimiques. Ils sont utilisés dans la fabrication d'objets moulés (pignons et roues dentées, articles de nouveauté, équipement domestique, petite mécanique) et dans la production des vernis*, mais c'est surtout comme filaments qu'ils sont employés pour la confection des tissus*, de rubans, de tissus renforçants pour stratifiés*, de fils à hautes qualités mécaniques améliorées par étirage et recuit. Ils sont surtout moulés par injection, mais, par suite de leur point de fusion élevé, ils exigent un chauffage plus puissant du pot d'injection.

POLYARTHRITE → ARTHRITE.

POLYBE, historien grec (Megalopolis v. 200 - v. 125/120 av. J.-C.). Il fut, après Pydna* (168), sur la liste des mille otages remis aux Romains; ce séjour forcé de seize ans en Italie et à Rome devait lui être bénéfique. Dans ses *Histoires* (la seule de ses œuvres qui nous reste et seulement en partie), Polybe entend montrer comment, entre 221 et 146 (des débuts de la seconde guerre punique à la soumission définitive de la Grèce et de Carthage), les Romains ont pu devenir les maîtres du monde méditerranéen. S'il n'est pas un écrivain de premier ordre, il se classe parmi les grands de l'histoire grecque, par le souci qu'il a d'analyser méthodiquement les faits et d'en rechercher les causes.

POLYBUTADIÈNE → ÉLASTOMÈRE.

POLYCARPE *(saint),* évêque de Smyrne (v. 69 - v. 155). Il aurait connu dans sa jeunesse l'apôtre saint Jean* et aurait eu pour disciple saint Irénée*. On a de lui une *Lettre aux Philippiens* (v. 135). Le récit de son martyre, écrit peu de temps après sa mort, est, dans l'ensemble, authentique et digne de foi : c'est le plus ancien témoignage qui nous ait été conservé de la mort d'un martyr.

POLYCHÈTES. — Le groupe des annélides à soies nombreuses, ou polychètes, compte presque uniquement des espèces marines. Ce sont les plus perfectionnées de l'embranchement (yeux, tentacules, mâchoires, rames complexes...) et elles sont fort diverses par leur mode d'existence : la néréide nage et rampe; la sabelle, le spirographe et la serpule vivent dans des tubes, laissant dépasser un panache de branchies; les hermelles bâtissent de véritables rochers; l'arénicole vit enfouie dans le sable; etc. La reproduction tient parfois d'un mode intermédiaire entre le mode végétatif et le mode sexué.

POLYCLÈTE, sculpteur grec du Ve s. av. J.-C. Formé par les bronziers argiens, il n'abandonne pas la manière péloponnésienne et applique à ses œuvres sa théorie du canon, fondée sur une parfaite connaissance du corps humain alliée à des règles arithmétiques. Ses créations, empreintes d'une harmonie savamment calculée, comme le *Doryphore* (v. 450-440; répliques à Florence, à Naples, à Berlin...) ou le *Diadumène* (répliques à Londres, à New York, à Madrid), illustrent l'idéal classique, et leur influence sur la sculpture grecque a été considérable.

POLYCRATE, tyran de Samos* de 533 à 522 av. J.-C. Il fit de sa cité un des États les plus puissants de la mer Égée*. Il attira à sa cour des artistes et des écrivains, dont Anacréon*.

POLYCULTURE → AGRICULTURE.

POLYESTER. — Un polyester est préparé par condensation d'un dialcool et d'un diacide*, et deux cas sont possibles.

- Si les deux réactifs sont saturés, la structure de la macromolécule est également saturée, et le produit obtenu est thermoplastique*. Un tel polyester est utilisé par filage à l'état fondu pour la fabrication de fibres textiles.
- Si l'un ou les deux réactifs portent une double liaison*, le polyester non saturé obtenu dans un premier stade est réticulé à l'aide d'un hydrocarbure diénique, le plus souvent le styrène, et

l'on a ainsi, par formation d'un réseau tridimensionnel, en présence d'un catalyseur, un produit thermodurcissable*. Avec ces polyesters, le durcissement s'effectue par polymérisation* et non par condensation, donc sans élimination d'eau; d'où possibilité de les mouler sans pression.

Les résines alkydes constituent un groupe important des polymères thermodurcissables et résultent de l'action de l'acide phtalique sur un polyalcool. Manquant de ténacité et de souplesse, elles sont modifiées par incorporation d'huile (résine oléoglycérophtalique) ou d'autres polymères pour la préparation des résines destinées à la fabrication des peintures* ou des vernis*.

Polyeucte, tragédie de Corneille (1641-42). Cette pièce a pour héros Polyeucte, seigneur arménien, qui, malgré sa femme, Pauline, et les tentatives, pour le sauver, de son beau-père, Félix, gouverneur romain d'Arménie, s'obstine à vouloir la palme du martyre. Son sacrifice entraînera la conversion de Pauline et de Félix, et lui vaudra l'admiration de Sévère, noble romain, qui, sans renier le paganisme, comprend la grandeur de la foi chrétienne.

serpule

aphrodite spirographe

néréide

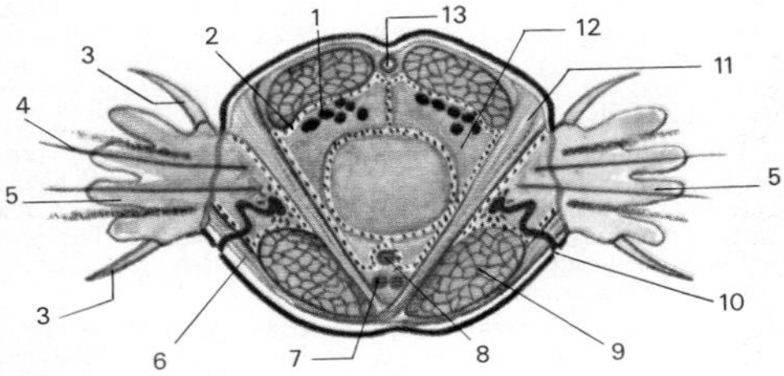

POLYCHÈTES. Coupe transversale d'une néréide : 1. Cellules germinales; 2. Paroi du cœlome; 3. Cirres; 4. Soie; 5. Parapodes; 6. Muscles ventraux; 7. Chaîne nerveuse ventrale; 8. Vaisseau ventral; 9. Muscles longitudinaux; 10. Néphridie; 11. Muscles obliques; 12. Cœlome; 13. Vaisseau dorsal.

POLYGLOBULIE → HÉMATIE.

POLYGNOTE, peintre grec (né à Thasos et mort à Athènes), actif entre 470 et 440 av. J.-C. Les descriptions de ses œuvres par Pline et Pausanias permettent de lui attribuer plusieurs innovations, dont le rendu des expressions, celui des transparences et celui de l'espace par la création de plans différents, ainsi que de le considérer comme le fondateur de la peinture murale grecque.

POLYGONACÉES. — La seule céréale qui ne soit pas une graminacée, le *sarrasin,* ou *blé noir,* appartient à la famille des polygonacées, de même que l'oseille, la rhubarbe et d'autres plantes alimentaires. Cette famille est proche de celle des chénopodiacées*.

POLYMÈRE. — Les hauts polymères naturels, comme le caoutchouc*, le bois, le cuir, la laine*, la soie* et le coton*, sont tous concurrencés par des macromolécules pétrochimiques de synthèse : élastomères*, plastiques*, fibres artificielles. Le *polyéthylène,* dont la molécule géante est un assemblage en chaîne d'un millier de molécules d'éthylène*, est produit par polymérisation de l'éthylène*, C_2H_4, oléfine* gazeuse obtenue par vapocraquage* de produits pétroliers : c'est un plastique* à usage universel (emballages, objets moulés). Le *polypropylène,* $(C_3H_6)_n$, dérivé également du vapocraquage, est une matière semblable, mais plus dure. Le *polychlorure de vinyle* (P. V. C.), obtenu par chloration de l'éthylène suivie de polymérisation, est le plus ancien, le plus connu et le plus répandu de tous les plastiques. Le *polystyrène* est un polyéthylène dans lequel un noyau benzénique aurait été substitué à un atome sur deux de carbone de la chaîne : c'est un excellent plastique moulable et, sous forme expansée, un remarquable isolant thermique et sonique pour les bâtiments. Le *polyisoprène* a la même nature chimique et les propriétés du caoutchouc* naturel, tandis que le *polybutadiène* et le *polychloroprène* sont des élastomères de synthèse dont certaines caractéristiques peuvent dépasser celles de la gomme de l'hévéa. Tous ces caoutchoucs, ainsi que les copolymères du styrène et du butadiène (Buna) ou de l'isobutène et de l'isoprène (Butyl), sont obtenus par polymérisation d'hydrocarbures gazeux sortant du vapocraqueur, avec adjonction soit de chlore, soit de benzène; ce dernier, qui fait partie des aromatiques*, est fabriqué par vapocraquage ou reformage*.

POLYMÉRISATION. — La polymérisation peut se faire sans perte de substance (polyaddition) ou avec (polycondensation).

POLYMNIE, dans la mythologie grecque, muse de la Poésie lyrique.

POLYMORPHISME. — Ce terme se rapporte à une même substance qui peut cristalliser sous plusieurs formes, dont chacune possède un arrangement différent des mêmes atomes. Ainsi, le carbonate de calcium existe sous forme de calcite rhomboédrique et d'aragonite orthorhombique. Les diverses formes polymorphes ont des propriétés physiques différentes et chacune possède un domaine de température et de pression où elle est stable. On peut passer d'une forme à l'autre en faisant varier la température ou la pression. Plusieurs formes peuvent coexister; une seule est thermodynamiquement stable, les autres étant métastables.

POLYNÉSIE, partie de l'Océanie englobant l'ensemble des îles du Pacifique, à l'E. de l'Australie, de la Mélanésie et de la Micronésie. Il s'agit de constructions volcaniques et coralliennes (correspondant [pour les premières] aux parties émergées de vastes couches sous-marines formées par des épanchements basaltiques) généralement de taille modeste, à l'exception des Hawaii, qui couvrent les deux tiers de la superficie totale de la Polynésie (en excluant la Nouvelle-Zélande), inférieure à 30 000 km². En dehors des Hawaii et de la Polynésie française (v. art. suivant), la Polynésie comprend notamment les îles Samoa, Tonga, Ellice et Phœnix. L'ensemble a un climat tropical, nuancé cependant selon le relief et l'exposition. La population est formée en majeure partie d'indigènes de peau assez claire et, au total, dépasse aujourd'hui 1,2 million d'habitants (dont près des deux tiers aux Hawaii), vivant surtout de la culture des tubercules et de celle des cocotiers, parfois du tourisme, intéressant notamment les Hawaii et Tahiti.

POLYNÉSIE FRANÇAISE, territoire français d'outre-mer. Dispersés dans le Pacifique central (entre 7 et 28° de latitude S.) à travers une surface maritime d'environ 4 millions de kilomètres carrés, les archipels (îles de la Société [dont Tahiti], îles Tuamotu, îles Marquises et îles Australes [ou archipel Tubaï]) ne couvrent, au total, que 4 000 km² (dont le quart pour la seule île de Tahiti). La population, en accroissement rapide, dépasse 130 000 habitants (dont plus des deux tiers dans l'archipel de la Société) et vit principalement des cocoteraies. La balance commerciale de l'ensemble est très fortement déficitaire et le territoire dépend largement de l'aide métropolitaine.

POLYNICE, frère d'Étéocle*, dont il devint le rival dans la conquête du pouvoir à Thèbes, après le départ d'Œdipe*. (V. SEPT CHEFS [*guerre des*].)

POLYOLÉFINE. — Il existe trois polyoléfines d'importance industrielle : le polyéthylène, $(—CH_2—CH_2—CH_2)_n$, le polybutylène, $(—CH{=}CH—CH_2—CH_2—)_n$, et le polypropylène, $(—CH{=}CH—CH—)_n$, préparés par polymérisation* de monomères* sous des pressions basses ou hautes. Ce sont des produits thermoplastiques*, incolores et inodores, fusibles, non toxiques, solubles, qui possèdent de bonnes propriétés diélectriques* et une résistance exceptionnelle aux agents chimiques et à l'eau bouillante. Leurs propriétés mécaniques dépendent de la pression à laquelle la polymérisation s'est effectuée. Ils se façonnent par moulage, par compression ou injection, par calandrage, par filage, par soufflage de feuilles ou par formage par dépression. Ils sont souples sans plastifiant. Ils sont employés pour la fabrication de tuyauteries, de récipients, de pièces isolantes, de pellicules d'emballage, de filaments et de peintures* protectrices. L'incorporation d'atomes d'halogènes dans les polyoléfines fournit des dérivés, comme le polytétrafluoréthylène, dont les stabilités chimique et thermique ainsi que les qualités diélectriques sont considérablement améliorées. Si le polytrifluorochloréthylène se moule par injection ou par transfert et s'extrude comme un thermoplastique, le polytétrafluoréthylène, par suite de son point de fluage très élevé, doit être façonné par frittage, c'est-à-dire par compression à chaud (de 200 à 300 kg/cm^2 à 350 ^{0}C).

POLYPE *(Méd.).* — On observe des polypes au niveau du nez, du rectum, de l'utérus, de la vessie, de l'urètre, etc. L'hémorragie en est souvent le signe révélateur. Bien que le polype soit de nature bénigne, il est préférable d'en faire l'ablation en raison du risque de dégénérescence cancéreuse.

POLYPE, POLYPIER *(Zool.).* — On appelle «polypier» une colonie permanente d'animaux marins de l'embranchement des cœlentérés* munie d'un squelette commun, généralement de nature calcaire. Les *polypes* sont les individus participant à la colonie, tous identiques ou spécialisés en diverses fonctions selon l'espèce. Les polypiers les plus typiques sont ceux des *hexacoralliaires,* ou *madréporaires.*

POLYPERCHON, général macédonien (v. 380 - v. 301 av. J.-C.), un des diadoques*. Il fut fidèle, après la mort d'Alexandre*, au régent Antipatros*. Son manque de sens politique le porta tantôt vers Antigonos*, tantôt vers Cassandre*. Il n'obtint que le Péloponnèse.

POLYPHÈME, cyclope qui, dans l'Odyssée, retint prisonniers Ulysse et ses compagnons. Pour lui échapper, Ulysse l'enivra et lui creva avec un pieu son œil unique.

POLYPHONIE → CHANT et ÉCRITURE MUSICALE.

POLYPLOÏDIE. — Très rare chez les animaux, mais très fréquente chez les plantes, la polyploïdie (qui affecte ordinairement la forme de la *tétraploïdie*) est le fait des variétés horticoles ou sauvages dont le nombre de chromosomes cellulaires est le double de celui de leur espèce. Les mutants polyploïdes, souvent hybrides, sont généralement grands, vigoureux et productifs. La polyploïdie a pu être l'un des facteurs de l'évolution biologique.

POLYPODE. — L'une des fougères les plus communes en France, le polypode, est une petite plante au rhizome court, portant quelques feuilles à découpure simple, couvertes dorsalement de sores (groupes de sporanges) ocrées. On le trouve dans les fentes des rochers, à l'intérieur des margelles de puits ainsi qu'en divers lieux humides et peu éclairés.

POLYPORE. — C'est un champignon basidiomycète, parasite des arbres morts ou blessés, formant un chapeau sans pied, en forme de console, dont la face inférieure porte les spores dans des tubes minuscules. Les polypores forment une famille, très nombreuse et très nuisible; l'espèce la plus commune est la *fistuline* ou *langue-de-bœuf.*

POLYPTÈRE. — C'est le grand nombre de ses petites nageoires dorsales qui a valu son nom à ce poisson allongé des fleuves africains, aux écailles ganoïdes, muni d'un poumon qu'il utilise lorsque l'eau manque d'oxygène. Le polyptère est un prédateur aussi redoutable que le brochet et il atteint 1 m de long. Son proche parent, le calamoichthys, est encore plus allongé, presque serpentiforme. (Sous-classe des chondrostéens.)

POLYSÉMIE. — On appelle «polysémie» la propriété qu'ont certains signes de la langue de présenter plusieurs sens. La polysémie d'une unité lexicale est liée à sa fréquence : les mots les plus courants acquièrent par métaphore et par métonymie des sens nouveaux. Quand on décrit le lexique, il est souvent difficile de distinguer polysémie et homonymie : en présence d'un mot* polysémique a-t-on affaire à des signes différents et, comme tels, faisant l'objet d'entrées distinctes ou bien existe-t-il entre eux une filiation quelconque (étymologique, logique)? La tendance actuelle consiste à considérer comme de véritables homonymes les termes qui s'intègrent dans des systèmes de dérivation différents ou qui n'apparaissent jamais dans le même contexte. Par exemple, *s'abstenir* (→ *abstention/abstinence*) sera traité comme deux unités lexicales distinctes.

POLYSTYRÈNE. — Dérivé vinylique du benzène*, de formule C_6H_5—CH=CH_2, le polystyrène est préparé à partir d'éthylène* et de benzène qui se combinent en éthylbenzène, lequel, par déshydrogénation ou cracking*, fournit le styrène monomère. Celui-ci est polymérisé en masse, en émulsion ou en suspension et se transforme en une résine thermoplastique*, insipide, incolore, non toxique, transparente et qui résiste aux acides* faibles, aux alcalis, aux alcools* gras, aux huiles et aux graisses, mais qui se dissout dans les hydrocarbures chlorés ou non, les esters, les éthers et les cétones*. Il a des propriétés diélectriques* excellentes et résiste à l'eau, mais non à la vapeur d'eau. Sous forme de poudre à mouler, il se moule, s'extrude, s'injecte facilement, et les pièces moulées qui présentent des tensions internes peuvent être améliorées par recuit.

Le styrène est utilisé dans la fabrication d'articles ménagers, de boîtiers, d'emballage et de conditionnement, ainsi que de panneaux de construction. Il est employé également sous forme d'émulsion pour la préparation de revêtements, d'enduits* pour plâtre, de peintures* à l'eau ou de mousses* plastiques. Utilisé en copolymérisation avec le butadiène, les dérivés acryliques et vinyliques et les monomères* non saturés, il entre dans la fabrication des caoutchoucs* synthétiques (Buna S). En partant de styrène substitué (styrène chloré ou polyméthylstyrène), on obtient des polymères à haute résistance à la chaleur.

polytechnique *(École),* établissement d'enseignement fondé à Paris en 1794 sous le nom d'« École centrale des travaux publics ». Il reçut son appellation actuelle en 1795 et fut transformé en école militaire par Napoléon en 1804. L'École polytechnique, dont les élèves sont familièrement appelés « X », forme notamment les ingénieurs des grands corps civils et militaires de l'État. Les études, qui durent deux ans, sont complétées dans d'autres écoles (École nationale d'administration, École nationale supérieure des techniques avancées...), et le recrutement se fait par concours. En 1970, tout en restant rattachée aux armées, Polytechnique est devenue un établissement public autonome, et, depuis 1972, les jeunes filles y sont admises. En 1976, l'École a été transférée à Palaiseau.

POLYTHERME. — Sur un cargo* polytherme, les températures de transport peuvent varier de + 12 ^{0}C pour les bananes à − 30 ^{0}C pour les produits surgelés, en passant par des températures intermédiaires pour les autres fruits (de 0 à + 4 ^{0}C), la viande en quartiers (0 ^{0}C environ) et les produits congelés (de − 20 à − 25 ^{0}C). La réfrigération* des compartiments est le plus souvent obtenue par soufflage d'air froid au moyen d'*aérofrigorifères* refoulant l'air à travers des batteries réfrigérantes alimentées par des machines frigorifiques* qui utilisent un fluide frigorigène, le plus utilisé actuellement étant le fréon, dont l'évaporation est obtenue par circulation de saumure ou par détente directe. Un brassage très intense de l'air est pratiqué pour le transport de bananes (de 60 à 90 fois par heure) avec refroidissement de l'air à chaque cycle. L'air est, en outre, renouvelé une ou deux fois par heure afin d'éliminer les gaz dégagés par le chargement, surtout s'il s'agit de fruits. Toutes les parois des cales et des entreponts sont isolées au moyen de matériaux comme la laine de verre* ou de roche ou encore des mousses de matières plastiques*, qui ont remplacé le liège des anciens navires. Sur les polythermes modernes, l'installation frigorifique est automatisée, des dispositifs de régulation assurant le maintien d'une *température de consigne* préalablement fixée.

POLYURÉTHANNE. — Cette résine se prépare par réaction d'un diisocyanate sur un dialcool, ce qui conduit au maillon unitaire —R_1NH—CO—CR_2, qui, par polymérisation*, fournit une matière thermoplastique*. En remplaçant le dialcool par un tri- ou un polyalcool ou un polyester*, on obtient une résine réticulable thermodurcissable*, par suite de la formation d'un réseau tridimensionnel. Les principales matières premières sont le diisocyanate de tolylène, obtenu par réaction de phosgène et de diamine, des glycols*, des trialcools, des polyéthers ou des polyesters, comme les propylèneglycols.

• Les *polyuréthannes linéaires thermoplastiques* sont des corps fusibles, souples, moulables par compression, injection et boudinage, qui résistent aux bases* faibles, aux alcools*, aux esters, aux carbures* chlorés, mais qui sont attaqués par les acides* faibles et les alcalis concentrés. Ils sont surtout utilisés dans la fabrication des fibres et des caoutchoucs* synthétiques.

• Les *polyuréthannes réticulés* sont élastiques, résistent aux agents chimiques les plus agressifs et bénéficient d'une adhérence exceptionnelle ainsi que de bonnes propriétés diélectriques*. On les emploie pour la fabrication d'huiles siccatives, de peintures*, de poudres à mouler, de caoutchoucs synthétiques, de mousses* et de cuirs artificiels, pour l'hydrofugation des tissus et pour la préparation des cires et des colles.

POLYURIE → URINE.

POLYVINYLIQUE. — Caractérisées par le radical* CH_2=CH—, dérivé de l'éthylène* et qui se retrouve dans un grand nombre de produits, ces substances thermoplastiques* se ramollissent au-dessous de 100 ^{0}C. Elles sont insipides, inodores, non toxiques, faciles à mouler, et leurs propriétés mécaniques, électriques, thermiques sont fonction de leur constitution.

• Le *chlorure de polyvinyle,* $CH_2{=}CH{-}Cl$, se prépare par action directe de l'éthylène sur l'acide chlorhydrique*. Il est polymérisé en masse, en solution ou en émulsion et s'utilise sous forme de poudre à mouler, d'émulsion, de pâte, de solution ou de demi-produits, tels que tubes, plaques, profilés.

• L'*acétate de polyvinyle,* $CH_2{=}CH{-}COOCH_3$, est obtenu par réaction de l'acétylène* sur l'acide acétique*. Ensuite, la polymérisation a lieu en émulsion, en bloc, en suspension ou en solution. Ce produit est surtout utilisé en copolymère avec le chlorure sous forme de solution (vernis*), de colle, de dispersion (enduits*) ou d'émulsion (liants pour peintures*).

• L'*alcool polyvinylique,* $CH_2{=}CH{-}OH$, préparé par alcoolisation de l'acétate, est employé en filage, en injection, en extrusion et en coulée pour la fabrication de fibres, de produits d'imprégnation, d'objets moulés ou de pellicules.

• Les *acétals polyvinyliques,* obtenus par acétalisation de l'alcool (formal, acétal, butyral), sont utilisés par moulage et par coulée (enduction et imprégnation, verres de sécurité, vernis).

POMARÉ IV, de son vrai nom **Aïmata** (Tahiti 1813 - *id.* 1877), reine de Tahiti de 1827 à 1877. Elle se débarrassa des missionnaires anglais et français (1832-1836), mais ne put empêcher la France d'imposer son protectorat sur l'île en 1847. — Son fils, POMARÉ V (Tahiti 1842 - *id.* 1891), abdiqua dès 1880, laissant la place au gouvernement direct de la France.

POMBAL (Sebastião José DE CARVALHO E MELO, *marquis* DE), homme d'État portugais (Lisbonne 1699 - Pombal, près de Coimbra, 1782). Issu de la petite noblesse de province, il est nommé secrétaire aux Affaires étrangères et à la Guerre (1750), puis secrétaire aux Affaires du royaume (1756), titre qui fait de lui un véritable Premier ministre. S'appuyant sur la bourgeoisie contre la grande noblesse et l'Église, il va s'efforcer, durant le règne d'un souverain effacé, Joseph Ier (de 1750 à 1777), de tenir à bout de bras une monarchie défaillante. Pombal développe une politique novatrice : affranchissement des esclaves (1773), garantie accordée aux baux des cultivateurs, modernisation de l'enseignement universitaire (Coimbra) et création d'un enseignement primaire. Quelques exécutions ayant maté la noblesse récalcitrante, il se tourne contre la puissante Église portugaise : il la touche au point le plus sensible en expulsant les Jésuites (1759).

Cette politique et aussi la reconstruction de Lisbonne après le tremblement de terre de 1755 coûtent cher. Affronté au problème financier, Pombal manque de moyens, les ressources du Brésil étant souvent détournées au profit des Anglais et la richesse d'un pays essentiellement rural étant entre les mains de l'Église. Il pratique alors une forme de colbertisme, favorable à l'artisanat régional, et accroît les exportations portugaises, notamment vers Londres. Pour combattre l'influence anglaise au Brésil, il crée des compagnies de commerce d'État. Mais, quand Marie Ire monte sur le trône en 1777, il est disgracié : avant de mourir, il verra son œuvre systématiquement détruite.

POMÉRANIE, région historique, en bordure de la Baltique. Les Poméraniens, Slaves païens, sont implantés au IXe s. entre l'Oder et la Vistule. La région de la Vistule est pénétrée par l'expansion polonaise (XIe-XIIe s.); celle de l'Oder passe au XIIe s. sous la vassalité des margraves de Brandebourg. La Poméranie vistulienne (ou occidentale) est l'enjeu de la lutte entre la Pologne et l'ordre Teutonique, et devient polonaise en 1466, tandis que la région de l'Oder (Poméranie proprement dite) se libère de la suzeraineté du Brandebourg et entre dans la vassalité directe impériale (1529). Attribuée en grande partie à la Suède en 1648, la Poméranie occidentale est finalement abandonnée à la Prusse (1815), qui réunifie ainsi toute la Poméranie, dont la majeure partie devient polonaise en 1945.

POMEROL (33500 Libourne), comm. de la Gironde, à 3 km au N.-E. de Libourne; 1 037 hab. Vins.

POMIGLIANO D'ARCO, v. d'Italie (Campanie), au N.-E. de Naples; 22 000 hab. Construction automobile.

POMMARD (21630), comm. de la Côte-d'Or, à 4 km au S.-O. de Beaune; 754 hab. Vins rouges renommés.

POMME → CIDRE et POMMIER.

POMME DE TERRE. — Provenant surtout aujourd'hui de pays tempérés froids, sur sols impropres à des cultures plus riches, la pomme de terre (v. SOLANACÉES) demeure l'une des grandes productions agricoles mondiales, avec un apport annuel variable, mais généralement supérieur à 300 Mt, assuré pour environ le tiers par l'U. R. S. S., devant la Pologne (environ 50 Mt). Loin derrière encore viennent la Chine, les Allemagnes et les États-Unis. La production de la France, qui a diminué, se situe aujourd'hui en deçà de 10 Mt.

L'utilisation industrielle de la pomme de terre est faible, la majeure partie de la récolte étant autoconsommée (homme et bétail). En France, c'est seulement le tiers de la partie commercialisée qui est transformé industriellement (fécule, purée déshydratée, chips, frites précuites, potages, plats cuisinés).

POMMIER. — Symbole du fruit par excellence, la pomme provient du développement charnu d'un ovaire infère et du réceptacle qui l'entoure. Au centre se creusent cinq loges contenant chacune une ou deux graines *(pépins).* À maturité, le fruit tombe en entraînant son pédoncule (« queue »). L'arbre (pommier) ressemble au prunier et au poirier par sa stature et par ses fleurs blanches, paraissant avant les feuilles. (Famille des rosacées.)

POMONE, divinité romaine des Fruits et des Jardins.

POMPADOUR (Jeanne POISSON, *marquise* DE), favorite royale (Paris 1721 - Versailles 1764). Épouse (1741) du fermier général Charles Guillaume Le Normant d'Étiolles, elle devient la maîtresse de Louis XV (1745), qui la fait marquise de Pompadour. Avec le titre de dame du palais de la reine (1756), elle joue un rôle déterminant auprès du souverain, auquel elle donne l'illusion d'un « foyer », à la Cour et aussi au gouvernement, notamment sur le plan des arts, de la philosophie des lumières et de l'édilité parisienne. Elle contribue, après la guerre de la Succession d'Autriche, au renversement des alliances (1756) et à la chute de plusieurs ministres. Choiseul* lui doit sa fortune.

POMPAGE. — Le pompage n'est pas destiné à fournir de grandes quantités d'énergie* électrique, mais à produire une puissance modulable instantanément, et il ne peut exister qu'aux dépens des moyens de production normaux. Le rendement énergétique moyen global d'une station de pompage est de 0,7. Cependant, il reste valable, car la consommation d'énergie se fait en heures creuses et la restitution en heures de pointe. Une station de pompage, qui utilise l'eau en circuit fermé, comprend un bassin supérieur et un bassin inférieur (généralement artificiel), des conduites hydrauliques, une centrale avec générateurs et transformateurs*, et enfin des lignes* de transport. Du point de vue technique, une telle installation de pompage utilise soit un alternateur* pouvant fonctionner en générateur pendant la période de turbinage et en moteur pendant le pompage, avec une turbine* classique (Francis ou Pelton) et une pompe (en général à plusieurs étages) groupés sur le même arbre (installation ternaire), soit, de plus en plus, un groupe réversible (utilisable pour les dénivellations inférieures à 400 ou 500 m).

POMPAGE OPTIQUE. — Cette méthode de physique expérimentale, imaginée par A. Kastler en 1950, utilise une irradiation lumineuse pour modifier les populations des états atomiques, c'est-à-dire la façon dont les atomes individuels se répartissent entre les divers états physiques possibles. Cette modification permet de nombreuses études, en particulier par l'observation de résonances hertziennes, et elle a d'importantes applications pratiques : étalons de fréquence ou horloges atomiques, magnétomètres de haute précision, lasers.

POMPE. — La *pompe centrifuge* (ou radiale) possède une roue à plusieurs aubages fixes, destinés à imposer au fluide un mouvement de rotation avec un sens d'écoulement radial. La *pompe axiale* comporte une petite hélice*, qui aspire le fluide comme l'hélice d'un avion* aspire l'air extérieur. La *pompe volumétrique* comprend un volume fermé, à l'intérieur duquel un organe mobile se déplace avec un mouvement alternatif ou rotatif. Suivant la source de puissance utilisée pour entraîner une pompe, on a une *pompe manuelle,* une *motopompe,* une *turbopompe* ou une *électropompe,* selon que l'entraînement a respectivement lieu manuellement, avec un moteur* à pistons, une turbine* ou un moteur électrique. Parmi les pompes spéciales figurent la *pompe électromagnétique,* dans laquelle le fluide, bon conducteur électrique, est traversé par un courant* en présence d'un champ* magnétique, la *pompe ionique,* dans laquelle on fait appel à la sensibilité des ions* d'un gaz à l'action d'un champ électrique ou magnétique, et la *pompe cryostatique,* qui utilise des fluides à très basse température.

POMPE À CHALEUR → THERMOPOMPE.

POMPÉE, en lat. **Cneius Pompeius Magnus,** général et homme d'État romain (106 av. J.-C. - Péluse 48 av. J.-C.). Lieutenant de Sulla, il fait campagne en Sicile et en Afrique contre les partisans de Marius. Il achève ensuite la guerre contre Sertorius*, puis met fin à la révolte de Spartacus. Créé consul en 70 avec M. Licinius* Crassus, il rompt avec le parti aristocratique et restaure la puissance tribunitienne. Avec l'appui des chevaliers et des *populares,* il se fait attribuer (*lex Gabinia,* 67) un commandement extraordinaire en Méditerranée contre les pirates, dont il triomphe. Chargé (*lex Manilia,* 66) de la guerre contre Mithridate VI* avec droit absolu de conclure la paix et les traités d'alliance, il chasse Mithridate du Pont, soumet l'Arménie, réduit la Syrie en province romaine (64), puis réorganise la province d'Asie. Ses succès lui procurent gloire, richesse et clientèle, mais inquiètent le sénat, qui, à son retour (62), refuse de ratifier ses actes en Asie. Désarmé et politiquement isolé, Pompée s'associe alors à César* et à Crassus dans le premier triumvirat* (60); en 54, il reçoit les deux Espagnes, qu'il confie à des légats, et reste illégalement à Rome. La mort de Crassus, en 53, le laisse face à face avec César. Alors que ce dernier est en Gaule, Pompée devient le maître de Rome : en 52, après le meurtre de Clodius*, qui déclenche de graves émeutes, le sénat nomme Pompée consul unique avec pleins pouvoirs : on peut alors parler du « principat » de Pompée, qui tente de mettre un terme aux pouvoirs de César en Gaule. Mais, en 49, César franchit le Rubicon : surpris, Pompée, désormais défenseur du sénat et de la légalité républicaine, abandonne Rome et passe en Grèce. Vaincu à Pharsale* (48), il s'enfuit en Égypte, où il est assassiné.

POMPÉE, en lat. **Sextus Pompeius Magnus,** fils du Grand Pompée (75-Milet 35 av. J.-C.). Il poursuivit la lutte contre César et fut vaincu à Munda* (45) avec son frère Cneius. Nommé par le sénat préfet de la flotte (43), proscrit ensuite par les triumvirs, il occupa la Sicile, la Sardaigne et la Corse, et affama Rome. Après quelques succès sur Octave (38), il fut vaincu par Agrippa* à Nauloque (36).

POMPÉI, en ital. **Pompei,** v. d'Italie, en Campanie, prov. de Naples, au pied du Vésuve; 20 300 hab. Fondée par les Osques (VIe s. av. J.-C.), Pompéi subit l'influence des Grecs de Cumes et des Étrusques. Vers la fin du Ve s. av. J.-C., elle fut conquise par les Samnites, qui contractèrent une alliance avec Rome en 291 av. J.-C.

B. Barbey - Magnum

Georges Pompidou lors d'une conférence de presse à l'Élysée (1971).

Scala

Pompéi. Vue partielle du forum : à gauche, temple de Jupiter (150 av. J.-C.); au centre, arc de Germanicus; à droite, « macellum » (marché couvert).

Révoltée contre Rome lors de la guerre sociale, elle fut assiégée par Sulla (89 av. J.-C.) et devint colonie romaine (80 av. J.-C.). En 63 apr. J.-C., elle fut en partie détruite par un tremblement de terre. Sa reconstruction n'était pas achevée lorsque eut lieu, en 79, l'éruption du Vésuve, que Pline le Jeune a décrite dans une lettre à Tacite : Pompéi, brutalement surprise dans sa vie quotidienne, fut ensevelie sous une épaisse couche de cendres et de lapilli.

Les fouilles archéologiques, qui ont été entreprises au XVIIIe s. et se sont poursuivies scientifiquement au XXe s., ont permis de suivre l'évolution architecturale de la cité depuis l'époque présamnite (VIe s. av. J.-C.) jusqu'à son anéantissement. Pompéi s'organisait selon un plan en damier avec un réseau serré de rues, pavées de dalles et bordées de trottoirs, et de grands espaces, où s'élevaient les édifices politiques, religieux et économiques (forum, temples de Jupiter, d'Apollon et des dieux lares, curie, marché, théâtre palestre et l'un des plus anciens amphithéâtres romains [80 av. J.-C.]). Les maisons patriciennes présentent l'heureuse combinaison de l'atrium, élément romain, et du péristyle entourant le jardin, élément hellénistique. Elles ont livré de nombreuses peintures murales du IIe s. av. J.-C. à 79 apr. J.-C.; ces peintures, qui sont classées, comme le reste de la peinture romaine, en quatre styles, évoluent de la simple imitation du revêtement de marbre à une ornementation plus complexe, dont témoigne la villa des Mystères, pour atteindre finalement une décoration fantastique et surchargée (maison des Vetii). Détruite, mais aussi protégée par une épaisse couche de cendres, la cité constitue l'un des ensembles documentaires les plus complets et les plus saisissants de vie de l'Antiquité.

POMPEY (54340), ch.-l. de cant. de Meurthe-et-Moselle, sur la Moselle, à 9 km au N. de Nancy; 6 534 hab. Sidérurgie.

POMPIDOU (Georges), homme d'État français (Montboudif, Cantal, 1911-Paris 1974). Chargé de mission auprès du ministre de l'Information de 1944 à 1946, il devient un des principaux collaborateurs du général de Gaulle, dont il dirige le cabinet de septembre 1958 à janvier 1959. Après avoir occupé d'importantes fonctions à la banque Rothschild (à partir de 1954), il est nommé Premier ministre (avr. 1962-juill. 1968). Au cours de la crise de mai-juin 1968, il joue un rôle déterminant dans la reprise en main du pouvoir et lors des accords de Grenelle, mais il est écarté par de Gaulle au profit de Couve de Murville, malgré l'important succès électoral des gaullistes en juin. Retrouvant son mandat de député du Cantal (où il avait été élu en mars 1967), il conserve un rôle politique important et apparaît comme un successeur possible du général de Gaulle.

Après la démission de celui-ci, il est élu président de la République (juin 1969) avec 58 p. 100 des suffrages exprimés. Confiant les problèmes intérieurs au Premier ministre (Chaban-Delmas* [1969-1972], puis Messmer* [1972-1974]), il maintient les orientations politiques de la Ve République* (en particulier le principe de la primauté du chef de l'État) et se consacre personnellement à la politique extérieure. Attaché à la construction de l'Europe, il favorise l'entrée de la Grande-Bretagne dans la C. E. E., tout en s'efforçant de renforcer l'autonomie et le prestige de la France sur le plan international. Il disparaît sans avoir pu réaliser le projet de réforme constitutionnelle qui devait ramener à cinq ans la durée du mandat présidentiel.

POMPIGNAN (Jean-Jacques Lefranc, *marquis* DE), poète français (Montauban 1709-Pompignan, Guyenne, 1784). Auteur d'*Odes chrétiennes et philosophiques* (1771), il fut un adversaire des philosophes.

POMPON (François), sculpteur français (Saulieu 1855-Paris 1933). Longtemps praticien de Rodin, animalier à partir de 1905, il connut la consécration en 1922 seulement, au Salon d'automne, avec le marbre de l'*Ours blanc.* L'élimination des détails, l'ampleur des formes caractérisent son style (salle au musée de Dijon).

POMPONNE (Simon ARNAULD, *marquis* DE), homme politique français (Paris 1618-Fontainebleau 1699). Fils de Robert Arnauld* d'Andilly, il sert Louis XIV en divers postes diplomatiques avant de remplacer de Lionne comme secrétaire d'État aux Étrangers (1671), puis comme ministre d'État (1672). En cette qualité, il négocie les profitables traités de Nimègue (1678-79). Disgracié par la faute de Louvois (1679), il est rappelé au Conseil après la mort de ce dernier (1691) et seconde son gendre Colbert de Torcy, secrétaire d'État aux Étrangers.

PONCE, v. de Porto Rico, près de la mer des Antilles; 168 000 hab.

PONCEAU → PONT.

PONCE DE LEÓN (Juan), conquistador espagnol (Santervás de Campos v. 1460-Cuba 1521). Gouverneur de Saint-Domingue, il obtint le droit de coloniser Porto Rico et entreprit une expédition en Floride.

PONCELET (Jean Victor), général et mathématicien français (Metz 1788-Paris 1867). Prisonnier de guerre lors de la campagne de Russie, il fut interné à Saratov, où, sans aucun document, il jeta les bases de la géométrie projective, dont il peut être considéré comme le fondateur avec Chasles* et von Staudt*. Comme instruments de recherche, il utilisa la projection centrale, la transformation par polaires réciproques, son *principe de continuité,* qui consiste à raisonner, d'une façon implicite, sur un espace projectif construit sur le corps des nombres complexes $\mathbb{C}$, et l'introduction systématique des éléments à l'infini ainsi que celle des éléments imaginaires.

PONCIN (01450), ch.-l. de cant. de l'Ain, sur l'Ain, à 26 km au S.-O. de Nantua; 1 176 hab. Château des XIVe-XVIIe s.

PONCTION. — Une ponction est faite soit pour préciser la nature liquide d'une masse et examiner les substances pathologiques que celle-ci contient (examens chimiques, cytologiques, bactériologiques), soit pour évacuer un épanchement abondant et dangereux. On ponctionne la plèvre, le péricarde, une tumeur supposée kystique, le canal rachidien (ponction lombaire), etc.

PONDÉRATION → INDICE STATISTIQUE.

PONDICHÉRY, v. de l'Inde, sur la côte de Coromandel, au S. de Madras, ch.-l. du *territoire de Pondichéry* (480 km^2; 472 000 hab.); 91 000 hab. La ville et son territoire furent acquis en 1674 par un agent de la Compagnie des Indes orientales, François Martin, qui fit de la ville le siège de la Compagnie. Prise par les Anglais en 1761, rendue aux Français en 1763, en 1783 et en 1802, Pondichéry ne redevint véritablement française qu'en 1814. Transférée *de facto* à l'Inde en 1954, elle lui fut cédée officiellement en 1956.

PONGE (Francis), poète français (Montpellier 1899). Sa démarche poétique cherche à rendre les « choses » dans leur intégralité physique, en faisant des objets le moule rigoureux et concret d'un langage (*le Parti* pris des choses,* 1942) qui, s'imprégnant du « monde muet », doit, en retour, provoquer un nouveau rythme de parole et un nouveau regard sur la vie (*le Grand Recueil,* 1961; *Pour un Malherbe,* 1965; *le Savon,* 1967; *la Fabrique du pré,* 1971).

PONIATOWSKI (Józef, *prince*), général polonais et maréchal d'Empire (Vienne 1763-Leipzig 1813). Après s'être battu contre les Russes (1792), puis contre les Prussiens (1794), il est nommé par Napoléon ministre de la Guerre du grand-duché de Varsovie (1807), dont il organise l'armée, qu'il commandera contre les Autrichiens (1809). À la tête du 5e corps de la Grande Armée en Russie (1812), nommé maréchal après Leipzig (1813), il meurt noyé dans l'Elster en protégeant la retraite française.

PONIATOWSKI (Michel), homme politique français (Paris 1922). Secrétaire général des républicains indépendants (1967-1974), il est le principal collaborateur de V. Giscard* d'Estaing, dont il est directeur de cabinet de 1959 à 1962. Ministre de la Santé publique et de la Sécurité sociale (1973-74), il devient ministre d'État chargé de l'Intérieur dans le cabinet Chirac (mai 1974) et conserve ces fonctions dans le cabinet Barre, août 1976 à mars 1977.

PONS (17800), ch.-l. de cant. de la Charente-Maritime, à 21 km au S.-S.-E. de Saintes; 5 418 hab. Vestiges féodaux (donjon du XIIe s.). Église à façade romane. Château Renaissance d'Usson. Constructions mécaniques.

PONSARD (François), écrivain français (Vienne, Isère, 1814-Paris 1867). Il réagit contre le romantisme et tenta dans ses tragédies un retour aux règles classiques (*Lucrèce,* 1843).

PONSON DU TERRAIL (Pierre Alexis, *vicomte*), écrivain français (Montmaur, près de Gap, 1829-Bordeaux 1871). Pendant vingt ans, il fournit les journaux de feuilletons qui tenaient les lecteurs en haleine (*les Exploits de Rocambole,* 1859).

PONT. — Les ponts se classent, suivant leur destination, en ponts-rails, en ponts-routes, en ponts-canaux et en aqueducs.

• Un *pont en maçonnerie** se compose toujours d'une voûte unique ou d'une série de voûtes maçonnées sur des cintres, reposant sur les deux culées d'extrémité et les piles centrales, également en maçonnerie : ce type de pont est aujourd'hui abandonné, sauf pour la construction de ponceaux, qui sont des ouvrages de quelques mètres de portée.

• Un *pont métallique* classique comprend un certain nombre de travées dont l'ossature se compose de deux poutres principales, droites ou paraboliques, à âme pleine ou à treillis, de poutrelles transversales entretoisant les poutres principales, de longerons assemblés sur des entretoises et de pièces de contreventement placées suivant les diagonales soit horizontalement soit verticalement.

Les poutres principales des ponts métalliques à arc sont formées d'arcs contreventés transversalement. Le poids du tablier est transmis aux arcs soit par des montants, soit par des suspentes.

Les ponts suspendus peuvent franchir de grandes portées. Leur tablier est suspendu aux câbles porteurs par des suspentes. Les efforts dans les câbles se transmettent d'une part aux têtes des pylônes et d'autre part à des massifs d'ancrage profondément enterrés à chaque extrémité du pont.

• Un *pont en béton* armé* peut être à poutres principales droites ou en arc pour les grandes portées. Les ouvrages en béton précontraint sont moins lourds que ceux qui sont construits en béton armé traditionnel. La majorité des ponts exécutés aujourd'hui, quand ils ne sont pas suspendus ou métalliques, sont en béton précontraint. Pour des portées de travée inférieures à 20 m, ces ponts se composent de dalles pleines formant *tablier,* qui reposent sur des piles. Pour des portées un peu plus grandes, le tablier est constitué de poutres et d'entretoises solidaires d'une dalle pleine. Enfin, pour des portées de 80 à 120 m, il est tubulaire et se compose de caissons préfabriqués que l'on assemble sur le chantier à l'aide de câbles de précontrainte.

Pour permettre le passage des bateaux dans les ports ou sur les voies navigables, on construit des *ponts mobiles* en acier. Un *pont tournant* pivote horizontalement sur une pile centrale, ce qui permet de dégager les deux voies de navigation. Un *pont basculant* se soulève en pivotant verticalement autour d'un de ses appuis ou bien s'ouvre dans son milieu en deux parties qui pivotent chacune sur un appui. (V. illustration p. 1502.)

Pont *(le),* poème de Hart Crane (1930). Une *Énéide* américaine, réplique à *la Terre* gaste* de T. S. Eliot, destinée à réconcilier les États-Unis et la poésie par l'intégration de la civilisation industrielle dans les thèmes littéraires et spirituels.

PONT, pays et royaume de l'Asie Mineure ancienne, en bordure du Pont-Euxin. Après avoir été sous Darios Ier* (de 522 à 486) une satrapie et avoir fait partie de l'empire d'Alexandre*, le Pont devient avec Mithridate Ier (de 320 à 266) un royaume indépendant (à dater de 301), qui s'agrandira aux dépens des États voisins et des cités grecques de la côte. La plupart des souverains qui se succéderont porteront le nom de « Mithridate ». Sous le règne de Mithridate VI* Eupator (de 111 à 63), le royaume du Pont, qui s'étend sur tout le littoral du Pont-Euxin, devient l'État le plus puissant de l'Asie Mineure. La mort de Mithridate VI, vaincu par Pompée*, y met fin en 63 av. J.-C.

PONTACQ (64530), ch.-l. de cant. des Pyrénées-Atlantiques, à 19 km à l'O.-S.-O. de Tarbes; 2 345 hab.

PONTA DELGADA, principale ville des Açores, dans l'île de São Miguel; 20 000 hab.

PONT AÉRIEN. — Une des premières expériences de pont aérien fut, en 1936, le transport en Espagne, par avions allemands, d'unités espagnoles du Maroc. Pendant la Seconde Guerre mondiale, des ponts aériens servirent à ravitailler des unités isolées à Stalingrad (1942-43), à Arnhem et en Extrême-Orient. Depuis 1945, le développement de l'aviation de transport* permit un usage plus important encore du pont aérien, notamment pendant le blocus soviétique de Berlin (1948-49), la guerre de Corée (1950-1953), la guerre israélo-arabe de 1973.

PONTAILLER-SUR-SAÔNE (21270), ch.-l. de cant. de la Côte-d'Or, à 13 km au N. d'Auxonne; 1 310 hab.

PONT-À-MARCQ (59710), ch.-l. de cant. du Nord, à 18 km au S.-E. de Lille; 1 652 hab.

PONT-À-MOUSSON (54700), ch.-l. de cant. de Meurthe-et-Moselle, sur la Moselle, à 28 km au N.-N.-O. de Nancy; 15 058 hab. *(Mussipontains).* Monuments et maisons des XVe-XVIIIe s., restaurés. Sidérurgie (tuyaux pour canalisations).

PONTARION (23250), ch.-l. de cant. de la Creuse, à 23,5 km au S. de Guéret; 388 hab.

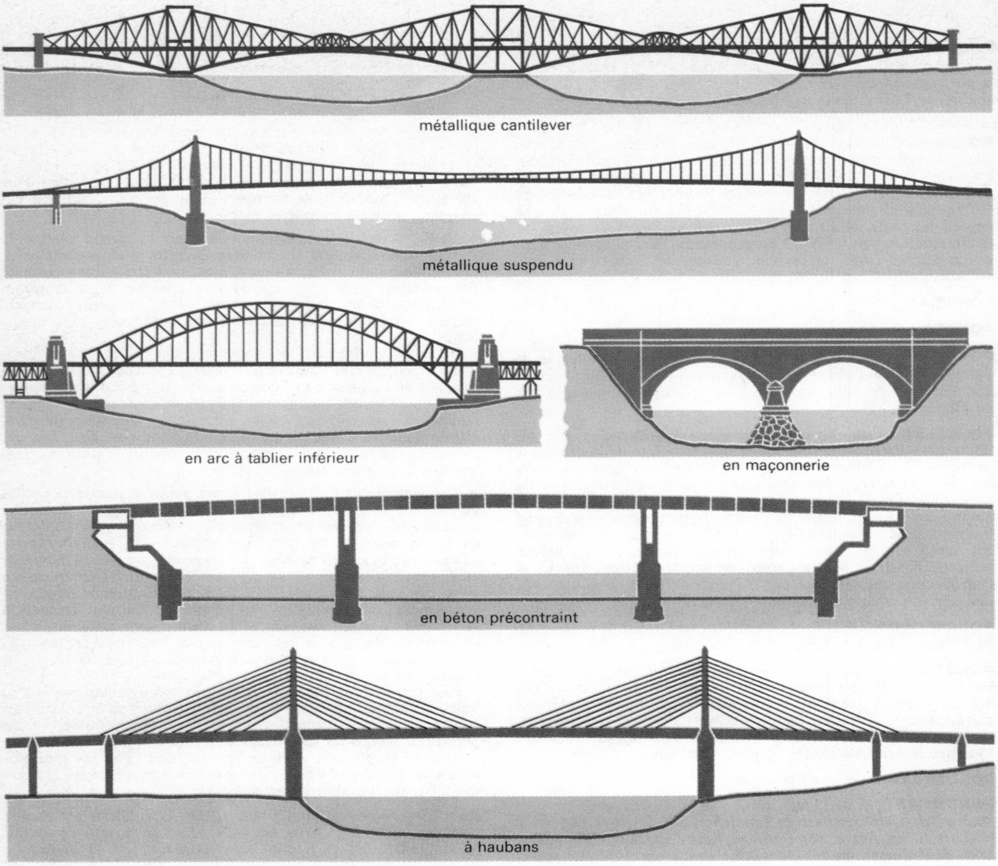

DIVERS TYPES DE PONTS

PONTARLIER (25300), ch.-l. d'arr. du Doubs; 18 841 hab. *(Pontissaliens).* Grande Rue du XVIIIe s., avec arc de triomphe en l'honneur de Louis XV. Constructions mécaniques.

PONT ARRIÈRE → TRANSMISSION.

PONT-AUDEMER (27500), ch.-l. de cant. de l'Eure, sur la Risle, à 24 km à l'E.-S.-E. d'Honfleur; 10 011 hab. *(Pontaudemériens).* Église des XIe-XVIe s. Vieilles maisons.

PONTAULT-COMBAULT (77340), comm. de Seine-et-Marne, à 12 km au N. de Brie-Comte-Robert; 16 769 hab.

PONTAUMUR (63380), ch.-l. de cant. du Puy-de-Dôme, à 43 km à l'O.-S.-O. de Riom; 916 hab.

PONT-AVEN (29123), comm. du Finistère, sur la *rivière de Pont-Aven,* à 15 km à l'E. de Concarneau; 3 561 hab. — On a appelé *école de Pont-Aven* un groupement épisodique de peintres dont Gauguin* fut le maître et É. Bernard* le théoricien. À Pont-Aven (1886, 1888, 1891...) ou au Pouldu (1889...) se rencontrèrent, outre ceux-ci, Sérusier* (que suivront les nabis*), Émile Schuffenecker, Meyer de Haan, Charles Laval, Henri Maufra, Charles Filiger... Dès juin 1889, à Paris, une « exposition du groupe impressionniste et synthétiste » réunissait au café Volpini, autour de Gauguin, certains de ces peintres. L'esthétique *synthétiste* (ou *cloisonniste*) allait influencer une large part du symbolisme* et de l'Art* nouveau.

PONT-À-VENDIN (62880 Vendin le Vieil), comm. du Pas-de-Calais, à 8 km au N.-E. de Lens; 3 338 hab. Cimenterie.

PONTCHARRA (38530), comm. de l'Isère, près du confluent de l'Isère et du Bréda; 4 745 hab.

PONTCHARTRAIN (Louis PHÉLYPEAUX, *comte* DE), homme politique français (Paris 1643-Pontchartrain 1727). Intendant (1687), puis contrôleur général des Finances (1689-1699), il assume en même temps le secrétariat d'État à la Marine et à la Maison du roi. Créateur de la capitation* (1695), destinée à financer une guerre malheureuse, il surveille rigoureusement la comptabilité de la nation. Chancelier (1699-1714), il défend les thèses gallicanes et la cause de la paix.

PONTCHÂTEAU (44160), ch.-l. de cant. de la Loire-Atlantique, à 24 km au N.-E. de Saint-Nazaire; 6 520 hab.

PONT-CROIX (29122), ch.-l. de cant. du Finistère, à 5 km au N.-E. d'Audierne; 1 961 hab. Église des XIIIe et XVe s.

PONT-D'AIN (01160), ch.-l. de cant. de l'Ain, à 19 km au S.-E. de Bourg-en-Bresse; 2 266 hab.

PONT-DE-BEAUVOISIN (Le) [38480], ch.-l. de cant. de l'Isère, à 19 km à l'E. de La Tour-du-Pin, sur la rive gauche du Guiers; 2 987 hab.

PONT-DE-BEAUVOISIN (Le) [73330], ch.-l. de cant. de la Savoie, sur la rive droite du Guiers, en face de la commune du même nom de l'Isère (v. art. précéd.); 1 551 hab.

PONT-DE-BUIS-LÈS-QUIMERCH (29117), comm. du Finistère, à 7 km au N. de Châteaulin; 4 220 hab.

PONT-DE-CHÉRUY (38230), ch.-l. de cant. de l'Isère, à 27 km à l'E. de Lyon; 3 853 hab.

PONT-DE-CLAIX (Le) [38800], comm. de l'Isère, sur le Drac, à 8 km au S. de Grenoble; 13 035 hab. Industries mécaniques et chimiques.

PONT-DE-L'ARCHE (27340), ch.-l. de cant. de l'Eure, sur la Seine, à 18 km au S.-S.-E. de Rouen; 2 883 hab. Église du XVIe s. Chaussures.

PONT-DE-MONTVERT (Le) [48220], ch.-l. de cant. de la Lozère, à 18 km au N.-E. de Florac; 312 hab.

PONT-DE-ROIDE (25150), ch.-l. de cant. du Doubs, sur le Doubs, à 17 km au S. de Montbéliard; 5 422 hab.

PONT-DE-SALARS (12290), ch.-l. de cant. de l'Aveyron, à 25 km au S.-E. de Rodez; 1 567 hab.

PONT-DE-VAUX (01190), ch.-l. de cant. de l'Ain, à 19 km au N.-N.-E. de Mâcon; 2 128 hab.

PONT-DE-VEYLE (01290), ch.-l. de cant. de l'Ain, à 8 km au S.-E. de Mâcon; 1 177 hab.

PONT-DU-CHÂTEAU (63430), ch.-l. de cant. du Puy-de-Dôme, à 14 km à l'E. de Clermont-Ferrand; 5 465 hab. Restes de fortifications, église des XIIe-XIIIe s., vieilles maisons.

PONTE. — On réserve ce nom au rejet, par l'animal femelle, d'un ou de plusieurs œufs*. La ponte suit la fécondation chez les oiseaux, mais peut aussi se produire sans accouplement, ce qui donne alors des œufs stériles. Chez les amphibiens, les œufs sont fécondés au moment même de leur ponte. Chez les poissons osseux, ils ne le sont qu'après celle-ci, dans l'eau : c'est la *fraie.*

Chez les mammifères, comme chez la femme, on appelle *ponte ovulaire* (ou ovulation*) le rejet périodique d'un ou de deux ovules dans les trompes utérines, où ils seront éventuellement fécondés.

On désigne aussi par « ponte », surtout chez les insectes et les araignées, l'ensemble des œufs pondus en même temps.

PONT-EN-ROYANS (38680), ch.-l. de cant. de l'Isère, à 24 km à l'O. de Villard-de-Lans; 1 170 hab.

PONTET (Le) [84130], comm. de Vaucluse, dans la banlieue nord-est d'Avignon; 10 532 hab. Matériel agricole. Papeterie.

PONT-EUXIN, nom donné par les Grecs et les Romains à la mer Noire*.

PONTEVEDRA, v. du nord-ouest de l'Espagne, en Galice, ch.-l. de prov.; 52 000 hab. Églises et demeures anciennes.

PONT-ÉVÊQUE (38780), comm. de l'Isère, à 4 km à l'E. de Vienne; 5 636 hab. Industries mécanique et chimique.

PONTGIBAUD (63230), ch.-l. de cant. du Puy-de-Dôme, à 25 km à l'O.-S.-O. de Riom; 1 015 hab. Château des XIIe-XVe s.

PONTHIEU (le), région du nord-ouest de la Somme, entre l'Authie et la vallée inférieure de la Somme.

PONTIAC, v. des États-Unis (Michigan), au N. de Detroit; 85 000 hab. Industrie automobile.

PONTIANAK, port d'Indonésie, sur la côte ouest de Bornéo; 218 000 hab.

PONTIEN *(saint)* → PAPE.

PONTIFE. — Le collège des pontifes, dont la création est attribuée au deuxième roi de Rome, Numa*, avait la haute direction de la religion romaine. Ses membres (seize sous César) se recrutèrent d'abord par cooptation, puis furent élus par des comices sacerdotaux. À la tête du collège, le grand pontife *(pontifex maximus)* était nommé à vie par ses collègues : c'est lui qui nommait les flamines*, choisissait les vestales* et surveillait le culte privé. Sous l'Empire, tous les empereurs (jusqu'à Gratien*) portèrent le titre de grand pontife. Le collège des pontifes élaborait le droit pontifical (rites de consécration, calendrier des jours fastes et néfastes).

PONTIGNY (89230), comm. de l'Yonne, à 19 km au N.-E. d'Auxerre; 833 hab. Cette commune est célèbre pour son abbaye cistercienne, fondée en 1114 et dont il ne reste que des éléments : ceux-ci ont abrité au XXe s. de nombreux colloques littéraires (dits « conversations de Pontigny »). En 1954, la paroisse de Pontigny est devenue le siège de la Mission de France.

PONTINE *(plaine)*, anc. **marais Pontins,** plaine d'Italie, dans le Latium, au S. de Rome, sur la mer Tyrrhénienne. Région fertile dans l'Antiquité, elle fut ensuite abandonnée et devint marécageuse et malsaine. À partir de 1928, elle fut assainie, intensément mise en valeur (blé, betterave à sucre, fourrages) et ponctuellement urbanisée (Latina).

PONTIVY (56300), ch.-l. d'arr. du Morbihan, sur le Blavet; 14 323 hab. *(Pontivyens).* Église et château du XVe s. Maisons de la vieille ville. Industries alimentaires.

PONT-L'ABBÉ (29120), ch.-l. de cant. du Finistère, à 19 km au S.-O. de Quimper; 7 823 hab. (*Pont-l'Abbistes;* les femmes sont appelées *Bigoudens,* du nom de leur coiffure). Église des XIVe-XVIIe s. Musée régional dans une tour du XVe s. de l'ancien château.

PONT-L'ÉVÊQUE (14130), ch.-l. de cant. du Calvados, à 11 km au S.-E. de Deauville; 3 764 hab. *(Pontépiscopiens).* Église des XVe-XVIe s. Vieilles demeures. Fromages* renommés.

PONT-L'ÉVÊQUE (60400 Noyon), comm. de l'Oise, à 2 km au S.-S.-O. de Noyon; 663 hab. Constructions mécaniques.

PONTMAIN (53220 Montaudin), comm. de la Mayenne, à 16,5 km au N.-E. de Fougères; 2 239 hab. Pèlerinage.

PONTOISE (95300), ch.-l. du départ. du Val-d'Oise, sur l'Oise, à 33 km au N.-O. de Paris; 28 241 hab. *(Pontoisiens).* La préfecture est située sur la commune voisine de Cergy, qui forme avec Pontoise le noyau d'une ville nouvelle *(Cergy-Pontoise).* Églises Saint-Maclou (gothique des XIIe-XVIe s.) et Notre-Dame (Renaissance). Musée dans un hôtel du XVe s. Industries chimiques et mécaniques.

PONTOPPIDAN (Henrik), écrivain danois (Fredericia 1857-Copenhague 1943), l'un des principaux représentants du roman naturaliste dans son pays (*Pierre le Chanceux,* 1898-1904). [Prix Nobel de littérature, avec K. Gjellerup, 1917.]

PONTORMO (Iacopo CARUCCI, dit le), peintre italien (Pontormo, près d'Empoli, 1494 - Florence 1557). Élève d'Andrea del Sarto, il se détacha vite de celui-ci, s'inspirant de Michel-Ange, voire de Dürer, plus proches de sa spiritualité inquiète. Son dessin, sinueux, et sa couleur, d'une fraîcheur acide, font de lui un des principaux maniéristes (*Déposition de Croix,* église S. Felicità, Florence).

PONTORSON (50170), ch.-l. de cant. de la Manche, à 9 km au S. du Mont-Saint-Michel; 5 516 hab. *(Pontorsonnais).* Église romane et gothique.

PONTRESINA, comm. de Suisse (Grisons), près de Saint-Moritz; 1 646 hab. Station de sports d'hiver (alt. 1 850-2 978 m).

PONTRIEUX (22260), ch.-l. de cant. des Côtes-du-Nord, à 18 km au N. de Guingamp; 1 549 hab. Laiterie.

PONT-SAINTE-MAXENCE (60700), ch.-l. de cant. de l'Oise, sur l'Oise, à 12 km au N. de Senlis; 9 426 hab. *(Pontois* ou *Maxipontins).* Église des XVe-XVIe s. Métallurgie. Céramique. Papeterie.

PONT-SAINT-ESPRIT (30130), ch.-l. de cant. du Gard, sur le Rhône, à 9 km au S.-O. de Bollène; 6 823 hab. *(Spiripontains).* Pont de vingt-cinq arches en partie du XIIIe s. Vieilles demeures et monuments du XIIe au XVIIe s.

PONT-SCORFF (56620), ch.-l. de cant. du Morbihan, sur le *Scorff,* à 9 km au N. de Lorient; 1 762 hab.

PONTS-DE-CÉ (Les) [49130], ch.-l. de cant. de Maine-et-Loire, sur la Loire, à 6 km au S. d'Angers; 9 924 hab.

PONT-SUR-YONNE (89140), ch.-l. de cant. de l'Yonne, à 12 km au N.-N.-O. de Sens; 2 710 hab. *(Pontois).* Belle église des XIIe-XVe s.

PONTVALLAIN (72510 Mansigné), ch.-l. de cant. de la Sarthe, à 25 km à l'E.-N.-E. de la Flèche; 1 025 hab.

POOLE, port d'Angleterre (Dorset), sur la Manche; 107 000 hab.

POONA, v. de l'Inde (Mahārāshtra), au S.-E. de Bombay; 856 000 hab. Université.

POOPÓ, lac andin (à 3 700 m d'alt.) du sud de la Bolivie; 2 800 km^{2}.

POP ART ou **POP'ART.** — L'idée de « pop art » (et de « pop culture ») apparaît vers 1953-1955 dans les débats de l'avant-garde londonienne, où elle désigne l'ensemble des manifestations à contenu en partie esthétique de la société technique, urbaine et de consommation : machines, imagerie publicitaire (notamment de « mauvais goût »), photos des magazines, cinéma et musique destinés aux masses, science-fiction. Par réaction contre les habitudes élitaires, ces manifestations sont vues avec faveur, comme représentant un nouvel « art populaire », capable de fournir aux artistes d'avant-garde les thèmes qui leur permettront de combler le fossé creusé, par l'abstraction notamment, entre art et vie, entre artistes et grand public. Ce programme commençant à se réaliser vers 1957, le terme de « pop art » désigne désormais, par un glissement de sens, l'ensemble des œuvres qui en résultent. Le sculpteur Eduardo Paolozzi (né en 1924), plus proche, cependant, de dada* et de Dubuffet* dans son œuvre personnelle, le dessinateur industriel puis peintre Richard Hamilton (né en 1922), admirateur de Duchamp*, et le peintre américain Ronald B. Kitaj (né en 1932) ont participé à la gestation du pop art anglais. Dans l'ensemble, celui-ci a manifesté un engagement stylistique moins clair, moins durable aussi que le pop art américain. Il est demeuré parfois lié à la tradition expressionniste (Kitaj; Peter Blake), a cultivé l'humour en même temps que la touche sensible et les couleurs chatoyantes (David Hockney, Allen Jones); Hamilton ou Colin Self ont employé les techniques les plus variées pour rendre compte de l'environnement contemporain, mais, tandis que le premier l'embellissait, le second en faisait une critique grinçante, exceptionnelle dans le concert optimiste de la nouvelle culture des « mass media » — rejoignant par là l'attitude de la « nouvelle figuration* » européenne.

Aux États-Unis, le pop art est précédé, durant les années 50 d'une production souvent qualifiée de « néodadaïste » et qui recourt à l'assemblage* d'objets de rebut. À New York, les « combine paintings » de Rauschenberg* minent la subjectivité de l'expressionnisme abstrait par des collages d'objets réels, tandis que les *Drapeaux* américains (1954) de Jasper Johns (né en 1930) imposent l'idée d'une ambiguïté entre l'objet et sa représentation. Vers le début des années 60, l'art des « assemblagistes » évolue vers un langage plus ordonné et plus éclatant (objets neufs), non sans

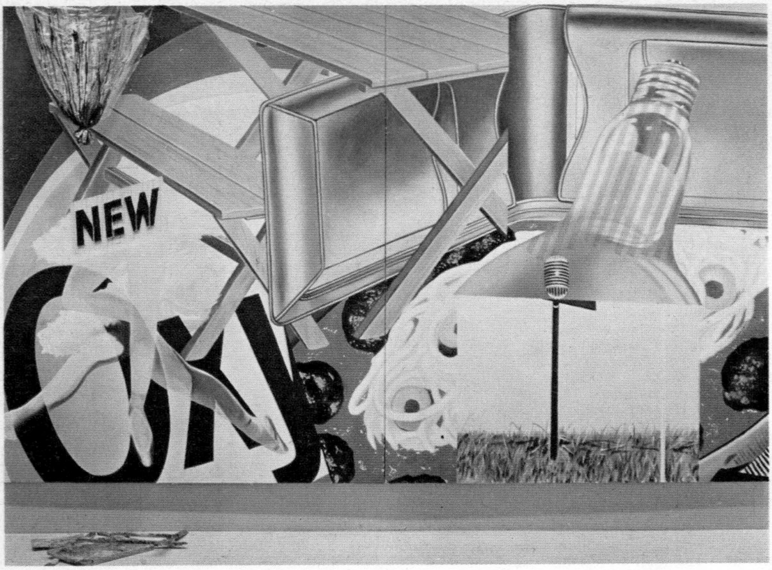

Shunk

Pop art. *Nomad* (1963), de James Rosenquist. Huile sur toile et matière plastique. (Albright-Knox Art Gallery, Buffalo.)

parenté avec celui de la nouvelle abstraction*, qui lui est contemporain. C'est le moment (v. 1962) où naît le pop art new-yorkais, qui se résume dans la personnalité de cinq artistes principaux, indépendants les uns des autres et dont la production se poursuit, inchangée, dans les années 70. Claes Oldenburg (né en Suède en 1929), d'abord peintre figuratif assez conventionnel, en vient en 1959 au happening* sous la forme d'une mise en scène d'objets déchus provenant de l'environnement urbain. À partir de 1962, il passe à des reproductions d'objets divers, tantôt fidèles, tantôt transposées par l'agrandissement ou le choix inattendu du matériau (objets mous), et réunit un « musée Mickey Mouse ». D'abord affichiste, James Rosenquist (né en 1933) utilise des techniques multiples (assemblages, environnements, grands polyptyques muraux, peintures sur plastique découpées en bandes verticales et que le spectateur peut traverser) pour faire s'entrechoquer les images en rébus harmonieux et sibyllins. Roy Lichtenstein (né en 1923), peintre, étalagiste, dessinateur de mode, trouve sa vocation, à partir de 1961, en faisant subir un traitement plastique simplificateur (utilisant les trames pointillées d'imprimerie) à des images de bandes dessinées, à des tableaux modernes (Picasso, gros plan de toiles gestuelles...). Il recourt ensuite à des formes appartenant à la culture classique (temples grecs) ou à un passé récent (esthétique 1930). Andy Warhol (né en 1930) utilise la sérigraphie et le report des images photographiques sur toile émulsionnée pour multiplier à perte de vue la même image, en permutant les gammes de couleur, qu'il s'agisse de boîtes de potage ou du portrait de Marilyn Monroe. Il manifeste un vérisme intransigeant dans sa série des *Désastres* (1963), comme dans ses nombreux films à tendance érotique. Enfin, Tom Wesselmann (né en 1931), après avoir étudié le dessin animé, se rend célèbre avec ses *Grands Nus américains* (à partir de 1960), qui juxtaposent à des peintures de nus, d'une facture simplifiée, des publicités photographiques ou des objets usuels (réels), puis des reproductions de ces mêmes objets en matières plastiques nettes et brillantes.

Ni destructeurs de l'art, comme l'estimaient les observateurs scandalisés de leurs débuts, ni contestataires le plus souvent, les « cinq grands » du pop art doivent plus à Magritte, à Léger, à Matisse et à des ancêtres américains comme Stuart Davis* qu'à Duchamp. L'essentiel de leur art n'est pas dans les images contemporaines dont chacun d'eux a fait choix comme matériaux de base, bien que ces choix puissent être révélateurs sur le plan de leur psychologie individuelle et qu'ils aient été pour beaucoup dans leur succès : il s'est agi, pour ces artistes, de donner à l'art un sang neuf en lui intégrant tout ce qui semblait jusque-là indigne d'être remarqué et, sur cette base, de laisser jouer les processus plus ou moins idéalisants et « abstractisants » de la création esthétique. La parenté avec les modèles, souvent choisis de qualité formelle médiocre, est maintenue au niveau de l'exécution, froide et impersonnelle (d'où la possibilité de recourir à des aides anonymes ou à la machine), mais cette froideur est elle-même utilisée comme facteur d'exaltation plastique. Mass media et arts graphiques ont, à leur tour, emprunté au pop art, qu'ils avaient inspiré.

POPAYÁN, v. du sud de la Colombie, à plus de 1 700 m d'altitude; 77 000 hab.

POPE (Alexander), écrivain anglais (Londres 1688-Twickenham 1744). S'inspirant d'Horace et de Boileau, il composa des poèmes didactiques (*Essai sur la critique,* 1711; *Essai sur l'homme,* 1733), héroï-comiques (*la Boucle de cheveux enlevée,* 1714) et satiriques (*la Dunciade,* 1728-1742), et traduisit *l'Iliade* et *l'Odyssée,* mettant à la mode un style conventionnel, caractérisé par la répétition d'images et de métaphores, que l'on appelle la « poetic diction » et qui fait de lui le maître et le théoricien du classicisme.

POPERINGE, v. de Belgique (Flandre-Occidentale), à l'O. d'Ypres; 20 040 hab.

POP MUSIC. — Ce courant anglo-américain de musique rythmée est né de la rencontre — à l'ère de l'amplification électrique — du blues noir et du rock and roll, et a été fortement influencé par divers emprunts aux folklores nationaux (folklores orientaux notamment) et aux recherches électroacoustiques de la musique occidentale d'avant-garde.

Le mot « pop music » (abréviation de « popular music ») a pris un sens plus précis avec l'apparition, au début des années 60, du groupe britannique les Beatles, dont les mélodies furent rapidement célèbres à travers le monde. Dans le sillage de ce groupe, d'autres ensembles naquirent : Rolling Stones, Animals, Yardbirds, Moody Blues, Who, Soft Machine et Pink Floyd en Grande-Bretagne, Beach Boys, Jefferson Airplane, Mothers of Invention, Byrds, Creadence Clearwater Revival et Doors aux États-Unis. Mais des individualités marquèrent aussi, dans des registres souvent assez différents les uns des autres, la grande époque de la pop music : chanteurs et chanteuses comme Mike Jagger (Rolling Stones), Paul McCartney, John Lennon (Beatles), Eric Burdon (Animals), Jim Morrison (Doors), Roger Daltrey (Who), Tom Jones, Elton John, Joe Cocker, Janis Joplin; guitaristes comme Jimi Hendrix, Eric Clapton, Jimmy Page, Mick Taylor.

D'autres artistes, comme Bob Dylan ou Joan Baez, furent les leaders de la protest-song, qui s'efforça de lutter contre le conditionnement technologique d'une société obsédée par le rendement, les injustices sociales et l'absurdité des conflits armés (guerre du Viêt-nam).

Après 1970, le mouvement hippy marquant le pas, les grands festivals de pop music (Woodstock, île de Wight) rencontrant des difficultés imprévues pour se survivre et les Beatles décidant de se séparer, la période de grande synthèse prit fin, et l'on assista au retour de genres très divers, que l'on continue, pour des raisons souvent strictement commerciales, à inclure dans la pop music.

POPOCATÉPETL, volcan du Mexique, au S.-E. de Mexico; 5 452 m.

POPOV (Aleksandr), ingénieur russe (près de Perm 1859-Saint-Pétersbourg 1906). Il imagina l'antenne radioélectrique et construisit en 1896 le premier récepteur d'ondes électromagnétiques.

POPOV (Oleg Konstantinovitch), artiste de cirque et de music hall soviétique (Vyroubovo 1930). Après avoir appartenu aux cirques de Tbilissi (1950) et de Saratov (1951), il devint à partir de 1955 l'une des vedettes du cirque de Moscou. Sa réputation de clown fait de lui, quoique dans un genre différent, le successeur de Grock.

POPPÉE, en lat. **Poppaea Augusta,** impératrice romaine († 65 apr. J.-C.). Femme d'Othon*, puis maîtresse de Néron, elle poussa celui-ci à se débarrasser d'Agrippine*. En 62, elle épousa Néron, qui avait répudié Octavie*. Elle mourut en 65, victime, selon Suétone, d'un des emportements de l'empereur.

POPPER (Karl Raimund), logicien et sociologue britannique d'origine autrichienne (Vienne 1902). Il s'oppose au positivisme* logique du cercle de Vienne* dans *la Logique* de la découverte scientifique* et *Conjectures and Refutations* (1963), où il élabore la notion de falsifiabilité* comme critère de différence entre science et métaphysique. Dans ses écrits sociologiques (*The Open Society and its Ennemies,* 1945; *The Poverty of Historicism,* 1956), il oppose au néomarxisme de l'école de Francfort* la conception d'un « socialisme à la carte » fondé sur la technique.

POPULAGE. — Seules les prairies les plus humides des montagnes portent les grandes fleurs jaunes des *trolles,* ou populages, aux pétales nombreux et recourbés en une vasque assez fermée. Cette plante est un dangereux poison cardiaque. (Famille des renonculacées.)

POPULATION *(Démogr.).* — La population mondiale dépasse aujourd'hui 4 milliards d'hommes. Elle a presque triplé depuis le début de ce siècle et s'accroît actuellement d'environ 80 millions d'unités par an, c'est-à-dire à un taux annuel de l'ordre de 2 p. 100. À ce rythme, les 6 milliards seront atteints avant la fin du siècle. Si la croissance de la population n'est pas nouvelle, sa rapidité, en revanche, est récente. Elle résulte du maintien élevé du *taux de natalité* (nombre de naissances vivantes pour 1 000 habitants) et de la baisse sensible du *taux de mortalité* (nombre de décès pour 1 000 habitants). À l'échelle mondiale, le taux de natalité est compris entre 30 et 35 p. 1 000 (34 p. 1 000 en moyenne pour la

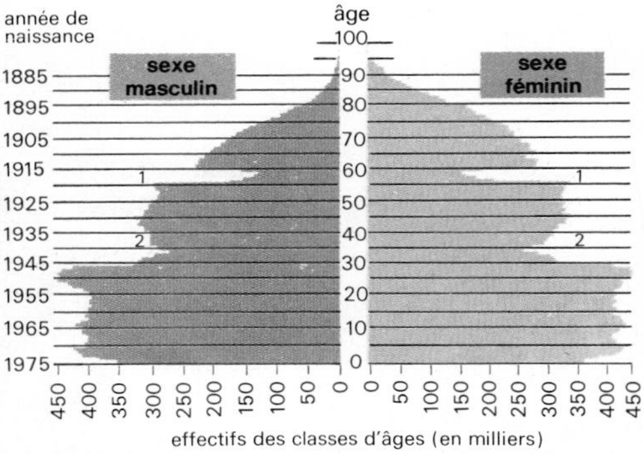

Pyramide des âges : la population française au 1er janvier 1976. 1. Déficit des naissances dû à la guerre de 1914-1918 (classes creuses); 2. Déficit des naissances dû à la guerre de 1939-1945. (Document I. N. E. D.)

période 1965-1971 selon l'O. N. U.) et le taux de mortalité entre 10 et 15 p. 1 000 (14 p. 1 000 entre 1965 et 1971 selon l'O. N. U.). En fait, il faut distinguer le monde développé (Amérique du Nord, Europe et Japon essentiellement) et le tiers monde. Dans le premier ensemble, qui regroupe approximativement le quart de l'humanité, la population ne s'accroît plus qu'à un rythme très réduit, en raison du net abaissement du taux de natalité (souvent au-dessous de 15 p. 1 000, alors que le taux de mortalité est toujours voisin de 10 p. 1 000), et parfois même elle décroît, comme en Allemagne fédérale. L'*espérance de vie* (à la naissance), que l'on appelle communément *durée moyenne de la vie,* est de l'ordre de 70 ans (avec une inégalité constante et inexpliquée de 4 à 5 ans, privilégiant les femmes). La pyramide des âges révèle une base relativement étroite et ne s'effile que lentement; la part des moins de 20 ans dans la population totale tombe au-dessous de 30 p. 100, alors que celle des plus de 60 ans est au moins de 15 p. 100. Dans le tiers monde, qui, Chine comprise, concentre les trois quarts de la population mondiale (part en accroissement constant et sensible), les taux de natalité avoisinent souvent 40 p. 1 000, alors que les taux de mortalité sont tombés aux environs de 15 p. 1 000 et parfois nettement en dessous. L'espérance de vie à la naissance, bien qu'ayant beaucoup progressé, est seulement de l'ordre de 50 ans. Il en résulte une structure de la population bien différente de celle du monde développé : partout ou presque, les moins de 20 ans constituent plus de la moitié de la population.

La *densité de population* (nombre d'habitants au kilomètre carré) dépasse 200 aux Pays-Bas, en Belgique, au Japon, en Allemagne fédérale, en Grande-Bretagne, mais on ne peut parler de surpeuplement ici du fait de la modestie de la croissance actuelle de la population et surtout de la répartition de la population active, alors que le surpeuplement peut exister avec des chiffres moyens bien inférieurs dans le tiers monde, si l'on tient compte des superficies réellement habitables et des techniques d'exploitation. La densité de population est seulement de 60 à 65 habitants au kilomètre carré en Indonésie (France : 95), mais 70 millions de personnes se concentrent dans l'île de Java, qui n'atteint pas le quart de la superficie de la France. Elle avoisine 35 habitants au kilomètre carré en Égypte, mais la quasi-totalité des habitants (plus de 35 millions) est groupée dans la vallée du Nil, qui ne couvre guère que 35 000 km². Elle dépasse aussi souvent 500 habitants au kilomètre carré dans les plaines et les deltas de l'Inde, qui, avec la Chine, concentre environ le tiers de la population du monde. (Voir carte p. 1506.)

POPULATION *(Sc. nat.).* — Une population animale ou végétale est l'ensemble des individus d'une même espèce observés à un moment donné en un lieu donné. Son analyse par âges, sexes et variétés, l'étude de son évolution cyclique ou séculaire fournissent à l'écologie* des informations de haute valeur.

POPULATION ACTIVE. — Fraction de la population exerçant un emploi, la population active est généralement ventilée entre les trois grands secteurs d'activité professionnelle : l'agriculture (qui correspond au secteur primaire, auquel on rattache parfois les industries extractives, plus souvent incorporées dans le secteur secondaire avec les branches de transformation), l'industrie (secteur secondaire) et les services (secteur tertiaire). Sa part dans la population totale varie notamment selon la structure par âge de cette population totale. Dans les pays développés, elle est de l'ordre de 40 p. 100, assez stable, la progression de l'emploi des femmes étant à peu près compensée par l'allongement de la durée de la vie et la prolongation de la scolarité. La répartition de la population active est assez significative du niveau de développement. Les pays bénéficiant d'un haut niveau de vie enregistrent une prépondérance du secteur tertiaire (approximativement la moitié de la population active), précédant le secteur secondaire (de 40 à 45 p. 100), alors que le secteur primaire est très faible (de 5 à 10 p. 100). Inversement, dans le tiers monde, le secteur primaire est souvent largement prédominant (plus de 50 p. 100), loin devant les services et surtout l'industrie.

POPULISME *(Hist.).* — Ce mouvement d'opposition (en russe *narodnitchestvo*), qui, sous des formes diverses, se développe en Russie dans la seconde moitié du XIXe s., et plus particulièrement de 1870 à 1881, a pour programme le renversement de l'autocratie et l'avènement d'un socialisme russe se développant à partir des communautés rurales *(mir*).* P. L. Lavrov, reprenant les idées de Herzen* et de Tchernychevski, en est le principal théoricien. Après l'échec de la « croisade vers le peuple » organisée pendant les vacances universitaires de 1874, de nouvelles organisations populistes voient le jour. Le mouvement Terre et Liberté se scinde en 1879 en deux organisations : la Volonté du peuple, qui a recours au terrorisme et est responsable de l'assassinat d'Alexandre II, et le Partage noir, animé par Plekhanov*.

POPULISME *(Littér.).* — Lancé dans le quotidien *l'Œuvre* le 27 août 1929 et explicité l'année suivante par un manifeste de Léon Lemonnier, le mot *populisme,* emprunté au vocabulaire politique de l'Europe centrale, se présente essentiellement comme un retour au naturalisme à travers la double condamnation du romantique et du romanesque. Le roman populiste refuse l'intrigue et lui oppose le témoignage, avec André Thérive, Lucien Descaves, Eugène Dabit (*Hôtel* du Nord,* 1929), Louis Guilloux (*le Pain des rêves,* 1942). Il rejoint certains aspects du Proletkult* dans sa tentative de constitution d'une littérature « prolétarienne » et l'entreprise d'Henry Poulaille, qui, en 1931, dans la revue *Nouvel Âge,* se donnera pour tâche de définir une littérature destinée au peuple, mais conçue comme une esthétique de transition. Populiste ou prolétarienne, la littérature populaire consciente s'affirme d'abord comme une réaction à la littérature consommée traditionnellement par les masses, des romans de colportage* au roman*-feuilleton, du conte de fées au roman d'amour à la Delly, du roman d'aventures au roman policier*. Elle refuse la structure mythologique et la rhétorique conventionnelle de ces types de récits, pour tenter (comme aujourd'hui en Chine les « écrivains de temps épargné », paysans et ouvriers, qui collectent sur le vif les matériaux d'un roman, d'un poème ou d'une pièce, qu'ils élaborent ensuite en commun) de dégager d'une pratique personnelle ou collective des thèmes et un langage littéraires nouveaux.

PORCELAINE *(Technol.* et *Bx-arts).* — La pâte de la porcelaine est constituée essentiellement de kaolin, de feldspath* et d'eau. La mise en forme se fait par tournage ou versage d'une barbotine liquide dans des moules en plâtre. La cuisson comporte au moins deux stades. Une première cuisson à 1 000 °C produit un biscuit poreux. Ce biscuit est recouvert d'une glaçure, qui est vitrifiée lors d'une nouvelle cuisson à 1 400 °C. La porcelaine blanche ainsi

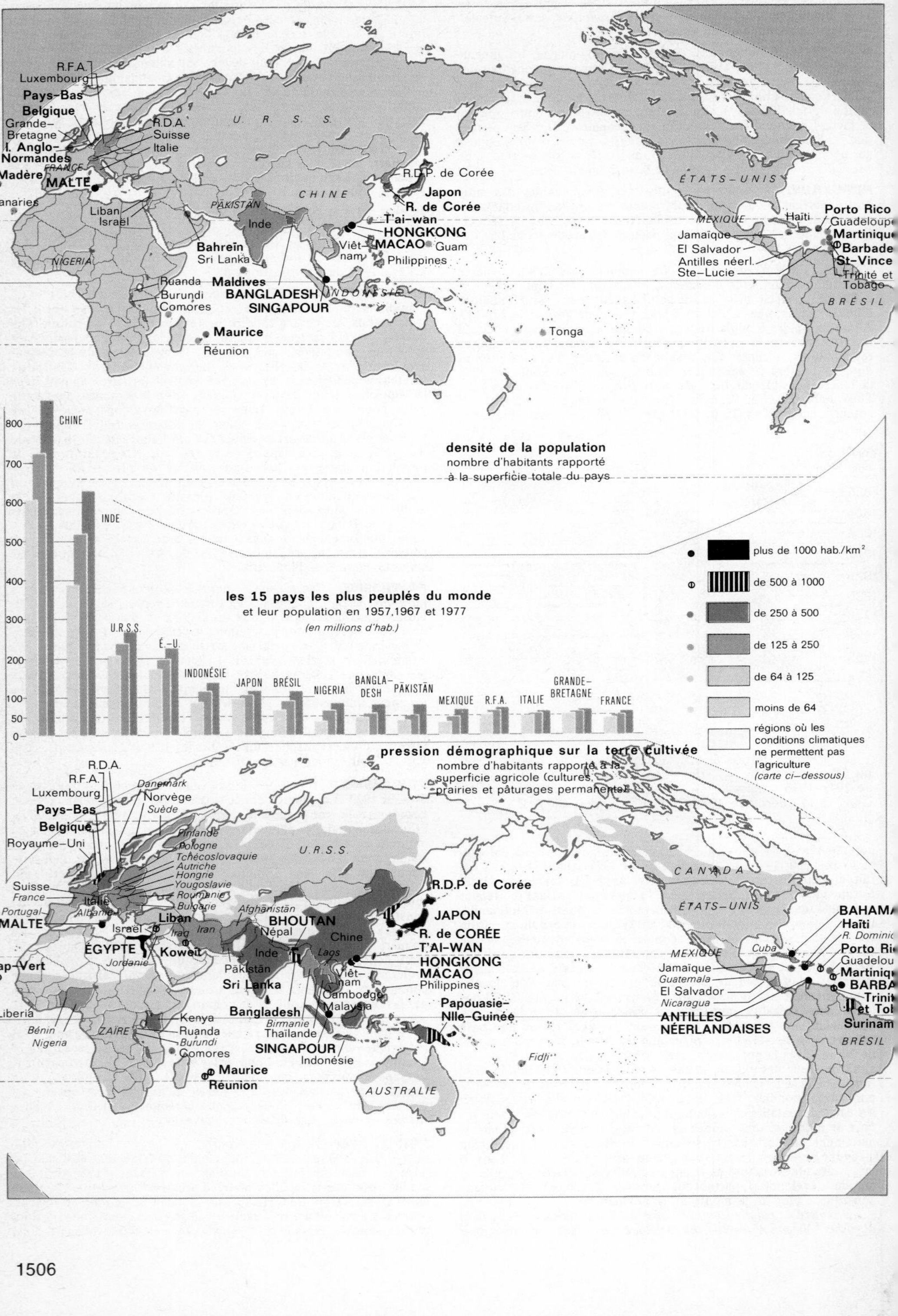
densité de la population
nombre d'habitants rapporté à la superficie totale du pays
les 15 pays les plus peuplés du monde
et leur population en 1957, 1967 et 1977
(en millions d'hab.)
CHINE
INDE
U.R.S.S.
É.-U.
INDONÉSIE
JAPON
BRÉSIL
NIGERIA
BANGLA-DESH
PAKISTAN
MEXIQUE
R.F.A.
ITALIE
GRANDE-BRETAGNE
FRANCE
0
50
100
200
300
400
500
600
700
800
plus de 1000 hab./km²
de 500 à 1000
de 250 à 500
de 125 à 250
de 64 à 125
moins de 64
régions où les conditions climatiques ne permettent pas l'agriculture (carte ci-dessous)
pression démographique sur la terre cultivée
nombre d'habitants rapporté à la superficie agricole (cultures, prairies et pâturages permanents)
R.F.A.
Luxembourg
Pays-Bas
Belgique
Grande-Bretagne
I. Anglo-Normandes
FRANCE
Madère
MALTE
Canaries
R.D.A.
Suisse
Italie
U. R. S. S.
Liban
Israël
PAKISTAN
Inde
CHINE
Bahreïn
Sri Lanka
NIGERIA
Ruanda
Burundi
Comores
Maldives
BANGLADESH
SINGAPOUR
INDONÉSIE
Maurice
Réunion
R.D.P. de Corée
Japon
R. de Corée
T'ai-wan
HONGKONG
MACAO
Viêt-nam
Guam
Philippines
Tonga
ÉTATS-UNIS
MEXIQUE
Haïti
Jamaïque
El Salvador
Antilles néerl.
Ste-Lucie
Porto Rico
Guadeloupe
Martinique
Barbade
St-Vince
Trinité et Tobago
BRÉSIL
R.D.A.
R.F.A.
Luxembourg
Pays-Bas
Belgique
Royaume-Uni
Danemark
Norvège
Suède
Finlande
Pologne
Tchécoslovaquie
Autriche
Hongrie
Yougoslavie
Roumanie
Bulgarie
Suisse
France
Italie
Albanie
Portugal
MALTE
Israël
Liban
Iraq
Iran
Afghanistan
ÉGYPTE
Koweït
Jordanie
Cap-Vert
Liberia
Bénin
Nigeria
ZAÏRE
Kenya
Ruanda
Burundi
Comores
Maurice
Réunion
U.R.S.S.
BHOUTAN
Népal
Inde
Chine
Pakistan
Sri Lanka
Bangladesh
Birmanie
Thaïlande
SINGAPOUR
Indonésie
Laos
Viêt-nam
Cambodge
Malaysia
Philippines
Papouasie-Nlle-Guinée
R.D.P. de Corée
JAPON
R. de CORÉE
T'AI-WAN
HONGKONG
MACAO
Fidji
AUSTRALIE
CANADA
ÉTATS-UNIS
MEXIQUE
Cuba
Jamaïque
Guatemala
El Salvador
Nicaragua
ANTILLES NÉERLANDAISES
BAHAMA
Haïti
R. Dominic
Porto Ri
Guadelou
Martiniq
BARBA
Trinit et Tob
Surinam
BRÉSIL

obtenue peut être ensuite décorée avec des émaux fixés par une troisième cuisson. Ce décor peut aussi être une dorure réalisée par dépôt et cuisson d'une pâte aurifère.

C'est en Chine, à l'époque T'ang, que la véritable *porcelaine dure* est mise au point. L'époque Song voit peut-être la plus belle production jamais réalisée : finesse de la pâte, pureté des formes, glaçures d'une subtilité remarquable, éventuellement décor floral incisé, modelé ou plus rarement peint. D'abord artisanale et disséminée, la production se concentre à l'époque Ming dans des manufactures, dont celle de King-tö-tchen (Kiang-si) est la plus importante. Les couleurs de *grand feu* (dont le bleu de cobalt sur fond blanc) et les émaux polychromes de *petit feu* favorisent le développement de motifs décoratifs vigoureux et variés. Des pièces monochromes sont également fabriquées, ainsi que les élégantes figurines dites «blancs de Chine». L'empereur K'ang-hi, de la dynastie Ts'ing, restaure après une période de guerre la manufacture de King-tö-tchen et les ateliers de la Cour. La porcelaine connaît alors un essor qui ne se ralentira qu'au XIXe s.; elle recherche une haute virtuosité dans les objets en «bleu et blanc», les «familles» verte, noire et rose, les imitations de matières de toutes sortes.

Le Japon a, sous l'influence de la Chine et de la Corée, une importante production à partir du XVIIe s. Les ateliers de Kutani et ceux d'Arita ont parfois, avec des motifs originaux, atteint la qualité des porcelaines de Chine. Celles-ci sont vendues en Occident à partir du XVIe s. par le soin des diverses «compagnies des Indes». Il s'agit, comme pour les porcelaines japonaises exportées par le port d'Imari, de pièces de qualité secondaire, aux décors parfois surchargés, mais qui seront l'objet, dans nos pays, d'un engouement considérable.

Aussi est-ce à l'imitation des porcelaines orientales que l'Europe s'exerce pendant longtemps. À la fin du XVIe s., Florence produit des pièces à mi-chemin de la pâte dure et de la pâte tendre. La porcelaine *tendre*, artificielle (*porcelaine à fritte*, rayée par l'acier), est une production essentiellement française, qui débute à Rouen et à Saint-Cloud à la fin du XVIIe s., à une époque où l'on n'a pas encore découvert de kaolin en Europe. En 1725 est fondée la manufacture de Chantilly; en 1738, celle de Vincennes, qui, devenue manufacture royale, sera transférée à Sèvres* en 1756. Entre-temps sont créées d'autres manufactures dont celles de Mennecy, de Sceaux, d'Orléans. D'une fabrication difficile et coûteuse, la porcelaine tendre française tire une beauté particulière de son éclat velouté et de son aptitude à recevoir de riches décors polychromes, tels ces fleurs et oiseaux que Vincennes met à la mode. Après s'être elle-même inspirée de la Chine et de la production allemande de Meissen, elle est imitée à Tournai, en Italie (Doccia, Florence, Capodimonte [Naples]), en Espagne (Buen Retiro). En Angleterre est élaborée une formule mixte, la *porcelaine phosphatique*, fabriquée notamment à Bow, Worcester et Chelsea (Londres).

C'est Friedrich Böttger, alchimiste du prince électeur de Saxe, qui, mettant à profit la découverte d'un gisement local de kaolin, parvient le premier en Europe à fabriquer une porcelaine semblable à celle des Chinois. La production de la manufacture de Meissen débute en 1710. Sa réussite dans les techniques les plus délicates, sa richesse ornementale lui valent une grande vogue. Après d'originales «chinoiseries» se développe un décor peint de scènes et de paysages à l'occidentale ainsi que de fleurs et d'oiseaux. Vers 1735, le décor plastique commence à l'emporter : gaufrage de la pâte, apparition de figures et d'ornements en haut relief, d'une exubérance rococo. Le modeleur Joachim Kändler crée les petits groupes qui seront partout imités. Bien que jalousement gardés, les secrets de fabrication de Meissen se diffusent en territoire germanique (manufactures de Vienne, de Nymphenburg [Munich], de Berlin, de Frankenthal). Bien d'autres pays européens auront leurs manufactures.

En France, c'est la découverte de kaolin à Saint-Yrieix, près de Limoges, qui est à l'origine de la fabrication d'une porcelaine dure, ou «porcelaine royale», entreprise à Sèvres vers 1770. Sauf pour les biscuits, cette fabrication reste peu importante sous l'Ancien Régime; cependant, la plasticité de la pâte permet l'exécution des premiers vases monumentaux dans le goût antique, goût qui dominera sous l'Empire. De nombreuses fabriques se créent vers la fin du XVIIIe s., notamment dans certains centres producteurs de faïence* ou de porcelaine tendre (Niederwiller, Paris...).

PORCELAINE *(Zool.)*. — Ce n'est qu'en sciant transversalement cette superbe coquille des océans Indien et Pacifique que l'on découvre la spirale typique des gastropodes. Chaque tour, en effet, déborde entièrement le précédent et le masque, ne laissant voir qu'une grande olive porcelanée, fendue longitudinalement par un orifice bordé d'indentations.

PORC-ÉPIC. — Il se distingue des autres rongeurs par ses longs et larges piquants, couvrant le dos et les flancs vers l'arrière du corps, et qui sont des poils géants, érectiles, couverts d'une écorce dure ornée en anneaux. (Type du sous-ordre des hystricomorphes.)

PORCHEVILLE (78440 Gargenville), comm. des Yvelines, sur la Seine, à 5 km à l'E. de Mantes-la-Jolie; 2 872 hab. Centrales thermiques.

PORCIEN (le), région de l'ouest du départ. des Ardennes, au N. de la vallée de l'Aisne.

PORCINS *(Zool.)*. — On rassemble dans le sous-ordre des porcins les mammifères ongulés ne ruminant pas et ayant à chaque patte quatre doigts complets articulés à des métacarpiens distincts. Ce groupe comprend les hippopotames* et divers cochons sauvages assez semblables entre eux : sanglier, pécari, phacochère, potamochère, babiroussa, etc., sans compter le porc domestique. Les porcins sont tous des animaux à molaires mamelonnées (type *bunodonte*), mais leurs canines sont souvent très développées et sortent alors largement de la bouche fermée. Le nombre total des dents varie de seize à quarante-quatre selon l'espèce.

Les porcins domestiques se rattachent à deux grands ensembles : le premier dérive de deux types de sangliers d'origine asiatique et a donné un rameau européen, adapté au froid et aux zones méditerranéennes à chaleur variable, et un rameau asiatique, présent en Chine du Nord et pouvant vivre dans des zones plus chaudes; le second, d'origine inconnue, peuple les zones chaudes et humides de l'Asie du Sud-Est.

Les races améliorées utilisées actuellement proviennent du type européen, avec parfois une petite infusion de sang asiatique. Le porc, domestiqué depuis la plus haute antiquité, était encore bien souvent, au siècle dernier, un animal de parcours et de cueillette, qu'il s'agisse des forêts européennes, des maquis méditerranéens ou des bordures de marais et de rizières asiatiques. L'élevage rationnel de cet animal omnivore tend, actuellement, à s'industrialiser grâce à l'utilisation de races améliorées présentant un rapport muscle/gras élevé, allié à de bonnes qualités d'élevage (rusticité, calme, fécondité). Les principales races exploitées aujourd'hui sont le Large White, le Landrace, le Pietrain et le Hampshire.

PORDENONE, v. d'Italie (Frioul-Vénétie Julienne), ch.-l. de prov.; 50 000 hab. Électroménager.

PORDENONE (Gian Antonio DE' SACCHIS, dit **le**), peintre italien (Pordenone, Udine, v. 1484 - Ferrare 1539). Actif à Crémone, à Plaisance, à Rome, à Venise, etc., l'un des rares artistes du milieu vénitien à être touché par le maniérisme, il est un décorateur et un peintre de panneaux au style robuste et impétueux, dont le Tintoret n'ignorera pas l'exemple.

PORI, port de Finlande, sur le golfe de Botnie; 73 000 hab.

PORNIC (44210), ch.-l. de cant. de la Loire-Atlantique, à 22 km au S.-E. de Saint-Nazaire; 8 163 hab. Station balnéaire. Port de plaisance. Château des XIIIe-XIVe s.

PORNICHET (44380), comm. de la Loire-Atlantique, à 4 km au S.-E. de La Baule-Escoublac; 5 538 hab. Station balnéaire. Thalassothérapie.

PORPHYRE, philosophe néoplatonicien (Tyr 234 - Rome v. 305). Il séjourne à Rome auprès de Plotin* de 263 à 268, puis dirige le cercle des disciples de son maître à la mort de ce dernier. Éditeur des *Ennéades**, auteur d'une *Vie de Plotin* et surtout d'une *Introduction aux «Catégories»* d'Aristote, il poursuit la recherche plotinienne du principe premier situé au-delà de l'Un à travers un «non étant au-delà de l'étant» (v. PLATONISME).

PORPHYRINE. — Les porphyrines entrent dans la composition de l'hémoglobine et de la chlorophylle. Leur formation massive dans l'organisme, ou *porphyrie*, congénitale ou d'origine toxique (alcool, plomb), provoque des éruptions bulleuses, une coloration acajou des urines et des troubles neuropsychiatriques.

PORQUEROLLES (83400 Hyères), une des îles d'Hyères; 12,5 km^2. Centre touristique.

PORRENTRUY, comm. de Suisse (cant. de Berne), dans le Jura; 7 827 hab. Anc. château des princes-évêques de Bâle (XVe-XVIIe s.) et autres monuments.

PORT. — Le choix des implantations portuaires est déterminé, le plus souvent, par les avantages géographiques et nautiques qu'offrent des sites tels que les rades abritées ou certains estuaires, mais aussi, parfois, par des considérations économiques, politiques ou militaires. Dans les ports littoraux, des ouvrages extérieurs de protection sont nécessaires : digues*, jetées, brise-lames, etc. À l'intérieur de l'enceinte portuaire, les quais, généralement en maçonnerie de pierre ou de béton, encadrent les bassins, qui peuvent être soit en communication ouverte avec la mer (bassins d'échouage ou de marée), soit fermés par des écluses simples ou à sas (bassins à flot). Une autre formule consiste à établir des môles perpendiculaires au rivage (ou obliques), entre lesquels se placent les navires.

● *Port de commerce.* Le transit des passagers de long cours étant très réduit depuis les progrès de l'aviation, des aménagements sommaires suffisent aux besoins des voyageurs utilisant, pour de courts trajets, les car-ferries ou les aéroglisseurs. Pour les

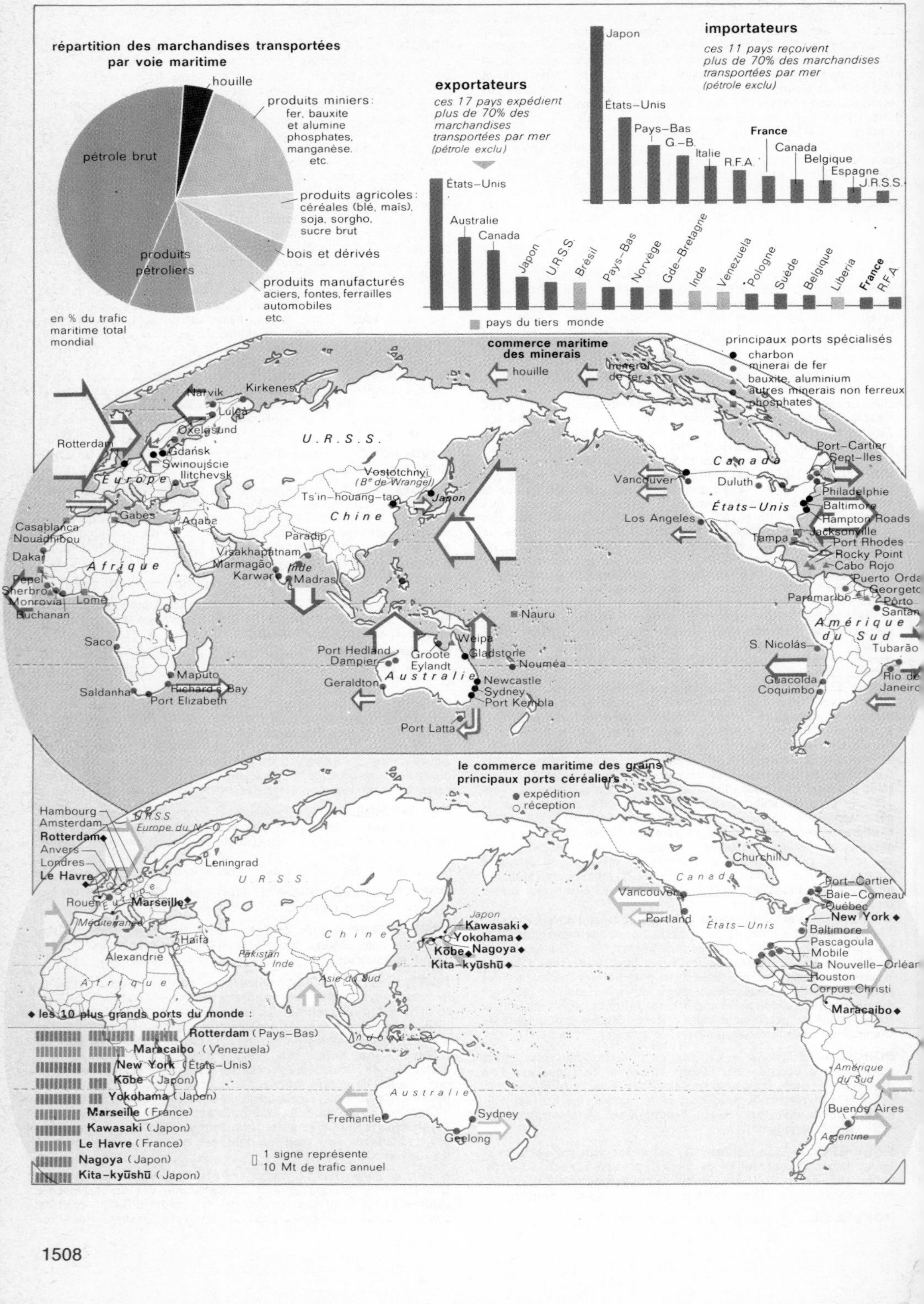
répartition des marchandises transportées par voie maritime
houille
produits miniers: fer, bauxite et alumine phosphates, manganèse, etc.
pétrole brut
produits agricoles: céréales (blé, maïs), soja, sorgho, sucre brut
bois et dérivés
produits pétroliers
produits manufacturés aciers, fontes, ferrailles automobiles etc.
en % du trafic maritime total mondial
exportateurs
ces 17 pays expédient plus de 70% des marchandises transportées par mer (pétrole exclu)
États-Unis
Australie
Canada
Japon
U.R.S.S.
Brésil
Pays-Bas
Norvège
Gde-Bretagne
Inde
Venezuela
Pologne
Suède
Belgique
Liberia
France
R.F.A.
pays du tiers monde
importateurs
ces 11 pays reçoivent plus de 70% des marchandises transportées par mer (pétrole exclu)
Japon
États-Unis
Pays-Bas
G.-B.
Italie
R.F.A.
France
Canada
Belgique
Espagne
U.R.S.S.
commerce maritime des minerais
houille
minerai de fer
principaux ports spécialisés
charbon
minerai de fer
bauxite, aluminium
autres minerais non ferreux
phosphates
Narvik
Kirkenes
Luleå
Oxelösund
Rotterdam
Gdańsk
Swinoujście
Ilitchevsk
Europe
U.R.S.S.
Vostotchnyi (B^e de Wrangel)
Ts'in-houang-tao
Japon
Chine
Gabès
Aqaba
Casablanca
Nouâdhibou
Dakar
Paradip
Visakhapatnam
Marmagão
Karwar
Inde
Madras
Afrique
Pepel
Sherbro
Monrovia
Lomé
Buchanan
Saco
Maputo
Richard's Bay
Saldanha
Port Elizabeth
Nauru
Weipa
Port Hedland
Dampier
Groote Eylandt
Gladstone
Nouméa
Australie
Geraldton
Newcastle
Sydney
Port Kembla
Port Latta
Canada
Vancouver
Duluth
États-Unis
Los Angeles
Port-Cartier
Sept-Iles
Philadelphie
Baltimore
Hampton Roads
Jacksonville
Tampa
Port Rhodes
Rocky Point
Cabo Rojo
Puerto Ordaz
Georgetown
Paramaribo
Porto
Santana
Amérique du Sud
S. Nicolás
Tubarão
Guacolda
Coquimbo
Rio de Janeiro
le commerce maritime des grains
principaux ports céréaliers
expédition
réception
Hambourg
Amsterdam
Rotterdam
Anvers
Londres
Le Havre
Rouen
Marseille
U.R.S.S. Europe du N.-O.
Leningrad
U.R.S.S.
Méditerranée
Haïfa
Alexandrie
Afrique
Chine
Japon
Kawasaki
Yokohama
Kōbe
Nagoya
Kita-kyūshū
Pakistan
Inde
Asie du Sud
Indonésie
Australie
Fremantle
Sydney
Geelong
Churchill
Canada
Vancouver
Portland
États-Unis
Port-Cartier
Baie-Comeau
Québec
New York
Baltimore
Pascagoula
Mobile
La Nouvelle-Orléans
Houston
Corpus Christi
Maracaibo
Amérique du Sud
Buenos Aires
Argentine
les 10 plus grands ports du monde :
Rotterdam (Pays-Bas)
Maracaibo (Venezuela)
New York (États-Unis)
Kobe (Japon)
Yokohama (Japon)
Marseille (France)
Kawasaki (Japon)
Le Havre (France)
Nagoya (Japon)
Kita-kyūshū (Japon)
1 signe représente 10 Mt de trafic annuel

marchandises, l'équipement des quais comporte soit des hangars ou autres installations de stockage, soit de vastes terre-pleins aménagés pour les conteneurs* et les unités de charge embarquant et débarquant par roulage. L'outillage comprend des grues traditionnelles et, de plus en plus, des engins de manutention spécialisés. Les grands ports modernes possèdent des zones industrielles, où s'établissent des raffineries* de pétrole, des industries pétrochimiques, des complexes métallurgiques, etc. D'autre part, l'accroissement du tonnage des navires conduit à réaliser les extensions portuaires hors des cadres traditionnels; tel est le cas d'Antifer pour Le Havre et de Fos pour Marseille.

• *Port de guerre.* Les bases navales, dont les sites sont déterminés par des considérations stratégiques et nautiques, doivent offrir une infrastructure répondant aux besoins propres des unités de guerre (armements, approvisionnements, dépôts d'équipage, ateliers de réparation, etc.). Toulon et Brest sont, pour la France, les principaux ports de guerre. À l'étranger, il s'agit, entre autres, de Norfolk et de San Diego pour les États-Unis, de Kronchtadt, de Mourmansk et de Sébastopol pour l'U. R. S. S., de Portsmouth et de Devonport pour la Grande-Bretagne.

• *Port de pêche.* Les ports de pêche peuvent présenter des caractéristiques (dimensions des ouvrages, tirant d'eau) inférieures à celles des ports de commerce, car les navires pratiquant la pêche côtière, et même ceux de la grande pêche, sont généralement de tonnage inférieur à celui des navires marchands. En France, le port de Boulogne-sur-Mer est de beaucoup le plus important.

• *Port fluvial.* Les ports de navigation intérieure sont soit établis linéairement sur les berges des voies d'eau, soit constitués de bassins embranchés sur celles-ci et permettant une meilleure concentration du trafic. En France, les principaux ports fluviaux sont ceux de Paris et de Strasbourg.

PORT (Le) [97420], ch.-l. de cant. de la Réunion, sur la côte nord-ouest de l'île; 25 173 hab.

PORTA (La) [20237], ch.-l. du cant. de Fiumalto-d'Ampugnani (Haute-Corse), à 50 km au S.-S.-O. de Bastia; 518 hab. Église baroque au riche campanile (XVIIe s.).

PORT-ALBERNI, v. du Canada (Colombie britannique), dans l'île de Vancouver; 20 063 hab.

PORTALIS (Jean Étienne), homme politique français (Le Beausset 1746 - Paris 1807). Après avoir contribué à la rédaction du Code civil et du concordat de 1801 (c'est lui qui rédige les Articles organiques) comme directeur des cultes, il devient le premier ministre des Cultes en 1804.

PORTANCE → AÉRODYNAMIQUE, DÉCOLLAGE, DÉCROCHAGE, HYPERSUSTENTATION, VOL *(mécanique du).*

PORT ARTHUR, v. du Canada → THUNDER BAY.

PORT-ARTHUR, en chin. **Liu-chouen,** port de Chine (Leao-ning), à l'entrée du golfe du Po-hai; 126 000 hab. La ville fait partie de la conurbation de Liu-ta*.

PORT-AU-PRINCE, capit. et port de la république d'Haïti, sur la *baie de Port-au-Prince;* 386 000 hab.

PORT-AUX-FRANÇAIS, base scientifique de l'archipel français des Kerguelen.

PORT BLAIR, ch.-l. du territoire indien des îles Andaman et Nicobar; 14 100 hab.

PORT-BOU, localité d'Espagne (Catalogne), à la frontière française, en face de Cerbère; 2 000 hab.

PORT-CAMARGUE, écart de la comm. du Grau-du-Roi* (Gard), sur la Méditerranée. Station balnéaire.

PORT-CARTIER, port du Canada (Québec), sur l'estuaire du Saint-Laurent; 3 730 hab. Exportation de fer.

PORT COLBORNE, v. du Canada (Ontario), à l'entrée du canal Welland, dans le lac Érié; 21 420 hab. Métallurgie.

PORT-CROS (83400 Hyères), une des îles d'Hyères, constituant un parc national; 6,4 km^2.

PORT-DE-BOUC (13110), comm. des Bouches-du-Rhône, à l'entrée de l'étang de Berre, sur le golfe de Fos; 21 246 hab. *(Port-de-Boucains).* Fort des XIIIe et XVIIe s. Industries métallurgiques et chimiques.

PORT-DES-BARQUES (17730), comm. de la Charente-Maritime, à l'embouchure de la Charente, à 14,5 km à l'O. de Rochefort; 1 234 hab.

PORTE (veine). — La veine porte collecte le sang veineux provenant des capillaires de l'estomac et de l'intestin, et le conduit au foie, où elle se divise en un nouveau réseau capillaire apportant aux cellules hépatiques la plus grande partie des substances provenant de la digestion. Lorsqu'un obstacle s'oppose à l'écoulement de sang dans la veine porte (cirrhose du foie, thrombose, tumeur), il y a *hypertension portale* avec grosse rate, ascite et circulation collatérale (de dérivation) par les veines œsophagiennes et hémorroïdales, ce qui entraîne la distension et des hémorragies de ces vaisseaux.

PORTE-AÉRONEFS, PORTE-AVIONS. — Le premier appontage d'un avion sur un navire en marche remonte à 1917, et les premiers porte-aéronefs sont construits après 1922 à partir de coques de grands cuirassés condamnés par les accords navals de Washington. Ces navires comportent un îlot rassemblant les organes de direction, placé à tribord pour dégager le pont d'envol, relié par ascenseurs à un pont inférieur, qui abrite alors de 70 à 80 avions. D'emblée, les Japonais misent sur ce nouveau type de bâtiment, auquel ils donnent un rôle résolument offensif, marqué par leur victoire de Pearl Harbor (1941) : ils possèdent onze porte-avions contre six ou sept à l'Angleterre et aux États-Unis. La guerre du Pacifique, où les Américains se mettent rapidement à l'école japonaise, consacre le rôle du porte-avions dans l'escorte des convois comme dans le combat d'escadre, où l'avion embarqué se substitue à la grosse artillerie (bataille des Midway, 1942). Ainsi naît en 1944-45 une différenciation entre les *porte-avions lourds* (plus de 25 000 t), chargés de l'attaque des forces adverses, les *porte-avions légers d'accompagnement* (de 10 000 à 15 000 t) et les *porte-avions d'escorte* (de 7 000 à 12 000 t). Depuis 1945, les problèmes posés par l'embarquement d'avions à réaction sont résolus par la création de la piste d'envol oblique et la catapulte à vapeur, tandis que les méthodes d'appontage se perfectionnent. En 1955 apparaît aux États-Unis le *porte-avions stratégique* (60 000 t), sorte de base flottante dont la puissance s'accroît par la propulsion nucléaire (*Enterprise,* 75 000 t, 1961; *Nimitz,* 95 000 t, 1975). Dans ces années 60 naissent les croiseurs conçus pour la mise en œuvre des hélicoptères : *Jeanne-d'Arc* français (10 000 t, 1964), *Moskva* soviétique (20 000 t, 1967), *Blake* anglais (9 500 t, 1968). Enfin, depuis 1970, les marines anglo-saxonnes étudient un modèle de porte-aéronefs dit *à pont continu,* de 14 000 à 20 000 t, destiné à l'emploi d'hélicoptères et d'avions à décollage court ou vertical, tandis que l'U. R. S. S. met en service son premier porte-avions (*Kiev,* 40 000 t, 1976).

PORTE-BARGES → BARGE.

PORTE-CONTENEURS → CONTENEUR.

PORTÉE → NOTATION MUSICALE.

Porte-Glaive, ordre de chevalerie fondé en 1202 par Albrecht von Buxhœveden en vue de mener la croisade contre les païens de Livonie. L'ordre militaire des frères de la Milice du Christ, appelés aussi *Porte-Glaive,* adopta l'organisation des Templiers* et la règle cistercienne. Il entreprit la conquête de la vallée de la Dvina. En 1237, il fusionna avec l'ordre Teutonique, mais conserva son grand maître. Le dernier grand maître, Gotthard Kettler, sécularisa l'ordre et érigea à son profit la Courlande et la Zemgale en duché héréditaire, sous la suzeraineté de la Pologne (1561).

PORTEL (Le) [62480], comm. du Pas-de-Calais, dans la banlieue sud de Boulogne-sur-Mer; 11 210 hab. Constructions électriques.

PORT ELIZABETH, port de l'Afrique du Sud (prov. du Cap), sur l'océan Indien; 387 000 hab. Marché et exportation de la laine. Industrie automobile.

PORT-EN-BESSIN-HUPPAIN (14520), comm. du Calvados, à 9 km au N.-N.-O. de Bayeux; 2 388 hab. Pêche.

PORT EN LOURD → NAVIRE.

PORTER (Katherine Anne), femme de lettres américaine (Indian Creek, Texas, 1890), auteur de nouvelles (*l'Arbre de Judée,* 1930; *la Tour penchée,* 1944) et de romans (*la Nef des fous,* 1962), d'inspiration autobiographique et qui peignent le conflit entre valeurs sociales et valeurs spirituelles.

PORTER (George), chimiste anglais (Stainforth 1920) → NORRISH (Ronald George).

PORTES DE FER, défilé du Danube, entre l'extrémité méridionale des Carpates, en Roumanie, et le prolongement de la chaîne du Balkan, à l'extrémité nord-est de la Yougoslavie. Important aménagement hydroélectrique construit et utilisé conjointement par les deux pays.

PORTES-LÈS-VALENCE (26800), ch.-l. de cant. de la Drôme, dans la banlieue sud de Valence; 6 882 hab.

PORT-ÉTIENNE → NOUADHIBOU.

PORTET-SUR-GARONNE (31120), comm. de la Haute-Garonne, à 8 km au S. de Toulouse; 6 018 hab.

PORTE-VÉHICULES. — Les navires spécialisés dans le transport de véhicules, qui constituent le fret, sont habituellement des cargos* rouliers. Leurs cales sont généralement pourvues de plates-formes mobiles, accessibles par des rampes également mobiles, qui permettent, compte tenu de la faible hauteur des véhicules courants, de limiter au strict minimum la hauteur des entreponts, d'augmenter ainsi la surface disponible et, par suite, la capacité de transport des navires. La mobilité des plates-formes rend possible, en outre, une utilisation éventuelle en cargo ordinaire.

PORT-GENTIL, port du Gabon, ch.-l. de région, près de l'embouchure de l'Ogooué; 25 000 hab. Industries et exportation du bois. Raffinerie de pétrole.

PORT-GRIMAUD, écart du ch.-l. de cant. de *Grimaud** (Var), au fond du golfe de Saint-Tropez. Station balnéaire.

PORT HARCOURT, port du sud-est du Nigeria, sur le delta du Niger; 217 000 hab. Raffinage et exportation du pétrole.

PORTICI, port d'Italie, en Campanie, au S.-E. de Naples; 79 000 hab. Anc. palais royal du XVIIIe s.

PORTIER (Paul), physiologiste français (Bar-sur-Seine 1866 - Bourg-la-Reine 1962). Grand spécialiste de la faune océanique, il a participé aux expéditions du prince Albert Ier de Monaco, découvert avec Charles Richet* le phénomène de l'anaphylaxie* et éclairé de nombreux problèmes de physiologie des animaux marins (dans un ouvrage de ce titre, 1938). Il a également émis sur l'origine des mitochondries une théorie (*les Symbiotes,* 1918), longtemps écartée par la science, mais que des travaux récents tendent à réhabiliter.

PORTILLON *(lac du),* lac des Pyrénées centrales (Haute-Garonne), à 2 650 m d'altitude, dont les eaux alimentent (par une chute forcée de 1 419 m) la centrale hydroélectrique du même nom.

PORTINARI (Cândido), peintre brésilien (Brodósqui, État de São Paulo, 1903 - Rio de Janeiro 1962). Il est l'auteur de vastes décorations murales expressionnistes (*le Travail de la terre, les Jeux d'enfants, les Quatre Éléments,* ministère de l'Éducation, Rio, 1936-1945; *la Guerre et la Paix,* O.N.U., New York, 1955; etc.).

PORT-JÉRÔME, écart de la comm. de Notre-Dame-de-Gravenchon* (Seine-Maritime), sur la rive droite de la Seine. Raffinage du pétrole. Pétrochimie.

PORT-JOINVILLE, principal hameau de l'île d'Yeu (Vendée), sur la côte nord de l'île. Pêche.

PORT-KEMBLA, centre sidérurgique d'Australie (Nouvelle-Galles du Sud), au S. de Sydney.

PORTLAND, presqu'île du sud de l'Angleterre (Dorset), sur la Manche. Le calcaire extrait de ses carrières a donné son nom à une variété de ciment*.

PORTLAND, port des États-Unis (Maine), sur l'Atlantique; 65 000 hab.

PORTLAND, v. des États-Unis, dans le nord-ouest de l'Oregon; 383 000 hab. Électronique.

PORT-LA-NOUVELLE (11210), comm. de l'Aude, à 26 km au S. de Narbonne; 4 618 hab. Port. Station balnéaire. Cimenterie.

PORT-LOUIS (56290), ch.-l. de cant. du Morbihan, à l'entrée de la rade de Lorient; 3 720 hab. Fortifications du XVIIe s.

PORT LOUIS, capit. de l'île Maurice, sur la côte nord-ouest de l'île; 141 000 hab.

PORT-LYAUTEY → KENITRA.

PORT MORESBY, capit. de l'État de Papouasie-Nouvelle-Guinée, sur la mer de Corail; 66 000 hab.

PORT-NAVALO, écart de la comm. d'Arzon (Morbihan), à l'extrémité de la presqu'île de Rhuis, à 34 km au S.-O. de Vannes. Port. Station balnéaire.

PORTO *(golfe de),* golfe de la côte occidentale de la Corse. Station balnéaire.

PORTO, port du Portugal, sur la rive nord du Douro, près de son embouchure; 312 000 hab. Deuxième ville du pays. Commercialisation dans la banlieue (Vila Nova de Gaia sur la rive sud du Douro) des vins de la vallée du Douro *(portos).*

Cathédrale romane transformée à l'époque baroque (XVIIe-XVIIIe s.); autres églises construites ou transformées à cette époque (tour des *Clerigos*). Au-dessus de la ville, église de l'ancien couvent du Pilar (XVIe-XVIIe s.), avec cloître circulaire. Musée Soares dos Reis (du nom d'un sculpteur du XIXe s., qui y est bien représenté); musée ethnographique.

PÔRTO ALEGRE, v. du sud du Brésil, capit. de l'État du Rio Grande do Sul; 856 000 hab. Aéroport. Industries alimentaires, métallurgiques et chimiques.

PORT OF SPAIN, capit. de l'État de Trinité-et-Tobago, sur la côte nord-ouest de l'île de la Trinité; 117 000 hab.

PORTO MARGHERA, port et faubourg industriel (raffinage du pétrole et pétrochimie) de Venise.

PORTO NOVO, capit. du Bénin, sur le golfe de Guinée; 77 000 hab.

PORTO RICO ou **PUERTO RICO,** État associé aux États-Unis, constitué par la plus orientale des Grandes Antilles; 8 897 km^2; 3 210 000 hab. Capit. *San Juan.*

GÉOGRAPHIE. De forme rectangulaire (longue d'environ 170 km et large, en moyenne, d'un peu plus de 50 km), l'île possède un axe de moyennes montagnes (dont l'altitude ne dépasse qu'exceptionnellement 1 000 m) dominant des bassins intérieurs et surtout des plaines littorales, plus étendues au N. (sur l'Atlantique) qu'au S. (sur la mer des Antilles). Vers 18^0 de latitude N., Porto Rico possède un climat tropical dont la température descend rarement au-dessous de 20 ^{0}C et où s'opposent un versant septentrional arrosé (1 600 mm à San Juan) et une partie méridionale plus sèche (moins de 750 mm). La population, blanche aux quatre cinquièmes, s'accroît rapidement. La densité moyenne dépasse largement 300 habitants au kilomètre carré. Le quart de la population est concentré dans les deux agglomérations majeures, Ponce et surtout San Juan. Le problème de surpeuplement a été partiellement résolu par l'émigration (environ 1 million de Portoricains aux États-Unis) et l'industrialisation, dont les capitaux sont américains. L'alimentation (valorisant notamment la production de la canne à sucre, de loin la principale ressource agricole), le textile, les constructions mécaniques et électriques ainsi que la chimie sont les branches dominantes. Le tourisme (1 million de visiteurs par an) apporte un notable complément de ressources, sans compenser toutefois le déficit du commerce extérieur, effectué pour plus des deux tiers avec les États-Unis.

HISTOIRE. Habitée d'abord par les Indiens Arawaks, l'île devient espagnole, sous le nom de « San Juan Bautista », grâce à Christophe Colomb, en 1493. Juan Ponce de León l'explore à fond (1508) et fait du port de Puerto Rico (plus tard San Juan) un centre économique qui donnera son nom à toute l'île. Décimés, les Indiens sont remplacés par des Noirs africains, qui poursuivent d'abord l'exploitation de l'or, vite épuisé, puis travaillent, pour les colons espagnols, aux cultures du tabac, de la canne à sucre, puis du café. Convoité par les pirates européens, le port de San Juan est fortifié par les Espagnols, qui considèrent l'île comme le cœur de leur empire. Le loyalisme des colons empêche Porto Rico de participer, au début du XIXe s., au mouvement américain d'indépendance. En reconnaissance, Ferdinand VII accorde à l'île, en 1815, une certaine autonomie. Cependant, le parti libéral portoricain réclame plus : une véritable libéralisation et l'abolition de l'esclavage. En 1868, une rébellion échoue, mais, en 1873, l'Espagne abolit l'esclavage et, en 1897, elle accorde à Porto Rico une large autonomie. Mais l'année suivante, à la suite de la guerre hispano-américaine et du traité de Paris (10 déc. 1898), Porto Rico devient une île américaine. Après une période de contrôle militaire (1898-1900), les Américains élargissent progressivement les droits des autochtones, qui, en 1917, reçoivent la citoyenneté américaine, ce qui amplifie le mouvement d'émigration vers les États-Unis. Tandis que le café et surtout le sucre enrichissent le pays, l'idée d'indépendance se fait jour, grâce à l'action d'un parti nationaliste (1920). En 1948, les Américains autorisent les Portoricains à élire leur gouverneur; puis la Constitution de 1952 fait du gouverneur, élu au suffrage universel, un véritable chef d'État. Désormais, « associé volontaire » des États-Unis, le Commonwealth de Porto Rico jouit d'une large autonomie.

PORTO-VECCHIO (20210), ch.-l. de cant. de la Corse-du-Sud, sur le *golfe de Porto-Vecchio* (ouvert sur le littoral sud-est de l'île); 7 802 hab.

PÔRTO VELHO, v. de l'ouest du Brésil, ch.-l. du territoire de Rondônia; 86 000 hab.

PORTRAIT → PEINTURE.

Portrait de Dorian Gray *(le),* roman d'Oscar Wilde (1891), précédé d'une préface dans laquelle l'auteur développe sa théorie de l'art. Les marques de la vieillesse ne frappent pas le beau Dorian Gray, mais son portrait, jusqu'au jour où l'éternel jeune homme lacère le tableau et meurt du même coup, homme et œuvre échangeant leurs flétrissures.

Portrait d'un inconnu, roman de Nathalie Sarraute (1949), accompagné d'une préface de Sartre qui salue ce récit comme la première manifestation d'un *antiroman**.

Port-Royal, abbaye cistercienne de femmes, fondée au XIIIe s. dans la vallée de Chevreuse. Elle ne sort de l'obscurité qu'au début du XVIIe s., quand Jacqueline Arnauld*, abbesse, la réforme sous l'influence du jansénisme* et de son directeur, l'abbé de Saint-Cyran*. Dédoublée en Port-Royal des Champs et en Port-Royal de Paris (1625), l'abbaye devient un foyer actif de culture religieuse qui attire de nombreux « solitaires » (Pascal, les Arnauld); plusieurs d'entre eux se font pédagogues (« Petites Écoles »). Poussé par les Jésuites, Louis XIV, dès 1661, développe à l'égard de Port-Royal des Champs, devenu le noyau le plus irréductible du jansénisme, une politique de persécutions, qui aboutit, en 1709, à l'expulsion des moniales et, en 1710, à la démolition du monastère.

Port-Royal, par Sainte-Beuve (1840-1859) : un des modèles de la méthode historique appliquée à un mouvement de pensée et à ses répercussions sur la vie littéraire d'une époque.

PORT-SAÏD, v. d'Égypte, sur la Méditerranée, à l'entrée du canal de Suez. Objectif, en 1956, d'une action militaire franco-anglaise, la ville fut bombardée pendant la guerre du Kippour en 1973 (v. ISRAÉLO-ARABES [*guerres*]).

PORT-SAINTE-MARIE (47130), ch.-l. de cant. de Lot-et-Garonne, sur la Garonne, à 20 km à l'O.-N.-O. d'Agen; 1 850 hab. Église gothique du XVIe s.

PORT-SAINT-LOUIS-DU-RHÔNE (13230), ch.-l. de cant. des Bouches-du-Rhône, près de l'embouchure du principal bras du Rhône (Grand Rhône), dans la Méditerranée; 10 393 hab. Industries chimiques.

PORT-SALUT → FROMAGE.

PORTSMOUTH, port d'Angleterre (Hampshire), sur la Manche, en face de l'île de Wight; 197 000 hab. Cathédrale des XIIe-XVIIIe s. Musée Dickens. Chantiers navals. Port militaire dans l'île de Portsea.

PORTSMOUTH, port des États-Unis (Virginie), près de la baie de Chesapeake; 110 000 hab.

Portsmouth *(traité de)* → RUSSO-JAPONAISE *(guerre)*.

PORT-SOUDAN, v. du nord-est du Soudan, sur la mer Rouge; 109 000 hab. Raffinage du pétrole.

PORT-SUR-SAÔNE (70170), ch.-l. de cant. de la Haute-Saône, à 12 km au N.-O. de Vesoul; 2 482 hab.

PORT TALBOT, port de Grande-Bretagne, dans le sud du pays de Galles, sur le canal de Bristol; 52 000 hab. Centre sidérurgique.

PORTUGAIS. — Langue romane, le portugais s'est formé au moment de la Reconquista. À l'origine identique au galicien (qui est encore très proche des dialectes portugais du Minho et du Douro), il s'en est distingué au moment de la progression des chrétiens vers le sud et de la constitution du royaume. Le vocabulaire s'est enrichi par de nombreux emprunts à l'arabe, au germanique, au français, ainsi qu'à des langues parlées dans les colonies d'Amérique, d'Afrique et d'Asie. La diffusion de la langue portugaise dans le monde est la conséquence de l'expansion coloniale : langue de relation la plus importante, du XVIe au XVIIIe s., sur la côte ouest de l'Afrique et en Extrême-Orient, elle a donné naissance à des créoles (îles du Cap-Vert, Guinée, Macao, etc.). Langue officielle du Portugal et du Brésil, le portugais est actuellement parlé par plus de 100 millions de locuteurs.

PORTUGAL, État de l'Europe méridionale, occupant la partie occidentale de la péninsule Ibérique; 92 000 km^2; 9 450 000 hab. *(Portugais).* Capit. *Lisbonne.*

GÉOGRAPHIE

● *Le milieu naturel.* Étiré le long de l'océan Atlantique, le Portugal est un pays de plateaux prolongeant la Meseta ibérique, au socle hercynien raboté et plus ou moins disloqué par la tectonique tertiaire. Au nord du Tage, d'importantes déformations ont déterminé l'apparition d'une série de horsts, orientés S.-O.-N.-E. (1991 m à la serra da Estrela) et séparés par des bassins d'effondrement. Ils plongent, à l'ouest, sous une couverture sédimentaire qui se redresse dans les collines de l'Estrémadure. Au sud du Tage, le relief est plus simple. Le vaste plateau monotone de l'Alentejo est bordé, au sud, par le bombement de l'Algarve, dominé par le pointement de syénite de la serra de Monchique (902 m). L'ensemble du pays est situé dans la zone méditerranéenne, mais en montagne le froid hivernal est rigoureux. Par ailleurs, la proximité de l'Atlantique atténue la sécheresse estivale, sauf en Algarve, où le climat devient aride.

● *La population.* La densité moyenne, élevée (102 hab. au km^2), recouvre de grandes diversités régionales. Le Nord, peuplé, s'oppose aux grandes étendues peu habitées de l'Alentejo. Les trois quarts de la population vivent à la campagne et, en dehors de Lisbonne, seule Porto dépasse 100 000 habitants. Les autres villes sont de gros bourgs, aux fonctions essentiellement administratives et commerciales. Le taux de natalité encore relativement élevé (proche de 20 p. 1 000) explique un accroissement naturel assez rapide. Mais le chômage contraint beaucoup de Portugais à l'émigration, principalement vers la France.

● *La vie économique.* L'agriculture occupe encore le tiers de la population active, mais sa part dans le produit national est inférieure à 20 p. 100. Les pratiques culturales traditionnelles n'ont guère été modifiées et les rendements progressent peu. Les structures agraires soulignent l'opposition entre le Nord et le Sud. Au nord, la petite propriété individuelle domine largement. On y pratique la polyculture, que l'exiguïté des terres rend insuffisante pour nourrir une famille. Le Sud appartient en majeure partie à de grands propriétaires, résidant à la ville et employant des journaliers agricoles aux salaires très bas. On y pratique une culture extensive aux rendements faibles. La situation des paysans est souvent précaire et entretient un fort courant d'émigration vers l'étranger.

Les principales productions agricoles sont les céréales (maïs au nord, blé au sud), la vigne et l'olivier; les cultures de fruits et de légumes sont en progression. L'élevage (ovin et bovin) ne satisfait pas la demande nationale. La récolte du liège et la pêche, encore artisanale (sardine, thon, anchois), apportent un complément de ressources.

Le développement industriel demeure lent. Les ressources du sous-sol sont peu abondantes (cuivre, tungstène, étain, un peu de charbon); le potentiel hydroélectrique est loin d'être totalement mis en valeur et le pays doit importer du pétrole. Les industries légères dominent. Les activités traditionnelles sont encore prospères : textile (coton), céramique, alimentation (conserveries de poisson, huileries). Grâce aux capitaux étrangers, les industries chimiques et

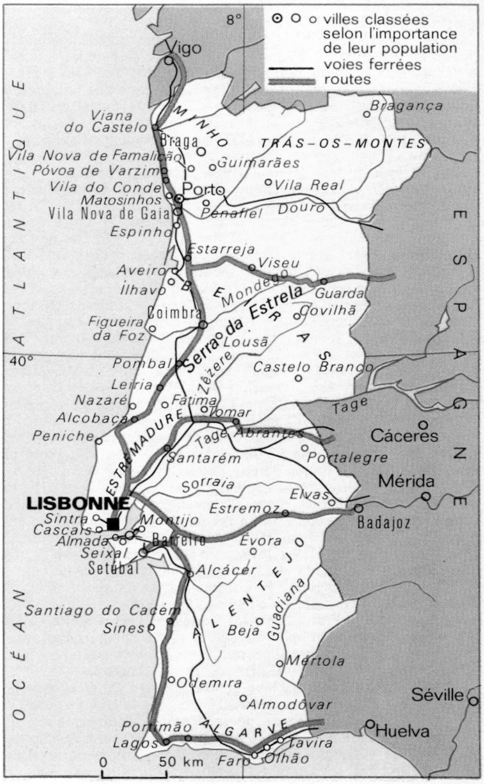

PORTUGAL

mécaniques (montage automobile, constructions navales...) se sont développées et le secteur du bâtiment (cimenterie) est actif. L'industrie lourde, demeure, en revanche, peu importante (la production d'acier n'atteint pas 500 000 t par an). Les usines se localisent surtout autour des deux villes principales, Lisbonne et Porto. Le développement industriel souffre du manque de matières premières, que le pays importe, principalement d'Europe occidentale (Allemagne, Grande-Bretagne) et des États-Unis. Le lourd déficit de la balance commerciale n'est compensé qu'en partie par les revenus du tourisme et les envois d'argent des travailleurs émigrés. L'économie demeure fragile et les habitants connaissent toujours l'un des plus bas niveaux de vie d'Europe. Le règlement des problèmes coloniaux devrait permettre d'assainir la situation et de consacrer des investissements croissants pour l'industrialisation, seule solution au problème du chômage et à l'émigration.

HISTOIRE

● *Des origines à Jean VI.* Occupée par l'homme dès le paléolithique, la Lusitanie devient romaine au IIe s. av. J.-C. Au début du ve s. apr. J.-C., se constitue — pour deux cents ans — un royaume suève, qui est ensuite annexé au royaume wisigoth, dont le futur Portugal suit le sort au moment de la conquête arabe. Au XIe s., Alphonse VI de León-Castille pousse des incursions vers le Tage; mais, s'il ne peut conserver Lisbonne, un comté de Portugal, territoire compris entre le Minho et le Mondego, est constitué et confié à Henri de Bourgogne, gendre d'Alphonse VI. Le fils d'Henri de Bourgogne, Alphonse Henriques, ayant vaincu les Maures en 1139, prend le titre de roi (Alphonse Ier), s'affranchissant ainsi de la Castille; en s'emparant de Lisbonne (1147) et d'Évora (1166), Alphonse Ier, appuyé par les ordres militaires (chevaliers de Saint-Jacques, plus tard l'ordre du Christ), fortifie son pouvoir. Par contre, l'Alentejo est repris par les Almohades et ne sera reconquis qu'au XIIIe s. La réunion des Cortes, à Coimbra, en 1211, marque le premier essai de représentation nationale partielle (noblesse, clergé); les trois ordres se réunissent à Leiria, en 1254. Clunisiens et Cisterciens contribuent à la mise en valeur du pays. Sous le roi Denis (de 1279 à 1325), le dialecte de Porto devient la langue officielle et, en 1290, est fondée l'université de Lisbonne, qui sera transférée, dès 1308, à Coimbra.

Le XIVe s., au Portugal, est marqué par les premières expéditions outre-mer (Canaries*, 1327), mais aussi par une grave crise agricole et démographique (peste noire), que Ferdinand Ier (de 1367 à 1383) peut d'autant moins maîtriser qu'il se lance dans une ambitieuse politique castillane. À sa mort, la dynastie de Bourgogne* disparaît; une dynastie nationale se fonde avec le grand maître de l'ordre d'Aviz*, Jean Ier (de 1385 à 1433), qui, écrasant les Castillans à Aljubarrota (1385), assure la survie du royaume.

Sous le règne de Jean Ier, le Portugal pose les fondements de son empire colonial, expansion rendue nécessaire par le surpeuplement relatif d'un pays qui se heurte, à l'est, à la puissante Castille, et facilitée par les progrès en navigation. Cet empire s'amorce en Afrique (Ceuta, 1415; Madère, 1418; les Açores, 1432; Rio de Oro, 1436; Sénégal, 1445), grâce, notamment, à l'action de l'infant Henri* le Navigateur, frère de Jean Ier. Bientôt, les Portugais trafiquent (or, esclaves) non seulement sur les côtes d'Afrique, mais aussi sur les côtes d'Amérique du Sud (Brésil). Des expéditions, comme celles de Bartolomeu Dias, qui franchit le cap des Tempêtes et découvre l'océan Indien (1487), et de Pêro da Covilhã, qui reconnaît l'Inde et visite l'Éthiopie (1487), préludent aux grands voyages de Vasco de Gama* aux Indes et aux conquêtes d'Albuquerque* en Asie, au début du XVIe s. (v. EMPIRE COLONIAL PORTUGAIS). En 1494, le traité de Tordesillas* établit un véritable partage du monde entre l'Espagne et le Portugal.

À l'intérieur du royaume, le droit se codifie et s'uniformise, notamment sous Alphonse V* (de 1438 à 1481). Mais, si le Portugal s'enrichit, surtout avec son empire des Indes, fondé entre 1505 et 1515, et si la civilisation lusitanienne connaît, sous Jean III (de 1521 à 1557), un brillant essor, la royauté affronte bientôt une nouvelle crise (1555), due à la fin du quasi-monopole royal sur les épices. À la mort de Jean III, la couronne échoit à un enfant, Sébastien, qui, roi de 1557 à 1578, perd ses forces dans une guerre marocaine qui lui coûte la vie. Le dernier représentant de la famille d'Aviz, un vieillard, Henri le Cardinal, étant mort en 1580, le Portugal est saisi par l'armée de Philippe II* d'Espagne qui, en 1581, est reconnu roi de Portugal par les Cortes de Tomar. Cette union avec l'Espagne, qui dure soixante ans, si elle permet aux Portugais d'accroître leur Empire brésilien, rend leurs autres possessions plus vulnérables aux coups des Hollandais et des Anglais.

En 1640, Lisbonne se soulève contre Philippe IV d'Espagne et proclame roi national le duc de Bragance*, sous le nom de Jean IV (de 1640 à 1656) : l'Espagne ne reconnaîtra l'indépendance du Portugal qu'en 1668. La nouvelle dynastie, si elle peut s'assurer du Brésil, doit se résigner à l'effondrement des positions portugaises en Asie (1641-1658), face aux Hollandais. Après une redoutable crise monarchique (1667-1706), le Portugal, affaibli, lie sa destinée économique à celle de l'Angleterre : en 1703, le traité de Methuen ouvre le marché britannique aux vins portugais et le Portugal aux produits fabriqués en Grande-Bretagne. Une nouvelle chance s'offre aux Bragance : l'afflux de l'or du Brésil; mais Jean V (de 1706 à 1750) le thésaurise ou le dilapide.

La décadence portugaise s'amorce. Elle est un certain temps ralentie par Joseph Ier (de 1750 à 1777), qui s'appuie sur Pombal*. Mais l'action de Pombal ne survit pas à la mort du roi : Marie Ire (de 1777 à 1816) prend le contre-pied de la politique du ministre. En 1792, atteinte de démence, la reine doit laisser le pouvoir à son fils, le futur Jean* VI, qui est affronté aux problèmes posés par la politique expansionniste de la France révolutionnaire et napoléonienne, adversaire de l'Angleterre alliée du Portugal. En refusant d'appliquer le Blocus* continental, Jean VI provoque l'invasion française, devant laquelle il doit fuir au Brésil (1807). En fait, les troupes françaises subissent de graves échecs au Portugal devant les Hispano-Britanniques (Sintra, 1808; Torres Vedras, 1810-11) : bientôt les armées de Napoléon doivent évacuer un pays ruiné par la guerre.

• *De Jean VI à Salazar.* Jean VI s'obstinant à rester au Brésil, le Portugal connaît de graves troubles (1820). Le roi, à son retour (1821), doit subir la Constitution imposée aux Cortes par les libéraux (1822). À sa mort, le conseil de régence désigne son fils aîné, Pierre IV, qui, empereur du Brésil, indépendant depuis 1822, abdique presque aussitôt en faveur de sa fille, Marie II : celle-ci est, dès 1828, évincée par son oncle Michel (Miguel), qui rétablit l'absolutisme. Entre 1832 et 1834, Pierre IV reconquiert le royaume et restaure Marie II (1834).

La vie politique se réduit dès lors à une série d'affrontements entre les libéraux anticléricaux, partisans de la Constitution libérale de 1822, et les partisans de la charte de 1826, qui s'appuient sur la noblesse terrienne et le clergé. Au point que, de 1846 à 1848, le pays sombre dans l'anarchie, dont essaie de le sortir, en 1851, le maréchal Saldanha, qui s'empare du pouvoir et amorce la *Regeneração*. Sous les rois Pierre V (de 1853 à 1861) et Louis (de 1861 à 1889), le Code civil est publié, les biens du clergé sont vendus, l'esclavage est aboli dans les colonies; un second Empire portugais s'amorce au Mozambique et en Angola, à partir de 1877; la vie politique se diversifie avec la création d'un parti républicain (bourgeoisie libérale), en 1873, et celle d'un parti socialiste, en 1875. Mais, face à un pays marqué par la misère endémique, la royauté, qui pratique un autoritarisme anachronique, devient de plus en plus impopulaire. En 1908, Charles Ier, roi depuis 1889, est assassiné ainsi que son fils aîné. Son second fils, Manuel II (de 1908 à 1910), renonce au régime autoritaire, mais il est bientôt chassé par un coup de force : le 5 octobre 1910 la république est proclamée.

Le gouvernement républicain provisoire (1910-11), nettement anticlérical, s'efforce d'appliquer des réformes fondamentales. Mais le vote, le 21 août 1911, d'une constitution républicaine amorce en fait une période de quinze ans d'instabilité, marquée par des troubles, des révoltes, des assassinats, au cours de laquelle un seul président de la République, sur huit, va jusqu'au bout de son mandat, tandis que sept élections législatives et quarante-cinq ministres se succèdent. L'entrée en guerre du Portugal aux côtés des Alliés en 1915 n'arrête pas l'anarchie. Aux éphémères dictatures de Pimenta de Castro (1915) et de Sidónio Pais (1917-18) répond la création, en 1919, d'une grande fédération syndicale ouvrière (CGT), d'inspiration anarchiste, et celle (1921) d'un parti communiste portugais.

• *Salazar et l'après-salazarisme.* Le putsch militaire du général Manuel Gomes da Costa met fin à la république libérale en 1926. Le nouveau président de la République, qui sera en charge de 1928 à 1951, le général António Oscar de Fragoso Carmona, confie les pleins pouvoirs à António de Oliveira Salazar*, maître absolu du pays de 1932 à 1968. L'« État nouveau » salazariste est un régime corporatiste et catholique (le concordat de 1940 fait du catholicisme la religion nationale). Il met en place une planification économique qui ne résout pas le problème social (l'émigration des travailleurs portugais s'accélère à partir de 1960) et réduit au silence toute opposition politique. À partir de 1959, surtout, des signes de plus en plus forts de mécontentement se manifestent, encore que toute tentative de rébellion soit écrasée. Par ailleurs, alors que les puissances coloniales amorcent la décolonisation de leur empire, le Portugal salazariste reste attaché à son empire d'outre-mer, africain pour l'essentiel. Deux ans avant sa mort (1970), Salazar, malade, est remplacé par Marcelo Caetano*, son *alter ego*.

Le 25 avril 1974, le général António Sebastiano Ribeiro de Spínola* prend la tête d'une junte qui renverse le régime salazariste, forme un Conseil d'État et garantit réellement toutes les libertés fondamentales. Le 15 mai, Spínola est nommé président de la République, tandis que se forme un gouvernement provisoire, où figurent tous les partis, y compris les socialistes (Mario Soares*) et les communistes (Alvaro Cunhal). Presque aussitôt, s'amorce le processus qui aboutira à l'indépendance de l'Angola*, du Mozambique* et de la Guinée-Bissau*. En fait, la mise en place du nouveau régime ne s'opère pas sans difficulté; le spinolisme doit reculer face au Mouvement des forces armées (M. F. A.) et à la coalition du parti populaire démocratique, du parti socialiste et du parti communiste. Le M. F. A., après l'échec d'une tentative de coup d'État fomentée par Spínola (11 mars 1975), se dote de pouvoirs législatifs réels et entreprend une politique de réforme des structures. Les élections à la Constituante, le 27 avril 1975, se soldent par un succès des partis de gauche, du parti socialiste en

DÉFENSE ET ARMÉES

Membre du pacte atlantique (1949). Facilités militaires données aux États-Unis (accords de 1944 et 1951), à la France (1964) et à l'O. T. A. N. (1972) dans l'archipel des Açores. Service militaire de quinze mois.

• LES FORCES ARMÉES EN 1976. Budget : env. 748 millions de dollars (6 p. 100 du P. N. B.). Effectifs : 60 000 hommes.

Armée : 36 000 hommes (env. 2 divisions).

Marine : 13 800 hommes, 4 sous-marins, 17 escorteurs de 1 200 à 1 600 t.

Aviation : 10 000 hommes, 46 avions de combat.

particulier. Mais les divergences s'accentuent de plus en plus entre socialistes et communistes et, dans le M. F. A., des tendances opposées s'affrontent. Les élections législatives d'avril 1976 confirment la victoire des socialistes et, en juin, le général Ramalho Eanes, soutenu par ces derniers, est élu président de la République ; en juillet, Mario Soares, nommé Premier ministre, constitue un gouvernement socialiste homogène et minoritaire. Mais, en janvier 1978, à la suite d'une crise ministérielle, il est contraint de faire alliance avec le Centre démocratique et social.

PORT-VENDRES (66660), ch.-l. de cant. des Pyrénées-Orientales, sur la Côte Vermeille, à 31 km au S.-E. de Perpignan; 5 757 hab.

PORT-VILA ou **VILA,** ch.-l. des Nouvelles-Hébrides, dans l'île Vaté; 8 000 hab.

PORZ AM RHEIN, v. de l'Allemagne fédérale, dans la banlieue sud-est de Cologne; 62 000 hab.

POSADAS, v. d'Argentine, sur le Paraná, ch.-l. de la prov. des Misiones; 98 000 hab.

POSÉIDON, dieu grec de la Mer, dont l'épouse était Amphitrite*. On le représentait armé d'un trident. C'est le Neptune*des Latins.

Poseidon, missile stratégique américain lancé par un sous-marin en plongée. D'une portée de 4 500 km, son ogive porte dix charges multiples MIRV de 50 kt chacune. Opérationnel depuis 1971, le « Poseidon » est destiné à remplacer le missile « Polaris ». (Il armait, à raison de 16 missiles par unité, 31 sous-marins en 1977.)

POSITION *(Chorégr.).* — L'école de danse classique utilise cinq différentes manières (le néo-classique, sept) de poser les pieds au sol et de placer les bras dans l'espace, les uns par rapport aux autres. *Première position :* talons joints, jambes tendues, pieds ouverts à 180°, parallèles à la ligne des hanches; bras arrondis en avant. *Deuxième position :* même attitude avec les pieds écartés légèrement; bras ouverts latéralement. *Troisième position :* pieds resserrés sur la moitié de leur longueur, pointes tournées vers l'extérieur; un bras écarté sur le côté, l'autre arrondi vers le haut. *Quatrième position :* les pieds, toujours dans la même direction, sont écartés l'un devant l'autre; un bras arrondi vers l'avant, l'autre vers le haut. *Cinquième position :* les pieds sont l'un devant l'autre, mais très serrés, pointes et talons opposés se touchant; bras en couronne au-dessus de la tête.

Ces positions, fondamentales, sont déterminées par l'« en-dehors* ». Il existe, dérivées de ces cinq positions, toute une gamme de demi-positions qui permettent un très grand nombre de pas ou d'attitudes.

POSITIVISME. — La doctrine d'A. Comte*, le positivisme, inaugure un courant philosophique constitutif des philosophies de la science. En faisant des sciences physiques le modèle de toute science, le positivisme entend signifier qu'il ne saurait exister de connaissance* véritable en dehors de l'expérience* des faits. Ce refus de tout *a priori* se conjugue à la croyance d'un progrès social directement causé par le progrès des connaissances. Le positivisme logique du cercle de Vienne*, ou néopositivisme, relaie, au XXe s., le positivisme comtien. R. Carnap*, O. Neurath, etc., à la suite de L. Wittgenstein*, se rejoignent sur les thèses suivantes :

— la philosophie doit servir à élucider les énoncés scientifiques;
— ces énoncés doivent être transcrits dans la langue des *Principia* mathematica;*
— les propositions scientifiques doivent être vérifiées à partir d'une base observationnelle (v. VÉRIFICATION EXPÉRIMENTALE).

POSITON. — Cette particule, dont l'existence avait été postulée par Dirac, possède la même masse que l'électron (ou négaton), mais elle porte une charge électrique opposée. Sa production, en même temps que celle d'un négaton, est due à la matérialisation d'un photon, et sa disparition, très rapide, au processus inverse. (V. RADIOACTIVITÉ.)

POSSESSION *(Dr.).* — C'est la situation qui permet à une personne d'accomplir sur une chose des actes qui correspondent à l'exercice d'un droit, même si, en réalité, la personne n'est pas titulaire de ce droit. La possession, distincte de la *propriété,* l'est également de la *détention,* qui implique que le détenteur reconnaisse le droit d'autrui. Tous les droits réels sont susceptibles de faire l'objet d'une possession (l'usufruit, l'usage, l'habitation).

La possession comprend deux éléments : un élément matériel (le « corpus ») et un élément intentionnel (l'« animus »). Elle doit être continue, paisible, publique, non équivoque. Les effets de la possession, lorsqu'elle est régulière, sont importants : lorsque le possesseur est *de bonne foi* (c'est-à-dire lorsqu'il croit être le titulaire du droit qu'il exerce), la possession des meubles « vaut titre » (v. PRESCRIPTION).

La *possession d'état* s'établit par un nombre suffisant de faits qui, réunis, indiquent une situation juridique vraisemblablement existante (par exemple, un rapport de filiation ou de parenté entre un individu et une famille). La possession d'état doit être continue.

POSTCOMBUSTION. — La postcombustion a pour but d'accroître temporairement la poussée d'un turboréacteur. Les gaz de combustion éjectés dans la tuyère* comprennent une proportion non négligeable d'oxygène. En injectant du carburant* dans la tuyère, on provoque une combustion secondaire qui apporte un complément d'énergie aux gaz éjectés, donc un supplément de poussée. Celui-ci dépasse généralement 50 p. 100, mais entraîne une augmentation de la consommation spécifique de carburant. La plupart des turboréacteurs destinés aux avions d'armes sont équipés d'un dispositif de postcombustion. En revanche, dans l'aviation de transport, seuls les moteurs des avions supersoniques Concorde et Tupolev 144 en sont munis.

POSTE *(Électr.).* — Un poste électrique est défini par son schéma électrique, son mode d'exécution et sa destination. Un réseau* comprend plusieurs types de postes : des *postes de répartition* ou *d'interconnexion,* des *postes de transformation* et quelquefois des *postes de livraison.* Ces postes sont conçus soit en une seule dérivation, simple et économique, soit en double dérivation, surtout pour les villes nouvelles, soit encore en boucle. Les postes de répartition du réseau de transport à 400 kV, en matériel ouvert, comprennent les superstructures et le matériel THT, les transformateurs*, les clôtures. Les postes de transformation et de coupure 400/225 kV sont également en matériel ouvert, la partie 225 kV comprenant deux jeux de barres réunis par un disjoncteur de couplage. Les postes de répartition 225 kV normalisés à deux jeux de barres peuvent être conçus soit en postes extérieurs, soit en postes blindés sous pression d'hexafluorure de soufre ou d'air comprimé. Le raccordement au réseau général se fait alors par câbles* souterrains. Les postes de transformation 225/20 kV comprennent quatre transformateurs et deux jeux de barres. Il existe encore des postes de transformation 225/63 kV à la périphérie des grandes villes.

Les postes de distribution publique MT/BT, ou *postes d'abonné,* sont préfabriqués, du type protégé à isolement dans l'air. En général, ils sont à l'intérieur des bâtiments, mais peuvent être extérieurs. Ils ont une puissance nominale de 600 kVA. On prévoit un poste de coupure pour quinze postes MT/BT. Les postes sur poteaux (ou transformateurs sur poteaux) conviennent aux distributions rurales jusqu'à 100 kVA. Le transformateur est relié directement à la ligne MT sans appareil de coupure* ni de protection. Du côté basse tension, on place un disjoncteur sur le réseau de distribution.

POSTE *(Télécomm.).* — La poste est chargée de l'acheminement des objets de correspondance, dont elle assure le récolement au départ et la distribution à l'arrivée. Elle constitue un instrument privilégié de communication.

Pendant deux millénaires, depuis l'Antiquité perse jusqu'au XIXe s., le moyen de transport est le cheval, employé concurremment avec les messagers à pied. Au XVIIe et au XVIIIe s., la poste connaît, en Europe, une organisation avancée : un réseau de relais étroitement interconnecté caractérise la royauté française et le Saint Empire romain germanique. Sous l'Ancien Régime, l'exploitation est fondée sur le système de la ferme, contrat de concession par le souverain moyennant une rente. Puis le monopole d'une administration d'État, qui caractérise la plupart des pays modernes, se dégage progressivement. Les lettres transportées, qui continuent à appartenir à l'expéditeur jusqu'à leur remise au destinataire, sont inviolables. Ce problème suscita de nombreuses polémiques dans le passé : le Cabinet noir sous la monarchie, la surveillance de la correspondance sous la Révolution en sont les plus illustres exemples.

Le XIXe s. marque un tournant important dans l'évolution de la poste, devenue une administration d'État fonctionnant désormais en régie (28 ventôse an XII). En 1829, la distribution postale est assurée, d'abord tous les deux jours, ensuite quotidiennement, à tous les domiciles et dans toutes les communes de France. Jusqu'alors, les destinataires devaient se rendre au bureau de poste pour voir si du courrier était parvenu à leur intention. L'apparition du chemin de fer bouleverse, entre 1840 et 1850, les conditions de transport et d'acheminement du courrier. Poussant plus loin le souci de rapidité, la poste procède aux opérations de tri pendant le transport, par l'aménagement de wagons-poste, dans lesquels des agents effectuent le travail. À partir de 1845, ce système est appliqué sur les lignes Strasbourg-Bâle et Paris-Rouen, et sa généralisation s'effectue au fur et à mesure du développement du réseau ferroviaire. Désormais, la poste aux chevaux est condamnée. À partir de 1848, est adopté en France, comme moyen d'affranchissement, le timbre-poste*, mis en service en Grande-Bretagne une dizaine d'années auparavant, sous l'impulsion de sir Rowland Hill (1795-1879). D'autre part, vers 1793, apparaît un nouveau moyen de communication : le télégraphe aérien, de Claude Chappe*. Au milieu du XIXe s., les progrès de la technologie aboutissent à la création du télégraphe électrique, dont l'objet primitif est la transmission des messages d'État; c'est pourquoi l'institution est placée sous l'autorité du ministère de l'Intérieur. La fusion administrative entre la poste et le télégraphe est réalisée en 1878, à l'instigation d'Adolphe Cochery (1819-1900).

Depuis le Moyen Âge, les messagers transportaient non seulement du courrier mais aussi de l'argent. C'est dire l'ancienneté de la vocation financière de la poste, mais il faut attendre le XIXe s. pour que d'importantes mesures soient prises.

• En 1817, est créé le *mandat-poste,* qui évite le transport effectif des fonds du bureau de dépôt au bureau de paiement. Ultérieurement, plusieurs types seront conçus et le système étendu au régime international.

• En 1881, est fondée la Caisse nationale d'épargne. Instaurée pour des raisons sociales, cette institution est érigée en établissement public doté de l'autonomie financière, et son exploitation est confiée à la poste en raison de la densité du réseau postal, réparti sur l'ensemble du territoire. Devant le succès rencontré, des organismes similaires ne tardent pas à rivaliser de dynamisme, soit à l'initiative des collectivités locales, soit à celle d'établissements à caractère bancaire.

• En 1918, est créé le service des chèques postaux, dont l'origine est à rechercher dans des précédents étrangers et qui, à la différence de la Caisse nationale d'épargne, ne possède pas l'autonomie juridique. Lors de sa création en France, des dispositions législatives ont dû être prises pour surmonter l'hostilité des milieux financiers. Distinct du chèque bancaire, le chèque postal n'est qu'une sorte de mandat-carte utilisable par les titulaires de comptes de dépôts, d'où l'interdiction d'émettre un chèque postal sans provision préalable et de verser un intérêt aux déposants. Devant le développement considérable de ce service, qui constitue d'ailleurs pour le Trésor public un moyen de limiter le volume de la monnaie en circulation, un rapprochement entre le chèque postal et le chèque bancaire s'est opéré (loi du 28 nov. 1955). Mais la différence entre les structures et les prestations offertes au public est maintenue.

POSTEL (Guillaume), voyageur français (Barenton 1510-Paris 1581). Il voyagea en Orient à plusieurs reprises et prêcha la réconciliation avec les musulmans. Il fut emprisonné en Italie par l'Inquisition pour ses idées de visionnaire (*De orbis terrae concordia,* 1544).

POSTICHE. — Parmi les postiches, ornements artificiels de cheveux, on distingue la *perruque,* qui recouvre totalement le crâne sous forme d'une coiffure complète, et la *branche* ou longue mèche, faite de cheveux montés le long d'un même fil (la torsade est la réunion de deux branches et la natte de trois). La plupart des cheveux sont originaires d'Asie; cependant, bien des postiches sont en fibres artificielles (Arianyl, Nylon, etc.), légers, lavables et indéfrisables. Les cheveux, une fois désinfectés, sont triés par longueur et par couleur. Le montage peut se faire à la main — à l'aide d'un crochet — sur une coiffe de tulle, à la machine ou, encore, par encollage à chaud des cheveux sur la monture.

POSTSYNCHRONISATION. — Cette opération, couramment pratiquée au cinéma, consiste à enregistrer en studio les paroles, le son et la musique d'un film, postérieurement à la prise de vues. Lorsque le tournage a lieu en extérieurs, les bruits parasites inévitables risquant de troubler la prise de son, on renonce généralement au son direct. Parfois, pour servir de repère, on utilise néanmoins un son témoin. La postsynchronisation est le procédé inverse du play-back, qui consiste à enregistrer préalablement dialogues, bruitage et musique, puis à faire jouer les acteurs, les musiciens ou les danseurs en suivant le rythme de cet enregistrement préalable (cette technique est largement répandue à la radio et à la télévision).

POSTUMUS (Marcus Cassianus Latinus) [† 268 apr. J.-C.], empereur des Gaules (v. 260-268). Officier gaulois chargé par Gallien* de la défense du Rhin, il est proclamé empereur par ses troupes (v. 260) et reconnu par la Gaule, l'Espagne et la Bretagne. Gallien doit tolérer l'usurpation de Postumus, qui organise la défense contre les Barbares et se qualifie de *Restitutor Galliarum* et de protecteur de *Roma aeterna :* l'« Empire gaulois » de Postumus « est un surgeon occidental de l'Empire romain qui lui conserve l'Occident ». En 268, Postumus est tué par ses soldats.

POTAMOCHÈRE. — Très voisin du phacochère*, ce porcin l'est plus encore du sanglier. Il vit en bandes dans les forêts-galeries et les savanes d'Afrique, et se montre fort nuisible aux cultures.

POTAMOT. — Les potamots (nom générique : *Potamogeton*) constituent de nombreuses espèces des étangs, des canaux et des rivières. Tous les potamots ont leurs fleurs groupées en un épi granuleux, au bout d'une longue tige; les espèces diffèrent par la forme et la disposition des feuilles, toujours à nervures parallèles. (Ordre des hélobiales.)

POTASSE. — La potasse caustique KOH est un solide blanc, fusible à 360 °C, soluble dans l'eau. C'est une base forte. Très caustique, elle ronge les chairs. On la prépare par électrolyse du chlorure de potassium. On l'emploie pour absorber le gaz carbonique, dans la fabrication du savon noir, le nettoyage des peintures.

POTASSIUM. — C'est l'élément chimique n° 19, de masse atomique K = 39,1 *(kalium).* C'est un solide mou, à la cassure brillante, mais qui se ternit à l'air par oxydation; aussi le conserve-t-on dans l'huile de vaseline. De densité 0,86, il fond à 63 °C. Très oxydable, il s'unit à la plupart des métalloïdes. Par suite, il est très réducteur et décompose l'eau à froid, en enflammant l'hydrogène libéré. Il déplace de leurs combinaisons la plupart des autres métaux.

Parmi ses composés, l'oxyde K_2O se dissout dans l'eau en donnant la potasse* KOH. Le chlorure KCl cristallise en cubes incolores, fondant à 768 °C. Il s'extrait de divers gisements et sert à la préparation des autres composés potassiques; on l'emploie comme engrais (potasse d'Alsace). Les sulfures K_2S et KSH ont des solutions qui s'oxydent à l'air en formant des polysulfures, employés à la préparation de bains sulfureux. Le sulfate K_2SO_4 se retire des cendres de varech et des salins de betterave; combiné au sulfate d'aluminium, il forme l'alun. Les carbonates K_2CO_3 et $KHCO_3$ sont des solides incolores existant dans les cendres de bois et servant en verrerie. Les silicates donnent une solution, dite « liqueur des cailloux », qui sert à durcir les pierres tendres. (Pour le nitrate, v. SALPÊTRE.)

POTEMKINE (Grigori Aleksandrovitch), homme politique russe et feld-maréchal à partir de 1784 (dans la prov. de Smolensk 1739-en Bessarabie 1791). Favori de Catherine II* de 1774 à 1776, Potemkine conserve durant toute sa vie une grande influence sur l'impératrice. Gouverneur général des régions de Nouvelle-Russie, d'Azov et d'Astrakhan, il réalise l'annexion de la Crimée* (1783), fonde les villes de Kherson, Iekaterinoslav et Sébastopol, et organise la flotte russe de la mer Noire. Commandant en chef des troupes de la guerre russo-turque (1787-1791), il meurt en se rendant aux pourparlers de Iaşi.

Potemkine, cuirassé de la flotte impériale russe de la mer Noire, sur lequel éclata une mutinerie en juin 1905. L'équipage hissa le drapeau rouge devant Odessa et attendit le ralliement du reste de l'escadre pour s'unir aux ouvriers en grève d'Odessa. Ce ralliement n'eut pas lieu et le *Potemkine* dut se rendre aux autorités roumaines à Constanţa. (V. CUIRASSÉ « POTEMKINE » [*le*].)

POTENTIALISATION → MÉDICAMENT.

POTENTIEL. — On dit qu'un champ de vecteurs dérive d'un potentiel si la circulation du vecteur champ se déplaçant entre deux points A et B ne dépend que de la position de ces points et non du trajet suivi. La valeur de cette circulation est la « différence de potentiel » entre A et B. Il s'ensuit que le vecteur champ est égal au gradient du potentiel changé de signe. Tel est le cas des champs newtoniens, et notamment du champ électrique, ce qui permet de définir le potentiel électrique. Ce potentiel est constant dans toute la masse d'un conducteur en équilibre, mais, entre deux points d'un circuit parcouru par un courant, il existe une différence de potentiel, nommée également « tension ». L'unité de potentiel électrique est le volt.

POTENTILLE. — La flore française compte trente espèces de potentilles, pour la plupart assez communes. Ce sont des herbes basses, aux feuilles souvent trifoliolées, et dont la fleur porte cinq pétales, jaunes ou blancs, écartés, laissant voir entre eux des sépales pointus. (Famille des rosacées.)

POTENTIOMÈTRE. — Cet appareil est composé d'une résistance fixe comportant une prise variable, ou curseur. En appliquant une tension aux extrémités de la résistance et en déplaçant le curseur, on peut recueillir une fraction réglable de cette tension. Les potentiomètres sont notamment employés dans les récepteurs de radiodiffusion, pour le réglage progressif de l'intensité.

POTENZA, v. du sud de l'Italie (Basilicate), ch.-l. de prov.; 59 000 hab. Église des XIe-XVIIIe s. Musée archéologique.

POTERIE. — Les pâtes plastiques sont constituées d'argile plastique, d'eau et d'autres matières destinées soit à faciliter le séchage et la cuisson (terre cuite broyée), soit à diminuer la porosité après cuisson (calcaire, feldspath*). La mise en forme d'une poterie se fait par rotation autour d'un axe vertical sur le tour de potier. Comme les autres produits céramiques, les poteries peuvent être recouvertes de glaçures et d'émaux décoratifs fixés au cours d'une nouvelle cuisson. (V. CÉRAMIQUE.)

POTEZ (Henry), ingénieur et avionneur français (Méaulte, Somme, 1891). Après avoir construit des avions, il a ajouté les moteurs à ses fabrications.

POTHIER (Robert Joseph), juriste français (Orléans 1699-*id.* 1772). Par ses travaux sur les obligations, le contrat de bail, la vente, le contrat de société, le dépôt, le mandat, le contrat de mariage, la communauté, etc., il influença, après sa mort, les rédacteurs du Code civil (1804). On lui doit des *Pandectes de Justinien mises dans un nouvel ordre* (1748-1752), où il élabora une étude approfondie du droit romain.

POTHIN *(saint),* martyr, évêque de Lyon († 177). Premier évêque de Lyon, il fut martyrisé, avec plusieurs chrétiens, sous Marc Aurèle. On connaît le détail de ce martyre par une lettre adressée par les Églises de Lyon et de Vienne à celles d'Asie et de Chypre.

POTIRON. — Le plus gros, et de beaucoup, des fruits mûrissant en France est le potiron, énorme melon à l'écorce orangée, aux côtes fortement marquées, au goût peu sucré, qui se développe au contact du sol, la plante qui le produit ne pouvant pas le soulever. Le poids peut en effet atteindre 60 kg. La plante productrice porte de grosses feuilles couvertes de poils rudes. La citrouille, extrêmement voisine, est cependant moins grosse et plus allongée. (Famille des cucurbitacées.)

POTLATCH. — Ensemble de cérémonies ostentatoires au cours desquelles les chefs (de lignage, de clan ou de tribu) rivalisent dans la distribution ou la destruction de biens, le potlatch a été étudié pour la première fois par F. Boas chez les Indiens de la côte nord-ouest de l'Amérique du Nord (notamment chez les Kwakiutls). Cependant, des pratiques semblables ont été observées dans d'autres régions (par exemple au Gabon).

POTOCKI (Wacław), poète polonais (Wola Łuzeńska v. 1621-† v. 1696), auteur d'une épopée sur la guerre polono-turque de 1621, *la Guerre de Chocim.*

POTOCKI (Stanisław Kostka), homme politique polonais (1752-1821). Patriote, comme son frère Ignacy (1750-1809), il soutient énergiquement la Constitution de 1791. Plus tard, ministre de l'Instruction publique et des Cultes du royaume de Pologne, il fonde l'université de Varsovie (1816).

POTOCKI (Jan), écrivain polonais (Pików, Podolie, 1761-Uładówka 1815), auteur d'études sur les civilisations slaves et d'un roman fantastique écrit en français, *Manuscrit trouvé à Saragosse* (1804-1805).

POTOMAC (le), fl. des États-Unis, né dans les Appalaches, qui passe à Washington, avant de rejoindre la baie de Chesapeake; 640 km.

POTOSÍ, v. de Bolivie, dans les Andes, à 3 960 m d'alt.; 97 000 hab. Églises baroques coloniales du XVIIIe s. Cathédrale néoclassique. Autrefois mines d'argent, aujourd'hui extraction de l'étain.

POTSDAM, v. de l'Allemagne orientale, ch.-l. de distr., au S.-O. de Berlin; 114 000 hab.

HISTOIRE. La ville, née autour d'un château, est dotée d'une charte dès le XIVe s. À partir de 1660, le Grand Électeur y fait élever un château qui, achevé en 1682, devient au XVIIIe s. la résidence favorite de Frédéric II (détruit en 1945).

BEAUX-ARTS. Dans la vieille ville, monuments baroques, demeures anciennes, église Saint-Nicolas par Schinkel (1830). Musées. Beau parc de Sans-Souci, avec le petit château du même nom, joyau du rococo construit par Georg Wenzeslaus von Knobelsdorff sur les indications de Frédéric II (1745, ravissants décors), l'énorme Nouveau Palais (1763), le Théâtre du château, rococo, le château de Charlottenhof (Schinkel, 1826), etc.

Potsdam *(conférence de),* conférence qui réunit à Potsdam, du 17 juillet au 2 août 1945, Staline et Molotov pour l'U. R. S. S., Truman (remplaçant le président Roosevelt, mort le 12 avril) et Byrnes pour les États-Unis, Churchill et Eden, puis Attlee et Bevin pour la Grande-Bretagne. Y furent réglés plusieurs problèmes posés par la capitulation allemande : préparation des traités confiée aux quatre ministres des Affaires étrangères (U. R. S. S., États-Unis, Grande-Bretagne et France), occupation militaire et contrôle économique, désarmement et livraison de la flotte, dénazification et jugement des criminels de guerre, partage de la Prusse-Orientale entre l'U. R. S. S. et la Pologne, etc. Enfin, par la *déclaration de Potsdam* (26 juill.), l'U. R. S. S. s'associait aux Anglo-Américains pour exiger du Japon une capitulation sans condition.

POTT (Percivall), chirurgien anglais (Londres 1714-*id.* 1788). Il décrivit et laissa son nom à la tuberculose* des vertèbres.

POTT (August) → COMPARÉE *(grammaire).*

POTTER (Paulus), peintre hollandais (Enkhuizen 1625-Amsterdam 1654). Célèbre comme animalier d'une grande précision réaliste (*le Taureau,* La Haye), il sait faire jouer les effets de lumière, la poésie des ciels.

POTTIER (Eugène), chansonnier et révolutionnaire français (Paris 1816-*id.* 1887). Ouvrier affilié à l'Internationale, il siège à la Commune* de Paris en 1871. Réfugié aux États-Unis, il rentre en France en 1880. De ses *Chants révolutionnaires* (1887), il faut détacher *l'Internationale* (1871).

POU. — Le petit ordre des anoploures comprend des insectes sans métamorphoses, piqueurs et suceurs de sang, dépourvus d'ailes, mais munis de griffes extrêmement préhensiles, car ils vivent en permanence sur leurs hôtes, pondant des œufs (lentes) collés aux poils par une substance visqueuse. L'ordre ne comprend que trois genres : *Pediculus* (pou de tête et pou de vêtements), *Phthirius* (pou du pubis, ou morpion), *Hæmatopinus* (qui ne vit pas sur l'homme, mais sur divers mammifères domestiques).

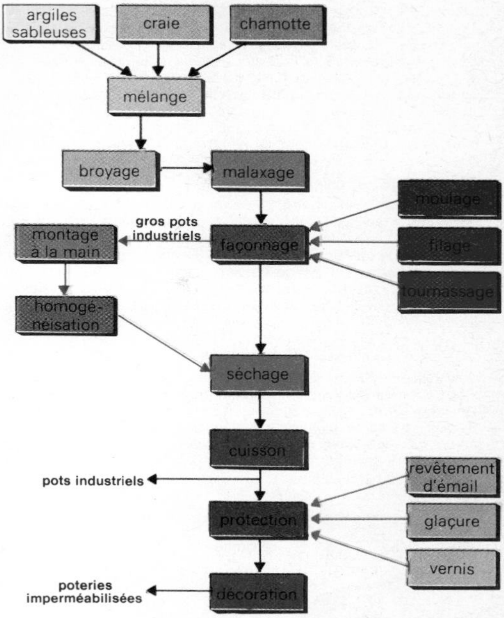

POTERIE. Schéma de fabrication.

POUANCÉ (49420), ch.-l. de cant. de Maine-et-Loire, à 16 km à l'E. de Châteaubriant; 3 202 hab. Ruines d'un château des XIIIe-XVe s.

POUCE → DOIGT.

POUCHKINE (Aleksandr Sergueïevitch), écrivain russe (Moscou 1799-Saint-Pétersbourg 1837). Fonctionnaire au ministère des Affaires étrangères, il affiche, dès ses premiers vers, des opinions libérales : muté en Bessarabie, puis mis en résidence surveillée dans sa propriété de Mikhaïlovskoïe, il compose des vers lyriques où se révèle l'influence de Byron (*Rouslan et Lioudmila,* 1817-1820; *le Prisonnier du Caucase,* 1821; *les Tziganes,* 1823-24), un roman en vers (*Eugène* Onéguine,* 1823-1830, publié de 1825 à 1832), un drame historique (*Boris Godounov,* 1825, publié en 1831). De retour à Moscou (1826), puis à Saint-Pétersbourg, Pouchkine jouit d'un grand prestige, mais s'abstient de toute opposition ouverte au

Représentation, par le théâtre Bolchoï à Moscou, de *Boris Godounov,* opéra de Moussorgski, d'après l'œuvre de Pouchkine.

B.S.I.

pouvoir. Il épouse en 1831 Natalia Gontcharova et il est élu membre de l'Académie russe en 1833. Il publie alors une série de nouvelles et de contes en prose (*les Récits de Bielkine,* 1831; *la Dame* de pique,* 1834; *la Fille du capitaine,* 1836), mais supporte de plus en plus difficilement la vie mondaine et les contraintes de la Cour. Cette crise aboutit à une querelle avec un officier français au service de la Russie, suivie d'un duel, au cours duquel le poète est mortellement blessé. Premier écrivain professionnel de la Russie, Pouchkine est le fondateur de la littérature russe moderne, qu'il orienta à la fois vers le lyrisme et le réalisme.

POUDINGUE → CONGLOMÉRAT.

POUDOVKINE (Vsevolod), cinéaste soviétique (Penza 1893 - Riga 1953). Après avoir travaillé avec Lev Koulechov, il entreprit une trilogie sur la prise de conscience révolutionnaire : *la Mère* (1926), *la Fin de Saint-Pétersbourg* (1927), *Tempête sur l'Asie* (1928), œuvres remarquables par le lyrisme métaphorique des images et l'habileté du rythme et du montage. Théoricien, il se passionna pour le langage filmique et élabora avec Eisenstein la théorie du contrepoint audiovisuel. Parmi ses films ultérieurs, citons : *Un simple cas* (1930), *le Déserteur* (1933), *Minine et Pojarsky* (1939), *l'Amiral Nakhimov* (1947), *la Moisson* (1953).

POUDRE. — Par sa déflagration*, une poudre fournit de façon progressive les gaz sous pression qui propulsent un projectile dans une arme à feu, ou qui mettent en mouvement un mécanisme dans un engin tel qu'un démarreur à poudre. Cette déflagration de la poudre dans une arme est souvent appelée sa « combustion* », bien que le phénomène diffère considérablement de ce qui a lieu quand on fait brûler la poudre à l'air libre. La *poudre noire,* connue depuis plus de huit siècles et longtemps la seule poudre utilisée, se compose de salpêtre*, de soufre* et de charbon de bois, intimement mélangés par une opération de trituration, suivie d'un grenage, c'est-à-dire de la mise sous forme de grains de dimensions diverses, selon qu'il s'agit de poudre de chasse, à fusil ou à canon. Depuis 1885, elle a été remplacée par les *poudres sans fumée,* toutes à base de nitrocellulose*. Dans sa structure fibreuse naturelle, la nitrocellulose est un explosif* détonant, mais Paul Vieille* découvrit qu'en modifiant sa structure par gélatinisation on en fait une poudre qui déflagre. Les *poudres à base simple* ne renferment pas d'autre constituant essentiel que la nitrocellulose; telle est la poudre B, qui, avec 98 p. 100 de nitrocellulose, contient de 1 à 1,5 p. 100 de diphénylamine, qui sert de stabilisant pour retarder ou empêcher l'altération de la nitrocellulose. Les *poudres à bases multiples* renferment toujours au moins 50 p. 100 de nitrocellulose, avec 25 à 50 p. 100 de nitroglycérine, qui gélatinise la nitrocellulose, ainsi que 5 à 10 p. 100 d'un autre gélatinisant, la centralite, qui joue aussi un rôle de stabilisant. Les poudres à bases multiples se présentent sous différentes formes : cylindres pleins de quelques millimètres de diamètre, tubes, ou encore petits grains carrés d'épaisseur égale au dixième du côté, comme les balistites.

La fabrication des poudres, monopole des fermiers généraux, puis d'une « régie des poudres et salpêtres » fut, au XIXe siècle, confiée au ministère des Finances pour les poudres de chasse et de mines, et au *Service des poudres* du ministère des Armées pour les poudres de guerre. En 1971, ce service, dont les cadres sortent de l'École nationale supérieure des techniques avancées, a pris le nom de *Service technique des poudres et explosifs,* ses activités industrielles et commerciales étant attribuées à la *Société nationale des poudres et explosifs.*

POUDRES (métallurgie des). — La plupart des métaux* et de nombreux alliages* peuvent être élaborés sous forme pulvérulente. Les procédés peuvent être mécaniques (broyage, usinage), physiques (atomisation, condensation de phase gazeuse), chimiques (réduction d'oxydes*, décomposition de sels*, dissociation de carbonyles*) ou électrolytiques (électrolyse* aqueuse ou ignée). La réduction d'oxydes (fer*), l'électrolyse (cuivre*) et l'atomisation (alliages) sont les méthodes les plus pratiquées industriellement. Les dimensions des poudres peuvent se répartir entre 0,1 et 200 μm. L'agglomération des poudres s'effectue soit sans compression (poudres dans un moule, barbotine, pâte), soit, dans la majorité des cas, avec compression, généralement par une presse, mais aussi par laminage, filage ou formage à haute énergie (explosion, décharge électrique). La liaison physicochimique intime entre les grains de poudres préalablement agglomérés est assurée par le traitement thermique de frittage, qui combine l'action de la température et celle du temps, sous une atmosphère de protection indispensable. La température de frittage pour un métal pur est toujours inférieure à son point de fusion*; dans le cas d'un mélange de poudres de plusieurs constituants, elle reste toujours inférieure à la température de fusion du constituant le moins fusible. À la sortie des fours de frittage, les pièces subissent des opérations de finition adaptées à leur structure particulière (calibrage, usinage, traitement* thermique, revêtement* de surface). La métallurgie des poudres trouve des applications en deux domaines :
— celui des produits spécifiques à cette métallurgie : produits poreux, pseudo-alliages de métaux à grand écart de point de fusion ou de masse volumique, composés métalliques durs, produits réfractaires et produits mixtes de composés métalliques et non métalliques (cermets);
— celui des produits pour lesquels cette métallurgie remplace avantageusement les procédés conventionnels : pièces mécaniques, produits difficiles à fabriquer par moulage, formage mécanique ou usinage et produits à haute pureté risquant d'être contaminés.

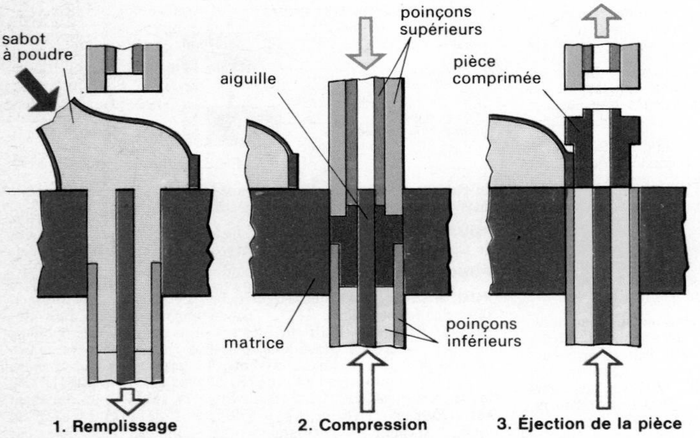

POUDRES
Principe de l'agglomération des poudres métalliques.

POUGATCHEV (Iemelian Ivanovitch), chef cosaque (Zimoïevskaïa v. 1742 - Moscou 1775). Cosaque du Don il participe aux guerres de l'Empire russe. En septembre 1773, Pougatchev soulève les Cosaques du Iaïk (fleuve Oural), se faisant passer pour le tsar Pierre III. Les paysans, les ouvriers et les populations allogènes, essentiellement bachkires, de l'Oural rallient la révolte, qui gagne ensuite la région de la Volga, où se produit, à partir de l'été 1774, un soulèvement général de la paysannerie. Catherine II* envoie ses troupes, libérées de la guerre russo-turque en juillet 1774, mater cette immense jacquerie. Pougatchev est arrêté et exécuté.

POUGNY (Ivan, dit **Jean**), peintre français d'origine italo-russe (Kuokkala, auj. Repino, 1894 - Paris 1956). Après avoir participé à l'avant-garde russe (œuvres constructivistes à la manière de Tatline, 1915, etc.), il s'installe définitivement en France en 1923 et peint des petits tableaux intimistes apparentés au style de Vuillard, mosaïques de couleurs raffinées et dansantes.

POUGUES-LES-EAUX (58320), ch.-l. de cant. de la Nièvre, à 11 km au N.-N.-O. de Nevers; 2014 hab. Station thermale aux eaux froides, gazeuses, bicarbonatées calciques et sodiques, employées dans le traitement des maladies du foie et de l'estomac et dans le traitement du diabète.

POUILLE (la), en ital. **Puglia,** région de l'Italie méridionale; 19 347 km²; 3 675 000 hab. Capit. *Bari.* Elle est formée de cinq provinces : Bari, Brindisi, Foggia, Lecce et Tarente. La Pouille occupe l'extrémité sud-est de la péninsule italienne, sur l'Adriatique et le golfe de Tarente. C'est une région de collines et surtout de plaines calcaires, relativement peu arrosée et aux étés chauds. La population est dense, malgré une forte et constante émigration (dirigée surtout vers le Piémont et la Lombardie et vers Rome), se consacrant principalement à l'agriculture (vigne, oliviers) et à la pêche. L'industrie, dans le cadre du développement du Mezzogiorno, a été ponctuellement développée, notamment dans les trois ports de Bari, Tarente et Brindisi.

POUILLET (Claude Servais), physicien français (Cusance, Doubs, 1790 - Paris 1868). Il retrouva les lois d'Ohm par la méthode expérimentale (1834), inventa la boussole des tangentes et fit, en 1837, la première mesure de la constante solaire.

POUILLON (40350), ch.-l. de cant. des Landes, à 15 km au S.-S.-E. de Dax; 2425 hab.

POUILLOT. — Très voisins des fauvettes*, les pouillots s'en distinguent par un bec plus court, une teinte verdâtre assez uniforme, un nid à ouverture latérale. Le plus grand pouillot *(Hippolaïs)* imite le chant des autres espèces d'oiseaux. (Famille des sylviidés.)

POUILLY-EN-AUXOIS (21320), ch.-l. de cant. de la Côte-d'Or, à 40 km au N.-O. de Beaune; 1249 hab. Dans le cimetière, église des XIVe-XVe s., calvaire du XVIe.

POUILLY-SUR-LOIRE (58150), ch.-l. de cant. de la Nièvre, à 15 km au S. de Cosne-Cours-sur-Loire; 1798 hab. Vins blancs.

POUJADISME. — Le mouvement politique créé par Pierre Poujade (Saint-Céré, Lot, 1920), en 1954, sous le nom d'« Union de défense des commerçants et artisans de France » (U. D. C. A.), connaît à la fin de la IVe République un succès rapide mais éphémère. Fondé essentiellement sur la défense des intérêts des petits commerçants, il s'élève contre les contrôles fiscaux et l'impôt, et fait preuve d'un antiparlementarisme et d'un nationalisme intransigeants qui l'apparentent à l'extrême droite. Antieuropéens et partisans de l'Algérie française, les poujadistes connaissent un net succès électoral en 1956 et forment à l'Assemblée le groupe Union et Fraternité françaises, qui disparaît dès 1958.

POULBOT (Francisque), dessinateur et peintre français (Saint-Denis 1879 - Paris 1946). Il a créé un type célèbre de gosse de Montmartre.

POULDU (Le), station balnéaire du Finistère (comm. de Clohars-Carnoët), sur la côte de Cornouaille.

POULE. — L'élevage des poules en vue de la production d'œufs et de poulets de chair est, de beaucoup, l'activité principale de l'aviculture*. Parmi les innombrables races de poules, on en avait sélectionné un certain nombre pour leurs aptitudes particulières à fournir des œufs (leghorn) ou à produire de la chair. Actuellement, le travail des sélectionneurs a permis, par des croisements appropriés (notamment avec la souche Cornish), d'obtenir, dans un cas, des variétés de bonne conformation et à croissance rapide, et des bonnes pondeuses dans l'autre (240 à 260 œufs par pondeuse mise en poulailler). L'exploitation des pondeuses pour un second cycle de ponte est maintenant peu fréquente.

POULENC (Francis), compositeur français (Paris 1899 - *id.* 1963). Membre du groupe des Six, il resta pour l'essentiel, jusque vers 1936, fidèle à la veine fauve et à l'esthétique de l'antisublime, caractéristiques de l'époque (ballet *les Biches, Concert champêtre*). Sur quoi, ayant retrouvé la foi de son enfance, il fit cohabiter en lui deux artistes, le « voyou » et le « moine » *(Litanies à la Vierge noire, Stabat Mater, Gloria)*. On lui doit également de la musique de chambre, des mélodies et des ouvrages pour la scène *(les Mamelles de Tirésias, Dialogues des Carmélites, la Voix humaine)*.

POULIGUEN (Le) [44510], comm. de la Loire-Atlantique, à 4 km à l'O. de La Baule-Escoublac; 4303 hab. Station balnéaire.

POULKOVO *(mont)*, colline de l'U. R. S. S., au S. de Leningrad. Observatoire astronomique.

POULO CONDOR, auj. **Côn Dao,** archipel du Viêt-nam méridional, au S. du delta du Mékong.

POULS. — La perception d'un choc en appuyant sur une artère correspond à la transmission par le sang de la vibration produite lors de l'éjection ventriculaire. Le rythme du pouls reproduit donc celui des ventricules du cœur. Sa fréquence normale se situe entre 65 et 75 pulsations par minute, au repos. Il peut être accéléré (tachycardie), ralenti (bradycardie) ou irrégulier (arythmie), sous l'effet d'influences diverses (effort, émotion, fièvre, intoxication, maladies de cœur, etc.).

L'étude des pouls renseigne sur la perméabilité artérielle (il est aboli en cas d'oblitération), et la médecine chinoise en tire des renseignements sur tous les organes (pour l'acupuncture).

POUMON. — Les deux poumons, situés dans la cage thoracique, de part et d'autre du médiastin, ont chacun la forme d'un cône coupé verticalement. Leur face interne, presque plane, comprend une dépression, le hile, par où pénètrent les bronches et les vaisseaux; leur face externe, convexe, est en rapport avec la cage thoracique; leur face inférieure, concave, avec le diaphragme. Le poumon droit comprend trois lobes, séparés par deux scissures, et le poumon gauche deux lobes, séparés par une scissure. Chaque poumon est enveloppé par une membrane séreuse, la plèvre*.

Au hile, la bronche pénètre dans le poumon, accompagnée de l'artère et des veines pulmonaires; tous ces éléments se ramifient comme les branches d'un arbre, les bronchioles aboutissant aux alvéoles pulmonaires, petits sacs de 0,1 mm, où aboutit l'air inspiré.

C'est dans les alvéoles que se font les échanges gazeux de la respiration : le sang apporté par l'artère pulmonaire s'y débarrasse du gaz carbonique, se charge d'oxygène et repart par les veines pulmonaires vers le cœur gauche et la grande circulation. Le renouvellement de l'air alvéolaire à travers les bronches et la trachée est possible grâce à l'élasticité du tissu pulmonaire, qui permet sa compression et son expansion alternées. Ces mouvements respiratoires sont engendrés par les muscles de la cage thoracique et par le diaphragme, et sont commandés par les centres nerveux du bulbe rachidien. (V. RESPIRATION.)

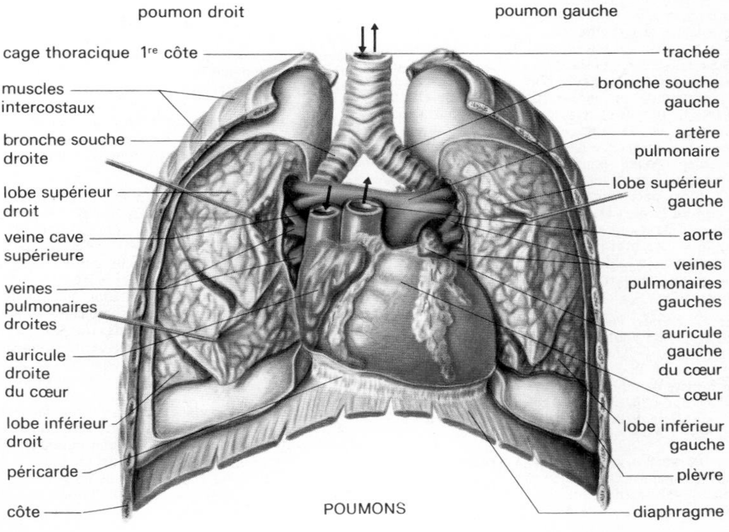

POUMONS

L'examen clinique du poumon comprend l'inspection du thorax, la palpation, la percussion et l'auscultation. L'examen radiologique donne des renseignements essentiels sur sa structure et son fonctionnement. La mesure des capacités respiratoires (capacité vitale, réserves inspiratoire et expiratoire, volume résiduel), celle des débits ventilatoires, l'étude des gaz du sang apportent des éléments complémentaires importants au cours des différentes affections pulmonaires et avant les interventions chirurgicales.

Les plaies pulmonaires « à thorax ouvert », produites par armes blanches, balles, éclats d'obus, etc., sont rares en pratique civile; par contre, les plaies « à thorax fermé », résultant d'une fracture de côtes, dont les fragments acérés embrochent le poumon après avoir rompu la plèvre, sont fréquentes. Les plaies du poumon provoquent un hémopneumothorax (sang et air dans la plèvre) et nécessitent l'assistance respiratoire.

La congestion pulmonaire peut être passive, résultant d'un défaut de pompage du sang par le cœur (insuffisance cardiaque), ou active, provoquée par une inflammation.

En dehors de la pneumonie* et de ses variétés, le poumon peut être le siège d'abcès, aboutissant à un vomissement de pus, la vomique, et, exceptionnellement, de gangrène, à l'issue fatale. La tuberculose pulmonaire, dont la fréquence a beaucoup diminué depuis l'apparition des antibiotiques antituberculeux, provoque des lésions très variées, allant du complexe primaire de la primo-infection (infiltrat arrondi et ganglion hilaire) aux lésions excavées de la tuberculose ulcéro-nodulaire, touchant les deux poumons et dont l'évolution rapide justifiait le terme de « phtisie galopante », et aux tuberculoses « miliaires », où les poumons sont parsemés de lésions du volume d'un grain de mil, mortelles avant les antibiotiques. Le poumon peut également être envahi par des parasites animaux (kyste hydatique dû à l'embryon du ténia échinocoque) ou végétaux (actinomycose, aspergillose). L'inhalation continue de poussières provoque la pneumoconiose*. L'emphysème pulmonaire, cause de dyspnée, est dû à une rupture des parois alvéolaires et est souvent accompagné d'une sclérose fibreuse (durcissement) du tissu pulmonaire, cause d'insuffisance respiratoire.

Le cancer primitif du poumon prend son point de départ au niveau de l'épithélium des bronches ou des bronchioles. Son apparition est statistiquement favorisée par l'usage du tabac. La pneumonectomie (ablation du poumon malade) peut apporter la guérison lorsque le diagnostic est porté précocement. Le cancer secondaire du poumon est une métastase d'un cancer de la peau, du sein ou d'un autre organe. Il peut se manifester alors que le cancer primitif n'est pas encore connu.

POUND (Ezra Loomis), écrivain américain (Hailey, Idaho, 1885-Venise 1972). Un cow-boy sophistiqué, diplômé en littérature comparée, qui de la bohème tapageuse des années 20 à la solitude de l'asile psychiatrique de Washington encombra la littérature américaine pendant plus d'un demi-siècle. Salué par Cummings comme le Einstein de la poésie moderne, dédicataire de la *Terre gaste* de T. S. Eliot, il participe dès 1912 au traitement de choc auquel l'« imagisme » soumet la poésie américaine, puis lance le « vorticisme », qui considère l'art comme « une sorte d'énergie proche de l'électricité ou de la radioactivité, une force capable de transfuser, de souder ». Pound est, en effet, un rassembleur, en particulier comme lecteur et critique (*l'Esprit des littératures romanes,* 1910) : sa culture unit Dante et les troubadours limousins aux métaphysiciens anglais, aux symbolistes français et aux poètes chinois, et fonde ses premiers exercices de style (*A Lume Spento,* 1908; *Personae,* 1909; *Hugh Selwyn Mauberley,* 1920). Retour aux sources ou curiosité exotique témoignent d'un même refus : celui d'une civilisation corrompue et autodestructrice, dont l'usure capitaliste est à la fois le moteur et le symbole. C'est contre cette désagrégation du monde et du langage qui l'exprime que sont entrepris les *Cantos** et ce curieux engagement politique aux côtés du fascisme mussolinien (Pound, pour avoir participé pendant la guerre aux émissions antiaméricaines de Radio-Rome, sera arrêté en 1945, interné à Pise, puis, jusqu'en 1958, dans un hôpital psychiatrique) : la culture la plus élaborée et la souffrance la plus quotidienne composent, dans un double mouvement venu des origines de l'humanité et des profondeurs de l'être, la matière du « langage correct » (au centre des *Cantos* sont placés deux idéogrammes chinois qui ont cette signification) que le poète organise et déchiffre.

POURBUS, peintres flamands. PIETER (Gouda 1523-Bruges 1584), maître à Bruges en 1543, est l'auteur de compositions religieuses italianisantes et de portraits. — Son fils FRANS, dit *l'Ancien* (Bruges 1545-Anvers 1581), élève de F. Floris à Anvers, où il s'établit, fut surtout un bon portraitiste de tendance maniériste. — FRANS II, dit *le Jeune* (Anvers 1569-Paris 1622), fils du précédent, accomplit sa carrière de portraitiste dans diverses cours d'Europe : Bruxelles, Mantoue, Paris (où Marie de Médicis l'appela en 1509).

Pour comprendre les media, œuvre de H. M. McLuhan (1964). L'auteur pose deux principes dont il considère qu'ils rendent intelligible l'influence des media sur les convictions et les comportements. *Premier principe :* ce qui importe c'est moins le contenu des messages qu'on y transmet que les media empruntés par eux. En d'autres termes, cela signifie que le mode de transmission d'une culture influe sur cette culture et la transforme. C'est le sens de l'adage « le message c'est le medium ». *Second principe :* les media ne peuvent simultanément transmettre beaucoup d'informations et solliciter largement la participation de leur auditoire. Ils font l'un ou l'autre. Ce qui revient à dire que la richesse en informations varie toujours en sens inverse de la participation du récepteur. Le « media chaud », tels l'imprimé et la radio, est riche en informations; le « media froid », à l'exemple de la télévision, sollicite davantage la participation, mais il diffuse des messages pauvres. D'où l'idée que les sociétés sont différentes selon qu'y domine l'une ou l'autre des deux catégories de media.

POURPIER. — On cultive parfois le pourpier pour en manger les feuilles en salade, car ces feuilles, au goût acidulé, sont riches en vitamine C. C'est une petite plante annuelle rampante, type de la famille des portulacacées, qui ne compte que très peu d'espèces.

POURRIDIÉ → PLANTES *(maladies des).*

POURRITURE GRISE → PLANTES *(maladies des).*

POURTALET *(col du),* passage pyrénéen, à 1 792 m d'altitude, au débouché de la vallée d'Ossau vers l'Espagne.

POURVOI → VOIE DE RECOURS.

POUSSAGE → BARGE et BATELLERIE.

POUSSÉE *(Aéron.)* → FUSÉE *(moteur-),* POSTCOMBUSTION, PROPULSION PAR RÉACTION, STATORÉACTEUR, TURBOMACHINE, TUYÈRE, VOL *(mécanique du).*

POUSSÉE *(Mécan.)* → MÉCANIQUE DES SOLS.

POUSSÉE DES TERRES → MUR.

POUSSEUR (Henri), compositeur belge (Malmédy 1929). Il est le principal représentant, dans son pays, des courants sériels et postsériels, professeur à l'université de Liège et directeur du Centre de recherches musicales de Wallonie *(Madrigal III, Votre Faust, les Éphémérides d'Icare II, Invitation à l'utopie).*

POUSSIÈRE *(Astron.)* → COMÈTE et NÉBULOSITÉ GALACTIQUE.

POUSSIÈRES. — Les poussières de charbon qui se déposent dans les chantiers et galeries* sont combustibles; mais, pour les allumer, il faut une flamme plus forte que pour un gaz. Une cause classique de leur inflammation est un petit coup de grisou*, plus rarement un explosif* ou un violent incendie. Survenant dans un nuage de poussières, l'inflammation se poursuit et progresse en soulevant à l'avant de nouvelles poussières; la combustion devient violente et tourbillonnaire, comme dans le foyer d'une chaudière à charbon pulvérisé. C'est le *coup de poussière,* qui peut se propager sur des kilomètres de galeries; aux effets thermiques et mécaniques provoqués par la chasse d'air de la déflagration, s'ajoute la toxicité des fumées, qui ont une teneur mortelle en monoxyde de carbone. En effet, la combustion est incomplète, car il y a un excès de matière combustible : un mètre cube d'air ne peut brûler complètement qu'environ 100 g de charbon, alors qu'un millimètre de poussières sur la sole et les anfractuosités des galeries représente plusieurs centaines de grammes par mètre cube. Dans un coup de poussière généralisé, la flamme peut parcourir des kilomètres de galeries. Pour l'empêcher il faut éviter les causes d'inflammation, notamment le grisou, et arrêter la propagation de la flamme en rendant les poussières soit incombustibles, par l'adjonction de poussières stériles *(schistification),* soit non soulevables, par arrosage. Pour couper un coup de poussière qui cependant a pris naissance, des *arrêts-barrages,* constitués par des caisses chargées de poussières stériles ou d'eau, sont placés en couronne de galeries et se renversent sous le souffle de la chasse d'air qui précède la flamme.

POUSSIN (Nicolas), peintre français (Villers, près des Andelys, 1594-Rome 1665). Ses débuts, à Paris, sont mal connus. Parti en 1624 pour Rome, il y restera toute sa vie (à l'exception d'un séjour à Paris en 1641-42, fort peu désiré et au cours duquel il sait mal s'adapter à la fonction officielle qui lui est échue), y sera honoré assez vite comme un maître, entouré d'un petit cercle d'amateurs français ou italiens. De formation maniériste, il se pénètre de l'ambiance antique (dans ses promenades et dans les livres), étudie le Dominiquin et les Vénitiens *(la Mort de Germanicus,* pour le cardinal Barberini, 1627, musée de Minneapolis; *l'Inspiration* du poète),* n'ignore ni le baroque ni le Titien de la maturité *(Bacchanales).* Vers 1635, sous l'influence de la sculpture antique et de Raphaël, il évolue vers un classicisme plus grave et choisit de préférence des sujets bibliques et liturgiques (première série des *Sacrements,* pour son protecteur Cassiano dal Pozzo). Après 1642, les compositions deviennent d'une monumentalité et d'une clarté quasi mathématiques, les couleurs plus abstraites (*Éliézer et Rebecca,* Louvre), tandis que de nombreux paysages composés confirment la puissance à la fois lyrique et naturaliste du peintre (*Paysage avec Polyphème,* 1649, Leningrad; *les Quatre Saisons,*

1660-1664, Louvre). Poussin exerça sur les doctrines de l'Académie royale de peinture une grande influence, surtout posthume.

POUTRE → CHARPENTE et PONT.

POUVOIR. — Le pouvoir recouvre deux ordres de réalité : d'une part, l'ensemble des dispositifs qui assurent un équilibre relatif entre des forces sociales distinctes; d'autre part, l'autorité à laquelle l'usage en est dévolu. Cependant, l'analyse du pouvoir s'est porté tantôt sur l'un tantôt sur l'autre de ces aspects : fonctionnel ou juridique. En atteste l'analyse classique, qui prend pour objet la souveraineté et non le pouvoir comme tel. Elle se développe en effet sur le plan des principes afin de déterminer à qui et selon quelles fins il appartient de décider des modalités de la vie sociale. La philosophie politique* des XVIIe et XVIIIe s., tout en interrogeant le pouvoir sur sa légitimité, pose le problème en termes d'intérêt. *Du contrat social* s'efforce d'articuler le droit à l'intérêt. Le pouvoir désigne alors les organes légitimement institués en vue d'assurer l'intérêt général. Une telle conception ne repose-t-elle pas sur la fiction d'un sujet juridique libre?

L'anthropologie politique centre son analyse sur l'aspect fonctionnel du pouvoir. Elle s'interroge sur les procédures d'exercice du pouvoir, au moyen desquelles une structure socio-économique intègre et programme les individus. Cette perspective conduit à une vision pluraliste du pouvoir : non plus un pouvoir fixé dans des institutions définies mais un pouvoir diffus, insidieux, qui s'exercerait en chaque point des rapports de hiérarchie constitutifs des unités sociales (églises, famille, école, armée, sciences, etc.). Ce n'est donc pas concevoir le pouvoir en termes d'intérêts et d'interdits, mais au contraire en inscrire les mécanismes dans la série des effets positifs qu'ils peuvent induire. C'est ainsi que M. Foucault* montre que le pouvoir investit les savoirs, dans ses usages et sa transmission, et dans sa constitution même. Par exemple, le discours que les sciences humaines ont tenu sur « l'âme » s'est appuyé sur un ensemble de dispositifs d'observation et de surveillance, constituant le « tissu carcéral ». Le pouvoir, plutôt qu'appareil de répression, serait donc à entendre comme les séries des processus de normalisation et d'intégration dans une société.

POUVOIR D'ACHAT. — Cette expression désigne la relation (que l'on peut mesurer) entre les ressources monétaires dont dispose un individu ou un ménage et les prix* des biens et des services qu'il désire acquérir. Le pouvoir d'achat d'une somme d'argent est la quantité de ces biens qu'elle permet d'acquérir : c'est la mesure de son efficacité. (L'expression est différente de celle de « niveau* de vie », qui prend de plus en compte l'élargissement et la diversification de la consommation [par suite d'un accroissement et d'un affinement des besoins des populations].)

POUYASTRUC (65350), ch.-l. de cant. des Hautes-Pyrénées, à 10,5 km au N.-E. de Tarbes; 357 hab.

P'OU-YI ou **PUYI,** empereur chinois (Pékin 1906 - *id.* 1967). Empereur de Chine en 1908, il doit abdiquer dès 1912. En 1932, les Japonais le nomment régent du Mandchoukouo*, puis (1934) empereur de cet État protégé par eux. Détenu par les Soviétiques de 1945 à 1949, puis livré au gouvernement chinois, il est réduit à des fonctions très modestes.

POUZAUGES (85700), ch.-l. de cant. de la Vendée, à 28 km à l'O.-S.-O. de Bressuire; 5 556 hab. Donjon du XIIIe s. Industrie alimentaire. Plastiques.

POUZZOLANE → CIMENT.

POUZZOLES, en ital. **Pozzuoli,** port d'Italie, sur la rive nord du golfe de Naples; 61 000 hab. Électronique. — Colonie grecque de Samos fondée v. 527 av. J.-C. sous le nom de *Dikaiarkheia,* la ville fut d'abord soumise au protectorat de Cumes, passa en 338 av. J.-C. sous la domination de Rome et devint colonie romaine en 194 av. J.-C. Dès lors, Pouzzoles (en lat. *Puteoli*) « devint un grand port marchand » (Strabon), un des premiers ports de la Méditerranée, qui demeura florissant jusqu'à la fin de l'Empire, malgré la concurrence d'Ostie*. Elle possède d'importants vestiges antiques, dont le plus grand amphithéâtre du monde romain.

POWELL (Cecil Frank), physicien anglais (Tonbridge 1903 - près de Milan 1969). Il a utilisé les émulsions photographiques pour l'étude des réactions nucléaires. (Prix Nobel de physique, 1950.)

POWYS (John Cowper), écrivain anglais (Shirley, Derbyshire, 1872 - Blaenau-Ffestiniog, pays de Galles, 1963). Son œuvre, d'inspiration à la fois mystique et sensuelle, cherche à dégager le fonctionnement de la pensée au contact des êtres, des paysages, des objets (*Wolf Solent,* 1929; *les Enchantements de Glastonbury,* 1932; *les Sables de la mer,* 1934; *Autobiographie**, 1934; *le Camp retranché,* 1937).

POZNAŃ, v. de l'ouest de la Pologne, en *Posnanie,* sur la Warta; 486 000 hab. Foire internationale. Château avec parties du XIIIe s., cathédrale reconstruite du XIVe au XVIIIe s., hôtel de ville reconstruit au XVIe s. dans le style de la Renaissance italienne. Musées. Poznań, dotée d'une forteresse de bois au VIIe ou au IXe s., a été, avec Gniezno, le noyau de l'État polonais des Piast*. Siège d'un évêché depuis 968, Poznań devient un important centre commercial, où s'installent des colons germaniques à partir du XIIIe s. La ville connaît une période de grande prospérité au XVIe s. Intégrée à la Prusse en 1793, Poznań est le centre du grand-duché de Posen (1815-1830), puis de la *Provinz Posen.* La politique de germanisation s'intensifie dans la seconde moitié du XIXe s., notamment dans le cadre du *Kulturkampf** de Bismarck. Libérée à la fin de 1918, la ville est de nouveau occupée par les Allemands de 1939 à 1945. En juin 1956, éclate une révolte, qui prélude à l'« Octobre polonais ».

POZZO (Andrea), peintre et architecte italien (Trente 1642 - Vienne 1709). Jésuite, il travailla en Piémont, en Ligurie, à Rome, à Vienne. Auteur, notamment, d'étonnants décors en trompe l'œil qui semblent dilater l'espace (*la Gloire de saint Ignace,* à la voûte de S. Ignazio de Rome, v. 1690), il écrivit un traité de perspective et exerça une grande influence sur les développements de l'art baroque, surtout en Europe centrale.

POZZO DI BORGO (Charles André), gentilhomme corse (Alata 1764 - Paris 1842). Député à la Législative (1791), procureur général-syndic de la Corse, il prend le parti de Paoli. Passé au service du tsar, il combat, à la cour de Russie, la politique napoléonienne. Commissaire près du gouvernement provisoire français (1814), il participe au congrès de Vienne; il est ensuite ambassadeur de Russie à Paris (1815-1834), puis à Londres (1834-1839).

PRADELLES (43420), ch.-l. de cant. de la Haute-Loire, à 7,5 km au N. de Langogne; 660 hab.

PRADES (66500), ch.-l. d'arr. des Pyrénées-Orientales, sur la Têt, à 43 km à l'O.-S.-O. de Perpignan; 6 866 hab. *(Pradéens).* Église des XIIe-XVIIe s. (clocher roman; retable sculpté de 1697, par Joseph Sunyer). Aux environs, abbaye de Saint-Michel-de-Cuxa (abbatiale remontant à la fin du Xe s.; cloître du XIe s. en partie reconstitué).

PRADES (Jean DE), écrivain et ecclésiastique français (Castelsarrasin v. 1720 - Glogau, auj. Głogów, 1782). Collaborateur de l'*Encyclopédie,* condamné par la Sorbonne et le pape pour une thèse qui émettait des doutes sur la divinité du Christ, il se réfugia auprès de Frédéric de Prusse.

PRADET (Le) [83220], comm. du Var, à 7 km à l'E. de Toulon; 6 999 hab.

PRADIER (Jean-Jacques, dit **James**), sculpteur français (Genève 1792 - Bougival 1852). Prix de Rome (1813), il fit preuve de noblesse dans de nombreuses commandes monumentales (*Victoires* du tombeau de Napoléon), de charme dans ses statuettes féminines.

Prado (le), à Madrid, un des plus importants musées d'Europe. Formé en 1819 par la réunion des collections royales, il abrite les chefs-d'œuvre de l'école espagnole de peinture (le Greco, Velázquez, Goya), tout en faisant une large place aux écoles italienne (Titien, Véronèse, le Tintoret) et néerlandaise (Bosch, Rubens).

Praesidium du Soviet suprême de l'U. R. S. S., organe supérieur du pouvoir en U. R. S. S. Sa compétence a été fixée par la Constitution de 1936. Il est composé d'une trentaine de membres, élus en séance plénière des deux assemblées du Soviet suprême, et son président remplit les fonctions de chef de l'État.

PRAETORIUS (Michael), compositeur et théoricien allemand (Creuzburg 1571 - Wolfenbüttel 1621). Luthérien, auteur de musique religieuse, il doit beaucoup à l'Italie de la fin du XVIe s. et a laissé un grand traité (*Syntagma musicum,* 1614-1619), qui résume toute l'histoire de la musique et des instruments au début du XVIIe s.

pragmatique sanction de Saint Louis, faux document, probablement fabriqué dans l'entourage de Charles VII et attribué à Saint Louis (1269) pour donner un précédent à la pragmatique sanction de Bourges (1438). Il fut produit à cet effet aux assemblées de Chartres (1450) et de Bourges (1452). Jusqu'à la Révolution, il fut considéré comme la charte des libertés de l'Église gallicane.

pragmatique sanction de Bourges, acte promulgué par Charles VII le 7 juillet 1438, en application des décisions prises lors de l'assemblée tenue par le clergé de France à Bourges (juin 1438). Ce texte réglait unilatéralement les rapports de l'Église de France avec la papauté en affirmant la supériorité des assemblées conciliaires sur le pape, ainsi que le droit pour les princes d'intervenir dans les élections, et en limitant la pratique des annales et de l'appel à Rome. Abolie par Louis XI en 1461, la pragmatique sanction fut rétablie par les ordonnances gallicanes (1463-64); le concordat de Bologne (1516) en maintint les principales dispositions.

pragmatique sanction de 1713, nom donné à la pragmatique rédigée le 19 avril 1713, par l'empereur Charles VI*, afin d'assurer l'indivisibilité et la succession du patrimoine des Habsbourg* au profit de la descendance de l'empereur régnant, fût-elle féminine. Cet acte, qui fut la cause de la guerre de la Succession* d'Autriche, restera jusqu'en 1919 le fondement des États autrichiens.

PRAGMATISME. — Théorie de la signification pour Ch. S. Peirce et théorie des vérités d'expérience pour W. James, le pragmatisme est une philosophie de la science qui entend jeter les bases d'une morale démocratique. Les principaux représentants du pragmatisme sont les Américains J. Dewey*, W. James* et Ch. S. Peirce*.

PRAGNÈRES, écart de la comm. de Gèdre (Hautes-Pyrénées). Double centrale hydroélectrique (une troisième est établie à Gèdre même, en amont).

PRAGUE, en tchèque **Praha,** capit. de la Tchécoslovaquie; 1 092 000 hab.

GÉOGRAPHIE. Au centre de la Bohême, sur la Vltava (en amont du confluent avec l'Elbe), Prague, cité historique, est une ville à large prépondérance tertiaire (fonctions administrative, culturelle et commerciale), malgré un certain développement de l'industrie (usines alimentaires, textiles, mécaniques et chimiques), lié à l'avènement du régime socialiste, mais dont les limites sont marquées par la lenteur de l'accroissement démographique depuis 1950.

HISTOIRE. Position stratégique autant que commerciale, Prague se développa dès le IXe s., accueillant nombre de marchands et d'artisans de toutes nationalités. Érigée en évêché (973), la ville devint la résidence des ducs de Bohême (1061-1140). À côté de la vieille ville (Staré Město) se développa une nouvelle agglomération (Malá Strana), fondée par Otakar II (1257) pour les colons allemands. Une troisième ville (Nové Město), peuplée de Tchèques, fut créée en 1348. Érigée en capitale d'Empire avec Charles IV (de 1355 à 1378), Prague souffrit des guerres hussites et perdit, avec les Habsbourg, son importance politique au profit de Vienne (1547). Un instant restaurée dans sa grandeur par Rodolphe II, qui y résida, la ville déclina après la Défenestration de Prague (1618) et la bataille de la Montagne Blanche (1620), et ne retrouva sa splendeur qu'au XVIIIe s. Foyer des aspirations nationalistes tchèques, elle fut, en 1918, érigée en capitale de la Tchécoslovaquie.

BEAUX-ARTS. Dans l'enceinte du Hradčany (palais royal), véritable ville haute, basilique romane Saint-Georges et grandiose cathédrale Saint-Guy, reconstruite à partir du XIVe s. (par Mathieu d'Arras, puis par Peter Parler de Gmünd), continuée à l'époque flamboyante, etc. (mausolées royaux, œuvres d'art). Au pied du Hradčany, et jusqu'à la rivière, quartier de la Malá Strana, avec bel ensemble baroque d'églises et de palais dus à des architectes italiens, puis, surtout, d'origine allemande (église Saint-Nicolas, première moitié du XVIIIe s., par Christoph Dientzenhofer et son fils Kilian Ignaz). Le pont Charles (XIVe s.; statues baroques) conduit à la Staré Město (vieil hôtel de ville, églises et maisons des époques gothique ou baroque, palais baroques...). Autres monuments dans la Nové Město. Nombreux musées, dont la riche galerie nationale, dans le palais Sternberg (beaux-arts, notamment art tchèque, de la floraison du XIVe s. à nos jours).

Prague *(école de),* groupe linguistique fondé par S. Kartsevski, N. Troubetskoï et R. Jakobson, le Cercle linguistique de Prague fut actif de 1926 à la Seconde Guerre mondiale. La conception du langage qui est à la base de ses travaux met l'accent sur la notion de fonction (fonction du langage comme système de communication, fonction des divers éléments à l'intérieur du système). Les travaux de l'école de Prague (8 volumes publiés de 1929 à 1939) ont été surtout importants dans le domaine de la phonologie. Son influence a été considérable sur la linguistique européenne, en particulier française (E. Benveniste, A. Martinet, etc.).

Praguerie, nom donné, par association avec la révolte des hussites de Prague, au soulèvement que menèrent le duc de Bourbon et le dauphin Louis en février 1440 contre le roi Charles VII, dont la politique, notamment en matière militaire (suppression des armées civiles), heurtait de front les intérêts de la haute noblesse. Vaincus une première fois en Poitou par le connétable de Richemont, les conjurés durent faire soumission au roi à Cusset, en juillet 1440.

PRAHECQ (79230), ch.-l. de cant. des Deux-Sèvres, à 12 km au S.-E. de Niort; 1 051 hab.

PRAIA, capit. de l'État insulaire du Cap-Vert, sur l'île de São Tiaga; 21 000 hab.

PRAIRE. — La praire, ou vénus, est un coquillage bivalve très commun sur nos côtes, où elle vit enfouie dans la vase, ne laissant dépasser que deux siphons pour l'entrée et la sortie de l'eau. Elle peut se déplacer par de brusques mouvements du pied. La coquille est assez ronde, à charnière fortement dentée.

prairial an III *(journée du 1er)* [20 mai 1795], journée révolutionnaire, essentiellement populaire, qui eut comme cause la misère qui ravageait les quartiers ouvriers de l'est de Paris, notamment les faubourgs Saint-Antoine et Saint-Marceau. Les émeutiers s'emparèrent de la tribune de la Convention, puis de l'Hôtel de Ville, mais furent finalement refoulés par l'armée commandée par Menou : la répression bourgeoise fut très dure.

Rey - Rapho

PRAIRIE (la), région, jadis herbacée, de l'Amérique du Nord, entre le Mississippi et les Grands Lacs à l'E., les Rocheuses à l'O. La Prairie est devenue le grenier à céréales des États-Unis et surtout du Canada, parfois associées (maïs) à l'élevage bovin.

PRĀKRIT → INDO-ARYEN et SANSKRIT.

PRALOGNAN-LA-VANOISE (73710), comm. de la Savoie, à 28 km au S.-E. de Moûtiers; 569 hab. Station de sports d'hiver (alt. 1 410-2 265 m). Centrale hydroélectrique sur le *Doron de Pralognan.*

PRA-LOUP, station de sports d'hiver (alt. 1 630-2 502 m) des Alpes-de-Haute-Provence, à 8,5 km au S.-O. de Barcelonnette.

PRAMPOLINI (Enrico) → FUTURISME.

PRANDTAUER (Jakob) → MELK.

PRANDTL (Ludwig), physicien allemand (Freising, Bavière, 1875-Göttingen 1953). Spécialiste de la mécanique des fluides, il introduisit en 1904 la notion de couche limite.

PRASLIN (Gabriel DE CHOISEUL, *duc* DE), homme politique français (Paris 1712-*id.* 1785), cousin de Choiseul*. Ambassadeur à Vienne (1758), secrétaire d'État aux Affaires étrangères (1761-1770), il doit laisser à Choiseul la haute main sur la diplomatie. Secrétaire d'État à la Marine (1766-1770), il poursuit l'œuvre de redressement commencée par son cousin; on lui doit, notamment, la création du corps royal de l'infanterie de marine.

PRAT (Jean), joueur français de rugby (Lourdes 1923). Troisième ligne, six fois champion de France (avec Lourdes), cinquante et une fois sélectionné dans l'équipe de France (dont il fut longtemps le capitaine), il a marqué de son empreinte, comme joueur et ultérieurement comme dirigeant, le rugby français, qu'il a contribué à élever au sommet.

PRATIQUE. — Opposée à l'activité de production économique et à la théorie, la pratique désigne, chez les Grecs, toute activité humaine assujettie à des normes (transcendantes ou non) et portant sur un donné changeant et transformable. Les stoïciens, Descartes et Leibniz soutiennent que l'individu doit être libre pour qu'une action donnant son sens à l'existence humaine puisse être concevable. Pour Kant « est pratique tout ce qui est possible par liberté ». La pratique, dans la philosophie classique, est donc référée à une morale, mais n'est pas saisie dans son unité ni dans la pluralité de ses formes. Spinoza et Marx, à des époques différentes et selon des voies divergentes, dépassent l'opposition théorie/pratique pour montrer qu'il n'est de théorie que d'une pratique et de pratique effective qu'éclairée par la théorie. Mao Tsö-tong pense la pluralité et la spécificité des pratiques (économique, politique, scientifique, esthétique) à travers l'unité de la pratique sociale. L'épistémologie* contemporaine analyse l'étroite corrélation des énoncés et lois scientifiques et des montages techniques qui caractérise la pratique scientifique. Il apparaît ainsi que Huygens, par exemple, faute d'avoir construit une horloge, n'aurait pu vérifier expérimentalement l'isochronisme des oscillations d'un pendule simple circulaire.

PRATO, v. d'Italie (Toscane), au N.-O. de Florence; 145 000 hab. Cathédrale romano-gothique (chaire externe de Michelozzo et Donatello; fresques, dont celles de Lippi, consacrées aux vies de saint Étienne et de saint Jean-Baptiste; etc.). Château du XIIIe s., église S. Maria delle Carceri, de G. de Sangallo, et autres monuments. Galerie communale. Centre textile.

PRATOLINI (Vasco), écrivain italien (Florence 1913). Ses romans, qui peignent la vie populaire de sa ville natale (*le Quartier,* 1944), la

Prague.
La place Venceslas, grande artère bordée d'immeubles élevés au XIXe s.
Au premier plan, statue de saint Venceslas.

jeunesse à l'époque du fascisme (*Un héros de notre temps,* 1949), composent une vaste fresque sociale et sentimentale (*Metello,* 1955; *le Gâchis,* 1960).

PRATS-DE-MOLLO-LA-PRESTE (66230), ch.-l. de cant. des Pyrénées-Orientales, sur le Tech, à 31 km à l'O.-S.-O. de Céret; 1 198 hab. Église des XIIIe et XVIIe s. (retables). Fortifications.

PRATTELN, comm. de Suisse, dans la banlieue sud-est de Bâle; 15 127 hab. Pneumatiques. Matériel ferroviaire.

PRAUTHOY (52190), ch.-l. de cant. de la Haute-Marne, à 20 km au S. de Langres; 448 hab.

PRAVDINSK, anc. **Friedland,** v. de l'U. R. S. S. (R. S. F. S. de Russie), au N.-O. de Gorki; 17 000 hab. Grande papeterie.

PRAXITÈLE, sculpteur grec, né à Athènes, actif au IVe s. av. J.-C. De jeunes dieux quelque peu efféminés, des femmes à la grâce ondoyante, réalisés dans le marbre avec d'infinies subtilités de modelé, sont ses sujets favoris — souvent rehaussés de couleurs par le peintre Nicias. Son œuvre est connue seulement par des répliques, dont les plus célèbres sont l'*Apollon Sauroctone* (Louvre et villa Albani à Rome) et l'*Aphrodite de Cnide* (Louvre). Avec Scopas*, il est à l'origine des recherches d'expressivité et de mouvement de la statuaire hellénistique.

Prayer *(Book of Common),* livre liturgique de l'Église anglicane (v. ANGLICANISME). Publié en 1549, il est aujourd'hui, à travers des révisions successives, toujours en usage dans l'Église d'Angleterre, et, avec quelques adaptations, dans les Églises épiscopaliennes d'Irlande, d'Écosse et d'Amérique.

PRAYSSAS (47360), ch.-l. de cant. de Lot-et-Garonne, à 18 km au N.-O. d'Agen; 758 hab. Chasselas.

PRAZ-SUR-ARLY (74120 Megève), comm. de la Haute-Savoie, à 4,5 km au S.-O. de Megève; 679 hab. Station de sports d'hiver (1 036-1 450 m).

PRÉALPES, ensemble de massifs, essentiellement calcaires, occupant la bordure externe des Alpes*. À une altitude généralement inférieure à 3 000 m, mais dominant abruptement les plaines du pourtour, coupées des Alpes centrales par un sillon profond, les Préalpes, relativement ouvertes aux influences maritimes, sont des régions humides, longtemps enneigées et fréquemment forestières.

PRÉAULT (Auguste), sculpteur français (Paris 1809-*id.* 1879). Romantique ardent, admiré par Baudelaire, tumultueux (bas-relief de *la Tuerie,* 1834, musée de Chartres) ou nostalgique (*la Mort cueillant une fleur,* 1854; médaillons et masques funéraires...), il a exercé une certaine influence sur la sculpture du XIXe s.

PRÉBENDE. — Apparue au XIIe s., au moment où les chanoines, ayant cessé de vivre en commun, procédèrent au partage de la mense capitulaire, la prébende fut, durant tout l'Ancien Régime, la part du revenu temporel ordinairement attaché à la fonction canoniale. La révolution supprima les prébendes et le Concordat adopta le système de l'appointement.

PRÉCAMBRIEN. — Période géologique s'étendant depuis la formation de la Terre (il y a environ 4,5 milliards d'années) jusqu'au cambrien (par lequel a débuté l'ère primaire il y a 600 millions d'années), le précambrien est encore mal connu à cause des transformations postérieures qu'a subies l'écorce terrestre. Au précambrien se sont succédé des orogenèses accompagnées de métamorphisme et de montées de roches éruptives, responsables de la formation des boucliers arasés que nous connaissons, disparaissant sous des couvertures sédimentaires postérieures. Ce sont, dans l'hémisphère Nord, les boucliers scandinave, sibérien et canadien, et, dans l'hémisphère Sud, les boucliers guyanais, brésilien, africain, indien et antarctique, ces derniers ayant été soudés en un continent unique, dit « de Gondwana », fragmenté par la dérive* des continents. Mais on retrouve également des terrains précambriens incorporés dans des chaînes plus récentes, hercyniennes ou alpines.

Longtemps, le précambrien a été considéré comme azoïque. Mais la découverte de restes d'algues et de vers, notamment, fait maintenant penser que la vie y a fait son apparition, les fossiles les plus anciens ayant été datés d'il y a 3,2 milliards d'années environ.

précellence du langage français (*Projet du livre intitulé* DE LA), traité grammatical d'Henri Estienne (1579) en faveur du français, comparé à l'italien, alors à la mode.

PRÉCESSION → TEMPS et ZODIAQUE.

Précieuses ridicules *(les),* comédie en un acte et en prose de Molière (1659) : le premier succès de Molière et la première pièce qu'il publia; une charge contre l'affectation des manières et du langage qui est à la fois un premier manifeste du classicisme et une leçon de réalisme.

PRÉCIOSITÉ. — Tandis que Malherbe s'efforçait d'imposer une expression poétique claire et naturelle, une tentative était faite pour réagir contre le négligé et la vulgarité qui régnaient à la cour d'Henri IV : en ouvrant son salon, peu avant 1610, la marquise de Rambouillet voulait créer un foyer de politesse où l'élégance des manières et du langage fût la règle. Pendant près de cinquante ans, l'hôtel de Rambouillet, dont la période la plus brillante se place entre 1630 et 1645, reçut femmes du monde (la duchesse de Longueville, Mme de La Fayette, Mme de Sévigné), seigneurs à la mode (les marquis du Vigean et de Montausier, le Grand Condé, le maréchal de Souvré) et écrivains (Voiture, Benserade, Gombault, Godeau). On se réunit également chez la duchesse de Rohan, chez Mmes de Villeroy et de Saint-Nectaire, et, plus tard, chez Mlle de Scudéry, chez la Grande Mademoiselle, chez Mme de Sablé. Cependant, le goût des choses de l'esprit se développant dans un milieu mondain aboutit très vite à une subtilité excessive, à une recherche outrée : les influences étrangères, italiennes avec le Cavalier Marin*, espagnoles avec Góngora*, répandirent la mode des artifices de langage, des « pointes » et des « concetti ». L'idéal de pureté devint source de singularité. Ainsi, l'amour précieux, qui prolonge les traditions de l'amour courtois du Moyen Âge et de l'amour platonique de la Renaissance, et qui s'incarne dans les aventures pastorales de *l'Astrée** d'Honoré d'Urfé, se pare d'un déguisement historique et s'enlise dans les épisodes baroques, les longues dissertations sur les sentiments des romans de Gomberville (*Polexandre,* 1619-1637), de La Calprenède (*Cassandre,* 1642-1660), de Madeleine de Scudéry (*Artamène ou le Grand Cyrus,* 1649-1653; *Clélie,* 1654-1660). Dès lors, la préciosité répond moins à l'image qu'en donne l'abbé de Pure (*la Prétieuse ou le Mystère des ruelles,* 1656-1658) qu'à l'affectation et au galimatias dénoncés par Molière (*les Précieuses* ridicules,* 1659) et Somaize (*Dictionnaire des précieuses,* 1661).

PRÉCIPITATION ÉLECTROSTATIQUE. — C'est l'opération qui permet d'éliminer les poussières, brouillards, etc., contenus dans un gaz en communiquant à ces particules une charge électrique et en soumettant les particules chargées à un champ électrique qui les amène à se déposer sur un collecteur.

PRÉCIPITATIONS. — L'atmosphère contient toujours une certaine quantité de vapeur d'eau. Lorsque le seuil de saturation est franchi (à la suite d'un refroidissement ou d'une ascendance de l'air), il y a condensation autour de fines particules en suspension dans l'atmosphère (pollens, fumée). Il se forme, à partir de ces noyaux de condensation, des gouttelettes d'eau ou des aiguilles de glace qui, en suspension dans l'air, donnent les nuages. Mais si elles grossissent, elles deviennent trop lourdes et tombent au sol : ce sont les précipitations.

Les précipitations tombent généralement sous forme de pluie, mais parfois aussi sous forme de neige (quand la température de l'air est inférieure à 0 ^{0}C) ou de grêle (quand la condensation est très rapide dans un nuage à température inférieure à 0 ^{0}C, dans le cas d'orages notamment). Elles sont recueillies dans un pluviomètre, récipient surmonté d'un entonnoir, et on en mesure la hauteur après éventuelle fusion (neige, grêle). On détermine ainsi la pluviosité, hauteur de pluie tombée en un lieu pour un temps donné. On peut alors tracer des isohyètes, courbes joignant les points d'égale pluviosité. Mais l'intensité, la durée et le nombre de jours de précipitations par an sont également des renseignements intéressant les climatologues.

PRÉCISIONNISTES. — Attirés par le cubisme, mais réticents à en accepter les ultimes conséquences (l'objet n'est pas brisé, mais schématisé et encore reconnaissable), ces peintres américains (surtout Charles Demuth [1883-1935], et Charles Sheeler, également photographe [1883-1965]) s'attachent au paysage urbain et industriel, dont les formes se prêtent à la simplification géométrique

(Demuth : *Machinerie,* 1920, Metropolitan Museum of Art, New York; *Mon Égypte,* 1927, Whitney Museum). La netteté rigoureuse du dessin et la précision des couleurs ont souvent donné à leurs toiles un aspect impersonnel et photographique (Sheeler : *Paysage classique* [*Usine à River Rouge*], 1931, coll. priv.).

PRÉCOLOMBIENNE (archéologie). — Les cultures précolombiennes sont étudiées selon leurs aires de diffusion culturelle : Méso-Amérique (des États de Tamaulipas et Sinaloa au Mexique jusqu'au nord-ouest du Costa Rica); aire circumcaraïbe (Antilles, sud de l'Amérique centrale, Costa Rica, Panamá, côtes de la Colombie et du Venezuela sur l'Atlantique, et, au sud, jusqu'à la Guyane); aire andine (zone des Andes jusqu'au Chili).

• *Méso-Amérique.* L'époque paléo-indienne (9000-7000 av. J.-C.) a laissé peu de vestiges. Le début de la culture de certaines plantes se situe entre 7000 et 2000 av. J.-C.; le maïs apparaît vers 2500 av. J.-C. Pendant le préclassique (2000 av. J.-C.-300 apr. J.-C.), divisé en phases ancienne, moyenne et tardive, apparaissent les traits qui deviendront caractéristiques des civilisations précolombiennes, notamment avec les Olmèques* et leurs centres cérémoniels de La Venta* puis de Tres* Zapotes et de Monte* Albán. Leur influence s'exerce jusqu'à Chavín*, dans l'aire andine, et jusqu'à Kaminaljuyú*, d'où émergeront bientôt les Mayas*. Sur la côte du golfe du Mexique, les Huaxtèques*, après quelques similitudes avec les populations des hauts plateaux, évoluent indépendamment, sur la côte du Pacifique naissent les cultures du Guerrero, de Jalisco*, de Colima*, de Nayarit*, etc., qui persisteront durant le classique et le postclassique. La période classique (300-900 apr. J.-C.) correspond à l'épanouissement de la civilisation de Teotihuacán* et au développement des mythes de Tlaloc, le dieu de la Pluie, et de Quetzalcóatl, à cette époque dieu de la Végétation, souvent représentés dans les peintures murales et sur les parois des céramiques. Les masques funéraires en pierre dure confirment le talent des sculpteurs; les ensembles monumentaux aux pyramides imposantes et les ruines de palais attestent un véritable souci d'urbanisme. Teotihuacán rayonne jusqu'à Kaminaljuyú et Tikal*, où brille la civilisation des Mayas, jusqu'à El Tajín*, centre des Totonaques, et Monte Albán, capitale des Zapotèques*. Ces derniers édifient encore au début de la période postclassique (du Xe s. à la conquête espagnole) le centre de Mitla* qui, vers le XIIIe s., passe aux mains des Mixtèques*. Le postclassique a débuté avec le déclin des hommes de Teotihuacán, remplacés par les Toltèques*, qui ont Tula* pour métropole et dont l'organisation, sensiblement différente de celle des précédentes cités (temple vaste, fortifications...), semble correspondre aux aspirations guerrières de la population, également reflétées par son dieu Tezcatlipoca. Tula tombe sous les coups d'envahisseurs venus du Nord, parmi lesquels les Aztèques*, qui fondent Tenochtitlán (Mexico), dont les créations artistiques ne laissent aucun doute sur leur caractère guerrier.

• *L'Amérique centrale et l'aire circumcaraïbe.* L'Amérique centrale est marquée par l'interpénétration d'influences méso-américaines et andines; l'évolution de ses civilisations est souvent proche de celles du Mexique. Citons, parmi les créations artistiques, des statuettes féminines en terre cuite, des poteries et des métates (pierre à moudre), très habilement sculptées, ainsi que des parures de pierre dure et d'or. Relativement récente, la culture Tairona, qui se développe le long de la côte atlantique de la Colombie, est caractérisée par des villages avec centre cérémoniel, par une céramique aux formes élégantes et variées, par une industrie lithique diversifiée et par une belle métallurgie de l'or. Dans les Antilles, les principaux vestiges — ceux qui sont rattachés à la culture des Taïnos, Indiens de la famille arawak, entièrement décimés lors de la conquête — sont des objets en bois sculpté de très belle qualité (sièges de chef), des ruines de terrains de jeu de pelote et de nombreux pétroglyphes.

• *Le continent sud-américain et l'aire andine.* La présence de l'homme à une époque très reculée a été révélée par de nombreux sites : El Jobo (Venezuela) −14000; El Inga (Équateur) et Lagõa Santa (Brésil) −8000; Lauricocha (Pérou) −7500; Intihuasi (Argentine) −6000. Deux acquisitions décisives, la culture du maïs (vers le IIe millénaire) et la poterie (époques différentes selon les régions), définissent la période formative, dont la durée est variable dans chaque contrée, qui, dès lors, présente une évolution continue, dont l'un des meilleurs exemples demeure celui des Andes centrales. La période formative (1800-300 av. J.-C.) y atteint son apogée avec le site de Chavín* dont l'influence se retrouve sur toutes les côtes du Pérou, notamment à Paracas*. La période de développement régional (300 av. J.-C. - 600 apr. J.-C.) est marquée par la découverte de l'irrigation, les constructions en adobe (temples et pyramides) et par une certaine individualisation des cultures : mochica* sur la côte nord, celle de Nazca* sur la côte sud et, dans les Andes, celle de Tiahuanaco*, dont l'expansion, située entre 600 et 1000, s'étend jusqu'au Chili. Les nouveaux royaumes (1000-1400) fleurissent après la disparition de Tiahuanaco et amènent de nouveaux particularismes régionaux, qui seront abandonnés sous la férule de l'Empire inca*, lui-même anéanti par la Conquête.

Vautier-Decool

Archéologie précolombienne. Ruines de la cité de Monte Albán, établie sur un éperon rocheux dominant la vallée d'Oaxaca (Sierra Madre del Sur, État d'Oaxaca, Mexique). Culture zapotèque (v. 800 av. J.-C.-750 apr. J.-C.).

PRÉCONSCIENT → INCONSCIENT.

PRÉCONTRAINTE → CÂBLE DE RÉSISTANCE.

PRÉCY-SOUS-THIL (21390), ch.-l. de cant. de la Côte-d'Or, à 18 km au S. de Semur-en-Auxois; 535 hab.

PRÉDESTINATION. — Le problème que pose le décret éternel de Dieu concernant la fin dernière surnaturelle des créatures est peut-être le plus épineux de la théologie chrétienne. Il y a deux façons de concevoir la prédestination : ou bien elle ne concerne que les élus qui parviendront à la béatitude éternelle, et il n'y a donc pas pour les autres de réprobation positive; ou bien la damnation apparaît comme une forme de prédestination à côté de la prédestination au bonheur éternel, et il y a là une réprobation positive difficile à concevoir dans le contexte de l'amour divin comme dans celui de la liberté humaine. Il faut tenir pour principe essentiel que l'homme n'est pas une mécanique entre les mains de Dieu et ce qui vient de Dieu peut aussi venir de l'homme dans son entière liberté.

PRÉDICATS (calcul des). — Le calcul des prédicats est la partie de la logique* qui envisage, à l'intérieur même de l'unité de la proposition, le rapport sujet-prédicat (ex. : « 2 est un nombre pair », proposition où la parité est « prédiquée » du « sujet » 2). Pratiquement, on restreint l'emploi de la notion de « prédicat » aux prédicats unaires, réservant aux prédicats à plus d'une place le nom de relation*. Le calcul des prédicats fait usage d'une autre notion étrangère au calcul propositionnel, celle de quanteur (quanteur existentiel $\exists$, quanteur universel $\forall$).

PRÉ-EN-PAIL (53140), ch.-l. de cant. de la Mayenne, à 24 km à l'O. d'Alençon; 2 495 hab.

PRÉFABRICATION. — En permettant de construire en grandes séries des éléments faciles à mettre en œuvre et à assembler sur les chantiers, la préfabrication a transformé les méthodes de construction* traditionnelles et donné un essor considérable à l'industrialisation du bâtiment. La pénurie de main-d'œuvre spécialisée et la nécessité d'exécuter un grand nombre de logements dans des délais très courts ont été à l'origine de la préfabrication. Néanmoins, celle-ci comporte de nombreuses sujétions : élaboration de plans modulés, emploi d'éléments standardisés, organisation et coordination parfaites des travaux sur le chantier, étude délicate des assemblages et des joints entre les pièces préfabriquées, etc. La préfabrication de grandes séries exige des mises de fonds importantes parce qu'elle oblige à utiliser des moules spéciaux, des *centrales à béton** et des installations d'étuvage pour accélérer le durcissement du béton et pour augmenter la fréquence d'emploi des moules. Mais elle présente l'avantage de produire des pièces de qualité soignée et facilement contrôlables, de réduire les délais de construction en employant peu de main-d'œuvre et d'abaisser le prix de la construction quand le programme des travaux permet d'utiliser un grand nombre de pièces semblables.

• La *préfabrication légère* concerne des éléments légers qui peuvent être mis en œuvre avec les engins usuels des chantiers : linteaux, appuis, jambages des baies, plaques de revêtement des façades, marches d'escalier et poutrelles de plancher.

• La *préfabrication lourde* s'applique aux pièces importantes qui imposent l'emploi de véhicules de transport spéciaux ainsi que d'engins de manutention et de levage puissants. Ces pièces sont le plus souvent des murs-rideaux, des murs-panneaux, des volées d'escalier, des dalles de plancher pleines, ou évidées, de grosses poutres en béton armé ou précontraint et, depuis quelques années, des cellules monoblocs, avec parois et planchers, que l'on met en œuvre en les juxtaposant et en les superposant.

PRÉFAILLES (44770 La Plaine sur Mer), comm. de la Loire-Atlantique, à 10,5 km à l'O.-N.-O. de Pornic; 628 hab. Station balnéaire.

PRÉFET [à Rome]. — Très employé dans l'armée romaine (*praefecti militum, fabrum,* etc.), le titre de préfet *(praefectus)* s'appliqua aussi, à partir de l'Empire, aux principaux fonctionnaires de la capitale : préfets de la ville, de l'annone, des vigiles et du prétoire. C'est sous Auguste* que l'institution du *praefectus Urbi* acquit son caractère définitif. Chargé de maintenir l'ordre public, le préfet de la ville commandait les cohortes urbaines et assurait la justice criminelle et commerciale. À côté de lui, le préfet de l'annone* était chargé de l'approvisionnement de Rome et du contrôle des prix, tandis que le préfet des vigiles était investi de la police nocturne et de la lutte contre les incendies. C'est au préfet du prétoire que revint le rôle le plus considérable : créé par Auguste, il fut d'abord le chef de la garde prétorienne, chargée de veiller à la sécurité du prince. En fait, cette fonction militaire se doubla d'attributions administratives et judiciaires (appel des causes civiles et criminelles) portant sur toute l'Italie (à partir de 100 milles de Rome) et sur toutes les provinces. À partir du IVe s., on trouve quatre préfets du prétoire, se partageant territorialement l'Empire.

PRÉFET [en France] → COLLECTIVITÉS TERRITORIALES.

PRÉFIXE → AFFIXE et DÉRIVATION.

PREGL (Fritz), chimiste et physiologiste autrichien (Laibach, auj. Ljubljana, 1869-Graz 1930). Auteur de travaux sur les acides biliaires, il a mis au point des méthodes de microanalyse. (Prix Nobel de chimie, 1923.)

PRÉHISTOIRE. — Elle définit aussi bien la période la plus reculée de l'histoire de l'humanité, que l'étude de ses subdivisions chronologiques (paléolithique*, néolithique* et protohistoire*). La très haute antiquité de la Terre a été entrevue assez tôt, grâce à la géologie, mais celle de l'homme n'a vraiment été admise qu'au XIXe s., à la suite des travaux de Boucher* de Perthes, de Lartet*, de Mortillet*, etc. L'abbé Breuil* conçoit une classification fondée sur les fossiles directeurs, objets caractéristiques des faciès industriels successifs. Bientôt, l'estimation de l'âge de la Terre recule, passant de 75 000 ans à quatre milliards d'années. La découverte de Neandertal* — l'un des nombreux jalons attestant l'existence de formes humaines archaïques — est suivie par celle du premier pithécanthrope* et du sinanthrope de Tcheou-k'eou-tien*, par celle de l'australopithèque en 1924, en Afrique, puis par celles d'Oldoway* et des vallées de l'Aouach et de l'Omo*.

La multiplication des découvertes, le raffinement et la sophistication des techniques scientifiques auxiliaires de l'archéologie* permettent aux préhistoriens d'étudier l'outillage et d'en établir la typologie, mais surtout de réaliser une « fouille ethnologique », comme Leroi-Gourhan* à Pincevent*, ou de s'attacher à déceler l'environnement écologique des premiers hommes et leur connaissance des « écosystèmes », comme Braidwood*, ou encore, telle la nouvelle école américaine sous l'impulsion de Lewis Binford, de se préoccuper du « processus culturel » et de tenter d'expliquer les raisons d'inventions aussi capitales que la domestication, l'agriculture, l'écriture et la métallurgie, et, par là même, de comprendre le comportement humain et social des sociétés disparues.

PRÊLE. — Tous les sols humides se couvrent des rameaux aériens verticillés de la prêle. Cette plante sans fleurs, aux tissus riches en silice, qui la rendent abrasive, se multiplie activement par rhizomes. Assez rarement, elle produit des épis sporifères, divisés en articles, et dont le sommet semble planté de clous. Les sporanges, sis sous la tête de ces clous, donnent de curieuses spores nageuses, actionnées par quatre rubans hygroscopiques. L'ordre des équisétales, qui ne compte plus aujourd'hui que les prêles, a eu une importance considérable dans la flore arborescente de l'époque carbonifère.

PRÉLÈVEMENT CONJONCTUREL. — Institué par la loi du 30 décembre 1974, le prélèvement conjoncturel constitue un instrument de dissuasion contre la hausse des prix et les comportements inflationnistes des entreprises. Il pénalise les plus-values d'inflation incluses dans la valeur ajoutée.

PRÉLUDE → SUITE DE DANSES.

PRÉMATURÉ. — Plusieurs causes peuvent aboutir à la naissance d'un enfant pesant moins de 2,500 kg : la naissance avant terme donne un *prématuré vrai,* qui peut être *normal* pour l'âge de la grossesse (par exemple si l'accouchement est dû à un accident subi par la mère) ou *débile* (s'il s'agit d'une affection de la mère ayant retenti sur le fœtus, ou d'une affection propre à celui-ci); la naissance à terme d'un enfant de petit poids résulte d'une souffrance intra-utérine (dont on s'efforce actuellement de déterminer et de traiter les causes) ou d'une caractéristique génétique ou raciale (dans ce dernier cas l'enfant est normal).

Plus que de son faible poids, le prématuré souffre d'une immaturité neurologique, digestive et surtout immunologique, qui le rend particulièrement sensible aux infections.

PREM CAND (Nawāb Rāy, dit), écrivain indien d'expression urdū et hindī (Lamahī 1880-Bénarès 1936). Il combattit le système des castes et soutint le mouvement nationaliste de Gāndhī, dans des récits réalistes influencés par Dickens et Thackeray et surtout par les romanciers russes (*Nirmalā,* 1927; *Godān,* 1936).

PRÉMERY (58700), ch.-l. de cant. de la Nièvre, à 29 km au N.-E. de Nevers; 2 788 hab. Église (XIIIe-XIVe s.) et château (XIVe-XVIIe s.).

PREMIER (facteur) → DIVISIBILITÉ.

PREMIER MINISTRE. — En France le gouvernement (dès l'avènement, en 1815, du régime parlementaire) est doté d'un Premier ministre qui assume l'animation du ministère (en plus d'un département ministériel propre), mais qui au départ n'en eut pas officiellement le titre.

Le titre de *président du Conseil des ministres* apparaît officiellement en 1876 (dans le décret qui constitue le ministère Dufaure). La Constitution de 1946 consacre institutionnellement l'existence d'un *président du Conseil* et la Constitution de 1958 substitue au titre de président du Conseil celui de *Premier ministre.* Le Premier ministre conduit la marche du gouvernement et doit bénéficier à la fois de la confiance de l'Assemblée et de celle du président de la République, qui le nomme et peut, à tout moment, mettre fin à ses fonctions.

PRÉMOLAIRE → DENT.

Prémontrés *(ordre des),* ordre de chanoines réguliers, fondé en 1120 par saint Norbert*, à Prémontré, près de Laon. Il unit les tâches apostoliques et paroissiales à la vie contemplative.

PŘEMYSLIDES, dynastie tchèque qui se rattachait à Přemysl, prince légendaire de Bohême, époux de la princesse Libuše. Représentée au Xe s. par le prince Bořivoj, Venceslas Ier (de 921 à 929), Boleslav Ier (de 929 à 967) et Boleslav II (de 967 à 999), qui unifièrent les tribus tchèques et les organisèrent en État, la dynastie přemyslide régna dans la dépendance des empereurs germaniques, dont elle reçut la dignité royale, d'abord à titre viager (Vratislav II, de 1085 à 1092), puis à titre héréditaire (Otakar Ier, 1198). La Bohême connut alors un remarquable essor économique. Avec Otakar II (de 1253 à 1278), les Přemyslides pratiquèrent une politique d'expansion dans toute l'Europe centrale; Otakar II prétendit même à l'Empire, mais fut vaincu et tué par l'armée impériale de Rodolphe de Habsbourg dans le Marchfeld (1278). Venceslas II (de 1278 à 1305) se réconcilia avec les Habsbourg, devint roi de Pologne en 1300 et prétendit à la couronne de Hongrie en 1301. Venceslas III réunit symboliquement les trois couronnes, mais périt assassiné en 1306. Avec lui disparut la dynastie des Přemyslides.

PRÉNESTE → PALESTRINA.

PRÉOBRAJENSKA (Olga), danseuse russe (Saint-Pétersbourg 1871-Saint-Mandé 1962). Très grande technicienne, elle se fixe à Paris après une carrière internationale, et se consacre à l'enseignement.

PRÉOPÉRATOIRES (soins) → OPÉRATION CHIRURGICALE.

PRÉPARATION DES MINERAIS → ÉLABORATION.

PRÉPUCE → VERGE.

PRÉRAPHAÉLISME. — En réaction contre la pauvreté conventionnelle de la peinture victorienne et le manque d'idéal de l'ère industrielle (John Ruskin* soutient le mouvement), cette école picturale anglaise du XIXe s. — la *Pre-Raphaelite Brotherhood* a été fondée en 1848 et dispersée en 1855 — cherche à retrouver la pureté du quattrocento dans une inspiration littéraire, philosophique, historique, légendaire, biblique ou évangélique. Leur idéalisme, mêlé de symbolisme, et leur naturalisme, joints à un métier scrupuleux, caractérisent les œuvres de Dante Gabriel Rossetti*, lyrique et romantique (*Beata Beatrix,* 1863, Tate Gallery, Londres), de William Holman Hunt (1827-1910), obsédé par l'exactitude de l'anecdote et du détail, de John Everett Millais (1829-1896), plus sentimental (*Ophélie,* 1852, Tate Gallery), puis celles d'Edward Burne-Jones (1833-1898), nourri de culture médiévale et porté, comme son ami William Morris*, vers les arts décoratifs (cycle de *Persée,* Stuttgart, Southampton...).

PŘEROV, v. de Tchécoslovaquie (Moravie), entre Brno et Ostrava; 39 000 hab. Sidérurgie.

PRÉ-SAINT-GERVAIS (Le) [93310], ch.-l. de cant. de la Seine-Saint-Denis, dans la proche banlieue nord-est de Paris; 13 548 hab.

Presbourg *(traité de),* traité signé le 26 décembre 1805, à Presbourg (auj. Bratislava*), et imposé après la victoire d'Austerlitz par la France à l'Autriche, qui était exclue d'Allemagne et d'Italie. L'Autriche cédait Venise à l'Italie, le Tyrol à la Bavière, l'Istrie-Dalmatie à la France.

PRESBYTÉRIANISME. — Les presbytériens constituent une dénomination protestante qui refuse l'épiscopalisme, c'est-à-dire le gouvernement de l'Église par les évêques. Le presbytérianisme considère que l'autorité est exercée dans l'Église par des assemblées de laïques et de pasteurs, appelées *synodes,* depuis le synode paroissial jusqu'au synode national ou même œcuménique. La forme presbytérienne a été établie par Calvin* et est le mode d'organisation ecclésiale de nombreuses confessions protestantes dans le monde entier; celles-ci sont regroupées dans l'Alliance réformée mondiale. L'Église réformée de France est organisée suivant cette structure.

PRESBYTIE. — Atteignant pratiquement tous les individus autour de la cinquantaine, la presbytie, qui empêche de voir net de près, se corrige par des verres convergents. Elle s'ajoute aux troubles de la réfraction préexistants (hypermétropie, myopie, astigmatisme) et les verres bifocaux ou à correction progressive, déjà utiles dans les presbyties simples, deviennent alors indispensables.

PRESCRIPTION. — *En matière civile,* la prescription est la consolidation ou l'extinction d'une situation juridique, par l'écoulement d'un certain délai. On parle de *prescription acquisitive* dans le premier cas, de *prescription extinctive* dans le second. L'article 2219 du Code civil la définit comme « un moyen d'acquérir ou de se libérer par un certain laps de temps et sous les conditions déterminées par la loi ». Un certain nombre de choses ne relèvent jamais de la prescription; les choses hors commerce, notamment, n'en peuvent être l'objet (l'état des personnes, par exemple).

En principe, la prescription acquisitive profite au possesseur, qui, du fait de la possession prolongée, pourra devenir propriétaire. Le délai nécessaire à l'acquisition de la propriété immobilière est normalement de trente ans. Tout possesseur (à condition que la possession n'ait pas été viciée), même de mauvaise foi et n'ayant pas de juste titre, acquiert ainsi la propriété de l'immeuble sur lequel il aura exercé la possession (v. POSSESSION). S'il a juste titre et est de bonne foi, le délai sera abrégé à dix ou à vingt ans.

La prescription extinctive s'effectue au terme d'un délai de trente ans, délai de droit commun. Les créances se prescrivent cependant par cinq ans, ce délai tendant à empêcher l'accumulation de dettes impayées sur la tête d'un débiteur. Il existe des prescriptions plus courtes à l'égard de dettes faisant en général l'objet de règlements rapides. Ces courtes prescriptions sont fondées sur une présomption de paiement.

En matière pénale, il faut distinguer la *prescription de l'action* de la *prescription de la peine.* L'action ne peut plus être exercée lorsque aucune poursuite n'a été engagée pendant un certain délai. La prescription de la peine intervient lorsque, après la condamnation, la peine n'a pas été exécutée dans le délai légal. Elle soustrait le condamné aux effets de sa condamnation. Le délai de prescription de la peine est, en règle générale, de vingt ans en matière criminelle, de cinq ans en matière correctionnelle, de deux ans en matière de police.

PRÉSIDENT DU CONSEIL → PREMIER MINISTRE.

PRÉSIDENTIEL (régime). — Les présidents, chefs d'État, sont, dans les régimes constitutionnels contemporains, généralement élus pour une durée limitée (mais, parfois, longue [sept ans en France, huit ans au Liberia, cas extrême]), rarement à vie (Haïti). Les modes d'élection varient, mais se ramènent à deux types essentiels : nomination par le vote de l' (ou des) assemblée(s), ou suffrage universel direct (France) ou indirect (États-Unis).

Le *régime présidentiel* implique l'absence d'un Premier* ministre et d'un véritable ministère responsable devant le Parlement, la prééminence du chef de l'État, son irresponsabilité devant le pouvoir législatif, et, d'une manière générale, une certaine absence d'influence réciproque d'un pouvoir sur un autre.

C'est, très particulièrement, le régime des États-Unis d'Amérique. Le système présidentiel américain fonctionne parce que les majorités au Congrès sont fluides et qu'il n'y a guère de discipline de vote; cette fluidité permet au président de bénéficier de majorités de circonstances, qui lui donne la possibilité de faire accepter par le Congrès au moins une partie de sa politique. Le régime actuel de la France est, au dire du président de la République lui-même, non pas « présidentiel » mais « présidentialiste ».

PRÉSOCRATIQUES → ÉLÉE *(école d'),* EMPÉDOCLE, IONIENS, PYTHAGORE, SOPHISTES.

PRÉSOMPTION → PREUVE.

PRESSE *(Dr.* et *Sociol.).* — « La presse est libre », tel est le principe proclamé par la loi du 29 juillet 1881 (art. 1), toujours en vigueur aujourd'hui, mais qui fut modifiée et complétée par de nombreuses ordonnances d'après-guerre. Toutes les activités aboutissant à la publication du journal (création, préparation, composition, impression, transport, diffusion, gestion) sont placées sous un régime de liberté. Les entreprises de presse sont responsables de leurs publications. C'est pourquoi, outre le *droit de réponse* dont bénéficie toute personne mise directement en cause par un article, le *directeur de la publication* est responsable des articles portant atteinte à l'éthique sociale (ex. : provocation à la haine raciale), et des articles constituant un délit contre le pouvoir ou un délit contre les personnes (ex. : injure, diffamation...), la loi de 1970 sur le respect de la vie privée étant venue renforcer cette législation.

Il existe des journaux nationaux, régionaux, quotidiens, spécialisés ou non, qui sont soumis chacun à une évolution singulière. La presse périodique a tendance à prendre le pas sur les quotidiens. Mais on assiste parallèlement au développement d'une « grande presse », journaux essentiellement soucieux des chiffres de vente. Leur stratégie diffère selon les fluctuations ou la stabilité de leur audience. Ces « géants » de la presse (notamment les grands quotidiens régionaux et quelques journaux parisiens) créent une situation monopolistique qui ouvre la voie au phénomène de concentration. L'action conjuguée des mécanismes du marché et de l'interventionnisme étatique conduit à la diminution du nombre des quotidiens à rayonnement national et à la montée des monopoles régionaux.

Les quotidiens ont du mal à survivre; la disparition de *Paris-Jour,* de *Combat* et de *l'Imprévu* en témoigne. Publier un journal coûte cher et des groupes financiers gèrent et rachètent des publications plus ou moins diverses, ce qui fausse le jeu de la libre concurrence. Mais la crise de la presse est sectorielle. En effet, la presse périodique ne cesse de prospérer. En France, elle n'a cessé de croître depuis dix ans, accompagnant la croissance généralisée de l'ensemble des techniques de diffusion. Mais cette expansion va de pair avec une diversification et une spécialisation accrues. En ce sens, la presse se renouvelle, ce qui offre un démenti catégorique à ceux qui prophétisent la régression de l'imprimé face aux défis permanents lancés par la radio, la télévision, les cassettes, les satellites et autres techniques audiovisuelles.

PRESSE *(Imprim.).* — Entre les divers types de presses à imprimer modernes, il existe de très grandes différences résultant de la diversité des procédés d'impression* et de la nature des imprimés. Mais la plupart de ces presses ont en commun des dispositifs assurant la mise en place stable de la forme d'impression, l'encrage correct de cette forme, l'alimentation en papier et son placement par rapport à la forme (c'est le *dispositif de marge*), le transfert de l'encre de la forme au papier, l'enlèvement du papier imprimé et éventuellement le séchage de l'encre.

La pression qui assure l'encrage du papier est obtenue de différentes manières :

- *Plan contre plan.* La forme d'impression, plane, est fixée sur un marbre et la feuille de papier est portée par une platine qui vient s'appliquer sur la forme (presses typo à platine). Ce type de presse est employé pour les petits formats et pour tous les travaux nécessitant une forte pression.
- *Cylindre contre plan.* La forme d'impression, plane, est fixée sur un marbre et la feuille de papier est entraînée par un cylindre qui roule sur la forme (presses typo à marbre plan, machines lithographiques, presses de taille-douce).
- *Cylindre contre cylindre.* La forme est cylindrique et le papier, en feuilles ou en bobine, est porté par un second cylindre (machines offset*, rotatives* de tous types).

Les progrès mécaniques des presses ont porté à la fois sur

l'augmentation de la vitesse et sur la simplification des réglages. Des dispositifs électroniques, rapides et fiables, commandent l'arrivée et le passage du papier, la régularité de l'encrage, la constance du repérage des couleurs. Si les grandes imprimeries utilisent un matériel adapté à leurs besoins spécifiques, les petites ont surtout des machines souples d'emploi pour exécuter les travaux très divers demandés par leur clientèle.

PRESSION. — C'est le quotient de la force df qu'exerce un fluide sur un élément de surface placé dans le fluide par l'aire ds de cet élément : $p = \frac{df}{ds}$· Cette pression ne dépend pas de l'orientation de la surface. L'unité C.G.S. de pression est la *barye,* l'unité S.I. le *pascal.* On utilise aussi le *bar,* qui vaut 10^6 baryes, l'*atmosphère,* qui vaut 1,013 bar, et le *kilogramme par centimètre carré,* qui vaut 0,98 bar.

PRESSION (groupe de). — Les groupes de pression font partie intégrante de toutes les sociétés politiques existantes. D'abord en raison des degrés variables d'intégration et d'organisation de groupes qui entendent infléchir la politique adoptée par les gouvernants. Mais surtout parce que l'essence même de la politique consiste toujours dans l'exercice d'une pression sur les détenteurs ultimes du pouvoir, à seule fin de défendre ou simplement de faire valoir un intérêt particulier ou une valeur sociale donnée.

Cependant, les groupes de pression ont toujours mauvaise réputation. Dans les régimes à parti unique, ils y apparaissent comme des factions qui compromettent l'adhésion à une action entreprise par quelques-uns au nom de tous. Dans les régimes pluralistes, ils sont suspectés très diversement par les groupes d'intérêts légalement organisés. Dans tous les cas, on dénonce, au nom de la loi et de l'ordre légitime tout à la fois, leur existence et les moyens qu'ils utilisent pour atteindre leurs objectifs. C'est surtout la clandestinité de leurs tractations qui nourrit les suspicions et les anathèmes.

PRESSION ARTÉRIELLE. — La pression du sang sur la paroi artérielle produit sur celle-ci une tension qui l'équilibre exactement. La pression artérielle dépend du débit (donc de la force des contractions) du cœur, du volume de sang circulant, et de l'état de perméabilité des artères, lui-même conditionné par la constriction des muscles de leurs parois. Des centres nerveux du tronc cérébral, informés en permanence par les barorécepteurs du corpuscule carotidien et de l'aorte, règlent les différents facteurs qui conditionnent la pression artérielle.

PRESSION ATMOSPHÉRIQUE. — En un point de la surface de la Terre, la pression atmosphérique est égale au poids de la colonne d'air qui le surmonte. À 0 m d'altitude, la pression normale, mesurée avec un baromètre*, est égale à 760 mm de mercure, soit 1 013 millibars ou encore 1 atmosphère. Mais la pression atmosphérique est soumise à des variations dues à l'altitude (quand on s'élève, la pression diminue) et à la température (plus l'air est chaud, plus il se dilate, donc moins la pression qu'il exerce est forte). La mesure de la pression atmosphérique au sol permet de tracer sur une carte des lignes isobares, joignant les points d'égale pression. Celles-ci isolent des zones de pression positive (supérieure à la normale), les anticyclones, et des zones de pression négative (inférieure à la normale), les dépressions ou cyclones. La répartition des pressions détermine les grandes lignes de la circulation* atmosphérique, les vents* s'écoulant des anticyclones vers les dépressions.

PRESSION FISCALE GLOBALE. — C'est le rapport entre le total des prélèvements publics (impôts et cotisations sociales) et le produit national. Les pouvoirs publics français ont décidé de maintenir constante cette pression fiscale globale, à un taux de l'ordre de 40 p. 100, la tendance à long terme dans les pays développés étant à la hausse de ce taux.

PRESSURISATION → AVION.

PRESTATIONS FAMILIALES → FAMILIALES *(prestations).*

PRESTIDIGITATION. — Connue sous les noms de *magie simulée,* de *magie blanche* ou d'*escamotage,* la prestidigitation remonte à la plus haute antiquité. La plupart des *tours* présentés par les illusionnistes reposent sur ce principe fondamental : faire disparaître un objet, tantôt pour le retrouver dans un autre endroit que celui où l'on feint l'avoir mis, tantôt pour en faire mystérieusement apparaître un autre à sa place. Aux XVIIe et XVIIIe s., les escamoteurs popularisèrent leur savoir en lui donnant le nom de *physique amusante.* C'est Robert-Houdin (1805-1871) qui devait donner ses lettres de noblesse à la prestidigitation en la transformant en un véritable art du spectacle. Parmi les artistes qui ont laissé un nom à travers les siècles, citons, notamment, « maître Gonin », Athanasius Kircher, Ledru dit Comus, Kempelen, Conus, Pinetti, Comte, Philippe, Bosco, Harry Houdini.

PRESTON, v. de l'Angleterre (Lancashire), près de la mer d'Irlande; 97 000 hab. Construction aéronautique. Textiles synthétiques.

PRÉSURE → FROMAGE.

PRÊT → CRÉDIT.

PRÊT-À-PORTER. — Ce type de vêtements, coupés selon des mesures normalisées, a connu un essor particulier depuis quelques années. Les couturiers, initiateurs d'un prêt-à-porter de luxe, et les stylistes (E. Khanh, M. Rosier, Kenzo, etc.), souvent créateurs de modes en ce domaine, ont joué un rôle déterminant. Certaines boutiques diffusent un prêt-à-porter de stylistes édité en petites séries, à moins que les stylistes n'ouvrent, eux-mêmes, boutique. Le prêt-à-porter français est fabriqué dans des entreprises anonymes travaillant à la fois pour la couture et pour des chaînes de vente, par des industriels liés à la couture, mais diffusant aussi des articles à leur nom, ou par des entreprises ne produisant que sous leur marque (Indreco, par exemple). Ces dernières sortent des milliers de vêtements par jour. Nombre d'entreprises françaises ont opéré des concentrations, mais il y a, en France, très peu d'entreprises vraiment intégrées. Elles sont décentralisées (Nord, Centre, Côte d'Azur). Leur phénomène de déspécialisation abolit des catégories jadis très cloisonnées : vêtements de travail et vêtements de loisirs sont aujourd'hui fabriqués ensemble. La rapide évolution des modes, qui exige une production accélérée, a rendu irréversible l'industrialisation dans le prêt-à-porter.

L'industriel a dû réviser son processus de fabrication : sondages, statistiques, concertation président à l'élaboration des modèles. Les tailles normalisées ont été adoptées et, en fonction des exigences du Marché commun, on a même tenté une normalisation des tailles internationales. Des salons ont lieu à Paris tous les ans pour l'habillement féminin et pour l'habillement masculin. Matières nouvelles et progrès techniques dans la fabrication ont favorisé le passage du stade artisanal au stade industriel : les textiles chimiques ont suscité la mise au point de qualités (ignifugation, procédé antitache) et de matières nouvelles (non-tissé, plastique moulé), enfin ils ont amélioré les textiles naturels, rendus plus solides et plus chauds (doublage en foam back). L'équipement s'est transformé : l'électronique double une mécanisation déjà très poussée (découpe au laser). Au niveau de la distribution, les détaillants sont souvent groupés pour éviter des commandes parcellaires, et ils se spécialisent en fonction d'une clientèle type, motivée par l'âge et la catégorie socioprofessionnelle.

PRÉTEUR. — C'est aux lois liciniennes (367 av. J.-C.) que la tradition romaine rattache l'apparition, à côté des deux consuls, d'un magistrat judiciaire, le préteur. Bien que détenteur de l'*imperium* (commandement militaire), de la *potestas* (proposition des lois, convocation des assemblées) et de l'*auspicium,* le préteur, élu pour un an par les comices centuriates, avait pour principale attribution de veiller à l'organisation des procès et au bon fonctionnement de la justice. À son entrée en charge, il promulguait un édit où il indiquait les règles de droit qu'il entendait appliquer (droit prétorien). L'afflux d'étrangers à Rome conduisit à la création, en 241, à côté du préteur urbain, d'un préteur dit « pérégrin* ». Dès la fin du IIIe s. av. J.-C., la multiplication des provinces* fit apparaître de nouveaux préteurs chargés de les administrer.

PRETORIA, capit. administrative de l'Afrique du Sud et capit. de la prov. du Transvaal, à 1 370 m d'alt.; 630 000 hab. Fondée en 1855, devenue capitale de l'Union sud-africaine en 1910, c'est une ville surtout administrative (résidence du gouvernement et du corps diplomatique), universitaire et commerciale, possédant quelques industries (métallurgie, chimie), et dont, fait exceptionnel lié à la fonction de capitale, plus de la moitié de la population est blanche.

PRETORIUS (Andries), homme politique sud-africain (Graaff Reinet 1798-Potchefstroom 1853). Installé au Natal* (1829), il transforma ce pays en république après sa victoire sur les Zoulous (1838). Fuyant les Anglais, il fonda par la suite la république d'Orange*. Pretoria fut créé en son honneur en 1855. — Son fils MARTHINUS (Graaff Reinet 1819-Potchefstroom 1901) abandonna en 1863 la présidence de l'Orange pour celle du Transvaal*. En 1880, il forma, avec Kruger* et Joubert*, le triumvirat qui, après la victoire de Majuba Hill, fit reconnaître au Transvaal une large autonomie (1881).

PRÉTRAITEMENT. — Le prétraitement comprend toute une série d'opérations qui confèrent de la blancheur aux textiles naturels ou chimiques et les préparent à être teints ou imprimés. Ces opérations, appelées également *traitements de préparation,* s'appliquent sur bourre, sur fils ou sur articles tissés ou tricotés. Les traitements sont nombreux et leurs applications varient avec l'origine des textiles, les qualités recherchées et les apprêts* qui seront appliqués ultérieurement. Ils ont pour but : de désensimer ou de désencoller pour éliminer les produits mis sur les fibres en filature* ou sur les fils avant tissage*; de blanchir en vue de détruire les colorants naturels et de décolorer toutes les matières étrangères qui se trouvent dans les fibres; de débouillir pour éliminer les substances grasses, cires et impuretés qui enrobent la fibre de coton*; de merceriser le coton pour le rendre plus brillant; de fixer les tissus de laine* pour les stabiliser avant teinture*; de carboniser la laine pour éliminer les impuretés végétales restant dans les fibres; de décreuser la soie* pour enlever le grès qui l'enrobe; de désulfurer la viscose pour en ôter l'excès de soufre; enfin de préformer ou de fixer les tissus ou les tricots en fibres synthétiques pour obtenir des tissus irrétrécissables et diminuer les risques de cassures.

Les articles blanchis subissent ensuite un azurage en vue d'éliminer l'aspect jaunâtre qu'ils conservent après blanchiment et de les faire paraître plus blancs.

PRÊTRE-JEAN → JEAN.

PRÊTRE-OUVRIER. — On désigne sous le nom de « prêtres-ouvriers », les prêtres, séculiers ou réguliers, qui, entre 1941 et 1954, partagèrent la vie professionnelle et syndicale des ouvriers, en accord avec leurs supérieurs. Stoppé et même dissous par Pie XII en 1954, le mouvement s'est, depuis, diversifié.

PREUILLY-SUR-CLAISE (37290), ch.-l. de cant. d'Indre-et-Loire, à 36 km au S.-S.-O. de Loches; 1 603 hab. Église romane (très restaurée), ruines d'un château des XIIe-XVe s. et autres monuments.

PREUVE *(Dr.).* — C'est le procédé par lequel on établit la réalité d'un fait juridique ou d'un acte juridique.

• *En matière civile et commerciale,* il est capital d'établir une preuve du droit dont on est titulaire, car ne pas réaliser cette preuve équivaudrait à ne pas bénéficier de ce droit. En droit civil classique, on proclame le principe de la neutralité du juge (qui ne peut rechercher lui-même les preuves et ne peut statuer que sur celles que lui présentent les parties) et le principe de la répartition de la charge de la preuve entre les parties, la preuve étant à la charge de celle des parties qui allègue l'existence d'un fait ou d'un acte jouant à son profit. Mais il existe des présomptions légales, qui peuvent dispenser de preuve ceux en faveur desquels ces présomptions ont été établies (présomptions simples ou présomptions irréfragables). Outre les présomptions, les modes de preuve sont les écrits, les témoignages, l'aveu, le serment.

• *En matière pénale,* la preuve n'a pas le même objectif qu'en matière civile ou commerciale : il s'agit ici d'établir s'il y a eu commission d'un fait contraire à la loi pénale et si l'individu poursuivi en est effectivement l'auteur, le coauteur ou le complice. C'est le ministère public (et, éventuellement, la partie civile) qui doit établir les éléments constitutifs de l'infraction à la loi pénale et la culpabilité de la personne; mais tout homme est présumé innocent jusqu'à ce qu'il ait été déclaré coupable. La liberté de la preuve est, en matière pénale, la règle (preuve par expert, par écrit; indices et présomptions, mais non serment). Le juge statue sur la base de son intime conviction.

PREUVE *(Log.)* → DÉMONSTRATION, FALSIFIABILITÉ, VÉRIFICATION EXPÉRIMENTALE.

PRÉVERT (Jacques), poète français (Neuilly-sur-Seine 1900-Omonville-la-Petite 1977). Ses poèmes allient les images insolites à la gouaille populaire (*Paroles,* 1948; *Spectacle,* 1951; *Fatras,* 1966). Plusieurs d'entre eux ont été mis en musique par Joseph Kosma. Il fut le scénariste de quelques films français de qualité, comme *Drôle de drame* (1937), *les Visiteurs du soir* (1942), *les Enfants du paradis* (1944), de M. Carné; *le Crime de M. Lange* (1935), de J. Renoir; *Remorques* (1940) et *Lumière d'été* (1943), de J. Grémillon.

PRÉVISION ÉCONOMIQUE. — C'est l'ensemble des techniques permettant de dégager certaines lignes de l'avenir économique, au moins ses tendances principales. On distingue la prévision à court terme, la prévision à moyen terme, la prévision à long terme et à très long terme. L'exploration et l'exploitation des données recueillies se font soit par extrapolation, qui découle de l'hypothèse que les phénomènes vont suivre l'évolution observée sur la période passée, soit par covariation, soit par corrélation, lorsque les variations d'un phénomène ont une influence sur l'autre, soit encore par modèles* mathématiques, cherchant à intégrer le maximum de paramètres.

La prévision est des plus délicates à élaborer. La récession des économies occidentales en 1974-75 en témoigne, car elle a été très incomplètement prévue par la plupart des institutions s'adonnant à la prévision. S'appuyant sur des modèles, souvent très élaborés, ces institutions n'ont guère témoigné du caractère fiable de la prévision économique, science pourtant en progrès. En simplifiant, on peut dire que la prévision, s'appuyant sur une observation minutieuse du passé (grâce, notamment, à la statistique), décrit le futur en tablant sur les corrélations qui relient les faits économiques les uns aux autres (par exemple le revenu et la consommation). Ces techniques peuvent rendre de bons services à court terme, mais, dès que l'horizon dépasse l'année, des modifications interfèrent, rendant la prévision fragile.

PRÉVOST D'EXILES (*abbé* Antoine François), écrivain français (Hesdin, Artois, 1697-Courteuil, près de Chantilly, 1763). Après avoir été novice chez les Jésuites, il s'engage dans l'armée, revient chez les Jésuites, reprend du service, puis fait profession chez les Bénédictins. Il publie cependant son premier roman (*Mémoires et aventures d'un homme de qualité,* 1728), s'enfuit du couvent et passe en Angleterre. Il fait paraître *l'Histoire du chevalier des Grieux et de Manon* Lescaut* (1731), *Cleveland* (1732-1739), fonde un journal (*Pour et contre,* 1733-1740) destiné à faire connaître l'Angleterre aux Français, et regagne la France, où il devient aumônier du prince de Conti (1736). Compromis dans la publication d'une feuille scandaleuse, il s'exile de nouveau à Bruxelles et à Francfort, entreprend la traduction des romans de Richardson, tout en écrivant (*Histoire d'une Grecque moderne,* 1741).

PRÉVÔT. — Apparu à l'extrême fin du Xe s., le prévôt était un agent chargé par le roi ou par un seigneur d'administrer une circonscription de son domaine, avec pour tâche précise de percevoir les revenus domaniaux, de rendre la justice, de diriger les habitants de la circonscription et, le cas échéant, de les conduire à l'ost du seigneur. Ces attributions furent considérablement restreintes par l'apparition des baillis et sénéchaux au sein du domaine royal (XIIIe s.) et des grandes principautés.

PREYER (Wilhelm Thierry), physiologiste et psychologue allemand (Moss Side, près de Manchester, 1841-Wiesbaden 1897), dont les travaux portèrent sur la respiration, le sang, l'optique, l'acoustique et la psychologie de l'enfant.

PRIAM, dernier roi de Troie*. Il eut, de sa femme Hécube*, Hector*, Pâris* et Cassandre*. La tradition lui attribue cinquante fils de ses épouses légitimes et de ses concubines. Son rôle dans *l'Iliade** est très effacé et son caractère essentiel est la piété.

PRIAPE, divinité rustique gréco-romaine honorée des cultivateurs et des bergers qui voulaient s'assurer de la fertilité des champs et de la fécondité des troupeaux. Sous l'Empire romain, Priape personnifie la virilité physique, dont le phallus était le symbole, et ses fêtes, les *Priapées,* prirent un caractère licencieux.

PRIBILOF *(îles),* archipel volcanique de la mer de Béring, dépendance de l'Alaska.

PRICE (Richard), ministre anglais de l'Église réformée (Tynton 1723-Londres 1791). Prédicateur et publiciste, il s'intéressa aux problèmes économiques et, dans des pamphlets célèbres, se fit le défenseur de la cause américaine.

PRIÈNE, ancienne ville d'Ionie, sur la mer Égée, à l'embouchure du Méandre. (Actuelle *Samsun Kalesi.*) Ancien centre religieux des « douze cités d'Ionie », elle possédait deux ports très actifs. Au IVe s. av. J.-C., elle fut reconstruite selon les théories d'Hippodamos* de Milet. Des terrasses successives supportent les édifices et l'unité architecturale est obtenue par le rythme des colonnades. Ses vestiges, bien conservés, illustrent les conceptions de l'urbanisme classique, reprises et amplifiées à l'époque hellénistique.

PRIESTLEY (Joseph), chimiste et philosophe anglais (Fieldhead, près de Leeds, 1733-Northumberland, Pennsylvanie, 1804). Il recueillit les gaz sur la cuve à mercure (1773), étudia le gaz carbonique et découvrit la respiration des végétaux; en 1774, il prépara l'oxygène.

PRILEP, v. de Yougoslavie, dans le sud de la Macédoine; 48 000 hab.

PRILLY, comm. de Suisse (cant. de Vaud), banlieue nord-ouest de Lausanne; 13 352 hab.

PRIMAIRE (ère). — L'ère primaire a débuté il y a environ 600 millions d'années et s'est achevée il y a 225 millions d'années. On a longtemps considéré que le début de l'ère primaire coïncidait avec l'apparition de la vie, d'où le nom de « paléozoïque » qu'on lui donne parfois, mais on a trouvé depuis des fossiles dans les terrains précambriens*. On divise généralement l'ère primaire en deux parties. Le paléozoïque inférieur (comprenant le cambrien, l'ordovicien et le silurien) est marqué par l'orogenèse calédonienne, qui a notamment affecté la Scandinavie et le Canada. On y assiste au développement des invertébrés (trilobites, graptolites, etc.), qui peuplent les océans. Le paléozoïque supérieur (dévonien, carbonifère et permien) est marqué par l'orogenèse hercynienne, dont on trouve les témoins en Amérique du Nord (Appalaches) et dans toute l'Europe (Massif armoricain, Massif central, Vosges, Massif schisteux rhénan, Oural, etc.). La vie commence à peupler les continents; c'est l'apparition des premiers vertébrés, des insectes et surtout des plantes supérieures, avec, en particulier, les fougères du carbonifère, dont la décomposition donnera la houille. Les reconstitutions paléogéographiques permettent de penser qu'au primaire l'Atlantique n'était pas encore formé et que l'Amérique du Sud, l'Afrique, l'Inde, l'Australie et l'Antarctique étaient soudés en un seul continent, dit « de Gondwana ». Par ailleurs, les gisements de houille des régions tempérées y témoignent de l'existence d'un climat chaud, alors qu'on a retrouvé des traces de glaciation sur le continent de Gondwana (au permien) et au Sahara (à l'ordovicien).

PRIMAIRE (secteur) → AGRICULTURE et POPULATION ACTIVE.

PRIMATES. — On a donné le nom de « primates » (« premiers ») à un groupe de mammifères comprenant le tarsier*, les lémuriens*, les singes* et l'homme lui-même. Ce sont des animaux essentiellement arboricoles, omnivores, forestiers, très agiles au grimper grâce à quatre pattes préhensiles, auxquelles s'ajoute parfois une queue qui l'est également. Leur vision est binoculaire et perçante, leur cerveau très développé, leurs mœurs hautement sociales, de sorte que la mortalité infantile est relativement faible et le taux de reproduction assez modeste.

PRIMATICE (Francesco PRIMATICCIO, dit **le**), peintre, stucateur et architecte italien (Bologne 1504-Paris 1570). Élève de J. Romain sur les chantiers de Mantoue, il arrive à Fontainebleau*, recommandé par son maître, en 1532. Il s'inspire du Rosso sans en avoir la spiritualité profonde, mais développe un art d'un grand éclat décoratif, d'une extrême élégance dans le traitement linéaire du corps humain; après la mort du Rosso, il assure la pleine charge du chantier royal. Plus généralement, le Primatice va jouer, malgré une brève éclipse sous Henri II, le rôle d'un véritable directeur des beaux-arts des Valois. Il est secondé par toute une équipe d'assistants (dont N. Dell'Abate à partir de 1552) et sa manière personnelle, bien que perceptible à la salle de bal de Fontainebleau et dans les nombreuses gravures d'interprétation qui diffusent son œuvre, reste surtout connue par ses admirables dessins (Louvre).

PRIMEL-TRÉGASTEL, station balnéaire du Finistère (comm. de Plousgasnou), sur la Manche.

PRIMEVÈRE. — La primevère vit dans les forêts d'arbres à feuilles caduques et se hâte de fleurir avant que la feuillaison ne la prive de lumière. Jaunes ou (plus rarement) mauves, les fleurs de primevère, émergeant d'une couronne de feuilles gaufrées, ont une corolle soudée. Les pétales (développés chez la primevère des bois, réduits chez la primevère des prés, ou coucou) surmontent un tube qui peut contenir un long style et des étamines basses, ou, au contraire, un style court et des étamines haut situées. Un tel dimorphisme est hautement favorable à la pollinisation par les insectes. (Type de la famille des primulacées.)

PRIMITIVE → INTÉGRALE.

PRIMO DE RIVERA (Miguel), officier et homme d'État espagnol (Jerez de la Frontera 1870-Paris 1930). Capitaine général de Catalogne, il s'empare du pouvoir le 13 septembre 1923, à la suite d'un coup d'État militaire qui est entériné par Alphonse XIII*. Chef du gouvernement, Primo de Rivera forme un directoire militaire qui supprime les libertés démocratiques. Il doit faire face au mouvement autonomiste catalan et surtout à la question marocaine : en 1925, les troupes françaises et espagnoles mettent fin à la rébellion d'Abd el-Krim*. Cette victoire accroît la popularité de Primo de Rivera qui, le 3 décembre 1925, forme un directoire civil et convoque l'Assemblée nationale. Mais l'agitation politique persistante et une situation économique précaire l'obligent à démissionner le 28 janvier 1930, quelques semaines avant sa mort, à Paris. — Son fils JOSÉ ANTONIO (Madrid 1903-Alicante 1936), fondateur de la Phalange* espagnole, devait être fusillé en 1936.

PRIMO-INFECTION. — La primo-infection tuberculeuse se manifeste toujours par le virage de la cuti-réaction, qui de négative devient positive, et parfois par des signes cliniques (amaigrissement, fièvre, asthénie) et radiologiques (opacité pulmonaire accompagnée d'un ganglion du hile). En cas de signes cliniques et/ou radiologiques, un traitement antituberculeux s'impose. La primo-infection est évitée par la vaccination avec le B.C.G., qui rend la cuti-réaction positive sans risque d'évolution tuberculeuse.

PRIMULACÉES → PRIMEVÈRE.

PRIM Y PRATS (Juan), homme politique et officier espagnol (Reus 1814-Madrid 1870). Après avoir lutté contre les carlistes (1833-1839), il contribue à l'éviction d'Espartero* (1843). Il combat par la suite au Maroc et au Mexique. En 1868, il chasse la reine Isabelle*, mais fait rejeter la république. Président du Conseil, Prim cherche un roi : après le refus de Léopold de Hohenzollern, il s'adresse au duc Amédée* d'Aoste; il est victime d'un attentat quelques jours avant l'arrivée du roi.

PRINCE *(île du)* ou **Ilha do Príncipe,** île du golfe de Guinée, partie de la république de *São Tome e Príncipe.*

Prince *(le),* œuvre de Machiavel (1513), dans laquelle l'auteur analyse «les problèmes que pose un tel sujet : ce que c'est que la souveraineté, combien d'espèces il y en a, comment on l'acquiert, comment on la perd, comment on la conserve».

Prince *(le),* traité de Guez de Balzac (1631), apologie de Louis XIII et de Richelieu.

PRINCE ALBERT, v. du Canada, dans le centre de la Saskatchewan; 28464 hab. — Au N.-O., parc national.

PRINCE-DE-GALLES *(île du),* en angl. **Prince of Wales Island,** île de l'archipel arctique canadien.

Prince de Hombourg *(le),* drame de Kleist (1810). Victorieux, mais au prix d'une désobéissance, le prince, condamné à mort, accepte son châtiment, mais trouve dans la gloire et l'amour la récompense de ses mérites : l'union de la passion romantique et du sens classique du tragique.

PRINCE-ÉDOUARD *(île du),* en angl. **Prince Edward Island,** une des provinces maritimes du Canada; 5657 km^2; 111641 hab. Capit. *Charlottetown.* Province de loin la plus petite et la moins peuplée du Canada, c'est une île basse, au climat déjà froid (près d'un jour sur deux de gel), assez arrosée (environ 800 mm), vivant principalement de la pêche (et des conserveries), de la culture fruitière et légumière, de l'élevage. Moins de la moitié de la population (qui compte aujourd'hui moins de 10 p. 100 de francophones) est urbanisée.

PRINCE-ÉDOUARD *(îles du),* archipel du sud de l'océan Indien, dont l'île principale porte le même nom, dépendance de la république d'Afrique du Sud.

PRINCE GEORGE, v. du Canada (Colombie britannique), au confluent du Fraser et de la Nechako; 33101 hab.

Prince Igor *(le),* opéra en quatre actes, livret de A. Borodine et N. Stassov, musique de Borodine (1890). Cette partition, laissée inachevée par le compositeur (mort en 1887), fut terminée par Glazounov et Rimski-Korsakov. Elle commente un récit historique du XIIIe s. Le ballet du deuxième acte, inscrit au premier spectacle à Paris des Ballets russes (théâtre du Châtelet, 1909), est désormais représenté seul sous le titre *Danses polovtsiennes du Prince Igor.* La chorégraphie était l'œuvre de Michel Fokine; les décors et les costumes de Nicolas Rœrich.

PRINCE NOIR *(le)* → ÉDOUARD, *le Prince Noir.*

PRINCE RUPERT, port du Canada (Colombie britannique), terminus du *Canadian National Railway;* 15747 hab. Pêcheries (flétan). Pâte à papier.

Princesse de Clèves *(la),* roman de Mme de La Fayette (1678), qui inaugure l'ère du roman psychologique moderne.

PRINCETON, v. des États-Unis (New Jersey), entre New York et Philadelphie; 12000 hab. Université.

PRÍNCIPE *(Ilha do)* → PRINCE *(île du)* et SÃO TOMÉ E PRÍNCIPE.

Principes mathématiques de philosophie naturelle, ouvrage d'I. Newton (1686-87), dans lequel il construit les concepts fondamentaux de la mécanique (force, masse, accélération, etc.), expose la loi fondamentale de la dynamique («la force qui meut un corps est égale au produit de sa masse par l'accélération de son mouvement»), sa théorie du mouvement et son système du monde.

Principia mathematica, œuvre de B. Russell et A. N. Whitehead (1910-1913), dans laquelle les auteurs reconstruisent les mathématiques d'un point de vue logiciste, autrement dit à l'aide de l'ensemble des ebf* du système logique qu'ils mettent au point. C'est le premier exposé complet de logique* mathématique.

Printemps *(le),* peinture sur panneau de bois de Botticelli (v. 1478, 2,03 m × 3,14 m, Offices). Elle fut commandée au peintre par deux frères Médicis, Lorenzo et Giovanni di Pierfrancesco. Cette allégorie aurait pour personnages Zéphyr, à droite, insufflant la vie à Flore et la poursuivant, la même Flore personnifiant ensuite le printemps, Vénus au centre, puis les trois Grâces et Mercure; elle illustrerait un poème de Politien consacré au règne de Vénus, lui-même reflet assoupli (l'amour charnel n'est pas gommé) du néoplatonisme de Marsile Ficin. (V. illustration p. 1528.)

PRIPET (le), riv. de l'ouest de l'U.R.S.S. (Ukraine et Biélorussie), qui rejoint le Dniepr (r. dr.) au N. de Kiev; 775 km.

PRISCILLIEN, hérésiarque espagnol († Trèves 385). Sa doctrine *(priscillianisme)* est une variante des idées gnostiques* et du manichéisme*, associée à un prophétisme fanatique. Condamné à mort par l'empereur usurpateur Maxime (383-388), Priscillien sera le premier hérétique à périr sous les coups du bras séculier.

PRISME. — En optique, on nomme ainsi un milieu réfringent limité par les deux faces d'un dièdre. Le prisme est caractérisé par son indice de réfraction et par l'angle de ce dièdre. Lorsqu'un rayon de lumière simple, contenu dans un plan perpendiculaire à l'arête, tombe sur un prisme, d'indice supérieur à 1, il subit deux réfractions successives et se trouve dévié vers sa base. L'indice du prisme dépendant de la longueur d'onde de la radiation qui le traverse, un rayon de lumière complexe est décomposé en ses radiations, la déviation étant plus grande pour le violet que pour le rouge. C'est la dispersion de la lumière, découverte par Newton.

Le prisme à réflexion totale est un prisme rectangle isocèle. Un rayon tombant normalement sur une face de l'angle droit subit une réflexion totale sur l'hypoténuse. (V. schémas p. 1528.)

PRISON. — La prison n'est devenue la principale mesure punitive que depuis le début du XIXe s. Peine privative de liberté, elle a remplacé les châtiments corporels et les supplices de l'Ancien

Le Printemps, (la Primavera), de Botticelli. (Palais des Offices, Florence.)

Giraudon

Régime. Michel Foucault, dans ***Surveiller et punir*** (1975), situe la naissance de la prison dans le contexte de la mise en place du pouvoir* disciplinaire. Lorsque le réseau carcéral, à l'image de la centralisation administrative, s'organise, deux conceptions de l'emprisonnement sont en présence. Le *système pennsylvanien,* préconisé par les quakers de Philadelphie, repose sur l'emprisonnement cellulaire solitaire, de jour comme de nuit. L'isolement doit favoriser la réflexion du détenu sur lui-même, qui, poussé par le remords, transformera alors son âme et sa conduite. Le *régime auburnien* est fondé sur l'occupation constante des détenus, qui travaillent en groupe pendant la journée et sont isolés en cellule pour la nuit. Le respect de la loi (ici le silence et le travail), est, dans ce système, ce qui doit permettre l'amendement du prisonnier.

L'administration pénitentiaire, rattachée depuis 1911 au ministère de la Justice, gère 175 établissements disparates, d'une capacité totale de 30 000 places, dont le secteur neuf ou modernisé ne représente que 37 p. 100. On compte 100 000 passages annuels en prison. Un prisonnier sur trois est un prévenu. Pour éviter la détention provisoire, une procédure expéditive dite « de flagrant délit » a été mise en place. Les prévenus sont mélangés aux condamnés dans les maisons d'arrêt. La population des prisons est en moyenne jeune (25 p. 100 des prévenus et 22 p. 100 des condamnés ont entre 21 et 25 ans) et peu instruite (9 p. 100 sont analphabètes et 82 p. 100 ont un niveau d'instruction primaire). Les femmes ne représentent que 3 p. 100 de l'effectif pénitentiaire. Le vol est la cause la plus fréquente d'incarcération : 63 p. 100 des condamnés purgent des peines pour atteinte à la propriété. Les détenus sont encadrés par des surveillants, qui, bien que théoriquement associés à la rééducation, ont un rôle qui se limite souvent au respect de la discipline et de la sécurité. Le personnel des prisons comporte également des fonctionnaires, éducateurs chargés des activités socioculturelles, et des vacataires (médecins, infirmiers, assistantes sociales).

Si, au moment où le jugement est prononcé, le reliquat de peine est supérieur à un an (« longue peine »), le condamné est transféré en centrale, ou dans d'autres établissements ayant des régimes particuliers, en fonction de sa personnalité. Certaines centrales appliquent un régime progressif, fondé sur la réadaptation par étapes à la vie libre (40 p. 100 des « longues peines » sont affectés à ces établissements).

« La peine privative de liberté a pour but essentiel l'amendement et le reclassement social du condamné », précise la réforme pénitentiaire de 1944-45; depuis 1972, les textes officiels emploient le terme de « traitement pénitentiaire ». L'individualisation des peines apparaît comme le principal élément de ce traitement. Individualisation au niveau de la sanction (qui peut être un sursis avec mise à l'épreuve) et au niveau de l'affectation du condamné (en fonction de sa personnalité dans tel ou tel établissement). Michel Foucault voit là un « excès du carcéral par rapport au judiciaire ». L'équilibre entre ces deux pouvoirs ne sera rétabli qu'en 1958 avec la création de la fonction de *juge de l'application des peines.* L'individualisation de la peine a aussi pour effet de substituer à l'infracteur condamné pour un délit un délinquant caractérisé par sa biographie (v. DÉLINQUANCE). Chargés par la loi

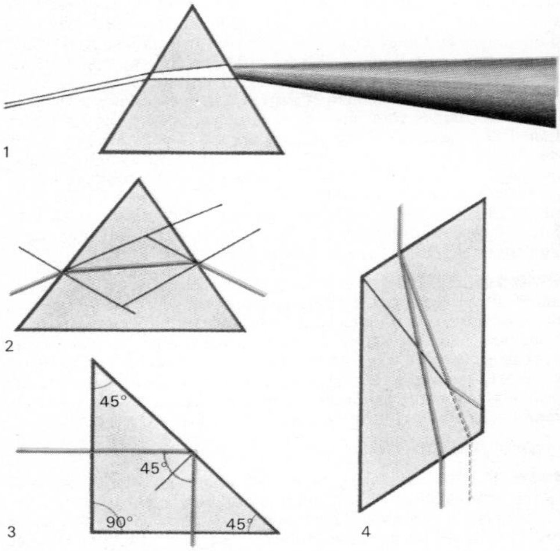

PRISME. 1. Réfraction de la lumière dans un prisme; 2. Marche d'un rayon lumineux dans un prisme ordinaire; 3. Dans un prisme à réflexion totale; 4. Dans un prisme de Nicol.

d'individualiser les peines, de favoriser le reclassement des sortants de prison et de prévenir la récidive, les juges d'application des peines sont 200 en France, et la plupart ont, par ailleurs, d'autres attributions judiciaires. Le juge d'application des peines est assisté d'une commission d'application des peines, il n'a aucun droit de regard sur l'organisation ou sur la discipline des établissements pénitentiaires. Il a, en outre, la possibilité, depuis le 1er janvier 1973, de réduire la durée d'incarcération de chaque condamné ***(réduction de peine),*** dans la limite maximale de 3 mois par année de détention, en récompense de la bonne conduite, et d'accorder les ***permissions de sortir.***

Le travail reste la base du traitement pénitentiaire; il fonctionne comme indice de l'amendement du condamné. Quelques détenus, travaillant dans les services généraux ou dans les ateliers industriels, sont employés directement par l'administration pénitentiaire (régie directe); la majorité de la main-d'œuvre pénale est concédée à des entreprises privées de sous-traitance, pour des travaux de manutention. Mais 50 p. 100 des détenus sont actuellement sans travail. Dans le but d'améliorer la protection sociale de leur famille, les détenus qui travaillent sont affiliés à la Sécurité sociale, et l'État prend en charge les cotisations des chômeurs. Le revenu que le détenu tire de son travail est très faible, d'autant plus que le Trésor y prélève pour l'entretien cinq dixièmes du salaire brut de chaque condamné, ce qui lui reste alors étant divisé en trois parts égales : pécule de garantie réservé aux frais de justice et à l'indemnisation des victimes, pécule de réserve en prévision de la sortie et pécule disponible (qu'il peut utiliser pour améliorer son ordinaire). On propose à certains jeunes détenus un enseignement scolaire ou une formation professionnelle.

Les statistiques en matière de récidive sont assez alarmantes puisque 20 à 25 p. 100 des condamnés récidivent dans l'année qui suit leur libération et 80 p. 100 dans les quatre ans qui la suivent. Ce sont les années où les difficultés de réinsertion sociale sont les plus grandes. Le casier judiciaire, obstacle majeur à l'acceptation par un employeur, ne favorise pas la réinsertion. Cet échec de la prison (taux de récidive important, fabrication et organisation d'un milieu de délinquants) a été souligné depuis sa naissance, malgré les multiples réformes pénales.

prisons *(Mes)*, par Silvio Pellico (1832). C'est le récit de sa captivité sous les « Plombs » de Venise, puis dans la forteresse du Spielberg.

PRIŠTINA, v. de Yougoslavie, capit. du territoire autonome du Kosovo; 70 000 hab.

PRITCHARD (George), missionnaire britannique (Birmingham 1796-îles Samoa 1883). Missionnaire protestant et consul à Tahiti (1824), il use de son influence sur la reine Pomaré IV pour faire expulser les missionnaires catholiques (1836). Après l'établissement du protectorat français, il poursuit son action contre la France et est arrêté par le capitaine de corvette d'Aubigny. Libéré aussitôt et rentré à Londres (1844), il influence le gouvernement britannique qui exige de Louis-Philippe des excuses et une indemnité.

PRIVAS (07000), ch.-l. de l'Ardèche, sur l'Ouvèze, à 595 km au S.-E. de Paris; 12 216 hab. *(Privadois)*. Confiserie.

PRIVILÈGE → SÛRETÉS.

PRIX. — La théorie générale des prix a été établie en fonction d'une hypothèse, celle de la concurrence parfaite. Par la suite, on fut amené à étudier les prix en fonction de situations de concurrence qui n'étaient pas parfaites, dues notamment à l'ingérence gouvernementale dans le domaine de l'économie.

On désigne par l'expression de *prix momentané,* ou *prix courant,* le prix se formant à un moment donné dans une période très courte (J. Marchal). Il résulte de la confrontation des courbes de l'offre et de la demande. En principe, la baisse du prix d'un produit proposé sur le marché entraîne un relèvement de la demande de ce produit, mais la réaction du demandeur peut être plus nuancée et la baisse de prix d'un produit peut même entraîner la diminution de sa consommation.

Du côté des producteurs, le prix de vente tend à s'égaliser sur le coût marginal des entreprises qui formulent l'« offre » : les décisions des entrepreneurs reposent en principe sur la comparaison entre les prix de vente qu'ils voient se pratiquer sur le marché et, par ailleurs, leurs propres coûts; lorsque le prix de vente est supérieur au coût marginal correspondant à un volume donné de la production, l'entrepreneur accroît cette dernière. À l'inverse, il la diminue dans la situation contraire, dans les périodes — notamment — de récession.

Un prix, dans la mesure où règne une concurrence parfaite, est, à un moment donné, en principe un prix unique, mais, en fait, des *rentes* peuvent apparaître au profit de consommateurs ou de producteurs. La rente du consommateur est égale à la différence entre le prix auquel il a pu trouver l'objet qu'il demandait et ce qu'il aurait accepté de payer. La rente du vendeur est fonction de la différence entre ce qu'il a obtenu comme prix sur le marché et le prix (plus bas) auquel il aurait accepté de vendre.

Les mouvements généraux des prix peuvent être influencés par des facteurs d'ordre monétaire, comme la quantité de monnaie en circulation (théorie quantitative, d'ailleurs contestée), par des facteurs psychologiques, etc. (V. DEMANDE, INFLATION, MONNAIE, OFFRE, VALEUR.)

PROBABILITÉS. — La correspondance échangée entre Blaise Pascal* et Pierre de Fermat* au cours de l'année 1654 marque les débuts du calcul des probabilités. Dans leurs lettres, seule la théorie des jeux est évoquée, et plus particulièrement le problème des partis : *partager équitablement les mises lorsque le jeu est interrompu avant la fin prévue.* Au vu de cette correspondance, Christian Huygens* entreprend en 1657 une courte étude, dont un commentaire, très enrichi, paraît dans l'œuvre posthume de Jacques Bernoulli*, *Ars conjectandis* (1713), qui fonde vraiment ce nouveau calcul. Il faut en rapprocher *Doctrine of Chances* (1718) d'Abraham de Moivre* et l'*Essai d'analyse sur les jeux de hasard* (1713) de Rémond de Montmort*. Mais c'est surtout en Angleterre que les méthodes statistiques se développent au XVIIIe s. (assurances, tables de mortalité, etc.). Dans un essai posthume (1763), Bayes* fait une première tentative pour leur donner une base scientifique. Le très important ouvrage de Laplace* *Théorie analytique des probabilités* (1812) apporte une systématisation de tous les travaux antérieurs. Au XIXe s. la théorie des probabilités est étudiée en France principalement par Poisson* et par Cournot*, et en Russie par Tchebychev* et par son disciple Markov*. Au XXe s., Émile Borel* donne, grâce à la mesure des ensembles*, une définition rigoureuse de la probabilité. Le calcul des probabilités a cependant trouvé ses fondements axiomatiques dans les travaux de Kolmogorov* (1933), à partir desquels il est devenu une branche de la théorie de l'intégration. Une probabilité est une *application** P définie sur l'ensemble des *parties d'un univers* Ω, à valeurs dans l'ensemble $\mathbb{R}^+$ des nombres *réels positifs* et vérifiant les axiomes suivants :

1° la probabilité de l'univers est égale à 1 : $P(\Omega) = 1$;

2° pour tout couple d'*événements* ou parties (A, B) de Ω, *incompatibles,* $P(A \cup B) = P(A) + P(B)$.

Ces axiomes correspondent à la notion intuitive d'événement qui *peut* se réaliser ou non, à la suite d'une *épreuve*. Un événement se réalise si l'une quelconque des *éventualités* qui le composent se réalise. Si, dans un jeu de 32 cartes, on tire une carte, l'événement A est « tirer un pique ». Il contient huit éventualités; il est réalisé si la carte tirée est un pique.

Deux événements sont *incompatibles* s'ils n'ont aucune éventualité commune, comme « tirer un trèfle » et « tirer un pique » dans un jeu de cartes.

On désigne par l'union $A \cup B$ l'événement A *ou* B, la conjonction *ou* n'étant pas exclusive. Cette union $A \cup B$ désigne la réalisation de l'un *au moins* des deux événements A et B (et peut-être des deux), comme « tirer un trèfle ou un roi ».

On désigne par l'intersection $A \cap B$ la réalisation de A *et* de B. Cette intersection $A \cap B$ est formée des éventualités communes à A et à B. « Tirer un trèfle et un roi », c'est « tirer le roi de trèfle ». Si les événements A et B sont incompatibles, on écrit $A \cap B = \emptyset$, $\emptyset$ étant l'ensemble vide.

Deux événements A et A′ sont dits *contraires* s'ils sont incompatibles et si $A \cup A' = \Omega$. Donc, l'épreuve étant réalisée, c'est une éventualité de A *ou* de A′ qui est réalisée, la conjonction *ou* étant exclusive. Par exemple, on tire une seule carte d'un jeu de 32 cartes; A et A′ sont respectivement « tirer une carte noire » et « tirer une carte rouge ». Il est clair que A et A′ sont contraires. A′ est noté $\bar{A}$. On a $A \cap \bar{A} = \emptyset$ et $A \cup \bar{A} = \Omega$. Deux événements incompatibles ne sont pas nécessairement contraires.

De façon élémentaire, dans un univers Ω fini, c'est-à-dire contenant un nombre fini d'éventualités, la probabilité d'un événement A de Ω est égale au *rapport* du nombre d'éventualités de A au nombre d'éventualités de Ω ou au rapport du nombre de cas *favorables* au nombre de cas *total*. Ainsi, dans un jeu de 32 cartes, on tire une carte. La probabilité pour que ce soit : A, un trèfle; B, un roi; C, une figure est : $P(A) = \frac{8}{32} = \frac{1}{4}$; $P(B) = \frac{4}{32} = \frac{1}{8}$; $P(C) = \frac{12}{32} = \frac{3}{8}$. Toute probabilité est comprise entre 0 et 1, 0 étant la probabilité de l'*événement impossible*.

Le second axiome permet de calculer la probabilité de l'union de deux événements incompatibles. Ainsi, la probabilité de tirer un roi ou un huit rouge est

$$P(A \cup B) = P(A) + P(B) = \frac{4}{32} + \frac{2}{32} = \frac{6}{32} = \frac{3}{16}.$$

Mais, si les deux événements A et B sont compatibles,

$$P(A \cup B) = P(A) + P(B) - P(A \cap B).$$

Il faut donc calculer la probabilité d'une intersection. On a alors besoin de définir une notion nouvelle, celle de *probabilité conditionnelle.*

Étant donné deux événements A et B,

$$P(A \cap B) = P(A) \,.\, P_A(B) = P(B) \,.\, P_B(A),$$

$P_A(B)$ [« P de B sachant A »] désignant la probabilité conditionnelle de voir se réaliser l'événement B, sachant que l'événement A s'est réalisé. Si l'on tire successivement et sans remise deux cartes d'un jeu de 32, la probabilité de tirer un roi (A) et un sept (B) est $P(A \cap B) = \frac{4}{32} \cdot \frac{4}{31} = \frac{1}{62}$, car lorsqu'on a tiré un roi, il reste 31 cartes, dont 4 sept. Avec le second axiome et la définition d'une probabilité conditionnelle, on peut donc calculer toute probabilité relative à un événement quelconque d'un univers Ω.

PROBOSCIDIENS → ÉLÉPHANT.

PROBUS (Marcus Aurelius) [Sirmium 232-*id.* 282], empereur romain (276-282). Chef de l'armée d'Orient, Probus est acclamé par ses troupes en 276. Il poursuit l'œuvre d'Aurélien* : il lutte sans merci contre les Barbares et libère la Gaule des Francs et des Alamans. Pour remédier à la crise démographique, il installe massivement des Barbares dans l'Empire. Soucieux de relever l'économie, il entreprend des travaux d'irrigation et de bonification des terres, et autorise dans les provinces la culture de la vigne. Mais ses soldats, qu'il soumet à une discipline sévère, se révoltent contre lui et l'assassinent en 282.

PROCÉDURE *(Dr.).* — Au sens propre, ce terme ne couvre que l'ensemble des formes et des délais que doivent respecter les plaideurs, mais on y inclut généralement ce qui a trait à l'organisation judiciaire et à la compétence des tribunaux. Quant à la forme même de la procédure, on distingue la procédure inquisitoire de la procédure accusatoire; cette dernière consiste en une sorte de duel entre les parties qui dirigent le procès; le système inquisitoire, où la procédure est dirigée par le juge, a inspiré les législateurs modernes. En matière administrative, la procédure est de type inquisitoire, dirigée par le juge. En matière civile, l'institution, par le législateur, d'un « juge chargé de suivre la procédure » (1935), remplacé par le « juge de la mise en état » (1965), se rattache à une tendance inquisitoriale de la procédure. En matière pénale, la procédure revêt un caractère inquisitoire du fait que le juge a le devoir de rechercher lui-même la vérité de la cause.

• *Procédure administrative.* Le Conseil d'État et les tribunaux administratifs sont saisis au moyen d'une requête, c'est-à-dire d'un acte émanant du demandeur (ou requérant), qui est déposée auprès du secrétariat de la juridiction compétente. Le juge administratif réglera lui-même le déroulement du procès, en s'efforçant de réaliser un compromis entre l'intérêt général, incarné dans le procès par l'Administration, et les intérêts des particuliers, qui doivent être protégés efficacement contre les abus de la puissance publique; l'essentiel de la procédure se fait par écrit, et le rôle du débat oral est strictement limité.

Le ministère d'un avocat est, en principe, obligatoire, sauf en certaines matières (par exemple, recours pour excès de pouvoir). Les recours sont enfermés dans des délais stricts; ils ne sont pas suspensifs et ne peuvent être dirigés que contre une décision préalable de l'Administration.

• *Procédure civile.* Elle était réglée par le Code de procédure civile, institué par le décret du 14 avril 1806. L'idée d'une réforme globale du Code est apparue en 1968, au moment où fut entreprise la réforme des professions judiciaires et juridiques. Les décrets des 9 septembre 1971, 20 juillet 1972, 28 août 1972 et 17 décembre 1973 avaient institué quatre séries successives de dispositions, destinées à s'intégrer dans ce nouveau Code de procédure civile. Celui-ci est issu du décret du 5 décembre 1975; il reprend ces différentes dispositions en un corps unique avec certaines modifications et introduit en outre d'importantes matières nouvelles. Dans son état actuel, il comprend seulement deux livres : on se trouve donc provisoirement en présence de deux demi-codes de procédure civile, l'ancien subsistant pour les matières n'ayant pas encore fait l'objet d'une promulgation des nouveaux textes.

La procédure est plus ou moins compliquée selon qu'elle se déroule devant une juridiction de droit commun ou une juridiction d'exception. Elle a été longtemps laissée aux mains des avoués, qui, en réalité, dirigeaient le procès. La loi du 31 décembre 1971 a supprimé les avoués près des tribunaux de grande instance; désormais, en première instance, les avocats se chargent eux-mêmes de la procédure. En outre, le juge de la mise en état « contrôle l'instruction de l'affaire ».

La procédure normale devant les *tribunaux de grande instance* commence par un acte d'huissier, qui est signifié par le demandeur au défendeur et que l'on appelle « assignation ». Les parties pourront aussi présenter en commun une requête au tribunal pour lui demander de statuer sur les points de fait et de droit qui font l'objet de leur désaccord. Pour que le tribunal compétent soit effectivement saisi, il faudra alors inscrire l'affaire au rôle du tribunal, et cela au moyen d'un acte que l'on appelle « placet » ou « réquisition d'audience ». Puis, l'affaire étant distribuée à une chambre du tribunal et la date d'audience fixée, les avocats déposent leurs conclusions. À l'audience, la procédure est orale. L'audience est généralement publique.

Deux solutions s'offrent au président de la chambre à laquelle l'affaire a été distribuée :
1° si l'affaire se révèle simple et peut être jugée rapidement, elle sera directement renvoyée à l'audience pour être jugée à bref délai (« circuit court »);
2° s'il apparaît, au contraire, qu'une instruction approfondie est nécessaire, l'affaire sera alors renvoyée à l'instruction devant le juge de la mise en état (« circuit long »).

Quelle que soit la décision prise par le président, celui-ci, dès que l'instruction lui semblera achevée, prononcera l'ordonnance de clôture. Aucune conclusion ne peut plus être déposée ni aucune pièce produite aux débats. Cette clôture sera suivie des plaidoiries des avocats. L'affaire est mise en délibéré, et le jugement est rendu soit sur le siège, soit en conseil, soit à une audience ultérieure.

Devant les *tribunaux d'instance* (qui sont des tribunaux d'exception), il n'y a pas de constitution d'avocat. Les parties comparaissent en personne, mais peuvent se faire assister d'un avocat ou représenter par un mandataire. La demande est, en principe, formée par assignation à fin de conciliation et, à défaut, de jugement. Elle peut l'être également par requête conjointe des parties. Enfin, les parties peuvent se présenter volontairement devant le juge. Le demandeur bénéficie de la faculté de provoquer une tentative de conciliation avant d'assigner.

• *Procédure commerciale.* Elle est prévue par le Code de commerce lui-même. Ses règles sont à peu près les mêmes que celles qui sont applicables devant les tribunaux de grande instance en ce qui concerne les tribunaux de commerce, mais elles sont simplifiées. L'instance est directement introduite par une assignation. Le ministère de l'avocat n'est pas obligatoire. Les parties peuvent comparaître en personne ou se faire représenter par tout mandataire de leur choix. Le délai de comparution est, en principe, de quinze jours. La procédure est essentiellement orale. L'instruction peut être confiée à un arbitre rapporteur, simple particulier qui donnera un avis au tribunal et tentera de concilier les parties; elle peut aussi être renvoyée au délibéré d'un juge.

• Le décret du 12 septembre 1974 a institué une procédure particulière devant les *conseils de prud'hommes,* destinée à mieux protéger le salarié. Cette procédure est essentiellement conciliatrice. Le conseil de prud'hommes est saisi soit par une simple lettre, soit par la comparution volontaire des parties. Cette procédure se divise en deux phases distinctes. La première a lieu devant le bureau de conciliation : la tentative de conciliation est obligatoire; les parties sont convoquées directement par le secrétariat du conseil; si la tentative de conciliation réussit, procès-verbal en est dressé; si elle échoue, un procès-verbal de non-conciliation est dressé et l'affaire est renvoyée devant le bureau de jugement. La procédure devant le bureau de jugement prend deux aspects : ou bien l'affaire est renvoyée devant un ou deux conseillers rapporteurs qui procéderont à toutes mesures d'instruction nécessaires, ou bien elle sera renvoyée directement au bureau de jugement. L'instruction est orale. Les parties sont tenues de se présenter en personne, mais peuvent se faire assister et, dans certains cas, représenter.

• *Procédure pénale.* Elle est fixée par le Code de procédure pénale de 1958, qui a remplacé l'ancien Code d'instruction criminelle et qui est marqué du sceau d'un nouveau libéralisme, notamment en ce qui concerne la protection de la liberté individuelle, la garantie des droits de la défense, etc. L'infraction pénale cause très souvent un trouble tout à la fois à l'ordre social et à la personne victime de l'infraction. Le procès pénal peut donc être déclenché par la partie lésée, qui mettra en mouvement l'action publique soit par une plainte avec constitution de partie civile si une instruction est nécessaire, soit par une citation directe. Il peut, en outre, être déclenché par le ministère public, qui dispose de trois moyens pour mettre en mouvement l'action publique : l'avertissement, la citation directe, le réquisitoire introductif.

PROCÉDURE *(Inform.).* — Un programme* destiné à être exécuté sur un ordinateur* est découpé en sous-ensembles d'instructions* dont certains peuvent correspondre à une fonction générale transformant un ensemble de données en un résultat. Il peut s'agir alors d'une *procédure,* notion voisine de celle de sous-programme. La syntaxe d'une procédure est rigoureusement définie dans le langage* de programmation employé. Une procédure reçoit un nom et n'est décrite, avec des paramètres formels, qu'une fois dans un programme. Pour l'utiliser, il suffit de la citer par son nom accompagné des valeurs effectives auxquelles on souhaite l'appliquer.

Procès *(le),* roman de Kafka, inachevé et publié par Max Brod (1925). Joseph K., petit employé de banque, sur qui pèse une accusation obscure, ne sait plus lui-même s'il est innocent ou coupable et perd l'énergie nécessaire pour résister à une bureaucratie monstrueuse.

PROCESSEUR → CALCULATEUR.

PROCESSIONNAIRE. — Les chenilles sont qualifiées de « processionnaires » lorsqu'elles se déplacent en une seule file, la tête de chacune au contact de l'arrière de la précédente. Les processionnaires sont très nuisibles à l'arbre sur lequel elles vivent : chêne ou pin. (Genre *Thaumetopœa,* famille des notodontidés.)

PROCHE-ORIENT → MOYEN-ORIENT.

PROCIDA, île italienne, au N.-O. du golfe de Naples.

PROCLUS, philosophe néoplatonicien (Constantinople 412-Athènes 485). Il dirige l'école d'Athènes pendant plus de trente ans. Ses commentaires de Platon, notamment du *Parménide** et du *Timée,* d'Euclide, sa *Théologie platonicienne* et ses *Éléments de théologie* font de lui l'un des plus célèbres néoplatoniciens (v. PLATONISME).

PROCONSUL. — Magistrat romain, le proconsul était généralement un consul* dont on prorogeait l'*imperium* pour lui permettre de poursuivre une campagne militaire en cours ou pour lui confier le gouvernement d'une province*. Sous l'Empire, tous les gouverneurs des provinces sénatoriales avaient le titre de proconsul.

PROCOPE, historien byzantin (Césarée de Palestine fin du Ve s.-Constantinople v. 562). Il est l'auteur des *Guerres de Justinien,* qui retracent les luttes de l'empire d'Orient contre les Perses, les Vandales et les Ostrogoths. Son ouvrage *les Constructions de Justinien* est précieux pour l'histoire de l'art byzantin, et sa curieuse *Histoire secrète,* dont l'authenticité est discutée, est un libelle où il parle sans ménagement de son souverain et surtout de l'impératrice Théodora*.

PROCORDÉS. — C'est parmi les animaux marins que se rencontrent les espèces, d'ailleurs très diverses, chez lesquelles une partie au moins du dos présente une *chorde* cartilagineuse et un axe nerveux, ce qui les rapproche de façon décisive des ancêtres des vertébrés. Les plus nombreux, et de beaucoup, sont les tuniciers*, ou *urocordés* (ascidies, salpes, etc.). Le plus proche de notre lignée ancestrale est l'amphioxus, type des *céphalocordés.* Le plus semblable à un ver est le balanoglosse, type des *hémicordés.* Des formes encore plus éloignées de nous sont les *stomocordés* (ptérobranches et autres) et les *pogonophores* filiformes.

PROCURATEUR. — Pris parmi les chevaliers, les procurateurs romains étaient des fonctionnaires placés par l'empereur à la tête d'un service important (chancellerie impériale, finances provinciales...) ou d'une province impériale, dite alors « procuratorienne » (exemple la Mauritanie*), où ils exerçaient les fonctions de gouverneur. Selon leur traitement annuel, on les classait en *centenarii* (100 000 sesterces), *ducenarii* (200 000 sesterces) et *trecenarii* (300 000 sesterces).

PROCYON → ÉTOILE.

PRODUCTEUR. — Dans l'industrie cinématographique, le producteur est un administrateur spécialisé qui assure le financement d'un film. À ce titre, il peut décider du choix du sujet, de l'engagement des artistes et des techniciens ainsi que de l'évaluation du budget. Il ne peut, cependant, être considéré comme coauteur. Le rôle de certains producteurs, notamment dans le cinéma américain, peut être considérable, et, dans certains cas, le metteur en scène est alors un simple exécutant. Les partisans du cinéma d'auteur s'efforcent, cependant, de limiter le pouvoir du producteur à une responsabilité strictement financière.

PRODUCTION (fonction de). — On appelle ainsi l'expression mathématique du processus de la production. Il s'agit d'une explication simplificatrice de la réalité économique, exprimant la relation qui existe entre la quantité de produits obtenus et celle des facteurs mis en œuvre pour obtenir ces produits *(outputs,* par rapport aux *inputs).*

PRODUCTION INTÉRIEURE BRUTE → AGRÉGAT.

PRODUCTIVITÉ. — En vingt années, de 1952 à 1972, la production française de biens et de services a triplé en volume, passant de l'indice 100 à l'indice 295; la population active, pendant le même temps, s'est accrue de 676 000 personnes (4 p. 100 d'augmentation). La *productivité* du travail s'est donc, entre-temps, considérablement amplifiée.

La *productivité du travail* est mesurée par le rapport entre la production et le nombre d'heures travaillées (les heures travaillées = le produit des effectifs occupés par la durée du travail). Les facteurs qui l'influencent sont les suivants :
a) le *rythme de la production* (la très forte chute de productivité au cours du quatrième trimestre de 1974 en France montre l'influence d'une baisse d'activité non compensée par une diminution de la quantité de travail utilisée [les effectifs étaient surproportionnés par rapport à la production elle-même]);
b) l'*outillage* et le *degré d'avancement de la technologie* (souvent on utilise la variable « capital par tête », ou valeur de capital rapporté au nombre de travailleurs employés);
c) la *durée du travail;*
d) les *modes de gestion du personnel.*

L'amélioration de l'efficacité de l'appareil productif français semble remarquable depuis les vingt-cinq dernières années. La quantité de biens et de services produits, en moyenne, en une heure de travail humain, a été affectée du coefficient 3,2 entre 1949 et 1974.

PRODUIT NATIONAL BRUT → AGRÉGAT.

PRODUIT-PROGRAMME → PROGRAMME.

PROFESSIONNELLE (maladie) → MALADIE PROFESSIONNELLE.

PROFESSIONNELLES (organisations). — Ce sont des organisations qui, dans le cadre des diverses professions, ont pour objet la défense de leurs intérêts, la discipline de leurs membres, la réglementation de leur exercice, quelle que soit leur forme juridique (syndicat, fédération, association, chambre syndicale); elles regroupent le plus souvent des entreprises et non pas, pratiquement, des individus.

LES ACTIVITÉS DES ORGANISATIONS PROFESSIONNELLES.

• *Activités sociales.* Pratiquement, l'organisation professionnelle représente l'un des « partenaires sociaux » impliqué dans le dialogue « patronat-salariat » (conventions collectives, paritarisme).

• *Activités juridiques, économiques, etc.* Ces activités peuvent aller de la recherche de renseignements et de statistiques économiques à la gestion d'établissements publics (les chambres de commerce gèrent de tels établissements), etc.

QUELQUES ORGANISATIONS PROFESSIONNELLES.

• les *ordres professionnels* (ordre des avocats, ordre des médecins), chaque ordre élaborant sa propre législation à l'égard de ses adhérents;

• les *chambres de commerce et d'industrie,* qui ont à la fois des attributions consultatives, administratives et gestionnaires;

• les *syndicats professionnels* (exemple la Chambre syndicale de la sidérurgie);

• les *syndicats agricoles;*

• l'*Association française des banques,* le *Centre national du patronat français* (C. N. P. F.), etc.

PROFIL D'UN COURS D'EAU. — Un cours d'eau s'établit sur une topographie irrégulière. Il a tendance à régulariser son profil, par érosion et accumulation, jusqu'à son niveau de base, constitué par son point de confluence pour une rivière ou le niveau général des océans pour un fleuve. Le profil d'équilibre est atteint lorsque le fleuve ne creuse plus ni ne dépose plus et qu'il se contente d'être un agent de transport. Il a généralement la forme d'une courbe concave vers le ciel, dont la pente diminue vers l'aval par la suite de l'augmentation du débit. Il peut être rompu pour diverses causes : augmentation de la charge (par suite, par exemple, d'une variation climatique), déformation tectonique, variation du niveau de base, etc. Ainsi, un abaissement du niveau de base, dû par exemple à l'abaissement du niveau marin, déclenche le processus d'érosion régressive, qui se propage de l'aval vers l'amont jusqu'à ce que le nouveau profil d'équilibre soit atteint.

PROFIT. — Le profit correspond à la différence entre les dépenses nécessitées par la production d'un bien ou d'un service et les recettes correspondant à l'écoulement des biens produits sur le marché. À l'inverse des salaires (établis contractuellement) et de la plupart des autres facteurs de la production, « achetés » par l'entreprise, il est aléatoire et dépend essentiellement du marché*, qui détermine les conditions et les prix* auxquels les ventes peuvent être opérées.

Comme l'explique F. Perroux*, le profit est un revenu autonome, irréductible à l'intérêt et au salaire ainsi qu'à la rente ou à une plus-value, que certains justifient comme étant la rémunération du risque, que d'autres envisagent comme la rémunération de l'innovation (Schumpeter); il apparaît comme la conséquence d'une inégalité temporaire entre les prix et les coûts, un revenu « résiduel », précaire et fragile.

Pour les marxistes, le profit qui prend la forme de la plus-value* dans le système capitaliste est mesurée par la proportion de la somme de la plus-value avec le total du capital avancé (moyens de production et masse salariale). En revanche, le *taux de plus-value* est le rapport de cette même somme à la masse salariale.

PROFONDE (structure). — La grammaire générative distingue à l'intérieur de toute phrase deux niveaux : la structure de surface, qui est l'organisation de la phrase réalisée, et la structure profonde, qui en est l'organisation à un niveau plus abstrait. Ainsi la phrase *Il croit son fils malade* possède deux représentations au niveau profond *(Il croit son fils qui est malade/que son fils est malade).* Cette distinction permet de lever les ambiguïtés syntaxiques et de formaliser la description linguistique.

PROFONDEUR DE CHAMP. — Dans un objectif photographique, la profondeur de champ est d'autant plus grande que l'ouverture du diaphragme et la distance focale sont plus petites.

PROGESTATIF. — Le progestatif physiologique, qui rend possible la nidation de l'œuf fécondé, est la progestérone, ou lutéine. On peut en rapprocher son isomère, la rétroprogestérone, active par voie buccale et qu'on emploie notamment dans les grossesses menacées. Les autres substances de synthèse qualifiées de *progestatifs* s'opposent bien aux troubles résultant d'une insuffisance en progestérone (douleurs, hémorragies, tension mammaire), mais elles sont contre-indiquées en cas de grossesse.

PROGNATHISME → MAXILLAIRE.

PROGRAMME (contrat de) → QUASI-CONTRAT.

PROGRAMME et PROGRAMMATION. — En informatique*, un programme est un ensemble d'instructions* ordonnées, destiné à être exécuté par un ordinateur* pour résoudre un problème donné. Le plus souvent, il est prévu pour traiter des jeux différents de données à chacune de ses exécutions, suivant le schéma :

| données | → | programmes | → | résultats |.

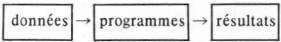

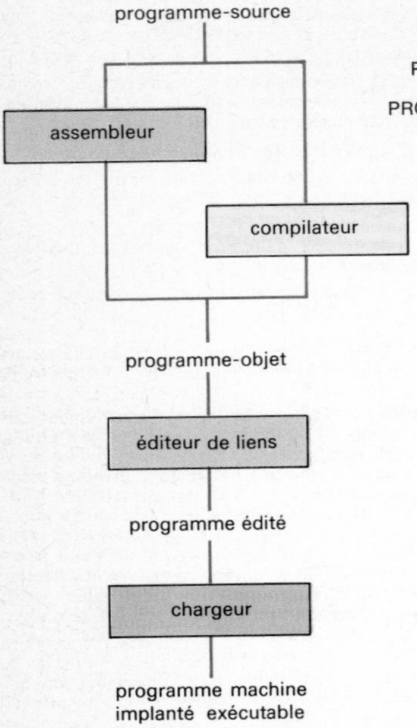

PROGRAMME ET PROGRAMMATION

Avant de pouvoir être exécuté, il doit d'abord être écrit, puis subir un certain nombre de transformations successives. Le travail de *programmation* consiste à analyser l'application qu'on veut mettre en place, à tracer des organigrammes* généraux, puis détaillés, à coder enfin, c'est-à-dire à programmer au sens strict. Un programme est écrit dans un langage* symbolique machine ou universel, comme le *fortran** ou le *cobol**. Il est perforé sur cartes* ou entré directement dans l'ordinateur à partir d'un terminal* conversationnel : c'est le *programme-source.* Un assembleur* ou un compilateur*, selon les cas, le traduit alors en un langage machine binaire dans lequel les adresses* des instructions et les zones de données ne sont pas encore fixées : on obtient le *programme-objet.* Un programme est généralement réalisé par modules indépendants, ou *sous-programmes,* qui sont compilés séparément. Pour constituer un programme complet, il faut rassembler des modules provenant de sources diverses : modules déjà écrits, sous-programmes généraux stockés en bibliothèque, modules écrits par d'autres programmeurs. L'*éditeur de liens* est un programme général qui rassemble d'une manière cohérente les divers modules, établit les liens qui doivent les unir et organise l'espace d'adresses. Le programme est alors sous forme *exécutable.* Pour être effectivement exécuté, il n'a plus qu'à être implanté en mémoire* centrale et recevoir l'ordre d'exécution de sa première instruction : c'est le travail du *chargeur.* Les programmes sont conservés dans des bibliothèques sur disques* ou bandes* magnétiques sous leurs diverses formes équivalentes : source, objet ou modules chargeables. On trouve, chez les constructeurs d'ordinateurs ou auprès des sociétés de service, des programmes tout écrits appelés *produits-programmes,* qui peuvent correspondre aux besoins d'un utilisateur sans que celui-ci ait à faire le travail de programmation correspondant à l'application qu'il désire mettre en œuvre.

PROGRAMMEUR → CENTRE DE CALCUL et COMPILATEUR.

PROGRESSION. — • Une progression *arithmétique* est une suite* de nombres, chacun d'eux, à l'exception du premier, s'obtenant à partir du précédent par l'*addition* d'une quantité invariable appelée *raison :*

$$a_0, \quad a_1 = a_0 + r, \quad a_2 = a_0 + 2r, ..., a_n = a_0 + nr, ...,$$

a_0 étant le premier terme et r la raison.

La somme des n premiers termes d'une progression arithmétique, $S_n = a_0 + a_1 ... + a_{n-1}$, est égale à $na_0 + \frac{n(n-1)r}{2}$ et s'exprime donc uniquement en fonction du premier terme, de la raison et du nombre de termes de la somme. Ainsi, la somme des n premiers entiers, de 1 à n, est

$$S_n = n.1 + \frac{n(n-1)1}{2} = n + \frac{n(n-1)}{2} = n\frac{n+1}{2}.$$

Si trois nombres a, b et c sont, dans cet ordre, en progression arithmétique, $b = \frac{a+c}{2}$, car $r = b - a = c - b$; b est la *moyenne arithmétique* de a et de c.

• Une progression *géométrique* est une suite de nombres, chacun d'eux, à l'exception du premier, s'obtenant à partir du précédent par *multiplication* par un nombre donné appelé *raison :*

$$a_0, \quad a_1 = a_0 . r, \quad a_2 = a_0 . r^2, ..., a_n = a_0 r^n$$

r étant la raison, différente de 1.

La somme des n premiers termes d'une progression géométrique, $S_n = a_0 + a_0 r + ... + a_0 r^{n-1}$, a pour valeur $a_0 \cdot \frac{1-r^n}{1-r}$. Pour $a_0 = 1$ et $r = x$, on obtient une identité d'algèbre :

$$1 - x^n = (1-x)(1 + x + ... + x^{n-1}).$$

PROGRÈS TECHNIQUE. — Le progrès technique est une donnée figurant au cœur de l'analyse de la croissance* économique; c'est un processus aux termes duquel des machines, des techniques et des modes d'organisation nouveaux sont recherchés, appliqués, puis eux-mêmes remplacés ultérieurement par d'autres. L'expression est proche du terme d'« innovation* ».

Le progrès technique est lié au rythme des inventions, qui dépend lui-même du potentiel scientifique du milieu à une époque donnée et du climat institutionnel régnant. Il implique deux moments : une *invention technologique* (par exemple la machine à vapeur de Watt en 1769) et son *application* (vers 1830 en France, vers 1800 en Angleterre). Il y a « accélération » du progrès technique lorsque le délai entre l'invention et l'application pratique de la machine ou du procédé se raccourcit.

PROHIBITION. — Demandée par les milieux évangéliques dès le début du XIXe s., la prohibition des boissons alcoolisées aux États-Unis fut d'abord édictée dans vingt-sept États, avant d'être étendue à l'ensemble du territoire par le dix-huitième amendement (1919). En fait, le « régime sec » provoqua une telle contrebande et de tels excès que F. D. Roosevelt le fit abolir en 1933.

PROJECTEUR → ÉCLAIRAGE.

PROJECTIF → TEST.

PROJECTILE. — L'histoire des projectiles est directement liée à celle de l'armement. Si les pierres, les javelots et les flèches sont les premiers d'entre eux, c'est avec la poudre et l'arme à feu que naissent du XIVe au XVIIe s. les projectiles de l'époque moderne : boulet, obus, balle, grenade, cartouche qui associe la charge de poudre contenue dans un étui à la balle. Quant aux fusées de guerre, ou *roquettes**, nées au Moyen Âge comme projectiles incendiaires, elles réapparaissent sous le premier Empire, puis retombent dans l'oubli jusqu'à la Seconde Guerre mondiale. Le XIXe s. est celui du perfectionnement du canon et du projectile d'artillerie; pendant les deux conflits mondiaux naissent les bombes d'avion, les charges creuses, les roquettes d'artillerie et d'aviation, le « V2 », ancêtre du missile, et en 1945 le premier projectile atomique est lancé. Aujourd'hui on peut grouper les projectiles en service dans les catégories ci-après :

— les *projectiles explosifs,* dont la paroi est en acier et dont la forme avant, en ogive, comprend un œil où se visse la fusée-détonateur, tandis qu'à l'arrière se situe une ceinture en cuivre assurant le forcement du projectile dans le canon. (Certains projectiles ont leur portée accrue par l'adjonction d'un *propulseur* de poudre dit *additionnel,* dont l'ouverture de la tuyère se dégage après le départ du coup; d'autres [mortier] sont dotés d'un empennage arrière à ailettes pour les stabiliser sur leur trajectoire);

— les *projectiles antichars,* qui comprennent les obus perforants, les *projectiles sous-calibrés,* dotés d'un noyau en carbure de tungstène et tirés à grande vitesse initiale (1 500 m/s), et les *projectiles à charge* creuse;*

— les têtes de roquettes* et de missiles*, dont certaines sont dotées d'une charge nucléaire;

— les projectiles spéciaux, conçus pour les effets les plus divers : fumigène, chimique (ou toxique), éclairant, incendiaire, etc.

(V. BALISTIQUE, BOMBE AÉRIENNE, CANON, TIR.)

PROJECTION *(Cartogr.)* → CARTOGRAPHIE.

PROJECTION *(Opt.).* — Les appareils de projection, qui dérivent de la lanterne magique, comportent une source lumineuse, un condenseur, qui en répartit la lumière sur la surface de l'image à projeter et en avant duquel est placé le passe-vues, et enfin un objectif placé à l'avant de l'appareil, qui reproduit sur un écran l'image, plus ou moins agrandie.

PROJECTION *(Math.).* — La projection d'une figure de l'espace s'effectue soit sur un plan, parallèlement à une droite, soit sur une droite, parallèlement à un plan. Sur un plan (P), la direction Δ des *projetantes* n'étant pas parallèle à (P) et non nécessairement perpendiculaire à (P), un point se projette en un point, une droite suivant une droite et un triangle ABC suivant un triangle A′B′C′ non égal, en général. Un segment se projette suivant un segment égal s'il est parallèle au plan de projection. De façon générale, une figure plane se projette en vraie grandeur si elle est contenue dans un plan parallèle au plan (P).

La *géométrie descriptive* utilise deux plans de projection rectangulaires, et une figure est représentée par ses deux projec-

Projection sur un plan.

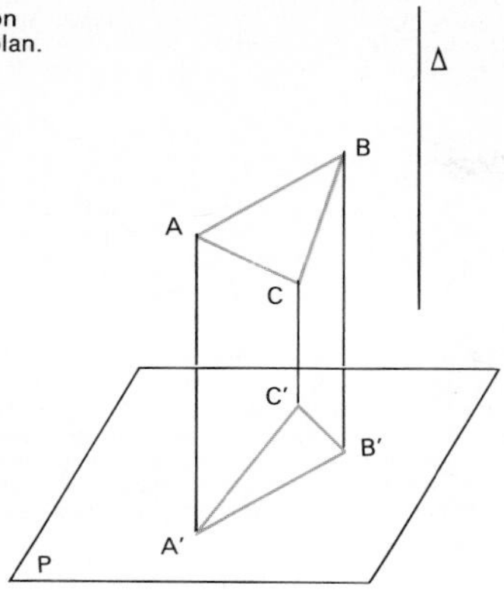

tions. L'ensemble de ces représentations est une *épure.* La *géométrie cotée* utilise un plan de projection sur lequel la cote de chaque point projeté est indiquée.

PROJECTION *(Psychan.).* — La projection est un mécanisme de défense* auquel fait appel la psychanalyse* pour rendre compte de phénomènes aussi bien normaux que pathologiques. En effet, le rejet sur autrui, par le sujet, de ce qui lui appartient en propre, mais qui le perturberait s'il le reconnaissait pour sien, est un processus très général. Couplé avec l'introjection*, la projection joue un rôle essentiel dans le développement psychique, au moment de la différenciation entre le moi et le monde extérieur; ce qui est expulsé est le mauvais. D'autre part la projection à l'extérieur des excitations internes (v. PULSION) trop intenses permet au sujet de les fuir; c'est ce qui se passe dans la phobie*. La projection joue aussi un grand rôle dans la paranoïa*.

PROJECTION VOLCANIQUE → VOLCAN.

PROJET DE LOI → PARLEMENTAIRE *(régime).*

PROKHOROV (Aleksandr Mikhailovitch), physicien soviétique (Atherton, Australie, 1916). Il a étudié les problèmes de spectroscopie hertzienne et les phénomènes de résonance magnétique dans les cristaux. (Prix Nobel de physique, 1964.)

PROKOFIEV (Sergueï Sergueïevitch), compositeur et pianiste russe (Sontsovka 1891 - Moscou 1953). Il commença sa carrière en Russie, où il fit figure d'enfant terrible (concertos pour piano n° 1 et n° 2, 1912-13; *Suite scythe,* 1915; ballet *Chout,* 1920), puis passa en Occident quinze années (1918-1933), qui furent à la fois ses plus fécondes et ses plus originales (opéras *l'Amour des trois oranges* [1919] et *l'Ange de feu* [1927], ballets *le Pas d'acier* [1925] et *le Fils prodigue* [1928]). Dans sa période « soviétique », il se replia progressivement vers le néoromantisme, voire vers le folklorisme, quoique, avec le recul, la rupture apparaisse moins nette (ballet *Roméo et Juliette,* 1936; musique pour le film *Alexandre Nevski,* 1938). Il reste un des plus grands musiciens de la première moitié du XXe s. par sa puissance rythmique, l'ampleur de sa veine mélodique et la richesse de sa palette orchestrale (sept symphonies, concertos, sonates, opéras, ballets).

PROKOPIEVSK, v. de l'U. R. S. S. (R. S. F. S. de Russie), en Sibérie, dans le Kouzbass; 275 000 hab.

PROKOSCH (Frederic), écrivain américain (Madison, Wisconsin, 1908). Son œuvre, marquée de cosmopolitisme et de recherches formelles, unit les romans picaresques aux récits d'inspiration fantastique (*les Asiatiques,* 1935; *la Tempête et l'écho,* 1948; *Mon immense Amérique,* 1972).

Prolégomènes ou Discours sur l'histoire universelle (en ar. *al-Muqaddima*), ouvrage d'Ibn Khaldūn, qui constitue le début du *Livre des exemples historiques.* La première partie porte sur la méthode de l'histoire et la valeur de l'histoire comme savoir; les parties II et III retracent l'histoire des Arabes et des Berbères.

Proletkoult (abréviation d'une expression signifiant « culture prolétarienne »), mouvement littéraire russe, né en 1917 et animé par des théoriciens comme Bogdanov et des poètes comme Guerassimov. Il se donnait pour tâche de favoriser l'apparition d'une littérature accessible au peuple. Mais il entra rapidement en conflit avec le parti communiste et fut placé (1920) sous la surveillance du commissariat à l'Éducation.

PROME, v. de Birmanie, sur l'Irrawaddy; 65 000 hab.

PROMÉTHÉE, personnage de la mythologie grecque, de la race des Titans*, initiateur de la première civilisation humaine. Il déroba dans le ciel le feu sacré et le transmit à l'humanité. Zeus le condamna à être enchaîné sur le Caucase, où un aigle lui rongeait le foie, qui repoussait sans cesse; Héraclès* tua l'oiseau d'une flèche et délivra Prométhée. Le mythe de Prométhée a inspiré dans l'Antiquité Hésiode, Eschyle et dans les temps modernes de nombreux écrivains, dont Goethe, Shelley, Gide.

Prométhée enchaîné, tragédie d'Eschyle (apr. 467 av. J.-C.).

PROMOTION IMMOBILIÈRE. — Toute convention aux termes de laquelle une personne s'engage envers une autre, le « maître de l'ouvrage », à faire procéder à la construction d'un immeuble (à usage d'habitation ou à usage mixte [habitation et usage professionnel]), mais autrement que comme vendeur, architecte ou entrepreneur, entre dans la réglementation du contrat de promotion. C'est un « mandat d'intérêt commun », par lequel le « promoteur » s'oblige envers le maître de l'ouvrage à s'employer à faire construire l'immeuble pour un prix convenu. Le promoteur est *garant* de l'accomplissement des obligations, qui sont à la charge de ceux avec lesquels il a traité au nom du maître de l'ouvrage. Sa mission s'achève à la livraison de l'ouvrage, les comptes étant définitivement arrêtés entre le maître de l'ouvrage et lui-même.

PRONY (Marie RICHE, *baron* DE), ingénieur français (Chamelet, Lyonnais, 1755 - Asnières 1839). Entre 1805 et 1812, il entreprit l'amélioration de nombreux canaux, la transformation des ports de Dunkerque, de Gênes, d'Ancône, de La Spezia, de Venise ainsi que la régularisation du cours du Pô. Il imagina le frein dynamométrique (1821) auquel son nom est resté attaché. En 1822, avec Arago*, il mesura la vitesse du son dans l'air.

PROPAGANDE. — Technique de suggestion et de persuasion collective, la propagande, au service d'une doctrine, d'une idéologie, d'un parti, d'un régime politique, est caractérisée aujourd'hui par la puissance de ses moyens (mass media), mais aussi par la manipulation des groupes et l'application de techniques dérivant de la psychologie ou de la sociologie. Elle cherche moins à modifier des opinions qu'à obtenir très rapidement l'adhésion en vue d'une action concrète.

Propagandes, ouvrage de Jacques Ellul (1962), dans lequel l'auteur soutient que la propagande existe avant le propagandiste. Selon lui, l'homme moderne, isolé et perdu dans une foule anonyme, est une proie facile pour les propagandes diffusées de façon continue par les media. Loin d'être victime du propagandiste, il apparaît comme le complice, voire la cause de la propagande. D'où ce réquisitoire lancé contre certains aspects de la société moderne : la désagrégation des groupes organiques, le conformisme et la surinformation comme support de l'idéologie.

PROPANE → DISTILLATION DU PÉTROLE, GAZ, STOCKAGE, VAPOCRAQUAGE.

PROPANIER → TRANSPORTEUR DE GAZ.

PROPENSION. — Ce terme, dans la théorie économique, marque une relation entre le volume de la consommation* et l'importance du revenu monétaire qui lui donne naissance. On distingue : la *propension moyenne à consommer,* ou rapport entre le montant de la consommation et le montant du revenu d'un individu, d'un ménage, d'une institution; la *propension marginale à consommer,* ou rapport entre un *accroissement* de la consommation et une augmentation du revenu qui la provoque. À l'intérieur d'une population, la propension moyenne à consommer varie avec l'importance du revenu, ne diminuant d'une manière sensible qu'avec les gros revenus (dégagement d'une épargne); la propension marginale, elle, varie en sens inverse des revenus.

La *propension à l'épargne* a été étudiée par J. M. Keynes* : celui-ci tend à nier l'importance du taux d'intérêt quant à la détermination de la *propension à épargner,* qui est, selon lui, déterminée avant tout par l'importance du revenu (on épargne d'autant plus que l'on a des revenus élevés).

PROPERCE, écrivain latin (en Ombrie v. 47 - † v. 15 av. J.-C.), auteur d'*Élégies* imitées des poètes alexandrins.

PROPERGOL. — Contrairement à un moteur* aérobie, c'est-à-dire qui utilise l'oxygène de l'air, un moteur-fusée doit emporter avec lui le carburant* et le comburant* nécessaires à la création, dans la chambre* de combustion, de la réaction chimique qui libérera l'énergie utilisée pour la propulsion*. Carburant et comburant sont appelés des *ergols,* et l'ensemble des deux *propergol.* Par une réaction chimique analogue à une combustion*, un propergol fournit un débit régulier de gaz chauds sans avoir besoin d'air pour être l'objet de cette combustion, car il renferme à la fois le combustible et le comburant. Certains propergols constitués par un liquide unique, comme le nitrométhane, sont appelés *monergols;* mais on utilise plus souvent des *diergols,* c'est-à-dire des couples de deux liquides, enfermés jusqu'à leur réaction dans deux réservoirs différents et dont l'un est un combustible (hydrocarbure, hydrogène*) et l'autre un comburant (peroxyde d'azote, oxygène* liquide...). Les propergols solides, dont la composition chimique est analogue à celle d'une poudre* propulsive, se présentent sous forme de blocs pesant parfois plusieurs tonnes.

PROPHARMACIEN → PHARMACIEN.

PROPHÈTES BIBLIQUES. — Le prophète est celui par qui se manifeste la volonté divine, le porte-parole de la divinité tant pour le présent que pour l'avenir. Le phénomène prophétique apparaît en Israël au cours des XIe-Xe s. av. J.-C., mais il n'est pas un fait isolé; les fouilles de Mari* et des documents égyptiens apportent un important témoignage de l'existence de manifestations prophétiques dans le Proche-Orient entre les XXe et XVIIe s. av. J.-C.

Dans l'histoire du prophétisme en Israël, on distingue deux époques : celle des prophètes de profession et celle des prophètes de vocation. À partir du XIe s. av. J.-C. apparaissent des guildes, ou confréries, de prophètes vivant à proximité des sanctuaires de Yahvé. Ces confréries s'organisent au IXe s. au temps d'Élie* et d'Élisée*, vivent sous la direction d'un «père»; on leur témoigne beaucoup de respect, et les rois et le peuple les consultent volontiers. Les prophètes auront dans la lutte contre la dégradation religieuse et morale du peuple hébreu un rôle déterminant jusqu'à la tourmente de 587 av. J.-C. (prise de Jérusalem*), date à laquelle ils disparaissent.

Mais c'est à une autre catégorie d'inspirés qu'Israël devra l'approfondissement (et non pas seulement le maintien) de sa tradition religieuse. Ces prophètes, qui apparaissent au VIIIe s. av. J.-C., n'appartiennent pas à une communauté prophétique : ils sont appelés par vocation personnelle, et c'est à eux que l'on pense d'abord quand on parle des prophètes bibliques. La tradition, qui a conservé leurs oracles, les a classés en «grands» et en «petits» prophètes. Les trois grands sont Isaïe*, Jérémie*, Ezéchiel*, auxquels la tradition chrétienne joint Daniel*, les douze petits, Osée, Joël, Amos, Abdias, Jonas, Michée, Nahum, Habacuc, Sophonie, Aggée, Zacharie, Malachie. Leur message a déterminé les lignes maîtresses de la pensée religieuse de l'Ancien Testament : le monothéisme et la doctrine de l'ancienne alliance, points fondamentaux du credo israélite, les grands impératifs moraux, l'espérance des temps nouveaux avec la venue du Messie. Le christianisme verra en Jésus le Messie attendu, qui réalise par sa personne et son œuvre les oracles des prophètes.

PROPHÉTISME → DIVINATION.

PROPHYLAXIE. — L'hygiène, la médecine du travail et les vaccinations constituent les éléments essentiels de lutte préventive contre les maladies. Selon les pays et les époques, les efforts se portent sur telle ou telle maladie particulièrement répandue. Ainsi, en Europe, la prophylaxie de la tuberculose par dépistage précoce, par isolement et traitement des malades, par vaccination par le B.C.G. et par traitement des primo-infections a considérablement réduit l'endémie tuberculeuse. Ainsi, dans les pays tropicaux, la lutte contre le paludisme repose sur la destruction des moustiques vecteurs et sur la prise préventive d'antipaludéens de synthèse.

PROPIONIQUE (acide). — C'est un liquide huileux, à odeur de chou aigre, miscible à l'eau et qui bout à 141 °C.

PROPONTIDE, appellation ancienne de la mer de Marmara*.

PROPORTION. — Une proportion est l'égalité de deux rapports : $\frac{a}{b} = \frac{c}{d}$. On forme un rapport égal en multipliant les deux termes d'un même rapport par un même nombre et en ajoutant les numérateurs ainsi obtenus entre eux et les dénominateurs entre eux :

$$\frac{a}{b} = \frac{c}{d} = \frac{ma + nc}{mb + nc}.$$

Ce procédé permet de résoudre des systèmes simples d'équation. Pour résoudre par exemple le système $\frac{x}{2} = \frac{y}{3}$, $x + y = 10$, on pose $\frac{x}{2} = \frac{y}{3} = \frac{x + y}{2 + 3} = \frac{10}{5} = 2$; d'où $x = 4$ et $y = 6$.

De façon générale, les nombres $x_1, x_2, ..., x_n$ sont directement proportionnels aux nombres $y_1, y_2, ..., y_n$ si $\frac{x_1}{y_1} = \frac{x_2}{y_2} = ... = \frac{x_n}{y_n}$. La grandeur x est *proportionnelle* à la grandeur y si le rapport des mesures de x et de y est constant.

PROPOSITION DE LOI → PARLEMENTAIRE *(régime).*

PROPOSITIONS *(calcul des).* — Le calcul propositionnel est l'étude des connexions entre propositions inanalysées. «Les propositions ne comprennent que les énoncés qui sont vrais et ceux qui sont faux» (R. Blanché). On définit le connecteur unaire «$\neg$» (négation), les connecteurs binaires «$\vee$» (disjonction), «$\wedge$» (conjonction), «$\supset$» (implication*), «$\equiv$» (équivalence). La définition «opératoire» de ces connecteurs est obtenue à partir des tables de vérité, qui établissent la valeur de vérité de $p \vee q$, $p \wedge q$,... à partir de la valeur de vérité des lettres p et q. L'examen des tables de vérité permet, en outre, de distinguer une classe de propositions «valides» (ou «identités», ou encore «tautologies») : celles qui prennent la valeur vraie pour toute distribution de valeurs de vérité sur les propositions inanalysées qui la composent (exemple de tautologie : $p \equiv p$ [principe d'identité]).

PROPRÉTEUR. — Magistrat romain, le propréteur était généralement un préteur* sortant de charge auquel on confiait le gouvernement d'une province*. Le premier fut créé en 241 av. J.-C. Sous l'Empire, les gouverneurs de provinces impériales portaient le titre de *legati Augusti propraetore* (légats propréteurs).

PROPRIANO (20110), comm. de la Corse-du-Sud, sur le golfe de Valinco, à 12,5 km au N.-O. de Sartène; 2 942 hab. Centre touristique.

PROPRIÉTÉ (droit de). — Le droit de propriété a été défini dans le Code civil français par le célèbre article 544, aux termes duquel «la propriété est le droit de jouir et disposer des choses de la manière la plus absolue, pourvu qu'on n'en fasse pas un usage prohibé par les lois ou par les règlements». Le droit de propriété, considéré comme sacro-saint dans l'esprit du législateur du XIXe siècle, a subi depuis de multiples restrictions et atteintes.

PROPRIÉTÉ INDUSTRIELLE. — On peut grouper sous l'appellation de *propriété industrielle* l'ensemble des droits incorporels attachés à l'exercice d'une profession industrielle ou commerciale, parmi lesquels on peut notamment citer les *brevets,* les *dessins,* les *marques,* les *titres,* l'*enseigne* et le *nom commercial.*

Le *brevet d'invention* est, en France, un titre délivré par l'Institut national de la propriété industrielle [I. N. P. I.] et qui permet au titulaire d'exploiter à titre exclusif une invention à caractère industriel. La loi du 2 janvier 1968 régit actuellement la matière des brevets. L'invention peut porter notamment sur la naissance d'un produit nouveau ou sur un procédé nouveau de fabrication d'un produit déjà existant. Deux titres peuvent être sollicités : le *brevet d'invention* et le *certificat d'utilité;* le brevet d'invention accorde au titulaire un monopole d'exploitation de vingt ans et le certificat d'utilité lui en accorde un de six ans. (Le brevet peut être vendu ou concédé à un exploitant contre une redevance.)

La *marque* est constituée par un signe distinctif. Il faut qu'il y ait nouveauté dans le secteur concerné; le signe distinctif ne doit pas induire en erreur et la nouveauté ne doit pas être contraire à l'ordre public. La marque s'acquiert par son dépôt. Son enregistrement est effectué au registre national des marques. La marque peut être cédée ou son usage concédé. Le détenteur de la marque peut faire réprimer les atteintes portées à celle-ci.

Les *dessins* et les *modèles* sont protégés lorsqu'ils sont réellement représentatifs d'une nouveauté et régulièrement déposés. Le dépôt est effectué au conseil de prud'hommes ou au tribunal de commerce.

PROPULSION NUCLÉAIRE. — Ce type de propulsion utilise l'énergie* produite par la fission* d'éléments radioactifs, le réacteur* nucléaire remplaçant la chaudière* à vapeur ou le générateur à gaz. Il est apparu sur les navires militaires, puis sur les bâtiments civils; mais il peut être aussi utilisé pour le lancement des missiles* et des fusées*. En navigation maritime, l'avantage majeur de la propulsion nucléaire est, d'une part, de réduire considérablement le poids et l'encombrement du chargement du navire en combustible*, et, d'autre part, d'augmenter dans d'énormes proportions son autonomie. Pour ses voyages, aller et retour, du Havre à New York, le paquebot *France* (50 000 t) brûlait 6 000 t de mazout, alors que le porte-avions américain *Enterprise* (86 000 t) consomme moins de 3 kg d'uranium* enrichi pour le même voyage, à la même vitesse. C'est donc sur le plan militaire que la propulsion nucléaire présente les plus grands avantages, et c'est pourquoi les premières réalisations sont apparues dans ce domaine; pour les sous-marins*, la propulsion nucléaire supprime toute limitation de durée de plongée par épuisement de combustible, les réacteurs nucléaires pouvant fonctionner plusieurs années avec la même charge. Toutefois, elle présente encore des sujétions qui ne sont pas entièrement résolues et qui tiennent au fait que la taille optimale des réacteurs est mal connue, que les prix des réacteurs sont encore incertains, que les précautions écologiques à prendre ne sont pas définies et que la réglementation internationale est inexistante dans ce domaine.

PROPULSION PAR RÉACTION. — On appelle «propulsion par réaction» un ensemble de systèmes dans lesquels la force propulsive est produite par l'éjection vers l'arrière d'une masse de fluide. Un exemple en est donné par le tourniquet de jardin, qui est mis en rotation par l'éjection en sens opposé d'un jet d'eau sous pression. Deux cas sont à considérer. Le système soit emporte avec lui toute la matière éjectée (c'est le cas du *moteur-fusée*), soit prélève de l'air à l'extérieur et lui communique un accroissement d'énergie par apport de chaleur par combustion (c'est le cas du turboréacteur et du statoréacteur). La poussée d'un propulseur à réaction est égale au produit du débit-masse de fluide éjecté par la différence entre la vitesse de sortie et la vitesse d'entrée, qui est nulle dans le cas où tout le fluide éjecté provient de l'intérieur du système. Le rendement propulsif est d'autant plus proche de l'unité que la vitesse d'éjection des gaz est plus voisine de la vitesse de déplacement. La puissance propulsive est le produit de la poussée par la vitesse de déplacement; elle dépend donc de cette dernière et ne peut, en conséquence, servir à caractériser un propulseur, contrairement à ce qui se passe pour un moteur à pistons ou un turbopropulseur.

PROPYLÈNE. — Second terme de la série des hydrocarbures à double liaison (oléfines*), après l'éthylène*, le propylène, $CH_3—CH=CH_2$ (gaz incolore), est, lui aussi, une base pétrochimique très réactive, dont on tire de nombreux produits organiques : par hydratation, l'*isopropanol* et, à travers lui, l'*acétone**; avec l'ammoniac*, l'*acrylonitrile,* qui sert à fabriquer le Nylon; par oxydation, l'*oxyde de propylène,* source de fibres artificielles et de plastiques; avec le benzène*, le *cumène,* intermédiaire du *phénol**; etc. Bouillant à − 48 °C, il est obtenu à l'état gazeux, en même temps que l'éthylène*, par vapocraquage* de produits pétroliers. Il se polymérise facilement pour donner un plastique très résistant, le *polypropylène,* $(C_3H_6)_n$, utilisé dans la fabrication de cordages et d'objets moulés durs.

Proscrits *(les),* film suédois de Victor Sjöström (1917). Fuyant une société moralisatrice qui réprouve leur conduite, une riche veuve et son amant, un vagabond, gagnent les hautes montagnes de l'Islande. Traqués par un bailli jaloux, ils vivent en reclus avant de mourir ensevelis sous une tempête de neige. Un récit dépouillé où les décors naturels jouent un rôle primordial. L'une des premières grandes réussites du cinéma suédois muet.

PROSERPINE, nom sous lequel était vénérée à Rome la déesse grecque Perséphone*.

PROSOBRANCHES. — Les prosobranches constituent la plus nombreuse en espèces des trois sous-classes de gastropodes. Ils se définissent par la position antérieure de leurs branchies. La plupart des gastropodes marins (ormeau, patelle, bigorneau, porcelaine, buccin, etc.) sont des prosobranches, mais la sous-classe comprend aussi quelques formes terrestres (cyclostome).

PROSODIE. — Branche de la phonologie, la prosodie étudie les phénomènes (ou traits) suprasegmentaux (accent tonique, intonation, degré d'allongement d'un son). Ces traits phoniques affectent des séquences de la chaîne parlée qui sont soit inférieures au phonème (les mores, qui ont la durée d'une brève), soit plus souvent supérieures (la syllabe, le mot ou la phrase). Les progrès réalisés en phonétique acoustique permettent une étude de plus en plus précise de ces phénomènes.

PROSPECTION *(Pétr.).* — Très empirique à ses débuts, la prospection pétrolière fait maintenant appel à la connaissance sous toutes ses formes du sol (géophysique), de la mer (offshore*) et de l'espace (satellites*) pour déterminer les structures potentielles avant de procéder aux coûteux forages* de reconnaissance.

• Les recherches partent des données géologiques connues, de photos prises d'avion ou de satellite et, plus rarement, d'un contact direct, car les mers, les glaces, les déserts et les forêts impénétrables couvrent les neuf dixièmes du globe. Comme le pétrole* se trouve piégé dans des sables et des roches sédimentaires peu ou non magnétiques, on obtient une première idée des contours souterrains en mesurant à partir d'un avion les variations d'intensité du magnétisme* terrestre : c'est la *magnétométrie* aéroportée. De même, l'intensité *g* de la pesanteur* varie non seulement avec la latitude, mais avec la densité du sous-sol : elle est plus faible pour les roches sédimentaires ou les dômes de sel et plus forte lorsque le socle cristallin se rapproche de la surface; elle se mesure avec une grande précision par la *gravimétrie**, qui peut être terrestre, marine ou aéroportée. La connaissance du sol comporte encore la mesure du champ* électrique et de la radioactivité* naturelle (*radiométrie* aéroportée) ainsi que de la réactivité chimique et biologique du terrain prospecté. La plus importante des techniques d'auscultation géophysique est la *méthode sismique,* dans laquelle de petits séismes artificiels, généralement obtenus par des décharges d'explosifs, déclenchent des ébranlements qui se propagent en trains d'ondes* sonores dans le sous-sol, ricochent sur les diverses couches géologiques et reviennent à la surface, plus ou moins atténués, pour être captés par des micros spéciaux (géophones ou hydrophones). En mesurant le temps et la distance horizontale parcourue par les ondes, on peut calculer la profondeur des « miroirs » sur lesquels celles-ci se sont réfléchies, tandis que l'amplitude des échos perçus dépend de l'élasticité des roches traversées. Dans cette *sismique-réflexion,* les charges explosives sont faibles et proches des géophones; en *sismique-réfraction,* on utilise plusieurs tonnes de dynamite, et une partie des ondes, déviées à chaque changement de couche souterraine, se réfracte de proche en proche pour regagner la surface à 10 ou 20 km de distance. Ces méthodes, qui permettent de dresser des cartes précises du sous-sol, ont été adaptées à l'offshore : en *sismique marine,* les points de tir et d'enregistrement sont déterminés par radiolocalisation et la profondeur d'eau par sonar. La protection du milieu écologique peut interdire les explosifs, auxquels on substitue une décharge électrique, une détente d'air comprimé ou de vapeur, l'explosion d'un mélange

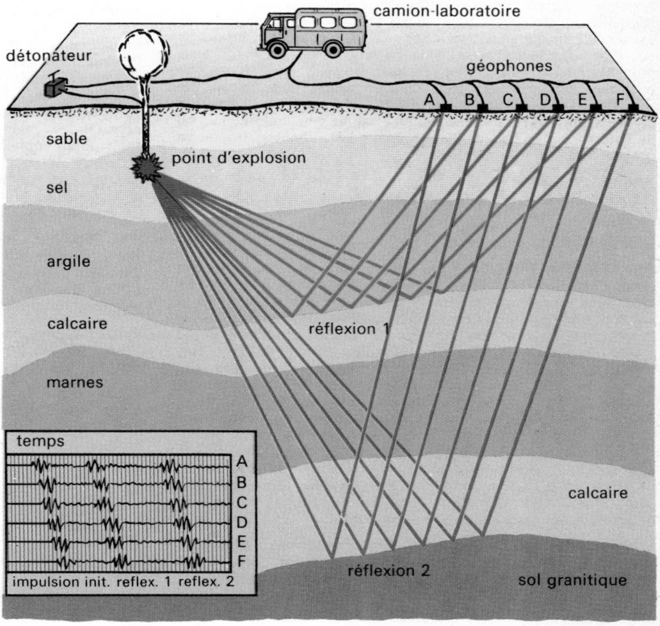

PROSPECTION

Exploration par la méthode sismique par réflexion avec un spécimen de la bande d'enregistrement de l'impulsion initiale, de la première réflexion et de la seconde réflexion fournies par les géophones.

gazeux détonant ou encore le choc de grandes cymbales. Les hydrophones sont disposés le long d'un câble flottant remorqué par un navire laboratoire.

• La deuxième phase de la prospection pétrolière fait appel au forage* de puits de reconnaissance pour vérifier les présomptions fournies par l'approche de surface et, en cas de découverte d'un gisement*, déterminer la taille de celui-ci. Au fur et à mesure de la pénétration du trépan dans le sous-sol, la boue de circulation ramène des rognures, dont l'examen décèle l'identité des roches forées. De temps à autre, on remonte une *carotte,* dont l'âge exact est donné par la paléontologie. Le carottage électrique consiste à descendre au fond du puits vide, après la remontée du train de tiges pour changer le trépan, des instruments de précision, qui mesurent la résistivité*, la conductivité*, le potentiel*, la radioactivité et la vitesse du son* dans la roche atteinte. Tous ces renseignements sont ensuite traités sur ordinateurs* pour donner une *diagraphie* du puits, représentation graphique qui complète le diagramme lithologique des couches successivement traversées. La profondeur à laquelle peut se trouver une couche productrice est hors d'atteinte des techniques de forage actuelles si elle dépasse 10 km.

La prospection pétrolière dans le monde, ralentie à la suite de la découverte d'immenses réserves au Moyen-Orient, a repris depuis que le quadruplement du prix du pétrole brut, en 1974, a rentabilisé les recherches les plus coûteuses, comme celles de l'Arctique et de l'offshore.

PROSPER d'Aquitaine *(saint),* théologien gaulois (près de Bordeaux v. 390-† entre 455 et 463). Il défendit contre les semi-pélagiens la doctrine de saint Augustin* sur la grâce et la prédestination*.

PROSTAGLANDINE. — Les prostaglandines, présentes dans divers tissus, ont une action sur la contraction des muscles lisses, sur le cœur, la tension artérielle et sur les métabolismes. De grands espoirs sont suscités par la possibilité de leur emploi en gynécologie (accouchements, douleurs, contraception) et en médecine générale (traitement de l'hypertension).

PROSTATE. — Cette glande, qui, chez l'homme, entoure l'urètre à sa sortie de la vessie, joue un rôle essentiel dans la formation du sperme. Sa sécrétion se mélange, au moment de l'éjaculation, aux spermatozoïdes très concentrés, provenant des canaux déférents; elle les dilue et les active, leur conférant leur grande mobilité.

La prostate peut être le siège d'infections (prostatites) d'origine vénérienne (gonocoque) ou banale (staphylocoque, colibacille). L'adénome de la prostate, fréquent chez l'homme après la soixantaine, se révèle par des troubles de la miction allant jusqu'à la rétention aiguë d'urine. On le traite par l'adénomectomie ou par la résection endoscopique. Le cancer de la prostate peut produire des signes analogues, parfois des hématuries (sang dans les urines).

PROSTITUTION. — La législation française de 1946 a aboli le système antérieur d'une prostitution « officielle » — encadrée, surveillée et réglementée — en en faisant une institution sans existence juridique et ne tombant pas sous le coup de la loi pénale elle-même. Dans l'état actuel de la législation française, le fait de se prostituer ne constitue plus, en soi, un délit, mais des textes nombreux répriment des délits d'accompagnement de la prostitution : outrage public à la pudeur, attitude sur la voie publique propre à provoquer la débauche, racolage de personnes de l'un ou de l'autre sexe en vue de les provoquer à la débauche et délit de proxénétisme*.

PROTACTINIUM. — Découvert en 1918, son isotope 231 se désintègre spontanément en donnant une particule alpha et de l'actinium.

PROTAGORAS → SOPHISTES.

PROTECTION CIVILE. — Le *Service national de la protection civile,* devenu en 1975 *Direction de la sécurité civile,* a été créé en 1951 pour assurer notamment la prévention des accidents et la protection des personnes et des biens ainsi que pour donner l'alerte et organiser les secours. Comme le *Conseil supérieur de la protection civile,* cette Direction dépend du ministre de l'Intérieur, responsable de la *défense civile.* Pour remplir ses missions, elle dispose des corps de sapeurs-pompiers*, renforcés, en cas de crise, par des unités du *corps de défense de la protection civile,* créé en 1972, et elle peut compter sur le concours de nombreux organismes publics et privés (armées, gendarmerie, médecins, police, secouristes bénévoles...). Dans chaque département, le préfet est assisté d'un *directeur départemental de la protection civile* et peut, en cas de catastrophe, déclencher le plan d'organisation des secours (dit *plan ORSEC*), qui lui permet de mobiliser tous les moyens en hommes et en matériels de son département.

PROTECTION DE LA NATURE. — La destruction par l'homme des espèces animales et végétales, des eaux, des sols et des paysages est aussi ancienne que l'homme lui-même, mais elle a pris depuis quelques années une ampleur des plus inquiétantes. La nécessité d'une protection juridique de la nature est devenue de plus en plus évidente. Elle s'est traduite dans divers pays par des initiatives publiques et privées de plusieurs sortes. La plus précise de ces initiatives est la création de *parcs nationaux* et de *réserves naturelles intégrales,* lieux privilégiés où les actes de destruction (chasse, pêche, abattage des arbres, etc.) sont interdits et où les dégâts involontaires eux-mêmes sont, en principe, évités. Les plus anciens de ces parcs se trouvent aux États-Unis (Yellowstone, 1872; Yosemite, 1890), mais les plus vastes sont en Afrique noire.

Les mesures protectrices concernent la réglementation en tous lieux de la chasse, de la pêche, du pâturage (chèvres), de l'exploitation forestière, le respect des sites et des paysages, la lutte contre la pollution*, etc. Mais ces mesures, insuffisantes et mal appliquées, contrebattues par de puissants intérêts financiers, sont loin d'avoir aujourd'hui l'efficacité nécessaire pour mettre fin à la destruction par l'homme de la planète sur laquelle il se propose de vivre longtemps.

La loi française du 10 juillet 1976 pose le principe de la protection des espaces naturels, des paysages et des espèces, confiée à la garde de chacun; elle dispose que les travaux d'aménagement entrepris par les collectivités publiques doivent protéger l'environnement, prend des dispositions pour assurer la protection de la faune, de la flore, des réserves naturelles et des espaces boisés, et prévoit des mesures pénales en cas d'infraction.

PROTECTION ÉLECTRIQUE. — Une protection doit être rapide, indépendante du réseau* d'alimentation, autonome et sélective. Sur les réseaux, les défauts contre lesquels on doit se protéger sont les surintensités, les courants de court-circuit*, les coups de foudre*. Les contacteurs et les récepteurs doivent être protégés en plus contre les échauffements. Les dispositifs protecteurs des réseaux sont disposés au départ d'une artère ou au point de raccordement de plusieurs artères. La protection des machines synchrones se fait par relais à maximum de courant ou de tension pour les défauts de masse du stator et par protection différentielle longitudinale contre les défauts entre phases. Dans le cas des machines asynchrones, on utilise des relais à champ tournant contre l'inversion de phase et contre la coupure des phases. La protection des transformateurs* est réalisée par relais type Buchholz contre les défauts internes des transformateurs à huile et par thermostat contre l'élévation anormale de température. Les batteries de condensateurs* sont garanties des défauts internes par protection différentielle. La protection d'un réseau à moyenne tension se fait par relais homopolaire à courant résiduel et par disjoncteurs contre les courts-circuits. Dans les postes* d'interconnexion, on élimine les défauts des jeux de barre de façon sélective par relais directionnel, qui déboucle instantanément le jeu des barres. Dans les postes blindés, il n'y a pratiquement pas de défaut d'isolement. La protection des lignes* aériennes se fait par disjoncteurs sur poteaux et interrupteurs aériens à commande automatique. Sur ces lignes, le facteur le plus important est le temps maximal d'élimination du défaut (0,2 à 0,6 s).

PROTECTION MATERNELLE ET INFANTILE (P. M. I.). — On appelle ainsi l'ensemble des mesures destinées à assurer la protection de la santé de la mère au moment de la naissance et de l'enfant nouveau-né ou en bas âge. Le service de la P. M. I. est un service départemental géré, sous le contrôle du conseil général, par le directeur de la Santé. Les femmes enceintes bénéficient d'une surveillance médicale, assurée notamment par des consultations prénatales. L'enfant, dès sa naissance, est pourvu d'un carnet de santé; il fait l'objet d'une surveillance médicale assurée à domicile, doit être présenté à des consultations périodiques et à des vaccinations. Au-delà de l'âge de six ans, les enfants passent sous la surveillance du service de contrôle de la santé scolaire et universitaire du ministère de l'Éducation.

PROTÉE. — Ce n'est que dans quelques grottes de Carniole et de Dalmatie que l'on rencontre cet amphibien urodèle serpentiforme, aveugle, décoloré, conservant ses branchies toute sa vie et n'utilisant que rarement ses poumons. À la lumière, le protée se pigmente fortement. Il peut survivre cinq ans sans manger.

PROTÉE, dieu marin de la mythologie grecque. Il avait reçu de Poséidon*, son père, le don de changer de forme à volonté et de prédire l'avenir à ceux qui savaient l'y contraindre.

PROTÉINE. — Les protéines du plasma sanguin sont des *holoprotéines,* formées uniquement de groupements d'acides aminés. L'électrophorèse permet de séparer, par ordre de poids moléculaires croissants, l'*albumine* et les α (alpha), β (bêta) et γ (gamma)-globulines, dont les proportions varient au cours de divers états pathologiques (inflammations, cirrhoses, hémopathies, etc.). La floculation des protéines, dans diverses conditions d'expériences, permet de recueillir des renseignements sur le fonctionnement du foie et sur diverses infections (tests de floculation).

Des protéines complexes, ou *hétéroprotéines,* sont formées par la réunion d'une holoprotéine et d'un groupement prosthétique (ainsi sont formées les chromoprotéines [hémoglobine, chlorophylle], les glycoprotéines [contenant un sucre]) ou par la réunion de nucléotides, molécules formées d'un sucre, d'une base pyrimidique ou purique et d'acide phosphorique (ainsi sont formées les nucléoprotéines, ou acides nucléiques des noyaux cellulaires).

Certaines bactéries ou certains micro-organismes peuvent proliférer sur un substrat pétrolier dont ils tirent leur nourriture. Vers 1960, les recherches se sont tournées vers la sélection de *levures**, de la classe des champignons, susceptibles d'être produites à l'échelle industrielle. Un groupe pétrolier, la BP, a mis au point dans plusieurs pays un procédé de fermentation qui permet d'obtenir un concentré riche en protéines et en vitamines, en partant d'une levure « candida » nourrie avec des hydrocarbures paraffiniques. Après purification, le produit convient pour l'alimentation du bétail.

PROTÉINIQUE. — Les matières plastiques* protéiniques s'obtiennent à partir de protéines* animales (caséine) ou végétales (soja ou maïs), constituées d'aminoacides complexes. On distingue les *protéines fibrillaires* et les *protéines globulaires,* ces dernières étant seules utilisées pour la fabrication des plastiques. La caséine, extraite du lait par acidification ou action de la présure, constitue la matière première principale. Additionnée d'eau et des adjuvants nécessaires (stabilisants, pigments*, colorants), elle forme une masse plastique qui est moulée ou façonnée en demi-produits (jonc, plaque) et qui, dans cet état, est hygroscopique. Les objets façonnés sont durcis par immersion dans le formaldéhyde, ce qui donne une matière thermodurcissable* susceptible d'être usinée, teinte, polie. Outre les objets moulés ou façonnés, les matières protéiniques sont utilisées pour la fabrication de textiles (laine artificielle) par filage d'une solution sodique de protéine, coagulation acide et durcissement par le formaldéhyde.

PROTÉINURIE → URINE.

PROTESTANTISME. — Le terme vient de la « protestation » des États luthériens du Saint Empire à la diète de Spire* de 1529 contre la décision de Charles* Quint restreignant la liberté religieuse. Le protestantisme englobe l'ensemble des communautés chrétiennes issues de la Réforme* du XVIe s. et apparaît comme une Église aux aspects multiples, dont l'unité tient à trois affirmations fondamentales : 1° l'autorité souveraine de la Bible en matière de foi (tout ce qui n'est que tradition humaine est écarté); 2° le salut par la foi, qui est don de Dieu (les œuvres bonnes ne sont pas la cause du salut, elles en sont la conséquence); 3° la force du témoignage intérieur de l'Esprit-Saint, par lequel le croyant saisit non pas dans la lettre, mais dans son esprit la parole de Dieu, qui s'exprime dans les livres saints. Le protestantisme se veut non pas un ensemble doctrinal, mais une attitude commune de pensée et de vie, qui est fidélité à l'Évangile. (V. ÉGLISES PROTESTANTES.)

PROTHALLE. — On appelle *prothalle* ou *gamétophyte* un organisme typiquement végétal, formé de cellules haploïdes (*n* chromosomes), issu de la germination des spores* et portant les organes reproducteurs des deux sexes ou d'un seul. Chez les mousses, toutefois, c'est le gamétophyte qui constitue la plante proprement dite, de sorte qu'on ne le nomme pas un « prothalle ».

PROTHÈSE. — Les prothèses sont faites pour rétablir ou corriger les fonctions d'un organe défaillant ou absent, ou simplement dans un dessein esthétique, pour masquer l'ablation d'une partie du corps ou sa déformation.

Les *prothèses externes* pour membres amputés, consistant en crochets, en pinces de préhension, en main artificielle pour le membre supérieur ou en jambe articulée pour le membre inférieur, permettent de suppléer l'absence du segment absent.

Les *prothèses internes* actuellement utilisées en chirurgie permettent de remplacer certaines articulations (hanche, coude, genou), certaines artères obstruées ou lésées (carotide, aorte) et même les valvules du cœur.

Les appareils de *prothèse auditive* améliorent l'audition des malentendants, et les *lentilles cornéennes* (verres de contact) sont également qualifiées de « prothèses ».

Les *prothèses dentaires* permettent de remplacer une ou plusieurs dents absentes, voire toutes les dents d'une mâchoire. Les prothèses fixes (couronnes, dents à tenon [dit aussi « pivot »], bridges) ne peuvent être mises en place que si le nombre de dents absentes n'est pas trop élevé; dans le cas contraire, on confectionne des prothèses partielles amovibles ou, en cas d'absence totale de dents, des prothèses mobiles totales (dentiers). Certaines prothèses corrigent les défauts d'implantation dentaire en orthodontie, d'autres maintiennent des dents anormalement mobiles en cas de parodontoses, de fractures du maxillaire. Enfin, on peut *implanter* des prothèses (implants) sous la muqueuse, au contact du maxillaire, dans certains cas d'édentation totale.

PROTHÈSE. À gauche, prothèse interne : remplacement de la tête du fémur. À droite, articulation physiologique de genou (type Striède) [Doc. Proteor.].

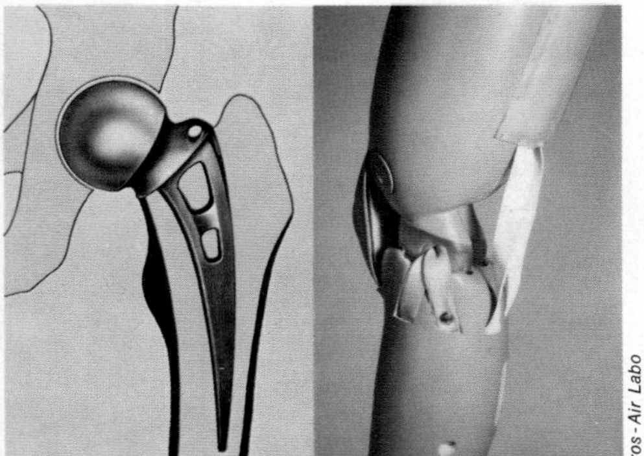

PROTHROMBINE. — Le taux de prothrombine, normalement de 100 p. 100, se trouve abaissé dans certaines affections : maladies de foie, troubles digestifs, hémopathies. On traite cette anomalie par administration de vitamine K. Dans les excès de coagulabilité du sang (phlébites, thromboses, infarctus du myocarde), on administre des anticoagulants, qui abaissent le taux de prothrombine; des mesures répétées permettent de maintenir celui-ci aux environs de 30 p. 100. (V. COAGULATION.)

PROTIDE. — Les molécules azotées complexes, caractéristiques de la matière vivante, résultent du groupement d'acides aminés, qui forment des polypeptides (de poids moléculaire ne dépassant pas 70 000) et des protéines* (de poids moléculaire beaucoup plus élevé). Il existe vingt et un acides aminés essentiels qui entrent dans la composition des protéines spécifiques de chaque espèce et de chaque individu, la synthèse de celles-ci se faisant par actions enzymatiques sous le contrôle de l'acide ribonucléique (A. R. N.).

La désintégration enzymatique des protéines aboutit à la formation de peptones (mélanges de polypeptides et d'acides aminés), dont certaines sont utilisées en thérapeutique.

PROTISTES. — Les progrès de la microscopie font sans cesse découvrir de nouveaux types d'êtres doués de vie, mais dont le minuscule organisme n'est pas divisé en plusieurs cellules*. Profondément différents les uns des autres, ces êtres sont souvent groupés en un « troisième » règne vivant, celui des protistes. (Voir schéma p. 1538.)

classification sommaire des protistes

I. *Procaryotes :* pas de noyau cellulaire nettement délimité.
- Virus* : ne peuvent se multiplier qu'à l'intérieur d'une cellule vivante dont ils sont parasites.
- Mycoplasmes* : à peine plus grands que les virus, capables de se développer sur un milieu de culture.
- Bactéries* : cellule souvent allongée, contenant un chromosome; des phénomènes quasi sexuels.

II. *Eucaryotes :* un noyau séparé du cytoplasme par une membrane.
- Diatomées* et autres algues unicellulaires sans flagelle.
- Flagellés* : cellule munie d'un ou de plusieurs fouets propulseurs (flagelles); souvent chlorophylliens.
- Ciliés* : cellule bordée de nombreux cils propulseurs courts.
- Rhizopodes* : cellule amiboïde sécrétant parfois une coquille calcaire ou siliceuse.
- Sporozoaires* : parasites; dispersion par des spores.

PROTOCATÉCHIQUE (acide). — Il cristallise avec une molécule d'eau et fond, anhydre, à 199 °C, en se décomposant en pyrocatéchine et en gaz carbonique. Il se forme dans la fusion alcaline de nombreuses résines.

PROTOCOCCALES. — Ce sont de petites algues vertes unicellulaires qui couvrent de leur poussière le tronc des arbres, surtout sur la face la plus humide. Certaines espèces sont incluses dans des lichens*; d'autres vivent à l'intérieur des feuilles d'arbre ou dans le plancton des lacs. Les plus remarquables sont les chlorelles*.

PROTOÉTOILE → ÉTOILE.

PROTOHISTOIRE. — Antérieure aux premiers documents écrits, elle correspond, en Europe occidentale, à la durée du IIe millénaire et se prolonge (Gaule) durant le Ier millénaire. Elle prend le relais du néolithique* et a pour caractéristique essentielle l'apparition de la métallurgie du bronze et ensuite de celle du fer, qui, succédant à celle du cuivre (chalcolithique), lui valent l'appellation d'« âge du bronze » et d'« âge du fer ».

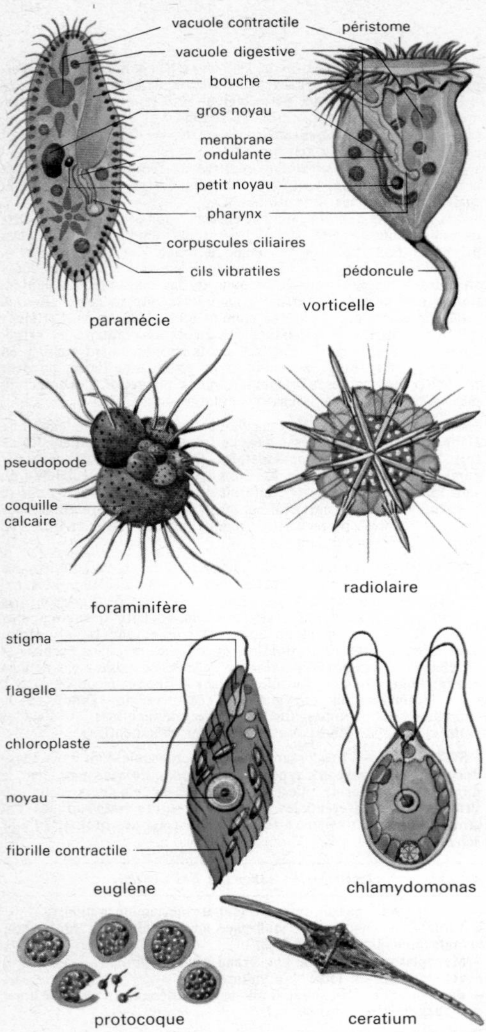

PROTISTES

• *L'âge du bronze.* Si Çayönü* Tepesi représente la plus ancienne utilisation du cuivre, les traces les plus reculées de la fonte véritable et des alliages apparaissent en Iran et en Anatolie vers le Ve millénaire. Plus tard, la civilisation des steppes* et celle de l'Indus* seront aussi des centres très actifs. À partir du IIIe millénaire, le bronze se développe au Moyen-Orient et gagne des centres comme Troie*, Ougarit*, la Crète, les Cyclades et Chypre, pour atteindre l'Europe occidentale, vers 2200 av. J.-C., avec des poignards chypriotes. En France, l'âge du bronze est subdivisé en phases ancienne, moyenne et finale. Les modes de sépultures, très divers (plates, en ciste, en jarre, sous tumulus, ou — comme dans la civilisation des « champs d'urnes » — incinération), permettent de suivre l'évolution des cultures; il en va de même pour les progrès de l'outillage et des alliages, décelés par les analyses spectrographiques d'objets caractéristiques, tels les haches, les épées, les poignards, les épingles, les fibules et les parures, dont les perles d'ambre. En dehors des grands centres urbains des civilisations proche-orientales et minoenne*, l'habitat en village comprend divers types de cabanes en pierre, de maisons d'argile recouvertes de branchages, de palafittes, etc. Les vestiges religieux sont constitués par les derniers menhirs de Bretagne, les nuraghi* de Sardaigne et les pierres dressées de Stonehenge*. Les hommes du bronze, dont les inventions ont profondément modifié l'organisation sociale (spécialisation et probablement caste des forgerons), nous communiquent, grâce à leurs gravures rupestres (Val Camonica en Italie, mont Bégo en France, et Scandinavie), leurs préoccupations, bien différentes de celles du néolithique et fondées sur l'arme, le char, la roue, le cheval et l'araire.

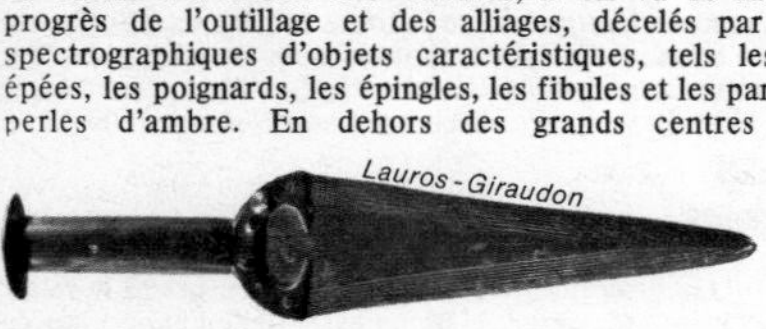

Poignard en bronze, provenant de Mirabel dans la Drôme. Bronze ancien. (Musée des Antiquités nationales, Saint-Germain-en-Laye.)

• *L'âge du fer.* Il se développe dans nos régions entre 750 et 50 av. J.-C. Comme le bronze, le fer est originaire d'Anatolie, où il apparaît vers le XIVe s. av. J.-C., et coïncide avec le déferlement des Peuples* de la mer. Le premier âge du fer (fin VIIIe s. av. J.-C.) a pour station éponyme en Europe, Hallstatt*, gisement important de minerais dès 900 av. J.-C. Les inhumations (tombes à chars rituels et non utilitaires) sont réparties en deux groupes en France : celles de Bourgogne (dites « princières » en raison de la richesse de leur mobilier de style celtique associé à de multiples importations italo-grecques, comme à Vix*) et celles de Franche-Comté, au mobilier moins fastueux. Des oppida fortifiés (la Heuneburg*) tiennent lieu d'habitat. Une étonnante unité stylistique marque cette civilisation, originaire de l'Est, dont l'aire de dispersion (Bohême, Autriche, sud de l'Allemagne et Suisse) est très vaste et dont les rapports avec le monde italo-grec seront toujours suivis.

La Tène* représente le gisement éponyme du second âge du fer, durant lequel les échanges commerciaux avec la Méditerranée se poursuivent, associés à une prédominance du style celtique. L'incinération et l'inhumation coexistent; le monnayage, de très grande qualité, révèle la liberté d'interprétation des Celtes vis-à-vis des modèles grecs. Les sanctuaires de Roquepertuse* et d'Entremont* témoignent des croyances religieuses de cette époque, dont les significations demeurent énigmatiques.

PROTON. — C'est l'un des deux constituants de tous les noyaux atomiques, l'autre étant le neutron*; sa masse est 1 837 fois celle de l'électron. Les protons libres, formés par ionisation de l'hydrogène, peuvent servir de projectiles pour produire des désintégrations et des transmutations d'éléments.

PROTOPTÈRE → DIPNEUSTES.

PROTUBÉRANCE → SOLEIL.

PROTUBÉRANCE ANNULAIRE → CERVEAU.

PROUDHON (Pierre Joseph), théoricien socialiste français (Besançon 1809 - Paris 1865). Issu d'une famille d'artisans-paysans, il doit rapidement abandonner ses études pour gagner sa vie et faire son tour de France : il acquiert alors la conviction que la société industrielle est essentiellement injuste. Établi imprimeur à Besançon, il fréquente les fouriéristes (1836), puis devient journaliste et s'installe à Paris (1838). En 1840, il publie *Qu'est-ce* que la propriété?,* où se manifeste un individualisme teinté d'anarchisme et où il montre que seule la disparition du profit capitaliste et le crédit gratuit (« banque d'échange ») peuvent mettre fin aux

injustices sociales. Ayant rencontré Marx, il se sépare bientôt de lui, l'action révolutionnaire ne lui apparaissant pas comme le moyen essentiel de réforme sociale : à *la Philosophie* de la misère ou Système des contradictions économiques* de Proudhon, Marx répondra par *Misère de la philosophie.* Élu député de la Seine à l'Assemblée constituante (juin 1848), Proudhon essaie, en vain, d'imposer à ses collègues un impôt sur les revenus et son projet de « banque du peuple » ne réussit pas. Ayant échoué aux élections pour la Législative (mai 1840), Proudhon se livre au journalisme *(le Peuple,* puis *la Voix du peuple),* mais les procès de presse le ruinent (1848-1850). L'empire proclamé, Proudhon se marie avec une jeune ouvrière et consacre ses recherches aux problèmes économiques et sociaux. Son ouvrage essentiel — qui lui vaut une condamnation à trois ans de prison, à laquelle il échappe en se réfugiant à Bruxelles — reste *De la justice dans la révolution et dans l'Église* (1858), où, à la religion chrétienne, cet antithéiste oppose la religion du travail. En 1863, amnistié, Proudhon publie *le Principe fédératif,* où s'exprime son hostilité à toute autorité centralisatrice et où il prône le fédéralisme. Son influence se manifestera notamment lors de la Commune* de Paris.

PROUSA → BROUSSE.

PROUSIAS Ier († v. 182 av. J.-C.), roi de Bithynie (v. 229-v. 182 av. J.-C.). Pour sauvegarder l'intégrité territoriale de son royaume, compromise par la guerre qu'il a entreprise contre Pergame*, il livre aux Romains Hannibal*, qui a cherché asile à sa cour et qui, pour échapper à ses ennemis, s'empoisonnera.

PROUSIAS II († v. 149 av. J.-C.), roi de Bithynie (v. 182-Nicomédie v. 149 av. J.-C.), fils du précédent. Après Pydna* (168), il se soumet à la tutelle de Rome et mourra victime de son manque de fermeté politique, assassiné par son fils Nicomède II.

PROUST (Joseph Louis), chimiste français (Angers 1754-*id.* 1826). Il fut l'un des fondateurs de l'analyse par voie humide. Il énonça en 1806 la *loi des proportions définies* et isola le glucose.

PROUST (Marcel), écrivain français (Paris 1871-*id.* 1922). « L'érotisme proustien est aujourd'hui l'érotisme des masses » : cet aphorisme, au premier abord paradoxal, d'un critique contemporain (René Girard dans *Mensonge romantique et vérité romanesque*) exprime à la fois la lucidité et l'actualité de l'œuvre de Proust. Le roman proustien est, en effet, l'aboutissement d'une évolution du genre né avec le *Don* Quichotte* de Cervantès; le roman moderne se fonde sur une structure sociale qu'il met en lumière, bien avant les travaux des historiens, des sociologues et des psychanalystes, la conception « triangulaire » du désir : l'homme est incapable de désirer seul et spontanément; il faut que l'objet de son désir lui soit désigné par un modèle, un médiateur. D'abord lointain (Amadis de Gaule et les romans de chevalerie pour Don Quichotte), ce médiateur finit par se rapprocher (c'est la coterie des snobs chez Proust) jusqu'à devenir, dans notre univers totalitaire et égalitaire, le voisin de palier. À partir de l'étude d'un domaine bien délimité (le petit monde des Verdurin), Proust révèle donc et précise une des lois de fer de la vie moderne : notre existence repose sur l'inauthenticité de nos attitudes; la vérité de notre être social et individuel est la fausse conscience, l'aliénation. Et cette aliénation ne se saisit jamais mieux que dans l'expérience de l'amour (le mot *amour* est le terme le plus fréquemment employé par Proust dans son œuvre, quatre fois plus que les mots *désir, souvenir* et *temps*). Après les moralistes du XVIIe s., après Stendhal et Dostoïevski, Proust montre que, dans la relation amoureuse, toutes les souffrances causées ou subies sont le contrecoup de chimères répétées (les tracasseries de Swann à l'égard d'Odette; la jalousie du Narrateur, qui lui fera perdre Albertine) : au degré extrême de la médiation du désir, il n'est plus nécessaire que le rival-modèle existe réellement (Swann et le Narrateur s'ingénient à introduire

Larousse

Marcel Proust, par Jacques-Émile Blanche (1861-1942). [Coll. privée.]

la vie et l'œuvre

1871	Naissance à Paris, le 10 juillet.
1880	Première crise d'asthme.
1889	Volontariat au 76e régiment d'infanterie à Orléans.
1893	Collabore à la *Revue blanche* et commence à fréquenter la haute société parisienne.
1895	Nommé attaché non rémunéré à la bibliothèque Mazarine. Commence *Jean Santeuil.* Voyage en Bretagne avec Reynaldo Hahn.
1896	*Les Plaisirs et les jours.*
1898	S'engage dans la campagne en faveur de Dreyfus.
1900	Voyage à Venise avec sa mère.
1904	*La Mort des cathédrales* dans *le Figaro.* Traduction de *la Bible d'Amiens* de Ruskin.
1905	Mort de sa mère.
1906	S'installe boulevard Haussmann, où il fait tapisser sa chambre de liège. Traduction de *Sésame et les lys* de Ruskin.
1907	*Sentiments filiaux d'un parricide* dans *le Figaro.*
1908	Commence sa vie de reclus et une étude sur Sainte-Beuve.
1912	*Épines blanches, épines roses* dans *le Figaro,* extrait du livre en gestation dont il arrête le titre *(À la recherche du temps perdu)* et que Fasquelle, puis Gide et la N. R. F. refuseront de publier.
1913	Fait éditer à ses frais *Du côté de chez Swann,* chez Grasset.
1916	La N. R. F. prend en charge l'édition de *la Recherche.*
1919	*À l'ombre des jeunes filles en fleurs,* prix Goncourt. *Pastiches et mélanges.*
1920	*Le Côté de Guermantes.*
1921	Visite l'exposition des peintres hollandais au Jeu de paume, où il a un grave malaise.
1922	*Sodome et Gomorrhe.* Meurt le 18 novembre.
1923	*La Prisonnière.*
1925	*Albertine disparue.*
1927	*Le Temps retrouvé.*
1952	Publication de *Jean Santeuil.*
1954	Publication du *Contre Sainte-Beuve.*

Proudhon et ses enfants, par Gustave Courbet, 1865. (Musée du Petit Palais, Paris.)

dans leur amour tous les éléments de destruction possibles et finissent par plier la réalité à leur songe; le Narrateur voit dans les manifestations de sadomasochisme — la profanation à Montjouvain par Mlle Vinteuil du souvenir paternel, la flagellation de Charlus dans l'hôtel de Jupien — « la comédie passionnée que l'on se joue à soi-même dans une fin magique »). Et le rôle essentiel de la mémoire involontaire, sur laquelle on fonde, après l'auteur, *A* la recherche du temps perdu,* est, en réalité, de permettre la lecture consciente du désir inconscient, qui s'épuise dans des déguisements successifs (l'enfance et son désir mêlé de la paysanne et de Méséglise; la duchesse de Guermantes désirée à travers le mythe de l'aristocratie, Odette à travers la peinture italienne, Rachel confondue avec l'éclat du théâtre, Albertine aimée pour l'angoisse précisément qu'elle fait naître). L'analyse de l'amour par Proust aboutit ainsi à une double vérité humaine et romanesque qui implique une double représentation du Temps : discontinuité d'une vie soumise aux « intermittences du cœur » et vouée à la répétition (Charlus ne voit dans la vie que des situations balzaciennes; le Narrateur se surprend à dire à une passante de Venise « les mêmes choses » qu'à Albertine); unité du temps de l'art, qui, par le retour aléatoire du passé par une faille du présent, retrouve le temps zéro des origines (de l'enfance perdue, temps non encore orienté qui précède l'événement fondateur du mythe personnel) et assure la survie de nos passions apaisées, comme l'image de la mère du Narrateur se fixe à jamais dans les traits « de la femme âgée qu'on voit à Venise dans la *Sainte Ursule* de Carpaccio ».

PROUT (le) → Prut.

PROUT (William), chimiste et médecin anglais (Horton 1785 - Londres 1850). Il montra la présence d'acide chlorhydrique dans le suc gastrique et supposa, en 1815, que tous les éléments chimiques étaient formés d'hydrogène condensé.

PROUVÉ (Victor), peintre, graveur, sculpteur et décorateur français (Nancy 1858 - Sétif 1943). Après avoir, jusqu'en 1901, travaillé à Paris, il succéda à Gallé* comme président élu de l'école de Nancy. Il établit des modèles pour les arts décoratifs et pratiqua toutes sortes de techniques (reliure, marqueterie, bronze, bijou...). — Son fils Jean (Nancy 1901), d'abord ferronnier, s'est tourné vers les menuiseries métalliques, le design et a été un pionnier de l'architecture industrialisée (préfabrication moderne : emploi des tôles pliées, murs-rideaux, etc.). Les ateliers qu'il a créés en 1931 à Nancy n'ont eu longtemps que de rares commandes des architectes (dont Beaudouin et Lods*).

PROVENÇAL. — Le mot a, en linguistique, deux emplois : un emploi étendu, qui désigne l'ensemble des dialectes de langue d'oc, le domaine *occitan;* un emploi restreint, qui désigne l'idiome parlé dans le territoire de l'ancienne Provence, le sud du Dauphiné, le comtat Venaissin, le comté de Nice, les arrondissements de Nîmes et d'Uzès. Dans sa seconde acception, la langue provençale regroupe quatre dialectes principaux : les dialectes *maritime, niçois, gavot* et *rhodanien,* ce dernier promu à la dignité de langue littéraire par Mistral* et le félibrige*, et qui est le mode d'expression le plus connu de la littérature *occitane**.

PROVENCE, anc. province du sud-est de la France. — La Provence, au point de vue géographique, correspond à la quasi-totalité de la Région *Provence-Alpes-Côte d'Azur,* dont il faut exclure seulement l'ancien comté de Nice. Elle associe des paysages variés : plaines de la basse vallée du Rhône, d'Avignon (Comtat) à la Méditerranée (Camargue) en passant par la Crau; façade littorale, qu'il est de plus en plus difficile de dissocier de la Côte d'Azur*; surtout moyennes (et parfois hautes) montagnes de l'intérieur (v. Alpes françaises), dominant parfois abruptement le littoral (massifs des Maures et de l'Esterel) et individualisées par les vallées des bassins de la Durance (avec le Verdon) ou des fleuves côtiers tributaires de la Méditerranée.

HISTOIRE. C'est au VIe s. av. J.-C., avec la création de la colonie phocéenne de Massalia, que la Provence entre dans l'histoire. Aux Ligures, établis sur la partie de la côte méditerranéenne située à l'est du Rhône, viennent se mêler à partir du IVe s. des peuplades celtes venues du nord, qui forment avec eux la puissante confédération des Salyens. La détérioration des relations entre Celto-Ligures et Massaliotes détermine ces derniers à faire appel aux Romains (181-154 av. J.-C.), dont la dernière intervention (125 av. J.-C.) aboutit à l'occupation militaire du pays (fondation d'Aix, 122) et à la fondation de la première province transalpine *(Provincia romana).* Romanisée (fondation de Narbonne, de Béziers, d'Orange, d'Avignon, d'Arles, etc.), la Provincia romana, qui prend le nom de « Narbonnaise » (27 av. J.-C.) avant d'être scindée en deux (250 apr. J.-C., Narbonnaise à l'ouest et Viennoise à l'est), se christianise rapidement (IIIe s.). Lorsque l'Empire romain s'effondre, le rayonnement de la métropole ecclésiastique d'Arles contribue au maintien de l'unité de la région, où se succèdent Wisigoths, Burgondes, Ostrogoths et Francs (Ve-VIe s.). Donnée à Lothaire par le traité de Verdun (843), qui scelle pour plusieurs siècles son destin de terre d'Empire, la Provence passe sous l'autorité d'une dynastie comtale issue de Guillaume Ier, le vainqueur des Sarrasins de La Garde-Freinet (973), puis (XIIe-début du XIIIe s.) sous celle des comtes de Barcelone et enfin (1246) sous celle des Capétiens d'Anjou, qui, jusqu'au XVe s., lient ses destinées au royaume de Naples. La mort du roi René (1434-1480) est suivie de la reconnaissance du roi de France (1481) comme comte de Provence. Secoué par les guerres de Religion, puis par la Fronde parlementaire (1650), le pays est finalement intégré au domaine royal.

PROVENCE *(canal de),* canal de dérivation des eaux du Verdon (à partir du barrage de Gréoux). La première branche se dirige vers Aix-en-Provence (réservoir de Bimont) et le nord de l'agglomération marseillaise; une autre part des environs de Rians (sur la première branche) vers Toulon en passant par Saint-Maximin-la-Sainte-Baume; une troisième (à partir de Pourcieux), en construction, se dirigera vers l'est de la région marseillaise. Le canal de Provence permettra d'irriguer environ 60 000 ha et d'améliorer l'alimentation en eau des nombreuses localités, dont Marseille et Toulon.

Provence *(débarquement de).* Le 15 août 1944, les forces franco-américaines débarquent sur les côtes des Maures et de l'Esterel. Les Américains entrent à Grenoble le 22, tandis que la Ire armée française du général de Lattre libère Toulon et Marseille le 28, puis remonte la vallée du Rhône, entre à Dijon le 11 septembre et fait le 12, près de Châtillon-sur-Seine, sa jonction avec les forces venues de Normandie*. (V. Guerre mondiale [*Seconde*].)

PROVENCE-ALPES-CÔTE D'AZUR, anc. **Provence-Côte d'Azur,** Région du sud-est de la France, sur la Méditerranée; 31 435 km²; 3 675 730 hab. Capit. *Marseille.*

Elle regroupe six départements (Alpes-de-Haute-Provence, Hautes-Alpes, Alpes-Maritimes, Bouches-du-Rhône, Var et Vaucluse) et s'étend d'O. en E. du Rhône à la frontière italienne, juxtaposant une partie littorale, concentrant l'immense majorité des hommes et des activités, et une partie intérieure, correspondant surtout à la moitié méridionale (Alpes du Sud) des Alpes* françaises. La bande littorale s'individualise d'abord par son climat méditerranéen, caractérisé par des hivers doux (moyennes de janvier : 5,7 °C à Marseille et 8,3 °C à Nice; 38 jours de gelée encore à Marseille, mais seulement 3 par an en moyenne, à Nice), des étés assez chauds (moyennes de juillet : 23 °C à Marseille et 22,4 °C à Nice) et surtout ensoleillés et secs. La majeure partie des précipitations (862 mm à Nice et 546 mm à Marseille) tombe principalement en automne et en hiver. Ce climat a joué vers l'E. (Côte d'Azur) un rôle essentiel, direct et indirect (tourisme), dans l'accroissement démographique de la façade littorale.

La Région se situe au premier rang en France pour l'augmentation récente de population, avec un taux double de la moyenne nationale, explicable, seulement en partie, par l'installation de réfugiés de l'Afrique du Nord. La densité d'occupation, dépassant sensiblement 100 habitants au kilomètre carré, est assez nettement supérieure à la moyenne nationale, mais la répartition régionale est très inégale. L'agglomération marseillaise concentre près du tiers de la population de Provence-Alpes-Côte d'Azur, les agglomérations de Nice et de Toulon en regroupent chacune plus du dixième. Ces trois agglomérations majeures, échelonnées sur la façade méditerranéenne, fixent donc ensemble nettement plus de la moitié de la population de la Région, qui compte encore des agglomérations ou des villes importantes, comme Avignon, Aix-en-Provence et Cannes. On conçoit que cette population soit urbanisée à plus de 80 p. 100 et que, en contrepartie, de vastes étendues alpestres soient presque vides; si la densité dépasse 300 habitants au kilomètre carré dans les Bouches-du-Rhône et approche 200 dans les Alpes-Maritimes, elle est encore inférieure à 20 dans les Alpes-de-Haute-Provence et les Hautes-Alpes. La croissance démographique tient aussi à l'expansion de la région marseillaise (notamment vers le N.-O. : golfe de Fos) et à l'essor touristique des secteurs littoraux, notamment à l'E. de Toulon.

L'agriculture emploie désormais nettement moins du dixième de la population active, souvent tributaire d'une irrigation, développée notamment dans l'intérieur avec l'aménagement du canal de Provence* et permettant de maintenir (ou d'étendre) à côté de l'élevage ovin les cultures fruitières, développées aussi vers l'O. (Comtat), cependant que la vigne est plus dispersée.

L'industrie occupe environ le tiers de la population active, taux plus faible que la moyenne nationale (mais tenant ici à l'exceptionnelle importance des villes, à prépondérance tertiaire, et du tourisme, qui n'est que partiellement urbain). La bauxite est la ressource minérale essentielle, cependant que se maintient l'extraction du lignite (d'ailleurs liée indirectement à la valorisation de la bauxite). La façade littorale occidentale est aussi un grand secteur d'importation (Lavéra et Fos) et de raffinage (La Mède, Berre, Lavéra et Fos-sur-Mer) du pétrole brut (en partie réexporté vers le N. en l'état) et, accessoirement, du gaz naturel. L'arrière-pays (vallée de la Durance notamment), souvent montagneux, fournit de l'hydroélectricité. Ces bases énergétiques n'ont, cependant, pas provoqué l'essor de la grande industrie (si l'on excepte la

PROVENCE-ALPES-CÔTE D'AZUR

- rizières ; élevage des moutons, des chevaux et des taureaux
- cult. fourragères (foin)
- cult. maraîchères et légumières irriguées (primeurs). Vergers. Vignobles (raisins de table) ; graines et plants
- cultures sèches essentiellement basées sur la vigne (vins de consommation courante) et l'olivier
- vignobles d'appellation contrôlée (Côtes du Rhône)
- polyculture vivrière : céréales (blé dur, orge), p. de terre (primeurs), foin et vignobles
- agriculture de montagne : élevage ovin, récolte des aromates (plantes à parfum, médicales ou "herbes de Provence"), apiculture
- élevage bovin (alpages)
- agrumes
- cultures florales
- ports de pêche

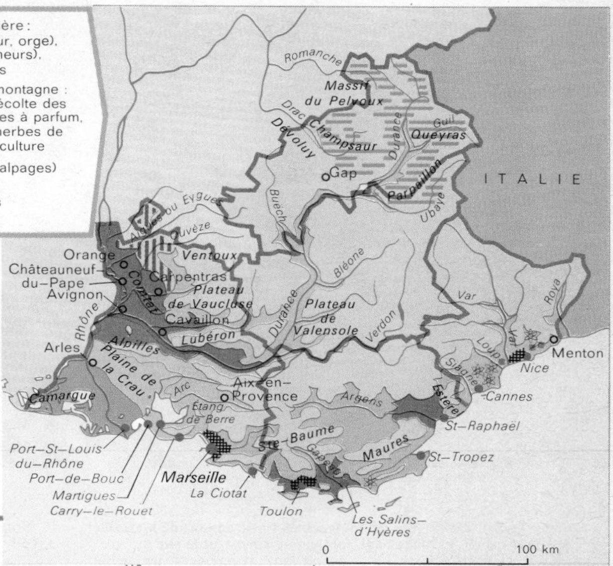

valeur de la production agricole

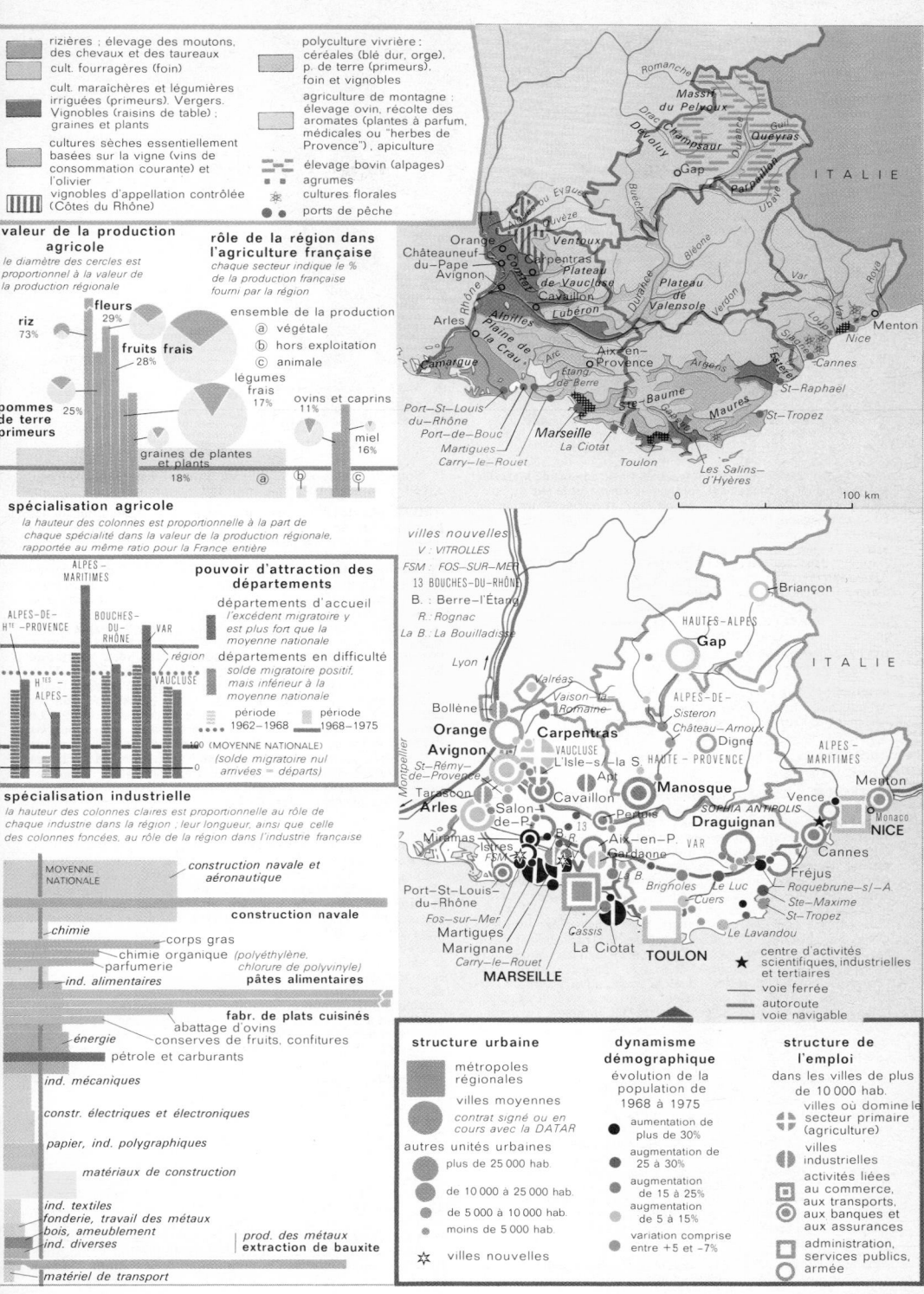

le diamètre des cercles est proportionnel à la valeur de la production régionale

rôle de la région dans l'agriculture française

chaque secteur indique le % de la production française fourni par la région

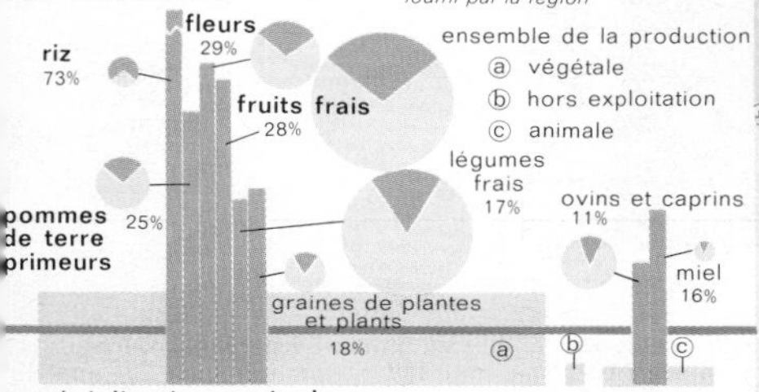

spécialisation agricole

la hauteur des colonnes est proportionnelle à la part de chaque spécialité dans la valeur de la production régionale, rapportée au même ratio pour la France entière

pouvoir d'attraction des départements

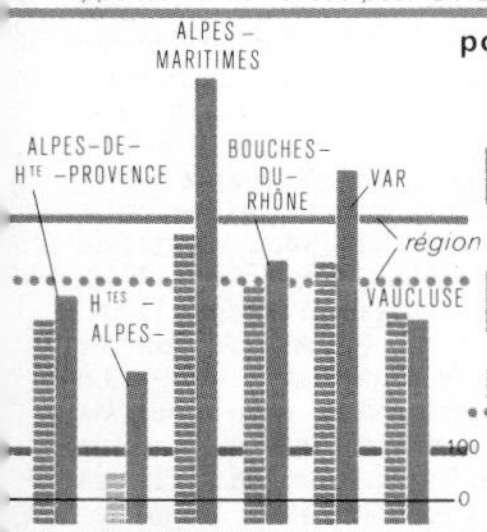

- départements d'accueil *l'excédent migratoire y est plus fort que la moyenne nationale*
- départements en difficulté *solde migratoire positif, mais inférieur à la moyenne nationale*
- période 1962–1968
- période 1968–1975
- 100 (MOYENNE NATIONALE)
- *(solde migratoire nul arrivées = départs)*

spécialisation industrielle

la hauteur des colonnes claires est proportionnelle au rôle de chaque industrie dans la région ; leur longueur, ainsi que celle des colonnes foncées, au rôle de la région dans l'industrie française

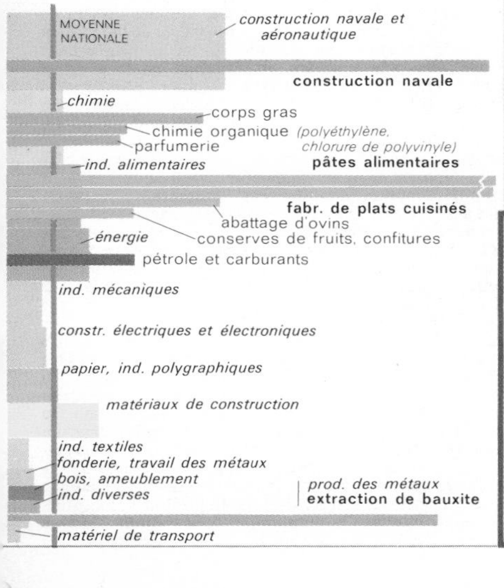

- ★ centre d'activités scientifiques, industrielles et tertiaires
- voie ferrée
- autoroute
- voie navigable

structure urbaine

- métropoles régionales
- villes moyennes
- *contrat signé ou en cours avec la DATAR*
- autres unités urbaines
  - plus de 25 000 hab.
  - de 10 000 à 25 000 hab.
  - de 5 000 à 10 000 hab.
  - moins de 5 000 hab.
- villes nouvelles

dynamisme démographique

évolution de la population de 1968 à 1975

- aumentation de plus de 30%
- augmentation de 25 à 30%
- augmentation de 15 à 25%
- augmentation de 5 à 15%
- variation comprise entre +5 et −7%

structure de l'emploi

dans les villes de plus de 10 000 hab.

- villes où domine le secteur primaire (agriculture)
- villes industrielles
- activités liées au commerce, aux transports, aux banques et aux assurances
- administration, services publics, armée

De Forceville - Ruyant Production

Provence. Les chantiers navals de La Ciotat (Bouches-du-Rhône).

pétrochimie), développée plutôt grâce au trafic du port de Marseille et à la décision, partiellement politique, d'aménager le site de Fos*. L'est (v. CÔTE D'AZUR) n'a connu que récemment un début d'industrialisation (branches élaborées [électronique]) compatible avec l'environnement, qui subit le contrecoup du développement, parfois exagéré, du tourisme. Celui-ci est notable aussi (mais plus culturel) dans les villes « intérieures » de l'ouest (Avignon et Aix-en-Provence), ponctuel dans les Alpes (stations de sports d'hiver [Auron, Pra-Loup, Valberg, etc.]). Il tend à coloniser la quasi-totalité de la façade littorale (notamment dans les départements du Var et des Alpes-Maritimes), avec laquelle tend de plus en plus à s'identifier la Région.

PROVENCHÈRES-SUR-FAVE (88490), ch.-l. de cant. des Vosges, à 13 km à l'E. de Saint-Dié; 761 hab.

Proverbes *(livre des),* livre biblique écrit au Ve s. av. J.-C. Recueil de maximes attribuées aux anciens sages, il se veut un manuel de l'art de vivre heureux, la source de la véritable sagesse pour obtenir le bonheur étant la crainte de Dieu, c'est-à-dire la religion.

PROVIDENCE, v. du nord-est des États-Unis, capit. du Rhode Island; 179 000 hab.

PROVINCE. — Dans l'Antiquité romaine, le terme de *province* paraît d'abord avoir désigné la charge de conduire une guerre, c'est-à-dire d'exercer un commandement militaire en vue de vaincre *(pro vincere)* un peuple ennemi. Le statut des provinces était fixé par une réglementation *(lex provinciae)* promulguée par le général victorieux ou par le magistrat qui lui succédait pour administrer le pays. Sous la République, les gouvernements étaient attribués par le sénat à des préteurs, de plus en plus souvent prorogés sous le titre de propréteurs* ou de proconsuls*. César s'attribua le choix des gouverneurs, mais Auguste introduisit la distinction entre les provinces sénatoriales (les plus anciennement conquises), gouvernées par des proconsuls ou des propréteurs choisis par le sénat et disposant de pouvoirs purement civils, et les provinces impériales, régions dont la pacification n'était généralement pas achevée et, qui étaient confiées à des délégués de l'empereur (légats*, préfets, procurateurs*). Cependant, l'évolution du régime impérial fit qu'au IIIe s. la nomination de tous les gouverneurs finit par dépendre exclusivement de l'empereur. Dioclétien procéda à un nouveau découpage des provinces (une centaine à la fin du IIIe s., contre quarante-deux sous Trajan), désormais gouvernées par des *rectores,* magistrats civils, et regroupées au sein de douze diocèses*. Les grandes invasions barbares balayèrent les provinces romaines, qui furent remplacées par les *pagi,* les duchés et les marches; cependant, le terme, conservé par le vocabulaire ecclésiastique, reparut en France (XIe s.) pour désigner toutes sortes de divisions administratives laïques. Sous l'Ancien Régime, les textes officiels l'employèrent fréquemment, sans pour autant en préciser le sens : appliqué parfois aux anciens grands fiefs (Normandie, Bretagne, Provence, etc.), il désignait aussi des circonscriptions financières (généralités), judiciaires (sénéchaussées, ressort de parlement) ou militaires (gouvernements).

PROVINCES MARITIMES, nom donné à l'ensemble des trois provinces canadiennes, sur l'Atlantique, du Nouveau-Brunswick, de la Nouvelle-Écosse et de l'île du Prince-Édouard. Le Québec, ouvert aussi sur l'Atlantique, n'en fait pas partie.

PROVINCES-UNIES, nom porté par la partie septentrionale des Pays-Bas*, depuis la date de sa rupture avec l'Espagne (1579) jusqu'à la création de la République batave (1795). Proclamée le 23 janvier 1579, l'Union d'Utrecht regroupe les six provinces calvinistes de Gueldre, de Hollande, de Zélande, d'Utrecht, de Frise et d'Overijssel, dont les États généraux, réunis à La Haye (1581), répudient solennellement l'autorité de Philippe II d'Espagne. D'abord désastreuse pour les Provinces-Unies (sac d'Anvers, assassinat de Guillaume d'Orange), la guerre avec l'Espagne tourne à leur avantage après l'échec de l'Invincible Armada contre l'Angleterre, leur alliée (1588). Le nouveau stathouder, Maurice de Nassau (de 1584 à 1625), reprend les villes clés (Breda, 1590; Nimègue, 1591; Groningue, 1594). Mais la perte d'Ostende (1604) et la défection de leurs alliés (Angleterre, France) obligent les Provinces-Unies à accepter la trêve de Douze Ans (1609). La reprise des hostilités (1621) est d'abord malheureuse pour les Pays-Bas (perte de Breda, 1625). Mais le prince Frédéric-Henri (de 1625 à 1647), successeur de Maurice de Nassau, reprend l'avantage sur le terrain, tandis que l'alliance française (1635) prend les Pays-Bas espagnols en tenaille. Finalement, l'Espagne doit reconnaître l'indépendance des Provinces-Unies (traité de Münster, 1648).

Depuis leur sécession, celles-ci se sont organisées. Chaque province (au nombre de sept [avec Groningue] après 1594) possède ses États, organe délibératif, un pensionnaire, qui assure le secrétariat des États, et un stathouder, qui commande l'armée, au niveau fédéral. Le grand pensionnaire (qu'est le pensionnaire de Hollande), élu pour cinq ans et rééligible, est le principal personnage de l'État, chargé d'exécuter les décisions prises par les États généraux (40 députés des États provinciaux), tandis qu'un Conseil d'État (12 députés) contrôle l'armée et les finances. Cependant, la bonne marche de ces institutions reste longtemps compromise par le conflit que se livrent, dès les premières années du XVIIe s., le parti orangiste (provinces orientales) et le parti républicain (Hollande et Zélande). Les nécessités de la guerre permettent aux princes d'Orange d'occuper la charge de stathouder dans la plupart des provinces et, par ce biais, d'acquérir un fort pouvoir personnel. La paix venue, Guillaume II (stathouder de 1647 à 1650) songe à la royauté et n'hésite pas à allumer la guerre civile. À sa mort, les sept provinces décident de ne plus nommer de stathouder, et l'oligarchie commerçante arrive au pouvoir avec Jean de Witt, grand pensionnaire de 1653 à 1672.

L'essor rapide de l'Empire néerlandais et les interventions multiples des Provinces-Unies contre le Danemark (1646), la Suède (1656-1660) et l'Angleterre (1652-1654 et 1665-1667) assurent au pays la maîtrise des mers. Pourtant, en 1672, l'invasion française provoque la chute de Jean de Witt et la restauration de Guillaume III d'Orange. Le stathouderat est proclamé héréditaire dans sa famille; mais, devenu roi d'Angleterre (1689), Guillaume III sacrifie les intérêts de la République à sa politique anglaise. À sa mort (1702), les Provinces-Unies se passent de stathouder jusqu'à la guerre de la Succession d'Autriche (1740-1747) et l'occupation française, qui provoquent la restauration de la maison d'Orange (1747). L'échec des réformes proposées par le stathouder, l'essor des idées démocratiques (mouvement des patriotes) et l'issue désastreuse de la quatrième guerre anglo-néerlandaise (1780-1784) aboutissent aux troubles révolutionnaires de 1786. Obligé de s'enfuir, Guillaume V est restauré grâce à l'aide étrangère. En 1795, l'invasion française, bien accueillie par les démocrates, provoque la chute d'un régime dont le caractère monarchique n'a fait que s'accentuer depuis 1747. Les Provinces-Unies deviennent la République batave.

Provinciales *(les),* dénomination donnée couramment à dix-huit lettres de Blaise Pascal, publiées d'abord anonymement (1656-57), puis remaniées et réunies en 1657 sous le pseudonyme de Louis de Montalte. Prenant, contre les Jésuites, la défense des jansénistes de Port-Royal, l'auteur y attaque la morale trop indulgente des casuistes.

PROVINS (77160), ch.-l. d'arr. du sud-est de Seine-et-Marne; 13 100 hab. *(Provinois).*

HISTOIRE. Siège d'un comté au IXe s., Provins *(Pruvinum)* devint au Xe s. propriété de la maison de Vermandois. Puis elle passa aux comtes de Blois-Champagne (XIe s.), qui en firent leur lieu de résidence et un célèbre siège de foires (Saint-Quiriace, Saint-Ayoul). Ville de commune au XIIIe s., elle fut déchirée par des conflits opposant le peuple à l'aristocratie marchande. Elle fut prise en 1592 par Henri IV, victorieux de la Sainte Ligue.

BEAUX-ARTS. Ville-Haute, avec ses remparts et son original donjon (« tour de César ») des XIIe-XIIIe s., l'église Saint-Quiriace, commencée en 1160, les restes du palais de comtes de Champagne (auj. lycée), la Grange-aux-Dîmes (musée lapidaire)... Ville-Basse, aux intéressants édifices médiévaux, souvent remaniés, dont l'église Saint-Ayoul (portail à statues-colonnes [v. 1160], rappelant celui, mieux conservé, de Saint-Loup-de-Naud [à 8 km de Provins]).

PROVISIONS. — Comme les amortissements*, elles proviennent des bénéfices non distribués par l'entreprise et sont destinées à la politique prévisionnelle de celle-ci. Il existe des provisions pour fluctuations de stocks, pour fluctuations de cours de matières premières, pour risques ou pertes éventuels, pour dépréciation de titres de participation ou de placement, etc.

PROVITAMINE → VITAMINE.

PROVO, v. des États-Unis (Utah), au S. de Salt Lake City; 53 000 hab. Université mormone. Sidérurgie.

PROXÉNÉTISME. — Les lois des 9 avril et 11 juillet 1975 renforcent la lutte contre le proxénétisme. Est punissable celui qui, directement ou indirectement, « détient, gère, exploite, dirige, fait fonctionner, finance ou contribue à financer un établissement de prostitution* ». De même, la vente d'un local à une ou à plusieurs personnes, alors que l'on sait qu'elles s'y livrent à la prostitution, est réprimée d'une manière distincte, ainsi que le fait de laisser la disposition d'un local à quelqu'un dont on sait qu'il se livre à la prostitution. Les peines principales sanctionnant le proxénétisme sont aggravées dans certains cas.

Les associations reconnues d'utilité publique ayant pour but la lutte contre le proxénétisme et l'action sociale en faveur des personnes en danger de prostitution ou s'y livrant peuvent exercer l'action civile à l'égard des infractions de proxénétisme ayant causé un préjudice à la mission qu'elles exercent.

PRUDENCE, poète latin chrétien (Calahorra 348 - sans doute en Espagne v. 415). Auteur d'hymnes et de pamphlets, il créa dans la *Psychomachie,* combat entre les Vices et les Vertus, le poème allégorique.

PRUDHOE, baie de la côte nord de l'Alaska, sur l'océan Arctique (mer de Beaufort). Gisements de pétrole.

Prudhomme *(M. Joseph),* personnage créé par Henri Monnier pour caricaturer le petit bourgeois borné et satisfait de soi, dont le conformisme s'exprime en de solennelles niaiseries.

PRUD'HOMMES (conseil de). — Le décret du 12 septembre 1974 a institué une procédure* particulière devant les *conseils de prud'hommes,* destinée à mieux protéger le salarié. Cette procédure est essentiellement conciliatrice. Le conseil de prud'hommes est saisi soit par une simple lettre, soit par la comparution volontaire des parties. La procédure se divise en deux phases distinctes.

La première a lieu devant le bureau de conciliation : la tentative de conciliation est obligatoire. Les parties sont convoquées directement par le secrétariat du conseil. Si la tentative de conciliation réussit, procès-verbal en est dressé; si elle échoue, un procès-verbal de non-conciliation est établi et l'affaire est renvoyée devant le bureau de jugement.

La procédure devant ce bureau prend deux aspects : ou bien l'affaire est renvoyée devant un ou deux conseillers rapporteurs qui procéderont à toutes mesures d'instruction nécessaires, ou bien elle sera renvoyée directement au bureau de jugement. L'instruction est orale. Les parties sont tenues de se présenter en personne, mais peuvent se faire assister et, dans certains cas, représenter.

PRUD'HON (Pierre Paul), peintre, dessinateur et décorateur français (Cluny 1758 - Paris 1823). Il étudie à Dijon*, à Paris et à Rome (1784-1788), se fait connaître avec un *Triomphe de Bonaparte* exposé au Salon de 1801 et reçoit dès lors de nombreuses commandes officielles. Les années 1808-1815 marquent son apogée, avec des portraits et des compositions allégoriques ou mythologiques influencées par le Corrège. Ses toiles, mal conservées, ont perdu le moelleux qu'admiraient tant ses contemporains et dont témoignent ses dessins, à l'écriture frémissante, notamment de nombreuses feuilles au fusain et à la craie sur papier gris-bleu (Louvre, Chantilly, musée de Gray).

PRUNELLI-DI-FIUMORBO (20240 Ghisonaccia), ch.-l. de cant. de la Haute-Corse, à 13 km à l'O. de Ghisonaccia; 2 050 hab.

PRUNELLIER. — Le prunellier est un arbrisseau commun dans les haies, où il épanouit tôt en saison ses petites fleurs blanches. Le fruit, tardivement mûr à l'automne, est une petite baie pruineuse, presque noire, dont on fait une liqueur, mais que l'on ne peut guère manger avant Noël. (Famille des rosacées.)

PRUNIER. — Le genre *Prunus* comporte des espèces arbustives, comme le prunellier*, et des arbres, les pruniers. Ceux-ci, petits arbres aux fleurs blanches paraissant avant les feuilles, existent en de nombreuses variétés produisant des fruits charnus et sucrés, à noyau, assez divers : mirabelle, quetsche, reine-claude, prune d'ente, etc. (Famille des rosacées.)

PRURIGO. — Le *prurigo strophulus* se caractérise par des papulo-vésicules très prurigineuses, pouvant atteindre toutes les régions du corps. Il apparaît vers l'âge de six mois et disparaît vers six ans. Il procède par poussées, chacune durant une dizaine de jours. Une origine parasitaire externe ou interne est souvent retrouvée. Ce prurigo est bien souvent une des manifestations de l'allergie. On appelle *prurigo gravidique* l'ensemble des manifestations prurigineuses et des lésions de grattage observées au cours de la grossesse. Le *prurigo nodulaire de Hyde* est représenté par des nodules très prurigineux, surtout des membres. Un diabète doit être recherché, mais un état névropathique est souvent en cause.

PRURIT. — Les démangeaisons sont des manifestations très fréquentes au cours d'un grand nombre de dermatoses, tels l'eczéma, le lichen plan, etc. Le prurit peut déterminer des lésions de grattage, qui accentuent les lésions cutanées. Certains prurits, tel le prurit des diabétiques, apparaissent en peau saine et peuvent correspondre à des causes internes.

PRUS (Aleksander GŁOWACKI, dit **Bolesław**), écrivain polonais (Hrubieszów 1847 - Varsovie 1912). Il analysa les anomalies sociales et économiques de la vie polonaise dans des romans teintés d'ironie (*la Poupée,* 1890; *le Pharaon,* 1895).

PRUSSE, en allem. **Preussen,** anc. pays de l'Allemagne du Nord. En 1134, l'ensemble de la marche militaire (Nordmark, Lusace, Misnie) établie au Xe s. par les Carolingiens face aux Slaves est confiée à un seigneur du Harz, Albert l'Ours. Celui-ci fonde Brandebourg et amorce le vaste mouvement de colonisation allemande entre l'Elbe et l'Oder. Le Brandebourg* s'étend peu à peu au-delà de l'Oder. Au début du XIIIe s., le margrave de Brandebourg devient prince électeur de l'empire; le margraviat passe aux Hohenzollern* après la mort de l'empereur Sigismond (1437), qui, criblé de dettes, leur a cédé ce territoire. Plus à l'est, la Prusse reste un pays pauvre, peuplé de Baltes païens : appelé par le duc de Mazovie, l'ordre Teutonique* y mène, de 1230 à 1280, une véritable croisade, qu'accompagne une colonisation systématique. Battus à Tannenberg (1410), les Teutoniques doivent abandonner ces territoires (traité de Thorn, 1466); mais quand, après avoir été élu grand maître de l'ordre (1511), Albert de Brandebourg passe à la Réforme, il prend le titre de duc héréditaire de Prusse. Son fils sera placé sous la tutelle des Hohenzollern de Brandebourg, qui, en 1618, recueillent son héritage.

Durant la guerre de Trente* Ans, le Brandebourg perd la moitié de sa population. Mais, sous l'égide du Grand Électeur Frédéric-Guillaume* (de 1640 à 1688), l'État des Hohenzollern se rétablit et se fortifie. Puis l'arrivée des huguenots français favorise le développement économique du Brandebourg et de la Prusse. En 1701, l'Électeur Frédéric III obtient de l'empereur le titre de roi de Prusse (Frédéric Ier). Dès lors, sous Frédéric-Guillaume Ier* (de 1713 à 1740) et surtout sous Frédéric II* (de 1740 à 1786), l'État prussien devient l'un des plus forts d'Europe. À la mort du Grand Frédéric, la Prusse forme un État d'un seul tenant de Magdeburg à Königsberg. Les successeurs de Frédéric II s'avèrent, par contre, médiocres; durant la Révolution française, la politique qu'ils mènent à l'ouest est un échec; en revanche, à l'est, la Prusse s'accroît de Dantzig, de la Posnanie (1793) et de la Mazovie (1795). Avantages que les lourdes défaites prussiennes (Iéna, Auerstedt, 1806) devant Napoléon Ier semblent anéantir; le traité de Tilsit (1807) réduit la Prusse à quatre provinces.

Cependant, l'extraordinaire redressement moral, économique, social, intellectuel et militaire qui suit ce désastre, grâce à des hommes comme Hardenberg*, Stein* et Clausewitz*, se conclut, lors de la défaite française et du congrès de Vienne (1814), par l'annexion, par la Prusse, de la Saxe du Nord, de la Westphalie et des territoires rhénans. Dès la signature du Zollverein* (1867), la Prusse devient, dans la Confédération germanique, la force prépondérante, celle qui finira par faire autour d'elle l'unité allemande (v. ALLEMAGNE, BISMARCK) : le 18 janvier 1871, en effet, le roi de Prusse Guillaume* Ier est proclamé empereur d'Allemagne. L'histoire de la Prusse se confond dès lors avec celle de l'Allemagne. Pourtant, avec le national-socialisme, le poids de la Prusse diminue : celle-ci disparaît même officiellement en 1934; en 1945, elle éclate et son nom même disparaît de la carte.

PRUT (le) ou **PROUT,** riv. née dans les Carpates de l'Ukraine et qui sépare l'U. R. S. S. (Moldavie et Ukraine) de la Roumanie, avant de rejoindre le Danube (r. g.); 950 km.

PRYTANE. — Les cinquante membres du comité directeur de la *boulê** d'Athènes siégeaient au Prytanée*; d'où leur nom. Leur rôle essentiel était de préparer les assemblées du peuple et d'en fixer l'ordre du jour; leur président *(épistate)* était élu pour un jour seulement afin d'éviter des abus de pouvoir.

Prytanée, édifice public de l'ancienne Grèce, où logeait le premier magistrat de la cité et où se réunissait le comité directeur de la *boulê**. Les édiles de la cité et les hôtes de l'État y étaient nourris aux frais du trésor public.

PRZEMYŚL, v. du sud-est de la Pologne, sur le San, près de la frontière de l'U. R. S. S.; 57 000 hab. Château reconstruit au temps de Casimir le Grand et plusieurs fois depuis. Cathédrale des XVe-XVIIIe s. Anciennes églises de congrégations des XVIIe et XVIIIe s.

PSALLIOTE. — C'est au genre psalliote qu'appartient le champignon de couche. Des espèces sauvages voisines, poussant dans les bois, les champs et les jachères, sont d'excellents comestibles. On les reconnaît notamment à leurs lamelles rosées.

PSAMMÉTIK, nom porté par trois pharaons de la XXVIe dynastie (663-525 av. J.-C.). [V. BASSE ÉPOQUE.]

PSAUME. — Ce chant hébraïque accompagné par le nébel, ou psaltérion (v. art. suiv.), est passé progressivement dans la liturgie catholique et le culte protestant.

Dans le plain-chant*, c'est une récitation monodique *recto tono* (psalmodie) ou harmonisée en faux-bourdon. Le texte biblique, en latin ou en langue vernaculaire, sera paraphrasé polyphoniquement pendant la Renaissance (Josquin Des Prés, Lassus), souvent en contrepoint syllabique, parfois en rythme mesuré à l'antique (Goudimel, Le Jeune), ou sera harmonisé comme un choral*.

L'époque classique le traite en motet* concertant (Monteverdi, Delalande, Mondonville), et l'école moderne en cantate* symphonique (Liszt, Kodály, F. Schmitt, Roussel, Stravinski).

Psaumes *(livre des),* livre biblique, qui est le recueil des chants liturgiques de la religion d'Israël. Sa composition s'étend sur une longue période, qui va de l'époque monarchique à celle qui suit la restauration du Temple de Jérusalem après l'Exil, c'est-à-dire du Xe au IVe s. av. J.-C.; le recueil lui-même prendra sa forme définitive vers 200 av. J.-C.

PSELLOS (Michel), homme d'État et philosophe byzantin (Constantinople 1018-*id.* 1078). Il joue un rôle de conseiller politique important sous Constantin IX, Isaac Ier Comnène et ses successeurs. Polygraphe, historien et humaniste, il contribue à diffuser la philosophie de Platon dans l'Empire byzantin.

PSEUDARTHROSE → FRACTURE.

PSEUDOMÉRIE *(Chim.).* — C'est un cas limite de la desmotropie (existence d'une molécule organique sous deux formes en équilibre qui se déduisent l'une de l'autre par migration interne d'un atome). Elle implique une grande différence de proportions entre les deux formes en équilibre : la forme stable, nettement prépondérante, et la pseudoforme, n'existant qu'en traces parfois indécelables. Toutefois, si la pseudoforme réagit, elle est régénérée par le jeu de l'équilibre, et tout le composé se comporte comme s'il avait la constitution de la pseudoforme.

PSEUDOPODE → AMIBE.

PSITTACIDÉS → PERROQUET ET PERRUCHE.

PSITTACOSE. — Cette maladie virale transmise à l'homme par le perroquet est grave; elle se manifeste par une broncho-pneumonie et un état toxi-infectieux avec stupeur ou délire. Le traitement met en œuvre les antibiotiques, la réhydratation, les analeptiques. La déclaration de la maladie ainsi que l'isolement du malade et la désinfection sont obligatoires.

PSKOV, v. de l'U. R. S. S. (R. S. F. S. de Russie), au S.-O. de Leningrad; 127 000 hab. Beaux monuments, dont l'architecture, de pierre, est apparentée à celle de Novgorod : enceinte, kremlin, cathédrales des monastères Mirojski (1156, fresques) et Ivanovski (XIIe-XIIIe s., fresques), nombreuses églises des XIIIe-XVIe s., aux compositions variées, pittoresques et expressives. Maisons de marchands en pierre et bois, notamment du XVIIe s. Constructions électriques.

PSOQUE. — Les psoques sont de minuscules insectes, qui constituent un ordre spécial, celui des *psocoptères.* Les psoques des arbres ont des ailes immenses pour leur taille, de très longues antennes, un abdomen court. La larve vit dans un nid de soie, où elle subit des métamorphoses très progressives. Les psoques des vieux papiers n'ont pas d'ailes fonctionnelles.

PSORIASIS. — Cette affection cutanée, très fréquente, est de nature indéterminée. Un caractère héréditaire est bien souvent retrouvé. Le psoriasis apparaît parfois dans l'enfance, le plus souvent à l'âge adulte. Il est caractérisé par des plaques rouges, non prurigineuses, épaisses, bien limitées, recouvertes de squames blanches. Ces plaques siègent fréquemment à la pointe des coudes, à celle des genoux et au niveau de la région sacrée, mais elles peuvent être généralisées. Le psoriasis peut aussi se localiser en certaines zones du tégument : cuir chevelu, ongles. Il évolue par poussées successives, dont certaines sont déclenchées ou aggravées par des émotions. Le psoriasis peut s'accompagner de manifestations articulaires (rhumatisme psoriasique). Le traitement est essentiellement local : préparations décapantes, préparations contenant de la chrysarobine, corticoïdes locaux.

PSYCHANALYSE. — À l'origine, thérapie des troubles mentaux, la psychanalyse a étendu son champ d'influence à pratiquement tous les domaines de la vie. Elle constitue une référence qui prévaut non seulement dans le discours des sciences humaines, mais aussi en littérature, en art et en politique.

S. Freud*, en abandonnant l'hypnose* et la catharsis*, leur préfère l'association libre : il invite le patient à exprimer ce qui lui vient à l'esprit sans aucune critique et, si possible, sans réticence. Il l'amène ainsi à la reconstitution consciente de l'étiologie de sa névrose*, car les souvenirs traumatiques retrouvés sous hypnose ne peuvent accéder à la conscience et leur mise au jour se heurte à des résistances* vives de la part du sujet. Il persiste un conflit psychique que le névrosé n'a pu résoudre en son temps et contre la résurgence duquel il se défend par l'oubli. Le refoulement* est ce mécanisme de défense* qui, au moment du traumatisme affectif, a provoqué son oubli, c'est-à-dire son rejet dans l'inconscient*. Les désirs refoulés ne peuvent réapparaître dans le champ de la conscience qu'à condition d'être déformés, défigurés. C'est ainsi que se forment les symptômes névrotiques, les rêves* et les actes* manqués. L'analyse de ces trois productions de l'inconscient permet à Freud de préciser les lois qui le régissent, puisque l'inconscient ne peut être connu directement en tant que tel. Le fait que les rêves et les actes manqués, phénomènes que connaissent aussi les personnes réputées normales, soient construits de la même façon que les symptômes névrotiques, autorise Freud à affirmer que la psychanalyse est la « base d'une science psychologique nouvelle, et plus profonde, qui devient indispensable pour comprendre aussi le normal ».

Le psychanalyste ne dispose que du matériel verbal, que, par le jeu d'associations libres, lui fournit son patient allongé sur le divan. Il l'écoute avec une « attention flottante », s'attachant alors à repérer dans ses failles l'existence d'un autre discours, témoin de l'activité mentale inconsciente. Dans cette situation particulière, il s'instaure une intense relation affective du patient vers son thérapeute : le transfert*. Ce processus représente le déplacement, sur la personne de l'analyste, de sentiments déjà vécus dans l'enfance qui n'ont rien perdu de leur intensité et, justement, font problème. Loin de refuser cette régression temporelle comme gênante, Freud la considère comme très éclairante car de son maniement, par des interprétations adéquates, découle l'efficacité possible de la cure. L'analyste intervient peu, se bornant à guider la démarche analytique du patient par quelques points de repère et des interprétations qui lui paraissent judicieuses.

C'est dans ce contexte que furent dégagés les principaux concepts de la psychanalyse. Freud divise le psychisme en trois instances hiérarchisées : Ça*, Moi* et Surmoi*. Leurs jeux et leurs conflits réciproques déterminent la structure de la personnalité*, les pulsions* fournissant au comportement son énergie et sa direction.

Les concepts freudiens n'ont pas tous été acceptés en bloc par ceux qui sont considérés comme appartenant au mouvement psychanalytique, tant l'histoire de celui-ci est émaillée de dissidences et de scissions, et cela dès l'origine. Freud, en 1910, prit soin de fonder l'Association psychanalytique internationale afin de veiller à l'orthodoxie. Les premières dissidences furent celles d'A. Adler* (1910) et de C. G. Jung* (1914). La psychanalyse n'eut vraiment d'audience internationale qu'après la Première Guerre mondiale. Elle se développa plus rapidement en Grande-Bretagne et aux États-Unis que dans les pays de langue allemande ou dans les pays latins. Aux États-Unis, la psychanalyse privilégia dans la cure le renforcement du Moi et devint une technique d'adaptation sociale. K. Horney* est représentative de cette déviation. Londres fut dès 1913 un centre actif et regroupa des praticiens de réputation internationale, comme M. Klein*, A. Freud* et D. W. Winnicott*. À

Berlin, K. Abraham* fonda la première clinique psychanalytique où les cures étaient gratuites. Vienne, propre ville de Freud, demeura naturellement le centre du mouvement. Dès 1920, W. Reich* s'y joignit aux premiers fidèles : S. Ferenczi* et O. Rank*. Le nazisme contraignit la majorité de ces psychanalystes à émigrer.

La France s'est montrée assez réfractaire à la psychanalyse, puisqu'il faudra attendre 1923 pour que les ouvrages de S. Freud commencent à être traduits et 1926 pour que soit fondée la Société psychanalytique de Paris. L'histoire du mouvement psychanalytique y est fertile en rebondissements. En 1953, un groupe, mené par J. Lacan*, se sépara de la Société psychanalytique de Paris. Cependant, en 1964, un nouveau groupe, composé surtout d'universitaires, y opéra une scission afin d'obtenir l'investiture de l'Association psychanalytique internationale. Les fidèles de J. Lacan se regroupèrent alors au sein de l'École freudienne de Paris. Actuellement, c'est surtout pour ou contre l'enseignement de J. Lacan que les psychanalystes tendent à se situer. Un « quatrième groupe » s'est séparé en 1969 de J. Lacan sur la question de la formation des psychanalystes.

Telle qu'elle fut mise au point par Freud, la cure type est une thérapeutique longue (de deux à quatre séances par semaine, d'une durée moyenne de 30 minutes, pendant plusieurs années) et, dans les conditions actuelles, coûteuse. Au cours d'entretiens préliminaires, le patient formule sa demande d'analyse au psychanalyste, qui juge s'il désire ou non lui servir de thérapeute. En effet, qu'un patient soit décrété « analysable » ou non est surtout une affaire d'école et d'expérience du thérapeute. L'aptitude à être analysé dépend de l'authenticité de la demande d'analyse, de la capacité à réfléchir sur soi et surtout de la possibilité de payer les services de l'analyste.

Jusqu'à maintenant, en France, il n'existe aucune réglementation de la profession de psychanalyste. Le psychanalyste tenant sa qualification d'une clientèle et non d'un diplôme (bien que la majorité des psychanalystes soit médecins), la seule garantie de compétence est l'affiliation à l'une des quatre sociétés de psychanalyse. Ces écoles sont, en effet, fortement hiérarchisées et imposent à chaque candidat analyste, après une analyse personnelle (analyse didactique), des « contrôles » : psychanalyses supervisées par un psychanalyste ayant un haut rang dans la hiérarchie de l'école dont le candidat souhaite avoir l'investiture. Dans une certaine mesure, la psychanalyse est plus une recherche qu'un traitement à proprement parler, les bénéfices thérapeutiques venant, en quelque sorte, de « surcroît ». La notion de guérison en matière de troubles psychiques prête, d'ailleurs, à de nombreuses discussions : s'agit-il d'une disparition des symptômes gênants, d'un remaniement de la personnalité, d'une adaptation aux exigences de la société ou d'une libération?

PSYCHÉ, dans la mythologie grecque, jeune fille d'une grande beauté aimée par Éros*, grâce à l'amour duquel elle deviendra immortelle au terme d'une longue suite d'épreuves. Symbole de l'âme en quête d'idéal, le mythe de Psyché a figuré, par la suite, le destin de l'âme déchue qui, après des épreuves purificatrices, s'unit à l'amour divin.

Psyché, tragi-comédie-ballet de Molière (1671), écrite en collaboration avec Corneille et Quinault; musique de Lully, chorégraphie de Beauchamp.

PSYCHÉDÉLIQUE → HALLUCINOGÈNES.

PSYCHIATRIE. — La psychiatrie en tant que savoir sur la folie* s'est constituée au début du XIXe s., dans les murs de l'asile. Deux événements sont très significatifs à cet égard : d'une part, l'introduction, avec P. Pinel*, du médecin dans les lieux de renfermement, où, depuis le XVIIe s., étaient entassés pêle-mêle les fous et les autres déviants, et, d'autre part, la loi sur les aliénés du 30 juin 1838. Cette loi, qui consacre l'annexion de la folie par la médecine, ne laisse cependant aux médecins qu'une marge de manœuvre très faible, la seule justification de leur existence étant la production de certificats médicaux authentifiant la légitimité d'un placement, dont l'initiative est laissée au préfet (placement d'office) ou à la famille de l'interné (placement volontaire). Une de ses conséquences majeures a été l'amalgame créé entre folie et dangerosité. De plus, cette loi assigne à l'asile une double fonction : protéger la société des individus réputés dangereux et assister ces mêmes individus en protégeant leurs biens.

L'isolement de l'aliéné, coupé de son cadre de vie et inséré dans l'ordre et le calme de la vie asilaire, représenta longtemps, avec le travail, auquel on attribuait une valeur morale, la pièce maîtresse de l'arsenal thérapeutique des aliénistes. Ceux-ci, limités dans leurs prérogatives comme dans leur efficacité thérapeutique, ne firent qu'observer et décrire les différentes formes de maladie mentale.

Étude et traitement des maladies de l'esprit, la psychiatrie considère celui-ci comme un organe quelconque : elle s'est constituée sur le modèle de la médecine organique de l'époque, ainsi que le démontre M. Foucault* dans *Histoire de la folie à l'âge classique* (1961). Pendant plus d'un siècle, telle qu'elle fut mise en place par la loi de 1838, elle resta a peu près immobile. Elle fut surtout l'affaire des médecins d'asile, très peu exerçant en clientèle privée à cette époque. Ce n'est que depuis 1920 qu'existe la possibilité (dite « service libre ») pour les patients de se faire hospitaliser de leur propre gré dans un service hospitalier et d'en partir de la même façon.

Au début des années 30, les thérapeutiques de choc (série de comas insuliniques contrôlés, appelée « cure de Sakel », et série d'électrochocs) firent leur apparition. Elles ne sont pas tombées en désuétude avec l'avènement des psychotropes* : on ne connaît pas encore leur mécanisme d'action exact, mais, quoi qu'il en soit, elles visent à provoquer une secousse qu'on estime salutaire; d'où l'importance de la phase qui suit le choc. Les cures de sommeil, mettant l'organisme en hibernation, ont une justification théorique opposée.

Ce n'est que depuis 1938 que les asiles d'aliénés s'appellent « hôpitaux psychiatriques » et les aliénistes « psychiatres ». Depuis cette époque, l'État se préoccupe particulièrement de la santé de la population, et la lutte contre les maladies mentales, fléau social au même titre que la tuberculose ou les maladies vénériennes, s'est développée considérablement. Les pouvoirs publics se sont engagés depuis 1960 dans une politique dite « de sectorisation », afin de rompre avec le système asilaire, système ségrégatif créant lui-même, du fait de l'exclusion des lieux de vie naturelle, une tendance à la « chronicisation », alors que de nouvelles tendances thérapeutiques permettent un nouvel abord des maladies mentales. La politique de secteur implique la prise en charge des malades au sein même de leur milieu familial. Les secteurs comportent des lieux de soins multiples insérés dans un secteur géographique défini par une population de 70 000 habitants afin d'éviter la désadaptation entraînée par l'éloignement du milieu naturel. Différents équipements sont institués pour éviter l'hospitalisation ou la réduire au minimum : centres de consultation (dispensaires d'hygiène mentale), foyers de postcure, hôpitaux de jour, ateliers protégés et hôpital psychiatrique pour les cas aigus. La continuité des soins au sein d'un secteur est assurée par une même équipe : médecins, assistants sociaux, infirmiers, psychologues. Outre les structures d'accueil des malades mentaux, les méthodes thérapeutiques elles-mêmes se sont modifiées depuis un quart de siècle.

On peut voir là deux causes : la découverte des neuroleptiques* en 1952, qui a eu pour effet de supprimer le quartier des agités et les camisoles de force, et l'essor de la psychanalyse*, sortie du cercle des initiés. Bien qu'un tout petit nombre de malades mentaux ait pu bénéficier concrètement de la psychanalyse, celle-ci a un impact important en psychiatrie, conduisant certains psychiatres, souvent psychanalystes eux-mêmes, à libéraliser leur pratique. Dans cette optique, une place à part doit être faite à une forme de pratique hospitalière, la *psychothérapie institutionnelle,* en raison de son abord polydimensionnel de la maladie mentale. Ses références théoriques sont le marxisme et la psychanalyse, par la valeur particulière qu'elle accorde au travail et au langage. Le collectif soignant a pour tâche l'analyse du transfert* et du contre-transfert au sein de l'institution — grâce à l'écoute des événements symptomatiques de la vie quotidienne, dans les relations des soignés entre eux et avec les membres du personnel. Cette analyse permanente est médiatisée par un réseau complexe de réunions, d'activités et de circuits d'échange. La psychothérapie institutionnelle prend en compte d'autres techniques thérapeutiques.

PSYCHOANALEPTIQUES → PSYCHOTROPES.

PSYCHOCHIRURGIE → CHIRURGIE.

PSYCHODRAME. — Né des observations de J. L. Moreno*, le psychodrame connaît un essor constant et des applications à des domaines variés (psychothérapie, éducation, marketing). Au sein d'un groupe, les « patients » sont invités à mettre en scène leurs problèmes. Un couple de thérapeutes a un rôle d'animateur et sert de catalyseur pour l'expression des fantasmes de chacun. Cette représentation dramatique de la réalité cherche à réaliser une catharsis chez le patient; elle permet à celui-ci de se dégager des rôles appris, devenus trop rigides sous l'influence de la pression sociale et qui masquent sa spontanéité. Technique active, le psychodrame ajoute une dimension non verbale à la communication verbale. Une de ses perspectives les plus intéressantes est la possibilité de pratiquer des cures psychanalytiques dans certaines circonstances.

PSYCHODYSLEPTIQUES, PSYCHOLEPTIQUES → PSYCHOTROPES.

PSYCHOLINGUISTIQUE. — Étude scientifique des processus psychologiques qui permettent la production et la compréhension du langage*, la psycholinguistique est une discipline récente, issue d'un projet interdisciplinaire entre la linguistique structurale (segmentation de la chaîne parlée en phonèmes, en morphèmes, etc.), la psychologie béhavioriste du comportement et la théorie de l'information (analyse statistique des productions verbales). Son champ recouvre le fonctionnement du langage chez l'adulte, l'acquisition du langage par l'enfant et les troubles spécifiques du langage (aphasies). Plus généralement, la psycholinguistique doit fournir un modèle de performance du langage intégrant les facteurs d'ordre individuel (motivations du sujet parlant, situation de communication, mémoire, affectivité, etc.).

PSYCHOLOGIE. — Dans la seconde moitié du XIXe s., la psychologie, en s'affranchissant de la philosophie, se pose comme science expérimentale, sur le modèle de la biologie, qui, avec Claude Bernard*, vient de se pourvoir d'une méthode expérimentale. La publication par G. Fechner*, en 1860, des *Éléments de psychophysique,* est considérée comme l'acte de naissance de la psychologie scientifique. Fechner y réalise la première quantification de phénomènes psychiques, en reliant intensité de la sensation* et intensité de la stimulation; ses principes expérimentaux seront appliqués au domaine de la mémoire* par H. Ebbinghaus. En 1879, Wilhelm Wundt (1832-1920) fonde à Leipzig le premier laboratoire de psychologie. Ses recherches consacrées à la sensation, à la perception et aux temps de réaction, négligent les processus mentaux supérieurs (jugement, mémoire); elles trouveront avec le développement de l'ergonomie* leurs principales applications. Son élève Oswald Külpe (1862-1915) étudie les processus mentaux supérieurs en faisant appel à l'introspection. Il démontre ainsi l'existence d'une pensée sans image, ce qui était contraire aux thèses associationnistes.

Parallèlement, un courant britannique représenté par Francis Galton (1822-1911), dans la lignée de l'évolutionnisme*, s'intéresse aux différences entre individus et entre groupes. Cette école mesure les facultés de vastes groupes de sujets, à l'aide d'épreuves, considérées comme les premiers tests* psychologiques, et invente un certain nombre de techniques statistiques pour traiter ses résultats. A. Binet*, en France, utilise les mêmes processus que Galton, mais pense que la meilleure façon de différencier les individus entre eux est de les envisager sous l'angle de leurs fonctions supérieures; il créa ainsi (1905) la première mesure de l'intelligence* pour sélectionner les enfants inaptes à suivre l'enseignement primaire, devenu obligatoire. Partie des travaux de Binet, la psychologie différentielle se développe considérablement durant la Première Guerre mondiale, surtout aux États-Unis, pour orienter rapidement les soldats. À partir de 1925, les tests de personnalité, qui s'inspirent plus ou moins directement de la théorie analytique, s'ajouteront à cet arsenal. Actuellement, on fait largement appel aux tests lorsqu'il s'agit d'orientation scolaire ou de sélection professionnelle.

J. M. Charcot*, en soutenant que la cause des paralysies dans l'hystérie* n'est pas organique mais un événement traumatisant, contribue à mettre la vie affective au premier plan. Son influence s'exerce surtout par le biais de deux de ses auditeurs : P. Janet* et S. Freud*. Par ailleurs, Théodule Ribot (1839-1916) considère les maladies mentales comme des expérimentations naturelles et voit dans leur étude un équivalent de la méthode expérimentale. Sous l'influence de son successeur Janet et de la psychanalyse*, naît une pratique psychologique, fondée sur le contact individuel, l'observation et l'étude en profondeur de cas particuliers, souvent d'adultes ou d'enfants rencontrant des difficultés d'adaptation; cette pratique a été systématisée sous le nom de « psychologie clinique* ».

Parti de la physiologie, I. P. Pavlov* découvre le conditionnement* et lui fait jouer un rôle très large dans le comportement*. En ne faisant pas appel aux données de la conscience, il contribue à fonder la notion d'objectivité en psychologie. La technique des réflexes* conditionnés est l'une des plus fécondes de cette discipline. Pavlov se trouve à l'origine des travaux de Watson, qui aboutiront au béhaviorisme*. Le comportement, que Watson assigne pour objet à la psychologie, recouvre toutes les réactions adaptatives d'un organisme à une stimulation venue de son milieu extérieur ou intérieur. Watson fait de la psychologie une science pratique, fondée sur l'observation et qui se donne pour tâche de prévoir le comportement, si l'on connaît le stimulus. Il montre la continuité de l'animal à l'homme, celui-ci ne se distinguant de celui-là que par le degré de complexité de son comportement.

Ce n'est guère qu'avec les observations réalisées dans des conditions précises par A. Gesell* que naît la psychologie de l'enfant. Cependant, la découverte par S. Freud de la sexualité infantile constitue un moteur puissant, qui fera beaucoup progresser la connaissance de l'enfant. J. Piaget* et H. Wallon* sont les auteurs des premières théories d'ensemble du développement psychique de l'enfant.

La psychologie sociale, étude des interactions entre l'individu et les groupes auxquels il appartient, s'est surtout développée à partir des États-Unis. La recherche théorique y dépend des problèmes pratiques posés par le développement de la société industrielle. Au lendemain de la Première Guerre mondiale, elle s'intéresse à l'adaptation des conditions de travail pour obtenir un meilleur rendement, puis aux relations humaines dans l'entreprise. La lutte contre le nazisme est à l'origine des travaux sur la propagande et les attitudes. Actuellement, la psychologie sociale s'intéresse à la violence. Elle a mis au point un certain nombre de techniques qui lui sont propres : échelles d'attitude, enquêtes sur échantillon, interviews, analyse sociométrique, analyse de contenu et dynamique de groupe.

Les expressions utilisées pour désigner les différentes activités des psychologues se réfèrent tantôt aux problèmes étudiés (psychologie sociale, psychologie de l'enfant), tantôt aux méthodes d'étude (psychologie expérimentale, psychologie clinique). La psychologie s'enseigne à l'Université depuis 1948 en France.

PSYCHOPATHIE. — Ce trouble de la personnalité* se manifeste par des comportements à caractère antisocial dont les motivations sont obscures. Cette satisfaction impulsive et sans délai (passage à l'acte) des pulsions* n'engendre pas de culpabilité. La psychopathie est rapportée par les psychanalystes à un Moi*, sous la dominance du principe du plaisir*, à une pauvreté de la vie fantasmatique (v. FANTASME) et à un Surmoi* non intériorisé, ce qui rend compte de l'absence de culpabilité. La notion de personnalité psychopathique est synonyme de celle de déséquilibre, mais différente de celle de délinquance*, qui est une notion juridique.

PSYCHOPHARMACOLOGIE → PSYCHOTROPES.

PSYCHOSE. — L'existence d'un délire*, d'hallucinations*, d'une altération générale de la vie affective ou de l'humeur (dans le sens de l'exaltation ou de la tristesse) situe un trouble psychique dans le registre de la psychose. Entrent dans cette catégorie les schizophrénies* (bouleversements de la vie affective), les délires chroniques comme la paranoïa*, les psychoses hallucinatoires, la paraphrénie et la psychose maniaco-dépressive.

Les psychoses témoignent d'une altération globale de la personnalité, dont le rapport à la réalité est bouleversé. Henri Ey considère la psychose, qu'il oppose à la névrose*, comme une altération externe des rapports entre le Moi malade et autrui : la rupture étant ici éprouvée par autrui et le malade étant peu conscient d'être malade. Ainsi, rien n'entame la conviction du délirant, dont les idées — bien qu'en opposition manifeste avec la réalité ou choquant le bon sens — résistent à l'évidence.

Freud, qui décrit les troubles psychiques en termes de conflit entre Moi*, Ça* et Surmoi*, fait de la psychose le résultat d'un conflit entre le Moi et le monde extérieur, où le Moi « se laisse dominer par le Ça et arracher du même coup à la réalité ». Il précise : « La névrose ne dénie pas la réalité, elle veut seulement ne rien savoir d'elle; la psychose la dénie et cherche à la remplacer. » J. Lacan*, en introduisant le concept de forclusion*, s'efforce de rendre compte d'un manque fondamental qui affecterait le psychotique dans sa vie imaginaire : l'absence du signifiant « Père ».

PSYCHOSOMATIQUE (médecine). — La médecine psychosomatique doit son essor à la psychanalyse*, qui a montré qu'un conflit intrapsychique pouvait s'exprimer à travers une modification somatique. Pour certains auteurs, il n'existe pas de différence fondamentale entre troubles psychosomatiques et manifestations de conversion (v. HYSTÉRIE). Ces dernières, cependant, touchent électivement certaines fonctions et certains organes, lesquels demeurent indemnes tant du point de vue anatomique que du point de vue physiologique, ce qui n'est pas le cas dans les affections psychosomatiques. L. Kreisler (1974) restreint la clinique psychosomatique « aux maladies physiques, dans le déterminisme ou l'évolution desquelles on peut reconnaître le rôle prévalent de facteurs psychiques ou conflictuels ». Les troubles les moins controversés qui entrent dans une catégorie sont certaines affections allergiques (asthme, eczéma), cardiovasculaires (hypertension, angine de poitrine), dermatologiques (psoriasis, vitiligo) et digestives (ulcère gastro-duodénal, colopathies). L'inhibition des possibilités d'extériorisation des émotions*, la pauvreté de la vie fantasmatique (v. FANTASME), qui rend inapte à intégrer les traumatismes psychiques autrement que sur un mode somatique par suite de la défaillance des mécanismes de défense* mentaux, paraissent constituer un terrain favorable à l'éclosion d'affections psychosomatiques.

PSYCHOTHÉRAPIE. — Sous cette appellation se rangent des techniques fort diverses, qui ont pour point commun d'utiliser des moyens psychologiques et dont les effets thérapeutiques découlent du maniement de la relation thérapeute-patient. La psychothérapie a pour objectif de corriger des troubles qui paraissent être la résultante d'un conflit psychique interne et que le sujet ne semble pas en mesure de résoudre lui-même.

C'est par rapport à la psychanalyse* et à la cohérence de son matériel conceptuel que l'on peut classer les différentes formes de psychothérapie. Les techniques préanalytiques (thérapie morale de P. Pinel*, hypnose*) ne se pratiquent plus guère sous leur forme originelle, mais les différentes modalités d'aide psychologique dérivent de la thérapie morale, comme la narcoanalyse et le training* autogène de l'hypnose. Les difficultés pratiques d'utilisation de la cure type en psychanalyse ont amené les analystes à en mettre au point des variantes techniques (« psychothérapies d'inspiration analytiques »), notamment les psychothérapies en face à face, moins anxiogènes pour le patient que le divan, et des séances moins fréquentes ou plus courtes. Les psychothérapies d'enfants ou celles de psychotiques sont médiatisées par une autre technique (jeux, modelage, dessin). Le psychodrame* et les différentes techniques de groupe* peuvent être éclairés par les notions issues de la psychanalyse. D'autres formes de psychothérapie, prônées par les dissidents de l'orthodoxie analytique (Adler*, Jung*, Ferenczi*, Reich*), bien qu'elles aient conservé de la psychanalyse certains détails techniques, sont cependant très éloignées de celle-ci, car elles reposent sur des conceptions psychologiques différentes. Certaines techniques étaient, au départ, indépendantes des découvertes freudiennes, mais la plupart en ont été ensuite plus ou moins profondément marquées : analyse existentielle*, expression libre *(art therapy),* expression corporelle, psychothérapie non directive de Rogers*. La *behavior therapy* (v. BÉHAVIORISME) s'appuie sur le conditionnement.

PSYCHOTROPES. — Bien que cette classe de substances modifiant le psychisme soit connue depuis des temps immémoriaux, la psychopharmacologie est une science récente, née de la découverte des neuroleptiques* en 1952. Elle procède par l'administration à un animal du produit à étudier afin d'en inférer un certain nombre d'hypothèses à propos de ses effets probables sur le psychisme humain. Ces hypothèses sont alors soumises à vérification; des experts toxicologues et psychiatres prescrivent le produit à un petit groupe de patients pour lesquels le diagnostic est certain et dont les troubles sont nosographiquement purs. L'étape suivante est la comparaison des effets de la nouvelle substance avec ceux qui sont obtenus par des substances voisines déjà connues et par des placebos.

La définition et la classification des substances psychotropes se sont heurtées à de nombreuses difficultés. En effet, certaines substances ont les mêmes effets pharmacologiques, mais des structures chimiques très différentes. La classification clinique le plus généralement acceptée distingue trois variétés de psychotropes : les psycholeptiques, les psychoanaleptiques, les psychodysleptiques. Parmi les *psycholeptiques,* on range les hypnotiques (barbituriques ou non barbituriques), les neuroleptiques* et les tranquillisants; parmi les *psychoanaleptiques,* on distingue les stimulants de la vigilance* (amphétamines*; caféine) et les stimulants de l'humeur (antidépresseurs* ou thymoanaleptiques); les *psychodysleptiques,* qui perturbent l'activité mentale en induisant des troubles ressemblant à ceux que l'on rencontre dans les psychoses, sont essentiellement les hallucinogènes*.

PSYCHROMÈTRE. — Le thermomètre au contact de l'eau marque une température plus basse que le thermomètre sec, car il est refroidi par l'évaporation de l'eau, et ce d'autant plus rapidement que l'air est moins humide.

PTAH, dieu dynastique de Memphis* au temps de l'Ancien* Empire. La tradition lui attribuait l'invention des techniques et faisait de lui le patron des artisans et des artistes.

PTÉRANODON → PTÉROSAURIENS.

PTÉRIDOPHYTES. — Pour qu'une plante soit rangée dans l'embranchement des ptéridophytes, il faut qu'elle ait des racines et des vaisseaux, mais qu'elle n'ait ni fleurs ni graines et qu'elle se reproduise par des spores. Les ptéridophytes ont été très nombreux dans les flores anciennes (carbonifère notamment), mais ne sont plus représentés actuellement que par les fougères* et quelques groupes moins importants : prêles, lycopodes, sélaginelles, isoètes, psilotums, groupes aux espèces peu nombreuses et rassemblant surtout de très petites plantes.

PTÉRIDOSPERMES. — Parmi les espèces à feuilles de fougères recensées dans les empreintes des schistes houillers (époque carbonifère), on a eu la surprise de trouver certaines feuilles en continuité avec des graines typiques. Ces « fougères à graines » constituent le plus ancien des groupes de gymnospermes, qui est totalement éteint actuellement. Les principaux types sont *Heterangium, Alethopteris, Neuropteris* et *Odontopteris.*

PTÉRODACTYLE → PTÉROSAURIENS.

PTÉROPODES. — Tous marins, les ptéropodes sont des mollusques gastropodes très particuliers du fait que ce sont d'excellents nageurs. Les expansions latérales de leur pied leur servent de nageoires, et leur coquille est extrêmement légère *(thécosomes)* ou absente *(gymnosomes)* à l'état adulte. En raison de leur nombre immense, les coquilles de ptéropodes constituent d'importants dépôts (vases à ptéropodes) dans certaines zones marines, comme le golfe de Gascogne.

PTÉROSAURIENS. — Les reptiles volants, ou ptérosauriens, ont subsisté pendant cent millions d'années. Leur envergure a atteint près de 8 m. Les plus anciens ptérosauriens (début du jurassique) avaient une longue queue vertébrale et de fortes dents (rhamphorhynque). Les plus récents (crétacé) avaient une queue réduite et souvent un bec corné. Mais tous avaient une vaste membrane alaire soutenue exclusivement par le cinquième doigt, démesuré, de la main (ptérodactyle, ptéranodon qui était muni d'une expansion crânienne vers l'arrière pour faire équilibre à son long bec). Les ptérosauriens étaient des oiseaux de mer ou, tout au moins, de rivage et se nourrissaient surtout de poissons. Il leur était très difficile de se déplacer au sol.

PTOLÉMAÏS, nom de plusieurs villes de l'Orient hellénistique, fondées par/ou en l'honneur des Ptolémées. Les plus importantes se situaient en Phénicie (auj. Acre*), en Égypte près d'Abydos*, en Cyrénaïque* et sur la mer Rouge*.

PTOLÉMÉE, nom de plusieurs rois d'Égypte → LAGIDES.

PTOLÉMÉE (Claude), mathématicien, astronome et géographe grec (probablem. Ptolémaïs Hermiu v. 90-Canope v. 168). Il vécut à Alexandrie et fut le plus grand astronome de l'Antiquité. Sa *Grande Syntaxe mathématique* (140 apr. J.-C.), appelée *Almageste* par les Arabes, est la somme des connaissances astronomiques de ses prédécesseurs. Si les emprunts à Hipparque, en particulier, sont nombreux, Ptolémée y développe son système géocentrique, qui dominera l'astronomie jusqu'à la parution du *De revolutionibus orbium coelestium* de Copernic* (1543). Aussi célèbre est sa *Géographie,* qui doit également beaucoup à Hipparque. D'autre part, Ptolémée s'intéressa beaucoup à l'astrologie et, dans sa *Syntaxe tétrabible,* il chercha à mettre en évidence une influence des astres sur les phénomènes terrestres. Enfin, on lui doit des ouvrages de physique, notamment un traité d'optique.

PTÔSE. — La ptôse de l'estomac entraîne des troubles digestifs qui aggravent la maigreur des sujets atteints; les ceintures abdominales constituent un palliatif utile. La ptôse rénale est cause de dilatation rénale (hydronéphrose) par courbure de l'uretère : une intervention peut être nécessaire. La ptôse des organes génitaux de la femme (prolapsus) réclame un traitement chirurgical.

PTYALISME → SALIVE.

PUBERTÉ. — Plus précoce chez la fille (de 10 à 14 ans) que chez le garçon (de 12 à 16 ans), la puberté correspond au développement et au début de fonctionnement de l'appareil génital.

Précédée par l'augmentation de volume des seins et par l'apparition de poils au pubis et aux aisselles, elle se manifeste chez la fille par les premières menstruations (règles), qui témoignent de l'ovulation. Chez le garçon, le développement des organes génitaux externes s'accompagne de l'apparition de spermatozoïdes dans le sperme et d'une forte croissance staturo-pondérale avec modification (mue) de la voix, qui devient plus grave.

La puberté peut être le point de départ de difficultés psychologiques touchant notamment le caractère.

PUBIS → BASSIN.

PUBLICAIN. — Dans le monde romain, les adjudicataires d'un service public (travaux, péages, douanes, etc.) et en particulier les fermiers des impôts étaient appelés « publicains » (du latin *publicum,* caisse de l'État). Ils étaient tenus de faire au Trésor public l'avance des sommes à percevoir. Pour rentrer dans leurs fonds, amortir les frais d'une organisation nécessitant parfois un nombreux personnel et réaliser aussi des bénéfices, les publicains, souvent organisés en sociétés, se rendirent impopulaires par leurs exactions. On trouve un écho du mépris dans lequel ils étaient tenus dans les Évangiles, où publicain est synonyme de « pécheur ».

PUBLICITÉ. — La publicité telle qu'elle existe actuellement doit son développement à celui de l'industrie. À la publicité de type *réclame* est venue se substituer une publicité plus élaborée, qui cherche à atteindre une population déterminée : la cible. Cette connaissance permet de choisir les *media* les mieux adaptés et, à l'intérieur, les *supports* qui correspondent à la cible (journaux, revues, heures d'écoute de la radio, etc.). Pour frapper juste, il faut en dire juste assez et trouver le *message* que l'on veut faire passer, ou encore l'« unic selling proposition » (USP) dans le langage anglo-saxon. Parmi les différents moyens publicitaires, les plus importants sont l'affiche, la presse, la radio, le cinéma, la télévision, les foires-expositions, la publicité directe. Les budgets consacrés à la publicité varient selon les branches professionnelles : de 3 p. 100 pour les jouets à 14 p. 100 pour les produits de beauté.

Les messages publicitaires véhiculés par les mass media s'adressent à un public le plus vaste qui soit, car leur but, avant tout commercial, est d'inciter le plus grand nombre à la consommation. Le message fait appel à certains processus psychiques qui déclenchent des phénomènes de conditionnement, d'identification.

Caractéristique des pays à économie capitaliste, la publicité est l'un des moteurs modernes des sociétés d'abondance et de consommation. D'où le danger, souligné par les sociologues, d'arriver à une surconsommation alimentée par une surpublicité et nécessitant alors une surproduction, « le consommateur créant le producteur ». Aujourd'hui, on constate qu'une distinction s'établit progressivement entre une publicité qui s'adresse à une « élite » et la publicité de masse traditionnelle. En effet, une certaine publicité consiste à allier un bien de consommation avec une valeur qui attire le client. Les articles de luxe ou de demi-luxe, promus par des sociétés tenant à préserver et à cultiver une certaine « image de marque », font jouer le ressort de « distinction enviable » chez le consommateur.

Si la publicité commerciale est, en principe, libre, de nombreux textes sont venus réglementer et limiter le champ de son action (par exemple affichage, étiquetage...), notamment en matière de concurrence déloyale et de publicité mensongère.

PUCCINI (Giacomo), compositeur italien (Lucques 1858 - Bruxelles 1924). Partisan d'une esthétique vériste, qu'il a su transcender, il excelle dans une peinture psychologique et dramatique rehaussée par une riche orchestration (*la Bohème*, 1896; *Tosca*, 1900; *le Triptyque*, 1918; *Turandot*, inachevé).

PUCE. — La puce, type de l'ordre des siphonaptères, est un minuscule insecte sans ailes, pourvu d'une trompe piqueuse et suceuse de sang, et à qui ses trois paires de pattes, longues et puissantes, permettent des sauts d'une longueur surprenante. Les autres siphonaptères (puces *lato sensu*) infestent divers oiseaux et mammifères. Ce sont de redoutables porteurs de germes infectieux : la puce de l'Inde, par exemple, transmet à l'homme la peste*, qu'elle puise chez le rat. Du fait de leurs métamorphoses complètes, ces insectes sont considérés comme très évolués.

PUCELLE (Jean), miniaturiste mort à Paris durant l'hiver 1333-34, chef d'un important atelier dans cette ville vers 1320-1330. Il mit à la mode les figurations naturalistes et anecdotiques dans les marges des manuscrits, y introduisit certaines conceptions italiennes de perspective et prépara l'évolution de la peinture française vers le style gothique international de la fin du siècle (participation au *Bréviaire de Belleville* et à la *Bible de Robert de Billyng* [B. N.], sans doute aussi au *Livre d'heures de Jeanne d'Évreux* [musée des Cloîtres, New York]).

PUCERON. — Les pucerons sont des insectes de l'ordre des homoptères (v. HÉMIPTÈRES), et végétariens. Très nuisibles à d'innombrables plantes sauvages ou cultivées, dont ils sucent la sève, les pucerons ont en outre une multiplication rapide (parthénogenèse, viviparité, etc.). Des générations sédentaires, sans ailes, alternent saisonnièrement avec des générations ailées et migratrices. On distingue les pucerons proprement dits, ou *aphidiens (Phylloxera, Aphis, Macrosiphum)*, les *aleurodes* et les *cochenilles.*

PUEBLA ou **PUEBLA DE ZARAGOZA,** v. du Mexique, au S. de Mexico, capit. de l'*État de Puebla;* 402 000 hab. Belle cathédrale des XVIe et XVIIe s., en pierre et en marbre, et églises de style baroque colonial, à revêtements externes de céramiques polychromes, des XVIIe et XVIIIe s. Sidérurgie. — La ville fut prise par les Français en 1863 (v. MEXIQUE [*guerre du*]).

PUEBLO, v. des États-Unis (Colorado), au S. de Denver; 97 000 hab. Sidérurgie.

PUÉRICULTURE. — Fondée sur la connaissance de la physiologie et de la pathologie du nouveau-né*, du nourrisson* et de l'enfant*, cette discipline s'appuie sur la pédiatrie, la psychologie et la pédagogie. Elle est enseignée dans les hôpitaux d'enfants et dans des écoles spécialisées, et ses praticiens sont essentiellement du sexe féminin (puéricultrices, jardinières d'enfants, infirmières, sages-femmes).

PUERTO CABELLO, port du Venezuela, sur la mer des Antilles, à l'O. de Caracas; 71 000 hab.

PUERTO LA CRUZ, port du Venezuela, sur la mer des Antilles, à l'E. de Caracas; 82 000 hab.

PUERTOLLANO, v. d'Espagne, en Nouvelle-Castille; 54 000 hab. Raffinage du pétrole. Pétrochimie.

PUERTO MONTT, port du Chili méridional; 63 000 hab.

PUERTO RICO → PORTO RICO.

PUFFENDORF (Samuel, *baron* VON), juriste et historien allemand (Chemnitz 1632 - Berlin 1694), professeur à Heidelberg (1661), puis à Lund (Suède) [1670]. Son ouvrage *Du droit de la nature et des gens* (1672) fonda le droit sur des bases rationnelles et soutint que la paix est l'état naturel. Puffendorf fit connaître les travaux de Grotius*.

PUFFIN. — Oiseaux de mer, qui se distinguent des albatros par des tubes nasaux mitoyens, les puffins ne bâtissent pas de nids, mais creusent de profonds terriers. Ils vivent en colonies nombreuses. (Famille des procellariidés.)

PUGET (Pierre), sculpteur, peintre et architecte français (Marseille 1620 - *id.* 1694). Actif à Florence, comme peintre aide de Pierre de Cortone (v. 1640-1642), à Toulon (atlantes de l'hôtel de ville, 1655), à Paris (où Fouquet lui demande des statues pour le parc de Vaux), à Gênes, où il reste sept ans (statues de S. Maria di Carignano, etc.), il revient en 1667 à Toulon, où il dirige le chantier de sculpture des navires royaux et exécute pour Versailles ses groupes de *Milon de Crotone* et de *Persée délivrant Andromède,* qui seront bien accueillis en dépit de leurs étrangetés baroques (1683-84, marbres, auj. au Louvre). Sur ses plans est exécutée la belle chapelle à dôme ovoïde de l'hospice de la Charité à Marseille.

PUGET SOUND (le), fjord de la côte nord-ouest des États-Unis (État de Washington), sur la rive orientale duquel sont établies les villes de Seattle et de Tacoma.

PUGET-THÉNIERS (06260), ch.-l. de cant. des Alpes-Maritimes, sur le Var; 1 520 hab. Église romane (retable niçois de 1525). Monument à Blanqui, par Maillol.

PUIGCERDÁ, v. d'Espagne (Catalogne), dans les Pyrénées, capit. de la Cerdagne espagnole; 4 000 hab. Station estivale à 1 152 m d'altitude.

PUISAYE (la), région argileuse du sud du Bassin parisien (départ. de la Nièvre et surtout de l'Yonne), entre la Loire et l'Ouanne (affl. du Loing).

PUISAYE (Joseph, *comte* DE), général français (Mortagne 1755 - Hammersmith 1827). Maréchal de camp en 1791, émigré en 1793, il dirigea le débarquement des royalistes à Quiberon en 1795.

PUISEAUX (45390), ch.-l. de cant. du Loiret, à 19 km à l'E. de Pithiviers; 2 371 hab. Belle église des XIIIe et XVe s. Constructions électriques.

PUISEUX (Pierre), astronome français (Paris 1855 - Fontenay 1928). Il prit la part la plus active à l'élaboration d'un atlas de la Lune* et de la carte photographique du ciel.

PUISSANCE *(Math.).* — Deux ensembles* A et B ont *même puissance* s'il existe une *bijection* entre eux : à tout élément de l'ensemble A correspond un élément de l'ensemble B et un seul. Dans la classe de tous les ensembles, la relation «a même puissance que» est réflexive, transitive et symétrique; c'est une *relation d'équivalence,* et la *classe d'équivalence* à laquelle appartient un ensemble A s'appelle la *puissance* de A ou *nombre cardinal* de A, noté card A ou $|A|$. Le cardinal d'un ensemble fini est égal au nombre d'éléments de cet ensemble : deux ensembles finis ont le même cardinal s'ils ont le même nombre d'éléments. Parmi les ensembles qui ont un nombre infini d'éléments, il existe au moins l'ensemble $\mathbb{N}$ des entiers naturels, qui est bien infini, puisque, étant donné un entier quelconque n, il existe un entier $n + 1 = n'$, puis un entier $n'' = n' + 1$, etc. Tous les ensembles infinis n'ont pas la même puissance. En effet, l'ensemble des parties d'un ensemble E, noté $\mathfrak{P}$ (E), a une puissance strictement supérieure à celle de E. Par suite, l'ensemble $\mathbb{N}$ ayant la puissance du *dénombrable,* $\mathfrak{P}$ ($\mathbb{N}$) a une puissance strictement supérieure, qu'on appelle *puissance du continu.* Cette puissance est aussi celle de l'ensemble des nombres du segment $[0, 1]$.

L'ensemble $\mathbb{Q}$ des nombres *rationnels* (fractionnaires) a la puissance du *dénombrable.* L'ensemble $\mathbb{R}$ des nombres *réels* a la puissance du *continu.*

PUISSANCE *(Opt.).* — Lorsque l'angle sous lequel est vue l'image est mesuré en radians et que la longueur de l'objet est exprimée en mètres, la puissance est évaluée en dioptries. La puissance d'une loupe est sensiblement égale à sa convergence $1/f$.

PUISSANCE PATERNELLE → AUTORITÉ PARENTALE.

PUITS *(Min.).* — Un puits de mine* est de section rectangulaire si les terrains sont très bons, sinon il est de section circulaire, cette forme permettant au revêtement, généralement en béton*, de mieux résister aux pressions de terrain. L'extraction se fait soit par *cages,* dans lesquelles prennent place les *berlines,* soit par *skips,* grands récipients fermés à la partie inférieure par une porte que des guides incurvés font ouvrir à l'arrivée au jour. Il y a deux cages (ou deux

Lauros - Giraudon

Pierre Puget : *Milon de Crotone.* 1673-1682. (Musée du Louvre, Paris.)

skips), l'une montant pendant que l'autre descend, ou bien une cage et un contrepoids. Pour une extraction à grand débit, la vitesse est de l'ordre de 15 à 20 m/s et la charge utile peut dépasser 20 t. Suivant les cas, un puits de mine a de 3,5 à 7 m de diamètre utile. Les puits de grande section sont équipés en double extraction : deux machines d'extraction et quatre cages ou quatre skips. Les cages, les skips et les contrepoids sont guidés soit par des guides rigides en bois ou en acier*, soit par des câbles-guides.

PUJOLS (33350 Castillon la Bataille), ch.-l. de cant. de la Gironde, à 25 km au S.-E. de Libourne; 465 hab.

PULA, en ital. **Pola,** v. de Yougoslavie (Croatie), sur l'Adriatique, en Istrie; 47 000 hab. Beaux monuments romains (amphithéâtre des époques d'Auguste et de Vespasien, etc.). Cathédrale et forteresse reconstruites au XVIIe s. Musée archéologique.

PULCHÉRIE *(sainte),* impératrice d'Orient (Constantinople 399-† 453). Fille aînée d'Arcadius, elle fut proclamée *augusta* en 414 et gouverna avec son frère Théodose II*. À la mort de ce dernier (450), elle fit proclamer empereur le sénateur Marcien, qu'elle épousa. Pulchérie et Marcien (de 450 à 457) favorisèrent, à l'instigation du pape Léon Ier, la réunion du concile de Chalcédoine (451), qui condamna le monophysisme*.

PULCI (Luigi), poète italien (Florence 1432-Padoue 1484), auteur d'une épopée burlesque qui parodie les romans de chevalerie *(Morgant).*

Pulcinella, nom italien de Polichinelle. Le *Pulcinella* napolitain, habillé de blanc, n'est pas bossu.

Pulitzer *(prix),* récompenses instituées par le journaliste américain Joseph *Pulitzer* (1847-1911). Les douze prix sont décernés chaque année, depuis 1918, par le conseil d'administration de l'université Columbia.

PULLMANN (George Mortimer), industriel américain (Brocton, New York, 1831-Chicago 1897). En 1863, il imagina avec son ami Ben Field une voiture de chemin de fer, brevetée en 1864 et possédant à la partie supérieure des lits dépliables pour la nuit. En 1865, les deux amis inventèrent un système de sièges extensibles formant lits à la partie inférieure de la même voiture.

PULLY, v. de Suisse (cant. de Vaud), banlieue de Lausanne; 15 917 hab.

PULMONAIRE *(Bot.).* — Voisine du myosotis*, la pulmonaire est une herbe velue, très commune, aux petites fleurs d'un bleu violacé (roses dans le bouton), aux feuilles lancéolées et tachetées. (Famille des borraginacées.)

PULMONAIRE (congestion) → POUMON.

PULMONÉS. — Les escargots*, les limaces* et quelques autres mollusques gastropodes, tels que la limnée* et la planorbe*, se distinguent de tout le reste de leur classe par l'absence complète de branchies. Leur cavité palléale fonctionne comme un poumon quelque peu amphibie, fournissant plus d'oxygène à l'organisme dans l'air que dans l'eau, mais rendant possible de longues submersions. Ces pulmonés constituent une sous-classe.

PULPE DENTAIRE → DENT.

PULSAR. — En étudiant les variations rapides d'intensité des radiosources*, les radioastronomes de Cambridge ont observé, provenant de certaines régions du ciel, des successions d'impulsions brèves extrêmement régulières. Ce phénomène a été attribué à une nouvelle catégorie d'astres, les pulsars (de l'anglais « pulsating star », étoile* à pulsations). Les pulsars seraient des étoiles à neutrons*, c'est-à-dire des étoiles à peu près de même masse que le Soleil*, mais qui se sont effondrées sur elles-mêmes, de manière à avoir leur diamètre réduit à une dizaine de kilomètres. Leur densité* est alors telle que la matière de l'étoile se trouve sous forme non pas d'atomes*, mais de neutrons. En s'effondrant, l'étoile a vu sa vitesse de rotation augmenter, et les étoiles à neutrons peuvent faire un tour sur elles-mêmes en une seconde ou même moins. Les astronomes pensent que ces astres condensés peuvent émettre un puissant faisceau de rayonnement radio dans une direction et que, lors de leur rotation, ce faisceau balaie l'espace à la manière d'un phare. Les impulsions répétées régulièrement que l'on capte sur la Terre seraient alors dues aux balayages successifs de ces phares cosmiques. Plus d'une centaine de pulsars ont été découverts, dont les périodes, ou temps séparant deux impulsions, s'échelonnent de 0,03 s à quelques secondes. Un pulsar particulièrement intéressant se trouve au centre d'une nébulosité* galactique, la nébuleuse du Crabe. Cette nébuleuse s'est formée à la suite de l'explosion d'une étoile en l'an 1054. Cet événement, rare et spectaculaire, a été observé par les astronomes chinois. Il est probable que le pulsar actuel est le noyau subsistant après l'explosion de l'étoile. C'est sans doute le plus jeune des pulsars connus; sa période est aussi la plus courte : 33 ms. La rotation des pulsars se ralentit avec le temps, et les pulsars à longue période sont sans doute de vieux pulsars.

PULSION. — Le concept de pulsion, fondamental en psychanalyse*, a été dégagé par S. Freud* des modalités de la sexualité* infantile et des perversions* dans *Trois Essais sur la théorie de la sexualité* (1905). La pulsion, dont le prototype est la pulsion sexuelle, apparaît comme une force qui pousse l'organisme à accomplir une action dans le but de supprimer une excitation venant de l'intérieur de l'organisme lui-même. Freud en fait « un concept-limite entre le psychique et le somatique ». Sous l'expression de « pulsions partielles », Freud décrit des composantes de la pulsion sexuelle rattachées à une zone érogène* (source somatique de la pulsion). Ces pulsions partielles (orale, anale, etc.) ne se subordonnent que tardivement à la zone génitale et ne se mettent au service de la reproduction qu'au terme d'une évolution complexe dans laquelle intervient plus l'histoire du sujet que la maturation biologique. Cette variabilité dans le but et dans l'objet est ce qui différencie le concept freudien de pulsion de celui d'instinct*, dont la finalité est déterminée par la phylogenèse. Dans le psychisme, la pulsion n'est connue que par ses buts : son expression psychique est appelée « représentant de la pulsion ». C'est sur lui que peut porter le refoulement*.

Dans sa première théorie des pulsions Freud a opposé pulsions sexuelles et pulsions d'autoconservation (ou pulsion du Moi). Il décrit les pulsions d'autoconservation, qui visent à la conservation de l'individu sur le modèle de la faim. Au cours de l'histoire individuelle les pulsions sexuelles se dégagent des pulsions d'autoconservation. Ainsi au stade oral* le plaisir sexuel apparaît comme étroitement dépendant de la satisfaction d'une fonction physiologique indispensable à la vie : la nutrition. Cependant, pulsions sexuelles et pulsions d'autoconservation peuvent entrer en conflit comme au cours de certains processus pathologiques, les névroses* par exemple. Les pulsions sexuelles pouvant se permettre des satisfactions fantasmatiques (v. FANTASME) restent plus longtemps sous la domination du principe du plaisir* que les pulsions d'autoconservation, qui ne peuvent se satisfaire que d'un objet réel et doivent se soumettre en conséquence au principe de réalité. Après 1920, avec la publication de *Au-delà* du principe de plaisir,* apparaît un grand tournant dans la pensée de Freud qui introduit la notion de pulsion de mort*. La seconde théorie des pulsions est toujours dualiste puisque la pulsion de vie, ou Éros, qui regroupe les pulsions sexuelles et la pulsion d'autoconservation, est opposée à la pulsion de mort, ou Thanatos. Le Ça* est alors conçu comme le réservoir des pulsions.

PULVÉRISATION. — Les pulvérisations de médicaments finement dispersés permettent de traiter les maladies de la peau, du nez, de la gorge, du col de l'utérus. On utilise généralement des petites « bombes » dans lesquelles le produit actif est propulsé par un gaz inerte; un dispositif doseur y est incorporé pour certains produits très actifs.

PUMA. — Nommé aussi *couguar,* ce petit lion américain, aujourd'hui presque disparu, était un inlassable chasseur nocturne, inoffensif pour l'homme, mais redoutable pour les troupeaux comme pour les bêtes sauvages. Le mâle n'a pas de crinière.

PUNAISE → HÉMIPTÈRES.

Environnement d'un PULSAR.

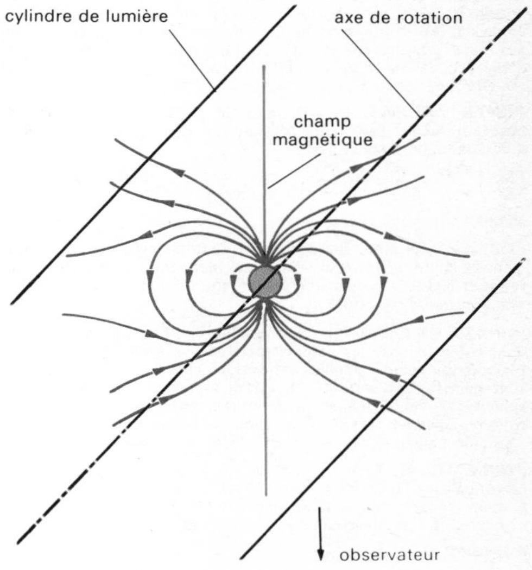

puniques *(guerres)*, guerres qui opposèrent Rome* à Carthage* de 264 à 146 av. J.-C. et qui aboutirent à l'anéantissement de l'État punique.

• *Première guerre (264-241) : les « affaires de Sicile ».* Rome et Carthage entrent en conflit pour la Sicile. L'occasion de la guerre fut une querelle entre les Mamertins* de Messine et Hiéron II, roi de Syracuse (de 265 à 215 av. J.-C.) : malgré le traité de 306 signé avec Carthage, qui réservait la Sicile à l'influence punique, Rome accède à la demande de protection des Mamertins et occupe Messine (264). Peu après, Hiéron fait alliance avec Rome. Les Romains entreprennent alors avec succès la conquête de la Sicile ; grâce à leurs alliés de l'Italie du Sud, ils construisent leur première flotte, avec laquelle Duilius* est vainqueur à Mylae (260). Après une nouvelle victoire à Ecnome (256), M. Atilius Regulus passe en Afrique afin d'obliger Carthage à relâcher son effort en Sicile, mais il subit un désastre. Cet échec est compensé par la prise de Palerme (254). Après plusieurs défaites (Drepanum*, 249), qui rendent à Carthage son hégémonie maritime, et de nombreux échecs à l'assaut des forteresses puniques de Sicile (Lilybée, mont Éryx), bien défendues par Hamilcar* Barca, Rome remporte la victoire décisive des îles Égates* (241). Épuisée, Carthage fait la paix : elle perd la Sicile et s'engage à verser une forte indemnité (241).

Après sa défaite, Carthage est dangereusement ébranlée par la guerre des mercenaires*, à la faveur de laquelle Rome lui réclame la cession de la Corse et de la Sardaigne (238-237). Pour compenser ces pertes et la préparer à une guerre de revanche, les Barcides (Hamilcar, Hasdrubal*, Hannibal*) conquièrent une grande partie de l'Espagne, riche en hommes et en métaux. Inquiète, Rome fixe la limite de l'expansion punique à l'Èbre (226).

• *Deuxième guerre (218-201) : la « guerre d'Hannibal ».* Le déclenchement du conflit, qui a pour enjeu la domination de la Méditerranée occidentale, vient de l'attaque d'Hannibal contre Sagonte (219), cité ibère alliée de Rome. Hannibal veut briser la confédération italique, créée par Rome, en suscitant des défections. Il gagne l'Italie par voie de terre et, avec l'aide des Celtes de Cisalpine, remporte les victoires du Tessin* et de la Trébie* (218) puis celle de Trasimène* (217), où périt Flaminius*, et celle de Cannes* (216), qui provoque la défection de Capoue, suivie de celle de Syracuse (215) et de celle de Tarente (213) ; mais les alliés de l'Italie centrale demeurent fidèles à Rome. Après Cannes, le sénat adopte la tactique temporisatrice de Q. Fabius* Maximus Verrucosus. Puis Rome prend l'offensive : Syracuse (212) [v. CLAUDIUS MARCELLUS], Capoue (211) et Tarente (209) sont reconquises ; en Espagne, les Scipions provoquent l'effondrement de l'Empire punique (Ilipa, 206). Hasdrubal réussit, toutefois, à passer en Italie avec des renforts, mais il est tué au Métaure* (207) sans parvenir à joindre Hannibal, dès lors réduit au Bruttium. En 204, Scipion porte la guerre en Afrique, où il s'allie à Masinissa*. Rappelé d'Italie, Hannibal est vaincu à Zama* (202), et Carthage conclut la paix : le traité de 201 la réduit au rang d'un État vassal de Rome, mais lui laisse son domaine africain ; Carthage perd l'Espagne, sa flotte, ses éléphants, son indépendance et promet de verser une indemnité.

• *Troisième guerre (149-146) : la destruction de Carthage.* Carthage se relève cependant. Caton*, en demandant sa destruction *(Delenda est Carthago)*, montre au sénat tout le danger que présente la renaissance de la métropole punique, où le parti démocratique, hostile à Rome et à Masinissa, arrive au pouvoir en 155. En engageant les hostilités contre Masinissa, Carthage manque en 150 aux clauses du traité de 201 et fournit à Rome la justification légale d'une déclaration de guerre (149) : prise par Scipion Émilien, elle est détruite en 146, la même année que Corinthe.

PUNTA ARENAS, port du sud du Chili, sur le détroit de Magellan ; 62 000 hab. À 53^0 de latitude S., c'est la ville la plus méridionale du monde.

PUNTA DEL ESTE, v. de l'Uruguay, à l'E. de Montevideo, sur l'Atlantique ; 6 500 hab. Station balnéaire.

PUPILLE *(Anat.)* → IRIS.

PUPILLE *(Opt.)*. — En dehors de tout diaphragme, la pupille d'entrée d'un instrument d'optique, qui limite l'ouverture du faisceau incident, correspond à la monture d'une des lentilles, dite « diaphragme d'ouverture ».

PUPILLE DE L'ÉTAT. — Les pupilles de l'État sont des enfants dont l'abandon par les parents entraîne une protection de l'État. L'admission comme pupilles est décidée par le préfet ; les enfants sont confiés aux services de l'*Aide sociale à l'enfance,* qui se substitue à l'autorité* parentale des parents. Il s'agit d'enfants trouvés, abandonnés ou d'orphelins sans ressources, ou encore d'enfants dont les parents ont été déchus de l'autorité parentale.

PUPIN (Michael Idvorsky), physicien américain d'origine serbe (Idvor, Banat, 1858 - New York 1935). Il imagina de placer des bobines de self-induction le long des lignes téléphoniques pour améliorer la transmission de la parole *(pupinisation).*

PUPITREUR → CENTRE DE CALCUL.

Purāṇa, épopées anonymes, dont la composition s'étend du IVe au XVIe s. et qui ont joué un rôle aussi important que les *Veda** dans l'hindouisme*, car elles s'adressaient à tous et non aux seuls brahmanes.

PURCELL (Henry), compositeur anglais (Londres 1659 - Westminster 1695). Compositeur de la Chapelle royale et organiste de Westminster, il domine toute la musique anglaise, tant par ses œuvres officielles de musique vocale religieuse (odes et anthems) que par ses partitions lyriques, synthèses d'un art anglais, italien, français (*Didon et Énée,* 1689; *The Fairy Queen,* 1692), sa musique de chambre (sonates) et ses œuvres pour clavier.

PURCELL (Edward Mills), physicien américain (Taylorville, Illinois, 1912). Il a imaginé un mode de propagation des ondes radioélectriques, utilisant les propriétés de l'ionosphère, et il a déterminé les moments magnétiques des noyaux atomiques. (Prix Nobel de physique, 1952.)

PURGATIF. — L'emploi des purgatifs est très limité dans la thérapeutique moderne (évacuation de toxiques, constipation opiniâtre). Les produits employés dans la constipation habituelle, après les opérations, les accouchements et en cas d'immobilisation prolongée (séné, mucilages, huiles, corps tensioactifs), sont plus des laxatifs que des purgatifs.

PURGATOIRE. — Ce terme s'est imposé depuis le Moyen Âge pour désigner, dans la doctrine catholique, le processus de purification pour les âmes des justes qui, au moment de la mort, n'ont pas entièrement satisfait à la justice de Dieu. Les Églises orientales n'ont pas une pensée unanime sur cette croyance, qui est rejetée par toutes les Églises protestantes.

PURISME. — Tendance picturale, mais aussi réflexion sur l'art ayant pour promoteurs Amédée Ozenfant (1886-1966) et C. E. Jeanneret (le futur Le Corbusier*), auteurs du manifeste *Après le cubisme* (1918) puis fondateurs de l'importante revue *l'Esprit nouveau,* le purisme tente de retrouver une rigueur et une cohérence qui manquent au cubisme* (et dont la machine, référence admirée, donne l'exemple). Un rapport de formes réduites à des épures géométriques et de couleurs harmonieuses et discrètes caractérise la peinture puriste (natures mortes d'objets), qui se veut « générale, statique, expressive de l'invariant ». Ce style fit quelques adeptes, mais Ozenfant, qui ouvrit des académies à Paris (1930), puis à Londres et à New York, renonça lui-même (comme Le Corbusier dès 1928) aux limitations du purisme, abordant notamment dans sa peinture des thèmes atmosphériques.

PURITANISME. — Le mouvement puritain est né en Angleterre, au milieu du XVIe s., de la réaction de nombreux calvinistes contre le laxisme et les compromissions de l'anglicanisme*, dans le sens d'un retour au christianisme primitif : autorité des Écritures, simplicité du ministère, pureté de l'Église. Persécutés par Élisabeth Ire à partir de 1570, les puritains émigrent en grand nombre en Hollande, puis aux États-Unis, où le groupe le plus célèbre est celui des « Pères pèlerins » du *Mayflower* (1620) ; un autre groupe est à l'origine du Massachusetts*. Les puritains restés en Angleterre constituent, face aux Stuarts*, un groupe d'opposition qui, avec Cromwell*, est l'un des éléments déterminants de la révolution* anglaise et de la chute de Charles Ier* en 1649. Après l'arrivée au pouvoir de Cromwell, ils contrôlent en fait le gouvernement, avant d'être éliminés politiquement par Charles II*. Désormais, ils sont confondus avec les non-conformistes, ou dissidents. Leur influence n'en est pas moins déterminante dans le triomphe d'une bourgeoisie capitaliste en Angleterre et dans l'avènement de la démocratie parlementaire. (V. WEBER [Max].)

PURPURA. — La rupture de vaisseaux capillaires provoque de petites suffusions hémorragiques qui font sur la peau des taches rouges, de dimensions variables et ne disparaissant pas à la pression. On peut observer simultanément des ecchymoses, des hémorragies nasales (épistaxis), gingivales, digestives, etc. Les purpuras dus à des états infectieux, à des affections rhumatismales, à des hémopathies bénignes ou à une fragilité capillaire excessive ne s'accompagnent pas d'une modification du nombre des plaquettes sanguines (ou thrombocytes). Au contraire, les *purpuras thrombopéniques* s'accompagnent d'une baisse importante du nombre des plaquettes sanguines : on les observe dans certaines intoxications, dans les leucémies et autres hémopathies malignes, mais parfois ils n'ont aucune cause connue.

PURUS (le), riv. née au Pérou, qui draine le sud-ouest de l'Amazonie, affl. de l'Amazone (r. dr.) ; 3 380 km.

PUS. — Formé de débris de leucocytes tués, de cellules nécrosées et des bactéries responsables de l'infection, le liquide résultant de la suppuration d'un foyer inflammatoire se collecte en abcès en refoulant les tissus voisins ou s'épanche dans une cavité naturelle (plèvre, péricarde, péritoine, etc.). Le drainage spontané ou chirurgical permet son évacuation et la guérison de la lésion.

PUSAN ou **PU-SAN,** deuxième ville et principal port de la Corée du Sud, sur le détroit de Corée; 1 880 000 hab. Pu-san doit son importance commerciale et industrielle (chimie, alimentation [liée aussi à la pêche, active], métallurgie de transformation) à sa situation de débouché maritime en face du Japon.

PUSEY (Edward BOUVERIE, dit), théologien anglais (Pusey 1800-Oxford 1882). Professeur d'hébreu à Oxford (1828), il prend une part active au mouvement de réforme religieuse dit « d'Oxford* », appelé encore « puseyisme »; mais, alors que plusieurs de ses amis passent au catholicisme, lui demeure dans l'Église anglicane, où il devient le chef des ritualistes.

PUSZTA (la), nom autrefois donné à la grande plaine steppique hongroise (à l'E. du Danube), lorsqu'elle n'était pas cultivée.

PUTANGES-PONT-ÉCREPIN (61210), ch.-l. de cant. de l'Orne, sur l'Orne, à 20 km à l'O. d'Argentan; 947 hab.

PUTEAUX (92800), ch.-l. de cant. des Hauts-de-Seine, sur la Seine, à 2 km à l'O. de Paris; 35 564 hab. *(Putéoliens).*

PUTNIK (Radomir), général serbe (Kragujevac 1847-Nice 1917). Il commanda l'armée serbe pendant les guerres balkaniques (1912-13) et au début de la Première Guerre mondiale (1914-15).

PUTOIS. — Le putois est un mustélidé* typique. C'est un chasseur strictement nocturne, destructeur de vipères, mais aussi de lapins et de volaille. Le furet* n'est qu'une variété de putois.

PUVIS DE CHAVANNES (Pierre), peintre français (Lyon 1824-Paris 1898). Il visita l'Italie et admira à Paris l'œuvre de Chassériau. Son art, classique et idéaliste, s'est le plus souvent exprimé dans de grandes peintures murales aux tons retenus, soigneusement équilibrées, mais un peu froides : pour les musées d'Amiens (1860-1882), de Marseille (palais de Longchamp, 1868) et de Lyon (1884), pour le Panthéon à Paris (1875 et 1897 : *Vie de sainte Geneviève*), etc. Puvis a également donné des tableaux de chevalet, comme ce *Pauvre Pêcheur* (1881, Louvre) qu'admirèrent Gauguin et les nabis.

PUY (Le) [43000], ch.-l. du départ. de la Haute-Loire, sur la Borne (affl. de la Loire), à 514 km au S.-S.-E. de Paris; 29 024 hab. *(Aniciens* ou *Ponots).* Dans un site pittoresque, accidenté par les rochers Corneille et Aiguilhe, au cœur du fertile *bassin du Puy,* Le Puy est le centre d'une agglomération de 45 000 habitants, administrative, commerciale, touristique et possédant quelques industries (tannerie, dentelle mécanique, papeterie, alimentation).

BEAUX-ARTS. Chapelle Saint-Michel d'Aiguilhe (fin du Xe-début du XIIe s.), aux précieux décors. Cathédrale romane (fin XIe s. : actuel chœur; seconde moitié du XIIe : nef à coupoles et bas-côtés; restaurations du XIXe) avec façade et cloître (XIe-XIIIe s., richement orné) à appareils polychromes, peintures romanes aux tons sombres (grand *Saint Michel* du XIe s.), fresque de la fin du XVe s. *(les Arts libéraux),* etc. Églises ou chapelles et maisons anciennes. Musée Crozatier (passé régional; beaux-arts).

PUY-DE-DÔME (63), départ. de la Région Auvergne; 7 955 km^2; 580 033 hab. Ch.-l. *Clermont-Ferrand.* S.-préf. *Ambert, Issoire, Riom* et *Thiers.*

Ce département s'étend sur le nord de l'Auvergne (l'ancienne basse Auvergne) et juxtapose des paysages variés : au N.-O., plateau de roches cristallisées de Combraille, entaillé par la vallée de la Sioule; au S.-O., grand ensemble volcanique des monts Dôme et des monts Dore (portant le point culminant du Massif central, le puy de Sancy [1 886 m]). Combraille et massifs volcaniques retombent à l'E. sur la plaine de la Limagne, drainée par l'Allier; l'est est constitué de deux lignes de hauteurs granitiques, Livradois et Forez, séparées par la vallée de la Dore; l'altitude y dépasse fréquemment 1 000 m. L'ensemble possède un climat rude en hiver, et les conditions naturelles, souvent défavorables, contribuent à expliquer une densité de population inférieure à la moyenne nationale, mais, cependant, relativement élevée grâce à Clermont-Ferrand, dont l'agglomération regroupe aujourd'hui près de la moitié de la population départementale. Celle-ci a (légèrement) dépassé 600 000 habitants vers le milieu du XIXe s., avant de décroître pendant un siècle (moins de 500 000 en 1936 et en 1946); une reprise très nette s'est amorcée au début des années 60.

Aujourd'hui, approximativement le septième de la population active est employé dans l'agriculture : l'élevage (bovin et ovin) est presque exclusif sur les hauteurs; dans la Limagne sont associées céréales (blé et maïs) et plantes industrielles (colza, tournesol, betterave à sucre). L'industrie occupe plus des deux cinquièmes de la population active; elle est représentée surtout à Clermont-Ferrand*, mais aussi à Thiers (coutellerie) et à Issoire (constructions aéronautiques). Le thermalisme, plus ou moins associé au tourisme (estival et hivernal), anime quelques localités (Royat, La Bourboule, Châtelguyon, Saint-Nectaire). Relativement proche de Paris, bénéficiant de la présence d'une grande ville, le Puy-de-Dôme est le département le plus riche d'avenir du Massif central et, en tout cas, de l'Auvergne.

PUYLAURENS (81700), ch.-l. de cant. du Tarn, à 14 km au N. de Revel; 2 790 hab. Ruines d'un château féodal.

PUY-L'ÉVÊQUE (46700), ch.-l. de cant. du Lot, sur le Lot, à 31,5 km à l'O.-N.-O. de Cahors; 2 501 hab.

PUYMIROL (47270), ch.-l. de cant. de Lot-et-Garonne, à 16,5 km à l'E. d'Agen; 742 hab.

PUYMORENS *(col de),* col de l'est des Pyrénées, entre Ax-les-Thermes (haute vallée de l'Ariège) et Puigcerdá; 1 915 m.

PUYS *(chaîne des)* → DÔME *(monts).*

PYCNOGONIDES. — Appelés aussi *pantopodes* (« tout en pattes »), ces très curieux animaux marins ressemblent à des faucheux. Très proches parents des arachnides, ils s'en distinguent notamment par la mobilité de leur tête et par l'existence, chez le mâle, d'organes de transport des œufs *(ovigères).* Certaines grandes formes ont été récoltées par 4 000 m de fond. La plupart des espèces ont huit pattes; les plus primitives en ont dix.

PYDNA, ville de Macédoine. Victoire remportée en 168 av. J.-C. par Paul* Émile qui mit fin à l'indépendance de la Macédoine.

PYÉLITE, PYÉLONÉPHRITE → URINAIRE *(appareil).*

PYGARGUE. — Les pygargues, ou aigles de mer *(Haliætus),* diffèrent des aigles* proprement dits par leur habitat littoral et leurs mœurs de pêcheurs, se nourrissant essentiellement de poissons. L'aigle emblématique à tête blanche des États-Unis est un pygargue.

PYGMALION, sculpteur de la légende grecque qui, ayant fait une statue d'ivoire représentant son idéal de la femme, s'éprit de son œuvre. Sur la prière de l'artiste, Aphrodite* donna la vie à la statue, et Pygmalion épousa celle-ci. Ce thème a inspiré de nombreux artistes et écrivains, notamment Voltaire, Rousseau et G. B. Shaw.

PYLA-SUR-MER (33115), station balnéaire de la Gironde (comm. de La Teste), au S. d'Arcachon.

PYLÔNE → LIGNE ÉLECTRIQUE et TRANSPORT D'ÉNERGIE.

PYLORE → ESTOMAC.

PYLOS ou **PÍLOS,** v. de Grèce, sur la côte occidentale du Péloponnèse (Messénie), près de laquelle eut lieu la bataille de Navarin*; 2 500 hab. Dans les environs, des missions archéologiques américano-grecques, dirigées par C. W. Blegen et S. Marinatos, ont dégagé les ruines d'un complexe palatial d'époque mycénienne. Reconnu comme le palais du Nestor homérique, celui-ci a livré plus d'un millier de tablettes inscrites en linéaire B.

PYM (John), homme politique anglais (Brymore 1584-Londres 1643). Adversaire du catholicisme et de l'arbitraire royal, il est parlementaire, le principal auteur de la Pétition des droits (1628). Chef du Long Parlement*, il est tellement populaire que Charles Ier* hésite à le faire arrêter (1642). Durant la révolution d'Angleterre, il garde la direction du parti parlementaire et s'allie aux Écossais (1643).

PYONGYANG ou **P'YŎNG-YANG,** capitale et principale ville de la Corée du Nord; environ 1,5 million d'habitants. Ville reconstruite après la guerre de Corée, située sur le Taedong (ou Tä-dong), à près de 50 km de la mer Jaune, centre politique, intellectuel et industriel (métallurgie, chimie). Riches musées.

PYRALE. — Les pyrales sont de redoutables papillons, car de nombreuses chenilles de pyralidés attaquent la cire des ruches *(Galleria),* la farine *(Ephestia, Pyralis),* le maïs *(Pyrausta),* etc. Toutefois, c'est à une famille voisine, celle des tortricidés, qu'appartiennent les espèces les plus nuisibles : la « pyrale de la vigne » *(Œnophthira)* et la « pyrale des pommes » *(Carpocapsa).*

PYRAME, Babylonien de la mythologie grecque, dont les amours avec Thisbé ont inspiré de nombreux artistes et auteurs.

PYRAMIDE. — Ce monument funéraire de l'Égypte ancienne était, à l'origine, exclusivement réservé au pharaon, dont il abritait la dépouille; par sa forme, il symbolisait l'escalier menant le pharaon vers Rê, le dieu Soleil. Parfaite dans sa rigueur géométrique à Gizeh*, la pyramide évoque avec gigantisme (146,60 m à l'origine pour celle de Kheops) la pétrification des rayons bénéfiques du soleil. Lorsque ses dimensions deviennent plus modestes (à partir de la Ve dynastie) au profit du développement du temple (tombeau de Mentouhotep à Deir el-Bahari*) et qu'elle se réduit à un pyramidion dans certaines tombes de Deir el-Medineh*, elle symbolise toujours l'aspiration suprême : celle de la renaissance dans l'au-delà. Le cadre naturel de la montagne thébaine est à l'origine de sa destination funéraire.

Parfaitement orientée (au moyen de repères astronomiques) et édifiée pendant l'Ancien Empire en matériaux nobles (calcaire appareillé, revêtement de granit, etc.), la pyramide était toujours le point culminant d'un complexe funéraire monumental comprenant un temple haut (celui du culte funéraire) et un temple bas (destiné à la réception des cortèges), plusieurs barques solaires réparties le long de la chaussée reliant les deux temples ou étant placées le long de l'enceinte. Sous la pyramide même, un réseau de galeries et de chambres profondément creusées abrite les sépultures du pharaon et de sa famille ainsi que de nombreuses offrandes : près de 40 000 pièces de vaisselle d'albâtre et de pierres dures dans celle de Djoser. Saqqarah* marque, avec les impressionnants degrés recouvrant le mastaba original, le départ d'une constante évolution qui, avant d'aboutir à la perfection de Gizeh, est jalonnée par Meidoum et Dahchour (v. 2675 av. J.-C.) avec les deux pyramides de Snefrou, dont l'une possède des faces rhomboïdales.

À l'origine du Livre* des morts, le Texte des Pyramides ne devient qu'à partir du dernier pharaon de la Ve dynastie, Ounas, le décor remarquable de la chambre funéraire.

Inauguré par Djoser et son génial architecte, le divin Imhotep, ce mode de sépulture sera utilisé en Égypte jusqu'à la XVIIe dynastie; il connaîtra un nouvel éclat au Moyen Empire avec les constructions de la région de Memphis, Licht, Dahchour et du Fayoum pour Sésostris II et Amenemhat III, et témoignera de la persistance des traditions religieuses égyptiennes à Napata* et à Méroé*.

Les pyramides des civilisations précolombiennes*, édifiées entre le IVe et le XVIe s. et présentant une succession de gradins, forment le support d'un temple auquel on accédait par de grands escaliers droits taillés sur les faces du monument. Elles ne revêtaient jamais de caractère funéraire, sauf à Palenque*, mais servaient de lien entre la divinité et le monde humain.

PYRAMIDE ALIMENTAIRE. — La science écologique ne peut se contenter de répondre, par l'établissement de chaînes* alimentaires, à la question « Qui mange qui? ». Elle doit s'intéresser au rendement matériel et énergétique des transferts de matière vivante d'une espèce à l'autre, et cela de trois manières.

• *Quant au nombre d'individus :* combien de têtes compterait une population de buses exclusivement nourries par l'excédent de naissances d'une population de 1 000 mulots?

• *Quant à la biomasse (en poids sec) :* combien de kilogrammes gagnerait une population de couleuvres ayant dévoré 1 000 kg de grenouilles?

• *Quant à l'énergie :* une masse homogène de proies dont la combustion fournirait 1 000 cal procurera au prédateur un surcroît de chair dont la combustion dégagerait *x* cal. Quelle est la valeur de *x?*

Dans ces trois cas, chaque « niveau trophique » est représenté par un rectangle horizontal de longueur proportionnelle au nombre, le mangeur étant placé au-dessus du mangé. Dans les deux derniers cas, le graphique est *toujours* une pyramide rapidement décroissante vers le haut, en raison des pertes de rendement, qui atteignent couramment 90 p. 100.

Pyramides *(bataille des)* [21 juillet 1798] → ÉGYPTE *(campagne d').*

PYRÉNÉES (les), chaîne de montagnes du sud-ouest de l'Europe. Entre l'Atlantique (golfe de Gascogne) et la Méditerranée (golfe du Lion), les Pyrénées s'étirent sur environ 430 km, dressant une barrière presque continue entre la France et l'Espagne et culminant à 3 404 m, au pic d'Aneto (en Espagne).

L'ouest de la chaîne, du littoral au pic d'Anie, est cependant d'altitude modeste, toujours (sauf au pic d'Orhy) inférieure à 2 000 m, et franchi non seulement en bordure de l'Atlantique, mais par les routes empruntant les vallées (Nive, gave d'Aspe) qui aèrent la montagne. En revanche, du pic d'Anie au Puymorens, la muraille est imposante, avec les massifs et les sommets les plus élevés (Midi d'Ossau, Vignemale, mont Perdu, Maladeta [pic d'Aneto], pic de Montcalm). Quelques routes seulement (fermées en hiver) traversent la chaîne par le col du Somport, le tunnel de Viella (dans le val d'Aran) et le Puymorens (vers Andorre); un tunnel (prolongeant la vallée d'Aure) s'y est ajouté. À l'est, les Pyrénées orientales juxtaposent lourds massifs approchant encore 3 000 m (Carlitte, Canigou) et profonds bassins (Capcir, Cerdagne, etc.); là encore, les communications sont difficiles; elles sont en revanche aisées près de la Méditerranée, par le très bas col du Perthus (290 m). En dehors des bordures littorales, les liaisons ferroviaires sont réduites à la ligne Pau-Saragosse, empruntant le tunnel du Somport, et à une liaison Toulouse-Barcelone, qui rejoint en Cerdagne une antenne remontant la vallée de la Têt à partir de Perpignan.

La massiveté des Pyrénées, fréquemment opposée à l'aération des Alpes, tient à plusieurs facteurs. La zone axiale est formée en majeure partie de terrains cristallins, repris par les mouvements orogéniques lors de la surrection de la chaîne dans la première moitié de l'ère tertiaire, mais remarquablement résistants à l'érosion. De plus, celle-ci n'a pas bénéficié, avec la même intensité que dans les Alpes, de l'action des glaciers quaternaires, moins développés en raison d'une altitude et aussi d'une latitude plus basses. Il en est résulté de moindres dénivellations entre les sommets, souvent précédés de larges replats, et les fonds de vallée. Le climat de montagne varie sensiblement selon la longitude, l'altitude et l'exposition. L'ouest, proche de l'Atlantique, est plus abondamment arrosé (et enneigé) que les Pyrénées orientales. Presque partout, cependant, les précipitations sont abondantes. La forêt est étendue, notamment sur les ombrées (versants exposés à l'ombre), moins mis en valeur que les soulanes (versants exposés au soleil). La difficulté générale des communications (il n'existe pas de vallées analogues à celles de l'Isère ou de l'Inn) explique une longue autarcie, le développement de cellules montagnardes associant élevage transhumant sur les pentes et polyculture à base céréalière sur les replats et dans les vallées. Seules les deux extrémités possèdent des communautés, basque et catalane, chevauchant la frontière actuelle. Aujourd'hui, la montagne s'est vidée, à l'exception des stations thermales et surtout de sports d'hiver, des régions de mines et des carrières (marbre, talc), les aménagements hydroélectriques nombreux (mais anciens) étant souvent automatisés. La population a émigré hors de la région ou vers les piémonts, notamment vers l'ouest du versant français, de Bayonne à Saint-Gaudens, en passant par Pau et Tarbes.

Pyrénées *(paix des),* paix, signée le 7 novembre 1659, dans l'île des Faisans, sur la Bidassoa. Elle mit fin à la guerre franco-espagnole qui, depuis dix ans, prolongeait la guerre de Trente* Ans.

F. Gohier

Pyrénées. Paysage de la vallée d'Aspe, au pied du cirque de Lescun, en Béarn (Pyrénées-Atlantiques).

L'Espagne abandonnait à la France d'importants territoires, notamment le Roussillon, l'Artois et plusieurs places fortes du Nord. Il fut stipulé que Louis XIV épouserait l'infante Marie-Thérèse, fille de Philippe IV*.

PYRÉNÉES (HAUTES-) [65], départ. de la Région Midi-Pyrénées; 4 507 km²; 227 222 hab. Ch.-l. *Tarbes.* S.-préf. *Argelès-Gazost* et *Bagnères-de-Bigorre.*

Correspondant à l'ancienne Bigorre et à la vallée d'Aure, le département est barré au S. par la muraille pyrénéenne (secteur des Pyrénées centrales, le plus élevé de la chaîne, avec plus de 3 000 m au Vignemale, au Marboré et au Balaïtous), compacte, et dont l'altitude dépasse souvent 2 000 m. La montagne est précédée, vers le nord, de plateaux entaillés par les hautes vallées du gave de Pau, de l'Adour et de la Neste d'Aure. Le nord-est appartient au plateau détritique du Lannemezan; le nord-ouest correspond à la plaine de Tarbes, de part et d'autre de l'Adour. Le climat est extrêmement rude dans le sud et contribue, avec le relief élevé, à expliquer la faible densité d'occupation, de l'ordre de 50 habitants au kilomètre carré, c'est-à-dire presque inférieure de moitié à la moyenne nationale. Les conditions naturelles expliquent aussi la stagnation démographique actuelle, qui succède à une phase de croissance depuis la Seconde Guerre mondiale, elle-même contrastant avec un long déclin amorcé au milieu du XIXᵉ s. (plus de 250 000 hab.). Encore le dépeuplement de la montagne et de la campagne est-il partiellement masqué par la progression de l'agglomération de Tarbes, qui regroupe le tiers de la population. Celle-ci est employée encore pour le septième dans l'agriculture (taux supérieur à la moyenne nationale). L'élevage (bovin et ovin) domine dans la montagne, les cultures (blé et surtout maïs) dans le nord, moins élevé. L'industrie, qui occupe plus du tiers de la population active, juxtapose activités extractives (marbre de Campan), hydroélectricité (Pragnères) et électrochimie (Soulom); elle est plus diversifiée à Tarbes. Le secteur tertiaire bénéficie de l'essor du tourisme estival (Gavarnie) et hivernal (Saint-Lary-Soulan, La Mongie), s'ajoutant au thermalisme (Argelès-Gazost, Barèges, Cauterets), cependant que Lourdes demeure l'un des grands pèlerinages mondiaux.

PYRÉNÉES-ATLANTIQUES (64), départ. de la Région Aquitaine; 7 629 km²; 534 748 hab. Ch.-l. *Pau.* S.-préf. *Bayonne* et *Oloron-Sainte-Marie.*

Formé par la réunion du Béarn et des trois provinces basques françaises (Labourd, Basse-Navarre et Soule), le département juxtapose une partie méridionale correspondant à l'extrémité occidentale des Pyrénées (plus élevée à l'E. [l'altitude dépasse souvent 2 000 m dans les Pyrénées béarnaises]) et une partie septentrionale composée de plaines alluviales à terrasses, formées par les vallées des gaves (de Pau, d'Oloron, d'Ossau). Le climat est humide (double influence, au moins en montagne, de la proximité de l'Atlantique et de l'altitude), froid en hiver (abondamment enneigé sur les hauteurs), assez chaud en été, surtout vers l'intérieur (latitude déjà méridionale).

La densité est encore inférieure à la moyenne nationale, mais, depuis une vingtaine d'années, les Pyrénées-Atlantiques connaissent, après une longue période de stagnation ou de déclin démographique, un accroissement de population (supérieur à 25 p. 100 depuis le milieu des années 50). Cette progression résulte essentiellement de l'essor de Pau et de la façade littorale. Les agglomérations de Pau et de Bayonne regroupent ensemble près de la moitié de la population. Celle-ci est employée encore pour près du sixième (taux double de la moyenne nationale) dans l'agriculture, fondée sur l'élevage en montagne, souvent associée aux cultures (maïs) dans les terres basses. Le vignoble survit localement (Jurançon). L'industrie bénéficie de ressources énergétiques (centrales hydroélectriques de la montagne et surtout gaz naturel de Lacq). Employant plus du tiers de la population active, elle juxtapose métallurgie, chimie, textile et alimentation. Le développement du secteur tertiaire, de loin le principal fournisseur d'emplois, est partiellement lié à l'activité touristique, sur le littoral (Biarritz, Saint-Jean-de-Luz, etc.), où la pêche tient une place réduite, et aussi en montagne (sports d'hiver), où cette activité est parfois liée au thermalisme.

PYRÉNÉES-ORIENTALES (66), départ. de la Région Languedoc-Roussillon; 4 086 km²; 299 506 hab. Ch.-l. *Perpignan.* S.-préf. *Céret* et *Prades.*

Peu étendu, le département possède cependant des paysages très variés, juxtaposant haute montagne pyrénéenne (approchant 3 000 m au Carlitte et au Canigou et entaillée par les bassins et hautes vallées du Tech [Vallespir], de la Têt [Conflent], de l'Aude [Capcir] et du Sègre [Cerdagne]) et littoral méditerranéen (Côte Vermeille principalement). Il affecte une forme de triangle, ouvert sur la mer et constitué en partie par la plaine du Roussillon, isolée du Languedoc, au N., et de l'Espagne, au S., par une série de hauteurs d'inégale altitude (plus basses au N., dans le Fenouillet et les Corbières). Le climat, doux dans la plaine, devient beaucoup plus rude dans l'intérieur et en altitude.

L'étendue de la montagne contribue à expliquer une densité de population inférieure à la moyenne nationale; mais cette population, longtemps stagnante, s'est considérablement accrue (de près d'un tiers) dans les vingt dernières années, progression qui n'est que partiellement liée au retour de colons d'Afrique du Nord. Il s'est opéré une concentration dans la plaine, près du littoral, en grande partie au profit de l'agglomération de Perpignan, qui concentre les deux cinquièmes de la population. Celle-ci est employée encore pour près du sixième dans l'agriculture, dominée par la vigne (vins de consommation courante et productions plus renommées vers Banyuls, Rivesaltes), l'arboriculture fruitière et aussi l'horticulture. L'industrie, peu développée (occupant seulement le quart des actifs), valorise surtout la production agricole, en dehors de quelques mines et carrières (marbre, talc, spath-fluor). L'importance du secteur tertiaire (plus de la moitié de la population active) est partiellement liée à l'activité du tourisme, sur le littoral (où la pêche tient une place très réduite) et aussi dans l'intérieur (thermalisme et sports d'hiver).

PYRÈTHRE. — Très voisine du chrysanthème et de la camomille, cette composée, cultivée dans le bassin du Congo, fournit une poudre insecticide dépourvue des effets polluants des organochlorés.

PYRIDINE. — C'est un liquide d'odeur forte, qui bout à 114,5 °C. Sa constitution rappelle celle du benzène, un atome d'azote remplaçant un groupe CH. C'est une base faible, donnant des sels de pyridinium; son hydrogénation conduit à la pipéridine.

PYRITE. — Ce corps forme des cristaux cubiques, à éclat métallique, de densité 5 environ. Son grillage donne du gaz sulfureux, d'où son emploi dans la fabrication de l'acide sulfurique.

PYROCATÉCHINE ou **PYROCATÉCHOL.** — Cet orthodiphénol $C_6H_4(OH)_2$ est un solide blanc, cristallisé, fondant à 104 °C, qui, oxydable en orthoquinone, peut servir de révélateur photographique.

PYROÉLECTRICITÉ. — Certains cristaux hémièdres, comme la tourmaline, s'électrisent quand on les soumet à une variation de température; l'une des extrémités de l'axe principal se charge positivement, et l'autre, négativement.

PYROGALLOL. — Ce triphénol $C_6H_3(OH)_3$, improprement appelé « acide pyrogallique », s'obtient par décarboxylation de l'acide gallique. Il cristallise en aiguilles incolores solubles. Sa solution, en milieu alcalin, absorbe rapidement l'oxygène en brunissant. Il est utilisé comme révélateur photographique, pour l'analyse des gaz et la teinture des cheveux.

PYROMÉTALLURGIE → MÉTALLURGIE.

PYROMÈTRE. — Tous les phénomènes qui dépendent de la température* peuvent servir à la mesurer.

La dilatation d'une barre métallique, amplifiée par un levier, est employée dans le *pyromètre à cadran.*

Une série de mélanges, en proportions variées, de quartz, de calcaire et de kaolin fondent à des températures distantes, par exemple, de 50 °C. Ils constituent les *montres,* ou *cônes, de Seger,* qui donnent approximativement la température d'un four.

La thermoélectricité est utilisée dans le *pyromètre de Le Chatelier,* qui comprend une canne de quartz protégeant un fil de platine rhodié relié à un galvanomètre.

La couleur émise par un corps porté à l'incandescence indique sa température. Les *pyromètres monochromatiques à disparition de filament* comportent un objectif donnant de la source, qui est à la température à évaluer, une image sur le filament d'une lampe, rendu incandescent par le passage d'un courant. Image et filament sont observés à travers un verre rouge qui ne laisse passer qu'une bande spectrale étroite. On règle le courant de manière à faire disparaître le filament sur le fond brillant de l'image de la source.

PYROPHORIQUE. — Les alliages pyrophoriques contiennent principalement du fer et du cérium; ils sont utilisés dans les pierres à briquet.

PYRRHONISME. — Ce courant de pensée, appelé aussi « scepticisme », est issu de la philosophie de Pyrrhon (Elis v. 365-† 275 av. J.-C.), qui développe une morale pratique. À la manière d'Épicure* et des stoïciens, il définit le bonheur par l'ataraxie*. De ce que les phénomènes sont relatifs au sujet* qui les appréhende, il conclut que la vérité est inaccessible. Toute vérité est au-delà des apparences et, partant, il faut suspendre son jugement. Ænésidème*, Agrippa (IIᵉ s.) et Sextus* Empiricus sont les grandes figures du pyrrhonisme, qui a aussi influencé la Nouvelle Académie*.

PYRRHOS, héros troyen, fils d'Achille*, connu aussi sous le nom de Néoptolème. Il épousa Andromaque*, veuve d'Hector*, et mourut victime de la jalousie d'Hermione*. Il passait pour le fondateur du royaume d'Épire*.

PYRRHOS II, en lat. **Pyrrhus,** roi d'Épire* (de 295 à 272). Après avoir cherché à agrandir son royaume vers la Macédoine*, il se tourna vers l'Italie. Allié de Tarente* contre Rome, il remporta, en 280, la victoire d'Héraclée grâce à la surprise causée par ses éléphants; de ce sanglant succès, qui affaiblit considérablement l'armée du roi d'Épire, vient l'expression « victoire à la Pyrrhus ». Défait à Bénévent* par les Romains en 275, Pyrrhos dut retourner en Épire et mourut au cours d'une expédition en Grèce.

PYRROLE. — Ce composé hétérocyclique C_4H_4NH, à cycle pentagonal, se rencontre dans le goudron de houille. C'est un liquide incolore à odeur de chloroforme, bouillant à 131 °C. Son noyau se retrouve dans les pigments biliaires, porphyrines, etc.

PYTHAGORE, mathématicien et philosophe grec du VIe s. av. J.-C. Né probablement à Samos, il voyagea en Perse, en Gaule, en Crète, en Égypte, puis il fonda à Crotone, en Grande-Grèce, une école qui prit rapidement un très grand développement et vers laquelle affluèrent un nombre considérable de disciples lucaniens, messapiens et romains. Mais il n'a laissé aucune œuvre écrite. Le théorème sur l'hypoténuse auquel son nom est resté attaché était connu des Babyloniens un millénaire avant lui. Toutefois, on lui attribue le théorème de la somme des angles du triangle, la construction de certains polyèdres réguliers, le début du calcul des proportions : le *pentagramme,* signe de ralliement de ses disciples, permet de penser que ceux-ci connaissaient la division d'un segment de droite en moyenne et extrême raison. Cependant, il est à peu près certain que remonte à Pythagore l'affirmation rapportée par Aristote, selon laquelle toutes choses sont des nombres. Il réduit l'accord musical à une proportion mathématique et parvient ainsi à l'idée que « les nombres sont pour ainsi dire le principe, la source et la racine de toutes choses ».

PYTHAGORISME. — Le courant de pensée issu de Pythagore a deux aspects. Il est, d'une part, une secte religieuse avec ses rites, ses mystères et ses tabous et, d'autre part, une hétairie politique dont l'œuvre pédagogique suscite la réflexion de Platon. L'hétairie, à la suite de ses échecs, cède la place aux cyniques*. La secte, en revanche, imprègne toute une mystique des nombres, qui entretiendra une forme de religiosité au sein du platonisme* et connaîtra des répercussions dans l'architecture médiévale.

PYTHÉAS, navigateur et géographe grec (IVe s. av. J.-C.), né à Marseille. Il explora les côtes septentrionales de l'Europe et relata ses voyages dans deux œuvres aujourd'hui en partie perdues : *Sur l'Océan* et *Périple.* Ses observations ont eu une valeur durable, notamment celles qui concernent les latitudes et les marées.

PYTHIE. — Cette prophétesse grecque rendait des oracles* au nom d'Apollon*, dans le sanctuaire de Delphes*. Considérée comme l'épouse du dieu, elle devait vivre dans l'isolement et garder une continence absolue.

Pythiques *(jeux),* jeux panhelléniques qui se célébraient tous les quatre ans à Delphes*, en l'honneur d'Apollon*. Organisés en 582 av. J.-C., ils accordaient une grande place aux concours musicaux. Ils disparurent à la fin du IVe s. de notre ère.

PYTHON. — Parmi les serpents dépourvus de crochets venimeux, les pythons se distinguent des boas par une denture plus complète, une reproduction ovipare et souvent une forme plus massive, le ventre étant beaucoup plus large que la tête. Le python réticulé atteint une longueur de 10 m. Le python molure et le python de Seba sont nettement moins grands. Tous étouffent et façonnent leur proie en s'enroulant autour d'elle avant de la dévorer, la digèrent sans avoir pu la subdiviser et rejettent les rares parties non digérées (poils, sabots). Les femelles couvent leurs œufs, dégageant à cette occasion une chaleur inhabituelle.

PYURIE → URINE.

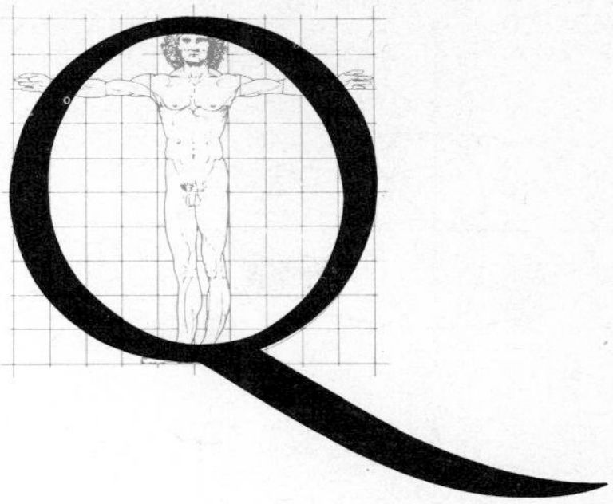

Q. — Le symbole $\mathbb{Q}$ désigne le corps *ordonné* des nombres *rationnels,* c'est-à-dire des nombres de la forme $\frac{p}{q}$ où $p \in \mathbb{Z}$ et $q \in \mathbb{N}^*$, *muni* de l'*addition* et de la *multiplication*. $\mathbb{N}$ désigne l'ensemble* des entiers naturels 0, 1, 2, ... et $\mathbb{Z}$ l'ensemble des entiers relatifs, entiers précédés d'un signe. $\mathbb{N}^* = \mathbb{N} - \{0\}$, de sorte que q est non nul; $\frac{p}{q}$ est une fraction munie d'un signe. Par exemple, $\frac{2}{3}$, $-\frac{3}{5}$, -1, 7 sont des nombres rationnels; $-1 \in \mathbb{Z}$, $7 \in \mathbb{N}$, mais $\mathbb{Z} \subset \mathbb{Q}$ et $\mathbb{N} \subset \mathbb{Q}$. D'ailleurs, $\mathbb{N} \subset \mathbb{Z} \subset \mathbb{Q}$.

Deux fractions $\frac{a}{b}$ et $\frac{a'}{b'}$ sont *égales* ou *équivalentes* si $\frac{a}{b} = \frac{a'}{b'}$, ce qui est équivalent à $ab' = ba'$. Parmi toutes les fractions équivalentes à une fraction donnée, il en existe une dont les termes, le numérateur et le dénominateur, sont *premiers entre eux :* ils n'ont d'autre diviseur commun que l'unité. Cette fraction est dite *irréductible.* Il en est ainsi de $\frac{2}{3}, \frac{7}{11}, \frac{7}{12}, \frac{25}{6}$. Mais $\frac{8}{12} = \frac{2}{3}$; $\frac{8}{12}$ n'est pas irréductible.

L'addition et la multiplication font de $\mathbb{Q}$ un *corps commutatif ordonné*. On définit : $\frac{a}{b} + \frac{c}{d} = \frac{ad + bc}{bd}$ et $\frac{a}{b} \times \frac{c}{d} = \frac{ac}{bd}$. $\mathbb{Q}$ muni de l'addition est un groupe commutatif et $\mathbb{Q}^* = \mathbb{Q} - \{0\}$ est un groupe commutatif pour la multiplication. Comme la multiplication est distributive par rapport à l'addition, $\mathbb{Q}$ est un corps commutatif. Ce corps est *totalement ordonné* car, étant donné deux fractions $\frac{a}{b}$ et $\frac{c}{d}$, on peut toujours les *comparer* après les avoir réduites au même dénominateur : $\frac{a}{b} = \frac{ad}{bd}$ et $\frac{c}{d} = \frac{bc}{bd}$; on compare alors les deux entiers relatifs ad et bc, ce qui est toujours possible puisque $\mathbb{Z}$ est totalement ordonné.

QADESH, ville de la Syrie ancienne près de Homs*, qui fut au temps du Nouvel* Empire un enjeu important dans la lutte entre Égyptiens et Hittites*. Les victoires qu'y remportèrent Séti Ier (de 1312 à 1298 av. J.-C.) et Ramsès II* (de 1298 à 1235 av. J.-C.) confirmèrent l'hégémonie égyptienne en Asie.

QĀDJĀRS, tribu turkmène qui donna à l'Iran une dynastie (1796-1925). Maîtres de la région d'Astarābād, les Qādjārs jouent un rôle important dans les conflits tribaux et dynastiques de l'Iran au XVIIIe s. Ārhā Muḥammad Chāh (de 1779 à 1797) réunifie l'Iran, fait de Téhéran* sa capitale et fonde la dynastie qādjār en 1796. Conscients de la faiblesse de l'Iran face aux Russes et aux Britanniques, qui les obligent à renoncer à leurs possessions en Transcaucasie (1813 et 1828), en Asie centrale et au Khorāsān, les Qādjārs modernisent leur armée mais n'entreprennent pas de réformes fondamentales. L'opposition nationaliste, hostile aux concessions et monopoles accordés aux étrangers, obtient l'instauration d'un régime constitutionnel (1906) et fomente le coup d'État (1921) qui conduit à l'avènement des Pahlavi*, en 1926.

QARMAṬES → ISMAÉLIENS.

QAṢĪDA. — Ce terme, qui dans la littérature arabe signifie souvent *poème* en général, désigne à l'époque archaïque (avant le VIIIe s.) une ode en trois parties, comprenant un prélude élégiaque, le récit d'une prouesse ou d'un voyage, qui fait partie de la « quête » de la dame aimée, et un panégyrique. Cette formule théorique est rarement respectée : le prélude est souvent absent, comme chez al-Farazdaq, la seconde partie se réduit parfois à quelques vers et le panégyrique n'est pas exempt d'humour, voire de satire.

QAṬAR, État de l'Asie occidentale, sur le golfe Persique; 22 000 km²; 100 000 hab. Capit. *al-Dūḥa.*

GÉOGRAPHIE. Le pays s'étend sur une péninsule calcaire qui flanque la côte orientale de l'Arabie. Le pétrole a bouleversé l'économie de cet émirat désertique, autrefois fondée sur l'élevage nomade. La production avoisine aujourd'hui 25 Mt et l'essentiel est exporté par le port d'Umm Sa'īd. La soudaine prospérité du pays a engendré un accroissement de population très important, dû en grande partie à l'immigration, la capitale groupant plus de la moitié des habitants.

HISTOIRE. La péninsule, qui fut habitée dès l'époque préhistorique, est mentionnée pour la première fois par les ouvrages arabes du IXe s. Sous la dynastie des Āl Thānī, qui règne sur le Qaṭar depuis 1868, les différents centres indépendants de la péninsule ont été réunis en un État. Lié par un traité (1868; renouvelé en 1916) à la Grande-Bretagne, le Qaṭar est devenu indépendant en 1971.

QAZVIN ou **KAZVIN,** v. de l'Iran, au N.-O. de Téhéran; 88 000 hab. Fondée au IIIe s. par les Sassanides, Qazvin fut la capitale des souverains séfévides* au XVIe s. Belle mosquée (XIIe s.).

QOM ou **QUM,** v. de l'Iran, au S. de Téhéran; 134 000 hab. La mosquée de Fāṭima est un lieu de pèlerinage. Artisanat. Textile.

QUADRATIQUE. — Une forme quadratique s'exprime en fonction de n variables* à l'aide d'une somme de termes du second degré par rapport à ces variables.

Exemples. $f(x, y) = Ax^2 + 2Bxy + Cy^2$ et

$$\varphi(x, y, z) = Ax^2 + A'y^2 + A''z^2 + 2Byz + 2B'zx + 2B''xy$$

sont des formes quadratiques par rapport, respectivement, aux deux variables x et y et aux trois variables x, y et z.

- Une forme quadratique de n variables $x_1, x_2, ..., x_n$, dont aucun coefficient n'est nul, comporte n termes carrés et C_n^2 termes rectangles, $C_n^2 = \frac{n(n-1)}{2}$ étant égal au nombre de couples $x_i x_j$ que l'on peut former avec les n variables $x_1, x_2, ..., x_n$.
- Toute forme quadratique peut être décomposée en une somme de carrés de formes linéaires indépendantes. Cette décomposition n'est pas unique, mais quand on passe d'une décomposition à une autre, le nombre de carrés précédés du signe + et le nombre de carrés précédés du signe − ne varient pas.
- Une forme quadratique de n variables est *définie positive* si elle se décompose en une somme de n carrés précédés du signe +. Elle est *positive* si elle est égale à une somme de r carrés, $r < n$, précédés du signe +. La méthode pratique de décomposition est due à Gauss*.

Exemples. 1. $f(x, y, z) = xy + yz + zx = x(z + y) + yz$
$= (z + y)(x + z) - z^2 = \frac{1}{4}(x + y + 2z)^2 - \frac{1}{4}(x - y)^2 - z^2$, les trois formes z, $x - y$ et $x + y + 2z$ étant indépendantes, car on peut prendre $z = \alpha$, $x - y = \beta$, d'où $y = x - \beta$, et il reste x dont on peut disposer de façon que $x + y + 2z = 2x - \beta + 2\alpha = \gamma$, soit $x = \frac{1}{2}(\beta + \gamma - 2\alpha)$. La forme étudiée est dite de type (1, 2): 1 signe +, 2 signes −.

2. $f(x, y, z) = x^2 - y^2 + 2xy + yz = x^2 + 2xy - y^2 + yz$

$$= (x + y)^2 - 2y^2 + yz$$

$$= (x + y)^2 - 2\left(y^2 - \frac{yz}{2}\right) = (x + y)^2 - 2\left[\left(y - \frac{1}{4}z\right)^2 - \frac{1}{16}z^2\right]$$

$$= (x + y)^2 - 2\left(y - \frac{1}{4}z\right)^2 + \frac{1}{8}z^2,$$ du type (2, 1).

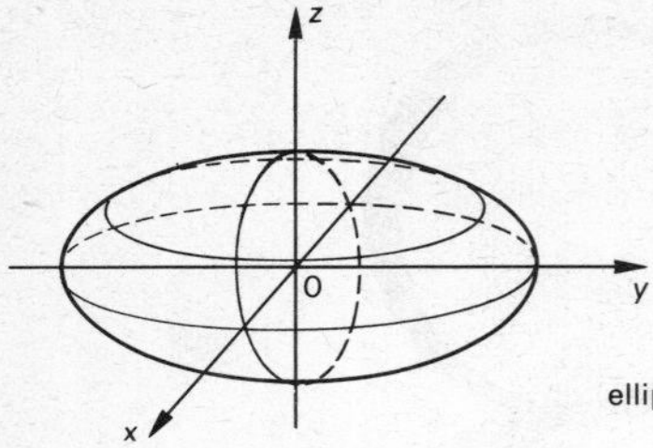

ellipsoïde

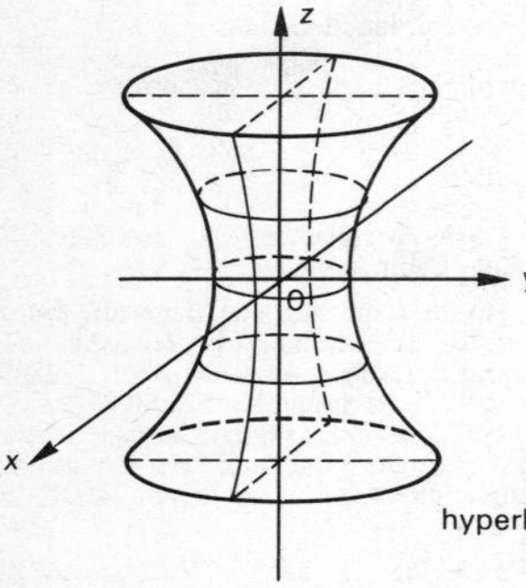

hyperboloïde à une nappe ou H1

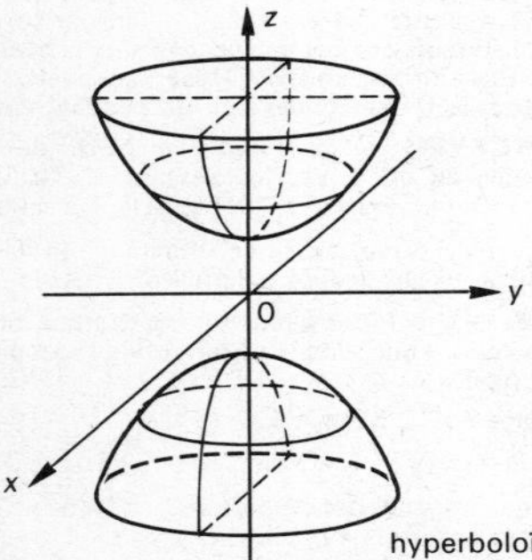

hyperboloïde à deux nappes ou H2

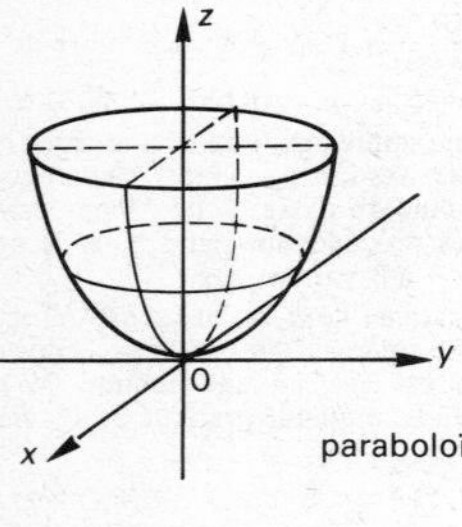

paraboloïde elliptique

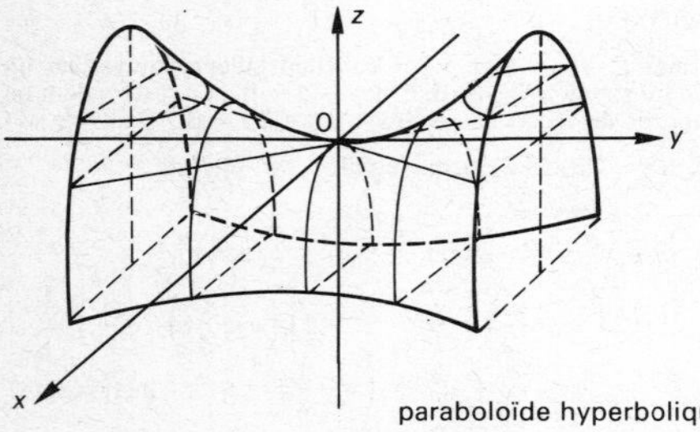

paraboloïde hyperbolique

La méthode consiste à prendre d'abord tous les termes qui contiennent une variable, ici on a choisi x; on prend donc $x^2 + 2xy$, que l'on considère comme le début du développement du carré de $x + y$, puisque $(x + y)^2 = x^2 + 2xy + y^2$. On poursuit selon la même méthode avec le trinôme $-2y^2 + yz$ en y. On trouve trois formes indépendantes. Cette méthode de décomposition permet l'étude des coniques et des quadriques, après avoir obtenu leurs équations réduites sous forme de somme algébrique de carrés.

QUADRATIQUE **(moyenne)** → MOYENNE.

QUADRATURE → ANALYSE *(Math.).*

QUADRICHROMIE → TRICHROMIE.

QUADRIQUE. — Une quadrique est une surface dont l'équation, dans un repère quelconque Oxyz, est du second degré, de la forme :

$$f(x, y, z) = Ax^2 + A'y^2 + A''z^2 + 2Byz + 2B'zx + 2B''xy + 2Cx + 2C'y + 2C''z + D = 0.$$

Cette définition générale donne, quand on discute suivant les différentes valeurs des paramètres A, A', ..., D, toutes les sortes de quadriques, y compris les quadriques *dégénérées,* comme la quadrique formée de deux plans, par exemple. Les cônes et les cylindres du second degré sont des quadriques. Ces cas mis à part, les véritables quadriques sont au nombre de cinq.

- L'*ellipsoïde,* d'équation $\frac{x^2}{a^2} + \frac{y^2}{b^2} + \frac{z^2}{c^2} = 1$, est une surface fermée. Ses éléments de symétrie sont : le point O, les axes Ox, Oy, Oz et les plans xOy, yOz, zOx. Les sections planes sont des ellipses, quel que soit le plan de section.

- L'*hyperboloïde à une nappe,* d'équation $\frac{x^2}{a^2} + \frac{y^2}{b^2} - \frac{z^2}{c^2} = 1$, désigné par H_1, possède les mêmes éléments de symétrie que l'ellipsoïde. Les sections planes peuvent être des ellipses, des hyperboles ou des paraboles. L'hyperboloïde à une nappe est une surface *réglée,* c'est-à-dire engendrée par des droites.

- L'*hyperboloïde à deux nappes,* d'équation $\frac{z^2}{c^2} - \frac{x^2}{a^2} - \frac{y^2}{b^2} = 1$, désigné par H_2, possède les mêmes éléments de symétrie que l'hyperboloïde à une nappe. On peut obtenir, comme sections planes, des ellipses, des hyperboles ou des paraboles. Mais il n'y a pas de droites sur l'hyperboloïde à deux nappes.

- Le *paraboloïde elliptique,* d'équation $\frac{x^2}{a^2} + \frac{y^2}{b^2} = 2z$, est situé tout entier d'un même côté par rapport au plan xOy. Ses éléments de symétrie sont Oz et les plans xOz et yOz. On peut obtenir, comme sections planes, des ellipses ou des paraboles.

- Le *paraboloïde hyperbolique,* d'équation $\frac{y^2}{b^2} - \frac{x^2}{a^2} = 2z$, a comme éléments de symétrie l'axe Oz et les plans xOz et yOz. Les sections planes peuvent être des hyperboles ou des paraboles. La surface est réglée.

Les quatre premières quadriques peuvent être de *révolution* autour de l'axe Oz, dans le cas où les sections planes par les plans perpendiculaires à Oz sont des cercles. L'ellipsoïde peut être de révolution autour de Ox, de Oy ou de Oz; c'est une sphère quand $a = b = c$.

QUADRUPÈDES. — Il n'existe pas de groupe des quadrupèdes (on dit aussi *tétrapodes*). Mais on désigne ainsi tous les vertébrés marcheurs utilisant leurs deux paires de membres pour se déplacer à terre, c'est-à-dire la plupart des amphibiens urodèles, les reptiles (sauf les serpents et quelques rares lézards) et la grande majorité des mammifères (le kangourou et l'homme étant les exceptions les plus connues). On définit chez les quadrupèdes un « bipède avant » et un « bipède arrière » dont l'usage, à peu près alternatif, est le *galop;* un « bipède droit » et un « bipède gauche » dont l'usage, à peu près alternatif, est *l'amble;* deux « bipèdes diagonaux » dont l'usage, à peu près alternatif, est le *pas* ou le *trot,* selon le nombre de pattes soulevées en même temps.

QUAKERS. — On désigne habituellement de ce nom les membres d'une secte protestante, dite « Société des Amis », créée en 1652 par un jeune cordonnier anglais, George Fox (1624-1691) : celui-ci, par réaction contre les abus du dogmatisme, du ritualisme et du conformisme de l'Église anglicane, se met sous l'inspiration directe de l'Esprit. Si bien que les quakers (« trembleurs »), témoins de la Parole, rejettent toute organisation cléricale, pour vivre dans l'attente de Dieu, dans le silence, la prière, la pureté morale intégrale et la pratique rigoureuse de la solidarité. D'abord persécutés sous Charles II, qui les fera finalement bénéficier de l'Acte de tolérance de 1689, les quakers suivent William Penn* en Amérique, où, en 1681, ils créent la Pennsylvanie*.

QUADRIQUES véritables (le repère Oxyz est orthonormé).

QUANG TRI, v. du Viêt-nam, au N.-O. de Huê. Enjeu d'une violente bataille en 1972. (V. INDOCHINE [*guerres d'*].)

QUANTA (théorie des). — Due à Planck, en 1900, elle a été créée pour expliquer les lois du rayonnement. Elle suppose que l'émission se fait, non d'une manière continue, mais par petits paquets, ou quanta, d'énergie $h\nu$, où h est la constante de Planck*, et ν la fréquence du rayonnement. Cette théorie a permis à Einstein, en 1905, d'interpréter l'effet photoélectrique, et à Bohr, en 1911, de proposer un modèle d'atome permettant de comprendre la structure des spectres d'émission et d'absorption. Elle a ouvert une ère nouvelle dans le domaine de la microphysique, où la mécanique quantique a dû se substituer à la mécanique classique, valable seulement pour les phénomènes à l'échelle humaine. L'introduction du discontinu en mécanique* a substitué au déterminisme absolu de la physique classique un déterminisme statistique, qui ne permet que de calculer des probabilités, celle, par exemple, qu'a un électron d'être à tel instant en tel lieu plutôt qu'en tel autre. La mécanique ondulatoire a fourni une interprétation de ces principes, en introduisant une fonction d'ondes qui traduit en langage mathématique ces probabilités.

QUANTIFICATEUR. — Les quantificateurs servent à formaliser un raisonnement mathématique. Ce sont le *quantificateur existentiel* et le *quantificateur universel,* respectivement notés $\exists$ et $\forall$ et signifiant «il existe» et «quel que soit» ou «pour tout». Ainsi $\forall x \in \mathbb{Z}, \exists\ x' \in \mathbb{Z} : x + x' = 0$, signifie que tout élément de $\mathbb{Z}$ a un symétrique par rapport à l'addition.

QUANTIQUES *(nombres).* — Ce sont principalement: le nombre quantique *principal n,* nombre entier qui définit la couche à laquelle appartient l'électron (1 pour la couche K, 2 pour L, etc.); le nombre quantique *secondaire* ou *azimutal l,* lié à la quantité de mouvement de l'électron, qui, pour une couche n, peut prendre toutes les valeurs entières comprises entre 0 et $n - 1$; le nombre quantique *magnétique m,* qui précise le comportement de l'électron soumis à un champ magnétique et peut prendre les valeurs entières comprises entre $-l$ et $+l$; enfin, le nombre de *rotation* ou *spin,* donnant le moment cinétique de l'électron, dont la valeur peut être $+\frac{1}{2}$ ou $-\frac{1}{2}$. Ces quatre nombres ne peuvent pas être simultanément égaux pour deux électrons d'un même atome (*principe d'exclusion* de Pauli).

QUANTZ (Johann Joachim), compositeur, théoricien et flûtiste allemand (Oberscheden 1697 - Potsdam 1773). Il fut professeur de Frédéric II, à Potsdam. En dehors d'une abondante production de musique de chambre et de trois cents concertos pour son instrument, il est l'auteur d'un célèbre *Traité de la flûte traversière* (1752) qui a connu une version française.

QUAREGNON, comm. de Belgique (Hainaut), à l'O. de Mons; 17688 hab. (en 1970).

QUARENGHI (Giacomo), architecte italien (près de Bergame 1744 - Saint-Pétersbourg 1817). Néoclassique palladien (église S. Scolastica, Subiaco, 1771), il fut appelé en Russie, s'y installa en 1779 et réalisa une œuvre très importante, surtout à Saint-Pétersbourg (théâtre de l'Ermitage et Académie des sciences, 1783; institut Smolnyï; palais Alexandre à Tsarskoïe Selo, 1792; etc.).

QUARK. — L'hypothèse du quark a été formulée par Gell-Mann et Zweig pour rendre compte des symétries de toutes les particules ayant des interactions fortes.

QUARNARO → KVARNER.

QUARRÉ-LES-TOMBES (89630), ch.-l. de cant. de l'Yonne, à 18,5 km au S.-S.-E. d'Avallon; 863 hab. Église du XVe s., entourée de sarcophages d'une nécropole ancienne.

QUARTE *(Mus.)* → THÉORIE MUSICALE.

Quartier latin, parties des Ve (Panthéon) et VIe (Luxembourg) arrondissements de Paris, sur la rive gauche de la Seine, occupées en majeure partie par les établissements scolaires et universitaires (Sorbonne, notamment), ainsi que par de nombreuses librairies. Le boulevard Saint-Michel en est l'artère la plus célèbre.

QUARTON (ou **CHARONTON, CHARRETON,** etc.) [Enguerrand], peintre français originaire du diocèse de Laon, mentionné en Provence de 1444 à 1466. Auteur de la *Vierge de miséricorde* de Chantilly, à fond d'or, du *Couronnement* de la Vierge* de Villeneuve, peut-être de la célèbre *Pietà d'Avignon* du Louvre, il imprima à l'école d'Avignon ses caractères de stylisation monumentale — fortement plastique —, de gravité et d'harmonie.

QUARTZ. — Le quartz, SiO_2, incolore quand il est pur (quartz hyalin), a pour densité 2,65 et cristallise dans le système hexagonal. Ses cristaux ont la forme d'un prisme hexagonal surmonté d'une double pyramide. Il est faiblement biréfringent, transparent dans l'infrarouge et l'ultraviolet, doué de pouvoir rotatoire ainsi que de piézoélectricité. Chauffé, il se transforme en tridymite, puis en cristobalite. Fondu, il donne le verre de silice. Il en existe de nombreuses variétés colorées par des oxydes métalliques divers.

QUASAR. — Les quasars ont été découverts en 1963 grâce à leur rayonnement radio, et la détermination précise de leur position a permis de montrer qu'ils étaient associés à des sources optiques faibles. On en connaît actuellement 250 environ. L'étude de ces objets, qui ressemblent à des étoiles*, a montré que leurs spectres* sont décalés vers le rouge, conformément au principe de physique en vertu duquel un objet qui s'éloigne avec une certaine vitesse paraît plus rouge qu'il ne l'est réellement. La vitesse déduite du rougissement du premier quasar découvert est de 48000 km/s. Si la loi établie pour les galaxies peut s'appliquer aux quasars, ce qui n'est pas évident, vitesse et distance étant proportionnelles, les quasars seraient les objets les plus lointains que l'on connaisse. Dans l'hypothèse d'objets lointains, l'énergie* libérée par ceux-ci correspond à la désintégration de 10 millions de soleils par an, soit 100 à 1000 fois plus qu'une galaxie* normale, et ceci dans un objet de petit diamètre (quelques dizaines d'années de lumière), ce qui exclut tout processus de production d'énergie connu. Si l'on se refuse à déduire de leur rougissement une très grande distance, on résout alors le problème de leur énergie; mais, dans ce cas, on ne sait pas expliquer ce rougissement, car aucun mécanisme physique connu ne permet d'obtenir un tel phénomène. Le problème de la détermination de leur distance est donc crucial. Les quasars pourraient être des noyaux de galaxies en formation, et les galaxies de Seyfert ou de Markarian, aux noyaux très actifs, pourraient être des objets intermédiaires entre galaxies et quasars.

QUASAR (Nguyên Manh Khanh, dit), designer vietnamien (Hanoi 1934), auteur de meubles gonflables (1967), d'un prototype de voiture cubique en Plexiglas et, depuis 1972, créateur de modèles de prêt-à-porter.

QUASI-CONTRAT. — Il s'agit d'une convention passée entre l'État et certains producteurs de biens d'équipement. L'État garantit à ceux-ci certains avantages financiers, en contrepartie desquels les industriels s'engagent à réaliser les programmes d'investissement, de recherche et de production ou d'amélioration de la productivité, définis d'un commun accord. Une notion voisine est celle de «contrat de programme».

Quasimodo, personnage de *Notre-Dame de Paris,* de Hugo. C'est le sonneur de Notre-Dame, dans lequel, selon une conception chère à l'écrivain, se cache, sous l'aspect grotesque que lui donnent ses difformités physiques, la plus sublime délicatesse de sentiment.

QUASIMODO (Salvatore), poète italien (Syracuse 1901 - Naples 1968). Il unit les mythes antiques à l'évocation des angoisses du monde moderne. Il est l'un des principaux représentants de l'école «hermétiste» (*Eau et terres,* 1930; *la Terre incomparable,* 1958). [Prix Nobel, 1959.]

QUASI-MONNAIE. — On appelle «quasi-monnaie» une épargne à court terme gérée par les banques. (Elle comprend les *dépôts à terme,* les *bons de caisse,* les *comptes sur livrets.*) Elle est ainsi appelée parce que c'est une monnaie en attente, rapidement transformable en signes monétaires, en cas de désir des déposants.

QUATERNAIRE (ère). — La dernière et la plus courte des ères géologiques, l'ère quaternaire, a débuté il y a environ 3 millions d'années et se poursuit encore actuellement. Elle est caractérisée par l'apparition de l'homme, alors que la faune et la flore acquièrent progressivement leur aspect actuel. Mais elle est également marquée par une succession rapide de climats. L'étude des dépôts superficiels (moraines, varves, terrasses fluviales et marines) a permis de distinguer en Europe occidentale (et en Amérique du Nord) au moins quatre glaciations successives (Günz, Mindel, Riss et Würm), séparées par des périodes interglaciaires plus ou moins chaudes. Ces glaciations, accompagnées de mouvements eustatiques, sont en particulier responsables du façonnement du relief d'une grande partie de l'Europe du Nord. À l'intérieur du quaternaire, on distingue généralement le pléistocène, qui commence au villafranchien et correspond à la succession des périodes glaciaires, et l'holocène, qui a débuté il y a environ 10000 ans, avec la fusion des glaciers du Würm, dont témoigne la transgression flandrienne qui a donné aux rivages leur aspect actuel.

QUATERNION → ALGÈBRE.

QUATRE-BRAS (les), hameau de Belgique (Brabant), à 10 km de Nivelles. Défaite de Ney par les Anglais le 16 juin 1815.

QUATRE-CANTONS *(lac des),* en allem. **Vierwaldstättersee,** lac glaciaire de Suisse, entre les cantons de Lucerne, de Schwyz, d'Uri et d'Unterwald, dominé par les monts Pilate et Rigi. À 434 m d'altitude, couvrant 114 kilomètres carrés, traversé par la Reuss, il présente un tracé tourmenté, offrant un grand intérêt touristique. On l'appelle quelquefois, à tort, *lac de Lucerne.*

Quatre-Cents *(conseil des),* nom donné tantôt à la boulê d'Athènes, quand elle comportait 400 membres, avant la réforme de Clisthène*, tantôt à l'éphémère conseil des oligarques qui, en 411 av. J.-C., prétendit remplacer la boulê et fut renversé à l'instigation de Théramène*.

P. Koch-Rapho

Québec. Vue panoramique sur la Citadelle (XIXe s.), le parc des Champs-de-Bataille et la vieille ville (à droite). Au premier plan, le Saint-Laurent.

QUATREFAGES DE BRÉAU (Armand DE), naturaliste français (Berthezène 1810-Paris 1892). Professeur d'ethnologie et d'anatomie au Muséum, il s'est intéressé à de nombreux problèmes scientifiques, principalement en anthropologie.

Quatre Fils Aymon *(les),* nom parfois donné à la chanson de geste *Renaut de Montauban* (XIIe s.) et au roman de chevalerie tiré de la même œuvre. C'est le récit de la lutte de Charlemagne contre les quatre fils du duc Aymes (Renaut, Alard, Guichard et Richard), montés sur le cheval Bayard dont les bonds sont fabuleux.

Quatre-Nations *(collège des),* établissement fondé par Mazarin, en 1661, pour recevoir soixante « écoliers » originaires de quatre « nations » (Alsace, Pays-Bas, Roussillon, province de Pignerol) récemment réunies à la France. Mazarin lui légua sa bibliothèque : c'est là l'origine de la bibliothèque Mazarine. Le collège des Quatre-Nations fut supprimé par la Révolution, puis, en 1806, affecté à l'Institut* de France.

QUATTROCENTO → RENAISSANCE.

QUATUOR → SONATE.

QUÉBEC, v. du Canada, capit. de la *province de Québec,* au confluent du Saint-Laurent et de la rivière Saint-Charles; 186088 hab. Musée de peinture de l'université Laval. Musée du Québec. La ville est l'élément majeur d'une agglomération d'environ 500000 habitants, qui conserve les traditionnelles fonctions administratives (employant environ le tiers de la population active de l'agglomération) et culturelles (université Laval, tourisme historique [rare en Amérique du Nord], édition religieuse). L'industrie (alimentation, textile, constructions mécaniques, raffinage du pétrole, travail du cuir) est partiellement liée à l'activité du port (trafic de l'ordre de 15 Mt), mais son faible dynamisme explique la relative lenteur du développement de l'agglomération, éclipsée par Montréal.

QUÉBEC *(province de),* province de l'est du Canada; 1540680 km^2 (dont 16 p. 100 occupés par des lacs); 6234000 hab. Capit. *Québec.*

GÉOGRAPHIE. Vaste comme près de trois fois la France, la province s'étend, pour les neuf dixièmes de son territoire, sur les roches granitiques et gneissiques (parfois recouvertes de sédiments et toujours affectées par les glaciations [qui expliquent l'abondance et l'étendue des lacs]) du bouclier canadien. La topographie est peu accidentée, les altitudes étant généralement comprises entre 300 et 600 m. Au sud du Saint-Laurent, dans la terminaison septentrionale des Appalaches, les altitudes sont plus élevées et le relief est plus heurté. La troisième région naturelle est constituée par les basses terres sédimentaires du Saint-Laurent — où l'altitude dépasse rarement 80 m —, qui ne couvrent guère que 40000 kilomètres carrés, à peine 3 p. 100 de la superficie de la province. C'est pourtant dans cette dernière région que se concentre la majeure partie de la population. Plus que le relief, le climat explique cette prépondérance. L'immense Nord est un pays aux hivers extrêmement rudes : les températures moyennes de janvier y descendent fréquemment au-dessous de − 20 °C et, au moins pendant la moitié de l'année, la température moyenne est inférieure à 0 °C. La grande forêt de conifères et, au N., la toundra sont les formations végétales dominantes. Le climat est plus clément dans la vallée du Saint-Laurent. Cependant, la température moyenne de l'hiver est encore de − 10 °C à Montréal et de − 12 °C à Québec, alors que la neige, abondante, peut tomber de novembre à avril. Les étés sont, en moyenne, modérément chauds (à Montréal, les quatre mois les plus chauds ont une moyenne de 18,5 °C). Les précipitations sont abondantes dans le Sud (elles se raréfient vers le nord), de l'ordre de 1 m en moyenne; elles ont permis ici le développement d'une forêt associant conifères (sapins et épicéas) et feuillus (érables).

La population, malgré une longue immigration britannique, est toujours formée, pour les quatre cinquièmes, de francophones. Une proportion identique est concentrée dans les villes, dont près de la moitié dans la seule agglomération de Montréal. Cette population, qui avait quadruplé entre 1871 et 1956, s'accroît beaucoup plus lentement depuis 1960, en raison de la chute du taux de natalité, de loin le plus bas du Canada en 1972 (13,8 p. 1000); l'excédent naturel annuel n'est plus que de l'ordre de 40000 unités.

Par la population, mais aussi par le volume de la production, le Québec est la seconde province du Canada, devancé par l'Ontario. L'industrie bénéficie des nombreuses ressources du sous-sol (dont le fer, l'amiante et le cuivre), qui manque toutefois d'hydrocarbures, absence que ne pallie pas entièrement l'abondance de l'hydroélectricité (qui, notamment, favorise la métallurgie de l'aluminium). Elle utilise les disponibilités énormes de la forêt (destinée surtout à la fourniture de pâte et de papier). Le marché de consommation et la proximité des États-Unis expliquent l'essor d'autres branches, comme la chimie (liée au raffinage du pétrole importé), l'alimentation, la métallurgie de transformation et les constructions électriques. L'agriculture (reposant sur l'élevage), autrefois fondement de la société et de l'économie, n'emploie plus que le vingtième de la population active et contribue pour une part encore moindre à la formation du produit intérieur brut; la pêche (malgré l'importance relative des prises) et surtout l'élevage des animaux à fourrure sont devenus ou restés marginaux. La vulnérabilité de l'industrie, activité productive presque exclusive, tributaire des marchés extérieurs et parfois des capitaux américains, l'hypertrophie de Montréal, la faiblesse de l'accroissement démographique global (capital pour la survie culturelle du « fait français en Amérique ») sont les trois problèmes majeurs du Québec.

HISTOIRE. Québec est fondée en 1608, par Samuel Champlain*, sur l'emplacement d'un village indien. Dotée d'établissements religieux (1635-1663), puis érigée en évêché (1674), dont Mgr de Laval* est le premier titulaire, la ville résiste victorieusement aux Anglais en 1690, mais doit capituler, après la mort de Montcalm*, sur les Plaines d'Abraham, en 1759. Quelques mois après le traité de Paris (1763), qui fait de la Nouvelle-France (Canada*) une possession anglaise, est créée, de part et d'autre du Saint-Laurent, une « province de Québec », dont les limites sont élargies en 1774. Mais après 1783 de nombreux « loyalistes » américains peuplent la région de l'Ontario; l'Acte de 1791 sépare le Bas-Canada (dont Québec est la capitale) du Haut-Canada (actuel Ontario). Après la rébellion de Papineau* (1837), les deux régions sont de nouveau unies par l'Acte d'Union (1840), ce qui fait perdre au français son caractère de langue officielle. Mais, dès 1867, le Bas-Canada retrouve son autonomie et est l'une des quatre premières provinces de la Confédération canadienne. Le nationalisme québécois n'en a pas moins l'occasion de se manifester plusieurs fois au cours de l'histoire contemporaine, notamment, à partir de 1912, avec Henri Bourassa, et surtout — après la période dite « de révolution tranquille » (gouvernement libéral de Jean Lesage, 1960-1966) —, alors que les conservateurs sont au pouvoir (gouvernements Daniel Johnson [1966-1968] et Jean-Jacques Bertrand [1968-1970]), avec le développement d'un mouvement séparatiste, dont certains membres n'hésiteront pas à utiliser l'action violente. En 1970, les libéraux reviennent au pouvoir avec Robert Bourassa, alors que s'affirme l'influence du parti québécois (P. Q.) de René Lévesque, favorable à l'indépendance. En 1974, la vie politique québécoise est marquée par l'adoption du français comme langue officielle de la province. En novembre 1976, le P. Q. remporte les élections à l'Assemblée et R. Lévesque devient Premier ministre. La « loi 101 », qui consacre le monopole du français au Québec, est adoptée en 1977.

QUECHUAS, peuple indien du Pérou*, dont la classe dirigeante était les Incas*.

QUEENS, district de l'est de New York; 1 987 000 hab.

QUEENSLAND, État d'Australie. Occupant le nord-est de l'Australie, s'étendant de 11 à 29^0 de latitude S., l'État est immense (1 727 522 km^2, plus du triple de la France), mais très peu peuplé (1 246 500 hab.). En fait, près de la moitié de la population est concentrée dans la capitale, Brisbane; le reste est surtout dispersé le long de la côte (où s'égrènent des plantations de canne à sucre); l'intérieur, aride et presque vide, est le domaine d'un élevage ovin extensif et, localement, de l'extraction minière (charbon, cuivre, plomb, zinc, métaux précieux et surtout bauxite). L'industrie valorise principalement la production agricole (sucrerie, abattoirs).

Que faire?, roman (1863) de Nikolaï Tchernychevski, qui, par sa célébration de l'union libre et du radicalisme politique, fut longtemps la bible de la jeunesse révolutionnaire russe.

Que faire?, œuvre de Lénine (1902), dans laquelle il expose sa conception d'un parti révolutionnaire.

QUEIPO DE LLANO Y SIERRA (Gonzalo), général espagnol (Tordesillas 1875 - près de Séville 1951). L'un des principaux lieutenants de Franco pendant la guerre civile espagnole de 1936-1939, il s'empara de Séville et de Málaga. Promoteur de l'action psychologique, il fut surnommé le *Général Radio.*

QUEIRÓS (Pedro FERNANDES DE), navigateur portugais (Evora 1565 - Panamá 1615). Il reconnut les îles Marquises, Tahiti et les Nouvelles-Hébrides (1595-96).

QUEIRÓS (José Maria EÇA DE), romancier portugais (Póvoa de Varzim 1845 - Paris 1900). Diplomate et grand voyageur, il est l'auteur de romans réalistes et humoristiques (*le Crime du père Amaro,* 1875; *le Cousin Basile,* 1878; *la Correspondance de Fradique Mendes,* 1890; *la Ville et les montagnes,* 1901).

QUELIMANE, port du Mozambique central; 72 000 hab.

QUEMOY, île chinoise (occupée par les nationalistes) du détroit de Formose.

QUEND (80120 Rue), comm. de la Somme, à 21 km au S. de Berck; 1 315 hab. Station balnéaire.

QUENEAU (Raymond), écrivain français (Le Havre 1903 - Paris 1976). Mêlé d'abord au groupe surréaliste, il a fait de son œuvre romanesque (*le Chiendent,* 1933; *Pierrot mon ami,* 1942; *Loin de Rueil,* 1945; *Zazie dans le métro,* 1959) et poétique (*les Ziaux,* 1943; *Cent Mille Milliards de poèmes,* 1961; *le Chien à la mandoline,* 1965; *Battre la campagne,* 1968; *Morale élémentaire,* 1975) une expérience continue sur le fonctionnement du langage.

QUENTAL (Antero Tarquínio DE), écrivain portugais (Ponta Delgada, Açores, 1842 - *id.* 1891), poète d'inspiration romantique et révolutionnaire (*Sonnets,* 1890).

Quentin Durward, roman de Walter Scott (1823). Il évoque la lutte de Louis XI contre Charles le Téméraire et les efforts du garde écossais Quentin Durward pour sauver Isabelle de Croye.

QUERCY, région de l'est du bassin d'Aquitaine, en bordure du Massif central.

GÉOGRAPHIE. On distingue parfois un *haut Quercy,* correspondant aux *Causses* du Quercy* et occupant la majeure partie du département du Lot, formé d'un plateau de calcaires secondaires entaillés par les vallées de la Dordogne et surtout du Lot, et un *bas Quercy,* au S., correspondant au nord-est du département de Tarn-et-Garonne, vers Montauban, à la topographie plus confuse, résultant de l'extension des collines molassiques tertiaires, découpées par les basses vallées du Tarn et de l'Aveyron.

HISTOIRE. Peuplé par les *Cadurci,* dominé par les Romains au Ier s. av. J.-C., le Quercy fut ravagé par les invasions au Ve s., puis enlevé aux Wisigoths par Clovis (507). Au IXe s., il passa sous l'autorité des comtes de Toulouse. La région fut conquise par Henri II Plantagenêt, puis rendue par son fils Richard au comte Raimond VI de Toulouse, sous le règne duquel elle fut ravagée par la croisade albigeoise. Longtemps disputée entre les rois de France et d'Angleterre, elle fut réunie à la couronne au XVe s.

QUERÉTARO, v. du Mexique, au N. de Mexico, ch.-l. de l'*État de Querétaro;* 113 000 hab. Monuments et demeures baroques des XVIIe (église S. Clara) et XVIIIe s. Cathédrale baroque et néoclassique. Musée. Industries alimentaires et mécaniques.

QUÉRIGUT (09460), ch.-l. de cant. de l'Ariège, à 26 km au N. de Mont-Louis; 171 hab.

QUESNAY (François), médecin et économiste français (Méré, Île-de-France, 1694 - Versailles 1774). Comme chirurgien, il put comparer la circulation des biens et des services à la circulation du sang dans le corps humain, et, dans son *Tableau économique* (1758), figura les échanges effectués entre les différents groupes sociaux. Pour Quesnay, il existe dans l'économie des lois naturelles auxquelles il convient de laisser libre cours; la terre est la source première de la richesse et est seule productrice de valeur nette. L'influence de Quesnay sur les physiocrates* a été considérable.

QUESNEL (Pasquier), théologien français (Paris 1634 - Amsterdam 1719). Oratorien (1657), prêtre (1659), il se lie avec la famille Arnauld* et publie des livres de piété imprégnés d'esprit janséniste. Exilé aux Pays-Bas, puis réfugié aux Provinces-Unies, il passe, après la mort d'Arnauld (1694), pour le chef du jansénisme*. Son ouvrage essentiel, *Réflexions morales* (1671), est condamné par la bulle *Unigenitus,* en 1713.

QUESNEL (Joseph), écrivain canadien (Saint-Malo 1749 - Montréal 1809), auteur de poésies champêtres et de comédies en vers.

QUESNOY (Le) [59530], ch.-l. de cant. du Nord, à 17 km au S.-E. de Valenciennes; 5 370 hab. *(Quercitains).* Fortifications des XVIe-XVIIe s.

QUESNOY-SUR-DEÛLE (59890), ch.-l. de cant. du Nord, à 12 km au N. de Lille; 4 835 hab. *(Quesnoysiens).* Textile.

QUESSY (02700 Tergnier), comm. de l'Aisne, sur l'Oise, à 10 km au N.-E. de Chauny; 3 741 hab.

Qu'est-ce que la propriété?, œuvre de Proudhon (1840). L'auteur ne condamne pas l'appropriation et la possession économique en elles-mêmes, mais les droits que celles-ci confèrent au propriétaire, et notamment le « droit d'aubaine », ou droit de recevoir un revenu sans travailler.

QUESTEMBERT (56230), ch.-l. de cant. du Morbihan, à 27 km à l'E. de Vannes; 4 890 hab.

QUESTEUR. — Magistrats romains, les questeurs sont créés à la même époque que les consuls. De deux à l'origine, leur nombre est porté à vingt sous Sulla, à quarante sous César. À partir de Sulla, la questure ouvre le sénat. Élus par les comices tributes, les questeurs ont surtout des fonctions financières : les questeurs urbains gardent le trésor et autorisent les dépenses; les questeurs affectés en Italie contrôlent l'administration financière locale; enfin, dans les provinces, des questeurs assistent les généraux et les gouverneurs dans le domaine financier. Sous l'Empire, les questeurs perdent la garde du trésor; deux sont au service de l'empereur; deux ont la garde des archives; quatre sont secrétaires des consuls; les autres *(quaestores pro praetore)* assistent les gouverneurs de provinces.

QUESTIONNAIRE. — La qualité d'une enquête par sondage* dépend en grande partie des questionnaires écrits ou oraux (interviews) qui sont soumis à un échantillon représentatif d'une population donnée. Les questionnaires destinés à placer toutes les personnes interrogées dans une même situation psychologique permettent une standardisation de leurs réponses. La définition du contenu exact des questions, la formulation et l'ordre des questions sont trois éléments déterminants pour la rigueur et l'exactitude des résultats obtenus. Les questions dites « ouvertes » permettent à l'interviewé de donner libre cours à ses réponses.

Les questions dites « fermées » appellent une réponse affirmative ou négative. (V. ÉCHANTILLONNAGE, ENQUÊTE, PANEL.)

QUÉTELET (Adolphe), astronome, mathématicien et statisticien belge (Gand 1796 - Bruxelles 1874). Il est surtout connu pour l'application qu'il fit de la théorie des probabilités aux sciences morales et politiques ainsi qu'en anthropologie.

QUETIGNY (21800), comm. de la Côte-d'Or, à 5 km à l'E. de Dijon; 4 815 hab. Produits pharmaceutiques.

QUETSCHE → EAU-DE-VIE.

QUETTA, v. du Pākistān, ch.-l. du Baloutchistan ; 140 000 hab.

QUETTEHOU (50630), ch.-l. de cant. de la Manche, à 15 km au N.-E. de Valognes ; 1 163 hab. Église des XIIIe-XVIe s.

QUETZAL. — Ce couroucou du Mexique et du Guatemala, au plumage brillant, a une importance capitale dans la mythologie aztèque. (Famille des trogonidés.)

QUETZALCÓATL (« Serpent-Oiseau »), divinité précolombienne du Mexique.

QUEUE. — Chez les vertébrés, la queue est la région de la colonne vertébrale (et du corps en général) située en arrière de l'anus et de la ceinture pelvienne. Très souvent, la queue constitue un organe distinct et exerce des fonctions utiles. Chez les poissons, elle porte et anime la nageoire caudale motrice. Les amphibiens anoures se singularisent en résorbant leur queue lors de la métamorphose, de sorte que l'adulte n'en possède pas. La queue des reptiles (exception faite des tortues) contribue grandement à leur locomotion. Certains lézards ont la queue *sectile :* elle se coupe lorsqu'on la saisit; la queue des caméléons est *préhensile :* elle s'enroule autour des branches. Chez les oiseaux, une courte queue osseuse porte une importante queue plumeuse, indispensable au vol, et très ornée chez divers galliformes mâles (« roue » du paon). Les mammifères usent de leur queue pour chasser les mouches, pour s'équilibrer (kangourou, écureuil), pour saisir les branches (singe atèle), pour s'ombrager (tamanoir).

QUEUE-EN-BRIE (La) [94510], comm. du Val-de-Marne, à 9 km au S.-E. de Champigny-sur-Marne ; 7 141 hab.

QUEVEDO Y VILLEGAS (Francisco GÓMEZ DE), écrivain espagnol (Madrid 1580 - Villanueva de los Infantes 1645). Tour à tour chargé de missions diplomatiques et en butte à la disgrâce, il fut tantôt un poète sublime (*Heure de tous,* 1635-36), tantôt un satirique auteur de romances argotiques. Moraliste chrétien dans *la Politique de Dieu* (1626), il a fait paraître également un des plus étonnants romans picaresques, *Don Pablo de Ségovie* (1626).

QUÉVEN (56530), comm. du Morbihan, à 6 km au N.-O. de Lorient; 5 664 hab.

QUEYRAS, région élevée (de 1 500 à 2 000 m) des Hautes-Alpes, à la frontière italienne, correspondant au bassin supérieur du Guil.

QUEZALTENANGO, v. du sud-ouest du Guatemala; 70 000 hab.

QUEZÓN (Manuel), homme d'État philippin (Baler, Tayabas, 1878 - Saranac Lake, New York, 1944). Fondateur du parti nationaliste, il lutte pour l'indépendance des Philippines et devient président du régime provisoire établi en 1935, le « Commonwealth des Philippines », qui jouit d'une large autonomie. Lors de l'occupation japonaise, le président Quezón doit s'enfuir aux États-Unis, où il forme un gouvernement en exil (1942).

QUEZON CITY, capit. des Philippines, au N.-E. de Manille; 896 000 hab. Fondée en 1948, elle porte le nom du premier président du pays, Manuel Quezón*.

Qui a peur de Virginia Woolf?, pièce d'Edward Albee (1962) : à travers un psychodrame familial, la satire de la femme américaine et de l'univers absurde qu'elle sécrète — adaptation cinématographique par Mike Nichols en 1966.

QUIBERON (56170), ch.-l. de cant. du Morbihan, à l'extrémité méridionale de la *presqu'île de Quiberon;* 4 723 hab. *(Quiberonnais).* Station balnéaire. Thalassothérapie. Pêche. — Le 9 novembre 1759, l'escadre française de Conflans y fut détruite par l'escadre anglaise de E. Hawke. Le 27 juin 1795, trois régiments d'émigrés y débarquèrent ; bloqués par Hoche, ils durent capituler : 748 émigrés furent fusillés près d'Auray.

QUICHÉS, Indiens du Guatemala, apparentés aux Mayas* du Yucatán : ils formèrent un puissant royaume, dont la capitale était Utatlán (auj. Quiché).

QUIERZY (02300 Chauny), comm. de l'Aisne, à 13,5 km à l'O. de Noyon; 312 hab. Résidence des souverains carolingiens où, les 14 et 15 juin 877, à la veille de son départ pour l'expédition d'Italie, Charles* le Chauve tint une assemblée de grands du royaume au cours de laquelle il dut admettre l'hérédité de fait des charges comtales.

QUIÉTISME. — On désigne de ce nom une doctrine religieuse consécutive à un fort courant mystique qui envahit la France sous Louis XIII, mais qui fut combattu par Louis XIV. Le père du quiétisme fut le théologien espagnol Miguel de Molinos*, dont la doctrine, exposée dans sa *Guide spirituelle* (1675), influença en France plusieurs personnes, notamment Mme Guyon*, dont l'ouvrage *le Moyen court et très facile pour l'oraison* (1685) insistait sur le repos absolu et confiant que l'âme chrétienne doit garder en présence de Dieu. À cette mystique fut gagné Fénelon*, tenant de la doctrine du « pur amour » (1688), qui fut enveloppé, à partir de 1693, dans la persécution que Bossuet et Mme de Maintenon développèrent à l'encontre du quiétisme et de Mme Guyon, emprisonnée trois fois et finalement exilée. Fénelon répliqua par son *Explication des maximes des saints sur la vie intérieure* (1697), auquel répondit le pamphlet de Bossuet, *Relations sur le quiétisme* (1698). Finalement, le livre de Fénelon fut blâmé par Rome (bref *Cum alias,* 1699).

QUIÉVRAIN, comm. de Belgique (Hainaut), à la frontière française, en face de Quiévrechain*; 7 356 hab.

QUIÉVRECHAIN (59920), comm. du Nord, à 12 km au N.-E. de Valenciennes, à la frontière belge (v. QUIÉVRAIN); 7 272 hab.

QUILLAN (11500), ch.-l. de cant. de l'Aude, sur l'Aude, à 50 km au S. de Carcassonne; 5 142 hab. Panneaux d'ameublement. Chapellerie.

QUILLEBEUF-SUR-SEINE (27680), ch.-l. de cant. de l'Eure, à 14,5 km au N. de Pont-Audemer; 1 201 hab. *(Quillebois).* Église des XIIe-XVIe s.

QUILMES, v. de la banlieue de Buenos Aires (Argentine); 355 000 hab. Brasserie.

QUIMPER (29000), ch.-l. du Finistère, sur l'Odet (à une quinzaine de kilomètres de la mer), à 568 km à l'ouest de Paris; 60 510 hab. *(Quimpérois).* Belle cathédrale Saint-Corentin, des XIIIe-XVIe s. (flèches du XIXe). Vieilles maisons. Musées breton et des Beaux-Arts. Centre administratif, commercial, touristique, avec quelques industries (papier, alimentation, confection, faïencerie).

QUIMPERLÉ (29130), ch.-l. de cant. du sud-est du Finistère, au confluent de l'Ellé et de l'Isole; 11 712 hab. *(Quimperlois).* Églises Sainte-Croix, remontant au XIe s., et Notre-Dame, des XIIIe-XVe s. Vieilles maisons.

QUINAULT (Philippe), poète français (Paris 1635 - *id.* 1688). Il pratiqua les genres à la mode et écrivit plusieurs tragédies *(Astrate),* entachées de préciosité, qui lui valurent les attaques de Boileau. À partir de 1672, il composa les livrets des opéras de Lully* *(Cadmus et Hermione, Armide).*

QUINCTIUS FLAMININUS (Titus), général romain (229-174 av. J.-C.). Consul en 198, proconsul en 197, il fut vainqueur de Philippe V de Macédoine à Cynoscéphales* (197) et libéra la Grèce du joug macédonien. Aux jeux Isthmiques de 196, il fit proclamer la liberté des Grecs, ce qui signifiait le retour à l'autonomie municipale.

QUINCY, port des États-Unis (Massachusetts), près de Boston; 88 000 hab.

QUINCY-SOUS-SÉNART (91480), comm. de l'Essonne, à 8 km au N.-E. de Corbeil-Essonnes; 6 705 hab.

QUINE (Willard VAN ORMAN, dit **Willard**), logicien et philosophe américain (Akron 1908). Sa mise en perspective de la logique* mathématique le conduit à poser le problème des implications ontologiques de cette discipline. Il a notamment écrit : *Mathematical Logic* (1940), *Méthodes de logique* (1950), *Word and Object* (1960) et *The Roots of Reference* (1973).

QUINET (Edgar), historien français (Bourg-en-Bresse 1803 - Paris 1875). Spécialiste de l'histoire allemande, professeur de littérature au Collège de France (1841), il fait entrer dans son enseignement son libéralisme romantique, sa haine du cléricalisme (des Jésuites surtout) et son amour de la Révolution. Aussi son cours est-il suspendu en 1846. Représentant du peuple en 1848, il est proscrit lors du coup d'État du 2 décembre 1851. Installé à Bruxelles (1852), puis en Suisse (1858), Quinet devient l'un des maîtres spirituels du républicanisme et de la liberté de pensée. Rentré en France, il est élu député en 1871. De son œuvre, il faut détacher : *les Révolutions d'Italie* (1852) et *l'Esprit nouveau* (1874).

QUINGEY (25440), ch.-l. de cant. du Doubs, à 21 km au S.-S.-O. de Besançon; 936 hab.

QUI NHON, port du Viêt-nam méridional; 189 000 hab.

QUININE. — Principal alcaloïde du quinquina, la quinine est utilisée pour son action préventive et curative du paludisme*, en particulier de *Plasmodium falciparum.* On l'emploie par voie orale sous forme de chlorhydrate, en prises fractionnées, ou par voies intramusculaire et intraveineuse. Le *sulfate basique de quinine* a aussi une action antipaludéenne et une action fébrifuge (quelle que soit la cause de la fièvre). Le *bromhydrate de quinine* calme les tachycardies et les névralgies. Des doses massives de quinine peuvent être responsables de troubles oculaires et de troubles cardiaques : la quinine est mortelle à partir de 10 g chez l'adulte.

QUINOLÉINE. — C'est une base hétérocyclique $C_{10}H_7N$, dont la molécule est formée par l'accolement d'un noyau benzénique et d'un noyau pyridique. C'est un liquide incolore, d'odeur forte. Ses dérivés sont nombreux : alcaloïdes du quinquina et des strychnées, colorants comme le jaune et le rouge de quinoléine, les cyanines, etc.

QUINONE. — Les quinones sont des dicétones, diéthyléniques et cycliques. Les plus simples, l'*orthobenzoquinone* et la *parabenzoquinone,* dérivent du benzène. La première est un solide orangé instable; la seconde constitue des aiguilles brun verdâtre, à odeur de chlore, fondant à 116 °C. On peut aussi mentionner les *naphtoquinones,* dérivant du naphtalène, et l'*anthraquinone,* dérivant de l'anthracène.

QUINQUET (Antoine), pharmacien français (Soissons 1745 - Paris 1803). On lui doit la création et la fabrication des *lampes à Quinquet,* perfectionnement de la lampe d'Argand*.

QUINQUINA. — C'est dans l'écorce de ces arbres de l'Amérique du Sud que se trouvent les principes amers et fébrifuges dont le mélange constitue le « quinquina ». Le plus important de ces principes est la quinine*. On cultive les quinquinas dans toutes les régions chaudes. (Genre *Cinchona,* famille des rubiacées.)

QUINTANA (Manuel José), poète et homme politique espagnol (Madrid 1772 - *id.* 1857), il lutta contre l'occupation napoléonienne, puis contre l'absolutisme de Ferdinand VII.

QUINTE → THÉORIE MUSICALE.

QUINTE-CURCE en lat. **Quintius Curtius Rufus,** historien latin (Ier s. apr. J.-C.). Il est l'auteur d'une *Histoire d'Alexandre* en dix livres (les deux premiers manquent), vie romancée, avec des développements moralisateurs, des descriptions exotiques et de nombreux discours.

QUINTETTE → SONATE.

QUINTILIEN, rhéteur latin (Calagurris Nassica, auj. Calahorra, Espagne, v. 30 - † v. 100). Il fut précepteur des petits-neveux de Domitien. Dans son ouvrage sur la formation de l'orateur *(De institutione oratoria),* il réagit contre les tendances nouvelles représentées par Sénèque et proposa l'imitation de Cicéron.

QUINTILIUS VARUS (Publius), général romain (v. 50 av. J.-C. - forêt de Teutoburg 9 apr. J.-C.). Légat de Germanie, il se laissa surprendre par le chef chérusque Arminius* dans la forêt de Teutoburg, où il fut massacré avec trois légions (9 apr. J.-C.). Après ce désastre, Auguste renonça à la conquête de la Germanie*.

QUINTIN (22800), ch.-l. de cant. des Côtes-du-Nord, à 19 km au S.-O. de Saint-Brieuc; 3 599 hab. Château des XVIIe-XVIIIe s.

QUINTON (René), naturaliste français (Chaumes 1867 - Paris 1925). Ses études sur les propriétés biologiques de l'eau de mer ont conduit à d'utiles applications médicales (sérum de Quinton).

Quinze Joies de mariage *(les),* satire anonyme (v. 1450) qui unit aux thèmes antiféministes traditionnels des clercs et des fabliaux une observation réaliste de la vie bourgeoise.

Quirinal *(mont),* une des collines de Rome, ainsi nommée du dieu Quirinus*, qui possédait sur cette hauteur un temple. C'est sur le Quirinal que se trouvaient les jardins de Salluste et que furent édifiés les thermes de Dioclétien et de Constantin.

QUIRINUS, ancienne divinité romaine, dont le culte était situé sur le Quirinal*. Il faisait partie, avec Jupiter* et Mars*, de la plus antique triade divine protectrice de Rome. Il fut par la suite associé à Romulus* divinisé.

QUISLING (Vidkun), homme politique norvégien (Fyredal, Telemark, 1887 - Oslo 1945). Fondateur du Rassemblement national, parti pronazi, il devint chef du gouvernement (févr. 1942) après l'invasion allemande; il fut exécuté à la Libération.

QUISSAC (30260), ch.-l. de cant. du Gard, à 31 km au S.-S.-O. d'Alès; 1 954 hab.

QUITO, capit. de l'Équateur, dans les Andes, à 2 850 m d'altitude; 551 000 hab. Architecture coloniale religieuse d'un grand raffinement, inspirée, du XVIe au XVIIIe s., de modèles italiens autant qu'espagnols. Sculpture polychrome du XVIIe s., dépendant de l'école de Séville. École picturale depuis le XVIe s. (avec pour foyer le couvent de S. Francisco) jusqu'à nos jours. Nombreux musées. Université. — Dès le Xe s., Quito fut le centre d'un royaume qui fut réuni, au XVe s., à l'Empire inca. Siège d'une *real audiencia* en 1563, la ville devint la capitale de l'Équateur en 1830.

QUM → QOM.

QUMRĀN, site archéologique palestinien situé sur la rive nord-ouest de la mer Morte. Des fouilles, entreprises à la suite de la découverte, dans les grottes des alentours, des manuscrits de la mer Morte*, ont mis au jour un ensemble de bâtiments dans lesquels on reconnaît les ruines d'un couvent essénien* qui semble avoir été détruit pendant la première révolte juive de 66-70.

QUNAYṬRA, v. de Syrie, nœud routier, au S.-O. de Damas. Conquise par les Israéliens en 1967 et 1973, la ville fut rendue à la Syrie en 1974. (V. ISRAÉLO-ARABES [*guerres*].)

QUOC-NGU → VIETNAMIEN.

QUOTIENT INTELLECTUEL. — Une des principales utilisations des tests* est la mesure de l'intelligence*, que l'on exprime par un quotient intellectuel (Q. I.). Même si pour tous les tests le Q. I. moyen est fixé arbitrairement à 100, la signification du Q. I. dépend du test qui a servi à le mesurer; ainsi un Q. I. de 120 au W. I. S. C. (test d'intelligence pour enfants) est considéré comme meilleur qu'un Q. I. de 120 au Terman-Merill (test d'intelligence dérivé du Binet et Simon) car le W. I. S. C. a été construit de façon que moins d'enfants obtiennent un Q. I. de 120 qu'au Terman-Merill. Par ailleurs, un Q. I. de 90 obtenu par un enfant de 10 ans traduit le fait que ses comportements intellectuels sont en moyenne du niveau de ceux d'un enfant de 9 ans, ce qui signifie que durant les dix années de sa vie il n'a parcouru que neuf ans de développement intellectuel au lieu de 10.

Chez l'enfant, le Q. I. est donc l'indice d'une vitesse de développement, mais chez l'adulte cela n'a aucun sens car les psychologues, qui ont conçu les tests et ceux qui les font passer, admettent que l'intelligence, telle qu'elle est mesurée par ceux-ci, ne se développe que jusqu'à l'âge de 15 ou 16 ans.

Un des problèmes les plus épineux soulevés par le Q. I. est la question de sa stabilité, car il représente une vitesse de développement que l'on suppose constante, ce qui est contredit par de nombreuses observations. Loin de s'appliquer à une caractéristique héréditaire et fixe, le Q. I. varie en plus ou en moins au cours du développement, sous l'influence de facteurs divers : affectifs, sociaux, pédagogiques, etc. C. Chiland, mesurant les Q. I. des élèves d'un cours préparatoire, constate que ceux-ci se répartissent selon une courbe de Gauss ayant une moyenne à 100. Mesurés cinq ans plus tard, avec le même test, les Q. I. des mêmes élèves se scindent en deux groupes de valeurs, l'un avec une moyenne inférieure à 100, l'autre avec une moyenne bien supérieure à 100. Il apparaît que ce sont les plus doués qui progressent le plus : ils ont la meilleure scolarité et viennent aussi des milieux socioculturels les plus favorisés.

Le Q. I. reflète donc plus le niveau socioculturel auquel appartient l'enfant, ses origines familiales, son environnement social, que son intelligence « pure », d'autant plus que l'unanimité n'est pas faite quant à la définition de l'intelligence*.

QUOTITÉ DISPONIBLE → TESTAMENT.

Quo vadis?, roman de Sienkiewicz (1895), qui a pour cadre Rome au temps des persécutions des chrétiens par Néron.

QURAYCHITES, tribu faisant partie du groupe des Arabes du Nord. Au début du VIIe s., elle dominait La Mecque*, dont elle avait fait un grand centre commercial et religieux. Mahomet* faisait partie d'un clan quraychite, celui des Hāchémites*. De même, les califes omeyyades* et ʿabbāssides* et les imāms ʿalides* étaient d'origine quraychite.

ℝ. — Le symbole ℝ désigne le *corps* des nombres réels, muni de l'addition et de la multiplication ordinaires. L'ensemble des nombres réels est formé de tous les nombres utilisés en algèbre et en géométrie élémentaire, soit : les entiers naturels, formant l'ensemble ℕ; les entiers relatifs, entiers précédés d'un signe, donc positifs ou négatifs, dont l'ensemble est ℤ; puis les rationnels, qui sont les nombres fractionnaires positifs ou négatifs, dont l'ensemble est noté ℚ; enfin les nombres irrationnels, comme $\sqrt{2}$, π. On a donc les inclusions suivantes :

$$\mathbb{N} \subset \mathbb{Z} \subset \mathbb{Q} \subset \mathbb{R}.$$

L'*addition* confère à ℝ une structure de *groupe* additif *commutatif.* En effet, elle est associative et interne dans ℝ; elle possède un élément neutre, 0, et tout élément x de ℝ a un symétrique x' dans ℝ, tel que $x + x' = 0$. De plus, quels que soient les éléments a et b dans ℝ, on a $a + b = b + a$, ce qui traduit la commutativité de l'addition. La *multiplication* est interne et associative pour ℝ. Elle est distributive pour l'addition; elle possède un élément neutre, 1, et tout élément non nul de ℝ, x, a un inverse $x' = \frac{1}{x}\cdot$ L'ensemble $\mathbb{R}^* = \mathbb{R} - \{0\}$ est un groupe multiplicatif *commutatif,* car, pour deux éléments a et b quelconques dans ℝ, on a $ab = ba$. L'ensemble de ces propriétés font de ℝ un corps *commutatif.* Ce corps est *totalement ordonné* par la relation « inférieur ou égal à » noté $\leqslant$, ce qui veut dire que, pour tout couple (a, b) d'éléments de ℝ, on a soit $a \leqslant b$, soit $b \leqslant a$. Tout nombre *positif* est supérieur à zéro. Tout nombre *négatif* est inférieur à zéro. Tout nombre négatif est inférieur à tout nombre positif. La *valeur absolue* d'un nombre x, désignée par $|x|$, est égale à x si x est positif, à $-x$ si x est négatif. Ainsi, $|4| = |-4| = 4$. De deux nombres négatifs, le plus grand est celui qui a la plus petite valeur absolue. Ainsi, $-7 < -3$, car $|-7| = 7$ et $|-3| = 3$. Quels que soient x et y, $|x + y| \leqslant |x| + |y|$, l'égalité n'ayant lieu que si les deux nombres x et y sont de même signe. $\mathbb{R}^+$ désigne l'ensemble des réels positifs, y compris 0. $\mathbb{R}^{+*}$ désigne l'ensemble des réels strictement positifs. Tout nombre réel rationnel ou non peut être encadré par deux *suites* de nombres *décimaux* qui convergent vers une même valeur $l = x : \frac{a_n}{10^n} < x < \frac{a_n + 1}{10^n}$, n étant un entier arbitraire, a_n et $a_n + 1$ deux entiers consécutifs. Quand n augmente, $\frac{1}{10^n} \longrightarrow 0$, et l'encadrement de x est de plus en plus précis; $\frac{a_n}{10^n}$ s'appelle la *valeur décimale approchée par défaut* de x à 10^{-n} près. Ainsi, lors de la division d'un entier a par un entier b, cette division ne se faisant pas exactement, si l'on s'arrête au quatrième chiffre après la virgule, on obtient, grâce au quotient, une valeur décimale approchée par défaut à 10^{-4} près.

On peut donner de ℝ une interprétation *géométrique* à l'aide des points d'un axe $x'x$: tout nombre réel est l'*abscisse* d'un point M de cet axe et, inversement, à tout point M de cet axe correspond un nombre réel, son abscisse.

RÂ → RÊ.

RAABE (Wilhelm), écrivain allemand (Eschershausen, Brunswick, 1831-Brunswick 1910). Ses romans (*la Chronique de la rue aux moineaux,* 1857) et ses contes peignent avec humour la vie des petites gens.

RAB, île yougoslave de l'Adriatique. Tourisme. Cathédrale des XIe-XIIIe s. Palais gothiques et Renaissance.

RABAN MAUR *(bienheureux),* polygraphe allemand (Mayence v. 780-Winkel, Rhénanie, 856). Élève d'Alcuin (802), il devint écolâtre de l'abbaye de Fulda (815), puis abbé (822-842) de ce monastère, qui, sous sa direction, connut un rayonnement universel. Théologien, poète et homme de sciences, il fut aussi le conseiller de Louis le Pieux, de Lothaire et de Louis le Germanique. En 847, il fut élevé à l'archevêché de Mayence. Il a laissé de nombreux écrits, dont un traité (*De institutione clericorum,* 819), une encyclopédie (*De rerum naturis,* 842-847) et une très riche correspondance.

RABASTENS (81800), ch.-l. de cant. du Tarn, sur le Tarn, à 17 km au S.-O. de Gaillac; 4220 hab. Église des XIIIe-XIVe s.

RABASTENS-DE-BIGORRE (65140), ch.-l. de cant. des Hautes-Pyrénées, à 19 km au N.-N.-E. de Tarbes; 1082 hab.

RABAT, capit. du Maroc, sur l'Atlantique, à l'embouchure du Bou Regreg; 368000 hab. (530000 pour l'agglomération, avec Salé*). Deuxième ville du Maroc, c'est un centre politique, encore peu industrialisé (textile).

HISTOIRE. La forteresse de Rabat a été fondée par le sultan almohade ʿAbd al-Mu'min en 1150, au nord de l'antique Sala Colonia, sur laquelle les Marīnides élevèrent au XIVe s. la nécropole de Chella. Au XVIIe s., les réfugiés d'Andalousie pratiquèrent la course à partir de Rabat. Lyautey fit de Rabat la véritable capitale politique et administrative du protectorat français sur le Maroc.

BEAUX-ARTS. Jalonnée d'élégantes constructions en pierres parées de sculptures décoratives polychromes, réalisées au mortier, la ville possède plusieurs mosquées du XVIIe et du XVIIIe s., et surtout un ensemble d'époque almohade, constitué d'une puissante enceinte aux deux portes monumentales : Bāb al-Ruwāḥ et la porte de la casbah des Oudaïa; celle-ci représente l'épanouissement du style décoratif des Almohades, constitué de multiples variations sur le thème de l'arc, polylobé, festonné, etc. Inachevée, la Grande Mosquée (fin du XIIe s.), devenue un impressionnant champ de ruines aux deux cents colonnes, est flanquée d'un minaret en pierre de plan carré très semblable à la Giralda de Séville ou au minaret de la Kutubiyya de Marrakech et orné des mêmes superpositions d'arcatures polylobées. Au sud-est de l'enceinte almohade, Chella abrite la nécropole marīnide et sa somptueuse mosquée funéraire, enfermée dans une enceinte aux trois portes monumentales. Salé, face à la ville, possède des remparts marīnides, une porte du XIIIe s. et une Grande Mosquée de la fin du XIIe s.

RABAUL, port de la Papouasie-Nouvelle-Guinée, dans l'île de Nouvelle-Bretagne (archipel Bismarck); 25000 hab.

RABBINISME. — La destruction du Temple de Jérusalem en 70, la ruine de l'État juif et du pouvoir sacerdotal ouvrent dans l'histoire du peuple juif une ère nouvelle, celle des docteurs de la Loi, à qui était donné le titre de *rabbi* (maître). Les *rabbis,* dans cette période difficile, où les communautés juives sont dispersées et coupées du foyer politique et religieux qu'est la Terre sainte, sont les guides qui conservent au peuple juif son unité et sa foi; la Mishna* et le Talmud*, œuvres essentielles du judaïsme postbiblique, synthétisent la pensée des grands docteurs de la religion mosaïque. Le XIe s. verra naître en France, au Portugal et en Espagne de brillantes écoles juives; au XVIe s., la science rabbinique se développera surtout en Europe orientale. À partir du XVIIIe s., l'émancipation des Juifs en Occident donnera une orientation nouvelle aux communautés juives.

RABELAIS (François), écrivain français (La Devinière, près de Chinon, v. 1483 ou 1494-Paris 1553). Rabelais est une pierre de touche. D'un côté, ses détracteurs : Calvin, Voltaire, Lamartine, Montherlant. De l'autre, ses admirateurs : Chateaubriand, Balzac, Hugo, Flaubert, Michelet. Chateaubriand voit en lui un de ces « génies mères », un de ces « cinq ou six écrivains qui ont suffi aux besoins et aux aliments de la pensée », aux côtés de Shakespeare et de Dante : « Rabelais a créé les lettres françaises : Montaigne, La

Fontaine, Molière viennent de sa descendance. » Là est peut-être la raison des jugements contradictoires portés sur son œuvre : les différentes branches de sa postérité n'ont pas connu la même vigueur ni le même développement. La comparaison avec des œuvres géantes, polymorphes et symboliques, comme celles de Dante, de Shakespeare ou de Cervantès, le prouve : la littérature française a choisi des voies plus étroites. Rabelais est l'ancêtre formidable dont on dilapide l'héritage, mais sans oser en évoquer la mémoire gaillarde. La singularité de son œuvre est qu'elle se place au carrefour d'une culture savante et d'une culture populaire au moment même où va se décider leur profonde séparation. Rabelais est tombé d'emblée sous la double condamnation dont l'humanisme des doctes frappe la culture populaire : archaïsme (survivance médiévale) et grossièreté (la Sorbonne condamne Rabelais en 1532 pour obscénité). Certes son œuvre s'inscrit ouvertement dans la lignée de la littérature populaire : par la présentation matérielle de ses volumes (format, caractères gothiques); par le style des titres *(Horribles et épouvantables faits et prouesses...)*; par les précédents auxquels le rattachent ses prologues (roman de chevalerie et chroniques de géants issues du folklore); par l'insistance d'une certaine matérialité (le corps humain célébré dans ses fonctions digestives et excrétives); par les procédés narratifs (généalogies, énumérations minutieuses et interminables, calembours). On aurait donc pu reléguer Rabelais au rang de la littérature d'almanach. Mais il avait une autre face, une triple culture savante : culture religieuse, théologique et scolastique, acquise chez les Cordeliers et les Bénédictins; culture juridique, élaborée dans le cercle de Geoffroy d'Estissac, puis au contact de la diplomatie des frères du Bellay; culture médicale, confirmée par ses grades universitaires à Montpellier et son activité professionnelle à l'hôtel-Dieu de Lyon. Par là il était pris au sérieux, mais pas exactement comme il l'aurait voulu. Il comparait lui-même son livre à un os qu'il faut briser pour en retenir la « substantifique moelle » : derrière le gros rire et la farce, il invitait à lire l'appel à un renouveau de l'idéal philosophique et moral à la lumière de la pensée antique et une profession de foi dans la nature humaine et dans la science. Son rire participe de cette « seconde vie » des hommes du Moyen Âge et de la Renaissance, qui, à dates fixes, vivaient le renversement, la parodie des rôles religieux et sociaux officiels — comme le carnaval était l'envers indissociable du carême. Or, ce rire sent le fagot dans la constitution de la nouvelle société humaniste et bourgeoise, où les lignes de partage, sinon de force, sont religieuses et où, malgré les désirs et les proclamations de liberté, les institutions ont tendance à se fixer, à n'admettre plus qu'une seule face et une seule interprétation : celle du sérieux. Lu sous l'angle de la religion, Rabelais est, par les catholiques, suspecté de sympathie pour la Réforme et, par les huguenots, accusé de paganisme. « Dans les deux cas, la moelle condamne l'os. » Paradoxalement, c'est cette ambiguïté qui fascinera les romantiques : ils campent la double figure de Rabelais sphinx et prophète (« Tout ce livre est le rameau d'or », Michelet), dont la luxuriance verbale est elle-même génératrice d'images (« Rabelais a fait cette trouvaille, le ventre. Le serpent est dans l'homme, c'est l'intestin », Hugo). Le véritable géant rabelaisien, c'est, bien plus que son utopique programme d'éducation, le langage. Outre le latin, le grec et le français, l'œuvre de Rabelais met en œuvre l'italien, l'espagnol, l'anglais, le basque, le turc, l'écossais, le flamand, le breton, le haut-allemand, l'arabe, l'hébreu, les idiomes des métiers (botanique, ornithologie, fauconnerie, blason, navigation, guerre, commerce, architecture...), et c'est d'abord sous l'aspect d'un polyglotte que Panurge (il demande

la vie et l'œuvre

1483 ou 1494	Naissance à La Devinière, d'un père avocat.
1511 ou 1520	Moine franciscain à Fontenay-le-Comte.
1524-1525	Bénédictin à Maillezais.
1525-1528	Prêtre-étudiant errant à Bourges, à Orléans, à Paris.
1530	Études médicales à Montpellier.
1532	Médecin de l'hôtel-Dieu de Lyon. Publication de *Pantagruel**.
1534	Voyage à Rome. Publication de *Gargantua**.
1535	Deuxième voyage à Rome.
1536	Chanoine au chapitre de Saint-Maur-des-Fossés.
1537	Prend à Montpellier son grade de docteur.
1546	Publication du *Tiers Livre*.
1547	Condamné par la Sorbonne, se réfugie à Metz, puis à Rome.
1548	Publication partielle du *Quart Livre*.
1551	Curé de Saint-Martin de Meudon et de Saint-Christophe-du-Jambet.
1552	Le *Quart Livre* complet est dédié à Odet de Coligny.
1553	Mort à Paris.
1562	Publication de *l'Isle sonante*.
1564	Publication du *Cinquième Livre* complet.

Rabelais. Portrait anonyme, XVIIe s. (Château de Versailles.)

à manger en quatorze langues) apparaît à Pantagruel. Plus que dans le fameux « os médullaire », la clef du livre est dans l'étonnant mythe des « paroles dégelées » (*Quart Livre*, LV) : comme les clameurs et les bruits d'une bataille hivernale, saisis par le froid, sont libérés par la fonte des glaces et se font alors entendre, ainsi le sens de l'œuvre ne se laisse entrevoir qu'avec le temps, à force de méditation et d'expérience.

RABI (Isaac Isidore), physicien américain (Rymanów, Galicie, 1898). Ses travaux portent sur le spin et les propriétés électriques et magnétiques du noyau de l'atome. (Prix Nobel de physique, 1944.)

RABIN (Itzhak), général et homme politique israélien (Jérusalem 1922). Chef d'état-major général en 1964, il dirige l'armée dans la campagne israélo-arabe de 1967. Ambassadeur d'Israël aux États-Unis (1968-1973), il a été Premier ministre de 1974 à 1977.

RABOT → ABATTAGE.

RABOTAGE. — • Dans le *travail du bois*, le rabotage est utilisé pour diminuer l'épaisseur d'une pièce en bois ou encore pour améliorer la planéité d'une face ainsi que la qualité de son état de surface. Il peut s'effectuer manuellement, à l'aide d'un *rabot* ou d'une *raboteuse électrique à main*, ou encore mécaniquement, à l'aide d'une *raboteuse de menuiserie* constituée par un arbre porte-lames en rotation rapide. Dans ce dernier cas, la face opposée de la pièce en bois, qui sert de face de référence, doit être préalablement rendue plane à l'aide d'une *dégauchisseuse*.

• Dans le *travail des métaux*, le rabotage est utilisé pour réaliser des surfaces planes ou profilées sur des pièces métalliques, par enlèvement de matière à l'aide d'un *étau-limeur*, d'une *raboteuse* (à métaux) ou encore d'une *mortaiseuse*. Il s'effectue à l'aide d'un outil à tranchant unique, animé, par rapport à la pièce, d'un mouvement rectiligne alternatif (mouvement de travail), avec léger déplacement latéral (mouvement d'avance) lors du retour de l'outil. Sur l'étau-limeur, le mouvement de travail se fait par déplacement de l'outil et le mouvement d'avance par déplacement de la pièce. Sur la raboteuse, c'est l'inverse qui se produit. (V. schémas p. 1564.)

RACAN (Honoré DE BUEIL, *seigneur* DE), poète français (château de Champmarin, Aubigné, 1589-Paris 1670), auteur de stances élégiaques et des *Bergeries*, pastorale dramatique qui trahit l'influence italienne.

RACCORDEMENT *(Électr.)*. — On distingue plusieurs types de raccordement, suivant qu'il s'agit du raccordement de câbles* isolés aux parties aériennes nues du réseau* *(extrémités)*, du raccordement de câbles isolés entre eux *(jonction)*, ou enfin du raccordement direct de câbles isolés aux transformateurs*. Pour le branchement de conducteurs nus, une bonne jonction doit présenter un excellent contact électrique, la résistance* ohmique de la jonction ne devant, en aucun cas, être supérieure à celle de la même longueur de conducteur, une résistance mécanique égale à celle du conducteur et un bel aspect. De plus, son exécution doit être rapide et aisée avec un matériel simple. Pour le branchement de câbles isolés, on utilise des *boîtes de dérivation*, généralement en fonte, remplies de compound, la jonction proprement dite se faisant par serre-câble, brasure aluminothermique et raccord

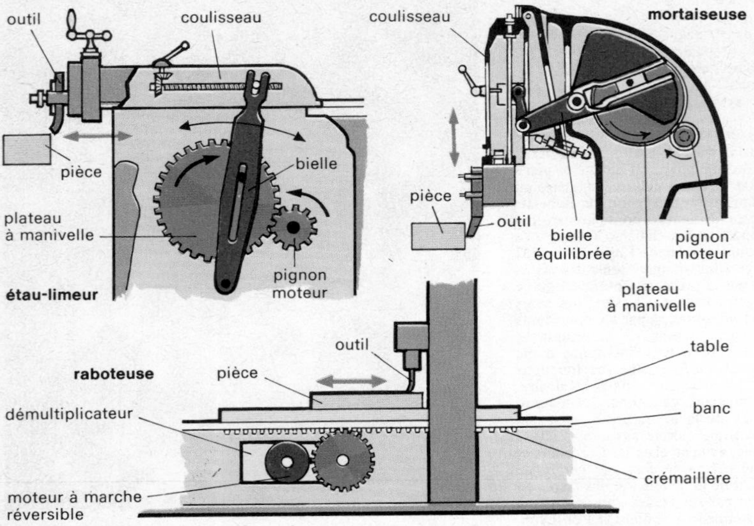

RABOTAGE

Schéma de principe du fonctionnement d'un étau-limeur, d'une mortaiseuse et d'une raboteuse.

bimétallique si les âmes des deux conducteurs à raccorder sont de natures différentes. Dans le cas des lignes* souterraines à câbles à huile fluide, les boîtes d'extrémités et les jonctions d'arrêt sont réunies à des réservoirs de pression. Les jonctions simples doivent assurer la liaison électrique et la continuité du canal de circulation d'huile. Sur les lignes aériennes, on utilise des raccords coniques ou à griffes. Les boîtes de jonction MT utilisent la technique de reconstitution de l'isolant par rubanage et métallisation.

RACE. — La notion de race est extrêmement vague. Elle évoque les différences d'aspect entre des populations animales, végétales ou humaines de même espèce habitant dans des régions différentes, mais les races d'une même espèce sont toujours interfécondes, sauf lorsque la domestication et la sélection artificielle ont systématiquement favorisé l'apparition de types extrêmes (par exemple le chien, du saint-bernard au chow-chow). [V. RACISME.]

RACHEL, épouse de Jacob*, mère de Joseph* et de Benjamin*; elle mourut en mettant ce dernier au monde.

RACHEL (Élisabeth FÉLIX, dite Mlle), actrice française (Mumpf, Suisse, 1821 - Le Cannet 1858), qui contribua à faire revivre la tragédie classique.

RACH GIA, port du Viêt-nam méridional, sur le golfe de Siam; 104 000 hab.

RACHIANESTHÉSIE → ANESTHÉSIE.

RACHITISME. — Le rachitisme, rare actuellement, s'observe de 3 à 18 mois.

• *Signes cliniques.* Au cours des premiers mois de la vie, on observe un ramollissement des os du crâne *(craniotabès),* et la fontanelle antérieure reste béante après 15 ou 18 mois. Le thorax est le siège de déformations (aplatissement transversal); il existe de volumineuses tuméfactions à la jonction de la côte et du cartilage (chapelet costal). Aux membres, les régions diaphyso-épiphysaires (extrémités) sont le siège de tuméfactions. Des déformations sont possibles : incurvation à concavité interne du fémur et du tibia. Il existe un retard d'apparition de la première dentition, une hypotonie musculaire.

• *Signes radiologiques.* L'opacité des os est diminuée. Les points d'ossification apparaissent avec retard; il existe une irrégularité du cartilage de conjugaison (entre diaphyse et épiphyse).

• *Signes biologiques.* Le plus constant est la baisse de la phosphorémie (phosphore sanguin), alors que la calcémie (calcium sanguin) reste normale.

La cause essentielle du rachitisme est l'avitaminose D, liée à une carence solaire. Une cause très rare est représentée par certaines néphropathies tubulaires. Le rachitisme par avitaminose D a une tendance spontanée à évoluer vers la guérison, mais au prix de déformations. La vitamine D permet d'obtenir la guérison, mais on doit surtout s'efforcer de prévenir le rachitisme en administrant, depuis la naissance jusqu'à l'âge de 18 mois à 2 ans, de la vitamine D.

RACIBÓRZ, v. du sud de la Pologne, sur l'Odra; 30 000 hab. Métallurgie.

RACINE *(Bot.).* — La moitié de l'appareil végétatif des plantes terrestres est soumis à un géotropisme positif (v. TROPISME). C'est cet *appareil radiculaire* qui absorbe l'eau et les sels minéraux du sol, et les racines sont ses rameaux. Sur une racine, de l'extrémité à la base, on rencontre successivement les zones suivantes :
— la *pointe exploratrice,* qui contourne les cailloux du sol, recherche l'humidité, évite les contacts toxiques, etc. (elle est recouverte d'une *coiffe* qui la protège de l'usure);
— la *zone de croissance,* où les cellules se multiplient et s'allongent;
— la *zone des poils absorbants,* nombreux, unicellulaires, assurant l'entrée de l'eau et des sels dans la plante;
— la *zone conductrice,* contenant les vaisseaux dans lesquels circule la sève ascendante (seule cette zone peut être ramifiée).

En coupe transversale, la zone conductrice montre, sous l'épiderme et l'écorce, une double assise *(péricycle* et *endoderme),* dont le rôle est de filtrer sélectivement les produits de l'absorption qui passeront dans la sève, puis une alternance de *faisceaux ligneux,* pour la montée de la sève brute, et de *faisceaux libériens,* pour l'alimentation organique de la racine elle-même.

Le système racinaire est dit *pivotant* lorsqu'il existe une racine principale s'enfonçant verticalement (salsifis); il est *fasciculé* lorsque toutes les racines sont égales et explorent une zone à peu près sphérique; il est superficiel ou *traçant* lorsque les racines s'étalent peu au-dessous de la surface du sol.

Dans de nombreuses espèces, les racines, surtout à l'état jeune, répandent autour d'elles des *sécrétions radiculaires,* le plus souvent défavorables à la germination d'autres graines. En revanche, l'écorce des racines âgées héberge souvent des champignons symbiotiques (mycorhizes*), voire des nodosités bactériennes (légumineuses*, aulne). Dans tous les cas, la flore bactérienne du sol change de composition au voisinage immédiat des racines (on nomme ce voisinage *rhizosphère*).

Outre leur fonction nutritive, les racines ont une évidente fonction de fixation du végétal. Dans bien des cas, elles y ajoutent une fonction d'organes de réserve pour l'hiver (*racines succulentes :* radis, carotte, betterave...).

Le passage de l'appareil radiculaire à l'appareil aérien se fait par un seul point, le *collet,* au niveau même du sol.

RACINE *(Ling.).* — Dans une langue ou une famille de langues, on appelle « racine » un élément de base, irréductible, commun à un ensemble (famille) de mots. Une racine est un morphème : elle est le support d'une unité minimale de signification. On l'obtient en éliminant toutes les marques grammaticales et tous les éléments de formation du mot (dérivation et composition). La racine est une forme abstraite qui peut connaître plusieurs réalisations. Ainsi, la racine française /*ven*/, qui signifie *venir,* peut se réaliser sous les deux formes *ven-* (nous venons) et *vien-* (il vient). Ces deux formes sont appelées « radicaux ». De même, dans une perspective diachronique, les radicaux français *cant-* (cantatrice, cantilène) et *chant-* (chanteur, il chante) sont issus d'une même racine latine.

RACINE *(Math.)* → ALGÈBRE et ALGÉBRIQUE *(équation).*

RACINE, port des États-Unis (Wisconsin), sur le lac Michigan; 95 000 hab.

RACINE (Jean), poète dramatique français (La Ferté-Milon 1639-Paris 1699). Racine embarrasse. Il ne s'est pas voué uniquement au théâtre comme Corneille ou Molière, et il reste pourtant le symbole de la perfection de la tragédie classique. Il n'est pas un poète lyrique comme Malherbe ou La Fontaine, et pourtant c'est chez lui que les amateurs de « poésie pure » prennent le plus volontiers leurs exemples. Il a sacrifié sa carrière littéraire à son ascension sociale (devenant historiographe du roi), puis il s'est converti, faisant douter de la sincérité aussi bien de son renoncement au théâtre que de son retour à la foi. Ce qui est certain, c'est qu'il s'imposa à ses contemporains d'abord en s'opposant à Corneille vieillissant, comme le peintre de l'amour instinctif et irrésistible au célébrant de l'amour courtois et précieux, puis par la précision et la simplicité d'une mécanique dramatique, dans laquelle on vit surtout une soumission absolue aux *règles* et un exercice de style perpétuellement renouvelé. Affirmer que Racine est l'incarnation même du génie français ou disputer sur sa tendresse, sa cruauté ou son jansénisme, comme le fait depuis trois siècles une critique frustrée d'anecdotes biographiques (Racine n'a pas laissé de documents intimes), ne permet guère d'atteindre au secret de l'œuvre. Il vaut mieux partir du constat déjà établi par ses contemporains : Racine est parfaitement à l'aise dans le cadre rigoureux des *trois unités**, et ce n'est sans doute pas par hasard. Le lieu tragique racinien est toujours clos : c'est la salle du palais, la chambre, le sérail. Lieu où toute parole porte, où chaque mot est un acte. Au-delà, l'antichambre, où coexistent langage tragique et langage du monde, où circulent messagers et confidents. Plus loin encore, le monde, lieu de l'action qui échappe au regard et qui n'apparaît que métamorphosé dans le langage, seule réalité dramatique (ce qui explique que si l'on ne meurt pas sur le théâtre, ce n'est pas par bienséance, mais par nécessité structurelle). D'autre part, toutes les intrigues raciniennes se ramènent à deux conflits majeurs : une rivalité amoureuse entre prétendants, un conflit d'autorité entre « père » et fils (Thésée/Hippolyte, Agrippine/Néron), qui peuvent, comme dans *Mithridate,* s'imbriquer étroitement. Le théâtre de Racine n'est pas seulement

Bernand

Représentation de *Bérénice* au théâtre Montparnasse (Paris, 1970). Mise en scène de Roger Planchon.

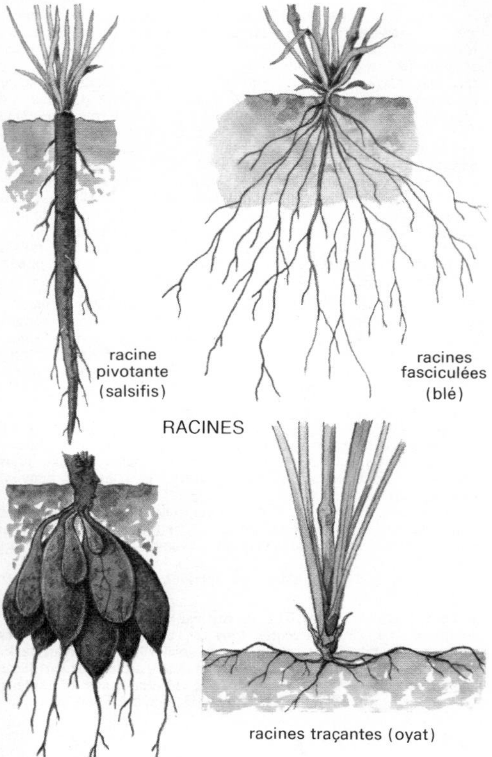

RACINES

coupe microscopique transversale d'une racine (fève)

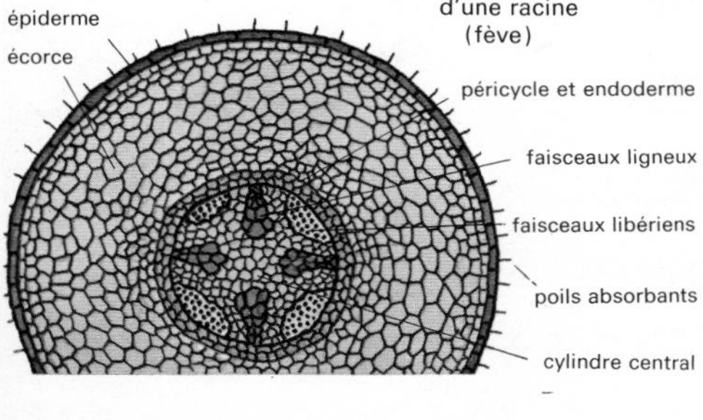

la vie et l'œuvre

1639	Naissance à La Ferté-Milon, d'un père greffier du grenier à sel.
1641	Mort de sa mère.
1643	Mort de son père.
1645-1658	Études à Port-Royal; reçoit une forte culture grecque.
1658	Études de logique au collège d'Harcourt.
1660	Ode pour le mariage de Louis XIV : *la Nymphe de la Seine.*
1661	À Uzès, près d'un oncle chanoine, pour tenter d'obtenir un bénéfice ecclésiastique.
1663	Retour à Paris. Odes : *la Convalescence du roi; la Renommée aux Muses.* Racine se lie avec Boileau.
1664	*La Thébaïde.*
1665	*Alexandre,* créée par la troupe de Molière, à qui Racine retire la pièce pour la donner à l'hôtel de Bourgogne : brouille avec Molière. Racine acquiert une réputation d'arriviste.
1666	Rupture avec ses maîtres de Port-Royal.
1667	*Andromaque**.
1668	*Les Plaideurs**.
1669	*Britannicus**.
1670	*Bérénice**.
1672	*Bajazet**.
1673	*Mithridate**. Racine est reçu à l'Académie française.
1674	*Iphigénie* en Aulide.* Racine, anobli, est nommé trésorier de France en la généralité de Moulins.
1677	*Phèdre** : querelle avec Pradon. Racine épouse une riche bourgeoise parisienne, dont il aura sept enfants. Il est nommé, avec Boileau, historiographe du roi. Il se réconcilie avec Port-Royal et abandonne le théâtre.
1685	Racine fait devant l'Académie l'éloge de Corneille.
1689	*Esther**, commandée par Mme de Maintenon pour les « demoiselles de Saint-Cyr ».
1691	*Athalie**.
1699	Mort de Racine, enterré, selon son vœu, à Port-Royal.

un théâtre de l'amour, mais plus essentiellement un théâtre de l'intervention de la force au milieu d'une relation amoureuse. L'univers racinien se déploie ainsi selon les axes transgression/répression, bourreau/victime : ce qui explique à la fois les divisions binaires et symétriques, les « couples » raciniens (la faiblesse et la force, principe femelle — Junie, mais aussi Bajazet — et principe mâle — Néron, mais aussi Roxane) et l'union dans un même héros de la lucidité et de la passivité. Et si l'action racinienne, qui se fonde tout entière sur le changement brutal de la fortune du héros (le « revirement »), tient aisément dans le temps que lui assignent les théoriciens, c'est tout simplement parce que la victime innocente entre dans le jeu du bourreau et prend sur elle la faute, précipitant ainsi la crise au lieu de lui faire obstacle. D'où l'aspect profondément « sacré » du théâtre de Racine (« La lutte inexpiable du père et du fils est celle de Dieu et de la créature », Barthes) — et, dans cette perspective, *Esther* et *Athalie* constituent bien le couronnement nécessaire de l'œuvre et non des pièces de circonstance —, qui s'inscrit dans un temps non pas historique, mais mythique, non pas dynamique, mais répétitif : d'où le caractère rituel de ce théâtre, très proche, en ce sens, de ses modèles grecs et universel, puisqu'il ne fait, au fond, que multiplier les manières de dire l'unique événement fondateur, que Freud place à l'origine de la société et de sa représentation par la tragédie*.

RACINE (Louis), fils du précédent (Paris 1692 - *id.* 1763), auteur de poèmes d'inspiration janséniste *(la Religion)* et de *Mémoires* sur son père.

Racine et Shakespeare, titre de deux opuscules rédigés en 1823 et 1825 par Stendhal, où l'auteur définit le romantisme et défend la tragédie en prose, libérée des règles classiques.

RACISME. — Le racisme, idéologie selon laquelle une « race » déterminée serait supérieure ou inférieure aux autres, paraît toujours avoir surgi pour justifier une entreprise de domination d'une nation sur d'autres (Allemagne hitlérienne) ou d'asservissement d'une minorité (problème noir aux États-Unis). C. Lévi-Strauss distingue « race » au sens *biologique* et « race » au sens *culturel.* Biologiquement ou scientifiquement, la supériorité de certains groupes humains est indémontrable. Culturellement, si l'on saisit les sociétés en termes de structure, il paraît impossible de les ordonner quantitativement, *a fortiori* de les classer qualitativement. Et ainsi chaque « race » demanderait à être connue, comprise et aimée, comme chaque humain peut l'être, pour son originalité. Pourtant, au sein d'un monde où le problème central reste celui du pouvoir*, le racisme, comme moyen de défense d'un groupe contre un autre, continue à exister (Afrique du Sud, Rhodésie, etc.).

RACOVIȚĂ (Emil), biologiste roumain (Iași 1868 - Bucarest 1947). Il a étudié les faunes littorales et pélagiques, participé à l'expédition antarctique belge de Gerlache (1897-1899) et fondé, par ses études sur les animaux des grottes, la *biospéléologie**.

RAD → DOSE.

RADAR. — Le mot *radar,* est formé par la contraction de l'expression RAdio Detection And Ranging, c'est-à-dire détection par radio et mesure des coordonnées; ce qui est traduit en français par l'expression *détection électromagnétique.* Le radar est un détecteur d'objets (obstacles, navires, avions) qui donne leur position en azimut (ou gisement) et en site (ou élévation).

Son principe est très simple. Un émetteur à ondes très courtes envoie dans l'espace une impulsion de courte durée, de l'ordre de 1 μs, répétée un certain nombre de fois par seconde, par exemple 1 000 fois. Dirigée en un mince faisceau par l'antenne*, l'impulsion haute fréquence de 1 μs se propage en ligne droite. Si cette impulsion rencontre la masse métallique d'un avion ou d'un navire, une fraction de l'énergie est réfléchie et retourne vers l'antenne du radar. Le récepteur capte l'impulsion réfléchie et mesure le temps qui sépare l'instant de son départ de celui de son retour. On obtient ainsi une distance qui est égale ou double de celle qui existe entre le radar et l'obstacle intercepté. Connaissant les coordonnées de l'antenne*, on détermine la position de l'obstacle en gisement et en site, c'est-à-dire sa position exacte. La portée d'un radar est limitée par la puissance de l'impulsion et par sa fréquence* de récurrence.

Dans un radar, le *pilote* fixe la valeur de la haute fréquence* d'émission; elle est comprise entre 600 MHz et 30 GHz. Le *modulateur* ne reçoit son alimentation en haute tension que pendant la durée des impulsions, soit entre 1 μs et 0,1 μs. Le *magnétron* est un tube spécial à cavité résonnante, qui peut seul fournir des impulsions très puissantes à ces fréquences élevées; elles ont une puissance de crête comprise entre 100 kW et 1 MW, selon la portée du radar. Le *commutateur automatique* TR/ATR branche l'antenne sur l'émetteur pendant les impulsions et ensuite sur le récepteur pour capter l'énergie réfléchie par l'obstacle. Le récepteur est du type superhétérodyne; le *klystron,* tube à cavité résonnante, est l'oscillateur. À la sortie du *mélangeur,* on obtient une fréquence intermédiaire (F. I.), qui est égale à la différence entre la fréquence d'émission et celle du klystron, soit environ 30 MHz. Cette fréquence plus basse peut être amplifiée aisément par des transistors classiques. La détection sépare l'impulsion réfléchie de la haute fréquence; elle est amplifiée (ampli vidéo) et appliquée sur le tube cathodique indicateur. L'*antenne** tourne de façon à balayer 360⁰ en gisement; sa vitesse de rotation est de l'ordre de 6, 15 ou même 24 tr/min, selon la portée du radar. Ce balayage se traduit par un segment de droite qui tourne à la même vitesse sur l'écran du tube cathodique. Les obstacles rencontrés, les échos, se traduisent par des points lumineux qui sont déterminés en gisement et en distance.

Les *radars pour la marine* sont montés soit à bord des péniches qui parcourent les fleuves sur lesquels la navigation est intense, soit sur les navires de commerce et les navires de la Marine nationale. Les *radars pour l'aviation* comprennent les radars de surveillance à grande portée pour les aviations civile et militaire, les radars régionaux d'aéroports, les radars d'atterrissage, les radars embarqués météorologiques ou d'atterrissage, etc.

APPLICATIONS MILITAIRES. C'est au cours de la bataille aérienne d'Angleterre qu'en 1940 la détection électromagnétique remplace, sous le nom de *radar,* tous les autres systèmes de guet aérien et joue un rôle décisif dans l'échec de la Luftwaffe. Depuis 1945, l'emploi du radar s'est généralisé dans les trois armes et ses missions se sont largement diversifiées.

• Les aviations militaires emploient trois catégories de radars :
— les *radars de veille de défense aérienne,* dont la portée de détection atteint environ 300 km sur des avions à haute altitude (certains sont spécialisés dans la détection à basse altitude, mais leur portée ne dépasse pas 30 km; d'autres, au contraire, peuvent détecter des missiles stratégiques jusqu'à 3 000 et 4 000 km);
— les *radars de bord* des avions, comprenant une gamme variée allant du radar d'interception au radar d'attaque à impulsion, qui permettent aux avions d'assaut de naviguer très bas sans vue directe du sol;
— les *radars d'autoguidage* des missiles air-air et air-sol des avions.

• Dans les forces terrestres, on distingue :
— les *radars de surveillance terrestre,* chargés de détecter les objectifs mobiles au sol, puis de régler un tir d'artillerie, d'infanterie ou de char sur ces objectifs (leur portée dans l'artillerie [type français RATAC] est de 15 à 30 km, dans l'infanterie [RASURA] ou les blindés [RAPACE] de 1 500 à 5 000 m);

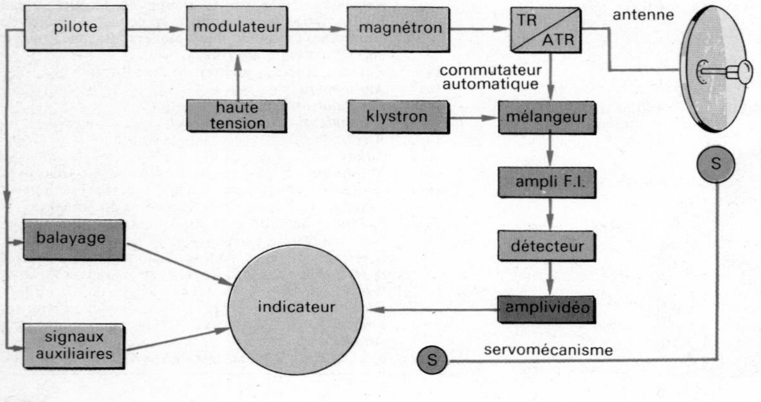

RADAR

Schéma de fonctionnement.

— les *radars antimortier ou antiobusier,* permettant, par la reconstitution de la trajectoire de leurs projectiles, la localisation de ces bouches à feu (portée de 7 à 10 km);
— les *radars de guet aérien* (portée de 130 à 300 km) et *d'acquisition* (portée de 50 à 100 km);
— les *radars de tir et de poursuite* des missiles sol-air.

• Dans les marines de guerre, on emploie :
— les *radars de veille surface et de navigation,* pouvant détecter tout obstacle en surface (portée de 30 à 180 km);
— les *radars de veille aérienne* (portée voisine de 180 km);
— les *radars de tirs,* capables de fournir à l'artillerie navale les éléments de ses tirs.

À ces missions se sont ajoutés la *conduite* et le *contrôle de la chasse embarquée* sur porte-avions, puis le *guidage* des missiles.

RADCLIFFE (Ann WARD, **Mrs.**), femme de lettres anglaise (Londres 1764-*id.* 1823), auteur de récits qui comptent parmi les chefs-d'œuvre du « roman noir » (*les Mystères d'Udolphe,* 1794).

RADCLIFFE-BROWN (Alfred Reginald), anthropologue britannique (Birmingham 1881-Londres 1955). Il a réalisé un important travail de terrain aux îles Andaman (*The Andaman Islanders,* 1922) et enseigné en Australie, en Afrique du Sud, aux États-Unis et à Oxford. Rejetant les théories évolutionnistes et diffusionnistes, il se montre, comme Malinowski*, profondément antihistoriciste. Son fonctionnalisme* « sociologique » s'oppose au fonctionnalisme « biologique » de Malinowski. De plus, à l'inverse de ce dernier, il s'attache plus aux effets des institutions qu'à leurs causes. Précurseur du structuralisme, il s'en écarte cependant par sa conception empirique et naturaliste de la notion de structure et par son absence de distinction entre relations sociales et modèles (seul le concept de modèle, en effet, renvoie à celui de structure). On lui doit *Structure* et fonction dans les sociétés primitives.*

RADEGONDE *(sainte),* reine des Francs (en Thuringe v. 520-Poitiers 587). Elle était la fille d'un roi de Thuringe tué par Clotaire Ier qui l'épousa en 538. Ce dernier ayant fait assassiner son frère, elle quitta la Cour et se voua à Dieu (555). Fondatrice du monastère de Sainte-Croix de Poitiers, elle y introduisit la règle de saint Césaire d'Arles.

RADETZKY VON RADETZ (Joseph, *comte*), général autrichien (Trzebnitz 1766-Milan 1858). Il réprima la révolution de 1848 en Italie et vainquit les Piémontais à Custoza (1848) et à Novare (1849).

RADIAN. — Les instruments de mesure des angles sont généralement gradués en degrés ou en grades. Mais, dans les calculs théoriques ou dans la dérivation des unités, le radian s'impose par sa commodité. On convertit la valeur d'un angle d'une unité à une autre d'après la relation $2\pi\,\text{rad} = 360^0 = 400$ gr. L'étalon est le cercle : si *n* rotations égales successives d'un angle α reproduisent la position initiale par un tour complet, l'angle α a pour valeur $\alpha = \frac{2\pi}{n}$.

RADIATION. — Les *radiations électromagnétiques* se propagent toutes dans le vide en ligne droite avec une même vitesse, environ $c = 300\,000$ km/s. Leur longueur d'onde λ est liée à leur fréquence ν par la relation $\lambda = c/\nu$. Elles forment une gamme ininterrompue depuis les rayons γ ($\lambda = 1/1\,000$ Å par exemple) jusqu'aux ondes radioélectriques ($\lambda = 1$ km, par exemple), en passant par les rayons X, ultraviolets, la lumière visible ($0{,}4\ \mu < \lambda < 0{,}8\ \mu$) et les rayons infrarouges.

Les *radiations corpusculaires,* au contraire, sont dues à des particules animées de grandes vitesses, mais variables (électrons, protons, neutrons, etc.).

La mécanique ondulatoire a réalisé une synthèse de ces deux types de radiations. Elle fait correspondre des particules immatérielles (photons) aux radiations électromagnétiques et, inversement, des ondes aux radiations corpusculaires.

RADICAL *(Chim.).* — Les radicaux, ou groupement d'atomes, se transportent d'une molécule à l'autre dans les réactions chimiques. Beaucoup d'entre eux sont caractéristiques d'une fonction chimique. Comme pour les atomes, on définit leur valence; l'hydroxyle $-OH$, l'aminogène $-NH_2$ sont univalents, le carbonyle $=CO$ est bivalent, etc. Sauf exception, ils font partie intégrante d'une molécule. En chimie organique, on a toutefois démontré l'existence de radicaux libres, comme le triphénylméthyle $(C_6H_5)_3C-$, qui sont des corps très réactifs.

RADICAL *(Ling.)* → RACINE.

RADICAL *(Math.).* — Le radical $\sqrt[n]{\ }$ est un symbole *arithmétique* indiquant que l'on doit prendre la *racine* n-*ième*. Ainsi, $\sqrt[n]{A}$ désigne le nombre *a* dont la puissance *n*-ième est égale à A : $a^n = A$. Pour $n = 2$, on omet *n* et l'on écrit $\sqrt[2]{4} = \sqrt{4} = 2$. Mais on écrit $\sqrt[3]{27} = 3$, $\sqrt[5]{32} = 2$. Le nombre *n* est l'*indice* du radical. Le symbole $\sqrt[n]{\ }$ ne doit porter que sur un nombre *positif,* et le *résultat* de l'opération que ce symbole indique est aussi un nombre *positif.* On sait, par exemple, que $(-2)^2 = 2^2 = 4$, mais $\sqrt{4} = 2$; d'où $-2 = -\sqrt{4}$ est un nombre *algébrique* dont le carré est égal à 4.

RÈGLES DE CALCUL SUR LES RADICAUX.

• Si *a* est positif, $\sqrt[n]{a} = \sqrt[np]{a^p}$, *n* et *p* étant deux entiers positifs. Ainsi, $\sqrt[3]{2} = \sqrt[6]{4}$. On peut utiliser cette règle pour réduire au *même indice* des radicaux d'indices différents, afin de comparer deux nombres. Par exemple, $\sqrt{2}$ et $\sqrt[3]{3}$; $\sqrt{2} = \sqrt[6]{2^3}$ et $\sqrt[3]{3} = \sqrt[6]{3^2}$; comme $2^3 < 3^2$, $\sqrt{2} < \sqrt[3]{3}$.

• Si *a*, *b* et *c* sont positifs, $\sqrt[n]{a}\,.\,\sqrt[n]{b}\,.\,\sqrt[n]{c} = \sqrt[n]{a\,.\,b\,.\,c}$. On en déduit $(\sqrt[n]{a})^p = \sqrt[n]{a^p}$. On peut appliquer ces règles à la réduction du produit de plusieurs radicaux à un radical portant sur un produit. On peut aussi faire « entrer » ou faire « sortir » un nombre d'un radical. Ainsi

$$2\sqrt[3]{3} = \sqrt[3]{2^3\,.\,3} = \sqrt[3]{24};$$

mais

$$\sqrt[3]{54} = \sqrt[3]{2 \times 27} = \sqrt[3]{2 \times 3^3} = 3\sqrt[3]{2}.$$

• Si *a* et *b* sont positifs,

$$\frac{\sqrt[n]{a}}{\sqrt[n]{b}} = \sqrt[n]{\frac{a}{b}}, \quad b \neq 0.$$

• Si *a* est positif,

$$\sqrt[n]{\sqrt[p]{a}} = \sqrt[np]{a} = \sqrt[p]{\sqrt[n]{a}}.$$

• Si *a* et *b* sont positifs, $\sqrt{a} + \sqrt{b}$ et $\sqrt{a} - \sqrt{b}$ sont deux *quantités* conjuguées. Leur produit

$$(\sqrt{a} + \sqrt{b})(\sqrt{a} - \sqrt{b}) = a - b$$

est rationnel avec $a - b$.

RADICALISME. — On désigne sous ce nom l'une des familles d'esprit de la politique française contemporaine. Il s'agit moins d'un corps de doctrines que d'un état d'esprit propre à ceux qui, revendiquant tout l'héritage de la Révolution* française, proposent une politique de réforme qui réaliserait pleinement la laïcité, la liberté et l'égalité.

Au début, sous la monarchie de Juillet*, un radical, dont le type est Ledru-Rollin*, est un républicain qui réclame la liberté d'expression et le suffrage universel. Durant le second Empire* se lève une nouvelle génération républicaine, représentée par Léon Gambetta*, Jules Ferry*, Georges Clemenceau*, etc., et qui, nourrie de positivisme, fait de la laïcité et de la liberté le moteur d'un radicalisme plus philosophique que social. Ce programme triomphe en 1876, lors des premières élections générales, favorables aux républicains, et surtout en 1879, lors de la démission de Mac-Mahon*. Mais Gambetta et Ferry ayant glissé dans l'opportunisme, Clemenceau devient le chef d'un nouveau radicalisme, qui se structure en 1892 avec la formation du groupe républicain radical-socialiste, les modérés constituant la gauche radicale.

Le radicalisme prend le pouvoir en 1899, au lendemain de l'affaire Dreyfus* et avec la victoire du Bloc des gauches : il s'incarne en 1901 dans le parti radical et radical-socialiste et fait de la laïcité le fondement de toute véritable liberté républicaine. Les radicaux deviennent, de par leur implantation rurale et provinciale (au sud de la Loire notamment), les partenaires indispensables de la vie politique jusqu'en 1940 (v. RÉPUBLIQUE [IIIe]), notamment avec de fortes personnalités, comme Waldeck-Rousseau*, Combes*, Clemenceau, Caillaux* et, après la guerre de 1914-1918, Herriot*, Painlevé* et Daladier*.

Pour avoir hésité sur l'attitude à prendre face au maréchal Pétain en juillet 1940, le parti radical-socialiste subit un grave échec électoral en 1945, mais redevient rapidement, avec la « troisième force » (radicaux, socialistes, M. R. P.), l'arbitre de la politique française. Cependant, un net vieillissement menace le parti, qui reçoit un sang nouveau à partir de 1955 grâce à Pierre Mendès France*, dont le néoradicalisme, très axé sur le social, rencontre de vives résistances : si bien que Mendès France, à la suite d'Edgar

Faure*, quitte le parti en 1959, après l'arrivée au pouvoir du général de Gaulle*, dont il rejette la politique. Nouveau tournant, nouvel apport quand Jean-Jacques Servan-Schreiber* devient secrétaire général (1969), puis président (1971-1975 et à partir de 1977) du parti. Mais, en entrant dans le mouvement des réformateurs, J.-J. Servan-Schreiber provoque une scission, la fraction de gauche — les radicaux de gauche —, qui sera dirigée jusqu'en 1978 par Robert Fabre*, adhérant en 1972 à l'Union de la gauche.

RADIÉES → COMPOSÉES.

RADIGUET (Raymond), écrivain français (Saint-Maur-des-Fossés 1903-Paris 1923). Il tenta de retrouver la rigueur classique dans ses romans d'analyse psychologique (*le Diable* au corps,* 1923; *le Bal du comte d'Orgel,* 1924).

RADIOACTIVITÉ. — On distingue la *radioactivité naturelle,* celle qui existe dans la nature, et la *radioactivité artificielle,* créée par l'homme. La radioactivité naturelle fut mise en évidence en 1896 par Henri Becquerel*, Pierre et Marie Curie*, puis, en 1934, Irène et Frédéric Joliot-Curie* découvrirent la radioactivité artificielle. La radioactivité est la propriété que possèdent les noyaux* de certains éléments d'émettre spontanément un rayonnement complexe : les noyaux qui rayonnent transmutent en d'autres noyaux pour finalement aboutir à un élément stable. La radioactivité se traduit par l'émission de trois rayonnements, que l'on présente par les lettres α, ß et γ; ces rayonnements sont différents, bien qu'ayant des propriétés communes. Le rayonnement α est constitué par des noyaux d'hélium* 4 ($^{4}_{2}$He). Le rayonnement β est formé par des électrons*, soit négatifs ($_{-1}^{0}e$), ou *négatons,* soit positifs ($_{1}^{0}e$), ou *positons.* Le rayonnement γ est constitué par des ondes* électromagnétiques, qui sont des rayons X* particulièrement durs.

• Les sens ne permettent pas de déceler la radioactivité. Cette situation contribue à donner un aspect mystérieux à cette émission de rayonnements, qui peuvent brûler l'épiderme et agir sur les plaques photographiques. Pour déceler et mesurer la radioactivité, il est nécessaire d'utiliser certains appareils : des *dosimètres* (pour connaître la dose* absorbée) et des *débitmètres* (pour mesurer le débit de dose à un moment donné).

• Les effets biologiques des rayonnements ne sont pas instantanés; un certain temps, dit *temps de latence,* s'écoule entre la cause et la manifestation de l'effet. Ces rayonnements peuvent provoquer certains effets biologiques, somatiques ou génétiques.

• La radioactivité décroît avec le temps. Ce phénomène de décroissance est la loi fondamentale de la radioactivité. On évalue cette décroissance en définissant, pour chaque substance radioactive, la *période,* qui est le temps nécessaire pour que l'activité* diminue de moitié. L'homme vit en permanence dans l'ambiance de la radioactivité naturelle. Celle-ci est due à quatre principaux facteurs, variables avec le temps et avec le lieu : ce sont le rayonnement cosmique constitué par des photons* et diverses particules d'une très grande énergie, les substances radioactives contenues dans le corps humain (potassium* 40, traces de radium* et de ses descendants, et carbone* 14), les retombées nucléaires, ou produits de fission*, qui apparaissent dans l'explosion des engins nucléaires, enfin les impuretés radioactives contenues dans la terre et dans l'atmosphère. L'ensemble de ces facteurs correspond par an, en moyenne, à un fond permanent de l'ordre de 0,1 à 0,2 rem. Pour se protéger contre la radioactivité, on peut agir sur trois facteurs : le *temps,* la *distance* (la quantité de radioactivité reçue pendant un certain temps varie en raison inverse du carré de la distance) et les *écrans* (une feuille de papier arrête les rayonnements α, une feuille d'aluminium les rayonnements β, mais un mur en béton n'arrêtera jamais tous les rayonnements γ). [V. DÉCROISSANCE RADIOACTIVE.]

RADIOASTRONOMIE. — La détection du rayonnement radio de la Galaxie* date de 1931, mais la radioastronomie ne prit réellement son essor qu'après la Seconde Guerre mondiale, en bénéficiant des techniques du radar*. Les radiotélescopes actuels disposent d'antennes* géantes, antennes paraboliques orientables allant jusqu'à 100 m de diamètre, comme pour le radiotélescope de Bonn. L'ensemble des longueurs d'onde radio pouvant traverser l'atmosphère, de 10 m à quelques millimètres, peut être observé. La possibilité de grouper plusieurs télescopes, parfois situés sur des continents différents, et de constituer ainsi un radiointerféromètre permet de dresser des cartes radio de certaines régions du ciel et de distinguer des détails aussi petits que le millième de seconde d'arc. Tous ces efforts techniques sont justifiés par l'apport à l'astronomie des observations radio. Les étoiles*, sauf le Soleil*, si proche, n'ont pas un rayonnement radio suffisamment intense pour être facilement observées, mais le milieu interstellaire est l'un des champs d'étude de prédilection de la radioastronomie. Les énormes nuages d'hydrogène* non ionisé qui baignent la Galaxie ne peuvent être détectés que par la raie spectrale de 21 cm de l'hydrogène. L'observation de cette raie a permis de montrer que la Galaxie est une galaxie* spirale (ce qui n'était pas évident à déterminer, puisque l'observateur se trouve à l'intérieur) et d'étudier sa

Gerolf Kalt - Zefa

rotation. Les nébuleuses obscures, qui sont devenues récemment un centre d'intérêt parce que les astronomes supposent qu'elles sont les régions où naissent les étoiles, ne peuvent guère être étudiées que par la radio. Par leurs raies spectrales dans le domaine radio centimétrique et millimétrique, on y a découvert des molécules* de plus en plus nombreuses et de plus en plus complexes, telles que OH, CO, mais aussi l'alcool éthylique et d'autres molécules organiques; certains en ont un peu hâtivement conclu que les molécules de l'origine de la vie ont ainsi été découvertes dans la Galaxie! En dehors de celle-ci, la radioastronomie a également contribué à la découverte des quasars*, qui sont des astres au rayonnement bien plus puissant que les galaxies normales. Les quasars et les radiosources* peuvent être observés jusqu'à des distances très lointaines : des milliards d'années de lumière, et les limites de l'Univers observable sont ainsi reculées.

RADIOBALISE. — Une radiobalise est constituée par un émetteur de faible puissance modulé par un signal particulier en fonction de son utilisation. Les radiobalises se rencontrent aussi bien en mer pour guider les navires que sur terre pour indiquer aux avions leur position. En mer, elles sont placées à proximité des endroits dangereux, rochers, bancs de sable, ou encore elles encadrent les chenaux de rentrée au port. Elles permettent une navigation sûre par tous les temps. En aviation, elles indiquent les points singuliers des routes de navigation aérienne et les approches des aéroports ou des pistes d'atterrissage. Le code de modulation* permet d'identifier la position et le rôle de chacune des balises sans risque d'erreur.

RADIOBIOLOGIE. — L'action biologique de l'ionisation peut être produite par les rayons X, les corps radioactifs naturels ou artificiels et les neutrons. L'atteinte subie par la cellule vivante irradiée varie suivant la dose reçue : mort immédiate, mort différée, anomalies de la division cellulaire, transmission héréditaire d'une radiomutation. Les lois de la radiosensibilité cellulaire ont été précisées par Bergonié et Tribondeau. Les rayons X agissent avec d'autant plus d'intensité sur les cellules vivantes que l'activité reproductrice de celles-ci est plus grande, qu'elles sont plus éloignées du terme de leur division et que leurs fonctions sont moins définitivement fixées. Chez l'homme, les tissus les plus radiosensibles sont les éléments formateurs des globules blancs et rouges (moelle osseuse, thymus, rate), les cellules génitales; les cellules génératrices de la peau sont aussi très sensibles. Les radiolésions de la peau (radiodermites) peuvent être aiguës, mais aussi chroniques, surtout chez les spécialistes des rayons X. Tout sujet qui a séjourné dans une zone de retombées radioactives est non seulement un irradié, mais aussi une source de contamination. Il est porteur de poussières radioactives qui continuent à l'irradier et risquent d'irradier son entourage. Il convient alors d'assurer une décontamination rapide par divers procédés mécaniques. L'action biologique et les applications médicales des corps radioactifs permettent le traitement et la guérison de cancers.

RADIOCONDUCTEUR. — Le premier en date des radioconducteurs a été le cohéreur de Branly (1890).

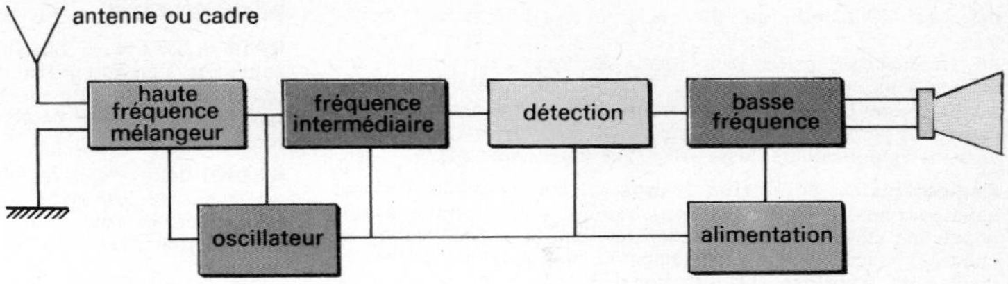

RADIODIFFUSION

Constitution d'un récepteur radio.

RADIOASTRONOMIE

Radiotélescope d'Effelsberg, près de Bonn, en République fédérale d'Allemagne, mis en service en 1972.

RADIOCRISTALLOGRAPHIE. — Née en 1912 avec la découverte, par Max von Laue, de la diffraction cristalline des rayons X, elle a permis l'établissement de la structure atomique des corps cristallisés. Cette diffraction s'explique par la structure réticulaire des cristaux, dont les distances entre atomes sont du même ordre de grandeur que les longueurs d'onde des rayons X.

RADIODERMITE → RADIOBIOLOGIE.

RADIODIAGNOSTIC. — Le principe réside dans l'inégalité d'atténuation des rayons X par les tissus organiques. Les différences d'absorption produisent des ombres de densité variée, que l'on apprécie soit à l'aide d'un écran fluorescent (radioscopie), soit sur une pellicule photographique (radiographie). La radiographie analytique (tomographie) permet de dissocier un organe en tranches minces, en évitant les images de sommation des ombres radiologiques. Le radiocinéma, grâce à l'amplificateur de brillance, permet une étude cinétique et la conservation de documents.

RADIODIFFUSION. — Une liaison de radiodiffusion peut s'effectuer avec un signal haute fréquence modulé en amplitude ou en fréquence* par le signal basse fréquence qu'il s'agit de recevoir. Les émetteurs en ondes* longues, en ondes moyennes et en ondes courtes dans les bandes réservées à la radiodiffusion émettent en modulation* d'amplitude. En revanche, les émetteurs dans la bande métrique de 78,5 à 100 MHz en France, dite « bande F. M. », émettent en modulation* de fréquence.

Pratiquement, tous les récepteurs de radiodiffusion construits dans le monde sont des superhétérodynes appliquant les principes des brevets du Français Lucien Lévy (1892-1965). L'amplification directe a été abandonnée depuis 1935, car il faut au moins quatre circuits accordés pour obtenir une sélectivité acceptable. Un récepteur comprend les étages suivants :
— le *collecteur d'onde,* qui est généralement constitué par un cadre disposé sur un bâtonnet de ferrite pour les récepteurs portatifs. Les récepteurs professionnels ou grand public, très sensibles, sont branchés sur une antenne et une prise de terre;
— l'*étage haute fréquence mélangeur,* qui sélectionne sur la fréquence de la station à recevoir l'énergie haute fréquence recueillie par le collecteur;
— l'*oscillateur local,* qui est réglé sur une fréquence qui, interférant avec la haute fréquence, donne un battement égal à la différence des deux fréquences et correspondant à la valeur normalisée de la fréquence intermédiaire (F. I.);
— les *étages de fréquence intermédiaire* (F. I.) suivants, qui sont à accord fixe pour toutes les stations à recevoir sur toutes les gammes.

Un superhétérodyne ne comporte que deux condensateurs variables entraînés par le même axe : un pour l'étage haute fréquence et le second pour l'oscillateur local. On réalise ainsi la commande unique de recherche des stations. Le battement entre le signal à recevoir et l'oscillateur local, pour une même valeur de fréquence intermédiaire (F. I.), peut être obtenu de deux façons :
$F_o - F_A = $ F. I. (battement supérieur),
$F_A - F_o = $ F. I. (battement inférieur),
F_o étant la fréquence de l'oscillateur, F_A la fréquence d'accord et F. I. la fréquence intermédiaire normalisée : 455 ou 480 kHz.

En *ondes longues,* les fréquences à recevoir s'étagent de 150 à 285 kHz. La fréquence intermédiaire (F. I.) étant supérieure à la gamme à recevoir, on ne peut utiliser que le battement supérieur. Les fréquences de l'oscillateur vont de $150 + 455 = 605$ kHz à $285 + 455 = 740$ kHz.

En *ondes moyennes,* seul le battement supérieur peut être utilisé, car le battement inférieur conduirait à un rapport de fréquence à couvrir par l'oscillateur beaucoup trop important. La gamme des fréquences à recevoir s'échelonne de 525 à 1 605 kHz, et les fréquences de l'oscillateur de 980 à 2 060 kHz.

En *ondes courtes,* on peut utiliser indifféremment l'un ou l'autre battement. Cependant, puisque, pour les deux autres gammes, on est obligé d'adopter le battement supérieur, on le conserve généralement aussi pour cette gamme.

La *détection* est assurée de la façon suivante : le signal haute fréquence, modulé en amplitude par le signal basse fréquence, est éliminé par cet étage. La modulation basse fréquence restante est amplifiée par les *étages basse fréquence* et appliquée au haut-parleur.

L'*alimentation* est réalisée par des piles ou par le secteur.

En *modulation de fréquence,* la gamme à recevoir s'étend de 87,5 à 100 MHz. Étant donné les fréquences très élevées de cette gamme, la valeur de la fréquence intermédiaire est normalisée à 10,7 MHz. Le principe du superhétérodyne est inchangé; indifféremment, on peut adopter le battement supérieur ou le battement inférieur. La détection est différente; généralement, c'est un

les grandes dates de la radiodiffusion

1887	Découverte du rayonnement électromagnétique par l'Allemand Heinrich Hertz*.
1890	Découverte du cohérent détecteur par le Français Édouard Branly*, qui met en évidence la propagation des ondes* sur quelques dizaines de mètres.
1895	Mise au point de la théorie de l'antenne* par le Russe Aleksandr Popov*.
1898	Liaison radio entre le sommet de la tour Eiffel et le Panthéon par les Français Eugène Ducretet et Ernest Roger.
1902	Liaison radio Angleterre-France par l'Italien Guglielmo Marconi*.
1903	Invention du détecteur électrolytique par le Français Gustave Ferrié*.
1907	Dépôt, par l'Américain Lee De Forest*, du brevet du tube* triode, base de l'électronique moderne.
1910	Installation du premier émetteur à étincelles à la tour Eiffel.
1915	Fabrication, en France, de la lampe triode type militaire, qui équipe les premiers émetteurs-récepteurs de la télégraphie militaire.
1921	Premières émissions de téléphonie sans fil par la tour Eiffel.
1922	Première station privée Radiola en grandes ondes et installation de l'émetteur des P. T. T. en petites ondes. (Les premiers récepteurs comprenaient : le récepteur proprement dit, à quatre lampes et à amplification directe ou à sept lampes et du type superhétérodyne inventé en 1917 par Lucien Lévy, le cadre « grandes ondes », le cadre « petites ondes », le haut-parleur* électromagnétique, l'accumulateur de 4 V pour le chauffage des filaments des lampes, l'accumulateur de 80 V pour la tension anodique des lampes et le chargeur-secteur pour les accumulateurs. Les sept pièces coûtaient près de 5 000 F de l'époque, soit plus qu'un téléviseur en couleurs actuel.)
1930	Création du récepteur fonctionnant directement sur le secteur; début de l'industrialisation de cette technique et généralisation du superhétérodyne ainsi que du haut-parleur électrodynamique.
1948	Invention du transistor* aux États-Unis.

détecteur de rapport qui démodule le signal et isole la basse fréquence. Sur cette gamme, France-Musique émet des programmes en stéréophonie selon le système *Multiplex.* La somme des informations, canal de gauche + canal de droite, est émise normalement. La différence des informations est superposée à une onde sous-porteuse. Après décodage, les deux signaux sont dirigés vers les amplificateurs basse fréquence correspondants.

Radiodiffusion Télévision française, service public national qui a pour mission de répondre aux besoins et aux aspirations de la population en ce qui concerne l'information, la communication, la culture, l'éducation, le divertissement et l'ensemble des valeurs de civilisation. Il participe à la diffusion de la culture française dans le monde. La loi du 7 août 1974 l'a réorganisé.

• L'*établissement public de diffusion,* à caractère industriel et commercial, assure la diffusion des programmes de radio et de télévision. Il dispose de tous les moyens techniques (studios, moyens de reportage, liaisons hertziennes, émetteurs).

• Les *sociétés nationales de programme* conçoivent et programment les émissions de radio et de télévision. Elles comprennent la *Société nationale de radiodiffusion,* chargée des programmes de radio, et trois *Sociétés nationales de télévision,* chargées des émissions télévisées de chacune des chaînes.

• Une *société de production,* la *Société française de production* (S. F. P.), réalise des productions en film et en vidéo pour le compte des sociétés de programme de télévision.

• Une *délégation parlementaire* a pour tâche de rendre des avis au gouvernement, de surveiller le bon fonctionnement de l'Établissement public et des Sociétés nationales ainsi que de veiller au respect du monopole d'État.

RADIODISTRIBUTION. — Dans certaines régions montagneuses et dans le centre des villes, la réception des stations de radiodiffusion* est difficile par suite du faible niveau haute fréquence disponible ou de l'importance des parasites. C'est pourquoi certains pays ont développé la radiodistribution. Une station de réception est placée en un endroit où le niveau haute fréquence des stations est favorable et où il n'y a pas de parasites. Les principaux programmes sont ainsi reçus et transmis par câbles coaxiaux dans toute la région. Les abonnés sont dotés d'un récepteur spécial, qui est relié au câble de distribution et qui comprend un commutateur de sélection des programmes, un amplificateur basse fréquence et un haut-parleur*.

RADIOÉLÉMENT. — La radioactivité* artificielle (découverte en 1934 par Irène et Frédéric Joliot-Curie*) est à l'origine des radioéléments, qu'on appelle aussi *radio-isotopes.* Un radioélément est caractérisé d'une part par sa nature, c'est-à-dire sa période et l'énergie de son rayonnement, d'autre part par sa masse, c'est-à-dire son activité. Les radioéléments sont classés en trois groupes en fonction de leur toxicité, le premier groupe réunissant les radioéléments à radiotoxicité très élevée, tels que le radium 226. Les premiers radioéléments furent fabriqués aux États-Unis en 1942, et, en France, la pile Zoé permit de fabriquer dès 1948 quelques radioéléments à courte période. Les radioéléments peuvent s'obtenir :
— soit par bombardement des noyaux des atomes des éléments que l'on veut rendre radioactifs, à l'aide d'un flux de neutrons dans un réacteur* nucléaire (cobalt 60, or 198, soufre 32, etc.);
— soit, surtout quand il s'agit de radioéléments à longue période, à partir de produits de fission (strontium 90, césium 137, etc.);
— ou bien, enfin, pour des radioéléments utilisés dans le monde médical, à partir d'un appareil appelé « générateur de radioéléments » ou encore « vache à isotopes ».
Les radioéléments ont trouvé de multiples applications.

• Dans l'industrie, on les emploie pour mesurer des épaisseurs (le rayonnement γ, très pénétrant, est utilisé dans le cas de plaques d'acier, tandis qu'on fait appel au rayonnement α, peu pénétrant, si l'on a affaire à des feuilles de papier ou de plastique), comme jauges de niveau (liquide enfermé dans un récipient fermé et opaque), pour procéder à des examens gammagraphiques (les défauts des pièces d'acier moulé sont décelés avec du cobalt 60 ou de l'iridium 192), pour éliminer les charges électrostatiques, etc.

• En médecine, ils sont utilisés pour permettre au praticien de préciser son diagnostic (l'iode 131 pour la thyroïde) ou pour le traitement des tumeurs malignes (bombes au cobalt 60 ou au césium 137).

• En agriculture, ils servent à résoudre certains problèmes (étude de la photosynthèse) ou à améliorer des espèces végétales.

• Dans certains domaines de recherches, on les utilise comme traceurs ou pour dater des vestiges anciens.

Les radioéléments utilisés dans l'industrie sont nombreux (2 000 environ), mais ont une faible activité (sauf en gammagraphie et dans la conservation des aliments). En revanche, en médecine, les radioéléments sont moins nombreux (200), mais certains ont une très grande activité, comme les bombes au cobalt 60.

RADIOGRAPHIE → RADIODIAGNOSTIC.

RADIOLAIRES. — Les océans hébergent de minuscules rhizopodes caractérisés par leur squelette siliceux ajouré, leur symétrie sphérique et la finesse de leurs pseudopodes. Ce sont les radiolaires, dont les débris accumulés finissent par former une roche, le *jaspe.*

RADIOLOGIE. — La radiologie comprend la partie de la physique qui concerne les rayons de Röntgen (rayons X), le matériel permettant leur production et leurs applications. En médecine, celles-ci sont le radiodiagnostic* et la radiothérapie*.

RADIOLOGIE. Principe de fonctionnement d'un générateur de rayons X, vu en coupe dans sa gaine de protection (1). Un moteur (2) entraîne une anode (3) à l'intérieur d'un tube sous vide (4). Une cathode chaude (5) émet des rayons cathodiques (électrons se propageant en ligne droite), dont la rencontre avec l'anode tournante transforme l'énergie en rayons X. On pourra régler leur pouvoir de pénétration (rayons durs ou rayons mous) en fonction de l'organe à radiographier ou à traiter. Les rayons X étant invisibles et dangereux, pendant le positionnement et le réglage du champ (effectué au moyen d'un jeu de diaphragmes [6]) on leur substitue un faisceau lumineux (7) par l'intermédiaire d'un miroir escamotable (8).

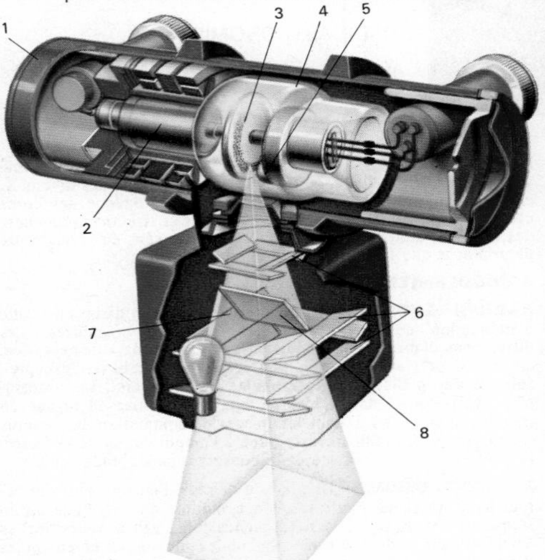

RADIOLUMINESCENCE → LUMINESCENCE.

RADIOPHARE → NAVIGATION et PHARE.

RADIOPROTECTION → SÛRETÉ NUCLÉAIRE.

RADIOSCOPIE → RADIODIAGNOSTIC.

RADIOSENSIBILITÉ. — Le développement des applications de l'énergie nucléaire conduit à étudier les effets des radiations ionisantes (inévitables sous-produits de telles industries) sur les diverses espèces d'animaux et de végétaux ainsi que, pour une espèce donnée, sur chaque organe. Ces effets sont très inégaux; la *dose létale* (produisant la mort de 50 p. 100 des sujets) varie de 30 röntgens (pin) à 75 000 röntgens (scorpion) par jour. Divers procédés d'immunisation peuvent diminuer la radiosensibilité animale. On a, par ailleurs, établi chez le rat l'existence de récepteurs sensibles permettant de créer chez lui des réflexes conditionnés à des doses de l'ordre de 4 000 röntgens par jour, appliquées pendant quelques secondes seulement.

RADIOSOURCE. — Un astre peut émettre des ondes* radio de deux manières différentes, soit parce qu'il est chaud (c'est le *rayonnement* thermique*), soit parce qu'il possède des électrons*, qui, en se déplaçant à très grande vitesse dans un champ* magnétique, émettent un rayonnement radio appelé *rayonnement synchrotron.* Il existe donc deux sortes de radiosources. Les *radiosources thermiques* sont les planètes*, le Soleil*, les nébulosités* galactiques formées d'hydrogène* chaud. Les étoiles* sont trop lointaines pour que leur rayonnement radio soit détecté. Les *radiosources synchrotron* comprennent la Galaxie et aussi les radiosources extragalactiques, constituées des autres galaxies* et des quasars*. On a répertorié plusieurs dizaines de milliers de radiosources extragalactiques et quelques centaines de radiosources à l'intérieur de la Galaxie.

RADIOTÉLESCOPE → INSTRUMENTS ASTRONOMIQUES et NÉBULOSITÉ GALACTIQUE.

RADIOTHÉRAPIE. — • *Radiothérapie cytolytique.* Elle permet de détruire les tissus pathologiques, surtout les cancers.
a) La *radiothérapie superficielle* utilise des rayons peu pénétrants : cette contactothérapie est mise en œuvre dans les tumeurs cutanées, les cancers endocavitaires, mais les thérapeutiques modernes font appel à l'électronothérapie pour la destruction de tumeurs étendues en surface.
b) La *radiothérapie profonde* pénétrante permet la destruction de tumeurs profondes. Elle tend à être abandonnée au profit des rayons produits par des isotopes (cobalt) et des accélérateurs de particules (neutrons). Dans la conduite du traitement, il faut préciser la pénétration et la quantité de rayonnements émis qu'on apprécie en unités radiologiques röntgen (R).
Le mal des rayons peut survenir lors de la radiothérapie pénétrante et se traduit par un malaise général, des nausées, des vomissements, des vertiges. Des hémogrammes doivent être régulièrement pratiqués en cours de traitement afin de déceler une anémie ou une leucopénie.

• *Radiothérapie modificatrice.* Elle tend à modifier l'état fonctionnel des organes malades : elle est utilisée dans les anthrax, les névralgies cervico-brachiales. On emploie dans ces cas une radiothérapie semi-pénétrante à faibles doses.

RADIS. — Cette petite crucifère aux fleurs mauves, aux feuilles rondes du bout et munies de deux petits lobes latéraux, est comestible par sa racine charnue, blanche, à l'épiderme rouge, qui se développe très rapidement et que prolonge dans le sol une racine pivotante normale.

RADIUM. — C'est l'élément chimique n° 88, de masse atomique Ra = 226,05. C'est un métal alcalinoterreux, qui fond à 700 °C. Très rare dans la nature, il s'extrait de la pechblende. Il présente un grand intérêt historique par suite de son intense radioactivité. Il se désintègre, avec une vie moyenne de 1 620 ans, en donnant un dégagement gazeux d'hélium et d'émanation (radon). Lui-même radioactif, il engendre du polonium, qui, par une suite de nouvelles désintégrations, aboutit finalement au plomb 206.
Les radiations α, β et γ émises par le radium sont douées d'un grand pouvoir bactéricide, et leur action physiologique entraîne la destruction des tissus et l'arrêt des mitoses; d'où diverses applications thérapeutiques (curiethérapie).

RADIUMTHÉRAPIE → CURIETHÉRAPIE.

RADIUS → AVANT-BRAS.

RADOM, v. de Pologne, au S. de Varsovie; 165 000 hab. Matériel téléphonique. — En 1401, y fut signé l'acte d'union de la Lituanie et de la Pologne; en 1767 s'y constitua une confédération de nobles polonais patriotes, soucieux de sauver les libertés de la nation.

RADULA. — Le rôle que jouent les dents chez les vertébrés est assuré chez les mollusques par la langue. Celle-ci est, en effet, couverte de nombreuses dents microscopiques qui lui donnent les fonctions d'une râpe (gastropodes, céphalopodes).

RADZIWIŁŁ, famille polonaise originaire de Lituanie, illustrée notamment par : KAROL STANISŁAW (1734-1790), gouverneur de Lituanie, qui forma contre Stanislas II la confédération de Radom*; MICHAŁ HIERONIM (1778-1850), qui participa au soulèvement de Kościuszko* et commanda les forces polonaises contre les Russes (1830-31); JANUSZ KSAWERY (Varsovie 1880-*id.* 1967), qui, ministre des Affaires étrangères (1917-18), se rallia à Piłsudski.

Schéma de RAFFINAGE complet aux États-Unis.

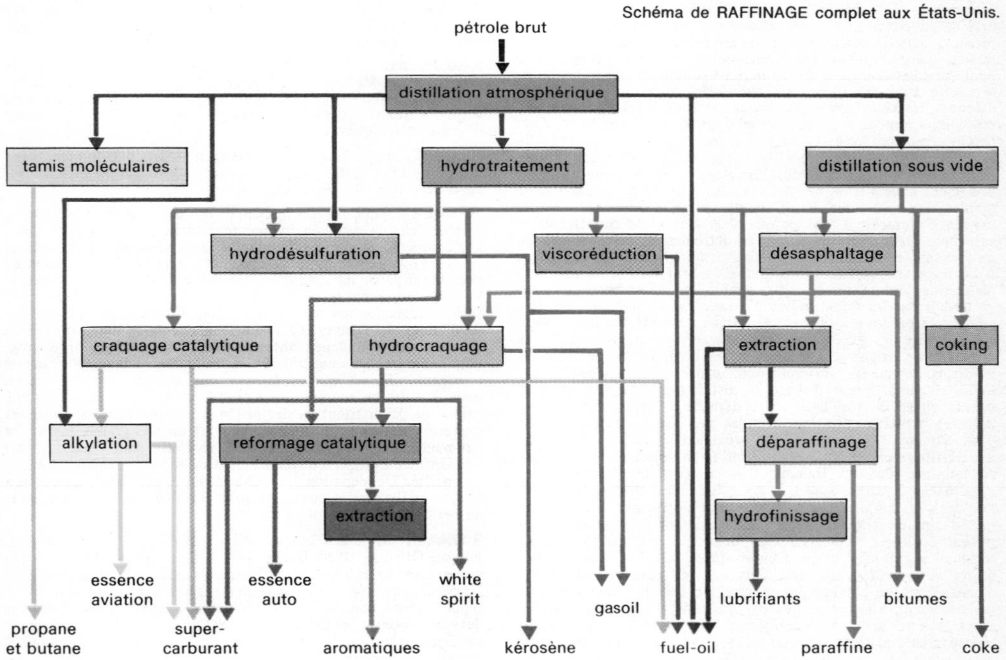

RAEBURN (*sir* Henry), peintre britannique (près d'Édimbourg 1756-Édimbourg 1823). D'abord miniaturiste, vite maître d'un style vigoureux, il fut le portraitiste des personnalités écossaises.

RAEDER (Erich), amiral allemand (Wandsbek 1876-Kiel 1960). Commandant en chef de la marine en 1935, il s'opposa à l'emploi exclusif des sous-marins et fut remplacé par Dönitz en 1943. Condamné à la prison à vie en 1946, il fut libéré en 1955.

RAF, sigle de *Royal Air Force,* nom donné depuis 1918 à l'aviation militaire britannique (v. GRANDE-BRETAGNE [*défense*]).

RAFFET (Auguste), peintre, dessinateur et lithographe français (Paris 1804-Gênes 1860). Élève de Nicolas Charlet (1792-1845), il se rendit populaire, comme celui-ci, par ses lithographies consacrées à la légende napoléonienne, à la Révolution et à la conquête de l'Algérie. Il voyagea beaucoup à partir de 1837, traitant d'après nature de nouveaux sujets (*Voyage en Crimée*; campagnes d'Italie de 1849 et de 1859). Il a illustré Béranger, Chateaubriand, Thiers...

RAFFINAGE. — Le pétrole* brut tiré du sous-sol n'est pas directement utilisable comme combustible, étant trop prompt à exploser, encore moins comme carburant*, car il encrasserait jusqu'au grippage même les moteurs Diesel*, et comme lubrifiant, étant trop fluide et trop corrosif. Le raffinage consiste à traiter le *brut,* mélange complexe et variable de milliers d'hydrocarbures différents ainsi que de quelques composés sulfurés et d'impuretés, pour en tirer des produits finis, dont les principaux sont, dans l'ordre de leur densité croissante : les gaz* liquéfiés, les essences*, les solvants*, les kérosènes, le gasoil* et le fuel* domestique, les fuel-oils, ou mazout, les huiles de graissage, ou lubrifiants, les bitumes*, les paraffines*, sans compter de nombreux produits spéciaux pour la pétrochimie* ou d'autres industries. Le raffinage comprend des opérations de séparation des hydrocarbures, en général distillatives ou extractives, des opérations d'épuration à l'hydrogène* ou aux réactifs chimiques et des opérations de synthèse par craquage* ou polymérisation. La première distillation* du brut s'effectue dans une colonne à plateaux perforés, dite *tour de topping,* d'une hauteur de 60 m. Préalablement chauffé en passant dans des échangeurs thermiques et partiellement vaporisé dans un four tubulaire, le brut est fractionné en trois sortes de produits : essence légère, évaporée en tête et condensée, distillats soutirés latéralement (essence lourde, kérosène, gasoil léger et lourd) et résidu de fond de colonne (fuel-oil). Ce dernier peut être fractionné à son tour par distillation sous vide dans une colonne d'où l'on tire en tête un gasoil, à mi-hauteur des distillats soutirés, matières premières à huiles et à paraffines ou utilisées pour le craquage*, puis au fond un résidu sous vide, qui sert à fabriquer des fuels lourds et des bitumes, parfois aussi des lubrifiants lourds, du brai et du coke. Le *soufre** et ses *composés* contenus dans les produits pétroliers doivent être éliminés plus ou moins complètement, car ils rendent ceux-ci malodorants, corrosifs et polluants pour l'atmosphère. Cette désulfuration* se fait par hydrogénation*, le soufre étant transformé en hydrogène sulfuré, H_2S, pour les essences, les kérosènes et les gasoils; elle se fait également à l'aide de réactifs minéraux ou organiques pour les gaz liquéfiés et, dans certains cas, pour les essences; enfin, comme elle n'est pas rentable pour les résidus, les fuels à « basse teneur en soufre » sont tirés de bruts peu sulfureux africains. La plupart des hydrocarbures se dissocient sous l'effet de la température et de la pression pour donner des molécules* plus simples et plus légères : c'est le *craquage** (cracking), qui permet d'augmenter le rendement en essence à partir d'un brut donné, au détriment du gasoil et du fuel, en craquant catalytiquement un distillat obtenu sous vide. De leur côté, les essences directes extraites du brut lors de la première distillation sont de très mauvaise qualité comme carburants, ce qui se traduit par un faible indice d'octane*; aussi doivent-elles être améliorées par un reformage* catalytique, procédé très intéressant, car il dégage des excédents d'aromatiques* et d'hydrogène. À ces procédés de base, quelques raffineries ajoutent des fabrications spéciales, comme les lubrifiants obtenus par une série d'opérations. Celles-ci comprennent d'abord la distillation sous vide, puis le désasphaltage du résidu de cette dernière et la purification des diverses matières premières à huiles par une extraction à l'aide d'un solvant ou par une hydrogénation* poussée, suivie du déparaffinage par le froid et la filtration en présence d'un solvant, et terminée par un traitement à la terre décolorante ou à l'hydrogène (hydrofinissage). Les paraffines, les cires et parfois les graisses sont des sous-produits des huiles lubrifiantes. D'autre part, les besoins en bitume ont conduit à équiper presque toutes les raffineries d'une tour sous vide pour leur fabrication, comme résidu des fuel-oils, suivie d'un soufflage à l'air comprimé. Les *unités de procédés,* ensemble complexe de colonnes, de fours, d'échangeurs, de pompes, de compresseurs et de canalisations de raccordement, sont conduites par un petit nombre d'opérateurs grâce à une salle de contrôle où se trouvent groupés les télémesures*, alarmes, télécommandes* et analyseurs de qualité des produits. Les réservoirs de stockage* du brut et des produits finis sont desservis par des pomperies de transfert, de mélange et d'expédition par voie routière, ferroviaire, fluviale ou maritime ainsi que par pipeline*. Un laboratoire permet de vérifier la qualité des fabrications et d'en rechercher l'amélioration; un atelier d'entretien et un magasin de pièces de rechange servent à maintenir les équipements en bon état; des véhicules extincteurs sont tenus prêts à intervenir en cas de feu. Enfin, les raffineries sont dotées d'ordinateurs* tant pour l'informatique de gestion que pour la conduite automatique d'une partie des opérations. Implantées jadis dans les ports, puis dans des zones intérieures rurales reliées par pipelines, elles doivent respecter des normes très sévères protégeant l'environnement* contre la pollution* de l'atmosphère par de hautes cheminées, contre la pollution de l'eau et du sol par une épuration totale des effluents rejetés aux égouts, contre le bruit par l'insonorisation des équipements, contre la fumée et la lueur des torches de sécurité par le recyclage des gaz excédentaires.

RAFFLÉSIE. — Voisine des aristoloches, mais profondément dégradée par le parasitisme, la rafflésie est une plante de Malaisie, vivant en parasite sur les racines des arbres et dont l'appareil végétatif ressemble à celui d'un champignon. Mais la structure de l'organe reproducteur (une énorme fleur molle et malodorante) atteste qu'il s'agit d'une plante à graines.

RAGAZ-LES-BAINS → BAD RAGAZ.

RAGE. — Cette maladie infectieuse virale, toujours mortelle, atteint — surtout en France et dans les pays européens — les animaux sauvages, et principalement le renard; les animaux domestiques sont secondairement touchés par la contamination; dans les pays en voie de développement, la rage sévit chez les chiens errants. Elle est transmise à l'homme par la salive des animaux infectés. Depuis la Seconde Guerre mondiale, l'infection rabique propagée par les renards s'étend en Europe, de l'est vers l'ouest. Le premier cas de rage vulpine en France a été diagnostiqué en 1968. Chez l'animal, après une incubation de trois semaines à trois mois, la rage se manifeste sous deux formes : forme furieuse avec agressivité dangereuse et forme paralytique. L'animal meurt dans tous les cas en une huitaine de jours. Chez l'homme, après une incubation silencieuse de trois semaines à deux mois, la rage se manifeste par des contractures, des spasmes douloureux, des troubles de la déglutition, une hypersalivation. La rage déclarée est toujours mortelle en moins de huit jours. Le traitement est donc purement préventif : dès qu'un sujet est mordu par un animal enragé ou suspect, il doit être vacciné. Une injection de sérum antirabique peut précéder la vaccination. Les mesures prophylactiques sont essentielles : il faut diminuer le nombre de renards, supprimer les chiens errants et vacciner les animaux domestiques (ovins, bovins) susceptibles de contracter la rage.

RAGLAN (James Henry, *lord*), maréchal britannique (Badminton 1788 - Sébastopol 1855). Commandant les troupes britanniques pendant la guerre de Crimée, il mourut du choléra.

RAGONDIN. — Appelé aussi *myopotame* ou *myocastor,* ce rongeur est couramment élevé pour sa fourrure. Voisin du cobaye, mais beaucoup plus grand (0,60 m de longueur sans la queue), il vit dans les ruisseaux et les mares, se nourrissant exclusivement d'herbes aquatiques.

RAGUSE, en ital. **Ragusa,** v. d'Italie, en Sicile, ch.-l. de prov., dans le sud de l'île; 62 000 hab. Monuments construits ou reconstruits après le séisme de 1693. Raffinage du pétrole.

RAGUSE *(république de),* ancienne république de la côte dalmate, établie dans la ville du même nom (actuel Dubrovnik*). Cette ancienne colonie grecque, longtemps rattachée à Byzance, dut, dès le XIe s., accepter la juridiction du doge de Venise tout en demeurant partie intégrante de l'Empire byzantin. Après la prise de Constantinople par les croisés et pour mieux résister à la pression serbe, elle se donna à Venise, qui la dota d'institutions communales semblables aux siennes (1205). En 1358, elle passa sous la tutelle du roi de Hongrie. Indépendante dès 1403, la république de Raguse, dont les marchands contrôlaient le trafic des esclaves ainsi que le commerce du sel et des métaux des Balkans (cuivre, argent, plomb), entra en contact direct avec l'Empire ottoman, auquel elle choisit de payer tribut, et devint l'intermédiaire principal entre les mondes chrétien et musulman; elle fut un des grands foyers de l'humanisme. Au début du XVIIe s., sa flotte était l'une des plus puissantes d'Europe. Le tremblement de terre de 1667 mit fin à sa prospérité. L'occupation française (1806) et son rattachement aux Provinces Illyriennes consacrèrent la perte de son indépendance et de ses institutions.

RAHMAN (Mujibur), homme d'État du Bangladesh (Tongipara, Bengale-Oriental, 1920 - Dacca 1975). Chef de la ligue Awami, mouvement autonomiste du Pākistān oriental, il dirige la lutte pour l'indépendance face au gouvernement central. Fondateur de la république du Bangladesh* (1971), il abandonne la présidence pour devenir Premier ministre (janv. 1972). Incapable d'enrayer le développement de la crise économique et de la corruption, il instaure un régime présidentiel à parti unique (janv. 1975). Il est renversé peu après par un coup d'État (août 1975) et assassiné.

RAHNER (Karl), théologien catholique allemand (Fribourg 1904). Jésuite, professeur de théologie dogmatique et d'histoire des dogmes à la faculté d'Innsbruck et de Munich, il fut un conseiller très influent au deuxième concile du Vatican*. Sa pensée, exposée dans de nombreux ouvrages, notamment *Écrits théologiques* (1959-1970), *Mission et grâce* (1962-1965), *Questions à l'Église* (1965), *les Chances de la foi* (1974), a contribué à faire mûrir les idées qui s'imposèrent au dernier concile.

RAIE. — Les raies forment avec les requins la sous-classe des *sélaciens.* Elles se caractérisent par leur aplatissement dorsiventral, lié à leur position de guet habituelle : elles sont couchées sur le fond marin. Les fentes branchiales s'ouvrent sur la face ventrale de même que la bouche; les yeux sont, au contraire, du côté dorsal. Les nageoires impaires sont réduites ou absentes, mais les pelviennes et surtout les pectorales prennent un énorme développement. Les raies nagent en effet en ondulant des pectorales, dans un geste ample et lent.

Les œufs, peu nombreux mais très grands, sont rectangulaires.

Il existe des raies venimeuses munies d'un aiguillon (pastenague), des raies électriques (torpille), des raies gigantesques (mante : 8 m d'envergure, 3 000 kg).

RAIL. — Un rail est constitué d'une *âme,* d'un *champignon,* servant de surface de roulement, et d'un *patin,* destiné à reposer sur les traverses. Il est caractérisé par son poids au mètre et ses résistances verticale et transversale. Sa longueur a été longtemps limitée par les possibilités des laminoirs. Les rails de faible longueur (jusqu'à 36 m) sont assemblés entre eux au moyen d'éclisses boulonnées. Cet assemblage mécanique entraîne une petite discontinuité dans la surface de roulement et exige une surveillance et un entretien fréquents. Grâce aux procédés modernes de soudage*, les rails sont maintenant soudés bout à bout pour constituer les *longs rails soudés* de plusieurs kilomètres, qui exigent moins d'entretien.

RAIL-ROUTE. — En dehors des embranchements ferroviaires particuliers sur lesquels les wagons* sont chargés ou déchargés directement chez l'expéditeur ou le destinataire, le transbordement des marchandises dans les gares* peut être évité grâce au transport des véhicules routiers ou par l'utilisation des conteneurs. Les techniques rail-route utilisent les semi-remorques, qui ont l'avantage de ne pas avoir de moteurs lourds à transporter. Celles-ci sont munies de roues à pneus pour les parcours routiers et de petites roues à boudins permettant le roulement sur des rails* fixés à la superstructure des wagons porteurs spéciaux équipés de pont-levis rabattables de façon à profiter au maximum du gabarit de chargement permis par les chemins de fer. D'abord utilisés pour faciliter le groupage des colis et le transport de charges complètes, les conteneurs connaissent un large développement depuis la création des transconteneurs, qui sont apparus en 1965 dans les transports maritimes. Construits selon des normes internationales, ils ont une longueur de 3, 6, 9 ou 12 m, et leur poids en charge varie de 10 à 30 t. Ils peuvent être chargés sur des véhicules routiers ou des wagons spécialisés.

RAIMOND de Peñafort *(saint),* canoniste catalan (château de Peñafort 1180 - Barcelone 1275). Entré chez les Dominicains (1222), il s'impose comme canoniste de renommée mondiale. Général de son ordre (1238), il contribue à la fondation de l'ordre de Notre-Dame-de-la-Merci (mercédaires), pour le rachat des chrétiens captifs des musulmans.

RAIMOND I, III, comtes de Toulouse → TOULOUSE *(comté de).*

RAIMOND IV, dit **Raimond de Saint-Gilles** (Toulouse 1042 - Tripoli 1105), comte de Toulouse (1093-1105). Déjà comte de Saint-Gilles, il succéda à son frère Guillaume IV à la tête du comté de Toulouse, auquel, par de nombreuses acquisitions, il donna son aspect territorial définitif. Parti pour la croisade (1095), chef de l'armée des Français du midi, il refusa de prêter serment au basileur. Il ne put s'assurer de la possession d'Antioche (1098), mais participa au siège de Jérusalem (1099), et mourut au siège de Tripoli (1105), après avoir jeté les bases du futur comté de Tripoli, que son fils bâtard Bertrand constituera définitivement.

RAIMOND BÉRENGER III (v. 1082-1131), comte de Barcelone (1096-1131), comte de Provence (1112-1131). Il écarte de la Catalogne la menace almoravide et étend son État en Méditerranée (Ibiza en 1114, Majorque en 1115) et au-delà des Pyrénées (Provence, Gévaudan et Rouergue en 1112, Cerdagne en 1117), jetant ainsi les bases de l'État catalan.

RAIMONDI (Marcantonio), dit en fr. **Marc-Antoine,** graveur italien (Bologne v. 1480 - *id.* 1534). Buriniste, d'abord imitateur de Dürer, il s'installe à Rome en 1510 et se met à reproduire et à diffuser les œuvres de Raphaël, puis, notamment, celles de J. Romain et de Bandinelli. L'Europe entière sera touchée.

RAIMU (Jules MURAIRE, dit), acteur français (Toulon 1883 - Neuilly-sur-Seine 1946). Rendu célèbre par son interprétation théâtrale (1929) et cinématographique (dans le film d'A. Korda, 1931) du rôle de César dans la pièce de Marcel Pagnol *Marius,* il s'imposa dans le comique ou le tragique comme l'un des comédiens français les plus marquants de sa génération. Au cinéma, il tourna notamment *Fanny* (1932), *César* (1936), *la Femme du boulanger* (1938), *les Inconnus dans la maison* (1942), *l'Homme au chapeau rond* (1946).

RAINCY (Le) [93340], ch.-l. d'arr. de la Seine-Saint-Denis, à 8 km à l'E. de Paris; 14 008 hab. Église des Perret* (vitraux de M. Denis).

RAINETTE. — C'est dans les arbres que l'on rencontre ces petits animaux très voisins des grenouilles, mais aux doigts terminés par des ventouses adhésives. Les œufs, cependant, sont pondus dans l'eau, dont les têtards ne sortent qu'après la métamorphose. Selon l'espèce, la mère soit les entoure d'une muraille protectrice, soit leur bâtit un nid de résine dans un arbre, ou les incube dans une poche de son dos, ou enfin les pond dans un nid écumeux, sur une branche surmontant un cours d'eau, de façon que les jeunes tombent à l'eau dès l'éclosion.

RAINIER *(mont),* sommet volcanique, de la chaîne des Cascades, dans le nord-ouest des États-Unis (État de Washington); 4 391 m. Parc national.

RAINIER III (Monaco 1923), prince de Monaco depuis 1949.

RAIPUR, v. de l'Inde, dans le sud-est du Madhya Pradesh; 175 000 hab.

RAIS, RAYS ou **RETZ** (Gilles DE), maréchal de France (v.1400-Nantes 1440). Compagnon d'armes de Jeanne d'Arc, créé maréchal de France par Charles VII en 1429, il se retira dans ses terres vers 1435 et s'adonna à l'alchimie et à la magie noire. Plusieurs centaines d'enfants furent victimes de sa débauche et de sa folie meurtrière. Arrêté sur l'ordre du duc de Bretagne, il fut condamné au cours d'un procès retentissant et exécuté.

RAISIN → VIN.

Raisins de la colère *(les),* roman de Steinbeck (1939), popularisé par un film de John Ford (1940). Une famille de paysans quitte son domaine dévasté de l'Oklahoma pour la terre promise de la Californie, où elle ne connaîtra que déceptions et amertumes.

RAISMES (59590), comm. du Nord, dans la banlieue nord-ouest de Valenciennes; 16 591 hab. *(Raismois).* Métallurgie.

RAISON *(Math.)* → PROGRESSION.

RAISON *(Philos.).* — Faculté caractéristique de l'humain, la raison est plus que la pure compréhension; elle est la faculté de légiférer, de produire des principes dans l'ordre de la connaissance* comme en morale*. C'est en fait l'origine de toute règle. À une conception purement métaphysique de la raison, où les principes étaient dans l'esprit humain comme des donnés évidents et éternels (Descartes), a succédé, sous l'influence déterminante de Kant, une conception plus dynamique. Dans sa *Critique* de la raison pratique,* Kant expose la raison dans son mouvement de légifération comme l'esprit se donnant à lui-même sa propre norme, le contenu même de la norme paraissant moins strictement prédéterminé. Raison/folie*, l'antinomie classique reste celle de l'esprit qui *se possède* et de l'esprit *possédé* (v. PENSÉE).

RAISONNEMENT. — Un raisonnement mathématique permet, à partir de données, ou *prémisses,* d'arriver logiquement à une *conclusion.*

• *Raisonnement par récurrence.* Ce type de raisonnement utilise un des axiomes de Peano* définissant l'ensemble* $\mathbb{N}$ des entiers naturels : une propriété qui dépend d'un entier n étant vraie pour $n = n_0$, si, quand on la suppose vraie pour n, on peut la démontrer pour $n + 1$, alors cette propriété est vraie quel que soit l'entier n. On formalise cet axiome sous la forme

$$P(n_0);\ P(n) \Longrightarrow P(n+1); \quad \text{alors} \quad P(n)\ \forall n \in \mathbb{N},$$

$P(x)$ signifiant : la propriété est vraie pour l'entier x. Par exemple, si S_n désigne la somme des n premiers entiers,

$S_n = 1 + 2 + 3 + ... + n$; $S_1 = 1$; $S_2 = 1 + 2 = 3$;

$S_3 = 1 + 2 + 3 = 6$. On voit que $S_3 = \frac{3 \times 4}{2} = 6$;

$S_2 = \frac{2 \times 3}{2} = 3$; $S_1 = \frac{1 \times 2}{2} = 1$. C'est la loi de formation de la quantité $S_p = \frac{p(p+1)}{2}$.

$$Si\ S_n = \frac{n(n+1)}{2},\ S_{n+1} = 1 + 2 + ... + n + n + 1 =$$

$$S_n + n + 1 = \frac{n(n+1)}{2} + n + 1 = \frac{(n+1)(n+2)}{2},$$

que l'on peut donc obtenir à partir de S_n en remplaçant n par $n + 1$.
L'expression de $S_p = \frac{p(p+1)}{2}$ est donc vraie pour tout p, puisqu'elle est vraie pour $p = 1$.

• *Raisonnement par l'absurde.* On veut démontrer que la proposition P entraîne la proposition Q. On montre alors que $\overline{Q}$, négation de Q, entraîne $\overline{P}$, négation de P, ce qui est en contradiction avec l'hypothèse P. On a donc nécessairement la proposition Q. Ce schéma peut sembler contraignant et ne pas satisfaire l'esprit à première vue. Or, il est logiquement sans reproche. D'ailleurs, dans la vie courante, le raisonnement par l'absurde est utilisé très souvent. C'est ainsi que si P signifie « un train passe », Q : « il est au moins 5 heures », et $\overline{Q}$: « il n'est pas encore 5 heures », $\overline{Q}$ entraîne $\overline{P}$: « il ne passe pas de train ». Ce qu'on énoncera de façon familière : « il est au moins 5 heures, car je viens d'entendre passer un train ».

RĀJAHMUNDRY, v. de l'Inde (Andhra Pradesh), sur la Godāvari; 166 000 hab.

RĀJASTHĀN, État du nord-ouest de l'Inde; 342 000 km²; 25 766 000 hab. Capit. *Jaipur.* Deuxième État de l'Inde par la superficie, le Rājasthān ne vient qu'au dixième rang pour la population : la moitié occidentale, aux confins du Pākistān, est une immense plaine aride. La population se concentre dans l'Est, où la chaîne des Arāvalli domine l'extrémité sud-ouest du bassin du Gange, dite « plateau du Malvā ». Le blé est la principale céréale cultivée, et le coton alimente la seule branche industrielle notable. 80 p. 100 (un des taux les plus élevés du pays) de la population sont analphabètes.

RĀJASTHĀNĪ → INDO-ARYEN.

RĀJKOT, v. de l'Inde (Gujerāt), dans la presqu'île de Kāthiāwar; 301 000 hab.

RAKHMANINOV (Sergueï Vassilievitch), pianiste, compositeur et chef d'orchestre russe (Onega 1873-Beverly Hills 1943). Il a poursuivi l'effort de Liszt dans le sens de la virtuosité pianistique et celui de Tchaïkovski dans le domaine de l'orchestre (concertos de piano, symphonies et poèmes symphoniques).

RÁKÓCZI (Férenc ou François II), prince hongrois d'une famille originaire de Transylvanie (Borsi 1676-Rodosto 1735). Prince d'empire (1697), il est placé à la tête des insurgés hongrois (1703), avec qui il conquiert la majeure partie du pays et qui l'élisent prince de la Confédération des ordres hongrois (1705). Il proclame l'indépendance de la Hongrie (1707), mais, abandonné par la noblesse, il doit se réfugier à l'étranger, avant d'être interné (1718).

RÁKOSI (Jenö), écrivain hongrois (Acsád 1842-Budapest 1929), initiateur du néo-romantisme dans le théâtre de la fin du XIXe s.

RÂLE. — Le râle d'eau vit parmi les herbes du bord des eaux, se nourrissant de tout ce qu'il trouve dans la vase. Le râle des genêts, beaucoup plus terrestre, migrateur, est en voie de disparition en France. Ces deux oiseaux se caractérisent par la grande longueur de leurs doigts et circulent aisément sur la vase. (Type de l'ordre des ralliformes.)

RALEGH (*sir* Walter), administrateur et écrivain anglais (Hayes v. 1554-Londres 1618). Favori d'Élisabeth Ire (1582), il devient, après la disgrâce de F. Drake (1589), le tenant d'une stratégie navale offensive. Il multiplie dès lors les expéditions et les raids d'interception : aux Açores (1592, 1597), en Guyane (1595), en Espagne, où il s'illustre en s'emparant de Cadix (1596). Accusé de trahison par Jacques Ier, il est emprisonné de 1604 à 1616. Rentré en grâce, il se rend encore en Guyane (1616). Son œuvre écrit est dominé par son *History of the World* (1614).

RALEIGH, v. des États-Unis, capit. de la Caroline du Nord; 124 000 hab. Capitole néogrec. Université. Électronique.

RALLIEMENT. — On désigne de ce nom le mouvement qui conduisit des catholiques militants, au lendemain de l'échec du boulangisme (v. BOULANGER), à accepter la république en tant que régime. À l'origine se situe l'intervention du pape Léon XIII, qui, en 1892, indirectement, par l'intermédiaire du cardinal Lavigerie* (toast d'Alger), et directement, par l'encyclique *Inter innumeras sollicitudines,* conseilla aux catholiques français d'accepter la Constitution républicaine. Sur le moment, le ralliement entraîna peu d'adhésions; à long terme, il eut une influence décisive sur l'adhésion des catholiques à la république.

RALLYE → AUTOMOBILE *(sport).*

RAMADIER (Paul), homme politique français (La Rochelle 1888-Rodez 1961). Député socialiste à partir de 1928, maire de Decazeville (1919-1959), il est plusieurs fois ministre, puis devient président du Conseil (janv.-nov. 1947) : il rompt alors avec les ministres communistes.

RĀMAKRIṢṆA (GADĀDHARA CHATTOPĀDHYĀYA, dit), brahmane (Karmapukar 1836-près de Calcutta 1886). Il mena une vie ascétique et prêcha les Upaniṣad, commentés par Śaṅkara* lors de ses pérégrinations. Il a publié des *Entretiens,* que Vivekānanda* contribua beaucoup à divulguer.

RAMAN (*sir* CHANDRASEKHARA VENKATA), physicien indien (Trichinopoly 1888-Bangalore 1970). Il a découvert en 1928 l'*effet Raman,* qui concerne la diffusion de la lumière dans les milieux transparents et qui renseigne sur la structure des molécules. (Prix Nobel de physique, 1930.)

RAMANANTSOA (Gabriel), officier et homme d'État malgache (Tananarive 1906). Issu d'une famille mérina, il fait une longue carrière dans l'armée française et atteint le grade de général de division (1967). À la suite des troubles de mai 1972, il est investi des pleins pouvoirs; cependant, les graves difficultés auxquelles il se heurte l'incitent à démissionner en janvier 1975.

RĀMĀNUJA, philosophe indien (†1137?). Au contraire de Śaṅkara*, qui est avec lui le principal commentateur des *Vedānta,* il considère que l'absolu brahmanique n'est pas impersonnel et que les images ou autres expressions qui le symbolisent participent de son être. Conférant ainsi une dimension philosophique à la bhakti*, il exerça une influence considérable sur l'hindouisme*. Fondateur d'une communauté viṣṇuiste à Śrīnangam, il écrivit également un commentaire de la *Bhagavad-Gītā* et des traités de piété viṣṇuiste.

RAMAT GAN, v. d'Israël, banlieue est de Tel-Aviv; 118 000 hab. Université.

Rāmāyaṇa, œuvre attribuée à Vālmīki et qui consiste en une vaste épopée où sont célébrés la vie et les exploits de Rāma (manifestation de Viṣṇu). Elle a exercé une influence considérable sur la pensée, la religion et la littérature indiennes.

RAMBERT (Myriam RAMBERG, dite **Marie**), danseuse britannique d'origine polonaise (Varsovie 1888). Fondatrice du Ballet Rambert, la plus ancienne compagnie de ballet anglaise, elle eut une grande influence sur toute une génération de danseurs et de chorégraphes. Elle s'est consacrée à partir de 1967 à la création d'œuvres de chorégraphes contemporains (J. Chesworth, Ch. Bruce, etc.).

RAMBERVILLERS (88700), ch.-l. de cant. des Vosges, à 21 km au N.-E. d'Épinal; 7 398 hab. *(Rambuvetais).* Forêt domaniale (au S.-E.). Église des XV-XVIe s., hôtel de ville du XVIe. Constructions mécaniques.

RAMBOUILLET (78120), ch.-l. d'arr. des Yvelines, à 28,5 km au S.-O. de Versailles; 20 056 hab. *(Rambolitains).* Château du XVIIIe s. (parties des XIV-XVe s.; parc paysager). Constructions électriques.

RAMBOUILLET *(forêt de),* forêt domaniale, de plus de 13 000 ha, au S.-O. de Paris, limitant la Beauce vers le N. Elle renferme le parc national de chasse de Rambouillet, domaine présidentiel qui couvre 1 000 ha.

Rambouillet *(hôtel de),* hôtel construit à Paris, rue Saint-Thomas-du-Louvre, sur les plans de la marquise de Rambouillet, qui y reçut une société choisie, cherchant à généraliser l'élégance des manières et du langage. (V. PRÉCIOSITÉ.)

RAMBUTEAU (Claude Philibert BARTHELOT, *comte* DE), administrateur français (Mâcon 1781-Champgrenon 1869). Préfet de la Seine de 1833 à 1848, il entreprit, à Paris, d'importants travaux d'assainissement et d'édilité.

RAMEAU (Jean-Philippe), compositeur français (Dijon 1683-Paris 1764). Sa forte personnalité domine tout le classicisme français, et s'insère, non loin des philosophes, dans l'histoire de la France des lumières. Il a touché tous les genres, et son art ferme, élégant, intelligent marque la synthèse entre les esthétiques française et italienne. Théoricien, son *Traité de l'harmonie* (1722) est à la base de la musique moderne et de la tonalité classique, et les écrits qui ont suivi, l'opposant parfois aux philosophes, ont contribué à la défense de la musique française et à la définition de la nature du son. Organiste à Dijon, Clermont, Paris, claveciniste, on lui doit des livres de clavecin (1706, 1724, v. 1728), ainsi que des trios (1741).

Giraudon

Jean-Philippe Rameau, par Carmontelle (1717-1806).
[Musée Condé, Chantilly.]

S'il est passé maître dans la cantate, le grand motet *(In convertendo),* c'est surtout dans l'art lyrique qu'il a excellé, les partitions relevant ici de l'opéra (*Hippolyte et Aricie,* 1733; *Castor et Pollux,* 1737; *Zoroastre,* 1749), de l'opéra-ballet (*les Indes galantes,* 1735; *les Fêtes d'Hébé,* 1739), de l'opéra comique *(Platée,*

1745), du ballet (*Pygmalion,* 1748), de la pastorale héroïque (*Zaïs,* 1748; *Naïs,* 1749). La diversité de ses récitatifs, le raffinement de ses airs, le caractère dramatique de ses chœurs, l'élégance et la plastique de ses danses, la somptuosité de son orchestre ont assuré à toutes ces pages une grandeur classique, à quoi s'ajoutent la richesse de l'harmonie, la souplesse chantante de ses basses, la noblesse de certains tableaux d'ensemble.

RAMERUPT (10240), ch.-l. de cant. de l'Aube, à 14 km à l'E. d'Arcis-sur-Aube; 329 hab.

RAMIER → PIGEON.

RAMILLIES, comm. de Belgique (Brabant), au S. de Tirlemont; 3 879 hab. Le 23 mai 1706, Marlborough y battit le maréchal de Villeroi.

RAMIRE II, roi d'Aragon → ARAGON.

RĀM MOHAN ROY, réformateur indien (Rādhānagara 1772 - Bristol 1833). Il s'appliqua, au sein de la Brahmo Samāj, fondée par lui en 1830, de réformer l'hindouisme et le régime des castes dans un sens plus humain.

RAMON (Gaston), biologiste et vétérinaire français (Bellechaume, Yonne, 1886 - Garches 1963). Il a transformé les toxines microbiennes en anatoxines, qui sont d'excellents vaccins. Membre de l'Institut Pasteur, auteur d'une méthode de floculation utilisée pour le dosage des toxines, il fut aussi le précurseur des vaccinations associées.

RAMONVILLE-SAINT-AGNE (31520), comm. de la Haute-Garonne, dans la banlieue sud-sud-est de Toulouse; 8 704 hab.

RAMPAL (Jean-Pierre), flûtiste français (Marseille 1922). Élève de son père, Joseph Rampal, titulaire d'un brillant premier prix du Conservatoire, il a largement contribué à la résurrection et à la diffusion du répertoire du XVIIIe s.

RĀMPUR, v. de l'Inde (Uttar Pradesh); 161 000 hab.

RAMSAY (*sir* William), chimiste britannique (Glasgow 1852 - High Wycombe, Bucks, 1916). Il expliqua, en 1879, le mouvement brownien comme résultant des chocs moléculaires et participa aux découvertes de l'argon (1894), de l'hélium (1895) et des autres gaz rares (1898). [Prix Nobel de chimie, 1904.]

RAMSDEN (Jesse), physicien anglais (Salterhebble, Yorkshire, 1735 - Brighton 1800). Il imagina une machine électrostatique (1768) et inventa le théodolite.

RAMSÈS II, pharaon du Nouvel* Empire égyptien (1298-1235 av. J.-C.). Il fit de brillantes campagnes militaires en Palestine et en Syrie, qui lui permirent, en mettant fin à la pression hittite sur le couloir syrien, d'assurer l'hégémonie égyptienne en Asie. Son activité de constructeur a été importante.

RAMSGATE, v. de Grande-Bretagne (Kent), près de l'embouchure de la Tamise; 37 000 hab. Station balnéaire. Yachting.

RAMUS (Pierre DE LA RAMÉE, ou), humaniste, mathématicien et philosophe français (Cuts, Vermandois, 1515 - Paris 1572). Il fut le premier professeur de mathématiques du Collège de France. Après le colloque de Poissy (1561), il se jeta dans la Réforme et dut quitter sa chaire. Il fut tué, dans son collège de Presles, lors de la Saint-Barthélemy.

RAMUZ (Charles Ferdinand), écrivain suisse d'expression française (Cully, cant. de Vaud, 1878 - Pully, près de Lausanne, 1947). Il a exprimé la poésie de la nature et de la vie vaudoise dans ses recueils lyriques, ses récits (*la Grande Peur dans la montagne,* 1926) et son *Journal* (1945).

RANALES. — Les plantes qui forment l'ordre des ranales, ou polycarpiques, se caractérisent par leurs carpelles séparés, souvent nombreux et insérés en spirale sur un réceptacle bombé (thalamus), entourés de nombreuses étamines. Une ressemblance parfois poussée entre pétales et sépales achève de donner à la fleur un aspect assez primitif, mais le groupe est suffisamment vaste pour comprendre aussi des formes très évoluées. Certains auteurs mettent à part les types les plus primitifs : magnoliacées, lauracées, monimiacées, pour en faire l'ordre des magnoliales. Les ranales comprennent alors toutes les autres familles à fleurs dialycarpellées : renonculacées*, nymphéacées, ménispermacées, berbéridacées. L'ensemble des polycarpiques apparaît comme le groupe ancestral d'où sont dérivées les monocotylédones*, les rosacées, les guttifères, les pipérales, les résédacées et peut-être les cactées.

RANATRE. — La ranatre, insecte hétéroptère des eaux douces, a exactement les mœurs de la nèpe*, dont elle diffère par un corps beaucoup plus étroit et allongé.

RANAVALONA III (1862 - Alger 1917), reine de Madagascar de 1883 à 1897. Son hostilité à l'application du traité franco-malgache de Tamatave (1885) provoqua une expédition française qui aboutit au protectorat de la France sur l'île (1895), à sa transformation en colonie (1896) et à la déportation de la reine (1897).

RANCAGUA, v. du Chili central; 87 000 hab.

RANCE (la), fl. de Bretagne, qui passe à Dinan et rejoint la Manche, entre Saint-Malo et Dinard; 100 km. Centrale marémotrice sur son estuaire.

RANCÉ (Armand Jean LE BOUTHILLIER DE), religieux français (Paris 1626 - Soligny 1700). Abbé commendataire, prêtre (1651), il mène une vie dissolue avant de se convertir (1660) et de se retirer (1664) en son abbaye cistercienne de Notre-Dame-de-la-Trappe*, en Normandie, où il introduit une réforme très rigoureuse : celle-ci est à l'origine de l'ordre cistercien de la stricte observance, constitué de trappistes.

Rancé *(Vie de),* par Chateaubriand (1844) : une biographie du réformateur de la Trappe, pénitence imposée par son confesseur à Chateaubriand, qui réussit à en faire une nouvelle image de René.

RĀNCHĪ, v. de l'Inde, dans le sud du Bihār; 176 000 h. Métallurgie.

RANDAN (63310), ch.-l. de cant. du Puy-de-Dôme, à 14 km au S.-S.-O. de Vichy; 1 383 hab.

RANDENS (73220 Aiguebelle), comm. de la Savoie, à 24 km au S.-S.-O. d'Albertville, sur l'Arc; 651 hab. Centrale hydroélectrique alimentée par les eaux de l'Isère (amenées par un tunnel long de 11,7 km).

RANDERS, port du Danemark (Jylland), au N. d'Århus; 65 000 hab.

RANDON (Jacques César, *comte*), maréchal de France (Grenoble 1795 - Genève 1871). Collaborateur de Bugeaud en Algérie, il fut ministre de la Guerre (1851, 1860-1867).

RANDSTAD HOLLAND, région fortement urbanisée de l'ouest des Pays-Bas (Hollande et province d'Utrecht), englobant, notamment, Rotterdam, Amsterdam, La Haye et Utrecht. Sur moins du dixième de la superficie du pays, se concentrent aujourd'hui près de la moitié de sa population et une part encore supérieure de son potentiel économique.

RANGABÉS, RANGABÊ ou **RANGAVÌS** (Alexandros Rizos), homme politique et écrivain grec (Constantinople 1810 - Athènes 1892), qui contribua à faire du grec moderne une langue littéraire.

RANGOON, capit. de la Birmanie; 1 854 000 hab. De loin la principale ville birmane et l'une des plus grandes villes de l'Asie du Sud-Est, à l'est du delta de l'Irrawaddy et à la tête de la *rivière de Rangoon* (à une trentaine de kilomètres de la mer), Rangoon s'est développée comme centre administratif et surtout comme port (exportation de riz et de teck, notamment); elle possède quelques industries (textile, alimentation, métallurgie). Haut lieu de la vie religieuse birmane et centre de pèlerinage, la ville possède divers sanctuaires, dont la « pagode » (stūpa) Shwe Dagon.

RANK (Otto ROSENFELD, dit **Otto**), psychanalyste autrichien (Vienne 1884 - New York 1939). Un des premiers et des plus proches disciples de S. Freud*, il fait porter ses travaux sur les mythes et les légendes. Puis, très lié avec S. Ferenczi*, Rank contribue avec celui-ci à élargir aux psychoses* le champ de la psychanalyse*. Sa publication, en 1924, du *Traumatisme de la naissance* marque le début de ses divergences avec l'orthodoxie freudienne; il y récuse en effet la fonction centrale du complexe d'Œdipe* au profit de l'angoisse de la naissance.

RANKE (Leopold VON), historien allemand (Wiene, Thuringe, 1795 - Berlin 1886). Il fut l'un des maîtres de l'historiographie allemande au XIXe s. : *Histoire des peuples germaniques de 1424 à 1535* (1824), *les Papes romains* (1834-1836), *Histoire d'Allemagne au temps de la Réforme* (1839-1847), *Histoire universelle* (1875), restée inachevée.

RANKINE (William John Macquorn), ingénieur et physicien écossais (Édimbourg 1820 - Glasgow 1872). En thermodynamique, il proposa le terme d'« énergie » et distingua les énergies mécaniques potentielle et cinétique.

RANSART, anc. comm. de Belgique (Hainaut); intégrée depuis 1977 à Charleroi.

RANTIGNY (60290), comm. de l'Oise, à 9 km au S. de Clermont; 2 058 hab. Fibres de verre.

RANVIER (Louis Antoine), biologiste français (Lyon 1835 - Vendranges, Loire, 1922), auteur d'ouvrages d'histologie et d'anatomie.

RAON-L'ÉTAPE (88110), ch.-l. de cant. des Vosges, sur la Meurthe, à 16 km au N.-O. de Saint-Dié; 7 754 hab. (*Raonnais*). Textile.

RAOUL DE BOURGOGNE → CAPÉTIENS.

Raoul de Cambrai, chanson de geste du XIIe s., poème de la révolte féodale.

RAOULT (François Marie), chimiste et physicien français (Fournes-en-Weppes, Nord, 1830 - Grenoble 1901). Il découvrit, en

1882, les lois de la cryométrie, de l'ébulliométrie et de la tonométrie.

RAPA, île du sud de la Polynésie française.

RAPACES. — Sans être les seuls oiseaux qui se nourrissent de proies vertébrées (reptiles, autres oiseaux, mammifères), les rapaces sont les plus spécialisés dans ce type d'alimentation. Leurs griffes aiguës (serres), incurvées en demi-cercle, le bec supérieur rabattu en crochet devant l'inférieur, l'excellence de leur vision, leur superbe vol plané, leurs dimensions parfois impressionnantes les font regarder depuis l'Antiquité avec terreur et admiration.

Les *rapaces diurnes* (ou falconiformes, ou accipitriformes) chassent de jour. Citons les aigles*, les buses, les milans, les éperviers, les faucons, les vautours. Les *rapaces nocturnes* (ou strigiformes) sont encore plus différents du commun des oiseaux,

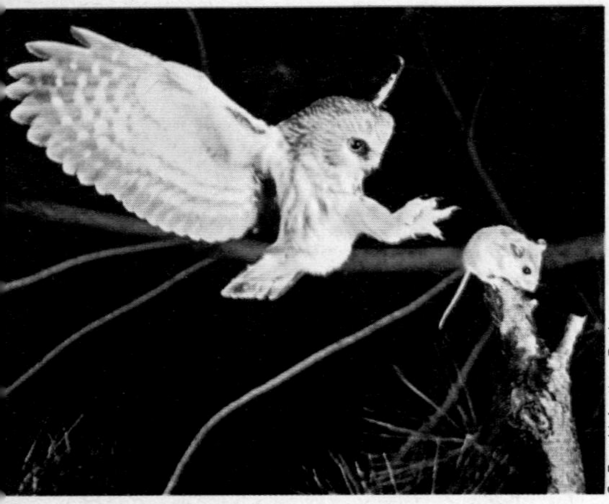

G. Ronald Austing - Rapho

Rapaces. Chouette d'Acadie capturant une proie.

avec leur stature presque verticale, leur face plate, leur vision largement binoculaire et leurs étranges disques faciaux. Leur audition est remarquable. On tend aujourd'hui à penser que les strigiformes (chouettes et hiboux) ne ressemblent aux falconiformes que par convergence et ne leur sont pas apparentés.

Rapaces *(les),* film américain d'Erich von Stroheim (1923). Une œuvre amère, cruelle, cynique, sur une triple déchéance, provoquée par l'amour de l'or. Un drame réaliste sur la mésentente d'un couple rongé par l'avarice et sur la jalousie mortelle de deux rivaux acharnés à se détruire l'un l'autre. Malgré de nombreuses mutilations et réductions, le film de Stroheim demeure, au temps du muet, l'une des tentatives les plus abouties de rendre à l'écran les paroxysmes des passions humaines.

Les Rapaces (1923). Une scène du film d'Eric von Stroheim.

MGM (coll. J.-L. Passek)

RAPALLO, v. d'Italie, en Ligurie, à l'E. de Gênes, sur la Méditerranée; 21 000 hab. — Les 6 et 7 novembre 1917, les commandants des armées alliées s'y réunirent pour prendre les mesures rendues nécessaires par le désastre italien de Caporetto*. Le 12 novembre 1920, y fut signé le traité par lequel l'Italie et la Yougoslavie fixaient leurs territoires réciproques. Le 16 avril 1922, Allemands (Rathenau) et Russes (Tchitcherine) y renouèrent leurs relations diplomatiques.

RAPHAËL, un des sept archanges de la tradition juive; il apparaît dans le livre biblique de Tobie* et dans l'écrit apocryphe juif d'Hénoch*. Son nom signifie « Dieu a guéri ».

RAPHAËL (Raffaello SANZIO ou SANTI, dit), peintre et architecte italien (Urbino 1483 - Rome 1520). Formé par son père, Giovanni Santi, puis, à Pérouse, par le Pérugin* (*le Mariage de la Vierge,* 1504, Brera, Milan), il s'installe en 1504 à Florence, où il étudie les œuvres de Léonard de Vinci et de Fra Bartolomeo, et se consacre surtout au thème de la Madone, traité avec une noblesse tendre et sereine (*Madone au chardonneret,* Offices). En 1508, le pape Jules II l'appelle à Rome et lui commande la décoration des pièces (*stanze,* ou « chambres ») de son appartement, qu'il exécute à peu près seul (chambre de la Signature, avec *l'École* d'Athènes;* chambre d'Héliodore, 1511-1514, aux thèmes plus historiques, au registre de moyens picturaux plus étendu : mouvement, clair-obscur, couleur...), ou avec des aides (chambre de l'Incendie du bourg, 1514-1517), ou qu'il confie à ses disciples (chambre de Constantin par J. Romain*). Il conçoit aussi la décoration des « loges » du Vatican, ornées de grotesques par Giovanni* da Udine (à partir de 1518), peint *le Triomphe de Galatée* de la Farnésine (1511), donne les cartons de dix tapisseries des *Actes des Apôtres,* exécute encore madones, tableaux d'autels et portraits nombreux. Son art, qui associe la mesure et l'harmonie à une ampleur figurative toute nouvelle, définit par excellence la Renaissance classique; il a eu, à ce titre, un retentissement immense.

RAPIN (Nicolas), magistrat et poète français (Fontenay-le-Comte v. 1535 - Poitiers 1608), l'un des auteurs de la *Satire* Ménippée.*

RAPP (Jean, *comte*), général français (Colmar 1772 - Rheinweiler, Bade, 1821). Il se distingua dans la garde à Austerlitz (1805) et à la Berezina (1812). Gouverneur de Dantzig, il défendit la ville pendant un an contre les Alliés en 1813.

RAPPORTEUR PARLEMENTAIRE. — La tâche du rapporteur, chargé de « rapporter sur un projet de loi », est de prendre contact avec le ministère qui a élaboré le projet. Il se fait expliquer en détail le sens du projet, prend part à des auditions, propose une nouvelle rédaction et dégrossit le texte. (V. PARLEMENT.)

RAPPORTS DE PRODUCTION. — Ces rapports désignent, chez Marx, les relations des fonctions accomplies par les agents de production avec les moyens de travail, à l'intérieur du procès de production économique. Il s'agit donc d'une structure. Les rapports sociaux de production sont l'effet, dans ce procès, de la structure; autrement dit, la distribution des porteurs des fonctions en classe sociale. Or, la structure économique est déterminante, en dernière instance, de la superstructure*. C'est pourquoi il existe aussi des rapports sociaux politiques, idéologiques, etc. Mais, comme les rapports sociaux constituent les classes sociales, celles-ci sont aussi déterminées aux niveaux politique, idéologique.

RAROTONGA, la plus grande (68 km^2) et la plus peuplée (11 000 hab.) des îles Cook*.

RA'S AL-KHAYMA → ARABES UNIS *(Émirats).*

RASCASSE. — Ce poisson, qui vit sur les fonds littoraux de la Méditerranée, est très recherché comme base de la bouillabaisse marseillaise. Sa peau verruqueuse et bigarrée, qui le dissimule bien parmi les algues, porte une vaste nageoire dorsale faite de rayons séparés. La tête est grande et large. (Famille des scorpénidés.)

RASH → ÉRUPTION *(Méd.).*

RASHI (Salomon ben Isaac), docteur de la Loi au Moyen Âge (Troyes 1040 - † 1105). Maître de l'école talmudique de Troyes, il jouit d'un immense prestige; il rédigea un *Commentaire du Talmud* de Babylone* et un *Commentaire de la Torah.*

RASK (Rasmus Christian), linguiste danois (Bröndekilde, près d'Odense, 1787 - Copenhague 1832). Il rédige, en 1814, un mémoire, *Investigation sur l'origine du vieux norrois ou islandais* (publié en 1818), dans lequel il établit la parenté entre l'islandais, les langues scandinaves et germaniques, le grec, le latin, le lituanien, le slave et l'arménien. Il est également l'auteur de grammaires de l'islandais (1811), de l'anglo-saxon (1817), de l'espagnol (1824), du frison (1825), de l'italien (1827), du danois (1830). Parallèlement à Bopp, mais de manière indépendante, il est un des fondateurs de la grammaire comparée*. Son originalité consiste à fonder la comparaison non sur le vocabulaire, mais sur la structure grammaticale et sur les correspondances phonétiques.

raskol, schisme des vieux-croyants, qui se sont séparés de l'Église orthodoxe russe à la suite des réformes du patriarche Nikon* (de 1652 à 1666). La révision des livres liturgiques russes, qui s'étaient éloignés des originaux grecs, avait été envisagée dès le concile de 1551 *(Stoglav)* et s'imposait au lendemain du « temps des troubles ». Nikon* fit approuver un missel russe, corrigé en 1655. Il se heurta à l'opposition des partisans de la « vieille foi » et à leur chef, Avvakoum*, passionnément attachés aux rites de l'Église russe (tel le signe de croix à deux doigts au lieu de trois), et hostiles aux influences occidentales qui pénétraient en Moscovie grâce aux savants de Kiev et de Grèce. Le tsar convoqua le concile de 1666-67, qui déposa Nikon, mais ratifia ses réformes et sa condamnation des schismatiques, qui furent persécutés. Les vieux-croyants se réfugièrent dans les régions du Nord et de l'Est, où ils vécurent en marge de l'ordre imposé par l'Église et par l'État. Ils se sont divisés en deux groupes principaux, eux-mêmes composés de nombreuses sectes : les *bezpopovtsy* (sans-prêtres) et les *popovtsy,* qui ont continué à reconnaître une hiérarchie ecclésiastique. Ils représentent actuellement un ou deux millions de croyants.

RASMUSSEN (Knud), explorateur arctique danois (Jakobshavn 1879-Copenhague 1933). Après une longue expédition ethnographique au Groenland (1906-1908), il explora systématiquement l'Arctique américain, étudiant la vie des Esquimaux.

RASPAIL (François Vincent), homme de science et militant socialiste français (Carpentras 1794-Arcueil 1878). Il s'adonne d'abord à des recherches scientifiques et médicales, qui font de lui un vulgarisateur populaire. Gagné aux idées républicaines, il adhère, sous la monarchie de Juillet, aux sociétés secrètes, ce qui lui vaut plusieurs fois la prison. Le 27 février 1848, il lance *l'Ami du peuple;* mais, ayant participé à la journée du 15 mai 1848, il est de nouveau emprisonné. Cependant, ses amis le présentent à la présidence de la République (10 déc.) : il ne recueille que 36 000 voix. Exilé à Bruxelles (1853-1863), il est élu député du Rhône en 1869. De nouveau emprisonné en 1874, il redevient député républicain en 1876.

RASPOUTINE (Grigori Iefimovitch NOVYKH, dit), aventurier russe (Pokrovskoïe, près de Tobolsk, 1872-Petrograd 1916). Moine errant, il est introduit à la cour impériale (1905) grâce à ses dons de guérisseur, l'impératrice ayant donné le jour à un fils hémophile. L'emprise qu'il a sur l'impératrice et sur la politique de Nicolas II dans les années 1914-1916 paraît si préjudiciable à la monarchie que trois membres de la haute société organisent son assassinat.

Rassemblement du peuple français (R. P. F.), mouvement politique fondé en 1947 par le général de Gaulle* dans le but de mettre fin au « système des partis » et d'établir un pouvoir exécutif fort. Le R. P. F. remporte un grand succès aux élections municipales de 1947, puis aux élections législatives de 1951 (avec 22 p. 100 des voix et 121 députés). En 1952, le départ de 32 députés, qui forment le groupe de l'Action républicaine et sociale, affaiblit le mouvement, qui est dissous peu après par le général de Gaulle (1953). Les anciens députés R. P. F. se rassemblent alors dans l'Union des républicains d'action sociale (U. R. A. S.) et dans le groupe des Républicains sociaux (R. S.).

Rassemblement pour la République (R. P. R.), formation politique française constituée en décembre 1976 sous la présidence de J. Chirac*, en vue de rénover le mouvement gaulliste. En octobre 1958, les partisans du général de Gaulle créent l'Union pour la Nouvelle République (U. N. R.), qui remporte les élections de novembre. Dès lors, l'U. N. R. conserve la majorité à l'Assemblée nationale, où elle bénéficie, à partir de 1962, de l'appui des républicains* indépendants (R. I.). Après la crise de mai* 1968, le parti gaulliste, rebaptisé « Union pour la défense de la République » (U. D. R.), remporte un important succès électoral (juin). Mais, affaibli par le départ du général de Gaulle (1969), puis par la réorganisation de la gauche (à partir de 1971), l'U. D. R. ne conserve la majorité, lors des élections de mars 1973, que grâce à l'alliance avec les R. I. et une partie des centristes. Touché par l'échec de son candidat officiel, J. Chaban-Delmas*, à l'élection présidentielle de mai 1974, le parti soutient cependant le gouvernement de V. Giscard d'Estaing, où il est représenté, notamment, par le Premier ministre, J. Chirac*. Devenu le véritable animateur du mouvement, celui-ci entreprend, après avoir quitté ses fonctions gouvernementales, d'élargir l'audience de l'U. D. R. Sous le nom de « Rassemblement pour la République », le parti gaulliste contribue à la nouvelle défaite de l'opposition lors des élections législatives de 1978, mais perd de son importance relative au sein de la majorité présidentielle.

RAS SHAMRA → OUGARIT.

RA'S TANNŪRA, grand port pétrolier (plus de 150 Mt exportées par an) d'Arabie Saoudite, sur le golfe Persique.

RASTATT, v. de l'Allemagne fédérale (Bade-Wurtemberg), près du Rhin; 25 000 hab. Château du XVIIIe s. — Le 6 mars 1714 un traité entre l'empereur Charles VI et la France mit fin à la guerre de la Succession d'Espagne; du 9 décembre 1797 au 23 avril 1799, s'y tint une interminable et stérile conférence pour fixer les compensations en Allemagne aux princes dépossédés sur la rive gauche du Rhin; les représentants français, rappelés par le Directoire, furent massacrés par des hussards autrichiens.

Rastignac, personnage créé par Balzac, type de l'arriviste élégant. Il apparaît dans *le Père Goriot* et on le retrouve dans la plupart des romans qui se déroulent dans la société parisienne.

RASTRELLI (Bartolomeo Francesco), architecte d'origine italienne dont la carrière s'est déroulée en Russie (Paris v. 1700-Saint-Pétersbourg 1771). Son père, Bartolomeo Carlo (v. 1675-1744), sculpteur, est appelé à Saint-Pétersbourg en 1716. Tendant à infléchir le baroque européen en fonction du milieu russe, Francesco devient en 1741 l'architecte attitré de la tsarine Élisabeth, pour laquelle il élabore une architecture brillante, que sculpture et couleur animent : cathédrale Smolnyï (1748), palais d'Hiver (1754-1762), etc., à Saint-Pétersbourg; Grand Palais à Tsarskoïe Selo (1752); église Saint-André à Kiev...

RAT. — Il est certain que divers aspects de la civilisation humaine (concentrations urbaines, caves, greniers et silos, navires) ont favorisé la pullulation des rats, qui trouvent dans de tels lieux la nourriture en toutes saisons et un abri contre le froid aussi bien que contre les rapaces et autres prédateurs. Ces rongeurs (type du sous-ordre des myomorphes) se caractérisent par leur queue nue, plus longue encore chez le rat noir *(Rattus rattus)* que chez le surmulot, ou rat d'égout *(Rattus norvegicus).* Ce dernier (« rat gris ») atteint 25 cm de longueur sans la queue et peut peser 500 g. L'Europe souffre des méfaits du rat noir depuis le XIIIe s., tandis que le surmulot n'a envahi nos régions qu'au XVIIIe s. Le mulot, beaucoup moins commun, a de longues pattes postérieures et fréquente plutôt les jardins que les maisons, car il sait creuser des terriers et faire des provisions, ce dont les deux espèces précédentes sont incapables. En raison de l'énorme prélèvement qu'ils opèrent sur nos aliments, de leur aptitude à transmettre la peste, de leur remarquable organisation sociale et de leur incroyable fécondité, les rats comptent parmi les animaux les plus nuisibles. Aussi toutes les grandes villes ont-elles leurs services de dératisation par le piège et le poison.

RATE. — Cet organe lymphoïde est situé dans l'hypochondre gauche, en arrière de l'estomac et au-dessus du rein gauche. La rate est irriguée par les vaisseaux spléniques. Pesant environ 200 g, elle est constituée d'une pulpe blanche et d'une pulpe rouge (formée d'un réseau veineux et de cellules réticulaires). Elle élabore des lymphocytes et détruit une grande partie des globules rouges âgés.

Elle n'est normalement perçue que par la percussion. Une splénomégalie (grosse rate) est marquée par une aire de matité plus importante et par la palpation du pôle inférieur de l'organe.

Les plaies de la rate nécessitent le plus souvent une splénectomie (ablation de l'organe). En l'absence de traitement chirurgical, une hémorragie interne peut survenir. Les splénomégalies sont d'origine infectieuse (septicémies diverses), parasitaire (paludisme), ou dues à une hypertension portale (v. PORTE) ou à une maladie du sang (leucémie). Des tumeurs malignes ou bénignes peuvent prendre naissance au niveau de la rate.

RATEAU (Auguste), ingénieur français (Royan 1863-Neuilly-sur-Seine 1930). Spécialiste de la mécanique des fluides (air, eau, vapeur) ainsi que des machines dans lesquelles agissent ces fluides, et qu'il dénomma *turbomachines,* il donna une théorie du profil des tuyères assurant la détente complète de la vapeur (1900). En 1901, il conçut la turbine multicellulaire à action, à laquelle son nom est resté attaché. On lui doit également l'idée d'alimenter des turbines à basse pression avec la vapeur d'échappement de tous les appareils d'une usine, afin de réaliser des économies.

RÄTIKON (le), massif des Alpes, aux confins de l'Autriche (Vorarlberg), de la Suisse (Grisons) et du Liechtenstein; 2 969 m à la Scesaplana.

RATING → COURSE-CROISIÈRE.

RATIO. — Les ratios sont des figurations chiffrées de rapports existant entre deux phénomènes (économiques, démographiques, financiers, etc.). De plus en plus utilisés, notamment par l'entreprise pour obtenir des indications sur son propre fonctionnement, ils peuvent être *historiques,* enregistrant des données représentant des faits passés, ou *prospectifs,* attachés à la définition de buts à atteindre dans le futur.

On distingue, notamment : • *les ratios de structure bilantielle:*

— *le ratio d'autonomie financière :*

$$\frac{\text{capitaux propres}}{\text{capitaux étrangers}};$$

— *le ratio de financement des immobilisations :*

$$\frac{\text{capitaux permanents}}{\text{immobilisations}} \quad (\text{il doit être} > 1);$$

— *le ratio de liquidité :*

$$\frac{\text{actifs circulants}}{\text{total de l'actif}}$$

(il indique les proportions de mobilisation de l'actif);

— *le ratio de solvabilité :*

$$\frac{\text{actif total}}{\text{dette totale}}.$$

• *les ratios de trésorerie,* notamment :

— *le ratio de liquidité financière :*

$$\frac{\text{réalisable à court terme + disponible}}{\text{exigible à court terme}}$$

(il ne doit pas être < 1).

RATIONALISÉ. — Le système d'unités M. K. S. A. est dit « rationalisé » si, dans le vide, la formule exprimant la loi électrostatique de Coulomb s'écrit

$$f = \frac{1}{4\pi\varepsilon_0}\frac{qq'}{r^2},$$

et si, en électromagnétisme, la formule exprimant la loi de Laplace s'écrit

$$df = \frac{\mu_0}{4\pi} B\,i\,dl.$$

RATIONALISME. — Contre l'empirisme*, le rationalisme affirme l'antériorité des idées sur l'expérience* et donc la suprématie de la raison dans les connaissances*. Platon, Descartes, Leibniz et Kant sont les principaux représentants de ce courant philosophique. Bachelard* désigne par *rationalisme appliqué,* « le rationalisme concret, solidaire d'expériences toujours particulières et précises » (autrement dit, combiné à un matérialisme technique) que les sciences mettent en œuvre.

RATIONNEL → COMMENSURABLES (*grandeurs*) et Q.

RATISBONNE, en allem. **Regensburg,** v. de l'Allemagne fédérale (Bavière), sur le Danube; 132 000 hab.

HISTOIRE. Ancienne agglomération celtique *(Radasbona),* érigée en camp romain sous Marc Aurèle, Ratisbonne devint au Moyen Âge une base d'évangélisation pour les pays danubiens. Ville libre impériale dès 1245, elle connut un essor remarquable, que compromit, au XVIe s., le déplacement des routes commerciales. En 1541, Ratisbonne fut le siège d'une diète réunie en vue de rapprocher catholiques et protestants. La concertation échoua et la ville passa à la Réforme. Pourtant, en 1663, elle devint le siège permanent de la Diète d'Empire *(Reichstag),* rôle qu'elle conserva jusqu'en 1806. Après la victoire qu'y remporta Napoléon sur les Autrichiens (1809), elle fut incorporée à la Bavière.

BEAUX-ARTS. Ville pittoresque et riche en œuvres d'art. Nombreuses églises, surtout médiévales, dont Saint-Emmeram, ancienne abbatiale, reconstruite au XIe s., et la cathédrale, reconstruite du XIIIe au XVIe s. dans le style gothique français. Pont fortifié sur le Danube. Hôtel de ville des XIVe-XVIIIe s. Musées.

RATITES. — Des oiseaux totalement incapables de voler, mais des plus doués pour la course (grande taille, longues pattes terminées par des sortes de sabots, musculature puissante), tels sont les ratites : autruche* d'Afrique et d'Arabie, nandou d'Amérique du Sud, émeu d'Australie, casoar d'Australie et de Polynésie. Chez ces oiseaux, largement omnivores, c'est le mâle qui, après avoir creusé un nid sommaire, assure la couvaison.

Aux ratites s'apparente l'aptéryx (kiwi) de Nouvelle-Zélande.

RATON LAVEUR. — C'est en Amérique du Nord que vit le *raccoon,* dit aussi « raton laveur » *(Procyon lotor),* sorte de blaireau des arbres et des rivières, connu pour sa curieuse habitude de laver tous ses aliments. Omnivore, destructeur des poulaillers comme des vergers, il est pourchassé. (Type de la famille des procyonidés.)

R. A. T. P., sigle de *Régie autonome des transports parisiens* (v. MÉTROPOLITAIN).

RATSIRAKA (Didier), homme d'État malgache (Vatomandry, province de Tamatave, 1936). Officier de marine, il devient ministre des Affaires étrangères (1972) et négocie les nouveaux accords de coopération franco-malgache (1973). Chef de l'État depuis juin 1975, il engage le pays dans la voie du socialisme (nationalisation des banques, des assurances) et mène une politique de non-alignement. En décembre 1975, il est élu, par référendum, président de la République démocratique de Madagascar.

RATZEL (Friedrich), géographe allemand (Karlsruhe 1844-Ammerland 1904). Auteur d'une *Anthropogéographie* (1882-1891), il est le représentant le plus connu d'un déterminisme liant étroitement l'homme et ses activités au milieu naturel, jugé toujours (d'une manière très excessive) comme contraignant.

R. A. U., sigle de la *République arabe unie* (v. ÉGYPTE).

RAUCOURT-ET-FLABA (08450), ch.-l. de cant. des Ardennes, à 14 km au S. de Sedan; 1 102 hab.

RAUSCHENBERG (Robert), peintre, assemblagiste et lithographe américain (Port Arthur, Texas, 1925). Ses *combine paintings,* qui, à partir de 1953, intégrèrent à la toile photographies, pages de journaux et objets divers — ces derniers croissant en importance jusqu'aux assemblages « néodadaïstes » de 1959-1961 —, ont assumé la liaison entre expressionnisme abstrait et pop art. Il a donné des décors et costumes pour les ballets de M. Cunningham et s'est intéressé, vers 1967, aux rapports de l'art et de la technologie.

RAVAISSON-MOLLIEN (Félix LACHER), philosophe français (Namur 1813-Paris 1900). Sa réflexion, centrée sur l'étude de l'art et de la vie, reprend à Aristote l'idée d'une hiérarchie harmonieuse (*Essai sur la métaphysique d'Aristote,* 1846), à Leibniz et à Maine de Biran une conception dynamique de l'effort (*l'Habitude,* 1839).

RAVEL (Maurice), compositeur français (Ciboure 1875-Paris 1937). Il est le plus classique des créateurs modernes français, en dépit des apparences, celles notamment qui voudraient faire de cet élève de Fauré un continuateur de Debussy. Son art trouve son originalité profonde en s'inspirant de son maître, pour la qualité, l'ampleur de la mélodie; mais aussi du folklore et de la danse espagnole, de l'orchestration, de l'orientalisme du monde russe. La

Larousse

richesse du contrepoint, la légèreté de l'écriture, l'ironie de la pensée, la maîtrise de la forme, une technique de clavier qui oscille entre le clavecin de Couperin et la rhapsodie de Liszt, telles sont les qualités d'un artiste qui dépouille le vieil homme romantique, pour monter vers les sommets d'un classicisme rigoureux. En témoignent l'œuvre pour piano (*Jeux d'eau,* 1901; *Sonatine,* 1905; *Miroirs,* 1905; *Gaspard de la nuit,* 1908; *le Tombeau de Couperin,* 1917), la musique de chambre (quatuor, trio, sonates), les mélodies (*Schéhérazade,* 1903; *Histoires naturelles,* 1906; *Chansons madécasses,* 1925-26), l'art lyrique (*l'Heure espagnole,* 1907; *l'Enfant et les sortilèges,* 1920-1925), les chœurs, l'orchestre (*Daphnis* et Chloé,* 1909-1912; *la Valse,* 1919-20; *Boléro*,* 1928); les deux concertos pour piano. Il a orchestré les *Tableaux d'une exposition* de Moussorgski.

RAVELLO, localité d'Italie, en Campanie; 2 600 hab. Ville pittoresque dans un site exceptionnel au-dessus du golfe de Salerne, avec monuments de style arabo-normand (XIe-XIIIe s.) : cathédrale, palais avec beaux jardins.

RAVENNE, en ital. **Ravenna,** v. d'Italie, en Émilie, ch.-l. de prov., près de l'Adriatique; 133 000 hab. Raffinage du pétrole et pétrochimie.

HISTOIRE. Devenue, sous Auguste, un important port de guerre, Ravenne fut choisie par l'empereur Honorius (402) comme principale résidence des empereurs d'Occident. Odoacre, maître de l'Italie après la mort du dernier empereur (476), s'installa à Ravenne, mais, après un long siège, la ville tomba aux mains de Théodoric (493). Celui-ci en fit sa capitale et lui donna son extension définitive. Reprise en 540 par l'armée de Bélisaire, elle devint le siège de la préfecture d'Italie, puis, après l'invasion lombarde (568), la capitale de l'exarchat de Ravenne (584). Son archevêque, qui prétendait échapper à l'autorité pontificale, obtint temporairement l'autocéphalie (663-681). Durant le VIIe s., la ville se détacha progressivement de Byzance et, en dépit des représailles opérées par Justinien II (709), acquit une indépendance de fait. Les Lombards s'y installèrent en 751, puis durent, sous la pression de Pépin le Bref, abandonner la ville et ce qui restait de l'exarchat à la papauté (754-756). Dépouillée de ses matériaux précieux au profit d'Aix-la-Chapelle, Ravenne tomba en léthargie et subit la dépendance économique de Venise. Pillée par les Français en 1512, elle fut enlevée au pape de 1797 à 1815 et rattachée au Piémont en 1860.

BEAUX-ARTS. Plusieurs constructions religieuses témoignent du glorieux passé de la ville et de la profonde influence artistique exercée par Byzance. La sobriété extérieure des édifices, construits en brique, contraste avec le faste de leur décor intérieur : mosaïque pour les parties hautes et revêtement de marbre polychrome dans les parties basses. Citons : Sant'Apollinare Nuovo (519) et Sant'Apollinare in Classe (549), basiliques — très proches du prototype romain — couvertes en charpente de bois, à deux rangées de colonnes à arcades et abside saillante; les mausolées, celui de Théodoric (début VIe s.), de plan circulaire, en pierres appareillées, couvert d'une coupole monolithe, et celui, cruciforme, de Galla Placidia (Ve s.); les baptistères de plan rayonnant, celui de la cathédrale, dit « des Orthodoxes » (début Ve s.), plus élancé que celui des Ariens (VIe s.); enfin, l'église San Vitale (532-547), édifiée selon un plan rayonnant, avec octogone central à coupole et déambulatoire. L'ordonnance monumentale des cycles décoratifs, le raffinement et la richesse de la polychromie, rehaussée par les fonds d'or, l'idéalisation des personnages, souvent traités sans souci des volumes, et le reflet de leur vie intérieure font de Ravenne l'un des hauts lieux de la mosaïque*.

RAVENNE *(exarchat de),* circonscription militaire, fondée en 584 par l'empereur Maurice en vue d'organiser la résistance italienne contre les envahisseurs lombards. Les zones demeurées libres (delta du Pô, Pentapole, Latium, Naples) furent confiées au gouvernement d'un *exarchus italiae,* chef militaire installé à Ravenne, qui ne tarda pas à coiffer, puis à absorber les administrateurs civils. De plus en plus isolé de Byzance, progressivement réduit aux environs de Ravenne, l'exarchat disparut en 751, après la prise de sa capitale par le Lombard Aistolf.

RAVENSBRÜCK, village d'Allemagne, près de Potsdam. Camp de déportation créé par les Allemands en 1938 et réservé aux femmes. 130 000 détenues appartenant à 27 nationalités (dont environ 10 000 Françaises) y furent internées.

RĀVĪ (la), riv. de l'Inde et du Pākistān (qu'elle sépare sur une partie de son cours), l'une des cinq rivières du Pendjab, affl. de la Chenāb (r. g.); 725 km.

RAVOIRE (La) [73490], ch.-l. de cant. de la Savoie, dans la banlieue est de Chambéry; 4 675 hab.

RĀWALPINDĪ, v. du nord du Pākistān, près d'Islāmābād*; 404 000 hab.

RAWA-RUSKA, en russe **Rava Rousskaïa,** v. de l'U.R.S.S. (Ukraine), au N. de Lvov. Pendant la Seconde Guerre mondiale les Allemands y installèrent un camp de représailles pour prisonniers de guerre.

RAY (John), naturaliste anglais (Black-Notley 1627-*id.* 1705). Prêtre anglican, professeur de grec, Ray fut avant tout un grand classificateur, principalement en botanique (*Methodus plantarum nova,* 1682; *Histoire générale des plantes,* 1686-1704), mais aussi en zoologie (*Synopsis methodica animalium,* 1693). On lui doit la distinction entre dicotylédones et monocotylédones.

RAY (Man), artiste américain (Philadelphie 1890-Paris 1976). Il se consacre à la peinture en 1907, en vient à un cubisme ironique et abstractisant (1915), puis anime, avec Duchamp et Picabia, l'activité dada* à New York (*Revolving Doors,* papiers collés, 1916-17; premiers objets). Il arrive en 1921 à Paris, où il passera la plus grande partie de sa vie, devient, pour vivre, photographe — l'un des plus rigoureux portraitistes de l'époque — et se joint au mouvement surréaliste. Il invente, en 1922, les *rayographes* (silhouettes d'objets posés sur plaque sensible : ils sont à l'origine de la photographie abstraite), tourne plusieurs films de 1923 à 1929 (*l'Étoile de mer,* sur un poème de Desnos), donne des séries de peintures d'une fantaisie très libre et des objets surréalisants qui sont autant de boutades souvent poétiques.

Maurice Ravel.
Détail d'une peinture
de Georges d'Espagnat
(1870-1950).
[Musée de l'Opéra
de Paris.]

Lauros-Giraudon

Ravenne.
Église
Sant' Apollinare
in Classe.
Art byzantin,
VIe s.

RAYET (Jacqueline), danseuse française (Paris 1936). Étoile de l'Opéra de Paris, interprète exemplaire de *Giselle* et du *Lac des cygnes* et créatrice d'œuvres contemporaines (*la Symphonie inachevée,* de P. Van Dijk; *le Sacre du printemps,* de M. Béjart).

RAYLEIGH (John William STRUTT, *lord*), physicien anglais (Langford Grove, Essex, 1842-Witham 1919). Il détermina les dimensions de certaines molécules grâce à l'étude des couches minces, donnant une valeur du nombre d'Avogadro (1892), découvrit l'argon, avec Ramsay*, et étudia la diffusion de la lumière dans l'atmosphère. (Prix Nobel de physique, 1904.)

RAYNOUARD (François), écrivain français (Brignoles 1761-Passy 1836). Il écrivit des tragédies historiques et prépara par ses travaux la renaissance occitane.

RAYOL-CANADEL-SUR-MER (83240 Cavalaire sur Mer), comm. du Var, sur la côte des Maures, à 12 km à l'E.-N.-E. du Lavandou; 846 hab. Stations balnéaires.

RAYON. — On nomme ainsi les éléments constitutifs d'un faisceau lumineux, qui se transmettent dans l'espace suivant une droite lorsque le milieu est homogène. Puis ce nom a été étendu à l'infrarouge et à l'ultraviolet, mais aussi à d'autres sources d'émission de natures très diverses. Suivant le cas, le rayon représente la direction de propagation d'une onde électromagnétique ou la trajectoire de particules élémentaires. (V. RADIATION.)

RAYONNE → CELLULOSIQUES *(produits).*

RAYONNEMENT *(Géod.)* → TACHÉOMÉTRIE, TOPOGRAPHIE et TOPOMÉTRIE.

RAYONNEMENT *(Phys.).* — On distingue les *rayonnements corpusculaires* et les *rayonnements électromagnétiques.* Parmi ces derniers, les *rayonnements thermiques* correspondent à la transformation directe d'énergie thermique en énergie rayonnante. Leur puissance et leur longueur d'onde dépendent de la température du corps émetteur. Dans le cas du corps noir*, l'énergie totale du rayonnement est proportionnelle à la quatrième puissance de la température absolue (loi de Stefan), et la longueur d'onde de la radiation émise avec le maximum de puissance varie en raison inverse de cette température (loi de Wien). C'est pourquoi l'incandescence (production de lumière visible) n'apparaît qu'à une certaine température, à partir de laquelle le corps est porté au rouge sombre, puis au rouge vif et enfin au rouge blanc.

Rayons et les Ombres *(les),* recueil de poésies lyriques de V. Hugo (1840), qui contient notamment la « Tristesse d'Olympio » et « Oceano Nox ».

RAZ *(pointe du),* promontoire granitique de l'ouest de la Bretagne (Finistère), à 72 m d'altitude, entre les baies d'Audierne et de Douarnenez, face à l'île de Sein.

RAZ DE MARÉE ou **TSUNAMI.** — Déclenché par une éruption volcanique ou un tremblement de terre sous-marins, un raz de marée est une énorme vague (de 20 à 30 m de haut) qui se propage latéralement dans l'océan et dévaste les côtes sur lesquelles elle va se déverser. Les raz de marée sont particulièrement fréquents dans le Pacifique* à cause de l'intense activité de sa *ceinture de feu.*

RĀZĪ (Abū Bakr Muḥammad ibn Zakariyyā **al-**) ou **RHAZÈS,** médecin et philosophe islamique (Ravy 864-*id.* 925 ou 932). Son œuvre de médecin et d'alchimiste a fait autorité en Europe jusqu'au XVIIe s. Sa philosophie veut permettre à l'âme d'accéder à la connaissance du monde où elle vit et, ainsi, de rendre l'homme libre. Sa critique des impostures religieuses fait de lui le penseur le plus libre de tout l'islām médiéval.

RAZILLY (Isaac DE), colonisateur français (près de Chinon 1587-La Hève, Acadie, 1635). Conseiller de Richelieu, gouverneur de l'Acadie, il suscita la formation de la Compagnie de la Nouvelle-France, qui joua un rôle important dans la colonisation du Canada*.

RAZINE (Stepan Timofeïevitch, dit **Stenka**), chef cosaque (Zimoveïskaïa v. 1630-Moscou 1671). Cosaque du Don, Razine organise en 1667-1669 une campagne de pillage des villes perses de la Caspienne, puis il s'empare d'Astrakhan (avr. 1670) et remonte la Volga. Les peuples allogènes et les paysans des régions de la Volga et du Don se soulèvent contre les nobles et les agents du pouvoir central. Stenka Razine est arrêté en avril 1671 et exécuté à Moscou. Les troupes d'Alexis* Mikhaïlovitch, en reprenant Astrakhan (nov. 1671), mettent fin à la révolte.

R. D. A., sigle de *République démocratique allemande*.*

RÉ *(île de),* île française de l'Atlantique, au large de La Rochelle, constituant deux cantons *(Ars-en-Ré* et *Saint-Martin-de-Ré)* de la Charente-Maritime; 85,3 km²; 10 274 hab. *(Rétais).* Cultures (céréales, primeurs). Marais salants. Pêche. Tourisme.

RÊ, dieu solaire de l'ancienne Égypte, dont le culte et la théologie se développèrent à Héliopolis*. Son influence fut considérable dans l'histoire de l'Égypte : Rê monopolisa le panthéon égyptien, et les dieux dynastiques durent accepter l'aspect solaire (v. AMON); la réforme d'Amarna* (v. AMÉNOPHIS IV) s'inspira de la religion de Rê. Les pharaons, dès l'Ancien* Empire, se proclamèrent « fils de Rê » et gardèrent cette filiation jusqu'à la fin de la royauté pharaonique.

RÉACTANCE. — Pour un circuit électrique d'inductance propre L et de capacité C, parcouru par un courant alternatif de pulsation ω, c'est l'expression $L - \frac{1}{C\omega}$ qui figure dans la valeur de son impédance*.

RÉACTEUR. — Les réacteurs se divisent en deux grandes catégories, les réacteurs thermiques et les réacteurs rapides, selon que l'on utilise ou non un modérateur.

• Les *réacteurs thermiques* sont des réacteurs dans lesquels on ralentit les neutrons à l'aide d'un modérateur pour les amener à la vitesse dite « thermique », de l'ordre de 2 km/s, ce qui permet d'utiliser comme combustible de l'uranium* naturel ou faiblement enrichi. Le modérateur doit être constitué par des éléments à noyau léger; autrement, la vitesse d'un neutron ne serait pas modifiée.

Les réacteurs *graphite-gaz* font appel comme combustible à l'uranium naturel métallique, contenu dans des gaines en magnésium ou en zirconium, comme modérateur à du graphite très pur et comme réfrigérant à l'anhydride carbonique sous pression. Ce type de réacteur a été développé dès l'origine en Angleterre et en France. Il a l'avantage d'utiliser de l'uranium naturel, mais, en raison de sa faible puissance volumique, environ 1 MW/m³ de cœur, il présente des dimensions importantes, ce qui coûte cher en construction, donc en investissements.

Les réacteurs à *eau ordinaire* possèdent comme combustible de l'oxyde d'uranium faiblement enrichi, contenu dans des gaines en alliage de zirconium, et comme modérateur, ainsi que comme réfrigérant, de l'eau ordinaire. Ces réacteurs se sont développés initialement aux États-Unis; ils utilisent de l'uranium faiblement enrichi (de 3 à 4 p. 100), et leur puissance volumique est d'environ 100 MW/m³; ils comportent deux variantes. La variante à eau sous pression (PWR ou Pressurized Water Reactor), qui est celle, notamment, des centrales de Fessenheim, de Bugey II et III, a été développée à l'origine par Westinghouse aux États-Unis pour la construction de sous-marins nucléaires. Depuis, elle a connu un développement important dans le domaine des applications civiles.

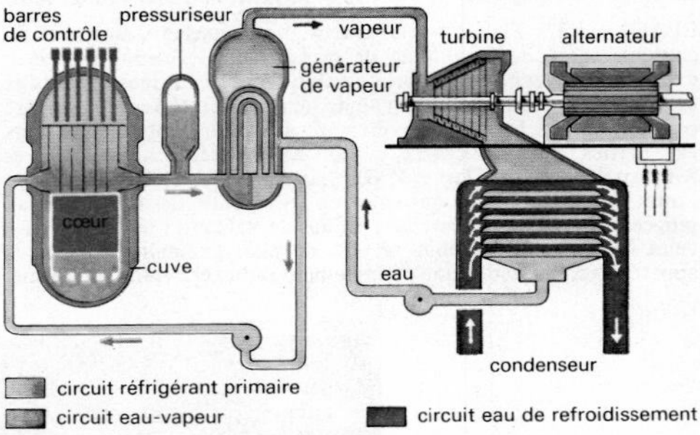

type PWR (eau pressurisée)

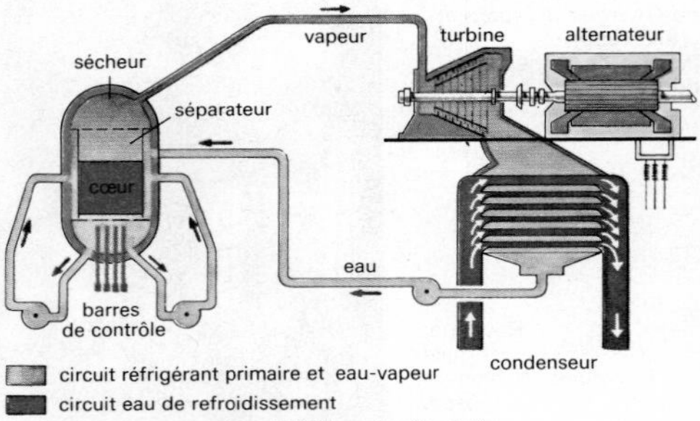

type BWR (eau bouillante)

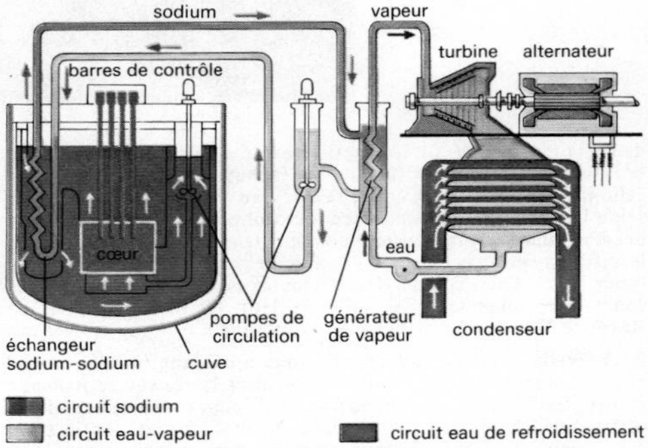

type rapide

RÉACTEURS NUCLÉAIRES

Au début de 1975, ce type de réacteur était le plus répandu dans le monde. À cette date, la production cumulée des réacteurs à eau ordinaire sous pression (PWR) était de 293 TWh sur un total de 1 022 TWh. La variante à eau bouillante (BWR ou Boiling Water Reactor) a été développée aux États-Unis. En 1974, la France a mis en chantier deux exemplaires de ce type, d'une puissance de 900 MWe, à Saint-Laurent-des-Eaux.

Les réacteurs à *eau lourde* ont pour combustible de l'oxyde d'uranium naturel, pour modérateur de l'eau lourde et pour réfrigérant soit de l'eau lourde pour la filière CANDU (Canada), soit du gaz carbonique. Ce dernier type de réacteur, expérimenté en France à Brennilis (73 MWe), aux monts d'Arrée, a été développé au Canada (2 500 MWe); il présente l'avantage d'utiliser l'uranium naturel, mais l'inconvénient d'employer l'eau lourde, dont la fabrication est onéreuse et délicate.

Les réacteurs à *hautes températures,* qui ont été développés aux États-Unis, utilisent comme combustibles de l'oxyde ou du carbure d'uranium et du thorium, enrobés de pyrocarbure, comme modérateur du graphite et comme réfrigérant de l'hélium sous pression. Leur particularité est d'utiliser des matériaux réfractaires, ce qui permet d'obtenir des températures de l'ordre de 750 °C ou même davantage. Le combustible est très enrichi (93 p. 100). Une application de ces réacteurs pourrait être la réalisation de centrales électriques dans lesquelles l'hélium actionnerait directement une turbine à gaz, ce qui permettrait d'améliorer le rendement.

Les réacteurs à *sels fondus* font actuellement l'objet de recherches, tant aux États-Unis qu'en France. Ils utilisent un combustible liquide à base de fluorure d'uranium, qui circule à l'intérieur de canaux aménagés dans un empilement de graphite; fonctionnant à de hautes températures, ils sont surrégénérateurs et présentent le gros avantage de permettre le retraitement du combustible en continu.

• Les *réacteurs rapides* n'utilisent pas de modérateur. La probabilité pour que des neutrons rapides provoquent la fission des matières fissiles présentes dans le cœur est faible. On est donc amené à introduire un combustible très enrichi et disposé de façon compacte. La puissance volumique est alors très élevée. Ces réacteurs sont *surrégénérateurs,* c'est-à-dire qu'un nombre important de neutrons, inutilisés pour la fission, sont disponibles pour engendrer des isotopes dans le cœur et autour de celui-ci. On arrive ainsi à produire légèrement plus (1,1 fois) de combustible qu'on en utilise, ce qui est d'un intérêt pratique considérable, le réacteur fabriquant ainsi lui-même le combustible qui l'alimentera par la suite. Le processus est le suivant : par capture d'un neutron, l'uranium 238 devient de l'uranium 239, qui se transforme spontanément, par émission bêta moins (émission d'un négaton), en neptunium 239, lequel se transforme à son tour, de la même façon, en plutonium 239. Le fluide caloporteur utilisé dans les surrégénérateurs est du sodium fondu, dont l'utilisation présente quelques difficultés.

RÉACTION (propulsion par) → PROPULSION PAR RÉACTION.

RÉACTION CHIMIQUE. — C'est le fait fondamental de la chimie : des corps purs mélangés étant laissés au contact pendant un temps suffisant et dans des conditions convenables, l'analyse immédiate révèle que le mélange contient de nouveaux corps purs (ou les mêmes, mais dans des proportions différentes); on dit qu'il s'est produit une *réaction chimique.* Dans cette réaction, il y a conservation des éléments et conservation de la masse totale.

RÉACTION NUCLÉAIRE. — Ces transmutations d'éléments sont le fait de la radioactivité*. Elles peuvent être artificiellement provoquées par des particules provenant d'un accélérateur ou par les neutrons d'une pile atomique. La première d'entre elles fut réalisée en 1919 par Rutherford, qui utilisait les particules α émises par le radium :

$$^{14}_{7}\mathrm{N} + {}^{4}_{2}\mathrm{He} \longrightarrow {}^{17}_{8}\mathrm{O} + {}^{1}_{1}\mathrm{H}.$$

Dans cette réaction, il y a conservation de la charge et conservation approximative de la masse, dont la faible variation est liée à l'énergie de la réaction par la formule d'Einstein $E = mc^2$, où c est la vitesse de la lumière dans le vide.

RÉADAPTATION → RÉÉDUCATION.

READE (Charles), écrivain anglais (Ipsden, Oxfordshire, 1814-Londres 1884). Il chercha dans les journaux et la chronique des tribunaux les thèmes et la documentation de ses récits réalistes (*Jamais trop tard pour s'amender,* 1856; *Tentation terrible,* 1871).

READING, v. d'Angleterre (Berkshire), à l'O. de Londres; 132 000 hab.

READING, v. des États-Unis, dans l'est de la Pennsylvanie; 88 000 hab.

RÉALGAR. — De formule AsS, le sulfure naturel d'arsenic se présente en prismes rouges monocliniques.

RÉALISME *(Bx-arts).* — Ce terme, dont la fortune date du XIXe s., recouvre en art une notion assez floue; s'il peut se définir par une volonté d'objectivité et un choix de thèmes capables de rendre compte de la vie et des événements contemporains avec un souci social affirmé, il prend aussi son sens par une double réaction contre les idéaux classiques et les aspirations romantiques. On a ainsi pu parler de réalisme à propos de courants qui se sont développés au XVIIe s., après le maniérisme, avec le Caravage et les Carrache en Italie, Zurbarán, Velázquez, Murillo et Ribera en Espagne, Frans Hals et Vermeer en Hollande, La Tour et les

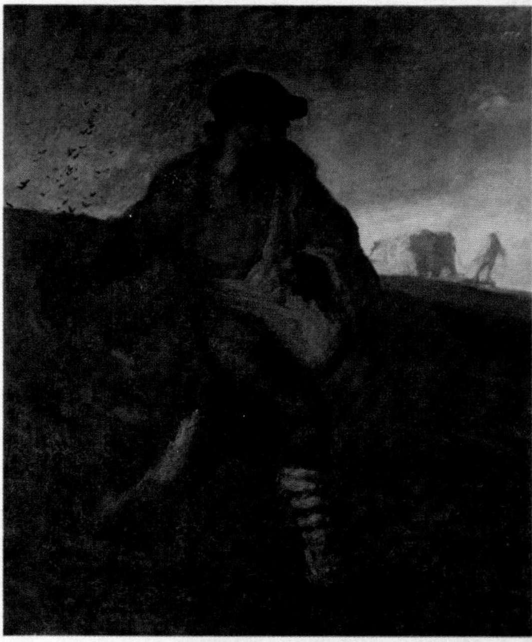

Sotheby Parke Bernet

Réalisme. *Le Semeur* (1850), de Jean-François Millet. (Provident National Bank, Philadelphie.)

Le Nain en France. Mais, historiquement, « réalisme » désigne un courant apparu au milieu du XIXe s. en France. Défendu par des critiques comme Champfleury ou Duranty (directeur de la revue *Réalisme,* 1856-57), ce courant est marqué par différentes influences : outre la peinture de plein air des peintres de Barbizon*, les idées positivistes et surtout le socialisme naissant incitent Courbet*, le plus important peintre réaliste, à s'intéresser aux hommes dans leur vie quotidienne (*Un enterrement* à Ornans,* 1850) et notamment dans leur travail (*les Casseurs de pierres,* 1850, détruit, réplique à Winterthur) ou Millet* à la vie rurale (*les Glaneuses,* 1857, Louvre, Paris), ou encore Daumier*, avec virulence, au peuple de Paris et à ses juges, ses curés et ses notables. Puis, dans le climat du naturalisme de Zola, Manet apporte sa marque au réalisme avant d'être entraîné vers d'autres préoccupations picturales, tout comme Degas. Le courant touche divers pays d'Europe, que ce soit avec l'école des paysagistes de La Haye (Jozef Israëls), le sculpteur belge Constantin Meunier*, les Italiens Signorini, Fattori et Lega (v. MACCHIAIOLI), le Russe Repine*.

Au XXe s., malgré la prépondérance des recherches strictement picturales et de l'abstraction, le réalisme se montre sous des formes renouvelées : parfois violent jusqu'à la caricature (la « nouvelle réalité » des Allemands Grosz* et Dix*), ou insolite (le « réalisme magique » de peintres néerlandais comme Pyke Koch), ailleurs didactique jusqu'à la propagande officielle (« réalisme socialiste »), enfin, dans les pays occidentaux, allant jusqu'à inclure des objets réels dans l'œuvre (le « nouveau réalisme* ») ou se caractérisant par une exactitude photographique déroutante (l'« hyperréalisme » américain, annoncé dès les années 30 par Edward Hopper, Charles Sheeler ou Andrew Wyeth; les toiles de Jacques Monory ou de Gilles Aillaud; les dessins de Wolfgang Gäfgen ou de Gérard Titus-Carmel).

RÉALISME *(Littér.).* — Le réalisme est, au sens large, le caractère de toute œuvre qui veut donner une image exacte de la nature et des hommes, en faisant une large part aux détails communs de l'existence quotidienne, en reproduisant le langage de la vie courante. Mais on attribue particulièrement le nom de « réalisme » à un moment précis de l'histoire littéraire, qui correspond à une réaction contre le romantisme et les excès du lyrisme. Influencé par le développement des sciences biologiques, le courant réaliste trouve son expression dans le positivisme d'Auguste Comte et le déterminisme de Taine. Il s'incarne en littérature dans l'« école de la sincérité dans l'art » avec Champfleury, Duranty, Flaubert, Maupassant, les Goncourt et Zola. Il préside à la création du drame bourgeois et de la comédie de mœurs avec É. Augier et A. Dumas fils. D'abord attitude globale de la sensibilité, il évolue vers une doctrine définie et s'achève dans le naturalisme*. S'il a connu en France sa forme la plus rigoureuse, il est aussi un phénomène européen : anglais (Thackeray, G. Eliot), italien (Verga), allemand (Hauptmann), scandinave (G. Brandes).

RÉALISME *(Philos.).* — Ce terme désigne, à l'origine, l'une des solutions proposées à la querelle des universaux*. Les réalistes, qui incluent les « conceptualistes », soutiennent que les universaux existent « avant » la réalité sous forme de modèles conceptuels propres à l'Intellect divin, « dans » la réalité où ils s'incarnent et « après » la réalité sous la forme des concepts de notre entendement. Kant dissocie le réalisme transcendantal du réalisme empirique pour associer ce dernier à l'idéalisme transcendantal. Être réaliste signifie alors « accorder l'existence de la matière sans sortir de la simple conscience de soi-même et admettre quelque chose de plus que la certitude des représentations en moi ». C'est donc affirmer, dans la pensée, le primat de l'être sur la pensée, c'est-à-dire faire sa place au matérialisme* *à l'intérieur* de l'idéalisme*. Cette ambiguïté rebondit au XXe s. dans la controverse entre E. Meyerson et G. Bachelard*. Ce dernier reconnaît que « toute philosophie dépose, projette ou suppose une réalité ». Mais il distingue la réalité perçue de la réalité construite théoriquement et techniquement dans les sciences physiques (v. RATIONALISME).

RÉALISME (nouveau). — Ce mouvement artistique européen eut une existence organisée dans les années 1960-1963. Il a son origine dans la rencontre de trois novateurs qui, en 1959, exposent respectivement à la Biennale de Paris : Yves Klein* un *monochrome,* Raymond Hains un panneau d'affiches lacérées, Jean Tinguely* une *Metamatic.* Constitué à Paris en octobre 1960, le groupe comprendra encore, entre autres, Arman (Armand Fernandez, né en 1928), César*, Raysse, Rotella, Spoerri, Christo, Niki de Saint-Phalle. Réagissant contre une certaine sclérose de l'art abstrait et se souvenant de dada, désireux d'embrasser la réalité contemporaine dans ses manifestations urbaines et technologiques, voire dans certaines dimensions mythiques, le nouveau réalisme s'est notamment manifesté par un art de l'assemblage* (Spoerri, Raysse) et de l'« accumulation » (Arman, également auteur de « colères », « coupes » et « combustions »).

RÉALISME SOCIALISTE *(Littér.).* — Apparue en 1932, l'expression « réalisme socialiste » est définie en 1934 dans les statuts de l'Union des écrivains soviétiques comme la « méthode artistique fondamentale des écrivains soviétiques, exigeant de l'artiste une représentation véridique, historiquement concrète de la réalité dans son développement révolutionnaire ». Cette méthode impose à l'écrivain une « tâche de transformation idéologique et d'éducation des travailleurs dans l'esprit du socialisme ». Le réalisme socialiste implique : 1° l'existence d'une réalité objective antérieure à la connaissance; 2° l'optimisme historique, qui fait de l'histoire le sens ultime de la vie humaine; 3° la conception d'un art parallèle à la science, qui se propose le même but par d'autres moyens; 4° l'engagement de l'artiste au service de l'idéal socialiste — ce qui pose le problème des rapports avec les « compagnons de route », les écrivains non communistes. Esthétique officielle, il a conditionné l'évolution de la littérature russe pendant toute la période stalinienne et notamment sous l'interprétation restrictive qu'en donna Jdanov*, et il reste aujourd'hui doctrine d'État malgré les contestations de plus en plus nombreuses (Siniavski, *Qu'est-ce que le réalisme socialiste?,* 1959). Au point de vue formel, il se caractérise par un retour à la tradition, après l'explosion novatrice des années 1905-1925. La poésie retrouve les formes classiques ou folkloriques du XIXe s.; le roman, qui suit le modèle tolstoïen, se consacre à la célébration de l'« homme nouveau », du « héros positif », qui ignore délibérément toutes les « bavures » de la réalité soviétique (problèmes de la collectivisation et de l'industrialisation, terreur policière et camps de travail). Pour rester socialiste, la littérature sacrifie ainsi le réalisme à la convention, dilemme que refusent les nouvelles générations (l'âge moyen des membres de l'Union des écrivains qui condamna Soljenitsyne était de 67 ans) : mais si l'on met l'accent sur le *réalisme,* on conteste aussi bien l'art moderne occidental que la légitimité du monopole du réalisme socialiste; et si l'on privilégie le terme de *socialiste,* on élargit la notion de réalisme jusqu'à la vider de tout contenu ou l'on est forcé d'admettre la possibilité d'un « art socialiste » qui n'obéisse pas nécessairement à la vision réaliste. Dans l'un et l'autre cas, l'homogénéité du concept de « réalisme socialiste » paraît difficilement soutenable et la catégorie de « méthode de création » se dilue soit dans celle de « contenu idéologique », soit dans celle de « tendance littéraire ».

RÉALITÉ (principe de) → PLAISIR *(principe de).*

RÉALMONT (81120), ch.-l. de cant. du Tarn, à 20 km au S. d'Albi; 2 625 hab. Anc. bastide (église du XVe s.).

RÉANIMATION. — Elle peut s'adresser à des sujets ayant subi une anesthésie générale et dont l'état nécessite une surveillance et des soins importants. Plus souvent elle est faite chez des sujets gravement malades (réanimation cardiaque, rénale, respiratoire) ou blessés (polytraumatismes, plaies du thorax ou abdominales, lésions crâniennes, etc.). Elle comporte deux aspects : la surveillance (clinique et à l'aide d'appareils automatiques) et le traitement (perfusions, ventilation assistée, épuration extrarénale, etc.). Des ambulances possédant le matériel nécessaire à la réanimation et ayant à bord des médecins réanimateurs permettent le transport des malades et des blessés graves.

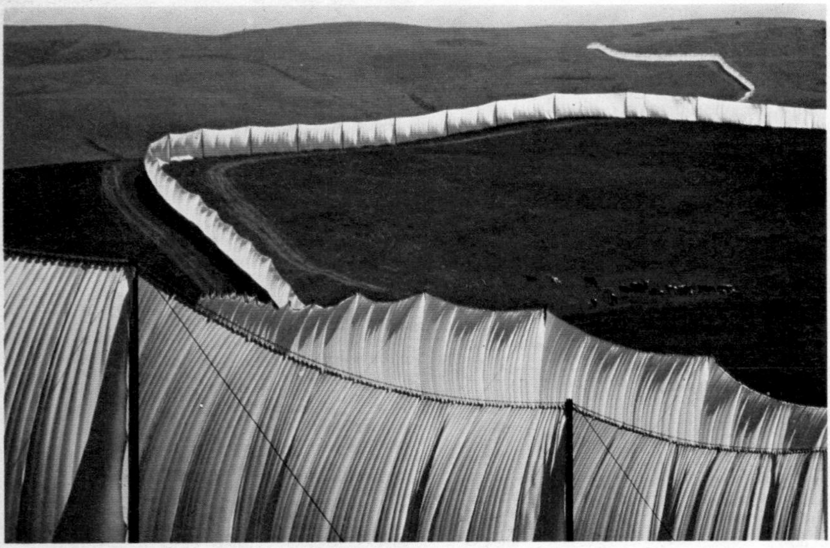

Volz (coll. de l'artiste)

Nouveau réalisme. *Running Fence,* « emballage » réalisé en Californie par Christo (Christo Javacheff, né en 1935) entre 1972 et 1976.

RÉAUMUR (René Antoine FERCHAULT DE), physicien et naturaliste français (La Rochelle 1683-Saint-Julien-du-Terroux 1757). Il employa le microscope pour examiner la structure des métaux et étudia la préparation et la trempe de l'acier. Il construisit un thermomètre à alcool, pour lequel il utilisait l'échelle 0-80 (v. 1730). Il observa la vie et les mœurs des insectes.

REBAIS (77510), ch.-l. de cant. de Seine-et-Marne, à 12 km au N.-E. de Coulommiers; 1 451 hab. Église romane, anc. abbatiale.

RÉBECCA, personnage biblique, originaire de Mésopotamie, petite nièce d'Abraham, qui fut l'épouse d'Isaac* et la mère d'Ésaü* et de Jacob*.

REBEL (les), dynastie de musiciens français, appartenant soit à la Chapelle royale, soit à la Chambre. JEAN FERRY (Paris 1666 - *id.* 1747), violoniste, claveciniste et chef d'orchestre, est l'auteur de sonates et de symphonies chorégraphiques (*les Caractères de la danse,* 1715). — Son fils FRANÇOIS (Paris 1701 - *id.* 1775), violoniste, composa des spectacles dramatiques avec François Francœur, fut inspecteur général de l'Opéra, puis surintendant de la musique.

REBEYROLLE (Paul), peintre français (Eymoutiers 1926). Un des premiers leaders de la « Jeune Peinture », dont il fonde le Salon parisien en 1949, il pratique d'abord une figuration réaliste, aux attaches terriennes, puis, vers 1961, fond les éléments naturels dans un vigoureux tachisme, où matière et couleur deviennent la préoccupation essentielle. Après un séjour à Cuba (1967), il charge d'un sens humain et politique violent de grands panneaux intégrant des matériaux divers, d'une éloquence baroque.

REBLOCHON → FROMAGE.

REBOISEMENT → SYLVICULTURE.

RÉCAMIER (Jeanne Françoise Julie Adélaïde BERNARD, *Mme*) [Lyon 1777 - Paris 1849]. Amie de Mme de Staël et de Chateaubriand, elle tint sous la Restauration, à l'Abbaye*-aux-Bois, un salon célèbre.

RÉCEPTACLE → FLEUR.

RÉCEPTION *(Radio.).* — La réception d'un signal radioélectrique consiste à disposer dans le rayonnement électromagnétique d'un émetteur une antenne* ou un cadre accordé. Le champ* électromagnétique de l'émetteur varie d'une façon sinusoïdale à la fréquence* qui lui est assignée. Ce champ variable induit dans le fil de l'antenne, ou du cadre, un courant de même fréquence et en opposition de phase, conformément à la loi de Lenz*. Si le circuit d'entrée du récepteur est accordé sur cette fréquence, le courant induit est multiplié par son coefficient de surtension et une tension haute fréquence est disponible à ses bornes. Elle est dirigée, par exemple, vers un transistor* qui l'amplifie. Après traitement par le récepteur, le message musical ou visuel transmis par l'émetteur est délivré à l'utilisateur de l'appareil.

RÉCESSIF (caractère) → GÈNE.

RÉCESSION. — Ce terme désigne un recul des grandeurs économiques dans un ou des pays donnés, en fait une crise* économique atténuée ou au moins un arrêt de la croissance*. Plusieurs récessions se sont fait sentir depuis les trente dernières années. Au sens où les économistes américains entendent le terme (le déclin du produit national brut réel pendant trois trimestres consécutifs), les récessions furent assez fréquentes aux États-Unis après le second conflit mondial.

RECEY-SUR-OURCE (21290), ch.-l. de cant. de la Côte-d'Or, à 28 km à l'E.-S.-E. de Châtillon-sur-Seine; 623 hab.

RÉCHAUFFEUR → CHAUDIÈRE.

RECHERCHE. — La Recherche et Développement (R. et D.) a représenté, en France, un chiffre de 15 milliards de francs en 1970 (2 p. 100 du produit national brut) et de 23 milliards en 1974. Un tiers environ de ces montants provient de financements privés, deux tiers des fonds publics.

Certains ministères recouvrent une large part de la recherche : Développement industriel et scientifique, Défense nationale, Équipement et Logement, Transports, Santé, Agriculture, Postes et Télécommunications. Les organismes bénéficiant de crédits de recherche se divisent en trois catégories essentielles : les établissements relevant de l'Éducation nationale, ceux qui relèvent d'autres administrations et ceux qui appartiennent au secteur commercial.

Le Centre* national de la recherche scientifique (C. N. R. S.), établissement public autonome, assume une grande partie de la recherche fondamentale, l'assurant dans ses laboratoires ou en passant des contrats, ou encore en fournissant du personnel à des établissements chargés de la recherche.

Recherche de l'absolu *(la),* roman d'H. de Balzac (1834). L'alchimiste Balthazar Claës, en proie à une passion unique et mortelle, est une des incarnations de l'avidité intellectuelle de Balzac.

recherche du temps perdu *(À la)* → À LA RECHERCHE DU TEMPS PERDU.

Recherches de la France, ouvrage d'Étienne Pasquier (1560), qui comporte dix volumes dans l'édition posthume de 1621. C'est un bilan de l'histoire et de la littérature de la France.

Recherches sur les principes mathématiques de la théorie des richesses, ouvrage de Cournot (1838). Cette œuvre, qui demeura longtemps ignorée, est une importante contribution à la science économique et la première construction d'une théorie des prix* et des marchés* : la demande y est présentée comme fonction décroissante des prix. Cournot étudie la notion de *monopole,* de *concurrence* des producteurs, de *duopole,* etc.

RÉCHICOURT-LE-CHÂTEAU (57810 Maizières les Vic), ch.-l. de cant. de la Moselle, à 20 km au S.-O. de Sarrebourg; 924 hab.

RECHT, v. du nord de l'Iran, près de la Caspienne; 164 000 hab. Textile.

RÉCIF CORALLIEN → CORALLIEN *(récif).*

RECIFE, v. du Brésil, capit. de l'État de Pernambouc; 1 061 000 hab. Belles églises rococo du XVIIIe s. — Grand port commercial à l'époque coloniale (grâce à sa situation géographique, à la pointe nord-est — la plus rapprochée de l'Europe — du continent latino-américain), Recife (fondée par les Portugais en 1548) est la plus grande ville du Nordeste*; c'est un centre de services, où l'industrialisation se développe (métallurgie, alimentation), insuffisamment cependant pour assurer le plein-emploi des ruraux, dont l'afflux explique la progression rapide de la population urbaine et l'extension des bidonvilles (les « mocambos »).

RÉCIT, RÉCITATIF. — Le chant pour soliste ou en dialogue, de structure libre, suppose l'union étroite entre texte et musique, fondée sur le respect de la prosodie et des accents de chaque langue.

Né en Italie à l'aube du XVIIe s., le récitatif s'intègre à toute forme dramatique, représentée ou non (opéra*, cantate*, oratorio*), où on lui réserve les passages d'action, de narration. Il revêt plusieurs caractères. Proche de la parole *(parlando)* et soutenu par quelques instruments, il est appelé *recitativo secco* (A. Scarlatti, Mozart, Rossini) et plus tard *Sprechgesang* (Schönberg). Lorsque la symphonie commente les paroles, il est dit *recitativo accompagnato.* Il peut prendre l'allure d'une déclamation par l'usage de grands intervalles (Lully, Bach, Gluck, Berg). Plus proche de l'air*, il est nommé *recitativo arioso**. Enfin, il se transforme parfois en mélodie continue (Moussorgski, Wagner, Debussy).

Par analogie, on considère comme un récit, ou récitatif, un passage librement déclamé par un instrument.

Le mot « récit » désigne aussi un des claviers de l'orgue ou une sorte de mélodie libre, confiée au soprano ou au ténor d'un jeu caractéristique de l'instrument (récit de *tierce en taille*).

Récits d'un chasseur, recueil de nouvelles de Tourgueniev (1847-1852). Tableaux de mœurs et peinture des paysans russes qui contribua à la décision d'Alexandre II d'abolir le servage.

RECKLINGHAUSEN, v. de l'Allemagne fédérale (Rhénanie-du-Nord-Westphalie), dans le nord de la Ruhr; 125 000 hab. Musée consacré aux icônes. Houille. Sidérurgie.

RECLUS (Élisée), géographe français (Sainte-Foy-la-Grande 1830 - Thourout 1905). Anarchiste militant, banni après la Commune, il a écrit une *Géographie universelle* (1875-1894).

RECLUS (Paul), chirurgien français (Orthez 1847 - Paris 1914), frère du précédent. Il a laissé son nom à la maladie kystique du sein et a vulgarisé l'emploi de la cocaïne comme anesthésique local.

RÉCLUSION → PEINE.

RECONNAISSANCE *(Dr.).* — La reconnaissance est une institution du droit international utilisée dans un certain nombre de situations juridiques, parmi lesquelles, notamment, la naissance d'un État ou la venue au pouvoir d'un nouveau gouvernement. (Ainsi, la Sainte Alliance ne « reconnaissait » pas l'existence des gouvernements qui se constituaient en opposition aux principes de la légitimité monarchiste.)

RECONNAISSANCE D'UN ENFANT NATUREL → FILIATION.

Reconquista, mot espagnol désignant la reconquête de l'Espagne par les chrétiens sur les musulmans. Cette grande entreprise débute vers le milieu du VIIIe s. avec le premier noyau de la résistance chrétienne, formé à l'abri des monts Cantabriques. Dès cette époque, sous l'action de souverains énergiques, le royaume des Asturies commence à s'étendre vers le sud et, sous Alphonse III le Grand (866-911), il atteint la ligne frontière du Douro. À la même époque, d'autres centres de résistance se forment en Navarre et dans le nord de l'Aragon. Mais c'est surtout la dislocation du califat de Cordoue qui, modifiant l'équilibre des forces en présence, va permettre, à partir du XIe s., le succès de l'offensive chrétienne. Cette seconde phase sera l'œuvre de la Castille et de l'Aragon, appuyés par la chevalerie de toute l'Europe. En 1065, Ferdinand Ier atteint Valence, qu'il doit aussitôt évacuer. Vingt ans plus tard, Alphonse VI prend Tolède, tandis que Rodrigo Díaz (le Cid) s'empare de Valence. Malgré les défaites (1086 et 1109) qu'infligent à l'armée castillane les Almoravides, venus du Maroc, l'offensive se poursuit au XIIe s. par la prise de Sarragosse (1118) et l'occupation de toute la moyenne vallée de l'Èbre par le roi d'Aragon Alphonse Ier. Au milieu du XIIe s., la Péninsule semble bientôt devoir être conquise, mais l'arrivée des Almohades, qui imposent leur domination à l'Espagne musulmane, recule encore cette échéance. Les Almohades écrasent les Castillans à Alarcos (1195); mais, du côté chrétien, cette défaite provoque le regroupement des forces, qui, en 1212, remportent la victoire décisive de Las Navas de Tolosa. Dès lors, la résistance musulmane s'effondre;

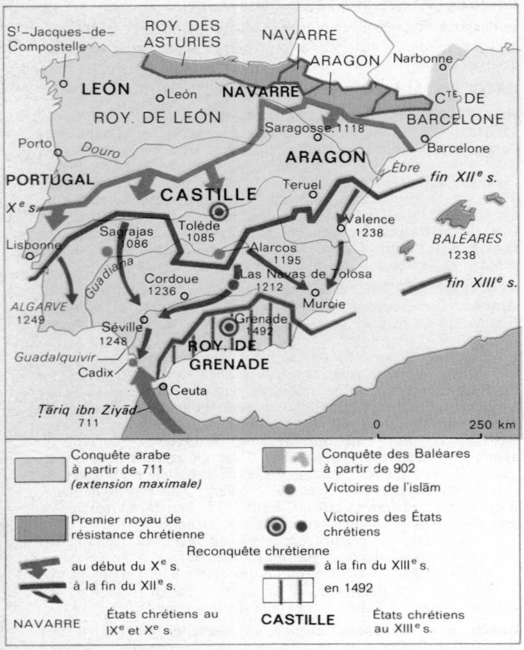

LA RECONQUISTA

Jacques Ier d'Aragon s'empare des Baléares et du royaume de Valence (1238), Ferdinand III de Castille occupe Cordoue (1236), Jaén (1246), puis Séville (1248), tandis que le Portugal annexe l'Algarve (1249). Après 1250, l'offensive s'arrête pour deux siècles, et le dernier réduit islamique, protégé par la cordillère Ibérique, ne disparaîtra qu'avec la prise de Grenade* (1492) par les Rois Catholiques.

RECOUPEMENT → TOPOGRAPHIE.

RECOURS (voie de) → VOIE DE RECOURS.

RECTIFICATION *(Industr.).* — La rectification est essentiellement utilisée comme opération d'usinage de finition, généralement après un traitement thermique, pour améliorer la précision de pièces préalablement ébauchées et parfaire leur état de surface. Elle est effectuée à l'aide de *machines à rectifier,* encore appelées *rectifieuses,* généralement constituées par une broche de grande précision, supportant une meule en matière abrasive agglomérée, de haute qualité, tournant à très grande vitesse autour de son axe et animée en plus, par rapport à la pièce à usiner, d'un mouvement relatif très lent, de manière que les positions successives de la meule engendrent la surface à travailler : plan (rectifieuse plane), cylindre de révolution extérieur ou intérieur (rectifieuse cylindrique classique ou planétaire). L'épaisseur de matière enlevée est faible, mais le procédé permet d'usiner les corps métalliques les plus durs, comme les carbures métalliques, les aciers trempés, les aciers réfractaires, etc. Sur rectifieuse cylindrique classique, la pièce à usiner, fixée entre deux pointes qui matérialisent un axe parallèle à l'axe de rotation de la meule, tourne lentement autour de cet axe. Des machines spéciales, dites « rectifieuses centerless », permettent la rectification cylindrique en continu, sans pointes, de ronds et de tubes.

RECTIFICATION *(Industr. agric.)* → DISTILLATION.

RECTUM. — Faisant suite au côlon sigmoïde, le rectum descend en avant du sacrum et du coccyx et se termine à l'anus. Il comprend un segment supérieur, contenu dans la cavité pelvienne, et un segment inférieur (canal anal), situé dans le périnée. Le canal anal est entouré par les fibres du muscle releveur de l'anus et par celles du sphincter. Le rectum est irrigué par les vaisseaux hémorroïdaux. Parmi les maladies du rectum, citons : le prolapsus rectal, soit simple extériorisation de la muqueuse, soit évagination de toute la paroi rectale, les hémorroïdes, les tumeurs bénignes (polypes) et le cancer du rectum.

RECUIT → ACIER et TRAITEMENT THERMIQUE ET THERMOCHIMIQUE.

RÉCURRENCE. — Cette propriété, selon laquelle une démonstration valable pour une valeur déterminée de *n* peut être étendue à la série des nombres entiers, met en évidence le caractère non plus seulement déductif et explicatif, mais inductif, inventif et fécond de la pensée mathématique. Dans l'épistémologie* bachelardienne, la récurrence consiste à reconstituer le passé d'une science à partir de son présent. Elle permet ainsi de distinguer l'histoire périmée d'une science (les énoncés préscientifiques) de son histoire sanctionnée (résultats actuels et validés par le présent).

RÉCURRENTES (fièvres). — Les fièvres récurrentes sont dues à des *Borrelia* (spirochètes). Elles sont caractérisées par des accès fébriles espacés.

La *fièvre récurrente à poux,* transmise par l'écrasement du pou, est cosmopolite et épidémique. Le réservoir de germes est humain. La maladie ne comporte guère plus de deux récurrences.

Les *fièvres récurrentes à tiques* sont localisées, sporadiques et transmises par les piqûres de tiques. Le réservoir de germes est constitué par les rongeurs. Les récurrences sont nombreuses. Le diagnostic est fait par la mise en évidence des *Borrelia* dans le sang et par des réactions sérologiques. L'antibiothérapie (pénicilline, tétracyclines) permet la guérison. La destruction des poux et des tiques par les insecticides assure la prophylaxie.

RÉCURSIVITÉ *(Inform.).* — La notion de récursivité apparaît fréquemment en informatique*, soit à un niveau théorique, soit dans la structure de certains programmes*. La définition suivante de l'écriture d'un nombre entier : *un entier est soit un chiffre, soit un entier suivi d'un chiffre,* est récursive, car, pour se définir, elle fait référence à elle-même! Pourtant, elle est parfaitement dénuée de toute ambiguïté et elle permet de construire ou de reconnaître un quelconque nombre entier. Certains programmes peuvent, au moment où ils s'exécutent, s'appeler eux-mêmes. Dans ce cas, le système* d'exploitation de l'ordinateur* doit gérer avec précision l'empilement de ces appels emboîtés, afin de remonter, au moment voulu, au premier niveau d'exécution.

RÉCURSIVITÉ *(Log.).* — La théorie de la récursivité a pour objet les fonctions définies récursivement. Par exemple, la fonction arithmétique définie comme suit : $a + 0 = a$; $a + b' = (a + b)'$. (Dans cette définition le signe « ' » désigne l'opération « successeur »). La thèse de Church (1936) est un énoncé métamathématique qui affirme que toutes les fonctions « effectivement » calculables (v. ALGORITHME) sont récursives.

REDANGE, cant. de l'ouest du Luxembourg; 10 000 hab.

RED DEER, v. du Canada (Alberta) entre Calgary et Edmonton; 27 674 hab.

RECTIFICATION plane frontale.

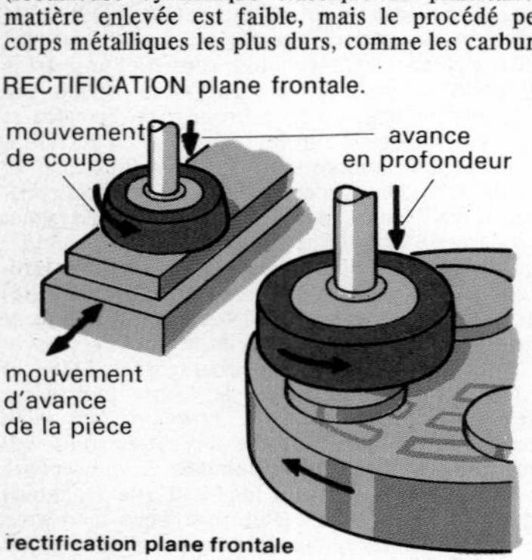

RECTIFICATION plane tangentielle.

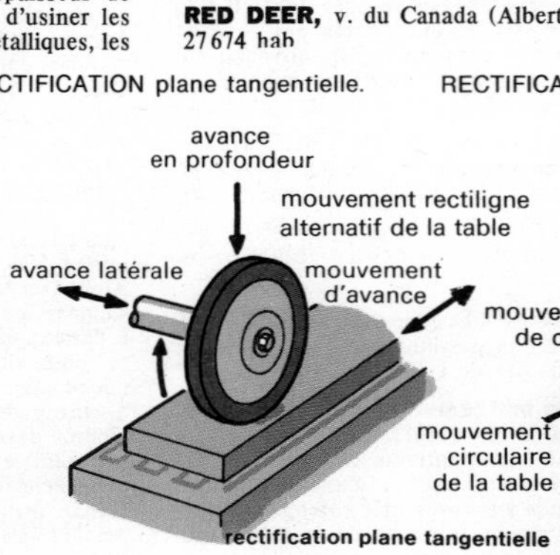

RECTIFICATION extérieure sans pointe.

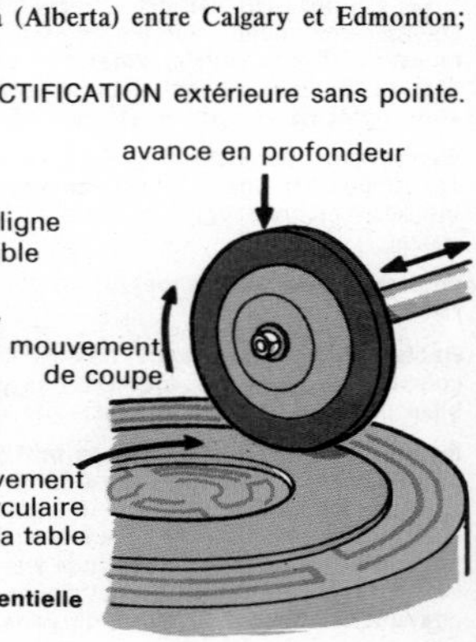

RÉDEMPTORISTES. → ALPHONSE-MARIE DE LIGUORI.

REDISTRIBUTION DES REVENUS. — De nombreuses recherches et analyses de la science économique envisagent les problèmes posés par la redistribution des revenus et les effets d'une moindre inégalité dans la répartition des revenus sur la consommation*, sur l'épargne*, etc. La redistribution est réalisée, dans des pays d'économie libérale, par la politique des transferts* sociaux. Un des objets de la science économique (où les recherches sont toutefois relativement rares) concerne notamment l'étude du rôle de l'État qui, par le biais du budget*, met à la disposition du public des prestations qui modifient le bien-être de leurs bénéficiaires, et, par ailleurs, par des prélèvements fiscaux, effectue des ponctions sur leurs ressources. Le budget de l'État aboutit à une *redistribution horizontale* (c'est-à-dire entre des catégories professionnelles), provenant de la différence entre certains avantages perçus et les prélèvements dont les nationaux sont l'objet. Deux catégories de bénéficiaires apparaissent dans la France contemporaine : les exploitants agricoles et les inactifs; les cadres et les professions indépendantes semblant, au contraire, alimenter le budget des transferts. La *redistribution verticale* aboutit à des transferts de ressources d'une zone supérieure de revenus à des zones inférieures.

REDON (35600), ch.-l. d'arr. du sud-ouest de l'Ille-et-Vilaine, sur la Vilaine; 10 759 hab. *(Redonnais)*. Église des XIIe-XVe s. Briquets. Constructions mécaniques.

REDON (Odilon), peintre, dessinateur et graveur français (Bordeaux 1840-Paris 1916). Élève de Bresdin, il a pratiqué un art visionnaire et symboliste, créant un monde mystérieux, onirique dans ses « noirs » — fusains (*l'Araignée souriante,* 1881, Louvre), lithographies, eaux-fortes —, puis, après 1890, dans ses pastels et ses peintures, aux accords chromatiques d'une irradiation inusitée *(Portrait de Gauguin,* 1903, Louvre; série des *Chars d'Apollon...).*

REDONDANCE. — Dans la théorie de la communication*, on appelle « redondance » une quantité d'information plus grande que ne le nécessite la stricte transmission du message : un signe est redondant quand il n'apporte pas d'information, c'est-à-dire quand sa probabilité d'apparition est égale à 1. Au contraire, un signe imprévisible apportera le maximum d'information : chaque chiffre qui compose un nombre est aussi improbable que n'importe quel autre. Par exemple, on peut facilement rétablir les lettres manquantes dans l'énoncé *J. va.s à l. p.che,* alors qu'il sera impossible de reconstituer le nombre de quatre chiffres 7.12. Les codes linguistiques sont fortement redondants. Cette redondance se manifeste par des variations dans les fréquences d'apparition des morphèmes et des phonèmes, par des restrictions dans les séquences de phonèmes (un *b* ne peut suivre un *t*) et de morphèmes (l'article ne peut suivre le nom), par des répétitions de marques (dans *les enfants viennent,* le pluriel est marqué trois fois à l'écrit et deux fois à l'oral). Ces phénomènes de redondance semblent aller à l'encontre du principe d'économie linguistique (ou de moindre effort). En fait, la redondance est destinée à lutter contre les « bruits » qui peuvent venir perturber la transmission du message, et constitue la condition de fonctionnement du code linguistique.

Redoutable (le), premier des sous-marins lance-missiles français de 7 500 t (9 000 en plongée), à propulsion nucléaire, armé de 16 missiles M. S. B. S. Entré en service en 1971, il compose avec ses homologues, le *Terrible* (1973), le *Foudroyant* (1974) et l'*Indomptable* (1977), la force océanique stratégique qui doit s'augmenter encore du *Tonnant.*

REDRESSEMENT. — Un objet AB d'un terrain plat (P) et horizontal, photographié au moyen d'une chambre de prise de vues à axe non vertical, Q Q', a pour image dans le plan (π) du cliché une perspective déformée, a' b'. Le redressement consiste à reconstituer le faisceau perspectif (O_1AB), à l'orienter et à le couper par un plan horizontal (P_1), de manière à obtenir une perspective *ab* semblable au terrain (P), à l'échelle $\frac{H_1}{H}$, ayant les propriétés métriques d'une carte. Il y a des procédés optiques (chambre claire) et des procédés photographiques de redressement.

REDRESSEUR *(Électr.).* — On appelle redresseur tout élément susceptible de transformer un signal alternatif en un signal continu. Lorsqu'il s'agit de très hautes tensions, on utilise des tubes* à vide (kénotrons). Pour les courants forts, on se sert d'enceintes à bain de mercure, généralement polyphasées, ou encore de tubes à grilles commandées.

Les redresseurs secs, dérivés de la technique des semi-conducteurs*, utilisent des contacts cuivre-oxyde de cuivre, et, depuis peu, des contacts au germanium* et surtout au silicium*. La possibilité de les monter en série et en parallèle sans dégagement thermique excessif leur permet de convenir à toutes tensions et intensités désirées.

RED RIVER, fl. du sud des États-Unis, au Texas, dont une branche rejoint le Mississippi (r. dr.) et une autre le golfe du Mexique (2 000 km pour celle-ci, la plus importante).

RED RIVER, riv. du nord des États-Unis et du Canada (Manitoba), qui passe à Winnipeg, avant de rejoindre le lac Winnipeg; 1 060 km.

RÉDUCTEUR. — Les réducteurs les plus utilisés en chimie sont : le carbone, d'un emploi courant en métallurgie; l'hydrogène, qui sert dans les industries organiques; les métaux (par exemple l'aluminium, dans l'aluminothermie); divers sous-oxydes, comme le monoxyde de carbone, le gaz sulfureux; les sels ferreux, stanneux; de nombreux corps organiques, comme les aldéhydes.

RÉDUCTION *(Chim.)* → OXYDATION.

RÉÉDUCATION. — La *rééducation motrice* peut être *analytique,* tendant à récupérer les forces d'un muscle ou d'un groupe musculaire déterminé, ou *fonctionnelle,* cherchant alors à restaurer la fonction motrice (rééducation de la marche, par exemple). Elle permet la réadaptation des malades et des blessés, la récupération de fonctions normales après interventions chirurgicales, traumatismes, ou maladies neurologiques.

RÉEL → IMAGINAIRE et SYMBOLIQUE.

RÉFÉRENCE *(Cybern.)* → RÉTROACTION.

RÉFÉRENCE *(Ling.).* — On appelle « référent » ce à quoi renvoie le signe linguistique dans la réalité extralinguistique. La référence met en rapport le signe avec le monde des objets, tel qu'il est perçu à l'intérieur d'une expérience et d'une culture données. La fonction référentielle, ou dénotation, est toujours présente dans le langage, quoique, dans certains énoncés, elle puisse s'effacer devant d'autres fonctions*.

RÉFÉRENDUM. — Consultation du peuple sur un problème institutionnel ou engageant d'une manière grave l'avenir d'une nation, le référendum est utilisé dans diverses occasions.

• Il peut, notamment, aboutir à faire trancher par la population une question engageant l'avenir du pays pour une longue durée (référendum norvégien de 1905, destiné à approuver la rupture de l'union avec la Suède; référendum aboutissant au rejet du retour au régime de la IIIe République, en France, en 1945; référendum sur la question royale belge en 1950). En pareils cas, le peuple-législateur remplace, en quelque sorte, le législateur habituel.

• Il peut se présenter des cas où le Parlement, s'étant saisi d'un problème, décide de demander au peuple son opinion. C'est ainsi que le peuple anglais fut appelé à donner son avis sur l'adhésion de la Grande-Bretagne à la Communauté européenne.

• Parfois, comme en Suisse, le référendum peut procéder d'une décision populaire (pétition signée de 50 000 citoyens) qui décide qu'il y aura appel à la consultation du peuple sur un texte déterminé.

• En d'autres cas, enfin, c'est le gouvernement qui, en prenant l'initiative d'interroger la population par un référendum, demande à celle-ci d'avaliser sa politique, la réponse au référendum fondant le gouvernant, ou, au contraire, le censurant. (Le référendum peut alors aboutir pratiquement à un plébiscite : ce fut le cas, en 1969, du référendum sur la régionalisation, qui, donnant une réponse négative, entraîna le départ de Charles de Gaulle.) [V. PLÉBISCITE.]

RÉFÉRENTIEL → ÉQUATION.

REFLET. — La thèse du reflet est constitutive de la théorie matérialiste de la connaissance*. Dans *Matérialisme et empiriocriticisme* Lénine montre :

— le primat de l'être sur la pensée; celle-ci est le reflet de celui-là;

— que les connaissances reflètent la réalité avec plus ou moins d'objectivité;

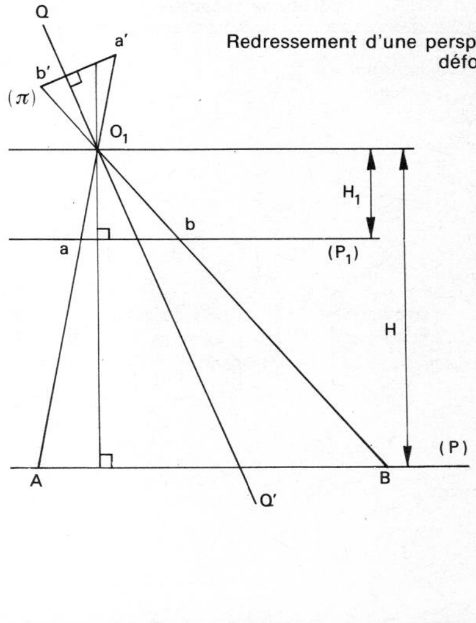

Redressement d'une perspective déformée.

— que ce reflet n'est pas spéculaire, mais actif; il permet de transformer la réalité;
— que l'ordre des questions soulevées par cette thèse relève aussi du matérialisme* historique et dialectique.

RÉFLEXE. — Lors du réflexe élémentaire, un stimulus appliqué sur les récepteurs sensitifs donne naissance à des influx nerveux qui sont véhiculés par la voie nerveuse sensitive. Ces influx excitent le neurone moteur contigu, suscitant un influx moteur qui se propage jusqu'au muscle correspondant et provoque sa contraction. Certains réflexes sont plus complexes et font intervenir plusieurs neurones situés en diverses parties du système nerveux.

Toute augmentation, diminution ou abolition (aréflexie) des *réflexes ostéotendineux* (rotulien, achilléen) traduit une lésion du neurone moteur ou sensitif en connexion avec le muscle examiné.

Parmi les *réflexes cutanés,* l'étude du réflexe cutané plantaire a une grande importance pratique : à l'état normal, on observe, après stimulation, une flexion du gros orteil sur le pied; le signe de Babinski, qui consiste au contraire en l'extension de l'orteil, correspond à une lésion du faisceau pyramidal.

Les *réflexes pupillaires,* tels les réflexes d'accommodation de l'œil à la distance ou à la lumière, renseignent sur le fonctionnement de l'œil et sur celui du système nerveux.

Les *réflexes archaïques* s'observent chez le nouveau-né et disparaissent peu à peu (réflexe de Moro, réflexe de succion).

RÉFLEXION *(Phys.).* — Lorsque des ondes lumineuses viennent frapper la surface de séparation de deux milieux, elles retournent en partie dans le premier (lumière réfléchie). Les lois de la réflexion sont les suivantes : 1° le rayon incident, le rayon réfléchi et la normale à la surface réfléchissante au point d'incidence sont dans un même plan; 2° l'angle de réflexion est égal à l'angle d'incidence.

Réflexions critiques sur la poésie et la peinture, ouvrage de l'abbé Du Bos (1719), qui exalte la primauté du sentiment et de l'harmonie des images dans l'œuvre d'art : il annonce l'évolution de la tragédie classique vers le drame et les principes de la critique picturale de Diderot.

REFORMAGE. — L'essence* tirée directement du pétrole* brut par distillation* est impropre à la carburation : son indice d'octane*, qui mesure la résistance à l'autoallumage et au cognement, est de l'ordre de 50. Toutes les raffineries comprennent un reformeur, constitué de trois réacteurs en série, dans lesquels l'essence, préalablement vaporisée dans un four* tubulaire, est craquée à 500 °C et 25 bar, en présence d'un catalyseur au platine. Ce reformage (reforming catalytique) convertit les hydrocarbures naphténiques en aromatiques*, en libérant un excédent d'hydrogène*, réutilisable pour la désulfuration* des produits, et en donnant une essence d'indice 100.

Réforme (la), mouvement religieux qui, au XVIe s., a soustrait une partie de l'Europe à l'obédience de Rome et a donné naissance aux Églises* protestantes. Les courants économiques et sociaux ont créé les conditions sans lesquelles ne pourraient s'expliquer ce renouveau religieux et la surprenante rapidité de son expansion.

La Réforme fut, au départ, l'œuvre personnelle de Martin Luther* et déborda rapidement l'Allemagne. Avec Zwingli* et Bucer*, Zurich et Strasbourg devinrent deux pôles importants, par lesquels furent diffusées en Alsace et en Suisse les idées nouvelles. Les pays francophones, très tôt touchés, trouvèrent en Calvin* l'homme capable de mener à bien le renouvellement religieux; son action, tant à Genève qu'auprès des huguenots français, fit de la Suisse et de la France le bastion d'un nouveau type de protestantisme, dont le rayonnement atteindra la Pologne, la Bohême, la Hongrie et les îles Britanniques. Il marquera la réforme anglicane (v. ANGLICANISME).

RÉFORMISME. — Le mot a connu, lors de la dernière période, une singulière fortune. Ardente ou non, sincère ou seulement affectée, la volonté de réformer la société est désormais commune à tous les partis des pays occidentaux. Pour les plus conservateurs d'entre eux, l'action en faveur de réformes est nécessaire, faute de quoi l'ordre social existant serait détruit. Pour tous ceux qui se réclament du progrès, les réformes n'ont d'autre but que d'accomplir pleinement celui-ci. Seuls, au total, les révolutionnaires dénoncent les réformes puisqu'elles permettent, dans tous les cas, la survie d'un système politico-économique qu'ils dénoncent. C'est dire que le réformisme se définit désormais plutôt négativement, par ce qu'il rejette, c'est-à-dire la révolution, dans les divers aspects de la réalité collective.

REFOULEMENT. — « Pierre angulaire » de la théorie analytique, le refoulement est le processus par lequel le sujet cherche à maintenir dans l'inconscient* un désir inconciliable avec ses autres désirs ou sa morale. Le refoulement apparaît à S. Freud* comme un moyen de protéger la personne psychique en épargnant au Moi* l'angoisse* qui aurait résulté de l'adhésion au désir refoulé ou de la persistance du conflit. Toujours susceptible d'être submergé par la force du désir inconscient, le Moi est contraint à une dépense constante d'énergie psychique, laquelle devient inutilisable pour d'autres tâches. Le désir refoulé exerce une pression continue pour parvenir à la conscience et ne peut s'y manifester qu'à condition d'être défiguré. C'est de cette manière que se forment les symptômes névrotiques (v. NÉVROSE), les rêves* ou les actes* manqués, qui sont autant de « retours du refoulé ». Le refoulement est le mécanisme de défense* qui prévaut dans l'hystérie, mais il se rencontre également dans d'autres névroses.

RÉFRACTAIRE (produit). — La presque totalité des produits réfractaires est constituée de mélanges ou de combinaisons d'oxydes métalliques. Les réfractaires de silice* presque pure résistent à 1 600 °C et équipent les voûtes des fours* de métallurgie*, de verrerie* et de céramique*. Les réfractaires silicoalumineux, dont le constituant essentiel est une argile réfractaire, sont mis en forme, séchés et cuits par les techniques céramiques. Ils résistent jusqu'à 1 450 °C. Les réfractaires à base de chaux* et de magnésie* équipent les cuves des fours de métallurgie. Les cuves des fours de verrerie sont réalisées en réfractaires électrofondus, à base d'alumine* et de zircone.

RÉFRACTION. — Les lois de la réfraction, formulées par Descartes, sont les suivantes : 1° le rayon incident, le rayon réfracté et la normale à la surface réfringente au point d'incidence sont dans un même plan; 2° le rapport entre le sinus de l'angle d'incidence et le sinus de l'angle de réfraction est constant pour une radiation et deux milieux bien définis. Ce rapport $n = \frac{\sin i}{\sin r}$ est l'*indice de réfraction* du deuxième milieu par rapport au premier.

REFORMAGE. Schéma du procédé de plate-formage.

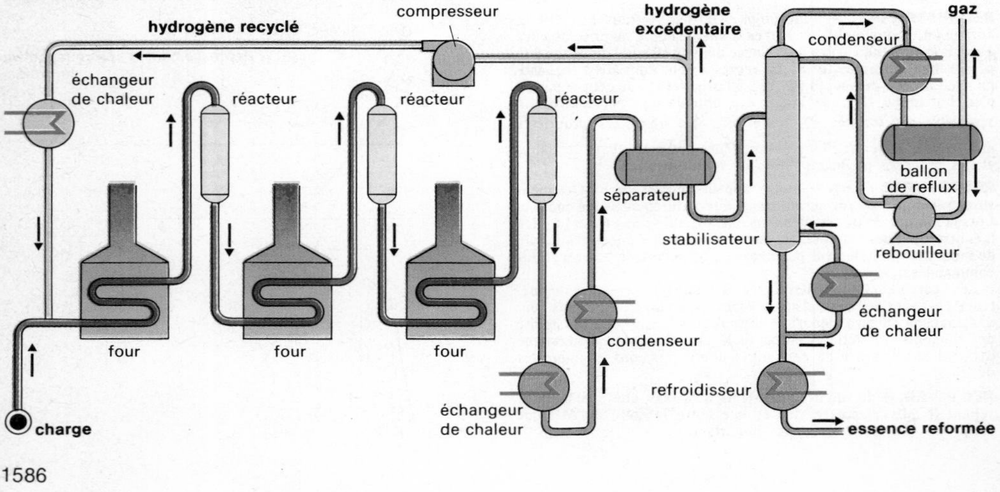

Dans le cas où n est plus grand que 1, lorsque l'angle d'incidence i varie de 0 à 90^0, l'angle de réfraction, qui est plus petit, croît de 0 jusqu'à une valeur limite l, telle que $\sin l = \frac{1}{n}\cdot$ Pour le verre, d'indice $n = 1{,}5$, $l = 41^0\ 48'$. Dans la propagation en sens inverse, du verre dans l'air, par exemple, si le rayon tombe sur la surface de séparation sous un angle supérieur à l, il n'y a plus réfraction, mais *réflexion totale*.

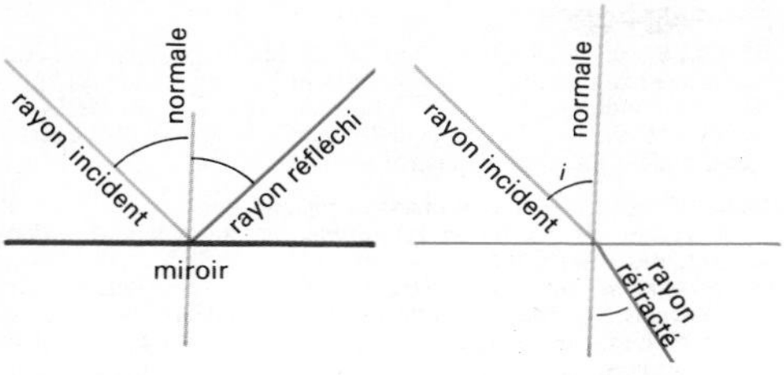

RÉFLEXION ET RÉFRACTION

Dans certains corps anisotropes, comme le spath d'Islande, à un rayon incident unique correspondent deux rayons réfractés, dont l'un au moins ne suit pas les lois de Descartes.

RÉFRACTOMÈTRE. — Les réfractomètres ordinaires sont fondés sur les lois de la réfraction*, et souvent sur l'existence d'un angle limite. Il existe aussi des réfractomètres interférentiels, dans lesquels on mesure la différence de marche de deux rayons.

RÉFRIGÉRATEUR. — Cet appareil ménager électrique permet de conserver les denrées fraîches pour une durée limitée, à une température comprise entre 0 ^{0}C et +5 ^{0}C. On distingue le *réfrigérateur à absorption,* équipé d'un ensemble de tubes où circulent de l'eau, de l'ammoniac et de l'hydrogène, et le *réfrigérateur à compression,* comprenant un compresseur à moteur électrique, un condensateur situé soit au dos de l'appareil, soit au-dessous, un ou deux évaporateurs à l'intérieur de la carrosserie; le circuit contient, alors, du fréon et de l'huile de graissage. L'isolation thermique est assurée, le plus souvent, par de la mousse de polyuréthanne. La cuve peut être en tôle émaillée, en aluminium traité ou en plastique (ABS); elle est équipée de clayettes mobiles et de divers casiers (bacs à légumes, à viande), ainsi que l'intérieur de la porte, où sont aménagées diverses alvéoles. Le dégivrage peut être entièrement automatique grâce à un système d'horlogerie provoquant l'arrêt de l'appareil toutes les vingt-quatre heures pendant un temps donné; l'eau obtenue est évacuée à l'extérieur dans un saturateur, d'où elle s'évapore.

RÉFRIGÉRATION. — La réfrigération des produits alimentaires s'effectue par des procédés variés : par *air froid* (méthode la plus répandue), par *immersion dans l'eau glacée* (certains fruits et poissons, volailles), par *contact avec des surfaces froides* (lait, moût de brasserie, etc.), par *contact avec de la glace broyée* (poissons, surtout) et par *vide.* Dans ce dernier cas, on provoque la vaporisation* de 3 ou 4 p. 100 de la teneur en eau du produit (légume, le plus souvent), la chaleur de vaporisation correspondante entraînant le refroidissement de la masse.

RÉFRIGÉRATION (tour de). — Lorsque le débit d'un fleuve est insuffisant pour assurer en circuit ouvert la réfrigération de nouvelles tranches thermiques ou nucléaires, sans augmentation excessive de la température du fleuve, il est nécessaire d'adopter des tours de réfrigération, appelées aussi *réfrigérants atmosphériques à tirage naturel.* Leur principe de fonctionnement est le suivant. L'eau réchauffée dans le condenseur est pulvérisée par des coupelles spéciales en fines gouttelettes dans un courant d'air, puis elle est reprise à la base de l'ouvrage pour être envoyée au condenseur en circuit fermé. L'air qui arrive à la partie basse de la tour monte dans celle-ci, par tirage naturel dû à l'effet de cheminée*, et, en rencontrant l'eau finement pulvérisée, la refroidit, puis, chargé de vapeur, il sort à la partie haute de la tour. Les gouttelettes qui pourraient être entraînées sont arrêtées par des séparateurs de gouttes, et les plus fines gouttelettes, emportées par le courant d'air, disparaissent dans l'atmosphère.

REFROIDISSEMENT *(Autom.).* — Le refroidissement du moteur* d'une automobile peut être assuré soit par circulation d'air, soit par circulation d'eau. Dans le premier cas, un ventilateur envoie un courant d'air autour du cylindre et de la culasse garnis d'ailettes, le débit d'air étant contrôlé par un thermostat. Dans le second cas, des chemises d'eau captent la chaleur des cylindres et de la culasse. L'eau ainsi réchauffée est envoyée par une petite turbine à un radiateur à ailettes, où elle se refroidit avant de revenir dans les chemises. Le débit est réglé par un thermostat, et un ventilateur accélère le refroidissement. Il faut aussi prévoir soit un système étanche, soit un réservoir muni d'une soupape de surpression faisant office de vase d'expansion.

REG → DÉSERTIQUE *(relief).*

RÉGALE. — On appelait ainsi le droit que le roi de France exerçait en cas de vacance d'un siège épiscopal. On distingue la *régale temporelle,* qui concernait la perception, par le pouvoir royal, des revenus des évêchés vacants, et la *régale spirituelle,* grâce à laquelle le souverain pouvait nommer lui-même aux bénéfices du diocèse relevant de l'évêque, à l'exception des cures. Ce droit provoqua des difficultés entre le gouvernement royal et la papauté, sous Louis XIV, qui, en 1673, poussé par Colbert, publia des ordonnances étendant la régale, tant spirituelle que temporelle, à tous les diocèses de France. Deux évêques concernés — Nicolas Pavillon (1597-1677), d'Alet, et Étienne François de Caulet (1610-1680), de Pamiers — s'étant montrés récalcitrants, le pape Innocent XI* les soutint puis, après leur mort, affronta en un conflit aigu le roi de France. Ce conflit se prolongea sous Alexandre VIII (1689-1691), mais se termina en 1690, par la soumission de Louis XIV.

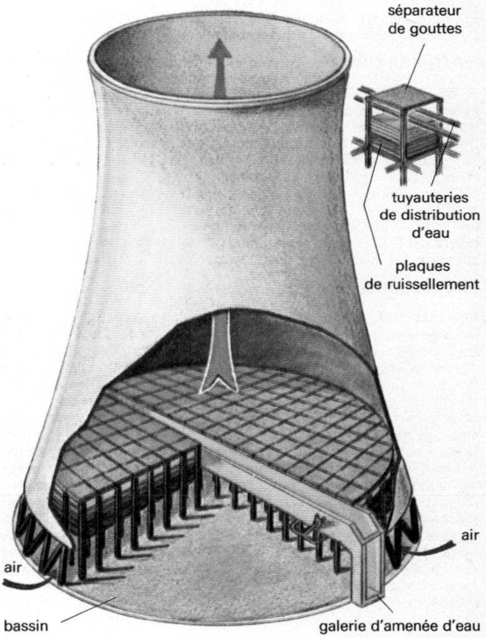

TOUR DE RÉFRIGÉRATION

RÉGATE. — Une régate est une épreuve de vitesse disputée sur l'eau, le plus souvent entre bateaux à voiles. Les bateaux de régates appartiennent de préférence à une même série, afin d'éviter un classement au handicap. Depuis plusieurs années, le succès s'affirme de régates en haute mer entre bateaux ayant le même rating et pouvant, de ce fait, être classés sans correction de temps. Une régate se dispute sur un parcours indiqué par des instructions de course et offrant une alternance d'allures différentes, près, largue, vent arrière. Les marques de parcours sont généralement constituées par des bouées surmontées de pavillons de couleur. Le règlement de course contient les règles édictées par l'International Yacht Racing Club Union (IYRU). Ces règles ont essentiellement pour objet de préciser les priorités afin d'éviter les abordages et les contestations. Il est rare qu'une épreuve importante soit courue en une seule régate. Le classement se fait par addition des points obtenus à chaque régate.

REGEL. — Ce phénomène est dû au fait que le point de fusion de la glace s'abaisse au-dessous de 0 ^{0}C quand la pression augmente. Un bloc de glace peut être traversé par un fil de fer tendu par des poids sans être rompu.

Régence (la), période de l'histoire de France correspondant à la minorité de Louis XV* (1715-1723). Ce dernier, âgé seulement de cinq ans, succède à son arrière-grand-père, Louis XIV, le 1er septembre 1715. Malgré les indications du testament du roi défunt, la régence est dévolue à son neveu Philippe d'Orléans*. D'emblée, le Régent débride l'aristocratie et la Cour, et leur donne l'exemple de la licence; d'autre part, il réserve les meilleures places dans les conseils aux grands seigneurs, créant, en place des ministres, une *polysynodie* qui se révèle très vite incompétente et inefficace. Aussi, dès 1716, le Régent rétablit-il les ministres, son ancien précepteur, l'abbé Guillaume Dubois*, jouant à partir de 1722 le rôle de Premier ministre. En fait, le principal problème auquel est confronté le Régent est financier, la banqueroute menaçant l'État; mais les remèdes originaux apportés par le financier écossais Law* (de 1716 à 1720) s'avèrent sans lendemain, encore que son système ait permis à l'État de résorber une partie de sa dette et ait vivifié le commerce portuaire.

À l'extérieur aussi le Régent prend le contre-pied de la politique de Louis XIV. Se méfiant des ambitions de Philippe V* d'Espagne et d'Alberoni*, il se rapproche de l'Angleterre, signe avec celle-ci et les Provinces-Unies la Triple-Alliance (1717), qui est élargie, en 1718, par l'entrée de l'Autriche, en une Quadruple-Alliance à laquelle, après une courte guerre franco-espagnole (1719), la France oblige Philippe V à adhérer. Quand meurent, à quelques mois d'intervalle, le cardinal Dubois (10 août 1723) et Philippe d'Orléans (2 déc.), l'œuvre de Louis XIV est en partie défaite, encore que l'unité française ait été sauvegardée.

RÉGÉNÉRATION. — De nombreux animaux peuvent reconstituer une partie de leur corps amputée accidentellement. Cette reconstitution est la régénération, très inégalement distribuée dans le règne animal : éponges, cœlentérés, vers plats, étoiles de mer, annélides (sauf les sangsues), mollusques, crustacés, larves d'insectes ont un fort pouvoir de régénération, tandis que les rotifères, les nématodes, les anoures (grenouille) et les vertébrés supérieurs sont incapables de régénérer un organe.

Bien entendu, tous les animaux qui pratiquent l'autotomie* (crabe, lézard) reconstituent le membre dont ils se sont séparés, et les arthropodes qui perdent une patte au cours d'une mue* la reforment à la mue suivante. La cicatrisation, commune à tous les animaux, est inapte à reconstituer un organe complexe.

REGENSBURG, nom allem. de RATISBONNE.

Régents (les), toile de Hals de 1664, son ultime chef-d'œuvre avec les *Régentes,* de la même année (1,72 × 2,56 m; musée Frans-Hals, anc. hospice des vieillards, Haarlem). Ce portrait collectif des dirigeants de l'hospice a inspiré à Malraux un célèbre commentaire *(les Voix du silence) :* « Que veut Hals quand il peint les *Régents?* L'expression psychologique? Cessons de confondre la recherche du caractère avec la haine qui anime cette peinture vengeresse; il veut une toile qui tue toutes les autres, et d'abord les siennes. [...] [Ce] malheureux, à qui l'on vient d'allouer « trois brouettes de tourbe par an », ce mendiant qui sait que ses modèles ne verront dans ses lignes indomptées que le tremblement d'une main sénile, se vengera du monde écrasant et dérisoire qui pose devant lui par bienfaisance, en le contraignant à l'immortalité [...]. Hals annexe à son univers les régents [...]. Devant *ses* régents, Hals est justifié [...]. La vérité de l'artiste, c'est la peinture qui le libère de son désaccord avec le monde et avec ses maîtres [...]. [Tout grand artiste] a vite compris que traduire le monde dans la langue d'un autre, c'est encore être possédé. [...] C'est contre un style que lutte tout génie [...]. L'histoire de l'art est celle des formes inventées contre les formes héritées. »

REGER (Max), compositeur allemand (Brand, Bavière, 1873-Leipzig 1916). Avec comme maîtres à penser Bach, Beethoven et Brahms, et comme domaines d'élection le lied, l'orgue, la musique de chambre et le piano, il poussa jusqu'à leurs plus extrêmes limites l'harmonie et le contrepoint classiques, tout en cultivant les formes baroques de la fugue et de la variation.

REGGANE, poste du centre du Sahara algérien. Ancien centre d'expérimentation français de fusées et d'engins nucléaires, concédé à la France par les accords d'Évian de 1962 à 1967. (La première bombe atomique française y fut expérimentée en 1960.)

REGGIO DI CALABRIA, v. de l'extrémité méridionale de la péninsule italienne, en Calabre, ch.-l. de prov., sur le détroit de Messine; 167 000 hab. Musée national (préhistoire, archéologie...). — Ancienne colonie de Chalcis d'Eubée (VIIIe s. av. J.-C.), Reggio di Calabria (en gr. *Rhêgion;* en lat. *Regium*) fut en grande partie détruite par les Syracusains en 387 et devint municipe de Rome en 89 av. J.-C. Soumise par la suite aux dominations byzantine et arabe (xe s.), elle fut conquise par Robert Guiscard (1060) et s'intégra dans l'État normand de Sicile. Elle fut détruite par les tremblements de terre de 1783 et de 1908.

REGGIO NELL'EMILIA, v. d'Italie, en Émilie, ch.-l. de prov.; 129 000 hab. Monuments des XIIIe-XIXe s. Musées.

RÉGIE *(Dr.).* → SERVICE PUBLIC.

RÉGIE *(Radio* et *Télév.).* — Une régie de radiotélévision est située dans un local technique placé à côté du studio. Elle contrôle, en radio, l'ouverture, la fermeture et la sensibilité des microphones* en fonction du jeu des acteurs. En télévision, elle domine le studio et contrôle les prises de son et d'images. Le réalisateur donne ses instructions aux cadreurs et il commute sur l'antenne* l'image produite par la caméra la mieux placée à cet instant de l'action. Il complète le programme par des séquences enregistrées sur film ou sur magnétoscope*.

RÉGILLE, en lat. **Regillum,** anc. v. de l'Italie péninsulaire. Aux environs se trouvait le lac Régille (près de Tusculum), sur les bords duquel la tradition place une victoire des Romains sur les Latins (fin du ve s. av. J.-C.), à l'issue de laquelle le consul Spurius Cassius aurait conclu un traité d'alliance avec le Latium.

RÉGIME *(Diét.).* — Les principaux régimes sont :
— le *régime de restriction protidique,* au cours des rétentions azotées, des insuffisances rénales;
— le *régime de restriction sodique,* mis en œuvre lorsque existent des œdèmes, au cours de l'insuffisance cardiaque, de certaines néphropathies, des cirrhoses hépatiques, et lors du traitement de l'hypertension;
— le *régime de restriction glucidique,* utilisé dans le diabète;
— le *régime de restriction calorique,* qui lutte contre l'obésité.

D'autres régimes existent encore : ainsi le régime de restriction lipidique, le régime hyperprotidique, etc.

RÉGIME *(Hydrogr.).* — Le régime d'un cours d'eau, ou ensemble des variations subies par son débit au cours de l'année, dépend essentiellement de son alimentation et est, par conséquent, lié au climat. On distingue ainsi : le *régime pluvial* (océanique, tropical, etc.), dans lequel le débit est directement influencé par la pluie qui tombe; le *régime nival,* dans lequel les précipitations qui tombent sous forme neigeuse sont immobilisées jusqu'à la fonte du printemps, période des hautes eaux; le *régime glaciaire,* dans lequel l'eau n'est libérée qu'au début de l'été, avec la fusion des glaciers. En fait, les cours d'eau présentent souvent un régime complexe, dû en particulier à la variété de leurs affluents, et on parle alors de régimes *pluvio-nival, nivo-glaciaire, pluvio-glaciaire,* etc.

RÉGIMES MATRIMONIAUX → MARIAGE.

REGINA, v. du Canada, capit. de la Saskatchewan; 138 000 hab. Raffinage du pétrole. Pétrochimie. Aciérie.

REGIOMONTANUS (Johann MÜLLER, dit), astronome et mathématicien allemand (près de Königsberg 1436-Rome 1476). Après avoir beaucoup voyagé en Europe, il se fixa à Nuremberg où, aidé par un riche bourgeois, Bernhard Walther, il établit, en 1471, son observatoire. Il étudia plus particulièrement les comètes, qu'il considéra non pas comme des météores, mais comme des astres ayant un mouvement déterminé dont on peut établir les positions successives. Il s'intéressa également au calendrier. En tant que mathématicien, il doit être regardé comme le fondateur de la trigonométrie des Temps modernes. Dans son grand traité de trigonométrie plane et sphérique, *De triangulis omnimodis,* publié seulement en 1533, il introduisit l'usage des tangentes et créa le terme de « sinus ».

RÉGION → COLLECTIVITÉS TERRITORIALES.

REGISTRE *(Inform.)* → MÉMOIRE.

REGISTRE *(Mus.).* — Chaque instrument ou type de voix possède,

Les Régents de l'hospice des vieillards (1664), de Frans Hals. (Musée Frans-Hals, Haarlem, Pays-Bas.)

vers le grave et l'aigu, une note au-delà de laquelle il ne sonne plus. On appelle « registre » l'étendue comprise entre ces deux notes extrêmes. La voix impose parfois certaines limites à l'intérieur de ce registre. L'ensemble des sons qui lui conviennent le mieux forme sa tessiture.

En matière de facture d'orgues, on nomme « bâtons de registres » les tirettes posées de part et d'autre de la console, pour faire « parler » les jeux.

Règle du jeu *(la),* film français de Jean Renoir (1939). Dans une société qui ne croit plus en elle-même, la seule règle à respecter est de « paraître ». Qui transgresse cette règle est un mauvais joueur : il doit être éliminé. Dans une atmosphère qui évoque Marivaux, Beaumarchais et Musset, Jean Renoir conduit un ballet désenchanté, qui entremêle les intrigues des maîtres et celles des valets, le drame de l'office relayant et reflétant celui du salon. Cette satire sociale, décrite sur un ton faussement léger, décontenança le public à la sortie du film. Ultérieurement, *la Règle du jeu* fut considérée comme l'une des plus grandes œuvres de son auteur.

RÉGLEMENTAIRE (pouvoir). — En France, les *décrets* (qui, en réalité, peuvent représenter des actes législatifs par nature, v. LÉGISLATIF [*pouvoir*]) se répartissent en :
— règlements d'administration publique, dont l'objet est de compléter les dispositions d'une loi, et qui doivent être délibérés en assemblée générale du Conseil d'État;
— décrets en forme de règlements d'administration publique, pris à la demande du législateur ou à l'initiative du gouvernement;
— décrets pris après avis du Conseil d'État (qui impliquent une délibération de celui-ci en section);
— décrets pris après avis du Conseil économique et social;
— décrets simples, à l'initiative du gouvernement, qui peut ne pas consulter le Conseil d'État ni le Conseil économique à leur sujet.

Les *ordonnances* sont des mesures réglementaires que le Parlement peut habiliter le Président de la République à édicter pendant une période déterminée. Les ministres exercent le pouvoir réglementaire par des *arrêtés* et des *circulaires.*

RÉGLISSE. — Les racines et les tiges souterraines de cette petite herbe papilionacée fournissent un jus sucré rafraîchissant et anticongestif. Le commerce offre, outre les racines elles-mêmes, des pastilles pour la gorge, une boisson dite « coco », etc.

REGNARD (Jean-François), auteur dramatique français (Paris 1655-château de Grillon, près de Dourdan, 1709). Enlevé par des corsaires, il vécut à Alger de 1678 à 1681. Libéré, il continua sa vie aventureuse et voyagea jusqu'en Laponie (1681-1683). De retour à Paris, il acheta une charge de trésorier de France et écrivit, pour le Théâtre-Italien et le Théâtre-Français, des comédies qui valent surtout par l'habileté et la verve de l'intrigue (*Attendez-moi sous l'orme,* 1694; *le Joueur,* 1696; *le Légataire universel,* 1708).

REGNAULT (Victor), physicien et chimiste français (Aix-la-Chapelle 1810-Paris 1878). Il a effectué sur les gaz et les vapeurs des mesures (compressibilité et dilatations, densités, chaleurs massiques) d'une grande précision.

REGNAULT DE SAINT-JEAN-D'ANGÉLY (Auguste Étienne), maréchal de France (Paris 1794-Nice 1870). Aide de camp de Napoléon Ier en 1815, il commanda la garde impériale de 1854 à 1869 et fut fait maréchal pour sa conduite à Magenta, en 1859.

RÉGNIER (Mathurin), poète français (Chartres 1573-Rouen 1613). Neveu de Desportes, il entra dans l'Église pour hériter des bénéfices ecclésiastiques de son oncle. Vigoureux satiriste, il défendit contre Malherbe la libre inspiration et la fantaisie.

Musée Frans Hals

RÉGNIER (Henri DE), écrivain français (Honfleur 1864-Paris 1936). Il subit l'influence parnassienne, puis symboliste, avant de revenir à un art plus classique (*les Médailles d'argile,* 1900).

RÉGNIER-DESMARAIS (François), écrivain français (Paris 1632-*id.* 1713), auteur d'une *Grammaire,* destinée à compléter le *Dictionnaire de l'Académie.*

REGNITZ (la), riv. de l'Allemagne fédérale, affl. du Main (r. g.); 210 km. En amont de Fürth (principale ville traversée, avec Bamberg), où elle reçoit la Pegnitz, elle porte aussi le nom de *Rednitz.*

RÉGOLITHE → LUNE.

RÉGRESSION *(Math.).* — Utilisé par le physiologiste britannique sir Francis Galton (1822-1911) dans ses recherches sur l'hérédité de certains caractères (liaison entre la taille des fils et celle de leur père), ce terme désigne, plus généralement maintenant, la recherche d'une relation de forme préalablement choisie, qui exprime la liaison apparente existant entre une variable* dépendante Y et une (ou plusieurs) variable(s) X_1, X_2 ... X_n, considérée(s) comme variable(s) explicative(s) de Y. Cette relation est l'équation de régression de Y en (X_1, X_2, ... X_n). Les coefficients de l'équation $Y = F\ (X_1,\ X_2,\ ...\ X_n)$. sont les coefficients de régression de Y en (X_1, X_2, ... X_n).

RÉGRESSION *(Psychan.).* — La régression, retour vers une phase dépassée du développement, est une notion qui montre à quel point, pour S. Freud*, est possible la résurgence du passé dans le présent. Pour J. Lacan*, la régression n'est pas un simple retour en arrière, mais le retour dans le présent de signifiants de demandes* pour lesquelles il y a prescription. C'est en ce sens que la régression peut parfois être considérée comme une tentative de guérison permettant au sujet de se constituer d'autres repères que ceux qui l'ont conduit à la psychose*. Dans la pensée freudienne, la régression est inséparable de la fixation, processus qui traduit la persistance d'un attachement à un objet appartenant au passé. La fixation apparaît alors comme la condition de répétition de recherches de satisfactions pulsionnelles liées au passé et qui méconnaissent les changements historiques, intervenus dans la vie du sujet.

Regrets *(les),* recueil poétique de J. du Bellay (1558), suite de sonnets dans lesquels le poète exprime sa déception devant la vie de la cour romaine et la nostalgie de sa patrie.

RÉGULARISATION *(Géomorphol.).* — L'érosion littorale tend à régulariser le tracé des côtes, par attaque des parties saillantes (caps) et remblaiement des parties rentrantes (baies). Les matériaux fournis par la dégradation des falaises et par les cours d'eau sont utilisés par les courants côtiers dans l'édification de flèches littorales, ou cordons littoraux, parallèles au rivage, derrière lesquelles la lagune, qui communique avec la pleine mer par un grau, se comble progressivement.

Il arrive qu'une flèche relie une île au continent : on parle alors de tombolo, qui peut être simple (Quiberon), double (presqu'île de Giens), voire triple (Ortebello, en Italie).

La vitesse de la régularisation dépend de la force des courants côtiers, mais surtout de la quantité de matériaux disponibles.

RÉGULATEUR → ASSERVISSEMENT, AUTOMATIQUE, RÉGULATION AUTOMATIQUE.

RÉGULATION *(Biol.).* — En dépit de l'extrême variabilité du milieu extérieur, de l'alimentation, des dépenses d'énergie, etc., le sang et la lymphe des vertébrés homéothermes (oiseaux, mammifères) présentent une constance presque parfaite de leurs propriétés physiques et chimiques. Le sang* humain, par exemple, est constant dans sa température (37 °C), sa réaction ionique (pH = 7,35), sa pression osmotique, sa teneur en sucre (1 g par litre), la pression élastique des parois artérielles qui le contiennent, etc. Cette constance du « milieu intérieur », nécessaire au fonctionnement optimal de toutes les cellules, est assurée par un grand nombre de dispositifs organiques agissant comme des « boucles cybernétiques » chez l'adulte en bonne santé. L'étude de ces dispositifs constitue l'objet principal de la physiologie*.

La *régulation thermique* fait intervenir principalement le refroidissement d'une quantité variable de sang à la surface de la peau : celle-ci rougit à la chaleur et pâlit au froid. Dans les cas extrêmes, la peau peut produire de la chaleur par contraction des muscles superficiels (frisson, « chair de poule ») ou au contraire en éliminer par évaporation de sueur. Bien entendu, le comportement (vêtement, chauffage des logements, boissons fraîches, etc.), guidé par les sensations thermiques, complète les effets des réflexes. Toute régulation est elle-même adaptative, donc modulable. Le centre de la régulation thermique, situé dans l'encéphale, peut régler notre température à un niveau plus élevé que d'habitude en cas d'infection microbienne *(fièvre*).* De même, le cœur accélère ses battements pendant un effort : la constance de l'évacuation des toxines musculaires est ainsi assurée par l'inconstance des rythmes cardiaques. Cette subordination d'une régulation à une autre peut être nuisible : gelure des mains, fièvre exagérée, etc. La *régulation de la glycémie,* établie notamment par Claude Bernard*, fait intervenir de nombreux organes : foie, pancréas, capsules surrénales, hypophyse, etc.

RÉGULATION *(Cybern.)* → RÉTROACTION.

RÉGULATION *(Embryol.).* — Certains tissus embryonnaires possèdent une capacité de suppléance qui vise à compenser une insuffisance ou une anomalie de développement des tissus voisins. Ce rôle est très important dans la formation de l'embryon.

RÉGULATION AUTOMATIQUE. — Cette branche de l'automatique* traite des systèmes asservis, ou asservissements* industriels, dans lesquels la grandeur d'entrée ou de référence, dont la valeur est appelée *valeur de consigne,* ou simplement *consigne,* est constante ou varie lentement dans le temps. On distingue la *régulation de maintien,* dans laquelle la valeur de consigne est constante, mais réglable, de la *régulation de correspondance,* dans laquelle elle varie en fonction du temps; si la loi de variation de la consigne est imposée *a priori,* on parle de *régulation à programme.* On distingue encore la *régulation simple,* portant sur une grandeur réglée unique, de la *régulation multiple,* portant sur plusieurs grandeurs réglées associées à un même processus. Il n'existe aucune différence fondamentale entre les systèmes à régulation et les systèmes asservis en général. La *grandeur réglée* est une grandeur physique caractérisant l'état d'un processus (pression, température, débit, niveau, concentration). La *grandeur réglante* (débit de fluide, intensité électrique) agit sur le système réglé; sa valeur est fixée par un *organe de réglage* (vanne, rhéostat) commandé par un *actionneur* piloté par le *régulateur.* Ce dernier réagit à l'*écart* entre la valeur de consigne et la valeur mesurée de la grandeur réglée, de manière à le réduire, comme dans tout système asservi. L'action de régulation résulte de la combinaison d'actions proportionnelles, par intégration et par dérivation, selon les propriétés du système réglé et les performances de stabilité et de précision désirées. Il existe également des régulateurs par « tout ou rien », comme les thermostats des réfrigérateurs domestiques et des installations de chauffage central, ainsi que des régulateurs par « tout ou peu » et par « plus ou moins ». Les régulateurs effectuent généralement une amplification de puissance et font appel aux techniques les plus diverses : pneumatiques, hydrauliques, électriques, électromécaniques, électroniques. L'*instrumentation,* et en particulier la métrologie des grandeurs réglées industrielles, constitue une branche essentielle de la régulation automatique. Pour la conduite automatique des grandes installations industrielles, les appareils de mesure et de régulation sont rassemblés dans une salle centrale de *conduite* (commande et contrôle), où sont groupés également les commandes de mise en route et d'arrêt, les voyants de sécurité, les indicateurs d'état, etc., disposés aux points correspondants d'un *schéma synoptique* de l'installation.

RÉGULATION indirecte de température dans un four industriel. Un accroissement de la température du four entraîne un accroissement de la pression de vapeur du thermomètre, qui produit le déplacement vers le bas du tiroir du distributeur : le piston du vérin se déplace vers le bas, ce qui entraîne une réduction de la tension alternative de chauffage. Le choix du mode de régulation à adopter dépend des caractéristiques du système réglé et de la précision désirée. Une variante consiste à chauffer le four au moyen de la combustion d'un fluide, dont le débit est réglé par une vanne manœuvrée par le vérin du régulateur. Pour obtenir un programme de chauffe imposé, il suffit de remplacer le bouton de réglage de la valeur de consigne par une came qu'entraîne un moteur à vitesse constante

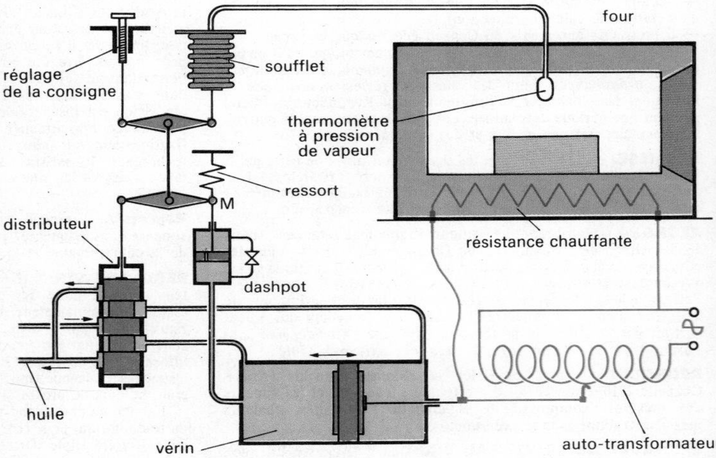

REGULUS (Marcus Atilius) → PUNIQUES *(guerres).*

RÉGULUS → ÉTOILE.

RÉHON (54430), comm. de Meurthe-et-Moselle, à 4 km au S. de Longwy; 5 174 hab. *(Rehonnais).* Sidérurgie.

REICH, mot allemand, qui signifie « État » et qui a été appliqué à différents régimes : le Saint Empire* romain germanique (Ier Reich, 962-1806); l'Empire allemand des Hohenzollern Guillaume Ier* et Guillaume II* (IIe Reich, 1871-1918); le régime de Hitler* (IIIe Reich, 1933-1945).

REICH (Wilhelm), médecin et psychanalyste autrichien (Dobrzcynica, Galicie autrichienne, 1897 - pénitencier de Lewisburg, Pennsylvanie, 1957). Il joue dès 1920 un rôle important au sein de la société psychanalytique de Vienne, où il se distingue des autres praticiens par son engagement dans le parti communiste autrichien. Il entreprend de justifier la psychanalyse aux yeux des marxistes, au prix de modifications, incompatibles avec l'orthodoxie freudienne. C'est ainsi qu'il attribue les névroses* à des troubles de la génitalité sur lesquels l'orgasme a une vertu curative et préventive. Reich rejette la pulsion de mort*, qui, selon lui, signifie l'abandon du concept fondateur et central en psychanalyse : la sexualité. Il nie également l'universalité du complexe d'Œdipe*, parce qu'à ses yeux la répression sexuelle n'est pas indispensable au développement de la vie sociale, le refoulement* et la sublimation* ne servant qu'à maintenir le système capitaliste. Dans *la Lutte sexuelle des jeunes* (1932), il attaque la morale conjugale et la famille, responsables de la misère sexuelle et de la société injuste et autoritaire. Premier psychanalyste à poser le problème du socioéconomique dans la genèse des troubles psychiques, il est exclu (1934) de l'Association internationale de psychanalyse et du parti communiste.

Le nazisme le contraint à émigrer aux États-Unis. Il y commence, en 1939, ses recherches sur l'orgone, ou énergie vitale cosmique, dont la stagnation dans l'organisme serait responsable d'affections psychiques et somatiques comme le cancer. Accusé d'escroquerie pour avoir commercialisé des accumulateurs d'orgone, Reich est incarcéré et la vente de ses livres est interdite. Le pionnier du freudo-marxisme* meurt en prison.

REICHA (Anton), théoricien et compositeur tchèque (Prague 1770 - Paris 1836). Professeur de composition au Conservatoire de Paris, il eut pour élèves Berlioz, Liszt, Franck, Gounod. Il a laissé une œuvre considérable de musique instrumentale, et a innové dans le domaine de l'harmonie, du contrepoint et des modes.

REICHSHOFFEN (67110 Niederbronn les Bains), comm. du Bas-Rhin, à 17 km au N.-O. de Haguenau; 5 029 hab. Église du XVIIIe s. Métallurgie de transformation.

Reichshoffen *(charges de),* nom donné improprement aux charges de cuirassiers français exécutées le 6 août 1870 sur les villages voisins de Morsbronn et d'Elsasshausen (Bas-Rhin).

Reichsrat, nom allemand donné en Autriche au Conseil d'Empire, lors de la révolution* de 1848, puis, après le diplôme de 1860, au Parlement autrichien, formé de deux chambres (seigneurs et représentants). Le compromis austro-hongrois de 1867 fit du Reichsrat un Parlement cisleithanien. Il disparut en 1918. — En Allemagne, dans la république de Weimar, le *Reichsrat* (1919-1934) fut l'organe législatif fédéral.

REICHSTADT, nom allemand de la ville tchèque de Zákupy. La seigneurie de Reichstadt fut érigée en duché, en 1818, au profit du fils de Napoléon Ier et de Marie-Louise. (V. NAPOLÉON II.)

Reichstag, nom donné à la Diète du Saint Empire* romain germanique, disparu en 1806, et à la chambre législative fédérale allemande entre 1867 (date de la Constitution de la Confédération de l'Allemagne du Nord) et 1945.

REICHSTETT (67460 Souffelweyersheim), comm. du Bas-Rhin, à 7 km au N. de Strasbourg; 3 597 hab. Raffinerie de pétrole.

Reichswehr (mot allem. signif. *défense de l'Empire*), nom donné de 1921 à 1935 à l'armée de 100 000 hommes concédée à l'Allemagne par le traité de Versailles (1919).

REID (Thomas MAYNE), écrivain anglais (Ballyroney, comté de Down, 1818 - Londres 1883), auteur de romans d'aventures qui peignent les mœurs des Indiens (*les Chasseurs de chevelures,* 1851).

REIGATE, v. d'Angleterre (Surrey), au S. de Londres; 54 000 hab.

REIGNIER (74800 La Roche sur Foron), ch.-l. de cant. de la Haute-Savoie, à 7,5 km au S. d'Annemasse; 3 152 hab.

REILLANNE (04110), ch.-l. de cant. des Alpes-de-Haute-Provence, à 18,5 km au S.-O. de Forcalquier; 665 hab.

REILLE (Honoré, *comte*), maréchal de France (Antibes 1775 - Paris 1860). Il se distingua à Wagram (1809) et, après avoir commandé au Portugal (1812), à Waterloo (1815). Fait maréchal en 1847.

REILLY (60240 Chaumont en Vexin), comm. de l'Oise, à 5 km au S.-O. de Chaumont-en-Vexin; 144 hab. Équipement automobile.

REIMS (51100), ch.-l. d'arr. de la Marne, sur la Vesle; 183 610 hab. *(Rémois).* L'agglomération compte plus de 200 000 hab.

GÉOGRAPHIE. Reims, qui n'est même pas chef-lieu de département, est cependant nettement la principale ville de la Région Champagne-Ardenne, dans une situation géographique favorable, entre Paris (à environ 140 km, à l'O.) et l'Est (Lorraine et Alsace), le Nord et la Bourgogne (et la vallée du Rhône), valorisée encore par l'ouverture de l'autoroute de l'Est. Le développement récent et rapide de la ville (accroissement démographique de moitié dans le dernier quart de siècle) tient aux conséquences de cette situation géographique, notamment par le biais de l'industrialisation. Les constructions mécaniques et électriques, l'alimentation (grandes maisons de champagne, mais aussi biscuiterie et confiserie), la verrerie et le textile sont, dans un ordre décroissant, les branches dominantes. La fonction commerciale est représentée par les dépôts ou les ateliers de grandes sociétés à succursales multiples ainsi que par le commerce de l'acier. Le développement du secteur tertiaire résulte encore de la création d'une université et de services administratifs. Reims étend aussi son rayonnement sur la quasi-totalité des départements de la Marne et des Ardennes et sur une partie de la Haute-Marne et de l'Aisne.

HISTOIRE. Métropole de la Gaule* Belgique, Reims est évêché dès la fin du IIIe s. : le baptême de Clovis* par l'évêque saint Remi, en 496, amorce la tradition du sacre des rois de France à Reims, tradition qui ne s'enracine vraiment qu'avec les premiers Capétiens. Ville de la laine au XIIIe s., Reims connaît alors une grande prospérité. La ville et la cathédrale ont été sévèrement bombardées pendant la Première Guerre mondiale. C'est à Reims qu'Eisenhower a reçu la capitulation de la Wehrmacht, le 7 mai 1945.

BEAUX-ARTS. Vestiges romains (porte de Mars, etc.). Abbatiale Saint-Remi, avec immense nef romane à tribunes (XIe s.), façade et chœur (vitraux) du premier art gothique. Cathédrale, reconstruite pour l'essentiel au XIIIe s., de type chartrain; magnifique ensemble de sculpture monumentale à la façade nord du transept et aux portails de la façade principale, où figurent des statues de plusieurs époques du XIIIe s., du groupe de la Visitation, antiquisant, à celui de la Présentation, de style amiénois, et à la grâce souriante des œuvres proprement rémoises. Église Saint-Jacques, des XIIIe-XVIe s. (vitraux modernes exécutés par d'actuels ateliers rémois). Hôtel de ville à façade Louis XIII. Place Royale d'époque Louis XVI.

Musées : trésor et dépôt lapidaire de la cathédrale au palais du Tau, anc. archevêché (XIIIe-XVIIe s.); musée des Beaux-Arts dans l'anc. abbaye Saint-Denis (toiles peintes du XVe s., tapisseries, portraits par les Cranach, peintures de l'école française), avec annexe « historique et lapidaire » dans l'anc. abbaye Saint-Remi.

REIMS *(montagne de),* ligne de hauteurs modestes (280 m), au S. de Reims, entre la Marne et la Vesle. Vignobles.

REIN. — Les reins, au nombre de deux, sont symétriquement placés de chaque côté de la colonne vertébrale, dans les fosses lombaires. Chaque rein est contenu dans une loge rénale. Le bord interne du rein présente dans sa partie moyenne un segment déprimé, le hile, qui livre passage au pédicule rénal formé par le bassinet, à l'artère et à la veine rénales. Le tissu rénal comporte deux parties : la substance médullaire, centrale, et la substance corticale, périphérique. L'urine*, qui s'écoule dans les calices par les papilles, est collectée en totalité par le bassinet. Celui-ci se continue ensuite avec l'uretère. Les reins sont composés chacun de 1 000 000 à 1 500 000 néphrons. Ceux-ci comprennent un *glomérule,* constitué par un bouquet d'anses capillaires, et un *tubule,* conduit très fin qui fait suite au glomérule. (V. URINAIRE [*appareil*].)

Le rein élimine les déchets azotés de l'organisme et assure par un ajustement de la composition de l'urine la constance du milieu intérieur et le maintien de l'équilibre hydroélectrolytique. Trois mécanismes entrent en jeu : la filtration glomérulaire, la réabsorption tubulaire et la sécrétion tubulaire. L'ensemble des mécanismes rénaux est contrôlé par des hormones : telles l'aldostérone et l'hormone posthypophysaire antidiurétique.

Les lésions inflammatoires et dégénératives constituent les néphropathies : néphrite et syndrome néphrotique (néphrose). Ce dernier peut être primitif (surtout chez l'enfant) ou secondaire à de nombreuses affections (lupus systémique, diabète, myélome).

La contusion du rein est souvent d'évolution bénigne; la lithiase (calcul) du bassinet ou de l'uretère est responsable d'une dilatation du bassinet et des calices (hydronéphrose). En l'absence de traitement chirurgical, une infection à point de départ souvent intestinal (syndrome entérorénal) apparaît, aboutissant à la destruction du rein. Les tumeurs du rein les plus fréquentes sont le kyste et le cancer : celui-ci impose une néphrectomie large. Les malformations du rein sont rares : citons le rein en fer à cheval.

L'insuffisance rénale entraîne une élévation du taux de l'urée sanguine (urémie) et des diverses substances azotées non protéiques du sang. Elle retentit sur le métabolisme de l'eau et des électrolytes. Au début elle est latente, puis apparaissent de nombreux signes cliniques, dont la pâleur et l'hypertension artérielle. Le stade ultime est marqué par le coma urémique. Le

Lauros - Geay

Reims. Vue générale du centre de la ville, avec la cathédrale Notre-Dame (XIIIe s.) et l'ancien archevêché.

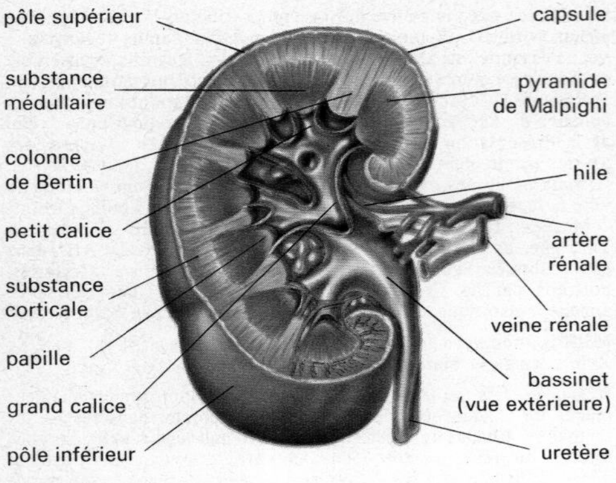

Coupe d'un rein.

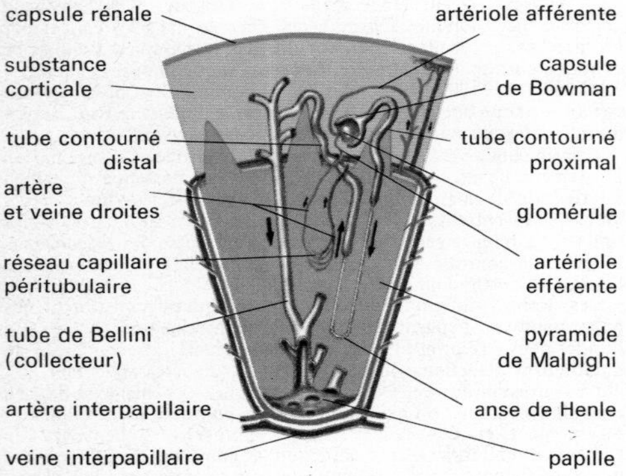

Coupe d'un néphron.

traitement n'est bien souvent que symptomatique. L'épuration extra-rénale permet une amélioration prolongée. Enfin, certaines insuffisances rénales peuvent bénéficier de la greffe du rein.

REINACH, comm. de Suisse, banlieue sud de Bâle; 13 419 hab.

REINE-CHARLOTTE *(archipel de la),* archipel du Canada (Colombie britannique), dans le Pacifique, au N.-O. de l'île de Vancouver, que le *détroit de la Reine-Charlotte* sépare (au N.-E.) du continent.

REINE-DES-PRÉS → SPIRÉE.

Reine morte *(la),* drame en trois actes, d'H. de Montherlant (1942). Le roi Ferrante fait périr Inés de Castro, que le prince héritier don Pedro a épousé secrètement. Mais Ferrante meurt, et Pedro couronne une reine morte.

REINHARDT (Max GOLDMANN, dit **Max**), directeur de théâtre autrichien (Baden, près de Vienne, 1873 - New York 1943). Il fut au Kleines Theater, puis au Deutsches Theater de Berlin et au festival annuel de Salzbourg, un des novateurs de la technique théâtrale. Il émigra aux États-Unis (1933), où il se consacra au cinéma.

REINHARDT (Jean-Baptiste, dit **Django**), guitariste, compositeur et chef d'orchestre de jazz français (Liberchies, Belgique, 1910 - Samois-sur-Seine 1953). D'origine tzigane, il est l'un des fondateurs, en 1934, du quintette du Hot Club de France. À la dissolution de cette formation il se produit en concert avec Duke Ellington (1946). Cet autodidacte est un des rares musiciens non issus du peuple noir, européen de surcroît, qui aient créé un style original, grâce à sa virtuosité digitale sans égale et aux trouvailles de son sens mélodique. Parmi ses enregistrements : *Dinah* (1934), *Bolero* (1937), *Montmartre* (1939), *Improvisation nº 3* (1943), *Nuages* (1951).

REJ (Mikołaj), écrivain polonais (Żórawno 1505 - 1569). Considéré comme le père de la littérature nationale, il a donné dans *le Miroir de tous les états* (1568) un tableau de la Pologne ancienne.

RÉJANE (Gabrielle RÉJU, dite), actrice française (Paris 1856 - *id.* 1920), qui contribua au succès d'un grand nombre de drames et de comédies modernes *(Madame Sans-Gêne).*

REJET → GREFFE.

RELANCE (mesures de). — L'ensemble de mesures prises par les pouvoirs publics pour assurer le redémarrage d'une économie affectée par une récession* ou même une crise* prend communément aujourd'hui le nom de « mesures de relance ». C'est ainsi que, face au ralentissement sensible de sa croissance, l'Allemagne fédérale adopta (fin 1974) un plan de relance qui reposait sur le soutien à donner à la demande intérieure : subventions, sous forme de crédit d'impôt, aux investissements; aides en faveur de la lutte contre le chômage; programme supplémentaire d'investissements publics, concernant, par priorité, les bâtiments, les travaux publics et l'énergie; allégement de la fiscalité pour les petits revenus et modification des allocations familiales. Le plan de relance de l'économie française (sept. 1975), d'un montant de l'ordre de 30 milliards de francs, comportait un ensemble de mesures destinées à favoriser les entreprises, les équipements publics et la consommation* des ménages.

RELATION *(Math.).* — Une relation *binaire* dans un ensemble E est formée de *couples ordonnés (x, y)* d'éléments de l'ensemble E, liés par une propriété que l'on définit de x vers y. Ainsi, dans $\mathbb{N}$, la relation « divise » est formée des couples d'entiers *(x, y),* où x divise y. Il y a donc, pour cette relation, une infinité de couples : un entier naturel x est en relation avec tous ses multiples. L'ensemble des couples qui sont en relation s'appelle le *graphe* de la relation* $\mathcal{R}$; on le note $G_{\mathcal{R}}$; si $(x, y) \in G_{\mathcal{R}}$, on note $x \mathcal{R} y$.

PROPRIÉTÉS ÉVENTUELLES D'UNE RELATION $\mathcal{R}$ DANS UN ENSEMBLE E. • Une relation $\mathcal{R}$ dans E est *réflexive* si $\forall x \in E, x \mathcal{R} x$: tout élément est en relation avec lui-même. La relation « divise » est réflexive.

• Une relation $\mathcal{R}$ est *symétrique* si $x \mathcal{R} y$ entraîne $y \mathcal{R} x$. La relation « divise » n'est pas symétrique. La relation de parallélisme, dans le plan ou dans l'espace, est symétrique : si la droite D est parallèle à D', D' est parallèle à D.

• Une relation $\mathcal{R}$ est *antisymétrique* si, x étant différent de y, on ne peut avoir simultanément $x \mathcal{R} y$ et $y \mathcal{R} x$. C'est le cas de la relation « divise ». Sous une autre forme, si on a en même temps $x \mathcal{R} y$ et $y \mathcal{R} x$, alors $x = y$. C'est le cas de la relation de divisibilité : si a divise b et b divise a, alors $a = b$.

• Une relation $\mathcal{R}$ est *transitive* si $x \mathcal{R} y$ et $y \mathcal{R} z$ entraînent $x \mathcal{R} z$. C'est le cas de la relation « divise ». Si a divise b et b divise c, alors a divise c.

— Une relation réflexive, antisymétrique et transitive est une relation d'ordre *au sens large.* Il en est ainsi de la relation de divisibilité dans $\mathbb{N}$, de la relation d'inégalité au sens large dans $\mathbb{R}$, notée $\leqslant$.

— Une relation antisymétrique et transitive est une relation d'ordre *au sens strict.* C'est le cas de la relation d'inégalité au sens strict dans $\mathbb{R}$, notée $<$.

— Une relation réflexive, symétrique et transitive est une relation d'*équivalence.* Cette notion de relation d'équivalence est très importante en algèbre. Elle permet de définir, à partir d'un ensemble E muni d'une relation d'équivalence $\mathcal{R}$, un nouvel ensemble, noté $E/_{\mathcal{R}}$, appelé *ensemble-quotient* de E par $\mathcal{R}$ et dont les éléments sont des parties de E appelées *classes d'équivalence.*

La classe d'équivalence de l'élément $a \in E$ est le sous-ensemble de E formé des éléments qui sont en relation avec a; soit $A = \{x; x \in E; x \mathcal{R} a\}$. Si deux éléments a et b de E sont en relation, leurs classes d'équivalences sont confondues : A = B. Si a et b ne sont pas en relation, A et B n'ont aucun élément commun. Aucune classe d'équivalence n'est vide, car la relation $\mathcal{R}$ étant réflexive, quel que soit a, A contient au moins a. Un élément quelconque d'une classe d'équivalence est un représentant de cette classe. Dans l'ensemble $\mathbb{Z}$, $x \mathcal{R} y \Longleftrightarrow \exists\, k \in \mathbb{Z} : x - y = kn$, $n \in \mathbb{N}$, n étant donné, est une relation d'équivalence; $E/_{\mathcal{R}}$ noté $\mathbb{Z}/_{n\mathbb{Z}}$ s'appelle l'ensemble des *entiers modulo n.* Les entiers $0, 1, 2, 3, ..., n^{-1}$ sont des représentants des n classes d'équivalence.

RELATIONS INTERNATIONALES (théorie des). — Cette partie du droit international public couvre en fait l'étude de la politique extérieure des pays, des organisations internationales, de la psychologie sociale, etc., et s'applique aux relations entre les gouvernements et entre les nations. Certains auteurs la placent parmi les sciences politiques*, d'autres (R. Aron*) y voient une philosophie des relations entre pays.

RELATIONS PUBLIQUES. — Ayant pour but de diffuser une image positive d'une entreprise ou d'une profession à travers le public, les relations publiques empruntent souvent les mêmes moyens que la publicité*, mais leur objectif est différent. Il ne s'agit pas de promouvoir un produit, mais de gagner la sympathie, la compréhension de tous en montrant que les objectifs particuliers de l'entreprise, de la profession, de la région, etc., sont en concordance avec l'intérêt général.

RELATIVITÉ. — La mécanique classique, valable tant qu'il s'agit de vitesses faibles, n'est plus applicable quand les vitesses ne sont pas négligeables devant celle de la lumière. Alors s'impose une mécanique relativiste, conçue par Einstein* en deux étapes.

D'après la *relativité restreinte* (1905), la durée d'un phénomène, évaluée par divers observateurs en mouvement, est une quantité propre à chaque observateur, qui dépend de sa position et de sa vitesse. Cette relativité du temps impose celle des longueurs. La réalité n'est plus l'espace, mais un amalgame de durées et de longueurs, l'*espace-temps*. La vitesse de la lumière dans le vide c (300 000 km/s) est une vitesse limite; la masse d'un corps augmente avec sa vitesse v et croît indéfiniment quand v tend vers c. Les vitesses ne s'additionnent jamais simplement. Cette théorie a pour conséquence l'équivalence de la masse et de l'énergie, donnée par la relation $W = mc^2$, qui régit notamment le bilan des réactions nucléaires.

La *relativité généralisée* (1916) impose aux lois physiques d'être indépendantes du système de référence, et range la gravitation parmi les inerties. Elle a pour conséquences la déviation de la lumière par la pesanteur et le ralentissement des horloges dans les champs de gravitation. La géométrie euclidienne n'est pas applicable à l'espace, qui est incurvé au voisinage des îlots de matière, et exclut l'existence des lignes droites. L'univers ne peut se trouver en équilibre, prédiction corroborée par les apparences de fuite qu'offrent les galaxies.

En troisième lieu, Einstein prévoyait une théorie du *champ unitaire*, qui n'a jamais pu être entièrement formulée.

RELAXATION. — Le terme s'applique à des conduites thérapeutiques qui utilisent toutes le vécu corporel comme support de l'action psychothérapique et agissent sur la fonction tonique. Ces thérapeutiques se répartissent en deux groupes : les méthodes suggestives dérivées de l'hypnose*, et les méthodes plus psychothérapiques. Le *training autogène* de J. H. Schultz est un exemple des premières. Il a pour but d'obtenir, à travers un relâchement conscient et voulu du tonus musculaire, un état global de détente et une concentration de la pensée sur certaines sensations cénesthésiques comme la pesanteur ou la chaleur. Ces états sont induits par des paroles parfaitement codifiées émanant d'un médecin, mais peu à peu l'autohypnose remplace la suggestion et le patient devient capable de poursuivre seul les exercices. Dans les méthodes psychothérapiques, comme celle de J. de Ajuriaguerra, le patient est invité à rechercher lui-même sa détente sans l'intervention du relaxateur. Inspirée de la psychanalyse, cette méthode vise à permettre au sujet de réintroduire dans le champ de sa conscience des perceptions internes mais refoulées dans l'inconscient* qui l'obligeaient à une mise en tension inutile de son corps.

La relaxation s'adresse à des patients qui vivent leurs émotions essentiellement dans le registre corporel. Ses principales indications sont les symptômes psychosomatiques* qui masquent les problèmes affectifs que le patient ne peut aborder directement et verbaliser.

RELECQ-KERHUON (Le) [29219], comm. du Finistère, à 7,5 km à l'E. de Brest; 8 499 hab.

RELÉGATION → TUTELLE PÉNALE.

RELÈVEMENT → TOPOGRAPHIE et TOPOMÉTRIE.

RELIEF *(Opt.)*. — L'impression visuelle du relief a pour cause principale la vision binoculaire. Chaque œil recueille une image différente d'un objet en relief; la superposition de ces deux images et l'action de faire converger en un même point les axes optiques des deux yeux créent la sensation de relief et permettent d'apprécier, approximativement, les distances. Cette propriété est exploitée dans le stéréoscope, qui utilise deux photographies juxtaposées, et dans les jumelles stéréoscopiques, qui exagèrent le relief.

RELIEF ACOUSTIQUE. — C'est la sensation auditive de l'espace, donnée par l'emploi simultané des deux oreilles. C'est sur ce principe que l'audition binauriculaire sert dans les postes d'écoute à la détermination de la position d'un avion. Dans l'enregistrement des sons, cette sensation peut être donnée par emploi de plusieurs microphones, et, pour la restitution, de plusieurs haut-parleurs.

RELIGIEUX. — On appelle «religieux» et «religieuses» des fidèles — clercs ou laïques, hommes ou femmes — qui s'engagent, par les vœux de pauvreté, de chasteté et d'obéissance, à observer, dans la vie commune, non seulement les préceptes communs, mais encore les conseils évangéliques. Née en Orient, dès les débuts de l'ère chrétienne, sous les formes érémitique ou cénobitique (v. MONACHISME), la vie religieuse se développe en Occident sous l'influence de saint Augustin* et surtout de saint Benoît*, père des moines occidentaux, presque tous issus du tronc bénédictin*. Deux formes de vie religieuse sont particulières au Moyen Âge : les chanoines réguliers (Prémontrés*) et les ordres militaires.

La fin de l'ère féodale et le développement du commerce au XIIe s. favorisent l'essor des ordres mendiants (Frères* mineurs, Frères prêcheurs...). Au XVIe et au XVIIe s., la réforme catholique suscite à son tour de nouvelles formes de vie religieuse, notamment des congrégations de clercs réguliers (Jésuites*), des sociétés de prêtres séculiers (Oratoire*, Saint-Sulpice*...) et aussi des instituts à vœux simples (Frères des Écoles* chrétiennes, Filles de la Charité*), destinés aux besoins du petit peuple. Au XIXe s., se multiplient des congrégations de femmes, enseignantes et hospitalières, et les instituts missionnaires; au XXe s., des instituts séculiers se fondent en fonction des mutations des temps modernes.

Religion *(guerres de)*, conflits armés qui opposèrent, en France, catholiques et protestants entre 1562 et 1598. Cette longue période de troubles fut l'aboutissement d'un état de tension dû à la fois aux progrès du calvinisme à travers la France (Normandie, Bretagne, Languedoc et Sud-Ouest, notamment) et à la répression systématique de la Réforme, qui caractérisa la fin du règne d'Henri II*, puis, sous François II*, le gouvernement des Guises* (exécution d'Anne Du Bourg, déc. 1559). Marquant l'échec de la politique d'apaisement du chancelier Michel de L'Hospital* (édit de tolérance, janv. 1562), le massacre de Wassy (mars 1562) déclencha la révolte armée des protestants. Dans cette lutte, entrecoupée de trêves, les protestants, souvent battus (Dreux, 1562; Jarnac, Moncontour, 1569), parvinrent cependant à obtenir des conditions de paix favorables (édit d'Amboise, 1563; paix de Longjumeau, 1568); l'édit de Saint-Germain (1570) leur reconnut la possession de quatre places fortes (La Rochelle, Cognac, La Charité, Montauban). Leur situation sembla s'affermir, grâce au crédit dont bénéficia quelque temps leur chef, l'amiral de Coligny*, auprès du jeune Charles IX* (1571).

Mais le massacre de la Saint-Barthélemy* (24 août 1572), ordonné par Charles IX sous la pression de Catherine* de Médicis et des Guises, compromit gravement l'autorité monarchique et raviva le conflit. Le parti protestant s'organisa en une Union calviniste (1574) et maintint, de façon quasi permanente, une armée sur le pied de guerre. La paix de Monsieur* (1576), qui lui fut favorable, amena ses ennemis à se regrouper en une «ligue», inspirée par Henri de Guise. Pourtant, après le traité de Bergerac (1577) et l'édit de Poitiers (1577), la paix paraissait revenir en France lorsque la mort du duc d'Anjou (1584), frère d'Henri III*, fit du chef du parti protestant, Henri de Navarre, l'héritier de la Couronne. Dès lors, le pays sombra dans le chaos. Isolé entre la Sainte Ligue* des Guises, soutenue par l'Espagne de Philippe II, et le parti protestant, Henri III perdit toute autorité et fut contraint de quitter Paris pour se réfugier à Blois, puis, après l'assassinat des Guises (déc. 1588), il dut accepter l'alliance d'Henri de Navarre (1588) contre la Ligue. Henri III mort (1589), Henri de Navarre, devenu Henri IV*, s'efforça, après sa conversion (1593), de se concilier les villes (Paris, 1594), achetant l'un après l'autre les gouverneurs rebelles, et entreprit de chasser de France les troupes de Philippe II d'Espagne. En 1598, la paix de Vervins et l'édit de Nantes* marquèrent la fin d'une guerre dévastatrice qui, par-delà les haines religieuses, avait mis en relief l'ambition démesurée de certains grands et le manque de cohésion d'un royaume au sein duquel les particularismes régionaux s'étaient affirmés au grand jour.

RELIGION (sociologie de la). — Plus qu'ailleurs dans les sciences de la société, la définition du fait religieux constitue un point d'arrivée de la recherche beaucoup plus que son point de départ. Les religions instituées ne se donnent-elles pas déjà des conceptions différentes des relations entre le profane et le sacré, des frontières qui séparent la vie religieuse de chacun de ses autres accomplissements personnels ou sociaux? Mais, surtout, le sociologue, attentif aux attitudes, aux comportements et aux institutions de l'univers religieux, est perpétuellement exposé aux vindictes opposées de ceux qu'il observe. Tantôt il est suspect d'ôter aux comportements dits «religieux» leur ultime signification, considérant ceux-ci «comme des choses». Tantôt il est au contraire taxé de complaisance, prêtant à de simples conduites sociales un intérêt et une signification qu'elles ne méritent pas.

RELIURE. — La reliure substitue à la couverture de papier* de la brochure une couverture cartonnée, plus solidement liée au bloc des cahiers et présentant une plus grande résistance à l'usage.

Cette couverture comporte une *matière de recouvrement* (papier, toile, peau) collée sur une armature de carton*, composée de deux rectangles, les *plats*, d'épaisseur variable suivant les dimensions et le poids du volume. Ces plats ont des dimensions supérieures à celles du bloc des cahiers rognés : 3 mm de plus en haut et en bas *(tranche de tête* et *tranche de queue)*, et 5 mm du côté de l'ouverture *(tranche de gouttière)*, formant une protection des tranches appelée *chasses*. Le dos de la couverture est une carte mince épousant la forme et les dimensions du bloc des cahiers. La matière de recouvrement est découpée en un rectangle de dimensions supérieures à celles de la couverture (15 mm sur les quatre côtés). Ce rectangle, encollé à l'envers, reçoit en son milieu la *carte de dos*, et, de part et d'autre, les deux plats; les bords de la matière de recouvrement qui dépassent sur les quatre côtés sont remplis et collés.

Le bloc des cahiers est rogné sur les trois tranches, puis on procède à l'arrondissure du dos et à la formation des *mors;* pour cela, on rabat les fonds des premiers et derniers cahiers le long du dos pour ménager l'appui des cartons de la couverture. S'il y a lieu, un galon coloré, la *tranchefile*, est collé en haut et en bas du dos, et un ruban, le *Signet*, dont l'une des extrémités est collée au dos, est inséré entre les pages. La couverture vient alors emboîter le volume; la partie intérieure des plats est collée sur les pages de garde : le volume est fortement pressé et des mâchoires forment le long du dos, à la jointure des cartons et de la carte de la couverture, le sillon destiné à faciliter l'ouverture. Ce procédé permet une fabrication industrielle rapide et économique; il est inspiré de l'emboîtage «à la Bradel», du nom d'une famille de relieurs du XVIIIe s.

Dans la technique manuelle normalement utilisée depuis les origines du livre relié, et toujours employée, notamment pour les reliures de luxe, le fil de couture est piqué à l'aide d'une aiguille dans le pli, ressort pour contourner les ficelles, rentre dans le cahier et est piqué dans le cahier suivant, tout au long du pli, comme précédemment. Le bloc des cahiers cousus est mis en presse; le dos serré dans un étau est encollé, arrondi et les mors ménagés au marteau. Les plats sont liés au volume en faisant passer dans des orifices percés près du dos les extrémités des ficelles, rabattues et collées à l'intérieur. La matière de recouvrement, encollée à l'envers, est appliquée sur la carte de dos et sur les plats fixés au volume; les remplis sont rabattus et les gardes collées à l'envers des plats. La décoration des tranches, pratiquée éventuellement, avant l'emboîtage en reliure industrielle, avant la couvrure en reliure manuelle, peut être soit une simple couche de couleur, soit une enduction ou encore une feuille d'or couchée sur les tranches — préalablement polies et revêtues d'un apprêt albumineux —, puis fixée par polissage.

RELIURE. Schéma de la reliure industrielle.

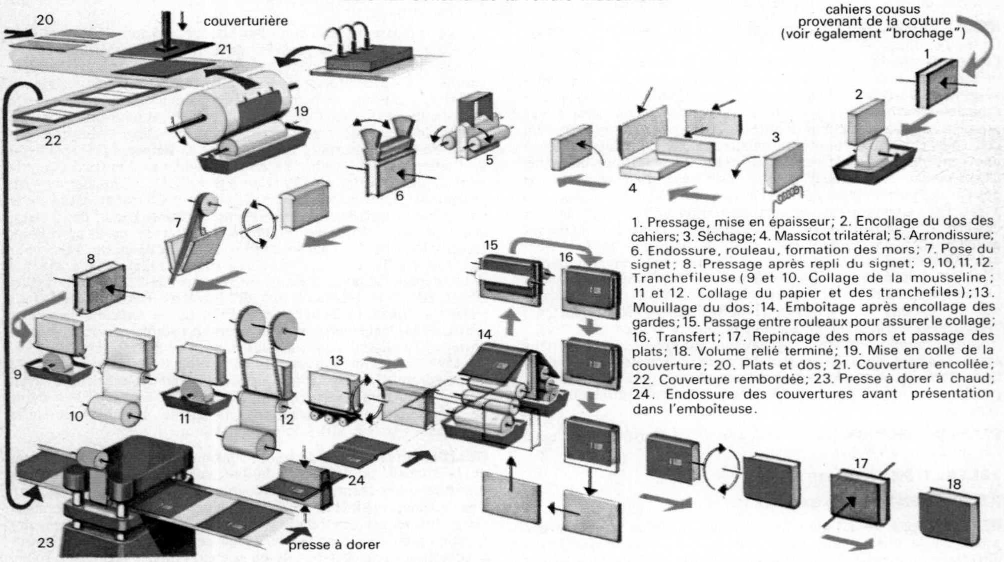

1. Pressage, mise en épaisseur; 2. Encollage du dos des cahiers; 3. Séchage; 4. Massicot trilatéral; 5. Arrondissure; 6. Endossure, rouleau, formation des mors; 7. Pose du signet; 8. Pressage après repli du signet; 9, 10, 11, 12. Tranchefileuse (9 et 10. Collage de la mousseline; 11 et 12. Collage du papier et des tranchefiles); 13. Mouillage du dos; 14. Emboîtage après encollage des gardes; 15. Passage entre rouleaux pour assurer le collage; 16. Transfert; 17. Repinçage des mors et passage des plats; 18. Volume relié terminé; 19. Mise en colle de la couverture; 20. Plats et dos; 21. Couverture encollée; 22. Couverture rembordée; 23. Presse à dorer à chaud; 24. Endossure des couvertures avant présentation dans l'emboîteuse.

RELIZANE, anc. nom d'IGHIL IZANE.

RÉLUCTANCE. — Pour un circuit magnétique homogène de perméabilité μ, de longueur l et de section constante s, la réluctance a pour expression $R=\frac{1}{\mu}\frac{l}{s}$, formule analogue à celle qui donne la résistance électrique.

RÉMALARD (61110), ch.-l. de cant. de l'Orne, à 22 km au S.-E. de Mortagne-au-Perche; 1 308 hab. Église du XVe s., à portail roman. Château de Voré, du XVIIe s.

REMBLAYAGE *(Min.).* — Le remblayage, qui consiste à remplir avec des matériaux apportés les vides laissés par l'exploitation, a pour objet d'éviter les éboulements. Le remblai doit être placé le plus près possible du front d'abattage*. Le toit de la couche exploitée vient au contact de ces matériaux, déversés en vrac; il prend appui sur eux et s'affaisse peu à peu en les comprimant. Après un certain temps, les vieux remblais n'occupent plus qu'une épaisseur de l'ordre de la moitié de l'épaisseur exploitée et ont repris la consistance de terrain naturel. L'affaissement du toit se propage en s'atténuant jusqu'à la surface. Comme matériaux de remblayage, on peut utiliser ceux provenant du creusement des galeries* stériles, mais ils ne suffisent pas pour remblayer tous les chantiers et leurs dimensions irrégulières ne facilitent pas leur mise en place dans une longue taille. On préfère remblayer avec des matériaux mieux calibrés, provenant des rejets de la laverie ou de carrières, amenés à proximité du chantier, puis transportés en tuyauterie par air comprimé et projetés dans le vide à remblayer; c'est le *remblayage pneumatique.* Dans le *remblayage hydraulique,* une tuyauterie transporte, depuis la surface jusqu'au chantier, un mélange de matériaux et d'eau. On l'utilise lorsque, après le dépôt du remblai, l'eau peut s'écouler par débordement ou par filtration à travers un barrage installé à la sortie du chantier; du sable non argileux convient bien et ne se tasse pratiquement pas.

REMBRANDT (Rembrandt Harmensz. VAN RIJN, dit), peintre et graveur hollandais (Leyde 1606-Amsterdam 1669). Après ses humanités, il s'initie à la peinture à Leyde, puis apprend à Amsterdam, auprès de Pieter Lastman (v. 1583-1633), les éléments d'un art réaliste porté aux effets de lumière (transmis par Elsheimer). Dès 1625, il ouvre un atelier à Leyde, avec Jan Lievens (1607-1674). Son audace confère bientôt à ses toiles une force dramatique et une intensité d'expression accentuées par de puissants effets d'éclairage qui créent la forme et l'espace et auxquels la couleur est subordonnée (*les Pèlerins d'Emmaüs,* 1629, musée Jacquemart-André, Paris). Installé à Amsterdam vers 1631, bientôt célèbre et riche, il exécute de nombreuses commandes, surtout des portraits, dont le réalisme prend une nouvelle dimension dans le portrait collectif (*la Leçon d'anatomie du professeur Tulp,* 1632, Mauritshuis, La Haye), genre très apprécié en Hollande et qu'il porte à une perfection fougueuse dans *la Ronde* de nuit* (1642). Après 1642, alors que Saskia, épousée en 1634, est morte, le dynamisme baroque de sa peinture se tempère dans une construction plus équilibrée et sereine (*les Pèlerins d'Emmaüs,* 1648, Louvre), et il demande à l'eau-forte (notamment dans les années 1643-1656), avec la richesse subtile et frémissante des jeux de valeurs et des différentes techniques de taille, une expression dramatique plus concentrée (*Jésus guérissant les malades,* dite *la Pièce aux cent florins,* 1642-1649; *les Trois Croix,* 1653). Sa peinture prend, à côté de l'austère composition des *Syndics des drapiers* (1662, Rijksmuseum, Amsterdam), les couleurs chaudes et la lumière dorée d'un lyrisme somptueux (*Jan Six,* 1654, coll. priv., Amsterdam), parfois brutal (*le Bœuf écorché,* 1655, Louvre) ou plein d'émotion retenue (*la Fiancée juive,* v. 1668, Rijksmuseum). Les soucis, notamment financiers, et les tourments (il perd sa compagne Hendrickje et son fils Titus) lui laissent pour seul refuge une peinture qu'il travaille dans les pâtes épaisses (*Autoportrait* de 1668, musée de Cologne, un des derniers d'une longue série). Son art, étranger au goût hollandais du fini poli et brillant comme à la spécialisation des genres, mais portant la lutte de la lumière et de l'ombre à la hauteur d'une méditation sur la destinée humaine, atteint une valeur universelle.

REMI ou **REMY** *(saint),* évêque (Laon v. 437-Reims v. 533). On peut tenir pour certain que Remi, évêque de Reims vers 459, fut très lié avec le roi des Francs, Clovis, qu'il joua un rôle prépondérant dans sa conversion et qu'il le baptisa, vraisemblablement à Reims, en 496. Remi organisa la mission chrétienne en pays franc et fonda les évêchés de Thérouanne, Laon et Arras.

REMICH, ch.-l. du *cant. du Remich* (10 600 hab.), dans le grand-duché du Luxembourg, sur la Moselle; 2 000 hab. Vins.

REMINGTON (Philo), industriel américain (Lichtfield, New York, 1816 - Silver Springs, Floride, 1889). Il inventa un fusil à chargement par la culasse et modifia la machine à écrire de Sholes* et de Carlos Glidden, dont il entreprit la fabrication en série.

REMIREMONT (88200), ch.-l. de cant. des Vosges, sur la Moselle; 11 499 hab. *(Romarimontains).* Église gothique sur crypte du XIe s. Anc. palais abbatial de 1752, auj. hôtel de ville. Musée. Constructions mécaniques. Textile.

RÉMIZ. — Cette mésange de Camargue suspend aux roseaux un curieux nid en forme de bourse. (Famille des paridés.)

RÉMOIS, région du départ. de la Marne, englobant les arrondissements de Reims et d'Épernay et portant la majeure partie du vignoble champenois.

RÉMORA. — Un des plus beaux types de ventouses du règne animal est présenté par un poisson, le rémora *(Echeneis),* qui porte une sole dorsale à nombreux volets rabattants, par laquelle il se fixe au dos ou au ventre des tortues de mer, des requins, etc., de façon à être transporté passivement par ceux-ci; le rémora profite, en outre, des débris de la nourriture de ses transporteurs.

REMORQUAGE MARITIME. — Les remorqueurs, qui assistent les navires dans leurs manœuvres, présentent des caractéristiques variables suivant les conditions locales de leurs interventions, mais ont pour trait commun, outre leur robustesse, de présenter une assez grande largeur par rapport à leur longueur, ce qui leur assure la forte stabilité nécessaire. Leur puissance a augmenté avec l'accroissement du tonnage des navires, en même temps qu'ils bénéficiaient de divers perfectionnements de leur propulsion. Certains sont même devenus des *tracteurs,* sur lesquels les hélices* sont remplacées par des propulseurs à axe vertical. Des remorqueurs plus grands et plus rapides sont conçus pour déplacer, en haute mer, soit des engins flottants ne pouvant naviguer en toute autonomie, soit des navires qui ne sont plus en mesure de se mouvoir par leurs propres moyens.

REMOTE BATCH → TÉLÉINFORMATIQUE.

REMOULINS (30210), ch.-l. de cant. du Gard, sur le Gard, à 20 km au N.-E. de Nîmes; 1 900 hab. Château du XIIIe s.

REMSCHEID, v. de l'Allemagne fédérale (Rhénanie-du-Nord-Westphalie), dans le sud de la Ruhr; 137 000 hab. Sidérurgie. Constructions mécaniques.

REMUS → ROMULUS.

RÉMUSAT (Claire Élisabeth GRAVIER DE VERGENNES, *comtesse* DE) [Paris 1780 - *id.* 1821], auteur de *Mémoires* sur la cour de Napoléon Ier, où elle avait été dame d'honneur, et d'un *Essai sur l'éducation des femmes.*

RÉMUSAT (Abel), sinologue français (Paris 1788 - *id.* 1832). Un des créateurs des études chinoises en France, il fut le premier professeur de chinois au Collège de France (1814) et le fondateur de la Société asiatique (1822).

RÉMUZAT (26510), ch.-l. de cant. de la Drôme, à 26 km à l'E.-N.-E. de Nyons; 332 hab.

RENAGE (38140 Rives sur Fure), comm. de l'Isère, à 11 km au S.-O. de Voiron; 3 093 hab.

Renaissance. — Le terme de *Rinascita* apparaît en 1568 seulement, dans la seconde édition des *Vite* de Vasari*, mais pour exprimer un phénomène qui remonte au siècle précédent : la rénovation des arts sous l'influence de l'Antiquité retrouvée, qui a permis à ceux-ci d'échapper à une prétendue « barbarie » du style gothique*. L'histoire de l'art du XXe s. a relativisé cette vision, d'une part en mettant l'accent sur la vitalité du gothique, hors d'Italie, jusqu'au XVIe s., d'autre part en étudiant *les* renaissances (carolingienne, romane...) qui, outre celle de Giotto* (point de départ de Vasari), ont précédé *la* Renaissance des XVe-XVIe s. Celle-ci va cependant beaucoup plus loin que les emprunts de thèmes isolés des époques antérieures : le retour aux sources antiques se traduit par un système cohérent d'architecture et de décoration (plans, tracés modulaires, systèmes d'ordres*), un répertoire nouveau de thèmes mythologiques et allégoriques, où le nu trouve une place importante. Il s'accompagne d'aspirations esthétiques (traduction, en peinture, de l'espace et du relief, respect des canons gréco-romains), scientifiques (tentative de mettre fin au cloisonnement entre les arts, les techniques, la pensée), voire éthiques (exaltation de l'intelligence, de l'individualité, du héros, qui se superpose aux valeurs chrétiennes) [v. HUMANISME].

C'est à Florence*, dès la première moitié du *quattrocento,* que tous ces éléments se conjuguent dans l'art des Brunelleschi*, Donatello*, Masaccio*, et dans la pensée d'un L. B. Alberti*. Cette *première Renaissance,* d'une robustesse et d'une saveur primitive qui en reflètent la spontanéité, gagne rapidement l'ensemble de l'Italie, trouvant de nouveaux élans dans les cours princières d'Urbino*, de Ferrare*, de Mantoue*, de Milan*, ainsi qu'à Rome.

En 1494, l'arrivée des Français bouleverse l'équilibre italien, et Rome* recueille le flambeau du modernisme, jusqu'à la dispersion des artistes qui suit le pillage de 1527. C'est la *seconde Renaissance* (ou *Haute Renaissance*), œuvre d'artistes d'origines diverses, rassemblés par les papes, et qui réalisent au plus haut degré les aspirations florentines d'universalisme, de polyvalence, de liberté créatrice : Bramante*, Raphaël*, Michel-Ange*. Léonard* de Vinci, cependant, après ses années milanaises, est contraint à une carrière nomade. D'autres foyers contribuent à cet apogée *classique* de la Renaissance : Parme, avec le Corrège*, Venise*, surtout, avec

Scala

Renaissance. Le palais Chiericati, élevé par Palladio, à Vicence, en 1550 (auj. musée municipal).

Giorgione*, puis avec le long règne de Titien* (qu'accompagnera, plus tard, celui de Palladio* en architecture). Cette époque voit le début de la diffusion du nouvel art en Europe. Dürer* s'imprègne de la première Renaissance vénitienne (Giovanni Bellini*), et le voyage de Gossart* à Rome (1508) ouvre à la peinture des Pays-Bas la voie du « romanisme ». L'Espagne, puis la France sont surtout touchées, d'abord, par le biais du décor : grotesques et rinceaux, pilastres et ordres plaqués sur une architecture traditionnelle tendent à remplacer le répertoire gothique. En Europe centrale, la Hongrie a connu le nouveau style de façon plus précoce, au XVe s. (règne de Mathias Corvin); les architectes italiens interviennent à Moscou dès 1475, plus tard à Cracovie.

Dans le deuxième tiers du XVIe s., environ, se situe la phase *maniériste* de la Renaissance, qui voit une exaspération des acquis antérieurs, en peinture et en sculpture surtout; elle coïncide souvent, en architecture, avec la simple acquisition progressive du vocabulaire classique (Pedro Machuca en Espagne; Lescot* et Delorme* en France). L'admiration pour les grands découvreurs de la génération précédente (Léonard de Vinci, Raphaël, Michel-Ange, Corrège), l'ambition de s'approprier leur « manière » conduisent, dans une atmosphère de crise de civilisation (crise religieuse de la Réforme, crise politique de l'Italie), à la morbidesse d'un Pontormo*, à la grâce sophistiquée d'un Parmesan*, à l'emphase d'un J. Romain*, aux développements subtils de l'art de cour à Fontainebleau*. Ce dernier centre deviendra à son tour point d'attraction, au même titre que les villes italiennes, pour des Flamands comme Jan Matsys*. À la fin du siècle, Prague sera un autre centre du maniérisme (Spranger*).

Cependant, avec la conclusion du concile de Trente (1563), une dernière phase se joue en Italie. La réforme de l'art religieux est portée au premier plan, avec le retour d'un classicisme* de tendance puriste en architecture (Vignole*, mais aussi, en Espagne, le style grandiose de l'Escorial*), naturaliste en peinture (les Carrache*). Les situations sont très diverses dans les différents pays d'Europe; l'activité architecturale est restreinte en France et dans les Pays-Bas, aux prises avec les guerres de Religion; mais partout, avec ses versions régionales souvent pittoresques, le vocabulaire de formes de la Renaissance s'est imposé. Et c'est en Italie encore, à la fin du siècle, que vont naître les courants qui marqueront le début d'une ère nouvelle : le réalisme populiste et grandiose du Caravage*, la poétique illusionniste du baroque*.

RENAIX, en néerl. **Ronse,** v. de Belgique, dans le sud de la Flandre-Orientale; 24 600 hab. Église gothique sur crypte romane.

RENAN (Ernest), écrivain français et historien des religions (Tréguier 1823-Paris 1892). Élève au séminaire Saint-Sulpice à Paris, il revient, au terme d'une crise religieuse, à la vie laïque. Agrégé de philosophie, il rédige (1848-49) un essai sur la connaissance scientifique, *l'Avenir* de la science,* qui sera publié en 1890. D'une mission archéologique en Syrie il rapporte sa *Vie de Jésus* (1863), qui lui vaudra, avec sa leçon inaugurale au Collège de France (11 janv. 1862), l'ostracisme de l'Église et du gouvernement impérial. Cette œuvre, dans laquelle Renan pose le problème historique de Jésus, sera le premier volume d'une *Histoire des origines du christianisme* (1863-1881), qui en comprendra sept : *les Apôtres* (1866), *Saint Paul* (1869), *l'Antéchrist* (1876), *les Évangiles* (1877), *l'Église chrétienne* (1879), *Marc Aurèle* (1881). De ses travaux épigraphiques, sortira le *Corpus inscriptionum semiticarum (Corpus des inscriptions sémitiques);* cette collection, continuée jusqu'à nos jours, compte, depuis 1881, 55 volumes. *L'Histoire du peuple d'Israël* (1887-1894) met un point final à l'œuvre historique de Renan. Parvenu au faîte des honneurs (membre de l'Académie française en 1878, administrateur du Collège de France en 1883), Ernest Renan, dans ses *Drames philosophiques (Caliban, l'Eau de jouvence, le Prêtre de Némi, l'Abbesse de Jouarre),* écrits de 1878 à 1886, livre les méditations d'un vieil homme cherchant une réponse aux problèmes qui tourmentaient le jeune séminariste de Saint-Sulpice et qu'avaient fait revivre les *Souvenirs d'enfance et de jeunesse* (1883), dont la *Prière sur l'Acropole* est le morceau le plus célèbre.

RENARD. — Le « chien roux » à queue touffue et au museau pointu jadis nommé « goupil », héros principal du *Roman de Renart,* est encore abondant en France malgré une chasse systématique. Ses grandes oreilles, son aptitude remarquable à creuser des terriers, ses ruses (que la légende exagère à peine) le préservent de bien des dangers et, aujourd'hui encore, ses ravages dans les poulaillers ne sont pas négligeables. Sa fourrure est variée : *renard du pays* au poil roux, plus solide si elle provient d'un renard de montagne; *renard roux* du Canada; *renard argenté; renard blanc; renard bleu* (ces trois dernières fourrures sont les plus précieuses).

RENARD (Charles), officier et ingénieur militaire français (Damblain, Vosges, 1847-Meudon 1905). Il rénova l'aérostation militaire en substituant aux méthodes empiriques l'art de l'ingénieur. Outre la construction de *la France,* le premier ballon dirigeable qui réalisa un parcours en circuit fermé (1884), ainsi que plusieurs études sur l'aérodynamique, le vol vertical, etc., on lui doit la conception d'une série de nombres à laquelle son nom est resté attaché et qui fut l'une des bases de la normalisation.

RENARD (Jules), écrivain français (Châlons, Mayenne, 1864-Paris 1910). Auteur de romans et de nouvelles réalistes, où il manifeste un humour cruel (*l'Écornifleur,* 1892; *Histoires naturelles,* 1896; *les Philippe,* 1907), il créa le type de l'enfant souffre-douleur dans *Poil* de carotte* (1894), qu'il porta à la scène (1900). Son *Journal,* qu'il tint de 1887 à 1910, est une source précieuse de renseignements sur la vie littéraire de cette période.

RENAUD (Madeleine), actrice française (Paris 1900). Après avoir appartenu à la Comédie-Française de 1921 à 1946, elle prit la direction d'une compagnie avec son mari, J.-L. Barrault. Interprète du répertoire traditionnel (Marivaux) et moderne (Beckett), elle a également tourné de nombreux films.

RENAU D'ELIÇAGARAY ou **ELISSAGARAY** (Bernard), dit **le Petit Renau,** ingénieur militaire et naval français (Armendarits, Basse-Navarre, 1652-Pougues 1719). Il imposa une construction plus scientifique des navires, inventa les galiotes à bombes, qu'il mena lui-même contre Alger (1682), et écrivit une *Théorie de la manœuvre des vaisseaux* (1689). Collaborateur de Vauban, il dirigea plusieurs sièges, dont celui de Namur (1692). Il servit l'Espagne de 1705 à 1710.

RENAUDOT (Théophraste), médecin et journaliste français (Loudun 1586-Paris 1653). Médecin du roi (1612), il s'intéressa au sort des pauvres et ouvrit un « bureau d'adresses », à la fois office de renseignements et de placement, et un dispensaire. De ses feuilles d'annonces naquit *la Gazette* (1631), qui donnait des nouvelles politiques et relatait les événements parisiens. En 1635, Renaudot prit la direction du *Mercure français.* Son nom a été donné à un prix littéraire fondé en 1925 et décerné chaque année en même temps que le prix Goncourt.

RENAULT (Louis), industriel français (Paris 1877-*id.* 1944). L'un des pionniers de l'industrie automobile, il en fut le plus grand producteur en France. Esprit inventif, il laissa plus de 500 brevets. Pendant la Première Guerre mondiale, ses usines travaillèrent pour l'aviation, fabriquèrent des munitions et mirent au point, en 1918, le *tank Renault,* qui devint l'engin d'accompagnement de l'infanterie dans toutes les offensives. La paix revenue, Renault continua d'accroître ses installations de Boulogne-Billancourt, en construisant des groupes marins et industriels ainsi que des moteurs Diesel pour véhicules lourds. À la Libération, ses usines, qui avaient dû, sous l'Occupation, travailler pour les autorités allemandes, furent nationalisées, et Louis Renault, qui avait été inculpé, mourut avant d'avoir pu présenter sa défense.

RENAZÉ (53800), comm. de la Mayenne, à 11 km au S.-O. de Craon; 2 914 hab. Ardoisières.

RENDEMENT *(Chim.).* — Le *rendement d'une réaction chimique* peut être inférieur à l'unité : soit parce que, dans les conditions où l'on opère, plusieurs réactions ont lieu simultanément; soit parce que la réaction n'est pas totale, mais limitée par la réaction inverse, et conduit à un équilibre. Le *rendement théorique,* ou rendement à l'équilibre, dépend des facteurs qui influent sur l'équilibre (température, pression, concentrations); le *rendement pratique,* qui lui est inférieur, dépend de la durée de contact, et éventuellement de la présence de catalyseurs.

RENDEMENTS DÉCROISSANTS. — L'école classique anglaise met en lumière cette loi de tendance, à propos de l'agriculture, la loi étant ultérieurement étendue à l'industrie. Ricardo* souligne que les rendements agricoles, au fur et à mesure que la production doit être poussée, deviennent de plus en plus médiocres; la nécessité s'imposant de cultiver des terres sans cesse moins fertiles, un accroissement plus que proportionnel du travail employé est dès

Renard dévorant une proie.

Dubois-Jacana

lors nécessaire. Stuart Mill* réaffirme l'existence de cette tendance, comme Malthus*, avec sa loi de population; J.-B. Say* l'étend aux mines, des filons sans cesse plus profonds devant être exploités. C'est quand les *frais variables* augmentent plus vite que les résultats de la production que la loi est confirmée.

L'école marginaliste enrichit l'analyse des rendements décroissants par la notion de *calcul à la marge :* le producteur poussera sa production jusqu'au moment précis où le *coût marginal* atteindra le prix du marché; toute unité supplémentaire de bien qu'il voudra produire entraînera une perte, le coût de production dépassant dès lors le prix de vente possible sur le marché. C'est à ce point qu'est atteint le niveau de production optimal de l'entreprise. À la limite, si l'on étend la loi à l'ensemble des branches d'une économie concernée, toute opportunité d'investissement supplémentaire de capital, à ce niveau, disparaît.

RENDEMENT THERMODYNAMIQUE. — Dans le cas des machines thermiques, qui transforment de la chaleur en énergie mécanique et fonctionnent suivant un cycle comprenant des échanges avec au moins une source chaude et une source froide, le rendement se définit par le rapport entre l'énergie mécanique produite et l'équivalent de la chaleur prise aux sources chaudes. Or, tout cycle, théorique ou réel, ne peut avoir un rendement supérieur à celui du « cycle de Carnot », $r = \frac{T_1 - T_2}{T_1}$, où T_1 et T_2 sont les températures absolues de la source chaude et de la source froide. Le rendement pratique, qui est inférieur encore au rendement thermodynamique, tient compte aussi des pertes de chaleur, des frottements, etc.

Les machines qui fonctionnent en recevant de la chaleur de la source froide et en la cédant à la source chaude (pompes à chaleur, par ex.) ont, au contraire, un rendement thermodynamique supérieur à l'unité, si l'on considère comme seule dépense le travail et comme recette la chaleur fournie à la source chaude.

RENDZINE. — Type de sol* peu lessivé, la rendzine se développe sur roche mère calcaire. Elle est caractérisée par l'existence d'un horizon unique, à structure grenue, constitué de débris calcaires dans une matrice argileuse. Sous couvert forestier, sa richesse en humus lui confère une couleur noire alors qu'elle est grise sous couvert herbeux.

RENÉ GOUPIL *(saint),* missionnaire français, mort martyr au Canada (en Anjou 1607 - Andagaron, Canada, 1642). Chirurgien, il se mit au service des Jésuites; il mourut torturé par les Iroquois* avec le P. Isaac* Jogues.

RENÉ Ier le Bon (Angers 1409 - Aix-en-Provence 1480), duc d'Anjou, comte de Provence (1434-1480), duc de Bar (1430-1480) et de Lorraine (1431-1453), roi de Naples (1438-1442), roi nominal de Sicile (1434-1480) et de Jérusalem. Second fils de Louis II, roi de Sicile, il doit à son mariage avec Isabelle, fille du duc de Lorraine, son accession au trône de Lorraine (1431). Battu en juillet 1431 par son rival Antoine de Vaudémont, il séjourne à deux reprises dans les prisons bourguignonnes. Libéré en 1437, il s'installe à Naples (1438), dont il a hérité de son frère Louis III († 1434). Mais, attaqué par Alphonse d'Aragon (1441), auquel il doit abandonner son royaume (1442), il revient en France et participe, aux côtés de Charles VII, aux dernières reconquêtes. Après 1455, René se consacre à ses activités littéraires et artistiques, d'abord à Angers, puis à Aix-en-Provence, où il se fixe en 1471. Son gouvernement débonnaire lui a valu d'être appelé le « bon roi René ».

RENÉ II (1451 - Fains 1508), duc de Lorraine (1473-1508) et de Bar (1480-1508). Il est l'un des principaux adversaires de Charles le Téméraire, contre lequel il doit soutenir une longue campagne (1475-1477), qui se termine par la mort du Bourguignon sous les murs de Nancy (janv. 1477). À la mort du roi René, René II, son petit-fils, recueille l'héritage du duché de Bar, dont il n'entrera totalement en possession qu'en 1485. Mais c'est en vain qu'il conteste l'héritage de la Provence à Charles du Maine. Il soutient Venise contre Ferrare (1483) et participe à la Guerre folle (1485).

René, roman de Chateaubriand, publié en 1802 dans le *Génie du christianisme,* puis à part en 1805. L'auteur y décrit le mal du siècle, le « vague des passions ».

RENÉE DE FRANCE (Blois 1510 - Montargis v. 1575). Fille de Louis XII et d'Anne de Bretagne, elle épouse, en 1528, Hercule II d'Este, futur duc de Ferrare (1534). Gagnée à la Réforme, elle reçoit Calvin à sa cour et fait de Marot son secrétaire. Rentrée en France (1560), après la mort du duc de Ferrare, elle soutient le parti protestant.

RENENS, v. de Suisse (cant. de Vaud), banlieue ouest de Lausanne; 17 391 hab.

RENFLOUEMENT. — • Dans le cas d'un *navire coulé,* deux méthodes, que l'on peut d'ailleurs combiner, sont employées :
— le *levage extérieur,* pour lequel on fait appel soit à des engins de levage ou à des chalands de relevage munis d'élingues que l'on passe sous la coque, et qui s'enroulent sur des treuils, soit à des flotteurs fixés au navire et que l'on remplit d'air comprimé;
— la *force de flottabilité* propre de l'épave, après avoir préalablement fait obturer toutes les ouvertures de la coque par des scaphandriers, et après avoir évacué par pompage ou par injection d'air comprimé l'eau séjournant à l'intérieur.

• Dans le cas d'un *navire échoué,* si le fond est mou et si la coque du navire n'a pas subi d'avarie, on peut le renflouer en profitant d'une forte marée ou en l'allégeant, ou encore en se servant de remorqueurs. Si des déchirures importantes de la coque se sont produites, le navire peut être assimilé à une épave émergente et, après réparation provisoire des avaries, il peut être remis à flot en utilisant les procédés de renflouement des navires coulés.

RENI (Guido), en franç. **le Guide,** peintre italien (Bologne 1575 - *id.* 1642). Partagé entre Rome et Bologne, il est marqué par l'art des Carrache mais subit aussi l'influence du Caravage (*la Crucifixion de saint Pierre,* 1603, Vatican). Il puise volontiers ses références dans l'Antiquité (plafond de *l'Aurore,* 1613-14, palais Rospigliosi, Rome) et n'échappe pas, malgré son attrait pour la peinture plus chaude des Vénitiens, à l'académisme (*Madone en gloire avec des saints,* 1630, pinacothèque de Bologne).

RENN (Arnold Vieth VON GOLSSENAU, dit **Ludwig**), écrivain allemand (Dresde 1889). Son expérience de la Première Guerre mondiale lui inspira des romans pacifistes et révolutionnaires (*Après-guerre,* 1930), et celle de l'exil, pendant le régime hitlérien, des récits qui attirèrent l'attention de ses compatriotes de la R. D. A. sur les cultures étrangères (*Nobi le nègre,* 1955).

RENNE. — Le renne a été la ressource principale de l'homme européen peu après la dernière glaciation (« âge du renne ») et il l'est resté pour les populations du Grand Nord : Lapons, Yakoutes, Esquimaux, etc. Ce ruminant, de la famille du cerf, vit en immenses troupeaux sur la toundra, grattant la neige avec les cornes (bois) et avec les sabots pour brouter le « lichen des rennes » *(Cladonia rangiferina).* L'homme attelle le renne au traîneau, trait la femelle, mange la viande et tanne la peau, tandis que les bois (très développés) et les os sont façonnés en divers outils ou bijoux.

Volot - Jacana

Renne (Laponie norvégienne).

RENNEQUIN (René SUALEM, dit), mécanicien liégeois (Jemeppe-sur-Meuse 1645 - Bougival 1708). À la demande de Louis XIV, il entreprit la construction de la machine élévatoire des eaux de la Seine, ou machine de Marly (1676-1682), pour l'alimentation en eau de la ville et du parc de Versailles.

RENNER (Karl), homme politique autrichien (Untertannowitz, Moravie, 1870 - Vienne 1950). Social-démocrate, chancelier (1918-1920) et président du Conseil national (1931-1933), il a été président de la République autrichienne de 1945 à 1950.

RENNES, capit. de la Région Bretagne et ch.-l. du départ. d'Ille-et-Vilaine, au confluent de l'Ille et de la Vilaine, à 360 km à l'O. de Paris; 205 733 hab. *(Rennais).* Siège de la IIIe région militaire et de l'École supérieure d'électronique de l'armée de terre.

GÉOGRAPHIE. L'agglomération compte environ 235 000 habitants : elle a presque doublé dans le dernier quart du siècle. Cette rapide progression démographique est à relier à l'industrialisation : électronique et surtout construction automobile, s'ajoutant à des branches plus traditionnelles (imprimerie et édition, textile, alimentation). Toutefois demeure la prépondérance du secteur tertiaire, avec l'Administration, le commerce, l'université (plus de 20 000 étu-

Rennes.
Vue générale du centre de la ville, traversée par la Vilaine.
À droite, la place de Bretagne.

diants au total). Bien desservie par le rail, devant être reliée à Paris par autoroute, possédant un aéroport (Saint-Jacques-de-la-Lande), Rennes est devenue une cité aux fonctions équilibrées, métropole incontestée de la Bretagne orientale et d'une partie du Maine, malgré l'attraction de Nantes.

HISTOIRE. Cette ancienne ville gallo-romaine est le siège d'un évêché probablement depuis le milieu du Ve s. Décidément bretonne au IXe s., elle est ravagée par les Normands, avant de mener une longue lutte d'influence avec Nantes. Elle connaît encore des heures tragiques au cours des guerres des XIVe et XVe s. Quand, en 1532, l'union du duché de Bretagne avec la France est consommée c'est à Rennes que le dauphin François reçoit la couronne ducale. Peu après (1554), la ville devient le siège du parlement de Bretagne. À la fin du XVIIe s. et durant le XVIIIe elle est le théâtre de troubles provoqués par l'opposition du parlement breton aux ingérences du pouvoir central.

BEAUX-ARTS. Églises Notre-Dame (anc. abbatiale Saint-Mélaine, gothique avec parties romanes; cloître du XVIIe s.) et Saint-Germain (gothique, des XVe-XVIe s.). Vieilles demeures autour de la cathédrale (reconstruite de 1787 à 1844, sauf la façade, des XVIe-XVIIe s.). Palais du parlement, auj. palais de justice, construit avec le concours de S. de Brosse (façade modifiée après 1720; riches décors de la seconde moitié du XVIIe s.). Nouvel urbanisme consécutif à l'incendie de 1720 (hôtel de ville par J. V Gabriel...). Musées de Bretagne (histoire et folklore) et des Beaux-Arts (peinture de l'école française, du XVIe au XXe s.; écoles italienne, flamande, hollandaise; céramique, dont les faïences de Rennes, du XVIIIe s.).

RENNES-LES-BAINS (11190 Couiza), comm. de l'Aude, à 23,5 km au S.-E. de Limoux; 192 hab. Station thermale.

RENO, v. des États-Unis, dans l'ouest du Nevada; 73 000 hab. Centre touristique (jeux).

RENOIR (Pierre Auguste), peintre français (Limoges 1841 - Cagnes-sur-Mer 1919). S'initiant à la peinture de plein air en compagnie de Monet, de Sisley et de Bazille (rencontrés, de 1862 à 1864, dans l'atelier de Charles Gleyre à l'École nationale des beaux-arts), il s'attache à partir de 1869, dans des toiles qui marqueront l'impressionnisme de leur vitalité sensuelle, à rendre les vibrations lumineuses par des touches fragmentées qui noient les formes dans le miroitement des couleurs (*Chemin montant à travers les herbes,* 1875, Louvre), des taches de lumière et d'ombre (*le Moulin de la Galette,* 1876, Louvre). Soucieux, un temps, sous l'influence de Raphaël et d'Ingres, d'affirmer la composition et le dessin — il adopte alors des tons plus froids, des contours nets et un modelé atténué (*les Grandes Baigneuses,* 1884-1887, musée de Philadelphie) —, il retrouve vers 1890 une technique plus libre et colorée, caractérisée par une touche lisse et effilée, des couleurs plus transparentes, parfois nacrées, où domineront bientôt les rouges et les orangés. La célébration de la femme (portraits : *Gabrielle à la rose,* 1911, Louvre; nus : *les Baigneuses,* v. 1918-19, *ibid.*; sculptures réalisées par des aides) inspire alors une œuvre qui s'achève, malgré la maladie, dans la sérénité et la plénitude.

RENOIR (Jean), cinéaste français (Paris 1894). Fils du peintre Auguste Renoir, il s'imposa au cours des années 1920-1940 comme un adepte brillant du naturalisme poétique (*Nana,* 1926; *la Chienne,* 1931; *la Nuit du carrefour,* 1932; *Boudu sauvé des eaux,* 1932; *Une partie de campagne,* 1936). Ouvrant les voies du néoréalisme (*Toni,* 1934), il se fit à l'époque du Front populaire l'écho de certaines préoccupations sociales (*le Crime de M. Lange,* 1935) avant de signer trois œuvres importantes : *la Grande Illusion** (1937), *la Bête humaine* (1938) et *la Règle du jeu** (1939). Il s'exila pendant huit années (1940-1948) à Hollywood : *l'Homme du Sud* (1945), puis tourna en Inde *le Fleuve* (1951) et en Italie *le Carrosse d'or* (1952). De retour en France, il signa successivement *French Cancan* (1955), *Éléna et les hommes* (1956), *le Déjeuner sur l'herbe* (1959) et *le Caporal épinglé* (1962).

RENONCULACÉES. — La plus nombreuse et la plus diverse des familles de plantes polycarpiques (v. RANALES) est celle des renonculacées, qui sont des herbes ou des lianes aux fleurs assez simples : celles-ci comportent des sépales ayant forme et fonction de pétales, des nectaires, de nombreuses étamines aux anthères tournées vers l'extérieur, des carpelles séparés, au moins au sommet, toutes ces pièces étant insérées séparément sur un réceptacle bombé.

Citons la clématite, aux graines plumeuses, l'anémone ornementale, aux feuilles finement découpées, l'hépatique des forêts, le bouton-d'or des prairies, la renoncule d'eau, la ficaire, le caltha des marais, la trolle, l'hellébore (ou ellébore, ou rose de Noël), la nigelle, l'ancolie, aux pétales munis de cornets, le pied-d'alouette *(Delphinium),* l'aconit, vénéneux, la grosse pivoine des jardins.

RENOUÉE. — C'est dans la famille des polygonacées*, au voisinage du sarrasin, que sont classées ces herbes très communes et très diverses, aux tiges flexueuses, aux feuilles cordiformes ou lancéolées et aux petites fleurs roses.

RENOUVIN (Pierre), historien français (Paris 1893 - *id.* 1974). Professeur à la Sorbonne, il s'intéressa surtout aux origines et aux conséquences de la Première Guerre mondiale, et dirigea (1953-1958) une *Histoire des relations internationales.*

RENSEIGNEMENT (service de). — Répondant à la nécessité pour toute autorité publique d'être informée de ce qui se passe dans les territoires voisins, de connaître les lignes de force et les points faibles des concurrents et des adversaires, les services de renseignement remontent à la plus haute antiquité. Leur mission se cantonne longtemps au domaine militaire, pour lequel des organisations permanentes sont créées au XIXe s. par les grandes puissances. À la recherche du renseignement sur les forces étrangères s'ajoute bientôt le *contre-espionnage,* c'est-à-dire la connaissance des services étrangers et la détection de leurs agents tant à l'étranger que sur le sol national. Au cours des deux guerres mondiales, le caractère totalitaire des conflits étend le domaine du renseignement à l'ensemble des activités des nations, notamment à leurs composantes économiques et psychologiques. Depuis 1945, l'accroissement spectaculaire de la technicité des armements élargit encore la matière du renseignement à la recherche technologique, qui conditionne l'efficacité des appareils militaires. L'organisation, la puissance et la structure des services de renseignement sont, évidemment, liées à la forme des régimes politiques et à l'ampleur des intérêts ou des ambitions des différents pays. Parmi les services de renseignement les plus importants, on citera l'Intelligence* Service britannique, les services spéciaux allemands du IIIe Reich (Abwehr*, Sicherheitsdienst...), la CIA* américaine, le S. D. E. C. E.* français, le KGB* soviétique, etc.

RENSEIGNEMENT AÉRIEN. — C'est comme moyen d'observation des troupes ou des tirs d'artillerie que l'avion reçoit vers 1910 son premier emploi militaire. La guerre de 1914-1918 consacre sa valeur dans cette mission et donne un grand essor à la photographie aérienne. La Seconde Guerre mondiale, guerre de mouvement, développe l'*aviation d'observation,* en fournissant aux armées de terre une *aviation* dite *de reconnaissance,* mettant en œuvre des avions très rapides et à long rayon d'action, opérant isolément grâce à leur caméra, dont les clichés sont aussitôt exploités. Depuis 1945, tandis que l'hélicoptère renforce les moyens d'observation des forces terrestres, les avions de reconnaissance bénéficient de techniques plus élaborées : prise de vues de nuit par détection infrarouge, radar, caméra de télévision. En outre, dans les années

1960, le *satellite* d'observation* complète l'avion comme moyen de renseignement aérien. L'avion conserve sa valeur pour certaines missions photographiques, à condition que sa vitesse le rende invulnérable (c'est le cas, en 1975, du « Mig 23 » soviétique et du Lockheed « SR-71 » américain, volant à Mach 3 à 30 000 m d'altitude). D'autres moyens de renseignement aérien clandestin qui semblent être tolérés sont les *drones,* missiles spéciaux sans pilote à bord, et des avions sans pilote, guidés de loin (Remotely Piloted Vehicles) et qui ont été expérimentés aux États-Unis.

RENTE *(Écon.).* — La fertilité des terres étant inégale et la population croissante, on se trouve dans l'obligation de cultiver des sols de moins en moins fertiles et dont les coûts d'exploitation sont de plus en plus élevés. Les prix de vente des céréales s'alignant toujours sur les prix de vente des produits des terres les plus médiocres, les exploitants des terres les plus riches profitent, de ce fait, d'un bénéfice de différence, dit « rente ». Cette « loi » fut acceptée par de nombreux économistes du XIXe s. (S. Mill* et Walras* notamment), mais fut contestée par Bastiat*; elle fut, par ailleurs, étendue à l'ensemble de l'économie, la « rente » devenant, dans ce cadre plus large, un phénomène lié à l'inélasticité ou à la non-réponse de l'offre d'un facteur. Issue des analyses de Ricardo*, qui l'appliquait à la terre, la « rente », ou « surplus », est devenue en science économique un concept global. (V. aussi PRIX.)

RENTRÉE *(Astronaut.).* — Lorsqu'elles abordent les couches denses de l'atmosphère* lors de leur retour vers la Terre*, les capsules* spatiales ou les têtes de missiles* balistiques sont l'objet de phénomènes aérodynamiques particuliers, appelés *phénomènes de rentrée.* Ceux-ci consistent essentiellement en un échauffement intense de la surface extérieure de l'engin, qui doit alors être protégée. On utilise alors des revêtements ablatifs, qui se décomposent en absorbant de la chaleur. Il se forme également autour de l'engin une couche ionisée qui peut interrompre les communications radioélectriques avec la Terre.

RENVERSEMENT DU SPECTRE *(Opt.).* — Lorsqu'un gaz émet par incandescence une raie brillante dans son spectre d'émission, il produit au contraire une raie obscure de même position dans le spectre d'absorption qu'il engendre sur une lumière étrangère qui le traverse.

RENWEZ (08150 Rimogne), ch.-l. de cant. des Ardennes, à 15 km au N.-O. de Charleville-Mézières; 1 199 hab. Église du XVe s.

RÉOLE (La) [33190], ch.-l. de cant. de la Gironde, sur la Garonne, à 57 km au S.-E. de Bordeaux; 5 145 hab. Restes de fortifications. Maisons romanes. Église reconstruite à partir de 1200.

RÉPARATION NAVALE. — La réparation et l'entretien technique des navires sont effectués par les chantiers de construction navale, les arsenaux de la marine ou des entreprises spécialisées. L'entretien technique a naturellement pour objet de conserver les navires dans un état satisfaisant pour leur exploitation et aussi d'obtenir pour les navires de commerce le maintien de la cote des sociétés de classification*, qui effectuent les visites et vérifications nécessaires, conformément à leur règlement. En cas d'avarie, si les œuvres vives sont concernées, la réparation exige la mise à sec du bâtiment dans un ouvrage portuaire : *forme de radoub* (ou cale sèche), bassin mis à sec par pompage, ou *dock flottant,* flotteur comportant une partie horizontale surmontée de deux parties latérales, ou murailles, divisées en compartiments étanches et dont le vidage ou le remplissage fait varier l'enfoncement du dock, ce qui permet le passage du navire et sa mise à sec. Dans les deux cas, le navire repose sur une ou plusieurs files d'empilages de bois, ou tins. Pour un petit navire, on peut utiliser également une *cale de halage* (en long ou en travers), plan incliné sur lequel on hale le navire, ou, dans les ports à marée, un *gril de carénage,* plate-forme garnie de tins sur laquelle le navire s'échoue à marée basse.

réparations *(problèmes des),* ensemble des problèmes posés, après la Première Guerre mondiale, par l'insolvabilité de l'Allemagne vaincue en matière de réparations.

Fixés par la conférence de Spa (1920), les versements correspondant aux pertes matérielles de chacun des vainqueurs (la France en reçoit 52 p. 100) sont remplacés par le principe du règlement forfaitaire par annuités, solution que soutient Lloyd* George, que repousse Raymond Poincaré*, mais qu'accepte Aristide Briand* (1921). Les Allemands se déclarant incapables de payer, une partie de la Rhénanie est occupée par les troupes françaises, si bien que l'Allemagne accepte de payer. Mais bientôt la chute du mark oblige cette dernière à demander un moratoire, qui est accepté (1922), mais quand l'Allemagne en demande un second, la Ruhr est occupée (1923), ce qui oblige Stresemann* à s'incliner. Cependant, les thèses anglo-saxonnes triomphent avec l'application des plans Dawes* (1924-1930) et Young* (1930-1932); affolés par la crise économique allemande, les Américains vont jusqu'à accorder un moratoire général. D'ailleurs, l'avènement de Hitler* (1933) rejette dans le néant le problème des réparations.

RÉPARTITION. — Au terme du régime de la répartition, dans le cadre de l'organisation d'un système de retraites, les cotisations versées au cours d'une période sont affectées au service des retraites versées au cours de la même période; le transfert s'opère du groupe des cotisants au groupe des bénéficiaires (ce n'est pas un transfert dans le temps, mais un transfert dans l'espace). L'actuel système de la Sécurité* sociale française fonctionne sous le signe de la répartition. (Le système inverse, où un transfert s'opère dans le temps, est le système dit *de la capitalisation.*)

RÉPARTITION *(Électr.)* → POSTE.

RÉPARTITION (théorie de la). — C'est au XVIIIe s., avec les physiocrates* (Quesnay* parle de distribution) qu'apparaît une certaine théorie de la répartition. Adam Smith* *(Richesse* des nations)* évoque la distribution du produit du travail et Marx* intègre la répartition dans sa vision du capitalisme, les marginalistes la reprenant à leur tour.

Les différents facteurs de la production voient s'effectuer à leur profit une répartition de la richesse produite, la demande et l'offre de chacun de ces facteurs se formulant sur les marchés respectifs à un (ou des) prix donné(s).

Le marché du travail exprime un salaire; les salaires se fixent théoriquement selon la loi de l'offre et de la demande, mécanisme cependant corrigé, dans les économies contemporaines, par l'intervention de l'État et des syndicats. Les marchés de capitaux expriment le prix de l'argent dont se sert l'entreprise, qu'il s'agisse de capitaux empruntés ou des capitaux composant les fonds propres de l'entreprise sociétaire, le taux d'intérêt exprimant le prix sur le marché de l'argent. Le profit de l'entreprise est constitué par le revenu résiduel, qui, toutes dépenses payées, provient des ventes de l'entreprise; ce revenu aléatoire rémunère, en quelque sorte, l'activité et le rôle de l'entreprise. Alors que Karl Marx voit dans ce profit le fruit de l'exploitation des travailleurs (qui gagnent moins que la valeur qu'ils créent), Walras* y perçoit une rémunération devant, en concurrence pure, tendre vers zéro; les économistes estiment généralement que le profit est une ressource occasionnelle et temporaire, due à des rigidités, un « surplus de conjoncture » (Raymond Barre); certains y voient la rémunération d'un risque assumé (Knight). Le profit paraît, en tout cas, la source de l'épargne* que l'entreprise affecte à sa propre maintenance et à son développement, grâce à l'autofinancement*.

Ces différents revenus trouvant une (ou des) explication(s), y a-t-il des mécanismes rendant compte de la répartition de ces revenus? En 1928, Cobb et Douglas essayèrent d'expliquer les faits de répartition grâce à une fonction de production liant la production globale, P, la quantité de travail, L, et le stock de capital fixe, C, la fonction faisant intervenir de plus des constantes, B et K. J. M. Keynes* étudia les relations existant entre les prix, les profits, l'investissement et la consommation. (Il associait les profits des entrepreneurs aux dépenses de ceux-ci.)

La répartition personnelle est un autre aspect du problème de la répartition. Les revenus personnels des individus pouvant être de différentes sources et un grand nombre de paramètres, juridiques, sociaux et politiques, pouvant jouer, des politiques budgétaires et fiscales ainsi que des transferts sociaux de plus en plus hardis corrigent dans les sociétés modernes la répartition primaire des revenus. (On parle alors non plus tellement de « répartition », mais de « redistribution* ».)

REPENTIGNY, v. du Canada (Québec); 19 520 hab.

RÉPÉTEUR → CÂBLE.

REPINE (Ilia Iefimovitch), peintre russe (Tchougouiev 1844-Kuokkala [auj. Repino], Carélie, 1930). Réaliste, membre de l'« association des expositions ambulantes », qui se donnait pour but de toucher l'ensemble du peuple, il peignit des tableaux d'histoire, des portraits, mais se consacra surtout aux thèmes contemporains. Ses *Haleurs de la Volga* (1870, Musée russe, Leningrad) le rendirent célèbre.

RÉPLIQUE *(Cybern.)* → MODÈLE.

REPRÉSENTANT → VENTE.

représentants *(Chambre des),* Chambre basse des États-Unis. Elle compte 435 membres, élus pour deux années au scrutin universel majoritaire à un tour; le nombre de représentants par circonscription dépend de la population (l'Alaska a 1 représentant, la Californie 43). Cette Chambre a l'initiative en matière budgétaire. Elle est un rare exemple de première chambre à posséder en fait moins de pouvoir que la « Chambre haute ».

REPRÉSENTATION *(Philos.).* — Elle est l'instance de l'entendement et, plus généralement, du sujet* dans la connaissance*. Toute la problématique classique de la connaissance — à savoir l'opposition du réalisme* et de l'idéalisme* — est fondée sur la conception du connaître pris comme « se représenter » et des idées, quelles qu'elles soient, comme autant de représentations : qu'il s'agisse de perceptions*, d'imaginations ou d'idées purement intellectuelles. La phénoménologie* a substitué à la notion de représentation celle d'intentionnalité de la conscience. (V. HUSSERL.)

REPRÉSENTATION (système de). — Un système de représentation réalise une correspondance ponctuelle, biunivoque entre les points de l'ellipsoïde* terrestre, définis par leur longitude λ, leur latitude φ, et les points du plan, définis par leurs coordonnées cartésiennes x, y : $x = f(\lambda, \varphi)$, $y = g(\lambda, \varphi)$. Les longueurs subissent toujours une altération, mais on peut définir des systèmes de représentation *conformes,* qui conservent les angles (utilisés en géodésie* et en topographie*), et des systèmes de représentation *équivalents,* qui conservent les aires (utilisés en cartographie* générale). D'après leurs propriétés géométriques générales, on peut distinguer les systèmes de représentation *cylindrique* (système de Mercator*), *conique* (système Lambert) et *azimutale* (projection stéréographique). Dans les systèmes de représentation conformes utilisés en géodésie, on réduit au minimum l'altération linéaire en fractionnant le champ en plusieurs zones, ou fuseaux. Pour le système Lambert France, il y a quatre zones, l'altération maximale atteignant 36 cm/km.

REPRODUCTION *(Arts graph.)* → REPROGRAPHIE.

REPRODUCTION *(Biol.).* — La notion de reproduction est l'une des plus larges de toute la biologie. L'aptitude d'une structure à se reproduire définit le vivant, en l'opposant aux structures inertes. Les organites cellulaires fondamentaux (chromosomes, mitochondries, etc.) se reproduisent par duplication latérale ou par réplication (principe du moule et du moulage). Les cellules* le font par simple allongement (scissiparité : bactéries) ou par le processus complexe de la mitose* (cellules eucaryotes). Des groupes cellulaires non spécialisés peuvent, isolés de l'organisme, reconstituer un individu entier (*boutures* des plantes, *bourgeonnement* de divers animaux aquatiques) : c'est la *multiplication* végétative.* Mais les formes supérieures présentent une reproduction sexuée.

Ce qui caractérise la sexualité*, ce n'est pas nécessairement l'existence d'individus de deux sexes, les uns mâles, les autres femelles (*gonochorisme* des animaux, *dioïcité* des plantes), mais plutôt celle de gamètes*, c'est-à-dire de cellules reproductrices spécialisées équipées seulement d'un chromosome* de chaque paire (cellules dites *haploïdes*). La fusion de deux gamètes donne une unique cellule à garniture chromosomique complète (diploïde), le *zygote,* ou œuf fécondé. Cette fusion *(amphimixie)* est l'un des deux aspects de la fécondation*, l'autre étant l'*activation,* qui se traduit par le développement embryonnaire de l'œuf fécondé. Très précocement, au sein de l'embryon, s'isole une *lignée germinale,* qui élaborera plus tard, à la suite d'une réduction chromosomique *(méiose*),* des gamètes pour la génération suivante.

La différence fondamentale entre les animaux et les plantes à cet égard est qu'il n'y a pas de *mitose haploïde* chez les animaux. En d'autres termes, les gamètes, produits directs de la méiose, ne peuvent que s'unir ou mourir. Chez les plantes, au contraire, les cellules issues de la méiose ne sont pas des gamètes, mais des *tétraspores,* capables de se multiplier en donnant chacune un *gamétophyte,* ou *prothalle,* entièrement haploïde, qui, tôt ou tard, élaborera des gamètes.

La reproduction est réalisée par un seul individu lorsque celui-ci est bisexué et pratique l'*autofécondation* (fleurs dites *cléistogames*) ou lorsqu'il y a *parthénogenèse** (reproduction sans mâle). Mais, dans la plupart des cas, la reproduction sexuée est *biparentale :* deux patrimoines héréditaires s'unissent, faisant apparaître un produit nouveau, qui diffère plus ou moins des deux parents. Il y a alors *isogamie* si les gamètes sont identiques, ce qui est exceptionnel. On distingue en effet généralement un gamète *mâle,* petit et mobile, d'un gamète *femelle,* immobile et beaucoup plus gros (v. SEXE). La fécondation est externe lorsque les gamètes se rencontrent hors de l'organisme (algues, oursins, nombreux poissons). Si ces gamètes se rencontrent à l'intérieur de l'organisme femelle, cette fécondation interne nécessite un accouplement (animaux terrestres) ou une pollinisation (plantes terrestres). Le produit rejeté par l'organisme maternel peut être une graine* (mode *spermipare :* végétaux supérieurs), un œuf (mode *ovipare :* insectes, oiseaux, etc.), un jeune déjà très différencié (mode *vivipare :* scorpions, mammifères). Il existe d'ailleurs des intermédiaires (mode *ovovivipare :* vipère). Bien entendu, ce produit n'est jamais adulte et il est l'objet de *soins parentaux :* protection, nutrition, réchauffement, etc., très variables en nature et en importance chez les animaux.

Le cycle* reproductif est achevé lorsque le jeune animal ou la jeune plante se reproduit à son tour. Sa durée varie de quelques jours (puceron) à près d'un siècle (agave).

REPRODUCTION *(Écon.).* — La reproduction capitaliste désigne, dans *le Capital**, le renouvellement ininterrompu du capital productif, c'est-à-dire des procès de production et de circulation des marchandises. Pour se perpétuer, le capital est investi sous forme de capital constant (moyens de production) et de capital variable (masse salariale). Le procès de production reproduit les rapports* de production capitaliste. Le nouveau capital, au terme de ce procès, est égal à la somme du capital avancé augmentée de la plus-value* extorquée. Si celle-ci n'est pas utilisée pour le renouvellement des forces productives, Marx parle de reproduction simple. Il parle, en revanche, de reproduction élargie quand une partie de la plus-value est réinvestie. (V. ACCUMULATION DU CAPITAL.)

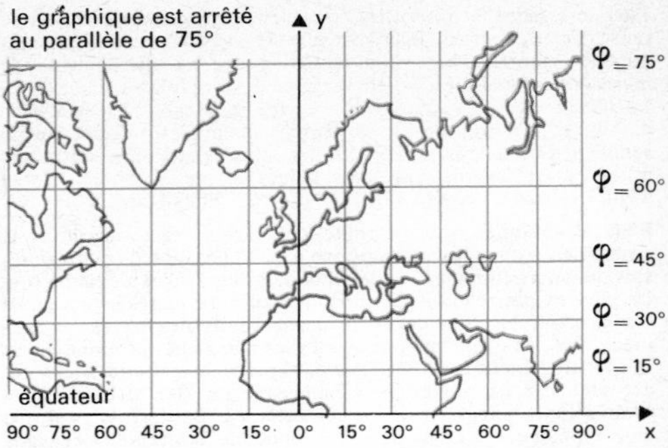

1

Système de représentation de Mercator appliqué à une partie de l'hémisphère Nord (la conformité du système entraîne l'écartement progressif des parallèles [latitude croissante]).

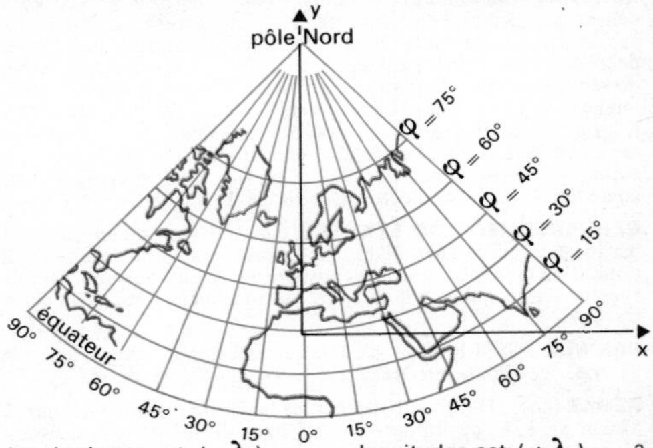

2

Système de représentation conique conforme de Lambert appliqué à une partie de l'hémisphère Nord.

REPROGRAPHIE. — Elle groupe les techniques de *reproduction,* multiplication d'un document à partir de lui-même, et celles de *duplication,* création d'un modèle (cliché, plaque, stencil), avec lequel sera tiré le nombre voulu d'exemplaires. Les principales techniques de reproduction sont la *photocopie* avec ses variantes (développement-stabilisation, diazocopie) et l'*électrophotographie* (procédé Xérox, procédés Électrofax et similaires). Les procédés de duplication comprennent la duplication à l'alcool, version moderne de la copie de lettres, la duplication au stencil (Miméographe, Ronéo) et l'emploi de duplicateurs offset*. C'est à ces petites machines, appelées également « offset de bureau », qu'est dû pour une bonne part l'essor de la reprographie.

REPTILES. — Si la classe des reptiles est la plus hétéroclite des groupes actuels de vertébrés, c'est parce qu'elle est constituée de débris épars, survivants d'une faune infiniment plus riche à l'ère secondaire. On distingue les reptiles des amphibiens* par l'aptitude des jeunes à mener une vie terrestre ou, tout au moins, à respirer par des poumons dès leur sortie de l'œuf. L'embryon est assorti d'annexes embryonnaires (amnios, allantoïde). La température interne des formes actuelles n'est que peu supérieure à celle du milieu; le corps est couvert de replis écailleux épidermiques. Rares sont les espèces qui peuvent se soulever sur leurs pattes et marcher à la façon des mammifères : l'humérus et le fémur (lorsque les pattes existent) sont, en effet, disposés horizontalement. D'où la reptation, à laquelle la classe doit son nom.

On distingue quatre groupes principaux (actuels) : les *crocodiles**, qui sont les plus évolués avec leur cœur compartimenté et leurs dents alvéolées; les *tortues**, porteuses d'un puissant squelette dermique sous les écailles; les *lézards,* ou lacertiliens*; les *serpents**.

RÉPUBLICAIN *(Zool.).* — Ce nom a été donné à une espèce de moineaux d'Afrique qui bâtissent un vaste nid collectif conique, autour du tronc d'un arbre. Des centaines de nids individuels sont creusés dans le rebord de cette construction.

républicain *(parti),* un des deux grands partis politiques américains. Né de la crise qui divise les Américains au milieu du XIXe s.

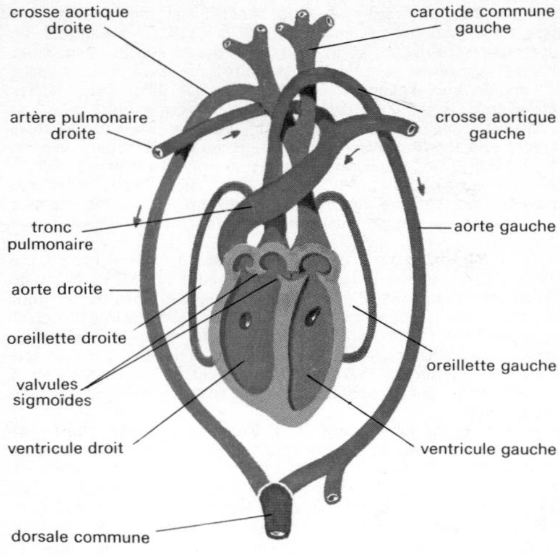

cœur de crocodile

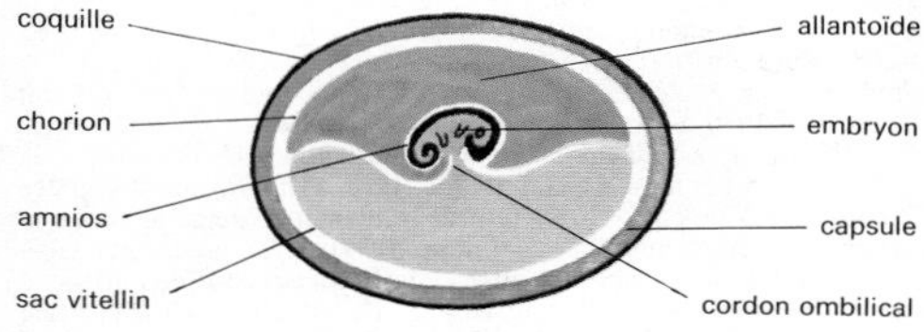

œuf embryonné d'un reptile

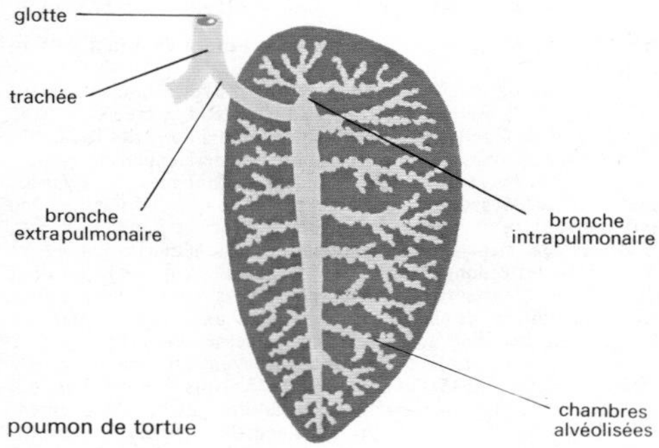

poumon de tortue

REPTILES

à propos de l'esclavage, ce parti est officiellement créé lors de l'assemblée de Pittsburgh (1856) par les républicains abolitionnistes, qui s'étaient regroupés dès 1854, à Ripon. L'issue de la guerre de Sécession*, déclenchée par l'élection du républicain Lincoln* à la présidence des États-Unis (1860), consacre la supériorité des républicains sur les démocrates* et détermine leur long passage au pouvoir, pratiquement ininterrompu de 1861 à 1913, puis de 1921 à 1933. Nationaliste et isolationniste, protectionniste mais très attaché au principe de la libre entreprise, le parti fait peu à peu passer au second plan le problème noir et s'efforce, avant tout, d'assurer au pays la prospérité économique. Après la période « progressiste » du début du XXe s., où Th. Roosevelt* inaugure une politique de réformes sociales, il se trouve confronté à la crise de 1929 et doit s'effacer devant les démocrates (1933). Écartés du pouvoir jusqu'à l'accession d'Eisenhower* à la présidence (1953), les républicains combattent la politique économique et sociale de F. D. Roosevelt*, puis soutiennent la campagne maccartiste. Abandonnant à partir de 1945 les thèses isolationnistes, ils défendent le principe de l'intervention des États-Unis dans les affaires mondiales, au nom du réalisme politique (« real-politic »), qui leur permettra de concilier leur anticommunisme et la politique de détente avec les pays de l'Est. Malgré l'existence d'une tendance libérale, le parti républicain est plus conservateur que le parti démocrate, qui, à partir de 1958, devient majoritaire au Congrès, puis occupe la présidence de 1961 à 1969. Le scandale du Watergate*, qui met fin à la présidence de R. Nixon* (de 1969 à 1974), affaiblit encore le parti, qui subit un grave échec aux élections de 1974. Le républicain G. Ford*, qui succède à Nixon, doit gouverner avec le handicap d'une forte majorité démocrate. Il est battu par le candidat démocrate J. Carter lors de l'élection présidentielle de 1976.

républicains indépendants (R. I.), parti politique formé en 1962 par V. Giscard d'Estaing* après sa rupture avec le Centre national des indépendants. Refusant de suivre le C. N. I. dans l'opposition, les républicains indépendants s'allient à la majorité gaulliste. Se définissant comme libéraux, centristes et européens, ils se regroupent à partir de 1966 en une « Fédération nationale des républicains indépendants » dirigée par V. Giscard d'Estaing et M. Poniatowski*, et affirment leur originalité par rapport à l'U. D. R., à laquelle ils n'accordent qu'un soutien conditionnel. Après la démission du général de Gaulle, ils soutiennent la candidature de G. Pompidou. Conservant leur place au sein de la majorité présidentielle, ils souhaitent la formation d'une majorité nouvelle, élargie aux centristes. L'élection de V. Giscard d'Estaing à la présidence de la République (mai 1974) renforce leur position. En 1977, la Fédération se transforme en « parti républicain ». En 1978, les républicains indépendants s'allient avec les centristes et les radicaux pour former l'Union pour la démocratie française.

république *(De la),* dialogue de Platon. Ce traité de philosophie politique* expose un modèle idéal du meilleur régime possible à partir de l'analyse des notions de bien, de justice et d'âme.

République (Ire), régime politique de la France de 1792 à 1804. Proclamée par la Convention* le 21 septembre 1792 (1er jour de l'an I), la République reçoit une première Constitution, dite « de l'an I » : très démocratique, celle-ci n'est pas appliquée. La Constitution de 1795 ou de l'an III, qui fonde le Directoire*, est d'esprit nettement conservateur. Quand, par le coup d'État des 18 et 19 brumaire an VIII (nov. 1799), Bonaparte* renverse le Directoire, il établit le Consulat*, qui maintient en droit mais non en fait le régime républicain : celui-ci prendra fin avec la proclamation de l'Empire (18 mai 1804).

République (IIe), régime politique de la France de 1848 à 1852.

Proclamée le 25 février 1848, au lendemain de l'abdication de Louis-Philippe*, par le gouvernement provisoire, la République prend des mesures libérales (abolition de la peine de mort et de la contrainte par corps, instauration de la liberté de presse et de réunion, suffrage universel...), mais est confrontée aux conséquences de la grande crise économique née en 1846, qui pousse les éléments les plus actifs de la gauche à instaurer une démocratie sociale. Les élections du 23 avril 1848 amènent à l'Assemblée constituante une majorité de modérés, qui, en juin* 1848, est brutalement affrontée au problème social : l'insurrection ouvrière, consécutive à la fermeture des ateliers* nationaux, est écrasée par les forces gouvernementales, commandées par Cavaignac*.

Alors, la République verse dans la réaction. En novembre 1848, la Constituante promulgue une Constitution dont le préambule est d'inspiration solidariste et chrétienne, mais qui est rendue fragile par le mécanisme gouvernemental : une seule Assemblée législative (750 députés, élus pour trois ans au scrutin de liste), que l'exécutif ne peut dissoudre; un président de la République, élu pour quatre ans au suffrage universel, mais non immédiatement rééligible. L'élection triomphale, le 10 décembre, de Louis Napoléon Bonaparte (v. NAPOLÉON III) à la présidence de la République n'arrange rien, le prince-président entrant rapidement en conflit avec une Assemblée législative — élue le 13 mai 1849 — qui ne mesurera que tardivement les ambitions monarchistes du chef de l'exécutif. Les années 1849, 1850 et 1851 sont dominées non seulement par cette sourde rivalité, mais aussi par la politique réactionnaire de la majorité monarcho-cléricale de l'Assemblée législative*, inquiète des nets progrès électoraux de la « démoc' soc' ». Elles sont jalonnées par quelques mesures spectaculaires : expédition de Rome pour rétablir Pie IX* sur les ruines de la République romaine*; lois réduisant la liberté de presse et de réunion; loi du 15 mars 1850 (loi Falloux*), qui favorise le clergé dans l'enseignement; loi du 31 mai 1850, qui prive du droit de vote un tiers des électeurs, les plus pauvres.

Cette politique et l'échec de la fusion entre légitimistes et orléanistes au lendemain de la mort de Louis-Philippe (1850) favorisent les ambitions du prince-président, qui, détournant à son profit le mécontentement populaire, critique l'Assemblée au cours de voyages en province (1850). L'Assemblée ayant refusé la révision de la Constitution — donc, implicitement, la réélection possible de Louis Napoléon en 1852 —, le prince-président, avec ses amis (Morny*, Persigny, Saint-Arnaud*), fomente, dans la nuit du 1er au 2 décembre* 1851, un coup d'État, qui est entériné par un plébiscite le 22 décembre.

Dès lors, le prince-président a les mains libres pour préparer le retour de l'Empire. La Constitution du 14 janvier 1852 fait de lui, en effet, un souverain sans couronne (il est président pour dix ans), l'exécutif étant renforcé et le législatif à la fois scindé (Conseil d'État, Corps législatif, Sénat), affaibli et domestiqué par la pratique de la candidature officielle. Le 2 décembre 1852, Louis Napoléon devient empereur. (V. EMPIRE [*Second*].)

République (IIIe), régime politique de la France du 4 septembre 1870 au 10 juillet 1940.

Le 4 septembre 1870, à la nouvelle du désastre de Sedan*, le second Empire* est déclaré déchu et la république est proclamée à l'hôtel de ville de Paris, où se constitue un gouvernement de la Défense* nationale. Celui-ci est tout de suite affronté aux problèmes nés de la guerre franco-allemande*. Malgré un effort considérable, dont le moteur est Léon Gambetta*, le gouvernement, le 28 janvier 1871, est acculé à l'armistice. Bismarck* exige de lui l'élection d'une Assemblée* nationale, chargée d'entériner la paix. Élue le 8 février, cette Assemblée, à majorité monarchiste, se réunit à Bordeaux, puis à Versailles; elle confie le pouvoir exécutif à Adolphe Thiers (17 févr.), qui liquide les séquelles de la guerre (préliminaires de paix, 26 févr.; traité de Francfort, 10 mai), écrase la Commune* de Paris (mars-mai 1871) et obtient la libération anticipée du territoire.

Devenu président de la République (31 août 1871), Thiers est écarté, le 24 mai 1873, par une Assemblée qui, en élisant le maréchal Mac-Mahon* président de la République, espère restaurer à la fois l'ordre moral et la monarchie. Mais l'échec de la restauration monarchique (27 oct. 1873) amène cette Assemblée à fixer à sept ans le mandat de Mac-Mahon et, tout en assurant l'ordre moral, notamment sous le ministère de Broglie* (de 1873 à 1874), contre l'esprit républicain, à doter la France d'une constitution (1875) qui, républicaine de nom, pourrait faire le lit d'une monarchie parlementaire. L'exécutif est confié à un président de la République élu pour sept ans par les chambres réunies et à ses ministres, et le législatif à un Sénat élu pour neuf ans au suffrage collégial et à une Chambre des députés élue pour quatre ans au suffrage universel. Les premières élections législatives amènent une large majorité républicaine à la Chambre et une faible majorité conservatrice au Sénat (janv.-mars 1876). Mac-Mahon réagit (16 mai 1877) en dissolvant la Chambre et en renvoyant les électeurs aux urnes; mais les élections d'octobre sont encore favorables aux républicains. Aussi, quand, en 1879, ceux-ci deviennent majoritaires au Sénat, Mac-Mahon démissionne (30 janv.). Il est remplacé par un républicain, Jules Grévy (de 1879 à 1887), qui « rouille » volontairement les prérogatives du président de la République au profit du président du Conseil.

La majorité républicaine est divisée entre opportunistes et radicaux. Les premiers (Union républicaine de L. Gambetta* et Gauche républicaine de J. Ferry*) souhaitent réaliser progressivement les réformes, en matière politique et scolaire surtout; les seconds (G. Clemenceau*) voudraient les précipiter. Les opportunistes se maintiennent au pouvoir de 1880 à 1889, notamment avec Jules Ferry; celui-ci accomplit, dans un esprit laïque, une œuvre scolaire capitale, fait voter les lois fondamentales de la démocratie (presse, réunion), donne aux communes un statut libéral (5 avr. 1884) et aux syndicats une existence légale (21 mars). Mais sa politique coloniale — violemment combattue par les radicaux — provoque sa chute (1885). Après lui, la République est un moment secouée par le scandale des décorations, qui, en 1887, oblige Jules Grévy à démissionner — il est remplacé par Sadi Carnot (de 1887 à 1894) —, et par l'aventure démagogique et nationaliste du général Boulanger* (de 1887 à 1889). À l'extérieur, la France, isolée, amorce un rapprochement qui va aboutir à l'alliance franco-russe. À l'intérieur, tandis que le socialisme*, le syndicalisme* et le catholicisme* social se développent, la République affronte de nouveaux obstacles : scandales de Panamá* (1893), vague d'attentats anarchistes (1892-1894), qui coûtent la vie à Sadi Carnot, remplacé par Casimir-Perier (de 1894 à 1895), à qui succédera Félix Faure (de 1895 à 1899). Le ralliement*, à l'instigation de Léon XIII, d'un certain nombre de catholiques à la république favorise, entre 1894 et 1898, l'apaisement et l'accession au pouvoir de républicains modérés.

Mais l'Affaire Dreyfus* — qui prend une allure dramatique en 1898 — divise de nouveau les Français et amène les gauches à former un bloc* républicain et anticlérical, qui porte d'abord à la présidence du Conseil Waldeck-Rousseau* (de 1899 à 1902). Celui-ci, alors que le président de la République est Émile Loubet (de 1899 à 1906) — que remplacera Armand Fallières (de 1906 à 1913) —, amorce une politique anticléricale dont font les frais les congrégations religieuses et que poursuit, dans un sens plus sectaire, Émile Combes* (de 1902 à 1905), dont la démission précède de peu la séparation* des Églises et de l'État (9 déc. 1905).

Bientôt, les radicaux, avec Clemenceau notamment (de 1906 à 1909), sont affrontés au problème social, rendu plus aigu par l'action d'un socialisme et d'un syndicalisme de plus en plus structurés. Aristide Briand* (de 1909 à 1911) travaille à un apaisement politique, rendu nécessaire par le conflit latent entre l'Allemagne et la France. C'est pour faire face à la menace allemande que Théophile Delcassé* — qui dirige les Affaires étrangères de 1898 à 1905 — scelle la Triple-Entente*, dont l'alliance franco-russe et l'Entente* cordiale avec l'Angleterre (1904) sont les éléments constitutifs, et amorce un rapprochement avec l'Italie. Par contre, les radicaux Maurice Rouvier* (de 1905 à 1906) et Joseph Caillaux* (de 1911 à 1912), chefs du gouvernement, sont surtout sensibles aux dangers de la guerre et tentent d'apaiser l'Allemagne, à propos notamment de la politique française au Maroc*.

L'arrivée au pouvoir, comme président du Conseil (de 1912 à 1913) puis comme président de la République (de 1913 à 1920), de Raymond Poincaré* donne à la politique française un tour ouvertement nationaliste. Bientôt, c'est la Première Guerre* mondiale (1914-1918), terriblement coûteuse pour la France. Le traité de Versailles* (1919) rend bien à la France l'Alsace-Lorraine*, perdue en 1871, mais il n'affaiblit pas substantiellement l'Allemagne, dont la puissance deviendra rapidement de nouveau menaçante.

À la politique nationaliste de R. Poincaré, Premier ministre de 1922 à 1924 — sous les présidences de Paul Deschanel (1920), puis d'Alexandre Millerand (de 1920 à 1924) —, s'oppose la politique pacifiste d'Aristide Briand, qui, ministre des Affaires étrangères de 1926 à 1932 — sous la présidence de Gaston Doumergue (de 1924 à 1931) —, tente un rapprochement avec l'Allemagne : Briand tient compte, dans sa diplomatie, de l'affaiblissement économique et démographique de la France, affaiblissement que symbolise en 1928 la stabilisation et la dévaluation du franc par Poincaré lui-même.

Bientôt, la France — celle du président Paul Doumer (de 1931 à 1932), puis d'Albert Lebrun (de 1932 à 1940) — est touchée par la grande crise économique, tandis que des fascismes s'enracinent en Italie (Mussolini*) et en Allemagne (Hitler*), menaçant la paix. À l'intérieur, après l'émeute de 1934, le Front populaire*, avec Léon Blum* (de 1936 à 1938), s'efforce de satisfaire les revendications sociales les plus évidentes (accords Matignon*). À l'extérieur, la diplomatie d'Édouard Daladier* (de 1938 à 1940), signataire des accords de Munich* (1938), retarde seulement l'éclatement de la Seconde Guerre* mondiale (1er sept. 1939). Après plusieurs mois d'expectative (la « drôle de guerre »), la France mobilisée, dirigée, à partir de mars 1940, par Paul Reynaud*, est affrontée à la vraie guerre (10 mai 1940) et bientôt au désastre. Le 16 juin, Paul Reynaud démissionne à Bordeaux et laisse la place au maréchal Pétain*, qui, le 22 juin, signe l'armistice avec l'Allemagne et l'Italie, avant de recevoir les pleins pouvoirs (juill.) qui lui permettent de mettre fin à la IIIe République. (V. VICHY [*gouvernement de*].)

République (IVe), régime politique de la France du 3 juin 1944 au 5 octobre 1958.

À l'origine de la IVe République, on trouve le Gouvernement provisoire de la République française (G. P. R. F.), créé et présidé par Charles de Gaulle* le 3 juin 1944, installé à Paris dès le 25 août et constitué d'hommes de la Résistance*, généralement de gauche. Le G. P. R. F. est affronté aux formidables problèmes créés par les pertes et les dévastations de la guerre, et, par conséquent, à une inflation qui se révélera endémique. Il procède à d'importantes réformes de structure — nationalisations, planification — et promulgue des ordonnances et des lois sociales capitales : création de comités d'entreprise, rétablissement des conventions collectives, institution de la Sécurité sociale, extension à tous les Français du bénéfice de l'assurance vieillesse (1944-1946), etc.

Les institutions de la IIIe République ayant été repoussées par référendum (oct. 1945), une Assemblée constituante est élue, qui est largement dominée par les partis de gauche (Mouvement républicain populaire [M. R. P.], parti socialiste [S. F. I. O.] et parti communiste [P. C. F.]); mais le projet constitutionnel qu'elle élabore provoque le départ du général de Gaulle (20 janv. 1946). Dès lors s'ouvre l'ère du tripartisme, la responsabilité du gouvernement appartenant au M. R. P. (Georges Bidault*), le parti le plus nombreux à l'Assemblée. Le 5 mai 1946, lors d'un référendum, un premier projet de Constitution (régime d'assemblée unique) est rejeté. À l'encontre des vœux du général de Gaulle, qui préconise un régime présidentiel, la Constitution du 13 octobre 1946 est un compromis : l'Assemblée nationale est élue pour cinq ans au suffrage universel (étendu aux femmes), et le Conseil de la République est élu au suffrage indirect; le président de la République l'est pour sept ans par les deux chambres réunies en congrès; il désigne le président du Conseil.

L'Assemblée nationale, élue le 10 novembre 1946, comprend encore une majorité de députés démocrates-chrétiens, socialistes et communistes. Mais le tripartisme éclate en 1947, année qui voit l'élection de Vincent Auriol* à la présidence de la République (16 janv.), la formation du Rassemblement du peuple français (R. P. F.) par le général de Gaulle (17 avr.) et l'éviction du ministère Ramadier des ministres communistes (4 mai), en désaccord avec la politique sociale et extérieure (Viêt-nam) du gouvernement.

De 1947 à 1952, c'est le temps de la « Troisième Force » — socialistes, M. R. P., radicaux —, à laquelle s'opposent le P. C. F. et le R. P. F. Mais les problèmes financiers et sociaux (grandes grèves de juin 1947 à novembre 1948 aboutissant à la division de la C. G. T. avec la formation de F. O.) ainsi que l'impossibilité de rassembler une véritable majorité favorisent l'instabilité ministérielle; la production s'accroît, mais l'économie est toujours menacée par l'inflation et par un déficit chronique de la balance commerciale, déficit qui n'est comblé que par l'aide américaine (plan Marshall). La France signe le traité de l'Atlantique Nord en 1949, cependant que des hommes comme Jean Monnet* et Robert Schuman* posent les fondements d'une construction de l'Europe* (Conseil de l'Europe, 1949; C. E. C. A., 1951). Mais ce sont les problèmes extérieurs — l'affaire indochinoise surtout, qui devient une véritable guerre — qui préoccupent les gouvernements socialistes ou M. R. P. et alimentent l'opposition (1947-1952).

Après la rupture de la Troisième Force, la France est gouvernée par le centre droit (1952-1954), qui s'efforce, notamment avec A. Pinay (1952), de tirer la France du marasme économique, mais est déconsidérée par le désastre de Diên* Biên Phu (1954), quelques mois après la difficile élection de René Coty* à la présidence de la République.

Le radical Pierre Mendès France*, Président du conseil de juin 1954 à février 1955, signe immédiatement les accords de Genève (20 juill. 1954), qui mettent fin à la guerre d'Indochine, et il reconnaît à la Tunisie le droit à l'autonomie. Après lui, Edgar Faure poursuit (de 1955 à 1956) à l'égard de la Tunisie et du Maroc une politique qui doit aboutir à l'indépendance de ces pays, mais qui, face à l'insurrection algérienne (1954), reste intransigeante. Après la victoire du Front républicain (radicaux et socialistes) aux élections de janvier 1956, le gouvernement est présidé durant quinze mois par le socialiste Guy Mollet. Face à l'Algérie en guerre, celui-ci obtient les pleins pouvoirs; mais, tandis qu'il accorde l'indépendance au Maroc et à la Tunisie et prépare l'évolution pacifique de l'Afrique noire (loi-cadre Defferre), la situation se détériore en Algérie et l'opération franco-britannique de Suez (1956) est un échec. Guy Mollet signe les traités de Rome qui instituent la C. E. E. et l'Euratom (25 mars). À l'intérieur, les objectifs du deuxième plan ne sont pas atteints; l'inflation et le déficit de la balance commerciale s'accentuent. Après le départ de Guy Mollet (21 mai 1957), les problèmes continuent de s'aggraver en Algérie.

Désormais, la IVe République va de difficultés en difficultés jusqu'à la crise du 13 mai 1958.

République (V^{e}), régime politique de la France depuis 1958. Désigné, le 1er juin 1958, comme président du Conseil, le général de Gaulle* forme, à l'appel du président René Coty, le dernier gouvernement de la IVe République*. Avant de se retirer, le Parlement donne à ce gouvernement les pleins pouvoirs constituants; la nouvelle Constitution, qui renforce le pouvoir présidentiel, est largement approuvée par un référendum le 28 septembre et publiée au *Journal officiel* le 5 octobre.

Les élections de novembre 1958 amènent à l'Assemblée nationale une majorité de gaullistes; le 21 décembre, le général de Gaulle est élu président de la République : il choisit comme Premier ministre Michel Debré (8 janv. 1959). Tout de suite, il est affronté au problème algérien (v. ALGÉRIE), qui se dénouera seulement en 1962 par la reconnaissance de l'indépendance de l'Algérie.

En choisissant, le 14 avril 1962, Georges Pompidou* comme Premier ministre, il renforce le caractère présidentiel du régime. Les attentats manqués dont il est la cible l'amènent à soumettre à référendum l'élection du président de la République au suffrage universel : c'est encore un succès pour le chef de l'État (28 oct. 1962), d'autant plus que les élections législatives de novembre marquent un nouveau pas en avant des gaullistes (U. N. R.-U. D. T.), soutenus par les indépendants.

Sur le plan extérieur, de Gaulle affirme avec éclat la position indépendante de la France à l'égard des superpuissances, et en particulier des États-Unis : reconnaissance de la Chine populaire (1964), discours de Phnom Penh condamnant l'intervention américaine au Viêt-nam (1966), départ de la France de l'O. T. A. N. (1966), réalisation d'une force nucléaire de dissuasion, etc.

Les difficultés économiques, nées d'un processus inflationniste que ne peut juguler un « plan de stabilisation », provoquent un mécontentement, qui s'exprime lors de l'élection présidentielle de décembre 1965, quand le général de Gaulle, mis en ballottage au premier tour par F. Mitterrand*, candidat unique de la gauche, n'est élu qu'au second tour. L'opposition se regroupe alors d'une part autour du Centre démocrate — très européen —, créé en 1966 par Jean Lecanuet, et d'autre part autour du parti communiste et de la Fédération de la gauche démocrate et socialiste (F. G. D. S.) dirigée par Mitterrand. Aussi, aux élections de mars 1967, où joue à plein l'alliance des partis de gauche, les gaullistes et leurs alliés indépendants ne gardent-ils que de justesse la majorité absolue.

L'explosion de mai* 1968 met un moment le régime en danger, mais, se ressaisissant, le général de Gaulle dissout l'Assemblée nationale le 30 mai. Les élections de juin marquent un net succès des gaullistes; cependant, le chef de l'État, impressionné par la crise profonde de la civilisation manifestée par les événements de mai 1968, prône la participation dans les entreprises.

Le 10 juillet 1968, Maurice Couve de Murville devient Premier ministre et appelle, comme ministre de l'Éducation nationale, Edgar Faure, qui fait voter (11 oct.) une loi qui réforme profondément l'enseignement supérieur. En 1969, le général de Gaulle poursuit sa politique réformiste : il signe notamment une ordonnance sur l'exercice du droit syndical dans l'entreprise. Mais, quand il songe à transformer les structures politiques du pays par la création de régions largement autonomes et à réduire le Sénat à n'être plus qu'un conseil des régions, il échoue : le référendum du 27 avril 1969, portant sur ces transformations, lui ayant été hostile, il démissionne dès le 28 avril.

Le 15 juin 1969, Georges Pompidou est élu président de la République; il appelle comme Premier ministre Jacques Chaban-Delmas, qui procède à un certain nombre de réformes sociales. Parallèlement, la gauche se regroupe. Le congrès d'Issy-les-Moulineaux (11-13 juill. 1969) fonde le nouveau parti socialiste (P. S.), qui entame aussitôt un dialogue avec le parti communiste. Ce dialogue se renforce quand F. Mitterrand devient premier secrétaire du parti socialiste : il aboutit à l'élaboration, le 27 juin 1972, d'un « programme commun de gouvernement », au contenu duquel se rallie l'aile gauche du parti radical-socialiste.

Le 5 juillet 1972, J. Chaban-Delmas est remplacé par Pierre Messmer, qui prépare les élections législatives de mars 1973 : celles-ci cautionnent la majorité gaulliste, mais sont marquées par une nette avancée de la gauche et le recul du centre, si bien que la bipolarisation politique de la France s'accentue. Ce phénomène se manifeste plus nettement encore quand les Français sont appelés à remplacer Georges Pompidou, mort le 2 avril 1974 : au deuxième tour de scrutin (19 mai), Valéry Giscard d'Estaing n'est élu que de justesse devant le candidat de la gauche, F. Mitterrand.

Le nouveau président choisit comme Premier ministre Jacques Chirac*; celui-ci est remplacé en septembre 1976 par Raymond Barre qui s'efforce, par la mise en application immédiate d'un plan économique, de juguler une inflation endémique. En mars 1977, les élections municipales sont caractérisées par une forte poussée de la gauche. Mais, lors des élections législatives de mars 1978, celle-ci, en raison sans doute de ses divisions et malgré la progression de sa représentation parlementaire, ne réussit pas à parvenir au pouvoir. Ces élections sont marquées par la poussée, au sein de la majorité, d'une nouvelle formation, l'Union pour la démocratie française, qui regroupe divers partis soutenant Giscard d'Estaing. Celui-ci confirme R. Barre dans ses fonctions de Premier ministre.

REQUESÉNS (Luis DE ZÚÑIGA Y), administrateur espagnol (Barcelone 1528 - Bruxelles 1576). Lieutenant de don Juan, il succède au duc d'Albe* comme gouverneur des Pays-Bas (1573).

REQUIEM (messe de). — La traduction en musique de la messe des défunts reflète à la fois l'évolution du langage technique et l'attitude de chaque compositeur devant l'idée de la mort. D'abord traités en plain-chant, puis en polyphonie (Victoria), les textes s'enrichissent, à l'époque classique, du concours de solistes et d'instruments (J. Gilles, Mozart). Certains, enfin, impriment à cet office un caractère symphonique, voire théâtral (Berlioz, Verdi), alors que d'autres lui préfèrent une atmosphère intimiste, sereine (Fauré) ou retournent aux sources liturgiques (Duruflé).

REQUIN. — Les requins comptent parmi les plus grands et les plus rapides nageurs de surface de tous les poissons. Leur squelette, cartilagineux, n'enlève rien à leur puissance musculaire, et leurs multiples rangées de dents tranchantes rendent les espèces carnivores dangereuses pour l'homme. La tête présente un rostre, parfois allongé en scie *(Pristis),* surmontant une bouche ventrale. Le corps, très hydrodynamique, se termine par une puissante nageoire caudale. Les requins pratiquent l'accouplement et pondent en petit nombre de gros œufs embryonnés; il y a des espèces vivipares et quasi placentaires. D'autres détails, tels que fentes branchiales visibles, peau couverte de denticules rugueux, etc., opposent les requins aux poissons osseux.

RÉQUISTA (12170), ch.-l. de cant. de l'Aveyron, à 48 km au S. de Rodez; 3 076 hab.

R. E. R., sigle de *Réseau express régional* → MÉTROPOLITAIN.

Rerum novarum, premiers mots de l'encyclique du 15 mai 1891, promulguée par Léon* XIII et relative à la condition des ouvriers. Cette encyclique est une véritable charte du catholicisme* social.

RESAL (Henri), ingénieur et mathématicien français (Plombières 1828 - Annemasse 1896). Ses travaux intéressent toutes les branches de la mécanique. On lui doit la notion de l'accélération angulaire composée, qui permet de poser immédiatement les équations du mouvement relatif d'un corps solide, et la théorie du roulement.

RÉSEAU *(Électr.).* — Les réseaux sont classés d'après la tension entre fils. Le *réseau d'interconnexion à très haute tension* (THT) 380/420 kV et bientôt 730 kV relie entre elles les centrales pour assurer les échanges d'énergie et la continuité du service. Il est étendu aux pays limitrophes pour des interconnexions internationales. Le *réseau de transport à haute tension* (HT) 400 et 225 kV relie les régions entre elles et est alimenté par les lignes à très haute tension (THT). Il comprend tous les ouvrages de tensions supérieures à 100 kV. Le réseau 225 kV est constitué à 99 p. 100 de lignes aériennes. Il existe encore un réseau d'interconnexion local à 63 kV avec postes de transformation 225/63 kV. Le *réseau de distribution à moyenne tension* (MT) répartit l'énergie au niveau local et régional. La tension normalisée est de 20 kV. Ce réseau est construit avec des câbles* tripolaires. Il est du type dérivation, maillé. Le *réseau de distribution publique* (BT) 230/380 V triphasé 4 fils, 50 Hz, s'est substitué au monophasé 115 V ou 2 × 115 V dans la moitié Sud-Ouest et au diphasé 4 × 115 V dans la moitié Nord-Est. Le réseau le plus élémentaire est à simple dérivation, mais l'utilisation la plus fréquente est la double dérivation. On emploie aussi la structure en coupure d'artères.

RÉSEAU *(Inform.)*. — Le besoin d'échanger des informations* ou de partager des moyens de traitement entre sites informatisés, lié aux progrès des télécommunications et de la transmission de données, a conduit à organiser les ordinateurs* en réseaux. Un *réseau* d'ordinateurs est un ensemble de machines situées en des lieux quelconques et interconnectées à demeure ou par vacations par des lignes téléphoniques. Les utilisateurs d'un ordinateur peuvent alors avoir accès par cet ordinateur local à l'ensemble des ordinateurs du réseau. La nécessité d'accéder à un autre matériel relève de besoins très divers : manque de ressources locales (temps de calcul ou mémoires*), disponibilité de programmes existant exclusivement sur d'autres sites, référence nécessaire à des bases* de données non locales, etc. L'accès à un réseau peut se faire tout aussi bien directement à partir de terminaux* légers conversationnels ou de terminaux lourds de traitement par lots. Les études avancées dans ce domaine cherchent à résoudre l'équilibre de charge automatique entre les ordinateurs de plusieurs sites, l'organisation répartie et non plus concentrée de bases de données ainsi que la répartition des tâches d'une même application entre divers niveaux de traitement : terminal, ordinateur local, ordinateurs éloignés.

L'organisation logique d'une *informatique* répartie* dans un réseau s'appuie, entre autres, sur des techniques élaborées de transport des informations qui utilisent des protocoles complexes et parfaitement définis. L'Administration des postes et télécommunications a en cours de réalisation un réseau public de transport de données, Transpac, qui offrira la possibilité de construire des réseaux d'ordinateurs sans avoir à immobiliser ses propres lignes et qui donnera accès à des moyens quelconques, spécifiques et variés, à partir du moment où ces moyens seront eux-mêmes connectés au réseau de transport et déclarés d'accès libre.

RÉSEAU *(Opt.)*. — Les premiers réseaux de Fraunhofer étaient formés de traits tracés au diamant sur un verre transparent; les réseaux métalliques de Rowland sont tracés sur un alliage formant miroir. L'intervalle entre les traits doit être du même ordre de grandeur que la longueur d'onde de la radiation observée. Dans le cas des rayons X, les réseaux sont constitués par des lames cristallines, dont les atomes sont régulièrement espacés.

RÉSEAU HYDROGRAPHIQUE → HYDROLOGIE ET HYDROGRAPHIE.

RÉSÉDA. — Le réséda a longtemps été exploité comme plante tinctoriale sous le nom de *gaude*. Il fournit en effet une belle teinture jaune. C'est une herbe vivace d'assez grande taille, commune dans les décombres. Les fleurs sont allongées en cloches. (Type de la famille des résédacées, voisines des renonculacées.)

RÉSERVE *(Dr.)* → TESTAMENT.

RÉSERVE *(Écol.)* → PROTECTION DE LA NATURE.

RÉSERVE (obligation de). — L'expression désigne l'obligation à la discrétion professionnelle qui s'impose aux agents de l'Administration pour tout ce qui concerne les faits et informations dont ceux-ci peuvent avoir eu connaissance dans l'exercice de leurs fonctions ainsi que le devoir de réserve dans l'expression de leurs opinions personnelles.

RÉSERVES INTERNATIONALES. — Ce sont les avoirs (en large partie, en fait, constitués de dollars) détenus par les banques centrales, à raison des achats de devises étrangères qu'elles ont à faire à leurs nationaux qui ont effectué des exportations à l'étranger. L'accroissement de ces réserves a été important au cours des dernières années et paraît avoir contribué à nourrir l'inflation* internationale. La statistique semble témoigner d'une relation entre les variations des « réserves internationales » et les taux de l'inflation dans le monde. Un décalage de temps se manifeste cependant entre la variation des réserves internationales et celle de l'inflation mondiale. Il est de l'ordre de deux ans et demi à trois ans et demi.

RÉSERVES OBLIGATOIRES. — Les banques doivent constituer, sous la forme de dépôts de fonds à la Banque* de France, des « réserves », calculées notamment en fonction des crédits qu'elles distribuent. Le compte courant des banques commerciales auprès de l'institut d'émission doit représenter un pourcentage de leurs dépôts (ressources) ou des crédits (emplois) qu'elles accordent à leurs clients, pourcentage fixé par cet institut.

RÉSERVOIR. — • Les *réservoirs d'eau potable* sont construits en béton* armé ou en béton précontraint. Toute cuve doit, d'une part, posséder une capacité qui permette de satisfaire les besoins en période de consommation maximale et, d'autre part, être située à une altitude telle que l'eau parvienne avec une pression suffisante aux emplacements les plus élevés à desservir. En général, le volume utile de la cuve est égal à la moitié de la consommation journalière, majorée d'une réserve de 120 m^3 pour le cas d'incendie. Le plus souvent, le fond de la cuve est établi à une dizaine de mètres au-dessus du niveau le plus élevé à alimenter. Tout réservoir unique est divisé en deux compartiments pour le maintien en service de l'ouvrage en cas de réparation ou d'entretien. Chaque fois que c'est possible, on construit des réservoirs totalement ou partiellement enterrés, en les protégeant contre les infiltrations de l'extérieur; sinon, les cuves sont établies sur des piliers ou des tours. On les protège alors thermiquement par une paroi de doublage extérieure en maçonnerie*.

• Les *réservoirs de stockage d'hydrocarbures* liquides ou gazeux sont soit en acier — leurs formes dépendent alors de l'importance de la pression intérieure —, soit aménagés dans le sol, dans d'anciens gisements de gaz ou de pétrole épuisés, ou dans des excavations réalisées artificiellement.

RÉSIDUELLES (roches). — Roches exogènes, les roches résiduelles résultent de l'altération *in situ* d'une formation préexistante, essentiellement sous l'action de la dissolution. Les régions karstiques, par exemple, sont souvent tapissées d'argile rouge, résidu de la dissolution du calcaire.

RÉSILIENCE → RÉSISTANCE DES MATÉRIAUX.

RÉSINE. — On appelle résine une substance solide ou semi-solide, non cristalline, insoluble dans l'eau, soluble dans les solvants organiques, qui se ramollit et fond sous l'action de la chaleur.

• Les *résines naturelles* sont des sécrétions de certains arbres parmi lesquelles figurent les oléorésines et les résines récentes provenant d'arbres vivants, les résines fossiles provenant d'arbres morts et décomposés après enfouissement ainsi que la gomme laque, produit de l'activité d'un insecte. Les résines naturelles peuvent être modifiées par traitement chimique des précédentes en vue d'en améliorer les qualités : c'est le cas des dérivés de la colophane et des gommes esters.

• Les *résines synthétiques* sont obtenues par condensation ou polymérisation de composés organiques simples. Elles constituent la base des plastiques* modernes : résines phénoliques, aminées, vinyliques, acryliques, glycérophtaliques, époxydes, polystyrène, polyuréthannes, polyoléfines.

RÉSISTANCE *(Électr.)*. — La résistance d'un conducteur quelconque est le quotient de la puissance électrique transformée en chaleur par le carré de l'intensité du courant. Pour un fil cylindrique et homogène, elle a pour expression $R = \rho \frac{l}{s}$, l étant la longueur, s la section et ρ la résistivité. L'unité SI de résistance est l'ohm.

Les mesures directes de résistance sont fondées sur l'application de la loi d'Ohm V = RI et requièrent l'emploi d'un voltmètre et d'un ampèremètre. Les mesures par comparaison se font à l'aide d'un pont de Wheatstone.

RÉSISTANCE *(Psychan.)*. — C'est en tant qu'entrave au travail analytique que S. Freud* découvrit la résistance : manifestation de défense* — acte ou parole — du patient qui s'oppose à la prise de conscience de ce qui a été refoulé (v. REFOULEMENT). L'interprétation des résistances et celle du transfert* constituent le point le plus important de la cure psychanalytique. Il montre comment les mécanismes de défense du Moi constituent des résistances à la psychanalyse : d'une part parce qu'ils interviennent comme des résistances à la prise de conscience des désirs refoulés, et, d'autre part, parce que la guérison elle-même peut être considérée par le Moi comme le mettant en danger.

Résistance (la), action clandestine conduite, au cours de la Seconde Guerre mondiale, par des organisations politiques et militaires de plusieurs pays d'Europe pour s'opposer à l'occupation de leur territoire par les Allemands et préparer leur libération.

En France, la Résistance s'exprima en des mouvements de tendances diverses (Valmy, Libération, Combat, Organisation civile et militaire, Défense de la France...), dont certains, comme le Front national, d'orientation communiste, créèrent des unités de combat (Francs-Tireurs* et Partisans) qui s'employèrent à des opérations de guérilla et de sabotage. Fédérés en 1943 par un Conseil* national de la Résistance, dirigé par Jean Moulin*, puis par Georges Bidault*, ces mouvements se heurtèrent à la violente répression des

Allemands (v. GESTAPO, CONCENTRATION [*camps de*]). Les diverses formations armées furent regroupées par de Gaulle en 1944 dans les Forces* françaises de l'intérieur, qui, aux ordres de Kœnig*, prirent part aux côtés des Alliés aux combats pour la libération du pays (v. GUERRE MONDIALE [*Seconde*]).

En Europe, la Résistance fut particulièrement active en Norvège (bataille de l'eau lourde), en Yougoslavie (v. TITO, MIHAJLOVIĆ), en Tchécoslovaquie (Lidice), en Belgique, en Hollande, en Grèce ainsi que dans les territoires soviétiques occupés par la Wehrmacht.

Résistance *(médaille de la),* décoration française, créée à Alger en 1943 pour récompenser les services rendus dans la Résistance.

RÉSISTANCE DES MATÉRIAUX. — Elle s'applique surtout aux pièces prismatiques longues, engendrées par une section S se déplaçant normalement sur une fibre moyenne *xx'* qui la traverse en son centre de gravité : tels sont les poutres, les poutrelles, les poteaux, les rails, les colonnes et les profilés. Le cas général le plus important en construction est celui d'une poutre dont la fibre moyenne est dans un plan vertical, ainsi que les efforts appliqués (poutre fléchie); le calcul a pour objet de déterminer les contraintes *n* appliquées aux divers éléments dS de toute section S; il est fondé sur les travaux d'Adhémar Barré, comte de Saint-Venant (1797-1886), et d'Henri Navier (1785-1836) : toute contrainte *n* est, dans chaque section, proportionnelle à sa distance *v* à un axe neutre de la section; dans le cas de la flexion simple, on a

$$n = \frac{Mv\cos\theta}{I} \quad \text{ou} \quad n = \frac{M'v}{I}.$$

S'il s'y ajoute une force N normale à S (flexion composée), la contrainte devient

$$n = \frac{N}{S} + \frac{M'v}{I}.$$

M est le moment résultant de la réduction sur S des forces appliquées. M' est sa projection sur l'axe neutre, M faisant l'angle θ

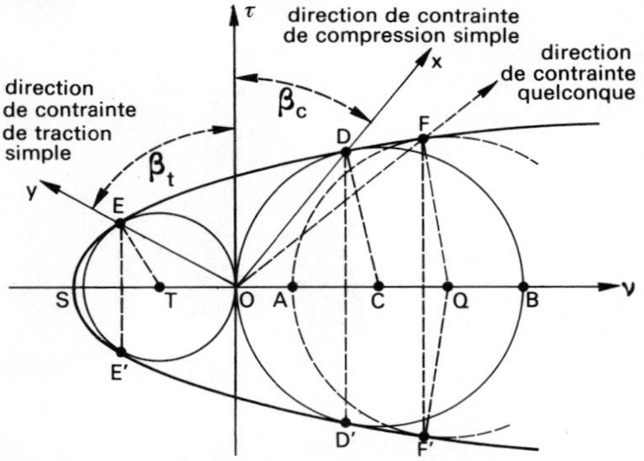

Courbe intrinsèque de rupture de Caquot : c'est la parabole semi-cubique D E S E' D' qui est l'enveloppe de tous les cercles de Mohr entraînant le glissement plastique avant la décohésion. Elle permet de connaître toutes les conditions de rupture. Le cercle de centre C est le cercle de compression simple. Le cercle de centre T est le cercle de traction simple. L'angle de rupture par compression simple β_c est l'angle de la direction de contrainte de compression simple fait avec l'axe de compression. De même, l'angle de rupture en traction β_t est l'angle que la direction de contrainte de traction simple fait avec l'axe de traction. Les points D et E sont les points de tangence des cercles de Mohr limites avec la courbe de Caquot. Le cercle de centre Q tangent à la courbe de Caquot en F et en F' est un cercle de rupture quelconque.

avec cet axe. I est le moment d'inertie de la section par rapport à l'axe. M est, au signe près, dénommé *moment fléchissant;* l'effort tranchant est la dérivée du moment M par rapport à l'axe *xx'*. Tous les matériaux réels ont une limite élastique *l*. Pour une contrainte *n* en traction ou en compression, si $n \leqslant l$, on a $n = EA$, A étant la déformation relative et E le *module d'élasticité* longitudinale* (module de Young*), mais si la contrainte est un cisaillement *t*, le module est G, *module d'élasticité transversale* ou module de rigidité (module de Coulomb*). Le quotient σ de l'allongement relatif en traction $\frac{\Delta L}{L}$ par le rétrécissement latéral $\frac{\Delta R}{R}$ est dit *coefficient de Poisson**. Pour l'acier $E = 21\,000$ kg/mm^2, $G = 8\,000$ kg/mm^2 et $\sigma = 0{,}31$; pour le béton $E = 3\,000$ kg/mm^2, $G = 1\,300$ kg/mm^2 et $\sigma = 0{,}15$. Les quantités E, G et σ sont liées entre elles par la relation $G = \frac{E}{2(1+\sigma)}$. La *courbe intrinsèque de Caquot** est l'enveloppe des cercles de Mohr, produisant la rupture; elle traduit la fonction $\tau = f(\nu)$, caractérisant les composantes tangentielles τ et normale ν, produisant la rupture (parabole semi-cubique). Les déformations subies par les poutres et les barres (flexions, torsions, cisaillements) peuvent être simples ou composées. Le *flambage* est une rupture des poutres et des poteaux longs chargés en bout par une charge P légèrement excentrée : il y a flambage pour les poutres articulées en bout si $P > \frac{\pi^2 EI}{L^2}$, pour les pièces (poteaux) encastrées en un seul bout si $P > \frac{\pi^2 EI}{4L^2}$ et pour les pièces encastrées aux deux bouts si $P > \frac{4\pi^2 EI}{L^2}$, I étant le moment d'inertie de la pièce et L sa longueur. Par mesure de sécurité, on ne fait intervenir que 28/100 de la résistance. La résistance R est la force qui provoque la rupture statique; la *résilience l* est la résistance aux chocs, ou résistance dynamique : on la caractérise par une énergie de rupture par choc; l'*endurance* est la résistance à la fatigue : c'est la résistance *r* qui, bien qu'inférieure à la résistance statique, provoque la rupture seulement après un très grand nombre de mises en charge et de décharges (limite d'endurance). L'endurance de l'acier est les 3/7 de sa résistance statique; sa limite d'élasticité est les 4/7 de cette résistance statique.

RESISTENCIA, v. du nord de l'Argentine, ch.-l. de la prov. du Chaco, sur le Paraná; 143 000 hab.

RÉSISTIVITÉ. — La résistivité, dont l'unité SI est l'ohm-mètre, est la constante ρ de la formule $R = \rho\frac{l}{s}$, donnant la résistance* d'un fil cylindrique et homogène.

REŞIŢA, v. de l'ouest de la Roumanie; 71 000 hab. Sidérurgie.

RESNAIS (Alain), cinéaste français (Vannes 1922). Après avoir été remarqué pour la qualité de ses courts métrages (*Van Gogh,* 1948; *Guernica,* 1950; *Nuit et brouillard,* 1955), il s'affirma avec ses deux premiers films de fiction (*Hiroshima mon amour,* 1959; *l'Année dernière à Marienbad,* 1961) comme l'un des réalisateurs les plus originaux et les plus novateurs de sa génération. Il tourna ensuite *Muriel ou le Temps d'un retour* (1963), *La guerre est finie* (1965), *Je t'aime, je t'aime* (1968), *Stavisky* (1973) et *Providence* (1976).

RÉSONANCE. — Tout système qui peut vibrer avec une fréquence déterminée oscille avec une grande amplitude quand on lui communique des impulsions périodiques dont la fréquence est voisine de celle du système. La balançoire est un exemple de *résonance mécanique.* De même, pour des fréquences audibles, on peut avoir une *résonance acoustique,* qui se traduit par l'amplification d'un son.

Par analogie avec l'acoustique, on nomme *résonance électrique* le phénomène qui naît dans un circuit oscillant (doué d'inductance L et de capacité C) lorsqu'on l'alimente par une tension alternative ayant une période sensiblement égale à celle

$$T = 2\pi\sqrt{LC}$$

des oscillations libres qui peuvent prendre naissance dans le circuit. À la résonance, le courant est maximal et en phase avec la tension.

En radiotechnique, la résonance électrique permet de sélectionner un seul signal parmi ceux qui sont captés par l'antenne. On peut accorder le circuit récepteur sur différents émetteurs en faisant varier son inductance ou sa capacité.

Il existe aussi des phénomènes de *résonance optique.* Si l'on éclaire une vapeur raréfiée par une radiation déterminée, le spectre de fluorescence de cette vapeur contient la radiation excitatrice.

La *résonance hertzienne,* la *résonance magnétique* sont des cas particuliers de *résonance atomique.*

RÉSORCINE. — Métadiphénol de formule $C_6H_4(OH)_2$, la résorcine constitue des cristaux incolores, de saveur sucrée, solubles dans l'eau, fondant à 118 °C.

RESPIRATION. — L'appareil respiratoire comprend les voies respiratoires (fosses nasales, partie supérieure du pharynx, larynx, trachée et bronches), les poumons et un ensemble musculaire (diaphragme, scalènes, intercostaux) et osseux (vertèbres, côtes, sternum) constituant la cage thoracique. L'expansion et la contraction de la cage thoracique entraînent des variations de pression à l'intérieur du poumon, qui sont immédiatement compensées par l'entrée, à l'inspiration, et par la sortie, à l'expiration, d'un certain volume d'air. Les échanges gazeux alvéolo-capillaires (hématose) se font entre l'air amené jusqu'aux alvéoles par la ventilation et le sang amené jusqu'aux capillaires par la circulation pulmonaire. Ils portent sur l'oxygène et le gaz carbonique. L'oxygène passe de l'air alvéolaire vers les capillaires; le gaz carbonique diffuse en sens inverse. Le système nerveux assure la régulation de la fonction respiratoire et son adaptation aux besoins de l'organisme. Les organes de coordination nerveuse des mouvements respiratoires sont les centres bulbo-protubérantiels et les voies afférentes qui cheminent dans la moelle épinière et émergent par les nerfs périphériques : ainsi, le diaphragme est innervé par les nerfs phréniques. Les centres respiratoires peuvent fonctionner de façon automatique, mais, à l'état physiologique comme à l'état pathologique, ils restent soumis à des influences humorales (le gaz carbonique [CO_2] est l'excitant essentiel du centre respiratoire) et aussi nerveuses. Ces dernières ont pour point de départ les poumons : la distension alvéolaire provoque un réflexe expiratoire et le collapsus pulmonaire un réflexe inspiratoire; la volonté peut également agir sur le rythme respiratoire.

La *respiration cellulaire* se manifeste par les échanges gazeux qui caractérisent toute cellule en fonctionnement : absorption d'oxygène, rejet de gaz carbonique.

L'exploration fonctionnelle des poumons comprend l'étude de la fonction ventilatoire (mesure de la capacité vitale par le spiromètre, des volumes de réserve inspiratoire et de réserve expiratoire, étude des débits ventilatoires), celle de la fonction alvéolo-capillaire et celle des gaz du sang artériel.

De nombreuses maladies peuvent perturber la fonction respiratoire (maladies des bronches*, maladies du poumon*, maladies extrathoraciques, telle la poliomyélite*). L'*insuffisance respiratoire* se traduit par deux symptômes majeurs : la *dyspnée* (gêne respiratoire) et la *cyanose* (bleuissement de la peau). Deux tableaux biologiques peuvent être observés : soit association d'hypoxie (manque d'oxygène) et d'hypercapnie (excès de gaz carbonique), soit association d'hypoxie et de normo- ou d'hypocapnie (baisse du gaz carbonique) lors des hyperventilations alvéolaires. Le traitement de l'insuffisance respiratoire doit agir sur la cause et sur les effets : on pratique l'oxygénothérapie et la respiration artificielle en cas d'asphyxie aiguë ou d'apnie pathologique (les méthodes manuelles étant le plus souvent supplantées par la méthode du bouche-à-bouche, d'exécution simple, rapide et de grande efficacité). Dans les centres médico-chirurgicaux ou dans les ambulances de réanimation sont utilisés les respirateurs artificiels (tel l'appareil d'Engström).

RESPONSABILITÉ CIVILE. — C'est la situation juridique dans laquelle se trouvent les personnes qui répondent des conséquences de leurs actes ou des actes des personnes qu'ils ont en charge.

• Dans le cadre de la *responsabilité contractuelle,* le contrat faisant la loi des parties, les contractants doivent obligatoirement accomplir les prestations prévues à leur contrat, sauf cas de force majeure insurmontable et imprévisible. Il y a *faute* à violer les clauses d'un contrat, faute qui, généralement, n'a pas à être établie, l'inexécution l'impliquant. (La faute doit seulement être prouvée par le créancier dans certains cas : ainsi, dans le contrat médical, où le médecin n'est pas obligé de guérir le malade, mais seulement d'employer les moyens propres à assurer sa guérison.)

La non-exécution du contrat crée une obligation distincte de l'obligation non exécutée : une dette de dommages-intérêts résulte de la non-exécution, après mise en demeure par le créancier et assignation en justice pour faire constater l'inexécution et fixer les dommages-intérêts. Il s'agit de dommages-intérêts *compensatoires,* destinés à fournir une équivalence à la prestation non fournie au créancier, et de dommages-intérêts *moratoires,* destinés à réparer le retard dans l'exécution. Les dommages-intérêts sont toujours en argent. Des forfaits de réparation ou des clauses limitatives de réparation peuvent être prévus dans les contrats.

• La *responsabilité délictuelle* est fondée sur l'article 1382 du Code civil : « Tout fait de l'homme qui cause un dommage à autrui oblige celui par la faute duquel il est arrivé à le réparer. »

Responsabilité du fait personnel. Le fait dommageable (article 1382) ou l'abstention dommageable (article 1383) entraînent la responsabilité délictuelle. La faute doit être établie par le demandeur et elle n'est prise en compte que si elle *a causé* un dommage : un lien de causalité doit exister entre la faute et le dommage subi par la victime; la cause étrangère peut l'annihiler : la force majeure, le fait d'un tiers, le fait de la victime elle-même.

Responsabilité du fait d'autrui. Il peut y avoir trois types de « fonctionnement » de cette responsabilité : soit que la faute doive être prouvée par la victime, soit que l'auteur du dommage soit présumé en faute ou encore (sans que le concept de faute entre en ligne de compte) sur la base d'une responsabilité objective.

a) Responsabilité pour faute. C'est, par exemple, celle d'un instituteur dans la garde d'un enfant qui a commis un dommage. La victime doit prouver la faute.

b) Responsabilité sur présomption de faute. C'est celle des parents, du fait des enfants qu'ils ont sous leur garde, et celle des artisans, du fait des apprentis qu'ils emploient, personnes présumées avoir accompli une faute de surveillance ou d'éducation.

c) Responsabilité sans faute ou « objective ». C'est celle qui pèse sur les « maîtres et commettants » du fait de leurs *préposés* et en dehors de la notion de faute du commettant. La faute que la victime devra prouver est celle du préposé (faute commise dans le cadre de ses fonctions), mais non celle du commettant, qui ne pourra pas s'exonérer de sa responsabilité en prouvant qu'il n'a pas commis de faute.

Responsabilité du fait des animaux et du fait des bâtiments (articles 1385 et 1386). Dans le premier cas, la jurisprudence posa le principe d'une présomption de faute, puis d'une présomption de responsabilité. Dans le cadre de la responsabilité du fait des bâtiments (article 1386), il y a présomption de responsabilité, la seule preuve de la « cause étrangère » ayant occasionné la ruine d'un bâtiment pouvant être apportée par le propriétaire pour le décharger de sa responsabilité.

RESPIRATION

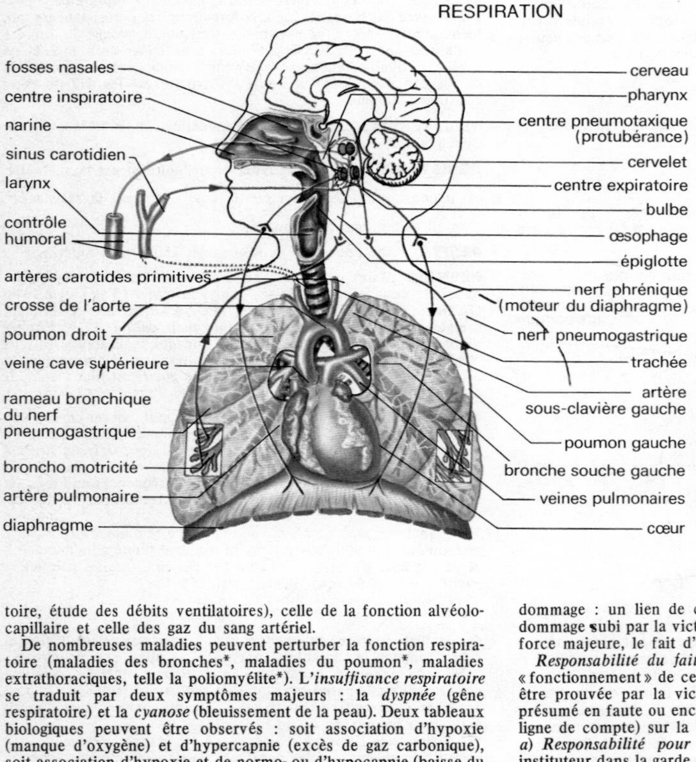

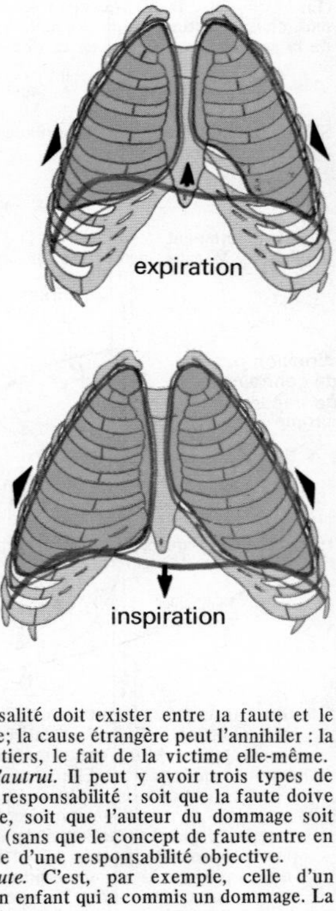

Responsabilité du fait des choses en général. C'est une construction jurisprudentielle appuyée sur l'article 1384 du Code civil (responsabilité « des choses que l'on a sous sa garde »). Ces « choses » peuvent être de n'importe quelle nature : l'automobile en est un exemple précis. La responsabilité est présumée, et détruite seulement par la preuve du cas fortuit ou de la force majeure, par la preuve du fait de la victime ou d'un tiers ou par la preuve d'une cause étrangère non imputable au « gardien ».

RESSONS-SUR-MATZ (60490), ch.-l. de cant. de l'Oise, à 17 km au N.-N.-O. de Compiègne; 1174 hab. Église des XIIe et XVIe s.

RESSORT → SUSPENSION, WAGON.

Restauration, régime politique de la France sous Louis XVIII* et Charles X*, de la chute de l'Empire (1814) à la révolution de juillet 1830.

De retour en France en avril 1814, le comte de Provence, reconnu roi sous le nom de Louis XVIII, s'engage, par la déclaration de Saint-Ouen (2 mai), à pratiquer un gouvernement constitutionnel. À lui s'impose une double tâche : donner la paix à la France (traité de Paris, 30 mai) et promulguer la Charte* constitutionnelle (4 juin). En fait, la restauration des Bourbons s'opère dans le calme, le roi ne touchant pas à l'essentiel des acquisitions fondamentales de la Révolution. Mais, en favorisant d'une manière spectaculaire les émigrés, en imposant le drapeau blanc, en ne tenant pas compte du règne de Bonaparte, en licenciant et en mettant à la demi-solde nombre d'officiers de l'Empereur, et en maintenant les droits réunis, Louis XVIII mécontente l'opinion libérale et facilite le retour éphémère de Napoléon Ier (Cent-Jours, mars-juin 1815).

L'Empereur ayant de nouveau abdiqué, Louis XVIII rentre de Gand, où il s'est réfugié, dans une France occupée par des Alliés vainqueurs et décidés à dépecer le pays. Ayant promis une large amnistie, il s'impose aux Alliés en s'installant à Paris (8 juill.). Mais il ne peut empêcher que le second traité de Paris (20 nov.) soit beaucoup plus dur que le premier et, à l'intérieur, que les ultraroyalistes, appuyés sur une « Chambre introuvable » et dirigés par le comte d'Artois, développent contre les libéraux et les bonapartistes une véritable Terreur* blanche et une réaction excessivement cléricale (missions, Congrégation*).

Cependant, sous le gouvernement modéré de Richelieu* (de 1815 à 1818), le régime de la Charte, soutenu par les constitutionnels, s'enracine et même se libéralise, tandis que le baron Louis*, puis Corvetto, ministres des Finances, apurent la situation financière, ce qui facilite l'évacuation anticipée du territoire par les Alliés (1818). Mais le gouvernement de Decazes* (de 1819 à 1820) dresse contre lui les ultraroyalistes, qui, après l'assassinat du duc de Berry*, triomphent avec l'accession à la tête du ministère de Villèle* (1821) et surtout avec l'avènement en 1824, après la mort de Louis XVIII, du comte d'Artois (Charles X). Alors se multiplient les mesures anachroniques et contre-révolutionnaires (loi du double vote en 1820, rétablissement de la censure et nomination de Mgr Frayssinous comme grand maître de l'Université en 1822, guerre d'Espagne pour rétablir Ferdinand VII* en 1823, sacre de Charles X à Reims, loi du sacrilège et « milliard des émigrés » en 1825, rétablissement du droit d'aînesse en 1826...), qui exaspèrent l'opposition libérale et bonapartiste.

Après la parenthèse du ministère Martignac* (1828), plus libéral, l'arrivée au pouvoir du ministère contre-révolutionnaire présidé par Polignac* (de 1829 à 1830) déchaîne les passions, que le succès de l'expédition d'Alger* ne peut calmer. Au vote de méfiance de 221 députés du centre et de la gauche (2 mars 1830), Charles X et Polignac répliquent, le 25 juillet, par quatre ordonnances* antilibérales qui provoquent la révolution de juillet* 1830 et la chute du régime (abdication du roi le 2 août).

Restauration anglaise, période de l'histoire anglaise caractérisée par le retour de la monarchie, après la mort de Cromwell* : elle est marquée essentiellement par la reprise en main du pouvoir par Charles II* Stuart, roi de 1660 à 1685.

RESTE *(Math.)* → CONGRUENCE ARITHMÉTIQUE.

RESTEFOND *(col de),* col routier des Alpes françaises du Sud, reliant les hautes vallées de l'Ubaye et de la Tinée; 2643 m.

RESTIF (ou **RÉTIF**) **DE LA BRETONNE** (Nicolas RESTIF, dit), écrivain français (Sacy, Yonne, 1734 - Paris 1806). Fils d'un laboureur bourguignon, apprenti typographe à Auxerre, puis imprimeur à Paris, il romança ses expériences rurales et parisiennes, se révélant dans plus de deux cents ouvrages, qu'il imprima lui-même, un observateur aigu des mœurs (*le Paysan perverti ou les Dangers de la ville,* 1775; *la Vie de mon père,* 1779; *Monsieur Nicolas ou le Cœur humain dévoilé,* 1794-1797).

RESTITUTION PHOTOGRAMMÉTRIQUE. — La restitution photogrammétrique, ou stéréorestitution, est l'opération essentielle du levé de la carte* de base ou d'un plan. Elle est effectuée à l'aide d'un stéréorestituteur, où a été formé le modèle, que le restituteur palpe dans ses trois dimensions; grâce à un index, dit « balonnet », celui-ci suit les lignes planimétriques ou les courbes de niveau du modèle. Un crayon ou une pointe restitue sur la stéréominute les tracés correspondants. La restitution s'effectue généralement sur deux supports distincts : la *stéréominute planimétrie** et la *stéréominute orographie,* sur laquelle sont tracées les courbes de niveau. Sur une planche combinée des deux stéréominutes sont effectuées les opérations de complètement*.

RESTOUT (Jean), peintre français (Rouen 1692 - Paris 1768). Élève de son oncle J. Jouvenet, il fera une grande carrière officielle comme peintre de sujets mythologiques, puis, essentiellement, religieux. Ses compositions, volontiers monumentales, gagnent de plus en plus en fébrilité, son coloris en chaleur (ex. : *le Triomphe de Mardochée,* 1755, église Saint-Roch, Paris).

RESTRUCTURATION DES TÂCHES. — On entend sous ce vocable un ensemble de mesures, prises à l'initiative des entreprises ou des pouvoirs publics, concernant l'amélioration des conditions de travail, sur le plan psychologique notamment, dans les entreprises publiques ou privées.

L'ensemble des mesures englobées généralement par ce terme va de la *permutation* périodique des postes de travail à l'*élargissement des tâches* (regroupement d'un ensemble de tâches parcellaires permettant au travailleur de comprendre plus distinctement le sens de son travail) et à leur *enrichissement,* notamment par la délégation de responsabilité à des équipes semi-autonomes, etc. Dans le secteur industriel, la restructuration des tâches a fait l'objet de recherches poussées de certaines firmes, allant jusqu'au fractionnement des chaînes de fabrication (automobiles Volvo).

RÉSULTANTE → STATIQUE.

RÉSURGENCE → KARSTIQUE *(relief).*

RÉTENTION D'URINE → URINE.

RETHEL (08300), ch.-l. d'arr. des Ardennes, sur l'Aisne, à 38 km au N.-E. de Reims; 9183 hab. *(Rethélois).* Église des XIIIe-XVIIe s. Textile. Constructions mécaniques. — Érigée en comté (XIIIe s.), puis en duché (XVIe s.), Rethel passa, par les Mancini*, dans la famille de Grimaldi-Monaco; elle fut prise et reprise au cours de la Fronde*. En juin 1940, la ville fut le théâtre de violents combats.

RETHONDES (60153), comm. de l'Oise, à 9,5 km à l'E. de Compiègne, sur l'Aisne; 458 hab. Les armistices du 11 novembre 1918 et du 22 juin 1940 furent signés dans une clairière de la forêt de Compiègne proche de Rethondes.

RÉTICULÉE (substance) → CERVEAU.

RETIERS (35240), ch.-l. de cant. d'Ille-et-Vilaine, à 30,5 km au S.-E. de Rennes; 3358 hab. Laiterie.

RÉTINE. — Indispensable à la vision*, cette membrane nerveuse est constituée par la superposition de couches cellulaires : l'épithélium pigmentaire externe, qui arrête les rayons lumineux; les cônes et les bâtonnets (éléments récepteurs de la sensation visuelle), dont la superposition constitue les couches les plus internes; les cellules bipolaires; les cellules ganglionnaires. Les cylindraxes de celles-ci constituent la couche des fibres optiques, qui se groupent au niveau de la papille pour former le nerf optique. La rétine est nourrie par la choroïde et l'artère centrale de la rétine. Le décollement de la rétine, les rétinites altèrent la vision.

RETIRATION → OFFSET.

RETOURNAC (43130), ch.-l. de cant. de la Haute-Loire, sur la Loire, à 13 km au N.-O. d'Yssingeaux; 2624 hab. Église romane.

RETOURNEMER *(lac de),* lac des Vosges (5,5 ha), au pied du Hohneck, relié par la Vologne au lac de Longemer.

RETRAITE → SÉCURITÉ SOCIALE et VIEILLESSE.

RÉTROACTION. — On appelle ainsi la disposition interne d'une machine ou d'un mécanisme biologique ou social telle qu'une caractéristique de son effet global modifie le niveau d'entrée d'un des facteurs. La présence d'une telle fonction a pour effet de « finaliser » le système, c'est-à-dire que ses effets ne sont plus le reflet exact des variations de l'environnement qui l'influence. Pour cela, il faut posséder un *capteur,* qui mesure la caractéristique efficace de son effet global, un *comparateur,* qui compare la valeur de cette caractéristique à une valeur affichée, dite *référence,* et qui indique si la différence est positive, négative ou nulle, et un *modulateur,* sur lequel le signal de différence agit et qui fait varier le facteur d'entrée. Si cette variation est en sens inverse, il s'agit de *régulation en constance,* si elle est dans le même sens, de *régulation en tendance.* Les systèmes vivants sont essentiellement composés de systèmes intriqués de rétroaction.

RÉTROPROGESTÉRONE → PROGESTATIF.

RETZ *(pays de),* partie sud-ouest de la Loire-Atlantique, au S. de l'estuaire de la Loire.

RETZ (Jean-François Paul DE GONDI, *cardinal* DE), homme politique français (Montmirail 1613 - Paris 1679). Ordonné prêtre et nommé coadjuteur de l'archevêque de Paris (1643), ambitieux, il est étroitement mêlé aux intrigues nouées par la Fronde* (1648-1652), passant d'un camp à l'autre, au gré de ses intérêts. Arrêté sur l'ordre de Louis XIV (1652), il s'évade, se réfugie à Rome (1652) puis en Allemagne et en Hollande. Rentré à la mort de Mazarin* (1661), il démissionne de l'archevêché de Paris, dont il est titulaire depuis 1654. Abbé de Saint-Denis, il vit dans une demi-retraite, qu'il utilise pour parfaire ses *Mémoires** : celles-ci, publiées seulement en 1717, font de lui un écrivain de premier ordre, à la fois moraliste et observateur politique.

REUCHLIN (Johannes), humaniste allemand (Pforzheim 1455 - Bad-Liebenzell 1522), un des promoteurs des études hébraïques et grecques en Occident.

RÉUNION *(Math.)* → ENSEMBLES *(théorie des).*

RÉUNION (la), départ. français d'outre-mer; 2511 km^2; 476 675 hab. Ch.-l. *Saint-Denis.*

GÉOGRAPHIE. Dans l'ouest de l'océan Indien, par 21^0 de lat. S., la Réunion est une île montagneuse (3069 m au piton des Neiges), d'origine volcanique. Le relief explique l'opposition climatique, essentiellement pluviométrique, entre l'Est, au vent de l'alizé, abondamment arrosé (partout plus de 3 m d'eau par an), et l'Ouest, sous le vent, beaucoup plus sec (généralement moins de 1 m); au point de vue thermique, les températures moyennes varient peu, demeurant (au niveau de la mer) supérieures à 20 ^{0}C. Inhabitée lors de sa découverte, l'île est aujourd'hui surpeuplée, la densité moyenne approchant déjà 200 habitants au kilomètre carré, chiffre à rapporter à la faible étendue des plaines, jalonnant, de manière discontinue, le littoral, et à la presque exclusivité de l'agriculture. Celle-ci — et par conséquent l'économie entière de l'île —, malgré des plantations de vanilliers et surtout de géraniums (dont on extrait une essence), repose en fait sur la monoculture de la canne à sucre, avec ses dérivés (rhum), qui occupe les deux tiers de la superficie cultivée et assure la quasi-totalité d'exportations, ne

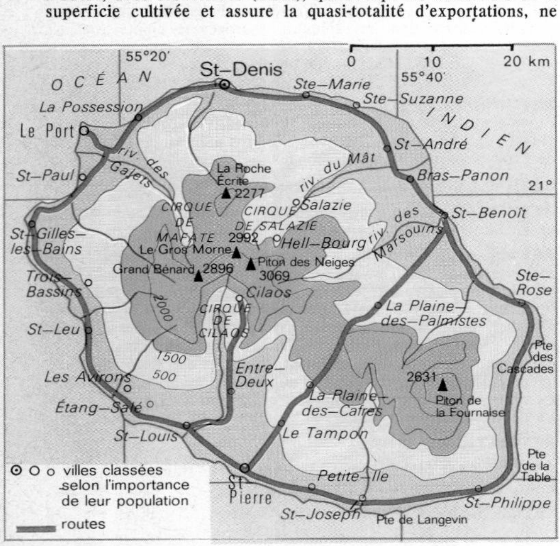

LA RÉUNION

couvrant plus guère, en moyenne, que 20 à 25 p. 100 des importations. Ce déficit n'est que très partiellement comblé par les envois des Réunionnais venus dans la métropole, dont l'aide massive est indispensable à la survie de l'île. L'avenir de celle-ci est hypothéqué par le trop rapide accroissement démographique (malgré une diminution récente du taux de natalité) et par la dépendance économique exclusive à l'égard d'une seule production.

HISTOIRE. Découverte par les Portugais au début du XVIe s., l'île *Mascareigne* n'est vraiment exploitée qu'à partir de 1642, quand la Compagnie française de l'Orient, fondée par Richelieu*, en prend possession. Escale française sur la route des Indes, l'île, devenue île *Bourbon* en 1649, s'adonne, au XVIIIe s., à la culture du caféier (encouragée par le gouverneur Mahé de La Bourdonnais), puis aux cultures vivrières et à la culture des épices, des esclaves importés du continent africain assurant le travail. Baptisée *la Réunion* par la Révolution française, elle connaît des jours difficiles à la suite de la suppression de l'esclavage en 1794; en 1806-07, des cyclones mettent fin à la culture du café. Anglaise de 1810 à 1815, la Réunion développe, à partir de 1820, la culture de la canne à sucre, la main-d'œuvre étant renforcée par les Malabars de l'Inde, puis par des Chinois. Cependant, l'île ne connaît pas un véritable essor économique. En 1946 elle devient département français. Un désir d'autonomie s'exprime au sein de divers partis politiques.

REUS, v. d'Espagne (Catalogne), à l'O. de Tarragone; 53 000 hab.

REUSS (la), riv. de Suisse, née près du col de la Furka, qui traverse le lac des Quatre-Cantons et passe à Lucerne, avant de rejoindre l'Aar (r. dr.); 160 km.

REUSS, anc. principauté de Thuringe, entre la Saale et l'Elster; formée au XIIe s. au profit de la descendance d'Henri le Pieux, maréchal de l'empereur Henri IV, elle fut démembrée (1244), puis de nouveau réunie en un seul État (XVIe s.). Au XVIIIe s., elle fut divisée entre les branches de Reuss-Greiz et de Reuss-Schleiz, dont les membres devinrent princes d'Empire, respectivement en 1778 et 1806. En 1919, les deux principautés furent réunies à la Thuringe.

REUTLINGEN, v. de l'Allemagne fédérale (Bade-Wurtemberg), au S. de Stuttgart; 72 000 hab. Églises gothiques.

REVARD *(mont),* plateau des Préalpes (Bauges) de la Savoie, dominant Aix-les-Bains; 1 537 m. Sports d'hiver.

RÊVE. — La découverte de phases de mouvements oculaires rapides lors du sommeil* profond et au cours desquelles le dormeur, après éveil provoqué, était capable de raconter un rêve a conduit à un abord différent du phénomène de l'activité onirique. Ces périodes sont appelées « sommeil paradoxal », ou « sommeil rapide », parce qu'elles correspondent à une activité intense de nombreuses structures cérébrales, traduite au niveau de l'électroencéphalogramme par un tracé proche de celui de l'état de veille. Le sommeil rapide se caractérise également par une atonie des muscles de la nuque, une érection et une accélération du rythme cardiaque et respiratoire. Au cours d'une nuit on enregistre quatre ou cinq périodes de sommeil paradoxal qui succèdent toujours à une période de sommeil lent. La première phase de sommeil paradoxal n'excède pas 10 minutes, alors que la dernière atteint 90 minutes environ. Chez le nouveau-né la proportion de sommeil paradoxal (60 p. 100 du sommeil total) est plus importante que chez l'adulte, où elle n'est que de 25 p. 100. Au cours de l'évolution phylogénétique le sommeil paradoxal apparaît seulement chez les oiseaux. La quantité de sommeil paradoxal est diminuée par certains médicaments, barbituriques notamment. Des expériences ont permis à Michel Jouvet de montrer que, chez le chat, la plupart des phénomènes du sommeil paradoxal sont déclenchés à partir du tronc cérébral *(locus cœruleus)* et sont sous la dépendance d'une chaîne de mécanismes mettant en jeu de façon complexe des neurotransmetteurs comme la sérotonine, l'acétylcholine et les catécholamines.

Du point de vue psychanalytique, le rêve est considéré comme la « voie royale d'accès à l'inconscient* ». Chaque rêve présente un *contenu manifeste* (récit que le rêveur fait de son rêve) et un *contenu latent* (désirs inconscients exprimés par le rêve). Le contenu latent est déformé par un processus que Freud appelle *censure;* cependant, du fait du sommeil, la censure se relâche et oppose une résistance moindre à l'intrusion du désir refoulé dans le champ de la conscience. Pour Freud, « le rêve est l'accomplissement (déguisé) d'un désir (réprimé, refoulé) ». Le rêve s'édifie à partir de plusieurs types de matériaux : stimulations sensorielles venues du monde extérieur, éléments marquants empruntés au jour précédent (restes diurnes) et désirs inconscients présents depuis l'enfance. La déformation que la censure inflige au contenu latent s'appelle le *travail du rêve.* Celui-ci consiste en *déplacement* (ce qui est important au niveau du contenu latent devient accessoire au niveau du contenu manifeste et vice versa), *condensation* (un détail du rêve représente plusieurs idées latentes) et *figuration* (c'est ce qui permet de comparer le rêve à un rébus). Comme l'inconscient, le rêve ignore le « non »; des relations du type « ou bien ou bien » sont exprimées par « et », les relations causales par la succession même des éléments du rêve. Pour Freud le rêve est un compromis entre le désir de dormir (ne rien admettre dans la conscience qui soit de nature à troubler le sommeil) et la satisfaction d'un désir inconscient, satisfaction sur le mode hallucinatoire qui est la voie la plus courte (processus primaire).

À la lumière de la psychanalyse et des recherches neurophysiologiques, le rêve apparaît comme un éveil intense du sujet sur lui-même, alors qu'il est séparé du monde extérieur et qu'il n'agit pas. Cependant on n'a pas encore déterminé si le rêve ne survient qu'au cours du sommeil paradoxal.

Rêve de d'Alembert *(le),* dialogue de Diderot (composé en 1769, publié en 1830), qui fait suite à l'*Entretien entre d'Alembert et Diderot* et qui précède la *Suite de l'Entretien :* le matérialisme expérimental de Diderot appliqué à la biologie.

Réveil (le), mouvement spirituel qui se développe, dans le protestantisme de langue française, au début du XIXe s. Il a comme centre la ville de Genève, où la Société des amis, née vers 1810, rassemble des étudiants en théologie. Ceux-ci, sous l'influence de la baronne de Krüdener*, visionnaire extatique, du méthodisme* anglais et de F. Schleiermacher*, créent un réseau d'« Églises libres », qui se développe surtout en France. Ce courant novateur insiste sur l'importance de l'expérience spirituelle de la rencontre avec Dieu et de la conversion, sur le retour à la Bible, avec une nette tendance au littéralisme, sur l'identité de chaque Église et sur le zèle missionnaire. Le Réveil influencera ainsi profondément le renouveau biblique et le développement des œuvres d'évangélisation et d'action sociale dans le protestantisme.

REVEL (31250), ch.-l. de cant. de la Haute-Garonne, à 19 km au N.-N.-E. de Castelnaudary; 7 329 hab. *(Revélois).* Bastide fondée au XIVe s. sur plan hexagonal. Mobilier.

REVENU *(Métall.)* → ACIER et TRAITEMENT THERMIQUE ET THERMOCHIMIQUE.

REVENU NATIONAL. — C'est la valeur nette de tous les biens économiques produits par la nation (S. Kuznets). Le concept est dégagé pour la première fois à la fin du XVIIe s. par Boisguillebert. Vauban l'utilise et Lavoisier le calcule, en 1791, dans *Richesse territoriale du royaume de France.* Les physiocrates précisent la notion. Chaptal (en 1819), Dupin (en 1848) et de Foville (en 1885) évaluent le revenu national de la France. La notion sera reprise par les économistes du XXe s.

REVENUS (politique des). — On appelle ainsi la négociation, entre les partenaires sociaux, de la distribution du revenu national.

Cette politique passe — notamment — par l'acceptation par les travailleurs (de tous niveaux), et par leurs organisations, d'une limitation réelle du taux de croissance des salaires*. Si, par exemple, l'augmentation du pouvoir d'achat des salariés est sensiblement supérieure à l'accroissement (dans le même laps de temps) de la production intérieure brute, une politique des revenus peut sembler nécessaire, d'autres secteurs de la vie économique — l'investissement* notamment — pouvant se trouver sacrifiés. Mais tous les revenus, de quelque source qu'ils soient, doivent être nécessairement impliqués dans une telle politique.

Une politique des revenus peut prendre deux aspects différents :
— *une politique globale,* dans le cadre de laquelle la négociation (du type « accords de Grenelle ») s'opère entre le gouvernement et les organisations professionnelles, le premier s'engageant à empêcher la hausse exagérée des prix, les augmentations de salaires dans le même temps ne devant pas dépasser un certain taux;
— *une politique sectorielle,* où chaque branche professionnelle se trouve séparément impliquée, la hausse des salaires se trouvant modulée dans chaque branche, par les progrès de la productivité, patrons et syndicats négociant librement sous l'égide du gouvernement, qui se borne à formuler des recommandations.

RÉVERBÉRATION DU SON. — Ce phénomène, qui joue un grand rôle en acoustique architecturale, est dû aux échos multiples produits par toutes les surfaces réparties dans une salle; sa durée est plus ou moins grande.

REVERDY (Pierre), poète français (Narbonne 1889-Solesmes 1960). Dans ses premiers recueils, il entreprit de donner une transposition littéraire du cubisme (*la Guitare endormie,* 1919). Salué comme un maître par les surréalistes (*les Épaves du ciel,* 1924), il se retire en 1925 près de l'abbaye de Solesmes, où, dans la solitude et la prière, il médite sur la réalité poétique du monde (*Pierres blanches,* 1930; *Main-d'œuvre,* 1949).

Rêveries du promeneur solitaire *(les),* ouvrage posthume de J.-J. Rousseau (1782). L'auteur passe la dernière année de sa vie à évoquer les souvenirs les plus doux de son passé ou les plus marquantes de ses impressions actuelles.

REVERMONT (le), rebord occidental du Jura, entre l'Ain et la Seille.

REVERS (Georges), général français (Saint-Malo 1891 - Saint-Mandé 1974). Chef du cabinet puis de l'état-major de Darlan (1941-42), il succéda à Verneau en 1943 à la tête de l'Organisation de résistance de l'armée. Chef d'état-major de l'armée depuis 1946, il effectua une mission en Indochine en 1949 : la divulgation de son rapport entraîna sa mise à la retraite (1950).

REVÊTEMENT. — • Les *dallages* sont constitués d'une couche de béton* de ciment*, armé ou non, coulée sur une forme stable et protégée par une chape en mortier* riche en ciment. L'épaisseur de la sous-couche varie de 8 à 25 cm suivant l'importance des sollicitations auxquelles est soumis le dallage. Des joints doivent être réservés dans le revêtement pour limiter les risques de fissurations. La résistance à l'usure de la chape superficielle peut être améliorée par incorporation de grains de quartz, de corindon ou de Carborundum, qui sont des matériaux très durs.

• Les *carrelages* sont constitués soit de carreaux préfabriqués (céramique, balsatine, etc.), soit de plaques de pierres naturelles que l'on colle ou que l'on scelle au mortier sur le support stable. Des joints doivent être réservés dans les carrelages de grande surface pour éviter leur détérioration.

• Les *revêtements minces* en matières plastiques* sont constitués de carreaux minces que l'on fixe sur le support, à l'aide de colles spéciales. Ce type de revêtement a pris une extension importante, notamment dans la construction des aérogares, des magasins, des bureaux, etc.

REVÊTEMENT ROUTIER. — • Les *revêtements de chaussées rigides* possèdent une couche de surface qui tient lieu en même temps de couche de base : elle est formée d'une dalle épaisse de 15 à 20 cm, en béton* de ciment* de haute qualité. Les dalles sont limitées en étendue par des joints : joints de retrait-flexion, sciés à mi-épaisseur, joints de dilatation, obturés par une matière souple et de bonne adhérence, joints de construction pour permettre les arrêts de travail. Les joints de dilatation sont protégés par des sous-dalles en béton; deux dalles voisines sont associées par des goujons en acier. Le béton des dalles est préparé par de grandes centrales semi-fixes; il est traité par des adjuvants (entraîneurs d'air et plastifiants) contre la fissuration* et les gelées. La mise en place se fait par coffrages glissants.

• Les *revêtements de chaussées souples* sont actuellement constitués par une couche d'enrobés au bitume*, ou tarmacadam; pour les grandes artères et les autoroutes*, la couche de surface est en béton bitumineux de 7 à 10 cm d'épaisseur. Le liant est un bitume dur; l'enrobage se fait à chaud (à 150 ^{0}C) dans de grands tambours tournants chauffés au mazout; l'installation, semi-fixe, est dite « central plant ». La mise en place est effectuée à chaud vers 70 ^{0}C, au moyen de finishers, et le compactage se fait par cylindres lisses, ou à pneus, ou vibrants. La composition est réalisée par la formule de Duriez : 50 p. 100 de gravillons (G) de 5 à 15 mm, 30 p. 100 de gros sable (S) de 0,3 à 5 mm, 13 p. 100 de sable fin (*s*) de 0,08 à 0,3 mm et 7 p. 100 de filler (*f*) de 0,08 mm au maximum. Le dosage en bitume est de 6 p. 100 en poids du granulat (densité moyenne : 2,65); le dosage *p* est alors $p = k\sqrt{0{,}25\ G + 2{,}3\ S + 12\ s + 135\ f}$; *k* étant le module de richesse en liant et ayant pour valeur 3,75. Le contrôle de qualité se fait par l'essai, appelé « essai Duriez d'immersion-compression » : le béton immergé durant les sept premiers jours doit donner une résistance égale au moins aux sept dixièmes de celle du béton à sept jours d'âge non immergé.

REVÊTEMENT DE SURFACE. — Réalisé soit par un dépôt superficiel, métallique ou non, soit par modification chimique de la surface, le revêtement de surface est employé pour des raisons diverses : protection contre l'action corrosive du milieu, effet décoratif, obtention de qualités superficielles favorables au frottement ou à la résistance à l'usure, etc. Après un polissage mécanique, chimique ou électrolytique, la surface doit être nettoyée par dégraissage (solvants* organiques, lessives alcalines, décapage acide, action électrolytique). Le revêtement proprement dit s'effectue par des procédés très divers tels que : immersion dans des bains aqueux ou dans des sels* fondus, traitement au four, projection au pistolet, application de poudres en suspension, dépôt à partir de vapeur, application au pinceau ou à la brosse, etc. Par électrolyse* ou galvanoplastie, on peut déposer la plupart des métaux* et même certains alliages* sur un support métallique, ferreux ou non ferreux; ce sont les procédés de nickelage, de chromage, d'étamage, de plombage, de cuivrage, de zincage, de cadmiage, de laitonnage, de dorure, d'argenture, etc. L'épaisseur du dépôt varie suivant l'application; ainsi, pour le chromage de décoration, l'épaisseur de dépôt est comprise entre 0,3 et 5 µm, alors que, pour le chromage « dur » (outillages de formage, rechargement de pièces usées), l'épaisseur courante est de 10 à 50 µm et peut même atteindre 300 µm. Les revêtements réalisés par réaction chimique de la surface avec une solution saline, un composé solide ou un gaz sont utilisés soit pour améliorer les caractéristiques mécaniques des couches superficielles ou leur tenue à des corrosions* sévères (traitements* thermochimiques de chromisation, de calorisation par l'aluminium*, de shérardisation par le zinc*, de carbonitrusulfuration), soit pour colorer la surface et permettre sa protection dans les atmosphères courantes (oxydation anodique de l'aluminium, nickelage chimique, phosphatation). Par projection au chalumeau oxyacétylénique, on dépose des couches de métal ou d'alliage fondus (alliage dur *Stellite*). Pratiqués depuis longtemps de façon artisanale, les procédés de métallisation dans un bain de métal fondu (étamage de fer-blanc, galvanisation) ont été perfectionnés pour le traitement en continu de tôles et de feuillards d'acier doux.

REVIGNY-SUR-ORNAIN (55800), ch.-l. de cant. de la Meuse, à 17 km au N.-O. de Bar-le-Duc; 4 077 hab. Métallurgie.

REVIN (08500), ch.-l. de cant. du nord des Ardennes, sur la Meuse; 11 806 hab. Métallurgie. Centrale hydroélectrique.

RÉVISION DES LEVERS. — La révision des levers permet de renouveler la carte* de base de façon à tenir compte des modifications intervenues depuis son élaboration ou la révision antérieure. Le processus normal de révision comporte d'abord l'exécution d'une nouvelle prise de vues, que l'on compare avec la dernière édition de la carte, puis la restitution* photogrammétrique des détails nouveaux, enfin le passage du réviseur sur le terrain pour le recueil de la toponymie nouvelle et pour certains contrôles et additions. À partir des modifications de la carte de base, on procède à la révision des cartes dérivées.

REVIVISCENCE. — Lorsque des circonstances défavorables (sécheresse, salinité excessive de l'eau, etc.) ont provoqué chez un animal un état de « sommeil » (anhydrobiose), le retour à un taux normal d'humidité produit un rapide réveil, ou reviviscence. On distingue celle-ci du réveil printanier des animaux hibernants, et de la germination des graines, des spores et de certains types d'œufs.

Revizor *(le)* ou *l'Inspecteur général,* comédie de Gogol (1836), satire des mœurs administratives de la Russie.

RÉVOLUTION (sociologie de la). — Le changement social, en un sens, n'est qu'une forme atténuée de révolution. Or les sociétés changent toujours, même si elles prennent le temps pour le faire. La question de la révolution se ramène à celle du rythme et de la qualité du changement social. À partir de quel seuil le changement mérite-t-il d'être baptisé « révolution »? On conçoit qu'il soit difficile de tracer cette limite, quel que soit l'empressement des historiens et des politiques à le faire. D'autant que le sens ordinaire du mot révolution suggère qu'il s'agit d'un mouvement fermé qui fait retrouver à la fin ce qui était à l'origine : le cercle, l'ellipse symbolisent ce mouvement. D'où cette affinité, souvent cachée, de toute pensée révolutionnaire avec le mythe de l'éternel retour ou celui d'un retour à la pureté des origines.

révolution culturelle prolétarienne *(grande),* vaste mouvement de rectification politique et idéologique lancé en Chine à partir de 1966, sous l'impulsion de Mao Tsö-tong* et de ses partisans. La campagne, qui s'engage officiellement en août, est destinée à combattre la survivance des idéologies bourgeoises et le danger d'un retour éventuel au capitalisme, ainsi que la ligne politique soviétique, qualifiée de « révisionniste ». Ce mouvement semble être l'aboutissement des profondes divergences qui séparaient depuis plusieurs années les dirigeants du parti communiste chinois, révélant l'existence d'un courant hostile à la politique de Mao Tsö-tong. Cette tendance, animée par Lieou Chao-k'i*, met en cause l'expérience du « grand bond en avant » et des communes populaires, ainsi que la rupture avec l'Union soviétique, et accorde la priorité au développement de l'industrialisation. Face à cette opposition, Mao est amené à contester les structures mêmes du parti et à s'appuyer sur l'armée et sur de nouvelles couches révolutionnaires, issues des masses populaires et de la jeunesse (les « gardes rouges »). À ses côtés, Tch'en Po-ta et Lin Piao*, chef de l'armée depuis 1959, apparaissent comme les principales figures de la révolution culturelle, caractérisée par l'ampleur des manifestations de masse, par le développement de journaux muraux *(ta-tseu-pao* ou *dazibao)* et par la très large diffusion du *petit livre rouge,* recueil des pensées de Mao. En 1967, les luttes, souvent confuses, entre les diverses tendances donnent lieu à des affrontements violents, qui semblent menacer le pouvoir central et l'unité du pays. Mao lance alors des appels à la modération, tandis que la tendance d'extrême gauche, au sein de la révolution culturelle, est écartée, et que le rôle prépondérant des gardes rouges s'affaiblit progressivement. En 1968, Lieou Chao-k'i est destitué; le parti, épuré de ses éléments « bourgeois », retrouve son rôle directeur et annonce, lors de son IXe Congrès (avr. 1969), le succès de la révolution culturelle, consacrant la victoire du président Mao sur les « économistes ». Le discrédit qui s'attache ensuite à Lin Piao et à Tch'en Po-ta semble confirmer les positions de la tendance modérée, représentée par Chou En-lai.

Révolution française, période de l'histoire de France (1789-1799) qui mit fin à l'Ancien Régime.

L'État français sous Louis XVI* étant au bord de la banqueroute, Necker* préconise le recours aux États* généraux. Ceux-ci se réunissent à Versailles le 5 mai 1789, et rapidement, par l'action conjuguée du tiers état et du bas clergé, ils se transforment en Assemblée nationale constituante* (9 juill.). Celle-ci, bourgeoise d'inspiration et de composition, est affrontée, après la prise de la Bastille* (14 juill.) et la Grande Peur* (été 1789), à une révolution paysanne qui la détermine, dans la nuit du 4 août*, à voter la suppression de tous les privilèges féodaux et urbains; les privilèges corporatifs seront abolis par les lois d'Allarde et de Le Chapelier (mars et juin 1791). Le 26 août 1789, l'Assemblée vote la Déclaration des droits* de l'homme. Cependant, le roi puis l'Assemblée sont contraints de s'installer à Paris (5-6 oct. 1789), sous la pression de la population parisienne durement touchée par la crise; cette crise détermine l'Assemblée à décréter la transformation des biens du clergé en biens* nationaux (2 nov.). Et, tandis que protestants et juifs deviennent citoyens à part entière (déc. 1789-janv. 1790), la Constituante crée les départements, éléments essentiels de l'unification du pays, symbolisée par la fête de la Fédération* (14 juill. 1790). Le 12 juillet 1790, la Constitution* civile du clergé prélude à la division du clergé français en prêtres jureurs — ou constitutionnels — et en prêtres réfractaires, lesquels seront considérés comme des hors-la-loi.

L'année 1791 voit monter, à l'intérieur comme à l'extérieur — où s'enfle l'émigration —, la Contre-Révolution, dont la fuite manquée du roi (Varennes, 21-25 juin) est la manifestation la plus spectaculaire, mais aussi la plus grave en conséquences, car elle détache la faction républicaine de la révolution bourgeoise.

Finalement, la monarchie constitutionnelle — avec Louis XVI comme roi des Français —, sortie de la Constitution de septembre 1791, s'avère d'une part peu démocratique, du fait qu'elle cautionne la distinction entre citoyens actifs et citoyens passifs, et d'autre part fragile, par la menace de la Contre-Révolution et par les réactions républicaines qu'elle suscite.

L'Assemblée législative*, qui siège à partir du 1er octobre 1791, est en effet obsédée par la Contre-Révolution : d'où des mesures répétées contre les émigrés et les prêtres réfractaires, mesures qui opposent l'Assemblée à Louis XVI; d'où, surtout, la déclaration de guerre aux Habsbourg (auxquels se joindra la Prusse), que les Girondins*, faction la plus importante de l'Assemblée, finissent par arracher au roi (20 avr. 1792). Celui-ci, en relations familiales avec Vienne, escompte la défaite française. Mais, lorsque cette défaite s'amorce et que la patrie est déclarée en danger (11 juill. 1792), le sursaut de la France révolutionnaire, suscité par la Commune* de Paris, emporte la royauté, qui est abolie le 10 août; le roi et sa famille sont emprisonnés. L'approche des Prussiens provoque la panique (massacres de septembre) et entraîne l'élection de la Convention* nationale.

Réunie au lendemain de l'heureuse victoire de Valmy (20 sept.), la Convention proclame la république (22 sept.), adopte un calendrier républicain (24 oct.) et, après la victoire de Jemmapes* (6 nov.) et l'occupation de la Belgique* — prélude à l'annexion de la Savoie (27 nov.) et de Nice (31 janv. 1793) —, appelle les peuples opprimés à l'insurrection. Cependant, convaincu d'intelligences avec les Autrichiens, Louis XVI est condamné à mort par la Convention (19 janv. 1793) et exécuté (21 janv.). La mort du roi rassemble contre la France une coalition générale (animée par l'Angleterre), d'abord victorieuse (Neerwinden, Mayence), et provoque, dans l'Ouest (Vendée*, Bretagne) une formidable insurrection royaliste et religieuse. Face à ce double danger, la Convention — où dominent les Jacobins — recourt à des mesures de salut public : levée de 300 000 hommes et vote de l'« amalgame » (24 févr. 1793), suspension de l'inviolabilité des députés (1er avr.), création — après le Comité de sûreté générale, dès le 2 octobre 1792 — d'un Comité de salut* public (6 avr. 1793), cours forcé de l'assignat* (11 avr.), etc. Les Girondins s'efforcent de contrecarrer cette politique vigoureuse et centralisatrice — dont la Commune de Paris est l'élément moteur —, mais, sous l'influence de Marat*, ils sont mis hors la loi (31 mai-2 juin 1793) par la Convention. Celle-ci vote ensuite la Constitution, ultra-démocratique, dite « de l'an I » (24 juin), qui est ratifiée par référendum, mais restera lettre morte.

L'assassinat de Marat par Charlotte Corday* (13 juill.), la révolte de Lyon (16 juill.), la prise de Valenciennes par les Autrichiens (28 juill.) et une crise économique et sociale endémique amènent le Comité de salut public — où entre Robespierre* le 27 juillet — à renforcer le régime de terreur : réquisition générale (23 août), emprunt forcé sur les riches et renforcement du tribunal révolutionnaire (3 sept.), loi des suspects (17 sept.), loi du maximum général (29 sept.).

Cette politique finit par porter ses fruits : sur le plan militaire, les victoires se multiplient, contre l'ennemi extérieur (Hondschoote, sept.; Wattignies, 16 oct.; Toulon, 19 déc.) et contre les Vendéens (Cholet, 17 oct.; Savenay, 23 déc.), cependant qu'une vague de déchristianisation orchestrée par les hébertistes (v. HÉBERT) et les Enragés ravage l'Église de France. Robespierre, qui réagit rapidement contre cet athéisme violent (culte de la Raison*), devient le chef de la Révolution, surtout quand il s'est débarrassé des extrémistes de gauche (mars 1794), puis des modérés ou dantonistes (avr.). Le 26 juin, à Fleurus, la France est victorieuse des Autrichiens.

La chute et la mort de Robespierre, « bouc émissaire de la Révolution », en thermidor an II (juill. 1794), libèrent une vague contre-révolutionnaire, libertine, bourgeoise et royaliste : le club des Jacobins est fermé (11 nov.), la loi du maximum abolie (24 déc.), les Girondins sont rappelés (8 mars 1795); la pacification religieuse se traduit par la séparation de l'Église et de l'État (18 sept.) et par la proclamation de la liberté des cultes (21 févr. 1795). Mais, durant l'hiver 1794-95, la Convention thermidorienne est affrontée à la misère populaire, qui, en avril et en mai 1795, s'exprime en « émeutes de la faim », dont les sans-culottes font les frais. À l'extérieur, les victoires et les annexions révolutionnaires sont entérinées par les traités de Bâle* (5 avr. et 22 juill.) et de La Haye* (16 mai). Cependant, la montée royaliste — débarquement des émigrés à Quiberon* (22 juill.) — amène la Convention à réagir : le 5 octobre 1795 (13 vendémiaire an IV) Bonaparte écrase les royalistes à Paris.

Le 26 octobre, la Convention, qui a voté la Constitution conservatrice et bourgeoise de l'an III (22 août), fait place au Directoire*, régime fragile et corrompu, dont la courte histoire est jalonnée par des coups de force et auquel mettra fin le coup d'État des 18 et 19 brumaire an VIII (9-10 nov. 1799).

révolution de 1830 → JUILLET *(monarchie de).*

revolutionibus orbium coelestium *(De),* œuvre de Copernic, dans laquelle il expose sa théorie des mouvements planétaires (héliocentrisme).

Révolution permanente *(la),* œuvre de Trotski (1928-1930), dont l'idée dominante est que « la construction socialiste n'est concevable que sur la base de la lutte des classes à l'échelle nationale et internationale » et que « la révolution socialiste ne peut être achevée dans les limites nationales ».

révolution russe de 1905, ensemble de manifestations révolutionnaires qui ébranlèrent la Russie en 1905. Les transformations économiques et sociales de la fin du XIXe s. ont modifié profondément la structure politique de la Russie; le tsarisme voit son prestige diminuer progressivement. Aussi, la défaite de la Russie face au Japon va-t-elle servir de détonateur aux manifestations révolutionnaires de 1905. Au début de janvier 1905, des grèves éclatent à Saint-Pétersbourg, et le 22 janvier (9 janv. anc. style), une manifestation ouvrière pacifique conduite par le pope Gapone est brisée dans le sang. La confiance populaire sort ébranlée de ce « Dimanche rouge ». Des grèves éclatent alors dans toutes les grandes villes. L'opposition gagne du terrain, tandis que le mouvement de rébellion apparaît dans les campagnes et s'étend même à l'armée : en juin 1905, une mutinerie se produit à bord du cuirassé Potemkine*. À l'automne, le mouvement a gagné le pays tout entier : Nicolas II* signe alors le « manifeste d'Octobre » qui accorde l'élection d'une douma, ce qui satisfait en partie les opposants à l'exception des bolcheviks*. Ces derniers disposent avec les soviets* d'un puissant instrument d'organisation. Rejoints par Lénine*, ils tentent de créer un mouvement révolutionnaire, mais le gouvernement réussit à écraser toutes les insurrections. Le soviet de Saint-Pétersbourg est dissous et la grève générale, déclenchée le 20 (7) décembre à Moscou, est écrasée par la force. La défaite de l'insurrection marque un coup d'arrêt pour la révolution. Sans parvenir à ses objectifs, la révolution de 1905 aura servi de révélateur et de « répétition générale ». Le régime tsariste ne s'en relèvera pas.

révolution russe de 1917, mouvement révolutionnaire qui aboutit à la chute du tsarisme (révolution dite « de Février ») et à la prise du pouvoir par les bolcheviks (révolution dite « d'Octobre »). Après la révolution de 1905, le tsarisme, instaurant un régime d'autocratie atténuée, donne pendant quelque temps l'illusion d'évoluer vers un système semi-libéral. Mais il va manifester des signes d'une complète dégénérescence. Depuis 1912, le malaise est redevenu évident dans toutes les couches de la société. En juillet 1914, la classe ouvrière renouvelle une offensive qui rappelle les événements de 1905, mais la guerre interrompt ce début d'insurrection et le pays semble retrouver un élan patriotique unanime. Pourtant, cet élan ne va pas résister à l'accumulation des erreurs du gouvernement impérial : échec parlementaire, aggravation de la condition paysanne, désastres de l'armée russe. La misère du peuple russe est rendue plus aiguë par les rigueurs de l'hiver 1916-17, les désertions se multiplient à l'armée et Raspoutine* est assassiné le 31 (18 anc. style) décembre : toutes les conditions semblent réunies en février 1917 pour que le tsarisme moribond soit abattu.

Les grèves, intenses en octobre 1916, réapparaissent en janvier 1917 et prennent une forme révolutionnaire en février. Le prolétariat de Petrograd se met partiellement en grève le 7 mars (22 févr.), l'usine Poutilov ferme. Le 8 mars (23 févr.), lors de la journée internationale des femmes, les manifestations pour le pain et la paix se multiplient. L'agitation s'amplifie : le 10 mars (25 févr.), les bolcheviks* appellent à la grève générale et plusieurs manifestants sont tués. Le gouvernement dissout la douma le 11 mars (26 févr.). Le 12 mars (27 févr.), une partie de l'armée se rallie aux ouvriers et la ville tombe aux mains des insurgés. Le soviet de Petrograd formé par les mencheviks*, auxquels se rallient les bolcheviks, se constitue et désigne un comité exécutif provisoire, qui comprend Kerenski*, des mencheviks et des bolcheviks. Le 14 mars (1er), des soviets* sont créés à Moscou et en province. Le 15 mars (2), le tsar abdique en faveur de son frère, Michel, qui, en renonçant au trône, entraîne la chute de la monarchie.

Les députés modérés de la douma ont formé un gouvernement provisoire, présidé par le prince Lvov*, qui hérite d'une situation difficile, car il partage la réalité du pouvoir avec le soviet de Petrograd. Les ouvriers ont joué avec les paysans-soldats un rôle décisif, mais leur expression politique reste hésitante, même au soviet. La bourgeoisie a apparemment pris le pouvoir. Les bolcheviks ont dû rester au second plan, car leurs dirigeants étaient en prison ou à l'étranger. L'amnistie libère les prisonniers, mais leur position ne diffère pas sensiblement de l'attentisme des mencheviks. Le retour de Lénine* en Russie, qui expose dès le 17 avril ses thèses, va précipiter les événements. Accueillies tout d'abord avec stupéfaction, les « thèses d'avril » (« le pain, la terre, la paix ») seront adoptées par la conférence panrusse du parti bolchevik (7-12 mai [24-29 avr.]). Une manifestation favorable à la paix provoque la démission du gouvernement provisoire et la constitution d'un second gouvernement Lvov, qui comprend des mencheviks et des sociaux-révolutionnaires*. La participation de ceux-ci au pouvoir les déconsidère aux yeux des masses, qui se tourneront peu à peu vers les bolcheviks.

Au début de juillet, l'État paraît en pleine décomposition. La paix et les réformes de structure attendues par le peuple restant impossibles à satisfaire, les bolcheviks sont dès lors en mesure de revendiquer le pouvoir. C'est ce que fait Lénine lors du premier congrès panrusse des soviets (16 juin [3]). Mais les bolcheviks sont surpris par une émeute populaire à Petrograd, que leur action a contribué à déclencher et qui fournit au gouvernement un moyen de répression contre eux. Kamenev* et Trotski* sont arrêtés. Lénine et Zinoviev* se réfugient en Finlande. Kerenski devient président du Conseil. La crise ministérielle consécutive aux journées de juillet, le VIe Congrès du parti bolchevik (8 août [26 juill.]), le putsch avorté de Kornilov, tout concourt à montrer la faiblesse du pouvoir et à accroître l'influence des bolcheviks. De Finlande, Lénine écrit qu'il faut déclencher l'insurrection (« la crise est mûre ») avant le Congrès des soviets prévu pour novembre. Rentré à Petrograd, il décide son parti à l'insurrection malgré l'opposition de Kamenev et de Zinoviev.

Du 6 au 7 novembre (24-25 oct., d'où le nom de « révolution d'Octobre »), les bolcheviks occupent les bâtiments officiels. Le 8 novembre (26 oct.), le palais d'Hiver, siège du gouvernement, est pris. Le Congrès des soviets annonce l'avènement du nouveau pouvoir. Tout le pouvoir revient aux soviets, où les bolcheviks sont majoritaires. Le Conseil des commissaires du peuple (Sovnarkom*), organe central du nouveau pouvoir, présidé par Lénine, est formé le 8 novembre (26 oct.). Lénine déclare : « Nous passons maintenant à l'édification de l'ordre socialiste. » Les bolcheviks doivent maintenant se faire accepter dans l'ensemble du pays, établir des institutions nouvelles, redresser l'économie, ce qui est rendu difficile en raison de l'aide que les opposants reçoivent des Alliés.

révolutions d'Angleterre, nom donné à deux périodes de l'histoire anglaise du XVIIe s.

La *Première Révolution d'Angleterre* (1642-1649), appelée encore *Grande Rébellion,* a pour cause le conflit politique qui oppose le Parlement anglais — soucieux de garder ses privilèges en matière financière et constitutionnelle — aux deux premiers Stuarts, Jacques Ier* (de 1603 à 1625) et surtout Charles Ier* (de 1625 à 1649). De plus, ce dernier, époux d'une catholique et lui-même épiscopalien, s'appuie sur un épiscopat anglican puissant et sur l'entourage « papiste » de la reine Henriette-Marie pour asseoir son absolutisme : aussi le protestantisme presbytérien et puritain, particulièrement vivant en Écosse, est-il prêt à se joindre au Parlement contre le roi. Le conflit comporte deux guerres civiles : la première (1642-1646) se termine par la reddition de Charles Ier aux presbytériens écossais, commandés par Olivier Cromwell* et vainqueurs, notamment, à Naseby et à Rowton Heath (1645); la seconde (1648-49), très courte, se clôt par une nouvelle arrestation du roi, qui est exécuté le 30 janvier 1649. Les royalistes — alliés aux Écossais autour de Charles II* — sont écrasés à Worcester (1651) : Cromwell est dès lors le maître du pays.

La *Seconde Révolution d'Angleterre* (1688-89), dite *la Glorieuse Révolution,* est beaucoup plus pacifique. Née des imprudences de Jacques II* Stuart, roi catholique, qui fonde, en 1688, une dynastie catholique (naissance de Jacques Édouard*), elle consiste dans le débarquement, en novembre 1688, de Guillaume d'Orange, époux de Marie II Stuart (le futur Guillaume III*) et dans la fuite en France de Jacques II, dont les descendants catholiques — les Jacobites* — ne réussiront jamais à déloger les Stuarts* protestantes (Marie, puis Anne) et les Hanovre du trône d'Angleterre. En fait, cette révolution sans heurts aboutit à instaurer en Angleterre une véritable monarchie constitutionnelle.

révolutions de 1848, ensemble des mouvements insurrectionnels, d'inspiration libérale ou démocratique, qui éclatèrent dans plusieurs pays d'Europe au printemps de 1848.

Le signal de la révolution est donné à Palerme le 12 janvier 1848; celle-ci oblige le roi de Naples à concéder une constitution le 10 février; le grand-duc de Toscane devant en faire autant le 17 et le roi de Piémont le 5 mars. Dans le même temps, à Paris, Louis-Philippe Ier abdique, laissant la place à la IIe République*; le 13 mars, Metternich* doit s'enfuir devant la révolution autrichienne; le 18 mars, la révolution éclate en même temps à Berlin et à Milan; le 22, la république est proclamée à Venise, et quand Charles-Albert* déclare la guerre à l'Autriche, les ducs de Parme et de Modène sont chassés; le 13 avril, Vienne doit reconnaître le statut hongrois, tandis qu'à Prague un Comité national rassemble Tchèques et Allemands, en attendant le Congrès panslave (2-28 juin).

Mais déjà la réaction s'amorce. En refusant de cautionner la guerre italienne contre l'Autriche, puis en se réfugiant à Gaète (royaume de Naples), Pie IX provoque la création de la République romaine* (9 févr. 1849), mais aussi l'intervention de l'armée française qui, ayant pris Rome (1er juill.), met fin au régime républicain. Prague est bombardée par les Autrichiens (12-17 juin), tandis qu'en France l'insurrection ouvrière (23-26 juin), finalement écrasée, favorise la réaction contre-révolutionnaire, conduite par Cavaignac* puis par Louis Napoléon, et que Ferdinand II rétablit son pouvoir à Naples (15 mai) puis en Sicile (6 sept.). L'Assemblée constituante de Vienne, si elle abolit le régime seigneurial en Autriche (7 sept.), est dissoute dès le 7 mars 1849, Windischgrätz ayant repris Vienne le 31 octobre 1848. L'Assemblée prussienne subit le même sort le 5 décembre et le Parlement de Francfort le 18 juin 1849. Mais les Hongrois réagissent victorieusement, votent la déchéance des Habsbourg et proclament Kossuth* président-gouverneur (14 avr.); il faut la victoire russe de Világos (13 août 1849) pour mettre fin à la révolution hongroise. C'est la chute de Venise, le 22 août, qui clôt les révolutions européennes.

Revue blanche *(la),* recueil bimensuel illustré, fondé à Liège et à Paris en 1889 par Auguste Jeunehomme et Paul Leclercq. Sous la direction d'Alexandre Natanson et de ses frères, elle s'ouvrit à l'avant-garde artistique et littéraire et au mouvement symboliste.

Revue des Deux Mondes *(la),* périodique fondé en 1829 par Mauroy et Ségur-Dupeyron. Dès 1831, le rédacteur en chef en fut François Buloz, auquel succéda son fils Charles en 1877.

RÉVULSION. — Différents procédés visent à provoquer une irritation locale de la peau pour produire par voie réflexe une stimulation des centres nerveux végétatifs. Ainsi agissent les frictions, les cataplasmes, les sinapismes et les ventouses, ces dernières étant toutefois beaucoup moins employées qu'autrefois.

REWBELL ou **REUBELL** (Jean-François), homme politique français (Colmar 1747-*id.* 1807). Avocat, il est élu à la Convention (1792) et, comme représentant en mission, il participe à la défense de Mayence (1793). Thermidorien actif, puis membre des Cinq-Cents, il est élu directeur dès 1795 et se maintient en poste jusqu'en juin 1799, fomentant, avec Barras et La Révellière-Lépeaux, le coup d'État du 18-Fructidor* (1797).

rexisme, mouvement nationaliste et antiparlementaire belge qui, lancé en 1935 par Léon Degrelle*, connut quelque succès aux élections de 1936, mais sombra, durant la Seconde Guerre mondiale, dans la collaboration avec les Allemands.

REXROTH (Kenneth), écrivain américain (South Bend, Indiana, 1905). Son étude des thèmes et des techniques poétiques, depuis les épopées sumériennes jusqu'aux recherches verbales contemporaines, tente d'aboutir à l'expression d'un nouvel humanisme (*The Phœnix and the Tortoise,* 1944; *The Collected Shorter Poems,* 1967; *With Eye and Ear,* 1970).

REY (Jean), chimiste et médecin français (Le Bugue v. 1583-† 1645). Il observa en 1630 l'augmentation de masse de l'étain et du plomb chauffés au contact de l'air.

REYBAUD (Louis), économiste et homme politique français (Marseille 1799-Paris 1879). On lui doit des *Études sur les réformateurs ou socialistes modernes* (2 vol., 1840-1843), *l'Industrie en Europe* (1856) et des travaux sur diverses industries qui le rangent parmi les réformateurs sociaux. Il écrivit aussi des romans, parmi lesquels *Jérôme Paturot à la recherche d'une position sociale* (1843), critique des mœurs sous la monarchie de Juillet.

REYES (Alfonso), écrivain mexicain (Monterrey 1889-Mexico 1959). Poète, essayiste et romancier, il s'est efforcé de revenir aux sources de l'inspiration nationale et de la civilisation aztèque (*Visión de Anáhuac,* 1917).

REYKJAVÍK, capit. et principal port de l'Islande, dans le sud-ouest de l'île; 84 000 hab. La ville regroupe près de la moitié de la population de l'île. Pêche. Conserveries.

REYMONT (Władysław Stanisław), écrivain polonais (Kobiele-Wielkie, près de Radom, 1867-Varsovie 1925). Ses nouvelles et ses récits composent une vaste évocation lyrique de la nature polonaise et de la vie paysanne (*les Paysans,* 1904-1909). Il publia également plusieurs romans historiques (*l'Année 1794,* 1913-1918; *la Révolte,* 1924). [Prix Nobel, 1924.]

REYNAUD (Émile), inventeur français (Montreuil 1844-Ivry-sur-Seine 1918). Après avoir inventé, en 1877, le praxinoscope, il mit au point, en 1888, le Théâtre optique. Les projections des *Pantomimes lumineuses,* courtes bandes de film perforé, dessinées et peintes par lui-même, qu'il organisa de 1892 à 1900 au Musée Grévin à Paris, en font le véritable créateur du dessin animé.

REYNAUD (Paul), homme politique français (Barcelonnette 1878-Neuilly 1966). Plusieurs fois ministre sous la IIIe République, il détient notamment le portefeuille des Finances dans le gouvernement Daladier (1939-40), au sein duquel il défend une politique de fermeté vis-à-vis de l'Allemagne. Succédant à Daladier à la présidence du Conseil en mars 1940, il prend aussi les Affaires étrangères, puis la Défense nationale, mais ne peut empêcher la défaite. Partisan de la poursuite de la lutte, il s'oppose à l'armistice et doit démissionner le 16 juin, au profit du maréchal Pétain. Arrêté en juillet, il est déporté en Allemagne (1942-1945). P. Reynaud joue encore un rôle parlementaire important sous la IVe et la Ve République, comme défenseur de l'unité européenne.

REYNOLDS (*sir* Joshua), peintre anglais (Plympton, Devon, 1723-Londres 1792). Portraitiste fécond, il passe trois ans en Italie, revient s'établir à Londres en 1752 et acquiert vers 1760 une grande notoriété dans la société mondaine. Il est cofondateur et président de la Royal Academy en 1768. Classique, admirateur des Bolonais et de Rembrandt, coloriste plein de force (mais beaucoup de ses toiles ont mal vieilli), il se montre trop ambitieux dans ses tableaux d'histoire, parfois artificiel quand il peint la grâce féminine et l'enfance, mais pousse la dignité réaliste jusqu'à une véritable grandeur (*Lord Hearthfield,* 1785, National Gallery).

REYNOLDS (Osborne), ingénieur et physicien anglais (Belfast 1842-Watchet, Somersetshire, 1912). Il étudia les divers régimes d'écoulement des fluides visqueux, montra l'existence d'une vitesse critique et souligna l'importance, en mécanique des fluides, du « nombre de Reynolds ».

REYNOSA, v. du Mexique, sur le río Grande del Norte; 137 000 hab.

REZĀ CHĀH PAHLAVI → PAHLAVI.

REZĀYE, v. du nord-ouest de l'Iran, en Azerbaïdjan; 141 000 hab.

REZÉ (44400), ch.-l. de cant. de la Loire-Atlantique, sur la Loire, dans la banlieue sud de Nantes; 36 118 hab. *(Rezéens).*

REZONVILLE (57130 Ars sur Moselle), comm. de la Moselle, à 17,5 km à l'O. de Metz; 227 hab. Bataille du 16 août 1870 (v. METZ [*batailles sous*]).

R. F. A., sigle de *République fédérale d'Allemagne**.

rH. — Le rH de l'eau pure est égal à 27, celui des réducteurs, plus petit, celui des oxydants, plus grand. Cette représentation quantitative des phénomènes d'oxydoréduction est surtout utilisée en biologie.

RHĀB ou **GHAB,** plaine de Syrie, drainée par l'Oronte, à l'E. du djebel Ansarieh.

RHADAMÈS ou **GHADAMÈS,** v. et oasis de la Libye occidentale; 7 000 hab.

RHAMNACÉES. — Cette famille d'arbustes comprend notamment le jujubier, qui fournit un bois d'ébénisterie et un fruit comestible, et le nerprun*. Ces plantes, apparentées au houx et au fusain, font partie de l'ordre des célastrales.

RHAPSODIE. — Dans cette fantaisie instrumentale, les épisodes successifs et contrastés s'appuient sur des thèmes nationaux et régionaux, ou d'esprit populaire, avec leurs rythmes et leurs intervalles typiques. Le piano, ou — mieux — l'orchestre, restitue le caractère épique de cette œuvre (Liszt, Brahms, Lalo, Dvořák, Gershwin, Ravel, Bartók).

RHARB ou **GHARB,** plaine du Maroc, sur l'Atlantique, au S. du Rif, parcourue par l'oued Sebou.

RHAZĀLĪ ou **GHAZĀLĪ** (Abū Ḥāmid Muḥammad **al-**), théologien islamique (Ṭūs, Khurāsān, 1058-*id.* 1111). Il critique la philosophie islamique, notamment celle d'Avicenne* et d'al-Fārābī*, dans *Tahāfut al-falāsifa* et en développe les raisons, dans une théologie mystique monumentale *(Iḥyā' 'ulūm al-dīn).* Averroès* a souligné le caractère contradictoire de sa critique de la philosophie.

RHAZNÉVIDES ou **GHAZNÉVIDES,** dynastie d'origine turque (X^e^-XIIe s.). Chef turc au service des Sāmānides*, Alp Tigin (ou Alp-Tegīn) s'installe à Rhaznī v. 962. Sebük Tigin (ou Subuk-Tegīn, de 977 à 999) se rend pratiquement indépendant. Avec Maḥmūd de Rhazna (de 999 à 1030), la dynastie acquiert la puissance et le prestige : Maḥmūd, défenseur du sunnisme, se fait investir par le calife de Bagdad et lance dix-sept campagnes en Inde. Son empire comprend la majeure partie de l'Iran, l'Afghānistān, le Pendjab et une partie du Sind. Il entretient à Rhaznī une cour brillante, fortement iranisée. Ses successeurs doivent abandonner leurs possessions iraniennes aux Seldjoukides* (1040). Affaiblis par les querelles dynastiques, les Rhaznévides sont évincés d'Afghānistān par les Rhūrides*, qui leur succèdent à Lahore en 1186.

RHÉA, épouse de Cronos*, mère de Zeus* et des dieux olympiens. À l'époque romaine, elle fut assimilée à Cybèle*, la mère des dieux.

RHEDEN, v. des Pays-Bas (Gueldre); 51 000 hab.

RHEE (Ree Syn Man, dit **Syngman**), homme d'État coréen (prov. de Hwanghae 1875-Honolulu 1965). Un des chefs de la résistance aux Japonais, il constitue, en 1919, à Chang-hai, un gouvernement nationaliste en exil. Revenu dans son pays en 1945, il devient président de la république de Corée du Sud en juill. 1948. Appuyé par les États-Unis, Syngman Rhee établit un régime dictatorial et anticommuniste, qui refuse tout dialogue avec la Corée du Nord. Réélu en 1960, S. Rhee doit cependant démissionner devant le développement de l'opposition démocrate, qui conteste la validité des élections. Il se réfugie aux États-Unis.

RHEINE, v. de l'Allemagne fédérale (Rhénanie-du-Nord-Westphalie), sur l'Ems; 48 000 hab.

RHEINFELDEN, v. de Suisse (Argovie), sur le Rhin, à l'E. de Bâle; 6 866 hab. Monuments des XIIIe-XVIIe s. Centrale hydroélectrique.

RHEINHAUSEN, v. de l'Allemagne fédérale (Rhénanie-du-Nord-Westphalie), sur le Rhin, en face de Duisburg; 72 000 hab. Sidérurgie.

RHÉNAN *(Massif schisteux),* massif primaire de l'ouest de l'Allemagne fédérale, prolongeant l'Ardenne, de part et d'autre du Rhin, en amont de Bonn. Il juxtapose des plateaux peu élevés (de 400 à 700 m en moyenne), souvent boisés et dépeuplés au profit des vallées (portant, notamment, des vignobles) du Rhin, de la Moselle et de la Lahn, confluant vers Coblence.

RHÉNANIE, en allem. **Rheinland,** région historique de l'Allemagne. C'est le trafic commercial sur le Rhin qui, à partir du XIVe s. surtout, fait la fortune des cités rhénanes (Heidelberg, Mayence, Strasbourg, Bâle...), qui deviennent, au XVe s. surtout, d'importants foyers culturels. L'influence française se fait sentir en Rhénanie au XVIIe s. et surtout au XVIIIe, si bien que l'incorporation à la France révolutionnaire, à partir de 1793 et jusqu'en 1814, des territoires allemands de la rive gauche du Rhin, ne pose pas de problèmes majeurs. Devenue essentiellement prussienne en 1814, la Rhénanie est démilitarisée à la suite du traité de Versailles de 1919 et administrée par une commission interalliée. Mais la formation d'une « République rhénane », autonome, favorisée par la France, échoue (1923). La démilitarisation de la Rhénanie devient lettre morte avec son occupation militaire par Hitler en 1936.

RHÉNANIE-DU-NORD-WESTPHALIE, en allem. **Nordrhein-Westfalen,** État (Land) de l'Allemagne fédérale; 34 038 km^2; 17 193 000 hab. Capit. *Düsseldorf.*

Réunissant les anciennes provinces prussiennes de Rhénanie et de Westphalie (plus le territoire de Lippe-Detmold), c'est l'État de loin le plus peuplé de l'Allemagne fédérale, avec une densité moyenne légèrement supérieure à 500 habitants au kilomètre carré (double de la moyenne fédérale). Cette prépondérance est liée à la présence de la Ruhr* et aussi de la vallée du Rhin, de Bonn à la frontière néerlandaise. Là se concentrent hommes et industrie, activité économique essentielle, très diversifiée, depuis les branches extractives (houille et aussi lignite [vers Aix-la-Chapelle]) jusqu'aux constructions mécaniques et électriques, alimentées, notamment, par une sidérurgie locale (autour de Dortmund et de Duisburg) dont la production d'acier est équivalente à celle de la France entière.

La part du Land dans la production nationale est voisine de 90 p. 100 pour la houille, des deux tiers pour l'acier, de la moitié pour le verre, supérieure ou égale au tiers pour le textile, les machines, la chimie. L'agriculture est refoulée à la périphérie, surtout dans le nord, où les Börden associent l'élevage (stimulé par l'important marché de consommation), les céréales (blé) et les plantes industrielles (betterave); dans le sud, plus accidenté (extrémité septentrionale de l'Allemagne moyenne, ou hercynienne), l'élevage est la ressource presque unique de plateaux moins peuplés, parfois revivifiés par le tourisme.

RHÉNANIE-PALATINAT, en allem. **Rheinland-Pfalz,** État (Land) de l'Allemagne fédérale; 19 837 km^2; 3 690 000 hab. Capit. *Mayence.*

À l'O. du Rhin, le Land est formé de plateaux et de petits massifs hercyniens (Eifel et Hunsrück, séparés par la vallée de la Moselle). Région aux sols parfois médiocres (consacrée à l'élevage, mais aussi, sur les versants bien exposés, à la vigne), dépourvue de ressources minérales notables, elle apparaît relativement peu peuplée, sauf dans les vallées — Moselle et Rhin —, site des villes (Trèves, Ludwigshafen, Mayence et Coblence) et des activités industrielles (chimie et constructions mécaniques).

RHÉNIUM. — Découvert en 1925 dans les minerais de platine, le rhénium est l'élément n° 75, de masse atomique Re = 186,31. C'est un solide blanc, de densité 21, fondant vers 3 150 °C. Il présente des analogies chimiques avec le manganèse.

RHÉOLOGIE. — Entre les deux cas limites idéaux de solide indéformable et de liquide parfaitement fluide, la rhéologie envisage tout un éventail de comportements possibles. On distingue diverses substances.

Les *substances viscoélastiques* sont constituées de longues chaînes macromoléculaires; selon que ces chaînes sont rétifiées ou non, elles se comportent soit comme un solide élastique, soit comme un liquide visqueux. C'est le cas du caoutchouc.

Dans les *substances élastoplastiques,* la contrainte prend un retard sur la déformation quand on fait croître cette dernière. La substance ne reprend pas ses dimensions primitives quand elle a été soumise à une force dépassant une certaine limite. C'est le fait de pièces mécaniques subissant un écrouissage.

Dans les *substances viscoplastiques,* l'écoulement ne se produit qu'à partir d'un seuil de contrainte caractéristique, la vitesse de déformation croissant avec la contrainte. C'est le cas des métaux près de leur point de fusion, de la pâte à modeler, du beurre.

RHÉSUS → GROUPE SANGUIN, MACAQUE.

RHÉTIE ou **RÉTIE,** en lat. **Rhaetia** ou **Raetia,** anc. région des Alpes centrales s'étendant autour des vallées supérieures du Rhin, de l'Inn et de l'Adige (auj. Grisons, Tyrol et Lombardie). Passée sous l'autorité de Rome après les campagnes de Tibère et de Drusus (15 av. J.-C.), elle fut d'abord rattachée à la Gaule puis devint, sous le nom de Rhétie et Vindélicie, province procuratorienne (v. 20 apr. J.-C.). Divisée au Bas-Empire en *Rhaetia Prima,* capit. *Curia* (Coire), et *Rhaetia Secunda,* capit. *Augusta Vindelicorum* (Augsbourg), elle fut occupée par les Alamans en 450.

RHÉTIQUES *(Alpes),* partie des Alpes centrales, occupant l'extrémité sud-est de la Suisse (massif de la Bernina) et la région limitrophe italienne (massif de l'Ortler).

RHÉTORIQUE. — Élaborée au Ve s. av. J.-C. par les « sophistes », systématisée par les théoriciens grecs (Aristote), puis par les praticiens romains (Cicéron, Quintilien), la rhétorique, qui réunit les règles de l'éloquence, paraît un des éléments les plus solides de l'héritage gréco-latin. Le projet moderne d'instauration d'une « science de la rhétorique » a pour condition un double glissement de la notion antique de rhétorique : 1° passage d'une *rhétorique* (théorie de la communication) à une *poétique* (théorie de la littérature); 2° passage d'un *champ rhétorique,* qui englobe des pratiques discursives et sociales, à une *théorie des figures* (fondée sur une pratique littéraire). L'image de la rhétorique classique telle qu'elle se fixe à l'époque médiévale dans l'apprentissage des « arts libéraux » pèse encore sur la vision qu'en peut avoir notre époque. D'abord par sa situation pédagogique : partie du *trivium* (avec la grammaire et la dialectique), la rhétorique s'oppose aux disciplines du *quadrivium* (arithmétique, musique, géométrie, astronomie), comme les lettres s'opposent aux sciences; placée entre la grammaire et la logique, elle participe de l'une et de l'autre tout en les maintenant à distance. Ensuite, la division de la rhétorique en cinq opérations a paru une distinction satisfaisante et même scientifique jusqu'aux recherches linguistiques contemporaines : *memoria* (méthodes de conservation du discours), *pronuntiatio* (conditions d'exécution du discours), *inventio* (répertoire des arguments), *dispositio* (ordre de l'argumentation), *elocutio* (variations à partir d'une « expression simple et commune » et qui déterminent le degré d'éloquence). Aujourd'hui, l'existence d'une « nouvelle rhétorique » apparaît liée à la remise en cause de ces évidences : autonomie et neutralité du discours scientifique; validité de la notion d'*écart* entre un usage utilitaire et un usage expressif du discours; clôture du langage littéraire, qui est à lui-même son propre critère et son propre objet.

RHÉTORIQUEURS. — Sans former d'école proprement dite, de nombreux poètes, dans les dernières années du XVe s. et dans le premier tiers du XVIe, manifestent en Bourgogne, en Flandre et à la cour de France, des réactions identiques aux mêmes événements et se réclament de la même tradition littéraire : les rhétoriqueurs sont nourris des auteurs sacrés et des poètes latins, pratiquent les historiens et les encyclopédistes antiques et s'intéressent aux travaux des premiers humanistes. Concevant la poésie comme l'expression par images des vérités de la morale traditionnelle, ils enseignent la vertu par des portraits et des récits exemplaires. Ils attachent cependant la plus grande importance aux questions de langue et de style : attentifs aux qualités formelles du langage, fidèles à la pensée allégorique, ils s'efforcent d'enrichir et d'orner le français, suivant l'exemple d'Alain Chartier et de Georges Chastellain. Pendant longtemps, on ne voulut voir dans l'art des rhétoriqueurs qu'une virtuosité gratuite; on reconnaît aujourd'hui que Jean Molinet (*Art de rhétorique,* v. 1482-1492), Octavien de Saint-Gelais (*Séjour d'honneur,* v. 1489-1493), Guillaume Crétin (*Chronique,* 1515-1525), Jean Lemaire* de Belges (*Illustrations de Gaule et singularités de Troie,* 1509-1513; *Concorde des deux langages,* 1513), Jean Bouchet (*le Temple de bonne renommée,* 1516) ont annoncé et préparé le grand essor de la Pléiade.

RHEXISTASIE → BIORHEXISTASIE.

RHEYDT, v. de l'Allemagne fédérale (Rhénanie-du-Nord-Westphalie); 102 000 hab. Château de la Renaissance (XVIe s.). Métallurgie.

RHIN (le), en allem. **Rhein,** en néerl. **Rijn,** fl. d'Europe occidentale; 1 300 km.

Le Rhin naît dans les Alpes suisses, à Reichenau, de la jonction de deux torrents, le *Rhin antérieur (Vorderrhein),* issu du massif du Saint-Gothard, et le *Rhin postérieur (Hinterrhein),* issu du massif de l'Adula. Le fleuve passe à Coire, forme la frontière entre la Suisse d'une part, le Liechtenstein, puis l'Autriche d'autre part, avant de traverser le lac de Constance et de jouer de nouveau un rôle frontalier entre l'Allemagne fédérale et la Suisse, recevant son grand affluent alpestre, l'Aar (à g.), puis, en aval de Bâle, entre l'Allemagne fédérale et la France, passant près de Strasbourg (où il reçoit l'Ill). Au nord de l'Alsace, le Rhin devient un fleuve allemand, reçoit le Neckar (r. dr.), passe à Mayence (au confluent du Main), Coblence (au confluent de la Moselle), Bonn, Cologne et Düsseldorf et borde, à l'O., la Ruhr. Peu après avoir pénétré aux

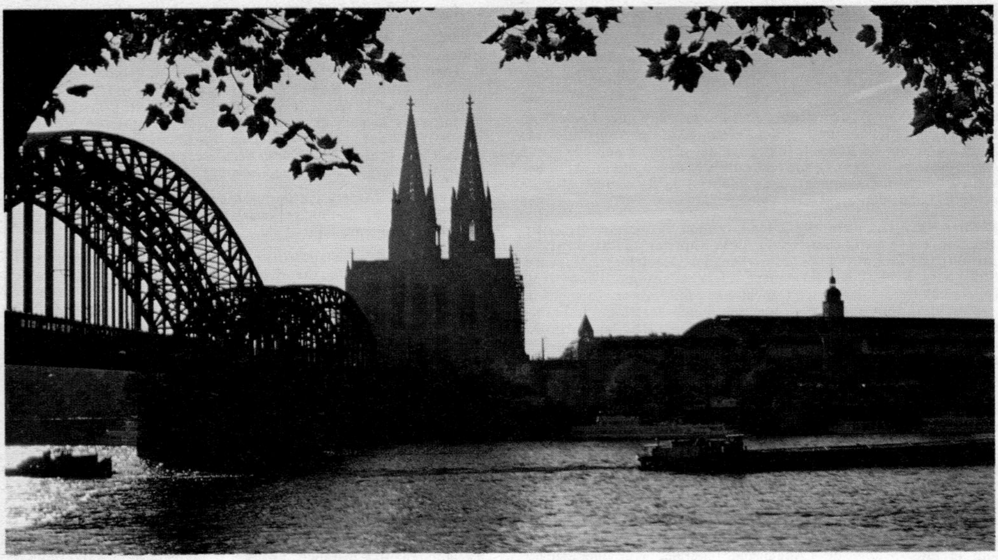

Le Rhin en Allemagne, à Cologne.

Pays-Bas, il se divise en deux bras principaux, le Lek et le Waal, qui se ramifient à leur tour avant de former un vaste delta sur la mer du Nord, atteinte en aval de Rotterdam.

Jusqu'à Bâle (en aval du lac de Constance, qui, pourtant, régularise son débit), le Rhin est un fleuve alpestre, avec le tiers de son bassin situé à plus de 1 500 m d'altitude : hautes eaux d'été et basses eaux d'hiver. À Bâle (où le Rhin n'est plus qu'à 273 m d'alt., alors que les sources de ses branches mères étaient à plus de 2 000 m), le débit moyen est de l'ordre de 1 000 m^3/s. Il a doublé à la sortie du Massif schisteux rhénan, alors que le régime s'est modifié avec de hautes eaux d'hiver, mais avec maintien d'une pointe estivale. Les crues (et les glaces) ne sont pas inconnues, mais leurs conséquences ont été atténuées par un aménagement presque intégral du fleuve (véritablement amorcé au XIXe s.), destiné à éviter les inondations et permettre la navigation. Celle-ci est particulièrement intense, en aval de Bâle et surtout de Coblence. À la frontière germano-néerlandaise (à Emmerich), le trafic annuel est de l'ordre de 130 Mt, avec une prépondérance du courant vers l'amont (minerai et hydrocarbures, destinés à la Ruhr notamment). Bâle, Strasbourg, Mannheim, Ludwigshafen, Cologne et, surtout, Duisburg comptent parmi les grands organismes portuaires du monde. Rotterdam est enfin le plus grand port maritime mondial. À la navigation strictement rhénane, il faut ajouter les antennes du Main (la liaison Rhin-Danube à grand gabarit, par le Main, est proche) et de la Moselle. Surtout, la vallée du Rhin est animée par une intense circulation (chemins de fer, routes et conduites d'hydrocarbures), concurrençant d'ailleurs le trafic fluvial. Le Rhin, également producteur d'hydroélectricité (grand canal d'Alsace, en France), localement site touristique, est devenu (en aval de Bâle) la plus grande artère de circulation de l'Europe, couloir industriel et urbain dont il n'existe pas, avec une densité identique, d'égal dans le monde.

RHIN (Bas-) [67], départ. de la Région Alsace; 4 787 km^2; 882 121 hab. Ch.-l. *Strasbourg.* S.-préf. *Haguenau, Molsheim, Saverne, Sélestat-Erstein, Wissembourg.*

Partie septentrionale de l'Alsace, le département déborde cependant, au N.-O., sur le plateau lorrain (vers Sarre-Union). Au centre, il occupe la moitié nord, la moins élevée, de la chaîne des Vosges, précédée à l'E. par la bande discontinue des collines sous-vosgiennes, entaillée par les vallées des affluents de l'Ill et du Rhin (Bruche, Zorn, Moder). Toute la moitié orientale du département appartient à la plaine du Rhin, aux aptitudes variées : forêt au N. (vers Haguenau), sur des sables, mise en valeur agricole intensive dans le Kochersberg et l'Ackerland (lœssique), paysage amphibie dans le Ried (ancienne plaine d'inondation du Rhin). La barrière des Vosges assure à l'Alsace un climat relativement sec et ensoleillé, mais, en contrepartie, elle entraîne des températures hivernales parfois rigoureuses, avec une longue période de gel. (V. ALSACE.)

Malgré la présence de la montagne vosgienne, le Bas-Rhin possède une densité d'occupation presque double de la moyenne française, et la population, en raison du maintien d'un notable excédent naturel, continue à s'accroître rapidement (de plus du cinquième dans les vingt dernières années). Cette progression est liée à l'intensité de l'urbanisation, surtout à la présence de Strasbourg, dont l'agglomération regroupe plus de 40 p. 100 de la population départementale.

La population active est employée pour plus des deux cinquièmes dans l'industrie, dominée par les constructions mécaniques, précédant l'alimentation (brasseries) et le textile, et alimentée en énergie par les raffineries de pétrole de la région strasbourgeoise et par les centrales hydroélectriques du grand canal d'Alsace. L'agriculture occupe moins du dixième des actifs, mais assure une production variée et de qualité : élevage laitier dans la montagne, polyculture (avec vigne) sur les collines sous-vosgiennes, tabac, houblon, chou à choucroute, betterave à sucre et céréales. Le secteur tertiaire est devenu le principal fournisseur d'emplois, grâce à l'activité commerciale, diffuse, et aux services supérieurs (administration, universités, banques) concentrés à Strasbourg.

RHIN (Haut-) [68], départ. de la Région Alsace; 3 523 km^2; 635 209 hab. Ch.-l. *Colmar.* S.-préf. *Altkirch, Guebwiller, Mulhouse, Ribeauvillé, Thann.*

Partie méridionale de l'Alsace, le département s'étend, à l'O., sur la moitié méridionale, la plus élevée, des Vosges (mais aux sommets cristallins arrondis : les *ballons*), précédée, à l'E., par la bande des collines sous-vosgiennes, découpée par les vallées des affluents de l'Ill (Dollern, Thur, Fecht). L'est est occupé par la plaine du Rhin, parfois recouverte de limon (au nord), parfois marécageuse (Ried) ou forestière (Hardt, partiellement défrichée et mise en valeur). L'extrémité méridionale du département, le Sundgau, annonce le Jura voisin. Au point de vue climatique domine la tendance continentale, avec les hivers froids, même en plaine, des étés assez chauds. La barrière des Vosges, accroissant l'amplitude thermique, réduit en contrepartie la hauteur des précipitations, de l'ordre de 500 à 800 mm.

La densité de population est pratiquement identique à celle du Bas-Rhin, et donc élevée, proche du double de la moyenne nationale. L'urbanisation est développée, avec Mulhouse et Colmar, qui, dans leur agglomération, regroupent au total près de la moitié de la population départementale. Celle-ci, en raison du maintien d'un excédent naturel notable, continue à s'accroître, ayant augmenté d'un quart dans les vingt dernières années.

L'industrie est l'activité dominante, occupant environ la moitié de la population active. Le département recèle le seul gisement français de potasse et bénéficie de l'électricité hydraulique et nucléaire de la plaine du Rhin (v. ALSACE [*grand canal d'*]). Elle est représentée surtout par les constructions mécaniques et électriques, éclipsant le textile, qui a presque disparu des vallées vosgiennes. L'agriculture emploie moins du vingtième de la population active : céréales, tabac, houblon de la plaine d'Alsace et du Sundgau lœssique, et surtout vignobles des collines sous-vosgiennes de part et d'autre de Colmar. Le secteur tertiaire occupe une place moins importante que dans le Bas-Rhin, Mulhouse est encore une ville à dominante industrielle et Colmar ne possède pas les services d'une grande métropole. Ces deux villes voient d'ailleurs leur influence combattue par celle de Strasbourg, au N., de Bâle, au S., dont l'agglomération déborde sur le territoire français et attire en Suisse voisine un nombre important de frontaliers.

Rhin *(ligue du),* ligue constituée en 1658, par Mazarin et l'Électeur de Mayence, avec des princes allemands, pour contrecarrer l'influence espagnole en Allemagne. Ses succès contribuèrent à la paix des Pyrénées* (1659).

RHINAU (67230 Benfeld), comm. du Bas-Rhin, à 17,5 km au S.-S.-E. d'Erstein; 2216 hab. Centrale hydroélectrique sur le grand canal d'Alsace.

RHINENCÉPHALE → CERVEAU.

RHINOCÉROS. — Ces grands mammifères herbivores des régions chaudes sont profondément originaux, avec leurs pattes à trois doigts munis de sabots, leur peau d'une épaisseur sans égale, leur nez surmonté d'une ou de deux cornes faites de poils agglomérés. Le rhinocéros noir atteint une hauteur de 1,70 m et une longueur de 3,50 m. Des oiseaux se perchent sur lui pour dévorer ses nombreux parasites. Le rhinocéros dit « blanc » (il se roule dans une boue de cette couleur) est encore plus grand : 2 m en hauteur, 5 m en longueur, corne antérieure atteignant 1,57 m. La Birmanie abrite les derniers individus du rhinocéros unicorne à peau divisée en plaques, espèce quasi exterminée par des chasses excessives.

Rhinocéros, pièce d'E. Ionesco (1960). Dans une petite ville de province dont les habitants se transforment les uns après les autres en rhinocéros, Bérenger, le personnage favori de l'auteur, résiste seul à la contagion : une parabole qui enseigne à l'homme à ne pas abdiquer sa dignité, quelque dérisoire qu'elle puisse être.

RHINOPHARYNX. — Le rhinopharynx constitue la partie supérieure ou nasale du pharynx*. L'inflammation du rhinopharynx (rhinopharyngite) est d'origine microbienne ou virale; elle est favorisée par la présence des végétations adénoïdes. Surtout fréquente chez l'enfant, elle est marquée par de la fièvre et un écoulement nasal. Des complications sont possibles (otite, sinusite). Le traitement comporte une antibiothérapie et la désinfection des fosses nasales.

RHIZOBIUM→ LÉGUMINEUSES.

RHIZOME. — De très nombreuses espèces d'herbes semblent mourir à l'automne, toute la partie aérienne se desséchant. Mais beaucoup d'entre elles sont vivaces grâce à un organe souterrain, le rhizome. Celui-ci est une tige, allongée horizontalement sous une faible épaisseur de terre, et dont la face supérieure forme des feuilles à chaque printemps, tandis que la face inférieure porte des racines adventives permanentes. Beaucoup d'espèces de fougères et de monocotylédones (l'iris, par exemple) possèdent un rhizome.

RHIZOPODES. — Dans le monde très divers des protistes*, les rhizopodes sont surtout définis négativement : ce sont des unicellulaires à noyau distinct, mais sans chlorophylle, sans cils et sans flagelle. Ils émettent des expansions temporaires, ou pseudopodes. On y inclut les amibes*, nues ou pourvues d'un test protecteur, et les foraminifères*, au test calcaire finement perforé et souvent compartimenté en logettes; en revanche, les radiolaires* et les héliozoaires sont classés dans un autre groupe, d'ailleurs voisin, celui des actinopodes.

RHIZOSPHÈRE → RACINE.

RHODANIEN *(Couloir* ou *Sillon),* nom donné à la vallée du Rhône, de Lyon à Avignon, entre le Massif central et les Préalpes, grand axe de circulation routière, ferroviaire et fluvial.

RHODE ISLAND, État du nord-est des États-Unis sur l'Atlantique; 3 144 km²; 950 000 hab. Capit. *Providence.* C'est le plus petit, mais aussi (après le New Jersey) le plus densément peuplé des États américains, dont la quasi-totalité de la population vit dans une nébuleuse urbaine de Pawtucket à Warwick, en passant par Providence et Cranston. L'industrie (constructions mécaniques et électriques, puis textile) domine largement.

RHODES, île grecque de l'est de la mer Égée, ch.-l. de l'archipel du Dodécanèse, près de la côte sud-ouest de la Turquie; 1 400 km²; 62 000 hab. Ch.-l. *Rhodes* (32 000 hab.). La ville possède les vestiges de la cité hellénistique (rues, stade, théâtre...), qui abritait une célèbre école de sculpture issue de l'art de Lysippe* (Colosse de bronze, l'une des sept merveilles du monde antique, dû à Charès de Lindos; Victoire de Samothrace; etc.); ses remparts et son quartier médiéval datent de l'époque des croisés (XIVe-XVIe s.).

HISTOIRE. Rhodes subit l'influence crétoise, puis est occupée par les Doriens, qui y fondent des villes prospères; celles-ci, à leur tour, créent des colonies en Asie Mineure et en Italie. Cette expansion est contrariée, au IVe s. avant J.-C., par des querelles intestines, qui ont pour effet de faire passer Rhodes sous la souveraineté de Sparte, d'Athènes, des Cariens, des Perses, puis d'Alexandre (332 av. J.-C.). Ayant chassé les troupes macédoniennes, les Rhodéens connaissent, à l'époque hellénistique, une nouvelle ère de prospérité.

S'étant alliée très tôt à Rome et soutenant la cause de Pompée, Rhodes est ravagée par les troupes de César en 43 av. J.-C., puis le terrible tremblement de terre de 155 apr. J.-C. achève de la ruiner. Byzantine, Rhodes est occupée deux fois par les Arabes (653-658, 717-18), puis devient un établissement vénitien avant que les chevaliers hospitaliers de Saint-Jean de Jérusalem (appelés désormais « chevaliers de Rhodes ») s'y installent (1309). Alors, l'île devient un bastion chrétien face aux corsaires turcs. Deux fois, en 1444 et en 1480, les chevaliers repoussent les assauts des Turcs; mais, en 1522, Soliman II, après un siège éprouvant, s'empare de l'île : les chevaliers quittent alors Rhodes pour Malte* (1523). Sous les Ottomans, Rhodes connaît un long déclin; à partir de 1890, les Italiens la convoitent et finissent par l'obtenir, en 1912, à l'issue de la guerre italo-turque. Mais ils doivent la céder à la Grèce en 1947.

RHODES (Cecil), homme d'affaires et administrateur britannique (Bishop's Stortford 1853 - Muizenberg 1902). Établi dans la colonie du Cap* en 1870, il se lance avec succès dans la prospection du diamant. Sa réussite financière rapide le pousse à jouer un rôle politique en faveur de l'impérialisme britannique. Il s'attache à étendre l'influence britannique en Afrique (« du Cap au Caire ») et à obtenir la fédération des divers États jusqu'au Zambèze. Élu député à l'Assemblée du Cap (1881), il obtient, dès 1885, que le Bechuanaland soit protectorat britannique; la colonisation s'étend ensuite aux territoires qui prendront plus tard le nom de « Rhodésies », pour l'exploitation desquels il fonde une compagnie (la « Chartered », 1889). En 1890, il devient Premier ministre du Cap. L'expansion britannique se poursuit en Afrique, mais, décidé à prendre pied au Transvaal, Rhodes échoue dans une opération éclair contre les Boers (raid Jameson, 1895), et perd son poste de Premier ministre.

RHODES-EXTÉRIEURES → APPENZELL.

RHODÉSIE, État de l'Afrique orientale, au nord de l'Afrique du Sud; 389 362 km²; 6 420 000 hab. *(Rhodésiens).* Capit. *Salisbury.*

GÉOGRAPHIE. Le pays s'étend sur un ensemble de plateaux cristallins (Matabeleland, Mashonaland) se redressant à l'E. dans le Grand Escarpement à la frontière du Mozambique, et limité par la vallée du Zambèze, au N., du Limpopo, au S., et par la cuvette du Kalahari, à l'O. Le climat tropical relativement sec (Salisbury : températures moyennes de janvier, 20,8 °C, de juillet, 13,9 °C; précipitations annuelles, 863 mm) permet la croissance de la savane et, localement, de la forêt claire.

La population, composée en large majorité de Bantous, comprend cependant une minorité de 275 000 Européens. La densité est faible, mais elle s'accroît à un rythme très rapide, supérieur à 3 p. 100, dû au fort taux de natalité des Bantous. La population se concentre autour de Bulawayo et de Salisbury, les deux villes principales du pays, par ailleurs faiblement urbanisé.

L'économie est entièrement contrôlée par la communauté blanche. Une partie des terres est vouée à la culture traditionnelle vivrière (mil, maïs), par les Africains. Mais les principales productions viennent des plantations « européennes » : tabac, coton, canne à sucre, thé, qui fournissent, avec les produits de l'élevage bovin, une partie des exportations, le reste étant assuré par les richesses du sous-sol (or, chrome, amiante, fer, charbon). L'énergie électrique est produite par le grand barrage de Kariba, sur le Zambèze, mais l'industrialisation demeure limitée.

HISTOIRE. C'est en 1895 que les régions occupées par les pionniers de Cecil Rhodes* prennent le nom de « Rhodésie », avec Salisbury comme capitale. Après l'écrasement des révoltes des Matabélés (1896-97), la Compagnie britannique d'Afrique du Sud (la « Chartered ») exploite les ressources minières du pays : jusqu'en 1902, d'ailleurs, la Rhodésie du Nord reste sous son administration avant de devenir, en 1924, protectorat britannique (v. ZAMBIE); le Nyassaland* bénéficie de ce statut en 1911.

La Rhodésie du Sud, à la suite d'un référendum ouvert aux Blancs (34 000 âmes) seuls, et donc interdit aux Africains (770 000), devient colonie de la Couronne, avec un gouvernement autonome (1923). Le Premier ministre le plus populaire, sir Godfrey Huggins (lord Malvern), constamment réélu de 1933 à 1953 par le Rhodesia Party, tout en condamnant *l'apartheid,* ne fait rien pour donner aux Noirs la parité avec les Blancs. Ceux-ci sont les seuls à profiter d'une spectaculaire prospérité économique, favorisée par une main-d'œuvre à bon marché venue du Nyassaland, pauvre, ou des réserves indigènes surchargées. En 1953, le Nyassaland et les deux Rhodésies sont englobés dans une Fédération d'Afrique centrale. Mais celle-ci éclate dès 1963 : la Rhodésie du Nord se proclame alors indépendante sous le nom de « Zambie », ainsi que le Nyassaland, qui prend le nom de « Malawi* ».

La Rhodésie (du Sud) voit alors monter une opposition noire, menée par le National Democratic Party, fondé en 1960 par Josuah Nkomo, et qui, interdit, est remplacé par la Zimbabwe African People's Union (ZAPU), que concurrence (1964) la Zimbabwe

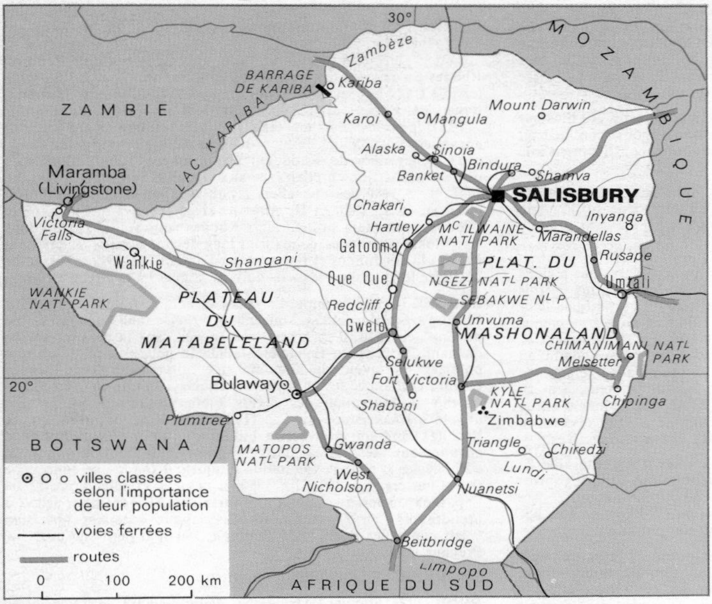

RHODÉSIE

African National Union (ZANU) du pasteur Ndabaningi Sithole. Tandis que les deux leaders noirs sont en résidence surveillée, la Rhodésie réclame de Londres l'indépendance : or l'Angleterre exige d'abord la fin de l'*apartheid.* Alors, le chef du Rhodesian Front, nationaliste, Ian Smith, proclame unilatéralement l'indépendance de la Rhodésie (11 nov. 1965) et ce malgré Londres, qui traite dès lors la Rhodésie comme une colonie rebelle. La République rhodésienne naît le 2 mars 1970.

Non reconnue par l'O. N. U., sans représentation diplomatique, boycottée par la Grande-Bretagne, la Rhodésie, aidée par l'Afrique du Sud, continue à prospérer. Cependant, la fusion, en 1972, des deux partis indigènes en un African National Council renforce l'opposition : la guérilla elle-même s'intensifie grâce à l'aide fournie aux rebelles par les pays voisins, et notamment par le Mozambique, dont l'indépendance, en 1975, fait de son territoire une redoutable base de départ pour des actions de guérilla vers la Rhodésie. Cette situation de plus en plus dangereuse pour les Blancs amène Ian Smith à engager de difficiles négociations avec les nationalistes africains.

Delo-Explorer

Ci-dessous, à gauche. Le Rhône à Sault-Brénaz (département de l'Ain).

RHODES-INTÉRIEURES → APPENZELL.

RHODIUM. — C'est l'élément chimique n° 45, de masse atomique Rh = 102,91. Solide blanc, dur, de densité 12,4, fondant vers 2 000 °C, il ne s'oxyde qu'au rouge vif. On l'utilise, allié au platine, pour la confection de couples thermo-électriques.

RHODODENDRON. — Voisin de l'azalée et, de façon moins proche, des bruyères, le rhododendron est un des beaux arbustes ornementaux des jardins, avec ses grandes fleurs colorées, aux pétales inégaux. C'est une plante très vénéneuse. (Famille des éricacées.)

RHODOPE, massif occupant principalement le sud de la Bulgarie, mais débordant sur le nord-est de la Grèce, en Thrace.

RHODOPHYCÉES. — Du plus petit ruisseau aux profondeurs de la mer comme sur le littoral s'étagent les algues rouges, dites aussi « rhodophycées ». La plupart des espèces laissent voir leur pigment d'un beau rouge, qui leur permet d'utiliser la faible énergie solaire parvenant encore sous 50 m, voire 100 m, de hauteur d'eau, mais quelques-unes *(Corallina)* s'imprègnent de calcaire et prennent une teinte blanchâtre. Chimiquement, elles contiennent un glucoside particulier. Leur cycle reproductif, compliqué, fait intervenir trois formes successives, en alternance régulière, dont l'une, le *gonimoblaste,* directement issue de l'œuf, n'a d'équivalent dans aucun autre groupe. Citons parmi les espèces du littoral : *Delesseria, Nemalion, Ceramium, Gigartina, Chondrus, Rhodymenia.*

RHÖN, petit massif volcanique d'Allemagne, à l'extrémité septentrionale de la Bavière, débordant en Allemagne orientale; 950 m.

RHONDDA, v. de Grande-Bretagne, dans le sud du pays de Galles; 98 000 hab.

RHÔNE (le), fl. de France et de Suisse; 812 km (dont 522 en France).

De faible longueur, le Rhône est un fleuve important par son alimentation, en grande partie alpine, et par son caractère impétueux (tempéré toutefois par un aménagement presque intégral en aval de Lyon). Né, comme le Rhin, dans le massif du Saint-Gothard, il coule d'abord vers l'O., entre les hautes chaînes des Alpes bernoises et des Alpes du Valais, passant à Sion avant de traverser le lac Léman, qui régularise un débit caractérisé par des hautes eaux estivales en amont et où l'influence océanique se fait sentir en aval, avec notamment l'apport de la Saône. Le débit moyen, qui est de 600 m^3/s à l'amont de Lyon, s'élève à 1 000 m^3/s immédiatement en aval quand le Rhône se dirige vers le S., empruntant un couloir souvent étroit (v. RHODANIEN [*Couloir*]), recevant des affluents issus des Alpes (dont l'Isère) et du Massif central (dont l'Ardèche), passant à Vienne, puis à Valence, avant de former, en aval d'Avignon, un delta (à la tête duquel se trouve Arles), progressant sur la Méditerranée. Il dépasse 2 000 m^3/s en

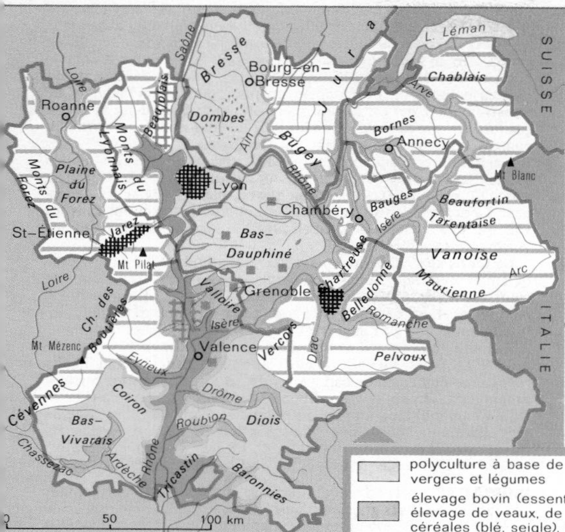

SUISSE
ITALIE
L. Léman
Chablais
Bresse
Bourg-en-Bresse
Jura
Saône
Loire
Roanne
Dombes
Beaujolais
Monts du Lyonnais
Bornes
Annecy
Bugey
Ain
Rhône
Mt Blanc
Plaine du Forez
Monts du Forez
Lyon
Chambéry
Bauges
Beaufortin
Tarentaise
Isère
St-Étienne
Jarez
Mt Pilat
Bas-Dauphiné
Vanoise
Arc
Maurienne
Chartreuse
Belledonne
Grenoble
Valloire
Romanche
Loire
Ch. des Boutières
Mt Mézenc
Valence
Vercors
Drac
Pelvoux
Eyrieux
Cévennes
Coiron
Drôme
Bas-Vivarais
Roubion
Diois
Chassezac
Ardèche
Tricastin
Baronnies
50
100 km

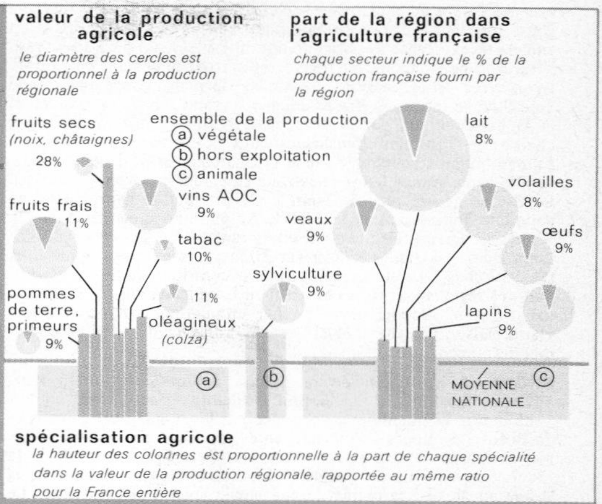

valeur de la production agricole
le diamètre des cercles est proportionnel à la production régionale
part de la région dans l'agriculture française
chaque secteur indique le % de la production française fourni par la région
fruits secs (noix, châtaignes)
28%
ensemble de la production
ⓐ végétale
ⓑ hors exploitation
ⓒ animale
lait 8%
fruits frais 11%
vins AOC 9%
volailles 8%
veaux 9%
œufs 9%
tabac 10%
sylviculture 9%
pommes de terre, primeurs 9%
11%
oléagineux (colza)
lapins 9%
ⓐ
ⓑ
MOYENNE NATIONALE
ⓒ
spécialisation agricole
la hauteur des colonnes est proportionnelle à la part de chaque spécialité dans la valeur de la production régionale, rapportée au même ratio pour la France entière

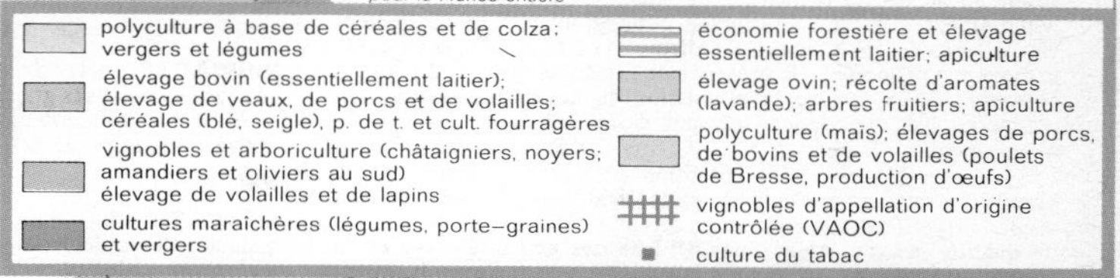

polyculture à base de céréales et de colza; vergers et légumes
élevage bovin (essentiellement laitier); élevage de veaux, de porcs et de volailles; céréales (blé, seigle), p. de t. et cult. fourragères
vignobles et arboriculture (châtaigniers, noyers; amandiers et oliviers au sud) élevage de volailles et de lapins
cultures maraîchères (légumes, porte-graines) et vergers
économie forestière et élevage essentiellement laitier; apiculture
élevage ovin; récolte d'aromates (lavande); arbres fruitiers; apiculture
polyculture (maïs); élevages de porcs, de bovins et de volailles (poulets de Bresse, production d'œufs)
vignobles d'appellation d'origine contrôlée (VAOC)
culture du tabac

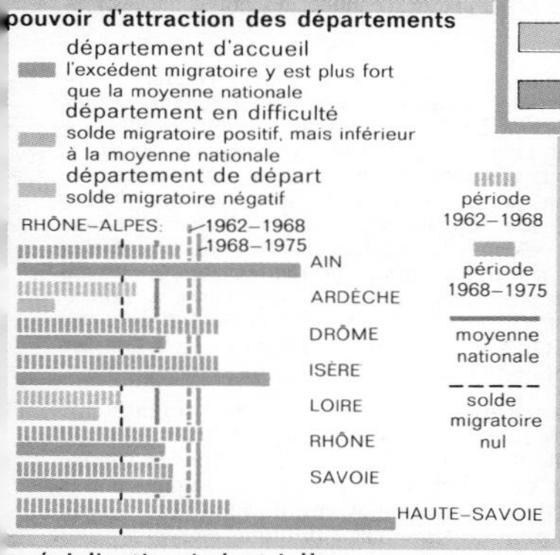

pouvoir d'attraction des départements
département d'accueil
l'excédent migratoire y est plus fort que la moyenne nationale
département en difficulté
solde migratoire positif, mais inférieur à la moyenne nationale
département de départ
solde migratoire négatif
RHÔNE-ALPES: 1962–1968
1968–1975
période 1962–1968
période 1968–1975
moyenne nationale
solde migratoire nul
AIN
ARDÈCHE
DRÔME
ISÈRE
LOIRE
RHÔNE
SAVOIE
HAUTE-SAVOIE

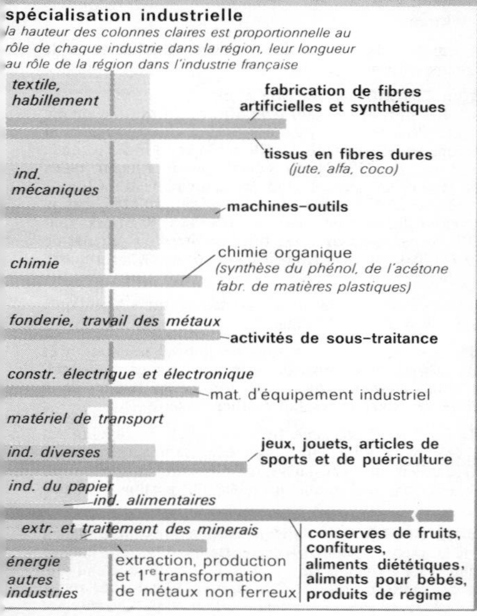

spécialisation industrielle
la hauteur des colonnes claires est proportionnelle au rôle de chaque industrie dans la région, leur longueur au rôle de la région dans l'industrie française
textile, habillement
fabrication de fibres artificielles et synthétiques
tissus en fibres dures (jute, alfa, coco)
ind. mécaniques
machines-outils
chimie
chimie organique (synthèse du phénol, de l'acétone fabr. de matières plastiques)
fonderie, travail des métaux
activités de sous-traitance
constr. électrique et électronique
mat. d'équipement industriel
matériel de transport
ind. diverses
jeux, jouets, articles de sports et de puériculture
ind. du papier
ind. alimentaires
extr. et traitement des minerais
énergie
autres industries
extraction, production et 1re transformation de métaux non ferreux
conserves de fruits, confitures, aliments diététiques, aliments pour bébés, produits de régime

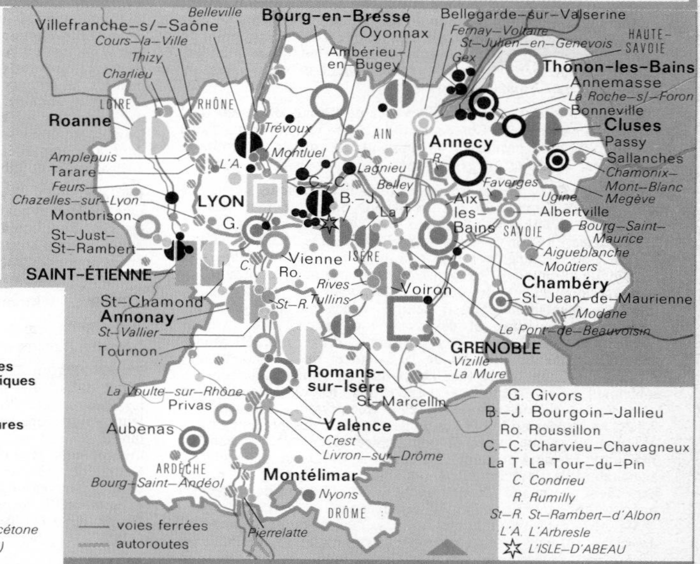

Belleville
Bourg-en-Bresse
Bellegarde-sur-Valserine
Villefranche-s/-Saône
Oyonnax
Ferney-Voltaire
St-Julien-en-Genevois
HAUTE-SAVOIE
Cours-la-Ville
Ambérieu-en-Bugey
Gex
Thizy
Charlieu
Thonon-les-Bains
Annemasse
La Roche-s/-Foron
Bonneville
LOIRE
RHÔNE
Trévoux
AIN
Roanne
Cluses
Annecy
Passy
Sallanches
Chamonix-Mont-Blanc
Megève
Amplepuis
Montluel
Tarare
L'A.
Lagnieu
R.
Feurs
C.-C.
Belley
Faverges
Chazelles-sur-Lyon
LYON
B.-J.
Aix-les-Bains
Ugine
Albertville
Montbrison
G.
La T.
SAVOIE
Bourg-Saint-Maurice
St-Just-St-Rambert
Vienne
ISÈRE
Aigueblanche
Moûtiers
C.
Ro.
SAINT-ÉTIENNE
Rives
Tullins
Voiron
Chambéry
St-Jean-de-Maurienne
St-Chamond
St-R.
Modane
Annonay
St-Vallier
Le Pont-de-Beauvoisin
Tournon
GRENOBLE
Vizille
La Mure
Romans-sur-Isère
La Voulte-sur-Rhône
Privas
St-Marcellin
Aubenas
Valence
Crest
Livron-sur-Drôme
ARDÈCHE
Montélimar
Bourg-Saint-Andéol
Nyons
DRÔME
Pierrelatte
voies ferrées
autoroutes
G. Givors
B.-J. Bourgoin-Jallieu
Ro. Roussillon
C.-C. Charvieu-Chavagneux
La T. La Tour-du-Pin
C. Condrieu
R. Rumilly
St-R. St-Rambert-d'Albon
L'A. L'Arbresle
L'ISLE-D'ABEAU

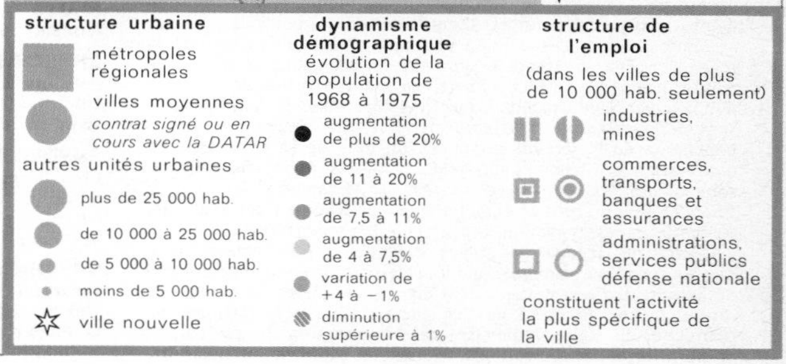

structure urbaine
métropoles régionales
villes moyennes
contrat signé ou en cours avec la DATAR
autres unités urbaines
plus de 25 000 hab.
de 10 000 à 25 000 hab.
de 5 000 à 10 000 hab.
moins de 5 000 hab.
ville nouvelle
dynamisme démographique
évolution de la population de 1968 à 1975
augmentation de plus de 20%
augmentation de 11 à 20%
augmentation de 7,5 à 11%
augmentation de 4 à 7,5%
variation de +4 à −1%
diminution supérieure à 1%
structure de l'emploi
(dans les villes de plus de 10 000 hab. seulement)
industries, mines
commerces, transports, banques et assurances
administrations, services publics défense nationale
constituent l'activité la plus spécifique de la ville

aval de l'Isère et peut même s'élever jusqu'à 10 000 m^3/s dans le cours inférieur (surtout en automne), cette variation justifiant un endiguement, réalisé aussi en amont du lac Léman, dans le Valais.

Le rôle économique du fleuve est surtout important en aval de Lyon, avec un aménagement associant la réalisation d'une grande voie fluviale (pouvant être prolongée, à grand gabarit, vers le Rhin) et la construction, par la Compagnie nationale du Rhône, d'une chaîne de centrales hydroélectriques les plus productives de France (parmi lesquelles Bollène et Châteauneuf-du-Rhône, précédant la seule grande usine construite en amont de Lyon, Génissiat). Le Rhône assure plus du quart de la production hydroélectrique nationale, fournissant 15 à 20 TWh. Au point de vue énergétique, le Rhône est aussi utilisé comme réfrigérant par les grandes centrales thermiques classiques (Loire-sur-Rhône, Aramon) et nucléaires (Saint-Vulbas, Marcoule, Tricastin). Il contribue encore à l'irrigation des régions traversées et aussi du Languedoc voisin. Surtout la vallée est le support d'une intense circulation routière et ferroviaire, liaison presque exclusive entre la France du Nord et le Midi méditerranéen.

RHÔNE (69), départ. de la Région Rhône-Alpes; 3 215 km^2; 1 429 647 hab. Ch.-l. *Lyon.* S.-préf. *Villefranche-sur-Saône.*

La moitié occidentale est occupée par les monts du Lyonnais et du Beaujolais, voués à l'élevage, en dehors des versants orientaux, bien exposés et consacrés, dans le Beaujolais surtout, à la production de vins de qualité. L'est correspond au couloir de la Saône au N. et à la plaine de confluence avec le Rhône au S. Le département doit une densité de population exceptionnellement élevée (près de 450 habitants au kilomètre carré et près de cinq fois la moyenne nationale) à la présence de l'agglomération de Lyon, qui concentre 80 p. 100 de la population du département et qui en groupera plus avec la constitution d'une nébuleuse urbaine de Villefranche-sur-Saône, au N., à Givors, au S.

Lyon explique aussi la répartition socioprofessionnelle de la population active, presque à parts égales, entre les secteurs secondaire et tertiaire, alors que l'agriculture, avec une production de qualité, occupe moins du vingtième des actifs. L'essor de la métropole lyonnaise est enfin à la base du sensible accroissement démographique de la population du Rhône, qui a augmenté de plus de 40 p. 100 durant les vingt dernières années. Au double point de vue démographique et économique, le département tend à s'identifier à sa préfecture, dont le rayonnement déborde d'ailleurs largement ce cadre spatial.

RHÔNE *(Côtes du),* coteaux de la vallée du Rhône, d'Ampuis (sud du départ. du Rhône) à Châteauneuf-du-Pape (Vaucluse) et à Tavel (Gard). Vignobles produisant notamment les crus de l'Hermitage, de Crozes, de Châteauneuf-du-Pape.

RHÔNE-ALPES, Région regroupant les départements suivants : Ain, Ardèche, Drôme, Isère, Loire, Rhône, Savoie et Haute-Savoie; 43 694 km^2; 4 780 684 hab. Capit. *Lyon.*

Deuxième Région par la superficie (après Midi-Pyrénées), Rhône-Alpes occupe le même rang pour la population (après la Région Île-de-France). Au point de vue physique s'opposent des secteurs montagneux, les plus étendus, mais les moins peuplés (bordure orientale du Massif central, Alpes du Nord et moitié méridionale du Jura), et des zones de basses terres, vallées entaillant les Alpes (Isère et ses affluents) ou séparant les grands massifs (sillons ou couloirs de la Saône et du Rhône), plaines d'avant-pays montagnard (bas Dauphiné). Le climat varie considérablement selon l'altitude et l'exposition, les chiffres de Lyon n'exprimant qu'une situation locale (températures moyennes : 2,2 °C en janvier et 20,7 °C en juillet; hauteur des précipitations : 813 mm, avec une légère prépondérance automnale, tombant en 145 jours; 63 jours de gelée). Le climat se durcit en montagne, où augmentent les précipitations (et surtout la part de la neige), cependant que le sud (départements de l'Ardèche et de la Drôme) possède déjà des affinités méditerranéennes.

Malgré l'extension de la montagne, la densité de population, qui approche 110 habitants au kilomètre carré, est assez sensiblement supérieure à la moyenne nationale. Cette situation et la progression démographique constante résultent largement du poids de certaines agglomérations. Celle de Lyon regroupe le quart de la population régionale, celle de Grenoble approche 400 000 habitants et celle de Saint-Étienne dépasse ce chiffre, en incorporant la conurbation dominée par Saint-Chamond. Les trois départements dont ces villes sont les préfectures rassemblent près des deux tiers de la population de la Région sur moins du tiers de sa superficie. La concentration urbaine (avec quelques autres points forts isolés, souvent des préfectures, comme Annecy, Chambéry, Valence ou Bourg-en-Bresse) est une caractéristique de Rhône-Alpes, d'ailleurs en partie imposée par une topographie contraignante.

L'industrie occupe une place essentielle. L'extraction de la houille (vers Saint-Étienne), qui a favorisé le développement initial de la métallurgie, a pratiquement disparu en quelques années; elle est remplacée au point de vue énergétique par le raffinage du pétrole de la région lyonnaise, par l'importation de gaz naturel et par l'essor de l'électricité thermique classique et nucléaire, s'ajoutant à la plus traditionnelle production hydroélectrique des Alpes (à l'origine de l'électrométallurgie et de l'électrochimie dans les vallées). Le textile, autre base industrielle ancienne, a reculé, du moins sous sa forme naturelle (soie, coton), au profit de la chimie, branche très diversifiée et représentée en priorité dans la région lyonnaise, pôle de développement aussi pour la métallurgie de transformation, qui est de loin prépondérante aujourd'hui avec une gamme de productions étendue : véhicules lourds, armement, constructions mécaniques fines et électriques.

L'agriculture est dominée par l'élevage (les herbages et les plantes fourragères occupant plus des deux tiers de la superficie agricole), presque exclusif en montagne, parfois juxtaposé cependant à l'exploitation de la forêt. Les cultures se localisent dans les vallées, avec quelques spécialisations (comme la vigne et les vergers de la vallée du Rhône).

Le tourisme occupe une place grandissante dans les Alpes, avec notamment quelques-unes des principales stations françaises de sports d'hiver (Chamonix-Mont-Blanc, Megève, l'Alpe-d'Huez, etc.). Son essor explique en partie celui du secteur tertiaire, en liaison surtout avec l'importance des principales villes.

Aujourd'hui, le grand axe de développement est encore la vallée du Rhône (vers Vienne et, au-delà, vers Valence), dont l'unité repose sur des communications variées et aisées, mais un corridor urbain entre Lyon et Saint-Étienne (par Givors, Rive-de-Gier et Saint-Chamond) tend à se constituer. Le développement est ailleurs plus ponctuel, directement sous l'influence de Lyon dans les plaines de l'Ain et du nord-ouest de l'Isère, à partir des centres urbains de Grenoble, d'Annecy et de Chambéry dans les Alpes.

RHUBARBE. — D'origine asiatique, la rhubarbe est cultivée dans nos jardins pour ses grandes feuilles, dont le pétiole, charnu, acide et sucré à la fois, est un excellent comestible. La pharmacopée a utilisé le rhizome de cette plante. (Famille des polygonacées.)

RHUM → EAU-DE-VIE.

RHUMATISME. — Les rhumatismes regroupent la plupart des maladies des articulations, ou arthropathies, qui comprennent : les *arthropathies inflammatoires,* telles la maladie de Bouillaud (due à la toxine streptococcique et qui touche également le cœur), la polyarthrite chronique rhumatismale et la spondylarthrite ankylosante, qui ont en commun leur distribution polyarticulaire, l'allure inflammatoire mais non suppurative de leurs localisations articulaires et leur coexistence avec des manifestations générales d'intensité variable; les *arthropathies infectieuses,* dont les principales sont les infections gonococciques, tuberculeuses et brucelliennes; les *arthroses**; les *arthropathies métaboliques* (arthritisme), dont la principale est la goutte; les *arthropathies nerveuses,* dont les arthropathies du tabès (syphilis nerveuse) et de la syringomyélie*.

RHUME. — Ce catarrhe aigu des muqueuses nasales est représenté essentiellement par le rhume des foins, ou coryza spasmodique, qui est considéré comme un équivalent de l'asthme. Dans le langage courant, on qualifie de « rhumes » la plupart des rhinites aiguës congestives, obstructives, parfois suppurées, de nature bactérienne ou virale, et qui se propagent souvent aux bronches.

RHUMEL → RUMMEL.

RHUNE (la), massif de l'ouest des Pyrénées-Atlantiques, à la frontière franco-espagnole; 900 m.

RHŪRIDES ou **GHŪRIDES,** dynastie d'origine iranienne (XIIe s.-début XIIIe s.). Les princes du Rhūr (cap. Fīrūzkūh), qui avaient été les vassaux des Rhaznévides* puis des Seldjoukides*, acquièrent leurs possessions en Afghānistān, au Khorāsān et en Inde (seconde moitié du XIIe s.). En 1173-74, ils s'emparent de Rhaznī, qu'ils avaient sauvagement détruite en 1150. Muḥammad de Rhūr (ou de Ghor) [de 1173 à 1206], maître de Lahore depuis 1186, bat le dernier souverain hindou de Delhi (1192). Les Rhūrides sont évincés de l'Inde par leurs esclaves turcs (maîtres du sultanat de Delhi* depuis 1206), et de l'Afghānistān par les Khārezmchāh (1215).

RHUYS *(presqu'île de),* péninsule de Bretagne, sur l'Atlantique, fermant, au S., le golfe du Morbihan.

RHYNCHITE. — Les rhynchites sont de jolis charançons, très nuisibles aux arbres et aux buissons que leurs larves parasitent. Une espèce, dite « cigarier » *(Byctiscus),* enroule les feuilles de la vigne en forme de cigare et les fait tomber.

RHYOLITE. — Roche endogène riche en silice, la rhyolite est l'équivalent volcanique du granite, mais elle est beaucoup moins répandue. Généralement riche en verre, elle contient souvent du quartz en phénocristaux, ainsi que des feldspaths alcalins et un peu de biotite.

RHYTHM AND BLUES. — À l'origine, cette expression désignait l'ensemble de la musique populaire nègre. Depuis 1955, elle indique plus précisément un style, à la frontière du jazz et du rock and roll, pratiqué par des petits groupes de danses, où prédominent l'orgue, la guitare électrique, le saxophone ténor et la batterie, interprétant un répertoire constitué d'anatoles (thèmes dans lesquels la phrase principale A, en général de huit mesures, est répétée trois fois selon un rythme déterminé [AABA]) et de blues où l'obsession rythmique prime les recherches harmoniques et mélodiques.

RIA. — Vallées encaissées envahies par la mer, les rias, ou abers, se forment lors d'une transgression marine. Ainsi les rias de la côte méridionale de Bretagne résultent de la transgression flandrienne.

RIAILLÉ (44440), ch.-l. de cant. de la Loire-Atlantique, sur l'Erdre, à 21 km au N.-O. d'Ancenis; 1 707 hab.

RIANS (83560), ch.-l. de cant. du Var, à 39 km au N.-E. d'Aix-en-Provence; 1 467 hab.

RIANTEC (56670), comm. du Morbihan, à 12 km au S. d'Hennebont; 4 144 hab.

RIAZAN, v. de l'U.R.S.S. (R.S.F.S. de Russie), au S.-E. de Moscou; 350 000 hab. Musées dans les anciens monastères du kremlin. Raffinage du pétrole. Industrie chimique et métallurgique.

RIBALTA (Francisco), peintre espagnol (Solsona 1564-Valence 1628). Formé auprès des maniéristes italiens de l'Escorial (Pellegrino Tibaldi, Federico Zuccaro), d'abord actif à Madrid, il s'installe à Valence (1599), où il va régénérer l'école locale. Son style évolue du maniérisme à une ampleur réaliste, à un luminisme chatoyant qui doivent aux Vénitiens, puis, dans une dernière phase, à une force sculpturale et à un populisme dévot issus du caravagisme (ensembles peints pour les capucins de Valence et pour les chartreux de Porta Coeli : musée de Valence, Prado). — Son fils JUAN fut peintre comme lui et mourut également en 1628.

RIBBENTROP (Joachim VON), homme politique et diplomate allemand (Wesel 1893-Nuremberg 1946). Ambassadeur à Londres (1936) puis ministre des Affaires étrangères (1938-1945), il dirigea la politique d'expansion du IIIe Reich. Considéré comme l'un des responsables de la Seconde Guerre mondiale, il fut condamné à mort par le tribunal de Nuremberg et exécuté.

RIBEAUVILLÉ (68150), ch.-l. d'arr. du Haut-Rhin, à 15 km au N.-N.-O. de Colmar; 4 412 hab. *(Ribeauvilléens).* Églises gothiques et autres monuments. Aux environs, ruines de trois burgs féodaux. Vignobles.

RIBÉCOURT-DRESLINCOURT (60170), ch.-l. de cant. de l'Oise, à 14 km au N.-E. de Compiègne; 3 831 hab. Industries chimiques.

RIBEIRÃO PRETO, v. du Brésil (São Paulo); 212 000 hab.

RIBEMONT (02240), ch.-l. de cant. de l'Aisne, à 14 km à l'E.-S.-E. de Saint-Quentin; 2 014 hab.

RIBERA (José DE), peintre et graveur espagnol (Játiva, prov. de Valence, 1591-Naples 1652). En Italie dès 1612, il fréquente, à Rome, le milieu des caravagistes, s'établit à Naples en 1617 et y devient le peintre favori des vice-rois espagnols. Il évolue d'un ténébrisme sévère (qui n'ignore pas le classicisme bolonais) à la richesse nuancée d'une gamme éclaircie, mettant une exceptionnelle qualité technique au service de sujets très variés : thèmes évangéliques, martyrs et ascètes, fables bibliques ou mythologiques, gueux picaresques comme *le Pied-bot* (1642) du Louvre. Il est capable d'un expressionnisme violent, mais aussi de cette gravité solennelle qui imprègne sa *Communion des apôtres* (1650) de la chartreuse de S. Martino. Son influence fut très grande sur les écoles napolitaine et espagnole.

RIBERA (Pedro DE), architecte espagnol (Madrid 1683-*id.* 1742). C'est le grand maître de l'art churrigueresque à Madrid* : « ermita » de la Virgen del Puerto, achevée en 1718, au plan et au jeu de volumes originaux; portail de l'hospice S. Fernando, qui transpose en pierre les retables sculptés des églises du temps; etc.

RIBÉRAC (24600), ch.-l. de cant. de la Dordogne, à 37 km à l'O.-N.-O. de Périgueux; 4 444 hab. *(Ribéracois).*

RIBIERS (05300 Laragne Montéglin), ch.-l. de cant. des Hautes-Alpes, à 9 km au N.-O. de Sisteron; 533 hab.

RIBONUCLÉIQUE → NUCLÉIQUES *(acides).*

RIBOSOME → CELLULE.

RIBOT (Théodule) → PSYCHOLOGIE.

RIBOT (Alexandre), homme politique français (Saint-Omer 1842-Paris 1923). Républicain du centre gauche, ministre des Affaires étrangères de mars 1890 à janvier 1893, il est l'artisan de l'alliance franco-russe. Président du Conseil (déc. 1892), il est renversé à la suite du scandale de Panamá. Quatre fois encore (1893, 1895, 1914, 1917), il dirige le gouvernement.

RICAMARIE (La) [42150], comm. de la Loire, dans la banlieue sud de Saint-Étienne; 10 426 hab. Métallurgie.

RICARDO (David), économiste britannique (Londres 1772-Gatcomb Park, Gloucestershire, 1823). Chef de file de l'école classique anglaise, il énonça, dans la ligne des remarques de Malthus*, la loi de la *rente foncière,* aux termes de laquelle, la population augmentant, l'obligation se fait jour de cultiver des terres de moins en moins fertiles; le prix des produits agricoles s'alignant sur le prix des productions des terres les plus médiocres, les propriétaires des terres fertiles bénéficient d'une « rente ». Il établit également la loi des *rendements* décroissants,* reprise de Turgot, et échafauda une *théorie de la valeur* fondée sur le travail, qui est probablement sa plus importante contribution à l'économie politique. Il énonça aussi la *loi des prix comparés,* mettant en lumière l'intérêt du libre-échange : chaque pays doit œuvrer à la production des biens où sa suprématie est la plus grande sur les autres.

Par toutes ces contributions, l'économiste anglais a exercé une influence considérable sur la pensée économique de son temps et sur certains aspects de la doctrine contemporaine. On lui doit notamment *Des principes de l'économie politique et de l'impôt* (traduit en français et publié avec des notes de J.-B. Say en 1819).

RICCI (Matteo), missionnaire italien (Macerata 1552-Pékin 1610). Jésuite (1571), il part pour la Chine, où il s'initie à la langue et aux mœurs du pays. Il inaugure une méthode missionnaire fondée sur l'adaptation du christianisme aux coutumes chinoises. Cette attitude sera vivement critiquée. (V. RITES [*querelle des*].)

RICCI (Scipione DE'), prélat italien (Florence 1741-*id.* 1810). Évêque de Pistoia et de Prato (1780), il fut, en Italie, le principal représentant du jansénisme*. Condamné par Pie VI (1794), il ne se rétracta qu'en 1805.

RICCI-CURBASTRO (Gregorio), mathématicien italien (Lugo 1853-Bologne 1925). Il créa sous le nom de *calcul différentiel absolu* l'analyse tensorielle, dans laquelle il introduisit des êtres mathématiques nouveaux, généralisant les vecteurs ordinaires et portant le nom de *tenseurs.*

RICCOBONI (Luigi), acteur et auteur italien (Modène 1676-Paris 1753). Sous le nom de LELIO, il se rendit célèbre dans l'emploi des premiers amoureux à la Comédie-Italienne de Paris, qu'il fut chargé par le Régent de reconstituer. Il est l'auteur d'une *Histoire du théâtre italien depuis la décadence de la comédie latine* (1728-1731). — Sa seconde femme, ELENA VIRGINIA **Balletti** (Ferrare 1686-Paris 1771), connue sous le nom de FLAMINIA, créa plusieurs rôles de soubrettes de Marivaux. — La femme de son fils FRANCESCO ANTONIO (Mantoue 1707-Paris 1772), née Marie-Jeanne **Laboras de Mézières** (Paris 1714-*id.* 1792), acheva *la Vie de Marianne* de Marivaux et publia des romans sentimentaux influencés par Richardson et Sterne.

RICERCAR → ÉCRITURE MUSICALE.

RICEYS (Les) [10340], ch.-l. de cant. de l'Aube, à 14 km au S. de Bar-sur-Seine; 1 539 hab. Église du XVIe s.

RICHARD Ier Cœur de Lion (Oxford 1157-Châlus 1199), roi d'Angleterre de 1189 à 1199, troisième fils d'Henri II Plantagenêt et d'Aliénor. Duc d'Aquitaine (1168), Richard prend part à la révolte de son frère aîné contre Henri II (1173-74). Héritier du trône en 1183, il entre en conflit avec son père et participe, aux côtés de Philippe Auguste (1188), à la campagne qui aboutit à la défaite d'Henri II. Devenu roi (1189), il renonce immédiatement à l'alliance française. Il se croise en 1190, conquiert Chypre (1191) et débarque en Palestine, où il s'empare de Saint-Jean-d'Acre. Ayant vent des intrigues nouées contre lui par son frère Jean et Philippe Auguste, il quitte la Palestine (1192); mais, fait prisonnier par le duc d'Autriche, qui le livre à l'empereur Henri VI, il ne rentre en Angleterre qu'en 1194. Il guerroie ensuite en France, où, face à Philippe Auguste, il fait montre d'une écrasante supériorité militaire. Il meurt en avril 1199, en assiégeant le château de Châlus en Limousin.

RICHARD II (Bordeaux 1367-Pontefract 1400), roi d'Angleterre de 1377 à 1399. Fils d'Édouard, le Prince Noir, Richard monte sur le trône à l'âge de dix ans et subit d'abord la régence de Jean de Gand. Majeur en 1389, il gouverne en souverain absolu, au mépris des intérêts des grands féodaux, maltraite le Parlement et fait condamner ses principaux adversaires. Aussi, lorsqu'en 1399 Henri de Lancastre, fils de Jean de Gand, prend l'offensive contre lui, est-il abandonné par la plupart des barons. Fait prisonnier, obligé d'abdiquer, il est enfermé à Pontefract, où il meurt.

Richard II, drame historique de Shakespeare (v. 1595), tableau dramatique de la faiblesse du roi, dominé par de néfastes conseillers.

RICHARD III (Fortheringhay 1452-Bosworth 1485), roi d'Angleterre de 1483 à 1485. Fils cadet de Richard d'York et frère d'Édouard IV, Richard, duc de Gloucester, devient, à la mort de celui-ci, régent d'Angleterre pour le compte de son neveu Édouard V, alors âgé de treize ans (mai 1483). Il séquestre le jeune roi et son frère, les fait déclarer illégitimes (1483) et, ayant ceint la couronne, se débarrasse d'eux par l'assassinat. Les complots se multiplient contre lui. En 1485, Richard III est vaincu et tué à Bosworth par son compétiteur Henri Tudor.

Richard III, drame historique de Shakespeare (1592-1593), peinture de l'ambition qui pousse aux dernières violences le criminel souverain.

RICHARD (François), dit **Richard-Lenoir,** industriel français (Épinay-sur-Odon, Normandie, 1765-Paris 1839). Associé avec Lenoir*-Dufresne (1797), il fonda la première filature de coton en France, dont le succès fut immense. Mais l'établissement des droits sur le coton le ruina.

RICHARDS (Theodore William), chimiste américain (Germantown, Pennsylvanie, 1868-Cambridge, Massachusetts, 1928). Créateur, en 1905, du calorimètre adiabatique, il trouva une différence de masse atomique entre le plomb naturel et celui qui dérive de l'uranium par radioactivité. (Prix Nobel de chimie, 1914.)

RICHARDS (Dickinson W.), médecin américain (Orange, New Jersey, 1895-Lakeville, Connecticut, 1973), prix Nobel de médecine en 1956 avec Cournand et Forssmann pour ses travaux sur la physiologie cardiaque (cathétérisme du cœur).

RICHARDSON (Samuel), écrivain anglais (dans le Derbyshire 1689-Londres 1761). Ses romans, qui allient le réalisme à une sentimentalité moralisante (*Paméla ou la Vertu récompensée,* 1740; *Clarisse Harlowe,* 1747-48; *Histoire de sir Charles Grandison,* 1753), connurent le succès dans toute l'Europe du XVIIIe s.

RICHARDSON (*sir* Owen), physicien anglais (Dewsbury, Yorkshire, 1879-Alton, Hampshire, 1959). Il énonça en 1901 les lois relatives à l'émission d'électrons par les métaux incandescents. (Prix Nobel de physique, 1928.)

RICHE (La) [37000 Tours], comm. d'Indre-et-Loire, dans la banlieue ouest de Tours; 6 670 hab. Restes du château de Plessis-lez-Tours (musée des Métiers d'art tourangeaux).

RICHELET (César Pierre) → DICTIONNAIRE.

RICHELIEU (le), riv. du Canada (Québec), émissaire du lac Champlain, affl. du Saint-Laurent (r. dr.), rejoint à Sorel; 130 km.

RICHELIEU (37120), ch.-l. de cant. d'Indre-et-Loire, à 21 km au S.-S.-E. de Chinon; 2 529 hab. Ville bâtie sur plans de J. Lemercier pour le cardinal. Église, halle, mairie (musée), parc du château (démoli au XIXe s.).

RICHELIEU (Armand Jean DU PLESSIS, *cardinal* DE), homme d'État français (Paris 1585-*id.* 1642). Issu d'une famille ruinée, il renonce à la carrière des armes pour entrer dans les ordres. Évêque de Luçon (1606), député du clergé aux états généraux de 1614, il est soutenu par le « parti dévot » et par Marie* de Médicis, qu'il suit en exil (1617-18). Rappelé par de Luynes*, il réussit à négocier la réconciliation de Louis XIII* et de sa mère, ce qui lui vaut le cardinalat (1622) et l'entrée au Conseil du roi, dont il devient le chef presque aussitôt (1624). Il multiplie les mesures contre la noblesse récalcitrante, appuyée sur Gaston d'Orléans*, n'hésitant pas à envoyer à la mort les fomenteurs de complots.

Si, à l'extérieur, pour vaincre les Habsbourg, il doit s'appuyer sur les protestants, il les combat à l'intérieur : après le succès du siège de La Rochelle (1628), il signe avec eux la paix d'Alès (1629), qui, si elle leur supprime les garanties militaires, leur assure la liberté de culte. Cette tolérance, jointe aux succès remportés sur les Espagnols en Italie (Pas de Suse, Pignerol, 1629), inquiète le parti dévot (Anne d'Autriche, Michel de Marillac), dont le triomphe auprès du roi ne dure que quelques heures (journée des Dupes, 10 nov. 1630), car, décidé à accorder à son ministre tout son appui, Louis XIII n'hésite pas à sévir contre les ennemis du cardinal, allant jusqu'à exiler sa mère (1631). Désormais, assuré du côté du roi et entouré d'excellents collaborateurs — tel le P. Joseph —, Richelieu s'efforce de renforcer l'État, accélérant ainsi l'évolution du royaume vers l'absolutisme; il intervient dans tous les secteurs de l'activité politique, économique et même culturelle (Académie française, 1635).

À partir de 1635, il est absorbé par sa lutte contre l'Espagne (v. TRENTE ANS [*guerre de*]), au cours de laquelle il s'empare du Roussillon (1642) et qui prélude à la prépondérance française en Europe. Cependant l'effort de guerre aggrave les difficultés financières de la France, qui souffre du ralentissement des arrivées de métaux précieux américains; des expédients fiscaux provoquent le mécontentement des corps locaux et aussi de nombreuses jacqueries. Cet effort gêne également la politique économique du cardinal, politique qui, marquée par le mercantilisme, n'en témoigne pas moins d'une grande largeur de vues : développement de la flotte marchande; constitution de compagnies à monopole, qui pose les jalons du premier empire colonial français (Canada, Sénégal, Madagascar, Martinique); encouragements aux manufactures royales.

Lauros-Giraudon

Richelieu et Louis XIII. Détail d'une peinture de Carle Van Loo, *Louis XIII dédiant l'église Notre-Dame-des-Victoires à la Vierge* (1746). [Église Notre-Dame-des-Victoires, Paris.]

RICHELIEU (Louis François Armand DE VIGNEROT DU PLESSIS, *duc* DE), officier français (Paris 1696-*id.* 1788). Petit-neveu du cardinal, libertin, il est plusieurs fois embastillé. Il s'illustre durant la guerre de la Succession* d'Autriche, notamment à Fontenoy* (1745). Maréchal de France (1748), il dirige brillamment l'investissement de Minorque (1756) avant d'occuper le Hanovre.

RICHELIEU (Armand Emmanuel DU PLESSIS, *duc* DE), homme d'État français (Paris 1766-*id.* 1822). Petit-fils du maréchal, il émigre en 1789 et sert le tsar, qui lui confie le gouvernement de la province d'Odessa. Rentré en France en 1814, il se voit confier dès septembre 1815 la direction du ministère; il joue de son influence auprès des Alliés pour obtenir d'eux quelques concessions lors du second traité de Paris (20 nov. 1815). Face à la « Chambre introuvable » et à la « Terreur blanche », il s'efforce de modérer la vindicte des ultraroyalistes. Ayant dissous la « Chambre introuvable » (5 sept. 1816), il s'appuie sur les constitutionnels, qui provoquent le vote de deux lois novatrices : la loi Lainé (1817), qui élargit le domaine électoral, et la loi Gouvion Saint-Cyr (1818), qui fait accéder les roturiers aux hauts grades militaires. Ayant obtenu la libération anticipée du territoire par les Alliés et réussi à faire admettre la France dans la Quadruple-Alliance (nov. 1818), il se retire (déc.). Il est rappelé au pouvoir au lendemain de l'assassinat du duc de Berry* et de la chute de Decazes* (20 févr. 1820), mais sa modération déplaît vite à la droite qui multiplie les lois de réaction. Il démissionne le 12 décembre 1821.

RICHEMONT (57270 Uckange), comm. de la Moselle, à 9,5 km au S. de Thionville; 2 166 hab. Centrale thermique. Port fluvial sur la Moselle.

RICHEPIN (Jean), écrivain français (Médéa, Algérie, 1849-Paris 1926), auteur de poèmes (*la Chanson des gueux,* 1876), de romans influencés par Vallès (*la Glu,* 1881) et de drames (*Nana Sahib,* 1883).

richesse des nations *(Recherches sur la nature et les causes de la),* ouvrage d'Adam Smith* paru en 1776, qui assura la prépondérance de la doctrine anglaise et fut un des tout premiers ouvrages d'économie politique, érigeant celle-ci en véritable science des richesses. A. Smith suit la route ouverte par Quesnay* en définissant la vie économique comme un circuit, mais, contrairement aux physiocrates, il ne retient pas l'idée du caractère non productif de l'industrie. Il décrit la *division** du travail, base de l'enrichissement des nations et essaie d'éclairer le problème de la formation des prix et des revenus. Il établit la distinction essentielle entre la « valeur d'usage » et la « valeur d'échange » (la notion de valeur d'usage est proche de celle d'utilité). Pour expliquer la valeur d'échange, il se réfère à la quantité de travail incluse dans la production d'un bien (on peut avoir deux fois plus de peine pour tuer un castor que pour tuer un daim); mais, comme (après l'état primitif) il y a dans les processus productifs introduction de capital, il n'y a plus, pour Smith, de relation précise entre les prix des marchandises et leur coût en travail, d'autres éléments intervenant.

Il existe de nombreux autres apports à l'économie dans *la Richesse des nations,* notamment des vues sur le progrès économique et la croissance : accumulation de capital, épargne et liberté des échanges sont les conditions de celle-ci.

RICHET (Alfred), chirurgien français (Dijon 1816-Hyères 1891), auteur d'un *Traité pratique d'anatomie médico-chirurgicale* (1855-1857).

RICHET (Charles), physiologiste et penseur français (Paris 1850-*id.* 1935), fils du précédent. Ses principaux travaux portent sur la chaleur animale, les sérums curatifs, l'anaphylaxie* (qu'il découvrit avec Paul Portier*), etc. Précurseur de l'aviation, pacifiste, fervent de métapsychique et même d'occultisme, Richet reçut le prix Nobel de médecine en 1913.

RICHIER (Ligier), sculpteur français (Saint-Mihiel v. 1500?-Genève

1567). Après le retable de pierre d'Hattonchâtel (Meuse; 1523), d'un métier gothique très fouillé, et à côté de divers calvaires (Génicourt) et Vierges de pitié, deux chefs-d'œuvre manifestent son génie : la statue funéraire de René de Chalon à Bar-le-Duc, squelette dressé, encore garni de lambeaux de chair, qui brandit pathétiquement son cœur (1547), et le *Sépulcre* de Saint-Mihiel, une de ses dernières œuvres, touchée par l'italianisme (idéalisation de la douleur, recherche de la beauté) malgré ce qu'elle conserve de réalisme populaire. — Son fils GÉRARD et deux de ses petits-fils furent également sculpteurs.

RICHIER (Germaine), sculpteur français (Grans, Bouches-du-Rhône, 1904-Montpellier 1959). Élève de Bourdelle à son arrivée à Paris en 1925, elle parvient vingt ans plus tard, avec ses femmes-insectes au modelé expressionniste, à la constitution d'un univers personnel, sorte de poème cosmogonique issu de l'informel, du déchirement et de la métamorphose (*la Montagne,* bronze, 1956).

RICHLAND, v. des États-Unis dans le sud de l'État de Washington, sur la Snake River; 28 000 hab. À proximité, centrales nucléaires.

RICHMOND, v. des États-Unis, capit. de la Virginie, sur la James River; 248 000 hab. Musée des Beaux-Arts. Tabac. Industrie chimique. La ville a été construite sur les plans de Jefferson. Capitale des sudistes pendant la guerre de Sécession*, elle fut conquise par le général Grant en 1865.

RICHMOND ou **RICHMOND-ON-THAMES,** faubourg résidentiel de la banlieue ouest de Londres; 170 000 hab.

RICHMOND HILL, v. du Canada (Ontario), au N. de Toronto; 32 384 hab.

RICHTER (Jeremias Benjamin), chimiste allemand (Hirschberg, Silésie, 1762-Berlin 1807). Il montra qu'il existe des rapports fixes entre les masses des constituants des sels et détermina les masses équivalentes des divers acides et bases. Avec Reich, il découvrit l'indium.

RICHTER (Johann Paul Friedrich), dit **Jean-Paul,** écrivain allemand (Wunsiedel 1763-Bayreuth 1825). Après des études à la faculté de théologie de Leipzig, il adopte le pseudonyme français de « Jean-Paul » pour publier son premier ouvrage (*les Procès groenlandais,* 1783). Réduit à la gêne par la mort de son père, il devient précepteur, puis ouvre une école à Schwarzenbach. La célébrité que lui apportent ses récits (*la Vie du joyeux maître d'école Marie Wuz à Auenthal,* 1793; *Hesperus,* 1795; *Siebenkäs,* 1796) lui permet de se consacrer à la littérature. Marié et installé à Bayreuth, Richter unit, dans ses romans et ses idylles, l'idéalisme sentimental à une ironie qui fait de son œuvre baroque l'une des plus originales du romantisme allemand (*le Titan,* 1800-1803; *les Années de gourme,* 1804-05).

RICHTER (Hans) → DADA.

RICHTER (Hans Werner), écrivain allemand (Bansin, Mecklembourg, 1908). Fondateur du Groupe* 47, il utilise dans ses romans des procédés narratifs propres au reportage et au cinéma pour peindre l'Allemagne de l'après-guerre (*les Vaincus,* 1949; *Tombés de la main de Dieu,* 1951; *Tu ne tueras pas,* 1955).

RICHTER (Sviatoslav), pianiste soviétique (Jitomir 1914). Principal représentant de l'école de piano de son pays, il interprète aussi bien la musique russe que les compositeurs classiques et romantiques.

RICHTHOFEN (Ferdinand, *baron* VON), géologue et explorateur allemand (Carlsruhe, Haute-Silésie, 1833-Berlin 1905). Il a beaucoup voyagé en Asie orientale et est surtout connu pour ses travaux sur la Chine. Il a notamment été le premier à interpréter le lœss chinois comme un dépôt éolien.

RICHTHOFEN (Manfred, *baron* VON), officier aviateur allemand (Breslau 1892-Vaux-sur-Somme 1918). As de la chasse pendant la Première Guerre mondiale, il était titulaire de quatre-vingts victoires quand il fut abattu.

RICIMER, général romain d'origine suève († 472). Créé *magister militum* en 455, puis nommé patrice en 457 par l'empereur d'Orient Léon Ier, il fut le maître effectif de l'Italie de 457 à 472 et fit et défit à son gré les empereurs : il conféra la pourpre à Majorien*, puis à Libius Sévère (de 461 à 465) et consentit à proclamer un empereur envoyé par Constantinople, Anthémios (de 467 à 472), qu'il remplaça par Olybrius (472).

RICIN. — Originaire de l'Inde, le ricin est une belle plante aux feuilles palmées, aux fleurs unisexuées (mâles et femelles sur le même pied), au fruit contenant trois graines bigarrées. Celles-ci, à l'albumen oléagineux, dangereusement toxiques, fournissent l'*huile de ricin,* autrefois purgatif classique, aujourd'hui lubrifiant de choix pour les moteurs d'avion. (Famille des euphorbiacées.)

RICKETTSIOSE. — Les rickettsies sont des bactéries que l'on ne peut cultiver que sur des milieux spéciaux (culture de tissus) et qui se développent à l'intérieur des cellules de l'organisme parasité. Les rickettsioses sont transmises par des arthropodes (insectes, octopodes). Citons le typhus* exanthématique, transmis par le pou, les fièvres boutonneuses, transmises par des tiques (ainsi la fièvre boutonneuse méditerranéenne), et la fièvre Q (qui sévit au Queensland). Les rickettsioses sont traitées par des antibiotiques du groupe des tétracyclines.

RICŒUR (Paul), philosophe français (Valence 1913). Après une critique phénoménologique de la psychologie (*le Volontaire et l'involontaire,* 1950), il interprète la psychanalyse comme une ascèse qui permet à la philosophie d'éliminer les illusions de la conscience, laquelle doit accepter de « se laisser déposséder de l'origine du sens » (*De l'interprétation. Essai sur Freud,* 1965; *le Conflit des interprétations. Essai d'herméneutique,* 1969).

RICORD (Philippe), chirurgien français (Baltimore, États-Unis, 1800-Paris 1889). On lui doit la connaissance de l'évolution et du mode de transmission de la syphilis ainsi que la distinction entre chancre mou et chancre syphilitique.

RIDE MÉDIO-OCÉANIQUE → OCÉANIQUES *(fonds).*

RIDGWAY (Matthew), général américain (Fort Monroe 1895). En 1944, il est mis à la tête d'une division aéroportée en Normandie. En 1951-52, il commande les forces de l'O. N. U. en Corée, puis en 1952-53 les forces alliées du Pacte atlantique.

RIEC-SUR-BELON (29124), comm. du Finistère, à 4,5 km à l'E.-S.-E. de Pont-Aven, sur l'estuaire du Belon; 4 158 hab. Ostréiculture.

RIEDISHEIM (68400), comm. du Haut-Rhin, dans la banlieue sud-est de Mulhouse; 12 520 hab.

RIEGER (František Ladislav), homme politique tchèque (Semily 1818-Prague 1903). Gendre de Palacký*, député de 1861 à 1863, il lutte pour la reconnaissance du royaume de Bohême au sein d'un empire fédéraliste. Chef du parti vieux-tchèque, il entre à la Chambre des seigneurs en 1897.

RIEGO Y NÚÑEZ (Rafael DEL), général espagnol (Santa María de Tuña 1785-Madrid 1823). Après avoir combattu Napoléon, il dirige à Cadix le soulèvement des troupes (1820) et est chargé, par la junte révolutionnaire, de lutter contre l'expédition française venue au secours de Ferdinand VII. Livré à celui-ci, il est pendu.

RIEHEN, comm. de Suisse, dans la banlieue est de Bâle; 21 026 hab.

RIEL (Louis), métis canadien (Saint-Boniface 1844-Regina 1885). En 1869, à la tête du Comité national des métis, il forme un gouvernement provisoire et réussit à faire admettre le Manitoba* comme province du dominion. Mais, des troubles ayant éclaté, il doit se réfugier aux États-Unis. Ayant repris la tête d'un soulèvement indien et métis (1884-85), il est battu et pendu.

RIEMANN (Bernhard), mathématicien allemand (Breselenz, Hanovre, 1826-Selasca, sur le lac Majeur, 1866). Son œuvre, une des plus importantes dans le domaine de l'analyse, eut un retentissement considérable sur les mathématiques modernes. S'inspirant de la physique mathématique, Riemann ramena la théorie des fonctions de la variable complexe à celle du potentiel. En théorie des nombres, il entreprit les premières recherches sur la répartition asymptotique des nombres premiers. En géométrie, il a abordé l'étude d'espaces très généraux, à plusieurs dimensions, appelés « espaces de Riemann » et dont la conception s'est révélée fondamentale en relativité générale. Enfin, sa conception de surfaces associées à toute équation algébrique et composées de feuillets plans superposés, en nombre égal au degré de l'équation donnée et reliés entre eux suivant des lignes de passage obtenues en joignant les points critiques, fonde la théorie des fonctions algébriques et marque la naissance de la topologie.

RIEMANN (Hugo), musicographe et théoricien allemand (Grossmehlra 1849-Leipzig 1919). Auteur d'une histoire de la musique *(Handbuch der Musikgeschichte)* et d'un dictionnaire de musique *(Musik-Lexikon),* il a fondé l'institut de musicologie de Leipzig.

RIEMENSCHNEIDER (Tilman), sculpteur allemand (Osterode v. 1460-Würzburg 1531). Bourgeois de Würzburg en 1485, il taille dans la pierre ou le bois des figures d'un art raffiné, peut-être de filiation néerlandaise (Nikolaus Gerhaert [v. 1430-1473], influent en Rhénanie et en Souabe) et s'opposant à celui de Stwosz et des pays de l'Est par son lyrisme apaisé, sa vigueur tranquille (*Adam* et *Ève,* musée de Würzburg; tombeau d'Henri II et de Cunégonde à Bamberg, 1499-1513; retable de la Vierge à Creglingen; etc.).

RIENZO (Cola DI), homme politique italien (Rome 1313-*id.* 1354). Durant le séjour des papes à Avignon, il se posa en restaurateur de la grandeur romaine, se faisant élire tribun (1347). Plus tard, rallié à Innocent VI, il s'imposa à Rome comme dictateur et fut massacré.

RIESENER (Jean-Henri), ébéniste français d'origine allemande (près d'Essen 1734-Paris 1806). Il obtint la direction de l'atelier d'Œben*, où il s'était formé, à la mort de celui-ci. Fournisseur de la Cour et, en particulier, de Marie-Antoinette, personnel et raffiné, il est le principal représentant du style Louis XVI.

RIESENGEBIRGE → KARKONOSZE.

RIESLING → CÉPAGE.

RIESMAN (David), sociologue américain (Philadelphie 1909). Riesman s'intéresse essentiellement à la manière dont les sociétés façonnent la personnalité de leurs membres. Deux mécanismes lui paraissent importants : d'une part la manière dont une société s'assure la *conformité* de ses membres — c'est-à-dire l'adoption par tous ses membres d'un même mode de penser et d'agir —; d'autre part les agissements qui permettent à une société de renouveler ses habitudes et ses façons d'agir. Ils assurent respectivement le maintien et le changement d'une culture. Ensemble, le mode de pensée et le mode de créativité définissent ce que l'auteur de *la Foule* solitaire* appelle le « caractère social ».

RIETI, v. d'Italie, dans le Latium, ch.-l. de prov.; 41 000 hab.

RIETVELD (Gerrit Thomas) → STIJL *(De)*.

RIEUMES (31370), ch.-l. de cant. de la Haute-Garonne, à 19 km à l'O.-S.-O. de Muret; 2 225 hab.

RIEUPEYROUX (12240), ch.-l. de cant. de l'Aveyron, à 24 km à l'E.-S.-E. de Villefranche-de-Rouergue; 2 903 hab. Église des XVe-XVIe s.

RIEUX (31310 Montesquieu Volvestre), ch.-l. de cant. de la Haute-Garonne, à 30 km au S.-S.-O. de Muret; 1 243 hab. Anc. cathédrale (XIIIe-XVIIe s.). Vieilles maisons.

RIEZ (04500), ch.-l. de cant. des Alpes-de-Haute-Provence, à 42 km au S.-S.-O. de Digne; 1 638 hab. Anc. évêché. Vestiges romains. Baptistère mérovingien. Centre commercial (lavande).

RIF (le), chaîne de montagnes du nord du Maroc, dominant la Méditerranée, étirée en arc de cercle, de Tanger, à l'O., à la basse Moulouya, à l'E.; 2 452 m au djebel Tidirhine.

Rif *(guerre du),* soulèvement dirigé de 1921 à 1926 par Abd el-Krim*, dans le massif du Rif, contre les Espagnols et les Français. Après avoir battu les Espagnols à Anoual (1921), Abd el-Krim sera contenu par les Français aux ordres de Lyautey, puis de Pétain et finira par se rendre en mai 1926 au général Pierre Ibos (1871-1949).

RIFBJERG (Klaus), écrivain danois (Copenhague 1931). Il enregistre toutes les crises sociales et esthétiques de sa génération à travers la diversité d'une œuvre lyrique (*Confrontation,* 1960; *Mythologie,* 1970), romanesque (*l'Amateur d'opéra,* 1966; *la Lettre à Gerda,* 1972) et dramatique, qui réunit aussi bien des comédies musicales (*Séjour discret,* 1964) que des spectacles d'avant-garde pour la télévision (*Évolutions,* 1965; *les Fous,* 1971).

RIFT. — Fossés d'effondrement longitudinaux plus ou moins continus qui accidentent la partie axiale de bombements montagneux, les rifts sont connus en milieu continental (rifts de l'Afrique orientale) et en milieu océanique (rifts des rides médio-océaniques). Ils témoignent d'une tectonique en distension.

RIGA, port de l'U.R.S.S., sur la Baltique (au fond du *golfe de Riga*), capit. de la Lettonie; 732 000 hab. Monuments et maisons de la vieille ville. Musées, dont certains installés dans le château, en partie du XIVe s. Métallurgie. Constructions électriques. Raffinerie de pétrole. — Le traité mettant fin à la guerre polono-soviétique fut signé à Riga en 1921.

RIGAUD (Hyacinthe RIGAU Y ROS, dit **Hyacinthe**), peintre français (Perpignan 1659 - Paris 1743). Il est en 1682 à Paris, où Le Brun le persuade d'abandonner la peinture d'histoire au profit du portrait, pour lequel il se montre très doué. Il est reçu en 1687 à l'Académie, dont il sera recteur en 1733, après avoir reçu le titre de peintre des rois Louis XIV (1694) et Louis XV (1727). Maître du portrait d'apparat, admirateur de Van Dyck et de Rembrandt, il satisfait, grâce à un important atelier, à la demande de tous les grands personnages du temps, hommes surtout.

RIGAULT DE GENOUILLY (Charles), amiral français (Rochefort 1807 - Paris 1873). Il occupa Saigon en 1859, joua un rôle important dans l'établissement de la France en Cochinchine et fut ministre de la Marine (1867-1870).

RIGEL → ÉTOILE.

RÍGHAS FERAÍOS, poète grec (Velestino, Thessalie, 1757 - Belgrade 1798), auteur d'hymnes patriotiques.

RIGHI (Augusto), physicien italien (Bologne 1850 - *id.* 1920). Auteur de recherches sur la lumière polarisée et la vision stéréoscopique, il a étudié la réflexion des ondes électromagnétiques sur les surfaces métalliques (1893).

RIGI ou **RIGHI,** montagne de la Suisse centrale, à l'E. de Lucerne, entre les lacs des Quatre-Cantons et de Zoug; 1 800 m.

RIGIDITÉ DIÉLECTRIQUE. — Elle est mesurée par la valeur du champ électrostatique en un point capable de déterminer par étincelle la rupture du diélectrique en ce point.

RIGIL KENTARUS → ÉTOILE.

RIGNAC (12390), ch.-l. de cant. de l'Aveyron, à 22,5 km au S. de Decazeville; 1 762 hab.

Rigoletto, opéra en quatre actes, livret de Piave, musique de G. Verdi (1851). Le sujet, qui se déroule à Mantoue au XVIe s., est tiré du drame de Victor Hugo *Le roi s'amuse.*

RIJEKA, anc. **Fiume,** principal port de Yougoslavie (Croatie), sur le littoral nord-est de l'Adriatique; 133 000 hab. Raffinage du pétrole. Chantiers navals. — D'origine vénitienne, la ville appartint aux évêques de Pula, aux comtes de Suino, enfin aux Habsbourg d'Autriche (1466), sous lesquels elle obtint le statut de port franc (1723). Débouché maritime de la Hongrie de 1870 à 1918, elle fut, après l'effondrement de l'Empire austro-hongrois, l'enjeu des rivalités entre l'Italie et la Yougoslavie naissante. En septembre 1919, D'Annunzio* l'occupa à la suite d'un coup de main. Le traité de Rapallo ayant déclaré Fiume État indépendant (nov. 1920), il s'y maintint avec ses troupes jusqu'en 1922. Attribuée à l'Italie (1924), Fiume fut réunie à la Yougoslavie en application du traité de Paris (1947) et prit le nom de *Rijeka.*

RIJKEVORSEL, comm. de Belgique (prov. d'Anvers), en Campine; 8 746 hab.

Riksdag ou **Rigsdag,** nom donné au Parlement en Suède; au Danemark, le Rigsdag est devenu le *Folketing* en 1953.

RILA (le), montagne de la Bulgarie occidentale (2 925 m), prolongeant à l'O. le massif du Rhodope. Célèbre monastère reconstruit au XIXe s. (musée).

RILKE (Rainer Maria), écrivain autrichien (Prague 1875 - sanatorium de Val-Mont, Montreux, 1926). Destiné à la carrière des armes, il fréquente cependant les milieux littéraires de Prague. Romantique (*Couronné de rêve,* 1897), puis influencé par les symbolistes (*Légende d'amour et de mort du cornette Christophe Rilke,* 1899; *le Livre des images,* 1902), il voyage en Russie, où il rencontre Tolstoï, puis vient à Paris, où il sert quelque temps de secrétaire à Rodin. Il reprend bientôt une existence vagabonde, signe de l'inquiétude profonde qui anime son œuvre et de son désir de participer plus intimement à la réalité concrète de la vie (*le Livre d'heures,* 1905; *Cahiers de Malte Laurids Brigge,* 1910). C'est en Suisse que, malade, il passe les dernières années de sa vie et qu'il achève sa méditation poétique, qui n'est qu'un long effort pour dominer l'angoisse de la mort (*Élégies* de Duino,* 1923; *Sonnets à Orphée,* 1923).

RILLE → RISLE.

RILSAN → POLYAMIDE.

RIMAILHO (Émile), officier et ingénieur français (Paris 1864 - Pont-Érambourg 1954). Il mit au point un matériel d'artillerie lourde à tir rapide (155 CTR) puis quitta l'armée en 1913 et se consacra à l'étude de l'organisation du travail et à la structure des entreprises.

RIMBAUD (Arthur), poète français (Charleville 1854 - Marseille 1891). Rimbaud est doublement exemplaire, dans sa pratique comme dans son refus de la poésie. Janus à double face (adolescent rêveur du *Coin de table* de Fantin-Latour, aventurier émacié dans ses vêtements flottants sur les photographies indécises de Harrar), il est vraiment la porte de notre modernité. Enfant prodige (virtuose en vers latins et lauréat à quinze ans du concours académique) qui finira en mercanti négrier et trafiquant d'armes (mais il trouvera son maître dans le futur négus Ménélik, qui

Lauros-Giraudon

Rimbaud. Détail d'une peinture de Henri Fantin-Latour, *Un coin de table* (1872). [Musée du Louvre, Paris.]

Rio de Janeiro. Vue panoramique sur la baie de Rio avec, au premier plan, le Corcovado (704 m) et, au second plan, à droite, le Pain de Sucre (390 m).

Frey - Arepi

prendra ses fusils et le paiera mal), il n'est pas un poète maudit, mais un poète qui a maudit la poésie. C'est pourtant vers elle qu'adolescent il se tourna pour échapper à la tyrannie maternelle, à la vie étriquée de Charleville, à la satisfaction prudhommesque de la bourgeoisie du second Empire — en bon élève de Hugo et de Banville. Mais il ne supporta pas plus de versifier selon les règles que de vivre dans les « inqualifiables contrées ardennaises ». « Le Bateau ivre », qu'il lance, à dix-sept ans, au beau milieu des tranquilles régates parnassiennes, est un manifeste et un blason : « la vraie vie est ailleurs », dans l'inconnu auquel on n'atteint que par « un long, immense et raisonné dérèglement de tous les sens ». Le poète doit voir plus loin, « se faire *voyant* », et « la poésie ne rythmera plus l'action; elle sera en avant ». Étonnante conscience critique, cette « prose sur l'avenir de la poésie » que constitue la lettre à Paul Demeny du 15 mai 1871, si proche du démontage que Lautréamont* fait du romantisme : mais, alors que l'auteur des *Chants de Maldoror* pervertit de l'intérieur le lyrisme consacré, Rimbaud demande au poète « du *nouveau,* — idées et formes ». Le poète doit échapper à une double aliénation (« car *Je* est un autre ») : celle de la société où il vit, celle de l'expression littéraire de cette société. Et « toute parole étant idée », changer la poésie et « changer la vie » sont une seule et même chose : c'est dire aussi que la poésie est avant tout un travail sur la langue, une « alchimie du verbe ». Alchimie aussi et réinvention de l'être : le poète, passé par l'anéantissement volontaire d'*Une saison* en enfer,* ressuscite dans la forme d'un « maître en fantasmagories », d'un opérateur en *Illuminations** et en illusions qui barbouille de couleurs vives la grisaille occidentale, fait voir « une mosquée à la place d'une usine, des calèches sur les routes du ciel, un salon au fond d'un lac ». Visions fulgurantes, qui échappent aussitôt nées. Rimbaud connaît à la fois l'espérance et la damnation : à vingt ans, son œuvre est close; il ne fera pas de carrière littéraire, il enterre imagination et souvenirs (« Une belle gloire d'artiste et de conteur emportée! »). Il éprouve la faillite de l'art et, contrairement à ses épigones modernes qui ne cessent d'écrire la mort de l'écriture, il s'y tient. Du bateau, il gardera l'errance, faisant de son odyssée solitaire et pédestre (professeur de français à Londres, déserteur de l'armée hollandaise à Java, interprète dans un cirque en Suède et au Danemark, chef de chantier à Chypre, marchand de bazar en Éthiopie) la parodie de l'expansion coloniale et culturelle européenne. Lorsqu'en 1886 il part pour le Choa avec sa cargaison de fusils, il ignore que Verlaine compose l'épilogue de leur relation passionnée en publiant dans *la Vogue* la plus grande partie des *Illuminations :* après s'être « opéré vivant de la poésie », il n'a plus d'autre souci que de se tirer de l'enfer du climat, du travail sordide et de la gangrène qui le fera agoniser à Marseille dans un délire où il invoque Allah et qui s'achève, selon sa pieuse légende, en profession de foi chrétienne. Il est vrai qu'il était plus rassurant de trouver à cet ange rebelle une place dans le panorama mythique de la création littéraire que de reconnaître en lui l'annonciateur historique d'une révolution sociale et esthétique.

RIME. — Destinée primitivement à marquer, pour l'oreille, la fin d'une période rythmique, la rime est, avec le nombre des syllabes, la caractéristique essentielle de la versification française. On place son origine dans les vers latins dits « léonins », où deux hémistiches se terminaient par les mêmes consonances. La rime se trouve dans les hymnes de l'Église catholique primitive et, à partir du xe s., elle devient dans la langue et la littérature françaises un élément fondamental sous la forme de l'*assonance**. On distingue traditionnellement les rimes *masculines,* qui se terminent par une syllabe tonique, et les rimes *féminines,* qui se terminent par une syllabe muette. Les rimes peuvent être *plates* ou *suivies* (deux rimes masculines suivies de deux rimes féminines), *croisées* (masculine/féminine/masculine/féminine), *embrassées* (masculine/2 féminines/masculine), *mêlées* (quand il n'y a pas d'ordre uniforme). Il y a également des *rimes pour l'œil (mer/aimer).*

RIMINI, v. d'Italie, en Émilie, au N.-E. de Saint-Marin, sur l'Adriatique; 120 000 hab. Arc d'Auguste. Palais médiévaux. Temple Malatesta, église du xiiie s., rhabillée au xve s. sur plans d'Alberti. Grande station balnéaire. — Occupée en 268 av. J.-C. par les Romains, qui y fondèrent une colonie latine et en firent le point de rencontre de la *via Aemilia* et de la *via Flaminia,* Rimini *(Ariminum)* joua un rôle important durant la deuxième guerre punique. Siège d'un évêché dès la fin du iiie s., prise par les Goths (fin du ve s.), reprise par Byzance (538), elle subit les dominations des Lombards et des Francs, et devint la capitale d'un duché. Commune en 1157, elle tomba en 1334 sous la domination des Malatesta. Elle fut annexée par la papauté en 1528.

RIMOUSKI, v. du Canada (Québec), sur la rive sud de l'estuaire du Saint-Laurent; 26 887 hab.

RIMSKI-KORSAKOV (Nikolaï Andreïevitch), compositeur russe et chef d'orchestre (Tikhvine 1844 - Lioubensk 1908). Personnalité éminente du « groupe des Cinq », il a donné, comme maître de l'opéra, du ballet, de la symphonie et du poème symphonique (*Capriccio espagnol,* 1887; *Schéhérazade**, 1888), un grand essor à l'école russe. Son œuvre, servie par une orchestration hors de pair, a réalisé une synthèse entre les rythmes slaves, les thèmes populaires et le romantisme oriental. Rimski-Korsakov est l'auteur des opéras *Mlada* (1889), *Sadko* (1896), *Légende du tsar Saltan* (1899), *le Coq d'or* (1906-07) et de traités (harmonie, orchestration). Il a révélé aux Français l'école russe dès 1889.

RINGHALS, centrale nucléaire de Suède, sur le Cattégat.

RINGUET (Philippe PANNETON, dit), écrivain canadien d'expression française (Trois-Rivières 1895 - Lisbonne 1960). Ses contes et ses romans évoquent avec réalisme la vie des paysans canadiens (*30 Arpents,* 1938).

RINTALA (Paavo), écrivain finlandais (Vyborg 1930). Après des récits dans la lignée traditionnelle du roman social (*les Serviteurs à cheval,* 1945), il cherche un style de « roman-document » où les procédés de l'interview et de l'enquête scientifique s'unissent à la reconstitution épique des événements d'un passé récent (*les Voix des soldats,* 1966; *les Messagers du Viêt-nam,* 1970).

RIO BRANCO, v. du Brésil, ch.-l. de l'État d'Acre; 84 000 hab.

Rio Bravo, film américain de Howard Hawks (1958), l'un des meilleurs westerns des années 50. L'apogée du classicisme dans un genre qui va évoluer au cours de la décennie suivante. Deux thèmes s'entrecroisent : la lutte entre un shérif et un riche éleveur sans scrupule, et le combat moral d'un alcoolique — l'adjoint du shérif — contre sa propre déchéance. John Wayne et Robert Mitchum interprètent ce film où le mouvement épique s'efface parfois devant l'étude du comportement individuel.

RÍO CUARTO, v. d'Argentine, au S. de Córdoba; 89 000 hab.

RIO DE JANEIRO, v. du Brésil, capit. de l'*État de Rio de Janeiro* (44 268 km²; 8 999 000 hab.); 4 252 000 hab. Dans un site exceptionnel (sur l'Atlantique et la baie de Guanabara), associant plages, végétation tropicale et reliefs granitiques isolés (Corcovado [704 m],

Pain de Sucre ou Pão de Açúcar [390 m]), Rio de Janeiro s'est développée comme capitale du Brésil (jusqu'en 1960); la fonction politique a entraîné l'essor des services (commerce, banque) et aussi de l'industrie, avec des branches stimulées par le marché de consommation (alimentation, textile, constructions mécaniques et électriques, chimie). L'industrialisation est cependant insuffisante, ce qui explique le chômage fréquent, l'extension des bidonvilles *(favelas),* contrastant avec les luxueux quartiers résidentiels du sud de l'agglomération, sur l'Atlantique. Dépossédée de son titre de capitale, longtemps la principale ville du Brésil, Rio est aujourd'hui largement dépassée par São Paulo. Elle demeure néanmoins la métropole culturelle (école d'architecture moderne ayant pour maîtres, entre autres, L. Costa*, Niemeyer* et Afonso Reidy, qui est l'auteur du musée d'Art moderne [1954]) et touristique (célèbre carnaval) du pays. Elle est aussi un des grands débouchés maritimes du Brésil (le port, avec un trafic de l'ordre de 30 Mt, est l'un des plus importants d'Amérique latine) et la plaque tournante aérienne majeure du continent sud-américain.

RÍO DE LA PLATA, grand estuaire de l'Amérique du Sud (formé par les fleuves Paraná et Uruguay), séparant l'Argentine (au S.) et l'Uruguay (au N.), et sur les rives duquel sont établies Buenos Aires et Montevideo.

RIO DE ORO → SAHARA OCCIDENTAL.

RIO GRANDE DO NORTE, État du nord-est du Brésil, sur l'Atlantique; 53 015 km²; 1 550 244 hab. Capit. *Natal.* Plantations de coton et de canne à sucre.

RIO GRANDE DO SUL, État le plus méridional du Brésil, sur l'Atlantique; 282 184 km²; 6 670 000 hab. Capit. *Porto Alegre.* De part et d'autre du 30e degré de latitude S., c'est une région au climat proche de celui de la zone tempérée et qui est encore fortement rurale, juxtaposant un important élevage bovin (plus de 20 millions de têtes) à une polyculture (céréales, tabac, vignoble) exceptionnelle dans le cadre brésilien.

RIOM (63200), ch.-l. d'arr. du Puy-de-Dôme, à 15 km au N. de Clermont-Ferrand; 17 962 hab. *(Riomois).* Cour d'appel. Églises Saint-Amable, romane et gothique, et Notre-Dame-du-Marthuret, flamboyante. Dans le palais de justice, Sainte-Chapelle de Jean de Berry, aux beaux vitraux du XVe s. Demeures anciennes. Musées. À Mozac, église des XIIe et XVe s., anc. abbatiale, avec remarquables chapiteaux romans, vitraux du XVe s., trésor (grande châsse limousine émaillée de Saint-Calmin).

Riom *(procès de),* procès entrepris à Riom à partir de février 1942, par une Cour suprême de justice, contre des personnalités jugées responsables de la défaite de 1940 (dont Léon Blum, É. Daladier et le général Gamelin). Les débats, qui mettaient en cause les dirigeants de Vichy, furent interrompus dès avril sans qu'aucun jugement ne fût prononcé. Les accusés furent, cependant, maintenus en prison avant d'être livrés aux Allemands.

RIOM-ÈS-MONTAGNES (15400), ch.-l. de cant. du Cantal, à 36 km à l'E.-N.-E. de Mauriac; 3 920 hab. Église romane.

RÍO MUNI → MBINI.

RION (le), fl. de l'U. R. S. S., né dans le Caucase et drainant l'ouest de la Géorgie; 314 km. Il passe à Koutaïssi et se jette dans la mer Noire.

RIOPELLE (Jean-Paul), peintre canadien (Montréal 1923). Lié à Borduas et aux « automatistes », il s'installe à Paris en 1948. Mosaïques de fibrilles ou de facettes colorées d'une texture dense, ses toiles s'organisent selon des rythmes vivaces, auxquels concourt le souvenir du spectacle de la nature. Riopelle a aussi donné des « lithos-collages » et des sculptures.

RIORGES (42300 Roanne), comm. de la Loire, dans la banlieue ouest de Roanne; 9 366 hab.

RÍO TINTO → MINAS DE RÍOTINTO.

RIOURIKIDES, dynastie issue du prince varègue* Riourik, qui régna sur la Russie du IXe au XVIe s. Selon la *Chronique des temps passés,* Riourik, répondant à l'« appel aux Varègues », serait venu régner sur Novgorod* (862), et son successeur, Oleg, sur Kiev* (978-982). Leurs descendants sont rapidement slavisés. Après le règne de Iaroslav le Sage (de 1036 à 1054), les princes riourikides gouvernent en commun la terre russe, se déplaçant de canton en canton suivant leur ancienneté et une hiérarchie déterminée des régions, Kiev revenant à l'aîné. À partir de la fin du XIIe s., les différentes régions vont devenir le patrimoine héréditaire des lignées princières (système des fiefs, ou *oudel*). La Moscovie* acquiert au XIVe s. la suprématie que détenait la principauté de Vladimir*-Souzdal. Les princes riourikides de Moscou, devenus tsars de Russie depuis Ivan IV*, se succèdent jusqu'à Fédor Ier*, avec qui s'éteint la dynastie en 1598.

RIOZ (70190), ch.-l. de cant. de la Haute-Saône, à 23 km au S.-S.-O. de Vesoul; 854 hab.

RIPA (Cesare) → ICONOGRAPHIE.

Riposte graduée (en angl. *Flexible Respons*), théorie stratégique américaine élaborée en 1961 par McNamara, secrétaire à la Défense. Opposée à celle des représailles massives, qui impliquait une riposte nucléaire immédiate à toute menace d'agression, la riposte graduée est fondée sur la volonté d'adapter le plus exactement possible à la nature de la menace ou de l'action exercée par un adversaire le choix des moyens militaires, nucléaires ou conventionnels à mettre en œuvre pour lui répondre.

RIQUET (Pierre Paul DE), ingénieur français (Béziers 1604-Toulouse 1680). Il entreprit la construction du canal du Midi (1666-1681), qui, réunissant la Méditerranée à l'Atlantique, exigea quatorze années de travaux inouïs et auquel il dut consacrer sa fortune devant l'insuffisance des fonds mis à sa disposition.

Riquet à la Houppe, conte en prose de Perrault. Le prince Riquet, intelligent mais laid, épouse une princesse belle mais bête, en échangeant avec elle, grâce aux fées, de l'esprit contre de la beauté.

RIQUEWIHR (68340), comm. du Haut-Rhin, à 4,5 km au S.-S.-O. de Ribeauvillé; 1 195 hab. Village pittoresque du vignoble alsacien, conservant une partie de ses remparts médiévaux et de nombreuses maisons anciennes.

RISCLE (32400), ch.-l. de cant. du Gers, à 15 km à l'E.-S.-E. d'Aire-sur-l'Adour; 1 859 hab.

RISHON-LEZIYON, v. d'Israël, au S. de Tel-Aviv; 59 000 hab.

RISLE ou **RILLE** (la), riv. de Normandie, drainant la moitié occidentale du département de l'Eure, avant de rejoindre l'estuaire de la Seine (r. g.); 140 km.

RIS-ORANGIS (91130), ch.-l. de cant. de l'Essonne, à 7,5 km au N.-O. de Corbeil-Essonnes; 27 505 hab. Maison de retraite des artistes lyriques.

Risorgimento, terme italien qui signifie *Renaissance* et, par extension, *Résurrection,* et qui a été employé au XIXe s. pour désigner le mouvement idéologique et politique qui contribua à unifier et à démocratiser l'Italie*, en la débarrassant des régimes étrangers et despotiques. (V. CAVOUR, PIÉMONT.)

RIST (Charles), économiste français (Lausanne 1874-Versailles 1955). Professeur aux facultés de droit de Montpellier et de Paris, il fut sous-gouverneur de la Banque de France de 1926 à 1929. On lui doit : *Histoire des doctrines économiques depuis les physiocrates jusqu'à nos jours* (1909, avec Charles Gide), *Essais sur quelques problèmes économiques et monétaires* (1933), *Histoire des doctrines relatives au crédit et à la monnaie depuis John Law jusqu'à nos jours* (1938), *Défense de l'or* (1955), etc.

RISTIĆ (Jovan), homme politique serbe (Kragujevac 1831-Belgrade 1899). Premier ministre et ministre des Affaires étrangères (1867), il obtient le départ des garnisons turques. Chef du Conseil de régence après l'assassinat du prince Michel (1868-1872), il rédige la Constitution parlementaire de 1869. De nouveau à la tête du cabinet de 1873 à 1880, puis de 1887 à 1889, il obtient l'indépendance de la Serbie (1878).

RITE. — Moyens de se préserver de tout ce qui est de l'ordre de l'anormal, les rites, en permettant l'actualisation des mythes, participent au maintien de l'ordre social, même lorsqu'ils ont pour objet d'engendrer le désordre (rituels d'inversion). On distingue notamment les rites qui s'articulent sur les moments de la vie (rites de naissance, rites d'initiation*, rites de mariage, rites funéraires), ceux qui repoussent la souillure (rites de purification), ceux qui chassent la maladie (rituels d'affliction).

rites *(querelle des),* grand débat missionnaire qui, aux XVIIe et XVIIIe s., opposa aux pouvoirs ecclésiastiques et aux ordres anciens (Capucins, Dominicains) — finalement triomphants (1742) — les jésuites français et italiens de Chine, convaincus, comme le P. Ricci*, qu'il fallait respecter les traditions de la Chine, qui, selon eux, pouvaient coexister avec le christianisme.

RITSOS (Ghiánnis), poète grec (Monemvassía 1909). Dès ses premiers recueils (*Tracteurs,* 1934; *Épitaphe,* 1936), il exprime à la fois l'angoisse de la solitude (aggravée par la tuberculose) et son désir de prendre part à la lutte des opprimés. Plusieurs fois déporté, il est d'abord un poète de combat (*Grécité,* 1947; *Cité indomptable,* 1953) avant de retrouver les mythes antiques dans un équilibre cherché entre la sensation immédiate et l'intelligence, et qui se nourrit de la présence obsédante du paysage grec (*Ismène,* 1972).

RITTER (Karl), géographe allemand (Quedlinburg, Prusse, 1779-Berlin 1859). L'un des fondateurs, avec A. von Humboldt, de la géographie moderne, il mit l'accent dans sa *Géographie universelle comparée* sur la liaison entre éléments physiques (milieu naturel) et éléments humains (habitat et activités).

RIVA-BELLA, station balnéaire sur la Manche (départ. du Calvados, comm. d'Ouistreham).

RIVALS (Jean), ingénieur militaire français (Toulouse 1905). Il dirigea la modernisation du matériel français d'artillerie après 1945 et créa notamment le canon de 155 ABS, modèle 1950.

RIVAROL (Antoine RIVAROL, dit le **comte de**), écrivain et journaliste français (Bagnols, Languedoc, 1753-Berlin 1801). Bel esprit, célèbre pour sa conversation et son élégance, il reçut le prix de l'académie de Berlin pour son *Discours sur l'universalité de la langue française* (1784). Les haines littéraires et politiques que lui avait values son *Petit Almanach des grands hommes de la Révolution* (1790) le contraignirent à l'exil, pendant lequel il fit le projet d'un *Nouveau Dictionnaire de la langue française.*

RIVAS (Ángel DE SAAVEDRA, *duc* DE), homme politique et écrivain espagnol (Cordoue 1791-Madrid 1865). Son drame *Don Alvaro ou la Force du destin* (1835) marque l'avènement du romantisme en Espagne.

RIVE-DE-GIER (42800), ch.-l. de cant. de la Loire, à 10 km au N.-E. de Saint-Chamond; 17 797 hab. *(Ripagériens).* Métallurgie. Verrerie.

RIVERA (Diego) → MURALISME.

RIVERS (William Halse), anthropologue britannique (Luton 1864-Cambridge 1922). Médecin et psychologue de formation, favorable un temps aux thèses évolutionnistes, il s'orienta par la suite vers le diffusionnisme. Il étudia les Todas du sud de l'Inde (*The Todas,* 1906). Il souligna l'importance de la dimension psychologique des faits sociaux et contribua à l'enrichissement de la théorie de la parenté (*Kinship and Social Organisation,* 1914).

RIVERSIDE, v. des États-Unis (Californie), à l'E. de Los Angeles; 140 000 hab.

RIVES (38140), ch.-l. de cant. de l'Isère, à 9 km à l'O.-S.-O. de Voiron; 5 007 hab. *(Rivois).* Constructions mécaniques.

RIVESALTES (66600), ch.-l. de cant. des Pyrénées-Orientales, à 8,5 km au N. de Perpignan; 6 754 hab. Vins doux.

RIVET (Pierre Louis), général français (Montalieu, Isère, 1883-Paris 1958). Il fut le chef très efficace des services militaires français de renseignements (S. R.) et de contre-espionnage à Paris (1936), à Vichy (1940), puis à Alger (1942-1944).

RIVIERA (la), littoral italien (Ligurie) sur le golfe de Gênes, de la frontière française à Viareggio (au N. de l'embouchure de l'Arno). Importante région de tourisme balnéaire où l'on distingue traditionnellement la *Riviera di Ponente,* à l'O. de Gênes (avec San Remo et Imperia), et la *Riviera di Levante,* à l'E. (Rapallo).

RIVIÈRE (Henri), officier de marine français (Paris 1827-Hanoi 1883). Il prit la citadelle de Hanoi en 1882, mais fut tué dans une sortie pour dégager la ville.

RIVIÈRE (Jacques), écrivain français (Bordeaux 1886-Paris 1925), directeur de *la Nouvelle Revue française* de 1919 à 1925. On a publié sa *Correspondance avec Paul Claudel* (1902-1914) et sa *Correspondance avec Alain-Fournier* (1905-1914).

RIVIÈRE-DU-LOUP, v. du Canada (Québec), sur la rive sud de l'estuaire du Saint-Laurent; 12 760 hab.

RIVIÈRE-PILOTE (97211), ch.-l. de cant. du sud de la Martinique; 11 064 hab.

RIVOLI, localité d'Italie (Vénétie), au N.-O. de Vérone, sur l'Adige; 2 000 hab. Victoire de Bonaparte sur les Autrichiens (1797) [v. ITALIE *(campagnes de Bonaparte en)*].

RIXENSART, comm. de Belgique (Brabant), au S.-E. de Bruxelles; 18 842 hab. (en 1970).

RIXHEIM (68170), comm. du Haut-Rhin, à 5 km à l'E. de Mulhouse; 8 575 hab.

RIYĀḌ ou **RIAD,** capit. de l'Arabie Saoudite et du Nadjd, dans l'intérieur de l'Arabie; 300 000 hab. Riyāḍ, où s'était repliée la dynastie saoudite (de 1824 à 1890) après l'écrasement du pouvoir wahhābite par les Ottomans et les Égyptiens, fut reconquise par ʿAbd al-ʿAzīz III ibn Saʿūd* en 1902. Elle devint en 1932 la capitale de l'Arabie Saoudite.

RIZ. — Le riz (*Oryza sativa* L.) est une graminacée dont il existe trois groupes de variétés : *Japonica,* de régions tempérées, à grain rond; *Indica,* de régions tropicales, à grain long et étroit; *Javanica,* d'Indonésie, à grain long et épais.

Selon la présentation on distingue :

— le *riz paddy,* grain vêtu des glumelles tel qu'il sort de la batteuse;
— le *riz cargo,* grain débarrassé des glumes et des glumelles;
— le *riz blanc,* ou *blanchi,* grain dépouillé des téguments et du germe (le blanchiment peut être suivi du polissage et du glaçage, fait avec du glucose et de l'amidon).

Deuxième production céréalière mondiale (à égalité avec le maïs et derrière le blé), le riz, pour des raisons de climat et aussi de civilisation, possède une aire de culture intensive relativement restreinte, mais constitue l'aliment de base de plus du tiers de la population mondiale.

La quasi-totalité de sa production provient de l'Asie orientale et méridionale, tropicale, atteinte par la mousson. Sur une récolte annuelle mondiale oscillant, selon les années, autour de 320 Mt, la Chine en assure probablement le tiers et l'Inde le cinquième. Loin derrière vient un groupe de producteurs moyens (Indonésie, Bangladesh, Japon, Thaïlande), dont l'apport unitaire varie entre 25 et 12 Mt. Le premier producteur non asiatique, le Brésil, ne fournit que 7 à 8 Mt de riz. La quasi-totalité de la production est consommée sur place. À la différence de celui du blé, le commerce international du riz est minime, intéressant moins de 5 p. 100 de la production mondiale.

RIZAL Y ALONSO (José), patriote philippin (Calamba 1861-Manille 1896). Médecin et philosophe, il dénonça les vices de l'administration espagnole. Il fut exécuté, mais son nom devint le cri de ralliement des patriotes philippins.

ROANNE (42300), ch.-l. d'arr. de la Loire, sur la Loire, dans la *plaine de Roanne* (drainée par le fleuve, entre les monts de la Madeleine et du Beaujolais); 56 498 hab. *(Roannais).* Musée municipal, dit «Joseph-Déchelette» (préhistoire, archéologie, objets d'art...). L'agglomération (avec notamment Riorges, Le Coteau, Mably) compte environ 85 000 habitants et est dominée par l'industrie, métallurgie (armement, machines) et textile principalement. C'est aussi un centre commercial et bancaire.

ROBBE-GRILLET (Alain), écrivain français (Brest 1922). Théoricien (*Pour un nouveau roman,* 1963) et illustrateur de l'école du «nouveau* roman», il refuse les «illusions» de la tradition littéraire postbalzacienne (le naturel, l'humanisme, le tragique) pour tenter de décrire un univers impénétrable, dont l'homme ne saisit que les contours, les dimensions, les positions successives. Le réel n'est plus susceptible d'une transcription univoque, mais d'une pluralité d'angles de vue, d'une série d'interprétations juxtaposées ou entrecroisées, méticuleusement rapportées («la rigueur dans l'incertitude»). Robbe-Grillet pose ainsi le problème du sens dans une perspective proche de celles de Joyce et de Faulkner, et systématise la leçon proustienne (l'imaginaire double le réel, comme la carte postale double le paysage représenté) : l'imagination est d'abord un redoublement de la perception, qui se prolonge dans une série infinie d'interréactions entre le possible et le réel (*les Gommes*,* 1953; *le Voyeur,* 1955; *la Jalousie**, 1957; *Dans* le labyrinthe,* 1959; *la Maison de rendez-vous,* 1965; *Projet pour une révolution à New York,* 1970; *Topologie d'une cité fantôme,* 1976). Cette esthétique du «regard» a conduit Robbe-Grillet à pratiquer l'écriture cinématographique, d'abord avec A. Resnais (*l'Année dernière à Marienbad,* 1961), puis comme seul réalisateur (*l'Immortelle,* 1963; *Trans-Europ-Express,* 1966; *l'Éden et après,* 1969; *Glissements progressifs du plaisir,* 1973; *le Jeu avec le feu,* 1974).

ROBBINS (Jerome), danseur et chorégraphe américain (New York 1918). Très bon danseur, il se révèle dès ses premiers essais (*Fancy Free,* 1944) un chorégraphe inventif, dotant le ballet américain d'un véritable style. *The Cage* (1951), *Afternoon of a Faun* (1953), *Moves* (1959) font date dans l'histoire du ballet, tandis que la version filmée du «musical» *West Side Story,* dont Robbins règle la chorégraphie, fait le tour du monde. Directeur artistique associé du New York City Ballet (1949-1963), dont il est encore le principal chorégraphe avec G. Balanchine, Robbins dirige sa propre troupe, les Ballets USA (1958-1962). On peut citer encore sa version des *Noces* (1965), *Dances at a Gathering* (1969), *Watermill* (1972), *The Dybbuk Variations* (1974), *Concerto en sol* (1975).

ROBERT (Le) [97231], ch.-l. de cant. de la côte est de la Martinique; 14 574 hab.

ROBERT BELLARMIN *(saint),* jésuite italien, cardinal et docteur de l'Église (Montepulciano 1542-Rome 1621). Controversiste, il intervint dans les débats théologiques de son temps sur la grâce et les pouvoirs du pape, au sujet desquels il soutint que la papauté en tant que telle n'a pas à exercer une action temporelle directe. Il prit part à la condamnation de Galilée* (1616) et combattit le gallicanisme*.

ROBERT le Fort, ROBERT Ier → CAPÉTIENS.

ROBERT II le Pieux (Orléans v. 970-Melun 1031), roi de France de 996 à 1031. Fils d'Hugues Capet, qui l'associa au trône dès 987, il répudia (989) son épouse, Rosala, épousa sa cousine Berthe de Provence, qu'excommunié il dut renvoyer, et s'unit enfin à Constance d'Arles (1003). Il accrut considérablement le domaine royal en annexant le duché de Bourgogne (1003-1005) ainsi que les comtés de Dreux (1015) et de Melun (1016). Il fit sacrer son fils Henri Ier dès 1027.

ROBERT Ier Bruce (Turnberry, Ayrshire, 1274-château de Cardross 1329), roi d'Écosse de 1306 à 1329. Il se joignit au soulèvement de William Wallace contre l'Angleterre (1297), mais dut se soumettre à Édouard Ier. À la suite d'un crime qui le mettait hors la loi, il prit la tête de la résistance écossaise (1306). Couronné roi (mars 1306), il anéantit les forces anglaises à Bannockburn en 1314. Le traité de Northampton, qu'il signa en 1328 avec l'Angleterre, confirma l'indépendance de son pays.

ROBERT Ier le Sage (1278-Naples 1343), duc d'Anjou et roi de Naples (1309-1343), troisième fils de Charles II d'Anjou. Nommé héritier du royaume par le pape Boniface VIII (1297), il fut d'abord associé au pouvoir par son père. Chef du parti guelfe, il s'opposa avec succès à l'empereur Henri VII (1310-1313). Devenu vicaire impérial en Italie (1314), il tenta en vain de reprendre la Sicile (1314) et d'écraser les gibelins. S'il put faire élire son candidat à la papauté (Jean XXII, 1316), il fut battu par les Visconti à Vaprio (1324), et ses troupes furent chassées de Rome (1327) par les gibelins, qui suscitèrent l'antipape Nicolas V (1328-1330).

ROBERT GUISCARD (v. 1015-Céphalonie 1085), comte (1057-1059), puis duc de Pouille, de Calabre et de Sicile (1059-1085). Fils de Tancrède de Hauteville, il prit part à la conquête de la Pouille et de la Calabre, dont il devint le maître à la mort de son demi-frère Onfroi (1057). Ayant obtenu du pape Nicolas II (1059) l'investiture ducale, il chassa les Byzantins de l'Italie du Sud (1060-1071) et entreprit la conquête de la Sicile musulmane (prise de Palerme, 1072). Ayant ainsi constitué le futur royaume de Sicile, il y implanta une administration centralisée. Après un conflit avec Grégoire VII, il entreprit une expédition contre l'Illyrie byzantine (1081-82) et mit la main sur Durazzo (1082). De retour en Italie, il délivra Grégoire VII, assiégé dans Rome par Henri IV (mai 1084).

ROBERT d'Arbrissel, moine français (Arbrissel, Bretagne, v. 1047-Orsan, Berry, 1117). Théologien, il se retira dans la forêt de Craon (1091) et attira, par l'exemple de son austérité, nombre de pénitents. Il fonda en 1101 l'abbaye de Fontevrault.

ROBERT (Hubert), peintre, dessinateur et graveur français (Paris 1733-*id.* 1808). Il séjourna de 1754 à 1765 en Italie, où il reçut les conseils de Pannini et étudia les antiques. Ses paysages, où des ruines et des monuments librement regroupés s'animent de scènes familières, sont empreints d'une sensibilité caractéristique de la fin du XVIIIe s. Robert peignit aussi des vues de Paris, s'occupa d'aménagements de parcs (Versailles, Compiègne, Méréville) et fut conservateur du Louvre sous le Directoire.

ROBERT-HOUDIN (Jean Eugène), prestidigitateur français (Blois 1805-Saint-Gervais-la-Forêt 1871). Il ouvrit en 1845 au Palais-Royal le théâtre des Soirées-Fantastiques, où il se rendit célèbre en présentant, revêtu d'un habit noir, des « tours » sans mise en scène. Rompu aux techniques d'escamotage, il publia plusieurs ouvrages de prestidigitation. Ses expériences furent reprises par son fils JEAN-JACQUES (Paris 1831-*id.* 1883).

ROBERTS (Frederick Sleigh), maréchal britannique (Cawnpore, Inde, 1832-Saint-Omer 1914). Après s'être distingué en Afghānistān (1880), il commanda en 1899 les forces engagées contre les Boers.

ROBERTSON (*sir* William), maréchal britannique (Welbourn 1860-Londres 1933). Il fut chef de l'état-major impérial britannique à la fin de la Première Guerre mondiale (1916-1918).

ROBERVAL (Gilles PERSONNE ou PERSONIER DE), mathématicien et physicien français (Roberval 1602-Paris 1675). Il étudia la quadrature des surfaces et le volume des solides, donna la règle de composition des forces et imagina une balance à deux fléaux et plateaux libres (1670).

ROBESPIERRE (Maximilien DE), homme politique français (Arras 1758-Paris 1794). Avocat (1781), il est élu en 1789 député du tiers état en Artois. Orateur convaincu, il ne peut, cependant, s'imposer à l'Assemblée constituante*, dont il est l'un des rares membres démocrates. Par contre, il devient peu à peu le véritable animateur du club des Jacobins*; celui que sa simplicité de vie fait surnommer l'« Incorruptible » développe un idéal politique inspiré de J.-J. Rousseau, où le souci des besoins du peuple et la lutte contre le parti aristocrate tiennent une place prépondérante. Adversaire de la guerre et, donc, du parti brissotin (v. GIRONDINS) en 1792, Robespierre, dont les prédictions se révèlent exactes lors des désastres militaires, passe au premier plan lorsqu'il est élu député de Paris à la Convention* (sept. 1792). Siégeant à la Montagne* — avec laquelle il vote la mort du roi —, il ne cesse de polémiquer avec les Girondins, s'appuyant sur la Commune* de Paris et les sections parisiennes pour réclamer et obtenir (mai-juin 1793) leur élimination. La gravité de la situation pousse alors l'« Incorruptible » à l'instauration d'un pouvoir dictatorial, centralisateur, fondé sur la « vertu » et la « terreur ». Entré au Comité de salut public (27 juill. 1793), Robespierre s'y révèle véritable homme d'État. Soupçonnant les extrémistes d'être des agents de l'ennemi, il obtient de la Convention* l'élimination des enragés, ou hébertistes (mars 1794), puis des modérés, ou dantonistes (avr.). Alors, porte-parole d'un pouvoir exécutif triomphant, il est le maître effectif de la France, renforçant le régime de terreur (Grande Terreur), tout en imposant aux Français le culte de l'Être* suprême. Mais, quand la victoire de Fleurus (26 juin 1794) amorce le retournement de la situation au profit de la France révolutionnaire, ce régime apparaît comme intolérable. Le 9 thermidor an II (27 juill. 1794), Robespierre, son frère AUGUSTIN (Arras 1763-Paris 1794) et leurs amis, dont Saint-Just*, sont mis en état d'arrestation par l'Assemblée. Un moment sauvé par la Commune, Robespierre est repris par les troupes de la Convention et guillotiné le 28 juillet.

Lauros-Giraudon

Robespierre, par Joseph Boze (1745-1826). [Musée Lambinet, Versailles.]

Robin Hood, héros légendaire du Moyen Âge anglais, qui symbolise la résistance des Saxons aux envahisseurs normands (*Robin des Bois* pour les Français).

ROBINIER. — C'est le véritable nom de l'arbre communément appelé *acacia.* Introduit en France sous Henri IV par Jean et Vespasien Robin, cet arbre a envahi les forêts et est utilisé en plantation sur bien des avenues. Ses racines, traçantes, peuvent le rendre menaçant pour les murs avoisinants. Ses feuilles, pennées, aux folioles ovales, se mêlent de grappes de fleurs blanches de type papilionacé. Le robinier est un arbre épineux, au tronc crevassé. Il drageonne abondamment et peut former de véritables bosquets. Son bois a de nombreux usages. (Famille des papilionacées.)

ROBINSON, écart de la comm. du *Plessis-Robinson**.

ROBINSON (*sir* Robert), chimiste anglais (Chesterfield 1886-Great Missenden, Buckinghamshire, 1975). Il étudia les colorants des fleurs et réalisa la synthèse d'hormones sexuelles ainsi que celle de la pénicilline. (Prix Nobel de chimie, 1947.)

ROBINSON (Walker SMITH, dit **Ray Sugar**), boxeur américain (Detroit 1920). Alliant un punch redoutable à l'élégance du style, il dut à la variété de ses dons une carrière exceptionnellement riche et longue : il fut champion du monde des poids welters de 1946 à 1951 et plusieurs fois champion des poids moyens entre cette dernière année et 1960.

Robinson Crusoé *(la Vie et les étranges aventures de),* roman de Daniel Defoe (1719). Ce récit s'inspire des aventures d'un marin écossais, Alexander Selkirk, abandonné pendant cinq ans sur l'île de Juan Fernandez. Robinson, seul survivant d'un naufrage, parvient à vivre pendant vingt-huit ans dans une île déserte et à se créer un bonheur relatif; il est ensuite aidé par le Noir Vendredi et peut enfin revenir dans sa patrie.

Robinson suisse *(le),* de Johann David Wyss (1812), adaptation, à l'usage de l'enfance, du thème du roman de Defoe.

ROBIQUET (Pierre Jean), pharmacien et chimiste français (Rennes 1780-Paris 1840). Auteur de travaux sur les colorants d'origine végétale, il a découvert la narcotine et la codéine.

ROBOAM, fils et successeur de Salomon, premier souverain du royaume de Juda* (931-913 av. J.-C.). Son manque de sens politique provoqua la sécession des tribus du Nord (v. HÉBREUX) et la division du pays en deux royaumes : celui d'Israël* et celui de Juda.

ROBOT. — Cet appareil électroménager est composé d'un bloc-moteur dans un corps de plastique combinable avec divers accessoires pour de multiples utilisations : fouets pour battre, pilon pour malaxer (mixer), couteaux pour hacher.

ROCAILLE (style). — Les « grottes » de cailloux et de coquillages de la Renaissance, le goût débridé d'un architecte baroque comme Borromini*, les arabesques d'un C. Audran* figurent parmi les antécédents de l'ornementation rocaille, qui introduit la dissymétrie et semble s'inspirer des plus capricieuses fantaisies de la nature (végétaux et coquillages contournés, concrétions, pierres taraudées...). Oppenordt* et Meissonnier* sont les principaux promoteurs de cette mode, qui s'épanouit en France de la Régence au deuxième tiers du règne de Louis XV (meubles d'un Cressent*,

La Rochelle.
La ville et le vieux port, que gardent les tours de la Chaîne et de Saint-Nicolas (XIVe s.).

orfèvreries de T. Germain*, sculptures de L. S. Adam*, décors du peintre Jacques de Lajoue [1687-1761], etc.). Avec un Cuvilliés* se confondent la rocaille et cette forme du baroque* qu'est le *rococo* sud-germanique. L'action d'un Cochin* fils contribuera, en France, à briser cet élan au profit de la sévérité néoclassique*.

ROCAMADOUR (46500 Gramat), comm. du Lot, à 9 km au N.-O. de Gramat; 708 hab. Bourg de pèlerinage dans un site pittoresque, conservant un château en partie du XIVe s., des restes de fortifications, de vieilles maisons, une église romane et diverses chapelles.

Rocambole, personnage aux aventures extraordinaires, héros d'une trentaine de romans de Ponson du Terrail.

ROCARD (Michel), homme politique français (Courbevoie 1930). Il rompt avec la S. F. I. O. et participe à la création du P. S. U. (1960), dont il devient secrétaire général (1967-1973). Il se présente à l'élection présidentielle de juin 1969. En 1974, il quitte le P. S. U. et rejoint le parti socialiste.

ROCHAMBEAU (Jean-Baptiste DE VIMEUR, *comte* DE), officier français (Vendôme 1725 - Thoré 1807). Il se distingue durant la guerre de Sept Ans*, mais surtout pendant la guerre de l'Indépendance* américaine, en contribuant à la défaite anglaise de Yorktown (1781). Maréchal de France (1791), il doit abandonner le commandement de l'armée du Nord après l'échec de Quiévrain (1792).

ROCHDALE, v. d'Angleterre, au N.-E. de Manchester; 86 000 hab. Berceau du mouvement coopératif (association créée en 1844).

ROCHE. — Matériaux constitutifs de l'écorce terrestre, les roches sont des agrégats de minéraux. Leur étude fait l'objet de la pétrographie, branche de la géologie. Suivant leur mode de formation, les roches sont classées en trois grands types. Les *roches éruptives* résultent de la cristallisation d'un magma en profondeur (roches plutoniques) ou en surface (roches volcaniques ou effusives). Les *roches sédimentaires* se forment par diagenèse d'un sédiment provenant de la dégradation du relief. Les *roches métamorphiques* résultent de la transformation de roches préexistantes, se trouvant placées dans des conditions de température et de pression différentes de celles de leur formation. On oppose parfois les roches endogènes (éruptives et métamorphiques), qui ont leur origine en profondeur, et les roches exogènes (sédimentaires), qui se forment en surface. Le terme de « roches cristallines » est également donné aux roches éruptives et métamorphiques, car les cristaux y sont généralement visibles à l'œil nu.

ROCHE-BERNARD (La) [56130], ch.-l. de cant. du Morbihan, sur l'estuaire de la Vilaine, à 26 km au S.-O. de Redon; 1 038 hab. Pont routier.

ROCHE-CANILLAC (La) [19320 Marcillac la Croisille], ch.-l. de cant. de la Corrèze, à 27,5 km à l'E.-S.-E. de Tulle; 214 hab. Village pittoresque (église du XIVe s., château du XVe s.).

ROCHECHOUART (87600), ch.-l. d'arr. de la Haute-Vienne, à 10 km au S.-O. de Saint-Junien; 4 200 hab. *(Rochechouartais).* Beau château des XIIIe et XVe s. Travail du cuir.

ROCHE-DERRIEN (La) [22450], ch.-l. de cant. des Côtes-du-Nord, à 6 km au S.-O. de Tréguier; 982 hab. Ruines d'un château féodal. Église des XIIIe-XIVe s.

ROCHEFORT (17300), ch.-l. d'arr. de la Charente-Maritime, sur la Charente, à 30 km au S.-E. de La Rochelle; 32 884 hab. *(Rochefortais).* École des techniciens de l'armée de l'air (elle a succédé à l'École des mécaniciens de l'air, créée en 1916). Musées maritime et des Beaux-Arts, installés dans des hôtels des XVIIe et XVIIIe s. Ville de garnison. Caravanes. Canots pneumatiques. Industrie du bois. — La base navale de Rochefort fut créée par Colbert en 1666. Son arsenal rivalisa avec ceux de Brest et de Toulon jusqu'à la fin de la marine à voile.

ROCHEFORT (Henri, *marquis* DE ROCHEFORT-LUÇAY, dit **Henri**), journaliste et homme politique français (Paris 1831 - Aix-les-Bains 1913). Issu d'un milieu aristocratique et légitimiste, il fonde, en 1868, *la Lanterne,* dont la virulence l'oblige à s'exiler quelques mois. Député en 1869, puis en 1871, un moment membre du gouvernement de la Défense nationale (1870), il approuve l'action de la Commune* de Paris, ce qui lui vaut d'être déporté en Nouvelle-Calédonie (1873). Évadé, il rentre en France en 1880 et crée *l'Intransigeant,* journal radical. Mais son influence subit un rude coup quand cet homme de gauche se rallie à la cause du général Boulanger* (1889).

ROCHEFORT-EN-TERRE (56220 Malansac), ch.-l. de cant. du Morbihan, à 10,5 km au N.-E. de Questembert; 599 hab. Bourg pittoresque : ruines du château (XIIIe s.), église des XIVe-XVIe s., belles demeures en granite du XVIIe s.

ROCHEFORT-MONTAGNE (63210), ch.-l. de cant. du Puy-de-Dôme, à 16 km au N.-N.-E. de La Bourboule; 1 308 hab.

ROCHEFORT-SUR-NENON (39700 Orchamps), ch.-l. de cant. du Jura, sur le Doubs, à 7 km au N.-E. de Dole; 286 hab. Cimenterie.

ROCHEFOUCAULD (La) [16110], ch.-l. de cant. de la Charente, à 22 km au N.-E. d'Angoulême; 3 783 hab. *(Rupificaldiens).* Imposant château des XIIe-XVIIIe s. (belles parties de la Renaissance). Église du XIIIe s. Briqueterie-tuilerie.

ROCHE-GUYON (La) [95780], comm. du Val-d'Oise, sur la Seine, à 15 km au N.-O. de Mantes-la-Jolie; 603 hab. Donjon du XIe s. et château des XIIIe-XVIIIe s.

ROCHE-LA-MOLIÈRE (42230), comm. de la Loire, dans la banlieue ouest de Saint-Étienne; 9 937 hab. Industries automobile et aéronautique.

ROCHELLE (La) [17000], ch.-l. du départ. de la Charente-Maritime, sur l'Atlantique, à 477 km au S.-O. de Paris; 71 494 hab. *(Rochelais).*

GÉOGRAPHIE. L'agglomération (avec notamment Périgny et Aytré) compte plus de 100 000 habitants. Sa progression est due à l'industrialisation, dominée par la métallurgie de transformation (constructions mécaniques [automobiles] et électriques). La ville demeure aussi un centre administratif, commercial et touristique ainsi qu'un port de commerce (près de 4 Mt de trafic annuel) et de pêche (le plus important au S. de la Bretagne).

HISTOIRE. La Rochelle doit sa fortune à la ruine de Chatelaillon au XIIe s. Du XIVe au XVIIe s., elle est l'un des grands ports français tournés vers l'Amérique. Mais, largement gagnée à la Réforme, elle subit (en 1573 et surtout en 1627-28) deux sièges héroïques et meurtriers. Par la suite, la révocation de l'édit de Nantes (1685) et la perte du Canada (1763), de la Louisiane et de Saint-Domingue la

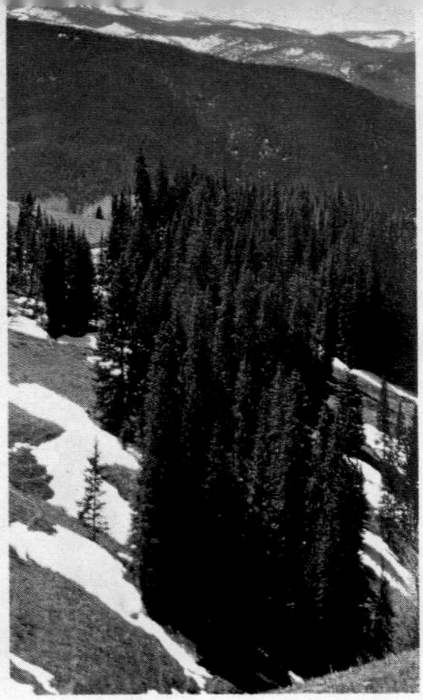

Rocheuses. Paysage des Rocheuses, dans l'État du Colorado, aux États-Unis.

M. Franck - Viva

frappent durement. En 1944-45, les Allemands y résistent aux troupes françaises.

BEAUX-ARTS. Restes de fortifications : porte du XIIIe s., tours du vieux port, des XIVe-XVe s. Bel hôtel de ville, principalement de la fin de la Renaissance; autres édifices publics et belles demeures des XVIe-XVIIIe s. Cathédrale, surtout du XVIIIe s. Musée de peintures (Fromentin, etc.), musée d'Orbigny-Bernon (archéologie; histoire locale; faïences, dont celles de La Rochelle, des XVIIe-XVIIIe s.), muséum (océanographie, ethnographie de l'Océanie...).

ROCHEMAURE (07400 Le Teil d'Ardèche), ch.-l. de cant. de l'Ardèche, à 5 km au N.-O. de Montélimar; 1068 hab. Ruines d'un château médiéval.

ROCHE-POSAY (La) [86270], comm. de la Vienne, à 22,5 km à l'E. de Châtellerault; 1402 hab. Donjon du XIIe s., église des XIe-XVIe s. Station hydrominérale aux eaux froides bicarbonatées, radioactives, utilisées dans le traitement des affections de la peau. On y traite les eczémas, même à leur période aiguë, le psoriasis, l'acné, les dermatoses professionnelles.

Roches-Douvres *(les)*, installations militaires sur la rive nord de la rade de Brest, servant depuis 1972 de centre d'entraînement aux sous-marins lance-missiles.

ROCHESERVIÈRE (85620), ch.-l. de cant. de la Vendée, à 32 km au N.-N.-O. de La Roche-sur-Yon; 1950 hab.

ROCHESTER, v. d'Angleterre (Kent), au S.-E. de Londres; 50000 hab. Château fort. Cathédrale des XIIe-XIVe s.

ROCHESTER, v. des États-Unis (État de New York), entre le lac Ontario et le canal Érié; 296000 hab. Produits et appareils photographiques.

ROCHE-SUR-FORON (La) [74800], ch.-l. de cant. de la Haute-Savoie, dans la vallée de l'Arve, à 8 km à l'O. de Bonneville; 6818 hab.

ROCHE-SUR-YON (La) [85000], ch.-l. du départ. de la Vendée, à 429 km au S.-O. de Paris; 48053 hab. *(Yonnais).* Musée. Ville en progression démographique rapide, centre administratif et commercial avec quelques industries (constructions électriques et mécaniques, confection).

ROCHET (Waldeck), homme politique français (Sainte-Croix, Saône-et-Loire, 1905). Il adhère au parti communiste français en 1924 et devient l'un des responsables de la section agraire, avant d'entrer au Comité central (1936). Secrétaire général adjoint du parti à partir de 1961, puis secrétaire général (1964-1972), il joue un rôle important dans la réalisation de l'union de la gauche et condamne l'invasion de la Tchécoslovaquie par les troupes soviétiques. Après 1968, des raisons de santé l'obligent à abandonner ses fonctions.

ROCHETTE (La) [73110], ch.-l. de cant. de la Savoie, à 9,5 km au N.-N.-E. d'Allevard; 3178 hab. Cartonnerie.

ROCHEUSES *(montagnes),* massif montagneux de l'Amérique du Nord. On étend parfois cette appellation à l'ensemble des hautes terres de l'Ouest américain de la frontière du Mexique à l'Alaska, mais, en fait, elle s'applique seulement à la partie orientale de cet ensemble, dominant à l'E. les plaines sédimentaires (la Prairie), qui occupent le centre de l'Amérique du Nord, et à l'O. une série de hauts plateaux intérieurs (développés surtout aux États-Unis : Grand Bassin et plateau du Colorado; plateau de la Columbia au Canada), qui sont séparés de l'océan par les cordillères pacifiques (en partie aussi insulaires [au Canada]). Les Rocheuses dressent une barrière presque continue, dépassant fréquemment 4000 m aux États-Unis (4398 m au mont Elbert), mais approchant rarement ce niveau au Canada (3954 m au mont Robson). En dehors des centres miniers (extraction du cuivre notamment), la population, peu dense, vit de l'élevage, alors que le piémont est jalonné de quelques villes, dont les plus importantes sont Calgary (au Canada) et surtout Denver*, porte de l'ouest des États-Unis.

ROCKEFELLER (John Davison), industriel américain (Richford 1839-Ormond Beach 1937). L'un des premiers à avoir pressenti l'avenir du pétrole, il fonda la Standard Oil et domina toute l'industrie pétrolière américaine par le contrôle à 90 p. 100 des transports pétroliers, acquérant ainsi l'une des plus grosses fortunes du monde, dont il distribua une partie à des institutions.

ROCKFORD, v. des États-Unis (Illinois), à l'O. de Chicago; 147000 hab.

ROCQUENCOURT (78150 Le Chesnay), comm. des Yvelines, à 5 km au N. de Versailles; 2034 hab. Siège du quartier général des forces du Pacte atlantique en Europe de 1951 à 1967.

ROCROI (08230), ch.-l. de cant. des Ardennes, à 12 km à l'O. de Revin; 2911 hab. Fortifications du XVIIe s. — Victoire remportée par la cavalerie du Grand Condé sur l'infanterie espagnole les 18 et 19 mai 1643.

ROD (Édouard), écrivain suisse d'expression française (Nyon 1857-Grasse 1910). Admirateur de Zola, il évolua dans ses romans de l'observation naturaliste à l'analyse psychologique (*Palmyre Veulard,* 1881; *L'ombre s'étend sur la montagne,* 1907).

RODANGE, v. du Luxembourg, à la frontière française (près de Longwy); 4000 hab. Minerai de fer. Métallurgie.

RODE (Pierre), violoniste français (Bordeaux 1774-Château-Bourbon 1830). Professeur de violon au Conservatoire de Paris, il se fit applaudir comme virtuose en Espagne, en Russie et en Allemagne. Il est l'auteur de concertos, de sonates, de caprices et d'études.

RODENBACH (Georges), écrivain belge d'expression française (Tournai 1855-Paris 1898). Poète précieux et maladif des demi-teintes, il introduisit, par ses recueils de vers (*le Règne du silence,* 1891) et ses romans (*Bruges-la-Morte,* 1892), la poésie de la Flandre dans la littérature contemporaine.

RODEZ (12000), ch.-l. de l'Aveyron, sur l'Aveyron, à 610 km au S. de Paris; 28165 hab. *(Ruthénois).* Cathédrale gothique des XIIIe-XVIe s. (important mobilier). Église Saint-Amans, romane, remodelée au XVIIIe s. Hôtels et maisons des XVe-XVIIe s. Musée Fenaille (collections préhistoriques [statues-menhirs], gallo-romaines [céramique de la Graufesenque] et médiévales) et musée des Beaux-Arts, dit «Denys-Puech». Centre administratif et commercial. Constructions mécaniques.

RODIN (Auguste), sculpteur français (Paris 1840-Meudon 1917). Si ses études (École impériale de dessin et de mathématiques, puis cours de Barye au Muséum) et ses travaux alimentaires (comme ornemaniste, mouleur, praticien et ciseleur) lui donnent sa formation et sa virtuosité, le choc reçu de Michel-Ange en Italie (1875) le libère de l'académisme. Jouant de la matière (plâtre, bronze, marbre), qu'il anime comme nul autre dans la lumière, Rodin entame une œuvre qui mêle, en les dépassant, réalisme et romantisme. D'un lyrisme sensuel (*le Baiser,* 1886), mais aussi d'une intensité tragique (*les Bourgeois de Calais,* 1884-1886), son art garde une marque personnelle qu'on ne peut réduire à ses modèles de prédilection (antique, gothique ou Renaissance italienne). Malgré les scandales (le *Balzac,* 1891-1898), Rodin finit par être admis et admiré, et donne de nombreux bustes de personnalités (*Clemenceau,* 1911). Mais sa grande œuvre, qui l'occupe de 1880 jusqu'à sa mort, reste la monumentale et inachevée *Porte de l'enfer,* répertoire de ses idées, de ses formes et de ses thèmes; il s'y rattache des sculptures comme les différentes versions du *Penseur.* Deux des ateliers de Rodin, l'hôtel Biron à Paris (musée Rodin) et la villa des Brillants à Meudon, renferment la plus grande partie de son œuvre.

RODÓ (José Enrique), essayiste et philosophe uruguayen (Montevideo 1872-Palerme 1917). Il évolua du positivisme au bergsonisme et défendit la culture gréco-latine (*Motifs de Protée,* 1909).

RODOGUNE, princesse parthe (IIe s. av. J.-C.). Fille de Mithridate Ier (v. 171-v. 138), elle épousa vers 140 Démétrios II, roi séleucide de Syrie (146-125). Victime des intrigues de Cléopâtre Théa († 121), première femme de Démétrios, elle dut, après la mort de ce dernier, retourner auprès de son père. Elle est l'héroïne de la *Rodogune** de Corneille*.

Rodogune, tragédie de Corneille (1644-45). Le caractère de la reine

Cléopâtre, jalouse de son pouvoir jusqu'à sacrifier la vie de ses fils, est l'un des plus violents qu'ait créés le poète.

RODOLPHE *(lac),* lac du nord du Kenya; 8 600 km^2.

RODOLPHE Ier DE HABSBOURG (Limburg 1218 - Spire 1291), roi des Romains (1273-1291). Possesseur du landgraviat de Haute-Alsace et de nombreux domaines en Suisse alémanique, il servit les empereurs Frédéric II et Conrad V. Son élection comme roi des Romains (1er oct. 1273) mit fin au Grand Interrègne. Rodolphe abandonna les prétentions impériales sur la Sicile et fonda la puissance des Habsbourg aux dépens de la Bohême, en vainquant Otakar II dans le Marchfeld et en dépouillant l'héritier de celui-ci (1278) de l'Autriche, de la Styrie et de la Carniole.

RODOLPHE II DE HABSBOURG (Vienne 1552 - Prague 1612), archiduc d'Autriche, roi de Hongrie (1572-1608) et de Bohême (1575-1611), empereur germanique (1576-1612), fils de Maximilien II. Il favorisa la Contre-Réforme. En installant sa capitale à Prague, il s'attira la sympathie des Tchèques, mais l'hostilité des Allemands et des Hongrois. Son frère, l'archiduc Mathias, l'obligea à lui céder l'Autriche, la Moravie (1608) puis la Hongrie et la Bohême (1611), ne lui laissant que le titre impérial.

RODOLPHE DE HABSBOURG (Laxenburg 1858 - Mayerling 1889), archiduc d'Autriche. Fils unique de l'empereur François-Joseph Ier, il afficha une liaison qui se termina en tragédie, sa maîtresse et lui ayant été trouvés morts.

RODRIGUE, roi des Wisigoths → WISIGOTHS.

RODRIGUE → CID *(le).*

RODTCHENKO (Aleksandr), peintre russe (Saint-Pétersbourg 1891 - Moscou 1956). Influencé par Malevitch, puis adhérant au constructivisme de Tatline, il participe à partir de 1920 à l'animation des nouveaux instituts d'art de Moscou. Après avoir effectué des recherches sur la couleur pure, sur la ligne, sur le mouvement (mobiles suspendus de 1920), il choisit la voie d'un art « productiviste » contre celle de l'art « pur », se consacrant surtout au design industriel, au photomontage et aux arts graphiques.

ROENTGEN (David), ébéniste allemand (Herrenhag, près de Francfort, 1743 - Wiesbaden 1807). Il fit des ateliers de son père, à Neuwied, une grande manufacture. Ses meubles à secret, qui associent les inventions mécaniques à un traitement original de la marqueterie, eurent un grand succès à Paris — où il fonda une succursale en 1779 — et dans les cours d'Europe.

ROESELARE → ROULERS.

ROGER Ier (en Normandie 1031 - Mileto, Calabre, 1101), comte de Sicile (1062-1101), fils de Tancrède de Hauteville. Venu en Italie aider son frère Robert Guiscard à conquérir la Calabre sur les musulmans (1061), il participa à la conquête de la Sicile (1072), dont Robert le fit comte. Il fit de la Sicile, totalement indépendante après la mort de Robert (1085), un État fort.

ROGER II (v. 1095 - Palerme 1154), comte de Sicile (1101-1127), duc de Pouille et de Calabre (1127-1130), puis premier roi de Sicile (1130-1154), fils de Roger Ier. En 1127, il revendiqua la succession de son cousin Guillaume de Pouille; proclamé roi en 1130, par l'antipape Anaclet, il lutta contre Innocent II, qu'il fit prisonnier (1139) et dont il obtint la reconnaissance de son titre royal.

ROGERS (Carl) → NON-DIRECTIVISME.

ROGLIANO (20247), ch.-l. du cant. de Capobianco (Haute-Corse), dans le nord de la péninsule du cap Corse; 530 hab. Ruines médiévales. Église des XVIe-XVIIIe s.

ROGNAC (13340), comm. des Bouches-du-Rhône, à 25 km à l'O.-S.-O. d'Aix-en-Provence; 5 090 hab.

ROGNURE → BROCHAGE.

ROHAN (56580), ch.-l. de cant. du Morbihan, au pied du *plateau de Rohan,* à 17 km à l'E. de Pontivy; 1 746 hab.

ROHAN, ancienne famille française originaire de Bretagne (XIIe s.). HENRI, duc **de Rohan** et prince **de Léon** (Blain 1579 - Königsfelden 1638), huguenot fervent, gendre de Sully*, mena, sous Richelieu, la lutte protestante; après la paix d'Alès (1629), il se mit au service de Venise, puis des Impériaux; il fut tué en combattant Bernard de Saxe-Weimar. — LOUIS RENÉ ÉDOUARD, prince et cardinal **de Rohan** (Paris 1734 - Ettenheim, Bade, 1803), coadjuteur de Strasbourg (1760), ambassadeur à Vienne (1772), grand aumônier (1777), cardinal (1778) et évêque titulaire de Strasbourg (1779), mena une vie fastueuse et se compromit dans l'affaire du Collier de la reine (1785-86). Élu aux États généraux (1789), il émigra dès 1790.

Rohan *(hôtel de)* → SOUBISE *(hôtel de).*

RÓHEIM (Géza), psychanalyste hongrois (Budapest 1891 - New York 1953). Róheim, qui se dépeint lui-même comme le premier anthropologue psychanalyste, est parti des thèmes exposés par S. Freud* dans *Totem et tabou* (1912), qu'il a élargis en reconnaissant l'importance des fantasmes préœdipiens tels que M. Klein* les a décrits. Après l'étude sur le terrain, à l'aide d'une méthode proprement psychanalytique, d'un groupe ethnique ayant une structure sociale analogue à celle des Trobriandais analysés par B. Malinowski*, il affirme, contrairement aux thèses de ce dernier, l'existence d'une structure œdipienne universelle. (V. ŒDIPE.)

ROHRBACH-LÈS-BITCHE (57410), ch.-l. de cant. de la Moselle, à 19 km à l'E.-S.-E. de Sarreguemines; 1 808 hab.

ROHTAK, v. de l'Inde (Haryana), au N.-O. de Delhi; 125 000 hab.

Roi d'Ys *(le),* opéra en trois actes, livret de Blau, musique d'É. Lalo (1888).

Autour d'une légende celtique qui narre dans quelles circonstances la ville d'Ys a été engloutie par les flots, l'auteur a bâti une partition dramatique de haute tenue et d'une orchestration colorée. L'ouverture est souvent jouée en concert.

ROI-GUILLAUME *(terre du),* île de l'archipel arctique canadien.

Roi Lear *(le),* drame en cinq actes de Shakespeare (v. 1606). À partir d'une chronique des origines de l'Angleterre (un roi a déshérité sa plus jeune fille au profit des deux aînées et est payé d'ingratitude), une tragédie de l'absurde et du désir qui mêle le symbolisme cosmique au rythme du mélodrame.

Rois *(livres des),* nom donné à deux livres bibliques constitués par l'histoire du règne de Salomon* et par l'histoire parallèle des royaumes d'Israël* et de Juda* (v. HÉBREUX).

Ces récits, où se côtoient des éléments légendaires, historiques et hagiographiques, et dont une première rédaction se situe au VIIe s. av. J.-C., reçurent au temps de l'Exil, à la fin du VIe s. av. J.-C., leur forme actuelle.

Rois *(vallée des)* → THÈBES.

roi s'amuse *(Le),* drame historique de V. Hugo (1832). L'action se passe sous François Ier et a pour héros Triboulet, le bouffon du roi. (V. RIGOLETTO.)

ROISEL (80240), ch.-l. de cant. de la Somme, à 11,5 km à l'E. de Péronne; 1 895 hab.

roi se meurt *(Le),* pièce d'E. Ionesco (1962). Une tragédie pathétique qui va de la prise de conscience intolérable de la mort à l'acceptation de son rituel.

ROISSY (77680) ou **ROISSY-EN-BRIE,** ch.-l. de cant. de Seine-et-Marne, à 14,5 km au N. de Brie-Comte-Robert; 10 881 hab.

ROISSY-EN-FRANCE (95500 Gonesse), comm. du Val-d'Oise, à 16 km au N.-E. de Paris; 1 364 hab. Aéroport Charles-de-Gaulle.

ROITELET. — Le roitelet est très voisin de la mésange*, mais plus petit. La tête du mâle porte une huppe érectile de teinte orangée. Le *troglodyte,* roitelet sans huppe, est le plus petit des oiseaux d'Europe. (Famille des paridés.)

ROJAS (Fernando DE), écrivain espagnol (Puebla de Montalbán v. 1465 - Talavera 1541), auteur présumé de *la Célestine**.

ROJAS Y ZORRILLA (Francisco DE), poète dramatique espagnol (Tolède 1607 - Madrid 1648). Ses drames *(Hormis le roi, personne, ou Garcia del Castañar)* et ses comédies (1640-1645) comptent parmi les œuvres les plus imitées par le théâtre français du XVIIe s.

ROKOSSOVSKI (Konstantine Konstantinovitch), maréchal soviétique (Varsovie 1896 - Moscou 1968). Commandant le premier, puis le deuxième front de Russie Blanche de 1943 à 1945, il effectua la liaison sur l'Elbe avec les forces britanniques. Ministre de la Défense de Pologne de 1949 à 1956, il fut vice-ministre soviétique de la Défense de 1958 à 1962.

ROLAND, l'un des douze « pairs » légendaires de Charlemagne, qu'immortalisèrent *la Chanson* de Roland* et les poèmes épiques de Boiardo (XVe s.) et de l'Arioste (XVIe s.). Le personnage historique nous est connu grâce à Eginhard, qui relate qu'en 778 le comte de la Marche de Bretagne, Roland, fut tué à Roncevaux*. La légende épique fit de Roland un neveu de Charlemagne et l'idéal du chevalier chrétien, généreux et brave jusqu'à la démesure, luttant jusqu'à la mort contre l'infidèle sarrasin.

Roland amoureux, poème de Boiardo en trois livres et soixante-neuf chants. Les deux premiers livres furent publiés en 1487; l'édition des soixante-neuf chants est de 1495.

L'œuvre, inachevée, s'inspire de l'épopée carolingienne et des romans bretons, mais joint à la peinture des combats contre les infidèles les épisodes merveilleux (enchantements, anneaux magiques, châteaux ensorcelés) et le récit de la passion de Roland pour Angélique.

ROLAND DE LA PLATIÈRE (Jeanne-Marie ou Manon PHLIPON, Mme), femme politique française (Paris 1754 - *id.* 1793). Issue d'un milieu aisé, elle épouse en 1780 JEAN-MARIE **Roland de La Platière** (Thizy 1734 - Bourg-Beaudouin 1793), inspecteur des manufactures et économiste, dont elle assure la carrière par les relations qu'elle noue en son salon, lieu de rencontre des Girondins*; ceux-ci font de son mari un ministre de l'Intérieur (mars-juin 1792, sept. 1792-janv. 1793). Le couple Roland est enveloppé dans la proscription des Girondins (1er juin) : Mme Roland est guillotinée le 8 novembre; en apprenant cette nouvelle, son mari, qui a pu se cacher en Normandie, se suicide (10 nov.).

Roland furieux, poème de l'Arioste, publié en quarante chants en 1516, puis sous sa forme définitive (46 chants) en 1532. L'Arioste reprend le *Roland amoureux* au point où Boiardo l'avait interrompu : il conte notamment la folie de Roland, dédaigné par Angélique, le voyage dans la Lune d'Astolphe, monté sur l'hippogriffe et qui rapporte la fiole qui doit guérir Roland, les amours de Roger et de Bradamante, d'où sortira la famille d'Este. Chaque chant débute par une digression sur la société du temps.

RÔLE *(Psychol.)* → MOBILITÉ SOCIALE.

ROLLAND (Romain), écrivain français (Clamecy 1866 - Vézelay 1944). Issu d'une vieille famille de bourgeoisie bourguignonne, il entre à l'École normale supérieure (1886), est reçu à l'agrégation d'histoire, puis passe deux ans à l'École française de Rome. Sous la double influence de Malwida von Meysenbug, qui a été l'amie de Wagner et de Nietzsche, et des chefs-d'œuvre de l'art italien, il élabore son univers mental où se répondent le culte des héros et la passion de la musique. Son angoisse de la solitude et sa sympathie sans illusion pour tous les hommes animent ses drames historiques et philosophiques (*Aërt,* 1897; *les Loups,* 1897; *Danton,* 1901) ainsi que ses ouvrages biographiques (*Beethoven,* 1903; *Michel-Ange,* 1907; *Haendel,* 1910; *Tolstoï,* 1911), dont les thèmes se retrouvent amplifiés dans le vaste roman de *Jean-Christophe** (1904-1912). Son appel à la lucidité et à la justice au cours de la Première Guerre mondiale (*Au-dessus de la mêlée,* 1915) lui attire des haines violentes, mais il ne cesse de rechercher la paix dans la sagesse populaire (*Colas Breugnon,* 1920) ou dans les philosophies de l'Inde (*la Vie de Vivekananda et l'Évangile universel,* 1930). Il fonde la revue *Europe* (1922), manifeste son intérêt pour la politique sociale et culturelle de la Russie soviétique, et approfondit sa méditation mystique et humanitaire dans le cycle de *l'Âme enchantée* (1922-1934), dans de nouveaux drames (*le Jeu de l'amour et de la mort,* 1925; *Robespierre,* 1939) et dans un essai sur *Beethoven : les grandes époques créatrices* (1929-1944). Alors que son idéal de beauté et de liberté lui assure à l'étranger un vaste rayonnement, il consacre ses dernières années à son autobiographie intellectuelle et morale (*le Voyage intérieur,* 1943). [Prix Nobel de littérature, 1915.]

ROLLE (Michel), mathématicien français (Ambert 1652 - Paris 1719). Opposé aux principes du calcul différentiel, il mena contre Leibniz une campagne aussi vaine que peu fondée, mais finit par se ranger à ses vues. Sa *méthode des cascades,* utilisée pour la séparation des racines des équations algébriques, n'a qu'un rapport assez lointain avec le théorème qui porte aujourd'hui son nom.

ROLLIER. — Ce bel oiseau de l'Europe du Sud, au corps vert bleuâtre, au dos jaune, de mœurs solitaires et insectivores, a les deux doigts antérieurs soudés. Il est le type de l'ordre des coraciadiformes, très voisins des passereaux.

ROLLIN (Charles), pédagogue et écrivain français (Paris 1661 - *id.* 1741), auteur d'un *Traité des études* (1726-1728), document important pour l'histoire de la pédagogie.

Rolling Stones, groupe vocal et instrumental de pop music britannique, composé de Mick Jagger, de Keith Richard, de Bill Wyman, de Charlie Watts et de Brian Jones (décédé en 1969 et remplacé par Mick Taylor). Les Rolling Stones furent avec les Beatles les plus célèbres représentants de la pop music. Ils marquèrent la renaissance du rock and roll et prirent une part importante à la redécouverte du blues noir.

ROLLINS (Theodore Walter, dit **Sonny**), saxophoniste de jazz noir américain (New York 1929). Nourri à l'école de Charlie Parker, il se rattache à la filiation de Coleman Hawkins pour la sonorité de son instrument. Il joua avec Art Blakey, Budd Powell et Miles Davis, entra dans le quintette de Max Roach (1955-1957) et forma un trio qui fit une tournée triomphale en Europe en 1959. Parmi ses enregistrements citons *Blue Seven* (1956), *Freedom now Suite* (1958), *Body and Soul* (1958), *Three Little Words* (1965).

ROLLON, chef normand († v. 932), duc de Normandie (911 - v. 932). Originaire de Norvège, chef d'une bande de pirates normands, il conduisit des expéditions contre Bayeux (890), Lisieux (891) et Paris (892), et s'établit à Rouen. Son armée ayant été battue devant Chartres par Charles le Simple, il entra en pourparlers avec le roi, qui, au traité de Saint-Clair-sur-Epte, lui donna la partie de la Neustrie déjà occupée par les Normands (911).

ROMAGNAT (63540), comm. du Puy-de-Dôme, à 5,5 km au S. de Clermont-Ferrand; 6 391 hab.

ROMAGNE, en ital. **Romagna,** anc. **Romandiola,** région historique d'Italie, actuellement incluse dans l'Émilie-Romagne*. Occupée par les Lombards, elle fut donnée à la papauté par Pépin le Bref (754); mais les droits du pape ne furent seulement reconnus qu'à partir de 1278. En fait, la Romagne fut entièrement inféodée jusqu'au XVIe s. César Borgia, qui prit le titre de duc de Romagne en 1501, essaya d'en faire le centre d'un État. La Romagne fut de nouveau sous l'autorité pontificale de 1503 à 1797, date à laquelle elle passa sous la domination française. En 1814, elle fit retour à la papauté, mais le pouvoir du pape, souvent remis en cause, prit fin en 1859. En 1860, la région fut annexée au royaume de Sardaigne.

Scala

ROMAIN (art). — L'art n'acquiert sa propre personnalité que tardivement; à l'origine, il subit l'ascendant des Étrusques et, par leur intermédiaire, celui de l'hellénisme, qu'il perçoit aussi grâce à la proximité des colonies grecques; à partir des premières grandes conquêtes (milieu du IVe s. - milieu du IIe s. av. J.-C), les butins enrichissent Rome de nombreuses œuvres hellénistiques auxquelles se joignent des artistes grecs, qui stimulent le développement des arts plastiques. L'urbanisme est encore ignoré, mais des édifices typiquement romains (basiliques et *fornix,* ancêtre de l'arc de triomphe) apparaissent.

• *Du IIe s. av. J.-C. aux premiers siècles de l'Empire.* L'art est marqué par les patriciens qui embellissent Rome de nombreux temples construits selon deux formules caractéristiques : le temple rond (Rome, temple de Vesta) et le temple pseudo-périptère, aux colonnes engagées dans la cella (Rome, temple de la Fortune virile). L'architecture, l'urbanisme et les arts plastiques — avec le portrait et le bas-relief narratif — sont tous destinés à seconder les desseins politiques de Rome; le passage de l'armée romaine victorieuse va, désormais, être jalonné par les conceptions urbanistiques et architecturales des Romains, dont Palestrina*, avec le temple de *Fortuna primigenia,* et les autres villes du Latium fournissent les premiers exemples. Parfaitement mis au point à l'époque impériale, le matériau de prédilection est constitué par un blocage de pierres liées au ciment, qui transforme l'entablement et la colonne grecs d'éléments essentiels en éléments décoratifs. À la fin de cette époque, Herculanum* et Pompéi*, avec leurs très belles décorations peintes, permettent d'imaginer le cadre privé des nobles et des bourgeois.

• *Les premiers siècles de l'Empire.* L'époque d'Auguste laisse de multiples constructions (Maison carrée de Nîmes), plusieurs reliefs, dont ceux de l'*Ara Pacis* (autel de la Paix d'Auguste, qui se dressait dans la partie nord du champ de Mars à Rome); l'art augustéen conserve un intense pouvoir suggestif, cher aux Romains, mais porte l'empreinte d'un classicisme froid et officiel, servi par une grande virtuosité technique (caractéristiques que l'on retrouve également dans la glyptique*). Les éléments décoratifs de l'architecture romaine sont élaborés avec l'ordre corinthien romain : chapiteau à acanthes en feuilles d'olivier, frise décorée de rinceaux et corniche soutenue par des modillons. L'arc de triomphe trouve sa forme définitive à la fin du Ier s. av. J.-C. En peinture, vers 15 av. J.-C., apparaît le IIIe style, réaction contre l'irréalisme de l'époque précédente alors que, sous Néron, le IVe style reviendra aux architectures baroques, encadrant des paysages imaginaires, déjà entrevus dans le IIe style.

• *Du Ier au IIIe s. apr. J.-C.* Le génie romain se manifeste toujours en architecture, en particulier avec Apollodore de Damas*. L'efficacité reste la préoccupation essentielle, que ce soit dans des

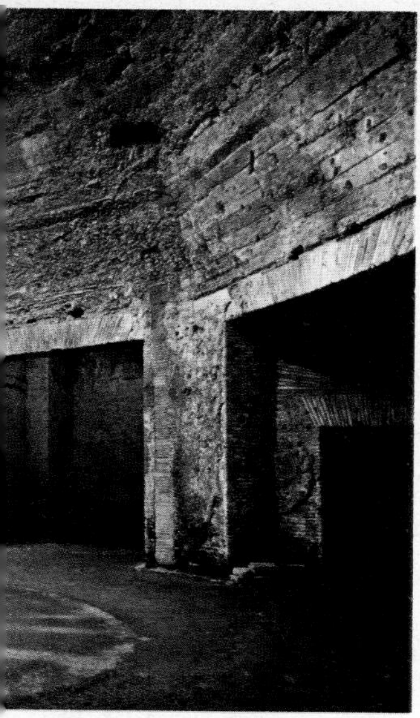

Art romain.
Salle octogonale
de la « Domus aurea »
(Maison dorée),
palais construit
pour Néron
sur l'Esquilin, à Rome,
en 64 apr. J.-C.

programmes économiques (ports, marchés, immeubles de rapport, constructions hydrauliques) ou dans les édifices destinés aux loisirs (Colisée*, théâtre de Leptis Magna*...). La robustesse du matériau permet de lancer des arcs (pont du Gard), de couvrir de vastes espaces clos par d'énormes voûtes (innombrables thermes) ou par de grandes coupoles (Panthéon*); ces procédés appellent la décoration de mosaïque*, qui se développe alors. L'efficacité psychologique règne sur les arts plastiques, qui oscillent entre plusieurs tendances. Le classicisme hellénistique transparaît encore dans la colonne Trajane — dont les personnages idéalisés évoluent dans des compositions équilibrées — et il réapparaît sous Hadrien, les derniers Sévères et Constantin. La tendance plus autochtone du réalisme, dite « plébéienne », qui traduit une vie intense, domine le règne de César, celui des Flaviens et l'anarchie militaire du IIIe s. La voie pathétique, enfin, triomphe avec Antonin et Marc Aurèle, dont la colonne évoque (malgré un manque d'unité) non seulement l'horreur de la guerre, mais aussi la profonde angoisse de cette époque. Vers le début du IIe s. apparaissent les sarcophages ornés de bas-reliefs, dont l'évolution est parallèle à celle de la grande sculpture officielle.

• *L'époque constantinienne.* Elle correspond à une véritable renaissance classique, qui s'accentue lors de l'abandon de Rome pour Constantinople*. Dès lors, la survivance hellénistique et la tradition orientale, intimement unies, seront le ferment de l'art chrétien officiel et de l'art byzantin.

ROMAIN → PAPE.

ROMAIN Ier, II → MACÉDONIENNE *(dynastie).*

ROMAIN IV Diogène → DOUKAS.

ROMAIN (Giulio PIPPI, dit **G. Romano**, en franç. **Jules**), peintre et architecte italien (Rome 1499 - Mantoue 1546). Il fut l'élève et le collaborateur de Raphaël à Rome, mais se différencia de celui-ci sous l'influence, notamment, de Michel-Ange. Son œuvre majeure est le palais du Te à Mantoue (1525-1534), qui s'écarte des principes classiques, en architecture, par des effets de rusticité accusés et, en peinture, par une vitalité allant jusqu'au pathos (fresques de la salle des « Géants »). L'énergie de son style définit une des faces du maniérisme.

romaine *(Question),* ensemble des problèmes posés, au XIXe s., par la présence des États pontificaux, ou États* de l'Église, dans une Italie* disposée à faire son unité autour du Piémont.

romaine *(Ire République),* république sœur fondée à Rome par les agents du Directoire, le 15 février 1798, à la place des États* de l'Église, création qui s'accompagna de la déportation du pape Pie VI* (mars). Cette république impopulaire disparut avec l'entrée à Rome des Napolitains le 29 septembre 1799.

romaine *(IIe République),* régime républicain instauré dans les États* de l'Église, le 9 février 1849, par Mazzini et ses disciples. Il disparut dès le 4 juillet 1849, à la suite de l'intervention d'une armée française commandée par Oudinot, qui, en s'emparant de Rome (3 juill.), y rétablit le gouvernement pontifical.

ROMAINS (Jules), écrivain français (Saint-Julien-Chapteuil 1885-Paris 1972). Il participe à l'organisation du groupe de l'Abbaye* et, dès 1903, conçoit l'idée de l'unanimisme*, que traduisent ses recueils poétiques (*l'Âme des hommes,* 1914; *la Vie unanime,* 1908) et ses romans (*le Bourg régénéré,* 1906), non sans un humour parodique (*les Copains,* 1913; *Donogoo-Tonka,* 1920) qui anime aussi son théâtre (*Knock ou le Triomphe de la médecine,* 1923). Il entreprend ensuite de peindre la complexité de la vie sociale moderne dans la suite romanesque des *Hommes de bonne volonté* (1932-1947) et réfléchit dans ses essais sur les problèmes posés à la conscience humaine par l'évolution de la civilisation contemporaine (*Pour raison garder,* 1960-1967).

ROMAINVILLE (93230), ch.-l. de cant. de la Seine-Saint-Denis, dans la proche banlieue est de Paris; 26 319 hab. Industrie pharmaceutique.

ROMAN. — La fiction romanesque est en partie un legs de l'Antiquité. Le XVIIe s. faisait remonter l'art du roman à Aristide de Milet et à Antonios Diogène. On peut considérer le *Daphnis et Chloé* de Longus comme le prototype du roman d'amour, *l'Histoire vraie* de Lucien comme le modèle du roman philosophique, *l'Âne d'or* d'Apulée comme le premier roman « picaresque ». Cependant, dans la littérature de l'Europe médiévale, le roman se définit d'abord comme un phénomène de langue. Est roman ce qui n'est pas écrit en latin. Mais le *roman de chevalerie* apparaît surtout comme un succédané du poème épique, qu'il met à la portée d'un public plus vaste, et c'est dans les fabliaux qu'il faut chercher la peinture de caractères, de mœurs et de conditions sociales, qui formera un des traits fondamentaux de la littérature romanesque. Parodie nostalgique du roman de chevalerie, le *Don* Quichotte* de Cervantès ouvre l'ère du roman moderne : ce héros négatif d'une épopée inverse consacre la disparition d'une éthique et la naissance d'une esthétique nouvelle. Depuis lors, le système romanesque repose sur la reconnaissance d'une distance entre l'homme et le monde, entre l'homme et l'objet de son désir; écrire un roman, c'est révéler cette distance. Huet, l'évêque d'Avranches, dans sa *Lettre* à Segrais (1678), voit naître le roman psychologique de la distance entre « les objets présents » et l'âme trop vaste du héros qui « cherche dans le passé et dans l'avenir, dans la vérité et dans le mensonge, dans les espaces imaginaires et dans l'impossible même » la réalisation d'espérances perpétuellement déçues. Lukács (*la Théorie du roman,* 1920) ne parlera pas autrement du héros de *l'Éducation sentimentale,* Frédéric Moreau, « dont l'âme est trop large pour s'adapter au monde », ce qui explique l'échec de sa tentative d'ordonner « les morceaux du réel simplement juxtaposés dans leur dureté ». Lorsque les écrivains classiques parlent de la fausseté des romans, ce n'est pas qu'ils leur reprochent de conter des histoires fabuleuses : ils avouent que la raison d'être du genre est dans la traduction de l'écart entre l'imagination et la réalité; et c'est la thèse reprise par la critique contemporaine (Charles Grivel, *Production de l'intérêt romanesque,* 1973), qui voit dans cette fabulation un processus essentiellement négatif : le roman dit le malheur, l'échec; le bonheur, c'est l'inénarrable (cf. Stendhal). Le roman trahit l'absence de l'harmonie rêvée entre les trois composantes d'une structure triangulaire : le héros, les valeurs, le monde. Il se déroule comme si l'on voulait réduire l'intervalle entre un monde vécu et un monde conçu. Mais il ne peut que « mentir agréablement », car, si le héros et le monde semblent tendre perpétuellement vers l'abolition de la distance qui les sépare, l'aboutissement de ce mouvement jamais achevé serait la négation même du roman et la redécouverte de l'univers épique. De Mme de La Fayette à Beckett, l'écriture romanesque, vivant sur cette donnée fondamentale, ne s'est posé et n'a résolu que des problèmes techniques, se révélant une forme d'une extraordinaire souplesse : transposant le dépouillement de la tragédie racinienne dans l'*Adolphe* de Benjamin Constant aussi bien que dans *la Princesse de Clèves,* traduisant la curiosité réaliste et exotique de tout un siècle (dans la lignée du récit *picaresque*) avec Defoe, Swift, Fielding, Voltaire, Prévost et Bernardin de Saint-Pierre, faisant le bilan d'une expérience humaine *(Bildungsroman)* et poétique avec Goethe, Hölderlin et Novalis, passant de la confession personnelle (*René* de Chateaubriand) à l'analyse scientifique des écrivains naturalistes, moyen d'observation visionnaire pour Balzac ou « miroir », inquiet et lucide, « promené » par Stendhal « le long du chemin ». Cette double complicité entre le héros et le monde, entre le romancier et sa création n'est qu'une forme de l'humour. Or, le mysticisme de Melville *(Moby Dick)* et le sens du sacré que retrouve le roman russe avec Tolstoï et surtout Dostoïevski (qui donne au désir médiatisé une expression rigoureuse à travers une forme polyphonique qui mêle les plans de réalité et de conscience) remettent en cause l'équilibre du roman, qui aspire à la totalité avec Proust, Joyce, Broch et Musil. « Acte de sociabilité », le roman, selon R. Barthes, « institue la littérature ». Mais, après deux guerres mondiales, la faillite des valeurs morales et esthétiques ainsi que l'usure de leur expression littéraire conduisent les écrivains à douter de l'écriture même, à souhaiter l'apparition d'un *anti-roman**, à refuser le héros traditionnel et sa psychologie saisis à travers une série linéaire d'événements. Le *nouveau* roman* ne croit plus à la profondeur du monde. Devant un univers lisse,

Salou

Art roman. Nef de l'ancienne abbatiale de Saint-Savin (Vienne), avec les peintures de la voûte. Milieu du XIe-début du XIIe s.?

impénétrable, l'homme est réduit à un regard. Les choses ne renvoient qu'à elles-mêmes. Le romancier enregistre les contours des objets, mesure leurs distances réciproques. Face à une réalité d'autant plus étrangère qu'elle est plus présente, le langage ne peut être qu'intransitif. Seule «l'écriture romanesque, écrit Robbe-Grillet*, constitue la réalité».

ROMAN (art). — Art fonctionnel qui, en architecture, afin d'éviter les catastrophiques incendies de charpentes, met au point des systèmes variés de voûtes de pierre avec leurs contrebutements appropriés (soit hauts collatéraux encadrant la nef principale, soit tribunes, etc.), souligne par la sculpture les points vitaux de l'édifice (chapiteaux, où la figure elle-même se plie aux lignes de force de la fonction portante), établit dans les vastes églises de pèlerinage (comme Saint-Martin de Tours au début du XIe s.) une circulation «à sens unique» des fidèles par les collatéraux et le déambulatoire (parfois aux trois niveaux de la crypte, du rez-de-chaussée et des tribunes), soumet chaque dispositif du plan et du mobilier aux intentions liturgiques, respecte enfin la beauté propre de chaque matériau, l'art roman, néanmoins, est d'abord symbolique : l'élancement des nefs est là pour guider l'esprit vers le divin, et ce n'est pas une quelconque représentation de l'apparence des choses qui motive les grands tympans sculptés (Moissac), mais bien le surgissement même du sacré.

Cet art a hérité des civilisations avec lesquelles il s'est trouvé en contact ou dont il a pu connaître les monuments : apports gallo-romains, de l'Orient chrétien (Arménie, Syrie, Byzance), de l'islām, des peuples barbares (Celtes; Francs; Wisigoths en Espagne; Vikings en Scandinavie...), des moines irlandais (eux-mêmes héritiers des Celtes). Le haut Moyen* Âge, par-delà la renaissance carolingienne, prépare ainsi l'éclosion, autour de l'an mille, d'un *premier art roman,* dont les églises en petit appareil, décorées de «bandes lombardes», se voient notamment dans les régions montagneuses, de la Catalogne aux Grisons, et que répercute le haut massif occidental de Saint-Philibert de Tournus. Le nord de la France est brillant, avec l'abbatiale de Cluny II (seconde moitié du Xe s., disparue), puis avec la rotonde de Saint-Bénigne de Dijon ou avec la tour Gauzlin de Saint-Benoît-sur-Loire, où s'affirme la renaissance de la sculpture (comme elle s'est manifestée, dans le méplat, au linteau de Saint-Génis-des-Fontaines [1020], en Roussillon).

Ce XIe s. est le temps de toutes les inventions et, déjà, d'une parfaite maîtrise, qui allie volontiers jaillissement et massivité, que ce soit à Payerne, à Conques ou à Jumièges. La floraison de la fin du XIe s. et de la première moitié du XIIe, en France (Saint-Sernin de Toulouse, Cluny III, églises d'Auvergne, du Poitou, de Provence, de Bourgogne, églises à coupoles du Périgord...), en Espagne (Saint-Jacques de Compostelle...) ou en Angleterre (Ely, Durham...), n'en est que l'épanouissement, avec une remarquable amplification des programmes iconographiques : programmes sculptés (Languedoc et Gascogne : cloître puis porche de Moissac, etc.; tympans bourguignons; voussures de la Saintonge; et, partout, chapiteaux du rond-point des chœurs...) ou peints (fresques de S. Angelo in Formis [Capoue], de Tavant, du Puy, de Saint-Savin, de la Catalogne...). Des édifices d'une grande majesté s'élèvent en Allemagne, de l'époque ottonienne (Saint-Michel d'Hildesheim, églises de Cologne...) à la fin du XIIe s., et en Italie (cathédrale de Pise), pays où soit le souvenir des basiliques paléochrétiennes, soit l'influence byzantine dominent; ici et là les problèmes de voûtement demeurent secondaires, les grands vaisseaux (sauf à Spire) restant couverts de plafonds.

On n'oubliera pas, enfin, la production de l'époque romane dans les domaines de la miniature*, du vitrail*, du bronze (portes d'églises en Allemagne et en Italie; cuve baptismale de Saint-Barthélemy de Liège...), de la ferronnerie.

ROMAN, v. du nord-est de la Roumanie (Moldavie), près du Siret; 47 000 hab.

Roman bourgeois *(le),* de Furetière (1666), satire de la petite bourgeoisie et des gens de loi.

ROMANCE. — C'est à la fin du XVIIIe s. et pendant tout le XIXe que fleurit ce genre musical mineur, fait d'un chant accompagné (harpe, guitare, piano), souvent de forme strophique et de caractère sentimental. Le succès de la romance est grand, bien que celle-ci soit l'œuvre de petits maîtres (*Plaisir d'amour* de Florian-J.-P. Martini; P.-J. Garat, Loïsa Puget, P. Delmet); cette «sorte de lied* plus mondain que populaire» (A. Hodeir) sera très en faveur dans les salons. La mélodie peut revêtir le caractère de la romance sans en porter le titre (Gounod, Chaminade, Fauré, R. Hahn). La romance trouvera refuge au café-concert (*le Temps des cerises* de J.-B. Clément-Renard), au music-hall et au cinéma.

Certaines mélodies instrumentales d'un style aimable et facile s'apparentent à la romance (*Chants sans paroles* de Mendelssohn).

ROMANCERO, nom donné aux nombreux recueils espagnols de poèmes *(romances)* populaires datant de la période préclassique et où sont contenues les plus anciennes légendes nationales.

Romancero gitan, recueil poétique de F. García Lorca (1928), inspiré du folklore d'Andalousie et des formes mélodiques de la poésie populaire.

ROMANCHE (la), riv. des Alpes françaises, affl. du Drac (r. dr.); 78 km. Centrales hydroélectriques (Saint-Guillerme, Rioupéroux, Péage-de-Vizille), alimentant des usines électrométallurgiques.

Roman comique *(le),* de Scarron (1651-1657). Ce récit des aventures d'une troupe de comédiens ambulants, laissé inachevé par Scarron, fut continué par Girault (1678) et Préchac (1679).

Roman d'Alexandre le Grand, histoire romancée d'Alexandre le Grand. À la fin du XIIe s. et au début du XIIIe, plusieurs poètes, Lambert le Tort, Alexandre de Bernay, Pierre de Saint-Cloud, reprenant une version poitevine d'un récit de la vie d'Alexandre, choisirent le vers de douze syllabes, qui reçut ainsi le nom d'«alexandrin». Cet ensemble de romans, qui introduisit le goût du merveilleux oriental, remonte à un récit fabuleux d'un romancier grec du IIe s. apr. J.-C., le pseudo-Callisthène.

Roman de la Rose, poème allégorique et didactique, en deux parties. La première partie, écrite vers 1236 par Guillaume de Lorris, comprend 4058 vers et décrit, dans le cadre fictif d'un songe, la tentative d'un amant pour s'emparer de l'objet aimé, représenté par une rose dans le verger de Déduit. C'est un art d'aimer selon les règles de la courtoisie. La seconde partie, rédigée entre 1275 et 1280 par Jean de Meung, compte plus de 17 000 vers. C'est une encyclopédie des connaissances et une satire de la société du temps, dans laquelle la délicatesse précieuse fait place à l'ironie et à la verve gauloise.

Roman de Renart, collection de vingt-sept poèmes français des XIIe et XIIIe s., dont les principaux personnages sont des animaux : le goupil (Renart), le loup (Isengrin), le lion (Noble), l'ours (Brun), le chat (Tibert), l'âne (Baudouin), etc. Puisés dans les fabulistes de l'Antiquité ou empruntés à la tradition populaire, ces poèmes ont deux sources principales : un poème latin du Xe s. qui raconte la rivalité du loup et du goupil *(Ecbasis captivi)* et une épopée satirique latine de Nivard de Gand (*Ysengrimus,* 1148). D'abord parodies des romans d'amour et de chevalerie, les diverses «branches» du *Roman de Renart* évoluent vers la satire sociale et politique, Renart devenant le symbole de la corruption, qui a étendu son empire sur le monde.

ROMANÈCHE-THORINS (71570 La Chapelle de Guinchay), comm. de Saône-et-Loire, à 16 km au S.-S.-O. de Mâcon; 1801 hab. Vins renommés. Musée du compagnonnage.

ROMANÉE, vignoble renommé (vins rouges) de Bourgogne (comm. de *Vosne-Romanée,* dans la côte de Nuits). [V. VIN.]

ROMANES (langues). — On qualifie de « langues romanes » l'ensemble des langues, des dialectes et des parlers issus du latin. L'expression apparaît dans un des canons du concile de Tours (813), recommandant aux prêtres de prêcher en « langue romane » (et non en latin) pour être compris des fidèles : il s'agit donc de la langue parlée par le peuple, sans faire allusion aux différences qui existaient déjà entre les régions de la « Romania ». De la première étape de la transformation du latin dit « vulgaire » en langues romanes (VIe-IXe s.), on ne sait rien, celles-ci n'ayant aucune utilisation écrite avant les serments de Strasbourg (842).

À l'intérieur du domaine roman, on distingue l'italo-roman (italien et ses dialectes), l'ibéro-roman (espagnol, portugais et leurs dialectes; catalan), le gallo-roman (langue d'oc et langue d'oïl), le roman alpin (dialectes rhéto-romans de Suisse, dialectes ladins des Dolomites, frioulan) et le balkano-roman (le roumain et ses dialectes; le dalmate, aujourd'hui éteint).

ROMANOS le Mélode, un des grands hymnographes de l'Église byzantine (Émèse v. 490-Constantinople v. 560). Ses hymnes, particulièrement celles de Noël, de la Passion et de Pâques, ont fait de lui un classique de la poésie liturgique.

ROMANOV, dynastie des tsars, puis des empereurs (à partir de 1721) qui ont régné sur la Russie* de 1613 à 1917. Famille de boyards moscovites, les Romanov doivent leur nom à Roman († 1543), dont la fille Anastassia épousa Ivan IV le Terrible. Au lendemain du temps des troubles* qui suivit l'extinction des Riourikides*, un zemski* sobor élit tsar Michel III* Fedorovitch Romanov (de 1613 à 1645), fils du patriarche Philarète (Fedor Romanov) et petit-neveu d'Ivan IV. En 1797, Paul Ier* (de 1796 à 1801) fixe la loi de succession au trône (transmission en ligne mâle par ordre de primogéniture). La dynastie est renversée en 1917.

ROMAN-PHOTO. — Produit de la presse féminine populaire, particulièrement dans les pays latins (Italie, France, Amérique du Sud), le roman-photo (ou *photoroman*) est né en Italie après la Seconde Guerre mondiale. Il reprenait une forme de récit issue du film, le *cinéroman,* qui, composé d'un choix de photographies et d'un texte succinct, livrait au public l'action du film et les portraits de ses vedettes préférées. Le roman-photo (cinéroman sans cinéma) adopta d'abord la présentation des bandes dessinées, mais, pour échapper à l'immobilisme de la photographie, les auteurs et les metteurs en scène utilisèrent tous les procédés cinématographiques (gros plans sur les personnages, héros présenté en plans de plus en plus rapprochés, discontinuité de l'action, ellipses...). Le rythme de déroulement du roman-photo est cependant plus proche de celui du roman-feuilleton que de celui du film. Le roman-photo ne crée pas un monde original, mais puise dans des atmosphères connues qu'il accuse : le cadre de l'action est exagérément exotique ou, au contraire, totalement neutre (les appartements, lieux privilégiés des intrigues, semblent appartenir à une H. L. M. internationale). Le roman-photo prend ainsi un soin extrême à n'être pas « situable », mais ses personnages sont, en revanche, fortement typés et immuables : des héros, pauvres et modestes (50 p. 100 des héroïnes exercent un métier), vivent un amour traversé d'obstacles; les bons accèdent au bonheur ou se sacrifient; les méchants sont vaincus ou pardonnés. Dans presque tous les cas, c'est la femme qui doit affronter les débats cornéliens. Succès commercial (le roman-photo est chaque semaine la lecture de plusieurs dizaines de millions de personnes) et phénomène sociologique, le roman-photo tente, depuis plusieurs années, d'adapter des œuvres romanesques et dramatiques célèbres, prétendant ainsi échapper à son image de « machine à décerveler » pour devenir un moyen populaire d'initiation à la culture.

Romantisme. *Scènes des massacres de Scio* (1824), d'Eugène Delacroix. (Musée du Louvre, Paris.)

Lauros-Giraudon

ROMANS-SUR-ISÈRE (26100), ch.-l. de cant. de la Drôme, à 18 km au N.-E. de Valence; 34 202 hab. *(Romanais).* Église des XIIe-XIVe s., anc. abbatiale. Vieilles maisons. Centre de l'industrie de la chaussure. Combustibles nucléaires. Équipement automobile.

ROMANTISME. — Le romantisme est un mouvement européen qui se manifeste dans les lettres et les arts dès la fin du XVIIIe s. en Angleterre (Blake, Wordsworth, Coleridge) et en Allemagne (Goethe, Schiller, Hölderlin), puis au XIXe s. en France, en Italie (Manzoni, Leopardi), en Espagne (Zorrilla) et dans les pays scandinaves (Oehlenschläger, Tegnér, Stagnelius). C'est, à l'origine, un mouvement proprement révolutionnaire, qui prend au pied de la lettre les mots d'ordre philosophiques et politiques élaborés, plus ou moins directement, par le siècle des Lumières : libre expression de la sensibilité et affirmation des droits de l'individu. Il est d'abord révolutionnaire avec son temps (la première génération romantique anglaise célèbre la Révolution française); il l'est ensuite contre son temps (la croisade française pour la liberté des peuples s'achève en conquête impériale et impérialiste; la bourgeoisie victorieuse proclame la fin de l'Histoire) : dans une période de médiocratie et de domination des nouvelles féodalités de l'industrie et de l'argent, il persiste à dire le tragique de la vie (c'est ce que comprend après coup, en 1844, Balzac, qui relève dans *les Paysans* la véritable signification des élégies de Lamartine, alors que, vingt-cinq ans plus tôt, il se moquait des chantres languissants du clair de lune qui avaient un bel avenir dans la diplomatie et auprès des riches héritières). En ce sens, le romantisme et le réalisme ne sont que les deux aspects indissolubles d'une même attitude à l'égard de la vie : la conscience de l'intolérable réalité (v. FLAUBERT). Le romantisme dépasse donc infiniment la simple opposition à l'esthétique du classicisme*. Et l'on a surtout mis l'accent sur ses manifestations de fuite (dans le rêve, le passé, l'exotisme, le fantastique), sans voir ce à quoi il voulait échapper : moins au carcan des règles classiques qu'à la fausse liberté fondée sur la propriété bourgeoise et la division du travail capitaliste; moins à la raison des moralistes (l'Alceste du *Misanthrope* est compris en 1830 comme un héros romantique) qu'au rationalisme positiviste; moins aux chimères de la jeunesse qu'à la gérontocratie qui barrait la route à toute ambition neuve. Si le René de Chateaubriand cherche un exil forestier ou champêtre, ce n'est pas par une inclination première, mais par frustration. La génération romantique est la génération des « illusions perdues », l'« école du désenchantement ». Son culte du moi naît ainsi plus d'une prise de conscience critique que d'un égotisme complaisant. D'où l'intérêt que le romantisme porte à l'histoire et à l'existence concrète des êtres (de Thierry à Michelet); d'où l'importance qu'il accorde à l'expression esthétique (moyen de reconquérir une unité perdue, de retrouver le contact avec le monde et avec autrui : cf. le mythe majeur de l'Androgyne), notamment au lyrisme et au drame (qui combinent des registres et des mouvements contraires, et qui demandent au lecteur/spectateur une attitude de participation et d'identification); d'où la mission que Vigny (*Stello,* 1832), Hugo et Lamartine, entre autres, assignent à la poésie, instrument de connaissance jusque dans l'épreuve intime du désespoir (« la tristesse fait pénétrer bien plus avant dans le caractère et la destinée de l'homme que toute autre disposition de l'âme » [Mme de Staël]) et moyen social d'action (« une poésie qui doit suivre la pente des institutions et de la presse; qui doit se faire peuple, et devenir populaire comme la religion, la raison et la philosophie » [Lamartine]). Né de l'épreuve dramatique du monde, l'acte poétique devient l'expérience la plus réelle et la plus efficace. Le moi est le modèle du monde jusque dans ses carences et ses fantasmes (le talisman de *la Peau* de chagrin* est pour Balzac l'image quasi pédagogique de l'irrationnel irréductible d'un monde qui échappe, mais dans lequel on veut vivre). « Nouvelle manière de sentir », comme le définit Baudelaire, le romantisme est tout autant une nouvelle manière de voir, plus visionnaire (Hugo) ou plus critique (Stendhal).

• *Le romantisme en art.* S'élaborant contre la tradition que représentaient l'académisme* et le néoclassicisme*, ce courant fait triompher, dès la fin du XVIIIe s., mais surtout au début du XIXe, la spontanéité et la révolte (annoncées par Goya*) là où dominaient la froideur et la raison. Les transformations d'un monde (surtout la Révolution française) ramènent au premier plan l'individu, avec ses propres bouleversements, ses inquiétudes devant la réalité, ses mythes et sa lucidité (Géricault* : *le Radeau de la « Méduse »,* 1819), ses cauchemars et ses rêves (Füssli*, Turner*), ses errements (portraits d'aliénés de Géricault), ses indignations et ses espoirs (Delacroix* : *les Massacres de Scio,* 1824; *la Liberté guidant le peuple,* 1831). La solitude, la nuit, la mort voisinent avec le bouillonnement de la vie et la lumière selon l'artiste, son tempérament et sa culture. Le courant romantique connaît ainsi une grande diversité. Les paysagistes anglais (Turner, Constable*, Bonington*), avec leur attrait pour une nature sauvage, apportent un renouveau du métier pictural, notamment par l'aquarelle. Ils mêlent à leurs œuvres une part d'imaginaire, tandis que William Blake* atteint à la puissance d'un mysticisme visionnaire et Füssli à un fantastique inquiétant. Tous deux sont marqués par un goût littéraire (la Bible, Shakespeare, Milton) en accord avec leurs aspirations, comme le peintre allemand Friedrich* l'est par Tieck et Novalis lorsqu'il peint l'infini, la solitude ou la nuit (paysages des monts des Géants).

C'est toutefois en France que le romantisme s'exprime le plus complètement. Annoncé aussi bien par les paysages pleins de souvenirs antiques d'Hubert Robert* que par le coloris audacieux de Gros* (*les Pestiférés de Jaffa,* 1804), il se développe dans une exaltation passionnée et une recherche incessante du mouvement et de la richesse chromatique chez Géricault et Delacroix. Les thèmes littéraires (Delacroix : *Dante et Virgile aux Enfers,* 1822) voisinent avec les sujets contemporains (Géricault : *le Cuirassé blessé,* 1814), tandis que l'histoire, et notamment celle du Moyen Âge gothique, mal connue et laissant ainsi libre cours à l'imagination et à la fantaisie, est une source abondante tant pour l'architecture (néogothique anglais, puis français) que pour la peinture et la gravure (avec Devéria*, Gavarni* ou Nanteuil*). La connaissance de l'Orient et de l'Afrique fournit de nouveaux coloris, de nouveaux rythmes, un nouveau mélange de réel et d'imaginaire : l'« orientalisme » nourrit bientôt l'inspiration de petits maîtres comme Decamps* ou Prosper Marilhat (1811-1847), suivis de Fromentin* ou d'un peintre de l'importance de Chassériau*. Mais il y a beaucoup d'éclectisme dans ce mouvement, et l'on s'éloigne ainsi de la dialectique d'affirmations impérieuses et d'interrogations tourmentées sur la vie qui est à la source du romantisme.

• *Le romantisme musical.* Continuant les mouvements de la fin du XVIIIe s., les musiciens, au cours du XIXe s., consomment la rupture de l'équilibre classique en accordant la prépondérance au sentiment et à l'idée. D'inspiration extramusicale (picturale, littéraire, philosophique), cette esthétique favorise l'épanouissement du lied* (Schubert), du piano* (Schumann, Chopin, Liszt), de l'orchestre (Berlioz) et du drame lyrique (Verdi, Wagner).

ROMARIN. — Cet arbrisseau, de la famille des labiacées, croît dans les terrains arides des régions méditerranéennes. De ses fleurs blanchâtres à deux étamines, les abeilles tirent l'un des constituants du miel de Narbonne.

ROMBAS (57120), ch.-l. de cant. de la Moselle, à 18 km au N.-O. de Metz; 13 303 hab. *(Rombasiens).* Sidérurgie. Cimenterie.

ROME, un des principaux États de l'Antiquité.

• *Les origines de Rome. La Rome royale.* À la naissance de Rome, les Anciens rapportaient deux grands cycles de légendes : la légende d'Énée*, le Troyen fugitif venu s'établir dans le Latium* (XIIe s. av. J.-C.) et fondateur de Lavinium*, d'où naîtra plus tard Rome; la légende de Romulus*, le fondateur de Rome (753 av. J.-C.), qui traça autour du Palatin* l'une des « sept » collines, le sillon sacré, première image de l'enceinte urbaine. Ainsi quatre siècles, occupés par les règnes de douze rois albains, séparent la fondation d'Albe* par Ascagne (ou Iule), fils d'Énée, et celle de Rome. À Romulus, premier roi de Rome, succèdent jusqu'à la fin du VIIe s. av. J.-C., selon les annalistes, des rois latins et sabins, Numa* Pompilius, Tullus* Hostilius, Ancus* Martius; puis trois monarques étrusques : Tarquin* l'Ancien, Servius* Tullius et Tarquin* le Superbe. En 509 av. J.-C., Rome se libère du joug de Tarquin, abolit la royauté et fonde la république.

Les différentes données que l'on peut tirer de ces récits légendaires et des fouilles archéologiques permettent d'esquisser le tableau de l'histoire primitive de Rome. Au VIIIe s. av. J.-C., il existe un village sur le Palatin. Au cours du VIIe s. av. J.-C., les autres collines se couvrent de hameaux et les villages du Palatin, de l'Esquilin* et du Caelius* forment une confédération, le *septimontium.* Cette ligue aux liens assez lâches est contemporaine de la chute d'Albe. Vers 575 av. J.-C., Rome tombe sous la domination des Étrusques*, qui transforment la fédération de villages en une véritable cité, imposent les cadres d'un gouvernement monarchique

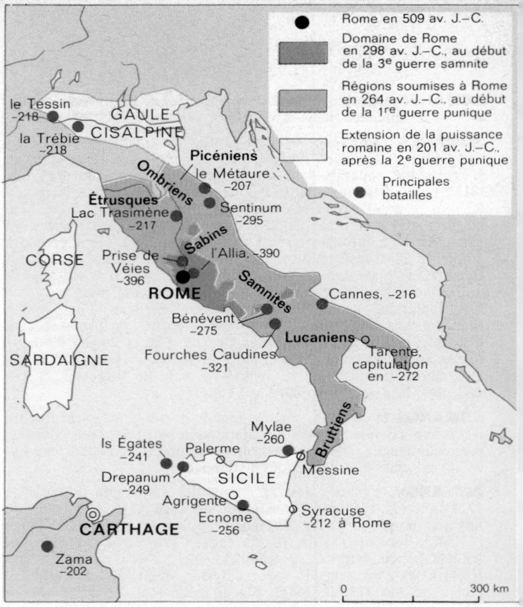

LA CONQUÊTE ROMAINE DE L'ITALIE

et donnent à Rome sa première parure monumentale. Les institutions romaines se précisent. À la base de la cité se trouvent les *gentes* (v. GENS), grandes familles dont les membres (patriciens) se réclament d'un ancêtre commun. En face de cette aristocratie de propriétaires terriens, qui a seule accès aux honneurs publics et aux sacerdoces, une masse populaire, la plèbe*, n'a, à l'origine, aucun droit politique, ou juridique. À la tête de l'État, le roi règne en maître autoritaire. Il est assisté d'un sénat, composé des chefs des *gentes.* Le peuple, divisé en trente curies et en trois tribus, se réunit dans l'assemblée des comices* curiates.

• *La République.* La tradition date de 509 av. J.-C. l'établissement de la république. Le pouvoir exécutif du roi passe alors à deux magistrats annuels, les préteurs, plus tard appelés consuls*. À l'origine, rien n'exclut les plébéiens du consulat. Mais, très vite, le patriciat confisque le pouvoir. Exclue des magistratures, la plèbe opte d'abord pour un séparatisme sécessionnel autour de l'Aventin* avec son assemblée *(concilium plebis)* et ses magistrats (tribuns*, édiles), constituant ainsi un véritable État dans l'État. Dès le milieu du Ve s. av. J.-C., les tribuns s'orientent dans une voie nouvelle, celle de l'intégration de la plèbe dans une cité unifiée par l'obtention des droits politiques et civiques des patriciens. La lutte patricio-plébéienne dure un siècle et demi; elle s'achève par la victoire de la plèbe, qui obtient l'accès à toutes les magistratures (début du IIIe s.). L'ascension d'une élite plébéienne comme l'effondrement de la résistance patricienne donnent naissance à une classe dirigeante commune, la *nobilitas.* Selon les apparences, la constitution républicaine repose sur l'équilibre de trois organes politiques qui se contrôlent mutuellement : les magistrats*, le sénat*, les assemblées du peuple (comices* curiates, centuriates, tributes). En pratique, tout pouvoir émane du sénat, citadelle de la *nobilitas.*

Après le départ des Étrusques, Rome perd son hégémonie sur le Latium* et subordonne au Ve s. av. J.-C. sa politique à celle de la Ligue latine. La prise de la cité étrusque de Véies* (396 av. J.-C.) est la première étape vers la conquête de l'Italie centrale : par un enchaînement de batailles et de négociations, Rome réussit à soumettre les Latins (338-335 av. J.-C.), à annexer la Campanie, puis à triompher des Samnites* (290 av. J.-C.). Les accords qu'elle conclut avec Carthage consacrent l'introduction de sa puissance dans l'équilibre méditerranéen. Après sa victoire sur Pyrrhos* à Bénévent* (275 av. J.-C.) et la prise de Tarente (272 av. J.-C.), Rome domine toute la péninsule jusqu'à la Gaule Cisalpine.

Le conflit avec Carthage* marque le passage de la première phase de l'impérialisme romain, limité à l'Italie, à la seconde phase, dont le but est la domination du monde méditerranéen. La première guerre punique* (264-241 av. J.-C.) a pour enjeu la Sicile. Victorieuse, Rome occupe la Sicile, la Corse et la Sardaigne. La deuxième guerre (218-201 av. J.-C.), marquée par les victoires d'Hannibal* et celles de Scipion* l'Africain, lui donne l'Espagne. La troisième guerre (149-146 av. J.-C.) aboutit, grâce à la victoire de Scipion* Émilien, à l'anéantissement de Carthage, dont le territoire devient province d'Afrique. Après Zama* (202 av. J.-C.), Rome entreprend la conquête de l'Orient grec : les intérêts de la *nobilitas* et de la classe équestre* ainsi que l'ambition des généraux se mêlent à des préoccupations défensives. Rome, qui doit ses succès à sa remarquable organisation militaire (v. LÉGION), l'emporte sur la Macédoine* (Cynoscéphales, 197 av. J.-C.; Pydna, 168 av. J.-C.) et sur les Séleucides* (Magnésie du Sipyle, 189 av. J.-C.). En 148 av. J.-C., la Macédoine est réduite en province. La Grèce est occupée et Corinthe* est rasée en 146 av. J.-C. En 133 av. J.-C., Attalos III, roi de Pergame*, lègue à Rome son royaume, qui forme la province d'Asie (129 av. J.-C.). Au Ier s. av. J.-C., les progrès se poursuivent après les éphémères succès de Mithridate VI*, roi du Pont : Sulla* reconquiert la Grèce et l'Asie, et Pompée occupe la Syrie et la Judée (64-63 av. J.-C.). L'Égypte passera sous le contrôle de Rome après la victoire d'Octave à Actium* (31 av. J.-C.). En Occident, la Gaule Cisalpine est pacifiée de 197 à 177 av. J.-C. La conquête de l'Espagne s'achève par de dures campagnes contre les Celtibères et les Lusitaniens (prise de Numance* par Scipion* Émilien, en 133 av. J.-C.). La zone d'influence romaine en Afrique s'étend après la victoire de Marius* sur Jugurtha* (105 av. J.-C.). Dans le sud de la Gaule, Rome organise en 121 av. J.-C. la *Provincia* (Narbonnaise*). Conquise par César*, la Gaule est réduite en province (51 av. J.-C.).

Au milieu du IIe s. av. J.-C., Rome domine le monde méditerranéen. L'économie, stimulée par les conquêtes, est en pleine expansion. Avec la conquête de l'Orient, l'hellénisation de Rome s'accentue. Après avoir été le propre de cercles cultivés (Scipions), l'hellénisme imprègne la vie romaine à tous les niveaux, présidant à l'épanouissement du luxe dans les demeures comme à l'évolution religieuse. La religion traditionnelle, avec ses dieux, qui sont moins des personnes que des puissances, et son ritualisme rigoureux, ne satisfait plus une population plus affinée. L'élite cultivée se tourne de plus en plus vers la philosophie. À cette crise religieuse s'ajoute une crise sociale et politique. Les grands bénéficiaires des conquêtes sont les aristocrates, qui ont acquis de vastes domaines, exploités par une main-d'œuvre servile. Le commerce a enrichi les chevaliers. En face de ces classes privilégiées, la plèbe de Rome et des campagnes se trouve dans une situation précaire. Le développement de l'économie capitaliste entraîne la misère des petits propriétaires. À la fin du IIe s. av. J.-C., les Gracques* tentent de réaliser une réforme agraire. Ils échouent devant l'opposition de la *nobilitas.* Leurs morts tragiques ouvrent l'ère des guerres civiles : pendant un siècle, la cité va être déchirée par les factions rivales des *optimates* (aristocrates) et des *populares* (parti populaire, démocratique), tandis que des généraux ambitieux se disputeront le pouvoir. Marius, puis Sulla* imposeront leur pouvoir par l'appui de leur armée en dépit de la légalité. Sulla, qui se distingue dans la guerre sociale* (91-89/88 av. J.-C.), au cours de laquelle les alliés de l'Italie obtiennent le droit de cité, accède le premier au pouvoir personnel. Son œuvre de restauration aristocratique ne lui survivra pas. En 70 av. J.-C., Pompée*, vainqueur de Sertorius*, et M. Licinius* Crassus, qui a brisé la révolte servile de Spartacus*, obtiennent le consulat et abolissent la constitution sullanienne. En 60 av. J.-C., Pompée, Crassus et César concluent un pacte privé et secret (premier triumvirat*) pour se partager illégalement le pouvoir. En l'absence de César, parti conquérir la Gaule, Pompée demeure maître de Rome : en 52 av. J.-C., il est nommé par le sénat consul unique avec pleins pouvoirs. Allié aux *optimates,* il devient l'agent du sénat contre César. En 49 av. J.-C., celui-ci franchit le Rubicon : la guerre civile sera marquée par les victoires de César, qui instaurera une « monarchie moins le titre ». Le meurtre de César (44 av. J.-C.) ne sauve pas la république : Octave, fils adoptif de César, conclut avec Antoine et Lépide le second triumvirat* (43 av. J.-C.). Après avoir éliminé les républicains à Philippes (42 av. J.-C.), puis Lépide, Octave triomphe d'Antoine à Actium (31 av. J.-C.) : avec lui le pouvoir personnel s'impose définitivement.

● *Le Haut-Empire.* Désormais seul maître de Rome, Octave réorganise l'État. En 27 av. J.-C., il reçoit du sénat le titre d'auguste, dont le caractère sacré et divin souligne qu'il détient une *auctoritas* supérieure à celle du sénat. Se voulant le meilleur citoyen, dans le droit fil de la théorie cicéronienne du *princeps,* Auguste* crée ainsi un régime nouveau, le principat, que renforce encore le cumul de certains pouvoirs issus des magistratures républicaines. S'il se révèle soucieux de ménager le sénat et de respecter les institutions républicaines, le régime évolue dès le règne de Tibère* vers une monarchie personnelle. Sous Caligula* et Claude*, l'*imperium* prend le pas sur l'*auctoritas* et, la servilité du sénat aidant, permet à Néron*, le dernier des Julio-Claudiens* (de 14 à 68 apr. J.-C.), de gouverner en despote oriental. Le caractère monarchique s'accentue encore sous les Flaviens* (Vespasien*, Titus*, Domitien*) [de 69 à 96], dont le dernier représentant conçoit son pouvoir comme un dominat. En réaction, les cinq premiers Antonins (Nerva*, Trajan*, Hadrien*, Antonin* et Marc Aurèle*) fondent leur autorité non sur l'hérédité, mais sur l'adoption, qui permet, d'après la propagande officielle, de confier l'État au meilleur. Cependant, s'ils gouvernent, à l'exception de Commode*,

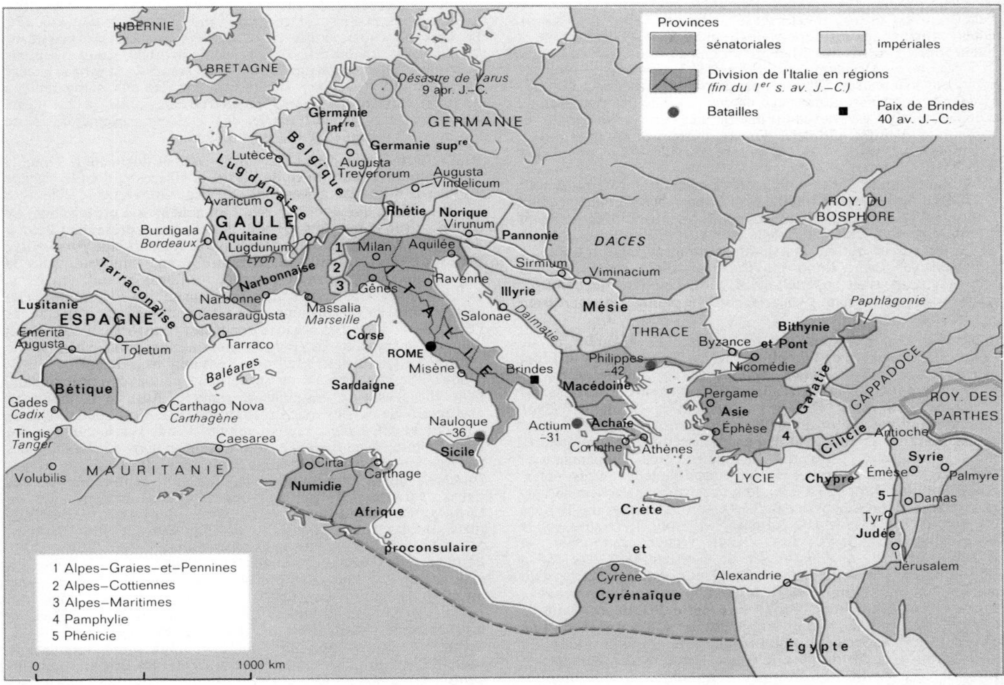

L'EMPIRE AU TEMPS D'AUGUSTE

Rome.
La place Saint-Pierre (colonnade du Bernin, 1656 à 1667), la via della Conciliazione (ouverte sous le régime mussolinien), le château Saint-Ange et le pont Saint-Ange sur le Tibre.

M. Blanchard

avec modération, les Antonins* (de 96 à 192) n'en sont pas moins des souverains absolus.

Agrandi par des conquêtes (Bretagne, champs Décumates*, Dacie*), protégé par le *limes**, l'Empire, aux Ier et IIe s., bénéficie de la *pax romana.* Gouvernées les unes par des délégués de l'empereur, les autres par ceux du sénat, les provinces* voient leurs élites participer aux institutions de l'Empire. La vie commerciale et intellectuelle est tout aussi intense en Orient, qui conserve l'usage du grec, qu'en Occident, vite romanisé. En contraste avec les provinces laborieuses, l'Italie apparaît comme un désert, découpé en grands domaines. Rome, lieu de convergence des richesses du monde romain, est devenue une grande cité cosmopolite et surpeuplée d'oisifs; elle offre l'image contrastée du luxe provoquant des parvenus et de la misère sordide d'une population d'assistés.

Le Haut-Empire connaît de grands bouleversements religieux : décadence de la religion traditionnelle, apparition du culte rendu à l'empereur et surtout triomphe des cultes orientaux. Ainsi viennent d'Asie Mineure le culte de Cybèle et d'Attis, d'Égypte celui d'Isis, de Perse celui de Mithra. D'Asie Mineure, où il s'était répandu, le christianisme* gagne Rome et l'Occident, où il est en butte à l'hostilité du pouvoir impérial, qui, à partir de Néron, poursuit ses adeptes sans pour autant s'engager dans une politique de répression systématique.

• *Le Bas-Empire**. Sous les règnes de Marc Aurèle et de Commode, l'équilibre de l'Empire se détruit. Les dépenses de l'État augmentent : l'administration, la défense des frontières, où les Barbares* se font offensifs, rendent la fiscalité plus oppressive. De la chute des Sévères* (235) à l'avènement de Dioclétien* (284), l'Empire traverse une crise terrible : aux invasions des Germains* et des Sassanides* s'ajoutent de nombreuses difficultés intérieures (anarchie militaire, usurpations multiples, crise économique et monétaire), qui ne prennent fin que sous Dioclétien. Mais, dès le règne de Gallien* (de 253 à 268), le monde romain s'achemine vers un extraordinaire redressement. Les premiers empereurs illyriens (de 268 à 284), Claude II*, Aurélien* et Probus*, rétablissent la sécurité des frontières. Les grands règnes sont celui de Dioclétien (de 284 à 305) et celui de Constantin Ier* (de 306 à 337). Dioclétien restaure Rome. Constantin est le créateur d'un monde nouveau : l'Empire devient chrétien et reçoit une nouvelle capitale, Constantinople*. La rupture entre l'Occident* latin et l'Orient* grec se produit dans les années 395-410, après la mort de Théodose Ier*. L'Occident subira le choc barbare le plus lourd : il s'effondrera à la fin du Ve s. L'Orient résistera aux Barbares et survivra jusqu'en 1453 (v. BYZANTIN [*Empire*]).

ROME, en ital. **Roma,** capit. de l'Italie et de la région du Latium, sur le Tibre; 2 833 000 hab. *(Romains).*

GÉOGRAPHIE. Ville d'importance moyenne, aux points de vue démographique et économique, au milieu du XIXe s., Rome doit son développement ultérieur à son choix comme capitale du nouveau royaume d'Italie en 1870. À ce moment, elle comptait seulement 210 000 habitants; sa population a donc plus que décuplé depuis. Cette croissance s'est opérée en priorité grâce à l'essor du secteur tertiaire (administration notamment, mais aussi université, commerce de luxe, banques, etc.) et, plus récemment, de l'industrie, liée surtout au marché de consommation (alimentation, textile, imprimerie, constructions mécaniques), stimulée aussi partiellement par l'afflux de millions de touristes, attirés par les richesses archéologiques et historiques ainsi que par la présence du Vatican. Bien desservie par le rail, la route et l'air (aéroport Léonard-de-Vinci à Fiumicino), Rome est, cependant, éloignée des foyers industriels du Nord (Gênes, Turin et surtout Milan) et se situe aux portes du Mezzogiorno, duquel la rapprochent un secteur tertiaire hypertrophié et (en contrepartie) une industrialisation réduite. Le taux de chômage est élevé, aggravé par l'afflux massif de Méridionaux s'ajoutant à l'excédent naturel. Rome, capitale politique nationale, métropole religieuse mondiale, n'est pas encore une ville aux fonctions équilibrées. Par là, elle s'apparente à d'autres capitales de pays méditerranéens (Madrid et même Athènes), mais se différencie des grandes agglomérations de l'Europe du Nord-Ouest (Paris et Londres).

HISTOIRE. Établie dans un décor de collines dominant le Tibre, la Rome primitive, constituée de plusieurs villages et dont la légende attribue la fondation à Romulus*, devient une véritable ville avec les Étrusques*, qui jouent un rôle capital dans son organisation. Le Capitole avec le temple de Jupiter et le Forum représentent le cœur de la ville, dont l'extension, cernée par le rempart et le *pomoerium,* correspond à la moitié de la future Rome impériale. Sous la République, elle s'agrandit et sa population s'accroît. Au IVe s. av. J.-C., les Gaulois envahissent Rome, mais cette invasion destructrice, entraînant une reconstruction hâtive, n'arrête pas l'essor de la ville. Les grandes conquêtes transforment Rome, qui ne cesse d'embellir. De somptueuses maisons sont bâties sur le Palatin. Le Quirinal, l'Esquilin et l'Aventin se peuplent.

Sous l'Empire, la ville ne se confond plus avec l'État romain, dont elle n'est, de fait, que la capitale. Auguste la divise en quatorze régions. Des magistrats spéciaux, préfets* de la ville, de l'annone et des vigiles, veillent aux besoins de l'agglomération. Au Haut-Empire, Rome semble atteindre le million d'habitants. Les pauvres s'entassent dans des immeubles de plusieurs étages *(insulae),* qui contrastent avec les vastes demeures *(domus)* des riches, entourées de jardins. Des aqueducs amènent l'eau de l'Apennin. La population se retrouve dans les immenses constructions édifiées pour son plaisir : amphithéâtres, cirques, thermes. Mais, avec l'arrêt des conquêtes et l'attaque des Barbares*, la destinée de la capitale du monde antique commence à basculer. La ville se replie à l'intérieur de l'enceinte fortifiée d'Aurélien pour organiser sa défense. Constantin Ier le Grand lui porte un coup fatal en faisant de Constantinople une seconde capitale (330) et en proclamant le christianisme religion impériale.

Privée de la présence impériale, Rome décline dès lors dans le cadre de l'empire d'Occident. Mise à sac par les Barbares (Alaric* en 410, Geiséric* en 455, Ricimer* en 472), devenue l'enjeu d'un combat entre Goths et Byzantins (milieu du VIe s.), et sa population ayant fortement diminué, elle prend pour des siècles l'aspect d'un monceau de ruines. Mais elle va connaître un prestige nouveau comme siège du successeur de saint Pierre et capitale du monde chrétien. Après la période des persécutions — dont témoignent encore les catacombes — et le départ des empereurs, le christianisme fait du pape le principal personnage de Rome. Grâce à la constitution des États de l'Église, le souverain pontife acquiert aussi le pouvoir temporel sur la ville. Mais la papauté va se trouver menacée par les empereurs germaniques, qui revendiquent Rome comme leur vraie capitale, et par les grandes familles romaines. La querelle des Investitures* sera désastreuse pour la ville; prise par les troupes de l'empereur Henri IV, Rome est reprise par les Normands, qui la pillent. Pourtant, le pape réussit à rétablir progressivement son pouvoir. L'installation de la papauté à Avignon* ayant démontré combien la prospérité de Rome dépend du pape, les Romains reconnaissent sa domination. À partir du XVe s., l'autorité papale devient absolue et Rome s'enrichit grâce à la fiscalité pontificale. De grands travaux sont entrepris. Le pape s'installe au Vatican*, où s'accumulent les richesses artistiques. Rome devient le centre de la Renaissance artistique et littéraire. Malgré le sac de Rome par Charles Quint en 1527, les travaux de construction et de rénovation urbaine se poursuivent. La reconstruction de la basilique Saint-Pierre est entreprise. À la fin du XVIIIe s., Rome est devenue une ville internationale, séjour de nombreux artistes. La Révolution porte un coup à l'absolutisme pontifical (République romaine, 1797-1799), et Napoléon Ier déclare Rome ville libre et impériale. Après sa chute, le pape rétablit un absolutisme anachronique, que balaie la révolution de 1848. Dès lors, la Question romaine* est posée, que règlent les accords du Latran (1929) en constituant la Cité du Vatican*, qui est un État indépendant. Occupée par les Allemands en 1943, la ville est libérée par les Alliés en juin 1944.

ARCHÉOLOGIE ET BEAUX-ARTS

• *La Rome primitive.* Les premiers ensembles monumentaux sont édifiés par les Étrusques à partir du milieu du VIIe s. av. J.-C. Les grands travaux édilitaires *(Cloaca maxima)* sont attribués par la tradition au premier roi étrusque, Tarquin l'Ancien. La ville républicaine laisse peu de monuments intacts, en dehors des temples de Vesta et de la Fortune virile, au pied du Capitole. Les fouilles ont permis l'étude de certains vestiges enchâssés dans des constructions impériales (maison des Griffons, 80 av. J.-C., sur le Palatin).

• *La Rome impériale.* Elle s'épanouit autour des forums, qui forment le centre politique de la cité. Vaste place rectangulaire, souvent bordée de portiques, chaque forum s'accompagne de nombreux monuments (marchés, basiliques, ...). Les forums impériaux, dont celui de Trajan, œuvre d'Apollodore* de Damas, avec son marché, la basilique Ulpia et les deux bibliothèques encadrant la colonne Trajane, constituent un ensemble archéologique tout aussi impressionnant que celui du Forum romain, avec son bâtiment de la Curie (édifice en brique du IIIe s. apr. J.-C.), ses basiliques Aemilia, Julia et de Maxence, ainsi que ses arcs de Septime Sévère, de Titus et de Constantin. Non loin s'élève le théâtre de Marcellus, et, à l'opposé, l'immense Colisée*. Citons encore les thermes de Constantin, de Trajan et de Dioclétien (église Sainte-Marie-des-Anges et Musée national) ainsi que les thermes gigantesques de Caracalla, qui ont livré des mosaïques* d'un expressionnisme brutal, le Panthéon*, le château Saint-Ange (mausolée d'Hadrien), etc. La *Domus aurea* de Néron, exemple brillant des recherches architecturales romaines, conserve des peintures murales qui sont très proches de celles des débuts de l'art paléochrétien* dans les catacombes (de saint Callixte, de saint Sébastien, de sainte Domitille, de sainte Priscille...), où se reflète intensément la ferveur des premiers chrétiens.

• *Le Moyen Âge.* Les premières basiliques ont conservé la grandeur romaine : Saint-Jean-de-Latran (très remaniée par Borromini en 1646; beau cloître à décor « cosmatesque » du XIIIe s.), Sainte-Marie-Majeure (mosaïques des IVe-Ve s. et mosaïque de 1295 par Iacopo Torriti), Saint-Paul-hors-les-Murs (fin du IVe s., reconstruite, sauf le transept, au XIXe s.; la plus vaste après Saint-Pierre), S. Clemente (reconstruite au XIe s.; belles peintures). Beaucoup de petites églises associent les traditions antique, paléochrétienne et byzantine : S. Sabina (Ve s.), S. Maria in Cosmedin (campanile du XIIe s.), S. Cosma e Damiano (mosaïque absidiale du VIe s.), S. Maria Antiqua (fresques des VIe-VIIIe s.), S. Prassede (IXe s.), S. Maria in Trastevere (XIIe s.; pavements polychromes « cosmatesques », mosaïques de P. Cavallini*), etc.

• *La Renaissance*.* La construction du palais de Venise (v. 1455) en est la première grande manifestation, suivie des décors de la chapelle Sixtine*. Les entreprises de Jules II, confiées au génie de Bramante*, de Raphaël* ou de Michel-Ange*, font de Rome le plus grand foyer créateur de la Renaissance classique : travaux du Vatican, début de la reconstruction de Saint-Pierre*, esquisse d'un nouvel urbanisme (où s'insèrent les contributions de Peruzzi*, d'A. da Sangallo* le Jeune, etc.). L'église du Gesù, commencée par le Vignole* en 1568, achevée en 1584 par Della* Porta, est l'édifice type de l'époque de la Contre-Réforme, qui voit le percement, par D. Fontana*, d'un vaste réseau de voies rectilignes.

• *Le baroque*.* C'est à Rome qu'il se dessine, notamment avec Maderno*, puis explose dans les œuvres du Bernin*, de Borromini et de P. de Cortone* (la magnificence du palais Barberini [1626-1639] doit aux quatre artistes). Un des lieux caractéristiques de la scénographie baroque est la place Navone, avec la fontaine des Fleuves du Bernin (1648) et l'église S. Agnese de Carlo Rainaldi et de Borromini (1652-1657). Considérable est l'activité des peintres (le Dominiquin*, le Guerchin*, Lanfranco*...) et des sculpteurs italiens (l'Algarde*), auxquels s'ajoute la cohorte des étrangers, pour qui Rome commence à être le lieu de travail privilégié entre tous (peintres caravagesques, puis Poussin*, rénovateur du courant classique). Le XVIIIe s. fait écho aux entreprises antérieures en multipliant perspectives, façades monumentales, escaliers, fontaines (ensemble de la fontaine de Trevi, par Nicola Salvi, 1732). Rome est ensuite le centre de ralliement des doctrinaires du néoclassicisme* (et des artistes : Canova*, David*). Le XIXe s. voit l'aménagement de la piazza del Popolo par Giuseppe Valadier (1816), et un premier outrage au cœur de la cité : le monument à Victor-Emmanuel II.

• Principaux musées de Rome : musées du Capitole (antiques) et du palais des Conservateurs, dans l'ensemble du Capitole, conçu par Michel-Ange; musée national des thermes de Dioclétien (antiques); musée de la villa Giulia (construite par Vignole) [art étrusque]; musée du palais de Venise (arts décoratifs); galerie nationale d'Art ancien, au palais Barberini (collections des XIIe-XVIe s.); galerie Doria-Pamphili (XVe-XVIIe s.); villa Borghèse; ensemble des musées du Vatican*.

ROMÉ DE L'ISLE (Jean-Baptiste), minéralogiste français (Gray 1736-Paris 1790). Il énonça la loi de constance des angles en cristallographie.

Roméo et Juliette, drame en cinq actes de Shakespeare (1594-95). Malgré la haine qui sépare leurs deux familles, Roméo et Juliette s'aiment et se marient; la fatalité les entraîne dans la mort. Le drame des amants de Vérone a inspiré plusieurs musiciens : Berlioz (symphonie dramatique avec chœurs, solos de chant et prologue en récitatif choral, livret de Deschamps, 1839); Gounod (opéra en cinq actes, livret de Barbier et Carré, 1867); Tchaïkovski (fantaisie-ouverture; trois versions, 1869, 1870, 1880). La partition de Prokofiev (ballet, 1936, 1946) a été illustrée par les chorégraphies de Leonid Lavrovski (1940), de Dimitrije Parlić (1948), de Serge Lifar et Frederick Ashton (1955), de Peter Van Dijk (1961) et de John Cranko (1962). Maurice Béjart, pour sa version (Bruxelles, 1966) contemporaine et intemporelle tout à la fois, a adopté la partition de Berlioz, à laquelle il a mixé différents bruitages.

RÖMER (Olaüs), astronome danois (Århus 1644-Copenhague 1710). Il fut le premier à installer une lunette méridienne à Copenhague (1689) et à mesurer la vitesse de la lumière*. Il fit cette dernière mesure en 1676 à l'Observatoire de Paris, en utilisant les immersions et les émersions des satellites de Jupiter* dans le cône d'ombre de la planète, et trouva une valeur assez bonne : 42 000 milles par seconde, soit 308 000 km/s.

Rome, ville ouverte, film italien de Roberto Rossellini (1945). Il évoque les derniers temps du fascisme à Rome en 1943-44. Quelques résistants, tombés aux mains de la Gestapo, succombent sous la torture ou sont exécutés. Réalisé dans un style proche du documentaire, ce film fut considéré comme le manifeste du mouvement néoréaliste en Italie. En réalité, les conditions difficiles de tournage imposèrent au réalisateur de choisir des décors naturels et d'opter pour une grande sobriété de mise en scène. Mais la renommée du film influença profondément d'autres cinéastes, qui décidèrent, à leur tour, de donner la parole aux « gens de la rue » et assurèrent la notoriété du néoréalisme.

ROMILLY-SUR-SEINE (10100), ch.-l. de cant. du nord-ouest de l'Aube; 17 573 hab. *(Romillons).* Bonneterie. Constructions mécaniques. Atelier ferroviaire.

ROMMEL (Erwin), maréchal allemand (Heidenheim 1891-Ulm 1944). D'abord admirateur de Hitler, dont il commande le quartier général en 1939, il se distingue à la tête de la 7e division blindée en France (1940), puis de l'Afrikakorps en Libye (1941-1943), où, après avoir menacé l'Égypte, il est battu par Montgomery à El-Alamein (1942). Appelé ensuite au commandement d'un groupe d'armées en France, il ne peut s'opposer au débarquement allié en 1944 et est blessé en Normandie. Sa sympathie pour les conjurés du 20 juillet entraînera son suicide sur ordre exprès de Hitler. Ses carnets personnels (traduits en français sous le titre de *la Guerre sans haine*) ont été publiés par Liddell Hart en 1953.

ROMNEY (George), peintre anglais (Dalton in Furness, Lancashire, 1734-Kendal 1802). Formé auprès d'un modeste praticien ambulant, installé à Londres en 1762 (mais faisant peu après un voyage en France et en Italie), il s'imposa comme un portraitiste au talent ferme et direct.

ROMORANTIN-LANTHENAY (41200), ch.-l. d'arr. du sud du départ. de Loir-et-Cher, en Sologne, sur la Sauldre; 17 041 hab. *(Romorantinais).* Restes du château royal et demeures des XVe-XVIe s. Musée de Sologne. Construction automobile.

ROMULUS, selon la tradition, fondateur et premier roi de Rome, descendant d'Énée*, fils de Mars et d'une vestale, Rhea Silvia. Après une naissance et une enfance marquées du sceau du divin, Romulus et son frère jumeau Remus décident de fonder une ville. Sur le site de la future Rome, ils prennent les auspices : une querelle éclate entre eux, au cours de laquelle Remus est tué. Romulus trace autour du Palatin* l'enceinte de la ville en creusant un sillon : la *Roma quadrata* est née (753 av. J.-C.). Après avoir

RONGEURS

assuré le peuplement de Rome (enlèvement des Sabines) et organisé la cité (création d'un conseil de *patres,* division du peuple en trente curies et en trois tribus), Romulus disparaît mystérieusement au cours d'un orage. On le vénérera sous le nom du dieu Quirinus*.

ROMULUS AUGUSTULE (né v. 461/462), dernier empereur de l'empire romain d'Occident (475-476). Il fut déposé par Odoacre*, qui renvoya à Constantinople les insignes du pouvoir impérial (476).

RONARC'H (Pierre) → FLANDRES *(batailles des).*

RONCE. — Rares sont les espèces végétales aussi envahissantes que la ronce : la base du pied émet des stolons en tous sens, les branches se recourbent en arceaux jusqu'au sol et, dans les deux cas, un nouveau pied se forme et s'enracine à l'extrémité du rameau. Fortement épineuse, la ronce porte des fruits composés noirs comestibles, les *mûres.* Très voisine du framboisier, commune dans les haies et les terrains incultes, elle est classée dans la famille des rosacées.

RONCEVAUX, bourg d'Espagne (Navarre), à proximité du col d'Ibañeta (ou *col de Roncevaux*). Le 15 août 778, l'arrière-garde de l'armée de Charlemagne, qui revenait d'Espagne, y fut attaquée et détruite par les montagnards basques, alliés des Sarrasins. Parmi les morts figurait Roland*. En 824, une autre armée franque fut massacrée par les Vascons à Roncevaux.

RONCHAMP (70250), comm. de la Haute-Saône, à 12 km à l'E. de Lure; 3 087 hab. Chapelle par Le Corbusier. Métallurgie.

RONCHIN (59790), comm. du Nord, dans la banlieue sud-est de Lille; 15 426 hab. *(Ronchinois).* Industries métallurgiques, chimiques et alimentaires.

RONCQ (59223), comm. du Nord, dans la banlieue nord-ouest de Tourcoing; 10 756 hab. Textile.

RONDE → NOTATION MUSICALE.

RONDEAU ou **RONDO.** — Issu de la forme poétique du rondel, ce genre vocal et chorégraphique, typiquement français et qui remonte au Moyen Âge, s'exécute en formant une ronde. Il se caractérise par l'alternance d'un même refrain et de couplets différents (RC_1 RC_2 RC_3... R). La polyphonie l'exploite abondamment, d'Adam de La Halle à Roland de Lassus. Le *rondeau simple* (sept ou huit vers sur deux rimes) reçoit au XVIe s. le nom de *triolet.* Le *rondeau double* (treize vers) est illustré par Charles d'Orléans. Le *rondeau parfait* comporte six quatrains. Au cours du XVIIIe s., l'orthographe s'italianise en *rondo.* Abandonnant texte et geste, la structure demeure et devient un des schémas privilégiés de la musique instrumentale. Le rondo se rencontre notamment dans la suite* (F. Couperin), puis dans la sonate*, la musique de chambre* et la symphonie* (Haydn, Mozart). Il peut se combiner avec les formes de l'allegro de sonate et du da* capo (rondo-sonate). Son caractère est généralement enjoué.

Ronde de nuit *(la),* titre traditionnel, mais erroné, d'une toile peinte par Rembrandt en 1642 (3,59 × 4,38 m, Rijksmuseum, Amsterdam) et représentant, à la demande de l'Association des arquebusiers d'Amsterdam, la *Sortie du capitaine Frans Banning Cocq et de son lieutenant Willem Van Ruytenbuch.* Aucun détail nocturne (surtout après nettoyage) n'apparaît dans cette œuvre,

La Ronde de nuit, de Rembrandt.
(Rijksmuseum, Amsterdam.)

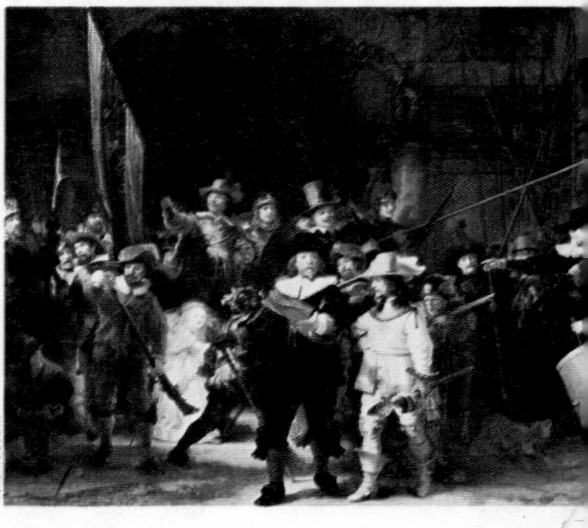
Rijksmuseum

fameuse pour la composition mouvementée qui anime l'ensemble, hors des conventions du portrait collectif (le décentrement du groupe principal était plus grand avant une amputation survenue en 1715), pour ses contrastes de couleurs, notamment un rapport jaune-rouge cher au peintre, et pour la cohésion que lui donne un jeu savant de la lumière et de l'ombre.

RONDELET (Jean-Baptiste), architecte français (Lyon 1743-Paris 1829). Collaborateur de Soufflot* à Sainte-Geneviève, il achève le monument, puis l'adapte à sa nouvelle fonction (sous la direction de l'« archéologue » Quatremère de Quincy) et, en 1806, le consolide. Professeur, il publie un important *Traité théorique et pratique de l'art de bâtir* (1re éd., 1802).

RONDÔNIA, territoire de l'ouest du Brésil, limitrophe de la Bolivie; 243 044 km^2; 114 000 hab. Ch.-l. *Pôrto Velho.*

RONGEURS. — Les mammifères rongeurs sont rarement de grande taille, mais se rendent souvent très nuisibles du fait de leur abondance. Ils se caractérisent par une denture dépourvue de canines, mais comportant une paire d'incisives tranchantes à croissance continue qui leur permettent de ronger, c'est-à-dire de raboter les aliments durs (bois, carottes...) en en détachant des copeaux. Les molaires, nombreuses et serrées, sont broyeuses. Souvent couverts d'une belle fourrure, les rongeurs ont leurs quatre pattes munies de griffes. Leur reproduction est rapide et abondante. On classe les rongeurs en quatre groupes : les *sciuromorphes* (écureuil), les *myomorphes* (rat), les *hystricomorphes* (porc-épic) et les *lagomorphes* (lapin). Toutefois, des arguments phylogénétiques (ancêtres fossiles trop différents) conduisent beaucoup de classificateurs à faire des lagomorphes un ordre particulier.

RONSARD (Pierre DE), poète français (château de la Possonnière, Couture-sur-Loir, 1524-Saint-Cosme-en-l'Isle, près de Tours, 1585). Page à la cour de France, puis à celle d'Écosse, il est bientôt atteint d'un mal qui le laisse à demi sourd (1540). Il se consacre alors aux lettres et, en compagnie d'Antoine de Baïf et de Joachim du Bellay, apprend le grec sous la direction de Dorat. Désireux de donner à la poésie française richesse et majesté, il s'impose très vite comme le chef de la nouvelle école, la « Brigade », qui devient la « Pléiade » en 1556. S'inspirant de Pindare et d'Horace dans ses *Odes** (1550-1552), imitant Pétrarque et Anacréon dans ses poésies amoureuses et légères (*Amours**, 1552; *Bocage,* 1554; *Continuation des Amours,* 1555-56), il trouve dans les *Hymnes* (1555-56) le ton de l'épopée. Conseiller et aumônier ordinaire du roi (1559), il célèbre la fonction de guide que le poète doit remplir à l'égard des peuples et des rois, et prend parti dans les guerres civiles (*Discours,* 1562-63), exaltant la monarchie et la nation dans les quatre premiers chants de *la Franciade** (1572), qui restera inachevée. S'il compose encore des pièces de circonstance pour les divertissements de la Cour (*Élégies, mascarades et bergeries,* 1565), l'avènement d'Henri III marque le déclin de son prestige : supplanté par Desportes, Ronsard exprime sa nostalgie dans ses derniers poèmes d'amour (*les Amours d'Hélène,* 1578) et se retire dans son prieuré de Saint-Cosme-lès-Tours. Les critiques de Malherbe et de Boileau devaient ruiner pour deux siècles sa réputation, que Sainte-Beuve rétablit dans son *Tableau historique et critique de la poésie et du théâtre français au XVIe siècle* (1828).

RONSE → RENAIX.

RÖNTGEN → DOSE.

RÖNTGEN (Wilhelm Conrad), physicien allemand (Lennep, Rhénanie, 1845-Munich 1923). En 1895, il découvrit les rayons X et étudia leurs principales propriétés. (Prix Nobel de physique, 1901.)

RÖNTGENTHÉRAPIE → RADIOTHÉRAPIE.

ROODEPOORT, v. de l'Afrique du Sud (Transvaal), dans le Witwatersrand, à l'O. de Johannesburg; 114 000 hab.

ROON (Albrecht, *comte* VON), maréchal prussien (près de Kolberg 1803-Berlin 1879). Ministre de la Guerre en 1859, il fut, en accord avec Moltke, le grand réorganisateur de l'armée prussienne (service de trois ans), à laquelle il donna notamment une grande mobilité, contribuant ainsi à ses succès de 1866 et de 1870.

ROOSENDAAL, v. des Pays-Bas (Brabant-Septentrional), près de la frontière belge; 41 000 hab. Verrerie.

ROOSEVELT (Theodore), homme d'État américain (New York 1858-Oyster Bay 1919). Député républicain, secrétaire adjoint à la Marine (1897), il démissionne pour participer à la guerre hispano-américaine (1898). Gouverneur de New York (1898), vice-président des États-Unis (1900), il accède à la présidence après l'assassinat de McKinley* (1901); il sera réélu en 1904. Il pratique à l'extérieur (Philippines*, Panamá*, Saint-Domingue, Cuba*) une politique résolument impérialiste et interventionniste. À l'intérieur, il vise à lutter contre le gaspillage et les monopoles (holdings). Après avoir quitté la Maison-Blanche, il prend la tête du groupe progressiste, favorable à une participation accrue du peuple américain à la vie politique du pays. Mais, candidat à la présidence en 1912, il est battu par le démocrate Wilson*. (Prix Nobel de la paix, 1906.)

Franklin D. Roosevelt conversant avec les généraux de Gaulle et Giraud, lors de la conférence de Casablanca (janv. 1943).

ROOSEVELT (Franklin Delano), homme d'État américain (Hyde Park, État de New York, 1882-Warm Springs 1945), cousin et neveu par alliance de Th. Roosevelt*. Avocat, il est élu sénateur démocrate de l'État de New York (1910) et devient secrétaire adjoint à la Marine (1913-1921), puis gouverneur de New York (1929-1933) avant de succéder à Hoover* à la présidence des États-Unis (1933-1945), où il sera réélu à trois reprises (en 1936, en 1940 et en 1944). Conseillé par une équipe d'intellectuels et de spécialistes (« brain trust »), il élabore la politique du New Deal*, destinée à moderniser le capitalisme américain en l'adaptant aux difficultés nées de la crise économique. Ayant su gagner l'opinion américaine, il fait adopter, malgré les oppositions nombreuses, l'ensemble des lois du New Deal (contrôle des banques et des industries par l'État, limitation de la production agricole, suppression de la prohibition, abandon de l'étalon-or et dévaluation du dollar, extension du crédit, réglementation des conditions de travail et du syndicalisme, aménagement des conventions collectives...). Par leur caractère progressiste, ces mesures entraînent la mutation du parti démocrate. Renforçant le pouvoir fédéral, elles donnent au président des États-Unis un rôle prépondérant. La réorganisation de la vie politique et économique va permettre au pays d'affronter la guerre, à laquelle F. Roosevelt prépare progressivement l'opinion, traditionnellement isolationniste. Jugeant le conflit inévitable, le président fait voter la loi du prêt-bail (1941) afin d'aider les pays alliés contre l'Allemagne, puis mène avec énergie la conduite de la guerre. Élaborant avec Churchill la charte de l'Atlantique, participant aux accords de Téhéran (1943) et de Yalta (1945), où son attitude conciliatrice permet d'éviter une rupture avec l'U. R. S. S., il joue un rôle décisif dans la victoire alliée.

ROOST-WARENDIN (59286), comm. du Nord, à 8 km au N. de Douai; 6 473 hab.

ROQUEBILLIÈRE (06450 Lantosque), ch.-l. de cant. des Alpes-Maritimes, à 7 km au S.-E. de Saint-Martin-Vésubie; 1 609 hab. Église gothique.

ROQUEBRUNE-CAP-MARTIN (06190), comm. des Alpes-Maritimes, à 3 km au S.-O. de Menton; 11 246 hab. *(Roquebrunois).* Village pittoresque, dominé par un château du XIIIe s. (musée). Station balnéaire sur la Méditerranée.

ROQUEBRUNE-SUR-ARGENS (83520), comm. du Var, à 11 km à l'O. de Fréjus; 5 053 hab.

ROQUEBRUSSANNE (La) [83136], ch.-l. de cant. du Var, à 15 km au S.-O. de Brignoles; 662 hab.

ROQUECOURBE (81210), ch.-l. de cant. du Tarn, sur l'Agout, à 10 km au N.-E. de Castres; 2 271 hab. Pont du XIIIe s.

ROQUEFAVOUR, écart de la comm. d'Aix-en-Provence. Aqueduc (1842-1847), par lequel le canal de Marseille franchit la vallée de l'Arc.

ROQUEFORT → FROMAGE.

ROQUEFORT (40120), ch.-l. de cant. des Landes, à 22 km au N.-E. de Mont-de-Marsan; 2 112 hab. Église des XIIe et XIIIe s.

ROQUEFORT-SUR-SOULZON (12250), comm. de l'Aveyron, à 13,5 km à l'E.-N.-E. de Saint-Affrique; 949 hab. Affinage des fromages au lait de brebis dans des grottes calcaires.

ROQUEMAURE (30150), ch.-l. de cant. du Gard, sur le Rhône, à 11 km au S.-S.-O. d'Orange; 3 646 hab. Restes de deux châteaux féodaux. Église du XIIIe s.

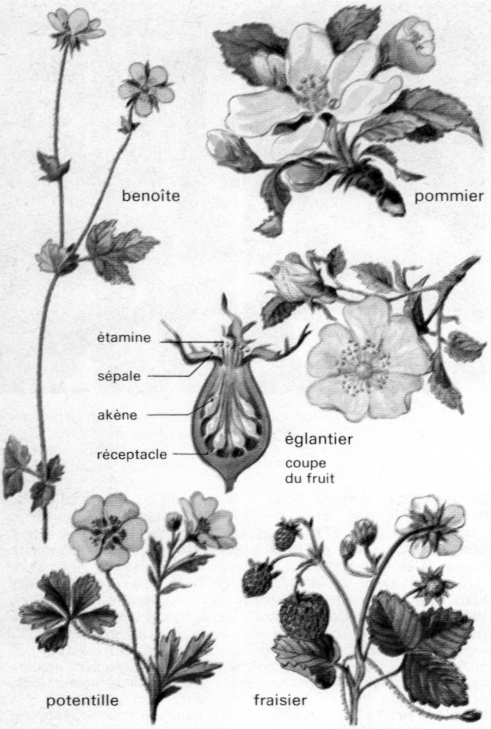

ROSACÉES

ROQUEPERTUSE, site des Bouches-du-Rhône, dans la vallée de l'Arc. Vestiges d'un sanctuaire celto-ligure du IIIe s. av. J.-C., à la statuaire hiératique et expressive, qui témoigne de l'originalité gauloise, mais dont la signification demeure énigmatique.

ROQUESTERON (06910), ch.-l. de cant. des Alpes-Maritimes, à 22,5 km au S.-E. de Puget-Théniers; 404 hab.

ROQUETTE *(Arm.).* — Projectile tactique autopropulsé mais non guidé, la roquette a fait son apparition pendant la Seconde Guerre mondiale et a connu depuis un important développement. On distingue :
— les *roquettes antichars,* permettant notamment un bon emploi de la charge creuse (parmi les successeurs du bazooka américain de 1944-45, on citera les *lance-roquettes antichars* français de 73 et de 89 mm [portée de 200 à 350 m]);
— les *roquettes d'artillerie,* tirées à cadence rapide par rampes multitubes effectuant des tirs de saturation (orgue de Staline...);
— les *roquettes d'avion,* équipant les chasseurs;
— les *roquettes anti-sous-marins,* tels les modèles français 1954, 1964 et 1972 de 375 mm.

À ce type d'arme se rattache depuis 1951 le « Honest John » américain (portée de 4 à 40 km), premier projectile capable de porter une charge nucléaire tactique, qui sera remplacé à la fin des années 60 par les missiles.

ROQUETTE *(Bot.).* — On cultive parfois pour ses feuilles cette petite crucifère du bord des chemins, aux fleurs blanches, voisine du chou. Très aromatiques, ses feuilles relèvent en effet le goût des salades. (Famille des crucifères.)

ROQUEVAIRE (13360), ch.-l. de cant. des Bouches-du-Rhône, à 25 km à l'E. de Marseille; 5 042 hab.

RORAIMA (le), massif du nord de l'Amérique du Sud, aux confins du Brésil, de la Guyana et du Venezuela.

RORSCHACH, v. de Suisse (cant. de Saint-Gall), sur la rive sud du lac de Constance; 11 963 hab.

Rorschach *(test de),* test de personnalité le plus utilisé, tant pour aider à l'établissement d'un diagnostic en psychiatrie que dans un but de sélection professionnelle. Il fut inventé en 1921 par Hermann Rorschach (1884-1922), psychiatre suisse, qui connaissait bien les thèses de S. Freud. Le sujet examiné est invité à énoncer ce que lui évoquent dix taches d'encre (noire, rouge et noire, et de couleur) standardisées que l'examinateur lui présente dans un ordre déterminé. Choisies pour leur ambiguïté, les taches d'encre sollicitent un grand nombre de réponses. Les réponses de chaque sujet ne sont pas choisies au hasard mais en fonction de sa personnalité, selon des bases objectives (temps de réponse et nombre de réponses par planche, localisation, déterminant et contenu de chaque réponse). Le psychologue analyse chacune d'entre elles pour évaluer le type d'intelligence, et surtout pour apprécier l'affectivité, appréciation pour laquelle il est largement fait appel aux concepts psychanalytiques.

ROSA (Salvator), peintre italien (Naples 1615-Rome 1673). D'abord influencé par Van Laer et par Ribera (batailles, bambochades...), il est touché par le classicisme vers 1640 (paysages composés, marines, mais aussi sujets ésotériques et de sorcellerie) et anime ses œuvres d'accents préromantiques à partir de 1650. Il est également graveur, poète et musicien.

ROSACÉES. — C'est à la famille des rosacées qu'appartiennent la plupart de nos arbres et arbustes fruitiers européens : le pommier, le poirier, le prunier, le cerisier, le sorbier, le pêcher, l'abricotier, le cognassier, l'amandier, le néflier, le framboisier, et l'églantier, dont l'horticulture a tiré les milliers de variétés de rosiers. En font partie également quelques espèces herbacées (fraisier, benoîte, potentille, pimprenelle) et des plantes épineuses des haies (aubépine, prunellier, ronce). Les fleurs des rosacées ont des pétales caducs, des étamines nombreuses et soudées aux sépales ainsi que plusieurs styles. Dans de nombreuses espèces, un *calicule* double inférieurement le calice.

ROSANS (05150), ch.-l. de cant. des Hautes-Alpes, à 39,5 km à l'E.-N.-E. de Nyons; 594 hab.

ROSARIO, v. d'Argentine (prov. de Santa Fe), sur le Paraná; 750 000 hab. Deuxième ville du pays (avec Córdoba), port fluvial et nœud ferroviaire, centre commercial, avec quelques industries (alimentation, travail du cuir et du bois).

ROSAS (Juan Manuel DE), homme politique argentin (Buenos Aires 1793-Swaythling, Hampshire, 1877). Ayant pris la tête des fédéralistes (1828), il est porté au pouvoir par de grands propriétaires (1829) et gouverne par la terreur. Il est renversé par une coalition animée par le Brésil et le Paraguay (1852).

Rosati *(les)* [anagramme d'*Artois*], société littéraire fondée à Arras en 1778.

ROSCELIN → NOMINALISME.

ROSCOFF (29211), comm. du Finistère, à 5 km au N. de Saint-Pol-de-Léon; 3 732 hab. *(Roscovites).* Église en gothique flamboyant. Port (exportation de légumes). Station balnéaire. Station climatique pour les rhumatismes et les affections ostéoarticulaires chroniques de l'enfant. Thalassothérapie. Laboratoire de biologie marine.

ROSE *(mont),* massif des Alpes, partagé entre la Suisse (Valais) et l'Italie (Piémont), avec plusieurs hauts sommets, dont le Cervin, ou Matterhorn, et le *mont Rose* proprement dit (deuxième sommet des Alpes [4 638 m à la pointe Dufour], conquis en 1872).

ROSÉ → VIN.

Rose blanche *(ordre de la),* ordre national finlandais, créé en 1919.

Rose-Croix, association mystique à audience universelle, libre de toute alliance religieuse, qui porte actuellement le nom d'« ancien et mystique ordre Rose-Croix » (A. M. O. R. C.). Sa philosophie, métaphysique et physique, a pour objet d'éveiller toutes les facultés de l'homme; elle enseigne à ses membres l'importance et l'application des lois cosmiques et naturelles. Le mot « rosicrucien » est la forme française du nom latin qu'avait l'ordre à l'origine (XVIIIe s.) : *rosae crucis,* qui signifie « de la rose-croix ». Il dérive du symbole séculaire de l'ordre : la croix et une seule rose rouge.

ROSE DE JÉRICHO. — Une petite crucifère des sables désertiques d'Arabie, très ligneuse et faiblement enracinée, présente deux curieuses propriétés : elle se laisse entièrement arracher et transporter par le vent, parfois à de grandes distances, et sa ramure hygroscopique se resserre en boule par temps sec pour s'épanouir largement à l'humidité, laissant alors tomber les graines. Ainsi sont assurées la dispersion et la reproduction de cette plante.

ROSE DES SABLES. — Agglomérat de cristaux de gypse de couleur jaune ou rose, la rose des sables se forme dans les sebkhas des régions désertiques*. Le gypse cristallise par suite de l'évaporation des eaux, chargées en sels, amenées par les oueds.

ROSÉE. — Elle est formée de fines gouttelettes d'eau qui se déposent le soir et surtout le matin sur la surface du sol et sur les végétaux. Elle résulte de la condensation d'une partie de la vapeur d'eau contenue dans l'air au contact du sol, sous l'influence du refroidissement nocturne.

ROSEGGER (Peter), écrivain autrichien (Alpl, Styrie, 1843-Krieglach 1918). Il a peint dans ses romans la vie de son pays et défendu les mœurs traditionnelles (*la Forêt natale,* 1877; *Jacob le dernier,* 1888).

Roselend *(barrage de),* retenue de la Savoie sur le *Doron de Roselend,* à 1475 m d'altitude, alimentant la centrale hydroélectrique de La Bâthie.

ROSENBERG (Alfred), théoricien nazi et homme politique allemand (Revel [auj. Tallin] 1893-Nuremberg 1946). L'un des principaux idéologues du national-socialisme*, il développe les trois concepts de race, d'anticommunisme et d'espace vital (Lebensraum), et s'efforce de donner à sa théorie de l'antisémitisme une justification historique. Ministre des Territoires occupés de l'Est (1941) et organisateur des déportations massives, il est condamné à mort par le tribunal de Nuremberg et exécuté.

Rosenberg *(affaire),* affaire judiciaire américaine qui déclencha à l'époque du maccartisme une vaste campagne d'opinion aux États-Unis et dans divers pays en faveur de Julius et Ethel Rosenberg, accusés d'avoir livré des secrets atomiques à l'U. R. S. S. Les partisans des époux Rosenberg organisèrent de grandes manifestations afin d'obtenir la révision du procès, considéré comme une machination policière liée à la vague d'anticommunisme fanatique que traversaient alors les États-Unis. Les Rosenberg furent, cependant, condamnés à mort (1951) et exécutés (1953) sans que leur culpabilité ait été prouvée.

ROSENDAËL (59240 Dunkerque), station balnéaire du Nord, faubourg est de Dunkerque, sur la mer du Nord.

ROSENQUIST (James) → POP ART.

ROSÉOLE → SYPHILIS.

ROSE TRÉMIÈRE. — Très voisine de la guimauve et de l'hibiscus, cette plante annuelle est remarquable par la hauteur (3 m et plus) que peuvent atteindre ses tiges et par ses belles fleurs discoïdales aux nombreuses étamines. (Genre *Althæa;* famille des malvacées.)

ROSETTE, auj. **Rachīd,** port d'Égypte, à l'embouchure du bras occidental du Nil (dit parfois *branche de Rosette*); 33000 hab. Pendant l'occupation française (1799) y fut découverte une pierre gravée en hiéroglyphes, en démotique et en grec. Ce fragment de stèle (British Museum) en basalte noir et le décret trilingue de Ptolémée V, qui y figurait, permirent à Champollion* de déchiffrer l'écriture hiéroglyphique.

ROSHEIM (67560), ch.-l. de cant. du Bas-Rhin, à 6,5 km au S. de Molsheim; 3498 hab. Belle église romane (sculptures; clocher du XIVe s.). Vieilles maisons. Constructions mécaniques.

ROSI (Francesco), cinéaste italien (Naples 1922). Estimant que le cinéma doit être une arme au service de la vérité, il a tourné plusieurs films qui témoignent de ses préoccupations sociales et politiques, et s'est attaqué aux diverses formes d'oppression de la société contemporaine : *le Défi* (1957), *Salvatore Giuliano* (1961), *Main basse sur la ville* (1963), *les Hommes contre* (1970), *l'Affaire Mattei* (1971), *Lucky Luciano* (1973), *Cadavres exquis* (1975).

ROSIER → ROSACÉES.

ROSIÈRE (la), station de sports d'hiver (alt. 1850-2300 m) de la Savoie (comm. de Montvalezan), à 23 km au N.-E. de Bourg-Saint-Maurice.

ROSIÈRES-EN-SANTERRE (80170), ch.-l. de cant. de la Somme, à 22 km au N.-E. de Montdidier; 2826 hab.

ROSKILDE, v. du Danemark (Sjaelland), à l'O. de Copenhague; 51000 hab. Cathédrale gothique (sépultures royales).

ROSLIN (Alexander), peintre suédois (Malmö 1718-Paris 1793). Il visita l'Italie, puis s'établit en 1752 à Paris, où il épousa la pastelliste Marie Suzanne Giroust et fit carrière comme portraitiste (*la Dame au voile,* Musée national, Stockholm).

ROSNY (Joseph Henri et son frère Séraphin Justin BOEX, dits J.-H.), écrivains français, le premier dit **Rosny aîné** (Bruxelles 1856-Paris 1940), le second dit **Rosny jeune** (Bruxelles 1859-Ploubazlanec 1948). D'abord disciples de Zols (*Nell Horn,* 1886), ils publièrent des romans évoquant la préhistoire ou des mondes imaginaires (*les Xipéhuz,* 1887). Ils cessèrent leur collaboration en 1909 et firent paraître séparément des récits et des essais. On doit notamment à J.-H. Rosny aîné *la Guerre du feu* (1911) et à J.-H. Rosny jeune *Sépulcres blanchis* (1913).

ROSNY-SOUS-BOIS (93110), ch.-l. de cant. de la Seine-Saint-Denis, à 6 km à l'E. de Paris; 35823 hab. Centre national d'information routière.

ROSNY-SUR-SEINE (78710), comm. des Yvelines, à 7 km à l'O. de Mantes-la-Jolie; 3541 hab. Château de Sully.

ROSPORDEN (29140), ch.-l. de cant. du Finistère, à 13 km au N.-E. de Concarneau; 7228 hab. Église des XIVe-XVIIe s.

ROSS *(barrière de),* grande falaise de glace du continent antarctique, en bordure de la *mer de Ross* et limitée à l'E. par l'*île de Ross,* qui porte le volcan Erebus.

ROSS (*sir* John), explorateur britannique (Inch, Écosse, 1777-Londres 1856). En 1816, il inaugure la longue suite des expéditions arctiques du XIXe s. En 1833, il découvre le pôle magnétique dans l'île de Somerset.

ROSS (*sir* Ronald), médecin anglais (Almora, Inde, 1857-Putney 1932), prix Nobel de médecine en 1902 pour sa découverte du mode de transmission du paludisme par les moustiques.

ROSSBACH, village situé en Allemagne orientale, au S. de Halle. À proximité, Frédéric II* de Prusse battit le 5 novembre 1757 une armée franco-impériale.

ROSSEL (Louis), officier français (Saint-Brieuc 1844-Satory 1871). Polytechnicien et officier d'active du génie en 1870, il devint l'un des chefs militaires de la Commune* et fut fusillé par les versaillais.

ROSSELANGE (57780), comm. de la Moselle, sur l'Orne, à 20 km au N.-O. de Metz; 3923 hab.

ROSSELLINI (Roberto), cinéaste italien (Rome 1906-*id.* 1977). Révélé par *Rome, ville ouverte* (1945), première manifestation officielle du néoréalisme, il s'imposa comme l'un des grands maîtres du cinéma italien : *Paisà* (1946), *L'Amore* (1947), *Allemagne année zéro* (1948), *Onze Fioretti de saint François d'Assise* (1950), *Europe 51* (1952), *Voyage en Italie* (1953), *India* (1957), *le Général Della Rovere* (1959), *Viva l'Italia* (1960), *Vanina Vanini* (1961), *la Prise du pouvoir par Louis XIV* (1966), *le Messie* (1975).

ROSSELLINO (Bernardo), architecte et sculpteur florentin (Settignano 1409-Florence 1464). Disciple d'Alberti, il réalise le palais Rucellai à Florence (1445) et travaille à Pienza pour Pie II. En sculpture, il inaugure le type nouveau du monument funéraire, en enfeu, avec le tombeau de Leonardo Bruni à Santa-Croce (v. 1445). — Son frère ANTONIO (Settignano 1427-Florence 1479), sculpteur, auteur de nombreux bustes et de Madones en bas relief, donne le chef-d'œuvre du raffinement florentin avec la chapelle du cardinal du Portugal à S. Miniato al Monte (1460).

ROSSETTI (Dante Gabriel), peintre et poète anglais (Londres 1828-Birchington, Kent, 1882). Fils de l'écrivain napolitain Gabriele Rossetti, exilé pour ses opinions politiques, il fut l'un des initiateurs du préraphaélisme*. Ses tableaux *(Beata Beatrix, le Rêve de Dante)* et ses poèmes (*la Demoiselle élue,* 1847; *Poèmes,* 1870) s'inspirent des légendes médiévales et des thèmes de la poésie primitive anglaise et italienne.

ROSSI (Luigi), compositeur, luthiste et chanteur italien (Torremaggiore 1598-Rome 1653). Au service des Médicis, puis du cardinal Barberini, il fut appelé à Paris par Mazarin pour y donner en 1647 son opéra, *Orfeo,* dont la lyrique très personnelle devait avoir une constante influence sur la musique française de ce temps.

ROSSI (Pellegrino, *comte*), homme politique et économiste français d'origine italienne (Carrare 1787-Rome 1848). Avocat napolitain partisan de Murat, il doit s'exiler (1815) d'abord en Suisse, où il est député au Grand Conseil (1820), puis à Paris, où, naturalisé français, il enseigne au Collège de France (1833) et siège à l'Institut (1836) et à la Chambre des pairs (1839). Ambassadeur de France à Rome, il est ensuite désigné par Pie IX* pour former un gouvernement constitutionnel (sept. 1848), mais il est assassiné (15 nov.) par des inconnus.

ROSSIGNOL. — C'est à l'extraordinaire diversité mélodique de son chant que le rossignol doit sa célébrité. Ce trait va de pair, chez le mâle, avec un comportement très batailleur dans la défense de son territoire de nidification. Cet oiseau est un passereau insectivore brun-roux, au bec fin. (Famille des turdidés.)

ROSSINI (Gioacchino), compositeur italien (Pesaro 1792-Paris 1868). Sa carrière se déroule tant en Italie qu'en France. Une inépuisable verve mélodique et rythmique marque ses principaux opéras-comiques (*l'Italienne à Alger,* 1813; *le Barbier* de Séville* 1816), et une certaine grandeur classique ses opéras (*Tancrède* et *Moïse,* 1827; *Guillaume Tell,* 1829). Ayant comme peu le sens de l'effet théâtral et de l'orchestre, Rossini est aussi l'auteur d'un célèbre *Stabat Mater* (1842).

ROSSO (Giovanni Battista DE ROSSI, dit **le**), peintre et décorateur italien (Florence 1494-Paris 1540). Formé à Florence, il en transgresse l'esthétique (hallucinante *Déposition de Croix* de Volterra, 1521) et élargit à Rome l'horizon de ses connaissances (1523-1527). Recommandé à François Ier, il part en 1530 pour la France, devient premier peintre du roi et dirige les travaux de décoration de Fontainebleau*, donnant la mesure de son imagination capricieuse dans les douze fresques encadrées de stucs de la galerie François-Ier (1534-1540). Influencé par Michel-Ange, porté par un tempérament intense et tourmenté, il est un des maîtres du maniérisme.

ROSSO (Medardo), peintre et sculpteur italien (Turin 1858-Milan

ROTATIVE OFFSET 4 COULEURS

Nombre de groupes d'impression : 8
Largeur du papier (laize) : 980 mm
Longueur totale : 28,50 m
Hauteur d'un groupe d'impression : 3,50 m
Hauteur de la plieuse : 5,50 m
Poids total des 2 groupes et de la plieuse : 171 t.
Vitesse maximale d'impression
avec une coupe de 630 mm : 23 800 tours de cylindre/heure.

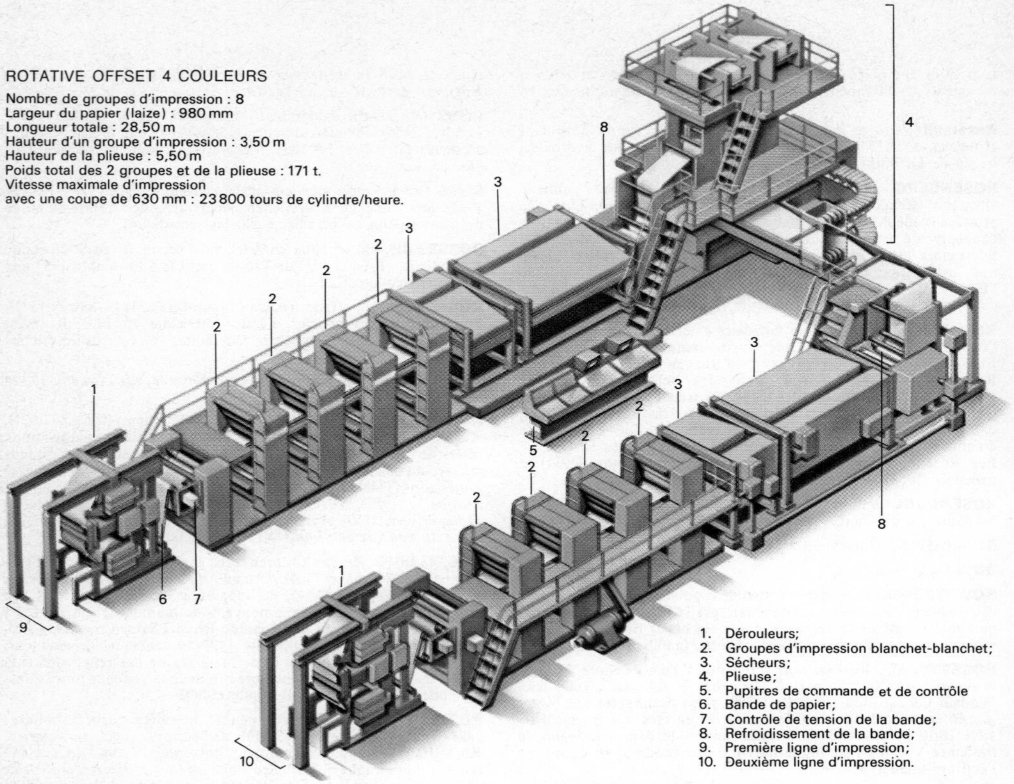

1. Dérouleurs;
2. Groupes d'impression blanchet-blanchet;
3. Sécheurs;
4. Plieuse;
5. Pupitres de commande et de contrôle
6. Bande de papier;
7. Contrôle de tension de la bande;
8. Refroidissement de la bande;
9. Première ligne d'impression;
10. Deuxième ligne d'impression.

1928). Il fut en relation avec Rodin, qu'il a sans doute influencé. Avec son modelé nuancé, fluide, palpitant dans la lumière, il a élaboré un art dont la rupture est équivalente à celle de l'impressionnisme en peinture (*Conversation dans un jardin,* 1892; *Ecce puer,* cire ou bronze, 1906-1910).

ROSTAND (Edmond), écrivain français (Marseille 1868 - Paris 1918). Poète virtuose dans ses recueils (*les Musardises,* 1890) et ses fantaisies dramatiques (*la Princesse lointaine,* 1895; *Chantecler,* 1910), il sut combler le besoin populaire de panache et de sentimentalité avec sa comédie héroïque de *Cyrano de Bergerac* (1897) et son drame de *l'Aiglon* (1900), qu'interpréta Sarah Bernhardt. — Sa femme, ROSE ÉTIENNETTE **Gérard,** dite **Rosemonde Gérard** (Paris 1871 - *id.* 1953), publia des recueils de vers (*les Pipeaux,* 1889). — Leur fils MAURICE (Paris 1891 - *id.* 1968) est l'auteur de poèmes et de romans. — JEAN (Paris 1894 - Saint-Cloud 1977), frère du précédent, biologiste, a poursuivi d'importants travaux sur la parthénogenèse, la biologie des crapauds, l'hérédité et produit une œuvre de vulgarisation scientifique et philosophique de premier plan, marquée d'un humanisme pacifiste.

ROSTOCK, principal port de l'Allemagne orientale, sur la Warnow, près de la Baltique; 205 000 hab. Église Notre-Dame, des XIIIe-XVe s., et autres monuments. Musée historique dans une anc. porte fortifiée. Chantiers navals. Pêche et conserveries.

ROSTOV, v. de l'U. R. S. S. (R. S. F. S. de Russie), au N.-E. de Moscou; 29 000 hab. La ville, dont la chronique fait mention pour la première fois en 862, est aux XIe-XIIe s. le centre de la principauté de Rostov-Souzdal. Supplantée à la fin du XIIe s. par Souzdal* et Vladimir*, elle est réunie à la Moscovie en 1474. Son kremlin, de la seconde moitié du XVIIe s., est entouré d'églises fortifiées de style moscovite (église du Sauveur [1675], communiquant avec le palais épiscopal, dit « palais Blanc »).

ROSTOV-SUR-LE-DON, v. de l'U. R. S. S. (R. S. F. S. de Russie), sur le *Don,* près de son embouchure sur la mer d'Azov; 789 000 hab. Matériel agricole. — Enjeu de violents combats de 1941 à 1943.

ROSTOW (Walt Whitman), économiste américain (New York 1916). Dans les *Étapes de la croissance économique* (1960), il reconnaît cinq stades dans les sociétés en voie d'industrialisation : la société traditionnelle, les conditions préalables au démarrage, le démarrage lui-même, les progrès vers la maturité et l'ère de la consommation de masse.

ROSTRENEN (22110), ch.-l. de cant. du sud-ouest des Côtes-du-Nord, à 21 km à l'E.-S.-E. de Carhaix-Plouguer; 4 814 hab. Église des XIIIe et XVIIe s.

ROSTROPOVITCH (Mstislav), violoncelliste soviétique (Bakou 1927). Des compositeurs comme Britten, Chostakovitch et Dutilleux ont écrit pour lui.

ROTA, v. d'Espagne (Andalousie), près de Cadix; 17 000 hab. Base aéronavale américaine depuis 1953.

ROTANG. — Les tiges ligneuses souples qui constituent l'armature des meubles de jardin en « rotin » sont extraites d'une liane de la famille des palmiers, *Calamus rotang.* Ce genre des régions entourant l'océan Indien forme près de deux cents espèces; certaines fournissent des cordages résistants, d'autres une gomme résolutive, le « sang-dragon », tandis que le rotang proprement dit est surtout employé pour les meubles.

ROTARY → FORAGE.

ROTATION *(Agr.)* → ASSOLEMENT.

ROTATION *(Mécan.)* → CINÉMATIQUE, CINÉTIQUE et ISOMÉTRIE.

ROTATIVE. — Imprimant cylindre contre cylindre, la rotative a une plus grande production que la presse* à imprimer à marbre plan. Il existe des rotatives pour tous les procédés d'impression*. En typographie*, les rotatives à journaux impriment du papier en bobines, mais il existe également des rotatives à feuilles. En offset*, toutes les presses sont des rotatives, bien que l'appellation soit réservée à celles qui passent du papier en bobines. Le même cas se produit également en héliogravure*. Il existe aussi une grande variété de rotatives spéciales — pour impression de formulaires en continu, d'emballages, de timbres et de tickets — et de machines effectuant en un seul passage impression et façonnage. À la sortie des rotatives, le papier imprimé peut être plié, coupé en feuilles ou rebobiné; les exemplaires sont comptés et mis automatiquement en paquets.

rote romaine *(tribunal de la),* tribunal ordinaire du Saint-Siège, dont la compétence est universelle. En fait, la plupart des causes que la rote instruit sont des causes matrimoniales déjà jugées par les officialités (tribunaux) diocésaines. D'origine médiévale, la rote romaine a été réorganisée par les papes Pie X et Pie XI.

ROTH (Philip), écrivain américain (Newark, New Jersey, 1933). Ses romans, représentatifs de l'« école juive » américaine, mettent en

Rotterdam.
Vue générale du port.

scène des êtres désorientés, aux prises avec des fantasmes obsédants ou des problèmes moraux inextricables, et incapables de s'intégrer à la société américaine (*Goodbye Columbus,* 1959; *Portnoy et son complexe,* 1969; *le Sein,* 1974).

ROTHÉNEUF, écart de la comm. de Saint-Malo, sur la Manche. Station balnéaire. Rochers sculptés par l'abbé Fouré au début du XXe s.

ROTHERHAM, v. d'Angleterre, dans le sud du Yorkshire, près de Sheffield; 87 000 hab. Métallurgie.

ROTHKO (Mark), peintre américain d'origine russe (Dvinsk 1903 - New York 1970). Aux États-Unis dès 1913, il débute par des thèmes sociaux traités dans un coloris expressionniste, passe par une phase surréaliste aux formes larvaires (1942-1947) et parvient vers 1950 à l'abstraction* chromatique qui l'a rendu célèbre. Composées de plusieurs rectangles de couleur aux contours flous, ses toiles, de grand format, investissent le spectateur pour l'incliner à la méditation; la couleur s'assombrit à partir de 1958.

ROTHSCHILD, famille de banquiers israélites, qui a comme fondateur MEYER AMSCHEL (Francfort-sur-le-Main 1744 - *id.* 1812), fournisseur de la cour de Hesse-Cassel et dont les fils s'installent dans les principales places bancaires européennes : AMSCHEL, dit ANSELM (1773-1855), reste à Francfort, où sa dynastie s'éteint en 1901; SALOMON (1774-1855) s'installe à Vienne (la branche autrichienne disparaîtra en 1931); NATHAN (1777-1836) fait souche à Londres; CARL (1788-1855) fonde la branche de Naples, et JAMES (1792-1868) celle de Paris. Les Rothschild, qui furent notamment les banquiers de la Restauration et de la Sainte-Alliance, devaient rester, face aux Pereire notamment, les représentants de la haute banque traditionnelle : celle du marchand de capitaux.

ROTIFÈRES. — Les rotifères comptent parmi les plus petits des animaux pluricellulaires, puisque leurs dimensions ne dépassent pas celles des plus grands protistes*. Leur bouche est encadrée de deux lobes ciliés qui agissent comme des roues à aubes, créant un courant d'eau qui attire les proies. Celles-ci sont broyées dans un estomac où une sorte de marteau *(mastax)* bat comme un cœur. L'arrière du corps porte souvent des crochets, de sorte que l'animal peut aussi bien s'ancrer sur une herbe d'eau douce que nager rapidement. Les rotifères forment à eux seuls un petit embranchement.

ROTOR. — Le rotor est l'élément essentiel des giravions, dont il assure la sustentation. Sur les hélicoptères, il assure en outre la propulsion. Il se compose de pales, au nombre de deux à cinq, articulées à un moyeu et qui tournent autour d'un axe vertical. L'articulation des pales est un système très complexe, qui doit permettre de régler la sustentation fournie par le rotor et, dans le cas des hélicoptères, d'incliner la résultante aérodynamique afin de créer une composante horizontale assurant la translation de l'appareil. Le rotor peut être entraîné mécaniquement ou par éjection d'un fluide aux extrémités de pales.

ROTROU (Jean DE), auteur dramatique français (Dreux 1609 - *id.* 1650). Il est l'auteur de comédies dans la tradition de Plaute et des Italiens (*la Sœur,* 1647), de tragi-comédies et de tragédies, dans lesquelles il s'inspire du théâtre espagnol (*Bélisaire,* 1643; *Saint Genest,* 1646; *Venceslas,* 1647).

ROTTERDAM, v. des Pays-Bas (Hollande-Méridionale), sur une branche du delta commun au Rhin et à la Meuse; 636 000 hab. Riche musée Boymans - Van Beuningen.

GÉOGRAPHIE. Rotterdam est la deuxième ville du pays, mais son agglomération est la plus peuplée (1 040 000 hab.) et son port est le premier port maritime mondial, avec un trafic annuel de l'ordre de 300 Mt. La fonction portuaire s'est développée, à la fin du XIXe s., grâce à l'aménagement du Rhin et à l'essor industriel de la Ruhr, dont Rotterdam est encore largement le « poumon » (approvisionnement en matières premières et exportation de produits finis). L'arrière-pays de Rotterdam déborde en effet le cadre des Pays-Bas, même si le port devient de plus en plus national, alimentant en priorité les industries néerlandaises, implantées notamment, en aval de la ville même, sur une trentaine de kilomètres de Pernis à Europoort. Le raffinage du pétrole (le pétrole brut importé et, plus secondairement, les exportations de produits raffinés représentent les deux tiers du trafic total), la pétrochimie, la métallurgie de transformation et l'alimentation sont les branches dominantes. Le secteur tertiaire est surtout représenté par le commerce de gros et la fonction de marché de matières premières et de produits agricoles, également liés au trafic du port.

HISTOIRE. Petit port de pêche, Rotterdam se développa lentement à l'ombre d'un château fort construit au XIIe s. et n'obtint des privilèges qu'assez tardivement (1299, 1340). Le déclin d'Anvers (fin du XVIe-XVIIe s.) et le développement du commerce des Indes contribuèrent à son essor. Cependant, la croissance de Rotterdam fut longtemps entravée par l'ensablement naturel du chenal; la ville déclina au profit d'Anvers (XVIIIe s.) et ne retrouva un essor rapide qu'après l'aménagement d'un chenal artificiel, la Nieuwe Waterweg (1863-1872), et grâce à l'extension continue de sa zone portuaire vers l'ouest (Europoort, 1957-1960; Maasvlakte, 1968). En mai 1940, elle fut très endommagée par les bombardements allemands.

ROTULE → GENOU.

ROTY (Oscar) → NUMISMATIQUE.

ROUAULT (Georges), peintre français (Paris 1871 - *id.* 1958). Après un apprentissage de peintre verrier, puis des études de peinture dans l'atelier de Gustave Moreau (1892-1895), il s'affirme à travers une ferveur religieuse et une haine de l'hypocrisie bourgeoise qui animent sa révolte (portraits, sombres et caricaturaux, de prostituées, de clowns et de juges). Mais la méditation et la recherche de la grandeur apaisent sa virulence : ses gravures atteignent l'intensité la plus épurée (*Miserere,* 1917-1927), tandis que sa peinture (aquarelles et huiles) allie une matière riche et des couleurs somptueuses, cernées de noir, à un dépouillement de plus en plus rigoureux dans les figures *(Ecce Homo, Pierrot...),* les paysages (*Nocturne chrétien,* 1952) et les thèmes décoratifs.

ROUBAIX (59100), ch.-l. de cant. du Nord, à une douzaine de kilomètres au N.-E. de Lille; 109 797 hab. *(Roubaisiens).* La ville est le deuxième élément de la conurbation formée par Lille, Roubaix et Tourcoing. C'est un centre industriel dominé par le textile (laine principalement), la métallurgie de transformation et la chimie.

ROUBLEV (Andreï), peintre russe (v. 1360 - 1430). Moine à Zagorsk, il est le plus illustre représentant de la peinture médiévale russe, et spécialement moscovite. On lui attribue des fresques à Zvenigorod et à Vladimir, mais son œuvre la plus fameuse, provenant du couvent de Zagorsk, est l'icône de *la Trinité* (les trois anges à la table d'Abraham, au suave accord de bleu clair et d'ocre jaune) de la galerie Tretiakov à Moscou.

ROUBTSOVSK, v. de l'U. R. S. S. (R. S. F. S. de Russie), au pied occidental de l'Altaï; 145 000 hab. Matériel agricole.

ROUE → ESSIEU, FREIN, POMPE, TURBINE.

ROUELLE (Guillaume François), chimiste français (Mathieu, près de Caen, 1703-Paris 1770). Il établit que les sels résultent des actions des acides sur les bases.

ROUEN, capit. de la Région Haute-Normandie et ch.-l. du départ. de la Seine-Maritime, sur la Seine, à 123 km au N.-O. de Paris; 118 332 hab. *(Rouennais).*

GÉOGRAPHIE. La ville même est moins peuplée que Le Havre, mais l'agglomération, surtout étirée dans la vallée de la Seine, d'Oissel à Grand-Couronne (en passant par Saint-Étienne-du-Rouvray, Sotteville-lès-Rouen, Le Petit-Quevilly et Le Grand-Quevilly), compte environ 400 000 habitants, et est la première de la Basse-Seine et de toute la Normandie. Les fonctions tertiaires (administration, banques) dominent dans la ville; la banlieue est fortement industrialisée : métallurgie de transformation, textile, chimie (liée partiellement au raffinage du pétrole). Le port alimente en partie l'industrie et a un trafic (oscillant au total entre 12 et 15 Mt, avec des sorties presque égales aux entrées) composé notamment de céréales et de fruits, en dehors des importations de pétrole brut et de réexportation de produits raffinés. La remarquable situation géographique de Rouen et l'amélioration incessante des liaisons vers Paris (autoroute s'ajoutant à la desserte ferroviaire et fluviale) favorisent le développement de la ville à la fois comme métropole régionale (malgré la partition de la Normandie) et comme ville-relais de la capitale.

HISTOIRE. Bourgade du peuple celte des Véliocasses, devenue après la conquête romaine le chef-lieu de leur civitas, puis la capitale de la Seconde Lyonnaise, *Rotomagus* connut dès les premiers siècles de l'Empire une grande activité portuaire. Siège d'un évêché dès le IIIe s., métropole religieuse en 398, la ville fut saccagée par les Normands en 841 et devint après 911 la résidence principale des ducs de Normandie. Enrichie par l'industrie drapière et le commerce avec l'Angleterre, elle contrôlait, grâce à sa hanse, le trafic fluvial de la basse Seine et avait le monopole de l'exportation des vins de France. Elle reçut d'Henri II Plantagenêt la charte de liberté connue sous le nom d'« Établissements de Rouen » (v. 1160-1170). Elle fut rattachée en 1204 au domaine des rois de France, qui en firent l'un des premiers ports militaires du royaume. Les soulèvements (XIVe s.), dont le plus connu est la Harelle de 1382, lui firent perdre momentanément ses privilèges. Rouen fut prise en 1419 par Henri V d'Angleterre et délivrée en 1449. Érigé en Cour souveraine (1499), son Échiquier fut transformé en parlement par François Ier (1515). La ville connut alors son apogée commercial grâce à l'essor de l'imprimerie, au travail des textiles et au monopole de l'importation des épices et des drogues, qu'elle obtint en 1549. D'abord favorable à la Réforme (1562), elle passa à la Ligue et ne se soumit à Henri IV qu'en 1594. Par la suite, en dépit des troubles qui l'agitèrent (1623-1649), elle resta l'un des ports les plus prospères de France.

BEAUX-ARTS. Cathédrale, rebâtie pour l'essentiel au XIIIe s. et achevée au XVIe (vitraux, dont Rouen fut un grand centre de production; portails sculptés; tombeau Renaissance des cardinaux d'Amboise, 1518-1525); église Saint-Ouen, anc. abbatiale, noblement reconstruite aux XIVe-XVIe s., sauf la façade, du XIXe (magnifiques verrières des XIVe et XVIe s.); église Saint-Maclou, au porche flamboyant (à côté, « aître Saint-Maclou », cimetière-ossuaire des XVIe-XVIIe s.); etc. La période de transition gothico-renaissante est également féconde pour l'architecture civile : vaste palais de justice, couronné d'une dentelle de pierre (fortes réfections des XIXe et XXe s.), hôtel de Bourgtheroulde (bas-reliefs en hommage à François Ier), Gros-Horloge (arche flanquée d'un beffroi du XIVe s.), « fierte » Saint-Romain, maisons à pans de bois...

Principaux musées : des Antiquités, dans un ancien couvent du XVIIe s.; des Beaux-Arts (peinture française depuis le XVIIe s., Géricault, impressionnistes, écoles étrangères; céramiques, dont les faïences de Rouen, des XVIIe-XVIIIe s.); Le Secq des Tournelles, dans l'ancienne église Saint-Laurent (ferronnerie d'art).

ROUERGUE, région du midi de la France. Ancien pays des *Ruteni* (capit. Rodez), devenu *civitas* romaine, le Rouergue eut, dès l'époque carolingienne (début du IXe s.), des comtes qui, à partir du XIe s., s'intitulèrent comtes de Rodez. Passé en 1066 sous l'autorité de Raimond de Saint-Gilles, futur comte de Toulouse, il fut ravagé par la croisade albigeoise (début du XIIIe s.) et échut à Alphonse de Poitiers (1249), puis à Philippe III le Hardi. Acquise en 1302 par la maison d'Armagnac, la région fut réunie à la Couronne en 1607.

ROUF → NAVIRE.

B. Beaujard

Rouen. Le centre de la ville, sur la rive droite de la Seine, avec la cathédrale (XIIIe s.).

ROUFFACH (68250), ch.-l. de cant. du Haut-Rhin, à 10 km au N.-E. de Guebwiller; 5 102 hab. Ville pittoresque avec deux églises gothiques, anc. hôtel de ville de la Renaissance, vieilles maisons.

ROUGE. — *Rouge sombre, rouge vif* (ou *rouge cerise*), *rouge blanc* sont des expressions courantes, indiquant respectivement des températures approximatives de 520, de 620 et de 1 050 °C pour le corps chauffé.

ROUGE *(fleuve),* en vietnamien **Sông Koi,** fl. d'Asie, né en Chine (Yun-nan), qui, coulant vers le S.-E., passe à Lao Kay, puis atteint Hanoi à la tête du delta du Tonkin, formé sur la mer de Chine méridionale; 1 200 km.

ROUGE *(mer),* anc. **golfe Arabique** ou **mer Érythrée,** golfe allongé du nord-ouest de l'océan Indien, séparant l'Arabie de l'Afrique et constitué par un fossé d'effondrement envahi par les eaux. Il communique au N. avec la Méditerranée par le canal de Suez (dont l'ouverture en a fait une grande route maritime) et au S. avec le golfe d'Aden par le détroit de Bāb al-Mandab.

Rouge *(place),* place de Moscou, en bordure du Kremlin*.

ROUGE *(rivière)* → RED RIVER.

ROUGÉ (44660), ch.-l. de cant. de la Loire-Atlantique, à 9 km au N.-O. de Châteaubriant; 2 015 hab. Gisement de fer.

Rouge et le Noir *(le),* roman de Stendhal (1831). Stendhal s'est inspiré d'un fait divers, le procès du séminariste Berthet, condamné à mort à Grenoble en 1827, auquel il a joint un grand nombre d'éléments autobiographiques pour composer le personnage de son héros. Enfant du peuple, admirateur de Napoléon, Julien Sorel est né trop tard pour prétendre à la gloire des armes. Orgueilleux mais timide, il met toute son énergie à dominer ses faiblesses pour conquérir sa place dans le monde. Il devient l'amant de Mme de Rênal, mère des enfants dont il est le précepteur, puis secrétaire du marquis de La Môle, dont il conquiert la fille, Mathilde. Il est sur le point de l'épouser quand une lettre de Mme de Rênal brise sa fortune. Sacrifiant son ambition à sa vengeance, il tire sur sa première maîtresse deux coups de pistolet. Mais, guérie, celle-ci vient le voir dans sa prison, et les derniers mois que Julien y passe avant la guillotine sont les plus heureux de sa vie. Tentant de concilier ses deux fascinations, celle de Rousseau et celle de Napoléon, Stendhal a superposé au roman de la volonté le roman du bonheur, faisant de Mme de Rênal une sorte d'idéal imaginaire qui incarne à la fois la mère dont la tendresse lui avait manqué et la femme dont rêvait sa sensibilité et qu'il ne devait jamais rencontrer.

ROUGE-GORGE. — Ce passereau insectivore se distingue du rossignol par sa poitrine d'un rouge vif. (Famille des turdidés.)

ROUGEMONT (25680), ch.-l. de cant. du Doubs, à 17 km au N. de Baume-les-Dames; 1 357 hab.

ROUGEMONT (Denis DE), écrivain suisse d'expression française (Neuchâtel 1906). Il s'est consacré à l'analyse des différentes composantes de la civilisation européenne dans la perspective d'un renouveau humaniste (*l'Amour* et l'Occident,* 1938; *l'Aventure occidentale de l'homme,* 1957; *les Mythes de l'amour,* 1967).

ROUGEMONT-LE-CHÂTEAU (90110), ch.-l. de cant. du Territoire de Belfort, à 13,5 km à l'E. de Giromagny; 1 367 hab.

ROUGEOLE. — Cette maladie virale, contagieuse et épidémique, frappe surtout les enfants. Après une incubation de dix jours survient la période d'invasion, marquée par de la fièvre, un catarrhe du nez, des yeux et du pharynx, une rougeur de la cavité buccale et de petits points blancs bleuâtres sur la muqueuse de la face interne des joues (signe de Köplick). La période d'état, qui commence au quatorzième jour, est marquée par l'éruption, faite de macules rouges qui apparaissent à la face, s'étendent à tout le corps et disparaissent en quatre à six jours, de même que la fièvre et le catarrhe. La rougeole confère une immunité solide. Des complications sont possibles : otites, laryngites, broncho-pneumonies, encéphalites. Le vaccin antirougeoleux permet la prophylaxie.

ROUGE-QUEUE. — On appelle aussi « rossignol des murailles » ce petit passereau bleu cendré, à queue rouge et à gorge noire, qui installe volontiers son nid dans les cavités des parois verticales (murailles ou falaises). [Famille des turdidés.]

ROUGET *(Pathol.).* — Le rouget du porc est une maladie due au bacille *Erysipelothrix rhusiopathiæ,* qui infecte les animaux (porc, cheval). L'homme peut s'infecter au contact de ceux-ci. La manifestation clinique, cutanée, consiste en une plaque rouge inflammatoire et en une adénopathie satellite (un ganglion).

ROUGET *(Zool.).* — Le *rouget barbet (Mullus barbatus)* est un beau et savoureux poisson des côtes, d'un rouge écarlate, muni de barbillons et existant sous deux formes, l'une proprement littorale, l'autre répandue sur le plateau continental. Le *rouget grondin,* ou *trigle* (*Trigla* sp.), est remarquable par la section triangulaire de son corps, les rayons libres de ses nageoires pectorales (qu'il utilise comme des doigts pour ramper sur le fond), le cri musical qu'il émet lorsqu'on le pêche et sa couleur d'un beau rouge.

On appelle aussi « rouget » un petit acarien rouge des prairies, le *trombidion,* dont la larve est parasite de la peau humaine.

ROUGET DE LISLE (Claude Joseph), officier français (Lons-le-Saunier 1760-Choisy-le-Roi 1836). Capitaine à Strasbourg, il composa en 1792 le *Chant de guerre pour l'armée du Rhin,* qui devint *la Marseillaise**.

Rougon-Macquart *(les),* série de vingt romans, dans lesquels Émile Zola fait l'« Histoire naturelle et sociale d'une famille sous le second Empire ». L'auteur applique les méthodes expérimentales de la science (notamment les recherches sur les lois de l'hérédité) à la description de la vie individuelle et à l'étude des phénomènes sociaux : *la Fortune des Rougon* (1871), *la Curée* (1872), *le Ventre de Paris* (1873), *la Conquête de Plassans* (1874), *la Faute de l'abbé Mouret* (1875), *Son excellence Eugène Rougon* (1876), *l'Assommoir* (1877), *Une page d'amour* (1878), *Nana* (1880), *Pot-Bouille* (1882), *Au bonheur des Dames* (1883), *la Joie de vivre* (1884), *Germinal* (1885), *l'Œuvre* (1886), *la Terre* (1887), *le Rêve* (1888), *la Bête humaine* (1890), *l'Argent* (1891), *la Débâcle* (1892), *le Docteur Pascal* (1893).

ROUHER (Eugène), homme politique français (Riom 1814-Paris 1884). Avocat, député républicain (1848-49), il sert la cause de Louis Napoléon, devenu en 1852 Napoléon III*. Deux fois ministre de la Justice de 1849 à 1852, il est vice-président du Conseil d'État et sénateur (1856). Ministre de l'Agriculture et du Commerce (1855-1863), il négocie avec la Grande-Bretagne le traité de commerce de 1860. Président du Conseil d'État (1863), ministre d'État (1863) et ministre des Finances (1867), il exerce une grande influence à la fin du second Empire*. Démissionnaire alors que le second Empire devient parlementaire (1869), il préside le Sénat. De 1872 à 1881, il est le véritable chef du parti bonapartiste.

ROUÏBA, v. d'Algérie, dans la Mitidja; 17 000 hab. Construction automobile.

ROUILLAC (16170), ch.-l. de cant. de la Charente, à 16 km au N.-E. de Jarnac; 1 729 hab. Église du XIIe s.

ROUILLE *(Phytopathol.)* → PLANTES *(maladies des).*

ROUILLE *(Technol.).* — La rouille étant poreuse, l'altération du fer ou de l'acier au contact de l'air humide se poursuit lentement jusqu'au cœur de la pièce. On protège le métal en recouvrant sa surface de peinture (minium), d'un produit passivant (phosphatation) ou d'un métal peu oxydable (zinc, étain, nickel, chrome).

ROUJAN (34320), ch.-l. de cant. de l'Hérault, à 11 km au N.-O. de Pézenas; 1 413 hab. Église des XIIe et XIVe s.

ROULAGE *(Agr.)* → SOL *(travail du).*

ROULAGE *(Navig.)* → CARGO.

ROULANS (25640), ch.-l. de cant. du Doubs, à 19 km au N.-E. de Besançon; 509 hab. Ruines d'un château du XIIIe s.

ROULEMENT. — Les roulements servent de *guide* à un mouvement de rotation entre deux pièces destinées à tourner l'une par rapport à l'autre, dans une très large gamme de vitesses, tout en permettant la transmission d'efforts importants entre ces pièces avec une résistance passive (frottement) minimale, grâce à l'utilisation d'*éléments roulants.* Ce sont des ensembles mécaniques normalisés et interchangeables, ne nécessitant aucun ajustage au montage. Leur capacité de charge est très grande au regard de leur relative légèreté et de leur faible encombrement. La sécurité de leur fonctionnement est excellente. Un roulement, destiné à supporter des efforts radiaux prédominants, se compose de deux *bagues* coaxiales, en acier, placées l'une dans l'autre, ayant des chemins de roulement rectifiés et polis, entre lesquels roulent, sans glisser, des *éléments d'interposition,* qui permettent la rotation relative d'une bague par rapport à l'autre. Ces éléments ont différentes formes : sphériques (billes en acier), cylindriques (rouleaux cylindriques de révolution, aiguilles, etc.), coniques (rouleaux coniques de révolution), toriques (éléments toriques et tonnelets), etc.

Les caractéristiques d'un roulement, notamment les charges maximales admissibles (radiale ou axiale), dépendent de la forme et des dimensions de ces éléments roulants. Ceux-ci sont le plus souvent guidés par une *cage* de forme circulaire, en matière peu dure, qui les maintient à égale distance les uns des autres et les empêche de frotter l'un contre l'autre. La *bague extérieure* aux éléments roulants est généralement montée dans un logement cylindrique de révolution alésé dans un bâti fixe ou un moyeu tournant; la *bague intérieure* est rendue solidaire du tourillon de l'arbre, respectivement tournant ou fixe. Dans les roulements pour charges radiales, le plan tangent en chaque point de contact de l'élément roulant avec le chemin de roulement est parallèle à l'axe de rotation; lorsque les plans sont perpendiculaires à l'axe de rotation, ces ensembles mécaniques sont appelés *butées à roulement* ou simplement *butées.* Celles-ci sont utilisées lorsque l'effort axial à supporter est prédominant.

ROULEMENT (fonds de). — Au bilan* d'une entreprise, le fonds de roulement net est représenté par l'excédent des capitaux permanents (capitaux propres et emprunts à long et à moyen terme) — au passif — par rapport aux immobilisations nettes apparaissant à l'actif. Il est un gage de la sécurité de gestion de l'entreprise.

ROULERS, en néerl. **Roeselare,** v. de Belgique, en Flandre-Occidentale; 51 247 hab. Église des XVe et XVIe s.

ROULIER → CARGO, CONTENEUR et PORTE-VÉHICULES.

ROUMAIN. — Le roumain est la plus orientale des langues romanes. Sur le plan linguistique, on distingue d'une part le roumain proprement dit (ou daco-roumain), langue officielle de la Roumanie et très peu différencié sur le plan dialectal, et d'autre part divers dialectes parlés au sud du Danube (macédo-roumain en Grèce du Nord, en Yougoslavie et en Albanie, istro-roumain en Istrie, mégléno-roumain près de Vardar).

La constitution du roumain à partir du latin remonte à la période de romanisation (de 107 à 275 apr. J.-C.). Cependant, les premiers textes en roumain ne datent que du XVIe s. : la langue qui apparaît alors présente sur le plan lexical des apports slaves très importants, mais les structures morphologiques et syntaxiques demeurent exclusivement latines. Au XIXe s., le vocabulaire subit une forte influence française (on a parlé d'une véritable relatinisation).

ROUMANIE, en roum. **România,** État de l'Europe orientale, sur la mer Noire; 237 500 km^2; 21 450 000 hab. *(Roumains).* Capit. *Bucarest.*

GÉOGRAPHIE

● *Le milieu naturel.* Le pays est traversé par la chaîne tertiaire des Carpates*, qui y dessine un grand arc. D'altitude modeste (elle culmine à 2 544 m) et trouée de bassins intérieurs, cette chaîne est couverte d'épaisses forêts. Elle domine à l'E. la plaine de Moldavie et enserre à l'O. le bassin de Transylvanie, fermé par le massif de Bihor. Enfin, le pays possède la bordure orientale de la plaine pannonienne, qui se prolonge, au-delà des Portes de Fer, par lesquelles le Danube* perce l'arc des Carpates, dans la plaine de Valachie. Après avoir traversé le plateau de la Dobroudja, le Danube se jette dans la mer Noire en un vaste delta marécageux. L'ensemble du pays connaît un climat continental (à Bucarest, la température moyenne de janvier est de − 0,1 ^{0}C, celle de juillet de 21,2 ^{0}C et les précipitations annuelles sont de 786 mm).

● *La population.* La densité moyenne est de 90 habitants au kilomètre carré. En dehors du delta du Danube, peu peuplé en raison des conditions naturelles, la population est assez régulièrement répartie. Les Carpates ont souvent servi de refuge à des ethnies persécutées. Actuellement, les Roumains, de langue latine, forment 85 p. 100 de la population, les plus fortes minorités subsistantes étant allemandes et surtout hongroises (Transylvanie). La population s'accroît à un rythme proche de 1 p. 100 par an. La

Roumanie reste un pays faiblement urbanisé, puisque environ la moitié des habitants résident à la campagne. Cependant, elle compte un réseau équilibré de villes moyennes que domine la capitale.

• *L'économie.* Avant la Seconde Guerre mondiale, la Roumanie était un pays essentiellement rural, où le développement industriel s'amorçait à peine. Au lendemain de la guerre, elle a organisé son économie sur des bases socialistes, et l'industrie représente maintenant plus de la moitié du revenu national.

L'agriculture demeure cependant un secteur important. Une grande partie des terres a été collectivisée dans le cadre de coopératives, mais les exploitations individuelles subsistent dans certains secteurs montagnards. Des améliorations ont été apportées grâce à une politique de grands travaux (reboisement, lutte contre l'érosion, drainage des terrains marécageux, irrigation). Il en a résulté une augmentation de la production malgré un exode rural consécutif à la mécanisation. La culture des céréales (blé, maïs) reste prédominante, mais la betterave à sucre et le tournesol leur sont maintenant associés. La culture du riz se développe. L'élevage ovin (laine) devance de loin l'élevage bovin. La forêt, qui couvre plus du quart du territoire, représente également une importante source de revenus.

L'industrie a considérablement progressé depuis la guerre. L'énergie est fournie par le pétrole de Ploieşti, d'Olténie et de Moldavie (15 Mt), le gaz naturel de Transylvanie (30 GM^3) et de modestes gisements de houille et de lignite. La sidérurgie utilise le fer du sous-sol, mais doit en importer davantage. Elle alimente des constructions mécaniques. La pétrochimie et la production d'engrais sont les deux grands secteurs d'une industrie chimique en développement. Les industries textiles (coton) et alimentaires (sucreries, brasseries) constituent les autres principales branches. Les usines, qui sont souvent de grands combinats regroupant toute la chaîne de fabrication d'un produit, sont localisées dans les principales villes et notamment dans les ports (Galaţi et Brăila sur le Danube, Constanţa sur la mer Noire).

L'accent mis par les plans quinquennaux sur le développement de l'industrie lourde contraint la Roumanie à importer des biens de consommation. L'U. R. S. S. reste le principal partenaire commercial, mais la Roumanie fait preuve d'indépendance vis-à-vis du Comecon (dont elle fait partie), et les échanges avec les pays occidentaux (notamment l'Allemagne de l'Ouest) sont en progression. Enfin, le tourisme, dans les montagnes carpatiques ou sur la côte de la mer Noire, apporte un complément de ressources.

HISTOIRE. L'espace carpato-balkanique est occupé par des Indo-Européens à la fin du IIIe millénaire av. J.-C. ou au début du IIe. À l'âge du fer (Ier millénaire av. J.-C.) s'effectue au sein du groupe thrace une délimitation ethnique et linguistique qui donne naissance aux Géto-Daces. Au Ier s. av. J.-C., sous Burebista, sont posées les bases de la Dacie*, qui correspond approximativement à la Roumanie actuelle. L'État dace connaît son apogée sous Décébale (87-106 apr. J.-C.); mais déjà les Romains convoitent la Dacie, qui est conquise par Trajan en deux campagnes (101-106) et qui deviendra une province romaine fortement latinisée. Durant le millénaire qui sépare le retrait de l'administration impériale au sud du Danube (271) et la formation des États féodaux roumains, la Dacie est parcourue par les vagues des populations germaniques, slaves et touraniennes. Cependant, le processus de la formation du peuple roumain et de sa langue (romane) se poursuit et est parachevé à la fin du xe s. Apparaissent alors les entités de Valachie* et de Transylvanie*, cette dernière contrée étant graduellement conquise par le royaume de Hongrie entre le xe et le XIIIe s. L'État féodal de Valachie prend naissance au début du XIVe s.; son indépendance est consacrée par la victoire de Posada (1330), remportée par Basarab Ier (de 1322 env. à 1352) sur les Hongrois. À l'est des Carpates se forme, grâce à Bogdan Ier (de 1359 à 1365), l'État de Moldavie*.

Aux XIVe et XVe s., la Moldavie et la Valachie combattent les tendances expansionnistes des Hongrois, des Polonais et surtout des Turcs. Dans la lutte contre ces derniers s'illustrent : en Valachie, Mircea le Vieux (de 1386 à 1418) et Vlad l'Empaleur (de 1456 à 1462 et en 1476; en Transylvanie, le voïvode János Hunyadi, qui l'emporte à Belgrade (1456); en Moldavie, Étienne III* le Grand (de 1457 à 1504), vainqueur à Vaslui (1475). Cependant, l'expansion ottomane et l'effondrement de la Hongrie après Mohács (1526) obligent les trois pays roumains à accepter la souveraineté turque tout en gardant leur caractère propre. Dès 1541, d'ailleurs, la Transylvanie devient une principauté autonome. En 1600, Michel le Brave (de 1593 à 1601), prince de Valachie, vainqueur des Turcs (Călugăreni, 1595), réussit même à réunir sous son sceptre pour un temps les trois principautés. En 1699, la Transylvanie tombe aux mains des Habsbourg (traité de Karlowitz) : un fort courant national, stimulé par de violents mouvements paysans (1784-85), s'y développe grâce, notamment, à l'évêque Ioan Inocenţiu Micu (1692-1768), qui revendique l'égalité des Roumains avec les Magyars et les Saxons. Dans le même temps, en Moldavie (1711) et en Valachie (1716) est instauré le régime phanariote*, forme oppressive de la domination ottomane. Cependant, bien que fidèles instruments de la Porte, certains princes phanariotes, comme Constantin Mavrocordato (1711-1769), hospodar de Valachie et de

ROUMANIE

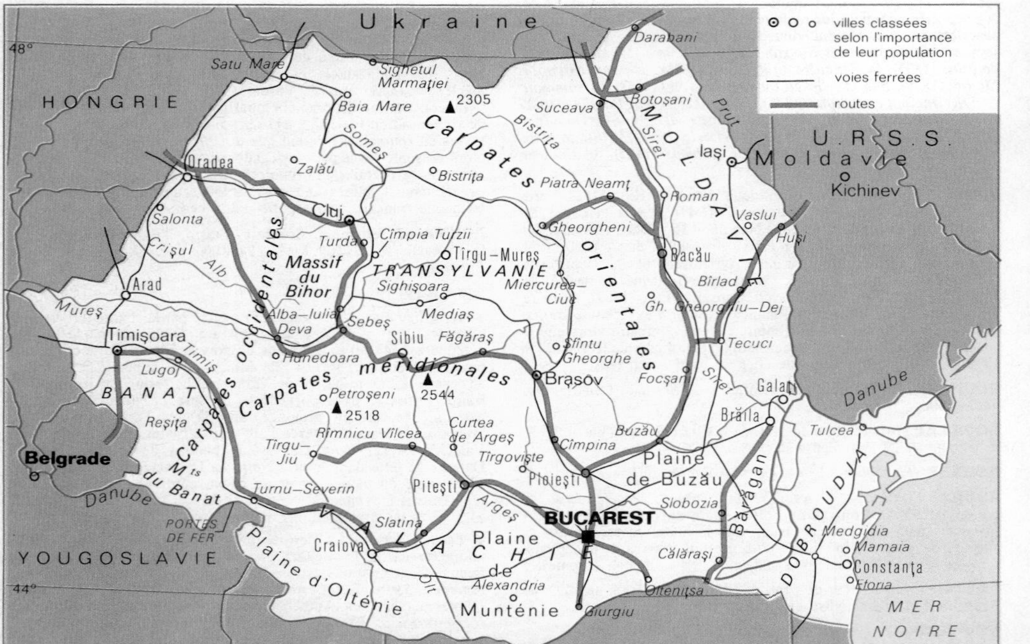

Moldavie, réalisent d'importantes réformes, la plus importante étant l'abolition de la servitude personnelle en 1746. Les territoires roumains n'en restent pas moins très vulnérables : l'Autriche annexe la Bucovine en 1775, et la Russie la Bessarabie en 1812.

Le début du XIXe s. est marqué par une recrudescence de la volonté d'émancipation nationale (notamment grâce à Tudor Vladimirescu), qui provoque l'abolition du régime phanariote. Après la guerre russo-turque de 1828-29, la Valachie et la Moldavie sont gouvernées par une administration militaire russe (1828-1834) : durant cette période s'élaborent des règlements organiques, véritable constitution. La révolution de 1848-49 est étouffée par l'intervention conjuguée des Turcs, des Russes et des Autrichiens, qui, jusqu'en 1856, occupent le pays. Mais, quand la Russie est battue en Crimée*, le traité de Paris (1856) reconnaît à la Moldavie et à la Valachie la garantie collective des grandes puissances et stipule que leur population sera consultée au sujet de l'union. Or, dans les deux Divans convoqués à Iaşi (Moldavie) et à Bucarest (Valachie), les délégués élus se prononcent pour l'union des deux principautés en un État appelé « Roumanie » (oct. 1857); mais les puissances refusent d'entériner cet acte. Si bien que les « Principautés unies de Moldavie et de Valachie » se donnent en 1859 le même prince régnant en la personne d'Alexandre Jean Ier Cuza* : c'est l'acte de naissance de la Roumanie.

L'union des deux principautés est accomplie en 1862, quand une assemblée nationale unique se réunit à Bucarest, qui devient la capitale de la Roumanie. D'importantes mesures sociales et agraires sont prises par Cuza et son collaborateur Mihail Kogălniceanu (1817-1891). Mais les grands propriétaires acculent bientôt Cuza à l'abdication (1866) et obtiennent la nomination de Charles de Hohenzollern* comme prince (1866), puis comme roi (Charles ou Carol Ier, 1881) de Roumanie. L'indépendance est officialisée après la guerre russo-turque (1877-78), à laquelle les Roumains ont participé, par le congrès de Berlin (1878), qui rend à la Roumanie la Dobroudja*, mais donne la Bessarabie* au tsar. De son côté, la Transylvanie, après la création de l'État austro-hongrois (1867), a été annexée à la Hongrie : le parti national roumain (P. N. R.) y lutte pour la libération des Roumains transylvains. Sous Charles Ier (de 1881 à 1914), la Roumanie reste un pays agricole, aux structures féodales, ce qui provoque de sanglantes jacqueries (1888, 1907). La naissance de l'industrie développe chez les ouvriers une certaine conscience de classe et provoque la formation, en 1893, d'un parti social-démocrate. À l'extérieur, l'orientation proallemande du roi se heurte à la francophilie d'une partie de l'opinion.

En 1913, la Roumanie participe à la deuxième guerre balkanique : sa victoire lui vaut d'annexer la Dobroudja méridionale (« Quadrilatère »). D'abord neutre au début de la Première Guerre mondiale, elle s'aligne aux côtés des Alliés en 1916. Rapidement, les deux tiers du pays sont occupés par les Austro-Hongrois, les Turcs et les Bulgares : le gouvernement roumain doit accepter l'armistice de Focşani (1917) et le traité de Bucarest (1918), désastreux pour le pays. Mais la défaite des Puissances centrales et le démembrement de l'Autriche-Hongrie permettent aux Roumains de récupérer la Bucovine et la Transylvanie (1918) : la Grande Roumanie est enfin réalisée. Les traités de Saint-Germain (1919) et de Trianon (1920) ainsi que la Constitution de 1923 ratifient cette réunification.

Au roi Ferdinand Ier (de 1914 à 1927) succède son petit-fils Michel, dont le père, Charles (ou Carol) II, s'installe sur le trône en 1930. Après avoir louvoyé entre les partis et laissé la Garde* de Fer se livrer à une sanglante agitation, Charles II, qui doit faire face aux conséquences de la crise économique mondiale et aux mouvements sociaux orchestrés par le parti communiste roumain (créé en 1921), établit sa propre dictature en 1938. Alors que, depuis 1919, la Roumanie était, grâce surtout au ministre des Affaires étrangères Nicolaie Titulescu*, un élément actif de la Petite-Entente*, il signe d'importants accords économiques avec l'Allemagne hitlérienne (1939-40).

D'abord neutre lors du déclenchement de la Seconde Guerre mondiale (1939), la Roumanie perd la Bessarabie et la Bucovine, annexées à l'U. R. S. S. du fait de l'entente germano-soviétique (27 juin 1940). Bientôt Hitler l'oblige à céder le nord de la Transylvanie à la Hongrie (30 août) et le « Quadrilatère » à la Bulgarie (7 sept.). Acculé à l'abdication (6 sept.), Charles II cède la place à son fils Michel Ier; Ion Antonescu* instaure une dictature militaire et jette la Roumanie dans la guerre aux côtés de l'Axe (22 juin 1941). Mais rapidement se forme un Front patriotique antihitlérien, dont l'objectif est le renversement de la dictature fasciste, la cessation de la guerre contre l'U. R. S. S. et la participation à la lutte contre les nazis. Le 23 août 1944 éclate l'insurrection nationale qui abolit le régime d'Antonescu; le 12 septembre, la Roumanie signe l'armistice avec les Russes et se retourne contre les Allemands; le 25 octobre, tout le territoire national est libéré. Mais le traité de Paris (1947) laissera la Bessarabie aux Russes et le « Quadrilatère » aux Bulgares.

Le parti communiste roumain noyaute bientôt le Front national démocratique : en 1945, quand Gheorghe Gheorghiu-Dej (1901-1955) devient secrétaire général du Comité central du P. C. R. (parti ouvrier roumain entre 1948 et 1965), celui-ci est pratiquement le maître du pays, où il amorce un processus de socialisation totale. Aussi le roi Michel abdique-t-il le 30 décembre 1947; la Roumanie se déclare alors République populaire, avant que la Constitution de 1965, qui remplace celle de 1948, en fasse une République socialiste. Depuis 1965, Nicolae Ceauşescu* est premier secrétaire du Comité central du P. C. R., fonction qu'il cumule depuis 1967 avec celle de président du Conseil d'État de la République. Si à l'intérieur l'expansion économique se poursuit plus vite que la libéralisation effective, à l'extérieur la Roumanie pratique une politique originale et indépendante, peu inféodée à celle de Moscou et fondée sur la coexistence pacifique ainsi que sur la collaboration avec tous les pays, quel que soit leur système sociopolitique.

ROUMANILLE (Joseph), écrivain provençal (Saint-Rémy-de-Provence 1818 - Avignon 1891). Poète et conteur (*les Bavardages,* 1883), un des fondateurs du félibrige*.

ROUMAZIÈRES-LOUBERT (16270), comm. de la Charente, à 15 km au S.-O. de Confolens; 3 146 hab. Tuileries.

ROUMÉLIE, nom donné jadis par les Ottomans aux provinces de Thrace* et de Macédoine*, conquises par eux au XIVe s. Le congrès de Berlin (1878) détacha de la jeune Bulgarie* une Roumélie-Orientale (capitale Plovdiv) qui, constituée en principauté autonome, vassale de la Porte, était administrée par un gouverneur général chrétien. Mais, dès 1885, la Roumélie s'unit à la Bulgarie.

ROUMOIS, région de Normandie (départ. de l'Eure), entre la Seine (en aval d'Elbeuf) et la Risle.

ROURKELA, v. de l'Inde, dans le nord de l'Orissa; 173 000 hab. Sidérurgie.

ROUS (Peyton), biologiste américain (Baltimore, Maryland, 1879 - New York 1970). Ses études sur le sarcome du poulet par des transplantations d'un animal à l'autre et d'une race à l'autre lui ont permis d'élaborer une théorie virale du cancer. (Prix Nobel de médecine, 1966.)

ROUSIES (59131), comm. du Nord, dans la banlieue est de Maubeuge; 4 526 hab.

ROUSSEAU (Jean-Baptiste), poète français (Paris 1671 - Bruxelles 1741), célèbre pour ses *Odes* et ses *Cantates.*

ROUSSEAU (Jean-Jacques), écrivain français (Genève 1712 - Ermenonville 1778). Des quatre « philosophes » du XVIIIe s., Rousseau fut le plus tardif, mais celui dont la célébrité fut la plus rapide et la résonance la plus durable. Isolé (Genevois connaissant mal la France, plébéien, autodidacte, perpétuellement vagabond) et souffrant atrocement de l'être, il a fait de son expérience de l'incommunicabilité et de l'incompréhension le fondement d'une exigence de totalité dont il place, contre la société, l'origine et la force dans le sentiment intérieur et l'analyse du moi. Or, cette analyse lucide révèle que la vérité du cœur est obscure à déchiffrer (« Rien n'est si dissemblable à moi que moi-même »), difficile à exprimer, dangereuse à dire : le tragique et l'ambiguïté de cette situation préfigurent étonnamment non seulement le désenchantement romantique, mais aussi les angoisses de la foule solitaire du monde moderne. Rousseau a exactement pris la mesure du succès de scandale de ses livres et du mur de silence que lui opposaient les intellectuels de son temps (« Je suis destiné à être mécompris »). Mais il a eu le courage de persister à prendre son rêve pour la réalité, à poursuivre dans la quête de soi-même le secret du bonheur des autres : sa création littéraire est une « action imaginaire », et sa vie une « fiction vécue ».

On a eu beau jeu, à commencer par Voltaire, de souligner les contradictions de ce rêve. D'un Bernardin de Saint-Pierre (« Il a vécu et il est mort dans l'espérance, commune à tous les hommes vertueux, d'une meilleure vie ») ou d'un La Harpe (« Rousseau est le plus subtil des sophistes, le plus éloquent des rhéteurs, le plus impudent des cyniques »), qui a saisi Rousseau, comme il le désirait, « dans la vérité de sa nature »? Pourtant, Rousseau n'a cessé de donner pathétiquement la clé de son œuvre; lui qui était doué d'une double intelligence critique et créatrice, il tenait l'intelligence pour rien : « Je veux que tout le monde lise dans mon cœur » — le cœur, la conscience, lieu de l'unité perdue et désirée. Ce besoin d'unité, d'harmonie, de communion est la vérité de Rousseau qui court à travers tous ses livres, dans des registres différents : critique des fondements de la société et de la conscience (les deux *Discours*), exposé des principes qui doivent régler la vie publique *(Du contrat social)* et privée *(Émile),* expérimentation sociologique et démonstration romanesque de la théorie *(la Nouvelle Héloïse),* contre-épreuve autobiographique *(Confessions* et *Rêveries).* La difficulté réside dans le fait que le modèle de cette unité future est pris dans le passé, dans l'âge d'or du « bon sauvage » et de Fabricius. La lucidité révolutionnaire procède chez Rousseau d'une intransigeance réactionnaire. Mais il n'a nullement prétendu qu'il fallait revenir à l'« état de nature ». Il a simplement affirmé l'ambivalence du progrès, c'est-à-dire que la civilisation (« L'homme qui pense est un animal dépravé ») détruit la morale et corrompt l'harmonie naturelle entre les hommes (la propriété engendre l'inégalité et les luttes sociales). Réinterprétant

Giraudon

Rousseau herborisant à Ermenonville. Gravure en couleurs du XVIIIe s. (Musée Carnavalet, Paris.)

Machiavel et Montesquieu, il démonte en sociologue le jeu des filtres politiques et culturels dans la société d'inégalité : les mécanismes chargés de la conservation (la religion) et de la représentation (le roman, le théâtre) de la vie et du bien engendrent eux-mêmes le mal et la dégradation (la mobilité sociale, née du désir personnel de parvenir et qui aboutit à l'aggravation des inégalités et à la perte de l'identité), par suite d'une dissociation dans la connaissance de la morale (saisie chez les dominants par la raison politique, chez les dominés par l'affectivité liée aux mœurs), seule la classe moyenne, intellectuelle et douée de compétences techniques, étant capable d'une connaissance scientifique et expérimentale (ce qui révèle, derrière l'opposition peuple/aristocratie, le rôle moteur d'une nouvelle classe économique et ce qui annonce les manipulations d'une bureaucratie politique, l'une et l'autre dominant en faisant sienne l'idéologie des dominés). D'autre part, contre la satire voltairienne à courte vue, Rousseau fait des sociétés historiques européennes (esquissant, dans la société rénovée, un nouveau machiavélisme qui utilise la fête comme illusion égalitaire et participation affective à une représentation dramatisée et moralisatrice des structures politiques) et de leur rapport à la « pensée sauvage » une analyse que ratifieront les anthropologues modernes. Idées trop neuves, exprimées dans un style tout aussi surprenant (le Rousseau théoricien de l'*Essai sur l'origine des langues* anticipe sur bien des recherches linguistiques) : « Il faudrait, pour ce que j'ai à dire, inventer un langage aussi nouveau que mon projet. » Ce langage, ce musicien venu tard à la littérature le concevait sur le mode du chant (une langue qui « persuaderait sans convaincre et peindrait sans raisonner... L'on chanterait au lieu de parler ») : c'est précisément ce dernier rêve qui, à travers Chateaubriand et Stendhal, a acquis le plus de réalité.

la vie

1712	Naissance à Genève et mort de sa mère.
1722	Son père s'exile. Rousseau est confié au pasteur Lambercier.
1724	Apprentissages : chez un greffier, un graveur. Vagabondages.
1728	Rencontre Mme de Warens. Abjure le protestantisme.
1729-1741	Voyages entrecoupés de séjour chez Mme de Warens, aux Charmettes, près de Chambéry.
1742	Découverte des salons parisiens.
1745	Se lie avec une lingère, Thérèse Levasseur, qui sera sa compagne jusqu'à sa mort.
1749	Visite à Diderot emprisonné à Vincennes : c'est l'« illumination » qui donne naissance au premier *Discours.*
1754	Retour à Genève, où il redevient calviniste.
1756	S'installe à l'Ermitage chez Mme d'Épinay. S'éprend de la belle-sœur de son hôtesse, Sophie d'Houdetot.
1757	Est recueilli par le maréchal de Luxembourg à Montmorency.
1758	Rupture avec Diderot.
1761	Mme de Luxembourg fait rechercher en vain les enfants de Rousseau, que celui-ci a confiés aux Enfants-Trouvés.
1762	Condamnation du *Contrat social* et de l'*Émile.* Fuite dans le canton de Berne, puis à Môtiers.
1763	Abdique son titre de citoyen de Genève.
1765	Lapidé à Môtiers, se réfugie dans l'île Saint-Pierre, sur le lac de Bienne.
1766	Gagne l'Angleterre, séjourne chez Hume, mais se brouille avec lui.
1767	Est recueilli par le marquis de Mirabeau, puis par le prince de Conti.
1768-1770	Vie errante. Copie de la musique.
1771	Se lie avec Bernardin de Saint-Pierre.
1776	Délire de persécution : veut déposer le manuscrit des *Dialogues* sur le grand autel de Notre-Dame.
1778	Est accueilli à Ermenonville par le marquis de Girardin. Meurt le 2 juillet. Est inhumé dans l'île des Peupliers.
1794	Transfert de ses cendres au Panthéon.

les œuvres

1739	*Le Verger des Charmettes* (poème).
1743	*Dissertation sur la musique moderne.*
1744	*Les Muses galantes* (opéra).
1750	*Discours* sur les sciences et les arts.*
1752	*Le Devin du village* (opéra-comique) ; *Narcisse* (comédie).
1753	Article « Économie politique » pour l'*Encyclopédie.*
1755	*Discours* sur l'origine et les fondements de l'inégalité parmi les hommes.*
1756	*Lettre sur la Providence.*
1758	*Lettre* à d'Alembert sur les spectacles.*
1761	*Julie* ou la Nouvelle Héloïse.*
1762	*Du contrat* social. Émile*.*
1764	*Lettres écrites de la montagne.*
1765	*Lettres à M. Buttafuoco sur la législation de la Corse.*
1767	*Dictionnaire de musique.*
1772	*Considérations sur le gouvernement de Pologne.*
1782	Publication des six premiers livres des *Confessions** et des *Rêveries* du promeneur solitaire.*
1789	*Confessions* (livres VII à XII). *Dialogues ou Rousseau juge de Jean-Jacques.*

ROUSSEAU (Théodore), peintre français (Paris 1812 - Barbizon 1867). Maître de l'école de Barbizon*, où il travaille à partir de 1836 et s'installe complètement en 1847, à la fois réaliste et romantique, il exécute ses paysages « sur le motif », mais les reprend, surcharge leur pâte à la recherche du fourmillement, de la palpitation tellurique de la nature, qu'il conçoit — déjà — comme un refuge, une garantie de permanence en face du monde industriel (*la Descente des vaches dans le Jura,* 1835, musée Mesdag, La Haye).

ROUSSEAU (Henri, dit **le Douanier**), peintre français (Laval 1844 - Paris 1910). D'origine populaire, employé à l'Octroi de Paris, il se consacre entièrement à la peinture, déjà pratiquée depuis une dizaine d'années, à partir de 1893. Son art, d'une technique raffinée et d'une sensibilité qui le place parmi les plus grands peintres naïfs*, fut reconnu par des poètes comme Apollinaire, par des peintres comme Delaunay ou Picasso. Il allie une composition souvent savante à une netteté du dessin et à une subtilité harmonieuse des couleurs qui confèrent à certaines de ses œuvres, notamment (à côté des portraits, des scènes populaires et des paysages parisiens) celles d'inspiration exotique, une dimension fantastique, chargée de poésie (*la Charmeuse* de serpents; le Rêve,* 1910, musée d'Art moderne, New York).

ROUSSEL (Albert), compositeur français (Tourcoing 1869 - Royan 1937). Élève de Vincent d'Indy à la Schola cantorum, d'abord influencé par Debussy et par l'impressionnisme (*le Poème de la forêt,* 1904-05; *Évocations,* 1910-11; *le Festin de l'araignée,* 1912), il se distingua ensuite de ses contemporains par l'âpreté de son harmonie et l'austérité de sa pensée (opéra-ballet *Padmâvatî,* 1914-1918; *Pour une fête de printemps,* 1920; *2e symphonie,* 1921). À partir de 1926 naquirent ses chefs-d'œuvre, tantôt rudes ou graves, tantôt truculents ou d'une langueur insinuante (*Suite en « fa »,* 1926; *Rhapsodie flamande,* 1936; *3e symphonie,* 1929-30; *4e symphonie;* ballet *Bacchus et Ariane,* 1931; ballet *Aeneas,* 1935). « Prodigieux professeur d'énergie », il sut, à la fin de sa vie, allier à une perfection formelle toute classique un souffle romantique généreux et le rythme dans ce qu'il a de plus exaltant.

ROUSSEL (Raymond), écrivain français (Paris 1877 - Palerme 1933). Entre une carrière avortée de pianiste et une passion tardive pour le jeu d'échecs, l'éblouissement dans lequel Roussel pensait plonger ses contemporains à la seule présence de sa personne et de son œuvre se réduit à une trajectoire sporadique et capricieuse. Après avoir éprouvé l'extase du génie et la déception de l'échec dans les quelques milliers d'alexandrins de *la Doublure* (1897), Roussel sort d'une dépression qui lui vaut les soins de Pierre Janet (le « cas Martial ») pour tenter de retrouver le « soleil moral » de sa jeunesse poétique en reconstituant méthodiquement (*Comment j'ai écrit certains de mes livres,* 1935) les mécanismes de la création littéraire : ses livres fonctionnent comme des machines qui produisent les conditions d'un texte possible (*Impressions d'Afrique,* 1910; *Locus Solus,* 1914) ou qui s'autoreproduisent à l'infini (*Nouvelles Impressions d'Afrique,* 1932). Les surréalistes mis à part, qui virent dans son bric-à-brac culturel et son exotisme de bazar l'expression parodique des fantasmes de la Belle Époque, Roussel ne connut guère de son vivant que la curiosité portée au grand bourgeois esthète qu'il affectait d'être et la dérision qui salua ses pièces (*l'Étoile au front,* 1924; *la Poussière des soleils,* 1926). Aujourd'hui, on se le dispute comme précurseur, les structuralistes pour sa combinatoire, les adeptes du nouveau roman pour sa conception du langage comme seul producteur de la réalité.

ROUSSEROLLE. — Plusieurs espèces de fauvettes* vivent au bord des étangs, au milieu des roseaux, dont les feuilles leur servent à construire leur nid : ce sont les rousserolles au sens large du mot (effarvate, verderolle, phragmite, cisticole, locustelle). Mais c'est l'effarvate, au plumage roux, qui est la véritable rousserolle. (Famille des sylviidés.)

ROUSSES (Grandes), massif des Alpes françaises (départ. de la Savoie et de l'Isère), entre l'Arc et la Romanche; 3 648 m au *pic de l'Étendard.*

ROUSSES (Les) [39220], comm. du Jura, près du *lac des Rousses,* à 8,5 km au S.-E. de Morez; 2 193 hab. Station de sports d'hiver (alt. 1 120-1 680 m).

ROUSSETTE. — Ce nom est donné à deux animaux qui n'ont de commun que leur couleur rousse. L'un est une grosse chauve-souris frugivore d'Indonésie, de mœurs nocturnes, vivant suspendue aux arbres en troupes batailleuses. L'autre est un petit requin, dit aussi « chien de mer », long de 0,50 à 1 m, pondant des œufs rectangulaires et très commun sur nos côtes.

ROUSSILLON, anc. prov. du sud de la France. Géographiquement, le Roussillon est la plaine ouverte sur la Méditerranée; il constitue la partie la plus peuplée du département des Pyrénées-Orientales, dont il englobe la préfecture, Perpignan. Le pays est intensément mis en valeur au point de vue agricole (vignoble, cultures fruitières et légumières) grâce, partiellement, à l'irrigation et aménagé pour le tourisme estival sur le littoral Languedoc-Roussillon.

HISTOIRE. Conquis par les Romains entre 120 et 117 av. J.-C., le Roussillon fut rattaché au royaume wisigothique de Toulouse au ve s. Il fut dominé par les Arabes de 719 à 759, puis constitua sous Charlemagne la Marche d'Espagne, créée en bordure de l'Espagne musulmane. Il connut du xe au xiie s. un essor considérable du monachisme et passa en 1172 au comte de Barcelone (également roi d'Aragon); il fit ensuite partie du royaume de Majorque (1276-1344), puis de celui d'Aragon. Annexé par Louis XI en 1463, restitué aux Rois Catholiques par Charles VIII (1493), il devint français au traité des Pyrénées (1659).

ROUSSILLON (38150), ch.-l. de cant. de l'Isère, en face du *Péage-de-Roussillon,* à 24 km au S. de Vienne; 7 582 hab. Château du xvie s. Industries textiles et chimiques.

ROUSSIN (André), acteur et auteur dramatique français (Marseille 1911). Ses comédies mêlent la satire de mœurs à la verve du théâtre de boulevard (*la Petite Hutte,* 1947; *Lorsque l'enfant paraît,* 1951; *la Mamma,* 1957).

ROUSSY (Gustave), médecin français (Vevey 1874 - Paris 1948). Il étudia les relations hypothalamo-hypophysaires et le diabète insipide expérimental. Il fonda l'Institut du cancer de Villejuif.

ROUSTAVI, v. de l'U. R. S. S. (Géorgie), sur la Koura; 98 000 hab. Métallurgie.

ROUTE. — • Le *tracé en plan* d'une route se compose d'alignements droits réunis par des courbes, dont les rayons sont supérieurs à 300 m en région de plaine, mais qui peuvent descendre jusqu'à 30 m en zones montagneuses. Le tracé en plan et le profil en long, qui représentent les pentes et les rampes, sont étudiés pour assurer une bonne visibilité aux usagers roulant aux vitesses admises. Dans une courbe, la route doit comporter un élargissement d'autant plus important que les véhicules circulent plus vite. Pour éviter les dérapages, elle doit posséder un dévers qui est fonction du rayon de la courbe et de la vitesse limite. La route doit être bombée pour permettre aux eaux de pluie de s'écouler dans les caniveaux et les fossés. Le bombement dépend de l'état de surface du revêtement superficiel. En alignement droit, il varie de 1 p. 100 pour les chaussées en béton à 2,50 p. 100 pour les routes pavées.

• La *construction* d'une route commence par l'exécution des ouvrages d'art. La *plate-forme* est réalisée ensuite à l'aide d'engins de terrassement, sur le terrain naturel assaini et stabilisé. Les *couches de fondation* cylindrées et compactées sont établies sur la plate-forme. Elles sont faites de terre, de sable ou de grave, éventuellement mélangé à 3,5 p. 100 de ciment*. Pour les routes modernes, le *revêtement de surface,* sur la couche de fondation, peut être soit une dalle de béton de 20 cm ou de 25 cm d'épaisseur, comportant des joints, soit un tapis en « matériaux enrobés » de bitume ou de goudron, soit encore un enduit au goudron ou au bitume fluide répandu sur la couche de fondation et dans lequel on a incorporé, après coup, des gravillons par cylindrage.

ROUTOT (27350), ch.-l. de cant. de l'Eure, à 17 km à l'E. de Pont-Audemer; 1 010 hab. Église romane et gothique.

ROUVIER (Maurice), homme politique français (Aix-en-Provence 1842 - Neuilly-sur-Seine 1911). Il est président du Conseil au temps du boulangisme (1887). Ministre des Finances de 1889 à 1892, il est éclaboussé par les scandales de Panamá. De nouveau ministre des Finances de 1902 à 1905, il revient ensuite à la tête du gouvernement (1905-1906); opposé à la politique de Delcassé*, il accule celui-ci à la démission et prépare la conférence d'Algésiras*.

Rouvray *(forêt domaniale du),* forêt de Normandie, dans un méandre de la Seine, sur la rive gauche, en face de Rouen; 3 240 ha.

ROUVROY (62320), comm. du Pas-de-Calais, à 3 km au S.-O. d'Hénin-Beaumont; 9 262 hab.

ROUX, anc. comm. de Belgique (Hainaut) incorporée depuis 1977 à Charleroi.

ROUX (Émile), bactériologiste français (Confolens 1853 - Paris 1933). Il participa avec Pasteur aux travaux sur le choléra des poules, le charbon, la rage et il mit au point avec lui la vaccination par microbes atténués. Il découvrit la toxine diphtérique et réalisa la sérothérapie.

ROUYN, v. du Canada, dans l'ouest du Québec; 17 821 hab. Centre minier (cuivre).

Rove *(tunnel du),* section souterraine du canal de Marseille au Rhône, longue de 7 120 m et perçant la chaîne de l'Estaque.

ROVIGO, v. d'Italie (Vénétie), ch.-l. de prov., sur l'Adige; 51 000 hab. Église octogonale du xvie s. Pinacothèque.

ROVNO, v. de l'U. R. S. S. (Ukraine), au N.-E. de Lvov; 116 000 hab.

ROWLAND (Henry Augustus), physicien américain (Honesdale 1848 - Baltimore 1901). En 1876, il montra qu'une charge électrique mobile crée un champ magnétique. En 1882, il construisit des réseaux de diffraction pour étudier le spectre solaire.

ROWLANDSON (Thomas), peintre, dessinateur et graveur anglais (Londres 1756 - *id.* 1827). Moins moralisateur que Hogarth, moins politicien que Gillray, graphiste plein de truculente aisance, il est le grand maître du dessin* satirique et humoristique, alors florissant à Londres (*Vue de la place des Victoires à Paris,* eau-forte, 1789; séries comme *les Voyages du docteur Syntax* [1812] ou *la Danse de mort anglaise* [v. 1815]).

ROY (*Mgr* Camille), prélat et écrivain canadien d'expression française (Berthier-en-Bas, Québec, 1870 - Québec 1943). Dans ses essais critiques, il recommanda l'usage d'une langue épurée et l'exemple des œuvres françaises classiques (*Nos origines littéraires,* 1909; *Romanciers de chez nous,* 1935).

ROY (Maurice), prélat canadien (Québec 1905). Évêque de Trois-Rivières (1946), puis archevêque de Québec (1947), primat du Canada (1956) et cardinal (1965), il démissionne en 1968 pour se consacrer au tiers monde.

ROY (Gabrielle), femme de lettres canadienne d'expression française (Saint-Boniface, 1919). Ses romans et ses nouvelles peignent les problèmes psychologiques des petites gens de son pays natal (*Bonheur d'occasion,* 1945; *la Route d'Altamont,* 1966; *Un jardin au bout du monde,* 1976).

ROYA (la), fl. côtier de France (Alpes-Maritimes) et d'Italie, qui rejoint la Méditerranée à Vintimille.

ROYAN (17200), ch.-l. de cant. de la Charente-Maritime, à l'entrée septentrionale de l'estuaire de la Gironde; 18 694 hab. *(Royannais).* Église par Guillaume Gillet et Bernard Lafaille (1955). Grande station balnéaire. — Pour bloquer le port de Bordeaux, les Allemands se retranchèrent en 1945 dans la « poche de Royan ». Au cours de sa reconquête par les troupes françaises du général René de Larminat (1895-1962), la ville fut très endommagée.

ROYAT (63130), comm. du Puy-de-Dôme, à 4,5 km au S.-O. de Clermont-Ferrand; 4 491 hab. *(Royatais).* Station thermale pour le traitement des affections cardio-vasculaires.

ROYAUMONT, écart de la comm. d'Asnières-sur-Oise (Val-d'Oise), à 10 km au S.-O. de Chantilly. Restes d'une abbaye cistercienne fondée par Saint Louis en 1228, auj. centre culturel.

ROYBON (38940), ch.-l. de cant. de l'Isère, à 18 km au N.-O. de Saint-Marcellin; 1 322 hab.

ROYCE (Josiah), philosophe américain (Grass Valley 1855 - Cambridge, Massachusetts, 1916). Contemporain de W. James* et de C. S. Peirce*, il développe une philosophie idéaliste et moralisatrice (*The Conception of God,* 1895; *The Philosophy of Loyalty,* 1908).

ROYE (80700), ch.-l. de cant. de la Somme, à 18 km à l'E.-N.-E. de Montdidier; 6 388 hab. Conditionnement.

ROYER-COLLARD (Pierre Paul), homme politique français (Sompuis 1763 - Châteauvieux 1845). Avocat, professeur de philosophie à la Sorbonne (1811-1814), élu député en 1815, il fut le chef des doctrinaires. (V. SPIRITUALISME.)

ROYÈRE-DE-VASSIVIÈRE (23460), ch.-l. de cant. de la Creuse, à 22,5 km au S.-E. de Bourganeuf; 766 hab. Église du XIIe s.

ROZANOFF (Constantin), aviateur français (Varsovie 1905 - Melun 1954). Commandant d'escadrille pendant la Seconde Guerre mondiale, il devient directeur des essais de Dassault (1946) et se tue au cours d'un vol sur un « Mystère B ».

ROZAY-EN-BRIE (77540), ch.-l. de cant. de Seine-et-Marne, à 17 km au N.-N.-O. de Nangis; 1 792 hab. Église des XIIe-XVIe s.

ROZEBEKE ou **ROOSEBEKE,** lieu-dit de Belgique (Flandre-Orientale), à l'E. d'Audenarde. En 1382, Charles VI, roi de France, y vainquit les Gantois révoltés contre leur seigneur, le comte Louis II de Flandre. Philippe Van Artevelde, qui commandait les Gantois, périt dans la bataille.

RÓŻEWICZ (Tadeusz), écrivain polonais (Radomsko 1921). Son œuvre, marquée par son expérience de la guerre et un sentiment de l'absurde proche d'un Ionesco, dénonce sur le mode lyrique (*Angoisse,* 1947; *Formes,* 1959) ou dramatique (*le Dossier,* 1959; *le Laocoon,* 1960; *les Témoins ou Notre petite stabilisation,* 1962; *les Spaghetti et le glaive,* 1965; *le Mariage blanc,* 1975) tous les artifices sociaux ou psychologiques qui détournent l'homme des valeurs essentielles.

ROZOY-SUR-SERRE (02360), ch.-l. de cant. de l'Aisne, à 28 km au S.-E. de Vervins; 1 315 hab. Église des XIIe-XVIe s. Caravanes.

RUANDA ou **RWANDA,** État de l'Afrique centrale; 26 338 km^2; 4 120 000 hab. Capit. *Kigali.*

GÉOGRAPHIE. Le pays s'étend sur un ensemble de hauts plateaux dominé au N. par le massif volcanique des monts Birunga (4 507 m). Il est limité à l'O. par le rift de l'Afrique centrale, occupé par le lac Kivu. Le climat, tropical, est assez humide, mais la forêt a été souvent dégradée en savane arborée. La population compte 85 p. 100 de Hutus, cultivateurs bantous, et une minorité de Tutsis, pasteurs hamitiques. Très dense, elle est essentiellement rurale, la capitale, qui est aussi la principale ville, ne comptant que 60 000 habitants. L'agriculture reste le secteur primordial de l'économie. Manioc, sorgho, haricots et maïs constituent la base de l'alimentation, et les cultures commerciales sont peu développées (café, thé). L'élevage bovin est de faible rendement. L'industrialisation est à peine amorcée, et le pays souffre de son isolement.

HISTOIRE. Le véritable fondateur du Ruanda moderne, est, au XVIIe s. Ruganzu Ndori, qui fixe la capitale dans le Nduga et dont les successeurs mènent une politique d'expansion. Au XIXe s., Kigeri Rwabugiri (de 1860 env. à 1895) étend sa domination vers le nord et vers l'ouest du lac Kivu; l'administration se concentre alors autour d'un roi, ou *mwami,* considéré comme sacré, et le pouvoir appartient aux grandes familles tutsis apparentées au roi. Les Allemands pénètrent dans le Ruanda à partir de 1894, et établissent, en 1907, leur protectorat. Dès 1916, les Belges les remplacent : le Ruanda-Urundi (constitué du Ruanda et de l'actuel Burundi*) passe alors sous le mandat (1923), puis (1946) sous la tutelle de la Belgique, qui favorise les Tutsis. C'est dans un contexte dramatique de tension entre Hutus et Tutsis qu'est accordée l'indépendance en 1962; un Hutu, Grégoire Kayibanda, est le premier président de la République; il réagit violemment contre les raids tutsis. Mais les difficultés économiques et le réveil des haines tribales provoquent en juillet 1973 un coup d'État militaire qui fait du général Juvenal Habyarimana le nouveau maître de Ruanda.

RUB' AL-KHĀLĪ, désert de sable du sud de l'Arabie Saoudite, aux confins de l'Oman et du Yémen.

RUBAN PERFORÉ. — Le ruban perforé est un support d'information* pour l'ordinateur* qui est proche, dans sa structure, de la carte* perforée. La codification des informations n'y est toutefois pas la même et correspond à des normes variées. Le ruban perforé possède l'avantage d'être continu sur de grandes longueurs, alors que la carte perforée est naturellement limitée à quatre-vingts caractères. En revanche, il n'offre pas la possibilité de faire commodément une correction locale comme on peut le faire en substituant une carte à une autre. Il sert fréquemment de support d'enregistrement de données pour les petits systèmes d'acquisition. Il est encore souvent le support de programmes* pour de petits ordinateurs. Il peut être généré automatiquement par des processeurs spécialisés de gros ordinateurs pour servir ensuite de programme* aux organes de commandes de processus industriels, comme la commande numérique de machines-outils.

RUBÉFACTION. — Les sols des régions humides et chaudes acquièrent souvent une teinte rouge sous l'action du phénomène de rubéfaction. Celui-ci résulte de l'altération chimique des roches; celle-ci libère des oxydes ferriques, qui imprègnent le sol et le colorent en rouge.

RUBEN, tribu israélite située à l'E. du Jourdain; son ancêtre éponyme est l'aîné des douze fils de Jacob*.

RUBENS (Petrus Paulus), peintre flamand (Siegen, Westphalie, 1577 - Anvers 1640). Son goût de la peinture italienne, acquis à Anvers lors de sa formation et nourri au contact des grands maîtres en Italie (Titien, le Tintoret, Véronèse ainsi que le Corrège, les Carrache, le Caravage), marque le début de sa carrière glorieuse (*la Descente de croix,* 1612, cathédrale d'Anvers), alors qu'il s'est installé à Anvers avec sa femme, Isabella Brant. Sa forte personnalité s'affirme dans un style expressif jusqu'à la violence, fougueux et coloré, qui répond au goût de la Contre-Réforme. L'ampleur baroque qu'il déploie dans les formes, le mouvement, les couleurs, les effets dramatiques l'impose aussi bien dans les compositions profanes et mythologiques (*le Combat des Amazones,* 1617, Alte Pinakothek, Munich) que dans les sujets religieux (*le Coup* de lance,* 1620) ou dans les vingt-deux grands tableaux (1622-1625), aujourd'hui au Louvre, consacrés à Marie de Médicis. Après la mort de sa femme (1626), son art se fait plus lyrique et moins violent, s'apaise tout en gagnant en fantaisie, en légèreté de touche et en chaleur de coloris. À côté des portraits d'Hélène Fourment, sa seconde femme, épousée en 1630 (*Hélène en petite pelisse,* 1639, Kunsthistorisches Museum, Vienne), Rubens se plaît aux évocations familiales, ou s'attache aux paysages et aux scènes populaires (*la Kermesse,* 1637, Louvre). Avant d'atteindre la sérénité de la vieillesse (*Autoportrait,* 1639-40, Vienne), il exécute encore des travaux comme les esquisses des décors mythologiques du pavillon de chasse de la Torre de la Parada, près de Madrid (1637), ou *les Horreurs de la guerre* (1638, palais Pitti, Florence). Abondante et grandiose, son œuvre se propose comme une magistrale synthèse de la peinture flamande et des apports italiens.

RUBÉOLE. — Cette maladie virale est contagieuse. Après une incubation de douze à quinze jours, elle se manifeste par une éruption pâle, généralisée, accompagnée d'adénopathies cervicales (ganglions). L'évolution se fait rapidement vers la guérison. La rubéole n'est jamais grave, mais elle peut provoquer, lorsqu'elle atteint une femme enceinte, des lésions importantes chez l'embryon, surtout oculaires et cardiaques. Le risque est grand au cours des douze premières semaines de la gestation.

• *Traitement préventif.* Chez la femme enceinte, avant le cinquième mois, on pratique des injections de gammaglobulines dès qu'une suspicion de contagion est établie, sauf si la femme a eu la rubéole dans son enfance ou si elle a été vaccinée. La vaccination antirubéolique permet la prophylaxie de la maladie.

RUBIACÉES. — Cette famille de plantes doit son importance principalement au café*. Mais elle comprend aussi la garance, le quinquina et les diverses espèces de gaillet*. Les rubiacées sont des plantes aux feuilles munies de stipules identiques à elles-mêmes, de sorte que l'ensemble forme un verticille à chaque nœud. Les fleurs sont petites, et les organes souterrains souvent rougeâtres.

RUBIDIUM. — Ainsi nommé parce que son spectre comporte deux raies de couleur rouge, le rubidium est l'élément chimique n° 37, de masse atomique Rb = 85,48. C'est un solide blanc, de densité 1,52, qui fond à 39 °C. Il s'oxyde rapidement à l'air et est très réducteur. Ses sels, presque tous solubles dans l'eau, sont incolores.

RUBINSTEIN (Ida), danseuse russe (Kharkov v. 1885 - Vence 1960). Animatrice de théâtre et mécène, elle s'entoura d'artistes en renom (A. Benois, Honegger, Stravinski, Milhaud, Massine, Fokine, Ravel, Nijinska, etc.) et présenta des spectacles somptueux. Son nom reste attaché à la création du *Martyre de saint Sébastien* et de *Boléro.*

RUBINSTEIN (Artur), pianiste polonais (Łódź 1886), l'un des plus célèbres du XXe s. Inégalé dans Chopin, il a toujours fait bénéficier son tempérament romantique du contrôle de sa raison.

RUBIS. — L'espèce la plus rare et la plus estimée est le *rubis oriental,* alumine cristallisée très dure. De valeur moindre, la plupart des autres pierres rouges appartiennent au genre spinelle (aluminate de magnésium).

RUBROEK ou **RUBROUCK** (Guillaume DE), franciscain flamand (Rubroek, près de Cassel, v. 1220 - † apr. 1293). Envoyé en mission auprès du khān des Mongols par Louis IX, il quitta Constantinople en 1253 et séjourna six mois à la cour du grand khān Möngke (ou Mangū khān) en 1254. À l'issue de sa mission, qui, comme celle de Plan* Carpin, a échoué sur le plan diplomatique et missionnaire, il écrivit l'*Itinerarium ad partes orientales.*

Ruchard *(camp du),* camp militaire situé sur la commune de L'Île-Bouchard (Indre-et-Loire).

RUCHE → APICULTURE.

RÜCKERT (Friedrich), poète et orientaliste allemand (Schweinfurt 1788-Neuses 1866). Il composa des poèmes patriotiques exaltant la résistance à Napoléon (*Poésies allemandes,* 1814), puis il adapta au lyrisme allemand les rythmes de la poésie persane (*les Roses d'Orient,* 1822).

RŪDAKĪ, poète persan (près de Rūdak, région de Samarkand, fin du IXe s.-*id.* 940). Il fut le panégyriste officiel de l'émir sāmānide de Boukhara. Il ne reste que quelques fragments de son œuvre, qui fait de lui le premier grand poète lyrique persan.

RUDA ŚLĄSKA, v. de Pologne, en haute Silésie; 144 000 hab.

RUDE (François), sculpteur français (Dijon 1784-Paris 1855). Attaché à un classicisme nourri de la leçon antique, mais porté à une recherche du mouvement qui correspond à l'esprit épique de la Révolution et de l'Empire, il a sculpté quelques-unes des œuvres les plus représentatives de la période romantique (haut-relief dit *la Marseillaise,* 1833-1835, arc de triomphe de l'Étoile, Paris).

RUDEL → JAUFRÉ RUDEL.

RUDEL (Hans), officier aviateur allemand (1916), le plus populaire des as de la chasse sur le front soviétique de 1941 à 1945.

RUDISTES. — Les calcaires récifaux de l'ère secondaire sont parfois presque entièrement constitués par des coquilles de rudistes, mollusques bivalves totalement dissymétriques : l'une des valves, étirée en cornet ou en tuyau, s'enfonçait dans la vase et abritait l'animal; l'autre valve se réduit à un couvercle. Des muscles puissants prenaient appui sur des reliefs longitudinaux. Dans certaines espèces, la valve operculaire était enroulée en spirale. Les principaux types sont les *hippurites,* les *radiolites* et les *requienias.* Ces formes ont disparu à la fin du crétacé.

RUDNICKI (Adolf), écrivain polonais (Varsovie 1912). Ses chroniques des *Feuillets bleus* (*le Miroir aveugle,* 1956; *Weiss se jette dans la mer,* 1967) et ses nouvelles donnent de son pays et de ses contemporains une peinture qui sait allier la lucidité à la compassion (*les Rats,* 1932; *la Mer vive et morte,* 1952; *les Fenêtres d'or,* 1966; *le Marchand de Lodz,* 1969; *la Fuite de Iasnaïa Poliana,* 1973; *le Matin d'une coexistence,* 1975).

RUE (80120), ch.-l. de cant. de la Somme, à 23 km au N.-O. d'Abbeville; 3 272 hab. Beffroi et chapelle flamboyante du Saint-Esprit, des XVe-XVIe s. Sucrerie.

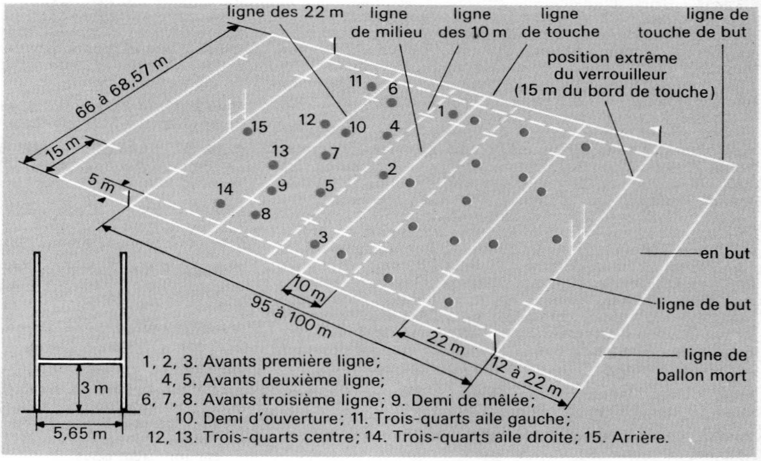

RUGBY.

Plan et dimensions d'un terrain de rugby, avec la disposition des joueurs.

La Ruée vers l'or (1925). Une scène du film de Charlie Chaplin.

Artistes associés (coll. J.-L. Passek)

Ruée vers l'or *(la),* film américain de Charlie Chaplin (1925). Heurs et malheurs de Charlot chercheur d'or au Klondyke en 1898. Une suite de séquences célèbres (la danse des petits pains, la dégustation des souliers bouillis) où s'exprime avec un art des plus raffinés la mélancolie émotive de l'auteur. Cette parabole sur la solitude du réprouvé obligé de faire face à la fatalité la moins souriante souligne, mieux que tout autre film, la grandeur à la fois bouffonne et tragique du personnage de Charlot.

RUEFF (Jacques Léon), économiste et financier français (Paris 1896). Il a préconisé la réévaluation du prix de l'or afin de mettre un terme aux difficultés du système monétaire international. Il a écrit, entre autres : *le Péché monétaire de l'Occident* (1971); *Combats pour l'ordre financier* (1972).

RUEIL-MALMAISON (92500), ch.-l. de cant. des Hauts-de-Seine, à 5 km à l'O. de Paris; 64 429 hab. *(Ruellois).* Église en partie de la Renaissance. Château de Malmaison, édifié en 1622, remanié par Percier et Fontaine pour Napoléon Bonaparte et Joséphine (musée napoléonien; œuvres d'art). Institut français du pétrole. Constructions mécaniques et électriques.

RUELLE (16600), ch.-l. de cant. de la Charente, sur la Touvre, à 6,5 km au N.-E. d'Angoulême; 8 352 hab. Fabrique d'armement lourd (canons, missiles).

RUFFEC (16700), ch.-l. de cant. de la Charente, à 43 km au N. d'Angoulême; 4 669 hab. Église à façade romane richement sculptée. Constructions mécaniques.

RUFFIEUX (73310 Chindrieux), ch.-l. de cant. de la Savoie, à 5,5 km à l'E. de Culoz; 363 hab.

RUFIN, en lat. **Flavius Rufinus,** homme politique romain (Elusa [auj. Eauze] v. 335-Constantinople 395). Préfet du prétoire d'Orient (392), il joua un grand rôle dans les négociations entre saint Ambroise et Théodose*. Ministre d'Arcadius*, il entra en conflit avec Stilicon* et fut assassiné peut-être à l'instigation de ce dernier.

RUFISQUE, port du Sénégal, banlieue est de Dakar; 50 000 hab. Chaussures. Textile.

RUGBY. — Né en 1823, au collège de Rugby, à l'initiative d'un élève, William Webb Ellis, qui, jouant au football, courut le ballon à la main vers le but adverse, le rugby ne connut de règles écrites qu'en 1846. Ces règles furent codifiées à partir de 1871, quand fut fondée, après le premier match international opposant (comme en football) l'Angleterre à l'Écosse, la Rugby Football Union. Ce sport se répandit dès lors rapidement dans les pays peuplés surtout d'émigrants britanniques de l'hémisphère Sud (Australie, Nouvelle-Zélande et Afrique du Sud) et gagna la France à la fin du siècle, se développant surtout au sud de la Loire. Les pays britanniques et les anciens dominions ainsi que la France dominent toujours le rugby, qui n'est pas encore un sport mondial, mais qui a gagné au moins partiellement l'Europe de l'Est (Roumanie), l'Amérique du Sud (Argentine) et le Japon.

En fait, aujourd'hui, il y a deux rugbys : le rugby à quinze (joueurs par équipe), le plus répandu, et le rugby (dit parfois jeu) à treize, né d'une scission entre sport exclusivement (au moins en théorie) amateur (le rugby à quinze) et sport autorisant le professionnalisme. Dans les deux cas, la partie, divisée en deux mi-temps, dure quatre-vingts minutes, et les points s'obtiennent par l'essai (aller poser le ballon ovale derrière la ligne de but adverse) ou le fait d'expédier avec le pied le ballon au-dessus de la barre et entre les deux montants verticaux, soit par un coup de pied de pénalité (sanctionnant une faute adverse), soit par un drop (ou coup de pied tombé donné dans le cours du jeu, après que le ballon a touché le sol). Dans le rugby à quinze, l'essai compte aujourd'hui pour quatre points (la transformation y ajoute deux points), le coup de pied de pénalité et le drop valant chacun trois points.

Fréquemment interrompu par des arrêts de jeu, faisant se succéder des phases apparemment décousues (courses à travers le terrain, remises en touche, mêlées), sport de contact parfois à la limite de la violence, le rugby, plus que le football, exige une certaine initiation, qui a certainement longtemps freiné son extension. En France, il a conquis le profane en partie grâce aux retransmissions de la télévision; son essor est sensible au nord de la Loire, et notamment dans les milieux scolaire et universitaire.

En Europe, le tournoi des Cinq Nations (Angleterre, Écosse, Pays de Galles, Irlande [unifiée pour la circonstance] et France) est une compétition annuelle opposant sur un seul match (sans match retour donc) chacune de ces équipes, qui dispute deux rencontres sur son terrain et deux rencontres sur terrain adverse. Le lien avec les pays de l'hémisphère Sud et aujourd'hui avec les nouveaux pays gagnés au rugby s'effectue par le biais des tournées.

RUGBY, v. d'Angleterre, sur l'Avon, à l'E. de Coventry; 52 000 hab. Collège célèbre (où naquit le *rugby**).

RÜGEN, île est-allemande de la Baltique (reliée depuis 1936 au continent par une digue); 926 km^2.

RUGLES (27250), ch.-l. de cant. de l'Eure, à 9 km au N.-E. de L'Aigle; 2 665 hab. Église des XIIIe-XVIe s. Métallurgie.

RUHLMAN (Émile), décorateur français (Paris 1869 - *id.* 1933). Il travailla pour une clientèle de luxe dès 1911 et exécuta des commandes pour l'État. Son style reflète l'élégance des formes, la discrétion de l'ornementation et la perfection technique dans la mise en œuvre de bois précieux ou de matières rares (galuchat, ivoire).

RUHMKORFF (Heinrich Daniel), mécanicien et électricien allemand (Hanovre 1803 - Paris 1877). En 1851, il créa la bobine d'induction.

RUHPOLDING, v. d'Allemagne, en Haute-Bavière; 7 000 hab. Station de sports d'hiver (alt. 659-1 670 m).

RUHR (la), en allem. **Ruhrgebiet,** principale région industrielle de l'Allemagne fédérale (Rhénanie-du-Nord-Westphalie).

La région doit son nom à la rivière *Ruhr,* affluent de droite du Rhin — qu'il rejoint à Duisburg —, long de 232 km. Approximativement limitée par la vallée de la Lippe au N., par une ligne Düsseldorf-Wuppertal au S., atteignant Hamm à l'E. et débordant légèrement sur la rive gauche du Rhin, la Ruhr couvre seulement environ 4 500 km^2 (moins qu'un département français moyen), mais compte près de 6 millions d'habitants (plus de 1 300 en moyenne au kilomètre carré). Sa puissance s'est fondée sur l'extraction de la houille et la sidérurgie (favorisée par la présence abondante de charbon cokéfiable). La Ruhr produisait 127 Mt de charbon à la veille de la Seconde Guerre mondiale; sa production a beaucoup décliné à partir des années 60 et est aujourd'hui inférieure à 80 Mt. Ce déclin a imposé la fermeture de mines et le regroupement des sociétés (au sein de la Ruhrkohle AG); il n'a pas entraîné celui de la sidérurgie, dont la production est supérieure à celle de la France, mais a exigé le développement et la diversification d'activités de remplacement : métallurgie de transformation et constructions électriques notamment. Cette partielle reconversion, favorisée par la tradition industrielle, la densité de population, l'approvisionnement aisé en énergie (charbon évidemment, pétrole acheminé de Rotterdam, électricité thermique), une excellente desserte routière, ferroviaire et fluviale, a permis un réaménagement du territoire et la création d'espaces verts entre les agglomérations, qui demeurent cependant souvent à dominante industrielle (en dehors de Düsseldorf, d'ailleurs à la limite de la Ruhr) et dont les plus peuplées sont celles d'Essen, de Duisburg, de Wuppertal, de Gelsenkirchen et de Bochum.

HISTOIRE. V. RÉPARATIONS *(problèmes des).*

RUISSELLEMENT. — Une partie de l'eau fournie par les précipitations ne s'infiltre pas dans le sol, mais ruisselle en surface. L'action érosive des eaux de ruissellement est particulièrement intense sur les pentes fortes, quand le couvert végétal est discontinu. Les eaux ravinent les roches tendres homogènes (argiles, marnes) et y sculptent des bad-lands, séries de chenaux séparés par des crêtes qui évoluent très rapidement, rendant les terres impropres à la culture. Dans les calcaires, elles cisèlent des lapiés. Dans les roches tendres hétérogènes, en particulier dans les moraines, elles peuvent isoler des colonnes protégées par des blocs, les cheminées de fée. Dans les régions périglaciaires ou semi-arides, le dégel ou de violents orages provoquent un écoulement en nappe. Les nappes d'eau, chargées de matériaux fins, s'étalent au pied des reliefs, où elles sont responsables du façonnement des glacis. Les eaux de ruissellement se rassemblent progressivement, vers l'aval, dans les chenaux et vont rejoindre le réseau hydrographique. L'action brutale du ruissellement peut avoir des conséquences désastreuses sur les sols, notamment à la suite de déboisements massifs.

RUITZ (62620 Barlin), comm. du Pas-de-Calais, à 4 km à l'E. de Bruay-en-Artois; 1 046 hab. Industrie automobile. Robinetterie.

RUIZ DE ALARCÓN Y MENDOZA (Juan), poète dramatique espagnol (Mexico 1581 - Madrid 1639), auteur de comédies (*la Vérité suspecte,* 1630) et de drames (*le Tisserand de Ségovie,* 1634).

RULFO (Juan), écrivain mexicain (Sayula 1918). Ses romans peignent la vie de la province de Jalisco en un style dépouillé qui unit la description réaliste au climat onirique (*Pedro Paramo,* 1955).

RUMBEKE, anc. comm. de Belgique (Flandre-Occidentale), intégrée depuis 1977 à Roulers. Église et château de la fin du Moyen Âge.

RUMELANGE, v. du Luxembourg, près de la frontière française; 4 000 hab. Métallurgie. Chimie.

RUMEX. — Le genre botanique *Rumex* (famille des polygonacées*) comprend de nombreuses espèces dans notre flore, notamment l'oseille* et la patience. Il s'agit d'herbes aux grandes feuilles lancéolées ou en fer de flèche, aux petites fleurs distribuées en longs épis lâches. La tige est souvent rougeâtre, et la saveur fortement acide.

RUMFORD (Benjamin THOMPSON, *comte*), physicien américain (Woburn, Massachusetts, 1753 - Auteuil 1814). Il imagina un calorimètre et un photomètre, mesura la température du maximum de densité de l'eau et montra la constance de la masse de la glace qui fond.

RUMIGNY (08290), ch.-l. de cant. des Ardennes, à 20,5 km au S.-E. d'Hirson; 472 hab.

RUMILLY (74150), ch.-l. de cant. de la Haute-Savoie, à 17 km à l'O.-S.-O. d'Annecy; 7 799 hab. Ville ancienne dans un site pittoresque. Musée. Jouets. Industries alimentaires.

RUMINANTS. — De tous les mammifères, ce sont les ruminants qui ont fourni l'aide la plus précieuse à la civilisation humaine, les uns comme gibier, les autres comme animaux domestiques. Le bœuf, le buffle et le bison, le yack, la chèvre et le mouton, le renne, le chameau, le dromadaire et le lama, le cerf, le chevreuil et les antilopes sont en effet des ruminants, de même que la girafe. Ce sont des mammifères ongulés à deux doigts par patte, caractérisés par leur aptitude à accumuler rapidement une grande quantité de nourriture végétale dans une panse, puis à la régurgiter par petites fractions pour la mâcher et l'avaler de nouveau, la dirigeant cette fois vers les estomacs chimiques : feuillet et caillette. À cette double ingestion correspondent les deux types de dents : les incisives (au nombre de 6 ou 8 à la mâchoire inférieure, inexistantes en haut), qui coupent l'herbe au pâturage; les molaires (tôt usées « en croissant de lune »), qui broient l'herbe qui remonte de la panse.

C'est parmi les ruminants que l'on rencontre les seuls mammifères ayant une paire de cornes, soit chez le mâle seulement (mouton, cerf), soit dans les deux sexes (bœuf, renne). Les

RUMINANTS

ruminants nous fournissent leur force musculaire (animaux de bât et de trait), leur lait, leur viande, leur peau, leurs cornes.

RUMMEL ou **RHUMEL** *(oued),* fl. de l'est de l'Algérie, tributaire de la Méditerranée; 250 km. Il traverse les monts de Constantine par une série de gorges (dont la plus célèbre enveloppe la vieille ville de Constantine) et porte dans son cours aval le nom d'*oued el-Kebir.*

RUNCORN, v. d'Angleterre, sur l'estuaire de la Mersey; 30 000 hab. Industrie chimique

RUNDSTEDT (Gerd VON), maréchal allemand (Aschersleben 1875 - Hanovre 1953). Il commanda un groupe d'armées en Pologne, en France et en Russie (1939-1941), où il conquit l'Ukraine. Mis à la tête du front ouest en 1942, il fut remplacé par Kluge après le débarquement en Normandie (1944). Hitler lui confia la direction de l'ultime offensive de la Wehrmacht dans les Ardennes (déc. 1944).

RUNEBERG (Johan Ludvig), poète finlandais d'expression suédoise (Jakobstad 1804 - Borgå 1877). L'inspiration lyrique et épique de son œuvre (*Idylles et épigrammes,* 1830; *les Chasseurs d'élans,* 1832; *le Roi Fjalar,* 1844; *Récits de l'enseigne Stål,* 1848) fait de lui le poète national de la Finlande.

RUNES. — Les runes constituent une écriture qui a servi dans tout le monde germanique à partir du IIIe s. apr. J.-C. L'aspect allongé des caractères tient au fait que le support était, à l'origine, formé de planchettes, d'où la prédominance des verticales, plus visibles à contresens de la fibre du bois. L'alphabet runique ancien possédait 24 caractères; à partir du IXe s., il n'existe plus que sous une forme simplifiée (16 caractères), limitée aux pays nordiques. Les inscriptions runiques, dont on possède un grand nombre, sont le plus souvent des pierres commémoratives. Les runes sont tombées en désuétude aux environs du XVe s.

RUNGIS (94150), comm. du Val-de-Marne, à 7 km au S. de Paris, sur la bordure nord-ouest de l'aéroport d'Orly; 2 996 hab. Marché-gare (produits alimentaires) destiné à l'approvisionnement de l'agglomération parisienne.

RUOLZ (*comte* Henri DE), savant français (Paris 1811 - Neuilly-sur-Seine 1887). Avec l'Anglais Elkington*, il découvrit le procédé de dorure de l'argent sans mercure, en recouvrant d'abord l'argent d'une couche extrêmement mince de cuivre obtenue par galvanoplastie, et qu'il breveta en 1840.

RUPEL (le), riv. de Belgique, qui rejoint l'Escaut (r. dr.) au S. d'Anvers; 12 km. Formé par la réunion de la Dyle et de la Nèthe, c'est une importante voie navigable.

RUPERT (le), fl. du Canada (Québec), tributaire de la baie James; 600 km.

RUPT-SUR-MOSELLE (88360), comm. des Vosges, à 11,5 km au S.-S.-E. de Remiremont; 3 863 hab. Textile.

RUSE, v. du nord de la Bulgarie, sur le Danube; 129 000 hab. Chantiers navals. Industries chimiques.

RUSKIN (John), critique d'art, sociologue et écrivain anglais (Londres 1819 - Coniston, Lancashire, 1900). Réagissant contre le matérialisme de l'ère victorienne, alliant la prédication morale et les initiatives pratiques à la réflexion sur l'art, il exalte l'architecture gothique, soutient le mouvement préraphaélite ainsi que la renaissance des métiers d'art.

RUSSE. — Le russe appartient, avec le biélorusse (11 millions de locuteurs) et l'ukrainien (40 millions), au groupe oriental des langues slaves. Langue maternelle d'environ 120 millions de Russes, il est enseigné et pratiqué sur tout le territoire de l'U. R. S. S.

Le vieux russe s'est constitué au haut Moyen Âge à partir du slave commun. Il a été transcrit, dès le IXe s., grâce à l'alphabet cyrillique. Dès cette époque coexistent une langue parlée et deux langues écrites : l'une utilisée dans les documents juridiques et administratifs, l'autre, le slavon, à usage religieux. Au XIIIe s., du fait des circonstances politiques (prise de Kiev en 1240, création de la principauté de Moscou v. 1260), le russe se différencie en trois langues : biélorusse, ukrainien et grand russe. Le russe moderne s'unifie progressivement à partir du XVIIIe s., avec l'élimination relative du slavon, la normalisation de la langue écrite et la synthèse réalisée par les grands écrivains du début du XIXe s. (en particulier Pouchkine).

Comme les autres langues slaves, le russe est caractérisé par un système de déclinaisons complexe et par la prédominance de la notion d'aspect sur celle de temps.

RUSSELL (John, 1er *comte*), homme politique britannique (Londres 1792 - Pembroke Lodge 1878). Leader des whigs aux Communes (1834), secrétaire à l'Intérieur (1835-1839) puis aux Colonies (1839-1841), il succède à Peel* comme Premier ministre (1846-1852) et achève l'œuvre libre-échangiste de celui-ci. Ministre des Affaires étrangères de 1852 à 1855 et de 1860 à 1865, il lutte contre l'influence russe en Europe. Il est encore Premier ministre en 1865-66.

RUSSELL (Bertrand, 3e *comte)*, logicien et philosophe britannique (Trelleck, pays de Galles, 1872 - Penrhyndeudraeth, pays de Galles, 1970). Préoccupé de problèmes éthiques, et notamment de la question de la paix, il s'efforce de les résoudre tant à travers une série de prises de position politiques (conférences, débats, campagne pour le désarmement nucléaire, création d'une fondation pour la paix et du Tribunal Russell) que dans ses livres (*Chemins vers la liberté,* 1918; *Théorie et pratique du bolchevisme,* 1920; *On Education,* 1926; *Human Society in Ethics and Politics,* 1954). Mais l'aspect le plus important de son œuvre est sa contribution à la logique* mathématique (*Principes des mathématiques,* 1903; *Principia* mathematica; The Analysis of Mind,* 1921). *Signification et vérité* (1940) et *Human Knowledge : its Scape and Limits* (1948) posent en des termes nouveaux le problème d'une théorie empiriste de la connaissance* en montrant le rapport de l'expérience* aux entités logiques (v. LOGICISME et TYPES [*théorie des*]).

RUSSELL (Henry Norris), astronome américain (Oyster Bay, New York, 1877 - Princeton, New Jersey, 1957). On lui doit de nombreux travaux sur la physique des étoiles*, qui l'amenèrent à établir, en liaison avec Hertzsprung*, une classification des étoiles. Celle-ci se traduit par le diagramme dit *de Hertzsprung-Russell.*

RÜSSELSHEIM, v. de l'Allemagne fédérale (Hesse), sur le Main; 52 000 hab. Construction automobile.

Russes blancs *(armée des),* formations militaires qui, de 1918 à 1920, tentèrent de s'opposer au pouvoir bolchevik issu de la révolution d'octobre 1917. Parmi les principales, on citera :
— les *armées blanches de la Russie du Sud,* dans la région du Don inférieur, dont les chefs furent les généraux Kaledine, Kornilov et, surtout, Denikine et Wrangel qui, en 1919 et en 1920, contrôlèrent la Crimée et une partie de l'Ukraine;
— les *armées blanches de Sibérie,* formées en 1918 d'anciens prisonniers tchèques de l'armée autrichienne, rejoints par les Cosaques de l'Oural. Leur chef, l'amiral Koltchak, attaqué par l'armée rouge, dut se replier d'Omsk vers le Pacifique. Il fut arrêté et fusillé à Irkoutsk en février 1920;
— *l'armée blanche des pays baltiques,* aux ordres du général Nikolaï Ioudenitch (1862-1933), qui, après l'échec d'une attaque sur Petrograd, dut se replier en Estonie, où il fut interné.

RUSSEY (Le) [25210], ch.-l. de cant. du Doubs, à 17 km au N.-E. de Morteau; 1 874 hab.

RUSSIE, en russe **Rossia,** nom donné à l'ancien empire des tsars. Des vagues successives d'envahisseurs s'étaient établies dans les steppes de la Russie méridionale — Scythes*, Sarmates*, Goths*, Huns*, Avars, Khazars* —, tandis que les Slaves* orientaux venus des Carpates se répandaient sur ces territoires. Aux VIIIe et IXe s., des Varègues* (Normands de Scandinavie) entrent en relations commerciales avec les Bulgares de la Volga, les Khazars et l'Orient musulman. Puis ils découvrent l'itinéraire allant de Novgorod à Constantinople par le Dniepr. Ils fournissent aux Slaves des mercenaires, des chefs militaires et, à partir des années 860, la dynastie des Riourikides*, qui préside à la formation de la Russie kiévienne.

● *La formation de l'État russe.* Kiev* devient la capitale du premier État russe (fin du IXe-XIIe s.), au sein duquel s'opère l'unification des Slaves orientaux. Grâce aux conquêtes de Sviatoslav (de 964 à 972), de Vladimir Ier* le Grand (de 980 à 1015) et de Iaroslav le Sage (de 1019 à 1054), l'État kiévien a accès à la mer Noire et acquiert de nouveaux territoires à l'ouest (Volhynie*) et au nord-est (vallée de l'Oka). En relation étroite avec Byzance, Kiev adopte le christianisme (v. 988). La constitution d'une Église nationale, qui suit le rite slavon introduit par les Bulgares, renforce la cohésion de la nation. Le développement des relations commerciales avec les pays scandinaves, l'Occident, Byzance et l'Orient musulman favorise l'essor des villes. Celles-ci possèdent un conseil municipal, le *vetche,* institution qui ne conservera un pouvoir étendu qu'à Novgorod*. La majorité de la population est constituée de paysans libres *(smerd),* possédant la terre collectivement (*zadrouga* [famille élargie], ou communauté rurale). Les boyards forment la classe supérieure.

Au XIIe s., la principauté de Kiev, affaiblie par les querelles dynastiques, ne peut plus assurer la sécurité sur les territoires du Sud, attaqués par les nomades. Sa population émigre vers les terres du Sud-Ouest (principautés de Smolensk, Tchernigov, Polotsk, Pereïaslav, Galicie*-Volhynie) et du Nord-Est (Mourom, Riazan, Rostov*, Souzdal* et Vladimir*). En Souzdalie, les colons russes se mêlent aux autochtones finnois : ainsi se forme, du XIIe au XVe s., la nation grand-russienne. Aux XIIe et XIIIe s., la principauté de Vladimir*-Souzdal connaît un essor remarquable, qu'illustre la floraison des villes nouvelles : Tver (auj. Kalinine*), Iaroslavl, Moscou*, Nijni-Novgorod (auj. Gorki).

Les Mongols*, qui conquièrent Vladimir en 1238 et Kiev en 1240, maintiennent leur domination sur la Russie pendant plus de deux siècles. Seule Novgorod, qui parvient à arrêter l'expansion germanique qui la menace (victoires d'Alexandre* Nevski, 1240 et 1242), demeure indépendante. Les princes russes doivent se faire confirmer leur autorité sur leur principauté par un *iarlyk* (charte) que leur accordent les khāns de la Horde* d'Or.

● *La Moscovie* et le rassemblement des terres russes.* Les princes de Moscou vont, grâce à leur dynamisme et à leur politique habile à l'égard des Mongols, acquérir la suprématie sur les autres principautés russes, qu'ils rassemblent, de 1263 (avènement de Daniel Nevski) à 1505 (mort d'Ivan III*), sous leur autorité. L'Église, dont le métropolite s'établit à Moscou en 1326, favorise cette évolution. Les princes de Moscou dirigent la lutte contre les Mongols (victoires de Dimitri Donskoï [1380] et d'Ivan III [1480 et 1502]) et libèrent le territoire national. Ivan IV* (de 1547 à 1584) élimine les khānats mongols de Kazan (1552) et d'Astrakhan (1556), annexe la région de la Volga et amorce l'expansion en Sibérie*.

Dès lors s'instaure en Russie une monarchie héréditaire qui évolue vers l'autocratie. Après que Constantinople, qui avait souscrit à l'union avec Rome (1439), fut tombée aux mains des Turcs (1453), Moscou prend la relève et devient la « troisième Rome ». Ivan III se considère comme un monarque de droit divin, protecteur de l'orthodoxie, et Ivan IV prend le titre de tsar en 1547. La classe des boyards voit alors sa puissance brisée, tandis que se développe la nouvelle noblesse des *pomechtchiki,* dotée de terres de service *(pomestie).* Aux XVe et XVIe s., les paysans des domaines héréditaires *(vottchina)* des boyards et du clergé ou des terres de service sont encore libres de quitter leurs maîtres. Les codes de 1497 et de 1550 limitent cette liberté, qui ne leur est plus accordée qu'épisodiquement à partir de 1581.

Après l'extinction de la dynastie riourikide (1598, mort de Fédor Ier*), le règne de Boris* Godounov (de 1598 à 1605) est suivi par le temps des troubles* (1605-1613), au cours duquel l'État est menacé de désintégration totale. Les premiers Romanov* (Michel* Fédorovitch [de 1613 à 1645] et Alexis* Mikhaïlovitch [de 1645 à 1676]) travaillent à la restauration nationale, de même que la noblesse, les bourgeois des villes et le clergé, représentés par le Zemski* Sobor. Le code de 1649 précise l'obligation du service de l'État pour les nobles et fixe définitivement le paysan à la terre, faisant du servage une institution. L'Église aussi voit sa dépendance vis-à-vis de l'État s'aggraver au lendemain du schisme des vieux-croyants (raskol*, 1666-67) puis sous le règne de Pierre le Grand, qui supprime le patriarcat et institue un Saint-Synode dépendant directement de l'État. En 1667, à l'issue d'une très longue guerre avec la Pologne, la Russie se voit confirmer (traité d'Androussovo) la possession de l'Ukraine* orientale (rive gauche du Dniepr et région de Kiev).

● *L'Empire russe des despotes éclairés du XVIIIe s.* Pierre Ier* le Grand (de 1689 à 1725) accède au pouvoir personnel après le règne de Fédor III (de 1676 à 1682) et la régence de Sophie* Alekseïevna (de 1682 à 1689) et prend le titre d'empereur en 1721. Il entreprend la modernisation et l'occidentalisation du pays, qui avait contracté un grand retard économique et culturel sur l'Occident pendant l'occupation mongole, mais avait renoué dès le XVIe s. des relations avec les pays européens. Il fait de la Russie une puissance maritime (accès à la Baltique après l'annexion de la Livonie, de l'Estonie, de l'Ingrie et d'une partie de la Carélie) — qu'il dote d'une nouvelle capitale : Saint-Pétersbourg —, et envoie Béring* explorer le Kamtchatka. Anna* Ivanovna (de 1730 à 1740) s'empare d'Azov. Sous Élisabeth* Petrovna (de 1741 à 1762), les troupes russes entrent à Berlin (1760). Catherine II* (de 1762 à 1796) atteint la mer Noire (1774, traité de Kutchuk-Kaïnardji*), annexe le khānat de Crimée* et une partie de la Moldavie. À l'issue des trois partages de la Pologne, la Lituanie, la Biélorussie et l'Ukraine occidentale sont rattachées à la Russie. À la fin du XVIIIe s. l'Empire russe est devenu une grande puissance européenne qui participe aux coalitions* contre la France révolutionnaire et le premier Empire.

La culture a fait des progrès décisifs, grâce à l'élaboration d'une langue littéraire russe (travaux de Lomonossov*, fondateur de l'université de Moscou [1775]), mais l'influence occidentale ne touche profondément que la noblesse. Celle-ci, en échange de sa soumission à l'absolutisme de l'État, a acquis un pouvoir absolu sur ses serfs. De grandes révoltes paysannes, encadrées par les Cosaques*, éclatent aux XVIIe et XVIIIe s. La plus grave est celle de Pougatchev* (1773-74).

● *Puissance et faiblesses de l'Empire russe du XIXe s.* Après la « guerre patriotique » de 1812, victorieuse de la campagne de Russie*, les troupes russes participent à la libération de l'Europe. Alexandre Ier* (de 1801 à 1825) reçoit au congrès de Vienne* (1815) le royaume de Pologne et se fait confirmer la possession de la Finlande et de la Bessarabie. L'expansion se poursuit au Caucase avec l'annexion de la Géorgie (de 1801 à 1878) et de l'Arménie (de 1828 à 1878). L'influence russe grandit dans les Balkans*, en lutte contre les Ottomans*. Nicolas Ier* (de 1825 à 1855) fait régner l'ordre en Europe et écrase les révolutions polonaise (1830-31) et hongroise (1848-49). Mais la désastreuse guerre de Crimée* (1854-55) va révéler les faiblesses internes de l'Empire.

Alexandre II* (de 1855 à 1881) s'engage dans la voie des réformes, que réclamait depuis longtemps l'opposition libérale, et le servage est aboli en 1861. Cependant, la condition paysanne s'aggrave dans la seconde moitié du XIXe s. : les paysans doivent

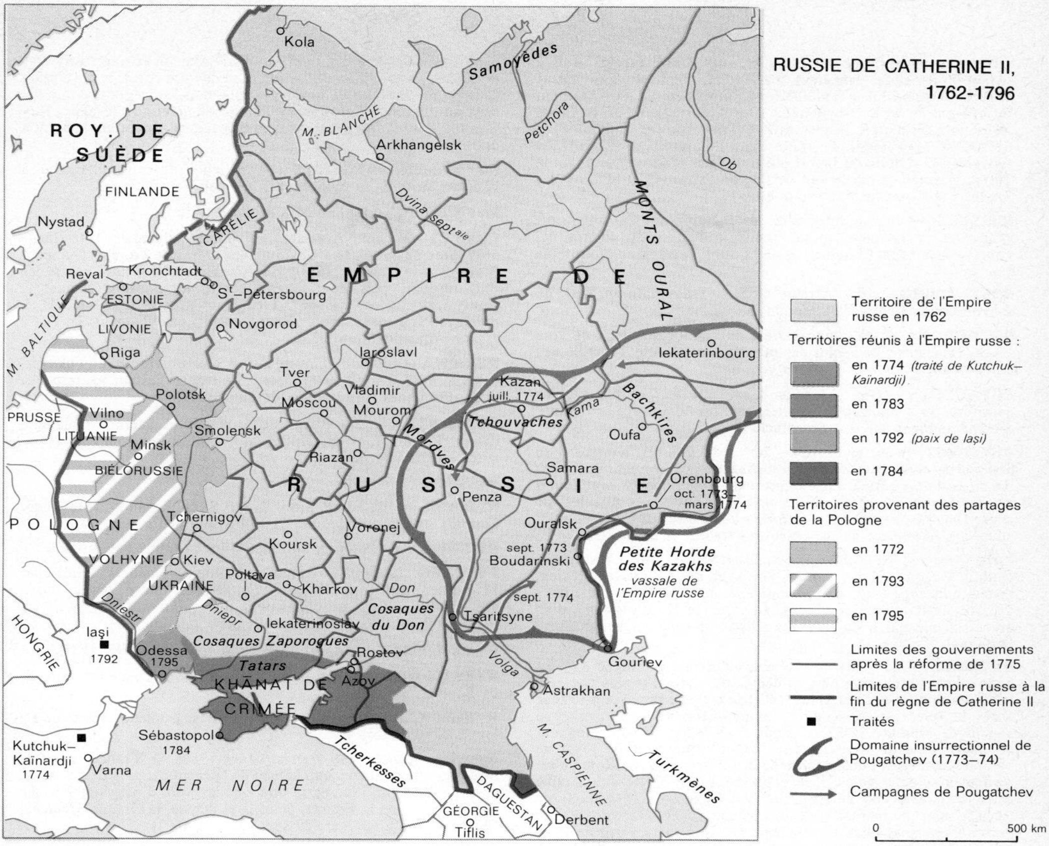

RUSSIE DE CATHERINE II,
1762-1796

racheter leurs terres en remboursant à l'État le prix du rachat qu'il leur a avancé, et payer de lourds impôts. Les parcelles attribuées par le mir* à chaque paysan sont exiguës dans les régions du Centre, surpeuplées malgré le départ de nombreux colons pour la Sibérie ou l'Ukraine méridionale. L'industrie absorbe pourtant une main-d'œuvre de plus en plus nombreuse : 600 000 ouvriers en 1860, 2 000 000 en 1897. Cependant, malgré les progrès des industries textile et alimentaire et la construction d'un bon réseau de voies ferrées (de 1860 à 1880), la révolution industrielle* n'a lieu en Russie qu'après 1880. Les capitaux étrangers auxquels font appel Alexandre III* (de 1881 à 1894) puis Nicolas II* (de 1894 à 1917) permettent la mise en valeur des mines de l'Ukraine et du pétrole de Bakou, ainsi que la construction du Transsibérien* (de 1891 à 1906). Un prolétariat durement exploité se constitue. À partir de 1885, les grèves sont fréquentes.

• *Le mouvement révolutionnaire et la chute du tsarisme.* Le mouvement révolutionnaire, qui a pris naissance dans les années 1860 (nihilisme*, populisme*), se radicalise et a recours au terrorisme (assassinat d'Alexandre II). Le parti ouvrier social-démocrate, fondé en 1898, répand le marxisme parmi les prolétaires. Le parti social-révolutionnaire*, fondé en 1901-02, est partisan d'un socialisme agraire et une opposition modérée se développe au sein des *zemstvos.*

La politique expansionniste de la Russie en Asie (annexion de la région de l'Amour [1858], conquête de l'Asie centrale) se heurte en Mandchourie aux intérêts japonais. Les désastres de la guerre russo-japonaise* (1904-05) font éclater le mécontentement de toutes les couches de la population. La révolution* russe de 1905 est écrasée en janvier 1906. Les libéraux, qui ont fondé le parti constitutionnel-démocrate*, ont obtenu l'instauration d'une douma* consultative. Cependant, les problèmes sociaux s'aggravent avec la différenciation grandissante entre le prolétariat agricole et la classe des paysans riches (les koulaks*). Les grèves se multiplient à partir de 1912. Le parti bolchevik*, fondé par Lénine*, est discipliné et prêt à une lutte violente pour conquérir le pouvoir.

La Russie, qui s'est engagée dans l'alliance franco-russe depuis 1890 et s'est rapprochée de l'Angleterre (accord de 1907), est entraînée dans la Première Guerre* mondiale. Les problèmes posés à la nation par l'état de guerre entraînent la chute de Nicolas II et le déclenchement de la révolution* russe de 1917. Les bolcheviks transformeront l'Empire russe en l'Union des républiques socialistes soviétiques (U. R. S. S.*).

RUSSIE, en russe **Rossia,** partie de l'U. R. S. S.* constituant la *République socialiste fédérative soviétique de Russie* (en russe « Rossiskaïa S. F. S. R. »), de loin la plus vaste (17 075 000 km^2 [plus de trente fois la France]) et la plus peuplée (130 079 000 hab., plus de la moitié de la population de l'U. R. S. S.) des républiques de l'Union soviétique, dont elle possède les deux plus grandes villes : Moscou, capitale de l'U. R. S. S. et de la Russie, et Leningrad. La Russie est la seule République soviétique à la fois européenne et asiatique, s'étirant de la Baltique (région de Leningrad) au Pacifique et de l'océan Arctique aux frontières de la Mongolie et de la Chine, englobant, notamment, la totalité — ou presque — du bassin de la Volga*, de la chaîne de l'Oural* et de l'immense Sibérie* (avec le Kouzbass*).

Russie *(campagne de),* campagne dirigée par Napoléon Ier contre la Russie (1812). Les difficultés résultant du Blocus continental, le problème polonais, l'annexion par Napoléon, en 1811, de l'Oldenburg amenèrent la rupture de l'alliance franco-russe, conclue à Erfurt en 1807. Allié de l'Autriche et de la Prusse, Napoléon attaque les Russes, qui ont fait la paix avec les Turcs et ont l'appui de la Suède. Le 24 juin 1812, la Grande Armée (600 000 hommes) franchit le Niémen, bat Koutouzov à la Moskova (7 sept.) et entre dans Moscou en flammes. Le tsar refusant de traiter et l'armée russe n'étant pas défaite, Napoléon ordonne la retraite de ses troupes, qui, par un froid terrible, harcelées par les Cosaques et suivies par Koutouzov, doivent se frayer le passage à la Berezina (28 nov.). Inquiet de la conspiration de Malet, Napoléon regagne Paris. La Grande Armée, qui a perdu 400 000 tués et 100 000 prisonniers, regagne le Niémen, tandis que la Prusse, trahissant Napoléon, se joint aux Russes, créant ainsi la sixième coalition* (déc. 1812).

RUSSIE BLANCHE → BIÉLORUSSIE.

russo-japonaise *(guerre),* conflit qui opposa la Russie et le Japon de février 1904 à septembre 1905. Cette guerre fut marquée par le débarquement en Corée des Japonais, qui, après avoir mis le siège devant Port-Arthur, lancèrent leurs forces, commandées par le maréchal Ōyama Iulao (1842-1916) sur Moukden, où elles battirent l'armée russe de Kouropatkine. L'escadre russe de la Baltique, après un long périple, est écrasée à Tsushima par l'amiral Tōgō Heihachirō (1847-1934). Le traité signé à Portsmouth (États-Unis) consacrait la victoire du Japon, qui établissait son protectorat sur la Corée, annexait la partie sud de l'île de Sakhaline et obligeait les Russes à évacuer la Mandchourie.

RUSSULE. — Les russules sont des champignons des bois, sans anneau ni volve, au chapeau recouvert d'une peau colorée qui s'enlève aisément. Certaines espèces sont immangeables (russule émétique).

RUSTENBURG, v. de l'Afrique du Sud (Transvaal), au N.-O. de Johannesburg. Centre d'extraction du platine.

RUTABAGA. — C'est une variété du chou qui fournit ce gros navet, comestible d'appoint des périodes de pénurie. (Famille des crucifères.)

RUTACÉES. — On rassemble dans cette famille des plantes odoriférantes : oranger, citronnier, rue, fraxinelle, etc., caractérisées notamment par leur réceptacle discoïdal.

RUTEBEUF, poète français du XIIIe s. († v. 1285). Auteur d'un monologue comique *(Dit de l'herberie),* de poèmes satiriques *(Dit des ribauds de Grèves),* d'une branche du *Roman de Renart* (*Renart le Bestourné,* v. 1270), d'un des plus anciens « miracles de Notre-Dame » (*le Miracle* de Théophile,* v. 1261), il est le premier poète à s'être libéré de l'emprise des traditions courtoises.

Ruth *(livre de),* livre biblique composé v. 450 av. J.-C. L'histoire de Ruth la Moabite qui, par son mariage avec Booz l'Israélite, devient l'ancêtre du roi David*, s'apparente à la nouvelle ou au conte bâtis à partir de lointaines traditions. Le livre de Ruth témoigne d'un universalisme qui a du mal à s'affirmer face à un nationalisme intolérant.

RUTHÈNE. — Le terme de « ruthène » désigne, au Moyen Âge, les populations chrétiennes des principautés slaves les plus occidentales des domaines riourikides. L'Église ruthène prend consistance après le rejet par Moscou de l'union avec Rome souscrite au concile de Florence (1439). Casimir IV Jagellon fait alors nommer un métropolite de Kiev pour les sujets orthodoxes du royaume polono-lituanien et l'union formelle des Ruthènes avec Rome n'est réellement établie qu'en 1596 à Brest-Litovsk. Cette union rallie dans le royaume de Pologne, au XVIIe s., jusqu'à 10 millions de fidèles, mais les partages de la Pologne (1772-1795) provoquent l'effondrement de l'Église catholique ruthène, qui, à partir de 1839, n'a plus d'existence légale en Russie. Par contre, en Ruthénie* subcarpatique, soumise aux Habsbourg, l'Union se maintient autour de l'évêché de Munkács (Moukatchevo), dont l'évêque signe l'adhésion à Rome au synode d'Ungvár (Oujgorod) en 1652. Quand cette région — tout comme la Galicie autrichienne — est annexée par l'U. R. S. S. en 1945, l'Union y est abrogée; il est vrai que, dès 1880, beaucoup de Ruthènes catholiques de rite byzantin ont émigré aux États-Unis, où ils forment une importante communauté.

RUTHÉNIE SUBCARPATIQUE ou **UKRAINE SUBCARPATIQUE,** région de l'Europe orientale. Peuplée de Slaves ruthènes, sur lesquels les Hongrois ont établi leur domination depuis les Xe-XIe s., la région n'a pas d'unité politique avant son intégration à la Tchécoslovaquie (1919). Occupée par les Hongrois en 1939, la Ruthénie est libérée par les Soviétiques en 1944. La Tchécoslovaquie signe en 1945 le traité de cession de la Ruthénie à l'Ukraine*, au sein de laquelle elle constitue la région subcarpatique.

RUTHÉNIUM. — Élément chimique no 44, de masse atomique Ru = 101,7, le ruthénium est un solide dur, de densité 12,3, qui ne fond que vers 2 500 °C. Il s'oxyde facilement à l'air et présente des analogies chimiques avec l'étain. Il s'extrait de l'osmiure d'iridium.

RUTHERFORD OF NELSON (Ernest, *lord*), physicien anglais (Nelson, Nouvelle-Zélande, 1871-Cambridge 1937). En 1903, il donna, avec Soddy*, la loi des transformations radioactives, montra, en 1906, que les particules alpha sont des noyaux d'hélium et réalisa en 1919 la première transmutation provoquée, celle d'azote en oxygène. (Prix Nobel de chimie, 1908.)

RUTILE → TITANE.

RÜTLI ou **GRÜTLI** (le), prairie située en bordure du lac des Quatre-Cantons (canton d'Uri), où fut prêté, probablement le 1er août 1291, un serment d'alliance entre les patriotes des cantons d'Uri, de Nidwald et de Schwyz, en vue de lutter contre la tyrannie d'Albert d'Autriche.

RUWENZORI, massif de l'Afrique orientale, aux confins du Zaïre et de l'Ouganda; 5 119 m au *pic Marguerite.*

Ruy Blas, drame en cinq actes et en vers de V. Hugo (1838). À la fin du XVIIe s., à la cour d'Espagne, don Salluste, grand seigneur disgracié, décide de se venger de la reine. Il substitue à son cousin don César de Bazan son valet Ruy Blas. Aimé de la reine, Ruy Blas devient Premier ministre et entreprend de faire cesser la corruption dans l'État. Au bout de quelques mois, don Salluste attire la reine dans sa maison et lui révèle l'identité de celui qu'elle aime. Ruy Blas tue son maître, s'empoisonne et meurt en emportant le pardon de la reine.

RUYNES-EN-MARGERIDE (15320), ch.-l. de cant. du Cantal, à 12,5 km au S.-E. de Saint-Flour; 584 hab.

RUYSBROECK (Jan) → VAN RUYSBROECK.

RUYTER (Michiel Adriaansz.), amiral hollandais (Flessingue 1607-près de Syracuse 1676). Sous les ordres de Tromp*, il combat Blake* sur la Tamise (1653); vice-amiral (1663), il lutte contre les Barbaresques, puis de nouveau contre les Anglais, semant la panique à Londres en 1667. Lieutenant général-amiral (1671), il préserve son pays d'un débarquement en bloquant la flotte franco-britannique (1672-73).

RUŽIČKA (Leopold), chimiste suisse d'origine tchèque (Vukovar, Croatie, 1887-Zurich 1976), auteur de recherches sur les terpènes et les hormones. (Prix Nobel de chimie, 1939.)

RUZZANTE (Angelo BEOLCO, dit), acteur et auteur dramatique italien (Padoue 1502-*id.* 1542), qui composa des comédies populaires en dialecte padouan.

RWANDA → RUANDA.

RYBINSK, v. de l'U. R. S. S. (R. S. F. S. de Russie); 218 000 hab. Centrale hydroélectrique sur la Volga supérieure.

RYBNIK, v. de Pologne, en haute Silésie; 42 000 hab. Houille.

RYDBERG (Johannes Robert), physicien suédois (Halmstad 1854-Lund 1919). Il établit une relation entre les spectres des divers éléments chimiques. La *constante de Rydberg,* R_H = 109 700 C. G. S., figure dans cette relation.

RYDZ-ŚMIGŁY (Edward) → POLOGNE *(campagne de)* [*1939*].

RYES (14400 Bayeux), ch.-l. de cant. du Calvados, à 6 km au N.-E. de Bayeux; 338 hab.

RYSWICK, auj. **Rijswijk,** v. des Pays-Bas, banlieue sud-est de La Haye; 52 000 hab.

Ryswick *(traités de),* traités conclus par la France, avec la médiation de la Suède, au château de Nieuwburg, près de Ryswick, et qui mirent fin à la guerre dite « de la Ligue d'Augsbourg* », les signataires, avec la France, étant la Hollande, la Grande-Bretagne, l'Espagne et l'Empereur (20 sept.-30 oct. 1697).

RYTHME *(Mus.).* — La manière dont s'enchaînent les différentes valeurs de notes caractérise le rythme. À l'origine, de conception très libre, il répond, dès la fin du XIIe s., aux exigences d'une notation proportionnelle, c'est-à-dire à une division ternaire (parfaite) ou binaire (imparfaite) des valeurs de notes entre elles. Avec la musique mesurée, le rythme naît du retour à intervalles réguliers des temps forts et des temps faibles, et devient tributaire de la *mesure,* ou division en parties égales de la durée, regroupant régulièrement plusieurs unités de temps. Dans la syncope, articulé sur un temps faible, le son se prolonge sur un temps fort; dans le contretemps, il débouche sur un silence.

RYTHME CARDIAQUE. — Les troubles du rythme cardiaque peuvent relever de l'atteinte de l'excitabilité du muscle cardiaque ou d'une anomalie de la conduction dans le système nerveux intrinsèque du cœur.

• *Troubles de l'excitabilité.* Ils peuvent s'observer chez des sujets sains, mais ils sont souvent le fait d'une atteinte cardiaque : les *extrasystoles* sont des contractions ectopiques nées en dehors du nœud sinusal; dans l'*arythmie complète,* les contractions cardiaques sont d'une irrégularité absolue; dans les *tachycardies paroxystiques,* des battements ectopiques (prenant naissance en n'importe quel point du myocarde) surviennent selon un rythme rapide pendant un certain temps; les *flutters* et la *fibrillation auriculaires* sont caractérisés par une cadence rapide des oreillettes. Les ventricules battent à une cadence moindre, régulière ou non.

• *Troubles de conduction.* Ils s'observent comme complication d'un désordre humoral (potassium, digitaline, etc.) ou d'une lésion anatomique. On distingue : les *blocs sino-auriculaires,* rares; les *blocs auriculo-ventriculaires,* dont les plus fréquents sont marqués par une bradycardie et parfois par des syncopes; les *blocs intraventriculaires,* caractérisés par l'interruption du faisceau de His (blocs de branches droit ou gauche).

RYŪKYŪ, archipel japonais du Pacifique, s'étirant sur plus de 1 000 km entre Kyūshū et T'ai-wan, correspondant à la prov. d'Okinawa (principale île de l'archipel); 2 245 km²; 993 000 hab. Ch.-l. *Naha.*

RZESZÓW, v. du sud-est de la Pologne, ch.-l. de voïévodie; 86 000 hab. Textile.

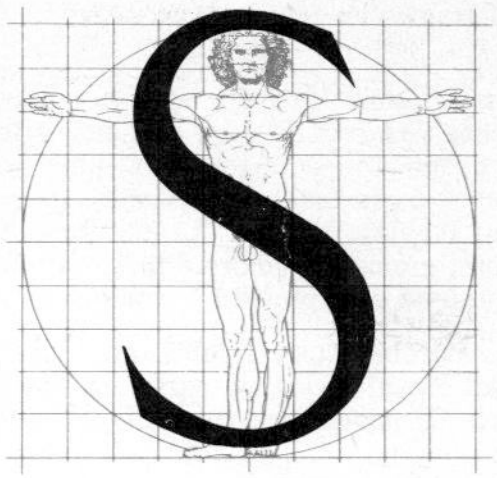

SA (abrév. de *Sturm Abteilung,* section d'assaut), formation paramilitaire du parti national-socialiste allemand créé par Hitler en 1921. Commandées par le capitaine Ernst Röhm (1887-1934), les sections d'assaut contribuèrent d'une façon essentielle à la prise du pouvoir par Hitler en 1933. Après l'élimination de Röhm en 1934, leur rôle fut très réduit.

SAADI → SA'DI.

SAALBACH, station de sports d'hiver (alt. 1 003-2 100 m) d'Autriche (prov. de Salzbourg), dans les Alpes de Kitzbühel.

SAALE (la), riv. née en Bavière, mais coulant presque entièrement en Allemagne orientale (passant à Saalfeld, Iéna et Halle), affl. de l'Elbe (r. g.); 427 km.

SAALES (67420), ch.-l. de cant. du Bas-Rhin, dans les Vosges, près du *col de Saales* (556 m), à 19 km au N.-E. de Saint-Dié; 1 045 hab.

SAALFELD, v. du sud de l'Allemagne orientale, sur la *Saale;* 34 000 hab. Monuments du gothique à l'époque baroque. — Victoire de Lannes sur les Prussiens (oct. 1806).

SAANEN → CHÈVRE.

SAARIKOSKI (Pentti), écrivain finlandais (Impilahti, Carélie, 1937). Il est passé d'une inspiration lyrique, empruntée à l'Antiquité classique (*Poésies et poèmes d'Hipponax,* 1959), à une expression spontanée qui unit les slogans marxistes à une explosion verbale proche de celle des poètes américains de la beat* generation (*Je vais où je vais,* 1965; *l'Étendue,* 1973).

SAARINEN (Eero), architecte et designer américain d'origine finlandaise (Kirkkonummi 1910 - État du Michigan 1961). Il devient en 1937 l'associé de son père, ELIEL (1873-1950), architecte de la gare centrale d'Helsinki (plans : 1904), établi aux États-Unis en 1923. Il bâtit dans le style de Mies van der Rohe, qu'il sait animer plastiquement, le Centre technique de la General Motors à Detroit (1950), ainsi que des ensembles de bureaux. Il abandonne l'angle droit pour l'envol de son aérogare de la TWA à Idlewild, en voile de béton (1956), et manifeste dans d'autres œuvres une liberté maniériste tout aussi inédite (collèges de Yale, à New Haven). Depuis 1940, parfois en collaboration avec Ch. Eames*, il a créé des meubles en matière plastique et fibre de verre, notamment sa série de sièges coquilles à pied central, dessinée en 1956.

SAAS FEE, comm. de Suisse (Valais); 895 hab. Station de sports d'hiver (alt. 1 800-3 200 m).

SABA *(royaume de),* ancien État de l'Arabie du Sud-Ouest. Probablement fondé au XIe s. av. J.-C., il connaît, dès le VIIIe, une brillante civilisation. Le barrage de Mā'rib, construit à cette époque, permet le développement de l'agriculture. La Bible relate le voyage de la reine de Saba à Jérusalem et sa visite au roi Salomon. Après avoir été les maîtres de l'Arabie du Sud, les Sabéens sont dominés par les Ḥimyarites à partir du Ier s. apr. J.-C. Les ruptures du barrage de Mā'rib aux Ve et VIe s., l'occupation éthiopienne (521-575) puis sassanide entraînent la ruine du pays, bientôt intégré à l'Empire musulman.

SABA (Umberto POLI, dit **Umberto**), poète italien (Trieste 1883 - Gorizia 1957). À l'écart des grands courants littéraires de l'entre-deux-guerres (futurisme et hermétisme), il trouva dans sa double expérience de la psychanalyse et de la persécution raciste la matière d'une poésie attentive aux rêves de l'enfance et aux formes élémentaires de la vie (*Il Canzoniere,* 1945, 1961).

SABADELL, v. d'Espagne (Catalogne), au N. de Barcelone; 158 000 hab. Industrie textile.

SABAH, anc. **Bornéo-Septentrional,** territoire de la fédération de Malaysia, occupant l'extrémité septentrionale de l'île de Bornéo; 73 700 km²; 656 000 hab. Ch.-l. *Kota Kinabalu.* Le Sabah porte le point culminant de l'île, le Kinabalu (4 175 m). Le riz est la base de l'alimentation, le bois (la forêt recouvre les quatre cinquièmes du territoire) et le caoutchouc sont les produits d'exportation.

SABART, écart de la comm. de Tarascon-sur-Ariège*. Aluminium.

SABATIER (Paul), chimiste français (Carcassonne 1854 - Toulouse 1941). En collaboration avec Senderens, il a découvert les propriétés catalytiques du nickel réduit, et a réalisé par ce moyen la synthèse de nombreux hydrocarbures. (Prix Nobel de chimie, 1912.)

SÁBATO (Ernesto), écrivain argentin (Rojas, prov. de Buenos Aires, 1911). Physicien (il travailla avec Irène Joliot-Curie), il abandonna ses recherches scientifiques en 1943 pour se consacrer à l'expérimentation d'un récit romanesque qui unit la technique du roman policier à la méditation philosophique (*le Tunnel,* 1948; *Alejandra,* 1967; *l'Ange des ténèbres,* 1974).

SABBAT. — Le jour de repos hebdomadaire consacré à Dieu, dont la loi mosaïque fait une stricte obligation, est une institution fort ancienne. Dans les plus anciens textes historiques et prophétiques d'Israël, le sabbat était un jour de repos, une fête où l'on allait au sanctuaire et où étaient interrompus les travaux ordinaires. Après la destruction du Temple de Salomon (587 av. J.-C.), l'importance du sabbat grandit et ses règles deviennent de plus en plus rigoureuses; leur évolution aboutira au juridisme rabbinique que codifiera le Talmud*.

SABELLIENS, en lat. **Sabelli,** montagnards de l'Apennin à l'époque romaine. Les Samnites* constituaient l'élément principal de ce groupe, issu des Sabins.

SABELLIUS, hérésiarque du IIIe s. condamné par le pape Calixte Ier. Il est l'initiateur d'une doctrine qui tend à nier ou à réduire la distinction des personnes divines au sein de la Trinité*. Cette conception théologique, que l'on nommera selon les nuances « sabellianisme », « modalisme » ou « monarchianisme », se retrouvera à titre de tendances dans le protestantisme libéral au XIXe s.

SABIN (Albert Bruce), médecin américain d'origine russe (Białystok 1906). Spécialiste de virologie, il a mis au point la vaccination antipoliomyélitique par voie orale.

SABINE, en lat. **Sabina,** anc. région de l'Italie centrale entre le Samnium à l'E., l'Étrurie à l'O., le Picenum au N. et le Latium au S., habitée par les Sabins* et dont les centres principaux étaient Fidenae, Cures, Gabies.

SABINS, en lat. **Sabini,** peuple latin établi en Sabine*, apparenté aux Osques et aux Ombriens. Selon la légende, Romulus*, après avoir fondé Rome, fit enlever les Sabines, ce qui déclencha une guerre entre Sabins et Romains, à l'issue de laquelle les deux peuples se fondirent en un seul, les Quirites. Après l'union sabino-latine, Titus Tatius, roi sabin, partagea le pouvoir avec Romulus et les Sabins habitèrent le Capitole. Après Romulus, deux rois sabins, Numa* Pompilius et Ancus* Martius gouvernèrent Rome.

SABINUS (Julius) [† Rome 79 apr. J.-C.], usurpateur d'origine gauloise (69-70 apr. J.-C.). Gaulois Lingon, citoyen romain, il tenta, au moment où Civilis* soulevait les Bataves, de rendre à la Gaule son indépendance. Battu par les Séquanes restés fidèles à Rome et désavoué par le congrès de Reims, il fut livré en 79 à Vespasien, qui le fit tuer.

SABIR. — Comme les pidgins*, les sabirs sont des langues mixtes nées du contact de deux ou de plusieurs communautés linguistiques. Ce sont des langues d'appoint, au vocabulaire pauvre, limité au secteur qui les a fait naître (le plus souvent les relations commerciales) et à la syntaxe flottante (les mots, invariables, sont simplement juxtaposés).

SABLE. — Roche sédimentaire meuble d'origine détritique, le sable est formé de débris, arrachés aux reliefs, dont la taille varie de 2 mm à 20 μ et qui se déposent, après un transport plus ou moins long, sous l'action des cours d'eau (sables alluviaux), de la mer (sables marins) ou du vent (sables éoliens). La nature des grains de sable est variable (micas, grenats, calcaire, etc.), mais le quartz domine en raison de sa grande résistance à l'érosion.

SABLÉ (Madeleine DE SOUVRÉ, marquise DE), femme de lettres française (en Touraine 1599-Port-Royal 1678). À partir de 1646, elle tint un salon où elle lança la mode des portraits et des maximes.

SABLES-D'OLONNE (Les) [85100], ch.-l. d'arr. de la Vendée, sur l'Atlantique; 18 204 hab. *(Sablais).* Église de 1646, musée de l'abbaye Sainte-Croix. Station balnéaire. Pêche.

SABLES-D'OR-LES-PINS (22240), station balnéaire des Côtes-du-Nord (comm. de Pléhérel), entre les caps Fréhel et d'Erquy.

SABLES ET SCHISTES BITUMINEUX. — Ces gisements constituent la grande réserve mondiale d'hydrocarbures.

• Les *sables* du bassin de l'Athabaska, au Canada, contiennent à eux seuls 100 Gt de bitume* récupérable; il faut y ajouter ceux du Venezuela ou de Madagascar. Plusieurs usines fonctionnent déjà, selon le cycle suivant : excavation à ciel ouvert, lavage à l'eau chaude ou étuvage, distillation* de l'huile extraite et hydrogénation*. Elles fournissent un pétrole brut synthétique envoyé aux raffineries.

• Les *schistes* pétroliers, dont le plus grand dépôt connu, situé dans le bassin supérieur du Colorado (États-Unis), recèle 200 Gt de réserves de bitume, sont pratiquement encore inexploités. L'industrie de l'huile de schiste existait déjà au XIXe s. près d'Autun, où l'on procédait par minage, concassage, tamisage et calcination à 500 °C dans des cornues : les hydrocarbures étaient évaporés, condensés et redistillés. Abandonné lorsque le pétrole était bon marché, ce procédé commence à redevenir économique.

SABLÉ-SUR-SARTHE (72300), ch.-l. de cant. de la Sarthe, sur la Sarthe, à 26 km au N.-O. de La Flèche; 11 761 hab. *(Saboliens).* Château du XVIIIe s. (porte du XIVe). Industries alimentaires.

SABOT. — L'ongle des mammifères est appelé « sabot » lorsque la corne entoure complètement la dernière phalange, de façon que l'animal prenne appui au sol sur des *soles* cornées. Chez les mammifères à sabots, qui forment le superordre des ongulés, le nombre de doigts est souvent réduit (un, deux ou trois doigts par patte) et la phalangette parfois très déformée (cheval). Un sabot de cheval peut peser jusqu'à 500 g. Les sabots de la vache, plus petits, sont aussi appelés *onglons.*

SABRE → ESCRIME.

SABRES (40630), ch.-l. de cant. des Landes, dans la forêt landaise, à 35 km au N.-O. de Mont-de-Marsan; 1 148 hab.

SABUNDE, SEBOND ou **SEBONDE** (Raimundo), médecin et philosophe espagnol (Barcelone ou Gérone-Toulouse 1436). Sa *Théologie naturelle,* publiée en 1484, fut traduite par Montaigne (1569), qui consacra à son apologie un chapitre de ses *Essais* (chapitre XII du livre II).

SACCHARIFICATION → SUCRE.

SACCHAROSE. — C'est le sucre de canne ou de betterave, qui existe dans le suc de nombreux végétaux. Oside de formule $C_{12}H_{22}O_{11}$, c'est un solide blanc, soluble dans l'eau, qui cristallise en prismes monocliniques. Il fond vers 160 °C et se solidifie en une masse vitreuse (sucre d'orge); à température supérieure, il se transforme en caramel, puis en un charbon poreux. Sa solution est dextrogyre, ce qui permet de le doser au saccharimètre. Sous l'action d'acides étendus ou de ferments, il fixe de l'eau et se dédouble en d-glucose et d-fructose; cette hydrolyse est appelée « interversion » ou « inversion », car elle est accompagnée d'un changement de signe du pouvoir rotatoire. Le saccharose ne réduit pas la liqueur de Fehling. Il se combine aux bases pour donner des saccharates.

SACCHETTI (Franco), écrivain italien (Raguse v. 1330-San Miniato v. 1400), auteur de contes qui forment un tableau de la vie populaire au XIVe s. *(les Trois Cents Nouvelles).*

Sacco et Vanzetti *(affaire),* affaire judiciaire américaine. L'exécution, en 1927, de deux anarchistes italiens immigrés aux États-Unis, Nicola Sacco (né en 1891) et Bartolomeo Vanzetti (né en 1888), accusés de meurtre sans preuves suffisantes, provoqua de vives protestations dans le monde.

SACCULINE. — À l'état adulte, la sacculine n'est qu'une masse vivante informe, bourrée d'œufs, émettant des sortes de racines, et installée en parasite dans l'abdomen des crabes. C'est l'étude de sa larve, un nauplius typique, qui a conduit Yves Delage à la classer parmi les crustacés. (Groupe des rhizocéphales.)

SAC EMBRYONNAIRE. — Le sac embryonnaire des plantes à fleurs est un prothalle femelle très réduit, entièrement inclus dans la plante mère, et ne comprenant que huit noyaux haploïdes, pas toujours séparés par des parois cellulaires. Deux de ces noyaux fusionnent pour donner un noyau secondaire, diploïde mais inactif. Ce noyau sera fécondé et donnera l'albumen*, produit triploïde proliférant, mais totalement inorganisé, voué à nourrir l'embryon. Des six autres noyaux, un seul, l'oosphère, joue le rôle de gamète femelle; les cinq noyaux restants sont les deux synergides voisines de l'oosphère et les trois antipodes au pôle opposé.

Sacerdoce et de l'Empire *(lutte du),* conflit qui opposa, en Allemagne et en Italie, l'autorité pontificale et le pouvoir impérial. Élu en 1152 au trône impérial, Frédéric Ier* Barberousse rêve de relever la puissance impériale. Parce qu'il implique l'abaissement de l'autorité pontificale, ce programme va conduire à la lutte ouverte entre le Sacerdoce et l'Empire. Celle-ci éclate en 1157, lorsque, à la diète de Besançon, le cardinal Bandinelli rappelle à l'empereur la suprématie de l'Église. En réponse, Frédéric pénètre en Italie (1158), soumet les villes lombardes et, à la mort d'Adrien IV, oppose au pape élu, Alexandre III* (Bandinelli), l'antipape Victor IV. Excommunié par le pape, qui provoque la constitution de ligues urbaines (Ligue véronaise, Ligue lombarde), Frédéric est battu en 1176, à Legnano et doit accepter (Venise, 1177) de ne plus intervenir dans les élections pontificales. Il consacre alors la fin de son règne à restaurer sa suprématie, grâce à l'alliance avec les villes lombardes (Constance, 1183) et au mariage de son fils, le futur Henri VI, avec l'héritière de la Sicile (1186). La mort prématurée de l'empereur Henri VI (1197) et la division de l'Allemagne entre les guelfes, soutenant la candidature d'Otton de Brunswick, et les gibelins, fidèles aux Hohenstaufen, profitent à la papauté. Innocent III* s'érige en arbitre, favorisant d'abord l'élection d'Otton (1201), puis celle de Frédéric II*, fils d'Henri VI (1212), et libère l'Italie de la domination allemande. Mais la lutte reprend dès l'avènement de Grégoire IX (1227); Frédéric II restaure son autorité en Lombardie (Cortenuova, 1237), et, excommunié par Grégoire IX (1239), envahit les États pontificaux. Au concile de Lyon (1245), le successeur de Grégoire, Innocent IV, invite les Électeurs allemands à choisir un autre empereur. Des révoltes éclatent en Italie et en Allemagne, et la mort de Frédéric (1250) plonge ses États dans l'anarchie. Le Sacerdoce paraît avoir définitivement triomphé. En fait, cette longue lutte l'aura affaibli.

SACHERIE → JUTE.

SACHER-MASOCH (Leopold, *chevalier* VON), écrivain autrichien (Lemberg v. 1836-Lindheim, Hesse, 1895). Après avoir publié des contes folkloriques sous divers pseudonymes, il écrivit des romans (*Vénus à la fourrure,* 1870) où s'exprime un érotisme dominé par la volupté de la souffrance, qui a été appelé *masochisme*.

SACHS (Hans), poète allemand (Nuremberg 1494-*id.* 1576). Cordonnier, il cultiva le chant, fut reçu maître chanteur, et, après avoir parcouru plusieurs villes allemandes, revint s'installer dans sa ville natale en 1516. Luthérien, il consacra un hymne à Luther (*le Rossignol de Wittenberg,* 1523), composa des tragédies profanes et religieuses et peignit avec réalisme la vie quotidienne dans ses *Farces de Carnaval* (1517-1563). Ses poèmes lyriques gardent cependant l'esprit et la forme de la poésie médiévale. R. Wagner a fait de Hans Sachs le héros de ses *Maîtres chanteurs de Nuremberg.*

SACHS (Leonie, dite **Nelly**), femme de lettres suédoise d'origine allemande (Berlin 1891-Stockholm 1970). Elle fait de son œuvre poétique (*Voyage dans des pays sans poussière,* 1961) et dramatique (*Signe sur le sable,* 1962), qui allie le symbolisme hassidique au mysticisme germanique, un témoignage du martyre du peuple juif. (Prix Nobel, avec S. J. Agnon, 1966.)

SACKVILLE (Thomas), baron **de Buckhurst** et comte **de Dorset,** homme d'État et poète anglais (Buckhurst, Sussex, v. 1536-Londres 1608), auteur, avec Thomas Norton, de la première tragédie classique anglaise, *Gorboduc ou Ferrex et Porex* (1561-62).

SACLAY (91400 Orsay), comm. de l'Essonne, à 7,5 km à l'O. de Palaiseau; 2 037 hab. Centre de recherches nucléaires.

SACRAMENTO, v. des États-Unis, capit. de la Californie, sur le *Sacramento* (620 km), rivière tributaire de la baie de San Francisco; 254 000 hab.

SACRÉ. — Toute société est fondée sur l'équilibre entre le sacré (domaine réglé de manière transcendantale) et le profane (où l'homme peut agir et penser « librement »). Le sacré, qui donne un sens au monde, se caractérise par une certaine ambivalence; il est à la fois l'objet de craintes et l'objet de fascinations, il repousse et il attire. Ainsi s'explique l'opposition qui est faite dans de nombreuses sociétés primitives entre ceux qui sont porteurs de sacré (prêtres, magiciens, etc.) et ceux qui en sont les transgresseurs (sorciers, incestueux, etc.).

Sacre du printemps *(le),* ballet d'Igor Stravinski (1913), chorégraphie de Nijinski, décors et costumes de Nicolas Roerich, créé à Paris par les Ballets russes. Son côté révolutionnaire provient surtout d'une conception nouvelle du temps, de la pulsation musicale, et d'une prédominance du rythme sur les autres paramètres musicaux. C'est une des œuvres clefs du XXe s. — La chorégraphie, dure et violente, de cette cérémonie païenne à la gloire du renouveau souleva moins de remous que la partition de Stravinski. Massine donna une nouvelle version de l'œuvre en 1920, à Londres. D'autres chorégraphes traitèrent le même thème (Kenneth MacMillan, Natalia Kassatkina, Maurice Béjart).

sacrées *(guerres),* conflits déclenchés par l'amphictyonie de Delphes* pour défendre les droits du temple d'Apollon; en fait, il s'agit de luttes pour s'assurer le contrôle des richesses du sanctuaire. La *première guerre sacrée* (590 av. J.-C.) est dirigée contre la ville phocidienne de Krissa, qui est vaincue et rasée. La *deuxième guerre sacrée* (448-447) est déclenchée par Sparte contre les Phocidiens, alliés d'Athènes, pour les obliger à rendre au sanctuaire de Delphes son autonomie. La *troisième guerre sacrée* (356-346) entraîne l'intervention de Philippe II* de Macédoine dans les affaires grecques. Les Phocidiens, mécontents de l'hégémonie exercée par Thèbes dans l'amphictyonie delphique, interviennent en Thessalie, ce qui provoque la riposte du roi de Macédoine, qui occupe la Phocide (346) et prend une place prépondérante, non seulement dans le conseil de l'amphictyonie de Delphes, mais aussi dans le concert des États grecs. Une *quatrième guerre sacrée* (339-338), provoquée par les Locriens d'Amphissa, que soutiennent les Thébains et les Athéniens, permet à Philippe de Macédoine, par la victoire de Chéronée (338), d'imposer sa volonté à la Grèce.

SACREMENT. — Dans la théologie chrétienne, ce terme désigne un signe rituel d'une réalité invisible et sacrée. Mais alors que, dans la doctrine catholique, le sacrement en tant que tel est porteur de grâce, dans la doctrine protestante il est une attestation ou une promesse de grâce. L'Église catholique tient comme étant de foi définie (concile de Trente*) sept sacrements qui jalonnent la vie du chrétien : le baptême et l'eucharistie, sacrements majeurs, autour desquels s'organisent la confirmation, la pénitence, l'ordre, le mariage et l'extrême-onction; les Églises protestantes ne retiennent que le baptême et la sainte cène. La doctrine des Églises orientales ne diffère pas sur l'essentiel de la foi catholique.

SACRUM → BASSIN.

SADATE (Anouar **el-**) ou **SĀDĀT** (Anwar **al-**), homme d'État égyptien (Mit Aboul Kom, prov. de Ménoufièh, 1918). Il participe au coup d'État de 1952, devient ministre d'État (1955-56), puis secrétaire général de l'Union socialiste arabe (1957-1961) et président de l'Assemblée nationale (1960-1969). Il est nommé par Nasser vice-président de la République (déc. 1969) et lui succède à la présidence en octobre 1970. Dès 1971, Sadate écarte les nassériens de gauche, qui jugent sa politique trop modérée. À l'extérieur, il se montre partisan d'une politique de conciliation vis-à-vis d'Israël et des États-Unis, dont il se rapproche après la quatrième guerre israélo-arabe (1973), tandis que ses rapports avec l'U. R. S. S. se dégradent progressivement. En novembre 1977, il se rend à Jérusalem afin d'entreprendre des pourparlers de paix avec Israël. Mais cette initiative se heurte à la réserve ou à l'hostilité de la plupart des pays arabes.

Sadd al-'Ālī («haut barrage»), nom arabe du second, ou haut barrage, d'Assouan (Égypte).

SADDUCÉENS, secte juive, plus politique que religieuse, rivale des pharisiens*. Elle apparut au IIe s. av. J.-C. et disparut à la ruine de Jérusalem et du Temple, en 70; ses membres appartenaient en majorité aux familles sacerdotales. Conservateurs dans le domaine religieux et politique, ils se défiaient à la fois des pharisiens et des mouvements messianiques et s'accommodaient fort bien de la présence romaine; le peuple, qu'ils méprisaient, ne les aimait pas.

SADE (Donatien Alphonse François, *marquis* DE), écrivain français (Paris 1740-Charenton 1814). D'une très ancienne maison d'Avignon, comptant parmi ses aïeux la Laure de Pétrarque, Sade mourut à l'asile d'aliénés de Charenton, après avoir passé vingt-sept années de son existence dans treize prisons différentes, sous trois régimes. Son œuvre, qui est à la fois la théorie et l'illustration du *sadisme**, s'apparente d'une part à celle de Georges Bataille* (il fait de l'érotisme le point central de sa vision du monde), d'autre part à celle de Sacher*-Masoch (les romans de Sade, en effet, ne sont pas d'abord des romans érotiques, mais des «romans noirs»). Cette œuvre qui vit le jour sous la période révolutionnaire — Sade fut, un moment, en 1792, secrétaire de la section des Piques — est souvent interprétée comme une «déclaration des droits de l'érotisme» (*Justine* ou les Malheurs de la vertu,* 1791; *la Philosophie dans le boudoir,* 1795; *la Nouvelle Justine, suivie de l'Histoire de Juliette sa sœur,* 1797). Mais la critique contemporaine, qui dispose de plusieurs publications posthumes (*Dialogue entre un prêtre et un moribond,* 1926; *les 120 Journées de Sodome,* 1931-1935; *Histoire secrète d'Isabelle de Bavière,* 1952), tend à voir dans l'œuvre sadienne au moins autant une perversion de l'écriture qu'une perversion sexuelle, se fondant d'ailleurs sur deux conseils de Juliette : à une jeune comtesse qui veut organiser une orgie, elle recommande d'en tracer d'abord le plan par écrit, sous la dictée de son imagination; à un libertin qui cherche le crime capable, par une réaction en chaîne, d'engendrer une corruption générale, elle suggère : «Essaie du crime moral auquel on parvient par écrit.» L'originalité de Sade est donc moins dans l'exubérance de ses fantasmes que dans leur institutionnalisation par la littérature. Sade crée par la seule dimension du langage un espace mental nouveau (pratique identique, si la finalité est inverse, aux *Exercices spirituels* d'Ignace de Loyola, comme le souligne R. Barthes). La littérature est le seul résonateur à la mesure des inventions du libertin et Sade pousse ainsi jusqu'au délire la passion philosophique de son siècle. Que cette philosophie s'exerce dans le boudoir, selon sa propre mise en scène, ou dans le «pressoir», selon l'un de ses exégètes contemporains, Sade apparaît comme l'envers de Locke et le double monstrueux de Rousseau : la Nature posée comme l'ultime principe affecte le mal du même signe positif que le bien, et l'égalité offerte par la liberté du désir aboutit en fait, par un nouveau machiavélisme, à la domination implacable d'une oligarchie de spécialistes du vice, seuls capables de saisir par la raison le jeu d'une société qui n'a pour règle que la transgression.

SÁ DE MIRANDA (Francisco DE), humaniste et écrivain portugais (Coimbra v. 1481-† 1558), qui introduisit au Portugal l'épître, l'ode et le sonnet.

SA'DĪ ou **SAADI** (Mocharrafodin ebn Mosle), poète persan (Chirāz v. 1213-† v. 1290). Il étudia à Bagdad, fit plusieurs fois le pèlerinage de La Mecque et, fait prisonnier par les croisés, il fut racheté par un marchand d'Alep, qui lui donna sa fille en mariage. De retour à Chirāz vers 1258, il se fixa dans un ermitage. Il y composa ses recueils lyriques, le *Golestān (Gulistān*)* et le *Bostān (Bustān),* qui révèlent son attrait pour le soufisme et sa morale indulgente d'homme désabusé. Par son œuvre, l'Occident fut initié à la poésie persane (le *Golestān* fut traduit en français dès 1634).

SA'DIENS, dynastie marocaine (1554-1659). Arabes d'ascendance chérifienne, les Sa'diens, originaires de la moyenne vallée du Draa, éliminent peu à peu les Waṭṭāssides* : Muḥammad Ier (de 1549 à 1557) s'empare de Marrakech (1525) et de Fès (1554). Avec Aḥmad al-Manṣūr (de 1578 à 1603), proclamé sultan à la bataille d'Alcazarquivir, la dynastie est à son apogée. Après la conquête de Tombouctou (1590), le Maroc contrôle le trafic saharien qui aboutit à ses ports de l'Atlantique. De la mort d'al-Manṣūr à l'assassinat du dernier Sa'dien (1659), les souverains ne parviennent plus à maintenir leur autorité sur le pays, en proie à l'anarchie et au déclin économique.

SADIQUE-ANAL (**stade**). — Au cours de la deuxième et troisième année de la vie, la zone anale devient la zone érogène dominante selon S. Freud*. Lorsque l'enfant peut commander la défécation à sa guise, ses excréments jouent le rôle d'excitant de la zone anale; il les considère comme une partie de son propre corps, dont il se sert pour montrer — s'il les donne —, son obéissance, ou — s'il les refuse —, son agressivité. La pulsion sadique est liée à la dentition, à la maîtrise sphinctérienne et à l'activité musculaire. L'enfant ne renonce à jouer avec ses matières fécales que pour des

Larousse

Marquis de Sade. Gravure. (Cabinet des Estampes, B. N., Paris.)

activités de substitution : patauger dans l'eau, faire des pâtés de sable, etc. L'érotisme anal ne disparaît pas au cours du développement et est à l'origine de l'intérêt pour l'argent et tout ce qui peut être considéré comme cadeau. Par ailleurs l'ordre, l'économie, l'obstination et le dégoût pour la saleté, traits dominants de la personnalité* anale selon les psychanalystes, apparaissent comme des formations réactionnelles pour lutter contre un fort attachement à l'érotisme anal.

SADISME. — Le plaisir pris à faire souffrir autrui recouvre toute une gamme de mauvais traitements physiques ou moraux infligés au partenaire. Le sadisme, du nom du marquis de Sade, a été étudié dans le domaine des perversions* sexuelles par R. von Krafft-Ebing, psychiatre autrichien (1840-1902). Freud analyse le sadisme comme le détournement, sur un objet extérieur, de la pulsion de mort*. Pour M. Klein*, il existe un stade précoce du développement où le sadisme atteint toutes les formes du plaisir. Les fantasmes* sadiques de l'enfant ont alors pour fonction de détruire les contenus du corps de la mère. Ce sadisme précoce engendre une angoisse archaïque difficile à supporter pour l'enfant, car les objets du corps de la mère menacent de le détruire en retour. Cette phase sadique représente pour M. Klein la première relation à la réalité et au monde extérieur dont est capable l'enfant.

SADOVEANU (Mihail), écrivain roumain (Paşcani, Moldavie, 1880-Bucarest 1961), auteur de récits évoquant la vie des campagnes moldaves (*l'Auberge d'Ancoutza,* 1928).

Sadowa *(bataille de)* → AUSTRO-PRUSSIENNE *(guerre).*

SAENREDAM (Pieter), peintre et dessinateur néerlandais (Assendelft 1597-Haarlem 1665). Ses tableaux sont des paysages urbains et surtout des intérieurs d'églises, remarquables par leur simplicité, leur transparence, leur silencieuse poésie.

SAFI, port du Maroc, sur l'Atlantique, au S.-O. de Casablanca; 129 000 hab. Monuments portugais (XVIe s.) et islamiques. Pêche (sardine) et conserveries. Engrais et exportation de phosphates.

SAFRANINE. — Les safranines s'obtiennent par oxydation du mélange d'une paradiamine et de deux molécules d'une monoamine; ce sont des colorants basiques violets ou rouges, qui teignent la laine, la soie ou le coton mordancé au tanin.

SAFROLE. — Fondant à 11 ^{0}C et bouillant à 233 ^{0}C, il a une faible odeur aromatique, et sert à préparer son isomère, l'*isosafrole,* dont l'oxydation donne le pipéronal.

SAGA. — Transcriptions de traditions orales relatant des faits authentiques, les sagas sont d'abord, dans les littératures scandinaves, de brèves chroniques, dont la langue reproduit le parler courant. Elles prennent ensuite plus d'ampleur pour atteindre leur plus parfait développement en Islande, dans la première moitié du XIIIe s., puis retombent dans la compilation et la sécheresse des simples annales. On en distingue trois groupes : celles qui traitent d'événements islandais, comme l'*Íslendingabók,* d'Ari Thorgilsson, et la *Sturlungasaga,* qui renferme l'histoire de l'Islande de 1120 à 1284; celles qui content les exploits des rois norvégiens, comme l'*Heimskringla,* de Snorri Sturluson; celles qui relatent les faits marquants des autres contrées scandinaves et qui nous renseignent, notamment, sur les plus anciens voyages au Groenland, comme la *Saga d'Erik le Rouge.* Lorsque disparaît la tradition orale, un nouveau genre de saga apparaît, inspiré des anciens poèmes héroïques et où la fantaisie poétique se donne libre cours : c'est ainsi que furent composées des sagas mythiques, comme la *Volsungasaga.*

SAGA, v. du Japon (Kyūshū), au S. de Fukuoka; 143 000 hab.

SAGAMIHARA, v. du Japon (Honshū), dans la banlieue ouest de Tōkyō; 278 000 hab.

SAGAN (Françoise QUOIREZ, dite **Françoise**), femme de lettres française (Cajarc 1935), auteur de romans (*Bonjour Tristesse,* 1954; *le Lit défait,* 1977) et de pièces de théâtre (*le Cheval évanoui,* 1966) qui font une peinture désinvolte d'une société désabusée.

SĀGAR ou **SAUGOR,** v. de l'Inde (Madhya Pradesh), au N.-E. de Bhopāl; 155 000 hab. Université.

SAGASTA (Práxedes Mateo), homme politique espagnol (Torrecilla de Cameros 1827-Madrid 1903). Ayant participé au soulèvement de Prim* (1866), il doit s'exiler. Ministre de l'Intérieur du triumvirat (1868-1870), il se rallie à la monarchie et fonde le parti fusionniste. Plusieurs fois Premier ministre de 1881 à 1902, il instaure le suffrage universel et les libertés fondamentales (presse, réunion), provoquant ainsi l'opposition de l'armée.

Sages *(les Sept),* nom donné par la tradition grecque à sept personnages, philosophes ou hommes d'État du VIe s. av. J.-C. D'après la tradition la plus répandue, c'étaient : Bias de Priène, Chilon de Lacédémone, Cléobule de Lindos, Périandre de Corinthe, Pittacos de Mytilène, Solon d'Athènes et Thalès de Milet.

SAGESSE. — Pour les Anciens, la sagesse est plus que la science ou même que la connaissance*; c'est la droite manière de vivre, celle qui rend heureux. Par rapport à ce but ultime, qui exige une synthèse et une domination de toutes les facultés humaines, et surtout une *harmonie* de l'homme par rapport à lui-même, par rapport à la nature et à la société, la science est un moyen puissant, mais n'est qu'un moyen.

Sagesse, recueil de P. Verlaine (1881) : itinéraire de l'âme du pécheur à travers les tentations passées et présentes et l'illumination de sa conversion dans sa prison de Belgique.

Sagesse *(livre de la),* livre biblique rédigé en grec, v. 50 av. J.-C., à Alexandrie. Il se présente comme une apologie du judaïsme, destinée à la fois aux juifs alexandrins séduits par la civilisation hellénique et aux païens qui méconnaissent l'originalité de la valeur de la pensée religieuse juive; l'auteur juif hellénisé montre dans l'histoire d'Israël l'action directrice de la sagesse divine.

SAGINAW, v. des États-Unis (Michigan), près de la *baie Saginaw* (sur le lac Huron); 91 000 hab. Métallurgie.

SAGITTAIRE. — Cette plante des mares est connue pour ses feuilles de trois formes différentes : rubanées sous les eaux, rondes lorsqu'elles flottent, en fer de flèche à l'air libre. (Famille des alismacées.)

SAGITTAIRE, constellation* zodiacale la plus australe, dont la moitié se trouve englobée dans la Voie* lactée, dans la direction dans laquelle on situe le noyau de la Galaxie*. Elle contient la nébuleuse diffuse M 8 et l'amas* globulaire M 22, tous deux visibles à l'œil nu. Neuvième signe du zodiaque*.

SAGONE, petit port de la Corse-du-Sud (comm. de Vico), sur le *golfe de Sagone.*

SAGONTE → SAGUNTO.

SAGOUIN → OUISTITI.

SAGOUTIER. — Les sagoutiers *(Cycas, Zamia, Encephalartos)* ressemblent à de petits palmiers de l'Afrique tropicale. C'est la moelle comestible de leur tronc qui constitue le *sagou.* Ce sont des gymnospermes, seuls survivants de l'ordre des cycadales.

SAGRO-DI-SANTA-GIULIA *(canton de),* canton de la Haute-Corse, dont le ch.-l. est *Brando.*

SAGUENAY (le), riv. du Canada (Québec), tributaire de l'estuaire du Saint-Laurent (r. g.); 200 km. Aménagements hydroélectriques et industriels (aluminium à Arvida).

SAGUNTO, v. d'Espagne, près de la Méditerranée, au N. de Valence; 45 000 hab. Sidérurgie. — L'ancienne *Sagonte,* cité ibère alliée de Rome, fut assiégée et prise par Hannibal* en 219 av. J.-C. : ce fut l'origine de la seconde guerre punique*.

SAHARA, le plus grand désert du monde, en Afrique, s'étendant sur le Maroc, l'Algérie, la Tunisie, la Libye, l'Égypte, le Soudan, le Tchad, le Niger, le Mali, la Mauritanie et le *Sahara occidental.*

GÉOGRAPHIE. Le Sahara s'étend sur 5 000 km de long, de l'Atlantique à la mer Rouge, et sur 2 000 km de large, limité, au N., par le piémont de l'Atlas saharien et la Méditerranée, et, au S., par une ligne joignant Saint-Louis à Khartoum, au-delà de laquelle commence le climat sahélien. Il tire son unité de l'aridité extrême de son climat. La permanence des hautes pressions subtropicales explique la rareté des précipitations : il reçoit en moyenne moins de 100 mm de pluies par an, mais la variabilité interannuelle est très grande. La sécheresse de l'air est responsable des forts contrastes de température. À la chaleur de la journée, surtout en été, s'opposent des nuits froides, le gel n'étant pas rare en hiver. Le Sahara recouvre des régions au relief assez varié, avec une prédominance des surfaces planes. Les regs, parsemés de cailloux, et les hamadas, plateaux structuraux, sont parfois surmontés de bombements montagneux, partiellement volcaniques : Hoggar en Algérie, Aïr au Niger, Tibesti au Tchad. Les dépressions sont tapissées de champs de dunes, les ergs. Le climat, responsable d'un modelé sous l'influence prépondérante de l'érosion éolienne, explique l'absence presque totale de la végétation. Celle-ci se concentre autour des points d'eau (gueltas), dans le lit des oueds, cours d'eau temporaires dont le creusement remonte aux périodes humides de l'ère quaternaire, et dans les chotts.

En raison de l'hostilité du milieu naturel, le Sahara est peu peuplé. Des tribus de nomades, surtout des Touaregs et des Maures, parcourent le désert avec leurs troupeaux de chameaux. La culture est pratiquée par des populations sédentaires dans les oasis. Des systèmes d'irrigation anciens et variés y permettent la croissance des palmiers-dattiers, des céréales et de divers légumes.

Depuis une vingtaine d'années, le Sahara entre progressivement dans l'économie moderne. Cette évolution résulte du développement des voies de communication (routes, avions) mais surtout de la découverte d'importantes richesses naturelles. Elle se traduit souvent par une sédentarisation des nomades, qui vivent alors dans des conditions misérables, autour des gisements de fer (Mauritanie), de pétrole et de gaz naturel (Algérie, Libye).

HISTOIRE. Le Sahara a connu plusieurs périodes humides au cours du quaternaire. L'abondance des fossiles et de l'outillage néolithique atteste une ère de vie foisonnante (approximativement du VIIe au IIe millénaire). Les gravures rupestres, notamment celles du Tassili, permettent de distinguer quatre périodes principales : celle du bubale (sorte d'antilope), celle des éleveurs de bovidés (à partir de 4000 av. J.-C.), celle du cheval (qui serait apparu v. 1200 av. J.-C.) et celle du chameau (introduit entre le Ier et le IIIe s. apr. J.-C.). Le développement du commerce caravanier, grâce au chameau, permit aux nomades berbères, puis arabes, de contrôler le désert et d'imposer leur loi aux populations sédentaires des oasis et des régions bordières du Sahara. Les Arabes, s'infiltrant dans le désert par vagues successives, à partir du VIIe s., implantent l'islām. Les Français conquièrent la majeure partie du Sahara à la fin du XIXe s. : en 1894, ils prennent Tombouctou; en 1902, ils obtiennent la soumission des Touaregs. Les Espagnols organisent, à partir de 1884, leur colonie du Sahara espagnol (v. SAHARA OCCIDENTAL). Après la décolonisation, l'Algérie, le Maroc et la Mauritanie se partagent les régions sahariennes.

SAHĀRANPUR, v. de l'Inde, dans le nord-ouest de l'Uttar Pradesh; 225 000 hab.

SAHARA OCCIDENTAL, anc. **Sahara espagnol,** territoire désertique d'Afrique, sur l'Atlantique; 266 000 km^2; 76 000 hab. Importants gisements de phosphates, expliquant la convoitise des pays limitrophes. — Les Espagnols, le 28 février 1976, ont quitté le territoire du Sahara, qui était une province espagnole depuis 1958. Le pays a été partagé entre le Maroc et la Mauritanie, malgré l'opposition armée du Front Polisario, qui, soutenu par l'Algérie, a proclamé la naissance d'un État sahraoui indépendant (janvier 1976).

SAHEL (le) [nom arabe signif. *bordure, littoral*], terme désignant deux régions naturelles d'Afrique : l'une qui englobe l'ensemble des territoires proches de la Méditerranée, en Algérie et dans le nord de la Tunisie; l'autre qui forme une bande de terres, de profondeur variable, intermédiaire entre le Sahara, au N., et la zone de la savane, au S. Cette deuxième région recouvre une partie du Sénégal, du Mali, du Niger, du Tchad et du Soudan. Elle est caractérisée par l'opposition entre une longue saison sèche et une courte saison des pluies (été) et surtout par de grandes variations interannuelles de ces précipitations, qui y expliquent les aléas de l'élevage et des maigres cultures (permises par l'irrigation).

SAHIWAL, v. du nord-est du Pākistān; 115 000 hab.

SAÏAN, montagnes de l'U.R.S.S., bordant, au S., la Sibérie, à l'O. du lac Baïkal, et débordant sur le nord de la Mongolie; 3 491 m.

SAÏDA, v. de l'Algérie occidentale, ch.-l. du *départ. de Saïda,* au pied occidental des *monts de Saïda;* 33 000 hab.

SAÏDA, v. du Liban → ṢAYDĀ.

SA'ĪD PACHA (Muḥammad) [Le Caire 1822 - Alexandrie 1863], vice-roi d'Égypte (1854-1863). Fils de Méhémet Ali*, il renoue avec sa politique moderniste et pro-occidentale. Il accorde à Ferdinand de Lesseps (1854-1856) une concession pour la construction et l'exploitation du canal de Suez*.

SAIGNES (15240), ch.-l. de cant. du Cantal, à 9 km au S. de Bort-les-Orgues; 735 hab. Église romane.

SAIGON, auj. **Hô Chi Minh,** v. du Viêt-nam méridional. Saigon, avec la localité voisine de Cholon, compte plus de deux millions d'habitants et constitue la plus grande ville du Viêt-nam.

Peu industrialisée, Saigon a été traditionnellement un centre administratif et commercial (exportation de riz et de caoutchouc), avec une activité économique bien insuffisante pour employer une population dont l'accroissement a été lié à l'excédent naturel, mais surtout à l'afflux de réfugiés dans un Viêt-nam en guerre pendant une trentaine d'années.

HISTOIRE. Le nom de Saigon apparaît en 1675 pour désigner un village peuplé d'immigrants vietnamiens, la Cochinchine étant alors cambodgienne. En 1698, la région passe sous contrôle vietnamien. Saigon s'accroît à la fin du XVIIIe s., autour de la citadelle construite par Gia Long* : grâce à ce dernier, la ville est la capitale de l'unification du Viêt-nam* (1788-1802). Les Français en font l'une des villes principales de l'Indochine française. La guerre du Viêt-nam y fait ensuite affluer un nombre considérable de réfugiés. Le 30 avril 1975, les troupes du G.R.P. et du Viêt-nam du Nord entrent dans Saigon, qui prend le nom de *Hô Chi Minh.*

SAIGŌ TAKAMORI, samurai japonais (Kagoshima v. 1826 - près de Kagoshima 1877). Appartenant au clan de Satsuma, celui qui reste le « Grand Saigō » joue un rôle essentiel dans la restauration du pouvoir de l'empereur contre le shōgun* (v. MEIJI). Mais la politique antiféodale de Mutsu-Hito le fait passer dans l'opposition et la rébellion (1873) : vaincu, il se fait harakiri.

SAIKAKU, écrivain japonais (Ōsaka 1642 - *id.* 1693). Il créa dans son pays le roman de mœurs réaliste et satirique (*Une femme de plaisir,* 1686).

SAILER (Toni), skieur autrichien (Kitzbühel 1935). Le premier, en 1956, il réalisa l'exploit de remporter les trois titres olympiques du ski alpin (descente, slalom géant et slalom spécial), connaissant une réussite presque identique aux championnats du monde de 1958 (premier de la descente et du slalom géant, deuxième du slalom spécial [remportant, en plus, le combiné alpin]).

SAILLAGOUSE-LLO (66800), ch.-l. de cant. des Pyrénées-Orientales, à 13 km au S. de Font-Romeu; 945 hab.

SAILLANS (26340), ch.-l. de cant. de la Drôme, sur la Drôme, à 22 km au S.-O. de Die; 878 hab. Église en partie romane.

SAILLAT-SUR-VIENNE (87720), comm. de la Haute-Vienne, à 8 km à l'O. de Saint-Junien; 1 270 hab. Cellulose et extraits tannants.

SAILLY-FLIBEAUCOURT (80970), comm. de la Somme, à 13 km au N.-O. d'Abbeville; 1 053 hab. Serrurerie.

SAÏMIRI. — Le surnom de « singe-écureuil » a été donné à ce tout petit singe d'Amérique du Sud, à longue queue prenante, au pelage verdâtre, mangeur d'insectes et d'œufs d'oiseaux, et dont le cerveau est remarquablement développé. (Famille des cébidés.)

SAINCAIZE-MEAUCE (58000 Nevers), comm. de la Nièvre, à 13 km au S.-O. de Nevers; 614 hab. Nœud ferroviaire. Château ruiné du XIIIe s. Château de la Renaissance.

SAINFOIN. — Le sainfoin *(Hedysarum)* est une herbe fourragère très voisine de la luzerne, dont elle joue le rôle dans les rotations. (Famille des papilionacées.)

SAINGHIN-EN-WEPPES (59184), comm. du Nord, à 13,5 km au S.-O. de Lille; 5 270 hab.

SAINS-EN-GOHELLE (62114), comm. du Pas-de-Calais, à 12 km au S. de Béthune; 5 186 hab.

SAINS-RICHAUMONT (02530), ch.-l. de cant. de l'Aisne, à 15 km à l'O. de Vervins; 1 183 hab.

SAINT-ACHEUL, faubourg d'Amiens. Gisement éponyme d'une industrie lithique du paléolithique* inférieur. Caractérisé par des bifaces à retouches régulières, l'acheuléen se maintient pendant plus de trois cent mille ans.

SAINT-AFFRIQUE (12400), ch.-l. de cant. de l'Aveyron, sur la Sorgue, à 27 km au S.-O. de Millau; 9 215 hab. *(Saint-Affricains).* Pont gothique.

SAINT-AGNANT (17620), ch.-l. de cant. de la Charente-Maritime, à 8 km au S. de Rochefort; 1 346 hab.

SAINT-AGRÈVE (07320), ch.-l. de cant. de l'Ardèche, à 21 km à l'O. de Lamastre; 2 718 hab.

SAINT-AIGNAN (41110), ch.-l. de cant. de Loir-et-Cher, sur le Cher, à 32 km au S.-O. de Romorantin-Lanthenay; 3 680 hab. Ruines féodales et château de la Renaissance. Église en partie romane (crypte avec peintures).

SAINT-AIGNAN-SUR-ROË (53390), ch.-l. de cant. de la Mayenne, à 13,5 km à l'O. de Craon; 800 hab.

SAINT-ALBAN-LEYSSE (73230), ch.-l. de cant. de la Savoie, dans la banlieue nord-est de Chambéry; 3 097 hab.

SAINT ALBANS, v. d'Angleterre, au N. de Londres; 50 000 hab. Cathédrale, anc. abbatiale reconstruite de la fin du XIe s. au début du XIIIe. Aux environs, site de la *Verulamium* romaine.

SAINT-ALBAN-SUR-LIMAGNOLE (48120), ch.-l. de cant. de la Lozère, à 13,5 km au S.-E. de Saint-Chély-d'Apcher; 2 321 hab.

SAINT-AMAND-EN-PUISAYE (58310), ch.-l. de cant. de la Nièvre, à 19 km au N.-E. de Cosne-sur-Loire; 1 337 hab. Église gothique et château de la Renaissance.

SAINT-AMAND-LES-EAUX (59230), ch.-l. de cant. du Nord, sur la Scarpe, à 13 km au N.-O. de Valenciennes; 16 948 hab. *(Amandinois).* Station thermale pour le traitement des affections rhumatismales, des séquelles de fracture et de phlébite. Parc naturel régional. Casino. De l'ancienne abbaye subsistent un pavillon Renaissance (« Échevinage ») et un monumental clocher-porche baroque (1626).

SAINT-AMAND-LONGPRÉ (41310), ch.-l. de cant. de Loir-et-Cher, à 14 km au S. de Vendôme; 940 hab.

SAINT-AMAND-MONTROND (18200), ch.-l. d'arr. du Cher, sur le Cher, à 44 km au S. de Bourges; 12 771 hab. *(Saint-Amandois).* Église romane. Musée dans une demeure médiévale. Aux environs, anc. abbaye cistercienne de Noirlac (XIIe-XIVe s.). Métallurgie.

SAINT-AMANS (48700), ch.-l. de cant. de la Lozère, à 22 km au N. de Mende; 195 hab.

SAINT-AMANS-DES-COTS (12460), ch.-l. de cant. de l'Aveyron, à 16 km au N.-E. d'Entraygues-sur-Truyère; 931 hab.

SAINT-AMANS-SOULT (81240), ch.-l. de cant. du Tarn, à 8,5 km à l'E. de Mazamet; 1 741 hab. Patrie du maréchal Soult.

SAINT-AMANT (Marc Antoine GIRARD, *sieur* DE), poète français (Quevilly 1594-Paris 1661). Son œuvre, qui reflète l'influence du marinisme, comprend des poèmes lyriques *(la Solitude),* réalistes *(le Melon),* satiriques (*Rome ridicule,* 1643), et une idylle biblique, *Moïse sauvé* (1653).

SAINT-AMANT-DE-BOIXE (16330), ch.-l. de cant. de la Charente, à 18 km au N. d'Angoulême; 877 hab. Monumentale église, anc. abbatiale romane du XIIe s. (coupole nervée du XIVe s., chœur du XVe).

SAINT-AMANT-ROCHE-SAVINE (63890), ch.-l. de cant. du Puy-de-Dôme, à 12 km au N.-O. d'Ambert; 666 hab. Église du XVe s.

SAINT-AMANT-TALLENDE (63450), ch.-l. de cant. du Puy-de-Dôme, à 18 km au S. de Clermont-Ferrand; 1 426 hab. Deux châteaux d'origine médiévale. Vieilles maisons.

SAINT-AMARIN (68550), ch.-l. de cant. du Haut-Rhin, à 9 km au N. de Thann; 2 035 hab.

SAINT-AMBROIX (30500), ch.-l. de cant. du Gard, à 19 km au N.-E. d'Alès; 3 829 hab.

SAINT-AMOUR (39160), ch.-l. de cant. du Jura, à 28,5 km au N. de Bourg-en-Bresse; 2 853 hab. Église, très anc. collégiale, rebâtie aux XVIIe-XVIIIe s. Vins.

SAINT-ANDRÉ (59350), comm. du Nord, sur la Deûle, dans la banlieue nord de Lille; 12 415 hab. *(Andrésiens).*

SAINT-ANDRÉ (97440), ch.-l. de cant. du nord-ouest de la Réunion; 25346 hab.

Saint-André *(ordre de),* le plus élevé des ordres militaires de la Russie tsariste (créé en 1698).

SAINT-ANDRÉ-DE-CUBZAC (33240), ch.-l. de cant. de la Gironde, près de la Dordogne, à 23 km au N.-E. de Bordeaux; 5 020 hab. Église en partie romane du XIe s. Château du Bouilh, inachevé, par V. Louis. Vins.

SAINT-ANDRÉ-DE-L'EURE (27220), ch.-l. de cant. de l'Eure, dans la *plaine de Saint-André,* à 16 km au S.-E. d'Évreux; 2 501 hab. Église du XVe s.

SAINT-ANDRÉ-DE-VALBORGNE (30940), ch.-l. de cant. du Gard, à 25 km à l'O.-N.-O. de Saint-Jean-du-Gard; 429 hab.

SAINT-ANDRÉ-LES-ALPES (04170), ch.-l. de cant. des Alpes-de-Haute-Provence, à 21 km au N. de Castellane; 945 hab.

SAINT-ANDRÉ-LES-VERGERS (10120), comm. de l'Aube, dans la banlieue sud de Troyes; 10 378 hab. *(Driats).* Église du XVIe s.

SAINT ANDREWS, v. d'Écosse, sur la mer du Nord, au S.-E. de Dundee; 10 000 hab. Université. Ruines de la cathédrale et du château du Moyen Âge.

SAINT-ANTHÈME (63660), ch.-l. de cant. du Puy-de-Dôme, à 22 km à l'E. d'Ambert; 1 215 hab. Sports d'hiver (alt. 940-1 400 m).

SAINT-ANTON → SANKT ANTON AM ARLBERG.

SAINT-ANTONIN-NOBLE-VAL (82140), ch.-l. de cant. de Tarn-et-Garonne, à 26 km à l'E. de Caussade; 1 876 hab. Anc. hôtel de ville d'époque romane (très restauré; sculptures). Vieilles maisons.

SAINT-APOLLINAIRE (21000 Dijon), comm. de la Côte-d'Or, dans la banlieue nord-est de Dijon; 3 795 hab. Électronique.

SAINT-ARNAUD (ARNAUD, dit **Achille Leroy de**), maréchal de France (Paris 1798-en mer Noire 1854). Il organisa, comme ministre de la Guerre, le coup d'État de Louis Napoléon le 2 décembre 1851. Commandant les troupes de Crimée, il vainquit les Russes à l'Alma (1854) et mourut du choléra.

SAINT-ARNOULT-EN-YVELINES (78730), ch.-l. de cant. des Yvelines, à 15 km au S.-E. de Rambouillet; 3 016 hab. Église des XIIe-XVIe s.

SAINT-ASTIER (24110), ch.-l. de cant. de la Dordogne, sur l'Isle, à 19,5 km au S.-O. de Périgueux; 4 517 hab. Église à coupoles des XIe-XIIe s., très remaniée au XVIe s. Carrières de calcaire.

SAINT-AUBAN (04600), écart de la comm. de Château*-Arnoux (Alpes-de-Haute-Provence). Électrochimie.

SAINT-AUBAN (06850), ch.-l. de cant. des Alpes-Maritimes, à 35 km à l'E. de Castellane; 225 hab.

SAINT-AUBIN (DE), artistes français du XVIIIe s., dont les plus connus sont trois frères, fils d'un brodeur du roi, tous nés et morts à Paris. CHARLES GERMAIN (1721-1786), dessinateur en broderie et graveur, est l'auteur de recueils de fleurettes et de bouquets et surtout d'une suite intitulée *Essai de papillonneries humaines,* scènes pleines de fantaisie mêlées d'arabesques, dont les personnages sont des insectes. — GABRIEL JACQUES (1724-1780), peintre, dessinateur et graveur, est notamment l'auteur d'une cinquantaine d'eaux-fortes qui tracent de la vie parisienne un tableau d'une vivacité et d'une justesse remarquables (*le Salon du Louvre en 1753; Allégorie sur l'inauguration de la statue de Louis XV,* 1763). — AUGUSTIN (1736-1807), dessinateur et graveur, fut le plus célèbre de la famille, excellant dans la vignette, l'ornement, le portrait. Graveur de la Bibliothèque du roi (1777), il exécuta à ce titre de nombreuses planches documentaires (médailles).

SAINT-AUBIN-D'AUBIGNÉ (35250), ch.-l. de cant. d'Ille-et-Vilaine, à 18,5 km au N. de Rennes; 1 770 hab.

SAINT-AUBIN-DU-CORMIER (35140), ch.-l. de cant. d'Ille-et-Vilaine, à 20 km au S.-O. de Fougères; 3 158 hab. Ruines du château démantelé par Charles VIII.

SAINT-AUBIN-LÈS-ELBEUF (76410 Cléon), comm. de la Seine-Maritime, sur la Seine, en face d'Elbeuf; 8 897 hab. Industrie chimique.

SAINT-AUBIN-SUR-MER (14750), comm. du Calvados, à 17,5 km au N. de Caen; 1 189 hab. Station balnéaire sur la Manche.

SAINT-AUBIN-SUR-MER (76740 Fontaine le Dun), comm. de la Seine-Maritime, à 14,5 km à l'E. de Saint-Valery-en-Caux; 235 hab. Station balnéaire sur la Manche.

SAINT-AULAYE (24410), ch.-l. de cant. de la Dordogne, sur la Dronne, à 19 km à l'O. de Ribérac; 1 398 hab. Église du XIIe s.

SAINT-AVÉ (56000 Vannes), comm. du Morbihan, à 4 km au N.-N.-E. de Vannes; 5 628 hab. Chapelle du XVe s. (œuvres d'art).

SAINT-AVERTIN (37170 Chambray lès Tours), comm. d'Indre-et-Loire, sur le Cher, dans la banlieue sud de Tours; 8 795 hab. Église en partie du XIe s.

SAINT-AVOLD (57500), ch.-l. de cant. de la Moselle, à 19,5 km à l'O. de Forbach; 18 938 hab. *(Saint-Avoldiens).* Belle église, anc. abbatiale reconstruite au XVIIIe s. Cimetière militaire américain. Complexe industriel (dit « de Carling* »). Constructions mécaniques.

SAINT-AYGULF, station balnéaire du Var, à 6 km au S. de la ville de Fréjus (dont elle dépend administrativement), sur la côte des Maures.

SAINT-BARTHÉLEMY (97133), île française des Petites Antilles, au N.-O. de la Guadeloupe, dont elle dépend; 2 941 hab. Ch.-l. *Gustavia.* Elle fut suédoise de 1784 à 1876.

Saint-Barthélemy (la), massacre général des protestants, exécuté sur l'ordre de Charles IX, à Paris, le 24 août 1572, jour de la Saint-Bartélemy, et dans les provinces les jours suivants. À Paris, l'amiral de Coligny et plus de 3 000 réformés furent tués. Célébrée comme une victoire par le pape Grégoire XIII, la Saint-Barthélemy aviva la haine entre les deux confessions.

SAINT-BARTHÉLEMY-D'ANJOU (49800 Trélazé), comm. de Maine-et-Loire, à 4,5 km à l'E. d'Angers; 6 181 hab. Industrie automobile.

SAINT-BÉAT (31440), ch.-l. de cant. de la Haute-Garonne, sur la Garonne, à 20 km au N. de Bagnères-de-Luchon; 611 hab. Église romane. Marbre blanc.

SAINT-BEAUZÉLY (12620), ch.-l. de cant. de l'Aveyron, à 17 km au N.-O. de Millau; 408 hab.

SAINT-BENIN-D'AZY (58270), ch.-l. de cant. de la Nièvre, à 19 km à l'E. de Nevers; 1 143 hab.

SAINT-BENOÎT (97470), ch.-l. d'arr. de la Réunion, sur la côte est de l'île; 21 658 hab.

SAINT-BENOÎT-DU-SAULT (36170), ch.-l. de cant. de l'Indre, à 20 km au S.-O. d'Argenton-sur-Creuse; 865 hab. Édifices religieux et civils du Moyen Âge.

SAINT-BENOÎT-SUR-LOIRE (45110 Châteauneuf sur Loire), comm. du Loiret, à 10 km au S.-E. de Châteauneuf-sur-Loire; 1 790 hab. L'abbaye de Fleury, fondée vers 651, prit le nom de Saint-Benoît-sur-Loire quand elle reçut le corps de saint Benoît. Depuis 1947 une communauté bénédictine s'y est reformée. La basilique possède un clocher-porche du XIe s., aux remarquables chapiteaux, un chœur de la fin du XIe s. et une nef voûtée d'ogives à l'époque gothique.

SAINT-BERNARD (Grand-), col des Alpes, entre la Suisse (Valais) et l'Italie (vallée d'Aoste); 2 473 m. Un tunnel routier à 1 900 m d'alt. double la route du col, fermée en hiver.

SAINT-BERNARD (Petit-), col des Alpes françaises (Savoie), au S.-O. du *Grand-Saint-Bernard,* à 2 188 m d'alt. Il relie la Tarentaise à la vallée d'Aoste.

SAINT-BERTHEVIN (53000 Laval), comm. de la Mayenne, à 5 km à l'O. de Laval; 5 039 hab.

SAINT-BERTRAND-DE-COMMINGES (31510 Barbazan), comm. de la Haute-Garonne, à 17 km au S.-O. de Saint-Gaudens;

251 hab. Vestiges romains. Ancienne cathédrale romane (XIIe s., cloître) et gothique (XIVe s.; jubé et stalles de 1535). Musée. À Valcabrère, cathédrale des XIe-XIIe s. (remplois gallo-romains; tombeau de saint Just; portail à statues-colonnes, fin XIIe s.).

SAINT-BLAISE, site antique dans la commune de Saint-Mitre-les-Remparts (Bouches-du-Rhône), position stratégique occupée du néolithique au XIVe s. apr. J.-C. Remparts en grand appareil isodomon de facture grecque (IIIe s. av. J.-C.). Substructions de l'église Saint-Pierre d'Ugium (VIIIe s.). Chapelle romane à façade de 1614.

SAINT-BLIN-SEMILLY (52700 Andelot Blancheville), ch.-l. de cant. de la Haute-Marne, à 24 km au S.-O. de Neufchâteau; 448 hab.

SAINT-BONIFACE, v. du Canada (Manitoba), banlieue est de Winnipeg; 46 714 hab.

SAINT-BONNET (05500), ch.-l. de cant. des Hautes-Alpes, à 15 km au N. de Gap; 1 394 hab.

SAINT-BONNET-DE-JOUX (71220), ch.-l. de cant. de Saône-et-Loire, à 14 km au N.-E. de Charolles; 957 hab. Château aux belles écuries d'époque Louis XIII.

SAINT-BONNET-LE-CHÂTEAU (42380), ch.-l. de cant. de la Loire, à 36 km à l'O. de Saint-Étienne; 2 511 hab. Bourg fortifié avec église des XVe-XVIe s. (peintures murales de la crypte, début XVe) et vieilles maisons de pierre. Constructions mécaniques.

SAINT-BRÉVIN-LES-PINS (44250), comm. de la Loire-Atlantique, à l'entrée de l'estuaire de la Loire (rive sud), en face de Saint-Nazaire, à laquelle la comm. est reliée par un pont; 8 614 hab. *(Brévinois).* Station balnéaire (à *Saint-Brévin-l'Océan*).

SAINT-BRIAC-SUR-MER (35800 Dinard), comm. d'Ille-et-Vilaine, à 7 km à l'O. de Dinard; 1 619 hab. Station balnéaire.

SAINT-BRICE-EN-COGLÈS (35460), ch.-l. de cant. d'Ille-et-Vilaine, à 15,5 km au N.-O. de Fougères; 2 403 hab. Confection.

SAINT-BRICE-SOUS-FORÊT (95350), comm. du Val-d'Oise, à 3 km au N.-E. de Montmorency; 7 491 hab.

SAINT-BRIEUC (22000), ch.-l. du départ. des Côtes-du-Nord, sur la Manche, à 460 km à l'O. de Paris; 56 282 hab. *(Briochins).* Cathédrale reconstruite pour l'essentiel aux XIVe-XVe s. Musée. L'agglomération, qui a connu un net essor démographique récent, avoisine 85 000 habitants. Elle est assez fortement industrialisée (métallurgie de transformation, chimie, alimentation et textile), malgré la prépondérance du tertiaire, liée aux fonctions traditionnelles : administrative, commerciale et touristique.

SAINT-BRUNO-DE-MONTARVILLE, v. du Canada (Québec); 15 780 hab.

SAINT-CALAIS (72120), ch.-l. de cant. de la Sarthe, à 32 km au N.-O. de Vendôme; 4 577 hab. *(Calaisiens).* Église, anc. abbatiale, reconstruite aux XVe-XVIe s. (façade Renaissance).

SAINT-CAST-LE-GUILDO (22380), comm. des Côtes-du-Nord, à 26 km à l'O. de Dinard; 3 255 hab. Station balnéaire.

SAINT CATHARINES, v. du Canada (Ontario), près du lac Ontario, en face de Toronto; 109 722 hab.

SAINT-CÉRÉ (46400), ch.-l. de cant. du nord du Lot; 4 356 hab. Château féodal de Saint-Laurent, où travailla J. Lurçat. Maisons anciennes.

SAINT-CERGUE, comm. de Suisse (cant. de Vaud), dans le Jura; 582 hab. Sports d'hiver (alt. 1 050-1 680 m).

SAINT-CERGUES (74140 Douvaine), comm. de la Haute-Savoie, à 9 km au N.-E. d'Annemasse; 1 847 hab. Station touristique.

SAINT-CERNIN (15310), ch.-l. de cant. du Cantal, à 22 km au N. d'Aurillac; 1 355 hab. Église romane (boiseries du XVe s.). À 4 km, château-donjon d'Anjony (XVe s.; fresques gothiques du XVIe).

SAINT-CHAMAS (13250), comm. des Bouches-du-Rhône, à 14 km au S. de Salon-de-Provence; 5 164 hab. Centrale hydraulique sur la Durance canalisée, à son embouchure dans l'étang de Berre.

SAINT-CHAMOND (42400), ch.-l. de cant. de la Loire, sur le Giers, à 12 km au N.-E. de Saint-Étienne; 40 533 hab. *(Saint-Chamonais* ou *Couramiauds).* L'agglomération (avec notamment Rive-de-Gier) compte plus de 80 000 habitants, dominée par l'industrie (textile et surtout métallurgie).

SAINT-CHAPTES (30190), ch.-l. de cant. du Gard, à 27 km au N. de Nîmes; 652 hab.

SAINT-CHÉLY-D'APCHER (48200), ch.-l. de cant. de la Lozère, à 35 km au S. de Saint-Flour; 5 305 hab. *(Barrabans).*

SAINT-CHÉLY-D'AUBRAC (12470), ch.-l. de cant. de l'Aveyron, à 21 km au N.-E. d'Espalion; 610 hab.

SAINT-CHÉRON (91530), ch.-l. de cant. de l'Essonne, à 9 km à l'E.-N.-E. de Dourdan; 3 372 hab.

SAINT-CHINIAN (34360), ch.-l. de cant. de l'Hérault, à 27,5 km au N.-O. de Béziers; 1 912 hab.

SAINT-CHRISTOPHE-EN-BAZELLE (36210 Chabris), ch.-l. de cant. de l'Indre, à 24 km au S. de Romorantin-Lanthenay; 382 hab. Foires de bétail.

SAINT-CIERS-SUR-GIRONDE (33820), ch.-l. de cant. de la Gironde, à 20 km au N. de Blaye; 2 011 hab.

SAINT-CIRQ-LAPOPIE (46330 Cabrerets), comm. du Lot, à 31 km à l'E. de Cahors, au-dessus du Lot; 167 hab. Bourg pittoresque dans un très beau site.

SAINT-CLAIR, émissaire du lac Huron, séparant les États-Unis (Michigan) du Canada (Ontario) et se jetant dans le *lac Saint-Clair* (1 060 km²), qui se déverse dans le lac Érié par la rivière de Detroit.

SAINT-CLAIR-SUR-EPTE (95770), comm. du Val-d'Oise, à 14 km au S.-O. de Gisors; 479 hab. — Par le traité de Saint-Clair-sur-Epte (911), le roi Charles le Simple abandonna au chef normand Rollon la partie de la Neustrie* comprise entre l'Epte et la mer, à condition que ce dernier se fît baptiser et mît fin à ses raids en pays franc.

SAINT-CLAIR-SUR-L'ELLE (50680 Cerisy la Forêt), ch.-l. de cant. de la Manche, à 11 km au N.-E. de Saint-Lô; 630 hab.

SAINT-CLAR (32380), ch.-l. de cant. du Gers, à 21 km au N.-O. d'Eauze; 1 082 hab.

SAINT-CLAUD (16450), ch.-l. de cant. de la Charente, à 22 km au S.-O. de Confolens; 1 004 hab.

SAINT-CLAUDE (39200), ch.-l. d'arr. du Jura, sur la Bienne; 14 086 hab. *(Sanclaudiens).* Robuste cathédrale, anc. abbatiale des XIVe-XVe s. (belles stalles sculptées), à façade classique. Centre français de la fabrication des pipes. Matières plastiques.

SAINT-CLAUDE (97120), ch.-l. de cant. de la Guadeloupe, sur la côte sud-ouest de Basse-Terre; 9 784 hab.

SAINT-CLOUD (92210), ch.-l. de cant. des Hauts-de-Seine, sur la Seine, dans la proche banlieue ouest de Paris; 28 350 hab. *(Clodoaldiens).* Dans un site dominant Paris, parc du château princier, puis royal, détruit après 1870 (grande cascade d'A. Lepautre, allongée par J. H.-Mansart). Musées. Champ de courses.

SAINT-CUCUFA *(étang de),* site pittoresque à l'ouest de Paris, dans le *bois de Saint-Cucufa* (Hauts-de-Seine, comm. de Rueil-Malmaison).

SAINT-CYPRIEN (24220), ch.-l. de cant. de la Dordogne, à 18 km à l'O. de Sarlat-la-Canéda; 1 785 hab.

SAINT-CYPRIEN (66200 Elne), comm. des Pyrénées-Orientales, à 15,5 km au S.-E. de Perpignan; 3 012 hab. Station balnéaire à *Saint-Cyprien-Plage.*

SAINT-CYRAN → DU VERGIER DE HAURANNE.

SAINT-CYR-AU-MONT-D'OR (69450), comm. du Rhône, dans la banlieue nord de Lyon; 5 018 hab. École nationale de la police.

SAINT-CYR-L'ÉCOLE (78210), ch.-l. de cant. des Yvelines, à 6 km à l'O. de Versailles; 17 795 hab. *(Saint-Cyriens).* Siège de l'École spéciale militaire (v. MILITAIRES [*écoles*]), installée, de 1808 à 1940, dans l'ancienne maison d'éducation des jeunes filles créée en 1686 par Mme de Maintenon. Ses bâtiments furent détruits par un bombardement aérien en 1944. Un collège militaire y fut réinstallé en 1966.

SAINT-CYR-SUR-LOIRE (37100 Tours), ch.-l. de cant. d'Indre-et-Loire, dans la banlieue nord de Tours; 12 478 hab. *(Saint-Cyriens).* Mécanique de précision. Vins.

SAINT-CYR-SUR-MER (83270), comm. du Var, à 8 km au N.-O. de Bandol; 4 899 hab. Station balnéaire. Vestiges romains. Château des Baumelles (XVIIe s.).

SAINT-DENIS (93200), ch.-l. de cant. de la Seine-Saint-Denis, dans la proche banlieue nord de Paris (à l'extrémité nord du *canal de Saint-Denis,* long de 7 km entre le bassin de la Villette et la Seine); 96 759 hab. *(Dionysiens).* Important centre industriel (métallurgie et chimie surtout). — L'abbaye, qui doit son nom à saint Denis, premier évêque de Paris, et qui devint la nécropole des rois de France, fut fondée à l'époque mérovingienne et son église fut reconstruite à l'époque carolingienne. Elle connut un grand essor grâce à Suger, qui en fut abbé à partir de 1122 et sous la direction duquel débuta l'édification de l'église actuelle. Les foires du lendit firent de Saint-Denis un centre d'échange renommé. La basilique, auj. cathédrale, est le premier monument gothique par ce qui en demeure du temps de Suger : façade (mutilée), crypte et rez-de-chaussée du chœur, à double déambulatoire et chapelles rayonnantes (vitraux). La construction fut reprise et achevée à l'époque de Saint Louis, dans le style rayonnant (triforium à claire-voie), avec un ample transept fait pour recevoir les sépultures royales. Malgré les destructions de la Révolution et grâce aux réaménagements et ajouts postérieurs, la basilique présente un ensemble unique de monuments funéraires, des gisants de Childebert et de Frédégonde (sculptés au XIIe s. pour Saint-Germain-des-Prés) et du tombeau de Dagobert (à quatre registres sous arc et gable, XIIIe s.) au riche groupe de la Renaissance, comprenant, entre autres, les ensembles architecturés des tombeaux de Louis XII et Anne de Bretagne (par les Juste) et d'Henri II et Catherine de Médicis (G. Pilon), ce dernier primitivement destiné à la « rotonde des Valois » — chapelle restée inachevée et qui fut démolie au XVIIIe s. Les bâtiments abbatiaux ont été reconstruits, noblement, au XVIIIe s. La ville possède un musée d'Art et d'Histoire.

SAINT-DENIS (97400), ch.-l. de la Réunion, sur la côte nord de l'île; 104 603 hab.

SAINT DENIS (Ruth), un des « pionniers » de la danse moderne américaine (Jersey City 1877 - Hollywood 1968). Pratiquant une danse libre — voisine de celle d'Isadora Duncan — elle eut, avec son mari, Ted Shawn, une action primordiale aux États-Unis. Leur école, la Denishawn School, forma les futurs chefs de file de la *modern dance* (Martha Graham, Doris Humphrey, Charles Weidman...).

SAINT-DENIS-DE-L'HÔTEL (45550), comm. du Loiret, sur la Loire, à 18 km à l'E. d'Orléans; 2 116 hab. Métallurgie.

SAINT-DENIS-D'OLÉRON (17650), comm. de la Charente-Maritime, dans le nord de l'*île d'Oléron;* 1 006 hab. Station balnéaire.

SAINT-DENIS-DU-SIG → SIG.

SAINT-DIDIER-EN-VELAY (43140), ch.-l. de cant. de la Haute-Loire, à 10 km à l'E. de Monistrol-sur-Loire; 2 775 hab.

SAINT-DIÉ (88100), ch.-l. d'arr. des Vosges, sur la Meurthe; 26 539 hab. *(Déodatiens).* Un cloître des XIVe-XVIe s. réunit deux églises en grès rouge : Petite-Église romane de style rhénan, cathédrale romane et gothique (très abîmée en 1944) à façade du XVIIIe s. Industries textiles et mécaniques.

SAINT-DIER-D'AUVERGNE (63520), ch.-l. de cant. du Puy-de-Dôme, à 27,5 km au S.-S.-O. de Thiers, 711 hab. Église romane.

SAINT-DIZIER (52100), ch.-l. d'arr. de la Haute-Marne, sur la Marne; 39 815 hab. *(Bragars).* Deux églises gothiques et classiques. Musée. Matériel agricole. Tréfilerie. Industrie textile et alimentaire.

SAINT-DOMINGUE, ancien nom de l'île d'HAÏTI.

SAINT-DOMINGUE, en esp. **Santo Domingo** et, de 1936 à 1961, **Ciudad Trujillo,** capit. de la république Dominicaine, sur la mer des Antilles (littoral méridional de l'île d'Haïti); 671 000 hab. Métropole politique, commerciale et industrielle de la république Dominicaine, dont elle regroupe le sixième de la population totale.

SAINT-DONAT-SUR-L'HERBASSE (26260), ch.-l. de cant. de la Drôme, à 12 km au N. de Romans-sur-Isère; 2 268 hab.

SAINT-DOULCHARD (18230), comm. du Cher, dans la banlieue nord-ouest de Bourges; 6 609 hab. Caoutchouc.

SAINTE-ADRESSE (76310), comm. de la Seine-Maritime, dans la banlieue ouest du Havre; 8 943 hab. Station balnéaire.

SAINTE-ALVÈRE (24510), ch.-l. de cant. de la Dordogne, à 29 km au N.-E. de Bergerac; 745 hab..

SAINTE-ANNE (97180), ch.-l. de cant. de la Guadeloupe, sur la côte sud de la Grande-Terre; 13 785 hab.

SAINTE-ANNE-D'AURAY (56400 Auray), comm. du Morbihan, à 6 km au N.-E. d'Auray; 1 502 hab. Pèlerinage.

SAINTE-ANNE-DE-BEAUPRÉ, localité du Canada (Québec), au N.-E. de Québec, sur la rive gauche du Saint-Laurent; 1 797 hab. Pèlerinage.

SAINTE-BAUME (la), massif calcaire de Provence, à l'E. de Marseille; 1 154 m.

SAINTE-BEUVE (Charles Augustin), écrivain français (Boulogne-sur-Mer 1804 - Paris 1869). Issu d'une famille de bourgeoisie provinciale, il suit quelque temps les cours de l'École de médecine et subit l'influence des idéologues. Il entre cependant au *Globe,* se lie avec Hugo et Vigny, et partage la vie et les aspirations du cénacle romantique, remettant en honneur la poésie de la Pléiade (*Tableau historique et critique de la poésie française au XVIe siècle,* 1828). Sa passion pour Adèle Hugo lui fait traverser une crise religieuse et esthétique qui se traduit dans ses poèmes, inspirés des lakistes anglais (*Vie, poésies et pensées de Joseph Delorme,* 1829; *les Consolations,* 1830; *Pensées d'août,* 1837) et son roman *Volupté* (1834). Mais bientôt, déçu sur le plan de l'amour et de la création littéraire, il s'oriente vers la critique. Il professe à Lausanne (1837-38) le cours d'où sortira son œuvre capitale, *Port-Royal** (1840-1859), et tente, dans les articles qu'il donne à *la Revue des Deux Mondes,* au *Constitutionnel,* au *Moniteur* et au *Temps,* de constituer l'« histoire naturelle littéraire » par l'étude des écrivains saisis dans leur milieu biologique, historique et social *(Portraits littéraires,* 1844-1852; *Causeries du lundi,* 1851-1862; *Nouveaux Lundis,* 1863-1870). Professeur de poésie latine au Collège de France (1855), il enseigne la littérature française à l'École normale (1857-1861) et, rallié à l'Empire, devient sénateur en 1865. Il retrouve cependant dans ses dernières années le libéralisme agressif de sa jeunesse, s'efforçant de se convaincre, devant le tarissement de son inspiration créatrice, que la critique, à laquelle il a consacré sa vie, unit les prestiges de l'art aux certitudes de la science.

Sainte-Chapelle de Paris, ancienne chapelle palatine, auj. dans l'enceinte du Palais de Justice, en l'île de la Cité. Saint Louis la fit construire, de 1241 à 1248, pour abriter des reliques provenant de la Terre sainte. Elle se compose d'une chapelle inférieure, destinée à la maison du roi, et d'une chapelle haute, qui communiquait avec les appartements royaux. Cette dernière est un chef-d'œuvre de l'art gothique rayonnant, espace unique ouvert de toutes parts à la lumière par l'intermédiaire de ses vitraux à médaillons que soutient une armature légère; aux grandes piles sont adossées des statues d'apôtres. (Importantes restaurations du XIXe s.)

SAINTE-CLAIRE DEVILLE (Henri), chimiste français (île Saint Thomas, Antilles, 1818 - Boulogne-sur-Seine 1881). Il découvrit de nombreuses dissociations thermiques, réalisa la fusion du platine et créa, en 1854, la première préparation industrielle de l'aluminium.

SAINTE-CLAIRE DEVILLE (Étienne), général et ingénieur français (Paris 1857 - *id.* 1944). Il conçut et réalisa le frein qui fit la valeur du canon de 75 mm modèle 1897.

SAINTE-CROIX, en angl. **Saint Croix,** la plus grande et la plus peuplée des îles Vierges américaines; 207 km^2; 32 000 hab.

SAINTE-CROIX, v. de Suisse (cant. de Vaud); 6 240 hab.

SAINTE-CROIX-DE-VERDON (04500 Riez), comm. du sud des Alpes-de-Haute-Provence; 61 hab. Important barrage et lac de retenue sur le Verdon, pour l'irrigation et l'hydroélectricité.

SAINTE-CROIX-VOLVESTRE (09230), ch.-l. de cant. de l'Ariège, à 23,5 km au N. de Saint-Girons; 512 hab.

SAINTE-ÉNIMIE (48210), ch.-l. de cant. de la Lozère, à 27 km à l'O.-N.-O. de Florac; 636 hab. Centre touristique des gorges du Tarn.

SAINTE-FOY, v. du Canada (Québec), dans la banlieue sud-ouest de Québec; 68 385 hab.

SAINTE-FOY-LA-GRANDE (33220), ch.-l. de cant. de la Gironde, sur la Dordogne, à 22 km à l'O. de Bergerac; 3 577 hab.

SAINTE-FOY-LÈS-LYON (69110), comm. du Rhône, sur la Saône, dans la banlieue ouest de Lyon; 21 800 hab.

SAINTE-GEMMES-SUR-LOIRE (49470), comm. de Maine-et-Loire, à 5 km au S. d'Angers; 4 775 hab.

Sainte-Geneviève *(abbaye),* abbaye fondée à l'emplacement d'une basilique érigée par Clovis et où fut déposé le corps de sainte Geneviève. Cette abbaye, d'abord dédiée aux apôtres Pierre et Paul, adopta définitivement, au XIIIe s., le vocable de « Sainte-Geneviève ». En 1764, fut commencé, sous la direction de Soufflot, l'église monumentale qui allait devenir le Panthéon*. Au début du XIXe s., les bâtiments de l'abbaye furent affectés au lycée Napoléon, devenu depuis lycée Henri IV.

SAINTE-GENEVIÈVE-DES-BOIS (91700), ch.-l. de cant. de l'Essonne, à 12 km au N.-O. de Corbeil-Essonnes; 31 875 hab. *(Génovéfains.)*

SAINTE-GENEVIÈVE-SUR-ARGENCE (12420), ch.-l. de cant. de l'Aveyron, à 16 km au S.-E. de Mur-de-Barrez; 1 063 hab.

SAINT-ÉGRÈVE (38120), ch.-l. de cant. de l'Isère, dans la banlieue nord-ouest de Grenoble; 14 314 hab. Électronique.

SAINTE-HÉLÈNE, en angl. **Saint Helena Island,** île britannique du sud de l'Atlantique (à près de 2 000 km de l'Afrique et à 3 500 km du Brésil); 122 km^2; 5 100 hab. Ch.-l. *Jamestown.* Elle fut le lieu de déportation (1815) de Napoléon Ier*, qui y mourut le 5 mai 1821.

Sainte-Hélène *(médaille de),* décoration française, créée en 1857 pour tous les anciens soldats des campagnes de 1792 à 1815. (Son ruban a été repris pour la croix de guerre 1914-1918.)

SAINTE-HERMINE (85210), ch.-l. de cant. de la Vendée, à 16 km au N.-E. de Luçon; 2 307 hab.

SAINT-ÉLIE, en angl. **Saint Elias,** massif aux confins du Canada et de l'Alaska, au-dessus du Pacifique; 6 050 m au mont Logan, qui constitue le point culminant du Canada (Yukon).

SAINTE-LIVRADE-SUR-LOT (47110), ch.-l. de cant. de Lot-et-Garonne, à 9,5 km à l'O. de Villeneuve-sur-Lot; 6 016 hab.

SAINT-ÉLOY-LES-MINES (63700), comm. du Puy-de-Dôme, à 21,5 km au S.-E. de Commentry; 5 712 hab. Gisement houiller.

SAINTE-LUCIE, en angl. **Saint Lucia,** une des Antilles, État associé à la Grande-Bretagne; 616 km²; 100 000 hab. Ch.-l. *Castries* (18 000 hab.).

SAINTE-MARIE (97230), comm. de la côte nord-est de la Martinique; 20 147 hab.

SAINTE-MARIE-AUX-MINES (68160), ch.-l. de cant. du Haut-Rhin, à 19 km au N.-O. de Ribeauvillé; 6 874 hab. Anciennes mines d'argent et de plomb.

SAINTE-MAURE-DE-TOURAINE (37800), ch.-l. de cant. d'Indre-et-Loire, sur le *plateau de Sainte-Maure,* à 32 km à l'E.-S.-E. de Chinon; 4016 hab. Dans l'enceinte du château (ruiné), église datant principalement de la fin du XIIe s.

SAINTE-MAXIME (83120), comm. du Var, à 14 km au N. de Saint-Tropez; 6 627 hab. Station balnéaire. — Un des lieux du débarquement franco-américain en Provence*, le 15 août 1944.

SAINTE-MENEHOULD ou **SAINTE-MÉNEHOULD** (51800), ch.-l. d'arr. de la Marne, sur l'Aisne, à 42 km à l'E.-N.-E. de Châlons-sur-Marne; 6 096 hab. *(Ménehildiens).* Église des XIIIe-XVIe s. dans la ville haute. Ville basse gardant la marque de son harmonieuse reconstruction après l'incendie de 1719. Constructions mécaniques et électriques. Matières plastiques.

SAINTE-MÈRE-ÉGLISE (50480), ch.-l. de cant. de la Manche, à 13 km au N.-N.-O. de Carentan; 1 464 hab. — Une division aéroportée américaine y fut larguée le jour du débarquement allié en Normandie* (6 juin 1944).

SAINT-ÉMILION (33330), comm. de la Gironde, à 6,5 km au S.-E. de Libourne; 3 363 hab. *(Saint-Émilionnais).* Remparts de la ville haute (XIIIe-XVe s.). Église rupestre (fin du XIe s.?). Collégiale des XIIe-XVe s. (cloître) et autres monuments médiévaux. Vins rouges renommés.

SAINT EMPIRE ROMAIN GERMANIQUE, nom porté, à partir du XVe s., par l'empire fondé en 962 par Otton Ier* le Grand, et dissous en 1806. En Occident, l'idée d'un empire universel avait survécu à la disparition de l'Empire romain d'Occident (476). Lorsque Charlemagne se fit proclamer empereur et couronner à Rome par le pape Léon III (800), il marqua ainsi sa volonté de se poser en héritier de la tradition romaine. Mais, dès la fin du IXe s., l'État carolingien se désagrégea et la dignité impériale, dont les papes se considéraient comme les dépositaires, devint l'enjeu des rivalités entre grands seigneurs italiens (890-924), avant de disparaître (924). Quarante ans plus tard, après avoir renforcé son pouvoir en Germanie et s'être posé, face aux Hongrois, en champion de la chrétienté, Otton Ier s'emparait de l'Italie (961), restaurait l'empire de Charlemagne en se faisant couronner empereur par le pape Jean XII (févr. 962) et inaugurait une politique de contrôle de l'Église, héritée du césaropapisme carolingien. Englobant les royaumes de Germanie et d'Italie, la Lorraine, les marches de l'Est, les États de Saint-Pierre et, à partir de 1032, le royaume de Bourgogne, l'Empire atteignit son apogée sous Henri III (de 1039 à 1056). Mais l'action des papes, décidés à secouer la tutelle impériale, provoqua la querelle des Investitures* (1059-1122), suivie de la lutte du Sacerdoce* et de l'Empire (1157-1250).

Affaibli par ces conflits, amputé de l'Italie (1255), l'Empire tendit de plus en plus à se confondre avec le royaume de Germanie, au sein duquel se développa l'anarchie princière. Les sept princes électeurs institués par la Bulle d'or (1356) devinrent les véritables arbitres d'un pouvoir impérial impuissant à maintenir la paix et à mettre fin à l'indépendance de fait d'une mosaïque de principautés laïques et ecclésiastiques. Le règne de Maximilien Ier vit la dernière tentative de centralisation; celui de son petit-fils, Charles Quint (1519-1556), marqua l'échec de la monarchie universelle. Les succès de la Réforme ruinèrent les fondements du Saint Empire, et les traités de Westphalie réduisirent l'entité impériale à une fiction politique (1648). Désormais, l'empereur était avant tout le souverain de l'Autriche, de la Hongrie et de la Bohême. En 1806, au moment où l'Empire napoléonien imposait son hégémonie sur l'Allemagne du Nord, François II d'Autriche sanctionnait cette évolution en renonçant à la couronne impériale d'Allemagne.

SAINT-ÉNOGAT, écart de la comm. de Dinard* (Ille-et-Vilaine). Station balnéaire.

SAINTE-ROSE (97115), ch.-l. de cant. de la Guadeloupe, sur la côte nord de Basse-Terre; 12 050 hab.

SAINTES (17100), ch.-l. d'arr. de la Charente-Maritime, sur la Charente; 28 403 hab. *(Saintais).* École d'enseignement technique de l'armée de l'air. Ateliers ferroviaires. Matériel téléphonique. — Saint Louis y écrasa les Anglais en 1242.

BEAUX-ARTS. Vestiges romains, dont un arc de triomphe de 21 apr. J.-C. Importantes églises romanes Saint-Eutrope, sanctuaire de pèlerinage à vaste crypte (chœur et clocher du XVe s.), et Sainte-Marie-des-Dames, anc. abbatiale (portail sculpté). Église Saint-Pierre, reconstruite aux XVe-XVIe s. (coupoles romanes sur les croisillons). Musées archéologique, des Beaux-Arts (poteries et faïences de Saintes, etc.) et Mestreau (dans un hôtel du XVIIIe s.).

SAINTE-SAVINE (10300), ch.-l. de cant. de l'Aube, dans la banlieue ouest de Troyes; 10 660 hab. Église du XVIe s.

SAINTE-SÉVÈRE-SUR-INDRE (36160), ch.-l. de cant. de l'Indre, à 14,5 km au S.-E. de La Châtre; 1 067 hab. Donjon ruiné (XIIe s.) et restes de fortifications.

SAINTE-SIGOLÈNE (43600), comm. du nord-est de la Haute-Loire; 4 508 hab. Industries mécaniques et textiles.

SAINTES-MARIES-DE-LA-MER (13460), ch.-l. de cant. des Bouches-du-Rhône, à 38 km au S.-O. d'Arles, sur la côte de la Camargue; 2 120 hab. Église romane à nef unique, fortifiée. Lieu de pèlerinage très célèbre où, chaque année (mai), autour du tombeau de Sara, la servante noire des saintes Marie Jacobé et Marie Salomé, parentes du Christ, se retrouvent de nombreux gitans.

Sainte-Sophie de Constantinople *(église),* édifice construit de 532 à 537, sous le règne de Justinien. La plus vaste église du monde témoigne de l'audace de ses architectes, Anthémios de Tralles et Isidore de Milet, qui, s'ils utilisent encore quelques éléments de la basilique, couvrent l'édifice, de plan presque carré, d'une immense coupole centrale sur pendentifs. Elle repose sur quatre arcs, eux-mêmes soutenus par quatre puissants piliers; deux demi-coupoles, à l'est et à l'ouest, contrebutent la coupole centrale, et les murs très ouverts, du nord et du sud, sont soutenus par d'énormes contreforts; des voûtes d'arêtes successives donnent leur équilibre aux bas-côtés. Assez massive, vue de l'extérieur, cette ordonnance, unie, à l'intérieur, à une savante utilisation de l'éclairage solaire, confère son unité au majestueux espace central. Beau décor de mosaïque postérieur à la crise iconoclaste. Lorsqu'elle devient mosquée, les Turcs lui ajoutent quatre élégants minarets. Depuis l'avènement de la République, elle est transformée en musée (illustr. v. ARCHITECTURE).

Saint-Esprit, troisième personne de la Trinité* dans la Révélation chrétienne. Affirmée dans les écrits du Nouveau Testament et dans la vie de l'Église primitive (on baptise *au nom du Père, du Fils et du Saint-Esprit),* la foi en l'Esprit-Saint est précisée dans le Symbole de Constantinople (381) : «[Je crois...] en l'Esprit-Saint Seigneur et source de vie, qui procède du Père et qui, avec le Père et le Fils, est conjointement adoré et glorifié...» Au VIe s., l'adjonction par l'Église latine des mots «et du Fils» (en latin *Filioque*) dans l'expression «qui procède du Père» suscita entre Grecs et Latins un litige qui gêne encore les rapports entre les Églises d'Orient et l'Église d'Occident. (V. SCHISME D'ORIENT.)

Saint-Esprit *(ordre du),* le plus illustre des ordres de chevalerie de l'ancienne France, créé en 1578, supprimé par la Révolution et rétabli de 1815 à 1830.

SAINT-ESTÈPHE (33250 Pauillac), comm. de la Gironde, à 10 km au N. de Pauillac; 2 317 hab. Vins rouges renommés.

SAINT-ESTÈVE-JANSON (13610 Le Puy Ste Réparade), comm. des Bouches-du-Rhône, à 22 km au N.-N.-O. d'Aix-en-Provence; 130 hab. Centrale hydroélectrique sur la Durance.

SAINTE-SUZANNE (53270), ch.-l. de cant. de la Mayenne, à 7 km au S.-E. d'Évron; 853 hab. Remparts médiévaux et citadelle (donjon; château de 1608).

SAINTE-SUZANNE (97441), ch.-l. de cant. de la côte nord de la Réunion; 12 078 hab.

SAINTE-THÉRÈSE, v. du Canada (Québec), au N.-O. de Montréal; 17 175 hab. Industrie automobile.

SAINT-ÉTIENNE, ch.-l. du départ. de la Loire, sur le Furan, dans l'est du Massif central, à 462 km au S.-E. de Paris; 221 775 hab. *(Stéphanois).* Église Saint-Étienne, en partie du XIVe s. Musée d'art et d'industrie. Développée dans les vallées du Furan (vers Andrézieux-Bouthéon), de l'Ondaine (vers Firminy) au N.-E. vers Saint-Chamond, l'agglomération compte près de 350 000 hab.; elle est dominée par l'industrie — fondée initialement sur l'extraction du charbon (qui a pratiquement disparu) — et où émerge aujourd'hui la métallurgie de transformation (armement, cycles, machines-outils). Le textile a reculé, partiellement relayé par l'électronique et la chimie, alors que s'est développé le secteur tertiaire (commerce, université). La reconversion industrielle a été réussie, partiellement grâce à l'amélioration des communications (autoroute vers Lyon), et, la proximité de la montagne aidant (avec, notamment, l'aménagement du parc régional du Pilat), l'ancien «pays noir» est devenu une «ville verte».

SAINT-ÉTIENNE ou **SAINT-ÉTIENNE-LES-ORGUES** (04230), ch.-l. de cant. des Alpes-de-Haute-Provence, à 12,5 km au N. de Forcalquier; 561 hab.

SAINT-ÉTIENNE-DE-BAÏGORRY (64430), ch.-l. de cant. des Pyrénées-Atlantiques, à 11 km à l'O.-N.-O. de Saint-Jean-Pied-de-Port; 1 783 hab.

SAINT-ÉTIENNE-DE-LUGDARÈS (07590), ch.-l. de cant. de l'Ardèche, à 20 km au S.-E. de Langogne; 476 hab.

SAINT-ÉTIENNE-DE-MONTLUC (44360), ch.-l. de cant. de la Loire-Atlantique, à 15,5 km au S.-E. de Savenay; 4092 hab.

SAINT-ÉTIENNE-DE-SAINT-GEOIRS (38590), ch.-l. de cant. de l'Isère, à 22 km à l'O.-S.-O. de Voiron; 1606 hab. Vestiges médiévaux.

SAINT-ÉTIENNE-DE-TINÉE (06660), ch.-l. de cant. du nord-ouest des Alpes-Maritimes, sur la haute *Tinée;* 1938 hab. Centre de tourisme et de sports d'hiver (Auron*).

SAINT-ÉTIENNE-DU-ROUVRAY (76800), comm. de la Seine-Maritime, dans la banlieue sud de Rouen; 37327 hab. Papeterie.

SAINT-ÉTIENNE-EN-DÉVOLUY (05250), ch.-l. de cant. des Hautes-Alpes, à 31,5 km au N.-O. de Gap; 471 hab.

SAINT-ÉTIENNE-LÈS-REMIREMONT (88200 Remiremont), comm. des Vosges, dans la banlieue nord-est de *Remiremont;* 3941 hab. Textile.

Sainte-Vehme → SOCIÉTÉ SECRÈTE.

SAINTE-VICTOIRE *(chaîne de la),* massif calcaire de Provence, à l'E. d'Aix-en-Provence; 1011 m.

SAINT-ÉVREMOND (Charles DE MARGUETEL DE SAINT-DENIS DE), écrivain français (Saint-Denis-le-Gast v. 1614-Londres 1703). Officier à Rocroi et à Nördlingen, fidèle à la cause royale pendant la Fronde, maréchal de camp en 1652, il fut compromis dans le procès de Fouquet et dut s'exiler en Hollande, puis en Angleterre. Il sollicita longtemps la permission de rentrer en France, mais refusa sa grâce quand elle lui fut accordée en 1689. Disciple mondain de Gassendi et de La Mothe Le Vayer, il a exprimé dans de courts essais et dans sa correspondance son scepticisme religieux et son épicurisme élégant. Admirateur de Corneille et partisan des Modernes, il révèle les affinités qui rapprochent la génération de 1640 de celle de 1680, par-delà la période classique.

SAINT-EXUPÉRY (Antoine DE), aviateur et écrivain français (Lyon 1900-disparu dans une mission aérienne en 1944). Entré à la compagnie Latécoère, il est chargé de mettre en service les lignes de Patagonie, puis devient pilote d'essai et entreprend plusieurs raids (Paris-Saigon, New York-Terre de Feu). Pilote de reconnaissance en 1940, il reprend du service en 1942 et disparaît lors d'une mission au large de la Corse. Il a refusé dans ses récits le romantisme de l'aventure individuelle pour célébrer l'esprit d'équipe, la solidarité exaltante dans l'accomplissement d'un métier dangereux; aux moralistes qui déploraient le déclin des valeurs spirituelles dans un univers dominé par la machine, il chercha à opposer un humanisme nouveau où les vertus traditionnelles d'énergie et de noblesse se mettent à la mesure d'une civilisation vouée au progrès technique (*Courrier Sud,* 1929; *Vol de nuit,* 1931; *Terre des hommes,* 1939; *le Petit* Prince,* 1943; *Citadelle,* 1948).

SAINT-FARGEAU (89170), ch.-l. de cant. de l'Yonne, sur le Loing, à 32 km à l'E. de Briare; 2444 hab. Église gothique. Château médiéval repris au XVIIe s. (ailes sur cour).

SAINT-FARGEAU-PONTHIERRY (77310), comm. de Seine-et-Marne, sur la Seine, à 9 km au S.-E. de Corbeil-Essonnes; 8003 hab. Papier.

SAINT-FAUST (64110 Jurançon), comm. des Pyrénées-Atlantiques, à 12 km au S.-O. de Pau; 489 hab. Gaz naturel.

SAINT-FÉLICIEN (07410), ch.-l. de cant. de l'Ardèche, à 22 km à l'O. de Tournon; 1146 hab.

SAINT-FERRÉOL, écart de la comm. de Revel* (Haute-Garonne). Centre touristique sur le *lac de Saint-Ferréol.*

SAINT-FIRMIN (05800), ch.-l. de cant. des Hautes-Alpes, à 30 km au N.-N.-O. de Gap; 535 hab.

SAINT-FLORENT (20217), comm. de la Haute-Corse, au fond du *golfe de Saint-Florent,* à 23 km à l'O.-S.-O. de Bastia; 1355 hab. Citadelle génoise. À proximité, anc. cathédrale romane de Nebbio.

SAINT-FLORENTIN (89600), ch.-l. de cant. de l'Yonne, sur l'Armançon, à 30 km au N.-E. d'Auxerre; 7207 hab. *(Florentinois).* Église gothique et Renaissance (jubé, sculptures, vitraux). Constructions mécaniques.

SAINT-FLORENT-LE-VIEIL (49410), ch.-l. de cant. de Maine-et-Loire, à 15,5 km à l'E. d'Ancenis; 2416 hab.

SAINT-FLORENT-SUR-CHER (18400), comm. du Cher, à 15 km au S.-O. de Bourges; 6619 hab. Château remontant aux XVe-XVIe s.

SAINT-FLOUR (15100), ch.-l. d'arr. de l'est du Cantal; 8776 hab. *(Sanflorains).* Anc. place forte, conservant sa cathédrale (XVe s.) et divers monuments médiévaux ou classiques. Musées.

SAINT-FONS (69190), comm. du Rhône, dans la banlieue sud de Lyon; 17144 hab. *(Saint-Foniards).* Industries chimiques.

SAINT-FRANÇOIS, lac du Canada (Québec et Ontario), formé par un élargissement du Saint-Laurent, en amont de Montréal. — Lac du Canada (Québec), d'où est issue la *rivière Saint-François* (260 km), qui rejoint le Saint-Laurent (r. dr.) entre Montréal et Québec.

SAINT-FRANÇOIS-LONGCHAMP (73130 La Chambre), station de sports d'hiver (alt. 1450-2200 m) de la Savoie, à 22 km au N. de Saint-Jean-de-Maurienne.

SAINT-FULGENT (85250), ch.-l. de cant. de la Vendée, à 33 km au N.-E. de La Roche-sur-Yon; 2646 hab.

SAINT-GALL, en allem. **Sankt Gallen,** v. du nord-est de la Suisse, ch.-l. du *cant. de Saint-Gall* (2016 km²; 384475 hab.); 80852 hab. Centre de l'industrie de la broderie.

HISTOIRE. Ermitage fondé v. 614 par le moine irlandais Gallus, abbaye bénédictine au VIIIe s., Saint-Gall connut un rayonnement remarquable dès l'époque carolingienne, grâce à ses ateliers de copistes et à ses écoles de chant. Ses abbés furent princes d'Empire au début du XIIIe s. : ils devaient se rattacher en 1451 à la Confédération suisse, exemple qu'allait suivre la ville de Saint-Gall en 1454. Après une longue période de décadence intellectuelle (XIIIe-XVe s.), la discipline claustrale fut rétablie (XVIe s.) et le monastère devint l'un des grands centres de la Contre-Réforme. En 1836, l'abbaye fut transformée en vicariat apostolique qui devint, par la suite, évêché (1846). En 1803, l'Acte de médiation avait créé le canton de Saint-Gall.

BEAUX-ARTS. Abbaye reconstruite du XVIe au XVIIIe s. (abbatiale et bibliothèque aux riches décors rococo). Maisons médiévales et de la Renaissance. École des sciences économiques et sociales (1960), avec décors par de grands artistes de l'école de Paris.

SAINT-GALMIER (42330), ch.-l. de cant. de la Loire, à 23 km au N. de Saint-Étienne; 3215 hab. Station thermale. Église flamboyante (XVe-XVIe s.) et vieilles maisons.

SAINT-GAUDENS (31800), ch.-l. d'arr. de la Haute-Garonne, sur la Garonne; 12943 hab. *(Saint-Gaudinois).* Église remontant aux XIe-XIIe s. (beaux chapiteaux).

SAINT-GAULTIER (36800), ch.-l. de cant. de l'Indre, sur la Creuse, à 10 km au N.-O. d'Argenton-sur-Creuse; 2190 hab. Église du XIe s.

SAINT-GELAIS (Mellin DE), poète français (Angoulême 1491-Paris 1558). Poète de cour, il fut l'ami de Clément Marot et l'adversaire de Ronsard et de Du Bellay.

SAINT-GENEST-LERPT (42530), comm. de la Loire, dans la banlieue ouest de Saint-Étienne; 5359 hab.

SAINT-GENEST-MALIFAUX (42660), ch.-l. de cant. de la Loire, à 15 km au S. de Saint-Étienne; 2100 hab.

SAINT-GENGOUX-LE-NATIONAL (71460), ch.-l. de cant. de Saône-et-Loire, à 23 km au N. de Cluny; 1058 hab.

SAINT-GENIEZ-D'OLT (12130), ch.-l. de cant. de l'Aveyron, à 48 km au N.-E. de Rodez; 2241 hab. Deux églises (XIVe et XVIIIe s.).

SAINT-GENIS-DE-SAINTONGE (17240), ch.-l. de cant. de la Charente-Maritime, à 12 km au N.-O. de Jonzac; 856 hab.

SAINT-GENIS-LAVAL (69230), ch.-l. de cant. du Rhône, à 8 km au S.-O. de Lyon; 13470 hab. — Le 20 août 1944, la police allemande y abattit 120 détenus.

SAINT-GENIX-SUR-GUIERS (73240), ch.-l. de cant. de la Savoie, à 16,5 km à l'E.-N.-E. de La Tour-du-Pin; 1586 hab.

SAINT-GEOIRE-EN-VALDAINE (38620), ch.-l. de cant. de l'Isère, à 25 km au S.-E. de La Tour-du-Pin; 1365 hab. Église reconstruite aux XVe-XVIe s.

SAINT GEORGE *(canal* ou *chenal),* détroit entre le pays de Galles et l'Irlande, reliant l'Atlantique à la mer d'Irlande.

Saint-Georges *(ordre de),* ordre militaire russe créé en 1769 et disparu en 1917.

SAINT-GEORGES-DE-DIDONNE (17110), comm. de la Charente-Maritime, à 4 km au S.-S.-E. de Royan; 3983 hab. Station balnéaire.

SAINT-GEORGES-D'OLÉRON (17190), comm. de la Charente-Maritime, dans le nord-ouest de l'*île d'Oléron;* 2718 hab. Église en partie romane.

SAINT-GEORGES-DU-VIÈVRE (27450), ch.-l. de cant. de l'Eure, à 14 km au S.-S.-E. de Pont-Audemer; 664 hab.

SAINT-GEORGES-EN-COUZAN (42990), ch.-l. de cant. de la Loire, à 29 km au N.-O. de Montbrison; 591 hab.

SAINT-GEORGES-LES-BAILLARGEAUX (86130 Jaunay Clan), ch.-l. de cant. de la Vienne, à 12 km au N.-N.-E. de Poitiers; 2050 hab.

SAINT-GEORGES-SUR-LOIRE (49170), ch.-l. de cant. de Maine-et-Loire, à 18 km à l'O.-S.-O. d'Angers; 2 330 hab. Bâtiment de 1684 d'une anc. abbaye de génovéfains. Aux environs, somptueux château de Serrant, reconstruit du XVIe au XVIIIe s. Vins.

SAINT-GERMAIN (Claude Louis, *comte* DE), homme d'État et officier français (château de Vertamboz 1707-Paris 1778). Appelé par Turgot au secrétariat à la Guerre, il accomplit en peu de temps (1775-1777) des réformes fondamentales, les plus importantes étant l'organisation du corps du génie et la fondation de douze écoles militaires pour les futurs officiers pauvres.

SAINT-GERMAIN-AU-MONT-D'OR (69650), comm. du Rhône, à 14 km au N.-N.-O. de Lyon; 2 190 hab. Gare de triage.

SAINT-GERMAIN-DE-CALBERTE (48240 St Privat de Vallongue), ch.-l. de cant. de la Lozère, à 39 km au S.-E. de Florac; 446 hab.

SAINT-GERMAIN-DES-FOSSÉS (03260), comm. de l'Allier, à 12 km au N. de Vichy; 3 779 hab. Église romane. Gare de triage.

Saint-Germain-des-Prés *(abbaye de)*, anc. abbaye parisienne. Fondé sur la rive gauche de la Seine par le roi Childebert Ier (558), le monastère Sainte-Croix-Saint-Vincent reçut, en 576, la sépulture de saint Germain, évêque de Paris, dont il prit le nom au VIIIe s. L'abbaye possédait un immense domaine agricole, dont la description est connue grâce au célèbre polyptyque de l'abbé Irminon. Ruinée par les Normands, reconstruite à partir du XIe s., elle fut, au XIIIe s., entourée d'un rempart. Réformée une première fois en 1513, elle entra, en 1631, dans la congrégation de Saint-Maur et devint le centre d'une intense activité intellectuelle. La Révolution ferma le monastère, dont les bâtiments brûlèrent (1794), à l'exception du palais abbatial (construit en 1586) et de l'église.

SAINT-GERMAIN-DU-BEL-AIR (46310), ch.-l. de cant. du Lot, à 16,5 km au S.-S.-E. de Gourdon; 346 hab.

SAINT-GERMAIN-DU-BOIS (71330), ch.-l. de cant. de Saône-et-Loire, à 15 km au N. de Louhans; 1 893 hab.

SAINT-GERMAIN-DU-PLAIN (71370), ch.-l. de cant. de Saône-et-Loire, à 14 km au S.-E. de Chalon-sur-Saône; 1 368 hab.

SAINT-GERMAIN-DU-TEIL (48500 La Canourgue), ch.-l. de cant. de la Lozère, à 20 km au S.-O. de Marvejols; 865 hab.

SAINT-GERMAIN-EN-LAYE (78100), ch.-l. d'arr. des Yvelines, au S. de la *forêt de Saint-Germain-en-Laye,* à 23 km à l'O. de Paris, sur la rive gauche de la Seine; 40 471 hab. *(Saint-Germanois).*

HISTOIRE. La ville s'est développée autour d'un château qui, bâti par Louis VI au début du XIIe s., fut plusieurs fois reconstruit et restauré par la suite. Le château Neuf, construit par Philibert Delorme, fut la résidence de la Cour jusqu'en 1682; c'est là que Jacques II* Stuart mourut (1701). De très nombreux édits et traités furent signés à Saint-Germain : l'édit du 8 avril 1570, par lequel Catherine* de Médicis mit fin à la troisième guerre de Religion*, accordant aux huguenots des privilèges importants; le traité du 10 septembre 1919, passé entre les Alliés et la jeune république d'Autriche, et qui consacra l'effondrement de la monarchie austro-hongroise (la Yougoslavie ne signa ce traité que le 5 décembre et la Roumanie le 10 décembre 1919).

BEAUX-ARTS. Château royal dont les vestiges d'époque médiévale (fondations; chapelle de Saint Louis, donjon de Charles V) sont intégrés dans l'édifice construit sous François Ier; entièrement restauré (1862-1907), et devenu musée des Antiquités nationales (1867), il a été réaménagé de 1962 à 1975 et abrite des vestiges archéologiques depuis le paléolithique* (collection la plus riche du monde) jusqu'aux temps mérovingiens. Pavillon Henri-IV, seule construction subsistant du château Neuf entrepris par Delorme au-dessus de la Seine. Musée municipal.

SAINT-GERMAIN-LAVAL (42260), ch.-l. de cant. de la Loire, à 35 km au S.-S.-O. de Roanne; 1 777 hab. Vieux bourg pittoresque.

SAINT-GERMAIN-LEMBRON (63340), ch.-l. de cant. du Puy-de-Dôme, à 10 km au S. d'Issoire; 1 661 hab. Église du XIVe s.

SAINT-GERMAIN-LES-BELLES (87380), ch.-l. de cant. de la Haute-Vienne, à 39 km au S.-E. de Limoges; 1 439 hab. Église fortifiée du XIVe s.

SAINT-GERMAIN-L'HERM (63630), ch.-l. de cant. du Puy-de-Dôme, à 27 km au S.-O. d'Ambert; 864 hab.

SAINT-GERMER-DE-FLY (60850), comm. de l'Oise, à 8 km au S.-E. de Gournay-en-Bray; 1 332 hab. Église en gothique primitif, sainte chapelle du XIIIe s. et autres vestiges d'une anc. abbaye.

SAINT-GERVAIS-D'AUVERGNE (63390), ch.-l. de cant. du Puy-de-Dôme, à 40 km au N.-O. de Riom; 1 781 hab.

SAINT-GERVAIS-LES-BAINS ch.-l. de cant. de la Haute-Savoie, au-dessus de l'Arve; 4 789 hab. *(Saint-Gervelins).* Station thermale et de sports d'hiver (alt. 900-1 950 m).

SAINT-GERVAIS-LES-TROIS-CLOCHERS (86230), ch.-l. de cant. de la Vienne, à 16,5 km au N.-O. de Châtellerault; 1 296 hab.

SAINT-GERVAIS-SUR-MARE (34610), ch.-l. de cant. de l'Hérault, à 17 km à l'O.-N.-O. de Bédarieux; 860 hab.

SAINT-GÉRY (46330 Cabrerets), ch.-l. de cant. du Lot, sur le Lot, à 20 km à l'E.-N.-E. de Cahors; 317 hab.

SAINT-GILDAS *(pointe)*, cap de la Loire-Atlantique, séparant l'estuaire de la Loire et la baie de Bourgneuf.

SAINT-GILDAS-DE-RHUYS (56730), comm. du Morbihan, à 6,5 km au S.-O. de Sarzeau, dans la *presqu'île de Rhuys,* qui ferme le golfe du Morbihan; 1 010 hab. Importante église, anc. abbatiale, à chœur et transept romans. Bâtiments du XVIIIe s. d'une abbaye fondée vers 538 par saint Gildas.

SAINT-GILDAS-DES-BOIS (44530), ch.-l. de cant. de la Loire-Atlantique, à 10,5 km au N.-N.-E. de Pontchâteau; 2 646 hab. Église des XIIIe et XVe s.

SAINT-GILLES, en néerl. **Sint-Gillis,** comm. de Belgique (Brabant), dans la banlieue sud de Bruxelles; 51 135 hab. Industries alimentaires.

SAINT-GILLES (30800) ou **SAINT-GILLES-DU-GARD,** ch.-l. de cant. du Gard, à 19 km au S. de Nîmes, sur la *Costière de Saint-Gilles;* 9 755 hab. Église, anc. abbatiale romane et gothique en partie ruinée au XVIe s. (à la façade, célèbre composition sculptée des XIIe et XIIIe s., parente de celle de Saint-Trophime d'Arles; crypte à ogives surbaissées; escalier dit « vis de Saint-Gilles »).

SAINT-GILLES-CROIX-DE-VIE (85800), ch.-l. de cant. de la Vendée, à 30 km à l'O.-N.-O. des Sables-d'Olonne; 6 851 hab. Pêche. Station balnéaire. Confection.

SAINT-GIRONS (09200), ch.-l. d'arr. de l'Ariège, sur le Salat; 8 796 hab. *(Saint-Gironnais).*

SAINT-GOBAIN (02410), comm. de l'Aisne, à 20,5 km à l'O. de Laon, dans la *forêt de Saint-Gobain* (plus de 4 000 ha); 2 660 hab. Lieu d'origine de la Compagnie de Saint-Gobain, importante entreprise spécialisée dans la verrerie et la chimie.

SAINT-GOND *(marais de)*, secteur marécageux, couvrant plus de 3 000 ha, du départ. de la Marne, au N.-E. de Sézanne, d'où est issu le Petit Morin. Combats victorieux de la IXe armée Foch pendant la bataille de la Marne* (1914).

SAINT-GOTHARD, anc. **Gothard,** en allem. **Sankt Gotthard,** massif des Alpes suisses, entre les hautes vallées de la Reuss et du Tessin, proche des sources du Rhin et du Rhône; 3 197 m au *Pizzo Rotondo.* — Le *col du Saint-Gothard,* à 2 112 m d'alt., est emprunté par une route touristique, liaison estivale entre Bâle, Zurich et Milan. Près du col a été percé (de 1872 à 1882) un long tunnel ferroviaire (14 997 m), à 1 155 m d'alt. (reliant les mêmes villes), principale voie ferroviaire transalpine, doublé aujourd'hui par un tunnel routier.

SAINT-GRATIEN (95210), comm. du Val-d'Oise, à 2 km à l'O. d'Enghien-les-Bains; 20 338 hab. *(Saint-Gratiennois).*

SAINT-GRÉGOIRE (35760), comm. d'Ille-et-Vilaine, dans la banlieue nord de Rennes; 2 486 hab. Isolants.

Saint-Grégoire-le-Grand *(ordre de)*, ordre pontifical créé en 1831.

SAINT-GUÉNOLÉ, écart de la comm. de Penmarch* (Finistère), au N. de la pointe de Penmarch. Port de pêche et station balnéaire. Célèbre pardon.

SAINT-GUILHEM-LE-DÉSERT (34150 Gignac), comm. de l'Hérault, à 43 km à l'O.-N.-O. de Montpellier; 274 hab. Restes de fortifications. Église romane, anc. abbatiale, des XIe-XIIe s.

SAINT-HAON-LE-CHÂTEL (42370 Renaison), ch.-l. de cant. de la Loire, à 13 km à l'O. de Roanne; 410 hab. Bourg fortifié avec église en partie romane et autres souvenirs médiévaux.

SAINT-HÉAND (42570), ch.-l. de cant. de la Loire, à 13 km au N. de Saint-Étienne; 2 993 hab. Optique.

SAINT HELENS, v. d'Angleterre, au N.-E. de Liverpool; 104 000 hab. Verrerie.

SAINT-HÉLIER, ch.-l. de l'île de Jersey; 28 000 hab.

SAINT-HERBLAIN (44800), ch.-l. de cant. de la Loire-Atlantique, à 8 km à l'O. de Nantes; 40 225 hab. Stylos.

SAINT-HILAIRE (11250), ch.-l. de cant. de l'Aude, à 12 km au N.-E. de Limoux; 687 hab. Restes d'une abbaye fondée au VIe s. (église reconstruite v. 1200, cloître du XIVe s.).

SAINT-HILAIRE ou **SAINT-HILAIRE-DU-TOUVET** (38720), comm. de l'Isère, à 24 km au N.-E. de Grenoble, sur le plateau des Petites-Roches (dans la Grande-Chartreuse); 1 782 hab. Station d'altitude (à plus de 900 m).

SAINT-HILAIRE-DE-RIEZ (85270), comm. de la Vendée, à 16,5 km au S.-S.-O. de Challans; 5 028 hab.

SAINT-HILAIRE-DES-LOGES (85240), ch.-l. de cant. de la Vendée, à 13 km à l'E. de Fontenay-le-Comte; 1 564 hab.

SAINT-HILAIRE-DE-VILLEFRANCHE (17770 Brizambourg), ch.-l. de cant. de la Charente-Maritime, à 11 km au S. de Saint-Jean-d'Angély; 805 hab.

SAINT-HILAIRE-DU-HARCOUËT (50600), ch.-l. de cant. de la Manche, à 27 km au S.-E. d'Avranches; 5 701 hab.

SAINT-HIPPOLYTE (25190), ch.-l. de cant. du Doubs, à 12 km au S.-E. de Pont-de-Roide; 1 216 hab. Industrie chimique.

SAINT-HIPPOLYTE-DU-FORT (30170), ch.-l. de cant. du Gard, à 30 km à l'E.-S.-E. du Vigan; 3 523 hab.

SAINT-HONORAT, île des Alpes-Maritimes, du groupe des Lérins, au large de Cannes.

SAINT-HONORÉ-LES-BAINS (58360), comm. de la Nièvre, à 27 km au S.-S.-O. de Château-Chinon; 958 hab. Station thermale pour le traitement des affections de la gorge et des bronches.

SAINT-HUBERT, v. du Canada (Québec), dans la banlieue est de Montréal; 21 741 hab. Aéroport.

SAINT-HYACINTHE, v. du Canada (Québec), au N.-E. de Montréal; 24 562 hab. Sidérurgie.

SAINT-IMIER, v. de Suisse (cant. de Berne), dans le *Val de Saint-Imier;* 6 740 hab. Horlogerie.

Saint-Jacques ou **de Santiago** *(ordre de),* nom de plusieurs ordres, notamment espagnol (créé en 1164), portugais (1725) et brésilien (1843).

SAINT-JACQUES-DE-COMPOSTELLE, en esp. **Santiago de Compostela,** v. du nord-ouest de l'Espagne, en Galice; 65 000 hab.

HISTOIRE. C'est à la légende de la translation des restes de saint Jacques le Majeur en Galice et à la découverte (IXe s.) de prétendues reliques du martyr que se rattache la fondation de la ville. L'évêché d'Iria Flavia y fut transféré dès les premières années du Xe s. Le pèlerinage prit de l'ampleur au XIe s., avec la Reconquista. Pendant tout le Moyen Âge, il attira de toute l'Europe des foules considérables, qui suivirent les chemins de Saint-Jacques. Une université y fut fondée au début du XVIe s.

BEAUX-ARTS. Célèbre cathédrale construite pour l'essentiel de 1078 à 1130, sœur de Saint-Sernin de Toulouse (sculptures de la porte des Orfèvres, v. 1100, et du porche de la Gloire, 1188, ce dernier intégré dans la grande façade churrigueresque de 1738). Palais archiépiscopal en partie du XIIe s. (musées) et cloître gothique du XVIe. Magnifique hôpital royal par E. Egas. Nombreux autres monuments de la vieille ville, églises et monastères.

SAINT-JACQUES-DE-LA-LANDE (35100 Rennes), comm. d'Ille-et-Vilaine, à 6 km au S.-O. de Rennes; 6 989 hab. Aérodrome de Rennes. Station météorologique.

SAINT-JACUT-DE-LA-MER (22750), comm. des Côtes-du-Nord, à 15 km à l'O.-S.-O. de Dinard; 957 hab. Station balnéaire.

SAINT-JAMES (50240), ch.-l. de cant. de la Manche, à 18 km au S. d'Avranches; 2 661 hab.

SAINT-JAMES-ASSINIBOIA, v. du Canada (Manitoba), dans la banlieue ouest de Winnipeg; 71 431 hab.

SAINT-JEAN, lac du Canada (Québec), au N.-O. de Québec, qui se déverse dans le Saint-Laurent, par le Saguenay; 1 600 km^2.

SAINT-JEAN, fl. des États-Unis (Maine) et du Canada (Nouveau-Brunswick), tributaire de la baie de Fundy; 720 km.

SAINT-JEAN, en angl. **Saint John,** port de l'est du Canada (Nouveau-Brunswick), au fond de la baie de Fundy, à l'embouchure du fleuve *Saint-Jean;* 89 039 hab.

SAINT-JEAN, en angl. **Saint John's,** v. du Canada, capit. de la prov. de Terre-Neuve, sur la côte orientale de l'île; 88 102 hab. Port.

SAINT-JEAN, v. du Canada (Québec), au S.-E. de Montréal; 32 863 hab.

SAINT-JEAN-BONNEFONDS (42650), comm. de la Loire, à 5 km à l'E.-N.-E. de Saint-Étienne; 5 074 hab.

SAINT-JEAN-BRÉVELAY (56660), ch.-l. de cant. du Morbihan, à 22 km au N. de Vannes; 2 181 hab.

SAINT-JEAN-CAP-FERRAT (06290), comm. des Alpes-Maritimes, à 10 km à l'E. de Nice; 2 268 hab. Station balnéaire. Musée «Île-de-France», villa léguée à l'Institut de France avec ses collections d'œuvres d'art.

SAINT-JEAN-D'ACRE, auj. **Akko,** port du nord d'Israël, sur la Méditerranée; 34 000 hab. Le nom de Saint-Jean-d'Acre fut donné à Acre, après sa prise par les croisés, en 1104. Intégrée au royaume de Jérusalem, la ville fut conquise, en 1184, par Saladin. Reprise par Richard Cœur de Lion (1191), elle retomba, en 1291, aux mains des musulmans. Elle résista à Bonaparte lors de la campagne d'Égypte* en 1799.

SAINT-JEAN-D'ANGÉLY (17400), ch.-l. d'arr. de la Charente-Maritime, sur la Boutonne, à 26 km au N.-N.-E. de Saintes; 10 317 hab. *(Angériens).* Tour de l'Horloge, anc. beffroi. Fontaine du XVIe s. Anc. abbaye, reconstruite à l'époque classique (façade de l'abbatiale, milieu du XVIIIe s.). Industries alimentaires.

SAINT-JEAN-DE-BOURNAY (38440), ch.-l. de cant. de l'Isère, à 16 km au S.-O. de Bourgoin-Jallieu; 3 384 hab.

SAINT-JEAN-DE-BRAYE (45800), comm. du Loiret, dans la banlieue est d'Orléans; 12 453 hab. Électronique.

SAINT-JEAN-DE-DAYE (50620), ch.-l. de cant. de la Manche, à 14 km au N. de Saint-Lô; 521 hab.

SAINT-JEAN-DE-LA-RUELLE (45140), ch.-l. de cant. du Loiret, dans la banlieue nord-ouest d'Orléans; 16 682 hab. Constructions mécaniques.

SAINT-JEAN-DE-LOSNE (21170), ch.-l. de cant. de la Côte-d'Or, à 19 km au S.-O. d'Auxonne; 1 605 hab. Petit port fluvial au confluent de la Saône et du canal de Bourgogne.

SAINT-JEAN-DE-LUZ (64500), ch.-l. de cant. des Pyrénées-Atlantiques, à 21 km au S.-O. de Bayonne; 12 056 hab. *(Luziens).* Pêche (thon et sardine). Station balnéaire. Église des XIIIe-XVIIe s., aux trois étages de galeries intérieures de bois (retable sculpté et doré du XVIIe s.). Demeures anciennes. Conserveries.

SAINT-JEAN-DE-MAURIENNE (73300), ch.-l. d'arr. de la Savoie, sur l'Arc; 10 421 hab. Cathédrale principalement des XIe, XIIe et XVe s. (stalles et boiseries du XVe s.). Aluminium.

SAINT-JEAN-DE-MONTS (85160), ch.-l. de cant. de la Vendée, à 16 km à l'O.-S.-O. de Challans; 5 543 hab. Station balnéaire.

SAINT-JEAN-DU-GARD (30270), ch.-l. de cant. du Gard, à 26 km à l'O. d'Alès; 2 626 hab. Confection.

SAINT-JEAN-EN-ROYANS (26190), ch.-l. de cant. de la Drôme, à 27 km à l'E. de Romans-sur-Isère; 2 708 hab.

SAINT-JEAN-LE-BLANC (45100 Orléans), comm. du Loiret, banlieue sud d'Orléans; 6 531 hab.

SAINT-JEAN-PIED-DE-PORT (64220), ch.-l. de cant. des Pyrénées-Atlantiques, à 54 km au S.-E. de Bayonne; 1 887 hab. Remparts du XVe s., citadelle du XVIIe.

SAINT-JEAN-SOLEYMIEUX (42560), ch.-l. de cant. de la Loire, à 20,5 km au S. de Montbrison; 548 hab.

SAINT-JEOIRE (74490), ch.-l. de cant. de la Haute-Savoie, à 15 km au N.-O. de Cluses; 1 949 hab.

SAINT-JÉRÔME, v. du Canada (Québec), au N.-O. de Montréal; 26 524 hab.

SAINT JOHN → SAINT-JEAN.

SAINT-JOHN PERSE (Marie René Auguste Alexis LÉGER, dit, en diplomatie, **Alexis Léger,** et, en littérature, **Alexis Saint-Léger Léger,** puis), diplomate et poète français (Pointe-à-Pitre 1887-Giens, Hyères, 1975). Son véritable exil n'est pas celui qui, à partir de 1940, l'arrache à la France et à la carrière diplomatique (alors secrétaire général du Quai d'Orsay, il est accusé de «bellicisme» par le gouvernement de Vichy et, déchu de la nationalité française, il se réfugie aux États-Unis), mais celui qui tint le poète d'*Éloges* (1907) et d'*Anabase** (1924) à l'écart de la poésie pendant près de vingt années. En 1942, *Exil** est un adieu à la gloire du monde et un retour à la pratique de la nature dans son exubérance minérale ou végétale et dans l'ampleur sourde de ses pulsations (*Neiges,* 1945; *Vents,* 1946; *Amers**, 1957). La poésie de Saint-John Perse, usant de longs vers cadencés, se déploie selon un double mouvement de mimétisme : elle s'ouvre au monde pour en intérioriser le rythme («Mais de la mer il ne sera question, mais de son règne au cœur de l'homme»), mais le monde sort transfiguré de son passage par le langage (la poésie «devient la chose qu'elle appréhende») : *Chronique* (1960), *Oiseaux* (1962), *Chant pour un équinoxe* (1975). [Prix Nobel de littérature, 1960.]

SAINT JOHN'S → SAINT-JEAN.

SAINT JOHN'S, ch.-l. de l'île d'Antigua*; 22 000 hab.

SAINT-JOSEPH, ch.-l. de cant. du sud de la Réunion; 23 777 hab.

SAINT-JOSSE-TEN-NOODE, en néerl. **Sint-Joost-ten-Node,** comm. de Belgique (Brabant), dans la banlieue est de Bruxelles; 22 611 hab.

SAINT-JUÉRY (81160), comm. du Tarn, à 6 km à l'E.-N.-E. d'Albi; 5 943 hab. Métallurgie au *Saut-du-Tarn.*

SAINT-JULIEN (39320), ch.-l. de cant. du Jura, à 34 km au S. de Lons-le-Saunier; 415 hab.

SAINT-JULIEN-CHAPTEUIL (43260), ch.-l. de cant. de la Haute-Loire, à 20 km à l'E. du Puy; 1 658 hab.

SAINT-JULIEN-DE-VOUVANTES (44670), ch.-l. de cant. de la Loire-Atlantique, à 14 km au S.-E. de Châteaubriant; 947 hab.

SAINT-JULIEN-DU-SAULT (89330), ch.-l. de cant. de l'Yonne, à 11 km au N.-O. de Joigny; 2 123 hab. Église des XIIIe-XVIe s.

SAINT-JULIEN-EN-GENEVOIS (74160), ch.-l. d'arr. de la Haute-Savoie, à 9 km au S.-S.-O. de Genève; 6 368 hab. *(Juliénois).*

SAINT-JULIEN-L'ARS (86800), ch.-l. de cant. de la Vienne, à 13,5 km à l'E.-S.-E. de Poitiers; 1 436 hab.

SAINT-JUNIEN (87200), ch.-l. de cant. de la Haute-Vienne, sur la Vienne; 11 723 hab. *(Saint-Juniauds).* Belle église romane (tombeau sculpté de saint Junien). Pont du XIIIe s. Ville industrielle (ganterie, papeterie, feutres).

SAINT-JUST (Louis Antoine Léon), homme politique français (Decize 1767 - Paris 1794). Imbu des idées philosophiques du XVIIIe s., il est élu député de l'Aisne à la Convention (1792). Admirateur de Robespierre, membre de la Montagne et du club des Jacobins, il est partisan d'une république égalitaire et vertueuse. Membre du Comité de salut public (30 mai 1793), il précipite la chute des Girondins. Partisan de la Terreur, selon lui fondement de la « vertu », il se montre, dans ses fonctions de commissaire aux armées, implacable à l'égard des responsables pusillanimes ou corrompus : la victoire de Fleurus (26 juin 1794) sera due à son énergie. Saint-Just est à l'origine des décrets de ventôse (févr. 1794), portés contre les riches inciviques; il soutient Robespierre contre les factions et se signale par sa dureté à l'égard des dantonistes (4 avr.). Il ébauche l'édifice d'une république idéale, dont les ressources économiques et morales viendront surtout de la terre; il préconise la distribution des biens nationaux aux pauvres. Mais l'« Archange de la Terreur » est entraîné, en thermidor, dans la chute de Robespierre, qu'il accompagne à l'échafaud (juill. 1794).

SAINT-JUST-EN-CHAUSSÉE (60130), ch.-l. de cant. de l'Oise, à 16 km au N. de Clermont; 4 111 hab.

SAINT-JUST-EN-CHEVALET (42430), ch.-l. de cant. de la Loire, à 31 km au S.-O. de Roanne; 2 127 hab.

SAINT-JUST-SAINT-RAMBERT (42170), ch.-l. de cant. de la Loire, à 16 km au N.-O. de Saint-Étienne; 9 091 hab. Restes de remparts. Église romane (XIe-XIIe s.) d'un ancien prieuré.

SAINT KILDA, île écossaise de l'Atlantique, à l'O. des Hébrides.

SAINT-LAMBERT, v. du Canada (Québec), dans la banlieue est de Montréal; 18 616 hab.

SAINT-LAMBERT (Jean François DE), écrivain français (Nancy 1716 - Paris 1803), ami des encyclopédistes et auteur du poème descriptif *les Saisons* (1769), inspiré de James Thomson.

SAINT-LARY-SOULAN (65170), comm. des Hautes-Pyrénées, à 12,5 km au S.-S.-O. d'Arreau; 710 hab. Sports d'hiver (alt. 830-2 380 m).

SAINT-LAURENT (le), fl. de l'Amérique du Nord. Émissaire direct du lac Ontario et indirect des quatre autres Grands Lacs, le Saint-Laurent comprend une partie proprement fluviale et une partie d'estuaire, de longueurs égales (570 km chacune). Il a été aménagé *(Voie maritime du Saint-Laurent)* sur environ 300 km, entre le lac Ontario et Montréal, c'est-à-dire sur la section qui, partiellement, sépare les États-Unis et le Canada, qui possède seul le cours aval (et l'estuaire) du fleuve, jalonné par les villes de Trois-Rivières et de Québec. La voie maritime, par laquelle transitent plus de 50 Mt de marchandises, est un canal (inutilisable en hiver pendant quelques semaines) de 8,30 m de tirant d'eau, accessible aux navires spéciaux *(lakers)* de 25 000 t et aux cargos océaniques de 8 500 t, comportant 7 écluses qui compensent 69 m de dénivellation. Le tirant d'eau minimal est de 10 m de Montréal à Québec, de 15 m en aval de cette dernière ville, sur l'estuaire jalonné, au N., par les ports minéraliers de Baie-Comeau, Port-Cartier et Sept-Îles. Au total, entre Kingston (à la sortie du lac Ontario) et Sept-Îles, le trafic dépasse 100 Mt. Grande voie navigable, le Saint-Laurent fournit aussi de l'hydroélectricité (centrale de Beauharnois).

SAINT-LAURENT, v. du Canada (Québec), dans la banlieue ouest de Montréal; 62 955 hab.

SAINT-LAURENT (Louis Stephen), homme politique canadien (Compton, Québec, 1882 - Québec 1973). Secrétaire d'État aux Affaires étrangères (1946-1948), leader du parti libéral (1948-1958), il succède à Mackenzie King comme chef du gouvernement (1948-1957). Il accentue l'autonomie du Dominion en obtenant pour le Canada le droit de modifier souverainement sa Constitution (1949) et la nomination d'un Canadien comme gouverneur général (1952).

SAINT-LAURENT (Yves), couturier français (Oran 1936). Collaborateur de C. Dior, il succède à ce dernier après sa disparition (1957-1960). Depuis 1961, il dirige sa propre maison de couture, qu'il développe à l'échelle industrielle : production d'un prêt-à-porter de luxe diffusé dans de nombreuses boutiques à son nom. En 1968, il lance la mode du tailleur-pantalon et, en 1970, la mode « maxi ». Nostalgique des modes du passé, il remet au goût du jour la mode des années 30 et 40. Les parfums Yves Saint-Laurent sont une filiale de la société américaine Charles of the Ritz.

SAINT-LAURENT-BLANGY (62000 Arras), comm. du Pas-de-Calais, dans la banlieue nord-est d'Arras; 5 266 hab. *(Imercuriens).* Textiles synthétiques.

SAINT-LAURENT-DE-CHAMOUSSET (69930), ch.-l. de cant. du Rhône, à 23 km à l'E. de Feurs; 3 971 hab.

SAINT-LAURENT-DE-LA-SALANQUE (66250), ch.-l. de cant. des Pyrénées-Orientales, à 17 km au N.-E. de Perpignan; 3 979 hab.

SAINT-LAURENT-DE-NESTE (65150), ch.-l. de cant. des Hautes-Pyrénées, à 10 km au S.-E. de Lannemezan; 944 hab.

SAINT-LAURENT-DES-EAUX → SAINT-LAURENT-NOUAN.

SAINT-LAURENT-DU-MARONI (97320), port de la Guyane française, près de l'embouchure du Maroni; 5 061 hab.

SAINT-LAURENT-DU-PONT (38380), ch.-l. de cant. de l'Isère, à 15 km à l'E.-S.-E. de Voiron; 3 709 hab.

SAINT-LAURENT-DU-VAR (06700), comm. des Alpes-Maritimes, à 4,5 km à l'E. de Cagnes-sur-Mer, à l'ouest de l'embouchure du *Var;* 15 503 hab.

SAINT-LAURENT-EN-GRANDVAUX (39150), ch.-l. de cant. du Jura, à 12 km au N.-O. de Morez; 1 806 hab.

SAINT-LAURENT-ET-BENON (33112), ch.-l. de cant. de la Gironde, à 20,5 km au S.-S.-E. de Lesparre-Médoc; 2 063 hab. Vins.

SAINT-LAURENT-NOUAN (41220 La Ferté St Cyr), comm. de Loir-et-Cher, à 9,5 km au S.-S.-O. de Beaugency; 2 199 hab. Église avec clocher du XIe s. Centrale nucléaire (à *Saint-Laurent-des-Eaux*).

SAINT-LAURENT-SUR-GORRE (87310), ch.-l. de cant. de la Haute-Vienne, à 13 km au S.-E. de Rochechouart; 1 344 hab.

Saint-Lazare-de-Jérusalem *(ordre de),* ordre hospitalier et militaire fondé en 1120 à Jérusalem et réuni en 1608 à l'ordre de Notre-Dame-du-Mont-Carmel.

SAINT-LÉGER-SOUS-BEUVRAY (71990), ch.-l. de cant. de Saône-et-Loire, à 23 km à l'O. d'Autun; 277 hab.

SAINT-LÉON (Arthur Michel), danseur, chorégraphe, violoniste et compositeur français (Paris 1821 - *id.* 1870). Artiste itinérant à travers l'Europe, maître de ballet attaché au Théâtre-Impérial de Saint-Pétersbourg, puis à l'Opéra de Paris, il a composé des divertissements et des ballets (*le Petit Cheval bossu* [1864]; *la Source* [1866]; *Coppélia* [1870]). Il a publié la *Sténochorégraphie* (1852).

SAINT-LÉONARD, v. du Canada (Québec), banlieue nord de Montréal; 52 040 hab.

SAINT-LÉONARD-DE-NOBLAT (87400), ch.-l. de cant. de la Haute-Vienne, à 22 km à l'E. de Limoges; 5 538 hab. Église (XIe-XIIIe s.) au beau clocher roman limousin (XIIe s.).

SAINT-LEU (97436), ch.-l. de cant. de la côte occidentale de la Réunion; 17 447 hab.

SAINT-LEU-D'ESSERENT (60340), comm. de l'Oise, à 5,5 km au N.-O. de Chantilly; 4 474 hab. Église gothique entreprise v. 1150.

SAINT-LEU-LA-FORÊT (95320), ch.-l. de cant. du Val-d'Oise, à 15 km au S.-E. de Pontoise; 9 673 hab.

SAINT-LIZIER, ch.-l. de cant. de l'Ariège, banlieue nord de Saint-Girons; 1 769 hab. Vestiges d'une enceinte gallo-romaine, puis médiévale. Anc. cathédrale romane et gothique (fresques, mobilier; cloître des XIIe et XVe s.; palais épiscopal du XVIIe s.).

SAINT-LÔ (50000), ch.-l. du départ. de la Manche, sur la Vire, à 283 km à l'O. de Paris; 25 037 hab. *(Saint-Lois).* Église Notre-Dame, des XVe et XVIe s., en grande partie reconstruite après 1944. Portail roman de Sainte-Croix. Constructions mécaniques. — La ville fut détruite pendant la bataille de Normandie (1944).

SAINT-LOUIS (68300), comm. du Haut-Rhin, à la frontière suisse, à 4 km au N.-O. de Bâle; 18 112 hab. *(Ludoviciens).* Constructions mécaniques.

SAINT LOUIS, v. des États-Unis, principale ville de l'État du Missouri, sur le Mississippi; 622 000 hab. Musées. L'agglomération (débordant dans l'Illinois) compte 1 827 000 hab. Nœud ferroviaire et centre commercial et industriel (métallurgie, chimie, alimentation).

SAINT-LOUIS (97450), ch.-l. de cant. de la côte sud-ouest de la Réunion; 30 473 hab.

SAINT-LOUIS, v. du nord du Sénégal, près de l'embouchure du fleuve Sénégal; 49 000 hab.

SAINT-LOUIS *(île),* île formée par la Seine, à Paris (IVe arr.), en amont de l'île de la Cité. Hôtels et église du XVIIe s.

Saint-Louis *(ordre royal et militaire de),* ordre français créé par Louis XIV en 1693 pour récompenser les services rendus.

SAINT-LOUIS-LÈS-BITCHE (57620 Lemberg), comm. de la Moselle, à 11 km au S. de Bitche; 682 hab. Cristallerie.

SAINT-LOUP-LAMAIRÉ (79600 Airvault), ch.-l. de cant. des Deux-Sèvres, à 18,5 km au N. de Parthenay; 1 200 hab. Superbe château reconstruit au début du XVIIe s. pour les Gouffier.

SAINT-LOUP-SUR-SEMOUSE (70800), ch.-l. de cant. de la Haute-Saône, à 12 km au N.-O. de Luxeuil-les-Bains; 4 692 hab. *(Lupéens).* Mobilier.

SAINT-LUNAIRE (35800 Dinard), comm. d'Ille-et-Vilaine, à 4,5 km à l'O. de Dinard; 1 585 hab. Station balnéaire. Église en partie romane.

SAINT-LYS (31470), ch.-l. de cant. de la Haute-Garonne, à 17 km au N.-O. de Muret; 2 884 hab.

SAINT-MACAIRE (33490), ch.-l. de cant. de la Gironde, à 2 km au N. de Langon; 1 679 hab. Remparts, église romane et gothique, place à « couverts » du XVe s.

SAINT-MAIXENT-L'ÉCOLE (79400), ch.-l. de cant. des Deux-Sèvres, sur la Sèvre Niortaise, à 23 km au N.-E. de Niort; 9 613 hab. *(Saint-Maixentais).* École militaire d'infanterie (1874-1940). École d'application d'infanterie (1951) et, depuis 1963, École nationale des sous-officiers de l'armée de terre. Église, anc. abbatiale, des XIe-XVIIe s. Édifices civils des XVIe-XVIIIe s.

SAINT-MALO (35400), ch.-l. d'arr. d'Ille-et-Vilaine, sur la Manche, à l'embouchure de la Rance, à 69 km au N. de Rennes; 46 270 hab. *(Malouins).* Remparts en partie des XIIe-XIIIe s. Château reconstruit au XVe s. (musée d'histoire). Important centre touristique et balnéaire, où la pêche a décliné et qui est encore peu industrialisé (constructions mécaniques et électriques, confection).

HISTOIRE. La ville doit son origine à saint Maclou (fin du VIe s.-v. 640), qui y fonda un ermitage, et à Jean de Châtillon, évêque d'Aleth (Saint-Servan), qui y transféra en 1157 son siège épiscopal. Au XVIe s., Saint-Malo fut le point de départ d'expéditions vers le Nouveau Monde (Jacques Cartier). La ville s'enrichit dans le grand commerce et dans la course, qui connut une ampleur sans précédent sous Louis XIV. Le déclin amorcé au XVIIIe s. imposa la difficile reconversion vers la grande pêche (fin du XIXe s.). En 1944, les Allemands incendièrent la cité avant de capituler.

SAINT-MALO-DE-LA-LANDE (50200 Coutances), ch.-l. de cant. de la Manche, à 9 km à l'O.-N.-O. de Coutances; 224 hab.

SAINT-MAMERT-DU-GARD (30730), ch.-l. de cant. du Gard, à 17 km au N.-O. de Nîmes; 385 hab.

SAINT-MAMET-LA-SALVETAT (15220), ch.-l. de cant. du Cantal, à 18,5 km au S.-O. d'Aurillac; 1 355 hab.

SAINT-MANDÉ (94160), ch.-l. de cant. du Val-de-Marne, dans la proche banlieue sud-est de Paris, en bordure du bois de Vincennes; 21 096 hab.

SAINT-MANDRIER-SUR-MER (83430), ch.-l. de cant. du Var, à 17 km au S. de Toulon, sur la rade de Toulon; 6 767 hab. Port de plaisance. Siège, depuis 1971, du Centre d'instruction naval.

SAINT-MARCEL (27200 Vernon), comm. de l'Eure, banlieue ouest de Vernon; 4 206 hab. Articles en caoutchouc et en plastique.

SAINT-MARCELLIN → FROMAGE.

SAINT-MARCELLIN (38160), ch.-l. de cant. de l'Isère, à 25 km au N.-E. de Romans-sur-Isère; 6 990 hab. Ruines féodales. Constructions électriques.

SAINT-MARCET (31800 St Gaudens), comm. de la Haute-Garonne, à 12,5 km au N. de Saint-Gaudens; 354 hab. Gaz naturel.

SAINT-MARC GIRARDIN (Marc GIRARDIN, dit), écrivain et homme politique français (Paris 1801 - Morsang-sur-Seine 1873). Son *Cours de littérature dramatique* (1843) est un réquisitoire contre le romantisme.

SAINT-MARIN, en ital. **San Marino,** État de l'Europe occidentale, formant une enclave dans le territoire italien, à l'E. de Florence; 61 km²; 20 000 hab. Capit. *San Marino.*

GÉOGRAPHIE. Situé dans l'Apennin tosco-émilien, le pays s'étend sur la montagne calcaire du monte Titano, entouré de collines marneuses. La vie traditionnelle est fondée sur les cultures des céréales et de la vigne, et sur l'élevage bovin. Mais Saint-Marin tire l'essentiel de ses ressources du tourisme, qui entretient un artisanat local (céramiques). L'émission de timbres apporte également des revenus complétés par les envois des émigrés lointains ou des travailleurs frontaliers.

HISTOIRE. Selon la légende, Saint-Marin aurait été fondé au IVe s. par un ermite de Dalmatie du nom de Marin. Au XIIIe s., la cité s'émancipe et, s'agrandissant lentement, devient la république de Saint-Marin. Malgré plusieurs tentatives d'occupation au cours des siècles, celle-ci réussit à conserver son indépendance. Placée depuis 1862 sous la protection de l'Italie, elle est gouvernée par deux capitaines-régents élus pour six mois par le Grand Conseil (60 membres).

SAINT-MARS-LA-JAILLE (44540), ch.-l. de cant. de la Loire-Atlantique, à 19 km au N. d'Ancenis; 2 045 hab. Matériel agricole.

SAINT-MARTIN, en néerl. **Sint Maarten,** île du nord des Petites Antilles, partagée entre la France ([97225]; 52 km²; 6 191 hab.; ch.-l. *Marigot*) et les Pays-Bas (34 km²; 1 600 hab.; ch.-l. *Philipsburg*).

Saint-Martin *(canal),* canal long de 4 500 m et en partie souterrain de l'est de Paris, reliant le bassin de La Villette à la Seine.

SAINT-MARTIN (Louis Claude DE), écrivain et philosophe français (Amboise 1743 - Aulnay, près de Paris, 1803). Il contribua à répandre l'illuminisme et l'occultisme avant d'évoluer vers un sentimentalisme préromantique (*l'Homme de désir,* 1790).

SAINT-MARTIN-BOULOGNE (62200 Boulogne sur Mer), comm. du Pas-de-Calais, banlieue est de Boulogne-sur-Mer; 12 885 hab.

SAINT-MARTIN-D'AUXIGNY (18110), ch.-l. de cant. du Cher, à 15 km au N. de Bourges; 1 635 hab.

SAINT-MARTIN-DE-BELLEVILLE (73440), comm. de la Savoie, à 19 km au S. de Moûtiers; 1 672 hab. Sports d'hiver aux Ménuires.

SAINT-MARTIN-DE-CRAU (13310), comm. des Bouches-du-Rhône, à 16 km au S.-E. d'Arles; 5 551 hab.

SAINT-MARTIN-DE-LONDRES (34380), ch.-l. de cant. de l'Hérault, à 25 km au N.-O. de Montpellier; 725 hab. Église romane.

SAINT-MARTIN-DE-RÉ (17410), ch.-l. de cant. de la Charente-Maritime, sur la côte nord de l'île de Ré; 2 193 hab. Station balnéaire. Fortifications du XVIIIe s., église du XVe, etc.

SAINT-MARTIN-DE-SEIGNANX (40390), ch.-l. de cant. des Landes, à 11 km au N.-E. de Bayonne; 2 318 hab.

SAINT-MARTIN-DE-VALAMAS (07310), ch.-l. de cant. de l'Ardèche, à 30 km au S.-O. de Lamastre; 1 640 hab.

SAINT-MARTIN-D'HÈRES (38400), ch.-l. de cant. de l'Isère, dans la banlieue sud-est de Grenoble; 38 111 hab. Métallurgie.

SAINT-MARTIN-EN-BRESSE (71620), ch.-l. de cant. de Saône-et-Loire, à 16,5 km à l'E. de Chalon-sur-Saône; 1 102 hab.

SAINT-MARTIN-LE-VINOUX (38000 Grenoble), comm. de l'Isère, dans la banlieue nord de Grenoble; 5 582 hab.

SAINT-MARTIN-VÉSUBIE (06450 Lantosque), ch.-l. de cant. des Alpes-Maritimes, dans la haute vallée de la *Vésubie,* à 64 km au N. de Nice; 1 188 hab. Station d'altitude (967 m). Église du XVIIe s.

SAINT-MARTORY (31360), ch.-l. de cant. de la Haute-Garonne, sur la Garonne, à 19 km à l'E. de Saint-Gaudens; 1 133 hab. Vestiges médiévaux. Beau pont du XVIIIe s. — Le *canal de Saint-Martory,* destiné à l'irrigation, relie Saint-Martory à Toulouse.

SAINT-MATHIEU *(pointe),* promontoire granitique de l'ouest du Finistère, sur la mer d'Iroise.

SAINT-MATHIEU (87440), ch.-l. de cant. de la Haute-Vienne, à 17 km au S.-O. de Rochechouart; 1 483 hab.

Saint-Maur *(congrégation de)* → MAURISTES.

SAINT-MAUR-DES-FOSSÉS (94100), ch.-l. de cant. du Val-de-Marne, sur la Marne, dans la banlieue sud-est de Paris; 81 117 hab. *(Saint-Mauriens).* Église des XIIe-XIVe s. Musée municipal.

SAINT-MAURICE (le), riv. du Canada (Québec), affl. du Saint-Laurent (r. g.), rejoint à Trois-Rivières; 520 km. Aménagements hydroélectriques.

SAINT-MAURICE (94410), comm. du Val-de-Marne, sur la Marne, dans la banlieue sud-est de Paris, au S. du bois de Vincennes; 9 254 hab. *(Mauriciens).* Studios de cinéma.

SAINT-MAURICE, comm. de Suisse (Valais), sur le Rhône; 3 808 hab. *Grotte des Fées* (profonde de 700 m). Abbatiale reconstruite du XVIIe au XXe s., avec remplois d'éléments carolingiens ou romans (remarquable trésor).

SAINT-MAX (54130), ch.-l. de cant. de Meurthe-et-Moselle, dans la banlieue nord-est de Nancy; 12463 hab.

SAINT-MAXIMIN-LA-SAINTE-BAUME (83470), ch.-l. de cant. du Var, à 18 km au N.-O. de Brignoles; 4027 hab. Basilique Sainte-Madeleine, des XIIIe-XVIe s. (crypte du Ve s. : sarcophages; beau mobilier) et bâtiments abbatiaux (cloître) abritant un centre culturel.

SAINT-MÉDARD-EN-JALLES (33160), comm. de la Gironde, à 14,5 km au N.-O. de Bordeaux; 16287 hab. Vins. Poudrerie.

SAINT-MÉEN-LE-GRAND (35290), ch.-l. de cant. d'Ille-et-Vilaine, à 42 km à l'O. de Rennes; 3514 hab. Église, anc. abbatiale, des XIIe-XIVe s.

SAINT-MICHEL (02500 Hirson), comm. de l'Aisne, à 4 km à l'E. d'Hirson; 4202 hab. Église, anc. abbatiale, des XIIe-XIIIe, XVIe et XVIIIe s. Caravanes.

Saint-Michel *(ordre de),* ordre de chevalerie de l'ancienne France, créé en 1469, supprimé en 1792 et rétabli de 1815 à 1830.

SAINT-MICHEL-CHEF-CHEF (44730), comm. de la Loire-Atlantique, à 8 km au N.-O. de Pornic; 2447 hab. Station balnéaire.

SAINT-MICHEL-DE-CUXA → PRADES.

SAINT-MICHEL-DE-MAURIENNE (73140), ch.-l. de cant. de la Savoie, sur l'Arc, à 14 km au S.-E. de Saint-Jean-de-Maurienne; 3868 hab. Vieux bourg pittoresque.

SAINT-MICHEL-L'OBSERVATOIRE ou **SAINT-MICHEL-DE-PROVENCE** (04300 Forcalquier), comm. des Alpes-de-Haute-Provence, à 11 km au S.-O. de Forcalquier; 617 hab.

SAINT-MICHEL-SUR-ORGE (91240), ch.-l. de cant. de l'Essonne, à 8 km au N.-E. d'Arpajon; 20735 hab.

SAINT-MIHIEL (55300), ch.-l. de cant. de la Meuse, sur la Meuse, à 35 km au S. de Verdun; 5661 hab. *(Sammiellois).* Chacune des deux églises anciennes de la ville conserve un groupe de Ligier Richier*. Bâtiments classiques de l'anc. abbaye. Vieilles demeures. Lunetterie. — Victoire américaine en 1918.

SAINT-MORITZ, en allem. **Sankt Moritz,** en romanche **San Murezzan,** comm. de Suisse (canton des Grisons), dans la haute Engadine, au bord du petit *lac de Saint-Moritz;* 5699 hab. Grande station d'altitude et de sports d'hiver (alt. 1856-3303 m).

SAINT-NABORD (88200 Remiremont), comm. des Vosges, à 4 km au N. de Remiremont; 3303 hab.

SAINT-NAZAIRE (44600), ch.-l. d'arr. de la Loire-Atlantique, sur la rive nord de l'embouchure de la Loire, à 61 km à l'O. de Nantes; 69769 hab. *(Nazairiens).* La ville est l'élément principal d'une agglomération, discontinue, étirée de La Baule à Donges, regroupant 120000 hab. Saint-Nazaire, avant-port de Nantes, a un trafic propre réduit (de l'ordre du million de tonnes), mais constitue surtout le principal centre français de la construction navale et son rayonnement commercial doit s'étendre avec la construction récente d'un pont, franchissant l'estuaire. — Saint-Nazaire fut l'objectif, en 1942, d'un raid de commandos britanniques. En 1944, la garnison allemande résista dans la poche de Saint-Nazaire jusqu'à l'armistice du 8 mai 1945.

SAINT-NECTAIRE (63710), comm. du Puy-de-Dôme, à 43 km au S. de Clermont-Ferrand; 678 hab. Vestiges de bains gallo-romains. Magnifique église romane auvergnate (chapiteaux; trésor). Fromages*. Station thermale (à 700 m d'altitude) pour le traitement des maladies rénales.

SAINT-NICOLAS, en néerl. **Sint-Niklaas,** v. de Belgique (Flandre-Orientale), au S.-O. d'Anvers; 67818 hab. (en 1977). Vaste place aux maisons anciennes, avec l'église Saint-Nicolas, des XVIe-XVIIe s. Musée.

SAINT-NICOLAS, comm. de Belgique, dans la banlieue ouest de Liège; 26330 hab.

SAINT-NICOLAS-D'ALIERMONT (76510), comm. de la Seine-Maritime, à 13,5 km au S.-E. de Dieppe; 3722 hab. Constructions mécaniques et électriques.

SAINT-NICOLAS-DE-LA-GRAVE (82210), ch.-l. de cant. de Tarn-et-Garonne, à 11 km au N.-O. de Castelsarrasin; 1722 hab.

SAINT-NICOLAS-DE-PORT (54210), ch.-l. de cant. de Meurthe-et-Moselle, sur la Meurthe, à 12 km au S.-E. de Nancy; 7537 hab. *(Portois).* Vaste église de pèlerinage des XVe-XVIe s. Brasserie.

SAINT-NICOLAS-DE-REDON (44460), ch.-l. de cant. de la Loire-Atlantique, banlieue est de Redon (Ille-et-Vilaine); 2771 hab.

SAINT-NICOLAS-DU-PÉLEM (22480), ch.-l. de cant. des Côtes-du-Nord, à 35 km au S. de Guingamp; 2449 hab. Église et manoir du XVIe s.

SAINT-NIZIER-DU-MOUCHEROTTE (38250 Villard de Lans), comm. de l'Isère, à 17 km à l'O. de Grenoble; 307 hab. Sports d'hiver (alt. 1160-1906 m).

SAINT-NOM-LA-BRETÈCHE (78860), ch.-l. de cant. des Yvelines, à 11,5 km au S.-O. de Saint-Germain-en-Laye; 2997 hab.

Saint-Office, congrégation romaine créée par Paul III, en 1542, pour lutter contre les progrès du protestantisme. Elle s'appelait *congrégation de la Suprême Inquisition;* la réforme de Pie X, en 1908, lui donna son nom de «Saint-Office», et, en 1917, la congrégation de l'Index lui fut rattachée; sa compétence s'étend à tout ce qui concerne la défense de la doctrine catholique. Le 7 décembre 1965, la congrégation du Saint-Office a été remplacée par la *congrégation pour la Doctrine de la foi,* qui a la même compétence, mais dont la procédure a été assouplie.

SAINT-OMER (62500), ch.-l. d'arr. du Pas-de-Calais, sur l'Aa, à 40 km au S.-E. de Calais; 17988 hab. *(Audomarois).* Ruines de l'abbatiale Saint-Bertin. Basilique Notre-Dame, des XIIIe-XVe s. (œuvres d'art). Musée des Beaux-Arts dans l'hôtel Sandelin, du XVIIIe s. Constructions mécaniques et électriques. Confection. — C'est à *Sithiu* (future Saint-Omer) que fut fondée au VIIe s., par saint Omer, évêque de Thérouanne, l'abbaye de Saint-Bertin. Dotée d'une charte de franchise en 1127, la ville connut une grande prospérité. Son évêché, créé après la destruction de Thérouanne en 1559, fut supprimé en 1790.

SAINTONGE, anc. province de l'ouest de la France. Peuplée par les *Santones* et profondément romanisée, la Saintonge (capit. *Saintes*) fut pillée par les Alains et les Vandales, occupée par les Wisigoths en 419 et conquise par Clovis en 507. La région fut intégrée à l'Aquitaine, et morcelée à partir du Xe s. Acquise par Henri II Plantagenêt grâce à son mariage avec Aliénor d'Aquitaine (1152), elle fut reconquise en partie par Philippe Auguste (1204-1210), puis entièrement par Charles V (1371), qui la rattacha au domaine royal (1375). Gagnée à la Réforme, elle souffrit des guerres de Religion, mais profita, au XVIIe s., de l'essor colonial.

SAINT-OUEN (93400), ch.-l. de cant. de la Seine-Saint-Denis, dans la proche banlieue nord de Paris; 43665 hab. *(Audoniens).* Château néoclassique (1821), auj. musée municipal. Stade. Industries mécaniques et électriques. Centrale thermique.

SAINT-OUEN-L'AUMÔNE (95310), ch.-l. de cant. du Val-d'Oise, sur l'Oise, en face de Pontoise; 16201 hab. Église du XIIe s. Ruines de l'abbaye de Maubuisson (XIIIe s.).

SAINT-PAIR-SUR-MER (50380), partie de la comm. de Jullouville (Manche), à 3,5 km au S. de Granville. Église avec vestiges romans et gothiques. Station balnéaire sur la Manche.

SAINT-PALAIS (64120), ch.-l. de cant. des Pyrénées-Atlantiques, à 31 km au N.-E. de Saint-Jean-Pied-de-Port; 2260 hab.

SAINT-PALAIS-SUR-MER (17420), comm. de la Charente-Maritime, à 5,5 km au N.-O. de Royan; 2219 hab. Station balnéaire.

SAINT-PARDOUX-LA-RIVIÈRE (24470), ch.-l. de cant. de la Dordogne, à 10 km au S.-E. de Nontron; 1347 hab.

SAINT-PATERNE (72610), ch.-l. de cant. de la Sarthe, banlieue sud-est d'Alençon (Orne); 1040 hab.

SAINT-PAUL *(île),* île française du sud de l'océan Indien, au N. des Kerguelen.

SAINT-PAUL ou **SAINT-PAUL-DE-VENCE** (06570), comm. des Alpes-Maritimes, à 21 km au N.-O. de Nice; 1974 hab. Pittoresque bourg fortifié. Église en partie du XIIIe s. Fondation Maeght, consacrée aux arts contemporains (parc avec sculptures de Miró).

SAINT-PAUL (04520), ch.-l. de cant. des Alpes-de-Haute-Provence, à 22 km au N.-E. de Barcelonnette; 221 hab.

SAINT PAUL, v. des États-Unis, capit. du Minnesota, sur le Mississippi, en face de Minneapolis; 310000 hab.

SAINT-PAUL (97460), ch.-l. d'arr. de la côte nord-ouest de la Réunion; 52781 hab.

SAINT-PAUL-CAP-DE-JOUX (81220), ch.-l. de cant. du Tarn, à 15 km au S.-E. de Lavaur; 963 hab.

SAINT-PAUL-DE-FENOUILLET (66220), ch.-l. de cant. des Pyrénées-Orientales; 2531 hab. Église des XIe-XVe s.

SAINT-PAULIEN (43350), ch.-l. de cant. de la Haute-Loire, à 14 km au N. du Puy; 1626 hab. Église romane.

SAINT-PAULIN → FROMAGE.

SAINT-PAUL-LÈS-DAX (40990), comm. des Landes, dans la banlieue nord de Dax, sur l'Adour; 8220 hab. L'église possède une abside romane à intéressante frise sculptée.

SAINT-PAUL-TROIS-CHÂTEAUX (26130), ch.-l. de cant. de la Drôme, à 7 km au S.-E. de Pierrelatte; 4356 hab. Belle église romane, anc. cathédrale, des XIIe-XIIIe s. À 3 km, église romane de Saint-Restitut (tour du XIe s.; décors sculptés).

SAINT-PÉ-DE-BIGORRE (65270), ch.-l. de cant. des Hautes-Pyrénées, à 10 km à l'O. de Lourdes; 2 035 hab.

SAINT-PÉRAY (07130), ch.-l. de cant. de l'Ardèche, près du Rhône, à 4 km à l'O. de Valence; 4 341 hab. Au-dessus de la ville, ruines du château de Crussol (XIIe s.). Vins blancs.

SAINT-PÈRE (89450 Vézelay), comm. de l'Yonne, à 2 km au S.-E. de Vézelay; 348 hab. Belle église gothique bourguignonne (XIIIe s.). Musée archéologique (fouilles gallo-romaines des Fontaines-Salées).

SAINT-PÈRE-EN-RETZ (44320), ch.-l. de cant. de la Loire-Atlantique, dans le *pays de Retz,* à 44 km à l'O. de Nantes; 2 688 hab.

SAINT-PÉTERSBOURG → LENINGRAD.

SAINT PETERSBURG, port des États-Unis, sur la côte ouest de la Floride; 216 000 hab.

SAINT-PHILBERT-DE-GRAND-LIEU (44310), ch.-l. de cant. de la Loire-Atlantique, au S. du *lac de Grand-Lieu,* à 24,5 km au S. de Nantes; 3 661 hab. Église, anc. abbatiale, en partie carolingienne.

Saint-Pierre de Rome, le plus vaste des temples chrétiens, dans la cité du Vatican. Au-dessus d'une sépulture qui a pu être celle de saint Pierre (actuelles «grottes vaticanes»), Constantin fit élever une basilique que le pape Nicolas V, au XVe s., se préoccupa de reconstruire. Jules II fit reprendre les travaux en 1506, sous la direction de Bramante. Celui-ci imagina un vaste espace en croix grecque couvert d'une coupole, dispositif «central» qui était, pour les esprits de la Renaissance, l'image de la perfection; le tombeau de Jules II (commandé à Michel-Ange) devait prendre place au centre. Les travaux étant peu avancés à la mort de Bramante, Raphaël et G. da Sangallo proposent de revenir à la croix latine; A. da Sangallo élabore un compromis qui fragmente les parties. Reprenant le chantier en 1547, Michel-Ange revient à un plan central simple et puissamment scandé, axant tout sur la magnifique coupole, dont la calotte sera construite à la fin du siècle par G. Della Porta. Le retour à la croix latine, par l'adjonction d'une nef et d'une façade majestueuse, sur l'ordre de Paul V, est l'œuvre de Maderno au début du XVIIe s. En 1626, a lieu la consécration de l'édifice, que la colonnade du Bernin enveloppera un peu plus tard dans une perspective baroque.

La basilique abrite d'importantes œuvres d'art, dont le baldaquin du Bernin, une célèbre statue assise de saint Pierre, en bronze, attribuée à Arnolfo di Cambio, la «chaire de saint Pierre» (trône d'origine carolingienne, dans une mise en scène du Bernin), une Pietà de Michel-Ange (1499), de nombreux tombeaux de papes, statues, mosaïques et tableaux.

SAINT-PIERRE (97250), ch.-l. de cant. de la côte nord-ouest de la Martinique; 6 180 hab. Ville la plus peuplée de l'île (26 000 hab.) au début du siècle, Saint-Pierre fut détruite (le 8 mai 1902) par une «nuée ardente», lors d'une éruption de la montagne Pelée.

SAINT-PIERRE (97410), ch.-l. d'arr. de la côte sud de la Réunion; 46 752 hab.

SAINT-PIERRE, ch.-l. de l'archipel, et département français d'outre-mer, de Saint-Pierre-et-Miquelon; 4 615 hab. Port de pêche.

SAINT-PIERRE (Charles Irénée CASTEL, abbé DE), écrivain français (Saint-Pierre-Église 1658 - Paris 1743). Auteur d'un *Projet de paix perpétuelle* (1713), il fut exclu de l'Académie pour avoir critiqué la politique de Louis XIV dans le *Discours sur la polysynodie* (1718).

SAINT-PIERRE-D'ALBIGNY (73250), ch.-l. de cant. de la Savoie, à 28 km à l'E. de Chambéry; 2 571 hab. Château de Miolans. Métallurgie.

SAINT-PIERRE-DE-CHARTREUSE (38380 St Laurent du Pont), comm. de l'Isère, à 26 km au N. de Grenoble; 566 hab. Sports d'hiver (alt. 900-1790 m).

SAINT-PIERRE-DE-CHIGNAC (24330), ch.-l. de cant. de la Dordogne, à 15 km au S.-E. de Périgueux; 654 hab.

SAINT-PIERRE-DES-CORPS (37700), ch.-l. de cant. d'Indre-et-Loire, dans la banlieue est de Tours; 18 551 hab. *(Corpopétrussiens).* Gare de triage. Mobilier.

SAINT-PIERRE-DE-VARENGEVILLE (76480 Duclair), comm. de la Seine-Maritime, à 15 km au N.-O. de Rouen; 1 613 hab. Constructions électriques.

SAINT-PIERRE-D'OLÉRON (17310), ch.-l. de cant. de la Charente-Maritime, au centre de l'*île d'Oléron;* 4 604 hab. Lanterne des morts du XIIIe s.

SAINT-PIERRE-DU-MONT (40000 Mont de Marsan), comm. des Landes, banlieue sud-ouest de Mont-de-Marsan; 6 212 hab.

SAINT-PIERRE-ÉGLISE (50330), ch.-l. de cant. de la Manche, à 17 km à l'E. de Cherbourg; 1 391 hab. Château du XVIIIe s.

SAINT-PIERRE-ET-MIQUELON, départ. français d'outre-mer, constitué par un archipel, situé dans l'Atlantique, à une vingtaine de kilomètres environ de Terre-Neuve; 242 km^2; 5 235 hab. Ch.-l. *Saint-Pierre.*

GÉOGRAPHIE. L'archipel est formé de l'*île de Saint-Pierre* (26 km^2 avec quelques îlots voisins), petite, mais qui concentre la majeure partie de la population (4 615 hab.) et de *Miquelon* (216 km^2, 620 hab.), constituée de deux îles, *Miquelon* (ou *Grande Miquelon*) et *Langlade* (ou *Petite Miquelon*), reliées par un isthme sableux. Le climat froid et humide, avec de fréquents brouillards, interdit pratiquement toute culture. On y a développé l'élevage bovin, mais la ressource essentielle demeure la pêche (base des exportations, inférieures de plus de moitié aux importations), dont les difficultés expliquent la permanence de l'émigration, liée aussi à la persistance d'un taux de natalité important.

HISTOIRE. Fréquentées dès le début du XVIe s. par les pêcheurs bretons et normands, ces îles ne sont vraiment occupées par la France que dans la seconde moitié du XVIIe s. Anglaises de 1713 à 1763, elles redeviennent françaises, mais sont de nouveau aux mains des Anglais de 1778 à 1783 et de 1793 à 1814.

SAINT-PIERRE-LE-MOÛTIER (58240), ch.-l. de cant. de la Nièvre, à 23 km au S. de Nevers; 2 256 hab. Église, anc. abbatiale, des XIIe-XIIIe s.

SAINT-PIERRE-MONTLIMART (49110), comm. de Maine-et-Loire, à 26 km au N.-O. de Cholet; 3 212 hab. Électronique. Chaussures.

SAINT-PIERRE-PORT, capit. de l'île de Guernesey; 17 000 hab. Église S. Peter et forteresse remontant au XIIIe s. Résidence de V. Hugo.

SAINT-PIERRE-QUIBERON (56510), comm. du Morbihan, à 5,5 km au N. de Quiberon; 2 022 hab.

SAINT-PIERRE-SUR-DIVES (14170), ch.-l. de cant. du Calvados, à 25 km au S.-O. de Lisieux; 4 312 hab. Église et salle capitulaire, surtout du XIIIe s., d'une anc. abbaye. Halle remontant à la même époque. Industries du bois.

SAINT-PIERREVILLE (07190 St Sauveur de Montagut), ch.-l. de cant. de l'Ardèche, à 36 km au N.-O. de Privas; 537 hab.

SAINT-POINT (71630 Tramayes), comm. de Saône-et-Loire, à 11 km au S. de Cluny; 259 hab. Château où vécut Lamartine.

SAINT-POIS (50670), ch.-l. de cant. de la Manche, à 20 km au S.-O. de Vire; 519 hab.

SAINT-POL-DE-LÉON (29250), ch.-l. de cant. du Finistère, à 23 km au N.-O. de Morlaix; 8 750 hab. Anc. cathédrale, surtout du XIIIe s. (chœur des XVe-XVIe s.; beau mobilier). Chapelle du Kreisker, au célèbre clocher de 77 m (XVe s.). Marché de primeurs.

SAINT-POL ROUX (Paul ROUX, dit), poète français (Saint-Henry, près de Marseille, 1861 - Brest 1940). Surnommé «le Magnifique» et salué par les surréalistes comme un précurseur de la poésie moderne, il est passé du symbolisme (*la Dame à la faulx,* 1899) à une esthétique qui évoque les forces élémentaires de la nature et le rythme familier de la vie quotidienne (*les Féeries intérieures,* 1907).

SAINT-POL-SUR-MER (59430), comm. du Nord, dans la banlieue ouest de Dunkerque; 20 997 hab. *(Saint-Polois).*

SAINT-POL-SUR-TERNOISE (62130), ch.-l. de cant. du Pas-de-Calais, à 20 km au S.-O. de Bruay-en-Artois; 6 507 hab. Textile.

SAINT-PONS (34220), ch.-l. de cant. de l'Hérault, à 34 km à l'E. de Mazamet; 3 417 hab. Église fortifiée, anc. abbatiale, puis cathédrale, remontant au XIIe s. (nouvelle façade et mobilier du XVIIIe s.).

SAINT-PORCHAIRE (17250), ch.-l. de cant. de la Charente-Maritime, à 13,5 km au N.-O. de Saintes; 1 120 hab. Église des XIIe-XVe s. Château de la Roche-Courbon, des XVe et XVIIe s. (musée de préhistoire dans l'anc. donjon).

SAINT-POURÇAIN-SUR-SIOULE (03500), ch.-l. de cant. de l'Allier, à 31 km au S. de Moulins; 5 567 hab. Église, anc. abbatiale, des XIe-XVIIIe s. Vignobles.

SAINT-PRIEST (69800), comm. du Rhône, à 12 km au S.-E. de Lyon; 36 737 hab.

SAINT-PRIEST-LA-PRUGNE (42830), comm. de la Loire, à 43 km à l'O.-S.-O. de Roanne; 717 hab. Extraction et concentration du minerai d'uranium.

SAINT-PRIVAT (19220), ch.-l. de cant. de la Corrèze, à 18 km au N.-E. d'Argentat; 1 114 hab. Église des XIIIe et XVIe s.

SAINT-PRIVAT-LA-MONTAGNE (57124), comm. de la Moselle, à 17 km au N.-O. de Metz; 1 195 hab. Au cours d'une violente bataille, le 18 août 1870, les Ire et IIe armées prussiennes y défirent les quatre corps de Bazaine, qui se replièrent dans Metz.

SAINT-QUAY-PORTRIEUX (22410), comm. des Côtes-du-Nord, à 20 km au N. de Saint-Brieuc; 3 559 hab. Station balnéaire.

SAINT-QUENTIN (02100), ch.-l. d'arr. de l'Aisne, sur la Somme (à proximité de sa source) et sur le *canal de Saint-Quentin;* 69 153 hab. *(Saint-Quentinois).* Principale ville et agglomération (75 000 hab.) du départ., Saint-Quentin est dominée par l'industrie; la métallurgie de transformation (constructions mécaniques et électriques) devance le textile, qui précède la chimie (liée d'ailleurs au textile).

HISTOIRE. Ancienne capitale des Véromanduens, évangélisée au IIIe s. par saint Quentin, résidence des comtes de Vermandois au IXe s., rattachée à la Couronne sous Philippe Auguste et définitivement sous Louis XI, en 1477, Saint-Quentin devient un centre industriel et stratégique important : assiégée et ravagée par les Espagnols en 1557, la ville fut au centre d'une bataille perdue par Faidherbe, en janvier 1871. Réduit important de la position Hindenburg, elle fut détruite à la fin de la Première Guerre mondiale.

BEAUX-ARTS. Belle collégiale reconstruite du XIIIe au XVe s. Hôtel de ville à corps central gothique (achevé au début du XVIe s.). Musée municipal Lécuyer, riche de quatre-vingts pastels de M. Quentin de La* Tour.

Saint-Quentin *(canal de),* importante voie fluviale (trafic annuel de l'ordre de 10 Mt), reliant l'Escaut (Cambrai) à l'Oise (Fargniers).

SAINT-QUENTIN-EN-YVELINES, nom donné à la ville nouvelle devant être aménagée dans les Yvelines, entre Trappes et Saint-Cyr-l'École, à environ 25 km au S.-O. de Paris.

SAINT-RAMBERT-D'ALBON (26140), comm. de la Drôme, à 26,5 km au N. de Tournon, sur le Rhône; 4186 hab.

SAINT-RAMBERT-EN-BUGEY (01230), ch.-l. de cant. de l'Ain, à 11 km à l'E. d'Ambérieu-en-Bugey; 3559 hab.

SAINT-RAPHAËL (83700), ch.-l. de cant. du Var, sur la Méditerranée, près de Fréjus; 21366 hab. *(Raphaélois).* Station balnéaire. Port de plaisance. — Un des lieux du débarquement franco-américain en Provence*, le 15 août 1944. Monument de l'armée française d'Afrique, inauguré en 1975.

SAINT-RÉMY-DE-PROVENCE (13210), ch.-l. de cant. des Bouches-du-Rhône, à 23 km au S. d'Avignon; 7970 hab. Restes de Glanum*. Anc. prieuré de Saint-Paul-de-Mausole (XIIe-XIIIe s.). Musée archéologique et musée de folklore dans de vieux hôtels.

SAINT-RÉMY-EN-BOUZEMONT - SAINT-GENEST-ET-ISSON (51290), ch.-l. de cant. de la Marne, à 14 km au S. de Vitry-le-François; 609 hab. Église des XIIIe et XVe s.

SAINT-RÉMY-LÈS-CHEVREUSE (78470), comm. des Yvelines, à 24 km au N.-E. de Rambouillet; 4894 hab.

SAINT-RÉMY-SUR-DUROLLE (63550), ch.-l. de cant. du Puy-de-Dôme, à 8,5 km au N.-E. de Thiers; 2009 hab.

SAINT-RENAN (29290), ch.-l. de cant. du Finistère, à 14 km au N.-O. de Brest; 4621 hab. Gisement d'étain.

SAINT-RIQUIER (80100 Abbeville), comm. de la Somme, à 9 km au N.-E. d'Abbeville; 1206 hab. Grande église, reconstruite au XIIIe, puis aux XVe et XVIe s., d'une ancienne abbaye célèbre dès l'époque carolingienne.

SAINT-ROMAIN-DE-COLBOSC (76430), ch.-l. de cant. de la Seine-Maritime, à 20 km à l'E. du Havre; 3637 hab.

SAINT-ROME-DE-TARN (12490 St Rome de Cernon), ch.-l. de cant. de l'Aveyron, à 24 km au S.-O. de Millau; 672 hab.

Saint-Sacrement *(Compagnie du),* organisation religieuse qui, au XVIIe s. (1629-1665), contribua au renouveau religieux de la France, mais qui se montra sévère à l'égard des protestants et des jansénistes, ainsi qu'à l'égard des « libertins » et des comédiens : Molière se vengea de ces « dévots » dans son *Tartuffe.*

SAINT-SAËNS (76680), ch.-l. de cant. de la Seine-Maritime, à 14 km au S.-O. de Neufchâtel-en-Bray; 2434 hab.

SAINT-SAËNS (Camille), compositeur français (Paris 1835 - Alger 1921). Virtuose de l'orgue et du piano, cofondateur de la *Société nationale* (1871), il a dirigé la publication des œuvres de Rameau. Auteur de cinq concertos et d'études transcendantes pour piano, il a écrit six préludes et fugues pour orgue. Pour le théâtre lyrique, on lui doit, outre des ballets, un opéra-oratorio (*Samson* et Dalila,* 1877). Auteur de cinq symphonies, dont la troisième avec orgue et piano (1886), il a laissé des poèmes symphoniques qui maintiennent en France la tradition de Liszt *(le Rouet d'Omphale, Phaéton, la Danse macabre),* de nombreuses partitions de musique de chambre, un *Requiem,* des oratorios *(le Déluge)* et des pages de haute virtuosité pour le violon *(Rondo capriccioso).*

SAINT-SAULGE (58330), ch.-l. de cant. de la Nièvre; à 34 km au N.-N.-E. de Nevers; 1039 hab.

SAINT-SAULVE (59880), comm. du Nord, dans la banlieue nord-est de Valenciennes; 8766 hab. Métallurgie.

SAINT-SAUVEUR-EN-PUISAYE (89520), ch.-l. de cant. de l'Yonne, à 40 km au S.-O. d'Auxerre; 1193 hab. Église des XIIe et XVIe s.

SAINT-SAUVEUR-LENDELIN (50490), ch.-l. de cant. de la Manche, à 9 km au N. de Coutances; 1440 hab.

SAINT-SAUVEUR-LE-VICOMTE (50390), ch.-l. de cant. de la Manche, à 15 km au S.-S.-O. de Valognes; 2214 hab. Château en partie du XIIIe s. (musée Barbey d'Aurevilly). Église des XVe-XVIe s.

SAINT-SAUVEUR-SUR-TINÉE (06420), ch.-l. de cant. des Alpes-Maritimes, sur la *Tinée,* à 56 km au N.-N.-O. de Nice; 612 hab. Église surtout du XVe s.

SAINT-SAVIN (33920), ch.-l. de cant. de la Gironde, à 19 km à l'E. de Blaye; 1657 hab.

SAINT-SAVIN (86310), ch.-l. de cant. de la Vienne, sur la Gartempe, à 17 km au N. de Montmorillon; 1323 hab. Majestueuse église romane poitevine, anc. abbatiale (milieu XIe s. - début XIIe), qui offre le plus important ensemble de peintures pariétales romanes conservé en France (à la voûte en berceau de la nef, scènes de l'Ancien Testament).

SAINT-SAVINIEN (17350), ch.-l. de cant. de la Charente-Maritime, à 15 km au S.-O. de Saint-Jean-d'Angély; 2458 hab.

SAINT-SÉBASTIEN, en esp. **San Sebastián,** v. du nord de l'Espagne, ch.-l. de la prov. basque de Guipúzcoa; 166000 hab. Port et station balnéaire.

SAINT-SÉBASTIEN-SUR-LOIRE (44230), comm. de la Loire-Atlantique, sur la rive gauche de la Loire, dans la banlieue sud-est de Nantes; 17794 hab.

SAINT-SEINE-L'ABBAYE (21440), ch.-l. de cant. de la Côte-d'Or, à 26 km au N.-O. de Dijon, près de la source de la Seine; 352 hab. Église, anc. abbatiale, de style gothique bourguignon primitif (début XIIIe s.; façade du XVe).

Saint-Sépulcre (le), le plus important sanctuaire chrétien de Jérusalem*, élevé à l'endroit où, selon la Tradition, Jésus fut enseveli. À cet emplacement, l'empereur Constantin avait fait construire une somptueuse basilique, aujourd'hui disparue. L'actuel édifice conserve certains éléments (façade, beffroi et déambulatoire) datant de l'époque des croisés.

Saint-Sépulcre *(ordre du),* le plus ancien des ordres pontificaux (fin du XVe s.).

SAINT-SERNIN-SUR-RANCE (12380), ch.-l. de cant. de l'Aveyron, à 50 km à l'E. d'Albi; 696 hab.

SAINT-SERVAIS, anc. comm. de Belgique, partie, depuis 1977, de la ville de Namur.

SAINT-SERVAN-SUR-MER (35400 St Malo), station balnéaire d'Ille-et-Vilaine (comm. de Saint-Malo). Tour Solidor (1382).

SAINT-SEVER (40500), ch.-l. de cant. des Landes, sur l'Adour, à 14 km au S.-O. de Mont-de-Marsan; 4797 hab. Église, anc. abbatiale, en partie d'époque romane (chœur bénédictin à six absidioles échelonnées; beaux chapiteaux), et autres monuments.

SAINT-SEVER-CALVADOS (14380), ch.-l. de cant. du Calvados, à 13 km à l'O. de Vire; 1475 hab. Église, anc. abbatiale, des XIIIe-XIVe s.

SAINT-SIÈGE *(États du)* → ÉTATS DE L'ÉGLISE.

SAINT-SIMON (02640), ch.-l. de cant. de l'Aisne, à 15 km au S.-O. de Saint-Quentin; 530 hab.

SAINT-SIMON (Louis DE ROUVROY, *duc* DE), mémorialiste français (Paris 1675 - *id.* 1755). S'il y a peu de vocations aussi précoces (Saint-Simon n'a pas vingt ans quand il commence à prendre des notes sur ce qu'il voit et vit), il y a peu d'œuvres aussi volontairement posthumes (il voulait que ses papiers fussent tenus « sous les verrous » pendant au moins un demi-siècle : à sa mort, une ordonnance royale enferma ses manuscrits au dépôt des Affaires étrangères, et la première édition des *Mémoires* ne parut qu'en 1829). Il était cependant destiné à une tout autre carrière que celle d'écrivain. Fils d'un page de Louis XIII (créé duc et pair parce qu'il savait, à la chasse, présenter mieux que les autres son cheval au souverain), mousquetaire à seize ans, mestre de camp à dix-huit, distingué au siège de Namur et à la bataille de Neerwinden, il quitte le service en 1702, mécontent de n'être pas promu « brigadier » (général). Son champ de bataille sera désormais Versailles : courtisan exaspéré et fasciné, il se rend fameux par son énergie à défendre les prérogatives des ducs et pairs (c'est un « ducomane », dira Stendhal) contre les empiétements des princes étrangers et des bâtards légitimés, ce qui lui vaut quelques explications orageuses avec Louis XIV. Il a cependant de plus hautes vues politiques, élabore des plans de réforme et fonde ses espoirs sur le petit-fils du roi, le duc de Bourgogne. La mort du

Grand Dauphin le comble de joie, celle du duc de Bourgogne le désespère : il sera pendant la Régence, auprès de son ami le duc d'Orléans, une parodie de ministre voué aux emplois décoratifs (lit de justice de 1718, ambassade en Espagne en 1721). À la mort du Régent, Saint-Simon quitte le gouvernement des roués pour son château de La Ferté-Vidame : pendant trente-deux ans, attristé par la mort de sa femme et de ses deux fils, ce « Tacite à la Shakespeare » (Sainte-Beuve), « écrivant à la diable pour l'immortalité » (Chateaubriand), notant les petits faits avec une passion qu'il s'est longtemps reprochée (il confia ses doutes et ses angoisses à Rancé, abbé de la Trappe où il allait faire retraite), va chercher à comprendre après coup un temps qu'il exècre (« un règne de vile bourgeoisie ») et un roi (Louis XIV) qui le rebute assez pour qu'il ne campe jamais son portrait en pied, mais qui l'obsède au point de faire sentir partout sa présence formidable et diffuse. Danse des spectres et jeu de massacre, mêlant des prétentions anachroniques à un style d'anticipation, les *Mémoires* de Saint-Simon, chef-d'œuvre de l'écriture baroque, ont manqué l'intelligence de l'histoire qu'ils visaient, mais atteint d'emblée à la vérité de l'art.

SAINT-SIMON (Claude Henri DE ROUVROY, *comte* DE), philosophe et économiste français (Paris 1760-*id.* 1825). Aristocrate, il rompt avec sa famille, entre dans l'armée (1777) et combat aux côtés des *insurgents* américains. Dès le début de la Révolution française, il abjure son état nobiliaire, mais se livre à d'obscures opérations spéculatives. À partir de 1798, il songe à une nouvelle *Encyclopédie,* adaptée aux progrès scientifiques. En 1803, il publie sa première œuvre importante : *Lettres d'un habitant de Genève à ses contemporains,* où s'élabore sa doctrine de la « capacité », et où il souhaite la création d'un nouveau pouvoir spirituel au-dessus des États, une religion de la science se substituant au catholicisme. Réduit à la gêne, il se rallie à Napoléon aux Cent-Jours (1815), puis se jette dans l'opposition aux Bourbons : car, de plus en plus fortement — et notamment dans sa revue *l'Industrie* (1816-1818) — Saint-Simon oppose à l'aristocratie nobiliaire ces propriétaires nouveaux que sont les acquéreurs des biens nationaux : pour lui, le terme *industriel* a le même sens que le mot *producteur;* et c'est avec tous les producteurs qu'il faut construire une société nouvelle, d'où seront absents tous les oisifs. La *Parabole* qu'il publie en 1819 illustre cette sociologie. Après une période de découragement — il se tire une balle qui lui crève un œil (1823) —, Saint-Simon est pris en charge matériellement par son disciple Olinde Rodrigues (1794-1851). Évoluant vers un socialisme planificateur et technocratique, il publie *le Catéchisme des industriels* (1823-24) et le *Nouveau Christianisme* (1825).

Le saint-simonisme se développe rapidement, notamment avec Armand Bazard*, Prosper Enfantin*, Michel Chevalier*, Hippolyte Carnot*, Pierre Leroux*, qui fait du journal *le Globe* l'organe du mouvement. Du plan idéologique et théorique, celui-ci déborde sur le plan des réalisations. Et l'on peut dire que l'essor industriel et commercial de la seconde moitié du XIXe s. doit beaucoup à des saint-simoniens comme les frères Pereire* et Ferdinand de Lesseps*.

Saints-Maurice-et-Lazare *(ordre des),* ordre italien, fondé en 1572 et reconnu en 1951 par la République italienne.

SAINT-SORLIN-D'ARVES (73530 St Jean d'Arves), comm. de la Savoie, à 23 km au S.-O. de Saint-Jean-de-Maurienne; 268 hab. Sports d'hiver (alt. 1550-2000 m).

Saint-Sulpice *(Compagnie des prêtres* de), société de prêtres séculiers, fondée, en 1641, par Jean-Jacques Olier*, au séminaire de Vaugirard, lequel fut transféré, un an plus tard, près de l'église Saint-Sulpice, dont Monsieur Olier venait d'être nommé curé. Les prêtres de cette compagnie (Sulpiciens) sont astreints à la vie commune, mais ne prononcent pas de vœux; leur fonction essentielle est la formation des séminaristes. En 1700, on comptait en France une trentaine de séminaires diocésains confiés aux Sulpiciens. Supprimée en 1790, la Compagnie fut restaurée, dès 1801, par Jacques André Émery (1732-1811).

SAINT-SULPICE-LES-CHAMPS (23480), ch.-l. de cant. de la Creuse, à 15 km à l'O.-N.-O. d'Aubusson; 450 hab.

SAINT-SULPICE-LES-FEUILLES (87160), ch.-l. de cant. de la Haute-Vienne, à 13 km au N.-O. de La Souterraine; 1410 hab.

SAINT-SYMPHORIEN (33113), ch.-l. de cant. de la Gironde, à 25 km au S.-O. de Langon; 1385 hab.

SAINT-SYMPHORIEN-DE-LAY (42470), ch.-l. de cant. de la Loire, à 17 km au S.-E. de Roanne; 1549 hab. Église du XVe s.

SAINT-SYMPHORIEN-D'OZON (69360), ch.-l. de cant. du Rhône, à 13 km au N. de Vienne; 3537 hab.

SAINT-SYMPHORIEN-SUR-COISE (69590), ch.-l. de cant. du Rhône, à 31 km au N. de Saint-Étienne; 3342 hab. Restes de remparts. Église des XIe et XVe s.

SAINT-THÉGONNEC (29223), ch.-l. de cant. du Finistère, à 13 km au S.-O. de Morlaix; 1986 hab. Riche enclos paroissial des XVIe-XVIIe s. (chapelle-ossuaire, calvaire, église).

SAINT THOMAS, l'une des îles Vierges américaines; 83 km^2; 29000 hab. V. princ. *Charlotte Amalie.*

SAINT THOMAS, v. du Canada (Ontario), près du lac Érié; 25545 hab.

SAINT-TRIVIER-DE-COURTES (01560), ch.-l. de cant. de l'Ain, à 19 km au S.-E. de Tournus; 1076 hab.

SAINT-TRIVIER-SUR-MOIGNANS (01400 Châtillon sur Chalaronne), ch.-l. de cant. de l'Ain, à 27 km au N.-E. de Villefranche-sur-Saône; 1151 hab.

SAINT-TROJAN-LES-BAINS (17370), comm. de Charente-Maritime, dans le sud de l'île d'Oléron; 1803 hab. Station balnéaire.

SAINT-TROND, en néerl. **Sint-Truiden,** v. de Belgique (Limbourg), au N.-O. de Liège; 35690 hab. Restes d'une très ancienne abbaye (auj. séminaire), anc. béguinage et monuments divers, médiévaux et classiques.

Larousse

Comte de Saint-Simon. Lithographie d'Engelmann.

SAINT-TROPEZ (83990), ch.-l. de cant. du Var, sur le *golfe de Saint-Tropez;* 5434 hab. *(Tropéziens).* Station balnéaire et touristique. Citadelle des XVIe-XVIIe s. Musée de l'Annonciade (peintres ayant travaillé à Saint-Tropez : Signac, Cross, Matisse, Derain, Bonnard, Manguin, Dunoyer de Segonzac, etc.). — Un des lieux du débarquement franco-américain de Provence* le 15 août 1944.

SAINT-VAAST-LA-HOUGUE (50550), comm. de la Manche, sur la *baie de la Hougue,* à 11 km au N.-E. de Valognes; 2269 hab. Station balnéaire. Fortifications du XVIIe s.

SAINT-VALERY-EN-CAUX (76460), ch.-l. de cant. de la Seine-Maritime, à 32 km à l'O. de Dieppe; 3347 hab. Pêche. Station balnéaire.

SAINT-VALERY-SUR-SOMME (80230), ch.-l. de cant. de la Somme, à l'embouchure de la Somme; 3112 hab. *(Valéricains).* Port et station balnéaire. Fortifications médiévales de la ville haute. Église surtout du XIVe s.

SAINT-VALLIER (26240), ch.-l. de cant. de la Drôme, sur le Rhône, à 23 km au N. de Tournon; 5425 hab. Aménagement hydroélectrique. Constructions mécaniques.

SAINT-VALLIER (71230), comm. de Saône-et-Loire, à 3 km au S. de Montceau-les-Mines; 10272 hab.

SAINT-VALLIER-DE-THIEY (06460), ch.-l. de cant. des Alpes-Maritimes, à 12 km au N.-O. de Grasse; 612 hab.

SAINT-VARENT (79330), ch.-l. de cant. des Deux-Sèvres, à 12 km au S. de Thouars; 2746 hab.

SAINT-VAURY (23320), ch.-l. de cant. de la Creuse, à 12 km au N.-O. de Guéret; 2632 hab.

SAINT-VENANT (Adhémar BARRÉ, *comte* DE), ingénieur français (Villiers-en-Bière 1797-Saint-Ouen, près de Vendôme, 1886). Il effectua les premières expériences précises sur l'écoulement des gaz à grande vitesse (1839).

SAINT-VÉRAN (05490), comm. des Hautes-Alpes, dans le Queyras, à 32 km au N.-E. de Guillestre; 232 hab. Commune située entre 1990 et 2040 m d'altitude.

SAINT-VICTORET (13700 Marignane), comm. des Bouches-du-Rhône, à 1,5 km à l'E. de Marignane; 5436 hab.

SAINT VINCENT, île des Petites Antilles, État associé à la Grande-Bretagne; 89 000 hab. Ch.-l. *Kingstown* (21 000 hab.).

SAINT-VINCENT *(cap),* en portug. **São Vicente,** cap du Portugal, à l'extrémité sud-ouest de la péninsule Ibérique.

Saint-Vincent-de-Paul *(Sœurs de)* → CHARITÉ *(Filles de la).*

Saint-Vincent-de-Paul *(Société de),* organisation internationale de laïques catholiques, vouée à l'action charitable et sociale. Elle a été fondée à Paris, le 23 avril 1833, par Frédéric Ozanam* et six autres jeunes gens, presque tous étudiants, sous le titre de *Conférence de charité;* son but immédiat était la visite des pauvres à domicile. Dès 1835, la conférence se dédoubla; en 1848, on comptait 388 conférences, dont 282 en France, groupant environ 10 000 membres. Actuellement, la Société regroupe 650 000 membres en 109 pays.

SAINT-VINCENT-DE-TYROSSE (40230), ch.-l. de cant. des Landes, à 22 km au S.-O. de Dax; 4 063 hab. Articles de sport.

SAINT-VITAL, v. du Canada (Manitoba), banlieue de Winnipeg; 32 963 hab.

SAINT-VIVIEN-DE-MÉDOC (33590), ch.-l. de cant. de la Gironde, à 17 km au N.-O. de Lesparre-Médoc; 1 096 hab. Vignobles.

SAINT-VRAIN (91770), comm. de l'Essonne, à 8 km au S.-E. d'Arpajon; 2 117 hab. Réserve zoologique.

SAINT-VULBAS (01150 Lagnieu), comm. de l'Ain, sur le Rhône, à 17,5 km au S. d'Ambérieu-en-Bugey; 1 009 hab. Importante centrale nucléaire, dite « du Bugey ».

Saint-Wandrille *(abbaye),* abbaye bénédictine fondée vers 649 par saint Wandrille dans le vallon de Fontenelle (en amont de Caudebec, sur la rive droite de la Seine). Détruite par les Normands au IXe s., elle fut très prospère au Moyen Âge. En 1636, elle fut réformée par la Congrégation de Saint-Maur. Abandonnée en 1792, elle abrite de nouveau, depuis 1930, une communauté bénédictine.

SAINT-YORRE (03270), comm. de l'Allier, à 8 km au S.-S.-E. de Vichy; 3 154 hab. Eaux minérales. Verrerie.

SAINT-YRIEIX-LA-PERCHE (87500), ch.-l. de cant. de la Haute-Vienne, à 41 km au S. de Limoges; 7 828 hab. *(Arédiens).* Église romane et gothique. Kaolin utilisé par la porcelainerie limousine.

SAÏS, ville de l'Égypte ancienne, située dans la partie occidentale du Delta. Elle devint sous la XXVIe dynastie (663-525 av. J.-C.) la capitale du royaume des pharaons. Avec le règne des princes saïtes, l'Égypte pharaonique vécut ses dernières années d'indépendance et de prospérité.

SAISIE. — Les saisies sont des procédures par lesquelles un créancier fait placer un ou plusieurs meubles ou immeubles, propriété de son débiteur, « sous main de justice », afin de pouvoir conserver un droit de gage efficace sur le patrimoine de celui-ci, et, le cas échéant, de le vendre pour obtenir satisfaction. On peut citer, notamment, les *saisies conservatoires,* la *saisie-exécution* (tendant à faire vendre un meuble corporel du débiteur pour se payer sur le prix de vente), la *saisie foraine* (exercée sur les effets appartenant à un débiteur de passage), la *saisie-gagerie* (permettant au créancier de faire vendre les objets garnissant les lieux loués et sur lesquels il a un privilège), la *saisie immobilière,* etc. La *saisie-arrêt* est la défense faite à un tiers de remettre au débiteur des sommes ou des objets mobiliers qui seraient dus à celui-ci.

SAISON. — La division de l'année en quatre saisons résulte de l'inclinaison de l'axe de rotation de la Terre par rapport à son plan de rotation autour du Soleil, l'écliptique. Celui-ci est responsable des variations de hauteur du Soleil au-dessus de l'horizon et de l'inégale durée des jours et des nuits au cours de l'année. Le printemps débute à l'équinoxe de printemps, où les durées du jour et de la nuit sont égales. Les jours allongent jusqu'au solstice d'été, où ils atteignent leur longueur maximale. Au cours de l'été, les jours diminuent vers l'équinoxe d'automne, début de l'automne, et jusqu'au solstice d'hiver, où ils atteignent leur longueur minimale. Au cours de l'hiver, ils rallongent de nouveau jusqu'à l'équinoxe de printemps. En raison du mouvement propre du Soleil sur l'écliptique, les saisons connaissent des variations séculaires, et leur durée n'est pas constante. Les saisons de l'hémisphère Sud sont inversées par rapport à celles de l'hémisphère Nord. (V. ANNÉE, CALENDRIER.)

saison en enfer *(Une),* recueil de « poèmes » en prose de Rimbaud (1873). Sous le coup de son aventure avec Verlaine, le poète confesse ses délires, son espérance de « posséder la vérité dans une âme et un corps » et sa méfiance de la littérature au moment même où il crée de nouvelles fêtes et de nouvelles langues.

Saisons *(les),* suite de quatre concertos descriptifs pour cordes de Vivaldi, en tête de son opus 8 (*Il Cimento dell'armonia e dell'invenzione,* publication vers 1725).

Saisons *(les),* oratorio en quatre parties en langue allemande, livret de Van Swieten d'après Thomson, musique de Haydn (1801). Descriptive mais d'une grandeur épique, cette œuvre, testament du compositeur, est déjà fortement ancrée dans le XIXe s.

SAISSAC (11310), ch.-l. de cant. de l'Aude, à 24 km au N.-O. de Carcassonne; 659 hab. Vestiges féodaux.

SAJOU ou **SAPAJOU.** — Nommé aussi *capucin* à cause d'une touffe de poils formant capuchon sur sa tête, ce singe d'Amérique est extrêmement carnivore et très rusé. (Famille des cébidés.)

SAKAÏ, v. du Japon (Honshū), dans la banlieue sud d'Ōsaka; 594 000 hab. Sidérurgie. Constructions mécaniques. Raffinage du pétrole.

SAKARYA (le), fl. de l'ouest de la Turquie asiatique, tributaire de la mer Noire; 650 km.

SAKÉ → EAU-DE-VIE.

SAKHALINE, île de l'U. R. S. S., dans l'océan Pacifique, séparée du continent par le détroit, ou manche, de Tartarie et de l'île japonaise d'Hokkaidō par le détroit de La Pérouse; 87 000 km^2; 616 000 hab. Montagneuse et volcanique, avec des hivers froids et enneigés, des étés chauds, l'île est en grande partie couverte par la forêt, à laquelle succède, en altitude, la toundra. La pêche et les richesses du sous-sol (charbon et hydrocarbures) sont les principales ressources d'une population fortement urbanisée, plus nombreuse dans le Sud. — L'île fut occupée par les Russes à partir des années 1850. Partagée entre la Russie (nord du 50e parallèle) et le Japon (sud du 50e parallèle) de 1905 à 1945, elle revient entièrement aux Soviétiques après la Seconde Guerre mondiale.

SAKHAROFF (Alexandre) [Marioupol (auj. Jdanov) 1886 - Sienne 1963], danseur d'origine russe, et sa femme Clotilde VON DERP (de son vrai nom Clotilde EDLE VON DER PLANITZ) [Berlin 1895 - Rome 1974], danseuse d'origine allemande. Danseurs de concert, ils acquirent la célébrité.

SAKHAROV (Andreï Dmitrievitch), physicien nucléaire soviétique (Moscou 1921). Hostile à la poursuite des expériences nucléaires, il rallie à partir de 1966 l'intelligentsia dissidente soviétique. Il fait publier par le samizdat* et par la presse étrangère ses *Réflexions sur le progrès, la coexistence pacifique et la liberté intellectuelle* (1968). Cofondateur d'un comité pour la défense des droits de l'homme (1970), il reçoit en 1975 le prix Nobel de la paix.

ŚĀKTISME. — Issu du śivaïsme*, pour lequel Śiva est le principe générateur du monde, le śāktisme considère que ce principe masculin demeure inerte s'il lui manque l'énergie féminine *(śakti)* pour exister. Cette énergie, ou déesse, et ses manifestations (Kālī, Durgā) sont, en principe, les seules à qui soit rendu un culte. Cependant, Viṣṇu et Śiva sont également adorés : cela rend arbitraire toute distinction catégorique entre śāktisme, viṣṇuisme* et śivaïsme*.

Śakuntalā, drame sanskrit de Kālidāsa (IVe-Ve s. apr. J.-C.).

ŚĀKYAMUNI → BOUDDHA.

SALACROU (Armand), auteur dramatique français (Rouen 1899). Il évoque dans ses pièces l'inquiétude de l'homme aux prises avec les problèmes du monde moderne (*Atlas Hôtel,* 1931; *l'Inconnue d'Arras,* 1935; *La terre est ronde,* 1938; *l'Archipel Lenoir,* 1947; *Boulevard Durand,* 1961).

SALADIN, en ar. **Ṣalāḥ al-Dīn Yūsuf** (Takrīt, Mésopotamie, 1138 - Damas 1193), premier sultan ayyūbide* (1171-1193). Vizir des Fāṭimides* depuis 1169, Saladin abolit le califat fāṭimide en 1171 et réinstaure le sunnisme en Égypte. Il développe le programme de reconquête musulmane des États latins* du Levant, mis en œuvre en Syrie par les Zangīdes*. Il réunit sous son autorité l'Égypte, le Hedjaz, la Syrie et la Mésopotamie, et devient le champion de la guerre sainte. Il remporte sur les croisés la bataille de Ḥaṭṭin et s'empare de Jérusalem (1187), ce qui entraîne la formation de la troisième croisade* (1189-1192). Une paix de compromis est signée en 1192, qui laisse aux Francs les places côtières reconquises par eux. Saladin a frappé ses contemporains par la dignité de son comportement et est devenu en Occident le héros d'un cycle de légendes.

SALADO *(río),* nom de deux rivières d'Argentine, longues chacune de 2 000 km. L'une, au N. *(Salado del Norte),* rejoint le Paraná (r. dr.) près de Santa Fe. L'autre, à l'O., est, en période de crue seulement, un affluent du río Colorado (r. g.); elle se perd dans des mares saumâtres pendant la saison sèche.

SALAIRE *(Écon.).* — Longtemps considéré par l'école classique comme fluctuant librement, en fonction de l'offre de travail formulée par les salariés et la demande manifestée par les employeurs, le salaire fait aujourd'hui l'objet d'analyses profondément modifiées.

Keynes* comprit qu'il était irréaliste d'imaginer, en période de sous-emploi, que l'équilibre pourrait se rétablir par une baisse des salaires (comme l'imaginaient les économistes libéraux). Dans le monde du travail contemporain, les salaires deviennent « rigides », et il ne pourrait à l'avenir, pour Keynes et l'école keynésienne, en aller autrement. Il fallait donc, rétablir le plein-emploi par d'autres moyens que la baisse des rémunérations.

Pour créer de nouveau une situation de plein-emploi, il est nécessaire (notamment par des interventions de l'État) de stimuler une demande de biens d'investissement (cette demande entraînant une augmentation des prix, car la « réponse » n'est pas immédiate) et, par là, le rétablissement du plein-emploi. La seule « diminution » de salaires possible (effectuée avec de moindres maux que ceux qui sont entraînés par la diminution des salaires apparents) provient ainsi de la hausse des prix. Mais les vues keynésiennes ne peuvent triompher que si les salaires ne s'élèvent pas ou que si leur hausse est inférieure à la hausse des prix. Si (sous la pression notamment des syndicats) la hausse des salaires rejoint ou devance la hausse des prix, on se retrouve de nouveau en période de sous-emploi.

L'évolution des salaires contemporains semble donner raison à certains économistes (comme Jacques Rueff*), qui insistent sur un marché du travail qui devient de plus en plus rigide. Au cours de la période de dépression 1974-75, le premier semestre de l'année 1975 a connu des accords de salaires enregistrant des hausses de 7 p. 100 en Allemagne occidentale et aux États-Unis, de 15 p. 100 au Japon, de 32 p. 100 en Grande-Bretagne, cependant que le taux de chômage augmentait et que l'activité économique diminuait.

• *Législation.* Fixées au cours de la période 1945-1950 par les pouvoirs publics, les rémunérations des travailleurs le sont aujourd'hui par voie contractuelle (conventions collectives notamment). Mais il existe un salaire plancher, la loi du 11 février 1950 ayant institué un salaire minimum interprofessionnel, dont un décret du 23 août 1950 a fixé les modalités.

Le *salaire minimum interprofessionnel garanti* (S. M. I. G.) est devenu le *salaire minimum interprofessionnel de croissance* [S. M. I. C.] le 1er janvier 1970 (v. SALARIAT).

SALAMANDRE. — Les lieux obscurs et humides (souches d'arbre, etc.) abritent parfois des salamandres. Ces animaux sont des quadrupèdes lents, à longue queue, à la peau luisante et noire portant des taches dissymétriques d'un beau jaune. Une espèce noire des montagnes est vivipare. La légende qui veut la salamandre réfractaire au feu est sans fondement. (Type de la sous-classe des urodèles.)

SALAMANQUE, en esp. **Salamanca,** v. d'Espagne, dans le León, ch.-l. de prov., sur le Tormes; 125 000 hab. Université. Vieille cathédrale du XIIe s., romane (tour-lanterne; nombreuses œuvres d'art), avec cloître et salle capitulaire à voûte mudéjare du XIIIe s. (musée diocésain). Cathédrale Neuve du XVIe s., gothique, comme le couvent de S. Esteban (église à façade plateresque; retable majeur à colonnes torses de J. B. Churriguera, 1693). Nombreux bâtiments universitaires du Moyen Âge au XVIIIe s., dont les *Escuelas Mayores,* célèbres pour la ciselure plateresque de leur façade (1513-1525). Immenses collège et église des Jésuites *(la Clerecía),* entrepris en 1617 par Juan Gómez de Mora. Belles demeures nobles, dont la *Casa de las Conchas* (début du XVIe s.; patio) ou le palais de Monterrey (v. 1540, par Rodrigo Gil de Hontañón). *Plaza Mayor,* l'une des plus belles places d'Espagne, sur plans d'A. Churriguera (1728).

SALAMINE, anc. ville de Chypre, dont elle fut la capitale jusqu'en 58 av. J.-C., date à laquelle l'île fut soumise aux Romains, qui transférèrent la métropole à Paphos*. Les sépultures de la nécropole ont livré un riche mobilier funéraire, témoignage de l'opulence de la cité aux VIIIe et VIIe s. av. J.-C. Vestiges des IIe et IIIe s. apr. J.-C., parmi lesquels le théâtre, le stade, les deux forums, l'amphithéâtre et le gymnase, avec mosaïques murales et fragments de fresque. Vaste complexe basilical byzantin du VIe s.

SALAMINE, île de la Grèce, près de la côte occidentale de l'Attique, au large d'Athènes. — En 480 av. J.-C., Thémistocle* y remporta sur la flotte perse une victoire décisive (v. MÉDIQUES [*guerres*]), qu'Eschyle* a évoquée dans sa tragédie *les Perses**.

Salammbô, roman de Flaubert (1862). Tableau de la guerre que mena Carthage contre ses mercenaires révoltés après la première guerre punique. Orgie d'images, alternance de mouvement et d'immobilité, libération des fantasmes : un chef-d'œuvre d'écriture plastique.

SALAN (Raoul), général français (Roquecourbe, Tarn, 1899). Commandant en chef en Indochine (1952-53), puis en Algérie (1956-1958), il joue un rôle essentiel dans l'appel au général de Gaulle en mai 1958. À la retraite en 1960, il refuse la politique algérienne de De Gaulle et s'exile en Espagne. En 1961, il s'associe au putsch de Challe à Alger et, après son échec, fonde l'O. A. S.* dans la clandestinité. Arrêté en 1962 et condamné à la détention perpétuelle, il est libéré en 1968 et publie ses *Mémoires* (1970-1974).

SALANGANE. — L'hirondelle des rivages de Chine, ou salangane, va chercher sur la mer des algues gélatineuses, les avale, leur fait subir un début de digestion, puis les régurgite pour en faire son nid. Ce nid de gélose, transparent, est un comestible apprécié.

SALARIAT. — Pour les marxistes, le salariat est la condition des travailleurs, qui vendent au capitaliste leur force de travail contre un salaire. Cette vente étant tributaire des lois du marché, le capitaliste a intérêt à diminuer le salaire réel (même si, en cas d'inflation, il accepte d'augmenter sa valeur nominale), tandis que le salarié a, lui, intérêt à obtenir une augmentation, ne serait-ce que pour compenser le surtravail, qui fournit au capitaliste la plus-value*. Aujourd'hui, par rapport au XIXe s., le salariat constitue un concept plus idéologique que réellement opératoire, puisqu'il englobe des catégories de travailleurs salariés beaucoup plus diversifiées : ouvriers, employés, cadres, agents techniques, agents de l'État, etc. L'abolition du salariat, qui figure au programme de certaines organisations politiques, est le corollaire de l'abolition du capitalisme, dans lequel le travail est une marchandise.

SALAT (le), affl. de la Garonne supérieure (r. dr.), issue des Pyrénées centrales; 75 km.

SALAVAT, v. de l'U. R. S. S. (R. S. F. S. de Russie), en Bachkirie; 114 000 hab. Pétrochimie.

SALAZAR (António DE OLIVEIRA), homme d'État portugais (Vimieiro 1889 - Lisbonne 1970). Professeur d'économie politique à l'université de Coimbra, il est appelé au ministère des Finances par le gouvernement militaire (1928) et devient président du Conseil (1932). Disposant de pouvoirs très étendus, il élimine toutes les oppositions et institue à partir de 1933 l'« État nouveau », régime dictatorial fondé sur le nationalisme et le catholicisme, le corporatisme et l'anticommunisme. Très attaché à la stabilité de la monnaie et à la « vocation agricole du pays », il maintient l'économie traditionnelle, en s'appuyant sur la bourgeoisie terrienne. À l'extérieur, il mène une politique prudente, favorable aux dictatures espagnole, italienne et allemande, tout en ménageant l'alliance avec la Grande-Bretagne et en restant neutre pendant la Seconde Guerre mondiale. La stagnation économique et l'émigration massive des Portugais provoquent à partir de 1953 la montée d'une opposition et le durcissement de la répression policière. Le gouvernement ne peut plus freiner désormais le développement du capitalisme moderne, comme il ne peut échapper au phénomène de la décolonisation qui menace ses provinces d'outre-mer à partir de 1960. Les guerres coloniales permettent cependant au régime de se maintenir, en exaltant le sentiment nationaliste. Salazar doit abandonner ses fonctions en 1968 pour des raisons de santé.

SALAZIE (97433), ch.-l. de cant. de la Réunion, au N.-E. du Piton des Neiges; 6 592 hab. Centre touristique et climatique.

SALBRIS (41300), ch.-l. de cant. de Loir-et-Cher, à 23 km au N. de Vierzon; 6 204 hab. Église des XIIe et XVe-XVIe s. Constructions mécaniques.

SALDANHA (João D'OLIVEIRA DAUN, *duc* DE), homme politique portugais (Lisbonne 1790 - Londres 1876). Ce petit-fils de Pombal*, réfugié au Brésil, devient capitaine général du Rio Grande do Sul (1821) avant de rentrer au Portugal, où il est ministre de la Guerre (1827). Parti en exil après l'insurrection de 1828, il revient (1833) et l'emporte sur les partisans de dom Miguel (1834). Maréchal et chef du gouvernement (1835-36), il doit de nouveau quitter le pays après la révolution de 1836. De retour, il exerce la dictature de 1846 à 1849, puis, avec l'appui des Britanniques et de la « gauche historique », de 1851 à 1856. Un dernier coup d'État fait de lui encore, mais pour peu de temps, le maître du pays (mai-août 1870).

SALÉ, v. du Maroc, sur l'Atlantique, à l'embouchure du Bou Regreg, en face de Rabat; 156 000 hab. Fortifications du XIIIe s.

SALEM, v. des États-Unis, capit. de l'Oregon, sur la rivière Willamette; 68 000 hab.

SALEM, v. du sud de l'Inde (Tamil Nadu); 309 000 hab.

SALERNE, en ital. **Salerno,** v. d'Italie, en Campanie, au S.-E. de Naples, sur la rive nord du *golfe de Salerne;* 157 000 hab. Monuments anciens, dont la cathédrale, de la fin du XIe s. (remplois antiques; mosaïques et autres ouvrages d'art). Musée provincial (archéologie). — Ancienne colonie romaine, Salerne prit de l'importance à l'époque lombarde; elle se sépara du duché de Bénévent en 839 et fut prise par les Normands en 1075. Grand centre du travail de l'ivoire dès le XIe s., elle fut aussi célèbre durant tout le Moyen Âge pour son école de médecine.

SALERNES (83690), ch.-l. de cant. du Var, à 23 km à l'O. de Draguignan; 2 522 hab. Église principalement romane.

SALERS (15410), ch.-l. de cant. du Cantal, à 22 km au S.-E. de Mauriac; 541 hab. Race de bœufs. Portes fortifiées, église et maisons à tourelles surtout du XVe s.

Salésiens, religieux de la Société de Saint-François-de-Sales, congrégation vouée à l'éducation, fondée par saint Jean* Bosco à Turin en 1859. Le même saint créa en 1872 la congrégation des Filles de Marie-Auxiliatrice, dites « Salésiennes ».

SALETTE-FALLAVAUX (La) [38970 Corps], comm. de l'Isère, à

30 km au S.-E. de La Mure; 79 hab. Centre de pèlerinage marial depuis qu'en 1846 deux jeunes bergers y furent, selon leurs dires, favorisés par une apparition de la Vierge.

SALÈVE *(mont),* montagne isolée des Alpes (Haute-Savoie), au S.-S.-E. de Genève; 1 375 m au *Grand Piton.* Téléphérique.

SALFORD, v. de Grande-Bretagne, banlieue ouest de Manchester; 131 000 hab.

SALGÓTARJÁN, v. de la Hongrie, au N.-E. de Budapest; 42 000 hab.

SALICACÉES → SAULE.

SALICORNE. — Cette petite plante charnue, aux feuilles très réduites, ne pousse qu'au bord de la mer et dans les terrains salés. Ses tissus sont riches en sels de soude. (Famille des salsolacées.)

SALICYLIQUE. — L'*acide salicylique* (orthohydroxybenzoïque), $HO-C_6H_4-CO_2H$, cristallise en aiguilles peu solubles à froid, fondant à 155 °C. Il existe à l'état d'esters dans diverses huiles essentielles; on le prépare par action du gaz carbonique sur le phénol sodé. Ce corps, ses sels et ses esters sont employés dans l'industrie des colorants, des parfums et en thérapeutique.

L'*alcool* correspondant, ou *saligénine,* solide soluble fondant à 84 °C, existe sous forme de glucoside dans l'écorce de saule. L'*aldéhyde* est une huile incolore, bouillant à 196 °C, rencontrée dans la reine-des-prés.

SALIERI (Antonio), compositeur italien (Legnago Veneto 1750-Vienne 1825). Compositeur et maître de chapelle de la cour de Vienne, il a écrit de la musique religieuse et des opéras.

SALIES-DE-BÉARN (64270), ch.-l. de cant. des Pyrénées-Atlantiques, à 16 km à l'O. d'Orthez; 5 601 hab. Station hydrominérale pour le traitement des affections gynécologiques.

SALIES-DU-SALAT (31260), ch.-l. de cant. de la Haute-Garonne, à 22 km à l'E. de Saint-Gaudens; 2 312 hab. Station thermale aux eaux sulfurées calciques.

SALIGNAC-EYVIGNES (24590), ch.-l. de cant. de la Dordogne, à 17 km au N.-E. de Sarlat-la-Canéda; 884 hab.

SALIN-DE-GIRAUD (13200 Arles), écart de la comm. d'Arles, dans le sud de la Camargue, sur le Grand Rhône. Salines et industrie chimique.

SALINDRES (30340), comm. du Gard, à 9 km au N.-E. d'Alès; 3 700 hab. Alumine.

SALINES (roches). — Roches sédimentaires, les roches salines, ou évaporites, résultent de la précipitation de sels dissous dans l'eau sous l'action de l'évaporation, dans des lagunes ou dans des dépressions intérieures. Les principales sont le sel gemme (chlorure de sodium), le gypse (sulfate de calcium hydraté), les sels de potassium, etc.

SALINGER (Jerome David), écrivain américain (New York 1919). Ses contes et ses nouvelles, qui illustrent l'esthétisme à la fois ironique et symbolique du *New Yorker,* expriment les obsessions et les préoccupations de la jeunesse américaine (*l'Attrape-cœurs,* 1951; *Franny et Zooey,* 1961; *Seymour, une introduction,* 1963).

SALINITÉ. — La salinité d'un milieu aquatique (v. OCÉAN), autrement dit sa concentration en ions minéraux, gouverne l'entrée de l'eau dans les tissus vivants et sa sortie. De nombreux poissons *sténohalins,* si on les transporte de l'eau douce dans l'eau salée (ou inversement), meurent parfois plus vite que si on les sort de l'eau. D'autres, dits *euryhalins,* s'adaptent au changement de salinité. Le milieu intérieur des poissons étant de salinité moyenne, le sang de ces animaux doit lutter contre la dilution en eau douce et contre la dessiccation en eau fortement salée. Les reins, de même que les branchies, jouent un rôle fondamental dans cette régulation (v. OSMOSE).

SALINS-LES-BAINS (39110), ch.-l. de cant. du Jura, à 14 km au N.-E. d'Arbois; 4 465 hab. Station thermale.

SALIQUE (loi). — La plus vieille des lois franques fut rédigée sous Clovis à l'usage des Francs Saliens. Renfermant des règles de procédure et surtout de droit pénal, elle se présentait, pour l'essentiel, comme un tableau des amendes compensatrices de crimes. Elle contenait une règle qui, excluant les femmes de la succession à la *terra salica* tant qu'il restait des héritiers mâles, fut invoquée, d'abord au XIVe s. (extinction des Capétiens directs) puis à la fin du XVIe s. (extinction des Valois), pour légitimer l'ordre de succession au trône de France.

SALISBURY, v. d'Angleterre (Wiltshire), sur l'Avon; 35 500 hab. Cathédrale de style gothique primitif (1220-1258), avec salle capitulaire et cloître de la fin du XIIIe s., tour du XIVe s. Maisons anciennes. Musée.

SALISBURY, capit. de la Rhodésie, dans le nord du pays, à 1 470 m d'alt.; 545 000 hab. Regroupant plus du dixième de la population de la Rhodésie, c'est un centre administratif et commercial, animé par quelques industries (alimentation, tabac), ainsi qu'un nœud routier et ferroviaire.

SALISBURY (Robert GASCOYNE CECIL, 3e *marquis* DE), homme politique britannique (Hatfield 1830-*id.* 1903). Secrétaire pour l'Inde (1866-67, 1874 et 1878), il joue un rôle diplomatique capital comme ambassadeur à Constantinople, puis comme ministre des Affaires étrangères de Disraeli* au congrès de Berlin* (1878). La mort de Disraeli (1881) fait de lui le chef du parti conservateur. Premier ministre et ministre des Affaires étrangères de 1885 à 1892, puis de 1895 à 1902, Salisbury doit faire face au problème irlandais. Après avoir évité une guerre avec la France lors de l'affaire de Fachoda* (1898), il fait des ouvertures, sans résultat, à la Russie et à l'Allemagne. Il mène avec résolution la guerre contre les Boers (1899-1902).

SALIVE. — Produit de la sécrétion des glandes parotides, sous-maxillaires et sublinguales, la salive, déversée dans la bouche, se présente comme un liquide incolore, visqueux, filant. Elle contient plusieurs enzymes, dont la plus importante est la ptyaline. Sa sécrétion (1 litre par 14 heures) est sous la dépendance de mécanismes nerveux pouvant provoquer son augmentation (ptyalisme) ou sa diminution.

SALK (Jonas Edward), bactériologiste américain (New York 1914). Il a contribué à réaliser la vaccination antipoliomyélitique (1954).

SALLANCHES (74700), ch.-l. de cant. de la Haute-Savoie, à 7 km au N.-O. de Saint-Gervais-les-Bains; 8 448 hab. *(Sallanchois* ou *Sallanchards).* Skis.

SALLAUMINES (62430), comm. du Pas-de-Calais, dans la banlieue est de Lens; 12 981 hab.

SALLÉ (Marie), danseuse française (? 1707-Paris 1756). Célèbre à son époque par la grâce de ses interprétations, elle amorça une réforme des costumes des danseurs.

SALLES-CURAN (12410), ch.-l. de cant. de l'Aveyron, à 41,5 km à l'O.-N.-O. de Millau; 1 517 hab. Église et château du XVe s.

SALLES-DU-GARDON (Les) [30110 La Grand Combe], comm. du Gard, dans la banlieue sud de La Grand-Combe; 3 904 hab. Métallurgie.

SALLES-SUR-L'HERS (11410), ch.-l. de cant. de l'Aude, à 20 km à l'O. de Castelnaudary; 528 hab.

SALLUSTE, en lat. **Caius Sallustius Crispus,** historien romain (Amiternum 86 av. J.-C.-35 av. J.-C.). Issu d'une riche famille plébéienne, il fut un partisan de Clodius contre Milon. Protégé par César, il reçut le gouvernement de la Numidie (46), où il fit fortune. Après la mort du dictateur, il abandonna la politique, se retira dans ses splendides jardins *(Horti Sallustiani)* sur le Quirinal et se consacra à ses ouvrages historiques : *Conjuration de Catalina, Guerre de Jugurtha* et les *Histoires,* que nous possédons fragmentairement et qui couvrent la période 78-67. S'inspirant de Thucydide, il a retenu quelques grands moments de l'histoire romaine, qu'il analysa avec minutie et impartialité.

SALM, ancien comté du Saint Empire, fondé au Xe s. en Ardennes et agrandi au XIIe s. d'une partie du comté de Blâmont, qui devint au XVe s. le comté de Haut-Salm. Érigé (1623) en principauté d'empire, cet État fut rattaché à la France en 1793 et incorporé dans le département des Vosges.

SALMANASAR, nom de plusieurs rois d'Assyrie*, dont le plus important est SALMANASAR III (859-824). Celui-ci continua et consolida les conquêtes de son père, Assour-Nasirpal. Grand constructeur, il embellit Nimroud*, où il se retira lors des rébellions qui troublèrent la fin de son règne.

SALMON (George), mathématicien irlandais (Dublin 1819-*id.* 1904). Dans ses ouvrages de géométrie et d'algèbre, il concilie la géométrie analytique de Descartes* avec la géométrie projective de Desargues* et de Pascal*.

SALMONELLOSE → ÉPIZOOTIE.

SALMONIDÉS. — Presque tous les poissons d'eau douce européens sont soit des cyprinidés* (carpe), soit des salmonidés (truite). Les salmonidés fraient dans les eaux froides, très courantes et bien oxygénées, en particulier dans les torrents alpins. On les reconnaît à l'existence d'une seconde « nageoire » dorsale sans rayons, en arrière de la dorsale proprement dite : c'est la *nageoire adipeuse.* Il existe des espèces prédatrices à grande bouche (saumon*, truite*, omble*) et des espèces à petite bouche, mangeuses de plancton (ombre* et corégone).

SALOMÉ, princesse juive († 72), de la famille des Hérode*. Une tradition, consignée dans les Évangiles, rapporte qu'à l'instigation de sa mère, Hérodiade, elle obtint de son beau-père, Hérode Antipas, la tête de Jean-Baptiste* pour prix d'une danse.

SALOMON *(îles),* en angl. **Solomon Islands,** archipel d'Océanie, à l'E. de la Nouvelle-Guinée. Les îles septentrionales Buka et Bougainville sont des dépendances de l'État de Papouasie-Nouvelle-Guinée; les autres îles, dont Guadalcanal est la plus importante, constituent un protectorat britannique (28 446 km^2; 171 000 hab.; ch.-l. *Honiara* [Guadalcanal]). — En 1899, l'archipel fut partagé entre la Grande-Bretagne et l'Allemagne, et, en 1921, la partie allemande passa sous tutelle australienne. Les îles Salomon, notamment Guadalcanal et Bougainville, furent de 1942 à 1944 le théâtre de violents combats entre Américains et Japonais.

SALOMON, troisième roi des Hébreux (v. 970-931), fils et successeur de David*. Il conserva l'héritage de son père, dont il garantit la sécurité en établissant une ligne de forteresses et en renforçant son armée; à l'intérieur, il l'organisa en établissant une bureaucratie de type égyptien. Sous son règne, l'État hébreu connut une grande prospérité, fondée sur le développement du commerce, pour lequel Salomon s'assura le concours des États phéniciens. Le maître ouvrage de ce grand bâtisseur, le Temple de Jérusalem, mit sept ans à être édifié (v. 969-962). La fin du règne fut assombrie par les intrigues de Cour et le réveil de l'antagonisme entre les tribus du Sud et celles du Nord, qui amena à la mort de Salomon la scission du royaume. (V. HÉBREUX.)

SALON *(Bx-arts)* → EXPOSITION.

SALON *(Littér.).* — Si l'Académie française est née de la réunion d'un groupe de gens de lettres dans le salon de Valentin Conrart, les salons, qui apparaissent dans les sociétés française et italienne au début du XVIIe s., n'ont rien d'une académie ou d'un conservatoire. Dominé par la personnalité de l'hôte, ou, plus exactement, de l'hôtesse (la marquise de Rambouillet, Mlle de Scudéry), le salon consacrera, jusqu'à Mme de Staël, le règne féminin sur la littérature, à travers une rénovation des manières et de l'espace social : la « chambre bleue » de la marquise de Rambouillet était une audace en matière de décoration, et le romanesque de *l'Astrée* une rude discipline pour les gentilshommes, plus rompus aux combats des guerres religieuses ou de la Fronde qu'aux assauts d'esprit de la préciosité*.

Philosophiques et même politiques au XVIIIe s., les salons parisiens (Mme du Deffand, Mlle de Lespinasse, Mme de Tencin, Mme Geoffrin, Mme d'Épinay, Mme Necker) contribuèrent à l'élaboration de la notion de littérature et d'une conscience européenne, qui ne survécut pas aux guerres napoléoniennes. Depuis le début du XIXe s., les salons (de Mme Récamier à Mme Aubernon) ont vu leur influence décroître, jouant moins le rôle ouvert d'un carrefour que celui, fermé, de rassemblement d'une coterie (le salon Verdurin de *la Recherche du temps perdu*), et l'esprit virtuose des salons s'est affadi dans la mondanité conventionnelle du genre « salonnard ».

SALON-DE-PROVENCE (13300), ch.-l. de cant. des Bouches-du-Rhône, à 34 km à l'O.-N.-O. d'Aix-en-Provence; 35 587 hab. *(Salonnais).* École de l'Air et École militaire de l'Air. Château de l'Emperi (XIIe-XVIe s.). Églises Saint-Michel (v. 1200, romane) et Saint-Laurent (XIVe s., typique du gothique méridional). Centrale hydroélectrique sur la Durance canalisée.

SALONE → SPLIT.

SALONIQUE → THESSALONIQUE.

SALOP, comté de l'ouest de l'Angleterre. Ch.-l. *Shrewsbury.*

SALOUEN (la ou le), fl. d'Asie; 2 500 km. Né sur les plateaux du Tibet, ce fleuve coule vers le S., pénètre en Birmanie, pays qu'il sépare de la Thaïlande sur une partie de son cours inférieur, avant de rejoindre l'océan Indien dans le golfe de Martaban, près de Moulmein.

SALOUM (le), fl. du Sénégal, tributaire de l'Atlantique; 250 km.

SALPE → TUNICIERS.

SALPÊTRE. — Le salpêtre, ou nitre, est du nitrate de potassium, KNO_3, qui se forme dans le sol sous l'influence de ferments (v. NITRIFICATION). Jadis, on le retirait des murs de caves et d'écuries; aujourd'hui, on le prépare par action du chlorure de potassium sur le nitrate de sodium. Le salpêtre forme des cristaux incolores, très solubles dans l'eau, fondant à 340 °C. Très oxydant, il fuse sur les charbons ardents. Il a été longtemps la matière première de la poudre noire; il sert à conserver les viandes.

SALSES *(étang de)* → LEUCATE *(étang de).*

SALSIFIS. — On mange en légume la longue racine, légèrement sucrée, droite et verticale, de cette composée aux fleurs violettes (genre *Tragopogon*). Le salsifis, à l'écorce brune, se distingue de la *scorsonère,* à l'écorce noire.

SALSIGNE (11600 Conques sur Orbiel), comm. de l'Aude, dans la Montagne Noire, à 18 km au N. de Carcassonne; 571 hab. Mine d'or.

SALSOMAGGIORE TERME, station thermale d'Italie (Émilie-Romagne), à l'O. de Parme; 18 000 hab.

SALT, sigle de *Strategic Arms Limitation Talks,* négociations engagées directement depuis 1969 entre Américains et Soviétiques. Celles-ci ont abouti aux accords signés à Moscou en 1972 et en 1974 par Brejnev et Nixon. Ces accords limitent pour chaque puissance à un seul site les systèmes de défense antimissiles et fixent un plafond au nombre de leurs missiles stratégiques de type ICBM ou SLBM. Valables jusqu'en 1977, ils doivent être complétés par de nouveaux textes couvrant la période 1977-1985.

SALTA, v. du nord-ouest de l'Argentine, dans les Andes; 176 000 hab. Raffinage du pétrole.

SALTATION. — Dans le fond des cours d'eau, les particules trop grosses pour être transportées en suspension se déplacent par saltation. Elles progressent vers l'aval par bonds successifs. De façon analogue, le vent transporte le sable par saltation.

SALTILLO, v. du nord-est du Mexique, capit. de l'État de Coahuila; 161 000 hab. Métallurgie.

SALT LAKE CITY, v. des États-Unis, capit. de l'Utah, au S.-E. du Grand Lac Salé; 176 000 hab. (plus de 550 000, c'est-à-dire plus de la moitié de la population de l'Utah, avec les cités satellites). Métallurgie. — La ville fut fondée en 1847 par Brigham Young, qui en fit la capitale des Mormons*.

SALTO, v. de l'Uruguay, sur le río Uruguay; 58 000 hab.

SALTYKOV (Mikhaïl Ievgrafovitch), connu sous le nom de **Saltykov-Chtchedrine,** écrivain russe (Spas-Ougol, gouvern. de Tver, 1826 - Saint-Pétersbourg 1889), peintre pessimiste de la société russe (*la Famille Golovliov,* 1880; *Notre Pochekhonié d'autrefois,* 1889).

salut *(Armée du)* [*Salvation Army*], organisation religieuse, d'origine méthodiste, qui joint le prosélytisme à l'action charitable et sociale. Elle a été créée à Londres en 1865 par William Booth*, sous le nom de « Mission chrétienne »; c'est en 1878 qu'elle s'appela « Armée du salut ». Composée de soldats et d'officiers — hommes et femmes — commandés par un général élu par le grand conseil, l'Armée du salut lutte contre l'incrédulité et le péché : ses moyens d'action, parfois spectaculaires, consistent en de très nombreuses œuvres sociales implantées dans le monde entier.

SALUT *(îles du),* petit archipel au large de la Guyane française, dont il dépend, comprenant notamment l'île du Diable, site d'un ancien établissement pénitentiaire où fut détenu A. Dreyfus.

SALVADOR, en esp. **El Salvador,** État de l'Amérique centrale; 21 393 km^2; 4 120 000 hab. Capit. *San Salvador.*

GÉOGRAPHIE. Le pays est axé sur une chaîne volcanique récente, modérément élevée, qui sépare les plateaux du Nord, formant frontière avec le Honduras, de la plaine côtière pacifique. Le climat, tropical humide, se tempère avec l'altitude. La population, dense, est composée principalement de métis. Elle s'accroît à un rythme très rapide, engendrant un mouvement de population vers les basses terres, peu peuplées. L'agriculture occupe plus de la moitié de la population active. De vastes domaines appartenant à de riches propriétaires fournissent du café (principale culture commerciale), du coton, de la canne à sucre et de l'indigo, destinés à l'exportation, le maïs constituant la base de l'alimentation. Le développement industriel s'est amorcé grâce à l'aménagement hydroélectrique du fleuve Lempa. Les industries (usines métallurgiques, textiles et alimentaires), souvent créées par des firmes étrangères, qui bénéficient de la main-d'œuvre bon marché et exportent la production, sont regroupées surtout autour de San Salvador.

HISTOIRE. En 1821, l'Amérique centrale se rebelle contre le Guatemala* pour se rallier à l'éphémère Empire mexicain. Dès 1824 se constitue une fédération centre-américaine, qui se disloque rapidement : la république du Salvador, dernier État fidèle à cette union, est envahie par les États alliés en 1839. De 1854 à 1865, elle vit sous le joug guatémaltèque. Après une révolte inutile contre le Guatemala (1863), le Salvador, fort d'une prospérité due à la culture du caféier, se rend indépendant, ce qui n'empêche pas le déclenchement de plusieurs guerres avec le Guatemala (1876, 1885) et des essais infructueux (1860, 1895) de confédération centre-américaine. À partir de 1909, les États-Unis lui imposent aussi leur loi. Après 1932, deux dictateurs sont maîtres du pays : le général Maximiliano Hernández Martínez (1882-1966) de 1932 à 1944 et le major Oscar Osorio (né en 1910) de 1948 à 1960. Depuis le coup d'État du 26 octobre 1960, dû en partie à la chute du prix du café, les militaires dominent la vie politique : ils ont à faire face à une vieille hostilité entre le Salvador et le Honduras, hostilité qui aboutit en 1969 à une courte mais sanglante guerre. Le colonel Arturo Molina, président de la République depuis 1972, est remplacé en 1977 par Carlos Humberto Romero.

SALVADOR, v. du nord-est du Brésil, capit. de l'État de Bahia; 1 008 000 hab. Vieille ville pittoresque, aux nombreux couvents et églises issus des styles baroques portugais (XVIIe-XVIIIe s.; boiseries sculptées, *azulejos*). Musée dans un ancien couvent.

SALVAGNAC (81800 Rabastens), ch.-l. de cant. du Tarn, à 21,5 km à l'O. de Gaillac; 863 hab.

SALVETAT-PEYRALÈS (La) [12440], ch.-l. de cant. de l'Aveyron, à 27 km au N. de Carmaux; 1 478 hab.

SALVETAT-SUR-AGOUT (La) [34330], ch.-l. de cant. de l'Hérault, à 21 km au N.-N.-O. de Saint-Pons; 1 115 hab.

SALVIAC (46340), ch.-l. de cant. du Lot, à 19 km au S.-O. de Gourdon; 995 hab.

SALZACH (la), riv. née dans les Alpes autrichiennes (au N. des Hohe Tauern), qui passe à Salzbourg et forme la frontière entre l'Autriche et l'Allemagne fédérale avant de rejoindre l'Inn (r. dr.); 220 km.

SALZBOURG, en allem. **Salzburg,** v. d'Autriche, sur la Salzach, au pied des *Préalpes de Salzbourg,* ch.-l. de la *prov. de Salzbourg;* 129 000 hab. Centre touristique. — Dominée par sa vieille forteresse, la ville conserve des églises médiévales, dont la Franziskanerkirche, au chœur hardi du début du XVe s. (Vierge de M. Pacher). Mais l'époque baroque l'a remodelée et lui a donné de nouveaux monuments : cathédrale par l'Italien Santino Solari (1614), églises de Fischer von Erlach, château Mirabell (monumental escalier par Hildebrandt), fontaines, etc. Maison natale de Mozart. Musées.

SALZGITTER, v. de l'Allemagne fédérale, dans le sud-est de la Basse-Saxe, au N. du Harz; 119 000 hab. Extraction du fer. Sidérurgie.

SALZKAMMERGUT (le), extrémité orientale des Préalpes de Salzbourg, en Autriche, dans le bassin supérieur de la Traun, dont l'exploitation du sel est, en dehors de l'élevage et du tourisme, la ressource naturelle.

SAM, sigle de *Sol Air Missile,* employé par les Américains pour désigner les missiles antiaériens soviétiques.

SĀMĀNIDES, dynastie iranienne (874-999). Gouverneurs iraniens au service des 'Abbāssides*, les Sāmānides se rendent indépendants en Transoxiane. Ismā'īl ibn Aḥmad (de 892 à 907) conquiert le Khorāsān en 900. Au débouché des grandes routes commerciales de l'Asie centrale, l'État sāmānide, qui s'étend au Xe s. jusqu'au Fergana, et ses villes (Boukhara, Samarkand, Harāt...) tirent leur prospérité du commerce des esclaves. Les Rhaznévides éliminent les Sāmānides d'Afghānistān et du Khorāsān, et les Turcs karakhānides leur enlèvent la Transoxiane. Les Sāmānides ont été les promoteurs de la renaissance culturelle iranienne.

SAMAR, île des Philippines, au N. de Mindanao; 13 429 km^2; 1 019 000 hab.

SAMARA → KOUÏBYCHEV.

SAMARIE, ville de Palestine, capitale du royaume d'Israël, fondée v. 880 av. J.-C. par Omri*. Elle est prise et détruite en 721 av. J.-C. par Sargon II* d'Assyrie, et ses habitants sont déportés; sa chute marque la fin du royaume d'Israël*. Samarie ne retrouve une certaine importance qu'à l'époque gréco-romaine; Hérode* la reconstruit et en fait une des plus belles villes de Palestine; il lui donne le nom grec de *Sebastê* («Auguste») en l'honneur de l'empereur. Le déclin de la ville commencera vers la fin de la période romaine. La tradition chrétienne a localisé à Samarie le tombeau de Jean-Baptiste*.

La ville haute, sur l'acropole, et la ville basse étaient toutes deux entourées de fortifications. Plusieurs périodes de construction (au moins six) ont été repérées lors du dégagement, sur l'acropole, du palais commencé au IXe s. av. J.-C. et proche des palais assyriens. Cet édifice a livré un important lot d'ivoires sculptés, probablement d'origine syro-phénicienne, ainsi que d'intéressantes archives administratives constituées de tessons gravés et peints. Imposants vestiges romains.

SAMARINDA, v. d'Indonésie, dans l'est de Bornéo; 138 000 hab.

SAMARITAINS, habitants de la province de Samarie* après l'Exil, qui formèrent une communauté juive dissidente. Après la prise de Samarie en 721 av. J.-C., qui marque la fin du royaume d'Israël*, une partie de la population fut déportée et remplacée par des colons assyriens, qui peu à peu se mélangèrent aux autochtones restés sur place. Au retour de l'Exil, les Juifs de Jérusalem écartèrent de leur communauté et du Temple reconstruit (v. HÉBREUX) ceux qu'ils considéraient comme des demi-Juifs. Un schisme se produisit, qui se concrétisa par la construction, sur le mont Garizim (au sud de Naplouse*), d'un temple rival de celui de Jérusalem et qui fut détruit en 128 av. J.-C. Les Samaritains — une centaine environ — subsistent encore en Israël, autour de Naplouse : ils ne reconnaissent comme livre sacré que le Pentateuque* et pratiquent un judaïsme particulier, prétalmudique.

SAMARIUM. — Élément chimique n° 62, de masse atomique Sm = 150,43, c'est un solide blanc-gris, de densité 8 environ, qui fond vers 1 400 °C.

SAMARKAND, v. de l'U. R. S. S., dans l'est de l'Ouzbékistan, dans l'oasis du Zeravchan; 267 000 hab. Textile.

HISTOIRE. Capitale de la Sogdiane*, *Maracanda,* l'actuelle Samarkand, est soumise par Alexandre le Grand en 329 av. J.-C. Conquise par les Arabes en 712, elle devient un grand centre économique et culturel, et est dévastée en 1220 par Gengis khān*. Capitale de Tīmūr Lang* et des Tīmūrides*, elle est au XVe s. la ville la plus brillante de l'Asie centrale. Conquise par les Ouzbeks* en 1500, par les Russes en 1868, elle est de 1924 à 1930 la capitale de la république soviétique d'Ouzbékistan.

BEAUX-ARTS. Le mécénat de Tīmūr Lang a fait de Samarkand un intense foyer artistique (école de miniaturistes, ateliers de céramistes qui perpétuent une tradition remontant au IXe s., fabrication d'étoffes, de tapis...). Des monuments originaux rappellent les splendeurs tīmūrides : la place du Registān avec les madrasa Uluğ Beg (1420), Chir-Dār et Tillā Kāri (XVIIe s.); la rue funéraire de la nécropole Chāh-e Zendè (le Roi Vivant), bordée de mausolées à coupoles des XIVe et XVe s.; la madrasa de Bībī Khānum (1399); le Gur-e Mir, tombeau de Tīmūr Lang, couronné d'une coupole cotelée et bulbeuse, ornée de chatoyantes faïences turquoise; les revêtements intérieurs sont tout aussi luxueux (plaques de jaspe, d'albâtre et de faïence).

SĀMARRĀ, ville d'Iraq, sur la rive gauche du Tigre, au N. de Bagdad. Ses ruines témoignent de la splendeur de l'architecture 'abbāsside*; parmi elles citons la mosquée d'al-Mūtawakkil, ou Grande Mosquée (847), et celle d'Abū Dulaf, toutes deux flanquées d'un minaret hélicoïdal. Les palais et les demeures ont livré d'intéressants fragments de peintures murales et de décor stuqué ainsi que plusieurs types de céramiques. Le nom de la ville est également attaché à une céramique ornée de motifs figuratifs, puis abstraits datée des environs de 5000 av. J.-C.

SAMATAN (32130), ch.-l. de cant. du Gers, à 40,5 km au S.-E. d'Auch; 2 056 hab.

SAMBIN (Hugues), menuisier, sculpteur, décorateur et architecte français (Gray 1518 - Dijon v. 1601). Il a été un chef d'école de la Renaissance en Bourgogne : porte sculptée, d'un goût exubérant, provenant du palais de justice de Dijon (1573, musée de la ville); façade de l'actuel palais de justice de Besançon.

SAMBRE (la), riv. de France et de Belgique; 190 km. Née en Thiérache, elle passe à Maubeuge et à Charleroi, rejoignant la Meuse (r. g.) à Namur. Son cours inférieur est une voie navigable, jalonnée d'industries, notamment dans l'est du Hainaut.

SAMER (62830), ch.-l. de cant. du Pas-de-Calais, à 15 km au S.-E. de Boulogne-sur-Mer; 2 845 hab. Église du XVe s. Articles de bureau.

SAMIZDAT. — Ce mot russe, qui signifie *autoédition,* est formé sur le modèle du terme qui désigne, en Union soviétique, les éditions officielles *(partizdat) :* il s'applique à tous les moyens (de la copie manuscrite à l'impression) employés pour diffuser clandestinement en U. R. S. S. les ouvrages interdits par la censure : romans qui ne répondent pas aux canons du réalisme* socialiste, travaux historiques et sociologiques (comme les rapports de Sakharov ou de Medvedev), textes anciens proscrits, etc.

SAMMARTINI (Giovanni Battista), compositeur italien (Milan 1700 - *id.* 1775). Maître de chapelle de plusieurs églises de Milan, il a contribué à l'épanouissement d'une école instrumentale qui a joué un rôle efficace dans l'histoire de la sonate, du concerto et de la symphonie classiques.

SAMNITES, peuple italique de race sabine, établi dans le Samnium*. Les Samnites apparurent dans l'histoire quand ils s'établirent en Campanie au Ve s. av. J.-C. Rome mena contre eux trois guerres successives (de 343/341 à 290). La conquête romaine, ralentie par la victoire samnite des Fourches Caudines en 321 av. J.-C., était achevée au milieu du IIIe s. av. J.-C.

SAMNIUM, anc. région centrale et montagneuse de l'Italie, située entre le Latium, la Campanie, la Lucanie et le Picenum, et habitée par les Samnites*. Les principaux centres étaient Bovianum (Boiano), Caudium (Montesarchio) et Aufidena (Alfedena).

SAMOA, archipel d'Océanie, en Polynésie. Il est constitué de l'État indépendant des *Samoa occidentales* (formé de deux grandes îles, Savaii et Upolu, qui couvre 2 842 km^2, compte 155 000 habitants et a pour capitale *Apia*) et des *Samoa américaines* (beaucoup moins étendues [197 km^2], moins peuplées [27 000 hab.] et dont la principale île est Tutuila). L'ensemble possède un climat chaud et humide, favorable à la forêt, en dehors des cultures vivrières et commerciales (cocotier, banane et cacao [principal produit d'exportation des Samoa occidentales]).

HISTOIRE. Découvert en 1722 par les Hollandais, visité par Bougainville (1768) et La Pérouse (1787), l'archipel est l'objet au XIXe s., de rivalités entre la Grande-Bretagne, les États-Unis et l'Allemagne : en 1899, il est partagé entre les Américains (Tutuila) et les Allemands (Savaii, Upolu), que remplacent en 1914 les

Néo-Zélandais, qui administrent les Samoa occidentales sous mandat de la S. D. N. (1920), puis sous tutelle de l'O. N. U.

En 1962, les Samoa occidentales (Savaii, Upolu) deviennent indépendantes dans le cadre du Commonwealth britannique. Quant aux Samoa orientales, elles sont directement sous le contrôle de la marine des États-Unis jusqu'en 1951, puis elles sont administrées par un gouverneur dépendant du ministère américain de l'Intérieur.

SAMOËNS (74340), ch.-l. de cant. de la Haute-Savoie, à 21 km à l'E.-N.-E. de Cluses; 1 724 hab. Station de sports d'hiver (alt. 720-2 100 m). Église du XVIe s.

SAMORY TOURÉ, chef malinké (Manyambaladougou v. 1830-N'Djolé, Gabon, 1900). De 1861 à 1871, Samory construit méthodiquement sa puissance dans le Sud. Puis il s'empare de la riche vallée du haut Niger et l'expansion de son empire est couronnée en 1881 par la chute de Kankan. En dehors de l'empire toucouleur de Ségou, il n'a plus de rival; mais, dès 1881, il se heurte à la conquête française du Soudan. Il se bat contre les Français (1885) — puis traite (1886-87) avec eux (Gallieni) —, qui poussent à l'insurrection contre lui une grande partie de son empire, excédé par les réquisitions et l'islamisation forcée. Mais, de 1888 à 1890, il reconquiert cet empire, puis se retourne contre les Français (1891-1894); forcé d'évacuer ses terres, il conquiert le nord de la Côte-d'Ivoire et une fraction du Ghāna, repoussant la colonne commandée par Monteil (1895). Traqué par les troupes du Soudan français, il est arrêté (1898) et exilé au Gabon.

SAMOS, île grecque de la mer Égée, près du littoral turc; 778 km^2; 42 000 hab. Ch.-l. *Samos.*

HISTOIRE. Colonisée au XIe s. av. J.-C. par les Ioniens, l'île connut au VIe s. av. J.-C. sa plus brillante période sous la tyrannie de Polycrate* (533-522). Elle passa successivement sous l'obédience perse (guerres médiques*), puis sous celle d'Athènes (guerre du Péloponnèse*) et ne retrouva une autonomie passagère qu'en 322, lors des guerres lamiaques*, pour retomber ensuite sous le pouvoir des Ptolémées*.

BEAUX-ARTS. Plusieurs constructions se succèdent sur le site du sanctuaire de la ville de Samos, occupé dès le milieu du IIIe millénaire. Le temple d'Héra (XIe-Xe s. av. J.-C.) fut remplacé, alors que la cité atteignait son apogée, au VIe s. av. J.-C., par le plus ancien temple diptère connu. Après un incendie à la fin du VIe s., un édifice plus vaste fut entrepris, mais il resta inachevé. Le nom de la ville est attaché à une école de sculpture dont les œuvres, majestueuses, reflètent un certain réalisme et une grâce tout ionienne, telle l'*Héra* du Louvre.

SAMOTHRACE, île grecque de la partie septentrionale de la mer Égée, près de la côte de Thrace. Colonisée vers le VIIe s. av. J.-C. par des habitants de Samos*, qui lui donnèrent son nom (Samos de Thrace), elle resta à l'écart de la politique du monde grec. Un sanctuaire des Cabires, dieux à mystères, lui valut, surtout à l'époque hellénistique, une certaine célébrité : des temples furent construits, et on y consacra des offrandes, dont la plus célèbre est la *Victoire de Samothrace,* conservée au Louvre.

SAṂSĀRA. — Ce mot sanskrit désigne la transmigration des êtres. La vie est comme une vague qui, provoquée par une autre vague, en entraîne d'autres à son tour. Ainsi, les actes qui scandent la vie d'un être s'insèrent dans des séries causales entraînant l'être vers des renaissances et des morts indéfinies.

SAMSON, juge* d'Israël (XIIe s. av. J.-C.), célèbre par sa force, sa chevelure, ses exploits contre les Philistins* et ses mésaventures conjugales avec Dalila; celle-ci réussit par ruse à lui arracher le secret de sa force, qui résidait dans sa chevelure, et, lui ayant coupé les cheveux, le livra aux Philistins. Les récits concernant Samson sont un recueil d'anecdotes populaires ou de récits folkloriques, tardivement rédigés et qui ont valeur d'exemples et de soutien dans l'épopée nationale d'Israël. (V. JUGES.)

Samson et Dalila, opéra biblique en trois actes, livret de F. Lemaire, musique de C. Saint-Saëns (1877). Tentative intéressante qui se situe entre l'oratorio et l'opéra, cette partition tire sa célébrité de certains airs de Dalila, de plusieurs chœurs, de la scène finale et de la couleur d'un orchestre issu de Berlioz.

SAMSONOV (Aleksandr Vassilievitch) → TANNENBERG.

SAMSUN, port de Turquie, sur la mer Noire; 134 000 hab.

S. A. M. U., sigle de *Service d'aide médicale d'urgence.* Mis en place en 1972-73, les S. A. M. U. comprennent tout ce qui est nécessaire pour le ramassage, les premiers soins, le transport et l'accueil hospitalier des accidentés de la route, des malades graves, des intoxiqués, etc.

SAMUEL, dernier des juges* d'Israël (XIe s. av. J.-C.). Il joua un rôle essentiel dans l'institution de la monarchie chez les Hébreux*. Les deux livres bibliques dits « de Samuel » couvrent la période qui va des origines de la monarchie israélite à la fin du règne de David. Trois personnages les dominent : Samuel, Saül* et David*. Rédigés au VIIe s. av. J.-C., ces récits recevront au temps de l'Exil (VIe s.) leur forme définitive; ils réunissent un ensemble de traditions légendaires, hagiographiques et historiques.

SAMUELSON (Paul Anthony), économiste américain (Gary, Indiana, 1915). Influencé dans ses études à Harvard par l'enseignement de Hansen, disciple de Keynes, il enseigne au Massachusetts Institute of Technology. Ses compétences en mathématiques appliquées lui permettent de mettre au point, à la fin du second conflit mondial, les premiers ordinateurs conçus pour la défense antiaérienne. On lui doit des recherches où les mathématiques sont appelées à l'aide de la science économique et des textes qui témoignent de ses remarquables talents de vulgarisateur. (Prix Nobel des sciences économiques, 1970.)

ṢAN'Ā', capit. de la république arabe du Yémen, à 2 350 m d'altitude; 150 000 hab. Entourée d'une muraille de brique (en partie détruite), la vieille ville doit son charme à ses hautes constructions traditionnelles, en terre ou en brique rougeâtre, aux fenestrages souvent géminés, rehaussés d'un décor de plâtre blanc et qui se multiplient dans les étages supérieurs.

SANAGA (la), principal fleuve du Cameroun, qui rejoint le golfe de Guinée en aval d'Édéa* (site d'un aménagement hydroélectrique); 520 km.

SAN ANTONIO, v. des États-Unis, troisième ville du Texas; 654 000 hab.

SANARY-SUR-MER (83110), comm. du Var, à 12 km à l'O. de Toulon; 10 406 hab. *(Sanaryens).* Station balnéaire.

SANATORIUM → TUBERCULOSE.

SAN AUGUSTÍN, village de Colombie, dans la Cordillère centrale. Il a donné son nom à une culture précolombienne qui se développa à partir de 555 av. J.-C. jusqu'à 1180 apr. J.-C. pour les horizons inférieur et moyen, et qui persista jusqu'à une date non déterminée pour l'horizon supérieur. Centres cérémoniels, monticules funéraires à chambres de pierre servant de sépultures, habitat en maisons circulaires et surtout remarquable sculpture mégalithique (ronde-bosse et relief) au style à la fois fantastique et réaliste sont les principaux traits de cette civilisation.

SAN BERNARDINO, col des Alpes suisses, à 2 063 m d'altitude, reliant les Grisons (Coire) au Tessin (Bellinzona). Important tunnel routier (long de 6 600 m et creusé à 1 600 m d'altitude) doublant la route du col, fermée en hiver.

SAN BERNARDINO, v. des États-Unis (Californie), à l'E. de Los Angeles; 104 000 hab.

SANCERGUES (18140), ch.-l. de cant. du Cher, à 8 km de l'O.-S.-O. de La Charité-sur-Loire; 942 hab. Église romane et gothique.

SANCERRE (18300), ch.-l. de cant. du Cher, à 14 km au S.-O. de Cosne-Cours-sur-Loire; 2 542 hab. Donjon du XVe s.

SANCERROIS, région de collines du nord-est du Cher, à l'O. de *Sancerre.* Vins blancs.

SANCHE III, roi de Castille et de León → CASTILLE.

SANCHE, rois de Navarre → NAVARRE.

SANCHE Ier o Povoador (Coimbra 1154-*id.* 1211), roi de Portugal (1185-1211), fils du roi Alphonse Ier Henriques. Il poursuivit la Reconquista* vers le sud contre les Almohades* et entreprit la colonisation des territoires reconquis. Il entra en lutte contre Alphonse IX de León (1196-1200).

Sancho Pança, écuyer de Don* Quichotte, dont le bon sens trivial s'oppose aux folles imaginations de son maître.

SĀÑCĪ, site archéologique de l'Inde centrale (Madhya Pradesh), haut lieu de l'art bouddhique indien. Ses stūpa* — dont le plus ancien est une fondation d'Aśoka — sont parmi les mieux conservés du pays (Ier s. av.-Ier s. apr. J.-C.). Les portes monumentales et la grande balustrade qui accompagnent le plus grand d'entre eux sont décorés d'une parure sculptée justement célèbre. Une haute colonne de grès est surmontée de lions adossés et est gravée d'un édit religieux d'Aśoka. Le site possède, en outre, de nombreux sanctuaires et monastères, dont les plus récents remontent aux Xe-XIe s. Musée.

SANCOINS (18600), ch.-l. de cant. du Cher, à 36 km au S.-O. de Nevers; 3 558 hab.

SAN CRISTÓBAL, v. de l'ouest du Venezuela, dans les Andes; 152 000 hab.

SANCTI SPIRITUS, v. du centre de Cuba; 58 000 hab.

Sanctuaire, roman de Faulkner (1931). La déchéance complaisante d'une jeune étudiante dans les mains d'un bootlegger, qui y trouvera lui-même sa perte.

SANCY *(puy de),* point culminant du Massif central, dans les monts Dore, en Auvergne (départ. du Puy-de-Dôme); 1 886 m.

San Francisco.
Vue partielle.

Vautier - De Nanxe

SAND (Aurore Dupin, *baronne* Dudevant, dite **George**), femme de lettres française (Paris 1804 - Nohant 1876). Par sa grand-mère paternelle, elle descendait de Maurice de Saxe, et, par sa mère, d'un artisan de Paris. Élevée dans le domaine de Nohant, puis au couvent des Augustines anglaises de Paris, elle traverse une crise mystique. Elle se marie pour échapper à sa famille, mais cette union malheureuse, marquée par la naissance de deux enfants, aboutit à une rupture et à un long procès. C'est à Paris, où elle rejoint Jules Sandeau*, qui lui donnera son pseudonyme, que George Sand prend conscience de ses talents littéraires. Elle publie des romans pleins de passion romantique (*Indiana,* 1832; *Valentine,* 1832; *Lélia,* 1833), puis évolue au gré de ses attachements, aimant à provoquer le scandale par ses mœurs et son costume souvent masculin : amoureuse avec Musset, qu'elle suit à Venise (1833-1834), humanitaire avec Michel de Bourges, socialiste avec Pierre Leroux, attirée par La Mennais, elle redevient romantique avec Chopin, marquant chaque étape de son itinéraire passionnel et philosophique de récits et de méditations (*Mauprat,* 1837; *Spiridion,* 1840; *Consuelo,* 1842-43; *le Meunier d'Angibault,* 1845). Elle se jette dans l'action politique aux côtés de Ledru-Rollin, mais les journées de juin 1848 ruinent son rêve démocratique : elle s'installe à Nohant, où, si elle peint encore des idylles mondaines (*le Marquis de Villemer,* 1861) et réfléchit sur ses aventures tapageuses (*Elle et Lui,* 1859; *Impressions et souvenirs,* 1873-1876), elle retrouve, avec le cadre de son enfance, la forme la plus durable de son inspiration, la veine rustique (*la Mare au diable,* 1846; *François le Champi,* 1847-48; *la Petite Fadette,* 1849; *les Maîtres sonneurs,* 1853). Pétrie de contradictions, prônant l'indépendance de la femme, mais incapable de vivre sans être liée à un autre être, célébrant le socialisme mais applaudissant à la répression de la Commune, artiste émancipée et bourgeoise sentimentale, la « bonne dame de Nohant » laisse un personnage bien supérieur à son œuvre.

Sāñcī. Portique nord, balustrade et dôme du stūpa I (monument funéraire). IIe s. av. J.-C. - Ier s. apr. J.-C.

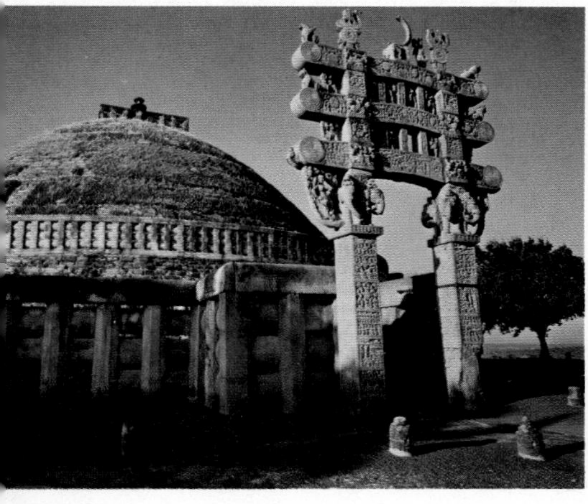

J.-L. Nou

SANDBURG (Carl), poète américain (Galesburg, Illinois, 1878 - Flat Rock, Caroline du Nord, 1967). L'un des chefs de l'« école de Chicago », il a trouvé son inspiration dans la vie populaire et la civilisation industrielle de l'Amérique moderne (*Poèmes de Chicago,* 1916; *Fumée et acier,* 1920; *le Peuple, oui,* 1936).

SANDEAU (Julien, dit **Jules**), écrivain français (Aubusson 1811 - Paris 1883). Il eut avec George Sand* une liaison célèbre et signa avec elle un roman (*Rose et Blanche,* 1831) du pseudonyme de Jules Sand. Il porta à la scène ses deux récits les plus célèbres, *Mademoiselle de La Seiglière* (1848; version scénique, 1851) et *Sacs et parchemins* (1851), dont il tira, avec Émile Augier, *le Gendre de M. Poirier* (1854).

SANDGATE, station balnéaire de Grande-Bretagne (Kent), sur le pas de Calais.

SANDHURST, v. de Grande-Bretagne, au S.-O. de Londres. Elle a donné son nom à une école militaire créée en 1802 et transférée en 1947 à Camberley : tous les officiers de l'armée de terre britannique sont formés dans cette école.

SAN DIEGO, port des États-Unis, sur le Pacifique *(baie de San Diego),* dans le sud de la Californie; 697 000 hab. Construction aéronautique. Raffinage du pétrole.

SANDOMIERZ, v. de Pologne (Kielce), sur la Vistule; 10 000 hab. Nombreux monuments historiques, dont la cathédrale et l'hôtel de ville, reconstruits du XIVe au XVIIe s. Musées.

SANDOUVILLE (76430 St Romain de Colbosc), comm. de la Seine-Maritime, à 16 km à l'E. du Havre; 566 hab. Construction automobile.

SANEM, v. du sud du Luxembourg (cant. d'Esch-Alzette); 10 000 hab. Métallurgie.

SAN FERNANDO, port d'Espagne (Andalousie), près de Cadix; 60 000 hab.

SAN FRANCISCO, port des États-Unis (Californie), sur le Pacifique et la *baie de San Francisco* (ouverte sur le Pacifique par la Golden Gate); 716 000 hab. Musées.

GÉOGRAPHIE. La ville est l'élément principal d'une conurbation regroupant près de 3 millions d'habitants. Dans un site pittoresque, accidenté, elle s'est développée initialement avec la ruée vers l'or au milieu du XIXe s., qui attira une population cosmopolite (avec des minorités asiatiques : Japonais et Chinois), ensuite comme centre de services et débouché de l'arrière-pays agricole. San Francisco est aujourd'hui un grand port (trafic de l'ordre de 40 Mt), en relation avec l'Extrême-Orient, et un important foyer industriel, dominé par la métallurgie de transformation (constructions électriques, automobiles et navales) et la chimie (avec le raffinage du pétrole).

HISTOIRE. En 1769, les Espagnols installent là une mission dédiée à saint François d'Assise; la ville devient américaine en 1846, mais ne prend son essor qu'après 1849, quand l'or de Californie, puis celui du Nevada attirent du monde entier une foule de prospecteurs. De 800 habitants en 1846, la population passe à 35 000 dès 1850, à 150 000 en 1870 et à 350 000 en 1900. Détruite par un tremblement de terre en 1906, San Francisco est rapidement

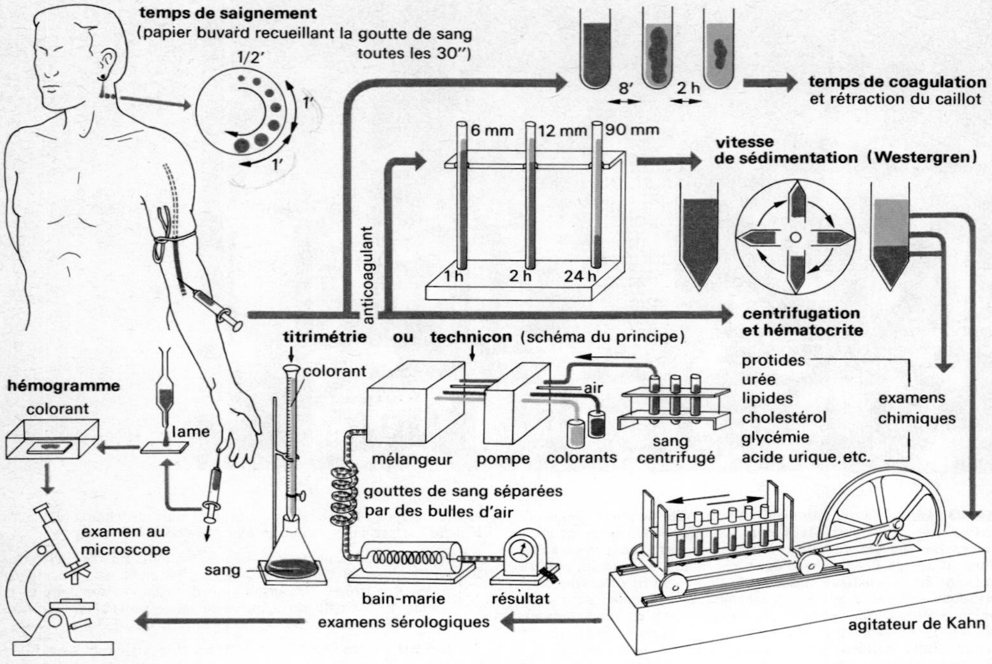

SANG

reconstruite. L'ouverture du canal de Panamá lui donne un nouvel essor. C'est à San Francisco que, du 25 avril au 26 juin 1945, est élaborée la charte des Nations unies. En septembre 1951 y est signé le traité de paix entre le Japon et les Alliés.

SANG. — Cet élément liquide, hétérogène, mobile, est contenu dans le système circulatoire (v. CIRCULATION DU SANG) et irrigue tous les tissus de l'organisme, auxquels, d'une part, il apporte les éléments nutritifs et l'oxygène nécessaires aux métabolismes, et dont, d'autre part, il entraîne les produits de déchets au niveau des reins, des poumons, de la peau ou des intestins, où ils seront évacués. Il joue un rôle de transporteur pour diverses substances endogènes (hormones, enzymes) ou exogènes (médicaments).

Le sang est une suspension de cellules, ou «globules», dans un liquide complexe, le plasma*. Il se coagule dès qu'il s'écoule hors des vaisseaux (v. COAGULATION) et parfois dans ceux-ci (v. THROMBOSE).

La sédimentation du sang rendu incoagulable résulte de l'action de la pesanteur et se traduit par la chute des globules, formant un dépôt au fond d'un tube long et étroit. La vitesse de sédimentation (v. s.) est mesurée par la hauteur, en millimètres, de la colonne de plasma qui surmonte celle des hématies sédimentées. Cette hauteur est notée au bout d'une heure, de deux heures, de vingt-quatre heures, et elle est différente suivant le sexe : chez l'homme, elle est respectivement de 3, 8, 50 mm; chez la femme de 6, 16, 70 mm. La vitesse de sédimentation est augmentée dans la plupart des inflammations aiguës ou chroniques.

La centrifugation du sang rendu incoagulable sépare la partie globulaire solide de la partie plasmatique liquide. La partie globulaire d'un échantillon sanguin centrifugé représente 45 p. 100 de son volume total, et ce taux est l'hématocrite.

La partie plasmatique (plasma) est constituée d'eau, de sels minéraux, de molécules organiques (glucides, lipides, protides), d'hormones, de gaz dissous.

La partie globulaire est constituée des éléments figurés du sang : globules rouges, ou hématies*; globules blancs, ou leucocytes*; plaquettes sanguines, ou thrombocytes.

L'étude de ces éléments représente l'hémogramme*, qui est le résultat d'une recherche quantitative (numération globulaire) et qualitative (formule leucocytaire) sur ces éléments figurés. En moyenne, le nombre de globules rouges est compris entre 4,5 et 5,5 millions par millimètre cube; le nombre de globules blancs, entre 5 000 et 8 000 par millimètre cube. La formule leucocytaire représente les différentes fractions des leucocytes : les polynucléaires neutrophiles (PN) de 45 à 70 p. 100; les polynucléaires éosinophiles (PE) de 1 à 3 p. 100; les polynucléaires basophiles de 0 à 0,5 p. 100; les lymphocites de 20 à 40 p. 100; les monocytes de 3 à 7 p. 100. Le nombre des plaquettes est compris entre 200 000 et 400 000 par millimètre cube.

La centrifugation d'un sang qui a coagulé spontanément sépare le sérum du caillot. Le sérum a la même composition que le plasma, mais il est dépourvu de fibrinogène, qui s'est transformé en fibrine insoluble au cours de la coagulation.

Le sang assure la fixité du milieu intérieur, dont il est le reflet; ainsi, l'étude de ses constituants (de par leur constance) est d'une importance capitale, car elle permet de dépister rapidement un dysfonctionnement.

La prise de sang est un prélèvement de sang en vue de son analyse. La technique la plus utilisée est la ponction veineuse au pli du coude, après qu'a été provoquée une turgescence veineuse par compression du bras à l'aide d'un garrot. Cette prise de sang devra être effectuée à jeun pour tous les dosages chimiques (protidémie de 70 à 85 g/l; azotémie [urée] de 0,25 à 0,45 g/l; uricémie [acide urique] de 30 à 40 mg/l; créatininémie de 7 à 15 mg/l; glycémie de 0,9 à 1,1 g/l; lipidémie de 5 à 7 g/l; cholestérolémie de 1,5 à 2,2 g/l; transaminases SGOT de 10 à 10 U/l; SGPT de 10 à 50 U/l; calcium de 90 à 110 mg/l; potassium de 0,15 à 0,20 g/l; sodium de 3,15 à 3,40 g/l; magnésémie de 18 à 25 mg/l) ainsi que pour l'hémogramme; par contre, cette mesure n'est pas nécessaire pour les examens sérologiques et bactériologiques. Il faut noter, également, que la prise de sang permet de retrouver à l'examen des substances responsables d'une intoxication, telles que l'alcool, l'oxyde de carbone ou certains médicaments.

SANGALLO (les), architectes italiens, maîtres de la Renaissance classique. GIULIANO GIAMBERTI, dit G. DA SANGALLO (Florence v. 1445-*id.* 1516), d'abord employé par les Médicis comme ingénieur militaire, donne les deux ouvrages les plus représentatifs de la fin du XVe s. avec la villa de Poggio a Caiano, qui annonce Palladio, et l'église S. Maria delle Carceri de Prato. — ANTONIO, dit A. DA SANGALLO L'ANCIEN (Florence v. 1455-*id.* 1534), frère du précédent, collabore avec celui-ci (par exemple à Saint-Pierre de Rome), réalise des forteresses, puis construit à Montepulciano l'église S. Biagio (1518), d'une très harmonieuse franchise de composition. — ANTONIO CORDINI, dit A. DA SANGALLO LE JEUNE (Florence 1484-Rome 1546), neveu des précédents et leur élève, lui aussi ingénieur militaire, développe l'agence familiale au service des papes Médicis. Il élève à Rome plusieurs églises et palais clairement ordonnés, dont le palais Farnèse*, qui montre une maîtrise totale des leçons antiques (cour inspirée du théâtre de Marcellus).

SANGATTE (62100 Calais), comm. du Pas-de-Calais, à 9 km à l'O. de Calais; 3 423 hab. Station balnéaire.

SANGER (Frederick), biochimiste anglais (Rendcomb, Gloucestershire, 1918). Il a étudié la structure des protéines et établi en 1955 celle de l'insuline. (Prix Nobel de chimie, 1958.)

SANGHA (la), riv. de l'Afrique équatoriale, dont le cours supérieur porte le nom de «Mambéré», affl. du Congo (r. dr.); 1 700 km.

SAN GIMIGNANO, v. d'Italie (Toscane); 8 500 hab. Treize sévères tours de palais dominent encore la ville, d'aspect médiéval. Cathédrale remontant au XIIe s. (élégante chapelle par Giuliano da Maiano, avec fresques de D. Ghirlandaio), église S. Agostino (XIIIe s.; fresques de Gozzoli) et autres monuments. Musées.

SĀNGLI, v. de l'Inde, dans le sud du Mahārāshtra; 115 000 hab.

SANGLIER. — Encore assez commun dans les forêts françaises, le sanglier se distingue du porc domestique par une plus grande taille, une tête *(hure)* très développée, d'énormes canines éversées *(boutoirs)* et un pelage serré, apprécié en brosserie. Il se nourrit surtout en déterrant bulbes et tubercules, et se rend nuisible aux cultures. La femelle est la *laie,* et les jeunes sont des *marcassins.* Le sanglier au sens strict est le vieux mâle solitaire, qualifié par les Romains de *porcus singularis.* Mais le nom scientifique de l'espèce est *Sus scrofa.*

SANGNIER (Marc), homme politique français (Paris 1873-*id.* 1950). Au collège Stanislas, il organise des cercles d'études qui seront à l'origine du Sillon*. Polytechnicien, il démissionne de l'armée en 1898 pour se consacrer à l'éducation populaire et à l'instauration d'un christianisme véritablement démocratique et social. Quand le Sillon — véritable matrice de la démocratie* chrétienne en France — est désavoué par Pie X* (1910), il se soumet; en 1912, il fonde la Jeune République. Après avoir été député du Bloc national (1919-1924), il crée *l'Éveil des peuples,* d'inspiration internationaliste et pacifiste; dans le même esprit, il fonde (1930) la Ligue française des auberges de la jeunesse.

SANGSUE. — Le groupe des sangsues, ou *hirudinées,* comprend des annélides d'eau douce, marines et terrestres, adaptées à se nourrir de sang. La sangsue médicinale commune a une ventouse à chaque extrémité, l'antérieure entourant une bouche à trois mâchoires en dents de scie. La salive empêche la coagulation au niveau de la plaie, et la sangsue gorge de sang ses vingt-deux estomacs. Mais elle peut rester près d'un an sans manger. On connaît aussi des sangsues marines à trompe (pontobdelles), parasites des poissons et des oiseaux de mer. Dépourvues de soies, les sangsues forment la classe des *achètes.*

SANGUINAIRES *(îles),* îlots granitiques de la côte occidentale de la Corse, à l'entrée nord du golfe d'Ajaccio.

SANGUINETI (Edoardo), écrivain italien (Gênes 1930). Poète influencé par Eliot et Ezra Pound aussi bien que par Dante, dont il admire la double passion de la réalité et du langage (*le Réalisme de Dante,* 1965), romancier rompant avec les traditions narratives (*Capriccio italiano,* 1963), il est dans son pays le Protée de la nouvelle littérature expérimentale (*Laborintus,* 1956; *le Noble Jeu de l'oie,* 1967).

Sanhédrin, anc. conseil suprême du judaïsme, siégeant à Jérusalem. Son origine paraît remonter à la fin du IIIe s. av. J.-C. Il comptait soixante et onze membres et était présidé par le grand prêtre en exercice; son autorité effective dépendait en partie du bon vouloir du prince. Les Romains, qui avaient réduit ses attributions, durent compter avec son influence auprès des masses; à la disparition de l'État juif en 70, le Sanhédrin cessa d'exister. Dans l'histoire postérieure du judaïsme, certaines académies religieuses de Palestine ou de Babylonie portèrent le nom de « Sanhédrin ».

SAN ISIDRO, agglomération de la banlieue nord de Buenos Aires; 250 000 hab.

SANITAIRE. — L'équipement sanitaire français — malgré les constructions et les rénovations — est en retard par rapport aux pays anglo-saxons : 44 p. 100 des Français ne possédaient pas de salle de bains en 1974. Néanmoins, l'équipement sanitaire a donné lieu à des recherches de la part des designers.

La baignoire a été étudiée pour offrir le maximum de qualités fonctionnelles : baignoire à pans coupés, pouvant se loger dans des lieux exigus; baignoire à fond antidérapant; baignoire aux bords abaissés, pour en faciliter l'accès; ou encore baignoire « physiologique » à dossier à double galbe et à accoudoirs horizontaux, pour permettre une totale relaxation. La baignoire ronde encastrable est un modèle de luxe. La douche, grâce au système « téléphone », au réglage thermostatique, est d'une grande souplesse d'utilisation; il existe aussi de nombreux modèles de cabines de douche pliables. Le lavabo en grès émaillé ou en porcelaine vitrifiée prend très souvent la forme d'une vasque encastrée dans un plateau de céramique ou de lamifié. Les appareils sont très souvent en couleur.

Baignoires, douches et lavabos sont équipés de mitigeurs, mécaniques ou thermostatiques, permettant un réglage constant de la température de l'eau. À la robinetterie contemporaine mate et épurée s'ajoute celle de style, souvent inspirée de l'époque 1900 et qui a remis au goût du jour le métal doré et les robinets à col de cygne.

Les matières plastiques moulables ont donné naissance à la salle de bains monobloc en plastique armé, réunissant en une seule coque baignoire, lavabo et bidet, souvent reliés par un seul raccord à la tuyauterie générale. Les murs sont laqués brillants ou tapissés de papier métallisé, au détriment des carreaux de faïence traditionnels. Le sol est très souvent recouvert de moquette imputrescible et intachable.

SAN JOSÉ, capit. du Costa Rica, à plus de 1 100 m d'altitude; 395 000 hab. pour l'agglomération, qui regroupe plus du cinquième de la population totale du pays.

SAN JOSE, v. des États-Unis (Californie), au S.-E. de San Francisco; 446 000 hab.

SAN JOSÉ DE CÚCUTA → CÚCUTA.

SAN JUAN, v. d'Argentine, en bordure des Andes; 113 000 hab.

SAN JUAN, capit. de Porto Rico, sur la côte nord de l'île; 485 000 hab.

SAN JUAN DE PASTO → PASTO.

SANJURJO SACANELL (José), général espagnol (Pampelune 1872-Lisbonne 1936). Ancien haut-commissaire au Maroc (1926), exilé au Portugal en 1934 à la suite d'un putsch, il prépare le soulèvement militaire de 1936 en liaison avec Franco, mais périt dans un accident d'avion au moment où il regagne l'Espagne.

ŚAṄKARA, philosophe indien (fin du VIIIe s.). L'homme, selon Śaṅkara, vit dans un monde relatif et illusoire; en revanche, l'unique réalité authentique à laquelle il puisse accéder réside en lui-même. C'est le soi individuel qui est identique au soi universel ou absolu dont parlent les *Upaniṣad**. Il n'existe donc pas deux réalités différentes selon Śaṅkara : voilà pourquoi sa doctrine est dite « non dualiste ». L'homme, dans son existence mondaine, est soumis à la ronde des renaissances en de multiples corps (saṃsāra*) et, pour s'en libérer, il doit connaître cette identité fondamentale, qui lui révélera le caractère illusoire du monde. L'interprétation extrêmement rigoureuse que Śaṅkara a donné des *Brahmasūtra,* des *Upaniṣad* védiques et de la *Bhagavad-Gītā* fait de lui l'un des premiers philosophes indiens.

SANKT ANTON AM ARLBERG, importante station de sports d'hiver (alt. 1 304-2 811 m) d'Autriche (Tyrol), près du *col de l'Arlberg;* 2 000 hab.

SANKT JOHANN IM TIROL, v. d'Autriche (Tyrol), au pied des Alpes de Kitzbühel; 6 000 hab. Station de sports d'hiver (alt. 670-1 596 m).

SANKT PÖLTEN, v. d'Autriche, à l'O. de Vienne; 50 000 hab. Monuments baroques, dont la cathédrale, d'origine romane, transformée à partir de 1722 par Prandtauer (fresques de Daniel Gran [1694-1757]). Métallurgie.

SANLÚCAR ou **SANLÚCAR DE BARRAMEDA,** v. d'Espagne (Andalousie), à l'embouchure du Guadalquivir; 40 000 hab. Monuments médiévaux et classiques. Port d'où partirent Colomb pour son troisième voyage (1498) et Magellan pour le premier voyage autour du monde (1519).

SAN LUIS POTOSÍ, v. du Mexique, capit. de l'*État de San Luis Potosí;* 230 000 hab. Cathédrale baroque. Métallurgie.

SAN MARTÍN (José DE), général et homme politique argentin (Yapeyú 1778-Boulogne-sur-Mer 1850). Après avoir combattu dans l'armée espagnole contre les Français (1793, puis 1808), il se passionne pour la libération de l'Amérique latine. Arrivé à Buenos Aires (1811), il bat les Espagnols à San Lorenzo (1813). À la tête de l'armée du Nord (1814) puis de la province de Cujo, ses projets de libération du Chili* semblent bien compromis par la défaite d'O'Higgins à Rancagua (1er oct. 1814). Mais San Martín organise avec les patriotes chiliens réfugiés l'« armée des Andes » : ayant renversé Carlos de Alvear, qui veut traiter avec les Espagnols, il applaudit à l'indépendance des Provinces-Unies du Río de la Plata (1816) avant de franchir les Andes et d'entrer à Santiago, après la victoire de Chacabuco (12 févr. 1817), qui prélude à l'indépendance du Chili (1818). De là, il part libérer le Pérou* (prise de Lima, 12 juill. 1821), pays qui se proclame, lui aussi, indépendant, avec San Martín comme « protecteur ». Mais celui-ci, dans sa marche vers le nord, est pris de vitesse par Bolívar. Déçu, malade, il démissionne (1822), puis s'exile en France (1823).

SAN-MARTINO-DI-LOTA (20200 Bastia), ch.-l. de cant. de la Haute-Corse, à 11 km au N.-N.-O. de Bastia; 2 564 hab.

SAN MIGUEL, v. de l'est du Salvador; 111 000 hab.

SANNAZZARO (Iacopo), en franç. **Sannazar,** poète et humaniste italien (Naples 1455-*id.* 1530). Son œuvre principale, *l'Arcadie* (1502-1504), mélange de prose et de vers, eut une influence considérable sur la formation du roman pastoral dans la littérature européenne.

SANNOIS (95110), ch.-l. de cant. du Val-d'Oise, au pied des *buttes de Sannois,* à 2 km au N. d'Argenteuil; 18 903 hab. *(Sannoisiens).*

SAN PEDRO, nouveau port de la Côte-d'Ivoire, sur l'ouest du littoral.

SAN PEDRO SULA, v. du nord-ouest du Honduras; 103 000 hab.

SANRAKU, peintre japonais (Gamō 1559-Kyōto 1635). Fils adoptif d'Eitoku, il est, avec son propre fils adoptif, Sansetsu (1590-1651), le dernier grand représentant du brillant style de l'époque Momoyama. Patronné par le shōgun Hideyoshi, il assure la continuité de l'école Kanō* à Kyōto. Ses œuvres (beautés de la nature, scènes historiques) témoignent de l'étendue de son talent, du lavis cursif à la grande composition décorative en couleurs.

SAN REMO ou **SANREMO,** v. d'Italie (Ligurie), sur la Méditerranée, à proximité de la France; 63 000 hab. Station balnéaire. Pittoresque ville haute (église S. Siro, en partie du XIIIe s.). — Du 14 au 26 avril 1920 s'y tint une conférence interalliée destinée à étudier les problèmes posés par le Moyen-Orient et à préparer le traité de Sèvres* avec la Turquie.

SAN SALVADOR, capit. du Salvador, à près de 700 m d'altitude, au pied du *volcan San Salvador* (1 950 m); 379 000 hab.

SANS-CULOTTES. — Ce terme, adopté en 1792, désigna les révolutionnaires les plus avancés, ceux qui, pour rompre avec l'usage bourgeois de la culotte, adoptèrent le pantalon de bure à rayures. À partir de 1795, on appela « sans-culottes » le petit peuple des faubourgs en proie à la misère et toujours prêts à se révolter.

SAN SEVERO, v. d'Italie, dans le nord de la Pouille; 52 000 hab.

SANSKRIT. — Le sanskrit (mot signifiant « parfait ») est la langue indo-européenne parlée dans l'Inde du Nord-Ouest pendant les deux millénaires qui ont précédé notre ère. Les plus anciens textes sanskrits, les Veda* (c'est-à-dire le « Savoir »), sont des recueils de chants religieux, des traités liturgiques et des commentaires sur ces chants. Ils ont été transmis oralement entre 1800 et 500 av. J.-C.; leur transcription, plus tardive, reproduit fidèlement le texte oral et permet de suivre l'évolution de la langue. Quand, vers le Ve s. av. J.-C., le grammairien Pānini décrit la langue et en fixe la norme linguistique, le sanskrit n'est plus qu'une langue liturgique, qu'il restera jusqu'à l'époque contemporaine : les langues vivantes de l'Inde sont déjà les dialectes (ou prākrits) qui ont donné naissance aux diverses langues parlées actuellement (v. INDO-ARYEN).

La « découverte » du sanskrit par les Occidentaux à la fin du XVIIIe s. a donné naissance à la linguistique indo-européenne et à la grammaire comparée (le sanskrit représente un état de langue très proche de ses origines indo-européennes).

SANSOVINO (Andrea CONTUCCI, dit **il**), sculpteur et architecte italien (Monte San Savino, Arezzo, 1460 - *id.* 1529). Pureté formelle, délicate idéalisation caractérisent son *Baptême du Christ* au-dessus de la porte est du baptistère de Florence (bronze, v. 1503) et se retrouvent, plus que dans les deux grandes compositions funéraires de S. Maria del Popolo à Rome (pour Jules II, v. 1506), dans les bas-reliefs de la *Vie de la Vierge* à la Santa Casa de Lorette, dont l'artiste dirigea le chantier, dans l'esprit de Bramante, à partir d'environ 1510.

SANSOVINO (Jacopo TATTI, dit **il**), sculpteur et architecte italien (Florence 1486 - Venise 1570). Il est le disciple du précédent, dont il adopte le nom. À Rome, il est influencé par la sculpture antique, par Raphaël, puis par Michel-Ange. En 1527, il quitte Rome, dévastée, pour Venise, où, comme premier architecte de la ville, il va adapter l'art de la seconde Renaissance à la tradition vénitienne (palais Corner, puissamment modelé, à partir de 1537; ensemble fastueux de la *loggetta* et de la *Libreria,* sur la Piazzetta; nombreuses sculptures; etc.).

Sans-Souci *(château de)* → POTSDAM.

SANTA ANA, v. des États-Unis (Californie), au S.-E. de Los Angeles; 157 000 hab.

SANTA ANA, v. de l'ouest du Salvador, au pied du *volcan Santa Ana* (2 386 m, point culminant du pays); 172 000 hab.

SANTA ANNA (Antonio LÓPEZ DE), homme politique mexicain (Jalapa v. 1795 - Mexico 1876). Lieutenant d'Iturbide*, il oblige celui-ci à abdiquer (1823) avant de se faire élire président (1833). Battu et fait prisonnier par les Américains à San Jacinto (1836), il doit reconnaître la sécession du Texas*. Banni à Cuba (1845), il est rappelé pour faire face de nouveau aux Américains; encore battu, il ne peut rien contre la cession aux États-Unis de la Californie et du Nouveau-Mexique (1848). Déposé, il est rappelé en 1853 et se proclame dictateur à vie, mais il est évincé dès 1855.

SANTA CATARINA, État du Brésil méridional, sur l'Atlantique; 95 985 km^2; 2 903 000 hab. Capit. *Florianópolis.*

SANTA CLARA, v. du centre de Cuba, ch.-l. de prov.; 138 000 hab.

SANTA CRUZ, port et ch.-l. de prov. de l'archipel espagnol des Canaries; 151 000 hab. Raffinage du pétrole.

SANTA CRUZ ou **SANTA CRUZ DE LA SIERRA,** v. de Bolivie, au pied oriental des Andes; 125 000 hab. Sucreries.

SANTA FE, v. d'Argentine, près du Paraná; 245 000 hab.

SANTA FE, v. des États-Unis, capit. du Nouveau-Mexique, à plus de 2 000 m d'altitude; 41 000 hab.

SANTA ISABEL → MALABO.

SANTAL. — Ce petit arbre asiatique est très recherché pour son bois oléagineux et parfumé, dont on extrait l'essence de santal, d'usage médical et aromatique. Le bois lui-même, employé en bimbeloterie de luxe, est imité à partir d'essences botaniquement très diverses, toutes désignées commercialement comme « santal ». Le vrai santal sert de type à la famille des santalacées.

SANTA MARÍA DE GARONA, localité d'Espagne, en Vieille-Castille (prov. de Burgos). Centrale nucléaire.

SANTA-MARIA-SICHÉ (20190), ch.-l. de cant. de la Corse-du-Sud, à 33 km à l'E.-S.-E. d'Ajaccio; 712 hab.

SANTA MARTA, port de Colombie, sur la mer des Antilles, au pied de la *sierra de Santa Marta;* 104 000 hab.

SANTA MONICA, v. des États-Unis (Californie), sur le Pacifique, dans la banlieue de Los Angeles; 88 000 hab. Station balnéaire. Construction aéronautique.

SANTANDER, port d'Espagne, sur l'Atlantique, en Vieille-Castille, ch.-l. de prov.; 150 000 hab. Cathédrale des XIIIe-XVe s. Musées de Préhistoire et des Beaux-Arts. Constructions mécaniques.

SANTANDER (Francisco DE PAULA), homme politique colombien (Rosario de Cúcuta 1792 - Bogotá 1840). Lieutenant de Bolívar, vice-président de la Grande-Colombie (1821-1828), il fut président de la République de la Nouvelle-Grenade (Colombie) de 1832 à 1836; on le considère comme le fondateur de la Colombie*.

SANTARÉM, v. du Brésil (État de Pará), sur l'Amazone. Son nom reste attaché à un style de poterie précolombienne, qui se développa entre le XIe s. et l'époque historique, et dont le baroquisme (application foisonnante de motifs modelés zoomorphes et anthropomorphes) laisse supposer un usage rituel.

SANTARÉM, v. du Portugal, sur le Tage; 17 000 hab. Églises, de l'époque romano-gothique au baroque. Musée archéologique.

SANTÉ. — Ce terme, qui s'applique à l'état de fonctionnement normal de l'organisme en l'absence de maladies, s'emploie aussi bien à l'égard des individus (santé physique, santé mentale) qu'à l'égard de la société (santé publique). La santé publique est protégée par de nombreuses mesures sanitaires et par diverses administrations. Un service de la santé publique est obligatoire dans chaque département. (Pour l'Organisation mondiale de la santé [O. M. S.], v. ORGANISATIONS INTERNATIONALES.)

SANTÉ DES ARMÉES *(Service de).* — La mission et l'organisation du Service de santé des armées sont le résultat d'une longue évolution. Sous l'Ancien Régime, les chefs de corps recrutaient eux-mêmes les médecins de leurs régiments, et, sur les vaisseaux du roi, des « chirurgiens de marine » étaient embarqués. Louis XIV avait bien créé le corps permanent des « officiers de santé », mais, en dépit de la célébrité de médecins militaires comme Dominique Larrey (1766-1842) sous le premier Empire, le Service de santé ne fut véritablement organisé et détaché de l'intendance qu'à la fin du XIXe s. En 1948, il est devenu un service commun aux trois armées de terre, de mer et de l'air, dont il assure en toutes circonstances le soutien sanitaire (hygiène et santé des militaires, ramassage, triage et traitement des malades et des blessés). Pour remplir cette mission, il dispose de matériels médico-chirurgicaux adaptés aux besoins militaires et d'établissements tels qu'écoles, hôpitaux, pharmacies, magasins, laboratoires d'analyses ou de recherche, etc. En opération, il met sur pied de nombreuses formations (hôpitaux chirurgicaux avancés, compagnies médicales, pelotons sanitaires, élément médical militaire d'intervention rapide...). Il est composé de personnels spécialisés d'active, renforcés, le cas échéant, par des réservistes : médecins des armées, pharmaciens* chimistes des armées, officiers d'administration, officiers et sous-officiers des corps féminins du Service de santé, sous-officiers et hommes du rang (infirmiers, laborantins...).

SANT'ELIA (Antonio) → FUTURISME.

SANTÉ MARITIME. — Les nations maritimes ont édicté des réglementations visant l'habitabilité, la conservation des vivres et de l'eau, la protection contre les rongeurs, la présence d'un médecin ainsi que l'aménagement d'un hôpital au-delà d'un nombre déterminé de personnes présentes à bord, etc. D'autre part, le *contrôle sanitaire* aux frontières maritimes doit s'exercer avec rigueur, en raison, notamment, des risques de contagion de maladies régnant, à l'état endémique, dans certaines régions d'outre-mer. Les capitaines des navires ne peuvent donc prendre contact avec la terre qu'après avoir obtenu la *libre pratique* des polices sanitaires des ports.

Santiago (Chili). Une partie de la ville vue de la colline de Santa Lucía.

Serraillier - Rapho

SANTERRE (le), région de Picardie (Somme), au S.-E. d'Amiens.

SANTIAGO, capit. du Chili; 2 900 000 hab. Au pied des Andes, dans la Grande Vallée centrale, à environ 500 m d'altitude, Santiago, fondée en 1541, est l'une des plus grandes villes de l'Amérique du Sud, groupant plus du quart de la population chilienne. Sa prépondérance est encore plus grande dans les domaines administratif, commercial et aussi industriel (plus de la moitié de la production nationale de ce secteur); elle est insuffisante toutefois pour absorber la demande d'emploi, résultant de l'afflux de ruraux, qui, s'ajoutant à l'excédent naturel, explique la rapidité de l'accroissement démographique récent.

SANTIAGO ou **SANTIAGO DE CUBA,** port du sud-est de Cuba, deuxième ville du pays; 259 000 hab. Nombreux monuments de l'époque coloniale. Cimenterie. — Pendant la guerre hispano-américaine* de 1898, une escadre espagnole y fut détruite par la flotte américaine.

SANTIAGO ou **SANTIAGO DE LOS CABALLEROS,** v. du nord de la république Dominicaine; 155 000 hab.

SANTIAGO DE COMPOSTELA → SAINT-JACQUES-DE-COMPOSTELLE.

SANTIAGO DEL ESTERO, v. du nord de l'Argentine; 105 000 hab.

SANTILLANA (Iñigo LÓPEZ DE MENDOZA, *marquis* DE), homme de guerre et écrivain espagnol (Carrión de los Condes 1398 - Guadalajara 1458). Il a laissé de nombreux poèmes d'amour, qui mêlent la tradition castillane à l'imitation des Italiens, et introduisit le sonnet dans la poésie espagnole.

SÄNTIS (le), montagne de Suisse, au S. de Saint-Gall; 2 504 m.

SANTO ANDRÉ, banlieue sud-est de São Paulo; 413 000 hab.

SANTORIN, archipel volcanique de la Grèce, dans la partie méridionale des Cyclades, dont l'île principale porte aussi le nom de *Santorin,* ou *Thíra* (nom grec de l'archipel). Il résulte du démantèlement, vers l'an 1000 av. J.-C., d'un vaste appareil volcanique.

SANTOS, port du Brésil (État de São Paulo), sur l'Atlantique; 346 000 hab. Exportation du café. Sidérurgie. Raffinage du pétrole.

SANTOS-DUMONT (Alberto), ingénieur et aéronaute brésilien (Palmyra [auj. Santos Dumont] 1873 - São Paulo 1932). Il fut en France un pionnier de la navigation aérienne, remportant notamment, en 1906, un record mondial avec une envolée de 220 m en 21 secondes.

SANVIGNES-LES-MINES, comm. de Saône-et-Loire, à 5 km à l'O. de Montceau-les-Mines; 6 278 hab.

SÃO BERNARDO DO CAMPO, v. du Brésil, banlieue sud de São Paulo; 202 000 hab. Industrie automobile.

SÃO CAETANO DO SUL, v. du Brésil, banlieue sud de São Paulo; 114 000 hab.

SÃO FRANCISCO, grand fleuve du Brésil, né dans le Minas Gerais, qui rejoint l'Atlantique dans le Nordeste (entre Recife et Salvador); 3 161 km. Aménagements hydroélectriques (dont ceux de Três Marias et de Paulo Afonso).

SÃO GONÇALO, v. du Brésil, banlieue de Rio de Janeiro; 430 000 hab.

SÃO JOÃO DE MERITI, v. du Brésil (État de Rio de Janeiro); 303 000 hab.

SÃO LUÍS ou **SÃO LUÍS DO MARANHÃO,** v. du Brésil septentrional, sur l'Atlantique, capit. de l'*État de Maranhão;* 266 000 hab. Cathédrale du XVIIe s.

SAO MIGUEL, la plus grande (747 km^2) des îles des Açores.

SAÔNE (la), riv. de l'est de la France; 480 km. Née dans le départ. des Vosges, elle coule vers le sud, au pied oriental des hauteurs du sud-est du Bassin parisien (plateau de Langres), puis du nord-est du Massif central (Côte d'Or, Charolais, Mâconnais), recevant notamment le Doubs (r. g.), avant de passer à Chalon-sur-Saône puis à Mâcon et de rejoindre le Rhône (r. dr.) à Lyon. Rivière aux hautes eaux hivernales, elle accroît considérablement, mais aussi régularise, le débit du Rhône. Son rôle économique doit augmenter avec l'aménagement projeté d'une voie fluviale à grand gabarit l'utilisant comme liaison essentielle entre le Rhône et le Rhin.

SAÔNE (Haute-) [70], départ. de la Région Franche-Comté; 5 343 km^2; 222 254 hab. Ch.-l. *Vesoul.* S.-préf. *Lure.*

Encadré par le Jura et l'extrémité méridionale des Vosges à l'E., par les hauteurs du sud-est du Bassin parisien (plateau de Langres) à l'O., le département, comme son nom l'indique, correspond à un ensemble de plaines et de plateaux d'altitude modeste, dans le bassin supérieur de la Saône. Humide, assez froid, souvent boisé, il offre des sols médiocres à l'agriculture, sauf dans le sud, vers Gray, relativement plus sec.

La densité de population est faible, guère supérieure à 40 habitants au kilomètre carré et donc inférieure de plus de moitié à la moyenne nationale. Le département a souffert de l'exode rural et du déclin d'une industrie (surtout métallurgique) artisanale : il a perdu plus du tiers de sa population depuis 1850; toutefois une certaine reprise est enregistrée depuis une quinzaine d'années. La faiblesse du peuplement tient naturellement à l'absence de grande ville, seule Vesoul compte plus de 12 000 habitants. L'industrie emploie cependant plus des deux cinquièmes de la population active, mais elle est très diversifiée (petite métallurgie, travail de bois et textile) et disséminée en dehors du nord-est, dans l'orbite de Belfort-Montbéliard. L'agriculture occupe plus du dixième de cette population active; elle est représentée surtout par l'élevage pour le lait (fromages) et la viande, favorisé par l'extension de l'herbe. La faiblesse du secteur tertiaire est à relier à celle de l'urbanisation du département, écartelé, pour les services, entre les zones d'attraction de Dijon, de Besançon et de Belfort-Montbéliard. Dans un angle mort, à l'écart des grands axes de communication, la Haute-Saône demeure une terre d'émigration, dont l'ampleur n'est que partiellement masquée par le maintien d'un excédent naturel et la croissance de quelques villes, dont Vesoul et Lure.

SAÔNE-ET-LOIRE (71), départ. de la Région Bourgogne; 8 565 km^2; 569 810 hab. Ch.-l. *Mâcon.* S.-préf. *Autun, Chalon-sur-Saône, Charolles* et *Louhans.*

Vaste département, la Saône-et-Loire juxtapose deux ensembles naturels différents et de tailles inégales. À l'est de la Saône, s'étend l'extrémité septentrionale de la plaine de la Bresse, terre d'élevage et aussi de polyculture. À l'ouest, le département occupe la bordure nord-est du Massif central : les hauteurs de l'Autunois, du Charolais et du Mâconnais, boisées ou vouées à l'élevage bovin, sont entaillées par les vallées affluentes de la Loire (Arroux et Bourbince) ou de la Saône (Grosne). Les versants bien exposés des contreforts orientaux (côte chalonnaise et retombée du Mâconnais sur la plaine de la Saône) portent des vignobles. La vallée de la Saône est jalonnée par les principales villes, Chalon et Mâcon, en dehors de la nébuleuse urbaine et industrielle, étirée du Creusot à Montceau-les-Mines, née de l'extraction du charbon et de la métallurgie lourde.

Département aux aptitudes agricoles variées, à l'industrie puissante, la Saône-et-Loire est cependant relativement peu peuplée, avec une densité moyenne voisine seulement de 70 habitants au kilomètre carré. L'extension des hauteurs, au climat rude, contribue à expliquer cette situation, mais aussi l'exode rural (le septième de la population active est encore employé dans l'agriculture) et les difficultés sectorielles et régionales de l'industrie (déclin du charbon). Le département comptait encore plus de 620 000 habitants au début de ce siècle; le recul a été ininterrompu jusqu'en 1946. Depuis une trentaine d'années, une nette reprise est enregistrée, liée surtout à la progression de l'urbanisation de la vallée de la Saône (des deux villes de Chalon et de Mâcon, favorisées par une excellente desserte autoroutière, ferroviaire, fluviale), à l'économie beaucoup plus dynamique que celle de la vallée de l'autre composante du département, la Loire. L'industrie, dominée par la métallurgie, emploie aujourd'hui les deux cinquièmes de la population active, moins développée que le secteur tertiaire, qui souffre cependant pour les services supérieurs de la proximité de Dijon, au N., et surtout de Lyon, au S.

SÃO PAULO, État du sud-est du Brésil, sur l'Atlantique; 247 000 km^2; 17 776 000 hab. Capit. *São Paulo.* Vaste comme près de la moitié de la France, l'État est, de loin, le plus peuplé du Brésil (le seul comptant plus de 10 millions d'habitants). La culture du café demeure importante, de même que l'élevage bovin, mais une part croissante de la population (le tiers) et de la production industrielle (les deux tiers) est concentrée dans la capitale, qui explique donc, pour une large part, le notable accroissement démographique (quadruplement) du dernier demi-siècle.

SÃO PAULO, v. du Brésil, capit. de l'*État de São Paulo;* 5 922 000 hab. Musées (des Beaux-Arts, d'Art contemporain, etc.). À 800 m d'alt., dans un bassin intérieur drainé par le Tietê, fondé au XVIe s., São Paulo comptait seulement une trentaine de milliers d'habitants en 1872. Le développement récent a été prodigieux : le cap des 200 000 habitants a été franchi avant 1900, celui du million avant 1940, et la population de la ville a encore plus que quadruplé pendant le dernier quart du siècle. São Paulo est devenue progressivement la plus grande ville brésilienne, grâce initialement à la progression de la culture du café et surtout grâce à l'industrie, très diversifiée aujourd'hui (métallurgie, textile, alimentation, chimie), et à la multiplication des services (administration, banques, université, bureaux d'études). Grande ville de l'intérieur (cas assez exceptionnel en Amérique latine, qui explique d'ailleurs le caractère tardif de sa fortune), São Paulo, reliée au port de Santos (à une cinquantaine de kilomètres) et possédant deux aéroports (Congonhas et Viracopos), est devenue la première métropole économique, surtout industrielle, de l'Amérique latine.

São Paulo. Le centre de la ville.

Serraillier - Rapho

SAOS, anc. population noire non musulmane, qui vivait au sud du lac Tchad (actuellement : Nigeria, Nord-Cameroun et Tchad) et qui appartenait à des vagues successives d'immigrants. L'hégémonie de ces chasseurs et pêcheurs sur la région se situe entre le XIe et le XIVe s. Des huttes — vestiges de villages et de villes, parfois ceintes de remparts de boue séchée, ou de leurs tumuli funéraires — ont livré un matériel abondant, notamment des statuettes d'argile (animaux, et surtout ancêtres divinisés), probablement cuites à feu nu, étrangement expressives, ainsi que de belles parures de bronze incisées et fondues à cire perdue. Le degré de civilisation des Saos et la perfection de leur métallurgie permettent de leur attribuer un lointain passé.

SÃO TOMÉ E PRÍNCIPE, État insulaire du golfe de Guinée, près de l'équateur, formé des îles de *São Tomé* (836 km^2) et de *Príncipe* (ou île du Prince; 128 km^2); 74 000 hab. Cap. *São Tomé* (17 000 hab.). Production de cacao, café et coprah. Ancienne colonie portugaise, l'État est indépendant depuis 1975.

SAOURA (la), oued du Sahara, qui a donné son nom à un département algérien (761 125 km^2; 238 000 hab.), dont le chef-lieu est *Béchar.*

SAPERDE. — Ce coléoptère longicorne se montre particulièrement nuisible aux peupliers, aux trembles et aux saules, la larve vivant dans le bois de ces espèces. (Famille des cérambycidés.)

SAPEUR-POMPIER. — En France, les sapeurs-pompiers (200 000 hommes environ en 1976) constituent l'armature des services de secours. Leurs attributions sont de plus en plus nombreuses et variées, l'incendie n'étant plus le motif le plus fréquent de leurs interventions (14 p. 100 seulement en 1976). Leurs autres missions vont, en effet, du secours routier à la neutralisation des matières dangereuses, en passant par les contrôles opérés en application des règlements de sécurité. Dans chaque département, les sapeurs-pompiers, professionnels ou bénévoles, sont répartis dans des centres de secours et dépendent de l'inspecteur départemental des services d'incendie et de secours, placé auprès du préfet par le ministre de l'Intérieur (protection civile). Le Centre national d'instruction de la protection contre l'incendie, créé à Paris en 1946, assure l'enseignement des techniques de la prévention et des secours, ainsi que le recyclage des cadres supérieurs. À Paris, le corps des sapeurs-pompiers, créé en 1716, fait partie de l'armée depuis 1811. Rattaché à l'arme du génie en 1965, le régiment est devenu, en 1967, la *brigade des sapeurs-pompiers de Paris,* commandée par un général. Cette brigade (6 000 hommes environ en 1977), articulée en trois groupements, est mise pour emploi à la disposition du préfet de police. En 1968, sa compétence a été étendue aux nouveaux départements des Hauts-de-Seine, de la Seine-Saint-Denis et du Val-de-Marne. À Marseille, depuis 1938, un corps de *marins-pompiers* (900 hommes environ en 1976), appartenant à la marine nationale, est mis pour emploi à la disposition du maire.

SAPIN. — Le vrai sapin *(Abies pectinata),* qui n'est commun, en France, que dans les Vosges et le Jura, se reconnaît à ses aiguilles plates, portant au revers deux lignes blanches, et disposées à l'horizontale sur les rameaux. Le tronc est d'un gris clair, ce qui oppose ce « sapin blanc » à l'épicéa, parfois appelé « sapin roux ». Les cônes s'écaillent à maturité sans tomber, l'axe restant dressé sur les rameaux dans la position des bougies d'arbre de Noël.

SAPINDALES. — Cet ordre de plantes dicotylédones rassemble les familles des sapindacées (marronnier d'Inde), des acéracées (érable) et des polygalacées. Ce sont des plantes disciflores, à ovaire libre.

SAPIR (Edward), linguiste américain (Lauenburg, Allemagne, 1884- New Haven, États-Unis, 1939). Après des études d'allemand et de philologie classique, Sapir, sous l'influence de l'anthropologue F. Boas, s'intéresse à la description des langues et des cultures amérindiennes. Les conditions particulières de cette description, qui ne peut être menée que d'une manière synchronique et formelle, le conduisent, dès 1925 et indépendamment des travaux de Saussure, à dégager la notion de phonème*. Il propose également une nouvelle typologie des langues, fondée non sur un classement génétique mais sur la prise en considération de données formelles (morphologie, procédés de dérivation, organisation sémantique, etc.). La conception du langage (hypothèse de « Sapir-Whorf ») est que toute langue, « représentation symbolique de la réalité sensible », contient une vision propre du monde, qui organise et conditionne la pensée et en est, de ce fait, inséparable.

Son ouvrage de synthèse *Language : an Introduction to the Study of Speech* (1921) est un des premiers essais pour fonder une nouvelle science du langage hors de l'emprise des considérations historiques, en insistant sur le caractère systématique des faits linguistiques : Sapir peut, de ce fait, être considéré comme un des fondateurs du mouvement structuraliste.

SAPONAIRE. — Les propriétés nettoyantes de la saponaire, qui mousse lorsqu'on la froisse dans l'eau, sont appréciables. Cette herbe à tige ferme, aux feuilles opposées lancéolées, porte au sommet un groupe de fleurs roses aux pétales très écartés. (Famille des caryophyllacées.)

SAPONIFICATION. — La saponification des esters diffère de leur hydrolyse car elle a lieu au contact d'un alcali. C'est une réaction rapide et totale, qui fournit un sel de l'acide en même temps que l'alcool.

SAPONINE. — Les saponines sont des corps solubles dans l'eau, qu'ils rendent moussante et capable d'émulsionner les huiles et les résines. Elles entrent dans la composition de lessives, shampooings et liquides extincteurs.

SAPOTACÉES. — Ce sont des plantes ligneuses de cette famille tropicale qui fournissent la gutta-percha, le beurre de karité et diverses huiles. Le sapotillier, ou sapotier *(Achras sapota)*, fournit une baie savoureuse.

SAPPHO ou **SAPHO,** poétesse grecque (Lesbos v. 625 - *id.* v. 586 av. J.-C.). Elle connut dans l'Antiquité un immense succès : des monnaies furent frappées à son effigie; ses neuf livres de poèmes furent admirés d'Horace et d'Ovide. Il ne nous reste de son œuvre que 650 vers, dans lesquels, s'inspirant des thèmes populaires de son île natale et créant des rythmes nouveaux (la strophe saphique), elle évoque l'amour, la mort, la beauté.

SAPPORO, v. du nord du Japon, ch.-l. de l'île d'Hokkaidō; 1 010 000 hab. Industries métallurgiques et textiles.

SAPROPHYTISME. — On désigne comme *saprophytes* les plantes sans chlorophylle qui, comme les champignons, puisent leur nourriture organique dans l'humus, dans les cadavres d'animaux ou dans les végétaux en décomposition, dans les aliments, etc. Les plantes à fleurs sont rarement saprophytes (l'orchidacée *Neottia*).

SAQQARAH, village d'Égypte (prov. de Gizeh), faubourg de l'ancienne Memphis, dont il abrite la nécropole (7 km de long). Celle-ci, grâce aux mastabas et aux pyramides des premières dynasties, grâce aussi au complexe funéraire de Djoser (XXVIIIe s. av. J.-C.), permet de suivre l'évolution de l'architecture égyptienne et de constater, dès l'origine, la présence d'éléments décoratifs essentiels. Nombreux bas-reliefs, parmi les plus réussis de l'Ancien Empire.

SARA, personnage biblique, femme d'Abraham* et mère d'Isaac*.

SARABANDE → SUITE DE DANSES.

SARAGAT (Giuseppe), homme d'État italien (Turin 1898). Membre du bureau du parti socialiste italien à partir de 1925, il doit s'exiler dès 1926 et participe activement à la résistance antifasciste. Hostile au rapprochement avec les communistes, il rompt avec P. Nenni* et fonde, en 1947, le parti socialiste démocratique italien (PSDI). Collaborant avec les démocrates-chrétiens, il participe au gouvernement comme vice-président du Conseil (1947-1950 et 1954-1957), puis comme ministre des Affaires étrangères dans le cabinet Moro (1963), avant d'être élu président de la République (1964-1971). Mis en minorité au sein du PSDI en 1973, il est rappelé à la présidence du parti en 1975 et au secrétariat général en 1976.

SARAGOSSE, en esp. **Zaragoza,** v. d'Espagne, en Aragon, ch.-l. de prov., sur l'Èbre; 480 000 hab. Industries mécaniques, chimiques, textiles et alimentaires.

HISTOIRE. Création phénicienne restaurée par les Romains, Saragosse dépendit du califat de Cordoue (VIIIe s.), mais se rendit indépendante au XIe s., constituant un royaume arabe, qui fut conquis par Alphonse Ier en 1118. Devenue la capitale de l'Aragon*, siège d'un archevêché (1317) et d'une université (1474), Saragosse perdit de son importance quand Madrid devint capitale de l'Espagne : plusieurs fois, elle se révolta contre le pouvoir central pour défendre ses privilèges *(fueros)*. Elle soutint deux sièges contre les troupes napoléoniennes (1808-09).

BEAUX-ARTS. Aljafería, anc. palais des rois arabes, remontant au XIe s. Cathédrale entreprise à la fin du XIIe s. (tour-lanterne du début du XVIe s., à arcs entrecroisés de tradition mauresque; riche mobilier). Tours mudéjares (XIVe s.) de S. Pablo et de S. Miguel. Immense basilique Nuestra Señora del Pilar, à onze coupoles et quatre tours d'angle, conçue par Herrera le Jeune et transformée au XVIIIe s. (riche décor intérieur). Palais, surtout du XVIe s., sobres édifices de brique, comme la Lonja et l'actuelle Audiencia. Musée provincial (archéologie et objets d'art; peinture [Goya]).

SARAJEVO, v. de Yougoslavie, capit. de la Bosnie-Herzégovine; 244 000 hab. Vestiges pittoresques de la ville turque. Fondée par les Turcs au début du XVe s., cette ville, dont les Autrichiens, en 1878, firent le siège de leur gouvernement militaire en Bosnie*-Herzégovine, est surtout célèbre par l'assassinat de l'archiduc François-Ferdinand, dont, le 28 juin 1914, elle fut le théâtre, et qui préluda à la Première Guerre* mondiale.

SARAMON (32450), ch.-l. de cant. du Gers, à 24 km au S.-E. d'Auch; 759 hab. Église romane.

SARAN (45400 Fleury les Aubrais), comm. du Loiret, dans la banlieue nord d'Orléans; 8 921 hab. Constructions mécaniques.

SARANSK, v. de l'U. R. S. S. (R. S. F. S. de Russie), capit. de la république autonome des Mordves, à l'O. de la moyenne Volga; 191 000 hab.

SARASATE (Pablo DE), violoniste espagnol (Pampelune 1844-Biarritz 1908). Un des plus grands interprètes du XIXe s., il contribua à la diffusion de la pensée espagnole dans la musique occidentale.

Saqqarah. Partiellement cachée par les piliers d'un petit temple, la pyramide à degrés du roi Djoser, œuvre de l'architecte Imhotep. IIIe dynastie, v. 2800-2600 av. J.-C.

SARASIN (Jean-François), poète français (Caen v. 1615 - Pézenas 1654). Rival de Voiture, il fut un des meilleurs poètes de la société précieuse.

SARATOGA SPRINGS, v. des États-Unis (État de New York), au N. d'Albany. Le général anglais Burgoyne y capitula devant les Américains, le 17 octobre 1777.

SARATOV, v. de l'U. R. S. S. (R. S. F. S. de Russie), sur la Volga; 757 000 hab. Port fluvial. Centrale hydroélectrique. Raffinage du pétrole. Verrerie.

SARAWAK, territoire du nord-ouest de Bornéo, membre de la Malaysia; 124 449 km²; 977 000 hab. Ch.-l. *Kuching.* Proche de l'équateur, le Sarawak est recouvert en majeure partie par la forêt dense. Le pétrole est extrait près de Brunei (vers Miri).

SARAZIN (Jacques), sculpteur français (Noyon 1588 - Paris 1660). Après avoir travaillé à Rome de 1610 à 1628, il fait carrière en France. Employant une équipe (dont certains membres iront à Versailles) et participant à la création de l'Académie royale en 1648, il prépare la voie du classicisme pour la sculpture (monument du cœur d'Henri II de Condé à Chantilly; groupes d'enfants de l'escalier du château de Maisons).

SARCELLE. — Les sarcelles sont de petits canards de la taille d'un pigeon, aux mœurs migratrices, assez communs en Europe et aux États-Unis. On en distingue deux espèces.

SARCELLES (95200), ch.-l. de cant. du Val-d'Oise, à 11 km au N. de Paris; 55 177 hab. *(Sarcellois).* Grand ensemble résidentiel.

SARCOME → TUMEUR.

SARDAIGNE, en ital. **Sardegna,** île et région italienne de la Méditerranée au S. de la Corse; 24 090 km^2; 1 516 000 hab. Capit. *Cagliari.*

GÉOGRAPHIE. Formée de quatre provinces (Cagliari, Nuoro, Oristano et Sassari), l'île juxtapose plusieurs ensembles de hautes terres, dont la Gallura et surtout le massif de Gennargentu (1 834 m), séparé de celui de l'Iglesiente par la longue et large plaine du Campidano, étirée d'Oristano à Cagliari, qui est, de loin, la plus grande ville et la seule (avec Sassari) dépassant 100 000 habitants. L'île est, en effet, assez faiblement peuplée, situation liée à l'isolement, à l'extension des plateaux et des moyennes montagnes aux sols médiocres, à la longue prépondérance d'une économie agricole fondée sur l'élevage (ovins), avec quelques cultures (céréales, vigne). Quelques industries modernes (chimie, papeterie) se sont ajoutées à la traditionnelle extraction minière (plomb, zinc, charbon). Le tourisme, favorisé par le climat méditerranéen, se développe sur le littoral. Cela ne suffit pas à enrayer l'émigration qui compense presque l'excédent naturel.

HISTOIRE. Grâce à ses mines (fer, plomb, argent), la Sardaigne connut une grande prospérité à l'âge du bronze et au début de l'âge du fer (civilisation nuragique*). Des comptoirs phéniciens s'y établirent au VIIe s. av. J.-C.; Carthage réussit progressivement à imposer sa domination dans l'île, non sans avoir dû, au préalable, et de concert avec les Étrusques, combattre l'influence phocéenne (v. 535 av. J.-C.). Soumise à Rome en 237 av. J.-C., la Sardaigne fut érigée en province impériale en 67 apr. J.-C. Les Vandales l'occupèrent au Ve s.; sous Justinien (534), Byzance restaura sa souveraineté sur l'île; puis elle la délaissa, laissant à l'Église romaine le soin de s'y implanter socialement (VIe-VIIe s.). Victime des incursions sarrasines, les Sardes s'organisèrent en oligarchie et sollicitèrent la protection de Gênes et de Pise; celles-ci, ayant chassé l'envahisseur, se disputèrent le contrôle de l'île (XIe s.). La position des Pisans, implantés dans le Sud et l'Est, se trouva renforcée par l'accession d'Enzo, fils de Frédéric II, à la royauté sarde (1239). Pourtant, dès 1284, Gênes, implantée dans le Nord et l'Ouest, prit le dessus avant d'être à son tour chassée par les Aragonais (1348). Unifiée, après une longue guerre civile, sous l'autorité d'Alphonse V d'Aragon (1420), l'île devint le siège d'une vice-royauté (1478); déjà victime de son isolement géographique, elle souffrit du despotisme des vice-rois, dont la seule préoccupation fut le maintien de la domination espagnole. Livré en 1714 aux Habsbourg d'Autriche, le royaume sarde fut échangé contre celui de Sicile en 1718 et devint alors possession de la maison de Savoie*, dont il fut le refuge de 1799 à 1814. L'île fut rattachée au Piémont* en 1848, puis au royaume d'Italie* en 1861.

SARDANAPALE, roi légendaire assyrien de la tradition grecque. Selon les auteurs grecs, il aurait été le dernier roi d'Assyrie, qui, assiégé par les Mèdes et se voyant perdu, fit mettre le feu à son palais et périt dans l'incendie avec ses femmes et ses trésors. La légende de Sardanapale, dont le nom est une corruption d'Assourbanipal*, est sans doute inspirée par deux événements historiques : la mort, en 651 av. J.-C., de Shamash-shoum-oukîn, frère d'Assourbanipal, dans son palais en flammes, et la destruction, en 612 av. J.-C., de Ninive*, incendiée par les Mèdes.

SARDES, ville de l'Asie Mineure, dans la vallée du Pactole*. Résidence des rois de Lydie*, prise par Cyrus II* le Grand en 547 (ou 546) av. J.-C., elle fut un centre chrétien important. Demeurée prospère jusqu'aux incursions sassanides (615-617), elle fut détruite en 1402 par Tīmūr* Lang (Tamerlan). Plusieurs niveaux archéologiques ont été repérés, mais les vestiges les plus imposants (temple d'Artémis) constituent l'un des meilleurs exemples des conceptions monumentales de l'époque hellénistique. Nécropole et vaste tumulus, sépulture probable du roi lydien Gygès.

SARDINE. — Il n'y a guère d'espèces de poissons qui soient pêchées plus scientifiquement et commercialisées plus largement que la sardine. C'est un poisson bleu, mesurant au maximum 20 cm de long, et aux deux lobes de la caudale parfaitement égaux. Ses œufs sont flottants. On le pêche dans les eaux chaudes et salées de la Méditerranée et, saisonnièrement, dans l'Atlantique, de l'Irlande jusqu'au Maroc. La sardine est capable de migrations assez étendues (plus de cent kilomètres).

SARDOU (Victorien), auteur dramatique français (Paris 1831 - *id.* 1908). Il mit son ingéniosité technique au service des modes nouvelles, de la comédie bourgeoise au drame historique (*Madame* Sans-Gêne,* 1893).

SAREMA, en estonien **Saaremaa,** île de l'U. R. S. S. (Estonie), fermant le golfe de Riga.

Sardaigne. Castelsardo, sur la côte nord-ouest de l'île.

SARGASSE. — Les grandes algues marines brunes appelées « sargasses » offrent une curieuse ressemblance morphologique avec les plantes supérieures : crampons de fixation évoquant des racines, stipe et frondes rappelant une tige et des feuilles, flotteurs ayant forme et position de fruits. Ce sont les sargasses qui, au large des Açores, forment des amas flottants assez denses pour abriter une faune côtière : c'est la *mer des Sargasses.*

SARGASSES *(mer des),* partie de l'Atlantique, au N.-E. des Antilles, couverte partiellement par des algues appartenant au genre *sargasse.*

SARGODHA, v. du nord du Pākistān; 129 000 hab.

SARGON d'Akkad → AKKAD.

SARGON II, roi d'Assyrie (de 722 à 705 av. J.-C.). Poursuivant l'expansion de son empire vers la Méditerranée, il soumet le royaume d'Israël* (prise de Samarie* en 721), la Syrie* et l'Ourartou*, et assure la domination assyrienne sur Babylone. Il fonde, en 717, une nouvelle capitale : Dour-Sharroukên* (auj. Khursabād*); il s'efforce d'assurer l'unité de l'empire en réorganisant l'administration et en améliorant les relations économiques des provinces, grâce à l'adoption d'un unique étalon des poids et mesures.

SARH, anc. **Fort-Archambault,** v. du Tchad méridional; 37 000 hab. Textile.

SARI-D'ORCINO (20151), ch.-l. du cant. de Cruzini-Cinarca (Corse-du-Sud), à 35,5 km au N.-N.-E. d'Ajaccio; 390 hab.

SARIGUE. — Les sarigues sont les seuls mammifères marsupiaux du continent américain. Chez l'opossum, la taille est celle d'un chat, mais l'aspect est celui d'un gros rat. Leur queue est préhensile. Ils se nourrissent aussi bien de volailles que d'insectes, de fruits et de graines. Ils vivent dans les arbres ou creusent des terriers. On les chasse activement pour leur belle fourrure, mais leur grande fécondité compense les pertes. Les autres espèces de sarigues sont encore plus petites; l'une d'entre elles a l'aspect, l'habitat et les mœurs de la loutre.

SARINE (la), en allem. **Saane,** riv. de Suisse, née dans l'Oberland bernois, qui passe à Gruyères, puis à Fribourg, avant de rejoindre l'Aar (r. dr.); 120 km.

SARLAT-LA-CANÉDA (24200), anc. **Sarlat,** ch.-l. d'arr. de la Dordogne, dans le Périgord, sur la Cuze; 10 880 hab. *(Sarladais).* Centre commercial et touristique. Vieille ville pittoresque, aux édifices religieux et civils s'échelonnant du XIIe au XVIIe s. (maisons gothiques ou Renaissance). Industries alimentaires.

SARMATES, tribus nomades d'origine iranienne, apparentées aux Scythes*, qu'elles chassèrent peu à peu de leur territoire. Les Sarmates s'installèrent, vers les débuts de l'ère chrétienne, sur les rives du Danube, où les empereurs romains eurent du mal à les contenir. Ils se fondirent par la suite dans le flot des migrations germaniques.

SARMIENTO (Domingo Faustino), homme politique et écrivain argentin (San Juan 1811 - Asunción, Paraguay, 1888), président de la République (1868-1874), auteur du roman *Facundo* (1845), qui dépeint la vie des gauchos.

SĀRNĀTH, site archéologique de l'Inde, au nord de Bénarès, où, dans le parc aux Gazelles, le Bouddha prêcha pour la première fois en 531 ou 523 av. J.-C. L'empereur Aśoka y érigea au IIIe s. av. J.-C. un *pilier* dont le chapiteau est le premier chef-d'œuvre de la sculpture indienne. Les monuments ne sont plus que ruines, mais les restes de statuaire forment un ensemble d'une homogénéité et d'une qualité exceptionnelles, surtout à la période classique gupta et postgupta (v. IVe-VIIIe s.).

SARNEN, comm. de Suisse, ch.-l. du demi-canton d'Obwald, à l'extrémité nord du *lac de Sarnen;* 6952 hab.

SARNIA, v. du Canada (Ontario), à la frontière américaine, à l'extrémité méridionale du lac Huron; 57644 hab. Raffinage du pétrole et pétrochimie.

SAROYAN (William), écrivain américain (Fresno, Californie, 1908), auteur de nouvelles, de romans (*l'Ennui avec les tigres,* 1938; *Entre garçons et filles,* 1963) et de pièces de théâtre (*Mon cœur est sur les monts d'Écosse,* 1939; *Voilà, vous savez qui,* 1962), d'inspiration à la fois romantique et ironique.

SARRACENIA. — Les marécages d'Amérique du Nord abritent cette liane, qui offre à la pluie ses feuilles transformées en urnes (« ascidies »). Les insectes qui se noient dans ces urnes sont digérés et absorbés par la plante, qui trouve là un complément de nourriture, comme chez le népenthès, qui est une plante très voisine.

SARRAIL (Maurice), général français (Carcassonne 1856 - Paris 1929). Commandant la IIIe armée, il contribua à la victoire de la Marne (1914). À la tête de l'armée d'Orient en 1915, il organisa la base de Salonique et reprit Monastir (1916). Il fut haut-commissaire en Syrie (1924).

SARRALBE (57430), ch.-l. de cant. de la Moselle, sur la Sarre, à 15 km au S. de Sarreguemines; 4629 hab. Porte-beffroi du XIVe s. Soude.

SARRANCOLIN (65410), comm. des Hautes-Pyrénées, à 7 km au N. d'Arreau; 868 hab. Église romane. Marbres.

SARRASIN. — Le sarrasin, ou *blé noir,* est la seule céréale qui ne soit pas une graminacée. Elle constitue le type de la famille des polygonacées*. La farine extraite de ses graines sert notamment à faire des galettes et des crêpes, principalement en Bretagne.

SARRAUTE (Nathalie), femme de lettres française (Ivanovo, Russie, 1900). Recherchant sous les apparences et les lieux communs « les sensations à l'état naissant » (*Tropismes**, 1939) et rejetant la conception traditionnelle du héros romanesque (*l'Ère du soupçon,* 1956), elle peint dans ses romans (*Portrait* d'un inconnu,* 1949; *Martereau,* 1953; *le Planétarium**, 1959; *les Fruits d'or,* 1963; *Vous les entendez?,* 1972; *« disent les imbéciles »,* 1976) et son théâtre (*le Silence,* 1966; *le Mensonge,* 1966; *Isma, ou Ce qui s'appelle rien,* 1970; *C'est beau,* 1975) des personnages solitaires et cruels, qui tentent en vain, au milieu des banalités des objets et du langage quotidien, d'établir entre eux une communication authentique.

SARRE (la), en allem. **Saar,** riv. née dans les Vosges (massif du Donon), qui passe successivement à Sarrebourg, à Sarreguemines, puis à Sarrebruck, et traverse le sud du Land *Sarre,* avant de rejoindre la Moselle (r. dr.) près de Trèves; 240 km.

SARRE, en allem. **Saarland,** État (Land) de l'Allemagne fédérale; 2567 km^2; 1112000 hab. Capit. *Sarrebruck.*

GÉOGRAPHIE. Entre la Lorraine et le Massif schisteux rhénan, la Sarre doit son importance démographique et économique à l'affleurement de la houille, qui, grâce à la proximité du gisement de fer lorrain, a permis l'essor de la sidérurgie; la production de la houille est voisine de 10 Mt (comme en Lorraine), celle de l'acier, de l'ordre de 5 Mt. D'autres branches se sont développées à partir de celles-ci, comme la chimie et, surtout, la métallurgie de transformation. Ainsi s'explique une densité moyenne supérieure à 400 habitants au kilomètre carré.

HISTOIRE. Au XVIIe s., dans le cadre de la « politique des réunions » appliquée par Louis XIV, la plupart des villes sarroises sont annexées à la France. Le département français de la Sarre (1790-1814) passe, dans sa majeure partie, à la Prusse en 1814; en 1815, Sarrelouis et Sarrebruck sont à leur tour annexées. Élément important de l'essor économique de l'Empire allemand après 1871, la Sarre, après la défaite de celui-ci (1918), est partiellement réclamée par la France. Les Alliés s'y opposent, mais le traité de Versailles (1919) dispose que le gouvernement du bassin sarrois sera confié pour quinze ans à la S. D. N., la propriété des mines sarroises étant transférée à l'État français, en compensation de la destruction des mines du nord de la France. Évacuée en 1930 par les troupes françaises, la Sarre garde son statut international jusqu'au plébiscite du 13 janvier 1935, qui est favorable au retour de la Sarre à l'Allemagne. Après la Seconde Guerre mondiale, la Sarre est placée dans la zone d'occupation française : détachée politiquement de l'Allemagne et intégrée économiquement à la France, elle rejette en 1955, par référendum, le statut européen proposé par Paris. Le 1er janvier 1957 elle redevient allemande.

SARREBOURG (57400), ch.-l. d'arr. de la Moselle, sur la Sarre; 15050 hab. Musée régional dans l'anc. chapelle des Cordeliers (XIIIe s.). Constructions mécaniques. Conditionnement. Verrerie.

SARREBRUCK, en allem. **Saarbrücken,** v. de l'Allemagne fédérale, sur la Sarre, capit. du Land (État) Sarre; 230000 hab. Monuments, surtout de style baroque (XVIIIe s.). Musée de la Sarre. L'agglomération regroupe environ 500000 hab. (près de la moitié de la population sarroise), juxtaposant services supérieurs (administration, université) et industries (métallurgie surtout, chimie, textile, alimentation).

SARREGUEMINES (57200), ch.-l. d'arr. de la Moselle, sur la Sarre; 26293 hab. *(Sarregueminois).* Vestiges d'un château du XIIe s. Pneumatiques. Faïencerie. Constructions mécaniques.

SARRELOUIS, en allem. **Saarlouis,** anc. Saarlautern, v. de l'Allemagne fédérale (Sarre), sur la Sarre; 37000 hab. Métallurgie.

SARRE-UNION (67260), ch.-l. de cant. du Bas-Rhin, sur la Sarre, à 24 km au S. de Sarreguemines; 3130 hab. Église du XVe s., hôtel de ville du XVIIe.

SARRIETTE. — La sarriette est une petite labiacée très parfumée, utilisée aussi bien comme condiment que comme infusion.

SARRUS (Pierre), mathématicien français (Saint-Affrique 1798 - *id.* 1861). Son nom est resté attaché à un procédé de calcul des déterminants d'ordre trois.

SARTÈNE (20100), ch.-l. d'arr. de la Corse-du-Sud; 6049 hab. *(Sartenais).* Vins.

SARTHE (la), riv. de l'ouest de la France; 285 km. Née dans le Perche, elle passe à Alençon et Le Mans, et reçoit le Loir (r. g.), avant de former, avec la Mayenne, la Maine.

SARTHE (72), départ. de la Région Pays de la Loire; 6210 km^2; 490385 hab. *(Sarthois).* Ch.-l. *Le Mans.* S.-préf. *La Flèche* et *Mamers.*

Correspondant au haut Maine historique, le département juxtapose, malgré une topographie générale peu accidentée, des pays aux caractères et aptitudes variés : plateaux granitiques ou schisteux de l'ouest, souvent boisés, terrains sableux (forêts) ou marneux (herbages) du centre et du sud, alors que vers l'est, s'amorcent, sur un soubassement crayeux surmonté d'argile, les collines bocagères du Perche. L'ensemble a un climat océanique, plus humide dans le nord, proche de la Normandie, plus sec dans le sud, qui annonce déjà la vallée de la Loire.

La densité de population, voisine de 80 habitants au kilomètre carré, est inférieure à la moyenne nationale. La Sarthe a connu une longue phase de déclin démographique, du milieu du XIXe s. à la Seconde Guerre mondiale, en raison d'un exode rural particulièrement intense, doublement favorisé par la surcharge démographique des campagnes et la relative proximité de Paris, zone d'appel. Une reprise est nette dans le dernier quart du siècle. Elle correspond au relèvement (général) des taux de natalité, mais aussi, largement, à l'essor de l'agglomération du Mans, qui regroupe les deux cinquièmes de la population départementale et constitue la seule unité urbaine dépassant 20000 habitants.

L'exode rural se poursuit : cependant le sixième de la population active est encore employé dans l'agriculture, dominée par l'élevage (bovins, porcins, volailles), qui alimente partiellement l'industrie (occupant plus du tiers des actifs), où émergent cependant les constructions mécaniques et électriques; celles-ci sont représentées surtout au Mans, dont le poids dans le département doit encore s'accroître avec l'arrivée de l'autoroute, doublant une liaison ferroviaire particulièrement aisée.

SARTILLY (50530), ch.-l. de cant. de la Manche, à 11 km au N.-O. d'Avranches; 1142 hab.

SARTINE (Antoine DE), homme politique français (Barcelone 1729 - Tarragone 1801). Lieutenant général de police (1759-1774), il fait de Paris le modèle des capitales européennes. Secrétaire d'État à la Marine (1774-1780), il prend des ordonnances qui renouvellent fondamentalement les structures et l'esprit de la marine française.

SARTRE (Jean-Paul), philosophe et écrivain français (Paris 1905). Normalien et agrégé de philosophie, dramaturge, romancier et journaliste, Jean-Paul Sartre — qui refuse le prix Nobel en 1964 — manifeste dans sa vie et dans son œuvre une lucidité et une cohérence avec lui-même qui en font une des figures marquantes de notre époque.

*Les Mots** (1964) dégagent les grands complexes affectifs, les frustrations de l'enfance qui ont donné naissance à l'écrivain. Orphelin de père, élevé par une mère trop humble et un grand-père trop cabotin, l'enfant nage dans un climat sournois et comme irréel... Pour y échapper il se réfugie, très tôt, dans les livres.

Littérature et théâtre sartriens sont directement issus de ce thème profond. Désir de rejoindre la vie dans l'action, impossibilité de coïncider totalement avec cette action, sentiment d'inauthenticité et de mensonge à soi-même, tels sont les problèmes des héros du théâtre sartrien. Drame d'un indépassable théâtre, où le héros se retrouve toujours spectateur de lui-même, doté par rapport à son action d'une liberté qui est comme une maladie (*la Nausée,* 1938; *le Mur,* 1939; *les Mouches,* 1943; *Huis clos,* 1944). Cette « mauvaise foi » existentielle reçoit son statut essentiel et sa positivité, dans l'*Être* et le Néant,* où la distinction de l'en-soi et du pour soi, de la

Jean-Paul Sartre et Simone de Beauvoir.

B. Barbey - Magnum

facticité et de la transcendance, ouvre une philosophie de la conscience et de la liberté souveraine.

Sartre cherche une voie distincte à la fois de la psychologie bergsonienne de la vie intérieure et de la psychanalyse freudienne. Il la trouve chez Husserl* et construit une phénoménologie* fondée sur la notion d'intentionnalité de la conscience (*Esquisse d'une théorie des émotions,* 1939). Sa réflexion porte sur l'imagination (*l'Imagination,* 1936; *l'Imaginaire,* 1940), domaine le plus libre de la pensée, parce que l'esprit peut s'y saisir dans une production indépendante du réel, mais aussi le plus obscur, parce que lié au désir et fonctionnant souvent malgré nous (dans le rêve, le délire) et comme en dehors de la conscience. Pour résoudre la difficulté et laisser à la conscience sa souveraineté, Sartre invente la notion de conscience préréflexive.

La phénoménologie permet également d'éviter le solipsisme cartésien. Au sein de cette conscience souveraine, tout comme le monde est là, dès l'origine, les autres sont irrémédiablement présents. Or, l'autre conscience, en même temps que constitutive de la mienne, est un danger : le jugement de l'autre sur moi risque de me réduire à mon être, de me cantonner dans un rôle déterminé, en un mot, de me priver de ma liberté. Le plus souvent, ce jugement est social, et c'est ce reflet, la fascination qu'il exerce sur ma conscience qui sont les plus dangereux pour la liberté : c'est la société du sud des États-Unis, avec son moralisme et son racisme, qui constitue la putain et le Noir (*la P... respectueuse,* 1946). Comment échapper à cette fascination, retrouver notre liberté? J. Genet, en faisant de sa tare sociale une profession *(le Journal du voleur),* s'est aussi transformé en « saint et en martyr »; seule la littérature le libérera (*Saint Genet, comédien et martyr,* 1952).

Philosophiquement, la situation de la conscience au sein des autres est repensée dans la *Critique de la raison dialectique* (1960), où Sartre cherche à intégrer l'existentialisme au matérialisme dialectique, en refusant d'abolir la « dimension humaine » du déterminisme historique. Refus que manifestera son interprétation de Flaubert, *l'Idiot de la famille* (1971-72).

La réflexion ininterrompue de Sartre aboutit à retrouver l'authenticité au sein des autres par le militantisme. Directeur des quotidiens d'extrême gauche (*la Cause du peuple,* 1970; *Libération,* 1973), Sartre cherche un rassemblement de toutes les tendances antiautoritaires qui travaillent la société. Depuis 1945, dans *les Chemins de la liberté, Situations** et *les Temps modernes* (revue qu'il a fondée au lendemain de la guerre), il cherchait sa voie, opposée à la fois à la réaction et au parti communiste, avec lequel il avait définitivement rompu en 1956.

SARTROUVILLE (78500), ch.-l. de cant. des Yvelines, sur la Seine, à 12 km au N.-O. de Paris; 42 255 hab.

SARZEAU (56370), ch.-l. de cant. du Morbihan, à 21,5 km au S. de Vannes; 4 088 hab. Près de la côte, ruines du château de Sucinio (XIIIe-XVe s.).

SASEBO, port du Japon, sur la côte ouest de l'île de Kyūshū; 248 000 hab.

SASKATCHEWAN, province du Canada; 651 878 km²; 926 000 hab. Capit. *Regina.* Province de la Prairie canadienne, la Saskatchewan s'étire de la frontière américaine au 60e parallèle, avec une topographie peu accidentée (parsemée cependant de lacs d'origine glaciaire) et un climat continental, de plus en plus rude vers le N. (à Saskatoon, en janvier, la température moyenne est de – 17,5 °C et, pendant plus de la moitié de l'année, elle reste inférieure à 10 °C), aux précipitations, en partie neigeuses, peu abondantes (moins de 500 mm). Dans le sud, plus clément, les cultures (blé surtout, mais aussi orge et colza) occupent une large place, parfois associées à un important élevage bovin et porcin. Le sous-sol fournit principalement du pétrole (environ 15 Mt par an) et de la potasse. L'industrie valorise surtout la production agricole et minière. La sylviculture est la ressource essentielle du centre et du nord, en grande partie boisés. Un peu plus de la moitié de la population, stagnante, est urbanisée.

SASKATOON, v. du Canada (Saskatchewan), sur la Saskatchewan du Sud; 126 449 hab. Centre commercial (blé, potasse) et industriel (chimie, constructions mécaniques).

SASOLBURG, v. de l'Afrique du Sud, dans le nord de l'État libre d'Orange. Centre d'industries chimiques.

SASSAFRAS. — Cet arbre, voisin du laurier noble, pousse en Chine et aux États-Unis. On utilise son bois, très léger, pour la batellerie. Il fournit aussi un parfum et un condiment.

SASSANIDES, dynastie perse qui succéda aux Arsacides* et régna sur l'Iran* de 224 à 651. Les Sassanides se voulaient les restaurateurs des antiques traditions perses et les héritiers des Achéménides*. Leur dynastie est fondée par Ardachêr (v. 226-241), qui, après avoir vaincu Artaban V, le dernier Arsacide, en 224, se trouve en 226 maître de l'Empire iranien. Quatre rois font la grandeur sassanide : les deux Châhpuhr (Sapor pour les Occidentaux) et les deux Khosrô (Chosroès). Châhpuhr Ier (de 241 à 272) est pour les Romains un redoutable adversaire, mais, après sa mort, l'affaiblissement de son empire, au temps de Bahrâm II (de 276 à 293) et de Narsès (de 293 à 302), permet aux empereurs Carus et Galère* de rétablir l'influence de Rome. Après une période de querelles de cour, Châhpuhr II (de 310 à 379) accède au pouvoir, et le conflit avec Rome prend un tour à la fois politique et religieux; la conversion de Constantin* et la proclamation du christianisme comme religion officielle des Romains mettent les chrétiens perses dans une situation inconfortable, et ils sont très durement persécutés ou obligés d'adopter le mazdéisme*. La rupture avec Rome de l'Église perse, qui devient nestorienne (v. NESTORIANISME), amène, à la fin du Ve s., un apaisement. Le manichéisme* apparaît à cette époque et se répand tant en Asie qu'en Occident. Le VIe s. voit l'âge d'or de la période sassanide. Khosrô Ier (de 531 à 579) mène une guerre sans merci contre Justinien* : la paix signée entre les deux empereurs, en 562, ne fait ni vainqueur ni vaincu. Grand bâtisseur, Khosrô Ier favorise les lettres et les arts; la tradition le présente comme le type du roi juste et magnanime. Son petit-fils, Khosrô II (de 590 à 628), continue la fastueuse politique de son grand-père et guerroie jusqu'en Égypte, en Palestine, en Syrie et en Asie Mineure. Mais, après la contre-attaque sévère d'Héraclius Ier, en 627 (v. HÉRACLIDES), Khosrô, vaincu et fugitif, est assassiné. Sa mort est suivie d'une période de troubles à la faveur desquels les Arabes musulmans, vainqueurs, en 637, à Qādisiya, déferlent sur l'Iran. Yazdgard III (de 632 à 651), le dernier Sassanide, réfugié en Sogdiane*, mourra assassiné.

BEAUX-ARTS. Une incontestable renaissance nationale marque l'art sassanide; elle est caractérisée par l'abandon de l'hellénisme et le ralliement à des traits orientaux tels que hiératisme, frontalité et complexité des motifs décoratifs, dont certains évoquent le Luristān*. Les reliefs de Naqsh-i Roustem et Tāq-e Bostān rappellent ceux des Achéménides, dont l'influence se retrouve aussi dans l'orfèvrerie. Employée antérieurement dans le Fārs, la voûte se retrouve à Ctésiphon*; la coupole sur trompe des Parthes est utilisée dans les palais de Firuzābād (IIIe s.) et de Sarvestān (VIe s.), où elle est associée à l'iwān, qui deviendra le thème favori de l'architecture islamique iranienne.

SASSARI, v. d'Italie, dans le nord de la Sardaigne; 109 000 hab. Cathédrale gothique, renaissante et baroque, et autres monuments. Moderne musée national (archéologie, etc.).

SASSENAGE (38360), ch.-l. de cant. de l'Isère, à 6 km au N.-O. de Grenoble; 7 499 hab. Château du XVIIe s. Fromages. Cimenterie.

SASSETTA (Stefano DI GIOVANNI, dit **il**), peintre italien (Sienne 1392 - *id.* 1451). Il associe le sens spatial et plastique d'un Masolino à la préciosité siennoise, le réalisme à l'idéalisme, aimant la ligne ondoyante, la couleur lumineuse, les détails pittoresques (*Polyptyque de saint François,* commandé en 1437 pour Borgo San Sepolcro : fragments à Londres, au Louvre, à Chantilly...).

SATAN, le chef des démons, dans la Bible.

SATELLITE *(Astron.* et *Astronaut.).* — • Les *satellites naturels* sont au nombre de 33. La planète* la mieux pourvue, Jupiter*, en possède 13, suivie de Saturne* avec 10. En revanche, Mercure*, Vénus* et Pluton* n'en possèdent aucun. Tous les satellites n'ont pas la forme quasi sphérique de la Lune*. Ceux de Mars*, Phobos et Deimos ne sont en fait que des astéroïdes* difformes. Il en est de même pour 9 des satellites de Jupiter. Dans le système solaire, 5 satellites ont une taille supérieure à celle de la Lune. Le plus

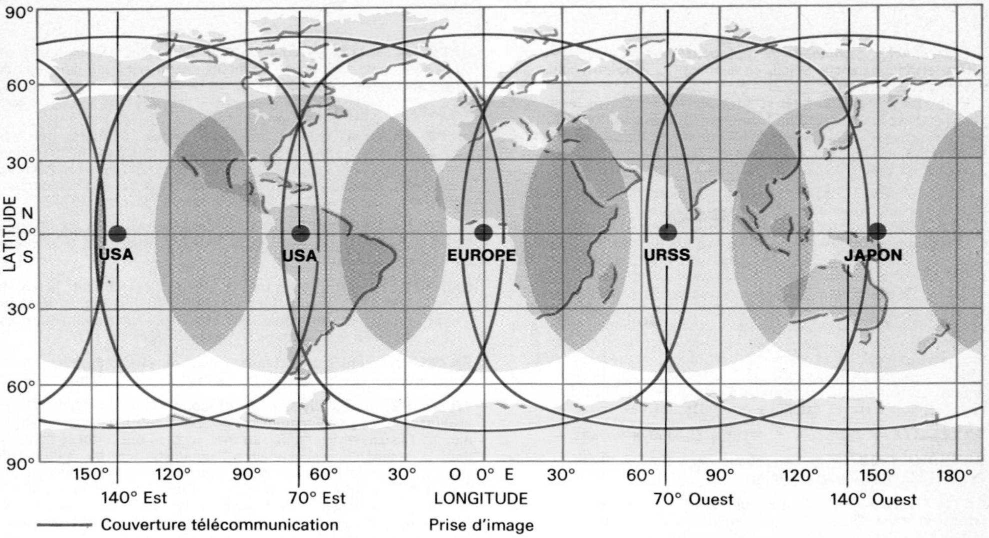

SATELLITE météorologique géostationnaire européen « Météosat », pour la surveillance continue de la surface terrestre et de sa couverture nuageuse.

volumineux de tous est Ganymède, satellite de Jupiter, avec 5 100 km de diamètre, plus gros que la planète Mercure (4 900 km). Le plus petit connu est Deimos, avec 12 km de diamètre.

• Un *satellite artificiel* est un engin lancé depuis le sol et mis sur orbite autour de la Terre* ou d'une planète quelconque. Pour satelliser un corps, il faut lui communiquer une vitesse telle que les forces d'attraction* gravitationnelle de la planète soient équilibrées par les forces centrifuges dues au mouvement de rotation. La trajectoire d'un satellite artificiel est une ellipse ayant le centre de la planète pour un des foyers; cette trajectoire devient un cercle lorsque la vitesse d'injection sur orbite est horizontale et a pour valeur $R\sqrt{\frac{g_0}{R+h}}$, R étant le rayon de la planète, h l'altitude du point d'injection sur orbite et g_0 l'intensité de la pesanteur* à cette altitude. Cette vitesse est appelée *première vitesse cosmique,* V_0. Pour une vitesse 1,414 fois supérieure, dite *seconde vitesse cosmique,* le satellite artificiel échappe entièrement à l'attraction de la planète. Le mouvement d'un satellite artificiel sur son orbite obéit aux lois de Kepler*, en particulier pour le calcul de la période de révolution. Pour un satellite terrestre, cette période T a pour valeur: $T = 8{,}6 \cdot 10^{-11} \cdot a^{3/2}$, dans laquelle a désigne le demi-grand axe de l'ellipse trajectoire; pour qu'un satellite reste *stationnaire* par rapport à la Terre, il doit, en vertu de cette formule, se trouver sur une orbite circulaire à 36 000 km d'altitude. Les satellites artificiels doivent disposer d'un générateur d'énergie électrique; celui-ci repose sur la conversion de l'énergie* solaire à partir de photopiles, disposées soit sur la surface extérieure du satellite, soit sur des panneaux de grandes dimensions déployés après la mise en orbite.

Quelques générateurs nucléaires ont également été essayés. D'autre part, pour certaines applications, les satellites doivent présenter une orientation fixe par rapport à la Terre. On a imaginé différents systèmes de stabilisation : passive (stabilisation gyroscopique, stabilisation par gradient* de pesanteur), ou active (stabilisation par jets de gaz et par volants d'inertie).

Les applications de satellites circumterrestres sont nombreuses. Les premières ont porté sur les télécommunications*, les satellites servant de relais aux ondes* hertziennes, qu'il s'agisse de communications téléphoniques ou de programmes de télévision*. Bien qu'un certain nombre de ces satellites soient du type *à défilement,* c'est-à-dire tournant plus vite que la Terre sur elle-même, la plupart sont des satellites *géostationnaires,* en position fixe par rapport à la Terre. La position élevée d'un satellite en fait un relais idéal pour les transmissions radioélectriques par faisceaux hertziens. À partir d'un émetteur placé sur le sol terrestre, on projette sur le satellite un faisceau d'ondes électromagnétiques de très haute fréquence. Reçues par le récepteur du satellite, ces ondes sont amplifiées et transposées en fréquence, avant d'être réémises vers un récepteur terrestre. Le satellite doit être équipé d'amplificateurs* à changement de fréquence fonctionnant à partir de l'énergie fournie par des batteries de piles solaires; les émetteurs terrestres doivent mettre en œuvre une puissance importante sur des antennes* de grandes dimensions; les récepteurs doivent fonctionner avec le plus

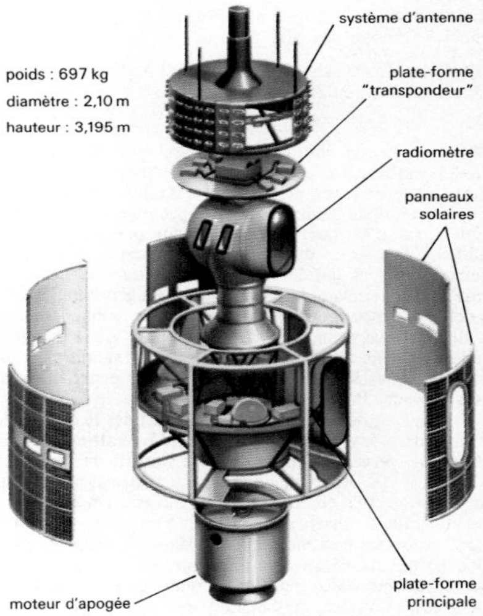

faible niveau de bruit possible, de façon à pouvoir distinguer les signaux utiles, obligatoirement de faible niveau. Enfin, les délais de transmission ne sont nullement négligeables; entre la fin d'une séquence verbale d'un utilisateur et le moment où il perçoit le début de la réponse de son correspondant, les signaux électriques ont parcouru 36 000 × 4 = 144 000 km. Compte tenu du passage dans les équipements au sol et dans ceux du satellite, les délais d'échange peuvent atteindre la seconde, ce qui peut être une cause de perturbation dans le déroulement des conversations, et, à tout le moins, une cause d'allongement de celles-ci. Employé jusqu'ici pour les liaisons intercontinentales, le réseau Intelsat, qui couvre la Terre avec trois satellites géostationnaires au-dessus de l'Atlantique, de l'océan Indien et du Pacifique, pourrait, dans un proche avenir, être appliqué aux transmissions régionales et même nationales, au niveau de pays de grande étendue : Canada, Indonésie, Zaïre, etc., sous le nom de « système satellite domestique ».

Les *satellites météorologiques* prennent des photographies de la couverture nuageuse entourant la Terre et les retransmettent au sol; ils sont équipés de radiomètres infrarouges qui leur permettent de prendre des photos de nuit. Placés sur des orbites quasi polaires, ils survolent toute la surface terrestre.

D'autres satellites ont été utilisés pour déterminer avec exactitude la forme du globe terrestre et effectuer une cartographie exacte de la surface par mesure des distances au sol; ce sont les *satellites géodésiques.*

Les *satellites astronomiques* ont pour mission d'observer les astres, et notamment le Soleil, en éliminant la gêne provoquée par l'atmosphère terrestre.

Enfin, les *satellites habités* se sont développés depuis le premier vol dans l'espace de Gagarine*, pour aboutir aux stations orbitales du type « Skylab », dans lesquelles divers équipages peuvent se relayer, les liaisons avec la Terre se faisant à l'aide de cabines spatiales du type « Apollo ».

SATELLITES MILITAIRES. Depuis les années 60, l'utilisation des satellites à des fins militaires a donné lieu, aux États-Unis et en U. R. S. S., à de nombreuses réalisations. Elles s'appliquèrent surtout à la surveillance et à la reconnaissance photographique (satellites américains SAMOS et Super-SAMOS) ou électronique (satellites FERRET). D'autres (tels les MIDAS, remplacés depuis 1971 par les satellites IMEWS) sont chargés de la détection du lancement des missiles ou de la surveillance des explosions nucléaires. D'autres enfin (TRANSIT américains) sont employés comme aides à la navigation, notamment par les sous-marins lance-missiles pour faire le point. Ces satellites évoluent à des altitudes très diverses : de 250 à 350 km pour les SAMOS, 3 000 pour les MIDAS. Dans le cadre d'une défense *antisatellites,* on envisage l'emploi de satellites destinés à l'interception d'autres satellites présumés hostiles.

SATELLITE *(Autom.)* → DIFFÉRENTIEL et BOÎTE DE VITESSES.

SATHONAY-CAMP (69580), comm. du Rhône, à 10 km au N. de Lyon; 4 322 hab. Camp militaire.

SATIE (Alfred Erik LESLIE, dit **Erik**), compositeur français (Honfleur 1866 - Paris 1925). Il proposa surtout un idéal nouveau fait de clarté, de concision et d'humour (*Gymnopédies* [1888], ballet *Parade* [1917], drame symphonique *Socrate* [1918]). Promu à la fin de sa vie chef d'école presque malgré lui, il ne fut pas sans influencer le groupe des Six.

SATILLIEU (07290), ch.-l. de cant. de l'Ardèche, à 13,5 km au S.-S.-O. d'Annonay; 2 026 hab.

SATIN → ARMURE et TISSU.

SATIRE. — Qu'elle soit personnelle ou politique, religieuse ou littéraire, la satire offre une grande diversité de formes. En Grèce, en dehors de la violence des *Iambes* d'Archiloque et des railleries de la « comédie ancienne », dans la première manière d'Aristophane, le genre n'est guère représenté que par la satire morale de Sémonide d'Amorgos, du philosophe cynique Ménippe et du sceptique Timon, et par les opuscules de Lucien. Les Latins, au contraire, ont revendiqué la satire comme un genre national : c'est à eux qu'elle doit son nom (*satura,* « salade », « macédoine ») et sa forme de libre causerie. Issue peut-être des vieux *chants fescennins,* elle unit dans un discours familier en hexamètres la leçon de morale à la raillerie mordante, et devient un genre littéraire avec Lucilius, Horace, Perse, Martial et Juvénal.

En France, l'esprit satirique est très vivant dès le Moyen Âge : on le retrouve dans les fabliaux, les farces, les sotties, le *Roman de Renart.* Cette verve populaire s'allie à l'esprit de la Renaissance dans l'œuvre de Rabelais, tandis que Ronsard s'indigne au spectacle des guerres civiles *(Discours des misères de ce temps).* La même inspiration anime la *Satire* Ménippée.* Mais la satire redevient pittoresque et morale avec Mathurin Régnier, qui fixe la tradition de la satire française classique, à laquelle Boileau donne sa forme achevée. Cette tradition se maintiendra jusqu'au XVIIIe s., avec Gilbert, Voltaire et Chénier, et, si l'inspiration satirique demeure, la satire poétique trouvera sa dernière expression dans les *Châtiments* de V. Hugo.

Satire Ménippée, pamphlet politique (1594) contre la Ligue.

Satires d'Horace (v. 35-30 av. J.-C.). Au nombre de dix-huit, elles sont partagées en deux livres. D'abord inspirées du réalisme grossier de Lucilius, elles prennent le ton du badinage d'un poète courtisan. Sous une forme très libre, mêlant les tableaux pittoresques, les confidences et les dialogues, Horace propose la morale épicurienne de l'honnête homme tel qu'on le concevait à la cour d'Auguste.

Satires de Juvénal (100-120) : l'auteur attaque les mœurs corrompues de la Rome impériale du Ier s. apr. J.-C.

Satires de Régnier (1608-1609) : elles adaptent à la poésie française la satire morale et littéraire à la manière d'Horace.

Satires de Boileau. Au nombre de douze, elles se divisent essentiellement en deux groupes : l'un de la jeunesse (1660-1668), l'autre de la vieillesse du poète (1694-1705). Imitant Horace et Juvénal, Boileau, non seulement traite de morale et de problèmes littéraires *(le Repas ridicule, les Embarras de Paris),* mais intervient même dans la querelle qui oppose partisans et adversaires des Jésuites *(Sur l'équivoque).*

Satiricon, roman de Pétrone, mêlé de prose et de vers (Ier s. apr. J.-C.) : peinture réaliste des vagabondages d'un jeune libertin.

SATISFIABILITÉ. — Une ebf* du calcul des propositions* est dite « satisfiable » s'il existe au moins une distribution de valeur de vérité qui la rende vraie.

SATLEJ → SUTLEJ.

SATŌ EISAKU, homme politique japonais (Tabuse, préf. de Yamaguchi, 1901 - Tōkyō 1975). Un des chefs du parti libéral-démocrate (conservateur), plusieurs fois ministre, chef du gouvernement (1964-1972), il mène une politique proaméricaine et obtient le retour d'Okinawa au Japon (1972). [Prix Nobel de la paix, 1974.]

SATOLAS-ET-BONCE (38290 La Verpillière), comm. de l'Isère, à 18 km à l'E. de Lyon; 760 hab. Au N.-O. aéroport (sur le territoire du départ. du Rhône).

SATORY, plateau dominant la Bièvre, constituant la partie méridionale de la comm. de Versailles. Établissement militaire d'expériences de la direction technique des armements terrestres. — Les chefs de la Commune y furent fusillés en 1871.

SĀTPURA *(monts),* massif montagneux de l'Inde, dans le nord du Deccan, entre les vallées de la Narbadā et de la Tāpti.

SATRAPE. — La division de l'Empire perse par Cyrus II* en provinces est un démarquage de l'organisation assyro-babylonienne. Les gouverneurs, ou satrapes, avaient une autorité illimitée, dont la compétence s'étendait à l'administration, au maintien de l'ordre, à l'armée et aux finances; pour éviter tout abus de pouvoir, Darios Ier* institue un système de contrôles effectués par des fonctionnaires dépendant directement du Grand Roi. Les velléités autonomistes de ces grands féodaux qu'étaient les satrapes furent, au temps de l'affaiblissement du pouvoir central au Ve s. av. J.-C., une des causes de la désintégration de l'Empire achéménide*.

SATU MARE, v. du nord-ouest de la Roumanie, sur la Someş; 84 000 hab. Constructions mécaniques. Textiles.

SATURNE, ancien dieu italique de la mythologie romaine. Durant les jours de fêtes qui lui étaient consacrées (les *saturnales*), les distances entre esclaves et hommes libres étaient abolies.

SATURNE, planète du système solaire. Planète* géante, comme Jupiter*, quoique presque deux fois moins volumineuse, Saturne est également constituée d'hydrogène* et d'hélium*, et présente en surface des bandes nuageuses parallèles à l'équateur, cependant moins contrastées. Ces nuages, sans doute du même type que ceux de Jupiter, sont également à base de méthane* et d'ammoniac*. Autre analogie, Saturne est entourée d'un important cortège de satellites* (10 au total) s'ajoutant à la multitude de ceux, bien plus petits, qui constituent son anneau. Celui-ci, d'ailleurs subdivisé en quatre anneaux concentriques, est constitué par la juxtaposition de gros rochers, vraisemblablement recouverts de glace, qui tournent autour de la planète en rangs serrés, donnant de loin l'illusion d'une surface continue. L'épaisseur de l'anneau est très faible eu égard à ses dimensions : 1 km pour environ 250 000 km de diamètre.

SATURNISME → PLOMB.

SATYRE. — Ces génies de la mythologie grecque mi-hommes, mi-caprins, effarouchant les nymphes qu'ils poursuivaient, ont été associés au culte de Dionysos*. Les danses qu'ils exécutaient en l'honneur du dieu sont à l'origine du drame* satyrique.

SAUERLAND (le), région de plateaux et de collines, de l'Allemagne fédérale, au S. de la Ruhr.

SAUGE. — La sauge abonde dans les prairies, où elle se reconnaît au fort casque bleu violacé de la fleur. Très mellifère, elle est employée comme tisane. (Famille des labiacées.)

SAUGOR → SĀGAR.

SAUGUES (43170), ch.-l. de cant. de la Haute-Loire, à 44 km à l'O.-S.-O. du Puy; 2 649 hab. Donjon, église gothique.

SAUJON (17600), ch.-l. de cant. de la Charente-Maritime, à 11 km au N.-E. de Royan; 4 431 hab. Station thermale pour les maladies nerveuses.

SAÜL, premier roi des Hébreux* (de 1030 env. à 1010 env.). Au début, chef local dont les succès assurent son autorité sur l'ensemble des tribus israélites, il échoue dans la lutte contre les Philistins*. L'unité nationale, compromise par cet échec, sera rétablie par son successeur David*.

SAULE. — C'est dans les prairies humides et au bord des eaux que poussent les saules : un très gros tronc devenant creux avec l'âge, des branches que le vent rompt facilement, les pousses de l'année formant de nombreuses baguettes souples, un feuillage de petites feuilles grises allongées, des fleurs en chatons, tels sont les traits de l'arbre sauvage. Mais, ordinairement, on le taille « en têtard » pour l'obtention des baguettes d'osier, matière première de la vannerie. On distingue cent soixante espèces de saule, toutes interfécondes. Signalons seulement, outre le *saule blanc,* ci-dessus décrit, le *saule pleureur,* aux rameaux retombants, ornement des parcs et des jardins, le *saule marsault,* des forêts, très envahissant, et le *saule fragile,* du bord des chemins. (Type de la famille des salicacées.)

SAULIEU (21210), ch.-l. de cant. de la Côte-d'Or, à 39 km au S.-E. d'Avallon; 3 156 hab. Églises Saint-Andoche (anc. abbatiale romane : chapiteaux de la nef) et Saint-Saturnin (reconstruite au XVe s.). Taureau de bronze de Pompon*. Industries du bois.

SAULT (84390), ch.-l. de cant. de Vaucluse, à 45 km à l'E.-N.-E. de Carpentras; 1 230 hab.

SAULT-SAINTE-MARIE, nom des deux villes d'Amérique du Nord, la plus importante (80 332 hab.), canadienne (Ontario), l'autre (21 000 hab.), américaine (Michigan), de part et d'autre de la *rivière Sainte-Marie.* Le canal (double) de *Sault-Sainte-Marie,* ou Soo Canal, relie le lac Supérieur au lac Huron, en contournant les rapides de la rivière Sainte-Marie.

SAULX (70240), ch.-l. de cant. de la Haute-Saône, à 12,5 km au N.-E. de Vesoul; 581 hab.

SAULXURES-SUR-MOSELOTTE (88290), ch.-l. de cant. des Vosges, à 21 km à l'E.-S.-E. de Remiremont; 3 853 hab. Confection.

SAULZAIS-LE-POTIER (18360), ch.-l. de cant. du Cher, à 16,5 km au S. de Saint-Amand-Montrond; 513 hab.

SAUMÂTRE. — Une eau est dite « saumâtre » lorsque sa salinité*, inférieure à celle des mers, est supérieure à celle des cours d'eau. Les eaux saumâtres ne se rencontrent guère que dans les estuaires et les lagunes. Les eaux lagunaires subissent des changements rapides de volume, de température et de salinité (évaporation, fortes pluies, invasion par la mer) qui les rendent impropres à la vie, sauf pour quelques espèces très euryhalines, qui, alors, y pullulent (par exemple, *Artemia salina*). C'est, croit-on, au sein des eaux saumâtres que se sont formées les accumulations organiques d'où provient le *pétrole**.

ŠAUMJAN (S. K.) → CHAOUMIAN.

SAUMON. — Excellent comestible, grand migrateur, le saumon est aussi un objet d'étonnement pour la science par la perfection de ses dispositifs énergétiques. Non seulement la forme du corps est parfaitement hydrodynamique, mais ses mouvements, surtout en nage rapide, diminuent encore la turbulence. L'emploi des réserves alimentaires pour la nutrition des muscles et la maturation des produits sexuels lors de la remontée est remarquablement économique, et les performances (saut de 3 m de haut pour franchir un rapide) dépassent celles de tout autre poisson.

Éclos dans les eaux froides et oxygénées du cours supérieur des rivières, le saumon en descend sous sa forme larvaire *(tacon)* pour s'alimenter en mer, parfois à des milliers de kilomètres. Il entreprend sa remontée pour se reproduire, retrouvant toujours exactement son lieu de naissance en vertu d'une mémoire olfactive sans défaillance. Pour assurer la continuité de la pêche, l'homme a construit à côté de certains barrages des « échelles à saumon » rendant la remontée possible.

SAUMUR (49400), ch.-l. d'arr. de Maine-et-Loire, dans le *Saumurois,* au confluent du Thouet et de la Loire; 34 191 hab. *(Saumurois).* École d'application de l'arme blindée et de la cavalerie et École nationale d'équitation (toutes deux sont les héritières de l'École d'équitation implantée à Saumur par Choiseul, en 1766, et devenue plus tard l'École d'instruction des troupes à cheval). Industries alimentaires. Métallurgie.

BEAUX-ARTS. Château des ducs d'Anjou, reconstruit à partir de la 2e moitié du XIVe s. (musée du Cheval et musée des Arts décoratifs). Églises Notre-Dame-de-Nantilly (romane, avec adjonctions à l'époque de Louis XI; collection de tapisseries des XVe-XVIe s.) et Saint-Pierre (en gothique angevin, XIIe-XIIIe s.). Hôtel de ville fortifié, en partie du début du XVIe s. Église Notre-Dame-des-Ardilliers, rotonde de la seconde moitié du XVIIe s.

SAUNA. — Par la stimulation de la circulation et par la sudation que provoquent les bains de chaleur sèche puis humide, suivis de douches froides, le sauna favorise l'élimination des déchets et stimule le système nerveux. Les séances sont le plus souvent suivies de massages et d'une période de repos.

SAURIA (Charles), inventeur français (Poligny 1812 - mort complètement ignoré et dans la plus grande misère). Il doit être considéré comme le véritable inventeur des allumettes chimiques (1831), car il en a le premier trouvé une formule pratique, qu'on ne sut remplacer par une plus parfaite qu'un quart de siècle plus tard.

SAURIENS → LACERTILIENS.

SAUSSURE (Horace Bénédict DE), naturaliste et physicien suisse (Conches, près de Genève, 1740 - *id.* 1799). Il entreprit de nombreux voyages botaniques et géologiques et effectua la deuxième ascension du mont Blanc. Il inventa l'hygromètre à cheveu et posa les principes d'une météorologie rationnelle.

SAUSSURE (Ferdinand DE), linguiste suisse (Genève 1857 - Vufflens, canton de Vaud, 1913). En 1876, il va étudier le sanskrit à Leipzig, où la jeune école des néogrammairiens* est en train de renouveler les méthodes de la grammaire comparée. Il y soutient, en 1880, sa thèse de doctorat sur l'*Emploi du génitif absolu en sanskrit.* Mais il s'est déjà rendu célèbre en publiant l'année précédente son *Mémoire sur le système primitif des voyelles dans les langues indo-européennes,* ouvrage révolutionnaire en ce sens que la reconstruction philologique ne se fonde pas sur une description phonétique mais sur les relations fonctionnelles que les éléments du système étudié entretiennent entre eux.

De 1880 à 1891, Saussure s'établit à Paris : il enseigne la grammaire comparée à l'École des hautes études et participe activement aux travaux de la Société de linguistique. En 1891, il revient à Genève, où il enseigne, jusqu'à sa mort, le sanskrit, la grammaire comparée et, dans les dernières années de sa vie (1907, 1908-09 et 1910-11), la linguistique générale. Le *Cours* de linguistique générale,* qui paraît sous son nom en 1916, est une synthèse de ces trois années d'enseignement réalisée par ses disciples à partir de notes d'élèves. L'influence de ce livre a été considérable; il est, en fait, le point de départ du courant structuraliste.

Ferdinand de Saussure.

Eggimann

SAUT. — En général, seul un geste non répétitif est appelé « saut » : une suite ininterrompue de sauts est plutôt appelée un « galop » (v. ALLURES). Le saut se définit par une pulsion initiale qui fait quitter à l'homme ou à l'animal le contact du sol, par une trajectoire en arc de parabole du centre de gravité du corps, enfin par un retour au sol adouci par des dispositifs de freinage. Cas particuliers : l'*essor* des oiseaux, saut relayé par le vol avant toute retombée, et le *saut aquatique* des poissons jaillissant hors de l'eau. Dans le cas général, les organes moteurs du saut sont les pattes, souvent les seules pattes de derrière (sauterelle, kangourou, grenouille), mais la queue intervient en l'absence des pattes (serpents) ou en complément de celles-ci (kangourou). Une propulsion beaucoup moindre suffit évidemment aux arboricoles (écureuil...), qui sautent obliquement vers le bas. Certains d'entre eux (dragon volant, pétauriste, polatouche...) ont d'ailleurs des dispositifs de vol plané qui allongent la trajectoire. Quant au point d'aboutissement, il peut, s'il est étroit, exiger une équilibration immédiate (chamois). Le saut par balancement sous les branches des arbres (gibbon) est la *brachiation**.

SAUTERELLE. — Bien que le nom de « sauterelle » soit souvent appliqué aux criquets* (acridiens), il vaut mieux le réserver à la sauterelle verte de nos prairies (genre *Locusta* ou *Tettigonia,* selon les auteurs) et aux espèces voisines. Ce sont des insectes sauteurs, usant peu de leurs ailes, et au régime mixte (herbivore et insectivore). La femelle possède une forte tarière. Les antennes sont aussi longues que le corps.

SAUTERNES (33210 Langon), comm. de la Gironde, à 7 km à l'O.-S.-O. de Langon; 580 hab. Vins blancs réputés.

SAUTY (Joseph), syndicaliste français (Amettes 1906 - Lille 1970). Secrétaire de la fédération des mineurs de la C. F. T. C., il devient, en 1964, le président national de la « C. F. T. C. maintenue ».

SAUVAGE (Frédéric), savant français (Boulogne-sur-Mer 1786 - Paris 1857). En 1832, il eut l'idée d'utiliser pour la propulsion des navires l'hélice à spirale entière, que le constructeur havrais Augustin Normand (1792-1871) fractionna en trois branches pour lui donner sa forme actuelle.

SAUVE (30610), ch.-l. de cant. du Gard, à 30 km au S.-S.-O. d'Alès; 1 277 hab.

SAUVETAGE MARITIME. — Pour les opérations effectuées sur les côtes, l'organisation opérant en France est la Société nationale de sauvetage en mer, constituée, en 1967, par la fusion de la Société centrale de sauvetage des naufragés, créée en 1865, et de la Société des hospitaliers et sauveteurs bretons, fondée en 1873. Le décret du 8 juillet 1970 délimite trois zones d'intervention : la *zone des plages,* où la sécurité incombe aux maires, qui reçoivent le concours de la Société nationale de sauvetage en mer; la *zone côtière,* qui s'étend de la limite de la zone des plages jusqu'à l'horizon vu de terre, et dans laquelle la direction des recherches et du sauvetage est confiée aux services de l'Administration des affaires* maritimes; la *zone du large,* dont la responsabilité appartient au ministère de la Défense. Le matériel de sauvetage utilisé est composé d'embarcations munies de l'équipement spécial nécessaire : canots de sauvetage tout temps, inchavirables et insubmersibles, vedettes plus légères, mais plus rapides, et canots pneumatiques. Suivant les zones, les hélicoptères de la gendarmerie* ainsi que les bâtiments et aéronefs des forces aéronavales prennent également part aux opérations de sauvetage. Dans la zone des plages, des volontaires bénévoles possédant le diplôme de secouriste maritime participent à la mise en œuvre du matériel avec le concours des compagnies républicaines de sécurité et des sapeurs-pompiers. Pour le sauvetage des navires en détresse, des remorqueurs spécialisés stationnés dans certains ports, comme Brest, peuvent intervenir à partir des côtes. D'autre part, les navires sont munis d'engins destinés au sauvetage éventuel des personnes présentes à leur bord, mais pouvant également être utilisés pour porter secours à un autre navire en difficulté dont ils perçoivent les appels radio ou les signaux de détresse optiques ou sonores. Le capitaine du navire recevant ces appels a l'obligation de se porter au secours du navire en péril, s'il peut le faire sans risque sérieux pour son navire et les personnes présentes à son bord.

SAUVETERRE-DE-BÉARN (64390), ch.-l. de cant. des Pyrénées-Atlantiques, à 20 km au S.-O. d'Orthez; 1668 hab. Ruines féodales. Église des XIIe et XIVe s.

SAUVETERRE-DE-GUYENNE (33540), ch.-l. de cant. de la Gironde, à 14 km au N. de La Réole; 1557 hab. Bastide du XIIIe s. (portes fortifiées des XIVe-XVe s.).

SAUVETERRE-DE-ROUERGUE (12800 Naucelle), ch.-l. de cant. de l'Aveyron, à 43,5 km au S.-O. de Rodez; 891 hab. Bastide régulière du XIIIe s. (église du XIVe s., place à « couverts »).

SAUVEUR (Joseph), mathématicien et physicien français (La Flèche 1653 - Paris 1716), créateur de l'acoustique musicale. Il expliqua les ondes stationnaires, créant la notion de nœuds et de ventres, et découvrit le phénomène des battements (1700).

SAUVIGNON → CÉPAGE.

SAUVY (Alfred), démographe et économiste français (Villeneuve-de-la-Raho, Pyrénées-Orientales, 1898). Directeur de l'Institut national d'études démographiques, de sa fondation, en 1945, jusqu'en 1962, professeur au Collège de France, il est le chef de file des démographes français. On lui doit, notamment, *Richesse et population* (1943), *Théorie générale de la population* (1952 et 1954, 2 vol.), *la Montée des jeunes* (1959), *Malthus et les deux Marx* (1963), *Croissance zéro* (1973).

SAUXILLANGES (63490), ch.-l. de cant. du Puy-de-Dôme, à 12 km à l'E. d'Issoire; 1134 hab. Restes d'un prieuré (bâtiments des XIIe-XVIIe s.).

SAUZE-SUR-BARCELONNETTE (le), station de sports d'hiver (alt. 1400-2400) des Alpes-de-Haute-Provence, à 5 km au S.-E. de Barcelonnette.

SAUZÉ-VAUSSAIS (79190), ch.-l. de cant. des Deux-Sèvres, à 15 km au N.-N.-O. de Ruffec; 1728 hab.

SAVAGNIN → CÉPAGE.

SAVAII, la plus vaste (1715 km^2) des Samoa occidentales; 41500 hab.

SAVANE. — Le paysage intertropical de la savane est, comme le climat auquel il correspond, intermédiaire entre le paysage équatorial (forêt) et le paysage subtropical (steppe ou désert). De hautes herbes en forment le tapis principal, mais les arbres n'y sont pas rares et, aux approches de la forêt, se regroupent en bosquets (faciès du « parc »). C'est le milieu de choix des antilopes, et, par là même, de leurs prédateurs (lions, par exemple), ainsi que des zèbres, des girafes, des autruches, et autres coureurs rapides. La déforestation par l'action de l'homme a étendu la savane, mais celle-ci n'est pas à l'abri d'une dégradation en steppe sous l'effet du surpâturage ou des incendies répétés.

SAVANNAH (la), fl. du sud-est des États-Unis, tributaire de l'Atlantique, et qui sépare la Caroline du Sud de la Géorgie, passant à Augusta et à *Savannah;* 700 km.

SAVANNAH, port des États-Unis (Géorgie), sur l'estuaire de la *Savannah;* 118000 hab.

SAVARD (Félix Antoine), prélat et écrivain canadien d'expression française (Québec 1895). Il a célébré l'épopée des paysans canadiens (*Menaud, maître draveur,* 1937; *l'Abatis,* 1943).

SAVART. — Deux sons présentent une différence de hauteur de 1 savart si le logarithme décimal du rapport de leurs fréquences vaut 1/1000; l'octave comporte 301 savarts.

SAVART (Félix), physicien français (Mézières 1791 - Paris 1841). Il étudia les cordes vibrantes et, en 1820, il mesura, avec Biot*, le champ magnétique créé par un courant. On lui doit un *Manuel complet du luthier.*

SAVARY (Anne), **duc de Rovigo,** général français (Marcq 1774 - Paris 1833). Il dirigea l'exécution du duc d'Enghien (1804), décida de la victoire d'Ostrołęka (1807) et fut ministre de la Police (1810-1814).

SAVE (la), riv. du sud-ouest de la France, née sur le plateau de Lannemezan, affl. de la Garonne (r. g.); 150 km.

SAVE (la), en serbe **Sava,** riv. du nord-ouest de la Yougoslavie, née dans les Alpes orientales, qui passe à Zagreb, avant de rejoindre le Danube (r. dr.) à Belgrade; 940 km.

SAVENAY (44260), ch.-l. de cant. de la Loire-Atlantique, à 26 km à l'E.-N.-E. de Saint-Nazaire; 5136 hab. — Victoire de Kléber sur les vendéens (1793).

SAVERDUN (09700), ch.-l. de cant. de l'Ariège, à 15 km au N. de Pamiers; 4220 hab.

SAVERNE (67700), ch.-l. d'arr. du Bas-Rhin, sur la Zorn et le canal de la Marne au Rhin; 10430 hab. *(Savernois).* Immense palais Rohan, d'époque Louis XVI, à somptueux ordre colossal corinthien (musée de la ville dans une aile). Église des XIIe-XVe s. Maisons anciennes. — Le nom de *col de Saverne* désigne une trouée de la montagne vosgienne, à 330 m d'alt., à l'E. de Sarrebourg, empruntée par la voie ferrée Paris-Strasbourg et le canal de la Marne au Rhin. — Ce nom est parfois aussi donné au passage des Vosges (à 410 m d'alt.), par la route Paris-Strasbourg, à 6 km au N.-O. de Saverne.

SAVIGNAC-LES-ÉGLISES (24420), ch.-l. de cant. de la Dordogne, à 21 km au N.-E. de Périgueux; 732 hab.

SAVIGNY (Friedrich Karl VON), juriste et philosophe du droit allemand (Francfort-sur-le-Main 1779 - Berlin 1861). Il fut le premier titulaire de la chaire de droit romain à l'université de Berlin. En 1842, il devint ministre en Prusse, chargé de la révision du Code. Créateur de l'école historique allemande, il a écrit un *Traité de droit romain* (1840-1849).

SAVIGNY-LE-TEMPLE (77176), ch.-l. de cant. de Seine-et-Marne, à 5 km au N.-O. de Melun; 2884 hab.

SAVIGNY-SUR-BRAYE (41360), ch.-l. de cant. de Loir-et-Cher, à 7,5 km au S.-E. de Saint-Calais; 2212 hab. Constructions électriques.

SAVIGNY-SUR-ORGE (91600), ch.-l. de cant. de l'Essonne, à 4 km au S. d'Orly; 34675 hab. *(Saviniens).*

SAVINES-LE-LAC (05160), ch.-l. de cant. des Hautes-Alpes, à 10 km à l'O.-S.-O. d'Embrun, en bordure du lac formé dans la vallée de la Durance par le barrage de Serre-Ponçon, et qui a submergé l'ancien site du village; 736 hab.

SAVOIE, région de la France, correspondant à la majeure partie des Alpes françaises du Nord et aujourd'hui partagée entre les deux départements de la *Savoie* et de la *Haute-Savoie.*

HISTOIRE. Entre 122 et 118 av. J.-C., le territoire est conquis par les Romains et intégré à la province romaine de Narbonnaise, malgré la résistance de ses autochtones, les Allobroges, des Celtes, dont les dernières tribus seront soumises par Auguste. Lentement romanisée, la *Sapaudia,* est pénétrée en 443 par les Burgondes, qui se fondent au sein des populations locales. La vie religieuse s'organise autour du monastère Saint-Maurice-d'Agaune et des évêchés de Grenoble et de Belley (Ve-VIe s.). Conquise par les fils de Clovis (534), la région fait partie, aux IXe et Xe s., du royaume de Bourgogne avant d'être intégrée au Saint Empire (1032). Mais, dès le Xe s., une famille comtale d'origine bourguignonne s'implante à la tête du *Pagus savogiensis.* Hubert Ier († av. 994) et Humbert Ier († entre 1042 et 1051) réussissent à prendre possession des comtés voisins de Belley, de Sion et du val d'Aoste. À la fin du XIe s., le patrimoine familial s'étend sur la Maurienne, le Chablais et le marquisat de Turin, et la lignée humbertienne peut prétendre à des alliances illustres (mariage de Louis VI avec Adélaïde de Savoie). À la faveur de la lutte du Sacerdoce et de l'Empire, durant laquelle la Savoie prend le parti du pape, ses comtes acquièrent le pays de Vaud, le Piémont et le Valais, puis, sous Pierre II (de 1263 à 1268), le Faucigny, le Beaufortin et le pays de Gex. Si le début du XIVe s. est dominé par la rivalité avec le Dauphiné, le traité de Paris (1355), qui suit l'annexion de ce dernier à la France, consacre la cohérence territoriale de la principauté savoyarde. Dès lors, ses comtes se tourneut vers l'Italie. L'annexion des possessions piémontaises de Jeanne Ire (1382) est suivie de l'achat du comté de Nice par Amédée VII. Amédée VIII, le premier duc de Savoie, accède à la papauté en 1439. Mais l'incapacité de ses successeurs favorise l'intervention française et l'affrontement interne entre Savoyards et Piémontais. Sous le règne du duc Emmanuel-Philibert (de 1553 à 1580), qui restaure l'État, le choix de Turin pour capitale consacre la prééminence du Piémont* sur la Savoie. Amputée, au profit de la France, de la Bresse et du pays de Gex (1601), vaincue par Louis XIII, à qui elle doit céder Pignerol (1631), la Savoie entre dans les coalitions formées contre Louis XIV qui, à deux reprises (1690-1696; 1703-1713), occupe le pays mais restitue Pignerol (1696). Après l'accession de son duc à la couronne de Sardaigne (1720), la Savoie n'est plus qu'une province secondaire du nouveau royaume. Elle est annexée par la Convention en novembre 1792. Réintégrée dans l'État piémontais (1814-1855), elle est, avec le comté de Nice, cédée à la France en 1860 pour prix de l'aide apportée par Napoléon III à Victor-Emmanuel II dans la réalisation de l'unité italienne.

SAVOIE (73), départ. de la Région Rhône-Alpes; 6 036 km^2; 305 118 hab. Ch.-l. *Chambéry*. S.-préf. *Albertville* et *Saint-Jean-de-Maurienne.*

Correspondant à la partie méridionale de la Savoie historique, entre la vallée du Rhône et la frontière italienne, c'est un département très montagneux, où l'altitude descend rarement au-dessous de 500 m et dépasse fréquemment (dans l'est) 2 000 m. Il englobe, à l'ouest, une partie des Préalpes (Bauges et Chartreuse), séparées des hauts massifs de l'est (Beaufortin, Vanoise et Belledonne) par la vallée de l'Isère (formant ici la Combe de Savoie), prolongée par celle de l'Arly. Les massifs orientaux sont aérés par les entailles de l'Isère supérieure (Tarentaise) et de l'Arc (Maurienne). Le climat est fortement influencé par l'altitude, souvent humide, froid (avec neige) en hiver.

Les conditions naturelles n'apparaissent guère favorables à l'homme. Cependant la densité moyenne est, relativement, élevée, dépassant légèrement 50 habitants au kilomètre carré, et, surtout, après une longue phase de stagnation et de dépeuplement, la population s'est sensiblement accrue (de près d'un tiers) depuis la Seconde Guerre mondiale. Elle se concentre dans les vallées (près du tiers dans l'agglomération de Chambéry), urbanisées et industrialisées (électrométallurgie et électrochimie, dans la Maurienne notamment), grâce au développement de l'hydroélectricité (la centrale de La Bâthie est l'une des plus puissantes centrales hydrauliques de France). L'industrie emploie près des deux cinquièmes de la population active, plus de quatre fois la part occupée dans l'agriculture, dominée par la sylviculture et l'élevage en montagne; quelques cultures (céréales, fruits, tabac) apparaissent dans la Combe de Savoie. Le secteur tertiaire est le principal fournisseur d'emplois, situation liée à l'essor du tourisme (lac du Bourget; stations de Courchevel, Val-d'Isère et Tignes, Méribel-les-Allues, etc.) et du thermalisme (Aix-les-Bains).

SAVOIE (Haute-) [74], départ. de la Région Rhône-Alpes; 4 392 km^2; 447 795 hab. Ch.-l. *Annecy*. S.-préf. *Bonneville, Saint-Julien-en-Genevois* et *Thonon-les-Bains.*

Correspondant à la partie septentrionale de la Savoie historique, le département appartient entièrement aux Alpes, mais est un peu moins montagneux que celui de la Savoie, les altitudes y dépassant plus rarement 2 000 m. L'ouest, occupé notamment par les massifs préalpins du Chablais et du Genevois (ou Bornes), est aéré par les cluses de l'Arve et du Fier. L'altitude s'élève vers l'est, vers le massif du Mont-Blanc, dominant la haute vallée de l'Arve; elle tombe, en revanche, au-dessous de 500 m dans le nord-ouest, en bordure du lac Léman. Le relief influence évidemment fortement le climat, humide et rude en montagne, où la neige recouvre le sol plusieurs mois par an.

Malgré les conditions naturelles généralement peu favorables, la densité de population est élevée, dépassant avec plus de 100 habitants au kilomètre carré la moyenne nationale. Après une longue période de stagnation, cette population s'est accrue considérablement (de plus de 60 p. 100) dans les trente dernières années. Cette croissance est le fait des villes, principalement de l'agglomération d'Annecy, mais aussi des nombreuses cités jalonnant les vallées (de l'Arve surtout) ou les rives du Léman (Thonon et Évian). Elle a été favorisée par l'importance de l'industrie (mécanique de précision, notamment), qui occupe plus des deux cinquièmes de la population active (le quinzième seulement pour l'agriculture, largement dominée par l'élevage bovin), autant que le secteur tertiaire, dont l'essor est lié au tourisme (grandes stations de Chamonix et de Megève), parfois associé au thermalisme (près du lac Léman). Montagneux, mais bien desservi par le rail, la route et aujourd'hui l'autoroute qui empruntent les nombreuses vallées qui le découpent, relativement proche des pôles de développement de Lyon et de Genève, le département est l'un des plus dynamiques des Alpes françaises.

SAVON. — Deux procédés sont utilisés par l'industrie de la savonnerie : d'une part, le procédé classique, qui soumet à la saponification* (hydrolyse au moyen d'une solution alcaline en excès) les huiles et graisses animales ou végétales ainsi que certains sous-produits séparés au cours du raffinage des huiles destinées à l'alimentation et dits « huiles acides »; d'autre part, la méthode moderne, qui paraît plus directe, neutralise les acides gras fournis soit par la stéarinerie*, soit par les procédés nouveaux de synthèse organique. Ces derniers sont dus à l'oxydation de fractions paraffiniques issues de l'industrie pétrolière, soumises à l'action de l'oxygène atmosphérique, soit en présence de catalyseurs (bioxyde de manganèse ou permanganate de potassium), soit par radio-induction. La savonnerie et la stéarinerie font appel aux mêmes matières premières et les savons obtenus par le procédé classique de saponification* ou par saturation alcaline des acides gras offerts par la stéarinerie sont interchangeables. Les mélanges d'acides gras issus de l'hydrolyse peuvent, à l'occasion, être fractionnés pour conduire à l'obtention de savons de propriétés particulières, en vue de leur emploi dans des cas spéciaux (savons liquides pour le lavage des mains, par exemple).

La saponification conduit à soumettre la matière première oléagineuse à l'action d'une solution (lessive) alcaline. Mais les deux phases* huile et eau ne sont pas miscibles. Pour amorcer la réaction, il faut former une émulsion qui assurera le contact intime des deux phases, soit par l'introduction d'un adjuvant — en l'espèce le *nègre,* provenant d'une opération antérieure, comme il est fait dans le procédé marseillais —, soit par une action mécanique, adoptée par les différentes méthodes modernes :

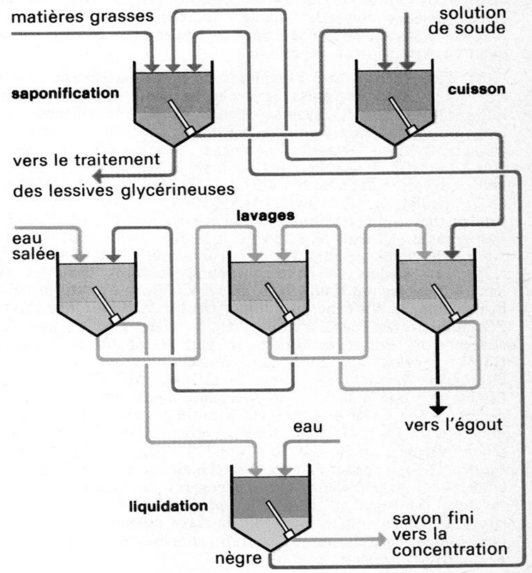

SAVON. Schéma de la fabrication du savon par le procédé marseillais.

centrifugation (procédé Scharples); circulation des deux phases à contre-courant, répétée à plusieurs reprises (procédé Alfa-Laval); homogénéisateur alimenté par des pompes volumétriques, et circulation de la très fine émulsion au travers d'un tube à réaction où elle se propage de haut en bas.

Le savon brut doit être relargué par addition de sel marin pour le libérer de la phase aqueuse, contenant des impuretés, mais surtout de la glycérine*. Celle-ci représente en moyenne 10 p. 100 du poids de la matière première et la savonnerie en fut, avec la stéarinerie, la seule source jusqu'à l'époque récente de sa synthèse. Le savon est lavé par de l'eau salée, puis par de l'eau pure pour le débarrasser de l'excès de lessive alcaline, bien qu'une légère alcalinité soit nécessaire à sa bonne conservation. Il est ensuite séché par passage sur un tapis roulant dans une étuve cylindrique et enfin conditionné selon sa destination. Le conditionnement est variable suivant l'utilisation envisagée : savon de ménage, dit *savon de Marseille,* qui, débité en pains de 500 g, doit contenir 62 p. 100 d'acides gras et d'acides résiniques avec une teneur en eau de 28 p. 100; savons de toilette, dont la coloration et le parfumage posent des difficultés techniques; savons médicinaux; savon de coco, à usage vétérinaire ou réservé à la fabrication d'un savon liquide additionné de glycérine, pour le lavage des mains; savons déodorants et savons amaigrissants; savons germicides et antiseptiques; savon d'huile de foie de morue; savons parasiticides et insecticides; etc.

SAVONAROLE (Jérôme), en ital. **Girolamo Savonarola,** dominicain italien (Ferrare 1452 - Florence 1498). Dominicain, prieur du couvent Saint-Marc, à Florence, en 1491, devenu célèbre par ses prédications prophétiques, Savonarole essaya d'instaurer à Florence une constitution moitié théocratique, moitié démocratique. Mais, fanatique et intransigeant, attaquant la papauté, il fut excommunié (1497) et, peu après, pendu et brûlé.

SAVONE, port d'Italie, en Ligurie, ch.-l. de prov. sur le golfe de Gênes; 80 000 hab.

Savonnerie (la), manufacture française de tapis, créée à Paris, en 1604, avec privilège royal, pour tisser des tapis « dans le genre de ceux de l'Orient ». Les plus beaux, aux rinceaux fleuris encadrant d'amples cartouches figuratifs, datent de l'époque de Louis XIV. En 1826, la Savonnerie fut réunie aux Gobelins.

SAVONNIER. — C'est aux Antilles que croît cet arbre, aux tissus imprégnés d'une substance savonneuse. On en utilise l'écorce (bois de Panamá), la graine (lavage et apprêt des laines), le noyau du fruit (colliers et chapelets). Le genre *(Sapindus)* sert de type à l'ordre des sapindales.

SAX (Adolphe) → SAXHORN.

SAXE, en allem. **Sachsen,** région du sud de l'Allemagne orientale, correspondant approximativement aux actuels districts de Dresde, de Halle, de Karl-Marx-Stadt, de Leipzig et de Zwickau, fortement industrialisée et urbanisée (les quatre premiers chefs-lieux de district constituent, Berlin-Est excepté, les plus grandes villes de l'État). La Saxe, comptant plus de 7 millions d'habitants, regroupe près de la moitié de la population de l'Allemagne de l'Est sur le quart seulement de sa superficie.

HISTOIRE. Incorporée à l'Empire franc sous Charlemagne (fin du VIIIe s.), la Saxe s'organisa en duché au cours du IXe s. et fut intégrée (843) dans le royaume oriental. En 919, le duc Henri de Saxe, élu roi de Germanie, fonda la dynastie saxonne, qui occupa le trône impérial de 962 à 1024. Le duché passa aux Billung (v. 986), puis à Lothaire de Supplinburg (1106), qui devint empereur en 1133, enfin à Henri le Superbe (de 1137 à 1139), duc de Bavière. Le fils de ce dernier, Henri le Lion (de 1142 à 1180), porta le duché à son maximum d'extension, avant d'être vaincu par Frédéric Ier Barberousse. Démantelé et réduit à la région de l'Elbe (fin du XIIe s.), le duché de Saxe fut divisé, à la mort du duc Albert Ier (1260), en duchés de Saxe-Lauenburg, ou Basse-Saxe, et de Saxe-Wittenberg, ou Haute-Saxe. En 1356, la Bulle d'or attribua à la lignée de Saxe-Wittenberg la dignité électorale. À son extinction, l'électorat revint aux Wettin, margraves de Misnie, dont les descendants, Ernest et Albert, se partagèrent les possessions (1485), donnant naissance aux branches Ernestine (Thuringe, électorat de Wittenberg) et Albertine (Misnie). Au milieu du XVe s., l'électorat passa à la branche Albertine, tandis que la Thuringe, demeurée aux mains de la branche Ernestine, se morcela en petites principautés. De 1697 à 1763, les Électeurs de Saxe furent en même temps rois de Pologne. Engagée, dès 1792, dans la lutte contre la France, la Saxe conclut la paix avec Napoléon, qui accorda au duc la dignité royale (1806). Mais, au congrès de Vienne (1815), le royaume fut largement amputé au profit de la Prusse. Intégrée, en 1871, dans l'Empire allemand, la Saxe adopta, en 1920, une constitution républicaine. Elle fut rattachée à la République démocratique allemande en 1952.

SAXE (Basse-), en allem. **Niedersachsen,** État (Land) du nord de l'Allemagne fédérale; 44 408 km^2; 7 215 000 hab. Capit. *Hanovre.* Occupant principalement la majeure partie de la plaine d'Allemagne du Nord, souvent marécageuse, c'est une région aux sols généralement médiocres (voués surtout à l'élevage bovin et porcin, à la pomme de terre), au climat humide et assez froid. Des conditions naturelles peu favorables contribuent à expliquer la densité d'occupation la plus basse (dépassant cependant 150 hab. au km^2) d'Allemagne fédérale. La population se concentre dans la bande crayeuse des Börde, zone céréalière et betteravière au pied des montagnes hercyniennes, et surtout voie de passage, jalonnée par les principales villes de la Basse-Saxe, d'Osnabrück à Brunswick, en passant par Hanovre. Le sous-sol fournit un peu d'hydrocarbures, du fer et de la potasse. L'industrie de transformation est dominée par la métallurgie (construction automobile, notamment).

SAXE-COBOURG (Frédéric, *duc* DE), feld-maréchal d'Autriche (Cobourg 1737-1815). Commandant l'armée autrichienne aux Pays-Bas, il vainquit Dumouriez à Neerwinden (1793), mais fut battu par Jourdan à Fleurus (1794).

SAXE-WEIMAR (Bernard, *duc* DE), général allemand (Weimar 1604 - Neuenburg 1639). Prince protestant, il combat pour le Danemark, puis pour la Suède. Passé au service de la France (1635), il bat les Espagnols (1636) et dévaste la Lorraine.

SAXHORN. — Au milieu du XIXe s., l'inventeur Adolphe Sax (Dinant 1814 - Paris 1894), facteur d'instruments en cuivre, à Paris, fournit aux musiques militaires des instruments à vent qui, par leur timbre et leur sonorité, établissaient un intermédiaire entre les bois et les cuivres. Les saxhorns (famille de 7 instruments en cuivre, à perce conique, embouchure et pistons), constituent un perfectionnement du bugle, inventé vers 1835 par l'Anglais Halliday; le tuba appartient à cette famille et s'utilise pour ses basses puissantes. Les saxophones, au tuyau conique, munis d'un bec de clarinette (avec anche) et d'un mécanisme de clé, ont été remis en honneur par le jazz.

SAXIFRAGE. — La flore française ne compte pas moins de trente-cinq bonnes espèces du genre *Saxifraga.* Ce sont des herbes charnues, portant soit une épaisse couronne d'assez grandes feuilles en rosette à la base, soit un manchon de petites feuilles le long de la tige, soit l'un et l'autre. La plupart des espèces sont petites et croissent parmi les cailloux (d'où leur nom de « briseuses de roche »).

Les fleurs, toujours à cinq pétales, mais de teinte très variable, forment souvent une sorte de grappe allongée le long de la tige. On apparente les saxifragacées aux rosacées.

SAXONS, ancien peuple germanique, mentionné pour la première fois, par Ptolémée, au IIe s. apr. J.-C., entre l'Elbe et la Trave. Dès l'époque romaine, les Saxons pratiquaient la piraterie sur les rivages de la mer du Nord, de la Manche et de l'Atlantique. À partir de 440-460, ils colonisèrent le sud et le sud-ouest de l'île de Bretagne. En Germanie, ils s'étendirent jusqu'à la Sieg et la Saale. Voisins gênants pour le royaume franc, ils provoquèrent les expéditions punitives de Charles Martel et de Pépin le Bref. Charlemagne les soumit : destruction du sanctuaire païen de l'Irminsul (772); occupation de la Westphalie et de la Lippe; construction d'une marche saxonne (774-777); répression des deux révoltes de Widukind (779-780; 782-785); conversions forcées et déportations massives de Saxons, remplacés par des colons francs (794-797). La pacification et la christianisation des Saxons (IXe s.) furent facilitées par le respect de leurs coutumes, rédigées sur l'ordre de Charlemagne en une *Lex Saxonum.*

SAXOPHONE → SAXHORN.

SAY (Jean-Baptiste), économiste français (Lyon 1767 - Paris 1832). Après s'être opposé à Napoléon et avoir été filateur de coton dans le Pas-de-Calais, il enseigna, après la chute de l'Empire, au Conservatoire des arts et métiers, puis au Collège de France.

Dans son *Traité d'économie politique* (1803), J.-B. Say se montre impressionné par l'œuvre d'Adam Smith*, mais il en modifie les fondements. Pour J.-B. Say, qui énonce une véritable théorie de la répartition*, la production s'effectue grâce au travail, au capital et aux agents naturels, dont la terre qui fait l'objet d'une appropriation privative. Le prix de ces différents services représente, en retour, un revenu : « salaire », « profit », « rente », qui représentent le prix — en fonction de l'offre et de la demande — du travail, du capital, de la terre. Say est un libéral optimiste, dans la mesure où il pense notamment que le salaire est la juste rémunération du travail. Il s'attache à présenter une explication de la valeur, qui, pour lui, est déterminée par ce qui entre dans la production des biens (profits, loyers, salaires), mais aussi par l'utilité des biens. J.-B. Say remarque encore qu'un produit, une fois élaboré, est vendu (car tel est le désir du producteur) et permet un débouché à d'autres produits, qui, achetés par le vendeur du premier, trouvent ainsi naturellement acquéreur : c'est la « loi des débouchés ». Il est un des premiers à discerner le rôle fondamental de l'entrepreneur, sans doute pour avoir été industriel lui-même.

ṢAYDĀ ou **SAÏDA,** anc. **Sidon,** port du Liban, sur la Méditerranée; 25 000 hab. Importante nécropole royale qui a livré de nombreux sarcophages, dont le décor est profondément influencé par la sculpture hellénistique. Terrasses monumentales du temple du dieu Eshmoun, étagées sur la colline du Nahr al-Awalī. Exportation de pétrole, amené par oléoduc d'Arabie Saoudite. — C'est l'antique *Sidon,* vieille cité phénicienne, longtemps éclipsée par Tyr*; son apogée se situe après la destruction de Tyr, en 573 av. J.-C., par Nabuchodonosor*. Prospère aux époques perse et séleucide, elle tombe sous la domination de Rome puis sous celle des Arabes (637), qui en font un des ports de Damas. Aux mains des croisés de 1110 à 1291, Ṣaydā connaît un nouvel essor à l'époque de Fakhr al-Dīn II.

SBEÏTLA, v. de Tunisie, au S.-O. de Kairouan. Vaste ensemble monumental bien conservé (capitole, forum, temples, arc de triomphe, etc.), ayant appartenu à la ville romaine de Sufetula. Ruines de plusieurs églises chrétiennes des premiers siècles.

SBRINZ → FROMAGE.

SCABIEUSE. — Les scabieuses, très communes dans les friches et les prairies, sont des herbes élancées portant à leur sommet un ou plusieurs capitules de minuscules fleurs serrées, souvent roses ou mauves. Les feuilles sont généralement lancéolées. (Famille des dipsacées, ou dipsacacées.)

SCAËR (29111), ch.-l. de cant. du Finistère, à 14 km au N.-E. de Rosporden; 6 721 hab.

SCALAIRE *(Math.)* → PARAMÈTRE.

SCALAIRE *(Zool.)*. — Ce nom est commun à deux animaux : *le* scalaire est un beau poisson d'ornement, au corps comprimé et orné de bandes; *la* scalaire est un mollusque gastropode carnivore, des mers chaudes, dont la coquille porte des crêtes continues barrant les tours.

SCALAIRE (produit). — Le produit scalaire de deux vecteurs $\vec{V}$ et $\vec{V'}$ est égal au produit des modules (longueurs) de ces vecteurs multiplié par le cosinus de l'angle des vecteurs :

$$\vec{V} \cdot \vec{V'} = VV' \cos(\vec{V}, \vec{V'}).$$

L'angle $(\vec{V}, \vec{V'})$ est compris entre 0 et π radians. Si $\vec{u}$ et $\vec{u'}$ sont les vecteurs unitaires des axes portant respectivement $\vec{V}$ et $\vec{V'}$, $\overline{V}$ et $\overline{V'}$ étant les mesures algébriques de $\vec{V}$ et $\vec{V'}$ sur $\vec{u}$ et $\vec{u'}$, on a :

$$\vec{V} \cdot \vec{V'} = (\overline{V}\,\vec{u}) \cdot (\overline{V'}\,\vec{u'}) = \overline{VV'}\,(\vec{u} \cdot \vec{u'}) = \overline{VV'} \cos(\vec{u}, \vec{u'}).$$

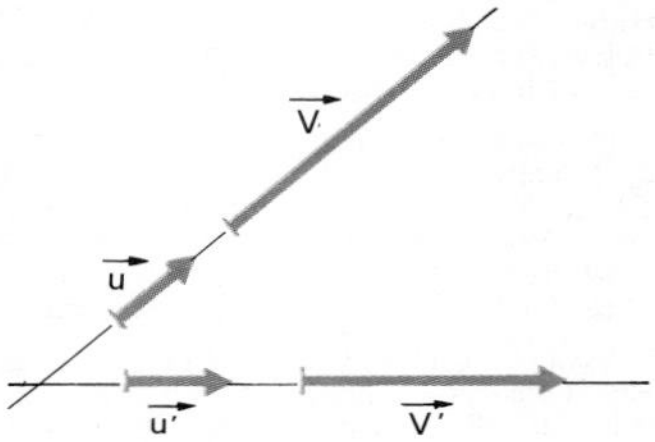

PROPRIÉTÉS DU PRODUIT SCALAIRE

• Si α et α' sont deux nombres réels quelconques, on a :

$$(\alpha\vec{V}) \cdot (\alpha'\vec{V'}) = \alpha\alpha' (\vec{V} \cdot \vec{V'}).$$

Cette propriété sert à montrer que $\vec{V} \cdot \vec{V'} = \overline{VV'} = \cos(\vec{u}, \vec{u'})$.

• Le produit scalaire est *commutatif*. D'après la définition, on a $\vec{V} . \vec{V'} = \vec{V'} . \vec{V}$.

• Le produit scalaire est *distributif* par rapport à l'addition vectorielle : $\vec{V} . (\vec{V_1} + \vec{V_2}) = \vec{V} . \vec{V_1} + \vec{V} . \vec{V_2}$. On en déduit le carré scalaire : $(\vec{V_1} + \vec{V_2})^2 = (\vec{V_1} + \vec{V_2}) . (\vec{V_1} + \vec{V_2}) = \vec{V}_1^2 + \vec{V}_2^2 + 2\vec{V_1} . \vec{V_2}$, relation que l'on peut appliquer à un triangle quelconque ABC pour lequel $\vec{BC} = \vec{BA} + \vec{AC}$, $BC = a$, $AB = c$ et $AC = b$, d'où $a^2 = b^2 + c^2 - 2\,bc \cos A$.

EXPRESSION ANALYTIQUE DU PRODUIT SCALAIRE

Dans un repère orthonormé $Oxyz$ ou $O\,\vec{i}\,\vec{j}\,\vec{k}$, $\vec{V} = x\vec{i} + y\vec{j} + z\vec{k}$ et $\vec{V'} = x'\vec{i} + y'\vec{j} + z'\vec{k}$. On utilise la distributivité du produit scalaire par rapport à l'addition vectorielle; $\vec{V} . \vec{V'}$ est la somme de neuf produits scalaires dont six sont nuls [tels $\vec{i} . \vec{j}$, car $\vec{i}$ et $\vec{j}$ sont orthogonaux et $\cos(\vec{i}, \vec{j}) = 0$]. Il reste $\vec{V} . \vec{V'} = xx' + yy' + zz'$.

Le produit scalaire est l'outil essentiel de la géométrie métrique.

SCALIGER (Jules-César), en ital. **Giulio Cesare Scaligero,** philologue et médecin italien (Riva del Garda 1484 - Agen 1558), auteur d'une *Poétique* (1561) qui pose les principes du classicisme. — Son dixième fils, JOSEPH JUSTE, en ital. **Giuseppe Giusto** (Agen 1540 - Leyde 1609), fut un humaniste et un philosophe protestant.

SCANDINAVIE, partie septentrionale de l'Europe qui englobe les deux États, Suède et Norvège, occupant la *péninsule scandinave,* et, pour des raisons de peuplement et de civilisation, le Danemark. Ces mêmes raisons conduisent parfois à y rattacher l'Islande, alors que des analogies essentiellement naturelles (topographie parsemée de lacs, climat semblable, extension de la forêt) amènent à y inclure également la Finlande. Le terme de Scandinavie est ainsi souvent synonyme d'« Europe du Nord ».

SCANDIUM. — C'est l'élément chimique n° 21, de masse atomique Sc = 44,96, qui fait transition entre le groupe du fer et celui des terres rares.

SCANIE (la), en suéd. **Skåne,** presqu'île constituant l'extrémité méridionale de la Suède. V. princ. *Malmö.* — La Scanie est historiquement une province danoise : sa capitale primitive, Lund, fut d'ailleurs le siège de l'archevêque-primat du Danemark. C'est en 1658 (traité de Roskilde) qu'elle fut cédée à la Suède, qui fonda à Lund une université (1668).

SCANNER → PHOTOGRAVURE.

SCAPA FLOW, rade des Orcades, au N. de l'Écosse. Ancienne base de la flotte britannique, où la flotte allemande, qui y avait été rassemblée après la victoire alliée de 1918, se saborda le 21 juin 1919. (La base fut démantelée en 1956.)

SCAPHANDRE. — Le *scaphandre à casque,* ou scaphandre lourd, se compose d'un habit en toile imperméable souple, enveloppant l'homme des pieds jusqu'au cou, d'une pèlerine métallique et d'un casque sphérique pourvu de hublots fixes. L'étanchéité est assurée par le serrage de la collerette de l'habit entre la pèlerine et le casque. L'alimentation en air se fait par des tuyaux souples au moyen d'une pompe à bras ou d'un compresseur à basse pression ou encore de batteries de bouteilles à haute pression avec détendeur. Le *scaphandre autonome,* beaucoup plus léger, comporte un appareil respiratoire comprenant le bloc-bouteille, le détendeur, les tuyaux respiratoires et l'embout buccal. Le plongeur porte un vêtement étanche ou non, comprenant une cagoule et, souvent, des sous-vêtements chauds ou chauffants. Dans l'appareil *Narguilé,* la source d'air reste à la surface de l'eau.

SCAPHOPODES. — Cette classe de mollusques, qui n'a jamais été nombreuse, ne compte plus guère aujourd'hui que le *dentale,* coquillage littoral commun, en forme de canine de chien, creuse, percée aux deux bouts. L'animal est carnivore et possède des organes de capture spéciaux, les *captacules.*

Scapin, valet de la comédie italienne. Molière l'a introduit dans *les Fourberies de Scapin.*

SCARABÉE. — On a décrit près de seize mille espèces de scarabées dans le monde, dont environ cent cinquante vivent en France. Ce sont des coléoptères, caractérisés par des antennes ramifiées en peigne ou, plus souvent, en lames d'éventail, et s'écartant vers les côtés de la tête. La plupart des espèces sont de forme trapue, avec un dos plutôt bombé et de fortes pattes. La larve vit soit dans les bouses (bousier, géotrupe...), soit dans la terre végétale ou dans le bois. Les adultes eux-mêmes quittent peu le sol, sauf chez quelques espèces des arbres et des fleurs. Beaucoup de scarabées portent en avant du front un *capuchon céphalique* à fonctions fouisseuses. Citons les lucanes, les dorcus, les trox, les scarabées proprement dits, les copris (avec une étrange corne sur le capuchon), les géotrupes, les oryctes (cornus, eux aussi), les hannetons, les trichies et les cétoines. Les scarabées au sens strict (genre *Scarabæus*) sont des bousiers de la région méditerranéenne, aux pattes antérieures fouisseuses. Dans l'Antiquité, une espèce égyptienne était reproduite comme talisman (« scarabée sacré »).

SCARAMOUCHE (Tiberio FIORILLI, dit), acteur de la comédie italienne (Naples v. 1600 - Paris 1694). Il créa un personnage qui tenait du capitan et de l'arlequin, et qui eut un vif succès au Théâtre-Italien de Paris.

SCARBOROUGH, port et station balnéaire de Grande-Bretagne (Yorkshire), sur la mer du Nord; 43 000 hab.

SCARLATINE. — Cette fièvre éruptive est produite à la faveur d'une infection streptococcique par la diffusion d'une toxine érythrogène (cause d'éruption), qui est elle-même antigénique et confère à la maladie une immunité. C'est une affection sporadique, parfois épidémique, fréquente dans la seconde enfance.

Après une incubation silencieuse de 3 à 4 jours, le début est brutal : température à 39 ou 40 °C, frissons, angine, malaise général, céphalées, vomissements, langue saburrale. La période d'état se caractérise par une éruption cutanée et muqueuse. L'exanthème apparaît d'abord au tronc, aux plis de flexion, aux racines des membres et à la base du cou, comme une nappe érythémateuse (rouge) diffuse, sèche, rugueuse, sans intervalle de peau saine. C'est un érythème : il s'efface à la pression. L'énanthème, lui, se confond avec l'angine du début.

L'évolution est généralement favorable, l'exanthème disparaissant en 8 à 10 jours, et étant suivi d'une desquamation. Toutefois, des complications (otites, néphrites, etc.) peuvent survenir : leur éventualité justifie l'antibiothérapie par la pénicilline.

SCARLATTI, nom d'une célèbre famille de compositeurs napolitains, représentée par Alessandro et Domenico. ALESSANDRO (Palerme 1660 - Naples 1725) compte parmi les plus illustres créateurs de l'art lyrique, et est le plus grand précurseur de Bach. On lui doit près de 125 opéras, qui valent tant par leur ouverture « à l'italienne » tripartite (vif, lent, vif) que par la qualité mélodique de leurs airs, Scarlatti se faisant l'un des maîtres dans le domaine de l'*aria da capo.* Maître de chapelle à la cour de Naples, il a fait des séjours à Rome, dirigé la maîtrise de Sainte-Marie-Majeure, écrit messes, oratorios, cantates, pièces pour clavecin et orgue. — Son fils, DOMENICO (Naples 1685 - Madrid 1757), claveciniste de haut talent, a vécu à la cour du Portugal, puis à celle de Madrid. Outre des opéras, on lui doit 600 *essercizi* ou sonates pour son instrument, d'une écriture virtuose et d'une lumineuse élégance.

SCARPA (Antonio), anatomiste et chirurgien italien (Motta di Livenza, Frioul, 1752 - Pavie 1832). Il a étudié les maladies des yeux, les pieds bots, les anévrismes, l'odorat, le système nerveux.

SCARPE (la), riv. du nord de la France, partiellement canalisée, affl. de l'Escaut (r. g.); 100 km. Née dans le sud-est des collines de l'Artois, elle passe à Arras et à Douai.

SCARRON (Paul), écrivain français (Paris 1610 - *id.* 1660). Secrétaire de l'évêque du Mans, il fut, en 1638, atteint de paralysie. Il épousa cependant, en 1652, Françoise d'Aubigné, qui devait devenir Mme de Maintenon. Il débuta dans les lettres par des pièces gaillardes, lança la mode du burlesque* (*le Typhon,* 1644; *Virgile travesti,* 1648-1652), puis donna des comédies imitées de l'espagnol (*Jodelet,* 1645; *Don Japhet d'Arménie,* 1652; *l'Écolier de Salamanque,* 1654) et *le Roman* comique* (1651 et 1657), peinture savoureuse de la vie de comédiens de campagne.

SCEAU-DE-SALOMON. — Très voisin du muguet, le sceau-de-Salomon *(polygonatum)* doit son nom à son rhizome, qui laisse voir l'empreinte discoïdale de la pousse aérienne des années antérieures. Cette pousse est, en effet, annuelle et laisse pendre une ligne de fleurs blanches en clochettes, sous une double série de grandes feuilles dressées de façon à montrer leur face inférieure. Le fruit est une baie rouge ou bleu foncé. (Famille des liliacées.)

SCEAUX (92330), ch.-l. de cant. des Hauts-de-Seine, à 6 km au S. de Paris; 19 961 hab. *(Scéens).* Du château du XVIIe s. subsistent le parc, l'orangerie et le pavillon de l'Aurore (coupole de Le Brun). Dans le château reconstruit au XIXe s., musée de l'Île-de-France (tableaux, gravures, céramiques, dont celles de Sceaux, etc.; centre de documentation).

SCÉNARISTE. — Ce spécialiste cinématographique, qui est chargé du *traitement* (ou *continuité*) d'un sujet, soit original, soit adapté d'une œuvre littéraire préexistante, joue un rôle primordial dans l'élaboration d'un film. Les premiers grands scénaristes (Thomas Ince, Gardner Sullivan, Anita Loos) furent à l'origine du découpage filmique (fragmentation du scénario en *plans,* ou unités de *tournage*). Souvent, les metteurs en scène sont également scénaristes de leurs films. Parmi les grands scénaristes de cinéma, citons : Frances Marion, June Mathis, Carl Mayer, Hans Kräly, Thea von Harbou, Ben Hecht, Jules Furthman, Dudley Nichols, Nunnally Johnson, Jacques Prévert, Charles Spaak, Jean Aurenche, Pierre Bost, Yoda Yoshikata, Noel Coward, Cesare Zavattini, Suso Cecchi d'Amico, Dalton Trumbo, Tonino Guerra.

Scènes de la vie de bohème, par Henri Murger (1849), évocation de la vie des peintres, des poètes et des grisettes.

SCÉNOGRAPHIE. — Ce terme, qui désigne l'« art » et la « science » de la scène théâtrale, a une double acception : l'une, traditionnelle et restreinte, limite la scénographie à l'architecture scénique, à la disposition réciproque des acteurs et des spectateurs, à la machinerie théâtrale; l'autre, moderne et plus large, étend la scénographie à toute forme d'expression capable de s'inscrire dans l'univers du théâtre*, compris comme une machine à faire voir les possibilités infinies de représentation de la vie.

SCEPTICISME → PYRRHONISME.

SCÈVE (Maurice), poète français (Lyon 1501 - *id.* 1560). Il croit, en 1535, avoir retrouvé dans une église d'Avignon le tombeau de la Laure de Pétrarque, et devient célèbre dans la société lettrée de Lyon. Imitant les rhétoriqueurs dans *le Tombeau du Dauphin* (1536) et Clément Marot dans ses *Blasons,* il est le premier à traduire une « expérience poétique » moderne dans les 449 dizains de la *Délie* (1544), une églogue qui exalte la vie solitaire (*la Saulsaye,* 1547) et une épopée sur la chute et la rédemption humaine (*Microcosme,* 1562). Jugée hermétique par ses contemporains, son œuvre apparaît aujourd'hui comme une des plus profondes et des plus accomplies de la poésie française.

SCEY-SUR-SAÔNE-ET-SAINT-ALBIN (70360), ch.-l. de cant. de la Haute-Saône, à 18,5 km à l'O.-N.-O. de Vesoul; 1 533 hab.

SCHAEFFER (Pierre) → CONCRÈTE *(musique).*

SCHAERBEEK ou **SCHAARBEEK,** comm. de Belgique (Brabant), la plus peuplée de la banlieue de Bruxelles; 112 649 hab.

SCHAFFOUSE, en allem. **Schaffhausen,** v. de Suisse, ch.-l. du *cant. de Schaffouse* (298 km²; 72 854 hab.); 37 035 hab. Importants restes des fortifications médiévales. Cathédrale romane. Maisons gothiques et Renaissance. Musée dans un ancien couvent. Centrale hydroélectrique, utilisant une chute du Rhin, contribuant à alimenter en énergie l'industrie locale (métallurgie).

SCHARNHORST (Gerhard VON), général prussien (Bordenau, Hanovre, 1755 - Prague 1813). Avec Gneisenau, il fut, de 1807 à 1813, le réorganisateur de l'armée prussienne, et fut mortellement blessé à la bataille de Lützen.

SCHAROUN (Hans), architecte et urbaniste allemand (Brême 1893 - Berlin 1972). Caractérisées par la recherche du développement organique* des parties et du tout dans son rapport à l'extérieur, ses œuvres (logements sociaux à Berlin, 1925-1932; reconstruction du Grand Berlin) atteignent parfois une puissance expressionniste (Philharmonie de Berlin, 1956).

SCHATZMAN (Évry), astronome français (Paris 1920). Auteur d'importants travaux en physique astronomique, notamment sur les mécanismes de « combustion » des étoiles* et les réactions qui peuvent être explosives, il a également étudié les mécanismes de production des rayons cosmiques* et des rayons gamma*.

SCHEEL (Walter), homme d'État allemand (Solingen 1919). Président du parti libéral (FDP) à partir de 1968, il oriente celui-ci vers une alliance avec les sociaux-démocrates. La formation de la coalition libérale-socialiste en 1969 permet à W. Scheel d'accéder aux fonctions de vice-chancelier de la République fédérale et de ministre des Affaires étrangères. En mai 1974, il est élu à la présidence de la République, où il succède à G. Heinemann*.

SCHEELE (Carl Wilhelm), chimiste suédois (Stralsund 1742 - Köping 1786). Il isola l'hydrogène et l'oxygène, découvrit le chlore (1774), la glycérine (1779) et l'acide cyanhydrique (1782). Il montra que le graphite est du carbone et signala le noircissement du chlorure d'argent à la lumière.

SCHEFFERVILLE, centre minier (extraction du fer) du Canada (Québec), dans le Labrador; 3 271 hab.

Schéhérazade, personnage des *Mille et Une Nuits.* Elle fait au sultan Chāhriyār, son époux, ces récits merveilleux afin de reculer le jour où il doit la faire périr.

Schéhérazade, drame chorégraphique en un acte, livret (d'après une idée d'Alexandre Benois), décors et costumes de Léon Bakst, chorégraphie de Michel Fokine, musique de Rimski-Korsakov (poème symphonique, 1888). Inspirée d'un conte des *Mille et Une Nuits,* cette œuvre est la première véritable création des Ballets russes de Diaghilev, qui eut lieu à l'Opéra de Paris, en 1910.

SCHEIDT (Samuel), compositeur et organiste allemand (Halle 1587 - *id.* 1654). En marge d'œuvres vocales (motets, petits concerts) qui doivent à la tradition autant qu'elles ouvrent sur l'avenir, il a laissé son nom à une œuvre pour clavier (orgue, clavecin), basée ou non sur le choral et le procédé de la variation, qui fait la jonction entre Sweelinck et Bach *(Tabulatura nova).*

SCHEIN (Johann Hermann), compositeur allemand (Grünhain 1586 - Leipzig 1630). Son œuvre instrumentale *(Banchetto musicale)* comme ses compositions vocales profanes (madrigaux, villanelles, lieder) annoncent l'esthétique baroque.

SCHEINER (Julius), astrophysicien allemand (Cologne 1858 - Potsdam 1913). Il inventa un sensitomètre et créa une échelle de mesure des sensibilités des émulsions photographiques *(degrés Scheiner).*

SCHELER (Max), philosophe allemand (Munich 1874 - Francfort-sur-le-Main 1928). Il subit l'influence de la phénoménologie* de Husserl* et des philosophes de la vie (Dilthey, Nietzsche, Bergson). Sa réflexion personnelle porte sur un sentiment qu'il considère comme fondamental, la sympathie (*Nature et formes de la sympathie,* 1923). La sympathie est le fondement de la reconnaissance de l'autre, et donc la racine de toute éthique et de toute sociabilité. Ainsi l'amour ne serait plus antithétique de la morale.

SCHELLING (Friedrich Wilhelm Joseph VON), philosophe allemand (Leonberg 1775 - Ragaz 1854). Disciple de Hegel, ami de Goethe et de Fichte, il fait une brillante carrière (secrétaire général de l'Académie des beaux-arts de Munich, président de l'Académie royale des sciences, conservateur des collections scientifiques). En 1841, il est appelé par Guillaume IV à l'université de Berlin.

Sa philosophie de la nature renoue avec la tradition mystique et imaginative de la Renaissance. Dès 1797, dans *Idées pour une philosophie de la nature,* il interprète l'identité du Moi comme une identité absolue de l'esprit et du monde, et non comme une identité subjective. Panthéiste, il inaugure, contre le formalisme des philosophies du sujet (Kant, Fichte), l'ère des philosophies de l'absolu. La nature est la première manifestation de l'absolu, et le sentiment de la nature est la médiation entre l'homme et la divinité (ce qu'exprime directement la poésie romantique allemande). Ainsi, il y a un sentiment plus profond que le sentiment moral, c'est l'intuition de l'art. L'art, en effet, est l'expression d'un esprit qui dépasse la nature objective et révèle la force créatrice de l'absolu. Schelling renouvelle la conception de Dieu, qui n'est plus l'être statique des deux siècles précédents, mais le Dieu du mysticisme.

SCHÉMA CORPOREL → CORPS.

SCHENECTADY, v. des États-Unis (État de New York), sur le Mohawk; 78 000 hab.

SCHERCHEN (Hermann), chef d'orchestre allemand (Berlin 1891 - Florence 1966). Fondateur de la revue *Melos,* il joua un grand rôle dans la diffusion de la musique contemporaine.

SCHEVENINGEN, important port de pêche et station balnéaire des Pays-Bas, sur le territoire de la ville de La Haye.

SCHIAPARELLI (Giovanni), astronome italien (Savigliano, Piémont, 1835 - Milan 1910). Si on lui doit de belles découvertes en astronomie planétaire et cométaire, sa célébrité reste attachée à la découverte qu'en toute bonne foi il crut faire de canaux sur Mars* (1877), dus à une simple illusion d'optique.

SCHIAPARELLI (Elsa), couturière française (Rome 1896 - Paris 1973). Rivale de Chanel dans la période de l'entre-deux-guerres, elle s'impose par l'audace d'un style voyant : choc des couleurs (elle crée le rose « shocking », le bleu « schiap ») et des tricots à dessins surréalistes.

SCHICKARD (Wilhelm), savant allemand (Herrenberg, Wurtemberg, 1592 - Tübingen 1635). Génie universel, il exécuta le levé topographique du pays de Wurtemberg, étudia le mouvement des planètes et fut l'un des premiers à reconnaître les immenses possibilités des logarithmes, qu'il chercha à présenter et à calculer d'une façon différente de celle de Napier. Mais il est surtout connu pour avoir conçu, à Tübingen, une machine à calculer à roues dentées avec transfert des dizaines (1623).

SCHIEDAM → EAU-DE-VIE.

SCHIEDAM, port des Pays-Bas, sur la « Nouvelle Meuse », immédiatement en aval de Rotterdam; 80 000 hab.

SCHIFFLANGE, v. du sud du Luxembourg; 6 400 hab. Métallurgie.

SCHILDE, comm. de Belgique (prov. d'Anvers), à l'E. d'Anvers; 15 658 hab.

SCHILLER (Friedrich VON), écrivain allemand (Marbach 1759 - Weimar 1805). Destiné d'abord à la théologie, il entreprend des études de droit et de médecine, mais s'adonne à la poésie lyrique. Son premier drame, *les Brigands* (1782), représenté à Mannheim, est un grand succès, mais l'esprit de révolte qui anime l'œuvre déplaît au duc de Wurtemberg. Schiller, qui est alors chirurgien-major, se rend en Saxe, où il poursuit sa dénonciation de la tyrannie (*la Conjuration de Fiesque,* 1783; *Don Carlos,* 1787) et des préjugés sociaux (*Intrigue et Amour,* 1784). Nommé professeur à l'université d'Iéna, il exprime une philosophie idéaliste de l'histoire (*Histoire du soulèvement des Pays-Bas,* 1788; *Histoire de la guerre de Trente Ans,* 1790-1792), s'initie à la pensée de Kant et lie, dans ses essais sur l'esthétique, la recherche du beau à la perfection morale (*Lettres sur l'éducation esthétique de l'homme,* 1793-94). Déçu par l'évolution de la France après 1789, peu sensible au titre de citoyen d'honneur que lui décerne la République en 1792, Schiller pense que toute régénération passe par l'effort vers la beauté et le bien : il noue avec Goethe une amitié qui ne cessera qu'avec sa mort et se rend à Weimar, où les deux poètes composent ensemble *les Xénies.* Schiller revient à la poésie lyrique, qu'il a quelque peu délaissée depuis *l'Hymne à la joie* (1785), utilisé par Beethoven dans sa neuvième symphonie. Il donne alors quelques-unes des *Ballades* les plus célèbres de la littérature allemande *(les Grues d'Ibycus, l'Anneau de Polycrate)* et *le Chant de la cloche* (1799). Il entreprend, cependant, de saisir la marche de l'histoire à travers les grands personnages historiques (*Wallenstein**, 1796-1799; *Marie Stuart,* 1800; *la Pucelle d'Orléans,* 1801), unissant la simplicité de la tragédie grecque (*la Fiancée de Messine,* 1803) à la saveur de la légende populaire (*Guillaume Tell,* 1804).

SCHILTIGHEIM (67300), ch.-l. de cant. du Bas-Rhin, dans la banlieue nord de Strasbourg; 30 280 hab. *(Schilikois).* Brasserie. Constructions mécaniques.

SCHINKEL (Carl Friedrich), architecte et peintre allemand (Neuruppin 1781 - Berlin 1841). Élève de F. Gilly, il est, à partir de 1810, le grand responsable de l'architecture berlinoise (corps de garde, 1816; théâtre royal, 1818; Musée ancien, 1822). Néoclassique, mais aussi romantique, il évolue vers un éclectisme sensible à l'art gothique comme à celui de la Renaissance.

Schiphol, aéroport d'Amsterdam.

SCHIRMECK (67130), ch.-l. de cant. du Bas-Rhin, sur la Bruche, au pied oriental des Vosges, à 12 km au S.-E. du Donon; 2 780 hab. Industries mécaniques et textiles.

Schisme d'Occident *(Grand),* conflit qui divisa l'Église de 1378 à 1417 et durant lequel il y eut plusieurs papes à la fois. À l'origine se situe la double élection de 1378 : au pape élu, Urbain VI, s'opposent la plupart des cardinaux non italiens, qui choisissent le Français Clément VII*. Celui-ci, établi à Avignon, a comme appuis la France des Valois, l'Écosse et les États ibériques. Très vite, on cherche les remèdes pour mettre fin à ce schisme. La « voie de fait » — par les armes — n'ayant pas abouti, on recourt à la voie conciliaire. Mais, tandis que le concile de Pise élit Alexandre V (1409), qui meurt l'année suivante et est remplacé par Jean XXIII (1410-1415), les deux papes, de Rome et d'Avignon, déclarés déchus, restent en place : si bien que l'Église devient tricéphale. Finalement, le concile de Constance* (1415-1417) dépose les trois papes et provoque le conclave, qui aboutit à l'élection d'un pape unique, Martin V (1417).

schisme d'Orient, nom donné à la rupture de communion entre l'Église romaine et l'Église byzantine. Trois causes principales sont à l'origine de cette séparation, qui deviendra effective au XIe s. : 1° le césaropapisme des empereurs d'Orient, qui isole de l'Occident l'Église grecque; 2° la volonté des patriarches de Constantinople, la « Nouvelle Rome », d'affirmer leur primauté face à l'évêque de Rome; 3° le fossé qui se creuse progressivement entre Grecs et Latins avec l'évolution divergente sur les plans canonique, liturgique et psychologique des deux fractions de la chrétienté.

Deux drames éclateront au IXe s. : le schisme de Photios* et l'affaire du *Filioque,* qui est une querelle non de doctrine, mais de formulation doctrinale, relative à la Trinité; la rupture sera brève (866-890), mais passionnée. Le schisme devient définitif avec Michel Keroularios*, patriarche de Constantinople (1043-1059); les titulaires des deux premiers sièges de la chrétienté, Rome et Constantinople, s'excommunient réciproquement (16 et 24 juill. 1054). Neuf siècles plus tard, le pape Paul VI* et le patriarche de Constantinople Athênagoras*, par un acte commun (7 déc. 1965), effaceront ces anathèmes. Mais l'union n'est pas réalisée pour autant.

SCHISTE. — Roches métamorphiques, les schistes ont la particularité de se débiter en dalles, ou feuillets. Ils résultent de la transformation de roches argileuses sous l'action de tensions à l'intérieur de la croûte terrestre, ces tensions pouvant s'accompagner de recristallisations minérales. (V. SABLES ET SCHISTES BITUMINEUX.)

Friedrich von Schiller, par Ludovika Simanovitz. 1793. (Musée Schiller, Marbach.)

SCHISTIFICATION → POUSSIÈRES.

SCHIZOANALYSE → ANTI-ŒDIPE *(l').*

SCHIZOPHRÉNIE. — Cette psychose* occupe une place à part dans la psychiatrie contemporaine, dont elle polarise toutes les contradictions. Pour E. Bleuler* la dislocation de la vie psychique constitue le trouble fondamental de cette affection : pour désigner cette dislocation de la vie affective comme de la vie intellectuelle, il proposa le terme de *schizophrénie* (du gr. *skhizein,* diviser et *phren,* esprit). S. Freud considère la schizophrénie comme une *névrose narcissique :* détachée de ses objets, la libido* s'accumule dans le Moi*, et, dans ses efforts pour y retourner, elle n'en saisit que les « ombres », c'est-à-dire les « représentations verbales qui leur correspondent ». Freud rattache la schizophrénie à des perturbations précoces de la relation mère-enfant.

Pour les psychiatres contemporains la schizophrénie est caractérisée par trois symptômes fondamentaux. La *discordance* exprime selon H. Ey : « le défaut de cohésion et d'unité de la conscience et de la personnalité des schizophrènes ». Elle envahit toutes les sphères de l'activité et en particulier le langage qui échappe à toute organisation logique (schizophasie). Le concept de discordance traduit donc l'incohérence, l'étrangeté, l'absurdité et le caractère insensé — du moins en apparence — dont on a cru voir le sceau dans les agissements des schizophrènes, bref leur « bizarrerie ». L'*autisme,* conséquence de la discordance pour Bleuler, est le deuxième symptôme fondamental. Bleuler le définit comme : « l'évasion de la réalité avec, en même temps, la prédominance relative et absolue de la vie intérieure ». C'est un repli sur soi qui débute par un désintérêt progressif pour les contacts sociaux et un apragmatisme. Sur ce fond d'autisme et de discordance, peut émerger le *délire paranoïde,* délire* caractérisé par son désordre et par le flou de ses thèmes : cependant un des thèmes les plus constants est celui de *dépersonnalisation,* qui exprime le sentiment de transformation et d'irréalité de soi, comme du monde extérieur.

L'antipsychiatrie* estime que la schizophrénie est, comme toute folie, une étiquette qui installe la personne qui la porte dans une carrière de malade, ce qui permet au reste de la famille de survivre dans une relative normalité. Pour R. Laing, la « bizarrerie », que l'on dit caractéristique de la schizophrénie, est parfaitement intelligible dès lors qu'on la replace dans le contexte familial et social : « l'expérience et le comportement qualifiés de schizophréniques représentent une stratégie particulière qu'une personne invente pour supporter une situation insupportable ».

SCHLEGEL (August Wilhelm VON), écrivain allemand (Hanovre 1767-Bonn 1845). Après avoir collaboré un moment à la revue *les Heures,* que dirigent Goethe et Schiller, il s'installe à Berlin et forme avec les poètes Tieck et Novalis, les philosophes Fichte et Schelling le premier groupe romantique. Il se lie avec Mme de Staël et marquera de son influence le livre *De l'Allemagne**. Traducteur de Shakespeare et de Calderón, théoricien plus que poète, il s'oppose à la fois au classicisme français et à l'idéalisme de Schiller (*Cours de littérature dramatique,* 1808-09). — Son frère FRIEDRICH (Hanovre 1772-Dresde 1829) fonde la revue *Athenäum* (1798) et publie un roman (*Lucinde,* 1799) et des études sur le persan et le sanskrit (*Sur la langue et la philosophie des Indiens,* 1808).

SCHLEICHER (August), linguiste allemand (Meiningen 1821-Iéna 1868). Son œuvre est l'expression la plus achevée de la grammaire comparée. Auteur d'un *Abrégé de grammaire comparée des langues indo-européennes* (1861), Schleicher a tenté de reconstruire l'indo-européen primitif, allant jusqu'à composer une poésie dans cette langue hypothétique. Influencé par Darwin, il assimila la langue à un organisme naturel qui naît, vit et meurt, et auquel on peut appliquer les mêmes méthodes qu'aux sciences naturelles (*la Théorie de Darwin et la linguistique,* 1863).

SCHLEIERMACHER (Friedrich), théologien protestant allemand (Breslau 1768-Berlin 1834). Il est l'auteur de *Brève Exposition de l'étude de la théologie* (1811) et de *la Foi chrétienne d'après les principes de l'Église évangélique* (1821-22; 2 vol.). Son grand mérite est d'avoir voulu intégrer sa théologie dans la culture de son temps; Schleiermacher est à la racine du grand courant libéral allemand et du modernisme* catholique.

SCHLEMMER (Oskar) → BAUHAUS.

SCHLESWIG-HOLSTEIN, État (Land) du nord de l'Allemagne fédérale; 15 676 km^2; 2 567 000 hab. Capit. *Kiel.*

GÉOGRAPHIE. Occupant principalement la partie méridionale de la péninsule du Jutland, ou Jylland, entre la Baltique, à l'E., et la mer du Nord, à l'O., cet État est une région basse, parsemée de lacs. Le littoral est jalonné de stations thermales et balnéaires. Dans l'intérieur, l'élevage bovin et porcin est parfois associé aux cultures céréalières (blé, orge, avoine). L'industrie (métallurgie de transformation) est principalement représentée dans les principales villes (Lübeck et surtout Kiel), qui jalonnent le littoral baltique.

HISTOIRE. En 1460, le Schleswig (ou Slesvig), duché danois, et le Holstein, comté du Saint Empire (duché en 1474), devinrent la propriété personnelle du roi de Danemark Christian Ier. Au XVIe s., le Holstein passa aux mains d'une branche cadette de la maison royale, les Holstein-Gottorp. En 1815, le congrès de Vienne donna les duchés de Holstein et de Lauenburg au roi de Danemark, à titre personnel, en compensation de la perte de la Norvège. Les tentatives du Danemark pour incorporer les duchés et surtout le Schleswig aboutirent à la guerre des Duchés (1864-65), à la suite de laquelle le Danemark, vaincu par les Austro-Prussiens, dut abandonner à ses adversaires le Schleswig, le Holstein et le Lauenburg. En 1866, la Prusse, victorieuse de l'Autriche, se fit céder les duchés; elle les incorpora à l'État prussien, les réunissant en un État de Schleswig-Holstein (1867), qui fut soumis à une intense germanisation. En 1920, un plébiscite fit passer au Danemark le nord du Schleswig, que l'Allemagne annexa en 1940. En 1945, la frontière de 1920 fut rétablie.

SCHLICK (Moritz), physicien et philosophe allemand (Berlin 1882-Vienne 1936). Il est l'un des fondateurs du cercle de Vienne*. Sa contribution à la critique de la métaphysique* à partir de la logique* mathématique est à l'origine des travaux de Carnap*. On lui doit notamment *l'Espace et le temps dans la physique contemporaine* (1917-1922).

SCHLIEFFEN (Alfred, *comte* VON), maréchal allemand (Berlin 1833-*id.* 1913). Chef du grand état-major de 1891 à 1906, il donna son nom au plan de campagne élaboré à la suite de l'alliance franco-russe en 1898. Ce plan, constamment mis au point et qui fut appliqué par l'Allemagne en 1914, consistait à contenir par de faibles effectifs les forces russes à l'est et à détruire rapidement l'armée française par un vaste mouvement de débordement à travers la Belgique, le nord de la France et l'ouest de Paris. (V. GUERRE MONDIALE [*Première*].)

SCHLIEMANN (Heinrich), archéologue allemand (Neubukow, Mecklembourg, 1822-Naples 1890). Son audace et sa ténacité l'amènent à découvrir le site de Troie*, où il recueille des bijoux d'or, des armes et de la vaisselle métallique qu'il attribue à Priam. En 1876, Schliemann entreprend les fouilles de Mycènes* et découvre les premières tombes et leur riche mobilier d'or. On lui doit d'avoir reculé les chronologies préhelléniques et d'avoir donné vie aux récits homériques.

SCHLIEREN, comm. de Suisse (cant. de Zurich), dans la vallée de la Limmat; 11 869 hab.

SCHLOESING (Jean-Jacques Théophile), chimiste et agronome français (Marseille 1824-Paris 1919), auteur de recherches sur la composition du sol et la fixation de l'azote par les végétaux. — Son fils ALPHONSE THÉOPHILE (Paris 1856-*id.* 1930) a étudié les fermentations, la nitrification du fumier et le grisou.

SCHLUCHT *(col de la),* col des Vosges, à 1 139 m d'altitude, entre Épinal et Colmar. Sports d'hiver (1 139-1 250 m).

SCHMIDT (Wilhelm), missionnaire et anthropologue allemand (Hörde [auj. Dortmund] 1868-Fribourg, Suisse, 1954), fondateur de la revue *Anthropos.* Promoteur, avec Graebner, du diffusionnisme allemand, il contribua à la popularisation de la notion de *Kulturkreis* (cycle culturel). Ses recherches, orientées pour la plupart sur les représentations religieuses dans les sociétés primitives, n'échappent pas aux préjugés religieux dus à sa formation (*Der Ursprung der Gottesidee,* 1926-1955).

SCHMIDT (Helmut), homme d'État allemand (Hambourg 1918). Député social-démocrate à partir de 1953, il devient vice-président du SPD en 1968, puis ministre de la Défense (1969) et des Finances (1972). Désigné par le parti social-démocrate pour succéder à W. Brandt*, démissionnaire, il devient chancelier de la République fédérale en mai 1974.

SCHMITT (Florent), compositeur français (Blamont 1870-Neuilly-sur-Seine 1958). Son message tente une synthèse du monde germanique et franckiste, qu'il admire, et de l'univers d'un Fauré, dont il est l'élève. Il faut y ajouter l'ironie bien française d'un Ravel, le raffinement d'écriture d'un Debussy, l'orchestration brillante et orientale des Russes. Florent Schmitt a composé, entre autres, le *Psaume XLVII* (1906), un quintette pour piano et quatuor à cordes (1908), *la Tragédie de Salomé* (1907-1911), *Antoine et Cléopâtre* (1920), la *Symphonie concertante* pour orchestre et piano (1932), un trio à cordes (1946), un quatuor à cordes (1948), une 2e symphonie (1958) et une messe en quatre parties (1958).

SCHNABEL (Artur), pianiste autrichien (Lipnik 1882-Morschach, Suisse, 1951). D'un tempérament rigoureux, il excella dans Mozart, Schubert, Brahms et surtout Beethoven, dont il fut le premier à enregistrer toutes les sonates.

SCHNEBEL (Dieter), compositeur et théologien allemand (Lahr 1930). Sa démarche allie spéculation théorique et travail proprement créateur *(Für Stimmen, Choralvorspiele, Maulwerke).*

SCHNEIDER, famille d'industriels français. EUGÈNE (Bidestroff 1805-Paris 1875) reprit en 1836, avec son frère ADOLPHE (Nancy 1802-Le Creusot 1845), l'ancienne Fonderie royale du Creusot, créée par Louis XVI et qu'il développa pour en faire à l'époque les ateliers de mécanique les plus modernes du monde. C'est ainsi qu'il réalisa la première locomotive à vapeur française (1838) et le premier bateau à navigation fluviale construit en France (1840). Dès l'apparition de l'acier, il s'assura la fabrication des rails en acier, celle des tôles et des barres en acier doux pour les navires de guerre, ainsi que celle des canons en acier. — Son fils HENRI (Le Creusot 1840-Paris 1898) développa les fabrications d'armement et les constructions mécaniques. — EUGÈNE (Le Creusot 1868-Paris 1942), fils d'Henri, coordonna, dès l'ouverture des hostilités en 1914, à la demande du gouvernement, l'ensemble des industries d'armement, contribuant au succès des armées alliées.

SCHNEIDER (Hortense), actrice et chanteuse française (Bordeaux 1838-Paris 1920). Elle excella dans l'opérette et fit une partie de sa carrière aux Bouffes-Parisiens dans les œuvres d'Offenbach *(la Belle Hélène, Barbe-Bleue, la Périchole).*

SCHNITZLER (Arthur), écrivain autrichien (Vienne 1862-*id.* 1931), auteur de drames (*Amourette,* 1895), de dialogues humoristiques (*la Ronde,* 1900), de romans et de nouvelles (*Lieutenant Gustl,* 1901; *Mademoiselle Else,* 1924) qui évoquent le charme ironique et mélancolique de la Vienne d'autrefois.

SCHOBERT (Johann), claveciniste allemand (Silésie v. 1740-Paris 1767). Installé à Paris en 1761, il a composé des sonates, des concertos et des symphonies qui eurent un vif succès.

SCHŒLCHER (Victor), homme politique français (Paris 1804-Houilles 1893). Apôtre de l'abolition de l'esclavage dans les colonies, il est à l'origine, comme sous-secrétaire d'État à la Marine (mars-mai 1848), du décret du 27 avril 1848, qui libère les esclaves et en fait des citoyens. Député montagnard (1849), il s'oppose au coup d'État du 2 décembre 1851 et est proscrit.

SCHÖFFER (Peter), imprimeur allemand (Gernsheim, Hesse-Darmstadt, v. 1425-Mayence 1502). Après avoir travaillé dans l'atelier d'imprimerie de Gutenberg* et de Fust*, dont il devint l'associé, il imagina l'interligne ainsi que les notes marginales et fut le premier à imprimer en couleurs les rubriques et les majuscules.

SCHÖFFER (Nicolas), plasticien et théoricien français d'origine hongroise (Kalocsa 1912). Fixé à Paris en 1936, il est à partir des années 1948-1950 un pionnier de l'art cinétique* avec ses dispositifs « luminodynamiques », constructions de métal brillant aux mouvements et aux éclairages programmés. Il a donné des projets d'urbanisme et d'architecture et a notamment écrit *la Ville cybernétique* (1969).

Schola cantorum, école de musique, fondée à Paris par Charles Bordes, A. Guilmant et V. d'Indy en 1896, et destinée, au départ, à l'enseignement de la musique religieuse. Elle se transporta en 1900 rue Saint-Jacques, et d'Indy sut lui donner un particulier éclat.

SCHOMBERG (Frédéric Armand, *duc* DE), maréchal de France (Heidelberg 1615 - près de la Boyne 1690). Au service de la France depuis 1635, il est naturalisé français en 1668. Ses victoires en Roussillon lui valent le bâton de maréchal de France en 1675. Protestant, il s'exile après la révocation de l'édit de Nantes (1685) et suit en Angleterre Guillaume III d'Orange.

SCHÖNBEIN (Christian Friedrich), chimiste allemand (Metzingen, Wurtemberg, 1799 - Baden-Baden 1868). Il a découvert l'ozone (1839), le coton-poudre et le collodion (1847).

SCHÖNBERG (Arnold), compositeur autrichien (Vienne 1874 - Los Angeles 1951). Parti du postromantisme allemand (*Gurrelieder,* 1900-1911), il passa ensuite par une phase dite « atonale libre » (*Pierrot lunaire,* 1912), conséquence, pour lui, de l'épuisement du système tonal, avant de mettre au point vers 1920 la méthode dodécaphonique sérielle (*Variations pour orchestre,* 1926-1928). La rapidité et la densité de sa pensée, plus encore que son système d'écriture, font de lui un musicien d'accès difficile. « Ma musique n'est pas moderne, elle est mal jouée », avait-il coutume de dire. Schönberg se considéra toujours comme l'héritier le plus authentique de la tradition allemande. Intraitable dès qu'il s'agissait de son art, il a laissé dans l'histoire de la musique l'empreinte qui n'est réservée qu'aux plus grands.

Coll. Meyer

Arnold Schönberg (debout, à droite). Dessin de Dolsin.

Schönbrunn, château impérial de la banlieue de Vienne, construit au XVIIIe s. comme résidence d'été des Habsbourg. Napoléon y signa les traités de Presbourg (1805) et de Vienne (1809). Son fils, le duc de Reichstadt, y mourut en 1832.

SCHÖNEBECK, v. de l'Allemagne orientale, sur l'Elbe, en amont de Magdeburg; 46 000 hab. Métallurgie et chimie.

SCHONGAUER (Martin), peintre et graveur alsacien (Colmar? v. 1450 - Vieux-Brisach 1491). Fils d'un orfèvre originaire d'Augsbourg, il est le dernier grand représentant de la mystique médiévale rhénane en même temps que l'héritier de la renaissance picturale flamande. Si l'on a peu conservé de son œuvre peint (*Vierge au buisson de roses,* 1473, Saint-Martin de Colmar; *Retable d'Orliac,* musée de Colmar), on possède de lui des dessins et plus de cent gravures au burin (séries de la Passion, de la Vie de la Vierge, etc.). Aiguës dans les détails, mais d'une tension spirituelle et d'une autorité graphique toutes nouvelles, celles-ci donnèrent à l'artiste une grande notoriété dans toute l'Allemagne, en Italie, etc.

SCHOPENHAUER (Arthur), philosophe allemand (Dantzig 1788 - Francfort-sur-le-Main 1860). Issu de la bourgeoisie libérale allemande, il n'a aucun succès avec sa grande œuvre (*le Monde comme volonté et comme représentation,* 1818) et n'en a pas plus avec son enseignement de privat-docent à Berlin (1820). Dès 1831, il quitte l'enseignement pour vivre dans la retraite à Francfort.

S'élevant contre les grands systèmes de pensée de son époque, il prend pour objet de réflexion les thèmes les plus variés : l'art, le style, les femmes, le jeu, la seconde vue, la musique. Sa doctrine peut se comparer à une vaste évocation magique qui va dévoiler la puissance du monde, l'*x* qui la soutient, comme étant volonté. Or, cette volonté est une force absurde, engendrant sans cesse de nouveaux besoins et de nouvelles douleurs. À ce malheur, Schopenhauer voit trois remèdes : la philosophie, qui, en faisant du vouloir-vivre la cause des souffrances humaines, chasse le malheur; la morale, grâce à laquelle, à l'exemple du sage hindou, l'homme peut, par la chasteté et l'ascétisme, nier en lui le désir et atteindre au nirvāna*; enfin l'art, qui est un plaisir d'une espèce particulière (*Essai sur le libre arbitre,* 1839; *les Deux Problèmes fondamentaux de l'éthique,* 1841).

SCHORRE → MARAIS.

SCHOTEN, comm. de Belgique (prov. d'Anvers), sur le canal Albert; 29 214 hab. (en 1970).

SCHRIBAUX (Émile), agronome français (Richebourg, Haute-Saône, 1857 - Paris 1951). Professeur à l'Institut national agronomique, il créa des variétés améliorées de blés et d'avoines. Il a été à l'origine de la Station nationale d'essais de semences, devenue Groupe d'études et de contrôle des variétés de semences.

SCHRIEFFER (John Robert), physicien américain (Oak Park, Illinois, 1931) → COOPER (Leon N.).

SCHRÖDINGER (Erwin), physicien autrichien (Vienne 1887 - *id.* 1961). Il appliqua à l'atome la mécanique ondulatoire et établit l'équation de propagation qui permet de calculer la fonction d'onde d'un corpuscule. (Prix Nobel de physique, 1933.)

SCHRUNS, station de sports d'hiver (alt. 730-2 300 m) d'Autriche (Vorarlberg), dans la vallée de l'Ill.

SCHUBERT (Franz), compositeur autrichien (Vienne 1797 - *id.* 1828). Sa position esthétique se tient entre le classicisme et le romantisme. Il doit sa réputation à sa musique de piano (sonates, impromptus, moments musicaux), à sa musique de chambre (trios, quatuors et quintettes), à ses symphonies (dont une « tragique », une « inachevée »), à ses messes et surtout à 600 lieder (plusieurs groupes en cycle : *la Belle Meunière, le Voyage d'hiver*) d'une inspiration spontanée, souvent d'origine populaire, dont certains se tiennent entre la romance et la ballade. Expression d'une intense douleur, ces lieder visent souvent à évoquer la nature, l'amour et la mort (*Marguerite au rouet, la Jeune Fille et la Mort, la Truite, le Roi des elfes* ou *des aulnes*). Le récitatif dramatique alterne parfois avec la simple mélodie accompagnée.

Ackermann's

Franz Schubert, par Nauer. (Coll. privée.)

SCHUMAN (Robert), homme politique français (Luxembourg 1886 - Scy-Chazelles 1963). Un des principaux dirigeants du Mouvement* républicain populaire (M. R. P.), il devient ministre des Finances (1946-47), puis président du Conseil (1947-48) et ministre des Affaires étrangères (1948-1952). Partisan de la construction de l'Europe*, liée pour lui à la réconciliation avec l'Allemagne, il reprend le plan présenté par J. Monnet*, qui aboutit en 1951 à la mise en place de la Communauté européenne du charbon et de l'acier (C. E. C. A.), ouvrant ainsi la voie au futur Marché commun. Il ne parvient pas, cependant, à faire adopter son projet d'une Communauté européenne de défense (C. E. D.), rejeté par l'Assemblée nationale en 1954. Ministre de la Justice (1955-56), il préside le Parlement européen de 1958 à 1960.

SCHUMANN (Robert), pianiste et compositeur allemand (Zwickau 1810-Endenich 1856). Attiré par la littérature autant que par la musique, il est le plus romantique des romantiques allemands. En dehors d'une tournée en Russie, son existence se déroule entre Zwickau, Leipzig, Dresde et Düsseldorf. Son art témoigne d'une heureuse fusion entre la pensée de Bach, qu'il a contribué à faire connaître, et celle de Mozart, de Beethoven et de Weber. Les dix premières années de la création ont été consacrées à la composition de la musique de piano (*Variations Abegg,* les deux *Carnavals, Études symphoniques,* sonates, *Album pour la jeunesse, Fantaisie,* op. 17); les dix suivantes, à la musique vocale *(les Amours du poète, l'Amour et la vie d'une femme),* à la musique de chambre (sonate de violon, quatuors, quintette), aux quatre symphonies, au concerto de piano, à l'ouverture de *Manfred.* Toutes ces pages témoignent de l'émouvante confession d'un personnage au double profil : celui de « Florestan », brillant et emporté, et celui d'« Eusébius », le rêveur, pratiquant un langage d'une constante et tendre fantaisie ou d'une agitation fiévreuse.

Robert Schumann, par Hans Best. (Coll. privée.)

SCHUMPETER (Joseph), économiste autrichien (Třešt', Moravie, 1883-Salisbury, Connecticut, 1950). Professeur, banquier, un temps ministre des Finances (1919), il enseigna à Vienne, puis aux États-Unis. On lui doit notamment *la Théorie de l'évolution économique* (1912), *Business Cycles* (1939) et *Capitalism, Socialism and Democraty* (1942). Ses vues sur la nature de l'entrepreneur*, sur l'innovation* et sur le mécanisme de la croissance* sont particulièrement enrichissantes. Pour analyser la croissance, Schumpeter étudie deux états : un état de non-croissance, le *circuit économique,* et un état de croissance, l'*évolution;* il les distingue nettement pour analyser les causes faisant passer du « circuit » à l'« évolution ». Ce passage, pour lui, s'effectue par le biais des innovations, qui constituent le moteur de la croissance et parmi lesquelles il distingue la fabrication d'un bien nouveau, l'introduction d'un processus productif nouveau, la pénétration sur un marché nouveau, la conquête d'une nouvelle source de matières premières, un nouveau type d'organisation.

SCHUSCHNIGG (Kurt VON), homme d'État autrichien (Riva 1897-Mutters 1977). Député chrétien-social (1927), il succéda comme chancelier à Dollfuss (juill. 1934). Il tenta de résister à la progression du nazisme en Autriche et d'empêcher l'Anschluss, mais Hitler exigea sa démission (1938) et le fit déporter à Dachau.

SCHÜTZ (Heinrich), compositeur allemand (Köstritz 1585-Dresde 1672). Il étudie à la chapelle de la cour de Cassel et travaille à Venise d'abord avec G. Gabrieli (1610), puis auprès de Monteverdi (1628). Maître de chapelle à la cour de Dresde dès 1617, il se distingue notamment dans la musique religieuse en écrivant des *Histoires sacrées,* des motets latins, des *Symphonies sacrées,* des *Concerts spirituels* (avec instruments obligés), un *Requiem, les Sept Paroles du Christ,* un *Oratorio de Noël,* des *Passions* et des *Psaumes.* Il a séjourné plusieurs fois au Danemark. Il a introduit en Allemagne la monodie à l'italienne et la musique concertante.

SCHUTZENBERGER (Paul), chimiste français (Strasbourg 1829-Mézy 1897). Il découvrit les hydrosulfites et les acétates de cellulose (1869).

SCHWÄBISCH GMÜND, v. de l'Allemagne fédérale (Bade-Wurtemberg), à l'E. de Stuttgart; 56 000 hab. Églises Saint-Jean, de style roman tardif, Sainte-Croix, type de l'église-halle du XIVe s., et autres monuments. Pittoresque place du Marché.

SCHWANN (Theodor), naturaliste allemand (Neuss am Rhein 1810-Cologne 1882). Il a découvert avant Pasteur la nécessité d'un agent vivant pour produire les fermentations et établi que la cellule est le constituant universel des tissus animaux.

SCHWARTZ (Laurent), mathématicien français (Paris 1915). Ancien élève de l'École normale supérieure, il a reçu en 1950 la médaille Fields*. Il s'est plus particulièrement intéressé aux questions d'analyse fonctionnelle, créa la théorie des distributions et généralisa la théorie des fonctions.

SCHWARZENBERG (Karl Philipp, *prince* VON), général et diplomate autrichien (Vienne 1771-Leipzig 1820). Ambassadeur en France (1809-1812), il commanda les armées alliées de la sixième coalition*, qui vainquirent Napoléon à Leipzig (1813) et envahirent la France (1814). — Son neveu, FELIX (Krumau 1800-Vienne 1852), chancelier d'Autriche en 1848, réprima l'insurrection hongroise (1849), s'opposa à l'hégémonie de la Prusse en Allemagne (entrevue d'Olmütz, 1850).

SCHWARZKOPF (Elisabeth), cantatrice allemande (Jarotschin 1915). Elle domine son époque aussi bien dans l'interprétation des lieder romantiques de Schubert à Hugo Wolf que dans celle des opéras (en particulier ceux de Mozart et de R. Strauss).

SCHWECHAT, v. d'Autriche, sur le Danube, dans la banlieue sud-est de Vienne. Aéroport de Vienne. Raffinage du pétrole et pétrochimie.

SCHWEDT, v. de l'Allemagne orientale, sur l'Oder, au N.-E. de Berlin. Raffinerie de pétrole et pétrochimie.

SCHWEINFURT, v. de l'Allemagne fédérale (Bavière), sur le Main; 58 000 hab. Constructions mécaniques.

SCHWEITZER (Albert), pasteur, médecin et musicographe français (Kaysersberg 1875-Lambaréné 1965). Philanthrope, créateur de l'hôpital de Lambaréné, A. Schweitzer s'est intéressé en début de carrière à la facture de l'orgue, cherchant sa voie entre l'esthétique classique et celle de Cavaillé-Coll. Son *J.-S. Bach* (1905-1908) a rallié au maître de Leipzig quantité d'admirateurs. Son œuvre d'exégète et de théologien *(Recherches sur la vie de Jésus, la Mystique de l'apôtre Paul, les Grands Penseurs de l'Inde)* est marquée par le libéralisme protestant. (Prix Nobel de la paix, 1952.)

SCHWERIN, v. du nord de l'Allemagne orientale, sur le *lac de Schwerin;* 103 000 hab. Industries chimiques.

SCHWINGER (Julian Seymour), physicien américain (New York 1918). En quantifiant le champ électromagnétique, il a pu calculer le moment magnétique de l'électron. (Prix Nobel de physique, 1965.)

SCHWITTERS (Kurt), peintre, sculpteur et écrivain allemand (Hanovre 1887-Ambleside, Grande-Bretagne, 1948). Sa contribution essentielle à l'avant-garde, et notamment à dada, reste ses collages et assemblages (objets les plus quotidiens et déchets), dont il appliqua la technique à la poésie avant d'expérimenter le poème phonétique. Il donna à ses œuvres le nom de « Merz », que le hasard d'une publicité déchirée lui avait un jour fourni (tableaux-Merz, sculptures-Merz, poèmes-Merz et surtout *Merzbau,* assemblage-environnement à l'échelle de sa propre maison à Hanovre [détruit]). Également attiré par le constructivisme, il s'est mêlé dans les années 30 aux activités des groupes parisiens « Cercle et Carré », puis « Abstraction-Création ».

SCHWYZ, cant. du centre de la Suisse (dont le nom en dérive); 908 km^2; 92 072 hab. Ch.-l. *Schwyz* (12 194 hab.).

SCIAGE. — Le sciage des grumes est réalisé soit par des *scies alternatives* (cadre de plusieurs lames d'acier), soit par des *scies à ruban* (sans fin), ou bien encore par des *scies circulaires* (disque d'acier). Lame, ruban ou disque possèdent des dents dont les formes sont diverses. Ces scies « de tête » sont relayées par des dédoubleuses qui permettent de diviser en plusieurs débits les produits obtenus.

SCIASCIA (Leonardo), écrivain italien (Racalmuto, prov. d'Agrigente, 1921). Son œuvre compose, à travers l'enquête sociologique (*les Paroisses de Regalpetra,* 1956), l'étude historique (*les Oncles de Sicile,* 1958; *le Conseil d'Égypte,* 1963; *le Cliquet de la folie,* 1973), la fiction romanesque (*le Jour de la chouette,* 1961; *À chacun son dû,* 1966; *le Contexte,* 1971; *Todo modo,* 1975) ou dramatique (*l'Évêque, le vice-roi et les pois chiches,* 1971), une satire des oppressions sociales et politiques, qui marquent l'homme au cours de son histoire et dont la Sicile offre un exemple malheureux et privilégié.

SCIATIQUE. — Le *nerf grand sciatique,* né du plexus sacré, sort du bassin par la grande échancrure sciatique, descend dans la fesse puis dans la cuisse jusqu'au creux poplité, où il se divise.

La *sciatique* est un syndrome constitué essentiellement par une douleur vive siégeant le long du trajet du nerf sciatique et de ses branches. Le plus souvent, il s'agit d'une compression de la racine du nerf par une hernie du disque intervertébral; mais la sciatique est parfois symptomatique d'une affection plus ou moins sévère (mal de Pott, ostéite, goutte, diabète, etc.).

SCIENCE. — La notion de science a deux aspects : normatif et descriptif. Le concept descriptif de science sert à désigner, dans une conjoncture déterminée, tel ensemble de connaissances* susceptible d'être développé, appris et transmis. Mais cette désignation qu'opère toute classification *des* sciences présuppose un concept normatif de *la* science. De façon plus ou moins subreptice, l'évaluation normative légifère sur la reconnaissance d'un fait qui vaut par lui-même, même si les normes de scientificité ne sont érigées à partir de la description d'une science qu'après coup. On ne parle donc de science(s) que dans le champ de cette oscillation entre un pôle normatif et un pôle descriptif.

Les critères de scientificité le plus souvent avancés définissent un domaine d'objets, un type de langage, une forme d'énoncé, le statut des concepts et la ou les méthodes employées. Ils sont forgés par la science elle-même (cas des mathématiques) ou par une autre science qui constitue un modèle de formalisation (cas de la physique). La description des sciences consiste en une analyse de leur structure formelle, de leur objet spécifique, de leur type particulier d'énoncés, des processus de validation de ces énoncés, de leurs concepts opératoires et des règles de leur transformation.

Concept normatif et concept descriptif ne définissent cependant pas les conditions qui rendent possible le fait qu'un discours puisse prendre la figure de la science. L'épistémologie*, comme discours sur les sciences, requiert un complément : une archéologie* du savoir ou une histoire des sciences qui rende compte des obstacles et des épisodes qui ont marqué l'émergence d'une science.

L'élaboration des normes, l'analyse descriptive et la place faite à l'histoire posent la question de l'autonomie de chaque science par rapport à la scientificité reconnue et celle de la science elle-même. Cette autonomie ne rend-elle pas les sciences étrangères aux utilisations qui en sont faites?

Science chrétienne, secte fondée vers 1870 à Boston par Mary Baker Eddy (1821-1910), dont la méthode de guérison ainsi que les idées métaphysiques se réfèrent à l'Écriture sainte. Selon elle, l'homme, étant image de Dieu, est un être entièrement spirituel, qui peut guérir par l'esprit les maladies de l'âme et du corps. Le salut s'obtient en faisant quotidiennement une gymnastique mentale, qui consiste à répéter que l'erreur est impuissante. De Boston, l'Église de la Science chrétienne s'est rapidement répandue aux États-Unis et, de là, dans le reste du monde.

SCIENCE-FICTION. — Pour être d'usage courant dans la plupart des langues, le terme de *science-fiction* (que l'on attribue généralement au journaliste scientifique américain Hugo Gernsback, auteur d'un classique du genre, *Ralph 124 C 41 +* [1911]) n'est cependant pas exact : en effet, les œuvres de fiction (romans, films ou scénarios de télévision) qu'il désigne se fondent, sauf exception rarissime (par exemple *Arrowsmith* de Sinclair Lewis), sur la technique ou la technologie, applications de la science, plus que sur la science elle-même. Comme la bande* dessinée, la science-fiction va souvent chercher ses lettres de noblesse dans un passé lointain (épopée de Gilgamesh, conte égyptien de Satni-Khamoïs, Lucien de Samosate, Cyrano de Bergerac, Voltaire, Swift); mais elle est, en réalité, contemporaine de la révolution scientifique et industrielle moderne. Ses domaines de prédilection sont d'ailleurs l'U. R. S. S. (la première revue de science-fiction, *le Monde des aventures,* est russe et paraît depuis 1910) et les États-Unis (*Amazing Stories* fut fondée en 1926).

Contrairement à la fiction traditionnelle, qui repose sur la quête de valeurs éternelles, sur les fantasmes fondateurs d'un mythe personnel ou collectif, la science-fiction trouve son ressort dans le changement (spatial et temporel) et l'infinie variété des possibles (« univers parallèles », « hyperespace », « humanoïdes », « antimatière », etc.). Ce recours à une combinatoire logique peut se réduire au simple exotisme du roman classique (le Martien n'est qu'un succédané de l'Indien) ou au « glissement » du récit fantastique* (reprise du roman d'anticipation*, exploitation, dans la lignée de H. G. Wells, du « paradoxe temporel » et de la remontée dans le passé, heroic fantasy) — rejoignant par là la technique du récit d'un J. L. Borges —, mais il peut déboucher, en revanche, sur une véritable prospective : l'élaboration actuelle d'une contre-culture est ainsi décrite dans *Breakdown* (1942) de Jack Williamson, et la radiosource provenant de la collision de deux galaxies est imaginée dans *Gray Lensman* (1940) d'E. E. Smith, quinze ans avant la découverte scientifique du phénomène. Si ce « courant avant-coureur de la raison » se place d'abord, malgré la tonalité ambiguë de l'œuvre de Jules Verne, dans une perspective optimiste, les retombées dramatiques, et pas seulement nucléaires, du savoir contemporain ont fait envisager l'avenir de l'homme et de la science sous des couleurs plus sombres et plus indécises : la science-fiction participe ainsi à l'expression de la « crise de la raison ». Elle réalise à grande échelle (dérision des valeurs, mélange des procédés d'écriture, invention d'un nouvel espace littéraire) ce que la littérature expérimentale (le « nouveau roman » par exemple) pratique en laboratoire : ce qui explique que les meilleurs évocateurs du futur village mondial concentrationnaire, de l'homme mutant ou de l'administration cybernétique soient d'authentiques savants (Isaac Asimov) ou des écrivains (Brian W. Aldiss, J. G. Ballard) dont les modèles sont à chercher non pas dans le roman-feuilleton des magazines à bon marché, mais dans les expérimentateurs véritables du déchirement de la conscience (Jarry, Freud, les surréalistes).

de l'utopie* à la science-fiction

1516	*Utopie,* de Thomas More.
1657	*Histoire comique des États et Empires de la Lune,* de Cyrano de Bergerac.
1726	*Voyages de Gulliver,* de Swift.
1770	*L'An 2440 ou Rêve s'il en fut jamais,* de L. S. Mercier.
1865	*De la Terre à la Lune,* de Jules Verne.
1895	*La Machine à explorer le temps,* de H. G. Wells.
1912	*La Mort de la Terre,* de J.-H. Rosny aîné.
1932	*Le Meilleur des mondes,* d'Aldous Huxley.
1936	*La Guerre des salamandres,* de Karel Čapek.
1938	*Le Silence de la Terre,* de C. S. Lewis.
1942	*Fondation,* d'Isaac Asimov.
1945	*Le Monde des Ā,* d'A. E. Van Vogt.
1948	*L'Univers en folie,* de F. Brown.
1949	*1984,* de George Orwell.
1951	*Fahrenheit 451,* de R. Bradbury.
1954	*Le Seigneur des anneaux,* de J. R. R. Tolkien.
1957	*La Nébuleuse Andromède,* d'Ivan Efremov.
1960	*Les Croisés du cosmos,* de Poul Anderson.
1961	*Le Monde vert,* de Brian W. Aldiss.
1962	*Le Monde englouti,* de J. G. Ballard.
1968	*2001, l'Odyssée de l'espace,* d'Arthur C. Clarke.
1973	*L'Enchâssement,* de Ian Watson.

SCILLE. — Les fleurs de la scille, d'un bleu intense, en étoile à six branches fines, sont celles d'une plante bulbeuse forestière ou cultivée, vénéneuse, de la famille des liliacées.

SCILLY ou **SORLINGUES** *(îles),* petit archipel anglais, au S.-O. de la Grande-Bretagne (Cornwall).

SCINTIGRAPHIE → GAMMAGRAPHIE.

SCINTILLATION. — Lorsqu'on regarde une étoile*, les bulles d'air chaud qui montent dans l'atmosphère et passent entre l'œil de l'observateur et l'étoile changent légèrement la direction des rayons lumineux provenant de l'étoile : celle-ci paraît clignoter. C'est la scintillation. Lorsqu'on regarde une planète*, il n'y a plus, ou il y a beaucoup moins, de scintillation. En effet, les planètes ne sont pas ponctuelles comme les étoiles, mais ont une certaine étendue angulaire; un nombre bien plus important de bulles d'air chaud passe entre l'œil de l'observateur et la planète, et leur effet, en moyenne, est nul. L'observation de la scintillation est un moyen simple de distinguer un astre ponctuel d'un astre étendu, une étoile d'une planète.

SCIONZIER (74300 Cluses), ch.-l. de cant. de la Haute-Savoie, à 3 km au S.-O. de Cluses; 5 702 hab.

SCIPIONS (les), célèbre famille de la Rome antique, rameau de la gens Cornelia. **Scipion l'Africain,** en lat. *Publius Cornelius Scipio Africanus,* général romain (235 - Liternum 183 av. J.-C.), n'a encore géré que l'édilité curule lorsqu'il est nommé par le peuple proconsul en Espagne lors de la deuxième guerre punique. En 209, il s'empare de Carthagène*, bat Hasdrubal* Barca à Baecula, puis conquiert la Bétique. Consul en 205, il fait adopter son projet de débarquement en Afrique malgré l'opposition des nobles conservateurs. Allié au prince numide Masinissa*, il bat Syphax* aux Campi Magni (203) et remporte sur Hannibal* la victoire de Zama (202), mettant ainsi fin à la deuxième guerre punique. Il triomphe en 201 et reçoit le surnom d'*Africain.* Censeur (199), prince du sénat, consul (194), il est en butte à l'opposition jalouse des traditionalistes, groupés autour de Caton* l'Ancien. Légat de son frère Lucius Cornelius Scipio Asiaticus pendant la guerre contre Antiochos III de Syrie, il est l'artisan de la victoire de Magnésie du Sipyle (189). Accusé de concussion, il ne daigne pas se justifier et se retire à Liternum. — **Scipion Émilien,** en lat. *Publius Cornelius Scipio Aemilianus,* surnommé **le Second Africain** (185/184 - 129 av. J.-C.), fils de Paul* Émile, adopté par le fils de Scipion l'Africain, reçoit une excellente éducation hellénique. Consul pour 147, il achève la troisième guerre punique par la prise de Carthage (146). Réélu consul en 134, il met fin à la révolte espagnole par la prise de Numance* (133). Défenseur du sénat, il prend position contre les Gracques*. Lettré, épris de culture grecque, il organise autour de lui le cercle de

Scipion, groupe d'écrivains et de penseurs (Polybe, Panetius, Térence...) influencés par l'hellénisme et la pensée stoïcienne.

SCIRPE. — Le genre *Scirpus* compte de nombreuses espèces de plantes des marais et des lieux humides, très semblables à des joncs, mais que leur tige à section plus ou moins triangulaire et leurs petits épillets bruns, souvent latéraux, font classer parmi les cypéracées.

SCITAMINALES. — On range dans cet ordre de plantes monocotylédones plus d'un millier d'espèces des régions chaudes, aux fleurs zygomorphes dont certaines étamines sont stériles *(staminodes).* L'espèce la plus importante est le bananier *(Musa);* les genres *Canna* et *Strelitzia* comptent de belles espèces ornementales; le gingembre *(Zingiber)* est un condiment apprécié.

SCIURIDÉS → ÉCUREUIL.

SCLÉRODERMIE. — Cette maladie de peau comporte deux variétés distinctes.

• Les *sclérodermies localisées bénignes.* Ce sont : la *sclérodermie en plaques* (ou morphée), qui constitue des plaques ligneuses, de couleur blanc ivoirin, entourées d'un halo érythémateux; la *sclérodermie en bandes,* qui peut être linéaire ou annulaire; la *sclérodermie en gouttes,* faite d'un semis de taches rosées, puis ivoirines. Le plus souvent, dans la sclérodermie en plaques, les plaques se stabilisent; parfois elles régressent avec persistance de taches pigmentées.

• La *sclérodermie généralisée.* Elle comporte un tableau dermatologique variable : soit une acrosclérose, état scléreux évoluant progressivement à partir des extrémités (doigts et visage), précédé de troubles circulatoires (syndrome de Raynaud) et aboutissant à de graves lésions atrophiques; soit une sclérose progressive diffuse. Des atteintes viscérales accompagnent les lésions de la peau et font toute la gravité de la maladie : atteintes œsophagienne, pulmonaire, cardiaque, plus rarement rénale.

SCLÉROSE. — La sclérose d'un organe ou d'un tissu en entraîne la dégénérescence progressive et, par conséquent, en perturbe le fonctionnement.

• SCLÉROSE EN PLAQUES. Cette maladie peut toucher les adultes jeunes des deux sexes de façon relativement fréquente et elle évolue par poussées, dont la durée et la fréquence sont variables. Elle est caractérisée anatomiquement par la présence de plaques de sclérose disséminées en n'importe quel point de la substance blanche (cerveau, cervelet, moelle épinière) et, au point de vue clinique, par un ensemble de signes neurologiques en rapport avec la localisation des plaques.

• SCLÉROSE LATÉRALE AMYOTROPHIQUE. Elle est caractérisée anatomiquement par une sclérose médullaire progressive, touchant à la fois les voies pyramidales et la corne antérieure, et cliniquement par la coexistence d'une paralysie de type neurogène périphérique, avec amyotrophie et fasciculation, et d'un syndrome pyramidal net.

SCLÉROTIQUE → ŒIL.

SCOLASTIQUE. — La philosophie enseignée au Moyen Âge dans les écoles de l'Église est surtout une théologie influencée par le platonisme* et l'aristotélisme*, comme le montre la querelle des universaux*. Du VIIIe au XIIe s., ses principaux représentants sont Alcuin*, Anselme*, Abélard*, Scot* Érigène, Bernard* de Clairvaux et P. Lombard*. Le XIIIe s., qui marque l'apogée de la scolastique, est dominé par les figures d'Albert* le Grand et de Thomas* d'Aquin, qui intègrent l'aristotélisme au dogme chrétien et critiquent les conceptions d'Averroès* et d'Avicenne*. Mais le platonisme, à travers l'augustinisme de Bonaventure* et de Dun* Scot, demeure vivace. Guillaume* d'Occam et, dans une moindre mesure, R. Lulle* sont les deux derniers grands penseurs de la scolastique au XIVe s.

SCOLIOSE. — Ce terme désigne toutes les incurvations (simples ou multiples) de la colonne vertébrale sur le plan frontal. Il existe deux grands groupes de scolioses : d'une part, les *scolioses osseuses,* caractérisées par l'existence de gibbosités, ou voussures (bosses), situées du côté de la convexité de l'incurvation lorsque le sujet se penche en avant; d'autre part, les *attitudes scoliotiques,* où il n'existe pas de gibbosité ni de voussure et qui sont dues le plus souvent à des attitudes défectueuses de l'âge scolaire.

Le traitement repose sur le dépistage précoce, la rééducation motrice, l'appareillage et, parfois, sur la chirurgie.

SCOLOPENDRE *(Bot.).* — C'est la seule fougère française dont les feuilles ne soient pas découpées en folioles*. Au revers de ces feuilles s'alignent de longues rangées de sporanges bruns.

SCOLOPENDRE *(Zool.).* — Le scolopendre est le plus gros mille-pattes de France. Carnivore et venimeux, de couleur brunâtre, il présente vingt et un anneaux d'inégale longueur.

SCOLYTE. — Chacun a pu observer à la surface des bûches écorcées l'empreinte caractéristique des pontes du scolyte. Ce coléoptère distribue ses œufs en ligne le long d'une rainure creusée par sa tarière, puis chaque larve creuse sa propre galerie, qui ne recoupe jamais les voisines. Les scolytes sont particulièrement nuisibles aux ormes et aux oliviers.

SCOMBRIDÉS. — C'est dans cette importante famille de poissons que l'on range le maquereau* et le thon*. Les scombridés sont de beaux poissons bleus au ventre argenté, dont les nageoires impaires sont suivies de *pinnules.* La caudale est en croissant. Ce sont d'excellents nageurs et de redoutables carnassiers migrateurs de haute mer. De nombreuses familles leur ressemblent, notamment les carangidés (saurel, liche, pilote), les istiophoridés (voilier, espadon), les trichiuridés, les zéidés (saint-pierre) : elles constituent l'ordre des scombriformes.

SCOOTER → MOTOCYCLETTE.

SCOPAS, architecte et sculpteur grec, actif vers le milieu du IVe s. av. J.-C. Il a travaillé à Némée, à Halicarnasse* et à Tégée, dont le fronton ouest du temple est probablement l'une des rares créations de sa main subsistant de nos jours. Il a su conférer à ses œuvres un rythme nouveau et une intensité d'expression qui influenceront profondément la sculpture de l'époque hellénistique.

SCORBUT. — Maladie due à une insuffisance ou une absence dans l'alimentation de vitamine C (ou acide ascorbique), contenue dans les fruits et les légumes frais, le scorbut est caractérisé par un état subfébrile, une gingivostomatite (gencives rouges et haleine fétide) et un syndrome hémorragique avec souvent purpura généralisé et hémorragies multiples. Le traitement consiste en l'administration d'acide ascorbique.

SCORPION. — Les scorpions, que l'on classe parmi les arachnides, se reconnaissent à leurs palpes développés en pinces et surtout à leur postabdomen, qui forme une queue souple terminée par un dard venimeux. Hôtes des lieux arides, souvent réfugiés sous les pierres, ils ne peuvent voir qu'au-dessus d'eux. Leur abdomen porte des organes ventraux énigmatiques, les *peignes,* qui n'existent dans aucun autre groupe et ont peut-être une fonction sensorielle. Connus depuis le silurien et n'ayant guère évolué depuis, les scorpions se caractérisent par leur extraordinaire résistance au jeûne, à la soif, aux radiations ionisantes, etc. La reproduction, vivipare, implique un accouplement, à la suite duquel la femelle dévore le mâle.

SCORPION, constellation* zodiacale, située dans l'hémisphère austral et comprenant deux amas* ouverts, M 6 et M 7, visibles à l'œil nu. — Huitième signe du zodiaque*.

SCOT ÉRIGÈNE (Jean), théologien scolastique du IXe s. Accueilli à la cour de Charles le Chauve vers 840, il traduit en latin les œuvres du pseudo-Denys. *Sur la prédestination* (851) et surtout *De la division de la nature* (865) sont une interprétation d'ensemble du théocentrisme chrétien dans la perspective du platonisme*. Plotinien dans sa conception de Dieu, Scot Érigène reste fidèle aux Pères* dans sa conception de l'homme et de son retour à Dieu.

SCOTLAND, nom anglais de l'ÉCOSSE.

SCOTS, colons irlandais venus, à partir du VIe s., s'établir sur la côte ouest de l'Écosse. Vers 844, le roi scot Kenneth MacAlpin s'empara du royaume voisin des Pictes. Le triomphe de la dynastie scot, qui régna jusqu'en 1286, assura la gaélicisation du royaume unifié, dont l'ensemble des habitants devinrent les Écossais.

SCOTT (*sir* Walter), écrivain écossais (Édimbourg 1771-château d'Abbotsford 1832). Avocat, il se passionne pour les légendes écossaises, dont il recueille la tradition orale (*Chants de la frontière écossaise,* 1802), et devient très vite un poète célèbre (*le Lai du dernier ménestrel,* 1805; *la Dame du lac,* 1810). Mais le succès de *Wawerley* (1814) l'incite à se consacrer au roman historique : *l'Antiquaire* (1816), *les Puritains d'Écosse* (1816), *la Fiancée de Lammermoor* (1819), *Ivanhoé* (1820), *Kenilworth* (1821), *Quentin Durward* (1823) lui valent une renommée universelle et une fortune considérable. La faillite de l'entreprise de ses éditeurs, dans laquelle il a engagé de gros intérêts, l'oblige à mettre en chantier de nombreux ouvrages, qui épuisent rapidement ses forces (*la Vie de Napoléon,* 1827; *les Contes d'un grand-père,* 1828-1831; *la Jolie Fille de Perth,* 1828; *le Château périlleux,* 1832). L'évocation, inexacte souvent mais toujours vivante, qu'il fit du passé de l'Écosse a exercé une profonde influence sur la génération romantique.

SCOTT (Robert Falcon), explorateur anglais (Devonport 1868-dans l'Antarctique 1912). De 1901 à 1904, il commande une expédition dans l'Antarctique. Il repart en 1910 dans l'intention d'atteindre le pôle Sud, mais il touche au pôle quelques semaines après Roald Amundsen*. Il périt au retour avec ses compagnons.

SCOUTISME. — Cette organisation mondiale, fondée en 1908 par le général anglais Robert Baden-Powell, a pour but la formation morale, physique, pratique et civique des enfants et des adolescents des deux sexes. En 1965, en ce qui concerne la France, six associations étaient reconnues par le Bureau international du scoutisme, siégeant à Londres : les Éclaireurs et les Éclaireuses (neutres) de France, les Éclaireurs unionistes de France (protestants), les Éclaireurs israélites de France, les Scouts et les Guides de France (catholiques). Depuis, le scoutisme connaît les mutations fondamentales propres à tous les mouvements de jeunesse.

SCRANTON, v. des États-Unis (Pennsylvanie), dans les Appalaches; 104000 hab. Extraction de la houille et sidérurgie.

SCRIABINE (Aleksandr Nikolaïevitch) → SKRIABINE.

SCRIBE (Eugène), auteur dramatique français (Paris 1791-*id.* 1861). Il connut le succès pendant près de quarante ans avec ses vaudevilles, ses comédies (*Bertrand et Raton,* 1833; *le Verre d'eau,* 1840) et ses livrets d'opéra *(Robert le Diable, les Huguenots),* qui ramènent à des jeux d'intrigue les conflits sociaux et moraux de la bourgeoisie de son temps.

SCROFULARIACÉES → PERSONALES.

SCROFULE → GANGLION.

SCROTUM → TESTICULE.

SCRUTIN. — On distingue le *scrutin uninominal* (utilisé en France sous les deux monarchies censitaires, par le Corps législatif du second Empire et partiellement par la Chambre des députés de la IIIe République) et le *scrutin de liste* (élection à l'Assemblée constituante de 1848, une partie des élections de la IIIe République, etc.). On différencie d'autre part le scrutin majoritaire et le scrutin proportionnel.

• Dans le *scrutin majoritaire à un tour,* le candidat venant en tête, même n'obtenant qu'une majorité relative, est élu. (C'est le scrutin utilisé en Grande-Bretagne pour les élections aux Communes.)

• Dans le *scrutin majoritaire à deux tours,* la majorité absolue est requise au premier tour, faute de quoi un second tour intervient, n'impliquant plus que l'exigence de la majorité relative. (C'est le système employé en France pour les élections à l'Assemblée nationale.) Au premier tour peuvent être requis la moitié plus un des suffrages exprimés et un pourcentage [le quart, par exemple] du nombre des électeurs inscrits.

• Dans le *scrutin proportionnel,* les candidats figurent sur une liste qui obtient un nombre de sièges proportionnel au nombre de votes qu'elle a recueilli. Le système peut fonctionner : à liste bloquée (aucune modification à la liste n'est permise); à vote préférentiel ou à vote avec panachage (des candidats de diverses listes peuvent être « mixés » par l'électeur). Divers procédés peuvent présider à la répartition des sièges entre les listes. Un quotient électoral est obtenu en faisant la division du total des suffrages par le nombre des sièges à pourvoir. Une liste aura autant de sièges qu'elle aura obtenu de fois le « quotient ». Une « répartition de restes » peut être organisée entre les listes selon diverses formules distinctes.

SCUDÉRY (Georges DE), écrivain français (Le Havre 1601-Paris 1667). Auteur de tragi-comédies, adversaire de Corneille, il fit paraître sous son nom des romans qui sont presque entièrement dus à sa sœur. — Sa sœur, MADELEINE (Le Havre 1607-Paris 1701), fut une des figures les plus caractéristiques de la société précieuse; elle tint un salon et composa des romans (*Artamène ou le Grand Cyrus,* 1649-1653; *Clélie**, 1654-1660), qui mêlent des portraits contemporains aux aventures guerrières et aux analyses sentimentales.

SCULPTURE. — Art de dégager de la matière un relief ou un volume, la sculpture apparaît dès les temps préhistoriques (paléolithique supérieur : « Femme à la corne », bas-relief en pierre de Laussel, ou « Vénus » en ivoire de Lespugue) avec le contenu symbolique et sacré dont elle ne se départira — au moins partiellement — qu'à l'époque moderne. Activité démiurgique par excellence, elle remplit un rôle important (statues, décors) dans toutes les grandes civilisations, aussi bien dans l'Égypte ancienne ou l'Amérique précolombienne que dans la Grèce et la Rome antiques, le Moyen Âge et la Renaissance des pays occidentaux. On retrouve partout les mêmes caractéristiques principales : la sculpture peut se développer de façon autonome dans les trois dimensions (buste, groupe ou statue; elle porte alors le nom de *ronde-bosse*) ou rester tributaire du fond (elle constitue alors, selon l'importance de la saillie, le *bas-relief* ou le *haut-relief,* qui peuvent se combiner dans une même œuvre au gré des besoins de l'artiste). Les matériaux les plus anciennement utilisés gardent la faveur des sculpteurs à travers les âges : pierre, marbre, os ou ivoire pour certaines petites pièces, bois, tous travaillés directement (par l'artiste ou par un praticien d'après un modèle [ou maquette]) avec des instruments adaptés à la taille. Mais le modelage (terre, cire, plâtre, plastiline) tient une place importante dans la technique de la sculpture : il est employé pour lui-même, pour les travaux préparatoires et les maquettes ou pour des œuvres destinées à être fondues en bronze. Pour leur résistance, leur aspect et leur fini, le marbre et le bronze sont les matériaux nobles de la sculpture. Il faut ajouter que la pierre, le marbre et le bois furent souvent enrichis dans l'Antiquité et au Moyen Âge d'une polychromie que les artistes de la Renaissance ont au contraire peu recherchée.

La fonction sociale de la sculpture a été déterminante pour les

Bischof + Broel

Sculpture. Autoportrait présumé d'Adam Krafft. Église Saint-Laurent de Nuremberg. Fin du XVe s.

différentes formes que celle-ci a prises : sa destination est essentiellement religieuse, que ce soit dans les lieux de culte (pour évoquer la divinité : Apollon d'Olympie, 465-455) ou dans les palais (pour marquer la nature divine de la souveraineté : Auguste dit « de Prima Porta », Ier s. apr. J.-C.), ou bien magique, comme dans l'art funéraire, source importante du portrait sculpté, qui tente de fixer, souvent en les idéalisant, les traits du défunt (statue de Rahotep et de son épouse Nofret, calcaire peint, IVe dynastie pharaonique, ou gisants médiévaux). Si, après l'exceptionnelle production du Moyen Âge en fait de sculpture monumentale destinée aux églises (portails, puis retables), la Renaissance fait encore une large place à l'inspiration religieuse (Donatello : reliefs et statues de l'autel de la basilique Saint-Antoine à Padoue, v. 1446-1450; Michel-Ange : plusieurs Pietà), elle laisse se développer un art profane, où le plaisir esthétique l'emporte (décorations publiques ou de palais), tandis que le portrait de personnages importants connaît un essor considérable (bustes, statues pédestres ou équestres, comme le condottiere B. Colleoni par Verrocchio). En France, le siècle de Louis XIV et le XVIIIe s. s'affirment à travers les artistes chargés de décorer Versailles, foyer d'un classicisme à peine ébranlé par le courant baroque qui triomphe à Rome (le Bernin), puis en Europe centrale. Seuls quelques artistes puissants (Rodin) viennent s'opposer au déclin du XIXe s., tandis que le XXe s. connaît des mutations profondes, où interviennent le cubisme, le futurisme, les recherches de l'avant-garde russe, l'abstraction, qui mènent la sculpture, dans ses formes les plus avancées, aux confins d'autres formes d'expression; ainsi se trouvent dépassés les critères de sa spécificité (assemblages*; œuvres cinétiques, minimales ou conceptuelles), mais aussi multipliée la richesse de ses possibilités.

SCULTET (Jean), en allem. **Johann Schultes,** chirurgien allemand (Ulm 1595-Stuttgart 1645). Très habile, il mit au point des appareils de contention de fractures utilisés encore de nos jours.

SCUTARI, v. d'Albanie → SHKODRA.

SCYLLA → CHARYBDE ET SCYLLA.

SCYROS → SKÝROS.

SCYTHES, tribus semi-nomades de souche iranienne, peut-être originaires des régions de la Volga. Mentionnés dans les annales assyriennes au VIIIe s. av. J.-C., les Scythes contribuèrent à l'anéantissement de l'Ourartou* et, après avoir vaincu les Cimmériens* (VIIe s.), ils ravagèrent la Syrie* et menacèrent l'Égypte*. Les Achéménides* se heurtèrent aux cavaliers scythes, qui les tinrent en échec. La fortune des Scythes décrut au IVe s. avec la montée de la Macédoine* et des Sarmates*.

BEAUX-ARTS. Apparentées à l'art des steppes*, les créations artistiques des Scythes présentent de nombreux éléments empruntés aux civilisations voisines — Ourartou*, Iran*, etc. — avant de subir fortement l'influence hellénique à partir du Ve s. av. J.-C. Leur orfèvrerie (retrouvée en nombre dans les sépultures sous tumuli, dites « kourganes ») était obtenue par martelage ou, plus rarement, par la fonte de l'or et était rehaussée de décor poinçonné, ciselé, filigrané ou incrusté. La variété des techniques, leur perfection et la richesse du répertoire décoratif animalier, d'un réalisme complexe, expliquent l'émerveillement des auteurs grecs de l'Antiquité, pour qui cette production revêtait un caractère légendaire. Les pièces de harnachement et les armes de bronze confirment le talent des métallurgistes de cette communauté culturelle, qui, du VIIe au IIIe s. av J.-C., connut une aire de dispersion extrêmement vaste, du nord de l'Iran à l'Altaï et l'Ordos en passant par le Caucase.

S. D. E. C. E., sigle de *Service de documentation extérieure et de contre-espionnage,* nom donné depuis 1947 aux services de renseignements français. Héritier de l'ancien *S. R.* militaire (dirigé de 1936 à 1944 par le général Rivet) et du *Bureau central de renseignements et d'action,* créé en 1941 à Londres par de Gaulle et dirigé par le colonel André Dewavrin, dit *Passy* (né en 1911), le S. D. E. C. E. releva d'abord du chef du gouvernement. Il a été placé en 1966 sous l'autorité du ministre des Armées.

S. D. N., sigle de *Société des Nations.*

SEABORG (Glenn Theodore), chimiste américain (Ishpeming, Michigan, 1912). Avec McMillan, il a découvert le plutonium (1941) et mis au point l'extraction de ce métal; par la suite, il obtint l'américium, le curium, le berkélium et le californium. (Prix Nobel de chimie, 1951.)

SEA-LINE → PIPELINE.

SEARLE (Ronald), dessinateur et graveur anglais (Cambridge 1920). Son humour noir, son graphisme aux cocasses arabesques « rétro » stigmatisent le troupeau humain, notamment sous l'aspect d'animaux (*De drôles de chats,* album de 1967). Installé à Paris depuis 1961, il a dépeint les Français dans *Pardong M'sieu* (1965).

SEATTLE, v. des États-Unis (Washington), sur le Puget Sound; 507 000 hab. Musée d'art (Extrême-Orient; art moderne). Plus grande ville, centre industriel (constructions navales et aéronautiques) et principal port du nord-ouest des États-Unis.

SÉBACÉES (glandes). — Le produit de sécrétion onctueux (ou sébum) de ces petites glandes de la peau annexées aux poils résulte de la liquéfaction de leurs propres cellules. L'inflammation de l'une de ces glandes par le staphylocoque constitue le furoncle.

SÉBASTIANI DE LA PORTA (Horace, *comte*), maréchal de France (La Porta 1772 - Paris 1851). Il participa aux campagnes de l'Empire, fut ministre de la Marine et des Affaires étrangères (1830-1832), puis ambassadeur à Londres (1835-1840).

SEBASTIANO DEL PIOMBO (Sebastiano LUCIANI, dit), peintre italien (Venise? v. 1485 - Rome 1547). Disciple de Giorgione à Venise, il s'installe en 1811 à Rome, où il devient l'ami de Michel-Ange et tente de rivaliser avec Raphaël; après la mort de celui-ci, il est un portraitiste sans rival, au style large et monumental dans l'individualisation (*Clément VII,* musée de Naples). La même puissance plastique caractérise ses tableaux religieux.

SÉBASTIEN, roi de Portugal → PORTUGAL.

SÉBASTOPOL, port de l'U. R. S. S. (Ukraine), en Crimée, sur la mer Noire; 229 000 hab. Constructions navales. — La ville fut assiégée par les Franco-Anglais pendant la guerre de Crimée (1854-55), puis par les Allemands en 1942.

SEBHA, oasis de Libye, dans le Fezzan; 7 000 hab.

SEBILLET (Thomas) [et non **Sibilet**], écrivain français (Paris? v. 1512 - *id.* 1589). Disciple de Marot, il se montra cependant sensible à l'esthétique de la Pléiade (*Art poétique françois,* 1548).

SEBKHA → DÉSERTIQUE *(relief).*

SEBOU *(oued),* fl. du Maroc septentrional, né dans le Moyen Atlas et qui traverse la plaine du Rharb (contribuant à l'irriguer) avant de rejoindre l'Atlantique à Kenitra; 458 km. Son cours supérieur porte le nom d'*oued Guigou.*

SECCHI (le P. Angelo), astronome italien (Reggio nell'Emilia 1818 - Rome 1878). Entré dans la Compagnie de Jésus, il enseigna les sciences au Collège romain de Rome. Fondateur de la spectroscopie stellaire, il fut le premier à proposer une classification physique des étoiles* : après avoir étudié les spectres d'environ quatre cents d'entre elles, il les classa en quatre types distincts, liés à leurs couleurs, donc à leurs températures de surface (1863-1868).

Sécession *(guerre de),* guerre civile qui, à propos de la suppression de l'esclavage des Noirs, opposa aux États-Unis, de 1861 à 1865, les États du Sud aux États du Nord. L'élection à la présidence de l'antiesclavagiste Lincoln* en 1860 entraîna la « sécession » des États esclavagistes du Sud, qui formèrent à Richmond une confédération dirigée par Jefferson Davis. Durant quatre ans, les sudistes, ou confédérés (généraux Lee, Johnston...), s'opposèrent aux nordistes, ou fédéraux (généraux Grant, Sherman...), en de nombreuses batailles, notamment à Fredericksburg en 1862, à Gettysburg et à Vicksburg en 1863, à Atlanta et à Savannah en 1864. Dès 1862, la flotte fédérale de l'amiral David Farragut (1801-1870) bloquait les États du Sud, s'emparait de la Nouvelle-Orléans et ouvrait aux fédéraux la vallée du Mississippi. En avril 1865, la guerre se terminait par la capitulation des forces sudistes de Johnston à Durham et de Lee à Appomattox. Elle avait coûté aux États-Unis plus de 600 000 morts (soit beaucoup plus que pour l'ensemble des deux guerres mondiales).

SÉCHAGE. — Dans le *séchage à l'air,* les bois sont mis en piles surélevées au-dessus du sol et recouvertes de toiture. On obtient en quelques mois des bois « secs à l'air » (de 13 à 17 p. 100 d'humidité pour des planches de 30 mm d'épaisseur). Dans le *séchage artificiel,* les bois sont soumis dans des séchoirs (à cases ou tunnels) à des températures de 40 à 80 °C. On obtient en quelques jours des bois à n'importe quel taux d'humidité. Le séchage des placages* se réalise dans des séchoirs tunnels à 180 °C en quelques minutes.

SÈCHE-LINGE. — Le principe du sèche-linge électrique est fondé sur le réchauffement de l'air entourant le linge par une résistance électrique. Il existe plusieurs types de sèche-linge : le *type mural,* avec des bancs d'étendage repliables (l'air de la pièce, aspiré par une turbine, est réchauffé par une résistance électrique réglable); le *type rotatif,* qui a l'aspect d'une machine à laver à tambour (le linge tourne dans le tambour en même temps qu'un ventilateur souffle l'air sur des résistances électriques, qui le réchauffe); le *type à armoire,* toujours équipé de résistances électriques, mais qui peut soit être raccordé à une gaine d'évacuation pour l'air, soit ne pas l'être, l'air chaud étant alors recyclé intégralement (une partie de l'humidité se condense dans un bac, le reste étant asséché au cours du trajet de retour).

SECLIN (59113), ch.-l. de cant. du Nord, à 11 km au S. de Lille; 9 930 hab. Église du XIIIe s. Hôpital en style Renaissance du XVIIe s. Constructions mécaniques.

SECOND (Jean EVERAERTS, dit **Jean**), humaniste flamand (La Haye 1511 - Tournay 1536), auteur des *Baisers,* petits poèmes érotiques en latin, souvent imités au XVIe s.

SECONDAIRE (ère). — Le secondaire, ou mésozoïque, a débuté il y a 225 millions d'années et s'est achevé il y a 65 millions d'années. Il est divisé en trois systèmes : le trias, le jurassique — qui commence par l'étage du lias — et le crétacé.

En Europe, il apparaît comme une période de calme tectonique. Après l'aplanissement des chaînes hercyniennes, qui se termine parfois au début du trias, la mer envahit une grande partie des continents. D'épaisses couches de sédiments se déposent dans des aires peu profondes (bassins sédimentaires) ou dans des fosses (géosynclinaux). En particulier, le crétacé est caractérisé par les dépôts de craie. À la fin du crétacé commence une régression marine, parallèle aux premières manifestations du cycle orogénique alpin, surtout sensibles en Provence et dans les Pyrénées. À l'échelle du globe, l'événement géologique le plus marquant est l'ouverture de l'Atlantique, d'abord au sud, puis au nord, résultant de l'expansion des fonds océaniques.

À l'ère secondaire, la vie est marquée par le développement spectaculaire de certaines espèces, qui disparaissent ensuite brutalement, telles que les ammonites et les reptiles géants (dinosaures, etc.). Elle voit par ailleurs l'apparition des oiseaux (dont l'ancêtre est l'archæopteryx, qui présente encore certains caractères des reptiles), des mammifères et, pour les végétaux, des angiospermes.

SECONDAIRE (secteur) → POPULATION ACTIVE.

SECONDE *(Métrol.).* — Jusqu'à 1960, les astronomes ont donné la durée de la seconde grâce à leurs horloges contrôlées par la rotation apparente de la voûte céleste, c'est-à-dire que l'étalon de base était la Terre*, dont une rotation par rapport à la direction du Soleil* devait durer 86 400 secondes. Ayant découvert des irrégularités dans la rotation de la Terre, les astronomes ont décidé de se référer à l'année* (l'année tropique), qui contient 31 556 925,974 7 secondes, avec une petite correction connue, qui change progressivement. Depuis 1967, grâce aux étalons de fréquence* faisant appel aux vibrations électromagnétiques quantifiées des atomes*, la seconde est définie par une vibration de l'atome de césium*. Les meilleures horloges utilisent un quartz* vibrant; leur marche est contrôlée par un étalon à césium; elles restent en accord à quelques microsecondes près pendant un an. Les mesures de temps et de fréquence sont les plus précises de toute la physique.

SECONDE *(Mus.)* → THÉORIE MUSICALE.

SECONDIGNY (79130), ch.-l. de cant. des Deux-Sèvres, à 14 km à l'O. de Parthenay; 2 020 hab. Église des XIe et XIIe s.

SECOURISME. — Le but du secourisme est de mettre en œuvre le plus rapidement possible tous les moyens pratiques et thérapeutiques simples mais primordiaux permettant de porter secours aux personnes en danger dans l'attente de praticiens plus compétents. Le secourisme peut être pratiqué individuellement ou dans le cadre d'un organisme spécialisé, comme la Croix-Rouge française (C. R. F.). L'enseignement théorique et pratique vise à l'obtention du brevet d'État de secouriste de la Protection civile, analogue au certificat de secouriste de la C. R. F.

SÉCRÉTINE → HORMONE.

SÉCRÉTION. — La sécrétion est une fonction importante des cellules animales et humaines de type épithélial. Parfois isolées, les cellules sécrétrices sont le plus souvent groupées en *glandes**, simples ou composées, tubulaires ou «acineuses», cutanées, digestives, génitales ou muqueuses, exocrines (produit rejeté à la surface du corps ou dans une cavité naturelle) ou endocrines (produit rejeté dans le sang). En général, une forte polarité les caractérise : une face se nourrit de sang, tandis que l'autre face rejette le produit spécifique, parfois avec destruction partielle ou totale de la cellule (glandes mammaires). La nature et les fonctions des produits sécrétés sont infiniment variés.

Chez les végétaux, les organes sécréteurs sont eux-mêmes très divers. Leurs produits — latex, résines, gommes, parfums — sont souvent utilisés industriellement.

Il n'est pas toujours aisé de distinguer la sécrétion de l'*excrétion,* car les produits rejetés sont parfois toxiques pour l'organisme qui les produit. C'est notamment le cas de la bile.

Lorsque la sécrétion est éliminée à l'extérieur, soit directement, soit par des canaux excréteurs, on parle de *sécrétion externe* (salive, mucus). Lorsque, au contraire, elle est déversée dans le milieu intérieur (le sang), on parle de *sécrétion interne* (sécrétion thyroïdienne, par exemple). Une même glande peut conjuguer ces deux modes de sécrétion.

SECTION EFFICACE. — Cette grandeur, mesurée en barns, représente la surface apparente qu'offre un noyau d'atome à un bombardement par corpuscules pour que soit obtenu un effet donné : capture, diffusion, fission, etc.

SECTION SYNDICALE D'ENTREPRISE → SYNDICAT.

SÉCURITÉ *(Autom.).* — La sécurité en voiture dépend des solutions adoptées pour sauvegarder la vie des occupants en cas de collision, la plus connue étant la *ceinture de sécurité.* Le décret du 28 juin 1973 et des arrêtés ultérieurs en ont rendu en France le port obligatoire pour les passagers des places avant de voitures particulières, lorsque celles-ci circulent hors agglomération, ou en agglomération sur des voies exclusivement affectées à la circulation des véhicules à moteur (et, entre 22 heures et 6 heures, sur toutes voies). La meilleure forme de ceinture est le harnais entourant le thorax, qui évite l'éjection du passager avant en cas de choc ou son passage à travers le pare-brise, mais les études actuelles sont poursuivies dans le dessein d'équiper le véhicule de manière que les occupants de l'habitacle soient protégés en cas de collision. La thèse défendue par les constructeurs américains et japonais ne tient compte que des chocs contre un obstacle fixe. Plus nuancée, la thèse française fait, en outre, intervenir le cas où les véhicules se heurtent de plein fouet, ce qui conduit à la notion d'*agressivité.* De deux voitures de même poids, mais de rigidité différente, la plus rigide s'enfoncera de 64 cm contre une barrière fixe et de 50 cm en cas de choc frontal avec l'autre, dont les déformations seront respectivement de 64 cm et de 85 cm : on en conclut que le premier véhicule est agressif vis-à-vis du second, lequel n'offre guère de chance de survie à ses occupants, ce que n'indiquerait pas la thèse américaine. De la même manière, à égalité de rigidité, mais à masses différentes, aucun des deux véhicules ne sera agressif si les efforts d'écrasement sont identiques. En cas contraire, le véhicule le plus lourd présentera une caractéristique d'agressivité de masse. À égalité de masses et de forces d'écrasement maximales, la position de la pointe d'effort maximal varie avec l'architecture de la voiture. Une voiture à traction avant, dont l'essentiel des masses est concentré à l'avant, sera agressive par son architecture vis-à-vis d'une voiture «tout à l'arrière». On est alors conduit à réaliser une coque en trois parties, dont les deux extrêmes sont déformables pour la protection de l'habitacle.

SÉCURITÉ *(Pétr.).* — Éminemment inflammables, les produits pétroliers constituent un danger potentiel constant pour les vies humaines et les investissements. Des règles de conception draconiennes régissent l'ingénierie des raffineries, où le pétrole* est traité sous pression et à haute température. Il en est de même pour les dépôts de stockage*, dans lesquels sont imposés des distances de sécurité entre réservoirs, du matériel électrique antidéflagrant et des moyens puissants de lutte contre les incendies. L'eau étant sans effet sur un feu d'hydrocarbures, on utilise des gaz, des brouillards, des poudres et des mousses d'étouffement. La sécurité à bord des navires pétroliers* consiste à éviter toute formation de mélange détonant, le nettoyage des citernes se faisant sous atmosphère inerte. Les camions-, wagons-citernes et bouteilles de gaz* liquéfié sont aussi l'objet d'une réglementation très stricte.

SÉCURITÉ SOCIALE. — La sécurité sociale est le régime par lequel, en France notamment, les principaux risques que courent les individus et les familles — que ces risques soient liés à l'exercice d'une activité professionnelle (l'accident du travail et la maladie professionnelle) ou non (l'accident, la maladie, la vieillesse, le décès, etc.) — donnent lieu à une indemnité au profit de la victime ou de ses ayants droit. En France, ce régime date, pour l'essentiel, de la période suivant immédiatement la fin de la Seconde Guerre mondiale.

La législation française est caractérisée par la coexistence de nombreux régimes, dont les prestations peuvent sensiblement varier : un «régime général» des salariés ; un régime agricole (géré par la Mutualité sociale agricole) ; un régime des fonctionnaires, des marins, des mines ; des régimes particuliers aux non-salariés des professions artisanales, industrielles ou commerciales et des professions libérales; un régime des non-salariés des professions non agricoles ; etc.

• *Les risques couverts.* Indépendamment de deux circonstances particulières — la survenance d'enfants (v. FAMILIALES [*prestations*]) et la vieillesse* —, les principaux événements qui donnent lieu à la perception d'une aide financière sont les accidents du travail, les maladies professionnelles, la maladie, la maternité, l'invalidité et le décès.

La maladie ou l'accident font l'objet de remboursement des consultations et des produits médicaux prescrits ainsi que des interventions chirurgicales et des frais d'hospitalisation. (Un ticket modérateur entraîne cependant la non-prise en charge d'une fraction de la dépense.)

De nos jours, la sécurité sociale est étendue aux étudiants, aux jeunes en quête d'un premier emploi, aux familles des appelés, aux libérés du service national, aux conjoints survivants, divorcés, séparés, des textes précisant les conditions donnant lieu à ouverture du droit à ces prestations.

• *Les ressources.* Les ressources des régimes de sécurité sociale sont essentiellement les *cotisations personnelles des assurés* (en France, elles sont proportionnelles à une fraction du salaire), les *cotisations des employeurs* (proportionnelles à la masse des salaires versés) et la *fiscalité* (dont il est souvent question lorsqu'il s'agit de renflouer des régimes de sécurité sociale trop déficitaires). En fonction des divers prélèvements, tout régime de sécurité sociale n'est pas absolument «neutre», mais, au contraire, réalise une redistribution des ressources créées par la collectivité nationale (v. TRANSFERTS SOCIAUX). Au cours des dernières années, la Sécurité sociale française a été affrontée à un grave problème d'équilibre financier. Le déplafonnement des cotisations est périodiquement évoqué pour résoudre ce problème. Le «plafond de la Sécurité sociale» est la tranche du salaire représentant l'assiette de la cotisation salariale. Le déplafonnement est, notamment, redouté des cadres, qui, bénéficiant d'un régime social particulier, verraient menacées les cotisations (assises sur le salaire au-delà du plafond) servant à alimenter leurs régimes.

SEDAINE (Michel Jean), auteur dramatique français (Paris 1719-*id.* 1797), le meilleur représentant de la «comédie sérieuse» telle que la définit Diderot (*le Philosophe sans le savoir,* 1765).

SEDAN (08200), ch.-l. d'arr. des Ardennes, sur la Meuse; 25 430 hab. *(Sedanais).* Plus de 30 000 habitants vivent dans l'agglomération, qui est surtout industrielle (métallurgie et textile). Château fort des XVe-XVIIe s.

Sedan *(batailles de).* • *1870.* Rassemblée par Mac-Mahon pour secourir Metz, l'armée dite «de Châlons» (120 000 hommes) est rejetée par les Prussiens sur Sedan. La bataille du 1er septembre 1870 reste marquée par la résistance de l'infanterie de marine à Bazeilles et les charges de cavalerie des généraux Jean Margueritte (1823-1870) et Gaston de Gallifet* sur le plateau d'Illy. À 18 heures, Mac-Mahon, blessé, passe le commandement à Ducrot, lui-même remplacé par le général Félix de Wimpffen (1811-1884), titulaire d'une lettre de service du ministre. Il négociera le 2 septembre au château de Bellevue la capitulation des 83 000 hommes (dont l'empereur Napoléon III et quarante généraux) qui furent prisonniers de guerre. (V. FRANCO-ALLEMANDE [*guerre*], 1870-71.)

• *1940.* C'est sur Sedan qu'à la limite des IXe (Corap) et IIe (Huntziger) armées françaises convergent le 12 mai 1940 les trois divisions du corps blindé de Guderian, dont l'action est complétée au nord, près de Monthermé, par celle de deux autres panzers. Franchissant la Meuse, ces unités, arrêtées au sud de Sedan (Stonne), se dirigent aussitôt vers l'ouest en direction de l'Oise. (V. ARDENNES et FRANCE [*campagne de*], 1940.)

SÉDERON (26560), ch.-l. de cant. de la Drôme, à 46 km à l'O. de Sisteron; 321 hab.

SÉDIMENT et **SÉDIMENTATION.** — Tout relief terrestre est soumis à l'action de l'érosion*. Les débris arrachés sont pris en charge par les agents de transport et vont se déposer dans les parties basses de l'écorce terrestre. Ainsi se forment les sédiments, qui se superposent en couches subparallèles, les strates. La sédimentation a lieu lorsque l'agent de transport n'est plus capable d'assurer l'évacuation des matériaux. C'est ce qui se produit dans le cas de la baisse du débit d'un cours d'eau, d'une diminution de la pente, d'une variation climatique, etc. Lors de leur dépôt, les sédiments sont meubles, mais ils évoluent sous l'action de la diagenèse* et se transforment pour donner les roches sédimentaires*, caractérisées par l'existence d'une stratification.

Suivant leur origine, on distingue les sédiments continentaux (dus à l'action du vent, des glaciers, des cours d'eau, etc.), les sédiments lacustres et les sédiments marins. On en reconnaît l'origine à la localisation, à la taille et à la forme des éléments constitutifs et aux éventuels fossiles.

SÉDIMENTAIRES (roches). — Les roches sédimentaires, ou exogènes, se forment à la surface de la Terre, résultant de la diagenèse des sédiments. Elles sont stratifiées et contiennent très souvent des fossiles. Suivant leur mode de formation, on en distingue trois grands types. Les *roches détritiques* sont formées de débris solides arrachés par l'érosion et éventuellement cimentés (suivant leur taille, on parle de conglomérats, de sables et de grès ou de pélites, ou roches argileuses). Les *roches d'origine physico-chimique* résultent de la précipitation — directe ou par l'intermédiaire d'organismes vivants — de substances transportées dans l'eau à l'état dissous (à ce type appartiennent les calcaires, les silex, les roches salines, etc.). Les *roches organiques* proviennent de la décomposition d'organismes vivants, végétaux (tourbe, houille) ou animaux (pétrole, gaz naturel). Bien qu'elles n'aient pas subi de sédimentation, puisqu'elles se forment *in situ*, les roches résiduelles* sont souvent rattachées aux roches sédimentaires.

SÉDIMENTATION *(Méd.)* → SANG.

SÉDUM. — Parmi les petites plantes grasses qui se développent aisément sur les rocailles et les murs de pierres sèches, les sédums rivalisent avec les joubarbes*. Notre flore en compte environ vingt-cinq espèces. Ces plantes ont deux sortes de feuilles : les unes étagées le long de la longue tige, les autres groupées à la base en des sortes d'épis très fournis. Les fleurs, le plus souvent jaunes, sont à cinq pétales étoilés et sont plus ou moins groupées en corymbes au sommet des tiges. Déraciné, un sédum peut continuer longtemps à vivre et à croître sur ses réserves. (Famille des crassulacées.)

SEEBECK (Thomas Johann), physicien allemand (Reval [auj. Tallin] 1770 - Berlin 1831). Il découvrit la thermoélectricité (1821), qu'il appliqua à la mesure des températures.

SEECKT (Hans VON), général allemand (Slesvig 1866 - Berlin 1936). Successeur de Hindenburg à la tête de la Reichswehr, il fut de 1920 à 1926 le véritable chef et organisateur de celle-ci, dont il fit une armée de cadres, et recréa clandestinement le grand état-major.

SEEFELD, station de sports d'hiver (alt. 1 180-2 064 m) d'Autriche, dans le Tyrol, près d'Innsbruck.

SEELAND → SJAELLAND.

SÉES (61500), ch.-l. de cant. de l'Orne, à 21 km au N. d'Alençon ; 5 243 hab. *(Sagiens)*. Belle cathédrale, reconstruite à la fin du XIIIe s. et au XIVe s. Évêché du XVIIIe s., comme les bâtiments de l'ancienne abbaye Saint-Martin. Etc.

SEFÉRIS (Gheórghios SEFERIÁDIS, dit **Gheórghios**), diplomate et poète grec (Smyrne 1900 - Athènes 1971). Écrivain de langue démotique, il unit l'évocation des mythes antiques à la peinture de la vie quotidienne de la Grèce moderne (*Strophe,* 1931 ; *Mythologie,* 1935 ; *Journal de bord,* 1940-1955). [Prix Nobel de littérature, 1963.]

SÉFÉVIDES, dynastie qui a régné sur l'Iran de 1502 à 1736. Une active propagande chī'ite est menée en Azerbaïdjan et en Anatolie par les cheikhs séfévides, qui ont pour ancêtre éponyme Ṣafī al-Dīn (1252/53-1334). Parmi les tribus turkmènes ralliées aux Séfévides, les KIZIL BACH, ou « Têtes rouges », forment la base de l'armée. Chāh Ismā'īl Ier (de 1502 à 1524) se fait proclamer roi à Tabriz. En 1510, il domine presque tout l'Iran, auquel il a imposé le chī'isme* duodécimain. Chāh Ṭahmāsp (de 1524 à 1576) réussit à contenir la poussée ottomane à l'ouest et celle des Ouzbeks* à l'est. Chāh 'Abbās Ier* le Grand (de 1587 à 1629) démantèle la puissance des KIZIL Bach et crée une nouvelle armée, avec laquelle il bat les Ouzbeks (1599) et les Ottomans. Son œuvre est si solide que, malgré la médiocrité de ses successeurs, les Séfévides se maintiennent encore un siècle au pouvoir. En 1722, les Afghans s'emparent d'Ispahan*, dont 'Abbās Ier a fait la capitale de l'Iran. Ṭahmāsp II (de 1722 à 1732) et 'Abbās III (de 1732 à 1736) contrôlent encore une partie du pays jusqu'à la prise du pouvoir par Nadīr* Chāh.

SÉGALA (le), région de plateaux cristallins du sud-ouest du Massif central (départ. de l'Aveyron) entre les vallées du Tarn et de l'Aveyron. L'emploi d'engrais y a permis la substitution du blé (notamment) au seigle, dont le pays tire son nom.

SEGALEN (Victor), écrivain français (Brest 1878 - Huelgoat 1919). Médecin de la marine, il découvrit les monuments funéraires de la dynastie des Han au cours d'un voyage en Chine centrale (1914). Le mysticisme oriental inspire ses romans (*les Immémoriaux,* 1907) et ses poèmes (*Stèles,* 1912).

SEGALL (Lasar), peintre, graveur et sculpteur brésilien d'origine lituanienne (Vilna [auj. Vilnious] 1885 - São Paulo 1957). Il participe à la vie artistique allemande jusqu'en 1923, année où il se fixe au Brésil. Il a évoqué, dans un style expressionniste, la vie des Juifs de l'Europe centrale et celle du peuple brésilien.

SEGANTINI (Giovanni), peintre italien (Arco, Trentin, 1858 - Schafberg, haute Engadine, 1899). Il commence par un naturalisme puissant (scènes paysannes et montagnardes), puis des préoccupations spirituelles et l'adoption de la technique divisionniste le conduisent à un symbolisme frémissant (*l'Amour aux sources de la vie,* 1896, galerie municipale d'Art moderne, Milan).

SÉGESTE, cité de la Sicile antique, sur la côte nord-ouest de la mer Tyrrhénienne. Rivale de Sélinonte* et de Syracuse*, elle fut l'occasion de la désastreuse expédition des Athéniens en Sicile (v. PÉLOPONNÈSE [*guerre du*]). Sujette, par la suite, de Carthage*, dont elle avait recherché la protection, elle fut détruite en 307 av. J.-C. par Agathocle*, tyran de Syracuse, et retrouva sous la domination romaine son ancienne splendeur. Les ruines du temple et du théâtre, édifiés au Ve s. av. J.-C., comptent parmi les plus parfaites réussites de l'architecture classique grecque.

SEGHERS (Hercules), peintre et graveur néerlandais (Haarlem? v. 1590 - La Haye v. 1638). L'un des grands paysagistes de son temps, il eut une vie misérable, et peu de ses toiles sont conservées. Aquafortiste, il a mêlé les procédés jusqu'à obtenir des planches d'un caractère visionnaire et dramatique (*Paysage rocheux à la rivière,* v. 1620, cabinet des Estampes d'Amsterdam).

SEGNER (Johann Andreas VON), naturaliste allemand (Presbourg 1704 - Halle 1777), auteur d'une théorie de la capillarité dans laquelle il assimilait la surface d'un liquide à une membrane tendue (1752).

SEGONZAC (16130), ch.-l. de cant. de la Charente, à 13 km au S.-E. de Cognac; 2 230 hab. Église des XIIe et XIVe s.

SÉGOU, v. du sud-ouest du Mali, sur le Niger; 32 000 hab.

SEGOVIA (Andrés), guitariste espagnol (Linares 1893). Virtuose exceptionnel, il a, depuis ses débuts en 1909, non seulement redonné droit de cité à la guitare dans la musique dite « sérieuse », mais aussi révolutionné la technique elle-même de cet instrument.

SÉGOVIE, en esp. **Segovia,** v. d'Espagne, en Vieille-Castille, ch.-l. de prov., au N.-O. de Madrid; 42 000 hab. Magnifique aqueduc romain (Ier s.) Nombreuses églises romanes (XIIe-XIIIe s.), remarquables pour leurs galeries à portiques et leurs clochers. Maisons romanes de chanoines, maisons seigneuriales gothiques, aux puissantes tours. L'Alcazar royal (XIe-XVe s.) a été restauré brutalement au XIXe s. Le monastère hiéronymite du Parral doit à l'architecte Juan Guas († 1496) d'être un des premiers exemples du « style Isabelle » (gothique tardif). La cathédrale, brûlée en 1522, fut reconstruite à un nouvel emplacement, en style gothique, par Juan Gil de Hontañón (v. 1480-1526) et par son fils Rodrigo Gil (1500-1577).

SEGRAIS (Jean REGNAULT DE), poète français (Caen 1624 - *id.* 1701). Il dut à son poème *Athis* et à ses *Églogues* (publiées en 1723) sa réputation de poète pastoral.

SÈGRE (la ou le), en esp. **Segre,** riv. née dans les Pyrénées françaises (Cerdagne), qui passe à Lérida et rejoint l'Èbre (r. g.); 260 km.

SEGRÉ (49500), ch.-l. d'arr. de Maine-et-Loire, sur l'Oudon, à 21 km au S.-O. de Château-Gontier; 7 167 hab. *(Segréens)*. Extraction du fer. Caoutchouc.

SEGRÈ (Emilio), physicien américain d'origine italienne (Tivoli 1905). Il découvrit le technétium et l'astate, éléments artificiels; en 1955, il réalisa avec Chamberlain* la production de l'antiproton. (Prix Nobel de physique, 1959.)

SÉGUIER (Pierre), magistrat français (Paris 1588 - Saint-Germain-en-Laye 1672). Garde des Sceaux (1633), chancelier (1635), il réprime, sous Richelieu*, puis sous Mazarin*, les jacqueries et aussi les révoltes nobiliaires. De nouveau garde des Sceaux en 1656, il s'acharne contre Fouquet*.

SEGUIN (Marc), ingénieur français (Annonay 1786 - *id.* 1875). Il conçut avec son frère CAMILLE (Annonay - † Toulon 1852) le principe des ponts suspendus, dont il construisit le premier sur le Rhône (1824), adopta la chaudière tubulaire pour les locomotives (1827) et obtint avec ses frères en 1826 une concession pour construire le chemin de fer de Saint-Étienne à Lyon, substituant les rails en fer aux rails en fonte et les traverses en bois aux dés en fer.

SÉGUR (Philippe Henri, *marquis* DE), maréchal de France (Paris 1724 - *id.* 1801). Secrétaire d'État à la Guerre (1780-1787), maréchal de France (1783), il créa un corps permanent d'état-major et fit, par d'utiles réformes, de l'armée française la meilleure d'Europe. — PHILIPPE PAUL (Paris 1780 - *id.* 1873), son petit-fils, général et historien, a laissé plusieurs ouvrages sur l'histoire militaire du premier Empire. Ses Mémoires parurent en 1894 sous le titre d'*Un aide de camp de Napoléon, 1800-1812.*

SÉGUR (Sophie ROSTOPCHINE, *comtesse* DE), femme de lettres française (Saint-Pétersbourg 1799 - Paris 1874). Fille du comte Rostopchine, gouverneur de Moscou, elle écrivit pour ses petits-enfants des récits humoristiques ou émouvants qui ont toujours gardé la faveur de la jeunesse (*Mémoires d'un âne,* 1860; *les Malheurs de Sophie,* 1864; *le Général Dourakine,* 1866).

Le Bastard - Explorer

La Seine dans le département de l'Eure, en amont de Pont-de-l'Arche.

SÉGUY (Georges), syndicaliste français (Toulouse 1924). Ouvrier typographe, très tôt membre du parti communiste français, il participe à la Résistance et est déporté. Il devient secrétaire de la Fédération C. G. T. des cheminots en 1949 et entre au Comité central (1954), puis au Bureau politique (1956) du P. C. F. En 1967, il succède à B. Frachon* comme secrétaire général de la C. G. T. et joue un rôle important lors des accords de Grenelle* (1968).

SEICHE. — Le flotteur dorsal de la seiche («os de seiche») se ramasse couramment sur les plages. Ce mollusque céphalopode est en effet très commun dans toutes les mers. C'est un redoutable prédateur, dont la tête est entourée de dix tentacules à ventouses, dont deux beaucoup plus longs, les *bras pêcheurs.* Les yeux et le cerveau sont très différenciés; la bouche possède un bec corné et des glandes venimeuses. La seiche, allégée par son flotteur, nage par ondulation de sa nageoire latérale. En cas de danger, elle fuit par réaction en rejetant par l'entonnoir de sa poche ventrale une colonne d'eau sous pression mêlée d'une encre noire *(sépia)* qui camoufle sa fuite. Fouisseuse, capable de changer de couleur en quelques secondes, elle réunit en nombre remarquable les moyens d'attaque et de défense.

SEICHES-SUR-LE-LOIR (49140), ch.-l. de cant. de Maine-et-Loire, à 19 km au N.-E. d'Angers; 2 168 hab. Ruines du château du Verger (fin du XVe s.).

SEIGLE. — Le seigle était la céréale panifiable des régions pauvres : les surfaces consacrées à sa culture ont constamment régressé avec l'amélioration des techniques culturales, qui ont permis de lui substituer le blé presque partout. Le seigle ne se maintient qu'en sols pauvres, en zones montagneuses, où il résiste mieux que le blé aux conditions difficiles d'hivers rigoureux. Cependant, bien cultivées en bonnes terres, les variétés actuelles permettent d'atteindre des rendements de 40, voire de 50 quintaux à l'hectare. Dans certaines régions, on cultivait beaucoup autrefois le mélange blé et seigle, ou *méteil.* Cette pratique avait pour objet essentiel d'obtenir, à la récolte même et sans opérations ultérieures à la ferme, un mélange mieux équilibré sur le plan nutritionnel.

SEIGNELAY (89250), ch.-l. de cant. de l'Yonne, à 12 km au N. d'Auxerre; 1 003 hab. Vestiges du château, médiéval et classique. Église des XVe-XVIe s.

SEIGNELAY (Jean-Baptiste COLBERT, *marquis* DE), homme politique français (Paris 1651 - Versailles 1690). Fils du grand Colbert*, il le remplace en 1683 à la Marine et à la maison du roi, et devient en 1689 ministre d'État. Il poursuit l'œuvre de son père, assurant à la marine française une incontestable supériorité.

SEIGNEURIE. — Apparue au Moyen Âge avec la féodalité, la seigneurie comprenait un domaine, avec réserves seigneuriales et tenures libres ou serviles, ainsi que des droits divers, les uns d'origine purement domaniale, tels que les redevances dues par les tenanciers et les banalités, les autres d'origine publique, tels que le droit de justice et les diverses contraintes exercées en vertu du droit de ban. Dans sa forme plus achevée, elle représentait donc une véritable entité politique, son possesseur exerçant le pouvoir anciennement dévolu aux souverains.

SEIGNOSSE (40510), comm. des Landes, à 7 km au N.-O. de Saint-Vincent-de-Tyrosse; 1 003 hab. Station balnéaire.

SEILHAC (19700), ch.-l. de cant. de la Corrèze, à 14 km au N. de Tulle; 1 319 hab.

SEILLE (la), riv. de la Bresse, affl. de la Saône (r. g.); 110 km.

SEILLE ou **SEILLE LORRAINE** (la), riv. du nord-est de la Lorraine, affl. de la Moselle (r. g.), rejointe à Metz; 130 km.

SEIN. — Les seins sont des organes glandulaires, hémisphériques, symétriques, situés en avant des muscles pectoraux, au nombre de deux et plus développés chez la femme après la puberté. Ils présentent un mamelon situé au centre d'une zone pigmentée, l'aréole. Chaque sein est formé de quinze à vingt-cinq lobes glandulaires indépendants, subdivisés en lobules et en acini. Le revêtement épithélial des acini est chargé de la sécrétion. L'appareil excréteur est formé de canaux galactophores qui se réunissent pour se terminer au mamelon dans les pores galactophores. Il peut exister des anomalies portant sur le nombre, le volume ou la symétrie des seins. Les anomalies de nombre par défaut (absence unilatérale ou bilatérale [amastie]) ou par excès (un ou plusieurs seins surnuméraires [polymastie]) sont fréquentes dans les deux sexes. Les anomalies concernant le volume sont caractérisées par l'hypertrophie ou l'hypotrophie chez la femme, et par l'hypertrophie chez l'homme (gynécomastie). La correction des asymétries peut être faite par des autoplasties de voisinage. Des inflammations des seins (mastite) peuvent s'observer particulièrement au cours de l'allaitement et aboutir à des abcès. Le cancer du sein est un des plus fréquents chez la femme entre trente et soixante ans.

SEIN *(île de)* [29162], île et comm. du Finistère, dans l'Atlantique, au large de la pointe du Raz; 607 hab. *(Sénans).* Pêche.

SEINE (la), fl. de France; 776 km (la surface du bassin versant est de 78 650 km^2, soit le septième du territoire national).

Née à 471 m d'altitude, au plateau de Langres, la Seine s'écoule vers le N.-O., traversant le sud de la Champagne, passant à Bar-sur-Seine, à Troyes, puis à Nogent-sur-Seine (peu en aval du confluent de l'Aube, premier tributaire important). Longeant (vers le S.-O.) le front de la côte de l'Île-de-France, elle reçoit l'Yonne, puis reprend sa direction initiale, passe à Melun et, en amont et en aval de Paris, reçoit la Marne et l'Oise. À Vernon, elle pénètre en Normandie, reçoit l'Eure, avant de décrire les célèbres méandres de son cours aval (dont l'un est le site de Rouen) et de rejoindre la Manche par un estuaire, au N. duquel est établi Le Havre.

C'est un fleuve de plaine, au régime régulier, au débit modeste (puisqu'il est en moyenne de 300 m^3/s à Paris et de 500 m^3/s à son embouchure), non exempt cependant de crues subites à la suite de fortes pluies (les écarts de débit sont limités aujourd'hui grâce à la constitution de barrages de retenue [réservoirs Seine, Marne] dans le bassin supérieur). Son importance est liée à la présence de l'agglomération parisienne. Le trafic fluvial est actif en aval de Montereau et surtout de Gennevilliers; il est très intense dans la Basse-Seine entre Rouen et Le Havre. Mais le rôle d'axe de communication dépasse la seule navigation fluviale. La vallée de la Seine en aval de Paris est empruntée par le rail, la route et l'autoroute ainsi que par les oléoducs; elle est jalonnée d'importantes installations industrielles (construction automobile et raffineries de pétrole notamment), et les eaux du fleuve refroidissent des grandes centrales thermiques (Porcheville). L'accélération de l'urbanisation et de l'industrialisation pose d'ailleurs de redoutables problèmes d'environnement dans cette partie aval de la vallée.

SEINE, anc. départ. français, correspondant à la ville de Paris et à sa proche banlieue. La loi de 1964 a amené sa subdivision en quatre nouveaux départements : Paris, Hauts-de-Seine, Seine-Saint-Denis et Val-de-Marne (les trois derniers englobant aussi des communes de l'ancienne Seine-et-Oise).

SEINE (Basse-), nom donné à la vallée de la Seine* en aval de

Rouen, partie vitale du département de la Seine-Maritime*, grand axe de communication et principale concentration humaine et industrielle de la Normandie*.

SEINE-ET-MARNE (77), départ. de la Région Île-de-France; 5 917 km²; 755 762 hab. Ch.-l. *Melun.* S.-préf. *Meaux* et *Provins.*

C'est le département de loin le plus étendu (près de la moitié) et le moins peuplé de la Région Île-de-France, ce double caractère étant lié à un éloignement relatif de Paris. Mais, aujourd'hui, l'urbanisation gagne rapidement la partie occidentale, et la population s'accroît très rapidement (de plus des deux tiers dans les vingt dernières années); aussi la densité d'occupation est-elle déjà très largement supérieure à la moyenne nationale.

L'agriculture n'emploie d'ailleurs plus guère que 5 p. 100 de la population active. Cependant, s'étendant principalement sur le plateau de Brie, le département est un important producteur de céréales et de betteraves sucrières, et l'élevage bovin est très développé. La mécanisation et l'usage intensif des engrais, généralement dans de grandes exploitations, expliquent le poids de l'apport agricole du département. Mais celui-ci, au niveau des activités productives, est largement dominé par l'industrie (près de la moitié des actifs). Celle-ci est partiellement liée à l'agriculture (alimentation) mais également représentée par les constructions mécaniques et électriques, ainsi que la verrerie; elle est active surtout dans l'ouest proche de Paris (vers Chelles) et dans les deux agglomérations de Meaux et de Melun, l'une dans la vallée de la Marne et l'autre dans celle de la Seine. L'urbanisation est appelée à s'intensifier rapidement avec l'aménagement de deux villes nouvelles, au N. de Melun et dans la vallée de la Marne (Marne-la-Vallée), ce qui accentue le contraste entre toute la bordure occidentale, de plus en plus intégrée à l'agglomération parisienne, et l'est, moins peuplé, demeuré plus rural (annonçant la Champagne voisine) et parsemé de localités moins importantes (Coulommiers, Provins).

SEINE-ET-OISE, anc. départ. français, correspondant à la grande banlieue de Paris, qui a formé, après la loi de 1964, entièrement, trois nouveaux départements (Essonne, Val-d'Oise et Yvelines) et, partiellement (avec les communes de banlieue de l'ancienne Seine*), les trois départements limitrophes de Paris.

SEINE-MARITIME (76), départ. de la Région Haute-Normandie; 6 254 km²; 1 172 473 hab. Ch.-l. *Rouen.* S.-préf. *Le Havre* et *Dieppe.*

Au N. de la vallée de la Seine, le département s'étend en majeure partie sur le pays de Caux, plateau calcaire recouvert d'argile à silex et de limon, et intensément mis en valeur, associant cultures céréalières (blé surtout), betteravières, élevage bovin et porcin. Le pays de Caux retombe au N.-O. sur une côte à falaises jalonnées de ports (dont Dieppe et Fécamp, et surtout aujourd'hui le terminal pétrolier d'Antifer) et est limité à l'E. par le pays de Bray, argileux, domaine de l'élevage bovin. Mais, aux points de vue démographique et économique, la région vitale est la vallée de la Seine, la Basse-Seine, qui explique une densité moyenne, proche du double de la moyenne nationale, l'évolution de la population du département (accrue d'un quart dans les vingt dernières années) et la structure de la population active. L'agriculture, malgré le volume et la valeur de sa production, emploie aujourd'hui moins du dixième de cette population active, occupée pour les deux cinquièmes environ par l'industrie, dominée par la métallurgie de transformation, la chimie (liée au raffinage du pétrole), l'alimentation et le textile, et concentrée en priorité dans les deux agglomérations majeures de Rouen et du Havre. Sur une façade côtière active (animée par le tourisme et la pêche), bien desservi par le rail, la voie fluviale et aujourd'hui l'autoroute, à proximité de Paris, le département, le plus actif de la Normandie, bénéficie d'une situation géographique exceptionnelle.

SEINE-SAINT-DENIS (93), départ. de la Région Île-de-France; 236 km²; 1 322 127 hab. Ch.-l. *Bobigny.* S.-préf. *Le Raincy.*

Créé par la loi de 1964, le département occupe la proche banlieue nord-est de Paris; il est limité à l'O. par la vallée de la Seine et au N. par les aéroports du Bourget et de Roissy-en-France; au S.-E., il atteint la vallée de la Marne. La proximité de Paris explique naturellement une densité de population extrêmement élevée, puisqu'elle dépasse 5 500 habitants au kilomètre carré, mais cette population, après une longue phase continue de forte croissance, débutant à la fin du XIXe s., n'augmente plus aujourd'hui que lentement. Il existe une saturation certaine de l'urbanisation dans les communes limitrophes (entre les deux derniers recensements de 1968 et 1975, la population a, d'ailleurs, diminué à Saint-Denis [principale ville du département], à Saint-Ouen, à Pantin, au Pré-Saint-Gervais, etc.), et il y a peu d'espaces à bâtir, sauf dans la partie orientale. La presque totale disparition de la population active employée dans l'agriculture (0,2 p. 100 seulement) en témoigne. En revanche, l'industrie occupe plus des deux cinquièmes des actifs; elle est dominée par la métallurgie, puis la chimie et représentée essentiellement près de Paris, à Saint-Ouen, à Aubervilliers et surtout à Saint-Denis à l'O., à Drancy, à Bobigny et à Pantin à l'E. Au-delà, elle ne disparaît pas, mais alterne dans le paysage avec les pavillons et les grands ensembles, multipliés grâce à la facilité des liaisons avec la capitale. L'urbanisation doit, cependant, progresser dans la partie orientale : au N., l'aéroport de Roissy-en-France peut constituer un pôle de développement économique (et un repoussoir pour la résidence), et, au S., la ville nouvelle de Marne-la-Vallée débordera sur la Seine-Saint-Denis (vers Noisy-le-Grand).

SEIPEL (Ignaz), prélat et homme politique autrichien (Vienne 1876 - Pernitz 1932). Prêtre (1899), professeur de théologie, puis protonotaire apostolique, président du parti chrétien-social (1921), chancelier d'Autriche de 1922 à 1924 et de 1926 à 1929, il réprime avec dureté l'insurrection socialiste de Vienne en 1927.

SEI SHŌNAGON, femme de lettres japonaise (v. 968 - début du XIe s.). Entrée au service de l'impératrice Sadako en 993, elle quitta la Cour en 1000, à la mort de sa maîtresse. Elle est l'auteur d'un recueil de notes, le *Makura-no-zōshi (Notes de chevet),* qui forme la première manifestation de l'un des chefs-d'œuvre du genre *zuihitsu* (essais « écrits au fil du pinceau »).

SÉISME ou **TREMBLEMENT DE TERRE.** — Les séismes importants peuvent constituer de grandes catastrophes naturelles, telles que la destruction de Lisbonne en 1755. Plus récemment, la généralisation massive de la diffusion des informations a fait prendre conscience de la quasi-permanence des dangers sismiques, qui se manifestent par la fréquence de leur caractère meurtrier en de nombreuses régions : Chili et Maroc (Agadir) en 1960, Yougoslavie (Skopje) en 1963, Alaska en 1964, Pérou en 1970, Italie (Frioul) et Chine en 1976, Roumanie en 1977. L'intensité, ou « force », de ces séismes est donnée en général dans l'*échelle de Richter-Gutenberg* (dénommée couramment « échelle Richter ») par une *magnitude M* liée à l'énergie E (exprimée en ergs, soit 10^{-7} joule) libérée par le cataclysme selon la relation logarithmique $\log E = 5{,}8 + 2{,}4 \cdot M$, ce qui, en pratique, laisse à M une valeur voisine de zéro pour les plus petits séismes décelables par les sismographes des observatoires et lui fait atteindre les valeurs 8 et 9 pour les plus intenses. À noter, toutefois, que le caractère catastrophique dépend aussi de la densité de la population et de la sécurité des normes de construction.

Les séismes sont dus en général à une rupture d'équilibre se déclenchant brusquement en un lieu (« foyer »), relativement localisé, situé dans le sol à une profondeur plus ou moins grande (mais inférieure à 700 km), et mettant fin, au moins provisoirement, à une somme de tensions lentement accumulées dans toute la région avoisinante. Le retour à une certaine stabilité se fait souvent par stades successifs (secousses multiples). Les instants d'arrivée aux divers observatoires des *ondes sismiques* engendrées (v. SISMOLOGIE) permettent de déterminer l'*épicentre* du séisme (lieu en surface à la verticale du foyer). L'étude de la répartition géographique et dans le temps des épicentres permet de dresser les *cartes de sismicité.* Les régions les plus sismiques correspondent aux ceintures de fractures où les tensions mécaniques entre croûte et manteau sont les plus fortes, ainsi que cela est illustré dans les théories récentes par des antagonismes de plaques*.

La prévision des séismes, malgré de gros efforts, est encore très aléatoire, surtout dans le temps. On tâche de remédier à leurs effets en imposant des normes de construction « parasismiques » là où le danger est redouté (par exemple Japon, Californie...).

SÉISTAN ou **SISTĀN,** région déprimée, aride, mais aussi partiellement marécageuse aux confins de l'Iran et de l'Afghānistān.

S. E. I. T. A., ancien sigle du *Service* d'exploitation industrielle des tabacs et allumettes.*

SÉJAN, en lat. **Lucius Aelius Sejanus,** favori et ministre de Tibère (Volsinies [auj. Bolsena] v. 20 av. J.-C. - Rome 31 apr. J.-C.). Préfet du prétoire (23 apr. J.-C.), il persuade Tibère* d'établir les prétoriens dans un camp à Rome même. Ambitieux, il conçoit le projet de parvenir à l'empire : il fait disparaître Drusus Caesar, l'héritier du trône, pousse Tibère à se retirer à Capri et exerce en son absence la réalité du pouvoir. Ses intrigues sont dénoncées à Tibère, qui le fait exécuter.

SÉJOURNÉ (Paul), ingénieur français (Orléans 1851 - Paris 1939). Il dirigea la construction de nombreux ponts en maçonnerie, auxquels il apporta des formes et des procédés d'exécution nouveaux, imaginant notamment, pour les grandes voûtes, de couper les rouleaux en tronçons.

SEKONDI-TAKORADI, agglomération du littoral du Ghāna, à l'O. d'Accra; 161 000 hab.

SEL. — Le sel, chlorure de sodium ($NaCl$) plus ou moins pur, est abondant dans la nature. Les mers en renferment environ 30 kg par mètre cube. On en trouve aussi dans le sol (sel gemme), provenant de l'évaporation des mers géologiques. Cristallisé dans le système cubique, le sel a une densité variant de 2,1 à 2,5 et une dureté de 2,5.

Les sels proviennent de l'action des acides sur les bases. Leurs formules dérivent de celles des acides correspondants par substitution d'un métal (ou d'un radical en tenant lieu) à l'hydrogène. Dans le cas d'un polyacide, on peut obtenir plusieurs sels, dont certains contiennent encore de l'hydrogène acide. Comme les acides et les bases, les sels sont des électrolytes. Leur dissolution dans l'eau s'accompagne d'une ionisation, l'anion et le cation étant ceux de l'acide et de la base générateurs. Cette action est suivie d'une hydrolyse si le sel dérive d'un acide ou d'une base faible.

SÉLACIENS. — L'immense majorité des poissons à squelette cartilagineux sont classés parmi les sélaciens, ou *élasmobranches.* Il s'agit des requins* et des raies* ou de formes intermédiaires telles que le poisson-scie. La position ventrale de la bouche, l'absence d'opercules, l'écaillure faite de denticules, l'importance habituelle du lobe supérieur de la caudale, l'existence d'une valvule spirale dans l'intestin, la pratique de l'accouplement, la ponte de gros œufs embryonnés peu nombreux confèrent à ce vaste groupe une grande homogénéité.

SÉLAGINELLE → LYCOPODE.

SELANGOR, État de la Malaysia (Malaisie), sur le détroit de Malacca; 1 629 000 hab.

SEL-DE-BRETAGNE (Le) [35320], ch.-l. de cant. d'Ille-et-Vilaine, à 26 km au S. de Rennes; 404 hab.

SELDJOUKIDES, famille princière d'origine turque, qui a dominé l'Orient musulman du XIe au XIIIe s. Les Seldjoukides ont pour ancêtre éponyme Selçuk (ou Saldjūq), d'un clan de Turcs Oghouz, qui quitte à la fin du Xe s. le cours inférieur du Syr-Daria pour la Transoxiane. Toghrul Beg (de 1038 à 1063) fonde la dynastie des Seldjoukides d'Iran (de 1038 à 1157), ou Grands Seldjoukides. Vainqueur des Rhaznévides* à Dandānqān (1040), il conquiert le Khorāsān et fait d'Ispahan sa capitale (1051). Il entre à Bagdad en 1055 et devient le protecteur du califat ʿabbāsside. Alp Arslan (de 1063 à 1073) enlève Alep (1070) aux Fāṭimides et bat l'armée byzantine à Mantzikert (1071). Les nomades turcs qui avaient afflué en Azerbaïdjan peuvent alors se répandre en Asie Mineure. Avec Malik Chāh* (de 1073 à 1092), l'Empire seldjoukide est à son apogée. Mais il sera bientôt disloqué en quatre États :
— le *sultanat de Rūm* (1077-1308); Sulaymān ibn Kutulmich (de 1077 à 1086) établit sa capitale à Nicée (1081); mais Kilidj Arslan Ier (de 1092 à 1107), vaincu par les croisés à Dorylée (1097), doit se replier sur Konya*; au comble de sa puissance au début du XIIIe s., le sultanat de Rūm ne connaît plus qu'une longue agonie après la victoire mongole de 1243;
— l'*État des Seldjoukides du Kermān* (1041-1186);
— l'*État des Seldjoukides d'Iraq* (1118-1194);
— les *principautés des Seldjoukides de Syrie* (1078-1117).

Avec les Seldjoukides, les Turcs ont acquis un rôle dominant dans le monde musulman. Défenseurs du sunnisme, ils ont, grâce à l'œuvre de Niẓām* al-Mulk, favorisé le développement des universités *(madrasas).*

BEAUX-ARTS. L'arrivée de ces bâtisseurs infatigables est, en Iran, à l'origine de certains des plus beaux monuments (Grande Mosquée, 1088, Ispahan*), dans lesquels les éléments typiquement iraniens (iwān) sont bien intégrés. Ils maîtrisent parfaitement la construction des coupoles : à l'intérieur en passant subtilement de la base carrée au tambour circulaire (salle du miḥrāb, Grande Mosquée, Ispahan) et à l'extérieur par l'harmonie des proportions et la richesse décorative des faïences (mosquée de Qazvin), le plus souvent noir et bleu. Ils encouragent les arts mineurs, et la céramique, notamment celle des ateliers de Rayy, avec la variété de ses motifs décoratifs, témoigne d'une étonnante virtuosité. Un brillant essor marque l'art funéraire, et les hautes tours de plan circulaire, étoilé, ou octogonal (couvertes d'un toit conique masquant une coupole) se multiplient et parviennent finalement en Anatolie, où se sont installés les Seldjoukides d'Occident. Ceux-ci, porteurs d'une certaine tradition orientale à laquelle s'unissent des apports byzantins, créent une architecture originale, dont les édifices caractéristiques sont les vastes hans, ou caravansérails (Sivas, 1229-1236), les mosquées et les madrasas, dotées de grands portails d'entrées surmontés d'arcs en ogive richement sculptés (Konya*, Sivas ou Erzurum*), ainsi que le développement du minaret, souvent double (Çifte Minar de Sivas) et parfois orné de très belles faïences (Çifte Minar, Erzurum), dont Konya, la capitale, semble avoir été l'un des grands centres de production. Ils possèdent au plus haut point l'art de l'ornement architectural (disposition extrêmement variée des briques, qualité et sobriété des revêtements de faïences aux motifs géométriques). Ils donnent également un bel élan aux arts mineurs en particulier, aux tapis*, ornés de motifs d'un géométrisme simple et équilibré, auquel s'adjoint celui d'animaux affrontés fortement stylisés.

SÉLECTION PROFESSIONNELLE → ORIENTATION.

SÉLÉNIUM. — Élément chimique nº 34, de masse atomique Se = 78,96, découvert en 1817 par Berzelius, le sélénium est un solide qui présente plusieurs variétés allotropiques. La forme la plus commune est le sélénium cristallisé, gris, d'aspect métallique, qui a pour densité 4,8 et fond à 217 °C. Il est conducteur de l'électricité, et sa résistivité diminue lorsqu'il est éclairé.

Il présente des analogies chimiques avec le soufre et brûle, comme lui, en donnant de l'anhydride sélénieux (SeO_2) solide. Avec les métaux, il fournit des séléniures, analogues aux sulfures.

Il est employé comme couleur de céramique et de verrerie ainsi que dans certaines cellules photoélectriques.

SÉLESTAT (67600), ch.-l. d'arr. du Bas-Rhin, sur l'Ill, à 22 km au N. de Colmar; 15 749 hab. *(Sélestadiens).* Ville pittoresque, gardant des restes de remparts, des églises médiévales — dont l'ancienne abbatiale romane Sainte-Foy, remontant au XIIe s. —, de caractéristiques demeures du XVIe s. Matières plastiques. Textile.

SÉLEUCIDES, souverains hellénistiques qui régnèrent de 312 à 64 av. J.-C. sur la partie asiatique de l'empire d'Alexandre* le Grand. Le fondateur de la dynastie est Séleucos Ier (v. 355-280), qui, après avoir triomphé d'Antigonos* Monophthalmos, étend sa domination de l'Inde à la Méditerranée : il règne de 312 à 280, date à laquelle, maître de l'Asie Mineure, il est assassiné alors qu'il tente de s'emparer de la Thrace* et de la Macédoine* : le royaume séleucide connaît alors sa plus grande extension. Antiochos Ier (325-261; roi de 280 à 261) reçoit de son père un royaume trop vaste et trop divers pour pouvoir le conserver : très vite, la Bithynie*, le Pont* et la Cappadoce* deviennent indépendants, et les Galates s'installent en Phrygie. Son fils Antiochos II Théos (286-246, roi de 262 à 246), trop occupé à défendre la Syrie des empiétements des Ptolémées d'Égypte, laisse échapper la Bactriane* et la Parthie. Après les intrigues de cour qui marquent le règne de Séleucos II (roi de 246 à 225) et le bref passage de Séleucos III (roi de 225 à 223), l'accession au trône d'Antiochos III* Mégas (roi de 223 à 187), paraît, malgré la défaite de Raphia (217), qu'inflige au souverain le lagide Ptolémée IV, une véritable renaissance. Antiochos III rétablit le prestige séleucide en Orient, met fin en 198 aux prétentions de l'Égypte sur la Syrie méridionale, mais se heurte à la puissance romaine (paix d'Apamée*, 188). Antiochos IV* Épiphane (roi de 175 à 164), qui succède au terne Séleucos IV (roi de 187 à 175), sera le dernier grand souverain : il doit faire face à la résistance des Juifs (révolte des Maccabées*, 167) et se voit frustré par les Romains de sa victoire sur l'Égypte. Désormais, pendant un siècle, la dynastie séleucide, divisée en deux branches rivales, qui se font une guerre impitoyable pour la possession d'un royaume qui se rétrécit de plus en plus, va vivre une existence précaire. Après la Judée des Asmonéens*, la Médie et la Babylonie, soumises par les Parthes, se détachent de l'Empire séleucide, qui se verra bientôt réduit à la seule Syrie, que Pompée annexera en 64 à l'Empire romain.

SÉLEUCIE, nom de diverses villes de l'Orient hellénistique fondées par un Séleucos*. Les plus importantes sont *Séleucie de Piérie,* ville et port d'Antioche* au N. des bouches de l'Oronte*, et *Séleucie du Tigre,* en Mésopotamie, centre commercial très important, qui devait être supplantée par Ctésiphon*.

SÉLEUCOS, nom des six rois séleucides*.

SEL GEMME. — Roche sédimentaire saline, le sel gemme résulte de la précipitation du chlorure de sodium dissous dans l'eau. Cette précipitation se produit dans les mers sursalées, généralement en milieu lagunaire, ou encore dans les dépressions endoréiques des régions arides (sebkhas) sous l'action de l'évaporation. Le sel gemme est exploité dans le trias de l'est du Bassin parisien (Lorraine).

SELIM Ier (Amasya 1467 - Constantinople 1520), sultan ottoman* (1512-1520). Porté au pouvoir par les janissaires, Selim Ier ne rompt pas la paix avec l'Occident et se tourne vers l'Orient. Il bat les Séfévides* à Tchaldiran (1514) et annexe toute l'Anatolie orientale. Il conquiert la Syrie, la Palestine et l'Égypte en 1516-17, se fait reconnaître protecteur des villes saintes de l'islām (La Mecque et Médine) et ramène à Constantinople le dernier calife abbāsside.

SELIM II, III → OTTOMANS.

SÉLINONTE, cité grecque de la Sicile occidentale. Très prospère jusqu'à sa destruction en 409 par les Carthaginois, elle souffrit en 250, au cours de la première guerre punique*, de nouvelles destructions, dont elle ne se releva pas. L'acropole et l'ensemble des temples groupés sur les deux collines témoignent non seulement de la richesse de la cité antique, dès le VIe s. av. J.-C., mais aussi, par la luxuriance du décor, d'une étonnante et libre adaptation de la rigueur dorique.

SELKIRK *(monts),* montagnes de l'ouest du Canada, dans le nord de la Colombie britannique; 3 250 m.

SELLES-SUR-CHER (41130), ch.-l. de cant. de Loir-et-Cher, à 18 km au S.-O. de Romorantin-Lanthenay; 4 656 hab. Église des XIIe et XIVe s. (frises romanes au chevet). Restes du château féodal, reconstruit au début du XVIIe s. Céramique.

SELLIÈRES (39230), ch.-l. de cant. du Jura, à 13 km à l'O. de Poligny; 835 hab.

SELOMMES (41100 Vendôme), ch.-l. de cant. de Loir-et-Cher, à 13 km au S.-E. de Vendôme; 705 hab.

SELONCOURT (25230), comm. du Doubs, à 3 km au S. d'Audincourt; 5 268 hab. Métallurgie.

SELONGEY (21260), ch.-l. de cant. de la Côte-d'Or, à 35 km au S.-S.-O. de Langres; 2 383 hab. Appareils ménagers.

SELTZ (67470), ch.-l. de cant. du Bas-Rhin, à 25 km au S.-E. de Wissembourg; 2 570 hab. Vestiges d'un oppidum gaulois.

SEM, patriarche* biblique, fils aîné de Noé, dont les anciens Hébreux faisaient l'ancêtre des Sémites*.

SEMAINE → CALENDRIER.

Semaine *(la) ou la Création du monde,* poème de Du Bartas (1578), qui décrit les « sept journées » de la Création. — La *Seconde Semaine* (1585) suit l'histoire biblique jusqu'à la captivité de Babylone.

Semaine sainte *(la),* roman d'Aragon (1958). La fuite de Louis XVIII, des Tuileries à Gand, devant Napoléon pendant la semaine sainte de 1815, vue à travers un jeune lieutenant de la maison du roi, le peintre Géricault : l'évolution aléatoire d'un être humain dans une histoire dont on ne saisit pas la logique.

SÉMANTIQUE. — Le terme a été créé par Michel Bréal* pour désigner la partie de la linguistique qui étudie le sens des mots. Ne concevant pas la langue comme un système, sa sémantique ne pouvait être que l'étude d'un « vaste catalogue ». La sémantique structurale vise à déterminer des champs sémantiques, c'est-à-dire à dégager la structure d'un domaine donné de significations (l'habitation, les relations de parenté, la vie politique, etc.). On s'est attaché, d'autre part, comme dans l'analyse phonologique, à dégager des unités minimales de sens; celles-ci ne coïncident pas avec les unités morphologiques (mot, morphème) : un mot est considéré comme un ensemble de traits sémantiques minimaux (ou sèmes). Par exemple, le mot *père* se décompose en : « parent », « mâle », « génération immédiatement supérieure », « filiation directe ». Ce type d'analyse a été développé par les divers courants de la linguistique structurale (glossématique, cercle de Prague, analyse componentielle).

SÉMAPHORE → SIGNALISATION.

SEMARANG, port d'Indonésie, ch.-l. de prov., sur la côte nord de Java; 647 000 hab.

SÉMÉAC (65600), ch.-l. de cant. des Hautes-Pyrénées, banlieue est de Tarbes; 5 158 hab. Électromécanique.

SÉMÉIOLOGIE. — L'étude systématique des signes et des symptômes pathologiques permet d'établir le diagnostic des syndromes et des maladies, et d'en suivre l'évolution. Ainsi, pour des lésions de la peau, on en précisera le siège, la forme, la dimension, la couleur, la consistance, l'aspect de la surface, des bords, du pourtour et de la base, le nombre d'éléments, la chronologie de leur apparition et de leur disparition, la sensibilité (douloureuse ou non), la présence de ganglions, et ces différents renseignements seront complétés par des examens de laboratoire.

SEMELLE → MUR.

SEMENCE. — On désigne sous ce nom tout ce qui se sème et sert à la dissémination des plantes. On distingue les *semences sèches,* qui peuvent être des graines nues (haricot), des fruits secs indéhiscents (gousse de sainfoin), des fruits vêtus recouverts de glumelles (orges), des fruits composés soudés par leur base (épillets des avoines et alpistes), et les *semences aqueuses,* qui possèdent de 75 à 90 p. 100 d'eau et ne peuvent être desséchées sans perdre leur vitalité (ce sont les boutures, parfois enracinées, les bulbes, les bulbilles et les tubercules, aussi appelés *plants*).

La faculté germinative d'un lot de semences est le pourcentage de semences aptes à germer dans les conditions précises du laboratoire, généralement choisies pour donner les meilleurs résultats.

SEMI-ARIDE. — Le climat semi-aride affecte les régions situées à la périphérie des déserts. La faiblesse des précipitations explique l'extension d'une végétation clairsemée, steppique, qui protège mal le sol contre l'érosion. Les effets de l'écoulement en nappe, qui se déclenche lors des violents orages, sont particulièrement dévastateurs et conduisent à la formation de glacis au pied des reliefs.

SEMI-CONDUCTEUR. — À l'état pur et à température peu élevée, un semi-conducteur présente une grande résistivité (entre 1 et 10^6 Ωm), mais qui diminue rapidement avec une élévation de température, car l'agitation thermique arrache des électrons à un certain nombre d'atomes; le cheminement des électrons ainsi rendus libres crée un courant électrique lorsqu'une différence de potentiel est appliquée entre deux points du semi-conducteur. Cette résistivité baisse encore si l'on introduit dans le semi-conducteur certaines impuretés en très petite quantité (1 atome d'impureté pour 10^8 atomes du corps pur).

Le silicium et le germanium, qui sont des semi-conducteurs, appartiennent à la quatrième famille. Ils peuvent être « dopés » par un élément de valence 5 (antimoine, arsenic) et appartiennent alors au « type N » (négatif); l'atome d'antimoine ou d'arsenic, dit « donneur », entre en liaison avec le germanium ou le silicium par quatre électrons de valence, le cinquième restant libre pour la conduction. Si l'impureté choisie est un atome trivalent (aluminium, indium), on obtient un semi-conducteur du « type P » (positif). L'atome d'impureté, dit « accepteur », ne peut établir de liaison qu'avec trois atomes du corps; il y a défaut d'électron ou un « trou » positif dans un quatrième atome, et la conduction a lieu par l'intermédiaire de tels trous, les électrons qui viennent les remplacer laissant derrière eux de nouvelles lacunes.

Les modes de conduction d'électricité qui caractérisent les semi-conducteurs sont mis à profit dans divers dispositifs, tels que diodes, transistors et éléments photoélectriques.

SEMIONOV ou **SEMENOV** (Nikolaï Nikolaïevitch), chimiste russe (Saratov 1896), auteur de travaux sur la cinétique des réactions chimiques. (Prix Nobel de chimie, 1956.)

SÉMIOTIQUE. — Science générale des signes, constituée en approche scientifique dans les années 60, la sémiotique reprend le projet que F. de Saussure assignait à la *sémiologie :* l'étude des signes au sein de la vie sociale. Mais, alors que Saussure privilégiait le rapport langage/société, la sémiotique moderne (telle qu'on l'entend à la suite de C.S. Peirce), tout en tenant compte des modèles élaborés par la linguistique, s'efforce d'intégrer dans sa démarche les systèmes d'expression non linguistiques et de les aborder sans l'intermédiaire d'un « interprète » (ainsi, la sémiotique picturale ne se réduira pas à la seule analyse des discours sur la peinture, mais elle s'efforcera de saisir les structures formelles et sémantiques de l'espace du tableau). Il est difficile de proposer une classification satisfaisante des systèmes sémiotiques, qui se constituent en fonction de choix méthodologiques; seules apparaissent assez bien délimitées la sémiotique des langages artificiels, la sémiotique poétique et surtout la sémiotique discursive (élaborée à partir de l'étude de textes folkloriques, avec V. J. Propp, et mythologiques, avec R. Dumézil et C. Lévi-Strauss), qui a permis de distinguer des *niveaux* dans l'analyse des objets sémiotiques : *niveau profond* (structures abstraites qui rendent compte des opérations logico-sémantiques dans les transformations d'un texte)/*niveau morpho-syntaxique* (organisation syntaxique des textes); *niveau figuratif/niveau textuel.* Cette reconnaissance de niveaux distincts mais équivalents permet de comparer discours figuratifs (récits, histoires) et discours non figuratifs (philosophiques, didactiques), et d'appliquer ce schéma aux discours non littéraires (juridiques, économiques...) et même à des enchaînements non linguistiques (rituels, conventions sociales).

SEMIPALATINSK, v. de l'U. R. S. S. (Kazakhstan), sur l'Irtych; 236 000 hab. Aluminium.

SEMI-PERMÉABLE. — Les cloisons semi-perméables sont utilisées dans les osmomètres. Les membranes des cellules végétales se comportent comme de telles cloisons, ce qui explique la turgescence de ces cellules à l'état vivant.

SÉMIRAMIS, reine légendaire assyrienne, à qui la tradition grecque attribue la fondation de Babylone* et de ses fameux jardins suspendus. La légende semble s'être formée autour de la régente *Sammouramat,* qui exerça de 810 à 805 av. J.-C. un pouvoir absolu durant la minorité de son fils Adad-nirâri III (810-782).

SEMI-REMORQUE → RAIL-ROUTE.

SÉMITES, nom donné depuis le XVIIIe s. à un ensemble de peuples du Proche-Orient parlant ou ayant parlé des langues sémitiques*. Les Sémites ont joué dans l'Ancien Orient un grand rôle historique : la civilisation leur est redevable, entre autres, de l'écriture alphabétique et des trois grandes religions monothéistes : le judaïsme*, le christianisme* et l'islām*. Les plus importants des peuples sémitiques anciens ou modernes sont les Akkadiens (Assyro-Babyloniens), les Amorrites, les Araméens, les Cananéens, les Phéniciens, les Hébreux, les Arabes et les Éthiopiens.

SÉMITIQUES (langues). — Les langues sémitiques se sont étendues au cours de l'histoire aux dépens des autres langues de la famille chamito-sémitique* (égyptien, berbère, couchitique). Elles se divisent en un groupe oriental, représenté par l'akkadien, et en un groupe occidental, lui-même divisé en une branche septentrionale (cananéen, araméen) et en une branche méridionale (arabe*, sudarabique, langues éthiopiennes).

SEMMELWEIS (Ignác Fülöp), accoucheur hongrois (Buda 1818-Vienne 1865). Il reconnut, le premier, le caractère infectieux et transmissible de la fièvre puerpérale, et préconisa la désinfection des mains et des instruments de l'accoucheur.

SEMMERING (le), col des Alpes orientales, en Autriche, emprunté par le rail et la route entre Vienne et Graz (puis Zagreb); 986 m.

SEMNOPITHÈQUE. — Les forêts de l'Indonésie, de l'Inde et du Tibet, jusqu'à une altitude de 4 000 m, hébergent des troupes de singes très agiles, mais à queue non préhensile, les semnopithèques.

Citons l'*entelle,* singe sacré de l'Inde, et le *nasique,* dont le mâle adulte porte un nez pendant et hypertrophié.

SEMOIS ou (en France) **SEMOY** (la), riv. coulant principalement dans le sud-est de la Belgique et rejoignant la Meuse (r. dr.) dans le département des Ardennes; 198 km.

SEMOULE → BLÉ.

SEMPACH, comm. de Suisse (cant. de Lucerne), sur le *lac de Sempach,* au N.-O. de Lucerne; 1 619 hab. En 1386, les Suisses y remportèrent une victoire sur le duc Léopold d'Autriche.

SEMPER (Gottfried), architecte et théoricien allemand (Hambourg 1803 - Rome 1879). Il étudie l'art antique en Italie et en Grèce, mais critique, comme professeur à Dresde, l'imitation servile des modèles anciens. Il construit l'Opéra de Dresde (1837; rebâti par lui en 1871), travaille à Londres et à Zurich, donne les plans, originaux, d'un théâtre wagnérien projeté à Munich (1866) et est appelé en consultation à Vienne au moment des travaux du Ring (collaboration aux musées et au Burgtheater, d'un style néo-Renaissance).

SEMPERVIVUM → JOUBARBE.

SEMUR-EN-AUXOIS (21140), ch.-l. de cant. de la Côte-d'Or, sur l'Armançon, à 18 km au S. de Montbard; 5 371 hab. *(Semurois).* Restes de fortifications médiévales. Belle église des XIIIe-XVe s. Vieilles demeures.

SEMUR-EN-BRIONNAIS (71110 Marcigny), ch.-l. de cant. de Saône-et-Loire, à 28 km au S.-O. de Charolles; 755 hab. Belle église romane.

SENANAYAKE (Don Stephen), homme politique cinghalais (1884-Colombo 1952). Ministre de l'Agriculture (1931-1947), chef du Parti national uni (U.N.P.), fondé en 1947, il devient Premier ministre lors de l'accession de Ceylan à l'indépendance. — Son fils DUDLEY SHELTON (Colombo 1911 - *id.* 1973) lui succède à la tête du gouvernement (1952-53). Président de l'U. N. P. à partir de 1958, il est de nouveau Premier ministre en 1960, puis de 1965 à 1970 et mène une politique conservatrice.

SENANCOUR (Étienne PIVERT DE), écrivain français (Paris 1770-Saint-Cloud 1846). Il étudia, en analyste idéologue, son inadaptation au monde dans des essais (*Libres Méditations d'un solitaire inconnu sur le détachement du monde et sur d'autres objets de la morale religieuse,* 1829) et des romans (*Oberman**, 1804).

Sénanque *(abbaye de)* → GORDES.

SÉNART *(forêt de),* massif forestier (2 500 ha), au S.-E. de Paris, dans le nord-est de l'Essonne, entre la Seine et l'Yerres. À la Faisanderie (pavillon de chasse de Chalgrin), parc de sculpture contemporaine.

Sénat [*aux États-Unis*], assemblée dont les membres sont élus pour six ans et sont au nombre de cent (deux par État). Élu au scrutin* uninominal majoritaire à un tour, renouvelé par tiers tous les deux ans, le Sénat partage le travail d'élaboration législatif avec la Chambre des représentants*, mais dispose de prérogatives particulières exclusives, en matière notamment de ratification des traités et d'approbation des nominations présidentielles. Il donne son «avis et consentement» à certaines de ces nominations (membres du cabinet, juges à la Cour suprême, ambassadeurs). Il a l'initiative législative, sauf en matière budgétaire, où l'initiative est exercée par la Chambre des représentants.

Sénat [*en France*], une des deux assemblées du Parlement français. — Sous le Consulat (1800-1804), le premier (1804-1814) et le second Empire (1852-1870), le Sénat, politiquement irresponsable, contrôle la constitutionnalité des lois et peut réviser la Constitution, avec l'accord du gouvernement, par voie de sénatus-consulte. En fait, les sénateurs d'Empire sont des instruments dociles du pouvoir. Cependant, par sénatus-consulte du 8 septembre 1869, le Sénat impérial devient, tardivement, une seconde chambre.

Sous la IIIe République, le Sénat, dont les membres sont élus et renouvelés par tiers tous les trois ans par un collège électoral formé, pour l'essentiel, de délégués des communes, joue, comme seconde chambre, ou Chambre haute, un rôle modérateur important. Sous la Ve République (1958), les pouvoirs du Sénat (élu au suffrage indirect) sont intermédiaires entre ceux du Sénat de 1875 et ceux du Conseil de la République de 1954.

SÉNAT ROMAIN. — À l'époque royale, le sénat était un conseil d'anciens *(senes)* composé des chefs de groupes familiaux, les *patres.* La tradition considère que ceux-ci auraient été trois cents à l'époque des Tarquins. Probablement choisis par le roi pour le conseiller, ils devaient, en outre, assurer les interrègnes et, par conséquent, participer à la désignation de chaque nouveau roi. Sous la République, le sénat devint la plus haute autorité de l'État. Recruté d'abord par les consuls, puis à partir du IVe s. av. J.-C. par les censeurs, et presque exclusivement composé des anciens magistrats curules, il s'ouvrit progressivement aux *homines novi.* Les sénateurs, dont le nombre fut porté à six cents par Sulla et ramené à quatre-vingt-dix par César, géraient les finances publiques, autorisaient les levées de troupes et dirigeaient la politique extérieure; en outre, ils attribuaient les commandements militaires et les gouvernements des provinces qu'ils contrôlaient, et décrétaient éventuellement des mesures de salut public. Véritable conseil de la République, le sénat avait le monopole de l'*auctoritas,* ce qui lui permettait de contrôler les magistrats ou d'influer sur la législation des comices centuriates et tributes. L'Empire marqua la décadence de l'institution. Contrôlé par l'empereur, qui déterminait sa composition, le convoquait et présidait ses réunions, le sénat conserva le gouvernement des provinces sénatoriales et l'administration de l'ancien trésor *(aerarium),* distinct du trésor impérial *(fiscus).* Mais son autorité s'affaiblit à mesure que s'accrut celle du conseil du prince. Au Bas-Empire, il fut réduit au simple rôle de conseil municipal de Rome.

SENDAI, v. du Japon, dans le nord de Honshū; 545 000 hab.

SÉNÉCHAL. — Dès l'époque mérovingienne, le sénéchal était le chef des officiers du palais. Sous les premiers Capétiens, le sénéchal, ou dapifer, joua un rôle considérable, commandant l'armée en l'absence du roi, dirigeant la justice et l'administration des domaines royaux. La fonction fut supprimée en 1191, mais le titre demeura pour désigner, dans les régions méridionales, des officiers royaux ayant les attributions des baillis.

SÉNEÇON. — Les petites composées à fleurs jaunes du genre *Senecio* forment en France plus de vingt espèces. La moitié environ de ces espèces ont des feuilles extrêmement découpées et de petites fleurs serrées dans un involucre cylindrique; le revers des feuilles est parfois duveteux et cendré. Les autres espèces ont des feuilles entières, à peine dentées, et des capitules beaucoup plus grands. La *cinéraire* est un séneçon.

SENEFELDER (Alois), inventeur allemand (Prague 1771 - Munich 1834). Il découvrit fortuitement la lithographie* et lui donna son premier développement commercial.

SENEFFE, comm. de Belgique (Hainaut), au N.-N.-E. de La Louvière; 9 076 hab. Victoire de Marceau sur les Autrichiens (1794).

SÉNÉGAL (le), fl. de l'Afrique occidentale; 1 700 km. Né en Guinée, dans le Fouta-Djalon, il traverse le sud-ouest du Mali (passant à Kayes) avant de former la frontière entre la Mauritanie et le Sénégal, puis se jette dans l'Atlantique près de Saint-Louis.

SÉNÉGAL, État de l'Afrique occidentale; 197 000 km²; 5 millions d'hab. *(Sénégalais).* Capit. *Dakar.*

GÉOGRAPHIE. Le pays s'étend sur une cuvette sédimentaire, limitée à l'E. par des collines entaillées dans le socle précambrien et culminant à 581 m. Ouverte sur l'Atlantique, cette cuvette est drainée par le fleuve Sénégal au N., la Gambie au centre et la Casamance au S. Le climat, tropical, sec dans le nord du pays, couvert par la steppe, devient plus humide au S., permettant la croissance de la savane arborée et de la forêt-galerie.

La population, composée de diverses ethnies, parmi lesquelles dominent les Ouolofs, se concentre dans la vallée du Sénégal et à proximité de la côte. L'agriculture demeure le secteur essentiel de l'économie. La culture de l'arachide, héritée de la période coloniale, est associée à la production vivrière de millet au N. et de riz au S. Les cultures maraîchères, en partie destinées à l'exportation, se développent autour de Dakar. Cependant, les rendements restent faibles en raison d'une lente modernisation des exploitations. La pêche apporte un complément de ressources.

En dehors de l'exploitation des phosphates, les activités industrielles (huileries, conserveries, usines textiles) sont concentrées dans la région du cap Vert, autour de Dakar, dont le port assure le commerce extérieur, fortement déficitaire, effectué encore principalement avec la France.

HISTOIRE. Le Sénégal, dans ses frontières actuelles, est une création de la seconde moitié du XIXe s., quand les Français réunissent, sous un même gouvernement siégeant à Saint-Louis, des Ouolofs, des Sérères, des Toucouleurs, des Malinkés, etc., peuples disposés autour du désert central du Ferlo, parcouru par les Peuls.

L'occupation humaine de la région est très ancienne. Au XIVe s., le pays est englobé dans l'empire du Mali*; après la dislocation de ce dernier se forment des petits royaumes plus ou moins islamisés. Mais, dès le XVe s., les Portugais apparaissent sur la côte, où ils fondent des comptoirs (Rufisque); au XVIe s. arrivent les Hollandais (Gorée), les Anglais et les Français; ceux-ci fondent Saint-Louis en 1659. En fait, le commerce colonial (ivoire, gomme, or) est abandonné à des compagnies à privilèges. Restitués par les Britanniques, en droit en 1814, en fait en 1817, les établissements français du Sénégal (Saint-Louis, Gorée) connaissent le décollage économique au temps du gouverneur Faidherbe* (1854-1865), qui étend l'influence française vers l'intérieur, au point que les comptoirs primitifs se transforment en une colonie dont Dakar, fondée en 1857, est la capitale effective. La conquête du Sénégal est achevée entre 1879 et 1890 : les Français exploitent surtout

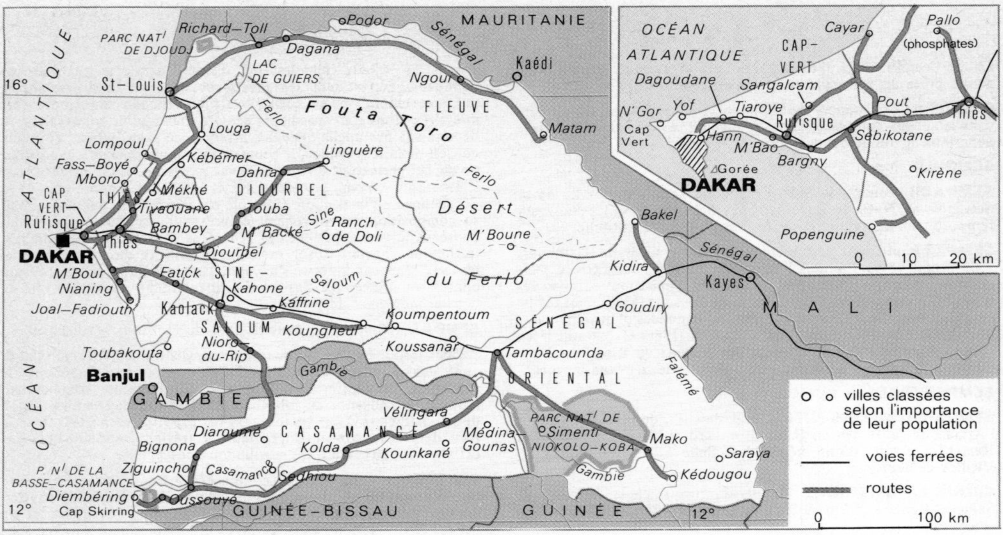

SÉNÉGAL

l'arachide, dont le trafic est facilité par la construction des chemins de fer Saint-Louis-Dakar (1881-1885) et Thiès-Kayes (1923).

Dès 1848, la France a octroyé un régime démocratique et représentatif aux «quatre communes» (Saint-Louis, Dakar, Rufisque et Gorée), qui, en 1914, élisent un Noir, Blaise Diagne (1872-1934), pour les représenter à la Chambre des députés française. Les habitants de la brousse connaissent, par contre, les sujétions du régime colonial. Intégrée en 1902 dans l'Afrique-Occidentale française (capitale Dakar), la colonie du Sénégal reçoit une nombreuse population européenne, fixée surtout à Dakar. Après la Seconde Guerre mondiale, Amadou Lamine-Gueye (1891-1968) fait accorder par l'Assemblée constituante française la citoyenneté à tous les habitants. Après l'échec de la fédération du Mali*, le Sénégal devient en 1960 un État indépendant, qui est doté en 1963 d'une Constitution de type présidentiel et dont la vie politique est dominée par la personnalité de Léopold Sédar Senghor*.

SÉNÉGAMBIE, nom parfois donné à l'ensemble de l'Afrique occidentale formé par le *Sénégal* et la *Gambie.*

SÉNÈQUE, en lat. **Lucius Annaeus Seneca,** dit **Sénèque le Père** ou **le Rhéteur** (Cordoue v. 55 av. J.-C. - † v. 39 apr. J.-C.), auteur d'une *Histoire de Rome,* aujourd'hui perdue, et de *Controverses,* précieux document sur l'éducation oratoire au Ier s.

SÉNÈQUE, en lat. **Lucius Annaeus Seneca,** philosophe latin (Cordoue 4 av. J.-C. - Rome 65 apr. J.-C.). Précepteur de Néron, il est nommé consul en 57. Impliqué dans la conjuration de Pison et condamné, il meurt en s'ouvrant les veines sur l'ordre de Néron. Il appartient à la dernière époque du stoïcisme* et s'intéresse surtout à la morale *(Lettres* à Lucilius).* Son œuvre — dont il ne reste que des tragédies, *Quaestiones naturales,* dix dialogues et deux traités de morale — vaut par la pénétration avec laquelle il discerne les vices et les maux dont souffrent ses contemporains.

SÉNESCENCE. — La sénescence se définit différemment dans les trois règnes vivants. Chez les protistes (ciliés), elle se traduit par un ralentissement de la multiplication, et la conjugaison*, en renouvelant le stock chromosomique, rajeunit la lignée. Chez les végétaux vivaces (arbres), il existe à tout âge des parties jeunes (extrémité des racines et des rameaux, feuilles, fleurs), et la sénescence n'affecte que le tronc (arbres creux). Chez les animaux, l'existence d'un milieu intérieur qui baigne toutes les cellules donne à la sénescence un caractère plus global. Chez les mammifères et chez l'homme, la perte d'élasticité des tissus conjonctifs et du cristallin est constante, la chute des poils et des dents fréquente, de même que l'induration des artères. La perte de l'aptitude reproductrice chez la femme précède de beaucoup la sénescence.

SENEZ (04330 Barrême), ch.-l. de cant. des Alpes-de-Haute-Provence, à 19 km au N.-O. de Castellane; 134 hab. Anc. cathédrale romane (v. 1200).

SENGHOR (Léopold Sédar), homme d'État et écrivain sénégalais (Joal 1906). Professeur de lettres à Paris, il est député à l'Assemblée nationale (1946) et chef du Bloc démocratique sénégalais (1948). Il participe au gouvernement E. Faure (1955-56). Après la dissolution de la fédération du Mali, L. Senghor est élu président de la république du Sénégal (1960) et institue un régime présidentiel après avoir écarté le président du Conseil Mamadou Dia, organisateur du complot de 1962. Il gouverne avec l'appui de l'Union progressiste sénégalaise (U. P. S.), qui devient le parti unique. Défenseur non seulement de l'unité africaine, mais aussi de la francophonie, il s'efforce de relancer l'O. C. A. M. M. et apparaît comme un des leaders modérés de l'Afrique. À partir de 1974, il met fin au système du parti unique et, en 1976, il institue un régime tripartite. Il a publié des essais, où il défend la notion de négritude*, et des recueils de poésie (*Éthiopiques,* 1956; *Nocturnes,* 1961).

SÉNILITÉ → GÉRIATRIE.

SENLIS (60300), ch.-l. d'arr. de l'Oise, sur la Nonette, à 38 km au N.-N.-E. de Paris; 14 387 hab. *(Senlisiens).* Restes du château royal médiéval (musée de la Vénerie), s'appuyant sur l'enceinte gallo-romaine. Anc. cathédrale Notre-Dame, gothique, commencée en 1155 (portail de la Vierge, de la fin du XIIe s.; flèche du XIIIe s.; transept refait au XVIe s.). Églises médiévales désaffectées. Demeures anciennes, dont la maison du Haubergier (musée : antiquités gallo-romaines et médiévales). Constructions mécaniques.

SENNACHÉRIB, roi d'Assyrie (705-680 av. J.-C.). Prince énergique mais cruel, il maintient l'hégémonie assyrienne malgré les attaques des Élamites* et des Araméens*. Il prend et rase (689) Babylone*, qui essaie de se soustraire à son autorité. Il entreprend à Ninive, sa capitale, de grands travaux.

SENNAR, localité de l'est du Soudan. Barrage (destiné surtout à l'irrigation) sur le Nil bleu.

SENNE (la), riv. de Belgique, née dans le Hainaut et qui passe à Hal, puis à Bruxelles avant de rejoindre la Dyle (r. g.); 103 km.

SENNECEY-LE-GRAND (71240), ch.-l. de cant. de Saône-et-Loire, à 10 km au N. de Tournus; 2 269 hab.

SENNETT (Michael SINNOTT, dit **Mack**), producteur et cinéaste américain (Danville, Canada, 1884 - Hollywood 1960). Il fut le grand pionnier du film burlesque américain. S'assurant les services de gagmen, il tourna lui-même, ou fit tourner par des metteurs en scène, d'innombrables petits films comiques. Fondateur de la Keystone Company en 1912, il fut à l'origine de la popularité des «Keystone Cops» et des «Bathing Beauties», et lança des acteurs comme Charlie Chaplin, «Fatty» Arbuckle, Buster Keaton, Mabel Normand, Gloria Swanson, Harry Langdon, W. C. Fields.

SÉNONAIS (le), région du nord du département de l'Yonne, au S. de la Seine, autour de *Sens.*

SENONCHES (28250), ch.-l. de cant. d'Eure-et-Loir, à 11 km au N. de La Loupe; 3 466 hab. Château des XVe et XVIIIe s. (donjon du XIIe s.). Matériel agricole.

SENONES (88210), ch.-l. de cant. des Vosges, à 20 km au N. de Saint-Dié; 3 990 hab. Anc. abbaye, reconstruite au XVIIIe s. Industrie textile.

SENOUSIS ou **SANŪSĪS,** confrérie religieuse musulmane. Fondée en 1837 à La Mecque par Muḥammad ibn ʿAlī al-Sanūsī (v. 1791-1859), elle s'implante d'abord en Cyrénaïque, puis se répand jusqu'au Tchad (Borkou), en Égypte et au Soudan. Les Senousis luttent contre la pénétration française au Sahara et la pénétration italienne en Libye (jusqu'en 1931). C'est le chef de la confrérie, Idrīs Ier*, qui est choisi comme roi de Libye en 1951.

SÉNOUSRET → SÉSOSTRIS.

SENS *(Philos.).* — Élaboré pour expliquer les liens qu'entretiennent les idées avec les moyens d'expression et plus particulièrement les mots, le concept de sens est pensé relativement à la langue et au concept de signe depuis Frege*. Celui-ci définit le sens comme le mode particulier par lequel un signe* désigne un objet et l'oppose à la dénotation, ou référence, qui constitue l'objet dénoté par le signe (par exemple, «le grand timonier» et «l'auteur de *De la pratique*» dénotent le même être, mais n'ont pas le même sens).

Le sens peut être réduit au signifié (linguistique de la langue), au sujet (phénoménologie, psychanalyse), à la phrase (linguistique du discours), au texte (sémiologie et nouvelle critique). Il apparaît alors comme «un jeu de dépendances internes, c'est-à-dire un jeu de structures» (Ricœur), ou comme l'événement incorporel, l'exprimé irréductible au discours comme à ses éléments, qui fait signe vers la référence et ouvre ainsi le champ des interprétations.

SENS (89100), ch.-l. d'arr. de l'Yonne, sur l'Yonne, dans le *Sénonais;* 27 930 hab. *(Sénonais).* Cathédrale entreprise v. 1130-1140, le premier en date des grands monuments gothiques (élévation à trois étages, voûtes sexpartites; transept ajouté par Martin Chambiges; sculptures et vitraux des XIIe-XVIe s., important trésor). Anc. officialité du XIIIe s., bel édifice jouxtant la cathédrale (musée lapidaire). Églises médiévales. Musée (sculpture gallo-romaine, etc.). Constructions mécaniques et électriques.

Sens *(hôtel de),* à Paris, anc. résidence des archevêques de Sens, situé près de la Seine, dans le quartier Saint-Paul. Exemple de l'architecture civile de la fin du XVe s., victime d'une profonde dégradation, puis rénové au milieu du XXe s., il abrite la bibliothèque Forney (arts et techniques).

SENSATION. — Une sensation est une information élémentaire parvenue aux centres nerveux d'un homme ou d'un animal, une donnée brute sur laquelle travaillent les systèmes réactionnels (réflexes) et les systèmes interprétatifs et intégrateurs (conditionnement, mémoire, perception, édification d'un système mental). Dès qu'une stimulation infligée à un animal provoque un réflexe, ou modifie le comportement ultérieur, on est assuré qu'il y a eu sensation. Il en va de même quand l'animal s'oriente et se déplace dans un champ non uniforme (lumineux, thermique, électrique, gravitationnel, etc.).

La sensation parvient aux centres nerveux sous une forme codée, toujours de même type : des séries de potentiels d'action neuroniques. Le point précis où aboutissent ces potentiels *correspond* à un point de la surface de la peau (sensations tactiles) ou à un point de l'image rétinienne (sensations visuelles), du limaçon de l'oreille (sons), etc. Ainsi peuvent se constituer des *champs cérébraux* tactile, visuel, auditif, etc., qui permettent l'interprétation spatiale des sensations, leur localisation dans le monde extérieur. Quant à la «nature» des sensations, elle dépend de l'aire cérébrale intéressée (coup sur l'œil ressenti comme une lumière, etc.) et, dans chaque aire, des caractéristiques du train de potentiels : vitesse, nombre d'ondes, salves successives, intervalle des salves, etc.

On peut classer les sensations selon plusieurs critères. Un premier mode de classement distingue les sensations *extéroceptives,* relatives au monde extérieur (ce sont les «cinq sens» classiques), les sensations *entéroceptives* (tube digestif, voies respiratoires, voies génitales) et les sensations *proprioceptives* (muscles, tendons, articulations). Un second mode de classement se réfère aux formes de l'énergie qui sont à l'origine des sensations : énergie rayonnante (vision, thermoscopie), énergie vibratoire (audition, perception des ultrasons et des infrasons), énergie mécanique (tact ou toucher), phénomènes chimiques (goût, odorat), électriques (électrolocation de certains poissons), etc.

La douleur* est-elle une sensation spécifique ou est-elle la forme prise par toute sensation trop intense? Ce problème, aux données très complexes, n'est pas entièrement résolu, mais on sait déjà que l'interprétation d'une sensation comme «douleur» n'est pas fatale.

SENSÉE (la), riv. du nord de la France, affl. de l'Escaut (r. g.); 60 km. Le *canal de la Sensée* (25 km), empruntant la basse vallée de la rivière, relie l'Escaut à la Scarpe.

SENSEUR. — C'est l'ensemble des équipements de toute nature qui permettent d'acquérir un objectif. Apparu au cours des années 1960-1970 dans l'aviation militaire américaine, le terme de *senseur* qualifie toutes les techniques (radar, sonar, infrarouge, télévision, laser...) concourant aux détections aériennes et spatiales (satellite), sous-marines, etc.

SENSIBILITÉ. — C'est la faculté que possèdent certaines parties du système nerveux de recevoir, de transmettre, de percevoir des impressions recueillies, grâce à des récepteurs, à la surface du corps (sensibilité superficielle) ou à l'intérieur de l'organisme (sensibilité profonde). La sensibilité superficielle est tactile, thermique ou douloureuse; la sensibilité profonde correspond à la perception de la position et des déplacements des segments de membres (kinesthésie) ainsi qu'à la pression des tissus profonds (baresthésie). On peut explorer (en supprimant le contrôle des perceptions par la vue ou l'audition) la sensibilité d'un sujet lorsqu'on le touche, le pique (sensibilité superficielle) ou lorsqu'on lui demande la position imprimée à ses orteils ou à ses doigts (sensibilité profonde). On peut mettre en évidence ainsi des paresthésies, des hyperesthésies, des hypoesthésies, des anesthésies ou des troubles de la reconnaissance de la forme des objets (astéréognosie) portant sur un territoire limité ou étendu, unilatéral ou bilatéral.

SENSITOMÈTRE. — Il existe deux types de sensitomètres : ceux qui permettent l'exposition d'un film à une source lumineuse constante et font varier par eux-mêmes le temps d'exposition, et ceux qui font varier l'intensité de la source lumineuse en conservant un temps d'exposition constant.

Senso, film italien (1954) de Luchino Visconti. En 1866, à Venise, une comtesse s'éprend d'un lieutenant autrichien. Quand celui-ci l'abandonnera, elle le fera dénoncer comme déserteur. Le lieutenant sera fusillé. Ce drame passionnel somptueux, qui relève par son traitement filmique du *ciné-opéra,* fut traité par Visconti avec un souffle romantique exacerbé. Derrière le portrait lucide et cruel d'une aristocratie décadente à l'époque du Risorgimento, l'auteur s'applique à décrire le climat d'une époque.

SENSUALISME. — Théorie selon laquelle il n'est d'autre connaissance que celles qui viennent des sensations, cette forme extrême de l'empirisme* fut systématisée par Condillac*. Celui-ci soutenait qu'un homme privé de toute impression externe serait semblable à une statue.

Sentiment tragique de la vie *(le),* essai de Miguel de Unamuno (1914). Le besoin irrépressible d'immortalité étudié à travers l'analyse de l'essence du catholicisme, la critique du rationalisme moderne et l'expérience personnelle de l'angoisse.

SEO DE URGEL, v. d'Espagne (Catalogne), sur la Segre, au S. de l'Andorre; 7 000 hab. Belle cathédrale romane du XIIe s.

SÉOUL ou **SŎ-UL,** capit. de la Corée du Sud, sur le Han; 5 600 000 hab. En grande partie détruite pendant la guerre de Corée (1950-1953), la ville, reconstruite, connaît une croissance démographique et économique exceptionnelle, liée au développement des services et à l'industrialisation (constructions mécaniques, textiles, alimentation), stimulée par l'important marché de consommation. Elle est au cœur d'un district urbain de 8 millions d'habitants (englobant le port voisin d'Inchon), concentrant près du quart de la population sud-coréenne.

R. Michaud - Rapho

Séoul. Vue générale de la capitale sud-coréenne.

SÉPALE → FLEUR.

SÉPARATEUR (pouvoir). — Il peut être limité par les aberrations du système optique, par l'acuité visuelle de l'observateur et par la diffraction de la lumière. On améliore cette dernière limite en augmentant l'ouverture des objectifs.

SÉPARATION DE BIENS, SÉPARATION DE CORPS → MARIAGE.

séparation des Églises et de l'État (la), acte par lequel, le 9 décembre 1905, le gouvernement français mit fin unilatéralement au régime créé par le concordat de 1801.

Sept Ans *(guerre de),* conflit qui opposa de 1756 à 1763 l'Angleterre et la Prusse, à la France, à l'Autriche et à leurs alliés. À l'origine, on trouve l'affrontement franco-anglais à propos de la constitution d'un empire colonial en Inde* et en Amérique, ainsi que le désir de Marie-Thérèse* de reprendre la Silésie* à la Prusse : d'où l'alliance franco-autrichienne signée à Versailles le 1er mai 1756.

En Allemagne, les Autrichiens et les Français, auxquels se sont joints les princes allemands, la Russie et la Suède, remportent d'abord des succès, mais Frédéric II redresse la situation par une série de victoires (Rossbach et Leuthen, 1757; Zorndorf, 1758); cependant, les Russes l'emportent à Kunersdorf (1759) et occupent Berlin; Frédéric II ne sera sauvé du désastre que par l'avènement de l'empereur Pierre III de Russie (1762), qui signe une paix séparée avec la Prusse; la victoire du Burkersdorf (1762) lui permet de reconquérir la Silésie.

Sur mer et dans les colonies, la victoire anglaise est complète (prise de Québec, après la bataille des plaines d'Abraham, 1760; capitulation de Pondichéry, 1761).

Le traité d'Hubertsbourg (15 févr. 1763) maintient le *statu quo* en Allemagne, tandis que le traité de Paris (10 févr.) prive la France d'une grande partie de son empire — Canada* et Inde notamment — au profit des Anglais.

Septante, la plus ancienne des versions grecques de l'Ancien Testament. Faite entre 250 et 130 environ pour les Juifs installés dans le monde grec, elle sera utilisée par l'Église chrétienne ancienne. Aujourd'hui encore, les Églises grecques d'Orient lisent l'Ancien Testament dans une version dérivée de la Septante.

Sept Chefs *(guerre des),* conflit qui opposa dans la légende thébaine les deux fils d'Œdipe*, Étéocle* et Polynice, pour la possession du trône de Thèbes*. Sept chefs grecs y participèrent, qui laissèrent à leurs fils, les *Épigones**, le soin de les venger de leur défaite. À l'issue de cette guerre, où les deux frères ennemis s'entre-tuèrent, Créon* reprit le trône de Thèbes. Ce thème a inspiré Eschyle *(les Sept contre Thèbes),* Euripide *(les Phéniciennes),* Stace *(la Thébaïde)* et Racine *(la Thébaïde).*

Septembre 1792 *(massacres de),* série d'exécutions sommaires qui se déroulèrent, à Paris notamment, dans un certain nombre de prisons du 2 au 6 septembre 1792 et dont furent victimes plus d'un millier de détenus politiques (aristocrates, prêtres réfractaires) ou de droit commun. C'est la nouvelle de la prise de Verdun (2 sept.) par les Prussiens qui provoqua cette hécatombe, dont il est difficile de désigner les responsables.

Septembre (*révolution du* **4-**) [1870], mesures prises, au lendemain du désastre de Sedan* (2-3 sept. 1870), par un certain nombre de députés républicains (Léon Gambetta* et Jules Favre* en tête) : déchéance de la dynastie impériale, proclamation de la république à l'Hôtel de Ville de Paris et instauration d'un gouvernement de la Défense* nationale.

SEPTÈMES-LES-VALLONS (13240), comm. des Bouches-du-Rhône, à 10 km au N. de Marseille; 10 827 hab.

SEPTENNAT. — Le 20 novembre 1873 était votée par l'Assemblée nationale une loi dont l'article premier disposait que le pouvoir exécutif était confié pour sept ans au maréchal de Mac-Mahon avec le titre de président de la République. La règle des sept années de présidence est demeurée tout au long de l'histoire des IIIe, IVe et Ve Républiques, quoi qu'elle fasse l'objet, de nos jours, de propositions tendant à ramener la durée à cinq années, délai qui coïnciderait avec celui d'une législature. Le septennat représente un des mandats les plus longs prévus par les constitutions républicaines actuellement en vigueur.

SEPTICÉMIE. — Cette infection générale de l'organisme est liée à la présence et à la multiplication dans le sang de germes pathogènes provenant d'un foyer initial. Toutes les bactéries peuvent être à l'origine d'une septicémie, et l'on aura recours à des hémocultures pour les identifier. Les septicémies sont caractérisées généralement par une fièvre élevée, des frissons et une altération de l'état général. Le traitement est fondé sur l'antibiothérapie ajustée au germe causal après antibiogramme.

SEPTIÈME → THÉORIE MUSICALE.

Septième Sceau *(le)* [1956], film suédois d'Ingmar Bergman. Au XIVe s., un chevalier de retour de croisade parcourt son pays, ravagé par la peste. Accompagné de son écuyer, il rencontre en chemin un couple de baladins. Ayant engagé une partie d'échecs avec la Mort, il la perd et se trouve entraîné avec ses compagnons dans une ultime danse macabre. Une méditation agnostique sur le sens de la vie où le fantastique prend constamment le relais du réel quotidien.

SEPT-ÎLES, petit archipel breton de la Manche (Côtes-du-Nord), au large de Perros-Guirec, formé de sept îles, ou îlots (dont la principale est l'île aux Moines). Réserve ornithologique.

SEPT-ÎLES, port minéralier (exportation de fer) du Canada (Québec), sur l'estuaire du Saint-Laurent; 24 320 hab.

Cinédis - Unijapan (coll. J.-L. Passek)

Les Sept Samouraïs (1954).
Une scène du film de Kurosawa Akira.

SEPTIMANIE, région côtière située entre Rhône et Pyrénées, colonisée au Ier s. par les vétérans de la VIIe légion. Elle fut envahie par les Wisigoths (IVe s.), qui s'y maintinrent après la défaite de Vouillé (507). Les Francs ne soumirent que tardivement le pays (VIIIe s.), qui devint un duché, puis le marquisat de Gothie (ou de Septimanie) et enfin le duché de Narbonne (Xe s.), annexé aux États de la maison de Toulouse.

SEPTIME SÉVÈRE, en lat. **Lucius Septimius Severus Aurelius Antoninus** (Leptis Magna 146 - Eburacum [auj. York] 211), empereur romain (193-211). Proclamé à Carnuntum par l'armée d'Illyrie, il est reconnu par le sénat ; mais plusieurs années de guerre lui sont nécessaires pour éliminer deux rivaux : en Orient Pescennius Niger et en Occident Clodius Albinus, qu'il bat près de Lyon (197). Peu après, Septime Sévère entreprend une brillante campagne contre les Parthes et ne revient à Rome qu'en 202. Africain sans patriotisme romain, marié à Julia Domna (v. JULIE), fille du grand prêtre d'Émèse, il s'entoure de juristes (Papinien*) à l'esprit légiste. Il inaugure un régime autoritaire, militaire et égalitaire : il gouverne en monarque absolu avec l'appui de l'armée d'Illyrie, qui l'a porté au pouvoir; le sénat, frappé dans ses membres et dans ses biens (proscriptions, confiscations), perd de son pouvoir politique; l'ordre équestre, qui se recrute de plus en plus parmi les gradés de l'armée, domine l'État; la bureaucratie se multiplie et se militarise. Dans le domaine religieux, Sévère favorise les cultes orientaux; en 202, il porte un édit interdisant le prosélytisme aux chrétiens et aux juifs. Il meurt en 211 en Bretagne, où il menait avec ses fils Caracalla* et Geta des campagnes contre les Calédoniens.

SEPTMONCEL → FROMAGE.

SEPTMONCEL (39310), comm. du Jura, à 8 km au S.-E. de Saint-Claude; 655 hab. Fromages.

Sept Samouraïs *(les),* film japonais de Kurosawa Akira (1954). Sept samouraïs et leur chef se mettent au service des paysans d'un petit village pour lutter contre les exactions de cruels bandits qui terrorisent la région. Le plus célèbre des *films-sabres,* réalisé à la manière des meilleurs westerns. Un film d'action qui est aussi une fresque historique et sociale du monde rural du XVIe s.

SEPTUOR → SONATE.

SÉQUANAIS, SÉQUANES ou **SÉQUANIENS,** en lat. **Sequani,** peuple de la Gaule celtique, qui habitait le pays arrosé par le Doubs et dont la capitale était Vesontio (auj. Besançon). En conflit avec les Éduens*, les Séquanais firent appel à Arioviste*, qui fut vaincu par César en 58 av. J.-C.

SÉQUOIA. — Les forêts californiennes sont célèbres pour la haute taille (jusqu'à 140 m) et le grand âge (plus de 2 000 ans) de certains de leurs séquoias, qui sont des conifères typiques. On exploite *Sequoia sempervirens* pour son bois (cuvelage, menuiserie extérieure). Les séquoias sont, cependant, protégés par la loi (parc national des séquoias, fondé en 1890 [16 667 ha]).

SERAING, comm. de Belgique (prov. de Liège), sur la Meuse; 40 545 hab. (en 1970). Sidérurgie et métallurgie.

SÉRAPIS, dieu gréco-égyptien, dont le culte fut introduit par Ptolémée Ier Sôter (305-283 av. J.-C.) dans le dessein d'unir les religions grecque et égyptienne; ses attributs étaient empruntés à Osiris* et à Zeus*. Son culte fut très populaire jusqu'à l'époque romaine.

SERBIE, en serbe **Srbija,** république fédérée de Yougoslavie; 88 361 km²; 8 612 000 hab. *(Serbes).* Capit. *Belgrade.* Ces chiffres englobent les deux régions autonomes de la *Vojvodine,* au N. (21 506 km²; 1 964 000 hab., capit. *Novi Sad*) et du *Kosovo,* au S. (10 887 km²; 1 328 000 hab., capit. *Priština*).

GÉOGRAPHIE. La Serbie, qui occupe la partie orientale de la

Yougoslavie, est la république la plus étendue (plus du tiers de la superficie totale) et surtout la plus peuplée (40 p. 100 de la population yougoslave) du pays. C'est aussi la première au point de vue industriel, associant activités extractives (charbon, cuivre), sidérurgie et métallurgie. La densité moyenne de population est élevée pour une région qui est montagneuse dans le Sud, aérée cependant par les vallées des branches mères de la Morava; le Kosovo, dont s'explique aussi la relative autonomie, est peuplé d'Albanais. Au N. du sillon Save-Danube s'étend la partie méridionale de la plaine pannonienne, importante région agricole (céréales et plantes industrielles) comportant (en Vojvodine) une importante minorité de Hongrois.

HISTOIRE. Installés au VIe s. dans les régions yougoslaves, les Serbes, organisés en clans, occupent surtout la région de la Morava. Christianisés au IXe s. sous l'influence de Byzance, ils affirment leur entité ethnique et politique en Raška et en Dioclée (Monténégro), face à l'Empire bulgare, auquel est rattachée la majeure partie de leur territoire. Au début du Xe s., commence à s'imposer en Dioclée une dynastie de princes dont le plus illustre représentant, Mihailo (de 1050 à 1082), obtient du pape le titre de roi. À partir de la Raška, l'État serbe se développe surtout avec Étienne* Nemanja, fondateur de la dynastie des Nemanjić; après la mort de l'empereur byzantin Manuel Comnène (1180), il accroît ses territoires vers le sud (Zeta [Monténégro]). Le royaume serbe s'affermit sous Étienne Ier Nemanjić (de 1196 à 1227), qui organise une Église serbe autochtone, indépendante de Byzance. Les successeurs de ce dernier connaissent des sorts divers, liés aux guerres intestines : les règnes d'Étienne VI Uroš II Milutin (de 1282 à 1321) et d'Étienne VIII Uroš III Dečanski (de 1321 à 1331) sont réparateurs et permettent à la Serbie de s'affirmer comme une puissance balkanique. C'est sous Étienne IX Uroš IV Dušan (de 1331 à 1355) que cette puissance atteint son zénith, la lutte contre Byzance permettant à la Serbie d'étendre sa domination jusqu'au golfe de Corinthe. En 1346, Dušan est consacré empereur dans sa nouvelle capitale, Skopje : il dote son pays d'un code célèbre (1349).

Après sa mort, l'Empire serbe se disloque à la fois sous la pression intérieure des féodaux et sous la poussée extérieure des Turcs. La victoire turque de Kosovo (1389) prend l'allure d'une tragédie nationale. Cependant, un temps, Étienne Lazarević (de 1389 à 1427), qui établit sa capitale à Belgrade, et Georges Branković (de 1427 à 1456), bien que vassaux du Sultan, maintiennent, avec l'aide des Hongrois, l'autonomie effective des Serbes. Mais, en 1459, la Serbie, submergée, passe sous la domination des Turcs, qui y instaurent un régime féodal. Cependant, l'Église orthodoxe serbe reste l'élément essentiel du maintien des traditions et de la culture nationales. Les patriotes serbes, ou *hajduks,* mènent la lutte contre les Turcs. Au cours des guerres qui, au XVIIIe s., opposent les Turcs aux Autrichiens, de nombreux Serbes se réfugient au nord du Danube (Vojvodine), car les exactions turques s'aggravent. Au début du XIXe s., c'est autour de Karadjordje — fondateur de la dynastie serbe des Karadjordjević* — que s'organise la résistance nationale, qui compte sur l'appui de la Russie orthodoxe. La guerre intérieure contre les Turcs est pratiquement ininterrompue entre 1806 et 1813. Ce soulèvement endémique a pour résultat immédiat un début d'organisation étatique. Finalement, c'est la famille des Obrenović* — dans la personne de Miloš, devenu grand-prince, — qui obtient pour la Serbie une certaine autonomie, dont les conditions sont définies en 1826-1829 : tandis que disparaît le système féodal turc, les Obrenović obtiennent un droit héréditaire. Alors, se débarrassant de Karadjordje (1817) et écrasant les révoltes princières (1834), Miloš Obrenović mène une politique autoritaire, qui contribue d'ailleurs à sortir son pays de son état médiéval et de son isolement. En 1842, le fils de Karadjordje, Alexandre (de 1842 à 1858), écarte la dynastie adverse, représentée alors par Michel, second fils de Miloš. Il profite de la révolution européenne de 1848 pour poser devant l'Europe le problème de l'indépendance des Serbes. Le congrès de Paris (1856) place l'autonomie de la Serbie sous la garantie des grandes puissances.

Impopulaire, Alexandre abdique en 1858; les Obrenović reviennent alors au pouvoir, avec Miloš († 1860), puis Michel (de 1860 à 1868), qui obtient l'évacuation des forteresses encore occupées par les Turcs (1862); un mouvement panserbe se développe hors des frontières. Après l'assassinat de Michel, Milan Obrenović (de 1868 à 1889), grand-prince, essaie de juguler la montée du parti socialiste et du parti radical en instaurant un régime dictatorial. Le congrès de Berlin (1878) ayant confirmé l'indépendance de la Serbie, il se proclame roi (1882). Mais son alliance secrète avec l'Autriche et son mariage avec une divorcée l'acculent à l'abdication (1889). Son fils Alexandre (de 1889 à 1903) poursuit sa politique autoritaire et l'inféodation de son pays à l'Autriche, ce qui provoque le massacre de la famille royale (juin 1903).

Alors, les Karadjordje reviennent au pouvoir en la personne de Pierre Karadjordjević (de 1903 à 1921); celui-ci dote la Serbie d'une constitution libérale et se détache de l'Autriche. Si, en 1908, il doit accepter l'annexion de la Bosnie* par l'Autriche, il participe victorieusement aux deux guerres balkaniques (1912-13), qui valent à la Serbie une grande partie de la Macédoine* (traité de Bucarest, 1913). Ayant rejeté l'ultimatum autrichien à la suite de l'attentat de Sarajevo* (28 juin 1914), la Serbie est engagée dans la Première Guerre mondiale : après des péripéties dramatiques, le pays, occupé par les Allemands et les Bulgares (1916), est libéré et devient le centre du mouvement yougoslave. En effet, en 1918, Pierre Ier devient roi des Serbes, Croates et Slovènes. Son fils et successeur, Alexandre Ier (de 1921 à 1934), est proclamé roi de Yougoslavie en 1929. Cette prédominance des Serbes au sein du jeune royaume provoque des heurts dramatiques, notamment avec les Croates. Après 1945, une république de Serbie est créée et intégrée à l'État fédératif socialiste institué en Yougoslavie*.

SERBO-CROATE. — Langue slave du Sud, le serbo-croate est parlé en Yougoslavie par 14 millions de personnes. Il se présente

J. Dupaquier

Serbie. Le Danube vu de la citadelle Kalemegdan à Belgrade.

sous deux variantes, l'une croate, écrite en alphabet latin, et l'autre serbe, écrite en alphabet cyrillique. À part quelques particularités de prononciation et quelques différences de vocabulaire, ces variantes sont très proches l'une de l'autre.

SERCQ, en angl. **Sark,** une des îles Anglo-Normandes, près de Guernesey; 600 hab.

SEREIN (le), riv. de Bourgogne (départ. de la Côte-d'Or et de l'Yonne), qui passe à Chablis, affl. de l'Yonne (r. dr.); 186 km.

SÉRÉMANGE-ERZANGE (57290 Fameck), comm. de la Moselle, à 9 km au S.-O. de Thionville; 4 613 hab. Sidérurgie.

SEREMBAN, v. de Malaysia (Malaisie), au S. de Kuala Lumpur; 80 000 hab.

SERENA (La), v. du Chili central, au N. de Santiago; 62 000 hab.

SÉREUSE. — Ce type de membrane formée de deux feuillets — l'un viscéral (au contact de l'organe) et l'autre pariétal (au contact de la paroi) — appliqués l'un contre l'autre délimite une cavité virtuelle qui peut être remplie, par suite d'un état pathologique ou dans un dessein thérapeutique, de gaz ou de liquide. Les séreuses (péricarde, plèvre, péritoine, etc.) recouvrent des organes mobiles et facilitent leurs mouvements.

SERFAUS, station de sports d'hiver (alt. 1 427-2 377 m) d'Autriche (Tyrol), dans la vallée supérieure de l'Inn.

SERGE de Radonège *(saint),* moine russe (Rostov 1314-Radonège [auj. Zagorsk] 1392). Il fonde près de Radonège le monastère de la Trinité-Saint-Serge, qui devient le centre spirituel de la renaissance nationale et religieuse de la Russie. Il soutient l'œuvre de Dimitri Donskoï et sa lutte contre les Mongols.

SERGE Ier, II, III, IV → PAPE.

SERGE de Constantinople († 638), patriarche de Constantinople (610-638). Conseiller de l'empereur Héraclius Ier (v. HÉRACLIDES), qu'il soutint dans la guerre contre les Perses (627), il fut l'inspirateur du monothélisme*.

SERGÉ → ARMURE et TISSU.

Sergents de La Rochelle *(les Quatre),* quatre sous-officiers du 45e régiment de ligne en garnison à La Rochelle qui, affiliés aux carbonari, furent arrêtés et décapités à Paris en 1822.

SERGINES (89140 Pont sur Yonne), ch.-l. de cant. de l'Yonne, à 19 km au N. de Sens; 764 hab. Église gothique du XVIe s.

SERGIPE, État du nord-est du Brésil, sur l'Atlantique; 21 994 km^2; 902 000 hab. Capit. *Aracaju.*

SERIAL. — Ce mot désigne un film à épisodes relatant les aventures d'un même personnage, dont les exploits ou les infortunes sont *conjointement* publiés dans un journal sous forme de feuilleton à suspense et portés à l'écran. Parmi les plus célèbres serials, dont la grande époque se situe entre 1913 et 1920, citons *les Mystères de New York* (1915) de Louis Gasnier et Donald MacKenzie avec l'actrice Pearl White ainsi que les films de Louis Feuillade (*Fantomas,* 1913; *les Vampires,* 1914; *Judex,* 1916).

SÉRICICULTURE. — Malgré la concurrence des fibres artificielles, comme la rayonne, ou synthétiques, comme le Nylon, la demande de soie* reste importante en raison des qualités de brillant, de souplesse, d'élasticité et de solidité de ce textile. Si la sériciculture a régressé en France, elle connaît un certain développement au Japon, en Chine, en Inde et en U. R. S. S.

SÉRIE *(Math.)* → ANALYSE.

SÉRIE CHRONOLOGIQUE. — Une série chronologique est une série d'observations ordonnées dans le temps et relatives à une grandeur qui peut être soit une valeur à un instant ou à une date donnés, soit une quantité écoulée, ou flux, au cours d'une période donnée. En général, les intervalles entre observations successives ou les durées des périodes successives sont constants ou sensiblement égaux. On distingue dans l'étude des variations de la grandeur étudiée, une tendance générale, des mouvements périodiques réguliers (variations saisonnières) ou d'amplitude et de durée variables (cycles) ainsi que des variations résiduelles ou accidentelles (fluctuations irrégulières dues à des facteurs perturbateurs aléatoires).

SÉRIELLE (musique). — Dans une structure musicale sérielle, les éléments concernés (par exemple hauteurs de notes, rythmes ou timbres) ne sont en principe plus soumis à la moindre hiérarchie, mais égaux en droit, et régis quant à l'ordre dans lequel ils apparaissent. Schönberg, qui dans les années 1920-1923 découvrit le principe sériel, l'appliqua aux douze sons de l'échelle tempérée : d'où, en ce qui le concerne, la notion de dodécaphonisme sériel, qui résulta du besoin de remplacer l'ordre tonal par un ordre nouveau mettant fin à l'anarchie de l'atonalité «libre» et de retourner aux grandes formes.

SÉRIFONTAINE (60590), comm. de l'Oise, à 8 km au N. de Gisors; 2 340 hab. Métallurgie du cuivre.

Larousse

SÉRIGRAPHIE. Machine semi-automatique (60 × 80), avec séchage sur chariot à clayettes.

SÉRIGRAPHIE. — La sérigraphie est dérivée du pochoir. L'écran, ou *trame,* qui constitue le *patron* est une sorte de tamis tendu dans un cadre et dont les parties qui ne doivent pas laisser passer l'encre ont été bouchées. L'encre déposée dessus est écrasée par une *raclette,* passe à travers les mailles libres, se dépose et s'étale sur le support à imprimer. Les machines à imprimer peuvent être très rudimentaires — une simple table où l'on pose la feuille de papier et, par-dessus, l'écran —, ou très automatisées, avec arrivée et départ des feuilles, abaissement du cadre et mouvement de la raclette commandés mécaniquement. La gamme des encres ou des peintures pour sérigraphie, extrêmement étendue, permet d'imprimer sur n'importe quel support.

La simplicité de la technique met le procédé à la portée des amateurs. D'autre part, la vigueur de l'encrage convient parfaitement aux impressions publicitaires, et les possibilités d'interprétation ont éveillé l'intérêt des artistes.

SERIN. — Les serins, petits passereaux jaunes, granivores, voisins du pinson et du chardonneret, sont souvent élevés en cage pour leur joli chant. On distingue deux variétés : le *canari* et le *cini.* (Famille des fringillidés.)

SERLIO (Sebastiano), architecte et théoricien italien (Bologne 1475 - Fontainebleau 1554). Actif à Venise et à Rome, auteur d'un important traité publié à partir de 1537, il diffuse les principes d'une architecture pittoresque et variée, issue de Raphaël et de Peruzzi. Invité en France (1541), il travaille à Fontainebleau et donne les plans du château d'Ancy-le-Franc.

SERMAIZE-LES-BAINS (51250), comm. de la Marne, à 20 km au N. de Saint-Dizier; 2 575 hab. Industrie du sucre.

SERMANO (20250 Corte), ch.-l. du cant. de Bustanico (départ. de la Haute-Corse), à 18 km à l'E. de Corte; 146 hab.

SÉROLOGIE. — Cette discipline biologique, qui vise l'étude du sérum* sanguin, fait appel à des procédés physiques, chimiques, bactériologiques et immunologiques. Un type d'examen sérologique est l'identification des anticorps spécifiques du germe responsable d'une maladie (sérodiagnostic), qui permet d'en affirmer ou d'en confirmer le diagnostic. Ainsi, une suspension de germes connus (antigènes) mis au contact du sérum du malade (contenant les anticorps) entraîne la formation de complexes antigènes-anticorps matérialisés par une agglutination ou une précipitation prouvant ainsi la présence d'anticorps dans le sérum.

Inversement, une bactérie (antigène) isolée chez un malade pourra être identifiée si on la met au contact de sérums expérimentaux connus (anticorps).

SÉROTONINE. — Cette amine est présente dans la plupart des tissus de l'organisme, où elle intervient comme médiateur chimique. Elle est détruite par une enzyme, la monoamine-oxydase, dont les inhibiteurs sont utilisés en thérapeutique. Elle joue un rôle dans la genèse des troubles observés lors des tumeurs carcinoïdes de l'intestin grêle et probablement aussi dans la migraine.

SEROV, v. de l'U. R. S. S. (R. S. F. S. de Russie), au pied oriental de l'Oural; 101 000 hab. Métallurgie.

SERPA PINTO (Alexandro Alberto DA ROCHA), explorateur portugais (Tendais 1846 - Lisbonne 1900). Un long voyage (1877-1879) lui permet de recueillir d'importants renseignements sur le haut Zambèze et de confirmer les droits du Portugal en Afrique. À partir de 1885, Serpa Pinto travaille à faire du Mozambique* (dont il est gouverneur général en 1889) et de l'Angola* un seul territoire, de l'Atlantique à l'océan Indien. Mais il se heurte aux intérêts allemands et surtout britanniques.

SERPENT. — Les serpents, qui ne constituent qu'un sous-ordre des reptiles, présentent pourtant un type d'organisation tout à fait particulier : corps cylindroconique très allongé (jusqu'à 12 m chez l'anaconda), pas de pattes, des mâchoires désarticulées permettant une énorme extension de l'orifice buccal, des yeux sans paupières ni mobilité derrière une sorte de vitre, un appareil digestif extrêmement puissant.

Tous ces traits, auxquels il faut ajouter l'existence de nombreuses paires de côtes très ouvertes, assurent une double adaptation : d'une part à la progression en rampant (reptation*), d'autre part à la capture et à l'ingestion de grosses proies, avalées sans être mâchées. L'existence de crochets venimeux permet de classer les serpents en quatre catégories : *aglyphes* (sans crochets : boa, python), *opisthoglyphes* (crochets en arrière de la bouche, n'envenimant que les proies déjà dans la bouche : couleuvre), *protéroglyphes* (crochets à l'avant : cobra) et *solénoglyphes* (crochets à l'avant, pliants, creusés d'un canal pour l'écoulement du venin : vipère).

Ce classement ne correspond pas à la division en familles. De curieux organes — cavité sensible à la chaleur rayonnée par les proies, sonnette du crotale formée par des débris de mues, capuchon du cobra, dent vertébrale du dasypeltis, mangeur d'œufs, etc. — témoignent des adaptations diverses des serpents.

Animaux à sang «froid», les serpents peuvent suspendre largement leur respiration. Il en existe des espèces marines, mortellement venimeuses.

SERPENT, constellation* équatoriale particulièrement étendue en longueur, dans laquelle on distingue deux zones séparées par une partie de la constellation d'*Ophiucus :* la Tête du Serpent et la Queue du Serpent.

SERPENTAIRE. — Le serpentaire est le seul rapace qui ait de longues pattes comme les échassiers. On le nomme aussi *secrétaire* à cause d'une touffe de plumes dressée près de l'oreille. Répandu dans toute l'Afrique noire, ce rapace se nourrit presque exclusivement de serpents.

Serpent à plumes *(le),* roman de D. H. Lawrence. Une peinture réaliste du Mexique contemporain et une évocation allégorique des rapports de l'homme et de la femme à propos d'une tentative de restauration du culte des anciens dieux aztèques.

SERPENTINE. — C'est un silicate hydraté de magnésium de formule $H_4Mg_3Si_2O_9$, amorphe ou cristallisé, dont les nombreuses variétés résultent de l'altération du péridot ou d'autres minéraux.

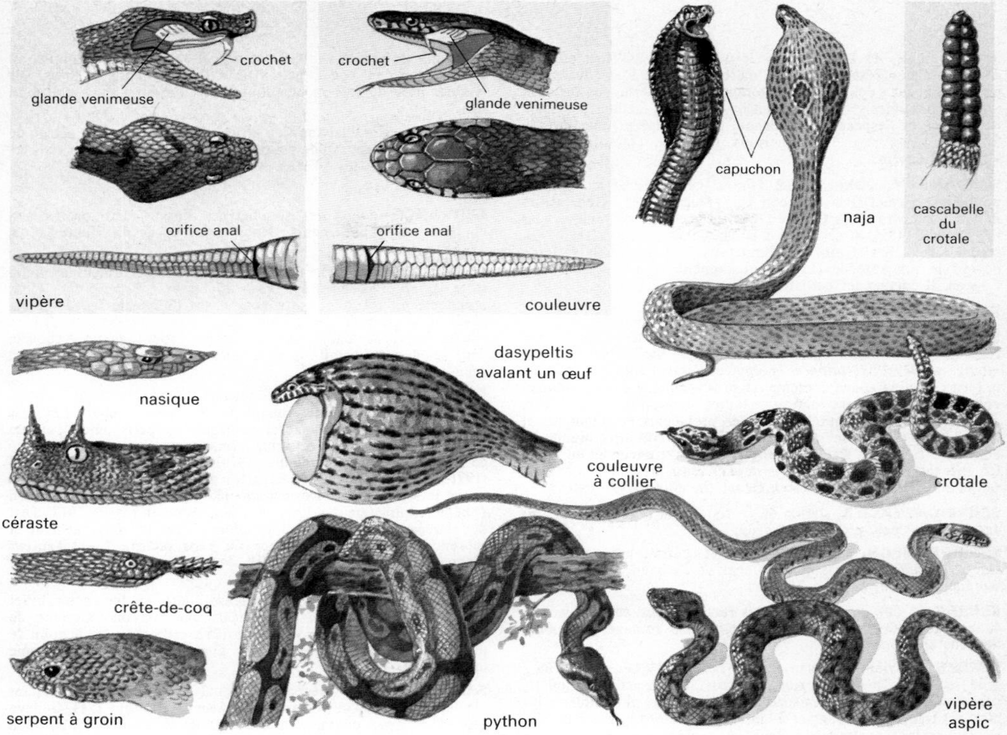

SERPENTS

SERPENT MONÉTAIRE EUROPÉEN. — Il comprend le deutsche Mark, le franc belge, le florin et la couronne danoise (et, comme monnaies associées, les couronnes norvégienne et suédoise). Ces monnaies sont liées entre elles par une parité de change presque fixe, une légère marge de fluctuation se donnant libre cours, comme à l'intérieur des parois d'un cylindre; d'où le terme imagé de « serpent ».

Née en avril 1972, l'institution fut présentée comme un pas important vers la réalisation de l'unité monétaire européenne : plusieurs pays se mettaient d'accord pour organiser rationnellement la fixation des parités entre leurs monnaies, dont le jeu ne pouvait, à l'intérieur du serpent, dépasser un certain pourcentage. Le serpent s'avéra cependant une construction précaire. Plusieurs monnaies faisant partie du serpent en « sortirent » : la livre sterling en juin 1972, la lire en février 1973 et le franc français en janvier 1974 (il le réintégra en mai 1975 pour en décrocher de nouveau le 15 mars 1976).

SERPOLLET (Léon), industriel français (Culoz 1858-Paris 1907). Après avoir construit la première chaudière à vaporisation instantanée (1881) et un tricycle à vapeur que l'on peut considérer comme l'ancêtre de la voiture automobile (1887), il mit au point un nouveau moteur à vapeur (1891) utilisant l'huile de paraffine comme carburant, moteur qui rivalisa pendant plusieurs années avec le moteur à essence.

SERPOUKHOV, v. de l'U. R. S. S. (R. S. F. S. de Russie) au S. de Moscou; 124000 hab. Radiotélescope.

SERRA-DI-SCOPAMÈNE (20127), ch.-l. du cant. de *Tallano-Scopamène* (départ. de la Corse-du-Sud), à 15 km à l'O. de Zonza; 750 hab.

SERRAI, v. du nord de la Grèce, en Macédoine; 41000 hab.

SERRANIDÉS. — On reconnaît ces poissons, presque tous marins, à l'armature de dents et de pointes qui bordent l'opercule et

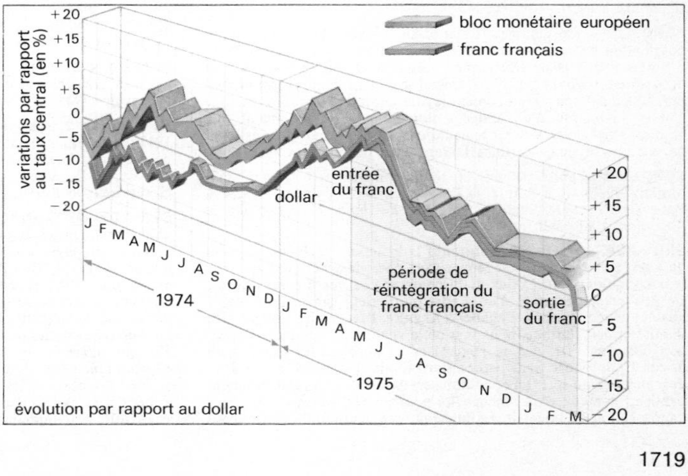

Serpent monétaire européen. Comportement du franc par rapport au serpent monétaire européen (janv. 1974 - mars 1976).

le préopercule, les mâchoires et le palais. Le bar, beau poisson comestible des côtes et des estuaires (1 m de long), le serran proprement dit « des herbiers littoraux », les superbes barbiers, le tassergal des côtes sénégalaises, les deux espèces méditerranéennes de mérous et l'espèce californienne, encore plus grande (jusqu'à 2 m de long), sont les principaux types de cette famille de vigoureux nageurs.

SERRANO Y DOMÍNGUEZ (Francisco), officier et homme politique espagnol (Isla de León 1810 - Madrid 1885). Général, un moment ministre de la Guerre (1843), il participe au soulèvement d'O'Donnell (1854) et contribue à la chute d'Isabelle II* (1868). Élu régent (1869), il s'efforce de démocratiser le pays, puis s'efface devant le roi Amédée (1871), qui l'appelle à la présidence du Conseil. Il combat les carlistes.

SERRE → HORTICULTURE.

SERREAU (Jean-Marie), acteur et metteur en scène de théâtre français (Poitiers 1915 - Paris 1973). Saisissant dans Brecht (dont il monta en 1949 *l'Exception et la règle*) et Beckett les deux pôles de la réflexion dramatique contemporaine (dynamique de la lucidité et conscience de l'autodestruction de toutes choses), il fit de la scène un instrument de compréhension des problèmes économiques et humains de notre temps, et particulièrement du tiers monde. Il contribua à révéler Kateb Yacine *(le Cadavre encerclé)* ou Aimé Césaire *(la Tragédie du roi Christophe)* aussi bien qu'Adamov *(la Grande et la Petite Manœuvre)*, Genet *(les Bonnes)* ou Ionesco.

SERRE-CHEVALIER, station de sports d'hiver (alt. 1 350-2 575 m) des Hautes-Alpes, près de Briançon.

SERRE-PONÇON, important barrage et centrale hydroélectrique sur la Durance, en aval du confluent de l'Ubaye. Grand lac de retenue, couvrant environ 3 000 ha.

SERRES (05700), ch.-l. de cant. des Hautes-Alpes, sur le Buech, à 42 km au S.-O. de Gap; 1 355 hab. Église romane, remaniée. Maisons anciennes.

SERRES (Olivier DE), agronome français (Villeneuve-de-Berg 1539 - *id.* 1619). De son domaine du Pradel, il fit une ferme modèle, substituant l'agriculture raisonnée à la routine; il remplaça les jachères traditionnelles, grâce à l'introduction des fourrages-racines et des prairies temporaires dans les systèmes de rotation des cultures. Il importa la garance, le houblon, le maïs et surtout le mûrier, contribuant ainsi à l'établissement de la sériciculture* en France. Son *Théâtre d'agriculture et mesnage des champs* est le premier grand traité d'agriculture écrit en France.

SERRET (Alfred), mathématicien français (Paris 1819 - *id.* 1885). Son nom est resté attaché aux formules vectorielles reliant l'arc, la courbure et la torsion des courbes gauches. Serret fut le premier à introduire et à développer la théorie des groupes de Galois*.

SERRIÈRES (07340), ch.-l. de cant. de l'Ardèche, à 15 km au N.-E. d'Annonay; 1 426 hab. Vestiges gallo-romains. Vieilles maisons. À 6 km, église romane à coupoles de Champagne.

SERTORIUS (Quintus), général romain (Nursia v. 123 - en Espagne 72 av. J.-C.). Lieutenant de Marius, il se distingua dans la guerre contre les Cimbres. Rallié au parti démocratique, il passa en Espagne (83) quand Sulla* revint en Italie. Rappelé en 80 par les Lusitains, qu'il aida à combattre les généraux de Sulla, il créa en Espagne un véritable royaume romain. Combattu par Q. Caecilius Metellus et par Pompée*, il fit alliance avec Mithridate (75), mais fut assassiné par son lieutenant M. Ventus Perpenna, que Pompée fit mettre à mort.

SÉRUM. — Ce liquide jaunâtre se sépare du caillot après coagulation du sang. Il a la même composition que le plasma, mais il ne contient pas de fibrinogène. Les sérums thérapeutiques sont des sérums provenant d'un animal ou d'un homme immunisé préalablement soit naturellement (ayant contracté déjà la maladie), soit par injection d'un antigène microbien. Ils contiennent des anticorps spécifiques de la maladie en cause. Ils sont utilisés dans un but curatif, mais certains le sont dans un but préventif.

SÉRUSIER (Paul), peintre et théoricien français (Paris 1863-Morlaix 1927). Il a assuré la liaison entre Gauguin, rencontré à Pont-Aven*, et les nabis* (*Paysage du bois d'Amour,* dit *le Talisman,* 1888, coll. priv.).

SERVAGE. — Dérivé du substantif latin *servus* (esclave), le terme de « serf » est employé au Moyen Âge pour désigner ceux qui, par leur condition, sont exclus de la communauté des hommes libres. Le serf est la propriété d'un maître qui détient sur lui un pouvoir absolu; ce maître peut le châtier à sa guise, l'astreindre à un service illimité et non rétribué, le donner ou le vendre. Son pouvoir s'étend aux biens du serf, qui ne peut ni en disposer ni les transmettre à cause de mort sans son autorisation; il s'étend aussi à la descendance du serf. La condition servile se transmet généralement par les femmes : d'où l'incapacité pour un serf de se marier sans l'autorisation du seigneur. Enfin, seule une décision du maître peut affranchir un serf. En fait, au cours des XIe-XIIe s., la condition du serf se confond peu à peu avec celle des hommes libres, sur lesquels pèse de plus en plus lourdement l'arbitraire du maître du ban.

SERVAL. — Ce chat sauvage africain des buissons, au pelage de léopard, est le plus rapide coureur et le meilleur sauteur de tous les félins. Il capture les oiseaux en vol à 2 m du sol.

SERVAN → CÉPAGE.

SERVANCE *(ballon de),* sommet des Vosges méridionales, aux confins des départements des Vosges et de la Haute-Saône; 1 216 m.

SERVANDONI (Giovanni Niccolo), peintre, décorateur et architecte italien (Florence 1695 - Paris 1766). Fixé à Paris vers 1728, architecte du roi, il donnera notamment l'originale façade (1732-1745) et la chapelle de la Vierge de l'église Saint-Sulpice. Il sera appelé dans différentes villes d'Europe. Proche du style rocaille dans ses décorations, il est, en architecture, l'un des premiers à en prendre le contre-pied.

SERVAN-SCHREIBER (Jean-Jacques), homme politique français (Paris 1924). Journaliste, fondateur de l'hebdomadaire *l'Express* (1953), il est élu en 1969 secrétaire général du parti radical*, auquel il donne un programme réformiste (manifeste *Ciel et terre*). Député de Meurthe-et-Moselle (depuis 1970), président du parti radical (1971-1975), il s'allie aux centristes de J. Lecanuet*, avec qui il fonde le Mouvement réformateur (déc. 1971). En 1974 il dirige un éphémère ministère des Réformes (mai-juin); en février 1977, il est de nouveau associé à l'action réformatrice du gouvernement et reprend, en mai, la présidence du parti radical. Il est l'auteur d'essais politiques, dont *le Défi américain* (1967) et *le Pouvoir régional* (1971).

Servante maîtresse *(la),* intermezzo bouffe en deux actes, livret italien de Nelli, traduit en français par Baurans, musique de Pergolèse (1733). Reprise à Paris en 1752, cette pièce fut le point de départ d'une querelle esthétique pour ou contre l'italianisme (querelle des Bouffons*).

SERVET (Michel), médecin espagnol et théologien protestant (Tudela, Navarre, ou Villanova de Sigena, Huesca, 1511 - Genève 1553). Ses deux ouvrages les *Erreurs de la Trinité* (1531), où il conteste le dogme traditionnel, et la *Restitution chrétienne* (1553), où il nie la divinité de Jésus-Christ et la justification par la foi seule, sont jugés inacceptables à la fois par les catholiques et les réformés. Après avoir échappé de justesse à l'Inquisition, Servet se rend à Genève, où il est arrêté et brûlé après un procès où Calvin* tient un rôle déterminant. Cet acte d'intolérance, contraire à l'esprit de la Réforme, sera regretté par les héritiers spirituels de Calvin.

SERVIAN (34290), ch.-l. de cant. de l'Hérault, à 14 km au N.-E. de Béziers; 2 832 hab. Église du XIIIe s. Vins.

Service d'exploitation industrielle des tabacs et allumettes (S. E. I. T. A. devenu 7A), établissement public de l'État à caractère industriel et commercial. En 1926, les Manufactures de l'État, Direction générale au sein du ministère des Finances, chargées de la fabrication et de la culture des tabacs* ainsi que de la fabrication des allumettes*, monopole de l'État, changèrent de régime pour les tabacs, en y adjoignant le Service des ventes, en partie retiré à la Direction générale des contributions indirectes. Le Service des tabacs, relevant désormais de la Caisse autonome d'amortissement, prit la dénomination de « Service d'exploitation industrielle des tabacs (S. E. I. T.) ». L'appellation actuelle date de 1935, par suite de l'extension aux allumettes de la dévolution à la Caisse autonome d'amortissement. En 1959, à l'occasion de la disparition de celle-ci, le S. E. I. T. A. reçut son statut actuel.

Service distingué *(ordre, croix du),* décorations militaires anglaise (*Distinguished Service Order,* ou *DSO,* créé en 1886) et américaine (*Distinguished Service Cross,* créé en 1918).

Service du travail obligatoire (S. T. O.), service institué en 1943 par le gouvernement de Vichy sous la pression de l'Allemagne pour fournir la main-d'œuvre exigée par l'économie de guerre du IIIe Reich. De nombreux réfractaires du S. T. O. prirent le maquis et servirent la Résistance.

SERVICE NATIONAL. — Le service national, ensemble des obligations légales imposées aux citoyens pour contribuer à la défense du pays, est, dans sa forme moderne, le résultat d'une longue évolution. En effet, l'obligation de servir le pays a toujours existé, mais elle a revêtu divers aspects, liés, à chaque époque, aux facteurs politiques, économiques et sociaux ainsi qu'à l'évolution de la tactique et de la pensée militaires. Après l'organisation féodale (chevalerie) du Moyen Âge, suivie de la mise sur pied d'une ébauche d'armée permanente avec la création de *gendarmes d'ordonnance* (1445) et de *francs archers* (1448), les modes de service les plus divers ont été simultanément employés dans les armées royales jusqu'au XVIIIe s. : *volontariat ; racollage,* organisé au profit des capitaines, puis du roi; *conscription,* suivant le principe de l'obligation du service militaire, toujours affirmé par le roi et appliqué notamment aux milices provinciales, créées par Louvois en 1688; emploi de *mercenaires* étrangers (suisses et allemands surtout). La Révolution, qui supprime ces derniers, réaffirme l'obligation du service militaire, mais uniquement par tirage au sort en complément du volontariat. Cette conscription devient si impopulaire (près de 3 millions d'hommes appelés entre 1792 et 1815) que Louis XVIII la supprime. Comme les ressources du volontariat sont insuffisantes, il faut, en 1818, revenir au tirage au sort, toujours atténué par le « remplacement » (1802) ou par l'« exonération » (1855-1868), qui permettent avec de l'argent d'échapper au sort des « mauvais numéros ». La défaite de 1870 entraîne l'instauration d'un service étalé sur vingt ans, personnel et obligatoire, mais avec des dispenses et des inégalités, le tirage au sort départageant ceux qui font cinq ans de service actif de ceux qui n'en font qu'un an. De 1905 à la fin de la guerre d'Algérie (1962), le service devient égalitaire avec la suppression du tirage au sort et des dispenses. La France adopte le principe de la nation armée, et la conscription n'est plus abandonnée; seuls l'âge et la durée de l'obligation de présence « sous les drapeaux » varient en fonction des besoins. Les expériences des deux guerres mondiales, notamment dans les domaines de l'économie (affectations spéciales) et de la protection des populations (défense passive, puis *protection* civile*), auxquelles sont venues s'ajouter les conséquences prévisibles de l'utilisation d'armements nucléaires, ont entraîné en 1959 une orientation nouvelle du service. La défense intéressant aussi bien civils que militaires, la notion du service militaire a été élargie à celle d'un *service national,* qui n'a pu recevoir une application efficace que depuis la fin de la guerre d'Algérie en 1962.

Le service national englobe le *service militaire,* destiné à répondre aux besoins des armées, et le *service de défense,* destiné à satisfaire les besoins de la défense et, notamment, de la *protection civile* (dont le personnel est non militaire). À ces services sont venus s'ajouter en 1965 le *service de l'aide technique* et le *service de la coopération**. En 1970, la loi Debré consacra ces quatre formes du service national, qui furent ensuite l'objet d'un document unique : *le Code du service national.*

---

le service national

LA CONSCRIPTION (5 sept. 1798)

- Obligation d'un service militaire de cinq ans (de 21 à 25 ans) en complément du volontariat. Tirage au sort. *Remplacement* autorisé en 1802.

L'ARMÉE DE MÉTIER (1818-1870)

- Appel d'une faible fraction du contingent tirée au sort pour un service de six ans (1818) ou de sept ans (1832). *Remplacement* permis jusqu'en 1855, puis *exonération.*
- *Loi Niel* (1868). Service obligatoire de cinq ans ou de cinq mois selon tirage au sort. *Garde nationale mobile.*

VERS L'ARMÉE NATIONALE (1872-1905)

- 1872 : service obligatoire de cinq ans ou d'un an (tirage au sort). Plus de remplacement. Dispenses.
- 1889 : service de trois ans ou d'un an *(libérés conditionnels)* [tout le contingent est incorporé].

LA NATION ARMÉE (1905-1962)

- Service *personnel, obligatoire* et *universel* de deux ans (1905), de trois ans (1913), de dix-huit mois (1923), de un an (1928), de deux ans (1936), de un an (1946), de dix-huit mois (1950) [plus six à neuf mois de maintien sous les drapeaux pendant la guerre d'Algérie (1956-1962)]. Création des *sursis* (1905), de la *disponibilité* et des *affectations spéciales* (1928), de la *sélection* (1950).

LE SERVICE NATIONAL (depuis 1959-1965)

- Il comprend depuis 1959 un *service militaire* (seize mois en 1965, douze mois depuis 1970, plus périodes de réserve) et un *service de défense* auxquels s'ajoutent depuis 1965 un *service de l'aide technique* et un *service de la coopération* (seize mois).
- 1970 (loi Debré) : choix de l'âge d'appel entre dix-huit et vingt-deux ans. Remplacement du sursis par le *report d'incorporation.*
- Publication d'un Code du service national (lois du 10 juin 1971 et du 10 juillet 1973; décret du 31 août 1972).

SERVICE PUBLIC. — La notion de service public ne prêtait guère à équivoque quand, au XIXᵉ s. et au début du XXᵉ s., les activités assurées par l'État et les collectivités publiques correspondaient à des missions traditionnelles de puissance publique (justice, armée et police, etc.) ou même à d'autres fonctions, plus récentes, comme les travaux publics, l'enseignement, etc.; le service public, activité d'intérêt général, relevait du droit public. Le concept, depuis le dernier demi-siècle, est devenu plus complexe à saisir, mais le critère d'intérêt général demeure à la base du service public contemporain.

En principe, le service public se caractérise par : la *continuité* (si l'intérêt général apparaît permanent, sa satisfaction ne peut que l'être également); l'*adaptabilité,* c'est-à-dire l'obligation, pour la personne qui assume le service public, d'accepter les instructions relatives à la manière d'assumer le service public; enfin l'*égal accès de tous* au service public. Les formes juridiques au terme desquelles peuvent être assumés les services publics sont variées.

La régie. Les activités qui relèvent de la compétence la plus classique de l'État sont assurées en régie par des organismes administratifs dont les agents ont la qualité d'agents publics. Ainsi sont assumés les services publics de l'armée, de la justice, le recouvrement des recettes fiscales, etc.

L'établissement public. Il assure la gestion du service public d'une manière plus décentralisée, bénéficiant, par rapport à l'État, d'une certaine autonomie juridique. Les services publics sont dits « administratifs » (les hôpitaux et hospices, les bureaux d'aide sociale, l'enseignement) ou « industriels et commerciaux » selon la nature du service public qu'ils remplissent.

La concession de service public. Elle assume la gestion du service public non plus directement, mais par le biais d'un accord obligeant une personne — physique ou morale — à assurer une activité d'intérêt général. Ainsi fonctionnent de très nombreux transports urbains, des services de distribution d'eau, etc. À l'obligation d'assumer le service public dans les conditions définies par un cahier des charges correspondent, réciproquement, des redevances assurées au concessionnaire.

Des régimes hybrides. Il existe enfin des régimes particuliers : la Sécurité* sociale n'est ni une régie ni un établissement public, mais est gérée, pour le compte de l'État, par des caisses soumises à un régime mutualiste et à un contrôle administratif.

SERVICES. — On désigne sous ce terme l'ensemble des prestations destinées à la satisfaction de besoins, mais qui ne se présentent pas sous l'aspect de biens matériels (caractéristique des produits de l'agriculture et de l'industrie). Les services sont fournis par la population active employée dans le secteur tertiaire, très diversifié, où émergent cependant l'Administration, la banque et les assurances, les transports et le commerce, l'éducation et la santé, l'information au sens large (englobant le courrier et le téléphone). Les activités de services sont localisées dans les villes, où, dans les pays développés, elles occupent une part prépondérante de la population active. La hiérarchie des centres urbains résulte désormais plus du développement et de la diversité des services que du poids des industries, d'ailleurs généralement rejetées à la périphérie des secteurs urbanisés.

Services militaires volontaires *(médaille des),* décoration française, créée en 1975 pour récompenser les services rendus par les militaires des réserves.

Servitude et grandeur militaires, ouvrage d'Alfred de Vigny (1835), en trois récits *(Laurette et le cachet rouge; la Veillée de Vincennes; la Vie et la mort du capitaine Renaud ou la Canne de jonc),* où l'auteur oppose aux devoirs de la discipline militaire la grandeur morale du soldat, faite d'abnégation et d'honneur.

SERVIUS TULLIUS, sixième roi de Rome (578-535 av. J.-C.). La tradition lui attribue la division de la société romaine en centuries et en classes, selon la fortune *(constitution servienne),* l'incorporation du Quirinal et du Viminal à la cité ainsi que la construction d'une vaste enceinte (mur Servien).

SERVOMÉCANISME. — Un servomécanisme est un système asservi, ou asservissement*, dans lequel la grandeur asservie est de nature mécanique, le plus souvent une position ou une vitesse, plus rarement une accélération ou un effort, le mouvement pouvant être rectilinéaire ou angulaire. La *grandeur de commande,* généralement variable dans le temps, est le plus souvent une position, une vitesse ou une tension électrique. La *grandeur asservie* doit suivre aussi fidèlement que possible les évolutions de la grandeur de commande, en dépit des perturbations extérieures. L'action exercée sur le système commandé résulte de l'amplification de l'*écart* entre la valeur désirée de la grandeur asservie (commande) et sa valeur effective (mesure); la *loi d'asservissement* peut faire intervenir des termes d'action proportionnelle par dérivation et par intégration afin de satisfaire aux exigences contradictoires de la stabilité et de la précision. L'organe d'action, ou *actionneur,* est un moteur linéaire ou rotatif, électrique ou hydraulique. L'*amplificateur d'écart* peut être électrique, électronique, magnétique, pneumatique, hydraulique ou encore mixte. Il en est de même des dispositifs de mesure de la grandeur asservie et d'élaboration de l'écart (comparateur). Si l'organe de commande et l'organe asservi sont séparés par une distance plus ou moins grande, on parle de commande à distance, ou *télécommande**. On peut ainsi asservir le braquage des roues d'un véhicule à la position du volant, celui d'une gouverne d'avion à une tension électrique issue d'un pilote

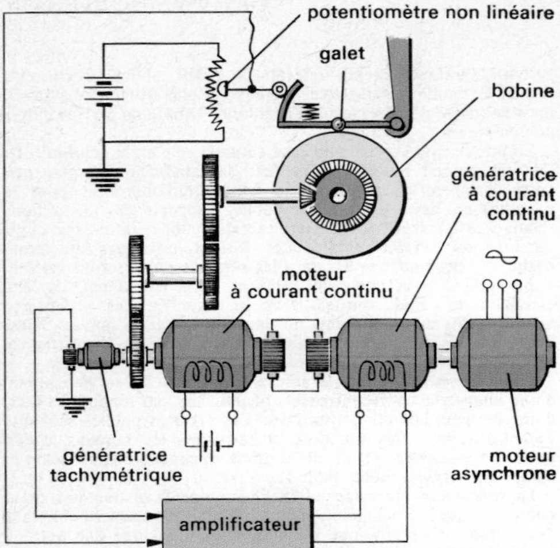

Servocommande de la vitesse d'une bobineuse. La vitesse linéaire de bobinage doit demeurer constante quel que soit le diamètre de la bobine. Le potentiomètre, entraîné par le galet en contact avec la bobine, comporte un bobinage non linéaire tel que la tension V_e soit inversement proportionnelle au rayon de bobinage. D'autre part, la génératrice tachymétrique, solidaire du moteur, fournit une tension continue V_s proportionnelle à la vitesse de la bobine. La tension d'écart $v = V_e - V_s$ est amplifiée pour fournir le courant inducteur d'une génératrice à courant continu, entraînée à vitesse quasi constante par un moteur asynchrone triphasé et fournissant le courant inducteur du moteur à courant continu à champ inducteur constant entraînant la bobine. Ainsi, la vitesse de la bobine demeure proportionnelle à la tension V_e, c'est-à-dire inversement proportionnelle au rayon de la bobine, de sorte que la vitesse linéaire de bobinage demeure constante.

automatique, la vitesse d'une bobineuse au diamètre ou à la tension de la matière bobinée, la position angulaire d'un radar* de poursuite à celle de l'avion poursuivi, etc. Dans les machines-outils* à commande numérique, les positions successives prescrites aux outils de coupe sont inscrites sur un ruban perforé ou magnétique.

SERVRANCKX (Victor), peintre belge (Diegem-lez-Bruxelles 1897 - Elewijt 1965). Il a été le pionnier de l'abstraction en Belgique, avec des phases mécanistes (*Opus 47,* 1923, Musées royaux de Bruxelles), géométriques ou surréalisantes.

SESKLO, site archéologique de Grèce (Thessalie), devenu gisement éponyme du néolithique moyen des Balkans et dont les niveaux successifs présentent l'évolution continue de l'outillage, de la céramique et de l'habitat. Cette culture se développe durant la seconde moitié du VIe millénaire et est alors caractérisée par une belle céramique ornée de motifs rouge sombre.

SÉSOSTRIS, nom porté par trois pharaons de la XIIe dynastie (v. MOYEN EMPIRE). C'est la transcription grecque du nom égyptien *Sénousret.* SÉSOSTRIS III (v. 1878 - v. 1843) consolida la conquête de la Nubie et, à l'intérieur, soumit à son autorité les grands féodaux. Les auteurs grecs, qui le confondent en partie avec Ramsès II*, ont fait de lui un héros de légende.

SESSHŪ, moine peintre japonais (région de Bitchū, prov. d'Okayama, 1420 - Yamaguchi 1506), célèbre pour avoir conféré à la peinture monochrome d'origine chinoise un accent personnel teinté du lyrisme proprement nippon. Son séjour en Chine (1467-1469) lui révèle les bases spirituelles du paysage chinois, auquel il associe un certain réalisme, comme dans le *Paysage d'Amano-hashidate* — site fameux de la mer du Japon —, qui représente l'aboutissement de son art.

SESTO SAN GIOVANNI, v. d'Italie (Lombardie), dans la banlieue de Milan; 95 000 hab. Aciérie.

SESTRIÈRES, en ital. **Sestriere,** importante station d'altitude et surtout de sports d'hiver (alt. 2 035-2 850 m) d'Italie (Piémont), à l'E. du col du Montgenèvre.

SÈTE (34200), ch.-l. de cant. de l'Hérault, au pied du mont Saint-Clair, entre l'étang de Thau et la Méditerranée; 40 179 hab. *(Sétois).* Forts du XVIIIe s. Musée municipal Paul-Valéry. Port (important surtout du pétrole brut destiné à la raffinerie de Frontignan et exportant vins et produits pétroliers raffinés). Industries chimiques. Cimenterie. Pêche.

SÉTI Ier → NOUVEL EMPIRE.

SÉTIF, v. de l'est de l'Algérie, à 1 100 m d'altitude, ch.-l. du *départ. de Sétif* (1 382 000 hab.); 88 000 hab.

SETTAT, v. du Maroc, ch.-l. de prov., au S. de Casablanca; 42 000 hab.

SETÚBAL, port et ch.-l. de district du Portugal, au S.-E. de Lisbonne; 50 000 hab. Monastère de Jésus (église aux colonnes torsadées manuélines [1491], cloître gothique, musée) et autres monuments. Pêche et conserveries.

SEUDRE (la), fl. côtier de la Charente-Maritime, qui rejoint l'Atlantique en face de l'île d'Oléron; 69 km. Marais salants et ostréiculture (Marennes) bordent son estuaire.

SEUIL *(Biol.).* — La notion de seuil s'applique à toute action du milieu sur un être vivant. Le seuil d'une action faible est atteint lorsqu'il y a réaction : un courant électrique trop faible, une goutte d'acide trop diluée pour provoquer un mouvement dans la patte d'une grenouille sont dits « au-dessous du seuil » (infraliminaires). Une substance toxique dans le sol n'altérera la croissance des plantes qu'au-dessus d'un certain seuil.

1. *Les appareils sensoriels* (œil, système olfactif, appareil auditif...) atteignent parfois une telle finesse de perception que c'est la structure corpusculaire de la matière (molécules) et de l'énergie (quanta) qui leur impose leur seuil.

2. *Le seuil change avec l'état interne :* un chien affamé réagira à une faible odeur de viande, qui laissera indifférent le chien repu.

Shogakukan

Sesshū. *Paysage d'Amano-hashidate* (« le Pont du Ciel »). Encre et couleur sur papier. 1506. (Tōkyō, Commission pour la protection des biens culturels.)

3. *L'absence de réaction immédiate* ne prouve pas que rien n'ait été enregistré : l'anaphylaxie* témoigne d'une sensibilité aux toxines acquise lors d'une agression qui était passée inaperçue en raison de sa faible intensité; il en va de même en sens inverse pour l'effet vaccinant des infections inapparentes (poliomyélite).

SEUIL *(Écon.).* — En science économique, on appelle « seuil » le point à partir duquel un phénomène change non pas d'intensité, mais de *nature :* dans des séries, il s'agira de points de discontinuité. Le seuil se révèle, par exemple, avec une modification de la « loi » reliant deux phénomènes économiques ou bien encore avec une brutale intensification des termes de cette loi (l'inflation, par exemple, se nourrissant d'elle-même, devient, à partir d'un certain niveau, une « inflation galopante », etc.).

SEUIL-D'ARGONNE (55250), ch.-l. de cant. de la Meuse, à 21 km au S.-E. de Sainte-Menehould; 661 hab.

SEURAT (Georges), peintre français (Paris 1859 - *id.* 1891). Plus que les cours de l'École nationale des beaux-arts, la lecture de l'ouvrage de Chevreul sur les couleurs et d'ouvrages d'optique, l'étude de Delacroix et la fréquentation de l'atelier de Puvis de Chavannes déterminent ses recherches, qui débouchent sur le néo-impressionnisme*. Il soumet la composition (qu'elle soit hiératique ou animée d'obliques et de courbes) et la technique picturales à une organisation systématique; les couleurs sont employées sans mélange ni trituration, mais par juxtaposition des touches, qui se synthétisent optiquement dans la rétine du spectateur. Ses toiles les plus élaborées sont *la Baignade* (1884, Tate Gallery, Londres), *Un dimanche* d'été à la Grande Jatte, les Poseuses* (Merion, Pennsylvanie), *la Parade* (Metropolitan Museum, New York), *le Chahut* (1890, musée Kröller-Müller, Otterlo), *le Cirque* (Louvre). Ses dessins au crayon noir (travaux préparatoires ou œuvres autonomes) atteignent, dans leurs effets saisissants d'ombre et de lumière, une rigueur dépouillée dont on a pu trouver l'équivalent dans la poésie de Mallarmé. Les problèmes et les solutions apportés par l'œuvre de Seurat ont eu une importance certaine pour le cubisme et le futurisme.

SEURRE (21250), ch.-l. de cant. de la Côte-d'Or, à 25 km à l'E. de Beaune; 2 922 hab. Église du XIVᵉ s. et autres témoins du passé.

SEU-TCHOUAN → SSEU-TCH'OUAN.

SEVAN *(lac),* lac de l'U. R. S. S., en Arménie, à plus de 1 800 m d'altitude, 1 400 km².

SÈVE. — Les sèves sont les liquides circulants propres aux plantes à racines et à vaisseaux (plantes vasculaires*). La *sève brute* est une solution diluée de sels minéraux, absorbée par les poils des racines et triée au niveau de l'endoderme. Circulant dans les vaisseaux du bois, elle atteint les feuilles, où elle perd une grande partie de son eau et se charge d'aliments organiques (sucres, graisses, acides aminés) pour devenir la *sève élaborée,* qui circule dans les tubes libériens pour nourrir toutes les parties de la plante. Aucun parallèle n'est possible avec la circulation du sang dans le règne animal, en dehors de l'acte final de nutrition des cellules.

SÉVERAC (Joseph Marie Déodat DE), compositeur français (Saint-Félix-de-Camaran 1873 - Céret 1921). Formé à la Schola cantorum, il a su évoquer dans son œuvre paysages et états d'âme des habitants de son Languedoc. Touché par l'impressionnisme, il s'est révélé un maître dans la musique de piano *(En Languedoc, En Cerdagne, Baigneuses au soleil)* ou ses partitions lyriques *(le Cœur du moulin, Héliogabale).*

SÉVÉRAC-LE-CHÂTEAU (12150), ch.-l. de cant. de l'Aveyron, à 32 km au N. de Millau; 3 030 hab.

SÉVÈRE, en lat. **Flavius Valerius Severus** (en Illyrie - † Rome 307), empereur romain (306-307). Officier illyrien, il fut nommé césar de Constance Chlore* à l'abdication de Dioclétien* et de Maximien* (305). Après la mort de Constance, il fut élevé par Galère* au rang d'auguste pour l'Occident (306). Envoyé par Galère contre Maxence*, il fut vaincu et exécuté (307).

SÉVÈRE ALEXANDRE, en lat. **M. Aurelius Antoninus Severus Alexander** (Arca Caesarea, Phénicie, 205 ou 208 - Germanie 235), empereur romain (222-235). Il fut adopté par son cousin Élagabal*, auquel il succéda. Dominé par sa grand-mère Julia Moesa et sa mère, Julia Mamaea (v. JULIE), il fut conseillé par les jurisconsultes Paul, Modestin et surtout Ulpien*. Partisan du syncrétisme religieux, Sévère toléra le christianisme. Après une médiocre campagne en Orient (232-233) contre les Perses Sassanides, il se rendit sur le Rhin pour combattre les Germains : il fut tué, ainsi que sa mère, dans une sédition militaire.

SÉVÈRES (les), dynastie impériale romaine (193-235), qui compte les empereurs Septime* Sévère, Caracalla*, Geta, Élagabal* et Sévère* Alexandre. La monarchie des Sévères est une monarchie militaire, bureaucratique et égalitaire : par l'édit de 212 *(Constitution antonine),* Caracalla réalise l'égalité de tous ses sujets à l'intérieur de la cité romaine. L'âge des Sévères est marqué par le progrès du syncrétisme religieux. L'influence des princesses syriennes de la dynastie (Julia Domna [v. JULIE], Julia Moesa, Julia Soemias et Julia Mamaea) accélère la diffusion des religions orientales dans l'Empire. Avec les grands jurisconsultes Papinien*, Paul et Ulpien*, l'époque sévérienne est celle de l'apogée du droit romain.

SÉVERIN → PAPE.

SEVERINI (Gino), peintre italien (Cortona, Arezzo, 1883 - Paris 1966). Adepte du divisionnisme, il s'installe en 1906 à Paris, où il devient le principal représentant du futurisme *(la Danse du Pan-Pan au Monico,* musée national d'Art moderne). À partir de 1921, il se consacre notamment à l'art sacré et à la mosaïque.

SEVERN (la), fl. de Grande-Bretagne (338 km), né dans le pays de Galles, qui passe à Gloucester avant de rejoindre l'Atlantique par un long et large estuaire prolongé par le canal de Bristol.

SEVERNAIA ZEMLIA (« Terre du Nord »), archipel arctique de l'U. R. S. S., au N. de la péninsule de Taïmyr, entre la mer de Kara et la mer des Laptev, de part et d'autre du 80ᵉ parallèle et formé notamment des îles Bolchevik, Komsomolets et de la Révolution-d'Octobre; 36 700 km².

SEVERODVINSK, v. de l'U. R. S. S. (R. S. F. S. de Russie), sur la mer Blanche, près d'Arkhangelsk; 145 000 hab.

SÉVIGNÉ (Marie DE RABUTIN-CHANTAL, *marquise* DE), femme de lettres française (Paris 1626 - château de Grignan 1696). Il y a un ou plutôt deux mystères Sévigné : 1° pourquoi la marquise a-t-elle mené cette existence indépendante (à son époque et dans sa société, quand on est veuve à vingt-cinq ans et pourvue de deux enfants en bas âge, il est tout à fait anormal qu'on ne se remarie pas, surtout quand on continue, comme c'est le cas, à mener une vie coquette et élégante)? 2° a-t-elle été un écrivain volontaire : c'est-à-dire est-ce que le plaisir d'écrire l'emportait sur le plaisir d'écrire à sa fille, à qui est destinée la plus grande partie de ses *Lettres?* Il semble que, dans les deux cas, Mᵐᵉ de Sévigné ait été une novatrice. Dans son choix de l'originalité, il y avait peut-être d'ailleurs une propension héréditaire (elle a pour grand-mère sainte Jeanne de Chantal et pour père un colosse bretteur et caustique) : libérée, par la mort en duel de son jeune époux qui se battait pour une autre, elle le restera, d'abord dans la galanterie mondaine de la Fronde, puis, après la disgrâce de Fouquet (chez qui on a trouvé de ses lettres), dans une existence plus discrète, partagée entre ses domaines parisien (l'hôtel Carnavalet) et breton (le château des Rochers). Quant aux *Lettres,* d'abord œuvre de circonstance (Mᵐᵉ de Sévigné écrit à sa fille, Mᵐᵉ de Grignan, qui a suivi son mari lieutenant général en Provence), elles deviennent bientôt tout autre chose : dialogue d'une mère avec son enfant, elles prennent l'allure du monologue d'une femme qui avoue ses hantises (la mort, la maladie, la vieillesse), ses engouements, la tiédeur de sa dévotion, son impatience de l'absolutisme royal. Au moment où le jeune Saint-Simon commence à prendre des notes, la marquise achève ainsi cette première peinture de l'envers d'un règne, et la moindre raison de sa passion pour sa fille n'était certainement pas dans le prétexte que son éloignement lui donnait d'écrire. D'ailleurs, Mᵐᵉ de Sévigné avait de multiples correspondants. Elle savait que ses lettres étaient lues dans le cercle de leurs intimes et même ailleurs (Mᵐᵉ de Thianges envoyait un laquais chez Mᵐᵉ de Coulanges pour demander la « lettre du Cheval » ou la « lettre de la Prairie »). Ce n'est certes pas un chef-d'œuvre « né par surcroît » que celui de cette écriture rompant avec le formalisme rhétorique, impressionniste, discontinue, dont Proust sut reconnaître la modernité.

SÉVILLE, en esp. **Sevilla,** v. d'Espagne, en Andalousie, ch.-l. de prov., sur le Guadalquivir; 548 000 hab. La plus grande ville du sud de l'Espagne, Séville, centre commercial et touristique, est encore peu industrialisée (constructions mécaniques, textiles).

HISTOIRE. Conquise par César, la ville d'*Hispalis* devient chef-lieu de la province romaine de Bétique. À l'époque wisigothique, les évêques Léandre et Isidore en font un centre de haute culture religieuse. Après la conquête musulmane (VIIIᵉ s.), la cité décline d'abord au profit de Cordoue, puis (XIᵉ s.) supplante sa rivale et devient la capitale des Almohades (XIIᵉ s.). Conquise par Ferdinand III de Castille en 1248, elle obtient au XVIᵉ s. le monopole du commerce espagnol avec le Nouveau Monde et connaît une étonnante prospérité. L'ensablement de ses voies d'accès à la mer provoque au XVIIᵉ s. son déclin au profit de Cadix.

BEAUX-ARTS. Le musée archéologique est riche en pièces romaines provenant d'Itálica. Des importantes constructions de la Séville islamique, il reste peu (parties des remparts et Torre del Oro; mosquées transformées en églises; éléments intégrés à la cathédrale, entreprise en 1401, dont le minaret [fin du XIIᵉ s.] de l'ancienne grande mosquée, surélevé au XVIᵉ s. et dit *la Giralda*), mais les monuments mudéjars sont remarquables : Alcázar aux superbes décors inspirés de l'Alhambra de Grenade (XIVᵉ s., très restauré), Casa de Pilatos, églises... Monuments de la première Renaissance (grande sacristie de la cathédrale), classiques (Lonja,

Lauros-Pavlovsky

Séville. En bordure du Guadalquivir, la « Torre del Oro » (début du XIIIe s.). À l'arrière-plan, la cathédrale (XVe s.).

seconde moitié du XVIe s., sur plans de J. de Herrera) et baroques : notamment œuvres de Leonardo Figueroa (v. 1650-1730), comme l'hôpital des Venerables Sacerdotes ou le collège de S. Telmo.

Cathédrale, églises et musée des Beaux-Arts (dans l'ancien couvent de La Merced) témoignent abondamment de l'éclat des écoles sévillanes de sculpture (Martínez* Montañés...) et de peinture (Juan de las Roelas [v. 1560-1625], Herrera* le Vieux, Zurbarán, A. Cano*, Murillo*, Valdés* Leal...).

SEVRAN (93270), ch.-l. de cant. de la Seine-Saint-Denis, à 12 km au N.-E. de Paris; 34 240 hab. *(Sevranais).* Constructions mécaniques. Photographie. Parc forestier.

SÈVRE NANTAISE (la), riv. du sud-est du Massif armoricain, qui rejoint la Loire (r. g.) à Nantes; 126 km.

SÈVRE NIORTAISE (la), fl. côtier de l'ouest de la France, qui passe à *Niort* et rejoint l'Atlantique, dans l'anse de l'Aiguillon; 150 km.

SÈVRES (92310), ch.-l. de cant. des Hauts-de-Seine, sur la Seine, à 2 km au S.-O. de Paris; 21 206 hab. *(Sévriens).*

BEAUX-ARTS. La Manufacture nationale de porcelaine poursuit l'activité de la Manufacture royale transférée à Sèvres, de Vincennes, en 1756. Protégée par Mme de Pompadour, celle-ci acquiert une position dominante en Europe, grâce à ses privilèges royaux et à la qualité de sa production, à laquelle concourent des artistes comme l'orfèvre Duplessis (vases ornementaux), comme Boucher (modèles de *biscuits*), puis Falconet. À côté de la porcelaine tendre, aux magnifiques décors polychromes, la porcelaine dure apparaît vers 1770, permettant l'exécution des premiers vases monumentaux dans le goût antique. Cette production devient exclusive sous le premier Empire (directorat d'A. Brongniart), mais une froide virtuosité lui enlève bientôt son intérêt. La fin du XIXe s. et le XXe s. voient un effort de redressement artistique.

Le Musée national de la céramique, fondé par Brongniart, mais auj. indépendant de la Manufacture, possède de vastes collections intéressant les pays et les époques les plus variés.

SÈVRES (Deux-) [79], départ. de la Région Poitou-Charentes; 6 004 km²; 335 829 hab. Ch.-l. *Niort.* S.-préf. *Bressuire* et *Parthenay.*

Le nord, qui appartient en majeure partie au Massif armoricain, est formé de plateaux dont l'altitude est généralement inférieure à 200 m. Le bocage domine à l'O. de Thouars, avec un élevage, cédant parfois la place aux cultures à l'E. de Thouars, dans une région d'affinités ligériennes. L'altitude s'élève un peu dans la Gâtine dite « de Parthenay », où l'élevage pour la viande et le lait est la ressource essentielle. Dans le sud, les cultures tiennent une place plus importante, juxtaposant céréales (blé) et aussi plantes fourragères associées à l'élevage laitier. L'ensemble a un climat océanique, plus arrosé dans l'ouest plus proche de l'Atlantique et la Gâtine, un peu plus élevée.

La densité de population est faible, inférieure de plus d'un tiers à la moyenne nationale. Cependant, depuis une vingtaine d'années, la population s'accroît (modérément), évolution contrastant avec une longue phase de stagnation, et même de dépeuplement, amorcée à la fin du XIXe s. En réalité, avec le cinquième de sa population active dans l'agriculture, le département continue à subir un intense exode rural. Aujourd'hui, cependant, cet exode est masqué par l'essor de quelques villes, dont Niort, seule agglomération de plus de 20 000 habitants. L'industrialisation est modeste, puisque le secteur secondaire n'emploie que le tiers des actif, en partie d'ailleurs dans l'alimentation, liée surtout à l'élevage. Entre Loire et Gironde, à l'écart des grands axes de circulation entre Paris et le Sud-Ouest, sans façade maritime ni véritable grande ville susceptible de l'animer, le département appartient au centre-ouest de la France, fortement rural et, de ce fait, zone d'émigration.

Sèvres *(traité de),* traité signé, le 10 août 1920, entre les Alliés et la Turquie. Il réduisit le territoire européen de celle-ci à la presqu'île de Gallipoli et enleva au Sultan les quatre cinquièmes des territoires qui constituaient l'Empire ottoman*. Après les victoires sur la Grèce de Mustapha Kemal*, ce traité fut remplacé par celui de Lausanne* (1923).

SEXE. — Cet ensemble des caractères permet de répartir les êtres vivants en deux groupes (masculin ou féminin), dont l'union est nécessaire pour la reproduction. On distingue :
— un *sexe anatomique,* basé sur la morphologie des organes génitaux externes (déterminant le sexe déclaré à l'état civil) et des organes génitaux internes;
— un *sexe génétique* ou *chromosomique,* qui, dans l'espèce humaine, est déterminé dès la fécondation par la nature du chromosome sexuel du spermatozoïde paternel (engendrant un garçon s'il est Y, engendrant une fille s'il est X);
— un *sexe gonadique,* résultant de la transformation de la gonade primitive en ovaire ou en testicule, qui est induit normalement par le sexe génétique.

Chez un individu normal, tous les sexes sont de même type. Il peut exister des anomalies du développement sexuel comprenant les états intersexués (hermaphrodisme vrai et pseudohermaphrodisme féminin ou masculin) et les dysgénésies gonadiques (syndrome de Turner). Dans les cas douteux, il faut recourir à des examens biologiques pour connaître le sexe réel, chromosomique (caryotype).

SEXOLOGIE. — Pour Michel Foucault*, ce qui caractérise l'Occident moderne est une volonté de savoir relative au sexe. Le savoir sur le sexe a été constitué à partir de procédures fondées sur l'aveu, dont l'examen de conscience est le modèle, la psychanalyse* venant s'inscrire dans ce courant. Foucault montre que la sexualité, loin d'avoir été réprimée comme le soutiennent les psychanalystes, est l'objet, depuis le XVIIIe s., d'une multitude de discours (médical, psychiatrique, pédagogique) sous-tendus par une exigence de normalisation. Depuis quelques années on assiste en effet à une apparente libéralisation de l'opinion en ce qui concerne la sexualité, qui n'est plus un sujet tabou comme en témoignent de multiples publications de vulgarisation. Celles-ci répandent le modèle d'un comportement sexuel « normal ». Les normes sont présentées comme étant le résultat d'observations scientifiques.

Depuis la publication du célèbre rapport Kinsey sur le comportement sexuel de l'homme (1948) et de la femme (1953), les travaux les plus connus sont ceux de William H. Masters et Virginia Johnson, gynécologues qui, en 1966, ont publié, dans *Relations sexuelles,* leurs observations du déroulement du coït* chez des couples de volontaires en laboratoire. Ils proposent une thérapie des difficultés sexuelles qu'ils attribuent à des troubles de la communication entre partenaires. Purement verbale, cette méthode repose sur des entretiens, au cours desquels le couple de patients exprime ses difficultés au couple de thérapeutes, et d'exercices (à faire en dehors des séances) : explorations et attouchements visant à faire disparaître toute inhibition et toute angoisse devant son propre corps et celui du partenaire.

La libéralisation du comportement sexuel ne semble pas devoir porter atteinte au couple hétérosexuel monogamique, qui demeure la référence primordiale. Pour H. Marcuse*, cette libération sexuelle, qui se manifeste essentiellement par l'adoption par les adultes du comportement sexuel des adolescents (du moins tel qu'ils se l'imaginent), n'est qu'une répression déguisée — désublimation répressive — qui renforce leur assujettissement aux instances de contrôle social et ne change rien aux rapports de domination entre hommes et femmes.

SEXTANT → NAVIGATION.

SEXTUOR → SONATE.

SEXTUS Empiricus, philosophe et médecin grec (IIe-IIIe s.). Sa méthode, qu'il met en œuvre dans *Hypotyposes pyrrhoniennes* et *Contre les savants,* consiste à opposer les dogmes philosophiques, en montrant qu'on ne saurait affirmer la vérité de l'un sans nier celle de l'autre, tout aussi apparente pourtant. (V. PYRRHONISME.)

SEXUALISATION. — Quand et comment le sexe d'un animal est-il déterminé? Comment s'explique l'apparition en nombre égal (ou inégal) d'individus des deux sexes dans une espèce? Selon les vues actuelles, le déterminisme de la « polarité sexuelle » est avant tout *syngamique,* c'est-à-dire mis en œuvre au moment même de la fécondation. Tout ovule de la femme est apte à fournir un embryon masculin ou féminin, mais il y a deux sortes de spermatozoïdes, dits « X » et « Y », en nombre égal, le sexe sera mâle si l'ovule est fécondé par le type Y, femelle s'il l'est par le type X. Il en va de même chez tous les mammifères, alors que chez les oiseaux c'est la femelle qui produit deux sortes d'ovules. La différence chromosomique initiale se traduit par une topographie différente des effecteurs sensibles aux actions hormonales (hypophysaires, notamment) : chez la femelle, c'est la partie corticale de la gonade et le système de Müller qui se développent; chez le mâle, c'est la partie médullaire de la gonade et le système de Wolff. On passe ainsi précocement de l'identique au complémentaire, mais c'est beaucoup plus tardivement, à la puberté, que s'affirment les caractères sexuels secondaires. Certains cas particuliers ne cadrent pas avec cette théorie. (V. PARTHÉNOGENÈSE.)

SEXUALITÉ. — En montrant dès le départ le lien entre hystérie* et sexualité, et en découvrant l'existence d'une sexualité infantile, S. Freud* lève le secret qui pesait sur la sexualité. Il déplace le champ de la sexualité, centré jusqu'alors sur la sexualité adulte hétérosexuelle, en réintégrant la perversion à une normalité dont elle était exclue et en attaquant le mythe de la pureté de l'enfance. Pour Freud le plaisir sexuel est lié à l'exercice d'une fonction vitale. Le plaisir, au stade oral*, dépend de la zone érogène dominant cette époque et qui est la bouche. La sexualité complète ne s'organise, selon les psychanalystes, qu'à la puberté, sous le primat de la génitalité, considérée comme l'état normal de la sexualité. Freud ne conçoit pas la sexualité sans le système de la famille, en ramenant au modèle œdipien (v. ŒDIPE [*complexe d'*]) toutes les relations possibles entre adultes et entre enfants et adultes. Sa conception de la sexualité est à l'origine de ses théories concernant l'histoire de l'humanité, et fonde la norme morale et partant toute culture sur la prohibition de l'inceste. Selon Lacan* l'articulation entre la loi et le désir* définit l'existence d'une sexualité humaine. Le pourquoi de la répression sexuelle a été abordé par Reich*, qui y voit une composante du système autoritaire.

SEYBOUSE (la), fl. de l'est de l'Algérie, qui rejoint la Méditerranée, près d'Annaba; 225 km.

SEYCHELLES, État insulaire de l'océan Indien, au nord-est de Madagascar; 376 km^2; 58 000 hab. Capit. *Victoria,* dans l'île Mahé.

GÉOGRAPHIE. L'archipel, volcanique, compte 85 îles et îlots (dont 33 seulement sont habités), les principales îles étant Mahé, Praslin, Silhouette et La Digue. Il jouit d'un climat tropical humide. La population, très dense, vit des cultures du coprah, de la cannelle et de la vanille, mais doit importer du riz. La récente création d'un aéroport peut favoriser le développement du tourisme, qui ne pourra enrayer l'émigration provoquée par l'insuffisance des ressources (le taux de couverture des exportations est inférieur à 10 p. 100) et la surcharge démographique.

HISTOIRE. D'abord abordées par des Anglais, ces îles deviennent françaises en 1756, mais sont définitivement cédées aux Anglais en 1814. Simple dépendance de Maurice* jusqu'en 1888, l'archipel reçoit alors un administrateur, avant d'être érigé en colonie de la Couronne en 1903. Dotées d'une constitution parlementaire en 1970, les Seychelles se prononcent bientôt pour l'indépendance, qui est officialisée le 28 juin 1976.

SEYCHES (47350), ch.-l. de cant. de Lot-et-Garonne, à 15 km au N.-E. de Marmande; 958 hab.

SEYMOUR (Edward), 1er duc **de Somerset,** homme politique anglais (v. 1506-Londres 1552). Frère aîné de Jeanne Seymour († 1537), épouse d'Henri VIII en 1536, il se fait nommer, à la mort du roi (1547), protecteur (régent) par le Conseil de régence. Tout en faisant triompher la réforme protestante, il s'efforce de soulager les classes populaires. Renversé par Dudley*, il est arrêté et exécuté.

SEYNE (04140), ch.-l. de cant. des Alpes-de-Haute-Provence, à 48 km au N.-N.-E. de Digne; 1 242 hab. Église romane et gothique. Citadelle.

SEYNE-SUR-MER (La) [83500], ch.-l. de cant. du Var, sur la rade de Toulon; 51 669 hab. *(Seynois).* Chantiers navals.

SEYNOD (74000 Annecy), ch.-l. de cant. de la Haute-Savoie, banlieue sud-ouest d'Annecy; 9 369 hab.

SEYSSEL, localité située sur le Rhône, à 25 km au S. de Bellegarde-en-Valserine, et formant deux ch.-l. de cant., le premier sur la rive droite, dans le départ. de l'Ain (01420; 1 043 hab.), le second sur la rive gauche, dans le départ. de la Haute-Savoie (74270 Frangy; 1 725 hab.). Aménagement hydroélectrique.

SEYSSINET-PARISET (38170), comm. de l'Isère, banlieue ouest de Grenoble; 12 157 hab.

SÉZANNE (51120), ch.-l. de cant. de la Marne, à 44 km au S.-S.-O. d'Épernay; 6 548 hab. Église des XVe-XVIe s. Optique. Produits réfractaires.

SFAX, port de Tunisie, ch.-l. de gouvernorat, sur la côte nord du golfe de Gabès; 70 000 hab. Remparts du IXe s. entourant la médina, dont la belle mosquée a été reconstruite, en 988, par les Arhlabides. Engrais.

SFORZA, seconde dynastie ducale de Milan* (1450-1535). Issue de Cotignola, en Romagne, la famille Sforza portait, à l'origine, le nom d'Attendolo, puis elle prit celui de Sforza, qui fut d'abord le surnom du condottiere Muzio (ou Giacomo) Attendolo (1369-1424). Les principaux personnages de cette famille sont : FRANÇOIS Ier (1401-1466), fils de Muzio, duc de Milan en 1450; GALÉAS-MARIE (1444-1476), fils du précédent, auquel il succéda en 1466; JEAN-GALÉAS (1469-1494), fils de Galéas-Marie, évincé du duché par Ludovic* le More; MAXIMILIEN (1493-1530), fils de Ludovic, duc de 1512 à 1515; FRANÇOIS II (1495-1535), frère de Maximilien, qui légua le duché de Milan à Charles Quint.

Sganarelle, personnage de Molière. Personnifiant le bon sens vulgaire, il apparaît en des rôles assez différents : mari jaloux *(Sganarelle ou le Cocu imaginaire),* tuteur *(l'École des maris),* valet *(Dom Juan),* père *(l'Amour médecin),* fagotier *(le Médecin malgré lui).*

's-GRAVENHAGE → HAYE *(La).*

SHABA, anc. **Katanga,** région du sud du Zaïre; 496 965 km^2; 3 073 000 hab. Ch.-l. *Lubumbashi.* Formé en majeure partie de hautes terres, au-dessus de 1 000 m (altitude tempérant la chaleur habituelle à une latitude proche de l'équateur), le Shaba doit son importance économique à la minéralisation du sous-sol. C'est une grande région productrice de cuivre, principalement, mais aussi de cobalt et de manganèse, et elle constitue la partie vitale du Zaïre, dont elle alimente la majeure partie des exportations.

SHACKLETON (*sir* Ernest), explorateur britannique (Kilkee, Irlande, 1874-Géorgie du Sud, 1922). Après avoir participé à l'expédition de Scott (1901-1904), il multiplia les explorations antarctiques et succomba au retour de l'une d'elles.

SHAFTESBURY (Anthony ASHLEY COOPER, 1er *comte* DE), homme politique anglais (Wimborne 1621-Amsterdam 1683). Il servit Cromwell*, puis Monk*, contribuant à la Restauration* (1660). Principal ministre de Charles II, chancelier (1672), il se brouilla en 1673 avec son souverain, prenant la tête de l'opposition whig et soutenant par la suite Monmouth*. En 1682, il dut fuir en Hollande.

SHĀHJAHĀNPUR, v. de l'Inde (Uttar Pradesh), au N.-O. de Lucknow; 144 000 hab.

SHAKESPEARE (William), poète dramatique anglais (Stratford on Avon 1564-*id.* 1616). Si la nature finit toujours par ressembler à l'art, on attend souvent d'une vie qu'elle soit l'image anticipée d'une œuvre, surtout quand cette œuvre a l'ampleur et la diversité de la vie. On comprend alors que nombre des contemporains de Shakespeare — et une notable partie de leur postérité —, déçus par la platitude de sa biographie face au foisonnement de son théâtre, aient été tentés de lui dénier l'existence pour n'en faire que le prête-nom de personnages illustres et cultivés, comme Francis Bacon ou le comte d'Oxford. Il est vrai que l'on possède peu de renseignements précis sur sa vie et qu'il est difficile de les démêler d'avec les enjolivures de la légende. On peut dire cependant qu'il était fils d'un notable prospère qui se ruina assez vite, et qu'il épousa à dix-huit ans une femme, Anne Hathaway, de huit ans son aînée. S'il n'est pas certain qu'il approcha d'abord le théâtre en tenant par la bride les chevaux des spectateurs, il est, pour les premiers documents d'archives (1594), acteur et actionnaire de la troupe du lord Chambellan : la scène est d'abord pour lui une bonne affaire (en 1596, il a refait la fortune familiale et obtenu l'anoblissement de son père), et, en 1598, il s'installe dans le nouveau théâtre du Globe. On peut chercher ailleurs le secret de sa vie, dans ses poèmes (*Vénus et Adonis,* 1593; *le Viol de Lucrèce,* 1594) ou dans ses 154 sonnets, publiés en 1609 : on y lit, plus ou moins clairement, le trouble, la frustration, l'homosexualité, le masochisme. Et il meurt, dit-on, des suites d'un banquet avec Ben Jonson.

L'œuvre dramatique est moins insaisissable. Elle porte d'abord les marques de la civilisation élisabéthaine. Elle unit ainsi à une vision poétique et raffinée (délectation de la Cour et de l'aristocratie) un rituel populaire, où meurtres, viols, incestes et trahisons sont les moindres ingrédients du divertissement d'un public qui

Bernand

Shakespeare. Représentation de *Falstaff* au théâtre de l'Ouest parisien (Paris, 1973).

consent à abandonner pour quelques pence les combats d'ours et de chiens qui font ses délices habituelles. Ajoutons à cela les contraintes professionnelles dues à la composition des troupes : les bouffons et les fous comptent parmi les acteurs les mieux payés, donc les mieux appréciés. D'où un caractère général de ce théâtre, le refus de la distance, sensible aussi bien dans l'organisation matérielle (la scène, plus profonde que large, s'avance au milieu des spectateurs) que dans l'utilisation des thèmes antiques (adaptation de la Rome de Sénèque à la vie quotidienne de Londres).

Les 37 ou 38 pièces attribuées à Shakespeare sont traditionnellement réparties en trois périodes : la première serait celle des comédies légères et des fresques historiques; la seconde, marquée par les déceptions personnelles et les désillusions politiques, celle des grandes tragédies; la troisième, où se dessinerait un nouvel équilibre, celle des pièces romanesques. Une évolution est certaine, celle du style, qui passe de la rhétorique baroque au lyrisme dépouillé. Mais il n'est pas impossible de saisir, sur près d'un quart de siècle de création, le fil d'une même logique. Au mélodrame atroce des débuts *(Henri VI, Titus Andronicus, Richard III)*, fondé sur un système de compensation (on inflige la terreur quand on ne peut inspirer l'amour), répond la comédie construite sur le problème de l'identité *(la Comédie des erreurs, la Mégère apprivoisée)*. Au fond, une même illusion, aggravée par les jeux du langage *(Peines d'amour perdues)* : la vie n'est que théâtre, le pouvoir, « couronne creuse » *(Richard II, Henri IV, Henri V)*, comme l'amour *(les Deux Gentilshommes de Vérone, Roméo et Juliette, le Songe d'une nuit d'été)*, fait de caprices et de coups de foudre. Et le théâtre n'est qu'ambiguïtés : Falstaff est-il un cynique ou un balourd *(les Joyeuses Commères de Windsor)*? Antonio est-il un martyr de la probité commerciale ou un homosexuel masochiste *(le Marchand de Venise)*? La guerre des sexes ne reçoit-elle pas une tonalité curieuse du travestissement complaisant des acteurs masculins qui jouent les rôles de femmes *(Beaucoup de bruit pour rien)*? Femmes qui, à leur tour, se déguisent en pages, messagers déchirés entre l'objet de leur amour et leurs rivales *(la Nuit des rois)*. L'impossible retour à l'harmonie naturelle *(Comme il vous plaira)* fait du monde des hommes celui du malentendu, sur le mode tragique *(Othello)*, et du quiproquo, dans le registre comique *(Tout est bien qui finit bien)* ou parodique *(Mesure pour mesure)*. Le lieu où les contradictions non pas s'abolissent mais sont acceptées est à chercher, au-delà de la chronique quotidienne, au-delà de l'histoire antique, dans la constitution de grandes figures mythiques *(Jules César, Hamlet, Troïlus et Cressida)*, toujours maintenues cependant sous un regard critique : on n'atteint jamais le caché et l'invisible, mais on n'atteint jamais que le caché et l'invisible (c'est à travers une tenture qu'Hamlet tue, par erreur, Polonius); Hamlet fait l'épreuve de l'opacité des êtres et des mots, et la seule communication qu'il établisse vraiment c'est avec des comédiens et dans l'espace dramatique; le rapport à autrui est donc toujours joué, représenté (ce n'est pas le prince Hamlet qui s'interroge sur « Être ou ne pas être », c'est un acteur qui joue le rôle d'un prince : Jules Laforgue et Joyce l'ont bien compris). Vision cosmique de la condition humaine qui joue sur une symbolique des éléments *(le Roi Lear, Macbeth)*, ou interprétation de l'absurde et du dérisoire social *(Timon d'Athènes)*, Shakespeare ne tranche pas, il mêle : c'est dans leurs faiblesses et leurs contradictions qu'Antoine, face à une comédienne consommée qui joue alternativement de l'amour et de la mort *(Antoine et Cléopâtre)*, ou que Coriolan, guerrier accompli et politique puéril *(Coriolan)*, sont des figures exemplaires. On ne s'étonne donc pas que la période « romanesque » arrive en conclusion de l'œuvre *(Cymbeline, Conte d'hiver, la Tempête)*. Caliban, incarnation du génie et de la poésie de la matière, et Prospero, magicien désabusé (« Nous sommes de l'étoffe dont les rêves sont faits »), dressent le bilan de cet extraordinaire jeu des mots et des choses : toute cette sorcellerie du verbe pour prouver la nullité du langage comme instrument de maîtrise du monde et comme moyen de communication.

l'œuvre

« COMÉDIE » DE L'HISTOIRE ET DE L'AMOUR

*Henri VI** (v. 1590-1592); *Titus Andronicus* (v. 1592); *Richard III** (v. 1592); *la Comédie des erreurs* (v. 1592); *la Mégère* apprivoisée* (v. 1593); *Peines d'amour perdues* (v. 1594); *les Deux Gentilshommes de Vérone* (v. 1594); *Roméo* et Juliette* (v. 1595); *Richard II** (1595); *le Songe* d'une nuit d'été* (v. 1595); *le Roi Jean* (1596); *le Marchand* de Venise* (v. 1596); *Henri IV** (v. 1597); *Beaucoup* de bruit pour rien* (1598); *Henri V** (v. 1599); *les Joyeuses* Commères de Windsor* (v. 1599); *Comme* il vous plaira* (v. 1599); *la Nuit* des rois* (v. 1599).

DÉCEPTIONS ET TRAGÉDIES

*Jules César** (v. 1600); *Hamlet** (v. 1601); *Troïlus et Cressida* (1601); *Othello** (v. 1603); *Mesure pour mesure* (v. 1604); *le Roi* Lear* (v. 1605); *Macbeth** (v. 1606); *Antoine* et Cléopâtre* (1606); *Timon* d'Athènes* (v. 1607); *Coriolan** (1607).

L'ÂGE DU ROMANESQUE

Cymbeline (1609); *Conte d'hiver* (1609); *la Tempête* (1611).

SHAMMAÏ, docteur pharisien (début du Ier s. apr. J.-C.), contemporain et rival de Hillel*. Son école se caractérise par une interprétation rigoureuse de la lettre de la Loi et des traditions; son influence décroîtra après la révolte de 70.

SHANGHAI → CHANG-HAI.

SHANNON (le), principal fl. d'Irlande, qui forme plusieurs lacs, avant d'atteindre Limerick, à la tête de son estuaire, sur l'Atlantique; 368 km. L'aéroport de Limerick, bordé d'une zone franche industrialisée, porte le nom de *Shannon.*

Shape, abrév. de *Supreme Headquarters Allied Powers Europe,* quartier général des forces alliées du pacte atlantique en Europe. Installé en 1951 à Rocquencourt (Yvelines) et transféré en 1967 à Casteau (Belgique), il eut pour commandants successifs les généraux américains Eisenhower (1951), Ridgway (1952), Gruenther (1953), Norstad (1956), Lemnitzer (1962), Goodpaster (1969), Haig (1974).

SHAPLEY (Harlow), astronome américain (Nashville, Missouri, 1885-Boulder, Colorado, 1972). Outre d'importants travaux sur la Galaxie*, on lui doit la connaissance des distances de nombreuses galaxies* assez proches par l'observation de certaines étoiles, notamment les céphéides qui s'y trouvent.

SHARAKU, dessinateur d'estampes japonais de la fin du XVIIIe s., qui fait figure de météore dans l'histoire de l'*ukiyo-e,* du cinquième mois de 1794 au début de 1795. N'appartenant à aucune école, il a laissé 141 estampes polychromes, exclusivement des portraits d'acteurs. Son extrême économie de moyens s'allie à une grande richesse psychologique et à l'usage subtil de couleurs sobres qui atteignent à une force dramatique certaine.

SHAW (George Bernard), écrivain irlandais (Dublin 1856-Ayot Saint Lawrence 1950). Il débute comme journaliste, se joint à un groupe d'intellectuels, la « Société Fabienne », et lutte pour le triomphe des idées socialistes dans ses essais politiques et sociaux (*le Fabianisme et l'Empire,* 1900). Il publie également des articles de critique musicale, artistique et dramatique, ainsi que des romans (*Un socialiste peu social,* 1884; *la Profession de Cashel Byron,* 1886), mais découvre sa vocation théâtrale. Dans ses premières pièces « plaisantes » (*le Héros et le soldat,* 1894; *Candida,* 1894; *On ne peut jamais dire,* 1895-96) et « déplaisantes » (*L'argent n'a pas d'odeur,* 1892), puis dans les œuvres de la maturité (*César et Cléopâtre,* 1899; *Homme et surhomme,* 1903; *Pygmalion,* 1912; *Sainte Jeanne,* 1923), il s'attaque à toutes les manifestations du conformisme social. Après sa mort, on a donné, sous le titre de *Cher Menteur* (1957), une adaptation théâtrale de la correspondance qu'il échangea pendant quarante ans avec une de ses interprètes, miss Patrick Campbell. (Prix Nobel, 1925.)

SHAW (Irwin), écrivain américain (New York, 1913), auteur de pièces (*Enterrez les morts,* 1936) et de romans (*le Bal des maudits,* 1948; *Quinze Jours ailleurs,* 1960) dans la tradition du réalisme critique.

SHAWINIGAN, v. du Canada (Québec), sur le Saint-Maurice; 27 792 hab. Aluminium. Papeterie.

SHAWN (Ted), danseur et chorégraphe américain (Kansas City, Missouri, 1891-Orlando, Floride, 1972). Cofondateur de la Denishawn School (1915), créateur du festival de Jacob's Pillow (1933) il est considéré comme le « père » de la danse moderne aux États-Unis.

SHEELER (Charles) → PRÉCISIONNISTES.

SHEFFIELD, v. d'Angleterre, dans le South Yorkshire, sur le Don; 513 000 hab. Musées. Noyau principal d'une conurbation d'environ 800 000 habitants, Sheffield est, depuis le début du XIXe s., l'un des grands centres sidérurgiques européens, où la fabrication de l'acier a cependant reculé devant la métallurgie de transformation, héritée d'une tradition ancienne (coutellerie depuis le XIVe s.).

SHELLEY (Percy Bysshe), poète anglais (Field Place, près de Horsham, Sussex, 1792-golfe de La Spezia 1822). Fils d'un riche baronet, il fait ses études à Eton, puis à Oxford, d'où il est expulsé pour avoir publié un pamphlet sur la *Nécessité de l'athéisme* (1811). Renié par sa famille, il vit à Londres, où il enlève Harriet Westbrook, qu'il épouse à Édimbourg. Il séjourne alors dans le district des Lacs, en Irlande, au pays de Galles, où il écrit son premier grand poème, *la Reine Mab* (1813). Il se sépare de sa femme, quitte l'Angleterre avec la fille de William Godwin, Mary Wollstonecraft, et se lie avec Byron au cours d'un séjour en Suisse. Il revient à Londres pour apprendre le suicide d'Harriet et abandonne définitivement sa patrie avec Mary, devenue son épouse. Phtisique, il choisit de vivre en Italie, où il compose ses œuvres maîtresses (*Prométhée délivré,* 1819; *les Cenci,* 1819; *l'Ode au vent d'ouest; l'Ode à l'alouette; la Sensitive).* Il retrouve Byron à Pise, et, en 1821, la mort de Keats à Rome lui inspire l'élégie *Adonaïs.* Il compose cependant un traité, *la Défense de la poésie.* En avril 1822, il périt dans le naufrage de son yacht *Ariel,* entre La Spezia et Livourne. La mer rejeta son corps, qui fut brûlé sur la plage en présence de Byron et de Leigh Hunt. — Sa femme, MARY WOLLSTONECRAFT GODWIN (Londres 1797-*id.* 1851), est l'auteur d'un roman noir (*Frankenstein ou le Prométhée moderne,* 1818) et d'un récit autobiographique (*Ladore,* 1835).

SHEPP (Archie), saxophoniste noir américain (Fort Lauderdale, Floride, 1937). Influencé par John Coltrane et Ornette Coleman, il a pris place au cours des années 60 parmi les plus talentueux représentants du *free jazz;* il intègre à la musique ses préoccupations philosophiques et politiques.

SHERBROOKE, v. du Canada (Québec), dans les cantons de l'Est; 80 711 hab. Métallurgie.

SHERIDAN (Richard Brinsley Butler), auteur dramatique et homme politique anglais (Dublin 1751-Londres 1816). Auteur de comédies à succès (*les Rivaux,* 1775; *l'École de la médisance,* 1777), directeur du théâtre de Drury Lane, il abandonna la scène pour la politique et fit partie des divers ministères whigs jusqu'en 1812.

Sherlock Holmes → HOLMES.

SHERMAN (William), général américain (Lancaster 1820-New York 1891). Pendant la guerre de Sécession, il se distingua dans les rangs des fédéraux en effectuant la « longue marche » qui, en 1864, conduisit ses troupes d'Atlanta à Savannah. Son nom fut donné au char construit en grande série par les États-Unis de 1942 à 1945.

SHERRINGTON (*sir* Charles Scott), physiologiste anglais (Londres 1857-Eastbourne 1952), fondateur, avec Jackson, de l'école neurologique anglaise. Prix Nobel de médecine, en 1932, pour ses travaux sur la physiologie du système nerveux.

SHETLAND ou **ZETLAND,** archipel britannique, au N. de l'Écosse; 18 000 hab. Ch.-l. *Lerwick,* sur l'île de Mainland (la plus étendue).

SHETLAND DU SUD, archipel subantarctique inhabité, au S.-E. du cap Horn, partie du Territoire de l'Antarctique britannique.

SHIFT → MANUTENTION MARITIME.

SHIGA NAOYA, écrivain japonais (Miyagi 1883-Tōkyō 1971), auteur de contes et de nouvelles où il célèbre le culte du moi (*Réconciliation* [Wakai], 1913) et d'un roman autobiographique (*la Route dans les ténèbres,* 1921-1937).

SHIKOKU ou **SIKOK,** la moins étendue des grandes îles du Japon, au sud de Honshū; 18 778 km²; 4 244 000 hab. Cette île, au relief montagneux, jouit d'un climat doux et humide, influencé par la mousson. Elle est couverte par la forêt, où s'interpénètrent les essences tempérées et tropicales. Shikoku demeure encore fortement rurale. La culture du riz et des arbres fruitiers domine, la pêche apportant des revenus appréciables. Cependant, la côte nord, plus peuplée, s'industrialise sous l'influence de Honshū. Les usines chimiques et textiles jalonnent le littoral de la mer Intérieure, en particulier à Takamatsu et à Matsuyama.

SHILLONG, v. de l'Inde, capit. du Meghalaya, sur le *plateau de Shillong;* 88 000 hab.

SHIMAZAKI TŌSON, écrivain japonais (Magome, préfect. de Nagano, 1872-Tōkyō 1943). D'abord poète romantique (*Jeunes Herbes,* 1897), il devint le chef de file du mouvement naturaliste avec son roman *Hakai (la Rupture de l'interdit)* [1906].

SHIMIZU, port du Japon (Honshū), sur le Pacifique; 235 000 hab.

SHIMOGA, v. de l'Inde (Karnātaka); 103 000 hab.

SHIMONOSEKI, v. du Japon, à l'extrémité sud de Honshū, sur le *détroit de Shimonoseki,* qui sépare les îles de Honshū et de Kyūshū; 258 000 hab. — Un traité mettant fin à une guerre sino-japonaise y fut signé en 1895.

SHINTŌ. — Peuplant l'univers de divinités — comme Amaterasu* — qui symbolisent les forces naturelles, le shintō ancien consiste en un ensemble de croyances et de rites animistes. Il s'est répandu au Japon vers le VIe s., avant que le bouddhisme* n'y pénètre. Les deux religions se sont influencées réciproquement, au point de donner naissance à un syncrétisme : le ryōbu-shintō. Le shintō ne devient une religion institutionnalisée que sous le règne de l'empereur Temmu (de 672 à 686), qui l'introduit à la cour impériale et en codifie les rites. En faisant de l'empereur un représentant des dieux, le shintō, au XIVe s., commence à se transformer en un mouvement politique à caractère nationaliste. Il devient une religion d'État, une forme d'idéologie qui renforce le pouvoir politique de l'empereur. Séparé officiellement de l'État en 1946, le shintō demeure très influent au Japon.

SHIPBROKER → TRAMPING.

SHIRLEY (James), auteur dramatique anglais (Londres 1596-*id.* 1666). Héritier du théâtre élisabéthain, il est l'auteur de comédies de mœurs (*le Traître,* 1631).

SHIZUOKA, v. du Japon (Honshū), près du Pacifique; 416 000 hab.

SHKODRA ou **SHKODËR,** en ital. **Scutari** et en serbo-croate **Skadar,** lac proche de l'Adriatique, partagé entre la Yougoslavie et l'Albanie; 370 km². Sur la rive sud-est se situe la ville albanaise de *Shkodra* ou *Shkodër* (59 000 hab.), de fondation très ancienne.

SHLONSKY (Abraham), écrivain israélien (Karyokov, Ukraine, 1900-Tel-Aviv 1973). Issu d'une famille de culture hassidique aux tendances libérales, il étudia, dès 1913, au lycée Herzlia de Tel-Aviv, avant de poursuivre ses études en Russie et de s'établir en Palestine comme ouvrier du bâtiment. Après un séjour en France en 1924, il fonde et dirige plusieurs revues d'avant-garde (*Écrits, Colonnes, Temps, l'Horloge)* et assure la direction littéraire des *Éditions ouvrières.* Traducteur des œuvres majeures des littératures slaves (symbolistes russes) et occidentales (du *Tartuffe* de Molière au *Till Ulenspiegel* de Charles De Coster), il est considéré comme le chef spirituel de la poésie israélienne, qu'il évoque la vie des pionniers (*Dans le tourbillon,* 1927), la solitude dans les villes modernes (*les Pierres du néant,* 1934), la fascination autodestructrice du monde contemporain (*Poèmes de la chute et de la réconciliation,* 1938; *Pierres brutes,* 1960) ou l'expression profonde de sa foi dans la mission salvatrice du poète (*Plénitude,* 1947; *le Livre des échelles,* 1973).

SHOCKLEY (William Bradford), physicien américain (Londres 1910). Ses études sur les semi-conducteurs et la mise au point du transistor à germanium lui ont valu, avec Bardeen* et Brattain*, le prix Nobel de physique en 1956.

SHŌGUN. — C'est en 1192 que le chef du clan Minamato, Yoritomo, obtient le titre à vie — et en fait héréditaire — de shōgun. Jusqu'à l'ère Meiji (1868), trois dynasties shōgunales — parallèles aux dynasties impériales —, les Minamoto*, les Ashikaga* et les Tokugawa*, vont exercer le pouvoir véritable au Japon.

SHOLĀPUR, v. de l'Inde (Mahārāshtra), dans le Deccan; 398 000 hab.

SHOLES (Christopher Latham), inventeur américain (Mooresburg, Pennsylvanie, 1819-Milwaukee, Wisconsin, 1890). Il mit au point, en 1867, avec Samuel Soule et Carlos Glidden, la première machine à écrire, fabriquée en série par Remington* à partir de 1873.

SHORTHORN (race) → BOVINS.

SHŌTOKU-TAISHI (572-621), nom donné au prince Umayado, régent du Japon de 600 à 621, qui introduisit le bouddhisme* dans ce pays.

SHQIPNIJA ou **SHQIPËRIA,** nom albanais de l'ALBANIE.

SHREVEPORT, v. des États-Unis, dans le nord-ouest de la Louisiane; 182 000 hab.

SHREWSBURY, v. de l'ouest de l'Angleterre, ch.-l. du comté de Salop; 54 000 hab. Belle église Sainte-Marie (XIIIe et XVe s.) et nombreux autres monuments. Vieilles maisons. Musées.

SHUMWAY (Norman Edward), chirurgien américain (Kalamazoo, Michigan, 1923), pionnier de la chirurgie cardiaque et de la transplantation cardiaque humaine.

SHUNT. — L'emploi des shunts permet d'utiliser les galvanomètres ou les ampèremètres pour mesurer des courants d'une intensité trop forte, en ne les laissant traverser que par le 1/10, le 1/100 ou le 1/1 000 du courant.

SIALK *(tépé),* site archéologique d'Iran, à 250 km au sud de Téhéran, dont les trois niveaux successifs permettent de suivre l'évolution d'une population, du Ve millénaire à 3000 av. J.-C., et les progrès de son outillage (lithique et osseux, puis en cuivre), de sa céramique et de son habitat, qui, dans la phase III (plus grande partie du IVe millénaire), révèle certaines préoccupations urbanistes : fondations de pierre de maisons rectangulaires construites le long de ruelles.

SIALKOT, v. du nord du Pākistān, près du Cachemire; 212 000 hab.

SIAM → THAÏLANDE.

SIAM *(golfe de),* golfe formé par la mer de Chine méridionale, sur la côte sud de l'Indochine (Thaïlande, Cambodge et Viêt-nam). — On lui donne aussi le nom de *golfe de Thaïlande.*

SIAN → SI-NGAN.

SIANG-T'AN ou **XIANGTAN,** v. de Chine (Hou-nan), sur le Siang-kiang; 184 000 hab.

SIBELIUS (Jean), compositeur finlandais (Hämeenlinna 1865 - Järvenpää 1957). Après une période romantico-nationale (*Kullervo,* suite de *Lemminkäinen*), il s'orienta, grâce notamment à l'exemple de Debussy, vers un style plus cosmopolite et plus dégagé des influences russes et germaniques *(Luonnotar),* pour finalement se retrancher dans un monde très personnel et d'une parfaite cohérence. Sa dernière œuvre importante publiée, le poème symphonique *Tapiola,* précéda sa mort de trente ans. Ses sept symphonies (de 1899 à 1924) dominent, avec celles de Mahler, la production du XXe s. en ce domaine.

SIBÉRIE (la), en russe **Sibir,** région de l'U. R. S. S. Entre l'Oural et le Pacifique, l'océan Arctique et les chaînes de l'Asie centrale, la Sibérie couvre plus de 12 millions de kilomètres carrés (soit plus de la moitié de l'U. R. S. S. et, approximativement, vingt-cinq fois la superficie de la France).

GÉOGRAPHIE. La *Sibérie occidentale,* entre l'Oural et l'Ienisseï, est un immense marécage correspondant au bassin de l'Ob. Entre l'Ienisseï et la Lena, la *Sibérie centrale* est un vaste plateau, bordé, au S., par une série de chaînes (des monts Saïan, qui prolongent l'Altaï, aux monts Stanovoï) qui occupent (monts de Verkhoïansk, monts Tcherski, de la Kolyma) toute la *Sibérie orientale,* également appelée « Extrême-Orient soviétique ».

Plus que la topographie, c'est l'extension du climat continental qui donne son unité (et son caractère répulsif) à la Sibérie. Certes, l'éloignement vers l'est et l'augmentation de la latitude (et de l'altitude) nuancent (en le durcissant) ce *climat sibérien,* mais, partout, celui-ci est caractérisé par une longue et intense période de froid. En règle générale, plus de la moitié de l'année a une température moyenne inférieure à 0 °C (avec des moyennes de janvier de l'ordre de − 25 à − 40 °C [on a enregistré un minimum absolu de − 84 °C à Oïmekon]) et la température du mois le plus chaud excède de peu 10 °C dans le nord (mais peut dépasser 20 °C dans le sud). Le sol, du moins en profondeur, reste perpétuellement gelé (c'est la merzlota). Les précipitations sont peu abondantes, presque toujours inférieures à 500 mm, en partie neigeuses. Le climat explique l'extension de la toundra (là où la moyenne de l'été ne dépasse pas 10 °C), à laquelle succède, vers le sud, l'immense forêt de résineux (mélèzes surtout), la taïga, qui renferme environ la moitié des réserves mondiales de bois.

Le milieu naturel franchement hostile explique la faiblesse du peuplement — un peu plus de 25 millions d'hommes (le dixième de la population soviétique), presque exclusivement d'origine européenne et concentrés dans le sud, relativement plus clément, et, en particulier, dans les villes jalonnant le Transsibérien* (de Novossibirsk et des villes du Kouzbass* à Tchita, en passant par Krasnoïarsk, Irkoutsk et Oulan-Oude). Pourtant les richesses minérales du territoire (encore bien incomplètement prospecté) sont immenses, charbon (Kouzbass), hydrocarbures (bassin de l'Ob moyen), cuivre (Oudokan), nickel (Norilsk), diamants (Iakoutie), etc. Les fleuves sont de gigantesques réservoirs d'hydroélectricité, très partiellement équipés (centrales, de Bratsk sur l'Angara, de Krasnoïarsk sur l'Ienisseï). Mais, outre les difficultés liées au climat et le manque de main-d'œuvre, se posent souvent le problème de l'éloignement des régions vitales, à l'O. de l'Oural, et celui des investissements énormes à consentir. On s'explique à la fois la relative lenteur de la mise en valeur et la recherche d'une aide financière et technique apportée par les États-Unis et le Japon, soucieux (le Japon surtout) de s'approvisionner en matières premières existant en abondance sur le territoire sibérien. De son côté, l'U. R. S. S. y trouve, avec un avantage économique, un intérêt stratégique, le renforcement de ce territoire presque vide d'hommes face à la Chine.

HISTOIRE. Il est possible de reconstituer l'évolution des cultures sibériennes du paléolithique, du néolithique et de l'âge du bronze (v. STEPPES [*art des*]). Au cours du Ier millénaire av. J.-C., le développement de l'élevage entraîne l'extension du nomadisme et l'usage du cheval comme monture. C'est en Sibérie méridionale, dans la zone où s'affrontent les tribus des trois grands groupes, mongol*, turc* et toungouse*, que se forment les empires des steppes : Hiong*-nou et Huns* (IIe s. av. J.-C.), Sien-peï (Ier-IIe s. apr. J.-C.) et Jouan*-jouan (Ve-VIe s.), d'origine protomongole, T'ou-kiue (VIe-VIIIe s.) et Ouïgours*, apparentés aux Turcs, et enfin Khitans (Xe-XIIe s.) et Kara Kitay (XIIe-XIIIe s.). La formation de ces empires entraîne des déplacements de peuples à l'intérieur du vaste domaine sibérien, ou des migrations vers les confins des mondes chinois et persan ou vers les steppes entre Volga et Danube. Les conquêtes de Gengis* khān placent la Sibérie au centre de l'Empire mongol (XIIIe s.). Du démembrement de la Horde* d'Or naît le khānat de Sibérie (Sibir, 1428-1598), détruit par les Cosaques au service des tsars moscovites. Les Russes colonisent la Sibérie à partir de 1582 (expédition de Iermak*) et atteignent la mer d'Okhotsk en 1632, créant des postes fortifiés et soumettant les autochtones à un tribut en fourrures *(iassak).* La Chine reconnaît, en 1858 et en 1860, la domination russe sur les territoires de l'Amour et de l'Ossouri. Le Transsibérien*, commencé en 1891, atteint le Pacifique en 1906. Les Soviétiques éliminent les armées de Koltchak* et les Japonais de 1918 à 1922, et créent des districts et des régions autonomes au sein de la R. S. F. S. de Russie.

SIBIU, v. de Roumanie, au N. des Alpes de Transylvanie; 127 000 hab. Souvenirs médiévaux; important musée dans le palais Bruckenthal, baroque. Constructions mécaniques.

SIBYLLE. — La tradition gréco-romaine connaissait des femmes inspirées, les sibylles, qui transmettaient les oracles des dieux. Leur existence est légendaire; la plus célèbre est celle de Cumes*, près de Naples, dont Virgile* parle dans *l'Énéide.* Un recueil des *Livres sibyllins* était conservé à Rome dans le temple de Jupiter Capitolin. À partir du IIe s. av. J.-C., des auteurs juifs firent circuler des *Oracles sibyllins,* écrits de propagande religieuse placés sous l'égide de la sibylle. Ils furent ultérieurement interpolés et remaniés par les chrétiens et eurent une influence sur l'apologétique, la piété populaire et l'art chrétien jusqu'à la Renaissance.

SICAMBRES, peuple germain établi entre le Rhin* et la Ruhr*. Après de nombreux heurts avec les Romains, les Sicambres furent soumis par Tibère (8 apr. J.-C.). Une partie d'entre eux s'établirent en Gaule, où, à partir du IIIe s., ils se mêlèrent aux Francs*.

SICARD (Roch Ambroise CUCURRON, dit **l'abbé**), pédagogue français (Le Fousseret 1742 - Paris 1822). Prêtre à Bordeaux, il se met au service des jeunes sourds-muets, succédant à l'abbé de L'Épée* à la tête de l'établissement de Paris (1795). Il a laissé d'importants essais sur l'art d'instruire les sourds-muets.

SICARD (Émile), sociologue français (Thiers 1909). Ses préoccupations concernent essentiellement les pays en voie de développement.

Sicav, sigle de *Société* d'investissement à capital variable.*

SICCATIF. — Un siccatif est préparé par voie sèche ou humide en combinant des sels de plomb*, de cobalt*, de manganèse*, de fer*, de zinc*, de calcium*, de cérium*, de zirconium* à des acides gras : résiniques, naphténiques, octoïques. Son rôle est de provoquer le durcissement des huiles par oxydation* et par polymérisation*.

SICHEM, cité cananéenne de la Palestine centrale. Illustre par le souvenir des patriarches* hébreux qui résidèrent sur son territoire, elle eut durant la période monarchique un statut spécial. Première capitale du royaume d'Israël* avant Samarie*, elle devient, au retour de l'Exil, la métropole religieuse des Samaritains*. Détruite en 128 av. J.-C. par Hyrcan Ier (v. ASMONÉENS), elle ne sera plus qu'un petit village, à côté duquel Vespasien*, en 72 apr. J.-C., fondera « Flavia Neapolis », auj. *Naplouse.*

SICIÉ *(cap),* cap du départ. du Var, sur la Méditerranée, au S.-O. de Toulon.

SICILE, en ital. **Sicilia,** île italienne de la Méditerranée; 25 708 km^2; 4 774 000 hab. Capit. *Palerme.* Elle est formée des neuf provinces suivantes : Agrigente, Caltanissetta, Catane, Enna, Messine, Palerme, Raguse, Syracuse et Trapani.

GÉOGRAPHIE. La plus grande et la plus peuplée des îles de la Méditerranée, la Sicile est séparée du continent par le détroit de Messine, large seulement de 3 km. Le nord, montagneux (près de 2 000 m), prolonge la Calabre. Collines et plateaux, souvent calcaires, dominent dans le centre et le sud, cependant qu'à l'E. se dresse le massif volcanique de l'Etna, au-dessus de la vaste plaine de Catane.

Le climat est naturellement méditerranéen, avec des hivers doux et des étés chauds et ensoleillés, mais il varie selon l'exposition (plus arrosé au N., plus chaud dans l'est et surtout le sud, très sec) et l'altitude (froids sensibles dans l'intérieur). La végétation méditerranéenne est très dégradée, et beaucoup de cours d'eau sont parfois asséchés en été. Ce climat est surtout marqué par une grande irrégularité d'une année sur l'autre, particulièrement importante pour l'agriculture, qui demeure une activité fondamentale.

Sicile.
La baie de Taormina sur la mer Ionienne, vue du haut du Théâtre grec (IIe s. av. J.-C.).

Lawson-Rapho

Les céréales (blé) se maintiennent dans l'intérieur, et le littoral, souvent grâce à l'irrigation, est le domaine de cultures plus spécialisées, dont celles des agrumes (récemment développés) et des légumes. La vigne est surtout cultivée aux extrémités occidentale (Marsala) et orientale (autour de Catane); l'olivier et la culture du coton ont décliné. Sur le plan industriel, on extrait surtout de la potasse et du pétrole (ayant plus ou moins relayé l'exploitation du soufre et du sel). Le pétrole (avec du brut importé) a donné naissance à la chimie. Mais l'industrialisation demeure ponctuelle et limitée. Le secteur tertiaire est le principal fournisseur d'emplois, importance partiellement liée au tourisme, favorisé par le climat et, surtout, par les témoins d'un riche passé. Cependant, le tourisme ne suffit pas à assurer le plein-emploi d'une population dont la densité, très voisine de la moyenne nationale, approche 190 habitants au kilomètre carré (le double de la moyenne française) et explique à la fois une constante émigration et la prolifération de petits métiers peu productifs.

HISTOIRE. Colonisée par les Phéniciens (IXe s.), puis par les Grecs (VIIIe s.), la Sicile connut une longue période de prospérité en dépit des révolutions qui secouèrent les cités, provoquant l'instauration de régimes tyranniques (Phalaris à Agrigente [v. 570-554 av. J.-C.]; Gélon à Syracuse [540-478 av. J.-C.]). Aux Ve et IVe s. av. J.-C., Syracuse, ayant repoussé les Carthaginois (480), exerça son hégémonie sur les trois quarts de l'île. Mais, dès le IIIe s., la Sicile devint le champ de bataille entre Rome* et Carthage*, puis, après la prise de Syracuse par M. Claudius Marcellus (212), tomba définitivement sous l'autorité romaine. Considérée comme le «grenier à blé» de Rome, pillée à maintes reprises par ses gouverneurs (Verrès*), l'île déclina lentement. Au Ve s. apr. J.-C., elle fut conquise par les Vandales et les Ostrogoths. Reconquise par les Byzantins (535), elle tomba aux mains des Arabes (IXe s.), puis des Normands (1091), qui fondèrent le royaume de Sicile (1130). Échue aux Hohenstaufen (fin du XIIe s.), puis à la maison d'Anjou, la Sicile ne tarda pas à secouer le joug angevin (Vêpres siciliennes, 1282) et se donna à la maison d'Aragon qui, ayant conquis le royaume angevin de Naples, fonda le royaume des Deux-Siciles (1442). Séparée de Naples dès 1458, l'île resta à l'Aragon. Elle fut attribuée à la Savoie en 1713, cédée aux Habsbourg en 1718, puis incorporée (1734) au nouveau royaume des Deux-Siciles, constitué au profit de don Carlos de Bourbon et de sa descendance. Agitée par les troubles révolutionnaires (1820, 1848), la Sicile fut finalement conquise par Garibaldi (av. 1860) et se donna au royaume de Piémont (oct. 1860). En 1948, elle reçut un statut d'autonomie, dans le cadre de la République italienne.

Sicomi → SOCIÉTÉ *(Dr.).*

SICYONE, cité de la Grèce ancienne, dans le Péloponnèse. Elle connut une période brillante sous le gouvernement des Orthagorides (670-570 av. J.-C.). Elle ne retrouvera un peu d'éclat qu'avec la ligue Achéenne* et Aratos* de Sicyone. — Sicyone, dont étaient originaires Canachos et Lysippe*, fut le foyer d'une célèbre école de peinture et de sculpture. Ruines de l'époque hellénistique et romaine.

SIDER (El-), port pétrolier de Libye.

SIDÉROLITHIQUE. — Formation tertiaire sablo-argileuse de teinte rouge, riche en concrétions de fer, le sidérolithique remplit les poches de dissolution des calcaires secondaires du Bassin parisien. Il a été autrefois exploité comme minerai de fer.

SIDEROXYLON. — Cet arbre de Floride et des Antilles (famille des sapotacées) fournit un bois très dur dit *mastic, jocuma* ou *bois de fer.*

SIDÉRURGIE. — Englobant l'ensemble des procédés d'élaboration*, de transformation et de traitements* thermiques des produits ferreux (fontes* et aciers*), la sidérurgie comprend la *sidérurgie lourde,* qui traite les plus forts tonnages de fontes et d'aciers courants et peu alliés, et la *sidérurgie fine,* qui concerne les fontes et aciers alliés nécessitant des procédés d'élaboration plus particuliers. Le procédé de base est l'élaboration de la fonte (alliage de fer* à environ 3,5 p. 100 de carbone) par traitement au haut fourneau de minerais* titrant de 30 à 70 p. 100 de fer, sous forme d'oxydes* (hématites, goéthite, magnétite) ou de carbonate* (sidérose), préalablement préparés par des procédés d'enrichissement (grillage, agglomération, boulettage, préréduction). Additionné d'un fondant, la *castine,* ou carbonate de calcium, et de coke, le minerai est chargé à la partie supérieure de l'appareil. Durant la descente de la charge, l'oxyde subit une réduction* par le carbone* ou par l'oxyde de carbone résultant de la combustion du coke avec le courant d'air chaud, ou *vent,* soufflé par des tuyères vers la base de l'installation. Le fer résultant de cette réduction se transforme en fonte sous l'action du milieu fortement carburant. La fonte en fusion, séparée du laitier, est recueillie dans le creuset inférieur de l'appareil. Les gaz chauds qui s'échappent de la partie haute, ou gueulard, sont récupérés, après épuration, pour le chauffage du vent dans des échangeurs, ou *cowpers.* La production journalière d'un haut fourneau, qui était en moyenne de 60 t en 1850 et de 1 000 t en 1950, atteint aujourd'hui 10 000 t.

Parmi les procédés d'affinage de la fonte liquide en acier par oxydation exothermique sélective des éléments présents (carbone, phosphore*, silicium*, manganèse*), le convertissage par soufflage d'oxygène* pur (oxydérurgie) permet d'élaborer plus de 50 p. 100 de l'acier dans des cornues dont la capacité atteint 300 t. Divers procédés, LD, O.L.P., Kaldo, Rotor, se sont substitués aux procédés classiques de convertissage par l'air : *Bessemer,* dans des cornues à revêtement acide, *Thomas* dans des cornues basiques pour le traitement des minerais lorrains phosphoreux. L'affinage par chauffage de la fonte sur sole, dans un four* à réverbère type Martin, avec récupérateur de chaleur Siemens, se pratique dans des fours de grande capacité — jusqu'à 600 t —, à revêtement généralement basique, soit par dilution de la fonte avec des ferrailles, soit par oxydation à l'aide de minerais pauvres. L'élaboration d'aciers fins et spéciaux, de ferro-alliages et de fontes synthétiques est réalisée au four électrique à arc (type Héroult), d'une capacité moyenne de 100 t, mais qui peut atteindre 400 t. D'autres procédés spéciaux d'aciérie permettent d'obtenir des nuances particulières d'aciers (acier au creuset fondu au four à induction, acier élaboré sous vide ou sous laitier électroconducteur), ou sont imposés par des impératifs économiques locaux (procédés de réduction directe des minerais par le charbon ou par des gaz réducteurs) dans des pays en cours de développement sidérurgique, tels que ceux de l'Amérique latine ou du Proche-Orient.

L'évolution de la sidérurgie est caractérisée par l'implantation des centres dans des régions portuaires, le développement de l'oxydérurgie, la coulée continue en aciérie et la création d'usines élaborant des semi-produits spécifiques (mini-aciéries).

SIDI-BEL-ABBÈS, v. de l'ouest de l'Algérie, au S. d'Oran; 87 000 hab. Garnison de la Légion étrangère française de 1843 à 1962.

Sidi-Brahim, marabout d'Algérie, entre Oran et Nemours. Célèbre combat livré, du 23 au 25 septembre 1845, par le 8e bataillon de chasseurs contre 3 000 cavaliers d'Abd el-Kader. Son anniversaire est devenu la fête de tradition des chasseurs à pied.

SIDI-FERRUCH, petite base à l'ouest d'Alger, où débarqua le corps expéditionnaire français en juin 1830.

SIDI-KACEM, anc. **Petitjean,** v. du Maroc, au N.-O. de Meknès; 27 000 hab. Raffinerie de pétrole.

SIDNEY (*sir* Philip), diplomate et écrivain anglais (Penshurst, Kent, 1554-Arnhem 1586), auteur de sonnets et d'un roman pastoral, *Arcadia* (1590).

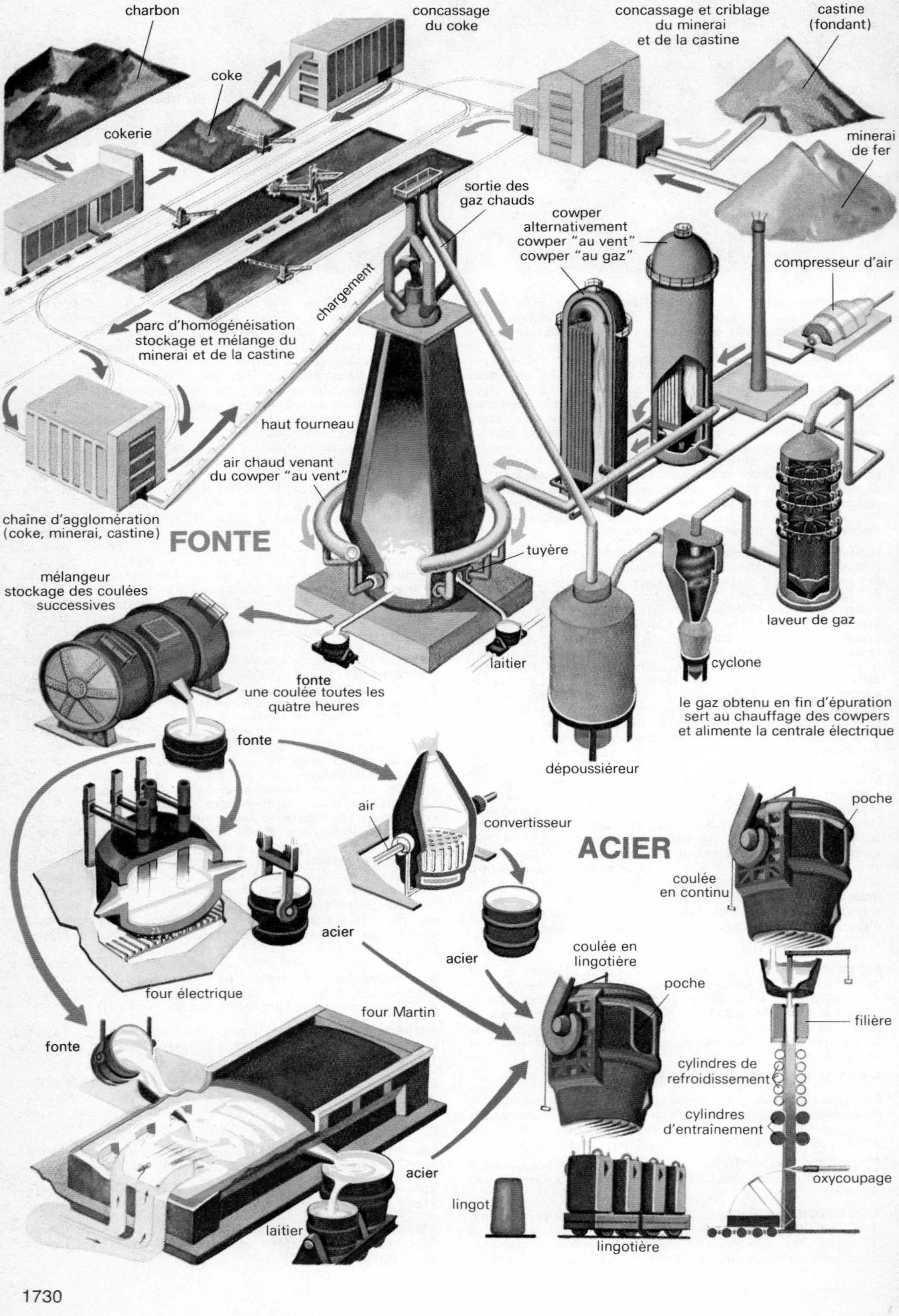
charbon
concassage du coke
concassage et criblage du minerai et de la castine
castine (fondant)
coke
cokerie
minerai de fer
sortie des gaz chauds
cowper alternativement cowper "au vent" cowper "au gaz"
compresseur d'air
chargement
parc d'homogénéisation stockage et mélange du minerai et de la castine
haut fourneau
air chaud venant du cowper "au vent"
chaîne d'agglomération (coke, minerai, castine)
FONTE
tuyère
mélangeur stockage des coulées successives
laveur de gaz
cyclone
laitier
fonte une coulée toutes les quatre heures
le gaz obtenu en fin d'épuration sert au chauffage des cowpers et alimente la centrale électrique
fonte
dépoussiéreur
air
convertisseur
poche
ACIER
coulée en continu
acier
acier
coulée en lingotière
poche
four électrique
four Martin
filière
fonte
cylindres de refroidissement
cylindres d'entraînement
acier
oxycoupage
lingot
laitier
lingotière

SIDOBRE (le), région granitique du sud du Massif central, dans le sud-est du départ. du Tarn, au S. de l'Agout, découpée en blocs aux formes étranges.

SIDOINE APOLLINAIRE *(saint),* évêque de Clermont-Ferrand (Lyon v. 430-Clermont-Ferrand v. 487). Fils d'un préfet du prétoire, il épousa (452) la fille d'Avitus, qui fut un moment empereur. Il devint préfet de Rome, puis patrice. Élu évêque de Clermont (471-472), il défendit l'Auvergne contre les Wisigoths. Il a laissé 24 poèmes antérieurs à son épiscopat et 147 lettres.

SIDON → ṢAYDĀ.

Siècle de Louis XIV *(le),* essai historique de Voltaire (1751) : description de la civilisation du Grand Siècle, c'est aussi une critique du despotisme et du fanatisme.

SIEGBAHN (Manne), physicien suédois (Örebro 1886). Il a découvert, en 1925, la réfraction des rayons X. (Prix Nobel de chimie, 1924.)

SIÈGE ÉJECTABLE. — Les avions d'armes sont équipés de sièges éjectables pour permettre l'évacuation de l'équipage en cas de destruction en vol. L'éjection est assurée par des cartouches de poudre* qui communiquent au siège une vitesse verticale d'une vingtaine de mètres par seconde. Lorsque celui-ci est arrivé au sommet de sa trajectoire, l'ouverture d'un parachute* est commandée pour ramener le siège et son occupant au sol. L'utilisation des sièges éjectables peut se faire aux altitudes les plus basses, pratiquement au niveau du sol. En revanche, elle devient de plus en plus délicate au fur et à mesure que la vitesse de l'avion augmente, du fait des effets aérodynamiques auxquels est soumis le pilote lors de l'éjection. Aussi, sur les avions à très hautes performances, c'est l'ensemble de l'habitacle qui est éjecté.

Siegfried, héros mythique germanique *(Chanson des Nibelungen),* le même que le Scandinave Sigurd*.

Siegfried → TÉTRALOGIE.

Siegfried *(ligne),* position fortifiée construite par l'Allemagne de 1937 à 1940 sur sa frontière occidentale. Elle fut conquise par les Alliés entre novembre 1944 et mars 1945 (v. GUERRE MONDIALE [*Seconde*]).

SIEGFRIED (André), économiste français (Le Havre 1875-Paris 1959), promoteur de la sociologie électorale* en France.

SIE HO ou **XIE HE,** écrivain chinois dont le traité, rédigé vers 500, énonce les six canons esthétiques qui deviendront le fondement de toute la critique artistique chinoise ultérieure.

SIEMENS → UNITÉS.

SIEMENS (VON), famille d'ingénieurs et d'industriels allemands. WERNER (Lenthe, près de Hanovre, 1816-Berlin 1892) fonda en 1847, avec J. G. Halske (1814-1890), la Société Siemens et Halske pour l'établissement de lignes télégraphiques, donna le principe de la dynamo (1866), installa, avec ses frères Wilhelm et Carl, plusieurs câbles transatlantiques, à partir de 1874, et réalisa la première locomotive électrique (1879), ainsi qu'une ligne de tramway avec deux rails conducteurs. — Son frère, WILHELM (Lenthe 1823-Londres 1883), émigré en 1844 en Grande-Bretagne, améliora les procédés électrochimiques d'Elkington* et perfectionna le procédé d'élaboration de l'acier. Anobli en 1883, il devint sir William Siemens. — FRIEDRICH (Menzendorf 1826-Dresde 1904), frère des précédents, imagina en 1856, avec Wilhelm, le four à régénération pour la fonte de l'acier et du verre. — CARL (Menzendorf 1829-Menton 1906), frère des précédents, établit de nombreux réseaux télégraphiques à l'étranger, aida son frère Wilhelm à la fabrication des grands câbles transatlantiques (1870-71) et introduisit l'éclairage électrique en Russie (1853-1918).

SIEMIANOWICE ŚLĄSKIE, v. de Pologne, en Silésie, au N. de Katowice; 70 000 hab. Extraction de la houille. Métallurgie.

SIENKIEWICZ (Henryk), écrivain polonais (Wola Okrzejska 1846-Vevey, Suisse, 1916). Journaliste, il débute par des images de la vie paysanne (*Esquisses au fusain,* 1877), puis rapporte de ses voyages, notamment aux États-Unis, des *Lettres de voyage* et des nouvelles (*le Gardien du phare,* 1880). En 1882, il prend la direction du quotidien *Stowo* et entreprend de maintenir en éveil la conscience nationale de la Pologne, divisée et asservie, par une grande trilogie romanesque (*Par le fer et par le feu,* 1884; *le Déluge,* 1886; *Messire Wołodyjowski,* 1888). Il glorifie ensuite la victoire de l'esprit sur la force matérielle dans *Quo vadis?* (1896) et exalte la résurrection de la Pologne médiévale dans *les Chevaliers Teutoniques* (1897-1900). Usant de son prestige d'écrivain pour défendre la cause de son pays auprès de Guillaume II et devant l'opinion universelle, il est célébré comme un héros national lors de son jubilé littéraire (1900). [Prix Nobel, 1905.]

SIENNE, en ital. **Siena,** v. d'Italie (Toscane), ch.-l. de prov.; 66 000 hab.

HISTOIRE. Colonie romaine *(Sena Iulia)* fondée par Auguste, Sienne prend de l'importance pendant les invasions barbares. Établie à un carrefour de routes, elle devient très vite un centre commercial et une place bancaire très importants. Siège d'un évêché et résidence d'un gastald lombard au VIIIe s., puis d'un comte franc au IXe s., elle devient une commune au XIIe s. La lutte contre Florence, d'une part, et la faillite des compagnies de marchands, en particulier celle des Buonsignori, d'autre part, entraînent le déclin de la ville, aggravé par la peste noire de 1348. Sienne garde cependant son rayonnement artistique et intellectuel. Attaquée par les troupes impériales en 1555, elle est absorbée dans le grand-duché de Toscane.

BEAUX-ARTS. Le visage actuel de la vieille ville demeure celui qu'ont modelé les XIIIe et XIVe s. : cathédrale (entreprise au milieu du XIIe s.), à laquelle ont travaillé Nicola* et Giovanni Pisano, et autres églises gothiques, d'aspect plus sévère; sur la place del Campo, en éventail, Palais public (XIVe s.), au haut campanile et aux rudes murailles (musée), et palais de l'aristocratie.

La pinacothèque de la ville (dans un palais du XIVe s.) reflète l'originalité de la peinture siennoise, qui se constitue avec Duccio* (*Maestà* du musée de l'Œuvre de la cathédrale, 1311), se poursuit avec une école gothique caractérisée par le raffinement linéaire et la préciosité des tons — S. Martini* et les Lorenzetti* (grands décors du Palais public) —, se prolonge avec Giovanni di Paolo († 1482) et Sassetta*. Le premier élan de la Renaissance est donné dans la sculpture, grâce à Iacopo* della Quercia (fontaine Gaia, 1409-1419; fonts baptismaux du baptistère de la cathédrale, avec interventions de Ghiberti, de Donatello, etc.). En peinture, le Vecchietta (v. 1412-1480), également sculpteur, et Matteo di Giovanni († 1495) assurent la transition vers l'art nouveau, qu'exprime Francesco* di Giorgio Martini. Pinturicchio*, puis Signorelli* et le Sodoma* travaillent à Sienne. Domenico Beccafumi (v. 1486-1551), représentant du maniérisme, a une large part dans l'achèvement du dallage historié de la cathédrale.

SIERCK-LES-BAINS (57480), ch.-l. de cant. de la Moselle, à 18 km au N.-E. de Thionville; 1 583 hab. Métallurgie.

SIERENTZ (68510), ch.-l. de cant. du Haut-Rhin, à 11 km au S.-S.-E. de Mulhouse; 1 711 hab.

SIERPIŃSKI (Wacław), mathématicien polonais (Varsovie 1882-*id.* 1969). Chef de l'école mathématique polonaise moderne, il a surtout étudié la théorie des nombres, celle des ensembles et la topologie.

SIERRA LEONE, État de l'Afrique occidentale, membre du Commonwealth; 72 323 km²; 3 110 000 hab. Capit. *Freetown.*

GÉOGRAPHIE. Le pays s'étend sur une portion de bouclier précambrien arasé, partiellement recouvert de sédiments gréseux. Les hauts plateaux de l'Est, surmontés de reliefs résiduels (1 948 m), se rattachent à la « dorsale guinéenne ». Ils dominent une vaste plaine, partiellement inondable, ouverte sur l'Atlantique en une côte entaillée par de larges estuaires. Le climat, subéquatorial,

SIERRA LEONE

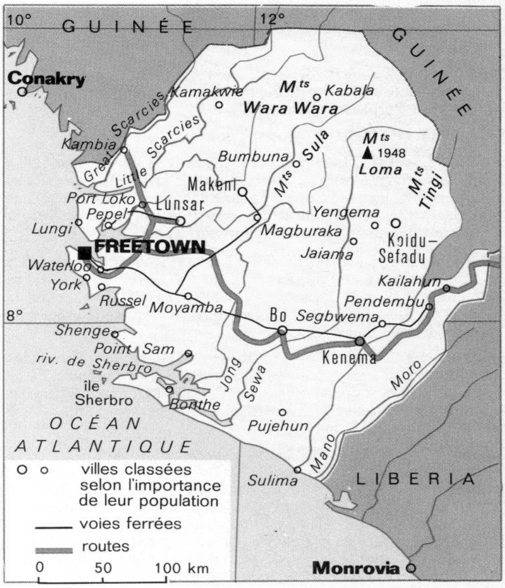

très humide (plus de 3 m de pluies par an sur le littoral), permet la croissance de la forêt dense (qui a été largement défrichée par l'homme) et de la mangrove (sur les côtes).

La population, composée principalement de Mendés et de Timnés, est, en grande majorité, rurale. Concentrée dans la zone littorale, elle pratique les cultures vivrières du riz, du manioc et du mil. Les cultures commerciales, peu développées, fournissent de l'huile de palme, du café et du cacao. Mais le pays tire une grande partie de ses ressources du sous-sol. Les mines de fer, de bauxite et, surtout, de diamants assurent en valeur plus des deux tiers des exportations. Les échanges, presque équilibrés, passent par le port de Freetown, principale ville du pays. La Grande-Bretagne demeure le partenaire principal.

HISTOIRE. Vers 1460, le Portugais Pedro de Sintra donne le nom de *Serra Leoa* («Montagne du lion») à la presqu'île montagneuse qui barre l'estuaire des rivières Mitombo et Maipula : les Portugais y installent entrepôts et forts. Mais, au cours du XVIIe s., les Anglais les éliminent à leur profit; au XVIIIe s., la principale ressource est la traite des Noirs. Cependant, en 1786, la ville de Freetown est créée pour recevoir d'anciens esclaves. Quand la traite négrière est abolie par le Parlement britannique en 1807, la Sierra Leone, possession d'une compagnie à charte, devient colonie de la Couronne; Freetown attirera désormais des libérés de toute l'Afrique. Au cours du XIXe s., l'Angleterre installe son protectorat sur une zone d'influence avoisinant les frontières avec le Liberia et la Guinée française. Une coexistence s'établit entre le protectorat et la colonie, qui reçoivent une Constitution en 1924. Un régime démocratique parlementaire est institué en 1951. Puis l'action du Sierra Leone People's Party (SLPP) aboutit à l'indépendance (1961). Peu à peu s'installe un régime présidentiel avec Siaka Stevens qui, en 1971, proclame la république.

SIERRE, v. de Suisse (Valais), au-dessus du Rhône; 11 017 hab.

SIEYÈS (Emmanuel Joseph), homme politique français (Fréjus 1748 - Paris 1836). Vicaire général de Chartres, il fréquente les «salons philosophiques». En janvier 1789, son factum, *Qu'est-ce que le tiers état? Tout. Qu'a-t-il été jusqu'à présent? Rien. Que veut-il devenir? Quelque chose,* connaît un immense succès. Député du tiers aux États généraux, Sieyès réclame la réunion des trois ordres et rédige le texte du serment du Jeu* de Paume. Partisan d'une monarchie constitutionnelle, député à la Convention (1792), il siège au centre, mais vote la mort du roi. Élu aux Cinq-Cents, dont il devient président, Sieyès devient directeur en mai 1799. Voulant une révision de la Constitution dans un sens favorable à l'exécutif, il cherche un «sabre» : Bonaparte* s'impose à lui. Mais, une fois perpétré le coup d'État des 18 et 19 brumaire* an VIII, celui-ci — qui fait de Sieyès un deuxième consul provisoire — transforme à son profit la Constitution rédigée par l'ex-abbé.

SIFILET. — Le sifilet est un paradisier* de Nouvelle-Guinée, caractérisé par six longues plumes qu'il porte sur la tête, rabattues en arrière et réduites à des filets, sauf à leur extrémité, qui est élargie en palette.

SIG, anc. **Saint-Denis-du-Sig,** v. de l'Algérie occidentale, à l'extrémité méridionale de la *plaine du Sig,* région marécageuse à l'E. d'Oran, où se termine le *Sig* (cours d'eau long de 220 km); 28 000 hab.

SIGEAN (11130), ch.-l. de cant. de l'Aude, à 21 km au S. de Narbonne, au S. de l'*étang de Bages et de Sigean* (étang littoral entre Narbonne et Port-la-Nouvelle); 3 131 hab.

SIGEBERT Ier, II, III → MÉROVINGIENS.

SIGER de Brabant, théologien brabançon (v. 1235 - Orvieto 1281). Chanoine de Saint-Martin de Liège, maître ès arts de l'Université de Paris (v. 1266), il se montra le véritable chef de file de l'averroïsme latin. Ses écrits, notamment le *De impossibilia* et le *De aeternitate mundi* entraînèrent sa condamnation par Rome.

SIGIRIYĀ, site archéologique de Sri Lanka (Province centrale). Sur un piton rocheux, le roi Kassapa Ier (473-491), fit édifier sa forteresse-palais, à la façade, en brique et en plâtre, affectant la forme d'un lion. Les salles, taillées dans le roc, sont ornées de fresques de belle qualité.

SIGISMOND *(saint)* [† près d'Orléans 523], roi des Burgondes (516-523), fils et successeur de Gondebaud. Ayant répudié l'arianisme (v. 500), il fonda le monastère de Saint-Maurice d'Agaune et favorisa l'implantation du christianisme dans ses États. Il fut vaincu et tué par Clodomir.

SIGISMOND DE LUXEMBOURG (Nuremberg 1368 - Znaïm 1437), roi de Hongrie (1387-1437), roi des Romains (1411-1433), empereur germanique (1433-1437) et roi de Bohême (1419-1437), fils cadet de l'empereur Charles IV. Il convoqua le concile de Constance pour mettre fin au schisme (1414), y fit condamner Jan Hus, et se rendit difficilement maître de la Bohême (1419). À partir de 1433, il tenta de rehausser l'autorité impériale par un programme de réorganisation politique *(Restauratio Sigismondi).*

SIGISMOND Ier, II, rois de Pologne → JAGELLONS.

SIGISMOND III, roi de Pologne → VASA.

SIGMOÏDE → INTESTIN.

SIGNAC (Paul) → NÉO-IMPRESSIONNISME.

SIGNALISATION. — • La *signalisation ferroviaire* a pour but d'assurer l'espacement régulier des trains* circulant dans le même sens sur une même voie*, de façon à éviter un rattrapage éventuel, et de garantir la sécurité des circulations dans les zones comportant plusieurs possibilités d'itinéraires, en particulier sur les voies uniques où deux trains pourraient circuler en sens inverse. L'*espacement par le temps,* utilisé au début du chemin de fer, est maintenant remplacé par l'*espacement à la distance.* La ligne est découpée en *cantons* protégés par un signal d'arrêt (sémaphore). La signalisation de bloc consiste à conserver le sémaphore fermé tant que le train engagé sur le canton protégé par le signal n'a pas dépassé le sémaphore suivant. Le bloc automatique apporte un perfectionnement supplémentaire en permettant aux trains de commander eux-mêmes la fermeture des signaux de protection des cantons. Ce système s'est imposé peu à peu, et le bloc automatique lumineux est le système de signalisation fondamental des grandes lignes. Aux points où se pose le problème de la protection des circulations contre les mouvements convergents ou sécants, les signaux et les aiguilles relatifs à un itinéraire sont liés entre eux par des enclenchements mécaniques ou électriques permettant de réaliser matériellement l'incompatibilité de deux situations. En dehors des signaux d'arrêt, les chemins de fer utilisent des signaux destinés à obtenir des limitations de vitesse. Tous ces signaux sont précédés de signaux d'annonce, en raison des distances d'arrêt d'un train qui sont presque dix fois plus longues que celles d'un véhicule automobile. Pour les très grandes vitesses, les distances d'arrêt deviennent très importantes et la signalisation de bloc conduit à des cantons trop longs. L'observation d'un signal fixe placé le long de la voie doit alors être remplacé par la réception d'une information transmise par voie hertzienne dans la cabine de conduite.

• La *signalisation maritime* permet au navigateur de déterminer sa position par rapport soit au rivage, soit à un danger quelconque (récif, haut-fond, navire échoué, etc.) à l'aide de mesures d'angles.
— Les *marques de balisage* (bouée, tourelle en maçonnerie, balise proprement dite, simple perche scellée dans le roc ou fixée dans le fond) possèdent une signification précise qui dépend de leur forme (cône, cylindre, sphère, ogive, fuseau), de leur couleur (rouge, noire, verte) et du voyant qui les surmonte (cône, cylindre, sphère, croix, té). Il existe deux systèmes de marque.

Le *système latéral,* qui est international, sert à baliser les deux côtés d'un chenal (entrée du port, fleuve, etc.). Il comprend essentiellement des marques noires et des marques rouges.

Le *système cardinal,* utilisé presque uniquement en France, est orienté sur les points cardinaux pour signaler les dangers là où il n'y a pas de chenal défini. Une marque cardinale définit sa propre position par rapport au danger et indique par le fait même la route libre.

Toutes les indications fournies par le balisage sont données pour le navigateur arrivant du large.
— Les *feux,* représentés par les lumières émises par les phares, les bateaux-feux, les tourelles et les bouées, sont caractérisés par leur couleur, leur type, leur rythme et leur période.

• La *signalisation routière* est de trois sortes.
— La signalisation par panneaux (qui peuvent être simplement indicateurs ou, au contraire, obligatoires) prévient le conducteur de tout ce qu'il va trouver sur son passage.
— La signalisation au sol matérialise les voies sur la chaussée à l'aide de bandes blanches ou jaunes, continues ou pointillées, aidées par de grandes flèches au sol désignant la direction à suivre et, pour une direction choisie, la file à prendre.
— La signalisation lumineuse indique, par catadioptres ou clignotants, des travaux ou autres dangers. Dans les grandes agglomérations, des feux tricolores règlent la circulation : feu vert, circulation autorisée; feu orange, arrêt, sauf lorsque les conditions tenant à la vitesse ou au sol mouillé interdisent un arrêt brutal et dangereux; feu rouge, arrêt obligatoire. Le feu orange clignotant indique que l'on n'a pas la priorité.

SIGNATURE → BROCHAGE.

SIGNE. — Le signe linguistique est instauré comme unité de langue* par F. de Saussure : c'est l'unité minimale de la phrase susceptible d'être reconnue comme identique dans un environnement différent, ou d'être remplacée par une unité différente dans un environnement identique. Le signe est défini comme une unité psychique à double face, constituée par l'union indissociable d'un concept (le signifié) et d'une image acoustique (le signifiant). Le lien qui unit le signifiant et le signifié est arbitraire : l'idée de «sœur» n'est liée par aucun rapport de nécessité à la suite de trois sons ([s], [œ], [r]) qui lui sert de signifiant. De même, un signifié identique est représenté dans des langues différentes par des signifiants différents. D'autre part, le signifiant, étant de nature auditive, se déroule dans le temps : les signes se présentent donc toujours l'un après l'autre, formant la chaîne parlée dont la structure est linéaire, ce qui la rend analysable et quantifiable. Tout signe linguistique est en opposition avec les autres signes du système de la langue, et c'est de cette opposition qu'il tire sa valeur et sa fonction : un signe ne se définit qu'au sein d'un ensemble d'autres signes.

SIGNIFIANT, SIGNIFIÉ → SIGNE.

SIGNORELLI (Luca), peintre italien (Cortona v. 1445 - *id.* 1523). Héritier de Piero della Francesca, mais aussi de Verrocchio et de Pollaiolo, appelé à Lorette v. 1478, à Rome (chapelle Sixtine) v. 1481, il acquiert un style personnel d'une puissante tension (*Annonciation* de Volterra, 1491; *Vierge à l'Enfant,* en *tondo,* des Offices), avant d'exécuter avec son atelier (1497) une partie des fresques de la Vie de saint Benoît dans le cloître de Monte Oliveto Maggiore, près de Sienne, puis de composer celles de la chapelle S. Brizio à la cathédrale d'Orvieto (1499-1504), remarquables par l'exaltation plastique des figures (nus de la *Résurrection des corps*). Son style tend à s'alourdir ou à s'affadir par la suite.

SIGNORET (Simone KAMINKER, dite **Simone**), actrice française (Wiesbaden 1921). Dotée d'une incontestable personnalité, elle s'imposa dans de nombreux films, parmi lesquels *Dédée d'Anvers* (1947), *Manèges* (1949), *Casque d'or* (1951), *Thérèse Raquin* (1953), *les Diaboliques* (1954), *les Chemins de la haute ville* (1958), *le Chat* (1970), *la Veuve Couderc* (1971).

SIGNORINI (Telemaco) → MACCHIAIOLI.

SIGNY-L'ABBAYE (08460), ch.-l. de cant. des Ardennes, à 23 km au N. de Rethel; 1 678 hab. Articles de sport.

SIGNY-LE-PETIT (08380), ch.-l. de cant. des Ardennes, à 15 km à l'E. d'Hirson; 1 543 hab.

SIGOULÈS (24240), ch.-l. de cant. de la Dordogne, à 15 km au S. de Bergerac; 600 hab.

SIGÜENZA, v. d'Espagne (Nouvelle-Castille), au N.-E. de Madrid; 5 000 hab. Monuments, dont l'imposante cathédrale romane et gothique des XIIe-XIVe s. (riches décors des XVe-XVIIe s.).

SIGURD, héros mythique des Scandinaves, un des personnages de l'*Edda** et des *Nibelungen**.

SIHANOUKVILLE → KOMPONG SOM.

SIKELIANÓS (Ánguelos), poète grec (Leucade 1884 - Athènes 1951). Son œuvre lyrique et dramatique, inspirée par un panthéisme proche de l'orphisme des mystères antiques, est la meilleure incarnation du symbolisme en Grèce (*Prologue à la vie,* 1915-1917; *le Dernier Dithyrambe orphique,* 1932; *Dédale en Crète,* 1943; *la Mort de Dhighenís,* 1947).

SIKHOTE-ALIN, ensemble montagneux de l'extrémité orientale de l'U. R. S. S., bordé à l'O. par l'Ossouri (et la frontière chinoise) et l'Amour. Culminant à 2 078 m, c'est une région forestière, au sous-sol richement minéralisé.

sikhs, membres d'une secte fondée au début du XVe s., près de Lahore, par Guru Nānak*. La secte des sikhs (= disciples) s'affirme comme un mouvement religieux qui critique les excès de l'islām et de l'hindouisme* pour en tirer une religion syncrétiste de type monothéiste. Soumise aux attaques des musulmans, la communauté religieuse s'efforce d'instaurer une théocratie militaire au Cachemire, au Multān et au Peshāwar, sous l'impulsion de Govind Singh, guru à partir de 1675. Bien que l'organisation et les rites des sikhs aient été fixés par Govind Singh, la communauté se disperse en de multiples sectes. Elle se renforce au XIXe s. et, aujourd'hui, elle compte plus de dix millions de disciples.

SI-KIANG ou **XIJIANG** (le), fl. du sud de la Chine, qui passe à Nan-ning et rejoint la mer de Chine méridionale par un delta, site de Canton et près duquel sont établis les ports de Macao et de Hongkong; 2 100 km.

SIKKIM, État de l'Inde, à l'est du Népal; 7 107 km^2; 205 000 hab. Capit. *Gangtok.*

GÉOGRAPHIE. État montagneux de l'est de l'Himālaya, le Sikkim est centré sur le bassin de la Tīsta. Le climat, pluvieux, sous l'influence de la mousson, permet la croissance de belles forêts, qui s'étagent jusqu'aux alpages.

La population, concentrée aux altitudes moyennes, est essentiellement rurale. Elle pratique une culture intensive, fournissant une récolte de blé ou d'orge en hiver et une récolte de maïs ou de riz en été. La cardamome assure plus de la moitié des exportations. Le pays sort de son isolement sous l'influence de l'Inde, par laquelle passe l'essentiel de son modeste commerce extérieur.

HISTOIRE. Ce petit État himalayen constitue une double marche de l'aire culturelle tibétaine face au monde indien, et *vice versa.* La famille régnante est venue de la région de Lhassa vers 1641, introduisant ainsi le bouddhisme au Sikkim. En 1849, les Anglais annexent la bordure méridionale du territoire. Après de multiples litiges, le Sikkim passe sous protectorat britannique en 1890. En 1950 s'instaure le protectorat indien; depuis 1975, le Sikkim est intégré à l'Inde.

SIKOK → SHIKOKU.

SIKORSKI (Władysław), général et homme politique polonais (Tuszow 1881 - Gibraltar 1943). Chef du gouvernement (1922), puis ministre de la Guerre (1924-25), il se retira en France après le coup d'État de Piłsudski. Après la défaite de 1939, il dirigea le gouvernement polonais réfugié en France puis à Londres (1940) et se heurta à l'U. R. S. S. Il périt dans un accident d'avion.

SILENCE → NOTATION MUSICALE.

SILÈNE. — Cette herbe très grêle porte des fleurs blanches serrées dans un calice en forme de sac ovoïde. Elle rappelle, par ailleurs, la stellaire et la céraiste. (Famille des caryophyllacées.)

SILÈNE, terme désignant, dans la mythologie grecque, un personnage qui passait pour avoir été le père nourricier de Dionysos et de petits génies mi-hommes, mi-chevaux, voisins des Satyres*, avec lesquels on les confond souvent.

SILÉSIE, en polon. **Śląsk,** région de l'Europe centrale, partagée entre la Pologne (principalement) et la Tchécoslovaquie.

GÉOGRAPHIE. Dans le sud de la Pologne, la Silésie est divisée traditionnellement en *basse Silésie,* à l'O., de part et d'autre de l'Odra, autour de la ville d'Opole, et en *haute Silésie,* à l'E. Celle-ci (correspondant approximativement à l'actuelle voïévodie de Katowice) est, de loin, la partie la plus peuplée et la plus active de la Silésie historique, grâce à la présence d'un grand bassin houiller (environ 150 Mt de charbon par an), qui a donné naissance à une puissante industrie (sidérurgie et métallurgie de transformation, notamment). Ici, sur 2 000 kilomètres carrés, se concentrent plus de 2 millions d'habitants, dans une conurbation dominée par Katowice, mais englobant d'autres villes de plus de 100 000 habitants (Chorzów, Bytom, Ruda Śląska, Sosnowiec, Zabrze, Bielsko-Biała). La haute Silésie est la grande région d'industrie lourde de la Pologne. La *Silésie tchèque,* autour d'Ostrava, appartient à la haute Moravie, et son intérêt économique réside aussi dans la présence de charbon, mais l'extraction plafonne aux environs de 25 Mt et l'industrialisation, bien que notable, est cependant loin du niveau atteint par la haute Silésie polonaise, à laquelle on réserve d'ailleurs parfois l'appellation de « Silésie ».

HISTOIRE. Après une forte poussée tchèque, c'est la Pologne qui, à la fin du IXe s., annexe la région. Celle-ci, rapidement morcelée, subit progressivement la colonisation germanique, qui n'empêche pas la progression tchèque et saxonne. Au début du XIVe s., la plupart des principautés silésiennes, gouvernées par des membres de la dynastie des Piast*, reconnaissent la suzeraineté de la Bohême; quand celle-ci entre dans l'État des Habsbourg (1526), la Silésie, largement gagnée au protestantisme, passe sous l'influence autrichienne; les Habsbourg, au XVIIe s., y pratiquent une politique de recatholicisation et de germanisation. Après 1742, les neuf dixièmes du territoire deviennent prussiens : Frédéric II, à qui le traité d'Hubertsbourg (1763) confirme sa souveraineté sur la Silésie, fait de celle-ci une sorte de forteresse et y développe l'industrie minière et métallurgique. En 1815, restée prussienne, la Silésie s'agrandit d'une partie de la Lusace. Cependant, au XIXe s., on y assiste à une renaissance polonaise, et l'université de Breslau (Wrocław), fondée en 1871, devient un foyer de slavistique et aussi d'agitation.

À la fin de la Première Guerre mondiale, la question silésienne prend un tour dramatique, l'affrontement polono-allemand se compliquant d'une rivalité polono-tchèque. Un plébiscite — contesté — en haute Silésie (1921) aboutit à un partage de cette région, la Pologne recevant, notamment, la zone de Katowice. En 1945, la Silésie est attribuée à la Pologne, ce qui provoque un exode, vers la R. F. A. et la R. D. A., de la population allemande.

SILEX. — Roche sédimentaire siliceuse, le silex se présente en rognons aux formes contournées, disposés en bancs dans la craie. Il résulte de la précipitation de silice autour de germes constitués par des débris d'animaux, généralement des spicules d'éponge.

SILICATE. — Les silicates constituent la quasi-totalité de l'écorce terrestre, plus de 90 p. 100 en poids. Outre l'oxygène et le silicium, ils renferment de l'aluminium, du fer, du calcium, du sodium, du potassium et du magnésium. Les principaux sont les feldspaths, les pyroxènes et les amphiboles, le quartz et les micas. Ce sont les matières premières des industries du bâtiment, de la verrerie, de la céramique; ce sont aussi les constituants des laitiers métallurgiques.

SILICE. — Polymorphe, la silice présente plusieurs variétés cristallisées :

— le *quartz,* ou *cristal de roche,* en prismes hexagonaux terminés par des pyramides, du système rhomboédrique; incolore quand il est pur, il est très dur et a pour densité 2,65; il est doué de pouvoir rotatoire et de piézoélectricité;

— la *tridymite,* qui se forme à 870 °C, hexagonale, de densité 2,30;

— la *cristobalite,* quadratique, de densité 2,35, stable au-dessus de 1 475 °C, qui fond à 1 715 °C.

Outre les formes naturelles de silice cristallisée ou amorphe, on produit artificiellement deux sortes de silice amorphe :
— le *verre de silice,* corps transparent ayant l'aspect du verre, mais beaucoup plus résistant, obtenu par fusion du quartz et refroidissement du liquide visqueux qui en résulte;
— les *gels de silice,* plus ou moins hydratés, résultant de l'action d'un acide sur un silicate alcalin dissous; ils sont doués de propriétés absorbantes souvent mises à profit.

La silice SiO_2 est un corps très stable, indécomposable par la chaleur, que le carbone transforme au four électrique en carbure SiC. C'est un anhydride d'acide, qui se combine à haute température aux oxydes métalliques pour donner des silicates.

SILICEUSES (roches). — Roches sédimentaires constituées en majorité de silice, les roches siliceuses se classent en deux grands types. D'origine détritique, elles sont formées de débris de quartz, cimentés (grès) ou non (sables), arrachés aux reliefs. D'origine physicochimique, elles résultent de la précipitation de la silice en solution dans l'eau, directement ou par l'intermédiaire d'organismes vivants (silex, radiolarites, diatomites).

SILICIUM. — Isolé par Berzelius en 1823, le silicium est l'élément chimique n° 14, de masse atomique Si = 28,09. Il existe amorphe (en poudre marron) et cristallisé (en octaèdres gris-noir); il a pour densité 2,5 et fond vers 2 000 °C. Il ne se dissout que dans quelques métaux. Ses propriétés semi-conductrices le font employer dans les transistors.

Quadrivalent comme le carbone, il présente des analogies avec celui-ci. Il brûle avec un grand dégagement de chaleur, en donnant de la silice SiO_2. Au rouge, il se combine à l'hydrogène, au chlore, au soufre, au carbone; il donne des siliciures avec les métaux. Il entre dans des combinaisons mixtes, silicocarbonées, analogues aux composés organiques. On le prépare en réduisant la silice par un métal. Dans l'industrie, on fabrique des ferrosiliciums en traitant au four électrique la silice et les oxydes de fer par le coke; ces ferrosiliciums servent à la préparation d'aciers spéciaux.

SILICONE. — On distingue : les *huiles de silicones,* à chaînes courtes, et les *graisses de silicones,* à chaînes plus longues, servant de lubrifiants; les *résines de silicones,* à structure tridimensionnelle, employées comme isolants. Tous ces corps sont hydrofuges et résistent aux températures élevées.

Les silicones se préparent en partant de dérivés chlorés des méthyl-, éthyl- ou phénylsilicium, qui, par hydrolyse*, donnent successivement des silanols, puis des siloxanes, dont la polymérisation* conduit aux silicones. La matière de départ est obtenue par réaction de Grignard*, à partir de tétrachlorure de silicium*, ou par synthèse directe, à partir d'un dérivé alcoyle ou aryle halogéné qu'on fait réagir sur le silicium. Les silicones sont livrées sous forme d'huiles, de graisses, de caoutchouc, de résines ou de poudres à mouler, dont les caractéristiques communes sont l'incombustibilité, l'hydrophobie, la résistance aux agents chimiques et atmosphériques. De plus, elles possèdent d'excellentes propriétés diélectriques*. On les utilise comme liquides échangeurs de température, graisses pour roulements, lubrifiants spéciaux, fluides pour fards, agents dégivrants, produits de scellement, joints, stratifiés*, vernis* résistant à la chaleur, agents d'imprégnation hydrophobes, etc.

SILIUS ITALICUS (Tiberius Catius), poète latin (v. 15 apr. J.-C.-† 101), auteur d'une épopée sur la deuxième guerre punique.

SILLANPÄÄ (Frans Eemil), écrivain finlandais d'expression finnoise (Hämeenkyrö, prov. de Häme, 1888 - Helsinki 1964). Ses nouvelles et ses romans peignent les mœurs paysannes et la nature de son pays (*Vie et soleil,* 1916; *Sainte Misère,* 1919; *Silja ou Une brève destinée,* 1931; *la Voie de l'homme,* 1932; *Des hommes dans la nuit d'été,* 1935). [Prix Nobel, 1939.]

SILLÉ-LE-GUILLAUME (72140), ch.-l. de cant. de la Sarthe, à 33 km au N.-O. du Mans; 2 964 hab. Château féodal reconstruit au XVe s. Forêt.

SILLERY (51500 Rilly la Montagne), comm. de la Marne, à 11 km au S.-E. de Reims; 987 hab. Vignobles. Sucrerie.

SILLERY, v. du Canada (Québec), dans la banlieue sud de Québec; 13 932 hab.

SILLERY (Nicolas BRULART, *marquis* DE), homme politique français (Sillery 1544 - *id.* 1624). Chargé de missions diplomatiques par Henri III, puis par Henri IV (paix de Vervins, 1598), il devient garde des Sceaux (1604), puis chancelier de France (1607-1624).

SILLITOE (Alan), écrivain britannique (Nottingham 1928). L'un des membres les plus représentatifs du groupe des « jeunes* gens en colère », il exprime avec vigueur les frustrations de la classe ouvrière et son mépris de la société traditionnelle anglaise dans ses poèmes, ses récits satiriques ou allégoriques (*le Général,* 1960; *Voyages en Nihilon,* 1971), ses nouvelles (*la Solitude du coureur de fond,* 1959) et ses romans (*Samedi soir, dimanche matin,* 1958).

Sillon *(le),* mouvement social d'inspiration chrétienne qui a son origine dans les conférences organisées à Paris, en 1894, par Marc Sangnier*, à l'intention de ses condisciples préparant le concours d'entrée à l'École polytechnique. La doctrine du Sillon, essentiellement personnaliste, démocratique et catholique, inquiète rapidement une partie de l'épiscopat français qui, en 1910, obtient de Pie X* une lettre blâmant son « démocratisme ». Ainsi désavoué, le Sillon disparaît, non sans avoir préparé la voie à une démocratie* chrétienne.

SILLON ALPIN (le), nom donné à la longue dépression des Alpes françaises du Nord, comprenant, du N. au S., les vallées de l'Arly, de l'Isère (d'Albertville à Grenoble) et du Drac inférieur, étiré entre les massifs des Préalpes (Bauges, Grande-Chartreuse et Vercors), à l'O., et ceux des Alpes centrales (Beaufortin et Belledonne, notamment), à l'E.

SILO → ENSILAGE.

SILOÉ (Gil DE), sculpteur flamand d'origine anversoise, actif à Burgos dans le dernier quart du XVe s. Il est l'auteur des monuments funéraires puis du retable polychrome de la chartreuse de Miraflores, encore gothiques et dans la profusion ornementale desquels triomphe la mystique espagnole. — Son fils DIEGO, architecte et sculpteur (Burgos v. 1495 - Grenade 1563), séjourne en Italie, travaille à Burgos (escalier doré de la cathédrale, 1519), puis se fixe à Grenade, où il fonde une véritable école de sculpture et élève à partir de 1528 la cathédrale. Modifiant les plans, gothiques, de E. Egas, et adoptant un ordre corinthien, il établit un système spatial complexe, d'esprit baroquisant, qui sera repris aux cathédrales de Jaén et de Plasencia, puis en Amérique latine.

SILONE (Secondo TRANQUILLI, dit **Ignazio**), écrivain italien (Pescina, Aquila, 1900). L'un des fondateurs du parti communiste italien, il dirigea de Moscou l'activité clandestine antifasciste en Italie. Expulsé du parti communiste (1930), il vécut en Suisse et ne rentra en Italie qu'en 1945. Il a évoqué dans ses romans la vie des paysans du Fucin et leur combat pour la liberté (*Fontamara,* 1930; *le Pain et le vin,* 1937; *le Grain sous la neige,* 1940; *le Secret de Luc,* 1956; *le Renard et les camélias,* 1960).

SILPHE. — Les silphes sont des coléoptères très communs, vivant pour la plupart sur les cadavres, mais certaines espèces attaquent escargots et limaces, d'autres les betteraves.

SILURE. — Les poissons de la famille des siluridés ont autour de la bouche d'importants barbillons chimiosensibles, et, souvent, des épines venimeuses issues des premiers rayons de leur nageoire dorsale et des pectorales. Le *clarias* des lagunes d'Afrique est amphibie et rampe sur le sol, à la recherche de proies terrestres. Le *glane* peut atteindre 3 m de long et vit dans les mers fermées de l'Europe orientale. Le poisson-chat *(Ameiurus)* est un redoutable prédateur pour les autres poissons. Certains siluridés incubent dans leur bouche les œufs et les jeunes. Enfin le *maloptérure* est un poisson électrique.

SILURIEN → PRIMAIRE *(ère).*

SILVAPLANA, comm. de Suisse (Grisons), près de Saint-Moritz; 714 hab. Station de sports d'hiver (alt. 1 816-3 303 m).

SILVÈRE *(saint)* → PAPE.

Silver Star (« Étoile d'argent »), décoration militaire américaine, créée en 1918.

SILVESTRE (Israël), dessinateur et graveur français (Nancy 1621 - Paris 1691). Neveu de l'éditeur de J. Callot, il a donné des vues de France et d'Italie et, parvenu à une position officielle à Paris, a illustré le monde de la Cour et de la ville de 1660 à 1690.

SILVESTRE DE SACY (Isaac), orientaliste français (Paris 1758 - *id.* 1838). L'étendue de ses connaissances (arabe, persan, copte), la rigueur de sa méthode critique lui donnent une place de premier plan dans l'histoire de l'orientalisme, en particulier dans le domaine des études arabes.

SIMARUBACÉES. — C'est dans cette famille d'arbres et d'arbustes des régions chaudes, souvent dioïques, aux feuilles pennées, disciflores, que se classent le vernis du Japon (ailanthe), le simaruba à l'écorce fébrifuge, le quassia d'usage pharmaceutique. (Ordre des rutales.)

SIMENON (Georges), écrivain belge d'expression française (Liège 1903). Il est l'auteur de nouvelles (*le Bateau d'Émile,* 1954), de pièces de théâtre (*La neige était sale,* 1950), de récits (*le Petit Saint,* 1965) et de romans policiers, reliés par la figure du commissaire Maigret (*la Marie du port,* 1938; *les Inconnus dans la maison,* 1940; *Maigret et le clochard,* 1963; *l'Ami d'enfance de Maigret,* 1968).

SIMÉON Ier le Grand (864 ou 865 - 927), tsar des Bulgares (893-927). Dans une première série de campagnes (894-896), Siméon Ier défait les Byzantins et leurs alliés magyars. En 913, il envahit la Thrace et se fait couronner coempereur aux côtés de Constantin VII Porphyrogénète. Mais il est évincé par la régente

Zoé et Romain Lecapène. Il poursuit ses attaques contre les Byzantins. Maître d'un empire qui comprend la Serbie, l'Albanie et la Macédoine, il crée en 925 un patriarcat bulgare autonome.

SIMFEROPOL, v. de l'U. R. S. S. (Ukraine), en Crimée; 249 000 hab.

SIMIENS → SINGE.

SIMLA, v. de l'Inde, capit. de l'Himāchal Pradesh; 55 000 hab.

SIMMENTAL, vallée de la Suisse, dans l'Oberland bernois, formée par la *Simme* (53 km), cours d'eau qui passe à Lenk et rejoint le lac de Thoune.

SIMON *(saint),* un des douze apôtres* de Jésus*, dit **Simon le Zélote***. On ne sait s'il a appartenu au parti des zélotes*, patriotes intransigeants. La tradition le fait mourir martyr en Perse, aux côtés de saint Jude*.

SIMON le Mage, personnage des Actes* des Apôtres qui exerçait le métier de magicien. Converti au christianisme, il voulut acheter aux Apôtres le pouvoir de communiquer l'Esprit-Saint. Les auteurs anciens ont vu en Simon l'initiateur du gnosticisme (v. GNOSTIQUES).

SIMON (Richard), religieux de la congrégation de l'Oratoire* (Dieppe 1638 - *id.* 1712). Dans ses travaux (*Histoire critique du Vieux Testament,* 1678; *Histoire critique du Nouveau Testament,* 1689), il s'efforce d'établir, à la lumière des données linguistiques et historiques, le sens littéral du texte biblique, ce qui l'amène à mettre en cause nombre d'idées reçues dans le domaine traditionnel de l'exégèse et de l'apologétique. L'ostracisme dont il fut victime, et dont Bossuet* fut pour une grande part responsable, eut pour effet de paralyser pendant plus d'un siècle les études bibliques.

SIMON (Jules SUISSE, dit **Jules**), homme politique français (Lorient 1814 - Paris 1896). Professeur de philosophie à la Sorbonne (1839), il est suspendu lors du coup d'État du 2 décembre 1851. Député républicain sous l'Empire (1863-1870), ministre de l'Instruction publique dans le gouvernement de la Défense nationale (sept. 1870), il a de graves démêlés avec L. Gambetta*. Député à l'Assemblée nationale (1871), il est de nouveau ministre de l'Instruction publique (févr. 1871 - mai 1873). Adversaire de l'« ordre moral », sénateur inamovible, Jules Simon est mis, le 12 décembre 1876, à la tête d'un cabinet dont Mac-Mahon se débarrasse par la lettre de blâme du 16 mai 1877, qui accule Simon à la démission.

SIMON (François SIMON, dit **Michel**), acteur français d'origine suisse (Genève 1895 - Bry-sur-Marne 1975). Il débuta au music-hall, puis au théâtre avec les Pitoëff. Mais c'est au cinéma qu'il consacra la plus grande partie de sa carrière artistique (*Jean de la Lune,* 1931; *la Chienne,* 1931; *l'Atalante,* 1934; *Drôle de drame,* 1937; *la Beauté du diable,* 1949; *Blanche,* 1971).

SIMON (Claude), écrivain français (Tananarive 1913). Dans ses premiers romans (*le Vent,* 1957; *l'Herbe,* 1958; *la Route des Flandres,* 1960; *le Palace,* 1962; *Histoire,* 1967) et son théâtre (*la Séparation,* 1963), il abandonne progressivement l'intrigue traditionnelle pour camper des personnages qui passent sans cesse du monde des faits au domaine de la mémoire et du rêve, puis il donne dans ses essais (*Orion aveugle,* 1970) et ses nouveaux récits (*la Bataille de Pharsale,* 1969; *les Corps conducteurs,* 1971; *Triptyque,* 1973; *Leçon de choses,* 1975) la théorie et l'illustration d'une nouvelle pratique de l'espace littéraire, où la réalité fragmentée se recompose suivant un rythme proche de l'écriture picturale.

SIMONIDE de Céos, poète grec (Iulis, île de Céos, v. 556 - Syracuse ou Agrigente 467 av. J.-C.), un des créateurs de la complainte funèbre (le thrène) et de l'ode triomphale.

SIMONIE. — Le mystérieux magicien Simon* le Mage, dont il est question dans les Actes* des Apôtres, a donné son nom au trafic des objets sacrés, des biens spirituels ou des charges religieuses. La simonie fut une des plaies de l'Église du Moyen Âge et de la Renaissance, et elle continua à sévir sous des formes mineures (trafic de bénéfices ecclésiastiques ou d'honoraires de messe) jusqu'au XIXe s. Le délit de simonie est sévèrement réprimé par le Code de droit canonique.

SIMONOV (Kirill Mikhaïlovitch, dit **Konstantine**), écrivain soviétique (Petrograd 1915). Dans ses poèmes, son théâtre et ses romans (*les Jours et les nuits,* 1943-44), il a célébré l'héroïsme des combattants de la Seconde Guerre mondiale.

SIMONSTOWN, v. d'Afrique du Sud, au S. du Cap. Ancienne base navale britannique, transférée à l'Afrique du Sud en 1957 et modernisée depuis 1969.

SIMPLICE → PAPE.

SIMPLIFICATION DU TRAVAIL. — Promue principalement par Allan H. Mogensen*, la simplification du travail a pour but non pas de remettre en cause les travaux étudiés, mais d'en améliorer les détails. Ses étapes sont au nombre de cinq.

1. *Choisir* le travail à étudier et en définir avec précision les limites.
2. *Observer* le travail sur place, en notant tous les détails que l'on enregistre sur des feuilles d'analyse établies en fonction du travail à étudier.
3. *Réfléchir* sur chaque détail observé et se poser à chaque fois les questions suivantes : de *quoi* s'agit-il ? *où* se fait ce travail ? *quand* l'exécute-t-on ? *qui* le réalise et *comment* procède-t-on ? À chacune des réponses obtenues une seconde question est posée : *pourquoi ?*
4. *Concevoir* des solutions d'application en éliminant, en combinant, en redistribuant, en simplifiant tout ce qui peut l'être.
5. *Appliquer* les solutions imaginées en obtenant l'accord des supérieurs et en prévoyant les questions, les résistances des exécutants, les influences des solutions préconisées sur les travaux liés, etc.

SIMPLON (le), col des Alpes suisses, dans le Valais, utilisé par la route de Berne à Milan, à 2 009 m d'alt. Au N.-E., ont été percés, à une altitude moyenne de 700 m, deux tunnels ferroviaires (à voie unique) long de 19 801 m et de 19 821 m.

SIMPSON (Thomas), mathématicien britannique (Market Bosworth, Leicestershire, 1710 - *id.* 1761). Il s'est intéressé au calcul des fluxions de Newton, à l'astronomie et au calcul des probabilités. Son nom est resté attaché à deux formules, l'une pour la détermination numérique des fonctions trigonométriques, l'autre pour l'évaluation approchée de l'aire d'une courbe.

SIMULATEUR → MODÈLE *(Cybern.).*

SIMULIE. — Ce petit moucheron (4 mm de longueur) vit dans les plaines du Danube en troupes innombrables. Très venimeux, il occasionne parfois des hécatombes parmi les troupeaux.

SINAÏ (le), péninsule désertique, partiellement montagneuse (2 641 m) d'Égypte, sur la mer Rouge (qui y forme les golfes de Suez et d''Aqaba). Gisements de pétrole. — Une tradition ancienne y a localisé la « montagne de Dieu », où Moïse*, selon la Bible, reçut de Yahvé* le Décalogue*. Au Ve s., le Sinaï fut un centre important du monachisme* chrétien. Il fut l'enjeu de violents combats pendant les troisième (1967) et quatrième (1973) guerres israélo-arabes.

SINALOA, État du Mexique, sur le Pacifique; 1 267 000 hab. Capit. *Culiacán.*

SINAN (Mimar), architecte turc (près de Kayseri 1489 - Istanbul 1578 ou 1588). Une œuvre abondante révèle son génie créatif, mais aussi son esprit de synthèse sachant allier la grande tradition architecturale du Proche-Orient ancien à celle de Byzance. De subtils jeux de coupoles confèrent à ses œuvres une majesté et une élégance typiques de l'architecture classique ottomane. Citons la mosquée Süleymaniye (1550-1557) et celle de Rüstem Paşa (v. 1555-1561) à Istanbul, la Selimiye (1569-1574) à Édirne.

SINANTHROPE → PITHÉCANTHROPE.

SINATRA (Franck), chanteur et acteur américain (Hoboken 1915). Surnommé *The Voice (la Voix)* pour sa manière de chanter à la fois en rythme et en douceur, il est l'un des plus célèbres *crooners* (chanteurs de charme) du monde et une grande vedette du music-hall américain. Il a interprété de nombreux films (*Tant qu'il y aura des hommes,* 1953; *l'Homme au bras d'or,* 1955).

SINCLAIR (*sir* John), économiste écossais (Thurso Castle, Caithness, 1754 - Édimbourg 1835). En 1793, il fonda, à Édimbourg, le bureau de l'agriculture, dont il fut le premier président.

SINCLAIR (Upton), écrivain américain (Baltimore 1878 - Bound Brook, New Jersey, 1968). Ses romans sont autant de pamphlets contre la société capitaliste (*la Jungle,* 1906; *la Métropole,* 1908; *le Roi Charbon,* 1917; *le Pétrole,* 1927; *la Fin d'un monde,* 1950).

SIND (le), région aride, partiellement mise en valeur par l'irrigation (riz, coton), du sud-est du Pākistān, à l'E. du delta de l'Indus, sur la mer d'Oman.

SINDELFINGEN, v. de l'Allemagne fédérale (Bade-Wurtemberg), au S.-O. de Stuttgart; 26 000 hab. Construction automobile.

SI-NGAN ou **SIAN** ou **XI'AN,** v. de Chine, capit. du Chen-si; 1 368 000 hab. Industries métallurgiques et textiles. — Ancienne Tch'ang-ngan, la ville doit sa gloire à la dynastie T'ang (618-906), dont elle fut la capitale. Conçue sur un plan en damier, elle forme un vaste rectangle que découpent de larges voies rectilignes autour d'un axe central nord-sud. Dans cette ville « extérieure » s'élèvent des sanctuaires taoïstes, bouddhiques, nestoriens et musulmans. Au nord, la ville impériale est séparée du palais fortifié de l'empereur par une large avenue. Les fouilles ont mis au jour des monnaies chinoises, arabes, perses et byzantines. Quelques monuments de l'époque T'ang subsistent, dont la pagode de la Grande Oie, ou Ta-yen t'a.

SINGANALLUR, v. de l'Inde (Tamil Nadu), près de Coimbatore; 113 000 hab.

Singapour.
Vue partielle de la capitale de l'île et du port sur la « rivière de Singapour ».

Papigny

SINGAPOUR, en angl. **Singapore,** État de l'Asie du Sud-Est; 581 km²; 2 075 000 hab.
GÉOGRAPHIE. Presque sur l'équateur, sur une île très proche de la péninsule malaise, Singapour s'est développé comme port d'entrepôt (caoutchouc, étain) et de distribution. Le trafic est de l'ordre de 60 Mt et alimente une activité industrielle à l'essor récent : constructions mécaniques et électriques, textiles, chimie élaborée. L'industrialisation a permis l'emploi d'une main-d'œuvre dont la surabondance est liée à l'énorme densité (près de 4 000 hab. au km²) d'une population presque entièrement urbanisée, et composée, pour plus des trois quarts, de Chinois.
HISTOIRE. Admirablement située, l'île de Singapour est le site d'un comptoir maritime sumatranais dès le XIVe s. Après un long déclin — au profit de Malacca* —, Singapour renaît lorsque les Anglais s'y installent (1819), la Compagnie anglaise des Indes orientales obtenant à perpétuité, des princes du lieu, le territoire de l'île entière (1824). Dès lors, Singapour connaît un essor prodigieux. En 1826, l'île est associée à Penang et à Malacca pour former les « Straits Settlements », dont le gouverneur vient résider à Singapour à partir de 1837; mais, dès 1867, ces établissements sont rattachés à la Couronne. Occupé par les Japonais de 1942 à 1944, Singapour obtient l'autonomie interne en 1959. Devenu, en 1963, l'un des quatorze États de la Fédération de Malaysia, il en sort, dès 1965, pour former une république indépendante, au sein du Commonwealth. En 1971, le commandement militaire britannique est dissous.

SINGE. — Les singes, ou *simiens,* constituent le groupe le plus nombreux en espèces et le plus varié de l'ordre des primates*. Menant presque tous une vie arboricole, ils se caractérisent par leur face nue et plus ou moins aplatie, leurs pattes à cinq doigts munis d'ongles plats, leur queue généralement longue et parfois préhensile. Ils se nourrissent surtout de fruits, mais, comme tous les hôtes des forêts, mangent un peu de tout (œufs, petits animaux, insectes, etc.) lorsque les fruits manquent.
On distingue trois groupes de singes : les anthropoïdes, les catarhiniens et les platyrhiniens. Les *anthropoïdes* (chimpanzé, orang-outan, gorille, gibbon) n'ont pas de queue et diffèrent relativement peu de l'homme. Les *catarhiniens,* à queue non préhensile, vivent en Afrique et en Asie. Ce sont notamment les macaques, les magots, les mangabeys, les cynocéphales, les babouins, les semnopithèques, les colobes. L'existence d'abajoues, de callosités fessières plus ou moins colorées, d'un estomac à plusieurs loges s'observe chez beaucoup d'entre eux. Quant aux *platyrhiniens,* tous américains, ils doivent leur nom à leurs narines aplaties, séparées par une épaisse cloison. Ils ont toujours trois prémolaires par demi-mâchoire, d'où une denture de 36 dents chez les cébidés. La présence de griffes à certains doigts, une fourrure très fournie, des mœurs parfois nocturnes les rapprochent des lémuriens*. La queue est préhensile chez certains cébidés (alouatte, saïmiri, atèle, lagotriche); elle ne l'est pas chez les ouakaris, ni dans la famille des hapalidés (ouistiti, tamarin).

SINGER (Isaac Merrit), inventeur américain (Pittstown 1811 - Torquay 1875). Il perfectionna une machine à coudre (1851), pour la construction de laquelle il fonda à New York (1853) une usine qui devint la Singer Manufacturing Company.

SINGER (Isaac Bashevis), écrivain américain d'expression yiddish et américaine (Radzymin, près de Varsovie, 1904). Ses romans et ses nouvelles font revivre la Pologne de son enfance sur le rythme des conteurs juifs traditionnels (*la Corne du bélier,* 1935; *la Famille Moskat,* 1950; *le Magicien de Lublin,* 1959; *Passions,* 1974).

SINGSPIEL → OPÉRA.

SIN-HAI-LIEN ou **XINHAILIAN,** v. de Chine (Kiang-sou); 208 000 hab.

SIN-HIANG ou **XINXIANG,** v. de Chine, dans le nord du Ho-nan; 157 000 hab.

SI-NING ou **XINING,** v. de Chine, capit. du Ts'ing-hai; 300 000 hab.

SINISTRE MARITIME. — Les causes les plus fréquentes des sinistres maritimes, en dehors des faits de guerre, sont : les *abordages**; les *chocs sur des écueils* et les *échouages,* occasionnant la déchirure ou la rupture de la coque; le *ripage* de la cargaison, qui peut également, surtout par gros temps, provoquer le chavirement du bâtiment; enfin les *incendies.*

SIN-KIANG ou **XINJIANG** *(région autonome ouïgoure du),* territoire de la Chine du Nord-Ouest; 1 646 800 km²; 8 000 000 d'habitants. Capit. *Ouroumtsi.* D'une superficie triple de celle de la France, le Sin-kiang s'étend entre l'Altaï mongol et la frontière soviétique, au N., et les chaînes partiellement tibétaines des K'ouen-louen, au S. Au centre du Sin-kiang, la barrière montagneuse des T'ien-chan sépare deux cuvettes, la Dzoungarie, au N., et le Takla-makan, au S., deux régions désertiques, en dehors des piémonts relativement plus arrosés. L'ensemble du Sin-kiang possède un climat froid en hiver (entre − 8 et − 20 °C de moyenne en janvier) et aride, conditions naturelles qui expliquent la faiblesse du peuplement. Celui-ci, constitué pour moitié de Ouïgours, vit en majeure partie de l'élevage, souvent nomade, et des cultures céréalières, là où l'irrigation le permet. Depuis 1950, le sous-sol est prospecté et fournit, notamment, du pétrole. Des industries de transformation (métallurgie, textiles) se sont implantées dans les villes-oasis (Ouroumtsi, Kouldja, Kachgar). Cette modernisation de l'économie a provoqué une sinisation de la population.

SIN-LE-NOBLE (59450), comm. du Nord, dans la banlieue est de Douai; 18 664 hab. *(Sinois).*

SINNAMARY (le), fl. côtier de la Guyane française, long de 300 km environ, à l'embouchure (sur l'Atlantique) duquel est situé le petit port de *Sinnamary* (1 913 hab.).

Sinn Féin, mouvement nationaliste irlandais fondé vers 1902 par Arthur Griffith et tirant son nom de l'expression gaélique « nous-mêmes » (dans le sens de « nous seuls »). Il se radicalise après le soulèvement de Pâques (1916) et rassemble désormais les partisans de l'indépendance et de la République autour de Eamon De* Valera. Après son grand succès électoral de 1918, le parti constitue un gouvernement républicain provisoire, dirigé par De Valera (1919), et se dote d'une organisation militaire, l'IRA*. Mais le Sinn Féin, dont l'action a permis au pays d'accéder à l'indépendance, se trouve profondément divisé, lors du traité de 1921 avec la Grande-Bretagne, entre partisans et adversaires de la partition de l'Ulster*. Les nationalistes radicaux se rangent, dans la guerre civile, aux côtés de De Valera (1922-23), mais le ralliement de celui-ci à l'État libre d'Irlande* et la constitution par lui d'un nouveau parti, le Fianna Fáil* (1926-27), mettent pratiquement fin au mouvement. Celui-ci renaît cependant à la faveur des troubles qui se développent à partir de 1968 en Irlande du Nord. Le Sinn Féin, qui s'est donné une orientation nettement socialiste, prend la tête de la résistance menée par l'IRA contre l'armée britannique et le gouvernement de l'Ulster. Mais la scission intervenue en 1970 entre l'IRA provisoire et l'IRA officielle l'affaiblit gravement.

sino-japonaises *(guerres).* • *Conflit de 1894-95.* Profitant de troubles en Corée, alors vassale de la Chine, le Japon, désireux de s'implanter sur le continent, y débarque des troupes, qui prennent Séoul et Port-Arthur, tandis que la flotte chinoise est anéantie à Wei-hai-wei. Par le traité de Shimonoseki, la Chine vaincue reconnaît l'indépendance de la Corée, et cède au Japon Formose et les îles Pescadores.

• *Guerre de 1937-1945.* L'expansion du Japon à partir de la Mandchourie provoque, en 1937, un nouveau conflit avec la Chine, où un front uni est constitué entre le Kouo-min-tang et les communistes. La Chine doit céder du terrain : de 1937 à 1939, les Japonais contrôlent toute sa façade maritime : T'ien-tsin, Nankin, Chang-hai (1937), Canton (1938), Fou-tcheou (1939). Tchang Kaï-chek abandonne Han-k'eou et établit à Tch'ong-k'ing sa capitale de guerre, de 1938 à 1946.

Après l'attaque de Pearl Harbor* (déc. 1941), le conflit sino-japonais s'intègre dans la Seconde Guerre* mondiale. Le Japon proclame la guerre pour « la plus grande Asie » et établit à Nankin un gouvernement satellite de la Chine. Ravitaillés par les Américains (liaison aérienne et route de Birmanie) et par les Soviétiques (route du Gobi), les Chinois maintiennent un immense front du Chen-si au Yun-nan. En 1944, les Japonais attaquent sur Tchang-cha pour rétablir leur liaison avec leurs forces d'Indochine et de Birmanie*. Par l'armistice du 15 août 1945, les Américains occupent les aérodromes de Pékin et 1 300 000 Japonais capitulent entre les mains des Chinois, dont la victoire est cependant limitée par l'intervention soviétique en Mandchourie.

SINO-TIBÉTAINE (famille) → CHINOIS et TIBÉTO-BIRMAN.

SINT-AMANDSBERG → MONT-SAINT-AMAND.

SIN-TCHOU ou **XINZHU,** port de T'ai-wan, sur la côte nord-ouest de l'île; 184 000 hab.

SINT-PIETERS-LEEUW → LEEUW-SAINT-PIERRE.

SINTRA, v. du Portugal, au N.-O. de Lisbonne; 20 000 hab. Anc. palais royal, pittoresque ensemble remontant aux XIVe-XVIe s. (décors d'azulejos du XVe au XVIIIe s., etc.). Sur les hauteurs boisées, palais de la Pena, du milieu du XIXe s. — Attaqué par les Anglo-Portugais, Junot y signa, en 1808, une convention entraînant l'évacuation du Portugal par les Français.

SINUIJU ou **SIN-EUI-CŬ,** v. de la Corée du Nord, à la frontière chinoise; 165 000 hab. Textile.

SINUS. — Ce terme s'applique à diverses cavités de l'organisme (sinus carotidien, sinus du cœur embryonnaire, sinus pleuraux, sinus veineux du crâne, sinus osseux). Les sinus de la face sont des cavités aériennes, creusées dans l'épaisseur des os de la face, au nombre de quatre de chaque côté (sinus maxillaire, ethmoïdal, sphénoïdal, frontal). Ils sont tapissés par une muqueuse, dont l'inflammation entraîne une sinusite. La radiographie et la diaphanoscopie précisent le (ou les) sinus atteint(s).

SION, une des collines de Jérusalem*, sur laquelle était bâtie la citadelle cananéenne prise par David*. Ce terme est souvent synonyme de Jérusalem.

SION, village de Lorraine, près de Vaudémont. Pèlerinage. C'est la « Colline inspirée » de Barrès. Basilique reconstruite aux XVIIIe et XIXe s. (vestiges gallo-romains en fondations; chœur du XIVe s.).

SION, v. de Suisse, sur le Rhône, ch.-l. de cant. du Valais; 21 925 hab. Cathédrale du XVe s. (parties romanes du XIIe). Église de Valère, anc. cathédrale fortifiée, romane et gothique. Château de Valère (musée historique). Etc.

SIONISME. — Ce mouvement, dont l'objet est le retour du peuple juif en Palestine, dans un État juif reconstitué, est très ancien. Mais il prend corps au XIXe s. avec le « réveil des nationalités », sous la forme d'une colonisation agricole. La première colonie juive en Palestine naît en 1878. Le sionisme devient actif à la fin du siècle, grâce à Theodor Herzl*, dont le livre, *l'État juif* (1896) et le journal *Die Welt* provoquent la réunion, en 1897, du Ier Congrès sioniste mondial, lequel est à l'origine de l'Organisation sioniste mondiale. En 1901 est créé le Fonds national juif pour le rachat de terres en Palestine. L'immigration s'accroît surtout après la Déclaration Balfour* (1917) — qui envisage favorablement la création d'un foyer juif en Palestine et qui est entérinée par la conférence de San Remo (1920) —, dont l'application se révèle ardue, les rapports entre Juifs, Arabes et Anglais en Palestine provoquant des luttes sanglantes. Ce n'est qu'après la Seconde Guerre mondiale — qui voit 6 millions de Juifs sacrifiés par Hitler — que le sionisme débouche sur une solution précise : la formation de l'État d'Israël* (1948).

SIOUAH, oasis de l'ouest de l'Égypte; 5 000 hab. C'est l'*oasis d'Amon* des Anciens.

SIOULE (la), riv. du nord du Massif central, affl. de l'Allier (r. g.); 150 km. Aménagements hydroélectriques.

SIOUX, peuples amérindiens qui vivaient dans les grandes plaines de l'ouest de l'Amérique du Nord, la région atlantique et le bas Mississippi.

SIOUX CITY, v. des États-Unis (Iowa), sur le Missouri; 86 000 hab. Marché du bétail. Industries alimentaires.

SIPHON. — Si les deux branches du siphon plongent dans deux récipients contenant un même liquide, à des niveaux différents, le liquide s'écoule par le siphon, préalablement rempli, jusqu'à ce que ses niveaux soient dans un même plan horizontal. Lorsqu'une branche débouche à l'air libre et que le tube est rempli, le liquide s'écoule si l'ouverture du siphon est à un niveau inférieur à celui du liquide dans le récipient.

SIPHONOPHORES. — Ce sont de singulières colonies flottantes de cœlentérés marins, possédant une cloche commune et des individus diversement spécialisés. La *physalie* se nourrit de poissons, que capturent ses filaments venimeux pendants. Les *porpites* et les *vélelles* forment des troupes innombrables, les vélelles offrant d'ailleurs au vent une sorte de voile. Le contact de ces « orties de mer » est dangereux pour l'homme.

SIQUEIROS (David Alfaro) → MURALISME.

SIRÈNE. — Une sirène comprend un disque tournant, percé de trous régulièrement espacés, et un ajutage, faisant face à cette rangée de trous, par lequel arrive un jet d'air, qui se trouve périodiquement haché quand le disque tourne. En général, on utilise l'air comprimé pour faire tourner le disque, et la sirène fonctionne comme une turbine.

SIRÉNIENS → LAMANTIN.

SIRET (le), riv. d'Europe, qui longe le bord extérieur des Carpates orientales et coule principalement dans l'est de la Roumanie (Moldavie), avant de rejoindre le Danube (r. g.), près de Galaţi; 726 km.

SIREX. — Le petit groupe des hyménoptères symphytes, c'est-à-dire à l'abdomen soudé au thorax, compte le sirex parmi ses plus grandes espèces. Cet insecte *(Urocercus gigas),* grand comme un frelon, pond ses œufs dans le bois mort, que les larves dévorent.

SIREY (Jean-Baptiste), jurisconsulte français (Sarlat 1762 - Limoges 1845). Son nom reste attaché au *Recueil des lois et arrêts,* qu'il publia à partir de 1800 et qui fut continué après lui.

SIRICE *(saint)* → PAPE.

SIRIUS → ÉTOILE.

SIRMIONE, v. d'Italie (Lombardie), sur le lac de Garde; 3 000 hab. Station thermale. Ruines romaines.

SIROCCO. — Vent du sud, le sirocco souffle du désert du Sahara vers les basses pressions qui, en saison froide, recouvrent le bassin méditerranéen. C'est un vent chaud et très sec, qui dessèche les cultures et incommode les hommes et les animaux.

SIRVEN (Pierre Paul), protestant français (Castres 1709 - en Suisse 1777). Condamné à mort par contumace sous l'accusation d'avoir tué sa fille, qui voulait passer au catholicisme, il fut déclaré innocent et réhabilité en 1771 grâce à l'action de Voltaire.

SISAK, v. de Yougoslavie (Croatie), sur la Save; 38 000 hab. Port fluvial et centre industriel (sidérurgie, raffinerie de pétrole).

SISAL → JUTE.

SISINNIUS → PAPE.

SISLEY (Alfred), peintre anglais de l'école française (Paris 1839 - Moret-sur-Loing 1899). À partir de 1863, il accompagne en forêt de Fontainebleau Monet, Bazille et Renoir, et se montre sensible à l'influence de T. Rousseau. Après 1870, très proche de Monet, il peint avec les mêmes modulations délicates le pont d'Argenteuil, les rives de la Seine, les coteaux de Louveciennes, puis donne des séries consacrées à l'église de Moret et aux peupliers des bords du Loing. Son œuvre n'aura de succès qu'après sa mort.

SISMOLOGIE. — Science des tremblements de terre, la sismologie comprend l'étude des *séismes** et celle des *ondes sismiques,* notamment dans leur propagation à travers le globe terrestre, avec application à la connaissance de celui-ci. Il s'est aussi développé une *sismologie expérimentale,* faisant appel à des ébranlements provoqués artificiellement (détonation de charges explosives), ce qui permet de faire des mesures dans des conditions mieux déterminées et adaptées aux objectifs (profils tectoniques, recherches minières par la *prospection* sismique,* etc.).

Les propriétés physiques des *ondes sismiques* sont la base commune de toutes ces études. De nature mécanique, on distingue (notamment telles qu'elles arrivent successivement et sont enregistrées sur les *sismogrammes*) les ondes de volume P (longitudinales) et S (transversales), puis les ondes de surface L. Leurs vitesses (entre 7 et 14 km/s pour les ondes P) dépendent des milieux traversés (avec possibilités de réflexions et de réfractions à la rencontre de surfaces de discontinuités), d'où l'intérêt des mesures pour la connaissance de ces milieux.

La *sismométrie* couvre l'ensemble des techniques d'enregistrement de toutes les ondes précédentes, dans des observatoires (ou stations) spécialisés, équipés de *sismographes.* Ces derniers sont des appareils très sensibles aux déplacements brusques et aux accélérations du sol dont leur bâti est solidaire, leur principe utilisant l'inertie mécanique de fortes masses mobiles susceptibles d'osciller par rapport à ce bâti. Une amplification mécanique, ou électromagnétique — que l'on peut rendre très importante —, du déplacement relatif créé par l'arrivée des ondes permet de déceler et d'enregistrer ainsi les secousses telluriques les plus faibles et les plus éloignées.

SISMONDI (Jean Charles Léonard SIMONDE DE), historien et économiste suisse (Genève 1773-*id.* 1842). Comme J.-B. Say*, Sismondi s'intéresse à la science économique à travers Adam Smith*. En 1803 il publie *la Richesse commerciale;* il y dénonce l'erreur des économistes classiques, qui prônaient avant tout la richesse, alors que celle-ci s'accompagne de misères graves que Sismondi impute à une mauvaise répartition. On lui doit encore : *Histoire des Républiques italiennes* (1807), *Nouveaux Principes d'économie politique* (1819), *Histoire des Français* (1821-1844), *Études sur l'économie politique* (1837). Tout en s'attachant à l'explication des crises périodiques de surproduction, caractéristiques de l'économie moderne, Sismondi critique la loi des débouchés, théorie dominante de l'époque, qui, selon lui, fait abstraction du temps et de l'espace. Il analyse le revenu, qu'il distingue de la richesse, et la valeur*, qui est, pour lui, une combinaison d'utilité et de travail. Sismondi définit les conditions d'une croissance régulière. Il observe que la croissance d'une année implique que la production soit supérieure à celle de l'année précédente, alors que le revenu de l'année est celui qui a été gagné l'année antécédente; le revenu ne peut éponger en ce cas la production accrue et il peut y avoir surproduction : Sismondi est en cela un visionnaire des difficultés causées aux sociétés occidentales par la première révolution industrielle.

SISSONNE (02150), ch.-l. de cant. de l'Aisne, à 18 km à l'E. de Laon; 3 809 hab. Camp militaire.

SISTĀN → SÉISTAN.

SISTERON (04200), ch.-l. de cant. des Alpes-de-Haute-Provence, sur la Durance, à 39 km au N.-O. de Digne; 7 443 hab. Citadelle (XIIIe-XVIIIe s.). Église Notre-Dame, anc. cathédrale romane (XIIe s.). Vieux quartiers pittoresques. Centrale hydroélectrique.

SISYPHE, roi légendaire de Corinthe, célèbre pour son ingéniosité et sa ruse. Pour avoir voulu échapper aux lois de Thanatos*, dieu de la Mort, il fut condamné à rouler éternellement sur la pente d'une montagne un rocher retombant sans cesse avant d'avoir atteint le sommet. Le *mythe de Sisyphe* est le symbole de l'inexplicable condition de l'homme se heurtant aux impératifs aveugles de la divinité. Albert Camus, en 1942, reprit ce thème dans *le Mythe de Sisyphe.*

SITES (protection des) → MONUMENTS HISTORIQUES ET DES SITES *(protection des).*

SITTER (Willem DE), astronome hollandais (Sneek 1872-Leyde 1934). Il est surtout connu pour son modèle d'Univers* vide, c'est-à-dire à densité nulle. Il a montré que si on introduisait dans cet Univers particulier un observateur et une particule, l'observateur verrait fuir la particule. Physiquement inacceptable, ce modèle est intéressant comme cas limite d'un Univers à densité extrêmement faible.

Situation de la classe laborieuse en Angleterre *(la),* ouvrage de F. Engels (1845), qui constitue la première enquête sur l'ensemble de la classe ouvrière d'un pays. L'auteur analyse l'évolution du capitalisme en Angleterre et ses effets sur le prolétariat.

Situations, titre sous lequel Sartre a recueilli ses principaux articles sur la littérature, l'art, la politique (10 vol., 1947-1976).

SIUAN-HOUA ou **XUANHUA,** v. de Chine (Ho-pei); 115 000 hab.

SIUN-TSEU ou **XUNZI,** lettré chinois (v. 300-237 av. J.-C.). La conception qu'il se fait de la nature humaine est à l'opposé de celle de Mong-tseu* : la nature de l'homme est fondamentalement mauvaise, et si l'homme devient bon, c'est sous l'effet de la culture. Partant, Siun-tseu pense que la vocation de l'homme est d'utiliser au mieux ce que la nature lui offre, en se forgeant une culture. Celle-ci rend possible la vie en société. La seule morale authentique est ainsi, pour Siun-tseu, une morale utilitariste, dont l'objectif est de rendre les actions humaines plus efficaces.

SIU-TCHEOU ou **XUZHOU,** v. de Chine (Kiang-sou); 700 000 hab.

ŚIVA ou **ÇIVA,** troisième divinité de la Trinité hindoue, Śiva est le dieu de la Destruction, symbolisé sous les traits des déesses Pārvatī, Prithivī, Umā, Ambikā, Kālī et Durgā.

ŚIVAÏSME. — Ce courant issu de l'hindouisme* ne s'en distingue véritablement que lorsque Śiva est conçu comme le dieu unique, c'est-à-dire tenant lieu d'absolu. En réalité la dévotion dont il est l'objet voit aussi bien en Śiva l'une des manifestations de l'absolu.

SIVAS, v. de Turquie, en Anatolie, sur le Kızıl Irmak; 133 000 hab. Métallurgie.

SIWĀLIK (les), montagnes du nord de l'Inde, avant-monts méridionaux (dont l'altitude varie entre 600 et 1 000 m) de l'Himālaya, qu'ils bordent sur une largeur de 10 à 50 km.

Six *(groupe des),* nom donné par le critique Henri Collet (1920) à un groupe de compositeurs français (G. Auric, L. Durey, A. Honegger, D. Milhaud, F. Poulenc et G. Tailleferre) qui, par-delà leurs différences de tempérament, cherchèrent à se dégager de l'influence de Debussy, de Fauré et de Ravel. Ce fut un pacte d'amitié plus qu'un cénacle esthétique, et c'est à tort qu'on considère *le Coq et l'Arlequin* de J. Cocteau comme son manifeste. Les Six eurent en commun « la réaction contre le flou, le retour à la mélodie (et) au contrepoint, la précision, la simplification » (Poulenc). De l'esthétique des Six, gouailleuse et antisublime, témoignent notamment *le Bœuf sur le toit* de Milhaud et les ouvrages « voyous » de Poulenc, comme son ballet *les Biches.*

SIX-FOURS-LES-PLAGES (83140), ch.-l. de cant. du Var à 10 km au S.-O. de Toulon; 20 151 hab. *(Six-Fournais).* Dans le vieux village, église romane et gothique.

Six Personnages en quête d'auteur, pièce en trois actes de Pirandello (1921). Un des volets de la trilogie du « théâtre dans le théâtre » avec *Comme çi ou comme ça* et *Ce soir, on improvise :* c'est une scène fantasmatique représentée par des personnages suscités puis abandonnés par un auteur et qui demandent à un metteur en scène de leur donner une existence dramaturgique qu'ils sont en réalité seuls à pouvoir assumer. Démonstration de l'impossible autonomie de l'art.

SIXT (74740), comm. de la Haute-Savoie, sur le Giffre, à 35 km à l'E. de Bonneville; 626 hab. Station touristique.

SIXTE → THÉORIE MUSICALE.

SIXTE Ier, II, III → PAPE.

SIXTE IV (Francesco DELLA ROVERE) [Celle Ligure 1414-Rome 1484], pape de 1471 à 1484. Ministre général des Frères mineurs (1464), cardinal (1467), il succède à Paul II. Il sacrifie au népotisme; mécène humaniste, il embellit Rome et rouvre l'Académie romaine.

SIXTE V, dit **Sixte Quint** (Felice PERETTI) [Grottammare 1520-Rome 1590], pape de 1585 à 1590. Vicaire général des Frères mineurs conventuels, inquisiteur à Venise (1557) puis à Rome (1560), cardinal (1570), il succède à Grégoire* XIII. Il assainit l'administration et les mœurs de ses États, apportant la même sévérité dans la réforme de l'Église; il donne au Sacré Collège sa forme définitive, partage l'administration romaine entre quinze congrégations et fait publier en latin la Vulgate (1588).

Sixtine *(chapelle),* au palais du Vatican. Fondée par Sixte IV, elle est décorée en 1481-82 de fresques commandées à Botticelli, Ghirlandaio, Cosimo Rosselli, Signorelli, le Pérugin et le Pinturicchio (thèmes de l'Ancien et du Nouveau Testament). À Michel-Ange sont dues les fresques fameuses des voûtes (1508-1512; scènes de la Création, notamment, d'une émotion et d'un canon tout nouveaux) ainsi que celle du *Jugement dernier* (1536-1541), sombre et pathétique, sur le mur du fond.

Chapelle Sixtine. Détail de la voûte, de Michel-Ange, avec *la Création d'Adam.*

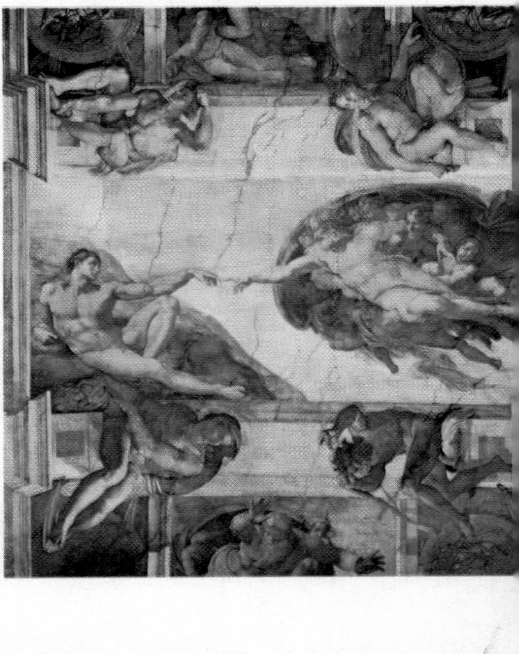

Scala

Sizewell, centrale nucléaire de Grande-Bretagne (Suffolk), sur la mer du Nord.

SIZUN (29237), ch.-l. de cant. du Finistère, à 15 km au S.-E. de Landerneau; 1 871 hab. Bel ensemble du cimetière (porte monumentale et ossuaire, fin XVIe s.) et de l'église (XVIe-XVIIIe s.).

SJAELLAND, la plus vaste (7 438 km^2) et la plus peuplée (2 161 000 hab.) des îles du Danemark. C'est une terre plate, intensément mise en valeur (céréales et élevage bovin) sous l'influence de Copenhague, établie sur la côte orientale.

SJÖBERG (Alf), cinéaste suédois (Stockholm 1903). Il fut, au début des années 40, le principal artisan de la renaissance du cinéma suédois (*le Chemin du ciel,* 1942; *Tourments,* 1944; *Mademoiselle Julie,* 1950; *les Oiseaux sauvages,* 1955).

SJÖSTRÖM (Victor), cinéaste suédois (Silbodal 1879 - Stockholm 1960). Son œuvre est celle d'un lyrique visionnaire. Il fut l'un des grands pionniers de l'expression filmique. Ses films, où le rôle de la nature est souvent prépondérant, furent souvent des drames inspirés par la littérature scandinave du début du XXe s. (*Ingeborg Holm,* 1913; *les Proscrits,* 1917; *la Charrette fantôme,* 1920). Engagé à Hollywood en 1924, il tourna *la Lettre écarlate* (1926) et, surtout, *le Vent* (1928). Acteur dans plusieurs de ses propres films, il joua l'un de ses derniers rôles sous la direction d'Ingmar Bergman (*les Fraises sauvages,* 1958).

SKADAR → SHKODRA.

Victor Sjöström. Une scène de *la Charrette fantôme* (1920).

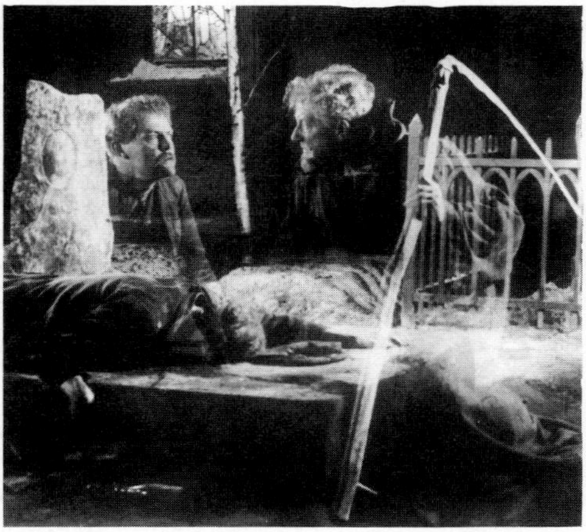

X (coll. J.-L. Passek)

SKAGERRAK ou **SKAGERAK,** détroit reliant la mer du Nord et le Cattégat, entre la côte sud de la Norvège et l'extrémité nord du Danemark.

SKANDERBEG (Georges CASTRIOTA, dit), patriote albanais (v. 1403-Leshi 1468). Élevé dans l'islām, il abandonne les Ottomans en 1443 et organise depuis Krujë la résistance contre les Turcs, avec le soutien de la papauté, de Naples et de Venise. Il remporte à partir de 1463 plusieurs victoires contre Mehmed II*.

SKELLEFTEÅ, port du nord de la Suède, à l'embouchure du *Skellefte älv* (410 km), dans le golfe de Botnie; 72 500 hab. Exportation de minerai de fer. Métallurgie. Papeterie.

SKHIRRA (La) ou **SKHIRA (La),** port pétrolier de la Tunisie, sur le golfe de Gabès.

SKI. — Le ski sportif est né à la fin du XIXe s. en Norvège (en 1877 fut fondé le Ski Club de Christiania [Oslo]) et dans les Alpes (le premier club français fut créé dans le Dauphiné en 1896), c'est-à-dire sur des terrains de topographies différentes, ce qui explique la dualité *ski nordique* (ou « ski de fond », pratiqué sur des parcours relativement plats) et *ski alpin* (devant s'adapter à des dénivellations beaucoup plus brutales).

• Le *ski alpin* comprend la descente et les deux slaloms (slalom géant et slalom spécial). Épreuve de vitesse pure, la *descente* se dispute (pour les hommes) sur une distance de 2,5 à 4 km, avec une dénivellation comprise entre 700 et 1 000 m (de 500 à 700 m pour les femmes). Parmi les descentes célèbres figurent celles du Lauberhorn (à Wengen, en Suisse) et du Hahnenkamm (à Kitzbühel, en Autriche). Le *slalom spécial* est une courte descente sur un terrain pentu et consiste en un parcours sinueux avec franchissement de 55 à 75 portes (passages entre deux piquets surmontés de fanions de même couleur que les piquets) pour les hommes (de 40 à 60 pour les femmes) sur une dénivellation de 180 à 220 m (de 120 à 180 pour les femmes). Le non-franchissement d'une porte entraîne l'élimination, comme dans le *slalom géant.* Celui-ci est une descente sinueuse, avec le franchissement de 50 portes au moins (pour les hommes), jalonnant une dénivellation d'au moins 400 m (300 m pour les femmes). Le slalom géant masculin, comme le slalom spécial, se dispute en deux manches avec addition du temps. Le *combiné alpin* est une synthèse des résultats obtenus dans deux au moins de ces trois épreuves.

• *Le ski nordique* englobe d'abord la traditionnelle *course de fond,* qui doit se dérouler sur un parcours comprenant un tiers de plat, un tiers de montée (douce) et un tiers de descente (également faible). Les hommes courent sur 15, 30 et 50 km (et un relais de 4 × 10 km), les femmes sur 5 et 10 km (et un relais de 3 × 5 km). Mais le ski nordique comprend aussi la spectaculaire épreuve de *saut* (réservée aux hommes), qui a lieu sur un moyen tremplin (dit « tremplin de 70 m »), un grand tremplin (de 90 m) et un tremplin de vol à ski (qui permet des sauts de plus de 150 m). Le saut est jugé selon la longueur et la qualité du style (notamment la position en vol et la réception). Le *combiné nordique* est une épreuve où sont associés les résultats obtenus dans une course de fond (15 km) et un saut (moyen tremplin). Le *biathlon* est une course de fond (généralement de 20 km) entrecoupée de 4 tirs au fusil.

La Fédération internationale de ski (F. I. S.) est née en 1924 à l'occasion de ce qui fut ensuite appelé les premiers *jeux Olympiques d'hiver,* compétitions de ski nordique seulement, disputées à Chamonix. Le ski nordique organisa ses premiers *championnats du monde* en 1925, six ans avant que n'y soit admis le ski alpin (qui n'apparut aux jeux Olympiques qu'en 1936). Aujourd'hui, les championnats du monde de ski alpin et de ski nordique ont lieu tous les quatre ans, mais, pour le ski alpin du moins, il existe un véritable championnat du monde annuel, particulièrement probant, la *Coupe du monde de ski,* consistant en l'addition de points obtenus dans les principales épreuves de la saison.

SKIBINE (George), danseur et chorégraphe d'origine russe naturalisé américain (Iasnaïa Poliana, Ukraine, 1920). À une brillante carrière de danseur étoile (Grand Ballet du marquis de Cuevas, 1947-1956), il associe les réussites d'un chorégraphe vigoureux (*le Prisonnier du Caucase,* 1951) et raffiné (*Annabel Lee,* 1951; *l'Ange gris,* 1953; *Daphnis et Chloé,* 1959; *la Légende des cerfs,* 1970).

SKIEN, v. du sud de la Norvège, ch.-l. du Telemark; 46 000 hab. Industries du bois. Métallurgie.

SKIKDA, anc. **Philippeville,** port de l'Algérie orientale; 72 000 hab. Débouché du Constantinois. Liquéfaction et exportation du gaz naturel.

SKINNER (Burrhus Frederic), psychologue américain (Susquehanna 1904). Ses travaux l'ont amené à distinguer un type nouveau de conditionnement*, appelé « instrumental ». Il a souligné le rôle du renforcement, principe fondamental de l'enseignement* programmé, dont il est l'un des pionniers.

SKIP → PUITS.

Ski. L'Autrichien Franz Klammer au cours d'une épreuve de descente.

WR. Pressebilddienst-Votava

SKOBELEV (Mikhaïl Dimitrievitch), général russe (Riazan 1843-Moscou 1882). Il commanda l'expédition qui, en 1881, donna le Turkestan à la Russie.

SKOLEM (Thoralf), logicien et mathématicien norvégien (Sandsvaer 1887-Oslo 1963). Il a jeté les bases de l'arithmétique récursive et apporté une contribution décisive à la théorie axiomatique des ensembles.

SKOPJE ou **SKOPLJE,** v. de Yougoslavie, capit. de la Macédoine, sur le Vardar; 312 000 hab. Édifices de l'époque ottomane. Musée archéologique et Galerie d'art (icônes médiévales; peinture contemporaine). Aux environs, monastères ornés de peintures de Sveti Pantelejmon (XIIe s.), de Sveti Nikita (XIVe s.), etc. Sidérurgie. — Conquise par les Bulgares en 1915, la ville fut libérée en 1918 par un célèbre raid de la cavalerie française (v. MACÉDOINE [*campagne de*]). En 1963, elle fut détruite par un tremblement de terre.

SKRIABINE ou **SCRIABINE** (Aleksandr Nikolaïevitch), pianiste et compositeur russe (Moscou 1872-*id.* 1915). Des grands musiciens de son pays, il fut un des plus originaux et le moins russe, le seul profondément marqué par Wagner et sans attache aucune avec le folklore. D'abord successeur attardé de Chopin, il se forgea un langage personnel, affranchi des lois de la tonalité. On lui doit dix sonates pour piano et cinq symphonies, dont les trois dernières — *le Poème divin, le Poème de l'extase* et *Prométhée* ou *le Poème du feu* — à programme philosophique, voire métaphysique. Son art tendu et exacerbé est celui d'un visionnaire de la musique.

SKYE, une des Hébrides, proche de la côte écossaise. Tourisme.

SKÝROS ou **SCYROS,** île grecque de la mer Égée.

SLAUERHOFF (Jan Jacob), écrivain hollandais (Leeuwarden 1898-Hilversum 1936), auteur de romans et de poèmes d'inspiration romantique (*Clair-obscur,* 1927).

SLAVEJKOV (Penčo), écrivain bulgare (Trjavna 1866-Brunate, près du lac de Côme, 1912). Influencé par Nietzsche, il exalte l'énergie morale dans ses essais et ses recueils lyriques (*l'Hymne sanglant,* 1911-1913).

SLAVES (langues). — Branche de la famille indo-européenne, les langues slaves se répartissent en trois groupes : le slave méridional (serbo-croate, slovène, bulgare, macédonien), le slave occidental (polonais, sorabe, tchèque, slovaque) et le slave oriental (russe, biélorusse, ukrainien). Toutes ces langues remontent à un slave commun, qui se serait différencié au cours des premiers siècles de l'ère chrétienne et dont nous pouvons avoir une idée par le vieux slave (qui est en fait du vieux macédonien), attesté au IXe s. grâce à la traduction de l'Évangile par Cyrille et Méthode. Les langues slaves ont conservé dans l'ensemble les traits fondamentaux du slave commun (en particulier un important stock lexical) et présentent entre elles de grandes ressemblances (plus que les langues romanes, par exemple). Elles sont caractérisées par la richesse du système consonantique et la simplicité du système vocalique, par la présence d'un accent à valeur distinctive (sauf pour les langues du groupe occidental), par un système de déclinaisons multiples, enfin par l'importance de la notion d'aspect aux dépens de celle de temps. Les langues slaves des peuples de tradition orthodoxe (russe, serbe, bulgare) s'écrivent grâce à l'alphabet cyrillique*.

SLAVES, groupe ethnique de l'Europe centrale et orientale et de l'Asie septentrionale (Sibérie) parlant les langues slaves*. Des nombreuses théories émises sur l'origine des Slaves, on peut retenir qu'une partie d'entre eux se rattache à la « civilisation lusacienne » (Ier millénaire av. J.-C., territoire de l'actuelle Pologne) et que leur premier habitat se situe au nord des Carpates (entre les vallées moyennes de la Vistule et du Dniepr). Appelés « Vénètes » par les auteurs latins, puis, plus tard, « Antes » et « Sklavènes », les Slaves commencent dès les premiers siècles de l'ère chrétienne leur migration vers le Danube et la frontière romaine. Au VIe s., ils submergent l'Europe méridionale (Thrace, Péloponnèse, Illyrie). Ils ne forment pas de grands États organisés, mis à part la Grande-Moravie (IXe s.). Cependant, avec le concours des Varègues, se constitue l'État russe de Kiev*, qui poursuit l'expansion vers l'est, et, sous l'égide des Bulgares, celui de Bulgarie. Au IXe s., la Grande-Moravie est évangélisée par Cyrille* et Méthode, qui donnent aux Slaves leur premier alphabet (glagolithique, matrice du cyrillique); les Bulgares et les Serbes adoptent le christianisme de rite byzantin, suivis, à la fin du Xe s., par les Russes; les Croates et les Polonais adoptent le rite romain (Xe s.), qu'ils imposent à la Bohême*.

La différence entre Slaves orientaux, orthodoxes comme la majorité des Slaves méridionaux, et Slaves occidentaux, catholiques, pénétrés beaucoup plus profondément par la culture occidentale, s'accentue au cours des siècles. L'Europe slave, au sein de laquelle se sont établis les Hongrois (Xe-XIe s.), est partagée, à partir du XVe s., entre l'Autriche (Bohême, Slovénie*) et l'Empire ottoman. Seules la Russie et la Pologne demeurent indépendantes. Les autres nations, parmi lesquelles se répand, au XIXe s., le panslavisme*, acquièrent leur indépendance à la charnière des XIXe et XXe s. et se regroupent au sein des États slaves contemporains.

SLAVIANSK, v. de l'U. R. S. S. (Ukraine), dans le nord du Donbass; 124 000 hab.

SLAVON. — Le slavon est une langue artificielle comparable au latin médiéval. Il s'est développé sur la base du vieux slave comme langue religieuse puis comme langue littéraire. Il existe sous des formes légèrement divergentes à cause de l'influence des langues locales (slavons russe, bulgare, serbe). Le slavon russe est encore aujourd'hui la langue liturgique de tous les Slaves orthodoxes.

SLAVONIE (la), région du nord de la Yougoslavie (Croatie), entre la Save et la Drave.

SLBM, sigle de *Submarine Launched Ballistic Missile* (missile balistique lancé d'un sous-marin). Terme générique anglo-américain désignant ce type de missile stratégique (tels le *Polaris* ou le *Poseidon*), appelé en France « M. S. B. S. ».

SLESVIG → SCHLESWIG.

SLIKKE → MARAIS.

SLIPHER (Vesto Melvin), astronome américain (Mulberry, Indiana, 1875-Flagstaff 1969). Auteur de travaux en spectroscopie astrophysique, il fut le premier à mesurer la vitesse radiale d'une galaxie*, celle de la nébuleuse d'Andromède*, qu'il estima à 300 km/s.

SLIVEN, v. de la Bulgarie orientale; 68 000 hab. Textile. Produits réfractaires.

SLOCHTEREN, v. du nord des Pays-Bas (prov. de Groningue), à l'E. de Groningue; 13 000 hab. Important gisement de gaz naturel.

SLODTZ, sculpteurs français d'origine flamande. SÉBASTIEN (Anvers 1655-Paris 1726) est de ceux qui, à la fin du XVIIe s., tendent à donner à l'art officiel plus de liberté, de mouvement et d'expression. Il eut trois fils sculpteurs, tous nés et morts à Paris : SÉBASTIEN ANTOINE (1695-1754), dessinateur de la chambre et du cabinet du roi, participe, par ses décors de fêtes, à l'élaboration du style rocaille; PAUL AMBROISE (1702-1758) est reçu à l'Académie avec une baroquisante *Chute d'Icare* (Louvre) et exécute des décors d'églises, tels ceux de Saint-Merri, à Paris; RENÉ MICHEL, dit MICHEL-ANGE (1705-1764), est le plus doué de la famille. Pensionnaire de l'Académie de France, il est retenu près de vingt ans à Rome par le succès; son *Saint Bruno* de la basilique Saint-Pierre essaie de concilier la vitalité baroque avec une recherche de grâce et de profondeur. Rentré en France en 1746, il est critiqué pour la mise en scène berninienne du mausolée de Languet de Gergy, à Saint-Sulpice, et tend à se cantonner, à la suite de ses frères, dans les tâches absorbantes des Menus Plaisirs.

SLONIMSKI (Iouri), écrivain et critique de danse soviétique (Saint-Pétersbourg 1902). Traducteur (1922) en russe des *Lettres sur la danse et les ballets* de Noverre, il est l'auteur d'études sur la danse (*Maîtres de ballet du XIXe siècle,* 1937), de monographies (*Giselle,* 1926), de biographies (*Didelot,* 1958). Il a publié (1962), en russe, les mémoires de Michel Fokine *(Against the Tide).*

SLOOP → MONOTYPE et VOILIER.

SLOUGH, v. d'Angleterre, à l'O. de Londres; 80 000 hab.

SLOVAQUE. — Langue du groupe slave occidental, le slovaque s'apparente étroitement au tchèque. Parlé par 4 millions de personnes, il est, depuis 1920, la langue officielle de la Slovaquie, sur un strict plan d'égalité avec le tchèque.

SLOVAQUIE, en slovaque **Slovensko,** république fédérée de la Tchécoslovaquie; 49 014 km^2; 4 670 000 hab. Capit. *Bratislava.*

GÉOGRAPHIE. La Slovaquie, partie orientale de la Tchécoslovaquie, regroupe un peu moins du tiers de la population du pays sur une part légèrement supérieure du territoire national. La densité inférieure à celle de la Bohême et de la Moravie résulte de l'extension de la montagne (la majeure partie de la Slovaquie appartient à l'extrémité nord-occidentale des Carpates), mais aussi de l'histoire. Cependant, l'industrialisation, intensifiée depuis 1945, et surtout 1968, réduit cet écart de développement. Vouée initialement à la sylviculture et à l'élevage, localement productrice de minerais, l'économie slovaque s'est étoffée avec le développement de branches plus élaborées, constructions mécaniques (alimentées par la sidérurgie de Košice), chimie, textile. L'industrie bénéficie de l'hydroélectricité de la montagne (centrales du Váh) et des hydrocarbures importés de l'U. R. S. S.

HISTOIRE. Après la destruction de la Grande-Moravie par les Hongrois et l'intégration de la Slovaquie à la Hongrie (Xe-XIIe s.), Tchèques et Slovaques suivent une évolution distincte. Le XIVe s. voit un grand essor de l'artisanat et des mines, renforcé par un afflux de colons allemands, qui dominent la vie municipale à Bratislava. C'est aussi une grande période d'essor pour l'architecture gothique. Aux XVe et XVIe s., de violentes luttes sociales, dues

Slovaquie.
Paysage des Hautes Tatry,
massif des Carpates.

J. Dupaquier-Atlas-Photo

surtout aux mineurs, secouent le pays; le luthéranisme, en se répandant dans les villes allemandes, double le conflit social d'un conflit religieux. En 1467, l'université de Bratislava est créée. Après Mohács (1526), la domination des Habsbourg s'étend en Hongrie, donc en Slovaquie, ce qui n'empêche pas la réforme protestante d'y faire d'immenses progrès. Le XVIIe s. est le siècle de la reconquête catholique — à partir de l'université jésuite de Trnava (1636) et de celle de Košice (1657) — et celui de la reconquête contre les Turcs : la Slovaquie cesse alors d'être la terre refuge des magnats hongrois. La reprise économique, au XVIIIe s., coïncide avec le retour de la paix. Le sentiment national en profite : en 1793, se crée la Société des sciences de Slovaquie, qui exalte le passé slave du pays. Ce mouvement, malgré l'intolérance de la Hongrie, fait de grands progrès au XIXe s., notamment grâce au poète Jan Kollár*, à l'historien Pavel Josef Šafařík et L'udovít Štúr (1815-1856), qui codifie la langue slovaque. En 1848, la révolution hongroise refuse de reconnaître les revendications slovaques, si bien que l'insurrection nationale se fait contre la Hongrie : elle échoue dès 1849, et la Slovaquie, jusqu'en 1860, subit le centralisme autrichien. L'espoir de voir une Slovaquie autonome au sein d'un État fédéral grandit ensuite, mais le *Compromis* de 1867 fait retomber les Slovaques sous le joug de Budapest. Face à une politique de magyarisation, ils se tournent vers les nationalistes tchèques et leur chef, Tomáš Masaryk*. En 1918, Bohême et Slovaquie se trouvent unies dans une Tchécoslovaquie* où les Slovaques se sentent brimés; avec l'appui de l'Allemagne hitlérienne, Mgr Jozef Tiso* obtient, en 1938, l'autonomie interne de la Slovaquie, qui connaît alors un régime fasciste et antisémite et devient, dès 1939, un protectorat allemand. La défaite allemande de 1945 rétablit le *statu quo,* mais il faut attendre la fin de l'ère Novotný en Tchécoslovaquie (1968) pour que la fédéralisation y soit instaurée.

SLOVÈNE. — Langue slave du Sud, le slovène est parlé par environ 2 500 000 personnes. C'est une des trois langues officielles de la Yougoslavie (république populaire de Slovénie).

SLOVÉNIE, en slovène **Slovenija,** république fédérée du nord-ouest de la Yougoslavie; 20 215 km^2; 1 753 000 hab. Capit. *Ljubljana.*

GÉOGRAPHIE. S'étendant en partie sur le Karst et sur les Alpes slovènes (2 863 m au Triglav) et entaillée par le sillon de la Drave et de la Save, la république est l'une des plus développées du pays; elle bénéficie de ressources énergétiques (hydroélectricité, houille et lignite) et surtout d'importantes industries de transformation, notamment dans les deux principales villes, Ljubljana (constructions électriques) et Maribor (industrie automobile).

HISTOIRE. C'est au VIe s. que les tribus slovènes s'établissent dans les régions du nord-ouest de l'actuelle Yougoslavie*. Elles sont plus tard incluses dans l'État de Samo, dont le centre est en Grande-Moravie*. Sous la pression des Avars, se constitue, au VIIIe s., une principauté autonome slovène, l'État de Karantanija, incorporé en 788 à l'empire de Charlemagne, et où s'implante le christianisme. Plus tard, la Slovénie fait partie de la Lotharingie, avant de passer, en 1278, sous la domination des Habsbourg, qui y pratiquent une intense germanisation. Au XVIe s., les Habsbourg combattent par la force la Réforme qui s'y est développée et qui contribue au développement de la langue slovène : des révoltes paysannes éclatent alors. Un moment (1809-1815) incorporée aux Provinces Illyriennes, créées par Napoléon Ier, la Slovénie retombe sous la domination autrichienne. Lors de la révolution de 1848, une Société slovène, créée à Vienne, réclame la formation d'un royaume autonome de Slovénie : mais la révolution est réprimée et l'opposition aux Autrichiens n'en devient que plus forte. En 1918, la Slovénie entre dans le royaume des Serbes, des Croates et des Slovènes; en 1945, elle devient une république fédérée au sein de la Yougoslavie*.

SŁOWACKI (Juliusz), poète polonais (Krzemieniec 1809-Paris 1849). Il quitta Varsovie après l'insurrection de 1831 et s'établit en France. Ses poèmes lyriques et philosophiques (*le Roi-Esprit,* 1846-1849) et ses drames (*Marie Stuart,* 1830; *Kordian,* 1834; *Mazepa,* 1840) mêlent aux thèmes romantiques un spiritualisme messianique.

SŁUPSK, v. du nord de la Pologne; 75 000 hab.

SLUTER (Claus), sculpteur néerlandais au service des ducs de Bourgogne (Haarlem v. 1340/1350-Dijon 1405 ou 1406). Il est en 1379 à Bruxelles et en 1385 à Dijon, dans l'atelier de Jean de Marville († 1389), à qui il succède comme imagier de Philippe le Hardi. Les principales de ses œuvres conservées sont l'ensemble des statues du portail de la chartreuse de Champmol et le calvaire, dit *puits de Moïse,* provenant du cloître de la même abbaye. Ce monument présente six statues de prophètes (dont un puissant Moïse), qui, non achevées en 1406, ont dû l'être par le neveu du maître, CLAUS DE WERVE (v. 1380-1439), son aide depuis 1396. Ce dernier exécuta aussi la plupart des pleurants qui entourent de leur cortège le tombeau du duc (musée de Dijon). Le génie de Sluter se manifeste dans une accentuation dramatique et un réalisme à l'opposé du «gothique* international»; malgré la détente qui se marque chez C. de Werve, cette révolution slutérienne exercera une influence majeure sur l'art gothique du XVe s., bien au-delà des frontières de la Bourgogne.

SMALA ou **SMALAH.** — C'était, autrefois, l'ensemble des équipages de la maison d'un chef arabe. La smala d'Abd* el-Kader fut prise par le duc d'Aumale à Taguine, en 1843.

SMÅLAND (le), région de la Suède méridionale.

Smalkalde *(articles de),* confession de foi rédigée par Luther* en 1537. Reprise par la *Formule de concorde* en 1580, elle forme avec la Confession d'Augsbourg*, rédigée par Melanchthon* en 1530, la charte de base du luthéranisme.

Smalkalde *(ligue de),* ligue religieuse et politique formée par les cités et les princes protestants d'Allemagne en 1531 contre la politique catholique de Charles* Quint. Malgré les succès de Mühlberg et de Wittenberg, en 1547, qui lui permettent de dissoudre la ligue, l'empereur ne parviendra pas à imposer un accord durable sur les problèmes religieux.

SMECTIQUE → MÉSOMORPHE *(état).*

SMETANA (Bedřich), compositeur et pianiste tchèque (Litomyšl 1824-Prague 1884). Il est, au XIXe s., le plus célèbre défenseur de l'art musical bohémien. Outre de nombreuses pages pour piano, on lui doit surtout des opéras (*les Brandebourgeois en Bohême,* 1866), des opérettes (*la Fiancée vendue,* 1866) et des opéras comiques (*les Deux Veuves,* 1874). Il est également l'auteur d'un célèbre cycle de poèmes symphoniques *(Ma patrie).*

SMET DE NAEYER (Paul, *comte* DE), homme politique belge (Gand 1843-Bruxelles 1913). Député catholique (1886), il combat le socialisme. Président du Conseil (1896-1899, 1899-1907), il fait voter la représentation proportionnelle intégrale.

SMITH (Adam), économiste écossais (Kirkcaldy 1723-Édimbourg 1790). Son œuvre principale, *Recherches sur la nature et les causes de la richesse* des nations* (1776), le rendit célèbre. Pour Smith, le travail et l'activité de l'homme sont sources de toute richesse, la division du travail accroissant celle-ci. L'intérêt personnel, joint au fonctionnement libre de l'offre et de la demande, constitue un heureux mécanisme de régulation de l'économie. Cet optimisme ne se retrouve pas, cependant, en matière de répartition des richesses, la rente et le profit rongeant les salaires. Smith pose également les grands principes de l'impôt.

SMITH (Joseph), chef religieux américain (Sharon 1805-Carthage, Illinois, 1844). En 1830, il rassemble les premiers mormons* et les amène jusque dans l'Illinois (Nauvoo); mais le rétablissement par lui de la polygamie biblique lui attire une forte hostilité. Il meurt lynché.

SMITH (Bessie), chanteuse de jazz noire américaine (Chattanooga 1894-Clarksdale 1937). Découverte par Ma Rainey, elle devint au cours des années 20 l'« Impératrice du blues ». Son succès alla déclinant après 1930. Parmi ses principaux enregistrements : *Down Hearted Blues* (1923); *Saint Louis Blues* (avec L. Armstrong, 1925); *Black Water Blues* (1927); *Nobody Knows You When You're Down and Out* (1929); *Gimme a Pigfoot* (1933).

SMITH (James Leonard Brierley), savant sud-africain (Graaff-Reinet 1897-Grahamstown 1968). En 1938, le hasard fit tomber entre les mains de ce chimiste un cœlacanthe*, animal que l'on croyait disparu depuis la fin du secondaire. Smith l'identifia et en organisa la recherche par une large diffusion de son image, ce qui permit de nouvelles captures, au large des Comores.

SMITH (David), sculpteur américain (Decatur 1906-Bolton Landing 1965). Abordant en 1933 la sculpture en métal soudé, il développe à partir de 1945 une œuvre qui atteint, avec la série des *Cubi,* une rigueur abstraite, géométrique et monumentale. Il fait ainsi figure de précurseur du *minimal art.*

SMITH (Ian Douglas), homme politique rhodésien (Selukwe 1919). Premier ministre de Rhodésie* à partir de 1964, il proclame unilatéralement l'indépendance du pays (1965), rompant ainsi avec la Grande-Bretagne. Il maintient un régime de ségrégation raciale favorable à la minorité blanche, malgré les condamnations répétées des Nations unies, et se heurte à l'opposition croissante des mouvements nationalistes noirs. Le développement de la guérilla contraint I. Smith à accepter, en 1976, le principe de négociations destinées à mettre en place un gouvernement de transition, avant l'accession au pouvoir de la majorité noire.

SMITHSONITE → ZINC.

SMOLENSK, v. de l'U. R. S. S. (R. S. F. S. de Russie), sur le haut Dniepr, à l'O. de Moscou; 211 000 hab.

SMOLLETT (Tobias George), écrivain écossais (Dalquhurn, Dumbartonshire, 1721-Livourne 1771). Auteur de comédies, il acclimata en Angleterre le roman picaresque (*les Aventures de Roderick Random,* 1748).

SMUTS (Jan Christiaan), homme politique sud-africain (Bovenplaats, Le Cap, 1870-Irene, près de Pretoria, 1950). Après avoir combattu dans les rangs des Boers* (1899-1902), il se montra partisan de l'entente avec la Grande-Bretagne et participa à l'unification des colonies anglaises d'Afrique du Sud (1910), puis mena la campagne contre le Sud-Ouest africain allemand (1916). Premier ministre de l'Afrique du Sud (1919-1924 et 1939-1948), il lutta avec énergie contre le nazisme et fut nommé maréchal britannique (1941). Après 1948, il s'opposa à la politique ségrégationniste du gouvernement Malan*.

SMYRNE → IZMIR.

SNAKE RIVER, riv. du nord-ouest des États-Unis, née dans le parc national de Yellowstone, utilisée pour l'irrigation et la production d'électricité, affl. de la Columbia (r. g.); 1 450 km.

S. N. C. F., sigle de *Société* nationale des chemins de fer français.*

SNELL VAN ROYEN (Willebrord), dit **Willebrordus Snellius,** astronome et mathématicien néerlandais (Leyde 1580-*id.* 1626). Il introduisit la méthode de triangulation, qu'il substitua aux méthodes directes pour l'estimation des distances. Il exécuta la première bonne mesure d'un arc de méridien terrestre (1615), après celle d'Ératosthène*, et découvrit la loi de la réfraction* de la lumière* (1620).

SNIJDERS (Frans), peintre flamand (Anvers 1579-*id.* 1657). Maître en 1602, il fait le voyage d'Italie, se spécialise dans la peinture de natures mortes et travaille pour Rubens. Au contact de celui-ci, il avive sa palette et donne à ses compositions de victuailles un caractère ample et décoratif, une organisation dynamique qu'elles n'avaient pas chez Aertsen* et Beuckelaer. Il a également peint des animaux et des scènes de chasse.

SNOILSKY (Carl, *comte*), poète suédois (Stockholm 1841-*id.* 1903), auteur de sonnets et de poèmes historiques (*Images suédoises,* 1886).

SNORRI STURLUSON ou **SNORRE STURLASSON,** poète islandais (Hvamm v. 1179-Reykjaholt 1241). Issu de la puissante famille des Sturlunga, il fut un des chefs les plus redoutés de l'Islande. Ami du roi Haakon IV de Norvège, auquel il avait promis de soumettre l'Islande, il devint bientôt l'adversaire du souverain. Il dut ensuite lutter contre son gendre, qui le tua. Snorri Sturluson est l'auteur de l'*Heimskringla,* ou *Saga des rois de Norvège,* et il a rassemblé les divers éléments de l'*Edda* en prose* ou *prosaïque.*

SNOWDON, massif montagneux de Grande-Bretagne, dans le nord-ouest du pays de Galles (dont il porte le point culminant à 1 085 m d'alt.).

SOANE (*sir* John), architecte anglais (Goring-on-Thames 1753-Londres 1837). Néoclassique en apparence, influencé par Piranèse, Ledoux, Vanbrugh, il est surtout un visionnaire anxieux, épris de primitivisme, dont la propre maison, à Londres (auj. musée Soane), reflète l'extrême originalité. Son grand œuvre, à la banque d'Angleterre (à partir de 1788), est détruit. Ses recherches historiques, comme professeur à la Royal Academy (1806), ont nourri son éclectisme.

SOARES (Mario), homme politique portugais (Lisbonne 1924). Secrétaire général du parti socialiste portugais, qu'il fonde en exil en 1973, il est appelé par la junte au ministère des Affaires étrangères après le coup d'État d'avril 1974, et mène les négociations avec les mouvements nationalistes des provinces d'outre-mer. En juillet 1976, il devient Premier ministre.

SOCHAUX (25600), ch.-l. du cant. de *Sochaux-Grand-Charmont,* dans la banlieue nord-est de Montbéliard; 6 350 hab. *(Sochaliens).* Importante usine d'automobiles.

SOCIAL-DÉMOCRATIE. — Ce terme a désigné, selon les époques, des organisations ou des tendances socialistes de types divers. Avant 1914, les partis sociaux-démocrates se rattachent au marxisme*. Après la révolution russe de 1917, Lénine et les communistes désignent sous le nom de « sociaux-démocrates » les socialistes hostiles au communisme et qui ont soutenu les gouvernements belligérants. Après 1945, le terme « social-démocrate » recouvre des partis qui, sans répudier le marxisme, sont de moins en moins des partis de classe.

La social-démocratie allemande (SPD) est la plus ancienne : le parti ouvrier social-démocrate est, en effet, fondé dès 1869 par Bebel* et W. Liebknecht*. Il est en fait plus lassallien (v. LASSALLE) que marxiste, et remporte d'importants succès électoraux. Il est rénové par Eduard Bernstein*, dont le réformisme est combatu par Karl Kautsky*, plus proche du marxisme orthodoxe. En 1919, le parti communiste allemand (KPD), animé par Karl Liebknecht* et Rosa Luxemburg*, se sépare de la SPD, tandis que la tendance réformiste prend le pouvoir avec la république de Weimar*. Dissoute en 1933, la SPD renaît en 1946 et devient l'un des principaux partis de la République fédérale allemande (Willy Brandt*).

Des partis sociaux-démocrates se sont développés en Autriche (1888), avec Victor Adler*, d'obédience marxiste, et dans les pays scandinaves, en Suède notamment, avec Hjalmar Branting*. En Russie, le parti ouvrier social-démocrate (1898) se scinda en 1905 en mencheviks* et bolcheviks*. Dans les pays latins, le terme « socialiste » a prévalu sur celui de « social-démocrate ».

sociale *(guerre),* conflit entre Rome et ses alliés d'Italie (91-89/88 av. J.-C.). Les alliés d'Italie (les *socii,* c'est-à-dire les troupes des villes fédérées à Rome) entament, en 91, une véritable guerre de sécession pour obtenir la citoyenneté romaine. Les peuples insurgés (Marses, Picentins, Osques, Samnites) forment une confédération, dont la capitale est Corfinium, baptisée « Italia » (auj. Pentima), et infligent à Rome une série de défaites. Les victoires de Marius, de Sulla et de Cn. Pompeius Strabo et les lois (*lex Iulia,* 90, *lex Plautia Papiria,* 89) qui accordent le droit de cité* romaine aux Italiens font cesser la rébellion.

SOCIALISME. — Ce courant de pensée naît au XIXe s. et s'oppose à l'individualisme prôné par le libéralisme, que le socialisme interprète comme le renforcement de l'inégalité et de l'injustice. Saint-Simon*, E. Cabet*, C. Fourier*, Proudhon* et Owen* sont les principaux représentants de ce qu'Engels* et Marx* nomment « socialisme utopique » (v. UTOPIE) et qu'ils opposent à leur « socialisme scientifique ». Reposant sur le matérialisme* historique, le socialisme scientifique a pour maxime « à chacun selon son travail ». Dans la mesure où tous n'ont pas la même puissance de travail, le socialisme ne peut que corriger le fondement inégal du mode de production capitaliste*. Aussi la véritable justice ne peut être, d'après Marx et Engels, réalisée qu'avec une égale distribution des biens (« à chacun selon ses besoins »), laquelle suppose une société sans classe ni État, que ces auteurs désignent par le terme de « communisme* ».

SOCIALISTES (partis). — Le parti socialiste français a pour origine le parti ouvrier français (P. O. F.), fondé en 1879 par Jules Guesde*, mais qui ne fut pas reconnu par d'autres partis socialistes. Après un long désaccord avec Édouard Vaillant* et Jean Jaurès*, J. Guesde réussit, en 1905, à réaliser l'unité socialiste sous l'étiquette « Section française de l'Internationale ouvrière »

(S. F. I. O.) : cette unité fut rompue lors du congrès de Tours (1920), qui vit la majorité former le parti communiste. La S. F. I. O. maintenue joua, entre les deux guerres, notamment avec Léon Blum* et sous le Front* populaire (1936-1938), un rôle politique primordial, qu'elle retrouva, à partir de 1945, sous la IVe République (Vincent Auriol*, Guy Mollet*). Sous la Ve République, les socialistes français connurent des difficultés jusqu'à ce que François Mitterrand* fonde le parti socialiste (1971), qui signa avec les radicaux de gauche et les communistes un programme commun de gouvernement et devint le plus important parti de l'opposition.

Le parti socialiste belge (P. S. B.) est le nom porté depuis 1945 par le parti ouvrier belge (P. O. B.), fondé en 1885. Extrêmement actif sur le plan social jusqu'à la Seconde Guerre mondiale, ce parti joue depuis un rôle important dans l'équilibre politique d'une Belgique secouée par les mutations économiques et la querelle linguistique.

En Italie, le premier parti ouvrier naît en 1882; le parti communiste italien s'en détache en 1921. Persécuté par Mussolini, le parti socialiste ressuscite en 1945, mais, dès 1947, il se scinde; depuis, les deux branches du socialisme italien connaissent des alternances d'éloignement et de rapprochement.

Au Portugal, libéré en 1974 de la dictature salazariste, le parti socialiste, dirigé par Mario Soares*, se révèle la première formation politique du pays.

social-révolutionnaire *(parti)* ou **sociaux-révolutionnaires (S.-R.)**, parti politique russe fondé en 1901-02. Il s'adresse essentiellement à la paysannerie. Son aile modérée (les travaillistes, ou *troudoviki*) participe aux doumas* (1906-1917), tandis que son détachement de combat et les maximalistes ont recours au terrorisme. Les S.-R. et les mencheviks sont majoritaires dans les soviets qui se forment au début de la révolution* de 1917 et participent au gouvernement provisoire (Kerenski*, V. M. Tchernov). La majorité des S.-R., hostile aux bolcheviks, participe à la guerre civile, tandis que les S.-R. de gauche, d'abord alliés aux bolcheviks, tentent de les renverser à Moscou (juill. 1918).

SOCIÉTÉ *(Dr.)*. — L'article 1832 du Code civil définit la société comme un contrat aux termes duquel « deux ou plusieurs personnes conviennent de mettre quelque chose en commun dans le but de partager le bénéfice qui pourra en résulter ». Mais, en plus du contrat, la société (et c'est le sens où on l'entend généralement) est aussi une personne morale, à laquelle le contrat de société a, précisément, donné naissance. Il faut distinguer la société civile et la société commerciale.

L'objet de la *société civile* est, comme son nom l'indique, un objet « civil » et, par ailleurs, cette société n'emprunte pas une forme qui lui donnerait la qualité commerciale. Elle n'est, en principe, soumise à aucune réglementation, à l'exception des règles très générales édictées par le Code civil. Sa caractéristique essentielle est la responsabilité, par part civile et non solidaire, des associés aux dettes : quel que soit le montant détenu dans la société par chaque associé, la répartition du passif se fait par tête; enfin, les bénéfices de la société civile sont directement imputés à la personne même de chaque associé (transparence fiscale).

On distingue plusieurs types de *sociétés commerciales*, mais on peut les classer en deux grandes catégories : celles où le caractère « personnel » de la société est accusé et celles où, au contraire, l'« anonymat » prédomine.

• *Les sociétés de type « personnel ».*

a) La société en nom collectif. C'est, par excellence, la société « de personnes » et celle qui convient aux débuts d'une entreprise. Les caractéristiques essentielles sont : l'existence de deux associés au moins; la qualité de « commerçant » des associés; la responsabilité indéfinie et solidaire de chaque associé aux dettes de la société. Les parts sociales ne peuvent être cédées qu'avec l'accord de tous les associés. La marche de la société en nom collectif est assurée par la gérance, qui appartient en droit à tous les associés, mais qui donne lieu, en fait, à désignation d'un ou de plusieurs « gérants ». Ceux-ci peuvent être des associés (leurs noms peuvent figurer dans les statuts) ou des non-associés. Chacun des gérants peut engager la société à l'égard des tiers. La société en nom collectif prend fin par le décès d'un associé.

b) La société à responsabilité limitée. Elle fut introduite dans le droit français par la loi du 7 mars 1925, à l'imitation du droit allemand. Elle implique deux associés au minimum et cinquante au maximum, un capital de 20 000 francs au moins, en parts d'une valeur minimale de 100 francs, et l'interdiction d'émettre des valeurs mobilières. Les S. A. R. L. sont soumises à l'impôt des sociétés. Les parts sociales ne peuvent être cédées qu'avec l'accord de la majorité des associés.

L'administration de la S. A. R. L. est assurée par les gérants, qui peuvent être associés ou non, sont nommés par l'assemblée ou par les statuts et sont révocables par les associés. Les assemblées d'associés statuent sur la gestion, notamment sur les comptes. Les assemblées extraordinaires statuent sur les modifications des statuts.

c) La société en commandite simple. Rarement employée, elle associe deux groupes de personnes : des associés commandités (responsables indéfiniment du passif social) et des associés commanditaires (responsables jusqu'à hauteur de leurs apports). La gérance est assurée par les associés commandités ou par des personnes étrangères à la société.

• *Les sociétés de capitaux.* On peut citer comme survivance la *commandite par actions,* que l'on trouve aujourd'hui très rarement. L'administration en comprend trois niveaux : les gérants, qui ont tous pouvoirs de gestion; le conseil de surveillance, composé de trois commanditaires, au minimum, qui assument le contrôle permanent de la gestion; les assemblées, qui fonctionnent à peu près comme les assemblées de la société anonyme.

a) La société anonyme. Elle correspond au développement du capitalisme contemporain. Réglementée par la loi du 24 juillet 1867, elle le fut de nouveau par la loi du 24 juillet 1966. Elle nécessite sept actionnaires au moins (responsables seulement à hauteur de leurs apports), un capital minimal de 100 000 francs (de 500 000 francs s'il y a appel public à l'épargne). L'administration de la société anonyme est assurée dans deux cadres différents : la société à conseil d'administration et la société à conseil de surveillance et directoire.

Dans la *société à conseil d'administration,* la société anonyme est dotée d'un conseil, composé de trois personnes au moins et de douze au plus, nommées parmi les actionnaires par l'assemblée ordinaire de ceux-ci, pour une durée de six ans et révocables à tout moment. Le conseil délibère collégialement, décide à la majorité, agit au nom de la société. Il désigne en son sein un président, à qui peut être adjoint un (ou des) directeur(s) général(aux) [actionnaire(s) ou non]. Mandataires sociaux, le président et le directeur général peuvent être révoqués à tout moment par le conseil d'administration.

Dans la *société à conseil de surveillance et directoire,* le conseil de surveillance, qui comprend trois membres au moins, nommés par l'assemblée des actionnaires, exerce le contrôle permanent de la gestion effectuée par le directoire. Il se fait communiquer tous documents lui permettant d'assurer ce contrôle. Aucun membre du conseil de surveillance ne peut faire partie du directoire. Le conseil de surveillance élit parmi ses membres un président et un vice-président, chargés de convoquer le conseil et d'en diriger les débats.

Le directoire est composé de cinq membres au plus, nommés par le conseil de surveillance pour quatre années. L'un d'entre eux se voit conférer par le conseil de surveillance la qualité de président du directoire. À défaut de dispositions contraires, la limite d'âge est de 65 ans. Les membres du directoire peuvent, sur proposition du conseil de surveillance, être révoqués par l'assemblée des actionnaires. Le directoire est investi des pouvoirs les plus étendus pour agir au nom de la société, sous réserve des droits conférés au conseil de surveillance et à l'assemblée des actionnaires. Les directeurs peuvent se répartir des tâches de gestion distinctes, mais les décisions du directoire en tant que telles sont celles d'un organe agissant collégialement.

b) Un certain nombre de sociétés d'un type spécial sont adaptées à des objectifs particuliers.

Le *groupement d'intérêt économique* (G. I. E.), prévu par l'ordonnance du 23 septembre 1967, est constitué par deux ou plusieurs personnes, physiques ou morales, pour une durée déterminée, afin de mettre en œuvre les moyens propres à développer l'activité économique de ses membres et les résultats de cette activité.

La Sicav (société d'investissement à capital variable) est une société d'investissement ayant pour objet de rassembler les fonds d'épargnants dans le but d'acquérir des actions ou des obligations. Elle gère un portefeuille pour le compte de ses actionnaires, chaque action de la Sicav représentant une part du portefeuille ainsi constitué. Son capital est variable, la Sicav rachetant ou vendant ses propres actions offertes ou demandées; la valeur de l'action est fixée périodiquement à partir de l'évaluation des titres du portefeuille et du nombre d'actions formant le capital de la société au moment de l'évaluation.

La Sicomi (société immobilière pour le commerce et l'industrie) est une société anonyme dont l'objet est de louer des immeubles à usage professionnel et d'effectuer des opérations de crédit-bail immobilier. Elle bénéficie d'un régime fiscal particulier.

SOCIÉTÉ *(Sociol.)*. — La représentation que les hommes se donnent de la société fait partie intégrante de celle-ci. À ce titre, l'examen de toute société oscille entre l'observation empirique des éléments qui la singularisent et l'interprétation compréhensive de l'image que ses membres s'en donnent. Dans la tradition philosophique, depuis Platon et Aristote, c'est seulement la dimension politique de la société qui retient l'attention. La sociologie*, au lendemain de la révolution industrielle, élargit ce point de vue : elle entend mettre en lumière la dimension économique et les aspects culturels de la réalité sociale.

SOCIÉTÉ *(îles de la),* archipel le plus vaste (1 647 km^2) et surtout le plus peuplé (100 000 hab.) de la Polynésie française. Situé entre 15 et 20^0 de latitude S., l'archipel, au climat tropical, est formé de deux groupes d'îles : les îles du Vent (Tahiti et Moorea), couvrant 1 173 km^2 et comptant 84 500 hab.; les îles Sous-le-Vent (avec Bora Bora, Raïatea et Tahaa, notamment), couvrant 474 km^2 et comptant près de 16 000 hab. — Découvertes par Wallis (1767) et Cook (1769), ces îles reçurent le nom de la Société royale de Londres. Tahiti fut placée sous protectorat français en 1843, puis annexée par la France en 1880; les autres îles ont été annexées en 1887.

Société des Nations (S. D. N.) → ORGANISATIONS INTERNATIONALES.

Société nationale des chemins de fer français (S. N. C. F.), organisme administré par un conseil d'administration comprenant des représentants de l'État, des anciens réseaux et du personnel. Un comité de direction émanant de ce conseil assure la direction effective de l'entreprise, qui exploite 35 000 km de lignes et emploie près de 300 000 agents. La convention de 1937, qui plaçait la S. N. C. F. dans la situation d'un service public concurrencé, a été révisée et, depuis 1973, la S. N. C. F. a obtenu la responsabilité de toutes les données de sa gestion et peut se concentrer sur des activités économiques rentables.

SOCIÉTÉ SECRÈTE. — On distingue généralement deux types de sociétés secrètes, selon qu'il s'agit de groupes organisés et hiérarchisés *clandestins,* dissimulant aux pouvoirs publics les buts de leur activité, leurs moyens, les noms de leurs membres, leurs lieux de réunion, leurs règlements, leurs structures, ou bien d'associations de *type traditionnel,* fondées sur le principe du *secret initiatique* de leurs cérémonies, de leurs rites et de leurs signes de reconnaissance, mais qui, par ailleurs, ne dissimulent pas leur existence, leur constitution, leurs buts ni leur histoire. On peut classer dans la première catégorie les sociétés secrètes dont l'action est dirigée contre les pouvoirs publics ou contre l'ordre social établi, principalement les sociétés secrètes « politiques ». Elles sont caractérisées par leur durée limitée et, le plus souvent, disparaissent quand les buts qu'elles se proposent sont atteints. C'est aussi le cas des groupes clandestins d'intérêts économiques ou d'associations de malfaiteurs, de criminels ou de trafiquants, ou encore de groupements de « justiciers » et de « hors-la-loi ».

Historiquement, certaines associations de type traditionnel, ésotérique et initiatique ont exercé une profonde influence politique, par exemple les sociétés secrètes pythagoriciennes dans l'Antiquité et la franc-maçonnerie dans les temps modernes. Il ne s'agissait pas d'un but, mais d'une conséquence de principes moraux et spirituels, d'évolution des institutions sociales et de progrès des civilisations. En ce sens, l'action des sociétés secrètes « initiatiques » ne doit pas être confondue avec celle des sociétés politiques « clandestines », qui n'ont d'autre dessein que la conquête du pouvoir, quels qu'en soient les moyens. On a classé dans cette dernière catégorie des groupements fort divers, comme la Sainte-Vehme, les Illuminés de Bavière, les Carbonari, les sociétés secrètes irlandaises, le Ku Klux Klan.

À notre époque, certaines sociétés secrètes criminelles, comme la Maffia, sont devenues multinationales et elles jouent un rôle économique et politique important aux États-Unis et en Europe, en raison de l'accroissement considérable de leurs moyens financiers depuis une vingtaine d'années, principalement grâce au trafic des stupéfiants.

SOCIN (Lebo SOZZINI, dit), réformateur italien (Sienne 1525 - Zurich 1562). Il niait la divinité de Jésus-Christ et le dogme de la Trinité, en qui il voyait un abandon du strict monothéisme.

SOCIOLINGUISTIQUE. — La sociolinguistique est la partie de la linguistique qui se propose de faire apparaître les relations entre phénomènes sociaux et phénomènes linguistiques. Elle recouvre un domaine très vaste, souvent mal défini, comprenant l'étude des situations de communication (état ethnique, social, professionnel, culturel de l'émetteur et/ou du récepteur), les types et les niveaux de discours produits selon les classes sociales, les jugements portés sur le comportement verbal des individus (problèmes de niveaux de langue et de norme), les problèmes de planification linguistique (création de langues d'union dans certains pays africains). On parle d'« ethnolinguistique » quand on étudie ces problèmes dans les sociétés sans écriture, dites « primitives ».

SOCIOLOGIE. — La sociologie, depuis sa création au siècle dernier, se veut la science de la société*. Dans les pays occidentaux, les sondages* d'opinion en sont devenus progressivement la manifestation la plus voyante. Interrogatrice des citoyens, la sociologie recherche leurs aspirations et suggère diagnostics et pronostics aux gouvernants. Les enquêtes portent sur l'éducation* aussi bien que sur les moyens d'information*, sur la délinquance* ou sur les rouages de la bureaucratie*. Aucun secteur, aujourd'hui, ne semble échapper à la prise du sociologue professionnel.

La sociologie des professeurs est différente. Non pas qu'elle se détourne résolument des enquêtes empiriques pratiquées par les professionnels, mais parce que, moins tributaire d'une demande sociale prenante, elle s'efforce de considérer sous un angle plus général les divers cas de figure de la comédie humaine et les singularités des organisations sociales. À ce titre, elle s'inscrit dans une tradition inaugurée par Montesquieu* et poursuivie par Marx*, Weber* et Pareto*. Ce qui rapproche, en effet, les initiateurs de la sociologie, par-delà leurs dissensions, c'est leur volonté commune de conférer à leur discipline une riche vocation de synthèse.

Aujourd'hui, la sociologie des professeurs et celle des professionnels sont également exposées à des suspicions ou à des vindictes opposées. Parce que l'une comme l'autre comportent immanquablement des enseignements pour l'action*. Reste que les « observatoires » sociaux peuvent servir indéfiniment une politique réformiste, révolutionnaire ou conservatrice. Ils sont, qu'on le veuille ou non, la ruse offerte par la raison pour porter remède aux maux du progrès ou pour permettre aux sociétés de se reproduire identiques à elles-mêmes.

Sociologie et anthropologie, œuvre de Marcel Mauss (1950). Selon l'auteur, l'échange par le don, dans les sociétés primitives, est enserré dans un système de symboles qui le rend irréductible aux seules dimensions économique, religieuse, juridique ou morale. En ce sens, il s'agit bien d'un phénomène social total. À travers ce dernier, s'exprime toujours « la totalité de la société et de ses institutions ».

SOCIOLOGIE JURIDIQUE. — Cette science est fondée sur la constatation que la règle de droit est un fait social et le reflet de son environnement. Les principaux problèmes qu'elle assume sont ceux de la formation de la norme juridique, de sa vie et de son évolution, du contact de la règle juridique avec la société dont elle émane et pour laquelle elle a été édictée, de l'environnement « culturel » du droit. La sociologie juridique (qui prend ses distances à l'égard de sciences voisines, comme la sociologie politique ou les « méthodes de sciences sociales »), doit, en France, l'essentiel de ses impulsions au professeur Carbonnier.

SOCIOMÉTRIE. — Selon son créateur J. L. Moreno*, la sociométrie se présente à la fois comme une recherche fondamentale et comme une technique d'intervention qui permet de « mesurer » la sociabilité au sein d'un groupe restreint. Pour Moreno, l'homme possède une créativité spontanée qu'il n'utilise presque jamais; il faut donc rechercher les obstacles qui l'empêchent de libérer sa créativité.

L'enquête (ou le test) sociométrique a pour objectifs de dégager les processus d'attraction, d'indifférence ou de rejet qui se produisent spontanément entre les membres d'un groupe réel (classe d'école, groupe de travail...), au cours de l'histoire de celui-ci. On représente ensuite les réponses obtenues sur un diagramme : le *sociogramme.*

SOCLE *(Géol.).* — Les socles sont constitués de terrains anciens (précambriens ou primaires) intensément plissés et métamorphisés, et, souvent, en partie granitisés. Ce sont les témoins d'anciennes chaînes de montagnes qui ont été rabotées par l'érosion; ils forment des masses rigides, qui ne réagissent aux déformations postérieures que par des plissements à grand rayon de courbure ou par une tectonique cassante. On donne le nom de *bouclier* aux vastes socles précambriens, qui se présentent en plateaux partiellement recouverts de sédiments : boucliers brésilien, canadien, etc. Les socles hercyniens sont généralement moins étendus : en France, ils constituent les massifs anciens (Vosges, Massif central, etc.).

SOCOA, section de la comm. de Ciboure (Pyrénées-Atlantiques), à la *pointe de Socoa,* en face de Saint-Jean-de-Luz. Station balnéaire.

SOCOTORA ou **SUQUṬRĀ,** île de l'océan Indien, dépendance du Yémen démocratique, près de l'entrée du golfe d'Aden; 3 626 km^2; 15 000 hab. V. princ. *Tamrida.*

SOCRATE, philosophe grec (Attique v. 470 av. J.-C. - Athènes 399 av. J.-C.). Socrate a existé; plusieurs témoignages l'attestent, et notamment celui de Platon*. Est-ce de sa besogneuse ascendance (père sculpteur, mère sage-femme), ou de son « démon », qu'il tenait le don d'accoucher les esprits et de modeler les âmes? « Va-nu-pieds », dans la Cité, il se distingue des sophistes tant par l'argent (il n'en exige pas) que par son savoir (il ne propose pas un savoir dogmatique mais pose la question même du savoir). Laid, il est l'amant naturel du beau et du bien, le désir, en un mot le *philo*-sophe. Vertueux, enfin, il refusera d'échapper à la mort qui vient de la loi et boira la ciguë pour « n'avoir pas respecté les dieux et pour avoir corrompu la jeunesse ».

SODDY (*sir* Frederick), chimiste et physicien anglais (Eastbourne 1877 - Brighton 1956). Il donna la loi de filiation des radioéléments (1902) et découvrit l'isotopie. (Prix Nobel de chimie, 1921.)

SÖDERTÄJLE, v. de Suède, au S.-O. de Stockholm; 78 000 hab. Constructions mécaniques.

SODIUM. — Découvert en 1807 par Davy, le sodium (anc. *natrium*) est l'élément chimique n° 11, de masse atomique Na = 23,0. C'est un solide blanc, mou, qui s'oxyde rapidement à l'air et qu'on conserve dans l'huile de vaseline. De densité 0,97, il fond à 98 °C. Il est très oxydable et réducteur et décompose l'eau à froid. On le prépare par électrolyse de la soude fondue.

Composés du sodium. L'oxyde Na_2O s'unit à l'eau pour donner la soude* caustique NaOH; le bioxyde Na_2O_2 est le constituant de l'oxylithe. Le chlorure NaCl, sel* marin ou sel gemme, est abondant dans la nature. L'hypochlorite NaClO est l'élément actif de l'eau de Javel. Le sulfate Na_2SO_4 est employé comme purgatif et dans la fabrication du verre à vitres. Le sulfite acide, ou bisulfite $NaHSO_3$, est utilisé comme décolorant. Le nitrate $NaNO_3$, qui constitue le salpêtre du Chili, est employé comme engrais. Le carbonate Na_2CO_3 est la soude* du commerce; le bicarbonate $NaHCO_3$ est utilisé en médecine.

Les sels de sodium sont presque tous solubles dans l'eau. Ils colorent la flamme en jaune.

SODOKU → SPIRILLOSE.

SODOMA (Giovanni Antonio BAZZI, dit **le**), peintre italien (Verceil 1477-Sienne 1549). Successeur de Signorelli au cloître de Monte Oliveto Maggiore, il travaille en 1512 à la villa Farnésine, à Rome *(Histoire d'Alexandre et de Roxane),* puis fait une carrière de fresquiste à Sienne. Il est héritier de Raphaël pour l'harmonie, de Léonard de Vinci pour le modelé nuancé, du Pérugin et du Pinturicchio pour le sens du paysage et la fantaisie décorative.

SODOME, ancienne ville cananéenne qui fut, avec Gomorrhe et d'autres cités du sud de la mer Morte, détruite par un cataclysme au XIXe s. av. J.-C. Les origines de cette légende célèbre, rapportée par la Bible au livre de la Genèse*, sont à chercher dans quelque séisme particulièrement destructeur; les émanations de soufre et les sources d'eau chaude qui abondent dans la région ont été, aux yeux des Anciens, les témoins de la pluie de soufre et de feu que Yahvé, dans le texte biblique, fit tomber sur les villes maudites.

SOEKARNO → SUKARNO.

SOFIA, capit. de la Bulgarie, à 550 m d'alt., au pied du massif de la Vitoša; 848 000 hab. Musée national d'Archéologie (dans une anc. mosquée), musée d'Archéologie et d'Art religieux, Galerie nationale, etc. Aux environs, église de Bojana, remontant au XIe s. (remarquables fresques du XIIIe ou du XIVe s.), et monastères anciens. La ville, qui comptait seulement quelques milliers d'habitants il y a un siècle, au départ des Turcs (1878), s'est surtout développée après 1945, avec l'avènement du régime communiste. L'agglomération compte aujourd'hui plus de un million d'habitants et est largement prépondérante sur les plans politique, commercial, et industriel (constructions mécaniques, chimie, textile).

HISTOIRE. L'antique cité thrace de *Serdica* devient colonie romaine *(Ulpia Serdica)* au IIe s. apr. J.-C. Au siècle suivant, Aurélien en fait la capitale de la *Dacia Mediterranea.* Dévastée par les Huns, elle est relevée par Justinien Ier. Tombée aux mains des Bulgares (809), Serdica devient la *Sredec* slave, que se disputent Grecs et Bulgares. Définitivement bulgare, elle prend le nom de « Sofia » au XIVe s.; durant des siècles, elle n'est qu'une petite ville turque, et ne rentre dans l'histoire qu'en 1878, lorsqu'elle devient la capitale de la Bulgarie* en voie d'indépendance.

SOFTWARE → LOGICIEL.

SOGDIANE, ancienne région de l'Asie centrale, entre l'Oxus et l'Iaxarte; elle correspond approximativement à l'Ouzbékistan soviétique. Satrapie de l'Empire achéménide, elle passa de la domination des Séleucides* à celle des Parthes, des Sassanides, des Arabes et des Turcs.

SOGNEFJORD, le plus long (175 km) fjord de Norvège, au N. de Bergen. D'une largeur maximale de 6 km, il a une profondeur voisine de 1 000 m.

SOHAG, v. d'Égypte, ch.-l. de prov., sur le Nil; 75 000 hab.

SOHO, quartier commerçant du centre de Londres.

SOHRAWARDI (Shihāboddun Yahyā), philosophe islamique (Sohraward, Médie, 1155-Alep 1191). Il reprend le projet d'Avicenne* d'une « théosophie orientale », et le transforme dans son œuvre principale *(Hikmat al-Ishrāq)* en s'inspirant des sagesses d'Hermès, de Platon et de Zoroastre. Il a également écrit 48 traités, qui portent sur la logique, la physique et la métaphysique.

SOIE *(Text.).* — La soie est sécrétée par un insecte séricigène, la chenille de *Bombyx mori.* Elle se présente sous la forme d'un fil continu, de 800 à 1 200 m, obtenu par dévidage du cocon (enveloppe constituée de filaments dont s'est entourée la chenille). Le filament a un diamètre moyen de 14 μ, une ténacité de 36 g/tex et une élasticité comprise entre 15 et 20 p. 100. (V. SÉRICICULTURE.)

SOIE *(Zool.).* — Parmi les animaux producteurs de soie, on peut distinguer deux groupes. Les araignées portent leurs glandes séricigènes dans l'abdomen et rejettent, par des filières perfectionnées, plusieurs sortes de soie. Les larves d'insectes (« ver à soie ») ont une salive soyeuse, que leur bouche file et tisse en cocon.

SOIGNIES, en néerl. **Zinnik,** v. de Belgique (Hainaut), au N.-E. de Mons; 22 979 hab. Importante collégiale romane, élevée, pour l'essentiel, de la fin du Xe s. au début du XIIe.

SOINS. — Actes accomplis pour rendre la santé à un malade, les soins sont quotidiens : surveiller régulièrement la température, le pouls, la respiration, la tension, la courbe de diurèse, administrer les médicaments, faire la toilette et le lit du malade.

Les soins d'urgence sont les premiers gestes à faire en présence d'un cas grave. Quelquefois, ces soins doivent être effectués sur place par des témoins, en attendant l'arrivée de personnes compétentes (hémorragie externe, arrêt respiratoire, etc.). À l'hôpital, les soins d'urgence sont particuliers à chaque cas et peuvent consister en une intervention chirurgicale, une perfusion de sang, une injection médicamenteuse, une respiration artificielle, un traitement par rayons, etc.

Soirées de Médan *(les),* recueil de six nouvelles (1880), de Zola *(l'Attaque du moulin),* Maupassant *(Boule-de-Suif),* Huysmans *(Sac au dos),* Henry Céard *(la Saignée),* Léon Hennique *(l'Affaire du grand sept)* et Paul Alexis *(Après la bataille) :* un manifeste du naturalisme.

SOISSONNAIS, région du départ. de l'Oise, au N. de la basse vallée de l'Aisne. V. princ. *Soissons.* Grande culture céréalière et betteravière.

SOISSONS (02200), ch.-l. d'arr. de l'Aisne, sur l'Aisne, dans le *Soissonnais,* à 97 km au N.-E. de Paris; 32 112 hab. *(Soissonnais).* Métallurgie de transformation. Verrerie. Industries alimentaires. Pneumatiques.

HISTOIRE. La capitale des Suessiones, *Augusta Suessionum,* est siège d'un évêché dès le IIIe s. En 486, Clovis y bat Syagrius; en 511, la ville devient la capitale du royaume de Neustrie*. Centre d'un comté créé au Xe s. et qui passe aux Bourbons à la fin du XVe s.,

Duboutin-Explorer

Sofia. La place Lénine, le boulevard Georgi-Dimitrov, la mosquée Banja-Baši (fin du XVIe s.).

Soissons est, sous l'Ancien Régime, rattachée à l'intendance d'Île-de-France. Placée sur le chemin des invasions, elle est marquée par la guerre en 1814, 1815, 1870, et surtout en 1914-1918.

BEAUX-ARTS. Restes de l'abbaye Saint-Médard, d'origine carolingienne (crypte). Superbe cathédrale, surtout du XIIIe s. (bras sud du transept, arrondi, de la fin du XIIe). Façade à deux clochers de l'anc. abbaye Saint-Jean-des-Vignes (fin XIIIe-début XVIe s.). Etc. Musée dans l'anc. église Saint-Léger.

SOISY-SOUS-MONTMORENCY (95230), ch.-l. de cant. du Val-d'Oise, à 2 km à l'O. de Montmorency; 16 309 hab. *(Soiséens).*

SOJA ou **SOYA.** — Cette plante herbacée annuelle, de la famille des légumineuses, est une des plus anciennement cultivées dans le monde (Extrême-Orient). Ses méthodes culturales sont comparables à celles du haricot; toutefois, si on cultive le soja dans un sol nouveau, il est nécessaire d'y pratiquer des inoculations massives de *Rhizobium japonicum.* Sa culture s'est considérablement développée, tant pour la production d'huile que pour celle de protéines comestibles.

SOKA, v. du Japon (Honshū), dans la banlieue nord de Tōkyō; 123 000 hab.

SOKOLOVSKI (Vassili Danilovitch), maréchal soviétique (Kozliki 1897-Moscou 1968). Commandant de corps en 1943, adjoint de Koniev en 1944 et 1945, il dirigea les forces soviétiques en Allemagne (1946-1949), puis fut chef d'état-major général (1953-1960).

SOKOTO, v. du Nigeria, ch.-l. de la région du Nord-Ouest; 90 000 hab. Artisanat du cuir.

SOKOTO, ancien royaume soudanais, entre le Niger et le Tchad, constitué en 1804 par le marabout toucouleur Ousmane dan Fodio, et détruit par les Anglais en 1903.

SOL. — Le sol se forme au contact entre la croûte terrestre et l'atmosphère, sous l'action de l'érosion (mécanique et chimique), des animaux (bactéries, insectes, rongeurs) et des végétaux (rôle des racines), qui concourent à l'altération et à l'ameublissement des roches.

Le *profil* d'un sol, dont l'épaisseur varie de quelques centimètres à plusieurs mètres, montre une succession de couches, appelées *horizons.* Chaque horizon est caractérisé par la nature de la matière minérale, la quantité de matière organique qu'il contient, la texture (taille des éléments constitutifs), la structure (type d'agencement de ces éléments entre eux, qui forment des agrégats), l'acidité, etc. Dans un sol, on observe généralement : un horizon A, composé d'une couche d'humus résultant de la décomposition de la matière végétale sous l'action de micro-organismes (bactéries), qui surmonte un horizon de lessivage par les eaux d'infiltration (éluvion); un horizon B, d'accumulation, où se concentrent les produits lessivés plus haut (illuvion), argile, fer, matière organique; un horizon C, faiblement altéré, le régolite; enfin la roche mère.

Les types de sol varient avec la composition de la roche mère et le climat, qui déterminent, en particulier, la couverture végétale. Leur étude fait l'objet d'une science, la *pédologie,* et diverses classifications des sols ont été proposées.

L'existence, dans les formations anciennes, de paléosols, ou sols fossilisés sous des dépôts postérieurs et qui n'évoluent plus, renseigne sur les conditions climatiques qui régnaient à l'époque de leur genèse. Ainsi les bauxites du midi de la France, qui sont des paléosols tropicaux, montrent que cette région a connu un climat chaud et humide.

La nature des sols joue un rôle important dans l'implantation humaine, car elle a des conséquences directes sur l'agriculture. Par ailleurs, toutes les précautions doivent être prises pour préserver les sols de l'érosion (pouvant résulter du déboisement, de la monoculture, etc.).

SOL (travail du). — Les façons culturales de préparation du sol avant les ensemencements ont des objectifs multiples : ameublir le sol, détruire les mauvaises herbes, enfouir les engrais et les débris végétaux de la récolte précédente. Les préparations classiques sont les déchaumages (après céréales), les labours, suivis de façons superficielles avec instruments à dents (cultivateurs, herses), les roulages, enfin les binages en cours de végétation.

SOLANACÉES. — Cette famille de plantes gamopétales comporte un grand nombre d'espèces cultivées soit pour leurs tubercules (pomme de terre), soit pour leurs fruits (tomate, aubergine, piment), soit encore pour leurs feuilles (tabac). Parmi les espèces sauvages, on compte la belladone, le physalis, le datura et la jusquiame.

SOLARI, architectes et sculpteurs travaillant en Lombardie au XVe s., dont les plus importants sont GUINIFORTE (1429-1481), actif à la chartreuse de Pavie puis conducteur des grands chantiers de Milan, et son fils PIETRO ANTONIO (1450-1493), actif à Milan puis (1490) à Moscou.

SOLARI ou **SOLARIO** (Cristoforo), sculpteur et architecte italien (? 1460-Milan 1527). Il travaille à la chartreuse de Pavie (tombeaux de Ludovic le More et de Béatrice d'Este), à Milan, à Côme, à Crémone. — Son frère ANDREA (Milan v. 1460-? v. 1520), peintre, combine des influences vénitiennes et florentines à la tradition lombarde magnifiée par Léonard de Vinci. Il travailla à Gaillon, en France, v. 1507-1509. (*La Vierge au coussin vert,* Louvre.)

SOLDANELLE. — Cette petite primevère des Alpes, qui fleurit à la fonte des neiges, est vivace par ses parties souterraines.

Soldat fanfaron *(le)* [*Miles gloriosus*], comédie de Plaute (IIe s. av. J.-C.).

Soldat inconnu, soldat français, d'identité inconnue, tombé pendant la guerre de 1914-1918 et inhumé en 1921 sous l'Arc de triomphe (Paris) pour honorer en lui les 1 390 000 Français morts au cours de la Première Guerre mondiale. La flamme qui brûle au-dessus de la dalle est ranimée chaque jour par des groupements d'anciens combattants.

SÖLDEN-HOCH SÖLDEN, centre de sports d'hiver (alt. 1 377-3 040 m) d'Autriche (Tyrol); 2 500 hab.

SOLE *(Agr.)* → ASSOLEMENT.

SOLE *(Zool.)* → PLEURONECTES.

SOLEB, site archéologique du Soudan, à 22 km au S. de Ouadi-Halfa, qui comprend une vaste nécropole et surtout les vestiges du grand temple jubilaire d'Aménophis III, ornés de reliefs de belle qualité.

SOLEIL. — Le Soleil est un astre d'une grande importance pour la vie terrestre, réglant les principaux mécanismes physiques qui gouvernent la Terre*. Il agit, en particulier, sur l'atmosphère* et le champ* magnétique terrestres, provoquant des aurores* polaires ainsi que des perturbations magnétiques ou radioélectriques. Pour les astronomes, c'est une étoile* jaune, plutôt petite, bien que son volume soit 1 300 000 fois supérieur à celui de la Terre. Pour les physiciens, c'est un gigantesque réacteur* thermonucléaire, qui tire son énergie* de la conversion d'hydrogène* en hélium*, rayonnant ainsi dans l'espace une puissance colossale, équivalant à $4 . 10^{26}$ W. Seules la forte pression (150 Gbar) et la haute température (15 millions de degrés) qui règnent en son sein permettent de telles réactions. La surface visible, ou *photosphère,* est portée à 5 500 K et apparaît recouverte de taches sombres, d'étendue variable, plus ou moins nombreuses selon l'époque, et toujours situées par moins de 40^0 de latitude. Ces taches sont des zones plus froides de la surface solaire (4 000 K environ), sièges de forts champs* magnétiques, qui apparaissent noires par effet de contraste. Certains groupes peuvent atteindre jusqu'à 300 000 km de long. Leur importance varie suivant un cycle d'une durée moyenne de onze ans, mis en évidence pour la première fois en 1851. En 1958 et en 1969, le Soleil est ainsi passé par un maximum d'activité : à ces époques, les taches furent nombreuses, étendues, et groupées près de l'équateur. D'autre part, l'astre est alors le siège de phénomènes violents, éjectant dans l'espace, à l'occasion d'éruptions, des bouffées de particules très énergétiques qui apportent certaines perturbations sur la Terre. En revanche, les années 1964 et 1975 furent des périodes de « Soleil calme ». Au-dessus de la surface visible s'étend la *chromosphère,* dans laquelle se développent des *protubérances,* véritables flammes pouvant atteindre 800 000 km d'altitude; c'est la basse atmosphère de l'astre, visible comme une frange rosée entourant le disque noir de la Lune* lors des éclipses* totales de Soleil. La haute atmosphère, ou *couronne,* apparaît alors tout autour comme une nébulosité blanche plus ou moins ovale; sa très faible luminosité interdit de la voir en temps normal, sur le fond bleu du ciel. C'est de cette couronne que part le *vent solaire,* détecté pour la première fois par les sondes* spatiales en 1962. Ce vent solaire, qui est, en quelque sorte, l'« haleine » du Soleil, baigne pratiquement l'ensemble du système solaire.

SOLÉNOÏDE. — Le champ magnétique à l'intérieur d'un solénoïde parcouru par un courant est sensiblement uniforme, et son induction a pour valeur, en unités M.K.S.A., $B = 4\pi 10^{-7}\ Ni/l$, N étant le nombre de spires, *l* la longueur du cylindre portant les spires et *i* l'intensité du courant. Le solénoïde placé dans un champ est équivalent à un aimant dont le moment magnétique est $M = Nsi$, où *s* est la surface d'une spire.

SOLESMES (59730), ch.-l. de cant. du Nord, à 19 km à l'E. de Cambrai; 5 830 hab. Métallurgie.

SOLESMES (72300 Sablé sur Sarthe), comm. de la Sarthe, à 2 km au N.-E. de Sablé-sur-Sarthe; 1 003 hab. — Un premier monastère bénédictin est fondé à Solesmes en 1010. Vendu comme bien national en 1790, il est racheté en 1833 par l'abbé Guéranger*, qui en fait le centre de la restauration de l'ordre bénédictin en France. En 1837, Solesmes est érigé par Grégoire XVI en abbaye mère de la congrégation bénédictine de France. Expulsés en 1901, les moines y sont revenus en 1922 : Solesmes est demeuré un centre de recherches sur la liturgie et le chant grégorien. Dans l'abbatiale, groupes de l'ensevelissement du Christ (fin XVe s.) et de la Vierge (XVIe s.).

SOLEURE, en allem. **Solothurn,** v. de Suisse, sur l'Aar, au pied du Jura, ch.-l. du *cant. de Soleure* (791 km^2; 224 133 hab.); 17 708 hab. Cathédrale baroque (v. 1770), hôtel de ville des XVe-XVIIe s., etc. Musées. Constructions mécaniques.

SOLFATARE → FUMEROLLE.

SOLFERINO, localité d'Italie (Lombardie), au S. du lac de Garde; 2 000 hab. Victoire française en 1859 (v. ITALIE [*campagne d'*]).

SOLIDARITÉ. — C'est Durkheim* qui a proposé deux types de solidarité : la solidarité mécanique (société où les rôles sont peu différenciés) et la solidarité organique (société où règne la division* du travail avec complémentarité des tâches et des fonctions). Une telle terminologie entendait principalement justifier l'assimilation du corps social à un tout organique.

Sociologiquement, la solidarité implique qu'au niveau d'un groupe les membres sont interdépendants et ont besoin les uns des autres.

SOLIDE. — Les solides sont, la plupart du temps, constitués par un agrégat de microcristaux. Une première étape dans la connaissance de l'état solide consiste à étudier ses propriétés macroscopiques, mécaniques, électriques, magnétiques, optiques, thermiques, qui débouchent sur des applications technologiques. Dans une deuxième étape, le physicien cherche à acquérir, grâce à l'étude de monocristaux, une connaissance du solide à l'échelle de ses constituants, c'est-à-dire des atomes.

SOLIDIFICATION. — Sous une pression donnée, la solidification d'un corps pur, phénomène inverse de sa fusion, se fait à une même température fixe. Elle est accompagnée d'un dégagement de chaleur et, en général, d'une diminution de volume.

SOLIFLUXION. — Glissement en masse sur un versant, la solifluxion se déclenche lorsque le sol est tellement imbibé d'eau qu'il acquiert une consistance pâteuse. Elle est fréquente dans les régions périglaciaires lors du dégel, mais, sous nos climats, elle n'affecte que les roches argileuses.

SOLIGNAC-SUR-LOIRE (43370), ch.-l. de cant. de la Haute-Loire, à 11,5 km au S. du Puy; 810 hab. Belle église romane à coupoles, anc. abbatiale.

SOLIGNY-LA-TRAPPE → TRAPPE *(Notre-Dame de la).*

SOLIMAN le Magnifique, en turc **Süleyman Kanunî,** c'est-à-dire «le législateur» (Trébizonde 1494 - Szigetvár [Szeged], 1566), sultan ottoman (1520-1566). Il mène treize campagnes, dix en Europe et trois en Asie. En 1521, il s'empare de Belgrade, en 1522, de Rhodes. Après avoir écrasé les Hongrois à Mohács* (1526), il prend Buda et accorde la couronne de Hongrie à Jean* Zápolya. Il poursuit la lutte contre les Habsbourg en assiégeant Vienne (1529) et en avançant jusqu'en Styrie (1532). Les combats reprennent à la mort de Jean Zápolya (1540) et se poursuivent jusqu'en 1562 : presque toute la Hongrie est, dès lors, sous domination ottomane. Soliman s'allie avec François Ier contre leur ennemi commun, Charles Quint, qu'ils combattent de concert en Méditerranée (Nice, 1543). La flotte ottomane, commandée par Barberousse*, est victorieuse à Alger, à Tunis et à Tripoli (1551). Les Ottomans, qui ont occupé Bagdad (1534) et le littoral du Yémen jusqu'à Aden (1538) dominent alors tout le monde arabe, à l'exception du Maroc. Soliman n'est pas seulement un grand conquérant, il a su s'entourer de vizirs remarquables, avec lesquels il accomplit une œuvre importante de codification des lois de l'empire. Son règne se signale aussi par l'essor des lettres (Baki*, Fuzūlī*) et des arts (Sinan*).

SOLIMAN III ou **II** → OTTOMANS.

SOLIMENA (Francesco), peintre italien (Canale, Serino, 1657-Barra, près de Naples, 1747). Auteur de grandes fresques, de tableaux d'autels et de portraits, souvent intense et véhément (malgré une tendance au classicisme dans les années 1700-1730), il est, avec L. Giordano, la figure la plus importante du baroque napolitain.

SOLINGEN, v. de l'Allemagne fédérale (Rhénanie-du-Nord-Westphalie), dans le sud de la Ruhr; 177 000 hab. Métallurgie de transformation.

SOLIVE → OSSATURE.

SOLJENITSYNE (Aleksandr Issaïevitch), écrivain soviétique (Kislovodsk 1918). Après des études de physique et de mathématiques à Rostov, il suit à Moscou des cours de lettres et de philosophie. Mobilisé en 1941, chef de batterie d'artillerie en 1945, il est arrêté en Prusse-Orientale (dans des lettres privées interceptées, il a porté sur Staline des jugements défavorables) et emprisonné pendant huit ans, d'abord dans un camp de travail (qu'il peindra dans sa pièce *la Fille d'amour et l'innocent,* 1954), puis, comme physicien, dans un institut dépendant de la Sûreté d'État (qu'il évoque dans le *Premier Cercle,* 1968) et enfin, comme terrassier et fondeur, dans divers «camps spéciaux», comme Ekibastouz (qu'il décrit dans *Une journée* d'Ivan Denissovitch,* 1962). Libéré en 1953, mais aussitôt exilé dans le Kazakhstan, deux fois opéré d'un cancer (il relatera cet épisode de sa vie dans *le Pavillon* des cancéreux,* 1968), il est réhabilité en 1957. Chef de file de la déstalinisation littéraire, en butte aux critiques des conservateurs qui condamnent *la Maison de Matriona* (1963), il est privé d'appui politique par la chute de Khrouchtchev et ne peut obtenir de faire paraître en U. R. S. S. *le Pavillon des cancéreux,* qui sera publié à l'étranger. Exclu de l'Union des écrivains soviétiques, auprès de laquelle il tente de se justifier (*les Droits de l'écrivain,* 1968), il refuse la proposition qui lui est faite de s'exiler et décide de ne pas se rendre en Suède pour recevoir le prix Nobel qui lui est décerné en 1970. Rompant alors avec son inspiration autobiographique, il entreprend sur l'époque de la révolution un roman historique (*Août quatorze,* 1971) qui use de nouveaux procédés formels (montages, «chapitres-écrans»), tout en réunissant un immense dossier sur la répression politique et les persécutions qui frappent les intellectuels en U. R. S. S. depuis plus d'un demi-siècle (*l'Archipel* du Goulag,* 1973-1976). Arrêté le 12 février 1974, il est déchu de la nationalité soviétique et expulsé d'U. R. S. S. Tout en faisant le bilan de ses années de lutte (*le Chêne et le veau,* 1975) et en invitant à substituer un idéal spirituel et national à l'idéologie marxiste (*Lettre aux dirigeants de l'U. R. S. S.,* 1974), il ne cesse d'adjurer les Occidentaux de ne pas acheter la paix au prix de la liberté de ses compatriotes.

SOLLERS (Philippe), écrivain français (Talence 1936). Après des récits (*le Défi,* 1957; *Une curieuse solitude,* 1959) dans la tradition du roman d'analyse, il entreprend une double réflexion sur le fonctionnement de l'écriture et sur les rapports de la littérature et du réel (*l'Intermédiaire,* 1963; *Logiques,* 1968; *Sur le matérialisme,* 1974), qui marque de plus en plus son aventure personnelle (*le Parc,* 1961; *Drame,* 1965; *Nombres,* 1968; *Lois,* 1972; *H,* 1973) et son action au sein de la revue *Tel* Quel.*

SOLLIÈS-PONT (83210), ch.-l. de cant. du Var, à 14 km au N.-E. de Toulon; 4 612 hab. — À *Solliès-Ville,* église romano-gothique.

SOLOGNE (la), région du sud du Bassin parisien, comprise dans la grande boucle de la Loire et limitée au S. par la vallée du Cher. V. princ. *Romorantin-Lanthenay.* Basse, argileuse et sableuse, la Sologne est une terre partiellement marécageuse, où dominent l'élevage et la sylviculture. Mais c'est surtout une réserve de chasse, relativement proche de Paris.

SOLOMOS (Dionysios, *comte*), poète grec (Zante 1798 - Corfou 1857). Après avoir écrit en italien, il adopta sa langue maternelle dès le début de la guerre de l'Indépendance (1821). Son *Hymne à la liberté* (1823) est devenu l'hymne national grec. Solomos est le premier grand poète de la Grèce moderne.

SOLON, homme d'État athénien, un des Sept Sages* de la Grèce (Athènes v. 640 - *id.* 558 av. J.-C.). Poète, il adressa à ses concitoyens des poèmes d'une haute inspiration civique. Son nom reste attaché à la réforme sociale et politique qui provoqua l'essor d'Athènes. Archonte en 594, Solon réforma la Constitution et l'économie athéniennes : refonte des classes censitaires, qui institue un nouvel équilibre social fondé sur la solidité d'une classe moyenne de petits et de moyens propriétaires, et nouveau mode de désignation des magistrats, mesures qui brisèrent l'empire des grandes familles. Son œuvre la plus originale a été la création de la *boulê** et de l'*héliée**, qui soustrairont aux *eupatrides** (nobles) l'exclusivité des affaires publiques. Solon a établi les bases de ce qui sera plus tard, à partir de Clisthène*, la démocratie athénienne.

SOLOTHURN → SOLEURE.

SOLRE-LE-CHÂTEAU (59740), ch.-l. de cant. du Nord, à 14 km au N.-E. d'Avesnes-sur-Helpe; 2 142 hab.

SOLSTICE → SAISON.

SOLUBILITÉ. — Le *coefficient de solubilité* croît en général avec la température. Pour un électrolyte MA (M, métal; A, radical acide), on nomme *produit de solubilité* le produit des concentrations ioniques $[M^+]\cdot[A^-]$, qui demeure constant à température fixe, quand un excès du solide est en contact avec la solution.

SOLUTION. — L'étude physique des solutions à deux constituants fait apparaître une grande analogie entre le rôle du solvant et celui du soluté, de sorte que, dans certains cas, la distinction entre solvant et corps dissous est purement conventionnelle.

SOLUTRÉ-POUILLY (71960 Pierreclos), comm. de Saône-et-Loire, à 11 km à l'O. de Mâcon; 374 hab. Vins blancs *(pouilly).* Important gisement préhistorique devenu site éponyme d'un faciès culturel (solutréen) du paléolithique* supérieur, caractérisé par une industrie lithique dont les pointes sont très finement retouchées.

SOLVANT *(Pétr.)* → AROMATIQUES *(hydrocarbures),* ESSENCE, ÉTHYLÈNE, GAZ.

SOLVANT *(Phys.).* — Un solvant est un produit capable de dissoudre d'autres substances (gaz, liquide ou solide) en donnant une solution homogène. La structure moléculaire des solvants permet de distinguer les *polaires* (alcools*, cétones*), à constante diélectrique élevée, et les *non polaires* (hydrocarbures), à faible constante diélectrique. D'après leur composition chimique, on groupe les solvants en produits aqueux, en hydrocarbures, en alcools, en éthers*, en esters, en cétones, en solvants chlorés ou nitrés, en amines*, en gaz liquéfiés, etc. Un solvant se caractérise par son pouvoir solvant, sa vitesse d'évaporation, sa stabilité chimique et thermique, son ininflammabilité, sa pureté, son absence d'odeur, sa non-toxicité et sa facilité de récupération. Les solvants entrent notamment dans la constitution des peintures*, des encres*, des textiles artificiels et des produits pharmaceutiques. Leur récupération est possible par condensation*, par absorption ou par adsorption en vue de leur réutilisation.

SOLVATATION. — Ce phénomène se produit notamment dans les solutions colloïdales et également entre les ions d'un électrolyte fort et les molécules du solvant.

SOLVAY (Ernest), industriel et philanthrope belge (Rebecq-Rognon 1838 - Bruxelles 1922). On lui doit la préparation industrielle du carbonate de sodium (1861-1865), ou «soude* Solvay», par décomposition du chlorure de sodium par l'ammoniac* et le gaz carbonique*. Ce procédé, précédemment découvert par Schloesing*, finit par supplanter celui de Leblanc*.

SOMA → GERMEN.

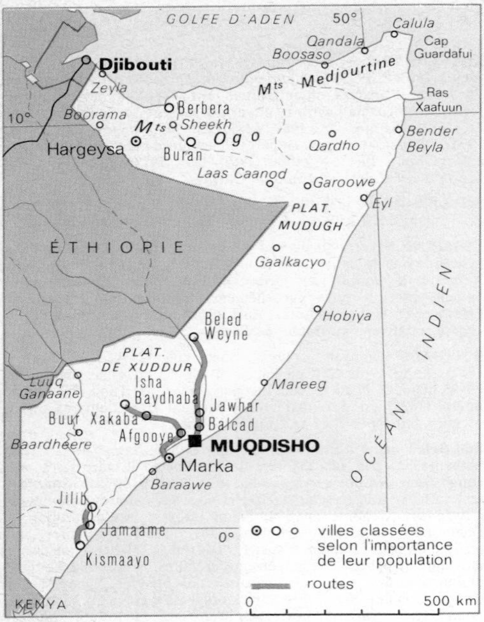

SOMALIE

SOMAIN (59490), comm. du Nord, à 10,5 km au N.-O. de Denain; 14 110 hab. *(Somainois)*. Gare de triage.

SOMALIE, État de l'Afrique orientale; 637 660 km²; 3 260 000 hab. *(Somaliens)*. Capit. *Mogadishu (Muqdisho)*.

GÉOGRAPHIE. Le pays s'étend sur la pointe orientale de l'Afrique; il correspond à un plateau entaillé dans le socle précambrien et partiellement couvert de sédiments. Basculé vers le S., ce plateau domine l'étroite plaine côtière du golfe d'Aden par un escarpement de faille de 2 000 m de commandement, mais s'abaisse en pente douce vers le littoral de l'océan Indien. Le climat, tropical à saison sèche dans le Sud, qui reçoit 600 mm de pluies par an, s'assèche dans le Nord, semi-aride, couvert par la steppe. La population, très peu dense, est composée de Somalis. Elle est faiblement urbanisée, la seule ville importante étant la capitale. L'élevage nomade de chameaux, d'ovins et de caprins constitue, avec l'encens et la myrrhe, la ressource principale des plateaux de l'intérieur. La culture est limitée à la côte sud, qui, grâce à l'irrigation, produit des bananes. Pays pauvre, à la balance commerciale déficitaire, la Somalie a bénéficié d'aides étrangères en raison de sa situation stratégique.

HISTOIRE. C'est à partir de la péninsule somalienne que s'épanouit l'empire d'Aksoum*. Plus tard (IIIe s.), la côte est animée par les commerçants arabes, iraniens et égyptiens, futurs porteurs de l'islām. C'est probablement entre le Xe et le XIIe s. que les Somalis, formés en deux grandes tribus, Darod et Isaq, occupent le pays. Repoussant les Portugais, qui apparaissent à la fin du XVe s., les Turcs se rendent maîtres du pays, les ports passant progressivement sous la suzeraineté des sultans de Zanzibar*. Au XIXe s., les Somalis, eux, atteignent les frontières du Kenya, où les Britanniques les contiennent, tandis que les Français, installés à Obock, mettent fin à leur expansion vers le nord. Puis d'âpres rivalités opposent, dans cette « corne » de l'Afrique, la France, la Grande-Bretagne et l'Italie. Les Britanniques occupent Brava (1822) et Berbera (1856), laissant l'Égypte s'emparer du Harar (1875-1885); mais quand l'Égypte passe sous leur tutelle, ils s'installent dans le Somaliland (1887). Désireux de faciliter une implantation italienne pour faire échec à l'expansion française, ils laissent les Italiens acheter certains ports de la côte du Bénadir. Ainsi se constitue en 1905 la Somalie italienne (Somalia). Mais l'échec des Italiens à Adoua (1896) permet à Ménélik II* d'obliger les Européens à signer avec lui une série d'accords frontaliers qui limitent leurs colonies à d'étroites bandes côtières. En 1925, la Somalie italienne s'accroît du Trans-Djouba et de Kismayou, cédés par les Britanniques en reconnaissance de la part prise par l'Italie dans la Première Guerre mondiale. À partir de 1934, la Somalie italienne sert de base à l'agression fasciste contre l'Éthiopie, qui, vaincue, est réunie à l'Érythrée et à la Somalie pour former une « Africa Orientale Italiana ». Les Britanniques, évincés en 1940, libèrent ces territoires dès 1941. La Somalia et le Somaliland accèdent à l'indépendance en 1960, fusionnant pour former la République somalie. En 1969, le président Abdirachid Ali Shermarke ayant été assassiné, une junte militaire s'empare du pouvoir : un Conseil de la Révolution, présidé par le général Muhammad Ziyad Barre, proclame la Somalie « république démocratique » et entreprend des réformes à caractère socialiste; le somali devient langue nationale en 1973.

Un conflit frontalier avec l'Éthiopie aboutit à l'occupation de l'Ogaden par la Somalie en 1977; mais la contre-offensive éthiopienne contraint celle-ci à retirer ses troupes en mars 1978.

SOMALIS *(Côte française des)* → AFARS ET DES ISSAS *(territoire des)*.

SOMBERNON (21540), ch.-l. de cant. de la Côte-d'Or, à 29 km à l'O. de Dijon; 582 hab.

SOMBOR, v. de Yougoslavie (Vojvodine); 44 000 hab.

SOMERSET, comté du sud-ouest de l'Angleterre.

SOMERVILLE, v. des États-Unis (Massachusetts), banlieue de Boston; 89 000 hab.

SOMEȘ ou **SZAMOS,** riv. formée en Roumanie par la réunion du Petit Someș (issu du Bihor) et du Grand Someș (né dans les Carpates), qui rejoint la Tisza (r. g.) dans le nord-est de la Hongrie; 411 km.

SOMME (la), fl. de Picardie, qui rejoint la Manche dans la *baie de Somme;* 245 km. Née dans l'Aisne et passant à Saint-Quentin, la Somme, au régime très régulier, traverse ensuite du S.-E. au N.-O. le département auquel elle a donné son nom, arrosant Péronne, Amiens et Abbeville.

Somme *(batailles de la)* • Pendant la Première Guerre* mondiale, de juillet à novembre 1916, les forces franco-britanniques, conduites par Foch et par Haig, attaquèrent avec succès les forces allemandes de part et d'autre de la Somme, entre Albert, Flers, Combles et Chaulnes. Cette offensive, maintenue par Joffre en dépit de l'attaque allemande contre Verdun, contribua à soulager ce front.

• Pendant la Seconde Guerre mondiale, du 5 au 8 juin 1940, les forces françaises hâtivement rassemblées par Weygand sur le front de la Somme ne purent empêcher les blindés allemands de franchir le fleuve. (V. FRANCE [*campagne de*] (1940).)

SOMME (80), départ. de la Région Picardie; 6 175 km²; 538 462 hab. Ch.-l. *Amiens.* S.-préf. *Abbeville, Montdidier* et *Péronne.*

Cœur de la Picardie*, de forme quadrangulaire (long d'environ 120 km d'O. en E. et large en moyenne d'une cinquantaine de kilomètres), dans l'axe de la vallée de la Somme, le département est formé de plaines et de bas plateaux où le soubassement crayeux est parfois à nu, parfois recouvert de limon ou d'argile à silex. La faiblesse du relief et la situation sur la Manche expliquent l'extension du climat océanique, humide et relativement frais.

Malgré les conditions naturelles relativement favorables, la densité de population est légèrement inférieure à la moyenne nationale. Cette situation tient en partie à la place toujours importante de l'agriculture (le huitième de la population active), grande productrice de céréales (blé et orge), de betterave à sucre et de pomme de terre. L'élevage porcin et bovin s'est développé. L'industrie occupe un peu plus des deux cinquièmes de la population active. Le textile a perdu sa prépondérance au profit de la métallurgie de transformation (avec quelques spécialisations traditionnelles, comme la serrurerie du Vimeu), mais précède encore l'alimentation et la chimie. L'industrie est surtout présente à Amiens, dont l'agglomération regroupe près du tiers de la population départementale et dont le développement des services explique celui du secteur tertiaire, devenu le principal fournisseur d'emplois. À une longue phase de dépeuplement, amorcée avant 1870 et poursuivie jusqu'à la Seconde Guerre mondiale, a succédé une sensible reprise démographique (accroissement de plus de 20 p. 100 dans les trente dernières années), malgré la persistance de l'exode rural et les difficultés de certaines branches industrielles, comme le textile. Mais la Somme possède des atouts, une situation géographique favorable entre le Nord et Paris, une bonne desserte ferroviaire et routière (autoroute), au moins dans la partie orientale du département; la façade maritime, localement (pêche) et temporairement (tourisme) animée, demeure plus isolée.

SOMMEIL. — La découverte de structures cérébrales dont la destruction supprime complètement le sommeil a conduit à considérer ce dernier comme un phénomène actif et non plus comme la conséquence de la fatigue du système d'éveil. Ces structures ont été localisées dans le raphé médian (tronc cérébral antérieur), dont les neurones seraient riches en sérotonine. Par ailleurs, l'enregistrement de l'activité électrique cérébrale au cours du sommeil a permis d'y individualiser des stades de profondeur croissante. Le stade I (endormissement) ne dure que quelques minutes et se traduit par le ralentissement du rythme d'éveil. Le stade II (sommeil léger) associe de brèves bouffées d'ondes en fuseaux (de 12 à 15 cycles/seconde) à un rythme thêta de 4 à 7 cycles/seconde. Au stade III (sommeil moyen) s'ajoutent au rythme précédent des ondes lentes delta, de 0,5 à 3 cycles/seconde, de haut voltage. Le stade IV (sommeil profond) a un tracé caractérisé par des ondes lentes delta, où les fuseaux ont disparu. L'ensemble de ces quatre stades est appelé « sommeil lent » par opposition au « sommeil paradoxal » (ou sommeil rapide), qui lui succède et qui coïncide avec l'activité onirique (v. RÊVE). Le sommeil lent, notamment le stade IV, s'accompagne d'une réduction des fonctions physiologiques (respiration, circulation, tonus musculaire), ce qui réalise les meilleures conditions de repos pour l'organisme. Il semble que le somnambulisme, la somniloquie, les mictions des énurétiques et les terreurs nocturnes n'apparaissent qu'au cours du sommeil lent. Le sommeil paradoxal survient de façon rythmique et découpe le sommeil lent en un certain nombre de cycles de 90 à 100 minutes chacun. La durée de chaque phase de sommeil rapide augmente à mesure que la nuit s'avance. La moitié du sommeil paradoxal s'effectue dans le troisième tiers de la nuit et représente de façon assez constante 20 p. 100 de la durée du sommeil chez l'adulte. Au cours du développement individuel on constate une réduction progressive du temps consacré au sommeil, ainsi qu'une réduction parallèle du sommeil paradoxal; 5 p. 100 des sujets dorment moins de 6 heures et 5 p. 100 plus de 9 heures. Le sommeil et l'éveil, qui constituent les deux pôles de la vigilance*, dépendent de deux systèmes antagonistes : catécholaminergique pour l'éveil et sérotoninergique pour le sommeil, selon la théorie de Michel Jouvet.

Il y a schématiquement deux façons d'être insomniaque : par hyperstimulation du système d'éveil — laquelle peut être produite par l'absorption d'excitants (amphétamines*, café) — ou par inhibition du système du sommeil; de même il y a deux façons d'être hypersomniaque. Plus de 80 p. 100 des insomnies sont liées à une sollicitation trop intense du système d'éveil noradrénergique et se traduisent par des difficultés d'endormissement. Ces insomnies surviennent chez les anxieux : la tension émotionnelle stimule le système d'éveil. On a constaté que la désorganisation d'un nycthémère par un rythme de travail inversé (3 fois 8 heures) était à l'origine d'insomnies épisodiques ou chroniques, lesquelles jouent un grand rôle dans l'apparition de troubles psychiques. Une petite dose de tranquillisants, administrée dès le matin, suffit souvent à régulariser le cycle veille-sommeil; on a tendance à préférer ces tranquillisants aux barbituriques, qui altèrent la qualité du sommeil (suppression du sommeil paradoxal). Les insomnies par hypofonctionnement du système de sommeil sont rares et souvent secondaires à un traumatisme crânien.

Parmi les hypersomnies on distingue l'hypersomnie paroxystique (narcolepsie), qui est un accès bref mais irrésistible de sommeil s'accompagnant souvent d'une chute par diminution du tonus musculaire; l'endormissement s'y effectue toujours en sommeil paradoxal. Les autres hypersomnies sont harmonieuses : le sommeil paradoxal y survient toujours après un cycle de sommeil lent. Elles sont au premier plan de la symptomatologie d'un certain nombre d'affections, comme l'encéphalite léthargique de von Economo, attribuée à un virus, ou la maladie du sommeil (trypanosomosiase* africaine). Cette dernière est due à un flagellé, le trypanosome, qui est transmis par piqûre à l'être humain et aux animaux par la mouche tsé-tsé; elle sévit en Afrique équatoriale. Elle se manifeste par des poussées fébriles et des adénopathies qui s'accompagnent peu à peu de troubles neurologiques variés et de troubles de la vigilance (crises de somnolence diurne invincible et d'insomnie nocturne). En l'absence de traitement l'évolution se fait vers la mort en moins de un an, dans un tableau de démence*. Le plus souvent, l'hypersomnie est d'origine psychique et survient surtout lors des accès d'asthénie ou de dépression* névrotiques.

SOMMERFELD (Arnold), physicien allemand (Königsberg 1868-Munich 1951). Appliquant à l'atome la mécanique relativiste, il expliqua la structure fine des raies spectrales (1915) et développa la théorie électronique des métaux (1928).

Somme théologique, œuvre de Thomas d'Aquin (1266-1273), dans laquelle l'auteur expose la connaissance de Dieu comme cause et fin de toutes créatures.

SOMMIÈRES (30250), ch.-l. de cant. du Gard, sur le Vidourle, à 27 km au N.-E. de Montpellier; 3 169 hab. Textile.

SOMNAMBULISME → SOMMEIL.

SOMNIFÈRE → PSYCHOTROPES.

SOMOSIERRA *(col de),* col d'Espagne, à 1 430 m d'altitude, dans la sierra de Guadarrama, au N. de Madrid, faisant communiquer les deux Castilles. — Victoire des Français sur les Espagnols (1808).

SOMPORT *(col du)* ou **CANFRANC** *(col de),* col des Pyrénées occidentales, à 1 640 m d'altitude, entre les vallées d'Aspe et du río Aragón, et percé par un tunnel ferroviaire (long de 7 824 m), utilisé par la ligne Pau-Saragosse.

SOMPUIS (51320), ch.-l. de cant. de la Marne, à 20 km au S.-O. de Vitry-le-François; 278 hab.

SON *(Acoust.).* — Un corps ne peut émettre un son que s'il vibre. Ses vibrations sont transmises, sous forme d'ondes, au tympan, puis à l'oreille interne, où aboutit le nerf auditif. Tous les milieux matériels, solides, liquides ou gaz, peuvent transmettre le son, mais non le vide. Dans l'air, à 0 °C, la vitesse de propagation est de 331 m/s; elle augmente avec la température. Elle est plus grande dans les liquides et les solides.

Les sons perceptibles ont une fréquence comprise entre 16 et 15 000 hertz; les *infrasons* ont une fréquence inférieure, et les *ultrasons** une fréquence supérieure.

Les sons se distinguent par trois caractères : la *hauteur,* qualité d'un son plus ou moins aigu ou grave, liée à la fréquence des vibrations; l'*intensité,* qualité d'un son plus ou moins fort ou faible, liée à l'amplitude des vibrations; le *timbre,* qui fait distinguer les sons émis par des instruments différents et qui est lié à la forme des vibrations, c'est-à-dire à la présence d'harmoniques superposés au son fondamental.

SONAR. — Fondé sur le même principe que le radar*, le sonar, nouveau nom de l'asdic mis au point en Angleterre en 1940, est un appareil de détection sous-marine utilisant les ultrasons. La généralisation de son emploi a conduit à distinguer les sonars panoramiques de veille, les sonars directifs d'attaque, les sonars de coque, les sonars actifs et passifs... Depuis 1965, de nombreux bâtiments de surface sont équipés de sonars remorqués à immersion variable, immergés à de grandes profondeurs pour utiliser au mieux les conditions bathythermiques. Les types français « DUBV 23 » et « 43 » ont une portée moyenne de 10 000 à 20 000 m. (V. ANTI-SOUS-MARINE [*lutte*], DÉTECTION, SOUS-MARIN.)

SONATE. — À l'origine simple pièce désignée par les Italiens comme devant être « sonnée » *(sonata)* par un instrument, la sonate s'organise au XVIIe s. en plusieurs mouvements de thèmes et de rythmes différents, et finit par se fondre avec la suite* : elle lui emprunte l'alternance de ses tempi vifs et lents (*sonata da chiesa,* ou sonate d'église) et certaines de ses danses *(sonata da camera,* ou sonate de chambre). L'écriture à trois parties (*sonata a tre,* ou sonate à trois, pour deux dessus et basse) prévaudra pendant un siècle, et son adaptation à la technique des cordes permettra une diffusion rapide des ouvrages des violonistes italiens (Corelli, Vivaldi), imités par les autres compositeurs européens (Couperin, Bach, Händel, Leclair). Ce modèle se propagera à toutes sortes d'instruments. Dès le milieu du XVIIIe s., le nombre des mouvements se réduit à trois ou quatre : un allégro sur deux thèmes (exposition, développement*, réexposition), un adagio expressif, un menuet, un final. Ce plan, auquel souscriront Haydn et Mozart, reste applicable si, au lieu d'un instrument soliste, on groupe plusieurs instruments — deux (duo), trois (trio), quatre (quatuor), cinq (quintette), six (sextuor), sept (septuor), huit (octuor) — ou tout un orchestre (symphonie*).

Beethoven prendra des libertés avec la forme sonate, qu'il élargira dans un but expressif, ouvrant la voie à l'épanchement romantique d'un Schumann, d'un Brahms ou d'un Franck. Loin d'être périmée, la sonate attire encore les compositeurs du XXe s., qui en acceptent les contraintes formelles sans pour autant renoncer à leur choix esthétique personnel (Debussy, Ravel, Hindemith, Prokofiev, Dutilleux, Boulez).

Sonate à Kreutzer *(la),* roman de Léon Tolstoï (1889). Célébration de la chasteté contre l'union de l'homme et de la femme dans le monde moderne, qui n'est qu'une association de volupté et de haine.

Sonate des spectres *(la),* drame de Strindberg (1907), qui fait partie du groupe des « pièces de chambre » (« Kammarspel »). La haine, le viol et le mensonge font de l'existence humaine un fantôme de vie et de la mort la seule réalité.

SONDAGE. — Bien que correspondant à l'idée élémentaire, fort ancienne, de porter un jugement sur un ensemble à partir de l'examen de quelques-uns de ses éléments pris au hasard, la méthode des enquêtes par sondage n'est devenue que récemment une technique statistique faisant l'objet de recherches méthodologiques et d'applications. Elle permet, à partir d'une enquête portant sur une fraction de la population (échantillon), choisie de manière à être aussi représentative que possible, d'estimer certaines valeurs caractéristiques (moyenne*, variance*, corrélation*). Un plan de sondage préalablement étudié fixe le mode de prélèvement de l'échantillon et les règles de réalisation de l'enquête.

• Dans les *sondages utilisant la méthode des quotas,* généralement employée dans les enquêtes d'opinions, l'effectif total de l'échantillon ainsi que la part confiée à chaque enquêteur sont fixés à l'avance, le choix des individus interrogés étant laissé à l'initiative des enquêteurs, sous réserve que, pour chacun d'eux, la répartition des individus interrogés, relativement à certains caractères de contrôle, soit la même que celle de la population.

• Dans les *sondages aléatoires* ou *probabilistes,* on accorde à chacune des unités de la population une probabilité* connue d'appartenir à l'échantillon. Diverses techniques peuvent être utilisées pour réaliser ce schéma probabiliste : *tirage direct des unités* de l'échantillon dans la population à partir d'une liste numérotée et d'une table de nombres au hasard; *sondage systématique* avec prélèvement d'un numéro tous les *n* numéros dans une liste de numéros (sondage avec fraction sondée $1/n$); *sondage avec stratification* préalable, dans lequel la population est d'abord partagée en sous-populations, ou *strates,* considérées comme étant plus homogènes à l'égard du caractère étudié sur la population globale, les tirages des unités de l'échantillon étant ensuite faits dans les diverses strates conformément à un schéma probabiliste fixé. Cette dernière méthode comporte de nombreuses variantes en vue de satisfaire à diverses contraintes relatives au coût total de l'enquête et à la variance de l'estimation. Les méthodes probabilistes permettent d'associer aux estimations des intervalles de confiance, mesures de l'erreur* à craindre sur ces résultats. (V. ÉCHANTILLONNAGE, ENQUÊTE, QUESTIONNAIRE.)

SONDE *(archipel de la),* îles d'Indonésie, prolongeant la péninsule de Malacca jusqu'aux Moluques. On distingue les deux grandes îles de Sumatra et de Java (séparées par le *détroit de la Sonde*) des petites îles de la Sonde (Bali, Lombok, Flores, Timor).

Sonderbund, ligue séparatiste, formée en 1844 par les sept cantons catholiques suisses, mécontents de la politique anticléricale pratiquée par les radicaux. Dissoute par la Diète (1847), elle résista trois semaines aux troupes fédérales commandées par le général Dufour. La Constitution de 1848 remplaça le Pacte de 1815, et les Jésuites restèrent interdits en Suisse.

SONDE SPATIALE. — Une sonde spatiale est un engin lancé depuis le sol à destination de l'espace lointain. Son lancement s'effectue de façon classique par un lanceur* à plusieurs étages, mais elle est généralement équipée d'un petit moteur-fusée* qui permet de corriger la vitesse en cours de vol pour rectification de la trajectoire. Un certain nombre de sondes américaines ont été envoyées vers les planètes* proches du système solaire, Mars* et Vénus*, et ont fourni d'amples renseignements sur ces planètes, notamment par des photos; des sondes soviétiques ont été déposées sur le sol de Vénus. D'autres sondes ont été mises en orbite autour du Soleil* sur des trajectoires héliocentriques. La principale difficulté dans l'utilisation des sondes spatiales est la réalisation de liaisons radioélectriques sur de très longues distances, afin d'adresser des ordres aux sondes depuis le sol et d'y recevoir les données enregistrées à bord.

SONDEUR → NAVIGATION.

SONDRIO, v. d'Italie (Lombardie), ch.-l. de prov., sur l'Adda; 23 000 hab. Centre de la Valteline*. Musée.

SONG, dynastie qui régna sur la Chine de 960 à 1279. Le premier empereur de la dynastie monte sur le trône par un coup d'État militaire; le centre de gravité du pays se déplace ensuite lentement vers le sud-est. La Chine connaît alors, malgré l'occupation du Nord par les Tatars, une civilisation raffinée, mais les Song finissent par succomber sous les coups des Mongols*.

Songe *(le),* drame de Strindberg (1902). Les biens les plus précieux sont ceux du rêve, et l'incarnation des désirs est la source du malheur de l'homme.

Songe d'une nuit d'été *(le),* de Shakespeare (v. 1595), comédie-féerie où paraissent les souverains des sylphes, Obéron, Titania, et le lutin Puck.

SONGEONS (60380), ch.-l. de cant. de l'Oise, sur le Thérain, à 15 km au N.-E. de Gournay-en-Bray; 814 hab.

SONGHAÏS ou **SONRHAÏS,** ethnie de l'Afrique occidentale. Le premier royaume songhaï fut celui de Koukia, mais le plus puissant fut le royaume musulman de Gao, où l'influence malinké était prépondérante. Libéré du joug du Mali* au XVe s., le Songhaï supplante cet empire dans l'hégémonie du Soudan nigérien et dans le contrôle des routes transsahariennes. Au XIXe s., les Peuls, puis les Touaregs et les Toucouleurs se rendent maîtres du pays en attendant qu'il soit rattaché au domaine français.

SÔNG KOI → ROUGE *(fleuve).*

SONIS (Gaston DE), général français (Pointe-à-Pitre 1825 - Paris 1887). Commandant le 17e corps dans la Ire armée de la Loire en 1870, il se distingua à la tête des zouaves pontificaux à Loigny (2 déc. 1870).

SONNET. — Peut-être inventé par les troubadours provençaux, le sonnet, cultivé en Italie par Pétrarque, se répandit rapidement en Espagne, en Angleterre et en France, où il connut une faveur durable, de la Pléiade aux poètes baroques et précieux et jusqu'à Boileau, qui en appréciait la concision (quatorze vers distribués en deux quatrains et deux tercets, le dernier vers du poème consistant généralement en un trait d'esprit, image surprenante ou maxime bien frappée). Délaissé au XVIIIe s., il reparut avec les romantiques et surtout les parnassiens, qui identifiaient la poésie à la production de bibelots aux formes parfaites et capables de variations d'autant plus remarquables que leur structure est plus contraignante (Mallarmé, Verlaine).

SONOLUMINESCENCE → LUMINESCENCE.

SONORA, État du nord-ouest du Mexique; 184 934 km^2; 1 099 000 hab. Capit. *Hermosillo.*

SONORISATION. — La sonorisation d'une salle ou d'un espace en plein air a pour objet soit de renforcer la voix d'un conférencier, d'un chanteur, d'un acteur ou la puissance musicale d'un orchestre, soit de diffuser de la parole ou de la musique enregistrée ou provenant par une ligne de modulation* d'un autre lieu. Une salle sonorisée doit être aménagée pour que soient améliorées ses qualités acoustiques, pour que soient évités les échos et que l'on obtienne un temps de réverbération en fonction de son volume et de la nature de son utilisation. Lorsque le ou les microphones* se trouvent dans le même local que les haut-parleurs*, les ondes* acoustiques issues de ces derniers ne doivent surtout pas frapper le ou les microphones dans le cas d'un renforcement. Ce circuit fermé déclenche une instabilité de l'installation qui se traduit par un bruit de sirène; c'est l'*effet Larsen.* Dans ce cas, on choisit des microphones directifs et on éloigne les haut-parleurs.

SOORTS-HOSSEGOR (40150 Hossegor), comm. des Landes, à 23 km au N. de Bayonne; 2 297 hab. Station balnéaire à *Hossegor* (à 3 km à l'O. du centre communal).

Sophiste *(le)* ou **De l'être,** dialogue de Platon. Ce serait, au dire de Hegel, le sommet de la pensée spéculatrice de Platon. Y réfutant aussi bien Parménide que sa propre théorie des Idées, Platon arrive à concevoir qu'il y a un intermédiaire entre le non-être et l'être. Ainsi le mouvement et le discours participent-ils de l'être et du non-être.

SOPHISTES. — Dans la cité d'Athènes, les sophistes marchandaient au prix fort leur savoir aux jeunes gens de l'aristocratie. Dans les *Dialogues,* Platon nous montre les plus fameux, arguant contre Socrate : Protagoras d'Abdère, Hippias d'Élis, Prodicos de Céos et surtout Gorgias de Leontium, véritable «fauve de la parole». Les sophistes assuraient eux-mêmes leur publicité par l'extravagance de leur apparence : vêtements coûteux et voyants, parler haut et abondant, plein de citations érudites des poètes anciens. Par la bouche de Socrate, Platon a dénoncé la vacuité de leurs discours et leur immoralité, leur but n'étant jamais la vérité, mais seulement le désir de l'emporter sur autrui coûte que coûte. Au sein de la démocratie athénienne, l'enseignement de ces professeurs de rhétorique avait son utilité : la débrouillardise et la réussite dans les tribunaux et les assemblées.

SOPHOCLE, poète tragique grec (Colone, près d'Athènes, v. 495 av. J.-C. - Athènes 406 av. J.-C.). Fils d'un armurier aisé, il reçut une éducation soignée et fut notamment l'élève du musicien Lampros. Son activité politique est mal connue : on sait, cependant, qu'il fut hellénotame (magistrat financier) et deux fois stratège. Il eut de sa femme, Nicostraté, un fils, Iophon, qui fut lui-même poète tragique, et de Théoris de Sicyone un fils illégitime, Ariston, père de Sophocle le Jeune. Il composa cent vingt-trois drames et remporta dans les concours plus de vingt victoires sans jamais descendre au-dessous du second rang. Sept pièces seulement nous sont parvenues entières (*Ajax,* v. 450; *Antigone**, v. 442; *Œdipe* roi,* v. 430; *Électre**, v. 425; *les Trachiniennes**, v. 420-410; *Philoctète,* 409; *Œdipe* à Colone,* 401). Des autres pièces, on connaît souvent les titres ou des fragments, en particulier quatre cents vers des *Limiers,* retrouvés sur un papyrus d'Égypte. Avec Sophocle, la technique théâtrale a connu une évolution capitale : il introduisit un troisième acteur et porta de douze à quinze le nombre des choreutes. Il substitua à la trilogie liée la trilogie libre, où chaque drame forme un ensemble autonome. Surtout il modifia le sens du tragique en approfondissant l'étude des caractères et en faisant de ces derniers le ressort essentiel de l'action.

Sophocle. Adaptation dramatique d'*Électre,* pour le festival de La Rochelle, en 1976.

Bernand

SOPHONISBE, reine de Numidie* (†203 av. J.-C.). Farouche ennemie des Romains, elle s'empoisonna pour ne pas tomber entre leurs mains.

Sophonisbe, titre de plusieurs tragédies, notamment de Trissino (1515), de Mairet (1634, première pièce en France à se conformer à la règle des *trois unités**), de P. Corneille (1663).

SOPHORA. — D'origine japonaise, le sophora ne se trouve en France que comme arbre ornemental dans les parcs et les avenues. Ses feuilles, pennées, rappellent celles de l'acacia. Son fruit est une gousse coupée d'étranglements. (Famille des papilionacées.)

SOPOT, v. du nord de la Pologne, sur la baie de Gdańsk; 45 000 hab. Station balnéaire.

SOPRANO → VOIX.

SOPRON, v. de Hongrie, à la frontière autrichienne, au S. de Vienne; 51 000 hab. Églises gothiques des XIVe-XVe s. Maisons gothiques et Renaissance. Ensembles baroques des XVIIe-XVIIIe s. Musée d'histoire, dit « Franz-Liszt », et musée des Beaux-Arts.

SORABES, Slaves de Lusace*, que les Allemands appellent *Wendes.* Ils sont environ 160 000, établis sur le cours supérieur de la Sprée. La culture et la langue sorabes, qui ont résisté à l'assimilation germanique depuis le Xe s., sont encouragées depuis 1945 par les autorités soviétiques et allemandes de l'Est.

SORBIER. — Le sorbier des oiseleurs est un arbre très vivace (plus de cent ans), fortement drageonnant, aux feuilles composées pennées, aux petites fleurs blanches en corymbes, aux fruits rouges, recherchés des oiseaux, mais non comestibles pour l'homme. Il prospère dans les montagnes moyennes.

Le *cormier,* ou sorbier domestique, souvent cultivé, porte des fruits bruns à maturité; c'est un bel arbre, qui atteint 20 m de hauteur. Le bois de ces deux espèces est utilisé en tournage et en boissellerie; celui du cormier est assez dur pour qu'on en fasse des engrenages et des coussinets. (Famille des rosacées.)

SORBON (Robert DE), théologien français (Sorbon, près de Rethel, 1201 - Paris 1274). Chanoine de Paris (1258), maître de théologie et clerc de Saint Louis, il fonda le collège de la Sorbonne*.

Sorbonne (la), établissement public d'enseignement supérieur à Paris, rassemblant les locaux de plusieurs universités parisiennes, de l'École des chartes ainsi que de certains instituts rattachés aux universités. La Sorbonne a pris le nom de son fondateur, Robert de Sorbon, dont le but avait été de créer un établissement spécial pour faciliter aux écoliers pauvres les études théologiques (1257). Dès 1554, elle devint le lieu des délibérations générales de la faculté de théologie, que l'on s'habitua, dès lors, à désigner sous le nom de « Sorbonne ». Hostile aux Jésuites au XVIe s., elle condamna les jansénistes au XVIIe s. Elle intervenait en tant que tribunal ecclésiastique pour censurer les ouvrages contraires à l'orthodoxie. Elle fut rebâtie par Richelieu (1626-1642) sur les plans de Lemercier. La chapelle, édifiée de 1635 à 1653, contient le tombeau de Richelieu par Girardon (1694). Les bâtiments de la Sorbonne ont été reconstruits de 1885 à 1901 sur les plans de Paul Nénot.

SORCELLERIE. — Héréditaire, pratiquée ou se situant à un niveau inconscient, la sorcellerie revêt un caractère ambivalent; révélatrice des antagonismes sociaux, elle aide la plupart du temps les détenteurs du pouvoir à affermir leur position. Système d'explication du monde réel, l'univers de la sorcellerie relève de l'idéologie.

Des rites préhistoriques de « possession par les esprits », de type chamanistique, ont été conservés par d'anciens textes chinois et mis en rapport avec les danses et les transes des « sorcières », assimilées aux « faiseuses de pluie ». Il s'agissait vraisemblablement de groupes magico-religieux archaïques de femmes douées de pouvoirs médiumniques, entrant en contact avec les « esprits des morts » ou les « âmes ancestrales » afin de guider, d'avertir et de protéger la collectivité tribale.

En Occident, la notion de « diseur ou de diseuse de sorts », exprimée exactement par le latin *sortiarus,* correspond à des pratiques divinatoires probablement analogues aux procédés chamanistiques orientaux et dont l'archaïsme rituel semble avoir été interdit et condamné quand les cultes familiaux ou tribaux primitifs furent éliminés par les dieux des cités et par les religions d'intérêt public, de type impérial ou national. En Babylonie comme en Assyrie, le sacerdoce officiel lutte contre le sorcier, *Kashshapu,* et la sorcière, *Kashshaptu,* qui ont pour armes la sorcellerie, *Kishpu,* le « sortilège », *Ruhû,* et l'« ensorcellement », *Rusû.* L'époque d'Hammourabi, marquée par la codification babylonienne de la religion, de la coutume et du droit, prescrivait la condamnation à mort de la sorcière (1760 av. J.-C.).

En Occident, à l'époque médiévale comme à la Renaissance, le Diable et sa mystique ont constitué ainsi une image inversée des croyances populaires, une mythologie névrotique et parodique du « salut » par le sabbat et par l'adoration du « dieu du Mal ». Cette inversion fut provoquée par la misère, la peur et le désespoir des populations rurales, principales victimes des invasions, des guerres et des épidémies qui, à maintes reprises, dévastèrent alors les contrées frontalières de l'est et du sud-ouest de l'Europe, où les procès de sorcellerie furent aussi les plus fréquents.

SORE (40430), ch.-l. de cant. des Landes, à 54 km au N. de Mont-de-Marsan; 918 hab. Église du XIIe s.

SOREL, v. du Canada (Québec), sur le Saint-Laurent, en aval de Montréal; 19 347 hab.

SOREL (Agnès), favorite de Charles VII (Fromenteau, Touraine, v. 1422 - Anneville, Normandie, 1450). Suivante d'Isabelle de Lorraine, elle devint la maîtresse de Charles VII (v. 1443), dont elle reçut la seigneurie de Beauté-sur-Marne. Elle eut une profonde influence sur le roi et soutint certains de ses conseillers (Richemont, Jacques Cœur, les frères Bureau).

SOREL (Charles), écrivain français (Paris v. 1600 - *id.* 1674), auteur d'un roman réaliste, *l'Histoire comique de Francion* (1623), et d'une parodie de *l'Astrée* (*le Berger extravagant,* 1627).

SOREL (Georges), sociologue français (Cherbourg 1847 - Boulogne-sur-Seine 1922). Ingénieur des Ponts et Chaussées, lecteur de Marx, de Proudhon et de Nietzsche, il préconisa l'usage de la violence comme moyen d'accès au pouvoir de la classe ouvrière. Sa pensée influença le syndicalisme révolutionnaire (*Réflexions sur la violence,* 1908).

Sorel (Julien), héros du roman de Stendhal *le Rouge et le Noir.* Il lutte contre sa sentimentalité en s'obligeant à l'ambition et à l'énergie.

SØRENSEN (Søren), chimiste danois (Havrebjerg 1868 - † 1939). En 1909, il définit le pH, qui caractérise l'acidité d'un milieu.

SORGHO. — Cette céréale tropicale constitue avec les millets le groupe des *mils,* ou *céréales à petits grains.* Elle joue un rôle essentiel dans l'alimentation des peuples des régions tropicales sèches. Sa récente expansion en climat tempéré est due à son utilisation comme fourrage vert.

SORGUE DE VAUCLUSE (la), riv. du sud du départ. de Vaucluse, issue de la fontaine de Vaucluse et irriguant en partie le comtat Venaissin avant de rejoindre le Rhône (r. g.); 36 km.

SORGUES (84700), comm. de Vaucluse, à 9,5 km au N.-E. d'Avignon; 15 057 hab. Poudrerie. Cartonnerie.

SORIA, v. d'Espagne (Vieille-Castille), ch.-l. de prov., sur le haut Douro; 25 000 hab. Importantes églises romanes et autres monuments. Musée celtibère et musée des fouilles de Numance*.

SORLINGUES (*îles*) → SCILLY.

SORNAC-SAINT-GERMAIN-LAVOLPS (19290), ch.-l. de cant. de la Corrèze, à 21,5 km au N.-O. d'Ussel; 1 102 hab.

SOROCABA, v. du Brésil, à l'O. de São Paulo; 176 000 hab.

SOROKIN (Pitirim Alexandrovitch), sociologue américain d'origine russe (Touria, près de Syktyvkar, 1889 - Winchester, Massachusetts, 1968). Son œuvre, marquée par une critique de la sociologie empirique américaine, est très influencée par la sociologie européenne. Sorokin s'est intéressé au phénomène de changement social et à l'établissement d'une typologie historique des cultures.

SORRE (Maximilien), géographe français (Rennes 1880 - Messigny, Côte-d'Or, 1962). Auteur d'une thèse sur *les Pyrénées méditerranéennes* (1913), collaborateur de la *Géographie* universelle* (volume sur *le Mexique et l'Amérique centrale* [1934]), il a publié *les Fondements de la géographie humaine* (1943-1952).

SORRENTE, v. d'Italie (Campanie), sur la rive sud du golfe de Naples; 12 000 hab. Musée (archéologie, objets d'art, peinture) dans une villa du XVIIe s.

Sosie, valet d'Amphitryon dans les pièces de Plaute et de Molière. Mercure, qui a pris les traits de Sosie, réussit à faire douter ce dernier de sa propre identité.

SOSNOWIEC, v. du sud de la Pologne en haute Silésie; 148 000 hab.

SOSPEL (06380), ch.-l. de cant. des Alpes-Maritimes, à 21 km au N. de Menton; 1 931 hab. Église du XVIIe s., maisons anciennes, etc.

SŌTATSU, peintre japonais de la première moitié du XVIIe s. Magicien de la couleur, s'intéressant aux jeux subtils des tons et à la mise en valeur du mouvement par la distribution des espaces vides, Tawaraya Sōtatsu puise son inspiration dans les thèmes littéraires de l'époque Heian (IXe-XIIe s.). Sa collaboration avec le calligraphe et poète Kōetsu* s'avérera fructueuse.

SOTCHI, v. de l'U. R. S. S. (R. S. F. S. de Russie), sur la mer Noire; 224 000 hab.

SO-TCH'Ö → YARKAND.

SOTO (Hernando DE), navigateur espagnol (Barcarrota 1500 - en

Floride 1542). Compagnon de Pizarro*, il conquiert la Floride (1539-40) et atteint le Mississippi.

SOTO (Jésus Raphaël) → CINÉTIQUE *(art)*.

SOTTEVILLE-LÈS-ROUEN (76300), ch.-l. de cant. de la Seine-Maritime, sur la Seine, dans la banlieue sud-est de Rouen; 32 343 hab. *(Sottevillais)*. Gare de triage. Produits cellulosiques. Constructions mécaniques.

SOTTIE. — Ce genre dramatique médiéval, florissant du XIVe au XVIe s., se rapproche de la farce* par ses procédés scéniques, mais s'en distingue par ses prétentions à la satire sociale ou politique. Héritière de l'esprit parodique de la *Fête des fous*, la sottie réunit une triple tradition : celle du théâtre gestuel populaire *(les Vigilles de Triboulet)*, celle du théâtre de la basoche et celle du théâtre de collège (*Sottise à huit personnages* d'André La Vigne). Véritable « cahier de doléances », la sottie donne à sa critique d'une société en évolution (morgue de la nouvelle noblesse de robe, scandale de la vénalité des charges financières, tyrannie économique des marchands accapareurs) un aspect à la fois moral (condamnation de la sensualité du Moyen Âge finissant, des prêtres luxurieux) et contestataire (elle traduit les aspirations d'une moyenne bourgeoisie intellectuelle), que la royauté utilisera (*la Sottie du jeu du prince des sots* de Gringore soutient Louis XII dans sa politique à l'égard de la papauté) avant de l'interdire.

SOUABE, en allem. **Schwaben,** région historique de l'Allemagne, à cheval sur l'ouest de la Bavière* et le Wurtemberg-Bade*. Occupée au Ier s. av. J.-C. par les Suèves, la région fut conquise par les Romains, qui en firent la province de Rhétie. Au XIIIe s., les Alamans s'y installèrent; évangélisés aux VIIe-VIIIe s. par des moines irlandais, ils subirent la domination franque à partir de Charles Martel (730), et leurs ducs nationaux furent remplacés par des comtes. Mais ceux-ci parvinrent progressivement à se rendre indépendants (IXe s.). La dignité ducale reparut dès le Xe s. Pendant plus d'un siècle, le duché changea constamment de mains avant de tomber, en 1079, en celles des Hohenstaufen. Après l'extinction de cette maison (1268), le pays, convoité par le comte de Wurtemberg, tomba dans l'anarchie. La Grande Ligue souabe, constituée en 1488 par l'empereur Frédéric III, assura la réconciliation générale et garantit la prépondérance de l'Autriche en Allemagne du Sud. Mais les troubles de la Réforme entraînèrent sa dislocation (1533). Divisée entre le camp protestant, dirigé par le duc de Wurtemberg, et le camp catholique, allié à l'Autriche, la province fut démantelée au traité de Westphalie (1648).

SOUABE ET FRANCONIE *(bassin de)*, région sédimentaire du sud de l'Allemagne fédérale, au N. du Danube, entre les massifs primaires de la Forêt-Noire, à l'O., et de la Bohême, à l'E. Pays de plateaux, le bassin de Souabe et Franconie (qui s'étend principalement sur l'est du Bade-Wurtemberg et le nord de la Bavière) englobe le Jura* *souabe et franconien.*

SOUBISE (Charles DE ROHAN, *prince* DE), maréchal de France (Paris 1715 - *id.* 1787). Il joue un rôle important à Fontenoy (1745), puis à Rossbach (1757). Sa victoire à Sondershausen (1758) lui vaut le bâton de maréchal et le commandement de l'armée du Rhin (1761).

Soubise *(hôtel de)*, à Paris, dans le Marais. Il conserve la porterie médiévale de l'hôtel de Clisson (fin du XIVe s.), mais a été rebâti au début du XVIIIe s. par Pierre Alexis Delamair (1676-1745), puis doté, sous la direction de Boffrand, d'une superbe décoration intérieure de style Louis XV (peintures de Natoire, de Boucher, de Restout...). Affecté aux Archives nationales depuis 1808, il abrite le musée de l'Histoire de France. L'hôtel de Rohan, contigu, est également affecté aux Archives nationales et est dû aussi a Delamair (*Chevaux d'Apollon*, haut-relief de R. Le Lorrain; cabinet des Singes, décoré par Christophe Huet [† 1759]).

SOU CHE ou **SU SHI** appelé aussi **SOU TONG-P'O** ou **SU DONGPO,** écrivain chinois (1036-1101), le plus grand poète de la dynastie des Song. Calligraphe célèbre, maître dans l'art du thé, il fut un adepte de la prose antique par sa simplicité de langage et l'expression de ses idées philosophiques et sociales *(la Falaise rouge)*.

SOUCHEZ (62153), comm. du Pas-de-Calais, à 8 km au S.-O. de Lens; 1 862 hab. Combats en 1915 (v. ARTOIS [*batailles d'*]).

SOUCI. — On cultive dans les jardins cette composée ornementale aux capitules d'une belle couleur orangée, aux feuilles arrondies. (Nom latin : *Calendula.*)

SOUDAGE. — Le soudage sert à assembler deux ou plusieurs pièces métalliques ayant une surface de contact commune. De nombreux procédés ont été mis au point. Ils provoquent localement la fusion des pièces, dans la zone adjacente à la surface de contact commune, à l'aide d'une source de chaleur suffisamment intense. Très souvent le volume de matière en fusion est grossi par l'appoint extérieur d'un métal ou d'un alliage appelé improprement *métal d'apport,* même lorsqu'il s'agit d'un alliage, par opposition au métal ou à l'alliage des pièces à souder, appelé *métal de base.*

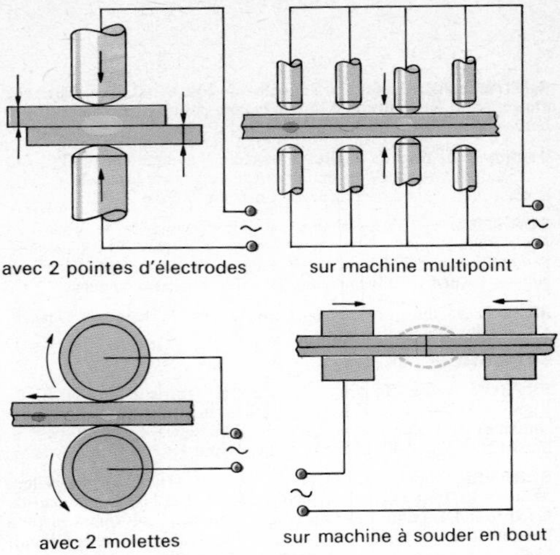

SOUDAGE. Classification des principaux procédés de soudage par résistance.

• Dans le *soudage au chalumeau,* encore appelé *soudage à la flamme,* la chaleur nécessaire à la fusion est fournie par la combustion d'un gaz dans de l'oxygène. Le gaz carburant est le plus souvent de l'acétylène (soudage oxyacétylénique), quelquefois de l'hydrogène (soudage oxhydrique), qui donne une flamme plus chaude.

• Dans le *soudage électrique à l'arc,* l'énergie thermique est fournie par un arc électrique dont la température dépasse 3 000 °C. Celui-ci jaillit sous la forme d'un plasma de particules ionisées entre l'électrode de soudage, d'une part, et les pièces à assembler d'autre part, par suite de l'existence d'une différence de potentiel d'une quarantaine de volts environ, produite par le générateur du courant électrique de soudage. L'*électrode de soudage* consommable se présente généralement sous forme d'une baguette en métal d'apport avec enrobage minéral, destiné à protéger la zone de soudage de l'oxydation de l'air et à favoriser la stabilité de la décharge électrique.

• Dans le *soudage électrique à l'argon,* l'électrode n'a pas d'enrobage. La protection contre l'oxydation et la stabilisation de la décharge sont assurées par de l'argon soufflé sur la zone de soudage à l'aide d'une buse qui entoure cette électrode. Ce procédé est appelé MIG *(Metal Inert Gas)* lorsque l'électrode est un fil consommable, utilisé comme métal d'apport, et TIG *(Tungsten Inert Gas)* lorsque l'électrode est en tungstène non consommable.

• Dans le *soudage par résistance,* la chaleur nécessaire à la fusion du métal est obtenue par effet Joule. Les deux pièces à assembler, généralement en tôle, sont fortement appliquées, à plat, l'une contre l'autre à l'aide de deux électrodes en matière bonne conductrice de la chaleur et de l'électricité, et refroidies par circulation d'eau. Le passage d'un courant très intense, mais de faible tension (quelques volts) produit la fusion de la matière dans la zone de contact. Les électrodes sont soit des barreaux de révolution, avec extrémités en tronc de cône, qui viennent enserrer axialement les tôles à assembler *(soudage par point),* soit deux disques, à axes parallèles, placés de chant de part et d'autre des deux pièces à souder et roulant sans glisser sur celles-ci *(soudage à la molette)*. Il existe également des machines à souder les matières plastiques.

SOUDAN, zone bioclimatique *(climat soudanien)* de l'Afrique boréale, intermédiaire entre le Sahel, plus sec, au N., et la zone plus humide de la forêt, au S., caractérisée par l'extension progressive (vers le S.) de la savane. Elle s'étire approximativement de part et d'autre du 15e parallèle, du Sénégal et du Mali au Soudan.

SOUDAN, nom que portait le Mali* avant son indépendance.

SOUDAN, État d'Afrique, au sud de l'Égypte; 2 506 000 km^2; 17 320 000 hab. Capit. *Khartoum.*

GÉOGRAPHIE. Pays le plus vaste d'Afrique, le Soudan s'étend sur la cuvette du haut Nil, ensemble de plaines et de bas plateaux, qui se relève à l'O. dans le seuil qui la sépare du bassin du Tchad, flanqué des reliefs volcaniques du djebel Marra, et à l'E. dans la chaîne qui domine la mer Rouge. Le Centre est occupé par la zone marécageuse du Bahr el-Ghazal et, en amont de la confluence du Nil Blanc et du Nil Bleu, par la plaine de la Gezireh. L'étirement en latitude explique la disposition zonale des climats. Au Nord, désertique, terminaison orientale du Sahara, succèdent le Centre, sahélien, couvert par la steppe à épineux (de 300 à 600 mm de pluies par an), et le Sud, soudanais, où pousse la savane parfois arborée (plus de 600 mm).

L'État soudanais regroupe des populations très variées, arabes dans le Nord, noires, plus nombreuses, dans le Sud. Les régions périphériques, presque vides, sont le domaine d'un élevage nomade bovin et surtout ovin. L'essentiel des habitants se concentre dans la vallée du Nil et surtout dans la Gezireh (au S. de Khartoum), partie vitale du pays. L'irrigation permet la culture du coton, principale richesse du pays, exportée par Port-Soudan. La gomme arabique et l'arachide apportent un complément de ressources, le sorgho et le mil étant destinés à l'alimentation. L'industrialisation, qui souffre de l'absence de capitaux et de matières premières, se limite à la transformation des produits agricoles.

HISTOIRE. L'histoire du Soudan avant la conquête égyptienne (1820-1823) se confond avec celle de la Nubie*. Méhémet-Ali* conquiert le Soudan septentrional, qu'il dote d'une nouvelle capitale, Khartoum. Des expéditions sont lancées vers le sud à partir de 1840, et le commerce de l'ivoire et des esclaves se développe malgré la lutte des khédives d'Égypte et des Occidentaux contre la traite des esclaves. Le Mahdī* soulève les populations du Soudan (1881-1885), dont il devient le maître. L'expédition anglo-égyptienne de Kitchener défait les mahdistes à Omdurman* (1898) et atteint Fachoda*, où elle rencontre la colonne française de

SOUDAN

Marchand, qui doit se retirer l'année suivante. Le Soudan devient alors un condominium anglo-égyptien (1899).

Après la dénonciation unilatérale du condominium par l'Égypte (1951) et l'accord anglo-égyptien de 1953, le Soudan doit choisir entre l'union avec l'Égypte et l'indépendance. En 1955, les populations du Sud se soulèvent et l'indépendance est proclamée en 1956. La dictature militaire du maréchal Ibrahīm ʿAbbūd (1958-1964) est renversée par les émeutes de 1964. Le général Djaʿfar al-Nimayrī*, s'empare du pouvoir en 1969 et octroie en 1972 l'autonomie aux populations du Sud, en guerre contre le pouvoir central depuis quinze ans. La Constitution de 1973 fait de l'Union socialiste soudanaise le parti unique du pays.

SOUDE *(Bot.)*. — Cette herbe du littoral, aux cendres riches en soude, sert de type à la famille des salsolacées pour certains auteurs, mais d'autres incorporent cette famille à celle des chénopodiacées*.

SOUDE *(Chim.)*. — La *soude caustique,* NaOH, est un solide blanc, fondant à 320 °C, très soluble dans l'eau. C'est une base forte, qui a de nombreux usages et que l'on prépare par électrolyse d'une solution de chlorure de sodium, en évitant que le chlore formé ne réagisse sur elle.

La *soude du commerce,* Na_2CO_3, a été extraite des cendres de varechs. On la prépare par le procédé Solvay, en faisant réagir le gaz carbonique sur une solution de chlorure de sodium saturée en ammoniac et en décomposant par la chaleur le bicarbonate ainsi obtenu. C'est un solide qui cristallise, avec 10 molécules d'eau, en prismes clinorhombiques et qui fond sans décomposition. Sa solution est fortement alcaline. On l'emploie en verrerie et pour la préparation des composés du sodium.

SOUEI, dynastie qui restaura l'unité de la Chine de 589 à 618 et dont la capitale était Tch'ang-ngan.

SOUEN TSEU ou **SUNZI,** théoricien militaire chinois du Ve s. av. J.-C., auteur du plus ancien traité chinois sur la guerre *(Souen Tseu Ping Fa).*

SOUFFLENHEIM (67620), comm. du Bas-Rhin, à 14 km à l'E. de Haguenau; 4281 hab. Poteries et céramiques.

SOUFFLERIE. — Une soufflerie est une installation d'essais qui permet de mesurer les caractéristiques aérodynamiques d'un objet (automobile, avion, fusée, etc.) en reproduisant sur des maquettes à échelle réduite les conditions de la réalité. Le principe consiste à faire circuler autour de la maquette fixe un courant d'air à la vitesse d'utilisation; la maquette est suspendue à une balance qui permet de mesurer les efforts aérodynamiques. On distingue les *souffleries à circuit ouvert,* dans lesquelles l'air, ayant traversé la veine de mesure, est rejeté dans l'atmosphère, et les *souffleries à retour,* dans lesquelles un même fluide circule continuellement en circuit fermé. Les souffleries supersoniques peuvent s'adapter à toute une gamme de nombres de Mach* en modifiant le profil de la veine en amont de la section de mesure.

SOUFFLOT (Germain), architecte français (Irancy, près d'Auxerre, 1713-Paris 1780). Après un séjour à Rome (1731-1738), il se fait connaître par son hôtel-Dieu de Lyon (plans de 1741). Il est, avec Cochin* le Fils, de ceux qui accompagnent en Italie le futur surintendant Marigny, voyage (jusqu'à Herculanum et Paestum) qui est le prélude du néoclassicisme* français. Le Panthéon* de Paris, qui l'occupe de 1755 à sa mort, tend à combiner la solennité et la régularité antiques avec une légèreté et un sens structural inspirés des bâtisseurs gothiques; les recherches technologiques auxquelles il donna lieu achèvent de faire de Soufflot un précurseur du rationalisme.

SOUFISME. — Ce courant mystique de l'islām* naît au VIIIe s. dans la région de Kūfa et se développe dans le monde musulman malgré l'opposition du chīʿisme et du sunnisme. Les soufis modèlent leur expérience spirituelle sur l'initiation du Prophète et cherchent à revivre personnellement le contenu de la révélation du Coran. L'ascèse qu'ils pratiquent s'efforce de coordonner la révélation, la voie mystique et la vérité spirituelle comme révélation personnelle. Les principaux soufis sont Ḥasan al-Baṣrī (VIIIe s.), al-Bisṭāmī et Djunayd (IXe s.), al-Ḥallādj*, Aḥmad ibn Muḥammad al-Rhazālī (fin du XIe s.-XIIe s.), ibn ʿArabī (XIIIe s.), Djalāl al-Dīn Rūmī* et al-Djīlī (XVe s.).

SOUFRE. — C'est l'élément chimique no 16, de masse atomique S = 32,07. C'est un solide jaune citron, inodore, de densité 2, mauvais conducteur. Il fond vers 115 °C en donnant un liquide jaune, qui devient noir et visqueux vers 220 °C; chauffé, il redevient fluide et bout à 444,6 °C. Insoluble dans l'eau, il se dissout dans le sulfure de carbone. Il existe deux variétés cristallisées : le soufre octaédrique (orthorhombique), obtenu par évaporation d'une solution et stable au-dessous de 96 °C, et le soufre prismatique (clinorhombique) obtenu par refroidissement du soufre fondu et stable au-dessus de cette température. Le soufre mou, instable à froid, est un solide pâteux, brun, qui se forme quand on verse dans l'eau froide du soufre fondu à sa température d'ébullition.

À chaud, le soufre s'unit à l'hydrogène, au carbone et à la plupart des métaux. Il brûle avec une flamme bleue en donnant du gaz sulfureux, SO_2, et possède des propriétés réductrices.

Le soufre natif se trouve dans le voisinage des anciens volcans (Sicile, Louisiane, Japon). Plus fréquemment, il est combiné aux métaux sous forme de sulfures, matières premières de nombreuses métallurgies. Il se trouve sous forme d'hydrogène sulfuré, H_2S, dans certains gaz naturels et figure aussi dans la houille et les pétroles.

L'un des produits de base de la chimie, il est obtenu à partir de l'hydrogène sulfuré (H_2S) et d'autres composés (mercaptans*, thiofènes*) contenus dans le pétrole* brut et le gaz* naturel en proportion variable, pouvant atteindre 5 p. 100 en poids. Au cours du raffinage*, il est extrait des essences*, du kérosène et du gasoil* par une hydrogénation* catalytique qui transforme tous les composés sulfurés en hydrogène sulfuré. Éminemment toxique, ce gaz ne peut être dispersé dans l'atmosphère, ni même brûlé comme combustible ou dans des torches sous peine d'aggraver la pollution* sulfureuse de l'air. Il est donc fixé par une amine* (éthanolamine) sous forme concentrée, puis converti par oxydation catalytique contrôlée (procédé Claus) en soufre de grande pureté.

Soulages.
Peinture, 16 décembre 1959.
(Musée d'Art moderne, Paris.)

SOUFRIÈRE (la), volcan actif de la Guadeloupe, constituant le point culminant de l'île; 1467 m.

Souge *(camp de),* camp militaire, à l'O. de Bordeaux (comm. de Saint-Médard-en-Jalles).

SOUGÉ-LE-GANELON (72130 Fresnay sur Sarthe), comm. de la Sarthe, à 19,5 km au N.-E. de Sillé-le-Guillaume; 838 hab. Isolants.

SOUILLAC (46200), ch.-l. de cant. du Lot, près de la Dordogne, à 29 km à l'E. de Sarlat-la-Canéda; 4371 hab. Église romane à coupoles, anc. abbatiale (*Isaïe,* magnifique sculpture de l'anc. portail, premier tiers du XIIe s.).

SOUILLY (55220), ch.-l. de cant. de la Meuse, à 20 km au S. de Verdun; 322 hab. Quartier général de Pétain pendant la bataille de Verdun en 1916.

SOUÏMANGA. — De nombreux traits — petite taille, plumage brillant, long bec, utilisation alimentaire du nectar des fleurs — rapprochent les souïmangas des colibris. Mais les souïmangas vivent en Afrique tropicale, où ils constituent la famille des nectariniidés.

SOUK-AHRAS, v. de l'Algérie, près de la frontière tunisienne; 34000 hab.

SOUKHOUMI, v. de l'U. R. S. S. (Géorgie), sur la mer Noire, capit. de la république autonome d'Abkhazie; 102000 hab.

SOULAC-SUR-MER (33780), comm. de la Gironde, à 30 km au N.-O. de Lesparre-Médoc; 2387 hab. Station balnéaire. Église romane du XIIe s.

SOULAGES (Pierre), peintre français (Rodez 1919). Il est abstrait depuis 1946. Des balafres immenses, associant le noir et la couleur, échafaudent le puissant clair-obscur de ses toiles, qui lui ont valu une consécration internationale.

SOULAINES-DHUYS (10200 Bar sur Aube), ch.-l. de cant. de l'Aube, à 18 km au N. de Bar-sur-Aube; 270 hab.

SOULE (la), partie du Pays basque français (Pyrénées-Atlantiques), dans la haute vallée de la Saison. V. princ. *Mauléon-Licharre.*

Soulier de satin *(le),* drame de P. Claudel (1929). L'impossible amour du conquistador espagnol don Rodrigue pour dona Prouhèze prend une valeur symbolique qui met en question la destinée totale de l'homme.

SOULOM (65260 Pierrefitte Nestalas), comm. des Hautes-Pyrénées, sur le gave de Cauterets, à 6,5 km au S. d'Argelès-Gazost; 356 hab. Électrochimie.

SOULOUQUE (Faustin) [Petit-Goâve 1782-*id.* 1867], empereur d'Haïti de 1849 à 1859. Ancien esclave noir, il devient président de la république d'Haïti (1847) avant de se faire proclamer empereur (Faustin Ier) en 1849. Son despotisme provoque la révolution de 1859 et sa fuite.

SOULT (Jean de Dieu, dit **Nicolas**), duc **de Dalmatie,** maréchal de France (Saint-Amans-la-Bastide [auj. Saint-Amans-Soult] 1769-*id.* 1851). Général en 1794, maréchal en 1804, il s'illustra à Austerlitz en enlevant le plateau de Pratzen (1805). De 1808 à 1811, il remporta de nombreux succès en Espagne et, en 1814, il retarda la marche de Wellington sur Toulouse. Ministre de la guerre de Louis XVIII en 1814-15, il se rallia à Napoléon durant les Cent-Jours et fut major général de l'armée. Banni en 1816, il revint en France en 1819 et fut ministre de la Guerre (1830-1832), puis président du Conseil en 1832, en 1839 et de 1840 à 1847, date à laquelle il reçut le titre de maréchal général de France.

SOULTZ-HAUT-RHIN (68360), ch.-l. de cant. du Haut-Rhin, à 3 km au S. de Guebwiller; 5689 hab. Église des XIVe-XVe s. Hôtel de ville dans la halle au blé du XVIIe s. Constructions mécaniques.

SOULTZ-SOUS-FORÊTS (67250), ch.-l. de cant. du Bas-Rhin, à 15 km au S. de Wissembourg; 1924 hab. Église du XVe s. Constructions mécaniques.

SOUMAROKOV (Aleksandr Petrovitch), auteur dramatique russe (Lappeenranta, Finlande, 1718-Moscou 1777). Sa pièce *Khorev* (1747) inaugura l'ouverture du premier théâtre russe.

SOUMGAIT, v. de l'U. R. S. S. (Azerbaïdjan), au N.-O. de Bakou; 124000 hab. Métallurgie.

SOUMMAN (la), riv. d'Algérie, aboutissant dans le golfe de Bejaia (Bougie).

SOUMY, v. de l'U. R. S. S. (Ukraine), au N.-O. de Kharkov; 159000 hab.

SOUNDANAIS → INDONÉSIENNES *(langues)* et JAVANAIS.

SOUNGARI (la), en chin. **Song-houa-kiang,** riv. de la Chine du Nord-Est, qui passe à Harbin, affl. de l'Amour (r. dr.); 1800 km.

SOUNION ou **COLONNE** *(cap),* promontoire de l'extrémité sud-est de l'Attique (Grèce). Ruines d'un temple de Poséidon.

SOUPAPE → CONVERTISSEUR, CYCLE, GRAISSAGE, INJECTION.

SOUPAULT (Philippe), écrivain français (Chaville 1897). Membre du mouvement dada, l'un des fondateurs de la revue *Littérature,* il est, par sa collaboration aux *Champs magnétiques,* écrits avec Breton, un des initiateurs du surréalisme (*Poèmes et poésies 1917-1973,* 1973).

SOUPHANOUVONG *(prince),* homme d'État laotien (Luang Prabang, 1909). Fondateur de l'armée de libération du Laos (1945) et du Pathet Lao* (1950), il dirige la lutte contre les troupes françaises, puis contre le gouvernement de Souvanna* Phouma et l'ingérence militaire croissante des États-Unis. Ministre du Plan et de la Reconstruction (1958), puis ministre de l'Économie (1962) lors des deux tentatives d'union nationale, il retourne rapidement dans l'opposition. Après la prise du pouvoir par le Pathet Lao et l'abolition de la monarchie, il devient le premier président de la république populaire du Laos (déc. 1975).

SOUPIR → NOTATION MUSICALE.

SOUPPES-SUR-LOING (77460), comm. de Seine-et-Marne, à 10 km au S. de Nemours; 4365 hab. Sucrerie.

SOURCE → EAU et PHRÉATIQUE *(nappe).*

SOURDEVAL (50150), ch.-l. de cant. de la Manche, sur la Sée, à 13 km au S. de Vire; 3624 hab. Produits laitiers.

SOUR-EL-GHOZLANE, anc. **Aumale,** v. d'Algérie, au S.-E. d'Alger; 14000 hab.

SOURIS. — La souris se distingue du rat* par une taille plus petite (pas plus de 20 cm, queue comprise) et par sa teinte grise unie. Sa reproduction rapide (six portées par an; adulte dès l'âge de six semaines) la rend redoutable. On élève en laboratoire un mutant albinos, la souris blanche, pour l'expérimentation. Encore plus petite, la « souris des moissons », rousse à ventre blanc, suspend aux chaumes un nid aussi soigné que celui d'un oiseau. Le *mulot,* un peu plus grand que la souris domestique, commet les mêmes ravages que celle-ci dans les campagnes. (Genre *Mus,* type de la famille des muridés.)

SOURNIA (66730), ch.-l. de cant. des Pyrénées-Orientales, à 23,5 km au N. de Prades; 296 hab.

SOUS *(oued),* fl. du Maroc méridional, qui draine la *plaine du Sous* et rejoint l'Atlantique au S. d'Agadir; 180 km.

SOUS-ALIMENTATION → FAIM.

SOUS-CAPE → CIGARE.

SOUSCEYRAC (46190), ch.-l. de cant. du Lot, à 16 km à l'E. de Saint-Céré; 1 044 hab.

SOUS-DÉVELOPPEMENT. — La notion de sous-développement s'impose à l'attention des économistes depuis le début des années 50. Par-delà les « crises » économiques que les nations capitalistes connaissent depuis l'avènement de la civilisation industrielle, une « crise » planétaire concernant près de 2 milliards d'habitants doit être réglée d'ici à la fin du second millénaire si l'on veut éviter de catastrophiques tensions politiques et sociales.

Le terme de « pays en voie de développement » pourrait laisser entendre qu'il ne s'agit, dans ces pays, que d'un retard temporaire ou « historique » du développement et que ceux-ci sont dans l'état économique d'une nation occidentale du XVIIIe ou du XIXe s. La réalité est, en fait, différente, car les facteurs qui se firent jour en Europe dans le passé sont absents aujourd'hui de ces nations, qui ne peuvent se développer selon les mêmes processus. Le sous-développement doit faire l'objet d'autres analyses, dont aucune ne peut être « européocentriste » et qui doivent être formulées en termes spécifiques. Il est le produit d'une évolution, reflète un stade *bloqué* d'une économie et d'une culture, dont le pays sous-développé ne sortira pas entièrement par lui-même.

Il faut citer parmi les *causes du sous-développement* les effets, souvent soulignés, de « domination » des pays occidentaux sur des nations ne faisant pas partie de leur système, mais relevant de systèmes « périphériques ». A. Emmanuel parle d'« échange inégal », expression recouvrant assez bien la réalité. (L'élévation du prix de l'énergie fit prendre conscience aux nations développées de la « rente de situation » dont, depuis un siècle, elles se trouvaient bénéficier.) Indépendamment de cette explication purement économique, il faut souligner que les conditions climatiques et médicales, les ressources naturelles et la démographie jouent, de toute évidence, un rôle sur le sous-développement. En général, les pays sous-développés se caractérisent par un certain nombre d'indices, que relève A. Sauvy* : forte fécondité et forte natalité, alimentation insuffisante, analphabétisation massive, populations rurales sous-développées, assujettissement des femmes, absence de classes moyennes et d'institutions réellement démocratiques, médiocre position géographique (une « ceinture de pauvreté » entre le tropique et l'équateur), etc.

Les « pays en voie de développement » ont un revenu par tête annuel très faible (en général inférieur à 300 dollars en moyenne, parfois à 100 dollars [Haute-Volta, de 300 à 500 francs]). Ils représentent 1 400 millions d'hommes sur une population du globe de l'ordre de 4 milliards (1975). Parmi eux, 900 millions de personnes vivent dans des conditions se situant au-dessous du seuil de survie.

• *Les obstacles au développement.* Ils ne sont pas uniquement à mettre au passif des seuls pays développés. Des responsabilités semblent incomber en partie au tiers monde lui-même. La mauvaise gestion, la corruption — des gaspillages, parfois, — existent, cependant que certains pays du tiers monde (les producteurs de pétrole) ruinent d'autres pays — pauvres — par la considérable élévation des prix (depuis 1973), ces pays du « tiers monde riche » empruntant par ailleurs des eurocrédits*, ponctionnant d'autant des ressources financières au détriment des nations plus déshéritées qui ne peuvent guère s'endetter.

L'absence de politiques efficaces de lutte contre la surpopulation, un trop grand nombre d'entreprises nationalisées ou non rentables où se sont installées la corruption et l'incapacité, l'excès, parfois, d'investissements industriels, des dépenses militaires trop importantes, le manque de volonté des élites expatriées de retourner dans leur pays et surtout de travailler dans les campagnes causent du tort aux politiques de lutte contre le sous-développement, cependant que la revalorisation des prix des produits de base ne profite pas aux producteurs et est utilisée à des objectifs de prestige; tels sont les freins et les blocages à toute politique tendant à lutter contre le sous-développement.

SOUS-ENSEMBLE *(Math.)* → ENSEMBLE.

SOUS-ESPACE → VECTORIEL *(espace).*

SOUS-LE-VENT *(îles),* extrémité sud-ouest de l'arc des Antilles, au large du Venezuela, englobant notamment les Antilles néerlandaises (Aruba, Curaçao et Bonaire).

SOUS-LE-VENT *(îles),* partie de l'archipel français de la Société*.

SOUS-LE-VENT *(îles),* en angl. **Leeward Islands,** nom donné par les Anglais à la partie septentrionale des îles du Vent* (Antigua, Monserrat, îles Vierges britanniques, Saint Christopher, Nevis et Anguilla).

SOUS-MARIN. — Ce qui caractérise le sous-marin, c'est sa capacité de naviguer et de combattre en plongée. Celle-ci est réalisée par le remplissage de réservoirs appelés *ballasts,* dont l'évacuation provoque la remontée du bâtiment en surface. Après quelques essais à la fin du XVIIIe s., les premières réalisations modernes en France furent en 1888 le *Gymnote,* mis au point par Zédé suivant les projets de Dupuy de Lôme, et en 1893 le *Gustave-Zédé.* Mais le premier sous-marin de combat fut en 1899 le *Narval,* à double coque, de l'ingénieur Laubeuf (120 t en surface, 200 t en plongée; armement : 4 torpilles); jusqu'à la propulsion nucléaire, il demeura le prototype de tous les sous-marins. Ceux-ci disposeront de deux moteurs, l'un à vapeur (devenu Diesel) pour la navigation courante, qui a lieu en surface, l'autre électrique pour la navigation en plongée (réservée au combat — d'où leur nom de « submersibles »). Jusqu'en 1945 leur tonnage variera de 400 à 2 000 t.

Les sous-marins joueront un rôle essentiel pendant les deux guerres* mondiales, notamment dans la marine allemande, qui en construisit plus de 1 000 de 1939 à 1945 (781 furent coulés après avoir détruit plus de 14 millions de tonneaux de navires alliés). Sur le plan technique, cette période est marquée par la mise en service, en 1940, de l'asdic, ancêtre du sonar*, qui permet de repérer par ultrasons les sous-marins en plongée. Mais ceux-ci bénéficient du *schnorchel,* tube rétractable de 8 à 10 m monté sur le kiosque, et qui, en laissant seule émerger sa tête, permet au sous-marin de faire route sans être vu avec son moteur Diesel.

La *propulsion nucléaire,* expérimentée aux États-Unis dès 1953, constituera pour le sous-marin une véritable révolution, en lui permettant de naviguer désormais constamment en plongée. En service depuis 1955, le *Nautilus* (4 000 t) parvient, en 1958, à franchir en plongée la calotte glaciaire arctique et parcourt en 26 mois 62 000 milles sur la première charge de son réacteur. En 1960 apparaît, avec le *George-Washington,* le premier sous-marin à propulsion nucléaire armé de 16 missiles « SLBM* » type « Polaris »,

SOUS-MARIN nucléaire français le *Redoutable* : 1. Hélice; 2. Gouvernail de direction; 3. Aileron; 4. Moteur électrique auxiliaire de propulsion; 5. Réducteur; 6. Sas de sauvetage arrière; 7. Régénération d'atmosphère; 8. Sas d'accès arrière; 9. Tubes lance-missiles; 10. Poste central navigation-opérations; 11. Kiosque; 12. Gouvernail de plongée avant; 13. Sas d'accès à la passerelle de navigation en surface; 14. Logements; 15. Sas de sauvetage avant; 16. Poste de torpilles; 17. Chambres frigorifiques; 18. Système de lancement; 19. Compartiment réacteur-échangeur; 20. Local d'auxiliaires; 21. Poste de conduite de la propulsion; 22. Turbines de propulsion; 23. Gouvernail de plongée arrière.

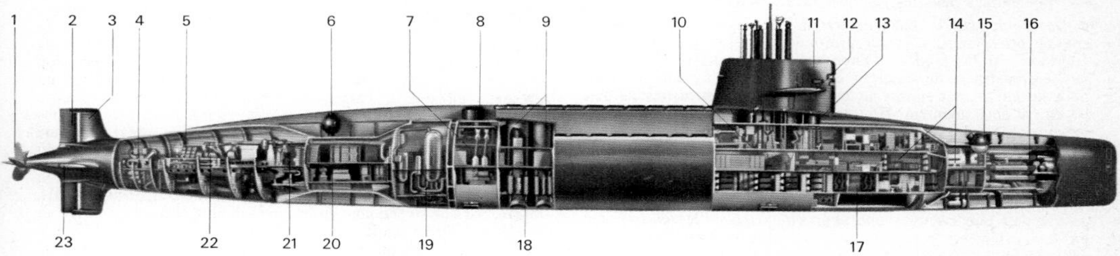

lancés en plongée à une portée voisine de 2 400 km. Un nouveau modèle d'arme, le *sous-marin lance-missile* à propulsion nucléaire, était créé : il tient depuis lors une place essentielle dans les forces de dissuasion des puissances nucléaires. (Il existait, en 1977, 41 sous-marins de ce type aux États-Unis, 58 en U. R. S. S., 4 en Angleterre, 4 en France.)
En plus de ce type de bâtiment, les flottes sous-marines de 1977 (dont la première est la flotte soviétique) comprennent :
— des sous-marins d'attaque à propulsion classique (tel l'*Agosta* français, lancé en 1974) ou nucléaire, destinés à l'attaque des flottes de surface et armés de torpilles et de missiles antisurface;
— des sous-marins à propulsion classique (diesel-électrique), souvent spécialisés dans la lutte anti-sous-marine.

SOUSSE, port de Tunisie, ch.-l. de gouvernorat, sur la rive sud du golfe d'Hammamet; 58 000 hab. Kasbah du IXe s., intégrée aux remparts de la même époque, construits sur des substructions byzantines. Dans la médina : Grande Mosquée, construite en 850 par les Arhlabides, qui la fortifient, et dont la défense est renforcée par les Zīrides aux XIe et XIIe s.; ribāt, couvent des VIIe-IXe s., l'un des monuments les plus anciens de l'islām. Riche musée archéologique. Textiles. Constructions automobiles.

SOUS-STATION → ALIMENTATION URBAINE ET RURALE.

SOUSTONS (40140), ch.-l. de cant. des Landes, près de l'*étang de Soustons* (sur la côte landaise), à 29 km au N.-O. de Dax; 5 127 hab.

SOUS-TRAITANCE. — Une loi du 31 décembre 1975 a réglementé la sous-traitance, définie comme l'opération aux termes de laquelle un entrepreneur bénéficiant d'une commande confie (par un sous-traité), sous sa responsabilité, à un sous-traitant le soin d'assurer tout ou partie de l'exécution du contrat d'entreprise ou de marché public conclu entre lui-même et le maître de l'ouvrage. La sous-traitance est un phénomène économique important, qui représente quelque 10 p. 100 de la production industrielle. Elle est particulièrement répandue dans le bâtiment et les travaux publics.

SOU-TCHEOU ou **SUZHOU,** v. de Chine (Kiang-sou), à l'O. de Chang-hai; 650 000 hab. Métallurgie.

BEAUX-ARTS. Souvent appelé la « Venise chinoise » à cause de ses multiples canaux franchis par de pittoresques ponts, cet ancien centre historique est célèbre pour son paysage urbain, fait de superbes jardins, créés pour certains dès l'époque des Song au Xe s. et dont six ont été restaurés.

SOUTÈNEMENT *(Constr.)* → MUR.

SOUTÈNEMENT *(Min.).* — Le soutènement est destiné à éviter les éboulements dans les galeries* et les chantiers.

• Dans une galerie en bon terrain, il n'y a besoin d'aucun soutènement, même à grande profondeur, parfois on consolide la couronne par des *boulons d'ancrage.* En mauvais terrain, on place dès le creusement de la galerie un soutènement par *cadres* à trois bois ou, mieux, par cintres métalliques, avec un *garnissage* en bois ou en fer pour maintenir les terrains entre les cadres. Si la galerie longe les vieux travaux remblayés ou foudroyés d'une taille, on la borde par une *dame* de pierres sèches ou par des *piliers de bois,* formés de bois horizontaux placés deux dans un sens et deux dans l'autre, remplis de remblai en vrac; de toute façon, les terrains s'affaissent du côté des vieux travaux, et le soutènement de la galerie doit être compressible pour s'y adapter : les *cintres* sont en trois éléments pouvant coulisser dans des colliers qui les assemblent. Le béton* coulé derrière un coffrage n'est utilisé que pour les recettes et les salles au voisinage des puits. Un soutènement circulaire en claveaux de béton est placé dans des galeries principales en très mauvais terrains poussant de tous les côtés.

• Dans une taille de charbonnage, il faut un soutènement contre le toit dès que celui-ci est mis à nu par l'abattage*. L'élément principal du soutènement est constitué par des *étançons métalliques* à friction ou hydrauliques, réglables en hauteur. Légèrement compressibles, ceux-ci ont presque partout remplacé les buttes en bois; ils sont placés perpendiculairement au toit pour s'opposer à son affaissement et alignés parallèlement au front, délimitant ainsi des allées. Sur la tête de chaque étançon, un chapeau métallique *(rallonge)* perpendiculaire au front est serré contre le toit et relié par une articulation simple au chapeau précédent. Le porte-à-faux du chapeau en avant de l'étançon permet un front de taille dégagé pour le convoyeur blindé et le passage des machines d'abattage. Dès qu'une largeur de toit suffisante a été mise à nu, on accroche un nouveau chapeau au précédent et on le plaque contre le toit grâce à un coin qui le fait cabrer en bloquant l'articulation. On place les étançons sous les nouveaux chapeaux lorsque le convoyeur blindé a été ripé contre le front. À l'arrière, avant le foudroyage* qu'on provoque ainsi ou le remblayage, on démonte les étançons et les chapeaux pour les replacer à l'avant. La mise en place et la récupération du soutènement est un travail lent et pénible. Aussi, malgré son prix élevé, développe-t-on l'emploi du *soutènement marchant,* dont la mise en serrage, le desserrage et l'avancement se font automatiquement grâce à des vérins hydrauliques reliés à une tuyauterie sous pression et commandés par des valves.

SOUTERRAINE (La) [23300], ch.-l. de cant. de la Creuse, à 35 km au N.-O. de Guéret; 5 505 hab. Portes fortifiées. Église surtout des XIIe-XIIIe s. (portail polylobé; crypte avec vestiges gallo-romains). Chaussures.

SOUTHAMPTON, port d'Angleterre (Hampshire), sur la Manche; 215 000 hab. Vestiges historiques. Musées. Port de voyageurs. Constructions mécaniques.

SOUTH BEND, v. des États-Unis (Indiana), dans la banlieue sud-est de Chicago; 126 000 hab.

SOUTH DUM DUM, v. de l'Inde (Bengale-Occidental), banlieue nord-est de Calcutta; 174 000 hab.

SOUTHEND-ON-SEA, v. d'Angleterre (Essex), sur la rive nord de l'embouchure de la Tamise; 162 000 hab.

SOUTHEY (Robert), écrivain anglais (Bristol 1774 - Greta Hall, Keswick, 1843). La Révolution française l'enthousiasma et lui inspira un long poème épique (*Jeanne d'Arc,* 1796). Southey voyagea ensuite dans la péninsule Ibérique *(Lettres écrites pendant un court séjour en Espagne et au Portugal).* Après avoir donné un nouveau poème épique (*Thalaba le Destructeur,* 1801), il publia des recueils lyriques (*Roderick, le dernier des Goths,* 1814) et de nombreux ouvrages biographiques (*Vie de Nelson,* 1813; *Vie de Wesley,* 1820).

SOUTHPORT, v. d'Angleterre, au N. de Liverpool, sur la mer d'Irlande; 80 000 hab.

SOUTH SHIELDS, v. du nord de l'Angleterre, sur l'estuaire de la Tyne; 101 000 hab.

SOUTINE (Chaïm), peintre français d'origine lituanienne (Smilovitch, gouvern. de Minsk, 1894 - Paris 1943). Arrivé à Paris en 1913, au contact de l'art moderne (Van Gogh) et de nombreux artistes (tel Modigliani), il peint des toiles d'une expression tumultueuse qui acquièrent, après la découverte de la lumière du Midi (1918), une virulence éclatante, mais non exempte de raffinements chromatiques. Les déformations, la force tourbillonnaire de ses tableaux, la répétition d'un thème comme celui des *Bœufs écorchés* (1925) le situent parmi les expressionnistes les plus authentiques.

SOU TONG-P'O → SOU CHE.

SOUVANNA PHOUMA (*prince* Tiao), homme politique laotien (Luang Prabang 1901). Plusieurs fois Premier ministre à partir de 1951, il s'efforce de mener une politique neutraliste face à la droite proaméricaine et à la gauche procommuniste de Souphanouvong*. Le gouvernement de coalition qu'il forme en 1962, avec la participation, éphémère, du Pathet-Lao*, est bientôt contrôlé par la droite et soumis à l'influence des États-Unis. Devant la progression des forces révolutionnaires, le prince Souvanna Phouma signe un cessez-le-feu avec le Pathet-Lao (1973) et reste Premier ministre dans le gouvernement d'union nationale constitué en 1974 avec les partisans de Souphanouvong. Collaborant avec le nouveau régime de la république populaire du Laos, il est nommé conseiller du gouvernement en décembre 1975.

Souvenirs de la maison des morts, récit de Dostoïevski (1861), inspiré par son expérience du bagne et dont le réalisme contribua à la réforme de la condamnation à la déportation.

SOUVERAIN-WANDRE, écart de la comm. de Liège, sur la Meuse. Port pétrolier.

SOUVIGNY (03210), ch.-l. de cant. de l'Allier, à 12 km à l'O. de Moulins; 2 119 hab. Saint-Pierre, église d'un ancien prieuré de Cluny, bâtie aux XIe-XIIe s., très remaniée au XVe (tombeaux des ducs de Bourbon). Verrerie.

SOUVOROV (Aleksandr Vassilievitch, *prince*), feld-maréchal russe (Moscou 1729 - Saint-Pétersbourg 1800). Après s'être battu contre les Polonais et les Turcs (1768-1774), il devint gouverneur de Crimée (1786), remporta de nouveaux succès contre les Turcs (1787-1789) et réprima l'insurrection polonaise de 1794. Il fut fait maréchal par Catherine II. Pendant la deuxième coalition, il battit les Français de Macdonald et de Joubert en Italie, mais fut arrêté en Suisse par la victoire française de Zurich (1799). En U. R. S. S., où a été créé en 1942 un ordre de Souvorov, son nom reste le symbole de la tradition militaire de l'ancienne Russie.

SOUZDAL, v. de l'U. R. S. S. (R. S. F. S. de Russie), au N.-E. de Moscou (9 000 hab.). Mentionnée pour la première fois en 1024, Souzdal devient un grand centre politique de la Russie du Nord-Est, puis, aux XIIe-XIIIe s., un brillant foyer de civilisation de la principauté de Vladimir-Souzdal*.

BEAUX-ARTS. Dans l'enceinte du Kremlin (XIe-XIIe s.) cathédrale de la Nativité, reconstruite en 1222 puis au XVIe s., du style des églises de Vladimir. Monastères construits et agrandis du XIIe au XVIIIe s. Églises des XVIIe-XVIIIe s., où dominent les formes moscovites. Dès la fin du XIIe s. apparaît une école de peinture, dont le style, équilibré et délicat, s'épanouit aux XVe-XVIe s. (musée).

SOVIET. — Les premiers soviets (conseils) ouvriers se forment pendant la révolution* russe de 1905. Réapparus en février-mars 1917, les soviets des députés ouvriers et soldats se rallient à partir de juillet-août aux bolcheviks, qui s'emparent du pouvoir en octobre-novembre 1917. Le IIe Congrès panrusse des soviets élit un Tsik (Comité exécutif central) et le premier gouvernement soviétique (Sovnarkom*). Depuis lors, chaque unité administrative de l'U. R. S. S. est représentée par un soviet élu : les soviets d'arrondissement urbain, de bourg ou de village élisent ceux de l'unité administrative supérieure, et ainsi de suite jusqu'aux soviets suprêmes des républiques fédérées, qui élisent le Soviet suprême de l'U. R. S. S.

SOVKHOZ → AGRICULTURE et U. R. S. S.

Sovnarkom (abréviation de *Soviet narodnykh komissarov*), Conseil des commissaires du peuple, dont le premier, présidé par Lénine*, fut élu les 8-9 novembre (26-27 oct.) par le IIe Congrès panrusse des soviets. Principal organe exécutif du gouvernement soviétique jusqu'en 1946, il a été remplacé depuis lors par le Conseil des ministres.

SOYAUX (16800), ch.-l. de cant. de la Charente, dans la banlieue est d'Angoulême; 12 748 hab.

SPA, comm. de Belgique (prov. de Liège), dans l'Ardenne; 9 504 hab. (en 1970). Station thermale.

SPAAK (Paul Henri), homme politique belge (Schaerbeek 1899-Bruxelles 1972). Avocat, député socialiste, Spaak est, à partir de 1936, plusieurs fois ministre des Affaires étrangères et Premier ministre. Il préside de 1949 à 1951 l'Assemblée consultative du Conseil de l'Europe et de 1952 à 1954 celle de la C. E. C. A. Il devient ensuite secrétaire général de l'O. T. A. N. (1957-1961). Après avoir de nouveau dirigé la politique extérieure de son pays (1961-1966), il se retire de la vie politique.

SPALATO → SPLIT.

SPALLANZANI (Lazzaro), biologiste italien (Scandiano 1729-Pavie 1799). Expérimentateur précis, il a établi l'action chimique des sucs gastriques dans la digestion des viandes et prouvé avant Pasteur l'inexistence de la génération spontanée. Il a effectué d'importants travaux sur la respiration et la circulation du sang.

SPANDAU, quartier occidental de Berlin-Ouest. Dans la prison de Spandau furent incarcérés les criminels de guerre nazis, condamnés à la détention par le tribunal de Nuremberg en 1945-46.

SPARROWS POINT, faubourg de Baltimore (États-Unis). Grande aciérie.

SPARTACUS, chef des esclaves révoltés († Lucanie 71 av. J.-C.). Ancien berger thrace réduit en esclavage et devenu gladiateur à Capoue, il mena la plus grande révolte servile de l'Antiquité, tenant en échec Rome pendant deux ans. En 73, il s'évade de l'école de Capoue avec quelques dizaines de gladiateurs, auxquels s'adjoignent des milliers d'esclaves révoltés. Retranchés sur les pentes du Vésuve, ils défont les unes après les autres les armées romaines venues les réduire. Voulant entraîner les esclaves hors de l'Empire et les ramener vers leurs patries, Spartacus remonte vers l'Italie du Nord et parvient jusqu'au Pô; là, sans que l'on en voie les raisons, il fait demi-tour et regagne la Lucanie (72). Rome confie alors un commandement exceptionnel à M. Licinius* Crassus, qui, disposant de dix légions, inflige aux révoltés la défaite définitive, au cours de laquelle Spartacus périt.

SPARTAKISME. — Le groupe « Spartacus » (en allem. *Spartakusbund*), expression organisée du spartakisme, naquit dès le début de la Première Guerre mondiale et réunit, autour de Karl Liebknecht* et de Rosa Luxemburg*, des éléments minoritaires de la social-démocratie allemande. En novembre 1918, il se transforma en parti communiste allemand et, se laissant entraîner dans un affrontement armé avec les forces conservatrices, fut vaincu (janv. 1919) : K. Liebknecht et R. Luxemburg furent assassinés.

SPARTE, en gr. **Spárti,** v. de Grèce (Péloponnèse), ch.-l. du nome de Laconie, au S.-E. de la Sparte antique; 12 000 hab.

HISTOIRE. L'ancienne Sparte, appelée aussi « Lacédémone », fut constituée au IXe s. av. J.-C. par le synœcisme (regroupement) de quatre villages doriens et organisée par le légendaire Lycurgue* (fin du IXe s. av. J.-C.) en un État oligarchique et militaire. Jusqu'au VIe s. av. J.-C., Sparte pratique une politique d'expansion qui fera d'elle une puissante cité du Péloponnèse*, mais, au Ve s. av. J.-C., elle doit soutenir une longue rivalité avec Athènes* (v. PÉLOPONNÈSE [*guerre du*]), dont elle sort victorieuse. Après une période d'hégémonie incontestée sur le monde grec, sa puissance lui est ravie par Thèbes* (Leuctres*, 371). Sparte, qui ne peut s'opposer efficacement à l'ascension de la Macédoine*, ne joue plus à l'époque hellénistique* qu'un rôle secondaire; intégrée à l'Empire romain en 146 av. J.-C., elle n'est plus qu'une bourgade sans importance après la furie dévastatrice des Wisigoths* à la fin du IVe s. de notre ère.

SPASME. — Un spasme résulte de la contraction involontaire de certains muscles, en particulier de muscles lisses. Sa symptomatologie clinique est variable : elle dépend de son siège, qui peut être digestif (spasme colique), respiratoire (spasme de la glotte), urinaire (spasme de l'uretère) ou sphinctérien (spasme anal). Les antispasmodiques combattent le spasme et ses conséquences.

SPASMOPHILE. — Ce terrain est caractérisé par un état d'hyperexcitation neuromusculaire, mis en évidence par des signes cliniques (test du garrot, signe de Chvostek), électriques (hyperexcitabilité électrique lors de l'électromyogramme, signe du doublet ou du triplet) et biologiques inconstants (hypocalcémie). La spasmophilie peut rester latente ou donner lieu à des manifestations plus ou moins bruyantes, dont la plus typique est la crise de tétanie, caractérisée par un accès de contractures musculaires occupant les extrémités et capables de s'étendre aux membres et quelquefois au tronc. Son traitement comprend l'administration de calcium, de magnésium, de vitamine D et de sédatifs (benzodiazépines).

SPATANGUE. — L'oursin* des sables, ou spatangue, vit enfoui dans les vases littorales. Pourvu d'une symétrie bilatérale surajoutée, il porte un sillon dorsal couvert de piquants soyeux et souples.

SPATULE. — Le nom de cet oiseau désigne aussi son bec, aplati et élargi en spatule à l'extrémité de façon à écarter, pour y fouir, la vase bordière des marécages. Voisine des cigognes, mais plus petite (hauteur 80 cm), la spatule est le type de la famille des plataléidés.

SPÉCIATION. — On appelle *spéciation* la formation de plusieurs espèces animales ou végétales nettement séparées à partir d'une souche commune. À l'origine de la spéciation, il peut y avoir un isolement géographique, amenant chaque population à évoluer de son côté (îles Hawaii, Galápagos), une mutation importante, excluant le croisement avec la forme « sauvage », une pression de sélection, exercée différemment sur deux populations, et, d'une manière plus générale, une *barrière sexuelle,* empêchant toute recombinaison des patrimoines génétiques.

SPÉCIFICITÉ. — L'originalité d'une espèce animale ou végétale est liée non seulement à la forme ou à la couleur (cette dernière est souvent variable) mais aussi à des particularités biochimiques s'exprimant par une odeur (celle-ci guide, chez de nombreux animaux, la rencontre des sexes), par des réactions sérologiques (antigènes spécifiques) ou par un cortège particulier de parasites (puce de l'homme). Il est vrai qu'au sein d'une même espèce chaque race, chacun des deux sexes, chaque individu même peut présenter des particularités biochimiques. Mais, au sein d'une même espèce, l'interfécondité reste de règle : sa disparition amorce le processus de la spéciation*.

Spectacle, recueil de Jacques Prévert (1951).

Spectator *(The),* périodique publié par Addison et Steele de 1711 à 1714, tableau de mœurs et peinture des ridicules de la société anglaise.

SPECTRALE (analyse). — L'étude de la lumière émise par une étincelle jaillissant entre deux électrodes métalliques permet une analyse chimique du métal, d'après la position des raies brillantes de son spectre. De même, l'analyse spectrale renseigne sur la constitution chimique des étoiles. De telles études s'étendent à l'infrarouge et à l'ultraviolet.

SPECTRE. — Lorsqu'un pinceau de lumière blanche traverse un prisme de verre, les diverses radiations subissent des déviations différentes. Le faisceau réfracté, reçu sur un écran, fait apparaître le spectre lumineux de la lumière étudiée, où se succèdent les couleurs de l'arc-en-ciel, depuis le rouge, qui est le moins dévié, jusqu'au violet. Inversement, on peut reconstituer la lumière blanche par superposition des diverses radiations du spectre.

Les solides et les liquides incandescents émettent en général un spectre continu; les gaz, au contraire, émettent un spectre de raies, dont les positions sont caractéristiques des atomes émetteurs. Lorsqu'une substance est interposée sur le trajet de la lumière, elle absorbe certaines radiations, et le spectre, dit « d'absorption », présente des raies ou des bandes obscures. (V. schéma p. 1758.)

Spectre de la rose *(le),* ballet en un acte, inspiré par un poème de T. Gauthier, chorégraphie de Michel Fokine, sur *l'Invitation à la valse* de Weber (orchestré par Berlioz), créé par les Ballets russes de Serge de Diaghilev à Monte-Carlo en 1911, avec Tamara Karsavina et Vaslav Nijinski.

SPECTROGRAPHE DE MASSE. — C'est une sorte de tube à gaz raréfié. Derrière la cathode, qui est perforée, se propagent des rayons positifs, qui sont soumis à l'action simultanée d'un champ électrique et d'un champ magnétique. Ils subissent de ce fait une double déviation, dont la valeur dépend de la masse des particules

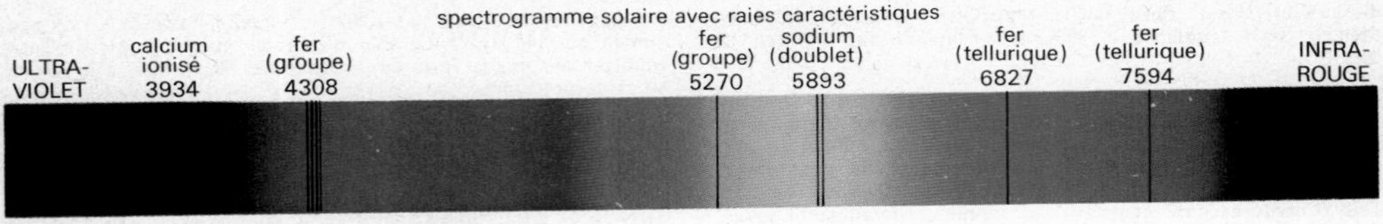

SPECTRE SOLAIRE. Représentation schématique du spectre solaire avec quelques-unes de ses raies noires caractéristiques.

constitutives. On mesure cette déviation en recueillant les rayons sur une plaque photographique.

SPECTROSCOPE. — Il comporte habituellement une fente qui reçoit la lumière à analyser, placée au foyer d'une lentille, cet ensemble constituant un collimateur, un prisme réfringent et une lunette qui recueille les rayons émergents.

SPEE (Maximilien, *comte* VON) → FALKLAND *(îles)*.

SPÉLÉOLOGIE. — Exploration des cavités naturelles du sol, la spéléologie est, tout à la fois, sportive et scientifique. L'aspect sportif résulte des qualités proches de celles qui sont requises dans l'alpinisme ou la plongée sous-marine. L'aspect scientifique correspond à l'étude d'un milieu naturel (formation des cavités souterraines [spéléogenèse] ou analyse de leur faune [biospéléologie*] par exemple), cette étude faisant appel à des disciplines voisines, comme la géologie ou la biologie. La spéléologie a rapidement provoqué un aménagement touristique des découvertes souterraines (comme à Padirac) et est aussi parfois sollicitée lors d'aménagements hydroélectriques dans les régions calcaires.

SPEMANN (Hans), biologiste allemand (Stuttgart 1869 - Fribourg-en-Brisgau 1941), prix Nobel de médecine et de physiologie en 1935 pour ses travaux sur l'embryologie.

SPENCER (Herbert), philosophe britannique (Derby 1820-Brighton 1903). L'évolution naturelle est l'idée directrice de son œuvre (*Principes de biologie,* 1864; *Principes de sociologie,* 1877-1896; *Principes de morale,* 1892-93). Pour lui, le passage de l'homogène à l'hétérogène est l'explication de l'évolution des individus (par exemple le passage de la cellule fécondée à l'organisme vivant). Spencer a étendu cette notion d'évolution à la sphère sociale, et c'est ce qui le distingue de Darwin. (V. ORGANICISME.)

SPENSER (Edmund), poète anglais (Londres 1552 - *id.* 1599), auteur du poème pastoral *le Calendrier du berger,* publié sous le pseudonyme de COLIN CLOUT, et de l'épopée allégorique *la Reine des fées* (1590-1596).

SPERANSKI (Mikhaïl Mikhaïlovitch, *comte*), homme politique russe (Tcherkoutino 1772 - Saint-Pétersbourg 1839). En 1809, il propose à Alexandre Ier*, dont il est devenu le principal conseiller, une réorganisation du gouvernement. Exilé en Sibérie en 1812, il entre de nouveau au Conseil d'État en 1821 et dirige de 1830 à 1839 l'édition du recueil complet et du code des lois de l'Empire russe.

SPERMAPHYTES. — Les plantes à graines, ou spermaphytes ou phanérogames, doivent leur immense diffusion sur les terres émergées à une supériorité décisive : la graine*, forme vivante mais latente, au transport facile, résistant à de nombreuses causes de destruction et qui a donc des chances élevées d'atteindre le lieu et le moment favorables à sa germination. Au même titre qu'un œuf embryonné, une graine ne peut résulter que d'une fécondation interne, au sein des tissus maternels destinés à alimenter l'embryon. L'élément mâle seul est transporté, sous la forme de *grains de pollen,* ou microspores, véhiculés par le vent ou, plus sûrement encore, par les insectes. Ceux-ci butinent seulement si un aliment *(nectar)* les attire et si une marque distinctive bien visible (pétales colorés) leur signale la source alimentaire. C'est pourquoi les plantes à graines sont aussi le plus souvent des plantes à *fleurs**, au sens usuel de ce mot. La protection de la graine et parfois sa dispersion sont assurées par le fruit* qui la contient et qui résulte le plus souvent de l'évolution d'une partie de la fleur (ovaire, réceptacle). L'ensemble reproducteur « fleur-fruit-graine » est donc étroitement lié et caractérise l'embranchement. On partage celui-ci en deux sous-embranchements très inégaux : les gymnospermes, à fruit ouvert (conifères), et les angiospermes, à fruit clos (presque tous les autres groupes).

SPERMATOZOÏDE. — Le gamète* mâle reçoit le nom de « spermatozoïde » lorsqu'il est petit et très mobile, ce qui est le cas chez presque tous les animaux et chez de nombreux végétaux. Dans le règne animal, il est, comme du reste l'ovule, le produit immédiat de la méiose : un spermatocyte dit « de premier ordre », à 2 *n* chromosomes, fournit par ses deux divisions méiotiques quatre *spermatides* à *n* chromosomes. Ces spermatides n'ont plus qu'à se

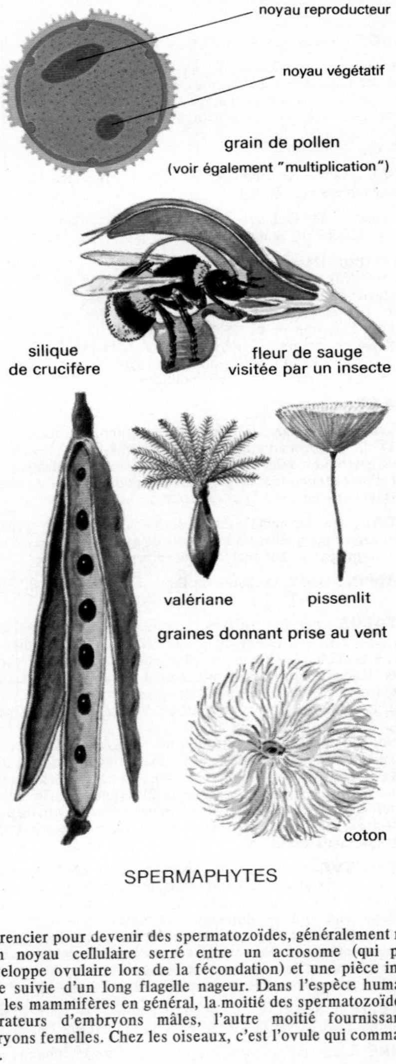

SPERMAPHYTES

différencier pour devenir des spermatozoïdes, généralement réduits à un noyau cellulaire serré entre un acrosome (qui percera l'enveloppe ovulaire lors de la fécondation) et une pièce intermédiaire suivie d'un long flagelle nageur. Dans l'espèce humaine et chez les mammifères en général, la moitié des spermatozoïdes sont générateurs d'embryons mâles, l'autre moitié fournissant des embryons femelles. Chez les oiseaux, c'est l'ovule qui commande le sexe.

SPERMOPHILE. — Ce petit rongeur voisin des écureuils se rend très nuisible dans les steppes et les prairies d'Europe, d'Asie et de l'Amérique du Nord en creusant des terriers perfectionnés et en accumulant une quantité énorme de graines. L'espèce de l'Europe orientale est le *souslik.*

SPERRY (Elmer Ambrose), inventeur et industriel américain (Cortland 1860 - Brooklyn 1930). On lui doit des recherches dans le domaine de l'électrotechnique et dans les applications du gyroscope à la navigation maritime ou aérienne.

SPESSIVTSEVA (Olga), la plus grande danseuse romantique du siècle (Rostov-sur-le-Don 1895), étoile au Théâtre-Impérial de Saint-Pétersbourg, avec les Ballets russes de Diaghilev, puis à l'Opéra de Paris. Son interprétation de *Giselle* est restée inégalée.

SPÉTSAI, île grecque de la mer Égée, à l'entrée du golfe de Nauplie.

SPEZIA (La), port d'Italie (Ligurie), au fond du *golfe de La Spezia;* 123 000 hab. Raffinage du pétrole.

SPHAIGNE. — La plupart des tourbières des régions froides et humides sont constituées par des touffes de sphaignes, mousses à croissance persistante au-dessus d'une base mourante ou morte qui se transforme peu à peu en tourbe. Rameuses et spongieuses, les sphaignes vivent pratiquement dans l'eau.

SPHÉNOÏDE → CRÂNE.

SPHEX. — Très voisins des guêpes, les sphex assurent l'alimentation de leurs jeunes en creusant un terrier, en y disposant un insecte (criquet par exemple) vivant mais paralysé par leurs piqûres venimeuses et en pondant leurs œufs sur le corps de la proie. Les larves n'éclosent qu'après la mort de la mère.

SPHINCTER. — Le rôle de ce type de système musculaire est d'ouvrir ou de fermer l'orifice d'un canal ou d'un organe. Certains sphincters sont dépendants de la volonté, les sphincters striés (anus, urètre); d'autres sont indépendants de la volonté, les sphincters lisses (pylore, sphincter d'Oddi).

SPHINX. — On appelle usuellement *sphinx* tous les papillons de la famille des sphingidés. La chenille rampe la tête dressée et porte souvent une corne à l'arrière du corps. L'adulte est un papillon aux antennes fusiformes, aux ailes antérieures longues et fines, à la trompe allongée, très bon voilier, capable de sucer le nectar des fleurs sans se poser. Citons le *gazé,* aux ailes transparentes et ressemblant à un bourdon, le *macroglosse,* à la trompe plus longue que le corps, le vrai sphinx *demi-paon,* le sphinx *tête-de-mort,* qui vole le miel dans les ruches, et les sphinx du chêne, du peuplier, du tilleul, du laurier-rose, du liseron, du pin et de la vigne.

SPHINX, monstre à corps de lion et à tête humaine, parfois muni d'ailes de griffon. En Égypte, il était préposé à la garde des sanctuaires funéraires; le sphinx de Gizeh* en est une des plus célèbres et des plus anciennes représentations (milieu du IIIe millénaire). D'Égypte, le sphinx passa en Crète, en Syrie et en Grèce, où il est surtout rattaché à la légende d'Œdipe*.

SPIDER → HAUT-PARLEUR.

SPIEZ, comm. de Suisse (cant. de Berne), sur le lac de Thoune; 9 911 hab. Château médiéval. Église romane avec vestiges du VIIIe s.

Špilberk, en allem. **Spielberg,** forteresse près de Brno, en Moravie. De 1742 à 1855, elle servit aux Habsbourg de prison d'État; Silvio Pellico y fut détenu.

SPINA-BIFIDA → VERTÈBRE.

SPINCOURT (55230), ch.-l. de cant. de la Meuse, à 25 km au N.-O. de Briey; 722 hab.

SPINNAKER → VOILIER.

SPÍNOLA (Antonio Sebastião Ribeiro DE), général et homme d'État portugais (Estremoz 1910). Gouverneur de Guinée de 1968 à 1972, chef d'état-major adjoint en 1974, il préconise dans son livre *le Portugal et l'avenir* une solution politique au problème des territoires d'outre-mer. Il cautionne le coup d'État militaire d'avril 1974, organisé par les jeunes officiers du Mouvement des forces armées, qui le portent à la présidence de la République. S'opposant en vain à la progression des forces de gauche au sein du gouvernement, il doit démissionner dès septembre, avant d'être compromis dans le coup d'État manqué de mars 1975.

SPINOZA (Baruch DE), philosophe hollandais (Amsterdam 1632-La Haye 1677). Éduqué pour être rabbin, il refuse de se laisser enfermer dans un ghetto intellectuel et s'initie à toutes les cultures, communiquant avec les maîtres à penser de son temps, tel Leibniz. Descartes exerce sur lui une influence prépondérante. Mais l'entreprise du doute prend chez Spinoza valeur sociale, voire politique, puisqu'il remet en question les dogmes religieux, aussi bien juif que catholique. En 1656, la synagogue d'Amsterdam l'excommunie et ses parents le renient. Le philosophe vit alors quarante années d'ostracisme et cinq ans d'exil volontaire, en polissant des lentilles. De son vivant il n'a publié que deux ouvrages : *les Principes de la philosophie de Descartes* (1663) et *le Traité* théologico-politique* (1670). Ses œuvres posthumes sont *l'Éthique** (1661-1665), son ouvrage majeur, *le Traité de la réforme de l'entendement* (1662) et *le Traité politique* (1675-1677).

Une problématique unique et fondamentale anime ces discours : quelle révolution intellectuelle opérer pour que les hommes cessent de s'empoisonner l'existence les uns les autres? Comment accroître la puissance de vie et de joie dans le monde? Deux postulats inébranlables sous-tendent ces interrogations : la puissance de l'entendement, qui permet une intelligibilité totale et radicale, et, corollairement, la rationalité de la nature, entièrement connaissable. Le souverain bien sera « l'union de l'esprit avec la nature totale » et n'est autre que la « joie de connaître ». Pour y accéder, il faut donc connaître la nature, non seulement ses lois, mais aussi le principe qui la gouverne. Ainsi, la métaphysique conduira à une éthique bien fondée, et ce par la médiation d'une gnoséologie, d'une psychologie et d'une anthropologie.

À l'exemple de Descartes, Spinoza cherche d'abord à forger ses instruments de connaissance. C'est l'objet du *Traité de la réforme et de l'entendement* et de la distinction des trois modes de connaissance : croyance ou opinion, raisonnement et connaissance claire ou intuitive (mais rationnelle et non mystique), par laquelle nous connaissons Dieu. Dans *l'Éthique,* Spinoza, s'opposant à toutes les théories créationistes et transcendantistes de son temps, présente une conception de Dieu immanentiste et moniste. Être nécessaire, Dieu est « ce dont l'essence implique l'existence »; être parfait, il est équivalent à la nature. La connaissance de la causalité de la nature permet à l'homme de savoir comment échapper aux passions et aux illusions, et de se libérer ainsi des aliénations politiques et religieuses dont il est l'objet.

Contre tout le XVIIe s., Spinoza soutient que l'esprit singulier n'est rien d'autre que la pensée de notre réalité corporelle singulière, que les parties de l'âme (et notamment les idées) sont les idées des affections corporelles. Cela le conduit à montrer que l'homme n'est libre qu'à proportion de ses idées adéquates. Or, les idées adéquates sont celles que nous possédons telles qu'elles sont en Dieu. Ainsi, seul le philosophe peut connaître la béatitude définie comme l'amour intellectuel de Dieu.

Spinoza. Portrait de l'école hollandaise, XVIIe s. (Coll. Haags, Gemeentemuseum, La Haye.)

Gemeentemuseum, La Haye

SPIRE, en allem. **Speyer,** v. de l'Allemagne fédérale (Rhénanie-Palatinat), sur le Rhin; 41 000 hab. Cathédrale construite vers 1030-1060, remaniée sous l'empereur Henri IV (voûtes d'arêtes de la nef; chevet), la plus prestigieuse et la plus monumentale de son temps (avec Cluny II et III), très restaurée depuis. Musée historique du Palatinat. Raffinage du pétrole. Construction aéronautique. — Ancienne capitale du peuple celte des Némètes, *Noviomagus* devient une importante forteresse romaine sur le Rhin. Au Moyen Âge, Spire est l'une des principales résidences de la dynastie salienne. Ville libre impériale en 1294, siège de la Chambre impériale de 1526 à 1689, elle accueille plusieurs diètes, dont celle de 1529, où les princes réformés s'élèvent contre la décision de Charles Quint visant à restreindre la liberté religieuse. Elle est rasée par l'armée française en 1689, annexée à la France de 1789 à 1814, et devient en 1816, la résidence du gouverneur du Palatinat bavarois.

SPIRÉE. — Cette grande herbe vivace, d'aspect très variable selon l'espèce (mai, filipendule, ulmaire ou reine-des-prés), est visitée par un papillon du genre zygène. On la classe parmi les rosacées.

SPIRILLOSE. — Cette maladie infectieuse est déterminée par des spirilles, bactéries Gram négatif, incurvées en spirales. L'espèce *Spirillum morsus muris* est l'agent du sodoku, qui est une maladie consécutive à une morsure de rat et sensible à l'antibiothérapie.

SPIRITUALISME. — Ce courant philosophique français naît en réaction contre la philosophie des lumières* et les idées de 1789. Il s'efforce d'abord de réduire toute pensée au sens commun, et de la normaliser en l'administrant dans le cadre de l'université napoléonienne afin de préserver « la religion, la tradition, le rang, la propriété». L'éclectisme professé alors procède d'un amalgame de philosophie écossaise, de citations de Maine* de Biran, d'idéalisme postkantien et de morale chrétienne. Le spiritualisme recherche ensuite «la réalité par l'étude de l'esprit considéré en lui-même et dans ses rapports avec tous ses objets» (Lagneau), car l'être est dit se réduire au moi, lequel découvre en lui-même le monde et Dieu. Dans cette optique, la philosophie ne doit pas avoir de rapport avec l'histoire ou avec les sciences.

Les principaux spiritualistes sont V. Cousin*, Royer-Collard*, T. Jouffroy (1796-1842), Ch. Renouvier (1815-1903), J. Lachelier (1832-1918), J. Lagneau (1851-1894), F. Ravaisson-Mollien*, O. Hamelin (1858-1907), M. Blondel (1861-1949), R. Le Senne (1882-1954), L. Lavelle (1883-1951) et Jean Guitton*.

SPIROCHÉTOSE. — Ce terme désigne les maladies déterminées par les différents genres de spirochètes pathogènes chez l'homme : le genre *Spirochæta* provoque les fièvres récurrentes; le genre *Treponema* comprend les agents de la syphilis et du pian; le genre *Leptospira* est responsable des leptospiroses.

SPIROGRAPHE. — C'est à marée basse que l'on peut observer, plantés dans la vase, les tubes cornés des spirographes, annélides polychètes marines. Ces tubes sont surmontés d'un gracieux panache de branchies qui ondulent sans arrêt dans l'eau, créant un courant qui attire dans la bouche les particules nutritives.

SPIROMÈTRE → RESPIRATION.

SPIRORBE. — En observant de près la surface des coquillages les plus divers, on peut y voir, soudés à la coquille, les tubes spiraux des spirorbes, très petites annélides marines.

SPITTELER (Carl), poète suisse d'expression allemande (Liestal 1845 - Lucerne 1924). Sous le pseudonyme de FELIX TANDEM, puis sous son propre nom, il publie un poème philosophique, *Prométhée et Épiméthée* (1880-81), qu'il remaniera plus tard *(Prométhée le patient,* 1924). Il fait paraître ensuite quelques romans, mais il se consacre surtout à son grand poème épique et allégorique, *Printemps olympien* (1900-1905). [Prix Nobel de littérature, 1919.]

SPITZ (René Arpad), psychanalyste américain (Vienne 1887 - Denver 1974). Ses travaux ont porté sur la relation entre la mère et l'enfant durant les deux premières années de la vie. Spitz a démontré les conséquences sur le développement psychique et somatique des carences affectives précoces (hospitalisme, dépression anaclitique).

SPITZ (Mark), nageur américain (Modesto, Californie, 1950). Il reste comme la plus grande figure des jeux Olympiques de Munich en 1972, où il a remporté sept épreuves, dont quatre individuelles (100 et 200 mètres nage libre, 100 et 200 mètres papillon) et trois en relais (4 × 100 et 4 × 200 mètres nage libre, 4 × 100 mètres quatre nages), battant ou contribuant à battre le record du monde dans chacune de ces sept épreuves.

SPITZBERG → SVALBARD.

SPITZER (Lyman), astronome américain (Toledo 1914). Il est l'auteur de travaux sur l'instabilité des amas* d'étoiles. En cosmogonie, il a montré l'impossibilité de la formation d'un filament de matière par le passage d'une étoile* vers une autre, ruinant ainsi l'hypothèse de la formation du système solaire due à Jeans*.

Splendeurs et misères des courtisanes, roman d'H. de Balzac (1839-1847). C'est une suite des *Illusions perdues.* On y assiste à l'ascension de Lucien de Rubempré, à ses amours avec la courtisane Esther, à sa mort et à la «dernière incarnation» de Vautrin, qui devient chef de la Sûreté.

SPLÉNOPORTOGRAPHIE → ANGIOGRAPHIE.

SPLIT, en ital. **Spalato,** port de Yougoslavie (Croatie), sur l'Adriatique; 152 000 hab. Construction navale. — Aux environs, près de Solin, site de l'ancienne Salone, ville illyrienne, romaine et paléochrétienne détruite par les Avars et les Slaves vers 614. Ses habitants s'installèrent alors dans le vaste quadrilatère de l'ancien palais de Dioclétien. Cathédrale aménagée dans le mausolée de l'empereur (clocher des XIIIe-XVIIe s., œuvres d'art, trésor). Petites églises voûtées du style «vieux-croate» (IXe-XIe s.). Palais Papalíc (auj. Musée de la ville), en style gothique fleuri, par Juraj Dalmatinac († 1473). Riche Musée archéologique, Galerie nationale, musée Meštrović*, etc.

SPLÜGEN (le), col des Alpes, à la frontière italo-suisse, entre le lac de Côme (et Milan) et Coire (et la haute vallée du Rhin); 2 117 m.

SPOKANE, v. des États-Unis, dans l'est de l'État de Washington; 172 000 hab. Aluminium.

SPOLÈTE, en ital. **Spoleto,** v. d'Italie (Ombrie); 23 000 hab. Vestiges romains. Église S. Salvatore (IVe et IXe-XIIe s.), cathédrale romane (remaniée aux XVIe et XVIIe s.) et autres églises médiévales. Musées. Sidérurgie. — Conquise par Rome au IIIe s. av. J.-C., Spolète résiste victorieusement à Hannibal en 217. Lors de l'invasion lombarde, elle devient capitale d'un duché lombard, le duché de Spolète (571), sur lequel le Saint-Siège établira son autorité au XIIIe s. avec Grégoire IX. Pendant l'occupation française, elle devient chef-lieu du département de Trasimène (1809-1815). En 1860, elle est prise par les troupes piémontaises.

SPONDE (Jean DE), humaniste et poète français (Mauléon 1557 - Bordeaux 1595). Outre des éditions d'Homère, d'Hésiode et d'Aristote, il a laissé des sonnets qui composent un des meilleurs monuments de la poésie baroque de la fin du XVIe s.

SPONDYLARTHROSE, SPONDYLOSE → VERTÈBRE.

SPONGIAIRES. — Les spongiaires, ou *éponges**, forment un embranchement tellement isolé dans le règne animal que l'on a proposé d'en faire un sous-règne, les parazoaires. Leur mode de développement les apparente en effet de près au *volvox* (algue verte); leurs cellules à collerette *(choanocytes)* ne se retrouvent dans aucun autre groupe, et les éponges sont les seuls animaux à tube digestif réticulé (nombreuses «bouches», plusieurs «anus»).

coupe à travers une éponge montrant le réseau des canaux et les corbeilles de cellules à collerette et à fouet

(les flèches indiquent le sens du trajet de l'eau)

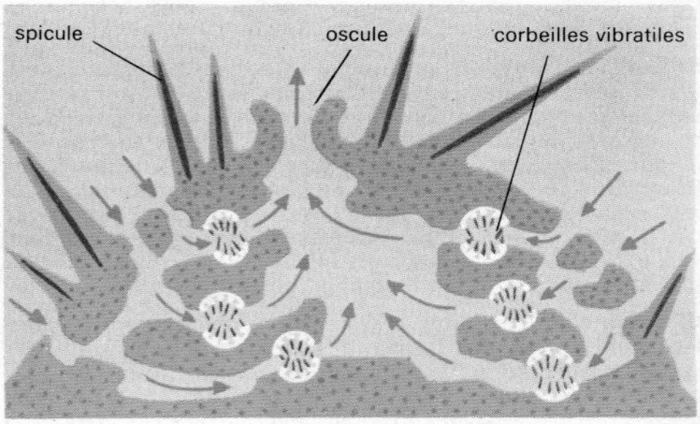

SPONGIAIRES

Presque toutes marines, pourvues d'un squelette calcaire ou corné incluant de minuscules pièces siliceuses, les *spicules,* elles sont creusées de chambres où battent des flagelles cellulaires qui créent le courant d'eau véhiculant leur nourriture planctonique. Celle-ci est saisie par les pseudopodes des cellules. La reproduction est compliquée, et la régénération est presque totale : un petit groupe de cellules arrachées reconstitue l'éponge entière.

SPONTINI (Gaspare), compositeur italien (Maiolati 1774 - *id.* 1851). À Paris (1803), il a connu un grand succès lyrique avec *la Vestale* (1807), qui témoigne d'un sens dramatique nouveau («Prière de Julia»).

SPORADES, îles grecques de la mer Égée, formées des *Sporades du Nord* (au large de la Thessalie et de l'île d'Eubée, et dont Skýros est l'île principale) et des *Sporades du Sud,* ou Dodécanèse* (proches de la Turquie et comprenant notamment Samos et Rhodes).

SPORADES ÉQUATORIALES ou **LINE ISLANDS** («îles de la ligne» [l'équateur]), archipel du Pacifique central, partagé entre la Grande-Bretagne (îles Christmas, Fanning, Washington) et les États-Unis (Jarvis), de part et d'autre de l'équateur.

SPORANGE. — Tout organe végétal élaborant puis contenant des spores est un sporange. On connaît des sporanges chez de nombreuses algues, dans plusieurs groupes de champignons (les *asques* des ascomycètes sont des sporanges), chez les mousses (où on les nomme *urnes* ou *capsules*), chez les fougères (où ils s'ouvrent par déhiscence d'une assise mécanique) et chez les autres ptéridophytes. Les étamines des plantes à fleurs sont des sporanges mâles.

SPORE. — Au sens strict du mot, une spore ou, mieux, une *tétraspore* est l'une des quatre cellules végétales haploïdes résultant immédiatement de la méiose. Les spores ne sont pas des gamètes, puisqu'elles sont capables de se multiplier isolément en donnant chacune un prothalle*, ou gamétophyte. Elles peuvent, cependant, être sexuées (*microspores* mâles et *macrospores* femelles, plus grandes, des plantes vasculaires dites «hétérosporées»), mais elles ne s'unissent jamais à une cellule de sexe opposé. Par extension, on nomme «spores» toutes les boutures unicellulaires capables de reproduire l'espèce par multiplication végétative ou simplement de lui fournir une forme résistante lorsque les conditions deviennent défavorables (spores microbiennes); de telles spores peuvent être diploïdes.

SPOROPHYTE. — Au cours du cycle* reproductif des plantes, le sporophyte est la plante aux cellules diploïdes (2 *n* chromosomes) qui donne naissance aux spores (ou, chez les plantes supérieures, aux grains de pollen* et au sac* embryonnaire). C'est généralement la plante proprement dite, la seule exception étant constituée par les mousses*, chez lesquelles le sporophyte n'est qu'un modeste *sporogone,* formé d'une soie et d'une capsule, et vivant en parasite au sommet d'une tige femelle. Chez les algues, l'importance relative du sporophyte varie d'un groupe à l'autre. On qualifie de *diplobiontes* les espèces dont le sporophyte est fortement dominant.

SPOROTRICHOSE → MYCOSE.

SPOROZOAIRES. — Chez ces protistes, qui ne sont ni chlorophylliens, ni flagellés, ni ciliés, la fécondation donne des zygotes ayant la fonction de spores et se divisant chacun en plusieurs individus, les *sporozoïtes.* Ceux-ci, parasites, vermiformes et mobiles, donnent chacun de nombreux *schizozoïtes,* qui se transforment en *gamontes* sexués. Enclos dans le même kyste, deux gamontes donnent des gamètes qui achèvent le cycle évolutif. Ces parasites, divisés en deux groupes, *grégarines* et *coccidies,* sont très nuisibles au lapin (coccidiose à *Eimeria*), à l'homme (hémosporidie de la malaria) et à divers invertébrés.

SPORT. — Né, sous sa forme moderne, au XIXe s., le sport est devenu au XXe s. un fait de civilisation, tenant à une identification de plus en plus grande avec la seule compétition, pratiquée aujourd'hui à un niveau excluant l'amateurisme, qui était à la base même de la notion initiale du terme. Le développement des moyens de transport facilitant les relations à longues distances, et l'essor des mass media (télévision principalement) ont contribué à l'internationalisation du sport, traduite par l'audience croissante des grandes compétitions que sont les jeux Olympiques*, les championnats du monde des diverses disciplines. Cette internationalisation s'est accompagnée pratiquement partout (dans toutes les disciplines et tous les pays) de l'apparition d'un professionnalisme, avoué ou déguisé, d'une recherche excessive du résultat, qui a conduit à des excès dangereux pour l'individu (dopage) et pour le sport lui-même quand la politique s'y est introduite. Au plus haut niveau, en effet, le sport est devenu l'affaire des gouvernements, qui subventionnent non seulement les équipements, mais aussi la préparation des athlètes, dont ils décident parfois également de la participation à des compétitions en fonction de critères sans rapport avec le sport : le retrait des pays d'Afrique aux jeux Olympiques de Montréal en 1976 est un exemple significatif, comme l'est aussi la discrimination raciale qui existe sur le plan sportif dans d'autres États du même continent. Le sport, du moins le sport d'élite, est menacé par son succès même, par les passions parfois démesurées qu'il suscite, liées aussi au fait qu'il s'agit ici, à la différence d'autres spectacles, comme le théâtre ou le cinéma, d'un « drame en mouvement » dont l'issue n'est pas écrite au lever du rideau.

• *Sport et santé.* L'action des sports sur les grandes fonctions de l'organisme est considérable. Le choix d'un sport dépend de l'âge, du sexe, des qualités physiques et des goûts. Un sport déterminé peut être conseillé à titre thérapeutique, mais il peut être aussi contre-indiqué. Une liste des contre-indications aux sports de compétition a été dressée à titre indicatif par la commission médicale du Comité national des sports. Tous les sportifs sont tenus de subir un examen médical une fois par an, et, compte tenu des résultats, le médecin examinateur est seul juge de leur aptitude à participer aux sports de compétition.

SPORTS DE GLACE. — • Le *patinage* comporte deux épreuves très différentes. Le *patinage artistique* comprend lui-même deux séries d'exercices distincts : les figures imposées et les figures libres. Les figures imposées entrent pour 40 p. 100 dans le total des points pouvant être obtenus, et les figures libres juxtaposent un programme court avec, en fait, un certain nombre de sauts ou de pirouettes bien définis (20 p. 100 des points possibles) et un programme véritablement libre (40 p. 100). Le patinage artistique comporte des épreuves individuelles masculine et féminine, une épreuve par couple et une épreuve de danse (par couple également, mais dans laquelle entre d'abord un programme imposé et qui, plus généralement fondée, comme son nom l'indique, sur l'exécution de pas de danse, est moins acrobatique ou athlétique que le classique patinage par couple). Tous les ans (même les années olympiques) se déroule un championnat du monde. Le *patinage de vitesse* est une course sur la glace; il est disputé sur des distances allant de 500 à 10 000 m (3 000 m pour les femmes), par paires contre la montre.

• Le *hockey sur glace,* inventé au Canada, se joue sur une patinoire et oppose deux équipes de six joueurs (pouvant être remplacés en cours de partie) pendant trois périodes de vingt minutes chacune (arrêts de jeu déduits). Il consiste à expédier dans

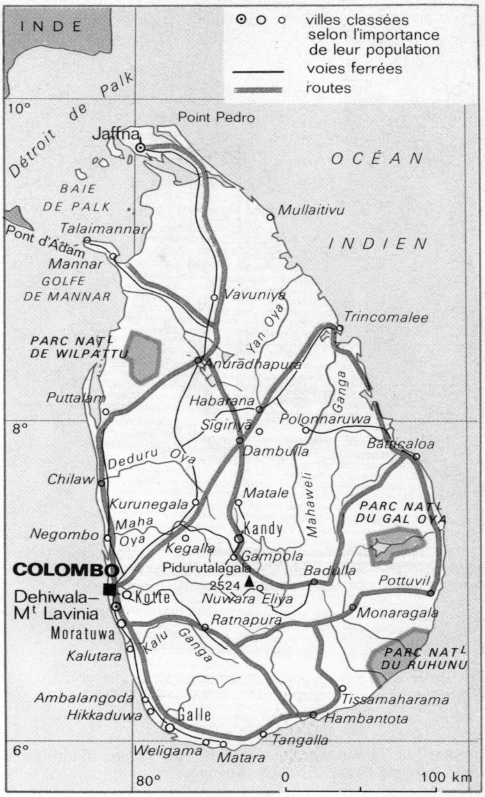

SRI LANKA

les buts, hauts de 1,22 m et larges de 1,83 m, un palet (le puck), rondelle de caoutchouc très dur (7,62 cm de diamètre et 2,54 cm d'épaisseur), à l'aide d'une crosse. Sport olympique, il possède aussi des championnats du monde annuels.

• Parmi les autres sports de glace figurent le *bobsleigh* et la *luge,* deux sports représentés aux jeux Olympiques, très spectaculaires (surtout le bobsleigh, réservé aux hommes, alors que les femmes disputent des compétitions de luge), mais de pratique et d'audience tout de même limitées. Le *curling,* sorte de jeu de boules sur glace, s'apparente plus à un jeu qu'à un sport.

SPRANGER (Bartholomeus), peintre tchèque d'origine flamande (Anvers 1546 - Prague 1611). D'abord paysagiste, il travaille à Rome (1566-1575) et à Vienne avant de se fixer à Prague (1593), où, peintre de Rodolphe II, il exécute des compositions allégoriques et mythologiques teintées d'érotisme, qui font de lui un des meilleurs représentants du maniérisme international à la fin du XVIe s.

SPRAT. — Voisin du hareng*, mais plus petit, le sprat fréquente les eaux relativement froides (de 8 à 11 °C) et se tient à 25-30 m de profondeur.

SPRÉE (la), en allem. **Spree,** riv. de l'Allemagne orientale, née en haute Lusace, qui arrose Cottbus et rejoint la Havel (r. dr.) immédiatement après avoir traversé Berlin; 403 km.

SPRINGBOK. — L'antilope sauteuse de l'Afrique du Sud se distingue des autres mammifères sauteurs par un usage à peu près égal des deux paires de pattes. Elle ne trotte presque jamais.

SPRINGFIELD, v. des États-Unis (Massachusetts), sur le Connecticut; 164 000 hab.

SPRINGFIELD, v. des États-Unis, capit. de l'Illinois; 92 000 hab.

SPRINGFIELD, v. des États-Unis, dans le sud-ouest du Missouri; 120 000 hab.

SPRINGFIELD, v. des États-Unis, dans le sud-ouest de l'Ohio; 92 000 hab.

SPRINGS, v. de l'Afrique du Sud (Transvaal), à l'E. de Johannesburg; 104 000 hab. Métallurgie. Papier.

SRI LANKA, anc. **Ceylan,** État insulaire de l'Asie méridionale,

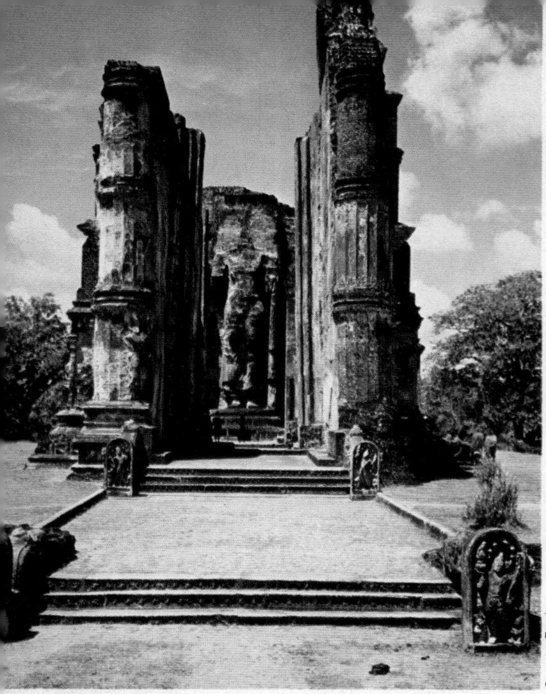

Gerster-Rapho

Sri Lanka. Le Laṅkātilaka à Polonnaruwa, temple abritant une monumentale statue de Bouddha debout. XIIᵉ s.

membre du Commonwealth, au S.-E. de l'Inde; 65 610 km²; 13 680 000 hab. Capit. *Colombo (Kolamba).*

GÉOGRAPHIE. Un massif montagneux culminant à 2 524 m et accidenté par le bassin de Kandy occupe le centre de l'île. Il est bordé au N. par un ensemble de plateaux et au S. par des collines s'abaissant vers les plaines côtières périphériques. Le climat, tropical, est chaud et humide. Le sud de l'île, exposé aux vents de mousson, reçoit plus de 2 m de pluies par an et est couvert par la forêt dense, tandis que le nord, plus abrité, reçoit de 1 à 2 m de pluies et porte une forêt sèche.

La population est composée en majorité de Cinghalais, de religion bouddhique. Sa très forte densité (plus de 200 hab. au km²) recouvre des inégalités régionales, puisque le nord est beaucoup moins peuplé. Cette population est principalement rurale, la seule grande ville étant Colombo. L'agriculture est pratiquée dans de petites exploitations individuelles, à peine suffisantes pour nourrir une famille, ou dans de grandes plantations. Les cultures commerciales (théier, hévéa, cocotier) sont destinées à l'exportation (thé principalement), tandis que le riz constitue la base de l'alimentation. Malgré l'aménagement d'une partie de la côte nord par des travaux d'assainissement et d'irrigation, les superficies mises en valeur restent limitées au tiers du territoire. L'accroissement très rapide de la population, proche de 3 p. 100 par an, pose le problème du surpeuplement.

HISTOIRE. L'histoire de l'île commence vraiment lorsque le bouddhisme y est introduit par les soins de l'empereur Aśoka (IIIᵉ s. av. J.-C.). Jusqu'à l'arrivée des Européens (XVIᵉ s.), elle se réduit à une série de luttes contre les invasions tamoules du royaume cola (ou chola). En 1505 apparaissent les Portugais, qui, attirés par l'importance stratégique de Ceylan et sa production de cinnamone, signent avec son roi un accord commercial. Entre 1540 et 1592, ils deviennent peu à peu les maîtres du pays, ce qui incite le souverain autochtone à rechercher l'alliance des Hollandais, qui, en 1658, évincent les Portugais. Les colons hollandais introduisent ou développent de nouvelles cultures. Mais, à partir de 1770, Ceylan représente un atout dans le conflit qui oppose les Pays-Bas, la Grande-Bretagne et la France. Devenue l'alliée de la France révolutionnaire, la République batave doit abandonner l'île aux Britanniques (1796). Ceux-ci évincent le souverain de Kandy et rattachent Ceylan à la Couronne britannique (1807-1815), ce qui provoque une formidable mutinerie (1817-18), suivie d'une autre (1848), due aux expropriations abusives liées au développement d'une économie de plantation, fondée sur le café et sur le thé, et qui provoque une immigration massive depuis l'Inde du Sud. Mais la rouille entraîne la décadence du café dans les années 1880; le thé et l'hévéa deviennent les ressources essentielles de l'île.

À partir de 1915 éclatent des troubles religieux, tandis que s'éveille le sentiment d'indépendance, grâce à l'Association nationale cinghalaise et, plus encore, au Congrès national cinghalais (1919) : les Britanniques accordent en 1924 une Constitution qui élargit les compétences du Conseil législatif, établi en 1833. Mais les revendications se radicalisent tellement que les Britanniques instaurent le suffrage universel (1930). L'indépendance est acquise en décembre 1947, Ceylan acquérant le statut de dominion dans le cadre du Commonwealth. D'abord dominée par l'United National Party (UNP) et animée par Don Stephen Senanayake (puis par son fils Dudley), la vie politique est contrôlée, après 1956, par le Freedom Party des Bandaranaike : Solomon W. R. D. Bandaranaike, Premier ministre, est, après son assassinat (1959), remplacé par sa femme, Srimavo Ratwatte D. Bandaranaike, qui pratique une politique de nationalisation. Après un court retour de Dudley Senanayake au pouvoir (1965-1970), Mᵐᵉ Bandaranaike reprend les rênes du pays : elle est affrontée aux rivalités ethniques et au malaise social causé par le sous-emploi; à l'extérieur, elle pratique une politique de non-alignement. Mais, en 1977, elle subit une lourde défaite aux élections, au profit de l'United National Party dirigé par Junius Richard Jayawardene. En 1972, rompant avec la Grande-Bretagne, Ceylan est devenue la république de Sri Lanka.

BEAUX-ARTS. Prolongement de l'art de l'Inde* et très lié au bouddhisme, l'art de Sri Lanka n'en garde pas moins son originalité. Concentrée autour des anciennes capitales, Anurādhapura*, Polonnaruwa* et Kandy*, la richesse archéologique est considérable. En architecture, le stūpa sur trois terrasses étagées est d'abord hémisphérique et évolue vers différents types surmontés d'une flèche conique et entourés d'autels et de chapelles; certains stūpa s'enferment dans une enceinte de piliers et de murailles. Sanctuaires et palais associent pierre et bois dans des jardins ornés de bassins. La sculpture se révèle surtout dans les bas-reliefs et les ensembles rupestres, particulièrement aux VIIIᵉ et IXᵉ s., à l'époque d'Anurādhapura. La ronde-bosse est hiératique, sauf le bronze et, à l'époque de Kandy, le bois et l'ivoire. L'élégance des bas-reliefs se retrouve dans les peintures murales de Sīgiriyā*, proches de celles d'Ajaṇṭā* au Vᵉ s. et dans les fresques de Tivaṅka à l'époque de Polonnaruwa. Plus tard, l'art pictural, moins raffiné, se rapprochera par sa verve de l'imagerie.

SRINAGAR, v. de l'Inde, capit. (avec Jammu) de l'État de Jammu-et-Cachemire, à plus de 1 500 m d'altitude; 404 000 hab. Musée. Srinagar compte de nombreux monuments du IXᵉ au XVIIᵉ s., parmi lesquels deux belles mosquées de bois. Bouddhique tout d'abord, musulmane ensuite, l'architecture atteste la prépondérance des influences hindoues, telle l'adoption de l'arc trilobé.

SS, sigle de *Schutz Staffel* (« échelon de protection »). Police militarisée du parti nazi, créée en 1925 et commandée par Himmler à partir de 1929, les SS permirent à Hitler d'écraser en juin 1934 la puissance des SA*. Ils formèrent deux types d'unités : les *SS Totenkopfverbände* (« tête de mort »), police sélectionnée « pour action particulière de nature politique » et qui fut chargée de la gestion et de la garde des camps de concentration* (35 000 hommes en 1945); les *Waffen SS,* ainsi nommés à partir de 1940 et qui constituèrent de véritables unités militaires (50 000 volontaires en 1940, 60 000 hommes encadrant plus de 500 000 mobilisés en 1944).

SSEU-MA SIANG-JOU ou **SIMA XIANGRU,** poète chinois (Tch'eng-tou, Sseu tch'ouan, 179-† 117 av. J.-C.), l'un des auteurs les plus célèbres du genre *fou,* poésie aristocratique et savante née à l'époque des Han.

SSEU-MA TS'IEN ou **SIMA QIAN,** érudit chinois (dans le Chen-si v. 145 av. J.-C.-† v. 86), auteur du *Che ki*,* source principale de documentation pour l'histoire ancienne de la Chine et modèle des vingt-quatre « histoires dynastiques ».

SSEU-TCH'OUAN ou **SICHUAN,** prov. de la Chine; 569 000 km²; 70 millions d'hab. Capit. *Tch'eng-tou.* Vaste comme la France, cette province est la plus peuplée des provinces chinoises, où un cadre de hautes montagnes (7 590 m dans les *Alpes du Sseu-tch'ouan*) enserre la dépression du Bassin rouge, partie vitale de la région, intensément mise en valeur (riz principalement, mais aussi mûriers et théiers), partiellement grâce à l'irrigation. Le sous-sol recèle des hydrocarbures et du charbon. Traversé par le Yang-tseu-kiang, la province a cependant longtemps souffert de son isolement; celui-ci a été atténué par le développement du réseau ferroviaire, qui a permis une industrialisation (métallurgie), implantée surtout dans les deux villes de Tch'eng-tou et de Tch'ong-k'ing.

STAAL DE LAUNAY (Marguerite Jeanne CORDIER, *baronne* DE), femme de lettres française (Paris 1684-Gennevilliers 1750). Elle écrivit des comédies pour le théâtre de Sceaux et a laissé des *Lettres* et des *Mémoires* (1755) qui peignent la société de la Régence.

STABIES, en lat. **Stabiae,** ville de la Campanie antique, au S. du Vésuve (auj. *Castellammare di Stabia*). Elle fut ensevelie, en même temps que Pompéi* et Herculanum*, par l'éruption du Vésuve en 79 apr. J.-C. Les fouilles ont mis au jour quelques *villae* périphériques.

STABULATION. — La *stabulation entravée* des bovins, pratiquée autrefois dans plusieurs pays de façon permanente et dans d'autres seulement en hiver, a fait place dans de nombreux cas à la *stabulation libre*, plus économique et plus hygiénique : dans ce dernier cas, il faut adjoindre un local spécial pour la traite mécanique des vaches laitières.

STACE, en lat. **Publius Papinius Statius,** poète latin (Naples v. 45-*id.* 96). Il est l'auteur de deux poèmes épiques, *la Thébaïde* (90) et *l'Achilléide* (inachevé), mais la partie la plus originale de son œuvre est un recueil de pièces de circonstance, *Silves.*

STADE, v. de l'Allemagne fédérale (Basse-Saxe), près de l'estuaire de l'Elbe; 35 000 hab. Aluminium.

STADIMÉTRIE → TACHÉOMÉTRIE.

STAËL (Germaine NECKER, baronne **de Staël-Holstein,** dite **Mme de**), femme de lettres française (Paris 1766-*id.* 1817). Fille de Necker*, elle est admise très jeune aux réunions d'écrivains que sa mère tient dans son salon. Enfant prodige, elle compose à onze ans des *Éloges* et à quinze ans commente *l'Esprit des lois.* En 1786, elle épouse le baron de Staël-Holstein, ambassadeur de Suède à Paris. Dès le début de la Révolution, rêvant de jouer un rôle politique, elle ouvre son salon de la rue du Bac à des hommes de tendances différentes; elle quitte cependant Paris après la chute de la royauté (sept. 1792) et voyage en Suisse et en Angleterre. En 1794, elle noue avec Benjamin Constant une liaison orageuse qui ne cessera qu'en 1808. Revenue à Paris après Thermidor, elle devient vite suspecte au Directoire et regagne son château de Coppet, d'où elle lance son premier grand ouvrage, *De l'influence des passions sur le bonheur des individus et des nations* (1796). De nouveau à Paris en 1797, elle reçoit les idéologues et les libéraux du Tribunat. Son prestige littéraire s'accroît par la publication de son essai *De la littérature considérée dans ses rapports avec les institutions sociales* (1800) et de son roman *Delphine* (1802). Elle voudrait devenir l'égérie de Bonaparte, mais celui-ci lui témoigne son hostilité lorsque Benjamin Constant se range dans l'opposition : exilée à 40 lieues de Paris, Mme de Staël partage alors son existence entre Coppet et de nombreux voyages, à Weimar (où elle rencontre Goethe, Schiller et Wieland), à Berlin et en Italie, d'où elle rapporte un nouveau roman, *Corinne** (1807). Elle entreprend cependant de révéler aux Français la civilisation germanique, mais son livre *De l'Allemagne** (1810) est saisi par la police impériale. Elle parcourt alors l'Europe, intriguant contre Napoléon et préparant deux ouvrages qui ne paraîtront qu'après sa mort (*Considérations sur les principaux événements de la Révolution française,* 1818; *Dix Années d'exil,* 1821).

STAËL (Nicolas DE), peintre français d'origine russe (Saint-Pétersbourg 1914-Antibes 1955). Plasticien audacieux autant que coloriste raffiné, il est passé de l'abstraction (1943) à une stylisation très personnelle du monde visible (1951 : paysages, natures mortes, compositions à figures). Il s'est donné la mort.

STAFFORD, v. d'Angleterre, dans le *Staffordshire,* au N.-O. de Birmingham; 55 000 hab. Église gothique. Maisons à colombage.

STAGFLATION. — Ce phénomène économique est caractérisé par l'absence de baisse des prix* malgré la fin de l'expansion, l'inflation* régnant en dépit d'un taux de chômage élevé. Il est inhérent à la structure des économies contemporaines : la part importante des investissements* dans les prix de revient, la longueur de l'amortissement de certains d'entre eux créent des inerties empêchant les producteurs de baisser leurs prix et leur faisant préférer une baisse de la production.

STAHL (Georg Ernst), médecin et chimiste allemand (Ansbach 1660-Berlin 1734), auteur, en médecine, de l'*animisme* et, en chimie, de la théorie du *phlogistique.*

STAHLY (François), sculpteur français d'origine italo-allemande (Constance 1911). Travaillant la pierre, le bois, les métaux, le béton, il s'inspire de formes biologiques et naturelles avant d'évoluer, à partir des années 60, vers un art monumental intégré à l'espace urbain : portiques, colonnes, signaux, fontaines puis labyrinthes marquent les étapes de ses recherches formelles et spatiales pour l'aménagement de lieux privilégiés.

STAINS (93240), ch.-l. de cant. de la Seine-Saint-Denis, à 7 km au N. de Paris; 35 688 hab. *(Stanois).* Église du XVIe s.

STALACTITE et **STALAGMITE.** — Dans les massifs karstiques*, l'eau de pluie, en percolant dans la roche, dissout le calcaire. Si elle rencontre des grottes, celui-ci, sous l'action de l'évaporation, précipite, formant des concrétions au toit (stalactite) ou sur le sol (stalagmite). Stalactites et stalagmites, qui revêtent des formes étranges, croissent et peuvent se rejoindre pour donner des colonnes.

STALINE (Joseph [Iossif] Vissarionovitch DJOUGATCHVILI, dit), homme d'État soviétique (Gori, Géorgie, 1879-Moscou 1953). Boursier, il entre au séminaire de Tiflis (Tbilissi), en est expulsé, entre dans la clandestinité, s'initie au marxisme, est arrêté (1902) et déporté en Sibérie, s'évade, participe au mouvement révolutionnaire à Bakou, est de nouveau envoyé en Sibérie (1912), s'évade encore et prend le pseudonyme de *Staline* (l'« homme d'acier ») pour publier divers textes dans la pure tradition marxiste. Une fois encore déporté en Sibérie en 1913, il sera libéré par la révolution de février-mars 1917. Il est partisan d'une voie moyenne entre ceux qui soutiennent Kerenski et les bolcheviks, mais se range aux Thèses d'avril au retour de Lénine. Après le succès de la révolution d'Octobre, il est nommé commissaire aux nationalités et membre du Bureau politique du parti. Il définit une politique de centralisation à l'égard des autres républiques soviétiques, à laquelle Lénine s'oppose vainement. Devenu secrétaire général au XIe Congrès du parti communiste de l'Union soviétique (1922), il affirme son autorité après la mort de Lénine (1924) — et malgré les mises en garde de ce dernier. Il applique avec fermeté la NEP jusqu'en 1927. Il forme la « troïka » avec Zinoviev et Kamenev, dirigée contre les thèses de Trotski, puis élimine la nouvelle troïka, qu'ont constituée Zinoviev, Kamenev et Trotski, de la direction du parti; celle-ci, de collégiale, devient progressivement unique. Constatant l'échec des mouvements révolutionnaires en Europe, Staline défend, face aux pays capitalistes, la construction, par tous les moyens, du socialisme dans un seul pays. Il lance en 1928 le premier plan quinquennal et la collectivisation des terres et accentue l'effort de l'industrialisation au détriment, en fait, de la petite économie paysanne (priorité à l'industrie lourde); mais il aggrave les conditions de la modernisation industrielle par ses méthodes autoritaires (création du stakhanovisme en 1936). De plus, le rôle de la police politique s'accentue et des millions de personnes sont dirigées vers les camps de travail*.

Joseph Staline à la tribune du Congrès des Soviets de l'U. R. S. S., en décembre 1936.

France Presse

La montée du nazisme en Allemagne n'atténue pas l'hostilité des Occidentaux à l'égard de l'U. R. S. S., si bien que Staline décide le renversement des alliances (pacte germano-soviétique, août 1939). Quand Hitler attaque l'U. R. S. S. (juin 1941), Staline organise la résistance contre l'envahisseur. Il participe après la victoire des Alliés au partage du monde (conférences de Yalta et de Potsdam, 1945) et renforce l'implantation des régimes communistes en Europe de l'Est (création du Kominform en 1947) ainsi que les liens avec les partis communistes du monde. Sa politique économique reste la même et constitue un lourd handicap pour le relèvement de l'agriculture, dévastée par la guerre, et le développement de l'industrie différenciée. En même temps que se développent le respect et l'admiration pour sa personne, les procès truqués se multiplient et les opposants, quels qu'ils soient, sont jugés, déportés ou exécutés. À la mort de Staline, des millions de communistes dans le monde pleurent la disparition de celui qui est pour eux le symbole de la réussite du communisme. Mais le rapport de Khrouchtchev* au XXe Congrès du parti communiste de l'Union soviétique (1956) sera le premier élément (« déstalinisation ») de ce qui va constituer un mouvement de distanciation à l'égard de l'U. R. S. S. des partis communistes dans le monde.

STALINGRAD → VOLGOGRAD.

Stalingrad *(bataille de),* victoire remportée par les forces soviétiques pendant la Seconde Guerre mondiale, qui fut décisive et marqua le tournant de la guerre sur le front russe. Décidée par Hitler, désireux, notamment, de s'emparer des pétroles du Caucase, la bataille débute en août 1942. L'armée Paulus, après avoir franchi le Don à Kalatch, attaque le front de Stalingrad, confié par Staline au maréchal Andrei Ieremenko (1892-1970), assisté de Khrouchtchev, et pénètre dans certaines parties de la ville. Bien que considérablement renforcé, Paulus ne réussit cependant pas à franchir la Volga et doit demeurer sur place par ordre de Hitler. En novembre, les attaques convergentes de Rokossovski et d'Ieremenko encerclent son armée, que la contre-attaque Manstein en décembre ne réussit pas à dégager. Complètement isolé et écrasé par l'artillerie soviétique, Paulus doit finalement capituler (2 févr. 1943) avec 24 généraux, 2500 officiers et 91000 hommes.

STALINISME. — On a pu dire qu'il n'existait pas de doctrine stalinienne qui aurait fait avancer le marxisme-léninisme comme théorie et comme pratique, mais une déviation idéaliste, dont témoignerait particulièrement l'ouvrage de Staline intitulé *Matérialisme dialectique et matérialisme historique* (1938). Mais le plus important est de déterminer le ou les « moments » où la pratique politique de Staline s'est différenciée des bases théoriques du marxisme-léninisme, notamment sur les points suivants : 1° conception autoritaire du centralisme démocratique dans l'organisation du parti communiste; 2° primauté du pouvoir central dans l'organisation des instances de l'État, qui aboutit à son renforcement et à son autonomie de décision; 3° primauté de l'économie, conçue en termes de productivité et de planification; 4° subordination des autres partis communistes à celui de l'U. R. S. S. Ces points et d'autres constituent-ils un moment de l'histoire du marxisme ou sont-ils la négation de ce dernier comme pratique toujours vivante?

STAMBOLIJSKI (Aleksandăr), homme politique bulgare (Slavovica 1874-*id.* 1923). Chef du parti agrarien (1908), président du Conseil (1919), il signe le traité de Neuilly, instaure une « dictature verte » et prend d'importantes mesures en faveur des paysans. Il est fusillé lors du coup d'État de 1923.

STAMBOLOV (Stefan), homme politique bulgare (Tărnovo 1854-Sofia 1895). Chef du parti national-libéral, il contribue au retour d'Alexandre* de Battenberg, dont l'abdication fait de lui le régent du royaume. Ferdinand de Saxe-Cobourg le désigne comme président du Conseil (1887). Stambolov exerce alors une véritable dictature et est massacré un an après son renvoi.

STAMFORD, port des États-Unis (Connecticut), au N.-E. de New York; 109000 hab.

STAMITZ ou **STAMIC** (Johann), compositeur et violoniste tchèque (Deutschbrod 1717-Mannheim 1757). Chef de musique de la cour à Mannheim, directeur de la musique instrumentale, il est l'auteur de plusieurs sonates, concertos et symphonies, qui exigeaient une dynamique nouvelle, une interprétation riche de nuances et allaient ouvrir la voie à l'écriture orchestrale classique. Il a séjourné plusieurs années à Paris.

STAMP (Laurence Dudley), géographe britannique (Londres 1898-Mexico 1966). Auteur d'ouvrages généraux sur l'Asie et l'Afrique, il a contribué à l'aménagement du territoire de la Grande-Bretagne, où il dirigea le Service d'utilisation du sol.

Stamp Act, loi britannique (1765), qui frappa d'un droit de timbre les actes publiés dans les colonies de l'Amérique du Nord. Même rapportée, elle suscita un mécontentement qui fut à l'origine de la guerre de l'Indépendance*.

STANDARD → COMMUTATION TÉLÉPHONIQUE.

STANHOPE (James, 1er *comte*), général et homme politique anglais (Paris 1673-Londres 1721). Commandant des forces anglaises en Espagne (1708), puis chef du parti whig, il contribue à assurer la succession hanovrienne. Secrétaire d'État (1714), il conclut la Triple- (1717) puis la Quadruple-Alliance (1718).

STANISLAS *(saint),* prélat polonais (Szczepanow, près de Tarnów, 1030-Cracovie 1079). Évêque de Cracovie en 1071, il mena une vie ascétique et condamna les excès de son souverain, Boleslas II le Hardi, qu'il excommunia. Le roi le fit assassiner.

STANISLAS Ier LESZCZYŃSKI (Lwów 1677-Lunéville 1766), roi de Pologne de 1704 à 1709 et de 1733 à 1736, duc de Lorraine et de Bar après 1738. À la tête du parti prosuédois, il pousse à la déchéance du roi saxon Auguste II (1704). Charles XII fait alors élire roi de Pologne ce prince faible et malléable; mais, appuyés par la Russie, les nobles forcent Stanislas à la fuite (1709). Celui-ci voit sa position améliorée par le mariage de sa fille Marie* avec Louis XV; l'appui de la France lui vaut d'être réélu roi de Pologne en 1733, mais les Russes l'obligent à abdiquer dès 1736. Louis XV lui donne alors le duché de Lorraine et de Bar (1738) : de la brillante cour de Lunéville, Stanislas mène une politique éclairée et fastueuse, dont bénéficie surtout Nancy*.

STANISLAS II AUGUSTE PONIATOWSKI (Wołczyn 1732-Saint-Pétersbourg 1798), roi de Pologne de 1764 à 1795. Admirateur de la philosophie des lumières, ambassadeur à Saint-Pétersbourg, il est proclamé roi de Pologne à la mort d'Auguste III (1764), sous la protection de l'armée russe. Après avoir essayé de rénover et de moderniser son pays, il marchande avec la Russie (dont il est à demi prisonnier), tandis que son pays subit son premier partage (1772). Cependant, sa politique réformatrice, notamment en matière d'instruction publique, lui rallie la bourgeoisie, au point qu'en 1791 il peut mettre en œuvre une constitution parlementaire. Mais, en 1792, l'intervention russe ruine irrémédiablement sa position. Ayant accepté le second partage (1793), Stanislas est abandonné par son peuple; relégué à Grodno, il abdique en 1795, conformément au troisième partage, qui raie la Pologne de la carte.

STANISLAVSKI (Konstantine Sergueïevitch Alekseïev, dit), auteur et metteur en scène russe (Moscou 1863-*id.* 1938). Fondateur, en 1898, avec Nemirovitch-Dantchenko, du Théâtre d'art de Moscou, auquel il adjoignit en 1905 un studio expérimental, il entreprit une rénovation systématique de la pratique théâtrale (*Ma vie dans l'art,* 1925; *la Formation de l'acteur,* 1938; *la Construction du personnage,* 1948). Parti du naturalisme de G. Hauptmann, passé au réalisme synthétique avec Tchekhov, il fonda sa « méthode psychotechnique » sur une analyse psychologique menée par l'acteur au cours d'une tentative d'identification à son personnage. Il accorda ensuite une plus grande importance aux « actions physiques », méthode que Brecht* poussera dans ses dernières conséquences. Cette conception du comédien a notamment influencé en France Jouvet, Dullin et Pitoëff, en Angleterre l'Old Vic, sous la direction de Michel Saint-Denis, et l'Actor's* Studio de New York.

STANKOVIĆ (Borisav), écrivain serbe (Vranja 1875-Belgrade 1927). Ses contes (*le Vieil Évangile,* 1899), ses drames et ses romans (*le Sang impur,* 1911) peignent les régions du sud de la Serbie, sous la domination turque.

STANLEY (John ROWLANDS, sir **Henry Morton**), explorateur britannique (Denbigh 1841-Londres 1904). Comme on est sans nouvelles de Livingstone, ce journaliste est envoyé à la recherche de celui-ci en Afrique par le *New York Herald* (1871). Bientôt, il rencontre le missionnaire écossais, dont il se sépare pour éclaircir le mystère des sources du Nil; en fait, il découvre le cours du Congo (1874-1877). Ensuite, il se met au service de l'impérialisme en la personne de Léopold II*, établissant pour le compte de ce dernier des postes dans le bassin du Congo et se heurtant aux Français (Brazza). En fait, il crée l'« État indépendant du Congo », placé en 1885 sous la souveraineté du roi des Belges. Il retrouve sa nationalité britannique en 1892.

STANLEY (Wendell Meredith), biochimiste américain (Ridgeville 1904-Salamanque 1971). Il fut le premier à obtenir à l'état cristallisé un être vivant, le virus de la mosaïque du tabac, sans le priver de ses propriétés infectieuses. On lui doit en outre d'importants travaux sur les stérols et un bon vaccin contre la grippe. (Prix Nobel de chimie, 1946.)

STANLEY POOL → MALEBO (*Pool*).

STANOVOÏ *(monts),* chaîne de montagnes du sud-est de la Sibérie, au N. de la vallée de l'Amour; 2998 m.

STANS, comm. de Suisse, ch.-l. du demi-canton de Nidwald (cant. d'Underwald); 5180 hab. Construction aéronautique.

STAPHYLIN. — L'immense famille des staphylinidés (la France compte à elle seule 650 espèces de ces coléoptères) est cependant très homogène. Dans la plupart des espèces, des élytres très courts et comme tronqués, abritant les ailes, laissent à découvert un abdomen très mobile, ordinairement relevé à l'arrière. Ces insectes vivent dans les champignons ou sous les écorces, aux dépens de petits insectes ou acariens dont ils se nourrissent. De nombreuses espèces *myrmécophiles* vivent dans les fourmilières, les unes se montrant utiles aux fourmis, les autres nuisibles ou indifférentes.

STAPHYLOCOQUE → BACTÉRIE.

STARA PLANINA (la), nom bulgare du BALKAN.

STARA ZAGORA, v. de Bulgarie, au S. du Balkan; 89000 hab. Musées. Engrais.

STARK (Johannes), physicien allemand (Schickenhof, Bavière, 1874-Traunstein 1957). En 1913, il observa le dédoublement des raies spectrales sous l'action d'un champ électrique. (Prix Nobel de physique, 1919.)

STAS (Jean Servais), chimiste belge (Louvain 1813-Bruxelles 1891). Collaborateur de J.-B. Dumas*, il détermina avec précision de nombreuses masses atomiques.

STASSFURT, v. de l'Allemagne orientale, au S. de Magdeburg; 26000 hab. Potasse. Électronique.

STATHOUDER → PROVINCES-UNIES.

STATIQUE. — On peut, sans changer l'état d'un solide, ajouter ou enlever deux forces* égales et directement opposées; on peut aussi, sans changer l'effet d'une force, transporter celle-ci en un point quelconque de sa ligne d'action, pourvu que ce point soit invariablement lié au solide. Si donc, par l'emploi de ces opérations élémentaires, on transforme un système de forces en un autre, ce dernier a même somme géométrique OR et même moment résultant

$O\mathcal{C}$ que le premier. Quand les forces sont concourantes, elles se réduisent à une résultante unique R; si $R = 0$, il y a équilibre. Lorsque deux forces sont parallèles et de même sens, elles ont une résultante parallèle et de même sens placée entre les composantes et égale à la somme de ces composantes; la ligne d'action divise la droite joignant les points d'application en deux segments inversement proportionnels aux composantes. Si les forces sont égales et de sens contraire, il y a formation d'un *couple,* dont le moment résultant est le même par rapport à tous points de l'espace. Si les forces parallèles sont en nombre quelconque, elles admettent une résultante unique, égale à leur somme algébrique et qui leur est parallèle, en un point indépendant de la direction commune des forces, appelé *centre des forces parallèles.* Si la somme algébrique est différente de zéro, le moment par rapport à un plan de la résultante de ces forces parallèles est égal à la somme algébrique des moments des composantes, à condition de prendre pour point d'application de la résultante le centre de ces forces. Le centre de gravité est le point du corps par lequel passe constamment le poids de ce corps, quelle que soit son orientation. Les coordonnées x_0, y_0, z_0 du centre de gravité d'un corps sont

$$x_0 = \frac{\Sigma mx}{\Sigma m}, \quad y_0 = \frac{\Sigma my}{\Sigma m}, \quad z_0 = \frac{\Sigma mz}{\Sigma m}.$$

Pour qu'un corps solide libre soit en équilibre, il faut et il suffit que la force résultante $\overrightarrow{OR}$ et le couple résultant d'axe $\overrightarrow{OG}$ soient nuls. Les conditions d'équilibre d'un corps solide non libre sont différentes. Si le solide a un point fixe, il faut et il suffit que les forces appliquées aient une résultante unique passant par le point fixe. Si le solide a un axe fixe et peut se mouvoir autour de cet axe, il faut et il suffit, pour qu'il y ait équilibre, que la somme des moments des forces par rapport à cet axe soit nulle. S'il s'agit d'un corps solide s'appuyant par un seul point sur un plan fixe poli, il faut, pour qu'il y ait équilibre, que les forces données aient une résultante passant par le point d'appui, normale au plan et dirigée de façon à appliquer le corps sur le plan. Dans le cas général de plusieurs points d'appui, il faut que les forces aient une résultante qui soit normale au plan et qu'elle applique le corps sur le plan en le traversant à l'intérieur du polygone de sustentation. La force de frottement est dirigée en sens inverse de la vitesse v, mais son intensité est indépendante de cette vitesse; elle est égale au produit de la composante normale N par un facteur f qui dépend de la nature des surfaces en contact.

STATIQUE DES FLUIDES → HYDROSTATIQUE.

STATIQUE GRAPHIQUE. — La statique graphique permet de déterminer les efforts et les contraintes dans les fermes, les poteaux, les grues, etc., et d'en calculer les éléments. Si les supports d'un système de forces* se coupent hors de l'épure, on obtient la résultante par une méthode dite *du dynamique* et *du funiculaire.* On peut aussi construire le moment résultant par rapport à un point ou encore décomposer une force suivant deux directions données. La statique graphique permet de déterminer les moments fléchissants d'une poutre sur appuis simples ou encastrée avec charges concentrées et réparties. On peut enfin déterminer le centre de gravité de toute surface en décomposant celle-ci en tranches. Les systèmes triangulés sont constitués de barres articulées aux nœuds. La méthode de Ritter détermine l'équilibre des barres en coupant le système suivant trois barres. Le diagramme de Cremona permet aussi la détermination graphique des efforts dans les barres, en exprimant que chaque nœud est en équilibre.

STATISTIQUE. — Le besoin de posséder des données chiffrées sur la population et ses conditions d'existence a dû se faire sentir dès que se sont établies des sociétés organisées. On en trouve des traces depuis l'Antiquité jusqu'au XVIIIe s., époque à laquelle le mot « statistique » est introduit par l'économiste allemand Gottfried Achenwall (1719-1772). Pendant plus d'un siècle, le développement de la statistique s'est poursuivi plus particulièrement dans les domaines démographique et économique en vue de la production de tableaux numériques descriptifs d'une situation, appelés « statistique ». Au début du XIXe s., Laplace*, dans sa *Théorie analytique des probabilités,* met en évidence le rôle que l'on en peut tirer dans l'étude des phénomènes naturels, dont les causes sont trop complexes pour qu'on puisse les analyser individuellement. L'extension de ces schémas probabilistes aux domaines les plus divers conduit à la méthode statistique, considérée comme méthode de collecte, de présentation et d'analyse des observations relatives à des individus ou à des faits nombreux appartenant à un même ensemble, défini de façon précise dans le dessein de mettre en évidence certaines propriétés générales de cet ensemble, en négligeant les particularités de chaque fait, ou individu, considéré isolément, les résultats pouvant être encadrés avec une marge d'erreur* associée à une certaine probabilité* (induction statistique).

STATISTIQUE EN PHYSIQUE. — On adopte un point de vue statistique en physique dès que l'on veut expliquer l'état d'un système macroscopique à partir de ses très nombreux constituants à l'échelle atomique. C'est au milieu du XIXe s. que le point de vue statistique s'est introduit avec le développement de la théorie cinétique* des gaz : on explique la pression exercée par un gaz sur une paroi par les chocs que cette paroi reçoit de la part des molécules du gaz, mais celles-ci sont si nombreuses qu'on ne peut calculer individuellement le choc de chacune d'elles. On est donc conduit à calculer le choc en fonction de la vitesse de la molécule, puis à étudier la répartition des diverses valeurs des vitesses.

La statistique classique de Boltzmann décrit la manière dont les systèmes physiques se répartissent entre les différents états dans lesquels ils peuvent se trouver. Mais, en toute rigueur, les systèmes atomiques obéissent aux lois des statistiques quantiques. Ce sont la statistique de Bose-Einstein, qui s'applique aux particules pouvant se trouver simultanément dans n'importe quel état quantique, et la statistique de Fermi-Dirac, qui s'applique aux particules ne pouvant jamais se trouver simultanément dans le même état quantique.

STATISTIQUE INDUSTRIELLE. — La statistique des activités des entreprises demeurait, à la veille du second conflit mondial, très en retard en France par rapport à ce qui existait dans les autres pays développés. C'est essentiellement au cours des années 60 que furent accomplis de notables progrès dans la mise en place d'instruments de mesure du système productif : recensement industriel et rencensement des transports (1962), recensement de la distribution (1966), dénombrement des services (1970). Une enquête relative à l'ensemble de l'industrie et portant sur 1970 fut effectuée en 1971, une autre portant sur le tertiaire le fut en 1973, etc.

STATISTIQUE LINGUISTIQUE. — L'application des méthodes statistiques aux faits de langue a servi à dégager des lois structurelles, à établir des différences stylistiques entre types de discours, à dresser des listes de vocabulaire fondamental utilisables dans l'enseignement des langues, etc.

STATOCYSTE ou **OTOCYSTE.** — Pour les animaux aquatiques ayant, comme c'est souvent le cas, une densité voisine de celle de l'eau où ils vivent, la détermination du « haut » et du « bas » exige un organe sensoriel spécial, le statocyste. Celui-ci est une cavité tapissée intérieurement de cellules ciliées sensibles, et contenant de petits cailloux, les *statolithes,* qui prennent contact avec les cils situés vers le bas de la cavité. Nombreux sont les mollusques et les crustacés qui possèdent des statocystes.

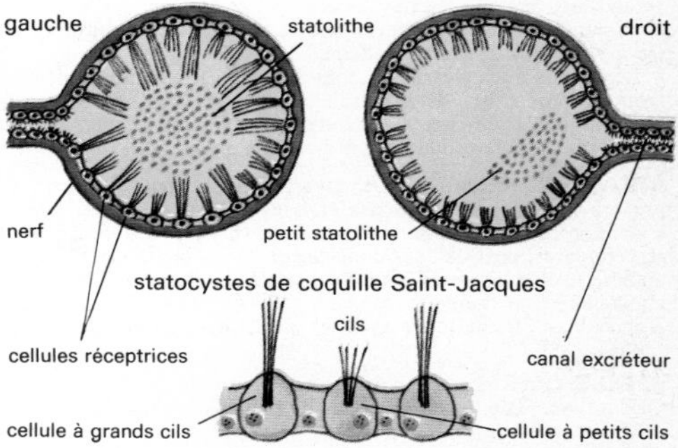

STATOCYSTE

STATORÉACTEUR. — Un statoréacteur est un moteur à réaction comprenant une *entrée d'air* divergente, dans laquelle l'air extérieur est comprimé, une *chambre* de combustion,* où cet air comprimé sert à brûler le combustible, et une *tuyère**, à travers laquelle les gaz de combustion sont détendus en produisant une poussée. Il ne comporte aucune pièce mobile. En revanche, il donne une poussée nulle au point fixe, puisqu'en l'absence de vitesse d'avancement il n'y a pas d'écoulement d'air dans l'entrée d'air : il doit donc être associé à un moteur* d'appoint pour le décollage*. Sa poussée augmente pratiquement comme le carré de la vitesse de vol. Jusqu'à présent, les applications des statoréacteurs ont essentiellement porté sur les missiles*. (V. PROPULSION PAR RÉACTION.)

STATUT *(Sociol.)* → MOBILITÉ SOCIALE.

STAUDINGER (Hermann), chimiste allemand (Worms 1881 - Fribourg-en-Brisgau 1965). Il a reconnu l'existence de macromolécules, déterminé leurs structures et étudié leurs propriétés. (Prix Nobel de chimie, 1953.)

STAUDT (Christian VON), mathématicien allemand (Rothenburg ob der Tauber 1798 - Erlangen 1867). D'une façon plus générale que Poncelet*, il essaya de reconstituer l'ensemble de la géométrie projective, indépendamment de toute relation métrique (angle, distance, etc.), à l'aide des seuls axiomes concernant la position ou l'ordre des éléments fondamentaux, s'attachant à développer ce qu'on a appelé la *géométrie synthétique.*

STAUFFENBERG (Claus Schenk, *comte* VON), officier allemand (Jettingen 1907-Berlin 1944). Il prépara et exécuta au quartier général de Rastenburg l'attentat auquel échappa Hitler le 20 juillet 1944. Il fut fusillé le soir même.

STAVANGER, port du sud de la Norvège, sur l'Atlantique; 84 000 hab. Cathédrale romane et gothique. Musées. Pêche. Construction navale.

Stavisky *(affaire),* scandale qui éclata en décembre 1933 quand on découvrit l'escroquerie organisée par Alexandre Stavisky (Slobodka, Ukraine, 1886-Chamonix 1934). Cet homme d'affaires français d'origine russe, fondateur du Crédit municipal de Bayonne, avait émis sur cette banque de faux bons de caisse, qui ne furent pas remboursés. Il fut trouvé mort dans des conditions suspectes. La droite soutint qu'il avait été tué dans le dessein de soustraire au scandale plusieurs personnalités politiques. Cette affaire, sur laquelle aucune lumière n'a jamais été faite, eut de graves répercussions sur le régime, taxé de corruption. Elle contribua à la chute du ministère Chautemps et à la journée du 6 février 1934.

STAVROPOL, v. de l'U. R. S. S. (R. S. F. S. de Russie), au N. du Caucase, ch.-l. du *territoire de Stavropol;* 198 000 hab. Gisements de gaz naturel dans la région.

STÉARINERIE. — Cette industrie est née en France au début du XIXe s. grâce aux découvertes d'E. Chevreul* et à l'activité d'Henry Braconnot (1780-1855), qui créa la première usine à Nancy. Elle a pour objet de dissocier les huiles et les graisses animales ou végétales en leurs constituants : *glycérol* et *acides gras.* Théoriquement, il devrait suffire d'additionner d'eau la matière première pour obtenir le résultat cherché. Mais l'insolubilité des deux phases* l'une vis-à-vis de l'autre empêche toute réaction et conduit à faire appel à des méthodes physiques, chimiques ou biologiques pour libérer les acides gras. Le procédé le plus simple consiste à opérer en autoclave. La scission une fois obtenue, les deux phases, mélange d'acides gras et eaux glycérineuses, se séparent spontanément. On a cependant intérêt à centrifuger le contenu de l'autoclave, ce qui accélère l'opération et améliore le rendement. Tout en permettant d'agir à température moins élevée, le phénomène d'hydrolyse* est accéléré par l'addition non seulement de catalyseurs tels que les oxydes alcalins, et notamment l'oxyde de zinc, mais aussi de catalyseurs acides, comme l'acide sulfurique et les arylalkylsulfonates de sodium.

L'industrie de la stéarinerie conserve son activité non seulement pour la production de glycérine*, mais aussi en raison de la fabrication d'acides gras, qui trouvent un emploi de plus en plus important dans la production des savons*.

STÉARIQUE (acide). — Découvert par Chevreul, ce corps se prépare par saponification des graisses animales, soit au moyen d'acide sulfurique, soit par un lait de chaux. On le sépare des eaux glycérineuses, puis de l'acide oléique et l'on obtient vers 55 °C une matière fusible, propre à la fabrication des bougies. L'acide pur est un solide blanc inodore, fondant à 70 °C, insoluble dans l'eau. L'acide commercial donne avec les alcalis des sels constituant les savons.

STEELE (*sir* Richard), écrivain irlandais (Dublin 1672-près de Carmarthen, Galles, 1729). Auteur de comédies (*l'Amant menteur,* 1703; *les Amants réservés,* 1722), il se tourna vers la politique, soutint le parti whig et fut élu membre de la Chambre des communes. Exclu de celle-ci pour son pamphlet *la Crise* (1814), il devint directeur du théâtre de Drury Lane. Fondateur de nombreux journaux (*The Guardian,* 1713; *The Englishman,* 1713-1716), il doit sa célébrité aux publications qu'il entreprit avec Addison* : *The Tatler (le Babillard)* [1709-1711] et *The Spectator** (1711-12).

STEEN (Jan), peintre néerlandais (Leyde 1626-*id.* 1679). Il est le plus abondant et le plus varié des peintres de genre hollandais du XVIIe s. Ses scènes populaires, vivantes, animées par les effets de lumière et une couleur chaude, se teintent d'intentions moralisantes (*Fête dans une auberge,* 1674, Louvre).

STEENVOORDE (59114), ch.-l. de cant. du Nord, à 10 km au N. d'Hazebrouck; 3 879 hab. Produits laitiers.

STEFAN (Josef), physicien autrichien (Sankt Peter, près de Klagenfurt, 1835-Vienne 1893). En 1879, il a donné une loi sur le rayonnement du corps noir.

STEFFISBURG, v. de Suisse (cant. de Berne), près de Thoune; 12 621 hab.

STEG, comm. de Suisse (Valais), près du Rhône; 965 hab. Aluminium.

STÉGOCÉPHALES. — À partir du dévonien, les terres émergées se sont couvertes des premiers vertébrés capables de vivre hors de l'eau à l'état adulte, les stégocéphales : ichtyostégidés, encore très voisins des poissons crossoptérygiens, puis labyrinthodontes, parfois très grands et très évolués. Tous ces amphibiens, cependant, avaient une larve aquatique.

STÉGOSAURE. — Fossile dans le jurassique supérieur des États-Unis, ce grand dinosaurien (de 6 à 8 m de long) avait un dos fortement voûté, couvert de deux rangées de plaques dressées formant crête et constituées en épines au niveau de la queue. Une tête minuscule et mal dentée, des pattes de devant beaucoup plus courtes que celles de derrière ne permettent guère de préciser son régime alimentaire et son mode de déplacement.

STEICHEN (Edward), photographe américain (Luxembourg 1879-Ridding 1973), l'un des principaux adeptes de la photographie pure, dont l'œuvre directe, sans manipulations, a profondément marqué l'expression photographique. C'est en partie grâce à l'action qu'il mène à la tête du département photographique du Museum of Modern Art, à New York, que la photographie a été reconnue comme moyen d'expression artistique autonome.

STEIN (Karl, *baron* VOM), homme politique prussien (Nassau 1757-Kappenberg 1831). Admirateur du despotisme éclairé, il est, après Tilsit*, l'inspirateur, comme ministre d'État, de l'édit d'Octobre 1807, qui abolit le servage et prépare une libéralisation de la vie politique prussienne. Renvoyé sous la pression française (1808), il convoque à Königsberg, en 1813, les États de Prusse, puis amène Guillaume III à rejoindre les Alliés contre la France. En 1819, il fonde la Société d'histoire de l'Allemagne.

STEIN (*sir* Aurel), orientaliste et archéologue anglais d'origine hongroise (Budapest 1862-Kaboul 1943). Lors de nombreuses expéditions, il retrouve notamment l'ancienne route de la soie entre la Chine et l'Occident et démontre l'importance historique du Turkestan chinois; il découvre, entre autres, les grottes de Touen-houang* et laisse de remarquables publications dont *Serindia* (5 vol., 1921) et *Innermost Asia* (4 vol., 1928).

STEIN (Gertrude), femme de lettres américaine (Allegheny, Pennsylvanie, 1874-Neuilly-sur-Seine 1946). Établie à Paris en 1903, elle reçut les écrivains et les artistes américains de passage, et fut mêlée au mouvement pictural d'avant-garde. Son œuvre, rédigée en un style d'une naïveté artificielle et marquée par l'angoisse que lui pose le problème de l'identité, a influencé l'art de Sherwood Anderson, d'Hemingway et des romanciers de la «génération* perdue» (*Trois Vies,* 1909; *Américains d'Amérique,* 1925; *Autobiographie d'Alice B. Toklas,* 1933; *Autobiographie,* 1937).

STEIN (William Howard), biochimiste américain (New York 1911). Il a déterminé les structures de diverses protéines. (Prix Nobel de chimie, 1972.)

STEINBECK (John), écrivain américain (Salinas, Californie, 1902-New York 1968). Steinbeck a merveilleusement exploité la vallée de la Salinas : lorsqu'il peint les travaux et les jours du pauvre ouvrier agricole, qu'il connaît bien pour l'avoir été, ou du pêcheur mexicain de Monterey (*Tortilla Flat,* 1935), il est le meilleur écrivain régionaliste américain. Mais, dès qu'il ne touche plus terre, sa terre, dès qu'il tâte de la philosophie, il s'affadit dans le romantisme facile de ses débuts (*la Coupe d'or,* 1929; *les Pâturages du ciel,* 1932; *À un dieu inconnu,* 1933) : pas plus que ses personnages, il n'arrive au bout de ses raisonnements psychologiques ou politiques (*En un combat douteux,* 1936; *les Naufragés de l'autocar,* 1947; *À* l'est d'Éden,* 1952). Il finira dans le symbolisme enfantin, l'inspiration biblique vulgaire et l'incompréhension sentencieuse de la crise sociale et intellectuelle du monde occidental, voué non plus à la faim, comme ses héros favoris, mais à la névrose (*l'Hiver de notre mécontentement,* 1961; *Mon caniche, l'Amérique et moi,* 1962). Mais il aura été à l'aise avec les êtres frustes, barbares, à mi-chemin de l'homme et de l'animal, de la parole et du grognement (*Des* souris et des hommes,* 1937; *la Grande Vallée,* 1938; *les Raisins* de la colère,* 1939), avec tous ceux qui contribuent à faire de la masse des hommes «une seule grande bête rampante». (Prix Nobel de littérature, 1962.)

STEINBERG (Saul), dessinateur américain d'origine roumaine (Rîmnicu-Sărat 1914). Collaborateur, à partir de 1941, du magazine *New Yorker,* il a renouvelé l'humour et la satire par son exceptionnelle invention graphique.

STEINER (Jacob), mathématicien suisse (Utzenstorf 1796-Berne 1863). L'un des plus grands spécialistes de la géométrie, il s'attacha à développer la géométrie synthétique en étudiant par des méthodes purement géométriques les courbes algébriques, les polaires, les roulettes, les surfaces d'ordre trois, etc. Sa «surface romaine» (1844), surface d'ordre quatre et de classe trois, est célèbre par ses curieuses propriétés.

STEINERT (Otto), photographe allemand (Sarrebruck 1915). L'un des adeptes de la «photographie subjective», il considère l'objectivité photographique comme illusoire. Les expositions qu'il a organisées en 1951, en 1954, en 1958, et qui couvraient tous les genres, sont à l'origine de la notoriété de la photographie abstraite.

STEINITZ (Wilhelm), joueur d'échecs autrichien (Prague 1836-New York 1900). Il fut le grand créateur de la stratégie moderne des échecs et triompha de la plupart des adversaires qui tentèrent de lui ravir le titre de champion du monde, qu'il détint jusqu'en 1894, année où il fut vaincu par Emanuel Lasker.

STEINITZ (Ernst), mathématicien allemand (Laurahütte 1871 - Kiel 1928). L'un des fondateurs de l'algèbre moderne, il fut l'un des premiers à abandonner l'étude de corps particuliers pour aborder celle des propriétés d'êtres mathématiques abstraits, définis par voie axiomatique.

STEINKERQUE, auj. **Steenkerque,** anc. comm. de Belgique (Hainaut), auj. intégrée à Braine-le-Comte. Le 3 août 1692, le maréchal de Luxembourg et Boufflers y battirent Guillaume d'Orange.

STEINLEN (Théophile Alexandre), dessinateur, graveur et peintre français d'origine suisse (Lausanne 1859 - Paris 1923). Mêlé à la vie de Montmartre, il en a représenté les habitants avec un sentiment de fraternité et de révolte. Il a collaboré aux journaux satiriques du temps, a composé des affiches, a illustré Bruant et Jehan Rictus. Ses esquisses sont parfois d'une grande qualité plastique.

STEINTHAL (Heymann), linguiste allemand (Gröbzig, Anhalt, 1823 - Berlin 1899). Il s'est surtout occupé de la philosophie du langage et apparaît comme un disciple de Humboldt (*Origine du langage,* 1851; *Précis de linguistique,* 1850-1871).

Steinway *(pianos),* marque de pianos. Venus imposer une redoutable concurrence aux instruments de fabrication européenne, les pianos construits par la firme Steinway and Sons, importés d'Amérique, doivent en fait leur réputation à Heinrich Engelhard STEINWEG (Wolfshagen 1797 - New York 1871). En 1850, laissant son fils Theodor à la tête de sa maison de Brunswick, H. E. Steinweg émigra à New York, où il fonda, sous le nom américanisé de « Steinway », des établissements qui ne cessèrent de prospérer.

STEKENE, comm. de Belgique (Flandre-Orientale), au N.-O. de Saint-Nicolas; 13 147 hab.

STELLAIRE. — Cette petite herbe à tige grêle, de la famille des caryophyllacées, se reconnaît à ses petites fleurs blanches, dont les cinq pétales sont fendus au point qu'on croit en voir dix.

STELLÉRIDES. — Les étoiles de mer, qui forment la classe des stellérides, ont presque toutes cinq bras, lentement mobiles, creusés d'une gouttière ventrale et entourant une partie centrale (aux limites indistinctes). Celle-ci porte une bouche sur la face ventrale. Certaines espèces ont un anus dorsal et un tube digestif comme les oursins, mais l'espèce commune des côtes françaises est sans anus et n'a qu'un *sac digestif,* qu'elle projette au-dehors comme un doigt de gant retourné pour digérer *extérieurement* les moules, dont elle a écarté les valves de vive force par les ventouses puissantes de ses bras. Ce mode de nutrition rappelle celui des plantes insectivores. Douées d'un fort pouvoir de régénération (un bras coupé reconstitue l'étoile tout entière) et d'une reproduction rapide impliquant des métamorphoses, les stellérides sont de redoutables prédateurs, tant des moulières que des récifs (*Acanthaster* met à mal la Grande Barrière d'Australie) ou des bancs de coquilles Saint-Jacques, qui fuient devant elles. Une espèce aberrante, *Solaster papposus,* présente douze bras. (Embranchement des échinodermes.)

Stello, *les Consultations du docteur Noir,* d'Alfred de Vigny (1832). Le poète est une victime de toutes les sociétés et de tous les régimes.

STELVIO (le), col des Alpes italiennes, près de la frontière suisse, débouché de la Valteline et passage entre Milan et Innsbruck; 2 757 m. Parc national.

STENAY (55700), ch.-l. de cant. de la Meuse, sur la Meuse, à 34 km au S.-E. de Sedan; 3 998 hab. Restes de fortifications.

STENCIL → XÉROGRAPHIE.

STENDHAL (Henri BEYLE, dit), écrivain français (Grenoble 1783 - Paris 1842). Stendhal incarne aujourd'hui si parfaitement un certain romantisme (le romantisme critique) qu'on a peine à concevoir que ses contemporains l'aient méconnu (Balzac mis à part, qui célébra *la Chartreuse de Parme* comme « le plus beau livre qui ait paru en France depuis cinquante ans »). Il semblait s'accommoder de cet échec (« Je serai lu en 1880 », « Je serai compris en 1935 ») et, par-dessus le public des romans à la mode, s'adressait aux initiés, aux élus, aux *happy few.* Il faut dire qu'il s'est employé à brouiller les pistes, dissimulant sa sensibilité et sa propension à la rêverie sous les allures d'un cavalier athée et jouisseur, donnant la théorie de l'amour-passion et des aventures sublimes et se perdant dans des rencontres maladroites ou des galanteries vulgaires, dressant devant son lecteur une barrière de pseudonymes, d'anagrammes et d'allusions cryptiques.

Or, précisément, cette passion du masque est pour Stendhal un moyen de lucidité et de connaissance. S'il se compose un visage, un

Stendhal, par Olof Johan Södermark (1790-1848). [Château de Versailles.]

Lauros-Giraudon

personnage, ce n'est pas par un réflexe de défense à usage externe, mais par souci d'autoanalyse : il représente, il théâtralise une convention, une attitude; devant son miroir, il prend la pose, joue la pantomime pour en comprendre les ressorts et les articulations. C'est ainsi qu'il débusque l'*égotisme,* ce monstre à deux faces, l'une décadente et haïssable (le culte du moi), l'autre vraie et opératoire (la conscience du moi). En ce sens, l'œuvre de Stendhal s'inscrit parfaitement sur la courbe que dessine le roman* moderne de Cervantès à Proust : elle met en lumière l'obstacle que la vanité, l'amour-propre dressent entre le sujet désirant et l'objet de son désir. Le héros stendhalien fait, soit directement par sa « chasse » spontanée du bonheur (Fabrice, dans *la Chartreuse*), soit indirectement par l'échec de son machiavélisme (Julien, dans *le Rouge et le Noir*), la double preuve de la dégradation du monde qui est le sien et de la vertu (mais anachronique : il vient trop tard ou trop tôt) des valeurs qu'il poursuit. Cette démonstration, Stendhal la

la vie

1783	Naissance à Grenoble, d'un père avocat au parlement.
1790	Mort de sa mère.
1796-1799	Études à l'École centrale de Grenoble.
1799	Se rend à Paris, mais refuse de se présenter à l'École polytechnique.
1800	Sous-lieutenant au 6e dragons.
1802	Abandonne l'armée pour la littérature.
1807	Entre dans le corps des commissaires des guerres. Réside à Brunswick et à Vienne.
1810	Auditeur au Conseil d'État.
1811	Découverte de l'Italie.
1812	Campagne de Russie : assiste à l'incendie de Moscou.
1813	Campagne d'Allemagne.
1814	S'installe à Milan.
1821	Rentre en France.
1830	Nommé consul de France à Trieste, puis à Civitavecchia.
1836-1839	En congé à Paris.
1842	Frappé d'apoplexie dans la rue, meurt le lendemain.

l'œuvre

1814	*Vies de Haydn, de Mozart et de Métastase.*
1817	*Histoire de la peinture en Italie; Rome, Naples et Florence en 1817.*
1822	*De l'amour*.*
1823	*Racine* et Shakespeare.*
1824	*Vie de Rossini.*
1825	*Racine et Shakespeare n° II; D'un nouveau complot contre les industriels.*
1827	*Armance.*
1829	*Promenades dans Rome; Vanina Vanini.*
1831	*Le Rouge* et le Noir.*
1838	*Mémoires d'un touriste.*
1839	*La Chartreuse* de Parme; l'Abbesse de Castro.*
1888	*Journal.*
1889	*Lamiel.*
1890	*Vie de Henry Brulard.*
1892	*Souvenirs d'égotisme.*
1893	*Suora Scolastica.*
1894	*Lucien* Leuwen.*

mène selon une méthode originale : il conçoit le roman à la fois comme une *chronique* (c'est le sous-titre du *Rouge et le Noir*) et comme un *miroir* (c'est l'exergue du chapitre XIII du premier livre du même roman). C'est dire que le roman mêle une *histoire* (faite de moments discontinus que l'écrivain organise) et la saisie d'un *espace* (que l'écrivain décompose selon des angles de vue successifs). Stendhal est ainsi doublement *analyste :* en héritier des idéologues, de Condillac et d'Helvétius, il remonte des faits aux causes; en précurseur de Freud, il remonte aux origines, à son enfance (« Tel j'étais, tel je suis »). Il pressent qu'il doit chercher sa vérité dans son désir incestueux pour sa mère (« En l'aimant à six ans peut-être, 1789, j'avais absolument le même caractère qu'en 1828 en aimant à la fureur Alberthe de Rubempré ») et dans le choc causé par sa mort (« Là commence ma vie morale »). Mais il ne peut retrouver cette vérité qu'avec toute la distance de l'adulte écrivant : le passé lui apparaît dans le surgissement aléatoire de sensations (à la manière de l'« épiphanie » joycienne ou de la mémoire instinctive de Proust : *la Chartreuse* réalise ainsi l'illumination de Moscou, en 1812, où il s'était senti appelé à créer « une œuvre où régnerait ce mélange de gaieté et de tristesse » qu'il aimait dans la musique de Cimarosa), sensations qu'il doit, pour les conserver, enserrer dans le trait d'une écriture rapide (« Les idées me galopent; si je ne les note pas assez vite, je les perds »), dont le rythme est celui du carnet de route. L'œuvre de Stendhal n'est d'ailleurs pas autre chose qu'un voyage (il aurait créé le mot *touriste*) à la recherche de son identité : d'où cette écriture de rupture qui s'adapte beaucoup mieux à l'exploration autobiographique *(Vie de Henry Brulard)* qu'au roman proprement dit. Stendhal est d'ailleurs un romancier tardif (il fait paraître son premier roman à 44 ans), rare (il n'a publié que 3 romans), rapide (il écrit *la Chartreuse* en 53 jours), et, lorsqu'il reprend la ligne première de l'intrigue ou le déroulement heurté de sa phrase, il se condamne à l'inachèvement *(Lucien Leuwen, Lamiel).* Il a dans l'esquisse et le croquis la netteté et la vigueur d'un Géricault et d'un Delacroix. Capter l'instant, aller vite au but : d'où l'ellipse, la succession de touches, la rapidité et la multiplicité des flashes et des cadrages (Fabrice à Waterloo) déjà cinématographiques. Par là, le « réalisme » de Stendhal est de l'ordre du rationnel, de la logique, du construit. Mais il est aussi chez lui un réalisme involontaire (il aurait pu dire comme le Balzac des *Chouans :* « Ce ne sera pas sa faute si les choses parlent d'elles-mêmes et parlent si haut ») : la France de la Restauration comme l'Italie de la Sainte-Alliance pèsent sur la liberté de pensée et de création, et la politique retentit au milieu des « intérêts d'imagination » comme « un coup de pistolet au milieu d'un concert » : cette métaphore revient quatre fois dans l'œuvre de Stendhal, dont l'esthétique se modèle sur l'harmonie prémozartienne (la « cantilène sublime » de Mathilde dans *le Rouge et le Noir*) — ce qui signifie qu'il est impossible d'éviter la dissonance, la discordance qu'introduit la réalité (elle se glisse jusque dans l'*Histoire de la peinture en Italie*). En ce sens, la vision romanesque de Stendhal dépasse de beaucoup la doctrine romantique de conciliation des contraires (alliance du beau et du laid, du grotesque et du sublime) : en s'accrochant désespérément à une théorie sans contradiction, tout en démontrant par la pratique l'inadéquation de cette théorie, Stendhal apporte la réfutation radicale de l'idéologie qui voit dans l'art la solution à toutes les contradictions et annonce la fin d'une certaine harmonie de l'art.

STEPHENSON, famille d'inventeurs britanniques. GEORGE (Wylam, près de Newcastle, 1781 - Tapton House, Chesterfield, 1848) est le créateur de la traction à vapeur sur voie ferrée. Il comprit le premier le principe de l'adhérence des roues lisses sur une surface lisse (1813), augmenta le tirage du foyer de la locomotive en faisant déboucher le tuyau d'échappement de la vapeur dans la cheminée et utilisa pour la chaudière le chauffage tubulaire. Son œuvre capitale fut l'établissement du chemin de fer de Liverpool à Manchester (1826-1830). — Son fils, ROBERT (Willington Quay 1803 - Londres 1859), établit de nombreuses voies ferrées et imagina les ponts tubulaires.

STEPPE. — Formation végétale discontinue, constituée de plantes herbacées ou buissonnantes xérophiles, la steppe caractérise les régions sèches, chaudes ou froides. Trop arides pour porter des arbres, ou même un tapis de hautes herbes, ces immenses étendues n'offrent aucun obstacle au vent, qui achève de les dessécher. Elles sont couvertes d'herbes basses et, par endroits, de buissons, et abritent des animaux à vie souterraine : rongeurs, insectes, etc. De grands herbivores (chevaux) peuvent y trouver leur pâture.

STEPPES (art des). — Plusieurs cultures se succèdent durant le néolithique et l'âge du bronze, mais c'est à partir du XIIIe s. av. J.-C. que se développe la production artistique. La pratique intensive de la métallurgie du bronze et les échanges commerciaux qu'elle implique, ainsi qu'une certaine forme commune d'économie, dans laquelle le nomadisme prend de plus en plus d'importance, amènent une relative unité culturelle.

Aux confins orientaux de la steppe, le rayonnement de la Chine se décèle dans la qualité des bronzes, dans le répertoire décoratif des objets de la région de l'Ordos et dans celui de la culture de Karassouk (bassin de Minoussinsk), entre le XIIIe et le IXe s. av. J.-C., dont les couteaux sont surmontés d'un motif animalier proche de certains motifs Chang.

Entre le VIIIe et le IIIe s. av. J.-C., l'art des steppes atteint son apogée et déploie un bestiaire au dynamisme exubérant; stylisation et accentuation des caractères propres à chaque animal s'y allient et donnent des animaux à la fois fantastiques et réels, que l'on retrouve dans les œuvres des Scythes* et dans celles des Sarmates,

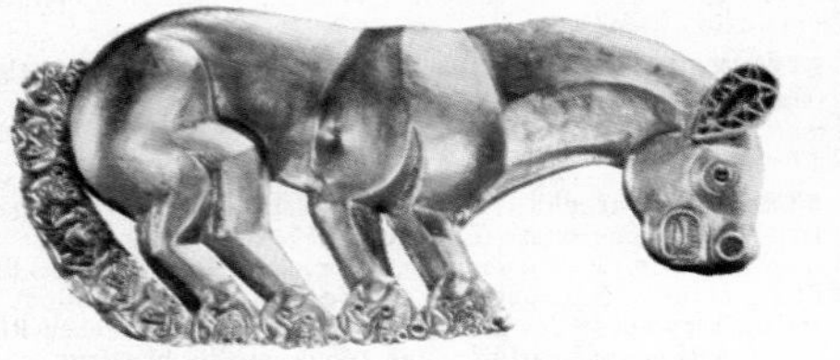

B.S.I.

Art des steppes. Plaque de bouclier. Art des Scythes. Fin du VIIe s.-début du VIe s. av. J.-C. (Musée de l'Ermitage, Leningrad.)

qui leur succèdent, mais aussi dans la civilisation de l'Altaï, florissante entre le VIe et le IVe s., et dont les grands kourganes (tombes sous tumulus) ont livré quantité d'objets, parfaitement conservés grâce aux basses températures. Cet important matériel funéraire (harnachement de chevaux, armes, boutons de bois, bronzes, tapis de selle et nombreuses pièces de feutres décorées d'application de cuir et d'or) révèle non seulement un intense sens du mouvement et un goût des courbes sans doute à l'origine de l'art scythe, mais aussi des influences aussi lointaines que celles de la Chine ou de l'Iran achéménide. Dans le bassin de Minoussinsk, la culture de Tagar succède à celle de Karassouk et laisse un art animalier — proche de celui de la région de l'Ordos à la même époque — dominé par un puissant expressionnisme et dont le thème favori demeure le cerf. Une même inspiration anime la production artistique des peuples saces, dont la civilisation s'épanouit entre le VIIe et le IIIe s. av. J.-C., de la mer Caspienne jusqu'au lac Balkhach, et qui constituent un autre relais entre l'Ordos, d'une part, et l'Iran achéménide, de l'autre. Dans cette immense zone, toutes ces populations, aux cultures différenciées, mais qui toutes semblent accorder une importance majeure au rituel chamanique (dans lequel l'animal joue un rôle prépondérant), créent dans un souci d'efficacité magique un monde de créatures étranges, influencé tantôt par la Chine, tantôt par le Proche-Orient, et, en véritable trait d'union entre l'Extrême-Orient et le monde occidental, elles seront à l'origine du répertoire ornemental des Celtes*, des Vikings et de celui des Barbares du haut Moyen* Âge.

STÉRADIAN. — La valeur d'un angle solide est généralement obtenue par le calcul, à partir des résultats de mesure d'angles plans, en utilisant des relations géométriques et trigonométriques.

STERCORAIRE. — Les *labbes,* ou stercoraires, sont de féroces mouettes carnivores au bec crochu et au plumage sombre. Excellents voiliers, mais maladroits sur l'eau, ils se nourrissent de proies arrachées à d'autres oiseaux. (Famille des laridés.)

STERCULIACÉES. — C'est dans cette grande famille d'arbres des régions chaudes que l'on classe le cacaoyer *(Theobroma),* le kolatier *(Cola)* et de nombreuses espèces au bois recherché (genre *Sterculia*). Voisines des malvacées, les sterculiacées forment avec celles-ci et avec les tiliacées (tilleul) l'ordre des malvales.

STÉRÉOCHIMIE. — Imaginée en chimie organique par Le Bel et Van't Hoff, la stéréochimie repose sur la disposition tétraédrique des quatre valences du carbone et sur sa conséquence, la notion de carbone asymétrique, ainsi que sur le principe de la liaison mobile.

STÉRÉOMINUTE → COMPLÈTEMENT DE LEVÉS et RESTITUTION PHOTOGRAMMÉTRIQUE.

STÉRÉOPHONIE. — La stéréophonie reconstitue pour l'auditeur la perception des sources sonores devant lui : à droite, au milieu et à gauche. La reproduction directe du son* en stéréophonie nécessite l'emploi de deux chaînes de transmission complètes : deux microphones*, ou série de microphones, placés à droite et à gauche de la source sonore, deux amplificateurs et deux haut-parleurs*, ou enceintes acoustiques. La transmission radiophonique directe est effectuée par des émetteurs à modulation* de fréquence et selon un système multiplex compatible.

L'enregistrement et la reproduction sur bande* magnétique n'offrent pas de difficultés techniques. Une tête d'enregistrement double impressionne deux pistes sur la même bande. À la lecture, une tête double recueille les deux informations : on a ainsi une parfaite séparation des deux canaux.

L'enregistrement sur disque* est plus complexe, car il s'agit de graver les deux modulations sur le même sillon, qui sera lu par une seule pointe du phonocapteur. Le flanc intérieur du sillon, c'est-à-dire celui qui est orienté vers le centre du disque, reçoit la modulation du canal de gauche, tandis que le flanc extérieur est gravé au moyen de la modulation du canal de droite. Les deux mouvements de gravure se produisant à 90⁰, l'un par rapport à l'autre, l'interréaction entre les deux canaux est théoriquement nulle.

STÉRÉOPRÉPARATION. — La stéréopréparation a pour but de déterminer les éléments planimétriques et altimétriques nécessaires à la formation de chaque modèle. Les opérations sont effectuées sur le terrain à partir du canevas géodésique, en utilisant les méthodes classiques de la topométrie*. Les points choisis, qui doivent être identifiables sur les photographies* aériennes, appelés *points de calage,* forment le *canevas de restitution.* Pour alléger les opérations de détermination altimétrique sur le terrain, on utilise la méthode dite « des visées zénithales ».

STÉRÉORESTITUTION → AÉROTRIANGULATION, PHOTOGRAMMÉTRIE, RESTITUTION PHOTOGRAMMÉTRIQUE.

STÉRÉOTYPE. — Les stéréotypes font partie intégrante de l'opinion* publique, ils en constituent les cadres les plus permanents, pour deux raisons principales : ils résistent à l'épreuve des faits, étant une image sociale *a priori,* une représentation qui mène une vie autonome par rapport à ce qu'elle illustre; ils paraissent échapper à la prise du raisonnement et de l'argumentation, en tant qu'idées reçues et acceptées au point de ne jamais subir l'épreuve de la vérification.

STÉRÉOTYPIE → CLICHERIE.

STÉRILET → CONTRACEPTION.

STÉRILISATION. — La *stérilisation bactériologique* vise à éliminer tous les germes microbiens d'un milieu (surface du corps, instruments chirurgicaux, salles d'opération, médicaments, etc.). Les procédés peuvent être chimiques (antiseptiques, vapeurs de formol) ou physiques, par utilisation de la chaleur sèche, de la chaleur humide (autoclave), des rayons gamma (γ).

La *stérilisation des êtres humains,* pratiquée sur l'homme ou sur la femme, pour supprimer toute possibilité d'avoir des enfants, consiste généralement en la ligature, ou mieux en la résection, des trompes ou des canaux déférents. Elle ne nécessite pas la castration et ne gêne pas les rapports sexuels.

STÉRILITÉ. — La stérilité masculine peut être la conséquence soit d'une azoospermie (absence de spermatozoïdes dans le sperme), de type excrétoire ou sécrétoire, soit d'une anomalie qualitative ou quantitative des spermatozoïdes. Ces anomalies seront recherchées par le spermogramme (analyse du sperme).

La stérilité féminine peut être primaire ou secondaire (existence de grossesses antérieures). Elle peut avoir des causes diverses : imperméabilité des trompes, métrite du col, anomalie de la muqueuse utérine, absence d'ovulation, acidité vaginale anormale.

STERLITAMAK, v. de l'U.R.S.S. (R.S.F.S. de Russie), en Bachkirie, au S. d'Oufa; 185 000 hab. Industrie chimique.

STERN (Otto), physicien allemand, puis américain (Sorau 1888-Berkeley 1969). Il a mesuré la vitesse des molécules gazeuses (1932), découvert les propriétés magnétiques des atomes et étudié la matérialisation des photons. (Prix Nobel de physique, 1943.)

STERNBERG (Josef VON), cinéaste américain d'origine autrichienne (Vienne 1894-Hollywood 1969). Réalisateur à partir de 1925 (*les Nuits de Chicago,* 1927; *les Damnés de l'océan,* 1928), il se révéla avec *l'Ange bleu* en 1930. C'est avec la vedette de ce dernier film, Marlène Dietrich, dont il devait faire l'archétype de l'aventurière et de la femme fatale, qu'il tourna ensuite plusieurs films romanesques, insolites et baroques, remarquables par leur composition plastique raffinée (*Cœurs brûlés* [ou *Morocco*], 1930; *Shanghai-Express,* 1932; *Blonde Vénus,* 1932; *l'Impératrice rouge,* 1934; *la Femme et le pantin,* 1935). On lui doit également *Shanghai Gesture* en 1941 et *Fièvre sur Anatahan* en 1956.

STERNE. — Réunies avec les mouettes dans l'ordre des lariformes, les sternes, ou *hirondelles de mer,* s'en distinguent cependant beaucoup par leur bec pointu et non crochu, leurs ailes étroites, leur queue fourchue, leurs pattes courtes. Ce sont de merveilleux voiliers, inlassables raseurs des flots, vivant en colonies nombreuses. Trois espèces vivent en France : la pierregarin, la sterne naine (de la taille d'un martinet) et la guifette de Camargue, au plumage sombre.

STERNE (Laurence), écrivain anglais (Clonmel, Irlande, 1713-Londres 1768). Entré dans les ordres grâce à un oncle chanoine d'York, il menait à Sutton-in-the-Forest une existence épicurienne lorsqu'en 1759 la publication des deux premiers volumes de la *Vie et les opinions de Tristram* Shandy, gentleman* le rendit célèbre. Après avoir fait paraître un recueil de *Sermons* (1760), il voyagea, pour raison de santé, en France et en Italie, d'où il rapporta *le Voyage* sentimental* (1768). Après sa mort, furent publiés différents recueils de sa correspondance, notamment les *Lettres de Yorick à Eliza* (1775). Sa désinvolture et son humour ont exercé sur Diderot une influence notable.

STERNUM. — Cet os plat, médian, situé dans la région antérieure du thorax, est constitué par trois parties : une partie supérieure, ou manubrium, qui s'articule avec les clavicules et les deux premiers cartilages costaux; une partie moyenne, qui s'articule avec les cinq cartilages costaux suivants; une partie inférieure pointue, l'appendice xiphoïde.

STÉROÏDES, STÉROLS. — L'importance biochimique des stérols est considérable. Le principal est le cholestérol*, dont le noyau cyclopentanophénanthrène (noyau stérol) est commun à de nombreux corps. Les stéroïdes, dérivés du noyau stérol, sont différenciés par la position de certains groupements chimiques à certains carbones du noyau. Ils comprennent, notamment, les hormones génitales et corticosurrénales et les vitamines D.

STÉSICHORE, poète grec (v. 640-v. 550 av. J.-C.). Son œuvre, dont il ne reste que des fragments, a exercé une influence décisive sur le lyrisme choral (création de la triade : strophe, antistrophe, épode).

STÉTHOSCOPE → AUSCULTATION.

STETTIN → SZCZECIN.

STEVEDORE → MANUTENTION MARITIME.

STEVENAGE, v. d'Angleterre, au N. de Londres; 67 000 hab. Armement. Électronique.

STEVENS, famille d'industriels et d'inventeurs américains. JOHN (New York 1749-Hoboken, New Jersey, 1838) se consacra au développement de la navigation à vapeur et des chemins de fer aux États-Unis. Il créa la première législation fédérale sur les brevets en Amérique (1790). En 1808, il construisit le *Phœnix,* qui fut le premier bateau à vapeur à traverser l'Atlantique. — Son fils, ROBERT LIVINGSTON (Hoboken 1787-*id.* 1856), est le véritable créateur du rail Vignole.

STEVENS, nom de deux frères, peintres belges du XIXᵉ s. JOSEPH (Bruxelles 1819-*id.* 1892) se consacra surtout à la représentation du chien. — ALFRED (Bruxelles 1823-Paris 1906), peintre techniquement raffiné de la Parisienne du second Empire, introduisit, l'un des premiers, le japonisme dans ses compositions.

STEVENS (Siaka Probyn), homme d'État de la Sierra Leone (Moyamba 1905). Premier ministre depuis le coup d'État militaire de 1968, il est également président de la République depuis 1971.

STEVENSON (Robert Louis BALFOUR), écrivain britannique (Édimbourg 1850-Vailima, près d'Apia, Samoa occidentales, 1894), auteur de romans d'aventures (*l'Île* au trésor,* 1883) et de terreur (*Docteur*Jekill et M. Hyde,* 1886).

STEVIN (Simon), dit aussi **Simon de Bruges,** mathématicien et physicien flamand (Bruges 1548-La Haye 1620). Après avoir publié les premières grandes tables d'intérêt (1582), il substitua systématiquement les fractions décimales aux fractions communes et proposa, en prenant pour base le système décimal, d'unifier les mesures et les monnaies (1585). En physique, il démontra l'impossibilité du mouvement perpétuel (1586), résolut le problème de la composition des forces et, le premier, établit la valeur de la pression exercée par un liquide sur les parois du récipient qui le contient.

STEYR, v. d'Autriche (Haute-Autriche), au confluent de la *Steyr* et de l'Enns; 41 000 hab. Constructions mécaniques.

STIEGLITZ (Alfred), photographe américain (Hoboken 1864-New York 1946). Jusqu'à l'âge de quarante ans, il subit fortement l'influence de la tradition picturale, puis découvre la « photographie pure » et devient un véritable pionnier en dirigeant la revue *Camera Work,* en fondant une galerie où sont accueillis les artistes modernes américains et européens, et en adoptant une écriture dépouillée et très nette, seulement exaltée par la lumière.

STIERNHIELM (Georg), savant et poète suédois (Vika 1598-Stockholm 1672). Poète favori de la cour de la reine Christine, il donna une forme savante à la poésie suédoise (*Hercule,* 1658).

STIFTER (Adalbert), écrivain autrichien (Oberplan, auj. Horní Planá, Bohême, 1805-Linz 1868). Penseur idéaliste, il laisse transparaître dans ses romans et ses nouvelles son optimisme moral (*l'Été de la Saint-Martin,* 1857).

Stijl *(De),* revue et groupe artistique néerlandais. « Le Style » naît en 1917 sur les bases théoriques du néoplasticisme défendu par Mondrian* et par un autre peintre, Theo Van Doesburg (1883-1931), qui sera l'animateur infatigable du mouvement. La volonté affirmée de purifier l'art, d'en exclure toute notation subjective et toute référence au monde des objets, de fonder un nouveau langage plastique, enfin l'ambition, dans un esprit de rigueur et de synthèse, de repenser les rapports des arts plastiques et de l'environnement attirent non seulement des peintres (Bart Van der Leck [1876-1958]; le Belge Georges Vantongerloo [1886-1965], également sculpteur), mais aussi des architectes (Jacobus Johannes Pieter Oud [1890-1963] : café De Unie, à Rotterdam, 1924; Gerrit Thomas Rietveld [1888-1964] : villa Schröder, à Utrecht, 1924), qui, comme Van Doesburg, abordent les problèmes du design. Avec la mort de Van Doesburg, qui développait des principes personnels depuis 1924 (son « élémentarisme », préconisant l'usage de la diagonale, fut appliqué dans la décoration du restaurant-dancing l'Aubette, à Strasbourg, en 1927), le mouvement se désagrège; mais ses idées auront joué un rôle primordial dans la formation d'une part importante de l'art du xxe s.

STILBÈNE. — De formule $C_6H_5CH{=}CHC_6H_5$, le stilbène cristallise en tables monocliniques brillantes, insolubles dans l'eau, fondant à 124 °C.

STILICON, en lat. **Flavius Stilicho,** général romain d'origine vandale (v. 360 - Ravenne 408 apr. J.-C.). Théodose le nomma maître de la milice (385) et lui confia, à sa mort, la tutelle de ses deux fils, Honorius* et Arcadius*. À cause des intrigues des ministres d'Orient, Rufin* et Eutrope*, et de la réaction antibarbare qui sévissait à la cour de Constantinople, Stilicon ne put imposer sa tutelle à Arcadius ni préserver l'unité de l'Empire. Il ne fut que le régent d'Honorius et gouverna l'Occident pendant treize ans : il vainquit Alaric*, qui avait envahi l'Italie du Nord (Pollenza, 402), et réduisit près de Florence une armée d'Ostrogoths conduite par Radagaise (406). Mais, devant son inaction face à Alaric, qui menaçait de nouveau l'Italie en 408, les troupes romaines de Pavie se révoltèrent : Honorius le fit assassiner.

STILLER (Mauritz), cinéaste suédois (Helsinki 1883 - Stockholm 1928). Il fut, avec Sjöström, l'un des maîtres de l'école suédoise, à l'époque du cinéma muet : *Dans les remous* (1918), *le Trésor d'Arne* (1919), *À travers les rapides* (1920), *le Vieux Manoir* (1921), *la Légende de Gösta Berling* (1923).

STILPON de Mégare → MÉGARE *(école de).*

STILTON → FROMAGE.

STILWELL (Joseph), général américain (Palatka, Floride, 1883-San Francisco 1946). Chef d'état-major de Tchang Kaï-chek de 1941 à 1945, il fut en même temps adjoint de l'amiral Mountbatten et commandant en chef allié du théâtre Inde-Chine-Birmanie. Pour maintenir la liaison terrestre avec la Chine, il fit construire une route, dite « Stilwell », reliant Ledo à la route de Birmanie. En 1945, il commanda la Xe armée dans l'assaut contre le Japon.

STIMULATEUR CARDIAQUE. — Cet appareil, qui permet de stimuler artificiellement le cœur, est employé comme traitement du bloc auriculo-ventriculaire avec syncopes par bradycardie. La stimulation peut se faire à l'aide d'électrodes externes appliquées sur la peau du thorax (stimulateur externe), mais cette méthode n'est utilisée qu'en cas d'urgence. Lorsqu'il est nécessaire de stimuler le cœur en permanence, on utilise les stimulateurs internes (ou pacemakers). Le petit stimulateur intracorporel est implanté à demeure dans l'abdomen ou la paroi thoracique. Sa durée de fonctionnement est de deux à trois ans.

STIMULINE → HORMONE.

STINNES (Hugo), industriel allemand (Mülheim an der Ruhr 1870 - Berlin 1924). L'un des gros industriels de la Ruhr, il réussit, après la Première Guerre mondiale, à sauver l'industrie allemande; mais, par ses entreprises, il précipita la chute du mark (1923).

STIRING-WENDEL (57600 Forbach), comm. de la Moselle, dans la banlieue est de Forbach; 12 665 hab. Houille. Métallurgie.

STIRLING, v. de Grande-Bretagne (Écosse), au N.-E. de Glasgow; 30 000 hab.

STIRNER (Kaspar SCHMIDT, dit **Max**), philosophe allemand (Bayreuth 1806 - Berlin 1856). Il a défendu, dans son ouvrage principal, *l'Unique et sa propriété,* un individualisme anarchiste et libertaire : « Pour moi, écrit-il, il n'est rien au-dessus de moi [...]; je déclare la guerre à tout État, fût-il le plus démocratique. »

STOCHASTIQUE. — On entend par ce terme ce qui est du domaine des faits apparemment soumis au « hasard ». Comme le hasard a ses lois, on cherche à intégrer les faits de hasard dans des explications, et les liaisons auxquelles on aboutit sont dites « liaisons stochastiques ». (Le terme est particulièrement employé en science économique.)

STOCHASTIQUE (processus). — Un processus stochastique est une *succession* finie d'*épreuves aléatoires,* chacune des épreuves comportant un nombre fini d'issues dont les résultats sont connus à l'avance. Si l'on connaît, pour chaque épreuve, les *probabilités* des différentes issues, on peut calculer les probabilités des issues finales du processus. L'exemple le plus simple est celui du jeu de pile ou face, en *n* coups. Chaque épreuve est une *alternative* et l'on peut

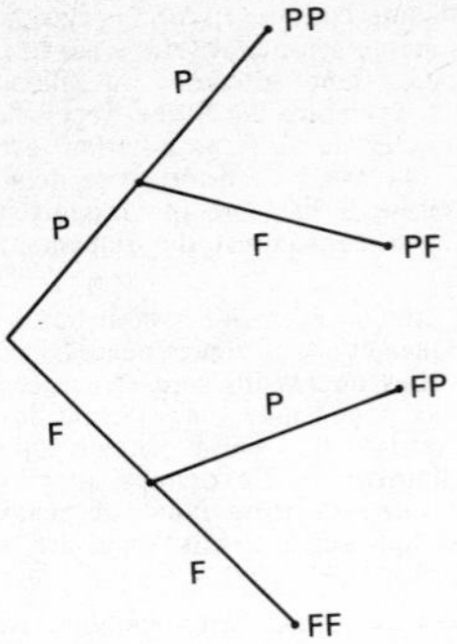

REPRÉSENTATION D'UN PROCESSUS PAR UN ARBRE

attribuer la probabilité $\frac{1}{2}$ à chaque issue, ce qui permet le calcul des probabilités de chaque issue finale ou même d'événements complexes, comme « en *n* coups, il y a plus de piles que de faces ».

Quand le nombre d'épreuves successives n'est pas trop élevé, chaque épreuve n'ayant qu'un petit nombre d'issues, on peut représenter le processus par un *arbre.* Ainsi, au jeu de pile ou face en deux coups, on a quatre issues finales possibles, chacune ayant comme probabilité $\frac{1}{2} \times \frac{1}{2} = \frac{1}{4}$. Un événement composé, tel qu'« il y a autant de piles que de faces », formé de deux issues PF et FP, a la probabilité : $\frac{1}{4} + \frac{1}{4} = \frac{1}{2}$. Les processus stochastiques ont des applications dans la science du comportement.

STOCKAGE *(Pétrol.).* — La fourniture régulière du gaz* et des produits pétroliers aux consommateurs industriels et domestiques ne peut être assurée sans un volant de stockage entre chaque étape de production, de transport, de raffinage* et de distribution, afin d'amortir les variations aléatoires (pannes d'équipements), climatiques (chauffage), saisonnières (vacances) et politiques. Le pétrole* brut est stocké dans de grands « terminaux », comprenant des dizaines de réservoirs de grande taille, atteignant 150 000 m^3, situés dans les ports d'embarquement et de débarquement ainsi que dans les raffineries. Les produits finis, carburants et combustibles, sont conservés dans des réservoirs plus petits, implantés à la sortie des raffineries, dans des dépôts et chez certains gros utilisateurs. La plupart des pays ont fixé des *stocks de réserve* et les sociétés pétrolières doivent, en France, disposer d'au moins trois mois d'avance de consommation. Le réservoir de stockage pétrolier classique est un assemblage de tôles en acier montées et soudées sur place, muni d'un toit flottant pour les produits volatils (brut, essences*), d'un serpentin de réchauffage à vapeur pour les produits figeables (fuels*, huiles, bitumes*) et d'un système de jaugeage électronique. Les gaz liquéfiés, butane et propane, sont stockés dans des cylindres à fonds elliptiques ou dans des sphères. Le gaz naturel, qui est essentiellement du méthane* CH_4, est liquéfié à − 160 °C, puis stocké dans des réservoirs cryogéniques à multiples parois et frigorifugés. Les *stockages souterrains* se font, pour les produits liquides, par lessivage de cavités dans des gisements de sel gemme (10 Mm^3 en haute Provence), par creusement de cavernes minées à 100 ou 200 m de profondeur, ou par emplissage de mines abandonnées (5 Mm^3 près de Caen); pour les gaz, par injection dans une structure géologique étanche (800 Mm^3 près de Lacq). Les stockages offshore*, très onéreux, se font dans des réservoirs en acier ou en béton armé, associés aux plates-formes de production en mer.

STOCKHAUSEN (Karlheinz), compositeur allemand (Mödrath 1928), principal représentant, avec Boulez, des courants musicaux du second après-guerre. Parti du sérialisme post-webernien (*Kontra-Punkte,* 1953; *Gruppen,* 1958), il a réalisé la simultanéité (*Kontakte,* 1960), puis la synthèse (*Mixtur,* 1964, 1967) de l'électroacoustique et des sons traditionnels, et, sans rien perdre de son agressivité ni de son audace, rejoint dans ses œuvres les plus récentes (*Momente,* 1972) le grand courant romantique allemand.

STOCKHOLM, capit. de la Suède; 671 000 hab. L'agglomération, qui compte 1 350 000 hab. (le sixième de la population suédoise), est établie à l'extrémité orientale du lac Mälaren, sur diverses îles (reliées par des ponts) séparant celui-ci de la Baltique. De loin la plus grande ville de Suède, Stockholm est dominée par le secteur tertiaire (plus du quart des emplois administratifs et commerciaux du pays), mais l'industrie est aujourd'hui active (métallurgie de transformation, surtout), partiellement liée au trafic du port (de l'ordre de 6 Mt) et à une situation géographique centrale, entre le nord de la Suède, producteur de matières premières, et le sud,

Stockholm. « La Cité entre les ponts » (Staden) sur le lac Mälaren, centre historique de la capitale suédoise.

H. Fristedt-Ostman

fortement peuplé et urbanisé sur la frange littorale. Desservie aussi par l'aéroport de Bromma, Stockholm est encore un centre touristique, rôle favorisé par l'histoire, qui explique aussi la tradition culturelle (malgré la proximité d'Uppsala).

BEAUX-ARTS. — Église de Riddarholmen, remontant à la fin du XIIIe s. (tombeaux des rois); Storkyrkan, reconstruite du XVe au XVIIIe s. Beaux édifices civils élevés à partir du milieu du XVIIe s., dont le Riddarhuset (palais de la noblesse). Château royal reconstruit par N. Tessin* le Jeune après 1697. Aux environs, châteaux royaux de Gripsholm et de Drottningholm. L'architecture moderne a notamment donné la bibliothèque municipale, par Gunnar Asplund (1885-1940), et la ville satellite de Vällingby, par Sven Markelius (1889-1972). Importants musées consacrés aux antiquités nationales, au folklore (Musée nordique, musée en plein air du Skansen), aux arts suédois et européen (Musée national), à l'art moderne, à l'art de l'Extrême-Orient.

STOCKPORT, v. d'Angleterre, sur la Mersey, au S. de Manchester; 140 000 hab.

STOCKS (gestion des). — Pour gérer sainement un stock, on doit tout d'abord procéder à la codification des biens stockés, afin d'éviter le regroupement d'articles identiques sous des rubriques différentes. Il faut ensuite décider de la méthode à employer pour sa valorisation : prix de vente, prix d'achat, valeur de remplacement, prix moyen pondéré d'achat, etc. La gestion du stock se fait dans deux optiques : la première est d'assurer une disponibilité permanente de tous les produits nécessaires à la marche de l'unité correspondante, la seconde de vérifier le coût de ce stockage par l'analyse de la rotation des articles en stocks. Un stock bien géré est celui qui, d'une part, concilie une rotation maximale avec l'absence de ruptures et qui, d'autre part, évite la formation de déchets, de surplus ou d'articles jamais utilisés.

STOCKTON-ON-TEES, v. du nord de l'Angleterre, sur la *Tees;* 83 000 hab.

ŠTODOLA (Aurel), ingénieur suisse d'origine slovaque (Liptovský Svatý Mikuláš 1859-Zurich 1942). Il contribua pour beaucoup au développement des turbines à vapeur et à gaz.

STOETZEL (Jean), psychosociologue français (Saint-Dié 1910). Fondateur de l'Institut français d'opinion publique en 1938, il a introduit les techniques du sondage* d'opinion en France. Il fut également le premier titulaire, en 1955, d'une chaire de psychologie sociale en France. On lui doit : *la Psychologie sociale* (1963); *les Sondages d'opinion publique* (en collab. avec A. Girard, 1973).

STOFFLET (Jean Nicolas), chef vendéen (Lunéville v. 1751-Angers 1796). Garde-chasse, il prend Cholet avec Cathelineau (1793). Ayant remplacé La Rochejaquelein (1794), il refuse de se soumettre. Arrêté, il est exécuté à Angers.

STOÏCISME. — Fondé par Zénon de Kition, le stoïcisme est une morale, qui s'appuie sur une conception du monde (ou physique), et une théorie logique de la connaissance. Longtemps méconnue, la logique stoïcienne se définit par son caractère rhétorique et dialectique : rhétorique comme art du bien dire, dialectique dans la mesure où elle élabore les règles et conditions de la validité formelle du raisonnement sans se référer au contenu des propositions. Ce contenu, ou matière, est appréhendé par les sens et fait l'objet de la physique. Pour les stoïciens, les seuls êtres de la nature sont les corps. Mais en chacun d'eux la matière est inséparable de la force, ou principe dynamique de leur évolution. La force qui lie les corps du monde entre eux confère à ce dernier son harmonie.

L'absence de troubles dans l'âme (v. ATARAXIE), étant le but de la vertu, le souverain bien de l'homme consiste à vivre en harmonie avec lui-même, ses semblables et la nature. L'harmonie est ainsi la clef de voûte de la doctrine stoïcienne, dont les figures les plus représentatives sont Chrysippe*, Sénèque*, Épictète*, et Marc Aurèle*.

STOKE-ON-TRENT, v. d'Angleterre, au S. de Manchester; 265 000 hab. Musée. Centre de poterie. Pneumatiques.

STOKES (*sir* George), mathématicien et physicien irlandais (Bornat Skreen 1819-Cambridge 1903). Il établit la loi qui régit la chute d'une sphère au sein d'un liquide, donna une théorie de la fluorescence et montra, en 1896, que les rayons X étaient de même nature que la lumière.

STOKOVSKI (Leopold), chef d'orchestre américain (Londres 1882-Nether Wallop, Hampshire, 1977). Auteur de transcriptions, romantique de tempérament, mais actif en faveur de la musique contemporaine, il a été nommé, en 1970, chef permanent de l'orchestre symphonique de Londres.

STOLYPINE (Petr Arkadievitch), homme politique russe (Dresde 1862-Kiev 1911). Ministre de l'Intérieur et président du Conseil des ministres de 1906 à 1911, Stolypine mène une sévère répression contre l'opposition. Il fait dissoudre la deuxième douma* (mars-juin 1907) par Nicolas II* et promulguer une nouvelle loi électorale renforçant l'inégalité entre les classes sociales. Il favorise le démantèlement de la commune rurale (mir*) et la formation d'une classe de paysans riches (koulaks*). Il est assassiné.

STOMATE. — Sur leur face inférieure, les feuilles des plantes vasculaires portent de nombreux *ostioles,* ou orifices respiratoires, par lesquels se font les échanges de vapeur d'eau, d'oxygène et de gaz carbonique avec l'atmosphère. L'ostiole est entouré de deux cellules en forme de haricot, riches en chlorophylle, les *cellules stomatiques,* surmontant un espace creux, la chambre sous-stomatique. C'est l'ensemble de ces éléments qui constitue le stomate. Celui-ci ouvre ou ferme plus ou moins son ostiole selon la température, la lumière et l'humidité. Une véritable régulation des sorties d'eau est ainsi assurée par les cellules stomatiques.

STOMATITE. — Ce terme désigne toutes les inflammations de la muqueuse buccale, quelle qu'en soit la cause. Une stomatite peut succéder à une inflammation gingivale primitive (gingivite), ou s'installer d'emblée. Le point de départ peut être une dent cariée, l'abus de tabac, une brûlure, mais il existe également des stomatites symptomatiques d'une maladie infectieuse ou générale.

STOMATOLOGIE. — Cette spécialité consacrée à l'étude des maladies de la bouche et des lésions buccodentaires, ainsi qu'aux soins médicaux, chirurgicaux, orthopédiques s'y rapportant, est exercée par des docteurs en médecine, alors que les chirurgiens-dentistes et les docteurs en chirurgie dentaire s'occupent plus spécialement des dents (odontologie).

STOMOCORDÉS. — On réunit dans ce petit embranchement trois groupes d'animaux marins. Les *entéropneustes* (ou balanoglosses) ressemblent à des vers marins côtiers, enfouis dans le sable, et se nourrissent de détritus; ils sécrètent un mucus phosphorescent, riche en iode. Les *ptérobranches* vivent en colonies dans les eaux profondes (fjords de Norvège). Les *pogonophores,* filiformes, n'ont pas de tube digestif et l'on ne sait pas comment ils se nourrissent. Tous ces petits animaux ont une stomocorde, court diverticule du pharynx situé en avant de la bouche et ayant la structure d'une corde dorsale, ce qui les rapproche des procordés et des vertébrés. Les *graptolites* du primaire étaient probablement des stomocordés.

STOMOXE. — La mouche piqueuse appelée « stomoxe » harcèle cruellement les troupeaux de bovins. Autrefois, elle leur transmettait la maladie du charbon, d'où son nom de *mouche charbonneuse.* On la reconnaît à sa position de repos sur les parois, la tête vers le haut. Il lui arrive de piquer douloureusement l'homme.

STONEHENGE, site archéologique de Grande-Bretagne (Wiltshire). Impressionnant monument mégalithique dont le premier état remonte au néolithique final (v. 1900 av. J.-C.), et qui subit ensuite plusieurs modifications jusqu'au début de l'âge du bronze (v. 1400 av. J.-C.). D'autres pierres dressées — dont certaines atteignent 50 t — sont alors ajoutées aux monolithes primitifs et disposées en quatre cercles concentriques (cromlech), les pierres du cercle extérieur étant réunies par d'énormes linteaux fixés aux pierres verticales par des tenons et des mortaises. L'orientation du monument (lever du soleil au solstice d'été dans l'axe d'entrée) laisse supposer qu'il s'agissait d'un sanctuaire solaire.

STONEY (George Johnstone), physicien et astronome irlandais (Oakley Park 1826-Londres 1911). En 1874, il annonça que l'électricité était due à des corpuscules, auxquels il donna, en 1891, le nom d'« électrons », et il tenta de calculer leur charge.

STOP AND GO. — Cette expression s'applique à une tactique des pouvoirs publics propre à moduler le comportement de l'activité économique, en ralentissant l'expansion (par exemple en période de surchauffe) ou, au contraire, en la faisant repartir. Une telle politique tend à reproduire artificiellement les cycles* économiques dans certains de leurs effets d'assainissement de l'économie.

STOPH (Willi), homme d'État allemand (Berlin 1914). Président du Conseil de la République démocratique allemande (1964-1973), puis président du Conseil d'État (= chef de l'État) [1973-1976], il redevient président du Conseil en octobre 1976.

STORM (Theodor), écrivain allemand (Husum 1817-Hademarschen 1888). Si ses poèmes célèbrent la nature de l'Allemagne du Nord (*Histoires et chants d'été,* 1851), ses nouvelles peignent le combat de l'homme avec sa destinée tragique (*Immensee,* 1849; *l'Homme au cheval blanc,* 1886-1888).

Storting, Parlement norvégien réparti en deux chambres : le *Lagting,* ou Chambre haute, et l'*Odelsting,* ou Chambre basse.

STRABISME. — Ce trouble de la vision binoculaire correspond à un défaut de convergence des axes visuels vers le point fixé et entraîne une vue double, ou diplopie. En fait, il aboutit à la perception d'une seule image, le sujet ne regardant qu'avec un œil, presque toujours le même, et celui qui voit le mieux. Le strabisme peut être convergent (yeux déviés en dedans) ou divergent (yeux déviés en dehors). On distingue le strabisme concomitant, constant dans toutes les positions du regard, du strabisme paralytique, qui augmente dans la direction du muscle paralysé.

STRABON, géographe grec (Amasya v. 58 av. J.-C.-entre 21-25 apr. J.-C.). Ses *Geographica* présentent une géographie universelle du monde antique au début de l'Empire romain; cet ouvrage est une source précieuse pour la géographie historique.

STRADELLA (Alessandro), chanteur et compositeur italien (Rome 1644-Gênes 1682). Ayant mené une vie aventureuse, il mourut poignardé, après avoir écrit des *sinfonie* et nombre de cantates, opéras, oratorios.

STRADIVARIUS ou **STRADIVARI** (Antonio), luthier italien (près de Crémone 1644 ou 1648-Crémone 1737). Disciple de Niccolo Amati*, il travailla dans le but d'augmenter la sonorité des violons. Il modifia, pour cela, les proportions des instruments, qu'il construisit plus larges et plus plats. Il améliora encore la qualité exceptionnelle de ses violons, grâce aux bois et au vernis employés. Stradivarius est l'auteur de plus de onze cents instruments; il en existe encore environ quatre cents.

STRAFFORD (Thomas WENTWORTH, 1er *comte* DE), homme politique anglais (Londres 1593-*id.* 1641). Député, il s'oppose à Buckingham*, puis se rapproche de la Couronne. Nommé par Charles* Ier lord-député d'Irlande (1632-1639), il pratique dans l'île catholique une politique autocratique. Devenu le principal conseiller du roi, il est mis en accusation en 1641 et exécuté.

STRAITS SETTLEMENTS → DÉTROITS *(gouvernement des).*

STRALSUND, port de l'Allemagne orientale, sur la Baltique; 72 000 hab. Imposante église gothique Saint-Nicolas (additions baroques) et autres monuments. Maisons anciennes. Musée océanographique. Chantier naval.

STRASBOURG, capit. de l'Alsace et ch.-l. du départ. du Bas-Rhin, à 447 km à l'E. de Paris; 257 303 hab. *(Strasbourgeois).*

GÉOGRAPHIE. Sur l'Ill, Strasbourg est le noyau d'une agglomération compacte de près de 400 000 habitants, étendue d'Eckbolsheim à l'O. au Rhin à l'E., et d'Illkirch-Graffenstaden au S. à Bischheim au N., et dont la population s'est accrue de plus de 20 p. 100 dans les quinze dernières années. Plus grande ville de l'Est français, Strasbourg est une cité rhénane, grâce à son port (qui, avec un trafic voisin de 15 Mt, avec une forte prépondérance des sorties, se classe au deuxième rang des ports fluviaux français). Centre administratif, universitaire et culturel, commercial et aussi touristique, Strasbourg (surtout la banlieue) est également industrialisée (métallurgie de transformation surtout) et bénéficie d'abondantes ressources énergétiques; des centrales thermique et hydroélectrique

De Forceville-Ruyant Production

ainsi que des raffineries de pétrole (Reichstett et Herrlisheim) se sont implantées à proximité. Bien desservie par air (aéroport d'Entzheim), par l'eau, par le rail et aujourd'hui par l'autoroute, Strasbourg, siège du Conseil de l'Europe, apparaît remarquablement située au cœur du Marché commun.

HISTOIRE. Ancien camp de légionnaires fondé sous Auguste et devenue une importante cité commerçante *(Argentoratum),* la ville fut détruite par les Alamans (352) et occupée par les Huns en 451. Dès le VIe s. une cité du nom de *Strateburgum* occupait le site de l'ancienne Argentoratum. Lotharingienne en 843, puis allemande en 870, elle fut dominée par ses évêques jusqu'au début du XIIIe s., époque où son patriciat s'empara de sa direction. En même temps que son essor économique s'accrut son rayonnement intellectuel. Albert* le Grand y enseigna et Gutenberg* y résida. Au XVIe s., la ville, passée à la Réforme, accueillit Calvin. En 1621, elle reçut son université. Annexée par Louis XIV en 1681, fortifiée par Vauban, Strasbourg accepta avec enthousiasme la Révolution française. Assiégée et prise par les Allemands en 1870, la ville, capitale du Reichsland d'Alsace-Lorraine en 1871, redevint française par la victoire de 1918 et fut réannexée par Hitler en 1940. Libérée par la division Leclerc le 23 novembre 1944, Strasbourg est devenue, en 1969, le quartier général de la Ire armée française.

BEAUX-ARTS. Magnifique cathédrale en grès rose, reconstruite à partir du dernier quart du XIIe s. (chœur et transept); au style gothique rayonnant appartiennent la nef (XIIIe s.) ainsi que la façade, entreprise en 1277 par Maître Erwin, dit « de Steinbach », et dotée d'une célèbre tour de 142 m, achevée en 1439 (sculptures du XIIIe s., vitraux des XIIe-XIVe s. et autres œuvres d'art). Importantes églises médiévales. Ensembles de maisons à hauts pignons et pans de bois sculptés, du XVe au XVIIe s. Hôtels du XVIIIe s. et, sur plans de R. de Cotte, palais Rohan, qui abrite le riche musée des Beaux-Arts, le Musée archéologique (âge du bronze, époque romaine...) et le musée des Arts décoratifs (faïences et porcelaines de Strasbourg [fabriques des Hannong, XVIIe-XVIIIe s.], etc.). Musées alsacien, historique et de l'Œuvre de la cathédrale; centre d'art contemporain dans l'anc. Douane, remontant au XIVe s.

Strasbourg *(serments de),* serments échangés à Strasbourg en 842 entre Charles le Chauve et Louis le Germanique pour confirmer leur alliance contre leur aîné, l'empereur Lothaire. Conservées par l'historien Nithard, les formules de ces serments sont les plus anciens textes connus en langues française et allemande.

STRATÈGE. — En Grèce les armées sont confiées à des généraux dont le titre varie : à Athènes ce sont les *stratèges,* chefs militaires élus pour un an; ils sont assistés de deux *hipparques,* commandants de la cavalerie. Le terme de « stratège » finira par désigner un officiel général.

STRATÉGIE *(Mil.).* — Si la notion est aussi ancienne que la guerre, le terme n'apparaît en France qu'au XVIIIe s. Il ne s'applique alors qu'à la conduite des opérations militaires, mais, peu à peu, la politique, les ressources démographiques et économiques des États furent considérées comme des éléments de la stratégie. Napoléon, après Machiavel, la nomme *art de la guerre* et lui imprime un style où la rigueur de la préparation précède une recherche obstinée de l'initiative. L'école allemande, dont le maître est Clausewitz*, fait de la stratégie le moyen d'obtenir par la force l'objectif politique défini par l'État. Cette théorie, concrétisée par Moltke*, fera la

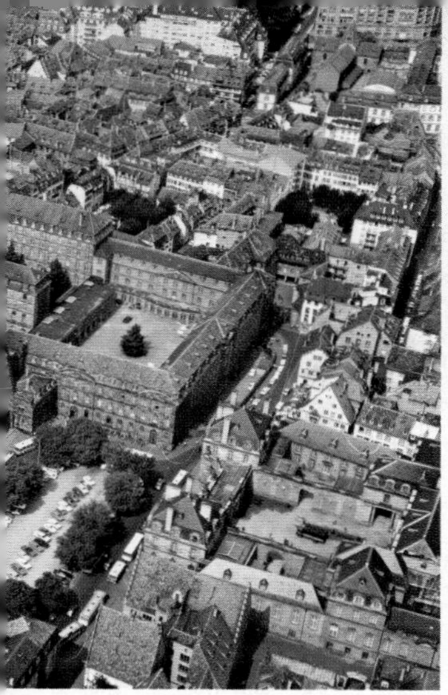

Strasbourg. La vieille ville, serrée autour de la cathédrale Notre-Dame (XIIIe-XIVe s.).

force de l'état-major allemand pendant près de un siècle (1857-1945). En France, la pensée militaire, rénovée par Foch*, ramène la stratégie à ses données militaires (la victoire par la bataille), qui obéissent aux principes permanents de *puissance,* de *sûreté* et d'*économie des forces.* Accentuant le caractère total de la guerre, les deux conflits mondiaux ont révélé l'impossibilité croissante de séparer en matière de stratégie les responsabilités du haut commandement militaire de celles du pouvoir politique.

En 1945, les bombes atomiques d'Hiroshima et de Nagasaki ouvrent une ère nouvelle dans l'histoire de la stratégie. La terreur qu'inspire leur puissance destructrice donne un sens nouveau à la *stratégie de dissuasion,* visant à interdire toute agression par la seule menace d'emploi de l'arme nucléaire. D'abord monopole des États-Unis, celle-ci est bientôt réalisée par l'U. R. S. S. (1949-1953), qui, de plus, met au point un système de fusée intercontinentale (« Spoutnik », 1957) capable de remplacer l'avion comme vecteur de l'arme nucléaire et d'atteindre le territoire américain. La supériorité américaine n'est rétablie qu'en 1962 avec l'apparition des missiles « Polaris » et « Minuteman ». Ainsi apparaît cet équilibre de la terreur qui, écartant les risques d'un conflit entre les deux grands, favorise les entreprises de la *stratégie indirecte,* où ceux-ci s'affrontent en des conflits marginaux par pays ou par « partis » interposés. De cet état de fait naissait aux États-Unis, entre 1962 et 1965, la théorie de la rispote* graduée. Cherchant à adapter sa nature à celle de la menace, elle distingue les intérêts essentiels du pays pouvant seuls justifier la menace de représailles nucléaires massives des intérêts marginaux justiciables de riposte non nucléaire. Cette distinction accentuant le caractère national de l'arme nucléaire conduisit les alliés des États-Unis à s'interroger sur la valeur de la protection américaine. L'équilibre stratégique des années 60 impliquait, en effet, un accord tacite entre Moscou et Washington pour éviter tout incident en période de crise et pour tenter de limiter le nombre des puissances nucléaires. De cette entente ont résulté les accords de limitation des armements et, depuis 1969, les négociations SALT, dont le but est de réajuster constamment entre Américains et Soviétiques l'équilibre stratégique menacé par les progrès de la technologie. (V. DÉSARMEMENT.)

Ordonnée à l'évolution des problèmes de défense, la stratégie tend à se rapprocher de plus en plus de la politique de défense des nations ou des alliances, elle-même conditionnée par plusieurs facteurs inhérents à la situation du monde à la fin du XXe s. Sans oublier l'importance de la géographie, on notera les conséquences imprévisibles des progrès de la technologie sur les armements, l'imbrication croissante des affrontements locaux dans la stratégie mondiale des grandes puissances, l'importance des pressions économiques, la vulnérabilité des opinions publiques, dans un climat dominé par la menace toujours latente de l'arme nucléaire. Mais, en cas de crise, on ne peut oublier que la décision stratégique demeure le fait de l'instance la plus haute du pouvoir politique, souvent un homme seul, qui, faisant appel à l'intuition autant qu'à la raison, pèse, juge et engage son peuple.

STRATFORD, v. du Canada (Ontario), au N.-E. de London; 24 508 hab.

STRATFORD-ON-AVON, v. d'Angleterre, au S.-E. de Birmingham; 24 000 hab. Vieilles maisons, dont celle où naquit Shakespeare (musée). Shakespeare Memorial Theatre.

STRATIFICATION SOCIALE. — À l'égalité de principe dont se réclament nos sociétés développées, s'oppose une inégalité de fait entre leurs membres. D'où une distribution des groupes qui composent les sociétés tout au long de l'échelle des revenus, de celle du pouvoir et de celle du prestige. C'est dire que la stratification sociale s'opère à partir de données objectives et d'éléments subjectifs, et que les diverses hiérarchies ne coïncident pas nécessairement les unes avec les autres.

STRATIFIÉ. — Un produit stratifié est obtenu par assemblage, avec ou sans pression, à chaud ou à la température ambiante, de strates imprégnées d'une résine permettant l'agglomération de l'ensemble. Comme support, on utilise du papier*, du coton*, des fibres ou des mats de verre*, des lamelles de bois, des tissus d'amiante*, des fibres ou des tissus de Nylon. Les principales résines d'agglomération sont les phénoplastes*, les aminoplastes*, les silicones*, les résines époxydes*, les polyesters* non saturés, les polyuréthannes* et diverses résines : polyvinyliques*, cellulosiques*, et polystyrènes*. Actuellement, ce sont les stratifiés aux fibres de verre qui sont le plus employés. Les *stratifiés haute pression* se fabriquent par imprégnation et séchage d'un mat de verre avec des résines aminoplastes ou phénoplastes, puis par pressage avec moulage sous compression et éventuellement postformage. Les *stratifiés basse pression* ont comme supports des mats de verre, du papier, des tissus de coton, et comme résines des polyesters, des époxydes, des résines allyliques ou leur mélange. On les obtient par application successive des strates sur des formes en plâtre, en ciment, en bois, en caoutchouc, en matières plastiques. Les stratifiés sont utilisés pour l'exécution de pièces de grande surface aux formes compliquées (carrosseries, coques d'embarcation, réservoirs, capots, carters, etc.), dont le moulage classique exigerait des moules trop onéreux et augmenterait d'autant le prix de revient de l'objet fabriqué.

STRATIGRAPHIE. — Branche de la géologie qui étudie la succession des terrains au cours du temps, la stratigraphie vise à établir une chronologie des événements (ou *échelle stratigraphique*) qui ont affecté la surface de la Terre*. Elle se fonde, notamment, sur la disposition relative des couches et sur la nature des éventuels fossiles qu'elles contiennent et qui servent à les dater.

Appliqué à la paléontologie et à l'archéologie*, ce décapement par strates donne le niveau des dépôts (objets, détritus, reconstructions) qui se sont accumulés au cours de l'occupation d'un site, ou même lors de son abandon momentané. La succession de ces séquences stratigraphiques contribue — entre autres méthodes — à l'établissement d'une chronologie relative.

STRATOSPHÈRE. — Dans cette région de l'atmosphère, les courants sont disposés en couches, ou strates, horizontales, et la température reste constante suivant la verticale, au-dessus d'une station déterminée et pendant la même saison.

STRATUS → NUAGE.

STRAUBING, v. de l'Allemagne fédérale (Bavière), sur le Danube; 36 000 hab. Elle est devenue, grâce à la découverte d'une nécropole, le site éponyme d'une culture de l'âge du bronze, caractérisée par un matériel métallique abondant et de qualité.

STRAUSS (les), famille de musiciens autrichiens. JOHANN Ier (Vienne 1804-*id.* 1849), chef d'orchestre réputé, a dirigé durant les bals donnés à la Cour, des séries de valses célèbres. — Son fils, JOHANN II (Vienne 1825-*id.* 1899), continua la tradition paternelle, écrivant de nombreuses valses (*le Beau Danube bleu,* 1867) et des opérettes (*la Chauve-Souris,* 1874).

STRAUSS (David Friedrich), théologien et exégète allemand (Ludwigsburg 1808-*id.* 1874). L'idée centrale de sa *Vie de Jésus* (1835) est que les Évangiles sont des prédications et non des biographies. Ce refus de lire les Évangiles comme des sources historiques aboutit à l'école de l'histoire des formes littéraires (v. EXÉGÈSE), avec Rudolf Bultmann*.

STRAUSS (Richard), compositeur allemand (Munich 1864-Garmisch 1949). Sa carrière débuta sous le signe du poème symphonique, avec des œuvres à intentions psychologiques (*Don Juan,* 1888; *Mort et transfiguration,* 1889; *Ainsi parlait Zarathoustra,* 1896; *Une vie de héros,* 1898) et d'autres franchement descriptives et narratives (*Till Eulenspiegel,* 1895; *Don Quichotte,* 1897). Il s'orienta ensuite vers l'opéra avec *Salomé* (1905) et *Elektra* (1909), ouvrages très violents en un acte, puis avec *le Chevalier à la rose* (1911) et *Ariane à Naxos* (1912), où revit le XVIIIe s. baroque. Foncièrement traditionaliste, il parvint en fin de carrière à un classicisme épuré, avec *Capriccio* (1942), son dernier opéra, *Métamorphoses* pour vingt-trois instruments à cordes et les quatre derniers lieder, son testament artistique.

STRAUSS (Franz Josef), homme politique allemand (Munich 1915). Il participe à la formation de l'Union chrétienne-sociale bavaroise (Christlich-Soziale Union [CSU]), parti démocrate-chrétien de Bavière, allié de la CDU*. Plusieurs fois ministre à partir de 1953 et président de la CSU depuis 1961, il a orienté son parti vers une politique nationaliste et conservatrice.

Bernand

Igor Stravinski. Représentation de *Renard* au Théâtre de la Ville (Paris, 1972).

STRAVINSKI (Igor), compositeur russe naturalisé français puis américain (Oranienbaum, près de Saint-Pétersbourg, 1882 - New York 1971). Élève de Rimski-Korsakov, il entra dans la gloire, qui ne devait plus le quitter, avec trois ballets représentés à Paris par Serge de Diaghilev : *l'Oiseau* de feu* (1910), *Petrouchka** (1911) et *le Sacre* du printemps* (1913). Avec *Pulcinella* (1919) débuta ce qu'on devait appeler, parfois non sans mépris, sa période néoclassique. Durant plus de trente ans, jusqu'à l'opéra *The Rake's Progress* (1951), il emprunta, en effet, son bien à autrui, de Guillaume de Machaut à Tchaïkovski, en passant par Bach, Händel et d'autres, mais avec beaucoup d'originalité et d'humour. Schönberg à peine disparu, il aborda sa troisième phase créatrice, la phase sérielle. Dans cette ultime période, dépouillée, d'une grandeur austère, l'inspiration religieuse fut prépondérante (*Threni,* 1958; *Requiem Canticles,* 1966). Foncièrement antiromantique, dans la mesure où, pour lui, «la signification romantique du mot *romantique* ne signifiait rien», il devint une sorte de mythe vivant, symbolisant la musique moderne au même titre que Picasso la peinture.

streltsy, soldats d'un corps créé en 1550, qui constitua la garde des tsars et la première armée russe permanente. Les streltsy se révoltèrent en 1682, et Pierre le Grand les supprima en 1698.

STREPTOCOQUE → BACTÉRIE.

STREPTOMYCINE. — Cet antibiotique, isolé des produits du métabolisme de *Streptomyces griseus* (champignon), est actif, *in vivo* et *in vitro,* sur de nombreuses bactéries Gram négatif, sur le bacille de Koch et sur quelques bactéries Gram positif. La streptomycine est administrée seule ou en association, le plus souvent par voie parentérale. Son utilisation exige une surveillance médicale stricte, car elle peut provoquer des accidents dus à des effets secondaires toxiques (accidents neuropsychiques avec risque de surdité) ou allergiques (éruptions). Elle est un élément du traitement antituberculeux.

STRÉPY-BRACQUEGNIES, anc. comm. de Belgique (Hainaut), intégrée en 1977 à La Louvière.

STRESA, v. d'Italie (Piémont), sur la rive ouest du lac Majeur; 5 000 hab. — Une conférence diplomatique s'y tint, du 11 au 14 avril 1935, entre les représentants de la France, de l'Italie et de la Grande-Bretagne, qui affirmèrent, face au militarisme hitlérien, le maintien de l'intégrité et de l'indépendance de l'Autriche.

STRESEMANN (Gustav), homme d'État allemand (Berlin 1878 - *id.* 1929). Chef du parti national-libéral, il fonde, après la défaite de 1918, le parti populiste. À la tête d'un gouvernement de coalition (1923), il met fin à la résistance passive dans la Ruhr, mais il est bientôt abandonné par les socialistes. Devenu ministre des Affaires étrangères de la république de Weimar*, il obtient de Poincaré l'acceptation du plan Dawes* (1924) et l'évacuation de la Ruhr (1925). Par les négociations franco-allemandes de Locarno, avec Briand (1925), il provoque l'entrée de l'Allemagne à la S.D.N. À Thoiry (1926), il pousse plus avant ses avantages, mais Briand se heurte à l'opinion française. En 1928, Stresemann signe le pacte Briand-Kellogg. Deux ans plus tôt, il avait partagé avec Briand le prix Nobel de la paix.

STRESS. — Cet ensemble de phénomènes métaboliques ou viscéraux se manifeste dans l'organisme comme une réaction à l'action d'un agent agresseur (traumatisme, choc chirurgical, émotion, effort, froid, chaleur, microbes, agents chimiques, etc.) sur l'organisme. Il permet la mise en œuvre des défenses naturelles, mais l'excès ou la persistance des contraintes aboutissent à l'épuisement de celles-là.

STREUVELS (Frank LATEUR, dit **Stijn**), écrivain belge d'expression néerlandaise (Heule 1871 - Ingooigem 1969). Ses romans associent la vie des campagnes de Flandre au rythme cosmique de la nature (*la Moisson,* 1900; *le Champ de lin,* 1907).

STRINDBERG (August), écrivain suédois (Stockholm 1849 - *id.* 1912). Après une enfance difficile, qu'il a décrite dans *le Fils de la servante* (1886-87), il s'inscrit à l'université d'Uppsala en 1867, mais abandonne bientôt ses études. Tour à tour instituteur, acteur, journaliste, il est attiré par le théâtre et subit l'influence de Kierkegaard et de Brandes. Après avoir vainement essayé de faire jouer la première version de *Maître Olof* (1872), il devient secrétaire à la Bibliothèque royale (1874-1882), mais, en 1879, le scandale causé par la publication de *la Chambre rouge,* premier roman naturaliste suédois, lui apporte la célébrité. Strindberg compose alors des nouvelles à sujets historiques, des romans satiriques (*le Royaume nouveau,* 1882) et des pièces de théâtre, qu'interprète sa femme, Siri von Essen, divorcée d'un officier suédois, le baron Wrangel (*le Secret de la guilde,* 1880; *la Femme du Chevalier Bengt,* 1882). En 1883, il s'établit à Paris et donne les premiers signes d'un déséquilibre nerveux. Il publie *Mariés* (1884), recueil de nouvelles qui lui vaut un procès retentissant. Sa susceptibilité maladive s'aggrave dans *le Plaidoyer d'un fou* (1887-88), tandis qu'il donne au théâtre *Père* (1887) et *Mademoiselle* Julie* (1888). Il divorce (il se remariera deux fois, en 1893 et en 1901), s'intéresse à la pensée nietzschéenne, puis au catholicisme, et frôle la folie au cours de la crise de l'*Inferno* (1897); il en sort gagné par le mysticisme. S'il écrit une série de pièces historiques (*Eric XIV,* 1899; *Christine,* 1903) et donne encore quelques œuvres dans la ligne naturaliste (*la Danse* de mort,* 1900), ses drames retracent son évolution spirituelle (*le Songe**, 1902). Résigné, replié sur lui-même, il crée le Théâtre-Intime, où il fait jouer les «Kammarspel» (*la Sonate* des spectres,* 1907). Mais son esprit

Bernand

Strindberg. *Le Songe,* représenté à la Comédie-Française (Paris, 1970).

satirique se manifeste encore à la fin de sa vie dans le roman *Drapeaux noirs* (1907) et dans des articles qui attaquent la société bourgeoise (*Discours à la nation suédoise,* 1910). Strindberg pratiqua également la peinture, témoignant d'une sorte d'intuition de l'informel.

STROBOSCOPIE. — Cette opération consiste à illuminer, par des éclairs brefs et régulièrement espacés, un corps animé d'un mouvement périodique (rotation ou vibration). Si les éclairs sont émis à une fréquence convenable, le corps peut paraître immobile, parce que la lumière le saisit toujours à la même phase de son mouvement. Une petite variation de la fréquence des éclairs donne l'illusion d'un mouvement ralenti dans l'un ou l'autre sens. On peut ainsi faire l'analyse du mouvement.

STROHEIM (Erich VON), cinéaste et acteur américain d'origine autrichienne (Vienne 1885 - Maurepas 1957). Assistant et interprète de D. W. Griffith pour *Naissance d'une nation* et *Intolérance,* il réalisa son premier film *(la Loi des montagnes)* en 1918. Ses productions suivantes, où apparaît une vision cruelle, parfois même féroce, de l'humanité, furent traitées avec un art fastueux de la mise en scène qui lui attira les foudres des producteurs hollywoodiens (*Folies de femmes,* 1921; *les Rapaces**, 1923; *la Veuve joyeuse,* 1925; *la Symphonie nuptiale,* 1927; *Queen Kelly,* 1928). Incompris et ne réussissant plus à tourner ses propres films, il se consacra à partir de 1932 à la carrière d'acteur (*la Grande Illusion,* 1937; *Boulevard du crépuscule,* 1950).

STROMBE → GASTROPODES.

STROMBEEK-BEVER, anc. comm. de Belgique, dans la banlieue nord de Bruxelles, intégrée depuis 1977 à Grimbergen.

STROMBOLI, île italienne de la mer Tyrrhénienne, la plus septentrionale de l'archipel des Éoliennes, au N. de la Sicile. Elle est formée par un volcan actif, culminant à 926 m.

STROMBOLIEN → VOLCAN.

STRONTIUM. — Découvert en 1790 par Crawford qui le retira d'un minéral provenant d'une mine de plomb de *Strontian* (Écosse) et isolé par Davy en 1808, il constitue l'élément chimique n° 38, de masse atomique Sr = 87,63. C'est un métal alcalino-terreux, blanc, de densité 2,5, fondant vers 800 °C, très oxydable. Ses sels, dans lesquels il est bivalent, sont analogues aux sels de baryum. Ils colorent la flamme en rouge.

STROPHANTHUS. — Ce genre de lianes afro-asiatiques des régions chaudes, dont les fleurs ont des pétales en lanières, donne toute une gamme d'hétérosides tonicardiaques, tels que l'ouabaïne. Une espèce fournit, en outre, un précurseur de la cortisone. (Famille des apocynacées.)

ŠTROSMAJER ou **STROSSMAYER** (Josip Juraj), prélat croate (Osijek 1815 - Djakovo 1905). Évêque de Djakovo (1849), il est le promoteur de l'idée yougoslave. Fondateur de l'université de Zagreb (1874), il s'oppose, jusqu'en 1872, à l'infaillibilité pontificale.

ŠTROUGAL (L'ubomír), homme politique tchécoslovaque (Veselí nad Lužnici, près de České Budějovice, 1924). Membre du secrétariat du Comité central du parti communiste, il combat la politique d'A. Dubček et devient Premier ministre en janvier 1970.

STROZZI, famille florentine connue à partir du XIIIe s., qui fut rivale des Médicis (XVe-XVIe s.). Plusieurs de ses membres passèrent au service de la France, tels PIERO (1510-1558), qui fut maréchal de France en 1556, et LEONE (1515-1554), capitaine général des galères de France en 1547. La famille s'était divisée assez tôt en de multiples branches, fixées, notamment, à Mantoue et à Ferrare.

STRUCTURALISME. — Le structuralisme désigne un courant de pensée du XXe s. qui se caractérise par l'usage d'une méthode opératoire dans les sciences humaines*. Dans la mesure où elle est supposée réelle et logiquement antérieure à ses éléments, la structure, ou modèle élaboré par cette méthode, permet de rendre compte de tous les faits observés et de déduire certains autres phénomènes. Définie par analogie avec son sens mathématique ou avec la notion de forme, la notion de structure* a, dans le structuralisme, une fonction explicative et heuristique.

Issu des travaux de F. de Saussure*, de la théorie psychologique de la forme* et de l'anthropologie de Malinowski* et de Radcliffe-Brown*, le structuralisme n'acquiert cependant son statut de méthodologie qu'avec les recherches de Cl. Lévi-Strauss*. À moins d'ériger, comme lui, les structures en essences formelles, le problème auquel se heurte le structuralisme est d'élucider les liens qui unissent les structures à l'histoire (Althusser*, Foucault*).

● Le STRUCTURALISME EN LINGUISTIQUE. Il tire ses origines du *Cours* de linguistique générale* de F. de Saussure. Bien qu'il ne parle pas de structure, celui-ci introduit des concepts (distinctions : langue/parole, synchronie/diachronie, signifiant/signifié) qui conduisent à envisager l'étude de la langue comme celle d'un système, d'une structure : chacun des éléments du système n'est définissable que par les relations d'équivalence ou d'opposition qu'il entretient avec les autres. Ce n'est ni l'élément ni le tout qui constitue la structure, mais cet ensemble de relations : on est ainsi conduit à formuler des lois de fonctionnement, à dépasser le stade de simple description des éléments. La notion de phonème, par exemple, ne peut être définie en dehors des relations qu'il entretient avec les autres phonèmes de la langue, en dehors du système phonologique.

Le terme « structuralisme » s'applique à des écoles linguistiques qui ont toutes en commun cette vision globale de leur objet. En Europe, le structuralisme est représenté par les disciples directs de Saussure (Bally*), par le Cercle de Prague*, par la glossématique de L. Hjelmslev*, la psychosystématique de G. Guillaume*, le fonctionnalisme d'A. Martinet*, le binarisme* de R. Jakobson. Aux États-Unis, il est né, avec F. Boas* et E. Sapir*, de l'étude des langues amérindiennes; il s'est développé avec l'école de L. Bloomfield*, conduisant au distributionnalisme* de Z. Harris et à la grammaire générative* de N. Chomsky.

STRUCTURE *(Écon.).* — La structure représente la donnée stable (par opposition aux éléments mouvants de la conjoncture*) d'un ensemble socioéconomique donné, dans une période et en un lieu donnés. Exemples : pays à structure agraire ou industrielle; pays à économie sous-développée ou développée; pays à structure concurrentielle ou monopolistique; etc. La dynamique des structures étudie l'évolution de celles-ci. Elle laisse apparaître les effets de la conjoncture sur la structure, en ce sens que chaque essor de la conjoncture aboutit à une surcapitalisation ou à une surindustrialisation, dont l'excès se résorbe en période de dépression, mais dont il subsiste des effets sur la structure. La structure est ainsi modifiée par la conjoncture. La révolution industrielle* réalisa, à l'échelon de l'histoire, une mutation de ce type.

STRUCTURE *(Géol.).* — La nature des terrains et leur disposition déterminent la structure de l'écorce terrestre : on parle de structure plissée, faillée, etc. En géomorphologie, les formes structurales sont celles qui sont directement influencées par la structure : escarpement de faille, cuesta, anticlinal, etc.

STRUCTURE *(Math.)* → BOURBAKI *(Nicolas),* COMPOSITION *(loi de),* OPÉRATION.

STRUCTURE *(Philos.).* — Une structure se distingue d'un simple agrégat formé d'éléments donnés indépendamment les uns des autres. Elle constitue, au contraire, un système caractérisé par des lois qui confèrent à l'ensemble des propriétés distinctes de celles de ses éléments et où chaque élément est inséparable de l'ensemble auquel il appartient. Ces lois, appelées « lois de composition », opèrent des transformations telles que la composition de deux ou de plusieurs de ces éléments produit un élément appartenant encore au système. Une structure est donc autonome, et ses lois ne se modifient pas lorsqu'elle s'intègre dans une structure plus large.

STRUCTURE ALGÉBRIQUE. — Étant donné un ensemble M non vide, tout ensemble S, non vide, de lois de composition définies sur M est appelé « structure algébrique définie sur M ». M est appelé « support de la structure ».

STRUCTURE CHIMIQUE. — La structure intime de la matière solide est établie par l'étude des diagrammes de diffraction des rayons X, des électrons ou des neutrons. Ces diagrammes, plus particulièrement ceux qui sont fournis par les rayons X pour les cristaux, permettent de fixer les positions mutuelles des différents atomes ou ions et de fournir des données concernant leurs dimensions et leurs masses, ainsi que leurs différents modes de liaison. Bien que les résultats fournis par les substances amorphes soient plus difficiles à interpréter que ceux des cristaux, ils ont cependant permis de connaître l'arrangement des atomes dans les liquides, les colloïdes et les verres.

Structure et fonction dans les sociétés primitives, recueil d'articles rédigés par A. R. Radcliffe-Brown entre 1924 et 1952. Dans cet ouvrage, l'auteur traite de la plupart des domaines de l'anthropologie sociale (parenté, religion totémisme, tabou, etc.) et construit les concepts de fonction et de structure.

STRUENSEE (Johann Friedrich, *comte* DE), homme politique suédois (Halle, Saxe, 1737 - Copenhague 1772). Médecin du roi Christian VII (1768), amant de la reine, il emploie son crédit à des réformes inspirées du despotisme éclairé. Inculpé dans un complot, il est décapité.

STRUMA (la) [le **Strymon** des Grecs anciens], fl. né en Bulgarie (à proximité de Sofia) et qui traverse le nord de la Grèce (Macédoine), tributaire de la mer Égée; 430 km.

STRUTHOF, écart de la comm. de Natzwiller (Bas-Rhin), près de Schirmeck. Les Allemands y établirent un camp de concentration de 1941 à 1944. Le Struthof a été érigé depuis 1950 en nécropole nationale des victimes du système concentrationnaire nazi.

STRUVE, famille d'astronomes russes. WILHELM (Altona, Holstein, 1793 - Saint-Pétersbourg 1864) participa à un grand nombre de triangulations en Russie. — Son fils, OTTO (Dorpat 1819 - Karlsruhe 1905), découvrit une quantité importante d'étoiles doubles. — Le petit-fils de ce dernier, OTTO (Kharkov 1897 - Berkeley 1963), naturalisé américain en 1927, s'est intéressé à la physique stellaire.

STRYCHNINE. — Ce poison convulsivant, alcaloïde des plantes du genre *Strychnos,* est utilisé en thérapeutique sous forme de sulfate, à très faibles doses, pour ses propriétés stimulantes sur la digestion et sur la commande nerveuse des muscles. L'intoxication par la strychnine se traduit par un coma avec convulsions et asphyxie (la dose mortelle est de 20 à 30 mg chez l'adulte).

STRYCHNOS. — Ce genre comprend deux cents espèces de lianes ou d'arbrisseaux des régions chaudes, toutes dangereusement vénéneuses par les alcaloïdes qu'elles contiennent : strychnine, brucine, etc. Les fruits de diverses espèces (noix vomique, fève de Saint-Ignace) et certaines écorces (fausse angusture) servent en médecine, mais d'autres espèces fournissent des poisons de flèche curarisants. (Famille des loganiacées.)

STUARTS (les), illustre famille d'Écosse, issue de Walter Fitz Alan (ou Fitzalain) [† 1177], ami du roi David Ier Bruce, qui lui conféra à titre héréditaire la dignité de sénéchal d'Écosse (« Stewart of Scotland », d'où le patronyme « Stewart » fixé en « Stuart » par la reine Marie en 1542). Les Stuarts régnèrent sur l'Écosse à partir de 1371, sur l'Angleterre de 1603 à 1688. Le sixième sénéchal, WALTER († 1326) épousa (1315) Marjorie, fille du roi Robert Ier Bruce. De cette union naquit (1316) ROBERT, qui, en 1371, sous le nom de Robert II, succéda à son oncle David II Bruce, mort sans postérité. Roi peu brillant, il fut incapable de pacifier son royaume, en proie aux guerres privées. Son fils aîné, JEAN (v. 1337-1406), lui succéda en 1386 sous le nom de ROBERT III (de 1390 à 1406). Malade et effacé, il laissa gouverner son frère, ROBERT **Stuart** (v. 1340-1420), duc **d'Albany,** qui, pour se concilier la noblesse, dilapida le domaine royal. JACQUES Ier (1394-1437) lui succéda en 1406 mais ne gouverna l'Écosse qu'à partir de 1424, après dix-neuf ans de captivité en Angleterre. Il restaura le patrimoine royal, lutta efficacement contre la haute noblesse et se rapprocha de la France. Il fut assassiné en 1437 et son fils, JACQUES II (1430-1480), alors âgé de sept ans, lui succéda. Majeur vers 1448, Jacques II triompha de la révolte nobiliaire (1455), renouvela l'alliance française et profita du marasme politique de l'Angleterre (guerre des Deux-Roses) pour tenter de reprendre les dernières positions anglaises en Écosse. Il mourut accidentellement au siège de Roxburgh. Son fils, JACQUES III (1452-1488), roi d'Écosse de 1460 à 1488, tenta de s'appuyer sur le petit peuple, mais ne put faire face à la rébellion nobiliaire. Vaincu au Sauchieburn (1488), il fut assassiné. JACQUES IV, son fils (1473-1513), lui succéda. Il poursuivit l'œuvre de pacification du pays, réorganisa la justice et encouragea le commerce. À l'extérieur, il maintint l'alliance avec la France, mais se heurta au roi d'Angleterre Henri VIII. La guerre qui éclata (1513) aboutit à la bataille de Flodden, où les Écossais furent vaincus et leur roi tué (9 sept.). JACQUES V (1512-1542), âgé de un an à la mort de son père, n'exerça réellement le pouvoir qu'à l'âge de seize ans. En guerre contre l'Angleterre, il fut défait à Solway Moss (1542) et mourut quelques jours plus tard. De son mariage avec Marie de Guise naquit MARIE* STUART, reine d'Écosse et mère de JACQUES VI, qui monta sur le trône d'Angleterre sous le nom de Jacques Ier*.

STŪPA. — Du IIe s. av. J.-C. au Ier s. de notre ère, se constituent les principes de l'art indien, qui se prolongeront sans coupure apparente jusqu'au IVe s. Avec l'impulsion que lui avait donnée Aśoka, le bouddhisme prend la tête de la production artistique, et deux monuments deviennent fréquents : le sanctuaire excavé et le stūpa, probablement dérivé du tumulus. Destiné à jouer le rôle d'un reliquaire ou d'un monument commémoratif, le stūpa se présente comme un hémisphère plein *(anda),* en brique ou en pierre, posé sur un socle carré. Au sommet du dôme est plantée une hampe, soutenant un ou plusieurs parasols — symboles de dignité —, entourée d'un belvédère quadrangulaire bordé d'une balustrade. Le monument est encerclé à sa base d'une balustrade *(vedikā)* percée d'une ou de quatre portes, avec parfois un portique *(torana).* Le couloir circulaire ainsi ménagé sert à la circumambulation rituelle. Des bas-reliefs historiés décorent les montants et les traverses de la balustrade (Bhārhut*, Sāñcī*, etc.).

STUPÉFIANT. — Ce terme désigne toutes les substances dont l'action analgésique, sédative, euphorisante provoque une accoutumance. La liste de ces substances utilisées en thérapeutique constitue le tableau « B » des substances vénéneuses et comprend essentiellement l'*opium** et ses alcaloïdes (morphine, codéine...), la *cocaïne** et ses sels, la *péthidine,* etc. Leur détention, leur prescription, leur usage sont soumis à des règles rigoureuses. L'intoxication par la morphine est le type même de l'intoxication par les stupéfiants : elle peut être aiguë, caractérisée essentiellement par un coma calme, avec myosis et bradypnée, ou chronique, aboutissant à la morphinomanie. La suppression brutale de stupéfiant chez un intoxiqué chronique entraîne un « syndrome de manque » qui le pousse à chercher par tous les moyens sa drogue. (V. TOXICOMANIE.)

STURDZA, famille moldave principalement représentée par MIHAIL (1795 - Paris 1884), prince de Moldavie de 1834 à 1849, et DIMITRIE (Miclăuşeni 1833 - Bucarest 1914), historien, collaborateur du prince Cuza, président du parti libéral, cinq fois président du Conseil de 1895 à 1909.

STURM (Charles), mathématicien français d'origine suisse (Genève 1803 - Paris 1855). Avec Colladon*, il détermina sur le lac Léman la vitesse de propagation du son dans l'eau. D'autre part, il énonça un théorème qui précise le nombre de racines réelles d'une équation numérique comprises entre deux limites données.

Sturm, terme qui désigne un groupe expressionniste et une revue fondée à Berlin en 1910 et dont se recommandèrent, entre autres, August Stramm, Wilhelm Klemm et Alfred Döblin*.

Sturm und Drang *(Tempête et élan),* mouvement littéraire qui exerça une influence profonde sur la littérature allemande entre 1770 et 1790, et qui emprunta son nom au titre d'une tragédie de Klinger*. S'inspirant des idées de J.-J. Rousseau, il constitue une réaction contre le rationalisme et le classicisme. Il a été illustré par H.-L. Wagner, Lenz, Klinger, Herder et surtout par Goethe et Schiller, à l'époque de leur jeunesse.

STURZO (Luigi), homme politique et sociologue italien (Caltagirone, Sicile, 1871 - Rome 1959). Prêtre en 1894, il prend une part active au premier mouvement démocrate-chrétien. Maire de Caltagirone (1905), secrétaire général du conseil directeur de l'Action catholique italienne (1915-1917), il fonde, en 1919, le parti populaire italien. Opposé au fascisme, Sturzo est contraint de démissionner du secrétariat général du parti en 1923 et, l'année suivante, il est condamné à l'exil. Rentré en Italie en 1946, il ne reprend pas la politique active mais reste l'âme de la démocratie chrétienne*. Sturzo est l'auteur d'importants écrits politiques.

STUTTGART, v. de l'Allemagne fédérale, sur le Neckar, capit. du Bade-Wurtemberg; 633 000 hab. Monuments, très restaurés : collégiale gothique, « Vieux Château » (surtout du XVIe s.), « Nouveau Château » (XVIIIe s.), etc. Nombreux musées. Port fluvial et important centre administratif, commercial et surtout industriel (constructions mécaniques [automobiles] et électriques, notamment). — C'est entre 1254 et 1258 que naquit la ville de Stuttgart, à l'emplacement d'un haras *(Gestüttgarten),* fondé au XIIe s. par les comtes de Wurtemberg. Ces derniers en firent leur résidence (XIVe s.), puis leur capitale (1482).

STUTTHOF, camp de concentration allemand, établi près de Dantzig (auj. Gdańsk). De 1939 à la fin de 1944, y furent internés environ 120 000 détenus, en majorité Polonais et Soviétiques (dont 80 000 environ seraient morts).

STWOSZ (Wit), en allem. **Stoss** (Veit), sculpteur d'origine inconnue († Nuremberg 1533), dont le chef-d'œuvre, dernière grande somme iconographique du Moyen Âge dédiée à la Vierge, est l'immense retable en bois polychrome de Notre-Dame de Cracovie (1477-1489); en son centre figure une *Dormition* aux figures en ronde bosse hautes de près de 3 m, chacune d'une rare intensité expressive (attitudes mouvementées, plis creusés...). À partir de 1496, on trouve Stwosz installé à Nuremberg, où ses œuvres sont d'un style beaucoup plus doux et grêle (grand Rosaire, ou *Salutation angélique,* de l'église Saint-Laurent, etc.).

STYLISTIQUE. — Partie de la linguistique qui étudie les procédés de style, la stylistique recouvre, selon les auteurs, un champ fort varié (on a pu dire qu'il y avait autant de stylistiques que de stylisticiens). En effet, la stylistique peut porter sur des textes valorisés (stylistique littéraire), sur n'importe quel texte ou discours (stylistique de la langue) ou même sur n'importe quel objet signifiant (stylistique générale). Elle peut s'orienter du côté du récepteur (qu'est-ce qui fait le style d'un texte?) ou du côté de l'émetteur (l'analyse du style est alors destinée à comprendre l'auteur).

STYRAX. — C'est cet arbre, dit aussi *aliboufier,* qui fournit le benjoin, d'usage pharmaceutique.

STYRÈNE → ÉTHYLÈNE, POLYACRYLIQUE, POLYESTER, POLYSTYRÈNE.

STYRIE, en allem. **Steiermark,** prov. du sud-est de l'Autriche; 16 386 km^2; 1 192 000 hab. Ch.-l. *Graz.* L'ouest et le nord appartiennent aux Alpes (Niedere Tauern et Alpes de Styrie), recélant localement des gisements minéraux (fer de l'Erzberg, notamment); le sud-est correspond au bassin de Graz, où les cultures tiennent une grande place.

HISTOIRE. Peuplée de Celtes (Taurisques), puis, après les grandes invasions, de Slaves, cette région passa sous la tutelle de la Bavière (VIIIe s.), et fit partie de la marche de Carinthie fondée par Charlemagne (788). À partir du XIe s., les châtelains de *Steyr* l'unifièrent et lui donnèrent leur nom. Érigée en duché en 1180, la Styrie fut conquise par Otakar II de Bohême, puis tomba aux mains des Habsbourg (XIIIe s.). Profondément germanisée, partageant le sort de l'Autriche depuis 1619, la Styrie a été amputée en 1919 de ses zones de peuplement slovène, données à la Yougoslavie.

STYROLÈNE. — De formule $C_6H_5CH{=}CH_2$, rencontré dans les goudrons de houille, le styrolène se prépare par condensation de l'éthylène et du benzène. C'est un liquide réfringent, bouillant à 146 °C. Il se polymérise pour donner un verre organique incolore (polystyrol), dont on tire les plastiques en polystyrène.

STYRON (William), écrivain américain (Newport News 1925). Ses romans et ses nouvelles, qui dénoncent l'univers traumatisant de la société américaine, marquent un retour aux sources de la « génération* perdue » (*Un lit de ténèbres,* 1951; *la Proie des flammes,* 1960; *les Confessions de Nat Turner,* 1967).

STYX, dans la mythologie grecque un des fleuves des Enfers; ses eaux possédaient des propriétés magiques, dont celles de rendre invulnérable et de garantir l'inviolabilité des serments.

SUARÈS (André), écrivain français (Marseille 1868 - Saint-Maur-des-Fossés 1948). Il manifeste son goût de l'héroïsme dans une œuvre empreinte de mysticisme et qui se présente comme une suite de méditations (*Voyage du Condottiere,* 1910-1932).

SUÁREZ (Francisco), théologien jésuite espagnol (Grenade 1548-Lisbonne 1617). Ses prises de position sur la grâce divine et la liberté humaine ont influencé le développement théologique.

SUBCONSCIENT. — Ce terme est souvent utilisé pour désigner ce qui est au-dessous du seuil de la conscience; il renvoie donc aussi bien au préconscient qu'à l'inconscient* freudiens. Analogue à l'état somnanbulique, l'état subsconscient suppose un abaissement du niveau de vigilance* suffisant pour altérer les processus de synthèse mentale, sans pour autant empêcher l'accomplissement d'une activité automatique ou semi-automatique plus ou moins complexe. L'oubli total pendant la veille de ce qui s'est passé durant cet épisode est la règle.

SUBIACO, v. d'Italie (Latium), à l'E. de Rome; 9000 hab. À la fin du ve s., saint Benoît y fonda un monastère, origine de l'ordre bénédictin, qui fut fermé en 1809. En 1852, Subiaco devint le centre d'une congrégation bénédictine.

SUBJECTILE → ENDUIT.

SUBLEYRAS (Pierre), peintre français (Saint-Gilles-du-Gard 1699-Rome 1749). Formé à Toulouse dans l'atelier d'Antoine Rivalz (1667-1735), grand prix de l'Académie, à Paris, en 1726, il part pour Rome, qu'il ne quittera plus, parvenant autour de 1740 à la plus haute consécration. Surtout peintre d'histoire, plein de force, de calme, de rigueur et d'une simplicité déjà néoclassique, coloriste raffiné, il est un des grands novateurs de son temps (*Saint Camille de Lellis conjurant l'inondation,* Museo di Roma).

SUBLIGNY (Adrien Thomas PERDOU DE), écrivain français (1636-1696). Ami de Molière, il écrivit une pièce, *la Folle Querelle* (1668), critique de l'*Andromaque* de Racine.

SUBLIMATION *(Phys.).* — Certains corps, comme le dioxyde de carbone, passent directement de l'état solide à l'état gazeux. Pour d'autres, la sublimation est semblable à l'évaporation d'un liquide. C'est ainsi que l'on peut, par exemple, purifier le camphre, l'iode, etc., par sublimation et cristallisation de la vapeur formée.

SUBLIMATION *(Psychan.).* — Ce processus représente pour S. Freud* la dérivation de la pulsion* sexuelle vers des buts non sexuels, socialement valorisés. C'est donc le fruit d'un renoncement « réussi » selon les normes culturelles en vigueur. La sublimation porte essentiellement sur les pulsions partielles n'ayant pas pu s'intégrer à la génitalité. Pour M. Klein, la sublimation est intimement liée à l'activité réparatrice de la phase dépressive, qui l'amène à déplacer ses buts pulsionnels sur des substituts de l'objet. C'est à ce moment qu'elle situe la genèse de la formation de symboles et de la créativité*.

SUBLIMÉ → MERCURE.

SUBOTICA, v. de Yougoslavie (Vojvodine), près de la Hongrie; 89000 hab.

SUBROGATION. — La subrogation est la situation juridique dans laquelle se trouve une personne qui prend la place d'une autre pour l'exercice de certains droits. Par exemple, un créancier, payé par un tiers au lieu de l'être par le débiteur, voit transférer sa créance sur la personne du tiers, qui pourra désormais en poursuivre le paiement auprès du débiteur et bénéficiera de toutes les sûretés* attachées à la créance. De cette « subrogation personnelle », il faut distinguer la « subrogation réelle », qui consiste en ce que, au sein d'un patrimoine, une chose prend les qualités juridiques qui étaient attribuées à une autre.

SUBSIDENCE. — Affaissement lent d'une portion de l'écorce terrestre, la subsidence résulte du poids des dépôts successifs, qui engendre un rajustement isostatique. Se produisant régulièrement ou par saccades, elle est responsable de l'empilement de milliers de mètres de sédiments dans les bassins sédimentaires.

SUBSIDES (action à fin de). — Cette action en justice est exercée contre celui qui a eu des relations sexuelles avec la mère d'un enfant pendant la période légale de la conception. Elle permet d'assurer une aide matérielle en faveur dudit enfant, sans avoir l'inconvénient pour ce dernier d'établir un lien de filiation (naturelle) avec un père se désintéressant de lui. Elle offre un régime de preuve plus favorable que l'action en recherche de paternité : ce n'est pas la paternité qui crée l'obligation de subsides mais la possibilité de paternité.

SUBSTITUT → MODÈLE *(Cybern.).*

SUBSTITUTION *(Chim.).* — Le chlore, par exemple, peut se substituer à l'hydrogène d'un hydrocarbure saturé par action directe.

SUBSTITUTION *(Écon.).* — En théorie économique, le concept s'éclaire dans un contexte de pénurie d'un facteur, auquel cas on applique une dose supplémentaire d'un autre facteur au processus de la production : cette solution à une situation de pénurie relative est la substitution.

Il y a substitution du capital au travail lorsqu'un producteur maintient une production égale avec une dose d'équipements plus forte et une dose de travail moins forte, ou obtient, avec la même dose de travail et plus d'équipement, une production plus forte. Le phénomène (qui a vu son intensité s'accroître ces dernières années) aboutit généralement à relever *le niveau de capital employé par unité de travail employée.*

Depuis 1964, l'économie française a connu une substitution de capital au travail accélérée, surtout dans les industries alimentaires, celle de biens de consommation courante, dans le bâtiment et les travaux publics, dans les services et commerces, et (plus faiblement) dans les industries de biens d'équipement.

SUBTROPICAL (climat). — Le climat subtropical caractérise la zone de transition entre le domaine tropical et le domaine tempéré. Il est caractérisé par des hivers frais et humides, sous l'influence de l'air polaire, et des étés chauds et secs, sous l'influence des hautes pressions subtropicales.

SUBVENTION. — Les subventions sont des allocations financières allouées par l'État ou par une collectivité publique, n'entraînant pas, en principe, d'obligation de remboursement à la charge des bénéficiaires. Les subventions économiques sont destinées à combler l'écart entre le prix de revient réel d'un produit, dont la collectivité désire promouvoir les ventes, et son prix sur le marché. En France sont particulièrement bénéficiaires de subventions : l'agriculture, certains secteurs de la production industrielle, des secteurs en crise ou en cours de restructuration (construction navale, informatique), des régions en perte de vitesse, certains équipements sociaux (logement).

SUCCESSEUR → ℕ.

SUCCESSION. — Le décédé transmet ses droits et ses obligations à la (ou aux) personne(s) désignée(s) par la loi ou par un testament*, qui recueille(nt) les actifs et assume(nt) les dettes. Il faut pour hériter — à défaut de testament — être membre de la famille par le sang (ou par l'adoption), le fils héritant de son père, le frère de son frère, le conjoint, dans certaines conditions, étant également un héritier. En cas d'absence de tout héritier, c'est l'État qui recueille la succession.

• *Successions en ligne directe.*
Les descendants. Les enfants et descendants recueillent la succession de leurs parents ou de leurs grands-parents. Les enfants naturels, jusqu'à une époque récente, n'avaient que des droits réduits dans la succession de leur auteur, mais la loi du 3 janvier 1972 leur attribue des droits identiques à ceux de l'enfant légitime. Les enfants adultérins (qui, pour leur part, n'avaient aucun droit) viennent, depuis 1972, à la succession de leur auteur, mais, cependant, en cas de concours avec des enfants légitimes (ou avec le conjoint), ne reçoivent que la moitié de la part qu'ils auraient reçue s'ils avaient été des enfants légitimes.
Les ascendants. Les ascendants recueillent la succession de leur descendant, si celui-ci meurt sans enfants et ne laisse ni frères, ni sœurs, ni neveux. (La succession se divise alors, la moitié allant à la ligne paternelle et la moitié à la ligne maternelle.) S'il laisse des frères, sœurs, neveux, une moitié est dévolue aux ascendants, l'autre moitié aux frères, sœurs, neveux. Si un des deux ascendants est en vie à la mort du descendant et si celui-ci laisse frères, sœurs ou neveux, un quart va à l'unique ascendant, les trois quarts allant à ces « collatéraux privilégiés ».

• *Successions en ligne collatérale.* À défaut d'existence de collatéraux privilégiés (et d'ascendants), la succession est dévolue aux collatéraux non privilégiés (cousins germains ou cousins plus éloignés), par moitié aux parents de la ligne paternelle et par moitié à ceux de la ligne maternelle du défunt. On ne peut pas hériter au-delà du sixième degré, sauf, notamment, pour les descendants des frères et sœurs du défunt.

• *Droits successoraux du conjoint survivant.* Juridiquement, le conjoint est un étranger par rapport au défunt et ce n'est qu'en l'absence de tout descendant et ascendant, frère, sœur ou neveu que le conjoint peut recueillir la succession en totalité. Le conjoint a, par ailleurs, un droit d'*usufruit** d'un quart en présence d'enfants, de moitié s'il y a des frères, sœurs, neveux, ascendants ou enfants adultérins du défunt, cet usufruit pouvant être converti en une rente viagère à la demande des enfants.

• *L'État héritier.* L'État, à défaut d'héritiers par le sang, de conjoint ou de légataire (v. TESTAMENT), recueille la succession.

Succession d'Autriche *(guerre de la),* conflit qui opposa, en Europe, la Prusse, la France, la Bavière, la Saxe et l'Espagne à l'Autriche (1740-1742), et qui fut doublé par une guerre, en partie maritime et coloniale, opposant l'Angleterre, alliée de l'Autriche, à la France, alliée de la Prusse (1742-1748). À l'origine de ce conflit se situe la succession de l'empereur Charles VI († 1742), succession que les puissances ne considèrent pas comme réglée malgré la pragmatique* sanction de 1713. La guerre, favorable surtout à Louis XV, vainqueur à Fontenoy (1745), se termine par le traité d'Aix-la-Chapelle (1748), dont le principal bénéficiaire est Frédéric II de Prusse, qui acquiert définitivement la Silésie*. Mais l'antagonisme austro-prussien n'est pas plus réglé en Allemagne que ne l'est le conflit colonial et maritime anglo-français.

Succession d'Espagne *(guerre de la),* conflit qui, de 1701 à 1714, opposa la France et l'Espagne à une puissante coalition européenne, à la suite du testament de Charles II*, qui assurait la couronne d'Espagne à Philippe d'Anjou (Philippe V*), petit-fils de Louis XIV. Longtemps défavorables aux Franco-Espagnols, les opérations se terminent par plusieurs victoires sur les Alliés : celle de Villars, à Malplaquet (1709), et celle de Vendôme, à Villaviciosa (1710), victoires qui permettent à Philippe V de retrouver son trône; celle de Denain en 1712. Les négociations qui s'ensuivent débouchent sur les traités d'Utrecht* et de Rastatt (1714). De cette guerre, l'Angleterre sort maîtresse des mers et la France épuisée.

Succession de Pologne *(guerre de la),* conflit qui, de 1733 à 1738, opposa la France, alliée de l'Espagne, de la Sardaigne et de la Bavière, à la Russie et à l'Autriche, à propos de la succession de la Pologne ouverte par la mort d'Auguste II (1733). Les Impériaux et les Russes soutinrent la candidature d'Auguste III, la France et ses alliés celle de Stanislas Ier* Leszczyński, beau-père de Louis XV. La renonciation de ce dernier, à qui furent donnés les duchés de Lorraine et de Bar, permit la signature du traité de Vienne (1738), par lequel Auguste III fut maintenu sur le trône de Pologne.

SUCCINIQUE (acide). — De formule $HOCO(CH_2)_2COOH$, ce corps cristallise en prismes monocliniques, solubles dans l'eau chaude et fondant à 185 °C. C'est un diacide-γ, qui donne deux séries de sels et d'esters.

SUCEAVA, v. du nord-est de la Roumanie; 49 000 hab. Forteresse et églises des XIVe-XVIe s., typiques de la Bucovine. Industrie du bois (cellulose, papier).

SUCHET (Louis), duc **d'Albufera,** maréchal de France (Lyon 1770-près de Marseille 1826). Il se distingua en Italie (1800), à Austerlitz (1805) et en Espagne, où il fit notamment capituler Valence (1812), puis commanda l'armée de Catalogne (1813). Il signa en 1814 l'armistice avec Wellington.

SUCRE. — La betterave n'a été utilisée comme matière première qu'à partir des guerres de l'Empire alors que précédemment, et depuis la plus haute antiquité, on fabriquait uniquement du sucre de canne.

Le sucre est en solution dans les vacuoles de la moelle de la tige des cannes ou dans le parenchyme de la racine de betterave.

Les cannes sont broyées par passages successifs dans trois ou quatre moulins, constitués par des cylindres à axe horizontal. Une fois le jus sucré exprimé, les résidus des cannes, ou bagasses (dont le taux d'humidité a été ramené par pression à 45 p. 100) sont employés comme combustible dans les sucreries. Les betteraves, après un lavage destiné à éliminer la terre qui adhère aux racines, sont découpées en cossettes (lanières de 4 mm de large et 2 mm d'épaisseur). Les cossettes sont envoyées dans des batteries de diffusion où elles circulent en sens contraire d'un courant d'eau chaude, de telle sorte que les jus de diffusion s'enrichissent progressivement en sucre. À la sortie de la batterie de diffusion on obtient des cossettes épuisées en sucre, qui, séchées ou conservées en silos, sont utilisées pour l'alimentation du bétail.

Les jus sucrés obtenus par pression ou diffusion contiennent en solution, outre le sucre, des produits divers : matières azotées, acides organiques, matières colorantes, sels minéraux, etc., qu'il faut éliminer. L'épuration est obtenue d'abord par l'emploi d'un lait de chaux qui provoque la formation d'un précipité. Le jus clarifié est décanté, la chaux en excès précipitée par l'action d'un courant de gaz carbonique (carbonatation). On est amené, pour avoir une bonne clarification, à faire deux carbonatations successives, séparées par une filtration ou une décantation.

Le jus épuré est concentré dans des appareils à double effet, à la sortie desquels on obtient un sirop où le sucre est en sursaturation modérée. On ajoute alors des cristaux de sucre très finement broyés, qui vont grossir aux dépens du sucre en sursaturation dans le sirop. L'appareil à cuire, muni d'un dispositif de chauffage par la vapeur, permet de maintenir la sursaturation du sirop, que l'on ajoute en continu. Lorsqu'il est plein, le contenu de l'appareil, ou masse cuite (50 p. 100 de cristaux, 50 p. 100 d'eaux mères), est vidé dans un malaxeur, puis passe dans des essoreuses centrifuges, où il est lavé par pulvérisation d'eau chaude (clairçage). Les eaux d'essorage, ou égouts, contiennent encore une quantité importante de sucre, qui est récupérée, tout au moins dans les premières opérations de clairçage, par réintroduction des égouts riches dans le concentrateur. Les égouts pauvres donnent des mélasses, qui sont incristallisables et peuvent être utilisées en distillerie ou dans les aliments du bétail.

Le sucre, à la sortie des essoreuses, est séché, de façon à ramener son taux d'humidité à 0,02-0,05 p. 100, puis il est refroidi et tamisé. Il est alors stocké en atmosphère conditionnée et livré au commerce, en pains, en morceaux, ou sous forme de sucre cristallisé, sucre en poudre et sucre glace.

La production mondiale annuelle est de l'ordre de 80 Mt (dont environ 50 Mt de sucre de canne), provenant d'un grand nombre de pays (plus de 100, parmi lesquels une douzaine seulement produisent à la fois du sucre de canne et du sucre de betterave). L'U. R. S. S. (principalement grâce à l'Ukraine) est le premier producteur mondial avec un apport de l'ordre de 10 Mt, loin devant les États-Unis et Cuba (premier exportateur mondial). La production française, la plus élevée d'Europe (U. R. S. S. exclue), avoisine 3 Mt en année moyenne (chiffre dépassé avec l'appoint de la Réunion et de la Guadeloupe). La production mondiale, longtemps croissante, a stagné récemment, alors que la demande a continué à augmenter, contraste qui explique, avec les variations inter-

SCHÉMA DE LA FABRICATION DU SUCRE (betterave et canne)

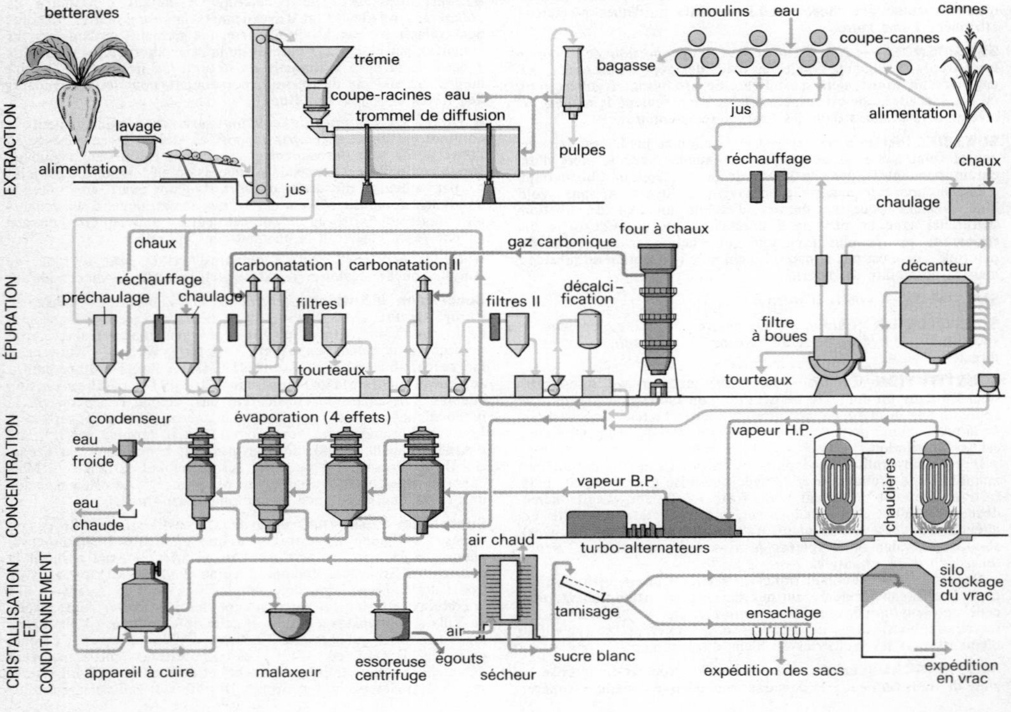

annuelles (liées au climat) des récoltes, la tension actuelle sur le marché mondial, succédant d'ailleurs à des phases de superproduction. Le grand nombre des producteurs rend difficile une régulation de l'offre et de la demande par le biais d'accords commerciaux.

SUCRE, capit. constitutionnelle de la Bolivie, dans les Andes, à plus de 2 700 m d'altitude; 85 000 hab. Belle cathédrale et églises du XVIIe s.

SUCRE (Antonio José), patriote vénézuélien (Cumaná 1795-Berruecos, Colombie, 1830). Officier rallié à Bolívar*, il l'emporta à Pichincha (1822) et à Ayacucho* (1824). Élu président à vie de la Bolivie (1826), il abdique dès 1828; il devient président de la Colombie (1830), mais il est assassiné alors qu'il se rend à Quito.

SUCY-EN-BRIE (94370), comm. du Val-de-Marne, à 16 km au S.-E. de Paris; 22 107 hab. Église en partie du XIIIe s. Château du XVIIe s., attribué à Le Vau. Verrerie.

SUD-AFRICAINE *(république)* → AFRIQUE DU SUD *(république d').*

SUDARABIQUE. — Langue sémitique méridionale, le sudarabique est connu par des inscriptions du Yémen et du Hedjaz (VIe s. av. J.-C.-VIe s. apr. J.-C.). Après l'islamisation, il a été complètement supplanté par l'arabe, sauf dans quelques points de la côte sud de l'Arabie, où il subsiste sous la forme de dialectes.

SUDBURY, v. du Canada (Ontario), au N. de la baie Géorgienne; 90 535 hab. Centre minier (nickel et cuivre notamment).

SUDERMANN (Hermann), écrivain allemand (Matzicken, Prusse-Orientale, 1857-Berlin 1928), romancier (*Frau Sorge,* 1887) et auteur dramatique à succès (*l'Honneur,* 1889).

SUDÈTES, terme désignant, entre les deux guerres mondiales, la population de langue allemande groupée sur le pourtour de la Bohême. Rattachés à la Tchécoslovaquie depuis 1919, les « Allemands des Sudètes » y constituaient une minorité nationale, qui, rassemblée autour du parti créé par Konrad Henlein en 1933, demanda, à partir de 1938, l'autonomie, puis le rattachement à l'Allemagne. Les aspirations des Sudètes furent utilisées par Hitler, qui annexa leur territoire, après la capitulation de la France et de l'Angleterre, lors des accords de Munich*. En 1945, la région des Sudètes fut rendue à la Tchécoslovaquie, qui transféra en Allemagne la population d'origine allemande.

SUD-OUEST AFRICAIN → NAMIBIE.

SUE (Marie-Joseph, dit **Eugène**), écrivain français (Paris 1804-Annecy-le-Vieux 1857). Il commença par exploiter ses souvenirs de marin (*la Salamandre,* 1832), puis se tourna vers le roman mondain. Ayant perdu les sympathies du faubourg Saint-Germain à la suite de la publication de *Mathilde ou Mémoires d'une jeune femme* (1841), il s'engagea dans la voie du roman-feuilleton et la description des bas-fonds parisiens. Le succès des *Mystères de Paris* (1842-43) et du *Juif errant* (1844-45) lui valut d'être élu député en 1848.

SUÈDE, en suéd. **Sverige,** État de l'Europe du Nord; 450 000 km^2; 8 200 000 hab. *(Suédois).* Capit. *Stockholm.*

GÉOGRAPHIE

● *Le milieu naturel.* Le pays s'étend sur la moitié orientale de la péninsule de Scandinavie. Dans sa majeure partie, il correspond à un socle cristallin précambrien raboté, partiellement repris dans l'orogenèse calédonienne, responsable de la formation de la chaîne des Scandes, à la frontière norvégienne. Ce socle s'abaisse à l'est, vers le golfe de Botnie, et disparaît au sud sous une couverture sédimentaire, en Scanie et dans les îles Öland et Gotland. Au quaternaire, la Suède a été recouverte par un inlandsis, et son modelé actuel résulte en grande partie de l'action glaciaire. Le pays est recouvert de dépôts morainiques (drumlins) et fluvioglaciaires (eskers), et est parsemé de nombreux lacs. Depuis la fusion des glaciers, la transgression marine a été compensée par un soulèvement isostatique, responsable de la création d'un archipel côtier (skägård).

En grande partie privée de l'influence des vents d'ouest par la chaîne des Scandes, la Suède connaît un climat continental se nuançant avec la latitude. Dans le Nord (Norrland), le froid vif et la longue persistance d'une couverture neigeuse ne permettent que la croissance de la toundra. Dans le Centre, la région des grands lacs et le Svealand (autour de Stockholm), au climat moins rude, sont

climatologie			
stations	températures moyennes janvier	juillet	précipitations annuelles (en mm)
Haparanda	– 10,3 °C	15,5 °C	532
Stockholm	– 2,5 °C	16,9 °C	569
Göteborg	0 °C	17,1 °C	738

couverts de forêts de conifères. Le Sud (Götaland), doux et humide sous l'influence maritime, porte de belles forêts de feuillus.

• *La population.* En raison des conditions naturelles peu favorables, la Suède est un pays peu peuplé : la densité moyenne atteint 18 habitants au kilomètre carré. La population se concentre au sud et sur la côte du golfe de Botnie, la chaîne des Scandes et la partie suédoise de la Laponie étant quasiment vides d'hommes. Au XIXe s., la surpopulation rurale (compte tenu de la maigreur des ressources) a engendré un fort courant d'émigration vers l'Amérique. Bien que celle-ci ait maintenant cessé, l'accroissement de population demeure lent en raison d'un faible taux de natalité. Le taux d'urbanisation est élevé (plus des quatre cinquièmes des habitants). Le pays compte une douzaine de cités de plus de 100 000 habitants, mais seule la capitale dépasse les 500 000 habitants. La plupart des villes ont une origine commerciale : les trois principales (Stockholm, Göteborg et Malmö) sont d'ailleurs des ports actifs. Mais le développement industriel a suscité la création de nouveaux centres urbains, liés aux activités extractives.

• *La vie économique.* Peu favorisée par un climat rude et des sols médiocres (abondance des tourbières), l'agriculture occupe moins du dixième de la population active, mais couvre 90 p. 100 des besoins alimentaires du pays. Cantonnée en Scanie et autour de Stockholm, la culture fournit des céréales (orge, blé), des betteraves à sucre, des pommes de terre et des fruits et légumes (serres). Les plantes fourragères alimentent un élevage bovin intensif, spécialisé dans la production laitière. Mais la principale activité demeure l'exploitation de la forêt, qui couvre la moitié du territoire. La pêche apporte un complément de ressources.

La Suède est une grande puissance industrielle. L'hydroélectricité constitue une source d'énergie peu chère et surtout le sous-sol recèle d'importants gisements de fer (20 Mt) dans le Bergslag, à Kiruna et à Gällivare. L'industrie, dynamique et fortement concentrée, est marquée par la haute qualité de sa production. Les industries du bois restent primordiales (pâte à papier, papier, allumettes). Le fer a donné naissance à la sidérurgie (6 Mt d'acier), qui alimente des constructions mécaniques (constructions automobiles, navales, électriques). La chimie, le textile (coton) et les industries alimentaires sont également prospères.

La Suède exporte une grande partie de sa production industrielle et, malgré les importations de matières premières (hydrocarbures) et de produits alimentaires, sa balance commerciale est équilibrée. Les Suédois, qui pratiquent une politique visant à atténuer les inégalités sociales, bénéficient, avec les Suisses, du niveau de vie le plus élevé d'Europe.

HISTOIRE. Dès que recule l'énorme carapace glaciaire qui couvre la Baltique et la péninsule scandinave, s'installent en Suède les chasseurs de rennes. À l'époque du bronze, le sud de la Suède participe à la richesse agricole du Danemark; à l'époque du fer, l'influence celtico-romaine y est sensible; Uppsala devient le centre politique et religieux du pays. Les IXe et Xe s. sont marqués, en Scandinavie, par l'épopée des Vikings*, ou Normands*; mais, tandis que Danois et Norvégiens écument l'Ouest européen, les Suédois tournent leur activité vers l'est, où on les connaît sous le nom de Varègues*, ou Russes. Christianisée du IXe au XIe s., la Suède a comme premier roi chrétien Olof Skötkonung (de 994 à 1022) et Uppsala deviendra siège d'un archevêque-primat en 1164. Après la disparition de la famille de Stenkil, qui règne de 1060 à 1130, le trône de Suède est disputé durant un siècle entre les Sverker et les Erik : parmi ces derniers, saint Erik* Jedvardsson (de 1156 à 1160) est devenu le patron de la Suède. Le premier effort pour unifier le pays correspond au règne des Folkungs (1250-1363), dynastie fondée par Birger Jarl (de 1250 à 1266), qui fait de Stockholm sa capitale et incorpore la Finlande à la Suède. Après lui, la féodalité désagrège son œuvre, encore que, entre 1319 et 1363, les Folkungs unissent les couronnes de Suède et de Norvège.

Albert de Mecklembourg (de 1363 à 1389), qui se débarrasse des Folkungs, se taille un immense fief aux dépens des nobles; ceux-ci font appel à Marguerite, régente de Danemark et de Norvège, qui bat Albert à Falköping (1389) et devient maîtresse en fait des trois royaumes scandinaves en faisant couronner roi à Kalmar (1397) son petit-neveu Erik de Poméranie, corégent avec elle. Cette « Union de Kalmar » se maintient jusqu'en 1523 : durant ce temps, la Suède devient le principal secteur du commerce hanséatique. Mais, dès 1440, l'Union de Kalmar est contestée par les Suédois, dont la volonté d'indépendance est incarnée en des héros nationaux, les Sture, qui se proclament régents du royaume. En 1520, Christian II de Danemark l'emporte sur Sten Sture le Jeune (qui est tué lors de la bataille) et massacre ses adversaires : ces « vêpres stockholmiennes » provoquent une insurrection nationale dirigée par Gustave Eriksson Vasa. Celui-ci chasse les Danois (1521-1523) et est élu roi de Suède sous le nom de Gustave Ier* Vasa (de 1523 à 1560); supprimant le monopole de la Hanse, le nouveau souverain assure l'indépendance économique du pays. La couronne est déclarée héréditaire en 1544. Largement ouverte à la réforme luthérienne, la Suède l'est aussi, alors, aux influences européennes, notamment avec Erik XIV (de 1560 à 1568). Jean III Vasa (de 1568 à 1592) amorce la constitution d'un empire suédois en Baltique, mais son fils, Sigismond Vasa (de 1592 à 1599), roi de Pologne, qui veut rétablir le catholicisme, est évincé au profit de Charles de Sudermanie (Charles IX, de 1607 à 1611). Gustave II* Adolphe (de 1611 à 1632) dote la Suède d'une charte royale de type parlementaire, forge une armée puissante qui, au cours de la guerre de Trente* Ans, lui permet de faire de son pays le maître de la Baltique. Sous Christine* de Suède (de 1632 à 1654), la bureaucratie nobiliaire reprend le dessus, mais la Suède acquiert, par la paix de Brömsebro (1645), nombre de terres et d'îles danoises et, par les traités de Westphalie, une grande partie de la Poméranie : avantages qu'accentue la paix de Roskilde (1658), sous Charles X Gustave (de 1654 à 1660), vainqueur des Danois. Mais la politique francophile de Charles* XI (de 1660 à 1697) fait perdre à la Suède la Poméranie occidentale. Opposé à une formidable coalition, le héros national qu'est Charles XII* (de 1697 à 1718) use son pays en de glorieuses mais coûteuses campagnes; si bien que les traités de Frederiksborg (1720) et de Nystad (1721) marquent un net recul de la Suède, qui perd la maîtrise de la Baltique et abandonne des territoires importants en Allemagne et en Russie. À l'intérieur, les souverains doivent accepter le contrôle du Riksdag; c'est « l'ère de la liberté » (1720-1771), sous les règnes de Frédéric Ier de Hesse (de 1720 à 1751) et d'Adolphe-Frédéric (de 1751 à 1771); la rivalité des Bonnets (pacifistes) et des Chapeaux (belliqueux) se termine par le triomphe de ces derniers (1738), qui mènent contre la Russie une guerre désastreuse (1741-1743), mais qui, à la lumière des idées françaises, donnent à l'économie et à la culture suédoises un grand essor. Gustave III* (de 1771 à 1792) pratique le despotisme* éclairé, puis restaure l'absolutisme (1789). Après lui, Gustave IV* Adolphe (de 1792 à 1809) et Charles XIII* (de 1809 à 1818) développent une politique antifrançaise et perdent la Finlande, la Laponie et les îles d'Åland. En 1810, Charles XIII est amené à choisir comme successeur le général français Bernadotte*, qui, devenu Charles-Jean, s'allie avec l'Angleterre et la Russie contre Napoléon Ier (1812), ce qui lui vaut, en 1815, de réaliser l'union nominale de la Suède et de la Norvège. Roi sous le nom de Charles XIV (de 1818 à 1844), Bernadotte doit accepter une politique libérale qui permettra à la Suède d'atteindre en un siècle à un haut niveau de vie et à une forte maturité politique. Cette politique est poursuivie par ses successeurs : Oscar Ier (de 1844 à 1859), Charles XV (de 1859 à 1872), qui dote le pays d'une constitution libérale (1865), Oscar II (de 1872 à 1907), sous le règne de qui la Suède connaît un essor économique considérable, tandis que naissent un parti social-démocrate (1889), qui entame les positions traditionnelles du parti agrarien, et un syndicalisme très vite actif (1898). En 1905, la Norvège se sépare de la Suède.

Sous les règnes de Gustave V (de 1907 à 1950), puis de Gustave VI Adolphe (de 1950 à 1973), auquel succède Charles XVI Gustave — qui depuis la Constitution de 1975 n'a plus qu'une fonction honorifique —, la Suède connaît une prospérité économique sans précédent. Une législation politique (suffrage universel, 1907-1909; vote des femmes, 1918...) et sociale très avancée permet au parti social-démocrate, incarné en ses leaders Hjalmar Branting*, Tage Erlander* et Olof Palme*, de dominer, à partir de 1920, mais surtout après 1932, la vie politique. Cependant, l'usure du pouvoir, de « l'État-Providence » et du « socialisme à la suédoise » provoque, à partir de 1964, une remontée des partis bourgeois, si bien que, pour la première fois depuis plus de quarante ans, les élections législatives de 1976 donnent la majorité à ces derniers. La Suède a refusé d'adhérer au Marché commun.

DÉFENSE ET ARMÉES

18 000 militaires de carrière. Service militaire de sept mois. Système fondé sur une mobilisation locale très rapide de 750 000 hommes, astreints à des périodes d'entraînement. Importante industrie nationale d'armement (avions SAAB) et effort particulier pour la protection civile.

• LES FORCES ARMÉES EN 1977. Budget : 2 418 millions de dollars (3,4 p. 100 du P.N.B.). 16 000 militaires de carrière, 49 000 conscrits, 14 000 réservistes.

Armée : 5 brigades blindées, 16 d'infanterie.

Marine : 24 sous-marins, 13 destroyers et escorteurs, 71 canonnières et vedettes.

Aviation : 550 avions de combat.

SUÉDOIS. — Parlé par environ 9 millions de personnes, le suédois forme avec le danois, dont il est très proche sur le plan écrit, la branche orientale des langues nordiques. Le suédois s'est unifié à partir du XVIe s. sur la base des traductions de la Bible.

SUESS (Eduard), géologue autrichien (Londres 1831 - Vienne 1914). Il est l'auteur de la *Face de la Terre,* premier ouvrage de synthèse sur la géologie du globe (1883-1901).

SUÉTONE, en lat. **Caius Suetonius Tranquillus,** historien latin (Ostie ou Hippone? v. 69 - † entre 122 et 126 ou apr. 128 apr. J.-C.).

Issu d'une famille de rang équestre, il devint secrétaire *ab epistulis* d'Hadrien, ce qui lui permit d'avoir accès aux archives impériales. Disgracié en 122, il se consacra à ses ouvrages. Outre de nombreux opuscules, il a écrit un *De viris illustribus* et un *De grammaticis et rhetoribus* que nous possédons fragmentairement. Mais il doit surtout sa renommée à ses *Vies des douze Césars* (de César à Domitien).

SUEUR. — Sécrétée par les glandes sudoripares de la peau, la sueur a une fonction thermorégulatrice et épuratrice; de plus, elle prévient la dessiccation de l'épiderme. C'est une solution aqueuse, légèrement acide, contenant essentiellement du chlorure de sodium. La chaleur entraîne une sécrétion abondante de sueur (jusqu'à 12 litres par 24 heures dans les régions désertiques), qui s'accompagne d'une spoliation sodée que ne corrigera pas l'ingestion d'eau (il faudra donc adjoindre du sel [chlorure de sodium]).

La réduction de la sudation peut être utile lorsqu'elle est excessive chez certaines personnes et gênante pour le voisinage; on obtient cette réduction grâce à des poudres ou solutés à base de sels d'alun ou d'ammonium. La rétention pathologique de la sueur peut être responsable des *sudamina*, vésiculettes fréquentes chez le nourrisson et qui surviennent après une transpiration importante. Elle peut également provoquer des lésions vésiculeuses des faces latérales des doigts ou des orteils, constituant la *dyshidrose.*

Sueur de sang, poème de Pierre Jean Jouve (1934), qui, après une introduction en prose qui se réfère à Freud («Inconscient, spiritualité et catastrophe»), tente de dépasser en l'homme ses tendances à la mort, à la pesanteur matérielle, à la déréliction.

SUÈVES, en lat. **Suevi,** ensemble de populations de la Germanie habitant au-delà de l'Elbe et qui, d'abord nomades, se fixèrent au Ier s. apr. J.-C. entre le Rhin, la Saale et le Danube (Souabe, ou pays des Suèves). Lors des grandes invasions, ils franchirent le Rhin, passèrent en Espagne, où ils fondèrent, en 409, en Galice, un royaume que Léovigild*, roi des Wisigoths, détruisit en 585.

Suez *(canal de),* canal reliant le *golfe de Suez* (extrémité nord-ouest de la mer Rouge) et la Méditerranée. Long de 161 km entre la ville de *Suez,* au S., et Port-Saïd, au N., il perce l'*isthme de Suez.* Son trafic a connu un essor considérable après la Seconde Guerre mondiale, lié à l'accroissement des exportations de pétrole du Moyen-Orient vers l'Europe occidentale, avoisinant 275 Mt en 1966. Mais la limitation du tirant d'eau possible (10,30 m) alors que sont apparus les superpétroliers explique la lenteur de la reprise du trafic après la réouverture de 1975, d'autant que ne sont pas levées toutes les incertitudes politiques. L'intérêt du canal demeure, mais celui-ci ne monopolise plus le trafic maritime entre l'Asie et l'Europe, devancé aujourd'hui par celui de la route du Cap.

HISTOIRE. Ferdinand de Lesseps* obtient en 1854 du khédive Sa'īd* Pacha l'autorisation de percer un canal à travers l'isthme de Suez et fonde, en 1858, la Compagnie universelle du canal maritime de Suez; une concession de quatre-vingt-dix-neuf ans à dater de l'ouverture du canal est accordée. Malgré l'opposition de l'Angleterre, les travaux de percement se poursuivent de 1859 à 1863 et de 1866 à 1869, et le canal est inauguré en 1869 par l'impératrice Eugénie. En 1875, le gouvernement anglais, achetant les parts du khédive Ismā'īl*, devient le principal actionnaire de la Compagnie de Suez. Les troupes britanniques, qui assurent le contrôle militaire du canal, évacuent l'Égypte de 1954 à 1956, et Nasser* nationalise le canal en juillet 1956, ce qui provoque la seconde guerre israélo-arabe*. Le canal sera fermé à la navigation de 1967 à 1975.

SUFFÈTE → CARTHAGE.

SUFFIXE → AFFIXE et DÉRIVATION.

SUFFOLK, comté d'Angleterre, au N.-E. de Londres, sur la mer du Nord.

SUFFREN (Pierre André, *bailli* DE), marin français (château de Saint-Cannat 1729-Paris 1788). Commandeur et bailli de l'ordre de Malte*, il sert dans la marine royale durant la guerre d'Amérique (1779), avant de remporter sur les Anglais une série de victoires au large des Indes (1782-83). Vice-amiral (1784), Suffren meurt ambassadeur de Malte en France.

SUGER, moine français (Saint-Denis ou Argenteuil v. 1081-Saint-Denis 1151). Entré à l'abbaye de Saint-Denis, il en devint l'abbé en 1122. Fidèle conseiller du roi Louis VI, il eut une part prépondérante dans le gouvernement du royaume et fut régent de France durant la deuxième croisade (1147-1149). L'*Histoire de Louis le Gros, l'Histoire de Louis VII* (qui lui est attribuée) et sa correspondance sont d'utiles sources historiques.

SUHARTO, général et homme d'État indonésien (près de Jogjakarta 1921). Ministre de la Guerre (1965), il devient chef du gouvernement (1966) et président de la République (1968), après avoir écarté le président Sukarno*. Il mène une politique anticommuniste et antichinoise.

SUI, gisement de gaz naturel du Pākistān, au S.-O. de Multān.

SUICIDE. — L'acte par lequel un homme met délibérément fin à ses jours est justiciable des analyses ou des observations les plus diverses. En un sens, et comme le soulignait Albert Camus, le problème du suicide est le seul qui retienne vraiment l'attention du philosophe : il pose, en effet, la question de savoir ce que vaut la vie. Le suicide intéresse aussi le psychologue, qui rend intelligible ce comportement à partir d'un faisceau de causes liées à la vie d'une personne. Le sociologue, quant à lui, s'efforce d'expliquer la décision ultime de se donner la mort par la conjonction des influences exercées par la société sur un individu. En vérité, il existe une infinité de suicides.

Suicide *(le),* œuvre d'E. Durkheim (1897). L'auteur distingue trois types de suicide. Le suicide égoïste est le résultat du constat que la vie a perdu sa raison d'être; le suicide altruiste s'explique par le respect pour une contrainte sociale extérieure à l'individu; le suicide anomique apparaît quand les règles d'une société ont cessé d'être en harmonie avec les valeurs de l'individu.

SUIPPES (51600), ch.-l. de cant. de la Marne, à 23 km au N.-E. de Châlons-sur-Marne; 4 878 hab. Constructions mécaniques.

SUISSE, en allem. **Schweiz,** en ital. **Svizzera,** État d'Europe; 41 288 km²; 6 480 000 hab. *(Suisses).* Capit. *Berne.*

GÉOGRAPHIE. L'un des plus petits pays de l'Europe occidentale, la Suisse est pourtant un carrefour international de tout premier plan. En dépit de conditions naturelles médiocres (terres cultivables restreintes, absence de matières premières), elle a su devenir une grande puissance économique et financière.

• *Le milieu naturel.* La Suisse s'étend sur trois ensembles naturels. À l'O., le *Jura suisse* ne couvre que le dixième de la superficie du territoire. Il comprend au N. une région de plateaux et au S. un alignement de lourds chaînons calcaires, profondément karstifiés, culminant à 1 677 m. Il domine par une haute muraille le *Mittelland* («Pays du Milieu»), correspondant à la partie centrale de la Suisse et au tiers de sa superficie. Le Mittelland est une région molassique, peu disséquée à l'O. (plateau suisse), affouillée en collines à l'E., partiellement recouverte de dépôts glaciaires quaternaires et parsemée de nombreux lacs, dont le Léman au S. et le lac de Constance au N. Le sud et l'est du pays sont occupés par les *Alpes,* qui recouvrent plus de la moitié du territoire. Une frange de Préalpes calcaires borde les Alpes cristallines, qui portent de nombreux sommets dépassant 4 000 m (Cervin, mont Rose, Jungfrau, Bernina). Le Tessin est une portion de la retombée méridionale de la chaîne. Bien que percées par les larges vallées du Rhône et de l'Inn, les Alpes sont marquées par un relief cloisonné (la plupart des cols se situent au-dessus de 2 000 m [Simplon, Saint-Gothard]), ciselé par l'érosion glaciaire, et les glaciers occupent encore des superficies notables.

Le Mittelland suisse connaît un climat à nuance continentale, aux étés chauds. En montagne, les températures diminuent rapidement avec l'altitude, et l'exposition joue un rôle essentiel.

divisions administratives

*canton ou demi-canton**	*capitale*	*canton ou demi-canton**	*capitale*
Argovie	Aarau	Rhodes-Extérieures*	Herisau
Bâle-Campagne*	Liestal	Rhodes-Intérieures*	Appenzell
Bâle-Ville*	Bâle	Saint-Gall	Saint-Gall
Berne	Berne	Schaffhouse	Schaffhouse
Fribourg	Fribourg	Schwyz	Schwyz
Genève	Genève	Soleure	Soleure
Glaris	Glaris	Tessin	Bellinzona
Grisons	Coire	Thurgovie	Frauenfeld
Lucerne	Lucerne	Uri	Altdorf
Neuchâtel	Neuchâtel	Valais	Sion
Nidwald*	Stans	Vaud	Lausanne
Obwald*	Sarnen	Zoug	Zoug
		Zurich	Zurich

• *La population.* La Suisse est caractérisée par une forte densité de population (près de 160 hab. au km²), surtout si l'on tient compte des vastes surfaces occupées par la haute montagne. La population comprend quatre groupes linguistiques, parlant respectivement l'allemand (65 p. 100), le français (18 p. 100), l'italien (12 p. 100) et le romanche (1 p. 100), mais elle est partagée à peu près également entre catholiques et protestants. Elle s'accroît à un rythme lent, et les besoins en main-d'œuvre expliquent la venue de travailleurs frontaliers et surtout l'immigration de Méditerranéens (Italiens), dont l'afflux suscite des réactions xénophobes.

La population se concentre dans le Mittelland, partie basse du pays, et dans les vallées montagnardes. Par rapport aux pays de l'Europe occidentale, le taux d'urbanisation reste modeste. Cependant, la Suisse compte un réseau de villes importantes (dont Bâle, Genève, Berne et Lausanne), dominées par Zurich, métropole économique, et bien reliées entre elles.

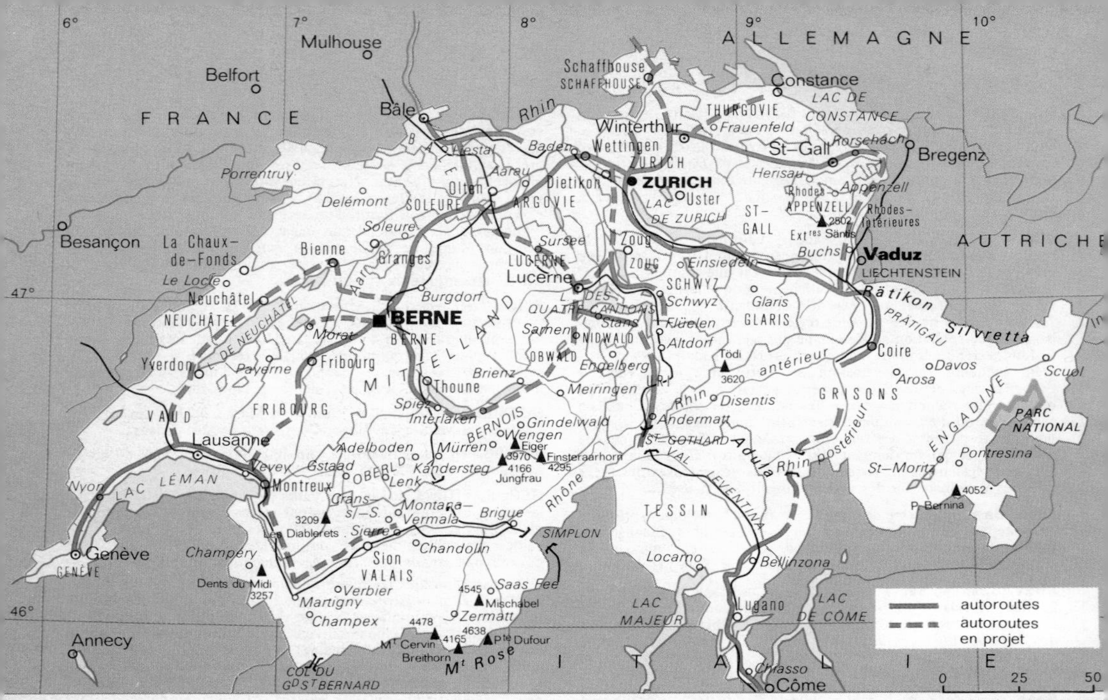

6°
7°
8°
9°
10°
47°
46°
ALLEMAGNE
FRANCE
AUTRICHE
ITALIE
Mulhouse
Belfort
Besançon
Annecy
Schaffhouse
SCHAFFHOUSE
Constance
LAC DE CONSTANCE
THURGOVIE
Frauenfeld
Winterthur
Wettingen
Bâle
Rhin
Liestal
Baden
ZURICH
Zurich
Dietikon
Uster
LAC DE ZURICH
Bregenz
Rorschach
St-Gall
Herisau
Appenzell
Rhodes-Extres APPENZELL
2502
Ext res Säntis
Rhodes-Intérieures
ST-GALL
Buchs
Vaduz
LIECHTENSTEIN
Porrentruy
Delémont
SOLEURE
Olten
Aarau
ARGOVIE
Soleure
La Chaux-de-Fonds
Le Locle
Bienne
Granges
Aar
Sursee
LUCERNE
Lucerne
Zoug
ZOUG
Einsiedeln
SCHWYZ
Schwyz
Glaris
GLARIS
Rätikon
Neuchâtel
NEUCHÂTEL
L. DE NEUCHÂTEL
Burgdorf
BERNE
Berne
Morat
L. DES QUATRE CANTONS
Stans
Sarnen
NIDWALD
OBWALD
Flüelen
Altdorf
Tödi
3620
Rhin antérieur
Coire
PRATIGAU
Silvretta
Davos
Arosa
Scuol
Yverdon
Payerne
Fribourg
MITTELLAND
Thoune
Brienz
Engelberg
Meiringen
URI
Disentis
GRISONS
ENGADINE
PARC NATIONAL
VAUD
FRIBOURG
Spiez
Interlaken
OBERLAND BERNOIS
Grindelwald
Wengen
Eiger
3970
Finsteraarhorn
4295
4166
Jungfrau
Mürren
Adelboden
Kandersteg
Lenk
Andermatt
ST-GOTHARD
VAL LEVENTINA
Adula
Rhin postérieur
Pontresina
St-Moritz
4052
P. Bernina
Lausanne
Vevey
Gstaad
Montreux
Nyon
LAC LÉMAN
Crans-s/-S.
Montana-Vermala
Brigue
Rhône
SIMPLON
TESSIN
3209
Les Diablerets
Sierre
Sion
VALAIS
Chandolin
Genève
GENÈVE
Champéry
Dents du Midi
3257
Verbier
Martigny
Champex
4545
Mischabel
Saas Fee
Zermatt
4478
Mt Cervin
4165
Breithorn
4638
Pte Dufour
Mt Rose
COL DU Gd ST BERNARD
Locarno
Bellinzona
LAC MAJEUR
Lugano
LAC DE CÔME
Chiasso
Côme
autoroutes
autoroutes en projet
0
25
50

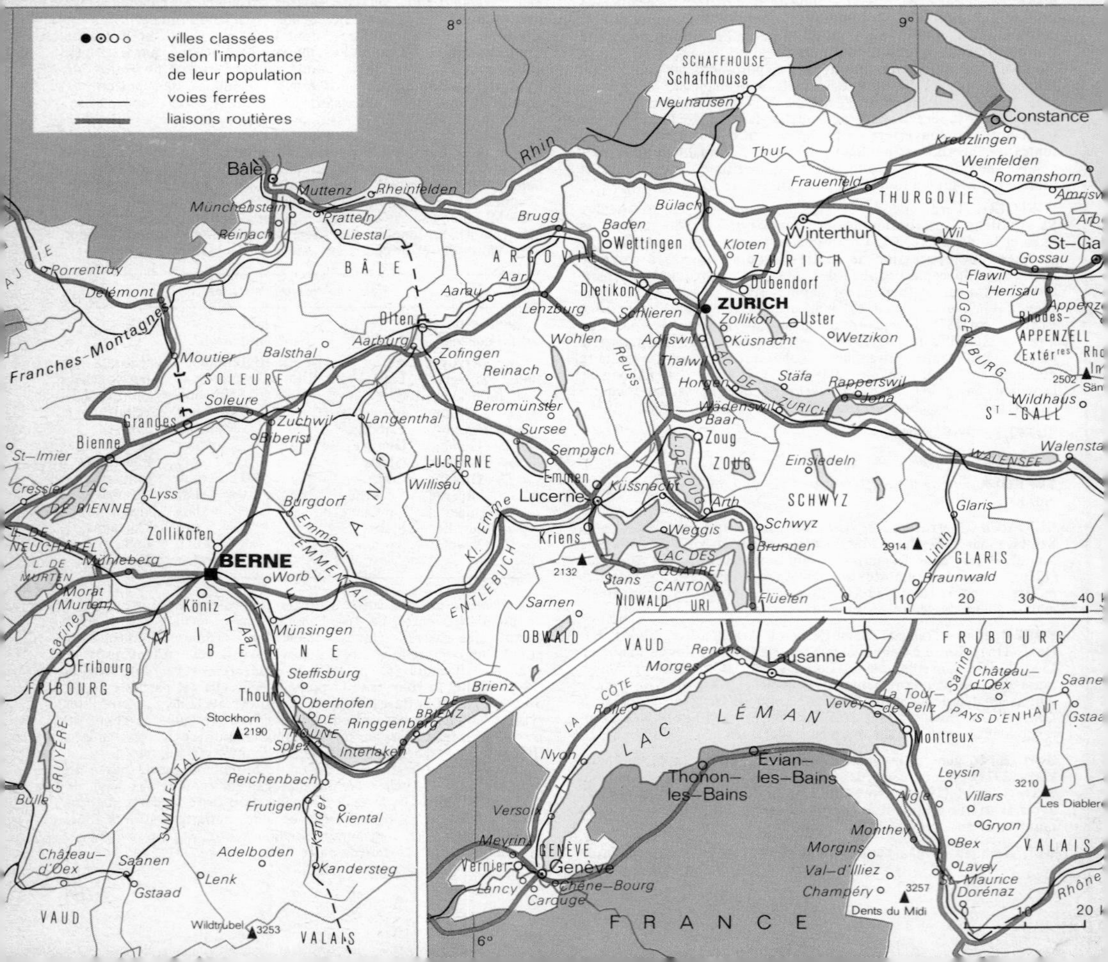

villes classées selon l'importance de leur population
voies ferrées
liaisons routières
8°
9°
6°
SCHAFFHOUSE
Schaffhouse
Neuhausen
Constance
Kreuzlingen
Thur
Rhin
Frauenfeld
Weinfelden
Romanshorn
Amriswil
THURGOVIE
Bâle
Muttenz
Rheinfelden
Münchenstein
Pratteln
Reinach
Liestal
BÂLE
Brugg
Baden
Wettingen
Bülach
Kloten
Winterthur
Wil
St-Gall
Gossau
ARGOVIE
ZURICH
AJOIE
Porrentruy
Delémont
Aarau
Aar
Dietikon
Flawil
Herisau
Appenzell
Rhodes-APPENZELL Extérres
TOGGENBURG
Franches-Montagnes
Olten
Lenzburg
Schlieren
Zurich
Dübendorf
Zollikon
Uster
Küsnacht
Wetzikon
Moutier
Balsthal
Aarburg
Zofingen
Wohlen
Adliswil
Thalwil
Reuss
SOLEURE
Reinach
Horgen
Stäfa
Rapperswil
Jona
LAC DE ZURICH
2502
Wildhaus
ST-GALL
Soleure
Beromünster
Wädenswil
Granges
Zuchwil
Langenthal
Sursee
Baar
Biberist
Zoug
Sempach
L. DE ZOUG
Bienne
St-Imier
LUCERNE
ZOUG
Einsiedeln
WALENSEE
Walenstadt
Cressier
LAC DE BIENNE
Lyss
Willisau
Emmen
Küssnacht
Lucerne
Arth
SCHWYZ
Glaris
Burgdorf
Emme
Weggis
Schwyz
2914
L. DE NEUCHÂTEL
Zollikofen
Kriens
Brunnen
Linth
GLARIS
L. DE MURTEN
Mühleberg
BERNE
EMMENTAL
Kl. Emme
ENTLEBUCH
2132
LAC DES QUATRE-CANTONS
Braunwald
Morat (Murten)
Worb
Stans
Köniz
NIDWALD
URI
Flüelen
Sarine
Münsingen
Sarnen
Fribourg
FRIBOURG
OBWALD
Steffisburg
Thoune
Oberhofen
Brienz
L. DE BRIENZ
Stockhorn
2190
L. DE THOUNE
Ringgenberg
Spiez
Interlaken
GRUYÈRE
SIMMENTAL
Reichenbach
Bulle
Frutigen
Kiental
Kander
Château-d'Oex
Saanen
Adelboden
Lenk
Kandersteg
Gstaad
VAUD
Wildstrubel
3253
VALAIS
0
10
20
30
40
VAUD
Renens
Lausanne
FRIBOURG
Morges
Château-d'Oex
Saanen
LA CÔTE
Rolle
LAC LÉMAN
Vevey
La Tour-de-Peilz
PAYS D'ENHAUT
Gstaad
Montreux
Nyon
Thonon-les-Bains
Evian-les-Bains
Leysin
3210
Les Diablerets
Aigle
Villars
Versoix
Gryon
Monthey
Meyrin
GENÈVE
Genève
Vernier
Morgins
Bex
VALAIS
Val-d'Illiez
Lavey
St-Maurice
Lancy
Chêne-Bourg
Champéry
3257
Carouge
Dents du Midi
Dorénaz
Rhône
FRANCE
0
10
20

• *La vie économique.* L'agriculture n'occupe plus que 5 p. 100 de la population active. Le Mittelland constitue la grande région de culture. Des exploitations individuelles de taille moyenne fournissent céréales, betteraves à sucre, tabac et pratiquent l'élevage bovin. En montagne, l'élevage devient, avec l'exploitation de la forêt, l'activité prédominante. Rythmée encore par la montée estivale à l'alpage, il est orienté vers la production de lait et de fromages, facilitée par l'organisation en coopératives. Les basses pentes ensoleillées (adrets) sont couvertes de vignes et d'arbres fruitiers.

Mais la Suisse est surtout une grande puissance industrielle. Pourtant, le sous-sol ne recèle guère de matières premières, et le développement de l'industrie résulte essentiellement de conditions historiques.

L'exploitation du potentiel hydroélectrique des Alpes a apporté la seule source d'énergie d'origine nationale. Mais l'hydroélectricité a beaucoup décliné au profit du pétrole, qui assure la majeure partie de la consommation d'énergie. Amené par oléoduc, celui-ci est raffiné sur place. La plupart des activités industrielles ont une origine ancienne : industries textiles et alimentaires, horlogerie, travail du bois. Grâce à l'abondance des capitaux et à une main-d'œuvre très qualifiée, ces activités traditionnelles ont donné naissance à une industrie moderne, de haute technicité, concentrée souvent entre les mains des sociétés d'importance mondiale (dont Nestlé). L'industrie de transformation reste prédominante : construction de machines, horlogerie, chimie, pharmacie, alimentation. Elle est répartie à l'état diffus dans le Jura et le nord des Alpes, et surtout concentrée dans les grandes villes du Mittelland (Genève, Berne, Zurich) et à Bâle, port fluvial actif sur le Rhin. Le pays importe des matières premières et exporte des produits fabriqués, son principal partenaire étant l'Allemagne de l'Ouest.

Le tourisme, tant estival qu'hivernal (plus de 7 millions de touristes), apporte également des revenus appréciables, comblant au moins en partie le déficit d'un commerce extérieur très actif et contribuant à l'animation des vallées montagnardes.

La Suisse est enfin une grande place financière. Ses nombreuses banques attirent en particulier les capitaux étrangers. Elles sont en grande partie responsables de la prospérité actuelle du pays, qui assure à ses habitants le niveau de vie le plus élevé d'Europe avec la Suède.

HISTOIRE. Les hommes s'installent sur le territoire suisse dès le paléolithique supérieur. À l'âge du fer, les civilisations celtiques de Hallstatt et de La Tène s'y développent, tandis que des relations se nouent entre les vallées suisses et l'Italie. En 58 av. J.-C., les Helvètes* sont refoulés par César dans leurs montagnes : l'Helvétie romaine joue dès lors un rôle international en raison de l'importance de ses voies naturelles de communication.

Elle est christianisée du IVe au VIIe s., l'influence païenne des Alamans étant contrebalancée par celle des missionnaires irlandais, qui sont à l'origine de quelques-unes des grandes abbayes helvétiques (Saint-Gall, Einsiedeln). La germanisation du pays, qui s'amorce au VIe s., se heurte dans les hautes vallées aux dialectes romans, qui s'y perpétuent, tandis que les Burgondes maintiennent leur influence linguistique à l'ouest. Devenue un conglomérat de petites principautés, l'Helvétie fait partie du Saint* Empire romain germanique à partir de 1032. Cependant, très vite, la puissance impériale s'y amenuise au profit des communautés urbaines, qui obtiennent au XIIe s. et au XIIIe s. d'importantes franchises; dans le même temps, l'isolement pousse les communautés urbaines et paysannes à se constituer en confédérations. C'est ainsi que se constituent les confédérations (futurs cantons) d'Uri (1231) et de Schwyz (1240). L'avènement de Rodolphe de Habsbourg (1273), en faisant d'un Autrichien l'empereur, remet en question l'autonomie des communautés suisses, tyrannisées par les baillis impériaux. Après la mort de Rodolphe, les cantons montagnards d'Uri, de Schwyz et d'Unterwald concluent un pacte perpétuel pour la défense de leurs droits et de leurs libertés (1291) : c'est l'acte de naissance de la Confédération suisse. Une réaction militaire du duc Léopold Ier d'Autriche se solde par la victoire des Suisses à Morgarten (1315). Si bien qu'en 1353 huit cantons (Uri, Schwyz, Unterwald, Lucerne, Zurich, Glaris, Zoug et Berne) adhèrent à la Confédération, dont l'indépendance est reconnue par les Autrichiens à la suite de leur défaite de Sempach (1386). En s'annexant l'Argovie autrichienne (1415), puis la Thurgovie (1460) et en s'alliant avec de nouvelles communautés (Saint-Gall, les Grisons, le Valais, Neuchâtel, etc.), les Confédérés développent leur importance politique et militaire, malgré les rivalités inévitables (conflit Schwyz-Zurich, 1436-1446). Cette importance se révèle face à l'ambition territoriale de l'État bourguignon, dont le chef, Charles* le Téméraire, est vaincu par les Confédérés à Grandson et à Morat (1476). En 1481, Soleure et Fribourg entrent dans la Confédération : dès lors majeure, celle-ci doit affronter de nouveau les Habsbourg (Maximilien Ier), qui sont encore battus (1499) et ne peuvent rien contre l'entrée de Bâle (1501), de Schaffhouse (1501) et d'Appenzell (1513) dans la Confédération (13 cantons). Au service de la Sainte Ligue* de Jules II en Italie, contre les Français, les Suisses, désunis, sont finalement battus par François Ier à Marignan (1515) : en 1516, la Confédération signe avec la France une « paix perpétuelle » avantageuse; en renonçant à intervenir désormais dans les affaires européennes, les Suisses se contenteront de fournir des mercenaires, à la France notamment.

C'est par une élite d'humanistes et grâce, notamment, à Ulrich Zwingli* que la Réforme se répand en Suisse à partir de 1519. Une série de batailles (Kappel, 1529 et 1531) se termine par une répartition des cantons catholiques (sept), réformés (quatre) et mixtes (deux). Tandis que Fribourg reste fidèle à Rome, Genève*, grâce à Calvin*, devient la « Rome du protestantisme ». Au début du XVIIe s., elle échappe à l'emprise savoisienne (1602), mais la France annexe le pays de Gex; en 1648, les traités de Westphalie reconnaissent l'indépendance des cantons vis-à-vis de l'Empire.

Aux XVIIe et XVIIIe s., la Suisse apparaît comme un havre de paix et donc de prospérité (textile, horlogerie), où rayonne l'esprit des lumières (Voltaire, Rousseau, Necker) : la Révolution française y a de grandes répercussions, du moins en ses débuts. Par la suite, le Directoire* désagrège la Confédération, imposant à sa place, en 1798, une République helvétique unitaire, amputée d'importants territoires (Mulhouse, Genève, Jura) au profit de la France. Constatant l'anarchie ainsi créée, Bonaparte reconstitue l'organisation fédérale au sein d'une Confédération helvétique, dont lui-même se proclame « médiateur » (Acte de médiation, 1803); mais la Diète, alors créée, l'abroge dès 1813.

Le congrès de Vienne fait restituer par la France les territoires annexés : le Valais, Neuchâtel et Genève, qui forment alors trois nouveaux cantons (1814). Au XIXe s., la Suisse connaît une prospérité accrue, mais sa situation politique reste troublée, l'aristocratie n'admettant pas le développement du libéralisme dans un pays largement ouvert aux réfugiés politiques étrangers. Dix cantons ayant été « régénérés » à la suite de la révolution parisienne de 1830, les sept cantons conservateurs et catholiques constituent une alliance, dite « Sonderbund* », qui, par l'appui qu'elle demande aux gouvernements étrangers réactionnaires, irrite l'opinion : celle-ci réclame l'expulsion des Jésuites. Devenus majoritaires à la Diète, les radicaux obtiennent la dissolution du Sonderbund, qui, ayant voulu résister, est battu (1847). En 1848, une Constitution fait de la Suisse un véritable État fédéral, doté d'un gouvernement central siégeant à Berne : une révision, opérée en 1874, introduit le droit de référendum. Dès lors, la Suisse connaît la stabilité; la tolérance religieuse entraîne l'essor intellectuel sous la forme notamment d'universités (Berne, Zurich, Fribourg, etc.). En 1857, le problème de Neuchâtel* est réglé pacifiquement; en 1870-71, l'armée de Bourbaki se réfugie en Suisse, là où, depuis 1863, la neutralité a pris un sens positif et altruiste avec la fondation de la Croix-Rouge*. Parallèlement à la prospérité économique se développe après 1870 une importante législation sociale, due en grande partie à un syndicalisme ouvrier actif. À la veille de la Première Guerre mondiale et durant celle-ci, la Suisse, neutre, mais refuge naturel et accueillant, est secouée par les soubresauts du socialisme international. Entre les deux guerres, elle maintient sa neutralité (elle n'occupe un siège à la S. D. N. que jusqu'en 1938) et aussi sa stabilité politique, cela grâce à l'équilibre des partis — conservateur, radical, socialiste — au Conseil national. Un moment touchée par la crise économique de 1930-1936, elle met en place une législation suffisamment efficace pour instaurer une véritable « paix du travail ».

Durant la Seconde Guerre mondiale, la Suisse reste fidèle à sa tradition humanitaire. À partir de 1945, les deux problèmes graves qui se posent à elle sont l'afflux des travailleurs immigrés et l'autonomie réclamée par le Jura bernois francophone : un référendum (23 juin 1974) prévoit que ce dernier deviendra le 23e canton de la Confédération, et la majorité de la population refuse à plusieurs reprises de prendre des mesures d'exception à l'endroit des émigrés.

DÉFENSE ET ARMÉES

Prototype d'un système militaire fondé sur les milices. Service militaire de quatre à six mois. Importantes obligations dans les réserves.

• LES FORCES ARMÉES EN 1977. Budget : 1 221 millions de dollars (1,8 p. 100 du P. N. B.). 6 500 militaires de carrière, 40 000 conscrits, 625 000 hommes mobilisables en quarante-huit heures.

Armée mobilisée : 4 corps à 3 divisions (dont 1 de montagne), 23 brigades indépendantes.

Aviation : 345 avions de combat.

SUISSE NORMANDE, nom parfois donné à la partie méridionale, la plus élevée, du Bocage normand.

SUISSE SAXONNE, nom parfois donné à l'extrémité nord-orientale de l'Erzgebirge, dominant l'Elbe, aux confins de l'Allemagne orientale et de la Tchécoslovaquie.

SUITA, v. du Japon (Honshū), dans la banlieue nord d'Ōsaka; 260 000 hab.

SUITE DE DANSES. — Si l'idée d'insérer quelques danses au cours d'un spectacle théâtral ou musical a toujours existé (comédie, ballet, divertissement), la notion de suite, c'est-à-dire de succession ininterrompue de mouvements de danses formant un tout cohérent, se situe à l'époque classique : XVIe, XVIIe et XVIIIe s. À ce stade, la suite se caractérise par la suppression du chant, auquel elle était autrefois liée, par la stylisation des thèmes populaires, qu'elle emprunte et qu'elle traite en un langage savant, par l'alternance des tempos vifs et lents, par l'unité tonale exigée de tous les mouvements, par le caractère international de son inspiration. Destinée à un soliste ou à un ensemble instrumental, elle contient un nombre indéterminé de danses : les unes restent attachées au geste; les autres en appellent à des évocations, à des descriptions, à des portraits. Certains la baptisent « balleto », « ordre », « opern », « partita » ou « sonata ». L'Italie et la France semblent servir de référence de style.

La pavane s'enchaînant à la gaillarde, le passamezzo et les branles forment l'ossature des « danceries » de la Renaissance. Au XVIIe s., la suite s'articule ainsi : après un prélude souvent libre et de style luthé se succèdent une allemande (4 temps) d'une écriture horizontale, une courante (3 temps) assez animée, une sarabande (3 temps) lente et expressive, une bourrée (2 ou 3 temps) rythmique de caractère populaire, une gavotte (2 temps) gracieuse, un menuet (3 temps) typique de la musique de cour française, une gigue (3 temps) rapide, souvent pointée. D'autres danses peuvent s'intercaler dans ce schéma traditionnel, comme le passe-pied, le rigaudon, la sicilienne, la forlane, la canarie, la polonaise... Si la plupart de ces pièces adoptent la structure binaire à reprise ou la forme rondeau, d'autres peuvent être traitées en variations, telles la chacone et la passacaille, qui progressent par quatre mesures sur une basse obstinée.

Lully, Chambonnières, d'Anglebert, F. Couperin, Corelli, A. Scarlatti, Rameau, J.-S. Bach, Händel, Telemann donnent des modèles achevés de la suite, qui, s'acheminant vers la sonate*, finit par se confondre avec celle-ci.

La suite ne survivra aux XIXe et XXe s. que sous forme de regroupement plus ou moins artificiel de pages éparses dans une partition. Néanmoins, la redécouverte des œuvres classiques, à l'aube du XXe s., favorisera un retour à la suite de danses, pour soliste ou pour orchestre (Debussy, Ravel, Roussel, Bartók, Stravinski, Jolivet, Duruflé).

SUITE DE NOMBRES RÉELS. — Une suite de nombres réels est une *application** de l'ensemble $\mathbb{N}$ des entiers naturels dans l'ensemble $\mathbb{R}$ des nombres réels. Une suite est notée (x_n); elle associe à l'entier n le nombre réel x_n. Ainsi :

$$(x_n) : n \longmapsto x_n = \left(1 + \frac{1}{n}\right)^n$$

est la suite qui au nombre n associe la puissance n-ième du nombre rationnel $1 + \frac{1}{n}\cdot$ Cette suite est définie pour n non nul. Quand n tend vers plus l'infini*, x_n tend vers le nombre e, base des logarithmes* népériens.

L'étude d'une suite consiste à déterminer, quand n augmente et tend vers plus l'infini, comment varie le terme général x_n : s'il augmente, s'il diminue, s'il oscille autour d'une valeur déterminée, s'il tend vers une limite finie ou non.

• Une suite est *bornée* s'il existe un nombre M positif tel que, quel que soit n, $|x_n| < M$, $|x_n|$ désignant le module, ou valeur absolue, de x_n. Cela entraîne que tous les nombres de la suite (x_n) soient compris entre $-M$ et $+M$.

• Une suite *converge* vers le nombre réel l si, quel que soit le nombre positif ε, aussi petit soit-il, on peut trouver un entier $n(\varepsilon)$ tel que, pour $n > n(\varepsilon)$, on ait $|l - x_n| < \varepsilon$. Cela signifie que, quand $n \longrightarrow +\infty$, x_n est aussi près que l'on veut de l. Ainsi, quand $n \longrightarrow +\infty$, $x_n = 1 + \frac{1}{n} \longrightarrow 1$, car, pour que $|1 - x_n| = \frac{1}{n} < \varepsilon$, il suffit que $n > \frac{1}{\varepsilon}$; on prendra donc pour $n(\varepsilon)$ l'entier immédiatement supérieur à $\frac{1}{\varepsilon}\cdot$

• Une suite (x_n) est une *suite de Cauchy** si, pour tout nombre positif ε, on peut trouver $n(\varepsilon)$ tel que, pour $n > n(\varepsilon)$ et $m > m(\varepsilon)$, $|x_m - x_n| < \varepsilon$.

• Deux suites (x_n) et (y_n) sont *adjacentes* si (x_n) est *croissante* (x_n augmente avec n) et si (y_n) est *décroissante* (y_n diminue quand n augmente), $x_n \leqslant y_n$ quel que soit $n \in \mathbb{N}$; enfin, $y_n - x_n \longrightarrow 0$ quand $n \longrightarrow +\infty$. Par exemple, les suites des valeurs décimales approchées par défaut et par excès d'un nombre réel sont deux suites adjacentes. On peut en obtenir un exemple en faisant la division du numérateur d'une fraction irréductible par son dénominateur quand la division ne s'arrête pas. Toute suite croissante majorée par M a une limite $l \leqslant M$; toute suite décroissante minorée par m a une limite $l \geqslant m$. Toute suite de Cauchy de nombres réels a une limite dans $\mathbb{R}$. Deux suites (x_n) et (y_n) adjacentes ont une limite commune l telle que $x_n \leqslant l \leqslant y_n$.

Exemple : $n \hookrightarrow x_{n+1} = \dfrac{x_n^2 + 1}{2x_n}, \quad x_1 > 1.$

Cette suite, définie à l'aide du premier terme, x_1, et de l'expression de x_{n+1} en fonction de x_n, s'appelle une *suite récurrente.* Comme $x_1 > 0$, $x_2 > 0$ puisque $x_1^2 + 1 > 0$ et $2x_1 > 0$. De proche en proche, on constate que tous les termes sont positifs. D'autre part,

$$x_{n+1} - 1 = \frac{x_n^2 + 1}{2x_n} - 1 = \frac{x_n^2 - 2x_n + 1}{2x_n} = \frac{(x_n - 1)^2}{2x_n} > 0,$$

car, comme $x_1 > 1$, si on suppose que $x_n > 1$, alors, $x_n - 1 \neq 0$; d'où $x_{n+1} - 1 > 0$ et $x_{n+1} > 1$. Ainsi, tous les termes de la suite sont *minorés* par 1. Enfin, pour étudier le sens de variation de x_n, on forme la différence :

$$x_{n+1} - x_n = \frac{x_n^2 + 1}{2x_n} - x_n = \frac{x_n^2 + 1 - 2x_n^2}{2x_n} = \frac{1 - x_n^2}{2x_n} < 0,$$

car

$$x_n > 1 \Longrightarrow x_n^2 > 1; \quad \text{d'où} \quad 1 - x_n^2 < 0.$$

La suite (x_n) est donc *décroissante.* Comme elle est minorée, elle tend vers une limite $l \geqslant 1$, qui ne peut être fournie que par l'équation $l = \dfrac{l + 1}{2l}$ ou $2l^2 = l^2 + 1$, ou $l^2 = 1$; d'où $l = 1$, seule solution acceptable, car une suite de nombres positifs ne peut avoir qu'une limite positive ou nulle. Ainsi, $x_n \longrightarrow 1$ quand $n \longrightarrow \infty$.

SUJET *(Philos.).* — Dans les théories classiques de la connaissance*, le sujet est opposé à l'objet. Il est le dénominateur commun à tous les individus et désigne un ensemble de facultés (volonté, entendement, raison*). Il est la raison universelle qui transfère son universalité à la connaissance elle-même. Qu'il soit caractérisé comme moi individuel concret, sujet transcendantal ou conscience libre et donatrice de sens, il est fondement de la connaissance (hormis chez Descartes, pour qui ce fondement est Dieu), de la morale et du droit, garant de la vérité et point de référence de l'histoire*.

Les pensées de Marx et de Nietzsche ainsi que les sciences humaines ont fait éclater la notion de sujet. Marx montre comment la lutte des classes crée les circonstances et les rapports qui transforment des individus ni libres ni conscients en sujets agissant dans l'histoire. Mais ces « sujets » ne sont ni origine, ni essence, ni cause, ni fin de l'histoire. L'histoire est un procès sans sujet ni fin, qui a pour moteur la lutte* des classes. Pour J. Lacan*, le sujet est une structure dépendante des rapports entre l'inconscient* et le langage, structure où s'articulent le support subjectif, le réel, l'imaginaire* et le symbolique*.

SUKARNO, homme d'État indonésien (Surabaya 1901 - Jakarta 1970). Fondateur du parti national indonésien (1927), il proclame en 1945 l'indépendance de l'Indonésie et devient le premier président de la République, mais doit poursuivre la lutte contre les Hollandais et faire face à des mouvements séparatistes. En 1957, il met fin au régime parlementaire et établit une « démocratie dirigée », au sein de laquelle il détient l'essentiel du pouvoir. S'orientant alors nettement vers une politique de gauche, il nationalise les compagnies pétrolières, admet les communistes au gouvernement et s'engage dans la lutte contre le colonialisme. Il obtient des Hollandais la Nouvelle-Guinée occidentale (1963) et quitte l'O. N. U. (1965) pour marquer son opposition à la formation de la Malaysia. Mais la dégradation de la situation économique et sociale renforce l'opposition militaire, qui le contraint à remettre tous ses pouvoirs au général Suharto* (1966), puis à abandonner la présidence de la République (1967).

SUKHOTAI, v. du nord de la Thaïlande; 15 000 hab. Capitale du premier royaume thaï indépendant (XIIIe-XVe s.), Sukhotai a vu l'éclosion d'un art proprement thaï. Son école exerça une influence considérable par la suite sur la céramique, l'expression graphique et les arts du dessin, d'inspiration essentiellement bouddhique. Nombreux vestiges des XIVe et XVe s.

SUKKUR, v. du Pākistān, sur l'Indus; 159 000 hab. Barrage pour l'irrigation.

SULAWESI → CÉLÈBES.

SULAYMĀNIYA, v. du nord-est de l'Iraq, dans le Kurdistan; 87 000 hab.

SULFAMIDE. — Les sulfamides appartiennent à un groupe chimique de formule $R{-}SO_2NH_2$, où R est un radical phénylaminé dont l'élément aminé est en position *para* par rapport au groupement soufré. Nombre d'entre eux sont utilisés pour leurs propriétés bactériostatiques (sulfadiazine, sulfapyridine, etc.); d'autres sont utilisés dans le traitement du diabète (sulfamides hypoglycémiants), associés ou non à l'insuline.

SULFATE. — L'acide sulfurique étant un biacide, il existe des sulfates acides et des sulfates neutres (par exemple $NaHSO_4$ et Na_2SO_4). Les sulfates métalliques sont solides, en général cristallisés et souvent hydratés; à l'exception de ceux de baryum et de plomb, ils sont solubles dans l'eau. Parmi les sulfates à radicaux minéraux, on peut citer ceux d'ammonium et le sulfate acide de nitrosyle, $NOHSO_4$, ou cristaux des chambres de plomb. Les sulfates organiques sont des sels de bases organiques et des éthers donnés par les alcools, comme le sulfate acide d'éthyle, $C_2H_5HSO_4$.

SULFHYDRIQUE (acide). — Découvert par Rouelle en 1773, c'est un gaz incolore, d'odeur fétide, de densité 1,2, se liquéfiant à $-62\,^{0}C$; 1 litre d'eau en dissout 3 litres. Ce corps est extrêmement toxique (plomb des vidangeurs). Il se décompose par chauffage, est détruit par le chlore et brûle dans l'air. C'est un biacide faible, donnant avec les alcalis des sulfures acides, comme NaSH, et des sulfures neutres, tel Na_2S. La plupart de ces sulfures sont insolubles et ont des couleurs variées, ce qui fait employer l'acide sulfhydrique pour caractériser les cations métalliques. Ils sont abondants dans la nature et constituent de nombreux minerais.

L'acide sulfhydrique existe dans les fumerolles volcaniques et se produit dans la putréfaction de matières animales. On le prépare par action d'un acide dilué sur le sulfure de fer artificiel, FeS.

SULFHYDRYLÉS (dérivés). — On désigne ainsi des composés renfermant le groupement sulfhydryle —SH. En chimie organique, ce sont les thiols R—SH, les thiophénols Φ—SH, les thioéthers R—S—R′, Φ—S—R, Φ—S—Φ, qui sont les analogues sulfurés des alcools, des phénols et des éthers-oxydes. Quelques-uns ont été signalés à l'état naturel (C_2H_5SH dans l'urine après la consommation d'asperges). Les thiols et les thiophénols sont désignés du nom des alcools et des phénols, dans lequel le suffixe *-ol* fait place au suffixe *-thiol.*

SULFITE. — L'acide sulfureux étant un biacide, il existe des sulfites acides, comme $NaHSO_3$, et des sulfites neutres, comme Na_2SO_3. En général solubles dans l'eau, ils sont réducteurs; d'où l'emploi des sulfites alcalins dans le blanchiment, la préparation de la pâte à papier, la photographie, etc.

SULFONÉS (dérivés). — Ces composés s'obtiennent aisément en série aromatique, par action d'acide sulfurique concentré sur le carbure. Ils sont en général solubles dans l'eau, ainsi que leurs sels. Les sulfonates alcalins permettent le passage aux phénols par fusion avec la soude caustique.

SULFURE. — Il existe des sulfures de métalloïdes, dont le principal est le sulfure de carbone, CS_2. Les principaux sulfures métalliques sont les sels de l'acide sulfhydrique, H_2S. Ils sont en général cristallisés, opaques, colorés et assez fusibles; seuls les sulfures alcalins et alcalino-terreux sont solubles dans l'eau. Les sulfures métalliques s'oxydent à chaud en donnant des sulfates et, à température plus élevée, du gaz sulfureux et des oxydes métalliques. Le grillage métallurgique utilise souvent ces réactions pour transformer les sulfures naturels en oxydes, que l'on peut ensuite réduire.

Beaucoup de sulfures constituent d'importants minerais (pyrite, galène, blende, chalcopyrite). Les sulfures organiques sont des esters alcooliques ou phénoliques; les sulfures acides se confondent avec les thiols.

SULFURE DE CARBONE. — C'est un liquide incolore de formule CS_2, présentant habituellement une odeur fétide, bouillant à $45\,^{0}C$, plus dense que l'eau, à laquelle il n'est pas miscible. C'est un solvant très employé (iode, soufre, graisses, caoutchouc). Il est toxique (insecticide). Très inflammable, il est dangereux à manipuler. Le chlore, au rouge, le transforme en chlorure de soufre et en tétrachlorure de carbone. Le sulfure de carbone se combine aux sulfures alcalins en donnant des sulfocarbonates, comme K_2CS_3. Son action sur la cellulose donne une solution épaisse, dite *viscose,* employée pour la fabrication de la Cellophane et de fibres artificielles. On prépare ce sulfure en faisant passer des vapeurs de soufre à travers du coke fortement chauffé.

SULFUREUX. — L'*anhydride,* ou *gaz sulfureux,* est le dioxyde de soufre SO_2. Connu de longue date, c'est un gaz incolore, d'odeur suffocante, de densité 2,3, qui se liquéfie à $-5\,^{0}C$. Liquéfié par compression, il est livré dans des siphons de verre épais. Il est très soluble dans l'eau. Difficile à réduire, il n'entretient pas les combustions. Il s'oxyde facilement, surtout en solution, pour donner de l'acide sulfurique. Il est, par suite, réducteur et, de ce fait, décolorant. Sa solution a les propriétés de l'*acide sulfureux,* H_2SO_3, et peut donner deux séries de sels : les sulfites acides, ou bisulfites, comme $NaHSO_3$, et les sulfites neutres, tel Na_2SO_3. Existant dans les fumerolles de volcans, le gaz sulfureux se prépare industriellement par combustion du soufre ou grillage des pyrites. Au laboratoire, on réduit l'acide sulfurique par le cuivre à chaud.

Le gaz sulfureux est surtout transformé en acide sulfurique. Il sert aussi comme liquide frigorifique, pour le blanchiment, comme antiseptique, dans la préparation de la pâte à papier.

SULFURIQUE. — L'*anhydride sulfurique,* SO_3, se présente en cristaux transparents soyeux, fondant à $17\,^{0}C$ et bouillant à $45\,^{0}C$. Il est très avide d'eau, avec laquelle il donne l'acide.

L'*acide sulfurique,* H_2SO_4, connu des alchimistes, a été préparé industriellement dès le XVIIIe s. C'est un liquide épais, incolore, qui bout à $290\,^{0}C$ en se décomposant. Il forme alors un mélange azéotrope, à 98 p. 100, qui bout à $320\,^{0}C$, a pour densité 1,84, marque $66\,^{0}B$ et constitue l'acide commercial. Il est soluble dans l'eau, avec un grand dégagement de chaleur; aussi faut-il, pour éviter des projections, le verser toujours dans l'eau si l'on veut le diluer. Cet acide est employé pour la dessiccation des gaz.

Il peut dissoudre l'anhydride sulfurique pour donner des liquides épais brunâtres, nommés *oléums,* dans lesquels peut cristalliser l'acide pyrosulfurique, $H_2S_2O_7$.

Décomposable à haute température en gaz sulfureux, en oxygène et en eau, il peut être réduit notamment par le carbone et par le cuivre. C'est un biacide fort, donnant avec les alcalis des sulfates acides, ou bisulfates, comme $NaHSO_4$, et des sulfates neutres, tel Na_2SO_4. Il agit sur la plupart des sels, pour en libérer les acides, et attaque presque tous les métaux. Vis-à-vis des corps organiques, il peut agir comme déshydratant; il éthérifie les alcools et donne avec les composés benzéniques des réactions de sulfonation.

Deux procédés de préparation sont employés dans l'industrie. Le *procédé* dit *des chambres de plomb* réalise l'oxydation par l'air du gaz sulfureux en présence d'eau, avec catalyse par les oxydes de l'azote. Le mélange de gaz sulfureux et d'air est envoyé dans la tour de Glover, dans laquelle ruisselle de l'acide sulfurique contenant des produits nitreux. Ce mélange gazeux passe ensuite dans les chambres de plomb, où l'on envoie de l'eau chaude pulvérisée et où se forme l'acide dilué. Puis il circule dans la tour de Gay-Lussac, où de l'acide sulfurique récupère les produits nitreux, qui sont renvoyés dans la tour de Glover. L'acide des chambres, qui marque $52\,^{0}B$, et celui du glover, à $60\,^{0}B$, peuvent être concentrés au contact de gaz chauds dans les tours de Gaillard, et l'on obtient ainsi l'acide à $66\,^{0}B$.

Le *procédé de contact* sert surtout à la préparation des oléums. On y réalise l'oxydation de l'anhydride sulfureux en phase gazeuse, vers $400\,^{0}C$, au contact d'anhydride vanadique servant de catalyseur. Les vapeurs d'anhydride sulfurique formées sont dissoutes dans l'acide sulfurique à $66\,^{0}B$.

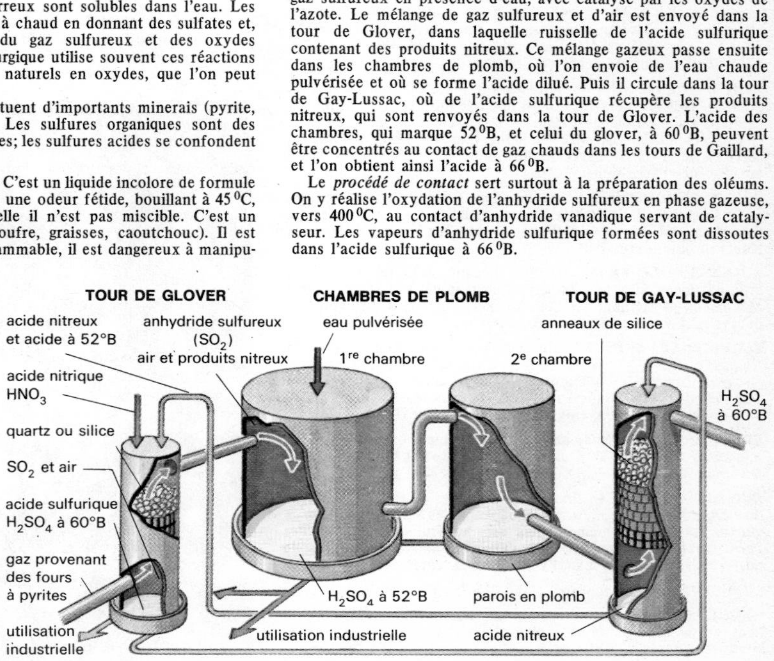

SULFURIQUE. Schéma de fabrication de l'acide sulfurique.

L'acide sulfurique est un produit industriel fondamental. Il sert à préparer de nombreux acides, des sulfates, les superphosphates, des colorants, des explosifs, des plastiques, etc. Il constitue l'électrolyte des accumulateurs au plomb.

SULLA ou **SYLLA** (Lucius Cornelius), général et homme politique romain (138 av. J.-C.-Cumes 78 av. J.-C.). Issu de la *gens Cornelia,* il s'engagea tardivement dans la politique. Questeur de Marius* (106), il se fit livrer Jugurtha* par le roi de Mauritanie Bocchus Ier. Il accompagna ensuite Marius dans les opérations contre les Cimbres et les Teutons. Préteur en 97, puis propréteur en Cilicie, il devint consul en 88 et joua un rôle décisif dans la guerre sociale*. S'étant allié aux *optimates,* il obtint du sénat le commandement de la guerre contre Mithridate* (88). Marius l'ayant dépossédé illégalement de ce commandement, il occupa Rome de force et fit mettre son rival hors la loi. Puis il partit pour l'Orient, où il vainquit Mithridate. De retour en Italie (83), il dut de nouveau lutter contre les partisans de Marius. Vainqueur à Sacriport (près de Préneste) [82], il entra en maître à Rome (bataille de la porte Colline, 1er nov. 82) et se fit nommer dictateur à vie par la *lex Valeria* (82). Il institutionnalisa la terreur, proscrivant tout opposant au nouveau régime. Il remania profondément les institutions (augmentation du nombre des sénateurs et des magistrats, réduction des pouvoirs des tribuns de la plèbe et des privilèges de l'ordre équestre, nomination des promagistrats aux gouvernements des provinces), assura la colonisation de l'Italie par ses vétérans et mit sur pied une législation tâtillonne et répressive visant à rétablir ou à consolider l'ordre et la tradition (aggravation des peines criminelles, lutte contre l'immoralité, réforme religieuse). Il fut, selon J. Carcopino, le bénéficiaire éphémère d'une monarchie manquée. En 79, il renonça brusquement à tous ses pouvoirs et se retira en Campanie.

SULLANA, v. du nord-ouest du Pérou; 104 000 hab.

SULLIVAN (Louis Henry) → CHICAGO.

SULLY (Maurice DE), prélat français (Sully-sur-Loire v. 1120-Paris 1196). Évêque de Paris en 1160, il décida d'entreprendre la construction de la cathédrale Notre-Dame (1163).

SULLY (Maximilien DE BÉTHUNE, *baron* DE ROSNY, *duc* DE), homme d'État français (Rosny-sur-Seine 1560-Villebon 1641). Protestant, il accompagne Henri de Navarre (Henri IV) dans sa fuite (1576-1584), avant de combattre à ses côtés à Coutras (1587) et à Ivry (1590). Dès 1596, Henri IV* lui confie la direction des finances : à son titre de surintendant (1598), Rosny, devenu duc-pair de Sully en 1606, en ajoute bien d'autres. Au lendemain d'une désastreuse guerre civile, il met en place une politique de remise en ordre : contrôle des dépenses, suppression de charges inutiles, allégement de la taille, etc. En même temps, il favorise les progrès de l'agriculture et de l'élevage du ver à soie, et multiplie les travaux publics (routes, canaux, coches publics, assèchements avec l'aide de spécialistes hollandais, etc.). Lui-même amasse une fortune considérable. Après la mort d'Henri IV, il se consacre à ses *Mémoires.* En 1634, Louis XIII le fait maréchal de France.

Sully *(hôtel),* rue Saint-Antoine, dans le Marais, à Paris. Construit pour un financier vers 1624, dans un style pittoresque (lucarnes et frontons sculptés, niches à statues), il fut acheté par Sully en 1634. Dégradé par la suite, acquis (1945) et restauré par l'État, il abrite les services de la Caisse nationale des monuments historiques, qui y organise des expositions.

SULLY PRUDHOMME (René François Armand PRUDHOMME, dit), poète français (Paris 1839-Châtenay-Malabry 1907), d'inspiration didactique (*les Solitudes,* 1869; *les Vaines Tendresses,* 1875). [Prix Nobel de littérature, 1901.]

SULLY-SUR-LOIRE (45600), ch.-l. de cant. du Loiret, à 43 km au S.-E. d'Orléans; 5 049 hab. Important château des XIVe et XVIe s., que Maximilien de Béthune (v. SULLY) acheta en 1602. Église gothique du XVIe s. Fonderie. Constructions mécaniques. Verrerie.

SULPICE SÉVÈRE, écrivain chrétien d'expression latine (en Aquitaine v. 360-† v. 420). Sa *Chronique universelle* n'a d'intérêt que pour la période contemporaine de son auteur. Sulpice Sévère doit surtout sa renommée à ses écrits sur saint Martin* de Tours — *la Vie de saint Martin,* suivie de deux livres de *Dialogues.*

SULU, archipel du sud-ouest des Philippines, entre Bornéo et Mindanao et limitant au S. la *mer de Sulu;* 2 688 km²; 426 000 hab. V. princ. *Jolo.*

SUMAC. — Il existe en France deux espèces de sumac. Le *fustet,* ou « arbre à perruque », est remarquable par les aigrettes plumeuses qui se forment en même temps que les fruits. Le *sumac des corroyeurs* porte en automne un tan utilisé en maroquinerie. Ce sont des arbrisseaux vénéneux. (Famille des anacardiacées.)

SUMATRA, île d'Indonésie; 473 606 km²; 20 813 000 hab.

GÉOGRAPHIE. La chaîne des monts Barisan, surmontée d'édifices volcaniques actifs et accidentée par des failles, occupe la moitié sud-ouest de cette grande île dissymétrique. Elle domine l'étroit littoral de l'océan Indien, mais s'abaisse doucement, par une série de collines, vers la large plaine côtière marécageuse qui borde la plate-forme de la Sonde. Le climat équatorial explique l'extension de la forêt dense.

La population est peu nombreuse (44 hab. au km²) malgré une immigration en provenance de Java. Cependant, l'île compte d'importantes agglomérations urbaines, dont Palembang et Medan.

L'agriculture sur brûlis produit du riz, destiné à l'alimentation. De grandes plantations créées par les Européens se consacrent à la culture de l'hévéa, du palmier à huile, du sisal, du tabac, du thé, du café, destinés à l'exportation. Mais la principale richesse est le pétrole, dont l'extraction a favorisé un partiel et ponctuel développement industriel.

HISTOIRE. Du VIIe au XIIIe s., l'île connaît, grâce aux rois de Śrīvijaya, une grande prospérité commerciale et culturelle. L'essor de Java et l'apparition de l'islām (XIIIe-XIVe s.) y marquent la fin d'une culture indianisée. Au XVIIe s., sous le règne du sultan Iskandar Muda, la ville d'Aceh devient un foyer rayonnant, qui décline avec l'arrivée des Hollandais : ceux-ci s'intéressent à Sumatra (or) à partir de 1650, ce qui provoque des rébellions périodiques, la plus importante étant la « guerre d'Aceh » (1873-1908). La découverte du pétrole (1886) et l'exploitation intensive de l'hévéa donnent à Sumatra un rôle économique majeur.

ŠUMAVA, en allem. **Böhmerwald,** massif montagneux aux confins de l'Allemagne fédérale et de la Tchécoslovaquie, limitant au S.-O. la Bohême; 1 380 m.

SUMBAWA ou **SUMBAVA,** île d'Indonésie, à l'E. de Java.

ŠUMEN, anc. **Kolarovgrad,** v. du nord-est de la Bulgarie; 59 000 hab. Constructions automobiles.

SUMÈNE (30440), ch.-l. de cant. du Gard, à 12,5 km à l'E. du Vigan; 1 702 hab.

SUMÉRIENS, peuple d'origine iranienne, dont la présence est attestée en basse Mésopotamie à partir du IVe millénaire. Les Sumériens s'implantèrent solidement en des cités-États : Our*, Ourouk*, Lagash* etc.; Lougal-zaggesi (v. 2375-v. 2350), roi d'Oumma et d'Ourouk, fonde le premier Empire mésopotamien, que lui enlèvera bientôt le Sémite Sargon d'Akkad*. Après la chute de la dynastie akkadienne, l'hégémonie revient aux cités sumériennes : Ourouk, Lagash. Mais les rois de la IIIe dynastie d'Our* (2133-2025) ne résistent pas à la pression des Amorrites* et de l'Élam*; le retour en force des Sémites élimine Sumer de la scène politique; seules survivront la langue et la civilisation sumériennes.

• ARCHÉOLOGIE. Foyer de la civilisation mésopotamienne dès le

Sumériens. Mosaïque en lapis-lazuli et coquillages, dite l'« Étendard d'Our » (détail de la face consacrée à la paix), provenant d'Our (Iraq). Début du IIIe millénaire. (British Museum, Londres.)

Fleming

IVe millénaire (période prédynastique, 3700-3000 av. J.-C.), avec la première architecture religieuse (temple d'Éridou*), Sumer est à l'origine de la vie urbaine (zone religieuse de la ville d'Ourouk) ainsi que de la statuaire, comme la célèbre *Dame d'Ourouk* (musée de Bagdad). La glyptique* connaît un brillant essor, qui suscitera le simple pictogramme, puis, à la fin de ce IVe millénaire, l'invention de l'écriture, qui devient cunéiforme pendant le IIIe millénaire.

Les premières dynasties sumériennes correspondent à la période classique de l'art sumérien. Le temple et ses dépendances n'abritent plus l'autorité politique; celle-ci crée la première architecture palatiale. Certaines cités (Mari*, Kish et Our) rendent à leurs chefs des honneurs funéraires grandioses. Bientôt de plus en plus nombreuses, les cités-États ont une production artistique abondante et variée : frise de taureaux en bronze du temple d'Obeïd*, stèle des vautours de Tello*, mobilier funéraire des tombes royales d'Our, grands sanctuaires construits sur de vastes terrasses à Éridou et à Nippour*, stèles et reliefs cultuels de Lagash et de Nippour, etc. L'ascendant de Sumer se retrouve en dehors du Bas Pays, comme le confirment la statuaire de Mari, les adorants d'Eshnounna*, traités de façon plus réaliste que ceux de Mari. Malgré un retour aux sources, la renaissance néosumérienne ne se dégage pas totalement de l'emprise d'Akkad*. L'architecture (palais, hypogées, temples et ziggourats) atteint des proportions imposantes, et, malgré sa qualité (multiples statues de Goudéa et de son fils), la statuaire reste empreinte de rigidité et annonce l'art conventionnel et hiératique de l'Assyrie*, de Babylone* et, plus tard, des Achéménides*.

SUMNER (James Batcheller), biochimiste américain (Canton, Massachusetts, 1887 - Buffalo 1955). Il a découvert que certains enzymes, l'uréase notamment, peuvent cristalliser. (Prix Nobel de chimie, 1946.)

SUND ou **ØRESUND,** détroit reliant le Cattégat à la Baltique, entre l'île (danoise) de Sjaelland et le littoral suédois. Au débouché méridional du Sund se localisent Copenhague et Malmö.

SUNDERLAND, port du nord de l'Angleterre, sur la mer du Nord; 217 000 hab.

SUNDGAU (le), région de collines de l'Alsace méridionale, au S. de Mulhouse.

SUNNITES. — Les sunnites, qui constituent la tendance majoritaire de l'islām*, sont les gens de la *sunna* (coutume du Prophète) et de la *djamā'a* (communauté). À l'acceptation du Coran* et de la *sunna,* qui repose essentiellement sur le *ḥadīth*,* le sunnisme a ajouté celle du consensus communautaire *(idjmā').* Il s'est constitué peu à peu comme la voie moyenne de l'islām (entre le chī'isme* et le khāridjisme*), hostile à toute nouveauté humaine *(bid'a)* et à tout système ésotérique, et reposant sur une interprétation littérale des textes. « Face au légitimisme 'alide ou au particularisme insurrectionnel du khāridjisme, le sunnisme veut être avant tout une doctrine de regroupement communautaire » (H. Laoust). Il existe quatre écoles juridiques sunnites : le malékisme*, le ḥanafisme*, le chāfi'isme* et le ḥanbālisme*.

SUNSHINE → ACTIVITÉ.

SUN YAT-SEN, SOUEN TCHONG-CHAN ou **SUN ZHONG-SHAN,** homme d'État chinois (prov. du Kouang-tong 1866 - Pékin 1925). Issu d'une famille rurale pauvre, il se convertit au protestantisme et effectue des études de médecine occidentale. Dès 1885, il se fixe comme but le renversement de la dynastie mandchoue. En 1894, il fonde l'Association pour le redressement de la Chine, qui est à l'origine d'un premier soulèvement (1895), dont l'échec oblige Sun Yat-sen à s'exiler et à voyager en Europe. Nouvel échec en 1900 et en 1907. À la tête d'un nouveau parti — la Ligue d'union jurée —, Sun Yat-sen récolte les fruits de la révolution de 1911 : celle-ci débouche sur la formation d'une Assemblée nationale qui l'élit président provisoire de la République; mais Sun doit laisser la place à Yuan* Che-k'ai, qui devient président en 1912 et obtient l'abdication du dernier empereur mandchou. Il fonde alors un parti nationaliste, le Kouo-min-tang*; la mort de Yuan en 1916, en ouvrant une nouvelle ère d'anarchie, lui permet de constituer à Canton un éphémère gouvernement militaire (1917-18).

La fin de cette « période noire » correspond au « Mouvement du 4 mai 1919 », formidable vague à la fois populaire et bourgeoise partie de Chang-hai. Réélu président de la République (1921), Sun collabore avec les communistes chinois : le Kouo-min-tang s'organise suivant le modèle léniniste (1924) et Canton devient une véritable base révolutionnaire. Quand Sun meurt, l'unité nationale n'est pas réalisée, mais la voie est ouverte pour une révolution plus ample, celle qui triomphera en 1949 avec Mao Tsö-tong.

SUOMI, nom finnois de la FINLANDE.

SUPERBAGNÈRES, station de sports d'hiver (alt. 1 800-2 260 m) de la Haute-Garonne, à 17,5 km au S. du centre communal de Bagnères-de-Luchon.

SUPERBESSE → BESSE-ET-SAINT-ANASTAISE.

SUPERCARBURANT → ESSENCE.

SUPERDÉVOLUY, station de sports d'hiver (alt. 1 500-2 500 m) des Hautes-Alpes, au N.-O. de Gap.

SUPERFLUIDITÉ. — Pour expliquer les phénomènes présentés par l'hélium liquide au-dessous de 2,17 K, le Soviétique Landau a supposé que celui-ci était formé de deux fluides, dont l'un a perdu toute viscosité et peut s'élever le long des parois d'un récipient pour s'écouler dans un récipient inférieur. Selon le phénomène envisagé, l'un ou l'autre des deux fluides serait seul actif.

SUPERHÉTÉRODYNE → RADIODIFFUSION.

SUPÉRIEUR *(lac),* le plus vaste (82 380 km^2) et le plus occidental des Grands Lacs de l'Amérique du Nord, partagé entre le Canada et les États-Unis, communiquant avec le lac Huron par la rivière Sainte-Marie. Sur ses rives sont établis les ports de Duluth (États-Unis) et de Thunder Bay (Canada).

SUPERISOLATION → ISOLATION THERMIQUE.

SUPERLIORAN, station de sports d'hiver (alt. 1 250-1 850 m) du Cantal, à 12 km à l'O.-S.-O. de Murat.

SUPERNOVA → NÉBULOSITÉ GALACTIQUE.

SUPERPLASTICITÉ → PLASTICITÉ.

SUPERSTRUCTURE *(Philos.).* — Concept fondamental du matérialisme* historique, la superstructure apparaît, chez Marx, dès le *Manifeste* du parti communiste.* « L'ensemble des rapports de production constitue la structure économique de la société, la base concrète sur laquelle s'élève une superstructure juridique et politique à laquelle correspondent des formes de conscience sociale déterminées » *(Critique de l'économie politique).*

SUPERVIELLE (Jules), écrivain français (Montevideo 1884 - Paris 1960). Tout en conservant la rime et le rythme, il chercha à assouplir la versification traditionnelle (*Débarcadères,* 1922; *Gravitations,* 1925). Ses derniers poèmes témoignent de plus de sensibilité (*Naissances,* 1951; *le Corps tragique,* 1959), tandis que son théâtre (*la Belle au bois,* 1932; *Robinson,* 1949) et ses nouvelles (*l'Homme de la pampa,* 1923; *le Voleur d'enfants,* 1926) révèlent une fantaisie ironique.

Suppliantes *(les),* la plus ancienne des tragédies d'Eschyle, représentée à Athènes entre 493 et 490 av. J.-C. Début d'une trilogie dont les deux autres pièces sont perdues *(les Égyptiens, les Danaïdes),* elle a pour thème les supplications de Danaos et de ses filles, demandant la protection du roi d'Argos, Pélasgos.

Suppliantes *(les),* tragédie d'Euripide, représentée probablement en 422 av. J.-C. Les mères des chefs argiens tombés devant Thèbes implorent le secours des Athéniens afin qu'on leur rende les corps de leurs fils. Thésée bat les Thébains et rend aux morts les honneurs funèbres.

SUPPOSITOIRE. — Préparation pharmaceutique de consistance solide, de forme conique ou ovoïde, le suppositoire est destiné à être introduit dans l'anus. Il est constitué par un excipient auquel est incorporé un ou plusieurs principes actifs. Selon sa composition, son action sera locale (laxatifs, antihémorroïdaires) ou générale (antalgiques, anti-inflammatoires, antibiotiques).

SUPRACONDUCTIVITÉ. — Découverte en 1911 par Kamerlingh Onnes sur le mercure, la supraconductivité est une diminution brusque de la résistivité de certains métaux ou alliages au-dessous d'une température déterminée : 7,2 K pour le plomb, 3,78 K pour l'étain, 1,14 K pour l'aluminium. La résistance de ces corps devient alors pratiquement nulle; un courant lancé (par induction électromagnétique) se maintient pendant des mois, en l'absence de toute force électromotrice, car il n'y a plus de perte d'énergie par effet Joule. Cette propriété disparaît quand le matériau supraconducteur est soumis à un champ magnétique suffisamment intense.

SUPRASEGMENTAL (trait) → PROSODIE.

SUPRÉMATISME → MALEVITCH et LISSITSKI.

SURABAYA, port d'Indonésie, sur la côte nord de Java, sur le *détroit de Surabaya* (qui sépare Java et Madura); 1 556 000 hab. Deuxième ville et principal port du pays.

SURAKARTA, anc. **Solo,** v. d'Indonésie, dans le centre de Java, sur le Solo; 414 000 hab. Nœud ferroviaire.

SURALIMENTATION → ALIMENTATION.

SŪRAT, v. de l'Inde (Gujerāt), près du golfe de Cambay; 472 000 hab.

SURATE ou **SOURATE** → CORAN.

SURCHAUFFEUR → CHAUDIÈRE.

SURCOUF (Robert), marin français (Saint-Malo 1773 - *id.* 1827). Après s'être enrichi dans la traite, il devient, sous la Révolution et l'Empire, le plus célèbre corsaire de France, celui qui fait subir aux Anglais les plus lourdes pertes.

SURDITÉ. — La diminution (cas fréquent des « malentendants ») et la suppression (cas des « sourds ») de l'audition peuvent être unilatérales ou bilatérales.

• *Les surdités de transmission.* La lésion touche l'appareil de transmission des sons (oreille externe, oreille moyenne). Ce type de surdité se caractérise par des troubles de la conduction aérienne et par la conservation de la conduction osseuse : l'audiométrie précise ces signes. Les causes des surdités de transmission sont variables (otites, obstruction du conduit auditif externe, ostéospongiose).

• *Les surdités de perception.* La lésion touche l'appareil de perception (cochlée, voies cochléaires centrales, nerf cochléaire). De telles surdités se caractérisent par des troubles de la conduction osseuse et aérienne; leurs causes peuvent être soit rétrocochléaires (atteinte du nerf par méningonévrite, tumeur, dégénérescence), soit cochléaires (traumatisme, fracture du labyrinthe, infection, intoxication médicamenteuse, troubles vasculaires).

• *Les surdités mixtes.* Dans ce cas, il existe des lésions des deux appareils.

SÛRE (la), en allem. **Sauer,** riv. née dans l'Ardenne belge, qui traverse le Luxembourg, puis forme la frontière entre ce pays et l'Allemagne fédérale avant de rejoindre la Moselle (r. g.); 173 km.

SUREAU. — Ce petit arbre, à croissance rapide, à l'écorce crevassée, portant des corymbes de petites fleurs blanches, puis des baies noires au goût acide, est surtout connu pour la moelle de ses rameaux, utilisée en botanique pour y inclure les pièces à couper en lames minces. (Famille des caprifoliacées.)

SURESNES (92150), ch.-l. de cant. des Hauts-de-Seine, sur la Seine, dans la proche banlieue ouest de Paris; 38 298 hab. *(Suresnois).* Constructions aéronautiques.

SÛRETÉ DE L'ÉTAT (atteintes à la). — On dénomme ainsi un certain nombre de crimes et de délits susceptibles de compromettre la défense nationale ou de mettre en péril la paix intérieure de l'État : la *trahison,* acte accompli dans l'intention de servir une puissance étrangère; l'*espionnage,* acte de même nature, mais accompli par un étranger; le *complot;* les *atteintes à l'intégrité du territoire national;* l'*attentat,* dont le but est de porter le massacre ou la dévastation; la *participation à un mouvement insurrectionnel,* etc. Les crimes et délits contre la sûreté de l'État sont punis de peines politiques; en temps de paix, la juridiction compétente est la Cour de sûreté de l'État, et, en temps de guerre, les juridictions des forces armées.

SÛRETÉ NUCLÉAIRE. — Les installations nucléaires sont des installations où sont produites, transformées, mises en œuvre ou stockées des substances radioactives. De ce fait, elles peuvent présenter des inconvénients ou des dangers. D'une part, en marche normale, elles sont la source de rayonnements ionisants, qu'il convient de limiter; d'autre part, elles peuvent être, par suite de circonstances exceptionnelles, le siège d'incidents ou d'accidents, libérant des produits radioactifs ou toxiques. La prévention des accidents et la limitation de leurs effets éventuels relèvent d'un ensemble de dispositions techniques à prendre à tous les stades (conception, construction, exploitation, arrêt) des installations nucléaires : cet ensemble de mesures est désigné sous le nom de *sûreté nucléaire.* La protection des personnes contre les rayonnements ionisants résultant de la marche normale des installations ou, plus généralement, contre les risques radioactifs qui subsistent en dépit des mesures prises au titre de la sûreté constitue la *radioprotection.* Radioprotection et sûreté nucléaire sont, donc, étroitement liées : les seuils admissibles au titre de la protection et, d'une façon générale, les effets des rayonnements sur les êtres vivants sont des *conditions aux limites* dont il doit être tenu compte dans la construction et l'exploitation des installations nucléaires. Inversement, les mesures prises pour prévenir les accidents ont des répercussions sur les niveaux des rayonnements émis à l'extérieur, même en marche normale. La « connexité » entre la sûreté des installations et la radioprotection des personnes est tantôt directe (cas des travailleurs), tantôt indirecte (cas des populations) : entre les deux disciplines complémentaires prend alors place l'étude du comportement des substances radioactives dans le milieu récepteur, depuis les installations émettrices jusqu'aux personnes exposées, compte tenu, notamment, des facteurs de transfert météorologiques, hydrologiques ou biologiques. Sur le plan administratif, cette connexité de la radioprotection et de la sûreté nucléaire implique une collaboration étroite entre les services publics responsables : Service central de la protection contre les radioactions ionisantes (S. C. P. R. I.), au ministère de la Santé, pour la radioprotection; Direction générale du travail, au ministère du Travail, pour la protection des travailleurs; Service central de la sûreté des installations nucléaires (S. C. S. I. N.), au ministère de l'Industrie et de la Recherche, pour la sûreté. Enfin, l'organisation des secours, en cas d'accident, fait l'objet de plans particuliers, intéressant aussi bien les installations elles-mêmes (plans d'urgence) que l'environnement et les populations (plans ORSECRAD). L'élaboration et l'application de ces plans ainsi que leur articulation indispensable relèvent à la fois de la sûreté nucléaire et de la radioprotection. Le Service national de la protection civile, au ministère de l'Intérieur, joue naturellement un rôle important dans l'élaboration et l'application des plans ORSECRAD. En dehors des effluents* liquides ou gazeux, dont l'activité est très faible et qui sont rejetés dans le milieu naturel après contrôle, le fonctionnement de certaines installations nucléaires produit des déchets* radioactifs qui sont traités et finalement stockés, soit à l'état liquide, soit à l'état solide, dans des conditions assurant la protection de l'environnement contre toute pollution* radioactive.

SÛRETÉS. — Les sûretés sont des garanties conférées à certains créanciers, leur assurant l'exécution de l'obligation de leur débiteur dans des conditions de sécurité particulières.

• *Le gage.* Il résulte d'un contrat aux termes duquel le débiteur fait remise d'une chose à son créancier pour assurer le paiement d'une dette contractée à son égard. C'est le *nantissement* d'une chose mobilière (le nantissement d'un immeuble s'appelle « antichrèse »). Le contrat, qui exige pour sa formation la remise de la chose au créancier, est un contrat accessoire d'une obligation principale et, de ce fait, revêt une nature civile ou commerciale selon le caractère de la créance qu'il garantit.

• *L'hypothèque.* C'est un droit réel, accessoire à une créance, qui permet au créancier impayé de s'assurer par priorité le paiement de sa créance sur le prix de vente du bien hypothéqué et de le saisir entre les mains de celui à l'égard duquel le débiteur s'en serait dessaisi (droit de suite). L'hypothèque est signalée à l'attention des tiers par une publicité (inscription). À côté de l'hypothèque conventionnelle, issue de l'échange des volontés, il existe des hypothèques relevant de la loi et des hypothèques judiciaires.

Parmi les *hypothèques légales* (appartenant de plein droit au créancier, sans qu'il lui soit besoin de passer une convention ou de bénéficier d'un jugement), on peut signaler l'*hypothèque légale des époux* (garantissant les créances d'un époux sur les biens de l'autre), l'*hypothèque légale des mineurs et interdits,* l'*hypothèque légale sur les biens des comptables publics.*

L'*hypothèque judiciaire,* qui résulte d'un jugement de condamnation, est accordée au créancier contre son débiteur, qu'il s'agisse d'une condamnation à payer une somme d'argent ou de l'exécution d'une obligation de faire ou de ne pas faire.

• *Les privilèges.* Le privilège est défini par l'article 2095 du Code civil comme un droit que la qualité d'une créance confère à son titulaire d'être préféré à un autre, même jouissant d'hypothèque. On distingue de nombreux privilèges, portant sur des meubles ou des immeubles; il s'agit de privilèges généraux ou de privilèges spéciaux. On peut citer : le privilège du *bailleur d'immeuble,* concernant les sommes que lui doit le locataire, portant sur tout ce qui garnit la maison louée ou l'exploitation agricole et sur les fruits de la récolte de l'année; le privilège du *vendeur de meubles,* qui garantit le vendeur du paiement du prix de vente; le privilège du *vendeur d'immeuble,* qui garantit le vendeur du paiement du prix de vente et des accessoires de celui-ci, et qui porte sur l'immeuble objet de l'opération; les privilèges du Trésor public pour le recouvrement des impôts directs et des taxes assimilées. (V. CAUTIONNEMENT, WARRANT.)

SURFACE. — Une surface est un ensemble* de points de l'espace susceptible d'une génération géométrique.

• Une surface *cylindrique* est engendrée par une droite (G) conservant une direction constante Δ et assujettie à rencontrer une

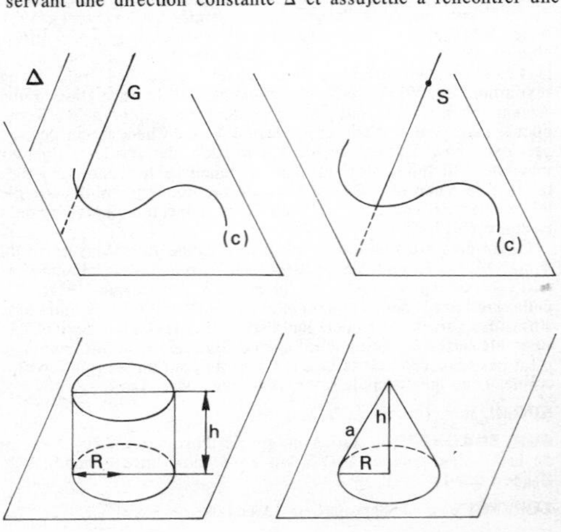

courbe plane fixe (C) appelée *directrice*. Si la courbe (C) est fermée, la portion de la surface comprise entre deux plans parallèles (P) et (P′) délimite avec les plans (P) et (P′) un volume qu'on appelle un *cylindre*. Si la direction Δ est perpendiculaire aux plans (P) et (P′), on obtient un *cylindre droit*. Si, dans ce cas, les sections de la surface cylindrique par (P) et (P′) sont des cercles, le cylindre est de *révolution*. Il a pour axe l'axe commun des cercles de bases. Son volume est mesuré par la quantité $\pi R^2 h$, R désignant le rayon des bases et *h* la hauteur. Sa surface latérale est égale à $2\pi Rh$ et sa surface totale à $2\pi Rh + 2\pi R^2$.

• Une surface *conique* est engendrée par une droite (G) passant par un point fixe S, qui est le sommet de la surface, et assujettie à rencontrer une courbe plane fixe (C) appelée *directrice*. Si la courbe (C) est fermée, la portion de surface comprise entre le point S et la courbe (C) délimite, avec le plan de (C), un *cône*. Si S est sur l'axe du cercle (C), on obtient un cône de *révolution*. Son volume est $\frac{1}{3}\pi R^2 h$, R désignant le rayon de base et *h* la hauteur. Sa surface latérale est $\pi R\sqrt{R^2 + h^2} = \pi Ra$, *a* désignant la longueur de génératrice comprise entre le sommet et la base. Sa surface totale est $\pi R^2 + \pi Ra$.

SURFACE (grande). — Les grandes surfaces se sont développées en même temps que le libre-service. Alors que le petit magasin traditionnel a une surface de vente moyenne de 50 m², elles ne cessent de croître en dimensions. On est passé de 1 000 m² à environ 15 000 à 20 000 m² pour les hypermarchés. Situées en dehors des villes, mais à proximité des agglomérations urbaines, les grandes surfaces présentent toutes les mêmes caractéristiques : vaste parking, bâtiment de vente sur un seul niveau, aux allées spacieuses, très éclairé, doté d'une musique d'ambiance et généralement peu luxueux. Les clients se déplacent avec des chariots (les caddies), dans lesquels ils déposent leurs achats, et paient à la sortie aux caisses enregistreuses. Les grandes surfaces pratiquent pour de nombreux articles une politique de prix d'appel peu élevés.

SURFACE (structure de) → PROFONDE *(structure)*.

SURFACE RÉGLÉE → QUADRIQUE.

SURFUSION. — Certains corps peuvent rester facilement en surfusion, par exemple le phosphore ou la glycérine. L'eau, qu'on a isolée de l'air en la recouvrant d'une couche d'huile, peut être amenée à − 10 °C sans se congeler. Un corps en surfusion est en équilibre métastable, et une parcelle du corps solide ou d'un solide isomorphe en amène la solidification complète.

SURGÉLATION → CONGÉLATION.

SURGELÉS. — La nature des produits surgelés est définie, en France, par le décret du 9 septembre 1964, qui stipule que ces produits doivent être congelés à une température de − 50 °C et conservés à l'état de surgelés sous froid permanent (entre − 25 et − 18 °C). La surgélation, qui préserve les qualités initiales de fraîcheur, doit se faire immédiatement après la cueillette, l'abattage ou la préparation.

SURGÈRES (17700), ch.-l. de cant. de la Charente-Maritime, à 26 km au N.-E. de Rochefort; 6 501 hab. À l'intérieur d'une vaste enceinte rebâtie à la fin du XVIe s., église à riche façade romane et restes du château (hôtel de ville). Produits laitiers.

SURIMPOSITION. — Lorsqu'un réseau hydrographique s'établit sur une surface d'érosion ou sur une couverture masquant les structures sous-jacentes, il peut, sous l'action de l'érosion, mettre au jour ces anciennes structures, auxquelles il apparaît inadapté, recoupant par exemple les axes de plis ou les escarpements de faille. On parle alors de surimposition, ou épigénie; le phénomène est particulièrement fréquent dans le relief appalachien*.

SURINAM, anc. **Guyane hollandaise,** État du nord de l'Amérique du Sud; 142 822 km²; 400 000 hab. Capit. *Paramaribo*.

GÉOGRAPHIE. La partie méridionale correspond à une portion du bouclier des Guyanes, plateau entaillé dans le socle précambrien et disloqué par des failles. Elle domine la plaine côtière marécageuse de l'Atlantique. Le climat équatorial explique la grande extension de la forêt dense. La population, peu dense, est très composite : elle comprend des Noirs, originaires d'Afrique, des créoles, des Asiatiques (Indonésiens) et des Blancs, descendants des colons européens (Hollandais). Elle s'accroît à un rythme rapide et se concentre dans la plaine côtière autour de Paramaribo.

La culture de la canne à sucre, développée lors de la période coloniale, a décliné au profit de nouvelles productions : riz, banane. Mais c'est la bauxite (5 Mt), exploitée par une compagnie américaine, qui représente la principale richesse du pays. Une partie est transformée sur place en alumine, mais l'essentiel est exporté à l'état brut, principalement vers les États-Unis.

HISTOIRE. La côte de Guyane* n'est explorée par les Européens qu'à la fin du XVIe s. Au XVIIe s., les Anglais y fondent des établissements, mais ils sont évincés par les Hollandais en 1667. Concédé en 1682 à la Compagnie néerlandaise des Indes occidentales, terre de refuge de nombreux huguenots, qui y développent la culture du café et de la canne à sucre, le Surinam prospère. Britannique de 1796 à 1802 et de 1804 à 1816, il décline à partir de 1863, quand l'esclavage est aboli : il doit faire alors appel à l'immigration indienne et indonésienne. L'exploitation de la bauxite après 1945 lui donne un nouvel essor économique. Doté d'un régime parlementaire en 1950, autonome en 1954, le Surinam obtient l'indépendance en 1975 grâce à l'action du parti national progressiste, parti des créoles, animé par J. Sedney, et plus encore à celle du Nationale Partij Kombinatie, de M. H. Arron, qui, à la suite des élections de 1973, devient Premier ministre.

SURINTENDANT. — La charge de surintendant général des finances apparut en France dans la seconde moitié du XVIe s. Assisté du contrôleur général, ce personnage était le chef suprême de l'administration financière et ordonnançait les dépenses de l'État. La charge fut supprimée par Louis XIV en 1661, après l'arrestation du surintendant Fouquet*. Le contrôleur général des finances recueillit l'essentiel de ses attributions.

SURINTENSITÉ → PROTECTION ÉLECTRIQUE.

SURJECTIF, IVE → APPLICATION, MORPHISME.

Sur la route, roman de Jack Kerouac (1957). L'errance de la beat* generation, à la fois héritage de la fascination de Thoreau et de Whitman pour la nature américaine et quête de l'identité perdue et de l'impossible ancrage de l'homme et de l'écrivain.

SURMENAGE. — Tout fonctionnement excessif et prolongé d'une partie ou de l'ensemble de l'organisme provoque un surmenage. Les troubles, plus ou moins importants, qui en résultent peuvent être physiques ou intellectuels (complications psychiatriques), aigus ou chroniques. Une bonne hygiène alimentaire, le repos, la kinésithérapie et les méthodes de relaxation sont d'un grand secours.

SURMOI. — Selon Freud, le Surmoi, héritier du complexe d'Œdipe*, plonge ses racines dans le Ça*. Il résulte d'une identification* avec l'instance parentale, et surtout avec le père, figure de la loi et de la répression. Il remplit une fonction de juge vis-à-vis du Moi*; il lui propose un idéal auquel il doit se conformer (idéal du Moi), et de leur conflit éventuel résultent les sentiments inconscients de culpabilité. La sévérité du Surmoi ne dépend pas de la sévérité de l'éducation reçue, mais de la quantité de pulsion de mort* qui n'a pu se manifester au-dehors du fait des exigences de la civilisation. Pour M. Klein*, le Surmoi se forme beaucoup plus tôt que S. Freud* ne l'avait pensé. Il se constitue dès les stades prégénitaux dans une conjonction d'angoisse et de culpabilité.

SURMULOT → RAT.

Surprise de l'amour *(la)*, titre de deux comédies de Marivaux, représentées l'une au Théâtre-Italien en 1722, l'autre au Théâtre-Français en 1727. L'intrigue analogue des deux pièces présente une marquise, veuve inconsolable, et un chevalier qui, grâce à leurs épanchements mutuels et à l'habileté de leurs valets, sont amenés à l'amitié, puis au mariage.

SURRÉALISME. — • *Le surréalisme en littérature.* Proclamant la toute-puissance du rêve, de l'instinct, du désir et de la révolte, le surréalisme se dresse contre toutes les formes d'ordre, logique, moral, social. Se réclamant de la psychanalyse et de philosophes comme Hegel, voyant des précurseurs en Baudelaire, Lautréamont, Rimbaud, Jarry, il procède du mouvement dada* de Tristan Tzara. Annoncé par Apollinaire dans sa conférence sur *l'Esprit nouveau* (1917), défini par André Breton (*Manifeste du surréalisme,* 1924), le nouveau mouvement se signale par des manifestations agressives (diffusion du pamphlet *Un cadavre* à l'occasion de la mort d'A. France), par des publications (les revues *Littérature, la Révolution surréaliste*) et par des prises de position politiques (contre la guerre du Rif, l'Exposition coloniale, le fascisme). Le groupe surréaliste évolue ensuite au gré des engagements (adhésion au parti communiste d'Aragon, de Breton, d'Eluard et de Péret), des querelles et des anathèmes (départ de Desnos, de Leiris, de Prévert et de Queneau en 1929; affaire Aragon en 1931-32). Exclu du parti communiste en 1935, Breton se déclare désormais en faveur d'un art qui porte en lui-même sa propre force révolutionnaire. La Seconde Guerre mondiale met un terme provisoire à l'activité surréaliste, que Breton s'efforce de renouveler par la fondation de nouvelles revues (*la Brèche,* 1961) et l'organisation d'expositions (galerie Cordier, 1956; galerie de l'Œil, 1965). S'il a échoué dans sa tentative de résoudre l'antinomie poésie/action, le surréalisme a fait sentir son influence sur toutes les formes artistiques, et même sur le décor de la vie quotidienne (affiches, vitrines, etc.).

• *Le surréalisme en art.* Le surréalisme ne s'est pas proposé l'art comme but, mais sa tentative d'« exprimer, soit verbalement, soit par écrit, soit de toute autre manière, le fonctionnement réel de la pensée » (A. Breton, *Manifeste du surréalisme*) a donné naissance à des œuvres plastiques parmi les plus importantes du XXe s.

Surréalisme. *Objet à fonctionnement symbolique* (1931), d'André Breton. (Coll. privée, Paris.)

L'automatisme*, qui permet de délivrer l'expression créatrice du contrôle de la raison, est le moyen de prédilection des surréalistes pour échapper à une quelconque description du monde tel qu'il est et, plus précisément, pour en tenter la subversion généralisée sous ses aspects non seulement artistiques et culturels, mais encore politiques et moraux. À côté des splendeurs mystérieuses de G. Moreau* (et du symbolisme* en général) et de l'étrangeté de certaines toiles du Douanier Rousseau*, la peinture métaphysique de De Chirico*, l'opération de table rase de dada*, les recherches de M. Duchamp* et aussi les productions d'artistes médiumniques, schizophrènes, autodidactes ou de peuples « sauvages » (notamment océaniens) influencent plusieurs générations d'artistes, très divers quant au style, mais portés par la même ferveur poétique. Ceux-ci ont en commun une étrangeté, parfois un humour ou un délire qui rompent avec les conventions. Cet état d'esprit se vérifie non seulement chez les premiers grands peintres surréalistes (Ernst*, Masson*, Miró*, Arp*, Tanguy*, Magritte*), mais aussi chez ceux qui apparaissent dans une seconde période, marquée notamment par la pratique de l'assemblage* (« objets surréalistes ») — Dalí*, Giacometti* (qui réalise plusieurs sculptures surréalistes), Bellmer*, Brauner*, Matta*, Oscar Dominguez (1906-1957) —, puis chez ceux (Lam*, Gorky*) qui les rejoignent durant la Seconde Guerre mondiale. Après celle-ci, des ruptures se produisent, mais de nouveaux « adeptes » prennent la relève (Max Walter Svanberg, né en 1912; Agustín Cárdenas, né en 1927; Jorge Camacho, né en 1934; Jean-Claude Silbermann, né en 1935; etc.). La personnalité et les activités théoriques et pratiques d'André Breton ont été d'une importance primordiale; la mort de ce dernier précède de peu la fin du surréalisme en tant que mouvement organisé (dissolution du groupe français en 1969).

SURRÉGÉNÉRATEUR. — C'est un réacteur* à neutrons* rapides d'un type particulier. Le combustible* est soit du plutonium* ou de l'oxyde de plutonium, soit de l'oxyde d'uranium* enrichi à 22 p. 100, soit encore un mélange des deux. Il n'y a pas de modérateur* du fait que les neutrons rapides, émis au moment de la fission* des noyaux* combustibles, sont utilisés comme tels. Enfin, le système caloporteur* est du sodium* fondu. Un tel réacteur transforme en plutonium l'uranium 238, matière fertile, créant ainsi plus de combustible qu'il n'en utilise : c'est le principe de la surrégénération. Il multiplie par un facteur important, de 70 à 80 p. 100, l'énergie* pouvant être extraite d'une quantité donnée d'uranium naturel. De plus, en raison des températures atteintes, son rendement est plus élevé que celui des réacteurs modérés au graphite ou à l'eau ordinaire; il est du même ordre de grandeur que celui des centrales* thermiques classiques. La sûreté* de ce réacteur n'est pas d'une nature fondamentalement différente de celle des autres types, bien que le sodium pose un certain nombre de problèmes techniques délicats à résoudre. En effet, ce métal n'est pas facile à manipuler, car son avidité pour l'oxygène est telle qu'il entre en réaction avec l'eau d'une manière très violente; les générateurs de vapeur, dans lesquels le sodium et l'eau à haute température ne sont séparés que par une simple paroi d'acier, doivent faire l'objet de la plus grande attention. Les surrégénérateurs sont du type dit « intégré » : le cœur, les échangeurs primaires et les pompes sont disposés dans une cuve qui contient tout le sodium du circuit primaire. Le premier réacteur à neutrons rapides construit sur le plan national, *Rapsodie* (38 MWe), fonctionne depuis 1967. La centrale prototype *Phénix* (265 MWe) est entrée en service à Marcoule en 1973. Enfin, Électricité de France envisage la mise en service, vers 1984-85, de deux tranches d'une puissance de 1 200 à 1 800 MWe.

SURRÉNALES (glandes). — Ces deux petites glandes, de couleur jaune, coiffant le pôle supérieur et le bord interne des deux reins, fixées par d'innombrables filets nerveux, sont situées de part et d'autre de la colonne vertébrale. Chaque glande est constituée de deux parties, une corticale, ou cortex, et une médullaire, différentes quant à leur fonction sécrétoire.

• *La médullosurrénale.* Elle sécrète deux hormones sympathicomimétiques (la noradrénaline et son dérivé méthylé, l'adrénaline), qui sont hypertensives, hyperglycémiantes et qui augmentent le métabolisme basal. Le syndrome d'hyperfonctionnement est réalisé chez l'homme par le phéochromocytome (tumeur hypersécrétante de la médullosurrénale).

• *La corticosurrénale.* Elle sécrète trois groupes d'hormones : les *minéralocorticoïdes* (représentés essentiellement par l'aldostérone), qui entraînent une fuite de potassium ainsi qu'une rétention de sodium et dont la sécrétion est sous la dépendance du volume sanguin circulant; les *glycocorticoïdes* (représentés essentiellement par l'hydrocortisone), qui possèdent surtout une activité anti-

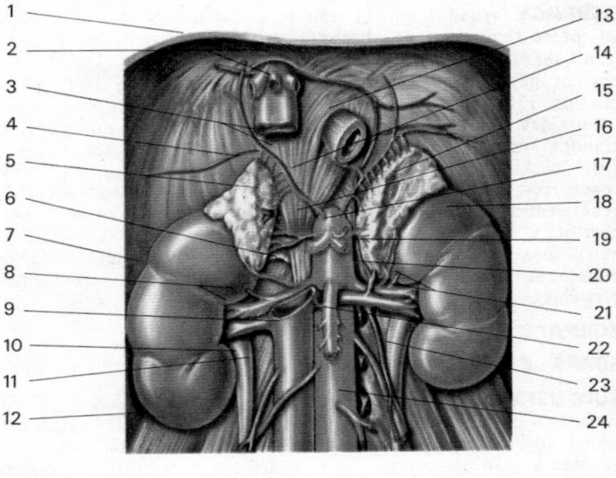

SURRÉNALES. Position des surrénales au-dessus des reins : 1. Diaphragme; 2. Veines cave inférieure et sus-hépatique; 3. Artères capsulaires supérieures; 4. Capsule surrénale droite; 5. Veine capsulaire droite; 6. Artère capsulaire inférieure; 7. Rein droit; 8. Artère et veine rénales droites; 9. Veine cave inférieure; 10. Uretère droit; 11. Muscle psoas; 12. Muscle carré des lombes; 13. Œsophage, 14. Artère diaphragmatique inférieure; 15. Capsule surrénale gauche; 16. Artère capsulaire moyenne; 17. Tronc artériel cœliaque; 18. Rein gauche; 19. Veine diaphragmatique inférieure; 20. Veine capsulaire gauche; 21. Artère et veine rénales gauches; 22. Artère mésentérique supérieure; 23. Uretère gauche; 24. Artère mésentérique inférieure.

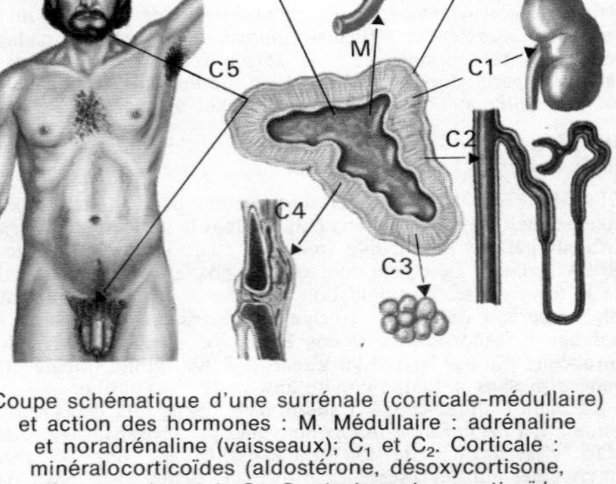

Coupe schématique d'une surrénale (corticale-médullaire) et action des hormones : M. Médullaire : adrénaline et noradrénaline (vaisseaux); C_1 et C_2. Corticale : minéralocorticoïdes (aldostérone, désoxycortisone, actions sur le rein); C_3. Corticale : glucocorticoïdes (hydrocortisone, cortisone, action sur les glucides); C_4. Corticale (hydrocortisone, cortisone, action anti-inflammatoire); C_5. Corticale : androgènes (action virilisante).

inflammatoire; les *corticoïdes sexuels,* qui comprennent des androgènes communs aux deux sexes. La pathologie de la corticosurrénale est représentée par un syndrome d'hypofonctionnement (maladie d'Addison) ou par un syndrome d'hyperfonctionnement (hypercorticisme).

SURREY, comté d'Angleterre, au S. de Londres.

SURREY (Henry HOWARD, *comte* DE), homme politique et poète anglais (v. 1518-Londres 1547). Familier d'Henri VIII, puis disgracié et exécuté, il a laissé des poésies *(Songs and Sonnets),* publiées en 1557 avec celles de T. Wyat. Considéré comme l'un des meilleurs poètes amoristes, il a créé la forme anglaise du sonnet (trois quatrains et un distique final).

SURSATURATION. — Une solution sursaturée peut être obtenue par refroidissement d'une solution concentrée, lorsque le corps est plus soluble à chaud qu'à froid. Cette sursaturation disparaît par addition d'un petit cristal du corps dissous ou d'un corps isomorphe.

SURSIS → PEINE.

SURTENSION. — L'amplitude des surtensions permet de déterminer les caractéristiques des protections* (disjoncteurs) et de l'ensemble des matériels, la fréquence d'occurrence indiquant les risques de claquage et le nombre d'interventions auxquelles seront soumises les protections.

• Les *surtensions permanentes* à fréquence* industrielle, dans les conditions normales d'exploitation, ne dépassent pas la tension maximale à laquelle est soumis le matériel en régime permanent.

• Les *surtensions temporaires* à fréquence industrielle dépendent de l'exploitation. Elles sont dues au déclenchement brusque d'une charge aux bornes d'un alternateur*, à la coupure d'une ligne* longue à vide (phénomène transitoire pour lequel la forme d'onde de la surtension est importante), à la mise à la terre d'une phase.

• Les *surtensions de manœuvre,* ou *surtensions internes,* sont transitoires, de courte durée et d'amplitude élevée. Elles résultent de l'ouverture ou de la fermeture des disjoncteurs. Les surtensions d'ouverture ne donnent plus de contraintes critiques (les nouveaux disjoncteurs ne réamorçant pas); en particulier, la coupure des transformateurs* à vide ne met en jeu que de faibles énergies. En revanche, les surtensions d'enclenchement et de réenclenchement imposent des contraintes électriques sévères. Les surtensions de manœuvre sont également dues à la coupure des lignes à vide (réamorçage du disjoncteur et oscillations sur la ligne), à la coupure d'une batterie de condensateurs*, auquel cas l'amplitude et la durée ont la même importance, ou à la mise sous tension des lignes (réamorçage des disjoncteurs).

• Les *surtensions atmosphériques* (foudre), ou *surtensions externes,* sont transitoires et de courte durée, mais elles possèdent des amplitudes encore plus élevées que les surtensions de manœuvre. Elles entraînent des claquages et des amorçages dans le réseau* ou en ligne, nécessitant une protection par parafoudre ou l'installation d'éclateur et de câbles de garde.

SUSE, ancienne ville élamite, fondée au cours du IVe millénaire. Devenue capitale de l'Élam*, Suse fut détruite (v. 646) par Assourbanipal*. Elle retrouva son importance à la fin du VIe s. av. J.-C., quand Darios Ier* en fit la capitale de l'Empire achéménide*. — Identifiée en 1850, cette grande métropole (123 ha) est depuis 1884 l'objet de fouilles françaises, dont les découvertes ont enrichi le musée du Louvre. Constitué de plusieurs collines, le site est occupé dès le néolithique* et donne son nom à un style de céramique* au décor schématique. Nichée sur l'une des collines, la cité royale des Élamites a livré des trophées de guerre akkadien (stèle de Narâm-Sin, pyramide de Manishtousou), babylonien (code d'Hammourabi) et kassite (Koudourrou — borne ornée de reliefs et d'inscriptions — de Melishipak, XIIe s.) ainsi que des œuvres élamites (statue en bronze de la reine Napir-asou, XIIIe s.). La période achéménide laisse d'impressionnants vestiges, dont le palais de Darios Ier, aux éléments décoratifs de belle qualité (chapiteau de plus de 2 m de haut, orné de protomés de taureaux, frise des Archers, en briques polychromes émaillées). À proximité de la ville, la nécropole royale possède un riche mobilier funéraire, dont de très belles orfèvreries.

SUSE *(pas de),* col des Alpes, dont Suse commande l'entrée du côté italien. Le pas de Suse a joué un rôle historique important, notamment en 1629, quand les troupes de Louis XIII, après l'avoir forcé, dégagèrent Mantoue et Casale Monferrato. — La ville de *Suse* possède un arc d'Auguste et une cathédrale du XIe s.

SUSIANE, province de l'Empire perse, correspondant approximativement au territoire de l'Élam*. C'est le Khūzistān* actuel.

suspects *(loi des),* loi votée par la Convention le 17 septembre 1793, abrogée en octobre 1795 et qui fut l'élément essentiel de la Terreur*.

SUSPENSION. — Sur un *véhicule automobile,* la suspension est

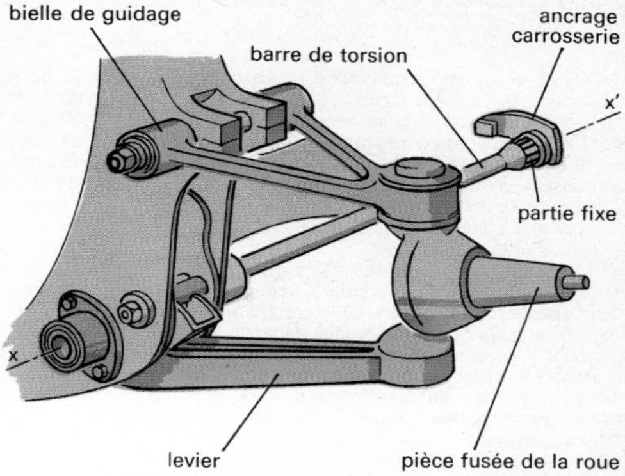

Barre de torsion. Lorsque la roue se soulève au contact d'un obstacle, la barre de torsion, ancrée au châssis, se tord autour de l'axe *xx'* en absorbant l'énergie de choc.

réalisée par l'interposition d'un système élastique entre les roues et les masses inertes qui ne concourent pas à la traction* du véhicule. Aux *ressorts à lames* initiaux, on substitue les *ressorts en hélice,* qui se prêtent mieux à la réalisation des suspensions à roues indépendantes, bien qu'ils ne puissent absorber ni la poussée ni la réaction engendrées par la traction. La *barre de torsion* est un ressort tubulaire en acier qui se tord autour de son axe lorsqu'on exerce un effort sur un bras de levier, solidaire de la roue, fixé à une de ses extrémités, l'autre étant ancrée sur le châssis. Le *ressort pneumatique* est utilisé sous forme d'une suspension oléopneumatique composée d'une sphère contenant de l'huile à la partie inférieure et une membrane intercalaire, puis de l'azote à la partie supérieure. Un cylindre, dont le piston est solidaire d'un bras de roue, refoule l'huile lorsque la roue se soulève pour comprimer le gaz. Le mouvement est freiné par des clapets en haut du cylindre. Un ressort est caractérisé par sa flexibilité, qui lui permet de fléchir sous une charge. On ne peut accroître cette flexibilité au-delà d'une certaine limite, car la suspension ne pourrait plus assurer ses débattements. La partie suspendue, une fois en place, prend une position d'équilibre qui définit son assiette. Elle subit une réaction égale et opposée à la force qui a causé la déflexion des ressorts et,

SUSPENSION

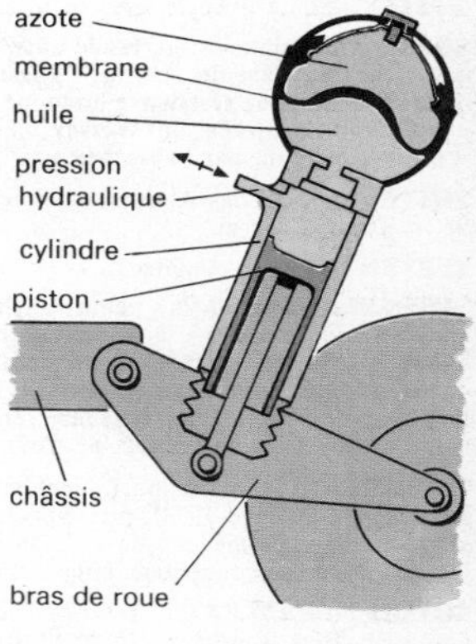

Ressort de suspension oléopneumatique.

Suspension primaire balancée de bogie par ressorts en hélice.

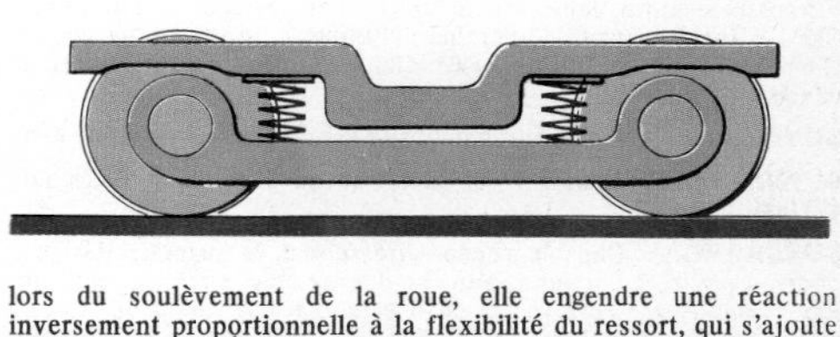

lors du soulèvement de la roue, elle engendre une réaction inversement proportionnelle à la flexibilité du ressort, qui s'ajoute à la précédente. Écartée de sa position d'équilibre, la suspension, qui est assimilable à un pendule, tend à y revenir au cours d'une série d'oscillations uniformément retardées, dont la période est calculée pour qu'elles puissent être bien supportées par les occupants. Cependant, il peut arriver que la suspension soit soumise à un régime permanent d'oscillations entretenues, incommodantes pour les voyageurs. À la limite, si les périodes de ces impulsions et celles de la suspension coïncident, il se produit une résonance synchrone d'amplitude telle que la stabilité du véhicule soit compromise. On obvie à cet inconvénient en faisant appel à un amortisseur hydraulique comportant un cylindre rempli d'huile solidaire de l'essieu et dont le piston est relié à la partie suspendue du véhicule. L'alésage de ce piston est percé d'ajutages à travers lesquels l'huile est laminée.

La flexibilité constante du ressort est gênante lorsque la voiture est appelée à subir des variations importantes de charge. L'ingénieur français Jean Albert Grégoire (Paris 1899) a imaginé une suspension pour laquelle le produit de la charge par la flexibilité est constant. Pour cela, il a ajouté au ressort principal deux ressorts n'entrant en action que pour durcir la suspension en fonction de la charge supportée. En marche, la voiture peut être sujette à un mouvement de galop composé d'un rebondissement et d'oscillations angulaires autour du centre de gravité, que l'on corrige en utilisant une interconnexion à balanciers articulée au centre de gravité et en reliant les suspensions avant et arrière des roues situées d'un même côté du châssis. Enfin, avec les quatre roues indépendantes, on utilise la traction par essieu brisé à l'arrière.

• Sur un *véhicule ferroviaire,* la suspension verticale est constituée par un ressort à lames disposé entre le châssis et chaque boîte d'essieu dans le cas des wagons* à essieux. Sur le matériel à bogies*, cette suspension est assurée par des ressorts à lames ou en hélice disposés entre le châssis de bogie et les essieux. Dans le cas des voitures* à voyageurs, un second étage de suspension est disposé entre le châssis de bogie et la caisse. Il est constitué par des ressorts ou des coussins pneumatiques. Sur ces véhicules, un dispositif de rappel élastique introduit entre les bogies et la caisse constitue la suspension transversale du véhicule. Ce rappel est obtenu par des bielles pendulaires, des plans inclinés ou des ressorts. Les suspensions des wagons sont définies en fonction des tolérances relatives à la hauteur des organes de choc et de traction. Pour le matériel à voyageurs, ce sont les conditions de confort qui imposent les caractéristiques des suspensions.

SUSPENSION PROVISOIRE DES POURSUITES. — Il s'agit d'une procédure exceptionnelle, aux termes de laquelle une entreprise en difficulté, dont la disparition porterait un grave préjudice à l'économie nationale ou régionale, voit les poursuites cesser à son encontre si son redressement peut, à court terme, être envisagé.

SUSQUEHANNA (la), fl. de l'est des États-Unis, tributaire de la baie de Chesapeake; 750 km.

SUSSEX, comté d'Angleterre, au S. de Londres, sur la Manche.

SUSSEX, royaume saxon, fondé au ve s. par le chef saxon Ælla, qui, débarqué dans le sud de l'Angleterre en 477, vainquit les derniers centres de résistance bretonne vers 491. Conquis vers 685 par le roi Caedwalla de Wessex, le Sussex devint vassal du Wessex*, qui finit par l'absorber.

SUSTEN (le), col des Alpes suisses, reliant les vallées de l'Aar et de la Reuss; 2262 m.

SUSTENTATION → ROTOR.

SUTHERLAND (Graham), peintre anglais (Londres 1903). D'abord graveur, il se consacre à la peinture à partir de 1935, élaborant une œuvre où se conjuguent le surréalisme et un néoromantisme sous-tendu par le souvenir d'artistes tels que W. Blake. Il donnera le carton (v. 1954) de l'immense tapisserie du *Christ en gloire* (tissée à Aubusson) de la cathédrale de Coventry.

SUTHERLAND (Earl Wilbur), biochimiste américain (Burlingame, Kansas, 1915 - Miami 1974), prix Nobel de médecine en 1971 pour ses travaux sur le mécanisme d'action des hormones et le rôle de l'acide adénosinemonophosphorique cyclique (A. M. P. cyclique).

SUTLEJ ou **SATLEJ** (la), riv. née dans l'Himālaya tibétain. Elle draine l'extrémité nord-ouest de l'Inde, puis sépare l'Inde et le Pākistān, et enfin pénètre dans ce dernier pays, où elle reçoit la Chenāb (r. dr.) avant de rejoindre l'Indus (r. g.). La plus longue (1600 km) des cinq rivières du Pendjab*, elle alimente de nombreux canaux d'irrigation.

SUVA, capit. des Fidji, sur la côte sud-est de Viti Levu; 54000 hab.

SUWON ou **SU-WŎN,** v. de la Corée du Sud, au S. de Séoul; 171000 hab.

SUZERAIN. — Dans le vocabulaire féodal, le suzerain désigne, pour un vassal, celui qui se situe au-dessus de son propre seigneur. Par exemple, si C est vassal de B et que B est vassal de A, qui, lui-même, est vassal du roi de France, on dira que A, seigneur féodal de B, est suzerain de C et que le roi, seigneur féodal de A, est suzerain de B et de C.

SUZE-SUR-SARTHE (La) [72210], ch.-l. de cant. de la Sarthe, à 19,5 km au S.-O. du Mans; 3606 hab.

SUZUKA, v. du Japon (Honshū), sur la baie d'Ise; 121000 hab.

SVALBARD, possession norvégienne de l'océan Arctique, au N.-E. du Groenland; 62050 km^2; 2900 hab. Le Svalbard englobe notamment l'archipel du Spitzberg (île du Spitzberg occidental [39435 km^2], qui recèle un gisement houiller à Longyearbyen, terre du Nord-Est [14789 km^2], île Edge [5030 km^2], etc.), Kvitøya (ou île Blanche), l'île du Roi-Charles, l'île Hope et l'île aux Ours (île Bear). Entre 77 et 81^0 de latitude N., il est en grande partie englacé.

SVEALAND, partie centrale de la Suède, englobant notamment le pourtour du lac Mälaren et Stockholm.

SVEDBERG (Theodor), chimiste suédois (Valbo 1884 - Stockholm 1971). Ses travaux sur les colloïdes et les solutions de masses moléculaires élevées lui valurent le prix Nobel de chimie en 1926.

SVERDLOVSK, anc. **Iekaterinbourg,** v. de l'U. R. S. S. (R. S. F. S. de Russie), sur le versant oriental de l'Oural; 1025000 hab. Grand centre métallurgique.

SVERDRUP *(îles),* partie de l'archipel arctique canadien, de part et d'autre du 80e parallèle.

SVERDRUP (Harald Ulriak), météorologue et océanographe norvégien (Sogndal 1888 - Oslo 1957). Il participa aux expéditions arctiques d'Amundsen et fut directeur du Scripps Institute of Oceanography de l'université de Californie, puis de l'Institut polaire norvégien.

SVEVO (Ettore SCHMITZ, dit **Italo**), écrivain italien (Trieste 1861 - Motta di Livenza 1928). Ami de Joyce, qui le révéla à Valery Larbaud et au public français, il avait déjà publié *Une vie* (1892) et *Sénilité* (1898) lorsque son troisième roman, *la Conscience de Zeno* (1923), l'imposa comme un maître de la littérature introspective et intimiste. On a publié de lui un roman posthume : *le Bon Vieux et la belle enfant* (1929).

SWAHILI → BANTOU.

SWAMMERDAM (Jan), entomologiste néerlandais (Amsterdam 1637 - *id.* 1680). Il a étudié méthodiquement les métamorphoses des insectes et divers points d'anatomie et de classification, en usant de dissections très fines avec injection de colorants dans les organes. Il a malheureusement brûlé certains de ses manuscrits.

SWAN (*sir* Joseph Wilson), chimiste anglais (Sunderland 1828 - Warlingham 1914). Dès 1845, il conçut l'idée de l'ampoule électrique à incandescence, qu'il réalisa en 1878. On lui doit les papiers photographiques au charbon (1862) et au bromure (1879) ainsi que l'accumulateur au plomb à plaques alvéolées.

SWANSEA, port de Grande-Bretagne, dans le sud du pays de Galles, sur le canal de Bristol; 173000 hab. Musées. Métallurgie.

SWART (Charles Robberts), homme d'État sud-africain (Winburg, Orange, 1894), premier président de la République sud-africaine (1961-1967).

SWAZILAND, État de l'Afrique australe; 17363 km^2; 410000 hab. Capit. *Mbabane.*

GÉOGRAPHIE. La partie occidentale de ce petit État situé entre l'Afrique du Sud et le Mozambique est un ensemble montagneux (Grand Escarpement) dominant la partie orientale, bas plateau entaillé dans le socle précambrien. Le climat, tropical à saison sèche, permet la croissance du bush ou de la forêt, souvent dégradée. La population, composée de Bantous, vit surtout de l'agriculture. À la production vivrière (maïs, millet, sorgho) et à l'élevage bovin s'ajoutent quelques cultures commerciales (canne à sucre, coton). Mais le pays tire l'essentiel de ses ressources du sous-sol : exportation du fer et de l'amiante.

HISTOIRE. Sous les règnes de Sobhuza Ier (de 1815 à 1836) et de Mswazi (de 1836 à 1868), des clans bantous, et notamment les Dlaminis, fusionnent avec les autochtones; ils battent les Zoulous aux côtés des Boers (1877), qui finissent par menacer la souveraineté du Swaziland. Le protectorat britannique est instauré en 1902, avec l'apartheid. Ayant obtenu l'autonomie interne en 1967, le Swaziland devient indépendant en 1968, avec Sobhuza II comme souverain : celui-ci instaure un régime personnel en 1973.

SWEDENBORG (Emanuel), savant et visionnaire suédois (Stockholm 1688 - Londres 1772). Auteur d'ouvrages scientifiques, il exposa ensuite une doctrine mystique, selon laquelle un monde invisible d'anges et de démons influence le monde visible.

SWEELINCK (Jan Pieterszoon), compositeur et organiste néerlandais (Deventer 1562 - Amsterdam 1621). Son œuvre de clavier (clavecin, orgue), notamment ses chorals et ses variations, a servi de trait d'union entre les écoles hollandaise, anglaise, italienne et française ainsi que de point de départ à toute l'école des organistes de l'Allemagne du Nord.

ŚWIĘTOCHŁOWICE, ville houillère et sidérurgique de Pologne, en haute Silésie; 58000 hab.

SWIFT (Jonathan), écrivain irlandais (Dublin 1667-*id.* 1745). Secrétaire d'un diplomate influent, précepteur d'une jeune fille à qui il adressera *le Journal à Stella* (publié en 1784), il entre dans le clergé anglican, dont il se fait le défenseur (*le Conte du tonneau,* 1704), et prend parti dans la querelle des Anciens et des Modernes (*la Bataille des livres,* 1696-1704). Ambitieux, il se mêle aux luttes politiques, plaide la cause de l'Irlande, publie de nombreux pamphlets (*Lettres de M. B., drapier,* 1724). Déçu dans sa carrière ecclésiastique et ses aspirations sentimentales, il écrit une satire dirigée contre la société anglaise et la civilisation de son époque (*les Voyages de Gulliver**, 1726) et qui fait de lui le grand écrivain du siècle classique anglais.

SWINBURNE (Algernon Charles), poète anglais (Londres 1837-*id.* 1909). Poète érudit, influencé à la fois par la culture française et le préraphaélisme, il connut le succès avec la tragédie antique *Atalante en Calydon* (1865), mais sa sensibilité passionnée fit scandale (*Poèmes et ballades,* 1866). Il tenta d'échapper à ses thèmes érotiques et morbides en célébrant un idéal humanitaire, la cause de la révolution et de l'indépendance de l'Italie (*Chants d'avant le lever du soleil,* 1871). Critique littéraire, il a laissé en français une œuvre inédite importante.

SWINDON, v. d'Angleterre, à l'O. de Londres; 98 000 hab.

SYAGRIUS (Afranius), chef gallo-romain (v. 430-† 486) Dernier représentant de la puissance romaine en Gaule, il gouverna (464-486) le territoire compris entre Somme et Loire. Ne tenant de Rome aucune nomination officielle, il apparaissait, selon l'expression de Grégoire de Tours, comme le « roi des Romains ». Clovis* le vainquit à Soissons (486) et occupa les dernières places que les Romains possédaient en Gaule.

SYBARIS, ville grecque de l'Italie péninsulaire, dans le Bruttium (auj. la Calabre). Fondée vers 720 av. J.-C., enrichie par le commerce, elle connut une prospérité qui devint proverbiale. Elle fut détruite au VIe s. av. J.-C. au terme d'un conflit avec Crotone*.

SYCOMORE → ÉRABLE.

SYCOSIS. — Cette infection de la barbe ou de la moustache peut être d'origine bactérienne ou mycosique. Parmi les bactéries qui en sont cause, on trouve surtout des staphylocoques pathogènes; le sycosis est alors diffus. S'il s'agit de champignons, les lésions sont localisées (kérion).

SYDENHAM (Thomas), médecin anglais (Wynford Eagle, Dorset, 1624-Londres 1689). Surnommé l'« Hippocrate d'Angleterre », il mit au point une préparation d'opium (laudanum) et décrivit la goutte de façon magistrale.

SYDNEY, v. d'Australie, capit. de la Nouvelle-Galles du Sud, sur le Pacifique; 2 874 000 hab. La plus ancienne ville d'Australie (fondée en 1788), Sydney en est aussi la plus peuplée (regroupant plus du cinquième de la population du pays). Elle doit son essor à son port (trafic actuel annuel de l'ordre de 30 Mt), qui importe notamment du pétrole brut et exporte des céréales et de la laine. La fonction industrielle est dominée par la métallurgie de transformation, l'alimentation, la chimie (raffinage du pétrole) et le textile. À mi-chemin entre Melbourne et Brisbane, proche de Canberra et des centres sidérurgiques de Newcastle et de Wollongong, Sydney apparaît de plus en plus comme la principale métropole du sud-ouest du Pacifique.

SYDNEY, port du Canada (Nouvelle-Écosse), dans l'île du Cap-Breton; 33 230 hab.

SYÈNE, ville de l'Égypte ancienne, sur le Nil, près de la frontière de Nubie. Poste militaire important à la Basse* Époque et au temps des Romains, elle est devenue *Assouan* avec l'arrivée des Arabes.

SYÉNITE. — Roche plutonique, la syénite est constituée principalement de feldspath alcalin, avec, éventuellement, de la biotite, de l'amphibole ou du pyroxène; elle ne contient pas de quartz. La syénite néphélinique est caractérisée par la présence de néphéline, variété de feldspathoïde.

SYKTYVKAR, v. de l'U. R. S. S. (R. S. F. S. de Russie), au N. de Kirov, ch.-l. de la république autonome des Komis; 125 000 hab. Industries du bois.

SYLLA (Lucius Cornelius) → SULLA.

SYLLABE. — La syllabe est un phonème ou un regroupement de phonèmes prononcé d'une seule émission de voix : l'auditeur ne perçoit pas les sons, un par un, mais en fait la synthèse dans la syllabe. La structure syllabique repose sur un jeu de contrastes entre voyelles (V) et consonnes (C), dont les règles varient selon les langues. On distingue les syllabes ouvertes *(ah, ma),* se terminant par une voyelle prononcée (de type V ou CV), et les syllabes fermées *(art, car),* se terminant par une consonne prononcée (de type VC ou CVC).

Syllabus, acte pontifical, publié le 8 décembre 1864, par ordre de Pie IX*, à la suite de l'encyclique *Quanta cura.* Il s'agit, dit le titre complet, d'un « recueil (en 80 propositions) renfermant les principales erreurs de notre temps... » : libéralisme, nationalisme, gallicanisme, étatisme, socialisme, naturalisme. Peu original quant à son contenu, le *Syllabus* a été, de tous les actes pontificaux du XIXe s., le plus discuté, les uns le présentant comme la synthèse de l'enseignement séculaire de l'Église catholique, les autres comme le dernier mot de l'obscurantisme romain.

SYLLOGISME. — Ce raisonnement a la forme d'une implication* dont l'antécédent est la conjonction de deux propositions appelées « prémisses ». Exemple : si tout B est A et si tout C est B, alors tout C est A. La théorie systématique des syllogismes, ou syllogistique, remonte à Aristote*; ses principales thèses sont les lois de conversion (exemple : si tout B est A, alors quelque A est B). La syllogistique d'Aristote a été entièrement transcrite en logique* symbolique par J. Łukasiewicz*.

Sylphide *(la),* ballet-féerie en deux actes, premier ballet romantique et modèle du genre, composé par Filippo Taglioni (mus. de J. Schneitzhœffer) pour sa fille Maria et créé à Paris, à l'Académie royale de musique, en 1832.

SYLT, île de l'Allemagne fédérale, dans la mer du Nord, reliée au continent (Schleswig-Holstein) par une digue. Tourisme.

SYLVESTER (James Joseph), mathématicien britannique (Londres 1814-*id.* 1897). On lui doit les notions et les mots d'*invariant,* de *covariant,* de *contravariant,* etc. Son nom est resté attaché à la méthode « dialytique » d'élimination.

Serraillier-Rapho

Sydney. Le port. À droite, la structure moderne de l'Opéra dû à l'architecte danois Jørg Utzon.

Cameraphoto

Symbolisme. *Le Masque blanc* (v. 1907), de Fernand Khnopff. (Galerie d'Art moderne, Venise.)

SYLVESTRE Ier *(saint),* pape de 314 à 335. Sous son pontificat, le christianisme a accédé avec Constantin Ier* au statut de religion d'Empire.

SYLVESTRE II (Gerbert *d'Aurillac*) [en Auvergne v. 938-Rome 1003], pape de 999 à 1003. Brillant écolâtre de Reims, principal conseiller de l'archevêque Adalbéron, avec lequel il favorise l'accession d'Hugues Capet à la royauté (987), il devient archevêque de Reims (991), puis de Ravenne (998). Après son élection à la papauté, il lutte contre la simonie et tente, en vain, de restaurer le prestige du Saint-Siège.

SYLVESTRE III → pape.

SYLVICULTURE. — Les peuplements forestiers sont constitués de futaies (arbres issus de graines) et de taillis (arbres formés de rejets de souche). La futaie est régulière (arbres sensiblement du même âge) ou jardinée (âges variés); elle peut être constituée de résineux, de feuillus ou mixte. Le taillis peut être simple ou sous futaie. La régénération de la forêt peut être naturelle ou artificielle (par plantation ou par semis).

Pour la protection des forêts contre l'incendie, on établit des pare-feu (allées sans végétation), orientés le plus souvent perpendiculairement à la direction des vents dominants.

Sylvie, récit de Gérard de Nerval, publié dans *la Revue des Deux Mondes* (1853), puis dans *les Filles du feu* (1854). La recherche du temps perdu dans le Valois de son enfance et l'épanchement du rêve dans la réalité à travers trois figures de femmes.

SYMBIOSE. — Il est extrêmement fréquent que deux espèces vivantes sans aucune parenté se présentent dans la nature en association constante. Tantôt un animal profite des débris des repas d'un autre animal (commensalisme*), tantôt un animal ou une plante vit au détriment d'une autre espèce (parasitisme*), tantôt, enfin, l'association est favorable aux deux parties, voire indispensable au moins à l'une d'entre elles, et c'est alors une *symbiose.* Les deux groupes les plus fréquemment rencontrés dans les symbioses sont les algues vertes microscopiques et les micro-organismes mangeurs de bois (xylophages). Les algues vertes sont constituantes des lichens* ou associées à des animaux aquatiques (chlorelles* de l'hydre verte, de la convolute). Les xylophages hantent la panse des ruminants, l'intestin des termites, etc. Des bactéries du sol sont symbiotes des légumineuses*, de l'aulne, etc. Les graines des orchidacées ne peuvent germer qu'infestées par des champignons spéciaux. Si de tels équilibres interspécifiques sont souvent précaires, ils peuvent aussi devenir la condition absolue de survie des deux (ou trois) constituants. C'est seulement dans ce cas que l'opposition est nette avec le parasitisme, qui ne profite qu'à un seul des associés.

SYMBOLIQUE *(Psychan.).* — Le symbolique, avec le réel et l'imaginaire*, définit dans la théorie de Jacques Lacan* la structure du sujet*. De même que l'imaginaire déborde l'imagination, de même l'ordre symbolique déborde le symbole, et le réel la « réalité » au sens philosophique. Le symbolique ne peut se comprendre que par rapport à la notion de culture en tant que système des règles d'alliance et d'échange tel que C. Lévi-Strauss* l'a défini. Il est constituant du sujet, car il l'établit dans l'ordre du langage, c'est-à-dire dans l'ordre de la culture. Pour J. Lacan, « c'est dans le *nom du père* qu'il nous fait reconnaître le support de la fonction symbolique, qui, depuis l'orée des temps historiques, identifie sa personne à la figure de la loi ». Le nom du père, ou métaphore paternelle, n'a rien à voir avec la personne réelle du père; il désigne le rapport culturel entre le père et le fils, le père étant celui qui transmet la loi. Lorsque ce signifiant est exclu (forclusion*), c'est la psychose*. La place de l'intervention psychanalytique se situe dans le symbolique. Comme l'inconscient*, le réel ne se définit pas directement; il précède le symbolique, puisqu'il n'attend rien de la parole; il est « le domaine de ce qui subsiste hors de la symbolisation » et peut faire irruption sous forme d'hallucination* lorsqu'il s'unit au symbolique sans la médiation nécessaire de l'imaginaire.

SYMBOLISME. — Peu d'étiquettes ont été aussi difficilement acceptées que celle de « symbolisme » et d'« école symboliste » par ceux-là même qui en semblent les meilleurs illustrateurs. Verlaine ne s'écriait-il pas : « Symbolisme? Connais pas! Ce doit être un mot allemand! » Le symbolisme a pourtant une originalité dans son contenu esthétique, son déroulement chronologique, son extension géographique. Si ses racines plongent dans le romantisme allemand, dans la philosophie de Hegel et de Schopenhauer, dans le préraphaélisme anglais et l'œuvre de Swinburne, dans la tradition ésotérique des XVIIIe et XIXe s., sa naissance, en tant que mouvement spécifique, est bien française. Réagissant contre le positivisme et la littérature naturaliste, le symbolisme cherche à donner des « équivalents plastiques » de la nature. Il bannit l'art clinquant du Parnasse pour trouver derrière les choses le mystère, que traduit un vers souple, musical, « porteur de significations indéfinies ». Il trouve un initiateur en Baudelaire et ses maîtres en Verlaine et Mallarmé. Mais, tel que le définit Jean Moréas dans son manifeste du *Figaro* (1886), le mouvement groupe surtout des poètes idéalistes (Vielé-Griffin, H. de Régnier), auxquels s'opposent les décadents*. Le symbolisme, qui n'atteindra le grand public que par le théâtre, notamment celui de Maeterlinck, devient international avec les poètes belges (Rodenbach, Verhaeren), anglais (Oscar Wilde), allemands (Stefan George), russes (Balmont), espagnols (R. Darío), hongrois (Endre Ady) et le Danois Georg Brandes. À la mort de Mallarmé (1898), par l'absence du chef-d'œuvre absolu qu'il annonce, par son art hermétique, précieux et volontiers archaïque, le symbolisme voit son énergie décroître. Mais son influence se fera sentir sur toutes les recherches artistiques du XXe s.

• *Le symbolisme en art.* L'inquiétude que beaucoup ressentent à la fin du XIXe s. devant les conséquences de la civilisation industrielle, le symbolisme tente de la formuler par un idéalisme qui retrouve certaines aspirations essentielles du romantisme* (notamment allemand et anglais). Sa quête de l'indicible et de l'invisible, sa prédilection pour le rêve et les fantasmes se mêlent au goût, déjà affirmé par les préraphaélites*, pour une histoire mythique et légendaire. La primauté proclamée de l'idée sur la forme explique la variété stylistique des peintres symbolistes. Ainsi, la fidélité académique, posée en principe par Puvis* de Chavannes, domine, avec ce que l'exactitude peut dégager de mystère, l'art des Belges Fernand Khnopff (1858-1921) et Jean Delville (1867-1953) ou du Français Lucien Lévy-Dhurmer (1865-1953), tandis que, dans un courant baroque dont la poésie étrange doit beaucoup à Gustave Moreau*, on peut regrouper Redon*, le Suisse Böcklin*, l'Allemand Max Klinger* ou le Russe Vroubel*, mais aussi des peintres comme Segantini*, attirés par la technique néo-impressionniste. Plus novateur du point de vue stylistique, un autre courant puise dans le synthétisme de Gauguin* et des nabis* (ainsi le Néerlandais Johan Thorn Prikker [1868-1932]), et manifeste d'évidentes convergences avec l'Art* nouveau (le Néerlandais Jan Toorop [1858-1928]), Beardsley*, Klimt*). Mais les aspects les plus intéressants du symbolisme sont peut-être à chercher aux frontières de l'expressionnisme*, où se tiennent le Belge Leon Spilliaert (1881-1946) comme le Norvégien Munch*, ainsi que dans les préfigurations du surréalisme* que recèlent les dessins et les gravures de l'Italien Alberto Martini (1876-1954), les toiles du Belge William Degouve de Nuncques (1867-1935). Ainsi apparaissent, dans leur diversité et leur richesse, l'esprit et la sensibilité qui vont rejaillir dans le futurisme*, le surréalisme et même l'abstraction*.

SYMÉTRIE *(Biol.).* — Dans leur immense majorité, les structures vivantes sont pourvues d'un certain degré de symétrie, au moins approchée. Quelques lois générales gouvernent la relation entre le mode de vie et la nature des symétries.

• Les *animaux à locomotion active* ont une symétrie bilatérale par rapport à un plan vertical et sagittal : les côtés gauche et droit sont égaux ou subégaux, mais l'avant (tête) est fort différent de l'arrière, et le dessus (dos) du dessous (ventre).

• Les *êtres qui vivent fixés* — plantes, polypies — ont souvent une symétrie axiale, d'ordre 3, 4 ou 5 chez les plantes terrestres, 6 ou 8 chez les cœlentérés, 5 chez les échinodermes. Chez ces derniers, la symétrie axiale subsiste chez les espèces non fixées (étoiles de mer, ophiures, oursins), mais elle est parfois masquée par une symétrie bilatérale surajoutée.

• Un *virage de symétrie* s'observe çà et là chez les animaux marins : coquille Saint-Jacques (passage de la symétrie sagittale à la symétrie frontale : les deux valves sont différentes; l'avant et l'arrière de la même valve sont semblables), poissons pleuronectes* (passage de la symétrie droite-gauche à la symétrie dos-ventre; l'animal vit couché sur l'un de ses flancs, si bien que le plan de symétrie est quand même vertical).

• La *symétrie propre à chaque organe* est indépendante de la symétrie de l'organisme entier.

• La *symétrie par rapport à un plan horizontal* ne s'observe presque jamais, sauf chez les cténaires*. Ajoutons que la symétrie de la larve peut différer de celle de l'adulte (oursin) et que certains animaux ont une dissymétrie spécifique (pagure*) ou un enroulement spiral dextre ou senestre (gastropodes).

SYMÉTRIE des animaux et des plantes.

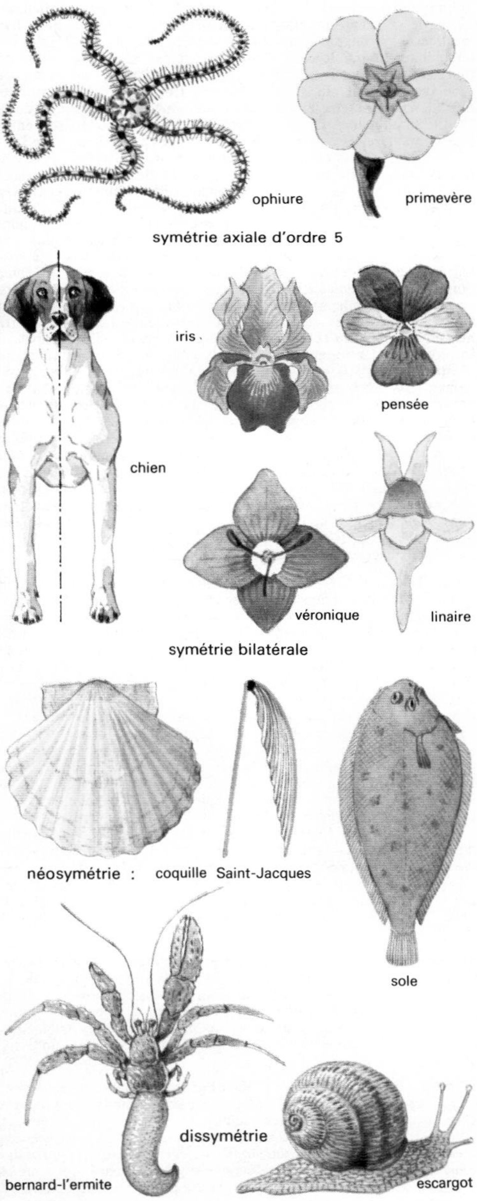

SYMÉTRIQUE → AXIOMATIQUE, GROUPE, MATRICE, ℝ, TRANSFORMATION.

SYMMAQUE, en lat. **Quintus Aurelius Symmachus,** orateur et homme d'État romain (Rome v. 340-† v. 410). Préfet de Rome en 384, consul en 391, il fut l'un des chefs de l'aristocratie païenne de Rome. Il nous reste de lui des *Discours,* des *Lettres* (10 livres), mais surtout des rapports officiels *(Relationes),* qu'il composa comme préfet de Rome et dont le plus important est celui qu'il adressa, au nom des sénateurs païens, à Valentinien II pour demander la restauration de l'autel de la Victoire au sénat (384). Saint Ambroise réfuta le rapport de Symmaque et fit rejeter la requête.

SYMMAQUE *(saint)* → PAPE.

SYMPATHECTOMIE, SYMPATHIQUE → NEUROVÉGÉTATIF *(système).*

Symphonic Variations, ballet en un acte de Frederick Ashton, musique de César Franck, décors de Sophie Fedorovitch, créé à Londres en 1946 par le Sadler's Wells Ballet.

SYMPHONIE. — Si les théoriciens grecs et ceux du Moyen Âge donnaient à ce terme le sens de « sons simultanés », d'« harmonies consonantes », la Renaissance et le classicisme en retinrent l'idée de collectivité, d'abord vocale et instrumentale (G. Gabrieli, Schütz), puis simplement instrumentale. Sous cette dernière forme, dénommée souvent *sinfonia,* on désignait des ouvertures*, des suites*, des ritournelles. Au début du XVIIIe s., la symphonie rejoint la sonate*, en pleine éclosion (A. Scarlatti, Vivaldi), et lui emprunte son plan. Bientôt elle ne sera plus qu'une sonate pour orchestre, qui fleurit à Milan (Sammartini), à Mannheim (les Stamitz), à Londres (J. C. Bach), à Paris (Gossec) et qui atteint son point de perfection à Vienne, avec Haydn, Mozart et Beethoven. Sa fusion avec le concerto* — le concerto grosso notamment — aboutira un temps à la *symphonie concertante* en France.

La voie est ouverte à une floraison ininterrompue d'œuvres germaniques (Schubert, Mendelssohn, Schumann, Brahms, Bruckner, Mahler), françaises (Berlioz, Franck et ses élèves, Saint-Saëns, Roussel, Honegger, Dutilleux) et slaves (Tchaïkovski, Dvořák, Prokofiev, Sibelius, Chostakovitch), dont les influences s'interpénètrent et qui toutes profitent des acquisitions de l'orchestre. Certains excès dans le traitement de la matière instrumentale ou du travail thématique (Mahler) ont provoqué, en réaction, un retour à la *sinfonietta* ou à la *symphonie de chambre* (Schönberg, Hindemith, Roussel).

Symphonie fantastique, ou *Épisode de la vie d'un artiste,* grande symphonie à programme d'H. Berlioz (1830). L'auteur y raconte — à travers cinq mouvements — l'histoire de son amour déçu pour l'actrice Harriett Smithson. Cette œuvre est une des partitions clés de la musique romantique française, tant par l'exploitation d'un thème cyclique (« idée fixe ») que par la somptuosité et la nouveauté de l'orchestration.

Symphonie pour un homme seul, ballet de Maurice Béjart, musique concrète de Pierre Henry et Pierre Schaeffer, créé à Paris en 1955.

SYMPTÔME. — Anomalie par laquelle la maladie manifeste sa présence au sein de l'organisme, le symptôme se traduit sous la forme de signes cliniques soit subjectifs (ressentis par le malade lui-même), soit objectifs (découverts par le médecin lors de son examen). Le *traitement symptomatique* consiste à traiter les symptômes et non les causes de la maladie, lorsque celles-ci sont inaccessibles.

SYNAGOGUE. — Il semble que la synagogue, maison de prière et de rassemblement des communautés juives, soit née à l'époque de l'exil à Babylone, après la destruction, en 587 av. J.-C., de Jérusalem et du Temple. L'institution synagogale se maintint après le retour en Palestine et même s'étendit aux divers groupes de la Diaspora*. De nos jours, le culte synagogal, présidé par un rabbin, comprend des lectures et des explications de la Bible* et de la Mishna* accompagnées de diverses prières; l'édifice est généralement orienté vers Jérusalem.

SYNCHROCYCLOTRON. — Cet appareil permet de rétablir le synchronisme entre le passage des ions et la tension alternative. À cet effet, on diminue la fréquence de cette tension lorsque les ions arrivent à la fin de leur parcours, en vue de compenser l'augmentation de leurs masses avec la vitesse.

SYNCHROMACHINE → TÉLÉCOMMANDE.

SYNCHRONIE. — On qualifie de « synchronique » l'étude d'une langue à un moment donné de son histoire, indépendamment des faits d'évolution qui appartiennent à l'étude diachronique. Contrairement à la linguistique du XIXe s., pour qui « la seule étude scientifique du langage est la méthode historique », F. de Saussure*, qui a introduit cette distinction synchronie/diachronie, donne la primauté au point de vue synchronique. En effet, toute diachronie est une succession de synchronies; d'autre part, le sujet parlant n'a pas conscience de l'évolution de sa langue : la seule réalité pour lui est la langue qu'il parle. La linguistique synchronique considère la langue comme un tout, un système en fonctionnement ayant un certain degré de cohérence : elle s'efforce de mettre à jour des relations d'ensemble, de dégager des structures, alors que la linguistique diachronique s'intéresse davantage à des distinctions ponctuelles. Cette distinction synchronie/diachronie est un des concepts fondamentaux de la linguistique moderne.

SYNCHROTRON. — Dans cet appareil, le synchronisme entre la tension électrique accélératrice et le mouvement orbital des particules à accélérer est réalisé grâce à l'emploi d'un champ magnétique croissant.

SYNCLINAL → PLISSEMENT.

SYNCOPE *(Méd.).* — L'arrêt d'apport d'oxygène au cerveau, quelle qu'en soit l'origine, entraîne une syncope, c'est-à-dire une perte de connaissance subite et complète, avec arrêt du cœur accompagné d'une pâleur extrême et d'un arrêt respiratoire. Il faut distinguer la syncope de la lipothymie, où la perte de connaissance est progressive, incomplète, précédée d'une sensation de malaise, et où la circulation et la respiration ne sont pas ou peu perturbées. La durée de la syncope est variable, mais elle est le plus souvent inférieure à une minute. Lorsqu'elle se prolonge au-delà de vingt secondes, la syncope peut être accompagnée de secousses convulsives. Elle est provoquée soit par des causes cardiaques (rétrécissement aortique, troubles du rythme [en particulier bradycardie ou tachycardie excessives], hypotension), soit par des causes diverses (anémies, traumatismes, affections du système nerveux, etc.).

SYNCOPE *(Mus.)* → RYTHME.

SYNDICALISME. — L'histoire du syndicalisme est parallèle au développement du libéralisme économique, juridiquement conçu à l'origine comme la liberté pour deux individus d'établir entre eux un contrat de travail. C'est pourquoi la loi Le Chapelier (juin 1791) interdit au nom de cette liberté, issue des principes de 1789, la constitution de toute corporation ou de toute association, patronale ou ouvrière; elle prolonge la loi d'Allarde, qui interdit aux ouvriers toute concertation pour leur salaire et leur emploi. Mais la nécessité de s'unir face au capitalisme naissant s'impose aux travailleurs et se cache d'abord dans des sociétés de secours mutuels. De fait, des grèves surgissent dès la Restauration; l'existence de « tarifs » (c'est-à-dire de taux de salaires régionaux) apparaissent dès le début du XIXe s., et c'est leur insuffisance qui entraîne en 1831 la révolte des canuts* à Lyon. La loi de 1864 est issue d'une série de mouvements, notamment des typographes de Paris, qui demandent une chambre syndicale pour réglementer les tarifs; mais elle n'autorise que l'action commune des professionnels sans leur accorder le droit d'association. En fait, les associations sont de plus en plus tolérées, malgré les poursuites dont la Ire Internationale est l'objet, notamment en France, et la répression issue de la Commune*. Le syndicalisme patronal apparaît plus tardivement — et lui aussi dans une semi-illégalité — avec la naissance du Comité des Forges (1864); mais il se développera ultérieurement face à la puissance du mouvement ouvrier. Ce n'est que le 21 mars 1884 que la loi dite « Waldeck-Rousseau » reconnaît et réglemente l'existence de syndicats professionnels. Ainsi stimulée, l'action syndicale aboutit à la formation de fédérations de syndicats ouvriers et aussi patronaux. La Fédération des Bourses du travail, créée en 1892, est coiffée par la Confédération* générale du travail (C. G. T.), née en 1895 et qui est actuellement la plus puissante des centrales; en 1948 se détachent de la C. G. T. la Confédération* générale du travail-Force ouvrière (C. G. T.-F. O.), qui se veut indépendante des partis politiques, et la Fédération* de l'Éducation nationale (F. E. N.). Le développement, après 1891 (encyclique *Rerum novarum*), du catholicisme* social aboutit à la création, en 1919, de la Confédération* française des travailleurs chrétiens (C. F. T. C.), qui éclate en 1964 en une Confédération* française démocratique du travail (C. F. D. T.), déconfessionnalisée, et en une C. F. T. C. maintenue. De leur côté, les cadres ont formé en 1944 la Confédération* générale des cadres (C. G. C.). La loi Waldeck-Rousseau avait exclu les fonctionnaires et les agents des collectivités locales; une circulaire ministérielle de 1924 devait admettre de fait l'existence de syndicats de fonctionnaires, mais ce n'est qu'en 1946 que le statut de la fonction publique reconnut ces syndicats.

En France, le concept de liberté s'investit principalement dans le pluralisme syndical (préambule de la Constitution de 1946, repris par celle de 1958) et le caractère facultatif de la syndicalisation. Le même pluralisme, moins accentué, se retrouve en Italie, aux Pays-Bas, en Belgique, en Suisse. En Allemagne et en Grande-Bretagne, il existe par contre un monopole de fait. La situation des États-Unis est plus complexe; dans les pays socialistes, le syndicalisme est nécessairement unique.

Parmi les moyens d'action du syndicalisme, le principal est la grève*. Dès 1868, le IIIe Congrès de la Ire Internationale à Bruxelles admettait la limite de l'arrêt du travail dans les termes suivants (élaborés par K. Marx) : « Les grèves ne sont pas un moyen d'émanciper complètement le travailleur, mais elles sont une nécessité dans la situation actuelle de lutte entre le travail et le capital. » La grève est admise en 1864 (date à laquelle elle n'est plus un délit) et en 1884; elle est réglementée en 1938 par la nécessité imposée à ses organisateurs de passer par toutes les procédures d'arbitrage et de conciliation avant d'y recourir; en juillet 1963, un délai de préavis est légalement institué dans le secteur public et les services de communes comptant plus de 10 000 personnes, comme il l'est dans certaines conventions collectives.

La finalité de syndicalisme est passée progressivement d'une défense corporative, concernant le maintien du pouvoir d'achat, la lutte contre le chômage, à une conception plus globale, variable suivant les pays et les époques, et en quête perpétuelle d'une définition. Au temps de Marx, en réaction contre le trade-unionisme, le syndicalisme était perçu comme une sorte d'alibi : « Les syndicats s'occupent trop exclusivement des luttes locales et immédiates contre le capital. Ils ne sont pas assez conscients de tout ce qu'ils peuvent faire contre le système lui-même de l'esclavage salarié. Ils se sont trouvés trop à l'écart des mouvements plus généreux et des luttes politiques » (IIe Congrès de la Ire Internationale à Genève, 1866). En revanche, la liaison entre l'économique et la politique progresse au temps de Lénine : « Tout le monde est d'accord qu'il faut développer la conscience politique de la classe ouvrière, [mais] quelques efforts que nous fassions pour donner à la lutte économique elle-même un caractère politique, nous ne pourrons jamais, dans le cadre de cet objectif, développer la conscience politique des ouvriers [...], car ce cadre est trop étroit (*Que faire?*, 1905). En France, la participation des socialistes aux gouvernements et la répression sanglante par l'armée des grèves entraînent les travailleurs à tenter de doter l'organisation syndicale d'un objectif politique, comme le montre la « Charte d'Amiens », qui déclare : « Le syndicalisme poursuit l'accroissement du mieux-être des travailleurs [...]. Mais cette besogne n'est qu'un côté du syndicalisme; il prépare l'émancipation intégrale, qui ne peut se réaliser que par l'expropriation du capitalisme [...]; il considère que le syndicat, aujourd'hui groupement de résistance, sera dans l'avenir le groupement de production et de répartition, base de réorganisation sociale. » Cependant, les thèses anarcho-syndicalistes qui s'expriment dans la « Charte d'Amiens » ne prévalent plus en fait dans la Confédération générale du travail. Aujourd'hui plus que jamais, la liaison du syndicalisme avec l'action politique reste la question centrale au cœur du mouvement ouvrier français. Certaines confédérations, comme la C. G. T., envisagent sans ambiguïté de situer leur action dans la perspective de l'Union de la gauche; d'autres s'y refusent (C. G. T.-F. O., C. G. C.) au nom de l'apolitisme; d'autres, enfin, désirent conserver leur autonomie (C. F. D. T.).

SYNDICAT. — C'est un groupement de personnes exerçant une même profession et constitué pour la défense d'intérêts communs. La loi du 21 mars 1884 en a fait une réalité juridique.

La constitution d'un syndicat est libre; l'autorisation administrative n'est pas obligatoire et le dépôt à la mairie des statuts et de la liste des administrateurs est seulement exigé. La rédaction des statuts n'obéit pas davantage à des règles contraignantes. Les étrangers peuvent faire partie d'un syndicat, ainsi que les incapables; les mineurs peuvent y adhérer à l'âge de seize ans.

L'exercice d'une activité professionnelle est obligatoire; un syndicat ne réunit que des personnes s'adonnant à la même profession. Les syndicats ont la personnalité civile, peuvent ester en justice, acquérir à titre gratuit ou à titre onéreux des meubles ou des immeubles. Leur capacité juridique est plus étendue que celle des associations*, réglementées par la loi de 1901.

La loi du 27 décembre 1968 crée la « section syndicale d'entreprise », qui assure dans l'entreprise la représentation des intérêts professionnels des membres du syndicat. Un ou des « délégués syndicaux » sont désignés par chaque syndicat et ont pour mission de représenter celui-ci auprès du chef d'entreprise. Il existe par ailleurs un représentant syndical auprès du comité d'entreprise.

SYNDROME. — La réunion d'un ensemble déterminé de symptômes peut être caractéristique de la localisation, du mécanisme physiopathologique ou de la nature d'un processus morbide. Parfois rattaché à une cause connue et entrant alors dans le cadre d'une maladie, le syndrome peut aussi se manifester sans qu'aucune cause connue puisse être invoquée, atteignant par exemple un tissu, un organe, un appareil.

SYNGE (John Millington), auteur dramatique irlandais (Rathfarnham, près de Dublin, 1871 - Dublin 1909). Ses drames mêlent dans la plus pure langue anglaise les thèmes folkloriques de son pays et l'observation de la vie quotidienne de province (*la Chevauchée vers la mer,* 1904; *le Baladin du monde occidental,* 1907; *Deirdre des douleurs,* 1910). Le public fut déconcerté à la fois par le réalisme et la poésie de son théâtre, qui provoqua des polémiques passionnées.

SYNGE (Richard Laurence), chimiste anglais (Liverpool 1914) → MARTIN (Archer John Porter).

SYNGNATHE. — Les algues de nos rivages hébergent souvent des syngnathes, poissons serpentiformes à section pentagonale, aux mâchoires soudées formant un bec, au ventre creux servant à l'incubation des œufs. Ces poissons amorcent les changements de forme qui atteignent leur plus haut degré chez l'hippocampe*. (Ordre des catostéomes.)

SYNODE. — Ce terme fut d'abord appliqué à l'organisation calviniste, qui, au-dessus des consistoires locaux, prévoyait des synodes provinciaux, couronnés par un synode national : celui-ci, reconnu par le régime concordataire au XIXe s., fut restauré et rénové après la séparation de 1905.

Dans l'Église catholique, un synode est une assemblée d'ecclésiastiques convoquée pour les affaires d'un diocèse. Le deuxième concile du Vatican a créé des synodes épiscopaux périodiques (1969, 1971, 1974, 1977), qui rassemblent à Rome, auprès du pape et autour d'un thème d'actualité, un certain nombre d'évêques.

En Russie, le Saint-Synode (1721-1917) était un collège ecclésiastique que Pierre le Grand avait instauré, dans une vue de centralisation autocratique, à la place du patriarcat.

SYNŒCISME. — La *polis,* ou cité* du monde grec, s'est constituée par la réunion, ou synœcisme, de plusieurs bourgs ruraux autour d'un centre urbain. Le synœcisme est un regroupement, autour d'un culte commun et d'une autorité centrale, d'un ensemble de clans ayant jusqu'alors vécu de façon anarchique et que des difficultés communes ont amenés à s'unir.

SYNONYMIE. — Deux termes sont synonymes quand ils ont la possibilité de se substituer l'un à l'autre sans changer le sens de l'énoncé. La synonymie absolue (substitution possible dans tous les contextes) n'existe pas dans la langue. Il y a toujours entre deux synonymes des nuances de sens ou des nuances stylistiques (registres d'emploi, niveaux de langue). D'autre part, un terme synonyme dans un contexte peut ne pas l'être dans un autre : « interdire » est synonyme de « défendre » dans *je te défends de sortir,* mais non dans *je défends mon frère.*

SYNOVIALE → ARTICULATION.

SYNTAGMATIQUES (rapports) → PARADIGMATIQUES *(rapports).*

SYNTAGME. — Un syntagme est une combinaison le long de la chaîne parlée de deux ou de plusieurs éléments, formant une unité dans une organisation hiérarchisée. Le terme « syntagme » est toujours suivi d'un adjectif qui définit sa catégorie grammaticale (nominal, verbal, adjectival, etc.). Constitué d'une suite de morphèmes, le syntagme est lui-même un constituant* d'une unité de rang supérieur (la phrase*).

SYNTAXE → GRAMMAIRE et GÉNÉRATIVE *(grammaire).*

SYNTHÈSE *(Chim.).* — La synthèse chimique a une importance théorique, car elle fournit des indications sur la composition et la structure de la substance préparée, et aussi une importance pratique, car elle constitue souvent le meilleur mode de préparation. En chimie organique, elle a montré l'inexistence de la « force vitale », que l'on supposait nécessaire à la production des composés. Elle a permis d'obtenir un nombre considérable de composés n'existant pas dans la nature.

SYPHAX, roi des Masaesyles de Numidie* occidentale († Rome 203 ou 202 av. J.-C.). Lors de la deuxième guerre punique, il fut d'abord l'allié de Rome puis fit alliance avec Carthage, après avoir épousé Sophonisbe*. Vaincu par Scipion* aux Campi Magni (203) et pris près de Cirta par Masinissa*, il fut livré à Scipion.

SYPHILIS. — Cette maladie contagieuse due à un spirochète, *Treponema pallidum,* est presque toujours d'origine vénérienne.

La *syphilis primaire* est caractérisée par le chancre qui survient 20 jours après le contage et apparaît au point d'inoculation. Le chancre du gland, le plus typique, réalise une érosion rouge, propre, infiltrée, non douloureuse; les chancres cutanés ont un aspect croûteux; les chancres de l'amygdale peuvent être pris pour une angine. Le chancre s'associe à une tuméfaction non inflammatoire du territoire ganglionnaire correspondant. À ce stade, la syphilis guérit par le traitement pénicilliné. Spontanément le chancre cicatrise et l'on passe à la période secondaire.

La *syphilis secondaire* précoce apparaît 2 mois après le contage. Elle associe ici la roséole (macules rosées disséminées), des plaques muqueuses (bouche, vagin), une alopécie, une fièvre légère, des micropolyadénopathies (petits ganglions disséminés). La sérologie classique (réaction de Bordet-Wassermann) est positive. La *syphilis secondaire* tardive apparaît de 4 à 12 mois après le contage. Elle est marquée par des lésions cutanéo-muqueuses diffuses, infiltrées; les syphilides les plus caractéristiques siègent aux paumes des mains et aux plantes des pieds — s'y associent une perlèche, des lésions végétantes périanales et périnéo-vulvaires. La sérologie est positive, les lésions muqueuses fourmillent de tréponèmes.

La *période tertiaire* survient plusieurs années après le contage, mais cette forme est très rare actuellement en raison de la pénicillinothérapie. Les lésions cutanéo-muqueuses constituent des gommes. Les lésions osseuses peuvent être hypertrophiques ou du type gomme mutilante. Les lésions cardio-vasculaires sont plus rares; la syphilis atteint surtout l'aorte. Les manifestations nerveuses sont très variées. Citons le tabès, qui se manifeste par une ataxie, des douleurs fulgurantes, des crises douloureuses viscérales et des arthropathies indolores, et la paralysie générale, qui entraîne une démence*.

La *syphilis congénitale* est très rare; elle résulte d'une infection contractée par le fœtus pendant la grossesse.

Les examens de laboratoire sont de deux types : recherche du tréponème, à l'aide de l'ultramicroscope, sur le chancre, sur les syphilides; examens sérologiques, comportant les réactions classiques de Bordet-Wassermann, de Kahn et de Kline (ces réactions deviennent positives 10 à 12 jours après l'apparition du chancre), le test d'immunofluorescence, le plus précocement positif, et le test de Nelson (d'immobilisation des tréponèmes), le plus spécifique.

Le traitement repose dans tous les cas sur la pénicilline et sur ses formes « retard ». Les sels de bismuth sont encore employés comme complément de celle-ci.

SYRA, île grecque de l'archipel des Cyclades. V. princ. *Hermoupolis*.*

SYRACUSE, v. des États-Unis (État de New York), à l'E. de Rochester; 197 000 hab. Université. Constructions électriques.

SYRACUSE, port d'Italie, en Sicile, ch.-l. de prov. sur la côte est de l'île; 115 000 hab.

HISTOIRE. Fondation des Corinthiens v. 734-733 av. J.-C., Syracuse impose,eau Ve s. av. J.-C., son hégémonie sur la Sicile* après avoir, par la victoire d'Himère* (480) et sous la tyrannie de Gélon* (de 485 à 478), réduit l'influence carthaginoise. Avec Hiéron Ier (de 478 à 466), protecteur des lettres (il attira à sa cour Eschyle*, Pindare* et Simonide*), s'affirme cette politique de domination, qui triomphera avec la victoire sur Athènes en 413 (v. PÉLOPONNÈSE [*guerre du*]). Denys* l'Ancien (de 405 à 367) limite à l'ouest de l'île l'influence de Carthage et étend son empire aux cités grecques de l'Italie méridionale; son fils, Denys le Jeune (de 367 à 344), ne saura pas conserver les conquêtes paternelles. Il faudra attendre la tyrannie d'Agathocle* (de 317 à 289) pour que soit rétablie la suprématie de Syracuse sur les villes de Sicile. Hiéron II (de 265 à 215), d'abord allié des Carthaginois, se rallie aux Romains (v. PUNIQUES [*guerres*]), mais, après sa mort, le parti punique l'emporte; Hiéronymos, son neveu (de 215 à 214), est vaincu par les Romains.

BEAUX-ARTS. Nombreux vestiges antiques : deux temples d'Apollon (l'un de la fin du VIIe s. av. J.-C., l'autre hellénistique); vaste théâtre grec (Ve s. av. J.-C.), aux gradins creusés dans le roc, comme ceux de l'amphithéâtre romain (IIIe s.); complexe romain comprenant temple, portique et théâtre; latomies, anciennes carrières en activités dès le VIe s. av. J.-C.; château Euryale (à l'ouest de la ville), partie des fortifications de Denys l'Ancien; colonnes du temple de Minerve (Ve s. av. J.-C.), enchâssées dans la cathédrale (VIIe-XVIIIe s.). Églises et palais du Moyen Âge (palais Bellomo : Musée national). Monuments baroques du XVIIIe s., dont le palais Bosco, qui abrite le riche Musée archéologique.

SYRAH → CÉPAGE.

SYR-DARIA (le), fl. de l'U.R.S.S.; 2 860 km. Né dans le T'ien-Chan (sous le nom de Naryn), il draine le bassin de la Fergana, avant de se diriger vers la mer d'Aral en traversant une région aride, dans le sud du Kazakhstan, où le fleuve s'appauvrit, notamment par évaporation et par ponction (pour l'irrigation).

SYRIE, région historique de l'Asie occidentale, englobant les États actuels de la république de Syrie*, du Liban*, d'Israël, et de Jordanie*.

● *La Syrie antique.* Zone de passage entre l'Égypte*, l'Asie Mineure et la Mésopotamie*, importants foyers de civilisation dont elle subira l'influence, la Syrie est soumise aux pressions des grands empires de l'Orient ancien (Babylone*, Égypte*, Hittites*, Assyrie*, Perses*), qui s'efforcent d'en prendre le contrôle. Elle forme une mosaïque de petits États, où prédomine l'élément sémite : durant le IIe millénaire s'infiltrent, par vagues successives, Amorrites*, Hourrites*, Cananéens* (Phéniciens* sur le littoral), Araméens*, Hébreux*; les Peuples* de la mer, vaincus par les Égyptiens, y laisseront dans leur déroute quelques groupes, connus sous le nom de « Philistins », qui s'installeront au sud de la côte phénicienne. La prise de Babylone, en 539 av. J.-C., par Cyrus II* le Grand fait de l'antique Syrie une satrapie perse, qui passera à la mort d'Alexandre* (323 av. J.-C.) dans le domaine des Séleucides* et prendra le nom de « royaume de Syrie », avec Antioche* comme capitale. En 64-63 av. J.-C., Pompée fait de l'empire des Séleucides vaincus la province romaine de Syrie, que le partage de l'Empire romain, en 395, rattache à l'empire d'Orient.

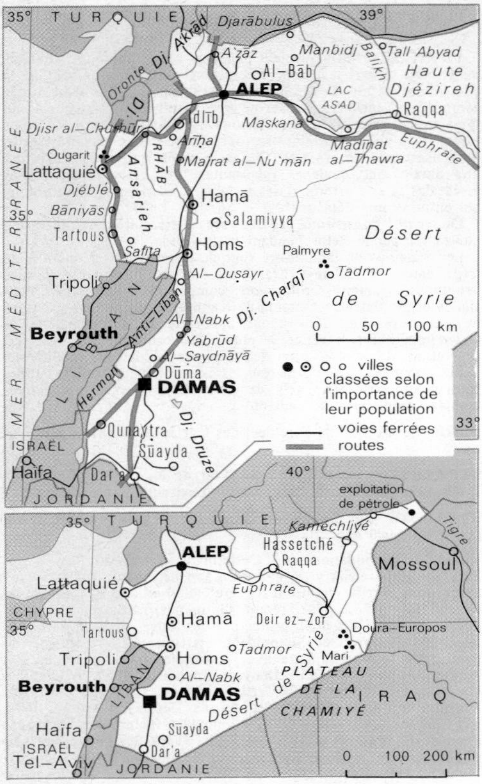

SYRIE

• *La Syrie arabe.* La population syrienne (Syriens ou Juifs de langue araméenne ou Arabes rhassānides, établis à l'intérieur du *limes* romain depuis les dernières années du ve s.), excédée par des siècles de domination romano-byzantine, oppose peu de résistance aux conquérants arabes, vainqueurs de l'armée byzantine sur le Yarmouk (636). Avec Mu'āwiyya (de 661 à 680), fondateur de la dynastie des Omeyyades* (661-750), la Syrie devient le centre de l'Empire musulman et connaît un grand essor économique et culturel. L'islamisation progresse lentement, tandis que l'arabisation est rapide. Après l'avènement des 'Abbāssides* (750-1258), la Syrie perd sa position privilégiée au sein de l'Empire musulman, dont la capitale passe de Damas* à Bagdad. Après une période troublée par de nombreuses révoltes contre le pouvoir central, la Palestine* et la Syrie du Sud sont attirées dans l'orbite égyptienne (sous les dynasties ṭūlūnide*, ikhchīdide et fāṭimide*), tandis que les Ḥamdānides d'Alep* (xe s.) ne peuvent contenir les assauts de la reconquête byzantine. Les Turcs Seldjoukides* prennent Damas (1076) et Jérusalem* (1077). La Syrie, affaiblie par les luttes internes, dynastiques ou religieuses (califat chī'ite des Fāṭimides, secte des *assassins**), est conquise par les croisés, qui fondent sur son territoire la principauté d'Antioche* (1098-1268), le royaume de Jérusalem (1099-1291) et le comté de Tripoli* (1109-1289). Les Zangīdes* (1127-1183) de Mossoul et d'Alep mènent la contre-croisade, que poursuit Saladin*. Sous ses successeurs ayyūbides*, la Syrie entretient des rapports pacifiques avec les Francs et connaît un nouvel essor économique, grâce au développement du commerce avec l'Occident. Les Mamelouks* du Caire arrêtent les Mongols à 'Ayn Djālūt (1260) et reconquièrent les dernières possessions franques de Syrie et de Palestine, qu'ils gouvernent jusqu'à la conquête ottomane (1516). La Syrie est dévastée par Tīmūr Lang* (Tamerlan) en 1400-01.

• *La Syrie coloniale.* Au début de la période ottomane (1516-1918), l'économie syrienne se relève lentement des dévastations du xve s. Aux xviie-xviiie s., elle décline irrémédiablement, ses modes de production devenant caducs face aux progrès techniques de l'Occident. Après le rétablissement de l'autorité des Ottomans chassés de Syrie (1831-1840) par Méhémet-Ali* et Ibrāhīm* pacha, la Syrie et le Liban* entrent dans une période d'anarchie marquée par l'intervention des puissances étrangères, les conflits confessionnaux (Druzes*, maronites) et le développement du nationalisme arabe (v. ARABES).

Durant la Première Guerre mondiale, les Syriens se désolidarisent des Turcs, engagés aux côtés des Allemands, et rallient les forces franco-anglaises et hāchémites*. Fayṣal Ier entre à Damas en 1918 et est élu roi de Syrie en 1920. Mais la France obtient de la S. D. N. un mandat sur la Syrie (1920-1941) et le Liban. Le pays est alors divisé en trois États : Damas, Alep et le territoire des Alaouites, ou 'Alawītes*. Le djebel Druze se révolte de 1925 à 1927. La France évacue complètement la Syrie en 1945-46.

SYRIE, en ar. **Sūriya,** État de l'Asie occidentale, sur la Méditerranée; 184 400 km²; 7 600 000 hab. *(Syriens).* Capit. *Damas.*

GÉOGRAPHIE. L'étroite plaine côtière de la Méditerranée est dominée, à l'est, par la montagne calcaire du djebel Ansarieh. Celui-ci est prolongé vers le sud par l'Anti-Liban, l'Hermon et le djebel Druze. Cette frange littorale, au climat méditerranéen, devenant rude en montagne, s'oppose à la partie orientale du pays, vaste plateau désertique appartenant au bassin de l'Euphrate.

La population se concentre dans les montagnes, qui ont longtemps servi de refuge, et sur le piémont oriental, où, en dehors du port de Lattaquié, s'échelonnent les principales villes : Alep, Ḥamā, Homs et Damas.

La Syrie demeure un pays essentiellement agricole. Aux cultures sèches (blé, orge) des montagnes et des plateaux (Djézireh) s'opposent les cultures irriguées du piémont montagnard (oliviers, arbres fruitiers, coton, tabac), pratiquées dans la Rhūṭa de Damas et dans le Rhāb, dépression tectonique drainée par l'Oronte au pied du djebel Ansarieh. Des travaux de bonification en cours, grâce à l'aide internationale, notamment dans la vallée de l'Euphrate, devraient permettre l'extension des surfaces irriguées. Les plateaux désertiques sont le domaine d'un élevage ovin nomade. L'industrie est limitée à quelques activités de transformation (textile), localisées à Alep et Damas. L'exploitation de phosphates et, surtout, du pétrole doit favoriser son développement. Le territoire syrien est traversé par des oléoducs venus d'Iraq, assurant des ressources complémentaires, mais sans équilibrer la balance des paiements, et le niveau de vie de ses habitants reste bas.

HISTOIRE. Le général Catroux* proclame l'indépendance de la Syrie en 1941; cependant, les Français n'évacuent le pays qu'en 1945-46. Chukrī al-Quwwatlī, président de la République de 1943 à 1949, est renversé par un coup d'État militaire au lendemain de la défaite de la guerre de Palestine (v. ISRAÉLO-ARABES [*guerres*]). La vie politique syrienne est alors dominée par les conflits entre les partis « pro-irakien » (favorable aux Hāchémites*, alliés des Britanniques) et « pro-égyptien », qui prennent tour à tour le pouvoir. Finalement, la Syrie rejette le projet britannique du pacte de Bagdad (1955), accepte l'aide des Soviétiques et s'unit à l'Égypte au sein de la République arabe unie (1958-1961). Le parti Baath* est au pouvoir depuis 1963. En 1966, la tendance régionaliste élimine les chefs historiques du parti (Amīn al-Ḥāfiẓ, Ṣālaḥ al-Bīṭār, Michel Aflak). Les nationalisations et la réforme agraire entraînent l'exode des capitaux syriens. Après la défaite de 1967, la Syrie reprend sa politique de soutien à la résistance palestinienne* et refuse tout compromis avec Israël. Le régime se libéralise depuis la prise du pouvoir par Asad* (1970). Après la quatrième guerre israélo-arabe (1973), la Syrie renoue des relations diplomatiques avec les États-Unis. Elle s'interpose au Liban pour mettre fin à la guerre civile de 1975-76.

SYRINGOMYÉLIE. — Le développement d'une cavité au centre de la moelle épinière caractérise anatomiquement la syringomyélie, qui est une maladie nerveuse relativement rare. La cavité (plus ou moins étendue en hauteur) est de siège cervical le plus souvent. La syringomyélie se traduit, sur le plan clinique, d'une part par un *syndrome lésionnel* (paralysie avec atrophie des muscles au niveau des mains et des bras, abolition de la sensibilité à la douleur et à la température dans un territoire limité à quelques dermatomes, avec conservation de la sensibilité tactile), d'autre part par un *syndrome sous-lésionnel* (paraplégie spasmodique).

SYRPHE. — Les syrphes, mouches tachetées jaune et noir des prairies humides, volent rapidement de fleur en fleur ou planent au soleil. Leurs larves, molles, se rendent utiles en dévorant des pucerons. La France en compte une vingtaine d'espèces. (Type de la famille des syrphidés.)

SYRTES, nom antique de deux golfes : la *Grande Syrte,* large échancrure de la côte de Libye, et la *Petite Syrte,* le golfe de Gabès.

SYSTÉMATIQUE. — Le nombre immense des espèces, tant vivantes que fossiles, nécessite leur classification en groupes hiérarchisés. Toutes les langues du monde possèdent de nombreux termes désignant des catégories d'animaux ou de plantes. Mais l'édification, à partir du xviiie s. surtout, d'un classement méthodique des êtres vivants dans un esprit scientifique n'a pas toujours repris à son compte les notions populaires. Si les oiseaux forment une classe de vertébrés, les arbres, par exemple, sont un simple « port », susceptible d'être présenté par les espèces végétales les plus éloignées les unes des autres. En outre, la systématique

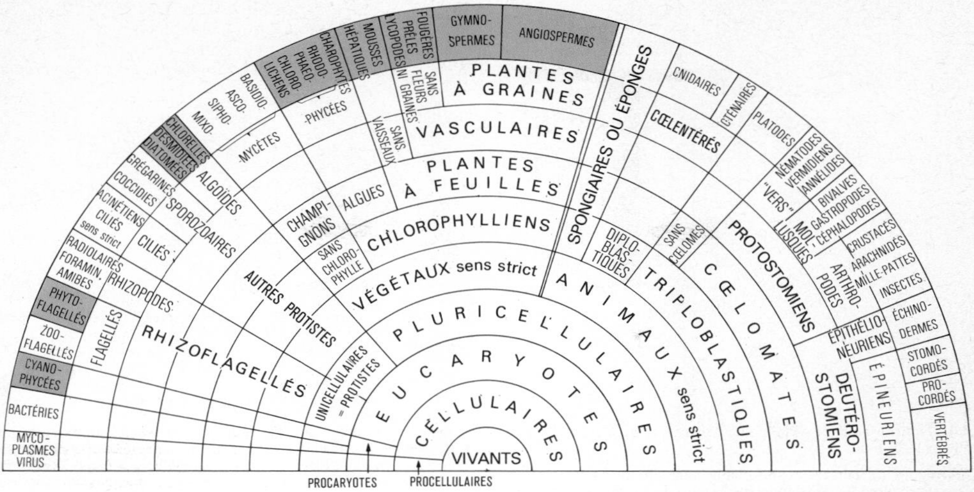

SYSTÉMATIQUE. Classification des êtres vivants (les groupes munis de chlorophylle sont figurés sur fond vert).

moderne s'emploie à dépister les « convergences » (ressemblances acquises entre plantes des mêmes stations, animaux ayant la même nourriture, etc.) et, s'appuyant sur la comparaison entre les ancêtres fossiles des formes actuelles, sépare le lapin des autres rongeurs ou les cycas des palmiers, mais n'hésite pas à rapprocher un furet d'un ours blanc.

Les progrès de l'étude microscopique conduisent d'ailleurs à remanier profondément les classifications traditionnelles, au même titre que la paléontologie et la biochimie. La hiérarchie classique : règne, embranchement, classe, ordre, famille, genre, espèce, ne suffit plus, et l'on voit fleurir les sous-règnes, sous-embranchements, superfamilles, sections, sous-genres, etc. En outre, les termes vieillis sont souvent conservés avec une acception nouvelle, voire un « sens large » et un « sens strict ». Aucune systématique, d'ailleurs, ne fait l'unanimité des spécialistes.

Le tableau ci-joint est donc extrêmement simplifié.

SYSTÈME D'ARME. — On désigne ainsi l'ensemble bâti autour d'un projectile, comprenant tous les équipements nécessaires à sa mise en œuvre, soit : la plate-forme de tir, fixe ou mobile, qui peut être un canon ou une rampe de lancement, placée à terre, sur un véhicule, sur un navire ou sur un aéronef; les moyens de recherche et d'acquisition de l'objectif (radar, etc.); les équipements employés pour conduire le projectile sur son objectif.

Un missile air-air sur son avion, avec son viseur, son correcteur de tir et sa tête autochercheuse, constitue un système d'arme.

SYSTÈME D'EXPLOITATION. — Le système d'exploitation d'un ordinateur* est un ensemble complexe de programmes* indispensables à la mise en œuvre de la machine; il est la pièce fondamentale du logiciel*. Il a pour objet de faire produire à l'ordinateur le maximum de travail dans un temps donné, et cela dans les meilleures conditions de travail possible, tout en soulageant l'utilisateur des contraintes de la machine. Pour cela, il gère tous les transferts d'informations*, établit les communications avec l'extérieur, constitue les files d'attente des travaux à passer et des résultats à éditer, assure l'enchaînement automatique des travaux, optimise l'utilisation des ressources partageables (mémoire*, unité de calcul) ou susceptibles d'être affectées à un programme (dérouleurs de bandes* magnétiques, disques* amovibles), respecte les priorités relatives demandées entre les tâches, analyse son propre fonctionnement pour s'optimiser et réagir aux incidents. Il communique avec l'opérateur, en particulier pour le montage et le démontage des volumes contenant des fichiers* nécessaires à l'exécution d'un programme. Il met à la disposition du programmeur les compilateurs* et les bibliothèques de programmes. Le programmeur communique avec le système d'exploitation par un langage de commande et de contrôle. Un système d'exploitation simple permet le *traitement par lots.* Il enchaîne les travaux qui entrent sous forme de paquets de cartes, en mène éventuellement plusieurs de front et édite les résultats sur les imprimantes*. Le traitement par lots peut se faire à partir de terminaux* lourds éloignés connectés à l'ordinateur par des lignes téléphoniques. Un système d'exploitation plus riche apporte, en plus, des possibilités conversationnelles. À l'aide de terminaux, il peut gérer plusieurs dizaines de tâches en parallèle, c'est le mode de fonctionnement en *time-sharing,* ou *partage* de temps,* pour les études scientifiques, ou la *gestion de transaction* pour les applications de gestion.

SYSTOLE → CŒUR.

SYZRAN, v. de l'U.R.S.S. (R.S.F.S. de Russie), sur la Volga; 173 000 hab. Constructions mécaniques. Raffinerie de pétrole.

SZAMOS → SOMEŞ.

SZASZ (Thomas Stephen), psychanalyste américain d'origine hongroise (Budapest 1920), professeur à l'université de New York. Son œuvre est un réquisitoire contre la psychiatrie et la psychanalyse, à qui la société a confié la tâche de contrôler toute déviance non criminelle. Sa critique des institutions psychiatriques est conduite à partir d'une conception humaniste et individualiste du sujet* libre. Ses principaux ouvrages sont : *le Mythe de la maladie mentale* (1961, 1974), *l'Éthique de la psychanalyse* (1965), *Idéologie et folie* (1970), *Fabriquer la folie* (1970), *le Péché second* (1973), *les Rituels de la drogue* (1974).

SZCZECIN, en allem. **Stettin,** v. du nord-ouest de la Pologne, peu en amont de l'embouchure de l'Oder, près de la frontière est-allemande; 364 000 hab. Vestiges du château des Piast, des XIIIe-XVIIe s. Musée de Poméranie occidentale. Principal port polonais. Chantiers navals. Constructions mécaniques.

SZEGED, v. du sud de la Hongrie, au confluent de la Tisza et du Maros (Mureş); 165 000 hab. Église baroque du XVIIIe s. Musée. Industries mécaniques, textiles, chimiques et alimentaires.

SZÉKESFEHÉRVÁR, v. de Hongrie, au S.-O. de Budapest; 89 000 hab. Ville baroque (XVIIIe s.) et néoclassique, avec une église gothique du XVe s. Musée lapidaire (vestiges romains, romans, etc.). Pinacothèque. Métallurgie. Électronique.

SZENTENDRE, v. de Hongrie, sur le Danube, en amont de Budapeşt; 10 000 hab. Ville d'art baroque (XVIIe-XVIIIe s.), siège d'une colonie d'artistes depuis l'époque impressionniste. Musée Károly-Ferenczy (beaux-arts).

SZENT-GYÖRGYI (Albert), biochimiste hongrois (Budapest 1893). Parmi ses travaux, il faut signaler l'analyse biochimique de la contraction musculaire et surtout la découverte de l'acide ascorbique, ou vitamine C, qui lui valut le prix Nobel de médecine (1937).

SZIGLIGETI (József SZATHMÁRY, dit **Ede**), acteur et auteur dramatique hongrois (Váradolaszi 1814 - Budapest 1878). Auteur de cent quatorze pièces, il est le créateur du drame populaire en Hongrie (*le Déserteur,* 1843; *le Prétendant,* 1868).

SZILARD (Leo), physicien américain d'origine hongroise (Budapest 1898 - La Jolla, Californie, 1964). Il a découvert la production de neutrons par action des rayons gamma sur le béryllium.

SZOLNOK, v. de Hongrie, sur la Tisza, au S.-O. de Budapest; 69 000 hab. Engrais.

SZOMBATHELY, v. de l'ouest de la Hongrie; 72 000 hab. Importants vestiges romains de Savaria Magna (temple d'Isis). Monuments gothiques (monastère franciscain) et baroques (églises, maisons). Musée archéologique. Textile.

SZOPIENICE, v. de Pologne, en haute Silésie; 53 000 hab. Houille. Sidérurgie et métallurgie du zinc.

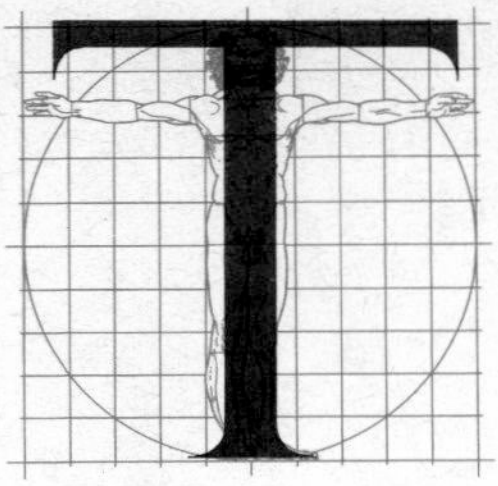

TAAL, volcan actif des Philippines, dans l'île de Luçon; 2240 m d'alt.

TABAC. — Le tabac est une plante annuelle, de la famille des solanacées*, dont on consomme les feuilles de certaines espèces en les prisant, en les mâchant et surtout en les fumant. Il peut être cultivé, avec plus ou moins de succès, entre les latitudes 40^0 S et 50^0 N. En moins de cinq siècles, sa consommation a pris une importance considérable, puisqu'il représente en valeur environ 1 p. 100 de l'ensemble des affaires mondiales de culture, de fabrication et de vente de produits commerciaux et industriels. Ses feuilles contiennent à des doses variables, allant de 0,2 à 5 p. 100 selon les espèces et les conditions de culture et de traitements de dessiccation et de fermentation, un alcaloïde, la *nicotine,* qui, contrairement aux alcaloïdes végétaux, est liquide à la température ordinaire et ne comporte pas d'oxygène dans sa composition. Les feuilles de tabac sont très hygroscopiques, perdant et reprenant aisément de l'humidité, qui les rend souples, mais suffisamment élastiques et solides pour se prêter à des traitements mécaniques de hachage, de confection de cigarettes ou de paquets de scaferlatis, d'enveloppement des intérieurs pour le sous-capage et pour le capage des cigares. Les produits finis doivent être ramenés à un degré moindre d'humidité pour se conserver longtemps, à l'abri de moisissures ou d'altération, et garder, sous enveloppe imperméable ou sous vide, leur goût et leur arôme. Dans la plupart des pays, le tabac joue un grand rôle dans la fiscalité.

La production mondiale de tabac stagne, depuis une dizaine d'années, un peu au-dessous de 5 Mt. La Chine est, sans doute, le premier pays producteur, avec un apport de l'ordre du million de tonnes, un peu supérieur à celui des États-Unis. Loin derrière viennent l'Inde, l'U. R. S. S. et le Brésil. La Bulgarie est le premier producteur d'Europe (U. R. S. S. exclue), avec un apport triple de celui de la France, où la production oscille autour de 50 000 tonnes (comme celle, renommée, de Cuba).

TABAGISME. — Le tabac contient de la nicotine, qui est fort toxique. L'usage répété du tabac favorise l'insuffisance respiratoire, l'ulcère à l'estomac, le cancer de la langue et du poumon, l'artérite et l'insuffisance coronarienne. La loi française du 9 juillet 1976, qui organise la lutte contre le tabagisme, porte des dispositions concernant la publicité et l'information sanitaire dans les établissements scolaires et à l'armée et prévoit certaines interdictions de fumer dans des lieux publics ainsi que l'assimilation à des médicaments de substances supprimant l'envie de fumer.

TABARIN (Antoine GIRARD, dit), acteur et auteur de farces français (Paris 1584-*id.* 1633). Vendeur de baume sur la place Dauphine, vanté par La Fontaine et copié par Molière, il reste le type des bateleurs de son temps.

TABARLY (Éric), officier de marine et navigateur français (Nantes 1931). Vainqueur en 1964 de la course transatlantique en solitaire sur *Pen-Duick II,* il gagne en 1969 la course transpacifique en solitaire sur *Pen-Duick V,* participe sur *Pen-Duick VI* à la première course autour du monde en 1973-74 et remporte de nouveau la course transatlantique en solitaire (1976).

TABÈS → SYPHILIS.

TABLATURE → TRANSPOSITION.

TABLEAU ÉCONOMIQUE. — Élaboré par le physiocrate François Quesnay*, le tableau économique apparaît comme un « modèle » d'équilibre général, de type économétrique avant la lettre, révélant les interdépendances au sein d'un système économique, document dans lequel des travaux comme ceux de Wassily Leontief* trouveront, en plein XXe s., leur inspiration. C'est une analyse d'un état stationnaire qui peut servir à mettre en lumière la survenance de « déséquilibres » et à éclairer l'origine de ceux-ci.

Erroné lorsqu'il met l'accent sur la seule production des agriculteurs, le tableau économique est novateur et annonce les modèles économétriques du XXe s. lorsqu'il précise les conditions de l'équilibre économique et l'interdépendance des phénomènes ainsi que le rôle du capital dans les processus d'apparition de la croissance économique.

TABLEAU ÉCONOMIQUE D'ENSEMBLE. — En comptabilité nationale, le tableau économique d'ensemble présente d'une manière synthétique les comptes de la nation, retraçant les *opérations* (figurant en *lignes*) effectuées par les *secteurs* (représentés en *colonnes*). Ce tableau permet de voir de quelle manière a été produit, réparti et utilisé le produit intérieur brut. Il sert à l'élaboration des budgets économiques et des plans.

Table ronde *(chevaliers de la)* → ARTHUR.

Table verte *(la),* ballet en un acte et huit tableaux, livret et chorégraphie de Kurt Jooss, musique de Fritz Cohen, créé à Paris en 1932. Œuvre la plus représentative de l'expressionnisme chorégraphique allemand.

TABLIER → PONT.

TABOR *(mont)* → THABOR.

TÁBOR, v. de Tchécoslovaquie (Bohême), au S. de Prague; 19 000 hab. — Les *taborites,* hussites intransigeants groupés à Tábor autour de Jan Žižka, furent vaincus à Lipany, en 1434, par les catholiques et par les hussites, qui avaient accepté les Quatre Articles de Prague.

TABOU. — D'origine polynésienne, ce terme a été généralisé par les ethnographes pour désigner les objets, lieux ou personnes qui sont investis d'une puissance sacrée et frappés d'interdits, dont la transgression entraîne des conséquences néfastes. Tout ce qui est insolite ou anormal peut être jugé tabou. L'existence de tabous manifeste la volonté d'établir un contrôle sur le monde et sur les hommes : le tabou assure protection à l'ordre social établi.

TABOUROT (Jehan), écrivain français (Dijon 1519/1520-Langres 1595/1596). Chanoine de Langres, mais passionné de danse, il publia en 1588 — sous le nom de THOINOT ARBEAU, anagramme de Jehan Tabourot — son *Orchésographie,* traité en forme de dialogue, qui décrit, à l'aide d'une tablature (portée musicale et notation alphabétique), les danses pratiquées aux XVe et XVIe s.

TABQA, village de Syrie, près de l'Euphrate. Important barrage pour l'irrigation et la production d'électricité.

TABRIZ, v. du nord-ouest de l'Iran, ch.-l. de prov., en Azerbaïdjan; 403 000 hab. Industries mécaniques et textiles.

HISTOIRE. Conquise par les Arabes en 642, Tabriz devient, à partir du règne de Rhāzān Maḥmūd (de 1295 à 1304), la capitale des Ilkhāns* mongols puis celle des royaumes turkmènes (1378-1502) du Mouton* Noir et du Mouton Blanc. Âprement disputée entre les Séfévides et les Ottomans au XVIe s., elle développe ses fonctions commerciales et demeure la capitale de l'Azerbaïdjan*.

BEAUX-ARTS. Vestiges de la mosquée Bleue (1465), très ruinée par plusieurs séismes, qui, grâce à son décor de céramiques émaillées aux tons fins et précieux, demeure un chef-d'œuvre de l'art du décor architectural. La ville a abrité une célèbre école de miniature, dont fit notamment partie Behzād*.

TACHE → SOLEIL.

TACHÉOMÉTRIE. — La tachéométrie repose sur l'utilisation du tachéomètre, appareil topographique qui comporte trois fonctions : une fonction *goniomètre,* mesure des angles horizontaux; une fonction *éclimètre,* mesure des angles verticaux, grâce à l'addition au goniomètre d'un cercle vertical; une fonction *stadimètre,* permettant la mesure optique des distances sur une mire graduée. Cette distance doit généralement être réduite à l'horizon, sauf lorsqu'on utilise un stadimètre autoréducteur. On procède par *cheminements* et par *rayonnements.* L'équipe comprend un opérateur, qui observe au tachéomètre, un secrétaire, un croquiseur, généralement chef de l'équipe, et un ou deux porte-mire. Au bureau, on effectue le *rapport* des stations et des points de détail; on dessine la planimétrie et on interpole les courbes de niveau. On utilise des tachéomètres électroniques, où les distances sont mesurées au géodimètre et où les mesures sont enregistrées sur un ruban perforé pour permettre les calculs en ordinateur*.

TACHIKAWA, v. du Japon (Honshū), à l'O. de Tōkyō; 117 000 hab.

TACHKENT, v. de l'U. R. S. S., capit. de l'Ouzbekistan; 1 385 000 hab. Ville-oasis, dont la population a décuplé depuis un siècle, c'est la quatrième cité soviétique. Nœud ferroviaire, site d'un aéroport international, centre universitaire, ville touristique, Tachkent possède d'importantes fonctions commerciales et industrielles (textile [usines traitant le coton produit à proximité], alimentation, constructions mécaniques), qui en font la métropole économique de l'Asie centrale (ou moyenne) soviétique.

TACHYCARDIE → RYTHME CARDIAQUE.

TACITE, en lat. **Publius Cornelius Tacitus,** historien romain (v. 55-v. 120). Tacite, dont la famille était de rang équestre, commença sous Vespasien* (69-79) une carrière au cours de laquelle il accéda aux hautes charges sénatoriales : consul en 97, proconsul d'Asie en 112-113. Ce n'est que dans les vingt dernières années de sa vie qu'il se consacra à l'histoire.

Tacite est pour nous beaucoup plus un grand écrivain baroque qu'un historien au sens « scientifique » et moderne du mot. C'est qu'on oublie que, pour les Latins, l'histoire est patronnée par une Muse et que l'historien est tout proche du poète, beaucoup plus près de Virgile que de Cicéron. L'histoire est ainsi une *leçon,* dans le double sens de texte particulier et d'expérience morale universellement utilisable. Histoire plus ambitieuse que la nôtre, car elle prétend recréer un monde de l'intérieur (à travers la psychologie de ses principaux acteurs), mais plus modeste aussi, car elle se coule dans le cadre immuable et arbitraire des livres annuels (les *Annales**), sans chercher à imposer sa propre temporalité. L'histoire pour Tacite, comme pour toute l'Antiquité, c'est ce qui s'écrit à partir des quelques événements remarquables (guerres, élections, prodiges), dont la mémoire, conservée par les documents des magistrats civils et religieux, est le bien de tous et non des spécialistes du passé : la cohérence de l'histoire est donc d'abord celle du discours de l'historien, et l'ordonnance des faits historiques dépend, dans sa complexité et sa profondeur, du génie de l'écrivain. Or Tacite est un merveilleux plasticien, avec tout le recul et toute la passion de l'artiste. Le recul : c'est un provincial à Rome, originaire du sud de la Gaule ou de l'Italie du Nord; c'est, malgré sa carrière flatteuse, un politique inaccompli, qui comprend vite que les charges sénatoriales ne sont plus que décorum face au pouvoir de l'empereur. Mais aussi la passion : il s'obstine à croire que la politique est une dimension essentielle de l'homme; il s'acharne à comprendre les raisons de la naissance d'un système qui le fascine et le désespère. L'éloquence est devenue sans objet *(Dialogue des orateurs)* depuis la disparition des grands débats politiques, même si, sur le ton de la conférence mondaine, on peut établir des comparaisons risquées entre des primitifs libres et des conquérants corrompus *(la Germanie) :* mais l'éloquence peut encore servir à brosser des portraits, soit plus idéalisés, lorsqu'il s'agit de bons serviteurs sous de mauvais princes *(Vie d'Agricola),* soit d'un réalisme outrancier, quand ils évoquent les monstres qui gouvernent, de Néron à Domitien. D'où les *Histoires**, qui peignent un passé immédiat, fait d'assassinats, de révoltes de légions, de délires despotiques et qui s'achève paradoxalement par l'avènement de princes bénéfiques (Nerva et Trajan). Fantaisie passagère de l'histoire ou évolution normale du système? Il semble que Tacite opte pour la première solution, inscrivant l'Empire dans une perspective tragique. Et il va d'ailleurs chercher plus loin dans le passé (les *Annales* vont de Tibère à Néron) de quoi justifier son pessimisme prospectif. Il délaisse le règne d'Hadrien qui, sous ses yeux, instaure l'âge d'or du IIe s., pour scruter les temps de la double faute originelle : l'Empire est condamné à la fois pour son crime public contre le pouvoir du Sénat et pour les crimes domestiques des familles régnantes. Tacite procède en « analyste », pourchassant ce que le pouvoir renie et refoule. D'où la double caractéristique de son style : la densité (fréquence des ellipses) et la rupture (dissonances rythmiques et syntaxiques qui créent la surprise).

TACITE, en lat. **Marcus Claudius Tacitus** (Amiternum v. 200-Tarse ou Tyane 276), empereur romain (275-276). Prince du sénat, il fut désigné par les sénateurs pour succéder à Aurélien*. Il ne règna que quelques mois.

TACNA, v. du Pérou méridional, près du Chili; 67 000 hab. Centre minier (plomb et zinc).

TACOMA. v. des États-Unis (Washington), sur le Puget Sound; 156 000 hab. Métallurgie.

TACT. — Le revêtement externe des animaux est souvent apte à transmettre aux centres nerveux des informations concernant ce qui vient à leur contact. L'ensemble de ces informations est le domaine du tact, ou toucher. Ses éléments sont le contact simple, le contact mobile (frôlement), les vibrations de basse fréquence, la chaleur, le froid, la pression, certaines formes de douleur, etc. Il semble exister dans la peau* des récepteurs spécialisés pour chacune de ces catégories de sensations* extéroceptives.

TACTIQUE. — La tactique, art de diriger une bataille terrestre, navale ou aérienne en combinant l'action des différents moyens de combat, est, avec la logistique*, la partie exécutive de la stratégie*. Elle détermine les procédés de combat et ne peut être fixée qu'en fonction de très nombreux facteurs, parmi lesquels on peut citer : la forme des armées, qui dépend notamment de leurs modes de recrutement; leur nature, terrestre, aérienne ou navale; les moyens dont elles disposent (armements, véhicules, navires ou aéronefs); les milieux géographiques et humains; les caractéristiques de l'adversaire... Il y a donc une multiplicité de tactiques. C'est ainsi que l'on parle non seulement de *tactique terrestre, navale* ou *aérienne* et de *tactique d'infanterie* ou *de blindés,* mais aussi de *tactique nucléaire,* de *tactique de la guérilla* ou *de la guerre éclair,* de *tactique antiterroriste,* etc.

TACTISME. — Trop souvent appelés à tort « tropismes », les tactismes sont les réactions motrices conduisant les êtres mobiles (animaux, protistes) à s'approcher (tactisme positif) ou à s'éloigner (tactisme négatif) d'une source de chaleur, d'un pôle électrique, d'une zone humide, éclairée ou riche en oxygène, par exemple. Il ne s'agit pas seulement d'une orientation du corps dans un champ non uniforme, mais bien d'un cheminement le long d'un gradient, donc d'un déplacement. Souvent, ces tactismes ne conduisent pas l'animal jusqu'en un point extrême, qui lui serait nocif, mais jusqu'à une zone correspondant à son *preferendum* thermique, lumineux ou autre. La remontée des courants fluviaux par les poissons est qualifiée de « rhéotactisme positif ».

TADEMAÏT (le), plateau calcaire du centre du Sahara algérien.

TADJIK → PERSE.

TADJIKISTAN, république fédérée de l'U. R. S. S., en Asie centrale; 143 100 km²; 2 900 000 hab. Capit. *Douchanbe.* Région montagnarde (la moitié du territoire, s'étendant, en partie, sur le massif du Pamir, est à plus de 3 000 m), englobant une section du bassin de la Fergana, le Tadjikistan possède surtout des cultures irriguées (coton principalement, fruits et légumes), alimentant une industrie qui bénéficie aussi de l'abondance de l'hydroélectricité, favorisée par le relief, et de la présence de charbon. La population (dont plus de 60 p. 100 demeure rurale), en accroissement rapide (lié à une forte natalité), est formée pour plus de la moitié de Tadjiks et pour près d'un quart d'Ouzbeks.

Tādj Maḥall, mausolée élevé de 1630 à 1652 à Āgrā*, dans l'Inde gangétique, par l'empereur Chāh Djahān, à la mémoire de son épouse favorite, Mumtāz Maḥall. Édifié en marbre blanc veiné et

Le Tādj Maḥall, à Āgrā.

Lauros-Giraudon

incrusté de pierres de couleur, avec des arcs polylobés, un double dôme étranglé à la base, des fûts de piliers en forme de balustre, ce monument atteint la perfection de l'architecture moghole*.

TADJOURA, port de l'ancien Territoire français des Afars et des Issas, sur le *golfe de Tadjoura.*

TADJRICH, v. d'Iran, dans la banlieue nord de Téhéran, au pied de l'Elbourz; 157 000 hab.

TADLA (le), plaine du Maroc occidental.

TADORNE. — La tadorne est une oie sauvage très bigarrée, qui niche sur les côtes de la Manche et ne migre que modérément. (Famille des anséridés.)

TAEGU ou **TÄ-GU,** v. de la Corée du Sud, au N.-O. de Pusan; 1 083 000 hab. Métallurgie. Textiles.

TAEJON ou **TÄ-ČON,** v. de la Corée du Sud, au S. de Séoul; 415 000 hab.

TAFIA → EAU-DE-VIE.

TAFILALET ou **TAFILELT,** région du Maroc méridional, au S. du Haut Atlas, possédant quelques oasis, dont Erfoud.

TAFT (William Howard), homme d'État américain (Cincinnati 1857 - Washington 1930). Secrétaire à la Guerre (1904), chargé de réprimer l'insurrection cubaine (1906), il est élu président de la République (républicain) en 1909; en 1912, il est battu par le démocrate T. W. Wilson*.

TAGAL → INDONÉSIENNES *(langues).*

TAGANROG, port de l'U. R. S. S. (R. S. F. S. de Russie), sur la mer d'Azov; 254 000 hab. Matériel agricole.

TAGE (le), en esp. **Tajo,** en portug. **Tejo,** le plus long fleuve de la péninsule Ibérique; 1 006 km (dont 275 km au Portugal). Né dans le sud de l'Aragon, il traverse le nord de la Nouvelle-Castille (passant à Tolède), puis l'Estrémadure, sépare l'Espagne et le Portugal, où il pénètre pour rejoindre l'Atlantique par un estuaire sur lequel est établie Lisbonne. Cours d'eau aux basses eaux estivales marquées, le Tage ne joue qu'un rôle économique médiocre (hydroélectricité et irrigation).

TAGLIONI (Filippo ou Philippe), danseur et chorégraphe italien (Milan 1777 - Côme 1871). Entre une carrière itinérante sans éclat et une retraite paisible, il fut l'artisan de la gloire de sa fille, MARIE (ou Maria) [Stockholm 1804 - Marseille 1884], qu'il forma et pour qui il composa ses meilleures œuvres (*la Réception d'une jeune nymphe à la cour de Terpsichore,* 1822; *l'Ombre,* 1839). Son nom et celui de sa fille sont associés à la création à Paris du premier ballet romantique, *la Sylphide** (1832).

TAGORE (Rabindranāth), écrivain indien (Calcutta 1861 - Śantiniketan, Bengale, 1941). Il compose dans tous les genres littéraires (roman, conte, nouvelle, épigramme, pièce de théâtre, essai philosophique, philologique, politique, pédagogique) une œuvre immense, dont *l'Offrande lyrique,* qui lui vaut le prix Nobel de littérature (1913). Il tente d'harmoniser le meilleur des traditions occidentale et orientale à travers la littérature et la musique, et plus particulièrement en créant deux centres expérimentaux pour la pédagogie et les arts plastiques. On lui doit notamment : *le Bateau d'or* (1893), *la Machine* (1922), *Rencontres* (1930).

TAHITI, la plus grande (1 042 km^2) et la plus peuplée (79 494 hab.) des îles constituant la Polynésie* française. Île montagneuse (2 237 m à l'Orohena) formée de deux volcans reliés par l'isthme de Taravao, l'île, à environ 18^0 de latitude S., est presque entièrement entourée par un récif-barrière de coraux isolant un lagon, en bordure duquel, sur une étroite plaine côtière, se concentre la quasi-totalité de la population. Celle-ci vit principalement des plantations de cocotiers et aussi du tourisme, favorisés par un climat tropical (avec une température presque constante, voisine de 25 ^{0}C), plus humide à l'est (côté au vent) qu'à l'ouest, vers Papeete. À côté des Polynésiens, elle comprend plusieurs milliers de civils et de militaires européens, employés au Centre d'expérimentation du Pacifique.

ṬAHMĀSP Ier → SÉFÉVIDES.

TAÏBA, localité du Sénégal, au N. de Thiès. Phosphates.

TAÏCHET, v. de l'U. R. S. S. (R. S. F. S. de Russie), à l'E. de Krasnoïarsk; 35 000 hab. Sidérurgie.

ṬĀ'IF, v. d'Arabie, dans le Hedjaz, à 1 600 m d'alt.; 60 000 hab.

taifas *(royaumes de),* petits États arabes de l'Espagne médiévale. Au début du XIe s., l'Espagne islamique connut une période de troubles qui vit s'opposer entre elles différentes bandes *(taifas)* pour la maîtrise du califat de Cordoue. Ces luttes aboutirent à la disparition du califat (1031) et au partage de son territoire en une mosaïque de « royaumes des taifas », dont certains connurent une existence éphémère. Parmi les plus importants, on peut citer le royaume berbère de Grenade, les royaumes arabes de Saragosse, Tolède et Badajoz, et surtout le royaume de Séville, qui apparut très vite comme le successeur du califat. Obligés de faire appel aux Almoravides du Maroc pour contenir l'avance chrétienne (1085-86), ces royaumes tombèrent l'un après l'autre aux mains des nouveaux venus (fin XIe - début XIIe s.).

J. Bottin

Tahiti. Paysage côtier de la principale île de la Polynésie française (archipel de la Société).

TAÏGA. — Formation végétale constituée de conifères (épicéas, sapins, mélèzes), et accessoirement de bouleaux et de peupliers, la taïga est la forêt qui caractérise les régions froides. Elle couvre le Canada et le nord de l'Eurasie, là où le réchauffement estival est suffisant pour permettre le dégel du sol en profondeur. Vers les hautes latitudes, elle se dégrade en toundra*.

TAILLE *(Hist.).* — Au Moyen Âge, la taille désignait la redevance due par les hommes de poesté à leur seigneur, en compensation de la protection générale que celui-ci leur accordait. Prélevée à l'origine de façon arbitraire, la taille seigneuriale tendit à devenir un droit fixe payable annuellement au seigneur (XIIe-XIIIe s.) et se confondit peu à peu avec le cens. Généralisée au XVe s. (1439), la « taille royale » fut tout d'abord un impôt direct, destiné à financer la nouvelle armée permanente mise sur pied par Charles VII. Durant tout l'Ancien Régime, la taille, devenue la principale des contributions directes, conserva une double caractéristique : celle d'être un impôt de répartition, dont le montant global était fixé en Conseil du roi et dont la charge était répartie, de circonscription en circonscription, jusqu'au contribuable; celle d'être un impôt roturier, dont les nobles, réputés payer l'« impôt du sang », et les clercs étaient exempts. Son assiette variait suivant les régions. Dans les pays de langue d'oïl, il s'agissait des revenus estimés de chaque contribuable (taille personnelle); dans le Languedoc, l'assiette était la quantité de terre, réputée non noble, possédée par le contribuable (taille réelle). En fait, cet impôt, dont furent généralement exemptés les bourgeois des grandes villes, fut supporté par les masses paysannes. Profondément injuste, car pesant sur les plus pauvres, il ne réussit pas à assurer des revenus suffisants à la royauté.

TAILLE *(Min.)* → EXPLOITATION *(méthodes d'),* FOUDROYAGE, REMBLAYAGE, SOUTÈNEMENT.

TAILLEBOURG (17350 St Savinien), comm. de la Charente-Maritime, sur la Charente, à 12 km au N. de Saintes; 637 hab. Le 21 juillet 1242, à Taillebourg, Louis IX, roi de France, contraignit à la retraite le roi Henri III d'Angleterre et son allié, le comte de La Marche. Cette victoire et celle de Saintes, qui la suivit, marquèrent le dernier grand affrontement entre rois de France et d'Angleterre jusqu'à la guerre de Cent* Ans.

TAILLE D'ÉPARGNE, TAILLE DOUCE → ESTAMPE.

TAILLEVENT ou **TAILLEVANT** (Guillaume TIREL, dit), cuisinier de Philippe VI en 1346 († 1395), auteur du *Viandier,* qui traite de l'art d'accommoder les viandes.

TAÏMYR, presqu'île de l'Arctique sibérien (U. R. S. S.), entre la mer de Kara et la mer des Laptev.

T'AI-NAN ou **TAINAN,** port du T'ai-wan, dans le sud-ouest de l'île; 485 000 hab.

TAINE (Hippolyte), philosophe, critique et historien français (Vouziers 1828 - Paris 1893). Son œuvre majeure, *De l'intelligence* (1870), en fait l'un des plus importants représentants du déterminisme*, dont les composantes essentielles sont, d'après lui, la race, le milieu et le moment historique. Collaborateur de *la Revue des Deux Mondes* (1857) et académicien (1878), il s'est beaucoup intéressé à l'esthétique* (*Philosophie de l'art,* 1882). On lui doit encore : *Essais de critique et d'histoire* (1858) et *Origines de la France contemporaine* (1875-1893).

TAIN-L'HERMITAGE (26600), ch.-l. de cant. de la Drôme, à 18 km au N. de Valence; 5 569 hab. *(Tinois.)* Vignobles.

T'AI-PEI ou **TAIBEI** ou **TAI-PEH,** capit. de T'ai-wan, dans le nord de l'île; 1 840 000 hab. Musée national, conservant le plus riche ensemble au monde de peinture chinoise (anc. collection impériale). Centre politique, universitaire, commercial et industriel (constructions mécaniques, textile, alimentation).

T'ai-p'ing ou **Taiping** («Grande Paix»), mouvement politique et religieux, qui agita la Chine de 1851 à 1864 et qui fut écrasé par les troupes impériales, aidées par des aventuriers européens.

TAIROV (Aleksandr Iakovlevitch Kornblit, dit), acteur et metteur en scène russe (Romny, Poltava, 1885-Moscou 1950). Fondateur du «Théâtre de chambre», inspiré du *Kammerspiel* allemand, il rénova la mise en scène en associant à l'art dramatique les autres modes d'expression : danse, musique, cinéma.

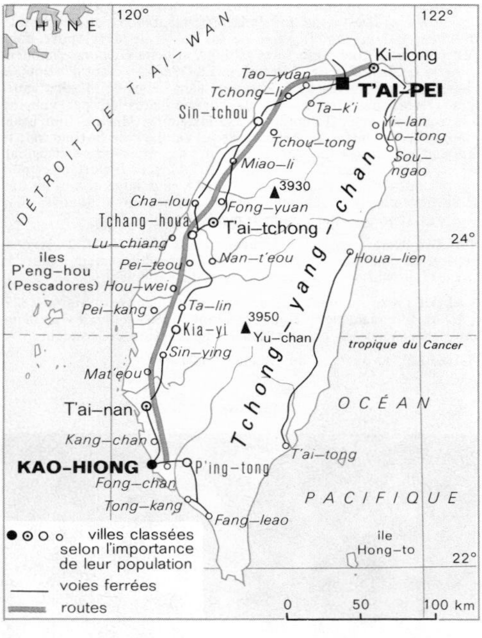

T'AI-WAN

TAISHŌ TENNŌ (Yoshihito, dit) [Tōkyō 1879-*id.* 1926], empereur du Japon (1912-1926). Fils de Meiji tennō*, il laisse la régence à son fils Hirohito* dès 1921.

T'AI-TCHEOU ou **TAIZHOU,** v. de Chine (Kiang-sou); 160 000 hab.

T'AI-TCHONG ou **TAIZHONG,** v. de T'ai-wan, dans l'ouest de l'île; 467 000 hab.

T'AI-WAN ou **TAIWAN,** anc. **Formose,** État insulaire de l'Asie orientale; 36 000 km^2; 15 852 000 hab. Capit. *T'ai-pei.*

GÉOGRAPHIE. L'île de T'ai-wan est située au large des côtes de la Chine, dont elle est séparée par le détroit de T'ai-wan. Une chaîne montagneuse (3 950 m), coupée de dépressions tectoniques, en occupe la partie orientale. Elle domine la partie occidentale de l'île, composée d'une zone de collines et d'une large plaine côtière. Le climat tropical est influencé par la mousson. Les fortes précipitations (plus de 3 m par an au sud-est) permettent la croissance de la forêt dense, largement défrichée.

La population, grossie par un afflux de réfugiés en 1949, est très dense et s'accroît encore à un rythme très rapide. Elle se concentre dans la plaine occidentale, y pratiquant surtout la culture du riz. Les cultures de la canne à sucre, du thé et de l'ananas sont partiellement destinées à l'exportation. Le développement industriel a bénéficié des ressources en charbon et en hydroélectricité, mais n'a été possible que grâce aux capitaux américains, créant des usines mécaniques, chimiques, textiles, permettant le développement et l'équilibre des échanges ainsi que l'emploi d'une population aujourd'hui assez fortement urbanisée.

HISTOIRE. Très tôt, les autochtones proto-malais sont refoulés par les immigrants chinois et japonais; en fait, ce sont les Chinois qui colonisent l'île : celle-ci, découverte en 1590 par les Portugais, prend le nom de *Ilha Formosa* (Formose). Puis viennent les Espagnols, qui sont évincés par les Hollandais (1642). Tombée aux mains de la dynastie mandchoue à la fin du XVIIe s., Formose végète durant deux siècles. L'ouverture aux Occidentaux (1860) prélude à une modernisation rapide, particulièrement sensible quand l'île devient province chinoise (1887); mais, par le traité de Shimonoseki (1895), la Chine doit céder Formose au Japon. L'île devient alors une colonie d'exploitation (riz, sucre, banane). Durant la Seconde Guerre mondiale, elle est une base japonaise d'invasion vers le continent. C'est en 1945 que les Japonais l'évacuent, mais ce n'est qu'en 1951 qu'ils en reconnaissent la cession à la Chine. Cependant, dès 1949, le Kouo-min-tang, protégé par la flotte américaine, s'y est réfugié. Face à la République populaire de Mao Tsö-tong* est créée la république dite «de la Chine nationaliste», présidée par Tchang Kaï-chek*, maître omnipotent. Malgré les tentatives de Pékin pour faire reconnaître ses droits sur l'île, celle-ci reste indépendante, même après son éviction des Nations unies (1971) et après la mort de Tchang Kaï-chek (1975), que remplace son fils Tsiang King-kouo.

T'AI-YUAN ou **TAIYUAN,** v. de la Chine du Nord, capit. du Chan-si; 1 020 000 hab. Centre sidérurgique et métallurgique.

Taizé *(communauté de),* communauté de frères protestants groupés depuis 1945 à Taizé (Saône-et-Loire), dans un esprit œcuménique.

TA'IZZ, v. du sud du Yémen; 80 000 hab.

TAJÍN (el), site archéologique du Mexique (État de Veracruz), centre religieux précolombien* rattaché à la civilisation des Totonaques. Son épanouissement remonte à l'époque classique (300-900), et le site prospère jusqu'en 1200, époque à laquelle lui succède le centre de Cempoala. Impressionnants vestiges : pyramide des niches (sept structures superposées, percées de 365 niches), sept jeux de pelotes ornés de reliefs évoquant des sacrifices humains, etc.

TAKAMATSU, port du Japon, sur la côte nord de l'île de Shikoku; 274 000 hab. Jardin traditionnel du parc Riturin (musées).

TAKANOBU, peintre japonais (Kyōto 1142-1205). Portraitiste dans le style traditionnel du *yamato-e,* Fujiwara Takanobu est le rénovateur du portrait au début de l'époque Kamakura. C'est avec lui qu'apparaît le portrait laïque, dit «à la ressemblance» *(nise-e),* qui saisit à la façon d'un croquis les particularités du visage et fixe la silhouette dans un instantané.

TAKAOKA, v. du Japon (Honshū), au N.-E. de Kanazawa; 160 000 hab. Constructions automobiles.

TAKARAZUKA, v. du Japon (Honshū), au N.-O. d'Ōsaka; 127 000 hab.

TAKASAKI, v. du Japon (Honshū), au N.-O. de Tōkyō; 193 000 hab. Métallurgie.

TAKATSUKI, v. du Japon (Honshū), au N.-E. d'Ōsaka; 231 000 hab.

TAKLA-MAKAN, désert de la Chine occidentale, dans le sud du Sin-kiang.

TAKORADI, port du Ghāna, au S.-O. d'Accra; 161 000 hab. (avec la ville voisine de Sekondi). Aéroport. Cimenterie.

TALABOT (Paulin), ingénieur français (Limoges 1799-Paris 1885). Il construisit les premières lignes de chemin de fer du sud-est de la France, notamment les premiers tronçons du Lyon-Méditerranée, ainsi qu'un grand nombre de voies ferrées en Italie, en Algérie et au Portugal. On lui doit un projet de canal d'Alexandrie à la mer Rouge (1847).

TALANGE (57300 Hagondange), comm. de la Moselle, à 11 km au N. de Metz; 8 185 hab.

TALARA, port du nord du Pérou; 61 000 hab. Raffinage du pétrole.

TALAT PAŞA (Mehmed), homme politique turc (vilayet d'Edirne 1874-Berlin 1921). Il participe à la révolution des Jeunes-Turcs* (1908-09), après laquelle il devient ministre de l'Intérieur. Membre du triumvirat (avec Enver* et Djamal*) qui s'empare du pouvoir en 1913, il est le grand vizir de Mehmed V.

TALAUDIÈRE (La) [42350], comm. de la Loire, à 8 km au N.-N.-E. de Saint-Etienne; 5 655 hab. Constructions mécaniques.

TALAVERA DE LA REINA, v. d'Espagne (Nouvelle-Castille), sur le Tage; 32000 hab. Restes de fortifications. Églises des XIIe-XVe s. Céramiques réputées depuis le XVIe s. — Bataille entre Français et Anglais en 1809.

TALBOT (William Henry), physicien anglais (Lacock Abbey, près de Chippenham, 1800-*id.* 1877). En 1834, il a réalisé la photographie sur papier *(talbotypie).*

TALC. — C'est une poudre blanche onctueuse, infusible au chalumeau, insoluble, de formule $Mg_3Si_4O_{10}(OH)_2$. Absorbante et isolante, elle sert à saupoudrer la peau.

TALCA, v. du Chili, au S. de Santiago; 94000 hab.

TALCAHUANO, port du Chili central; 148000 hab. Université. Pêche.

TALENCE (33400), ch.-l. de cant. de la Gironde, dans la banlieue sud-ouest de Bordeaux; 35957 hab. *(Talençais).* Domaine universitaire.

TA-LIEN ou **DALIAN,** anc. **Dairen,** port de la Chine du Nord-Est (Leao-ning), principal élément de la conurbation de Liu-ta; 1590000 hab. Sidérurgie et métallurgie (constructions navales). Industries chimiques.

TALITRE. — C'est dans les laisses de goémon que grouillent les talitres, petits crustacés amphipodes des rivages sableux, auxquels leur aptitude aux sauts étendus a fait donner le surnom de « puces de mer ».

TALLAHASSEE, v. des États-Unis, capit. de la Floride, dans le nord de l'État; 72000 hab. Université.

TALLANO-SCOPAMÈNE *(canton de),* canton de la Corse-du-Sud. Ch.-l. *Serra-di-Scopamène.*

TALLARD (05130), ch.-l. de cant. des Hautes-Alpes, à 14 km au S. de Gap; 1092 hab. Importants restes du château fort des XIIIe-XVIe s.

TALLEMANT DES RÉAUX (Gédéon), mémorialiste français (La Rochelle 1619-Paris 1690), auteur d'un recueil d'anecdotes (*Historiettes,* 1657-1675, publiées en 1834), qui forment une peinture pittoresque de la société de son temps.

TALLEYRAND-PÉRIGORD (Charles Maurice DE), homme politique français (Paris 1754-*id.* 1838). Prêtre sans vocation (1779), agent général du clergé (1780), évêque d'Autun (1788), il est élu, en 1789, député aux États généraux; à l'Assemblée constituante, il préconise la mise à la disposition de la nation des biens ecclésiastiques et appuie la Constitution* civile du clergé. Ayant quitté l'état ecclésiastique, il est agent diplomatique à Londres (1792), où il se réfugie avant de passer en Amérique (1794). Rentré en France (1796), il est nommé ministre des Relations extérieures du Directoire (1797-1799). Ayant contribué au coup d'État de Brumaire an VIII, il retrouve son portefeuille, prenant part aux grandes négociations du Consulat (traité de Lunéville, 1801; paix d'Amiens, 1802) et inspirant les Articles organiques, ajoutés au texte du concordat de 1801. Rendu officiellement à l'état laïque (1802), il est fait par Napoléon Ier grand chambellan et prince de Bénévent; mais, ayant déconseillé à l'Empereur de rompre avec l'Autriche, il démissionne et devient vice-Grand Électeur. Après Erfurt (1809), il joue un double jeu qui lui vaut d'être disgracié (1809) : son hôtel devient alors un centre d'opposition à l'Empire. À la veille de l'abdication de Napoléon Ier, à la déchéance de qui il contribue fortement, Talleyrand devient chef du gouvernement provisoire (1er avr. 1814), jusqu'au retour de Louis XVIII, qui fait de lui son ministre des Affaires étrangères et le plénipotentiaire français au congrès de Vienne* : ayant réussi à diviser les Alliés, il permet alors à la France de redevenir une grande puissance. De nouveau chef du gouvernement après Waterloo (9 juill. 1815), Talleyrand doit démissionner dès le 23 septembre. Redevenu grand chambellan, nommé pair de France, il mène à Valençay une existence princière. Passé ouvertement, à la fin de la Restauration, dans l'opposition libérale, il est l'un des auteurs de l'établissement de la monarchie de Juillet : Louis-Philippe fait de lui son ambassadeur à Londres (1830-1834).

TALLIEN (Jean Lambert), homme politique français (Paris 1767-*id.* 1820). Député montagnard à la Convention* (1792), il est envoyé en mission à Bordeaux, où il s'éprend de Thérésa CABARRUS, dite Mme Tallien (Carabanchel Alto, Espagne, 1773-Chimay 1835), qui deviendra l'égérie des milieux thermidoriens. Principal instigateur de la chute de Robespierre (thermidor an II), Tallien sera membre des Cinq-Cents.

TALLIN, port de l'U. R. S. S., capit. de l'Estonie, sur la rive sud du golfe de Finlande; 363000 hab. Citadelle (église et château remontant aux XIIIe-XIVe s.). Vieille ville basse, ceinte de remparts, avec églises, hôtel de ville et maisons gothiques. Palais Kadriorg, baroque (début XVIIIe s.). Industries métallurgiques et alimentaires.

TALLOIRES (74290 Veyrier du Lac), comm. de la Haute-Savoie, sur le lac d'Annecy; 809 hab. Anc. abbaye bénédictine.

TALLON (Roger), designer français (Paris 1929), un des rares designers à posséder une formation technique, animateur d'une société de design. Ses créations englobent toute la production industrielle, des machines-outils aux appareils ménagers. Il a dessiné les voitures du métro de Mexico, en 1967, et il a créé un escalier hélicoïdal formé d'éléments emboîtables (1966) ainsi que des systèmes modulaires et combinables pour le mobilier.

TALMA (François-Joseph), acteur français (Paris 1763-*id.* 1826). Il interpréta tous les grands rôles du répertoire classique. Épris de vérité historique, il substitua aux habillements de fantaisie des costumes copiés par David sur des statues et des médailles antiques. Il réforma la diction, qu'il rendit plus réaliste, et laissa des *Réflexions sur Lekain et l'art théâtral.* Il fut l'acteur préféré de Napoléon Ier.

TALMONT-SAINT-HILAIRE (85440), ch.-l. de cant. de la Vendée, à 13,5 km au S.-E. des Sables-d'Olonne; 3349 hab. Ruines d'un château féodal.

Talmud, un des ouvrages les plus importants du judaïsme. Le Talmud (d'un mot hébreu signifiant « étude ») est une vaste compilation de commentaires sur la loi mosaïque, où est fixé l'enseignement des grandes écoles rabbiniques des premiers siècles de notre ère. Il est constitué de la *Mishna**, rédigée en hébreu aux IIe-IIIe s., qui est codification de la Loi orale développée dans l'enseignement traditionnel des rabbins, et de la *Gemara,* commentaire de la Mishna écrit en araméen. La Gemara s'étant développée dans les écoles juives de Palestine et dans celles de Mésopotamie, il se forma deux ensembles de commentaires et, par voie de conséquence, deux Talmuds, ayant chacun la Mishna pour base, mais différant quant au contenu et à l'ampleur de la Gemara : le *Talmud palestinien* (improprement dit « de Jérusalem »), rédigé au IVe s., et le *Talmud de Babylone* (V^e-VIe s.), plus important et plus approfondi; ce dernier eut une diffusion plus large et suscita une riche littérature de recherches et de commentaires, dont les plus célèbres sont ceux du rabbin français Rashi*.

TALON (Omer), magistrat français (Paris 1595-*id.* 1652). Avocat général au parlement de Paris (1631), il défend âprement, contre la royauté et Mazarin*, les prérogatives du parlement.

TALON (Jean), administrateur français (Châlons-sur-Marne 1625-† 1694). Intendant de la Nouvelle-France (1665-1681), il y applique un plan efficace de colonisation et d'expansion économique.

TAMALE, v. du nord du Ghāna; 99000 hab.

Tamanoir.

Visage-Jacana

TAMANOIR. — Ce beau et grand fourmilier américain (longueur : 2,50 m) se caractérise par ses teintes contrastées, son long museau, ses griffes fouisseuses, sa queue touffue, dont il se sert comme d'une ombrelle. Il se nourrit de termites, dont ses griffes éventrent la termitière et que lèche sa langue vermiforme, longue de 50 cm hors du museau. (Ordre des édentés.)

TAMANRASSET, oasis du Sahara algérien, dans le sud du Hoggar, à 1400 m d'alt.

TAMARIN. — Très proche du ouistiti, ce petit singe d'Amérique, aux longs poils sur les épaules, est un remarquable grimpeur et sauteur. (Famille des hapalidés.)

TAMARINIER. — Cet arbre de l'Inde est utilisé comme vermifuge ou laxatif par la pharmacopée dans toutes ses parties : feuilles, fruits (dont la pulpe est nommée *tamarin*), écorce. (Famille des césalpiniacées.)

TAMARIS. — C'est à son feuillage léger, aux feuilles minuscules, que cet arbuste des rivages méditerranéens doit sa valeur ornementale. Une espèce du désert égyptien fournit une manne nutritive sous l'effet des piqûres d'un insecte. (Type de la petite famille des tamaricacées.)

TAMARIS, station balnéaire du Var (comm. de La Seyne-sur-Mer).

TAMATAVE, principal port de Madagascar, sur la côte orientale de l'île; 60 000 hab. Raffinerie de pétrole.

TAMAULIPAS, État du nord du Mexique; 1 457 000 hab. Capit. *Ciudad Victoria.*

TAMAYO (Rufino), peintre mexicain (Oaxaca 1899). Partant, comme les représentants du muralisme*, des traditions populaires mexicaines, il a réussi, surtout à partir des années 40 (en contact avec les écoles de New York et de Paris), à en tirer un art de résonance universelle, d'une riche invention picturale (toiles et grandes compositions, comme le *Prométhée* de l'Unesco, à Paris).

TAMBOUR → INSTRUMENTS DE MUSIQUE.

Tambour *(le),* roman de Günter Grass (1959). L'avant-guerre, la guerre et l'après-guerre à Dantzig, vues par un nain qui, sous les apparences de l'enfance, possède la maturité de l'adulte et qui fait de son témoignage quotidien une épopée picaresque.

TAMBOV, v. de l'U. R. S. S. (R. S. F. S. de Russie), au N.-E. de Moscou; 230 000 hab. Industrie chimique.

TAMERLAN → TĪMŪR LANG.

TAMIER. — L'« herbe aux femmes battues », aux racines résolutives, aux beaux fruits rouges, est voisine de l'igname. (Famille des dioscoréacées.)

TAMIL NADU ou **TAMILNĀD**, État du sud de l'Inde; 130 357 km²; 41 103 000 hab. Capit. *Madras.* Formé principalement de plateaux s'abaissant vers la côte de Coromandel, entre 8⁰ et 14⁰ de latitude N., le Tamil Nadu a un climat tropical, avec des pluies de mousson plus abondantes dans la bordure montagneuse occidentale et sur le littoral que dans l'intérieur. La population, au teint foncé, parlant surtout une langue dravidienne (le tamoul), est aux trois quarts rurale, vivant surtout de la culture du riz (aux rendements accrus par l'irrigation) et de millets. Le sous-sol recèle du fer, de la bauxite, du manganèse et du lignite, mais l'industrie de transformation (dominée par le textile) est encore surtout artisanale et disséminée, en dehors des usines de Madras, de loin la principale ville (et port) de l'État.

TAMISE (la), en angl. **Thames,** fl. du sud de la Grande-Bretagne, qui passe à Oxford, à Windsor et surtout à Londres, qui est à la tête d'un long estuaire (grande artère fluviale et industrielle) sur la mer du Nord; 336 km.

TAMISE, comm. de Belgique → TEMSE.

TAMM (Igor Ievguenievitch), physicien soviétique (Vladivostok 1895 - Moscou 1971). Avec Frank*, il a élaboré en 1937 la théorie de l'effet Tcherenkov* et étudié le mouvement et l'arrêt des particules fortement chargées dans la matière. (Prix Nobel de physique, 1958.)

TAMMERFORS → TAMPERE.

TAMMOUZ, dieu suméro-akkadien du Printemps et de la Fertilité. Il fut très populaire en Syrie et en Phénicie sous le nom d'*Adoni* (mon Seigneur), dont les Grecs firent Adonis*.

TAMOUL → DRAVIDIENNES *(langues).*

TAMPA, port des États-Unis, dans l'ouest de la Floride, sur la *baie de Tampa;* 278 000 hab. Industrie du tabac.

TAMPERE, en suédois **Tammerfors,** v. du sud-ouest de la Finlande; 162 000 hab. Musées. Textile.

TAMPICO, port du Mexique, sur l'Atlantique; 180 000 hab. Raffinage du pétrole et pétrochimie.

TAMPON (Le) [97430], ch.-l. de cant. de la Réunion, au N.-E. de Saint-Pierre; 37 596 hab.

TAM-TAM → INSTRUMENTS DE MUSIQUE.

TAMUÍN, site archéologique du Mexique (État de San Luis Potosí), l'un des centres cérémoniels des Huaxtèques*, dont l'apogée se situe entre le IXᵉ et le XIIᵉ s. Parmi de nombreux vestiges, citons un autel tronconique, revêtu de stuc et orné de fresques, où éléments huaxtèques et toltèques* sont associés.

TANA ou **TSANA** *(lac),* lac d'Éthiopie, à 1 750 m d'alt., d'où est issu le Nil Bleu.

TANA ou **TENO,** fl. de l'Europe du Nord, qui sépare la Norvège et la Finlande, avant de rejoindre le *fjord de Tana,* près du cap Nord; 304 km.

TANAGRA, village de Grèce (Béotie), célèbre pour ses ateliers de figurines de terre cuite, actifs de 340 env. à la fin du IIIᵉ s. av. J.-C. et dont la production participe des recherches plastiques de la fin de l'époque classique.

TANAISIE. — Cette plante vermifuge croît en touffes serrées, porteuses de petits capitules d'un jaune doré. (Famille des composées.)

TANANARIVE, depuis 1976 **ANTANANARIVO,** capit. de Madagascar. Située sur le plateau de l'Imérina, entre 1 200 et 1 500 m d'alt., la ville compte, avec ses banlieues, plus de 400 000 habitants. Nœud de communications (routes, rail, aéroport international d'Ivato), Tananarive est un centre administratif, commercial, culturel (université). L'industrie (alimentation, textile) y tient une place insuffisante pour occuper une population à l'accroissement rapide et souvent entassée dans des quartiers surpeuplés.

TANARO (le), riv. du nord-ouest de l'Italie (Piémont), qui passe à Asti et à Alexandrie, affl. du Pô (r. dr.); 276 km.

TANCARVILLE (76430 St Romain de Colbosc), comm. de la Seine-Maritime, sur la rive nord de l'estuaire de la Seine, à 30 km à l'E. du Havre; 1 026 hab. Château féodal (remontant au XIᵉ s.) et moderne. Pont routier suspendu.

TANCHE. — C'est au voisinage de la carpe que l'on rencontre la tanche, poisson vert aux petites écailles, ami des fonds vaseux, à la chair estimée, atteignant parfois un poids de 4 kg. (Famille des cyprinidés.)

TANCRÈDE DE HAUTEVILLE († Antioche 1112), prince de Galilée (1099/1100-1112), prince d'Antioche (1111-12), petit-fils de Robert Guiscard et neveu de Bohémond Iᵉʳ, qu'il accompagna à la croisade. Il fut baile de la principauté d'Antioche de 1101 à 1103, avant d'en devenir le prince, à la mort de Bohémond. Le Tasse fit de lui le modèle des chevaliers.

Tandis que j'agonise, roman de W. Faulkner (1930). Roman de mœurs rurales et épopée de la « mère totémique » : la complexité fantasmatique du schéma familial autour de la mort et de l'enterrement de la mère, événement physique et action symbolique, narrés en cinquante-neuf monologues séparés, image de l'irréductible solitude humaine.

TANDJUNGPRIOK, port de Jakarta (Indonésie).

TANEZROUFT (« Pays de la soif »), partie très aride du Sahara algérien, à l'O. du Hoggar.

T'ANG ou **TANG,** dynastie qui régna sur la Chine de 618 à 907. Elle fut fondée par Li Che-min, qui, en quatre ans, mit fin à l'anarchie endémique et donna le pouvoir à son père, Li Yuan, à qui il succéda, dès 626, sous le nom de T'ai-tsong († 649). Durant deux siècles, la Chine connut une prospérité semblable à celle de l'époque des Han*; le règne de Hiuan-tsong (de 713 à 756) marqua l'apogée de la dynastie et d'une culture raffinée. Par la suite, la Chine dut affronter la menace de l'expansion tibétaine et yunnanaise, et la féodalité reprit le dessus : en 907, la Chine retomba dans l'anarchie.

TANGA, port de la Tanzanie, en face de l'île de Pemba; 61 000 hab.

ṬANGANYIKA *(lac),* grand lac de l'Afrique orientale; 31 900 km². À 782 m d'alt., étiré du N. au S. sur une longueur de 650 km (avec une largeur oscillant entre 30 et 50 km), il occupe un fossé tectonique profond (1 435 m de profondeur maximale) et est bordé par le Zaïre à l'O., la Zambie au S., la Tanzanie *(Tanganyika)* et le Burundi à l'E. Découvert par Speke et Burton en 1858, il se déverse par le Lukuga dans le Congo (ou Zaïre).

TANGANYIKA → TANZANIE.

TANGARA. — C'est un petit passereau d'Amérique, aux couleurs vives, au bec denté. (Famille des tanagridés.)

T'ANG-CHAN ou **TANGSHAN,** v. de Chine (Ho-pei), à l'E. de Pékin; 800 000 hab. Centre industriel (houille, sidérurgie).

ṬANGE KENZŌ, architecte et urbaniste japonais (Imabari 1913). Élève de Maekawa Kunio, un disciple de Le Corbusier, il connaît, à partir de 1945, une carrière fulgurante, devenant, après une période « néojaponaise », l'un des maîtres internationaux du « brutalisme ». Dans les années 60, une série de projets futuristes le conduisent (comme Jørn Utzon en Europe) à considérer l'édifice en tant que structure additive, expansible au sein de l'organisme urbain.

TANGER, en ar. **Ṭandja,** port du Maroc, ch.-l. de prov., sur le détroit de Gibraltar; 188 000 hab. — Comptoir carthaginois *(Tingi),* colonie romaine *(Tingis),* Tanger devient la capitale de la Mauritanie tingitane. Occupée par les Vandales et les Byzantins, elle tombe au pouvoir des musulmans à la fin du VIIᵉ s. En 1471, les Portugais s'en emparent, mais, lors du mariage de Catherine de Bragance et de Charles II, Tanger passe à l'Angleterre, qui la restitue au Maroc en 1684. Devenue ville internationale en 1923, elle est occupée par les Espagnols (1940-1945) et annexée au Maroc espagnol en 1953. Le statut international est aboli en 1956.

TANGUY (Yves), peintre français naturalisé américain (Paris 1900 - Woodbury 1955). Autodidacte, l'un des plus purs « rêveurs » du surréalisme, il se laisse guider par l'automatisme, passant d'ectoplasmes en lévitation à des « plages » où se profilent, en trompe l'œil, des objets jamais vus. Dans son œuvre américaine (à partir de 1939), les éléments prolifèrent jusqu'à envahir complètement l'espace imaginaire de la toile.

TANIN → CIDRE.

TANINGES (74440), ch.-l. de cant. de la Haute-Savoie, près du Giffre, à 19 km au N.-E. de Bonneville; 2 434 hab. Anc. chartreuse de Mélan (XIIIe et XVIe s.).

TANIS, ville de l'Égypte ancienne, dans le Delta. Elle devint capitale sous la XXIe dynastie (1085-950 av. J.-C.). Ses origines sont obscures; à l'heure actuelle, la majorité des égyptologues acceptent d'identifier Tanis avec Avaris, capitale des Hyksos*, sur les ruines de laquelle fut édifiée Pi-Ramsès, résidence de la dynastie des Ramsès. Vestiges du grand temple d'Amon, édifié par Ramsès II, qui a livré des œuvres sculptées, mais surtout (lors de fouilles conduites par Pierre Montet) les tombes, inviolées, de plusieurs pharaons des XXIe et XXIIe dynasties, dont le mobilier funéraire comprenait, entre autres, de belles orfèvreries.

TANIT, importante divinité du panthéon carthaginois. Antique déesse africaine, elle reçut des Phéniciens installés à Carthage* les traits de l'Ashtarté syrienne (v. ISHTAR). Déesse de la Fertilité, elle sera identifiée à Héra* par les Grecs et à Junon* par les Romains.

TANIZAKI JUNICHIRŌ, écrivain japonais (Tōkyō 1886 - Yugawara 1965). Influencé par la culture occidentale, notamment par Baudelaire et Wilde, il se révèle au grand public comme rédacteur de la revue *Shinshichō (Pensée nouvelle).* Se dégageant peu à peu du réalisme européen, il retrouve les formes d'expression traditionnelles dans des romans où il peint les conflits du monde moderne et de la civilisation ancestrale (*Neige fine,* 1948; *la Confession impudique,* 1956).

TANJORE ou **TANJUR,** v. de l'Inde (Tamil Nadu); 140 000 hab. — La ville est mentionnée dès 850, et son essor coïncide avec la dynastie des Cola. Le roi Rājarāja Ier (de 985 à 1012) en fait une brillante capitale et y élève, en l'honneur du dieu Śiva, le Rājarājeśvara, sanctuaire aux proportions grandioses et l'un des plus importants de l'Inde. Il subsiste, par ailleurs, de nombreux monuments, et il faut citer les bronzes de l'époque Cola, souvent de grande dimension et d'une qualité exceptionnelle.

TANNAY (58190), ch.-l. de cant. de la Nièvre, à 12,5 km au S. de Clamecy; 741 hab. Église des XIIIe-XVIe s.

TANNENBERG, auj., en polon., **Stębark,** localité de l'ancienne Prusse-Orientale, devenue polonaise, au S.-O. d'Olsztyn. Hindenburg y détruisit du 26 au 29 août 1914 la IIe armée russe du général Aleksandr Vassilievitch Samsonov (1859-1914), qui se suicida (v. GUERRE MONDIALE [*Première*]).

TANNERY (Jules), mathématicien français (Nantes 1848 - Paris 1910). Surtout préoccupé des principes des mathématiques et de la façon de les exposer, il a étudié les fondements de l'analyse, dont il a approfondi les principes.

TANNHÄUSER, poète allemand (v. 1205 - v. 1268). Chanteur errant, auteur de poèmes lyriques et de chansons, il est devenu le héros légendaire de récits populaires.

Tannhäuser, opéra en trois actes, paroles et musique de R. Wagner (quatre versions, de 1845 à 1875). Pour s'être damné dans les bras de Vénus-Élisabeth, le héros doit aller à Rome implorer son salut. Parmi les pages célèbres, citons l'ouverture, la bacchanale du Venusberg, le chœur des pèlerins, la prière d'Élisabeth.

TANNOU-TOUVA → TOUVA.

TANREC. — Très voisins des hérissons, les tanrecs ne se trouvent qu'à Madagascar et à la Réunion. Ils entrent en sommeil à la saison sèche. On en fait l'élevage pour leur chair, qui est appréciée. (Famille des centétidés.)

TANTAH ou **TANTĀ,** v. d'Égypte, au centre du delta du Nil; 230 000 hab. Industrie du coton. Raffinage du pétrole.

TANTALE. — Élément chimique no 73, de masse atomique Ta = 180,88, le tantale a été découvert en 1802. C'est un solide blanc, de densité 16,6, qui fond à 2 900 °C. Il est peu altérable. Ses principaux composés sont le fluorure TaF_5 et l'oxyde Ta_2O_5, qui peut donner des sels (tantalates) avec les alcalis. On l'extrait du tantalate naturel de fer (tantalite) et on l'utilise dans certains alliages.

TANTALE, personnage de la mythologie grecque qui, pour avoir offensé les dieux, fut précipité dans les Enfers et condamné à une faim et une soif dévorantes qu'il ne pouvait satisfaire.

TANTRISME. — Empruntant ses croyances à l'hindouisme*, au bouddhisme* et à d'autres textes sacrés (les *tantra*), le tantrisme se particularise par le type de « recettes » spirituelles qu'il préconise pour se libérer du saṃsāra*. Ces recettes consistent en une mise en œuvre de la śakti (v. ŚĀKTISME), propre au monde comme à l'homme. Le tantrisme bouddhiste se distingue cependant du tantrisme hindouiste en ce qu'il attribue la passivité au principe féminin alors que, pour celui-là, le principe actif est la śakti féminine.

TANUCCI (Bernardo, *marquis*), homme politique napolitain (Stia 1698 - Naples 1783). Principal ministre à Naples de 1754 à 1776, il mène une politique édilitaire et anticléricale (expulsion des Jésuites, 1773), inspirée du despotisme* éclairé.

TANZANIE, État de l'Afrique orientale, membre du Commonwealth; 939 702 km²; 15 610 000 hab. Capit. *Dodoma.*

GÉOGRAPHIE. La partie continentale du pays (Tanganyika), ouverte sur l'océan Indien, est limitée, à l'ouest, par la Rift Valley occidentale, occupée par les lacs Tanganyika et Malawi. C'est un ensemble de hauts plateaux cristallins accidentés de fossés d'effondrement (Rift Valley orientale), dominés par des massifs volcaniques (Kilimandjaro, Ngorongoro, Rungwe) et bordés, à l'est, par la plaine côtière. Le climat, tropical à saison sèche, permet la croissance de la savane arborée et, sur les hauteurs plus arrosées, de la forêt, qui a été souvent dégradée. La population, peu dense, est composée en majorité de Bantous. Elle se concentre dans la plaine côtière, où se situe Dar es-Salaam, ancienne capitale, principale ville et débouché maritime du pays. Elle vit surtout de l'agriculture. L'élevage bovin est pratiqué sur les plateaux. Le mil constitue la base de l'alimentation, alors que le coton, le café et le sisal (premier producteur mondial) sont destinés à l'exportation. Le sous-sol fournit un peu d'or et de diamants.

La partie insulaire de la Tanzanie, constituée des îles Zanzibar* et Pemba*, est fortement peuplée. Elle vit principalement de la culture du giroflier.

HISTOIRE. Très anciennement occupé par l'homme (Zinjanthrope), le pays est prospère, dès le XIIe s., par ses cités marchandes de la côte : Kilwa et Zanzibar* notamment. Le littoral, portugais à partir de 1498, passe ensuite aux mains des sultans d'Oman (1752) : l'un d'eux s'installe à Zanzibar en 1832 et se fait reconnaître par l'Angleterre. Les ports du continent — Tanga, Bagamoyo, Lindi — s'animent grâce, surtout, à l'esclavage et au soutien des financiers indiens et des négociants occidentaux. À l'intérieur, la pénétration arabe est rapidement relayée par celle des Européens (Livingstone*, Stanley*, etc.), attirés par les Grands Lacs. À partir de 1886, le sultanat de Zanzibar — protectorat britannique dès 1890 — est réduit à une étroite bande côtière, l'intérieur étant partagé entre Allemands et Britanniques, qui exploitent le sisal. La Première Guerre mondiale met fin à la domination allemande, et l'ancienne Afrique orientale allemande devient le territoire du Tanganyika, confié en mandat aux Britanniques par la Société des Nations (1922). Cependant, un mouvement d'indépendance multiracial s'amplifie grâce à l'action de Julius Nyerere*, leader de la Tanganyika African National Union (TANU); les succès électoraux de cette formation, en 1958 et 1960, débouchent sur l'indépendance, accordée en 1961. Président de la République en 1962, J. Nyerere annexe Zanzibar au Tanganyika, ce qui provoque la naissance de la Tanzanie (1964) : il instaure alors (1965-1967) un régime socialiste. Un conflit endémique oppose l'Ouganda* à la Tanzanie.

TAOÏSME. — L'influence très importante qu'a exercée le taoïsme sur la civilisation chinoise tient à ses aspects philosophiques et religieux. C'est en tant que philosophie fondée sur le tao (le principe du macrocosme qu'est l'univers et du microcosme qu'est le corps humain) que le taoïsme naît en Chine au VIe s. av. J.-C.

• *Philosophie.* Les deux grandes figures du taoïsme ancien sont Lao-tseu* et Tchouang-tseu. Pour Lao-tseu il n'y a pas d'essence de l'homme. L'homme existe seulement, et l'objectif est de le libérer du monde dans lequel il vit afin qu'il accède au monde vrai du tao, c'est-à-dire à l'existence par excellence avec laquelle il doit communier dans une expérience mystique. Selon Tchouang-tseu (v. 350-275 av. J.-C.), l'homme ne peut être heureux que s'il vit pour lui et non s'il se propose un but qui lui est extérieur. La voie de la libération est le non-agir, car l'homme est fondamentalement inutile, et c'est cette inutilité qui lui permet d'échapper à l'emprise de la société. Le bonheur est de ne faire qu'un avec le tao, de devenir immortel pour vivre en union permanente avec lui.

Les troubles sociopolitiques qui agitent l'empire du Milieu entre le IIe s. av. J.-C. et l'unification de l'Empire en 589 ont favorisé l'extension du taoïsme dans la mesure où il propose une évasion du monde à des individus qui se sentent menacés. Le néotaoïsme apparaît avec Wang Pi (226-249), Hsiang Sieou (v. 221-300) et Kouo Siang († v. 312). Le taoïsme mystique se transforme en une philosophie proche d'un déterminisme mécanique qui, articulé à la conception du non-agir, prend l'aspect d'un conformisme. Cette acceptation de la société est toutefois combattue, à la même époque, par les membres du groupe des « sept sages de la forêt de

TANZANIE

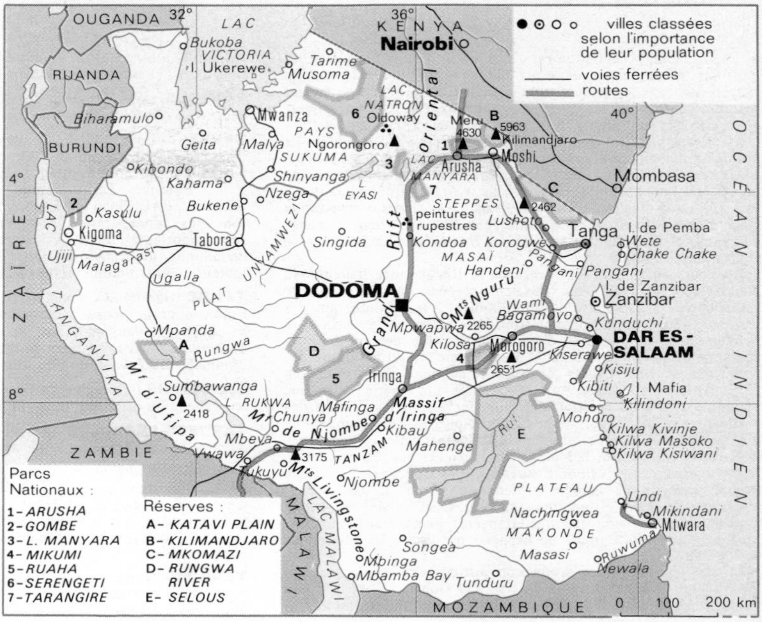

bambou», dont la critique porte également sur la philosophie officielle régnante : le confucianisme.

• *Religion.* Le mysticisme philosophique du taoïsme s'est exprimé dans un phénomène religieux de caractère ésotérique. Les croyants cherchent à découvrir le secret de l'expérience mystique des lettrés et à atteindre l'immortalité. Ils considèrent que cette immortalité n'est pas spirituelle mais réelle, et la recherchent à l'aide d'un ensemble de «recettes» d'ordre psychologique, pharmacologique, alchimique et gymnastique, jamais conçues comme une fin, mais toujours comme des médiations en vue de la béatitude terrestre.

Malgré les hostilités plus ou moins affirmées qu'il a rencontrées au cours de l'histoire — notamment de la part des confucéens —, le taoïsme a laissé une empreinte profonde sur la civilisation chinoise : il est à l'origine d'une importante littérature et a inspiré de nombreux artistes (Wang Wei*, par exemple). Cependant, depuis l'avènement du régime socialiste (1949), le taoïsme voit sa prégnance diminuer considérablement.

TAON. — Le taon est la plus commune des mouches piqueuses de nos régions. Le mâle ne pique que les végétaux, mais la femelle harcèle hommes et bestiaux. La larve vit dans la terre humide. Certains taons peuvent transmettre la tularémie. (Type de la famille des tabanidés.)

TAORMINA, v. d'Italie, en Sicile, au pied de l'Etna, sur la mer Ionienne; 9000 hab. Tourisme. Théâtre grec et romain, château et palais médiévaux, cathédrale des XIIIe-XVIIe s., etc.

Tao-tö king ou **Daodejing** ou **Lao-tseu** ou **Livre sacré du tao et de la vertu,** ouvrage attribué à Lao-tseu. L'auteur y développe une conception de l'existence fondée sur le tao, qui a donné naissance au taoïsme*. Le texte est rédigé en 81 paragraphes, où alternent prose et poésie.

TAPAJÓS, riv. du Brésil, affl. de l'Amazone (r. dr.); 1980 km.

TÀPIES (Antoni), peintre espagnol (Barcelone 1923). L'influence de dada, à ses débuts, celle de l'« art pauvre », vers 1970, lui ont fait intégrer à ses tableaux, essentiellement matiéristes, des graffiti gestuels ou figuratifs, des collages de papier, de textiles ou de déchets divers.

TAPIR. — Les tapirs sont des mammifères très originaux, avec leur courte trompe et leurs pattes au nombre inégal de doigts (3 à l'arrière, 4 à l'avant). L'espèce américaine commune, au pelage velouté, atteint 2 m de longueur. C'est un herbivore, de mœurs nocturnes, aimant à se baigner. La gestation, très longue (13 mois), ne donne qu'un seul jeune. L'Indonésie héberge le «tapir à chabraque», au mantelet blanc. (Famille des tapiridés.)

TAPIS. — Un tapis est constitué d'un *dossier* et d'une surface d'utilisation appelée *velours,* formée d'une couche de fils ou de fibres textiles. On distingue deux grandes catégories de tapis, ceux qui sont exécutés à la main, dits *à points noués,* et ceux qui sont fabriqués mécaniquement. Ces derniers sont réalisés selon trois techniques principales, une traditionnelle (le tissage*) et deux modernes (le tuftage et le nappage). Les matières premières utilisées sont diverses, mais les textiles chimiques prennent une place de plus en plus importante.

Parmi les découvertes faites dans les steppes*, à Pazyryk, se trouve le plus ancien tapis connu de nos jours. Sa similitude avec certaines étoffes décoratives achéménides permet de supposer une origine iranienne, et sa composition, parfaitement équilibrée, divisée en compartiments réguliers ornés de rosette, annonce les œuvres de la grande époque classique, bien ultérieure. De l'Antiquité au XVe s., les œuvres orientales sont extrêmement rares; l'époque classique, du XVe à la fin du XVIIe s., a laissé plus de témoignages, qui, à l'époque tardive, du début du XVIIIe à la fin du XIXe s., deviennent nombreux et de très belle qualité, avant de perdre leur originalité au contact de la demande occidentale. Les tapis d'Orient forment deux familles, caractérisées par la technique du nœud du fil de trame autour des fils de chaîne, décrivant une boucle qui sera tranchée. Le nœud «Ghiordès» (Anatolie, Smyrne, Ghiordès [Gördes], Chirwān, Kazakh et Sumak) amène les chaînes sur un même plan, alors que le nœud «Senneh» (Afghānistān, Chine, Samarkand, Tabriz, Kermān, Senneh [auj. Sanandadj]) détermine un léger côtelage. Tous les motifs décoratifs, qui ne sont jamais d'une symétrie absolue — perfection réservée à Allāh —, sont emblématiques, mais, comme pour les couleurs, leur signification n'est pas partout analogue, seule celle du vert, couleur du prophète, est universelle. Ces coloris, de qualité exceptionnelle dans les œuvres anciennes, sont toujours des teintures naturelles (végétales, minérales, parfois animales). L'Iran, la Turquie, la Chine ont la même conception du décor, régie selon de strictes conventions, mais des éléments figuratifs y sont introduits et interprétés selon des traditions régionales : ainsi le thème fondamental persan, l'arbre de vie, prend dans l'Inde la forme d'un tronc aux branches tombantes s'enracinant dans le sol; ailleurs, il devient sycomore, cèdre, bambou, etc. Les décors géométriques ont pour origine l'art des nomades de l'Asie centrale; ceux qui privilégient les motifs floraux, fréquents en Iran, sont un lointain souvenir de la tradition hellénistique, alors que les décors à personnages sont d'influence chinoise. La mode des tapis d'Orient remonte, en Europe, aux croisades; dès le XVe s., en Italie (Florence, Venise, Modène...), des centres travaillent à l'imitation des ateliers du Levant; en France, la Savonnerie*, fondée par Henri IV, possède, dès le règne de Louis XIII, une parfaite maîtrise technique et stylistique.

TAPISSERIE. — Tissage dans lequel les fils teintés de trame (laine, soie, etc.), tassés de manière à cacher entièrement les fils de chaîne, forment à eux seuls les motifs recherchés, la tapisserie s'exécute à la main sur des métiers dits *de haute lisse* (Gobelins) ou *de basse lisse* (Aubusson, Beauvais) selon que la nappe des fils de chaîne y est verticale ou horizontale; le lissier, qui opère toujours sur la face postérieure du tissage, vérifie plus facilement son travail en haute lisse.

• En Occident, la tapisserie est d'abord un art de la France et des Pays-Bas méridionaux, dont les débuts se situeraient au haut Moyen Âge dans les ateliers monastiques. L'une des plus anciennes *tentures* conservées, et la plus spectaculaire, est l'*Apocalypse** d'Angers (par un atelier laïque parisien, v. 1375), modèle des tapisseries à *histoires,* que le Moyen Âge oppose aux *verdures.* Le problème d'attribution des œuvres aux différentes villes productrices se complique du fait de l'existence d'ateliers ambulants : on ne sait s'il faut attribuer à ceux-ci, ou à Arras (prépondérante au XVe s.), ou à Tournai, les *millefleurs,* ces pièces d'inspiration française de la fin du XVe s. (tenture de la *Dame à la licorne,* musée de Cluny) et du début du XVIe, où les figures se détachent sur un champ floral continu.

Au cours du XVIe s., l'influence de la Renaissance italienne va bouleverser les règles qui faisaient précédemment l'originalité esthétique de la tapisserie, la subordonnant à la peinture, que, dès lors, elle interprétera souvent trop étroitement — au prix d'un rapetissement du point et d'une multiplication des nuances de couleurs. Le chef-d'œuvre initial de cette époque est la tenture des *Actes des Apôtres,* d'après Raphaël, commandée à Bruxelles, en 1515, par le pape Léon X. Au XVIIe s. renaît la tapisserie parisienne, notamment avec la création des Gobelins*. Pour les besoins des particuliers et de l'exportation, Colbert fonde en 1664 la manufacture de Beauvais, dont la production s'ajoute à celle, considérable, mais moins raffinée, de la Marche (Aubusson et Felletin : verdures, reproductions des pièces de Beauvais et des Gobelins). Le peintre Oudry* exerce une grande influence au XVIIIe s. (Beauvais : tapisseries de sièges et tentures assorties). Les Gobelins servent de modèle à diverses manufactures étrangères, en général éphémères, sauf celle de Santa Bárbara en Espagne, qui tissera les admirables cartons de Goya.

Le XIXe s. connaît une production surtout académique, mais un mouvement de rénovation se dessine aux Gobelins vers la fin du siècle. Il se précise, à la veille de la Seconde Guerre mondiale, grâce aux commandes passées à des artistes comme Dufy, Gromaire, Lurçat*. Ce dernier devient l'artisan de la renaissance qui touche bientôt une partie des ateliers de la Marche. Sur des bases techniques assainies, disposant à nouveau de vastes surfaces à animer, la tapisserie, d'inspiration figurative ou abstraite, connaît après la guerre un large essor à travers l'Europe. À partir des années 60 apparaissent et se multiplient (notamment en Europe de l'Est) des modes d'élaboration libérés du métier traditionnel, qui aboutissent à des « objets textiles » souvent à trois dimensions, non plus conçus par un peintre-cartonnier et réalisés par un artisan-lissier, mais œuvres d'un seul et même artiste.

TĀQ-E BOSTĀN ou **TĀQ-I BUSTĀN,** site archéologique d'Iran, près de Kermānchāh, abritant une ancienne résidence royale sassanide*, taillée dans le roc, dont les nombreux reliefs présentent l'évolution de la sculpture de cette époque.

TARAPUR, localité de l'Inde, au N. de Bombay. Centrale nucléaire.

TARARE (69170), ch.-l. de cant. du Rhône, à 44 km au N.-O. de Lyon; 11 188 hab. *(Grariens).* Textiles.

TARAS (John), danseur, chorégraphe et maître de ballet américain d'origine ukrainienne (New York 1919). Formé par Fokine, puis à l'American Ballet School, il est devenu un des disciples de Balanchine. Auteur d'œuvres originales (*Designs with Strings,* 1948; *Piège de lumière,* 1952; *Ebony Concerto,* 1960), il a mis en œuvre la plupart des reprises des ballets de Balanchine.

TARASCON (13150), ch.-l. de cant. des Bouches-du-Rhône, à 17 km au N. d'Arles, sur le Rhône, en face de Beaucaire; 10 665 hab. *(Tarasconnais).* Église des XIIe et XIVe s. Imposant château construit, pour l'essentiel, par René le Bon.

TARASCON-SUR-ARIÈGE (09400), ch.-l. de cant. de l'Ariège, au confluent de l'Ariège et du Vicdessos, à 18 km au S. de Foix; 4 254 hab.

Tarass Boulba, récit de Gogol (1835). Le vieux chef cosaque Tarass Boulba tue son fils Andreï, qui, par amour pour une Polonaise, a trahi son pays et les siens.

TARAUDAGE. — Cette opération, qui sert à réaliser des filetages intérieurs, consiste à creuser une hélice, généralement de section triangulaire, quelquefois de section trapézoïdale, rectangulaire ou carrée, dans la face intérieure, cylindrique de révolution, d'une pièce creuse, pour pouvoir y faire entrer une vis ou une pièce filetée, ayant même pas et dont le filet a même section.

Le taraudage s'effectue soit au tour (on dit également *filetage intérieur*), soit à la main, ou bien encore à l'aide d'une machine-outil appelée *machine à tarauder.* Le taraudage à la main s'opère à l'aide d'un *tourne-à-gauche* et d'un ensemble de trois *tarauds* (ébauche, semi-finition et finition), que l'on utilise successivement. Ces tarauds se présentent sous forme d'une vis en acier rapide, légèrement conique à son extrémité avant et comportant trois rainures longitudinales de manière à former trois lèvres de coupe sur toute la longueur de l'outil. Ce sont ces lèvres qui creusent le filet dans l'avant-trou préalablement obtenu par perçage*.

TARBELA, site du nord du Pākistān, sur l'Indus. Barrage et centrale hydroélectrique.

TARBES (65000), ch.-l. du départ. des Hautes-Pyrénées, sur l'Adour, à 779 km au S.-S.-O. de Paris; 57 765 hab. *(Tarbais).* Cathédrale romane et gothique. Musée dans le jardin Massey. Au N. des Pyrénées, Tarbes commande une agglomération (englobant notamment Aureilhan et Séméac) de plus de 75 000 habitants, où les fonctions administrative, commerciale et, aujourd'hui, culturelle sont importantes, mais également industrialisée, dominée par la métallurgie de transformation (arsenal, matériel de traction et moteurs, constructions aéronautiques).

TARDE (Gabriel DE), sociologue français (Sarlat 1843 - Paris 1904). Connu pour sa théorie évolutionniste selon laquelle les inventions se propagent dans le temps et dans l'espace par le processus d'« imitation », il a appliqué sa théorie de l'imitation à l'étude des criminels (*les Lois de l'imitation,* 1890).

TARDENOIS (le), région de l'ouest du départ. de la Marne, entre les vallées de la Marne et de la Vesle.

TARDETS-SORHOLUS (64470), ch.-l. de cant. des Pyrénées-Atlantiques, à 13 km au S. de Mauléon-Licharre; 818 hab.

TARDIEU (André), homme politique français (Paris 1876 - Menton 1945). Il assume, à partir de 1919, différents portefeuilles, avant d'être par deux fois (1929-30, 1932) président du Conseil; il s'efforce, alors que la France n'est pas encore atteinte par la crise mondiale, d'appliquer une politique économique et sociale novatrice.

TARDIEU (Jean), écrivain français (Saint-Germain-de-Joux 1903). Poète dans la double lignée des « métaphysiques » du XVIe s. et de Mallarmé (*Accents,* 1939; *le Témoin invisible,* 1943), il prend ensuite ses distances avec le langage (*Monsieur Monsieur,* 1951; *Formeries,* 1976) et cherche dans ses pièces en un acte à définir un théâtre « abstrait », qui mêle la géométrie scénique à la discontinuité du parler quotidien (*Théâtre de chambre,* 1955-1975).

TARDIGRADES. — Seul le microscope permet d'observer ces minuscules animaux des mousses que sont les tardigrades. Ils cheminent sur quatre paires de pattes crochues et n'ont que des yeux rudimentaires. Une carapace articulée les recouvre dorsalement. Comme tous les muscicoles, ils tombent en sommeil sans mourir (anhydrobiose) en cas de sécheresse et peuvent reprendre vie en quelques minutes au bout de plusieurs années. On les apparente aux arthropodes.

TARENTAISE (la), région des Alpes françaises (Savoie), correspondant à la vallée supérieure de l'Isère (en amont d'Albertville). La Tarentaise associe cultures (dont céréales et fruits) et élevage bovin (race tarine); elle est jalonnée de quelques centrales hydroélectriques (dont Malgovert est la plus importante), alimentant l'électrochimie et l'électrométallurgie (Moûtiers), moins développées qu'en Maurienne cependant. Le tourisme est actif, en amont, vers l'Iseran (Tignes et Val-d'Isère).

TARENTAISE (race) → BOVINS.

TARENTE, en ital. **Taranto,** port d'Italie (Pouille), ch.-l. de prov., sur le *golfe de Tarente* (formé sur la mer Ionienne); 235 000 hab. Château (XVe-XVIe s.). Cathédrale (XIe-XVIIIe s.). Musée national archéologique. Sidérurgie. Raffinage du pétrole. — L'antique Tarente fut une des villes les plus illustres de la Grèce* d'Occident, ou Grande-Grèce. Fondée au VIIIe s. av. J.-C. par des colons venus de Sparte*, elle devint romaine en 272 av. J.-C. Après la deuxième guerre punique*, Tarente se transforma progressivement de cité grecque en cité latine et conserva, au moins jusqu'au début de l'Empire, une part de son ancienne splendeur.

TARET. — Les bois des installations portuaires (digues, pilotis, épis) et les coques de navires ont à souffrir des ravages des tarets, qui y creusent de longues galeries et peuvent provoquer leur rupture. Ces animaux sont des mollusques bivalves, mais leur corps est allongé comme celui d'un ver.

TARFAYA, v. du sud du Maroc, près du cap Juby, ch.-l. de la *prov. de Tarfaya.*

TARGON (33760), ch.-l. de cant. de la Gironde, à 15,5 km au N. de Cadillac; 1 195 hab.

TÂRGOVIȘTE → TÎRGOVIȘTE.

Targowica *(Confédération de),* confédération formée en 1792 par les chefs polonais du parti conservateur appuyés par l'armée russe. En y adhérant, le roi Stanislas II* Poniatowski livra en fait la Pologne à un second partage.

TÂRGU MUREȘ → TÎRGU-MUREȘ.

TARIÈRE. — Les mots « tarière », « oviscapte » et « ovipositeur » désignent approximativement le même organe : celui qui sert à de nombreux insectes femelles à pondre leurs œufs en profondeur, dans le sol, dans le bois d'un arbre ou dans le corps d'une proie. C'est une lame médiane sise à l'arrière du corps, pointue et tranchante, mais creuse et souvent faite de deux moitiés coulissant l'une sur l'autre, ce qui fait progresser les œufs.

TARIM (le), fl. de la Chine du Nord-Ouest, dans le sud du Sin-kiang. Formé par la réunion du Yarkand-Daria et de l'Aksou et coulant en bordure du désert de Takla-makan, il s'appauvrit progressivement, s'achevant dans la cuvette lacustre du Lob-nor; env. 2 000 km.

ṬĀRIQ IBN ZIYĀD, chef berbère qui commanda les troupes musulmanes lors de la conquête de l'Andalousie (VIIIe s.). Envoyé en Espagne par Mūsā ibn Nuṣayr, il débarque à Gibraltar et bat le roi wisigoth Rodrigue, près du Guadalete (711). Malgré les instructions de Mūsā, Ṭāriq pénètre plus avant dans la péninsule et s'empare de Tolède, où il est rejoint par Mūsā en 713. Ṭāriq et Mūsā mènent plusieurs campagnes victorieuses vers le nord.

TARLAC, v. des Philippines (Luçon), au N.-O. de Manille; 121 000 hab.

TARMACADAM → REVÊTEMENT ROUTIER.

TARN (le), riv. du sud du Massif central et du Bassin aquitain; 375 km. Né au S. du mont Lozère, le Tarn entaille les Causses en de pittoresques gorges (entre Sainte-Énimie et Peyreleau), puis passe à Millau, Albi, Montauban, rejoignant la Garonne (r. dr.) en aval de Moissac. Recevant notamment l'Agout (r. g.) et l'Aveyron (r. dr.), le Tarn, en amont de Gaillac, alimente de nombreuses centrales hydroélectriques, dont les principales sont Pinet et Rivières.

TARN (81), départ. de la Région Midi-Pyrénées; 5 751 km^2; 338 024 hab. *(Tarnais).* Ch.-l. *Albi.* S.-préf. *Castres.*

L'est appartient à la bordure sud-occidentale du Massif central (monts de Lacaune, Sidobre et Montagne Noire, Ségala), bien arrosée et verdoyante, domaine de l'élevage des bovins et des brebis laitières (pour la fabrication du fromage de Roquefort), possédant aussi quelques modestes centrales hydroélectriques. L'ouest aquitain est plus sec et ensoleillé; la polyculture, dominée par le blé, avec quelques spécialisations (vignoble vers Gaillac), caractérise le Castrais et aussi l'Albigeois. Les villes, Carmaux, Albi, Castres, Mazamet jalonnent, du nord au sud, la limite entre les deux régions naturelles.

La densité de population est nettement inférieure à la moyenne nationale. Cependant, à une longue période de déclin ou de stagnation démographique, amorcée dans la seconde moitié du XIXe s., a succédé, depuis une trentaine d'années, une modeste reprise, principalement au profit des agglomérations d'Albi et de Castres, qui, ensemble, regroupent le tiers de la population départementale. La population active s'emploie pour les deux cinquièmes dans l'industrie, taux élevé qui ne doit pas masquer la crise sévissant dans certaines branches, comme l'extraction de la houille (qui a donné naissance à la métallurgie, activité aujourd'hui dominante), le textile (délainage et travail de la laine, notamment). L'agriculture occupe près du sixième de cette population active (part supérieure de la moyenne nationale), ce qui explique la persistance de l'exode rural et la modestie du renouveau démographique. Le secteur tertiaire reste faible, en raison de l'absence de grande ville, le département se situant tout entier dans l'aire d'attraction de Toulouse.

TARN-ET-GARONNE (82), départ. de la Région Midi-Pyrénées; 3 716 km^2; 183 314 hab. Ch.-l. *Montauban.* S.-préf. *Castelsarrasin.*

Le centre du département, partie vitale au point de vue démographique et économique, correspond à la plaine alluviale formée par la confluence de la Garonne et du Tarn (grossi de l'Aveyron), limitée, au nord, par les modestes plateaux du bas Quercy et, à l'ouest de la Garonne, par les terrasses de la Lomagne, qui annonce la Gascogne. L'ensemble possède un climat déjà relativement sec (généralement moins de 700 mm de précipitations), avec des étés chauds et ensoleillés.

La densité de population atteint à peine 50 habitants au kilomètre carré, taux inférieur de près de la moitié à la moyenne nationale. Cette faiblesse est liée à la prépondérance de l'agriculture, qui emploie encore près du tiers de la population active (part triple de la moyenne nationale). La polyculture domine, au moins dans les vallées, avec, à côté de spécialisations (fruits, légumes, chasselas et vigne parfois), les céréales et l'élevage bovin. En contrepartie, l'industrie n'occupe guère plus du quart de cette population active, d'ailleurs partiellement liée à la production agricole (conserverie), à côté de modestes usines métallurgiques et textiles. La faiblesse du secteur tertiaire est à rapprocher de l'absence de grande ville, seule Montauban dépassant 15 000 habitants. On s'explique alors l'évolution démographique récente : depuis 1970, la stagnation a succédé à la faible croissance, qui, après 1946, avait suivi une très longue période de déclin amorcée avant le milieu du XIXe s. Le poids du secteur agricole impose la poursuite de l'exode rural, dirigé en partie sur Toulouse, dont l'attraction s'exerce sur l'ensemble du département.

TARNIER (Stéphane), chirurgien-accoucheur français (Aiserey, Côte-d'Or, 1828 - Paris 1897). L'un des premiers, il appliqua les idées de Pasteur et de Lister à l'obstétrique.

TARNOBRZEG, v. de Pologne, sur la Vistule. Grand gisement de soufre et industries chimiques.

TARNOS (40220), comm. des Landes, à 6 km au N. de Bayonne; 6 975 hab. Constructions mécaniques.

TĂRNOVO → VELIKO TĂRNOVO.

TARNÓW, v. du sud de la Pologne, à l'E. de Cracovie; 95 000 hab. Hôtel de ville des XIVe et XVIe s., cathédrale gothique du XVIe s., belles demeures des XVIe-XVIIe s. Musées. Industries chimiques.

TARPEIA, jeune vestale romaine, fille de Spurius Tarpeius, lequel commandait la forteresse du Capitole sous Romulus. Selon la légende, elle aurait livré par trahison le Capitole aux Sabins, qui l'auraient ensuite tuée.

Tarpéienne *(roche),* en lat. *arx Tarpeia,* extrémité sud-ouest du Capitole, d'où l'on précipita, jusqu'au Ier s. apr. J.-C., certains condamnés à mort.

TARPON. — La plus sportive des pêches côtières et d'eau douce est sans doute celle du tarpon, car ce poisson, qui atteint 2,50 m de long et un poids de 150 kg, est d'une vigueur musculaire proportionnée à sa taille. Il remonte les fleuves de l'océan Indien et des régions chaudes de l'Atlantique à la poursuite des bandes de mulets, dont il se nourrit. Ses écailles, très grandes, sont recherchées en bimbeloterie. (Famille des élopidés.)

TARQUIN l'Ancien, en lat. **Lucius Tarquinius Priscus,** cinquième roi de Rome († 579 av. J.-C.). Fils du Corinthien Démarate, chassé de sa patrie et venu s'installer à Tarquinia*, il fut élu roi par le peuple à la mort d'Ancus* Martius (616 av. J.-C.). Premier roi étrusque de Rome, il aurait, selon la tradition, nommé cent nouveaux sénateurs, institué de grands jeux à la mode étrusque, effectué de grands travaux *(Cloaca maxima)* et mené des guerres victorieuses contre les Latins et les Sabins.

TARQUIN le Superbe, septième et dernier roi de Rome (v. 534-509 av. J.-C.), fils de Tarquin* l'Ancien et gendre de Servius* Tullius. Ce fut le type même du tyran, dont le pouvoir ne reposa que sur la force. Selon la tradition, il construisit le temple de Jupiter Capitolin, lutta avec succès contre les Volsques et prit Gabies. Lorsque son fils, Sextus, outragea Lucrèce*, une révolution éclata dans Rome, conduite par Junius Brutus* : Tarquin dut se résoudre à l'exil et la république fut instaurée (509 av. J.-C.).

TARQUIN COLLATIN, en lat. **Lucius Tarquinius Collatinus,** neveu de Tarquin* le Superbe et mari de Lucrèce*. Il fut, avec Junius Brutus*, l'un des deux premiers consuls de la République romaine (509 av. J.-C.).

TARQUINIA, en franç. **Tarquinies,** comm. d'Italie, dans le Latium (prov. de Viterbe), sur un éperon, dans la vallée de la Marta; 11 800 hab. Ce fut l'une des plus anciennes et des plus importantes cités étrusques. Dévastée par les Lombards (IIIe s.), puis par les Sarrasins (VIIIe-IXe s.), la ville fut désertée par ses habitants, qui fondèrent la bourgade voisine de Corneto. Corneto reprit en 1922 le nom de Tarquinia. (Musée national dans un palais du XVe s.)

En dehors des ruines d'un grand temple et d'une enceinte du IVe s. av. J.-C., on a dégagé de vastes nécropoles, aux modes de sépulture variés et aux chambres souterraines ornées de fresques (tombes des Augures, des Lionnes, VIe s.; des Léopards, du Chasseur, Ve s.; des Boucliers, de l'Ogre, IVe s. av. J.-C). L'ensemble, échelonné du VIe au Ier s. av. J.-C., permet de suivre l'évolution de l'art pictural étrusque, depuis l'époque orientalisante (VIe s. av. J.-C.) jusqu'à la phase classique (IVe s. av. J.-C.), en passant par le style sévère d'Athènes (première moitié du Ve s.).

TARRACONAISE, en lat. **Tarraconensis,** province impériale romaine de la péninsule Ibérique, anc. *Espagne citérieure.* Constituée par Auguste, elle occupait le nord-est de la péninsule et avait Tarraco (Tarragone*) pour capitale. En 214, Caracalla en détacha la Galice, et, plus tard, Dioclétien, la région de Carthagène.

TARRAGONE, en esp. **Tarragona,** port d'Espagne (Catalogne), ch.-l. de prov., sur la Méditerranée; 78 000 hab. Nombreux vestiges romains (fortifications, tour dite « palais d'Auguste », aqueduc de « las Ferreras »...; belles collections du Musée archéologique). Nécropole paléochrétienne. Magnifique cathédrale romane et gothique (fin XIIe-XIVe s.; cloître, Musée diocésain). Raffinage du pétrole. Industries chimiques. Cimenterie.

TARRASA, v. d'Espagne (Catalogne), au N.-O. de Barcelone; 137 000 hab. Textile.

TARSE → PIED.

TARSIER. — On tend aujourd'hui à séparer des lémuriens* ce tout petit primate insectivore (dimensions d'une souris), aux yeux énormes, aux pattes grêles, à la queue nue, aux doigts terminés par des ventouses, excellent sauteur et grimpeur.

TARSKI (Alfred), logicien américain d'origine polonaise (Varsovie 1901). Ses travaux dans les domaines de la métalogique et de la sémantique (notamment sur la théorie des modèles*) en font l'un des principaux logiciens contemporains : *Der Wahrheitsbegriff in den formalisierten Sprachen* (1935), *The Semantic Conception of Truth* (1944) et *Logique, sémantique, métamathématiques* (1956).

TARSUS, v. du sud de la Turquie, à l'O. d'Adana; 78 000 hab. Vestiges de l'antique *Tarse,* patrie de saint Paul.

TARTAGLIA (Niccolo FONTANA, dit), mathématicien italien (Brescia v. 1499 - Venise 1557). Il fut l'un des premiers algébristes à avoir résolu les équations du troisième degré et à en établir la théorie. Son *General Trattato di numeri et misure* (1556-1560) contient des règles d'arithmétique, d'algèbre, de géométrie et de physique.

TARTARE, dans la mythologie grecque, lieu de détention et de punition des ennemis des dieux et des grands coupables. Le Tartare est l'équivalent de l'enfer* chrétien.

TARTARIE *(détroit,* anc. *marche, de),* détroit du Pacifique, entre l'Extrême-Orient soviétique et l'île de Sakhaline.

Tartarin de Tarascon *(les Aventures prodigieuses de),* roman d'A. Daudet (1872). Pour mériter la réputation que lui valent d'illusoires récits de chasse, un naïf Tarasconnais part pour l'Algérie, où il finit par tuer un lion. Ses aventures se continuent dans *Tartarin sur les Alpes* (1885) et *Port-Tarascon* (1890).

TARTAS (40400), ch.-l. de cant. des Landes, sur la Midouze, à 25 km au N.-E. de Dax; 3 078 hab. Papeterie.

TARTINI (Giuseppe), violoniste, compositeur et théoricien italien (Pirano 1692 - Padoue 1772). Fondateur d'une célèbre école de violon à Padoue, il est l'auteur d'un grand nombre de sonates, de concertos pour son instrument et de traités (*De la musique,* 1754; *Du principe de l'harmonie,* 1767; *Des agréments,* 1771).

TARTOU, v. de l'U. R. S. S., dans le sud-est de l'Estonie; 96 000 hab. Université.

TARTOUS, v. de Syrie (prov. de Lattaquié), sur la Méditerranée; 13 300 hab. Enceinte (XIIe s.) protégeant l'ancienne cité épiscopale et l'ancienne cathédrale Notre-Dame (XIIe-XIIIe s.), devenue musée. Vestige de la forteresse des Templiers (XIIe-XIIIe s.).

TARTRIQUE (acide). — De formule $HOCO(CHOH)_2COOH$, il présente plusieurs isomères : 1° l'acide tartrique droit, retiré du tartre de vin, qui forme de gros prismes très solubles, fondant à 168 °C, et qui est utilisé comme rongeant et dans les boissons rafraîchissantes; 2° l'acide tartrique gauche, analogue; 3° un acide inactif sur la lumière polarisée, dit *mésotartrique;* 4° une combinaison équimoléculaire des deux premiers, dite *racémique* ou *paratartrique.* Ces deux derniers, découverts par Pasteur, sont obtenus par synthèse.

Tartuffe *(le)* ou **Tartufe,** comédie de Molière, en cinq actes et en vers. Les deux premières versions furent interdites (1664 et 1667), et la pièce ne fut autorisée qu'en 1669. Sensuel et cupide, Tartuffe a surpris la confiance d'Orgon en se faisant passer pour dévot. Il obtient tout de son protecteur, y compris la promesse d'épouser sa fille. Elmire, femme d'Orgon, réussit enfin à démontrer à son mari que Tartuffe la convoite elle-même. Mais l'hypocrite, démasqué, a machiné la perte de son bienfaiteur, et Orgon serait chassé de sa propre maison si la justice du roi ne mettait fin à l'imposture.

TARVIS *(col de),* en ital. **Tarvisio,** col des Alpes orientales, à 812 m d'alt., reliant l'Italie (Frioul) à l'Autriche (Carinthie).

Tarzan, personnage imaginaire, popularisé par le roman de E. R. Burroughs et par le cinéma, où le plus célèbre interprète du rôle fut Johnny Weissmuller. Ami de toutes les bêtes sauvages, il est le héros d'aventures fabuleuses.

TASCHEREAU (Louis Alexandre), homme politique canadien (Québec 1867 - *id.* 1952). Libéral, il fut Premier ministre de la province de Québec de 1920 à 1936.

TASMAN (Abel Janszoon), navigateur néerlandais (Lutjegast 1603 - Batavia 1659). En 1642, il découvre la « terre de Van Diemen » (appelée Tasmanie en 1855) et la Nouvelle-Zélande*, puis les archipels des Tonga et des Fidji.

TASMANIE, en angl. **Tasmania,** État de l'Australie; 68 000 km²; 399 000 hab. Capit. *Hobart.*

GÉOGRAPHIE. Île, séparée du continent par le détroit de Bass, c'est une terre en majeure partie montagneuse, au climat tempéré, humide et doux. L'élevage ovin, quelques cultures (dont la pomme de terre) et l'exploitation d'une notable couverture forestière sont les ressources essentielles, avec l'extraction de minerais (cuivre, zinc, plomb, tungstène), alimentant une métallurgie qui bénéficie de l'apport hydroélectrique.

HISTOIRE. Appelée jusqu'en 1853 « terre de Van Diemen », la Tasmanie — abordée en 1642 par Abel Tasman et explorée à la fin du XVIIIe s. par les navigateurs français (d'Entrecasteaux) et anglais (Cook) — ne reçoit les premiers établissements britanniques (colons libres et forçats qui exterminent les autochtones) qu'au début du XIXe s. Dépendant d'abord de la Nouvelle-Galles du Sud, l'île devient colonie séparée en 1825 et un des États du Commonwealth australien en 1901.

TASSE (le) en ital. **Torquato Tasso,** poète italien (Sorrente 1544 - Rome 1595). Après une jeunesse errante passée dans le monde des cours italiennes et pendant laquelle il écrit son poème *Renaud* (1562), il connaît un grand succès avec une fable pastorale, *Aminta** (1573). Tout en composant des poésies amoureuses maniérées, qui plaisent à ses contemporains, il travaille à la *Jérusalem* délivrée,* qu'il achève en 1575. Mais le poème lui paraissant peu orthodoxe, il prie son ami Scipion de Gonzague, assisté de quatre collaborateurs, de l'examiner. Rongé par les doutes et les remords, il sombre dans la folie et, pendant quelques moments de lucidité, refait son œuvre sous le titre de *Jérusalem conquise* (1593). Enfermé à l'asile Sainte-Anne de Ferrare, il compose la chanson *Aux princesses de Ferrare.* Libéré en 1586, il reprend une vie vagabonde et meurt au moment où le pape va faire de lui son poète lauréat. Il avait composé, en outre, une tragédie, *Torrismondo* (1586), des *Discours sur l'art poétique,* 26 *Dialogues,* traduits en 1632 sous le titre *les Morales du Tasse,* et des *Lettres,* document capital sur l'esprit du temps et sur ses crises de conscience.

TASSILON III (v. 742 - † après 794), duc de Bavière (748-788), dernier prince de la famille des Agilolfinges. Il dut, en 757, se déclarer vassal de Pépin le Bref. Sous Charlemagne, il se rebella, mais, abandonné par ses sujets, il fut déposé (788) et enfermé dans un monastère.

TASSIN-LA-DEMI-LUNE (69160), comm. du Rhône, dans la banlieue ouest de Lyon; 14 975 hab. *(Tassilunois).*

TASSONI (Alessandro), poète italien (Modène 1565 - *id.* 1635). Esprit critique, il s'attaqua aux idées littéraires consacrées (*Considérations sur les vers de Pétrarque,* 1609). Son œuvre la plus célèbre est un poème héroï-comique, *le Seau enlevé* (1622), dont Boileau s'inspira dans *le Lutrin.*

TATA (Jamshedji Nasarwanji), industriel indien (Navsāri 1839 - Bad Nauheim 1904). Après avoir fondé deux manufactures à Nāgpur et à Bombay (1874), pour l'approvisionnement desquelles il fit procéder à l'acclimatation dans l'Inde du coton égyptien, il participa à la fondation d'une compagnie navale japonaise (1893) et conçut un plan de développement de la métallurgie.

TATABÁNYA, v. de Hongrie, à l'O. de Budapest; 69 000 hab. Lignite. Métallurgie.

TATARS, population non slave la plus nombreuse de l'U. R. S. S. Des Tatars d'origine protomongole sont attestés au VIIIe s. Cependant, le mot « tatar » semble rapidement s'appliquer à des Turcs. En 1202, Gengis khān soumet les Tatars du haut Keroulen, qui participent aux conquêtes mongoles. À partir du XIIIe s., les Russes appellent « Tatars » les Mongols ou les populations d'origine turque de l'Asie centrale, de la Sibérie ou du Sud-Est européen. Les Soviétiques recensent sur leur territoire 5 931 000 Tatars, en majorité musulmans, désignant par ce terme une partie de la population de l'ancienne république de Crimée, déportée depuis 1944-1946 dans diverses régions de l'U. R. S. S., une forte minorité de la république autonome des Tatars* et de la Bachkirie*, et divers petits groupes de langue turque.

TATARS *(république autonome des),* territoire de l'U. R. S. S., dépendance de la R. S. F. S. de Russie, sur la moyenne Volga; 68 000 km²; 3 131 000 hab. Capit. *Kazan.* Gisements de pétrole.

Tate Gallery, à Londres, musée fondé en 1897 par l'industriel sir Henry Tate, auj. musée national. Il est très riche en œuvres anglaises des XVIIIe et XIXe s. (Blake, Turner...) et joue le rôle de musée d'art moderne (depuis les impressionnistes français).

TATI (Jacques TATISCHEFF, dit Jacques), cinéaste français (Le Pecq 1908). Venu du music-hall, il s'imposa, après avoir été l'interprète de courts métrages, comme le meilleur réalisateur comique français. Ses gags, scrupuleusement élaborés, font preuve d'un étonnant sens de l'observation et soulignent les côtés saugrenus du monde contemporain (*Jour de fête,* 1948; *les Vacances de M. Hulot,* 1953; *Mon oncle,* 1958; *Play Time,* 1966; *Trafic,* 1969).

TATIEN, apologiste* (Syrie v. 120 - v. 173). Son *Discours aux Grecs* est une apologie du christianisme inspirée par saint Justin*. Il a également fusionné les *Évangiles* en un seul texte, le *Diatessaron.*

TATLINE (Vladimir Ievgrafovitch), peintre, sculpteur et architecte russe (Kharkov 1885 - Moscou 1953). Après un voyage à Paris (1913), il donne ses « contre-reliefs », tableaux-sculptures entièrement abstraits, faits de matériaux divers non orthodoxes, qui marquent la naissance du constructivisme*. Au lendemain de la révolution de 1917, il dirige des ateliers expérimentaux à Moscou, puis à Pétrograd, où, en 1919-20, est construite la maquette d'un

Monument à la Troisième Internationale, tour spiralée aux volumes rotatifs qui aurait été plus haute que la tour Eiffel. Il s'intéresse ensuite au théâtre, au cinéma, à un projet de machine volante, jusqu'à ce que le triomphe du « réalisme soviétique », en 1932, le fasse entrer dans l'ombre.

TA-T'ONG ou **DATONG,** v. de la Chine du Nord (Chan-si); 400 000 hab. Houille. Sidérurgie et métallurgie.

TATOU. — Cet édenté des deux Amériques, survivant d'une faune quaternaire de grande taille, porte trois cuirasses dorsales articulées, l'une pour la tête, l'autre pour le dos, la dernière pour la queue. La femelle met toujours au monde quatre vrais jumeaux (polyembryonie). Le tatou, grâce à de puissantes griffes, s'enfouit dans le sol plus vite que tout autre animal. Il court également très vite et sait nager. Il se nourrit d'insectes, de vers, de mille-pattes. Il est à signaler que le tatou n'a « envahi » les États-Unis qu'au début du XXe s. Le Brésil héberge un tatou géant (1,50 m de long) et diverses régions d'Amérique du Sud abritent de petites espèces : cabassou, encoubert, péludo, bola, taupe cuirassée.

TATRAS ou **TATRY** (les), massif le plus élevé de la chaîne des Carpates (2 663 m à la Gerlachovka [Tchécoslovaquie]), divisé parfois en *Hautes Tatras* (partagées entre la Pologne et la Tchécoslovaquie) et *Basses Tatras* (Tchécoslovaquie).

TATUM (Edward), biologiste américain (Boulder, Colorado, 1909-New York 1975), prix Nobel de médecine et de biologie en 1958, avec G. W. Beadle et J. Lederberg, pour ses travaux sur les gènes et leur rôle dans l'hérédité.

TATUM (Arthur, dit **Art**), pianiste de jazz noir américain (Toledo, Ohio, 1910 - Los Angeles 1956). Il s'imposa comme le plus doué des pianistes de jazz, par sa profonde musicalité, son sens du swing et la richesse de ses conceptions harmoniques. Parmi ses meilleurs enregistrements : *Tiger Rag* (1933), *Get Happy* (1940), *Flying Home* (en trio, 1944), *I Gotta Right to sing the Blues* (1954).

TAUERN (les), massif des Alpes autrichiennes. À l'O., dominant la haute vallée de la Salzach, les *Hohe Tauern* portent avec le massif du Grossglockner (3 796 m) le point culminant de l'Autriche (et des Alpes orientales). À l'E., entre les hautes vallées de l'Enns et de la Mur, les *Niedere Tauern* culminent à 2 863 m. Massif difficilement pénétrable, les Tauern sont localement animées par le tourisme (Badgastein).

TAULÉ (29231), ch.-l. de cant. du Finistère, à 10 km au N.-O. de Morlaix; 2 425 hab.

TAUNUS (le), partie sud-est du Massif schisteux rhénan, dominant la basse vallée du Main (en aval de Francfort) et le Rhin dans la partie amont de la « Trouée héroïque ».

TAUPE. — L'épaisseur du sol est le domaine de la taupe, qui est adaptée à le fouir avec ses puissantes pattes antérieures aux longues griffes, à en supporter l'humidité grâce à son épaisse fourrure, à y capturer les insectes (du sol comme de la surface) grâce à des galeries-pièges assorties de puits verticaux; elle repère, à l'aide d'un odorat remarquable, des proies animales que broient ses 44 dents pointues et dont elle dévore l'équivalent de son propre poids chaque jour. La terre qu'elle rejette forme des tas de déblais, les *taupinières,* mais c'est surtout pour la beauté de sa fourrure que l'on pourchasse cet animal utile.

TAUPIN. — L'originalité de ce groupe de coléoptères est le dispositif dorsal qui leur permet, lorsqu'ils sont tombés sur le dos, de sauter brusquement et avec bruit pour retomber sur leurs pattes. Allongés, la tête rentrée sous le corselet, les taupins sont souvent des végétariens nuisibles. Principaux genres : *Lacon, Agriotes, Athous, Corymbites, Elater.* (Famille des élatéridés.)

TAUPO *(lac),* le plus vaste lac de Nouvelle-Zélande, dans l'île du Nord; 626 km^2.

TAUREAU, constellation* zodiacale comprenant, outre l'étoile *Aldébaran**, les amas* des Hyades* et des Pléiades*, bien visibles à l'œil nu. — Deuxième signe du zodiaque.

TAURIDE ou **CHERSONÈSE TAURIQUE,** anc. nom de la Crimée*. Les Grecs considéraient les habitants de la Tauride comme des Barbares inhospitaliers qui immolaient à une déesse vierge les naufragés et navigateurs qui tombaient entre leurs mains, comme en témoigne la légende d'Iphigénie* en Tauride.

TAURIDES, essaim météorique qui paraît émaner de la constellation du Taureau*.

TAUROMACHIE. — Cet art de combattre les taureaux sauvages, sous sa forme codifiée la plus fréquente, la *corrida,* est né en Espagne au XVIIIe s. La tauromachie s'est répandue dans les pays voisins (Portugal, sud de la France) et dans les États d'Amérique latine de colonisation espagnole (Mexique principalement), mais elle demeure encore surtout espagnole, et la grande consécration officielle (l'*alternative*) n'est pratiquement obtenue ou du moins confirmée qu'à Madrid. Cette consécration couronne le *matador,* chef de la *cuadrilla,* équipe d'hommes (les *toreros*) chargée de combattre le taureau et qui comprend encore les *picadors* (qui combattent à cheval avec la pique) et les *banderilleros* (chargés, comme leur nom l'indique, de planter des banderilles sur le garrot du taureau). Le matador tue le taureau avec une épée, après l'avoir travaillé avec la *muleta* (pièce d'étoffe rouge), en exécutant un ensemble de passes (la *faena*) qui constitue le sommet de la corrida.

TAURUS, en turc **Toros,** système montagneux du sud de la Turquie, séparant le plateau anatolien et la Méditerranée. On distingue, à l'O., jusqu'au Seyhan, le *Taurus proprement dit,* auquel succède, entre le Seyhan et l'Euphrate, l'*Anti-Taurus.* On appelle parfois *Taurus oriental,* ou *Taurus arménien,* le rebord méridional des chaînes de la Turquie orientale (Arménie), dominant la haute Mésopotamie.

TAUVES (63690), ch.-l. de cant. du Puy-de-Dôme, à 14 km au S.-O. de La Bourboule; 1 339 hab. Église des XIIe et XIVe s.

TAUZIN → CHÊNE.

TAVANT (37220 L'Île Bouchard), comm. d'Indre-et-Loire, à 14,5 km à l'E. de Chinon; 189 hab. Église Saint-Nicolas, aux fresques romanes à fond clair datant sans doute de la fin du XIe s. dans la crypte, où le style est archaïque et nerveux (thème de la lutte du Bien et du Mal et de la destinée de l'âme), de la première moitié du XIIe s. dans le chœur (Christ entouré des symboles des évangélistes).

TAVAUX (39500), comm. du Jura, à 9 km au S.-O. de Dole; 4 736 hab. Industries chimiques.

TAVERNES (83670 Barjols), ch.-l. de cant. du Var, à 45 km à l'O. de Draguignan; 427 hab.

TAVERNY (95150), ch.-l. de cant. du Val-d'Oise, à 11 km à l'E. de Pontoise; 17 179 hab. *(Tabernaciens).* Église du XIIIe s. (œuvres d'art). Siège du commandement de la défense aérienne et des forces aériennes stratégiques. Constructions mécaniques.

TAVOLIERE (le), région d'Italie, dans la Pouille.

TAVOY, port de Birmanie, dans le Tenasserim; 53 000 hab.

TAWFĪQ (Muḥammad) [Le Caire 1852 - † 1892], khédive d'Égypte (1879-1892). En conflit avec 'Urābī* pacha, Tawfīq est contraint de le prendre comme ministre de la Guerre (1881-82). Après le bombardement d'Alexandrie (juill. 1882) par les Britanniques, Tawfīq destitue 'Urabi, qui résiste aux troupes britanniques, lesquelles conquièrent l'Égypte.

TAXE. — • *Taxes sur le chiffre d'affaires.* Elles constituent des impôts indirects, dans la mesure où, payées par les entreprises, elles sont répercutées dans les prix de vente et, en définitive, supportées par les consommateurs. La *taxe sur la valeur ajoutée (T. V. A.),* instituée par la loi du 10 avril 1954, a été étendue par la loi du 6 janvier 1966 à l'ensemble de la production, de la distribution et des services. La T. V. A. est calculée sur le prix (« hors taxes ») de la fourniture ou de la prestation effectuée par une entreprise, et répercutée dans le prix facturé au client. La taxe supportée à l'achat de ses fournitures par une firme élaborant un produit sera déduite de la taxe payée par elle à la vente. (Pour être récupérable, la taxe payée sur les achats devra figurer distinctement sur les factures ou les documents d'importation.) De la sorte, seule la « valeur ajoutée » est réellement taxée à chaque stade de la production.

• *Taxe foncière.* Elle remplace les anciennes contributions foncières des propriétés bâties et non bâties, respectivement supportées par le propriétaire d'immeuble construit et non construit.

• *Taxe d'habitation.* Elle remplace l'ancienne contribution mobilière et est acquittée par l'occupant d'un local à usage d'habitation.

• *Taxes parafiscales.* Contrairement aux autres impôts, ces taxes sont instituées non par des lois, mais par décrets en Conseil d'État.

• *Taxe professionnelle.* Instituée par la loi du 29 juillet 1975, elle remplace l'ancienne contribution des patentes et est acquittée par les entreprises et les professions autres qu'agricoles, au profit des collectivités locales : elle est établie sur la masse salariale payée et sur la valeur locative des locaux professionnels.

TAXILA, site archéologique du Pākistān, au N.-O. de Peshāwar. L'antique cité témoigne des civilisations qui occupèrent le nord du bassin de l'Indus* du VIe s. av. J.-C. au XIe s. de notre ère. Monastères et stūpa* bouddhiques y sont nombreux. Ils portent des décors de schiste et de stuc, et les images du Bouddha sont traitées dans le style du Gāndhāra*.

TAXINOMIE. — La science de ce nom a pour aboutissement la classification, ou systématique*, des êtres vivants. On la nomme parfois, à tort, *taxonomie.*

TAY (le), fl. de Grande-Bretagne (Écosse), qui passe à Perth et rejoint la mer du Nord par un long estuaire *(firth of Tay),* sur lequel est établi Dundee; 193 km.

TAYGÈTE (le), montagne du sud du Péloponnèse (Grèce); 2 404 m.

TAYLOR (Brook), mathématicien britannique (Edmonton, Middlesex, 1685 - Londres 1731). Il est resté célèbre grâce au développement en série auquel son nom est resté attaché et qui a joué un rôle primordial dans l'étude des fonctions de la variable réelle ou complexe. Il introduisit le calcul aux différences finies, qu'il appela « incréments », et étudia les changements de variable indépendante.

TAYLOR (Frederick Winslow), ingénieur américain (Germantown 1856 - Philadelphie 1915). Il doit être considéré comme le promoteur de l'organisation scientifique du travail.

TAYLOR (Paul), danseur et chorégraphe américain (Alleghany County 1930). Élève de Martha Graham, José Limón, Doris Humphrey, puis de la Juilliard School pour le ballet classique, il est un des meilleurs représentants de l'avant-garde chorégraphique aux États-Unis. Sa technique originale, caractérisée par des gestes fluides, s'adapte à ses œuvres, spontanées, souvent empreintes d'humour (*Three Epitaphs,* 1960; *Aureole* et *Piece Period,* 1962; *Churchyard,* 1969; *Noah's Minstrels,* 1972).

TAZA, v. du Maroc, ch.-l. de prov.; 55 000 hab. Le *couloir de Taza* est une zone de passage ouverte entre le Rif et le Moyen Atlas, reliant le Maroc occidental au Maroc oriental (et, au-delà, à l'Algérie).

TAZOULT, anc. **Lambèse,** v. d'Algérie, au S.-E. de Batna, au pied septentrional du massif de l'Aurès; 7 000 hab. Camp romain de la *Legio III Augusta,* résidence du légat de Numidie, Lambèse *(Lambaesis)* fut fondée à la fin du règne de Vespasien. Municipe florissant sous les Sévères, elle perdit toute importance à l'époque byzantine. Vestiges d'un camp fortifié construit sous Hadrien, thermes, temples, amphithéâtre, arc monumental, etc.

TBILISSI, anc. **Tiflis,** v. de l'U. R. S. S., capit. de la Géorgie, sur la Koura; 889 000 hab. Cathédrale de Sion et basilique d'Antchiskhati, remontant au VIe s., reconstruites ou restaurées. Ensemble fortifié de Metekhi, avec chapelle du XIIIe s. Constructions mécaniques et électriques. Industries alimentaires. — Fondée au IVe ou au Ve s., Tiflis est, à partir du VIe s., une ville importante de l'Ibérie. Elle souffre beaucoup des occupations successives des Persans, des Byzantins, des Arabes, des Khazars et des Seldjoukides, jusqu'à sa reconquête (1122) par David le Constructeur, qui en a fait la capitale de la Géorgie. Ruinée par les invasions mongoles et les luttes entre Turcs et Persans, la ville est conquise par les Russes en 1801. Tbilissi est, de 1922 à 1936, la capitale de la république fédérative de Transcaucasie.

TCHAD *(lac),* étendue lacustre peu profonde d'Afrique, bordée par la *république du Tchad,* le Cameroun, le Nigeria et le Niger, alimentée par le Chari et couvrant environ 25 000 km^2 (superficie variant, en fait, avec l'alimentation fluviale et pluviale).

TCHAD, État du centre de l'Afrique, à l'est du *lac Tchad;* 1 284 000 km^2; 4 120 000 hab. *(Tchadiens).* Capit. *N'Djamena.*

GÉOGRAPHIE. Le pays s'étend sur la moitié orientale de la cuvette sédimentaire du Tchad. Redressée à la périphérie, celle-ci est bordée par le massif volcanique du Tibesti au nord, l'Ennedi et l'Ouadaï à l'est et la dorsale de l'Oubangui au sud. Le climat permet de distinguer : au nord, une zone désertique, terminaison méridionale du Sahara; au centre, une zone steppique, à longue saison sèche; au sud, une zone de savane, se développant avec l'augmentation des précipitations. La population, très peu dense (3 hab. au km^2), se répartit en deux groupes très différents. Au nord, les Arabes, musulmans, pratiquent un élevage semi-nomade d'ovins et de bovins. Au sud, les Noirs, plus nombreux, animistes, sont des cultivateurs. Le millet constitue la base de l'alimentation, mais, grâce à l'irrigation, la région située entre le Chari et le Logone est devenue, lors de l'époque coloniale, productrice de coton, le principal produit d'exportation. Le pays doit importer des biens de consommation et souffre de son isolement et de son absence de débouché maritime. La balance commerciale est lourdement déficitaire, et le niveau de vie de la population reste très bas.

HISTOIRE. Le début de l'assèchement actuel du pays provoque, v. 3000 av. J.-C., la disparition des populations occupant la région septentrionale (Tibesti et Ennedi) et d'importantes migrations vers le lac Tchad, où, au VIIIe s. apr. J.-C., les Toubous du Tibesti fondent le royaume du Kanem*, qui contrôle les caravanes transsahariennes. Des luttes intestines obligent les souverains du Kanem, au XIVe s., à se réfugier au Bornou*, que domine la société kanouri, gagnée à l'islām. Si bien que, peu à peu, Toubous et Foulbés sont submergés par les Arabes ou par les Noirs islamisés. Au XIXe s., les Européens, Allemands, Britanniques et surtout Français, sont attirés par le mystère du lac Tchad. En 1884-85, la conférence de Berlin fixe les limites — aberrantes — de la république actuelle du Tchad. Les deux campagnes françaises (Gentil, Lamy) menées contre l'empire de Rabah aboutissent, en 1900, à la formation de la colonie française du Tchad, très composite, amputée (1911-1918), au profit des Allemands, du « bec de canard » : elle ne s'organise d'ailleurs que lentement; jusqu'en

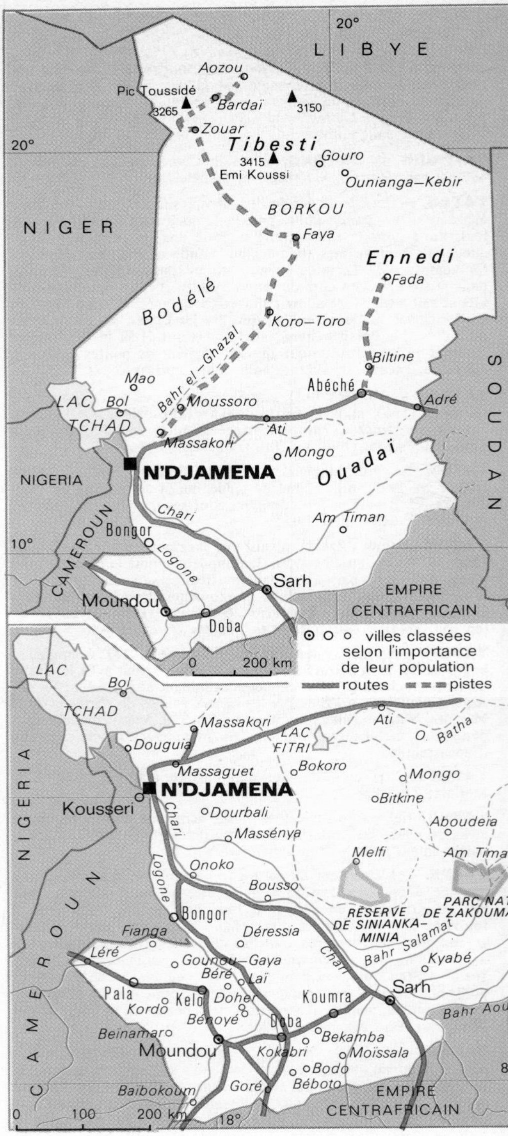

TCHAD

1922, elle est intégrée à l'Oubangui-Chari. En 1940, le Tchad, grâce au gouverneur Félix Éboué (1884-1944), est la première colonie à se rallier à la France libre, avant de servir de base aux opérations de la colonne Leclerc* en Libye (1941-1945). Fondé en 1946 par l'Antillais Gabriel Lisette, le parti progressiste tchadien (P. P. T.) est au centre du mouvement d'indépendance. Le Tchad devient république indépendante en 1960, le premier président étant François Tombalbaye, qui fonde un régime présidentiel appuyé sur le P. P. T., parti unique. Une administration négligente et la résurgence des haines tribales provoquent la constitution d'un Front de libération nationale du Tchad (Frolinat), responsable de la rébellion de 1968. Contre elle, Tombalbaye dispose de l'appui de forces françaises dans le cadre de l'accord de défense franco-tchadien de 1960 : de 1969 à 1971, la France accorde une « aide exceptionnelle et limitée » (3 000 hommes) aux forces tchadiennes en lutte contre la rébellion. Les opérations ont lieu dans la région de Borkou-Ennedi. En 1972 s'instaure un équilibre précaire. L'assassinat de Tombalbaye (1975) donne le pouvoir au général Félix Malloum. En 1975, la France évacue la base aérienne de

N'Djamena (Fort-Lamy), qui lui était concédée par les accords de 1960. Mais une aide militaire est toujours accordée au Tchad.

TCHAÏKOVSKI (Petr Ilitch), compositeur et chef d'orchestre russe (Votkinsk 1840-Saint-Pétersbourg 1893). Artiste savant, il sert d'intermédiaire entre le groupe des Cinq et la musique occidentale, exprimant avec intensité les différents aspects du drame de l'humanité. Créateur du ballet symphonique (*le Lac des cygnes,* 1876; *Casse-Noisette,* 1892), il laisse sept symphonies d'un caractère passionné, des concertos, des opéras d'un beau lyrisme psychologique (*Eugène Onéguine,* 1878; *la Dame de pique,* 1890).

TCH'ANG-CHA ou **CHANGSHA,** v. de Chine, capit. du Hou-nan, sur le Siang-kiang; 703 000 hab. Métropole du royaume de Tchou à l'époque des Royaumes combattants (475-221 av. J.-C.) et célèbre centre culturel de la Chine impériale, c'est un site archéologique très riche, dont les sépultures ont livré quantité d'ustensiles et de pièces d'ornement en bois revêtus de laque*.

TCHANG-HOUA ou **ZHANGHUA,** v. de l'ouest de T'ai-wan; 124 000 hab.

TCHANG KAÏ-CHEK, TSIANG KIAI-CHE ou **JIANG JIESHI,** homme d'État chinois (près de Ning-po 1887-T'ai-pei 1975). Il rejoint l'armée révolutionnaire en 1911, puis, à la mort de Sun Yat-sen*, dirige la fraction modérée du Kouo-min-tang* (1925). Commandant en chef (généralissime) des armées nationales en 1926, il réprime très violemment les soulèvements communistes de Chang-hai et de Canton (1927). Président du gouvernement nationaliste conservateur installé à Nankin, il engage une lutte acharnée contre les soviets implantés dans le sud de la Chine et contraint l'armée rouge à la retraite (Longue Marche*, 1934-35). L'offensive japonaise pousse cependant communistes et nationalistes à conclure une alliance fragile (1937), qui est rompue peu après la fin des hostilités (1945). Le gouvernement de Tchang Kaï-chek, qui s'est replié à Tch'ong-k'ing pendant la guerre sino-japonaise, sort vaincu de cette nouvelle guerre civile et doit s'établir à T'ai-wan (1949). Président de la République nationaliste chinoise, Tchang Kaï-chek établit un régime autoritaire, qui bénéficie de l'aide des États-Unis et dont l'objectif reste la reconquête de la Chine continentale. À sa mort, son fils Tsiang King-kouo lui succède.

TCH'ANG-NGAN → SI-NGAN.

TCH'ANG-TCHEOU ou **CHANGZHOU,** v. de Chine (Kiang-sou); 839 000 hab. Métallurgie. — C'est l'une des plus anciennes villes chinoises : elle fut occupée dès 2100 av. J.-C., sous la dynastie Chang. Les fouilles y ont prouvé l'existence d'une métallurgie du bronze antérieure à Ngan-yang*, ainsi que des fours à poterie, des ateliers où l'on travaillait l'os, et un grand nombre de tombes contenant des bronzes.

TCH'ANG-TCH'OUEN ou **CHANGCHUN,** v. de la Chine du Nord-Est, capit. du Ki-lin; 975 000 hab. Centrale thermique. Construction automobile.

TCHAN-KIANG ou **ZHANJIANG,** port de Chine (Kouang-tong), sur la mer de Chine méridionale; 166 000 hab.

TCHAO MONG-FOU ou **ZHAO MENGFU,** peintre chinois de la famille impériale Song (Hou-tcheou 1254-† 1322). Il est fonctionnaire à la cour mongole des Yuan, à Pékin. Réputé pour ses peintures de paysages et de chevaux, il insiste sur la nécessité de copier les maîtres anciens de la fin des T'ang et du début des Song. Il est l'auteur de nombreuses copies et fait preuve dans ses œuvres comme dans sa calligraphie d'un archaïsme élégant.

TCH'AO-TCHEOU ou **CHAOZHOU,** v. de Chine, dans l'est du Kouang-tong; 170 000 hab.

TCHARDJOU, v. de l'U.R.S.S. (Turkménistan), sur l'Amou-Daria; 96 000 hab.

TCHEBOKSARY, v. de l'U.R.S.S. (R.S.F.S. de Russie), capit. de la république autonome des Tchouvaches, sur la Volga; 216 000 hab. Industrie chimique.

TCHEBYCHEV (Pafnouti Lvovitch), mathématicien russe (Okatovo 1821-Saint-Pétersbourg 1894). Il étudia l'analyse, la théorie des nombres, le calcul des probabilités et la mécanique.

TCHÉCOSLOVAQUIE, en tchèque **Československo,** république fédérale de l'Europe centrale; 128 000 km²; 14 760 000 hab. *(Tchécoslovaques).* Capit. *Prague.*

GÉOGRAPHIE

• *Le milieu naturel.* Le pays s'étend sur trois grandes régions. À l'ouest, la Bohême* est formée d'un ensemble de collines et de bas plateaux drainés par l'Elbe, encadré de massifs hercyniens couverts de forêts. Au centre, le sillon de Moravie, drainé par la Morava et orienté nord-sud, communique avec la vallée du Danube. À l'est, la Slovaquie* correspond à la partie occidentale de la chaîne tertiaire des Carpates*. L'ensemble du pays connaît un climat continental aux hivers rudes et aux étés orageux.

• *La population.* La Tchécoslovaquie est la fédération de deux États, la Bohême-Moravie, à l'ouest, et la Slovaquie, à l'est, dont les habitants parlent respectivement le tchèque et le slovaque. À ces deux communautés, qui se différencient également par leur religion (les Tchèques sont en majorité protestants, les Slovaques, catholiques), s'ajoute une minorité hongroise (4 p. 100 de la population) qui vit en Slovaquie. La densité de population est élevée. Mais le pays est actuellement marqué par un accroissement naturel lent, lié à un faible taux de natalité, surtout chez les Tchèques. 55 p. 100 des habitants résident dans des villes, parmi lesquelles, derrière Prague, émergent Brno, Ostrava et Bratislava.

• *L'économie.* Au lendemain de la Seconde Guerre mondiale, la Tchécoslovaquie a entrepris son redressement économique sur des bases socialistes.

L'agriculture a été presque entièrement collectivisée, mais de manière progressive. La terre est exploitée dans le cadre de coopératives, qui facilitent la mécanisation et l'emploi des engrais et qui ont permis une augmentation des rendements. La culture est peu favorisée par des sols généralement médiocres. Elle se concentre sur les collines de Bohême et de Moravie, plus riches, et est orientée vers la production de céréales (blé, orge, maïs), de betteraves à sucre, de pommes de terre, souvent associée à l'élevage bovin. Localement, on cultive le houblon, le tabac et les arbres fruitiers. L'exploitation de la forêt, qui couvre le tiers du territoire, apporte un complément de ressources. Cependant, la production agricole ne satisfait pas entièrement les besoins du pays, importateur notamment de céréales.

Le développement industriel est ancien, fondé sur l'exploitation des ressources minières, abondantes et variées. Le fer, le plomb et le zinc, l'antimoine et le cuivre sont à l'origine d'une métallurgie utilisant initialement le bois. Les gisements de lignite (85 Mt) et de charbon (28 Mt) ont permis, au XIXe s., la révolution industrielle et le développement d'activités variées. Actuellement, le rôle du charbon décline au profit des hydrocarbures importés d'U.R.S.S., et le lignite est essentiellement utilisé pour la production d'électricité. L'industrie lourde occupe toujours une large place. La sidérurgie (15 Mt d'acier), localisée sur le charbon et dans le nouveau combinat de Košice, alimente les constructions mécaniques : machines textiles et agricoles, automobiles, etc. La chimie fournit des engrais et des textiles synthétiques. Les branches traditionnelles demeurent actives : textile (coton), chaussure, verrerie, brasseries (Plzeň), etc.

Ces diverses activités se répartissent dans les grandes villes, en particulier dans l'agglomération de Prague. La disparité entre la Bohême-Moravie, prospère, et la Slovaquie, longtemps défavorisée, est aujourd'hui atténuée. Au sein des démocraties populaires, la Tchécoslovaquie jouit du plus haut niveau de vie avec l'Allemagne de l'Est. Elle occupe une place importante dans le Comecon, avec lequel elle réalise l'essentiel de ses échanges. Tributaire de l'U.R.S.S. pour une grande partie de ses matières premières, elle exporte sa production vers les pays socialistes. Mais ses contacts avec l'Europe de l'Ouest s'intensifient.

HISTOIRE. L'État tchécoslovaque naît en 1918 de la fusion en une république indépendante des pays du royaume de Bohême* (Bohême, Moravie*) et de la Slovaquie*. Le premier président élu est Tomáš Garrigue Masaryk*, qui forme un cabinet présidé par Karel Kramář (1860-1937); le ministre des Affaires étrangères est Edvard Beneš*. La première tâche des nouvelles autorités est de définir les frontières de cet État multinational, auquel se rattache, en 1919, la Ruthénie* subcarpatique. Ayant hérité de 70 p. 100 du potentiel industriel de l'Autriche, la Tchécoslovaquie dispose d'une économie avancée, mais un grave déséquilibre oppose les riches pays tchèques à la Slovaquie, rurale et attardée. La stabilité intérieure de l'État tient à l'équilibre de ses structures sociales, à la balance que Masaryk maintient entre le législatif et un exécutif fort, et à la politique habile menée par le parti agrarien, qui est fréquemment à la tête du pays, notamment avec Antonín Švehla (1873-1933), président du Conseil de 1922 à 1929.

La crise des années 30 touche durement un pays dont l'économie, largement exportatrice, est vulnérable. L'agrarien Jan Malypetr (1873-1947), en obtenant les pleins pouvoirs, prend des mesures efficaces. Quand E. Beneš est élu président de la République (1935), il est affronté aux problèmes de la Slovaquie, où les populistes mènent campagne pour l'indépendance, et à ceux des régions allemandes des Sudètes*, où se développe un Front patriotique présidé par Konrad Henlein. En fait, la continuité de l'État tient à la continuité de la politique extérieure. Beneš, qui craint surtout le retour des Habsbourg*, maintient à tout prix le système de Versailles; aussi la Petite-Entente* et l'amitié de la France sont-elles les bases de cette politique.

L'arrivée de Hitler* au pouvoir en Allemagne (1933) crée une nouvelle menace. Au début, la Petite-Entente peut y faire face en se renforçant, mais l'éclipse des démocraties après 1936 isole la Tchécoslovaquie, dont le système d'alliances s'effondre lors de la crise de Munich* (sept. 1938). Obligée alors d'abandonner ses régions allemandes (avec des zones cédées à la Pologne et à la Hongrie), la jeune République dirigée par Emil Hácha (1872-1945)

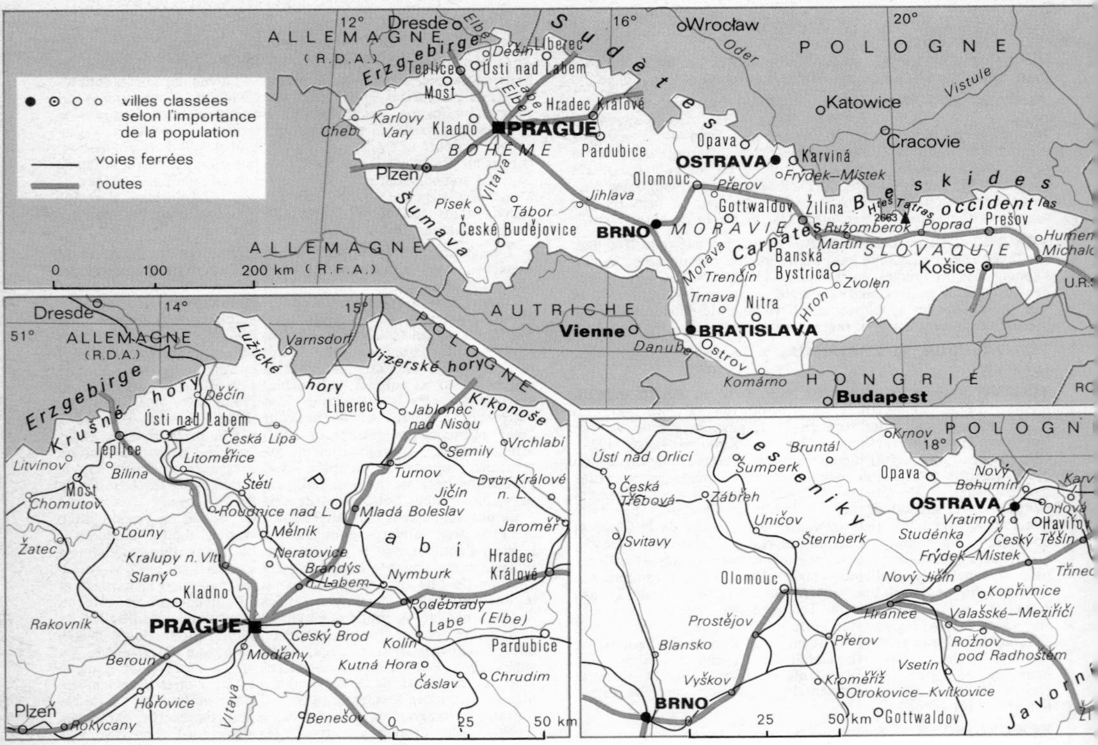

TCHÉCOSLOVAQUIE

est vouée à l'anéantissement. La Slovaquie et la Ruthénie subcarpatique ayant obtenu leur autonomie, la Bohême-Moravie est envahie par les nazis le 15 mars 1939; elle devient alors un protectorat allemand, cependant qu'E. Beneš crée en exil un Comité national tchécoslovaque. La politique de persécution et de germanisation, intense surtout après 1941, avec Reinhard Heydrich et Kurt Daluege, provoque une résistance active, à laquelle réplique un régime de terreur brutale. À Londres, le gouvernement d'E. Beneš, auquel participent les communistes, renforce ses liens avec les Alliés et avec Moscou. En mars 1945, il gagne Moscou, puis s'installe à Košice, en Slovaquie libérée. L'insurrection de Prague (5 mai 1945) aide à la libération de la Bohême par les troupes soviétiques. Les conséquences de Munich sont effacées.

De 1945 à 1948, Beneš dirige de nouveau la République tchécoslovaque. Cependant le succès des communistes — dont le leader est Klement Gottwald*, vice-président du Conseil — aux élections de 1946 prélude au noyautage progressif par eux de la vie politique. Quand, en juillet 1947, le cabinet dirigé par le social-démocrate Zdeněk Fierlinger annonce l'adhésion du pays au plan Marshall, Moscou met son veto.

La crise éclate en février 1948, quand K. Gottwald s'empare du pouvoir; bientôt, le multipartisme disparaît au profit du Front national, formé par la fusion du parti social-démocrate et du parti communiste; en juin 1948, la démission de Beneš livre la présidence à K. Gottwald. Celui-ci doit aligner sa politique sur la ligne dure du Kominform* et l'économie tchécoslovaque sur le modèle soviétique; le limogeage des non-communistes s'amorce; une épuration brutale se développe en même temps que la socialisation des terres. Le procès, en 1951, de Rudolf Slánský (1901-1952), premier secrétaire du parti, profite à Antonín Novotný*, qui lui succède, tandis qu'Antonín Zápotocký (1884-1957) remplace Gottwald à la présidence de la République : à la mort de Zápotocký, Novotný cumule les deux charges.

L'ère novotnyste (1953-1967) est marquée par le refus de réhabiliter les victimes des grands procès, l'effondrement de l'économie et l'opposition grandissante des Slovaques, qui ont perdu toute autonomie en 1960

Quand, le 5 janvier 1968, Novotný est remplacé au poste de premier secrétaire du parti par Alexander Dubček* éclate le « printemps de Prague », caractérisé par la levée de la censure, la démission de Novotný de la présidence de la République, où il est remplacé par le général Svoboda* (22 mars), la réhabilitation des victimes des grands procès, la renaissance de la libre discussion politique, la fin de la persécution religieuse, la recherche d'un « socialisme à visage humain ». Mais Moscou n'admet pas cette libéralisation intérieure : le 20 août 1968, 650 000 Soviétiques et alliés du pacte de Varsovie envahissent la Tchécoslovaquie; malgré la résistance passive de la population, cette invasion se solde par le retour à la situation antérieure au « printemps de Prague », la fédéralisation étant instaurée par la reconnaissance de l'égalité de la Slovaquie avec les pays tchèques. En avril 1969, Gustáv Husák* est élu premier secrétaire du parti, dont l'appareil est repris en main par les conservateurs, Dubček perdant bientôt toutes ses fonctions et L. Štrougal remplaçant Černik à la tête du gouvernement. C'est la « normalisation », marquée par une épuration qui s'étend à tous les secteurs. Le 6 mai 1970, un traité d'amitié avec Moscou et les autres pays socialistes entérine le triomphe de la doctrine de la « souveraineté limitée ». En 1975, le général Svoboda est remplacé à la présidence de la République (1973) par G. Husák.

Tcheka → KGB.

TCHEKHOV (Anton Pavlovitch), écrivain russe (Taganrog 1860-Badenweiler, Allemagne, 1904). On peut chercher dans sa vie le secret de son art : son regard objectif de « témoin impartial » est celui de l'observation clinique, mais aussi de l'indifférence née de l'excès de misère (petit-fils de serf, fils d'un épicier animé par son seul fanatisme religieux, obligé dès l'adolescence de subvenir aux besoins d'une famille ruinée, Tchekhov aborda la littérature par le récit alimentaire à 68 kopecks la ligne); la densité et la brièveté de son écriture viennent à la fois de la tuberculose, qui le consume et le pousse à dire vite ce qu'il a à dire, et de ses conceptions esthétiques; dans une vie où il n'y a pas de « sujets bien tranchés », où tout est mêlé, « le profond et le mesquin, le tragique et le ridicule », l'écrivain doit aller à l'essentiel. « Plus le fond sera gris et terne, mieux cela vaudra », écrit Tchekhov : c'est dire que l'écriture joue le rôle de révélateur, à partir de la banalité de la vie quotidienne et de l'insignifiance du langage courant. Lucidement, méthodiquement, Tchekhov se fera ainsi dans ses nouvelles « le chantre de la désespérance » par amour de son prochain : *la Steppe* (1888); *la Salle n° 6* (1892); *Récits d'un inconnu* (1893); *le Moine noir* (1894); *Groseilles à maquereaux* (1898). Peindre l'« hypnose générale » (l'oubli de la souffrance) pour y échapper, c'est au fond la tâche que s'assigne Tchekhov, dans la sécheresse de son rapport sur le bagne (*l'Île de Sakhaline,* 1893) comme dans la poésie contenue de son théâtre (*la Mouette**, 1896; *Oncle Vania,* 1899; *Trois Sœurs,* 1901; *la Cerisaie,* 1903). Tout son art consiste non à trouver des solutions aux malentendus et aux dégoûts de l'existence (l'enlisement de la vie provinciale, les fausses vocations d'écrivain ou d'artiste), mais à « poser correctement le problème »; d'où la temporalité originale de ses pièces et de ses nouvelles : entre un prologue bref et une fin abrupte ou indécise, le temps de l'œuvre est celui non d'une crise mais d'une usure, présent doublement contaminé par le passé, qui est un âge d'or, et par un futur, reflet symétrique, qui est une terre promise. D'où la répétition, figure majeure de l'univers tchekhovien, reprise de mots, d'attitudes, de souvenirs, ruse dérisoire pour « tuer » le temps, que l'on pense abolir dans l'inlassable reproduction d'un même moment privilégié.

TCHELIABINSK, v. de l'U. R. S. S. (R. S. F. S. de Russie), dans le sud de l'Oural; 875 000 hab. Sidérurgie. Industries métallurgiques (construction automobile) et chimiques.

TCHENG-TCHEOU ou **ZHENGZHOU,** v. de Chine, capit. du Ho-nan, sur le Houang-ho; 766 000 hab. Constructions mécaniques et électriques. Textiles.

TCH'ENG-TOU ou **CHENGDU,** v. de Chine, capit. du Sseu-tch'ouan, dans le Bassin rouge; 1 135 000 hab. Industrie cotonnière.

TCHEN-KIANG ou **ZHENJIANG,** v. de Chine (Kiang-sou), à l'E. de Nankin; 201 000 hab.

TCH'EN PO-TA ou **CHEN BODA** → RÉVOLUTION CULTURELLE PROLÉTARIENNE *(grande).*

TCHEOU ou **ZHOU,** dynastie qui régna sur la Chine de 1111 à 249 av. J.-C. En fait, l'histoire chronologique de la Chine, et donc de cette dynastie, commence en 722, avec l'apparition des premières annales chinoises de la période des « Printemps et automne ». Les Tcheou ne règnent d'abord réellement que dans la vallée de la Wei, les autres grands États de la confédération chinoise n'étant liés à eux que par une vassalité toute formelle. En 249 av. J.-C., le dernier souverain Tcheou doit abdiquer en faveur du roi de Ts'in*, maître du Bassin rouge.

TCHEOU-K'EOU-TIEN ou **ZHOUKOUDIAN,** village de Chine à une cinquantaine de kilomètres au sud-ouest de Pékin, dont les cavernes des environs, étudiées depuis 1921, ont livré un matériel paléontologique et anthropologique remarquable. Les restes du *Sinanthropus pekinensis* étaient associés à des traces de combustion et à une industrie lithique de galets aménagés.

TCHEOU NGEN-LAI ou **CHOU EN-LAI,** homme politique chinois (prov. de Tchö-kiang 1898 - Pékin 1976). Il prend part au mouvement du 4 mai 1919, puis séjourne en France, où il participe à la fondation de la section française au parti communiste chinois (1920). De retour en Chine, il prépare les insurrections communistes de Chang-hai, de Nan-tch'ang et de Canton (1927). Membre du Comité central du parti, il se rallie, au cours de la Longue Marche* (1934-35), aux thèses de Mao Tsö-tong, dont il devient l'un des proches collaborateurs. À partir de 1936, il est chargé des négociations avec le Kouo-min-tang* en vue d'établir un front uni contre le Japon. Premier ministre de la république populaire de Chine à partir de 1949 et ministre des Affaires étrangères (jusqu'en 1958), il participe aux conférences de Genève (1954) et de Bandung (1955). Il joue un rôle prépondérant dans les relations avec l'U. R. S. S. et dans le rapprochement sino-américain (1972). Il se range aux côtés de Mao Tsö-tong dès le début de la révolution* culturelle (1966), au cours de laquelle il exerce une influence modératrice. En 1971, la chute de Lin Piao le place au second rang de la hiérarchie de l'État.

Tchekov. Représentation d'*Ivanov* au théâtre de l'Athénée (Paris, 1970).

TCHÈQUE. — Langue du groupe slave occidental, le tchèque est parlé par environ 10 millions de personnes en Bohême et en Moravie. Attesté dès le XIIe s., il est fixé comme langue littéraire par Jan Hus (*De orthografia bohemica,* 1414). Après la défaite de la Montagne-Blanche (1620), il connaît une éclipse de deux siècles.
Le renouveau du XIXe s. emprunte à la langue littéraire ancienne un certain nombre de traits archaïques, si bien qu'il existe encore actuellement des différences assez sensibles entre la langue écrite et la langue parlée.

TCHEREMKHOVO, v. de l'U. R. S. S. (R. S. F. S. de Russie), au N.-O. d'Irkoutsk; 99 000 hab. Centre houiller.

TCHERENKOV (Pavel Alekseïevitch), physicien soviétique (né en 1904). Il a découvert en 1934 l'émission de lumière par des particules de vitesses supérieures à celle de la lumière. (Prix Nobel de physique, 1958.)

TCHEREPOVETS, v. de l'U. R. S. S. (R. S. F. S. de Russie), à l'E. de Leningrad; 188 000 hab. Métallurgie.

TCHERKASSY, v. de l'U. R. S. S. (Ukraine), au S.-E. de Kiev; 158 000 hab. Textiles.

TCHERKESSES, peuple du Caucase. Les Tcherkesses, ou Circassiens, se composent de deux groupes principaux, les Adyguéens* et les Kabardines, établis au sud du Kouban. Islamisés (XVIe-XVIIIe s.), les Tcherkesses, soutenus par les Ottomans, mènent la lutte contre la pénétration russe jusqu'en 1864. Une partie d'entre eux émigrent alors en Turquie.

TCHERNIGOV, v. de l'U. R. S. S., dans le nord de l'Ukraine; 159 000 hab. Église des XIe-XIIIe s. Textile.

TCHERNIKHOVSKY (Saül), poète israélien (Mikhaïlovka, Ukraine, 1875 - Jérusalem 1943), dont l'œuvre lyrique réalise la synthèse des valeurs éthiques de la tradition juive et des principes esthétiques de la culture occidentale (*Visions et mélodies,* 1898-1900; *Cantiques du pays,* 1932; *Vois, terre!,* 1940).

TCHERNOVTSY, v. de l'U. R. S. S. (Ukraine), près de la frontière roumaine; 187 000 hab.

TCHERNOZIOM ou **TCHERNOZEM.** — Type de sol qui caractérise les régions continentales faiblement arrosées (400 mm de pluies par an environ), le tchernoziom se développe sous une végétation de graminées et sur une roche mère riche en calcaire (lœss). Il comprend un horizon noir épais, à structure granuleuse, où l'humus est abondant, surmontant un horizon jaune clair riche en concrétions calcaires. Très fertile, on le rencontre notamment en Ukraine, en Chine et en Argentine.

TCHERNYCHEVSKI (Nikolaï Gavrilovitch), écrivain russe (Saratov 1828 - *id.* 1889). Représentant typique du prolétariat intellectuel qui, à partir de 1860, s'oppose à la génération idéaliste précédente, il conçoit la littérature comme un moyen d'action sociale, refuse toute forme d'esthétique et popularise la philosophie scientifique naturaliste. Ses études critiques sur Gogol sont à la source du courant littéraire « utilitariste », et son roman *Que* faire?* (1863) fut la bible de la jeunesse révolutionnaire. Après dix-neuf ans de bagne, il vécut en résidence forcée.

TCHERRAPOUNDJI → CHERRAPUNJI.

TCHERSKI *(monts),* massif du nord-est de la Sibérie, dans le bassin de l'Indiguirka; 3 147 m.

TCHÉTCHÈNES, peuple musulman du Caucase oriental, vivant principalement dans la *république autonome des Tchétchènes-Ingouches* (1 065 000 hab., capit. *Grosnyï*), importante région productrice de pétrole. — L'islām, venu du Daguestan et de Crimée, se répand chez les Tchétchènes à partir du XVIIe s. Ces montagnards s'opposent à l'avance russe, qui se poursuit du milieu du XVIIIe s. à la reddition de Chamīl* (1859). La république autonome des Tchétchènes-Ingouches, constituée en 1936, est abolie en 1944-1946 et rétablie en 1957. Cette même année, les Tchétchènes et les Ingouches déportés en Asie centrale sont réhabilités.

TCHIATOURA, v. de l'U. R. S. S. (Géorgie). Centre important de l'extraction du manganèse.

TCHICAYA (Gerald U'Tamsi), poète congolais d'expression française (M'Piti 1929). Il unit l'évocation attendrie ou irritée de l'Afrique à des recherches verbales d'une extrême diversité (*le Mauvais Sang,* 1955; *Épitome,* 1962; *le Ventre,* 1964).

TCHIMKENT, v. de l'U. R. S. S., dans le sud du Kazakhstan; 247 000 hab. Métallurgie (plomb et zinc).

TCHIRTCHIK, v. de l'U. R. S. S. (Ouzbékistan), sur le *Tchirtchik* (affl. du Syr Daria, qui arrose l'oasis de Tachkent); 107 000 hab.

TCHISTIAKOVO → THOREZ.

TCHITA, v. de l'U. R. S. S. (R. S. F. S. de Russie), à l'E. du lac Baïkal; 241 000 hab. Métallurgie.

TCHOGAZANBIL, site archéologique élamite, dans la région de Suse, dominé par les impressionnants vestiges de la ziggourat construite au XIIe s. av. J.-C. par le roi Ountash-gal.

TCHOIBALSAN (Khorlogine), maréchal et homme d'État mongol (Baian-Toumen [auj. Tchoibalsan] 1895 - Moscou 1952). Il organise en 1919 un cercle révolutionnaire, qui fusionne avec celui de D. Sükhe-Bator pour former le parti révolutionnaire du peuple mongol (1921). Commandant en chef de l'armée populaire (1924-1928), il devient Premier ministre et premier secrétaire du parti (1939-1952), instaurant en Mongolie* un régime stalinien.

TCHÖ-KIANG ou **ZHEJIANG,** prov. du sud-est de la Chine, sur la mer de Chine orientale; 101 000 km^2; 30 millions d'hab. Capit. *Hang-tcheou.* Abondamment arrosé, région aux hivers doux (surtout au sud, cependant plus accidenté que le nord, plat et bas) et aux étés chauds, le Tchö-kiang est une province surtout agricole, dont la mise en valeur intensive (riz, mûrier, jute, élevage porcin; pêche active sur le littoral) est liée à la forte densité de population.

TCH'ONG-K'ING ou **CHONGQING,** v. de Chine, sur le Yang-tseu-kiang, la plus peuplée du Sseu-tch'ouan; 2 765 000 hab. Centre industriel (métallurgie et textile). — La ville fut le quartier général de Tchang Kaï-chek de 1938 à 1946.

TCHOUANG-TSEU ou **ZHUANGZI** → TAOÏSME.

TCHOUDSK *(lac)* → PEÏPOUS *(lac).*

TCHOUKTCHES, peuples de l'extrémité nord-est de l'U. R. S. S., en Sibérie, occupant notamment la *presqu'île des Tchouktches,* sur la *mer des Tchouktches* (dépendance de l'Arctique). La *circonscription nationale des Tchouktches* (dépendance de la R. S. F. S. de Russie), plus vaste que la France (737 700 km^2), ne compte qu'une centaine de milliers d'habitants (ch.-l. *Anadyr*).

TCHOU TÖ, CHOU-TEH ou **ZHU DE,** maréchal et homme politique chinois (Ma-ngan, Sseu-tch'ouan, 1886 - Pékin 1976). Collaborateur de Mao Tsö-tong, il organise et commande en chef (1930) la Ire armée rouge, avec laquelle il participe à la Longue Marche, puis le 18e groupe d'armées (1937-1945). Commandant en chef de l'armée populaire de libération de 1946 à 1954, il conquiert la Chine continentale (1946-1949). Vice-président de la République de 1954 à 1959, il est fait maréchal en 1955 et préside en 1959 le Comité permanent du Congrès national populaire.

TCHOUVACHES *(république autonome des),* dépendance de la R. S. F. S. de Russie (U. R. S. S.), sur la moyenne Volga; 1 224 000 hab. Capit. *Tcheboksary.*

TÉBESSA, v. de l'est de l'Algérie, au pied des *monts de Tébessa* (partagés entre l'Algérie et la Tunisie); 41 000 hab. Phosphates.

TECH (le), fl. côtier du sud du départ. des Pyrénées-Orientales; 82 km.

TECHNOCRATIE. — Dans *l'Avenir de la science* (1890), Ernest Renan avait imaginé une société régie par les savants. Saint-Simon rêvait d'une société enfin gouvernée par les industriels et la science. Mais c'est seulement en 1941 que James Burnham*, avec *l'Ère des organisateurs,* note la montée vers le pouvoir d'une nouvelle classe, celle des managers. Un peu plus tard, Alfred Sauvy dira : « On appelle technocrate le technicien qu'on n'aime pas. » Remarque contemporaine d'une politique surgie dans les années 60 au sein des sociétés démocratiques, inquiètes devant le pouvoir grandissant des experts.

TECHNOSTRUCTURE. — Ce terme a été forgé par l'économiste américain J. Galbraith* (*le Nouvel* État industriel,* 1967) pour désigner l'ensemble des cadres supérieurs, qui, dans l'entreprise contemporaine, apportent des connaissances et exercent une autorité dont l'incidence est beaucoup plus importante que celle des détenteurs du capital eux-mêmes. Cette analyse est contestée.

TECK. — Le teck (genre *Tectona,* famille des verbénacées), abondant dans les forêts équatoriales, est un grand arbre, dont le bois dur, imputrescible, est très recherché dans la construction navale.

TECTONIQUE. — Branche de la géologie qui étudie les déformations de l'écorce terrestre, la tectonique est parfois appelée « géologie structurale ». Les déformations qui aboutissent à la surrection des chaînes de montagnes se traduisent, en effet, dans les structures. Celles-ci sont observées à l'échelle hectométrique ou kilométrique (plis, failles) : ce sont les macrostructures. Elles sont également visibles à l'échelle de l'affleurement ou même de l'échantillon : ce sont les microstructures (microplis), dont l'étude fait l'objet de la *microtectonique.* Le terme de *néotectonique* s'applique aux déformations très récentes (quaternaires), qui témoignent de l'instabilité actuelle d'une région : la néotectonique est très active dans le bassin méditerranéen.

TEDDER (Arthur), maréchal de l'air britannique (Stirlingshire, Écosse, 1890 - Banstead 1967). Commandant les forces aériennes alliées en Tunisie et en Italie (1943), il devient, en 1944-45, l'adjoint d'Eisenhower dans le commandement en chef des forces alliées qui libéreront l'Europe occidentale.

T. E. E., sigle de *Trans-Europ-Express.*

TEGAL, port d'Indonésie, sur la côte nord de Java; 106 000 hab.

TÉGÉE, ancienne cité grecque d'Arcadie*. Son histoire est faite de ses démêlés avec Sparte, dont elle dut accepter l'hégémonie. Vestiges du temple d'Athéna Aléa, du IVe s., dont certains fragments architectoniques, œuvres de Scopas*, sont abrités dans le musée.

TÉGÉNAIRE. — La tégénaire est l'araignée commune de nos maisons, caractérisée par ses longues pattes et par sa toile permanente en nappe, creusée d'un puits de guet et édifiée dans les coins sombres.

TEGETTHOFF (Wilhelm VON), amiral autrichien (Maribor 1827-Vienne 1871). Pendant la guerre austro-prussienne*, il battit la flotte italienne à Lissa.

TÉGLAT-PHALASAR III, roi d'Assyrie* (de 745 à 727 av. J.-C.). Il restaura la solidité de l'Empire assyrien, ébranlé après le règne de Salmanasar III (de 859 à 824) par une période de crise, qui compromit, de 826 à 746, l'expansion assyrienne. Il réorganisa l'administration dans un esprit de centralisation, dont le but était de briser la puissance des grands vassaux.

TEGNÉR (Esaias), écrivain suédois (Kyrkerud 1782 - près de Växjö 1846), auteur de poèmes patriotiques (*Svea,* 1811), intimes (*Hypocondrie,* 1826), et de la populaire *Saga de Frithiof* (1820-1825).

TEGUCIGALPA, capit. du Honduras, à près de 1 000 m d'alt.; 232 000 hab.

TÉGUMENT → PEAU et PHANÈRES.

TÉHÉRAN, en perse **Tehrān,** capit. de l'Iran, à près de 1 200 m d'alt., dominée au N. par la chaîne de l'Elbourz; 4 millions d'hab. Gros village agricole à proximité de la ville de Rey (Rayy), Téhéran se développe après la destruction de cette dernière par les Mongols (XIIIe s.) et est choisie comme capitale de l'Iran par le roi qādjār* Arhā Muḥammad Chāh (de 1779 à 1797). Son développement est tardif : en 1922, la ville ne compte encore guère plus de 200 000 habitants. Elle doit son essor à l'œuvre centralisatrice de Rezā Chāh Pahlavi après 1925. Aujourd'hui, la population augmente rapidement, par excédent naturel et surtout par l'immigration d'origine rurale, plus vite que ne se développent les fonctions économiques, largement dominées par les services (administration et commerce surtout), malgré la présence d'industries (alimentaires et mécaniques) souvent liées au marché de consommation et à la bonne desserte routière et ferroviaire. Sur le

Téhéran. Un quartier moderne de la capitale iranienne.

Duboutin - Explorer

plan spatial, Téhéran juxtapose toujours une partie populeuse au S., densément peuplée, et une section plus résidentielle au N., vers l'Elbourz, séparées partiellement par un nouveau secteur commercial, dont l'essor témoigne du poids international nouveau de la capitale iranienne, lié naturellement à la puissance de son industrie pétrolière et surtout aux revenus qu'elle assure. — La ville fut le siège, en 1943, d'une conférence entre Staline, Churchill et Roosevelt. (V. GUERRE MONDIALE [*Seconde*].) — Important musée archéologique.

TEHUACÁN, v. du Mexique (État de Puebla), au S.-E. de Mexico; 23 000 hab. De nombreux sites archéologiques de la vallée voisine ont permis, grâce à une occupation continue depuis environ 9000 av. J.-C., de suivre l'accession de chasseurs-collecteurs à une économie productive, caractéristique du néolithique*.

TEHUANTEPEC *(isthme de),* partie la plus étroite (210 km) du Mexique, entre le golfe du Mexique et le Pacifique *(golfe de Tehuantepec),* limite traditionnelle entre l'Amérique du Nord et l'Amérique centrale.

TEIGNE *(Entom.)* → MITE.

TEIGNE *(Pathol.)* → MYCOSE.

TEIL (Le) [07400], comm. de l'Ardèche, sur le Rhône, en face de Montélimar; 8 362 hab. Église de Mélas, des Xe-XIIe s. Chaux et ciment.

TEILHARD DE CHARDIN (Pierre), jésuite et paléontologiste français (Orcines 1881 - New York 1955). L'œuvre scientifique de Teilhard de Chardin se situe principalement en Asie : découverte de la civilisation des Ordos (1923), fouilles de Tcheou-k'eou-tien* et découverte du sinanthrope (v. PITHÉCANTHROPE) [1929], explorations dans l'Inde, à Java, etc. (Croisière jaune, 1931). Ses écrits théologiques et philosophiques, interdits par l'Église de son vivant, ont été diffusés après sa mort. Éclairés d'une vision synthétique du déroulement universel de l'évolution, ils mettent en valeur le phénomène de *complexification* cérébrale du phylum humain, aboutissant au surgissement de la conscience de soi (« pas » de la réflexion), puis à un réseau mondial de communication des pensées humaines, la *noosphère,* au cœur duquel agit le « Christ évoluteur » et qui conduit l'humanité, de façon immanente et transcendante tout à la fois, vers le « point oméga » (royaume de Dieu).

TEILLEUL (Le) [50640], ch.-l. de cant. de la Manche, à 19 km au S.-O. de Domfront; 1 605 hab.

TEINTURE. — La teinture consiste à fixer, par pénétration dans une matière textile, un colorant soluble, solubilisé ou dispersé. Elle doit donner à l'article teint une uniformité, c'est-à-dire être bien unie. De plus, elle doit être conforme, c'est-à-dire reproduire la nuance exacte d'un échantillon considéré comme type. Enfin, elle doit résister, c'est-à-dire être solide dans des conditions normales d'emploi et d'entretien. Une matière colorante donnée ne teint que certaines fibres sous certaines conditions. L'affinité tinctoriale dépend donc de la nature de la fibre et de certains facteurs chimiques et physiques. Jusqu'au milieu du XIXe s., les matières colorantes existantes provenaient du règne végétal, animal ou minéral. Le premier colorant de synthèse a été mis au point en 1856; actuellement, on en compte plus de 4 000. La teinture peut se faire sur de la matière en bourre, sur rubans de fibres et câbles de filaments, sur fils et filés, présentés en écheveaux, en bobines ou en cônes, en nappes, ou encore sur tissus et tricots, présentés en pièces ou en articles confectionnés. Les appareils de teinture peuvent être classés en trois grandes catégories. Dans la première, la matière est immobile et le bain mobile (cuves, autoclaves). Dans la deuxième, la matière est mobile et le bain immobile (barques, Jigger, foulards). Enfin, dans la troisième, la matière et le bain sont mobiles (jet). La teinture est souvent suivie de traitements annexes nécessitant des appareils spéciaux (cuves à roulettes, séchoirs, thermofixeuses, vaporiseuses).

TEISSERENC DE BORT (Léon), météorologiste français (Paris 1855 - Cannes 1913). Il créa l'observatoire météorologique de Trappes, développa l'emploi des ballons-sondes et découvrit la stratosphère (1899).

TEISSIER (Georges), zoologiste français (Paris 1900 - Roscoff 1972). Spécialiste de deux groupes animaux, les insectes et les invertébrés marins (il dirigeait le laboratoire maritime de Roscoff), il a donné un développement important à la *biométrie**.

TELANAIPURA, anc. Jambi, v. d'Indonésie, dans l'intérieur de Sumatra; 159 000 hab.

TEL-AVIV, plus grande ville d'Israël, sur la Méditerranée. Fondée en 1909, comme quartier juif résidentiel au nord-est de la ville arabe de Jaffa, Tel-Aviv a connu une croissance spectaculaire comme principal centre d'accueil de l'immigration juive en Palestine, submergeant Jaffa, pour former, avec les banlieues voisines, une agglomération de plus de 800 000 habitants (approximativement le quart de la population israélienne). Bénéficiant d'une situation géographique plus sûre que Jérusalem, Tel-Aviv, sans rôle politique, est la métropole économique (finance, commerce, industries variées) incontestée du pays, malgré l'absence de tout trafic portuaire. Vaste musée inauguré en 1971.

TÉLÉCOMMANDE. — La télécommande est une branche de l'automatique* qui a pour but de commander à distance un véhicule (train, avion, navire, missile, satellite), une vanne ou un brûleur dans une usine, l'allumage et l'extinction d'un phare, etc. La grandeur télécommandée est la position ou la vitesse d'un organe de réglage (gouvernail, vanne, vérin, contacteur, etc.). La liaison peut se faire par fils ou par radio, tous les procédés de modulation pouvant être utilisés : amplitude, fréquence*, phase, impulsions, impulsions codées. L'émetteur de télécommande engendre des *ordres,* qui sont transmis au récepteur, lequel les interprète. Dans les systèmes les plus simples, le récepteur est constitué par quelques relais électromagnétiques ou électroniques (transistors*, thyristors) qui donnent à la position ou à la vitesse de l'organe de réglage un petit nombre de valeurs distinctes. La résolution dépend du nombre de ces relais. Les *télécommandes numériques* transmettent les ordres à exécuter par impulsions et l'organe de réglage est constitué par un moteur pas à pas ou un asservissement numérique. Les *télécommandes synchrones* par fils entre un arbre menant et un arbre mené font usage de machines électriques spéciales, appelées *synchromachines* (selsyns), un *synchrotransmetteur* sur l'arbre menant et un *synchrocomparateur* fournissant une tension électrique d'écart sur l'arbre mené; l'amplification de la tension d'écart commande le moteur d'entraînement de l'arbre mené. Celui-ci reproduit fidèlement les mouvements de l'arbre menant, avec une amplification de puissance qui peut être considérable, selon le principe des systèmes asservis.

Tel-Aviv. Vue générale.

Goldman-Rapho

TÉLÉCOMMUNICATIONS. — La chaîne type de télécommunications comprend : un émetteur d'information, un moyen de transmission et un récepteur d'information. L'information* à transmettre est de nature physique variée : électrique, électromagnétique, optique, sonore. En revanche, elle est la plupart du temps mise en œuvre systématiquement sous une forme électrique ou électromagnétique. On distingue : la parole et la musique (téléphonie*, radiodiffusion), les messages écrits (télégraphie*, bélinographie, fac-similé), les images, animées ou non (télévision*), les données (téléinformatique), etc. Adaptés à la nature de l'information à transmettre, les émetteurs et les récepteurs d'une chaîne de transmission élaborent à partir des sources primaires (images-sons) les signaux électriques ou électromagnétiques transmis par la chaîne. Les appareils utilisés sont le combiné téléphonique (pastilles microphoniques et réceptrices), les microphones* de diverses natures et les haut-parleurs*, le clavier et l'imprimante* d'un téléimprimeur, la caméra et le tube cathodique de télévision, les ordinateurs* et les terminaux* de la téléinformatique.

Les moyens de transmission sont adaptés à la nature du signal électrique mis en œuvre. C'est ainsi qu'on utilise les lignes métalliques pour la propagation de signaux électriques sur les câbles aériens, souterrains ou sous-marins, l'espace aérien pour la propagation des ondes électromagnétiques, soit pour leur diffusion, soit pour une liaison de point en point par faisceaux dirigés, les guides d'onde pour la propagation des ondes électromagnétiques à l'intérieur d'une enceinte longitudinale, métallique ou non (guides diélectriques, fibres optiques). Outre les lignes, un réseau de télécommunications comporte de multiples équipements annexes : amplificateurs répéteurs, multiplexeurs/démultiplexeurs, modulateurs/démodulateurs, commutateurs, etc.

TÉLÉDÉTECTION. — On groupe sous le nom de « télédétection » l'ensemble des techniques qui permettent d'ausculter « au loin » la surface terrestre. En fait, on utilise surtout la télédétection aérospatiale, où un dispositif appelé *capteur,* transporté par un *vecteur,* permet d'enregistrer soit des phénomènes visibles (cas de la photographie* aérienne), soit d'autres phénomènes par ondes électromagnétiques de fréquences très différentes de celles du spectre* visible, allant jusqu'à la bande X du radar*. Le vecteur peut être un avion, un ballon stratosphérique, un satellite*. Alors que la photographie* aérienne n'enregistre que le rayonnement réfléchi entre 0,3 et 0,9 μ (du proche ultraviolet* au proche infrarouge*), le *scanner* permet d'enregistrer le rayonnement émis par le sol sous la forme d'énergie thermique : on obtient des *thermographies,* dont les applications sont particulièrement importantes pour l'étude des problèmes des eaux (sources, eaux polluées, etc.), pour la géologie, la géothermie, les études de variation. Dans le radar latéral, un rayonnement radar généré sur le vecteur est réfléchi par le sol et analysé par le récepteur.

TÉLÉDISTRIBUTION. — La distribution par câble des signaux de télévision*, destinés à des abonnés domestiques d'un quartier, d'un village, d'une ville ou d'une région, est intéressante lorsque les conditions locales de réception sont difficiles ou onéreuses. Dans les régions montagneuses et en l'absence d'un relais proche, la réception est souvent difficile ou même impossible pour les localités situées au fond des vallées. Aux abords des frontières, il est possible de recevoir aussi bien les stations de son pays que celles du pays voisin. Étant donné que les émissions ne sont pas effectuées sur le même standard, il faut acquérir un récepteur multistandard complexe et coûteux; il y a lieu, d'autre part, de monter sur le toit un mat équipé d'autant d'antennes* qu'il y a de stations à recevoir, ce qui est également coûteux. Dans ces deux cas, la télédistribution est intéressante et économique. Une station de réception professionnelle capte tous les programmes possibles, dans les meilleures conditions, et les distribue par câble aux abonnés équipés d'un téléviseur spécial et relativement simple.

TÉLÉ-ENSEIGNEMENT. — L'enseignement à distance est destiné aux élèves et adultes qui, pour des raisons professionnelles, géographiques ou physiques, ne peuvent fréquenter les établissements d'enseignement : il combine le cours par correspondance traditionnel avec les techniques audiovisuelles.

TÉLÉGRAPHIE. — Alors que les signaux téléphoniques sont la directe transcription électrique de la modulation* de l'onde* sonore, les signaux télégraphiques sont le résultat d'un codage binaire des différentes lettres d'un message écrit. L'alphabet Morse* fait correspondre à chaque lettre ou chiffre une succession d'un nombre variable de *points* ou de *traits.* Le procédé Hughes*, mis en œuvre par Baudot*, perfectionna l'alphabet en faisant correspondre à chaque symbole alphanumérique (lettres et chiffres) une combinaison de cinq éléments binaires (points et traits) appelés *moments.* L'encombrement du signal télégraphique est dès lors constant. Les deux états binaires appelés précédemment « points et traits » se traduisent électriquement par deux modes de fonctionnement possibles :
— le *mode à simple courant,* dans lequel les deux états binaires correspondent à la fermeture ou à l'ouverture du circuit électrique par le manipulateur (émetteur), ce qui entraîne l'attraction ou le relâchement du récepteur terminal qui commande le style inscripteur;
— le *mode à double courant,* dans lequel ces deux états binaires correspondent au passage d'un courant dans un sens ou dans un autre.

La traduction moderne du télégraphe d'origine correspond d'une part au remplacement de la variable courant par la variable fréquence, d'autre part au multiplexage des voies télégraphiques par utilisation de systèmes à « courants porteurs » et enfin à la mise en œuvre de téléimprimeurs regroupant dans un même équipement le manipulateur, devenu un clavier de machine à écrire, ainsi que le récepteur qui prend la forme d'une imprimante. Le développement des techniques se traduit par l'accroissement des vitesses de transmission. De 50 moments à la seconde au départ (ou bauds), soit 6 ou 7 caractères, la vitesse peut atteindre 200 à 300 bauds.

Un réseau de transmission et de commutation s'est constitué, le réseau télex, qui permet, pour les abonnés au service, d'échanger à tout instant, entre eux, des messages écrits. Les récepteurs sont en état de veille permanente et peuvent, en conséquence, recevoir les messages en l'absence du destinataire. Le développement du réseau télex est considérable et rejoint celui non moins important du réseau de transmission* de données.

TÉLÉGUIDAGE → GUIDAGE.

TÉLÉINFORMATIQUE. — L'utilisation de lignes téléphoniques pour transmettre des données permet de s'affranchir de la proximité d'un ordinateur* pour pouvoir néanmoins s'en servir. L'utilisateur éloigné s'appuie sur un terminal* lourd, avec lecteur* de cartes et imprimantes* s'il veut faire du traitement par lots à distance *(remote batch).* Sa connexion à l'ordinateur éloigné peut être permanente s'il utilise une ligne téléphonique louée aux Postes et Télécommunications. Dans certains cas, une même ligne peut être partagée entre plusieurs terminaux. Si la connexion n'a pas besoin d'être permanente, par suite d'une utilisation limitée et occasionnelle, la liaison n'est établie qu'à la demande, en employant le réseau téléphonique commuté standard ou spécialisé. Il en est de même si, au lieu d'un terminal lourd, on dispose simplement d'un terminal léger conversationnel, tels un écran cathodique avec clavier ou une machine à écrire. Comme les lignes téléphoniques travaillent en mode analogique alors que les ordinateurs fonctionnent en mode numérique, on est conduit à utiliser à chaque extrémité d'une liaison téléphonique un modem*, qui transforme les signaux digitaux en signaux analogiques et réciproquement.

La téléinformatique permet aussi bien la décentralisation de la puissance de traitement d'un ordinateur que la centralisation d'informations. Son utilisation croît très rapidement et touche la majorité des systèmes informatiques. Cela tient aux possibilités multiples qu'elle offre, à certaines applications qui ne seraient pas possibles sans elle, aux échanges entre ordinateurs qu'elle permet, à l'organisation en réseaux* qu'elle suscite, enfin à la distribution et à la répartition de l'informatique qu'elle favorise.

TELEMANN (Georg Philipp), compositeur allemand (Magdeburg 1681-Hambourg 1767). Fondateur du Collegium Musicum et de l'Opéra de Leipzig, directeur de la musique à Hambourg, il voyagea en Allemagne et séjourna à Paris en 1737. Sa production abondante, vocale (cantates, oratorios, passions, opéras) et instrumentale (suites, sonates, concertos, ouvertures), témoigne d'un style où se rejoignent les esthétiques italienne, française et germanique.

TÉLÉMAQUE, héros du cycle troyen, fils d'Ulysse* et de Pénélope*, dont l'éducation fut assurée par Mentor*. Il aida son père à reconquérir le trône d'Ithaque*.

Télémaque *(les Aventures de),* ouvrage de Fénelon, composé pour l'éducation du duc de Bourgogne et qui parut en 1699 sans le nom de l'auteur et sans son autorisation. Dans cette épopée romanesque en prose, dont le sujet est emprunté à *l'Odyssée,* on voit Mentor former l'esprit de Télémaque par les critiques qu'il fait de la politique du roi de Salente, Idoménée. Louis XIV crut y voir une satire de son règne et exila l'auteur dans son diocèse de Cambrai. En 1717, le marquis de Fénelon donna la première édition française du livre, qui connaissait déjà un vif succès à l'étranger.

TELEMARK (le), région montagneuse de la Norvège méridionale, au S.-O. d'Oslo.

TÉLÉMESURE. — La télémesure a pour but de transmettre une mesure à distance, par exemple la transmission des indications des capteurs d'un processus industriel vers la salle centrale de conduite, ou la transmission des mesures faites à bord d'un ballon-sonde, d'une fusée-sonde ou d'un satellite* à une station au sol. La liaison peut se faire par fils ou par radio, tous les procédés de modulation pouvant être utilisés : amplitude, fréquence*, phase, impulsions, impulsions codées. Le même canal de transmission est généralement utilisé pour transmettre plusieurs mesures par *multiplexage,* les valeurs étant transmises successivement et périodiquement. Les voies sont séparées à la réception par *démultiplexage.* Les mesures peuvent être transmises soit sous la forme *analogique* d'une grandeur qui leur est proportionnelle (amplitude, fréquence, phase, durée d'impulsion), soit sous forme *numérique* codée. À la réception, elles peuvent être présentées visuellement sur un indicateur analogique ou numérique, ou enregistrées sur un enregistreur graphique ou à bande magnétique. Les mesures reçues font souvent l'objet d'un *traitement* plus ou moins complexe : corrections d'échelles, calcul indirect de grandeurs inaccessibles, bilans de matières et d'énergie, calcul statistique, comparaison à des limites de sécurité, etc. Ce traitement peut se faire en *temps différé* ou en *temps réel,* auquel cas les données sont directement emmagasinées dans la mémoire d'un ordinateur*.

TÉLÉOSTÉENS → POISSONS.

TÉLÉPHÉRIQUE. — Un téléphérique *bifilaire* est équipé de cabines ou de wagonnets reliés à un câble* tracteur et suspendus à un chariot se déplaçant à l'aide de galets sur un câble porteur, qui est ancré à l'une de ses extrémités et tendu au moyen d'un contrepoids. Dans un téléphérique *unifilaire,* le câble porteur est également tracteur. Le câble tracteur forme un circuit fermé passant par le mécanisme de commande disposé dans une des stations situées aux extrémités de chaque tronçon. Les câbles porteurs peuvent reposer sur des pylônes intermédiaires disposés à des intervalles pouvant varier de quelques dizaines de mètres à 3 000 m. Les cabines destinées aux voyageurs peuvent transporter jusqu'à 200 personnes et les wagonnets servant au transport des marchandises peuvent contenir une charge atteignant 20 t.

TÉLÉPHONIE. — Le poste téléphonique comprend une *pastille microphonique* transformant les signaux acoustiques de la voix humaine en signaux électriques, un *récepteur* autorisant la transformation inverse, un *crochet commutateur* signalant la prise de la ligne de transmission et enfin un *cadran* ou un *clavier* signalant au réseau l'adresse du poste demandé. Les signaux électriques sont ensuite transmis sur un réseau maillé, qui permet l'interconnexion des abonnés à leur demande et pendant le temps nécessaire à leur communication. Si un nombre n d'abonnés désirent communiquer entre eux, par ligne individuelle, à tout instant et pendant une durée quelconque, on est conduit à concevoir un réseau de $\frac{n(n-1)}{2}$ lignes, ce qui est invraisemblable sur le plan matériel et sur le plan financier. Connaissant la fréquence* et la durée moyenne des communications, on est amené à réserver au trafic téléphonique des jonctions banalisées, utilisables par un quelconque abonné. Ces jonctions existent au niveau des communicateurs téléphoniques (réseau de connexion) et au niveau des lignes, reliant entre eux les commutateurs et appelées *circuits*.

Le dimensionnement du réseau dépend de l'importance du trafic. La probabilité de trouver des jonctions libres n'est pas infinie, et ce dimensionnement est calculé avec la probabilité qu'une demande de communication ne puisse pas passer du fait de la saturation (généralement : 0,001). À l'heure actuelle, les commutateurs, qui évoluent de la structure électromécanique vers la structure électronique, dirigent automatiquement les communications, d'après les indications du cadran de l'abonné, vers la destination correspondante.

Les lignes de transmission sont de nature très variée, depuis les lignes d'abonnés constituées de deux fils métalliques torsadés jusqu'aux liaisons hertziennes de micro-ondes, en passant par les câbles* coaxiaux. L'optimisation des matériaux utilisés sur les lignes de transmission conduit à rechercher la transmission simultanée de plus en plus de voies téléphoniques (systèmes multiplex à courants porteurs). À mesure que s'accroissent la densité et l'étendue des réseaux téléphoniques, les signalisations émises par l'abonné et celles qui sont émises par les nœuds du réseau (signalisation de service) deviennent de plus en plus compliquées. On devra dans l'avenir faire appel aux ordinateurs* pour programmer et coordonner les acheminements de communications dans un réseau à complexité croissante.

TÉLESCOPE. — Le télescope diffère de la lunette astronomique par la substitution d'un miroir concave à la lentille objective. Dans le télescope de Newton (1671), le faisceau lumineux émanant du miroir concave était réfléchi par un petit miroir plan et observé latéralement par un oculaire. Par la suite, divers perfectionnements furent apportés. Le télescope de Cassegrain, qui peut avoir une distance focale beaucoup plus grande, comporte au centre du miroir principal une ouverture dans laquelle les rayons lumineux sont renvoyés par un petit miroir convexe. En substituant au miroir métallique sphérique un miroir parabolique en verre argenté, Foucault supprima l'aberration de sphéricité. Dans le télescope de Schmidt, le miroir est sphérique et l'aberration sphérique est corrigée par une lame de verre à profil exactement calculé.

Le télescope électronique comporte un tube à vide contenant une plaque photoélectrique sur laquelle un système optique forme une image de l'objet. De cette plaque partent des électrons, qui, réfractés par des lentilles électroniques, vont impressionner une plaque photographique.

TÉLESPHORE *(saint)* → PAPE.

TÉLÉVISION. — • La télévision permet de transmettre à distance des images animées et les sons correspondants. En principe, cette transmission s'effectue en convertissant à l'émission une image optique en signaux électriques proportionnellement à la brillance de chacun des points qui constituent cette image. À la réception, on opère la conversion inverse. Il convient donc de transmettre, outre la variation de brillance de chaque point en fonction du temps (signal vidéo), la position de chacun d'eux dans le plan de l'image (synchronisation). Plus il est prévu de points pour une image, plus celle-ci est fine et détaillée. Ces points sont rangés en lignes successives pour former l'image grâce aux signaux de synchronisation. Pour obtenir le mouvement, il faut transmettre un certain nombre d'images par seconde. Le son correspondant module un émetteur séparé de celui qui assure la transmission des images.

• Le nombre de points d'une ligne détermine la *définition horizontale;* le nombre de lignes d'une image donne la *définition verticale.* La dimension idéale d'un point d'analyse étant un carré, il faut équilibrer les définitions horizontale et verticale en tenant compte du format de l'image : si la hauteur est de 3 et la largeur de 4, le format est de 3/4. L'angle α, angle de résolution de l'œil, est de 1′, et l'angle φ, angle sous lequel est vue l'image dans sa totalité en hauteur selon la règle des peintres, est de 8° 40′. Ces deux valeurs déterminent le nombre minimal de lignes d'analyse par image pour une définition équilibrée, soit 8° 40′ + 520. La valeur standard actuelle est de 625 lignes. En 625 lignes, la définition verticale est donc de 625 points et la définition horizontale doit être de $\frac{625 \times 4}{3} = 830$ points. Si, lorsqu'on analyse une image, les points sont alternativement blancs et noirs, ils sont traduits par un signal vidéo. Pour 25 images par seconde, on a

$$\frac{1}{2} \times 830 \times 625 \times 25 = 6{,}5 \text{ MHz}.$$

Ce cas étant extrême, on adopte une bande passante légèrement inférieure : 5, 5,5 ou 6 MHz, selon les standards.

• La durée du cycle d'analyse est fonction de la persistance de la sensation lumineuse par l'œil $\left(\frac{1}{15}\text{ s}\right)$ et de la fréquence du secteur 50 Hz. On a choisi $\frac{1}{25}$ s pour la durée d'une analyse complète de l'image, ce qui est proche de la cadence du cinéma (24 images par seconde). Pour éviter le scintillement de l'image, on analyse d'abord les lignes impaires, puis les lignes paires; c'est le *balayage entrelacé.* Ainsi, la *fréquence de trame,* ou demi-image, est égale à celle du secteur 50 Hz, ce qui permet d'éviter des interférences entre le secteur et la synchronisation de trame. L'analyse des images s'effectue en partant du haut et à gauche, et en terminant en bas et à droite au moyen d'un certain nombre de lignes progressivement décalées vers le bas.

• À la fin de chaque ligne, l'émetteur envoie un signal bref, destiné à déclencher l'oscillateur de relaxation du récepteur; sous cette impulsion, le spot d'analyse du cathoscope revient très rapidement au départ de la ligne suivante à gauche de l'écran. À la fin de chaque trame, l'émetteur envoie un signal plus long, destiné à synchroniser l'oscillateur correspondant du récepteur; le spot d'analyse du cathoscope doit alors revenir du bas à droite de l'écran en haut et à gauche de celui-ci.

• Le son associé à l'image de télévision est toujours transmis par un émetteur différent de celui de l'image. Sa puissance est calculée de façon à couvrir la même zone, généralement 25 p. 100 de la puissance de l'émetteur vision.

NORMES. Les fréquences réservées à la télévision sont les suivantes :

— bande I : de 41 à 68 MHz — bande II : de 163 à 216 MHz	V. H. F.; 1er programme, 819 lignes
— bandes IV et V : de 460 à 960 MHz	U.H.F.; 2e, 3e et 4e programme, 625 lignes.

TÉLÉVISION EN COULEURS

• Le système doit être *compatible,* c'est-à-dire que les émissions en couleurs doivent être reçues en noir et blanc sur les téléviseurs de ce type; d'où même standard, même bande passante, et le signal vidéo doit être la somme des trois informations colorées. Le système doit être *rétrocompatible,* c'est-à-dire que les émissions en noir et blanc doivent être reçues en noir et blanc sur les téléviseurs en couleurs en respectant l'échelle des gris (gamma) et la définition. On constate qu'une image très fine en noir et blanc peut être coloriée avec des touches de couleurs assez grossières; donc, les informations de chrominance peuvent être transmises dans une bande relativement étroite. Grâce aux lois de colorimétrie, on peut transmettre une image colorée au moyen de trois signaux correspondant aux couleurs fondamentales : rouge, bleu, vert.

• Pour l'émission, la caméra est munie d'un seul système optique et de trois tubes analyseurs avec filtres colorés donnant les trois signaux dans la proportion exigée par l'œil; c'est le signal de *luminance* Y. Il est appliqué à l'émetteur vision; sur un téléviseur en noir et blanc, on obtient une image correcte. Les signaux de synchronisation et le son sont inchangés.

Pour la couleur, on superpose à une onde sous-porteuse à 4,43 MHz un signal de *chrominance* de deux grandeurs, donnant la teinte et la saturation des couleurs de l'image. Puisqu'il y a trois couleurs fondamentales, il faut trois signaux : la luminance ($Y = \text{somme } R + V + B$) et deux signaux de différence de couleur (différence rouge $R - Y$ et différence bleue $B - Y$). Le signal de luminance, moins les deux signaux de chrominance, restitue le vert. La difficulté consiste à transmettre les deux signaux de différence sur une même onde sous-porteuse à 4,43 MHz. Dans le système français SECAM (séquentiel à mémoire), ces deux signaux sont transmis l'un après l'autre. Mais, pour avoir les trois couleurs sur le tube, on doit disposer à tout moment des trois signaux. Il faut donc schéma d'une transmission de télévision en noir et blanc

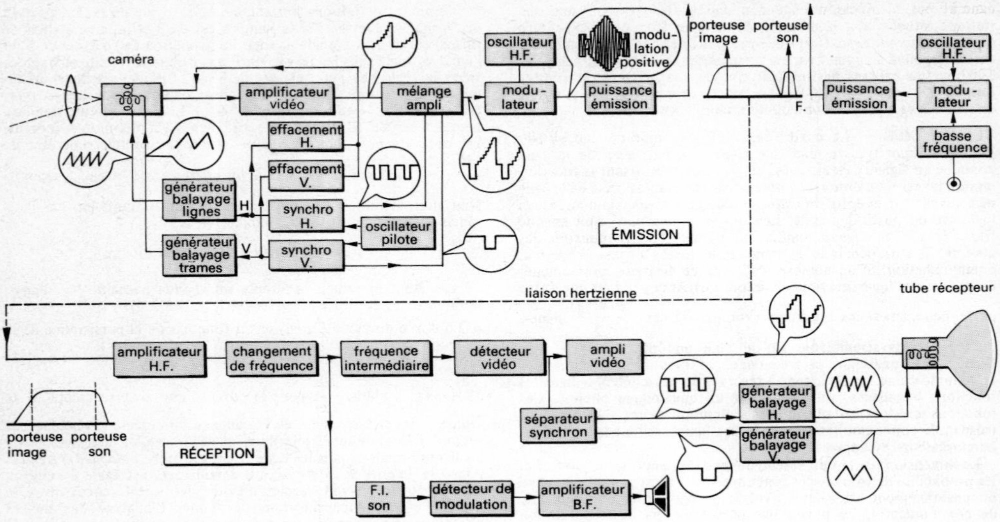

schéma d'une transmission de télévision en couleurs (système SÉCAM)

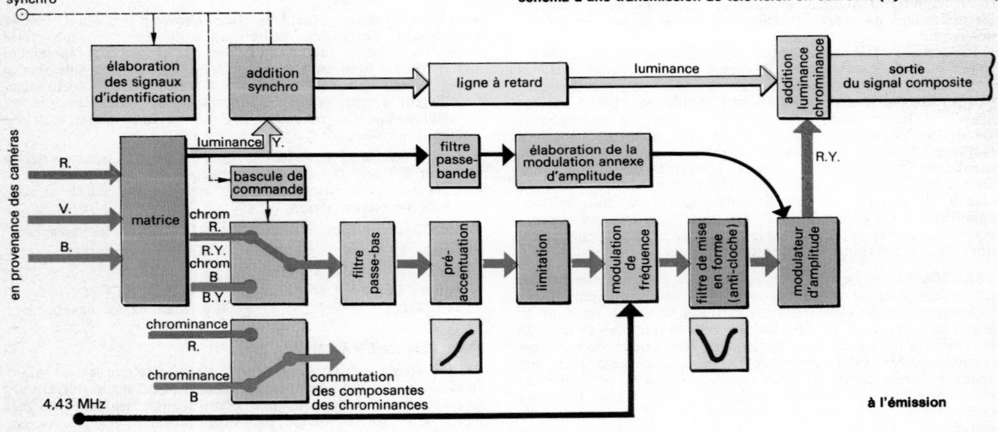

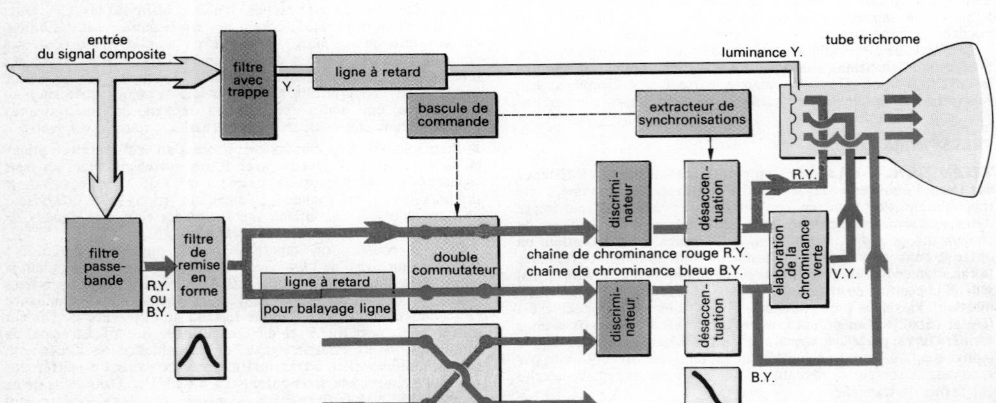

une mémoire qui enregistre et restitue le signal manquant; c'est une ligne à retard de 64 μs, durée du balayage d'une ligne. À l'émetteur, on transmet pendant la première ligne Y + différence rouge DR, puis pendant la deuxième ligne Y + différence bleue DB. À la réception, pendant la première ligne, DR est appliquée au tube et à la ligne à retard. À la deuxième ligne, on a sur le tube le signal de luminance Y + DB direct + DR venant à la ligne à retard. À la troisième ligne, on a Y + DR direct + DB venant de la ligne à retard, et ainsi de suite. Il faut une commutation synchrome à l'émission et à la réception des signaux de chrominance, commutation assurée par les signaux de ligne.

TÉLEX → TÉLÉGRAPHIE.

TELL (le), nom donné aux régions d'Algérie et de Tunisie proches de la Méditerranée, où la culture est théoriquement possible sans le secours de l'irrigation.

TELLIER (Charles), ingénieur français (Amiens 1828-Paris 1913). Spécialiste de l'étude et de l'utilisation du froid industriel, il fut surnommé le « père du froid ». Il imagina une machine frigorifique à compression et aménagea spécialement un navire, le *Frigorifique* (1876), pour le transport à longue distance de viandes conservées par ses procédés de refroidissement. Il fut l'un des premiers à s'intéresser à l'emploi thérapeutique de l'oxygène.

TELLO, village d'Iraq, près de Chatra, sur le site de l'ancienne ville de Girsou, l'une des puissantes cités-États de Sumer*. On y a recueilli de nombreuses sculptures, dont la stèle du roi Eanatoum, ou stèle des Vautours (Louvre), commémorant sa victoire sur la cité voisine d'Oumma. De nouveau prospère lors de la renaissance néosumérienne, sous la IIIe dynastie d'Our et sous le gouvernement de Goudéa, la cité, en dehors d'imposants vestiges architecturaux, a livré plusieurs statues en diorite de Goudéa (Louvre) et les archives du temple, constituées de milliers de tablettes.

TELLURE. — Découvert en 1782, c'est l'élément chimique n° 52, de masse atomique Te = 127,61. C'est un solide blanc, d'aspect métallique, de densité 6,2 et fondant à 452 °C. Il donne des composés analogues à ceux du soufre et du sélénium, et notamment l'acide tellurhydrique, H_2Te, l'anhydride tellureux, TeO_2, et l'anhydride tellurique, TeO_3.

TELLURIQUE (planète) → PLANÈTE.

Tel Quel, revue littéraire fondée en 1960, autour de laquelle s'est rassemblé un groupe d'écrivains, animé par Philippe Sollers* et soucieux d'articuler systématiquement la pratique littéraire à la réflexion théorique (psychanalyse, marxisme) et à l'engagement politique (intérêt pour la révolution culturelle chinoise).

TELUGU → DRAVIDIENNES *(langues).*

TELUK BETUNG, port d'Indonésie, à l'extrémité méridionale de Sumatra; 199 000 hab.

TEMA, port du Ghāna, au N.-E. d'Accra. Aluminium. Raffinage du pétrole. Constructions mécaniques.

TEMIN (Howard), biochimiste américain (Philadelphie 1934). Il a établi sur le virus du sarcome de Rous la transmission de l'information génétique dans le sens A. R. N. → A. D. N., ce qui contredisait les travaux antérieurs et l'a conduit à découvrir (1970) la « transcriptase réverse » de nombreux virus. On a créé le mot *téminisme* pour désigner sa théorie. (Prix Nobel de médecine, 1975.)

TEMIR-TAOU, v. de l'U. R. S. S. (R. S. F. S. de Russie), dans le sud du Kouzbass; 166 000 hab.

TÉMISCAMINGUE *(lac),* lac allongé du Canada, aux confins du Québec et de l'Ontario, constitué par une excroissance de l'Ottawa; 280 km².

TÉMOIGNAGE → PREUVE.

TEMPELHOF, agglomération de la banlieue sud de Berlin-Ouest. Aéroport.

TEMPÉRAMENT *(Mus.).* — La plus grande distance prévue entre deux degrés conjoints appartenant à une même gamme est le *ton,* mesurable en commas. On divise habituellement le ton de neuf commas en deux demi-tons inégaux, respectivement de quatre et de cinq commas. Dans le système du tempérament, cette division aboutit à deux demi-tons égaux de quatre commas et demi. Les notes ainsi obtenues ont exactement le même son, quelle que soit leur altération. Les instruments dits « tempérés », tel le piano, sont accordés suivant ce système (*do* ♯ = *ré* ♭). Les deux notes qui, sous des noms différents, ont la même intonation sont dites *enharmoniques.*

TEMPÉRATURE *(Méd.).* — La température normale de l'homme (température rectale) est comprise le matin entre 36,5 et 37 °C et le soir entre 37 et 37,5 °C. Chez la femme, la température matinale s'élève au-dessus de 37 °C dans la seconde moitié du cycle menstruel (après l'ovulation). L'être humain maintient constante sa

Garanger - Giraudon
La Tempête, de Giorgione. (Accademia, Venise.)

température centrale grâce à la thermorégulation. Celle-ci résulte d'un équilibre entre la production de chaleur par l'organisme (combustion des protides, des lipides, des glucides) et la déperdition de chaleur par radiation et évaporation (sueur*). Les centres nerveux régulateurs de la température sont situés dans le plancher du troisième ventricule du cerveau.

TEMPÉRATURE *(Phys.).* — C'est une grandeur traduisant la sensation de froid et de chaud. On la définit par un phénomène mesurable qui varie dans le même sens qu'elle. On choisit arbitrairement une grandeur thermométrique x et l'on définit une échelle de température en posant $t = ax + b$, où a et b sont des constantes. Dans les thermomètres à liquide, x est le volume apparent d'une certaine masse de liquide dans une enveloppe de verre; dans les thermomètres à gaz, c'est la pression à volume constant d'une masse gazeuse. Les constantes a et b sont fixées par le choix de deux températures conventionnelles. Dans les échelles centésimales, les valeurs 0 et 100 ont été assignées respectivement à la glace fondante et à l'eau bouillante, sous la pression atmosphérique normale. L'échelle légale est une échelle centésimale dans laquelle la grandeur x est la pression d'un gaz parfait maintenu à volume constant. La température s'y évalue en degrés Celsius (°C).

L'échelle absolue définit une température T, proportionnelle à la pression, à volume constant, d'un gaz parfait. Elle se déduit de l'échelle légale par l'addition de 273,15 : $T = t + 273{,}15$. Elle coïncide avec l'échelle thermodynamique, définie par le principe de Carnot, et se mesure en kelvins (K).

La mesure de la température de l'air est un élément essentiel de la météorologie et de la climatologie. Elle est effectuée au sol à l'aide de thermomètres enregistreurs installés dans des stations réparties sur l'ensemble du globe et en altitude à l'aide de ballons-sondes. Les températures ainsi mesurées servent à l'établissement des courbes isothermes joignant les points d'égale température. Une station est caractérisée par sa température moyenne et par l'amplitude (écart entre les températures maximale et minimale) à l'échelle de la journée, du mois ou de l'année.

TEMPÉRÉ (climat). — Le climat tempéré affecte les régions situées aux latitudes moyennes. Il est caractérisé par une circulation atmosphérique d'ouest en est. La disposition des masses continentales par rapport à cette circulation engendre une grande variété à l'intérieur des régions tempérées : on distingue les climats océanique*, continental* et des façades orientales. Le climat méditerranéen* fait la transition avec la zone subtropicale.

Tempête *(la),* toile de la maturité de Giorgione (82 × 73 cm, Accademia, Venise). On ne connaît pas avec précision les sources littéraires de ce petit tableau de cabinet, qui réunit dans un frémissant paysage d'orage les figures calmes d'une femme nue allaitant et d'un jeune soldat. Le symbolisme des éléments (sans doute en rapport avec les sexes) est l'occasion des innovations picturales majeures du jeune artiste, qui substitue une perspective atmosphérique à la perspective linéaire du quattrocento et suggère l'enveloppe aérienne des choses par la liberté de la touche et par une modulation de la couleur subordonnée à l'ordonnance lumineuse générale. Un sentiment préromantique fait du paysage, devenu *la nature,* non plus une toile de fond, mais un miroir de l'esprit humain.

Tempête *(la),* comédie-féerie en vers mêlés de prose de W. Shakespeare (v. 1611). Le duc de Milan, Prospero, chassé de ses États par une conspiration, aborde avec sa fille dans une île déserte. Doué de pouvoirs magiques, il se fait servir par Ariel, esprit de l'air, léger et bon, et Caliban, esprit de la terre, difforme et méchant. Grâce à ses sortilèges, il marie sa fille au fils du roi de Naples et rentre en possession de son duché.

TEMPLE (*sir* William), diplomate et écrivain anglais (Londres 1628 - près de Farnham 1699). Il négocie en 1668 la Triple-Alliance avec les Provinces-Unies et la Suède. Ambassadeur à La Haye (1668-1671, 1674-1679), il fait conclure le mariage de Marie (II) Stuart et de Guillaume (III) d'Orange. Ses essais politiques font de lui un maître de la prose anglaise.

Templiers *(ordre des),* ordre militaire, fondé en 1119 par Hugues de Payns sous le nom de *Pauvres Chevaliers du Christ* et qui se voua à la protection des pèlerins de Terre sainte. Il fut installé par le roi Baudouin II dans la partie méridionale du temple de Salomon, dont il finit par prendre le nom. Sa confirmation par le pape Innocent II (1139) favorisa l'extraordinaire développement de sa richesse. L'ordre devint le banquier des papes et des souverains. Néanmoins, il resta avant tout un ordre militaire et participa aux grandes batailles livrées en Terre sainte, voire en Espagne durant les grandes heures de la Reconquista et ne se replia en France qu'après la chute de Saint-Jean-d'Acre (1291).

Philippe le Bel, qui convoitait ses richesses, décida de l'abattre. En octobre 1307, il fit arrêter et interroger sous la torture cent trente-huit templiers. Le pape Clément V protesta et tenta d'évoquer l'affaire devant lui (nov. 1307), puis, abandonnant les Templiers au roi, prononça la suppression de l'ordre (1312). Le procès des Templiers, commencé en 1307, ne prit fin qu'avec la condamnation de leur grand maître Jacques de Molay, qui fut brûlé vif le 18 mars 1314. Les biens immobiliers du Temple furent donnés aux Hospitaliers.

TEMPO → MÉTRONOME et INTERPRÉTATION.

TEMPORAL. — L'*os temporal* est situé à la partie inférieure et latérale du crâne, sous le pariétal, en avant de l'occipital. Il contient l'oreille moyenne et interne.

Le *lobe temporal* du cerveau est formé par la partie moyenne et inférieure de chacun des deux hémisphères, et est limité en haut par la scissure de Sylvius. C'est la zone d'intégration des sensations auditives. Le lobe temporal dominant (lobe gauche chez le sujet droitier) est une zone essentielle pour le langage.

TEMPS. — La mesure du temps doit être objective. La rotation de la Terre* ou l'observation du mouvement apparent des étoiles* ou du Soleil* sont des phénomènes astronomiques qui permettent cette mesure.

• Le *temps sidéral* est déterminé à partir du mouvement apparent des étoiles sur la sphère céleste : c'est un temps local obtenu par l'observation méridienne d'étoiles brillantes. L'axe de rotation de la Terre* décrit un cône en 26 000 ans par l'action combinée de la Lune* et du Soleil. Ce phénomène, appelé *précession,* engendre une variation des coordonnées des astres, donc une inégalité entre un jour sidéral et une rotation terrestre.

• Le *temps solaire vrai* est déterminé à partir du mouvement apparent du Soleil. Il n'est pas rigoureusement constant. On a donc défini un *temps solaire moyen,* que l'on utilise comme *temps civil.* Les jours civils sont divisés en 24 heures. Il s'agit d'un temps local. Les échanges internationaux ont amené les pays à définir un *temps légal,* identique sur tout leur territoire pour les petits pays, et à partager la Terre en fuseaux horaires. Paris est à l'heure de Greenwich. En France, l'heure légale est en avance de 51 min sur l'heure du méridien de Paris.

• Le *temps universel,* adopté par les astronomes, est celui de Greenwich.

• Le *temps des éphémérides* règle le mouvement des planètes*; son introduction s'est avérée nécessaire en raison des irrégularités du mouvement de la Terre. L'unité de temps atomique est liée à une transition de l'atome de césium, phénomène stable permettant une comparaison entre les différentes notions de temps.

Temps modernes *(les),* revue mensuelle, politique et littéraire, fondée en 1945 par Jean-Paul Sartre.

TEMSE, en franc. **Tamise,** comm. de Belgique (Flandre-Orientale), au S.-E. de Saint-Nicolas; 22 439 hab.

TEMUCO, v. du Chili, au S. de Santiago; 110 000 hab.

TENALI, v. de l'Inde (Andhra Pradesh), près du golfe du Bengale; 203 000 hab.

TÉNARÈZE (la), région de l'Armagnac (Gers et Lot-et-Garonne) entre Nérac et Vic-Fezensac, productrice d'eaux-de-vie.

TENASSERIM (le), extrémité méridionale de la Birmanie. V. princ. *Moulmein.*

TENCE (43190), ch.-l. de cant. de la Haute-Loire, à 19 km à l'E. d'Yssingeaux; 2 846 hab. Église et château des XVe-XVIIe s.

TENCIN (Claudine Alexandrine GUÉRIN, *marquise* DE), femme de lettres française (Grenoble 1682 - Paris 1749). Elle tint un salon célèbre et fut la mère de d'Alembert*.

TENDE (06430), ch.-l. de cant. du nord-est des Alpes-Maritimes; 2 056 hab. — Possession de la maison de Savoie à la suite du mariage de René de Savoie avec Anne Lascaris (1501), le comté de Tende fut annexé à la France en 1796. Restituée au royaume de Sardaigne en 1814, Tende redevint française en 1947 à la suite du traité de Paris et d'un plébiscite.

TENDE *(col de),* col des Alpes, à la frontière franco-italienne, à 11 km au N. de *Tende;* 1 870 m. Tunnel routier (entre 1 279 et 1 400 m d'altitude), long de 3 km, sur la route de Nice à Turin.

TENDON. — Les tendons reçoivent les fibres de la partie charnue des muscles, dont ils transmettent l'effort à l'élément anatomique sur lequel ils s'insèrent (généralement un os). Il existe des tendons plats et des tendons cylindriques. Certains tendons transmettent à distance la force du muscle et se réfléchissent sur des formations osseuses ou tendineuses qui jouent le rôle de poulie.

Les *plaies tendineuses* sont fréquentes. Les tendons les plus atteints sont ceux des doigts et du poignet, le tendon d'Achille et le tendon rotulien. Les *ruptures tendineuses* surviennent sur des tendons déjà atteints de tendinite. Le tendon d'Achille est l'un des plus fréquemment touchés.

TÈNE (La), village de Suisse, sur la rive nord du lac de Neufchâtel, devenu le site éponyme du deuxième âge du fer (450 av. J.-C.-début de notre ère). L'ensemble des découvertes (commencées en 1858) a fourni les éléments caractéristiques de cette civilisation celtique, un habitat rustique et une nécropole aux modes de sépulture divers : incinération ou inhumation en fosse avec mobilier plus ou moins riche, mais abondant et souvent accompagné d'importations italo-grecques dans les inhumations de chefs, dites « tombes à char », le défunt y reposant dans son char de combat à deux roues. L'abondance et la variété des fibules font de celles-ci le meilleur fossile directeur de l'époque. L'armement comprend de petits poignards triangulaires, des épées assez courtes, des lances, des javelots, des couteaux et des boucliers en planches munis d'un centre métallique, l'umbo, protégeant la main. Armes, pièces de harnachement, bijoux et, dans une mesure moindre, céramiques révèlent l'originalité du répertoire décoratif celte*, dont le goût de la schématisation et le foisonnement d'entrelacs, de volutes et de triscèles sont à l'origine d'un monde fantastique.

TÉNÉBRION. — La larve de cet insecte coléoptère est le « ver de farine » des moulins. L'adulte est allongé, noir, strié en longueur; il mène une vie nocturne. (Type de la famille des ténébrionidés.)

TÉNÉRÉ (le), région du Sahara (Niger), au S.-E. du Hoggar.

TENERIFE ou **TÉNÉRIFFE** *(île de),* la plus grande (2 352 km^2) des îles Canaries; 457 000 hab. Ch.-l. *Santa Cruz de Tenerife.* Cette île volcanique, au relief montagneux (3 711 m au pic de Teide), possède des cultures fruitières (orange, banane) et légumières.

TÉNIA → VER.

TENIENTE (El), localité du Chili central. Extraction et métallurgie du cuivre.

TENIERS (David II), personnalité la plus importante d'une famille de peintres flamands (Anvers 1610 - Bruxelles 1690). Reçu maître à Anvers en 1632, nommé en 1647 peintre de cour et conservateur des collections de l'archiduc Léopold-Guillaume, il s'installe à Bruxelles en 1651. Son œuvre est abondante et diverse. Marquée à partir de 1635 par l'influence de Brouwer (scènes de cabaret), elle culmine vers 1640-1650 sous celle de Rubens (kermesses villageoises, paysages animés). Alors souple, fine, argentée, la manière de Teniers s'alourdit vers la fin de sa vie.

TENNESSEE (le), riv. de l'est des États-Unis, qui passe à Knoxville et à Nashville, affl. de l'Ohio (r. g.); 1 600 km. Cours d'eau aux crues catastrophiques (aggravant celles de l'Ohio), le Tennessee a été aménagé par une agence fédérale, la Tennessee Valley Authority, créée en 1933. Une trentaine de barrages ont été construits, destinés surtout à régulariser le débit, à permettre la navigation, à fournir de l'hydroélectricité, cependant que le bassin a été le cadre d'une lutte contre l'érosion des sols. Le Tennessee est devenu une artère navigable notable, jalonnée d'établissements industriels (bénéficiant aussi d'apports électriques thermiques).

TENNESSEE, État du centre-est des États-Unis; 109 412 km^2; 3 924 000 hab. Capit. *Nashville.* Entre les Appalaches et le Mississippi, le Tennessee a un climat aux hivers doux (sauf en

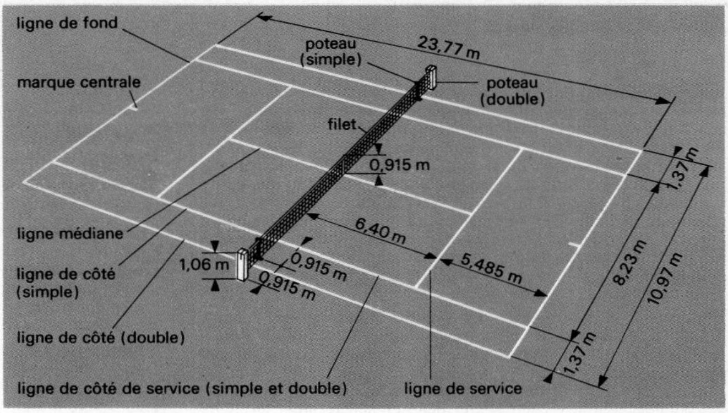

TENNIS.
Plan et mesures
du terrain.

montagne), aux étés chauds et est abondamment arrosé. L'agriculture, souvent encore archaïque, associe l'élevage bovin (pour la viande) et quelques cultures, dont celles du tabac et du soja sont les plus importantes. Le sous-sol fournit surtout du zinc et des phosphates. L'industrie, bénéficiant de l'électricité produite notamment par l'aménagement du Tennessee, est concentrée surtout dans la vallée de cette rivière et à Memphis, la plus grande agglomération.

TENNIS. — Né sous sa forme actuelle à la fin du XIXe s. en Grande-Bretagne, le tennis se joue à deux (simple) ou à quatre (double). La marque est relativement compliquée : le premier point marqué vaut 15, le deuxième 30, le troisième 40 et le quatrième donne un jeu. Mais, lorsque, dans un jeu, les deux (ou quatre) joueurs atteignent la marque de 40, il est nécessaire que deux points soient marqués consécutivement pour que le jeu soit terminé. Il faut obtenir au moins six jeux pour gagner un set (ou manche) et deux ou trois sets (selon que la rencontre se dispute au meilleur des trois ou des cinq sets) pour remporter la partie. Lorsque deux adversaires (ou équipes) se trouvent dans un set à six jeux chacun, se déroule un jeu décisif, le tie-breaker, disputé sur un nombre fixe de points, modification récente destinée à abréger des parties parfois interminables avec l'ancienne règle, imposant deux jeux d'écarts pour gagner un set. Jouée avec une raquette, cordée en boyau synthétique, la balle a un diamètre de 6,35 à 6,47 cm, un poids de 56,70 à 58,47 g et un rebond (balle tombant sur une base de ciment d'une hauteur de 2,54 m) de 1,34 à 1,47 m.

Sport olympique de 1896 à 1924, le tennis, dirigé par la F. I. L. T. (Fédération internationale de lawn-tennis [pelouse ou gazon, surface]), ne distingue plus amateurs et professionnels. Mais les compétitions internationales sont disputées presque exclusivement par des professionnels.

La coupe Davis, créée en 1900, se dispute par équipes, sur quatre simples et un double. Elle a été remportée vingt-trois fois par l'Australie et les États-Unis, neuf fois par la Grande-Bretagne, six fois par la France (de 1927 à 1932). Parmi les grandes compétitions individuelles, la plus célèbre est l'annuel (aujourd'hui centenaire) tournoi de Wimbledon, précédant les grands championnats traditionnels des États-Unis (Forest Hills), de France (Roland-Garros) et d'Australie.

TENNYSON (Alfred, *lord*), poète anglais (Somersby, Lincolnshire, 1809 - Aldworth, Surrey, 1892). Dans ses poésies (*les Idylles* du roi,* 1859-1885; *Enoch* Arden,* 1864) et ses drames (*la Coupe,* 1881), il traite les problèmes de la conscience moderne à travers les mythes antiques et médiévaux. Nommé poète-lauréat en 1850, il fut le chantre aristocratique et national de l'époque victorienne.

TENOCHTITLÁN, capitale des Aztèques*, fondée en 1325 et détruite par les Espagnols lors de leur arrivée au Mexique (v. MEXICO).

TÉNOR → VOIX.

TÊNOS ou **TÍNOS,** île grecque du nord des Cyclades.

TENSEUR. — Un tenseur attaché à un espace vectoriel E_n de dimension n est un élément de l'espace vectoriel obtenu en faisant le produit tensoriel $E_n \times E_n$. À partir de l'espace vectoriel E_n, on peut définir un nouvel espace vectoriel $E_n \times E_n$ où tout élément est de la forme xy avec

$$x = \sum_{i=1}^{n} x_i e_i \quad \text{et} \quad y = \sum_{j=1}^{n} x_j e_j; \quad \text{d'où} \quad xy = \sum_{i=1}^{n} \sum_{j=1}^{n} x_i y_j e_i e_j,$$

e_i désignant une base de l'espace E_n. Les n^2 éléments $e_i \times e_j$ forment une base de l'espace vectoriel $E_n \times E_n$ ainsi obtenu. Un tenseur est l'un des éléments de cet espace. Les propriétés du produit tensoriel sont les suivantes :

$\forall x$, y_1 et $y_2 \in E_n$, $\quad x \,.\, (y_1 + y_2) = x \,.\, y_1 + x \,.\, y_2$;
$\forall x_1$, x_2 et $y \in E_n$, $\quad (x_1 + x_2) \,.\, y = x_1 \,.\, y + x_2 \,.\, y$;
$\forall x$ et $y \in E_n$ et $\forall \alpha \in K$, K étant le corps sur lequel est construit E_n, $(\alpha x) \,.\, y = x \,.\, (\alpha y) = \alpha (x \,.\, y)$.

On généralise la notion de produit tensoriel et celle de tenseur au cas d'un produit de p espaces E_n.

TENSIFT *(oued),* fl. du Maroc, né dans le Haut-Atlas et qui rejoint l'Atlantique au S. de Safi; 270 km.

TENSION ARTÉRIELLE. — Elle varie à chaque contraction cardiaque entre une valeur maximale (de 12 à 15 cm de mercure) au moment de la systole et une valeur minimale (de 7 à 9 cm de mercure) au moment de la diastole. Sa régulation se fait sous le contrôle des centres nerveux du tronc cérébral. Ces centres reçoivent des indications provenant notamment du glomus carotidien et des indications humorales fournies par la composition du sang. En clinique, on mesure la tension artérielle à l'aide d'un brassard compressif muni d'un manomètre.

TENSION OCULAIRE. — À l'intérieur de l'œil, il existe une certaine pression qui soumet les parois à une tension. La valeur moyenne de celle-ci se situe entre 5 et 16 mm de mercure. Son augmentation est caractéristique du glaucome.

TENSION SUPERFICIELLE. — La surface de séparation de deux fluides se comporte, par suite des attractions moléculaires, comme une membrane tendue. Pour empêcher cette surface de diminuer, il est nécessaire de lui appliquer des forces égales et opposées à celles qu'exerce le liquide, qui constituent la tension superficielle, ou constante capillaire, lorsqu'elles se rapportent à l'unité de longueur.

TENTACULE. — Nombreux sont les animaux, surtout aquatiques, qui possèdent des tentacules, c'est-à-dire des expansions musclées et souples servant à la capture des proies. Les tentacules sont caractéristiques des mollusques céphalopodes (poulpe, seiche), mais on en rencontre chez certains protistes voisins des ciliés, les tentaculifères, chez les cœlentérés (actinie, méduses, physalie...), chez les échinodermes et chez de nombreux vers de divers groupes. Même la trompe de l'éléphant répond à la définition des tentacules.

Tentation de saint Antoine *(la),* par Gustave Flaubert (1874). Ce poème philosophique en prose, qui s'ébauchait dans une œuvre de jeunesse intitulée *Smarh* (1839), a été achevé en 1849 dans une première version condamnée par les amis de Flaubert, Louis Bouilhet et Maxime Du Camp. L'auteur reprit son œuvre en 1856, puis en 1869. Flaubert projette ses tentations romantiques dans les visions fantastiques qui assaillent le saint sous la forme de désirs charnels, d'erreurs spirituelles et de l'ambition d'une existence et d'une connaissance étendues à l'univers tout entier.

TENTHRÈDE. — La « mouche à scie » n'est nullement une mouche, mais un hyménoptère symphyte dont la larve ressemble beaucoup, par convergence, à une chenille et détruit les jeunes pousses des arbres.

TENUE DE ROUTE. — La tenue de route caractérise l'aptitude d'un véhicule à garder son guidage d'adhérence* quelles que soient les conditions de roulement. L'adhérence est égale au produit de la charge que supporte la roue par le coefficient de frottement pneu-sol. Elle détermine un cercle de guidage dont le centre serait situé au point de contact de la roue avec le sol et dont le rayon serait égal à l'adhérence. Tant que les efforts perturbateurs sont contenus dans ce cercle, la roue possède un guidage d'adhérence. Les charges statiques dépendent du centrage du véhicule, mais, sur une pente, on enregistre un transfert de charge de l'essieu le plus haut sur l'essieu le plus bas. En marche, au moment du freinage*, une force d'inertie longitudinale dirigée dans le sens du mouvement se développe, et, en période d'accélération, une force de résistance aérodynamique, dirigée en sens inverse, décharge l'essieu avant.

• *Forces tangentielles aux contacts.* Au niveau des contacts des pneus avec le sol, les efforts longitudinaux sont la *résistance au roulement,* qui entraîne sur l'essieu porteur une traînée négative, et la *réaction motrice,* qui s'oppose, sur le même essieu, aux efforts développés à la jante par l'application du couple moteur. En décélération, chacun des essieux reçoit une réaction — résistance au roulement et action de freinage —, qui équilibre les efforts précédents. Les efforts transversaux se réduisent à l'inertie, qui se manifeste en virage. Pour des courbes à grand rayon, la force centrifuge engendre des forces d'inertie primaires, qui tendent à appuyer le véhicule sur sa trajectoire. En parcours sinueux à virages très secs, des forces d'inertie secondaires, dues à l'inertie de rotation de la voiture, s'opposent aux variations de l'orientation à condition que le train avant soit directeur.

• *Dérapage et tête-à-queue.* La sécurité au dérapage s'annule lorsque la résultante des forces perturbatrices est égale à l'adhérence, et le véhicule peut partir en dérapage. S'il se produit simultanément sur les deux essieux, le dérapage ne provoque en ligne droite qu'un déplacement rectiligne uniformément retardé, alors qu'en courbe on enregistre un léger déplacement angulaire additionnel, dû à l'énergie cinétique de rotation autour de l'axe d'inertie de la voiture. Un dérapage du seul essieu avant entraînera un glissement selon la tangente à la trajectoire initiale, qui s'arrêtera de lui-même. Il peut être accompagné d'oscillations angulaires d'amplitudes décroissantes. Plus dangereux se révèle le dérapage de l'essieu arrière seul. À toute déviation angulaire de l'axe longitudinal de la voiture correspond un écart transversal du milieu de l'essieu arrière, qui cessera de croître seulement lorsque l'essieu arrière sera venu prendre la place occupée ultérieurement par l'essieu avant. Il est rare qu'une route soit suffisamment déserte pour qu'on puisse accomplir ce « tête-à-queue ». En ligne droite ou en pente ascendante, la « traction avant » est désavantagée, car toutes les forces tendent à décharger l'essieu avant. En courbe à grand rayon, on peut appliquer un effort moteur supplémentaire, mais, à la limite, la traction avant s'impose, car le dérapage de l'essieu avant n'est pas dangereux. Enfin, sur parcours sinueux, la traction avant virera plus vite, l'effort moteur se retranchant en partie de l'effort centrifuge.

TENURE. — Au Moyen Âge, ce terme désignait une terre concédée par un propriétaire à un tenancier, à charge d'un service ou du paiement d'un cens. En principe, le seigneur foncier ne concédait que la jouissance du bien, à titre précaire. En fait, la tenure fut rapidement considérée comme héréditaire aux mains du tenancier, qui devint détenteur d'un véritable droit réel sur elle. Cet éclatement du droit de propriété conduisit à la distinction entre le domaine éminent (du seigneur) et le domaine utile (du tenancier). Parmi les tenures, on distinguait les tenures nobles, ou fiefs, les censives et les tenures serviles.

TEOTIHUACÁN, localité du Mexique (État de Mexico), au N.-E. de Mexico. Fondée sur une théocratie pacifique, Teotihuacán connaît une très vaste aire de dispersion, depuis El Tajín* jusqu'à Tikal* et Kaminaljuyú*, et domine le haut plateau du Mexique entre le IIIe et le VIe s. Cette véritable ville comprend, sur 20 km², une zone religieuse, ordonnée le long de l'Avenue des morts, avec plusieurs temples et pyramides, dont celle du Soleil (63 m de haut), ainsi qu'un quartier de résidences palatiales, ornées de nombreuses peintures murales et de bas-reliefs figurant des scènes mythologiques. Des figurines en terre cuite, moulées dans un style naturaliste, ainsi que des masques en pierre dure et un vase cylindrique tripode en céramique peinte sont typiques de cette civilisation. Détruite vers 600, la ville est abandonnée au VIIIe s., mais son influence marque les débuts de l'histoire des Toltèques*.

TEPIC, v. du Mexique, capit. de l'État de Nayarit; 103 000 hab.

TEPLICE, v. de Tchécoslovaquie, dans le nord-ouest de la Bohême; 52 000 hab. Eaux thermales.

TERAMO, v. d'Italie, dans les Abruzzes, ch.-l. de prov., au pied du Gran Sasso; 49 000 hab. Théâtre romain. Cathédrale des XIIe-XVe s.

TÉRATOLOGIE → MALFORMATION.

TERAUCHI HISAICHI, maréchal japonais (1879-1946). Commandant les forces japonaises en Chine (1938), puis les forces terrestres dans le Pacifique Ouest (1942), il dut se replier sur Saigon, où il capitula en 1945.

TERBORCH (Gerard), peintre néerlandais (Zwolle 1617 - Deventer 1681). Il voyage beaucoup en Europe jusqu'en 1648, peignant à partir de 1640 des portraits qui sont parmi ses chefs-d'œuvre. Dans les années 50 se définissent les éléments essentiels du style de sa maturité. Appliqué à des scènes d'intimité bourgeoise, celui-ci unit, à travers un métier raffiné (clair-obscur, coloris), une poésie de l'espace et des choses à la délicatesse psychologique.

TERBRUGGHEN (Hendrik), peintre néerlandais (Deventer? 1588? - Utrecht 1629). Travaillant en Italie de 1604 à 1614, il assimile la leçon du Caravage*, d'O. Gentileschi et de Manfredi. À Utrecht, sa production se répartit entre sujets religieux, sujets populaires et surtout « moments musicaux » pleins d'autorité et de fantaisie rêveuse, d'un luminisme clair, d'un coloris à la fois franc et subtil, dont l'écho se retrouvera chez Vermeer (*le Duo,* Louvre).

TERCEIRA, île des Açores; 396 km². V. princ. *Angra do Heroísmo.*

Tercio, nom donné, à sa création en 1920, à la Légion étrangère de l'armée espagnole.

TÉRÉBINTHACÉES. — Cette petite famille de plantes comprend quatre espèces importantes de notre flore : le *lentisque,* arbuste résineux du maquis méditerranéen, dont on extrait une huile, un mastic et un vernis; le *térébinthe,* dont on extrait l'essence de térébenthine; le *pistachier,* dont le fruit fournit la pistache des confiseurs; enfin le *sumac*.* (Syn. : *anacardiacées.*)

TERECHKOVA (Valentina Vladimirovna), astronaute soviétique (Maflennikovo, près de Iaroslav, 1937). Elle fut la première femme à participer à une expérience spatiale (1963).

TÉRENCE, en lat. **Publius Terentius Afer,** poète comique latin (Carthage v. 190-159 av. J.-C.). Amené très jeune à Rome, il fut vendu comme esclave au sénateur Terentius Lucanus, qui lui fit donner une éducation libérale et l'affranchit. Ami de Scipion Émilien et de Laelius, il composa six comédies, jouées de 166 à 160 av. J.-C. *(l'Andrienne, l'Hécyre, l'Heautontimoroumenos, l'Eunuque, Phormion*, les Adelphes)* et dans lesquelles il imite les auteurs grecs, combinant souvent deux intrigues en une seule pièce (c'est le procédé de la *contamination*). S'attachant à l'équilibre de la construction et à l'analyse psychologique des personnages, il fut peu goûté du public romain, qui préférait les farces plus vives et plus colorées de Plaute, mais il devint un modèle pour les classiques français, et notamment pour Molière.

TERESINA, v. du Brésil, capit. de l'État de Piauí, sur la Parnaíba; 221 000 hab.

TERGAL → AROMATIQUES *(hydrocarbures),* ÉTHYLÈNE, PÉTROCHIMIE.

TERGNIER (02700), ch.-l. de cant. de l'Aisne, sur le canal de Saint-Quentin, à 26,5 km au S. de Saint-Quentin; 11 807 hab. Gare de triage. Industries textiles et mécaniques.

TERMIER (Pierre), géologue français (Lyon 1859 - Grenoble 1930). Directeur du Service de la carte géologique de la France, il a travaillé surtout dans les Alpes, y montrant l'existence de nappes de charriage* dans lesquelles des fenêtres découpées par l'érosion laissent voir le substratum. Il a écrit *À la gloire de la Terre* (1922) et *la Joie de connaître* (1926).

TERMINAL *(Inform.).* — Lorsqu'une imprimante* est connectée à proximité immédiate d'un ordinateur*, on dit qu'elle en est un *périphérique*.* Lorsqu'elle est placée à distance et connectée en particulier par l'intermédiaire d'une ligne téléphonique, on parle de périphérique éloigné ou de *terminal*.*

• Les *terminaux lourds* permettent le traitement par lots à distance : ils sont composés d'un lecteur* de cartes, d'une imprimante, d'une interface de transmission et d'une logique câblée ou microprogrammée. Dans les réseaux* d'ordinateurs, ils peuvent eux-mêmes être construits autour d'un petit ordinateur et constituer ainsi de véritables *stations* qui permettent de commander localement toutes les fonctions de l'ordinateur éloigné; ils peuvent alors posséder des périphériques quelconques, des disques* et des bandes* magnétiques.

• Les *terminaux légers* sont le plus souvent du type conversationnel; ils possèdent un clavier et un écran ou une petite imprimante de type machine à écrire; ils peuvent avoir un dispositif d'impression à aiguilles qui permet d'atteindre des performances d'écriture de 30 caractères à la seconde. On trouve également des organes de recopie d'écran, des petits traceurs* de courbes, des lecteurs-perforateurs de ruban.

• Les *terminaux conversationnels* peuvent être spécialement adaptés à une application pour que leur mise en œuvre soit facilitée : clavier spécial, affichage particulier, traitements élémentaires locaux. C'est le cas, par exemple, des terminaux bancaires, des terminaux de réservation de places avec impression de billets, des terminaux-caisses de grands magasins, etc.

TERMINAL *(Pétr.)* → GAZ.

TERMINI IMERESE, v. d'Italie, sur la côte nord de la Sicile; 24 000 hab. Station thermale et balnéaire. Musée (pièces provenant de l'antique Himère).

TERMITE. — Proches parents des blattes*, les termites sont des insectes broyeurs, aptères ou à quatre ailes égales, dépourvus de nymphose et se nourrissant de débris végétaux. Leurs 2 000 espèces forment l'ordre des *isoptères.* Les termites sont remarquables par leur vie sociale, qui est liée à des dons de bâtisseurs dépassant ceux de l'homme : une termitière peut atteindre mille fois la hauteur d'un termite. Chaque société (entre 1 000 et 1 million de membres, selon l'espèce) comprend un couple royal, des ouvriers et des soldats ainsi que des œufs et des larves. La reine, à l'abdomen

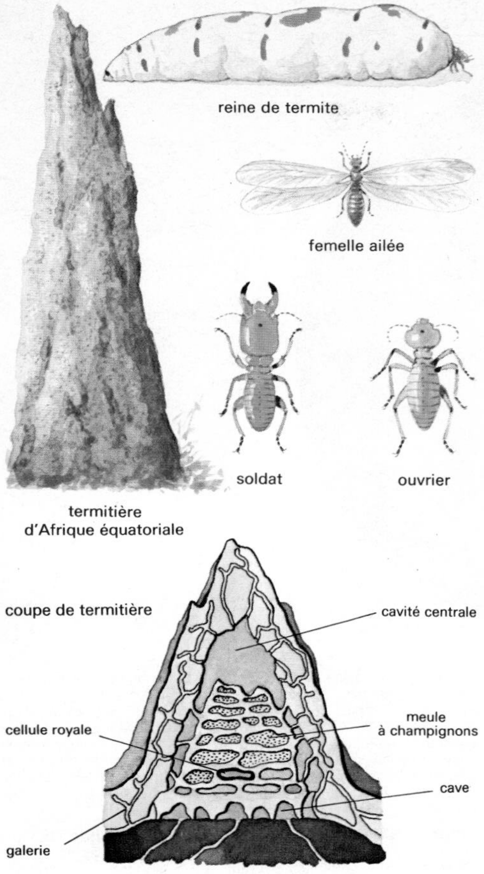

TERMITE

monstrueusement distendu, pond jusqu'à 36 000 œufs par jour. Le roi la féconde de temps à autre. Les autres adultes sont des asexués, d'origine mâle ou femelle, aveugles et sans ailes; ouvriers, ils hébergent dans leur « panse rectale » des bactéries ou des flagellés capables de digérer le bois et la cellulose; rendus ainsi capables de se nourrir de bois, ils font profiter de leur alimentation soldats et sexués en leur restituant par la bouche, par l'anus et à travers la peau divers aliments élaborés. Les soldats, les uns munis de fortes mandibules, les autres de glandes à projection de glu, défendent la colonie, contre les fourmis notamment. Certaines espèces de termites cultivent des champignons pour se nourrir des débris végétaux attaqués et transformés par ceux-ci.

La fondation de nouvelles colonies a lieu à la suite d'un essaimage des individus ailés, seuls sexués. Craignant par-dessus tout la lumière, les termites peuvent détruire en profondeur une charpente de bois sans que leurs dégâts soient visibles extérieurement, ce qui les rend d'autant plus dangereux.

TERMONDE, en néerl. **Dendermonde,** v. de Belgique (Flandre-Orientale), à l'E. de Gand; 41 066 hab. Monuments gothiques, dont l'église Notre-Dame (œuvres d'art). Musée.

TERNAUX (*baron* Guillaume Louis), manufacturier et homme politique français (Sedan 1763 - Saint-Ouen 1833). Il fonda en France de très grandes manufactures de textiles et créa un genre de châle appelé « cachemire de Ternaux ».

TERNEUZEN, port des Pays-Bas (Zélande), sur la rive sud de l'estuaire de l'Escaut (Escaut occidental), à la tête du *canal Terneuzen-Gand;* 32 000 hab. Industrie chimique.

TERNI, v. d'Italie, en Ombrie, ch.-l. de prov.; 110 000 hab. Vestiges romains, monuments médiévaux, etc. Sidérurgie.

TERPANDRE, poète et musicien grec (Lesbos, fin du VIIe s. av. J.-C.). On lui attribue la fondation de l'école citharédique de Sparte et de nombreuses inventions musicales (cithare à 7 cordes, modes éolien et béotien).

TERPÈNE. — Les terpènes sont des carbures de formule $(C_5H_8)_n$. Pour $n = 1$, on a les hémiterpènes; pour $n = 2$, les terpènes proprement dits; pour $n = 3$, les sesquiterpènes; pour $n = 4$, les diterpènes; pour n très grand, les polyterpènes. Tous dérivent de la soudure théorique de n squelettes d'isoprène, qui est le seul hémiterpène. Ils peuvent être acycliques ou cycliques. La plupart d'entre eux sont liquides. Les terpènes sont chimiquement actifs et se polymérisent facilement.

La *série terpénique* groupe des carbures, des alcools, des aldéhydes et des cétones, possédant dix atomes de carbone; beaucoup de ces corps intéressent la parfumerie.

TERPSICHORE, muse de la Danse et de la Poésie lyrique. Son attribut est la lyre.

TERRAIN *(Méd.)* → ÉTIOLOGIE.

TERRASSEMENT. — • *Terrassement à sec.* Lorsqu'il est peu important et que le terrain est relativement meuble, le terrassement s'exécute à la main avec des pelles, des pioches et des pics; dans le cas contraire, on emploie des engins pneumatiques (marteaux-bêches et marteaux piqueurs). Pour les grands terrassements, on utilise des engins mécaniques montés sur roues ou sur chenilles. Ces engins sont munis soit d'une benne qui excave les terres et assure leur chargement (pelle mécanique, grue à benne preneuse, scraper, etc.), soit d'une série de godets à fonctionnement continu, assurant les uns l'extraction, les autres le chargement des terres. Une pelle mécanique peut être équipée pour travailler de trois façons différentes. Elle est en *dragline* quand la benne est fixée à un système de câbles et excave la terre en raclant le fond de la fouille et les parois des talus. Dans les deux autres cas, la benne est fixée au bras de la pelle pour attaquer les talus de l'excavation. Selon que l'engin est placé au fond de la fouille ou sur le terre-plein, il travaille *en butte* ou *en rétro.* Le nivellement des fouilles et l'établissement des remblais par refoulement des terres se font à l'aide de *bulldozers* qui sont munis à l'avant d'une lame racleuse.

• *Terrassement sous l'eau* ou *dragage.* Il peut s'exécuter à l'aide d'une pelle équipée en dragline ou en rétro, d'une benne preneuse ou d'un excavateur à godets, quand ces engins peuvent se placer sur la berge pour l'exécution du travail. En pleine eau, on utilise des dragues à cuiller, à benne preneuse, à godets ou des dragues suceuses, le transport des déblais se faisant à l'aide de dragues porteuses ou de chalands.

TERRASSON-LA-VILLEDIEU (24120), ch.-l. de cant. de la Dordogne, sur la Vézère, à 20 km à l'O. de Brive-la-Gaillarde; 6 221 hab. Bourg pittoresque, avec une église du XVe s. Constructions mécaniques. Caoutchouc.

TERRAY (Joseph Marie), homme politique français (Boën 1715-Paris 1778). Prêtre, il fut contrôleur général des finances de 1769 à 1774. Il forma alors avec Maupeou* et d'Aiguillon un « triumvirat », rendu impopulaire par les mesures fiscales prises pour essayer de réduire le déficit causé par les dépenses de la Cour.

TERRE, planète du système solaire, habitée par l'homme. La Terre se range parmi les planètes de dimensions modestes (sphère approximative de 6 370 km de rayon et de 40 000 km de tour) et de forte densité (densité moyenne 5,52). Elle décrit une orbite elliptique de faible excentricité entre celle de Vénus (plus proche du Soleil) et celle de Mars. Sa distance au Soleil, en moyenne de 149,6 millions de kilomètres (valeur prise comme *unité astronomique* de distance), varie d'environ 1/60 de cette valeur au cours d'une révolution complète, soit une année. Sa rotation autour de l'*axe polaire* (géographique) détermine l'alternance jour-nuit. Pour rendre le *jour solaire* rigoureusement constant (puis le diviser en 24 heures et arriver à la seconde), on détermine un *Soleil moyen,* dont le mouvement apparent par rapport à la Terre serait uniforme et normal à l'axe polaire (il s'en faut de $23^{0}\ 27'$); d'où la définition de la seconde de *temps solaire moyen.* Le *jour sidéral* (observé par rapport aux étoiles), un peu plus court — 23 h 56 min 4 s —, est la vraie période de rotation de notre globe sur lui-même. Le seul satellite naturel de la Terre, la Lune*, cause principale des marées*, tourne autour de la Terre en un peu plus de 27 jours à une distance moyenne de 384 400 km.

Le globe terrestre, légèrement aplati de 1/300 dans la direction de son axe polaire, est représentable par un ellipsoïde de révolution *(géoïde*),* surface de niveau de la pesanteur voisine de celle des mers. Celles-ci couvrent 70,8 p. 100 de la surface totale (510 millions de kilomètres carrés).

La Terre est entourée d'une atmosphère*, et son environnement spatial est ionisé (ionosphère*, magnétosphère*). Sa constitution interne n'est connue, sauf pour les premiers 10 km, qu'indirectement (v. SISMOLOGIE). Partant de la surface, on distingue :

1° la *croûte,* relativement légère (silice, alumine), dont la base, mal définie, pourrait être la *discontinuité de Mohorovičić* (elle est le siège du relief [v. OROGENÈSE*] et de ses transformations [volcans,

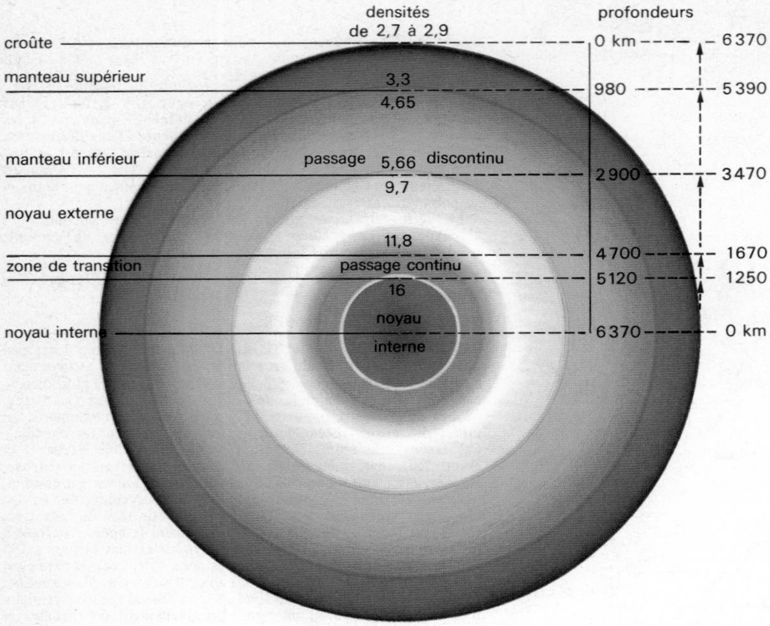

Structure interne du globe terrestre (profondeurs et densités).

formation des dorsales océaniques avec épanchement de magma pour la constitution du fond des océans]; son équilibre hydroplastique est l'objet de la *théorie de l'isostasie*);
2° le *manteau*, divisé en *supérieur* (siège des séismes profonds) et en *inférieur*, au-dessous d'un millier de kilomètres (qui paraît à l'abri de toute dislocation);
3° le *noyau* (à partir d'environ 4700 km), très dense (fer, nickel...), dont la partie externe seule serait liquide (très conducteur, il serait le siège de propriétés électriques et magnétiques responsables notamment de l'aimantation de la Terre [v. GÉOMAGNÉTISME]).

L'*âge de la Terre* est évalué à près de 5 milliards d'années, et il est probable que, comme celle de la Lune, sa formation ait été simultanée avec celle de l'ensemble du système solaire (v. COSMOGONIE). Sans entrer ici dans le détail des *époques géologiques* (avec leur corollaire sur le développement de la *vie* sur notre planète), soulignons seulement l'évolution générale — une *expansion* plutôt que l'ancienne hypothèse de la *contraction* — par laquelle on pense pouvoir rendre compte au mieux de l'ensemble des données qui nous sont accessibles sur l'histoire du globe.

TERRE DE FEU, en esp. **Tierra del Fuego,** archipel prolongeant le continent sud-américain, dont il est séparé par le détroit de Magellan. Entre 52 et 56° de latitude S., montagneux, au climat froid et humide, il est partagé entre l'Argentine *(prov. de la Terre de Feu :* 20392 km²; 13000 hab.; ch.-l. *Ushuaia)* et le Chili (partie méridionale de la prov. de Magellan). — On restreint parfois l'appellation de « Terre de Feu » à la principale île.

Terre Gaste *(la)*, poème de T. S. Eliot (1922). L'irréductible « vanité » de la terre en dépit de toutes ses richesses concrètes et spirituelles.

TERRE-NATALE (52400 Bourbonne les Bains), ch.-l. de cant. de la Haute-Marne, à 14 km au S.-O. de Bourbonne-les-Bains; 628 hab.

TERRE-NEUVE, prov. du Canada; 404517 km²; 522104 hab. Capit. *Saint John's (Saint-Jean).*

GÉOGRAPHIE. La province se compose de l'*île de Terre-Neuve* (112299 km²) et de la partie orientale (292218 km²) du Labrador. L'île est un vaste plateau incliné vers le N.-E. (au littoral découpé) et marqué par l'emprise de glaciations. Le climat est froid (− 6 °C de moyenne en janvier et en février à Saint John's) et neigeux en hiver, et frais en été. Il est encore plus rude dans la partie labradorienne, à la latitude plus élevée. La population s'est accrue rapidement en raison d'un fort excédent naturel. La pêche (et les activités annexes, conserveries) demeure une activité essentielle de l'île avec la sylviculture (papier), développée aussi dans le Labrador, producteur d'hydroélectricité et surtout de minerai de fer (pour lequel, comme pour les prises de la pêche, Terre-Neuve occupe le premier rang des provinces canadiennes).

HISTOIRE. Découverte à la fin du XVe s., l'île est longtemps fréquentée par les pêcheurs français, anglais et espagnols. À un établissement anglais à Saint John's (1583) répond un établissement français dans la baie de Plaisance (1655); d'où des luttes incessantes. La paix de Ryswick (1697) rétablit le *statu quo,* mais le traité d'Utrecht (1713) cède toute l'île à l'Angleterre, la France gardant le monopole de la pêche sur la côte nord *(French Shore) :* stipulation qui sera la source d'innombrables conflits jusqu'à ce que, en 1904, soit établie la stricte égalité entre tous les pêcheurs. L'île reçoit le statut de dominion en 1917. En 1948-49, à la suite d'un référendum, elle est rattachée au Canada.

TERRES RARES. — Cette appellation désigne quinze éléments chimiques consécutifs de la classification, du n° 57 au n° 71. Ces éléments sont le lanthane, le cérium, le praséodyme, le néodyme, le prométhéum, le samarium, l'europium, le gadolinium, le terbium, le dysprosium, l'holmium, l'erbium, le thulium, l'ytterbium et le lutécium. Ils sont constamment associés dans leurs minerais, et leur séparation est très difficile. Leurs propriétés chimiques sont extrêmement voisines.

Terreur *(la)*, nom donné à deux périodes de la Révolution française. La première Terreur (10 août-20 sept. 1792) se situe entre la chute de la royauté et l'instauration de la République; elle a pour cause les premiers désastres devant les Prussiens et se manifeste particulièrement lors des massacres de Septembre*. La deuxième Terreur (5 sept. 1793-28 juill. 1794), dirigée contre le « complot aristocratique », est politique (loi des suspects*), économique (maximum), militaire (exécution de Houchard et de Custine) et religieuse (vague de déchristianisation). Elle produit l'élimination des Girondins et le passage devant le Tribunal* révolutionnaire de milliers de suspects, dont beaucoup sont guillotinés. C'est au nom de la Terreur, caution de la « vertu » républicaine, que Robespierre* se débarrasse des hébertistes, puis des dantonistes (mars-avr. 1794) et que, durant trois mois, il instaure un régime d'exception, qu'on appelle parfois la « Grande Terreur ».

Terreur blanche, nom donné à deux mouvements contre-révolutionnaires dirigés par les royalistes contre leurs adversaires, notamment dans le Sud-Est. La première Terreur blanche sévit en mai 1795, et la seconde (après la défaite de Napoléon Ier* à Waterloo) durant l'été de 1815; elle prit la forme d'exécutions sommaires et de procès devant des cours prévôtales.

TERRIER. — De nombreuses espèces animales terrestres sont fouisseuses, c'est-à-dire aptes à creuser le sol végétal pour s'y abriter. L'abri, lorsqu'il est durable, voire permanent, est un terrier. Les terriers les plus grands en dimensions absolues sont l'œuvre de mammifères : renard, blaireau, lapin, « chien de prairie », hamster, spermophile, marmotte, taupe, loutre, ornithorynque, etc. Mais les insectes sociaux, fourmis et termites en particulier, peuvent creuser des habitations collectives immenses par rapport à leur taille. Les araignées du groupe des mygales se font un terrier remarquable, dont l'entrée est fermée par un clapet parfaitement ajusté. Quelques oiseaux (martin-pêcheur) creusent un terrier dans la berge des cours d'eau. Des animaux aussi différents que l'hirondelle des rivages et la pholade (mollusque bivalve) creusent la pierre tendre. Les nombreux animaux qui creusent le bois (pic, divers insectes) utilisent leurs excavations comme des terriers.

TERRITOIRE *(Éthol.).* — L'existence d'un territoire, portion d'espace aux limites précises que se réservent un ou plusieurs individus conspécifiques, portion sur laquelle se déroule tout ou partie de leur comportement* et de laquelle sont exclus les autres représentants de la même espèce ou d'espèces voisines, a été démontrée chez des groupes d'animaux aussi divers que les insectes, les poissons, les mammifères, les oiseaux. La taille du territoire varie suivant l'espace étudié et les comportements qui y sont associés : il est limité à la surface d'incubation (flamant rose, manchot empereur), au lieu d'accouplement et de parade (tétras, chevaliers combattants) ou à l'endroit de nidification et d'alimentation. La forme et le rôle du territoire varient en fonction des trois variables essentielles que sont l'alimentation, l'accouplement et l'élevage des jeunes, bien que certains auteurs aient défini des territoires de sommeil (étourneaux) ou des territoires d'hiver, qui ne sont pas liés à la reproduction. Les limites spatiales du territoire sont concrétisées par des marques matérielles spécifiques (excréments, sécrétions odorantes) ou par comportements sonores (chant des oiseaux sur les frontières de leur zone) ou gestuels (stationnement sur des emplacements bien en vue du territoire). L'existence d'un territoire garantit pour de nombreuses espèces une source d'alimentation sûre à la période de reproduction; par ailleurs, la dispersion des individus constitue une assurance pour la survie de l'espèce, en abaissant le risque de prédation et en limitant la propagation des épizooties.

TERRORISME. — La multiplication des actes de terrorisme et le désir d'organiser, à l'échelon international, la poursuite des auteurs de tels actes ont suscité l'adoption, le 10 novembre 1976, par les délégués des ministres des Affaires étrangères du Conseil de l'Europe, d'une Convention européenne sur la répression du terrorisme. Certaines infractions graves sont assimilées à des délits ou à des crimes de droit commun, notamment la piraterie aérienne, les attentats contre les diplomates, les prises d'otages ou, plus généralement, tout acte de violence grave dirigé contre la vie et la liberté des personnes. L'extradition pourra être accordée. Dans certaines occasions, le cas devra être déféré aux autorités judiciaires de l'État abritant l'auteur d'une de ces infractions.

TERSANNE (26390 Hauterives), comm. de la Drôme, à 25 km au N. de Romans-sur-Isère; 188 hab. Réservoir souterrain de gaz naturel.

TERTIAIRE (ère). — Souvent appelée « cénozoïque », elle a débuté il y a 65 millions d'années et s'est achevée il y a environ 3 millions d'années. La fin du secondaire correspond à la disparition brutale des grands reptiles et des ammonites, tandis que le quaternaire débute avec l'apparition de l'homme. Le tertiaire se divise en paléogène, qui comprend l'éocène et l'oligocène, et en néogène, qui comprend le miocène et le pliocène. Il correspond à l'aboutissement du cycle alpin, amorcé au secondaire par le dépôt d'énormes masses de sédiments dans les géosynclinaux. La sédimentation s'achève à l'éocène, et les déformations les plus importantes ont lieu à l'oligocène et au miocène (plissements, charriages), le pliocène étant surtout marqué par des mouvements verticaux (effondrements). Le cycle alpin est responsable de la formation des Alpes, des Pyrénées, des chaînes de l'Asie centrale et de l'Himālaya ainsi que des chaînes péripacifiques.

Le tertiaire est, sur le plan biologique, l'ère de développement des mammifères, des oiseaux, des foraminifères. Les anthropoïdes y apparaissent vers 30 millions d'années. Parmi les végétaux, les angiospermes jouent un rôle prépondérant.

À la fin du tertiaire, la Terre a acquis son aspect actuel : le jeu des blocs continentaux (ouverture de l'Atlantique) l'a peu modifiée depuis, et l'extension des océans n'a plus guère varié.

TERTIAIRE (secteur) → POPULATION ACTIVE.

TERTRY (80200 Péronne), comm. de la Somme, à 12 km au S.-E. de Péronne; 129 hab. C'est l'ancien *Testriacum,* où Berchier, maire du palais de Neustrie, et le roi Thierry III furent vaincus vers 687 par le maire du palais d'Austrasie, Pépin de Herstal.

TERTULLIEN, apologiste et Père de l'Église, le premier des écrivains chrétiens de langue latine (Carthage v. 155-*id.* v. 222). Son œuvre est à la fois une critique du paganisme (*Aux païens,* 197), une défense de la foi chrétienne (*Apologétique,* 197) et une polémique contre les hérétiques, dont le traité le plus marquant, *Contre Marcion* (207-212), est la source principale pour l'étude du marcionisme*. Le moralisme rigoureux et intransigeant de Tertullien, dont témoignent de nombreux écrits (*Sur les spectacles,* v. 197; *Sur la tenue des femmes,* 200), fera dévier celui-ci vers le montanisme*.

Pionnier paradoxal du christianisme, Tertullien, s'il a laissé un corps doctrinal mal équilibré, a eu une très grande influence sur la formation de la langue théologique latine.

TERUEL, v. d'Espagne, en Aragon, ch.-l. de prov.; 22 000 hab. La ville a été un centre remarquable de l'art mudéjar tant qu'a duré une certaine tolérance de la part des catholiques : de la fin du XIIe s. à la fin du XVe (tours de brique à décors incrustés des églises; cathédrale à plafond de bois *artesonado*). — De violents combats s'y déroulèrent pendant la guerre civile (1936-1939).

TERVILLE (57100 Thionville), comm. de la Moselle, dans la banlieue sud-ouest de Thionville; 5 747 hab.

TERVUREN, comm. de Belgique (Brabant), à l'E. de Bruxelles; 17 597 hab. Église des XIIIe-XVe s. Musée royal de l'Afrique centrale en bordure du parc de l'ancien domaine des ducs de Brabant. Centre commercial.

TESLA → UNITÉS.

TESLA (Nikola), physicien yougoslave (Smiljan, Croatie, 1856-New York 1943). Il imagina les courants polyphasés, inventa le moteur asynchrone à champ tournant et, en haute fréquence, le couplage de deux circuits par induction mutuelle.

TESNIÈRE (Lucien), linguiste français (Mont-Saint-Aignan 1893-Montpellier 1954). Spécialiste des langues slaves et de dialectologie, il est surtout connu pour son ouvrage posthume, *Éléments de syntaxe structurale* (1959), où il propose, dans un dessein pédagogique, un modèle formalisé des structures de la phrase.

TESSAI, peintre japonais (Kyōto 1836-*id.* 1924). Lettré mû par une profonde individualité, Tomioka Tessai s'inspire de textes anciens et peint des paysages, des fleurs, des oiseaux, des portraits qui sont non pas des images figées, mais la traduction de ses visions intérieures. Ses valeurs encrées, très subtiles, s'allient souvent à des couleurs brillantes d'une grande limpidité.

TESSENDERLO, comm. de Belgique, dans l'ouest du Limbourg; 11 778 hab. (en 1970).

TESSIER (Gaston), syndicaliste français (Paris 1887-*id.* 1960). Premier secrétaire général de la Confédération française des travailleurs chrétiens (1919-1953), il est nommé président de la Confédération internationale des syndicats chrétiens en 1947, puis devient président d'honneur de la C. F. T. C. (1953). — Son fils JACQUES (Paris 1914) est secrétaire général (1964), puis président (1970) de la C. F. T. C. maintenue.

TESSIN (le), en ital. **Ticino,** riv. de Suisse et d'Italie; 248 km. Né sur le versant sud des Alpes, le Tessin draine d'abord le canton suisse du même nom, passe à Bellinzona, puis traverse le lac Majeur, en ressortant en Italie, où il arrose Pavie avant de rejoindre le Pô (r. g.). — Hannibal* vainquit à la bataille du Tessin le consul P. Cornelius Scipio en 218 av. J.-C.

TESSIN, cant. du sud de la Suisse, sur le versant méridional des Alpes; 2 811 km^2; 245 458 hab. Ch.-l. *Bellinzona.* Très montagneux, aéré seulement par quelques vallées, dont celle du Tessin (val Leventina), le canton, au climat relativement doux et humide, est cependant densément peuplé. L'économie juxtapose élevage en montagne, cultures céréalières, fruitières et légumières dans les vallées, jalonnées aussi des aménagements hydroélectriques qui ont favorisé le développement de l'électrométallurgie et de l'électrochimie. Le tourisme est surtout actif sur le lac Majeur (Locarno).

TESSIN (Nicodemus) **le Jeune,** architecte et homme d'État suédois (Nyköping 1654-Stockholm 1728). Il voyage en Italie et en France, achève la décoration intérieure du château de Drottningholm, près de Stockholm (entreprise en 1662 par son père, Nicodemus l'Ancien), dont il dessine le parc à la française. Sa grande œuvre est le château royal de Stockholm, synthèse des styles palladien et français.

TESSITURE → REGISTRE.

TESSY-SUR-VIRE (50420), ch.-l. de cant. de la Manche, à 18 km au S. de Saint-Lô; 1 493 hab.

TEST *(Psychol.).* — La mesure des différences psychologiques entre les individus et la classification de celles-ci en fonction de critères variés sont parmi les principaux objets de la psychologie*, qui fait appel, pour cela, aux tests. Comme pour tous les instruments de mesure, la fidélité, la validité et la sensibilité sont pour un test des qualités que l'on cherche à développer au maximum. La validité est la conformité entre le test et ce qu'il est censé mesurer. La fidélité est la caractéristique qui fait qu'une même personne passant deux fois de suite le même test (ou des tests équivalents) obtient sensiblement la même note. Plus un test est sensible, plus il différencie finement les sujets auxquels on le destine : le résultat obtenu permet de classer nettement le sujet dans telle ou telle catégorie. Cela revient à déterminer quel pourcentage de la population de référence obtient de meilleurs (ou de moins bons) résultats que ce sujet. Les constructeurs de tests s'arrangent, en effet, pour que les très bonnes comme les très mauvaises notes soient rares et pour que les notes moyennes soient plus fréquentes, faisant par là l'hypothèse implicite que la caractéristique psychologique que mesure le test a la même répartition gaussienne qu'une caractéristique physique quelconque, comme la taille, au sein de la population de référence. Cette étape, que l'on appelle *étalonnage,* est l'un des points les plus délicats et les plus contestables de la construction d'un test.

L'une des grandes utilisations des tests est la mesure de l'intelligence*, que l'on exprime par le quotient* intellectuel (Q. I.). Le plus ancien test est celui de A. Binet* et Th. Simon, qui peut être utilisé de quatre à douze ans; l'échelle de Terman-Merrill, qui en est la version américaine, est applicable depuis l'âge de deux ans jusqu'à l'âge adulte (à condition d'attribuer aux adultes un âge réel maximal de quinze ans). Les échelles de Wechsler, mises au point en 1939 par le psychologue américain D. Wechsler, introduisent la distinction entre un Q. I. verbal et un Q. I. de « performance », fondé sur des épreuves non verbales, que l'on suppose plus indépendantes de l'influence du milieu culturel que les épreuves verbales. À un même chiffre de Q. I. correspond une moins bonne performance objective chez le sujet âgé que chez l'adulte plus jeune. Cet artifice de construction permet de tenir compte de la dégradation « normale » des performances intellectuelles à partir d'un certain âge.

À l'appréhension globale de l'intelligence, les tests d'aptitude* substituent une analyse structurale des facteurs qui composent celle-ci et que l'analyse* factorielle permet de dégager. Pour le psychologue, l'étape la plus importante est alors celle du sens à donner aux facteurs ainsi mis au jour. Pour expliquer les corrélations entre des résultats obtenus par une même personne à un ensemble de tests, on peut faire appel à trois ordres de facteurs : un *facteur général* (auquel on attribue la responsabilité de la plus grande partie de la corrélation et qui est identifié par Spearman à l'intelligence générale), des *facteurs de groupe* (communs à certains tests seulement) et un *facteur spécifique* (propre à un test). Les tests les plus saturés en facteur général *(facteur g)* sont les Progressive Matrix de Rosen et le test des dominos (D. 48) d'Austey; ils reposent sur la découverte d'une loi de série. Certains tests d'intelligence pour enfants sont fondés sur l'enrichissement progressif du dessin* de l'enfant en fonction de son développement intellectuel (test du bonhomme).

Destinés à explorer les aspects affectifs de l'individu, les tests de personnalité* ont ceci de particulier qu'il n'est pas possible de déterminer objectivement quelle en est la meilleure réponse. Suivant le principe qui a guidé leur construction, on distingue les questionnaires et les techniques projectives. Les questionnaires proposent par écrit au sujet toute une série de questions sur ses opinions, son comportement, ses préférences dans telle ou telle circonstance. Ils sont assez peu valides et n'atteignent que l'opinion que le sujet a de lui-même. Par contre, le Minnesota Multiphasic Personality Inventory (MMPI) échappe à ce reproche, car il ne tient pas compte du contenu objectif des réponses et repose sur une validation statistique. Les techniques projectives confrontent le sujet examiné avec une situation aussi ambiguë que possible et à laquelle il répond en fonction de ce qu'elle évoque pour lui, c'est-à-dire en fonction de sa personnalité. L'interprétation des réponses est délicate, et les hypothèses qui la fondent sont souvent directement inspirées de la psychanalyse*. Le test le plus utilisé actuellement est le test de Rorschach*. Dans le Thematic Apperception Test (TAT), élaboré en 1935 par Morgan et Murray aux États-Unis, le sujet est invité à raconter une histoire à propos d'une série d'images dont la signification est équivoque. Il est supposé s'identifier au personnage principal de chaque histoire et projeter sur lui ses attitudes et ses émotions. Dérivé du TAT, le CAT est utilisé chez les enfants; il met en scène des animaux, car les enfants se projettent plus facilement sur des animaux. Le *test de l'arbre,* dans lequel on demande de dessiner un arbre, s'appuie sur l'hypothèse que l'arbre est une représentation symbolique du corps humain.

Test Act, loi votée par le Parlement anglais en 1673, qui imposait à tout candidat à un office public la réception de la communion anglicane et un serment de répudiation des dogmes catholiques. Elle ne fut abrogée qu'en 1828.

TESTAMENT. — Il est loisible à une personne d'organiser la dévolution de sa succession* par une manifestation expresse de volonté, au terme d'une donation* ou d'un testament. Le testament peut être *olographe* — écrit, daté et signé de la main du testateur — ou *authentique,* reçu par un notaire auquel le testateur dicte ses volontés. Si, à sa mort, le testateur laisse des héritiers dits « à réserve » (descendants ou ascendants), il ne peut disposer qu'à la condition de ne pas dépasser la « quotité disponible », faute de quoi les dispositions du testament feraient l'objet d'une réduction. Il est révocable, et c'est le dernier en date des testaments qui a valeur, après la mort du testateur, pour régler la dévolution des biens.

Testament *(Ancien* et *Nouveau),* désignation chrétienne de l'ensemble des livres bibliques. Le terme de *testament* signifie, dans ce cas précis, « pacte », « alliance ». L'Ancien Testament, ou Ancienne Alliance, comprend tous les écrits se rapportant à l'histoire de l'alliance de Dieu avec le peuple juif. Le Nouveau Testament, ou Nouvelle Alliance, est le recueil des écrits concernant l'alliance établie par Jésus-Christ. (V. BIBLE.)

Testament *(le),* de François Villon, dit le *Grand Testament* (1461). Dans ce poème écrit en huitains, mais entrecoupé de ballades *(Ballade des dames du temps jadis, Ballade à sa mère pour prier Notre-Dame, Ballade de la Grosse Margot)* et de rondeaux, Villon, qui vient de sortir de la prison de Meung-sur-Loire, jette un regard sur sa vie. Après avoir déploré le triomphe inéluctable de la mort, il procède à une série de legs burlesques, puis, s'étant réconcilié avec ceux qui l'ont persécuté, règle l'ordonnance de ses funérailles.

Testament *(le Petit),* nom donné ordinairement au *Lais,* poème de François Villon (1456). Alors qu'il vient de participer à un vol au collège de Navarre, le poète songe à quitter Paris et à disposer de ses biens. Il procède alors à des legs (*lais* est l'ancienne forme de ce mot), distribuant à ses amis et ennemis de prétendues richesses.

TESTE (La) [33260], ch.-l. de cant. de la Gironde, sur le bassin d'Arcachon; 16 883 hab. *(Testerins).* Ostréiculture. Station balnéaire.

TESTICULE. — Les testicules, au nombre de deux, sont entourés extérieurement d'une gaine séreuse, la vaginale, et ils sont logés dans les bourses, dont la peau forme le scrotum. Chaque testicule est formé de tubes séminifères, qui produisent les spermatozoïdes, et de cellules de Leydig, qui produisent l'hormone mâle, ou testostérone. (V. GÉNITAL [*appareil*].)

Les *syndromes d'hypofonctionnement* testiculaire réalisent chez l'enfant le tableau d'un impubérisme; chez l'adulte, ils sont marqués par la diminution ou la disparition de la libido, pouvant s'accompagner d'impuissance.

Un *syndrome d'hyperfonctionnement* testiculaire est réalisé par des tumeurs bénignes ou malignes, sécrétantes, du testicule.

La *torsion du testicule* survient le plus souvent sans cause traumatique. Le traitement chirurgical d'urgence permet d'éviter la nécrose rapide de la glande.

L'*ectopie testiculaire* peut être due à un obstacle mécanique gênant la migration du testicule ou à une malformation de celui-ci.

Les *orchites* (inflammations du testicule) sont souvent associées à une infection de l'épididyme (orchi-épididymite) et se rencontrent au cours de maladies infectieuses (oreillons*, blennorragie).

TESTOSTÉRONE → HORMONE et TESTICULE.

TEST STATISTIQUE. — Une hypothèse ayant été formulée relativement à la forme d'une loi de distribution* d'une population ou à la valeur des paramètres* qui la caractérisent, un test statistique est une épreuve portant sur les résultats d'observations ou d'expériences. Les résultats du test, interprétés à l'aide du calcul des probabilités*, conduiront à accepter ou à rejeter l'hypothèse qui lui a été soumise : à la conclusion ainsi obtenue sont associés les risques de rejeter celle-ci alors qu'elle est vraie (risque de première espèce) ou de l'accepter alors qu'elle est fausse (risque de seconde espèce).

TÊT (la), fl. côtier des Pyrénées-Orientales, né près du Carlitte et qui passe à Prades, puis à Perpignan avant de rejoindre la Méditerranée; 120 km. Aménagements hydroélectriques sur son cours supérieur et son cours moyen.

TÉTANIE → SPASMOPHILIE.

TÉTANOS. — Cette maladie est due à la toxine du bacille de Nicolaier. Celui-ci forme des spores résistantes qui se trouvent dans la terre. Le germe pénètre dans l'organisme à la faveur d'une lésion de la peau ou des muqueuses (coupure, piqûre).

Le tétanos aigu généralisé, après une phase d'incubation de huit à quinze jours, est marqué par des contractures musculaires douloureuses, d'abord des mâchoires (trismus), puis généralisées. Ces contractures sont permanentes, mais elles s'accentuent au cours de crises très douloureuses. Le traitement du tétanos déclaré se fait dans des centres de réanimation : il comporte la sérothérapie, la lutte contre l'infection, la respiration artificielle, les médicaments décontracturants. Le traitement préventif est essentiel : la vaccination antitétanique, obligatoire en France, est très efficace. Après blessure chez le sujet non vacciné, on doit pratiquer une injection de sérum antitétanique et associer une vaccination correcte; chez un sujet vacciné correctement, une seule injection de rappel suffit, mais, en cas de blessure grave, souillée de terre, on associe également le sérum à titre préventif.

TÊTARD → GRENOUILLE.

TÊTE. — Le groupement de nombreux organes importants à l'extrémité antérieure du corps, qui vaut à celle-ci le nom de *tête,* est de règle chez les animaux à déplacement rapide : vertébrés, arthropodes, céphalopodes. Divers gastropodes, annélides et même vers plats ont également une tête. L'organe principal de celle-ci est un cerveau ou, tout au moins, un ganglion céphalique, en connexion avec la bouche et ses annexes (organes de capture des proies) ainsi qu'avec des organes sensoriels (yeux, statocystes, organes de l'odorat, etc.), très inégalement développés selon le groupe.

L'absence de tête caractérise notamment les mollusques bivalves (dits, pour ce motif, *acéphales*) et les groupes à symétrie axiale (échinodermes, cœlentérés).

Chez l'homme, la tête est unie au tronc par le cou. Elle comprend le crâne*, qui contient le cerveau et la face*, qui est appendue à la moitié antérieure de la base du crâne.

TÊTE D'ÉCRITURE, DE LECTURE → BANDE MAGNÉTIQUE, DISQUE, ENREGISTREMENT.

Tête d'or, drame de P. Claudel (1890; version définitive en 1901). Le conquérant qui s'aventure « au-delà du bien et du mal » découvre la vanité de l'orgueil et du pouvoir.

TÉTOUAN, v. du nord du Maroc, ch.-l. de prov., près de la Méditerranée; 139 000 hab.

TÉTRACYCLINE → ANTIBIOTIQUES.

Tétralogie, cycle de quatre opéras, livret et musique de Richard Wagner, divisé, sous le titre de *l'Anneau du Nibelung,* en un « prologue » (*l'Or du Rhin,* 1852-1854) et en trois « journées » (*la Walkyrie,* 1852-1856; *Siegfried,* 1856-1871; *le Crépuscule des dieux,* 1869-1874). Au travers de légendes scandinaves, l'auteur développe ses thèmes favoris sur la malédiction de l'or, l'homme pur, le rachat par l'amour et applique sa réforme du drame musical par l'utilisation du leitmotiv, de la déclamation continue (Sprechsingen) et d'un orchestre riche et coloré.

TÉTRAPHONIE. — Elle constitue un perfectionnement de la stéréophonie*. Ses partisans disent que l'auditeur d'une reproduction stéréophonique se trouve dans une pièce, près de la porte qui ouvre sur la salle de concerts, dont les musiciens sont devant lui; mais il n'est pas dans l'ambiance sonore de l'auditorium, dont les ondes* musicales sont réfléchies et lui parviennent de toutes les directions. En tétraphonie, il faut donc quatre sources sonores : avant gauche, avant droit, arrière gauche, arrière droit. La réalisation d'enregistrements tétraphoniques sur bande* magnétique est techniquement aisée. Quatre têtes enregistrent, puis lisent sur quatre pistes les quatre informations sonores. Il n'en est pas de même sur un disque*, qui doit recevoir les quatre informations dans le même sillon. Il existe plusieurs procédés.

TÉTRAPODES → QUADRUPÈDES.

TÉTRARCHIE. — Ce nom a été donné au gouvernement de l'Empire romain sous Dioclétien*. Pour supprimer le risque d'usurpation et assurer la défense d'un Empire trop vaste pour un seul empereur, Dioclétien s'adjoignit trois collaborateurs : l'Empire fut ainsi gouverné par deux augustes (Dioclétien à Nicomédie, Maximien* à Milan, ou Aquilée) et deux césars (Galère* à Sirmium, en Pannonie, et Constance* Chlore à Trèves). Dans ce gouvernement à quatre, ou tétrarchie, Dioclétien conserva toujours une préséance; les deux césars, choisis par les deux augustes, devaient succéder à ces derniers. La tétrarchie assura la permanence, l'efficacité et l'unité du pouvoir impérial. Mais, après l'abdication de Dioclétien et de Maximien (305), le système tétrarchique se détruisit, en entraînant des guerres civiles qui ne cessèrent qu'en 324 avec la victoire de Constantin* sur Licinius*.

TETZEL (Johannes), religieux allemand (Pirna v. 1465 - Leipzig 1519). Dominicain (1487), il est chargé, en 1514, de prêcher l'indulgence destinée à l'achèvement de la basilique Saint-Pierre de Rome. Les excès de sa prédication soulèvent l'indignation de Luther* (1517), dont les 95 thèses préludent à la Réforme*.

Teutonique *(ordre),* ordre créé en Terre sainte, d'abord comme ordre hospitalier, puis comme ordre militaire (1198). Il adopta une règle inspirée de celle des Templiers. Composé uniquement de membres de l'aristocratie allemande, il fut appelé, dès le XIIe s., à intervenir en Prusse, où il participa à la lutte contre les Slaves et à la poussée germanique vers l'est. Maître du pays de Kulm (1226), puis des possessions livoniennes des chevaliers Porte-Glaive, qu'il absorba (1237), il parvint, en luttant contre la Pologne et la Lituanie, à constituer un vaste État, dont la capitale fut Marienburg (XIVe s.). Mais la défaite de Grunwald (1410) contre la Pologne marqua le début du déclin de sa puissance, peu à peu réduite à la Prusse-Orientale. En 1525, la conversion au luthéranisme d'Albert de Brandebourg, grand maître de l'ordre, provoqua la suppression de celui-ci et la sécularisation de la Prusse.

TEUTONS → GERMAINS.

TEWKESBURY, v. de l'ouest de l'Angleterre, au confluent de la Severn et de l'Avon; 6 000 hab. Belle abbatiale romane et gothique. — Pendant la guerre des Deux-Roses, le 3 mai 1471, le parti d'Édouard IV (York) vainquit dans son voisinage, à Bloody Meadow, les troupes d'Henri VI (Lancastre).

TEXAS, État du sud des États-Unis; 692 403 km^2; 11 197 000 hab. Capit. *Austin.* Plus vaste que la France, le Texas est (après l'Alaska) le plus étendu des États américains. C'est une ancienne possession espagnole, république indépendante de fait en 1836, incorporée aux États-Unis en 1845 et à laquelle le Mexique dut renoncer en 1848 après une guerre avec les Américains. Il est formé à l'E. de terres appartenant aux plaines alluviales bordant le golfe du Mississippi et à l'O. de plateaux, terminaison sud-occidentale des Grandes Plaines, au pied des Rocheuses. Au point de vue climatique s'oppose encore la moitié orientale, humide (près de 900 mm à Dallas et plus de 1 m à Houston), à l'Ouest, aride (200 mm à El Paso); on passe ainsi, par la prairie et la steppe, de la forêt de pins au semi-désert.

Vautier - Decool

Texas. Vue partielle de Dallas, grand centre économique du nord de l'État.

La production agricole a été développée grâce à l'irrigation (environ 3 Mha) : sorgho, coton, riz et foin, parfois associés à un élevage bovin (plus de 15 millions de têtes) et à un élevage ovin qui situent le Texas au premier rang américain. Le Texas est encore plus largement en tête pour la production minérale grâce aux hydrocarbures, dont il assure tant pour le pétrole (plus de 170 Mt) que pour le gaz naturel (près de 250 Gm^3) plus du tiers de la production des États-Unis. L'abondance de l'énergie primaire (parfois transformée en thermoélectricité) et des capitaux qu'elle a procurés a favorisé l'essor de l'industrie, notamment de la chimie (dérivée directe des hydrocarbures), de l'alimentation (valorisant la production agricole) et de la construction aéronautique, branches représentées notamment dans les deux agglomérations millionnaires de Houston et de Dallas. Au total, dix villes comptent chacune plus de 100 000 habitants, ce qui explique un taux d'urbanisation de l'ordre de 80 p. 100 pour une population toujours en accroissement rapide et comptant une minorité noire, en recul relatif, proche aujourd'hui de la moyenne nationale.

TEXEL, île néerlandaise (archipel de la Frise occidentale), au N. du Helder.

TEXTE. — Jusqu'à Ferdinand de Saussure*, la notion de texte relevait non pas de la linguistique*, mais de l'évidence. L'étymologie du mot évoque spontanément « enchaînement d'idées et suite de mots ». Le texte est avant tout les propres paroles d'un auteur, par opposition aux commentaires qu'elles suscitent (par exemple la Bible, le texte par excellence) ou à leur traduction en d'autres langues. Il renvoie ainsi à la fois au postulat de la pensée préexistant au langage et à la notion de créateur unique : la notion de texte dépend alors plus d'une métaphysique* que d'une rhétorique*. Depuis la constitution de la linguistique comme science autonome, elle a éclaté, d'abord avec la distinction établie par Saussure entre *langue* et *parole,* puis avec les travaux des formalistes* russes sur le concept de « littérarité » et enfin sous l'influence de la théorie de l'information et des travaux des linguistes américains (Z. S. Harris, N. Chomsky) et français (Benveniste) : d'abord elle s'étend à « toute production écrite ou parlée » *(« Stop* est un texte aussi bien que le *Roman de la Rose »),* puis elle finit par englober toutes les productions sémiotiques*, tous les systèmes de signes (visuels, gestuels) qui peuvent servir à transmettre une information. Produit par un réseau de conditions matérielles, linguistiques, sociales, le texte n'est plus dépositaire d'un sens univoque : il est le lieu d'une multiplicité de lectures et de sens. La notion de texte finit alors par recouvrir celle de *signe**.

TEXTILE. — La production mondiale des textiles utilisés (ou susceptibles de l'être) dans l'habillement et l'ameublement est de l'ordre de 30 Mt. La part des fibres naturelles est encore prépondérante (grâce au coton*, qui, seul, satisfait encore près de la moitié des besoins mondiaux, alors que la laine* en assure nettement moins du dixième), mais celle des fibres* chimiques, surtout, s'est accrue rapidement dans les années 60 et au début des années 70, augmentation correspondant approximativement à celle de la demande, l'apport des fibres naturelles étant pratiquement

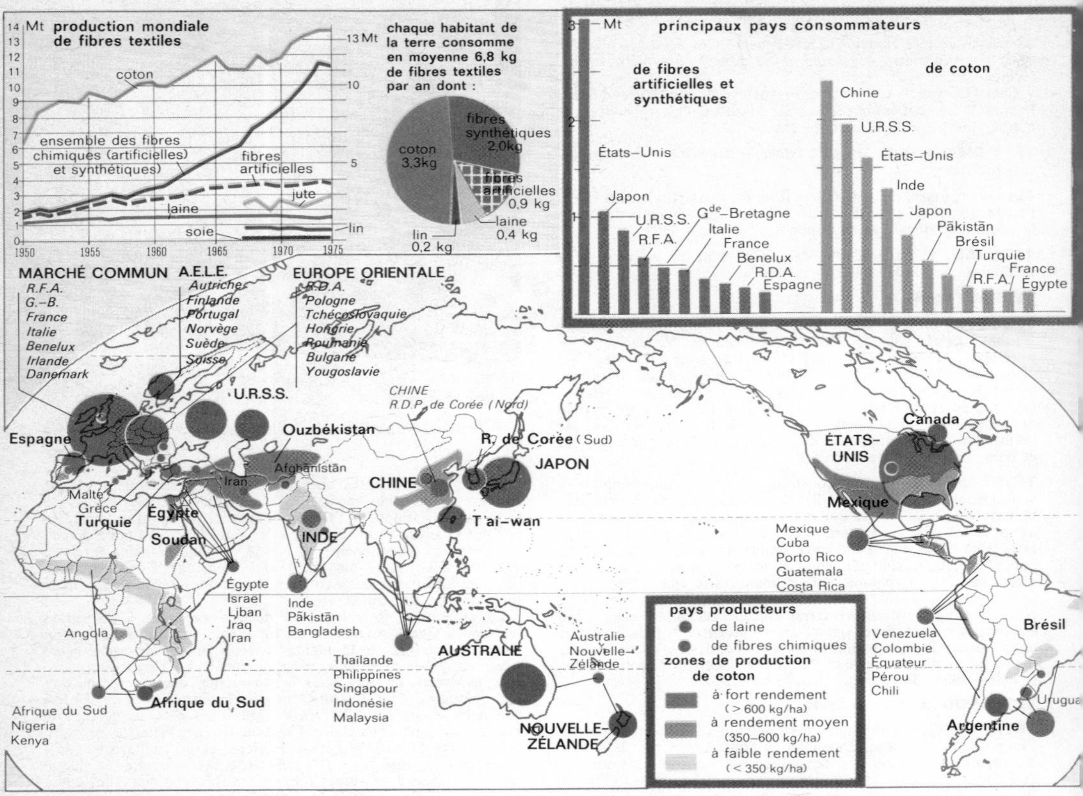

TEXTILE

stagnant. À l'intérieur des fibres chimiques, la production des textiles artificiels (à base de cellulose et de caséine) a progressé très lentement après 1960, mais celle des textiles synthétiques (à partir de bases pétrochimiques), apparue après 1945, a connu alors un essor foudroyant, et sa production, voisine de 8 Mt, est triple de celle de la laine brute et satisfait plus du quart des besoins textiles mondiaux. Cette évolution aurait pu diminuer la dépendance des pays développés (Europe occidentale notamment), auparavant obligés d'importer la totalité (coton) ou la majeure partie (laine) de matières premières qu'ils ne produisent pas mais qu'ils travaillent, si la fabrication des textiles synthétiques n'était pas aussi de plus en plus à base de produits achetés également dans les pays en voie de développement et à des prix qui se sont considérablement élevés depuis 1973. Cette situation nouvelle a ralenti la progression des fibres chimiques, alors que la production de laine et de coton ne peut varier rapidement. Le marché mondial est caractérisé désormais, en dehors d'un accroissement de prix de revient (lié aussi au caractère d'industrie de main-d'œuvre du textile), par une certaine tension. (V. FILATURE, TISSAGE.)

TEXTURATION. — La texturation a pour objet de conférer à des fils continus des propriétés particulières, entièrement nouvelles, de gonflant, d'extensibilité, de nervosité, d'isolation thermique, d'opacité, de toucher et d'aspect. Ces propriétés particulières sont dues à une modification de la structure des fils obtenue par une déformation mécanique qui est liée dans la plupart des cas à un traitement de fixation thermique. On distingue :

- Les procédés de fabrication fondés sur la torsion, les plus utilisés; les fils qu'ils produisent sont dénommés *fils mousse.* Pour cela, le fil reçoit une torsion élevée, qui est ensuite fixée fortement de manière à maintenir la déformation des filaments due à cette surtorsion; puis il est complètement détordu de façon à ouvrir le faisceau des filaments et à donner au nouveau fil tout son gonflant. Cette série d'opérations — torsion, fixage, détorsion — se fait en continu sur des machines de type *fausse torsion.*
- Les procédés qui ne font pas appel à la torsion déforment le fil soit par une *frisure* obtenue par compression ou par passage sur une arête, soit par *bouclage* des filaments par jet d'air.

THABOR *(mont),* sommet du sud de la Savoie, au S.-O. de Modane, proche de la frontière italienne; 3 177 m.

THACKERAY (William Makepeace), écrivain anglais (Calcutta 1811 - Londres 1863). Journaliste et caricaturiste, consacré écrivain par le succès de *la Foire aux vanités* (1847-48), il poursuivit dans ses romans (*l'Histoire de Pendennis,* 1848-1850; *les Newcomes,* 1853-1855), ses récits historiques (*l'Histoire d'Henri Esmond,* 1852) et ses conférences (*les Humoristes anglais du XVIIIe siècle,* 1853) la critique des hypocrisies et des ridicules de la société britannique.

THAÏ. — Le thaï constitue une famille homogène de langues monosyllabiques à tons, parlées en Asie du Sud-Est par environ 30 millions de locuteurs. On distingue le siamois (Thaïlande), le lao (Laos), le chan (Birmanie), le thaï blanc et le thaï noir (nord du Viêt-nam) et diverses langues parlées en Chine du Sud et dans l'île de Hai-nan.

THAÏLANDE, en thaï **Muang Taï,** État de l'Asie du Sud-Est; 514 000 km^2; 42 960 000 hab. *(Thaïlandais).* Capit. *Bangkok.*

GÉOGRAPHIE. Le pays s'étend sur la partie occidentale de la péninsule indochinoise. Il est axé sur la gouttière alluviale du Ménam, qui se jette dans le golfe de Thaïlande. Cet ensemble de plaines est bordé à l'E. par le plateau gréseux du Korat et au N. et à l'O. par des chaînes montagneuses se rattachant au système himalayen et se prolongeant dans la presqu'île malaise.

Le climat, tropical, est influencé par la mousson. Il est caractérisé par une saison sèche en hiver et une saison pluvieuse en été, les précipitations, surtout abondantes sur les hauteurs couvertes de forêts, diminuant du S.-O. vers le N. La population est composée de diverses tribus (Karens et Meos), qui peuplent les montagnes, et surtout de Thaïs, concentrés dans la plaine centrale. D'une densité moyenne, elle s'accroît à un rythme très rapide (plus de 3 p. 100 par an). Essentiellement rurale, elle vit surtout de l'agriculture. La vallée du Ménam, partie vitale du pays, est une grande région rizicole. Des travaux d'aménagement effectués dans le delta ont permis l'augmentation des rendements, et la Thaïlande exporte une (petite) partie de sa production de riz (15 Mt). Le plateau du Korat fournit coton, tabac et maïs, et l'on y pratique

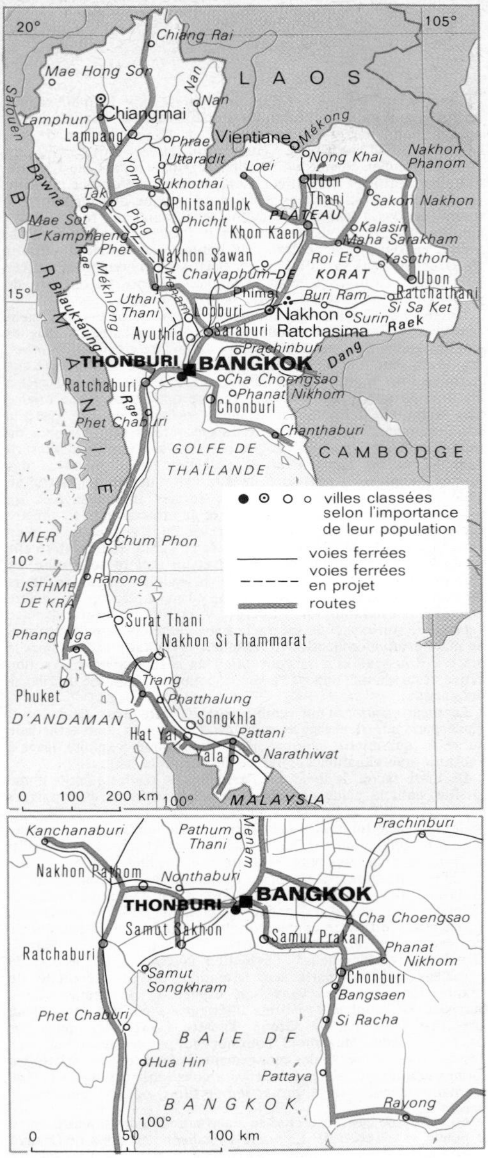

THAÏLANDE

l'élevage bovin. Enfin, on exploite le teck dans les montagnes du Nord et l'hévéa dans celles du Sud.

Le développement industriel s'amorce, grâce surtout à l'investissement de capitaux japonais. L'énergie hydroélectrique est fournie par les barrages du Nord, mais la quasi-totalité de la production d'étain est exportée à l'état brut. Des industries légères (textiles) se créent, notamment autour de Bangkok, débouché maritime du pays. La production industrielle demeure cependant très insuffisante, et le pays doit importer des produits fabriqués, son principal partenaire étant le Japon. Le tourisme, développé, ne comble pas toutefois le déficit de la balance commerciale.

HISTOIRE. Les Thaïs n'interviennent dans l'histoire politique qu'au XIIIe s. apr. J.-C. Auparavant existent des royaumes indianisés, dont émergent au VIIe s. le royaume de Dvāravatī, de peuplement môn et de culture bouddhique, puis au VIIIe s. le royaume de Śrīvijaya. C'est alors que s'étendent l'influence et la culture khmères. Peu à peu, des royaumes thaïs refoulent les Khmers* : en 1350, le prince d'U Thong, Rāmādhipati, installe sa capitale à Ayuthia. La lutte contre les Khmers se solde en 1431 par la prise d'Angkor, mais les rivalités avec la Birmanie, favorisées par des troubles dynastiques, deviennent la source de conflits; un moment vaincus, les Thaïs remportent en 1592 une victoire décisive à Nong Sarai sur les Birmans.

Au XVIIe s., les Européens entrent en relation avec eux; au XVIIIe s., le royaume d'Ayuthia continue à prospérer, mais le sac d'Ayuthia par les Birmans en 1767 marque un temps d'arrêt, suivi d'une nouvelle expansion (Cambodge, Laos, nord de la Malaisie). En 1782, dans sa nouvelle capitale, Bangkok, Phraya Chakri est couronné sous le nom de Rāma Ier (de 1782 à 1809). La dynastie Chakri, notamment avec Rāma III (de 1824 à 1851), Rāma IV Mongkut (de 1851 à 1868), Rāma V Chulalongkorn (de 1868 à 1910) et surtout Rāma VI (de 1910 à 1925), donne au Siam une prospérité jamais atteinte. Mais le coup d'État de 1932 oblige Rāma VII (de 1925 à 1935) à doter son pays d'un régime parlementaire fragile, imposé par les notables. Sous le jeune Rāma VIII Ananda Mahidol (de 1935 à 1946), le major Phibul Songkhram devient le maître du pays (devenu Thaïlande en 1939), auquel il impose un régime nationaliste; s'étant allié au Japon (1941), il est éliminé en 1945 au profit du régent Phridi Phanomyong. Mais l'assassinat du roi (1946) et la dégradation de l'économie le ramènent au pouvoir (1948); en 1951, Phibul abolit la Constitution libérale de 1949 et gouverne sous le règne nominal de Bhumibol Adulyadej, couronné en 1950. Membre actif de l'O. T. A. S. E., qui établit son siège à Bangkok, la Thaïlande mène une politique proaméricaine. Le coup d'État de 1957 met fin à la carrière de Phibul au profit de Sarit Thanarat, puis de Thanom Kittikachorn; en 1971, celui-ci, craignant les infiltrations communistes, remplace l'Assemblée des représentants élue par un Conseil exécutif national, qui établit en 1972 une assemblée nommée et épurée. De violentes réactions estudiantines provoquent en 1973 la chute de Kittikachorn : Sanya Dharmasakti, nouveau Premier ministre, octroie une constitution plus démocratique. Il est remplacé par Seni Pramoj, plusieurs fois chef du gouvernement, mais l'armée s'empare du pouvoir en octobre 1976 et met en place un gouvernement civil, qui instaure un régime dictatorial. En 1977, à la suite d'un nouveau coup d'État militaire, le général Kriangsak Chamanand devient Premier ministre.

BEAUX-ARTS. Il faut distinguer dans l'histoire des arts de la Thaïlande, ou Siam, la période qui précède et celle qui suit la venue des Thaïs, et l'unification du royaume du Siam au XVIe s. Antérieurement, au XIIIe s., il convient encore de différencier des arts fondés chacun sur des civilisations étrangères au pays : celui du royaume môn de Dvāravatī (bassin du Ménam), influencé par l'Inde; celui de Śrīvijaya (péninsule malaise), influencé par Java et Sumatra; enfin celui de Lopburi* (provinces orientales), influencé par les Khmers. À l'installation progressive des Thaïs correspond l'éclosion de la sculpture en bronze, due à plusieurs ateliers ayant leur style propre, mais dont l'ensemble reflète cependant l'unité de la statuaire thaïe. La peinture thaïe remonte, elle, au XIIIe s., mais ce n'est qu'à partir du XVe s. que de nombreuses fresques recouvrent les murs des pagodes. La plupart des œuvres sur toile datent du XIXe s. et sont très proches des peintures religieuses du Cambodge par leur délicatesse et leurs qualités décoratives.

THAÏS → ASIE et THAÏLANDE.

THALAMUS → CERVEAU.

THALASSÉMIE. — Ce désordre sanguin, caractérisé par l'existence d'une hémoglobine de type fœtal, est observé surtout sur les rives du bassin méditerranéen. La forme majeure est marquée dès les premières années de la vie par une anémie hémolytique importante. L'évolution en est grave. Dans les formes mineures, tous les symptômes sont atténués et restent compatibles avec une durée de vie prolongée. Il existe également des formes minimes.

THALASSOTHÉRAPIE. — Les cures marines mettent à profit les propriétés de l'eau de mer, des boues marines, du sable, des algues, du climat marin, du soleil. Elles sont indiquées chez les convalescents de maladie aiguë autre que la tuberculose pulmonaire et chez les sujets atteints d'affections de l'appareil locomoteur : tuberculose osseuse, rhumatismes chroniques, affections neurologiques.

THALÈS, mathématicien et philosophe grec (dernier tiers du VIIe s.-moitié du VIe s. av. J.-C.), né à Milet. Le plus ancien savant grec, il se rendit célèbre en prédisant une éclipse de Soleil, celle de 585 av. J.-C. On lui attribue la première mesure exacte du temps par le *gnomon,* la construction de parapegmes (calendriers astronomiques ou nautiques enrichis d'indications météorologiques), certaines connaissances sur les rapports des angles avec les triangles auxquels ils appartiennent ainsi que l'affirmation, sinon la démonstration, de l'égalité des angles opposés par le sommet. Cependant, le théorème auquel son nom est attaché et qui est relatif à des droites parallèles coupées par une sécante semble remonter aux géométries égyptienne et babylonienne.

La cosmologie de Thalès, dans laquelle l'eau constitue le principe et l'origine de l'univers, est l'une des premières « enquêtes sur la nature » menées par les Ioniens*.

THALIE, muse de la Comédie.

THALLIUM. — C'est l'élément chimique n° 81, de masse atomique Tl = 204,39. Il possède la couleur et la malléabilité du plomb, a pour densité 11,8 et fond à 302 °C. Au point de vue chimique, il ressemble aux métaux alcalins. Il fournit deux séries de composés : les composés thalleux, dans lesquels il est univalent, et les composés thalliques, dans lesquels il est trivalent. Son sulfure est employé dans certaines cellules photoélectriques.

THALLOPHYTES. — On réunit sous ce nom les végétaux pluricellulaires n'ayant ni racines, ni vaisseaux, ni même une tige feuillue comme les mousses, mais formant seulement une lame végétale plus ou moins découpée (algues*) ou un réseau de filaments (champignons*). Les thallophytes forment un groupe très artificiel, dont les membres n'ont souvent aucune parenté entre eux. Ils ont une structure qui ne leur permet guère de résister à la dessiccation (sauf chez les lichens*) et ils doivent vivre dans l'eau ou dans le sol végétal, à l'exception de l'organe sporifère des champignons supérieurs, dont les fonctions sont de courte durée.

THALWIL, comm. de Suisse (cant. de Zurich), sur le lac de Zurich; 13 591 hab.

THAMAR († 1213), reine de Géorgie (1184-1213). Elle achève l'œuvre de reconstruction et d'unification de la Géorgie commencée dans les dernières années du XIe s. et étend sa domination sur toute la Transcaucasie (Arménie, Azerbaïdjan), enlevée aux Persans.

THAMES → TAMISE.

THĀNA, v. de l'Inde (Mahārāshtra), au N.-E. de Bombay; 171 000 hab.

THANN (68800), ch.-l. d'arr. du Haut-Rhin, sur la Thur, à 21 km au N.-O. de Mulhouse; 8 523 hab. *(Thannois).* Belle collégiale Saint-Thiébaut, des XIVe-XVIe s. (portails, vitraux). Musée dans l'ancienne halle aux blés. Industries textiles et chimiques.

THAON DI REVEL (Paolo), amiral italien (Turin 1859 - Rome 1948). Chef d'état-major de la marine en 1913, puis des forces alliées de l'Adriatique (1917), il fut ministre de la Marine de Mussolini et, fasciste convaincu, suivit le Duce dans le régime que celui-ci instaura en Italie du Nord à la fin de 1943.

THAON-LES-VOSGES (88150), comm. des Vosges, sur la Moselle, à 9 km au N. d'Épinal; 7 814 hab. Industrie textile.

THAPSUS, anc. ville d'Afrique proconsulaire. César y remporta en 46 av. J.-C. une victoire sur les pompéiens et leur allié Juba Ier, roi de Numidie*.

THAR *(désert de),* région aride formée en majeure partie d'étendues sableuses, parfois dunaires, partagée entre le Pākistān (Rājasthān) et l'Inde, s'étendant de l'Indus et de la Sutlej, à l'O., aux monts Arāvalli, à l'E. Les précipitations annuelles oscillent entre 100 et 200 mm, diminuant vers le N.-O.

THÁSOS, île grecque du nord de la mer Égée (Macédoine). Ch.-l. *Thásos.* Fondée au VIIe s. av. J.-C. par des colons de Paros*, l'île acquiert grâce à ses vignobles, ses mines d'or et d'argent, son marbre et ses marchés d'esclaves une grande prospérité, qu'elle conservera jusqu'à la fin de la période romaine. Ballottée entre Athènes* et Sparte*, elle sera délivrée par les Romains de la domination macédonienne. De nombreux vestiges antiques témoignent de sa prospérité ancienne : fragments des portes et de l'enceinte du IVe s. av. J.-C.; imposant complexe de l'agora, bordé de plusieurs sanctuaires et autels; théâtre; basilique paléochrétienne. Musée.

THAU *(étang de),* étang lagunaire de la côte languedocienne (Hérault), couvrant environ 7 000 ha, où s'achève le canal du Midi et communiquant avec la Méditerranée par le canal de Sète. Ostréiculture et mytiliculture. Industries liées au port de Sète.

THÉ. — La culture du théier, arbuste de la famille des théacées (ordre des magnoliales), qui fournit, selon la préparation, des *thés noirs* ou des *thés verts,* nécessite chaleur et humidité, et exige une main-d'œuvre abondante. La production de thé, qui dépasse légèrement 1,5 Mt, provient essentiellement de l'Asie des moussons. Plus des deux tiers sont fournis par trois grands producteurs : l'Inde, la Chine et Sri Lanka (Ceylan). Loin derrière viennent le Japon, l'U. R. S. S. et le Kenya. Mais, Chine et Inde exceptées, le premier pays consommateur demeure la Grande-Bretagne, absorbant nettement plus du sixième de cette production mondiale.

Théagène et Chariclée, sous-titre des *Éthiopiques,* roman grec en dix livres d'Héliodore d'Émèse (IIIe s. apr. J.-C.). Chariclée, fille du roi d'Éthiopie, et le jeune Thessalien Théagène finissent par s'épouser au terme d'aventures nombreuses et invraisemblables. Écrit en prose poétique, cet ouvrage fut traduit par Amyot (1547).

THÉÂTRE. — La conception du théâtre dans la civilisation occidentale repose sur une double illusion : la première est que la création dramatique est universelle et constitue pour une société la forme d'expression la plus élaborée; la seconde est que l'on peut saisir une évolution constante, une histoire du théâtre.

La première illusion apparaît au XVIIIe s. chez les philosophes impressionnés par le théâtre du siècle classique français : tout homme doit trouver dans Corneille ou Racine l'image de son existence ou de son destin. Cette revendication d'universalité sera celle de Schiller comme de Goethe, de Hugo comme de Claudel. Cet ethnocentrisme dramatique a une double conséquence : il incite encore aujourd'hui certains peuples en voie de développement à tourner le dos à leur propre culture et à tenter de traduire leurs conflits et leurs angoisses à travers la formule européenne de la scène; en outre, cela entraîne la culture occidentale à intégrer abusivement dans sa définition du théâtre des cérémonies sacrées ou rituelles (*wayang* javanais, *kathakali* indien) qui ont peu de points communs avec *Phèdre* ou *le Misanthrope.*

La seconde illusion, qui repose sur l'idée d'un engendrement continu des formes dramatiques les unes par les autres, depuis les manifestations de caractère religieux du théâtre grec (*dithyrambe**, *tragédie**), date à la fois de la Renaissance (qui a plus inventé que retrouvé l'Antiquité) et des théories évolutionnistes (de Hegel à Darwin) du XIXe s. En réalité, le théâtre occidental a une origine plus laïque que religieuse et semble s'enraciner dans le système social et mental de la ville — cités grecques, villes italiennes du trecento, villes flamandes (v. COMÉDIEN). Et son évolution s'inscrit dans un double mouvement de réduction (rejet progressif des formes d'expression populaire, de la farce* et des marionnettes* au mélodrame*, mais refus aussi des formes irréconciliables du tragique : Hölderlin, Büchner, Lenz) et de littéralisation (le théâtre est conçu d'abord comme un exercice de style, le texte d'un écrivain). La véritable histoire du théâtre serait donc plutôt celle d'une lutte entre un théâtre officiel et un théâtre souterrain, ce dernier contestant les données de la culture traditionnelle et tendant à conserver ou à redonner au corps la place qu'un théâtre annexé à la littérature lui fait perdre. À ce titre, le théâtre déplace l'accent de son aspect de spectacle à son caractère de participation, de manifestation collective (d'Alembert et Voltaire cèdent alors la place à Rousseau et à sa conception de la fête comme invention active et commune, opposée à la consommation imposée de l'image dramatique).

Le théâtre aujourd'hui semble partagé entre deux tendances : d'une part, un art engagé et militant; d'autre part, une esthétique du refus qui rejette la progression dramatique, exploite jusqu'à l'absurde une situation donnée et désintègre le langage.

De toute façon, le théâtre a l'ambition de rendre compte d'une totalité, qu'il la place dans les réseaux complexes d'un univers éclaté ou qu'il la fasse tenir tout entière dans l'espace du langage. Mais, spectacle total, il se veut aussi modèle opératoire du monde. Il se sait convention pure et, par là, se permet toutes les libertés; mais il ne veut plus être seulement une « boite optique », une machine à illusions : il s'affirme comme moyen de connaissance, proposant des situations exemplaires. D'où l'importance de la réflexion technique et didactique des metteurs en scène modernes. Si, en effet, le théâtre contemporain est l'héritier d'un courant de pensée qui va de Kleist* à Artaud* en passant par Jarry*, Strindberg* et Pirandello*, l'évolution décisive a été le fait de praticiens qui ont porté leur attention sur la spécificité de l'expression théâtrale, dans son espace et sa temporalité : Stanislavski*, dont le « réalisme intérieur » a été mis en pratique aux États-Unis par le Group Theatre (1931-1941), puis par l'Actor's* Studio; Meyerhold, pour qui « les paroles ne sont que des dessins sur le canevas des mouvements »; Piscator, qui rejette les formes gratuites de l'art et dont les innovations techniques (scène tournante, décor à étage, projection de titres) ont été reprises par Brecht*.

Au centre de ces recherches se place la notion des rapports entre le public et le spectacle. La scène à l'italienne est apparue (malgré l'exemple du Berliner Ensemble) comme un obstacle à un théâtre de participation réfléchie. Aussi, par-delà les expériences de théâtre « auto-actif » joué vers 1920 en U. R. S. S. par des acteurs improvisés, du théâtre d'Agit-prop sous la république de Weimar, des Guerrillas del teatro de la guerre d'Espagne, la vision de la scène et du monde a été transformée par la suppression du cadre de scène, l'abolition de la rampe, la construction d'avant-scènes latérales, qui remplacent la vue axiale traditionnelle par une vision panoramique. Certains architectes ont cherché à mettre au point une structure souple, capable de s'adapter à toutes les formes de théâtre : praticables et éperons dans un espace circulaire à Stratford, au Canada; gradins reposant sur des rails permettant une rotation de 360° et l'exploitation du décor naturel de lacs et de forêts à Pyynikki, en Finlande; théâtre mobile de Polieri, où le spectateur évolue en face de la scène comme la caméra devant l'objet filmé; théâtre « torique » de Wogenscky; théâtre « spatio-dynamique » de N. Schöffer.

Mais, alors que ce théâtre critique considère toujours la scène comme un lieu privilégié où le langage et les situations traduisent une vérité supérieure (celle des caractères, des passions, des rapports sociaux), un nouveau courant prend pour objet le langage et les situations mêmes qui « sécrètent » les personnages : théâtre de dérision ou de l'absurde*, avec Beckett*, Pinter*, Ionesco*, Arrabal, et dont la forme extrême aboutit à proclamer non seulement l'absurdité du langage dramatique, mais celle même de la représentation théâtrale. À l'antithéâtre succède alors l'a-théâtre, communion rituelle entre comédiens et public (Grotowski*, Living* Theatre) ou action improvisée et égalitaire où « spectateurs » et « acteurs » mêlés atteignent un moment d'entière liberté et de création artistique spontanée (le happening*).

THÉÂTRE ANTIQUE *(Archit.).* Le théâtre grec est en harmonie étroite avec le cadre naturel : une colline sert de support à ses gradins et le paysage est partie intégrante du décor. Les premiers gradins de pierre remontent à la fin du Ve s. av. J.-C., et les théâtres entièrement construits en pierre au IVe s. av. J.-C., avec des édifices aussi parfaits que ceux d'Épidaure* et de Ségeste*. Le théâtre est constitué de trois éléments principaux : l'enceinte *(kôilon),* qui abrite les gradins, divisés en secteurs par des escaliers; l'orkhêstra, réservée aux évolutions des chœurs, parfaitement circulaire à l'origine, puis peu à peu rétrécie par l'avancée des bâtiments de scène; enfin la scène, dont la séparation avec l'orchestre va s'accentuer au gré de l'évolution du langage théâtral, qui accorde un rôle majeur à l'acteur. Cette adaptation de l'édifice se remarque aussi dans l'agencement du mur du fond de scène, qui prend de plus en plus d'importance et annonce l'édifice romain.

Les Romains ont utilisé des théâtres en bois jusque vers 55 av. J.-C., époque du premier théâtre en pierre construit par Pompée. S'il est inspiré par les lignes et les éléments du théâtre grec, le théâtre romain diffère de ce dernier par sa disposition en demi-cercle et par son mode de construction, qui en fait l'un des éléments de l'ensemble urbain grâce aux gradins soutenus par des murs qui, extérieurement, prennent l'aspect d'une façade à colonnades et à pilastres superposés. Le mur de scène *(frons scaenae)* s'élève à la même hauteur que les gradins et isole l'espace théâtral du paysage. Au bas des gradins *(cavea),* l'orchestre en demi-cercle, réservé aux spectateurs de marque, est suivi par la scène *(proscaenium),* terminée par le mur de scène, qui constitue un décor permanent, comme à Orange*.

Invention campanienne, les amphithéâtres de plan ovale, parfois circulaire, étaient destinés aux combats de gladiateurs. Ces édifices, dont le plus célèbre est le Colisée*, connurent un énorme succès dans les provinces occidentales de l'Empire.

Théâtre de l'Est parisien (TEP), première maison de la culture fondée à Paris (1963), à partir de la compagnie dramatique la Guilde, créée en 1954 par Guy Rétoré, devenue centre dramatique national (1966), puis théâtre national (1972).

Théâtre et son double *(le),* essai d'Antonin Artaud (1938). Suite d'articles (« le Théâtre et la peste », « le Théâtre alchimique », « Théâtre oriental et théâtre occidental ») et reprise des deux manifestes sur « le Théâtre de la cruauté » : l'avènement souhaité d'un drame métaphysique à travers l'expérience de la terreur et la redécouverte du corps.

Théâtre-Libre, théâtre créé en 1887 par André Antoine, afin de rénover le spectacle par une mise en scène réaliste et par l'interprétation de jeunes auteurs naturalistes (Zola, Curel, Brieux) et étrangers (Ibsen, Strindberg). En 1897, il prit le nom de *Théâtre-Antoine.*

Théâtre national populaire (T. N. P.), théâtre subventionné fondé par l'État en 1920 à l'instigation de Firmin Gémier*, qui en fut le premier animateur. Installé au Trocadéro, puis au palais de Chaillot, il connut une large audience sous la direction de Jean Vilar* (1951-1963). Réorganisé en 1973 et ayant son siège à Villeurbanne, il est dirigé par Roger Planchon*, Patrice Chéreau* et Robert Gilbert.

THÉBAÏDE, dénomination de la partie méridionale de l'Égypte ancienne, qui avait Thèbes* pour capitale. La zone désertique de la Thébaïde fut aux premiers siècles du christianisme, sous l'impulsion de saint Antoine* et de saint Pacôme*, un centre très important du monachisme* chrétien.

Thébaïde *(la) ou les Frères ennemis,* première tragédie de Racine (1664).

THÈBES, cité antique de la Haute-Égypte, sur le Nil. La fortune de Thèbes commence au Moyen* Empire, avec l'entrée sur la scène politique des princes thébains; le Nouvel* Empire fera de Thèbes la capitale politique et religieuse (avec le dieu Amon* et son puissant clergé) du royaume des pharaons. La réforme religieuse d'Akhenaton (v. AMÉNOPHIS IV) et les excès du riche clergé d'Amon amorcent le déclin de la puissance de Thèbes, que consacre en 663 av. J.-C. l'invasion assyrienne (v. BASSE* ÉPOQUE).

BEAUX-ARTS. Ville des vivants, sur la rive orientale du Nil, avec ses palais et bâtiments administratifs en briques crues, ses temples en pierre, dont Louqsor* et Karnak* sont les impressionnants vestiges, la cité connut son apogée sous la XVIIIe dynastie. Mais, sur la rive occidentale, elle était déjà une nécropole pour les princes de la IXe et de la Xe dynastie, et, dès la XIe dynastie, un ensemble funéraire monumental est élevé par Mentouhotep Ier à Deir el-Bahari. La tradition se poursuit dès lors avec les inhumations royales en hypogées de la Vallée des Rois, qui ont livré de fabuleux trésors, dont celui de Toutankhamon, et d'admirables peintures, que l'on retrouve aussi associées à de fins reliefs de calcaire polychrome, comme à Gourna dans la nécropole des notables (tombe du vizir Ramose) et à Deir* el-Medineh dans la nécropole des artisans. En dehors des sépultures, la ville des morts abritait les temples funéraires, parmi lesquels le *Ramesseum,* temple funéraire de Ramsès II, le temple de Ramsès III à Médinet Habou et, non loin des rives du Nil, celui d'Aménophis III, dont seuls demeurent les colosses de Memnon*.

J. Dupaquier - Atlas-Photo

Thèbes. Le temple de la reine Hatshepsout, à Deir el-Bahari. Nouvel Empire, XVIIIe dynastie (XVe s. av. J.-C.).

THÈBES, ville de Grèce, en Béotie*. La légende lui donne comme fondateur le Phénicien Cadmos* et la rattache au cycle d'Œdipe*. Alliée des Perses durant les guerres médiques*, ballottée entre ses deux puissantes rivales, Athènes* et Sparte*, Thèbes finit par s'assurer, grâce à Épaminondas*, une courte prédominance (372-362 av. J.-C.) sur les cités grecques. Elle fut détruite par Alexandre* en 335 av. J.-C.

THEIL (Le) [61260], ch.-l. de cant. de l'Orne, sur l'Huisne, à 11 km au S.-O. de Nogent-le-Rotrou; 1 465 hab.

Thélème *(abbaye de),* communauté laïque imaginée par Rabelais dans son *Gargantua,* contre-pied exact de l'institution monacale et dont la seule règle tient dans la prescription « Fais ce que voudras ».

THÈME *(Astrol.)* → ASTROLOGIE et HOROSCOPE.

THÉMIS, divinité grecque, personnification de la Justice et de la Loi éternelle. Ses attributs sont le glaive et la balance.

THÉMISTOCLE, homme d'État athénien (Athènes v. 525 - Magnésie du Méandre v. 460 av. J.-C.). Il fit d'Athènes* la grande puissance navale du monde hellénique, aménageant Le Pirée* et réorganisant la flotte athénienne; par la victoire de Salamine* (480), il délivra la Grèce du péril perse (v. MÉDIQUES [*guerres*]). En butte à la malveillance de ses adversaires politiques et aux intrigues de Sparte*, il fut, à l'instigation de Cimon* (partisan d'un partage de l'hégémonie entre Sparte et Athènes), frappé d'ostracisme* (471) et définitivement banni. Il se réfugia à la cour d'Artaxerxès Ier*.

THENARD (Louis Jacques, *baron*), chimiste français (La Louptière, près de Nogent-sur-Seine, 1777 - Paris 1857). On lui doit une classification des métaux, la découverte de l'eau oxygénée (1818) et, avec Gay-Lussac*, celle du bore.

THÉNEZAY (79390), ch.-l. de cant. des Deux-Sèvres, à 21,5 km au N.-E. de Parthenay; 1 615 hab.

THENON (24210), ch.-l. de cant. de la Dordogne, à 33 km à l'E. de Périgueux; 1 253 hab.

THÉOBROMINE. — Elle s'apparente chimiquement à la caféine et possède des propriétés thérapeutiques comparables. Elle est surtout employée comme diurétique.

THÉOCRITE, poète grec (peut-être en Sicile v. 315-† v. 250 av. J.-C.). Il reste de lui un recueil qui groupe sous le titre général d'*Idylles** des poèmes d'inspiration et de formes variées (épigrammes, mimes dialogués, hymnes, etc.), et qui est probablement une anthologie constituée au Ier s. av. J.-C. Créateur de la poésie bucolique, Théocrite exprime, au milieu d'une civilisation raffinée, son regret de l'« état de nature ».

THÉODORA (Constantinople début du VIe s. - *id.* 548), impératrice byzantine (527-548). Actrice à la vie tapageuse, elle devint la maîtresse, puis l'épouse de Justinien. Ambitieuse et intelligente, elle exerça une grande influence sur son époux, qui lui dut de conserver son trône lors de la sédition Nika (532).

THÉODORA, impératrice byzantine → AMORION *(dynastie d').*

THÉODORE Ier, II → PAPE.

THÉODORE Ier LASCARIS, THÉODORE II DOUKAS LASCARIS → LASCARIS.

THÉODORIC Ier l'Amale, dit **le Jeune** ou **le Grand** (v. 454-Ravenne 526), roi des Ostrogoths* (493-526). Issu de la famille sacrée des Amales, fils bâtard du roi Thiudimer, Théodoric passa son enfance comme otage à Constantinople (461-471). Devenu chef des Ostrogoths à la mort de son père (v. 474), il fut adopté par l'empereur Zénon, qui lui confia le soin d'arracher l'Italie à Odoacre*. Parti de Mésie avec son peuple à l'automne de 488, il battit Odoacre sur l'Isonzo et à Vérone (489). L'ayant assiégé dans Ravenne, il l'obligea à négocier avant de le faire assassiner (493). Désormais seul maître de l'Italie, de la Dalmatie, de la Pannonie, du Norique et de la Rhétie, il obtint de l'empereur Anastase Ier la confirmation de son pouvoir (497). Admirateur de la civilisation romaine, il cantonna son propre peuple au nord du Pô et fit de Ravenne la brillante capitale d'un État qui se voulait l'héritier de l'empire d'Occident. S'il ne parvint pas, en dépit d'une habile politique matrimoniale (il se maria avec une sœur de Clovis, Audoflède), à dominer les royaumes barbares, du moins réussit-il à enlever aux Francs la Provence (508-509) et aux Burgondes la région comprise entre la Durance et la Drôme (523). La fin de son règne fut marquée par la rupture avec l'aristocratie romaine.

THÉODOSE l'Ancien, en lat. **Flavius Theodosius** (en Galice-† Carthage 376), général romain. Il s'illustra sous Valentinien Ier* dans la défense contre les Barbares et la pacification de l'Occident : en Bretagne, il vainquit les Pictes et les Scots (368-369); en Pannonie et en Rhétie, il combattit les Alamans et les Sarmates (371-372); en Mauritanie, il réprima la révolte du prince berbère Firmus (372-375). Il fut décapité en 376 sur l'ordre de Gratien.

THÉODOSE Ier le Grand, en lat. **Flavius Theodosius** (Cauca, en Galice, v. 34-Milan 395), empereur romain (379-395), fils de Théodose* l'Ancien. Il fut appelé au pouvoir par Gratien*, qui le proclama auguste en 379 et lui confia l'Orient. Il dut intervenir en Occident pour lutter contre deux usurpateurs : le premier, Maxime (de 383 à 388), meurtrier de Gratien et qui avait chassé d'Italie l'empereur Valentinien II*, fut pris dans Aquilée (388) et tué; le second, Eugène*, proclamé empereur par Arbogast*, qui avait éliminé Valentinien II, fut vaincu à la Rivière froide (la Vipava) [394]; Théodose, qui restait seul maître du monde romain, fut le dernier empereur à avoir régné sur l'ensemble de l'Empire. Il mourut subitement en 395, laissant ses deux fils pour augustes : Honorius* en Occident et Arcadius* en Orient. À sa mort il avait confié la tutelle des deux jeunes empereurs à Stilicon*.

Théodose assura le triomphe définitif du christianisme : en 380, il publia à Thessalonique un édit imposant à ses sujets l'orthodoxie catholique. Le catholicisme devenait la religion officielle de l'Empire romain, tandis que le paganisme était totalement proscrit par l'empereur en 392. Lors de son séjour à Milan, Théodose se heurta à saint Ambroise*, qui exigea de lui une pénitence publique pour le massacre de la population de Thessalonique (390) : pour la première fois un empereur se soumettait à l'autorité spirituelle de l'Église. En 382, il installa les Goths comme fédérés en Mésie Seconde, où ils formèrent le premier État germanique à l'intérieur de l'Empire. La date du traité (382) conclu avec les Goths a parfois été considérée comme marquant la fin de l'histoire de Rome.

THÉODOSE II (401-450), empereur d'Orient (408-450), fils et successeur d'Arcadius*. Sous le règne de ce prince médiocre, dominé par son entourage, une grande œuvre de codification fut accomplie : toutes les constitutions impériales promulguées depuis Constantin furent réunies dans le code Théodosien (438). En 431, Théodose réunit le concile d'Éphèse, qui condamna Nestorius. À l'extérieur, il écarta le danger perse (422), mais il ne put mettre fin aux pirateries vandales, ni repousser les invasions des Huns.

THÉODULF (en Catalogne 750-Angers 821), évêque d'Orléans (781?) et abbé de Fleury (Saint-Benoît-sur-Loire). Poète et théologien, il fit de Saint-Benoît-sur-Loire l'un des grands foyers de la Renaissance carolingienne.

THÉOGNIS de Mégare, poète grec du parti aristocratique (VIe s. av. J.-C.), auteur d'élégies d'inspiration polémique et morale.

Théogonie *ou Généalogie des dieux,* poème d'Hésiode (VIIIe s. av. J.-C.). Le poète raconte la filiation des dieux depuis l'origine des choses jusqu'à la constitution définitive du monde et s'efforce de trouver dans la volonté divine une justification des injustices et des malheurs humains.

THÉOLOGIE. — • *Théologie catholique.* « Discours sur Dieu », la théologie est née au sein des traditions philosophiques et scientifiques de l'Antiquité gréco-latine. Elle se développe dès les origines du christianisme, les penseurs chrétiens amalgamant l'héritage païen avec les intuitions des prophètes hébreux et l'enseignement de la Loi contenus dans la Bible. Grâce à l'effort des Pères de l'Église (v. PATROLOGIE) se dégage une théologie chrétienne : c'est celle d'une communauté croyante qui médite les écrits de l'un et l'autre Testament, rejette tout dualisme métaphysique ou antijudaïque et toute gnose (v. GNOSTIQUES), et respecte le principe d'une créature humaine capable de faire librement son salut en ce monde. Après la rupture entre Rome et Constantinople (1054), la théologie catholique occidentale est fortement influencée par la scolastique (XIIe-XIIIe s.), qui, avec saint Thomas* d'Aquin surtout, joint une confiance renouvelée envers la légitime souveraineté de la raison dans son ordre de vérité au respect intact envers les Écritures sacrées et leurs commentateurs les plus autorisés. Quand éclate la Réforme* protestante (XVIe s.), qui oppose à la raison formelle et déductive des théologiens de l'école médiévale une perception plus intuitive de la réalité humaine, la Réforme catholique (v. CONTRE-RÉFORME), qui s'exprime par les pères du concile de Trente* (1545-1563), tend à donner à la théologie catholique des traits « confessionnels », marqués par la polémique; jusqu'au premier concile du Vatican* (1869), la foi catholique se définit de plus en plus en vertu de la raison considérée formellement à la manière des théologiens scolastiques et non en vertu de l'expérience historique et scientifique de l'humanité contemporaine. Par contre, le deuxième concile du Vatican (1962-1965) a levé les barrières du protectionnisme confessionnel, ce qui provoque la crise actuelle, grosse d'une reformulation originale du « catholicisme ».

• *Théologie orthodoxe.* Après avoir été longtemps marquée par les controverses christologiques (Ve-IXe s.), puis par les discussions relatives à la manifestation du Saint-Esprit et aux questions d'ecclésiologie (IXe-XIIe s.), la théologie orthodoxe finit par s'épanouir dans une théologie spirituelle très riche. Elle est caractérisée notamment par une ecclésiologie de communion, opposée à une organisation juridique de la société ecclésiastique. Le théologien le plus marquant reste Grégoire Palamas* (1296-1359), qui assure un fondement doctrinal aux expériences mystiques des hésychastes (v. HÉSYCHASME, ATHOS [*mont*]). Après la chute de Constantinople (1453), la théologie orthodoxe est influencée par le protestantisme, mais le renouveau vient, au XIXe s., de la Russie. Le « lieu théologique » par excellence de l'orthodoxie est l'assemblée liturgique et surtout l'assemblée eucharistique, qui vit et célèbre la réalisation du mystère du salut. En ce qui concerne Dieu, la théologie orthodoxe ne cesse d'affirmer sa transcendance absolue et inexprimable; en ce qui concerne l'homme, elle ne le considère jamais autrement que dans son ordination à Dieu et dans sa vocation d'une divinisation signifiée dans l'incarnation du Christ.

• *Théologie protestante.* Elle est fondée sur la volonté d'une exclusive référence à l'Écriture sainte, considérée comme seul témoignage authentique de l'espérance d'Israël et du message apostolique, l'une et l'autre convergeant vers Jésus de Nazareth, confessé comme le Christ. C'est une théologie laïque, du peuple de Dieu, où chacun est responsable de l'interprétation de l'Écriture et de son intervention critique à tous les niveaux de la vie ecclésiale. Dans la crise contemporaine, alors que la vie de la foi et la communication de l'Évangile se heurtent avec les grandes options économiques, sociales et politiques, la théologie protestante est axée sur la responsabilité prophétique des chrétiens. En cela, elle se rapproche de plus en plus de la théologie catholique contemporaine, marquée par le renouveau biblique et ecclésiologique.

THÉOPHILANTHROPIE. — Ce mouvement déiste, qui eut quelque succès entre 1797 et 1801, s'inspirait des lumières du XVIIIe s. et aussi du culte catholique. Sous le Directoire, Rewbell et La Révellière-Lépeaux en firent une arme contre le catholicisme renaissant; mais bientôt ce mouvement inquiéta la bourgeoisie au pouvoir par son caractère démocratique et il disparut.

THÉOPHILE le Pénitent *(saint),* personnage imaginaire, héros d'un des *Miracles de Notre-Dame,* le *Miracle de Théophile,* histoire qui est l'un des éléments de la légende de Faust*.

THÉOPHRASTE, philosophe et savant grec (Erésos, Lesbos, v. 372 av. J.-C.-Athènes 287 av. J.-C.). Élève de Platon et d'Aristote, il succède à ce dernier à la tête du Lycée*. De son œuvre, immense selon Diogène Laerce, il ne reste que trois ouvrages : *les Recherches sur les plantes, les Causes des plantes* et des *Caractères,* dont s'inspirera La Bruyère.

THÉORÈME. — Si une formule F d'une théorie a une démonstration dans cette théorie, alors F est un théorème (v. DÉMONSTRATION).

THÉORIE *(Philos.).* — Si la théorie, comme pensée spéculative prétendant expliquer la réalité par les causes, pose avant tout le problème de son adéquation au réel (v. VÉRITÉ), elle s'oppose alors à la pratique*. L'Antiquité et la philosophie classique nous ont livré la notion d'une théorie se développant en dehors et au-dessus du réel, ayant sa source en quelque essence divine et éternelle. Nietzsche stigmatise cette notion lorsqu'il dénonce les « arrière-mondes » *(Ainsi parlait Zarathoustra),* et Marx renouvelle la relation théorie-pratique. Selon ce dernier, la théorie, issue du réel, qui la détermine, est pourtant, à un certain stade de développement historique (capitalisme), apte, en tant que matérialisme* historique, à comprendre ce réel et à agir sur lui en le transformant (révolution prolétarienne).

Théorie générale de l'emploi, de l'intérêt et de la monnaie, ouvrage de J.-M. Keynes (1936), où l'auteur introduit en science économique une série de notions nouvelles, notamment le concept d'équilibre économique accompagné de sous-emploi (chômage involontaire permanent), celui de propension à consommer, celui de préférence pour la liquidité, l'idée selon laquelle l'État est seul capable de réaliser le plein-emploi par une politique de dépenses publiques et de déficit budgétaire. S'opposant aux vues des économistes classiques, Keynes soutient qu'il n'est pas exact que l'offre crée sa propre demande. La demande effective comprend la demande de consommation et la demande d'investissement; la première est déterminée par le revenu et la propension à consommer; la seconde dépend d'une comparaison entre le taux d'intérêt actuel et le taux de profit attendu.

THÉORIE MUSICALE. — Deux notions principales régissent le système de l'art musical : la *tonalité* et les *intervalles.* La musique s'écrit au moyen des sons d'une *gamme* (série de sept sons); celle-ci obéit à deux structures bien définies, caractérisant son mode, majeur ou mineur selon le nombre et la place des demi-tons (distance minimale entre deux degrés). Elle porte le nom de son premier degré, appelé « tonique ». La tonalité est son principe constitutif. La musique grecque connaissait sept modes, et celle du Moyen Âge huit. La musique modale utilise d'autres échelles que celles des majeur et mineur classiques.

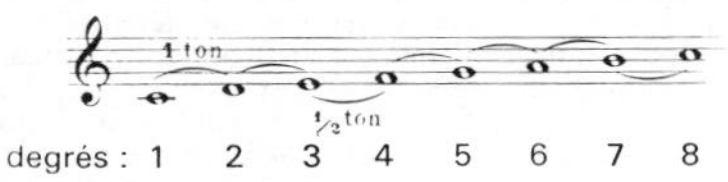

La gamme.

On appelle « intervalle » la distance d'un son à un autre. Les intervalles sont désignés par *seconde, tierce, quarte, quinte, sixte, septième* ou *octave,* selon qu'ils renferment deux, trois, quatre, cinq, six, sept ou huit degrés différents. Des qualifications (juste, majeur, mineur, augmenté, diminué) s'appliquent aux intervalles selon le nombre de tons et de demi-tons qu'ils contiennent et selon l'espèce de ces demi-tons, formés soit de deux notes différentes (demi-ton diatonique), soit de deux notes de même nom différemment altérées (demi-ton chromatique). Deux notes entendues simultanément produisent un intervalle consonant ou dissonant selon que leur rapport est plus ou moins direct. Les premiers harmoniques d'une note forment les *consonances,* et les autres les *dissonances.*

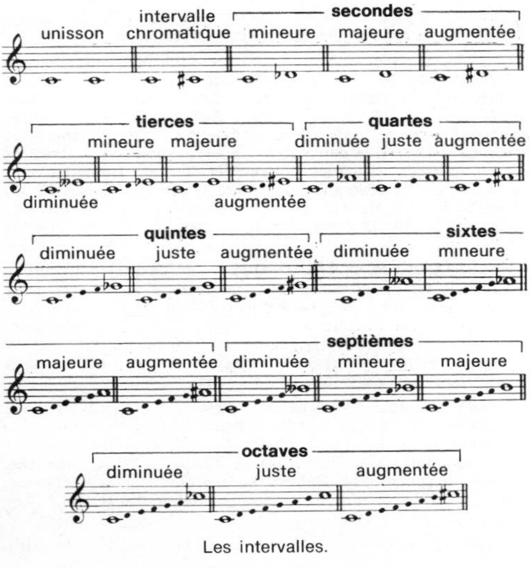

Les intervalles.

théorie scientifique de la culture *(Une),* ouvrage de Malinowski (1944). Croyant à l'existence de motivations universelles chez l'homme, Malinowski considère la culture comme une réponse sociale aux besoins naturels, expose sa théorie fonctionnaliste (toute institution sociale remplit une fonction, celle de satisfaire des besoins) et ses réflexions sur J. Frazer.

THÉOULE-SUR-MER (06590), comm. des Alpes-Maritimes, à 10 km au S.-O. de Cannes; 798 hab. Station balnéaire.

THÉRAIN (le), riv. du départ. de l'Oise, qui passe à Beauvais et rejoint l'Oise (r. dr.), près de Creil; 86 km.

THÉRAMÈNE, homme d'État athénien (Céos av. 450 - Athènes 404). Hostile au régime démocratique, il fut de ceux qui, en 411 av. J.-C., contribuèrent à l'établissement d'une constitution oligarchique. Membre du gouvernement des Trente* (404), dont il désapprouva les excès, il fut mis à mort sur l'ordre de Critias*.

THÉRAPEUTIQUE. — Le traitement le plus efficace des maladies est le traitement *étiologique,* qui s'attaque à la cause même du mal. La thérapeutique *symptomatique* ne traite que les symptômes.

La thérapeutique *médicale* fait appel aux médicaments, aux agents physiques, aux régimes, aux cures thermales, alors que la thérapeutique *chirurgicale* comporte les interventions sanglantes (opérations) et non sanglantes (réduction et contention de fractures, immobilisations plâtrées, etc.).

THÉRÈSE d'Ávila *(sainte),* religieuse espagnole (Ávila 1515 - Alba de Tormes 1582). Entrée au carmel* d'Ávila (1535), elle se « convertit » en 1554 à une vie religieuse non mondaine et regroupe autour d'elle un petit groupe de carmélites déchaussées décidées à suivre, avec elle, la règle primitive de l'ordre. Sa réforme s'étend à toute l'Espagne, où Thérèse fonde quinze monastères réformés. Grâce à saint Jean* de la Croix, la réforme de la branche masculine du Carmel (Carmes) connaît les mêmes succès et aussi les mêmes épreuves. Thérèse d'Ávila a laissé plusieurs ouvrages spirituels, notamment *le Livre des demeures ou Château intérieur* (1577-1588), synthèse de la doctrine thérésienne sur l'oraison, moyen privilégié pour rencontrer le Christ, et la vie spirituelle : cette doctrine expérimentale, très vivante, a pour fondement le dogme de la présence de la Trinité dans l'âme des fidèles. Thérèse fut canonisée en 1622 et proclamée docteur de l'Église en 1970.

THÉRÈSE de l'Enfant-Jésus *(sainte),* religieuse française (Alençon 1873 - Lisieux 1897). Thérèse Martin entre à seize ans au carmel de Lisieux*, où elle mène une vie simple, marquée par les épreuves et la recherche d'une « petite voie », faite d'amour, pour aller vers Dieu. Son autobiographie, *l'Histoire d'une âme* (1897), a fait connaître au monde le message spirituel de cette jeune religieuse, qui, béatifiée dès 1923, canonisée dès 1925, est devenue, dès le lendemain de sa mort, l'objet d'une grande vénération.

Thérèse Desqueyroux, roman de F. Mauriac (1927). Une femme, accusée d'avoir tenté d'empoisonner son mari, revit intérieurement les étapes de sa vie provinciale et finit par échapper à ce milieu qui l'étouffe.

THERMALISME. — Les eaux médicinales constituent l'élément essentiel des cures. Leur emploi au lieu d'émergence (crénothérapie) permet d'en tirer le maximum d'effets. On les utilise en boissons, en bains, en douches, en pulvérisations, en instillations et pour préparer les boues thermales pour la fangothérapie.

thermidor an II *(journées des 9 et 10)* [27-28 juillet 1794], journées révolutionnaires qui entraînèrent la chute de Maximilien Robespierre* et la fin de la Convention* montagnarde.

THERMISTANCE. — Les thermistances sont utilisées comme thermomètres et comme bolomètres. Elles servent aussi à régulariser la température dans les circuits électriques comportant des transistors.

THERMOCHIMIE. — Elle étudie les chaleurs de réaction, quantités de chaleur, positives ou négatives, dégagées, à volume constant ou à pression constante, par les masses de corps représentées dans l'équation de la réaction. On effectue de telles mesures par les méthodes calorimétriques ou par voie indirecte. La connaissance de ces chaleurs de réaction est importante dans la pratique industrielle comme au point de vue théorique.

THERMODURCISSABLE (matière). — Les propriétés d'infusibilité et d'indéformabilité, sous l'action de la chaleur et de la pression, d'une telle substance sont dues, après mise en forme ou moulage, à l'apparition, entre les chaînes* macromoléculaires, sous l'action d'un traitement de réticulation, de liaisons* intermoléculaires qui fixent ces liaisons entre elles, avec création d'un réseau tridimensionnel s'opposant à toute déformation. Les matières thermodurcissables s'utilisent sous forme de poudres à mouler ou à couler, de solutions ou de dispersions, qui, après mise en forme, subissent un traitement de réticulation pour être rendues insolubles et infusibles. Parmi les principales figurent les phénoplastes*, les aminoplastes*, les polyesters*, les polyépoxydes, les silicones* et les polyuréthannes*. Les thermoplastiques* peuvent être rendus thermodurcissables par incorporation d'un copolymère créant des ponts intermoléculaires : les polyesters thermoplastiques* peuvent ainsi être transformés en polyesters thermodurcissables.

THERMODYNAMIQUE. — On considère, dans cette science, un système de corps subissant une transformation, au cours de laquelle il reçoit de l'extérieur une quantité de chaleur Q, positive ou négative, et un travail mécanique W, positif ou négatif, à l'exclusion de toute autre forme d'énergie. La transformation est nommée « cycle » si l'état final du système est identique à l'état initial; sinon, elle est dite « ouverte ». Elle peut être réversible ou non. La thermodynamique repose sur deux principes.

• *Principe de l'équivalence.* Pour une transformation en cycle, Q et W sont de signes contraires, et leur rapport a une valeur constante, indépendante de la nature du système et des transformations : $JQ + W = 0$, avec $J = 4{,}185$ joules par calorie. Pour une transformation ouverte, la quantité $JQ + W$ ne dépend que de l'état initial et de l'état final.

• *Principe de Carnot.* Un système ne peut pas fournir de travail mécanique à l'extérieur s'il subit un cycle monotherme (échanges de chaleur à une température uniforme). Pour que, au cours d'un cycle, un système puisse fournir du travail mécanique à l'extérieur, il faut qu'il échange avec celui-ci des quantités de chaleur à des températures différentes. Dans le cas le plus simple (cycle ditherme), il doit recevoir de la chaleur d'une source chaude, en restituer une partie à une source froide, la différence pouvant être transformée en travail.

Pour un cycle réversible, le rendement d'un moteur thermique ne dépend que des températures des deux sources.

THERMOÉLECTRICITÉ. — Une chaîne métallique fermée constituée par des métaux à des températures différentes est le siège de courants. Une *pile thermoélectrique* est un dispositif de transformation directe de chaleur en énergie électrique par création d'une différence de potentiel entre deux soudures de métaux dissemblables portées à des températures différentes. Son rendement est faible, mais il permet d'utiliser des chaleurs résiduelles sans valeur ou la chaleur solaire. Ce phénomène est également mis à profit pour des mesures très sensibles des différences de température.

THERMOGRAPHIE. — Cette méthode de diagnostic est fondée sur l'enregistrement des différences de température qui apparaissent entre deux zones symétriques de la surface corporelle, lorsque l'une d'entre elles est le siège d'un processus pathologique. Elle est utilisée pour le diagnostic des cancers, des artérites.

THERMOÏONIQUE. — L'échauffement d'un métal se manifeste par un accroissement de l'énergie cinétique de ses électrons, qui, à partir d'une certaine valeur, en détermine la libération. Cet effet est mis à profit dans les cathodes chaudes des tubes électroniques.

THERMOLUMINESCENCE. — C'est une émission de lumière provoquée bien au-dessous de la température produisant l'incandescence, par le chauffage de certaines substances. C'est ainsi que la fluorine chauffée décrépite vers 300 °C en émettant de belles lueurs lilas, roses ou vertes; de même, la quinine donne une lumière bleue très vive vers 100 °C. Ces émissions de thermoluminescence peuvent être utilisées à des contrôles colorimétriques des températures. (V. LUMINESCENCE.)

THERMOMÈTRE. — Les thermomètres les plus courants sont les thermomètres à liquides, dont le premier a été construit par Galilée. Ils comportent un réservoir surmonté d'un tube de verre partiellement rempli de mercure ou d'alcool. La tige porte habituellement une graduation en degrés centésimaux. Les thermomètres à maximum et à minimum contiennent à l'intérieur de la colonne un petit index de verre entraîné par les déplacements du mercure. Le thermomètre enregistreur de Richard est formé d'un tube métallique méplat rempli de pétrole, qui se courbe plus ou moins suivant la température et transmet sa déformation à une aiguille enregistreuse. La température légale étant définie par les variations de pression, à volume constant, d'un gaz parfait, on utilise en métrologie des thermomètres à gaz (hydrogène, hélium ou azote). Le gaz est contenu dans un réservoir métallique relié à un manomètre à mercure. On déduit la température de la valeur de la pression et on la corrige pour l'exprimer dans l'échelle Celsius. Ces appareils, qui ont permis l'établissement d'une liste de repères thermométriques, servent à l'étalonnage d'instruments pratiques et précis : le thermomètre à résistance de platine, utilisable entre − 180 et 600 °C; le thermocouple platine-platine rhodié, qui sert entre 600 et 1 100 °C; le pyromètre optique monochromatique, employé pour les températures plus élevées. Pour les très basses températures, on utilise le thermomètre à pression de vapeur saturante d'hélium, qui descend à 1 K; au-dessous, on se sert de la mesure de l'aimantation des substances paramagnétiques.

THERMONUCLÉAIRE → FUSION.

THERMOPLASTIQUE. — La caractéristique essentielle d'un thermoplastique est de pouvoir fondre et se déformer sous l'action de la chaleur et de la pression, et de retrouver ses propriétés initiales en l'absence de ces agents extérieurs, l'opération pouvant être répétée. Cette propriété est due à la présence de macromolécules linéaires qui se déforment lorsque l'effort exercé provoque la rupture des liaisons* intermoléculaires. Cela permet le glissement des chaînes* macromoléculaires les unes sur les autres. En revanche, les macromolécules, dont la cohésion est assurée par des liaisons covalentes plus résistantes, restent intactes. Utilisés sous la forme de solutions, de pâtes, de dispersions, d'émulsions ou de poudre à mouler par compression, extrusion, injection, les principaux thermoplastiques groupent les cellulosiques*, les polyamides*, les polyvinyliques*, les polycarbures et les polyacryliques*.

THERMOPOMPE. — Imaginée dès 1852 par lord Kelvin, la thermopompe, ou *pompe à chaleur,* fonctionne, à l'inverse d'un moteur thermique, en empruntant de la chaleur à une source froide (air ambiant, eau d'un lac) et en la restituant, accompagnée d'une quantité supplémentaire de chaleur provenant d'un travail mécanique, à une source chaude (radiateurs d'immeubles). Le rendement thermique, rapport de la chaleur obtenue à l'énergie mécanique dépensée, est supérieur à l'unité.

THERMOPYLES, défilé de la Grèce centrale, où Léonidas*, avec trois cents Spartiates, tenta d'arrêter les troupes de Xerxès Ier* en 480 av. J.-C. (V. MÉDIQUES [*guerres*]).

THERMORÉGULATION → TEMPÉRATURE *(Méd.).*

THERMORÉMANENCE. — C'est la propriété qu'ont les substances ferrimagnétiques, préalablement chauffées, d'acquérir une aimantation au cours de leur refroidissement. La thermorémanence des terres cuites renseigne sur les caractéristiques du champ magnétique terrestre tel qu'il était à l'époque de leur refroidissement.

THERMOSTAT → CHAUFFAGE TOUT ÉLECTRIQUE.

THÉROPSIDÉS. — Au fil des découvertes paléontologiques, il devient de moins en moins hasardeux de désigner parmi les squelettes classés comme « reptiles » ceux qui ont pu appartenir à des ancêtres directs ou collatéraux des mammifères. De telles formes sont les théropsidés, parmi lesquels on distingue deux groupes : les *théromorphes* (ou *pélycosauriens*) du permien et les *thérapsides,* qui atteignent le trias supérieur et conduisent directement aux mammifères. Citons dans le premier groupe les *dimétrodontes,* à l'énorme crête dorsale, et dans le second groupe le sous-groupe des *cynodontes (Diademodon),* particulièrement proches des mammifères, et celui des *dicynodontes.*

THÉSÉE, roi légendaire d'Athènes, héros de l'Attique. Les Athéniens lui attribuaient un grand rôle politique : inventeur du synœcisme*, il passait pour être à l'origine de l'organisation de l'Attique* et des premières institutions athéniennes. Son personnage, qui emprunte à Héraclès* bien des traits, apparaît dans de nombreuses légendes : Minotaure*, Phèdre*, etc.

THESPIS, poète tragique grec, né près de Marathon (VIe s. av. J.-C.). La tradition fait de lui le créateur de la tragédie. On lui attribue l'invention du prologue, la création de l'acteur et celle du masque. Il ne reste de lui aucun vers authentique.

THESSALIE, région de l'est de la Grèce, sur la mer Égée, dominée par les massifs de l'Olympe au N., par ceux du Pinde à l'O. et formée des nomes de Kardítsa, de Lárissa, de Tríkala et de Vólos; 13 927 km^2; 660 000 hab. V. princ. *Lárissa* et *Vólos.* Cultures (betterave à sucre, maïs et fruits) dans les bassins intérieurs et tourisme (monastères des Météores). — Envahie successivement par les Achéens* et par les Doriens*, la Thessalie forme au VIe s. av. J.-C. une confédération de quatre tétrarchies, à laquelle les tyrans de Phères, au début du IVe s., imposeront leur autorité. Elle subira par la suite la domination de Thèbes*, de la Macédoine* et de Rome*.

THESSALONIQUE ou **SALONIQUE,** en gr. **Thessaloníki,** port du nord de la Grèce, en Macédoine, sur le golfe de Thessalonique (formé par la mer Égée); 346 000 hab. Proche du débouché de la vallée du Vardar, l'agglomération, comptant environ 550 000 habitants, est la deuxième de Grèce, avec une industrie (raffinage du pétrole et pétrochimie, pneumatiques, métallurgie) partiellement liée au trafic portuaire (proche de 10 Mt).

HISTOIRE. Fondée en 316 av. J.-C. par Cassandre*, qui lui donna le nom de son épouse, la ville connut une grande prospérité à l'époque romaine et byzantine. Capitale de l'État latin dit *royaume de Thessalonique,* elle devint sous les Turcs, au XVe s., *Salonique,* nom qu'elle garda jusqu'à la Seconde Guerre mondiale. Redevenue grecque en 1913, la ville fut la base d'opération des armées alliées d'Orient de 1916 à 1918.

BEAUX-ARTS. Vestiges de fortifications hellénistiques, remparts byzantins et ottomans, dont la tour Blanche et la tour dite « Djinghirli-Koulé », toutes deux du XVe s. apr. J.-C. Arc de Galère et mausolée (IVe s.), devenu église Saint-Georges, orné de belles mosaïques à fond d'or du Ve s. et actuellement musée. Nombreuses églises byzantines, dont celle de la Sagesse-Divine (VIIIe s.), avec des mosaïques du IXe et du Xe s., et celle de Saint-Dimitrios, qui, malgré plusieurs restaurations, conserve des fresques et d'intéressantes mosaïques. Riche musée archéologique.

THESSALONIQUE *(royaume de),* royaume fondé en 1204, au lendemain de la quatrième croisade, par Boniface Ier, marquis de Montferrat, et comprenant la Macédoine, le nord de la Thessalie et une partie de la Grèce (Athènes, Thèbes). À la mort de Boniface (1207), il fut déchiré par les luttes entre le régent Hubert de Biandrate et les partisans de l'héritier du trône, Démétrios. Couronné (1209) grâce à l'aide de l'empereur Henri, Démétrios ne put faire face aux entreprises du despote d'Épire, Théodore Ange Doukas Comnène, qui mit la main sur Thessalonique (1224). Ce qui subsistait du royaume (Athènes, Bodonitza) passa sous la domination des princes d'Achaïe*.

THETFORD MINES, v. du Canada (Québec), au S. de Québec; 22 003 hab. Importantes mines d'amiante.

THÉTIS, dans la mythologie grecque, une des Néréides*. Elle fut la mère d'Achille*.

THÈZE (64450), ch.-l. de cant. des Pyrénées-Atlantiques, à 23,5 km au N. de Pau; 345 hab.

THIAIS (94320), ch.-l. de cant. du Val-de-Marne, dans la banlieue sud de Paris; 27 368 hab. *(Thiaisiens).* Cimetière parisien.

THIAUCOURT-REGNIÉVILLE (54470), ch.-l. de cant. de Meurthe-et-Moselle, à 17,5 km au N.-O. de Pont-à-Mousson; 1 093 hab.

THIBAUD (Jacques), violoniste français (Bordeaux 1880 - près de Barcelonnette 1953), fondateur, avec la pianiste Marguerite Long, d'un célèbre concours qui porte leurs noms.

THIBAUDET (Albert), critique littéraire français (Tournus 1874-Genève 1936). Influencé par le bergsonisme (*Trente Ans de vie française,* 1920-1924), il fut le critique le plus écouté entre les deux guerres mondiales (*Physiologie de la critique,* 1930; *Histoire de la littérature française de 1789 à nos jours,* 1936).

THIBAULT (ou **THIBAUD**) **IV le Chansonnier** (Troyes 1201 - Pampelune 1253), comte palatin de Champagne et de Brie (de 1201 à 1253), roi de Navarre (THIBAULT Ier) [de 1234 à 1253]), fils de Thibault III de Troyes et de Blanche de Navarre. D'abord adversaire de la régente Blanche de Castille (1226), il soutint celle-ci contre ses anciens alliés (1227-1230). Ses chansons figurent parmi les plus beaux spécimens de la poésie courtoise du XIIIe s.

Thibault *(les),* roman de R. Martin du Gard. Peinture de la vie d'une famille française dans les vingt premières années du XXe s., à travers une suite romanesque qui oppose deux frères, Jacques, insurgé sentimental, et Antoine, médecin énergique, tous deux fils d'Oscar Thibault, grand bourgeois attaché à toutes les conventions religieuses et sociales (*le Cahier gris,* 1922; *le Pénitencier,* 1922; *la Belle Saison,* 1923; *la Consultation,* 1928; *la Sorellina,* 1928; *la Mort du père,* 1929; *l'Été 1914,* 1936; *Épilogue,* 1940).

THIBERVILLE (27230), ch.-l. de cant. de l'Eure, à 17 km à l'E. de Lisieux; 1 508 hab. Constructions électriques.

THIÉBLEMONT-FARÉMONT (51300 Vitry le François), ch.-l. de cant. de la Marne, à 10 km au S.-E. de Vitry-le-François; 436 hab.

THIÈLE → ORBE.

THIELT → TIELT.

THIÉRACHE (la), région herbagère, domaine de l'élevage bovin (produits laitiers), occupant principalement le nord-est du département de l'Aisne.

THIERRY ou **THIERRI Ier, II, III, IV** → MÉROVINGIENS.

THIERRY (Augustin), historien français (Blois 1795 - Paris 1856). Historien à la plume alerte et colorée, il préconise la recherche du document. Lui-même s'efforce d'appliquer son respect des sources dans son *Histoire de la conquête de l'Angleterre par les Normands* (1825), rendue inutilisable parce que fondée sur un faux, dans ses *Récits des temps mérovingiens* (1835-1840) et son *Essai sur la formation et les progrès de l'histoire du tiers état* (1853).

THIERS (63300), ch.-l. d'arr. du Puy-de-Dôme, à 36 km au S. de Vichy; 17 828 hab. *(Thiernois).* Son site et de nombreuses maisons anciennes font le charme de la ville. Deux églises remontant à l'époque romane. Musée. Centre de la coutellerie.

THIERS (Adolphe), homme d'État français (Marseille 1797 - Saint-Germain-en-Laye 1877). Avocat, journaliste, historien (*Histoire de la Révolution,* 1823-1827), Thiers joue un rôle décisif dans le déclenchement de la révolution* de 1830 en publiant dans *le National,* qu'il a fondé, la protestation des journalistes libéraux contre les ordonnances* de Charles X et en emportant l'adhésion du futur Louis-Philippe Ier. Sous la monarchie de Juillet*, député dès 1830, ministre des Finances (1830-31), puis de l'Intérieur (1832-33, 1834-1836), il défend la monarchie bourgeoise contre ses adversaires de droite et de gauche. Deux fois président du Conseil et ministre des Affaires étrangères (1836, 1840), il adopte une attitude de prestige, notamment à l'égard de la Grande-Bretagne, mais doit finalement s'incliner devant le parti de la paix (F. Guizot*). Chef du centre gauche, il mène durant sept ans la lutte contre Guizot : en février 1848, il ne peut sauver Louis-Philippe. Représentant de la Seine-Inférieure en 1848 et en 1849, il est l'âme de la réaction conservatrice et antisocialiste sous la IIe République*. Écarté des affaires par le coup d'État de 1851, il achève sa monumentale *Histoire du Consulat et de l'Empire* (1843-1862). Député de Paris en 1863 et en 1869, il réclame de l'empire les « libertés nécessaires » et s'oppose à la guerre franco-allemande (1870). Après Sedan, il accepte une mission diplomatique, qui n'aboutit pas. Élu par vingt-six départements à l'Assemblée nationale (févr. 1871), il apparaît alors comme l'homme indispensable. Désigné comme chef du pouvoir exécutif de la République française, en attendant d'être président de la République (31 août), Thiers, installé à Versailles, dispose de pouvoirs considérables, dont il use, d'une part, pour mettre fin à la guerre franco-allemande* (préliminaires de paix, 1er mars; traité de Francfort, mai 1871) et écraser la Commune* de Paris (mai), et, d'autre part, pour relever et réorganiser la France vaincue, dont le territoire est, grâce à ses efforts, libéré dès 1873. Mais sa conversion de plus en plus évidente au régime républicain dresse contre lui la majorité monarcho-cléricale de l'Assemblée, qui se débarrasse de lui le 24 mai 1873.

THIÈS, v. du Sénégal, à l'E. de Dakar; 69 000 hab. Industries textiles et mécaniques.

THILLOT (Le) [88160], ch.-l. de cant. des Vosges, sur la Moselle, à 23 km au S.-E. de Remiremont; 5 127 hab.

THIMBU, capitale estivale du Bhoutan.

THIMERAIS → THYMERAIS.

THIMONNIER (Barthélemy), inventeur français (L'Arbresle 1793-Amplepuis 1857). Il réalisa la première machine à coudre, presque entièrement construite en bois (1830), pour la fabrication de laquelle il fonda une société à Paris en 1831. Mais l'entreprise se heurta à l'opposition des ouvrières, qui détruisirent les machines.

THIO, localité de Nouvelle-Calédonie, sur la côte nord de l'île. Nickel.

THIOFÈNE. — Ce corps accompagne le benzène dans le produit extrait des goudrons de houille. Il bout à 83 °C et ressemble beaucoup au benzène.

THIOL. — Les thiols, ou mercaptans, ont une constitution analogue à celle des alcools, le soufre remplaçant l'oxygène. On les obtient en faisant agir les chlorures alcooliques sur les sulfures acides alcalins. Les thiols sont des liquides incolores, insolubles dans l'eau, doués d'une odeur infecte. Ils donnent des dérivés métalliques, ou mercaptides, par réaction sur les bases.

THIONIQUES (acides). — Ils sont seulement connus en solution, mais ils ont leurs sels cristallisés. Le plus important d'entre eux est l'acide dithionique, $H_2S_2O_6$.

THIONVILLE (57100), ch.-l. d'arr. de la Moselle, sur la Moselle; 44 191 hab. *(Thionvillois).* Tour aux Puces (XIIIe s.), reste de l'ancien château. Bien desservie par le rail (gare de marchandises), la voie d'eau (Moselle canalisée) et l'autoroute, Thionville est l'élément principal d'une agglomération de près de 150 000 habitants, dominée par une industrie sidérurgique et métallurgique aujourd'hui en crise.

THIRON (28480), ch.-l. de cant. d'Eure-et-Loir, à 24 km à l'E. de Nogent-le-Rotrou; 854 hab.

THIRY (Marcel), écrivain belge d'expression française (Charleroi 1897 - Liège 1977). Il retrouve dans sa poésie, faite de dissonances rythmiques, les grands thèmes du lyrisme traditionnel (*Plongeantes Proues,* 1925; *le Festin d'attente,* 1963), tandis que ses nouvelles et ses romans témoignent de sa passion de l'insolite (*Échec au temps,* 1945; *Nouvelles du Grand Possible,* 1958).

THIVIERS (24800), ch.-l. de cant. de la Dordogne, à 37 km au N.-E. de Périgueux; 4 380 hab. Château de Vaucocour, en partie des XVe-XVIe s. Papeterie.

THIZY (69240), ch.-l. de cant. du Rhône, à 23 km à l'E. de Roanne; 4 065 hab. Église du XIe s. Maisons médiévales. Textile.

THOIRY (78770), comm. des Yvelines, à 16,5 km au S.-S.-E. de Mantes-la-Jolie; 581 hab. Château et réserve zoologique.

Thoiry *(conférence de),* conférence tenue à Thoiry (Ain) le 17 septembre 1926, entre Stresemann* et Briand*, sur le développement possible du rapprochement franco-allemand.

THOISSEY (01140), ch.-l. de cant. de l'Ain, à 17 km au S. de Mâcon; 1454 hab.

THÖKÖLY (Imre), homme de guerre hongrois (Késmárk 1657-Izmit 1705). Révolté contre l'empereur, il recourt aux Turcs et prend le titre de « prince de Hongrie » (1681). Plus tard, il se fait proclamer prince de Transylvanie, mais Eugène de Savoie l'oblige à se réfugier en Turquie.

THOLLON (74500 Évian les Bains), comm. de la Haute-Savoie, à 10,5 km à l'E. d'Évian-les-Bains; 401 hab. Sports d'hiver (alt. 1000-2000 m).

THOMAS *(saint),* un des douze apôtres de Jésus. Selon une tradition apocryphe, il aurait évangélisé la Perse et les Indes; une mauvaise interprétation d'un texte évangélique a fait de lui le patron des sceptiques « qui ne croient que ce qu'ils voient ».

THOMAS d'Aquin *(saint),* théologien italien (Roccasecca, près d'Aquino, 1224-Fossanova 1274). Disciple d'Albert* le Grand, qui lui fit connaître la pensée d'Aristote, il enseigna la théologie à Paris, à Rome, à Viterbe et à Naples. Outre des commentaires de l'Écriture sainte, d'Aristote*, de P. Lombard*, il a écrit deux importants traités de théologie : *Somme contre les gentils* (1258-1264) et surtout *Somme* théologique* (1266-1273). Ayant compris, à la suite d'Albert le Grand, et plus encore que lui, l'importance, pour l'Occident, de la connaissance des œuvres d'Aristote, il chercha une synthèse chrétienne de l'aristotélisme* et de la foi chrétienne.

Le Triomphe de saint Thomas, par Andrea da Firenze. XIVe s. (Chapelle des Espagnols, église Santa Maria Novella, Florence.)

Son problème essentiel fut de concilier raison et foi, philosophie et théologie. Selon lui, toutes les vérités accessibles à la raison relèvent de la philosophie, tandis que la théologie trouve ses points d'appui dans la Révélation et l'autorité divine. Mais la vérité ne saurait contredire la vérité, de sorte que toute conclusion philosophique en désaccord avec le dogme relèverait uniquement d'une erreur de raisonnement. La philosophie reste donc la servante de la foi, dominée par la théologie, qui lui refuse la possibilité de prouver ce qui serait en désaccord avec elle. Cependant, le thomisme parut révolutionnaire par certaines affirmations qui semblaient rejoindre l'averroïsme*, et, en 1277, l'évêque Tempier condamna les formules de saint Thomas.

THOMAS BECKET *(saint),* prélat anglais (Londres 1117/18-Canterbury 1170). Après avoir étudié la théologie à l'université de Paris, il devint archidiacre de Canterbury (1154) et l'ami du jeune Henri II Plantagenêt, qui le fit chancelier d'Angleterre (1155). Élu en 1162 archevêque de Canterbury, il rompit avec Henri II et prit la défense des intérêts de l'Église contre le roi. En 1164, il s'opposa violemment aux Constitutions de Clarendon, qui subordonnaient la justice ecclésiastique à la justice royale. De France, où il s'exila, il excommunia Henri II. Rentré en Angleterre (1170), il fut assassiné dans sa cathédrale par quatre chevaliers du roi.

THOMAS MORE *(saint),* homme d'État et humaniste anglais (Londres 1478-*id.* 1535). Après des études juridiques, il entra au Parlement (1504), où il s'opposa au roi Henri VII. L'avènement d'Henri VIII (1509) marqua les débuts de sa carrière d'homme d'État. Ambassadeur extraordinaire (1515-16), Thomas More succéda au cardinal Wolsey comme chancelier du royaume (1529). Fidèle au catholicisme, il fut amené à désavouer Henri VIII dans l'affaire de son divorce. Démissionnaire en 1532, il fut exécuté comme traître (1535). Il laissait un ouvrage important, *Utopie**.

THOMAS d'Angleterre, trouvère anglo-normand du XIIe s., auteur d'un roman de *Tristan* qui contient le récit de la mort du héros, mais qui nous est parvenu très mutilé.

THOMAS A KEMPIS, écrivain mystique allemand (Kempen, en Rhénanie, 1379/80-près de Zwolle, Pays-Bas, 1471). Auteur d'une quarantaine d'écrits spirituels, il est le principal représentant du mouvement de la *Devotio moderna,* que caractérisent à la fois un désir de réforme religieuse et un retour aux sources évangéliques de la vie spirituelle. On lui attribue généralement *l'Imitation* de Jésus-Christ.*

THOMAS (Ambroise), compositeur français (Metz 1811-Paris 1896). Directeur du Conservatoire (1871), il s'est intéressé à l'art lyrique. Deux de ses partitions connurent le succès : *Mignon* (1866) et *Hamlet* (1868).

THOMAS (Sidney Gilchrist), inventeur britannique (Londres 1850-Paris 1885). En 1876, il découvrit un moyen de déphosphorer à 99 p. 100 la fonte obtenue à partir de minerais phosphoreux. Breveté en 1877, ce procédé s'étendit en Europe et aux États-Unis.

THOMAS (Albert), homme politique français (Champigny 1878-Paris 1932). Député socialiste (1910), ministre de l'Armement (1916-17), il organise et préside de 1920 à sa mort le Bureau international du travail.

THOMAS (Dylan Marlais), poète anglais (Swansea 1914-New York 1953). Il a évoqué ses expériences littéraires et ses admirations de jeunesse (Freud, Hopkins, Joyce) dans son *Portrait de l'artiste en jeune chien* (1940). Avec la publication de *18 Poèmes* (1934), puis de *25 Poèmes* (1936), de *la Carte du Tendre* (1939) et de *Morts et initiations* (1946), il étonne par la nouveauté de sa langue, dont les rythmes inhabituels s'ordonnent suivant une syntaxe spécifiquement poétique. Bohème, indépendant, mais reconnu comme un maître, il écrit des essais, des nouvelles et un drame radiophonique (*Au bois de lait,* 1953), et il réunit en 1952 les éléments épars de son œuvre sous le titre de *Poèmes choisis, 1934-1952.* Après sa mort, on a publié de lui un roman inachevé (*Aventures dans le commerce des peaux,* 1955) et deux recueils de récits (*De très bonne heure le matin,* 1954; *Vue sur la mer,* 1955). — I. Stravinski, pour qui Thomas devait écrire un livret d'opéra, a composé *In memoriam Dylan Thomas,* canons funèbres sur des vers du poète (1955).

THOMASIUS (Christian THOMAS, latinisé en), jurisconsulte allemand (Leipzig 1655-Halle 1728). Fondateur de l'université de Halle, où il enseigna le droit* naturel, il fut l'un des créateurs du journalisme allemand.

THOMISE. — C'est sur les fleurs que l'on observe souvent cette petite araignée jaune, à l'abdomen en trapèze élargi à l'arrière, aux longues pattes de devant, guettant les abeilles butineuses. Le thomise abonde surtout dans le Midi.

THOMISME. — La doctrine de saint Thomas d'Aquin (canonisé en 1323) exerça une influence considérable. Théorie quasi officielle des universités pendant près de deux cents ans, elle est enseignée aux étudiants et subit comme telle les critiques de la Renaissance néoplatonicienne (Marsile Ficin*, Nicolas* de Cusa), qui l'accuse d'être un obstacle au progrès de la science. Restaurée en 1879 par Léon XIII, qui en impose l'étude, elle sera modernisée sous forme de néothomisme par Mgr Mercier, à Louvain. E. Gilson* et Jacques Maritain (1882-1973) se sont également efforcés de montrer ce qu'elle conserve d'universellement valable.

THOMPSON, v. du Canada (Manitoba), au N. du lac Winnipeg; 19001 hab. Extraction et raffinage du nickel.

THOMPSON (Francis), écrivain anglais (Preston 1859-Londres 1907), auteur de poèmes d'inspiration religieuse et mystique (*le Lévrier du ciel,* 1897).

THOMPSON (John Eric Sidney), archéologue anglais (Londres 1898). Ses travaux sur le calendrier sont à l'origine des premiers déchiffrements de la chronologie et de la langue mayas*.

THOMSON (James), poète écossais (Ednam, Roxburghshire, 1700-Kew 1748), auteur de poèmes (recueils des *Saisons,* 1725-1730) et de tragédies.

THOMSON (*sir* William), **lord Kelvin,** physicien anglais (Belfast 1824-Netherhall 1907). Il a découvert en 1852 le refroidissement provoqué par la détente des gaz et contribué à l'établissement d'une échelle théorique des températures. En électricité, il a imaginé le galvanomètre à aimant mobile (1851) et le siphon enregistreur, et a donné la théorie des circuits oscillants. En 1876, il a construit le premier intégrateur mécanique pour résoudre les équations différentielles.

THOMSON (James), poète écossais (Port-Glasgow 1834-Londres 1882), défenseur de la libre pensée et auteur de recueils d'une imagination désespérée (*la Cité de la nuit mortelle,* 1880).

THOMSON (Elihu), inventeur américain (Manchester 1853-Swampscott 1937). On lui doit de nombreuses inventions en électricité, notamment la soudure électrique par résistance, les moteurs à répulsion (1888), les alternateurs à haute fréquence, etc.

THOMSON (*sir* Joseph John), physicien anglais (Cheetham Hill, près de Manchester, 1856-Cambridge 1940). Il mesura la vitesse du rayonnement cathodique (1894), le quotient *e/m* de la charge par la masse de l'électron (1897), puis la valeur de cette charge (1898) et inventa le spectrographe de masse. (Prix Nobel de physique, 1906.) — Son fils, *sir* GEORGE PAGET **Thomson,** physicien anglais (Cambridge 1892-*id.* 1975), découvrit en 1927 la diffraction des électrons rapides dans les cristaux, qui fut à l'origine de l'analyse électronique. (Prix Nobel de physique, 1937.)

THON. — Parmi les thons, ces grands poissons marins aux nageoires impaires en forme de faulx, suivies d'une rangée de pinnules, on distingue plusieurs espèces : le thon rouge proprement dit et le *germon* de l'Atlantique, sans raie ni tache, ainsi que les *bonites* rayées, le *bonitou* et la *thonine,* tachetés. Le germon est aussi nommé « thon blanc » et se caractérise par de très longues pectorales. Les thons se pêchent à la ligne ou à la madrague, sorte de nasse gigantesque. (Famille des scombridés.)

THONBURI, faubourg de Bangkok (Thaïlande).

THÔNES (74230), ch.-l. de cant. de la Haute-Savoie, sur le Fier, à 20 km à l'E. d'Annecy; 3748 hab. Constructions mécaniques.

THONON-LES-BAINS (74200), ch.-l. d'arr. de la Haute-Savoie, sur la rive sud du lac Léman; 27127 hab. *(Thononais).* Église du XIIe s. (crypte romane). Châteaux de Sonnaz (XVIIe s., musée du Chablais) et de Ripaille (XVe et XIXe s.). Station thermale pour le traitement des affections urinaires. Constructions mécaniques et électriques. Mobilier.

THORAX. — Le segment supérieur du tronc est soutenu par la cage thoracique osseuse. Le jeu des côtes, combiné à celui du diaphragme et des muscles inspiratoires, permet les mouvements respiratoires du thorax. Le thorax contient à la partie médiane le médiastin, formé par le cœur, l'aorte, l'œsophage, des vaisseaux et des nerfs, et latéralement les deux poumons.

Les *traumatismes fermés* se divisent en contusions simples, en fractures de côtes et en contusions appuyées. Celles-ci sont graves, atteignent le squelette thoracique et s'accompagnent d'épanchement intrathoracique, gazeux ou hémorragique. Les *traumatismes ouverts,* responsables de plaies pleuro-pulmonaires, sont graves dans l'immédiat, puisqu'ils risquent d'entraîner la mort par asphyxie, et présentent, secondairement, des risques infectieux.

THORAX. Vue antérieure : 1. Muscles scalènes et nerf phrénique; 2. Veine jugulaire interne; 3. Artère carotide primitive; 4. Muscle grand pectoral; 5. Veine cave supérieure; 6. Muscle petit pectoral; 7. Thymus; 8. Crosse de l'aorte et nerf récurrent; 9. Poumon droit; 10. Cœur inclus dans le péricarde; 11. Appendice xiphoïde du sternum; 12. Diaphragme; 13. Douzième côte; 14. Trachée; 15. Corps thyroïde; 16. Nerf pneumogastrique; 17. Canal thoracique; 18. Artère et veine sous-clavières gauches; 19. Nerf phrénique; 20. Artère pulmonaire; 21. Poumon gauche; 22. Côtes; 23. Plèvre.

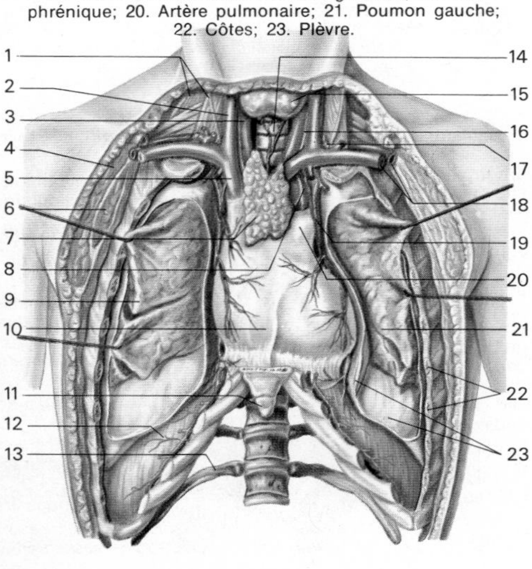

THORBECKE (Johan Rudolf), homme politique néerlandais (Zwolle 1798-La Haye 1872). Député libéral (1840), principal rédacteur de la loi constitutionnelle de 1848, il dirige le gouvernement de 1849 à 1853, de 1862 à 1866 et en 1871-72; partisan du libre-échange, il poursuit une politique de laïcisation.

THORÉ (le), riv. du sud du Massif central, qui rejoint l'Agout (r. g.) près de Castres; 55 km.

THOREAU (Henry), écrivain américain (Concord, Massachusetts, 1817-*id.* 1862). Disciple d'Emerson, influencé par les mystiques hindous et les idéalistes allemands, il mit en pratique ses doctrines de « retour à la nature » et créa une prose savoureuse qui fit appel aux expressions populaires et au langage quotidien (*Walden ou la Vie dans les bois,* 1854).

THORENS-GLIÈRES (74570), ch.-l. de cant. de la Haute-Savoie, à 19 km au N.-E. d'Annecy; 1376 hab.

THOREZ, anc. **Tchistiakovo,** v. de l'U. R. S. S. (Ukraine), dans le Donbass; 93000 hab. Centre houiller.

THOREZ (Maurice), homme politique français (Noyelles-Godault 1900-en mer Noire 1964). Il travaille à la mine et adhère au parti communiste français dès sa création en 1920. Secrétaire général du parti à partir de 1930, élu député d'Ivry en 1932, il joue un rôle important dans la constitution du Front* populaire. Après avoir approuvé le pacte germano-soviétique (1939), il entre dans la clandestinité et séjourne en U. R. S. S. jusqu'en 1944. Réélu député en 1945, ministre d'État (1945-46), puis vice-président du Conseil, il quitte le gouvernement en 1947 avec les autres ministres communistes. Peu avant sa mort, il devient président du parti (1964). Il a retracé sa carrière dans *Fils du peuple* (1937, 1960).

THORIGNY-SUR-MARNE (77400 Lagny sur Marne), comm. de Seine-et-Marne, en face de Lagny-sur-Marne; 7161 hab.

THORIUM. — C'est l'élément chimique n° 90, de masse atomique Th = 232,12, découvert en 1828 par Berzelius. C'est un solide blanc, de densité 12,1, fondant vers 1700 °C et oxydable au rouge. Il est quadrivalent dans ses principaux composés, et notamment la thorine, ThO_2. On le retire surtout de la monazite. Le thorium 232 est à l'origine d'une famille radioactive.

THORN → TORUŃ.

THORONET (Le) [83340 Le Luc], comm. du Var, à 23 km au S.-O. de Draguignan; 575 hab. Abbaye cistercienne (v. 1160-1175), d'une grande perfection dans la simplicité.

THORSHAVN, capit. de l'archipel danois des Féroé, dans l'île Strømø; 11000 hab.

THORVALDSEN (Bertel), sculpteur danois (Copenhague 1768-*id.* 1844). La plus grande partie de sa carrière se déroule à Rome, où, adepte d'un idéal de beauté antique quelque peu abstrait, proche de celui de Winckelmann, il devient l'un des chefs du néoclassicisme (*Jason,* 1801, musée Thorvaldsen, Copenhague; *Christ* et apôtres de la cathédrale de Copenhague, à partir de 1821).

THOT, divinité de l'Égypte ancienne. Dieu du Savoir, il fut assimilé, à l'époque gréco-romaine, à Hermès* Trismégiste.

THOU (François DE), magistrat français (Paris 1607-Lyon 1642). Conseiller au parlement, il fut exécuté avec son ami Cinq-Mars*, dont il n'avait pas révélé les tractations avec l'Espagne.

THOUARCÉ (49380), ch.-l. de cant. de Maine-et-Loire, à 28 km au S. d'Angers; 1501 hab.

THOUARS (79100), ch.-l. de cant. des Deux-Sèvres, au-dessus du Thouet, à 34 km au S. de Saumur; 12631 hab. *(Thouarsais).* Fortifications des XIIe-XIVe s. Deux églises des XIIe-XVe s. Hôtels du XVe s. Sainte-Chapelle du début du XVIe s. et château du XVIIe. Musée. Industries alimentaires. Conditionnement.

THOUET (le), riv. du centre-ouest de la France, qui passe à Parthenay et à Thouars, rejoignant la Loire (r. g.) à Saumur; 140 km.

THOUNE, en allem. **Thun,** v. de Suisse (cant. de Berne), à la sortie du lac de *Thoune* (48 km²), formé par la vallée de l'Aar; 36523 hab. Château en partie de la fin du XIIe s. (musée historique). Hôtel de ville des XVIe-XVIIe s. Église paroissiale gothique et baroque. Métallurgie de transformation. Alimentation. Tabac.

THOUROTTE (60150), comm. de l'Oise, sur l'Oise, à 9 km au N.-E. de Compiègne; 3526 hab. Importante verrerie.

THOUTMOSIS, nom de quatre rois du Nouvel* Empire égyptien (XVIIIe dynastie), dont le plus important est THOUTMOSIS III (1504-1450 av. J.-C.). Celui-ci sera tenu à l'écart du pouvoir jusqu'en

1484 par sa tante et régente du royaume Hatshepsout. Mais, à la mort de cette dernière, il se montre un stratège avisé et un grand administrateur : en dix-sept campagnes, il conquiert la Palestine* et la Syrie* jusqu'à l'Euphrate, et impose définitivement son autorité à la Nubie*; il est le premier véritable organisateur des territoires conquis, assurant à son empire une stabilité durable.

THRACE, région du sud-est de l'Europe, partagée entre la Bulgarie, la Grèce (y constituant une région couvrant 8 678 km^2 et comptant 330 000 habitants) et la Turquie (correspondant à sa partie européenne). — Population indo-européenne, les Thraces, installés dès le IIe millénaire av. J.-C. dans le territoire circonscrit par le Danube, la mer Noire et la mer Égée, demeurèrent longtemps au stade tribal. La richesse du pays (bois, mines d'or et d'argent, agriculture) attire les Grecs, qui colonisent la côte égéenne. Conquise par Darios Ier* en 512 av. J.-C., la Thrace passe avec Cimon* sous l'hégémonie économique athénienne. Elle sera, par la suite, soumise aux rois de Macédoine, malgré une tentative, au IVe s. av. J.-C., de constitution d'un royaume indépendant, qui deviendra vassal de Philippe II* de Macédoine. Rome, qui d'abord a maintenu les princes locaux sous sa tutelle, érige en 46 apr. J.-C. la Thrace en province romaine, dont l'histoire se confond dès lors avec celle des pays balkaniques.

THRASYBULE, homme d'État athénien (v. 445 - Aspendos, en Pamphylie, 388 av. J.-C.). Exilé par les Trente*, il se réfugia à Thèbes, d'où il revint avec un petit groupe de proscrits; ayant pu s'emparer du Pirée* en 403, il contraignit les Trente à s'enfuir et rétablit la démocratie à Athènes.

THROMBO-ÉLASTOGRAMME. — Cet examen permet une exploration approfondie de la coagulabilité sanguine. L'enregistrement graphique obtenu a une forme en diapason; il se trouve modifié lors des troubles de la coagulation.

THROMBOLYSE. — Cette méthode thérapeutique vise à résorber des caillots situés à l'intérieur des vaisseaux sanguins, en dissolvant la fibrine, qui en forme la trame. En milieu hospitalier, on utilise la streptokinase ou l'urokinase pour le traitement des embolies et des thromboses récentes.

THROMBOSE. — La formation d'un caillot de sang dans les cavités cardiaques ou dans la lumière des vaisseaux chez l'individu vivant peut être due à trois facteurs : des lésions de la paroi vasculaire (athérome, anévrisme), des modifications du débit circulatoire (stase veineuse) ou des modifications du sang circulant (hypercoagulabilité). Les anticoagulants ont amélioré le pronostic des thromboses et permettent la prévention de celles-ci.

THUCYDIDE, historien grec (Athènes v. 460 - † v. 400 av. J.-C.). Élu stratège en 424, durant la guerre du Péloponnèse*, il reçut le commandement d'une escadre qui devait surveiller la côte thrace, mais il ne put empêcher le Spartiate Brasidas de s'emparer d'Amphipolis* (424). Accusé de trahison, il s'exila; il ne rentra dans sa patrie que vingt années plus tard. Écarté des affaires publiques, il s'en fit le narrateur. Son *Histoire de la guerre du Péloponnèse,* qu'il ne put achever, couvre la période comprise entre 431 et 411, c'est-à-dire du début des hostilités à la révolution qui renversa les Quatre-Cents*.

Thucydide est le premier des historiens grecs qui ait donné aux faits économiques et sociaux leur importance véritable; la rigueur de sa méthode, le souci qu'il a d'une information exacte, son sens critique averti, son style dense, qui vise moins à l'élégance qu'à la netteté et au relief, font de l'*Histoire de la guerre du Péloponnèse* une œuvre de science et d'art.

THUEYTS (07330), ch.-l. de cant. de l'Ardèche, à 19,5 km au N.-O. d'Aubenas; 1 035 hab.

THUIN, v. de Belgique (Hainaut), sur la Sambre; 12 996 hab. Restes d'enceinte médiévale. Beffroi du XVIIe s.

THUIR (66300), ch.-l. de cant. des Pyrénées-Orientales, à 13,5 km au S.-O. de Perpignan; 6 023 hab. Apéritifs.

THULÉ, base du système de détection antimissile américain BMEWS, sur la côte ouest du Groenland, à 76^0 de latitude N.

THUMERIES (59239), comm. du Nord, à 20 km au S. de Lille; 3 600 hab. Sucrerie.

THUN → THOUNE.

THUNDER BAY, port du Canada (Ontario), formé par la fusion de Fort William et de Port Arthur, sur le lac Supérieur; 108 411 hab. Exportation du blé.

THURET (Gustave Adolphe), botaniste français (Paris 1817 - Nice 1875). Spécialiste des champignons et des algues, il a décrit les zoospores et établi les processus de fécondation chez le fucus et chez les algues rouges. Il a créé à Antibes un arborétum exotique.

THURGOVIE, en allem. **Thurgau,** cant. du nord de la Suisse, en bordure du lac de Constance; 1 006 km^2; 182 835 hab. Ch.-l. *Frauenfeld.*

THURINGE (la), région du sud-ouest de l'Allemagne orientale, formée des hauteurs boisées de *Thüringerwald* et du *bassin de Thuringe.* V. princ. *Erfurt.* — En 531, les Thuringiens, apparentés aux Hermondures, sont vaincus par les Francs, et leur pays, la Thuringe, est incorporé au royaume franc. Évangélisée par saint Boniface (719), la région est érigée en marche contre les Slaves (804), puis incorporée au royaume de Germanie (840). Son histoire se confond à partir du Xe s. avec celle de la Saxe, puis (XIIIe s.) avec celle de la Misnie, dont les margraves acquièrent la dignité d'Électeurs de Saxe en 1423. Par la suite, la région se morcelle en petits États princiers, qui ne sont regroupés qu'en 1920. En 1946, la Thuringe est incorporée à la R. D. A.

THURNWALD (Richard), anthropologue et sociologue allemand (Vienne 1869 - Berlin 1954). Connu pour ses études comparatives sur les institutions sociales, il a été l'un des pionniers en matière d'anthropologie (*Economics in Primitive Communities,* 1932). Il a effectué des enquêtes de terrain en Nouvelle-Guinée (*Bánoro Society,* 1916) et en Afrique de l'Est *(Black and White in East Africa).*

THURY-HARCOURT (14220), ch.-l. de cant. du Calvados, sur l'Orne, à 26 km au S. de Caen; 1 408 hab.

THUYA. — D'origine américaine et très voisin du cyprès, le thuya porte souvent des rameaux aplatis dans un plan vertical et couverts d'écailles foliaires non piquantes. Grâce à son feuillage, serré, il sert à former des haies coupe-vent.

THYESTE → ATRIDES.

THYLACINE. — Ce « loup marsupial » d'Australie et de Tasmanie est en voie de disparition rapide.

THYM. — Très odorant, utilisé comme condiment, le thym pousse en petites touffes ligneuses et grisâtres dans les sols pierreux et dénudés du Midi. (Famille des labiacées.)

THYMERAIS ou **THIMERAIS,** extrémité nord-ouest du département d'Eure-et-Loir, humide et argileuse, consacrée principalement à l'élevage bovin.

THYMIE → AFFECTIVITÉ.

THYMOL. — De formule $C_6H_3(C_3H_7)(OH)CH_3$-1-2-4 et dérivant du cymène, il est contenu dans l'essence de thym, qui lui doit son odeur. Il forme des tables fondant à 51 ^{0}C.

THYMUS. — Cet organe lymphoïde est situé en arrière du sternum. Il n'est développé que chez l'enfant; il s'atrophie à la puberté. Il est constitué de lymphocytes et joue un rôle majeur dans l'immunité humorale et cellulaire.

THYRATRON. — C'est un tube à gaz, à cathode chaude, dans lequel une ou plusieurs électrodes de commande permettent l'amorçage du courant de décharge.

THYRISTOR → ONDULEUR.

THYROÏDE. — Cette glande endocrine est placée en avant des premiers anneaux de la trachée.

Elle est composée de deux lobes latéraux réunis par un isthme médian et sécrète les hormones thyroïdiennes, dont la thyroxine et la tri-iodothyronine. Ces hormones stimulent le développement cellulaire et tissulaire, et activent les combustions à tous les niveaux. L'activité thyroïdienne est contrôlée par une stimuline antéhypophysaire, la thyréostimuline (T. S. H.). La sécrétion de la T. S. H. obéit à une commande nerveuse, hypothalamique.

THYROÏDE

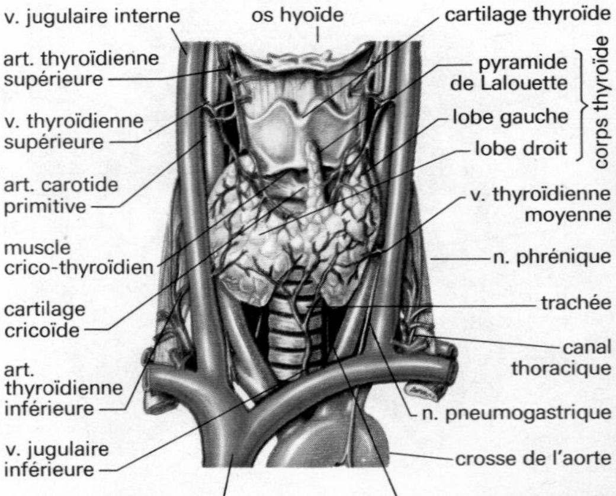

Les *hyperthyroïdies* comprennent l'*adénome toxique,* identifié par la scintigraphie thyroïdienne, et la *maladie de Basedow,* qui se manifeste par un goitre, une exophtalmie, une tachycardie, un tremblement généralisé et un amaigrissement.

Les *hypothyroïdies* sont d'origine thyroïdienne ou hypophysaire. Le syndrome d'hypothyroïdie chez l'adulte réalise le myxœdème, caractérisé par l'infiltration des téguments, des troubles des phanères, un ralentissement des activités physiques et psychiques. Chez l'enfant, le myxœdème congénital associe un nanisme dysharmonieux, une infiltration généralisée de la peau et des muqueuses, un infantilisme et une débilité mentale (crétinisme).

THYROXINE → HORMONE et THYROÏDE.

THYSANOURES → APTÉRYGOTES.

THYSSEN (August), industriel allemand (Eschweiler 1842 - château de Landsberg 1926). Il fonda à Mülheim la Thyssen et Co. KG, qui fut à l'origine d'un important konzern, intégré ultérieurement dans une puissante concentration industrielle allemande.

TIAHUANACO, site archéologique précolombien*, en Bolivie occidentale, à 3 900 m d'altitude, éponyme d'une culture qui s'y développa du ve s. av. J.-C. au XIIe s. Quatre ensembles architecturaux construits en blocs mégalithiques et ornés de bas-reliefs ainsi que des statues massives, sortes de piliers gravés, se rattachent à la phase classique (env. 300-800 apr. J.-C.). La céramique, la métallurgie et les textiles ont laissé des témoignages de qualité. À partir du VIIIe s., cette civilisation se propage pacifiquement, et son expansion au Pérou semble se faire à partir de Huari*.

TIAN-CHAN → T'IEN-CHAN.

TIARET, v. d'Algérie, ch.-l. de départ., au pied sud de l'Ouarsenis; 37 000 hab.

TIBÈRE, en lat. **Tiberius Julius Caesar** (Rome v. 42 av. J.-C.-Misène 37 apr. J.-C.), empereur romain (14-37 apr. J.-C.). Fils de T. Claudius Nero et de Livie*, il entre en 38 av. J.-C. dans la famille d'Octave, lorsque sa mère se remarie avec ce dernier. Devenu empereur, Auguste* lui confie différentes missions diplomatiques et militaires. Consul en 13, puis en 7 av. J.-C., Tibère reçoit en 6 av. J.-C. sa première puissance tribunitienne; en 11 av. J.-C. il est contraint par Auguste de répudier sa femme, Vipsania Agrippina, pour épouser Julie*. Après un exil volontaire à Rhodes, il est adopté par Auguste (4 apr. J.-C.) et doit lui-même adopter Germanicus*, son neveu. En 4-5, il mène une campagne victorieuse en Germanie et réprime de 6 à 9 la révolte dalmato-pannonienne. Titulaire de l'*imperium majus* en 12, il reçoit en 13 sa troisième puissance tribunitienne et succède sans difficulté à Auguste en 14. Il combat les excès des gouverneurs de provinces, instaure une politique d'austérité financière et affecte un grand respect pour le sénat, auquel il transmet les attributions électorales des comices et dont il accroît le pouvoir législatif. À l'extérieur, il témoigne de la même sage fermeté : il réprime durement les soulèvements de la Gaule (insurrection de Florus et de Sacrovir, 21) et de l'Afrique (guerre de Tacfarinas, 17-24); après la mort de Varus, vengée par les expéditions de Germanicus (14-16), l'armée romaine est ramenée au Rhin (17); en Orient, Germanicus intervient en Arménie (18), annexe la Cappadoce et rattache la Commagène à la Syrie. De plus en plus méfiant, Tibère se retire à Capri (27), abandonnant une grande part des affaires au préfet du prétoire Séjan*, qui tente de le renverser. La fin de son règne est marquée par un régime de terreur qui frappe aussi bien les sénateurs que les membres de la famille impériale.

TIBÈRE II († Constantinople 582), empereur byzantin (578-582). Comte des *excubitores* (soldats de la garde de l'empereur), il assura le pouvoir lorsque Justin II devint fou et accéda à l'Empire en 578. Il accorda à ses sujets une plus grande part dans l'administration provinciale et diminua les impôts. Si ses armées vainquirent les Perses (581), il ne put empêcher les Avars et les Slaves de ravager les Balkans.

TIBÉRIADE, ville de Galilée, fondée vers 18 apr. J.-C. par Hérode* Antipas, qui l'appela du nom de l'empereur Tibère*. Elle est située sur la rive occidentale du lac de Génésareth, dit aussi « lac de Tibériade ». Après la ruine du Temple et de Jérusalem en 70, elle devint un des centres les plus importants de la vie intellectuelle et nationale juive. L'actuelle ville israélienne est située un peu au nord de la ville antique.

TIBESTI, massif montagneux du nord du Tchad, dont les sommets volcaniques constituent les points culminants du Sahara; 3 415 m à l'*Emi Koussi*.

TIBET, en chinois **Si-tsang** ou **Xizang,** « région autonome » de la Chine; 1 221 600 km^2; 1 250 000 hab. Capit. *Lhassa.*

GÉOGRAPHIE. Le Tibet est un ensemble de hautes terres (les trois cinquièmes, soit une superficie nettement supérieure à celle de la France, sont à plus de 3 500 m d'altitude) formées en majeure partie de plateaux dominés par des chaînes (K'ouen-louen au N. et

Lauros - Giraudon

Tibet. « Tanka » représentant le mandala de Vaisravana. Peinture du XIXe s. (?). [Musée Guimet, Paris.]

surtout Himālaya au S.) dépassant 6 000 m. Les conditions climatiques sont rudes (hivers rigoureux, pluviosité souvent réduite), s'adoucissant (relativement) cependant dans la haute vallée du Brahmapoutre (Ts'ang-po), où se concentre la majeure partie d'une population peu nombreuse, dominée politiquement et économiquement par des cadres chinois. L'élevage, encore largement nomade, est la ressource essentielle, avec un cheptel évalué à 15 millions de têtes. Les cultures (céréales) ont été développées (grâce à l'irrigation notamment), surtout dans le Ts'ang-po. Le Tibet a été partiellement désenclavé par la route, mais cela ne suffit pas à une intégration réelle à la Chine, limitée par le poids des contraintes naturelles et historiques.

HISTOIRE. La véritable histoire du Tibet, situé aux confins des civilisations indienne et chinoise, débute avec l'avènement de Srong-btsan-sgam-po (de 610 env. à 649), qui, l'influence chinoise aidant, donne à son royaume une organisation centralisée, rendue d'ailleurs nécessaire par les guerres et les pillages des féodaux, et qui étend sa puissance en direction du Népal et de l'Inde; c'est sous ce règne que se crée la langue tibétaine. Les deux épouses du roi, l'une chinoise et l'autre népalaise, contribuent à introduire le bouddhisme* au Tibet, et particulièrement à Lhassa, devenue capitale et qui se couvre de monastères. La monarchie tibétaine atteint son apogée avec Khri-srong-lde-btsan (de 755 à 797); sous le règne de celui-ci, le bouddhisme tibétain est pénétré par le bouddhisme *vajrayāna,* mélange de doctrines indiennes et de tantrisme, qui supplante la religion autochtone du Tibet, à racine chamaniste, le *bon.*

La royauté ayant disparu en 850, le Tibet se divise en petites principautés, tandis qu'une « seconde diffusion de la loi » bouddhique modifie profondément son infrastructure économique; les monastères bouddhiques deviennent alors des foyers qui concurrencent très fortement la grande aristocratie terrienne. Désormais, l'histoire du Tibet est étroitement mêlée à l'histoire de ces monastères et à celle des quatre grandes sectes orthodoxes fondées par le sage indien Atīśa (v. 980-1054).

Sous la suzeraineté des Mongols*, au XIIIe s., un favori de Kūbīlāy* khān, le religieux tibétain Phag-spa, fonde un véritable pouvoir théocratique. Avec Tsong-kha-pa (de 1355 à 1417), le pouvoir lamaïque — d'origine mongole — se fonde : contre lui, les Ming*, maîtres théoriques du pays, ne peuvent rien. C'est en 1578 que le mot mongol *dalaï* (océan) est attribué par Altan khān (de 1543 à 1583) au 3e successeur de Tsong-kha-pa; un siècle plus tard apparaît une autre entité temporelle, le *panchen-lama.* Le pouvoir spirituel et temporel du lama se renforce notamment au XVIIe s. sous Ngag-dbang-blo-bzang, bâtisseur, conquérant et avant tout homme religieux. Un moment contestée par l'aristocratie (1726-1750), l'autorité du dalaï-lama sort fortifiée de la guerre civile. Au XIXe s., la Chine — maîtresse nominale du Tibet — s'efforce d'isoler le plus possible la région pour la maintenir hors des influences étrangères : indienne, népalaise et donc britannique.

Cependant, les Britanniques imposent leur protectorat sur un État tributaire du Tibet, le Sikkim* (1861), et obtiennent de Lhassa, par la force, l'ouverture de deux marchés (1904). La Chine s'appuie sur le panchen-lama contre le dalaï-lama, symbole de l'indépendance tibétaine. En fait, il faut attendre l'instauration du régime communiste en Chine populaire (1949) pour voir les Chinois faire triompher l'idée selon laquelle le Tibet est « partie intégrante du territoire chinois ». En octobre 1950, les troupes chinoises occupent le Tibet, proclamé république autonome; le dalaï-lama doit se réconcilier avec le panchen-lama. En 1959, le gouvernement local organise une révolte contre les Chinois : celle-ci est écrasée, et le dalaï-lama doit s'enfuir. L'introduction de la révolution culturelle (1968) et l'application de la socialisation de l'économie (1970) se heurtent à une forte opposition, tandis que les milieux tibétains en exil maintiennent le symbole de l'indépendance.

BEAUX-ARTS. L'art du Tibet, essentiellement religieux, reflète la double influence de l'Inde et de la Chine. L'architecture frappe cependant par son originalité : temples, monastères, forteresses aux volumes sobres et puissants, élargis vers le bas, stūpa* indiens, devenus ici bulbeux sur une base cubique. Les œuvres peintes et sculptées connues sont assez récentes, mais reproduisent rigoureusement des prototypes anciens. On y retrouve des caractéristiques des ateliers du Bengale, du Cachemire* et du Népal* : hiératisme des grandes divinités, grâce des personnages féminins hanchés, abondance des ornements en sculpture, inspiration directe des miniatures indiennes en peinture. Les toiles peintes, ou tanka, doivent plus à la Chine pour leurs décors : poésie du paysage, valeur de l'espace, architectures. Les plus belles œuvres appartiennent au XVIIIe s., où les influences chinoises et indiennes s'équilibrent harmonieusement.

TIBÉTO-BIRMAN. — La branche tibéto-birmane, qui forme avec le chinois la famille sino-tibétaine, comprend deux langues monosyllabiques : le birman (12 millions de locuteurs) et le tibétain (7 millions). Le tibétain, qui s'écrit depuis le VIIe s. apr. J.-C. avec un alphabet d'origine indienne, est une importante langue de culture qui a servi de véhicule au bouddhisme.

TIBIA → JAMBE.

TIBRE (le), en ital. **Tevere,** le plus long fleuve de l'Italie péninsulaire, né dans l'Apennin toscan et qui passe à Rome avant de rejoindre la mer Tyrrhénienne près d'Ostie; 396 km.

TIBULLE, poète latin (v. 50-19/18 av. J.-C.). Il eut pour amis Horace, Virgile, Properce, Ovide et composa trois livres d'*Élégies.*

TIBUR → TIVOLI.

TIC. — Les tics ne correspondent à aucune lésion anatomique; ils apparaissent souvent dès l'âge de huit ou neuf ans en liaison avec des problèmes psychologiques. Le mouvement est involontaire, brusque, répété, variable dans le temps et sous l'influence des émotions. Les tics de la face sont les plus fréquents.

TIDIKELT, région déprimée du Sahara algérien, au N.-O. du Hoggar et dont le centre principal est In-Salah.

TIECK (Ludwig), écrivain allemand (Berlin 1773-*id.* 1853). Il orienta le romantisme allemand vers le fantastique avec ses comédies (*le Monde à l'envers,* 1798), ses drames et ses contes (*Phantasus,* 1812-1816). Ses derniers ouvrages témoignent de l'influence de W. Scott et de Manzoni (*Vittoria Accorombona,* 1840).

TIELT, v. de Belgique, dans l'est de la Flandre-Occidentale; 19 054 hab. Centre commercial.

T'IEN-CHAN ou **TIANSHAN,** en russe **Tian-Chan,** longue chaîne montagneuse (env. 1 500 km) de l'Asie centrale, s'étendant en majeure partie en Chine (Sin-kiang), mais débordant à l'O. en U.R.S.S. (Kirghizistan). Le point culminant (le pic Pobiedy, 7 439 m) se situe à la frontière.

T'IEN-TSIN ou **TIANJIN,** v. de Chine, sur le Hai-ho; 4 280 000 hab. Enclavée dans la province du Ho-pei, à environ 120 km de Pékin, cette ville est la troisième de Chine et constitue, comme Pékin et Chang-hai, une « municipalité spéciale » sous autorité directe du gouvernement central. À 40 km du golfe de Po-hai, elle est cependant un port important, dont le trafic est lié à une grande activité industrielle (textile, alimentation, chimie et métallurgie). — C'est à T'ien-tsin que furent signés un traité qui ouvrait aux Occidentaux onze ports chinois (1858) et deux traités qui faisaient triompher les droits de la France sur l'Annam et le Tonkin (1884 et 1885).

TIEPOLO (Giambattista ou Gian Battista), peintre et graveur italien (Venise 1696-Madrid 1770). D'abord influencé par Piazzetta, il revient bientôt à la peinture claire de Véronèse. Fresquiste virtuose, aimant le mouvement et le faste, doué d'un sens raffiné de la couleur, il est le dernier des grands décorateurs baroques italiens. Il travaille à Udine (archevêché, 1726), à Milan, à Venise (église des Gesuati, 1737; palais Labia, 1747 : *Histoire d'Antoine et Cléopâtre,* aux architectures en trompe l'œil composées par un collaborateur spécialisé), à Würzburg (« Kaisersaal » et escalier de la Résidence, v. 1751), en Vénétie (villas patriciennes) et à Madrid, où il part avec ses deux fils, en 1762, pour décorer le palais royal; dans cette dernière phase, son style, moins éclatant, témoigne d'une inquiétude spirituelle. Il est également peintre de chevalet, portraitiste et aquafortiste (suites des *Caprici* et des *Scherzi di fantasia,* d'une poétique légèreté). — Son fils aîné, GIANDOMENICO (Venise 1727-*id.* 1804), est très tôt son collaborateur. Dans ses toiles, il se montre un observateur sensible et ironique de la vie vénitienne (*l'Arracheur de dents, le Menuet,* Louvre).

TIERCE → THÉORIE MUSICALE.

TIERCÉ → COURSES DE CHEVAUX.

TIERCÉ (49140 Seiches sur le Loir), ch.-l. de cant. de Maine-et-Loire, sur la Sarthe, à 19,5 km au N. d'Angers; 2 025 hab.

tiers état, nom donné, dans la France de l'Ancien Régime, à l'ensemble des hommes libres qui n'appartiennent pas aux deux ordres privilégiés (le clergé et la noblesse) et qui forment ainsi le troisième ordre (état) de la société. Théoriquement englobée dans un même statut juridique, cette population, qui, à partir du XVe s., a ses représentants aux états généraux, se divise en réalité en diverses classes sociales (bourgeois, artisans, ouvriers, paysans) aux intérêts radicalement opposés.

TIERS EXCLU (principe du). — D'après ce principe, une proposition est soit vraie, soit fausse : $p \vee \neg p$.

TIFFANY (Charles Lewis), orfèvre et joaillier américain (Killingly, Connecticut, 1812-New York 1902). Il fonda en 1837, à New York, une maison qui devint célèbre dans le monde entier pour son argenterie et ses articles de fantaisie. — Son fils LOUIS COMFORT (New York 1848-*id.* 1933), d'abord peintre, fonda en 1878 une firme d'arts décoratifs et de verrerie. À partir de 1890, il exerça une influence sur l'Art nouveau européen par ses vitraux et surtout par des vases en verre soufflés d'inspiration végétale, d'une grande élégance, aux coloris et aux irisations infiniment variés.

TIFLIS → TBILISSI.

TIGE. — La fonction de la tige des plantes terrestres est d'élever les feuilles vers la lumière. Typiquement, une tige part d'un *collet,* situé au niveau du sol et où elle prolonge la racine principale, s'élève verticalement et porte un certain nombre de *nœuds,* chacun d'eux portant une feuille et un rameau, ou tige secondaire. À son sommet, des nœuds plus serrés portent chacun une feuille réduite (bractée) et une tige spéciale, le pédoncule floral, terminée par une fleur. L'intérieur de la tige est le lieu d'une intense circulation de sève ascendante (vaisseaux du bois) et de sève élaborée (tubes libériens), vaisseaux et tubes étant, chez la jeune tige, rassemblés en faisceaux mixtes. Chez les plantes à partie aérienne vivace, la tige s'épaissit chaque année de *formations secondaires* et prend l'aspect d'un *tronc,* où dominent le bois et l'écorce. Chez les arbres à feuilles caduques, les rameaux de l'année sont seuls feuillus. Les tiges qui s'enroulent autour des supports sont dites *volubiles* (haricot, houblon). Les longues tiges ligneuses à section aplatie qui « rampent » le long des branches des autres espèces sont des *lianes.* La tige peut s'aplatir en raquettes charnues chez les plantes des lieux arides (opuntia). Chez les monocotylédones, elle est parfois creuse (*chaume* des graminacées) ou couverte de cicatrices foliaires (*stipe* des palmiers).

À ces tiges verticales s'opposent les tiges horizontales et quasi souterraines, ou rhizomes*, de nombreuses plantes vivaces et les tiges atrophiées, dites *bulbes** ou *oignons.* Bourgeons, rameaux et feuilles suffisent à les distinguer des racines.

TIGNES (73320), comm. de la Savoie, sur la haute Isère; 1 412 hab. *(Tignards).* Barrage et retenue (lac du Chevril). Commune et station de sports d'hiver (2 100-3 550 m), la plus haute d'Europe.

TIGRANE le Grand (v. 121-v. 55 av. J.-C.), roi d'Arménie* (95-55). Il conquit un vaste empire, comprenant une part de la Transcaucasie, le Nord de la Mésopotamie et de la Perse, la Cilicie et la Syrie. Les Romains lui imposèrent leur suzeraineté.

TIGRE. — Le tigre, à peine moins puissant que le lion, se reconnaît à son pelage fauve à grandes raies noires. Il ne vit qu'en Asie, au sud d'une ligne Iran-Corée, et dans les îles indonésiennes les plus proches du continent. Hôte de la savane herbue, il chasse à l'affût, de nuit surtout. Il est redoutable. (Famille des félidés.)

TIGRE (le), fl. de l'Asie occidentale; 1 950 km. Né dans le sud-est de la Turquie, le Tigre sépare sur quelques kilomètres la Turquie et la Syrie avant de pénétrer en Iraq, où se déroule la majeure partie de son cours. Il passe à Mossoul, puis à Bagdad avant de rejoindre l'Euphrate pour former le Chaṭ al-'Arab. Barré notamment à Sāmarrā, à Kūt et en aval d''Amāra, il contribue à l'irrigation et à la mise en valeur de la Mésopotamie.

TIHANGE, anc. comm. de Belgique (prov. de Liège), sur la Meuse, intégrée en 1977 à Huy. Centrale nucléaire.

TI-HOUA → OUROUMTSI.

TIJUANA, v. de l'extrémité nord-ouest du Mexique, à la frontière des États-Unis, en face de San Diego; 277 000 hab. Électronique.

TIKAL, site archéologique du Guatemala (Petén), où se dressent les vestiges de la plus grande des métropoles mayas, occupée dès 600 av. J.-C. et abandonnée vers 900. Ces vestiges comprennent six temples-pyramides, huit jeux de balle et un énorme complexe sur l'acropole nord. La plus ancienne date connue de l'histoire maya (292) a été relevée sur l'une des stèles sculptées découvertes dans la cité.

TILBURG, v. du sud des Pays-Bas (Brabant-Septentrional); 211 000 hab. Industries électriques et chimiques.

TILBURY, avant-port de Londres, sur la rive nord de l'estuaire de la Tamise.

TILDEN (William Tatem), joueur américain de tennis (Germantown, Pennsylvanie, 1893-Hollywood 1953). Il domina le tennis mondial dans la première moitié des années 20, ne perdant pas une rencontre importante de juillet 1920 à août 1926, remportant dans l'intervalle six fois la coupe Davis, six titres consécutifs de champion des États-Unis et deux fois le tournoi de Wimbledon.

TILLANDSIA → BROMÉLIACÉES.

TILLEUL. — Les avenues des villes européennes sont souvent ornées de tilleuls. On cultive également cet arbre pour sa fleur, utilisée comme tisane calmante. Les deux espèces françaises du genre *Tilia* sont de beaux arbres pouvant atteindre de 20 à 30 m de hauteur et fournissant un bel ombrage. Les feuilles sont rondes, sauf une petite pointe au bout. L'inflorescence est à demi soudée à une longue bractée en languette, de teinte plus pâle que les feuilles. Le fruit est une petite sphère très dure. (Famille des tiliacées ou, pour certains auteurs, des malvacées.)

TILLEUR, anc. comm. de Belgique, sur la Meuse, intégrée à Liège en 1977. Métallurgie.

TILLICH (Paul), théologien protestant américain d'origine allemande (Starzeddel, Prusse-Orientale, 1886-Chicago 1965). Il est, avec Karl Barth* et Rudolf Bultmann*, un des trois grands représentants de la pensée réformée contemporaine. Professeur de théologie, destitué par les nazis, il s'exile aux États-Unis en 1933. Son œuvre théologique, que dominent les trois volumes de sa *Théologie systématique* (1951-1963), propose une religion dépouillée de son traditionnel contenu dogmatique et de ses symboles, devenus incompréhensibles à l'homme contemporain.

TILLY (Jean T'SERCLAES, *comte* DE), général wallon au service du Saint Empire (Tilly, Brabant, 1559-Ingolstadt 1632). À la tête de la Ligue catholique, il remporte les victoires de la Montagne Blanche (1620) et de Wimpfen (1621). Il chasse les Danois du Slesvig et du Holstein avant de remplacer Wallenstein* comme chef des troupes impériales (1631). Il est battu par Gustave-Adolphe*.

TILLY-SUR-SEULLES (14250), ch.-l. de cant. du Calvados, à 12,5 km au S. de Bayeux; 1 064 hab.

Tilsit *(traités de),* traités signés à Tilsit (auj. Sovietsk) par Napoléon en juillet 1807 avec la Russie (le 7) et la Prusse (le 9). Mettant fin à la quatrième coalition*, ils consacraient la défaite de la Prusse et créaient une alliance secrète de la France et de la Russie contre l'Angleterre.

TIMANTHE, peintre grec du IVe s. av. J.-C., dont l'œuvre est seulement connue par la tradition écrite, qui lui attribue un *Sacrifice d'Iphigénie* qui aurait inspiré de nombreux peintres.

TIMBALE. — Usitée en France dès le XIIe s. comme instrument à percussion des musiques militaires, la timbale — composée d'un bassin sphérique en cuivre sur lequel est tendue une peau — bénéficia au XVIIe s. de perfectionnements (des vis pour régler la tension de la peau) qui lui permirent d'être intégrée à l'orchestre symphonique.

TIMBRE *(Acoust.).* — Tout son musical produit par des vibrations de fréquence N est dû à la superposition de sons simples harmoniques de fréquences N, 2N, 3N, etc. Le timbre du son musical est lié aux intensités relatives des différents harmoniques. Un bruit est un son non périodique dû à la superposition des partiels de la source sonore, qui jouent un rôle analogue.

TIMBRE-POSTE. — • HISTORIQUE. Apparu seulement au milieu du XIXe s., le timbre-poste ne présentait antérieurement aucun intérêt : le tarif était fonction de la distance, et le prix en était perçu sur le destinataire. La notion de timbre-poste exigeait que deux conditions fussent réunies : la simplification du système de taxation et l'affranchissement préalable. La naissance du timbre-poste est liée à la réforme de sir Rowland Hill (1795-1879) en Grande-Bretagne, réforme qui prévoyait l'utilisation d'enveloppes et de feuilles de papier frappées d'un timbre d'affranchissement et vendues au public par l'Administration. De la sorte, lettres et journaux pouvaient être jetés dans les boîtes aux lettres. Cette

TIGE

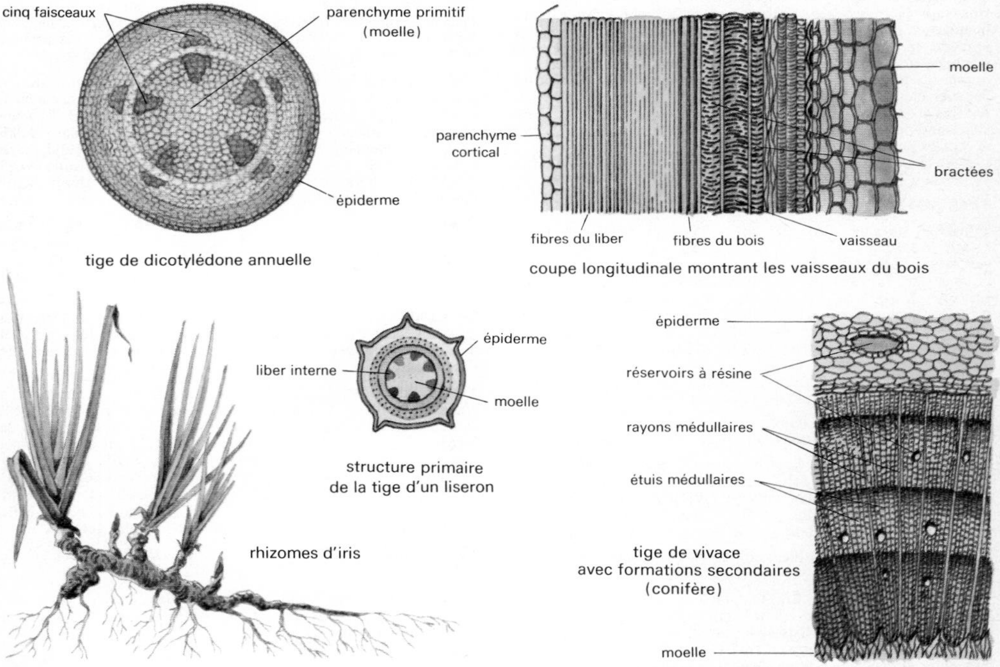

tige de dicotylédone annuelle

coupe longitudinale montrant les vaisseaux du bois

structure primaire de la tige d'un liseron

rhizomes d'iris

tige de vivace avec formations secondaires (conifère)

réforme fut votée par le Parlement britannique le 26 décembre 1839, et le timbre-poste, mis en service le 6 mai 1840, suscita un intérêt immédiat. En France, il fut adopté, à l'instigation d'Étienne Arago (1802-1892), directeur des Postes, par un décret-loi voté le 24 août 1848, qui en prévoyait la mise en service le 1er janvier 1849. Les premières années, il ne recueillit qu'un assentiment limité : furent affranchies au dépôt en timbres-poste 15 p. 100 des lettres en 1849, 49 p. 100 en 1854, 85 p. 100 en 1855. Puis il connut un essor comparable dans de nombreux pays, qui l'adoptèrent progressivement. Jusqu'en 1900 environ, la seule préoccupation était d'émettre des vignettes destinées à affranchir les objets de correspondance. Seuls quelques collectionneurs voyaient dans le timbre un objet présentant un intérêt esthétique ou historique. Aussi le nombre de vignettes resta-t-il réduit et stable jusqu'en 1920.

• FABRICATION. La décision d'émission est prise par le ministre des Postes, qui, après avis d'une commission consultative, détermine le programme annuel et les thèmes choisis pour les vignettes. En cas de besoin, il décide l'adjonction d'émissions supplémentaires. Les thèmes étant arrêtés, un artiste est désigné, qui présente plusieurs projets de maquettes réalisées au pinceau. Après le choix de la maquette par le ministre, l'artiste aborde la phase de la gravure sur un bloc d'acier dur avec pour seuls instruments un burin et une loupe binoculaire. Gravé en creux, le bloc est ensuite reproduit en relief sur une *molette* en acier doux. À partir de la molette sont fabriquées les *coquilles,* qui, assemblées par groupes de trois, constituent les *cylindres.*

L'impression des timbres-poste fut initialement effectuée en France par l'atelier de la Monnaie à Paris. En 1880, l'administration des Postes prit ce travail à sa charge. Depuis 1970, l'imprimerie des timbres-poste est installée à Périgueux. Elle travaille non seulement pour l'administration des Postes françaises, mais également pour de nombreux offices postaux étrangers. Les techniques d'impression sont de trois types. La *typographie** se caractérise par une impression obtenue à partir des reliefs des cylindres. C'est le procédé le plus ancien. *L'héliogravure** supprime la gravure manuelle au profit de procédés photochimiques. La *taille douce* est le procédé le plus récent, devenu le plus courant : l'encre déposée dans les creux gravés du cylindre est transférée sur le papier. Les réglages d'encrage, les contrôles électroniques, les mesures hygrométriques, les opérations de nettoyage sont des tâches délicates nécessaires pour éviter les malfaçons.

Au-delà de son rôle d'affranchissement postal, le timbre-poste est devenu un véhicule de culture et un objet de collection.

TIME SHARING → PARTAGE DE TEMPS.

TIMGAD, localité d'Algérie, sur le versant septentrional de l'Aurès, à 1 072 m d'altitude; 3 300 hab. Située sur une voie romaine qui reliait Lambèse (Tazoult) à Theveste (Tébessa), Timgad (Thamugadi) fut d'abord un simple poste militaire chargé de surveiller les débouchés de l'Aurès. En 100, Trajan en fit une colonie romaine. Dégagée, la ville antique est l'un des meilleurs exemples des conceptions architecturales et urbaines des Romains, et en particulier de l'ampleur de celles de Trajan : stricte géométrie du plan, voies principales bordées de portiques, nombreux édifices publics (capitole, temple, forum, trois thermes) et riches quartiers d'habitation, qui ont livré, entre autres, de très belles mosaïques*.

TIMIŞOARA, v. de l'ouest de la Roumanie; 205 000 hab. Université. Industries textiles, mécaniques et chimiques.

TIMMERMANS (Félix), écrivain belge d'expression néerlandaise (Lierre 1886-*id.* 1947). Salué comme le « prince des conteurs flamands » pour son roman *Pallieter* (1916), il retrouve dans ses récits l'inspiration des fabliaux du Moyen Âge (*le Petit Jésus en Flandre,* 1917; *les Belles Heures de Mlle Symphorose, béguine,* 1918).

TIMMINS, v. du Canada (Ontario), au N. de Sudbury; 28 542 hab. Centre minier.

TIMOCHENKO (Semen Konstantinovitch), maréchal soviétique (Fourmanka 1895-Moscou 1970). Compagnon d'armes de Staline et de Vorochilov contre les Russes blancs (1919), il fut commissaire à la Défense en 1940 et dirigea en 1943-44 la reconquête de l'Ukraine, puis entra en Roumanie et en Hongrie. De 1945 à 1947, il coopéra en Chine à la réorganisation des forces de Mao Tsö-tong.

TIMOLÉON, homme politique grec (Corinthe v. 410-Syracuse v. 336 av. J.-C.). Aristocrate corinthien, il est envoyé à Syracuse pour y résoudre la crise politique (344) et contraint Denys le Jeune à abdiquer. Après avoir battu les Carthaginois au bord du Crimisos (341), il reconquiert et réorganise les cités grecques de Sicile. Ayant rendu la paix à la Sicile, il renonce au pouvoir en 337 av. J.-C.

Timon d'Athènes, drame en cinq actes, en vers et en prose, de Shakespeare (1607-1608).

TIMOR, île de l'est de l'Indonésie, au N. de la *mer de Timor* (limitée au S. par le continent australien); 34 000 km^2; 1,2 million d'hab. C'est une île montagneuse, au climat tropical, souvent ravagée par des typhons et peuplée de multiples tribus, vivant essentiellement de la culture sur brûlis (maïs). — En 1520 s'établissent à Timor quelques Portugais. Mais, un siècle plus tard, les Portugais doivent compter avec l'âpre rivalité des Hollandais. Après 1769, ils se regroupent à Dili, qui restera la capitale du Timor portugais. Les hostilités anglo-hollandaises du début du XIXe s. — Timor est anglaise de 1811 à 1816 — profitent aux Portugais, qui étendent leur influence dans le centre de l'île. En fait, les frontières entre la zone hollandaise et la zone portugaise ne sont fixées durablement qu'en 1914. En dépit de leur isolement, les jeunes Timorais participent au mouvement de renaissance nationale de l'Indonésie*. Celle-ci prend le contrôle effectif de l'ensemble de l'île en 1975-76, à la faveur du changement de régime au Portugal.

TIMOSHENKO (Stephen), ingénieur américain d'origine russe (Chpotovka 1878-Wuppertal 1972). Théoricien dans le domaine de la résistance des matériaux, il est considéré comme le plus grand spécialiste des problèmes d'élasticité.

TIMOTHÉE *(saint)* [Ier s.], disciple de l'apôtre saint Paul*, qu'il accompagna dans ses deuxième et troisième voyages missionnaires. La tradition le considère comme le premier évêque d'Éphèse*, où il aurait été martyrisé. Les deux épîtres de saint Paul dites « Épîtres à Timothée » sont des écrits de discipline ecclésiastique touchant la vie spirituelle et matérielle des Églises; de nombreux historiens mettent en doute leur authenticité paulinienne.

TĪMŪRIDES, dynastie turque, qui a régné sur le Khorāsān et la Transoxiane de 1405 à 1507. Tīmūr Lang* avait partagé son empire entre ses nombreux descendants et confié le pouvoir suprême à Pīr Muḥammad. Ce dernier est évincé par Chāh Rokh, ou Rukh (de 1405 à 1447), quatrième fils de Tīmūr Lang. Durant le règne de Chāh Rokh, les princes tīmūrides sont éliminés de Mésopotamie, puis d'Anatolie et d'Azerbaïdjan par les Turkmènes du Mouton* Noir. Cependant, Chāh Rokh amorce l'œuvre de reconstruction des régions dévastées par son père. Ḥusayn Bāyqarā (de 1469 à 1506), mécène et fin lettré, règne sur l'Iran oriental et la Transoxiane, d'où les Tīmūrides sont chassés en 1507 par les Ouzbeks*. La capitale de la dynastie, Harāt*, a été un brillant foyer de culture.

TĪMŪR LANG (« le Boiteux »), souvent appelé **Tamerlan** (Kech, près de Samarkand, 1336-Otrar 1405), conquérant turc musulman, fondateur d'un immense et éphémère empire. Il libère la Transoxiane des Mongols (1363) et se fait proclamer émir dans Balkh (1370). Il conquiert le Khārezm (1371-1379) et l'Iran (1381-1387). Sorti vainqueur d'une lutte très difficile avec la Horde d'Or* (1387-1396), il ravage l'Arménie, la Syrie et la Mésopotamie (1400-1401), et bat Bayezid Ier* à Ankara (1402).

TINAMOU. — Cet oiseau américain, ressemblant à une perdrix sans queue, ne pouvant ni percher ni voler, vit sur le sol des forêts andines. Intermédiaires entre les autruches et les galliformes par leur structure, les tinamous forment à eux seuls l'ordre des *tinamiformes.*

TINBERGEN (Jan), économiste et statisticien néerlandais (La Haye 1903). Il a reçu en 1969, avec Ragnar Frisch*, le prix Nobel d'économie pour ses recherches qui ont contribué à la naissance de l'économétrie.

TINBERGEN (Nikolaas), zoologiste et éthologiste néerlandais (La Haye 1907). Il est considéré avec K. Lorenz* et K. von Frisch*, qui furent également lauréats du prix Nobel de physiologie et de médecine en 1973, comme le fondateur de l'éthologie* moderne. Les recherches sur les comportements instinctifs fondées sur l'observation fine des comportements animaux dans des conditions naturelles ont contribué à la création du courant dit *d'éthologie positive.* Tinbergen a ainsi été amené à formuler une théorie hiérarchique de l'instinct* (1951), qui fait toujours autorité.

TINCHEBRAY (61800), ch.-l. de cant. de l'Orne, à 15 km à l'O. de Flers; 3 351 hab.

TINDEMANS (Léo), homme politique belge (Zwijndrecht 1922). Membre du parti social-chrétien, plusieurs fois ministre, il devient président du Conseil en 1974.

TINDOUF, poste de l'ouest du Sahara algérien, proche du Maroc et du Sahara occidental.

TINÉE (la), riv. du nord des Alpes-Maritimes, affl. du Var (r. g.); 72 km. Aménagements hydroélectriques (Valabres, Bancairon, Courbaisse).

TINGUELY (Jean), sculpteur suisse (Fribourg 1925). D'abord peintre abstrait, désireux d'explorer le hasard et la durée, il fabrique à Paris, en 1953-54, la série de ses reliefs « métamécaniques », animés par un moteur, et ses premiers robots à dessiner « metamatics ». Suivent de cocasses machines dansantes faites d'objets de rebut, d'un esprit dadaïste inventif. En 1960, Tinguely présente son *Hommage à New York,* « machine-happening autodestructrice », et participe à la fondation du nouveau réalisme*. Puis commence la série des grandes machines peintes de noir, assemblages mécaniques s'évertuant avec bruit et hoquets, sur des rythmes décalés, pour la pure dérision (« Rotozazas », ludiques ou destructeurs, 1967).

TINQUEUX (51100 Reims), comm. de la Marne, dans la banlieue ouest de Reims; 8615 hab.

TINTÉNIAC (35190), ch.-l. de cant. d'Ille-et-Vilaine, à 27,5 km au N. de Rennes; 2443 hab.

TINTO *(río)*, fl. côtier du sud de l'Espagne, qui rejoint l'Atlantique dans le golfe de Cadix; 100 km. Mines de cuivre dans son bassin supérieur (vers Minas de Ríotinto).

TINTORET (Iacopo Robusti, dit **il Tintoretto,** en franç. **le**), peintre italien (Venise 1518-*id.* 1594). Son œuvre, abondante, fut entièrement réalisée à Venise, ponctuée notamment par les quatre tableaux des *Miracles de saint Marc* (1548 et 1562-1566, Accademia et pinacothèque de Brera, Milan), par le vaste cycle de la Scuola di San Rocco (en trois campagnes, entamées en 1564, en 1576 et en 1583) et par les décors pour le palais des Doges (que couronne l'immense *Paradis* de 1588, réalisé avec des aides). Élève, entre autres maîtres, de Titien, admirateur de Michel-Ange, le Tintoret était doué d'une étonnante virtuosité, usant de raccourcis audacieux, faisant jouer dramatiquement l'ombre et la lumière, dans une palette grave, pour créer une vision impétueuse et poétique, proche du maniérisme et annonciatrice du baroque.

TIOUMEN, v. de l'U.R.S.S. (R.S.F.S. de Russie), en Sibérie occidentale; 269000 hab. Centre d'une région grande productrice de pétrole et de gaz naturel.

TIPASA, v. d'Algérie, sur la Méditerranée, à l'O.-S.-O. d'Alger; 9000 hab. Vestiges importants de la ville romaine et de plusieurs basiliques chrétiennes.

TIPPERARY, v. du sud de l'Irlande, dans le *comté de Tipperary;* 5000 hab.

TIPPETT (*sir* Michael), compositeur anglais (Londres 1905). On lui doit notamment l'oratorio *A Child of our Time,* trois symphonies, trois quatuors à cordes, trois sonates pour piano et quatre opéras (dont *The Midsummer Marriage* et *The Knot Garden*).

TĪPŪ SĀHIB ou **TIPPOO SAHIB,** sultan de Mysore (v. 1749-Seringapatam 1799). Allié de la France, il chassa les Anglais du Mysore (1784). Mais, ayant dû abandonner la moitié de ses États (1792), il ne reçut pas de Bonaparte les secours escomptés (1798) et fut tué en défendant Seringapatam.

TIPULE. — Impressionnant par sa taille, ce moustique, dont la larve est nuisible au chou et aux graminacées, est inoffensif pour l'homme. Il en existe quarante-deux espèces en France.

TIQUE. — Les tiques sont des acariens buveurs de sang, qui enfoncent profondément la tête dans la peau de leur hôte (homme, chien, tortue, etc.). Lorsqu'on tente de les arracher, le corps, seul, cède, et la tête peut occasionner un abcès. Le volume du corps peut, chez la femelle, devenir deux cents fois plus gros en se gorgeant de sang. (Genre principal : *Ixodes.*)

TIR. — Ce terme désigne l'art ou l'action de lancer un projectile avec une arme sur un but appelé « objectif ». Celui-ci ayant, comme l'arme et le projectile, des caractéristiques variables, les problèmes du tir sont complexes. Les tirs sont en effet effectués sur des objectifs fixes ou mobiles, observés ou non, à terre, sur mer et dans les airs à partir d'armes qui sont elles-mêmes fixes ou mobiles à terre, sur aéronef ou à bord de navires. Les armes, à tir courbe ou tendu, vont du pistolet à la mitrailleuse, du canon au mortier, de la roquette au missile, de la mine à la torpille. Les projectiles*, enfin, peuvent être chargés ou non, et leur charge peut être explosive, chimique ou nucléaire.

• *Technique du tir.* Qu'il s'agisse de tir d'infanterie, d'artillerie ou de blindé, de tir antipersonnel, antichar ou antiaérien, de tir aérien ou naval, de tir nucléaire tactique ou stratégique, chaque genre de tir possède ses règles particulières et sa technique propre. La *trajectoire,* ligne décrite par le centre de gravité du projectile de son point de départ à son point d'arrivée, est une donnée essentielle d'un tir. Pour chaque arme, des trajectoires dites « de référence » sont fournies par des *tables de tir.* Pour les projectiles classiques (balles, obus), la trajectoire dite « balistique » est fonction d'un certain nombre de données angulaires initiales. Pour les roquettes, la trajectoire comporte une trajectoire de propulsion, qui est fonction de la nature du moteur, et une trajectoire balistique, identique à celle d'un obus. Pour les missiles, plusieurs cas se présentent. Si le missile a pour objectif un but ponctuel, sa trajectoire est constamment en phase propulsée-guidée, un système autodirecteur agissant le plus souvent dans sa partie terminale. Pour les missiles balistiques surface-surface, la phase initiale propulsée-guidée est suivie d'une phase balistique, dont la trajectoire est déterminée par les paramètres de la vitesse au point d'extinction des moteurs. Dans un autre domaine, on dit d'un tir qu'il est *précis* quand les points d'impact forment un groupe serré et qu'il est *réglé* ou *en place* quand le point moyen du groupement coïncide avec le point visé, le *tir juste* étant à la fois précis et réglé.

• *Préparation et exécution du tir.* Il est souvent nécessaire de préparer le tir avant de passer au *tir d'efficacité,* ou tir proprement dit. La préparation, dont les étapes sont différentes selon la nature des armes, des projectiles et des objectifs, consiste à déterminer les éléments à donner aux moyens de lancement ou bien les paramètres à introduire dans les appareils de guidage. Dans les tirs de projectiles classiques, la préparation théorique est généralement suivie de réglages par *tirs d'essai* puis par *tirs d'amélioration.* Avec les armes individuelles, les tirs sont exécutés *coup par coup* ou *par rafales,* soit *au poser,* soit *au jeter,* selon que le tireur épaule et vise avec ou sans appui. Ils sont exécutés *au juger* si le tireur maintient simplement l'arme à la hanche sans viser ni épauler. Les tirs au jeter et au juger sont appelés *tirs instinctifs.*

• *Genres de tirs.* Le tir est *direct* ou *indirect,* selon que le tireur voit ou ne voit pas l'objectif. La direction de la ligne de tir par rapport à l'objectif permet de distinguer le *tir de flanquement* du *tir de face,* le *tir de front* du *tir d'écharpe* et le *tir de flanc* du *tir de revers.* D'autres facteurs caractérisent le *tir d'enfilade,* le *tir fichant,* le *tir plongeant,* le *tir rasant* et le *tir tendu.*

• *Emploi tactique des tirs.* Dans l'offensive, on emploie des *tirs de préparation* avant une attaque, des *tirs de protection* et des *tirs de soutien* pour appuyer au plus près les unités attaquantes. Dans la défensive, on utilise des *tirs de contre-préparation* ou *d'arrêt* pour briser, avant ou après son débouché, une attaque ennemie. Dans tous les cas, des *tirs de harcèlement* ou *d'interdiction* permettent de gêner l'ennemi ou de paralyser ses communications, tandis que des *tirs d'aveuglement* (généralement fumigènes) et *de contrebatterie* neutralisent ses observatoires et ses batteries.

• *Effets des tirs.* Selon les dommages recherchés, les tirs peuvent être des *tirs de destruction* ou *de démolition,* pour anéantir un objectif, ou des *tirs de neutralisation,* pour paralyser momentanément l'ennemi. Dans les tirs nucléaires, les effets, qui dépendent, notamment, de la puissance de la charge et de la hauteur d'éclatement, sont à la fois mécaniques, thermiques et radioactifs.

TIRAN, détroit et île entre la mer Rouge et le golfe d'ʿAqaba.

TIRANA, capit. de l'Albanie; 183000 hab. Musée d'archéologie et d'ethnographie. Galerie des beaux-arts. Industries mécaniques et textiles. Verrerie.

TIRANT D'EAU → NAVIRE.

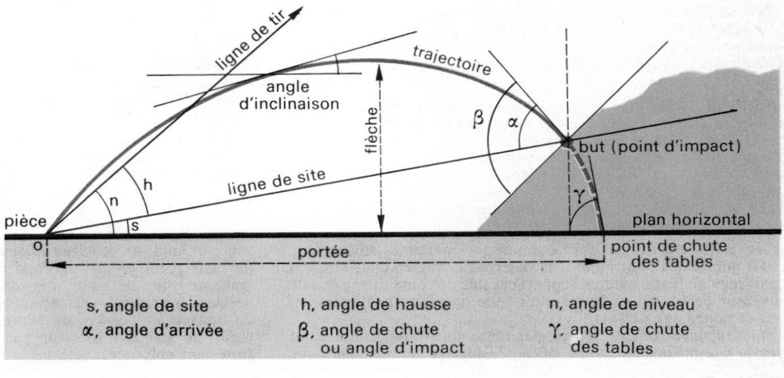

TIR.
Trajectoire d'un projectile classique.

TIRASPOL, v. de l'U. R. S. S. (R. S. F. S. de Russie), sur le Dniestr; 105 000 hab. Industries alimentaires et textiles.

TIRÉSIAS, devin aveugle de Thèbes, qui joua un rôle important dans le cycle thébain. Son tombeau fut, aux temps historiques, le siège d'un oracle réputé.

TÎRGOVIŞTE ou **TÂRGOVIŞTE,** v. de Roumanie, au N.-O. de Bucarest; 37 000 hab. Nombreuses églises remontant aux XVIe, XVIIe s., dont l'ancienne église princière, typique du style valaque (fresques). Sidérurgie. Constructions mécaniques et électriques.

TÎRGU-JIU, v. de Roumanie, en Valachie; 47 000 hab.

TÎRGU-MUREŞ ou **TÂRGU-MUREŞ,** v. du centre de la Roumanie, en Transylvanie; 110 000 hab. Édifices baroques du XVIIIe s. Musées. Gisement de gaz naturel. Engrais. Industries du bois.

TIRIDATE, nom porté par des rois parthes arsacides* (v. PARTHES) et par des rois d'Arménie*. TIRIDATE Ier (248 - v. 214) fut avec son frère Arsace* le fondateur de l'Empire parthe. Une branche de la famille arsacide régna en Arménie; son plus illustre représentant fut TIRIDATE II (ou III), roi de 294 à 324, qui, devenu chrétien en 305, propagea le christianisme dans son royaume et mourut victime d'une révolte, peut-être à l'instigation du roi perse sassanide* Châhpuhr II.

TIRLEMONT, en néerl. **Tienen,** v. de Belgique, dans l'est du Brabant; 32 818 hab. Églises médiévales.

TIRNOVO → VELIKO TĂRNOVO.

TIRPITZ (Alfred VON), amiral allemand (Küstrin 1849 - près de Munich 1930). Chef d'état-major (1892), puis ministre de la Marine (1898), il créa la flotte de haute mer allemande (alors seconde flotte mondiale) et dirigea la guerre sous-marine de 1914 jusqu'à sa démission en 1916.

TIRSO DE MOLINA (Fray Gabriel TÉLLEZ, dit), auteur dramatique espagnol (Madrid v. 1583 - Soria 1648). Entré en 1601 dans l'ordre de la Merci, il se mêla aux polémiques littéraires de son temps et prit violemment parti contre le gongorisme. Il écrivit des contes édifiants (*Amuser et être utile,* 1635), des récits imitant les nouvelles italiennes (*les Jardins de Tolède,* v. 1625) et créa le théâtre de mœurs espagnol en composant plus de trois cents pièces, parmi lesquelles des comédies d'intrigue (*Don Gil aux chausses vertes,* 1617) et des drames historiques (*la Sagesse d'une femme,* 1635), romanesques (*le Trompeur de Séville,* v. 1625; *les Amants de Teruel,* 1635) et religieux (*le Damné par manque de foi,* 1635).

TIRUCHIRAPALLI, v. de l'Inde, dans l'intérieur du Tamil Nadu, sur la Kāviri; 307 000 hab.

TIRUNELVELI, v. de l'Inde, dans le sud du Tamil Nadu; 109 000 hab.

TIRUPPUR, v. de l'Inde, dans l'ouest du Tamil Nadu; 113 000 hab.

TIRYNTHE, cité grecque d'Argolide*, très importante à l'époque mycénienne*. Elle survécut aux destructions des Doriens* (fin du IIe millénaire). À l'époque classique, elle eut un rôle modeste; elle fut détruite en 468 av. J.-C. par Argos*. La plupart des vestiges dégagés, dont les impressionnantes fortifications en appareil cyclopéen, appartiennent au troisième complexe palatial (env. XIIIe s. av. J.-C.), qui, malgré un aspect dissymétrique, était ordonné autour d'un élément typiquement mycénien*, le mégaron. On a recueilli plusieurs fragments de peintures murales fortement influencés par les œuvres minoennes*.

TISELIUS (Arne), biochimiste suédois (Stockholm 1902 - Uppsala 1971). Il a isolé et identifié diverses protéines du sang et du lait. (Prix Nobel de chimie, 1948.)

TISO (Jozef), prélat et homme politique slovaque (Velká Bytča 1887 - Bratislava 1947). Président du gouvernement autonome slovaque (1938), il se rallia à la politique de Hitler et proclama l'indépendance de son pays sous le contrôle allemand (1939). Président du conseil slovaque jusqu'en 1945, il fut exécuté après la chute du nazisme.

TISSAGE. — Le tissage est l'art d'entrecroiser des fils pour en faire des tissus*. Parmi ces fils, les uns sont parallèles au sens d'avancement du tissu en cours de fabrication et sont appelés *fils de chaîne,* les autres sont perpendiculaires à la chaîne et sont dénommés *fils de trame.* Pour pouvoir être présenté sous un enroulement adapté au métier à tisser, le fil livré par la filature subit avant tissage toute une série d'opérations, qui prend le nom de *préparation tissage.*

• La *préparation de la chaîne* groupe les opérations suivantes.
Le *bobinage* a pour objet d'enrouler, sous une certaine tension, le fil reçu de filature sur un support capable de contenir une grande longueur de fil, qui subira pendant cette opération une épuration qui éliminera ses défauts.

L'*ourdissage* consiste à enrouler, dans un ordre déterminé et autant que possible sous une même tension, un certain nombre de fils d'égale longueur sur une ensouple pour former la chaîne destinée à alimenter le métier à tisser.

L'*encollage* a pour objet de conférer aux fils de chaîne des qualités leur permettant de subir les extensions et les frottements auxquels ils sont soumis pendant le tissage; l'encollage des filés retors est en général inutile, sauf dans des cas très particuliers.

Le *rentrage* consiste à passer, individuellement et dans un ordre déterminé, tous les fils de chaîne dans les maillons correspondants des lisses. Lorsqu'il s'agit de fabrication suivie, il est alors possible de nouer les fils de la nouvelle chaîne avec ceux de la chaîne qui vient d'être tissée.

• La *préparation de la trame* comprend le *bobinage,* puis le *canetage,* qui consiste à enrouler sur une canette le fil destiné à alimenter le métier à tisser en trame; cette dernière opération est supprimée avec les machines à tisser alimentées directement à partir de bobines.

Le matériel de tissage peut être classé en quatre grandes catégories :
— le *métier à main,* sur lequel tous les mouvements nécessaires pour réaliser un tissu (ouverture des fils de chaîne, insertion de la trame, tassement de la duite, enroulement du tissu, etc.) sont assurés par l'ouvrier;
— le *métier mécanique,* qui comporte un certain nombre de mécanismes synchronisés, mais sur lequel le changement de canette est effectué à la main;
— le *métier automatique,* qui ne nécessite aucune intervention manuelle pour le changement de canette;
— la *machine à tisser,* dans laquelle l'insertion de la trame est réalisée par un dispositif autre que la navette.

Mais, quelle que soit la catégorie à laquelle les métiers ou les machines à tisser appartiennent, le principe même du tissage est identique, et chaque métier ou machine à tisser comporte les éléments essentiels suivants : une *ensouple,* sur laquelle la totalité des fils de chaîne est enroulée; des *lisses individuelles* ou des *lames* groupant les lisses, lesquelles, par un mouvement de monte et de baisse, séparent les fils de chaîne en deux nappes, permettant ainsi le passage de la navette; des *mécanismes* (excentriques, ratière, jacquard), qui commandent des lisses ou des lames; un *battant,* animé d'un mouvement de va-et-vient et sur lequel est monté un peigne; la *navette* ou le *dispositif passe-trame;* enfin un *régulateur,* qui assure l'enroulement du tissu. Les métiers à tisser comportent en outre différents dispositifs de sécurité et de contrôle. Les machines à tisser, selon le dispositif passe-trame, peuvent être classées en machines à projectiles, à lance unique, à deux aiguilles, à projection par jet d'eau ou par jet d'air. Actuellement, des essais qui permettront de s'éloigner du principe des métiers ou des machines à tisser sont entrepris. Sur un type de matériel, appelé «machine à foule ondulante», la chaîne est divisée en petits groupes de fils en mouvement continuel, dans lesquels des porte-trames se suivent les uns derrière les autres. La machine est équipée d'un dispositif formant l'élément de canetage, qui permet d'alimenter chaque porte-trame de la quantité de fil nécessaire pour l'insertion d'une duite.

TISSANDIER (Gaston), savant et aéronaute français (Paris 1843 - *id.* 1899). En 1875, accompagné de Crocé-Spinelli et de Sivel, il atteignit dans le ballon *Zénith* l'altitude de 8 600 m, mais ses compagnons en moururent. Avec son frère ALBERT, il construisit le premier aérostat dirigeable (1883) mû par une hélice entraînée par un moteur électrique qu'alimentaient des piles.

TISSAPHERNE († Colosses 395 av. J.-C.). Satrape perse, il vainquit Cyrus* le Jeune en 401 à Counaxa*, mais, battu par Agésilas II* de Sparte près de Sardes* en 395 av. J.-C., il fut destitué par Artaxerxès II* et mis à mort.

TISSERAND (Félix), astronome français (Nuits 1845 - Paris 1896). On lui doit d'importants travaux de mécanique céleste, notamment sur les mouvements de la Lune* et des comètes*. Son *Traité de mécanique céleste* (1889-1896), resté célèbre, donna la solution de problèmes que n'avait pu résoudre Laplace*.

TISSERIN. — Le nid des tisserins, suspendu aux arbres de l'Afrique noire, est une bourse, à laquelle l'oiseau accède par un long couloir flanquant la partie principale. L'auteur de cette œuvre d'art est proche du moineau. (Famille des plocéidés.)

TISSU *(Biol.).* — Tout animal ou tout végétal pluricellulaire est formé de tissus. Un tissu est un ensemble de cellules proches parentes, voisines ou régulièrement distribuées, identiques entre elles, exerçant ensemble une fonction commune. On classe les tissus selon la nature des espaces intercellulaires.

• Les *tissus animaux de type épithélial* (et les méristèmes* végétaux) ont des cellules réellement jointives, séparées seulement par leur paroi propre. Il s'agit tantôt d'*épithéliums,* ou surfaces limitantes (peau, paroi des organes creux), dans l'épaisseur desquels le sang ne pénètre pas, ce qui limite cette épaisseur, tantôt de masses musculaires ou nerveuses fortement irriguées, tantôt, enfin, de glandes* irriguées par une seule face et aux cellules fortement polarisées, rejetant leur produit par l'autre face.

• Les *tissus végétaux,* en général, sont constitués de cellules séparées par des cadres de cellulose* qui persistent quelque temps après la mort du contenu. Cette survie est encore plus marquée lorsque d'autres substances interstitielles (liège*, bois*, etc.) viennent s'ajouter à la cellulose.

• Les *tissus animaux de type conjonctif* ont leurs cellules encore plus isolées par une abondante matière interstitielle fibro-élastique (derme de la peau), minéralisée (os, cartilage) ou liquide (sang, lymphe). Les cellules de l'os, par exemple, ne doivent leur survie qu'à un réseau de canalicules microscopiques. Une mention spéciale doit être faite des « faux tissus », lacis ou feutrage de files cellulaires indépendantes (*plectenchyme* des champignons), dont le voisinage n'est pas originel.

Il existe une spécificité tissulaire de fonction et une spécificité individuelle : un tissu ne peut vivre que sur l'individu qui lui a donné naissance, ce qui explique les difficultés rencontrées pour effectuer des greffes. La « culture de tissus » est utilisée pour les recherches en physiologie et en pathologie cellulaires ainsi que pour la culture des virus.

TISSU *(Text.).* — On appelle « tissu » toute étoffe produite par le tissage*. En faisant varier l'entrelacement des fils, leur nature, leur grosseur, leur nombre au centimètre, leur coloris et l'apprêtage de l'article, on peut obtenir une multitude de tissus différents. Les dénominations commerciales indiquent soit l'*armure** (toile, sergé, satin), soit le *procédé de tissage* (jacquard, velours double pièce, gaze), soit encore l'*aspect* du tissu donné par l'apprêt (finette, ratine, gaufré) ou l'*emploi* auquel le tissu est destiné (bleu de travail, éponge, etc.). Les tissus peuvent être composés de deux éléments (une chaîne et une trame), de plusieurs éléments (une chaîne et deux trames pour les tissus double face ou deux chaînes et deux trames pour les tissus double étoffe), de fils d'effets (brochés, piqués), de fils relevés, formant bouclettes ou aigrettes (éponge, velours), ou de fils sinueux (gaze).

TISZA (la), riv. de l'Europe centrale; 1 300 km. Née dans les Carpates de l'Ukraine, la Tisza sert partiellement de frontière entre l'U. R. S. S. et la Roumanie, avant de pénétrer en Hongrie, où elle draine du N. au S. l'Alföld; elle traverse ensuite la Vojvodine dans le nord-est de la Yougoslavie, avant de rejoindre le Danube (r. g.) en amont de Belgrade.

TISZA, famille hongroise, représentée principalement par KÁLMÁN (Geszt 1830-Budapest 1902), leader du parti libéral et chef du gouvernement de 1875 à 1890, et son fils ISTVÁN (Budapest 1861-*id.* 1918), président du Conseil de 1903 à 1905 et de 1913 à 1917, véritable dictateur, qui s'opposa aux revendications des minorités et qui, tenu comme responsable de la guerre en 1914, fut assassiné par des soldats.

TITANE. — Découvert en 1791, le titane est l'élément chimique n° 22, de masse atomique Ti = 47,9. C'est un solide blanc très dur, de densité 4,5 et qui fond vers 1 800 °C. Il s'oxyde superficiellement à froid. Son oxyde, l'anhydride titanique TiO_2, est un solide blanc insoluble, fondant vers 1 600 °C, employé en peinture sous le nom de « blanc de titane ». Il se combine aux alcalis pour donner des titanates. Son chlorure $TiCl_4$ est un liquide qui fume abondamment à l'air humide par suite de la formation d'hydroxyde $Ti(OH)_4$; il est employé comme fumigène.

Extrait de l'*ilménite,* $FeTiO_3$, ou du *rutile,* TiO_2, le titane est élaboré par le procédé original de W. Kroll. Par chloruration des minerais, on obtient du tétrachlorure de titane liquide, qui est réduit par le magnésium* à 800 °C dans un réacteur en formant une *éponge* de titane impure; par distillation et lingotage sous vide, on obtient des lingots de métal pur à 99,5 p. 100. Sa bonne résistance à la corrosion* et sa faible masse volumique, comparativement aux intéressantes caractéristiques mécaniques, font utiliser le titane* ainsi que ses alliages* (titane-aluminium*-manganèse*) dans la construction aéronautique et aérospatiale, aussi bien pour des éléments de structures de cellules que pour des pièces de moteurs à réaction*. L'allégement du matériel est également apprécié pour la construction des fusées* et des engins guidés.

TITANS, divinités primitives de la mythologie grecque, qui gouvernèrent le monde avant Zeus* et les Olympiens, qui les vainquirent. Les Titans furent plus tard abusivement assimilés aux Géants des légendes cosmogoniques et mythologiques grecques.

TITE, ami et compagnon de saint Paul* (Ier s.). Selon la tradition, il mourut évêque de Crète. L'épître de saint Paul dite « Épître à Tite » est considérée par de nombreux historiens comme apocryphe.

TITE-LIVE, en lat. **Titus Livius,** historien romain (Padoue 64 ou 59 av. J.-C.-*id.* 17 apr. J.-C.). Après avoir étudié la rhétorique et la philosophie, Tite-Live entreprend vers 27 av. J.-C. la rédaction d'une *Histoire romaine* (142 livres divisés en décades). De ce vaste ouvrage inachevé — il s'arrête en l'an 9 av. J.-C. — ne nous sont parvenus que la première décade, la troisième, la quatrième, la moitié de la cinquième et quelques fragments isolés. Le reste de l'œuvre est connu par de courts sommaires *(periochae)* attribués à l'abréviateur Florus* (IIe s. apr. J.-C.). Chef-d'œuvre de la littérature latine, l'*Histoire romaine* célèbre la grandeur de Rome et s'associe à l'œuvre de redressement et d'unification d'Auguste. Utilisant sans esprit critique les anciennes annales, Tite-Live compose ses récits avec rigueur, dans un style vivant et pittoresque.

TITELOUZE (Jehan), organiste et compositeur français (Saint-Omer 1563 [?]-Rouen 1633). Chef incontesté de l'école d'orgue française, maître de la cathédrale de Rouen, il a laissé deux recueils de versets polyphoniques *(Hymnes, Magnificat)* pour son instrument, qui allient austérité et liberté, rigueur et souplesse.

TITICACA *(lac),* grand lac (6 900 km²) des Andes, à 3 812 m d'altitude, près de La Paz, partagé entre le Pérou et la Bolivie.

TITIEN (Tiziano VECELLIO, dit en franc.), peintre italien (Pieve di Cadore, Vénétie, 1488/89-Venise 1576). Il appartient à l'école vénitienne, mais sa carrière est européenne, comme son influence, d'une importance majeure pour l'évolution de l'art occidental (elle s'exercera, par exemple, sur Velázquez, Rubens, Van Dyck, Watteau, Renoir...). Arrivé très jeune à Venise, passé par l'atelier des Bellini, Titien est surtout le disciple de Giorgione*, dont il se distingue d'abord par sa fougue et sa robustesse. Son premier chef-d'œuvre, *l'Amour* sacré et l'amour profane* (v. 1515), représente parfaitement l'idéal de beauté sereine de la Renaissance classique. Une impétueuse unité liant les parties, un coloris sonore imposant la densité des formes caractérisent par contre *l'Assomption* de l'église des Frari (1515-1518). À la même époque commence la carrière de cour de Titien (toiles pour Alphonse Ier d'Este : *Bacchus et Ariane,* National Gallery, Londres), qui devient internationale vers 1530, en même temps que la manière de l'artiste évolue par une libération de la touche, une atténuation des contours, une recherche d'accords plus subtils équilibrant les tons chauds et les tons froids (nombreux portraits, dont celui de *Charles Quint,* Prado; *la Vénus d'Urbino,* 1538, Offices). Vers 1540-1545 se situe un épisode maniériste (scènes bibliques où prime la tension graphique), suivi du retour à de petits tableaux où l'interprétation humaniste de la culture païenne se pare d'un coloris raffiné (*Danaé,* 1554, Prado). Ni la fécondité ni la faculté de renouvellement ne s'atténuent dans la vieillesse du peintre, époque où la forme se dilue dans une pâte lentement travaillée, où les tons rompus, chauds et changeants, sont traversés d'étincelles de lumière, dans une ambiance quasi spectrale (*Autoportrait,* v. 1569, Prado; *Pietà,* achevée par Palma le Jeune, Accademia de Venise).

TITISEE (le), lac glaciaire de l'Allemagne fédérale, dans la Forêt-Noire. Centre touristique.

Titius-Bode *(loi de)* → ASTÉROÏDE.

TITO (Josip BROZ, dit), maréchal et homme d'État yougoslave (Kumrovec, Croatie, 1892). Il est un des fondateurs du parti communiste yougoslave, dont il devient le secrétaire général en 1937. Il organise la résistance contre l'occupation allemande (1941-1944) et combat les troupes de Mihajlović. Après avoir éliminé celui-ci, il devient à la Libération chef du gouvernement de la République fédérative populaire de Yougoslavie (1945), puis président de la République (1953), tout en conservant la direction du parti en tant que président, depuis 1966, de la Ligue des communistes de Yougoslavie. Très attaché au principe de l'indépendance nationale, il est amené, dès 1948, à rompre avec l'U. R. S. S. et s'efforce de mettre en place un socialisme spécifique, basé sur l'autogestion. Il se rapproche des démocraties occidentales et des États-Unis, dont il reçoit une aide économique. S'il se réconcilie en 1955 avec les dirigeants soviétiques, il n'en poursuit pas moins une politique neutraliste. En 1974 il est nommé président de la République à vie.

Le maréchal Tito.

Simon - Gamma

TITOGRAD, v. de Yougoslavie, capit. du Montenegro; 55 000 hab. Université. Aluminium. Constructions mécaniques.

TITULESCU (Nicolae), homme politique roumain (Craiova, 1882-Cannes 1941). Ministre des Affaires étrangères (1927-28, 1932-1936), il soutient l'Entente balkanique et reste fidèle aux objectifs de la Petite-Entente*.

TITUS (Titus Flavius Sabinus Vespasianus) [Rome 39-Aquae Cutiliae, Sabine, 81], empereur romain (79-81). Fils aîné de Vespasien*, il fut lieutenant de son père en Judée (67) et acheva la guerre juive en prenant Jérusalem (70). De retour à Rome, il fut associé au pouvoir de son père (il reçut la puissance tribunitienne et l'*imperium* proconsulaire) et géra la préfecture du prétoire. Il succéda à son père en 79 et renonça à épouser la princesse juive Bérénice*. Son règne, très bref, fut marqué par de grandes constructions (Colisée, thermes) et par plusieurs catastrophes : l'éruption du Vésuve (79), qui ruina Pompéi, Herculanum et Stabies, un incendie de Rome (80) et une épidémie de peste.

TIVOLI, v. d'Italie, dans le Latium (prov. de Rome), à l'E.-N.-E. de Rome; 34 000 hab. L'ancienne *Tibur* fut une des principales villes de la Ligue latine. Occupée par Rome en 338 av. J.-C., elle fut un des lieux de villégiature favoris des Romains. Mécène, Horace, Hadrien y eurent leurs villas. La ville conserve les temples de Vesta (circulaire) et de la Sibylle; en contrebas se trouve la villa Hadriana*. Tivoli possède, en outre, l'église romane S. Silvestro, une cathédrale et la villa d'Este, dont la scénographie marque une date (1550) dans l'art des jardins*.

TIZI-OUZOU, v. d'Algérie, ch.-l. de départ., en Grande Kabylie, à l'E. d'Alger; 26 000 hab.

TJIREBON → CIREBON.

Tlatelolco *(traité de),* traité dû à l'initiative du Mexique, soutenu notamment par le Brésil, le Chili et l'Équateur, et approuvé par vingt et un États de l'Amérique latine (sauf Cuba) le 14 février 1967. Il interdit la fabrication, la détention et l'usage d'armes nucléaires dans cette région du monde. Il fut ratifié par la Grande-Bretagne (1969), les États-Unis (1971) et la France (1973).

TLATILCO, site archéologique du Mexique, proche de Mexico. C'est l'un des plus importants centres de l'époque préclassique, dont les plus anciens vestiges remontent au IIe millénaire et qui fut florissant entre 900 et 500 av. J.-C. On y a recueilli de nombreuses statuettes fortement apparentées aux créations des Olmèques*.

TLEMCEN, v. d'Algérie, ch.-l. de départ., au pied septentrional des *monts de Tlemcen;* 71 000 hab. Grande Mosquée, enrichie par les Almoravides (1136) d'éléments puisés dans le répertoire architectural de Cordoue (nef médiane à deux coupoles, arcs polylobés enjambant les nefs vers le milieu de la salle, coupole précédant le miḥrāb, etc.). Mosquées des XIIIe et XIVe s.

TOBA *(lac),* lac d'Indonésie, dans le nord-ouest de Sumatra.

TOBAGO → TRINITÉ ET TOBAGO.

TOBEY (Mark), peintre américain (Centerville 1890-Bâle 1976). Après s'être initié à la calligraphie en Chine et au Japon (1934), il crée ses « écritures blanches », évocatrices de la vie urbaine nocturne. Devenue entièrement non figurative au cours des années 50, son œuvre, caractérisée par un fourmillement de signes, demeure une émanation du monde extérieur, ressenti à travers les disciplines orientales de concentration.

Tobie *(livre de),* livre biblique. Avec l'histoire d'une famille juive déportée à Babylone, un scribe juif a fait un petit roman édifiant (IIIe-IIe s. av. J.-C.) où se retrouvent les thèmes de la piété juive : juste mis à l'épreuve, prière exaucée, providence divine, exaltation des vertus familiales et sociales. Ce livre est précieux pour la connaissance de la vie religieuse juive dans la Diaspora*.

TOBROUK, port de Libye, près de l'Égypte; 16 000 hab. Combats entre les Britanniques et les forces de l'Axe en 1941 et 1942.

TOCANTINS (le), fl. du Brésil, né près de Brasília, qui rejoint l'Atlantique par un long estuaire proche des bouches de l'Amazone; 2 640 km.

TOCCATA. — Les origines de cette forme musicale instrumentale demeurent obscures. À part certaines sonneries et fanfares de vents ainsi dénommées (Monteverdi), la toccata est destinée de préférence aux instruments à clavier (*toccare* signifiant « toucher »). Au XVIIe s., elle prend l'aspect contradictoire d'un prélude improvisé, brillant, ou d'un mouvement d'une écriture disciplinée, d'un caractère méditatif (Sweelinck, Frescobaldi, Muffat, Froberger). Le XVIIIe s. accentue son style rhapsodique avec l'alternance d'épisodes récitatifs, de fugatos, d'accords plaqués (J.-S. Bach). Aux XIXe et XXe s., la virtuosité prévaudra, entraînant une organisation rythmique permanente qui apparente l'œuvre au *motu perpetuo.* Compositeurs-pianistes (Schumann, Ravel, Debussy, Prokofiev) et organistes (Gigout, Widor, Vierne) s'y distinguent.

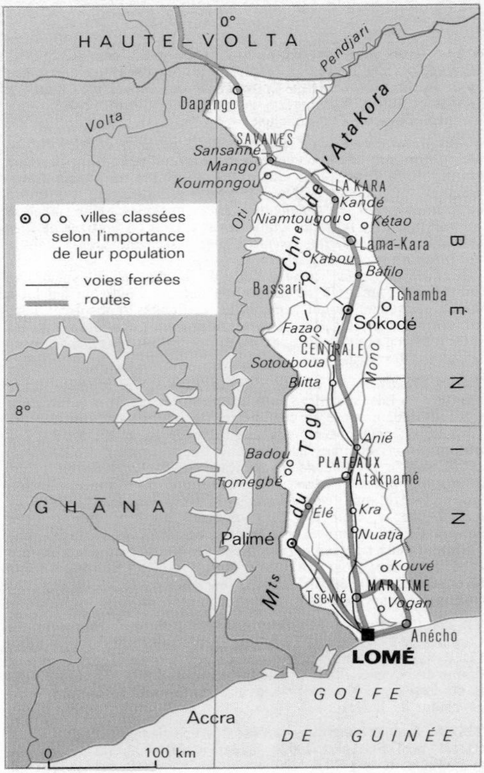

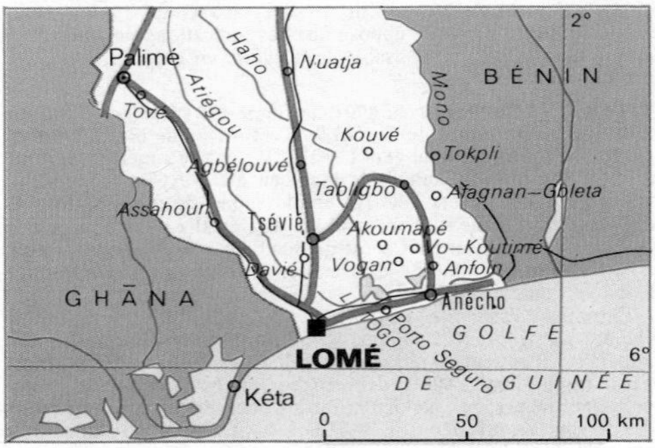

TOGO

TOCQUEVILLE (Alexis DE), écrivain et homme politique français (Paris 1805-Cannes 1859). Magistrat, il se rend aux États-Unis pour y étudier le système pénitentiaire; il en revient non seulement avec les éléments d'un rapport sur ce système (1832), mais aussi et surtout avec un ouvrage politique important : *De la démocratie en Amérique* (1835-1840). Député en 1839, puis représentant du peuple en 1848 et en 1849, il est ministre des Affaires étrangères de la République du 2 juin au 30 octobre 1849 : il est alors affronté au problème de l'expédition française à Rome. En 1856, il publie *l'Ancien Régime et la Révolution.*

TODD (*sir* Alexander Robertus), chimiste britannique (Glasgow 1907). Il a réalisé la synthèse des vitamines E et B 1, et, en 1955, il a élucidé la constitution de la vitamine B 12. (Prix Nobel de chimie, 1957.)

TODI, v. d'Italie, en Ombrie, au S. de Pérouse; 20 000 hab. Fortifications remontant aux Étrusques. Bel ensemble de monuments médiévaux. Majestueuse église en croix grecque S. Maria della Consolazione (XVIe s.), dans le style de Bramante.

TÖDI, sommet des Alpes suisses, au N.-E. du Saint-Gothard; 3 623 m.

TODT (Fritz), général et ingénieur allemand (Pforzheim 1891 - dans un accident aérien 1942). Constructeur des autoroutes (1933-1938), puis de la ligne Siegfried (1937-1940), ministre de l'Armement (1940), il attacha son nom à une organisation paramilitaire, dirigée par Speer après sa mort. L'organisation Todt exécuta de grands travaux et réalisa le mur de l'Atlantique* avec l'appoint forcé de travailleurs étrangers.

TOEPFFER (Rodolphe), dessinateur et écrivain suisse d'expression française (Genève 1799 - *id.* 1846). Des voyages à pied qu'il faisait avec ses élèves dans les montagnes de la Suisse, il a tiré un récit, *Voyages en zigzag* (1845). Auteur d'albums comiques et de contes fantaisistes (*le Presbytère,* 1839-1846), il a célébré son pays dans les *Nouvelles genevoises* (1841).

TOGHRUL BEG → SELDJOUKIDES.

TOGLIATTI, v. de l'U. R. S. S. (R. S. F. S. de Russie), sur la Volga; 251 000 hab. Construction automobile.

TOGLIATTI (Palmiro), homme politique italien (Gênes 1893 - Yalta 1964). Il fonde avec Gramsci* l'hebdomadaire *Ordine nuovo* (1919) et contribue à la création du parti communiste italien (1921). Poursuivi par les fascistes, plusieurs fois arrêté, il se rend à l'étranger et prend la direction du P. C. I., dont il deviendra secrétaire général. Secrétaire du Komintern, il est envoyé en mission en Espagne pendant la guerre civile (1937-1939). En 1939, il est en France. Arrêté en août, il est libéré et part pour Moscou en 1940. De retour en Italie en 1944, il est vice-président du Conseil (1944-45) et ministre de la Justice (1945-46). Se dégageant de la tutelle de Moscou, il prend position pour la déstalinisation et soutient le « polycentrisme » à l'intérieur du mouvement communiste.

TOGO, État de l'Afrique occidentale, sur le golfe de Guinée; 56 000 km^2: 2 171 000 hab. *(Togolais).* Capit. *Lomé.*

GÉOGRAPHIE. Un plateau cristallin entaillé dans le socle précambrien et se redressant à l'O. dans les *monts du Togo* couvre l'essentiel de ce petit pays. Il est bordé au S. par une plaine côtière sableuse. Le climat tropical à saison sèche explique la grande extension de la savane.

La population, composée de groupes ethniques divers (dont celui des Éwés), est en large majorité rurale. Elle vit de la culture vivrière du palmier à huile, du maïs, du mil et du manioc. Le café, le cacao et le coton sont destinés à l'exportation. Lomé regroupe les activités industrielles, limitées à la transformation des produits agricoles. L'exportation des phosphates du gisement du *lac Togo* a facilité l'équilibre de la balance commerciale.

HISTOIRE. À la fin du XVe s. s'installent sur la côte du golfe de Guinée des Portugais, qui y pratiquent très tôt la traite négrière. Au XIXe s., Français, Britanniques et Allemands fondent des postes. Grâce à Gustav Nachtigal* et à l'agrément de la conférence de Berlin, l'Allemagne peut établir son protectorat sur le pays (1885), les frontières avec le Dahomey, sous influence française, étant fixées en 1897. Occupé par les Alliés de 1914 à 1919, le Togo passe ensuite en partie sous le mandat britannique et en partie sous le mandat français. En 1946 est mis en place le régime de la tutelle des Nations unies. Les territoires du nord du Togo britannique votent massivement leur rattachement à la Gold Coast (v. GHĀNA), au contraire des Éwés du Sud, qui repoussent cette solution.

La république autonome du Togo est proclamée le 30 août 1956. Nicolas Grunitzky (1913-1969) devient Premier ministre, avant d'être remplacé par Sylvanus Olympio (1902-1963), premier président de la république indépendante du Togo (1960). Olympio instaure alors un régime présidentiel qui favorise le Sud; mais il est assassiné en 1963 et remplacé par N. Grunitzky.

Celui-ci est à son tour renversé en 1967 par un homme du Nord, le général Étienne Eyadema (né en 1935).

TOGO *(lac),* lagune du littoral du Togo. Phosphates.

TŌGŌ HEIHACHIRŌ → RUSSO-JAPONAISE *(guerre).*

TOILE → ARMURE et TISSU.

Toison d'or, dans la mythologie grecque, toison merveilleuse d'un bélier ailé, gardée par un dragon en Colchide*. Sa conquête est à l'origine de l'expédition de Jason* et des Argonautes*.

Toison d'or *(ordre de la),* ordre fondé, en souvenir de la toison dorée de Jason, par Philippe le Bon, duc de Bourgogne, en 1429. Passé à l'Autriche après la mort de Charles le Téméraire (1477), puis à l'Espagne sous Charles Quint, il disparut avec la chute des monarchies autrichienne (1918) et espagnole (1931).

TŌJŌ HIDEKI, général et homme d'État japonais (Tōkyō 1884 - *id.* 1948). Ministre de la Guerre (1940), puis chef du gouvernement (1941-1944), il décida l'attaque de Pearl Harbor* et lança son pays dans la Seconde Guerre mondiale, mais dut démissionner après les revers japonais de 1944. Condamné à mort par les Américains, il fut exécuté.

Silvester - Rapho

Tōkyō. Vue générale. À l'arrière-plan, le sommet enneigé du Fuji-Yama (3 778 m).

Tōkaidō, ligne ferroviaire, inaugurée en 1964, longue de 515 km et qui relie Tōkyō à Ōsaka. C'est la première ligne au monde spécialement construite pour la circulation des trains* à grande vitesse. Les trains, composés d'automotrices* électriques, sont capables de circuler à 250 km/h.

TŌKAI MURA, localité du Japon (Honshū), sur le Pacifique. Centrale nucléaire.

TOKAJ ou **TOKAY,** localité du nord-est de la Hongrie, sur la Tisza. Vignobles réputés (v. VIN).

TOKHARIEN. — Rameau isolé de la famille indo-européenne, le tokharien est proche du hittite. Il a été parlé dans le Turkestan chinois (Sin-k'iang) jusqu'au Xe s., époque à laquelle il a disparu sous la pression du chinois et des migrations turco-mongoles.

TOKIMUNE (1256-1284), régent Hōjō de Kamakura* de 1268 à 1284. Il attacha son nom à la résistance efficace opposée par le Japon aux invasions mongoles.

TOKOROZAWA, v. du Japon (Honshū); 137 000 hab.

TOKUGAWA, clan aristocratique japonais, issu des Minamoto* et qui constitua la troisième et la plus importante dynastie shōgunale entre 1603 — quand Ieyasu*, installé à Edo, devint le maître d'un pays qu'il ferma aux étrangers — et 1867 — quand le shōgun Yoshinobu remit ses pouvoirs à l'empereur.

TOKUSHIMA, v. du Japon, dans l'est de Shikoku; 223 000 hab.

TŌKYŌ, capit. du Japon, sur la *baie de Tōkyō* (formée par le Pacifique).

GÉOGRAPHIE. Ville aux étés chauds et humides, aux hivers ensoleillés et secs, Tōkyō s'est développée dans un site difficile, dans une baie au sous-sol instable (séismes) et parfois ravagée par les typhons, ce qui ne l'a pas empêchée de devenir une des plus grandes métropoles mondiales. La ville elle-même, la plus peuplée du Japon, compte 8 475 000 habitants, mais elle forme avec Yokohama (en passant par Kawasaki) une agglomération de 11 477 000 habitants. Enfin, plus étendue, la région métropolitaine de Tōkyō, compte 33 millions d'habitants, presque le tiers de la population totale du pays. Tōkyō est le premier centre politique, administratif, commercial, industriel et culturel du Japon. L'industrie occupe près du tiers des ouvriers japonais, avec une gamme très étendue, dominée par les constructions électriques et mécaniques (matériel de transport), l'édition et des activités liées au marché régional (alimentation, textile, ameublement); plus nettement encore que dans l'ensemble du pays se juxtaposent petits et très grands établissements, unis par des liens de sous-traitance. Le commerce emploie plus d'un million de personnes. Le trafic du port (devancé par celui des ports voisins de Chiba, de Kawasaki et de Yokohama) dépasse 50 Mt, bien que réduit en fait au rôle de port d'entrée et de sortie de la ville seule. Celle-ci connaît aujourd'hui de redoutables problèmes d'environnement (pollution, difficultés d'approvisionnement en eau) à la mesure de ses dimensions, de son activité et de sa croissance récente (qui explique aussi les difficultés du secteur des transports et de celui du logement). Elle rivalise avec New York pour le titre de plus grande agglomération mondiale; elle connaît les mêmes problèmes que la grande cité américaine, et notamment la difficulté de contrôler son développement.

HISTOIRE. Mentionnée pour la première fois au XIIe s. sous le nom d'« Edo », la ville devient le chef-lieu du Kantō en 1590. Capitale du shōgun Ieyasu* et de ses successeurs, elle dépasse bientôt en ampleur et en population la capitale impériale, Kyōto*; elle est bientôt le centre névralgique du pays. Aussi, au moment du Meiji* (1868), devient-elle, sous le nom de « Tōkyō », la seule capitale du Japon et la résidence de l'empereur. C'est en rade de Tōkyō qu'a été signée la capitulation du Japon le 2 septembre 1945.

BEAUX-ARTS. Ce n'est qu'à la fin du XVIe s. que commence à prospérer à Edo un art qui lui est propre : l'*ukiyo-e.* Après Moronobu*, tous les grands maîtres de l'estampe travailleront à Edo : Kiyonaga, Sharaku*, Utamaro*, Hokusai*, Hiroshige*, qui sauront perpétuer le souvenir de cette ville vivante et affairée. Superbe ensemble de bâtiments olympiques en béton (1964), dû à Tange Kenzō. Riche musée national.

TOLBIAC, village de l'anc. Gaule, sur le cours moyen du Rhin (aujourd'hui *Zülpich*), où les Francs Ripuaires de Sigebert vainquirent les Alamans peu avant 496. À tort, la tradition attribua cette victoire à Clovis, qui y aurait prononcé le vœu de se faire baptiser.

TOLBOUKHINE (Fedor Ivanovitch), maréchal soviétique (Androniki 1894 - Moscou 1949). Pendant la Seconde Guerre mondiale, il se distingua à Stalingrad (1942), puis entra à Sofia et à Belgrade (1944).

TOLBUHIN, v. du nord-est de la Bulgarie; 55 000 hab.

TOLÈDE, en esp. **Toledo,** v. d'Espagne, en Nouvelle-Castille, ch.-l. de prov., sur le Tage; 44 000 hab. Centre touristique.

HISTOIRE. Romaine à partir de 192 av. J.-C., Tolède devint au VIe s. la capitale du royaume des Wisigoths. Le troisième (589) des dix-huit conciles qui s'y tinrent fut marqué par la conversion du roi arien Reccared, qui permit l'unification de l'Espagne wisigothique. Conquise par les Arabes en 711, la ville perdit son rang au profit de Cordoue jusqu'au début du XIe s., époque où se constitua un royaume musulman de Tolède. Conquise dès 1085 par Alphonse VI de León et Castille, elle devint la résidence des rois castillans. En 1561, Philippe II l'abandonna pour Madrid.

BEAUX-ARTS. Fortifications musulmanes et chrétiennes, avec parties wisigothiques. Ermita del Cristo de la Luz, ancienne mosquée construite vers l'an mille. Nombreuses églises de style mudéjar, aux appareils de brique ornementaux, aux plafonds de bois *artesonados* (dont deux anc. synagogues : S. María la Blanca, remontant au XIIIe s., et le *Tránsito,* du XIVe). Cathédrale gothique entreprise vers 1225, enrichie d'une foule d'œuvres d'art (jusqu'à cette apothéose du baroque qu'est le *Transparente* [1721] du sculpteur et architecte Narciso Tomé). Église et cloître de S. Juan de los Reyes, par Juan Guas († 1496), chefs-d'œuvre du gothique tardif. La Renaissance apparaît avec E. Egas, auteur de la salle capitulaire de la cathédrale (1504) et de l'hôpital de la S. Cruz (auj. somptueux musée provincial). Hôpital de S. Juan Bautista ou de Tavera, de la Renaissance classique (musée). Etc. La carrière du Greco* marque l'apogée de la spiritualité tolédane.

TOLEDO, v. des États-Unis (Ohio), à l'extrémité occidentale du lac Érié; 383 000 hab. Musée d'art. Port fluvial. Industries mécaniques et chimiques.

TOLENTINO, v. d'Italie, dans les Marches, au S.-O. d'Ancône; 17 000 hab. Basilique S. Nicola, remontant au XIIIe s. — Un traité fut signé à Tolentino en 1797 entre Bonaparte et le pape Pie VI. Il consacrait la réunion d'Avignon à la France.

TOLIMA, volcan des Andes de Colombie, à l'O. de Bogotá; 5 620 m.

TOLKIEN (John Ronald Reuel), écrivain britannique (Bloemfontein 1892 - Bournemouth 1973). Spécialiste de littérature médiévale, il adapta au public enfantin les légendes qu'il étudiait en érudit (*Bilbo le Hobbit ou Histoire d'un aller et retour,* 1937) avant d'entreprendre une grande épopée fantastique, qui est aussi une démystification du genre (*le Seigneur des anneaux,* 1954-55).

TOLSTOÏ (Lev [en franç. Léon] Nikolaïevitch, *comte*), écrivain russe (Iasnaïa Poliana, gouvern. de Toula, 1828 - Astapovo, gouvern. de Riazan, 1910). La hantise de la mort explique l'ivresse de sa vie et donne son unité à une œuvre touffue, que l'on veut trop souvent diviser en deux parties antagonistes, l'une romanesque et exubérante, l'autre moralisatrice et austère. En réalité, l'œuvre de Tolstoï est plus un exercice de conscience que de style, auto-exploration commencée dès la jeunesse et qui répond à un désir organique d'analyse et de perfectionnement moral : recherche de l'identité et de la vérité, poursuivie tout au long de l'entreprise romanesque et dont le *Journal* offre la contre-épreuve. Fils de riches propriétaires terriens, jeune dandy timide, dont les fêtes sont entrecoupées d'accès de solitude forestière, au cours desquels il reprend sans cesse le plan d'une « règle de vie » qu'il ne peut tenir, Tolstoï entame sa vie d'adulte sous le signe de l'ambiguïté : il s'engage dans l'armée, se bat dans le Caucase, puis à Sébastopol, mais entreprend, à vingt-cinq ans, d'écrire ses souvenirs (*Enfance,* 1852; *Adolescence,* 1854; *Étapes d'une vie,* 1856). Au fond, il hésitera jusqu'au bout sur sa vocation, voyant même dans la littérature une fuite devant ses responsabilités sociales : lorsqu'en 1861 le tsar décide l'émancipation des serfs, il fonde une école modèle pour paysans et devient « arbitre de paix » entre les propriétaires et les moujiks libérés. Mais c'est sous le signe de la littérature qu'il place son mariage avec une jeune fille de dix-sept ans, Sonia Andreïevna Bers : trois jours avant la cérémonie, il lui donne à lire son *Journal* pour qu'elle sache bien « quel homme il est ». Si, comme il l'avoue en 1862, il commence à écrire par excès de bonheur (*les Cosaques,* 1863; *Récits de Sébastopol,* 1868; *Guerre* et Paix,* 1865-1869), il continue pour chasser son angoisse, qui a toujours fait sentir sa présence diffuse, mais qui s'impose à lui, physiquement, dans la nuit de terreur d'Arzamas en août 1869 : *Anna* Karénine* (1877) inverse la philosophie de *Guerre et Paix* (dont le titre avait failli être « Tout est bien qui finit bien »); désormais, dans une société fondée sur le mensonge, vie, passion, mariage ne sont que les multiples faces d'une même absurdité (*Confession,* 1882; *la Sonate* à Kreutzer,* 1889). Tolstoï tente cependant un suprême effort : il veut vivre la foi du simple moujik, se plier aux rites orthodoxes (*Quelle est ma foi?,* 1883), avant de rompre brutalement avec toutes les institutions théologiques (*Le royaume de Dieu est en nous,* 1893; *Résurrection,* 1899), esthétiques (*Qu'est-ce que l'art?,* 1898) et sociales; en blouse de futaine et en souliers à bouts carrés, le « bienheureux boyard Léon », comme l'appelle Gorki, fend du bois et travaille les champs, sans pouvoir se dissimuler que tout cela n'est pas très différent de la viande ou de l'alcool dont il se prive, une drogue nouvelle pour oublier la mort (*la Mort d'Ivan Ilitch,* 1886; *Maître et serviteur,* 1895). Excommunié par le Saint-Synode, Tolstoï, qui fait l'épreuve d'une solitude de plus en plus complète, incarne les aspirations de la jeunesse, et son domaine devient un lieu de pèlerinage. Excédé par cette gloire, désespéré de ne pouvoir accorder vraiment sa vie et sa pensée, Tolstoï fuit sa famille par une nuit de novembre pour aller agoniser dans la gare d'Astapovo, essayant jusqu'au bout de comprendre « comment meurent les paysans ».

A.P.N.

Tolstoï, par Ilia Iefimovitch Repine (1844-1930). [Galerie Tretiakov, Moscou.]

TOLSTOÏ (Alekseï Nikolaïevitch), écrivain soviétique (Nikolaïevsk, gouvern. de Samara, 1883 - Moscou 1945). Poète, auteur de comédies et de nouvelles, il émigre en 1917 et vit à Berlin et à Paris. Il publie un récit autobiographique (*l'Enfance de Nikita,* 1922), puis se rallie au nouveau régime. Dans *le Chemin des tourments* (1927-1941), il expose le problème des intellectuels en face de la révolution et, dans *les Émigrés* (1938), il peint la vie décevante des Russes à l'étranger. Publiant des récits fantastiques (*Aelita,* 1923), il s'oriente vers le roman historique, magnifiant aussi bien Staline (*le Pain,* 1935) que les tsars créateurs de la Russie (*Pierre Ier,* 1929-1945; *Ivan le Terrible,* 1943).

TOLTÈQUES, peuple indien de l'Amérique moyenne ancienne. Parti du nord, en 935 ou 947, sous la conduite de son chef Mixcoatl («Serpent de nuages»), il se fixe d'abord à Culhuacán, puis à Tula. Le fils de Mixcoatl, Topiltzin, se fait reconnaître comme incarnation de Quetzalcóatl. Vaincu par le grand prêtre de Tezcatlipoca, il part vers l'est, au Yucatán, où il serait le fondateur du «nouvel empire» maya. Durant ce temps, à Tula, s'épanouit une très brillante civilisation : sous la conduite de Tezcatlipoca, les Toltèques étendent leur empire du versant pacifique au versant atlantique. Mais, en 1168, Tula est détruite par les Chichimèques : les Toltèques se dispersent dans tout le Mexique et le Guatemala.

BEAUX-ARTS. La facilité avec laquelle les Toltèques adoptent les traits des civilisations qu'ils côtoient et dominent ainsi que leur origine composite ne les empêchent pas d'élaborer un art original, dominé par leur obsession guerrière et par la mort. Leurs conceptions architecturales — bien différentes de celles des cultures antérieures — reflètent cette valorisation du guerrier maintenant accueilli dans de vastes temples (Tula*) qui ne sont plus le domaine exclusif d'une élite sacerdotale. Austères et rigides, les œuvres sculptées, elles aussi, glorifient le guerrier. Comme pour les Aztèques* plus tard, l'aigle et le jaguar symbolisent les ordres militaires et sont, avec des monstres, les composantes du répertoire décoratif, que l'on retrouve en partie à Chichén Itzá.

En dehors de vestiges architecturaux, il ne subsiste guère que la céramique, dont Mayapán était l'un des centres principaux et qui se caractérise par un décor de lignes ondulées sur fond chamois.

TOLUCA ou **TOLUÇA DE LERDO,** v. du Mexique, à l'O. de Mexico, capit. de l'État de Mexico; 114 000 hab. Constructions mécaniques.

TOLUÈNE. — C'est un liquide incolore, de densité 0,87, bouillant à 110,3 °C. On le retire des huiles légères du goudron de houille et des essences de reforming catalytique. Il a des propriétés analogues à celles du benzène. On l'emploie comme solvant, comme carburant et pour la préparation de nombreux dérivés, comme la toluidine, aniline qui sert à la préparation de colorants, et le trinitrotoluène. (V. AROMATIQUES [*hydrocarbures*].)

TOLUIQUE (acide). — Ce composé $CH_3C_6H_4CO_2H$ présente trois isomères, ortho, méta et para, qui sont des solides blancs, de propriétés analogues à celles de l'acide benzoïque.

TOMAKOMAI, port du Japon (Hokkaidō), au S. de Sapporo. Papier journal. Aluminium.

TOMAR, v. du Portugal, au N.-E. de Lisbonne; 14 000 hab. Couvent du Christ : église avec rotonde des Templiers du XIIe s. et nef manuéline du début du XVIe s.; cloîtres, dont le principal, à deux étages, de style palladien (v. 1560).

TOMATE. — Ce beau fruit rouge, souvent côtelé, divisé intérieurement en loges charnues contenant un mucilage riche en graines, est porté par une plante voisine de la pomme de terre et nommée scientifiquement «pêche de loup» *(Lycopersicum).* [Famille des solanacées.]

TOMBALBAYE (François N'garta), homme d'État tchadien (Bessaba 1918-N'Djamena 1975). Membre du parti progressiste tchadien, il devient chef du gouvernement en 1959 et mène les négociations qui aboutissent à l'indépendance (1960). Premier président de la république du Tchad, il fait appel à l'aide militaire de la France pour réprimer l'insurrection qui se développe à partir de 1968 dans le nord et l'est du pays. Il est tué lors d'un coup d'État.

TOMBELAINE, îlot rocheux, près du Mont-Saint-Michel.

TOMBLAINE (54510), comm. de Meurthe-et-Moselle, dans la banlieue est de Nancy; 8 692 hab.

TOMBOUCTOU, v. du Mali, près du fleuve Niger; 10 000 hab. La vieille ville présente un intéressant ensemble d'architecture africaine. Centre commercial.

Tom Jones, enfant trouvé *(Histoire de),* roman de H. Fielding (1749). Une odyssée scabreuse et picaresque qui finit en conte moral et qui est une critique en acte de l'idéalisme de Richardson.

TOMME → FROMAGE.

TOMOGRAPHIE → RADIODIAGNOSTIC.

TOMONAGA SIN ITIRO, physicien japonais (Kyōto 1906). Il a proposé en 1945 une formulation relativiste de la théorie des champs qui a permis l'étude des interactions du champ électromagnétique avec le photon. (Prix Nobel de physique, 1965.)

TOMSK, v. de l'U.R.S.S. (R.S.F.S. de Russie), en Sibérie occidentale, sur le *Tom* (affluent de droite de l'Ob, long de 840 km); 338 000 hab. Université. Constructions mécaniques et électriques.

TON *(Phonét.).* — Les tons sont des variations de hauteur du son de la voix à l'intérieur d'un mot. Dans certaines langues (suédois, chinois, japonais, vietnamien, etc.), ils ont une valeur distinctive, c'est-à-dire qu'ils permettent d'opposer des mots de signifiant identique : ils jouent donc le même rôle que le phonème. C'est ainsi que le chinois du Nord comporte quatre tons (uni, montant, descendant, brisé) : le groupe de phonèmes [ʃu] pourra signifier selon le ton dont il est affecté : *porc, bambou, seigneur, habiter.*

TONALITÉ → THÉORIE MUSICALE.

TON DUC THANG, homme d'État vietnamien (prov. de Long Xuyên 1888). Il succède à Hô Chi Minh comme président de la république démocratique du Viêt-nam (1969). Après la réunification du Nord et du Sud, il devient président de la république socialiste du Viêt-nam (juill. 1976).

TONGA, anc. **îles des Amis,** État insulaire de Polynésie, à l'E. des Fidji; 700 km^2; 92 000 hab. Capit. *Nukualofa.* Volcanique et corallien, formé d'environ 150 îles et îlots au climat tropical, l'archipel, surpeuplé, exclusivement agricole, vit principalement des cultures du manioc et de la patate, exportant surtout du coprah et des bananes. — Découverte en 1616, les îles Tonga, monarchie polynésienne, protectorat britannique en 1900, sont devenues, en 1970, indépendantes dans le cadre du Commonwealth*.

T'ONG-HOUA ou **TONGHUA,** v. de la Chine du Nord-Est (Ki-lin); 129 000 hab. Centre minier (houille et fer) et sidérurgique.

TONGRES, en néerl. **Tongeren,** v. de Belgique, dans le sud du Limbourg; 17 028 hab. (en 1970). Restes d'enceintes. Basilique Notre-Dame, reconstruite surtout aux XIIIe-XVe s. (cloître roman; trésor riche en objets du haut Moyen Âge). Musée provincial gallo-romain.

TONKIN, région septentrionale du Viêt-nam*, en bordure du *golfe du Tonkin* (formé par la mer de Chine méridionale), correspondant au delta du fleuve Rouge *(bas Tonkin)* et à son encadrement montagneux *(haut Tonkin).* — Conquis par les Français, dont le protectorat est reconnu par le traité de T'ien-tsin (1885), le Tonkin est, dès le début du XXe s., le terrain d'action privilégié des intellectuels vietnamiens désireux de rendre indépendant leur pays : les révoltes de 1908 et de 1930 préludent à la lutte armée qu'à partir de 1946 le Tonkin mène contre la présence française.

TONLÉ SAP, lac du Cambodge, au N.-O. de Phnom Penh, qui se déverse par un émissaire, appelé aussi *Tonlé Sap,* dans le Mékong, dont, en revanche, il reçoit les eaux en période de crue (contraste qui explique les variations — entre 2 700 et 10 000 km^2 — de sa superficie). Importantes pêcheries.

TONNAY-BOUTONNE (17380), ch.-l. de cant. de la Charente-Maritime, sur la *Boutonne,* à 16 km à l'O. de Saint-Jean-d'Angély; 1 076 hab.

TONNAY-CHARENTE (17430), ch.-l. de cant. de la Charente-Maritime, sur la *Charente,* à 7 km à l'E. de Rochefort; 6 514 hab. Port (importations de phosphates). Engrais.

TONNEAU DE JAUGE → JAUGE.

TONNEINS (47400), ch.-l. de cant. de Lot-et-Garonne, à 17 km au S.-E. de Marmande, sur la Garonne; 10 137 hab. *(Tonneinquais).* Tabac.

TONNERRE. — Le nombre n de secondes qui s'écoule entre les perceptions de l'éclair et du tonnerre indique la distance d en mètres $(d = 340\ n)$ qui sépare l'observateur de la décharge orageuse.

TONNERRE (89700), ch.-l. de cant. de l'Yonne, sur l'Armançon, à 35 km à l'E. d'Auxerre; 6 517 hab. Hôpital fondé en 1293 (anc. salle des malades, longue de 101 m; Mise au tombeau de 1453). Deux églises gothique et Renaissance. Confection. Électronique. Vignobles.

TÖNNIES (Ferdinand), sociologue allemand (Riep, près d'Oldenswort, Schleswig, 1855-Kiel 1936). Toute son œuvre fut marquée par la distinction entre la *communauté* (où les rapports sociaux sont issus des tendances naturelles) et la *société* (où les rapports sociaux sont fondés sur des intérêts calculés). Ces schémas «idéaux» influencèrent l'œuvre de M. Weber*.

TONOMÉTRIE. — L'abaissement relatif de la pression de vapeur saturante d'une solution permet une évaluation de la masse moléculaire du corps dissous.

TONUS. — La contraction légère, permanente et involontaire des muscles striés assure la posture et les attitudes. Le tonus est commandé par les neurones de la voie extrapyramidale, groupés dans des centres situés dans le tronc cérébral et dans les noyaux gris centraux du cerveau; ces centres sont contrôlés par le cervelet. Les principales anomalies du tonus sont l'hypotonie (où il diminue), l'hypertonie (où il s'exagère) et les dystonies musculaires (où il ne s'adapte pas aux circonstances).

TOOWOOMBA, v. d'Australie (Queensland); 58 000 hab.

TOPAZE. — C'est un fluosilicate naturel d'aluminium, de couleur mordorée, orthorhombique, de formule $Al_2SiO_4F_2$.

TOPEKA, v. des États-Unis, capit. du Kansas, sur le Kansas; 136 000 hab.

TOPELIUS (Zacharias ou Zachris), écrivain finlandais d'expression suédoise (Kuddnäs 1818-Helsingfors [auj. Helsinki] 1898), adversaire du naturalisme, auteur de poèmes (*Fleurs de bruyère,* 1845-1860), de récits historiques et de nouvelles pour enfants.

TOPOGRAPHIE. — Le lever topographique peut avoir deux destinations : l'établissement de plans topographiques à grande échelle, de surface limitée, ou l'établissement de la carte* de base couvrant tout un pays. On opère actuellement la plupart des levers par photogrammétrie*. Toutefois, certains levers à très grande échelle sont encore exécutés au tachéomètre ou à la planchette, qui est aussi utilisée pour le complètement* des levers photogrammétriques. On appelle *goniographe* l'ensemble constitué par une planchette placée horizontalement sur son trépied et par une alidade permettant le tracé des directions. On centre la planchette au moyen d'un compas de centrage. La planchette est *orientée* lorsqu'une direction *ab* de la planchette est située dans le plan vertical passant par les points correspondants du terrain A et B. Dans ces conditions, pour tracer une visée *am,* il suffit de tourner l'alidade jusqu'à bissecter le point M et de tracer la visée correspondante le long du biseau de l'alidade. On utilise à la planchette les procédés graphiques de l'intersection, du relèvement, du recoupement, du cheminement, du rayonnement.

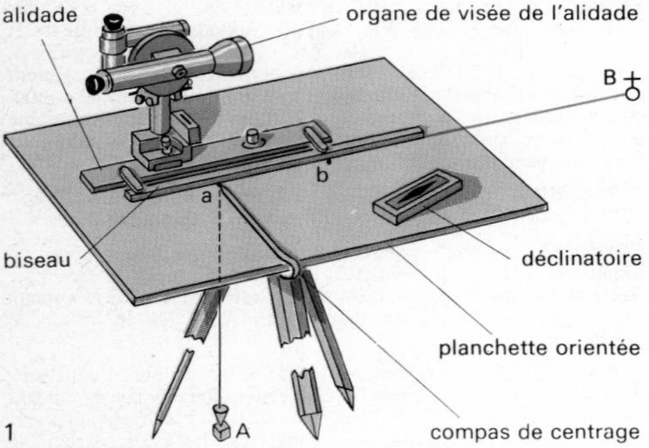

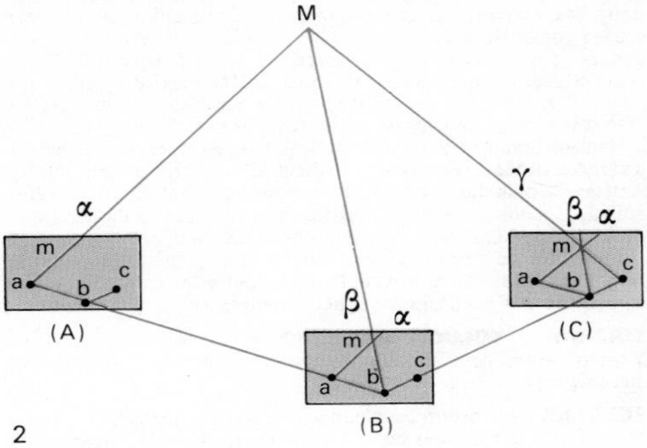

TOPOGRAPHIE. 1. Goniographie. Les points *a, b,* A et B sont dans le même plan vertical.
2. Intersection à la planchette.
On stationne successivement aux trois points connus A, B, C reportés en *a, b, c* sur la planchette. À chacun de ces points, on oriente la planchette, on vise le point M et on trace les visées *a*α, *b*β et *c*γ, qui se coupent au point cherché *m.*

TOPOLOGIE. — Une topologie est une *structure* que l'on définit sur un ensemble* E, qui peut être un ensemble de nombres, comme ℝ, un ensemble de fonctions, comme l'ensemble des fonctions continues sur le segment [0, 1], ou tout autre ensemble. Cette topologie est définie à partir d'un ensemble θ de *parties* de l'ensemble E, appelées *ouverts* et satisfaisant aux trois axiomes suivants:
- l'ensemble E et l'ensemble vide, ∅, sont des ouverts;
- toute réunion d'ouverts est un ouvert;
- toute intersection finie d'ouverts est un ouvert.

Un ensemble muni d'une topologie est un *espace topologique.* Cette définition abstraite peut sembler étrange, et l'on peut se demander quelle est l'utilité d'une topologie sur un ensemble. Une topologie permet d'étudier la « liaison » entre éléments d'un même ensemble, telle que la façon dont une suite d'éléments tend vers un élément donné.

EXEMPLE DE TOPOLOGIE. L'ensemble ℝ des nombres réels peut être muni d'une topologie. Un *intervalle ouvert* de ℝ, noté $]a, b[$, est l'ensemble des réels x tels que $a < x < b$. On définit un *ouvert* de ℝ comme une partie A de ℝ, vide ou pour laquelle, si $x \in A$, il existe un intervalle ouvert de centre x inclus dans A. En effet, ℝ est ouvert, car tout élément x de ℝ est centre d'un intervalle ouvert contenu dans ℝ. Par définition, ∅ est ouvert.

Si $A = A_1 \cap A_2 \cap \dots \cap A_n$ est l'intersection d'un nombre fini d'ouverts A_i ($i = 1, 2, \dots, n$) de ℝ et si A est vide, c'est un ouvert. Si A n'est pas vide, pour $\forall x$ de A, $x \in A_i$ et x est centre d'un intervalle ouvert $B_i \subset A_i$. Le plus petit des intervalles B_i est contenu dans tous les ouverts A_i, donc dans leur intersection A : A est donc ouvert. Enfin, si $A = \bigcup_i A_i$ est une réunion d'ouverts de ℝ, où $i \in I$ $\forall x$ de A, $\exists i \in I : x \in A_i$ et, dans A_i, x est centre d'un intervalle ouvert de centre x. Cet intervalle est contenu dans $A = \bigcup_i A_i$. Donc A est un ouvert. On a bien défini une topologie sur ℝ. Un sous-ensemble *fermé* d'un espace topologique E est la partie complémentaire d'un ouvert de E. Les propriétés des fermés sont duales de celles des ouverts:
- l'ensemble E et l'ensemble vide sont des fermés;
- toute réunion finie de fermés est un fermé;
- toute intersection de fermés est un fermé.

La *fermeture* d'une partie A de l'ensemble E est l'intersection de tous les fermés contenant A; on la note $\bar{A}$. C'est le plus petit fermé contenant A; $A = \bar{A}$ si, et seulement si, A est fermé. La fermeture de A est aussi l'ensemble des points *adhérents* de A, ensemble des points de A et de ses *points d'accumulation.* Un point d'accumulation x_0 pour A est tel que tout voisinage de x_0 contient un point de A distinct de x_0 : par exemple, le point d'abscisse 1 pour la partie A de ℝ formée des points de la suite (x_n) telle que $x_n = 1 + \frac{(-1)^n}{n}$.

Ces notions permettent de démontrer des théorèmes utiles en analyse, tel le théorème de Bolzano-Weierstrass*, au terme duquel toute partie bornée fermée de ℝ et infinie admet au moins un point d'accumulation.

TOPOMÉTRIE. — Les opérations de topométrie comportent sur le terrain des mesures de distance avec des mesures d'angles horizontaux et verticaux, au bureau les calculs des coordonnées* et des altitudes d'un certain nombre de points qui serviront de canevas aux levers topographiques ou photogrammétriques. Les mesures directes de distance utilisent un étalon de longueur : décamètre ou une longueur d'onde qui peut être lumineuse *(géodimètre)* ou électromagnétique *(telluromètre).* Toute longueur mesurée selon la pente doit être réduite à l'horizon et à la surface de référence. Le système de représentation* introduit en outre une altération linéaire. Les mesures indirectes sont faites par variation de pente, par voie parallactique, au télémètre ou encore à partir des éléments d'un triangle. Les mesures des angles horizontaux ou verticaux sont effectuées sur le limbe horizontal ou vertical d'un tachéomètre ou d'un théodolite. Les principaux procédés topométriques utilisés en planimétrie sont l'intersection, le relèvement, le rayonnement et le cheminement.

TOPONYMIE → ONOMASTIQUE.

TOPOR (Roland), dessinateur français (Paris 1938). À travers un style anachronique, il développe dans ses dessins pour *Hara-Kiri,* ses albums (*Toxicologie,* 1971), ses illustrations, ses films d'animation un humour noir qui mêle l'absurde au cruel, le bizarre au fantastique. Il est aussi écrivain (romans, scénarios).

TOPPING → DISTILLATION DU PÉTROLE et RAFFINAGE.

Torah (la), c'est-à-dire la Loi, nom donné par les Juifs aux cinq premiers livres de la Bible, ou Pentateuque*, parce qu'ils contiennent l'essentiel de la loi mosaïque.

TORCELLO, île de la lagune de Venise. Cathédrale fondée au VIIe s., reconstruite au XIe (mosaïques, dont le *Jugement dernier* du XIIe s.). Église octogonale S. Fosca (XIIe s.).

TORCHE → GAZ.

TORCY (77360 Vaires sur Marne), ch.-l. de cant. de Seine-et-Marne, à 4,5 km au S.-O. de Lagny-sur-Marne; 4 802 hab.

TORCY (Jean-Baptiste COLBERT, *marquis* DE), diplomate français (Paris 1665-*id.* 1746). Fils de Colbert de Croissy, il succéda à son père comme secrétaire d'État aux Affaires étrangères en 1696. Il fut l'âme des conférences qui aboutirent aux traités d'Utrecht (1713) et de Rastatt (1714). Le régent l'écarta dès 1715.

TORDESILLAS, v. d'Espagne, en Vieille-Castille, sur le Douro; 5 000 hab. Monastère de S. Clara, bel ensemble mudéjar édifié au XIVe s. comme palais royal. — Le 7 juin 1494, les Rois Catholiques et le roi Jean de Portugal signèrent à Tordesillas un traité qui repoussait vers l'ouest la ligne de démarcation entre les possessions des deux royaumes, fixée quelques années plus tôt (1493) par le pape Alexandre VI. La fixation de cette ligne à 370 lieues à l'ouest des îles du Cap-Vert donnait aux Portugais le Brésil.

TORDEUSE. — Les tordeuses sont des chenilles nuisibles aux feuilles, qu'elles tordent pour s'y envelopper. Les tordeuses du chêne, du rosier, des pousses de pin, du saule, du pommier (pyrale des pommes ou « ver des fruits »), de la vigne (pyrale de la vigne et tordeuse de la grappe) sont les plus nuisibles. (Famille des tortricidés.)

TORELLI (Giuseppe), violoniste et compositeur italien (Vérone 1658-Bologne 1709). Un des plus fameux maîtres de l'école bolonaise, il fut initiateur dans le domaine de la sonate, du concerto grosso et du concerto pour soliste.

TORGAU, v. de l'Allemagne orientale, au N.-E. de Leipzig; 20 000 hab. Château reconstruit aux XVe et XVIe s.

TORHOUT, v. de Belgique (Flandre-Occidentale), au S.-O. de Bruges; 15 156 hab. (en 1970).

TORIGNI-SUR-VIRE (50160), ch.-l. de cant. de la Manche, à 13,5 km au S.-E. de Saint-Lô; 2 807 hab.

TORNE (le), fl. de l'Europe du Nord (400 km), émissaire du *Torne träsk* (lac de la Suède septentrionale) et qui rejoint le golfe de Botnie après avoir séparé, dans son cours inférieur, la Suède et la Finlande.

TORONTO, v. du Canada, capit. de la prov. de l'Ontario; 712 786 hab. Galerie d'art de l'Ontario. Toronto (appelée *York* de 1796 à 1834) est le centre d'une agglomération comptant 2 368 000 habitants, étirée d'Oshawa à Oakville, sur la rive nord du lac Ontario. Cette agglomération emploie le quart des ouvriers canadiens et assure, en valeur, le tiers de la production industrielle du pays, dominée par les constructions mécaniques (matériel de transport) et électriques, précédant l'alimentation et la confection, liées au marché urbain. Le secteur tertiaire englobe notamment la finance (principale place boursière du Canada), le commerce et les activités culturelles. La ville bénéficie d'excellentes relations routières, ferroviaires et aériennes (premier aéroport canadien). Le trafic du port est dominé par les entrées de charbon et de pétrole, destinées à l'approvisionnement énergétique, complété par l'électricité hydraulique et nucléaire.

TORPILLE *(Arm.).* — La torpille est un projectile sous-marin autopropulsé, utilisé contre des objectifs maritimes par des navires ou des aéronefs. Créée à la fin du XVIIIe s. et constamment perfectionnée (propulsion électrique, mise à feu électromagnétique, etc.), elle a joué un rôle important au cours des deux guerres mondiales. (De 1939 à 1945, 30 p. 100 des navires de guerre et 60 p. 100 des navires de commerce alliés ont été coulés par torpilles.) Principal moyen d'attaque et de défense contre les sous-marins, la torpille fait partie de l'armement de nombreux navires de surface. Les *vedettes lance-torpilles* et certains appareils de l'aéronavale sont spécialisés dans son emploi. Enfin, l'armement tactique de tous les sous-marins est constitué par des torpilles.

TORPILLE *(Zool.).* — Cette petite raie* au contour arrondi peut émettre des décharges électriques provoquant l'engourdissement torpide du bras qui l'a touchée; d'où son nom. Ce sont les muscles du dos, organisés en une véritable pile, qui assurent cette fonction.

TORQUAY, v. du sud de l'Angleterre (Devon), sur la Manche; 54 000 hab.

TORQUEMADA (Tomás DE), inquisiteur espagnol (Valladolid 1420-Ávila 1498). Prieur du couvent dominicain de Ségovie, il devint inquisiteur général pour toute la péninsule Ibérique (1483). Son intolérance se manifesta par l'expulsion des Juifs et la mort, par le bûcher, de plusieurs milliers de personnes.

TORRANCE, v. des États-Unis (Californie), banlieue sud de Los Angeles; 135 000 hab.

TORRE ANNUNZIATA, v. d'Italie (Campanie), au S. du Vésuve, sur le golfe de Naples; 57 000 hab. Sidérurgie.

TORRE DEL GRECO, v. d'Italie (Campanie), au pied du Vésuve, sur le golfe de Naples; 95 000 hab.

TORRELAVEGA, centre industriel (chimie, métallurgie) du nord de l'Espagne (Vieille-Castille), près de Santander.

TORREMOLINOS, station balnéaire d'Espagne (Andalousie), sur la Costa del Sol, au S.-O. de Málaga.

TORRENT. — Mode d'écoulement des régions montagnardes, un torrent comprend trois parties. À l'amont, les eaux de ruissellement se rassemblent dans le *bassin de réception.* Chargées de débris, elles empruntent le *chenal d'écoulement,* à forte pente; en tourbillonnant sur le fond du lit, les galets y creusent des marmites de géant. Quand le torrent débouche sur une vallée transversale, la diminution brutale de la pente lui fait déposer une grande partie de sa charge en un *cône de déjections* évasé vers l'aval.

TORREÓN, v. du nord du Mexique; 223 000 hab.

TORRES *(détroit de),* bras de mer séparant l'Australie et la Nouvelle-Guinée, et reliant le Pacifique (mer de Corail) à l'océan Indien (mer d'Arafoura).

TORRES BODET (Jaime), écrivain mexicain (Mexico 1902-*id.* 1974), poète (*Exil,* 1930), romancier (*Ombres,* 1937) et auteur d'essais critiques et politiques (*la Terre promise,* 1972).

TORRES QUEVEDO (Leonardo), ingénieur et mathématicien espagnol (Santa Cruz, Santander, 1852-Madrid 1936). Véritable précurseur du calcul automatique, il construisit plusieurs machines capables de résoudre des équations algébriques quelconques ainsi qu'un automate joueur d'échecs. L'un des premiers, il utilisa les ondes hertziennes pour la commande à distance.

TORRES VEDRAS, v. du Portugal, au N. de Lisbonne. Wellington y construisit en 1810 une ligne fortifiée pour couvrir la capitale.

TORRICELLI (Evangelista), mathématicien et physicien italien (Faenza 1608-Florence 1647). On lui doit la quadrature d'une arche de la cycloïde, la détermination du volume engendré par sa rotation autour de la base et l'établissement des différentes propriétés de la spirale logarithmique, qu'il appelait *spirale géométrique.* Dans une expérience de 1643, Torricelli mit en évidence la pression atmosphérique. En 1644, il énonça la loi de l'écoulement des liquides.

TORSEUR. — Un torseur est un système de vecteurs glissants ou *glisseurs,* en nombre fini. Un glisseur est un vecteur $\overrightarrow{AB}$ équipollent à un vecteur libre $\vec{V}$, mais dont l'origine A n'est pas fixée sur le support (D) de $\overrightarrow{AB}$, parallèle à $\vec{V}$. Il est donc défini par un point A et un vecteur libre $\vec{V}$. L'intérêt de cette définition réside dans le fait que le *moment* de $\overrightarrow{AB}$ en un point O quelconque ne dépend pas de l'origine A sur (D). Le moment en O du vecteur $\overrightarrow{AB}$ est le *produit vectoriel* $\overrightarrow{OG} = \overrightarrow{OA} \wedge \overrightarrow{AB}$. C'est un vecteur perpendiculaire au plan formé par O et (D) — si O n'est pas sur (D) —, dont le module (ou longueur) est $OG = OA \, . \, AB \sin(\overrightarrow{OA}, \overrightarrow{AB})$ et dont le sens est tel que le trièdre $(\overrightarrow{OA}, \overrightarrow{AB}, \overrightarrow{OG})$ soit direct. Si A′ est un point quelconque de (D), on a $\overrightarrow{A'B'} = \overrightarrow{AB}$,

$$\begin{aligned}\overrightarrow{OG'} &= \overrightarrow{OA'} \wedge \overrightarrow{A'B'} = (\overrightarrow{OA} + \overrightarrow{AA'}) \wedge \overrightarrow{AB} \\ &= \overrightarrow{OA} \wedge \overrightarrow{AB} + \overrightarrow{AA'} \wedge \overrightarrow{AB} = \overrightarrow{OA} \wedge \overrightarrow{AB},\end{aligned}$$

car le produit vectoriel $\overrightarrow{AA'} \wedge \overrightarrow{AB}$ est nul, puisque $\overrightarrow{AA'}$ et $\overrightarrow{AB}$ font un angle nul, et le sinus de cet angle est nul. Donc $\overrightarrow{OA} \wedge \overrightarrow{AB} = \overrightarrow{OA'} \wedge \overrightarrow{A'B'} = \overrightarrow{OH} \wedge \overrightarrow{HK}$, H étant la projection de O sur (D) et $\overrightarrow{HK} = \overrightarrow{AB}$. Si le point O est sur (D), $\overrightarrow{OG}$ est nul, car OH est nul. Si l'espace est rapporté à un repère *orthonormé* Oxyz ou O, $\vec{i}$, $\vec{j}$, $\vec{k}$, le point A ayant comme coordonnées x, y, z et le vecteur $\vec{V}$ comme composantes X, Y et Z, les composantes de $\overrightarrow{OG}$ sont

$$L = yZ - zY, \; M = zX - xZ, \; N = xY - yX.$$

On a la relation $LX + MY + NZ = 0$, qui indique que le produit scalaire $\vec{V} \, . \, \overrightarrow{OG}$ est nul, puisque $\overrightarrow{OG}$ est perpendiculaire à $\vec{V} = \overrightarrow{AB}$.

Si O′ est un point quelconque de l'espace, le moment en O′ de $\overrightarrow{AB}$ est :

$$\overrightarrow{O'G'} = \overrightarrow{O'A} \wedge \overrightarrow{AB} = (\overrightarrow{O'O} + \overrightarrow{OA}) \wedge \overrightarrow{AB} = \overrightarrow{O'O} \wedge \overrightarrow{AB} + \overrightarrow{OA} \wedge \overrightarrow{AB},$$

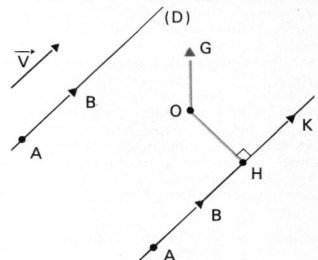

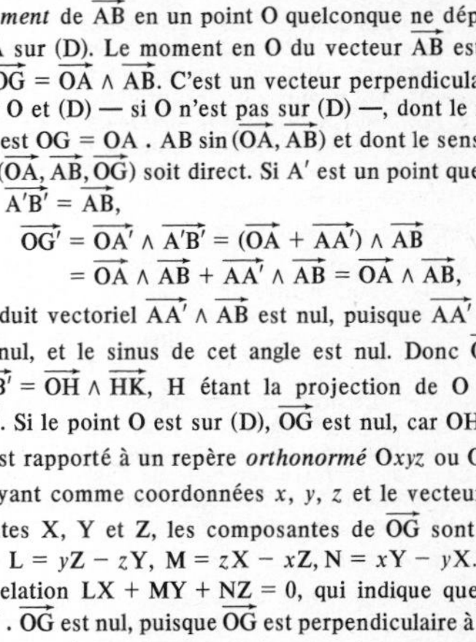

ce qui peut s'écrire $\overrightarrow{O'G'} = \overrightarrow{OG} + \overrightarrow{O'O} \wedge \overrightarrow{AB}$. On exprime ainsi le moment $\overrightarrow{O'G'}$ en O' à l'aide du moment en O, $\overrightarrow{OG}$ et d'un produit vectoriel portant sur $\overrightarrow{AB}$ et le vecteur $\overrightarrow{OO'}$. L'égalité obtenue est celle du *changement d'origine*. Analytiquement, on obtient

$$L' = L - yZ + zY, M' = M - zX + xZ, N' = N - xY + yX,$$

L, M, N étant les composantes de $\overrightarrow{OG}$ et x, y, z les coordonnées de O' dans le repère $Oxyz$.

Les *éléments de réduction* d'un torseur en un point O sont la *résultante générale,* ou *somme,* qui est la somme géométrique des vecteurs libres équipollents aux glisseurs, $\overrightarrow{R} = \sum_{i=1}^{n} \overrightarrow{V_i}$, et le *moment résultant,* qui est la somme géométrique des moments en ce point des différents vecteurs glissants du système :

$$\overrightarrow{OG} = \sum_{i=1}^{n} \overrightarrow{OG_i} = \sum_{i=1}^{n} \overrightarrow{OA_i} \wedge \overrightarrow{A_iB_i}.$$

Analytiquement, un torseur est défini par six nombres; X, Y, Z, composantes de $\overrightarrow{R}$, et L, M, N, composantes de $\overrightarrow{OG}$. En un point $O'(x, y, z)$, $\overrightarrow{O'G'} = \overrightarrow{OG} + \overrightarrow{O'O} \wedge \overrightarrow{R}$; d'où

$$L' = L - yZ + zY, M' = M - zX + xZ, N' = N - xY + yX.$$

Deux systèmes ayant *mêmes éléments de réduction* en un point ont mêmes éléments de réduction en tout point : ils sont *équivalents* et définissent le même torseur. Dans certains cas, on pourra essayer de remplacer un système par un autre système, équivalent mais plus simple, comme un couple, dont la résultante est nulle et dont le moment résultant est donc indépendant du point par rapport auquel on calcule ce moment. Pour résoudre certains problèmes, on pourra aussi utiliser l'*axe central* d'un torseur, qui est l'ensemble des points de l'espace où le moment résultant est colinéaire à la résultante générale (ou nul). Les équations de l'axe central sont

$$\frac{L - yZ + zY}{X} = \frac{M - zX + xZ}{Y} = \frac{N - xY + yX}{Z}.$$

Elles expriment la proportionnalité des composantes de $\overrightarrow{R}$ et du moment au point $P(x, y, z)$. L'axe central est une *droite*. La notion de torseur est utilisée en mécanique, où l'on représente les forces par des vecteurs.

TORSION. — Lorsqu'on tord autour de son axe un fil cylindrique fixé par une de ses extrémités A, l'autre extrémité B tourne d'un angle θ. Pour produire cette rotation, il faut exercer sur l'extrémité B un couple dont le moment Γ est proportionnel à θ. On peut poser $\Gamma = C\theta$, où C est la *constante de torsion* du fil. Ce phénomène est mis à profit dans de nombreux instruments de mesure (balance et pendule de torsion), dans lesquels la torsion d'un fil très fin peut équilibrer des forces minimes.

TORSION (barre de) → SUSPENSION.

TORSTENSSON (Lennart), officier suédois (Torstena 1603-Stockholm 1651). Grand maître de l'artillerie, il dirigea l'invasion de la Bohême (1639). Chef des armées suédoises, feld-maréchal (1641), il vainquit les Impériaux à Breitenfeld (1642) et à Jankowitz (1645).

TORTICOLIS. — Le torticolis est dû à une contracture des muscles sterno-cléido-mastoïdiens. Il peut être : aigu, d'origine traumatique ou rhumatismale (arthrite ou arthrose cervicales); congénital, lié à une brièveté anormale de l'un des deux muscles sterno-cléido-mastoïdiens; spasmodique, caractérisé par des contractions involontaires des muscles du cou.

TORTRICIDÉS → TORDEUSE.

TORTUE. — L'étrange ordre des reptiles chéloniens, ou tortues, comprend des formes marines, dulçaquicoles et terrestres, au contour général ovale, courtes de membres et de queue, dépourvues de dents et caractérisées par un squelette externe osseux (dossière et plastron) généralement recouvert de pièces écailleuses et dans lequel maintes espèces peuvent se rétracter entièrement.

Les tortues terrestres ont des pattes munies de griffes, une carapace fortement bombée; elles sont végétariennes, souvent fouisseuses et leur lenteur est proverbiale. On en connaît des espèces géantes (îles Galápagos). Les tortues d'eau douce sont des carnivores gloutons, parfois agressifs et dangereux (chélydre des États-Unis); elles sont souvent comestibles, voire savoureuses. Une chasse excessive les met en danger de disparition.

Les tortues marines, au corps assez aplati, ont les pattes conformées en nageoires : citons la tortue verte, qui sert à faire la soupe, le caret et la tortue à écailles, qui fournit l'écaille vraie du commerce. Une autre forme marine, le luth, ou tortue-cuir, n'a qu'une carapace très rudimentaire. Toutes les tortues pondent leurs œufs dans le sable.

TORTUE *(île de la),* île au large de la côte nord d'Haïti (dont elle dépend et dont elle est séparée par le *canal de la Tortue*).

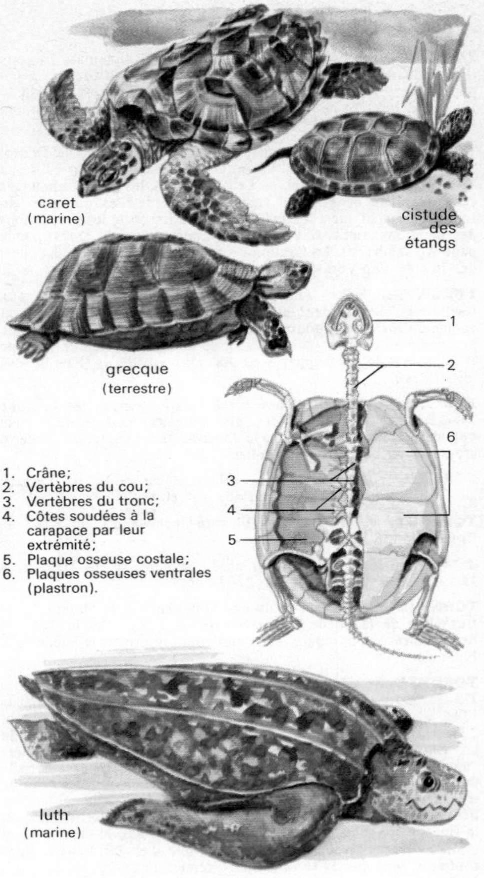

TORTUE

TORUŃ, en allem. **Thorn,** v. de Pologne, sur la Vistule; 144 000 hab. Restes de fortifications et nombreux monuments, surtout gothiques. Musées municipal, ethnographique, Copernic. Industries textiles et chimiques.

tory *(parti),* nom porté par le parti conservateur* anglais avant 1832.

TOSA, école de peinture japonaise, dont l'origine remonte au XIVe s. et qui maintint la tradition de peinture profane nippone, ou *yamato-e,* à la cour impériale de Kyōto* jusqu'au XIXe s. L'artiste principal en est Tosa Mitsunobu (v. 1430-v. 1522), qui en établit le style pictural. Son art est un répertoire des meilleures caractéristiques de cette peinture traditionnelle, dans une gamme variée de sujets : œuvres bouddhiques, rouleaux narratifs, grands paravents à thème historique et portraits. Par l'union des vifs coloris du *yamato-e* et des jeux d'encre, Tosa Mitsunobu créa des effets très nouveaux. Puis l'école connut une certaine éclipse avec les guerres civiles de la fin du XVIe s. et ne se rétablit à Kyōto qu'au milieu du XVIIe s. avec Mitsunori (v. 1584-1638) et surtout son fils Mitsuoki (1617-1691), qui reprit la tête de l'atelier impérial de peinture. Dans ses délicates compositions de fleurs et d'oiseaux, les traditions du *yamato-e* se mêlent à celles qui sont venues de la Chine des Song du Sud. Ses successeurs continueront de travailler dans ce style charmant, mais teinté de formalisme académique.

TOSCA *(la),* opéra en trois actes, livret de L. Illica et G. Giacosa d'après V. Sardou, musique de G. Puccini (1900). Ce drame, dans la tradition vériste, traduit les passions grâce à un récitatif intense et une orchestration colorée.

TOSCANE, en ital. **Toscana,** région de l'Italie centrale; 23 000 km²; 3 527 000 hab. Capit. *Florence.* La Toscane est formée des neuf provinces suivantes : Arezzo, Florence, Grosseto, Livourne, Lucques, Massa et Carrare, Pise, Pistoia et Sienne.

GÉOGRAPHIE. De l'Apennin à la mer Tyrrhénienne, la Toscane offre des paysages variés, le plus souvent de moyennes montagnes et de collines, les plaines, même près du littoral, constituant l'exception. Au point de vue économique domine l'industrie, avec les activités extractives (fer de l'île de l'Elbe, marbre de Carrare) et surtout l'industrie de transformation (constructions mécaniques, textile, alimentation, verrerie, chimie). L'agriculture, favorisée par le climat méditerranéen (cependant irrégulier d'une année à l'autre), associe traditionnellement le blé, la vigne (exclusive dans le Chianti) et l'olivier (qui, avec le cyprès, constitue aussi une végétation naturelle). Mais une ressource essentielle est le tourisme : balnéaire sur le littoral (Viareggio) et culturel dans l'intérieur (Pise, Sienne et Florence), aux paysages harmonieux. Région aux activités équilibrées, intermédiaire entre le Nord, industrialisé, et le Mezzogiorno, moins développé, urbanisée mais sans métropole démesurée, la Toscane, assez densément peuplée, n'a cependant pas retrouvé la prééminence qui était la sienne au Moyen Âge et à la Renaissance.

HISTOIRE. Constituée dans le cadre territorial de l'antique Étrurie, la Toscane forma l'une des quatorze régions d'Italie créées par Auguste. Occupée par les Lombards (v. 570), puis par les Francs (774), elle devint sous les Carolingiens le siège d'un marquisat. La dernière héritière de la Toscane, la comtesse Mathilde (1076-1115), légua ses biens à la papauté. Mais les empereurs, contestant la validité du testament, entamèrent avec la papauté un long conflit, à la faveur duquel la Toscane se morcela au profit de républiques urbaines (Florence*, Sienne*, Pise*, Lucques*). Il fallut attendre le XVe s., époque où les Médicis* constituèrent un vaste État florentin, pour que la Toscane retrouvât son unité. Érigé en grand duché de Toscane en 1566, l'État des Médicis ne tarda pas à décliner, avant de tomber (1737) dans la zone d'influence autrichienne. Occupée à deux reprises par les Français (1799, 1800), la région fut réunie à la France en 1807 et confiée à l'une des sœurs de l'Empereur, Élisa. Retombée sous la coupe de ses grands-ducs autrichiens (1814), elle fut secouée par la révolution de 1848 (proclamation de la république en février 1849), puis par la contre-révolution autrichienne (restauration de Léopold II en mai 1849). En 1859, elle chassa son grand-duc et, en 1860, se donna au Piémont.

TOSCANINI (Arturo), chef d'orchestre italien (Parme 1867-New York 1957). Créateur, en 1896, de *la Bohême* de Puccini, il dirigea à la Scala (1898), au Metropolitan Opera de New York (1908-1915), de nouveau à la Scala, où, en 1926, il créa *Turandot* de Puccini, et, de 1944 à 1954, aux États-Unis (Orchestre symphonique de la NBC).

TOTEM et **TOTÉMISME.** — Animal ou plante, le totem symbolise l'unité du clan, dont il est considéré comme l'ancêtre et auquel il donne son nom. Première forme de religion pour certains anthropologues, le totémisme, pour C. Lévi-Strauss, illustre l'activité classificatoire de la pensée sauvage, qui repose sur l'homologie entre la classification du monde naturel et l'organisation sociale. C'est un code des systèmes de parenté que se donnent les sociétés. Comme toute classification, il est assorti d'un ensemble d'interdits.

TÔTES (76890), ch.-l. de cant. de la Seine-Maritime, à 29 km au N. de Rouen; 848 hab.

École des Tosa. Fragment d'une peinture de Tosa Mitsuyoshi (1539-1613). [Musée Guimet, Paris.]

Lauros - Giraudon

TOTILA ou **BADUILA** («l'Immortel») [† Caprare (Caprara) 552], roi des Ostrogoths (541-552). Profitant du rappel de Bélisaire*, il reconquit la péninsule italienne jusqu'à Cumes et Naples (v. 543), et s'empara de Rome (546), que Bélisaire, de retour, ne put réoccuper qu'après sa retraite volontaire. Après le second rappel de Bélisaire (549), il reprit Rome et établit sa domination sur le sud de la péninsule, la Sicile, la Sardaigne et la Corse (550). Mais il fut battu par Narsès* à Tadinae (Gualdo Tadino), près d'Urbino (552), et fut mortellement blessé dans sa fuite.

TOTLEBEN ou **TODLEBEN** (Edouard Ivanovitch, *comte*), général et ingénieur russe (Mitau 1818-Bad Soden 1884). Il défendit Sébastopol pendant la guerre de Crimée (1854-55), puis dirigea le siège de Plevna pendant la guerre russo-turque de 1877-78.

TOTTENHAM, faubourg industriel du nord-est de Londres; 113 000 hab.

TOTTORI, port du Japon (Honshū), sur la mer du Japon; 113 000 hab. Industries alimentaires.

TOUAGE → BATELLERIE.

TOUAMOTOU → TUAMOTU.

TOUAREGS → AFRIQUE et SAHARA.

TOUAT (le), groupe d'oasis du Sahara algérien, à l'O. du plateau de Tademaït. Ch.-l. *Adrar.*

TOUBKAL, sommet du Maroc, dans le Haut Atlas, au S. de Marrakech, point culminant de l'Afrique du Nord; 4165 m.

TOUCAN. — On connaît l'énorme bec, parfois diversement teinté, de cet oiseau de l'Amérique du Sud, grimpant et arboricole, insectivore. (Type de la famille des rhamphastidés.)

TOUCOULEURS → AFRIQUE et SÉNÉGAL.

TOUCY (89130), ch.-l. de cant. de l'Yonne, à 24 km au S.-O. d'Auxerre; 2 819 hab. Église du XVIe s. Constructions mécaniques. Patrie de P. Larousse.

TOUEN-HOUANG ou **DUNHUANG,** site archéologique de Chine (Kan-sou), au point de départ et d'aboutissement des deux routes de la soie. Ses grottes ornées (V^e-Xe s.), qui sont un des sommets de l'art bouddhique, présentent un intérêt considérable des points de vue esthétique, documentaire et iconographique. Fresques, sculptures et bannières combinent et assimilent des influences de l'Inde, de l'Asie centrale et de la Chine en un style complexe et original.

TOU FOU ou **DU FU,** poète chinois (dans le Ho-nan 712-au Hou-nan 770). Il a tiré de son expérience de la misère et de la guerre civile (la rébellion de Ngan Lou-chan) la matière d'une poésie très élaborée, à égale distance des improvisations de Li Po et des allusions littéraires des écrivains érudits *(Lamentation sur la bataille de Chentao, Chanson du vieux cèdre).*

TOUGGOURT, importante oasis du nord du Sahara algérien.

TOUKHATCHEVSKI (Mikhaïl Nikolaïevitch), maréchal soviétique (Aleksandrovskoïe 1893-Moscou 1937). Officier de la garde du tsar rallié à la révolution, il participe aux combats de la guerre civile (1918-1920) et commande le front ouest pendant la guerre polono-soviétique*. Disciple de Trotski, adjoint de Frounze, commissaire à la Défense (1921-1924), il devient de 1924 à 1928 chef d'état-major général de l'armée rouge, dont il sera le véritable créateur. Ministre adjoint de la Défense en 1931, maréchal en 1935, il est accusé de trahison avec la complicité des services secrets nazis et est fusillé sur ordre de Staline. Sa mémoire a été réhabilitée par Khrouchtchev en 1961.

TOUL (54200), ch.-l. d'arr. de Meurthe-et-Moselle, sur la Moselle et le canal de la Marne au Rhin; 16 832 hab. *(Toulois).* Fortifications du XVIIe s. Anc. cathédrale des XIIIe-XVe s. (cloître du XIVe s.; chapelles de la Renaissance) et église Saint-Gengoult, contemporaine (cloître du XVIe s.). — La cité gallo-romaine des Leucques fut évangélisée au IVe s. par saint Mansuy et devint le siège d'un évêché. Capitale d'un comté carolingien, Toul tomba au XIe s. sous le pouvoir de son évêque. Celui-ci ne tarda pas à entrer en conflit avec la bourgeoisie d'affaires, qui, au XIIIe s., gagna l'autonomie administrative. Occupés par Henri II (1552), la ville et son évêché furent annexés à la France en 1648 (v. TROIS-ÉVÊCHÉS).

TOULA, v. de l'U. R. S. S. (R. S. F. S. de Russie), au S. de Moscou; 462 000 hab. Sidérurgie. Matériel agricole.

TOULON, ch.-l. du départ. du Var, sur la Méditerranée, à 846 km au S.-S.-E. de Paris; 180 050 hab. *(Toulonnais).* Église, anc. cathédrale, du XVIIe s., avec parties du XIIe s. Musée naval (à la façade, atlantes de Puget, provenant de l'anc. hôtel de ville).

GÉOGRAPHIE. La ville doit son essor à sa rade, qui en a fait le premier port militaire français sur la Méditerranée. La fonction militaire demeure essentielle, l'activité industrielle se réduisant presque à la construction navale (d'ailleurs partiellement liée à la marine nationale) et établie à La Seyne-sur-Mer. Celle-ci est la

B. Beaujard

Toulouse. La place Wilson, de forme circulaire; le Capitole et la place du Capitole.

principale commune de banlieue d'une agglomération regroupant près de 400 000 habitants, soit près des deux tiers de la population du Var, proportion justifiant le transfert de Draguignan à Toulon du siège de la préfecture, qui a été effectué en 1974.

HISTOIRE. Quand elle entre dans le royaume de France (1481), la ville n'est encore qu'un modeste port, qui, aux XVIe et XVIIe s., devient lentement une importante base navale : siège de l'amirauté de Provence (1555), dotée d'un arsenal par Henri II (1595), elle est grâce à Colbert et à Vauban le « grand établissement de la marine au Levant ». Port de guerre, elle reçoit des forçats après la suppression des galères de Marseille en 1749. Livrée aux Anglais par les royalistes en 1793, elle est reprise par Dugommier et Bonaparte*. À la suite de l'invasion de la zone libre par la Wehrmacht, la flotte française basée à Toulon (220 000 t) se saborde le 27 novembre 1942. Base navale française du Levant depuis le XVIIe s., chef-lieu de la IIIe région maritime, Toulon, avec ses annexes du Mourillon, de La Seyne et de Saint-Mandrier, a vu son importance grandir avec celle de la Méditerranée. En 1975, la majorité de la flotte y a été regroupée.

TOULON-SUR-ARROUX (71320), ch.-l. de cant. de Saône-et-Loire, à 28 km au N.-E. de Digoin; 2 057 hab. Église romane.

TOULOUSE, capit. de la Région Midi-Pyrénées et ch.-l. du départ. de la Haute-Garonne, sur la Garonne, à 681 km au S. de Paris; 383 176 hab. *(Toulousains)*. Siège, depuis 1968, de l'École nationale supérieure de l'aéronautique et de l'espace.

GÉOGRAPHIE. L'agglomération (avec notamment Colomiers et Blagnac) compte plus de 500 000 habitants. L'espace est largement urbanisé de Colomiers, à l'O., à Balma, à l'E., et d'Aucamville, au N., à Ramonville-Saint-Agne, au S., cependant que la commune elle-même s'est peuplée vers le S.-O. (cité nouvelle du Mirail). Toulouse possède toutes les fonctions d'une grande métropole régionale : administration, commerce, culture (importante université et grandes écoles, orientées surtout vers les sciences et techniques). L'industrie s'est considérablement développée depuis un demi-siècle; elle est dominée aujourd'hui par la construction aéronautique (implantée notamment dans l'ouest de l'agglomération, vers Blagnac, site de l'aéroport de Toulouse), la chimie (engrais) et l'électronique, qui s'ajoutent aux branches plus traditionnelles (alimentation, imprimerie, mobilier, confection). Éloignée de Paris et des régions les plus industrialisées, Toulouse bénéficie en contrepartie d'une bonne desserte routière (à mi-chemin entre l'autoroute reliant bientôt Bordeaux au Languedoc [Narbonne]), ferroviaire (liaison rapide avec la capitale) et aussi aérienne, qui en fait, avec Bordeaux, le pôle essentiel du développement du Sud-Ouest français, rôle traduit par la rapidité de la croissance démographique récente, malgré les difficultés actuelles de certaines branches industrielles, dont l'aéronautique.

HISTOIRE. Capitale des Volques Tectosages, Toulouse devient romaine entre 120 et 100 av. J.-C. Elle est ensuite capitale du royaume wisigothique (début du Ve s.), puis du royaume franc d'Aquitaine et enfin de la Marche de Toulouse (IXe s.). Au XIIe s., les Capitouls s'émancipent progressivement de la juridiction des comtes et constituent une république urbaine. Au XIIIe s., la croisade albigeoise, au cours de laquelle Toulouse soutient trois sièges, met fin à une quasi-indépendance. Siège de l'Inquisition et d'une université créée en 1229 pour combattre l'hérésie, la ville est rattachée au domaine royal en 1271. Du XVe s. au milieu du XVIe, elle connaît un essor remarquable, lié au commerce du pastel vers l'Espagne. Mais sa prospérité est compromise par les guerres de Religion; Toulouse ne retrouvera son second souffle qu'au XIXe s.

BEAUX-ARTS. Basilique Saint-Sernin, exemplaire des grandes églises romanes de pèlerinage (chœur à absidioles rayonnantes, consacré en 1096; nef à voûte en berceau et tribunes du XIIe s.; original clocher des XIIe et XIIIe s. sur la croisée du transept), riche de sculptures (chapiteaux; porte Miègeville), de vestiges de fresques romanes et d'objets précieux (cryptes). Cathédrale gothique hétérogène (XIIe-XVe s.). Magnifique église des Jacobins, en brique, à deux nefs (XIIIe-XIVe s.; cloître et dépendances). Diverses églises de type gothique méridional, à nef unique et à chapelles entre contreforts, dont l'église du Taur, au caractéristique pignon de façade formant clocher (XIVe-XVe s.). Nombreux hôtels de la Renaissance — tel l'hôtel d'Assézat (v. 1555), attribué à l'architecte et sculpteur Nicolas Bachelier (v. 1487-1556/57) — ainsi que des XVIIe et XVIIIe s. Décors du peintre Jean-Baptiste Despax (1709-1773) dans l'ancienne chapelle des Carmélites. Capitole (mairie et théâtre) élevé en 1750 par Guillaume Cammas (1688-1777), avec cour intérieure en partie du XVIe s. et importants décors du XIXe s.

Musées : Saint-Raymond (anc. collège du XVIe s. : archéologie gauloise et romaine); Dupuy (arts décoratifs); du Vieux Toulouse (hôtel du May); des Augustins, riche musée municipal dans un anc. couvent (admirable collection de sculpture languedocienne, notamment romane; peintures des écoles française et européennes; peintres toulousains, tel Antoine Rivalz [1667-1735]).

TOULOUSE *(comté de),* ancienne principauté française, dont le noyau primitif fut la Marche de Toulouse. Raimond Ier (de 852 à 864), frère et successeur de Frédelon, le premier comte (de 849 à 852) connu, fut le fondateur de la maison. Raimond III Pons (de 923 à 950 env.) annexa le marquisat de Gothie; un siècle et demi plus tard, Raimond IV de Saint-Gilles donna ses limites définitives au comté, qui allait de l'Aquitaine aux confins de la Provence et qui, grâce à l'éloignement de la royauté, bénéficiait d'une indépendance presque absolue. En revanche, le pouvoir comtal fut limité par l'indiscipline de vassaux trop puissants (Trencavel). Aussi les comtes cherchèrent-ils un appui populaire en favorisant les franchises urbaines. Au moment où un État toulousain solide semblait se construire, la croisade albigeoise mit fin à l'indépendance du comté, qui, en 1229, fut amputé de sa façade méditerranéenne et promis à Alphonse de Poitiers, frère de Saint Louis. En 1271, le comté tomba dans le domaine royal.

TOULOUSE-LAUTREC (Henri DE), peintre français (Albi 1864-Château de Malromé, Gironde, 1901). Deux chutes de cheval le laissent infirme à quatorze ans. Venu à Paris en 1881, il reçoit l'enseignement traditionnel de l'École nationale des beaux-arts, mais c'est dans les cabarets et les bals de Montmartre, dans les maisons closes, au cirque ou aux courses qu'il prend ses modèles (*Au salon de la rue des Moulins,* 1894, musée d'Albi). Les influences de Degas, des estampes japonaises, de l'impressionnisme sont sensibles dans son œuvre, unique toutefois par la qualité d'un dessin aussi sobre qu'incisif et fulgurant. Rénovateur de l'art de la lithographie, Lautrec a aussi été un des pères de l'affiche moderne (*la Goulue au Moulin-Rouge,* 1891).

TOUNDRA. — Formation végétale discontinue, association de mousses et de lichens, la toundra caractérise les régions froides. Elle pousse sur un sol qui ne dégèle qu'en surface en été, empêchant la croissance de l'arbre. Elle couvre les régions des hautes latitudes de l'hémisphère Nord (Sibérie, Canada) et l'extrémité méridionale de l'Amérique.

TOUNGOUSES ou **TOUNGOUZES,** groupe de peuples disséminés à travers toute la Sibérie orientale (U.R.S.S. et Chine du Nord-Est), parlant des langues apparentées au turc et au mongol. Les Toungouses occupaient au XVIIe s. la plus grande partie de la Sibérie orientale et de la Mandchourie, et ils sont actuellement en voie d'assimilation par les sociétés majoritaires auxquelles ils sont intégrés.

TOUNGOUSKA (la), nom de trois rivières de la Sibérie centrale, affl. de l'Ienisseï (r. dr.) : *Toungouska supérieure* ou Angara* au sud, *Toungouska moyenne* ou *pierreuse* (1 550 km) au centre et *Toungouska inférieure* au nord (2 640 km).

TOUQUES (la), fl. côtier de la Basse-Normandie, qui passe à Lisieux et rejoint la Manche à Trouville; 108 km.

TOUQUET-PARIS-PLAGE (Le) [62520], comm. du Pas-de-Calais, sur la Manche (à l'embouchure de la Canche), à 27 km du S. de Boulogne-sur-Mer; 5 593 hab. Station balnéaire.

TOURAILLAGE → BIÈRE.

TOURAINE (la), région de France, correspondant essentiellement à l'actuel département d'Indre-et-Loire*, mais débordant sur les départements de Loir-et-Cher, de l'Indre et de la Vienne. — Le pays des *Turones* est conquis par César en 57 av. J.-C. et intégré à la province Lyonnaise IIIe. Occupé par les Wisigoths (476), écartelé, sous les Mérovingiens, entre la Neustrie et l'Aquitaine, il devient (xe s.) le siège d'un comté de la maison de Blois, qu'en 1044 Thibault III de Blois doit céder au comte d'Anjou. Partie intégrante de l'empire des Plantagenêts (XIIe s.), la Touraine est annexée par Philippe Auguste. Érigée en duché-pairie, elle devient (XIVe-XVe s.) l'apanage des princes du sang. Au XVIe s., elle se couvre de somptueuses demeures et accueille les rois de France, avant de tomber (XVIIe-XVIIIe s.) au rang de province secondaire du royaume.

TOURAINE (Alain), sociologue français (Hermanville-sur-Mer 1925). Seuls le mouvement ouvrier et l'intervention connue de l'État dans les activités économiques ont permis, selon lui, l'avènement et le développement de la sociologie industrielle. Mais l'attention du sociologue se concentre principalement sur l'histoire en train de se faire. D'où l'intérêt qu'il porte aux mouvements sociaux, ceux des ouvriers et des employés. D'où aussi son plaidoyer pour une sociologie qu'il baptise « actionnaliste » (*Sociologie de l'action,* 1965; *la Conscience ouvrière,* 1966; *le Mouvement de mai ou le Communisme utopique,* 1969; *Vie et mort du Chili populaire. Journal sociologique, juill.-sept. 1973,* 1973; *la Société invisible. Regards 1974-1976,* 1977).

TOURANE → DA NANG.

TOURBE et **TOURBIÈRE.** — Combustible fibreux et léger, de qualité médiocre, la *tourbe* résulte de la décomposition incomplète de débris végétaux. Elle se forme dans les *tourbières,* marécages où poussent des sphaignes ou des mousses, qui se développent dans les régions à écoulement très lent. Les plantes, gorgées d'eau, se décomposent par la base pour donner de la tourbe, sur laquelle de nouvelles pousses s'installent. Les tourbières sont fréquentes dans les régions océaniques humides et fraîches (Irlande, Scandinavie).

TOURCOING (59200), ch.-l. de cant. du Nord, à 13 km au N.-N.-E. de Lille; 102 543 hab. *(Tourquennois).* Centre textile.

TOUR-D'AUVERGNE (La) [63680], anc. **Latour-d'Auvergne,** ch.-l. de cant. du Puy-de-Dôme, à 13 km au S. de La Bourboule; 952 hab.

TOUR DE CONTRÔLE → AÉROPORT.

Tour d'écrou *(le),* roman de H. James (1898). L'enfance aux prises avec l'univers des fantasmes et des hallucinations : un exercice de style qui n'est qu'« un tour de vis » supplémentaire sur la spirale des difficultés rhétoriques.

TOUR-DU-PIN (La) [38110], ch.-l. d'arr. de l'Isère, sur la Bourbre, à 55 km au S.-E. de Lyon; 6 843 hab. *(Turripinois).* Industries mécaniques et textiles.

TOURÉ (Sékou), homme d'État guinéen (Faranah 1922). Syndicaliste actif, il devient secrétaire général du parti démocrate de Guinée (1952), affilié au R. D. A. (Rassemblement démocratique africain). Député à l'Assemblée nationale française (1956), vice-président du Conseil de Guinée (1957), il réclame l'indépendance immédiate, refusant l'entrée dans la Communauté. Chef de l'État et du gouvernement depuis 1958, il mène une politique anti-impérialiste et panafricaniste.

TOURFAN, site archéologique de Chine (Sin-kiang). Ancien centre caravanier, situé sur la route de la soie septentrionale, célèbre pour ses fondations religieuses et ses ensembles monastiques. Ville chinoise avant de devenir capitale des Ouïgours au VIIIe s., Tourfan souffrit assez peu de l'irruption islamique; le bouddhisme put s'y maintenir longtemps, et ses monuments coexistent donc avec des édifices musulmans. L'art de Tourfan, qui se caractérise en particulier par ses tissus, est d'influence sino-iranienne.

TOURGUENIEV (Ivan Sergueïevitch), écrivain russe (Orel 1818-Bougival 1883). Il découvre la pensée hégélienne lors d'un séjour à l'université de Berlin et songe à la littérature tout en prenant un poste de fonctionnaire civil. Il écrit des poèmes, mais il est remarqué par Belinski pour un recueil de nouvelles (*Andreï Kolossov,* 1844). Sa grande passion pour la cantatrice Pauline Viardot lui fait quitter l'Administration et son domaine, dans lequel il est assigné à résidence pour avoir écrit à la mort de Gogol (1852) une lettre que la censure impériale juge subversive. Il publie alors les *Récits* d'un chasseur,* qui lui assurent la première place parmi les écrivains russes. Il obtient en 1856 la permission de quitter la Russie et vit le plus souvent en Allemagne et en France. Il écrit toujours des nouvelles (*Premier Amour,* 1860), mais aborde le roman (*Roudine,* 1856) et crée avec Bazarov de *Pères et fils* (1862) le premier héros nihiliste. Les critiques que font ses compatriotes de *Fumée* (1867) et de *Terres vierges* (1877) l'éloignent des préoccupations sociales et politiques (*les Eaux printanières,* 1871) et l'inclinent vers un agnosticisme pessimiste *(Poèmes en prose).* Mais la représentation de sa pièce *Un mois à la campagne* (1879) est un triomphe. Son œuvre est, dans la littérature russe, la plus marquée par les influences occidentales.

TOURISME. — Le tourisme englobe tous les déplacements de voyageurs dans le cadre de leurs loisirs. La demande vient essentiellement des pays industrialisés et l'offre de régions riches en sites naturels ou aménagés.

Depuis le 6 novembre 1974, date de la suppression du poste de commissaire au Tourisme, c'est au secrétaire d'État au Tourisme qu'incombe, d'une part, l'organisation en matière d'équipements et, d'autre part, la promotion des capacités touristiques françaises. Le tourisme rapporte en effet à la France autant que la sidérurgie (environ 10 milliards de francs).

Dès 1973, des mesures ont été prises pour l'amélioration du tourisme balnéaire : refus de concessions d'endigage, désenclavement des plages et même, en 1972, limitation des surfaces de plages concédées aux plagistes à des fins commerciales. En 1974, la construction des « marinas » a été limitée et la propreté des stations « classées » réglementée (nettoyage des plages, W.-C. mis à la disposition des baigneurs, etc.).

L'année 1974 a correspondu à la promotion du tourisme rural en faveur des stations vertes* : action couronnée de succès avec 6 millions de partants, soit 500 000 de plus par rapport à l'année précédente. Le secrétaire d'État au Tourisme envisage de développer les structures d'accueil (gîtes ruraux, auberges rurales, campings, etc.). Des agriculteurs s'organisent à cette fin. L'aménagement des équipements se justifie par le développement du tourisme de randonnées et du tourisme culturel (stages artisanaux).

Le tourisme de neige, lié aux stations en haute altitude, a une progression annuelle de 10 p. 100 environ. Les stations « intégrées » (Les Menuires, Les Arcs, La Plagne) se sont groupées et ont attiré nombre d'étrangers. Le tourisme social reste le parent pauvre de ces stations. Certaines associations se consacrent à ce type de tourisme, telles que Village-Vacances-Familles et Tourisme et Travail.

TOURLAVILLE (50110), ch.-l. de cant. de la Manche, dans la banlieue est de Cherbourg; 12 325 hab. Château (XVIe s.).

TOURMALET *(col du),* col des Hautes-Pyrénées, à 2 115 m d'altitude, reliant la vallée de Campan (haut Adour) à celle de Gavarnie (gave de Pau supérieur).

TOURMALINE. — Rhomboédrique, la tourmaline présente des variétés diversement colorées, en fonction des métaux qu'elle renferme comme impuretés. Elle est pyroélectrique, piézoélectrique et fortement dichroïque. Uniaxe, elle peut servir en polarimétrie comme polariseur et comme analyseur.

TOURNAGE. — Le tournage permet d'usiner des pièces en métal, en bois ou en matière plastique*, pour réaliser avec précision des surfaces de révolution, des filetages et des surfaces planes. La qualité de l'état de surface est bonne, et, dans le meilleur cas, la précision est de l'ordre de quelques microns. L'opération s'effectue à l'aide d'un *tour* muni d'un outil de coupe à tranchant unique, qui reste continuellement en prise avec la matière. Le type de machine le plus répandu est le *tour parallèle,* constitué par une poutre métallique horizontale de très grande rigidité, appelée *banc,* qui sert de support et de guide aux autres éléments. La pièce à usiner est fixée sur un *mandrin de serrage* ou un *plateau* solidaire d'une *broche,* appelée *poupée fixe,* constituée par un arbre très rigide, que supporte un ensemble de deux paliers de précision. Un moteur électrique entraîne cette broche par l'intermédiaire d'une boîte de

Mouvements dans le TOURNAGE.

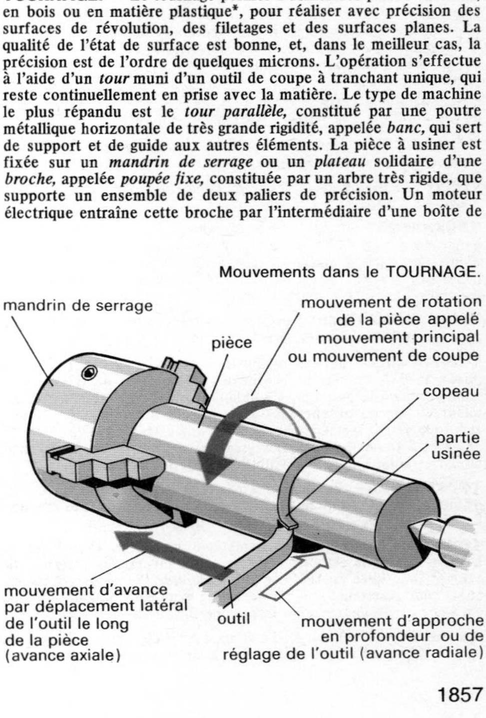

vitesses, de telle manière que la pièce tourne, sans vibration, autour d'un axe rigoureusement fixe et parallèle à l'axe du banc. L'outil fixé dans un porte-outil, généralement solidaire d'un petit chariot avec plateau tournant, est supporté par un *chariot transversal,* lui-même supporté par un *chariot longitudinal.* L'ensemble, appelé *traînard,* se déplace longitudinalement sur le banc soit manuellement, à l'aide d'un volant associé à un système à crémaillère, soit automatiquement, à l'aide de la *barre de chariotage* ou de la *vis mère* lors des opérations de filetage* sur tour parallèle, dit aussi «tour à fileter». On réalise le mouvement de coupe par rotation de la broche qui supporte la pièce et le mouvement d'avance par le déplacement de l'outil à l'aide du traînard (chariotage longitudinal) ou du chariot transversal (chariotage transversal ou tronçonnage). Le plateau tournant et le chariot longitudinal supérieur sont utilisés pour l'usinage de surfaces coniques. L'extrémité avant des pièces de grande longueur est supportée par une *contre-pointe* solidaire de la *poupée mobile,* placée en face du mandrin de la poupée fixe et conçue pour être déplacée longitudinalement sur le banc. Les pièces de très grand diamètre sont usinées sur *tour vertical* (jusqu'à 20 m de diamètre environ) ou sur *tour en l'air.* Les petites pièces, jusqu'à 80 mm de diamètre environ, sont usinées sur *tour à décolleter,* notamment des *tours type revolver.* Pour produire des pièces en série, on utilise soit des *tours semi-automatiques* (notamment des tours type revolver), soit des *tours automatiques* (tours à outils multiples, tours multibroches à barillet, tours à copier, tours à commande numérique).

TOURNAI, en néerl. **Doornik,** v. de Belgique, dans l'ouest du Hainaut, sur l'Escaut; 70 743 hab. Textiles.

HISTOIRE. Capitale des Nerviens *(Turris Nerviorum* ou *Turnacum),* devenue le chef-lieu de la *Civitas Nerviorum,* puis la résidence des premiers Mérovingiens, Tournai eut au VIe s. un évêché, qui fut rattaché à celui de Noyon au VIIe s. Enrichie par le commerce et l'industrie drapière, elle devint ville de commune au XIIe s. et fut placée sous la suzeraineté directe du roi de France (1187). Demeurée fidèle à Charles VII après le traité de Troyes, elle connut une grande prospérité durant tout le XVe s. grâce à ses tapisseries de haute lisse. Cédée à Charles Quint par François Ier (1526), reprise par Louis XIV en 1667, elle fut incorporée aux Pays-Bas autrichiens en 1714.

BEAUX-ARTS. Imposante cathédrale romane (nef du XIIe s., à quatre étages, voûtée au XVIIIe s.; transept à hémicycles voûté à la fin du XIIe s., hérissé de cinq puissantes tours) et gothique (chœur du milieu du XIIIe s.), au riche trésor. Églises et maisons médiévales; beffroi remontant à la fin du XIIe s.; hôtel de ville dans des bâtiments abbatiaux du XVIIIe s.; etc. Des écoles de sculpture (XIIe s.) et de peinture (XVe s.), une importante production de tapisseries (surtout au XVe s.) et de porcelaines (2e moitié du XVIIIe s.) complètent l'activité architecturale. Musées d'Histoire et d'Archéologie, de Folklore, des Beaux-Arts (de Van der Weyden* et de son milieu à la peinture du XXe s., en passant par les impressionnistes).

TOURNAN-EN-BRIE (77220), ch.-l. de cant. de Seine-et-Marne, à 35,5 km au S.-E. de Paris; 5 206 hab. Turbine à gaz.

TOURNAY (65190), ch.-l. de cant. des Hautes-Pyrénées, à 17,5 km au S.-E. de Tarbes; 1 169 hab.

TOURNEFEUILLE (31170), comm. de la Haute-Garonne, à 8,5 km à l'O. de Toulouse; 5 291 hab.

TOURNEFORT (Joseph PITTON DE), botaniste français (Aix-en-Provence 1656 - Paris 1708). Professeur de botanique au Jardin des Plantes de Paris à partir de 1688, grand herborisateur, voyageur (Asie Mineure) et classificateur, Tournefort apparaît, en particulier dans ses *Éléments de botanique,* comme le précurseur de Linné.

TOURNEMINE (René Joseph DE), savant jésuite français (Rennes 1661 - Paris 1739), un des directeurs des *Mémoires de Trévoux.*

TOURNEMIRE (Charles), organiste et compositeur français (Bordeaux 1870 - Arcachon 1939). Élève de Franck et de Widor, il a, comme organiste de Sainte-Clotilde, comme improvisateur de haut talent et comme auteur des saints offices liturgiques de *l'Orgue mystique,* réussi à émanciper l'orgue d'une certaine tutelle symphonique et à traiter les mélodies grégoriennes en parlant un langage modal et coloré de la plus subtile saveur harmonique.

TOURNESOL. — Les énormes capitules plats du tournesol, aux ligules jaunes, s'orientent vers le soleil ou à peu près. Des graines, l'on retire l'huile de tournesol, dont l'usage va croissant.

TOURNEUR (Cyril), auteur dramatique anglais (v. 1575 - Kinsale, Irlande, 1626). Il est célèbre pour deux pièces, *la Tragédie du vengeur* (imprimée en 1607) et *la Tragédie de l'athée* (imprimée en 1611), qui illustrent, sous la forme la plus violente, le goût de l'atrocité et de l'horreur de la période élisabéthaine.

TOURNON (07300), ch.-l. d'arr. de l'Ardèche, sur le Rhône, à 18 km au N. de Valence; 9 555 hab. *(Tournonais).* Château et église

Tours. La ville sur les bords de la Loire.

B. Beaujard

remontant au XVe s. Important collège des XVIe-XVIIIe s., auj. lycée. Industries alimentaires.

TOURNON-D'AGENAIS (47370), ch.-l. de cant. de Lot-et-Garonne, à 26 km à l'E. de Villeneuve-sur-Lot; 1 020 hab.

TOURNON-SAINT-MARTIN (36220), ch.-l. de cant. de l'Indre, près de la Creuse, à 16 km au N.-O. du Blanc; 1 589 hab.

TOURNUS (71700), ch.-l. de cant. de Saône-et-Loire, sur la Saône, à 30 km au N. de Mâcon; 7 808 hab. Importante église Saint-Philibert, anc. abbatiale appartenant au premier art roman par sa crypte, son narthex à étage (autour de l'an mille?) et sa nef (couverte de berceaux transversaux vers la fin du XIe s.); transept, chœur et clochers sans doute du début du XIIe s. Vestiges de l'abbaye et autres monuments. Musée municipal «Greuze». Appareils ménagers (aluminium).

TOURNY (Louis, *marquis* DE), administrateur français (Paris 1690 - *id.* 1760). Intendant du Limousin (1730), puis de la Guyenne (1743-1747), il embellit la ville de Bordeaux*.

TOUROUVRE (61190), ch.-l. de cant. de l'Orne, à 12 km au N.-E. de Mortagne-au-Perche; 1 704 hab.

TOURS, ch.-l. du départ. d'Indre-et-Loire, à 235 km au S.-O. de Paris; 145 441 hab. *(Tourangeaux).* Base aérienne militaire.

GÉOGRAPHIE. Avec les communes de banlieue (dont Joué-lès-Tours, Saint-Pierre-des-Corps et Saint-Cyr-sur-Loire sont les plus peuplées), l'agglomération compte environ 250 000 habitants, débordant largement au N. de la Loire et au S. du Cher, entre lesquels s'est développée la ville elle-même. Nœud de communications desservi aujourd'hui par l'autoroute, Tours est à nette prépondérance tertiaire (commerce, tourisme, université) malgré une certaine industrialisation (liée partiellement à des opérations de décentralisation) : constructions mécaniques (roulements à bille et composants électroniques), chimie (caoutchouc, pharmacie), imprimerie, confection. La population de l'agglomération la plus importante de la région Centre s'est accrue de plus de moitié dans les quinze dernières années.

HISTOIRE. La cité romaine *(Caesarodunum)* ayant été ruinée par les Barbares vers 275, la ville médiévale naît de la petite communauté chrétienne créée par le premier évêque, saint Gatien († v. 300), le populaire saint Martin* († 397) complétant son œuvre. Centre commercial et culturel important grâce au rayonnement de l'abbaye Saint-Martin, Tours est annexée par les comtes d'Anjou en 1044; en 1203, elle devient le siège du bailli royal de Touraine. Restée fidèle aux Valois au début du XVe s., elle est privilégiée par Louis XI, qui y introduit l'industrie de la soie : mais celle-ci est concurrencée au XVIIIe s. par l'industrie lyonnaise. Tours, devenue chef-lieu d'Indre-et-Loire, connaît un nouvel essor économique au XIXe s. C'est là que, du 25 au 31 décembre 1930, se tient le congrès socialiste qui voit la minorité de la S. F. I. O. se séparer de la majorité, qui formera le parti communiste français.

BEAUX-ARTS. Église Saint-Julien, du XIIIe s., à clocher-porche roman du XIIe s. Cathédrale des XIIIe-XVIe s. (vitraux). Maisons médiévales, maisons et hôtels de la Renaissance, dont l'hôtel Gouin (musée archéologique). Beau pont de 1765 sur la Loire. Riche musée des Beaux-Arts dans l'ancien archevêché. La ville a été un centre de la peinture et de la sculpture aux XVe-XVIe s. (Fouquet*, M. Colombe*, les Juste*...).

TOURTEAU. — C'est le résidu obtenu lors du traitement des graines ou des fruits oléagineux naturels ou décortiqués, en vue de l'extraction d'huile, par pression ou grâce à des solvants. Certains tourteaux sont utilisés pour l'alimentation du bétail (soja, coprah, arachide, palmiste, lin, coton, colza, tournesol); d'autres, comme le ricin, sont toxiques : on les réserve pour la fumure des terres.

TOURTERELLE → PIGEON.

TOURTERON (08130 Attigny), ch.-l. de cant. des Ardennes, à 21 km à l'E. de Rethel; 207 hab.

TOURVILLE (Anne Hilarion DE COTENTIN, *comte* DE), marin français (château de Tourville 1642-Paris 1701). Chef d'escadre, adjoint de Duquesne*, il s'illustre sur les côtes d'Afrique (1683-1688). Vice-amiral, il bat les Anglo-Hollandais à Beachy Head (1690) et résiste aux Anglais devant Barfleur (1692), mais il ne peut donner suite au projet de débarquement en Irlande et en Angleterre. En 1693, il est promu maréchal de France.

TOUSSAINES *(signal de),* hauteur des monts d'Arrée, portant le point culminant de la Bretagne; 384 m.

TOUSSAINT LOUVERTURE, homme politique haïtien (Saint-Domingue 1743-fort de Joux 1803). Après avoir aidé le gouvernement français à abolir l'esclavage (1794), il proclame son intention d'établir une république noire; mais, à la suite du succès de l'expédition de reconquête commandée par Leclerc, il est capturé par les Français.

TOUSSUIRE (La), station de sports d'hiver (alt. 1 700-2 235 m) de la Savoie, à 17 km à l'O.-S.-O. de Saint-Jean-de-Maurienne.

TOUSSUS-LE-NOBLE (78530 Buc), comm. des Yvelines, à 27 km au S.-O. de Paris; 463 hab. Aéroport international de tourisme.

TOUTANKHAMON, pharaon du Nouvel* Empire égyptien (v. 1354-v. 1346). Successeur d'Aménophis IV* Akhenaton, il dut, sous la pression du clergé d'Amon*, rétablir le culte du dieu dynastique et changer son nom de Toutankhaton en Toutankhamon. Mort jeune, il n'aurait joui d'aucune célébrité sans la découverte, en 1922, de son tombeau dans la Vallée des Rois par l'Anglais H. Carter. (V. THÈBES.)

TOUVA *(république autonome de),* anc. **Tannou-Touva,** territoire de l'U. R. S. S. (R. S. F. S. de Russie), dans le bassin supérieur de l'Ienisseï; 170 500 km²; 231 000 hab. Ch.-l. *Kyzyl.*

TOUVET (Le) [38660], ch.-l. de cant. de l'Isère, à 27 km au N.-E. de Grenoble, au pied de la Grande-Chartreuse; 1 562 hab.

TOUVRE (la), courte rivière (10 km) de l'Angoumois, affl. de la Charente (r. g.), qu'elle rejoint au N. d'Angoulême; elle est formée par la résurgence d'une partie des eaux du Bandiat et de la Tardoire.

TOUX. — Cet acte réflexe utilise des voies nerveuses centripètes (rameaux du nerf pneumogastrique) allant des zones tussigènes (oreille, pharynx, larynx, bronches, plèvre, poumons) au centre bulbaire de la toux. Des voies centrifuges (nerfs rachidiens) aboutissent aux muscles abdominaux et thoraciques, dont la brusque contraction provoque la toux.

TOWNES (Charles Hard), physicien américain (Greenville, Caroline du Sud, 1915). En 1954, il a réalisé la première émission maser en utilisant des molécules de gaz ammoniac. (Prix Nobel de physique, 1964.)

TOWNSVILLE, port du nord-est de l'Australie (Queensland), sur la mer de Corail; 68 000 hab. Métallurgie. Chimie.

TOXÉMIE. — La toxémie gravidique survient à la fin de la grossesse; elle est marquée par une élévation de la pression artérielle, une prise de poids excessive, une albuminurie. Elle peut se compliquer d'éclampsie et d'hématome rétroplacentaire.

TOXICITÉ. — L'étude de la toxicité d'un produit donné nécessite des vérifications expérimentales et cliniques. La biochimie permet l'étude du métabolisme de ce produit dans l'organisme vivant et de ses effets sur la cellule. L'expérimentation animale permet de déterminer la dose léthale ainsi que les examens anatomopathologiques et indique les troubles cellulaires engendrés.

TOXICOLOGIE. — La toxicologie décrit les manifestations cliniques des intoxications ou des empoisonnements; elle étudie systématiquement tous les produits (alimentaires, ménagers, industriels, pharmaceutiques, etc.) pour essayer de déceler une éventuelle toxicité. Elle comporte des travaux expérimentaux chez l'animal et l'étude de l'accoutumance chez l'homme (mithridatisme); lors des autopsies, elle peut avoir un rôle médico-légal.

TOXICOMANIE. — Dans de nombreux pays, l'extension de la consommation de substances susceptibles de modifier l'état de conscience, regroupées sous le terme de « drogue », est un phénomène nouveau. Est considéré comme toxicomanogène par l'O. M. S., tout produit dont l'usage est capable d'engendrer une *dépendance psychique* (besoin impérieux d'absorber cette substance pour en retirer du plaisir ou chasser une sensation de malaise). Certaines substances (« drogues dures ») créent également une dépendance physique, caractérisée par l'apparition de troubles somatiques et psychiques graves en cas de sevrage (état de manque). Les produits qui engendrent une toxicomanie (ou pharmacodépendance) sont essentiellement les dérivés du cannabis*, certains hallucinogènes* (surtout le L. S. D.), les opiacés (v. OPIUM) et les médicaments détournés de leur usage habituel (barbituriques*, tranquillisants* et amphétamines*). Le type de substance et sa voie d'administration (la voie intraveineuse serait la plus nocive) influent sur la gravité de la toxicomanie.

Est considérée comme toxicomane susceptible d'être poursuivie en justice toute personne découverte en possession de drogues illicites. Toutefois, l'action judiciaire peut être suspendue si le contrevenant se soumet à un traitement médical. C'est le cas en France depuis la loi du 31 décembre 1970, qui institue une psychothérapie* obligatoire pour chaque toxicomane, qu'elle s'efforce de distinguer des trafiquants, punis plus sévèrement.

C'est donc le plus souvent sous la pression d'une poursuite judiciaire que le toxicomane entreprend un traitement; pourtant, pour avoir quelques chances de succès, celui-ci ne peut être que volontaire. Il revient au psychiatre de distinguer la consommation occasionnelle de dérivés du cannabis, devenue banale chez de nombreux adolescents, de la toxicomanie vraie, symptôme qui recouvre, en fait, un état dépressif latent, mais profond, qu'il convient de prendre en charge en tant que tel.

TOXICOSE. — La toxicose est un syndrome particulier du nourrisson. D'installation brutale, elle se manifeste par des signes de déshydratation extracellulaire, un collapsus, une hyperthermie, des troubles digestifs, des signes nerveux et parfois des signes hémorragiques. Le traitement repose avant tout sur la réhydratation et sur les antibiotiques.

TOXI-INFECTION. — Cette intoxication, causée par une toxine microbienne, se manifeste par des troubles nerveux associés à des signes généraux et locaux d'infection. Les toxi-infections les plus connues sont la diphtérie* et le tétanos*.

TOXINE. — Les toxines microbiennes sont spéficiques d'un germe donné et responsables de la plupart des manifestations observées au cours des maladies infectieuses. Les exotoxines sont sécrétées vers l'extérieur et diffusent dans l'organisme. Les endotoxines sont des constituants de la cellule bactérienne, qui ne sont libérés qu'à la mort de la bactérie.

TOXOPLASMOSE. — Cette maladie est due à un protozoaire, *Toxoplasma gondii,* parasite commun à de nombreux animaux et à l'homme. Celui-ci se contamine en ingérant les kystes contenus dans des viandes infestées, crues ou mal cuites. La toxoplasmose est généralement bénigne ou inapparente; cependant, si elle survient chez la femme enceinte, le nouveau-né peut être atteint par des lésions neurologiques et oculaires.

TOYAMA, v. du Japon (Honshū), sur la *baie de Toyama* (formée par la mer du Japon); 269 000 hab. Industrie chimique et métallurgique.

TOYNBEE (Arnold Joseph), historien britannique (Londres 1889-York 1975). Après plusieurs années passées dans la diplomatie (1914-1919), il dirige des recherches d'histoire internationale à l'université de Londres et s'oriente vers la philosophie de l'histoire. Il a laissé une œuvre abondante, d'abord consacrée à l'hellénisme, mais qui reste dominée par *Study of History* (12 vol., 1934-1961), où il s'appuie sur l'étude des civilisations.

TOYOHASHI, v. du Japon (Honshū), près de la baie d'Ise; 259 000 hab.

TOYONAKA, v. du Japon (Honshū), au N. d'Ōsaka; 368 000 hab.

TOYOTA, v. du Japon (Honshū), à l'E. de Nagoya; 197 000 hab. Industrie automobile.

TOZEUR, v. et oasis de Tunisie, au N. du chott el-Djérid; 13 000 hab.

TRACEUR DE COURBES. — Un traceur de courbes est une machine auxiliaire d'un ordinateur* chargée de traiter des résultats de calcul et de les présenter sous forme de dessins quelconques. Il comprend généralement une table recevant du papier en feuilles ou en continu et des plumes, d'une ou plusieurs couleurs, dont le déplacement est sous le contrôle d'une armoire de commande. Celle-ci reçoit des ordres et des informations* soit directement de l'ordinateur, soit par l'intermédiaire d'une bande* magnétique si le traceur n'est pas connecté. Comme les traceurs reçoivent leurs ordres sous la forme des coordonnées des extrémités des vecteurs à tracer, le programme de composition des tracés, sur l'ordinateur, doit ramener tout dessin calculé à un ensemble de vecteurs.

TRACHÉE. — Ce conduit de l'appareil respiratoire descend dans la partie antérieure de la base du cou (c'est là que l'on pratique la trachéotomie en cas d'asphyxie aiguë), puis dans le médiastin. L'inflammation de la trachée, ou trachéite, se manifeste par une toux sèche, persistante.

Trachiniennes *(les),* tragédie de Sophocle (entre 420 et 410 av. J.-C.).

TRACHOME. — Cette maladie infectieuse de l'œil, contagieuse, est due à un virus. Elle est exceptionnelle en France, mais fréquente en Afrique et au Moyen-Orient. Elle est reponsable d'une kérato-conjonctivite pouvant aboutir à la cécité.

TRACHYTE. — Roche volcanique, le trachyte est essentiellement composé de feldspath alcalin. On le rencontre surtout dans les massifs volcaniques intracontinentaux, par exemple dans le Massif central : la dômite est une variété de trachyte dont est constitué le puy de Dôme.

Tractatus logico-philosophicus, œuvre de Wittgenstein (1921). Cette réflexion sur le langage distingue les noms (signes simples constitutifs du langage) des objets (composants élémentaires de la réalité), dont ils sont les images. Elle conduit à définir la philosophie comme limitation de l'univers du « dicible ». Son influence sur le cercle de Vienne* a été considérable.

TRACTION. — La traction d'une automobile* n'est possible que si, au moment où l'on transmet l'effort moteur aux roues motrices, celles-ci reposent sur le sol, qui leur imprime une poussée proportionnelle au poids supporté par l'essieu moteur et au coefficient d'adhérence des pneus au sol. Il est indispensable d'établir des liaisons de l'essieu moteur au châssis* et du châssis à l'essieu non moteur pour transmettre la poussée. En outre, on doit tenir compte du fait que, les roues motrices étant solidaires de la couronne calée sur le boîtier de différentiel* et la voiture offrant une certaine résistance à l'avancement, le pignon d'attaque tendra à monter sur la couronne, entraînant dans son mouvement le carter du pont, et le véhicule pivotera autour de l'axe des roues motrices. Le couple de réaction, dit *couple de cabrage,* doit être absorbé. Lorsque les roues arrière sont motrices, l'accélération et le freinage* interviennent en créant des couples qui déchargent l'essieu avant pour l'accélération ou l'essieu arrière pour le freinage. La transmission* par arbre longitudinal à cardan et suspension* par ressorts à lames est sensible au couple de basculement, mais l'arbre de transmission est capable d'y résister tout en assurant la poussée à condition de ne comporter qu'un joint de cardan et de ne pas être coulissant. Le carter tubulaire qui l'entoure jouit des mêmes propriétés si l'on monte à son extrémité avant une fourche dont les deux branches sont articulées sur une traverse du châssis portant une douille lui permettant de suivre les débattements du pont en tournant autour du carter. Les ressorts de suspension absorbent la réaction de freinage. Avec une « tout arrière », on doit prévoir un guidage de roue par bras simple. Les bras de réaction sont triangulés. Dans le cas où le pont serait suspendu, on recourt également à des organes spéciaux de liaison, comme la bielle de poussée, la bielle de réaction ou la jambe de force. Sur une traction avant, on utilise des bras triangulés inférieurs et supérieurs et, à l'arrière, un bras de réaction indépendant de la suspension.

TRACY, v. du Canada (Québec); 11 842 hab.

TRADESCANTIA. — La plus commune des plantes d'appartement est cette commélynacée aux rameaux retombants, très vivace et facile à bouturer; d'où son surnom de « misère ».

trade-unions, syndicats ouvriers en Grande-Bretagne et dans les pays anglo-saxons. Les associations ouvrières prennent de l'ampleur en Angleterre à partir de la fin du XVIIIe s. Un moment interrompu par la législation répressive contemporaine de la Révolution française (*Combination Acts,* 1799-1800), le mouvement syndical prend son essor en 1824 avec l'abolition de cette législation. Le syndicalisme britannique, fédéré en 1868 en un Trades Union Congress (TUC), est longtemps lié au parti libéral. À partir de la naissance du parti travailliste* (1900-1906), il devient plus revendicatif et militant, voire — entre 1910 et 1926 — révolutionnaire. Les déboires économiques des années 20 entraînent un reflux sévère du mouvement syndical, qui connaît un vif regain après 1945, son action s'exerçant en profondeur à l'intérieur du Labour Party.

TRADITION. — La transmission de faits historiques, de contes, de légendes, d'expériences pratiques, de doctrines philosophiques, mystiques et religieuses a été *orale* pendant des millénaires, avant d'être *écrite* à une époque relativement récente, puisque sa diffusion générale n'a commencé qu'avec l'invention de l'imprimerie*. Aussi doit-on attacher beaucoup d'importance à la conservation des traditions orales, de type initiatique, au sein des sociétés* de mystères, antiques et modernes. Leur formulation symbolique, leurs expressions rituelles immuables constituent, en effet, autant de témoignages précieux sur l'histoire de l'esprit humain, sur ses archétypes et sur ses intuitions fondamentales de la condition de l'homme sur la Terre. C'est en ce sens que l'on peut évoquer, à leur sujet, un savoir « traditionnel », fort différent des sciences « profanes » transmises par l'enseignement écrit. Les œuvres de René Guénon, de Fulcanelli, d'Henry Corbin, par exemple, ont apporté en ce domaine des enseignements fondamentaux qui ont montré la permanence et l'université des traditions ésotériques dans l'histoire des civilisations.

TRADUCTION. — La traduction est l'interprétation des signes d'une langue (source) au moyen des signes d'une autre langue (cible). Il s'agit de transmettre un message (un sens) et non une forme. Le cas de la traduction mot à mot est rare, même pour des langues voisines. En présence de difficultés de traduction, on peut recourir au calque ou à l'emprunt*, à la transposition (on rend une catégorie grammaticale par une autre), à l'équivalence, qui est l'utilisation de moyens stylistiques et structuraux entièrement différents (par exemple anglais *Do not enter* → français *Entrée interdite*), ou, à la limite, à l'adaptation, quand la situation culturelle évoquée dans la langue-source n'a pas de correspondant dans la langue-cible.

Trafalgar *(bataille de),* victoire navale décisive remportée par la flotte britannique de Nelson le 21 octobre 1805 sur l'escadre française de l'amiral de Villeneuve, et la flotte espagnole de l'amiral Federico Carlos, duc de Gravina (1756-1806), qui, comme Nelson, y fut mortellement blessé.

TRAGÉDIE. — Le sentiment tragique de la vie ne s'exprime pas complètement et uniquement dans cette forme d'art qu'est la tragédie. La vision tragique est un élément commun à un grand nombre d'œuvres littéraires, philosophiques, artistiques et qui réunit « les tragédies antiques, les écrits de Shakespeare, les tragédies de Racine, les écrits de Kant et de Pascal, un certain nombre de sculptures de Michel-Ange » (L. Goldmann) : on peut ajouter à cette liste nombre d'aspects du roman moderne, de Dostoïevski à Kafka, et de l'expression théâtrale contemporaine, où la parole tend peu à peu à se raréfier (Beckett), voire à se bloquer totalement et à laisser la place à l'expression corporelle.

Le problème de la nature de la tragédie s'est longtemps posé sous la forme exclusive de la recherche de ses origines. Depuis Aristote, on faisait dériver la tragédie du *dithyrambe,* composition lyrique exécutée, lors des fêtes de Dionysos, par un chœur, figurant les satyres compagnons du dieu et donnant la réplique à un chanteur, le coryphée. Des hellénistes et des anthropologues modernes ont vu plutôt dans la tragédie la transposition de rites funéraires ou de mythes agraires, ou encore, avec Nietzsche, une forme composite résultant de la fusion d'un courant apollinien (clarté, lumière) et d'un courant dionysiaque (ivresse, mysticisme).

On peut faire, dès l'abord, un triple constat : 1° la tragédie, à ses débuts, a un caractère *religieux,* mais non pas dans le sens restreint que l'on donne habituellement à ce terme; 2° le mot *tragédie* recouvre, d'Eschyle à Voltaire, des manifestations théâtrales de nature très diverse, mais entre lesquelles on peut déceler un point commun; 3° on ne peut manquer d'être frappé par la *discontinuité* de l'évolution du genre et la *brièveté* de ses périodes vivantes : quand Aristote, dans sa *Poétique,* établit la théorie de la tragédie, tous les grands poètes tragiques ont disparu, et le philosophe parle de l'« homme tragique » comme d'une espèce appartenant à une civilisation étrangère; la dramaturgie élisabéthaine naît, s'épanouit et meurt entre 1580 et 1640; lorsque Voltaire célèbre le siècle de Louis XIV et singulièrement la richesse de son expression dramatique, la tragédie n'est plus qu'une survivance qui s'épuise dans une combinatoire d'éléments formels.

Pour définir grossièrement le « noyau » de la tragédie, on peut dire qu'elle présente un *héros,* opposé à un ensemble (une foule, une structure sociale, le monde, une idée obsédante) et qui doit *souffrir,* les péripéties de cette épreuve se réduisant à un *discours* organisé selon des formes quasi *rituelles.*

Le problème de la tragédie réside donc dans l'explication de la résurgence d'une forme si particulière à des époques et dans des civilisations éloignées, différentes dans leurs structures sociales, politiques, économiques. Cette explication a été cherchée dans une double direction : dans la « préhistoire » de l'esprit humain (Freud) ou dans les ruptures créées, et historiquement datées, par l'apparition de nouvelles structures sociales.

Freud, proposant dans *Totem et tabou* une interprétation globale de la tragédie, met l'accent sur deux caractères du système tragique : 1° l'*opposition* entre un héros bien défini et isolé et « une foule de personnes portant toutes le même nom et pareillement vêtues », ayant ainsi perdu toute identité; 2° la *représentation tendancieuse* que la tragédie donne du grand événement primitif qu'elle est destinée à conjurer : le meurtre du père de la horde primitive par ses fils rebelles. La « faute tragique » n'est pas autre chose que l'inversion du crime qui est à l'origine de toute institution humaine et du sentiment personnel de culpabilité : le héros tragique est chargé par la collectivité du meurtre dont elle est elle-même responsable. Sa « passion » répète ainsi le forfait primitif (il est le Père), mais en le retournant (il est le seul coupable, le rédempteur, victime émissaire d'autant plus efficace qu'elle est plus innocente). Cette mise en évidence du refoulé de l'humanité et de ses retours explique pour Freud le succès permanent, et l'identité profonde sous des dehors différents, du mythe qui sous-tend l'expression tragique dans *Œdipe roi*, les *mystères** médiévaux, *Hamlet* ou *les Frères* Karamazov*.

Partant de la même observation que Freud, René Girard *(la Violence et le sacré)* est frappé, dans la tragédie, par l'*opposition d'éléments symétriques.* Représentation de la violence qui risque à tout moment de mettre en péril les sociétés humaines, le débat tragique n'est qu'un combat singulier dans lequel la parole remplace l'épée : son incarnation parfaite est dans la forme de la *stichomythie* (dialogue où les antagonistes se répondent vers pour vers). Débat sans solution, où toute intervention nouvelle a pour rôle de rétablir un équilibre dans l'affrontement, et qui est ainsi doublement l'image du « fléau » : support perpétuellement oscillant des deux plateaux de la balance, de deux catégories d'arguments, et calamité qui dissout toute distinction sociale et humaine dans une violence réciproque qui n'a pour issue que la mort. Mais, comme cette violence est *jouée,* la tragédie tient un rôle analogue à celui du *sacrifice* dans la vie d'un groupe humain (son vocabulaire est pour une bonne part celui de la religion) : il reproduit la violence en la détournant de son but naturel et immédiat (les membres de la communauté). L'immolation du bouc rappelle la crise sanglante toujours possible si le contrat social s'effondre et fait communier les participants dans une même complicité. Ainsi, la tragédie voile et dévoile à la fois un même processus : l'homme projette en dehors de lui sa propre violence. Il affirme et finit par croire que c'est le dieu qui réclame le sacrifice, le héros tragique « se livre en aveugle » au destin qu'il s'est construit tout exprès pour justifier un sort joué d'avance et dont il détient inconsciemment la clé.

La tragédie apparaît ainsi profondément comme une institution sociale (dans l'Athènes du ve s., le déroulement des concours tragiques est l'affaire de l'État : les représentations sont organisées par les archontes et les frais payés par l'impôt spécial de la chorégie), et la considération des dates d'apparition de deux de ses moments majeurs, en Grèce antique et dans la France du XVIIe s., éclaire tout à la fois sa nature et son évolution.

La tragédie grecque se développe et dégénère à Athènes, en moins d'un siècle, entre l'affadissement de l'âge de l'épopée et l'épanouissement de la philosophie, au moment précis d'une double métamorphose : passage de la vengeance selon les lois du clan ou des puissances divines à la justice rendue par des tribunaux organisés par la cité; passage du pouvoir des grandes familles aux institutions démocratiques. La tragédie se révèle alors comme l'*expression critique* d'un *déséquilibre* ou, plutôt, du moment incertain de constitution d'un équilibre nouveau. *Expression,* parce que le « passé héroïque » est encore suffisamment proche pour que le spectateur saisisse d'un même regard les deux pôles, les deux images du monde, entre lesquels s'établit une tension; *critique,* parce que ce passé est suffisamment éloigné pour que sa représentation soit sans conséquence sociale ou politique, sinon dans la prise de conscience sécurisante des valeurs nouvelles. Si la tragédie puise ses thèmes dans les mythes, c'est au prix d'un renversement : le mythe apporte des réponses sans jamais formuler explicitement les problèmes; la tragédie utilise les traditions mythiques pour poser des problèmes qui ne comportent pas de solution (J.-P. Vernant, *Mythe et tragédie en Grèce ancienne*). Si le héros tragique est le représentant des anciennes lignées royales, il est mis en question par le chœur au nom des nouveaux principes de la cité.

D'où une étonnante structure *en chiasme,* la tragédie composant un réseau d'oppositions binaires, mais entrecroisées : le héros est *masqué,* mais toute la pièce consiste à dévoiler sa véritable nature, tandis que le chœur, à visage découvert, profère une voix anonyme; le héros parle le langage de l'homme ordinaire dans une métrique proche de la prose, le chœur s'exprime sur le mode très élaboré du lyrisme choral. Que l'ordre de la cité s'affirme, le ressort tragique se détend, le contact avec le mythe est rompu, la place est prête pour un « drame bourgeois ».

De la même manière, la tragédie française s'inscrit entre la vogue du roman de chevalerie (illustration de l'idéal collectif d'une société hiérarchisée) et l'avènement du roman moderne (poursuite individuelle de valeurs dégradées) au terme d'une longue évolution : le trajet qui va de la *Cléopâtre captive* de Jodelle (1552) à la *Sophonisbe* de Mairet (1634) est moins celui d'un retour de plus en plus érudit aux modèles grecs que la lente maturation d'une situation sociale et politique dont la problématique se posera en termes de plus en plus explicites à travers une forme de plus en plus directe et dépouillée : de 1637 *(le Cid)* à 1677 *(Phèdre),* de la *tragi-comédie** à la tragédie *régulière,* le conflit tragique s'intériorise et se resserre : on peut y voir (L. Goldmann, *le Dieu caché*) la déception historique d'une classe (la noblesse de robe janséniste) muée en peinture intemporelle de l'homme. Une passion obsédante qui ne peut se porter qu'aux extrêmes, mais dont l'élan est condamné à se briser sur des barrières que l'on ne franchit que par la mort : la fameuse *règle des trois unités** est non seulement naturelle, mais nécessaire, et les pièces de Racine sont faites de rien, parce que, sous un monarque absolu qui légifère même en matière de religion, *il n'y a plus rien à faire.* Sinon dans l'« élégance de l'expression », et, puisqu'il faut parler pour mourir sur le théâtre, réussir sa mort n'est pas autre chose qu'en affiner l'expression. Pointe extrême de la tragédie (la parole ne dit plus que le vide et l'impossible) que ne pourront atteindre ni les horreurs calculées d'un Crébillon ni l'exotisme d'un Voltaire et que l'esprit des Lumières rendra caduque, la création racinienne a fixé pour beaucoup l'idéal et les limites du genre : d'où la méconnaissance, en France, du tragique élisabéthain* ou des dramaturges espagnols du siècle d'or, l'irritation devant les critiques de Lessing* à l'égard du classicisme français et, en revanche, la place relativement modeste tenue par les pièces de Racine dans le répertoire du T. N. P., dernière et passagère tentative pour faire retrouver à un public de masse le sens de la communion et du tragique à travers le « cérémonial » dramatique.

TRAGI-COMÉDIE. — La tragi-comédie n'est pas une forme primitive et non épurée de la tragédie. Née peu après les premières manifestations de la tragédie régulière, elle vécut près d'un siècle (entre 1580 et 1670) avec une période de faveur particulière entre 1625 et 1650. Mettant en scène les mêmes personnages que la tragédie et dans des situations semblables, elle a pour originalité sa « fin heureuse, encore qu'il n'y ait rien de comique qui y soit mêlé ». D'autre part, elle emprunte volontiers ses sujets au fonds romanesque ou chevaleresque et peint la passion amoureuse dans la perspective de la galanterie. La *Bradamante* (1582) de Garnier passe pour la première tragi-comédie, mais c'est Alexandre Hardy qui popularisa le genre *(la Force du sang, Elmire),* dont Jean de Schelandre fit la théorie dans sa préface de *Tyr et Sidon* (1608). Rivale de la tragédie avec Du Ryer, Mairet, Rotrou et Corneille*, la tragi-comédie fut combattue par les « doctes » et les critiques : la tragédie finit par l'emporter sur la tragi-comédie comme Racine sur Quinault.

Tragiques *(les),* épopée satirique en sept chants, d'Agrippa d'Aubigné (1616), où s'expriment la colère et la foi du militant huguenot pénétré de l'esprit biblique.

TRAIL, v. du Canada (Colombie britannique), sur la Colombia; 11 149 hab. Métallurgie (plomb).

TRAIN *(Ch. de f.).* — La composition et la vitesse des trains dépendent de la puissance des engins moteurs et des efforts résistants offerts par les véhicules. La résistance au roulement varie de 1 à 6 daN/t selon le type de matériel et évolue peu avec la vitesse. La résistance aérodynamique augmente avec le carré de la vitesse et constitue le terme le plus important de la résistance totale en palier. En rampe, la composante du poids parallèle au déplacement du train revêt une importance particulière. Sa valeur est de 1 daN/t pour 1 mm/m de déclivité : c'est pourquoi le chemin de fer cherche à éviter les fortes rampes, dans lesquelles la part de la résistance due à la pesanteur* deviendrait trop importante. L'effort moteur doit équilibrer ces résistances et être aussi capable de communiquer une accélération* au train. En Europe, le tonnage brut d'un train de marchandises dépasse rarement 3 000 t. Cette limite est imposée par la résistance des attelages à vis, dont la limite de rupture s'étage de 85 à 100 tf. Avec l'attelage central automatique, dont la résistance est plus élevée (de 200 à 250 tf), certains réseaux font circuler des trains dont la charge peut atteindre 15 000 t, l'effort moteur étant fourni par deux ou trois locomotives*. La vitesse des trains de marchandises a longtemps été limitée en raison du matériel utilisé et surtout des conditions de freinage. Avec l'adoption du frein* continu automatique et les wagons* à bogies*, certains trains spécialisés circulent à 120 et même à 140 km/h. Les trains de voyageurs ont une charge variant de 250 à 1 000 t selon leur longueur, et leur vitesse varie de 120 à 200 km/h sur les réseaux européens. Des vitesses de 250 à 300 km/h sont envisagées sur de nouvelles lignes. En dehors de certaines formes particulières d'exploitation, tels les transports urbains, où tous les trains ont les mêmes caractéristiques d'horaire et de composition, la plupart des grands réseaux offrent toute une gamme de trains de voyageurs dont la différenciation peut provenir de la *fréquence de circulation* (trains réguliers, périodiques, supplémentaires, spéciaux), de la *catégorie* à laquelle ils appartiennent (rapides, express, directs, omnibus), du *mode de traction,* de la *nature du trafic* à assurer (trains internationaux à longue distance, de banlieue) et enfin des *types de places* contenus dans la composition des trains (trains accessibles aux voyageurs de 1re classe, trains autocouchettes, trains de voitures-lits, etc.).

TRAIN *(Mil.).* — Les transports nécessaires à la vie des armées ont été, jusqu'au début du XIXe s., confiés à des entreprises civiles. C'est pour remédier aux multiples inconvénients d'un tel système que Napoléon a créé en 1807 le *train des équipages,* devenu en 1928 le *train.* Essentiellement chargé des transports et de la circulation militaire sur les routes, le train exécute aussi des missions de livraisons par air ainsi que certains transports amphibies et transbordements fluviaux et maritimes. Il se voit, en outre, confié le service général, le secrétariat et le transport des états-majors. La formation des officiers et des sous-officiers est assurée par l'École d'application du train, créée à Tours en 1945.

TRAÎNÉE → FUSELAGE, VOL *(mécanique du)* et VOL À VOILE.

TRAIN-FERRY → PAQUEBOT.

TRAINING AUTOGÈNE → RELAXATION.

TRAIT (Le) [76580], comm. de la Seine-Maritime, sur la Seine, à 26 km à l'O. de Rouen; 6 329 hab. Métallurgie.

TRAITE. — Destinée à fournir aux colonies de plantation intertropicales la main-d'œuvre noire, d'origine essentiellement africaine, la traite fut d'abord le fait des Portugais et surtout des Espagnols. Au XVIIIe s., tous les gouvernements occidentaux concédèrent la traite des Noirs à des compagnies à chartes; mais, en 1759, la traite devint libre. À la fin de ce siècle, le trafic avait permis le transfert de plusieurs millions de Noirs dans le Nouveau Monde. Condamnée par le congrès de Vienne en 1815, la traite ne disparut réellement qu'à partir de 1848.

TRAITÉ → CONVENTION INTERNATIONALE.

Traité de la nature humaine, œuvre de D. Hume (1739-1740), qui propose « un système complet des sciences, construit sur une base presque entièrement nouvelle, la seule sur laquelle elle puisse s'établir avec vérité » : l'observation des opérations mentales dans la connaissance. La seule constance de l'esprit humain est sa façon de passer d'une idée particulière à une autre : telle est la nature spécifiquement humaine.

Traité de sociologie générale, œuvre de V. Pareto (trad. fr. 1917-1919). Celui qui apparaît comme un défenseur acharné des élites récuse la conception marxiste de la lutte des classes et préfère expliquer l'histoire par « le remplacement continuel d'une élite par une autre ». Selon lui, les véritables mobiles de l'histoire, qu'il nomme « résidus », sont d'ordre psychologique : des instincts, des sentiments non logiques, irrationnels. Ces résidus se dissimuleraient sous l'apparence changeante et arbitraire de ces « dérivations » que représentent les affirmations, les doctrines ou les idéologies surgies dans l'ordre politique, économique et religieux.

Traité du désespoir, œuvre de Kierkegaard (1849). Défini comme une « maladie mortelle », le désespoir naît du sentiment du péché : il est ainsi constitutif de la supériorité de l'homme et surtout du chrétien, dont la béatitude consiste à être sauvé du désespoir.

TRAITEMENT. — Le bois mis en œuvre peut être soumis à un traitement contre les *champignons* et les *insectes* par des produits antiseptiques minéraux ou organiques. Il peut être également rendu réfractaire à l'action du *feu.* S'il est très résistant à ce dernier, on peut limiter la propagation du feu en surface par l'emploi soit de sels ignifuges, soit de peintures* ou de vernis* ignifuges. Les procédés d'imprégnation varient avec la protection désirée : superficielle par badigeonnage, assez profonde par trempage et très profonde par vide et pression.

TRAITEMENT THERMIQUE ET THERMOCHIMIQUE. — Afin de conférer à une pièce métallique ou à un semi-produit les caractéristiques optimales d'emploi, physiques, physicochimiques ou mécaniques, des traitements thermiques peuvent être pratiqués, à l'état solide, par des cycles thermiques appropriés à la nature de l'alliage* et aux dimensions des produits.

• Le *recuit* est le traitement thermique qui assure la meilleure stabilité structurale, souvent proche de celle de l'équilibre physicochimique théorique, par un chauffage à une température suffisante, suivi d'un refroidissement lent ou d'un refroidissement avec palier isothermique. Suivant l'objectif à atteindre et le cycle thermique réalisé, surtout le refroidissement, on pratique :
— le *recuit de régénération* ou *de normalisation* d'un produit brut d'élaboration pour affiner et régulariser sa structure et lui conférer des caractéristiques mécaniques de référence;
— le *recuit d'homogénéisation* pour détruire l'hétérogénéité chimique d'une pièce brute de fonderie, par diffusion des éléments de l'alliage;
— le *recuit de détente,* réalisé à température peu élevée, pour éliminer les tensions internes d'origine thermique ou mécanique;
— le *recuit de recristallisation* pour faire disparaître l'écrouissage résultant d'un formage mécanique;
— le *recuit de coalescence* pour adoucir des aciers à forte teneur en carbone et les rendre plus facilement usinables, en rassemblant les carbures sous forme de sphéroïdes;
— le *recuit de malléabilisation,* particulier à la fabrication de la fonte malléable (fonte américaine dite *à cœur noir*), qui nécessite un refroidissement extrêmement lent durant plusieurs jours;
— des *recuits spécifiques* aux produits (soudures, destruction de la trempe, grossissement des grains) ou caractérisés par leur réalisation (sous-atmosphère contrôlée, sous vide, brillant, isotherme).

• La *trempe,* par un refroidissement très rapide à partir d'une température bien déterminée, a pour objet de maintenir à température ambiante une structure stable à chaud ou d'obtenir une autre structure intéressante par ses propriétés. Dans le cas le plus courant des aciers*, elle augmente notablement la dureté et la résistance à la rupture tout en abaissant la malléabilité et la résilience, par la formation, suivant la vitesse de refroidissement (trempe à l'eau, à l'huile, à l'air, au bain de sels), d'un constituant particulier à haute dureté, la *martensite.* Certains procédés de trempe permettent d'obtenir des structures spéciales (trempe isotherme, trempe étagée) ou localisées (trempe superficielle avec chauffage au chalumeau ou par induction électromagnétique).

• Le *revenu* est un réchauffage après trempe à une température modérément élevée et pendant parfois plusieurs heures, afin d'atténuer les effets de la trempe, de diminuer les tensions internes et d'harmoniser les caractéristiques mécaniques de façon mieux appropriée à l'emploi de la pièce.

• Le *durcissement structural* est un traitement pratiqué principalement pour les alliages* à base d'aluminium* (Duralumin). Après trempe à température ambiante, l'alliage est maintenu à température modérée (moins de 200 °C) pendant une durée de quelques heures à plusieurs jours. Au cours de ce maintien, la structure évolue, entraînant un durcissement notable. Effectué à température ambiante, ce durcissement est dénommé *maturation* ou *vieillissement.*

• Les *traitements thermochimiques* ou *de cémentation* font appel aux transformations structurales, particulièrement la diffusion, pour modifier les propriétés superficielles des pièces métalliques (durcissement, résistance à l'usure, qualité de frottement, tenue à la corrosion); ainsi, une pièce en acier doux peut conserver une faible dureté et une bonne tenue au choc, à cœur, tout en présentant une grande dureté en surface. On peut ainsi faire diffuser à chaud, à l'état solide, des métaux ou des métalloïdes* tels que le carbone* (cémentation proprement dite), l'azote* (nitruration), le carbone et l'azote (carbonitruration), l'aluminium* (calorisation), le chrome* (chromisation), le zinc* (shérardisation), le silicium* (siliciuration) ou le bore* (boruration).

Traité théologico-politique, œuvre de Spinoza (1670). La critique de l'Ancien Testament, l'exposé des préjugés religieux et politiques ainsi que de leur manipulation, « qui nous ferait retomber dans une servitude universelle », conduisent l'auteur à montrer que la philosophie, elle, parvient à la liberté en ne menaçant ni la piété ni la paix des États.

TRAJAN, en lat. **Marcus Ulpius Trajanus** (Italica 53 - Sélinonte, Cilicie, 117), empereur romain (98-117). Issu d'une famille implantée en Bétique, Trajan fut le premier empereur d'origine provinciale. Soldat dans l'âme, il fut légat de légion en Espagne, puis sur le Rhin et sut se rendre populaire auprès de ses troupes. Consul en 91, il fut adopté par Nerva*, qui l'associa à l'Empire dès 97, et, en 98, il fut reconnu comme empereur. Plus respectueux que ses prédécesseurs à l'égard de l'institution sénatoriale, il n'en gouverna pas moins avec autorité. Il améliora l'administration judiciaire, intervint dans le domaine social par la création des institutions alimentaires et entreprit de grands travaux publics (forum de Trajan, thermes de l'Esquilin, agrandissement du port d'Ostie*). Son règne connut une longue suite de guerres, qui eurent un impératif double : stratégique et économique. Les guerres daciques (101-107) eurent pour objet d'assurer la sécurité de la frontière du Danube; de plus, l'exploitation des mines d'or de la nouvelle province de Dacie* procura d'importantes ressources au trésor royal, qui, jusqu'alors, avait vécu d'expédients (vente du domaine impérial, abaissement de l'aloi de la monnaie). En Orient, Trajan conquit l'Arabie nabatéenne (105), combattit les Parthes et agrandit l'Empire de l'Arménie, de l'Osroène et d'une partie de la Mésopotamie (114-116).

TRAJECTOIRE → TIR.

TRAKL (Georg), poète autrichien (Salzbourg 1887 - Cracovie 1914). Il subit l'influence d'Hölderlin, de Baudelaire et de Rimbaud, et chercha dans la poésie la délivrance de son angoisse de la mort, qui finit par le submerger (*Poèmes,* parus en 1919).

TRALLES, anc. ville d'Asie Mineure, près de l'actuelle Aydın (Turquie). L'un des centres artistiques de l'époque hellénistique, elle a abrité une célèbre école de sculpture.

TRAMAYES (71630), ch.-l. de cant. de Saône-et-Loire, à 25,5 km à l'O. de Mâcon; 841 hab.

TRAME → PHOTOGRAVURE, SÉRIGRAPHIE.

TRAME (fil de) → ARMURE, BONNETERIE, TISSAGE, TISSU.

TRAMPING. — Exploités sans itinéraire, ni périodicité fixes, en fonction des besoins de transport qui se manifestent, à chaque instant, au départ ou à destination des divers ports du globe, les *tramps,* navires vagabonds, sont, généralement, affrétés par leur armateur à un affréteur unique, pour une cargaison complète et homogène. Les contrats sont, le plus souvent, conclus par l'intermédiaire de courtiers spécialisés (shipbrokers) qui opèrent sur les principales places de commerce international. Plusieurs de celles-ci comportent des bourses de fret, dont la plus importante est celle de Londres : The Baltic London Mercantile and Shipping Exchange.

TRAMWAY. — Les tramways circulent sur des voies* équipées de rails* à ornière dont la surface de roulement affleure le niveau de la chaussée et dont le tracé comporte de fortes rampes ainsi que des courbes de faible rayon pour suivre les rues. D'abord constitués par une caisse en bois reposant sur deux essieux*, les véhicules sont maintenant métalliques et munis de bogies*, dont les essieux sont entraînés par un moteur* électrique. Le captage* de l'énergie s'effectue au moyen de perches, d'archets ou de pantographes sur des conducteurs aériens alimentés en courant continu sous faible tension (de 200 à 700 V). L'élimination du rhéostat s'effectue automatiquement grâce à un relais d'accélération. La vitesse commerciale des tramways modernes peut atteindre 25 km/h dans le cas de lignes suburbaines avec une vitesse maximale de 60 à 70 km/h et une accélération au démarrage de 2 m/s^2.

TRANCHAGE → PLACAGE.

Tranchée des baïonnettes (la), élément d'une tranchée française de la bataille de Verdun (1916), près de Douaumont, qui fut tellement bouleversée par le bombardement que seules émergèrent les baïonnettes de ses défenseurs.

TRANCHEFIL → RELIURE.

TRANCHE-SUR-MER (La) [85360], comm. de la Vendée, à 30 km au S.-O. de Luçon; 2125 hab. Station balnéaire. Cultures florales.

TRANQUILLISANT → PSYCHOTROPES.

TRANSACTION. — C'est le contrat au terme duquel les contractants mettent fin à une contestation ou devancent une contestation à naître, en acceptant de renoncer à leurs prétentions ou à une partie d'entre elles. Le litige est une condition nécessaire à l'existence de la transaction. La transaction se distingue du compromis, qui maintient l'existence du litige et se borne à en retirer la connaissance aux juges pour leur substituer des arbitres (v. ARBITRAGE). Les effets de la transaction sont analogues à ceux d'une décision de justice; la transaction a, entre les parties, l'autorité de la chose jugée.

TRANSALAÎ, massif le plus élevé du Pamir*.

transamazonienne *(route)* → AMAZONIE.

TRANSAMINASE → ENZYME.

TRANSBORDEUR → PAQUEBOT.

TRANSCAUCASIE, nom donné à la partie de l'U. R. S. S. située au S. du *Caucase* et correspondant pratiquement aux trois républiques d'Arménie, d'Azerbaïdjan et de Géorgie.

TRANSCONA, v. du Canada (Manitoba), banlieue est de Winnipeg; 22490 hab.

TRANSCONTAINER → RAIL-ROUTE.

TRANSCRIPTION → TRANSPOSITION.

TRANS-EUROP-EXPRESS (T. E. E.). — Inaugurées en 1957, les premières relations Trans-Europ-Express, au nombre de dix, sont assurées par des rames automotrices* Diesel* pour réaliser de véritables relations internationales directes. Les progrès de l'électrification* permettent ensuite d'utiliser des rames remorquées par des locomotives* électriques polycourant. Conçus pour satisfaire une clientèle d'hommes d'affaires, les trains T. E. E. offrent un haut niveau de confort, des horaires pratiques et une vitesse commerciale élevée. Les formalités de douane accomplies en cours de route et un système spécial de réservation laissent toute liberté à l'arrivée. En 1976, 43 relations T. E. E. relient entre elles 160 villes de l'Europe occidentale. Le succès des trains T. E. E. a entraîné la création d'un service analogue au profit des marchandises : ce sont les trains Trans-Europ-Express-Marchandises, créés en 1961, et les trains Trans-Europ-Containers-Express, créés en 1970.

TRANSFERT *(Psychan.).* — Le transfert est un phénomène inévitable et utile à la cure psychanalytique, car il permet d'actualiser ce qui a dû être refoulé : il représente le déplacement sur la personne de l'analyste des sentiments éprouvés autrefois envers les figures parentales. En effet, S. Freud* a constaté que «dans tout traitement analytique s'établit, sans que le médecin fasse rien pour cela, une intense relation affective du patient à la personne de son analyste, relation qu'on ne peut en rien expliquer par les rapports réels». Le maniement du transfert est la partie la plus délicate de la technique analytique. Pour se détacher de son analyste, à la fin de la cure, le patient doit pouvoir liquider son transfert. Au transfert de l'analysant correspond le *contre-transfert* de l'analyste; Freud nomme ainsi les sentiments inconscients de l'analyste envers son patient. L'analyse didactique à laquelle s'est soumis obligatoirement tout psychanalyste lui permet de contrôler son contre-transfert. Au cours de la cure, le contre-transfert guide les interprétations du psychanalyste.

TRANSFERTS SOCIAUX. — Les ressources d'un individu peuvent, en des circonstances particulières ou au sein de certaines catégories sociales, ne pas représenter la seule contrepartie de l'effort fourni ou de l'efficacité obtenue, mais provenir également d'une contribution de la collectivité nationale en sa faveur afin de lui assurer une protection minimale et de compenser la trop grande inégalité des ressources entre les citoyens. En France, les transferts sociaux sont constitués par les versements d'allocations familiales, les prestations d'assurances sociales (accidents du travail, maladies professionnelles, invalidité, vieillesse, etc.) et la garantie des risques, dont la protection est assurée, d'une manière générale, par les systèmes de sécurité sociale.

Le «budget social de la nation» recouvre annuellement en France un ensemble de prestations qui représentent environ le quart du revenu national. La «générosité» d'un pays, au niveau des politiques de transferts, peut se définir comme le rapport des «dépenses de transfert» (prestations de sécurité sociale et d'assistance et aides en nature à l'exclusion des dépenses générales de santé et d'enseignement) à la production nationale. Selon l'O. C. D. E., les pourcentages des dépenses de transfert par rapport aux productions intérieures brutes étaient, en 1972, de 16,4 p. 100 aux Pays-Bas, de 15,9 p. 100 en Allemagne, de 15,3 p. 100 au Danemark, de 14,5 p. 100 en Suède, de 12,9 p. 100 en France, de 9,9 p. 100 en Grande-Bretagne, de 8,9 p. 100 aux États-Unis. Les ressources d'un budget social proviennent essentiellement de cotisations et de l'impôt.

TRANSFORMATEUR. — Les transformateurs monophasés comportent deux enroulements : un primaire, qui reçoit la puissance active, et un secondaire, connecté aux circuits d'utilisation. Ils sont enroulés sur un même noyau de fer doux, de manière à obtenir une induction mutuelle maximale. Tout courant alternatif circulant dans le primaire induit dans le secondaire une force électromotrice de même période, qui donne naissance à un courant alternatif dans le

TRANSFORMATEUR. Éléments d'un transformateur de grande puissance refroidi par une circulation forcée d'huile.

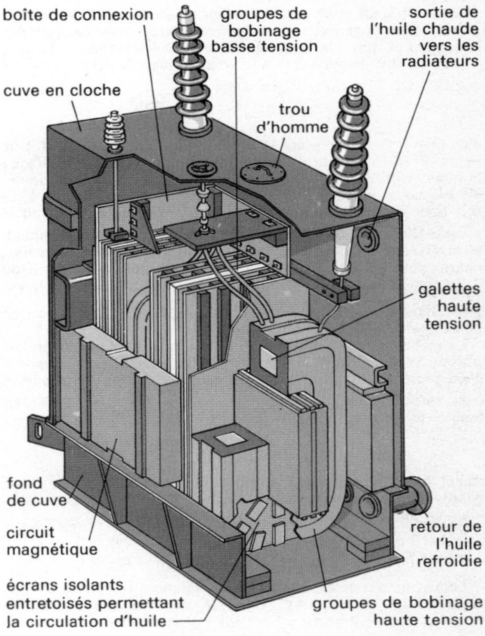

secondaire supposé fermé. Le *rapport de transformation* est le rapport entre les tensions efficaces aux bornes du secondaire et du primaire; il est égal au rapport des nombres de leurs spires. L'appareil peut donc être élévateur ou abaisseur de tension. Les transformateurs peuvent être triphasés.

Les transformateurs de puissance sont montés dans une cuve étanche et isolés soit dans des huiles minérales, soit dans des diélectriques chlorés.

TRANSFORMATION *(Banq.)*. — C'est la modification que réalise une banque lorsque, détentrice de ressources à court terme (dépôts), elle les « emploie » en crédits à long terme (prenant de ce fait certains risques). La transformation est pratiquée par l'appareil bancaire français.

TRANSFORMATION *(Ling.)* → GÉNÉRATIVE *(grammaire)*.

TRANSFORMATION

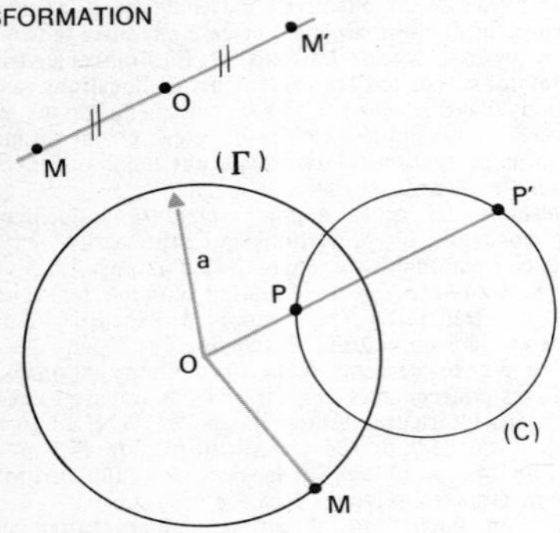

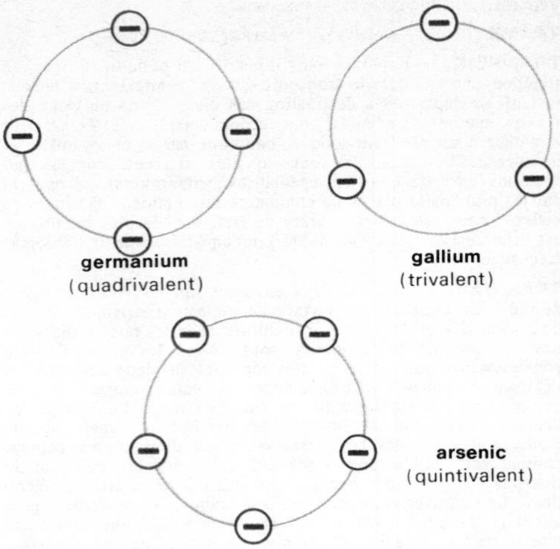

TRANSFORMATION *(Math.)*. — Une transformation géométrique est une *correspondance* qui, à une figure (F), associe une figure (F').

Une transformation *ponctuelle* associe à un point M un point M'. Le point M' est le *transformé* de M, noté aussi T(M). Ainsi, la symétrie de centre O transforme le point M en M' tel que les trois points O, M et M' soient alignés, OM = OM', les points M et M' étant situés de part et d'autre du point O. De façon générale, les déplacements et les antidéplacements, c'est-à-dire toutes les isométries, sont des transformations ponctuelles. Il en est de même des homothéties et des inversions ainsi que des produits de ces transformations.

Un point M est *invariant* par la transformation T si T(M) = M, le point M coïncidant avec son transformé. Il en est ainsi, par exemple, d'un point M situé à la distance a du pôle O de l'inversion $\mathfrak{J}(O, a^2)$ — de pôle O et de puissance a^2 — transformant le point P en P' tel que $\overline{OP} \cdot \overline{OP'} = a^2$ sur OP : on a, en effet,

$$\overline{OM} \cdot \overline{OM} = a^2 = \overline{OM} \cdot \overline{OM'};$$

d'où $\overline{OM'} = \overline{OM}$, et le point M' est confondu avec le point M. Une figure (F) est invariante si elle coïncide avec sa transformée (F') par la transformation T. Cette figure peut être *globalement invariante :* c'est le cas du cercle (C) tel que la puissance de O par rapport à (C) soit égale à a^2, dans l'inversion $\mathfrak{J}(O, a^2)$, car, quelle que soit la sécante OPP', $\overline{OP} \cdot \overline{OP'} = a^2$, le point P' est le transformé du point P et inversement. Cette figure peut être invariante *point par point :* chaque point est conservé par la transformation T. C'est le cas du cercle (Γ) de centre O et de rayon a, dans l'inversion $\mathfrak{J}(O, a^2)$. Un point d'une figure qui est conservé dans la transformation T est dit *point double* pour la transformation T.

La recherche des points doubles d'une transformation T se fait souvent analytiquement si la transformation étudiée est susceptible d'une représentation analytique. Par exemple, dans le plan rapporté à un repère Oxy ou $O\vec{i}\,\vec{j}$, la transformation T, qui, au point $M(x, y)$, associe le point $M'(x', y')$ tel que

$$x' = ax + by,$$
$$y' = cx + dy,$$

admet toujours, quels que soient a, b, c et d, le point O de coordonnées nulles comme point double : $x' = y' = 0$ et $x = y = 0$. Mais un point $M(x, y)$ est double si

$$\begin{cases} x' = x = ax + by \\ y' = y = cx + dy \end{cases} \Longleftrightarrow \begin{cases} (a-1)x + by = 0 \\ cx + (d-1)y = 0. \end{cases}$$

Le dernier système n'admet une solution $(x, y) \neq (0, 0)$ que si $(a-1)(d-1) - bc = 0$. Dans ce cas, les deux équations $(a-1)x + by = 0$ et $cx + (d-1)y = 0$ représentent une même droite, qui est une *droite de points doubles* pour T. L'existence des points doubles dépend des valeurs des coefficients a, b, c et d définissant la transformation.

Comme pour une application, on peut rechercher les qualités éventuelles d'une transformation ponctuelle : une transformation peut être *injective*, *surjective* ou *bijective*. Par exemple, la transformation définie analytiquement ci-dessus est bijective si $ad - bc \neq 0$. Enfin, on peut étudier la *structure* d'un ensemble de transformations muni de la composition des applications (ou transformations). Si T et θ sont deux transformations opérant dans un même ensemble E, si $M \in E$, on a

$$M' = T(M) \text{ et } M'' = \theta(M) = \theta[T(M)] = \theta \circ T(M);$$

$\theta \circ T$ est aussi une transformation opérant dans E. Par exemple, T peut être une translation et θ une rotation de l'espace; le produit $\theta \circ T$ est alors un déplacement de E, tout comme T et θ. L'ensemble de transformations étudié, muni de l'opération ∘, peut être un *groupe*. C'est le cas de l'ensemble des déplacements de l'espace.

TRANSFORMISME → ÉVOLUTION.

TRANSFUSION. — La découverte des groupes sanguins a permis la transfusion sanguine. Avant toute transfusion, il faut vérifier le groupe A.B.O. des hématies injectées et des hématies du receveur, et rechercher d'éventuels anticorps d'iso-immunisation. Les principales indications de la transfusion sanguine sont les hémorragies, les états de choc, les anémies. L'exsanguino-transfusion remplace une grande partie du sang d'un malade par le sang de donneurs sains; l'immuno-transfusion apporte des anticorps.

TRANSGRESSION MARINE. — Envahissement d'une portion de continent par la mer, une transgression peut avoir des causes locales (affaissement de terrain) ou générales (élévation du niveau de la mer à la fin d'une période glaciaire par exemple). Dans les terrains sédimentaires, elle se traduit par une extension de plus en plus grande des couches successives.

TRANSHIMĀLAYA → HIMĀLAYA.

TRANSHUMANCE → NOMADISME.

TRANSISTOR. — Le transistor, inventé en 1948 par les Américains Bardeen, Brattain et Shockley, comprend deux jonctions séparant entre elles trois zones de semi-conducteurs contenant des impuretés de types opposés. Il existe par exemple des transistors dont les deux zones extérieures contiennent des impuretés du type N (négatif) et la zone intérieure des impuretés du type P (positif); ce sont des transistors N-P-N. Il existe aussi des transistors P-N-P. Comme semi-conducteur, on utilise le plus souvent du germanium ou du silicium extrêmement purs, dans lesquels sont introduites des impuretés du type P (aluminium, indium, gallium) ou du type N (arsenic, antimoine).

L'atome de germanium ou de silicium contient quatre électrons sur son orbite extérieure, tandis que celui de type N en possède cinq et celui de type P trois. L'introduction d'atomes du type N dans un réseau cristallin d'éléments quadrivalents y fait apparaître des électrons libres, alors que les impuretés du type P y présentent des « trous », places où manquent des électrons, ce qui équivaut à une charge positive. C'est grâce à ces électrons ou à ces « trous » que peut se faire la conduction.

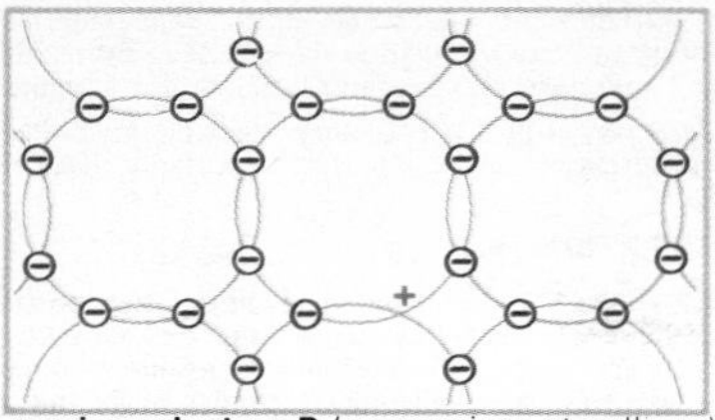

semi-conducteur P (germanium et gallium)
électron manquant = trou = charge positive

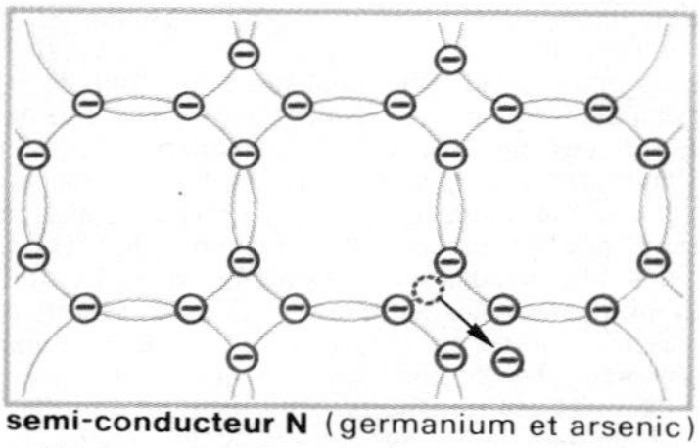

semi-conducteur N (germanium et arsenic)
électron excédentaire = charge positive

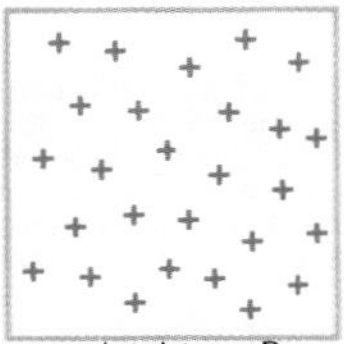

cristal type P

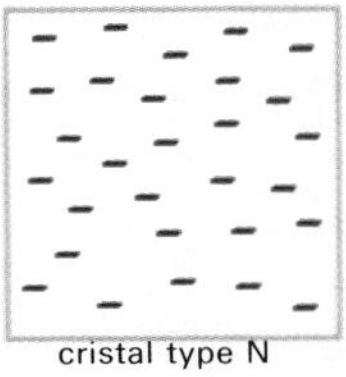

cristal type N

TRANSISTOR

jonction P

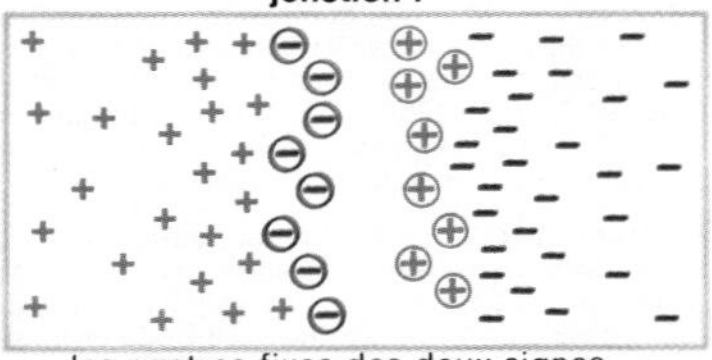

les centres fixes des deux signes ont formé la barrière de potentiel

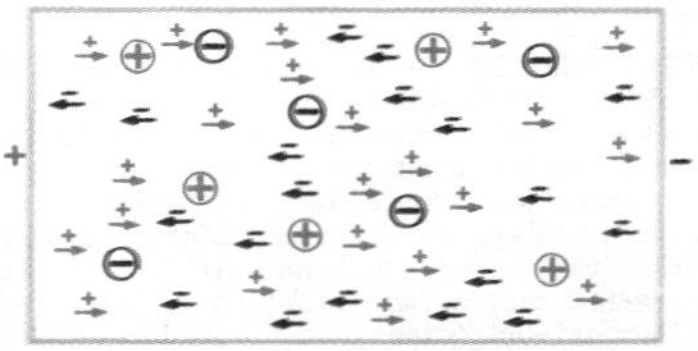

jonction polarisée dans le sens direct
la barrière de potentiel est détruite; le courant circule

jonction polarisée dans le sens inverse

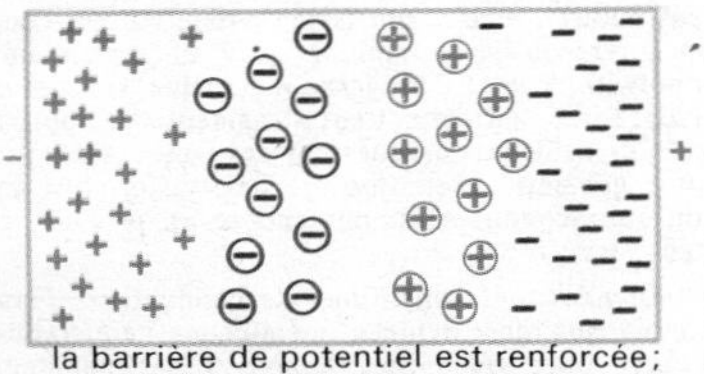

la barrière de potentiel est renforcée; aucun courant ne circule entre les électrodes

Le transistor peut assurer les mêmes fonctions qu'une lampe triode, sur laquelle il présente les avantages d'un volume réduit et d'une puissance d'alimentation beaucoup plus faible.

TRANSITAIRE. — La bonne exécution d'un transport de marchandises comportant, éventuellement, le franchissement de frontières terrestres ou maritimes rend souvent nécessaire le concours d'un spécialiste, le *transitaire.* Celui-ci, ayant étudié préalablement les modalités du transport, en surveille le déroulement et accomplit, s'il y a lieu, les formalités douanières. Procédant à des groupages, il peut, d'ailleurs, obtenir pour son client des conditions que celui-ci n'obtiendrait pas isolément. Le transitaire intervient soit comme simple *mandataire* de son client, dont il suit alors les instructions, soit comme *commissionnaire de transport* pleinement responsable de l'opération effectuée par des voies et des moyens dont il a le choix.

TRANSITIONNELS (objets et **phénomènes). —** Décrit pour la première fois par D. W. Winnicott*, l'objet transitionnel désigne un objet particulier (couche, mouchoir, coin d'oreiller, ours en peluche) donné par la mère et auquel le nourrisson s'attache passionnément. Phénomènes (succion du pouce, gazouillis) et objets transitionnels font leur apparition entre six mois et un an, donc avant l'usage du langage; ils aident l'enfant à supporter l'angoisse de séparation d'avec sa mère, en gardant celle-ci symboliquement présente. Pour Winnicott, ils traduisent l'existence d'une aire intermédiaire (espace potentiel) qui se situe entre la réalité extérieure et la réalité interne. Les objets transitionnels ne font pas partie du corps du nourrisson, et pourtant celui-ci ne reconnaît pas encore complètement leur appartenance à la réalité extérieure. Ils aident l'enfant à établir une distinction nette entre fantasme* et fait réel. L'espace potentiel, territoire entre l'objectivité et la subjectivité (zone de l'illusion), se constitue au moment où l'adaptation de la mère aux besoins du bébé décroît progressivement afin de permettre à ce dernier de devenir une personne autonome. C'est dans cette aire d'illusion, dont l'étendue dépend du climat de confiance que la mère a su établir entre son enfant et elle, et qui varie d'un individu à l'autre, que se situe l'expérience culturelle de l'homme. Au fur et à mesure que se développent les investissements culturels, les objets et les phénomènes transitionnels disparaissent, mais l'espace potentiel subsiste tout au long de la vie dans l'activité créatrice.

TRANSJORDANIE → JORDANIE.

TRANSKEI, État de l'Afrique australe, indépendant depuis octobre 1976; 41 600 km^2; 3 millions d'hab. Capit. *Umtata.* Entre le Lesotho et l'océan Indien, bordé par la province du Cap, le Transkei, peuplé d'une ethnie bantoue, les Xhosas, possède un climat favorisant les cultures subtropicales (thé, café, canne à sucre, coton) et la sylviculture, et dispose d'un potentiel hydroélectrique et touristique (côte Sauvage) non négligeable. Son développement est étroitement tributaire de l'Afrique du Sud, où vit et travaille un nombre important de Xhosas.

TRANSLATION *(Math.)* → ISOMÉTRIE.

TRANSLATION *(Mécan.)* → CINÉMATIQUE et CINÉTIQUE.

TRANSLEITHANIE, partie de l'Empire austro-hongrois (v. AUTRICHE-HONGRIE) située à l'E. de la *Leitha* et qui comprenait la Hongrie, la Transylvanie, les Confins militaires et la Croatie.

TRANSLOCATION → CHROMOSOME.

TRANSMISSION *(Autom.).* — La transmission réunit tous les organes qui, à partir de l'arbre de sortie de la boîte de vitesses, assurent la rotation des roues motrices. Un arbre de transmission longitudinal relie cet arbre secondaire au pont arrière, contenant le différentiel* et le couple conique. Il est articulé sur un point de la boîte par un flector à caoutchouc et sur le pont arrière par un joint de cardan. Celui-ci est composé d'un croisillon central, sur les branches duquel tourillonnent des petites fourches portées par une extrémité des deux arbres à accoupler de telle manière que les axes de ces arbres se coupent en un point fictif situé au centre du dispositif et que ceux des fourches restent dans le même plan. Ce dispositif n'est valable que si les deux arbres forment entre eux un angle limité. Au-delà, l'arbre mené, animé d'un mouvement alternativement accéléré, puis ralenti, conduirait à un entraînement saccadé intolérable. On obvie à cet inconvénient en faisant appel au joint homocinétique, constitué de deux cardans accolés et réunis par un petit arbre, réduit souvent à un simple tenon. On utilise une rotule de centrage dont le centre est confondu avec celui du joint. Lorsque les roues sont en même temps motrices et directrices (traction* avant), elles doivent pouvoir pivoter autour d'un axe vertical. On accole alors un troisième cardan au deuxième.

Le *pont arrière* constitue l'essieu moteur, en groupant en son centre le renvoi d'angle et le différentiel* ainsi que les bras tubulaires, contenant les arbres de roues, assurant la transmission finale. Le couple conique axial est composé d'un prolongement denté de l'arbre de transmission, dit « pignon d'attaque », engrenant sur une grande couronne boulonnée sur le boîtier du différentiel. Il réalise une démultiplication finale fixe, dite *rapport de pont,* et le renvoi du mouvement dans un plan perpendiculaire au plan de l'axe longitudinal du véhicule. Pour obtenir un fonctionnement relativement silencieux, on emploie des engrenages à taille hélicoïdale Gleason en montage hypoïde, où l'axe du pignon d'attaque est situé au-dessous de l'axe de la grande couronne. Cette disposition permet de supprimer le tunnel de protection de l'arbre à l'intérieur de la carrosserie. On peut également adopter une vis sans fin engrenant tangentiellement avec une couronne. Le pont constitue une masse non suspendue que l'on a intérêt à faire disparaître en boulonnant le carter du différentiel sur le châssis avec interposition d'un bloc de caoutchouc. En transmission « tout arrière » et « tout avant », le pignon d'attaque est taillé en bout de l'arbre secondaire du changement de vitesse. Le carter du différentiel est alors groupé avec le changement de vitesse, et la transmission s'effectue par deux demi-arbres oscillants.

TRANSMISSION DE DONNÉES. — L'expression couvre l'ensemble des moyens mis en œuvre pour transmettre entre deux points des informations numériques par l'intermédiaire de circuits téléphoniques ou spécialisés. Par information* numérique, on entend une succession d'impulsions dont l'état est pris parmi un certain nombre d'états possibles, généralement deux (système binaire). Ainsi toute information originelle est-elle ramenée à une succession cohérente d'impulsions occupant, suivant un langage convenu, un état déterminé. Plus le nombre d'impulsions par seconde, ou vitesse de modulation, exprimée en bits dans le système binaire, est important, plus l'information est dense. Il est nécessaire que la ligne de transmission puisse accepter de transporter des signaux d'une telle densité. Les vitesses les plus grandes, de l'ordre de plusieurs millions de bits par seconde pour un signal binaire, nécessitent pour la transmission à grande distance des lignes de caractéristiques spéciales, alors que les vitesses de 4 800 bits par seconde se contentent de lignes téléphoniques ordinaires. Parmi les sources et les collecteurs de données figurent notamment les calculateurs, les lecteurs*/perforateurs de bande, les consoles de visualisation, les imprimantes*, etc. L'adaptation des sources et des collecteurs aux lignes de transmission est réalisée par les ensembles appelés *modems* (contraction de MODulateur DÉModulateur). Dans l'avenir, l'échange d'informations du type « données » nécessitera la mise en place de réseaux de conception analogue à celle des réseaux téléphoniques, ou télex (réseau commuté), mais de technicité différente.

TRANSMISSIONS. — Autrefois rattachées au génie et devenues autonomes en 1942, les *transmissions de l'armée de terre* mettent sur pied des formations spécialisées affectées aux grandes unités, à l'infrastructure et à la guerre électronique. Elles disposent de matériels variés : postes radioélectriques, stations de faisceaux hertziens, centraux téléphoniques, téléimprimeurs, transmetteurs d'images, etc. Arme du commandement, dont elles sont chargées de transmettre les ordres, elles ont acquis une importance que le morcellement des dispositifs en ambiance nucléaire ou subversive n'a fait qu'accroître. Après avoir créé, au cours des années 70, des *centres automatiques de relais télégraphiques et électroniques* (C. A. R. T. E. L.) très modernes, elles mettent au point depuis 1975 un système de télécommunications qui fait appel aux techniques les plus avancées de l'informatique, le *réseau intégré de transmissions automatiques* (R. I. T. A.). La formation des officiers et des sous-officiers est assurée par l'*École d'application des transmissions,* créée à Montargis en 1946; celle des cadres supérieurs et des spécialistes, par l'*École supérieure de l'électronique de l'armée de terre,* transférée de Pontoise à Rennes en 1973.

TRANSMUTATION. — La transmutation des métaux, but principal de l'alchimie, reposait sur l'unité supposée de principe de la matière. Aucun moyen chimique ne permettait de la réaliser. Les transmutations d'éléments chimiques s'effectuent spontanément dans les transformations radioactives. Mais on entend plutôt par ce mot les transformations provoquées par bombardement des atomes au moyen de particules de grande énergie.

Transpac → RÉSEAU *(Inform.).*

TRANSPARENCE. — On peut caractériser la transparence d'une substance par la proportion de lumière qu'elle transmet, mais ce facteur de transmission varie souvent avec la couleur de la lumière utilisée; c'est ce qui se produit avec des verres colorés. Une substance peut absorber fortement des radiations infrarouges ou ultraviolettes même lorsqu'elle paraît uniformément transparente pour la lumière visible.

TRANSPIRATION. — Tous les êtres vivant hors de l'eau sont soumis, par temps sec, à l'évaporation rapide de l'eau qui imprègne leur épiderme, dont l'une des fonctions est, précisément, de limiter cette perte d'eau par toute une panoplie de phanères, d'écailles, de cuticules, de coquilles, d'écorces, etc. Mais, dans les deux règnes, l'évaporation, dûment contrôlée, peut jouer un rôle utile.

• *Chez les plantes,* elle est essentielle pour assurer une concentration suffisante aux aliments minéraux, que les racines ont absorbés en solution extrêmement diluée, et même pour entretenir la pénétration de l'eau et sa circulation dans la sève brute. Elle est contrôlée par l'ouverture plus ou moins grande des stomates*.

• *Chez les animaux,* et plus spécialement chez l'homme, l'activité des glandes sudoripares assure une part importante de la régulation* thermique.

TRANSPLANTATION → GREFFE.

TRANSPORT *(Écon.).* — Le développement des transports est à la base de celui des sociétés modernes, en permettant la spécialisation et les économies d'échelle. Considérés comme un service, mais affectés essentiellement (courrier exclu) au déplacement de personnes et de biens matériels, les transports emploient environ 5 p. 100 de la population active dans les pays évolués. À l'intérieur du secteur s'opère une spécialisation, tenant d'une part à la nature des produits transportés, à leur origine et à leur destination, et d'autre part à l'évolution technique et à des considérations économiques plus générales, liées aux différents postes de leurs coûts respectifs. La hausse du coût du pétrole favorise le transport ferroviaire et pénalise le transport routier dans la mesure où ces deux moyens sont concurrentiels; le trafic aérien et le trafic maritime sont souvent moins directement touchés lorsqu'ils bénéficient de rentes de situation, souvent de quasi-monopoles, le premier pour le transport des personnes, le second pour le transport des marchandises à longue distance. Ils sont, en revanche, atteints, comme les autres moyens de transport, par les phases de récession, comme en témoignent la crise du fret maritime et le suréquipement des compagnies aériennes. La mesure des variations de l'activité des transports, cause et effet de celles de la production, est un bon indicateur de l'évolution de la situation économique des pays industrialisés, dans lesquels les échanges occupent une place importante.

TRANSPORT *(Électr.)* → RÉSEAU.

TRANSPORT (aviation militaire de). — Chargée des transports par voie aérienne du personnel, du matériel et du fret de toute nature, l'*aviation militaire de transport* fut d'abord utilisée pendant la Seconde Guerre mondiale pour des *aéroportages,* c'est-à-dire pour des parachutages intéressant parfois des effectifs importants (bataille de Crète, 1941; bataille d'Arnhem, 1944). Mais les *aérotransports,* qui sont des livraisons par atterrissages, furent de plus en plus employés pour le soutien logistique des opérations. Les avions militaires de transport les plus célèbres de cette époque furent le Junker « 52 » allemand et le Douglas « C-47 DC-3 » américain. Le pont aérien de Berlin (1949), les opérations de Corée (1950-1953), d'Indochine (1945-1973) et d'Algérie (1954-1962) confirmèrent l'importance du rôle joué par les aéronefs de transport, qui, depuis 1960, comprennent des hélicoptères. Pendant la guerre israélo-arabe de 1973, les « C-5 A Galaxy » américains et les Antonov « 12 » et « 22 » soviétiques livrèrent respectivement à Israël et aux Arabes 23 000 et 12 600 t de matériel.

TRANSPORT (contrat de). — Le contrat de transport est la convention aux termes de laquelle un transporteur convient qu'il acheminera, dans des conditions et sur un trajet déterminés, une personne ou une chose d'un lieu à un autre. Le Code civil (articles 1782 à 1786) et le Code de commerce (articles 103 à 108), notamment, édictent la plupart des règles générales applicables au contrat de transport (il existe des règles propres aux transports maritimes, fluviaux et aériens).

TRANSPORT D'ÉNERGIE. — Il se fait à très haute tension (THT) : 380 kV en France, 420 kV en Italie, 525 kV-735 kV au Canada, 730 kV en France vers 1980. On peut transporter des puissances plus fortes en augmentant la tension sans augmenter dans un même rapport les chutes de tension relatives, les sections des conducteurs à utiliser ou l'encombrement du matériel, en particulier dans le cas des lignes aériennes. Au niveau régional, le transport de l'énergie peut se faire en 225 kV. Celui-ci est réalisé soit par canalisations* souterraines pour des distances de 1 à 5 km (à la sortie des centrales en 380 kV, près des agglomérations et des aérodromes* sur 25 à 30 km pour des raisons d'environnement), soit par lignes* aériennes (99,9 p. 100 du transport).

• Les *canalisations souterraines* utilisent soit des câbles* à refroidissement naturel, dans lesquels le conducteur est constitué d'une *âme* en cuivre ou en aluminium isolée au papier imprégné d'huile ou au polyéthylène et d'un *écran* métallique, soit des câbles à refroidissement forcé, qui permettent d'augmenter les puissances transportables. Ces câbles, constitués par des conducteurs massifs placés dans une enceinte d'hexafluorure de soufre, ainsi que les cryocâbles, ou supraconducteurs, ont encore un prix de revient particulièrement élevé.

• Les *lignes aériennes* sont constituées de conducteurs réunis en faisceaux montés sur des pylônes métalliques, en treillis, en structure tubulaire ou à géométrie variable. Les conducteurs de forte section sont en aluminium*, en almélec (alliage d'aluminium, de magnésium* et de silicium*) ou en une combinaison des deux.

La forme et la hauteur des pylônes dépendent des régions traversées (hauteur réduite dans le cas d'aérodromes, de stations de radio, et hauteur élevée au-dessus des silos, des châteaux d'eau, des bâtiments importants). Les lignes passent dans des couloirs, mais leur hauteur doit être telle qu'il n'y ait pas possibilité de décharge* électrique sur les ouvrages traversés ou les véhicules croisant la ligne. À l'heure actuelle, pour les grandes distances, seul le transport par câble aérien est économique. Les défauts sur les lignes de transport d'énergie, ou surtensions*, sont soit d'origine électrique, soit d'origine atmosphérique.

TRANSPORTEUR DE GAZ. — Parmi les navires affectés au transport des hydrocarbures — pétroliers*, butaniers, propaniers, éthyléniers — les *méthaniers* sont spécialement conçus pour le gaz* naturel liquéfié (G. N. L.) et les plus récents peuvent emmener une cargaison de 125 000 m^3. Contenu dans des citernes calorifugées, le méthane* est transporté à l'état liquide, sans pression, mais à la température de $-160\,^0$C, sous un volume réduit 600 fois. Il est maintenu liquéfié par une très légère ébullition, qui dégage du gaz utilisé pour la propulsion du navire; la coque de ce dernier, en acier ordinaire, ne saurait résister au froid intense d'un contact avec le gaz naturel liquéfié. Dans les méthaniers à citernes autoporteuses, celui-ci est embarqué dans des cuves sphériques en alliage d'aluminium ou en acier spécial à 9 p. 100 de nickel, fixées à la coque par une suspension équatoriale. Dans les méthaniers à cuve-membrane, les citernes sont constituées par une épaisseur d'isolant thermique plaquée sur la coque, à l'intérieur de laquelle on intercale une membrane métallique en acier austénitique ou en Invar, faisant fonction de barrière d'étanchéité. Le matériau calorifuge est du bois de balsa ou de la perlite expansée.

TRANSPORTS (mal des). — Le mal des transports se traduit par des nausées, des vomissements, une impression désagréable de déséquilibre, une anxiété. Les antihistaminiques de synthèse ont une action préventive et curative.

TRANSPOSITION *(Mus.).* — Pour placer dans une tonalité plus favorable à une voix ou à un instrument un morceau écrit trop haut ou trop bas par rapport à son registre*, on le transpose en le lisant ou en le réécrivant *(transcription).* Dans le premier cas, on lit à l'intervalle demandé, sans modifier la notation*; dans le second cas, on transcrit chacune des notes. Pour conserver le même intervalle entre toutes les notes, il faut placer à la clé les altérations du ton nouveau et modifier certains signes d'altérations accidentelles.

On appelle aussi « transcription » la version d'une partition ancienne en notation moderne. Les tablatures instrumentales composées de lettres et de chiffres désignant la position des notes et non leur identité exigent une transcription.

Transsibérien, grande voie ferrée de l'U. R. S. S. Le Transsibérien relie Moscou à Vladivostok (9 300 km) par les villes de Riazan, de Kouïbychev, de Tcheliabinsk (sur le versant oriental de l'Oural, où commence seulement la traversée de la Sibérie correspondant à l'appellation stricte de la voie), d'Omsk, de Novossibirsk, d'Irkoutsk, de Tchita et de Khabarovsk. Initialement, il passait en territoire chinois (par Harbin); la ligne actuelle (électrifiée jusqu'à Irkoutsk), seule utilisée, plus longue, mais exclusivement en territoire soviétique, a été achevée en 1907. Le Transsibérien a joué un rôle considérable dans le peuplement et la mise en valeur du sud de la Sibérie. Le tonnage transporté annuellement sur le Transsibérien lui-même et les antennes (minières notamment) qui s'y embranchent est de l'ordre de plusieurs centaines de millions de tonnes. Dans le domaine des voyageurs, le Transsibérien joue surtout un rôle régional de liaison, la traversée complète (dix jours de Moscou à Vladivostok) étant plus rare.

TRANSSUBSTANTIATION → EUCHARISTIE.

TRANSURANIEN. — L'existence des transuraniens est liée à la découverte de la fission nucléaire. Radioactifs et de période courte, ils n'existent pas dans la nature et ont été obtenus artificiellement. On en connaît actuellement treize, du n° 93 au n° 105 : ce sont le neptunium, le plutonium, l'américium, le curium, le berkélium, le californium, l'einsteinium, le fernium, le mendélévium, le nobélium, le lawrencium, le rutherfordium (ou kourtchatovium) et le hahnium.

TRANSVAAL, prov. du nord de l'Afrique du Sud; 283 900 km^2: 8 765 000 hab. Capit. *Pretoria.*

GÉOGRAPHIE. Traversé par le Tropique, le Transvaal connaît un climat tempéré par l'altitude, qui dépasse généralement 1 000 m sur les plateaux, limités à l'E. par des hauteurs plus élevées, prolongeant le Drakensberg. L'économie est dominée par l'industrie, notamment dans le Witwatersrand, région de l'extraction de l'or, de la métallurgie lourde et de transformation, de la chimie et de l'alimentation, dont le centre est Johannesburg. Le sous-sol recèle encore du platine, du chrome, du fer et surtout du charbon. L'élevage bovin a été développé (pour satisfaire l'important marché de consommation); il est associé à la culture du maïs, principale céréale cultivée avec le blé et le millet. La population, qui a presque doublé dans le dernier quart de siècle, est formée pour moins du cinquième de Blancs (concentrés dans les grandes villes de Johannesburg et de Pretoria), les Bantous en constituant de loin la majorité.

HISTOIRE. L'arrivée des Anglais au Cap* (1795-1806) et leur volonté d'anglicisation provoquent rapidement le mécontentement des colons hollandais, les Boers*, qui, en 1834, décident d'émigrer en masse vers le nord : c'est le Grand Trek* (1834-1837). Rejetant les Matabélés au-delà du Limpopo (Rhodésie), les Boers s'installent le long de la rivière Vaal, où ils fondent une province libre, dirigée d'abord par Piet Retief (1780-1838), puis par Andries Pretorius*. L'indépendance du Transvaal est reconnue par les Britanniques en 1852. Premier président de la République sud-africaine, proclamée en 1856, Marthinius Pretorius (1819-1901) tente vainement d'unir l'Orange et le Transvaal. Par contre, profitant d'une guerre entre Boers et Cafres, les Britanniques annexent le Transvaal en 1877. Aussitôt, la résistance s'organise sous la conduite de Petrus Joubert (1834-1900) et de Paul Kruger* : la première guerre des Boers (1880-81) tourne à leur avantage; la Grande-Bretagne reconnaît l'autonomie du Transvaal (1881). Mais la découverte de l'or près de Pretoria provoque, notamment à Johannesburg, un afflux d'aventuriers et de chercheurs, les *uitlanders,* en grande partie anglais. Aussi J. Chamberlain* et Cecil Rhodes* poussent-ils de nouveau à l'annexion du Transvaal : un premier raid, lancé par Leander Jameson (1853-1917) en 1895, échoue. La ferme décision de Kruger, élu président en 1883, provoque la deuxième guerre des Boers* (1899-1902), qui est longtemps favorable aux colons hollandais. Après la défaite de l'Orange* (1900), le Transvaal continue la lutte, mais, à bout de forces, il doit s'incliner en 1902 (paix de Vereeniging, 31 mai). Il devient alors une colonie britannique, qui entre, en 1910, dans la fédération des anciennes colonies de l'Afrique du Sud.

TRANSYLVANIE, en roumain **Transilvania** ou **Ardeal,** en hongrois **Erdély,** région du centre de la Roumanie, enserrée (au N., à l'E. et au S.) par les Carpates et séparée (à l'O.) du Bassin pannonien par le massif du Bihor. V. princ. *Cluj* et *Brasov.* On donne le nom d'*Alpes de Transylvanie* à la partie méridionale (Roumanie) des Carpates entre la Transylvanie et la Valachie, qui porte le point culminant du pays (2 543 m au *Moldoveanul*).

HISTOIRE. Comitat hongrois gouverné par un voïvode (1003), la Transylvanie — peuplée de Valaques (Roumains) — reçoit au XIIe s. des colons hongrois et saxons. Après la défaite des Hongrois à Mohács devant les Turcs (1526), le voïvode Jean Zápolya est élu roi de Hongrie et de Transylvanie. Les Habsbourg reconnaissent le fait accompli (1538) : la Transylvanie, sous Jean-Sigismond (de 1540 à 1571), fils du successeur de Jean Zápolya, est indépendante *de facto,* tout en restant nominalement vassale du sultan.

Les querelles religieuses de la Réforme et la volonté d'Étienne* Báthory, prince de Transylvanie en 1571, roi de Pologne en 1576, d'assurer dans ses États le triomphe de la Contre-Réforme provoquent des guerres civiles, qui aboutissent à l'éphémère union (1600-1601), sous la couronne de Michel le Brave, de la Valachie, de la Moldavie et de la Transylvanie. En 1604, les Habsbourg s'emparent du pays, mais les princes que se donne la Transylvanie au XVIIe s. — notamment Étienne Bocskai (de 1605 à 1606) et Georges Ier Rákóczi* (de 1630 à 1648) — maintiennent une autonomie de fait, favorisée par les embarras des Habsbourg durant la guerre de Trente Ans. Mais les Turcs, en déposant en 1657 Georges II Rákóczi (de 1648 à 1660), établissent la terreur; leur défaite devant Vienne en 1683 les obligent à renoncer à leurs droits sur la Transylvanie au profit des Habsbourg (traité de Karlowitz, 1699).

L'empereur confirme d'abord les privilèges et les libertés des Transylvains ainsi que la tolérance religieuse, mais il lève un lourd tribut, en attendant de diriger les affaires par l'intermédiaire d'un gouverneur. Un vaste mouvement d'émancipation se développe sous François II Rákóczi*, élu prince de Transylvanie en 1704. Mais, dès 1708, toute résistance doit cesser. Le XVIIIe s. est marqué par l'accroissement démographique des Roumains et des révoltes des paysans valaques orthodoxes contre les nobles magyars. Le mouvement libérateur de 1848 est éphémère; en 1851, l'allemand devient langue officielle. Rattachée en 1867 au royaume de Hongrie, la Transylvanie est soumise à une politique de magyarisation qui donne un nouveau souffle au nationalisme roumain; l'union de la Transylvanie avec les autres provinces roumaines est proclamée à Alba Iulia en 1918. Elle est ratifiée par le traité de Trianon* (1920), qui fixe les nouvelles frontières de la Roumanie*. En 1940, la Hongrie obtient la rétrocession d'une partie de la Transylvanie; le traité de paix de 1947 rétablit les frontières de 1920.

TRAPANI, port d'Italie, en Sicile, ch.-l. de prov., sur la côte occidentale de l'île; 70 000 hab. Églises (XIVe-XVIIIe s.). Musée.

Trappe *(Notre-Dame de la),* abbaye cistercienne, fondée en 1140 à Soligny, dans le Perche, et qui, réformée en 1664 par l'abbé Armand de Rancé* et rouverte en 1816, devint l'abbaye chef des cisterciens* de la stricte observance, dits *trappistes.*

TRAPPES (78190), ch.-l. de cant. des Yvelines, à 6 km au S.-O. de Versailles; 22 905 hab. *(Trappistes).* Gare de triage. Électronique.

TRASIMÈNE *(lac),* en ital. **Trasimeno,** lac d'Italie (Ombrie), à l'O. de Pérouse; 128,6 km^2. Hannibal remporta près du lac une brillante victoire sur le consul C. Flaminius Nepos (217 av. J.-C.).

TRAUMATISME. — Les lésions provoquées accidentellement par un agent extérieur se traduisent par des signes locaux (contusion simple, écrasement, plaies, fractures, hémorragies) et par des signes généraux (les traumatismes entraînent une réaction de tout l'organisme qui peut évoluer vers l'état de choc).

TRAVAIL. — Pour les marxistes, le travail est une forme d'activité de l'homme visant à transformer un objet donné de la nature en objet adapté aux besoins humains. Comme tel, tout en étant « la mesure inhérente de toute valeur », « il n'a en lui-même aucune valeur », pas plus, comme l'écrit Marx, que la pesanteur n'a de poids. Il y a un aspect « naturel » dans ce qui crée le travail, que Marx appelle *force de travail,* « ensemble des facultés physiques et intellectuelles qui existent dans le corps d'un homme [...] et qu'il doit mettre en mouvement pour produire des choses utiles ». L'autre aspect nécessairement complémentaire, puisqu'il s'agit de l'homme, est « social » : d'une part, le travail lie les hommes entre eux et les hommes à la nature; d'autre part, les aspects naturel et social lient le travail à la production de la valeur. « La force de travail, comme marchandise, possède une valeur, que l'on détermine par le temps de travail nécessaire à sa production. En tant que valeur, la force de travail représente le *quantum* de travail social réalisé en elle. » Or, ce travail, parce qu'il ne peut s'analyser hors de son contexte, est « rétribué » dans la société capitaliste : « Le travail lui-même est donc traité comme une marchandise dont les prix courants oscillent au-dessus ou au-dessous de sa *valeur*», dans le mode de production capitaliste, ce qui fait dire que c'est en réalité le travailleur qui se vend dans ce mode de production.

TRAVAIL *(Phys.).* — Le travail d'une force constante en grandeur et en direction, dont le point d'application décrit un segment rectiligne AB, est le produit de la force par la projection de AB sur sa direction. Ce travail est positif ou négatif selon que AB fait avec la force un angle aigu ou obtus. Pour une force variable, le travail élémentaire est le produit de la force à un instant donné par la projection, sur sa direction, de l'arc infiniment petit décrit par le point d'application. Le travail pour un déplacement fini est la somme algébrique des travaux élémentaires. (V. DYNAMIQUE.)

TRAVAIL (camps de). — C'est un système propre à l'Union soviétique, qui repose sur une législation spécifique, définie par le Code pénal et les « Principes fondamentaux de la législation de la rééducation par le travail en U. R. S. S. et dans les républiques de l'Union ». Le Code pénal déclare : « L'agitation ou la propagande menée à des fins de subversion ou d'affaiblissement du régime soviétique [...], la diffusion à cette même fin de calomnies diffamant l'État et le système social soviétique [...] sont punies de privation de liberté de 6 mois à 7 ans, assortis ou non d'une période d'exil d'une durée de 2 à 5 ans. » Ce Code pénalise également, quoique moins lourdement, toute « violation des lois sur la séparation de l'Église et de l'État et de l'Église et de l'École ». Les « Principes fondamentaux » énoncent : « Cette législation a pour objet de punir le crime non seulement en infligeant une peine pour un délit, mais aussi en cherchant à réformer et à amender les condamnés pour leur inculquer le respect des valeurs du travail, de la légalité et des règles de la communauté socialiste. » Le Code pénal prévoit quatre moyens pour la « correction et la réadaptation » des prisonniers : 1° le régime de la peine; 2° le travail socialement utile; 3° le travail politique et éducatif; 4° la formation professionnelle. Depuis 1955, un contrôle est institué par diverses commissions pour l'application des textes dans les camps. Aujourd'hui, les données numériques avancées par certains historiens occidentaux à la suite des révélations de transfuges venus d'Union soviétique sont controversées. On peut avancer, en se référant à la fois à l'*Histoire de l'U. R. S. S.* de Jean Elleinstein et aux sources d'Amnesty International (récusées par l'Association des juristes soviétiques), que la répression antikoulak (1929-1933) a fait déporter plusieurs millions de paysans. Le stalinisme* est responsable de la répression qui a suivi l'assassinat de Kirov (1934), des grands procès (1936-1938) ainsi que de la déportation des groupes nationaux entiers après la guerre et de celle de Juifs après 1950. La « déstalinisation » n'a pas mis fin aux camps de travail.

TRAVAIL (droit du). — Procédant originellement du droit civil (le contrat de « louage de service » est réglementé par l'article 1780 du Code civil), le droit du travail est, par ailleurs, influencé par le droit public, dans la mesure où il utilise certains procédés d'élaboration du droit (comme la convention collective) le rapprochant de celui-ci.

La législation du travail intervient pour réglementer l'entrée du travailleur dans le monde du travail (problèmes de l'emploi, législation de l'apprentissage), la durée du travail (loi de quarante heures du 20 juin 1936), le repos du travailleur (loi du 16 mai 1969), les conditions d'accomplissement du travail (hygiène et sécurité, médecine du travail, inspection du travail), le salaire (salaire minimum de croissance [S. M. I. C.]), les procédures de licenciement, la retraite, etc.

Depuis les trente dernières années, l'accélération de l'évolution du droit du travail a permis au statut du travailleur d'accomplir de substantiels progrès. La généralisation des conventions collectives (1950) et le salaire minimum ne sont, en ce sens, avec la garantie de salaire accordée pendant un an à certaines catégories de travailleurs privés de leur emploi, que des jalons de cette évolution; celle-ci est également marquée par l'apparition de la section syndicale d'entreprise (1968), complétant la législation sur les comités d'entreprise et les délégués du personnel (1945 et 1946), cependant que les avantages accordés par les régimes d'assurances sociales et de prestations familiales ont été améliorés.

• *Les conflits collectifs du travail.* Les conflits collectifs du travail, dont la principale manifestation est la grève*, sont résolus par divers procédés : la *conciliation,* tentative de rapprochement des points de vue en présence; l'*arbitrage,* procédure où l'arbitre est un particulier choisi par les parties, la sentence arbitrale s'imposant à celles-ci (un recours pouvant être porté devant la Cour supérieure d'arbitrage); la *médiation,* enfin, qui se distingue de l'arbitrage, les recommandations du médiateur ne s'imposant pas obligatoirement aux parties.

• *Le travail temporaire.* La loi du 3 janvier 1972, complétée par celle du 6 juillet 1973, a conféré un statut à cette forme de travail, en raison de l'importance qu'elle a prise. Le travail temporaire fait intervenir *deux contrats distincts :* un contrat entre l'entreprise de travail temporaire et l'entreprise utilisatrice (qui est un « contrat de location de main-d'œuvre »), et un « contrat de travail » entre l'entreprise de travail temporaire et le travailleur qu'elle emploie, contrat affecté de précarité, d'une durée égale à la mission mettant le travailleur à la disposition de l'entreprise utilisatrice de ses services. Le chef de l'entreprise utilisatrice dirige et contrôle les travailleurs intérimaires comme les siens propres, sans disposer cependant du pouvoir disciplinaire à leur égard.

TRAVAIL (inspection du) → INSPECTION DU TRAVAIL.

TRAVAIL (médecine du). — Le médecin du travail assure les visites d'embauche, les visites périodiques de surveillance des travailleurs. Pour les travaux dangereux, il exerce une surveillance accrue des sujets exposés. Par ailleurs, il doit contrôler l'hygiène et la sécurité du travail dans l'entreprise.

TRAVAIL (sociologie du). — La sociologie du travail se développe surtout à partir de l'entre-deux-guerres avec les travaux d'Elton Mayo. Pour les chercheurs de Harvard qui travaillaient sous la direction de ce dernier, il s'agissait de déterminer tout à la fois les composantes techniques de l'activité de l'ouvrier face à la machine et les composantes psychologiques agissant sur le travailleur, considéré isolément ou en groupe. Dans les années 50, les problèmes des relations humaines ont été mis en exergue : l'accent fut porté sur le rôle essentiel des sentiments et des relations interpersonnelles dans le comportement des individus, dans leur travail. C'était soulever un problème fondamental : celui des « communications » entre les individus travaillant au sein d'une même organisation. Plus récemment, c'est l'étude des organisations, notamment l'entreprise en tant que telle, qui a retenu l'attention. On analyse les comportements individuels en fonction des conditions de travail et des modes de commandement. Avec l'étude du « phénomène bureaucratique », Michel Crozier* a donné un nouvel essor à la sociologie du travail. (V. BUREAUCRATIE, DIVISION DU TRAVAIL, MACHINISME.)

Travailleurs de la mer *(les),* roman de Victor Hugo (1866).

travailliste *(parti),* en angl. *Labour Party,* parti né en 1900 afin de représenter au Parlement le monde du travail et qui est sorti du parti indépendant du travail (Independent Labour Party), fondé en 1893. Grâce à l'action de son leader, Ramsay MacDonald*, il obtient dès 1906 vingt-neuf sièges à la Chambre des communes. Le parti, qui progressera lentement jusqu'en 1918, devient après la Première Guerre mondiale, franchement socialiste et forme, en prenant le pas sur le parti libéral, l'opposition officielle. En 1924, durant quelques mois, Ramsay MacDonald est le chef du premier cabinet travailliste; il revient au pouvoir de 1929 à 1931, mais, ayant voulu former, face à la crise mondiale, un cabinet d'union nationale, le parti se scinde et s'effondre; au cours des années 30, il se reconstitue lentement. Après avoir fait partie du gouvernement de coalition dirigé par W. Churchill* (1940-1945), les travaillistes triomphent aux élections de 1945 (395 sièges). Dirigé par Clement Attlee*, le gouvernement travailliste (1945-1951) peut réaliser un vaste programme de réformes économiques et sociales; il inaugure l'ère de la décolonisation. Les travaillistes sont de nouveau au pouvoir de 1964 à 1970 et à partir de 1974, avec Harold Wilson, puis (mars 1976) avec James Callaghan.

Travaux et les jours *(les)*, poème didactique d'Hésiode (VIIIe s. av. J.-C.), édictant des sentences morales et des préceptes d'économie domestique.

TRAVAUX PUBLICS. — L'action de construire, pour le compte de l'État ou d'une collectivité publique, des ouvrages ou des équipements qui serviront à la collectivité prend le terme générique de « travaux publics ». On appelle également « travail public » le résultat de cette activité, et ce terme est alors synonyme d'« ouvrage public ». La personne pour le compte de qui le travail est fait est appelée « maître de l'ouvrage ». Les travaux publics sont soumis à un régime juridique qui fait partie du droit administratif : le *droit des travaux publics.* Il y a « travail public » lorsque, s'agissant d'une opération immobilière, la destination en est d'utilité générale et quand l'exécution de la tâche est assumée par une personne morale administrative (ou pour son compte), ou par un organisme remplissant une mission de service public qui lui a été conférée par la loi.

TRAVELLING. — Ce déplacement continu de l'appareil de prises de vues cinématographiques se fait soit par translation (la caméra étant placée sur un élément mobile : auto, bateau, chemin de fer, etc.), soit par chariotage ou travelling-car (la caméra se trouvant sur une plate-forme roulante sur rails ou pneus). Il existe aussi d'autres formes de travelling : le travelling libre (ou *caméra portative*) et le travelling aérien (caméra montée sur *grue* ou *dolly*).

TRAVERSE → VOIE.

Traviata *(la)*, opéra en quatre actes, livret de Piave d'après *la Dame aux camélias* d'A. Dumas fils, musique de G. Verdi (1853). La veine mélodique du compositeur se révèle en de nombreux airs et duos restés célèbres.

TRAWSFYNYDD, localité de Grande-Bretagne (pays de Galles), à proximité de la mer d'Irlande. Centrale nucléaire.

TRAYAS (Le) [83700 St Raphaël], station balnéaire du Var (comm. de Saint-Raphaël), à 17 km au S.-O. de Cannes.

TRÉBEURDEN (22560), comm. des Côtes-du-Nord, à 10 km au N.-O. de Lannion ; 2 901 hab. Station balnéaire.

TRÉBIE, en ital. **Trebbia,** riv. d'Italie, en Émilie, affl. du Pô (r. dr.); 115 km. Victoire d'Hannibal sur les Romains (218 av. J.-C.).

TRÉBIZONDE, en turc **Trabzon,** port du nord-est de la Turquie, sur la mer Noire; 82 000 hab. Les remparts ainsi que plusieurs monastères et églises (transformées en mosquées à l'époque ottomane) de style byzantin (XIIIe-XIVe s.) rappellent les splendeurs de l'ancienne capitale de l'empire grec de Trébizonde et dénotent une certaine influence de l'Arménie* et de la Géorgie.

TRÉBIZONDE *(empire grec de),* fondé en 1204, après la prise de Constantinople par les croisés, par Alexis Ier Comnène (de 1204 à 1222) et David Ier Comnène (de 1204 à 1214), petits-fils de l'empereur Andronic Ier. Alexis Ier tenta vainement de reconquérir tout l'Empire byzantin en luttant à la fois contre les Latins et les Lascaris* de Nicée. Il dut reconnaître la suzeraineté des Seldjoukides* de Rūm, à laquelle Andronic Ier Gidos (de 1222 à 1235) parvint à échapper quelques années. À partir de 1258, l'empire de Trébizonde bénéficia de la destruction de Bagdad, qui détourna vers Trébizonde le commerce des Indes et de la mer Rouge. Mais, à l'issue du grand règne d'Alexis II Comnène (de 1297 à 1330), il devint le théâtre des rivalités entre Génois et Vénitiens et s'enfonça dans la décadence. La chute de Constantinople (1453) accentua la pression ottomane ; Jean IV Comnène (de 1429 à 1458) dut payer tribut à Mehmed II, et la reddition de son successeur, David II (de 1458 à 1561), marqua la fin de l'empire de Trébizonde, qui s'était maintenu durant trois siècles.

TRÉBOUL, station balnéaire du Finistère (comm. de Douarnenez), sur la baie de Douarnenez.

TREFFORT-CUISIAT (01370 St Étienne du Bois), ch.-l. de cant. de l'Ain, à 19,5 km au N.-E. de Bourg-en-Bresse; 1 115 hab. Grottes préhistoriques. Château remontant au XIIIe s.

TRÉFILAGE → FORMAGE.

TRÈFLE. — C'est à ses trois folioles égales que cette petite légumineuse* doit son nom *(Trifolium).* La flore française commune comporte une bonne cinquantaine d'espèces de trèfle. La plupart des trèfles sont vivaces ou bisannuels et entrent dans la composition des prairies ; le trèfle incarnat (ou farouch) est un fourrage annuel intéressant pour sa précocité. Les fleurs, en capitules serrés, ont une corolle fermée et persistante de très petite taille. Leur couleur est variable : jaune, rose, mauve ou blanche.

TRÉFOUËL (Jacques), chimiste et bactériologiste français (Le Raincy 1897 - Paris 1977), qui a élucidé le mécanisme d'action des sulfamides et mis au point de nombreux corps bactériostatiques.

TRÉGASTEL (22730), comm. des Côtes-du-Nord, à 13 km au N. de Lannion ; 2 013 hab. Station balnéaire. Église médiévale et ossuaire du XVIIe s.

TRÉGORROIS, région la plus septentrionale de la Bretagne (Côtes-du-Nord), sur la Manche, à l'O. de la base de Saint-Brieuc, de part et d'autre de Tréguier.

TRÉGUIER (22220), ch.-l. de cant. des Côtes-du-Nord, à 15 km à l'O. de Paimpol; 3 718 hab. Anc. cathédrale, bel édifice gothique rayonnant des XIVe-XVe s., avec parties plus anciennes; cloître du XVe s. Petit musée Renan.

TRÉGUNC (29128), comm. du Finistère, à 6,5 km au S.-E. de Concarneau; 5 155 hab.

TREIGNAC (19260), ch.-l. de cant. de la Corrèze, à 41 km au N. de Tulle; 1 942 hab. Centrale hydroélectrique sur la Vézère.

TREILLIS. — Un treillis est un ensemble* *ordonné* dans lequel tout couple d'éléments admet un plus petit majorant (ou borne supérieure) et un plus grand minorant (ou borne inférieure). L'ensemble considéré est ordonné par une relation binaire réflexive, antisymétrique et transitive, notée $\leqslant$. La borne supérieure de a et b est notée sup (a, b) ou $a \vee b$; la borne inférieure, inf (a, b) ou $a \wedge b$.

EXEMPLES. 1. L'ensemble $\mathbb{N}$ des entiers naturels ordonné par la relation de *divisibilité* est un treillis dans lequel la borne supérieure et la borne inférieure de deux nombres a et b sont respectivement le plus petit commun multiple et le plus grand commun diviseur.
2. Étant donné un ensemble E, l'ensemble $\mathfrak{P}(E)$ des parties de l'ensemble E ordonné par l'inclusion d'ensembles est un treillis dans lequel la borne supérieure et la borne inférieure de deux parties A et B sont respectivement leur réunion et leur intersection :

$$\text{sup}(A, B) = A \cup B \text{ et inf}(A, B) = A \cap B.$$

Ces deux treillis possèdent des propriétés : c'est ainsi que l'une des deux opérations $\vee$ ou $\wedge$ est distributive par rapport à l'autre. On peut étudier la structure de treillis et rechercher des propriétés particulières, ce qui conduit en particulier à considérer une définition algébrique des treillis à partir des deux opérations $\wedge$ et $\vee$.

Trek (le *Grand*) [mot néerlandais signifiant *migration*], migration des Boers* établis dans la colonie du Cap vers le Natal*, puis vers l'Orange* et le Transvaal* (1834-1839).

TRÉLAZÉ (49800), comm. de Maine-et-Loire, à 6 km au S.-E. d'Angers; 11 326 hab. *(Trélazéens).* Ardoisières.

TRÉLISSAC (24000 Périgueux), comm. de la Dordogne, à 6 km à l'E. de Périgueux; 5 639 hab.

TRÉLON (59132), ch.-l. de cant. du Nord, à 9,5 km au N.-E. de Fourmies; 3 438 hab. Verrerie.

TRÉMATODES → DOUVE.

TREMBLADE (La) [17390], ch.-l. de cant. de la Charente-Maritime, à 21 km au N.-O. de Royan; 5 169 hab. Ostréiculture.

TREMBLAY-LÈS-GONESSE (93290), ch.-l. de cant. de la Seine-Saint-Denis, sur la bordure sud de l'aéroport de Roissy-en-France; 26 892 hab. *(Tremblaysiens).*

TREMBLE → PEUPLIER.

TREMBLEMENT DE TERRE → SÉISME.

TREMPAGE → TRAITEMENT THERMIQUE ET THERMOCHIMIQUE.

TREMPE → ACIER, ALLIAGE et TRAITEMENT THERMIQUE ET THERMOCHIMIQUE.

TRENET (Charles), auteur, compositeur et chanteur français (Narbonne 1913). Après avoir débuté au cabaret en duo avec Johnny Hess, il s'impose à partir de 1937 comme un interprète original et apporte à la chanson française une grande fraîcheur d'inspiration. Son répertoire sait allier avec bonheur la poésie et la loufoquerie, la fantaisie et l'émotion, la joie de vivre et la mélancolie *(Y' a d' la joie, Je chante, Fleur bleue, la Mer, Une noix, l'Âme des poètes, Coin de rue).* Surnommé *le Fou chantant,* Trenet a tourné également plusieurs films (*Adieu Léonard,* 1943).

TRENGGANU, État de la Malaysia (Malaisie), sur la mer de Chine méridionale. Capit. *Kuala Trengganu.*

TRENT (la), riv. d'Angleterre, longue de 270 km, qui passe à *Stoke-on-Trent* et à Nottingham, avant de former (avec l'Ouse) l'estuaire du Humber, sur la mer du Nord.

Trente (les), nom donné aux trente magistrats qui gouvernèrent Athènes en 404 av. J.-C. Élus sous la pression des Spartiates, vainqueurs après la prise d'Athènes par Lysandre* (v. PÉLOPONNÈSE [*guerre du*]), ils formèrent un conseil oligarchique qui se signala par son despotisme. Les deux membres les plus actifs furent Critias* et Théramène*, qui mourut victime de sa modération. Les Trente furent chassés par Thrasybule* (déc. 404 ou janv. 403), et la démocratie fut rétablie.

TRENTE, en ital. **Trento,** v. d'Italie, capit. du *Trentin-Haut-Adige* et ch.-l. de prov., sur l'Adige; 95 000 hab. Cathédrale, entreprise en style roman lombard (début du XIIIe s.), et autres églises. Musée diocésain. Demeures de la Renaissance vénitienne. Musée national du Trentin dans le château, des XIIIe-XVIe s. Pneumatiques.

Trente *(concile de),* concile œcuménique, qui se tint à Trente de 1545 à 1549, de 1551 à 1552 et de 1562 à 1563. Il fut la pièce maîtresse et le moteur de la Réforme catholique, dite encore « Contre-Réforme* », par laquelle l'Église romaine opposa à la Réforme* protestante une révision complète de sa discipline — notamment au niveau des clercs et des religieux —, dans le sens de l'austérité, de la formation et de la fidélité aux engagements. Il réaffirma solennellement un certain nombre de points dogmatiques — sources de la foi, péché originel, justification, sacrements — à l'encontre des affirmations des protestants.

Trente Ans *(guerre de),* grand conflit religieux et politique qui ravagea l'Europe et surtout le Saint Empire de 1618 à 1648. C'est l'élection à la couronne de Bohême de Ferdinand* de Styrie, un des animateurs de la Contre-Réforme*, qui ouvre la crise (1618) : les protestants de Bohême* et de Moravie se révoltent contre lui et choisissent pour roi l'Électeur palatin, Frédéric V. Ils sont écrasés par la Ligue catholique, commandée par Tilly*, à la Montagne Blanche (1620). En 1624, la victoire des catholiques est complète. Mais la guerre reprend en 1625 avec l'intervention du Danemark, qui, battu par Tilly et Wallenstein*, signe la paix dès 1629 à Lübeck. Par contre, Gustave II* Adolphe de Suède, qui entre alors en lice (1630-1632) avec l'appui financier de Richelieu, s'avère un adversaire de taille (victoires de Breitenfeld [1631] et de Lützen [1632]); mais sa mort à Lützen permet aux Impériaux de reprendre le dessus. La paix générale va être signée (1635) quand la France entre en jeu; longtemps compromise, sa victoire se dessine après les succès de Condé* à Rocroi (1643), puis à Lens (1648) sur les Espagnols. Les traités de Westphalie* (1648), s'ils posent pour un siècle et demi les bases d'une nouvelle organisation de l'Europe centrale, entérinent aussi l'affaiblissement de l'Empire et ses divisions religieuses.

TRENTIN-HAUT-ADIGE, région autonome de l'Italie du Nord, formée des provinces de Trente et de Bolzano; 13 613 km^2; 855 000 hab. Capit. *Trente.* Le statut autonome résulte de la présence de minorités de langue allemande (dans le Haut-Adige, correspondant au Tyrol* méridional historique).

GÉOGRAPHIE. Région montagneuse (entièrement alpestre), le Trentin-Haut-Adige correspond au bassin supérieur de l'Adige, où la population se concentre dans les vallées, portant des cultures (céréales, tabac, vigne, arbres fruitiers) et coupées d'aménagements hydroélectriques, qui alimentent l'électrométallurgie (aluminium) et l'électrochimie, implantées notamment à Trente, à Bolzano et à Mori. Le rôle touristique est lié aux paysages, à l'histoire et surtout à la fonction de passage entre la Bavière et la plaine du Pô par la route du Brenner.

HISTOIRE. En 1363, le Trentin entre dans l'orbite des Habsbourg. Donné à la Bavière en 1805, agrégé au royaume d'Italie en 1809, il est réoccupé par les Autrichiens en 1813-14 et annexé au Tyrol en 1816. Révoltés sans succès en 1848, Trente et le Trentin sont désormais considérés par l'Italie comme des provinces irrédentes. C'est pour les récupérer qu'en 1915 l'Italie entre en guerre aux côtés des Alliés; le traité de Saint-Germain (1919) lui en assure la possession.

TRENTON, v. des États-Unis, capit. du New Jersey, au N.-E. de Philadelphie; 105 000 hab.

TRÉPAN → FORAGE et PROSPECTION.

TRÉPANATION. — L'ouverture de la boîte crânienne est indiquée pour le traitement d'une lésion cérébrale, pour l'évacuation de liquides (sang, pus), pour la ponction des ventricules cérébraux. La trépanation de la mastoïde permet le traitement des mastoïdites chroniques. La trépanation des os autres que ceux du crâne permet d'accéder à la moelle osseuse, de procéder à l'ablation de tumeurs.

TRÉPASSÉS *(baie des),* baie du Finistère occidental, entre les pointes du Raz et du Van.

TRÉPONÈMES. — Ces bactéries appartiennent à l'ordre des spirochètes. Les tréponèmes pathogènes pour l'homme sont *Treponema pallidum,* agent de la syphilis*, *Treponema pertenue,* agent du pian, et *Treponema carateum,* agent du caraté, ou mal del Pinto.

TRÉPORT (Le) [76470], comm. de la Seine-Maritime, à l'embouchure de la Bresle, à 30 km au N.-E. de Dieppe; 6 859 hab. Station balnéaire. Église Saint-Jacques (XIVe-XVIe s.).

TRÉSOR PUBLIC. — Le Trésor est une direction du ministère de l'Économie et des Finances. Se bornant initialement à de pures opérations de gestionnaire et de caissier des deniers publics, il a un rôle aujourd'hui considérablement étendu, contribuant à assurer l'équilibre entre l'ensemble des charges et des ressources de l'État, dont les recettes « normales » (fiscalité, parafiscalité, domaine) ne suffisent pas toujours à assurer la totalité des dépenses dont la couverture exige, de ce fait, des « moyens de trésorerie ».

Pour se procurer des ressources, il émet des emprunts à court terme, les bons du Trésor, qui représentent la fraction de la dette publique appelée « dette flottante ». Il emprunte par ailleurs à la Banque de France, qui lui procure sous forme d'« avances » — théoriquement remboursables — les disponibilités qui lui sont nécessaires. Grâce à ces ressources, il peut accorder des prêts, notamment aux collectivités locales, octroyer des garanties, prendre des participations dans des entreprises, tout en étant, d'une manière générale, l'agent de la politique monétaire de l'État et l'organe de contrôle des finances des collectivités locales.

Dans les départements et les autres collectivités territoriales, il est représenté par les comptables du Trésor, chargés du paiement des dépenses publiques et de la perception des impôts directs. Les services du Trésor dans le département sont dirigés par le trésorier payeur général. Les opérations sont également assurées par certains organes auxiliaires : la Banque de France tient dans ses écritures le compte du Trésor, consent éventuellement à celui-ci des avances et escompte les bons du Trésor détenus par les souscripteurs; la Caisse des dépôts et consignations gère le portefeuille de valeurs de l'État et des collectivités locales ainsi que les fonds déposés dans les caisses d'épargne; les chèques postaux sont également intégrés au « réseau » du Trésor.

TRES ZAPOTES, site archéologique du Mexique (au S. de l'État de Veracruz). Cet important centre cérémoniel olmèque* a livré plusieurs têtes colossales et des stèles gravées, dont l'une des plus anciennes est datée de 31 av. J.-C.

TRETS (13530), ch.-l. de cant. des Bouches-du-Rhône, à 24,5 km au S.-E. d'Aix-en-Provence; 3 675 hab. Restes de fortifications. Église en partie romane.

TRÈVES, en allem. **Trier,** v. de l'Allemagne fédérale (Rhénanie-Palatinat), sur la Moselle; 103 000 hab.

HISTOIRE. Fondée par Auguste (v. 15 av. J.-C.) sur l'emplacement de l'ancien sanctuaire des Trévires, *Augusta Treverorum* devint un important centre stratégique et économique. Aux IIIe et IVe s., elle fut le siège de la préfecture des Gaules et le lieu de résidence de plusieurs empereurs. Ses archevêques devinrent au XIIIe s. princes-électeurs du Saint Empire. La ville fut le siège d'une université de 1473 à 1797. Conquise par les Français (1798), qui en firent le chef-lieu de la Sarre, elle fut incorporée à la Prusse en 1815.

BEAUX-ARTS. Remarquables vestiges romains (Porta Nigra; immenses thermes impériaux; basilique civile du IVe s., transformée au XVIIe; etc.). Cathédrale avec parties remontant au IVe s., façade et abside occidentales, typiquement rhénanes, du milieu du XIe s., etc. (important trésor). Autres édifices, surtout religieux, romans, gothiques ou baroques. Musées.

TRÈVES (30750), ch.-l. de cant. du Gard, à 37,5 km à l'E. de Millau; 139 hab.

TRÈVES-CUNAULT (49350 Gennes), partie de la comm. de *Chênehutte-Trèves-Cunault* (Maine-et-Loire), à 12,5 km au N.-O. de Saumur. Deux églises pour l'essentiel romanes, dont celle, magnifique, d'un ancien prieuré (chapiteaux).

TRÉVIÈRES (14710), ch.-l. de cant. du Calvados, sur l'Aure, à 18 km au N.-O. de Bayeux; 806 hab.

TRÉVISE, v. d'Italie, en Vénétie, ch.-l. de prov.; 91 000 hab. Enceinte bastionnée des XVe-XVIe s. Églises et palais gothiques. Cathédrale, reconstruite du XVe au XVIIIe s. Musée (archéologie; peintures : Tommaso da Modena [XIVe s.], P. Bordone*, etc.).

TREVITHICK (Richard), ingénieur et inventeur britannique (Illogan, Cornwall, 1771 - Dartford, Kent, 1833). Après avoir breveté une locomotive à vapeur à haute pression (1802), il construisit la première locomotive capable de fonctionner (1803), qui fut utilisée au pays de Galles.

TRÉVOUX (01600), ch.-l. de cant. de l'Ain, sur la Saône, à 10 km au S.-E. de Villefranche-sur-Saône; 4 662 hab. Ruines médiévales. Palais de justice, anc. parlement du XVIIe s. Filières en diamants. Électronique.

TRÉZÈNE, ville de Grèce, dans le Péloponnèse, sur la côte nord-est de l'Argolide. Elle s'allia à Sparte contre Athènes durant la guerre du Péloponnèse. Elle était célèbre par son temple de Poséidon*.

TRIAGE. — Un triage comporte une voie* établie sur un dos-d'âne, la *butte,* disposé entre un faisceau de voies* de réception et un faisceau de voies de débranchement. Refoulés sur la butte depuis les voies de réception, les wagons* descendent un à un par gravité* et sont dirigés sur les voies de débranchement, où ils sont classés selon leur destination. Les grands triages sont équipés de postes d'aiguillage* où les aiguilles sont commandées automatiquement par le wagon au cours de sa progression. Des freins de voie commandés du même poste permettent de limiter la vitesse des wagons en fonction du parcours qu'ils doivent effectuer sur les voies de débranchement avant de heurter ceux qui y sont déjà arrêtés.

TRIAL (Antoine), chanteur français (Avignon 1737 - Paris 1795). Frère de Jean-Claude, directeur de l'Académie royale de musique, il a laissé son nom à un type de voix de ténor léger et comique.

TRIANGLE (montage en). — On appelle ainsi la manière de disposer des circuits électriques triphasés, qui consiste à placer les appareils d'utilisation sur les trois côtés d'un triangle dont les sommets sont reliés aux trois fils du réseau.

TRIANGLE DE PASCAL → COMBINATOIRE *(analyse).*

TRIANGULATION. — Pour effectuer une triangulation, il faut choisir un certain nombre de sommets de triangles visibles entre eux, dont on mesure les angles au théodolite. On mesure la longueur d'un des côtés de la triangulation AB, appelé *base,* et l'on procède à l'orientation* de celle-ci. Si on connaît les coordonnées* de A, on en déduit celles de B, puis, de proche en proche, celles de C, D, E, F, G, H. On peut opérer une vérification en mesurant en fin de chaîne une autre base GH (accord de bases). Le principe

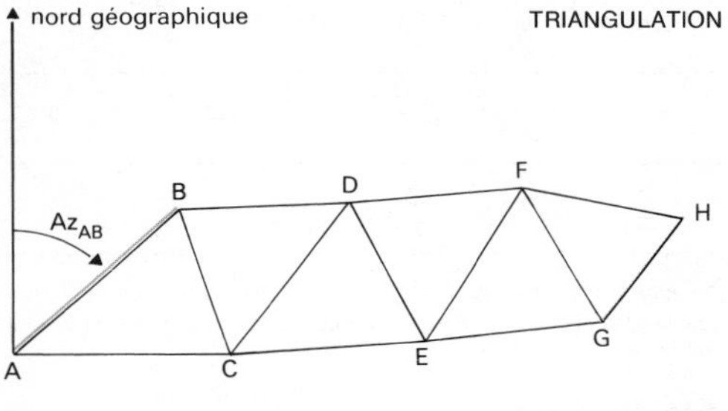

de la triangulation s'applique aussi bien à des triangulations de topométrie* locale qu'à des triangulations de géodésie*. Dans les deux cas, l'ensemble des points obtenus constitue un *canevas,* sur lequel s'appuieront les opérations topographiques, topométriques ou photogrammétriques ultérieures.

Trianon (le *Grand* et le *Petit*) → VERSAILLES.

Trianon *(traité de),* traité signé le 4 juin 1920 et ratifié le 13 novembre, qui régla, au lendemain de la Première Guerre mondiale, le sort de la Hongrie*.

TRIAS → SECONDAIRE *(ère).*

TRIBOLUMINESCENCE → LUMINESCENCE.

TRIBONIEN, jurisconsulte et homme d'État byzantin (Pamphylie-† v. 545). Maître des offices (528), questeur du Palais-Sacré (529), il fut chargé par Justinien de diriger les travaux de rédaction du *Code Justinien,* du *Digeste* et des *Institutes.* Son avidité attisa le mécontentement qui engendra la sédition Nika.

TRIBUNAL → JUSTICE *(organisation de la).*

Tribunal révolutionnaire. Un premier tribunal révolutionnaire, éphémère (17 août - 29 nov. 1792), avait été créé pour juger les crimes du 10 août* 1792. Un second tribunal criminel d'exception, instrument de la Terreur*, fut institué par la Convention* le 10 mars 1793; après avoir vu ses attributions s'enfler d'avril à juillet 1794, puis progressivement diminuer après la chute de Robespierre, il fut supprimé le 31 mai 1795.

TRIBUNAT, assemblée instituée par la Constitution de l'an VIII (1er janv. 1800). Ses cent membres, nommés par le Sénat, discutaient les projets de loi qui lui étaient soumis par le Premier consul; ensuite, des rapporteurs transmettaient les « vœux » du Tribunat au Corps législatif, qui, seul, avait le droit de voter des lois. Plusieurs fois épuré et réduit par Bonaparte, qui se plaignait de son opposition de fait, le Tribunat fut supprimé dès 1807.

TRIBUN DE LA PLÈBE. — Dès leur première sécession sur le mont Aventin (494 av. J.-C.), les plébéiens auraient obtenu la création des tribuns, véritables chefs de la plèbe, chargés de défendre ses intérêts face aux patriciens. Élus par le *concilium plebis* pour un an, les tribuns (au nombre de dix) jouissaient de prérogatives considérables à l'intérieur de Rome : ils disposaient du droit de réunir et de présider l'assemblée plébéienne, et pouvaient paralyser l'action de tout magistrat par *prohibitio* (opposition préventive) et *intercessio* (annulation d'une décision). Ils jouissaient, en outre, d'un privilège d'inviolabilité. Si leur caractère d'opposants révolutionnaires s'évanouit peu à peu avec l'apaisement des luttes entre patriciens et plébéiens, ils continuèrent à jouer un rôle important dans la vie de la République (les Gracques*). Auguste et ses successeurs s'arrogèrent la puissance tribunitienne à vie, ne leur laissant qu'un rôle administratif effacé.

TRICASTIN, nom donné, d'après celui de l'ancien pays du bas Dauphiné, à l'usine d'enrichissement de l'uranium construite en bordure du Rhône, immédiatement au S. de Pierrelatte.

TRICEPS → BRAS.

TRICÉRATOPS. — Ce grand reptile, fossile dans le crétacé de l'Amérique du Nord, avait une tête massive porteuse de trois cornes, d'une collerette occipitale et d'un bec corné garni de nombreuses petites dents à remplacement multiple. Son corps, rappelant celui d'un rhinocéros, était de forme banale, à forte queue. Le régime devait être strictement herbivore.

TRICHINOSE. — Cette maladie parasitaire est due à un ver nématode, la trichine. L'homme la contracte en mangeant de la viande de porc infestée et mal cuite. La trichinose débute par des troubles intestinaux, puis apparaissent de la fièvre et des douleurs musculaires diffuses; un amaigrissement massif précède la mort. Le thiabendazole permet la guérison au stade de début.

TRICHLORÉTHYLÈNE. — Ce composé, de formule $CHCl{=}CCl_2$, est un liquide ininflammable bouillant à 87 °C, que l'on prépare par chloruration de l'acétylène et qu'on emploie comme solvant des corps gras.

TRICHOCÉPHALOSE. — Cette parasitose cosmopolite fréquente est due à un ver nématode, le trichocéphale. Elle n'entraîne habituellement aucun trouble; parfois elle se manifeste par des douleurs abdominales et de la diarrhée.

TRICHOMONAS. — Le *Trichomonas intestinalis* vit dans le gros intestin de l'homme et n'est généralement pas pathogène; il est parfois responsable de diarrhée. Le *Trichomonas vaginalis,* parasite du vagin chez la femme et des voies urinaires chez l'homme, se transmet lors des rapports sexuels; il est responsable de vaginites, de prurit vulvaire, d'urétrite subaiguë.

TRICHOPHYTIE → MYCOSE.

TRICHROMIE. — Pour reproduire un original (diapositive, dessin, etc.) par impression en trichromie, on le photographie en faisant la sélection des couleurs afin d'obtenir trois films, qui permettront d'obtenir trois formes d'impression* : une pour l'encre jaune, une pour l'encre rouge et une pour l'encre bleue. On imprime alors successivement ces trois encres sur le papier, leur juxtaposition et leur superposition donnant toute la gamme des couleurs du spectre*. On ajoute le plus souvent une quatrième impression avec une encre noire : la trichromie devient la *quadrichromie.* Les techniques de sélection et d'impression en trichromie ont permis le développement des impressions en couleurs de magazines, de catalogues, d'imprimés publicitaires et de livres d'art.

Tricorne *(le),* ballet en un acte, d'après un livret de Martinez Sierra, chorégraphie de Massine, musique de Manuel de Falla, créé à Londres en 1919 par les Ballets russes de Diaghilev.

TRICOT → BONNETERIE.

TRICOTER (machine à). — Elle se compose de rangées d'aiguilles, ou fonture, et du chariot, qui, par un mouvement de va-et-vient, exécute le tricot. À *simple fonture,* la machine ne permet que le point de jersey et ses dérivés; à *double fonture,* elle ne permet que le point de côtes. Augmentations et diminutions se font à la main. Les machines les plus perfectionnées sont à automatisme intégral, avec un sélecteur électronique d'aiguilles qui travaillent en fonction de cartes perforées programmées ou de plots enfoncés dans un boîtier et avec un chariot de transfert pour passer d'une fonture à l'autre.

TRIE-SUR-BAÏSE (65220), ch.-l. de cant. des Hautes-Pyrénées, à 30 km au N.-E. de Tarbes; 1 096 hab. Bastide du XIIIe s. avec église en partie du XVe.

TRIEL-SUR-SEINE (78510), ch.-l. de cant. des Yvelines, à 8 km au S.-E. de Meulan; 6 964 hab. Église gothique et Renaissance (magnifiques vitraux du XVIe s.). Matériaux de construction.

TRIESTE, v. de l'extrémité nord-est de l'Italie, capit. de la région du Frioul-Vénétie Julienne et ch.-l. de prov., sur l'Adriatique (golfe de Trieste); 272 000 hab. Vestiges romains. Cathédrale composite (XIe et XIVe s.). Château reconstruit du XVe au XVIIe s. Musées. Grand port de commerce (importations d'hydrocarbures), point de départ d'un oléoduc (vers Ingolstadt). Raffinage du pétrole. Industries métallurgiques et chimiques.

HISTOIRE. Ancienne colonie romaine (Tergeste), jouissant d'une autonomie presque totale au Moyen Âge, Trieste doit lutter contre la domination vénitienne à partir du XIIIe s. Sous la protection de Léopold III de Habsbourg en 1382, elle suit dès lors la destinée de la maison d'Autriche. Port franc en 1719, elle devient le débouché maritime de l'Autriche. Incorporée aux Provinces Illyriennes en 1809, elle fait ensuite retour à l'Autriche et connaît un grand développement économique. Mais, peuplée en majorité d'Italiens et foyer de l'irrédentisme, elle est rattachée à l'Italie en 1918. Occupée par les Allemands en 1943, elle est prise par les troupes de Tito en 1945. Le traité de Paris (10 févr. 1947) crée le territoire libre de Trieste (T. L. T.), et finalement, le 5 octobre 1954, Trieste revient à l'Italie avec le statut de port libre.

TRIGNAC (44570), comm. de la Loire-Atlantique, à 4 km au N.-E. de Saint-Nazaire; 7 254 hab. Métallurgie. Constructions mécaniques.

TRIGONOCÉPHALE. — Le bothrops « atroce », ou trigonocéphale, est une redoutable vipère des Antilles, ou, tout au moins, de la Martinique, où elle pullulait dangereusement autrefois, mais d'où, grâce à l'introduction de la mangouste, elle a été éliminée, d'ailleurs pour le plus grand profit des rats, qui étaient ses proies habituelles.

TRIGONOMÉTRIE. — La trigonométrie est la détermination des éléments inconnus des figures planes en fonction des éléments connus. Comme beaucoup de figures planes peuvent être décomposées à l'aide de triangles, elle est finalement le calcul des éléments inconnus des triangles : c'est la *résolution des triangles.*

Les Babyloniens et les Égyptiens disposaient de procédés pour la plupart empiriques, qui, utilisés en astronomie pour prévoir les lunaisons, les levers héliaques des astres, etc., avaient leur valeur, mais qui ne constituaient pas une science de l'astronomie. Chez les Grecs, la trigonométrie sphérique est un auxiliaire de l'astronomie de position. Avec Ptolémée*, elle comprend un bel ensemble de théorèmes. S'appuyant alors sur le quadrilatère inscriptible dans un cercle, elle établit des tables de valeurs des cordes des arcs du cercle. Ces tables, qui font appel à la numération sexagésimale, vont de 0^0 à 180^0. Pour les utiliser, la trigonométrie s'appuie sur les théorèmes de Ménélaos*. Chez les Arabes, les sinus se substituent aux cordes des arcs, et les tangentes apparaissent. En Occident, le traité de Regiomontanus* *De triangulis* marque la naissance véritable de la trigonométrie. Viète* et Stévin* apportent aux calculs le précieux recours aux nombres décimaux, pendant que Napier* introduit les logarithmes*. Plusieurs fonctions, qui sont parfois tombées en désuétude, sont créées : cosinus, cotangente, sécante, cosécante, etc. Newton* et ses élèves font intervenir les séries entières dans les calculs des fonctions trigonométriques et de leurs logarithmes. Puis Euler* fonde la trigonométrie moderne, dont les notations resteront fondamentalement les mêmes. Il prend pour l'unité le rayon du cercle trigonométrique, dont la valeur dépendait jusqu'alors de l'appréciation du calculateur. Enfin, il met à profit les analogies entre les fonctions circulaires et les fonctions exponentielles, avec une audace dont les intuitions ne seront jamais démenties en ce domaine. Sur le cercle trigonométrique, dont la mesure du rayon est prise comme unité, on choisit une origine A et un sens de parcours qui est le sens *contraire* des aiguilles d'une montre. Ce sens, pris comme sens positif, est le *sens direct,* ou *sens trigonométrique.* Le sens opposé est le *sens négatif.* Un arc est défini par son origine et par son extrémité. Sa mesure n'est connue qu'à un multiple de 2 π près, car on peut effectuer dans un sens ou dans l'autre un nombre de tours arbitraire — mis à part le chemin le plus court pour aller d'un point à un autre — sur le cercle trigonométrique. Les unités d'arcs (ou d'angles) sont le *radian,* le *grade* et le *degré;* π radians valent 200 grades ou 180 degrés. Les rapports ou lignes trigonométriques d'un arc sont le *sinus,* le *cosinus* et la *tangente.* Si α désigne la mesure d'un arc d'origine A et d'extrémité M, par définition $\sin\alpha = \overline{OK}$, $\cos\alpha = \overline{OH}$ et $\operatorname{tg}\alpha = \overline{AT}$, les mesures algébriques étant prises sur les axes O*y*, O*x* et A*z*.

$\sin(\alpha + 2k\pi) = \sin\alpha$; $\cos(\alpha + 2k\pi) = \cos\alpha$;

les fonctions sinus et cosinus sont *périodiques* et de période 2 π :

$\sin(\pi - \alpha) = \sin\alpha$; $\sin(\pi + \alpha) = -\sin\alpha$;

$\sin(-\alpha) = -\sin\alpha$; $\cos(\pi - \alpha) = -\cos\alpha$;

$\cos(\pi + \alpha) = -\cos\alpha$; $\cos(-\alpha) = \cos\alpha$;

la fonction sinus est *impaire* et la fonction cosinus *paire :*

$$\sin\left(\frac{\pi}{2} - \alpha\right) = \cos\alpha; \quad \cos\left(\frac{\pi}{2} - \alpha\right) = \sin\alpha;$$

$$\cos\left(\frac{\pi}{2} + \alpha\right) = -\sin\alpha; \quad \sin\left(\frac{\pi}{2} + \alpha\right) = \cos\alpha;$$

$\operatorname{tg}(\alpha + k\pi) = \operatorname{tg}\alpha$;

la fonction tangente est *périodique* et de période π :

$$\operatorname{tg}(\pi - \alpha) = -\operatorname{tg}\alpha; \quad \operatorname{tg}\left(\frac{\pi}{2} - \alpha\right) = \frac{1}{\operatorname{tg}\alpha}; \quad \operatorname{tg}\left(\frac{\pi}{2} + \alpha\right) = -\frac{1}{\operatorname{tg}\alpha}.$$

Alors que les fonctions sinus et cosinus ne prennent que des valeurs comprises entre − 1 et + 1, la fonction tangente a ses valeurs dans $\mathbb{R}$; de $-\infty$ à $+\infty$. Pour $\alpha = \frac{\pi}{2} + k\pi$, $\operatorname{tg}\alpha$ n'est pas définie.

Quand α croît de $-\frac{\pi}{2}$ à $+\frac{\pi}{2}$, sin α croît de − 1 à + 1; quand α croît de 0 à π, cos α décroît de + 1 à − 1; quand α croît de $-\frac{\pi}{2}$ à $+\frac{\pi}{2}$, tg α croît de $-\infty$ à $+\infty$. Pour $\alpha \neq \frac{\pi}{2} + k\pi$, $\operatorname{tg}\alpha = \frac{\sin\alpha}{\cos\alpha}$. Pour tout angle α, $\sin^2\alpha + \cos^2\alpha = 1$. Quels que soient *a* et *b* :

$\sin(a + b) = \sin a \cdot \cos b + \sin b \cdot \cos a$;

$\sin(a - b) = \sin a \cdot \cos b - \sin b \cdot \cos a$;

$\cos(a + b) = \cos a \cdot \cos b - \sin a \cdot \sin b$;

$\cos(a - b) = \cos a \cdot \cos b + \sin a \cdot \sin b$;

$$\operatorname{tg}(a + b) = \frac{\operatorname{tg} a + \operatorname{tg} b}{1 - \operatorname{tg} a \cdot \operatorname{tg} b};$$

d'où :

$\sin 2a = 2\sin a \cdot \cos a$;

$\cos 2a = \cos^2 a - \sin^2 a = 1 - 2\sin^2 a = 2\cos^2 a - 1$;

$$\operatorname{tg} 2a = \frac{2\operatorname{tg} a}{1 - \operatorname{tg}^2 a};$$

$$\sin 2a = \frac{2\operatorname{tg} a}{1 + \operatorname{tg}^2 a};$$

$$\cos 2a = \frac{1 - \operatorname{tg}^2 a}{1 + \operatorname{tg}^2 a}.$$

Rapports trigonométriques d'angles particuliers :

α	0	$\frac{\pi}{6}$	$\frac{\pi}{4}$	$\frac{\pi}{3}$	$\frac{\pi}{2}$
sin	0	$\frac{1}{2}$	$\frac{1}{\sqrt{2}}$	$\frac{\sqrt{3}}{2}$	1
cos	1	$\frac{\sqrt{3}}{2}$	$\frac{1}{\sqrt{2}}$	$\frac{1}{2}$	0
tg	0	$\frac{1}{\sqrt{3}}$	1	$\sqrt{3}$	∞

Exemple de résolution d'un triangle. Dans le triangle ABC, on connaît les mesures *a*, B et C du côté BC et des angles $\widehat{B}$ et $\widehat{C}$. Des relations

$$\frac{a}{\sin A} = \frac{b}{\sin B} = \frac{c}{\sin C} \text{ et } A + B + C = \pi, \text{ on tire :}$$

$$A = \pi - (B + C); \; b = \frac{a \sin B}{\sin A}; \; c = \frac{a \sin C}{\sin A}.$$

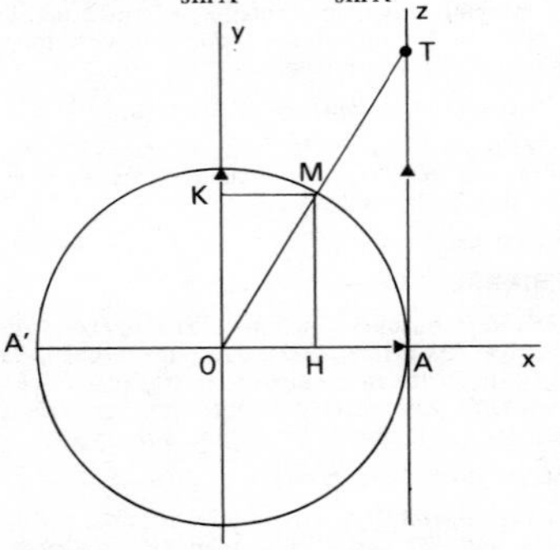

TRIJUMEAU. — Le trijumeau, nerf de la cinquième paire de nerfs crâniens, émerge au niveau de la protubérance du tronc cérébral. Il comprend une racine sensitive, qui véhicule la sensibilité faciale, et une racine motrice, destinée aux muscles masticateurs.

TRILLE → ORNEMENTATION MUSICALE.

TRILOBITES. — Divisés en trois parties d'avant en arrière et en trois parties de gauche à droite, ces fossiles caractéristiques de l'ère primaire méritent doublement leur nom. Marins, aptes à s'enrouler comme des cloportes, ces arthropodes, voisins des crustacés, et surtout de la limule, avaient une paire d'antennes, des yeux composés, un bouclier céphalique, une vingtaine d'anneaux pourvus chacun d'une paire de pattes. Leurs restes abondent dès le cambrien.

TRIMOUILLE (La) [86290], ch.-l. de cant. de la Vienne, à 14 km à l'E. de Montmorillon; 1 257 hab.

TRINCOMALEE, v. de Sri Lanka, ch.-l. de la Province-Orientale; 39 000 hab.

TRINITÉ. — Selon le dogme chrétien, il y a trois personnes en Dieu : le Père, le Fils et le Saint-Esprit. La doctrine trinitaire s'est élaborée non sans peine. Les conciles de Nicée* (325) et de Constantinople* (381) l'ont fixée.

TRINITÉ ET TOBAGO, en angl. **Trinidad and Tobago,** État des

Petites Antilles, membre du Commonwealth, s'étendant sur les îles de la Trinité (4 827 km²) et de Tobago (301 km²); 5 128 km²; 1 016 000 hab. Capit. *Port of Spain.*

GÉOGRAPHIE. Ces deux îles montagneuses jouissent d'un climat tropical chaud et humide, permettant la croissance de la forêt dense. La population est principalement composée de Noirs et d'Asiatiques (Indiens). Sa densité élevée résulte d'un accroissement naturel rapide et provoque un fort courant d'émigration. L'agriculture occupe une place réduite dans l'économie. Elle est orientée vers les productions de canne à sucre, de cacao et d'agrumes, destinées à l'exportation. Le pays vit surtout des hydrocarbures. Des raffineries, implantées par des compagnies étrangères, traitent à la fois le pétrole local (10 Mt) et du pétrole importé du Venezuela. Des industries légères (usines de montage, industries alimentaires) sont localisées autour de Port of Spain, et le tourisme permet de combler le léger déficit de la balance commerciale.

HISTOIRE. Découvertes par Christophe Colomb en 1498, colonisées par les Espagnols, ces îles deviennent britanniques par le traité d'Amiens en 1802. Après l'éclatement de l'éphémère fédération des Indes-Occidentales (1958-1962), Trinité et Tobago constituent un État indépendant dans le cadre du Commonwealth (1962) : appuyé par les États-Unis, le Premier ministre, Eric Williams, doit faire face à une agitation sociale et raciale.

TRINITÉ-PORHOËT (La) [56710], ch.-l. de cant. du Morbihan, à 20 km au S.-E. de Loudéac; 1 021 hab.

TRINITÉ-SUR-MER (La) [56470], comm. du Morbihan, à 4 km à l'E. de Carnac; 1 404 hab. Pêche. Station balnéaire.

TRINITROPHÉNOL, TRINITROTOLUÈNE → EXPLOSIF.

TRINO, v. d'Italie (Piémont), sur le Pô; 8 000 hab. Centrale nucléaire.

TRINQUETTE → VOILIER.

TRIO → SONATE.

TRIODE → TUBE ÉLECTRONIQUE.

TRIOLET (Elsa), femme de lettres française d'origine russe (Moscou 1896 - Saint-Arnoult-en-Yvelines 1970). Belle-sœur de Maïakovski* et femme d'Aragon*, elle est l'auteur de romans et de nouvelles (*Le premier accroc coûte deux cents francs,* 1944: *Le rossignol se tait à l'aube,* 1970) et d'essais (*la Mise en mots,* 1969).

TRIOMPHE. — À Rome, le sénat avait le pouvoir de décerner le triomphe (c'est-à-dire le droit d'entrer solennellement à Rome à la tête de son armée) au magistrat supérieur qui avait remporté une victoire décisive dans une guerre étrangère. Le général victorieux *(imperator)* était vêtu d'une toge de pourpre et couronné de lauriers. Monté sur un char, il était précédé des sénateurs, des prisonniers et du butin, et entouré de ses officiers. Le cortège gagnait le Capitole, où le triomphateur offrait un sacrifice à Jupiter. À partir d'Auguste, le triomphe fut réservé à l'empereur.

Triomphe de l'amour *(le),* ballet de cour en vingt entrées réglées par Beauchamp et Pécour, musique de Lully, décors et costumes de Berain, livret de Benserade et Quinault. Créé au château de Saint-Germain-en-Laye en 1681, il fut représenté, la même année, à l'Académie royale de musique de Paris, avec, pour la première fois, des danseuses professionnelles.

Triomphes *(les),* poème de Pétrarque, composé sans doute entre 1356 et 1374, et publié avec le *Canzoniere* en 1470. C'est une œuvre allégorique qui développe en six parties *(l'Amour, la Chasteté, la Mort, la Renommée, le Temps, la Divinité)* un symbolisme d'inspiration chrétienne.

TRIPHÉNYLMÉTHANE. — De formule $(C_6H_5)_3CH$, c'est un solide blanc insoluble, fondant à 92 °C, que l'on prépare en condensant le chloroforme sur le benzène. Ses dérivés, possédant au moins deux fonctions amine ou phénol, incolores, se transforment par oxydation en un grand nombre de matières colorantes.

TRIPLE (point). — Dans le diagramme d'un corps pur (température en abscisse, pression en ordonnée), c'est le point d'intersection des courbes de fusion, de vaporisation et de sublimation, qui représente l'équilibre du corps sous ses trois états physiques simultanés.

Triplice → ALLIANCE *(Triple-).*

TRIPOLI, port du nord du Liban, deuxième ville du pays; 157 000 hab. Raffinage du pétrole. Travail du coton. — Fondée probablement au VIIᵉ s. av. J.-C. par les villes de Tyr, de Sidon et d'Arad, Tripoli devient un important port phénicien. Occupée par les Arabes en 638, la ville est la capitale du comté franc de Tripoli* de 1109 à 1289. Reconstruite par les Mamelouks*, un peu en retrait du littoral, Tripoli, dont la population est en majorité sunnite et favorable au nationalisme arabe, joue un rôle important dans la crise de 1958 et la guerre civile de 1975-76.

TRIPOLI, capit. et principale ville de la Libye, sur la Méditerranée; 247 000 hab. Aéroport. — Le comptoir phénicien, puis carthaginois et romain d'Oea devient la ville la plus importante de la Tripolitaine après la conquête arabe (643). Florissante à l'époque des Ḥafṣides*, Tripoli est occupée par les Espagnols (1510), qui la cèdent aux Chevaliers de Malte (1530). Conquise par les Ottomans en 1551, elle devient le centre d'une de leurs « régences barbaresques ». Occupée par les Italiens en 1911, prise en 1943 par les Britanniques de Montgomery, rejoints par les Français de Leclerc, elle est choisie en 1951 comme capitale de la Libye indépendante.

TRIPOLI *(comté de),* l'un des États latins du Levant, dont les bases furent jetées entre 1102 et 1105 par Raimond de Saint-Gilles, comte de Toulouse, qui mourut au siège de Tripoli après avoir conquis une grande partie de la côte libanaise. Prise en 1109, Tripoli devint la capitale de cet État, dont le nouveau maître, Bertrand, fils de Raimond, prêta hommage au roi de Jérusalem. Après la mort de Raimond III (1152-1187), le comté, où Hospitaliers (krak des Chevaliers) et Templiers (Chastel-Blanc) s'étaient constitué d'importants domaines, passa à un cadet de la maison princière d'Antioche, Bohémond IV (1189-1233), qui, ayant occupé Antioche (1201), le réunit à la principauté. La chute d'Antioche (1268) précipita la fin : Tripoli, en 1289, redevenait musulmane.

TRIPOLIS, v. de Grèce, dans le centre du Péloponnèse, ch.-l. de l'Arcadie; 20 000 hab.

TRIPOLITAINE → LIBYE.

TRIPURA, État du nord-est de l'Inde, entre l'Assam et le Bangladesh; 10 477 km²; 1 556 000 hab. Capit. *Agartala.*

TRISSINO (Gian Giorgio), en franç. **le Trissin,** écrivain italien (Vicence 1478 - Rome 1550). Il exerça une grande influence sur la littérature de son temps par ses travaux linguistiques et ses éditions de Dante. Il est l'auteur de la première tragédie régulière (*Sophonisbe,* 1515).

TRISTAM ou **TRISTÃO** (Nuño), navigateur portugais († au Rio de Oro 1447). Le voyage qu'il effectua de 1440 à 1443 permit à Henri* le Navigateur d'obtenir du pape Nicolas V la reconnaissance des territoires découverts par les Portugais en Afrique.

TRISTAN (Flore TRISTAN-MORCOSO, dite **Flora**), femme de lettres française (Paris 1803 - Bordeaux 1844). Elle fut l'initiatrice française du féminisme*; P. Gauguin était son petit-fils.

TRISTAN DA CUNHA, archipel britannique, montagneux et volcanique, de l'Atlantique Sud; 270 hab. L'île principale porte aussi le nom de Tristan da Cunha, navigateur qui découvrit l'archipel en 1506.

Tristan et Iseut, légende du Moyen Âge, représentée par de nombreuses versions françaises et étrangères, en vers ou en prose, aux XIIᵉ et XIIIᵉ s. Tristan de Léonois est élevé par son oncle Marc, roi de Cornouailles, qui l'envoie en Irlande demander pour lui la main d'Iseut la Blonde. Par une erreur fatale, il boit avec elle un philtre magique qui a la propriété d'allumer un amour irrésistible et éternel. Désespérés de tromper le roi Marc, qu'ils vénèrent, Iseut et Tristan se séparent. Tristan s'enfuit en Petite Bretagne, où il épouse Iseut aux blanches mains, mais, lorsqu'une grave blessure met ses jours en danger, il envoie son fidèle Kaherdin chercher Iseut la Blonde. Le messager ramène celle-ci dans une nef à voile blanche. Mais la femme de Tristan lui annonce que la voile est noire, signal convenu en cas d'échec de la mission. Tristan expire, et Iseut, arrivée trop tard, meurt de douleur aux côtés de son amant. Cette légende, née en pays celtique et développée par les poètes de la fin du XIIᵉ s., Béroul* et Thomas*, inaugura en Europe le thème de la passion fatale et de la mort comme seul lieu de l'union des êtres.

Tristan et Isolde, drame lyrique en trois actes, poème et musique de Wagner (1859), d'après la légende du Moyen Âge (1ʳᵉˢ représentations, Munich, 1865; Bayreuth, 1886). Écrite sous l'influence de l'exaltation et du renoncement, la partition contient des pages d'un sentiment passionné, telles que les préludes du 1ᵉʳ et du 3ᵉ acte, le duo d'amour du 2ᵉ acte, la mort d'Isolde.

TRISTAN L'HERMITE (François, dit), écrivain français (château de Soliers, Marche, v. 1601 - Paris 1655). Poète de l'amour et de la nature (*les Amours de Tristan,* 1638), il est l'auteur d'une biographie romanesque (*le Page disgracié,* 1642) et s'imposa au théâtre avec sa comédie *le Parasite* (1654) et ses tragédies (*Marianne,* 1636).

Tristes *(les),* élégies d'Ovide, écrites pendant son exil à Tomes.

Tristram Shandy *(la Vie et les opinions de),* roman de Sterne (1759-1767). D'une trame très ténue (la personne dont on parle le moins est le héros Tristram), ce livre est surtout pour son auteur l'occasion d'exprimer ses réflexions sur toutes sortes de sujets : citant Montaigne et Cervantès, imitant Rabelais, parodiant Addison, Sterne passe de l'épisode audacieux à la scène sentimentale, sans jamais se départir de son humour.

TRITH-SAINT-LÉGER (59125), comm. du Nord, sur l'Escaut, à 6 km au S.-O. de Valenciennes; 6 757 hab. Métallurgie.

TRITIUM. — Cet isotope radioactif de l'hydrogène (symb. T) a un noyau formé d'un proton et de deux neutrons. Découvert vers 1937, il se prépare par irradiation du lithium par des neutrons. Il se désintègre en hélium et en électrons, avec une période d'une trentaine d'années. Bombardé par des protons d'énergie suffisante, il peut subir une fusion nucléaire, qui fournit de l'hélium.

TRITON. — Les tritons, gracieux amphibiens de la sous-classe des urodèles, vivent dans l'eau malgré la respiration pulmonaire de l'adulte, nageant à l'aide d'une queue ondulante et comprimée dans les eaux douces stagnantes. Ils sont surtout végétariens. En période de noces, le mâle se pare de couleurs magnifiques.

TRITON, divinité marine de la mythologie grecque, considérée comme le fils de Poséidon* et d'Amphitrite*. On admit, à partir du IVe s. av. J.-C., l'existence de nombreux Tritons, ses descendants, représentés avec un corps d'homme barbu et une queue de poisson, tirant le char des dieux de la mer.

TRIUMVIRAT. — Il y eut sous la République romaine deux triumvirats. Alors que le premier, formé de César*, de Pompée* et de M. Licinius* Crassus, fut une simple alliance privée entre trois ambitieux (60 av. J.-C.), le second, qui réunit Octavien, Antoine* et Lépide* (43 av. J.-C.), fut une véritable magistrature : les triumvirs *(tresviri reipublicae constituendae)* se firent attribuer une mission officielle — doter Rome d'une constitution nouvelle —, et, pour cela, la *lex Titia* (nov. 43) leur donna des pouvoirs quasi illimités. Mais, le second triumvirat, dont les membres entrèrent vite en conflit, n'accomplit aucune œuvre importante.

TRIVANDRUM, v. de l'Inde, capit. du Kerala, sur la mer d'Oman; 410 000 hab. Université.

TRIVULCE (Giangiacomo), marquis **de Vigevano,** maréchal de France (Milan 1448-Arpajon 1518). Condottierre au service des Sforza, il fut employé par Louis XII contre la ligue du Bien public* (1465), puis par le roi de Naples. Entré au service de Charles VIII, avec qui il se distingua à Fornoue, maréchal de France en 1499, il s'illustra à Novare, à Agnadel (1509) et à Marignan (1515).

TRNKA (Jiří), cinéaste tchécoslovaque (Plzeň 1912 - Prague 1969). Peintre et illustrateur de livres d'enfants, décorateur et maquettiste de théâtre, il fonda en 1936 à Prague un théâtre voué à l'art de la marionnette, le Théâtre de bois. À partir de 1945, il devint l'incontestable chef de file de la marionnette animée au cinéma (*le Rossignol de l'empereur de Chine,* 1949; *Prince Bayaya,* 1950; *Vieilles Légendes tchèques,* 1953; *le Songe d'une nuit d'été,* 1959).

TROADE, région du nord-ouest de l'Asie Mineure. Hellénisée après la chute de Troie*, elle fut soumise à l'hégémonie athénienne au Ve s. av. J.-C. Elle fit partie du domaine des Séleucides*, des rois de Pergame* et enfin des Romains (133 av. J.-C.). Le christianisme y fut introduit au Ier s., au temps de saint Paul*.

TROARN (14670), ch.-l. de cant. du Calvados, à 13 km à l'E. de Caen; 2 023 hab. Violents combats pendant la bataille de Normandie* de 1944.

Trocadéro, bourg d'Espagne, sur la baie de Cadix, dont les forts furent enlevés en 1823 par les troupes françaises du duc d'Angoulême.

TROCHILIDÉS → COLIBRI.

TROCHU (Louis), général français (Le Palais, Belle-Île-en-Mer, 1815 - Tours 1896). Gouverneur militaire de Paris en 1870, il préside le gouvernement de la défense nationale après la chute du second Empire et dirige la défense de Paris (4 sept. 1870 - 22 janv. 1871).

TROÈNE. — Cet arbrisseau buissonnant, qui conserve longtemps ses petites feuilles à l'automne, porte des grappes de fleurs blanches rappelant celles du lilas et qui se transforment en petites baies noires subsistant en hiver. Il sert souvent à l'ornement des jardins. (Famille des oléacées.)

TROGLODYTE. — C'est le plus petit oiseau de la faune française. De teintes brunes, porteur d'un bec long et fin, il est classé parmi les roitelets*. (Famille des régulidés.)

TROIE ou **ILION,** cité antique de la Troade*. Déjà florissante au IIIe millénaire, elle subit plusieurs dévastations, provoquées par des guerres ou des catastrophes naturelles, avant l'ultime destruction vers 1100 av. J.-C. — La légendaire *guerre de Troie,* chantée par Homère*, conserve le souvenir des expéditions entreprises par les Achéens sur les côtes de l'Asie Mineure; des rivalités politiques et commerciales (s'assurer le contrôle des Détroits) amenèrent les Grecs à détruire Troie vers 1240 av. J.-C.

ARCHÉOLOGIE. Les fouilles de Schliemann*, puis celles de W. Dörpfeld et de C. W. Blegen ont révélé neuf villes superposées, depuis le plus ancien établissement, Troie I, simple village fortifié, fondé au IVe millénaire, jusqu'à Troie IX, qui recouvre la période gréco-romaine et disparaît vers 400 apr. J.-C. Troie II, véritable agglomération ceinte de remparts aux portes protégées par des tours, qui a succédé au village sans solution de continuité, possède une civilisation brillante, à laquelle on rattache le trésor attribué par Schliemann à Priam, daté en fait des environs de 2300 à 2100 av. J.-C. Dès cette époque, la ville a joué un rôle considérable dans la diffusion du métal vers l'Égée et l'Europe danubienne avant de connaître, entre 1900 et 1350 (Troie VI), sa pleine floraison.

Trois Contes, par G. Flaubert (1877). C'est la dernière œuvre que publia Flaubert, qui la considérait comme un résumé des différents aspects de son art. Elle rassemble *Un cœur simple,* histoire d'une pauvre servante de province, *la Légende de saint Julien l'Hospitalier,* récit fantastique inspiré de la vie légendaire du saint, et *Hérodias,* qui évoque la mort de saint Jean-Baptiste.

Trois-Évêchés (les), gouvernement de l'ancienne France, constitué en territoire lorrain par les trois villes de Verdun*, de Metz* et de Toul*. L'appartenance de fait de ces villes à la France date du règne d'Henri II (1552), mais ce n'est qu'en 1648 que les traités de Westphalie* la sanctionnèrent officiellement.

TROISFONTAINES, comm. de la Moselle → VALLERYSTHAL.

Trois Mousquetaires *(les),* roman d'A. Dumas père (1844). Les héros en sont Athos, Porthos et Aramis, auxquels se joint d'Artagnan. Ce roman a pour suite *Vingt Ans après,* que continue *le Vicomte de Bragelonne.*

TROIS-MOÛTIERS (Les) [86120], ch.-l. de cant. de la Vienne, à 8 km au N.-O. de Loudun; 871 hab.

TROIS-RIVIÈRES, v. du Canada (Québec), au confluent du Saint-Laurent et du Saint-Maurice, entre Montréal et Québec; 55 869 hab. Université. Centre de la production de papier journal.

TROIS-VALLÉES (les), nom donné au complexe touristique de la Savoie, formé par les vallées du Doron de Belleville, du Doron des Allues et des torrents de Saint-Bon, et englobant notamment les stations de sports d'hiver de Courchevel, de Méribel-les-Allues et de Saint-Martin-de-Belleville.

TROLLHÄTTAN, v. de Suède, sur le Göta älv; 50 000 hab. Métallurgie.

TROLLOPE (Anthony), écrivain anglais (Londres 1815 - *id.* 1882). Ses romans de « la Série du Barsetshire » peignent avec humour une petite ville et le monde ecclésiastique (*les Tours de Barchester,* 1857; *la Dernière Chronique de Barset,* 1867).

TROMBONE. — De la famille des cuivres — à laquelle il emprunte tuyau à perce cylindrique, pavillon, embouchure et parfois pistons —, il se distingue et se caractérise pourtant par la coulisse, grâce à laquelle l'exécutant allonge ou raccourcit la colonne d'air en vibration pour modifier la hauteur des sons.

TROMP (Maarten), amiral hollandais (Brielle 1598 - Ter Heide 1653). Lieutenant amiral (1637), il se distingue contre les Espagnols (Dunkerque, 1639) et contre les Anglais (Tamise, 1652). — Son fils CORNELIS (Rotterdam 1629 - Amsterdam 1691), lieutenant général amiral, échoue dans un débarquement en France, mais bat les Danois à Öland (1676).

TROMPE. — La *trompe à eau* est constituée par une ampoule qui communique avec le récipient où l'on veut faire le vide. De l'eau sous pression arrive dans cette ampoule par un tube effilé et pénètre ensuite dans un entonnoir évasé, sans en toucher les parois, en produisant une aspiration. Le vide obtenu n'est pas parfait, mais l'appareil est simple et son fonctionnement rapide. Dans la *trompe à mercure,* qui est analogue, le mercure circule goutte à goutte, et l'espace compris entre deux gouttes successives entraîne une petite quantité du gaz de l'ampoule.

TROMPES *(Anat.).* — Les *trompes d'Eustache* s'étendent de l'oreille moyenne au pharynx. Elles assurent une égalité de pression entre chaque côté du tympan.

Les *trompes de Fallope* relient les ovaires aux cornes de l'utérus. C'est par elles que l'ovule gagne la cavité de l'utérus et c'est dans leur lumière que se fait la fécondation de l'ovule par les spermatozoïdes. Parmi les affections des trompes de Fallope citons les infections qui réalisent les salpingites, la grossesse extra-utérine, l'obturation des trompes, cause de stérilité.

TROMPETTE. — Bien qu'elle existe en laiton et en fer, la trompette, instrument à vent, appartient à la famille des cuivres à perce cylindrique, légèrement conique à l'extrémité et terminée par un pavillon. Les sons s'obtiennent au moyen de la pression plus ou moins forte des lèvres placées contre l'embouchure.

De la même famille, mais employé dans les régiments de l'armée, le *clairon* exécute des airs de fanfare oscillant sur deux ou trois notes, car la gamme des sons rendus par cet instrument sans piston est limitée. Apparenté aussi à la trompette, le *cornet à piston* est recherché pour sa sonorité plus douce.

TROMSØ, port de la Norvège septentrionale, au N. du cercle polaire; 42 000 hab.

TRONÇAIS *(forêt de),* forêt du nord-ouest de l'Allier, à l'E. de la vallée du Cher, couvrant plus de 10 000 ha.

TRONCHE (La) [38700], comm. de l'Isère, dans la banlieue nord-est de Grenoble; 7 755 hab.

TRONCHIENNES, en néerl. **Drongen,** anc. comm. de Belgique (Flandre-Orientale), intégrée à Gand en 1977.

TRONDHEIM, port de la Norvège centrale, sur le *fjord de Trondheim;* 133 000 hab. Cathédrale gothique des XIIe-XIVe s. Musées. Pêche. Métallurgie.

TRONVILLE-EN-BARROIS (55310), comm. de la Meuse, à 11 km au S.-E. de Bar-le-Duc; 2 071 hab. Textiles synthétiques.

TROPICAL (climat). — Il affecte les régions de la zone intertropicale, caractérisées par l'alternance d'une saison humide estivale et d'une saison sèche hivernale. Il est marqué par la permanence de la chaleur, étant plus humide vers les basses latitudes, où il passe au climat équatorial, et plus sec vers les tropiques, où il passe au climat désertique. La circulation atmosphérique s'y effectue sous l'influence des alizés*, remplacés par la mousson* sur les façades occidentales des continents. Suivant le volume des précipitations, la végétation passe de la forêt dense à la savane.

TROPICALE (médecine). — Cette discipline étudie certaines affections microbiennes, virales, parasitaires qui sévissent dans les régions tropicales (bilharziose, filariose, etc.) ainsi que d'autres maladies, cosmopolites, mais plus fréquentes sous les climats tropicaux.

TROPICALES (cultures). — Elles intéressent : les plantes alimentaires, réparties en trois catégories (céréales [riz, maïs, sorgho, mil], plantes féculentes à tubercules [manioc, igname, patate] et légumes); les plantes oléagineuses (palmier à huile, cocotier, arachide); les plantes stimulantes (caféier, cacaoyer, théier, maté, colatier, aréquier, coca); les cultures fruitières (bananier, ananas, manguier, avocatier, anacardier [cajou], litchi, papayer, palmier-dattier); les plantes saccharifères (canne à sucre, palmiers à sucre); les plantes textiles (cotonnier, ramie, jute, sisal, kapokier); les plantes à caoutchouc (hévéa); les plantes médicinales (quinquina, pyrèthre); les plantes à huiles essentielles (géranium rosat, vétiver, ylang-ylang); les plantes à épices (vanillier, poivrier).

TROPISME. — Employé à tort dans le sens de « tactisme* », ce terme désigne exclusivement les courbures de croissance qui affectent les végétaux terrestres. Le *géotropisme* fait croître les racines vers le bas et les tiges vers le haut; l'*hydrotropisme* oriente les racines vers les lieux humides; le *phototropisme* tourne vers la lumière le sommet des tiges (*héliotropisme,* lorsqu'il s'agit du soleil); l'*haptotropisme,* lorsqu'il est positif, provoque l'enroulement des tiges ou des racines autour des corps solides qu'elles rencontrent. Ces phénomènes sont liés à la répartition de l'auxine, ou hormone de croissance.

Tropismes, « roman » de Nathalie Sarraute (1939). Une série de textes brefs qui cherchent à recréer des mouvements intérieurs, des pulsions : la manifestation inaugurale du « nouveau* roman » et de la dissolution du personnage classique.

TROPOSPHÈRE. — Limitée vers le haut par la *tropopause,* qui la sépare de la stratosphère, la troposphère a une épaisseur moyenne de 12 km. Elle est agitée sans cesse de mouvements verticaux et horizontaux. Elle a une composition constante, et la température y décroît avec la montée en altitude, de 0,6 °C par 100 m.

Troppau *(congrès de),* congrès européen qui se réunit à Troppau (Opava), en Silésie, en 1820 et qui décida de l'intervention des coalisés contre les libéraux italiens.

TROQUE → GASTROPODES.

TROSLY-BREUIL (60350 Cuise la Motte), comm. de l'Oise, à 11 km à l'E. de Compiègne; 2 098 hab. Industrie chimique.

TROTSKI (Lev Davidovitch BRONSTEIN, dit **Léon**), homme politique russe (Ianovka 1879 - Coyoacán, près de Mexico, 1940). Fils d'un paysan aisé, il étudie le droit à Odessa. Il s'initie au marxisme et fait des conférences aux ouvriers. Arrêté (1898), déporté en Sibérie (1900), il s'évade (1902) et gagne la Grande-Bretagne, où il rencontre Lénine et Plekhanov et collabore à l'*Iskra.* Aux congrès de Bruxelles (1902), puis de Londres (1903), il opte pour les mencheviks*, dont il se sépare très vite, sans pour autant rejoindre les bolcheviks*. Il participe à la révolution de 1905, est arrêté et déporté, s'enfuit, fonde la *Pravda* à Vienne, participe à la conférence de Zimmerwald en 1915, passe en France, d'où il est expulsé, et part pour les États-Unis; il ne peut regagner la Russie qu'en mai 1917. Il rejoint les bolcheviks en juillet 1917, qui l'élisent au Comité central des soviets de Petrograd. C'est lui qui met au point la tactique de la prise du pouvoir en octobre-novembre 1917. Il devient commissaire du peuple aux Affaires étrangères. Il s'oppose à Lénine sur la signature de la paix de Brest-Litovsk, car il croit que la révolution gagnera les armées allemandes et autrichiennes; battu sur ce point, il démissionne, et la paix est signée. Trotski devient président du Conseil militaire révolutionnaire, crée

Trotski.

Coll. Ringart

l'armée rouge et lutte contre les blancs (Denikine). Il écrase la révolution de Kronchtadt (mars 1920). Ses conseils en matière économique n'obtiennent pas l'approbation de Lénine : ainsi ses thèses sur la militarisation et l'étatisation des syndicats ainsi que celles sur la planification face à la NEP. Quand Lénine meurt, Trotski est malade et n'assiste pas à ses obsèques. Staline constitue contre lui la troïka. En janvier 1925, Trotski est relevé de ses fonctions de président du Conseil révolutionnaire de la guerre; il est exclu du Bureau politique en octobre 1926, du Comité central en octobre 1927 et du parti en novembre de la même année. Il est exilé, puis banni. Désormais, il erre de pays en pays, chaque fois expulsé par les gouvernements. Il séjourne ainsi en France (1933-1935), en Norvège (1935-36), puis au Mexique jusqu'à sa mort. Il écrit de nombreux ouvrages, dont *Ma vie* (1930), *Histoire de la révolution russe* (1933), *la Révolution trahie* (1937). Tout en continuant la lutte idéologique contre Staline, il soutient la thèse de la bureaucratisation de l'U.R.S.S. et de l'échec du « socialisme dans un seul pays ». En 1938, il fonde la IVe Internationale. Il est assassiné par son secrétaire, vraisemblablement agent de Staline.

TROUBADOUR. — Les troubadours, seigneurs (Guillaume IX d'Aquitaine, Bernard de Ventadour, Bertran de Born, la comtesse de Die, Jaufré Rudel) ou roturiers (Marcabru, Cercamon, Peire Vidal, Arnaut Daniel, Guiraut Riquier), écrivent dans une langue hermétique *(trobar clus)* ou très recherchée *(trobar ric)* et traitent de l'amour courtois* *(la fine amors),* de la croisade, de la dévotion à la Vierge et aux saints ou composent des chansons satiriques. Le type de composition adopté est en général la monodie soutenue par un instrument. Les formes littéraires et musicales les plus courantes sont la *canso,* le *sirventès,* le *partimen,* la *tenson,* l'*estampida,* le *plang.* Peu nombreuses sont les chansons notées qui ont été conservées dans des manuscrits du XIIIe s. et du XIVe s. Les *leys d'amors* (arts poétiques) du début du XIVe s. ont transmis quelques règles de construction littéraire de ces différentes formes lyriques et satiriques de la littérature de langue d'oc.

TROUBETSKOÏ (Nikolaï Sergueïevitch), linguiste russe (Moscou 1890 - Vienne 1938). Issu d'une famille de la haute aristocratie, Troubetskoï s'installe à Vienne en 1922, où il enseigne jusqu'en 1938. En relation avec Roman Jakobson* depuis 1920, il participe à la fondation et aux travaux du Cercle linguistique de Prague*. Influencé par Baudouin de Courtenay* et par Saussure*, il définit la notion de phonème* et établit la distinction entre la phonétique, qui « étudie les sons concrets comme des phénomènes physiques », et la phonologie, qui les étudie « comme des signaux phoniques employés à des fins d'intercompréhension à l'intérieur d'une communauté linguistique » (*Principes de phonologie,* 1939).

troubles *(temps des),* en russe *smoutnoïe vremia,* période de l'histoire de la Russie (1605-1613). Après la mort des deux fils d'Ivan IV, Fédor Ier* (tsar de 1584 à 1598) et Dimitri († 1591, peut-être assassiné sur les ordres de Boris Godounov?), Boris* Godounov règne de 1598 à 1605. Son fils Fédor II lui succède et est renversé par un faux Dimitri, prétendant être le fils d'Ivan IV, qui aurait miraculeusement échappé à l'attentat de 1591. Ce dernier, après avoir franchi la frontière polonaise, entre à Moscou en juin 1605. Il est renversé en 1606 par Vassili Chouïski (de 1606 à 1610), qui se maintient au pouvoir malgré la révolte paysanne dirigée par I. I. Bolotnikov (1606-07), l'apparition d'un second faux Dimitri (de 1607 à 1610) et l'intervention des armées suédoise et polonaise à partir de 1609. Ladislas IV Vasa règne de 1610 à 1612 à Moscou, d'où les milices populaires qui se sont organisées en 1611 sous l'impulsion de K. M. Minime et D. M. Pojarski chassent les Polonais. Un Zemski Sobor, réuni en 1613, élit tsar Michel III* Fedorovitch.

TROUMOUSE *(cirque de),* grand cirque des Pyrénées françaises (Hautes-Pyrénées), au pied du *pic de Troumouse* (3 086 m), à l'E. de Gavarnie.

TROU NOIR. — Cet objet, prévu par la théorie de la relativité* générale d'Einstein*, correspondrait à un état très condensé du stade final de la vie de certaines étoiles*. L'attraction* gravitationnelle au voisinage de ces objets serait telle qu'elle interdirait à tout rayonnement d'en sortir. Aussi, on ne peut les observer que de façon indirecte par les perturbations qu'ils créent à leur voisinage, par une émission accrue de rayons X* ou par l'étude des anomalies de certaines étoiles dont le compagnon pourrait être un trou noir.

TROUPIALE. — Cet étourneau américain, qui volette en troupes bruyantes, est noir avec des épaulettes d'un rouge écarlate. Mangeant plus d'insectes que de fruits, il se rend utile. (Famille des ictéridés.)

TROUSSEAU (Armand), médecin français (Tours 1801 - Paris 1867), considéré comme un des meilleurs cliniciens de son époque. On lui doit les célèbres *Cliniques médicales de l'Hôtel-Dieu.*

TROUVÈRE. — D'abord simples *jongleurs* (chanteurs ambulants récitant chansons de geste, poèmes lyriques ou fabliaux en s'accompagnant d'un instrument de musique, le plus souvent une vièle), les trouvères joignirent bientôt à l'art de réciter des vers celui de composer. Si certains continuèrent à mener une vie errante (Colin Muset), d'autres devinrent des *ménestrels,* attachés à la personne d'un grand seigneur. Ils cultivaient une poésie raffinée et un art musical savant (chanson à refrain, ballade, rondeau, virelai, jeu parti, pastourelle, etc.). Les seigneurs eux-mêmes ne dédaignaient pas la gloire poétique : ainsi Conon de Béthune et Thibaud de Champagne. À l'inverse des chansons des troubadours, les chansons des trouvères (on en dénombre plus de deux mille) sont, en majeure partie, attribuées et notées.

Trouvère *(le),* opéra en quatre actes, livret de S. Cammarano, musique de G. Verdi (1853). Le sujet est tiré d'un drame espagnol d'A. G. Gutiérrez.

TROUVILLE-SUR-MER (14360), ch.-l. de cant. du Calvados, à l'embouchure de la Touques, en face de Deauville; 6 661 hab. Station balnéaire.

TROY, v. des États-Unis (New York), sur l'Hudson, près d'Albany; 63 000 hab.

TROYAT (Lev TARASSOV, dit **Henri**), écrivain français (Moscou 1911), auteur de cycles romanesques qui évoquent l'histoire de la Russie (*les Semailles et les moissons,* 1953-1958; *les Eygletière,* 1965-1967; *le Moscovite,* 1974-75).

Troyens *(les),* tragédie lyrique en cinq actes, paroles et musique d'Hector Berlioz (1855-1858). Le livret s'inspire du chant IV de l'Énéide et rappelle les malheurs de Troie, les amours de Didon et d'Énée, le départ d'Énée et la mort de Didon. L'œuvre comporte deux parties : *la Prise de Troie* et *les Troyens à Carthage.* Scènes descriptives orchestrales ou chorales d'un grand attrait dramatique alternent dans cette partition avec un récitatif ou des airs passionnés (mort de Didon).

TROYES (10000), ch.-l. du départ. de l'Aube, sur la Seine, à 158 km à l'E.-S.-E. de Paris; 75 500 hab. *(Troyens).*

GÉOGRAPHIE. L'agglomération (avec notamment La Chapelle-Saint-Luc, Sainte-Savine et Saint-André-les-Vergers), la deuxième de la Région Champagne-Ardenne (après celle de Reims), compte environ 130 000 habitants (près de la moitié de la population totale du département). Centre administratif, commercial et touristique, Troyes est, avec sa banlieue, une ville industrielle, le premier centre français de la bonneterie, activité toujours dominante, malgré le développement des constructions mécaniques et électriques ainsi que de la chimie (pneumatiques).

HISTOIRE. L'ancienne capitale des Tricasses, *Augustobona* à l'époque romaine, fut dès le Vᵉ s. un important centre religieux. Au IXᵉ s., la ville devint le chef-lieu du comté de Troyes et de Champagne. Siège de la plus importante des foires de Champagne, elle connut, aux XIIᵉ et XIIIᵉ s., une grande prospérité. Réunie au domaine royal au XIIIᵉ s., la ville accueillit largement la Réforme au XVIᵉ s.

BEAUX-ARTS. Église Sainte-Madeleine (XIIᵉ-XVIᵉ s.; jubé sculpté de pierre du début du XVIᵉ s.), cathédrale (chœur de la première moitié du XIIIᵉ s., étape importante dans la genèse du gothique rayonnant; façade de Martin Chambiges, de 1507), église Saint-Urbain (entreprise en 1262, avec chœur à deux étages entièrement vitré, d'une pureté de style qui annonce le gothique français du XIVᵉ s.), diverses églises du XVIᵉ s., qui sont autant de musées de la sculpture (l'Italien Dominique Florentin, etc.) et du vitrail troyens (verrières narratives à scènes juxtaposées). Maisons à colombages. Bibliothèque et musée des Beaux-Arts dans l'ancienne abbaye Saint-Loup. Musée de l'hôtel de Vauluisant (1564).

TROYON (Constant) → BARBIZON *(école de).*

TRUCHTERSHEIM (67370), ch.-l. de cant. du Bas-Rhin, à 12,5 km au N.-O. de Strasbourg; 1 439 hab.

TRUCIAL STATES → ARABES UNIS *(Émirats).*

TRUDAINE (Daniel Charles), administrateur français (Paris 1703-*id.* 1769). Intendant en Auvergne (1730), il fut appelé en 1743 à la direction des Ponts et Chaussées; il décida de nombreux travaux d'utilité publique et fonda l'École nationale des ponts et chaussées (1747) puis le corps des ingénieurs des Ponts et Chaussées (1750).

TRUDEAU (Pierre Elliott), homme politique canadien (Montréal 1919). Député libéral (1965), ministre de la Justice et procureur général du Canada (1967), il devient président du parti libéral et succède à Lester Pearson comme Premier ministre (1968). Francophone, mais profondément attaché au fédéralisme, il veut préserver l'unité du pays et lutte contre le séparatisme québécois.

TRUFFAUT (François), cinéaste français (Paris 1932). Critique cinématographique, il s'impose dès ses premiers films comme un des meilleurs représentants de la *nouvelle vague* (*les Mistons,* 1958; *les Quatre Cents Coups,* 1959; *Tirez sur le pianiste,* 1960; *Jules et Jim,* 1961). Son œuvre, tendre, ironique, nostalgique, fait la part belle aux chroniques de l'enfance et de l'adolescence (*Baisers volés,* 1968; *l'Enfant sauvage,* 1969; *Domicile conjugal,* 1970; *Deux Anglaises et le continent,* 1971). Truffaut est également l'auteur de *la Peau douce* (1963), *Fahrenheit 451* (1966), *La mariée était en noir* (1967), *la Sirène du Mississippi* (1969), *l'Histoire d'Adèle H.* (1975), *la Chambre verte* (1978).

TRUFFE. — La truffe, l'un des rares champignons ascomycètes qui soient entièrement souterrains, se présente comme une boule noire avoisinant les racines d'un chêne avec lequel elle vit en symbiose. Son goût exquis conduit à la cultiver indirectement (cultures de chênes *truffiers :* Périgord, Drôme). On la détecte par les vols de moucherons, qu'attire son parfum, ou à l'aide d'un animal flaireur (cochon, chien).

TRUITE. — Ce beau poisson des eaux douces froides et oxygénées se reconnaît à son dos parsemé de taches noires rondes, à sa dorsale postérieure sans rayons (« adipeuse ») et, chez l'espèce française, à la caudale non fourchue. Carnivores, parfois cannibales, les truites doivent à la finesse de leur goût d'être souvent élevées en bassin (trutticulture) à une échelle semi-industrielle.

TRUJILLO, port du nord du Pérou; 348 000 hab.

TRUJILLO Y MOLINA (Rafael Leónidas), homme politique dominicain (San Cristóbal 1891 - Ciudad Trujillo 1961). Il sert dans l'armée américaine avant de diriger la police dominicaine (1926) et d'être élu président de la République (1930) : jusqu'à son assassinat, et même sous la présidence nominale de son frère Hector à partir de 1952, il fait régner un régime policier.

TRUMAN (Harry S.), homme d'État américain (Lamar 1884 - Kansas City 1972). D'origine modeste, il est élu en 1934 sénateur démocrate du Missouri. En 1944, F. D. Roosevelt* le choisit comme colistier; aussi sa mort soudaine (12 avr. 1945) fait-elle de Truman le président inattendu des États-Unis; il sera élu en 1948. Après avoir pris la responsabilité d'accélérer la fin de la Première Guerre mondiale par l'utilisation de la bombe atomique contre le Japon (1945), Truman s'avère l'homme de la « guerre froide » à l'égard de l'U. R. S. S. Aux États-Unis même, tout en poursuivant une politique sociale *(Fair Deal),* il laisse se développer le maccarthysme (v. MCCARTHY), qui vise à supprimer les influences communistes. Il engage son pays dans la guerre de Corée*; en Europe, l'application du plan Marshall* limite la sphère d'influence soviétique.

TRUN (61160), ch.-l. de cant. de l'Orne, à 12 km au N.-E. d'Argentan; 1 345 hab.

TRUQUAGE. — La plupart des *effets spéciaux* réalisés pour le cinéma ou la télévision sont obtenus soit par la technique elle-même de la prise de vues (accéléré, ralenti, etc.), soit à l'aide de matériels particuliers (machines à produire la pluie, la neige, le brouillard, souffleries, etc.), soit par des procédés divers de prise de vues (maquettes, caches et contre-caches, procédés Dunning et Schufftan, transparences), soit en laboratoire grâce à une tireuse optique (ou Truca).

TRURO, v. du Canada (Nouvelle-Écosse); 13 047 hab.

TRUYÈRE (la), riv. du Massif central, née dans la Margeride et qui sépare le massif du Cantal et l'Aubrac avant de rejoindre le Lot (r. dr.); 160 km. Aménagements hydroélectriques (dont Grandval, Sarrans, Brommat et Couesque).

TRYPANOSOMIASE. — Les trypanosomiases, affections dues à des trypanosomes, se manifestent sous deux formes très différentes. *Trypanosoma gambiense* et *Trypanosoma rhodesiense* sont les agents de la maladie du sommeil*, transmise par la mouche tsé-tsé (ou glossine) et sévissant en Afrique tropicale. *Trypanosoma cruzi* est agent de la maladie de Chagas, transmise à l'homme par des punaises en Amérique tropicale et se manifestant par des œdèmes et des atteintes de la thyroïde, du cœur et de la rate.

TRYPSINE → DIGESTION.

TSANA *(lac)* → TANA.

TS'AO TS'AO ou **CAO CAO,** homme de guerre et poète chinois (155-220), qui ouvrit la voie de l'inspiration personnelle à la poésie chinoise.

TSARSKOÏE SELO, anc. nom de **Pouchkine,** localité de l'actuelle grande banlieue sud de Leningrad. Anciens palais, dont celui de Catherine II, par Rastrelli.

TSCHOMBÉ (Moïse), homme politique katangais (Musumba 1919-Alger 1969). Membre du conseil du gouvernement du Katanga*, il proclame en 1960 l'indépendance de la République katangaise, dont il est le premier président. Mais, ayant dû renoncer à la sécession du Katanga (1963), il devient Premier ministre du Congo (1964). Ses inquiétants succès électoraux (1965) expliquent son renvoi, puis sa destitution (1966) et sa condamnation à mort par contumace (1967).

TSELINOGRAD, anc. **Akmolinsk,** v. de l'U.R.S.S., dans le nord du Kazakhstan; 180 000 hab.

TSÉ-TSÉ → SOMMEIL et TRYPANOSOMIASE.

TS'EU-HI ou **CI XI** (1835-Pékin 1908), impératrice de Chine. D'origine mandchoue, concubine de l'empereur Hien-fong (1851), elle prend le pouvoir à la mort de son fils T'ong-tche (1875). Elle s'appuie d'abord sur un ministre réformateur, le prince Kong (1861-1884, 1894-1898); puis, après les «Cent-Jours», au cours desquels elle est momentanément écartée (1898), elle pratique une politique réactionnaire et xénophobe; après la victoire des Européens sur les Boxeurs* (1901), dont elle a appuyé l'action, elle met en place un programme trop tardif de modernisation.

TSEU-KONG ou **ZIGONG,** v. de Chine (Sseu-tch'ouan); 291 000 hab.

TSEU-PO ou **ZIBO,** v. de Chine (Chan-tong); 184 000 hab.

TSHIKAPA, v. du Zaïre, sur le Kasaï; 39 000 hab. Important centre de la production de diamants.

Tsiganes ou **Tziganes,** ethnie nomade habitant principalement l'Europe. (On dit aussi GITANS.)

T'SIN ou **QIN,** dynastie qui régna en Chine de 249 à 206 av. J.-C. Établis à la place des Tcheou*, qu'ils ont éliminés, les T'sin doivent être crédités de la construction de la Grande Muraille*, élément d'unité nationale : c'est sous leur règne que la Chine est dotée d'une bureaucratie centralisée, qui survivra à tous les changements dynastiques. Après la mort du grand empereur Che Houang-ti (210 av. J.-C.), la dynastie est bientôt éliminée par les Han*.

TSI-NAN ou **JINAN,** v. de Chine, capit. du Chan-tong, sur le bas Houang-ho; 862 000 hab. Industries métallurgiques et textiles.

TS'ING ou **QING,** nom porté par la dynastie mandchoue qui régna en Chine de 1644 à 1911. Cette dynastie, qui élimine celle des Ming*, connaît d'abord un siècle et demi de prospérité, notamment avec les deux grands empereurs K'ang-hi (de 1661 à 1722) et K'ien-long (de 1736 à 1796).

Après ces deux règnes — au cours desquels la civilisation chinoise atteint un haut degré de raffinement —, la Chine entre dans une longue période de décadence, marquée, au XIXe s., par l'emprise occidentale. Cette emprise, facilitée par la faiblesse militaire et l'anarchie intérieure, est d'autant plus douloureusement ressentie par une partie éclairée de l'opinion chinoise qu'elle s'accompagne de l'archaïsme de l'économie, d'une misère qui touche la masse des paysans et d'une corruption administrative généralisée, ce qui explique la révolte — avortée — des T'ai-p'ing* (1851-1864). Après le règne de Ts'eu-hi*, l'empire s'effondre et la république est proclamée (1911).

TS'ING-HAI ou **QINGHAI,** prov. de la Chine du Nord-Ouest, au N.-E. du Tibet; 720 000 km^2; 2 742 000 hab. Capit. *Si-ning.* Cette région, élevée, aride, est peu peuplée. Élevage extensif.

TS'ING-HAI ou **QINGHAI** ou **KOUKOU NOR,** dépression marécageuse (à plus de 3 000 m d'altitude) de la *province du Ts'ing-hai.*

TS'ING-KIANG ou **QINGJIANG,** v. de Chine (Kiang-sou); 100 000 hab.

TS'ING-TAO ou **QINGDAO,** port de Chine (Chan-tong), sur la baie de Kiao-tcheou; 1 200 000 hab. Centre industriel (métallurgie, textile, alimentation).

TS'IN-LING ou **QINLING,** montagne de la Chine séparant les bassins moyens du Houang-ho et du Yang-tseu-kiang; 4 107 m au *Tai-pai-chan.*

TSIOLKOVSKI (Konstantine Edouardovitch), savant et inventeur russe (Ijevskoïe 1857-Kalouga 1935). Il est l'auteur de recherches sur la propulsion par réaction, sur la construction des fusées et sur la possibilité d'appliquer celles-ci à l'exploration spatiale.

TSIRANANA (Philibert), homme d'État malgache (Anahidrano 1910). Fondateur du parti social-démocrate, il devient président du Conseil du gouvernement central de Madagascar (1958), puis président de la République (1959). Il coopère avec la France, mais se heurte à une opposition grandissante. En 1972, il est contraint de confier les pleins pouvoirs au général Ramanantsoa, puis d'abandonner toutes ses fonctions.

TSITSIHAR, en chin. **TS'I-TS'I-HA-EUL** ou **QIQIHAER,** v. de la Chine du Nord-Est (Hei-long-kiang); 700 000 hab.

TS'IUAN-TCHEOU ou **QUANZHOU,** port de Chine (Fou-kien), en face de T'ai-wan; 108 000 hab.

TSU, v. du Japon (Honshū), au S.-O. de Nagoya; 125 000 hab. Textile. Chantiers navals.

TSUBOUCHI SHŌYŌ, écrivain japonais (Nagoya 1859-Tōkyō 1935). Il exerça une grande influence sur les jeunes auteurs de la seconde partie de l'époque de Meiji en réclamant le respect des lois psychologiques et la constitution d'une littérature réaliste (*Shōsetsu Shinzui* [*l'Essence du roman*], 1885). Traducteur et adaptateur de Shakespeare et d'Ibsen, il fit connaître au Japon le théâtre étranger, tout en réhabilitant le kabuki*. De son roman *Kirihito-ha (Une feuille de paulownia),* il tira une pièce de théâtre en 1894.

TSUGARU *(détroit de),* détroit séparant les îles japonaises de Honshū et de Hokkaidō.

TSUSHIMA, archipel japonais entre le Japon et la Corée, séparé de Kyūshū par le *détroit de Tsushima.* Une flotte russe y fut détruite en 1905 par les Japonais (v. RUSSO-JAPONAISE [*guerre*]).

TUAMOTU ou **TOUAMOTOU,** archipel de la Polynésie française, au N.-E. de Tahiti; 880 km^2; 7 000 hab. Ch.-l. *Rotoava.* L'archipel est formé d'une soixantaine d'atolls, dispersés du N.-O. au S.-E. sur environ 1 500 km.

TUBA → SAXHORN.

TUBAGE *(Industr. du pétrole)* → FORAGE.

TUBAGE *(Méd.).* — Le *tubage gastrique* est pratiqué pour l'évacuation de toxiques ingérés ou pour des examens bactériologiques ou biochimiques. Le *tubage duodénal* est utilisé pour étudier le fonctionnement des voies biliaires et du pancréas. Le *tubage du larynx ou de la trachée* permet, en réanimation, le désencombrement des voies aériennes et une ventilation artificielle efficace.

TUBE ÉLECTRONIQUE. — Dans son acception la plus générale, cette expression se réfère à une enceinte de verre ou métallique dans laquelle se trouvent une cathode émettrice d'électrons par chauffage direct ou indirect, une électrode de commande (grille) à polarisation variable et une anode généralement positive. Dans une telle triode, la tension de la grille contrôle l'intensité du flux d'électrons émis par la cathode et attiré vers l'anode. Si l'on applique une tension alternative entre la grille et la cathode, on obtient une variation correspondante du courant anodique, d'autant plus importante que la pente de la caractéristique du tube est plus élevée. Dans ces conditions, le tube est amplificateur.

L'énorme développement des applications de l'électronique a vite conduit à modifier la structure des tubes, qui sont devenus de plus en plus compliqués. Par exemple, une deuxième grille plus proche de la cathode que la grille de commande diminuait la charge d'espace toujours présente autour d'une cathode. Une autre grille (grille-écran) proche de l'anode assurait une commande supplémentaire du flux électronique.

Des électrodes supplémentaires permirent des utilisations complexes, par exemple des tubes amplificateurs à haut rendement (pentodes) et des tubes mélangeurs (hexodes, heptodes et octodes) pour les récepteurs à changement de fréquence.

De nouvelles applications se révélèrent possibles par l'introduction d'un gaz dans les tubes. Suivant la pression de ce gaz, le libre parcours moyen des électrons pouvait être réduit à une fraction de millimètre, impliquant l'apparition de phénomènes nouveaux par suite de l'ionisation du gaz. C'est sur ce principe que fonctionnent les lampes fluorescentes, dans lesquelles la lumière émise est due aux transitions électroniques dans les atomes du gaz et dont le spectre correspond à la nature du gaz.

D'autres types de tubes à gaz sont utilisés, par exemple les diodes appliquées au redressement des courants alternatifs et les triodes (thyratrons ou tubes-relais) dont le réglage de la tension de grille commande l'amorçage de la décharge.

TUBERCULE. — Un tubercule n'est pas, dans une plante, un organe parfaitement défini, car toute partie souterraine qui se gorge de matières nutritives de réserve devient un tubercule ou, comme l'on dit aussi, se *tubérise.* Chez la pomme de terre, ce sont les extrémités des rameaux souterrains qui forment des tubercules, mais cela peut aussi être, dans d'autres espèces, des racines ou des rhizomes, que l'on qualifie alors de *tuberculeux.*

TUBERCULOSE. — Le bacille de Koch *(Mycobacterium tuberculosis),* responsable de la tuberculose, est mis en évidence par la coloration de Ziehl-Nielsen; il est cultivé sur milieu de Löwenstein. Sa pénétration dans un organisme jusque-là indemne détermine la primo-infection* tuberculeuse. L'évolution est le plus souvent régressive, mais, chez un petit nombre de sujets, à partir du foyer initial, peuvent se constituer dans les mois ou les années qui suivent des lésions tuberculeuses généralisées ou localisées.

La *tuberculose pulmonaire* est la plus fréquente des localisations. Elle débute insidieusement par de la fièvre, de la fatigue, un amaigrissement, de la toux, une hémoptysie. Le début aigu par une miliaire est plus rare. C'est fréquemment à l'occasion d'un examen radiologique systématique qu'est découverte la maladie. Les images radiologiques élémentaires sont des nodules, des cavernes, des infiltrats. La découverte du bacille de Koch dans l'expectoration confirme le diagnostic. Les traitements médicaux actuels permettent la guérison dans la majorité des cas.

La *tuberculose osseuse* atteint les articulations intervertébrales (mal de Pott), la hanche (coxalgie), le genou. Le traitement antituberculeux, éventuellement associé à un traitement chirurgical, permet d'éviter l'évolution vers l'ankylose.

La *tuberculose méningée* réalise une méningite lymphocytaire, de pronostic encore grave si elle n'est pas traitée précocement.

La *tuberculose rénale* est souvent associée à une atteinte de l'uretère et de l'appareil génital chez l'homme.

La *tuberculose génitale* atteint l'épididyme chez l'homme et les trompes chez la femme. Elle est cause de stérilité et de grossesses extra-utérines.

Plus rares sont les tuberculoses *intestinale, cutanée* (lupus tuberculeux), *ganglionnaire.*

Parmi les médicaments actifs contre le bacille de Koch citons la streptomycine, l'isoniazide, l'éthionamide, l'éthambutol et la rifampicine. La durée du traitement antituberculeux ne doit pas être inférieure à un an. Le séjour en sanatorium peut être utile. La prévention de la tuberculose est obtenue par la vaccination par le B.C.G.* et par l'isolement des malades contagieux.

TUBÉREUSE. — Désignée aussi sous son nom latin de *Polyanthes,* cette belle amaryllidacée porte des grappes de grandes fleurs blanches et parfumées.

TUBÉRISATION → TUBERCULE.

TUBI ou **TUBY** (Jean-Baptiste), sculpteur français d'origine italienne (Rome v. 1635 - Paris 1700). Il travailla aux Gobelins sous la direction de Le Brun avant de devenir l'une des grandes figures de l'art versaillais (groupe d'*Apollon sur son char,* en place dès 1670 dans le bassin d'Apollon). Il a collaboré avec Coysevox, notamment pour le tombeau de Mazarin.

TÜBINGEN, v. de l'Allemagne fédérale (Bade-Wurtemberg), sur le Neckar; 54 000 hab. Université. Château médiéval. Église Saint-Georges et hôtel de ville gothiques (XVe s.). Vieilles maisons.

TUBIZE, en néerl. **Tubeke,** comm. de Belgique (Brabant), au S.-O. de Bruxelles; 19 020 hab. Conditionnement.

TUBMAN (William Vacanarat Shadrach), homme politique libérien (Harper 1895 - Londres 1971). Avocat, sénateur (1923), il est élu président de la République en 1943; constamment réélu, il instaure un régime autoritaire. Il se donne comme buts l'affirmation de l'indépendance du Libéria et son essor économique grâce aux capitaux européens et américains.

TUBUAÏ, l'une des îles Australes, en Polynésie française. Son nom est parfois étendu à l'ensemble de l'archipel (qui couvre 164 km^2 et compte 5 000 habitants).

TUCHAN (11350), ch.-l. de cant. de l'Aude, à 41,5 km au N.-O. de Perpignan; 804 hab.

TUCQUEGNIEUX (54640), comm. de Meurthe-et-Moselle, à 12 km au N.-O. de Briey; 3 911 hab. Minerai de fer.

TUCSON, v. des États-Unis, dans le sud de l'Arizona; 263 000 hab. Musées. Électronique.

TUCUMÁN ou **SAN MIGUEL DE TUCUMÁN,** v. du nord-ouest de l'Argentine, au pied des Andes; 322 000 hab. Églises et maisons d'époque coloniale. Centre de la production de canne à sucre.

TUDOR, ancienne famille galloise, d'où est issue la dynastie qui régnera sur l'Angleterre de 1485 à 1603. Elle sort de l'anonymat avec OWEN **Tudor** († 1461), amant et probablement mari de la reine Catherine de France, veuve d'Henri V († 1422). Son fils aîné, EDMOND (v. 1430-1456), devient duc de Richmond, très lié aux Lancastre*. Par le jeu des alliances, HENRI (1457-1509), fils d'Edmond, devient le second héritier du trône d'Angleterre après le prince de Galles, Édouard de Lancastre, fils d'Henri VI. Grâce à son oncle JASPER **Tudor** († 1495), duc de Bedford, chef des lancastriens durant la guerre des Deux-Roses*, et à sa mère, Marguerite Beaufort (1443-1509), il devient roi d'Angleterre sous le nom d'HENRI VII* (1485-1509), après l'extermination des Lancastre. Son fils aîné, Arthur, étant mort prématurément, le trône échoit à son frère HENRI VIII* (1509-1547), à qui succèdent trois de ses enfants : ÉDOUARD VI* (1547-1553), MARIE* **Tudor** (1553-1558) et ÉLISABETH Ire (1558-1603). Avec cette dernière s'éteint cette dynastie, à laquelle succèdera celle des Stuarts*.

TUDOR (Antony), danseur et chorégraphe britannique (Londres 1909). Venu tardivement à la danse, il s'est révélé, d'abord en Grande-Bretagne avec *Jardin aux lilas* (1936), *Dark Elegies* (1937) et *Gala Performance* (1938), puis aux États-Unis — où il se fixa — avec son chef-d'œuvre, *Pillar of Fire* (1942), un des plus importants chorégraphes de sa génération.

TU DUC (Hoang Nham) [1830-1883], empereur d'Annam* (1848-1883). Il poursuit la persécution des chrétiens, ce qui provoque plusieurs interventions de la France, à qui il doit céder la Cochinchine* (1862-1867). Tu Duc ayant interrompu la liberté de navigation sur le fleuve Rouge, le commandant Rivière*, puis l'amiral Courbet* interviennent au Tonkin*.

TUDY *(île)* [29157], île et comm. (Île-Tudy) du Finistère méridional, dans l'anse de Bénodet; 541 hab.

TUFFÉ (72160 Connerré), ch.-l. de cant. de la Sarthe, à 32,5 km au N.-E. du Mans; 1 275 hab.

TUFTAGE → TAPIS.

Tugendbund (mot allemand signif. *ligue de la Vertu*), association fondée à Königsberg en 1808 en vue d'exalter la Prusse face à l'humiliation infligée par Napoléon à Tilsit*; recrutée surtout parmi les étudiants, elle fut dissoute par Napoléon en 1809, puis en 1815.

TUILE → COUVERTURE.

Tuileries *(palais des)* → LOUVRE.

TULA DE ALLENDE, v. du Mexique (État de Hidalgo); 3 400 hab. Elle abrite les vestiges de l'ancienne Tollan, capitale des Toltèques, fondée au Xe s. et détruite au XIIe s. Le monument le plus intéressant est la pyramide — au revêtement en partie conservé — surmontée par le temple des colonnes. Celles-ci, ornées de guerriers sculptés en relief, soutenaient avec quatre statues colossales de guerriers le toit du vaste sanctuaire.

TULARÉMIE. — Cette maladie infectieuse, due à une bactérie, *Pasteurella tularensis,* frappe un grand nombre d'animaux (ainsi le lièvre), et l'homme s'infecte à partir de l'animal malade. La maladie est marquée par un syndrome fébrile associé à une plaie douloureuse inflammatoire ou à une angine.

TULCEA, v. de Roumanie, en bordure du delta du Danube; 47 000 hab.

TULÉAR, port de Madagascar, ch.-l. de prov., sur la côte sud-ouest de l'île; 39 000 hab.

TULIPE. — Issue d'un oignon pérennant, la partie aérienne de la tulipe ne comprend guère que deux larges feuilles embrassant une fleur unique à six pièces périanthaires («tépales») vivement colorées.

Les Pays-Bas se sont fait une importante spécialité horticole de la culture et de la création de variétés nouvelles et ornementales de la tulipe. (Famille des liliacées.)

TULIPIER. — C'est à la ressemblance de ses fleurs avec des tulipes que cet arbre d'origine américaine, aux feuilles curieusement tronquées, au bois utile et léger, doit son nom usuel. (Genre *Liriodendron;* famille des magnoliacées.)

TULLE (19000), ch.-l. du départ. de la Corrèze, sur la Corrèze, à 464 km au S. de Paris; 21 634 hab. *(Tullistes).* Cathédrale, mutilée, des XIIe-XIVe s.; musée dans le cloître et ses dépendances. Vieilles demeures. Manufacture d'armes. Constructions électriques. — Les Allemands y exécutèrent 99 otages le 9 juin 1944.

Tullianum, prison de la Rome antique, qui daterait, selon la tradition, d'Ancus Martius. C'est là que furent incarcérés Jugurtha et Vercingétorix. Les salles souterraines de la prison Mamertine, au flanc méridional du Capitole, sont identifiées avec le Tullianum.

TULLINS (38210), ch.-l. de cant. de l'Isère, à 28,5 km au N.-O. de Grenoble; 5 703 hab.

TULLUS HOSTILIUS, troisième roi de Rome, que la tradition fait régner de 672 à 641 av. J.-C. Comme Romulus, il fut un roi guerrier. Il conquit Albe* (épisode du combat entre les Horaces* et les Curiaces) et intégra les Albains à l'*Urbs.* Il fit construire pour les réunions du sénat la Curie *(Curia Hostilia).*

TULSA, v. des États-Unis (Oklahoma), sur l'Arkansas; 328 000 hab. Centre pétrolier.

TULSĪ DĀS, poète mystique indien (v. 1532 - v. 1623). Il est l'auteur de nombreuses œuvres historiques, philosophiques et poétiques, dont la principale, *le Lac de la vie de Rāma,* fondée sur le *Rāmāyaṇa* de Vālmīki, jouit encore d'une immense popularité.

ṬŪLŪNIDES, dynastie de gouverneurs autonomes de l'Égypte

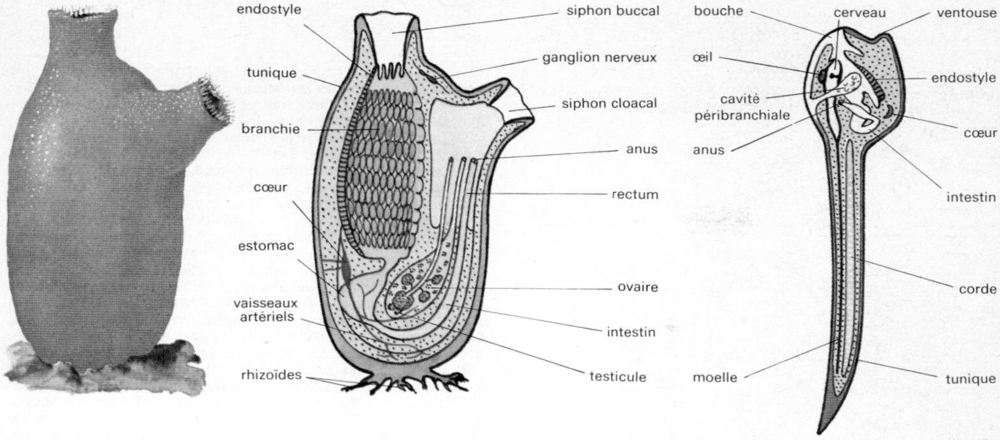

ascidie (coupe sagittale) coupe d'une larve d'ascidie

TUNICIERS

(868-905), fondée par Ahmad ibn Ṭūlūn (de 868 à 884). Celui-ci fait partie d'une famille d'esclaves turcs au service des 'Abbāssides*. Ayant obtenu la gestion financière de l'Égypte et de la Syrie, il se rend pratiquement indépendant des 'Abbāssides, dont il rejette complètement la domination après la conquête de la Syrie (878). Les 'Abbāssides rétablissent leur aurorité sur l'Égypte en 905.

TUMACO, port de Colombie, sur le Pacifique; 71 000 hab.

TUMB (*Grande* et *Petite*), îles du détroit d'Ormuz, dans le golfe Persique. Elles ont été occupées en 1971 par les forces iraniennes.

TUMEUR. — La prolifération de cellules vivantes en dehors des phénomènes normaux de la croissance aboutit à des tissus néoformés, ou néoplasmes. Il existe deux types principaux de tumeurs : les *tumeurs bénignes* (fibromes, adénomes), où l'architecture générale des tissus est conservée et où il n'y a pas de cellules monstrueuses, et les *tumeurs malignes,* ou *cancers** (épihéliomas, sarcomes). Dans tous les cas douteux, seul l'examen histologique permet le diagnostic entre ces deux types de tumeurs.

TUNGSTÈNE. — Découvert par Scheele en 1781, c'est l'élément chimique n° 74, de masse atomique W = 183,92 (wolfram). C'est un solide blanc d'étain, de densité élevée (19,2) et qui ne fond qu'à 3 410 °C. Il résiste bien à l'action des acides, mais est attaqué par le chlore. Son composé le plus important est l'anhydride tungstique, WO_3 (poudre jaune insoluble), auquel correspondent plusieurs acides et sels. En réduisant par l'hydrogène les tungstates alcalins, on obtient les bronzes de tungstène, poudres d'aspect métallique, de couleurs variées, utilisées dans la décoration.

TUNICIERS. — Les tuniciers constituent un groupe nombreux d'animaux marins, dont beaucoup sont très communs. Leur autre nom (urocordés) signale l'existence d'une corde dorsale à l'arrière du corps, au moins chez la larve, ce qui apparente les tuniciers aux vertébrés. Mais ces étranges animaux ont, par ailleurs, un trait commun avec les végétaux : la tunique qui les enveloppe est cellulosique. La classe des ascidies rassemble la plupart des espèces de tuniciers. Ce sont des animaux fixés, parcourus par un courant d'eau en sens unique et dont le grillage branchial agit comme un filtre, retenant le plancton dont se nourrit l'ascidie. Le cœur bat alternativement dans un sens et dans un autre. Les excreta ne sont pas rejetés, mais simplement accumulés. Le sang contient du vanadium et de l'acide sulfurique. La larve ressemble à un têtard de grenouille et, comme celui-ci, résorbe sa queue lors de la métamorphose. De nombreuses ascidies se multiplient par bourgeonnement en formant des colonies.

Les salpes, les doliolides et les pyrosomes sont des formes nageuses groupées en colonies, aux individus (zoïtes) parfois diversement spécialisés. Les appendiculaires conservent un aspect larvaire et se fabriquent une tunique nidamentaire au sein de laquelle ils nagent librement.

TUNIS, en ar. **Tūnus,** capit. de la Tunisie, au fond du *golfe de Tunis* (formé par la Méditerranée); environ 1 million d'hab. pour l'agglomération.

GÉOGRAPHIE. Tunis comptait un peu plus de 100 000 habitants à l'arrivée des Français en 1881; elle a connu une croissance rapide pendant la période coloniale.

Le départ de la majorité des Européens (près de 200 000 alors) au moment de l'indépendance, en 1956, n'a pas ralenti cette progression, mais celle-ci ne s'est pas accompagnée d'un essor parallèle des fonctions économiques de la ville. Tunis regroupe approximativement le cinquième des habitants du pays, dont elle est la métropole incontestée au point de vue administratif, commercial (grâce aussi à l'avant-port de La Goulette et à l'aéroport d'el-Aouïna) et industriel.

HISTOIRE. Tunis se développe à partir du faubourg de *Tynès,* après la conquête arabe de Carthage* (698). Centre économique actif, la ville devient la capitale de l'Ifrīqiya* (1160) après la destruction de Kairouan. Elle est, à l'époque ḥafṣide* (1229-1574), un brillant foyer de civilisation. Assiégée par les troupes de Louis IX en 1270, âprement disputée entre les corsaires turcs et les Espagnols de 1534 à 1574, elle demeure la capitale de la Tunisie sous les dominations ottomane puis française et après l'indépendance.

BEAUX-ARTS. Mosquée al-Zaytūna, fondée en 732, reconstruite au IXe s., au décor intérieur de 1637-38. Nombreux monuments dus à la dynastie ḥafṣide et aux Ottomans. Musées, dont le musée archéologique du Bardo (mosaïques* romaines).

TUNISIE, État de l'Afrique du Nord, sur la Méditerranée; 155 830 km²; 5 770 000 hab. *(Tunisiens).* Capit. *Tunis.*

Lovat - Atlas - Photo

Tunis. L'avenue Habib-Bourguiba et le lac de Tunis.

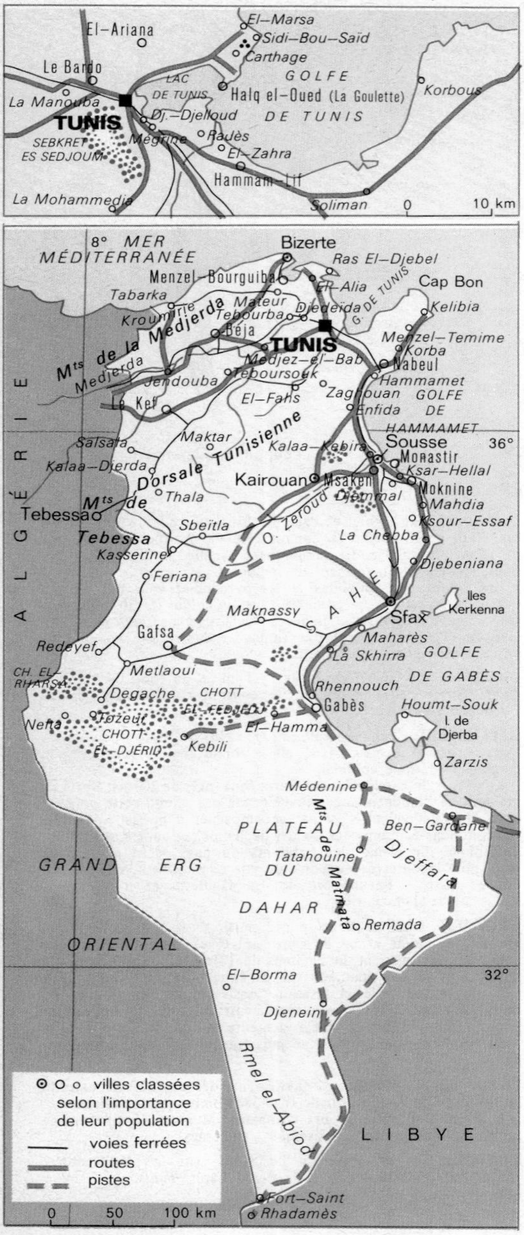

TUNISIE

GÉOGRAPHIE. La partie septentrionale du pays, relativement arrosée, jouit d'un climat méditerranéen (Tunis : moyenne de janvier, 10,4 °C; de juillet, 26 °C; précipitations annuelles, 420 mm) qui se dégrade vers le sud. Les monts de la Medjerda, dominant l'étroite plaine côtière, au nord, et la Dorsale tunisienne prolongée par le cap Bon, au sud, encadrent la vallée de la Medjerda. La relative humidité permet la croissance de la forêt de chênes verts, dégradée en garrigue ou en maquis. Au-delà de la Dorsale tunisienne, la hauteur des précipitations est inférieure à 200 mm par an et le climat devient semi-aride, puis désertique. Le Sud tunisien s'étend sur un ensemble de plateaux steppiques et désertiques et de dépressions endoréiques occupées par des chotts (Djérid, Rharsa), bordé à l'est par un littoral bas et sableux.

La population, composée principalement d'Arabes et de Berbères, est islamisée (les Européens ne sont plus qu'environ 50 000). Elle s'accroît à un rythme très rapide (2,5 p. 100 par an), en raison d'un taux de natalité élevé, que le gouvernement cherche à réduire.

Le Sud regroupe à peine le dixième des habitants, qui vivent de la culture du palmier-dattier dans les oasis (Tozeur, Nefta, Gabès) ou de l'élevage ovin nomade dans les étendues steppiques. C'est donc au nord que se concentre l'essentiel de la population et de l'activité économique, dans laquelle l'agriculture occupe une place prépondérante. On y pratique les cultures traditionnelles des céréales, de la vigne et de l'olivier. Depuis la décolonisation, la production de vin décline au profit des cultures maraîchères et fruitières. L'élevage bovin progresse; la pêche apporte un complément de ressources.

Le développement industriel demeure limité. Les ressources du sous-sol sont variées, mais peu importantes. De modestes gisements de fer, de plomb et de zinc alimentent une petite métallurgie. Les phosphates de la région de Gafsa sont traités dans des usines, notamment à Tunis. La production pétrolière est faible, mais le port de La Skhirra exporte une partie du pétrole algérien. Des industries légères (huileries, brasseries, textiles) se localisent dans les principales villes : Kairouan et les ports de Bizerte, de Sousse, de Sfax et de Tunis. Le pays doit importer des biens de consommation et d'équipement, et exporte des matières premières. Le déficit de sa balance commerciale est en partie comblé par le tourisme. Mais le niveau de vie moyen de la population reste bas, surtout dans le Sud, et le gouvernement tente de remédier au chômage qui sévit dans les villes en attirant les capitaux étrangers.

HISTOIRE.

• *La Tunisie antique.* Les Phéniciens* fondent, avant la fin du IXe s. av. J.-C., Utique* et Carthage*. Cette dernière impose, au VIe s., sa suzeraineté aux comptoirs phéniciens de la Méditerranée occidentale. Le territoire de l'actuelle Tunisie, peuplé de Berbères*, est mis en valeur par les Carthaginois, qui préparent ainsi la prospérité de la province d'Afrique (v. AFRIQUE ROMAINE et NUMIDIE), constituée par Rome après la destruction de Carthage (146 av. J.-C.). La romanisation et l'urbanisation reculent après la période de grande prospérité du règne des Sévères (193-235). Lors de l'occupation vandale (429-533), une partie des Berbères romanisés retournent à leurs coutumes antiques, le nomadisme se développe dans les campagnes, et le christianisme, florissant aux IIIe-IVe s., régresse. La reconquête byzantine (533-647) ne peut pas enrayer cette évolution.

• *L'Ifrīqiya arabe.* Après un premier raid en Byzacène (647), les Arabes conquièrent l'Ifrīqiya* de 669 à 705. Kairouan*, fondée en 670, devient la résidence des gouverneurs omeyyades puis ‘abbāssides. Carthage tombe en 698. La conquête arabe réintroduit l'Ifrīqiya, alors en régression, dans les courants de l'économie mondiale. Les villes anciennes développent leurs activités, des couvents fortifiés (Sousse, Monastir, Sfax) sont créés sur la côte, ainsi que des villes-relais aux débouchés des routes caravanières vers le Soudan. Les Arhlabides* (800-909), qui ont conquis la Sicile, sont éliminés par les Fāṭimides*, qui, après la conquête de l'Égypte (969), abandonnent l'Ifrīqiya à leurs vassaux zīrides*. Dans la seconde moitié du XIe s., les invasions des Banū Hilāl* ruinent le pays. Les Zīrides, indépendants depuis 1051, se réfugient alors à Mahdia. L'Ifrīqiya est définitivement coupée de l'Orient islamique. Les Almohades*, après avoir chassé (1160) les Normands, qui occupaient presque tout le littoral de Sfax à Gabès, gouvernent le pays jusqu'à ce que les Ḥafṣides* (de 1229 à 1574) rejettent l'autorité de Marrakech. Tunis*, la capitale ḥafṣide, se développe grâce au commerce, alors aux mains des Vénitiens, des Génois, des Aragonais ou des Siciliens.

• *La Tunisie coloniale.* À l'issue des luttes qui opposent, depuis le début du XVIe s., les corsaires et la flotte ottomane aux Espagnols, les pachas d'Alger et de Tripoli conquièrent la Tunisie, érigée en 1574 en *pachalik* ottoman. La Tunisie est, en fait, gouvernée à partir de 1590 par un *dey,* élu par la milice des janissaires, puis éclipsé au XVIIIe s. par le *bey.* Les beys de la dynastie ḥusaynide règnent sur la Tunisie de 1705 à 1957. Au XIXe s., le pays connaît de graves problèmes économiques et financiers : la course, qui avait été prospère aux XVIe et XVIIe s., ne lui procure plus de revenus. Les ports sont ouverts au commerce européen, et l'artisanat tunisien est dangereusement concurrencé par les produits manufacturés européens. Aḥmad bey (de 1837 à 1855) et Muḥammad al-Ṣadūq (de 1859 à 1882) engagent de grosses dépenses pour la modernisation du pays, qu'ils conduisent à la banqueroute. La France impose le traité du Bardo (1881), établissant le protectorat français sur la Tunisie (1881-1956), tout en laissant au bey l'apparence de la souveraineté. L'opposition nationaliste, qui s'est déjà manifestée en 1911 lors de la conquête de la Tripolitaine par les Italiens, s'organise peu à peu (création du Destour* en 1920, du Néo-Destour en 1934) et se radicalise après la Seconde Guerre mondiale, durant laquelle la Tunisie a été occupée par les forces de l'Axe (nov. 1942-mai 1943). La détérioration de la situation, à partir de 1952, amène Mendès France à accorder l'autonomie interne au pays (1954), qui accède à l'indépendance en 1956.

• *La Tunisie indépendante.* Bourguiba* renverse le bey et fait proclamer la république (1957), dont il devient le président. Il fait du Néo-Destour, devenu le parti socialiste destourien (1964), le parti unique, éliminant le parti communiste (1963) et étouffant l'opposition étudiante et syndicale. Il met en œuvre son programme de laïcisation des institutions (enseignement, statut civil, etc.). Un plan décennal est adopté (1961-1969), puis abandonné à cause de l'opposition que rencontre la création des coopératives. En 1977, les tensions sociales et l'agitation syndicale s'accentuent, aboutissant à de violents affrontements avec les forces de l'ordre en janvier 1978.

Les relations avec la France, d'abord difficiles à cause de la guerre d'Algérie, de l'occupation de Bizerte* (jusqu'en 1963) et de la nationalisation des terres des colons (1964), s'améliorent après 1966. La Tunisie reçoit une importante aide économique des États-Unis. Bourguiba entend affirmer l'originalité de la Tunisie au sein du monde arabe et adopte une attitude critique vis-à-vis du nationalisme arabe, surtout à l'époque de Nasser.

DÉFENSE ET ARMÉES

1956 : création de l'armée tunisienne.
1963 : évacuation de Bizerte par les forces françaises.

• Les forces tunisiennes en 1977. Budget : 91 millions de dollars. Service militaire sélectif de douze mois. Effectif total : 20 000 hommes, dont 13 000 conscrits, plus 5 000 gendarmes et 4 000 hommes de la garde nationale.
Armée : 16 000 hommes.
Marine : 2 000 hommes; 1 escorteur, 4 patrouilleurs.
Aviation : 2 000 hommes, 20 avions de combat.

Tunisie *(campagne de)* [1942-43], une des campagnes de la Seconde Guerre* mondiale. Au lendemain du débarquement américain au Maroc et en Algérie (9 nov. 1942), les Allemands, commandés par le général Jurgen von Arnim (1889-1962), débarquent sur l'aérodrome de Tunis-el-Aouïna et obligent les Français à se replier sur Medjez-el-Bab. Les Alliés ne réussissent pas à entamer cette tête de pont allemande et, à la fin de janvier 1943, von Arnim, au nord, et Rommel, au sud (replié de Libye sur la ligne Mareth), passent à l'offensive. Les Allemands s'emparent du col du Faïd (30 janv.), prennent Sbeïtla et Gafsa et, après avoir franchi le col de Kasserine, en direction de Tébessa (20 févr.), sont bloqués par les Alliés, tandis que Montgomery entre en Tunisie. Après avoir lancé sans succès une contre-attaque en direction de Médenine (6 mars), Rommel est rappelé en Europe, et les Alliés, commandés par Alexander, prennent à leur tour l'offensive. La ligne Mareth est tournée, Gabès est repris (28 mars) et les troupes de l'Axe doivent se replier en hâte dans la presqu'île du cap Bon, où elles sont contraintes de capituler le 13 mai 1943 (250 000 prisonniers, dont un tiers d'Allemands).

TUNJA, v. de Colombie, à 2 800 m d'alt., dans la Sierra orientale; 69 000 hab.

TUNNEL. — Un tunnel est le plus souvent de forme circulaire ou ovoïde, et son revêtement est construit en maçonnerie, en béton coulé, en béton projeté ou en voussoirs de béton préfabriqués. L'ouvrage est exécuté en tranchée ouverte s'il se situe à une faible profondeur, en souterrain dans le cas contraire. Lorsque la section du tunnel est inférieure à 15 ou 20 m^2, la galerie souterraine se creuse à *section entière* et le revêtement s'exécute par *rouleaux,* en suivant d'aussi près que possible le chantier d'excavation. Pour des dimensions supérieures, on commence par creuser une petite galerie à la clef de voûte, à partir de laquelle on excave le terrain, en exécutant successivement les revêtements de la clef, de la voûte, des pieds-droits et du radier. Quand le tunnel est de grande largeur, l'évacuation des déblais se fait par des puits de service. Des dispositifs sont prévus pour l'évacuation des venues d'eau et le chantier est ventilé. Pour éviter les éboulements de terrain, avant l'exécution du revêtement, on étaie et on blinde les parois de terre; dans certains cas, on les consolide par « gunitage » ou « cloutage de la roche ». Une fois le revêtement achevé, on injecte dans le terrain des « coulis », en général à base de ciment et de sable, qui ont pour effet de remplir les excavations entre le revêtement et le terrain, et de consolider ce dernier. La méthode du *cheminement au bouclier* consiste à enfoncer horizontalement dans le sol, à l'aide de vérins prenant appui sur le revêtement du tunnel terminé, un bouclier métallique circulaire d'une dizaine de mètres de diamètre, en même temps qu'on excave le terrain à l'avant du bouclier. Le revêtement s'exécute ensuite par anneaux en voussoirs de béton préfabriqués, à mesure que l'appareil avance.

Les *tunnels sous-fluviaux* se creusent de deux façons : l'une consiste à foncer des caissons à air comprimé ayant la forme du tunnel et pourvus de chambres de travail, l'autre à amener sur place par flottage des tronçons de tunnel que l'on échoue à la suite les uns des autres à l'aide de pontons flottants.

TUPAÏA. — Les tupaïas ont l'aspect et le mode de vie des écureuils, mais leur denture et leur régime alimentaire font voir en eux des insectivores. Leur pouce opposable, tant aux pattes de devant qu'à celles de derrière, le grand développement de l'œil et du cerveau les rapprochent nettement de certains primates tels que le tarsier. Ils vivent en Indonésie.

TUPOLEV ou **TOUPOLEV** (Andreï Nikolaïevitch), ingénieur soviétique (Poustomazovo 1888 - Moscou 1972). Spécialiste de l'aérodynamique, il créa l'Institut central hydroaérodynamique (Ts. AGI) et conçut un très grand nombre d'appareils, dont, en 1933, le *Maxime-Gorki* (ANT 20), qui fut le plus grand avion de l'époque.

TUQUE (La), v. du Canada (Québec), au N.-O. de Québec; 13 099 hab. Centrale hydroélectrique sur le Saint-Maurice. Usine de pâte à papier.

TURA (Cosme), peintre italien (Ferrare v. 1430 - *id.* 1495). Influencé par Mantegna, par Donatello et, sans doute, par Van der Weyden, peintre à la cour de Ferrare* à partir de 1457, il développe un style caractérisé à la fois par l'acuité graphique et la densité des volumes, aboutissant à une tension capricieuse et pathétique (polyptyque Roverella, v. 1474 : lunette avec une *Pietà* au Louvre, partie centrale avec la *Vierge à l'Enfant entourée d'anges musiciens* à la National Gallery de Londres).

TURANG TEPE, site archéologique d'Iran, au S.-E. de la mer Caspienne, dont l'occupation a été continue du VIe millénaire à l'époque mongole. En plus de diverses phases de céramiques, on y observe, vers 2500 av. J.-C., des changements profonds (murs de pisé remplaçant ceux de brique crue, forme de foyers et coutumes funéraires différentes), probablement dus à l'arrivée d'une population indo-européenne.

TURBALLE (La) [44420], comm. de la Loire-Atlantique, à 13,5 km au N.-O. de La Baule-Escoublac; 3 127 hab. Pêche.

TURBELLARIÉS → PLANAIRE.

TURBIDITÉ. — Les *courants de turbidité* se déclenchent sur le fond des océans, notamment sous l'influence des séismes. Ce sont des écoulements boueux, chargés de particules grossières, qui exercent une action érosive intense, creusant des chenaux. Ils peuvent arracher les câbles sous-marins. Ils sont responsables du dépôt des *turbidites,* sédiments détritiques caractérisés par un classement vertical des débris en fonction de leur taille.

TURBIE (La) [06320 Cap d'Ail], comm. des Alpes-Maritimes, à 13 km au S.-O. de Menton; 1 826 hab. Ruines d'un monument romain en l'honneur d'Auguste (« trophée des Alpes »).

TURBIGO, v. d'Italie (Lombardie), sur le Tessin; 6 000 hab. Victoires françaises sur les Autrichiens pendant les campagnes d'Italie de 1800 et de 1859.

TURBINE. — • La *turbine hydraulique* utilise l'énergie*, potentielle ou cinétique, d'une chute d'eau, ce qui permet de produire une puissance* d'autant plus grande que la chute est plus haute et son débit plus important. Suivant les caractéristiques de la chute utilisée, la turbine est équipée de roues différentes. Une *roue Pelton* possède, à sa périphérie, une vingtaine d'augets à échancrure médiane, en forme de double cuiller. On l'emploie pour les hautes chutes (de 1 800 à 500 m), et on obtient jusqu'à 200 MW sur une seule roue. Une *roue Francis* comprend une quinzaine d'aubages fixes, disposés entre deux flasques contenant des aubages directeurs à incidence variable. On l'utilise pour des chutes moyennes (de 500 à 60 m), et on peut obtenir 500 MW sur une seule roue. Une *roue Kaplan* a l'allure d'une hélice*, avec trois à huit pales à pas variable montées sur un très gros moyeu. On l'utilise pour les basses chutes (de 60 à 2 ou 3 m), et on peut obtenir 20 MW par roue. Sous forme immergée, la roue Kaplan constitue un *groupe bulbe*.* (V. illustr. p. 1882.)

• La *turbine à vapeur* utilise l'énergie interne contenue à l'intérieur d'un volume donné de vapeur* d'eau préalablement chauffée et mise sous pression. La puissance obtenue dépend essentiellement du débit de vapeur, ainsi que de ses caractéristiques physiques, lues sur un diagramme de Mollier. Avec un débit de vapeur de 1 800 t/h, on peut facilement obtenir une puissance de 600 MW. Une turbine à vapeur fonctionne, aux pertes près, avec un volume d'eau constant. L'eau, liquide dans les conditions ambiantes, est successivement chauffée (vers 560 °C) et mise sous pression (165 bar); elle se trouve alors à l'état de vapeur surchauffée. Elle est détendue dans une série de roues à l'intérieur desquelles elle perd un peu de son énergie cinétique. Les installations de puissance possèdent de 40 à 100 roues. Toutes ces roues sont généralement montées sur un arbre unique, tournant à 3 000 tr/mn (en Europe, courant électrique à 50 Hz) ou 3 600 tr/mn (aux États-Unis, courant électrique à 60 Hz). On s'efforce d'obtenir de 1 000 à 1 200 MW, et même davantage, dans les centrales* nucléaires en cours d'installation ou d'aménagement dans le monde entier. Afin d'accroître l'écart des caractéristiques physiques entre la vapeur vive (pression et température élevées) et la vapeur détendue, on utilise un condenseur, c'est-à-dire un échangeur* de chaleur à circulation d'eau froide, ce qui permet une détente jusqu'à 40 ou 50 mbar. Chaque installation à vapeur est complétée par un régulateur (pour maintenir constant le régime de rotation) et un vireur (pour maintenir, une fois l'admission de vapeur interrompue, l'arbre à 100 tr/mn aussi longtemps que cela est nécessaire, à cause des contraintes d'ordre thermique).

• La *turbine à gaz* utilise la détente* d'un fluide* gazeux entre une source chaude et une source froide, mais alors le fluide n'est pas condensable. Une telle installation comprend un compresseur, une turbine, une chambre* de combustion et un arbre sur lequel on recueille la puissance utile. Le fluide est préalablement comprimé, puis échauffé dans la chambre de combustion et détendu au travers d'une ou de plusieurs roues de turbine. Le paramètre essentiel est la différence entre les températures minimale (correspondant au fluide à l'entrée) et maximale (limitée à une valeur compatible avec la tenue des matériaux utilisés). Les applications sont nombreuses, dans des domaines très variés, et souvent le langage commun précise la fonction. En aéronautique, on installe des turboréacteurs sur les avions* à réaction* (avec utilisation de la variation d'énergie cinétique des gaz) et des turbopropulseurs (turbine à gaz avec hélice) sur des avions de deuxième niveau. Un turbomoteur est une turbine à gaz adaptée pour l'entraînement d'un rotor* d'hélicoptère, des roues d'une locomotive* ou bien d'une hélice marine. Dans le domaine énergétique, le montage d'un alternateur en bout d'arbre permet la production d'énergie électrique : on réalise jusqu'à 40 MW. Dans le domaine pétrolier, l'installation d'une pompe* en bout d'arbre permet d'obtenir une *turbopompe,* utilisable pour faire circuler les hydrocarbures à l'intérieur d'un oléoduc ou d'un gazoduc. Dans le domaine automobile, la turbine à gaz est applicable sous la forme d'un compresseur centrifuge qui aspire de l'air et le refoule sous pression dans un échangeur* de chaleur, où il est porté à haute température (de 700 à 900 °C), de telle manière que, parvenu dans la chambre de combustion, constamment alimentée en kérosène, il forme un mélange qui s'enflamme spontanément. Les gaz brûlés se détendent en actionnant une turbine primaire, ou *turbine de compression* à haute pression, une partie de la puissance produite servant à faire tourner le compresseur, et l'autre actionnant une turbine secondaire, ou *turbine de puissance* à basse pression, qui fait tourner l'arbre moteur par l'intermédiaire d'un réducteur de vitesse à engrenages. Les gaz brûlés sont conduits dans un échangeur de chaleur, où ils se refroidissent avant de s'échapper dans l'atmosphère.

TURBOFORAGE → FORAGE.

TURBOMACHINE. — Les turbomachines groupent l'ensemble des propulseurs conçus à partir d'une turbine à gaz.

• Les *turboréacteurs* sont des propulseurs à réaction. Dans leur forme la plus simple, ils comportent un compresseur, une chambre* de combustion, une turbine* et une tuyère* d'éjection. L'air extérieur est comprimé dans le compresseur, puis assure la combustion du carburant* dans la chambre de combustion. Les gaz de combustion se détendent dans la turbine qui entraîne le compresseur, puis dans la tuyère, en créant la poussée du moteur. En dehors de certains turboréacteurs de faible poussée, qui ont un compresseur centrifuge, on fait le plus souvent appel à des compresseurs axiaux, dont le nombre d'étages varie en fonction des performances du moteur et peut aller jusqu'à 17. Les chambres de combustion sont généralement de forme annulaire; la température du mélange gazeux qui en sort est limitée par la tenue des aubes de turbine, qui, de plus, sont soumises à des contraintes dues aux forces centrifuges. Pour améliorer les performances, sur les moteurs les plus récents, on refroidit les aubes de turbine par une circulation interne d'air prélevé sur un étage intermédiaire du compresseur. Les turbines comportent de un à trois étages, en fonction de la puissance du turboréacteur. La tuyère assure la détente des gaz issus de la turbine; sa forme est convergente sur les moteurs subsoniques et convergente-divergente sur les moteurs supersoniques. La tuyère est associée à un inverseur de poussée constitué par des obstacles que l'on braque pour défléchir le jet vers l'avant et exercer une action de freinage. Sur les moteurs pour avions de transport civils, elle comporte également un silencieux, afin de réduire le bruit au décollage* et à l'atterrissage*. Sur les avions militaires, on obtient un appoint de poussée pendant de courtes périodes en réinjectant du carburant dans la tuyère, que l'on brûle avec l'oxygène restant dans les gaz de combustion; c'est la technique de postcombustion*, qui entraîne un accroissement de la consommation spécifique. Le principe du turboréacteur se complique dans la formule double-flux. La turbine comporte deux éléments, le premier entraînant toujours le compresseur et le second entraînant une soufflante placée en avant du compresseur; l'air aspiré par la soufflante est décomposé en deux flux, le *flux principal,* qui passe dans le compresseur et qui suit l'ensemble du cycle thermodynamique, et le *flux secondaire,* directement éjecté à l'extérieur à la sortie de la soufflante. Le rapport des débits du flux secondaire au flux principal, ou *rapport de dilution,* peut atteindre 5 sur les moteurs les plus évolués. Les avantages de ce type de turboréacteur sont un abaissement important de la consommation

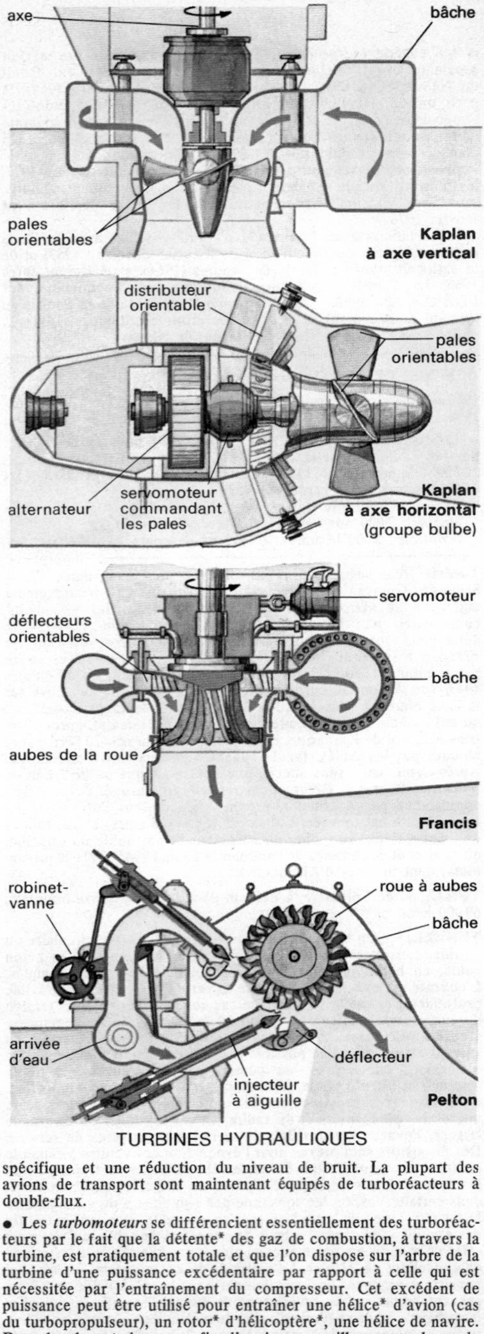

TURBINES HYDRAULIQUES

spécifique et une réduction du niveau de bruit. La plupart des avions de transport sont maintenant équipés de turboréacteurs à double-flux.

• Les *turbomoteurs* se différencient essentiellement des turboréacteurs par le fait que la détente* des gaz de combustion, à travers la turbine, est pratiquement totale et que l'on dispose sur l'arbre de la turbine d'une puissance excédentaire par rapport à celle qui est nécessitée par l'entraînement du compresseur. Cet excédent de puissance peut être utilisé pour entraîner une hélice* d'avion (cas du turbopropulseur), un rotor* d'hélicoptère*, une hélice de navire. Dans la plupart des cas, afin d'avoir une meilleure souplesse de fonctionnement, la turbine comporte deux ensembles séparés, l'un relié au compresseur, l'autre au récepteur mécanique. Certains turbomoteurs, comme le TURMO III de Turboméca, ont des applications très variées : hélicoptère « Super-Frelon », avion à décollage court Breguet « 941 », Turbotrain de la S. N. C. F., etc.

TURBOMOTEUR → TURBINE, TURBOMACHINE.

TURBOPOMPE → FUSÉE, TURBINE.

TURBOPROPULSEUR → ESSENCE, HÉLICE, TURBINE.

TURBORÉACTEUR → FUSELAGE, POSTCOMBUSTION, PROPULSION PAR RÉACTION, TURBINE, TURBOMACHINE, TUYÈRE.

TURBOT. — Ce poisson pleuronecte* vit couché sur le côté droit, les deux yeux se plaçant sur le côté gauche. Couvert d'une peau rugueuse et doué d'une aptitude remarquable à l'homochromie*, il constitue un comestible recherché.

TURBOTRAIN → TURBOMACHINE.

TURBULENCE. — Dans les cours d'eau, les conduites industrielles, etc., les écoulements sont en général turbulents. Osborne Reynolds a étudié le passage de l'écoulement laminaire à l'écoulement turbulent. Il a établi l'importance d'un nombre *(nombre de Reynolds)* dont la valeur conditionne ce passage. On définit le *niveau de turbulence* comme le rapport de la vitesse quadratique moyenne à la vitesse du mouvement moyen.

TURC. — Apparentées au mongol et au toungouse, les langues turques forment un groupe très homogène, caractérisé par un fond de vocabulaire commun (avec des influences arabes et persanes plus ou moins marquées), une morphologie très régulière, l'absence de genre grammatical et l'utilisation de suffixes qui s'agglutinent à la racine pour indiquer les catégories grammaticales. Outre la Turquie (plus de 30 millions de locuteurs) et une partie du Caucase (azeri d'Azerbaïdjan, 7 millions de locuteurs), le domaine du turc s'étend en Asie centrale soviétique (kazakh, 5 millions de locuteurs; ouzbek, 7 millions; kirghiz, 2 millions; turkmène, 1 million) et dans le Sin-kiang. D'autre part, il existe des îlots moins importants de la Volga à la Sibérie (Tchouvaches, Tatars* de Kazan, Bachkirs, Iakoutes). Après s'être écrit avec des caractères arabes qui convenaient mal à son vocalisme très riche, le turc s'écrit depuis 1928 avec l'alphabet latin. Les langues turques de l'U. R. S. S. s'écrivent avec l'alphabet cyrillique.

Turcaret, comédie en prose de Lesage (1709). Un ancien laquais, sans esprit ni probité, est parvenu à faire fortune, mais il est berné à son tour par des aventuriers pires que lui.

TURCKHEIM (68230), comm. du Haut-Rhin, sur la Fecht, à 7 km à l'O. de Colmar; 3 609 hab. Anc. ville forte. Papeterie.

TURCS, groupes humains parlant des langues turques. Sortis sans doute de l'Altaï, les Turcs ont occupé dans un premier temps les forêts sibériennes et les steppes mongoles et eurasiatiques (de l'Ob à la Caspienne). Ils dominent aujourd'hui dans la république de Turquie, ainsi que dans les républiques socialistes soviétiques d'Azerbaïdjan, du Turkménistan, d'Ouzbékistan et du Kirghizistan; ils forment des minorités plus ou moins importantes dans les autres républiques de l'U. R. S. S., en Chine (Sin-kiang), en Iran (Azerbaïdjan) et même en Europe (Turcs des Balkans). De religion chamaniste à l'origine, ils ont été touchés par le bouddhisme et le christianisme nestorien, mais sont aujourd'hui musulmans.

On emploie en général le terme de « Proto-Turcs » pour désigner plusieurs confédérations nomades qui se sont formées en haute Asie (Hiong-nou*, Tabghatchs ou T'o-pa) avant la formation de l'empire des T'ou-kiue (VIe-VIIIe s.). Cet empire immense, qui s'étendait jusqu'aux frontières de la Perse sassanide, est divisé entre les T'ou-kiue occidentaux et les T'ou-kiue orientaux. Ces derniers sont éliminés par les Ouïgours*, alliés à la Chine des T'ang. À cette époque divers peuples turcs gagnent le Sud-Est européen : les Bulgares, les Khazars*, les Petchenègues*, les Coumans, ou Qiptchaks. La conquête arabe porte l'islām jusqu'en Asie centrale et jusqu'au Fergana, après la victoire du Talas (751). Les 'Abbāssides* font des achats massifs d'esclaves et de mercenaires turcs *(mamelouks)*, qui joueront un rôle de plus en plus important dans le monde musulman (dynasties des Ṭūlūnides* et des Mamelouks* en Égypte, des Rhaznévides* en Afghānistān et en Inde). L'émirat sāmānide* contient, au Xe s., la poussée des Turcs de la steppe — qui adoptent l'islām à son contact —, avant d'être anéanti par les Karakhānides (v. 960 - v. 1140) et les Rhaznévides. Les Seldjoukides* déferlent au XIe s. sur l'Iran, la Mésopotamie, la Syrie et l'Anatolie, suivis par une masse de tribus turques, qui feront de l'Asie Mineure et de l'Azerbaïdjan des terres turques. La conquête mongole, dont les Turcs ont été les premières victimes, a finalement établi solidement la langue et la culture turques dans les vastes domaines de la Horde* d'Or (Crimée, région de la Volga, Sibérie) et du khānat de Djaghataï (futurs Turkestans* russe et chinois). À l'ouest, les Ottomans* ont étendu leur domination jusqu'aux portes de Vienne et aux rivages de l'Afrique du Nord (XVIe s.), avant de se replier, au XXe s., sur la seule Turquie.

TURDIDÉS. — La famille des turdidés rassemble des passereaux très connus, tels que les merles, la grive, le rossignol, le rouge-gorge, le rouge-queue et le traquet. Ce sont des oiseaux au bec fin, plus insectivores que frugivores, généralement migrateurs, fort doués pour le chant et pour la construction des nids.

TURENNE (Henri DE LA TOUR D'AUVERGNE, *vicomte* DE), maréchal de France (Sedan 1611 - Sasbach 1675). Issu d'une famille calviniste, il sert en Hollande. Durant la guerre de Trente Ans, il manifeste des qualités militaires exceptionnelles (prise de Turin, 1640); lieutenant général en 1642, il est maréchal de France dès 1643. Ayant réorganisé l'armée d'Allemagne, il bat les Impériaux à Nördlingen (1645). Durant la Fronde*, Turenne se laisse d'abord entraîner par le parti espagnol. Mais, battu à Rethel (1650), il se rallie au parti de la Cour, dont il devient le général en chef : ses victoires à Bléneau et au faubourg Saint-Antoine rouvrent les portes de Paris au jeune roi (1652). Par la suite, ses succès à Arras (1654) et aux Dunes (1658) obligent Philippe IV à signer la paix des Pyrénées (1659) : en récompense, Turenne reçoit le titre de maréchal général des camps et armées du roi (1660); huit ans plus tard, il se convertit au catholicisme. Il se couvre encore de gloire durant les guerres de Dévolution* (prise de Charleroi et de Tournai, 1667) et de Hollande*, dirigeant l'invasion des Pays-Bas; s'il ne peut empêcher la jonction sur le Rhin de l'armée impériale avec celle du prince d'Orange, il bat Montecuccoli* à Sinzheim (1674), le rejetant derrière le Main. L'Alsace envahie, il écrase les Impériaux à Turckheim (5 janv. 1675), mais il est tué au cours de la bataille remportée par ses troupes à Sasbach (27 juill.).

TURGOT (Anne Robert Jacques), homme d'État français (Paris 1727 - *id.* 1781). Il fréquente les philosophes et s'imprègne des idées de physiocrates, de Quesnay* notamment. Intendant de Limoges (1761-1774), il transforme le Limousin par la construction de routes, la libre circulation des grains et la suppression des corvées. Il

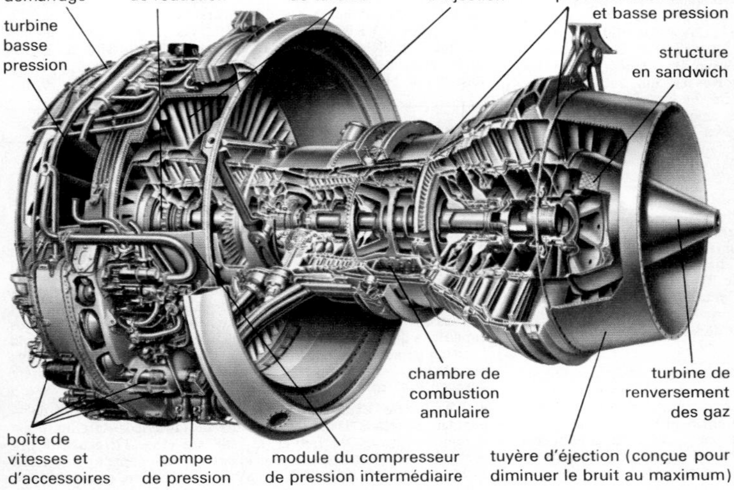

TURBOMACHINE.

Écorché d'un turboréacteur (d'après un document Rolls Royce) :
1. Fan;
2. Compresseur basse pression;
3. Compresseur pression intermédiaire;
4. Chambre de combustion annulaire;
5. Turbine reversible;
6. Compresseur haute pression.

exprime ses théories dans *Réflexions sur la formation et la distribution des richesses* (1766) : selon lui la question céréalière, dont dépend la subsistance du royaume, est le point de convergence de toutes les préoccupations économiques et financières. Nommé secrétaire d'État à la Marine et contrôleur général des Finances (juill. - août 1774), Turgot s'efforce de substituer à toutes les taxes une subvention territoriale unique et de multiplier les économies budgétaires. Il institue la liberté du commerce et de circulation des grains; en 1776, il libère le travail par la suppression des corps privilégiés (corporations*). Mais, une médiocre récolte ayant provoqué des émeutes (1775), Turgot est privé du soutien populaire, puis de celui du jeune roi, qui, impressionné par l'hostilité parlementaire et nobiliaire, se prive, dès le 12 mai 1776, des services de son ministre, dont l'œuvre est abandonnée.

TURIN, en ital. **Torino,** v. de l'italie, capit. du Piémont, sur le Pô; 1 200 000 hab. Quatrième ville du pays, traditionnel centre politique et commercial, Turin est devenue, au XXe s., une grande cité industrielle, grâce à l'essor de l'industrie automobile (dont elle est un lieu de production de niveau mondial) et des activités de sous-traitance (pneumatiques), relayant des branches plus traditionnelles (confection, alimentation, imprimerie et édition).

HISTOIRE. Ancienne colonie militaire romaine, évêché dès le Ve s., Turin fut occupée par les Lombards (apr. 569), puis annexée à l'Empire carolingien. Capitale d'une marche au Xe s., inféodée aux comtes de Savoie (XIe s.), la ville profita des querelles opposant la maison de Savoie à l'empereur et à l'évêque, pour obtenir une certaine autonomie (1136). En 1404, elle reçut son université. Occupée par les Français de 1536 à 1562, elle devint, à cette date, la capitale de tous les États de la maison de Savoie*. Bonaparte l'annexa à la France de 1801 à 1814. En 1861, Turin fut le siège de la réunion du premier Parlement italien, qui reconnut Victor-Emmanuel II roi d'Italie.

BEAUX-ARTS. La ville prend son essor à la fin du XVIe s. et à l'époque baroque : ample plan d'urbanisme en damier amorcé par Ascanio Vittozzi (1539-1615), auteur de plusieurs églises; palais Ducal, puis Royal, d'Amadeo di Castellamonte (1610-1683); chefs-d'œuvre mouvementés de Guarini* (telle la chapelle du Saint-Suaire ajoutée à la cathédrale, de la fin du XVe s.), plus sobres de Juvara* (façade du palazzo Madama, ensemble composite avec parties romaines et médiévales fortifiées)... Au XIXe s. appartient notamment la vertigineuse « Mole Antonelliana », d'Alessandro Antonelli (1798-1888). Nombreux musées : des Antiquités, Égyptien et de la galerie Sabauda (collections de la maison de Savoie, etc.) au collège des Nobles, construit par Guarini; municipal d'Art ancien au palazzo Madama; d'Art moderne; du Cinéma; etc.

TURKESTAN, région de haute Asie. Le Turkestan russe correspond à l'actuelle Asie centrale soviétique (Kazakhstan*, Kirghizistan*, Ouzbékistan*, Tadjikistan*, Turkménistan*), le Turkestan chinois au Sin-kiang*.

Les oasis qui jalonnent la « route de la soie » entre la Chine et l'Iran passent sous la domination musulmane aux VIIe-VIIIe s. La victoire arabe du Talas (751) met fin à la sinisation du Fergana. Parallèlement commence l'infiltration des Turcs*, qui deviennent les maîtres de la région du Tarim (v. OUÏGOURS), de la Kachgarie et de la Transoxiane (IXe-XIe s.). La turquisation s'achève au sein du khānat mongol djaghataïde, fondé au XIIIe s. L'ancien domaine tīmūrīde* (XVe s.) est divisé, après la conquête des Ouzbeks*, entre les khānats de Boukhara, de Khiva et de Kokand, tandis que les steppes septentrionales et du bord de la Caspienne sont le domaine des Kazakhs* et des Turkmènes*. À l'est s'étend l'empire mongol de Dzoungarie*, détruit en 1755-1759 par les Chinois, désormais maîtres du Turkestan oriental. Les Russes, qui ont établi leur protectorat sur l'Asie centrale à la fin du XIXe s., étendent leur influence sur le Turkestan chinois. Les cinq républiques soviétiques d'Asie centrale sont organisées de 1924 à 1929. Le Sin-kiang forme depuis 1955 « la région autonome ouïgoure » au sein de la république populaire de Chine.

TURKMÈNE → TURC.

TURKMÈNES, peuple turc vivant en U. R. S. S. (1 525 000, principalement au Turkménistan et en Ouzbékistan), en Afghānistān et en Iran. Ils appartenaient à la confédération des Oghouz et participèrent aux conquêtes des Seldjoukides*. Les Turkmènes établis aux confins de l'Iran et de l'Anatolie formèrent aux XIVe-XVe s. les confédérations du Mouton Noir* et du Mouton Blanc*. Les Turkmènes des rives orientales de la Caspienne, dominés par les Ouzbeks* de Khiva et de Boukhara, furent soumis par les Russes entre 1873 et 1885.

TURKMÉNISTAN, république de l'U. R. S. S., en Asie centrale; 488 100 km^2; 2 159 000 hab. Capit. *Achkhabad.* Bordée par la Caspienne, le Turkménistan s'étend essentiellement sur le Karakoum sableux, région désertique, partiellement mise en valeur par l'irrigation et consacrée surtout au coton, dont la production dépasse déjà 1 Mt. Le sous-sol fournit principalement du pétrole (plus de 15 Mt). La population, formée pour les deux tiers de Turkmènes et en accroissement rapide, est urbanisée pour moitié, concentrée notamment à Achkhabad, Tchardjou et Mary, villes-oasis, à Nebit Dag (centre pétrolier) et à Krasnovodsk (port sur la Caspienne, au S. du golfe de Kara-Bogaz, qui est producteur de sel).

TURKS ET CAICOS, colonie britannique, au N. de l'île d'Haïti et prolongeant (au S.-E.) les Bahamas, formée des archipels des *îles Turks* (comprenant deux îles habitées : *Grand Turk* et *Salt Cay*) et des *îles Caicos* (dont *Grand Caicos*). La colonie couvre au total 430 km^2 et compte 5 600 hab. (Noirs en majorité).

TURKU, en suéd. **Åbo,** port du sud-ouest de la Finlande; 158 000 hab. Château avec parties médiévales et classiques (musée historique). Cathédrale en partie romane (XIIIe s.; tombeaux). Musées. Métallurgie. Textile.

TURLUPIN (Henri LE GRAND, dit **Belleville** ou), acteur français († Paris 1637). Farceur sur les tréteaux de la Foire, il fit partie de la troupe de l'Hôtel de Bourgogne.

TURNÈBE (Adrien TOURNEBOUS, dit), humaniste français (Les Andelys 1512 - Paris 1565). — ODET, son fils (Paris 1552 - † 1581), est l'auteur de la comédie *les Contents* (v. 1580).

TURNER (Joseph Mallord William), peintre anglais (Londres 1775 - *id.* 1851). Il commença par pratiquer l'aquarelle avec Thomas Girtin (1775 - 1802) et fit de nombreuses études de la campagne anglaise. Admirateur de Claude Lorrain (*Didon bâtissant Carthage,* 1815, National Gallery), il en vint à s'intéresser surtout à l'atmosphère et à la lumière, dans le frémissement desquelles il tendit de plus en plus à dissoudre les formes, surtout après ses voyages en Italie (1819 et 1828). Cette hallucination lumineuse culmine dans des toiles comme l'*Intérieur à Petworth* (1837, Tate Gallery) ou *Pluie**, *vapeur, vitesse* (1844). Expérimentant aussi, à la fin de sa vie, l'usage des couleurs pures, Turner fut salué comme un précurseur par les impressionnistes français.

TURNHOUT, v. de Belgique, dans le nord-est de la prov. d'Anvers; 37 958 hab. Palais de justice dans le château ducal, des XIIIe-XVIIe s., église des XIVe-XVIIIe s., etc. Musée (archéologie, folklore). Industries mécaniques et chimiques.

TURPIN (Eugène), chimiste français (Paris 1848 - Pontoise 1927). Il découvrit la mélinite (1885).

TURQUIE, en turc **Türkiye,** État d'Europe et d'Asie; 780 000 km^2; 40 millions d'hab. *(Turcs).* Capit. *Ankara.*

GÉOGRAPHIE

• *Le milieu naturel.* La partie européenne de la Turquie correspond à l'extrémité S.-E. de la péninsule balkanique, entre la Méditerranée et la mer Noire; elle couvre à peine le trentième du territoire. Le reste du pays s'étend, au-delà des détroits du Bosphore et des Dardanelles, sur la péninsule montagneuse d'Asie Mineure, dont l'altitude moyenne dépasse 1 000 m. La chaîne Pontique au nord, le Taurus, sur lequel s'articule l'Anti-Taurus, au sud encadrent les hauts plateaux anatoliens. Ceux-ci, disloqués par des fractures et souvent endoréiques (lac Salé, lac de Van), se relèvent par paliers vers l'est jusqu'au massif cristallin arménien, dominé par de grands épanchements volcaniques (5 165 m au mont Ararat). Les plaines occupent des superficies très réduites, le long du littoral de la mer Noire, de la Méditerranée et de la mer Égée.

Le climat, méditerranéen sur les côtes, devient rude dans les hautes terres, marquées par des hivers froids, des étés chauds et une tendance à l'aridité, les précipitations se réduisant à 300 mm environ. Parallèlement, la forêt, qui couvre le littoral et les hautes montagnes, mais qui a été souvent dégradée par l'homme, passe à une steppe plus ou moins continue.

climatologie

stations	*températures moyennes (°C)*		*précipitations annuelles (mm)*
	janv.	juill.	
Izmir	7,7	27,9	624
Ankara	– 2,8	22,8	328

• *La population.* Elle s'accroît à un rythme rapide (plus de 2 p. 100 par an), en raison d'un taux de natalité élevé, et se concentre sur le littoral, notamment sur le pourtour de la mer de Marmara, et dans les bassins intérieurs, où se localisent les principales villes. Les conditions de vie précaires des campagnes, aggravées encore par la pression démographique, entretiennent un fort exode rural. Le pays compte une vingtaine de villes de plus de 100 000 habitants, à la tête desquelles se trouvent Istanbul et Ankara.

• *L'économie.* L'agriculture occupe encore les deux tiers de la population active. Dans les plateaux de l'intérieur, la culture est souvent aléatoire, du fait de la faiblesse et de l'irrégularité des précipitations. Elle fournit principalement des céréales (blé [10 à 15 Mt au total], orge, seigle), de la betterave à sucre et, localement,

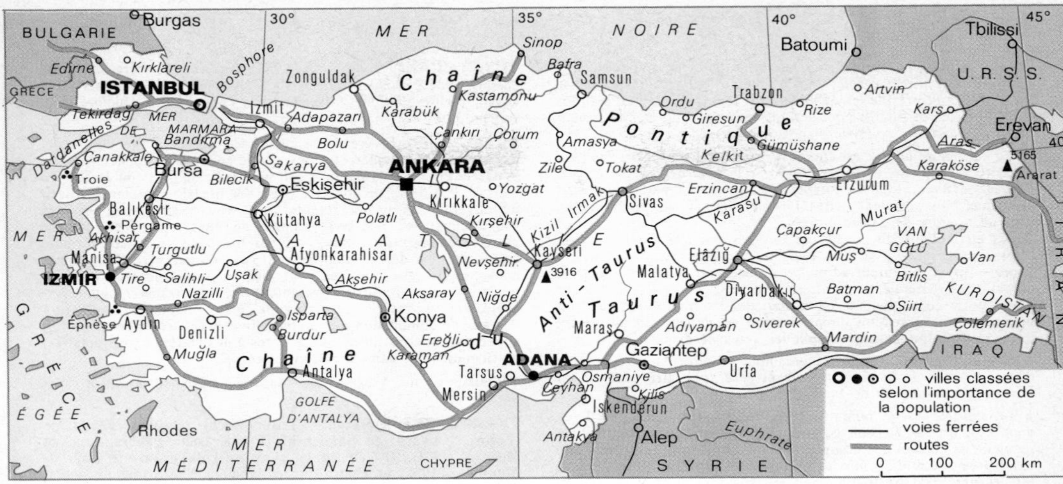

TURQUIE

du pavot à opium. Mais l'activité dominante demeure l'élevage, bovin, caprin (angora) et surtout ovin (40 M de têtes), souvent pratiqué dans un cadre semi-nomade. Sur le littoral, plus arrosé, la culture joue un rôle prépondérant. Aux céréales (blé, maïs) s'ajoutent le tabac, le coton, l'olivier, le thé, les arbres fruitiers (agrumes, noisettes, raisins secs et figues sèches). La banane est produite sur la côte méridionale.

L'industrie ne joue encore qu'un rôle secondaire. Le sous-sol recèle des gisements variés (fer, charbon, chrome, cuivre, soufre), mais peu abondants. Un peu de pétrole est extrait, qui ne couvre cependant pas la consommation nationale. Des barrages édifiés sur les grands fleuves fournissent de l'hydroélectricité. Mais le développement industriel est freiné par le manque de capitaux et de techniciens et par la difficulté des communications, surtout en Anatolie orientale. À l'artisanat traditionnel (fabrication de tapis) se juxtaposent des activités modernes : sidérurgie (qui alimente quelques constructions mécaniques), usines alimentaires, textiles (coton, laine). Mais la production, concentrée surtout autour d'Istanbul, reste insuffisante. Le pays exporte les produits de son agriculture et doit importer des biens de consommation et d'équipement. Le lourd déficit de sa balance commerciale n'est guère comblé par le tourisme (actif sur les côtes de la mer Égée) et le revenu des travailleurs à l'étranger (notamment en Allemagne fédérale). Le revenu moyen n'augmente que lentement, freiné par l'accroissement rapide de la population.

HISTOIRE. L'Asie Mineure s'est peu à peu turquisée depuis l'établissement des Turcs* Seldjoukides* (XIe s.) en Anatolie. Cependant, la Turquie proprement dite ne naît qu'après la Première Guerre mondiale, lors du démembrement de l'Empire ottoman*.

En 1918 Istanbul est occupée par les Alliés et le traité de Sèvres* (1920) prévoit la création d'une Arménie et d'un Kurdistān en Anatolie orientale, d'une Grande Grèce en Anatolie occidentale. La résistance s'organise en Anatolie : congrès d'Erzurum et de Sivas (1919), réunion d'une Grande Assemblée nationale à Ankara (1920), qui délègue ses pouvoirs à Mustafa Kemal*. Celui-ci, fort de l'appui des Soviétiques, récupère les territoires arméniens et bat les Kurdes. Les Grecs, d'abord victorieux en 1920, sont finalement vaincus (1921-22) par Ismet Inönü* et Mustafa Kemal, héros de la guerre d'indépendance. Kemal abolit le sultanat (1922) et seul son gouvernement représente la Turquie à la conférence de Lausanne* (1923), qui fixe les frontières du pays (à l'exception de celles avec la Syrie et l'Iraq). La république, proclamée en 1923, est présidée par Kemal (de 1923 à 1938), auquel succède Inönü (de 1938 à 1950). Tous deux président le parti républicain du peuple, parti unique jusqu'en 1946. Afin de créer une nation turque de type occidental et de rompre avec le passé islamique et oriental, Kemal abolit le califat (1924) et impose la laïcisation des institutions et l'occidentalisation du mode de vie. La Turquie, qui est restée neutre pendant la Seconde Guerre mondiale, bénéficie du plan Marshall (1947) et adhère dès sa création à l'O. E. C. E. Après l'accession au pouvoir de Menderes* (1950) et du parti démocrate, elle devient membre du pacte atlantique (1952). Menderes abandonne le dirigisme étatique et encourage les investissements étrangers. Il tolère le retour aux traditions islamiques et orientales. Le coup d'État de Gürsel* (1960) impose l'abandon de cette politique, mais les partis issus de l'ancien parti démocrate dissous jouissent d'un large appui populaire. D'où les difficultés politiques que connaissent les gouvernements de coalition formés par Inönü (1961-1965), Demirel* (1965-1971) ou Ecevit* (1974). Les troubles atteignent leur paroxysme en 1970-1972, et l'ordre n'est restauré qu'avec le concours de l'armée. Cependant, l'intervention armée à Chypre* (1974) assure la popularité d'Ecevit et la forte émigration de main-d'œuvre turque en Europe occidentale apporte un palliatif au chômage. En avril 1975, Demirel redevient Premier ministre; il le restera après les élections d'août 1977. Mais, en janvier 1978, Ecevit revient au pouvoir à la tête d'une coalition de centre gauche.

DÉFENSE ET ARMÉES

1952 : adhésion au pacte de l'Atlantique.
1955 : adhésion au pacte de Bagdad (v. CENTO).
1974 : intervention militaire à Chypre.

• LES FORCES TURQUES EN 1977. Budget : 2 794 millions de dollars (9 p. 100 du P. N. B.). Service militaire de vingt mois. Effectif total : 480 000 hommes. Armements américains.

Armée : 375 000 hommes, 16 divisions (dont 1 blindée et 2 mécanisées), 17 brigades (dont 10 blindées ou mécanisées, 1 parachutiste). Armement américain.

Marine : 40 000 hommes, 16 sous-marins, 11 destroyers, 16 escorteurs (plus 70 petits bâtiments).

Aviation : 45 000 hommes, 370 avions de combat.

TURQUOISE. — Les lapidaires distinguent les turquoises en *orientales* et en *occidentales.* Les premières se trouvent en Iran, près de Nichāpur; ce sont les *turquoises de la vieille roche.* Près de là, on trouve les *turquoises de la nouvelle roche,* de valeur moindre. Parfois, les turquoises passent du bleu brillant au vert terne; on dit alors qu'elles sont « mortes » ou « éteintes ».

TURRIERS (04250 La Motte du Caire), ch.-l. de cant. des Alpes-de-Haute-Provence, à 36 km au S. de Gap; 226 hab.

TUSCULUM, anc. ville de l'Italie péninsulaire (Latium), près de Frascati, sur les monts Albains. Cicéron y avait une villa où il composa les *Tusculanes.*

TUSSILAGE. — Le tussilage, ou *pas-d'âne,* étale souvent sur les décombres ses larges feuilles en forme d'empreinte de sabot d'âne, mais seulement après avoir épanoui, dès la fin de l'hiver, ses hampes écailleuses soutenant des capitules jaunes radiés. C'est une plante vivace. (Famille des composées.)

TUTELLE *(Dr.).* — La tutelle est l'institution destinée à assurer à un *enfant mineur,* en l'absence du père ou de la mère, la protection de sa personne ainsi que la gestion de ses biens. L'institution, originellement marquée par l'état d'esprit des rédacteurs du Code civil, qui voulaient empêcher que la fortune immobilière du mineur ne soit dilapidée par le tuteur ou par sa famille, était devenue pratiquement inopérante du fait de l'excès de formalités entourant la gestion du tuteur. La loi du 14 décembre 1964, venue modifier l'organisation de la tutelle, l'a modernisée tout en créant un rouage nouveau, le *juge des tutelles.*

L'organisation de la tutelle repose sur quatre organes essentiels : le juge des tutelles, le conseil de famille, le tuteur et le subrogé tuteur. (S'ajoutent dans certains cas le tuteur *ad hoc,* le tuteur adjoint, le cotuteur; mais le « conseil des tutelles » a été supprimé.)

• La création du *juge des tutelles* a manifesté l'accroissement de l'intervention de l'État. Ses fonctions sont assurées par l'un des juges du tribunal d'instance du domicile du mineur, qui exerce un pouvoir général de surveillance sur les tutelles de son ressort. Il dirige le conseil de famillle, dont il nomme les membres, organise les réunions et préside les délibérations. Il se substitue en certains cas au conseil de famille pour des autorisations à donner au mineur de passer certains actes de disposition sur ses biens.

• Le *conseil de famille* est composé de parents ou d'alliés des père et mère du mineur, et est présidé par le juge des tutelles. C'est l'organe délibérant de la tutelle. N'en font pas partie le tuteur lui-même, ni le juge des tutelles. Les membres du conseil de famille sont au nombre de quatre à six.

Les attributions du conseil de famille sont : la nomination du tuteur (sauf s'il y a tutelle légale ou testamentaire) et celle du subrogé tuteur (du tuteur adjoint et du cotuteur éventuellement); la surveillance générale de l'entretien et de l'éducation du mineur ainsi que le consentement à son mariage, à son adoption et à son émancipation; la gestion du patrimoine du mineur, en autorisant notamment le tuteur à accomplir les actes de disposition.

• Le *tuteur* prend soin de la personne du mineur, le représente dans les actes de la vie juridique et gère son patrimoine. Il est nommé par le conseil de famille.

• Le *subrogé tuteur,* nommé par le conseil de famille parmi ses membres, a pour mission de surveiller la gestion du tuteur et de recevoir de celui-ci des comptes annuels de gestion. Il représente, exceptionnellement, le mineur au cas où la représentation ne peut être assumée par le tuteur.

Fonctionnement de la tutelle. Le tuteur peut accomplir seul la plupart des actes d'administration concernant le patrimoine du mineur, mais il doit être autorisé par le conseil de famille pour les actes de disposition qu'il ferait au nom du mineur (acceptation ou répudiation d'une succession; acceptation de libéralités avec charges; demande en partage, transaction). Il doit rendre des comptes de tutelle.

Tutelle des majeurs. La loi du 3 janvier 1968 portant réforme du régime des incapables* majeurs a supprimé le régime de l'interdiction judiciaire, la remplaçant par la tutelle des majeurs.

TUTELLE *(Dr. adm.).* — En droit administratif, on dit qu'une collectivité territoriale ou un établissement public est en tutelle lorsque sa gestion est sous le contrôle d'une personne morale publique d'un rang supérieur ou de l'État.

TUTELLE *(Dr. intern.).* — La mise sous tutelle de territoires ou de peuples supposés non capables de se diriger eux-mêmes se fait grâce à la conclusion d'accords de tutelle approuvés par le Conseil de sécurité ou par l'Assemblée générale de l'Organisation des Nations unies. Le régime de la tutelle a succédé à celui des « mandats ».

TUTELLE PÉNALE. — La peine de la relégation, qui avait été prévue pour éliminer de la collectivité les délinquants les plus dangereux, a été supprimée par la loi du 17 juillet 1970, qui, en contrepartie, a institué la tutelle pénale; celle-ci, tout en protégeant la société des agissements des récidivistes, offre à ces derniers des possibilités d'amendement et de reclassement dans la collectivité nationale. La peine, qui ne s'applique qu'en cas de récidive pour des crimes ou des délits de droit commun et qui est prononcée après enquête de personnalité, a une durée de dix années; elle prend fin dès que le condamné est âgé de 65 ans. Elle est subie dans un établissement pénitentiaire ou sous la forme de la liberté conditionnelle. À l'expiration d'un délai de cinq années après l'admission au régime de la liberté conditionnelle, le juge de l'application des peines peut mettre fin à la tutelle pénale.

TUTICORIN, port de l'Inde, dans le sud du Tamil Nadu; 155 000 hab.

TUVALU *(îles),* anc. **îles Ellice,** archipel de Micronésie (24 km^2; 6 000 hab.), au N. des Fidji.

TUXTLA GUTIÉRREZ, v. du sud du Mexique, capit. de l'État de Chiapas; 67 000 hab.

TUYAU SONORE. — La vibration de l'air du tuyau est obtenue au moyen d'une « embouchure », à travers laquelle on insuffle de l'air. Dans l'*embouchure de flûte,* l'air insufflé passe à travers une fente fine et frappe un biseau ménagé dans la paroi du tube. Dans l'*embouchure à anche,* une gouttière est incomplètement fermée par une languette élastique, qui se met à vibrer. Les instruments à vent utilisent, pour la plupart, des anches, soit simples (clarinette), soit doubles (hautbois); dans la trompette, l'anche double est constituée par les lèvres de l'exécutant. Les tuyaux se différencient en outre par leur forme : cylindrique (clarinette), conique (hautbois) ou cylindro-conique (trompette).

La fréquence du son le plus grave, dit « son fondamental », émis par le tuyau sonore, est d'autant plus élevée que le tuyau est plus court. En outre, le tuyau peut émettre (par exemple quand on souffle de plus en plus fort) des sons plus aigus, qu'on appelle ses « partiels » et qui se rapprochent des harmoniques du son fondamental.

TUYÊN QUANG, v. du nord du Viêt-nam, sur la rivière Claire. En 1884-85, une garnison française y soutint un siège de trois mois contre les Chinois, où s'illustrèrent le commandant Dominé et le sergent Bobillot.

TUYÈRE. — La tuyère est l'élément des moteurs* à réaction dans lequel s'effectue la détente* des gaz de combustion, génératrice de poussée. Pour que la poussée soit maximale, la pression de ces gaz dans le plan de sortie doit être égale à la pression ambiante. Aussi, les tuyères des turboréacteurs pour avions supersoniques, qui fonctionnent sur une large gamme de vitesses de vol, doivent pouvoir changer de forme, soit par braquage de volets périphériques, soit par déplacement suivant l'axe de la tuyère d'une pointe conique. De telles tuyères sont dites *à géométrie variable.* Les tuyères de moteurs-fusées présentent une forme convergente-divergente, avec une section rétrécie appelée *col.* Comme la température des gaz de combustion des moteurs-fusées est très élevée, on fait appel pour la constitution des tuyères à des matériaux réfractaires, particulièrement dans la région du col.

TUZLA, v. de Yougoslavie, dans le nord-est de la Bosnie; 54 000 hab.

TVARDOVSKI (Aleksandr Trifonovitch), écrivain soviétique (Zagori, gouvern. de Smolensk, 1910-Krasnaïa-Pakhra, près de Moscou, 1971). Il célébra le système kolkhozien (*le Pays de Mouravia,* 1936) et exalta successivement l'héroïsme du soldat russe (*Vassili Terkine,* 1942-1945), puis le retour de la paix (*la Maison au bord de la route,* 1946), avant d'évoquer les problèmes matériels et intellectuels de son pays (*Terkine dans notre monde,* 1963). Il fut rédacteur en chef de la revue *Novyï* Mir.*

TVER → Kalinine.

TWAIN (Samuel Langhorne Clemens, dit **Mark**), écrivain américain (Florida 1835-Redding 1910). Apprenti imprimeur, pilote sur le Mississippi, soldat, mineur, prospecteur et journaliste, il commence à écrire en adoptant le nom de Mark Twain (« Marque deux sondes »), terme technique des pilotes. Il voyage en Polynésie et en Europe, et publie *les Aventures de Tom Sawyer* (1876) puis *les Aventures de Huckleberry Finn* (1884). Premier grand écrivain de l'ouest des États-Unis, écrivant une prose proche de la langue parlée, il est reconnu comme le maître des romanciers qui veulent « découvrir » l'Amérique à travers ses paysages et son folklore. La fin de sa vie, marquée par des revers financiers et des tragédies intimes, lui inspira des œuvres mystiques et pessimistes (*Ce qu'est l'homme,* 1906; *l'Étranger mystérieux,* 1916).

TWEED (la), riv. de Grande-Bretagne, dont le cours inférieur contribue à séparer l'Angleterre et l'Écosse; 165 km.

TWICKENHAM, agglomération de la banlieue sud-ouest de Londres. Stade de rugby.

TYARD ou **THIARD** (Pontus de), poète français (château de Bissy, Mâconnais, 1521-Bragny-sur-Saône 1605). Évêque de Chalon-sur-Saône, il fut chassé par les ligueurs et abandonna son évêché pour mener une vie épicurienne. Poète (*Erreurs amoureuses,* 1549-1555; *le Livre des vers lyriques,* 1555), il fit partie de la Pléiade.

TYCHY, v. de Pologne, en haute Silésie, 83 000 hab. Ville houillère et métallurgique.

TYLER (John), homme d'État américain (Greenway 1790-Richmond 1862). Vice-président républicain de l'Union (1840), il remplace le président Harrison* à la mort de ce dernier (1841) : il fait voter la réunion du Texas* au territoire américain (1845).

TYLOR (Edward Burnett), anthropologue britannique (Londres 1832-Wellington 1917). Promoteur de la culturologie (*Primitive*

TUYAU SONORE

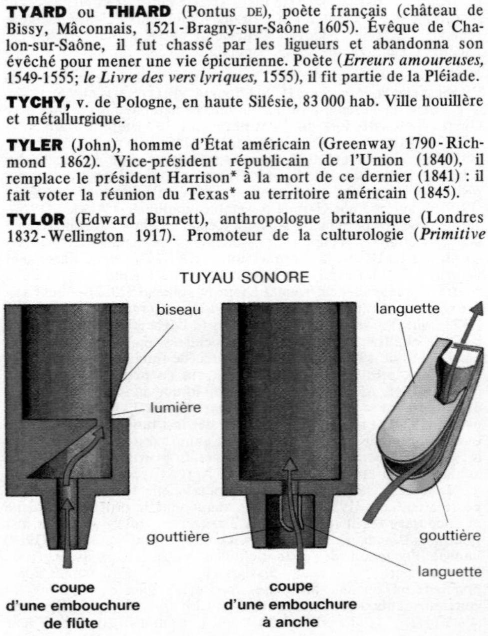

Culture, 1871), il s'intéressa à l'anthropologie de la parenté et introduisit la méthode statistique dans ses études ethnographiques (*Anthropology,* 1881).

TYNDALE (William), réformateur gallois (pays de Galles v. 1494-Vilvorde 1536). Ses écrits contribuèrent au progrès de la Réforme luthérienne en Angleterre. Il mourut supplicié.

TYNDALL (John), physicien irlandais (Leighlin-Bridge 1820-Hindhead 1893). Il a découvert le regel de la glace (1871) ainsi que la diffusion de la lumière par les suspensions colloïdales.

Tyndall *(effet),* diffusion de la lumière par les particules d'une suspension colloïdale. C'est à cet effet qu'est dû l'aspect de ces suspensions, qui n'ont pas généralement la même teinte selon qu'elles sont observées par transparence ou par réflexion.

TYNDARE, roi légendaire de Sparte, époux de Léda*, aimée de Zeus*. Il partagea avec le roi des dieux la paternité des deux célèbres couples de jumeaux, les Dioscures* (Castor* et Polydeukès, ou Pollux) et Hélène* et Clytemnestre. (V. ATRIDES.)

TYNE (la), fl. du nord de l'Angleterre, qui passe à *Newcastle-upon-Tyne,* tributaire de la mer du Nord, rejointe à *Tynemouth* (station balnéaire, comptant 72 000 hab.); 128 km.

TYNE AND WEAR, comté urbain d'Angleterre, correspondant en partie à l'estuaire de la *Tyne* et englobant notamment *Newcastle-upon-Tyne* et Sunderland; 2 082 000 hab.

TYPE *(Sociol.).* — Au-delà de la diversité du réel, du chaos apparent des faits sociaux, les typologies permettent le rapprochement de situations pourtant singulières. Ainsi, le sociologue est-il conduit à faire abstraction des singularités pour retenir seulement ce qui est commun à plusieurs éléments de la réalité sociale. E. Durkheim*, le premier, a admis la nécessité du recours à la typologie en sociologie. Selon lui, elle permet à la science des faits sociaux de jeter un pont entre la philosophie de l'histoire et le récit des événements de l'histoire. Mais c'est à Max Weber* que revient le mérite d'en avoir tiré le meilleur parti possible. Ce qu'il a appelé le « type idéal » est une construction logique qui permet de rendre intelligible le fonctionnement des institutions sociales ou le comportement des hommes en société.

TYPES (théorie des). — La théorie des types, élaborée par B. Russell*, est une formulation de la théorie des ensembles* dans laquelle chaque variable est rattachée à un niveau déterminé indiqué en indice. On ne peut écrire $x_i \in y_j$ que si $i = j - 1$.

TYPHACÉES → MASSETTE.

TYPHOÏDE. — La fièvre typhoïde est due au bacille d'Eberth, alors que les fièvres paratyphoïdes sont provoquées par les bacilles paratyphiques A, B ou C. La contamination se fait à partir d'un malade ou d'un porteur de germes ou par ingestion d'eau ou d'aliments souillés. Après une incubation de 10 à 15 jours, la maladie débute par de la fièvre, des céphalées, une insomnie et une fatigue intense. À la deuxième semaine, la fièvre est en plateau à 40 °C; il existe un état de « tuphos » (stupeur, indifférence) et des signes digestifs sévères. L'évolution se fait vers la guérison après une convalescence longue. Des complications digestives (hémorragies, perforations), cardio-vasculaires et nerveuses sont possibles. Le diagnostic est obtenu par les hémocultures, la coproculture et le sérodiagnostic de Widal. Le chloramphénicol est efficace, mais il doit être administré à doses progressives pour atteindre de 2 à 3 g par jour pendant 15 jours. La lutte contre la transmission de la maladie doit être constante (hygiène de l'eau, des égouts, etc.). La vaccination antityphoparatyphique permet d'échapper à la contagion.

TYPHON → CYCLONE TROPICAL.

TYPHUS. — Le typhus est provoqué par des rickettsies et caractérisé par l'association d'une fièvre, d'une éruption cutanée et d'un état stuporeux. Le *typhus exanthématique,* dû à *Rickettsia Prowazeki,* est transmis par le pou; les complications sont cardiaques, artérielles, nerveuses. Le *typhus murin,* dû à *Rickettsia Mooseri,* est transmis à l'homme par la puce du rat. Il est de pronostic bénin. Dans les deux cas, les antibiotiques (tétracyclines) sont actifs. La prophylaxie du typhus exanthématique est assurée par la vaccination et la lutte contre les poux.

TYPOGRAPHIE. — Le plus ancien des procédés d'impression*, la typographie imprime à partir d'éléments en relief : caractères* d'imprimerie, clichés de clicherie* ou clichés de photogravure*. Assemblés par la mise en pages et par l'imposition*, ces éléments constituent la *forme d'impression.* Sur la presse* à imprimer, la surface de la forme, encrée par des rouleaux, décalque directement son image sur le papier. L'imprimeur typo utilise divers types de machines : *presses à platine,* de petit format, et *presses à cylindre,* dont la forme d'impression est plane, *rotatives,* où cette forme est cylindrique. La grande diversité des formes d'impression offre une souplesse d'emploi pour tous les types de travaux, depuis les cartes commerciales jusqu'aux revues de luxe et aux quotidiens. Mais la typographie est de plus en plus concurrencée par l'offset*, dont les presses sont souvent plus rapides et conviennent mieux aux travaux en couleurs. Mis à part les entreprises de presse, la plupart des imprimeries typo sont devenues des moyennes et petites entreprises mixtes typo-offset, possédant des ateliers de composition*, d'impression et de façonnage simple, ayant une clientèle locale à laquelle elles peuvent offrir de nombreux services, tels que conception des imprimés, réapprovisionnement rapide, fourniture d'articles de papeterie, etc.

TYR, anc. ville de Phénicie* (auj. *Sour,* au Liban*). Elle est mentionnée dans les textes égyptiens dès les XIXe-XVIIe s. av. J.-C., mais c'est après le déclin de l'Égypte, au XIIe s., que commença sa grande période. Devenant alors maîtresse des mers, Tyr fonda sur les rives de la Méditerranée de nombreux comptoirs commerciaux, notamment Carthage* (fin du IXe s. av. J.-C.), et imposa sa suprématie à sa grande rivale Sidon (v. ṢAYDĀ). L'expansion assyrienne vers l'ouest amorça le déclin de la puissance tyrienne. Prise par Alexandre* après un siège de sept mois (janv.-août 332), Tyr resta, cependant, malgré la concurrence d'Alexandrie*, un centre commercial et intellectuel florissant jusqu'à l'invasion arabe en 638. — Sour possède encore les vestiges d'anciennes installations portuaires, d'un théâtre hellénistique et de divers monuments d'époque romaine.

TYRANNIDÉS → GOBE-MOUCHES.

TYRANNIE. — Nul régime ne fut plus décrié des Grecs anciens, qui désignaient de ce nom l'exercice du pouvoir politique obtenu par un coup de force, sans fondement légal ou religieux. Ce mode de gouvernement s'exerça au cours des VIIe et VIe s. av. J.-C., dans la plupart des cités grecques, en réaction contre les excès des gouvernements aristocratiques et avec l'appui des classes populaires. Malgré d'inévitables abus, le gouvernement tyrannique, par la prospérité qu'il donna aux cités, rendit plus vif le désir de la liberté et favorisa l'établissement de la démocratie (v. CITÉ).

TYRANNOSAURE. — Le tyrannosaure, fossile du crétacé supérieur des États-Unis, était effectivement, avec ses 10 m de long et ses 5 m de haut, le « roi » des grands dinosauriens carnivores. Sa queue et ses pattes de derrière lui donnaient un puissant appui pour une course bipède rapide et mêlée de sauts, ses dents pointues pouvaient être longues de 20 cm. En revanche, ses pattes de devant étaient très courtes, mais armées de fortes griffes.

TYROL, province (Land) de l'ouest de l'Autriche; 12 648 km^2; 541 000 hab. Capit. *Innsbruck.*

GÉOGRAPHIE. Région entièrement englobée dans les Alpes, entre l'Allemagne fédérale et l'Italie, le Tyrol correspond au bassin supérieur de l'Inn, dont la vallée (site d'Innsbruck) est l'axe vital de la province. La montagne a été localement revivifiée par le tourisme estival et hivernal (grandes stations de ski d'Igls, Ischgl, Mayrhofen, Obergurgl, Sankt Anton et Sankt Johann, Seefeld, Sölden et surtout Kitzbühel), principale ressource du Tyrol, avec l'industrie (métallurgie, textile, alimentation), alors que l'agriculture (élevage bovin) emploie moins du cinquième de la population active.

HISTOIRE. La province romaine de Rhétie est conquise au VIe s. par les Bavarois, tandis que le Trentin* est occupé par les Lombards*. Au Moyen Âge, une dynastie comtale domine le Tyrol, lequel, en 1363, devient partie intégrante du patrimoine héréditaire des Habsbourg*, qui exploitent les mines de cuivre et d'argent concédées aux Fugger*. Le pays, fidèle au catholicisme, est doté au XVIe s. de privilèges importants. Cédé en 1805 à la Bavière, le Tyrol se rebelle contre les Franco-Bavarois, l'âme de la résistance étant Andreas Hofer (1767-1810), fusillé à Mantoue. Rendue à l'Autriche en 1814, la province va souffrir du fait qu'au comté de Tyrol est rattaché l'évêché de Trente*, de langue et de culture italiennes; ainsi naît l'irrédentisme italien. Le traité de Saint-Germain (1919) cède à l'Italie, outre le Trentin*, la province de Bolzano, dont la population allemande pose une nouvelle question, celle du Haut-Adige*; elle n'est toujours pas résolue, malgré les accords austro-italiens de 1946, qui assurent la complète égalité des droits aux deux groupes ethno-linguistiques.

TYRRHÉNIENNE *(mer),* partie de la Méditerranée comprise entre la péninsule italienne, la Sicile, la Sardaigne et la Corse, et dont la profondeur dépasse presque toujours 2 000 m.

TYRTÉE, poète lyrique grec, né à Attique (VIIe s. av. J.-C.). Il ranima par ses chants le courage des Spartiates dans la deuxième guerre de Messénie.

TZARA (Tristan), écrivain français d'origine roumaine (Moineşti 1896 - Paris 1963). L'un des fondateurs à Zurich, en 1916, du groupe dada*, il proclama sa volonté de détruire la société et le langage (*l'Homme approximatif,* 1931; *l'Antitête,* 1933; *le Cœur à gaz,* 1938). Il témoigna ensuite de préoccupations morales, soucieux de défendre l'homme contre toutes les puissances d'asservissement (*la Fuite,* 1947; *le Fruit permis,* 1957; *la Rose et le chien,* 1958).

UAXACTÚN, site archéologique du Guatemala (Petén), qui a livré de nombreuses stèles mayas, gravées et datées de 328 à 889, ainsi qu'une belle céramique peinte.

UBAYE, riv. des Alpes-de-Haute-Provence, qui passe à Barcelonnette et rejoint la Durance (r. g.) dans le lac de Serre-Ponçon; 80 km.

UBE, v. du Japon, dans le sud de Honshū, sur la mer Intérieure; 153 000 hab.

ÚBEDA, v. d'Espagne (Andalousie), au N.-E. de Jaén; 30 000 hab. Vestiges arabes. Églises gothiques et Renaissance, nombreux palais et édifices civils du XVIe s. (notamment par Andrés de Vandelvira).

UBERABA, v. du Brésil (Minas Gerais); 79 000 hab. Archevêché.

Ubu roi, pièce d'Alfred Jarry, probablement jouée dans un théâtre de marionnettes en 1888, puis représentée au Théâtre de l'Œuvre en 1896. Né des plaisanteries de l'auteur et de ses condisciples du lycée de Rennes, Ubu incarne le règne de la bêtise petite-bourgeoise et de la sauvagerie humaine, et manifeste la double tendance du théâtre de Jarry : donner une représentation de la vie qui soit à la fois *totale,* dans sa pratique corporelle comme dans son activité spirituelle (« Une dernière au Nouveau-Cirque réalise autant de beauté qu'une première à la Comédie-Française »), et *universelle* par la stylisation (« Poussez au *guignol* le plus possible », conseillait-il à son metteur en scène Lugné-Poe) et la primauté du geste quotidien, libéré des conventions de la pantomime.

UCAYALI, riv. du Pérou, formée par la réunion de l'Apurímac et de l'Urubamba, constituant une branche mère de l'Amazone; 1 600 km.

UCCELLO (Paolo DI DONO, dit), peintre et décorateur italien (Florence 1397 - *id.* 1475). Ce qui reste de l'œuvre de cet élève de Ghiberti, assez hétérogène, a pour dénominateur commun un traitement de la figuration et de la perspective dont le caractère de jeu intellectuel aigu, alambiqué, a particulièrement retenu l'attention des commentateurs du XXe s. : fresque du *Monument équestre de John Hawkwood,* à la cathédrale de Florence, 1436; cartons de vitraux pour le même édifice, 1443; deux scènes de la *Vie de Noé* au « Chiostro Verde » de S. Maria Novella de Florence, d'un style monumental et sculptural; trois panneaux de la *Bataille de San Romano* (v. 1456?; Offices, Louvre, National Gallery), où les formes s'emboîtent dans un espace privé d'air; *Saint Georges et le dragon* (Paris, musée Jacquemart-André, et National Gallery); la *Chasse* d'Oxford, panneau de coffre qui renoue avec le charme du gothique « courtois »; le *Miracle de l'hostie,* prédelle (v. 1467, Urbino).

Paolo Uccello. *Le Déluge universel,* détail de l'histoire de la Genèse. V. 1445-1450. (Cloître vert de Santa Maria Novella, Florence.) Partie centrale de la lunette.

Giraudon

UCCLE, en néerl. **Ukkel,** comm. de Belgique (Brabant), dans la banlieue sud de Bruxelles; 77 369 hab.

UCKANGE (57270), comm. de la Moselle, sur la Moselle, à 7 km au S. de Thionville; 11 560 hab. Sidérurgie.

UDAIPUR, v. de l'Inde, dans le sud du Rājasthān; 163 000 hab. Ancienne capitale du principal État rājput (1567), la ville conserve de nombreux témoignages de sa splendeur, dont le palais de marbre et de granite construit à partir du règne d'Udai Singh (1537-1572).

UDAYAGIRI, nom de quatre sites archéologiques de l'Inde, dont deux sont particulièrement importants : l'un, en Orissa, fait partie d'un groupe célèbre de grottes jainas archaïques, datant du Ier s. av. J.-C. environ; l'autre, au Madhya Pradesh, comprend des monuments rupestres du Ve s., en majorité brahmaniques. Ceux-ci, fort érodés, sont d'un grand intérêt pour l'étude du style gupta.

UDDEVALLA, v. de Suède, sur le Skagerrak; 47 000 hab. Chantiers navals. Raffinage du pétrole.

UDINE, v. d'Italie, dans le Frioul, ch.-l. de prov.; 103 000 hab. Château reconstruit au XVIe s. (musées). Places pittoresques, aux monuments remontant à l'époque gothique. Fresques de Tiepolo (palais archiépiscopal et oratoire *della Purita*). Sidérurgie.

U. D. R., sigle d'*Union pour la défense de la République.*

UEDA AKINARI, écrivain japonais (Ōsaka 1734 - Kyōto 1809). Auteur de commentaires érudits sur les recueils poétiques classiques (*Poudre d'or,* 1804) et d'essais critiques sur la littérature de son temps (*Notes téméraires et circonspectes,* 1808), il entreprit de donner une forme nouvelle aux légendes fantastiques traditionnelles : ses *Contes de pluie et de lune* (1776), à la fois manifeste littéraire et anthologie des procédés de style, sont une des œuvres majeures de la littérature japonaise.

UÉLÉ, riv. de l'Afrique centrale, dans le nord du Zaïre, dont la réunion avec le M'Bomou forme l'Oubangui; 1 300 km.

U. E. O., sigle de *Union* de l'Europe occidentale.*

UGINE (73400), ch.-l. de cant. de la Savoie, près de l'Arly, à 8 km au N. d'Albertville; 8 327 hab. Électrométallurgie.

UHLAND (Ludwig), poète allemand (Tübingen 1787 - *id.* 1862). Auteur de travaux sur la chanson populaire en Allemagne, il adopta dans ses poésies le ton du lied et des légendes souabes (*la Malédiction du chanteur,* 1814). Il composa le poème célèbre *J'avais un camarade.*

UHLENBECK (George Eugene), physicien américain d'origine néerlandaise (Batavia 1900) → GOUDSMIT (Samuel Abraham).

UHURU *(pic),* nom actuel du KILIMANDJARO.

U. I. C., sigle de *Union* internationale des chemins de fer.*

Uitlanders, immigrants attirés par les gisements d'or de l'Orange* et du Transvaal*, après 1884.

UJJAIN, v. de l'Inde, dans l'ouest du Madhya Pradesh; 203 000 hab. Temple médiéval de Mahakal, reconstruit au XVIIIe s.; mosquée (1403); vestiges d'un observatoire de 1733. Université.

UJUNGPANDANG, anc. **Macassar,** v. d'Indonésie, dans le sud des Célèbes, sur le *détroit de Macassar;* 435 000 hab.

UKRAINE, en russe **Oukraina,** république fédérée de l'U. R. S. S.; 604 000 km²; 47,1 millions d'hab. Capit. *Kiev.*

GÉOGRAPHIE. De superficie et de population comparables à celles de la France, l'Ukraine est la deuxième république de l'U. R. S. S. par la population et le poids économique. De part et d'autre du 50e parallèle, c'est un pays au relief peu marqué, juxtaposant cependant une plaine sur la mer Noire, une bande de hauteurs dominant la vallée du Dniepr et, à l'E., un bombement correspondant à la zone houillère du Donbass*. Mais l'Ukraine est surtout, au point de vue agricole, le pays des terres noires, sols fertiles favorisés par un climat plus clément que dans le Nord et bénéficiant d'une pluviosité ayant permis le développement d'une steppe qui a presque disparu devant l'intensité de la mise en valeur.

L'Ukraine assure approximativement le cinquième de la production céréalière soviétique, dont plus de 25 Mt de blé (une fois et demie la production française) et 8 Mt de maïs, et fournit près de 50 Mt de betteraves à sucre. Les effectifs des troupeaux bovin et porcin dépassent 20 millions de têtes, celui des ovins approche 10 millions. L'Ukraine est aussi une région industrielle ancienne, qui demeure aux premiers rangs pour l'extraction du charbon (plus de 200 Mt, plus du double de la production de la Ruhr) et du fer (plus de 120 Mt de minerai, environ le triple de la Lorraine en métal contenu) et par conséquent pour la sidérurgie (plus de 40 Mt, un apport presque double de la production française). Mais le sous-sol recèle encore du manganèse, des hydrocarbures (15 Mt de pétrole et surtout 70 Gm³ [dix fois la production de Lacq] de gaz naturel), et les centrales jalonnant le Dniepr complètent la fourniture énergétique. La production totale d'électricité est voisine de celle de la France. L'industrie de transformation est naturellement dominée par la métallurgie, précédant l'alimentation et la chimie. En dehors de la conurbation du Donbass, quatre villes émergent : la capitale, Kiev, et Kharkov, cités millionnaires, Odessa (principal port soviétique sur la mer Noire) et Lvov, qui dépassent le demi-million d'habitants.

HISTOIRE. Le déclin du premier État russe (fin du IXe-XIIe s.), qui avait pour capitale Kiev*, entraîne l'exode de la population de la Russie méridionale, que la pression des nomades (Petchenègues*, Coumans) puis l'invasion des Mongols* (1240) achèvent de vider de ses habitants. Les régions périphériques acquièrent alors de l'importance. La principauté de Galicie-Volhynie recueille les traditions de Kiev. Il semble que l'on peut placer la formation de la langue ukrainienne à cette époque (XIIIe-XIVe s.). L'Ukraine entière se trouve alors sous domination étrangère : les Hongrois occupent la région subcarpatique depuis les Xe et XIe s., et, dans la seconde moitié du XIVe s., la Lituanie se rend maîtresse de l'Ukraine orientale (régions de Kiev et de Tchernigov, Volhynie* et Podolie* orientales) et la Pologne domine l'Ukraine occidentale (Galicie*, Volhynie et Podolie occidentales). À partir de la fin du XVe s. se forment, aux confins des États moscovite et polono-lituanien, des groupes de Cosaques* à demi indépendants de ceux-ci. À l'issue de plusieurs guerres entre Cosaques et Polonais, Bogdan Khmelnitski* obtient la protection de Moscou, dont il reconnaît la suzeraineté (1654). L'armistice d'Androussovo (1667) confirme le partage de l'Ukraine entre la Russie (rive gauche du Dniepr et région de Kiev) et la Pologne. L'hetmanat cosaque, mis au pas par Pierre le Grand après la « trahison » de Mazeppa*, est supprimé par Catherine II* (1775), qui poursuit l'assimilation de l'Ukraine (introduction du servage). À l'issue des partages successifs de la Pologne, la Galicie, la Bukovine et la Ruthénie* subcarpatique reviennent à l'Autriche. La Galicie est, à la fin du XIXe s., le principal foyer du nationalisme ukrainien, durement combattu à Kiev par le gouvernement central russe. Après la révolution* russe de 1917, une dualité de pouvoir s'instaure en Ukraine : formation d'une république populaire d'Ukraine à Kiev, qui proclame son indépendance en janvier 1918, et constitution d'une république soviétique d'Ukraine à Kharkov. Après l'occupation allemande (févr.-déc. 1918), puis le gouvernement de Petlioura*, l'invasion des armées des Russes* blancs et la guerre polono-soviétique*, les bolcheviks établissent l'ordre soviétique. La Galicie orientale reste polonaise, tandis que la R. S. S. d'Ukraine participe à la fondation de l'U. R. S. S. (1922). L'usage officiel de la langue ukrainienne dans l'Administration comme dans l'enseignement est instauré en 1923. À l'issue de la Seconde Guerre mondiale, pendant laquelle l'Ukraine a été occupée par les Allemands (1941-1944), toutes les régions peuplées d'Ukrainiens (Galicie orientale, Podolie occidentale, Bukovine du Nord, Ruthénie subcarpatique) sont intégrées à l'Ukraine soviétique, à laquelle est rattachée en 1954 la Crimée.

UKRAINE SUBCARPATIQUE → RUTHÉNIE SUBCARPATIQUE.

UKRAINIEN → RUSSE.

ULBRICHT (Walter), homme d'État allemand (Leipzig 1893 - Berlin 1973). L'un des fondateurs du parti communiste allemand (1919), il émigre en U. R. S. S. (1933-1945), puis assure, en 1946, la fusion des sociaux-démocrates et des communistes en un parti socialiste unifié (SED), dont il est premier secrétaire de 1950 à 1971. Il est président du Conseil d'État de la République démocratique allemande de 1960 à sa mort.

ULCÈRE. — • *Ulcère de l'estomac et du duodénum.* Il survient le plus souvent chez l'homme jeune. La cause est encore mystérieuse; certains médicaments sont cependant reconnus comme ulcérogènes, tels les corticoïdes, la réserpine et la phénylbutazone. L'ulcère se manifeste par une douleur épigastrique, rythmée par les repas dans la journée et périodique dans l'année. C'est l'examen radiologique qui permet d'affirmer le diagnostic, en mettant en évidence la niche ulcéreuse. La fibroscopie est souvent complémentaire. L'ulcère de l'estomac évolue par poussées successives; les principales complications en sont les hémorragies et les perforations. Les médicaments les plus utilisés sont le bismuth, les antiacides ainsi que l'atropine et ses dérivés. Un régime excluant épices et alcool est associé. Le traitement chirurgical n'est indiqué que lors de certaines complications.

• *Ulcère de la jambe.* Il est très fréquent et le plus souvent secondaire à une phlébite profonde, à des varices, plus rarement à des troubles artériels. Le traitement est essentiellement local : antiseptiques, antibiotiques, cicatrisants. Une greffe mince de peau est parfois nécessaire.

ULFILAS ou **WULFILA,** apôtre et évêque des Goths (v. 311 - Constantinople v. 383). Il traduisit en langue gothique le Nouveau Testament et prêcha aux Goths un christianisme fortement arianisé. Cet arianisme mitigé, mais virulent, fut réintroduit dans l'Occident chrétien par les invasions barbares du Ve s.; il fut la source de nombreux conflits entre catholiques et ariens.

ULHASNAGAR, v. de l'Inde (Mahārāshtra), au N.-E. de Bombay; 168 000 hab.

ULM, v. de l'Allemagne fédérale (Bade-Wurtemberg), sur le Danube; 94 000 hab. Église gothique entreprise à la fin du XIVe s., à la tour colossale. — L'armée autrichienne de Mack y capitula entre les mains des Français (oct. 1805).

ULMACÉES → ORME.

ULPIEN, en lat. **Domitius Ulpianus,** jurisconsulte romain (Tyr - † Rome 223). L'un des plus grands jurisconsultes romains, Ulpien fut assesseur de Papinien* dans la préfecture du prétoire, préfet de l'annone, puis préfet du prétoire sous Sévère Alexandre. En conflit avec les prétoriens, il fut assassiné par eux en 223. Il nous reste des fragments de ses nombreux écrits : ***Commentaire de l'Édit, Responsa, De fideicommissis, De appellationibus.***

ULSAN, v. de la Corée du Sud, au N. de Pusan; 159 000 hab. Chantiers navals. Raffinerie de pétrole.

ULSTER, partie septentrionale de l'Irlande, dont la majeure partie (à l'E.) constitue l'Irlande* du Nord britannique et dont l'extrémité occidentale (comtés de Cavan, de Donegal et de Monaghan) forme la *province de l'Ulster* (8 007 km² et 207 000 hab.), partie de la république d'Irlande*.

ULTRABASIQUES (roches). — Roches éruptives grenues, dépourvues de minéraux blancs (quartz, feldspaths), pauvres en silice, elles contiennent en proportions variables de l'olivine, des pyroxènes, du grenat, etc. On considère qu'elles constituent le manteau, mais on les observe aussi à la base des complexes éruptifs stratifiés.

ULTRAMICROSCOPE. — Les très petites particules en suspension dans un liquide ne peuvent apparaître que comme des points, si puissant que soit le microscope utilisé. La visibilité de ces particules ne dépend alors que de la quantité de lumière qu'elles émettent. Dans l'ultramicroscope, imaginé en 1903 par Siedentopf et Zsigmondy, ces particules apparaissent comme des points brillants sur un fond sombre, car elles diffusent dans l'objectif une partie de la lumière qu'elles reçoivent d'une source latérale.

ULTRAMONTANISME. — On désigne ainsi l'ensemble des doctrines théologiques et des attitudes politiques favorables au Saint-Siège qui se développèrent au XIXe s., sous l'influence de La Mennais* puis de Louis Veuillot*, au détriment des opinions gallicanes, favorables aux autonomies locales.

ULTRASON. — L'oreille humaine est sensible aux vibrations de l'air dont la fréquence est comprise entre 16 et 20 kHz. Sa sensibilité est maximale vers 1 000 Hz. Les *courbes de Fletcher* donnent, en I (v. schéma p. 1890), le *seuil d'audibilité,* c'est-à-dire la puissance acoustique nécessaire, en fonction de la fréquence, pour que l'oreille soit impressionnée. La courbe II donne le *seuil de douleur.* L'oreille est saturée et ne peut admettre un niveau acoustique plus élevé. Aussi, quelle que soit la puissance acoustique fournie, l'oreille humaine ne peut entendre les fréquences

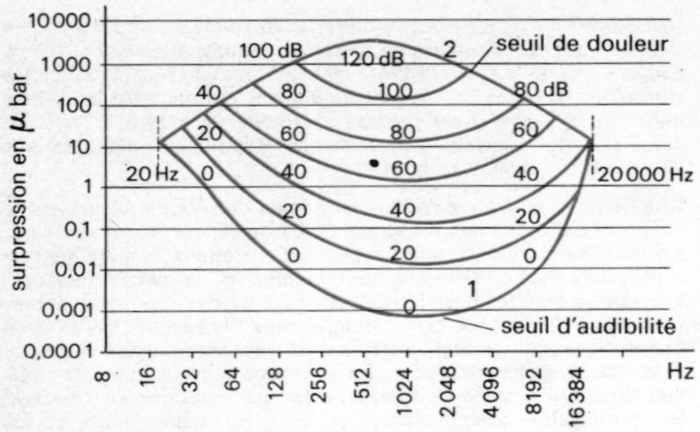

ULTRASON. Courbes de sensibilité de l'oreille ou courbes de Fletcher.

supérieures à 20 kHz; c'est le domaine des ultrasons. D'ailleurs, cette limite diminue avec l'âge. Seuls les jeunes enfants entendent les fréquences dépassant 16 kHz; vers 60 ans, la limite supérieure d'audition est comprise entre 10 et 12 kHz. Cependant, certains animaux perçoivent des fréquences qui sont pour nous des ultrasons : c'est ainsi que les chiens policiers sont dressés à obéir aux ordres donnés par un sifflet ultrasonore, dont la fréquence des vibrations se situe vers 25 kHz.

Les ultrasons sont utilisés en médecine dans un but thérapeutique, pour soulager des algies diverses (lumbagos, sciatiques), et dans un but diagnostique, par enregistrement de leurs échos (échographie).

ULTRAVIOLET. — Dans l'ensemble des radiations électromagnétiques, les rayons ultraviolets sont compris entre la lumière visible et les rayons X les plus mous. Doués d'une grande activité chimique, ils ont été découverts grâce à leur action sur la plaque photographique. On les produit généralement au moyen de lampes à vapeur de mercure à enveloppe de quartz.

Parmi les propriétés des rayons ultraviolets, l'une des plus intéressantes est la fluorescence, utilisée dans le diagnostic de certaines maladies de peau (teignes) et dans celui de la cataracte. Les ultraviolets de 0,315 à 0,28 μ de longueur d'onde sont employés dans le traitement du rachitisme, parfois du psoriasis et de l'acnée.

ULVE. — L'ulve, ou *laitue de mer*, est l'une des algues vertes les plus communes sur nos côtes. C'est une lame verte quelque peu ondulée, que le microscope montre formée de deux couches seulement de cellules.

ULYSSE, personnage de la tradition grecque : roi d'Ithaque, fils de Laërte, époux de Pénélope et père de Télémaque. Il apparaît dans *l'Iliade** comme un diplomate et un guerrier lucide, aussi prudent qu'Achille est violent et emporté. Il est l'auteur du stratagème du cheval de bois, qui marque toute l'interprétation de sa figure d'homme « aux mille ruses » : si l'épopée qui lui est consacrée, *l'Odyssée**, le montre sous de multiples éclairages, Sophocle fait de lui un cynique *(Philoctète)*, Euripide un démagogue *(Hécube, le Cyclope)*, Platon le type même du menteur *(Hippias mineur)*, Shakespeare le modèle de l'homme politique *(Troïlus et Cressida)* et Giraudoux l'ancêtre de tous les ambassadeurs sceptiques et blasés *(La guerre de Troie n'aura pas lieu)*. Dante le fait arriver au XXVIe cercle de *l'Enfer* comme au terme d'une poursuite de l'inconnu et de l'absolu qu'il a menée toute sa vie.

Ulysse, roman de James Joyce (1922). C'est le récit d'une journée, le 16 juin 1904, du courtier de Dublin Léopold Bloom, dont les parcours croisent ceux de sa femme, Molly, et du jeune Stephen Dedalus, composant ainsi une structure triangulaire capable de toutes les variations de la combinatoire familiale, sociale et spirituelle. Participant de la légende, de l'histoire, du reportage, de la farce, du drame, de la symphonie, du traité scolastique, cette œuvre, version moderne et parodie de *l'Odyssée,* riche de symbolismes et de correspondances (elle superpose plusieurs « grilles » de composition et de lecture : division en « chants » analogue à l'épopée homérique; évocation de tous les arts techniques et libéraux; essai de tous les modes possibles de narration), tente d'unifier tous les procédés de style en un langage total. Sa technique du « courant de conscience » *(stream of consciousness),* basée sur le monologue intérieur, fait du langage la réalité fondamentale : le réalisme du roman est d'abord un réalisme verbal, les personnages se construisent à travers ce qu'ils disent, faisant coïncider exactement temps de l'action et temps du récit.

'UMAR Ier → ARABIE.

'UMAR IBN ABĪ RABĪ'A, écrivain arabe (La Mecque v. 644 - Tā'if av. 721), le meilleur représentant de la poésie « citadine » précourtoise de la littérature omeyyade.

'UMAR KHAYYĀM, poète et mathématicien persan (Nichāpur v. 1040 - *id.* v. 1122). Il tenta une classification des équations des divers degrés d'après le nombre des termes qu'elles contiennent, étudia les équations cubiques et donna une solution géométrique de certaines d'entre elles. Son œuvre poétique est essentiellement constituée de quatrains.

UMEÅ, port du nord de la Suède, à l'embouchure de l'*Ume älv* (460 km), sur le golfe de Botnie; 74 000 hab.

UMM KULTHŪM, en franç. **Oum Kalsoum** (Fāṭima Ibrāhīm, dite), chanteuse égyptienne (Ṭamāy al-Zahīra, prov. de Dakahlièh 1898 - Le Caire 1975). Interprétant des chansons de Aḥmad Chawqī, Aḥmad Rāmī, Bayram al-Tūnisī, Aḥmad al-Qaṣabdjī, Riyād al-Sunbāṭī, Muḥammad 'abd al-Wahhāb et Balīrh Ḥamdī, elle fut, de 1920 à sa mort, la chanteuse la plus populaire du monde arabe.

UMTALI, v. de l'est de la Rhodésie; 59 000 hab. Raffinerie de pétrole.

UMTATA, capit. du Transkei.

UNAMUNO (Miguel DE), écrivain espagnol (Bilbao 1864 - Salamanque 1936). Philologue, poète (*Poésies,* 1907), romancier (*De mon pays,* 1903), il est surtout un philosophe (*le Sentiment* tragique de la vie,* 1913; *l'Agonie du christianisme,* 1924) et un essayiste passionné des problèmes de son temps. Recteur de l'université de Salamanque, il fut destitué en 1924, déporté aux Canaries, puis exilé en France, où il écrivit le *Romancero de l'exil* (1928). Rentré en Espagne, il prit une part active à l'instauration de la république.

UNANIMISME. — Cette école littéraire (XXe s.) se proposait de traduire les sentiments et les impressions de larges groupes humains. Jules Romains*, en France, et Dos Passos*, aux États-Unis, sont parmi ses représentants.

UNAU → PARESSEUX.

UNDERGROUND (cinéma). — Le cinéma underground est un cinéma expérimental, de recherche ou d'intervention, réalisé résolument en marge des circuits commerciaux de production et de distribution. Ce cinéma *parallèle,* qui fait souvent appel aux formats substandard comme le 16 mm ou le super-8, s'est développé aux États-Unis à partir de 1960, notamment dans certaines universités et à New York (frères Mekas, Brackhage, Warhol), et dans la plupart des pays du monde entier.

UNDSET (Sigrid), femme de lettres norvégienne (Kalundborg, Danemark, 1882 - Lillehammer 1949). Ses romans historiques prennent pour thème l'éternelle confrontation de l'homme et de la femme (*le Printemps,* 1914; *Kristin Lavransdatter,* 1920-1922; *Olav Audunssøn,* 1925-1927). Convertie au catholicisme, elle exprima alors ses convictions religieuses (*le Buisson ardent,* 1930; *Catherine de Sienne,* 1951). [Prix Nobel, 1928.]

Unesco → ORGANISATIONS INTERNATIONALES.

UNGARETTI (Giuseppe), poète italien (Alexandrie, Égypte, 1888 - Milan 1970). Sa poésie, qui retrouve la tradition de Pétrarque et de Leopardi (elle utilise souvent l'hendécasyllabe), passe d'une structure éclatée enracinée dans la voix (elle se fonde sur une diction qui isole chaque mot proféré, donnant à la langue quotidienne une puissance oraculaire) à une combinatoire baroque et maniériste, qui fit de lui le chef de file de l'hermétisme (*Allégresse,* 1931; *Sentiment du temps,* 1933; *la Douleur,* 1947; *Un cri et des paysages,* 1952-1954).

uniates *(Églises),* fractions des Églises orientales qui ont rétabli l'union avec l'Église catholique romaine. La première union durable fut réalisée par les Ruthènes en 1595-96 (v. RUTHÈNE). Ce mouvement toucherait les coptes*, les Éthiopiens, les Ukrainiens, les Arméniens, les Grecs, les malkites*, les maronites*, les Roumains, les Syriens, etc.

UNIEUX (42240), comm. de la Loire, à 4 km au N. de Firminy; 9 092 hab.

Unigenitus *(bulle),* constitution *(Unigenitus Dei Filius)* promulguée le 8 septembre 1713 par Clément XI, à l'encontre des écrits jansénistes de l'oratorien P. Quesnel*. Son application en France provoqua de longs démêlés.

UNION *(Math.)* → ENSEMBLES *(théorie des).*

Union *(acte d'),* loi votée en 1707 par les Parlements anglais et écossais, et qui établit, au sein du royaume de Grande-Bretagne*, l'union de l'Angleterre et de l'Écosse.

Union *(acte d'),* loi votée en 1800 par les protestants du Parlement irlandais ainsi que par le Parlement anglais et qui établit, au sein du Royaume-Uni, l'union de la Grande-Bretagne et de l'Irlande. En fait, la question irlandaise resta posée.

UNION (L') [31240], comm. de la Haute-Garonne, à 7 km au N.-E. de Toulouse; 7 817 hab.

Union de l'Europe occidentale (U. E. O.), organisation politique et militaire de défense, créée par les accords de Paris de 1954 entre la France, la Grande-Bretagne, les pays du Benelux, l'Italie et la république fédérale d'Allemagne. Cette institution de l'Europe des Sept sert notamment de cadre aux concertations de ses membres sur la défense de l'Europe* au sein du pacte atlantique. (V. ATLANTIQUE NORD [*traité de l'*].)

Union française, nom donné, de 1946 à 1958, à l'ensemble formé par la République française (France, départements et territoires d'outre-mer) ainsi que par les territoires et États associés.

Union internationale des chemins de fer (U. I. C.), organisme international, créé en 1922. Il établit les documents donnant lieu à la publication de règles obligatoires ou de simples recommandations destinées à harmoniser les méthodes et les moyens utilisés dans l'exploitation des chemins de fer.

UNIONISME. — C'est l'opinion des libéraux anglais qui, opposés à la politique de Gladstone*, favorable au *Home Rule* en Irlande, voulurent maintenir l'union de l'Irlande et de la Grande-Bretagne. En fondant (1886) le parti libéral unioniste, Joseph Chamberlain* se sépara de Gladstone et s'allia aux conservateurs*, dont il assura le succès électoral.

Union pour la défense de la République (U. D. R.), Union pour la Nouvelle République (U. N. R.) → RASSEMBLEMENT POUR LA RÉPUBLIQUE.

UNITÉ DE COMPTE. — Le 18 mars 1975, les ministres des Finances des Neuf ont adopté à Bruxelles une nouvelle unité de compte, basée uniquement sur des monnaies européennes et totalement indépendante du dollar* et des droits de tirage spéciaux (D. T. S.*). Elle doit servir notamment à comptabiliser l'aide de la Communauté économique européenne aux quarante-six pays associés par les accords de Lomé ainsi que les opérations effectuées par la Banque européenne d'investissements.

UNITÉS (système international d'). — Issu du système métrique*, le système international d'unités (SI) est un langage universel qui assure une compréhension mutuelle entre les spécialistes les plus divers et dans presque tous les pays, bientôt tous. Adopté par la Conférence générale des poids et mesures en 1960 et perfectionné depuis, il comprend sept unités de base, le mètre*, le kilogramme*, la seconde*, l'ampère*, le kelvin*, la mole* et la candela*, et deux unités supplémentaires, le radian* et le stéradian*. Ces unités sont combinées par multiplication ou division pour former toutes les unités requises, comme le mètre par seconde, unité SI de vitesse, ou le mètre par seconde carrée, unité d'accélération. De même, l'unité de force est le produit de l'unité de masse (le kilogramme) par l'unité d'accélération, donc le mètre-kilogramme par seconde carrée; pour faciliter le langage, on l'appelle le *newton.* C'est un système cohérent, c'est-à-dire que les unités se déduisent sans introduire de facteur numérique qu'il faudrait se rappeler. Le système comprend encore des préfixes servant à former le nom d'unités qui sont plus petites ou plus grandes d'un facteur décimal. (V. tableau p. 1892.)

UNITÉS (les trois). — On désigne ainsi les unités d'*action,* de *temps* et de *lieu,* qui furent considérées au XVIIe s. comme les règles fondamentales de l'art dramatique, et tout particulièrement de la tragédie*. Esquissées avant l'apparition des grandes œuvres classiques par des théoriciens comme l'abbé d'Aubignac (*la Pratique du théâtre,* 1657), qui se fondaient sur l'autorité d'Aristote (*Poétique,* VII-VIII), elles furent mises en pratique par Mairet (*Sophonisbe,* 1634) et s'imposèrent après la querelle du *Cid* avec les *Sentiments de l'Académie sur le Cid* (1638), rédigés par Chapelain. Résumées par Boileau (*Art poétique,* III, 45-46 : « Qu'en un lieu, qu'en un jour, un seul fait accompli/Tienne jusqu'à la fin le théâtre rempli »), elles eurent force de loi jusqu'à la contestation romantique et la *Préface* de *Cromwell** (1827) de Hugo.

UNIVERS. — Les observations donnent un certain nombre de renseignements sur l'Univers, à partir desquels la cosmologie* déduit des modèles à l'aide de la relativité* générale. Les modèles en expansion sont les plus couramment admis. Cette expansion peut se poursuivre indéfiniment ou passer par une valeur maximale et laisser place à une contraction. Cette évolution dépend de la densité de l'Univers. La valeur actuelle est en faveur d'une expansion indéfinie, mais il semble qu'elle soit entachée d'erreurs : elle est calculée à partir de la matière visible (optiquement ou en radio), alors que l'existence d'une certaine quantité de masse *cachée* est maintenant bien établie. Si les observations futures confirment ce fait, l'évolution de l'Univers sera alors différente. Ces modèles présentaient une phase initiale très condensée, il y a environ 12 milliards d'années, pendant laquelle l'Univers était une boule de feu à la température de 15 milliards de degrés : c'est la *théorie du big bang.* Une théorie maintenant rejetée fut la *théorie de l'état stationnaire.* Si elle eut l'avantage de n'avoir recours à aucun commencement de l'Univers, elle violait toutefois un principe fondamental de la physique : la conservation de l'énergie*. Mais certains faits d'observation restent inexpliqués dans le cadre d'un Univers en expansion. L'association physique de deux objets de vitesses très différentes ne peut se comprendre dans le cadre de la théorie classique : l'observation montre que ces objets sont approximativement à la même distance, tandis que la mesure de leur vitesse et l'application de la loi d'expansion fournissent des distances très différentes de celles qui sont déterminées par d'autres méthodes. Certains en concluent que ce n'est là qu'un écart à la loi, mais d'autres remettent en question l'expansion et proposent des théories différentes.

UNIVERSAUX. — Les recherches concernant les universaux du langage (éléments ou traits communs à toutes les langues naturelles) se sont beaucoup développées au cours des années 60, en relation, d'une part, avec les travaux de traduction automatique et, d'autre part, avec la théorie générative*, qui postule, au-delà de l'infinie variété des structures de surface, l'existence de structures profondes universelles. On retrouve dans toutes les langues la double articulation du langage (niveau des morphèmes et niveau des phonèmes), les catégories syntaxiques du verbe et du nom, la relation sujet-prédicat.

UNIVERSAUX (querelle des). — Cette controverse sur la nature et l'origine des notions générales est scolastique. Porphyre* pose ainsi le problème : « Les genres et les espèces existent-ils en soi ou seulement dans l'intelligence; et, dans le premier cas, sont-ils corporels ou incorporels; existent-ils enfin à part des choses sensibles ou bien confondues avec elles? » Les rationalistes tiennent les universaux pour réalité affective, et les empiristes pour des mots vides. Les conceptualistes soutiennent que les universaux naissent avec l'expérience, mais qu'ils procèdent de l'esprit, et les nominalistes qu'ils ne sont que des mots.

UNIVERSITÉ. — Le troisième concile de Latran (1179) avait décidé que toute église cathédrale devrait entretenir un maître chargé d'instruire les clercs de l'Église. C'est de l'école épiscopale de Paris que naquit la plus ancienne université de France. Philippe Auguste (1200), puis le pape (1215) lui accordèrent les privilèges d'une corporation ecclésiastique. L'université de Paris obtint le droit exclusif de conférer les grades de bachelier, de licencié et de docteur aux étudiants, répartis en quatre facultés *(arts libéraux, droit canon, médecine, théologie).* Sa période d'apogée s'étend du XIIIe au XVe s. Jusqu'à la fin du XVIIIe s., la Sorbonne*, c'est-à-dire la faculté de théologie, garda une certaine importance. En province, des universités s'étaient créées à l'image de celle de Paris; les plus anciennes étaient celles de Toulouse (1229-30) et de Montpellier (1289). Supprimée en 1790, l'Université fut réorganisée en 1808 par Napoléon Ier, qui lui donna pour chef un grand maître et la plaça sous la surveillance directe de l'État. Depuis 1968, les universités sont dotées d'une large autonomie administrative, pédagogique et financière. Gérées par un conseil élu, elles élaborent leurs statuts au sein d'assemblées constitutives formées par les « unités d'enseignement et de recherche » (U. E. R.) qui les composent.

UNKEI, sculpteur japonais (Kyōto v. 1148 - 1223). Il a donné un souffle nouveau à la statuaire de l'époque Kamakura. Descendant de Jōchō*, dont il perfectionna la technique par pièces assemblées *(yosegi),* il permit au réalisme de s'épanouir. Les deux gardiens géants du temple Tōdai-ji de Nara (1203) atteignent, par leur attitude menaçante, leurs gestes violents, leurs muscles tendus et leur virilité, un expressionnisme remarquable.

Unkiar-Skelessi *(traité d'),* traité signé en juillet 1833 dans le village de ce nom entre la Turquie et la Russie : il faisait de la mer Noire une mer réservée aux navires russes.

U. N. R., sigle de *Union pour la Nouvelle République.*

UNRUH (Fritz VON), écrivain allemand (Coblence 1885 - Diez 1970), auteur de récits et de drames historiques d'inspiration pacifiste (*le Livre de la paix,* 1925; *Wilhelmus von Oranien,* 1953).

UNTERWALD, en allem. **Unterwalden,** canton de Suisse, au S. du lac des Quatre-Cantons, formé des deux demi-cantons de *Nidwald,* ou *Nidwalden* (274 km²; 25 634 hab.; ch.-l. *Stans*), et d'*Obwald,* ou *Obwalden* (492 km²; 24 509 hab.; ch.-l. *Sarnen*).

UNVERDORBEN (Otto), chimiste allemand (Dahme, près de Potsdam, 1806 - *id.* 1873). En 1826, il a découvert l'aniline parmi les produits de décomposition de l'indigo.

Upaniṣad, textes philosophiques fondamentaux de la pensée indienne, qui font partie des *Veda**. Anonymes et rédigés à diverses époques, ils exposent la thèse de l'identité du soi individuel et du soi universel ou absolu (ātman-brahmaṇ), et montrent comment, par la connaissance de cette identité, donc par celle de l'essence de l'être, il est possible de se libérer du saṃsāra*.

UPDIKE (John), écrivain américain (Shillington, Pennsylvanie, 1932). Poète et nouvelliste à succès du *New Yorker* (*les Plumes du pigeon,* 1962), il fait dans ses romans une peinture des fantasmes et des contradictions de la société américaine (*la Fête à l'asile,* 1959; *Cœur de lièvre,* 1960; *le Centaure,* 1963; *la Ferme,* 1966; *Couples,* 1968; *Rabbit rattrapé,* 1972) à travers une adaptation des mythes

(Décret du 3 mai 1961, modifié par les décrets du 5 janvier 1966 et du 4 décembre 1975.)

Les unités de base du système SI sont écrites en **MAJUSCULES GRASSES.**
Les unités supplémentaires du système SI sont écrites en **miniscules grasses.**
Les autres unités du système SI sont écrites en PETITES CAPITALES.
Les multiples et sous-multiples décimaux du système SI ayant une dénomination particulière sont écrits en minuscules.
Les unités hors système sont écrites en *italique.*

MULTIPLES ET SOUS-MULTIPLES DÉCIMAUX

exa	E	10^{18}	ou	1 000 000 000 000 000 000	d'unités
peta	P	10^{15}	ou	1 000 000 000 000 000	—
téra	T	10^{12}	ou	1 000 000 000 000	—
giga	G	10^{9}	ou	1 000 000 000	—
méga	M	10^{6}	ou	1 000 000	—
kilo	k	10^{3}	ou	1 000	unités
hecto	h	10^{2}	ou	100	—
déca	da	10^{1}	ou	10	—

déci	d	10^{-1}	ou	0,1	unité
centi	c	10^{-2}	ou	0,01	—
milli	m	10^{-3}	ou	0,001	—
micro	µ	10^{-6}	ou	0,000 001	—
nano	n	10^{-9}	ou	0,000 000 001	—
pico	p	10^{-12}	ou	0,000 000 000 001	—
femto	f	10^{-15}	ou	0,000 000 000 000 001	—
atto	a	10^{-18}	ou	0,000 000 000 000 000 001	—

I. UNITÉS GÉOMÉTRIQUES

longueur			
MÈTRE	m		
mille		1852	m
longueur d'onde, distances atomiques			
angström	Å	10^{-10}	m
nombre d'ondes			
PAR MÈTRE	m^{-1}		
aire ou superficie			
MÈTRE CARRÉ	m^2		
hectare	ha	10^4	m^2
are	a	10^2	—
section efficace			
barn	b	10^{-28}	m^2
volume			
MÈTRE CUBE	m^3		
litre	l	10^{-3}	m^3
stère	st	1	—
angle plan			
radian	rad		
tour	tr	2 π	rad
grade (ou *gon*)	g (ou gon)	π/200	—
degré	°	π/180	—
minute	′	π/10 800	—
seconde	″	π/648 000	—
angle solide			
stéradian	sr		

II. UNITÉS DE MASSE

masse			
KILOGRAMME	kg		
tonne	t	10^3	kg
quintal	q	10^2	—
carat métrique		2.10^{-4}	—
masse atomique			
unité de masse atomique	u	$1,660\,56.10^{-27}$	kg
masse linéique			
KILOGRAMME PAR MÈTRE	kg/m		
tex	tex	10^{-6}	kg/m
masse surfacique			
KILOGRAMME PAR MÈTRE CARRÉ	kg/m^2		
masse volumique			
KILOGRAMME PAR MÈTRE CUBE	kg/m^3		
volume massique			
MÈTRE CUBE PAR KILOGRAMME	m^3/kg		
concentration			
KILOGRAMME PAR MÈTRE CUBE	kg/m^3		

III. UNITÉS DE TEMPS

temps			
SECONDE	s		
minute	min	60	s
heure	h	3 600	—
jour	d (ou j)	86 400	—
fréquence			
HERTZ	Hz		

IV. UNITÉS MÉCANIQUES

vitesse			
MÈTRE PAR SECONDE	m/s		
kilomètre par heure	km/h	1/3,6	m/s
nœud		1 852/3 600	—
vitesse angulaire			
RADIAN PAR SECONDE	rad/s		
tour par minute	tr/min	2 π/60	rad/s
tour par seconde	tr/s	2 π	—

anciens et la création d'une symbolique qui fait de lui l'un des écrivains américains les plus soucieux de recherches formelles.

UPOLU, île des Samoa occidentales.

UPPSALA, v. de la Suède centrale, au N. du lac Mälaren; 138 000 hab. Université (fondée en 1477). Cathédrale gothique des XIIIe-XVe s. (tombeaux, œuvres d'art, trésor). Château royal des XVIe-XVIIIe s. Au Vieil Uppsala, tumulus royaux du XIe s.

UR → OUR.

'URĀBĪ ou **ARABI PACHA,** officier égyptien (près de Zagazig 1839 - Le Caire 1911). Il est imposé comme ministre de la Guerre (1881-82) au khédive Tawfīq* par des officiers arabes et devient le chef de la résistance nationale contre les étrangers. Vaincu par les Britanniques à Tall al-Kabīr (sept. 1882), il est déporté à Ceylan.

URANIE, muse de l'Astronomie.

URANIUM. — Dernier élément naturel de la classification périodique, l'uranium a pour numéro 92 et pour masse atomique U = 238,07. Il a été isolé en 1841 par Péligot. C'est un solide gris fer, de densité 18,7, fondant vers 1 800 °C et qui s'oxyde facilement.

L'oxyde uraneux, ou urane, UO_2, est un solide noir, à propriétés basiques, auquel correspondent les sels uraneux, verts. L'anhydride uranique, UO_3, orangé, est amphotère. Il donne avec les acides des sels uraniques, dits encore « sels d'uranyle », car ils contiennent le radical UO_2. Ces sels sont jaunes et doués d'une fluorescence verte. Ce même oxyde UO_3 donne avec les bases des uranates, comme Na_2UO_4, qui, incorporé au verre, fournit le verre d'urane, que les rayons ultraviolets rendent phosphorescent.

Le plus important des minerais d'uranium est la pechblende, ou uraninite, U_3O_8, mais il en existe beaucoup d'autres, dont l'extraction est devenue active.

accélération

MÈTRE PAR SECONDE CARRÉE	m/s^2		
gal	Gal	10^{-2}	m/s^2

accélération angulaire

RADIAN PAR SECONDE CARRÉE	rad/s^2		

force

NEWTON	N		
dyne	dyn	10^{-15}	N

moment d'une force

NEWTON-MÈTRE	N.m		

tension capillaire

NEWTON PAR MÈTRE	N/m		

travail, énergie, quantité de chaleur

JOULE	J		
erg		10^{-7}	J
wattheure	Wh	3 600	—
électronvolt	eV	$1{,}602\,19.10^{-19}$	—
calorie	cal	4,185 5	—
thermie (ou *mégacalorie*)	th	$4{,}185\,5.10^{6}$	—
frigorie	fg	$-4{,}185\,5.10^{3}$	—

intensité énergétique

WATT PAR STÉRADIAN	W/sr		

puissance, flux énergétique, flux thermique

WATT	W		

contrainte et pression

PASCAL	Pa		
bar		10^{5}	Pa

viscosité dynamique ou viscosité

PASCAL-SECONDE	Pa.s		
poise	P	10^{-1}	Pa.s

viscosité cinématique

MÈTRE CARRÉ PAR SECONDE	m^2/s		
stokes	St	10^{-4}	m^2/s

V. UNITÉS ÉLECTRIQUES

intensité de courant électrique

AMPÈRE	A		

force électromotrice et différence de potentiel (ou tension)

VOLT	V		

résistance électrique

OHM	Ω		

intensité de champ électrique

VOLT PAR MÈTRE	V/m		

conductance électrique

SIEMENS	S		

quantité d'électricité, charge électrique

COULOMB	C		
ampère-heure	Ah	3 600	C

capacité électrique

FARAD	F		

inductance électrique

HENRY	H		

flux d'induction magnétique

WEBER	Wb		

induction magnétique

TESLA	T		

intensité de champ magnétique

AMPÈRE PAR MÈTRE	A/m		

force magnétomotrice

AMPÈRE	A		

VI. UNITÉS CALORIFIQUES

température

KELVIN	K		
DEGRÉ CELSIUS	°C		

capacité thermique, entropie

JOULE PAR KELVIN	J/K		

chaleur massique, entropie massique

JOULE PAR KILOGRAMME-KELVIN	J/(kg.K)		

conductivité thermique

WATT PAR MÈTRE-KELVIN	W/(m.K)		

VII. UNITÉS DES RAYONNEMENTS IONISANTS

activité

BECQUEREL	Bq		
curie	Ci	$3{,}7 \times 10^{10}$	Bq

exposition

COULOMB PAR KILOGRAMME	C/kg		
röntgen	R	$2{,}58 \times 10^{4}$	C/kg

dose absorbée

GRAY	Gy		
rad	rd	10^{-2}	Gy

VIII. UNITÉS DE QUANTITÉ DE MATIÈRE

quantité de matière

MOLE	mol		

IX. UNITÉS OPTIQUES

intensité lumineuse

CANDELA	cd		

flux lumineux

LUMEN	lm		

éclairement lumineux

LUX	lx		

luminance lumineuse

CANDELA PAR MÈTRE CARRÉ	cd/m^2		

vergence des systèmes optiques

1 PAR MÈTRE	m^{-1}		
DIOPTRIE	δ		

X. UNITÉ MONÉTAIRE

FRANC	F		
centime		10^{-2}	F

C'est sur l'uranium que H. Becquerel a découvert la radioactivité*. Le produit naturel est un mélange de trois isotopes*, dont U 238, le plus abondant, générateur de la famille du radium, et U 235, générateur de la famille de l'actinium. Sous l'action de neutrons, l'uranium peut se transformer en plutonium ou subir une fission* nucléaire.

En raison de sa faible concentration dans ses nombreux minerais* (souvent moins de 1 p. 100), les traitements* métallurgiques comportent d'abord une concentration* physique, puis une concentration chimique des sels d'uranium. Après purification du concentré, le métal est élaboré, à partir du tétrafluorure, par réduction* métallothermique par le magnésium* ou le calcium*. Il doit être affiné par refusion sous vide avant sa mise en forme et son traitement thermique. L'uranium est surtout utilisé comme combustible des réacteurs* nucléaires (barres, tubes, anneaux) soit à l'état pur, soit comme alliage avec le molybdène*, soit encore dans des composés réfractaires (oxyde, carbure). Il peut être enrichi en isotope fissile (U 235) par le procédé sélectif de *diffusion gazeuse* de l'hexafluorure à travers des parois poreuses ou par le procédé d'*ultracentrifugation.*

La production mondiale annuelle (U. R. S. S. exclue), exprimée en métal contenu, stagne un peu au-dessous de 20 000 tonnes, provenant pour près de la moitié des États-Unis (de 8 000 à 10 000 t), précédant le Canada (3 500 t), l'Afrique du Sud (2 500 t) et la France (1 700 t). Les réserves économiquement exploitables du monde non socialiste sont estimées un peu en deçà du million de tonnes, chiffre modeste compte tenu non de la production actuelle, mais de besoins appelés à se développer rapidement avec l'essor de l'électricité* nucléaire, ce qui imposera sans doute à terme le recours à la technique des surrégénérateurs*.

URANOSCOPE. — C'est un poisson des fonds sableux, voisin de la vive, comestible et caractérisé par ses yeux tournés vers le ciel : d'où son nom. (Famille des trachinidés.)

URANUS, planète du système solaire. Observée dès 1690 et prise alors pour une étoile*, elle ne fut classée qu'en 1781 dans la catégorie des planètes* après une série d'observations de William Herschel*, qui, tout d'abord, avait cru découvrir une comète*. Dotée de cinq satellites*, cette planète géante, entourée de nuages de méthane* et d'ammoniac*, présente la particularité, unique dans le système solaire, de tourner sur elle-même avec une inclinaison de 98⁰, donc pratiquement « couchée » sur son orbite.

URAWA, v. du Japon (Honshū), au N. de Tōkyō; 269 000 hab.

URBAIN Ier → PAPE.

URBAIN II (Eudes DE LAGERY) [Châtillon-sur-Marne v. 1042 - Rome 1099], pape (1088-1099). Ancien moine clunisien, il poursuit l'œuvre réformatrice de ses prédécesseurs et excommunie Henri IV* d'Allemagne et Philippe Ier de France. Au concile de Clermont (1095), il prend des mesures ecclésiastiques sévères et annonce la première croisade*.

URBAIN III, IV, V → PAPE.

URBAIN VI (Bartolomeo PRIGNANO) [Naples v. 1318 - Rome 1389], pape (1378-1389). Par son caractère difficile et son intransigeance, il provoque le grand schisme* d'Occident, un certain nombre de cardinaux lui ayant opposé un rival, Clément VII* (1378).

URBAIN VII → PAPE.

URBAIN VIII (Maffeo BARBERINI) [Florence 1568 - Rome 1644], pape (1623-1644). Son règne est marqué par la condamnation de Galilée* (1633) et celle de l'*Augustinus* de Jansénius* (1643).

URBAIN (Georges), chimiste français (Paris 1872 - *id.* 1938). Il est parvenu à séparer les principaux éléments des terres rares.

URBANISATION. — Mouvement de concentration de la population dans les villes*, l'urbanisation est le phénomène spatial majeur de l'époque contemporaine. Environ 800 millions d'habitants, soit plus du quart de la population mondiale, se groupaient dans les cités de plus de 20 000 habitants en 1960, contre guère plus de 20 millions en 1800. Aujourd'hui, dans les noyaux urbains (de définition variable selon les pays) sont concentrés environ 1 500 millions de personnes (plus du tiers de la population mondiale), et la population urbaine deviendra majoritaire à l'échelle mondiale dans les années 80. L'urbanisation est liée à deux phénomènes d'intensité variable, le plus souvent combinés : accroissement général de population et changement de structures de l'économie (augmentation de la productivité agricole [associée ou non à un fort excédent naturel du monde rural], essor de l'industrie et des services). L'accroissement de population et une surcharge démographique provoquant l'exode rural (plus qu'une augmentation de la productivité agricole) sont à la base de l'urbanisation du tiers monde; des mutations de l'économie expliquent, pour une large part, celle des pays développés. Dans ceux-ci, la part de la population urbanisée dépasse généralement 70, voire 80 p. 100 de la population totale (Grande-Bretagne, Belgique). Elle est encore souvent inférieure à 50 p. 100 dans le tiers monde, mais s'accroît très rapidement depuis une vingtaine d'années.

URBANISME. — Certes l'Antiquité, grecque ou romaine, le Moyen Âge, la Renaissance et l'âge classique ont connu l'art des villes : composition plastique en accord avec les valeurs dominantes de la société, favorisant par exemple la vie collective ou « mettant en scène » le pouvoir et ses institutions — mais aussi réglementation de l'occupation des sols, des façades, de la sécurité, de la circulation. Pourtant, c'est avec l'industrialisation du XIXe s. — et ses corollaires : urbanisation et prolétarisation d'une part importante de la population — que s'est imposée la nécessité d'une planification reposant sur une transformation de ce qui n'est plus adapté (travaux d'Haussmann à Paris au XIXe s.), une analyse des fonctions urbaines (habitation, travail, circulation, loisirs...) et enfin des prévisions. Parallèlement à la recherche de l'adaptation de la ville aux conditions présentes et à venir s'est développé un courant utopique qui prolonge des théories révolutionnaires (Fourier, Robert Owen...) par des projets urbanistiques inséparables d'une conception nouvelle de la société et de la vie sociale. C'est que l'urbanisme, reflet de la société, en reproduit les contradictions. La gestion capitaliste de la ville a rencontré la résistance de théoriciens (notamment dans les pays germaniques et anglo-saxons : Camillo Sitte, Ebenezer Howard...) attachés à une certaine idée de la cité « humaine » et à certains mythes de la nature (thème de la « cité-jardin »). D'autre part, sur la base de l'apologie du modernisme et d'une critique de l'irrationalité de l'urbanisme officiel, un courant a développé les principes d'un urbanisme scientifique, devenu lui-même, au terme d'une longue lutte pour se faire admettre, officiel. Après les travaux précurseurs de Tony Garnier*, Le Corbusier* en est le principal promoteur en tant qu'animateur des C. I. A. M. — qui ont élaboré en 1933 la « charte* d'Athènes » — et auteur de projets comme le plan « pour une ville de 3 millions d'habitants » (1922) ou le « plan Voisin » pour Paris (1925). Cet urbanisme dit « progressiste » — parce qu'il a joué un rôle d'avant-garde avec ses thèses de la libération de l'homme par une technique dominée et mise à son service — a produit le système autoritaire qui régit les ensembles contemporains et les « villes nouvelles » : il apparaît finalement comme une rationalisation de la décomposition de la ville (hiérarchisation des circulations, séparation des fonctions...), qui correspond à la décomposition des rapports sociaux (« maladie de l'isolement »...). Cet urbanisme scientifique et rationnel a été critiqué à divers titres (Lewis Mumford, Christopher Alexander, Françoise Choay) et notamment comme produit de la domination capitaliste sur toute la vie sociale (Henri Lefebvre). Plus que jamais, les problèmes liés à l'organisation de la vie urbaine mobilisent urbanistes, sociologues et psychologues, mais sans que des solutions nouvelles aient encore vu le jour.

• *La réglementation de l'urbanisme.* Depuis le début des années 70, il a été nécessaire de prendre davantage en compte les impératifs de protection des sites et des paysages, la réglementation des densifications pour les constructions, les hauteurs des immeubles, etc. Les plans d'occupation des sols (P. O. S.) fixent les règles d'utilisation des sols, qui peuvent comporter l'interdiction de construire. Ils fixent la densité de la construction par rapport au sol. Les P. O. S. sont obligatoires dans les communes, ou parcelles de communes, de plus de 10 000 habitants. Les schémas directeurs d'aménagement et d'urbanisme et les schémas de secteur fixent les orientations générales de l'aménagement du territoire.

En France, les aires de référence de la planification urbaine sont :
— les *Z. A. C. (zones d'aménagement concerté),* zones créées en 1968 et définissant un cadre dans lequel les autorités peuvent agir pour réaliser les aménagements et les équipements des sols pour la résidence, le commerce ou l'industrie et le tourisme;
— les *Z. A. D. (zones d'aménagement différé),* zones dont la création répond à des objectifs de contrôle du marché foncier à l'intérieur de certains périmètres (elles sont moins proches du noyau des villes que les anciennes Z. U. P.);
— les *Z. E. D. E. (zones d'études démographiques et d'emplois)* et les *Z. P. I. U. (zones de peuplement industriel et urbain),* zones caractérisées par les activités et les échanges réalisés dans des aires urbaines;
— les *Z. I. F. (zones d'intervention foncière),* zones créées par la loi du 31 décembre 1975 (une commune [ou un groupement de communes] peut, dans le dessein de réaliser des programmes sociaux d'habitation, exercer, à l'intérieur d'une Z. I. F., un droit de préemption sur tout bien immobilier lorsque celui-ci fait l'objet d'une vente [dans les communes de plus de 10 000 habitants (ou les groupements de communes de cette taille compétents en matière d'urbanisme), la Z. I. F. est automatiquement instituée sur toute l'étendue de la zone urbaine délimitée par le plan d'occupation des sols, publié et approuvé]);
— les *Z. I. R. S. T. (zones industrielles de recherches scientifiques et techniques).*

Quant aux *Z. U. P. (zones à urbaniser en priorité),* elles ont été supprimées par la loi du 31 décembre 1975 sur la réforme de la politique foncière, devant les résultats décevants auxquels leur intervention avait donné lieu (insuffisance des équipements collectifs).

On distingue encore les *zones naturelles d'équilibre,* destinées à limiter le développement de l'urbanisation dans l'espace d'une région. (En région parisienne, elles devront représenter des zones de discontinuité prévues par le schéma directeur d'aménagement et d'urbanisme de la région, et qui seront protégées et maintenues dans une destination rurale.)

URBINO, v. d'Italie, dans les Marches; 11 000 hab.

HISTOIRE. Appartenant dès le XIIe s. à la famille de Montefeltro, Urbino, érigée en comté en 1213, est élevée à la dignité ducale en 1443 en faveur d'Oddantonio da Montefeltro. Après l'extinction des Montefeltro (1508), le duché passe aux Della Rovere jusqu'en 1631. Incorporés dans l'État pontifical, ses territoires forment jusqu'en 1860 une partie de la délégation apostolique de Pesaro e Urbino, devenue ensuite la province italienne du même nom.

BEAUX-ARTS. — Palais ducal, dont la reconstruction est surtout l'œuvre, à partir de 1468, du Dalmate Luciano Laurana (v. 1420-1479), qui fait de ce palais, harmonieusement articulé sur un terrain difficile, le modèle des résidences princières de la première Renaissance (décor intérieur raffiné : stucs, marqueteries, notamment celles du *studiolo* du duc); il abrite la Galerie nationale des Marches (peintures, entre autres, d'artistes ayant travaillé pour ce même palais ou pour Urbino et ses ducs : P. Berruguete*, Juste de Gand, Melozzo* da Forli, Piero* della Francesca, Uccello*, Giovanni Santi, père de Raphaël*, Baroccio*...). À 3 km de la ville, église S. Bernardino, de Francesco* di Giorgio Martini.

URDŪ. — L'urdū (ou ourdou), langue officielle du Pākistān (environ 100 millions de locuteurs, dont une trentaine en Union indienne), est une forme de hindī*, dont il a tendance à se distinguer actuellement par l'introduction d'une grande quantité de termes persans et arabes. Il s'écrit grâce à un alphabet formé de caractères arabes et persans.

URÉDINALES. — On nomme ainsi les champignons du groupe des *rouilles,* dont le plus redoutable est la rouille du blé, qui vit en alternance aux dépens de celui-ci et de l'épine-vinette, au prix d'un cycle reproductif compliqué (cinq sortes de spores différentes).

URÉE. — Découverte en 1773 par Rouelle, l'urée peut s'extraire de l'urine par précipitation de son nitrate. Sa synthèse, à partir du cyanate d'ammonium, est due à Wöhler en 1828. On la prépare industriellement par déshydratation du carbamate d'ammonium, action de l'ammoniac sur le phosgène ou hydratation du cyanamide. L'urée est un solide fondant à 130 ^{0}C, soluble dans l'eau, que la chaleur décompose facilement et qui donne des sels avec les acides forts. Les hypochlorites l'oxydent, avec dégagement d'azote, ce qui permet de la doser. L'urée s'hydrolyse en ammoniac et en gaz carbonique par ébullition avec les acides ou les alcalis et sous l'action de *Micrococcus ureae.* Elle donne de nombreux dérivés et fournit avec le formol des résines thermodurcissables.

URÉMIE → REIN.

URETÈRE, URÈTRE → URINAIRE *(appareil).*

UREY (Harold Clayton), chimiste américain (Walkerton, Indiana, 1893). Il a découvert en 1932 l'eau lourde et le deutérium, et étudié l'enrichissement de l'uranium en isotope 235 par diffusion de son fluorure gazeux. (Prix Nobel de chimie, 1934.)

URFA, anc. **Édesse,** v. du sud-est de la Turquie, près de la Syrie; 100 000 hab.

URFÉ (Honoré D'), écrivain français (Marseille 1567 - Villefranche-sur-Mer 1625). Auteur d'un poème pastoral (*Sireine,* 1596-1604) et d'*Épîtres morales* (1598), il doit sa célébrité à un roman mêlé de prose et de vers, *l'Astrée**, dont l'influence fut considérable sur le goût de la société cultivée de la première moitié du XVIIe s.

URGEL → SEO DE URGEL.

URGENCE (état d'). — L'expression recouvre un type de fonctionnement des pouvoirs publics en vertu duquel, en cas d'atteinte grave portée à l'ordre public, les pouvoirs de l'Administration se trouvent exceptionnellement renforcés (suppression des réunions, des spectacles, interdiction de la circulation, etc.). L'état d'urgence se distingue de l'*état de siège.* L'*état de nécessité,* prévu par l'article 16 de la Constitution du 4 octobre 1958, dispose que le président de la République peut, sous certaines conditions, exercer par voie d'ordonnances la plénitude des pouvoirs législatif et exécutif si les institutions, l'indépendance nationale ou l'intégrité du territoire se trouvent menacées.

URI, cant. de Suisse; 1 075 km^2; 34 091 hab. Ch.-l. *Altdorf.* Alpestre et correspondant au bassin supérieur de la Reuss, entre le lac des Quatre-Cantons et le Saint-Gothard, il vit principalement de l'élevage et localement (Andermatt) du tourisme.

URIAGE (38410), écart de la comm. de *Saint-Martin-d'Uriage* (Isère), à 12 km au S.-E. de Grenoble. Station thermale aux eaux chlorurées sodiques et sulfureuses, utilisées dans le traitement des affections de la peau, de la gorge et des rhumatismes.

URICÉMIE, URICOSURIQUE → URIQUE *(acide).*

URINAIRE (appareil). — Il comprend les reins et les voies urinaires (uretères, vessie et urètre).

Les *reins**, situés dans les fosses lombaires, sont directement reliés à l'aorte et à la veine cave par les artères et les veines rénales. Ils sécrètent l'urine* en permanence. Les *bassinets* collectent l'urine des reins et se continuent par les *uretères,* qui conduisent l'urine dans la vessie. La *vessie** est un réservoir musculaire capable de se laisser distendre et de se contracter pour permettre la miction. Le canal de l'*urètre* fait suite à la vessie. Chez la femme, l'urètre, exclusivement périnéal, mesure 4 cm et débouche à la vulve; chez l'homme, il est plus long (16 cm) et livre passage à l'urine ou au sperme. On lui décrit une portion intraprostatique, une portion membraneuse, étendue du bec prostatique à l'entrée dans la gaine érectile, et une portion spongieuse, qui correspond à l'urètre périnéal et pelvien. Au niveau de l'urètre postérieur s'ouvre le canal déférent.

Il existe des anomalies congénitales, telles que la duplicité urétérale (uretère double) ou l'abouchement ectopique de l'uretère. L'infection du bassinet *(pyélite)* est le plus souvent associée à une infection du parenchyme rénal (pyélonéphrite). L'urètre peut être déchiré lors des fractures du bassin. Il peut être rétréci après une inflammation, ou urétrite. Chez l'homme, l'*urétrite aiguë* se manifeste par une sensation pénible de cuisson à chaque miction et par un écoulement urétral purulent. Il s'agit généralement d'une blennorragie, parfois d'une urétrite à germes banals, à trichomonas, à virus. Chez la femme, l'urétrite passe souvent inaperçue.

URINE. — L'urine est sécrétée par les reins* et éliminée par les voies urinaires. Principal véhicule d'élimination des déchets de l'organisme, elle est faite d'eau et d'un résidu sec, constitué de sels minéraux (chlore, sodium, potassium, phosphore, calcium et

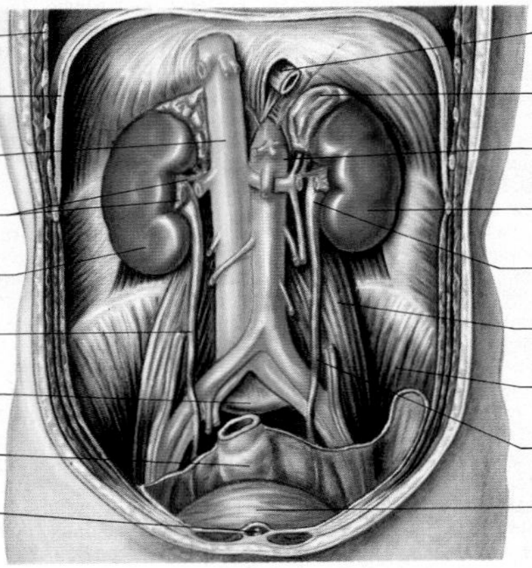

Haut appareil urinaire :
1. Cage thoracique;
2. Diaphragme;
3. Veine cave inférieure;
4. Artère et veine rénales droites; 5. Rein droit;
6. Uretère droit; 7. Sacrum;
8. Rectum; 9. Ouraque;
10. Œsophage;
11. Glande surrénale; 12. Aorte;
13. Rein gauche; 14. Bassinet;
15. Muscle psoas; 16. Muscle iliaque; 17. Uretère gauche;
18. Vessie.

URINAIRE
(appareil)

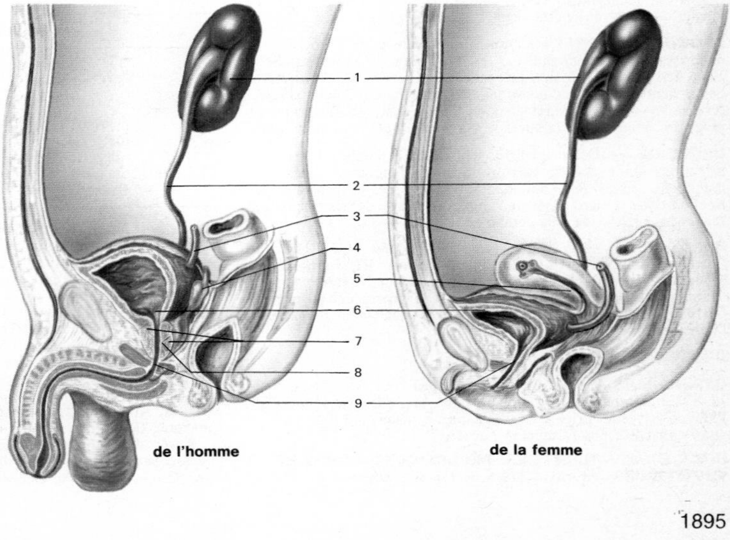

Bas appareil urinaire
de l'homme et de la femme :
1. Rein; 2. Uretère droit;
3. Uretère gauche; 4. Vésicule séminale; 5. Utérus;
6. Vessie; 7. Prostate;
8. Canal déférent; 9. Urètre.

magnésium), de déchets azotés — dont les principaux sont l'urée, la créatinine, l'acide urique —, d'acides aminés, de différents acides résultant des métabolismes (lactiques, pyruviques) ainsi que de substances solubles du plasma (hormones, vitamines, enzymes).

Certaines substances peuvent être présentes anormalement dans l'urine : ainsi les protéines (protéinurie ou albuminurie) dans les néphrites, le glucose dans le diabète, les pigments et les sels biliaires dans les ictères. On peut également retrouver des hématies (hématurie), des leucocytes (pyurie) en quantité anormale. Les urines peuvent être infectées par des bactéries (colibacilles, entérocoques, bacille de Koch).

L'absence d'urine dans la vessie, ou *anurie,* a de nombreuses causes : il peut s'agir d'une obstruction des uretères ou de perturbations circulatoires ou humorales retentissant sur le rein (chute de tension artérielle, transfusions avec erreur de groupe, septicémies à *perfringens,* intoxications).

L'accumulation excessive d'urine dans la vessie caractérise la *rétention d'urine.* Celle-ci peut être due chez l'homme à une affection de la prostate ou de l'urètre postérieur et dans les deux sexes à des troubles neurologiques ou à des séquelles d'intervention abdominale ou pelvienne.

L'augmentation exagérée du nombre des mictions, ou *pollakiurie,* se rencontre au cours des pyélonéphrites, des cystites, des prostatites et du diabète.

L'émission d'une quantité excessive d'urines, ou *polyurie,* s'observe chez certains diabétiques.

L'émission involontaire mais consciente des urines, ou *incontinence,* peut être due à une lésion nerveuse ou à une lésion urinaire.

L'émission d'urine nocturne involontaire et inconsciente, ou *énurésie,* s'observe chez l'enfant après l'âge de trois ou quatre ans; elle est le plus souvent d'origine affective.

URIQUE (acide). — De formule $C_5H_4N_4O_3$, il a été découvert par Scheele en 1773. C'est un solide peu soluble dans l'eau, qui donne avec la soude et l'ammoniac des sels relativement solubles. Il se rencontre dans la plupart des aliments animaux et végétaux.

La plus grande partie de l'acide urique du sang est éliminée par les urines. Cette élimination est de 340 à 500 mg par 24 heures, sous forme d'urates. Les uricosuriques, comme le probénécide, l'accroissent. Une autre fraction (200 mg par 24 heures) est déversée par la bile dans les intestins et subit une destruction par les bactéries. Le taux d'acide urique dans le sang (uricémie) est normalement de 40 à 60 mg par litre et est influencé par la richesse du régime en purines. Lorsqu'il est supérieur à ces chiffres, il y a hyperuricémie, responsable de la goutte*.

URODÈLES. — Bien que l'on considère aujourd'hui les urodèles (triton, salamandre...) comme sans parenté proche avec les anoures* (grenouille, crapaud), on continue à réunir ces deux groupes dans la classe des amphibiens*, ou batraciens, à cause d'un important caractère commun : la larve respire par des branchies, l'adulte par la peau et les poumons. Mais, précisément, certains urodèles font exception, tels l'*axolotl**, parce qu'il se reproduit à l'état larvaire et devient rarement adulte, et les *pérennibranches* (protée des grottes de Carniole, sirène des marais américains), parce que les branchies persistent chez l'adulte en sus des poumons. Les *caducibranches* n'ont plus de branchies à l'âge adulte et ont souvent un corps moins allongé et des pattes un peu plus développées (exception faite de l'amphiume des États-Unis). Citons les salamandres et les tritons. Tous les urodèles ont une longue queue et des pattes égales entre elles.

UROGRAPHIE. — L'injection intraveineuse de produits de contraste isolés s'éliminant par les reins permet l'examen radiologique de l'appareil urinaire. Les calices, les bassinets et les uretères deviennent visibles dès les premières minutes qui suivent l'injection, la vessie le devenant dans un temps ultérieur. Des radiographies de celle-ci avant et après la miction complètent l'urographie.

UROLOGIE. — Cette spécialité chirurgicale étudie et traite les affections de l'appareil urinaire des deux sexes et celles de l'appareil génital de l'homme. L'ablation de la prostate, les interventions restauratrices de l'appareil urinaire, la transplantation rénale font partie de son domaine.

URRAQUE, en esp. **Urraca** (v. 1080-Saldaña 1126), reine de Castille et de León (1109-1122). Fille d'Alphonse VI, elle épouse en secondes noces Alphonse Ier, roi d'Aragon et de Navarre : le pape ayant annulé leur mariage malheureux, la guerre éclate entre la Castille et l'Aragon (1110). Alphonse doit finalement reconnaître l'indépendance de la Castille.

URSIDÉS → OURS.

URSINS (Marie-Anne DE LA TRÉMOILLE, *princesse* DES) [Paris 1642-*id.* 1722]. *Camarera mayor* de la reine Marie-Louise, épouse de Philippe V*, elle dirige en fait l'Espagne jusqu'en 1714 : elle est alors congédiée par Élisabeth* Farnèse.

U. R. S. S. ou **UNION DES RÉPUBLIQUES SOCIALISTES SOVIÉTIQUES,** en russe **S. S. S. R. (Soïouz sovietskikh sotsialistitcheskikh respoublik),** État fédéral s'étendant sur la partie septentrionale du bloc eurasiatique; 22 400 000 km²; 255 millions d'hab. Capit. *Moscou.*

GÉOGRAPHIE. Le plus vaste État du monde, couvrant le sixième des terres émergées, l'U. R. S. S. s'étend sur l'extrémité nord-orientale de l'Europe et le nord de l'Asie, entre lesquels l'Oural ne constitue qu'une limite conventionnelle. Née en 1917 d'une révolution socialiste, elle a construit une économie industrielle caractérisée par une croissance élevée et qui se classe aux premiers rangs mondiaux pour de nombreuses productions lourdes. À la tête du Comecon*, elle joue un rôle essentiel dans l'équilibre mondial, tant sur le plan économique que sur le plan politique.

• *Le milieu naturel.* Vaste comme quarante fois la France, l'U. R. S. S. s'étend sur 5 000 km du N. au S. et sur 10 000 km d'O. en E. Les deux tiers du territoire sont occupés par un ensemble de plaines et de bas plateaux entaillé dans un vieux socle cristallin, partiellement recouvert de sédiments. Ouvert sur la mer Baltique et l'océan glacial Arctique, cet ensemble est encadré au S. et à l'E. par une série de puissantes chaînes montagneuses récentes.

La Russie d'Europe est limitée à l'E. par les crêtes appalachiennes, aisément franchissables, de l'Oural*, lourde chaîne hercynienne qui se prolonge dans la Nouvelle-Zemble. C'est une large plaine accidentée de hauteurs modestes (plateau du Valdaï, hauteurs de la Russie centrale, plateau de la Volga) et drainée vers la mer Noire par le Dniepr et le Don, et vers la mer Caspienne par la Volga; au N., elle a subi une forte empreinte glaciaire au quaternaire et est parsemée de dépôts morainiques. Au-delà de l'Oural, jusqu'au Pacifique, s'étend l'immense Sibérie*.

Au S., le haut bastion montagneux du Caucase* forme une barrière entre la mer Noire et la Caspienne. Il domine à l'E. la basse Asie centrale, vaste dépression sableuse endoréique, où l'écoulement s'effectue vers la Caspienne et la mer d'Aral. Cette dernière reçoit en particulier le Syr-Daria et l'Amou-Daria, qui descendent des hautes montagnes du Pamir, où ils entaillent des bassins intérieurs (Fergana). Une succession de hautes chaînes relaie le Pamir vers l'E. (Altaï, Saïan, monts Iablonovyï), à la frontière chinoise, allant rejoindre les montagnes de Sibérie orientale.

L'éloignement des influences atlantiques explique que le climat de l'U. R. S. S. est fortement marqué par la continentalité, de plus en plus sévère vers l'E. et qui rend les conditions de vie souvent difficiles. Le climat continental impose des hivers très rudes, au long enneigement, durant lesquels les fleuves et les sols gèlent. Au printemps, la fonte des neiges, brutale, provoque des inondations. Les étés sont courts mais chauds. Les précipitations, dans l'ensemble peu abondantes, diminuent vers l'E. et vers le S. Seules les côtes de la Baltique, océaniques, et celles de la mer Noire, à tendance méditerranéenne, échappent à la continentalité.

L'étagement en latitude, influant notamment sur les températures, qui augmentent vers le S., explique la disposition des grandes zones de végétation. Au N., la très courte saison végétative empêche la croissance de l'arbre : la région est le domaine de la toundra*. Tout le centre du pays, de la Russie d'Europe à la Sibérie orientale, est couvert par la plus vaste forêt du monde, la taïga*. Vers le S., les conifères cèdent la place aux feuillus, puis à une steppe à graminacées qui poussent parfois sur un sol très riche, le tchernoziom*. Enfin, une végétation xérophile discontinue caractérise la dépression de l'Asie centrale, au climat semi-aride, localement désertique.

climatologie

station	*températures moyennes (°C)*		*précipitations annuelles (mm)*
	janv.	juill.	
Riga	− 4	17	640
Moscou	− 10	17	549
Perm	− 15	16	598
Verkhoïansk	− 48	13	146
Bakou	4	25	195

• *La population.* Par le nombre de ses habitants, l'U. R. S. S. se classe au troisième rang mondial, mais, en raison de l'immensité de son territoire, sa densité dépasse à peine 10 habitants au kilomètre carré. La population recouvre en fait une mosaïque de peuples se distinguant notamment par leur langue : on dénombre plus de cent nationalités, regroupées en républiques fédérées ou en territoires autonomes, à l'intérieur desquels elles conservent une certaine autonomie culturelle et leur langue, le russe constituant cependant la langue officielle. Les Slaves* (Russes, Biélorusses, Ukrainiens) représentent environ les trois quarts de la population. Le quart restant est partagé entre des minorités d'origine indo-européenne (Baltes, Arméniens, Allemands...), caucasienne (Géorgiens), turco-mongole (Kazakhs*, Ouzbeks*, Kirghiz*, Tartars*...), etc.

Après de nombreuses vicissitudes liées aux conditions historiques, la population s'accroît à un rythme moyen de 1 p. 100 par an. Celui-ci recouvre cependant des inégalités, l'accroissement naturel étant beaucoup plus rapide dans l'Asie centrale, plus lent en Russie d'Europe. Les trois quarts des habitants se concentrent dans la partie européenne de l'U. R. S. S., qui présente les conditions naturelles les plus favorables. Cette opposition est à peine atténuée par les migrations intérieures; celles-ci ont commencé sous le tsarisme avec la colonisation le long de la voie ferrée du Transsibérien et la déportation en Sibérie, et continuent actuellement grâce au développement industriel, la création de grands combinats attirant la main-d'œuvre dans les régions orientales.

Le taux d'urbanisation a progressé très rapidement. Actuellement, plus de la moitié des habitants résident dans des villes. L'U. R. S. S. compte dix villes de plus de 1 million d'habitants et près de deux cents qui dépassent les 100 000 habitants.

divisions administratives

république	*capitale*	*république*	*capitale*
Russie (R. S. F. S. R.)	Moscou	Géorgie	Tbilissi
Ukraine	Kiev	Azerbaïdjan	Bakou
Biélorussie	Minsk	Kazakhstan	Alma-Ata
Estonie	Tallin	Kirghizistan	Frounze
Lettonie	Riga	Ouzbékistan	Tachkent
Lituanie	Vilnious	Tadjikistan	Douchanbe
Moldavie	Kichinev	Turkménistan	Achkhabad
Arménie	Erevan		

villes principales

Moscou	7 061 000 hab.	Kharkov	1 223 000 hab.
Leningrad	3 513 000 hab.	Gorki	1 170 000 hab.
Kiev	1 632 000 hab.	Novossibirsk	1 161 000 hab.
Tachkent	1 385 000 hab.	Kouïbychev	1 045 000 hab.
Bakou	1 261 000 hab.	Sverdlovsk	1 026 000 hab.

• *La vie économique.* À la veille de la révolution de 1917, la Russie était un pays à vocation surtout rurale, dont plus de la moitié des terres était aux mains des seigneurs. Le développement industriel était amorcé, mais en des points très localisés, notamment autour de Moscou, en Ukraine et à Bakou. Le nouveau régime a bouleversé l'économie, qu'il a organisée sur des bases socialistes, se fixant des objectifs par l'intermédiaire des plans quinquennaux. En cinquante ans, l'U. R. S. S. s'est classée parmi les premières puissances industrielles du monde.

L'agriculture a été collectivisée. La terre est exploitée dans le cadre de coopératives, les kolkhoz, groupements de paysans d'un ou de plusieurs villages (chaque agriculteur conservant un petit lopin de terre), ou dans le cadre de fermes d'État, les sovkhoz. La part des sovkhoz tend à augmenter en nombre et en superficie. L'agriculture emploie encore près du tiers de la population active; elle est peu favorisée par les conditions naturelles, d'immenses superficies étant impropres à la culture. Malgré la mécanisation et l'emploi d'engrais, les rendements demeurent faibles et les aléas climatiques sont souvent à l'origine de mauvaises récoltes. Les productions varient suivant les régions, en fonction du climat. L'U. R. S. S. est le premier producteur de blé (70 à 100 Mt), d'orge, de seigle, de pommes de terre (100 Mt) et de betterave à sucre (8 à 10 Mt de sucre, premier producteur mondial), fournis essentiellement par les républiques d'Europe (Ukraine principalement). L'élevage bovin cède la place dans les steppes du Sud à l'élevage du mouton karakul pour la laine. La viticulture est pratiquée en Crimée et dans le Caucase, qui produit également agrumes, thé et tabac. En Asie centrale, l'irrigation permet les cultures du riz et surtout du coton (2,5 Mt, premier rang mondial). L'exploitation de la taïga place l'U. R. S. S. au premier rang des producteurs de bois, qui alimente l'industrie du papier. Une pêche active (10 Mt) anime les ports de la mer Baltique et du Pacifique. Cependant, la production agricole demeure insuffisante pour l'alimentation de la population, le pays important en particulier des céréales.

Mais l'U. R. S. S. est avant tout une puissance industrielle. En raison des conditions historiques, qui rendaient difficiles les échanges avec l'extérieur, l'accent a été mis sur les industries d'équipement. Le développement de l'industrie lourde a bénéficié d'un sous-sol particulièrement riche. Le charbon (530 Mt, deuxième rang mondial) conserve une place importante dans la consommation énergétique. Il est exploité surtout dans les bassins du Donbass, du Kouzbass, de l'Oural, de Karaganda et de Tcheremkovo. D'importantes réserves sont connues en Sibérie. Les hydrocarbures (pétrole : plus de 500 Mt, premier rang mondial; gaz naturel : plus de 300 Gm^3, deuxième rang mondial) sont en constante progression. Les gisements (piémont occidental de l'Oural et Sibérie occidentale) sont reliés par un réseau de gazoducs et d'oléoducs aux principaux foyers industriels de l'U. R. S. S. et des pays socialistes. Plus du dixième de la production électrique (plus de 1 000 TWh) est d'origine hydraulique; il est fourni par les grands barrages édifiés sur le Dniepr, la Volga, l'Ienisseï et l'Angara. La part du nucléaire, modeste, n'est cependant pas négligeable.

L'U. R. S. S. est encore le premier producteur du monde de fer (135 Mt), qu'elle extrait dans les gisements de Krivoï-Rog, de Koursk et de Magnitogorsk. Elle se classe également au premier rang pour le manganèse (Géorgie) et au second rang pour la bauxite (Oural), le cuivre (Oural et Kazakhstan), le zinc, le nickel, le plomb, etc. Le sous-sol fournit enfin de l'amiante, du sel, des phosphates (presqu'île de Kola) et des métaux précieux (or, argent, platine).

L'industrie lourde occupe une place prépondérante. La sidérurgie est localisée sur les gisements de houille ou de fer; son implantation est ancienne en Ukraine (Donbass), plus récente dans l'Oural, en Sibérie occidentale (Kouzbass) et dans le Kazakhstan (Karaganda). La production d'acier (140 Mt) atteint le premier rang mondial. Elle alimente des industries métallurgiques variées : machines-outils, matériel agricole et ferroviaire, constructions aéronautiques. La chimie est implantée sur les gisements de sel, de phosphate et de charbon, alors que la pétrochimie se localise près des hydrocarbures. La production de biens de consommation est moins florissante : l'U. R. S. S. ne construit que 1,2 million d'automobiles par an. L'industrie textile (coton, laine) se déplace de la région de Moscou, centre traditionnel, vers l'Asie centrale (Tachkent). Les industries alimentaires, plus dispersées, sont actives. Des raisons stratégiques ont poussé le gouvernement à encourager le déplacement des foyers industriels vers l'E., mais les agglomérations de Moscou et de Leningrad, de l'Ukraine et de la Volga concentrent encore une grande partie de la production.

Les immenses distances qui séparent les différents foyers industriels posent le problème des voies de communication. La voie ferrée joue un rôle essentiel, la route étant encore peu développée. Le transport fluvial souffre du gel hivernal, mais les communications aériennes sont très développées.

Les échanges commerciaux avec l'extérieur demeurent relativement modestes. L'U. R. S. S. exporte surtout des matières premières (bois, charbon, fer, gaz) et importe des biens de consommation et des produits agricoles. Les échanges ont surtout lieu au sein du Comecon, mais le rôle des pays occidentaux est en progression. Par ailleurs, l'U. R. S. S. apporte une aide substantielle aux pays du tiers monde par l'envoi de capitaux et de techniciens.

Malgré une production industrielle très importante, le niveau de vie des Soviétiques s'est élevé lentement, en raison de la priorité accordée à l'équipement, et se situe toujours loin de celui de la majeure partie des pays occidentaux, infériorité liée aussi à un retard historique et aux ravages de la Seconde Guerre mondiale.

HISTOIRE

• *La guerre civile et la consolidation du pouvoir bolchevik (1917-1921).* Dès le lendemain de la victoire des bolcheviks (v. RÉVOLUTION RUSSE DE 1917), un exécutif est constitué : le Conseil des commissaires du peuple (Sovnarkom*), présidé par Lénine*. Le nouveau gouvernement donne la priorité à la paix, qui, seule, pour les bolcheviks, peut permettre la consolidation du régime. L'armistice du 15 décembre 1917 est suivi du traité de Brest-Litovsk* (3 mars 1918), en vertu duquel la Russie se trouve amputée d'une partie de son territoire (Finlande, Courlande, Lituanie, Pologne, Ukraine, Batoumi, Kars et Ardahan) et doit accepter l'occupation de l'Estonie et de la Livonie par l'Allemagne. Libéré de la guerre extérieure, le gouvernement se tourne contre ses adversaires politiques : les sociaux-révolutionnaires, les mouvements séparatistes et surtout l'opposition tsariste, qui a très tôt réagi en constituant des armées dans les régions du Don et de la Volga ainsi qu'en Sibérie (v. RUSSES BLANCS [*armée des*]). Pour affronter la contre-révolution intérieure, le Sovnarkom confie à Trotski* la constitution de l'armée rouge (mars 1918). Durant l'été de 1918, il doit faire face tout à la fois à un putsch des sociaux-révolutionnaires, à l'intervention anglo-française (août 1918) et à l'avance de la légion tchécoslovaque, qui atteint Kazan (7 août), permettant la constitution d'un gouvernement panrusse à Oufa (sept. 1918). À partir de septembre, la guerre civile et la terreur font des centaines de milliers de victimes. Les armées blanches qui se sont constituées en 1918 — celles de Denikine* dans le Sud, de l'amiral Koltchak* en Sibérie, du général Ioudenitch dans les États baltes — sont, les unes après les autres, vaincues par l'armée rouge. L'effondrement allemand (nov. 1918) permet à Moscou de dénoncer le traité de Brest-Litovsk et d'envahir les régions abandonnées alors. Cependant, l'intensification de l'intervention étrangère et l'âpreté de la lutte sécessionniste des pays riverains de la Baltique obligent le gouvernement russe à reconnaître en 1920 l'indépendance de l'Estonie (févr.), de la Lituanie (juill.), de la Lettonie (août) et de la Finlande (oct.). La guerre polono-soviétique* (1920-21) aboutit au traité de Riga (1921), par lequel la Russie abandonne à la Pologne les parties occidentales de l'Ukraine et de la Biélorussie. Mais, entre-temps, les bolcheviks, qui ont vaincu la dernière tentative de contre-offensive blanche, dirigée par Wrangel*, sont redevenus les maîtres incontestés de la Russie, de l'Ukraine et du Caucase, et tiennent bien en main la partie asiatique de l'ancien Empire russe. En 1922 est créée l'Union des républiques socialistes soviétiques. N'ayant pu vaincre l'armée rouge, les Alliés, inquiets de l'action des

10°
20°
40°
50°
60°
NORVÈGE
Petchenga
Severomorsk
Mourmansk
Ile Kolgouïev
Vorkouta
DISTRICT NATIONAL DES IAMALO-NENETS
Labytnangui
Salekhard
DISTRICT NATIONAL DES NENETS
Narian-Mar
Pén de Kanin
Montchegorsk
Péninsule de Kola
Kirovsk
Kandalakcha
Collines du Timan
Inta
Petchora
1894
Narodnaïa Gora
SUÈDE
GOLFE DE BOTNIE
MER BLANCHE
RÉP. AUT. DE CARÉLIE
Belomorsk
Segueja
Arkhangelsk
Severodvinsk
Onega
Dvina sept^le
RÉP. AUT. DES KOMIS
Oukhta
Vouktyl
DISTR. NAT^L DES KHANTY-MANSIS
Khanty-Mansisk
Oural
FINLANDE
LAC ONEGA
Petrozavodsk
LAC LADOGA
Vytchegda
Syktyvkar
Ivdel
60°
Helsinki
Vyborg
G. DE FINLANDE
Kotlas
Serov
MER BALTIQUE
Tallin
LENINGRAD
Volkhov
Tikhvin
Tcherepovets
Soukhona
Ouvaly du Nord
Solikamsk
Berezniki
Kizel
Kouchva
Krasnooualsk
Nijne-Taguil
Tioumen
Ventspils
ESTONIE
Novgorod
Vologda
Krasnokamsk
Alapaïevsk
Liepaïa
LETTONIE
Riga
Pskov
Bologoïe
Rybinsk
Kotelnitch
Kirov
Perm
Pervoouralsk
Kamensk-Ouralski
Klaïpeda
Daugavpils
LITUANIE
Kaunas
Vilnious
Kaliningrad
Kalinine
Iaroslavl
Kostroma
Ivanovo
Iochkar-Ola
Tcheboksary
Ijevsk
Sarapoul
SVERDLOVSK
Kourgan
Volga
Polotsk
Vitebsk
Orcha
Smolensk
Viazma
MOSCOU
Kovrov
Vladimir
GORKI
Dzerjinsk
Kazan
Naberejnye Tchelny
Tcheliabinsk
Zlatoust
Miass
Kopeïsk
Troïtsk
POLOGNE
Grodno
BIÉLORUSSIE
Minsk
Baranovitchi
Brest
Serpoukhov
Kolomna
Kalouga
Moguilev
Mourom
Kanach
Alatyr
Oufa
Koustanaï
Roudnyï
Magnitogorsk
Riazan
Toula
Novomoskovsk
Saransk
Oulianovsk
Sterlitamak
Salavat
Togliatti
KOUÏBYCHEV
Bougourouslan
Bobrouïsk
Pinsk
Pripiat
Dniepr
Gomel
Briansk
Efremov
Ielets
Tambov
Penza
Syzran
Novokouïbychev
Orenbourg
Orsk
Mozyr
Retchitsa
Loutsk
Rovno
Orel
Koursk
Lipetsk
Volsk
Balakovo
Oural
Tchernigov
50°
Lvov
Jitomir
KIEV
Soumy
Voronej
Saratov
Engels
Ouralsk
Aktioubinsk
Oujgorod
Ternopol
Khmelnitski
Belaïa Tserkov
Belgorod
Borissoglebsk
Poltava
KHARKOV
Kamychin
Ivano-Frankovsk
Vinnitsa
Tchernovtsy
Tcherkassy
Krementchoug
UKRAINE
Dnieprodzerjinsk
Don
KAZAKHSTAN
Emba
Beltsy
Kirovograd
Dniepropetrovsk
Voljski
Volgograd
CASPIENNE
Makat
Krivoï-Rog
Vorochilovgrad
Kichinev
Nikopol
Donetsk
Chakhty
Hauteurs de la Volga
Gouriev
Koulsary
MOLDAVIE
Nikolaïev
Zaporojie
Taganrog
Novotcherkassk
DÉPRESSION
ROUMANIE
Odessa
Kherson
Jdanov
Rostov-s/-le-Don
Elista
Astrakhan
M. D'AZOV
Ieïsk
Kertch
Crimée
Krasnodar
Stavropol
MER
Danube
Ievpatoria
Simferopol
Sébastopol
MER NOIRE
Novorossiisk
Armavir
Maïkop
PLATEAU DE L'OUST-OURT
Pén. de Mangychlak
Chevtchenko
Novyï Ouzen
OUZBÉKISTAN
MER D'AR...
0
500 km
Touapse
Sotchi
5642
Naltchik
Grozny
Makhatchkala
Soukhoumi
Caucase
Ordjonikidze
Koutaïssi
Tskhinvali
Poti
Derbent
Batoumi
GÉORGIE
Tbilissi
Roustavi
Leninakan
Kirovakan
AZERBAÏDJAN
Kirovabad
ARMÉNIE
Erevan
Stepanakert
Nakhitchevan
MER CASPIENNE
Soumgaït
BAKOU
TURKMÉNISTAN
Krasnovodsk
Nebit-Dag
Gassan-Kouli
TURQUIE
IRAN
1
2
3
4
5
6
7
8
9
10
11
12
13
14
Bielgorod
Lioubotin
KHARKOV
Merefa
Koupiansk
Balakleïa
UKRAINE
Izioum
Kr. Liman
Severodonetsk
Lissitchansk
Lozovaïa
Slaviansk
Kramatorsk
Vorochilovgrad
Artemovsk
Dniepropetrovsk
Konstantinovka
Kommounarsk
Kadievka
Krasnoarmeïsk
Sinelnikovo
Gorlovka
Makeïevka
Ienakievo
Dniepr
Torez
Krasnyï Loutch
Donetsk
Zaporojie
Novochakhtinsk
Rostov-s/-le-Don
Taganrog
Tokmak
Jdanov
Azov
Novoazovsk
Bataïsk
Melitopol
Primorsk
Berdiansk
0
100 km
MER D'AZOV
Ieïsk
Solnetchnogorsk
0
25
50 km
Lobnia
Pouchkino
Friazino
Zelenograd
Mytichtchi
Kaliningrad
Noguinsk
Balachikha
Krasnogorsk
Elektrostal
Orekhovo-Zouïevo
Jeleznodorojni
Moskva
Odintsovo
Lioubertsy
Lytkarino
MOSCOU
Joukovski
Ramenskoïe
Vidnoïe
Domodedovo
Egorievsk
Podolsk
Moskva
Klimovsk
Voskressensk

OCÉAN ARCTIQUE
MER DE BARENTS
MER DE KARA
MER DES LAPTEV
MER DE SIBÉRIE ORIENTALE
MER DE BÉRING
OCÉAN PACIFIQUE
MER D'OKHOTSK
MER DU JAPON
cercle polaire arctique
DISTRICT NATIONAL DES TCHOUKTCHES
DISTR. NAT. DES KORIAKS
DISTR. NAT. DES NENETS
DISTR. NAT. DE TAÏMYR
R.A. DES KOMIS
DISTR. NAT. DES IAMALO-NENETS
D.N. DES KHANTY-MANSIS
DISTRICT AUTONOME DES EVENKIS
R.A. DE IAKOUTIE
DIST. NAT. DES BOURIATES D'OUST-ORDYNSKI
R.A. DES BOURIATES
Terr. auton. des Khakasses
Terr. auton. du Ht-Altaï
R.A. DE TOUVA
Terr. auton. des Juifs
Sibérie
Tallin
Riga
LIT.
LETT.
EST.
R.A. DE CARÉLIE
Vilnious
Minsk
BIÉLORUSSIE
MOSCOU
MOLD.
KIEV
Kichinev
UKRAINE
Volga
GÉORGIE
ARMÉNIE
Tbilissi
AZERBAIDJAN
BAKOU
KAZAKHSTAN
R.A. DE KARAKALPAKIE
OUZBÉKISTAN
TURKMÉNISTAN
Achkhabad
TACHKENT
Alma-Ata
Frounze
KIRGHIZISTAN
Terr. auton. du Ht Badakhchan
Douchanbe
Ob
Ienisseï
Irtych
Lena
0 500 1000 km
1. RÉP. AUT. DES MORDVES
2. RÉP. AUT. DES TCHOUVACHES
3. RÉP. AUT. DES MARIS
4. RÉP. AUT. DES TATARS
5. RÉP. AUT. DES BACHKIRS
6. RÉP. AUT. DES OUDMOURTES
7. RÉP. AUT. DES KALMOUKS
8. RÉP. AUT. DU DAGUESTAN
9. RÉP. AUT. D'OSSÉTIE DU NORD
10. RÉP. AUT. TCHETCHENO-INGOUCH
11. RÉP. AUT DES KABARDINS ET DES BALKARS
12. RÉP. AUT. D'ABKHAZIE
13. RÉP. AUT. D'ADJARIE
14. RÉP. AUT. DE NAKHITCHEVAN
Voronej
Penza
Oufa
Kourgan
Omsk
Barnaoul
Biisk
Saratov
KOUÏBYCHEV
Tcheliabinsk
Petropavlovsk
Koustanaï
Pavlodar
Roudnyi
Ekibastouz
Oust-Kamenogorsk
Oural
Ouralsk
Tselinograd
Semipalatinsk
Volgograd
Aktioubinsk
Temirtaou
Karaganda
Astrakhan
Gouriev
Balkhach
Djezkazgan
LAC BALKHACH
Stavropol
Aralsk
Syr Daria
Kzyl-Orda
Djamboul
Groznyï
MER D'ARAL
KYZYLKOUM
Frounze
Alma-Ata
Chevtchenko
Makhatchkala
Tchimkent
Tbilissi
Koungrad
TACHKENT
Namangan
Andijan
Och
Fergana
CHINE
Erevan
BAKOU
Tachaouz
KARAKOUM
Krasnovodsk
Navoï
Kokand
Samarkand
CASPIENNE
Boukhara
Tchardjou
TADJIKISTAN
Douchanbe
Achkhabad
Amou-Daria
IRAN
AFGHANISTAN
Kouchka
villes classées selon l'importance de leur population
voies ferrées
routes
ALASKA
MER DES TCHOUKTCHES
Détroit de Béring
Ouelen
île Vrangel
PLATEAU DE L'ANADYR
Anadyr
Archipel de Nlle-Sibérie
presqu'île de Taïmyr
Tiksi
Indiguirka
Kolyma
Monts Tcherski
Evensk
Kamtchatka
Palana
Mts de Verkhoïansk
Magadan
Petropavlovsk-Kamtchatski
Doudinka
Norilsk
Olenek
PLATEAU DE SIBÉRIE CENTRALE
Iakoutsk
Iakoutie
Okhotsk
Mts Djougdjour
Okha
PLATEAU DE L'ALDAN
Aldan
Nikolaïevsk-sur-l'Amour
Sakhaline
Bodaïbo
Ienisseïsk
Angara
Komsomolsk-sur-l'Amour
Sikhote-Alin
Gavan
Ioujno-Sakhalinsk
Krasnoïarsk
Bratsk
Oust-Kout
(en projet)
Amour
Mts Iablonovyï
Kansk
Taïchet
Nijneoudinsk
LAC BAÏKAL
Svobodnyï
Belogorsk
Khabarovsk
Birobidjan
Hokkaido
JAPON
Tcheremkhovo
Tchita
Blagovechtchensk
Angarsk
Irkoutsk
Oulan-Oude
Dalneretchensk
Lessozavodsk
Spassk-Dalni
Arseniev
Kyzyl
Oussourisk
Nakhodka
Vladivostok
MONGOLIE
0 500 1000 km
Assino
Tomsk
Iourga
Mariinsk
Nazarovo
Atchinsk
Anjero-Soudjensk
Tom
Krasnoïarsk
NOVOSSIBIRSK
Kemerovo
Leninsk-Kouznetski
Belovo
Kisselevsk
Minoussinsk
Prokopievsk
Novokouznetsk
Mejdouretchensk
Abakan
Barnaoul
Temirtaou
Tachtagol
Abaza
Biisk
Biia
Gorno-Altaïsk
Katoun
Altaï
0 300 km
MONGOLIE

Russes au Komintern (créé en mars 1919) et des tentatives communistes en Allemagne et en Hongrie, renforcent de leur côté le « cordon sanitaire » (Finlande, États baltes, Pologne, Roumanie) qui doit empêcher le communisme de faire tache d'huile sur l'Europe centrale. À l'intérieur, la guerre civile a imposé la dictature du parti communiste. Désormais, celui-ci dirige toute la vie économique, sociale, politique et idéologique du pays. Il a procédé dès son accession au pouvoir à la nationalisation des banques et des industries (mai-juin 1918), à la socialisation de la terre (févr. 1918) et à la nationalisation du commerce extérieur et intérieur. Il entend aussi réaliser une révolution culturelle : laïcisation des institutions, lutte antireligieuse, alphabétisation et promotion d'une culture « socialiste ».

• *La NEP (1921-1928).* La guerre a complètement désorganisé la production. Au lendemain des derniers combats, la terrible famine de 1921 et la révolte des marins de Kronchtadt (mars 1921) décident Lénine à abandonner le « communisme de guerre ». Mise en place au printemps de 1921, la NEP* restaure la liberté du commerce intérieur, dénationalise la petite industrie et rétablit dans des limites précises le droit à l'héritage. En même temps, l'État fait de gros investissements dans l'industrie. La tension politique diminuant, la puissante Tchéka, police politique, créée en 1918 pour combattre la contre-révolution, laisse la place à la Guepeou (févr. 1922). À partir de mai 1922, la maladie écarte peu à peu Lénine des affaires politiques. Au lendemain de sa mort (1924), Staline*, qui a accédé, en avril 1922, au poste clé de secrétaire général du parti, va devenir le numéro un du régime. Mais la direction reste divisée : Zinoviev* et Kamenev*, qui ont d'abord appuyé Staline, rejoignent Trotski dans l'opposition lorsque le secrétaire général du parti opte pour l'édification du socialisme dans la seule U. R. S. S. Isolés dans le pays, les trois hommes sont rapidement éliminés comme force politique. Trotski perd son poste de commissaire à la Guerre (1925). Exclu du parti en 1927, en même temps que Zinoviev et plusieurs autres responsables, il est expulsé d'U. R. S. S. en 1929.

• *Du premier plan quinquennal à la guerre (1929-1941).* Élaboré selon les directives du XVe Congrès du parti, le premier plan quinquennal est adopté en 1929 : la collectivisation massive des terres est mise en œuvre; la répression s'abat sur des centaines de milliers de koulaks*, déportés dans des camps de travail*. Cette politique entraîne une baisse considérable de la production agricole et met l'Union soviétique au bord de la famine (1931-32). Aussi autorise-t-on les kolkhoziens à posséder un lopin de terre (de 25 à 50 ares) individuel et du petit bétail. À partir de 1933, la production augmente : en 1935, les progrès du rendement permettent la suppression du rationnement. Quant à l'industrie, entièrement étatisée, elle connaît des succès indéniables en dépit d'une pénurie des biens de consommation, due à la priorité accordée à l'industrie lourde par les deux premiers plans quinquennaux. Staline, qui a laissé s'organiser à son profit un véritable culte de la personnalité, tient solidement les rênes d'un pouvoir qu'il veut par ailleurs centralisateur et unificateur. Pourtant, après l'assassinat mystérieux de son collaborateur, Kirov (1er déc. 1934), une vague de terreur s'abat sur le parti et ses dirigeants. De 1935 à 1939, des centaines de milliers de communistes sont victimes des purges staliniennes. Zinoviev, Kamenev, Boukharine*, Rykov et des dizaines de membres du Comité central sont exécutés, ainsi que de nombreux officiers généraux, responsables économiques et intellectuels. Cette politique de terreur forme un contraste saisissant avec le texte de la nouvelle Constitution votée en 1936, qui établit l'égalité complète entre les citoyens.

De 1921 à 1929, les relations diplomatiques entre l'U. R. S. S. et les autres États sont demeurées fragiles. À partir de 1930, Litvinov* incarne une politique plus conciliante. Reconnue entre 1933 et 1934 par les principales puissances occidentales, l'U. R. S. S. est admise à la S. D. N. en septembre 1934 et s'allie aux démocraties libérales contre la dictature hitlérienne en signant avec Paris et Prague (2 et 16 mai 1935) deux pactes d'assistance mutuelle. À partir de 1936, Staline accélère le réarmement du pays. Pourtant, en 1939, considérant que l'U. R. S. S. ne pourrait supporter le poids d'une guerre contre l'Allemagne, il remplace Litvinov par Molotov* (mai), rompt avec la France et la Grande-Bretagne (21 août 1939), puis signe avec Hitler le pacte de non-agression (23 août), qui lui permet, après le déclenchement du conflit, d'occuper la Pologne orientale (sept.), d'attaquer la Finlande (30 nov.) et d'annexer l'Estonie, la Lettonie et la Lituanie (juin-août 1940).

• *La Seconde Guerre* mondiale et la guerre froide (1941-1953).* L'invasion allemande (22 juin 1941) surprend l'U. R. S. S., et les premiers mois de la guerre éclair menée par les Allemands se révèlent catastrophiques. Mais l'armée rouge, qui, bien qu'inférieure sur le plan de l'armement, a réussi à contenir les troupes hitlériennes aux portes de Moscou et de Leningrad, reprend l'avantage en février 1943 (bataille de Stalingrad*), affirme progressivement sa supériorité et finit par avoir raison de la Wehrmacht, qui quitte le territoire soviétique en été 1944.

Au fil des ans, les relations entre l'U. R. S. S. et les Alliés occidentaux se sont améliorées (conférence de Téhéran*, 1943). En février 1945 à Yalta*, puis en juillet et en août à Potsdam*, les Alliés reconnaissent à l'Union soviétique une zone d'influence sur la partie de l'Europe libérée par ses armées. Mais, dans les années qui suivent, la constitution des démocraties populaires en Europe centrale inquiète les Occidentaux et provoque les débuts de la guerre froide (constitution du Kominform, 1947). Celle-ci, aggravée par le succès des communistes chinois, qui modifie profondément le rapport de forces (1949), est marquée par la crise de Berlin (1948) et la création des deux républiques allemandes, puis par la constitution du pacte atlantique (1949), auquel répondra en 1955 le pacte de Varsovie, au sein duquel se retrouveront toutes les démocraties populaires (à l'exception de la Yougoslavie, qui a rompu avec Moscou en 1948), enfin par la guerre de Corée (1950).
À l'intérieur, les quatrième et cinquième plans quinquennaux (de 1946 à 1955), consacrés à la reconstruction, sont encore marqués par la prédominance de l'industrie lourde et par la recherche des sources d'énergie; les chiffres de production triplent entre 1940 et 1953, et l'U. R. S. S. devient la deuxième puissance industrielle du monde. Son effort militaire est gigantesque et en fait la deuxième puissance atomique (1949). Des sommes importantes sont aussi dépensées pour l'industrie spatiale. Cependant, les conditions de vie restent encore médiocres. Sur le plan politique, Staline, dont le prestige a été renforcé par la victoire de 1945, accentue son pouvoir personnel.

• *L'U. R. S. S. de Khrouchtchev* (1954-1964) et de Brejnev* (après 1964).* La mort de Staline (5 mars 1953) donne le pouvoir aux collaborateurs du défunt, dirigés par Malenkov*, dont la position s'affaiblit lorsqu'il cède le secrétariat du parti à Khrouchtchev (mars 1954). La nouvelle direction condamne le « culte de la personnalité », et Khrouchtchev critique violemment les méthodes staliniennes au XXe Congrès du parti (févr. 1956). Elle favorise la fin de la guerre de Corée (juill. 1953) et la reprise des conférences à quatre (Berlin et Genève, 1954). Ni l'affaire de Suez (fin de 1956), ni les événements de Pologne et de Hongrie (fin de 1956) ne compromettent longtemps le dégel des relations est-ouest. Sans renoncer à compléter son arsenal, l'U. R. S. S. négocie sur le désarmement. Cependant, elle rencontre des difficultés dans son propre camp, en particulier avec les communistes chinois; Moscou rompt avec l'Albanie, qui l'accuse de révisionnisme. Du côté occidental, l'affaire de Cuba (oct.-nov. 1962) est suivie d'un assouplissement de la position de Khrouchtchev dans le problème de Berlin et d'une amélioration sensible des relations avec les États-Unis (pacte de Moscou, limitant les expériences nucléaires, juill. 1963).

À l'intérieur, en dépit de remarquables résultats dans les domaines de l'industrie lourde et de la recherche spatiale (le premier spoutnik, oct. 1957; le premier cosmonaute, Gagarine, avr. 1961), l'économie soviétique connaît des difficultés, en particulier dans le domaine agricole. Khrouchtchev, qui cumule depuis 1958 les fonctions de premier secrétaire du parti et de chef de gouvernement, et qui mène une politique de plus en plus personnelle. doit faire face aux critiques de son entourage et, finalement, démissionner (oct. 1964). La nouvelle équipe dirigeante

---

DÉFENSE ET ARMÉES

• 1945 : plus de 7 millions d'hommes (env. 500 divisions. Production de guerre : 143 000 avions, 102 000 blindés, 490 000 canons).

• 1946 : l'*armée rouge* devient l'armée soviétique.

• 1955 : pacte de Varsovie.

• 1961 : crise de Berlin.

• 1962 : crise de Cuba.

• 1968 : intervention en Tchécoslovaquie.

• 1969 : début des négociations SALT avec les États-Unis.

• LES FORCES SOVIÉTIQUES EN 1977. Budget (évaluation américaine) : environ 120 milliards de dollars (11 p. 100 [?] du P. N. B.). Effectifs : 3 650 000 hommes (plus gardes frontières du KGB [175 000 hommes] et troupes de sécurité [175 000 hommes]). Service militaire obligatoire : deux ans pour l'armée et l'aviation, trois ans pour la marine et les gardes frontières.

Force nucléaire stratégique : 1 527 ICBM (« SS-7 », « 8 », « 9 », « 11 », « 17 », « 18 », « 19 ») et 845 SLBM (sur 78 sous-marins lance-missiles, dont 58 à propulsion nucléaire).

Défense aérienne : 555 000 hommes, 64 missiles ABM « Galosh » autour de Moscou, 10 000 missiles antiaériens (« SAM ») et 2 650 intercepteurs.

Armée : 1 825 000 hommes, 50 divisions blindées, 111 motorisées ou mécanisées et 7 aéroportées.

Marine : 450 000 hommes, 227 sous-marins d'attaque (dont 84 à propulsion nucléaire) et environ 250 bâtiments de combat de surface.

Aviation : 450 000 hommes, 5 350 avions de combat, 1 550 de transport et 320 hélicoptères.

(Brejnev, Kossyguine*, Podgornyï) s'attèle aussitôt aux problèmes économiques et obtient des résultats incontestables (8e et 9e plan) dans le domaine de la production des biens de consommation. Si l'agriculture pose encore de nombreux problèmes (mauvaise récolte de 1972), les progrès du niveau de vie sont réels.

Depuis 1964, les relations sino-soviétiques n'ont cessé de se détériorer. En revanche, la détente Est-Ouest a fait des progrès considérables, en dépit du conflit du Viêt-nam, des guerres israélo-arabes et de l'intervention soviétique en Tchécoslovaquie (été 1968), qui a marqué la volonté soviétique de sauvegarder coûte que coûte le monolithisme du monde socialiste. En 1975, la conférence d'Helsinki semble traduire la volonté des dirigeants soviétiques d'admettre la libre circulation des idées. Il reste, néanmoins, que les libertés d'expression et de création sont loin d'être respectées à l'intérieur du pays. Le limogeage de Podgornyï en 1977 consacre la mainmise sur le pouvoir de Brejnev, qui devient chef de l'État. Une nouvelle Constitution est adoptée (1977).

URSULE *(sainte),* martyre à Cologne (?). Cette sainte connut une popularité extraordinaire, à la mesure de l'histoire des onze mille vierges qui auraient été martyrisées avec elle.

URTICAIRE. — L'urticaire se manifeste par des élevures de taille variable, de couleur rosée, prurigineuses. L'urticaire géante (ou œdème de Quincke) atteint le plus souvent le visage, mais aussi parfois les muqueuses du pharynx et du larynx, pouvant ainsi provoquer l'asphyxie. L'urticaire peut être occasionnelle et due à une cause précise : alimentaire (poissons, fraises), médicamenteuse (aspirine, sérothérapie); parfois elle est récidivante, et, dans ce cas, sa cause est plus rarement retrouvée. En dehors du traitement étiologique (désensibilisation), on a recours aux antihistaminiques, parfois aux corticoïdes.

URTICALES. — Cet ordre rassemble des plantes aux fleurs sans pétales, parfois herbacées (ortie, chanvre, houblon), mais plus souvent arborescentes (orme, mûrier, figuier, micocoulier, etc.). Il comprend environ 1 600 espèces.

URUGUAY, fl. de l'Amérique du Sud; 1 580 km. Né dans le sud du Brésil, il sépare d'abord le Brésil et l'Argentine, puis ce dernier pays de la *république de l'Uruguay* avant de rejoindre le Paraná dans le río de la Plata.

URUGUAY *(république orientale de l'),* État de l'Amérique du Sud entre le Brésil et l'Argentine; 186 926 km^2; 3 060 000 hab. *(Uruguayens).* Capit. *Montevideo.*

GÉOGRAPHIE. Le pays s'étend sur un ensemble de plaines et de bas plateaux, extrémité méridionale du bouclier brésilien, partiellement couvert de sédiments et d'épanchements basaltiques, et ouvert sur l'Atlantique par un littoral bas et sableux. Il est drainé par le río Uruguay et le río Negro. Le climat est subtropical humide (à Montevideo, la température moyenne de janvier est de 22,6 ^{0}C, celle de juillet de 12,5 ^{0}C et les précipitations annuelles sont de 1 490 mm), et la prairie couvre tout le territoire.

La population, peu dense, est presque entièrement composée de Blancs, descendants des colons espagnols. L'immigration a cessé depuis une cinquantaine d'années. Montevideo regroupe près de la moitié des habitants du pays, dont le taux d'urbanisation atteint 80 p. 100 par suite d'un exode rural continu. Les cultures fournissent du blé, du maïs, du riz, des légumes et du lin, destinés à la consommation intérieure. Mais l'économie est fondée sur l'élevage des bovins et des ovins, qui est pratiqué dans de grandes propriétés et dont les rendements demeurent faibles. Grâce à l'énergie électrique et au raffinage du pétrole, quelques activités modernes se développent. Mais l'essentiel de l'industrie traite les produits de l'élevage. Viande, laine et peaux assurent 80 p. 100 des exportations, qui passent par le port de Montevideo et permettent un excédent de la balance commerciale. Cependant, le niveau de vie ne progresse pas, et il subsiste de fortes inégalités sociales.

HISTOIRE. Dès la fondation, en 1724, de Montevideo*, le futur territoire de l'Uruguay est le point de contact et d'affrontement entre le monde espagnol (Argentine) et le monde portugais (Brésil). Quand, en 1810, José Artigas*, le « père de la patrie », soulève l'Uruguay, il se heurte à l'un et à l'autre. En 1820, il est battu à Tacuarembó par les armées portugaises et doit se réfugier au Paraguay; mais il laisse derrière lui un programme nationaliste et le noyau irréductible d'un mouvement qui, fort de l'arbitrage intéressé de la Grande-Bretagne, conduit en 1828 à l'indépendance de l'Uruguay, État tampon. Cela n'empêche pas l'Argentine d'essayer de récupérer cette ancienne province orientale; la « Grande Guerre », qui éclate en 1838, est marquée par l'interminable siège de Montevideo (1843-1851). Par la suite, ce sont des Brésiliens qui interviennent dans la vie du pays et soutiennent contre les libéraux les conservateurs, qui, abandonnés par le Brésil, perdent le pouvoir en 1865. Le caudillo libéral Venancio Flores (1809-1868) fait alors entrer l'Uruguay dans la guerre de la Triple Alliance contre le Paraguay (1865-1870).

Durant cette époque troublée, l'immigration européenne s'accroît considérablement; la révolution démographique s'accompagne de l'introduction du mouton (1830) et du développement de l'industrie de la viande. José Batlle y Ordóñez (1854-1929), président de 1903 à 1907 et de 1911 à 1915, construit un État moderne, démocratique, laïque, doté d'une législation sociale avancée. Le pouvoir est confié, à la mode suisse, à un Conseil exécutif collégial de neuf membres — dont trois font obligatoirement partie de l'opposition : c'est lui qui gouverne le pays de 1917 à 1933, puis de 1951 à 1966. Mais la bonne marche de ce système est liée à la prospérité; or, en 1931, la grande crise économique touche durement l'Uruguay, pays exportateur; aussi, de 1933 à 1942, celui-ci connaît-il un régime militaire. La crise se fait de nouveau sentir en 1955; en 1966 est rétablie la présidence de la République au profit de Jorge Pacheco Areco, dont l'autoritarisme ne peut modifier la situation et qui, devant l'apparition et l'action des *tupamaros,* membres du mouvement national de libération de l'Uruguay, fondé en 1962, proclame l'état de siège (1968).

En 1972 accède au pouvoir Juan María Bordaberry, qui est débordé par l'armée; celle-ci suspend le Parlement au profit d'un Conseil d'État, dissout les syndicats, interdit les partis de gauche et finit par déposer Bordaberry (12 juin 1976), qui est remplacé par Aparicio Mendez.

URUGUAY

URUNDI → BURUNDI.

U. S. A., trilogie romanesque de Dos Passos, rassemblant *42e Parallèle* (1930), *1919* (1932), *la Grosse Galette* (1936). Chronique sociale de l'Amérique des années 1900-1930, utilisant des procédés d'écriture empruntés à la presse, au cinéma, à la peinture, visant ainsi à traduire l'ensemble économiquement et intellectuellement éclaté que forment les États-Unis.

USHUAIA, v. d'Argentine, ch.-l. de la prov. de la Terre de Feu; 5 000 hab. Agglomération la plus méridionale du monde.

Ussé *(château d'),* bel ensemble des XVe-XVIIe s., dominant l'Indre (comm. de Rigny, Indre-et-Loire).

USSEL (19200), ch.-l. d'arr. de la Corrèze; 11 391 hab. *(Ussellois).* Église des XIIe et XVe s., remaniée. Maisons anciennes. Fonderie.

USTARITZ (64480), ch.-l. de cant. des Pyrénées-Atlantiques, à 13 km au S. de Bayonne; 3 419 hab.

USTER, comm. de Suisse (cant. de Zurich), à l'E. de Zurich; 21 819 hab. Constructions électriques.

USTILAGINALES. — On nomme ainsi les champignons responsables des *charbons* des céréales et des *caries* des plantes cultivées. On en connaît près de mille espèces. On apparente les ustilaginales aux basidiomycètes.

ÚSTÍ NAD LABEM, v. de Tchécoslovaquie, ch.-l. de la prov. de la Bohême-Septentrionale; 74 000 hab. Industries chimiques.

USUFRUIT. — C'est le droit réel, donnant la possibilité à une personne de jouir d'un bien dont une autre conserve la « nue-propriété». L'usufruitier peut utiliser la chose, mais ne peut ni la détruire ni en disposer, car il en doit la restitution au nu-propriétaire. L'usufruit est temporaire et, si l'usufruitier est une personne physique, il ne peut, au mieux, être que viager, s'éteignant par la mort de l'usufruitier. S'il s'agit d'une personne morale, il ne peut excéder la durée de trente ans. Tous les biens, meubles ou immeubles, sont susceptibles d'usufruit. Les usufruits peuvent être établis par la loi ou par la volonté de l'homme.

UTAH, État de l'ouest des États-Unis; 219 932 km²; 1 059 000 hab. Capit. *Salt Lake City.* Cet État, qui doit son nom à une tribu d'Indiens *(Utes),* est formé de hauts plateaux, dont les parties les plus basses sont occupées par des nappes lacustres (Grand Lac Salé). Les Mormons, qui s'y sont installés en 1847, constituent approximativement les trois quarts d'une population encore largement rurale, vivant des cultures des céréales (blé, orge, maïs), développées grâce à l'irrigation, parfois associées à l'élevage (bovins et ovins). Le sous-sol fournit du pétrole, du plomb, du zinc, des métaux précieux et surtout du cuivre, ce qui explique la primauté de la métallurgie comme activité de transformation.

UTAMARO KITAGAWA, peintre japonais (Kawagoe 1753-Tōkyō 1806). Ce maître de l'estampe, qui laisse une œuvre considérable, est par excellence le peintre de la femme; portraitiste du charme féminin, il sait observer la plénitude des formes, la diversité des attitudes et les occupations multiples. Il atteint le sommet de son art dans l'expression des visages lassés ou triomphants.

UTÉRUS. — On distingue trois parties dans l'utérus : le *corps utérin,* le *col utérin* et l'*isthme* (qui unit le col et le corps). L'utérus est relié au bassin par trois paires de ligaments qui lui laissent une grande mobilité. Chez la femme normale, debout, il est à la fois antéversé (basculé en avant) et antéfléchi (plié vers l'avant).

La paroi utérine se divise en trois tuniques, qui sont, de dehors en dedans : la *tunique séreuse,* péritonéale, formant en arrière le cul-de-sac de Douglas; la *tunique musculaire,* ou *myomètre,* faite de trois couches musculaires (deux longitudinales, séparées par une circulaire); la *tunique muqueuse,* ou *endomètre,* dont l'état est sous la dépendance des hormones ovariennes et de leurs fluctuations. Cette tunique muqueuse est donc en constant remaniement : immédiatement après les règles, les œstrogènes en activent la prolifération; après l'ovulation, la sécrétion de progestérone détermine des modifications qui permettent l'implantation de l'œuf fécondé (nidation). Au cours de la grossesse, la tunique muqueuse prend le nom de « caduque ».

• Des anomalies congénitales de l'utérus peuvent s'observer, telles que l'utérus double ou, au contraire, unicorne. Elles peuvent être à l'origine de dysménorrhée (règles douloureuses), de stérilité, d'avortements à répétition ou de présentation fœtale anormale. Des anomalies de position sont possibles : déviation en arrière (rétroversion); prolapsus, ou descente de l'utérus, responsable de pesanteur pelvienne, de troubles urinaires, mais qui peut être corrigé par le port d'un pessaire. Les inflammations de l'utérus constituent les *métrites.* Celles-ci sont des endométrites lorsqu'elles sont limitées à l'endomètre et des cervicites lorsqu'elles sont limitées au col. Elles peuvent être aiguës après un accouchement ou un avortement, ou chroniques; dans ce dernier cas, elles sont souvent d'origine tuberculeuse.

Les tumeurs de l'utérus sont bénignes (fibromyomes*, polypes) ou malignes (cancers). Le cancer du col utérin est le plus fréquent des cancers chez la femme, mais l'un des plus curables. Il ne se manifeste au début que par des pertes de sang anormales, survenant en dehors des règles (métrorragies). Le diagnostic est assuré par les frottis vaginaux et la biopsie. Le cancer du corps utérin a lieu après la ménopause. La radiographie de l'utérus après injection d'un produit opaque (hystérographie) aide au diagnostic. Le traitement des cancers de l'utérus fait appel à la physiothérapie (radium et rayons) et à la chirurgie (hystérectomie).

'UTHMĀN IBN 'AFFĀN → ARABIE.

UTICA, v. des États-Unis, dans le nord de l'État de New York; 92 000 hab.

UTILITARISME. — Cette philosophie, selon laquelle l'utilité serait le principe de toutes les valeurs morales et économiques, fut développée par Bentham* et approfondie par Stuart Mill*. Il s'agit surtout pour ces philosophes de l'utile dans le domaine de la morale*, et non — en cela l'utilitarisme diffère du pragmatisme* — de l'identification de l'utile au vrai.

UTIQUE, en lat. **Utica,** anc. ville d'Afrique, sur la Méditerranée, au N.-O. de Carthage, fondée par les Tyriens. Après la ruine de Carthage, elle devint la capitale de la province romaine d'Afrique. Elle déclina sous l'Empire et disparut au VIIe s.

UTOPIE. — D'un mot grec signifiant « non-lieu », l'utopie désigne un lieu imaginaire, voire le lieu de l'imaginaire. Ainsi, les auteurs d'utopies se sont mis à l'abri des censures et des polices de la monarchie, et ont pu développer leur critique sociale sous couvert de fiction. Dès le XVIe s., l'Anglais Thomas* More inaugura le genre avec son *Utopie** (1516). Profondément enracinée dans la compréhension du réel, l'utopie, répondant à une aspiration de justice, est la solution imaginaire des contradictions de ce réel. Elle atteint son point culminant de rigueur avec le *Contrat* social* de J.-J. Rousseau*, dont le dessein est de chercher « une règle d'administration légitime et sûre, en prenant les hommes tels qu'ils sont et les lois telles qu'elles peuvent être ». Avec le développement du capitalisme, c'est au sein du monde du travail que les penseurs sociaux s'efforceront d'imaginer les résolutions des contradictions. Ainsi dans le « phalanstère » fouriériste, où chacun travaille selon son goût, semble résolue la contradiction du désir individuel et du travail. Si Marx et Engels ont qualifié d'« utopiques » les pensées de Fourier*, de Saint-Simon* et de Proudhon*, c'est parce qu'elles invitent davantage à la rêverie qu'à l'action et apparaissent comme l'impuissance de l'imagination. Pour E. Bloch*, en revanche, « l'utopie n'est pas la fuite dans l'irréel, c'est l'exploration des possibilités objectives du réel et la lutte pour leur concrétisation ».

Utopie, œuvre de Thomas More (1516). Après une critique de l'Angleterre et des sociétés européennes, l'auteur expose, comme si elles étaient déjà appliquées dans une île lointaine (Utopie), une série de réformes politiques et sociales, et brosse un tableau détaillé d'un État démocratique.

UTRECHT, v. des Pays-Bas, ch.-l. de la *province d'Utrecht;* 264 000 hab. Centre commercial (foire internationale) et culturel (université), nœud routier et ferroviaire, située sur le canal d'Amsterdam au Rhin, la ville d'Utrecht s'est industrialisée (constructions mécaniques et électriques, chimie, textile, alimentation, édition). — La *province d'Utrecht* est la plus petite (1 328 km²), mais non la moins peuplée (849 000 hab.) des Pays-Bas. La forte densité est liée à l'urbanisation presque continue dans le quadrilatère Utrecht-Zeist-Amersfoort-Baarn, extrémité orientale du Randstad Holland.

HISTOIRE. C'est autour de la forteresse romaine d'*Albiobola* que se développa Utrecht. Conquise par les Francs puis par les Frisons (VIIe s.), la ville fut réoccupée par Pépin de Herstal, qui en fit le centre de l'évangélisation des Frisons (695). À l'époque féodale, elle devint la capitale d'une puissante principauté ecclésiastique et, jusqu'au XIVe s., connut une grande prospérité. Intégrée aux Pays-Bas habsbourgeois (1528), érigée en archevêché (1559), elle fut gagnée au calvinisme et se révolta contre la domination espagnole. L'Union d'Utrecht* y vit le jour en 1579; foyer de l'orthodoxie calviniste, la ville conserva pourtant une hiérarchie catholique; mais la diffusion du jansénisme provoqua un conflit aigu entre une fraction du clergé d'Utrecht et Rome (1703-1705) ainsi que la formation de l'Église des « vieux-catholiques » (1723).

BEAUX-ARTS. Cathédrale gothique des XIIIe-XVIe s., à la belle tour de 110 m; église Saint-Pierre, en partie romane (XIe s.); autres églises et demeures anciennes. Central Museum (dans l'ancien couvent Sainte-Agnès), groupant collections d'archéologie et d'histoire locale, peintures (Van Scorel*, peintres caravagesques d'Utrecht, comme Terbrugghen* et Van Honthorst, etc.) et fonds du musée archiépiscopal; musée d'Art moderne, etc.

Utrecht *(traités d'),* ensemble de traités qui mirent fin à la guerre de la Succession d'Espagne (1713-1715). En échange de la reconnaissance de Philippe V en Espagne, qui renonça à la couronne de France, Louis XIV accepta la succession protestante en Angleterre et céda à cette dernière l'île de Saint-Christophe, la baie d'Hudson, l'Acadie et Terre-Neuve. En outre, il reconnut le titre de « roi en Prusse » à l'Électeur de Brandebourg et abandonna Tournai, Menin, Furnes et Ypres aux Provinces-Unies.

Utrecht *(Union d'),* union des sept provinces protestantes des Pays-Bas*, conclue en 1579 à Utrecht, en réponse à l'Union d'Arras, pour rejeter l'autorité du roi d'Espagne.

UTRILLO (Maurice), peintre français (Paris 1883 - Dax 1955). Fils de Suzanne Valadon, très tôt alcoolique, il exécute à partir de 1903 de nombreuses vues de Montmartre et de la banlieue parisienne. Son style devient personnel, à la fois naïf et raffiné, avec sa féconde « époque blanche » (v. 1909 - 1915), que caractérise une âpre mélancolie dans l'interprétation des sites montmartrois. La célébrité arrive. À partir de 1923, cloîtré par sa famille, qui redoute son comportement d'ivrogne, Utrillo se livre à une intense production, notamment d'après des cartes postales. Il se marie en 1935, cesse de boire, devient pieux et finit prostré.

UTSUNOMIYA, v. du Japon (Honshū), au N. de Tōkyō; 301 000 hab.

UTTAR PRADESH, État du nord de l'Inde; 294 400 km²: 88 341 000 hab. Capit. *Lucknow.* C'est l'État le plus peuplé du pays, avec une densité très voisine de 300 habitants au kilomètre carré (presque le double de la forte moyenne nationale). Il doit sa primauté à sa situation dans le centre de la plaine indogangétique, intensément mise en valeur, portant notamment des cultures de blé, de riz, de canne à sucre et de coton, développées partiellement grâce à l'irrigation, les pluies estivales de la mousson décroissant d'E. en O. L'agriculture emploie les trois quarts de la population active, et l'industrie se limite pratiquement à la valorisation des produits agricoles (usines textiles et sucreries notamment), ce qui n'empêche pas la présence de grandes villes, jalonnant, en dehors de Lucknow, les vallées du Gange (Kānpur, Allāhābād et Bénarès [Vārānasi]) et de la Jamna (Āgrā).

UVÉA ou **OUVÉA,** la principale des îles Wallis.

UXMAL, site archéologique du Mexique (Yucatán), à 80 km au sud de Mérida. Les édifices de cet ancien centre cérémoniel florissant durant le classique final — palais du Gouverneur, quadrilatère des Nonnes [complexe palatial articulé autour d'une vaste cour (80 m × 25 m)], maison des Tortues, etc. — sont parmi les plus typiques de l'architecture maya et de son exubérante décoration de mosaïques de pierre.

UZEL (22460), ch.-l. de cant. des Côtes-du-Nord, à 15 km au N. de Loudéac; 928 hab.

UZERCHE (19140), ch.-l. de cant. de la Corrèze, sur la Vézère, à 31 km au N.-O. de Tulle; 3 221 hab. Établie dans un site pittoresque, la ville conserve une église romane au clocher typique du Limousin, des maisons à tourelles des XIVe-XVe s. Industries du bois.

UZÈS (30700), ch.-l. de cant. du Gard, sur l'Alzon, à 25 km au N. de Nîmes; 7 387 hab. *(Uzétiens).* « Duché » (château avec parties du XIIe au XVIe s.). Anc. cathédrale au clocher roman cylindrique (« tour Fenestrelle »), reconstruite au XVIIe s. Église Saint-Étienne (XVIIIe s.). Maisons et hôtels anciens.

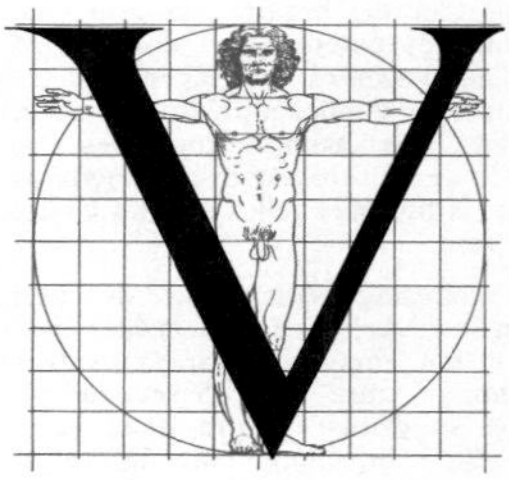

V1, V2 (initiale du mot allemand *Vergeltungswaffe,* « arme de représailles »), projectiles autopropulsés à grand rayon d'action, employés par les Allemands en 1944 et en 1945. Bombes volantes mues par pulsoréacteurs, sortes de petits avions sans pilote, les « V1 » (poids de 5 t) étaient lancés sur des rampes, contenaient 500 kg d'explosif et, doués d'une vitesse de 500 km/h, avaient une portée de 300 km. Les premiers tombèrent sur Londres le 12 juin 1944 pour répondre au débarquement de Normandie.

D'une technique plus élaborée, les « V2 » (13 t, dont 1 t d'explosif; portée de 350 km), mis au point par von Braun à Peenemünde, sont les précurseurs des missiles stratégiques. Lancés à la verticale, ils étaient dotés d'un dispositif de guidage rudimentaire, mais leur vitesse, dépassant celle du son, en fit des engins beaucoup plus difficiles à détecter et à détruire que les « V1 ». Seul le bombardement systématique de leurs bases de départ permit de les combattre efficacement. De juin 1944 à avril 1945, les Allemands lancèrent 8 000 « V1 » et 7 000 « V2 » sur Londres, puis sur Anvers.

VAAL (le), riv. de l'Afrique du Sud, affl. de l'Orange (r. dr.) et dont le cours supérieur et moyen sépare le *Transvaal* et l'État libre d'Orange; 1 200 km.

VAASA, en suédois **Vasa,** port de Finlande, sur le golfe de Botnie; 50 000 hab.

VABRE (81330), ch.-l. de cant. du Tarn, à 31 km au N.-E. de Castres; 1 119 hab.

VACANCES. — Bien que les vacances ne concernent, pratiquement, que la moitié de la population française et des catégories sociales très déterminées, une étude de l'I. N. S. E. E. fait apparaître que plus d'un Français sur deux est parti en vacances en 1974 (50,1 p. 100), contre moins de un sur deux (43,6 p. 100) en 1964; ce sont les classes les plus aisées (cadres et professions libérales), les citadins et les personnes âgées de moins de soixante ans qui partent en majorité; néanmoins, on remarque une progression du pourcentage des ouvriers (47,4 p. 100 contre 44,3 p. 100) et de la population rurale (13,5 p. 100 contre 11,9 p. 100). L'absence de départ chez les personnes de plus de soixante ans, due surtout à l'âge et au manque de moyens, s'explique aussi par l'inexistence de structures d'accueil adaptées à leurs goûts. Les professionnels du tourisme s'intéressent, depuis quelque temps, à cette clientèle, disposant hors saison de la carte vermeil pour les transports et susceptible de rentabiliser des locaux à l'activité saisonnière. Cela ne peut combler, toutefois, l'absence d'étalement des vacances, la période de pointe se situant toujours de la mi-juin à la mi-août. Les vacances d'hiver commencent à se développer chez les salariés du secteur tertiaire, mais ce sont des congés d'appoint.

Bien sûr, la mer reste le lieu de prédilection choisi par les Français : le Var et les Alpes-Maritimes ont la plus forte densité de touristes, suivis par le Finistère; la montagne conserve ses adeptes, mais, fait nouveau, un tourisme rural se développe, favorisé, il est vrai, par des formules inédites, telles que séjours à la ferme, stages d'artisanat, randonnées pédestres, quand il ne s'agit pas de circuits en roulotte. Cinq cent mille touristes de plus que les années précédentes ont été enregistrés dans les « stations vertes* ». Le mode d'hébergement varie en fonction des moyens et des goûts : les propriétés privées viennent en tête (45 p. 100), suivies par les locations en meublé (15 p. 100), l'hôtellerie* (11 p. 100) et enfin le camping*. Les meublés saisonniers ont fait l'objet, en 1973, d'une charte établie par des professionnels, qui les classe en quatre catégories. (V. TOURISME.)

VACCARÈS, le plus vaste (6 000 ha) étang de la Camargue, constituant une réserve naturelle.

VACCIN, VACCINATION. — Les vaccins introduits dans l'organisme provoquent la formation d'anticorps capables de s'opposer à l'infection provoquée par un germe infectieux donné. Les vaccins peuvent être préparés à partir de germes vivants atténués (antipoliomyélitique de Sabin), de germes tués (antipoliomyélitiques de Lépine et de Salk) ou de toxines auxquelles on a fait perdre leur pouvoir pathogène tout en conservant leur pouvoir antigénique : anatoxines (antidiphtérique, antitétanique). Les voies d'introduction des vaccins sont nombreuses : on utilise surtout la voie sous-cutanée, parfois la voie buccale (poliomyélite) ou la voie cutanée (B. C. G. par scarification, vaccine). Certains vaccins ont une durée d'immunisation brève et nécessitent plusieurs injections de rappel. Quelques-uns déterminent des réactions d'intolérance. L'action des vaccins est surtout préventive, très rarement curative. La vaccination confère une immunité spécifique, active, qui rend l'organisme réfractaire à la maladie. Citons les vaccinations courantes, dont la plupart sont obligatoires en France : vaccinations antituberculeuse (B. C. G.), antityphoparatyphoïdique, antitétanique, antidiphtérique, antivariolique, anticoquelucheuse, antipoliomyélitique. Les vaccinations contre la rougeole et la rubéole sont d'utilisation plus récente.

VACHERIN → FROMAGE.

VACUOLE. — C'est à l'intérieur des cellules (animales, et surtout végétales) que peuvent se trouver des vacuoles, gouttelettes sphériques contenant une solution aqueuse. Chez les protistes ciliés (paramécie), les vacuoles sont pulsatiles et excrétrices. Chez les plantes, les parois cellulosiques ne permettent qu'une excrétion très lente à travers leurs pores, de sorte qu'avec l'âge la vacuole grandit, refoule le cytoplasme et le noyau, et finit par tuer la cellule. Toutefois, la vacuole joue un rôle capital dans l'alimentation en eau de la plante dès l'instant où sa tension osmotique (v. OSMOSE) dépasse celle de l'eau du sol, ce qui est rendu possible par l'activité chimique de la cellule.

VADÉ (Jean Joseph), poète français (Ham 1719 - Paris 1757). Auteur de vaudevilles et d'opéras-comiques, il créa la littérature « poissarde », consacrée à l'expression des mœurs et du langage des halles (*Catéchisme,* 1758).

VADUZ, capit. du Liechtenstein; 4000 hab.

VAGANOVA (Agrippina), danseuse et pédagogue russe (Saint-Pétersbourg 1879 - Leningrad 1951). Danseuse étoile au Théâtre impérial de Saint-Pétersbourg (1915), elle se consacre au professorat (1919). Spécialement chargée de la formation des futurs professeurs (1934-1941) à l'école de ballet de Leningrad (dénommé « Institut Vaganova » depuis 1957), elle est titulaire de la chaire de chorégraphie au conservatoire de Leningrad (1946-1951). Elle est l'auteur des *Fondements de la danse classique* (1934).

VAGIN. — Ce conduit impair et médian fait partie des organes génitaux* de la femme. Il reçoit la verge* dans le coït*. Il livre passage au flux menstruel et, pendant l'accouchement, au fœtus et à ses annexes. C'est un canal aplati, long de 6 à 10 cm, s'étendant depuis la vulve jusqu'au col de l'utérus. Il est situé en arrière de la vessie et en avant du rectum.

Parmi les malformations congénitales, citons l'absence complète ou partielle du vagin et son cloisonnement longitudinal. L'inflammation du vagin, ou *vaginite,* entraîne des brûlures, un prurit, des pertes blanches (leucorrhées) et une dyspareunie (coït douloureux). Les causes les plus fréquentes des vaginites sont les infections à *Candida albicans,* à bactéries diverses (gonocoques, streptocoques, staphylocoques) et à trichomonas. Des vaginites trophiques s'observent chez les femmes âgées ou ayant subi une ovariectomie. Le vagin peut être le siège de tumeurs bénignes telles que des kystes; le cancer primitif du vagin est rare.

VAGUE. — Mouvements ondulatoires agitant la surface des mers, les vagues sont déclenchées par le vent. Elles font succéder en un point une zone élevée (crête) et une zone basse (creux), suivant une période généralement comprise entre 7 et 15 secondes, la longueur d'onde étant égale à la distance entre deux crêtes successives. La hauteur d'une vague, différence entre la crête et le creux, est variable, pouvant atteindre 20 m. Les vagues se propagent sur de très grandes distances : le mouvement devient très régulier, presque sinusoïdal, et l'on parle alors de *houle.* À proximité des côtes, le fond gêne le mouvement ondulatoire, qui se transforme en mouvement de translation, engendrant le déferlement des vagues sur le littoral (v. DIGUE).

VAGUE (nouvelle). — Cette expression ne désigne pas véritablement un mouvement cinématographique, mais plutôt un ensemble assez disparate de jeunes cinéastes français, venus à la réalisation de longs métrages vers la fin des années 50 et qui tentèrent de réagir contre les structures générales de la production d'alors, défendant la notion d'« auteur de films », prônant des méthodes de tournage plus libres et plus économiques, rajeunissant et modernisant l'écriture filmique. Si l'on peut rattacher à cet « état d'esprit » certains cinéastes comme Roger Vadim, Louis Malle et surtout Alain Resnais, les principaux chefs de file de la nouvelle vague furent Jean-Luc Godard, François Truffaut, Claude Chabrol, Jacques Rivette, Jacques Demy et Agnès Varda.

Vagues *(les),* roman de Virginia Woolf (1931). La vie de six êtres humains à la découverte de leur personnalité à travers le flot toujours renaissant du monologue intérieur.

VÁH (le), riv. de Tchécoslovaquie, la plus longue (433 km) et la plus importante économiquement (nombreux aménagements hydroélectriques) de la Slovaquie, affl. du Danube (r. g.).

VAILLAND (Roger), écrivain français (Paris 1907 - Meillonnas, Ain, 1965). Journaliste, il prit part à la Résistance, qui fait le sujet de son premier livre, *Drôle de jeu* (1945). Il s'affirma ensuite comme un moraliste ironique dans ses romans (*les Mauvais Coups,* 1948; *325 000 Francs,* 1955; *la Loi,* 1957; *la Truite,* 1964) et son théâtre (*Héloïse et Abélard,* 1947; *Monsieur Jean,* 1959).

VAILLANT (Jean-Baptiste Philibert), maréchal de France (Dijon 1790 - Paris 1872). Il participa à la prise d'Alger (1830), puis fut ministre de la Guerre (1854) et grand maréchal du palais (1860-1870) de Napoléon III.

VAILLANT (Édouard), homme politique français (Vierzon 1840 - Paris 1915). Membre de l'Internationale, il participe à la Commune de Paris et doit ensuite se réfugier en Angleterre. Député socialiste à partir de 1893, il se montre hostile à la collaboration avec les partis bourgeois, mais finit par se rallier à l'Union sacrée en 1914.

VAILLANT-COUTURIER (Paul), journaliste et homme politique français (Paris 1892 - *id.* 1937), député communiste, rédacteur en chef de *l'Humanité* (1928-1937).

VAILLY-SUR-AISNE (02370), ch.-l. de cant. de l'Aisne, à 17,5 km à l'E. de Soissons; 1855 hab.

VAILLY-SUR-SAULDRE (18260), ch.-l. de cant. du Cher, à 17 km à l'E. d'Aubigny-sur-Nère; 749 hab.

VAIR (Guillaume DU), homme d'État et écrivain français (Paris 1556 - Tonneins 1621). Nommé par Henri IV premier président du parlement de Provence (1599), il fut garde des Sceaux (1615) et évêque de Lisieux (1616). Traducteur d'Épictète et de Cicéron, il essaya d'harmoniser la tradition chrétienne et la morale stoïcienne dans *Traité de la constance, la Sainte Philosophie, la Philosophie morale des stoïques.*

VAIRES-SUR-MARNE (77360), ch.-l. de cant. de Seine-et-Marne, à 6 km à l'O. de Lagny-sur-Marne; 10030 hab. Centrale thermique.

VAIRON. — Ce poisson cyprinidé des rivières, très petit, se rencontre jusque dans les torrents des montagnes, où il sert de proie à la truite.

VAISON-LA-ROMAINE (84110), ch.-l. de cant. de Vaucluse, sur l'Ouvèze, à 28 km au N. de Carpentras; 5211 hab. Ruines de la ville gallo-romaine (théâtre, pont...). Église, anc. cathédrale romane (vestiges du VIe s., cloître). Musée.

VAISSEAU *(Bot.)* → VASCULAIRES *(plantes).*

Vaisseau fantôme *(le),* opéra en trois actes, paroles et musique de R. Wagner (1841). Cette partition rapporte la légende du Hollandais volant condamné à errer sur mer tant qu'il n'aura pas trouvé une femme fidèle. L'ouverture est restée célèbre.

VAJRAYĀNA. — Le vajrayāna (mot sanskrit signifiant « véhicule de diamant ») est une forme de bouddhisme* qui procède d'une synthèse du mahāyāna et du tantrisme*. Apparu vers le VIIIe s., il s'est surtout implanté au Tibet.

VALACHIE, région de la Roumanie. Ce n'est qu'au XIVe s. qu'est créée la voïvodie de Valachie, dont l'un des premiers titulaires, Jean Basarab (v. 1322-1352), met en échec les Tatars et ses suzerains hongrois. Mais, en 1396, la défaite de Mircea le Vieux à Nicopolis replace la Valachie sous le joug turc. Toutefois, la province conserve son autonomie interne, le voïvode étant élu par l'archevêque métropolitain et par les nobles. Michel le Brave (de 1593 à 1601) chasse les Turcs en 1598 et réalise l'éphémère union des trois provinces roumaines en 1600. En 1716, le voïvode est remplacé par un hospodar phanariote; cependant, l'influence russe commence à contrebalancer en Valachie, dont la capitale est désormais Bucarest, la puissance turque; en 1792, la Russie obtient même un certain droit de regard sur la nomination des hospodars. Quand l'hospodar Constantin Ypsilanti est révoqué par les Turcs, les Russes occupent la Valachie (1806-1812); alors, le mouvement national s'éveille, s'exprimant par le soulèvement de 1821, qui a pour résultat le remplacement des Phanariotes par un prince autochtone, Grigore Dimitrie Ghica (de 1822 à 1828). De nouveau occupée par les Russes (1828-1834), la Valachie se dote de règlements organiques, embryon d'une constitution roumaine. Après l'échec de la révolution de 1848, Valaques et Moldaves se donnent un prince commun, Alexandre-Jean Cuza* : l'unité de la Moldavie* et de la Valachie est proclamée en 1862.

VALADON (Marie Clémentine, dite **Suzanne**), peintre français (Bessines-sur-Gartempe 1865 - Paris 1938). Elle vint très jeune à Paris, où elle fut modèle professionnel pour Puvis de Chavannes, Renoir, Toulouse-Lautrec, Degas. Ce dernier, au vu de ses dessins, l'encouragea à persévérer. Son œuvre peint (à partir de 1892 : nus, portraits, natures mortes), influencé par Gauguin, est remarquable par la fermeté du trait cernant des couleurs vives.

VALAIS, cant. de Suisse; 5231 km^2; 206563 hab. *(Valaisans).* Capit. *Sion.* Il correspond approximativement au bassin du Rhône, du Saint-Gothard au Léman, et, aujourd'hui, la majeure partie des hommes et des activités se concentre dans la vallée du fleuve en

Valais. Paysage de la vallée de Lötschental.

Papigny

aval de Brigue (proche du Simplon). L'industrie (métallurgie, textile, alimentation), alimentée par l'hydroélectricité, y est l'activité dominante, cependant que se maintiennent quelques cultures (dont la vigne). Dans la montagne, l'élevage est la principale ressource avec, localement, le tourisme estival et aussi hivernal (Montana-Vermala, Saas Fee, Verbier, Zermatt).

HISTOIRE. Occupé par les Romains — qui lui donnent *Octodurum* (Martigny) comme capitale — à partir de 10 av. J.-C., le Valais *(Civitas Vallensium)* entre dans le royaume burgonde au ve s. Après l'invasion lombarde, l'évêché est transféré de Martigny à Sion, devenue capitale du Valais (v. 585). En 999, le dernier roi de Bourgogne Transjurane, Rodolphe III, confère les droits cantonaux à l'évêque de Sion, qui deviendra prince d'Empire. En fait, le pouvoir épiscopal sera rapidement contesté par le mouvement communal. Au XVIe s., le Haut-Valais se germanise et le Valais reste largement fidèle au catholicisme. Membre de la République helvétique (1799), puis République libre et indépendante (1802), il est réuni en 1810 à l'Empire français pour former le département du Simplon. Mais, dès 1814, il entre dans la Confédération suisse.

VAL-ANDRÉ, station balnéaire des Côtes-du-Nord (comm. de *Pléneuf-Val-André*).

VALBERG *(col de),* col des Alpes-Maritimes (1 669 m), entre les gorges du Cians et de Daluis, dominé par la *Croix de Valberg* (1 829 m). Sports d'hiver (alt. 1 700-2 060 m).

VALBONNAIS (38740), ch.-l. de cant. de l'Isère, à 12,5 km à l'E. de La Mure; 431 hab.

Valbonne (la), camp militaire, situé à 25 km de Lyon, sur la commune de Pérouges (Ain).

VALBONNE *(plateau de),* site des Alpes-Maritimes, au N. de Cannes, en partie sur le territoire de la *commune de Valbonne.* Complexe scientifique et culturel.

VAL-CENIS, station de sports d'hiver (alt. 1 400-2 540 m) de la Savoie, dans la haute Maurienne, au N.-E. de Modane, englobant les communes de Lanslebourg-Mont-Cenis et de Lanslevillard.

VALDAHON (25800), comm. du Doubs, à 30,5 km à l'E.-S.-E. de Besançon; 3 595 hab. Camp militaire.

VALDAÏ *(plateau du),* ensemble de collines (culminant à 321 m d'altitude) de Russie, au N.-O. de Moscou, dont est issue la Volga.

VAL-D'AJOL (Le) [88340], comm. des Vosges, à 16,5 km au S.-O. de Remiremont; 5 623 hab.

VAL-D'ARLY → FLUMET.

Val-de-Grâce (le), hôpital militaire de Paris, installé en 1793 dans un ancien couvent de bénédictines construit au XVIIe s. suivant des plans de Mansart. Un dôme majestueux (coupole peinte par Mignard) surmonte la chapelle. L'hôpital d'instruction des armées, qui est aussi l'école d'application du Service de santé pour l'armée de terre, a été largement restauré et modernisé de 1975 à 1977.

VAL-DE-GRIS (52360), ch.-l. de cant. de la Haute-Marne, à 13 km au N.-E. de Langres; 2 305 hab.

VAL DE LOIRE, nom donné, dans un sens large, à la vallée de la Loire (large de 3 à 12 km), entre la sortie du fleuve du Massif central et son entrée dans le Massif armoricain. Dans un sens plus restreint, le Val de Loire ne commence qu'en aval de Briare : se succèdent le *Val* en Orléanais, les *Varennes* en Touraine et la *Vallée* en Anjou. Jalonné de villes, dont Orléans, Blois, Tours et Saumur, le Val de Loire est aussi une importante région agricole (cultures légumières et florales, vignobles).

VALDEMAR, nom porté par quatre rois de Danemark : VALDEMAR Ier *le Grand* (Slesvig 1131 - Vordingborg 1182), roi de 1157 à 1182, qui restitua au Danemark sa puissance du temps de Knud le Grand; VALDEMAR II (1170 - Vordingborg 1241), roi de 1202 à 1241, qui établit un inventaire fiscal du royaume; VALDEMAR III (v. 1314-1364), roi de 1326 à 1330; VALDEMAR IV (v. 1320-1375), roi de 1340 à 1375, qui ne put empêcher la Hanse d'étendre son influence au Danemark.

VAL-DE-MARNE (94), départ. de la Région Île-de-France, découpé dans les anciens départements de la Seine* et de Seine-et-Oise*; 244 km^2; 1 215 674 hab. Ch.-l. *Créteil.* S.-préf. *L'Haÿ-les-Roses* et *Nogent-sur-Marne.*

Département limitrophe de Paris, le Val-de-Marne correspond au quart sud-est de la banlieue de la capitale, de Vincennes et Fontenay-sous-Bois, au N., à la vallée de la Bièvre, à l'O. À peine le dixième de la superficie est aujourd'hui cultivé (cultures maraîchères et florales), occupant moins du centième de la population active. On s'explique alors une densité moyenne de population proche de 5 000 habitants au kilomètre carré (avec sept communes dépassant chacune 50 000 habitants : Vitry-sur-Seine, Saint-Maur-des-Fossés, Champigny-sur-Marne, Ivry-sur-Seine, Créteil, Villejuif et Maisons-Alfort), résultant partiellement d'un sensible accroissement récent (la population a presque doublé dans les trente dernières années). L'industrie occupe environ les deux cinquièmes de la population active, localisée principalement dans la vallée de la Seine (d'Orly [dont l'aéroport est partagé avec le département de l'Essonne] et de Choisy-le-Roi à Ivry-sur-Seine), qui sépare deux secteurs à caractère plus résidentiel (vers Arcueil, Cachan et L'Haÿ-les-Roses à l'O., vallée de la Marne à l'E.). Le secteur tertiaire est devenu le principal fournisseur d'emplois, notamment vers Créteil. Mais une part importante de la population résidente travaille à Paris, facilement atteint par deux autoroutes (du Sud et de l'Est), le rail et le R. E. R. (qui entraîne une urbanisation rapide du sud-est, secteur le plus éloigné de la capitale).

VAL-DE-MEUSE (52140), ch.-l. de cant. de la Haute-Marne, à 22 km au N.-E. de Langres; 2 258 hab.

VALDERIÈS (81350), ch.-l. de cant. du Tarn, à 14 km au N.-E. d'Albi; 637 hab.

VALDÉS (Juan DE), humaniste espagnol (Cuenca v. 1499 - Naples 1541), auteur d'un *Dialogue de la langue* (v. 1536), document sur l'histoire de la langue littéraire castillane.

VALDÉS LEAL (Juan DE), peintre espagnol (Séville 1622 - *id.* 1690). Il est le dernier maître andalou du « siècle d'or » et le plus résolument baroque. Coloriste raffiné, il tend à une expressivité parfois violente ou macabre (deux allégories des « Fins dernières », 1672, hospice de la Caridad, Séville).

VAL-D'ISÈRE (73150), comm. de la Savoie, sur la haute Isère, près de l'Iseran; 1 344 hab. Station de sports d'hiver (alt. 1 850-3 249 m). Église au clocher roman.

VALDIVIA, port du Chili méridional; 82 000 hab.

VALDOIE (90300), ch.-l. de cant. du Territoire de Belfort, dans la banlieue nord de Belfort; 4 485 hab. Métallurgie.

VAL-D'OISE (95), départ. de la Région Île-de-France découpé dans l'ancien département de Seine-et-Oise; 1 249 km^2; 840 885 hab. Ch.-l. *Pontoise.* S.-préf. *Argenteuil* et *Montmorency.*

Formant un quadrilatère long (d'O. en E.) d'environ 70 km et large au maximum de 25 km, le département est coupé (du N. au S.) par la vallée de l'Oise. Celle-ci sépare le Vexin français (à l'O.) de parties de l'Île-de-France parfois boisées (vers Montmorency et L'Isle-Adam) et, à l'approche de la capitale, fortement urbanisées. La proximité de celle-ci explique une très forte densité moyenne de population et aussi une croissance démographique très rapide aujourd'hui, puisque la population du département a approximativement doublé dans les vingt dernières années. Cette progression a entraîné un très net déclin de la part de la population active engagée dans l'agriculture (moins de 2 p. 100 aujourd'hui), pourtant localement notable plus dans le Vexin (céréales, légumes, fromages [l'élevage tient une place croissante vers l'O., vers la Normandie]) que dans le nord-est, desservi par l'autoroute et rapidement gagné par les lotissements. L'industrie, qui occupe environ les deux cinquièmes de cette population active, est représentée notamment dans la vallée de l'Oise et dans la proche banlieue vers Argenteuil. Elle est appelée à se développer, comme le secteur tertiaire, dans la ville nouvelle de Cergy-Pontoise et autour de l'aéroport Charles-de-Gaulle à Roissy-en-France.

VAL-D'OR, v. du Canada (Québec), dans l'Abitibi; 17 421 hab.

VALÉE (Sylvain Charles, *comte*), maréchal de France (Brienne-le-Château 1773 - Paris 1846). Inspecteur général de l'artillerie, qu'il réorganisa en 1822, il commanda en Algérie, où il prit Constantine (1837) et dont il devint gouverneur général (1837-1840).

VALENÇAY (36600), ch.-l. de cant. de l'Indre, à 32 km au S.-O. de Romorantin-Lanthenay; 3 171 hab. Château de la Renaissance, dont la construction fut poursuivie aux XVIIe et XVIIIe s., et qui fut redécoré intérieurement en style Empire par Talleyrand. Fromages.

VALENCE. — On peut définir la valence d'un métalloïde comme le nombre maximal d'atomes d'hydrogène auquel peut s'unir un atome de cet élément; ainsi, le chlore a pour valence 1 (HCl), l'oxygène a pour valence 2 (H_2O), etc. La valence d'un métal est le nombre d'atomes d'hydrogène remplacés par un atome du métal pour passer d'un acide au sel; ainsi, le sodium a pour valence 1 ($NaCl$, à partir de HCl), le calcium a pour valence 2 ($CaCl_2$). Mais cette définition est insuffisante, car la valence est souvent variable pour un même élément. D'autre part, le désir d'élucider la structure des molécules a conduit à des théories de la valence où l'on distingue plusieurs modes de liaisons* entre atomes.

VALENCE, en esp. **Valencia,** v. de l'est de l'Espagne, capit. de la *région de Valence,* près du *golfe de Valence;* 654 000 hab.

GÉOGRAPHIE. Située près de l'embouchure du río Turia, Valence est la troisième ville du pays; c'est le centre commercial d'une huerta (cultures maraîchères surtout) et une ville industrialisée (textile, papeterie), dont le port est actif (El Grao). La *région de Valence,* formée des provinces d'Alicante, de Castellón de la Plana et de Valence, couvre 23 305 km^2 et compte 3 073 000 habitants. La forte densité de population (double de la moyenne nationale) est partiellement liée à une intense mise en valeur agricole (agrumes et cultures maraîchères surtout), permise par l'irrigation, ainsi qu'au développement du tourisme balnéaire sur le littoral méditerranéen.

HISTOIRE. Ancienne colonie romaine, prise par les Arabes en 714, Valence devient en 1021 la capitale d'un royaume maure indépendant. Un moment reprise par le Cid* (1094-1102), elle est définitivement aragonaise en 1238. Dès 1261, le souverain lui octroie des *fueros* (privilèges), qu'elle perdra en 1707 à l'issue de la guerre de la Succession* d'Espagne. Centre de résistance aux troupes napoléoniennes (1808-1813), elle est le siège du gouvernement républicain au début et à la fin de la guerre civile (1936-1939).

BEAUX-ARTS. Cathédrale (fondée en 1262) et nombreux autres monuments religieux gothiques, souvent de style catalan, mais transformés à l'époque baroque, riches en œuvres italianisantes des peintres de l'école valencienne du XVIe s. (tels Vicente Masip et son fils Juan de Juanes). Remarquables monuments civils, de la *Lonja de la Seda* (gothique du XVe s.) au palais de *Dos Aguas,* dont la façade marque le sommet d'un délire ornemental propre au baroque levantin (1740). Le peintre Ribalta* est bien représenté au collège du Patriarche (sobre ensemble de la fin du XVIe s.) ainsi qu'au riche musée des Beaux-Arts. Autres musées.

VALENCE (26000), ch.-l. du départ. de la Drôme, sur le Rhône, à 554 km au S.-E. de Paris; 70 307 hab. *(Valentinois).* Cathédrale remontant aux XIe-XIIe s. Maisons de la Renaissance. Musée dans l'anc. évêché (sanguines italiennes d'Hubert Robert...). « Porte du Midi », Valence commande une agglomération dépassant aujourd'hui 100 000 habitants, bien desservie par le rail, l'autoroute et bientôt la navigation. La croissance démographique récente est liée à l'industrialisation (métallurgie de transformation, chimie, textile, munitions), s'ajoutant aux traditionnelles fonctions administrative et commerciale (fruits, vins).

VALENCE ou **VALENCE-D'AGEN** (82400), ch.-l. de cant. de Tarn-et-Garonne, sur le canal latéral à la Garonne, à 26 km au S.-E. d'Agen; 4 411 hab. Marché agricole. Matériel sanitaire.

VALENCE-D'ALBIGEOIS (81340), ch.-l. de cant. du Tarn, à 28 km au N.-E. d'Albi; 1 188 hab.

VALENCE-SUR-BAÏSE (32310), ch.-l. de cant. du Gers, à 8 km au S. de Condom; 1 258 hab. Bastide du XIIIe s. À proximité, restes de l'abbaye cistercienne de Flaran, de la fin du XIIe s.

VALENCIA, v. du Venezuela, à l'O. de Caracas; 367 000 hab.

VALENCIENNES (59300), ch.-l. d'arr. du Nord, sur l'Escaut; 43 302 hab. *(Valenciennois).* La ville elle-même est relativement peu peuplée, mais elle constitue l'élément principal d'une agglomération étirée principalement en bordure de l'Escaut, de Bouchain à la frontière belge, et comptant environ 350 000 habitants. Née de l'extraction du charbon, une puissante sidérurgie s'est développée, alimentant une métallurgie qui s'est diversifiée avec la construction automobile, cependant que le déclin du charbon est pallié par l'électricité thermique et le raffinage du pétrole.

BEAUX-ARTS. Église Saint-Géry (parties de la fin du XIIe s.). Bibliothèque dans l'ancien collège des Jésuites (XVIIe-XVIIIe s.). Monument à Watteau* par Carpeaux*. Riche musée des Beaux-Arts (peintures des écoles flamande [Rubens], française [Pater*], etc.; fonds Carpeaux).

VALENCIENNES (Pierre Henri DE), peintre et théoricien français (Toulouse 1750-Paris 1819). Après avoir étudié à Toulouse et à Paris, il voyage en France, en Orient, en Italie, rapportant de nombreuses esquisses de paysages peintes sur nature (Louvre), qui lui servent pour l'élaboration de ses paysages historiques et pour son enseignement à l'Académie. Excellent pédagogue, il a notamment pour élèves Bertin et Michallon, les maîtres de Corot*.

VALENCIENNES (Achille), zoologiste français (Paris 1794-*id.* 1865). Professeur au Muséum, il a écrit *l'Histoire naturelle des poissons* (1828-1849) et un ouvrage sur les invertébrés marins (1833).

VALENS (Flavius) [Cibalae, Pannonie, v. 328-Hadrianopolis 378], empereur romain (364-378). En 364, il reçut le titre d'auguste de son frère Valentinien Ier, qui lui confia l'Orient. Il réprima l'usurpation de Procope (365-366) et sévit contre les intellectuels païens. Il se rallia à l'arianisme et persécuta les catholiques. Il périt à Andrinople (Hadrianopolis) [378] en combattant les Wisigoths.

VALENSOLE (04210), ch.-l. de cant. des Alpes-de-Haute-Provence, à 21 km à l'E. de Manosque, sur le *plateau de Valensole* (culture de la lavande); 1 721 hab. *(Valensolais).*

VALENTIA, île au large de la côte sud-ouest de l'Irlande. Station météorologique. Point de départ de câbles transatlantiques vers Terre-Neuve.

VALENTIGNEY (25700), comm. du Doubs, sur le Doubs, à 10 km au S. de Montbéliard; 14 896 hab. Métallurgie.

VALENTIN → PAPE.

VALENTIN (Valentin DE BOULOGNE, dit), peintre français (Coulommiers 1591-Rome 1632). Il est dès 1613 à Rome, où il fait une carrière insigne, interprétant la leçon du Caravage avec une noblesse grave, donnant à ses modèles populaires une mélancolique dignité (*Judith et Holopherne,* musée de La Valette; deux *Concerts, la Diseuse de bonne aventure,* etc., Louvre; *Martyre des saints Procès et Martinien,* Vatican).

VALENTINIEN Ier, en lat. **Flavius Valentinianus** (Cibalae, Pannonie, 321-Brigetio, Pannonie, 375), empereur romain (364-375). Officier d'origine pannonienne, il fut proclamé empereur par l'armée en 364 et s'associa son frère Valens*, à qui il confia l'Orient. Il délivra la Gaule des Alamans (366-374) et réalisa sur le Rhin supérieur « un système stratégique raffiné de lignes fortifiées »; son meilleur général, Théodose* l'Ancien, lutta avec succès contre les Pictes et les Scots en Bretagne, les Alamans et les Sarmates sur le Danube et les Maures en Afrique. Valentinien persécuta l'aristocratie romaine et créa, en 368, les défenseurs de la plèbe.

VALENTINIEN II, en lat. **Flavius Valentinianus** (v. 371-Vienne 392), empereur romain (375-392), fils de Valentinien Ier*. Proclamé empereur à l'âge de quatre ans par les légions d'Illyrie, il fut associé à son frère Gratien*, qui lui concéda l'Illyrie. Sa mère, Justine († 388), exerça la régence : elle s'appuya sur les aristocrates païens (Symmaque*, Prétextat) et favorisa l'arianisme. Chassé d'Italie par l'usurpateur Maxime (388), Valentinien fut réinstallé en Occident par Théodose Ier*, qui le plaça sous la tutelle d'Arbogast*. En 392, il entra en conflit avec Arbogast et fut trouvé mort.

VALENTINIEN III, en lat. **Flavius Placidus Valentinianus** (419-près de Rome 455), empereur romain (425-455). Il fut placé sur le trône d'Occident en 425 par Théodose II*, empereur d'Orient. Sa mère, Galla* Placidia, gouverna d'abord en son nom, puis le patrice Aetius* fut le véritable chef de l'État de 434 à 454. Sous le règne de Valentinien III, « les Bretagnes tombent aux mains des Saxons », l'Afrique est occupée par les Vandales, tandis que la Gaule et l'Italie sont envahies par les Huns. En 455, l'empereur périt sous les coups des chefs militaires fidèles à Aetius, qu'il avait lui-même assassiné en 454.

VALENTINO (Rodolfo GUGLIELMI DI VALENTINO D'ANTONGUEILA, dit **Rudolph**), acteur américain d'origine italienne (Castellaneta 1895-New York 1926). Danseur de cabaret à Broadway, il devint au début des années 20 l'une des plus grandes stars de Hollywood et l'idole du public féminin en se spécialisant dans des rôles de séducteur de type latin (*les Quatre Cavaliers de l'Apocalypse,* 1921; *le Cheikh,* 1922; *Arènes sanglantes,* 1922; *l'Aigle noir,* 1925). Ses obsèques furent l'occasion de scènes d'hystérie collective.

VALENTINOIS, pays du Dauphiné, qui correspondait à l'ancien diocèse de Valence. Comté légué à Louis XII, il fut érigé en duché-pairie au profit d'abord de César Borgia*, puis de la famille de Monaco*.

VALENTON (94460), comm. du Val-de-Marne, à 2 km au N. de Villeneuve-Saint-Georges; 11 153 hab.

VALERA Y ALCALÁ GALIANO (Juan), homme politique et écrivain espagnol (Cabra, Cordoue, 1824-Madrid 1905), auteur de romans qui évoquent l'Andalousie ou font une peinture ironique de la société moderne (*Pepita Jiménez,* 1874).

VALÈRE MAXIME, en lat. **Valerius Maximus,** historien romain (Ier s. av. J.-C.-Ier s. apr. J.-C.). Il a laissé neuf livres de *Faits et dits mémorables,* recueil d'anecdotes classées par genres.

VALÉRIANE et **VALÉRIANELLE.** — Ces deux genres d'herbes, utilisées autrefois en pharmacopée et exhalant un parfum qui attire les chats, se reconnaissent à leur corolle légèrement irrégulière. Les valérianes portent des cymes serrées de fleurs roses; les valérianelles se dichotomisent en rameaux droits et écartés presque dès la base. (Types de la petite famille des valérianacées.)

VALÉRIEN, en lat. **Publius Licinius Valerianus** († 259/260), empereur romain (253-259/260). De famille sénatoriale, il fut proclamé empereur par l'armée du Rhin en 253. Il associa à l'Empire son fils Gallien*, à qui il confia la défense de l'Occident. Sa politique est marquée, à l'intérieur, par une reprise de la persécution des chrétiens (édits de 257 et de 258, frappant les membres du clergé et des classes supérieures) et, à l'extérieur, par une guerre désastreuse contre les Perses : vaincu près d'Édesse, Valérien fut fait prisonnier (259 ou 260) et tué par Châhpuhr Ier.

VALERIUS FLACCUS (Caius), poète latin (v. 45-v. 90), auteur d'un poème inachevé, *les Argonautiques,* inspiré de l'œuvre d'Apollonios* de Rhodes.

VALÉRY (Paul Ambroise), écrivain français (Sète 1871-Paris 1945). Étudiant en droit, alors qu'il désirait être marin, il rencontre Pierre Louÿs, qui le présente à Mallarmé, puis à Gide. Ses premiers poèmes paraissent dans la revue *la Conque* (1891-92), mais il décide brusquement d'abandonner la littérature, dans laquelle il voit une dangereuse idolâtrie. Il approfondit ses connaissances mathématiques, mais retrouve le goût de la création artistique en écrivant l'*Introduction à la méthode de Léonard de Vinci* (1895), dont il veut faire une « théorie de l'Instrument » qui lui permette d'établir l'unité créatrice de l'esprit. Se composant une éthique intellectuelle (*Monsieur* Teste,* 1896-1926), il se passionne pour la politique et les problèmes économiques. Son retour à la poésie se manifeste par la publication d'un long poème symbolique, *la Jeune* Parque* (1917). Valéry poursuit dès lors ses réflexions sur la langue, la peinture, la musique et les sciences, qu'il expose dans des essais (*Variété**, 1924-1944; *Regards sur le monde actuel,* 1931; *Tel quel,* 1941-1943) et des dialogues de forme socratique (*Eupalinos ou l'Architecte,* 1923; *l'Âme et la Danse,* 1923), tout en illustrant par ses recueils (*Album de vers anciens,* 1920; *Charmes,* 1922) l'art poétique, qu'il enseigne à partir de 1937 au Collège de France. Il aborde le théâtre avec deux ballets-mélodrames (*Amphion,* 1931; *Sémiramis,* 1934) et écrit le livret de *la Cantate du Narcisse* (1942). Après sa mort ont paru *Mon Faust* (1946), *Histoires brisées* (1950), *Descartes* (1961) et les *Cahiers* (notes journalières prises de 1894 à 1945).

VALETTE (La), capit. de Malte, sur la côte est de l'île; 16 000 hab.

VALETTE-DU-VAR (La) [83160], ch.-l. de cant. du Var, à 4 km à l'E.-N.-E. de Toulon; 14 873 hab.

VALEUR *(Écon.).* — Marx distingue la valeur d'usage d'une marchandise* de sa valeur d'échange. La valeur d'usage est l'utilité d'une marchandise qui ne se réalise que dans sa consommation. Elle est le soutien matériel de la valeur d'échange, car « une valeur d'usage ou un article quelconque n'a une valeur qu'autant que du travail humain est matérialisé en lui ». Elle est valeur d'échange, car c'est elle qui constitue précisément l'objet de l'échange avec une autre marchandise et, en particulier, la monnaie. La valeur d'échange est donc ce qui fixe le prix d'une marchandise, puisqu'elle répercute la quantité de travail social moyen nécessaire à la production de la marchandise.

VALEUR AJOUTÉE. — La valeur ajoutée est celle qui est apportée à un stade de la production ou de l'élaboration d'un bien (ou d'un service) et qui comprend la rémunération des salariés, les charges sociales et le bénéfice (avant déduction des amortissements et des impôts), mais dont sont déduits les intérêts et les revenus financiers encaissés par l'entreprise.

Valeur militaire *(croix de la),* décoration militaire française, créée en 1956 pour récompenser les actions d'éclat. Ruban écarlate coupé de trois raies blanches.

Valeur militaire *(médaille de la),* décoration italienne, créée en 1833 par Charles-Albert.

VALEUR MOBILIÈRE. — Les valeurs mobilières se scindent en deux grandes catégories, en fonction de la nature du contrat qui en lie l'émetteur et le détenteur : les valeurs *à revenu variable* (actions et, à titre résiduel, parts de fondateurs) et les valeurs *à revenu fixe* (rentes et obligations). Les titres de l'une et l'autre de ces deux catégories constituent des biens meubles, sont négociables, sont interchangeables entre eux (fongibles) au sein d'une même émission et enfin sont susceptibles d'être cotés en Bourse*.

• Les *actions* matérialisent la remise d'espèces ou de biens à la société émettrice et font de leurs détenteurs ses associés. Elles ne peuvent être émises que par une société de capitaux (société anonyme et en commandite par actions). Dans l'existence d'une société, la création d'actions intervient obligatoirement à l'occasion de sa constitution, en représentation de son capital d'origine et facultativement, dans le courant de son existence sociale, à l'occasion d'augmentations de capital, soit par appel d'espèces auprès de ses actionnaires (actions de numéraire), soit par incorporation au capital social de réserves accumulées au bilan (actions gratuites), ou bien enfin par acquisition d'actifs externes (actions d'apport). Les droits courants des actionnaires, fixés par la législation en vigueur sur les sociétés commerciales et précisés par les statuts de la société, concernent la gestion de celle-ci (droit de participation et de vote aux assemblées générales), l'information sur son activité et ses résultats, la distribution de bénéfices sous forme de dividendes, la souscription et l'attribution préférentielles d'actions nouvelles résultant d'augmentations de capital. À l'exception d'un petit nombre de sociétés, dont les statuts prévoient la nominativité obligatoire, les actions peuvent être, au gré de leur possesseur, détenues soit *au porteur,* soit *au nominatif.*

• Les *obligations* matérialisent un prêt à long terme et à intérêt consenti à la collectivité émettrice : elles font de leurs détenteurs ses créanciers. Elles peuvent être émises par trois grandes catégories d'émetteurs : l'État (obligations ou rentes, selon le mode de gestion de l'emprunt par la Dette publique), les collectivités du secteur public et semi-public, et enfin les sociétés par actions du secteur privé. Elles peuvent, au gré de leur détenteur, revêtir la forme au porteur ou la forme nominative. Les principales clauses du contrat d'émission d'un emprunt obligataire de type classique concernent le montant de l'emprunt, la valeur nominale et le nombre des obligations qui le composent, le taux d'intérêt nominal ou facial, qui, appliqué au nominal, donne le montant du coupon d'intérêt annuel, le prix d'émission ou de souscription, qui peut être inférieur à la valeur nominale du titre, le ou les prix de remboursement, qui peuvent être supérieurs à la valeur nominale, la durée de vie et les conditions d'amortissement de l'emprunt. La prise en compte de tous ces éléments permet de calculer un taux d'intérêt actuariel brut, qui peut être sensiblement différent du taux d'intérêt facial. À côté des obligations de type classique se sont développées des formules nouvelles, à mi-chemin entre valeurs à revenu fixe et valeurs à revenu variable : obligations *indexées,* obligations *participantes* et surtout obligations *convertibles en actions* au gré de leur détenteur.

VALEUR MOYENNE → ERREUR.

VALEURS (analyse des). — Créée en 1947 à la General Electric Company, l'analyse de la valeur est pratiquée en Europe depuis 1960 environ. Son mécanisme a sa source dans la réflexion sur les besoins et les désirs que l'entreprise se propose de satisfaire. Ces besoins sont décomposés en autant de fonctions qu'il est nécessaire et que l'on cherche à remplir au coût minimal. On compare par exemple les coûts d'un ensemble avec ceux de produits similaires et l'on essaye de déterminer les caractéristiques superflues. Les applications de l'analyse des valeurs se sont étendues de la production (économie de matière et de main-d'œuvre) aux autres fonctions (entretien*, transport, etc.).

VALGORGE (07110 Largentière), ch.-l. de cant. de l'Ardèche, à 22 km au N.-O. de Largentière; 451 hab. *(Valgorgeois).*

VAL-HALL → WALHALLA.

VALIDITÉ *(Log.).* — La validité est la propriété d'une ebf* du calcul des propositions*, telle que toutes les distributions de valeurs de vérité la rendent vraie.

VALKYRIES → WALKYRIES.

VALLA (Lorenzo DELLA VALLE, dit **Laurentius**), humaniste italien (Rome 1407-*id.* 1457). Traducteur des textes grecs et latins, il entreprit l'étude raisonnée des manuscrits profanes et religieux (*Elegantiae linguae latinae,* 1444; *In Novum Testamentum adnotationes,* 1449) et chercha, à travers une critique de l'aristotélisme médiéval (*Disputationes dialecticae,* 1439), à concilier la sagesse antique avec la foi chrétienne.

VALLADOLID, v. d'Espagne (Vieille-Castille), ch.-l. de prov., sur le Pisuerga; 236 000 hab. Industrie automobile.

BEAUX-ARTS. Nombreux monuments des XVe-XVIe s., dont l'ensemble formé par l'église S. Pablo et le collège de S. Gregorio, aux façades-retables envahies d'un fantastique décor sculpté (fin du XVe s.). La ville fut le centre d'une remarquable école de sculpture polychrome : œuvres d'A. Berruguete*, de Juan de Juní (sans doute d'origine française, v. 1507-1577), de G. Hernandez*, etc., présentes dans les églises (dont la cathédrale) et surtout au prestigieux Musée national de sculpture du collège S. Gregorio.

VALLAURIS (06220), comm. des Alpes-Maritimes, à 6 km au N.-E. de Cannes; 17 466 hab. *(Vallauriens).* Picasso, qui a relancé la production céramique de la ville à partir de 1947, y a laissé deux œuvres : le bronze de *l'Homme au mouton* et des peintures décoratives dans la crypte de l'ancien prieuré de Lérins.

VALLÉE. — Dépression allongée creusée par un cours d'eau, la vallée comprend le fond, souvent tapissé d'alluvions parfois entaillées en terrasses, et les versants. Son profil transversal est fonction de sa jeunesse (plus une vallée est jeune, plus ses versants sont raides), de la nature des roches du climat (qui règle les processus de l'érosion sur les versants). Longitudinalement, la vallée tend à atteindre le profil* d'équilibre.

VALLE-INCLÁN (Ramón DEL), écrivain espagnol (Villanueva de Arosa 1869-Saint-Jacques-de-Compostelle 1936). Se rattachant d'abord au mouvement moderniste, il évoque dans ses *Sonates* (1902-1905) les aventures de son double, le marquis de Bradomín, qui apparaît également dans une comédie (*le Marquis de Bradomín,* 1907) et dans trois romans (*Comme un vol de gerfauts,* 1908-09). Il évolue ensuite vers un art plus réaliste avec les *Comédies barbares* (1907-1922) et le cycle du *Tour ibérique* (*Tirano Banderas,* 1926). Son sentiment du tragique le pousse à faire la caricature du monde réel dans ses « esperpentos » (épouvantails), qui mettent en scène des personnages affligés de difformités physiques ou morales.

VALLEJO (César), écrivain péruvien (Santiago de Chuco 1892-Paris 1938). Sa poésie, hantée par la mort et la souffrance, rompt avec la tradition moderniste et cherche par ses ruptures syntaxiques et l'inattendu de ses images à traduire l'intolérable éclatement du monde (*les Hérauts noirs,* 1918; *Trilce,* 1922; *Poèmes humains,* 1939).

VALLERAUGUE (30570), ch.-l. de cant. du Gard, sur l'Hérault, à 21,5 km au N. du Vigan; 1 028 hab.

VALLERYSTHAL, écart de la comm. de Troisfontaines (Moselle), à 14 km au S. de Sarrebourg. Verrerie d'art.

VALLÈS (Jules), écrivain et journaliste français (Le Puy 1832-Paris 1885). Menant une existence bohème, défenseur des idées révolutionnaires, il écrit un livre-pamphlet (*l'Argent,* 1857) et se fait connaître par un article publié dans *le Figaro,* « Dimanche d'un jeune homme pauvre » (1861). Journaliste, il donne un recueil de chroniques (*la Rue,* 1867) et fonde un hebdomadaire. Emprisonné au début de la guerre de 1870, puis libéré, il fait paraître *le Cri du peuple.* Membre de la Commune, il se réfugie ensuite à Londres et ne rentre en France qu'en 1883. Il reste célèbre pour sa série de romans autobiographiques (*l'Enfant,* 1881, paru en 1879 sous le titre de *Jacques Vingtras; le Bachelier,* 1881; *l'Insurgé,* 1886).

VALLESPIR, région des Pyrénées, dans le sud du département des Pyrénées-Orientales, correspondant au bassin supérieur et moyen du Tech.

VALLET (44330), ch.-l. de cant. de la Loire-Atlantique, à 24 km au S.-E. de Nantes; 5 060 hab. Vignobles.

VALLEUSE. — Vallon suspendu dominant du littoral, une valleuse se forme par rapide recul d'une falaise, le cours d'eau n'ayant pas assez de puissance pour régulariser le profil jusqu'au niveau de base. Les valleuses sont particulièrement nombreuses dans les falaises de craie du pays de Caux.

VALLEYFIELD, v. du Canada (Québec), sur le Saint-Laurent, au S.-O. de Montréal; 30 173 hab. Métallurgie (zinc).

VALLINOT (Le) [52600 Chalindrey], ch.-l. de cant. de la Haute-Marne, à 11 km au S. de Langres; 551 hab.

VALLISNÉRIE. — Célébrée naguère par Maeterlinck*, cette plante des eaux douces calmes assure de curieuse façon sa pollinisation hors de l'eau : la fleur femelle détord son pédoncule et paraît en surface; les fleurs mâles se coupent et viennent flotter, livrant leur pollen avant de mourir. (Famille des hydrocharidacées.)

VALLOIRE (73450), comm. de la Savoie, à 31 km au S.-E. de Saint-Jean-de-Maurienne; 923 hab. Station de sports d'hiver (alt. 1 430-2 500 m). Église du XVIIe s., décorée à l'italienne.

VALLON-PONT-D'ARC (07150), ch.-l. de cant. de l'Ardèche, à 21 km au S.-E. de Largentière, près du *pont d'Arc;* 1 901 hab.

VALLORBE, comm. de Suisse (cant. de Vaud), à la frontière française; 4 028 hab. Gare internationale sur la ligne Paris-Lausanne.

VALLORCINE (74660), comm. de la Haute-Savoie, à 15,5 km au N.-E. de Chamonix-Mont-Blanc; 283 hab. Centre touristique (alt. 1 261 m).

VALLOTTON (Félix), peintre et graveur français d'origine suisse (Lausanne 1865-Paris 1925). Lié aux nabis*, critique amer de la société de son temps, il se fit connaître par de mordantes gravures sur bois, publiées dans de nombreux journaux à partir de 1892. Ses peintures, aux fréquentes discordances chromatiques, où la stylisation le dispute à un réalisme quasi photographique, sont parfois d'une présence hallucinante.

VALLOUISE (05290), comm. des Hautes-Alpes, dans le Pelvoux, à 19,5 km au S.-O. de Briançon; 451 hab. Station de sports d'hiver dite *Vallouise-Pelvoux* (alt. 1 150-2 150 m). Église du XVe s.

VALLUY (Jean Étienne), général français (Rive-de-Gier 1899-Paris 1970). Commandant la 9e division d'infanterie coloniale en 1944-45, il succède à Leclerc à la tête des forces d'Indochine (1946-1948), puis à Juin comme commandant des forces alliées du Pacte atlantique du secteur Centre-Europe (1956-1960).

VĀLMĪKI, sage de l'Inde antique, à qui sont attribués le *Rāmāyaṇa** et le *Yogavāsiṣtha.* Brigand converti, il aurait vécu au Ve s. av. J.-C.

VALMONT (76540), ch.-l. de cant. de la Seine-Maritime, à 11 km à l'E. de Fécamp; 835 hab. Restes d'une abbaye bénédictine.

VALMY (51800 Ste Menehould), comm. de la Marne, à 11 km à l'O. de Sainte-Menehould; 304 hab. Victoire de Dumouriez et de Kellermann sur les Prussiens (20 sept. 1792).

VALOGNES (50700), ch.-l. de cant de la Manche, à 20 km au S.-E. de Cherbourg; 6 081 hab. Vestiges gallo-romains. Église Saint-Malo, conservant des parties du XVe s. Vieux hôtels. Confection.

VALOIS, plateau limoneux du Bassin parisien, au N.-E. de Paris, partagé entre les départements de l'Aisne et de l'Oise. — Ancien *panus* carolingien, le Valois appartint aux comtes de la maison de Vermandois avant d'échoir à Hugues de Maine, fils cadet du roi Henri Ier et époux d'Adélaïde de Vermandois (1080). Uni au domaine royal en 1213, il fut à plusieurs reprises donné en apanage aux cadets de la famille royale. Charles V le concéda à Louis d'Orléans. En 1406 il fut érigé en duché-pairie.

VALOIS (les), dynastie qui régna sur la France de 1328 à 1589 et au sein de laquelle on distingue : les Valois directs, issus de Charles de Valois, frère cadet de Philippe IV* le Bel, et qui régnèrent de 1328, année de l'avènement de Philippe VI, à 1498, année de la mort, sans postérité, de Charles VIII; les Valois-Orléans, branche issue de Louis Ier d'Orléans, second fils de Charles V*, et qui monta sur le trône avec Louis XII*; les Valois-Angoulême, issus du second fils de Louis Ier d'Orléans, Jean, comte d'Angoulême, et qui accédèrent à la couronne de France à la mort de Louis XII avec François Ier*, couronne qu'ils conservèrent en descendance directe jusqu'en 1589, année de la mort, sans postérité, d'Henri III. Dès ses origines, la maison des Valois eut à faire face à la terrible épreuve de la guerre de Cent* Ans, au cours de laquelle son autorité, déjà amoindrie par la défaite et l'occupation d'une partie du royaume par les Anglais, se trouva contestée par la turbulence de la féodalité apanagée et par la division du pays en factions (Armagnacs*, Bourguignons*), parfois alliées à l'Angleterre (Bourguignons). Pourtant, à l'époque la plus sombre de la dynastie, l'aventure extraordinaire de Jeanne* d'Arc contribua à faire naître le sentiment patriotique qui permit à Charles VII* de débarrasser la France de l'envahisseur anglais et les derniers Valois directs (Louis XI*, Charles VIII*) purent imposer leur autorité aux grands féodaux. Auteurs (Charles V, Louis XI) d'une théorie monarchique qui présentait la royauté comme une institution de droit divin, dépositaire d'un pouvoir absolu, les Valois ont réussi, en perfectionnant les institutions royales, à assurer la centralisation du pays, et, ainsi, à réaliser l'unité d'un royaume qu'ils se sont attachés, par ailleurs, à agrandir (entrée du Midi [XIVe-XVe s.], puis de la Bretagne [1532] dans le domaine royal).

VALPARAÍSO, principal port du Chili, au N.-O. de Santiago; 250 000 hab. Métallurgie.

VALRÉAS (84600), ch.-l. de cant. de Vaucluse, enclavé dans la Drôme, à 14 km à l'O. de Nyons; 8 509 hab. Église en partie du XIIe s. Mairie dans un hôtel du XVIIIe s. Cartonnages. Métallurgie.

VAL-SAINT-LAMBERT, écart de la comm. belge de Seraing. Cristallerie.

VALSE. — Cette danse tournante de rythme ternaire et d'origine populaire est peut-être issue de la volte. À la fin du XVIIIe s., elle passe dans la musique savante (Haydn, Mozart, Grétry, Beethoven). Sa vogue grandit au début du XIXe s. à Vienne, où elle se rapproche des *Ländler* (Schubert). Devenue œuvre de concert (Weber), la valse est insérée dans la symphonie (Berlioz), l'opéra, le ballet (Gounod, Tchaïkovski). Elle se répand dans les salons de Vienne (J. Strauss père et fils), de Paris (Métra) et de Londres. Mais elle n'est pas dédaignée par les grands compositeurs (Chopin, Fauré), qui lui associent parfois la voix (Brahms). Elle brille de ses derniers feux à l'aube du XXe s. (Ravel).

VALSERINE (la), riv. du Jura, affl. du Rhône (r. dr.), qu'elle rejoint à Bellegarde-sur-Valserine; 50 km.

VALS-LES-BAINS (07600), ch.-l. de cant. de l'Ardèche, à 5 km au N. d'Aubenas; 4 174 hab. Station thermale aux eaux bicarbonatées sodiques, utilisées dans le traitement des affections du tube digestif et du diabète.

VALTELINE, en ital. **Valtellina,** région du nord de l'Italie (Lombardie), dans les Alpes, formée par la haute vallée de l'Adda (en amont du lac de Côme). V. princ. *Sondrio.* — Pendant la guerre de Trente Ans, Richelieu l'occupa pour empêcher la jonction des Habsbourg d'Espagne et d'Autriche.

VAL-THORENS (73440 St Martin de Belleville), station de sports d'hiver (alt. 2 300-3 300 m) de la Savoie, dans la Vanoise, près des Menuires, à 37 km au S. de Moûtiers.

VALVULE. — Dans l'organisme, les valvules jouent le rôle de soupape et empêchent un liquide de refluer. Le *cœur** comporte un appareil valvulaire très complexe : valvules mitrale et tricuspide entre oreillettes et ventricules, valvules sigmoïdes des orifices aortique et pulmonaire. Les *veines,* surtout aux membres inférieurs, présentent des valvules, qui facilitent le retour du sang au cœur. Le *tube digestif* est muni de valvules qui évitent le reflux du bol alimentaire sous l'effet des contractions musculaires.

VAMPIRE. — Cette petite chauve-souris de l'Amérique tropicale se nourrit de sang; ses dents, parfaitement tranchantes, font en effet une plaie indolore. Elle serait peu dangereuse, sauf en grandes troupes, si elle n'hébergeait souvent le virus de la rage (nom latin : *Desmodus*).

VAN, lac de la Turquie orientale; 3 700 km^{2}.

VAN ACKER (Achille), homme politique belge (Bruges 1898-*id.* 1975). Socialiste, Premier ministre en 1945-46 et de 1954 à 1958, il travailla au redressement économique, fit ratifier les accords de Paris et surmonta (1955) les difficultés créées par la loi scolaire. Il présida la Chambre des représentants de 1961 à 1974.

VANADIUM. — Découvert en 1801, le vanadium est l'élément chimique n° 23, de masse atomique V = 50,95. C'est un solide particulièrement dur, de densité 5,7, fondant à 1 750 °C et qui ne s'oxyde qu'à chaud, avec production d'anhydride vanadique, V_2O_5. Cet oxyde est une poudre dont la couleur varie du jaune au rouge brique; lui correspondent divers vanadates, de formules analogues à celles des phosphates. L'industrie ne prépare que des ferrovanadiums, qui servent à l'élaboration d'aciers spéciaux. L'anhydride vanadique est utilisé comme catalyseur dans la fabrication de l'acide sulfurique par le procédé de contact.

VAN ALLEN (James Alfred), physicien américain (Mount Pleasant, Iowa, 1914). Il a étudié les propriétés physiques et biologiques de la haute atmosphère et découvert la ceinture de radiations qui porte son nom.

VAN ARTEVELDE (Jacob), bourgeois de Gand (Gand v. 1290 - *id.* 1345). Riche marchand drapier, il donne le signal de la révolte des cités flamandes contre le comte de Flandre Louis de Nevers, qui a refusé de s'allier à l'Angleterre (1337). Finalement, il se heurte au particularisme des villes flamandes; il meurt assassiné. — Son fils FILIPS (Gand 1340 - Rozebeke 1382) écrase en 1382 l'armée du comte de Flandre, mais il est tué au cours de la bataille de Rozebeke, gagnée par Charles VI.

VANBRUGH (*sir* John), architecte et auteur dramatique anglais (Londres 1664 - *id.* 1726). Il est, à côté de Nicholas Hawksmoor, la personnalité dominante de l'architecture de son pays au début du XVIIIe s., à la fois palladien et baroque, soucieux d'effets de masse animés par la lumière et l'ombre (Castle Howard, 1699; palais de Blenheim, à Woodstock, 1705).

VAN BUREN (Martin), homme d'État américain (Kinderhook 1782 - *id.* 1862). Vice-président de Jackson*, il succéda à ce dernier comme président de l'Union (1837-1841).

VANCOUVER, grande île (40 000 km^2) montagneuse du Canada (Colombie britannique), dans le Pacifique.

VANCOUVER, port du Canada (Colombie britannique), sur le détroit de Géorgie, qui le sépare de l'*île de Vancouver;* 426 256 hab. Galerie d'art canadien et américain. Fondée en 1886 comme terminus occidental du CPR (Canadian Pacific Railway), la ville est le noyau d'une agglomération dépassant le million d'habitants (1 082 000), la troisième du Canada, rassemblant pratiquement la moitié de la population de la province. Son activité n'est que partiellement liée à celle du port (trafic de l'ordre de 40 à 50 Mt [qui le situe au premier rang canadien], avec une nette prépondérance des exportations de matières premières). L'industrie est dominée par le travail de bois, l'alimentation, la métallurgie et la chimie.

VANCOUVER (George), navigateur anglais (1757 - Petersham 1798). D'abord lieutenant de Cook*, il relève par la suite le tracé du littoral canadien de l'Ouest (1791-1795).

VANDALES, peuple germanique issu d'un ensemble hétérogène de tribus établies dans le Jylland septentrional, l'archipel danois et le sud de la Scandinavie. Installés vers la fin du IIe s. av. J.-C. en Poméranie, puis entre l'Oder et la Vistule moyenne, les Vandales sont, au début de l'ère chrétienne, essentiellement représentés par deux tribus : celle des Hasdings, signalée en 171 en Dacie, puis jusqu'au Ve s. dans la haute vallée de la Tisza; celle des Silings, qui donnera son nom à la Silésie. C'est probablement sous la pression des Huns* qu'en 406 Silings et Hasdings, mêlés aux Alains et aux Suèves, franchissent le Rhin et se répandent à travers la Gaule, qu'ils pillent. De 409 à 411, ils conquièrent l'Espagne, où ils se regroupent sous la direction de Gundéric (de 406 à 428), roi des Hasdings. Sous Geiséric* (de 428 à 477), ils envahissent l'Afrique* romaine (429) : après avoir pris Hippone (431), Geiséric contraint le gouvernement impérial à le considérer comme fédéré (435) et impose à Valentinien III un second traité (442) qui établit les Vandales en Numidie orientale, en Zeugitane, en Proconsulaire et en Byzacène. Puis, voulant construire un «empire à blé», il s'empare des îles Baléares, de la Corse, de la Sardaigne et de la Sicile. Il entreprend en Afrique la construction d'un royaume vandale en utilisant en partie les cadres légués par Rome. Cependant, les deux communautés vandale et romaine ne se mélangent pas (interdiction du mariage mixte). Ariens fanatiques, les Vandales persécutent les catholiques sous les règnes d'Hunéric (de 477 à 484) et de Thrasamund (de 496 à 523). Dans la première moitié du VIe s., la déposition du roi Hildéric (de 523 à 530) provoque l'intervention de Justinien* et la ruine du royaume vandale. Battu en 533 par Bélisaire*, le dernier roi vandale, Gélimer (de 530 à 534), se rend, et le peuple vandale disparaît sans laisser de traces.

VAN DE GRAAFF (Robert Jemison), physicien américain (Tuscaloosa 1901 - Boston 1967). Dès 1933, il a réalisé de grandes machines électrostatiques pour l'accélération des particules.

VANDELLÓS, localité d'Espagne, en Catalogne, au S.-O. de Tarragone. Centrale nucléaire.

VAN DEN BERGHE (Frits) → EXPRESSIONNISME.

VAN DEN BORREN (Charles), musicologue belge (Ixelles 1874 - Uccle 1966), professeur aux universités de Bruxelles et de Liège. Ses travaux sur le XVe s. musical (Dufay), sur Lassus et sur la musique des Pays-Bas font autorité.

VAN DEN BOSCH (Johannes, *comte*), administrateur néerlandais (Herwijnen 1780 - La Haye 1844). Gouverneur général des Indes néerlandaises à Batavia (1830-1833) et ministre des Colonies (1835-1839), il imagine et applique en Indonésie* le *Cultuurstelsel,* système de cultures qui n'est qu'un succédané du travail servile, mais qui donne aux terres cultivées leur maximum de rendement.

VAN DEN VONDEL (Joost), poète hollandais (Cologne 1587 - Amsterdam 1679). Traducteur des tragiques grecs, auteur d'œuvres lyriques et satiriques, il écrivit vingt-quatre tragédies avec chœurs, dont la plupart sont d'inspiration chrétienne (*Lucifer,* 1654; *Adam exilé,* 1664).

VAN DE POELE (Karel Joseph), technicien belge (Lichtervelde 1846 - Lynn 1892). Il inventa la traction électrique par trolley.

VAN DER GOES (Hugo), peintre flamand († Rouge-Cloître, Auderghem, 1482). Franc maître à Gand en 1467, il se retire en 1475 dans un couvent et est atteint en 1481 de troubles mentaux. Innovant tant sur le plan du style que sur celui de l'iconographie, usant de contrastes affirmés, monumental et pathétique, il imprime au réalisme flamand la marque de son esprit angoissé (*Adoration des mages,* Berlin-Dahlem; *Triptyque Portinari,* avec l'*Adoration des bergers,* v. 1475, Offices; diptyque du musée de Vienne, avec le *Péché originel* et la *Déploration du Christ; Adoration des bergers,* Berlin-Dahlem; *la Mort de la Vierge,* Bruges).

VAN DER HELST (Bartholomeus), peintre néerlandais (Haarlem 1613 - Amsterdam 1670). Artiste officiel, portraitiste brillant et précis, il évoque complaisamment l'aisance matérielle et la jovialité de la bourgeoisie d'Amsterdam (*Banquet des officiers de Saint-Georges,* 1648, Rijksmuseum).

VAN DER MEULEN (Adam Frans), peintre brabançon (Bruxelles 1632 - Paris 1690). Appelé à la cour de Louis XIV par Le Brun (1664), il représenta avec exactitude les chasses, les voyages et les campagnes militaires du roi (palais de Versailles).

VANDERVELDE (Émile), homme politique belge (Ixelles 1866 - Bruxelles 1938). Député socialiste (1894), président de la IIe Internationale* (1900), il est plusieurs fois ministre à partir de 1914.

VAN DER WAALS (Johannes Diderik), physicien néerlandais (Leyde 1837 - Amsterdam 1923). Il a donné une équation d'état des fluides, découvert la loi des états correspondants et étudié les forces d'attraction entre molécules. (Prix Nobel de physique, 1910.)

VAN DER WEYDEN ou **DE LA PASTURE** (Rogier), peintre hainuyer (Tournai v. 1400 - Bruxelles 1464). Après être passé par l'atelier de R. Campin*, il reçoit en 1432 la maîtrise de la gilde de Tournai, puis est nommé en 1435 peintre de la ville de Bruxelles. Son style n'est pas insensible aux apports de Van Eyck, mais garde une originalité qui, après la nervosité des œuvres de jeunesse, évolue vers une rigueur austère. Celle-ci confère à un chef-d'œuvre comme le *Jugement dernier* de l'Hôtel-Dieu de Beaune (1445/1448) une rare grandeur. La tendance dramatique du peintre privilégie la recherche des attitudes et des expressions de douleur ou de pitié, tandis que le fond de ses tableaux décrit des paysages irréels, ou demeure d'or à la façon gothique (*Descente de croix,* imitant les retables sculptés, v. 1435, Prado). Peintre essentiellement religieux (*Retable des sept sacrements,* apr. 1450, musée d'Anvers; *Retable Bladelin,* apr. 1456, Berlin), moraliste et didactique, Rogier a également exécuté des portraits où, malgré une tendance à l'idéalisation, le modèle acquiert, par l'acuité du dessin et des couleurs, une réelle présence (*l'Homme à la flèche,* musées de Bruxelles).

VAN DE VELDE, famille de peintres et de dessinateurs néerlandais, dont les principaux sont : ESAIAS (Amsterdam 1590/91 - La Haye 1630), à qui l'on doit surtout des paysages ruraux et des vues de rivières aux vastes ciels, qui s'écartent des compositions maniéristes d'un Gillis Van Coninxloo (1544-1607) au profit d'une observation attentive; WILLEM **le Jeune** (Leyde 1633 - Londres 1707), neveu du précédent, qui se situe aux premiers rangs de l'école hollandaise pour ses batailles navales et ses marines.

VAN DE VELDE (Henry), architecte et théoricien belge (Anvers 1863 - Zurich 1957). D'abord peintre néo-impressionniste, il se consacre à partir de 1890 aux métiers d'art, devenant un des principaux animateurs du mouvement moderniste en Europe. Directeur, en 1906, de l'école des Arts appliqués de Weimar, il tente, au sein du *Werkbund* allemand, de résister au courant qui mène à la standardisation industrielle. Il a notamment construit le musée Kröller-Müller à Otterlo (1937).

VAN DE WOESTIJNE (Karel), écrivain belge d'expression néerlandaise (Gand 1878 - Zwijnaarde, Gand, 1929). Ses poèmes (*l'Ombre dorée,* 1910; *le Lac sur la montagne,* 1928) et ses récits (*Janus au double visage,* 1908) trahissent une lutte constante entre le mysticisme et la sensualité.

VAN DIEMEN (Anthony), administrateur hollandais (Culemborg 1593-Batavia 1645). Gouverneur général pour la compagnie des Indes néerlandaises (1636-1645), il enlève Ceylan et Malacca, et donne son premier nom à la Tasmanie*.

VAN DIJK (Peter), danseur et chorégraphe allemand d'origine néerlandaise (Brême 1929). Grand interprète et technicien hors de pair *(Giselle, Petrouchka),* il s'est affirmé comme chorégraphe *(la Symphonie inachevée,* version de *Giselle)* et comme directeur de troupe (Opéra de Hambourg, Ballet du Rhin).

VAN DOESBURG (Theo) → STIJL (DE).

VANDŒUVRE-LÈS-NANCY (54500), ch.-l. de cant. de Meurthe-et-Moselle, banlieue sud de Nancy; 34 880 hab.

VANDOISE. — La vandoise est un poisson très voisin du chevaine et du gardon*. (Genre *Leuciscus,* famille des cyprinidés.)

VAN DONGEN (Kees), peintre français d'origine néerlandaise (Delfshaven, Rotterdam, 1877-Monte Carlo 1968). Dès avant son arrivée à Paris (1900), sa palette haute en couleurs et la vigueur de son exécution annoncent le fauvisme, auquel l'artiste participera et auquel il restera en partie fidèle après être devenu le portraitiste des célébrités mondaines de l'entre-deux-guerres.

VAN DYCK ou **VAN DIJK** (Antoon), peintre, dessinateur et graveur flamand (Anvers 1599-Londres 1641). Reçu maître dès 1618, il devient l'assistant de Rubens. Fixé de 1623 à 1627 à Gênes, il y renouvelle l'art du portrait d'apparat (idéalisation, raffinement, puissance et variété des effets chromatiques) et compose pour les églises des œuvres d'une sentimentalité un peu mièvre, d'un baroquisme élégant. À Anvers, il revient, tout en affinant sa technique, à la formule du portrait à mi-corps et donne de nouvelles compositions religieuses (églises d'Anvers, de Malines, de Gand...). Appelé en Angleterre en 1632, peintre du roi, comblé d'honneurs, il exécute près de quatre cents portraits, dont certains sont des chefs-d'œuvre de virtuosité, d'une distinction extrême (*Trois Enfants de Charles Ier,* 1635, galerie Sabauda, Turin). Son influence sur l'école anglaise sera immense.

VÄNERN, le plus grand lac d'Europe (U. R. S. S. exclue), en Suède, tributaire, par le Göta älv, du Cattégat; 5 546 km^2.

VANES, divinités agraires de la mythologie germanique (v. ASES).

VANESSE. — Les vanesses sont de beaux papillons diurnes au vol rapide et soutenu, vivement colorés sur la face supérieure des ailes, dont le dessous, plus terne, est seul visible lorsqu'ils se posent. Citons le gamma, ou robert-le-diable, le morio, le paon de jour, la grande et la petite tortue, enfin l'étonnante « carte géographique », aux deux générations annuelles assez différentes pour que l'on ait cru voir en elle deux espèces. Tous ces papillons sont très communs et volent parfois en troupes nombreuses. (Famille des nymphalidés.)

VAN EYCK (Jan), peintre flamand (village de Maaseik? v. 1390/1400-Bruges 1441). Entré jeune au service de Jean de Bavière, futur comte de Hollande (quelques-unes des miniatures des *Très Belles Heures de Notre-Dame,* musée municipal de Turin), il devient « valet de chambre » de Philippe le Bon en 1425, est chargé de missions diplomatiques et se fixe à Bruges vers 1430. Déjà bien établie, sa renommée grandit avec l'inauguration à Gand, en 1532, du retable de *l'Agneau* mystique,* qui, selon une inscription d'authenticité controversée, aurait été entrepris par un Hubert Van Eyck, peut-être frère aîné de Jan (et à qui reviendrait en partie le panneau central, dont le retable tire son nom). Associant diverses techniques (dont l'huile) pour donner aux transparences de la matière picturale un pouvoir de suggestion inédit, dégagé du maniérisme ornemental du « gothique international », accueillant largement la vie, Jan Van Eyck est, avec R. Campin*, le fondateur de la grande école flamande, tant par ses tableaux religieux (*Vierge dans l'église,* musée de Berlin-Dahlem; *Vierge du chancelier Rolin,* Louvre; *Vierge du chanoine Van der Paele,* 1436, Bruges; etc.) que par ses portraits, parmi lesquels la représentation en pied des *Époux Arnolfini* (1434, National Gallery, Londres), chef-d'œuvre inaugural de la scène d'intérieur profane, dont tous les peintres des anciens Pays-Bas se souviendront.

VAN GENNEP (Arnold), anthropologue français (Ludwigsburg 1873-Bourg-la-Reine 1957). Il s'est intéressé principalement au folklore (*Manuel de folklore français contemporain,* 1937). Ses autres recherches concernent les rites (*les Rites de passage,* 1909) et le totémisme (*l'État actuel du problème totémique,* 1920).

VAN GOGH (Vincent), peintre néerlandais (Groot-Zundert 1853-Auvers-sur-Oise 1890). Sa vie, tragique et brève, se concentre, après une expérience pastorale au milieu des mineurs du Borinage, dans son fulgurant itinéraire pictural. Après un apprentissage qui le montre proche de la tradition réaliste hollandaise, mais aussi préoccupé par le problème de la couleur, Van Gogh vient à Paris (1886) découvrir les impressionnistes et les néo-impressionnistes, ainsi que Toulouse-Lautrec et Gauguin. Il adopte des couleurs pures et simplifie les formes dans un souci d'unité que renforce l'importante découverte de l'estampe japonaise. En Provence (1888), il se laisse emporter par l'éblouissement des jaunes solaires, par l'éclat bleu du ciel et de la nuit. Il exécute de nombreux dessins faits de hachurations, d'une exceptionnelle maîtrise, et peint (série des *Tournesols; le Café de nuit,* Yale University Art Gallery, New Haven) avec une énergie et une tension qui le laissent désemparé lorsqu'une tentative de vie et de travail communs avec Gauguin s'achève par une grave altercation : il se mutile l'oreille gauche, puis se laisse hospitaliser à Saint-Rémy-de-Provence (1889). Son style acquiert alors une véhémence qui emporte dans un même mouvement et une même torsion champs, ciels, oliviers et cyprès, tandis qu'ocres et gris viennent assourdir sa palette (*le Champ de blé au cyprès,* diverses versions). À Auvers-sur-Oise (1890), auprès du docteur Gachet, le peintre retrouve une certaine confiance, reprenant thèmes ruraux, vues de villages (*l'Église d'Auvers,* Louvre) et portraits, mais le désespoir et la solitude, exprimés dans une dernière toile (*le Champ de blé aux corbeaux,* musée national Vincent Van Gogh, Amsterdam), le minent : Van Gogh se tire une balle dans la poitrine et meurt deux jours plus tard. Fauves et expressionnistes renoueront avec son langage au début du XXe s.

VAN GOYEN (Jan), peintre néerlandais (Leyde 1596-La Haye 1656). Ses premiers tableaux, frais et pittoresques — à la manière de son maître, Esaias Van de Velde —, laissent bientôt la place au paysage, devenu, avec les jeux de lumière de ciels immenses et le scintillement des plans d'eau, le sujet essentiel des œuvres. Van Goyen transcrit les valeurs lumineuses grâce à une palette monochrome aux tonalités argentées ou dorées, s'opposant à de profondes zones d'ombre. Une composition simplifiée (*Paysage avec deux chênes,* 1641, Rijksmuseum d'Amsterdam) accentue le caractère monumental de ses peintures, animées de petits personnages parfaitement intégrés à la nature qui les environne. Van Goyen a exercé une grande influence sur ses contemporains, mais aussi sur la génération suivante des paysagistes hollandais.

VAN HEEMSKERCK (Maarten), peintre néerlandais (Heemskerk, près d'Alkmaar, 1498-Haarlem 1574). Portraitiste, il se souvient de la sobre dignité de son maître Van Scorel, mais il s'en écarte dans d'immenses retables (*la Passion,* v. 1540, Linköpping) peuplés d'une foule de personnages agités, où se déchaîne un expressionnisme non exempt de raffinements maniéristes.

VAN HELMONT (Jan Baptist), médecin et chimiste flamand (Bruxelles 1577-*id.* 1644). Il révéla l'existence du suc gastrique (1640), isola le gaz carbonique, distingua les divers gaz (terme qu'il imagina) de l'air et inventa le thermomètre à liquide, utilisant la dilatation de l'eau dans une enveloppe de verre.

VAN HEMESSEN (Jan Sanders), peintre flamand (Hemiksem v. 1500-Haarlem apr. 1563). Réalisme, frénésie du mouvement empruntée à Michel-Ange et maniérisme crispé sont les composantes de son art, qui atteint souvent un paroxysme monumental.

VANIER, v. du Canada (Ontario), près d'Ottawa; 22 477 hab.

VANIKORO, île britannique de la Mélanésie, au N. des Nouvelles-Hébrides, où périrent en 1788 La Pérouse et son équipage.

VANILLE. — La « gousse » de vanille, en réalité un pédoncule floral, est le seul condiment tiré de la vaste famille des orchidacées. Elle devient noire en séchant. On cultive la vanille en grand à Madagascar.

VAN LAER ou **VAN LAAR** (Pieter), dit **Bamboccio,** peintre hollandais (Haarlem 1599-*id.?* 1642?). Installé à Rome d'environ 1625 à 1639, il excella à représenter des scènes de la vie populaire qu'on appela « bambochades » d'après son surnom (dû à sa stature médiocre et difforme) et dont la technique empruntait à la tradition hollandaise et au caravagisme. Ces œuvres furent très imitées.

VAN LEEUWENHOECK (Antonie), microscopiste et biologiste néerlandais (Delft 1632-*id.* 1723). Il passa presque toute sa longue vie à Delft. C'est comme drapier qu'il acquit le goût des loupes et des assemblages de verres grossissants. Il ne cesse de perfectionner ses appareils d'optique, jusqu'à obtenir des images nettes d'un grossissement de 300 diamètres. C'était ouvrir à la science un univers nouveau, et Van Leeuwenhoeck a eu l'immense mérite d'en décrire lui-même d'innombrables éléments : globules rouges du sang, circulation capillaire, spermatozoïdes, structure de la tige des plantes, rotifères, pucerons, structure du muscle strié, du cerveau, du cristallin, algues, fougères.

VAN LOO ou **VANLOO,** famille de peintres français d'origine néerlandaise. Le plus célèbre est CHARLES ANDRÉ, dit CARLE (Nice 1705-Paris 1765). Formé en Italie, travaillant à Rome et à Turin, il rentre à Paris en 1735, est admis à l'Académie, devient professeur et connaît tous les succès officiels. Représentant du « grand style » au sein de l'esthétique rococo, il s'adonne à divers genres : tableaux d'église, compositions mythologiques, scènes de fantaisie (« turqueries » pour Mme de Pompadour), panneaux décoratifs (*Chasse à l'ours, à l'autruche...* pour le cabinet du roi, 1736, auj. au musée d'Amiens), portraits. — On citera en outre : JACOB (Sluis, Zélande,

1614-Paris 1670), surtout portraitiste, installé à Amsterdam, puis à Paris; LOUIS ABRAHAM (Amsterdam v. 1656-Nice 1712), son fils, qui se maria à Aix-en-Provence, travailla dans cette ville ainsi qu'à Toulon et eut Carle parmi ses enfants; JEAN-BAPTISTE (Aix 1684-*id.*, au «pavillon de Vendôme», 1745), frère aîné de Carle, peintre d'histoire et portraitiste plein de brio et d'élégance, actif en Italie, à Paris et à Londres; LOUIS MICHEL (Toulon 1707-Paris 1771), fils du précédent, compagnon de son oncle Carle à Rome et bon portraitiste, qui fit carrière à la cour d'Espagne (1736-1752) et à Paris; CHARLES AMÉDÉE (Rivoli 1719-Paris 1795), frère du précédent, surtout actif à la cour de Prusse; JULES CÉSAR (Paris 1743-*id.* 1821), fils de Carle, paysagiste d'un goût préromantique.

VAN MANDER (Carel), peintre et écrivain d'art flamand (Meulebeke 1548-Amsterdam 1606). En Italie (1573), il rencontre Vasari et Spranger, dont son œuvre de peintre maniériste révèle l'ascendant. Mais ce cofondateur (avec Goltzius) de l'académie de Haarlem est surtout célèbre pour ses écrits, parmi lesquels le *Livre de peinture* (Haarlem, 1604), qui apporte un témoignage honnête et précieux, parfois anecdotique, sur les peintres flamands, néerlandais et allemands des XVe et XVIe s.

VAN MUSSCHENBROEK (Petrus), physicien néerlandais (Leyde 1692-*id.* 1761). Il inventa en 1745 la «bouteille de Leyde».

VANNE (la), riv. du sud-est du Bassin parisien, affl. de l'Yonne (r. dr.), rejointe près de Sens; 58 km. Une partie de ses eaux, amenées par un aqueduc long de 136 km, alimente l'agglomération parisienne.

VANNEAU. — Très voisins des pluviers*, les vanneaux, oiseaux très actifs et bon voiliers, aux ailes longues et étroites, peuvent, selon l'espèce, être ornés d'une huppe (c'est le cas de l'espèce française), de caroncules ou d'un ergot aux ailes. Tous sont d'utiles insectivores, amis des marécages. (Famille des charadriidés.)

VANNES (56000), ch.-l. du départ. du Morbihan, au fond du golfe du Morbihan, à 469 km à l'O. de Paris; 43 507 hab. *(Vannetais).* Centre administratif, commercial, touristique, ville de garnison, Vannes possède aussi quelques industries (dont une importante tréfilerie pour pneumatiques). La vieille ville conserve une partie de ses remparts, sa cathédrale (reconstruite à partir du XVe s.), de belles maisons anciennes. Musée archéologique (préhistoire) dans l'ancien hôtel du parlement de Bretagne.

VANOISE (la), massif des Alpes françaises (départ. de la Savoie), entre la Maurienne et la Tarentaise; 3 852 m à la *Grande Casse.* Parc national couvrant plus de 50 000 ha.

VAN ORLEY (Bernard), peintre flamand (Bruxelles v. 1488-*id.* 1541). Peintre de Marguerite d'Autriche (à Malines), puis de Marie de Habsbourg, il imprime la marque de la Renaissance italienne et du maniérisme à la peinture bruxelloise de la première moitié du XVIe s. Sa fougue et son expressionnisme font progressivement place, dans de vastes compositions religieuses, à une ampleur bien rythmée (retable du *Jugement dernier,* 1525, musée d'Anvers). Dès 1525, les cartons de vitraux et de tapisseries absorbent la majeure partie de son activité. Van Orley y déploie ses dons flamands d'observateur de la nature associés à la sereine grandeur des «romanistes», créant, entre autres, les douze tapisseries des *Chasses* dites *de Maximilien* (1521-1530, Louvre).

VAN OSTADE (Adriaen), peintre néerlandais (Haarlem 1610-*id.* 1685). Influencée par Brouwer, son œuvre, abondante, est empreinte d'humour et de chaleur humaine. Quelques touches délicates illuminent le clair-obscur et l'atmosphère enfumée de ses estaminets ou de ses chaumières rustiques, décrits dans des tons sourds de bruns et de rouges sombres, où s'agitent de petits personnages (*le Maître d'école,* 1662, Louvre). — Son frère ISAAC (Haarlem 1621-*id.* 1649) subit son influence, puis se spécialise dans les paysages, où il se montre habile à rendre la transparence de l'air et la diversité de la lumière.

VAN RUISBROEK ou **VAN RUUSBROEC** ou **VAN RUYSBROEK** (Jan), dit **l'Admirable,** théologien mystique flamand (Ruisbroek, Brabant, 1293-abbaye de Groenendaal, Brabant, 1381). L'influence de ses nombreux écrits spirituels fut considérable sur Gert Groote*. Van Ruisbroek fut l'initiateur du renouveau spirituel appelé *Devotio moderna.*

VAN RUYSDAEL ou **VAN RUISDAEL,** peintres hollandais du XVIIe s. SALOMON (Naarden v. 1600-Haarlem 1670) est un excellent disciple d'Esaias Van de Velde et de Van Goyen. — JACOB (Haarlem 1628/29-*id.* 1682), neveu du précédent, humaniste et savant, sans doute handicapé par une maladie, s'installe à Amsterdam vers 1656. Son œuvre marque à la fois un sommet de l'école paysagiste hollandaise et son dépassement par une vision héroïque, dramatique (*le Cimetière juif,* versions de Dresde et de Detroit) ou d'un lyrisme transfiguré (*le Coup de soleil,* Louvre). Les paysagistes romantiques du XIXe s. lui doivent beaucoup.

VANS (Les) [07140], ch.-l. de cant. de l'Ardèche, à 24 km au S.-O. de Largentière; 2 406 hab. Cultures fruitières.

VAN SCHENDEL (Arthur), écrivain néerlandais (Batavia 1874-Amsterdam 1946), peintre minutieux du paysage et de la vie de la province hollandaise (*la Frégate «Jeanne-Marie»,* 1930).

VAN SCOREL (Jan), peintre néerlandais (Schoorl, près d'Alkmaar, 1495-Utrecht 1562). Au retour d'un long périple (Nuremberg, où il rencontre Dürer, la Carinthie, Venise, la Terre sainte, etc.), il arrive à Rome et, grâce à un pape originaire d'Utrecht, succède à Raphaël au poste d'intendant des collections papales (1522). Il étudie les antiques, mais aussi Raphaël, Michel-Ange, Bramante... Revenu dans son pays (1524), il est à l'origine d'un renouveau de l'école hollandaise, transmettant à ses compatriotes la monumentalité romaine, la tension stylistique et l'acidité du coloris des maniéristes ainsi que le luminisme des Vénitiens (*Polyptyque de saint Étienne,* 1540, musée de Douai). Son œuvre de portraitiste allie ces apports étrangers à son acuité réaliste de Nordique (portrait de sa femme, *Agatha Van Schoonhoven,* 1529, galerie Doria, Rome).

VAN'T HOFF (Jacobus Henricus), chimiste néerlandais (Rotterdam 1852-Berlin 1911). Créateur, avec Le Bel*, de la stéréochimie, il formula la théorie du carbone asymétrique. Il posa les fondements de la cinétique chimique et, observant les analogies des gaz et des corps dissous, établit une théorie de la pression osmotique. (Prix Nobel de chimie, 1901.)

VANVES (92170), ch.-l. de cant. des Hauts-de-Seine, dans la proche banlieue sud de Paris; 22 671 hab.

VAN ZEELAND (Paul), homme politique belge (Soignies 1893-Bruxelles 1973). Membre du parti catholique, il dirige de 1935 à 1937 un cabinet d'Union nationale. De 1949 à 1954, à la tête des Affaires étrangères, il défend l'idée européenne.

VAOUR (81140 Castelnau de Montmiral), ch.-l. de cant. du Tarn, à 44,5 km à l'E. de Montauban; 352 hab.

VAPEUR. — On nomme ainsi le corps gazeux qui prend naissance à partir d'un liquide dans le phénomène de vaporisation. Quelques gouttes d'un liquide volatil introduites dans la chambre d'un baromètre à mercure se transforment instantanément en vapeur, dont la pression provoque un abaissement du niveau du mercure. Si l'on a mis peu de liquide, celui-ci est entièrement vaporisé. On dit alors qu'il s'agit d'une *vapeur sèche,* dont la pression dépend du volume et qui suit à peu près la loi de Mariotte, comme un autre gaz. Lorsque la quantité de gaz est suffisante, la vaporisation n'est pas complète, et il reste une couche de liquide au sommet du mercure. Il s'agit alors d'une *vapeur saturante,* en équilibre avec l'excès du liquide, dont la pression, dite «pression maximale», ne dépend pas du volume qui lui est offert, mais seulement de la température. Les mêmes résultats sont valables pour la vaporisation dans une atmosphère gazeuse, qui est seulement beaucoup plus lente.

VAPOCRAQUAGE. — Procédé fournissant à la pétrochimie* ses produits de base essentiels, éthylène*, propylène*, butadiène, benzène* et hydrogène*, le vapocraquage (ou steam-cracking) est une pyrolyse en présence de vapeur d'eau, mais sans catalyseur, qui décompose brutalement les hydrocarbures sous la seule action de la chaleur (800 °C environ). On part de produits pétroliers excédentaires gazeux, comme l'éthane ou le propane, légers, comme la gazoline, ou assez lourds, comme le gasoil*; le plus souvent, on traite du *naphta,* qui est une essence* de faible valeur,

Jacob Van Ruysdael. *Le Cimetière juif.* (Detroit Institute of Arts.)

Institute of Arts, Detroit

sous-produit de la distillation* première du pétrole brut, et qui donne un rendement moyen de 25 p. 100 d'éthylène. Après craquage dans les fours de pyrolyse, le mélange d'hydrocarbures et de vapeur d'eau est refroidi, puis redistillé pour séparer les produits, l'éthylène et le propylène étant isolés par liquéfaction, les aromatiques* par extraction au solvant : on obtient alors une essence dont on fait par hydrogénation* un excellent carburant.

VAPOREFORMAGE → HYDROGÉNATION.

VAPOR-LOCK → ESSENCE.

VAR (le), fl. des Alpes françaises du Sud, né au S.-E. de Barcelonnette, coulant presque entièrement dans les Alpes-Maritimes (ne passant pas dans le département auquel il a donné son nom) et rejoignant la Méditerranée à l'O. de Nice; 120 km.

VAR (83), départ. de la Région Provence-Alpes-Côte d'Azur; 5 999 km^2; 626 023 hab. *(Varois).* Ch.-l. *Toulon.* S.-préf. *Brignoles* et *Draguignan.*

Le département juxtapose une partie intérieure (hauts plateaux calcaires au S. du Verdon et massifs anciens [Maures et Estérel] séparés par la dépression de l'Argens) et une façade littorale, au climat typiquement méditerranéen. Cette façade concentre la majeure partie d'une population assez régulièrement croissante à partir de la fin du XIXe s. et qui a augmenté très rapidement après 1945, approximativement de moitié durant les vingt dernières années, essentiellement par immigration (rapatriés d'Afrique du Nord). La densité est légèrement supérieure à la moyenne nationale, mais ne doit pas masquer le vide de l'intérieur, contrastant avec le poids de l'agglomération étendue de Toulon (de La Seyne-sur-Mer à Hyères), qui regroupe plus de la moitié de la population. Le secteur tertiaire emploie plus de la moitié de la population active; cette prépondérance est liée à l'intensité de l'urbanisation et de l'activité touristique sur le littoral, de Bandol à Fréjus-Saint-Raphaël en passant par Toulon, Hyères (et les îles d'Hyères), Le Lavandou, Saint-Tropez et Sainte-Maxime notamment. Le tourisme s'est aussi développé dans l'intérieur (où la forêt a été souvent dévastée par des incendies), juxtaposé à une agriculture (occupant moins du dixième de la population active) dominée par une notable production viticole et florale dans la dépression centrale, alors que les plateaux sont voués à un élevage ovin extensif, hors des périmètres irrigués. L'industrie n'emploie que le tiers des actifs; elle est concentrée dans l'agglomération de Toulon, en dehors de l'exploitation de gisements de bauxite vers Brignoles.

VARADES (44370), ch.-l. de cant. de la Loire-Atlantique, à 13 km à l'E. d'Ancenis; 3 043 hab.

VARAN. — Les varans se rencontrent dans les régions chaudes de l'Ancien Monde. Ce sont de très grands lézards (leurs longueur atteint 3 m), voraces, carnivores et surtout mangeurs d'œufs. La queue est un fouet redoutable, la tête est très mobile, la langue est bifide et très sensible. Les espèces les plus connues sont le varan du Nil, capable de rester plusieurs heures en plongée, le varan de Malaisie et le gigantesque « dragon » mangeur de rats de l'île de Komodo.

VĀRĀNASI → BÉNARÈS.

VARANGÉVILLE (54110 Dombasle sur Meurthe), comm. de Meurthe-et-Moselle, sur la Meurthe et le canal de la Marne au Rhin, à 12,5 km au S.-E. de Nancy; 4 301 hab. Église du XIVe s. Salines.

VARDAR (le), fl. de Yougoslavie et de Grèce, en Macédoine, qui rejoint la mer Égée dans le golfe de Thessalonique; 388 km. Avec celle de la Morava, sa vallée forme le principal axe nord-sud de pénétration des Balkans.

VARECH. — Le varech n'est pas une algue, mais un mélange d'algues mourantes et mortes formant sur les plages océaniques un cordon parallèle au rouleau des vagues. Talitres et moucherons cherchent leur provende dans ce mélange, appelé aussi *goémon de laisse* (par opposition au « goémon de coupe », cueilli vivant à marée basse) et dont la récolte est réglementée. Fucus, pelvétia, ascophylle, ulve, entéromorphe, céramium et coralline s'y mêlent aux flustres, aux flotteurs de seiche, aux œufs de requin, aux flotteurs de liège des filets de pêche et, depuis peu, aux bouteilles en plastique.

VARÈGUES, Vikings* de Scandinavie, qui empruntèrent la route de la Volga (VIIIe-IXe s.), pénétrèrent chez les Slaves orientaux et devinrent les maîtres du commerce entre la Baltique et la mer Noire. Leur rôle dans la formation du premier État russe (v. RUSSIE) a été l'objet d'un grand débat entre les « normanistes », pour qui les Varègues ont été les créateurs de cet État, et les « antinormanistes », qui considèrent que les Varègues se sont insérés dans des sociétés slaves déjà évoluées et politiquement organisées.

VARENGEVILLE-SUR-MER (76119), comm. de la Seine-Maritime, à 9 km à l'O. de Dieppe; 996 hab. Station balnéaire. Dans un site boisé, dominant la mer, église des XIIe et XVIe s., chapelle avec vitraux de Braque et manoir d'Ango, du XVIe s.

VARENNES, localité du Canada (Québec); 2 382 hab. Centre de recherches hydroélectriques.

VARENNES-EN-ARGONNE (55270), ch.-l. de cant. de la Meuse, sur l'Aire, à 30 km au N.-E. de Sainte-Menehould; 670 hab. — Louis XVI et sa famille, en fuite depuis le 20 juin 1791, y furent reconnus et arrêtés, avant d'être ramenés à Paris (25 juin).

VARENNES-SUR-ALLIER (03150), ch.-l. de cant. de l'Allier, à 11 km à l'E. de Saint-Pourçain; 5 188 hab. Église romane. Mobilier.

VARENNES-VAUZELLES (58000 Nevers), comm. de la Nièvre, banlieue nord de Nevers; 8 557 hab.

VARÈSE, v. d'Italie (Lombardie), ch.-l. de prov., près du *lac de Varèse;* 86 000 hab. Aux environs, sanctuaire du Sacro Monte, du XVIIe s. (chapelles à groupes en terre cuite polychrome de grand format). Constructions mécaniques et électriques.

VARÈSE (Edgard), compositeur français naturalisé américain (Paris 1883 - New York 1965). Également ingénieur électroacousticien, il fut le premier à vouloir faire de la musique non plus avec des notes, mais avec des sons. Ses années les plus fécondes s'étendirent de 1921 à 1934 *(Amériques, Hyperprism, Intégrales, Arcana, Ionisation).* À une période de crise de quinze ans environ succéda une brève mais foudroyante résurrection créatrice, inaugurée par *Déserts,* pour orchestre de vents et percussions avec bande magnétique (1954), et poursuivie notamment par le *Poème électronique* (1958). Dans la constitution du langage musical d'aujourd'hui, l'œuvre de Varèse a été le complément indispensable de la révolution sérielle.

VARGAS (Getúlio), homme d'État brésilien (São Borja, Rio Grande do Sul, 1883 - Rio de Janeiro 1954). Avec l'appui des classes moyennes et des masses populaires, il constitue en 1930 un gouvernement dictatorial et supprime le régime parlementaire, qui favorise les grands propriétaires et les grands commerçants. Président de la République à partir de 1934, il modernise et industrialise le Brésil, qu'il veut libérer de toute ingérence économique étrangère, et réalise d'importantes réformes sociales. Écarté du pouvoir en 1945, il est réélu en 1950, mais se suicide après une violente campagne menée contre lui.

VARGAS LLOSA (Mario), écrivain péruvien (Arequipa 1936). Son œuvre romanesque compose une fresque à la fois impitoyable et attendrie de la société péruvienne (*la Ville et les chiens,* 1962; *la Maison verte,* 1965; *les Chiots,* 1966; *Conversation à la cathédrale,* 1970).

VARIABLE *(Écon.).* — On distingue : les *variables exogènes* (ou « indépendantes »), qui agissent sur les autres variables, mais ne sont pas influencées par elles (elles sont *explicatives* des phénomènes économiques); les *variables endogènes* (ou « internes »), qui rétroagissent réciproquement et sont expliquées les unes par les autres; les *variables stochastiques**, qui tiennent compte de l'inexpliqué (ou de ce que l'on nomme le « hasard »), et de la façon dont se manifestent les événements « aléatoires ».

VARIABLE ALÉATOIRE. — Une variable aléatoire est une application* X d'un univers E muni d'une probabilité* P dans l'ensemble $\mathbb{R}$ des nombres réels. On dit aussi *aléa numérique.* C'est ainsi qu'au jeu de dés, avec un dé à six faces numérotées de 1 à 6, l'univers E est formé de six *événements* que l'on peut supposer *équiprobables,* c'est-à-dire de même probabilité. On définit une variable aléatoire X qui, à chaque événement de E, associe un nombre appartenant à l'ensemble $\{1, 2, 3, 4, 5, 6\}$, chacun de ces nombres ayant la probabilité $\frac{1}{6}$ d'être obtenu. La *loi de probabilité* de X est le couple formé par l'ensemble des valeurs que peut prendre X et par l'ensemble de leurs probabilités :

X	1	2	3	4	5	6
P	$\frac{1}{6}$	$\frac{1}{6}$	$\frac{1}{6}$	$\frac{1}{6}$	$\frac{1}{6}$	$\frac{1}{6}$

Avec deux dés, la somme des points obtenus est une variable Z qui peut prendre les valeurs entières de 2 à 12. En comptant de façon élémentaire le nombre de couples donnant une somme i, avec $2 \leqslant i \leqslant 12$, on obtient la loi

Z	2	3	4	5	6	7	8	9	10	11	12
P	$\frac{1}{36}$	$\frac{2}{36}$	$\frac{3}{36}$	$\frac{4}{36}$	$\frac{5}{36}$	$\frac{6}{36}$	$\frac{5}{36}$	$\frac{4}{36}$	$\frac{3}{36}$	$\frac{2}{36}$	$\frac{1}{36}$

Une variable *discrète* est une variable susceptible de prendre des valeurs isolées en nombre fini ou non. Les deux variables ci-dessus sont des variables discrètes.

Une variable *continue* est susceptible de prendre toute valeur d'un intervalle (a, b) éventuellement infini. C'est le cas d'une variable de Laplace*-Gauss. On définit l'espérance* et la variance* d'une variable aléatoire.

VARIANCE. — La variance d'une variable aléatoire X, ou *moment centré d'ordre deux,* est la quantité, notée V(X), définie par les relations

$$V(X) = \sum_i p_i [x_i - E(X)]^2 \text{ si X est discrète}$$

ou

$$V(X) = \int_{-\infty}^{+\infty} [x - E(X)]^2 f(x)\,dx \text{ si X est continue,}$$

E(X) désignant l'espérance* de X, p_i étant la *probabilité* pour que la variable discrète X soit égale à x_i et f(x) la *densité de probabilité* de la variable continue X.

Dans les deux cas, la variance est une *espérance,* car la quantité $V(X) = E\{[X - E(X)]^2\}$ s'obtient en multipliant les valeurs que peut prendre la variable $Z = [X - E(X)]^2$ par les probabilités* correspondantes.

Si a et b sont deux réels quelconques et si X est une variable aléatoire, $Z = aX + b$ est aussi une variable aléatoire et

$$V(Z) = V(ax + b) = E[(aX + b - \overline{aX + b})^2]$$
$$= E[(aX + b - a\overline{X} - b)^2],$$
$$V(Z) = E[a(X - \overline{X})]^2 = E[a^2(X - \overline{X})^2] = a^2 E[(X - \overline{X})^2]$$
$$= a^2 V(X),$$

où $\overline{X} = E(X)$ et $\overline{aX + b} = E(aX + b)$.

Le résultat obtenu indique l'effet d'un changement d'échelle sur la variance; le changement d'origine laisse la variance invariante.

Comme $V(X) = E[(X - \overline{X})^2] = E(X^2 - 2\overline{X}X + \overline{X}^2)$
$$= E(X^2) - 2\overline{X}E(X) + E(\overline{X}^2)$$
$$= E(X^2) - 2\overline{X}^2 + \overline{X}^2 = E(X^2) - \overline{X}^2,$$

on obtient $V(X) = E(X^2) - [E(X)]^2$, formule souvent utilisée pour calculer pratiquement la variance.

EXEMPLE. Au jeu de dés avec un dé:

$$E(X) = \frac{1}{6}(1 + 2 + ... + 6) = \frac{7}{2};$$

$$E(X^2) = \frac{1}{6}(1^2 + 2^2 + ... + 6^2) = \frac{1}{6} \cdot \frac{6 . 7 . 13}{6} = \frac{91}{6};$$

$$\text{d'où } V(X) = \frac{91}{6} - \frac{7}{2} = \frac{35}{12}.$$

L'*écart type* σ est la racine carrée de la variance. C'est un *paramètre de dispersion* pour la variable étudiée.

VARIATION *(Biol.).* — La notion, très générale, de variation biologique englobe deux grands types de changements : les changements intransmissibles, acquis au cours de la vie et appelés *accommodats* ou *somations,* et les changements transmissibles, affectant le patrimoine génétique et appelés *mutations**. Dans le règne végétal, la multiplication végétative permet une large diffusion des mutations, sans risque de retour à la forme originelle. D'où le nombre immense des *cultivars* créés par les horticulteurs.

VARIATION *(Chorégr.).* — Comme le langage, la danse possède sa syntaxe. Les gestes, les pas, les enchaînements de pas en eux-mêmes ou par leur combinaison avec d'autres ont une signification précise. À certains moments d'un « discours » chorégraphique intervient un pas de deux ou un solo (ou pas seul). Le pas de deux comporte un adage* et une coda, entre lesquels les variations du danseur et de la danseuse s'insèrent non pour faire progresser l'action, mais pour mettre en valeur les protagonistes. Enchaînement de haute technicité ou de virtuosité, la variation est un fragment « d'art pour l'art ». En général conçue par le chorégraphe en fonction des qualités de l'exécutant, elle est composée de pas très difficiles ou de « moments » esthétiques. Un même ballet peut compter plusieurs variations (sur pointes ou sur demi-pointes). Certaines variations sont devenues célèbres : celles de l'« Oiseau bleu » de *la Belle au bois dormant,* du « Cygne noir » du *Lac des cygnes,* de « Djali » des *Deux Pigeons,* de la reine des Wilis au deuxième acte de *Giselle...*

VARIATION *(Mus.).* — La variation constitue aussi bien un procédé d'écriture inséré çà et là dans une œuvre qu'une forme en soi. Elle consiste à transformer un thème donné mélodiquement, rythmiquement, polyphoniquement ou harmoniquement. La modification affecte le thème lui-même ou son contexte, ou les deux à la fois. On varie aussi bien une cantilène grégorienne qu'un air vocal ou instrumental (notamment pour virginal), qu'une danse (chaconne ou passacaille), qu'un choral (Bach), qu'un noël pour orgue (d'Aquin), et ce grâce à des diminutions, des ornementations. Dépassant le *thème varié* de Haydn et Mozart, Beethoven utilisa la *variation amplificatrice,* reprise par ses continuateurs (Schubert, Mendelssohn, Schumann, Liszt, Franck, Brahms, Fauré, Dukas). Les représentants de l'école dodécaphonique exploitent souvent la « série » à la manière d'une *variation continue* (Schönberg).

VARICE. — La dilatation pathologique et permanente des veines est due le plus souvent à une insuffisance de fonctionnement des valvules, qui laissent refluer le sang de haut en bas. C'est la veine saphène interne qui est le plus souvent atteinte. À côté des varices primitives, il existe des varices secondaires à des phlébites des veines profondes, à une compression des troncs veineux. Ainsi, aux membres inférieurs, les varices peuvent être consécutives à des tumeurs du petit bassin (fibromes), à la grossesse. Elles sont visibles sous forme d'un cordon bleuâtre, élastique, à trajet sinueux. Des complications sont possibles : ce sont les inflammations périveineuses (ou périphlébites), la rupture des varices — qui entraîne soit une hémorragie externe, soit un hématome sous-cutané —, l'ulcère* de jambe.

On observe des varices œsophagiennes, en cas de gêne à la circulation dans la veine porte; des varices du scrotum ou varicocèles, des varices des veines hémorroïdales ou hémorroïdes.

Le traitement médical des varices des membres inférieurs comporte l'utilisation de substances protectrices des capillaires, des cures thermales (Bagnoles-de-l'Orne, Barbotan), le port de bas ou de bandes à varices, l'injection de substances sclérosantes dans les veines malades; le traitement chirurgical consiste dans l'extirpation, ou *éveinage,* des veines déficientes.

VARICELLE. — Cette fièvre éruptive est due à un virus semblable à celui du zona. Contagieuse, elle se transmet par les particules de salive et confère l'immunité. Après une incubation de quatorze jours, l'éruption apparaît, formée d'éléments disséminés sur la surface de la peau. Chaque élément est une vésicule superficielle, prurigineuse, remplie d'un liquide clair et entourée d'une zone rouge. Cette vésicule se couvre d'une petite croûte, qui tombe vers le septième jour. L'éruption évolue en deux ou en trois poussées successives et dure une dizaine de jours. Les muqueuses buccale et vaginale peuvent être atteintes. La varicelle est une affection bénigne; on peut toutefois observer une surinfection des éléments, dont le grattage laisse une cicatrice indélébile; les complications graves (encéphalites) sont exceptionnelles et sont sourtout observées chez des sujets soumis à une corticothérapie (pour une autre maladie). Le traitement se borne à éviter le grattage et à assurer la désinfection des éléments cutanés.

VARICOCÈLE → VARICE.

Variété, essais de Paul Valéry, publiés en cinq volumes de 1924 à 1944 et qui rassemblent des études littéraires, philosophiques et esthétiques.

VARIGNON (Pierre), mathématicien français (Caen 1654-Paris 1722). Il fut l'un des défenseurs, à l'Académie des sciences, des conceptions de Leibniz sur le calcul infinitésimal. Il énonça pour la première fois la règle de composition des forces concourantes et donna dans toute sa généralité le théorème des moments. Il formula également, le premier, le principe des vitesses virtuelles.

VARILHES (09120), ch.-l. de cant. de l'Ariège, sur l'Ariège, à 9,5 km au S. de Pamiers; 1 888 hab.

VARIN (Jean) → NUMISMATIQUE.

VARIOLE. — Cette infection grave, immunisante et très contagieuse, est due à un virus. Actuellement, dans les régions à haut degré d'hygiène et où la vaccination antivariolique est pratiquée régulièrement, on n'observe plus que des épidémies d'importation. Quelques foyers d'endémie persistent en Afrique, en Amérique intertropicale et en Asie (Pākistān).

La variole régulière, après une incubation silencieuse de dix à quatorze jours, débute brutalement par de la fièvre, des douleurs vertébrales, des céphalées. L'éruption survient au quatrième jour, d'abord à la face, puis elle s'étend à tout le corps. L'élément typique est une papulopustule enchâssée dans le derme, qui évolue suivant un cycle caractéristique en une dizaine de jours, et qui laisse une cicatrice indélébile. Les formes graves de la variole, confluentes et hémorragiques, sont foudroyantes. Les varioles bénignes se voient surtout chez des sujets partiellement immunisés.

La variole est soumise à la réglementation internationale. Le malade doit être isolé. La déclaration est obligatoire, et entraîne une enquête épidémiologique ainsi qu'une campagne de vaccination. La vaccination par le virus de la vaccine permet d'acquérir une immunité contre la variole. Elle est obligatoire en France ou lors de voyages en pays d'endémie.

VARISTANCE. — Les varistances sont utilisées en téléphonie comme pare-étincelles sur les contacts et comme limiteurs de tension des bobines de relais.

VARLIN (Eugène), révolutionnaire français (Claye-Souilly 1839-Paris 1871). Ouvrier relieur, secrétaire de la section française de la Ire Internationale* lors de sa fondation (1864), il est élu député de Paris le 8 février 1871. Membre de la Commune*, délégué aux Finances (mars), il est fusillé par les versaillais le 28 mai.

VARNA, port de Bulgarie, sur la mer Noire; 180 000 hab. Université. Chantiers navals. Industries chimiques. — En 1444, les Turcs y défirent les Polonais et les Hongrois.

VARRON, en lat. **Marcus Terentius Varro,** polygraphe latin (Reate, auj. Rieti, 116-† 27 av. J.-C.). Avocat à Rome, il prit part à la guerre civile aux côtés de Pompée, mais se réconcilia avec César, qui le chargea d'organiser des bibliothèques publiques. De son œuvre encyclopédique, nous ne possédons que les trois livres d'un traité d'économie rurale, une partie d'un traité de philologie et des fragments d'ouvrages historiques.

VARS *(col de),* col des Alpes du Sud, à la limite des Alpes-de-Haute-Provence et des Hautes-Alpes, entre Guillestre et Barcelonnette; 2115 m. — À proximité, sports d'hiver (alt. 1670-2580 m).

VARSOVIE, en polon. **Warszawa,** capit. de la Pologne, sur la Vistule; 1410000 hab.

GÉOGRAPHIE. Dans le centre-est de la Pologne, au cœur de la Mazovie, carrefour entre la Baltique et le Danube, d'une part, entre Berlin et Moscou, d'autre part, Varsovie, détruite par la guerre, a, cependant, dépassé son chiffre de population de 1939 (1300000). À côté des traditionnelles fonctions administrative et commerciale s'est développée l'industrie (sidérurgie, automobile, constructions électriques, chimie). La ville n'est, cependant, que le deuxième foyer industriel polonais (venant après la haute Silésie) et concentre moins de 5 p. 100 de la population du pays.

Gloaguen - Viva

Varsovie. La place du Palais et la colonne de Sigismond III.

HISTOIRE. Varsovie, capitale des ducs de Mazovie*, est réunie à la couronne polonaise en 1526. Siège de la diète en 1572, elle devient capitale du royaume en 1596. L'ouverture, en 1740, du Collège des nobles en fait un centre culturel important. Tombée aux mains des Russes en 1794, remise en 1795 aux Prussiens, capitale du grand-duché de Varsovie, créé en 1807 par Napoléon Ier, qui en confie le gouvernement à l'Électeur de Saxe Frédéric-Auguste Ier, la ville est reconquise dès 1813 par les Russes : ceux-ci en font la capitale du nouveau royaume de Pologne et la résidence du vice-roi. Tout naturellement, Varsovie est le principal foyer révolutionnaire de la Pologne au XIXe s. : soulevée le 29 novembre 1830, siège du gouvernement national, elle succombe dès le 8 septembre 1831 et subit la dure loi de son vainqueur, le général Paskievitch, nommé prince de Varsovie. Une nouvelle insurrection en 1863 est suivie d'une nouvelle répression et d'une russification intense. La ville est occupée par les Allemands de 1915 à 1918; le 10 novembre 1918, Piłsudski* s'installe à Varsovie, qui devient la capitale de la république de Pologne. Menacée en 1920 par l'armée rouge pendant la guerre polono-soviétique*, la ville est de nouveau conquise en 1939 par les Allemands, qui y établissent un gouvernement général. En 1943, l'insurrection du ghetto est, pour la Wehrmacht, l'occasion d'exterminer les Juifs de la capitale, qui se soulève une nouvelle fois contre les Allemands en août 1944, mais, faute d'être secourue par l'armée rouge, doit capituler (oct.) : les Soviétiques n'entreront à Varsovie qu'en janvier 1945.

BEAUX-ARTS. Cathédrale et palais royal reconstruits, comme la Vieille Ville, après 1945. Nombreux palais et églises, surtout de la seconde moitié du XVIIe s. au début du XIXe, dont le palais des « Bains » (Łazienki), joyau du style néoclassique commençant (auj. musée). Vaste musée national; Musée historique de la ville.

Varsovie *(pacte de),* accords militaires conclus en 1955 à Varsovie entre l'U.R.S.S., l'Albanie, la Bulgarie, la Hongrie, la Pologne, la Roumanie et la Tchécoslovaquie, rejoints par l'Allemagne orientale en 1956. En 1968, l'intervention militaire des forces du pacte en Tchécoslovaquie amenèrent le retrait de l'Albanie. Les forces du pacte sont placées sous le commandement d'un général soviétique.

VARUS (Publius Quintilius) → QUINTILIUS VARUS.

VARVE. — Sédiments fluvioglaciaires déposés en eau tranquille, les varves présentent une variation de faciès au cours de l'année. Elles sont caractérisées par une alternance de lits fins, déposés en hiver, et de lits grossiers, résultant de l'apport des eaux de fonte des neiges en été. En Scandinavie, les argiles à varve ont servi à dater avec précision les épisodes glaciaires.

VARZY (58210), ch.-l. de cant. de la Nièvre, à 16 km au S.-O. de Clamecy; 1607 hab. Église du XIVe s. Musée.

VASA (les), famille qui régna sur la Suède* de 1523 à 1654. Originaire de l'Uppland, elle a pour fondateur ERIK JOHANSSON **Vasa,** dont le fils, GUSTAVE Ier* **Vasa,** chasse les Danois de Suède* en 1523 et, mettant fin à l'union de Kalmar*, se fait proclamer roi (de 1523 à 1560). ERIK XIV (de 1560 à 1568), fils de Gustave Ier, tente de contrôler les détroits danois et la région de Narva, débouché de la Moscovie, mais, battu durant la guerre de Sept Ans (1563-1570), il est détrôné au profit de son frère JEAN III (de 1568 à 1592). Celui-ci reprend Narva (1581), acquiert l'Estonie et contrôle la route d'Arkhangelsk; mais, en favorisant le catholicisme, il développe une crise religieuse qui se poursuit sous son fils SIGISMOND III **Vasa;** déjà roi de Pologne (1587), ce dernier devient roi de Suède (1592); ayant voulu rétablir le catholicisme, il est remplacé en 1599 par son oncle Charles de Sudermanie, qui, d'abord régent, devient roi sous le nom de CHARLES IX (de 1607 à 1611). GUSTAVE II* ADOLPHE (de 1611 à 1632), successeur de ce dernier, fait de la Suède la principale puissance de la Baltique; sa mort inopinée, à Lützen, laisse le trône à CHRISTINE* (de 1632 à 1654), qui a comme successeur son cousin CHARLES X GUSTAVE (de 1654 à 1660), fils de Jean-Casimir, prince palatin de Deux-Ponts.

La famille Vasa continue à régner en Pologne avec les deux fils de SIGISMOND III **Vasa** (1587-1632) : LADISLAS IV (1632-1648) et JEAN-CASIMIR (Casimir V) [1648-1668].

VASARELY (Victor), peintre et théoricien français d'origine hongroise (Pécs 1908). Figurative d'abord, abstraite à partir de 1947, son œuvre, marquée à ses débuts par les travaux du Stijl* et du Bauhaus*, développe un vocabulaire de base de l'art cinétique*, alphabet de formes élémentaires (à partir du carré et du cercle) et gamme de couleurs (avec leurs tons dégradés) qui constituent une combinatoire (« folklore planétaire ») aux virtualités infinies. Les « unités formes-couleurs » peuvent être fabriquées industriellement (et donc intégrées dans l'architecture), éditées en « multiples », codifiées, voire programmées par la cybernétique. L'artiste a créé à Gordes un « musée didactique Vasarely » (1970) et à Aix-en-Provence une fondation consacrée à l'« environnement artificiel » et à l'information audiovisuelle (1976).

VASARI (Giorgio), dessinateur, peintre, architecte, collectionneur et théoricien d'art italien (Arezzo 1511 - Florence 1574). Décorateur maniériste virtuose, notamment à Rome, puis à Florence (maître d'œuvre, à partir de 1554, des vastes peintures pariétales du Palazzo Vecchio), architecte des Offices, il est célèbre, par-dessus tout, pour ses *Vies* d'artistes italiens (1550; réédition, 1568), qui, malgré un parti pris accentuant le rôle historique de l'école florentine, demeurent une source fondamentale.

VASCULAIRES (plantes). — Ce n'est qu'avec les premières plantes munies de racines et de vaisseaux (astéroxylacées du dévonien) que le monde végétal a amorcé l'évolution qui l'a conduit à dominer les terres émergées. Aucune plante, en effet, ne peut s'élever en hauteur sans un appareil conduisant jusqu'au sommet l'eau et les sels minéraux puisés dans le sol, qui en est la seule source possible. C'est cet appareil qui constitue les *vaisseaux du bois,* dont le contenu est la sève* brute. Mais, inversement, toute la plante doit recevoir les aliments organiques élaborés uniquement dans les feuilles, et c'est la fonction des *tubes du liber,* dont le contenu est la sève élaborée. Cette double circulation caractérise les plantes dites « vasculaires », qu'elles portent des graines (spermaphytes : gymnospermes, angiospermes) ou qu'elles n'en portent pas (ptéridophytes : fougères, prêles, lycopodes).

VASE. — Sédiment qui se dépose dans la mer en bordure des continents ou à l'embouchure des fleuves, la vase est composée de sable fin, d'argile et de colloïdes fortement imbibés d'eau. Dans les estuaires, elle se sédimente rapidement, rendant le dragage indispensable pour permettre la navigation.

VASOMOTRICITÉ. — Variation de calibre des artères et des veines, la vasomotricité, qui est sous le contrôle du système nerveux végétatif, répartit le flux sanguin de l'organisme en fonction des besoins momentanés de chaque organe.

1. Le *système vasoconstricteur,* dont le centre principal est situé dans le bulbe rachidien, est composé de fibres sympathiques. Sa mise en jeu dans un organe provoque une vasoconstriction des vaisseaux et donc une diminution du débit sanguin.

2. Le *système vasodilatateur* appartient au système parasym-

pathique, dont l'origine est soit bulbaire, soit pelvienne. Sa mise en jeu provoque une vasodilatation des vaisseaux et donc une augmentation du débit sanguin.

Les *médicaments vasoconstricteurs* les plus employés ont une action directe sur la paroi vasculaire; ce sont les sympathicomimétiques (adrénaline, noradrénaline). Certains agissent au niveau des ganglions sympathiques intermédiaires (substances nicotiniques); d'autres, par excitation directe des centres vasoconstricteurs bulbaires (caféine, cocaïne). Les *médicaments vasodilatateurs* agissent de trois façons : soit en provoquant une vasodilatation directe (dérivés nitrés, utilisés dans le traitement des insuffisances coronaires), soit en inhibant les fibres vasoconstrictives (aminophylline, propanolol, pentaméthonium), ou encore par action centrale directe (hydralazine, réserpine et ses dérivés, très employés dans le traitement de l'hypertension artérielle).

VASSALITÉ. — Ce terme désigne le lien existant au Moyen Âge entre un vassal et son seigneur, et plus généralement le système social fondé sur l'existence de liens de dépendance personnelle entre vassaux et seigneurs féodaux. À l'origine figure la *commendatio* de l'époque mérovingienne, acte par lequel des hommes *(vassi)* se recommandaient à d'autres hommes *(seniores)* pour bénéficier de leur protection et recevoir d'eux les moyens de subsistance. En échange, le protégé devait soumission et dévouement total à son protecteur. Au départ, les *vassi* furent des hommes d'un niveau social peu élevé et se distinguèrent mal de la domesticité des grands personnages. Mais, sous les Carolingiens, en même temps que la pratique de la vassalité, l'importance sociale des vassaux ne fit que croître. De très hauts personnages furent des *vassi regales :* ainsi, le duc Tassilon de Bavière était, au milieu du VIIIe s., le vassal de Pépin le Bref. Des Carolingiens aux Capétiens, le rite d'entrée en vasselage resta pratiquement le même : la *commandatio,* qui, à partir du XIe s., prit le nom d'*hommage,* était suivie d'un serment par lequel le vassal jurait fidélité à son seigneur. Comme sous les Carolingiens, le vassal du XIIe s. devait un service à son seigneur en échange de la protection et de la fourniture, par ce dernier, des moyens de subsistance. Mais le service s'était précisé : au XIIe s., il consistait dans le conseil (présence à la cour du seigneur, notamment lorsque celui-ci rendait la justice) et l'aide (service d'ost et de chevauchée, service de garde au château, secours financier). En outre, au XIIe s. également, le vassal simplement nourri par son seigneur était devenu rare, et la situation normale était désormais celle du vassal qui, en contrepartie du service dû, recevait une terre en fief : d'où l'idée que le service d'aide et de conseil se trouvait subordonné à la concession d'un fief. (V. FÉODALITÉ.)

VASSIEUX-EN-VERCORS (26420 La Chapelle en Vercors), comm. de la Drôme, à 31 km au N. de Die; 257 hab. Le village fut incendié par les Allemands et par la milice de Darnand le 21 juillet 1944. Soixante-quinze habitants furent massacrés.

VASSILEVSKI ou **VASSILIEVSKI** (Aleksandr Mikhaïlovitch), maréchal soviétique (Novopokrovka 1895-Moscou 1977). Compagnon de Staline, il fut chef d'état-major de l'armée rouge de 1943 à 1945, puis de nouveau en 1946-47, après avoir commandé le troisième front de Russie Blanche et dirigé les opérations contre le Japon (1945). Il a été ministre de la Défense (1947-1953).

VASSILIEV (Vladimir), danseur soviétique (Moscou 1940). Un des plus grands danseurs contemporains *(le Lac des cygnes, Don Quichotte, Spartacus, Narcisse, Ivan le Terrible),* il est l'auteur de la chorégraphie du ballet *Icare* (1971).

VASSILIKÓS (Vassílis), écrivain grec (Kavála 1933). Son œuvre romanesque ou critique (*Mythologie de l'Amérique,* 1964) compose une tentative désespérée pour échapper au cauchemar de l'histoire (*le Récit de Jason,* 1953; *Z,* 1966; *Lunik II,* 1974).

VASSY (14410), ch.-l. de cant. du Calvados, à 16 km à l'E. de Vire; 1450 hab. Église en partie du XIIIe s.

VÄSTERÅS, v. de la Suède centrale, sur le lac Mälaren; 118000 hab. Constructions électriques.

VATAN (36150), ch.-l. de cant. de l'Indre, à 21 km au N.-O. d'Issoudun; 2275 hab. Église avec chœur de la Renaissance.

VATÉ, île de l'archipel des Nouvelles-Hébrides, site du chef-lieu de l'archipel (Port-Vila) et fournissant un peu de manganèse.

VATHÍ, ancien ch.-l. de l'île grecque de Samos.

VATICAN *(État de la cité de),* État souverain, dont le pape* est le chef, et qui a été constitué le 11 février 1929, lors des accords du Latran*, signés entre Mussolini* et le représentant de Pie XI, le cardinal Pietro Gasparri. Ce petit État (44 ha) comprend essentiellement la place et la basilique Saint-Pierre ainsi que le palais où résident le pape et les organes du gouvernement pontifical. Celui-ci est régi par une loi du 24 juin 1969, d'après laquelle le pape exerce son pouvoir par l'intermédiaire d'une commission cardinalice présidée par le secrétaire d'État.

BEAUX-ARTS. V. BRAMANTE, RAPHAËL, SAINT-PIERRE DE ROME, SIXTINE *(chapelle).*

Principaux musées : Pio-Clementino et Chiaramonti (antiques), Musée chrétien, Pinacothèque, musée d'Art religieux moderne, Musée missionnaire ethnologique.

Vatican *(premier concile du),* concile œcuménique qui se tint dans la basilique Saint-Pierre de Rome du 8 décembre 1869 au 18 juillet 1870; il fut centré sur la définition de l'infaillibilité pontificale. Cette définition, qui provoqua des déchirements au sein de l'assemblée et même un schisme (vieux-catholiques*), n'en fut pas moins votée le 13 juillet 1870.

Vatican *(deuxième concile du),* concile œcuménique qui se tint à Rome en quatre sessions, en 1962, en 1963, en 1964 et en 1965. Il eut comme but le renouveau de l'Église face au monde moderne : par l'importance des décisions pastorales prises par les pères, il a bouleversé profondément la mentalité des catholiques, les incitant à être plus attentifs aux courants de pensée contemporains et, tout en les rendant plus exigeants quant à la manière de vivre leur foi, les amenant à la tolérance et à la compréhension vis-à-vis des autres chrétiens, des non-chrétiens et des non-croyants.

VATNAJÖKULL, région englacée du sud-est de l'Islande.

VÄTTERN, grand lac (1900 km^2) de la Suède, se déversant dans la Baltique par le Motala ström.

VAUBAN (Sébastien LE PRESTRE DE), maréchal de France (Saint-Léger-Vauban 1633-Paris 1707). Commissaire général des fortifications (1678), il organisa, par la construction de nombreuses places (Perpignan, Neuf-Brisach, Dunkerque), la défense des frontières françaises et dirigea lui-même plusieurs sièges, notamment à Lille (1668), à Philippsburg (1688), à Namur (1692). Mais ses critiques de la politique de Louis XIV lui firent perdre la faveur du roi, et son *Projet de dîme royale* (1707), qui préconisait un impôt proportionnel, fut saisi peu avant sa mort.

VAUBECOURT (55250 Seuil d'Argonne), ch.-l. de cant. de la Meuse, à 22 km au N. de Bar-le-Duc; 280 hab.

VAUCANSON (Jacques DE), mécanicien français (Grenoble 1709-Paris 1782). Il créa de nombreux automates, dont le *Joueur de flûte traversière* (1737), le *Joueur de tambourin* (1738) et le *Canard* (1738). Il imagina un tour à dévider automatique, le premier métier à tisser entièrement automatique, que pouvait entraîner soit une chute d'eau, soit un manège mû par un animal. On lui doit aussi le premier tour à charioter et une perceuse dont les divers dispositifs devinrent les organes essentiels de la machine-outil. La collection de ses chefs-d'œuvre, augmentée de machines les plus intéressantes de l'époque, constitua en 1794 le premier fonds du Conservatoire national des arts et métiers.

VAUCLUSE (84), départ. de la Région Provence-Alpes-Côte d'Azur; 3566 km^2; 390446 hab. (*Vauclusiens*). Ch.-l. *Avignon.* S.-préf. *Apt* et *Carpentras.*

Le département oppose une partie occidentale basse, correspondant essentiellement à la plaine du Comtat (Comtat Venaissin), en bordure du Rhône, et une partie orientale, formée de plateaux calcaires (avec quelques sommets isolés, dont le Ventoux), avancées des Préalpes du Sud. L'agriculture emploie encore approximativement 15 p. 100 de la population active, part relativement élevée, liée à la mise en valeur intensive (notamment par l'irrigation) du Comtat, grand producteur de fruits et de légumes (pomme, raisin, tomate, melon, etc.), surtout dans le triangle délimité par Cavaillon, Carpentras et Châteaurenard (Bouches-du-Rhône). Le Vaucluse demeure encore fournisseur de vins (dont le châteauneuf-du-pape). L'industrie, valorisant la production agricole, est peu développée (à peine le tiers des actifs), malgré l'aménagement hydroélectrique du Rhône (centrale de Bollène, notamment), hors de l'agglomération d'Avignon, qui regroupe aujourd'hui plus du tiers de la population départementale. Celle-ci, stagnante, puis déclinante dans la seconde moitié du XIXe s., s'est accrue dans le dernier demi-siècle (de près de moitié dans les vingt dernières années). Cette croissance rapide est liée à l'immigration (retour des colons d'Afrique du Nord); spatialement elle correspond à un renforcement de l'ouest, de la vallée du Rhône essentiellement, artère fluviale, ferroviaire et autoroutière d'un département bénéficiant encore de l'essor d'un tourisme culturel (Avignon, Orange, Vaison-la-Romaine, fontaine de Vaucluse), qui explique, partiellement, la prépondérance du secteur tertiaire.

VAUCLUSE *(fontaine de),* source du départ. de Vaucluse, sur le territoire de la comm. de *Fontaine-de-Vaucluse,* à 25 km à l'E. d'Avignon, et dont est issue la Sorgue.

VAUCOULEURS (55140), ch.-l. de cant. de la Meuse, sur la Meuse, à 20 km au S. de Commercy; 2554 hab. — C'est au capitaine de Vaucouleurs, Robert de Baudricourt, que Jeanne* d'Arc parla d'abord de son dessein de secourir Charles VII.

VAUCRESSON (92420), comm. des Hauts-de-Seine, à 5 km à l'O. de Saint-Cloud; 9349 hab.

VAUD, canton de Suisse, de langue française; 3211 km^2; 511851 hab. [*Vaudois*]. Ch.-l. *Lausanne.* Le canton, ou *pays de*

Vaud, s'étire sur la rive nord du Léman, du Jura aux Alpes, la majeure partie de la population est concentrée en bordure du lac (notamment dans l'agglomération de Lausanne et, plus à l'est, vers Vevey et Montreux), site touristique, dominé localement par un vignoble aménagé en terrasses. L'élevage et la sylviculture sont les ressources du *Jura* et des *Alpes,* les cultures (céréales et fourrages) couvrent l'extrémité méridionale du *Plateau* (suisse).

HISTOIRE. Prospère sous les Romains, le pays de l'Helvétie, et sa capitale *Aventicum* (Avenches), est, au temps des Burgondes, le *pagus Valdensis* (pays de Vaud), partie constitutive du royaume de Bourgogne* transjurane, le siège épiscopal devenant Lausanne, future capitale. Passé sous l'autorité des ducs de Savoie (XIIe s.), le pays de Vaud voit ses villes — Yverdon, Vevey, Moudon — s'enrichir et s'imposer aux féodaux. En 1536, il fait partie de la république de Berne, dont la domination — souple au début — permet au nationalisme vaudois de s'affirmer. En 1798, la France aide à la proclamation de la République lémanique, qui, en 1803, devient le canton de Vaud, membre de la Confédération helvétique.

VAUDÉMONT (54330 Vézelise), comm. de Meurthe-et-Moselle, perchée sur une hauteur (la « Colline inspirée » de M. Barrès), à 541 m d'alt.; 71 hab. Ruines féodales.

VAUDEVILLE. — À l'origine, chanson gaie, bachique ou satirique, le vaudeville (ou vaudevire) fut intégré, vers 1710, par Lesage et Fuzelier dans les pièces du théâtre de la Foire*. Le succès du genre amena son développement dans une double direction : l'extension de la partie musicale conduisit à la création de l'opéra-comique; la suppression presque totale du chant, dans d'autres pièces, fit du vaudeville une simple comédie légère, cultivée par le théâtre du Boulevard*.

vaudois, membres de la secte fondée par le riche marchand lyonnais Pierre Valdo (v. 1140 - v. 1217) dans le dernier quart du XIIe s. On sait peu de choses des origines de ce mouvement, si ce n'est que, sous le nom de « pauvres de Lyon », il se sépara de l'Église à partir de 1179 et que ses adeptes furent excommuniés par le pape dès 1184. Pour toute source de foi, ils n'admettaient que l'Ancien et le Nouveau Testament, et rejetaient le culte des saints, la messe, la confession, le dogme du purgatoire et les indulgences. Ils prêchaient la pauvreté absolue et n'admettaient ni le service militaire ni la peine de mort; les vaudois distinguaient en leur sein les maîtres, ou « apôtres », liés par le vœu de pauvreté parfaite, et les « amis », disciples ou simples adhérents. Organisé en hiérarchie ecclésiastique, renforcé par les *humiliates* lombards, le mouvement vaudois essaima en Italie, en Allemagne, en Flandre, en Espagne et en France. Persécuté, il trouva refuge dans les vallées alpines; au XVIe s., de nombreux vaudois adhérèrent au protestantisme.

VAUDOU. — Originaire des régions côtières du golfe du Bénin, cette religion a été transplantée par les esclaves noirs aux Antilles et au Brésil, où elle revêt un caractère nettement syncrétique, apparaissant comme l'unique refuge d'une population soumise à l'exploitation économique et à l'oppression culturelle.

VAUDREUIL (Philippe de RIGAUD, *marquis* DE), administrateur français (en Gascogne 1643 - Québec 1725). Gouverneur général du Canada (1705-1725), il ne put éviter la perte de l'Acadie et de Terre-Neuve (1713). — Son fils, PIERRE (Québec 1698 - Muides-sur-Loire 1778), gouverneur de la Louisiane (1743) puis (1755) du Canada, ordonna la capitulation de Montréal après la mort de Montcalm* (1760).

VAUDREUIL (Le), ville nouvelle du départ. de l'Eure, près de Louviers, en amont du confluent de l'Eure et de la Seine et englobant huit communes, dont celle du *Vaudreuil.*

VAUGELAS (Claude FAVRE, *seigneur* DE), grammairien français (Meximieux 1585 - Paris 1650). Protégé de Richelieu, il participe à la fondation de l'Académie française et dirige les travaux de mise en route du *Dictionnaire.* Ses *Remarques sur la langue française* (1647) ont pour ambition, non de fixer la langue, mais de l'unifier et de la régler, dans un souci d'ordre et de clarté, en se référant au « bon usage », celui d'une élite (la Cour et les « doctes »).

VAUGHAN WILLIAMS (Ralph), compositeur anglais (Down Ampney 1872 - Londres 1958). Artisan principal du renouveau de la musique britannique au XXe s., il révéla sa personnalité au contact des chants populaires de son pays, qu'il traita à la manière de Bartók, et de l'école anglaise des XVIe et XVIIe s. (*Fantaisie sur un thème de Thomas Tallis,* neuf symphonies, six opéras, dont *Sir John in Love, Riders to the Sea* et *A Pilgrim's Progress,* ballet *Job,* concertos, *Messe en* sol *mineur,* oratorio *Sancta Civitas,* mélodies).

VAUGIRARD, quartier du sud-ouest de Paris (XVe arr.).

VAUGNERAY (69670), ch.-l. de cant. du Rhône, à 17,5 km à l'O. de Lyon; 2 951 hab.

VAUJOURS (93410), comm. de la Seine-Saint-Denis, à 15 km au N.-E. de Paris; 5 134 hab. Plâtre.

VAULX-EN-VELIN (69120), comm. du Rhône, dans la banlieue nord-est de Lyon; 38 077 hab. Verrerie.

VAUQUELIN (Nicolas Louis), chimiste français (Saint-André-d'Hébertot, près de Pont-l'Évêque, 1763 - *id.* 1829). Il découvrit le chrome (1797), le lithium (1817) et la glucine. Il étudia de nombreux produits d'origine animale ou végétale.

VAUQUELIN DE LA FRESNAYE (Jean), poète français (La Fresnaye-au-Sauvage, près de Falaise, 1536 - Caen 1606), imitateur d'Horace, auteur d'un *Art poétique français* (1574-1605), qui consacre les réformes de la Pléiade mais rend hommage à la poésie du Moyen Âge. — Son fils, NICOLAS, seigneur **des Yveteaux** (La Fresnaye-au-Sauvage 1567 - Brianval, près de Meaux, 1649), fut considéré comme le maître des « libertins ».

VAUQUOIS (55270 Varennes en Argonne), comm. de la Meuse, à 6 km au S.-E. de Varennes-en-Argonne; 49 hab. — La *butte de Vauquois* fut le théâtre de violents combats en 1914-15.

VAUTHIER (Jean), auteur dramatique français (Paris 1910). Son théâtre illustre la quête de l'homme qui retrouve par la souffrance « le don poétique de métamorphoser les choses » (*Capitaine Bada,* 1952; *le Personnage combattant,* 1956; *Badadesque,* 1965; *le Sang,* 1970).

VAUTOUR. — Les vautours, doués d'une vue perçante, sont des plus aptes au vol plané, mais ils sont incapables de chasser, ce qui conduit ces rapaces à se nourrir surtout de cadavres. Leur cou nu, leur jabot renflé les font aisément reconnaître. Citons, dans l'Ancien Monde, le moine (envergure : 2,40 m) et le fauve, et, en Amérique, le condor (envergure : 3 m) et l'urubu.

Vautrin, personnage des romans d'H. de Balzac *le Père Goriot, Illusions perdues, Splendeurs et misères des courtisanes,* et du drame *Vautrin.* Forçat évadé, il cache sa véritable identité et mène contre la justice et la société une lutte gigantesque, réalisant ses rêves de puissance par l'intermédiaire de jeunes gens (Rastignac, Rubempré), qu'il domine et qu'il aime. Il finit par négocier sa conversion à l'ordre établi et devient chef de la Sûreté. L'histoire de Vidocq* a en partie inspiré ce personnage au romancier.

VAUVENARGUES (Luc DE CLAPIERS, *marquis* DE), moraliste français (Aix-en-Provence 1715 - Paris 1747). La lecture de Plutarque, qui occupe son enfance maladive, encourage sa vocation militaire. Mais, ayant eu les jambes gelées à la retraite de Prague (1742) et rendu presque aveugle par la petite vérole, il mène à Paris une existence misérable qu'adoucissent l'amitié de Voltaire et celle de Marmontel. Il meurt un an après avoir fait paraître sans succès (1746) une *Introduction à la connaissance de l'esprit humain,* accompagnée de *Conseils à un jeune homme,* de *Réflexions,* ainsi que de plusieurs *Caractères* et *Dialogues.* Préférant Racine à Corneille, réhabilitant l'homme contre La Rochefoucauld, réprouvant l'esprit de salon et la grandiloquence, il enseigne « qu'il faut avoir de l'âme pour avoir du goût ».

VAUVERT (30600), ch.-l. de cant. du Gard, à 20 km au S. de Nîmes; 7 472 hab. Conserverie. Métallurgie.

VAUVILLERS (70210), ch.-l. de cant. de la Haute-Saône, à 33 km à l'E. de Bourbonne-les-Bains; 724 hab.

VAUX-DEVANT-DAMLOUP (55400 Étain), comm. de la Meuse; 12 hab. Le fort de Vaux dominant Verdun, à 8 km au N.-E. de la ville, succomba, après une héroïque résistance, le 7 juin 1916. Il fut réoccupé par les forces de Mangin, le 2 novembre suivant.

Vaux-le-Vicomte *(château de),* sur la commune de Maincy (Seine-et-Marne), importante résidence bâtie et décorée pour le surintendant Fouquet, de 1556 à 1561, par Le Vau, Le Nôtre et Le Brun, auxquels Louis XIV confia ensuite les travaux de Versailles.

VAVINCOURT (55000 Bar le Duc), ch.-l. de cant. de la Meuse, à 7 km au N. de Bar-le-Duc; 454 hab.

VÄXJÖ, v. du sud de la Suède; 62 000 hab.

VAYRAC (46110), ch.-l. de cant. du Lot, à 21 km au N.-O. de Saint-Céré; 1 184 hab.

VAYRES (33870), comm. de la Gironde, à 10 km à l'O.-S.-O. de Libourne; 2 380 hab. Verrerie.

VAZOV (Ivan), écrivain bulgare (Sopot, auj. Vazovgrad, 1850 - Sofia 1921). Admirateur de la littérature française, il célébra les beautés de son pays et les héros bulgares qui sacrifièrent leur vie pour la cause de l'indépendance, dans ses poèmes (*l'Épopée des oubliés,* 1881), ses nouvelles (*Sans feu ni lieu,* 1883), ses romans (*Sous le joug,* 1890) et ses drames historiques (*Borislav,* 1909).

VEAUCHE (42340), comm. de la Loire, à 17 km au N. de Saint-Étienne; 4 028 hab. Verrerie.

VEBLEN (Thorstein Bunde), économiste et sociologue américain (Valders, Wisconsin, 1857 - Menlo Park, Californie, 1929). Son ouvrage *The Theory of the Leisure Class* (1899) est une critique acerbe de la société américaine : il y dénonce la non-participation de la « classe oisive » *(leisure class)* à la vie industrielle.

VECCHI (Orazio), compositeur italien (Modène 1550 - *id.* 1605). Il a excellé dans la musique vocale, joyeuse, descriptive, des canzonettes et *villotte,* faisant de son *Amfiparnaso* une grande fresque polyphonique *a cappella* annonçant la *commedia dell'arte.*

VECTEUR → ALGÈBRE.

VECTORIEL (espace). — Un espace vectoriel est un ensemble* E muni :

- d'une loi de groupe commutatif, notée additivement;
- d'une loi de composition externe, notée $(\alpha, x) \mapsto \alpha x$, qui est une application* de l'ensemble produit $K \times E$ dans E, K étant un corps commutatif, telle que :

$\forall x$ et y de E, $\forall \alpha$ de K, $\alpha(x + y) = \alpha x + \alpha y$,

$\forall \alpha$ et β de K, $\forall x$ de E, $(\alpha + \beta)x = \alpha x + \beta x$,

$\forall \alpha$ et β de K, $\forall x$ de E, $\alpha(\beta x) = (\alpha\beta)x$

$\forall x$ de E, $1 \cdot x = x$, 1 étant l'élément unité de K.

E est dit espace vectoriel sur K, appelé corps des *scalaires;* O désigne le zéro de K et du groupe additif E.

EXEMPLES. 1. L'espace euclidien $\mathbb{R}^3$, ensemble des points de l'espace ou, plus précisément, des vecteurs de l'espace, quand on a choisi une origine, muni de l'addition vectorielle et de la multiplication d'un vecteur par un réel, est un espace vectoriel sur $\mathbb{R}$. 2. L'ensemble des polynômes à une variable, à coefficients réels, muni de l'addition des polynômes et de la multiplication par un réel, est un espace vectoriel sur $\mathbb{R}$.

Étant donné n éléments $a_1, a_2, ..., a_n$ d'un espace vectoriel E sur le corps K, une *combinaison linéaire* de ces n éléments est une somme $\lambda_1 a_1 + \lambda_2 a_2 + ... + \lambda_n a_n$, dans laquelle les quantités λ_i sont des éléments du corps K. S'il est impossible de trouver un ensemble de scalaires $\lambda_1, \lambda_2, ..., \lambda_n$, non tous nuls, tels que

$$\lambda_1 a_1 + \lambda_2 a_2 + ... + \lambda_n a_n = 0,$$

les n vecteurs $a_1, a_2, ..., a_n$ sont *linéairement indépendants*. C'est le cas de deux vecteurs du plan ou de l'espace, non colinéaires, car la relation $\alpha_1 \overrightarrow{V_1} + \alpha_2 \overrightarrow{V_2} = 0$, α_1 et α_2 étant des réels non nuls, exprime précisément la colinéarité de $\overrightarrow{V_1}$ et $\overrightarrow{V_2}$.

Si l'on peut trouver un n-uple $\lambda_1, \lambda_2, ..., \lambda_n$ tel que

$$\lambda_1 a_1 + \lambda_2 a_2 + ... + \lambda_n a_n = 0,$$

les quantités λ_i n'étant pas toutes nulles, les n vecteurs $a_1, a_2, ..., a_n$ sont *liés* ou *linéairement dépendants*. C'est le cas de trois vecteurs d'un plan ou de quatre vecteurs de l'espace.

Une partie A de l'ensemble E est *génératrice* pour cet ensemble si tout élément x de E se met sous la forme de combinaison linéaire d'éléments de A. En général, une partie A quelconque n'engendre pas l'ensemble E, mais un *sous-espace vectoriel* F de E, formé des combinaisons linéaires d'éléments de A. La notion de sous-espace vectoriel est très féconde, car elle permet de construire de nouveaux espaces vectoriels et conduit à la notion d'espace-quotient, E/F, d'un espace E par un de ses sous-espaces.

Une *base* d'un espace vectoriel est une partie *libre* (formée d'éléments linéairement indépendants) et *génératrice*. Un espace est de *dimension finie* s'il admet une base formée d'un nombre fini d'éléments. S'il en est ainsi, toutes les bases ont le même nombre d'éléments, qui est la *dimension* de l'espace. Ainsi, l'ensemble des polynômes à coefficients réels, à une variable, et de degré inférieur ou égal à deux, admet comme base l'ensemble $(1, x, x^2)$, puisque tout polynôme du second degré s'écrit $ax^2 + bx + c$, les polynômes 1, x et x^2 étant non liés, car toute relation $\alpha + \beta x + \gamma x^2 = 0$ valable pour toute valeur x entraîne $\alpha = \beta = \gamma = 0$.

La notion d'espace vectoriel est fondamentale en algèbre linéaire.

Veda, ensemble de textes sacrés écrits en sanskrit. Les Veda ont servi de recueil de normes légiférant tant sur les rites et les croyances que sur l'organisation de la société. Cet ensemble comprend des recueils d'hymnes liturgiques, des traités de cérémonies ou des sacrifices, des explications brahmaniques et des textes philosophiques *(Upaniṣad*).*

VÉDISME. — Première religion qui façonna la civilisation indienne du XVIe au VIe s. av. J.-C., le védisme est une religion collective — et non individuelle comme le sera l'hindouisme* —, qui repose sur une mythologie où se manifestent trois fonctions essentielles (souveraineté, guerre et fécondité). Bien que polythéiste, le védisme n'a pas de panthéon hiérarchisé et ses dieux innombrables ne sont conçus que dans leurs rapports aux hommes. Ces dieux peuvent être aussi bien démoniaques que dispensateurs de biens matériels. Les relations de l'humain au divin reposent essentiellement sur des sacrifices et des rites, où le feu et le breuvage oblatoire jouent un rôle important. Le rituel, la cosmologie et la cosmogonie ont fait l'objet de commentaires (brāhmaṇa), qui sont à l'origine du brahmanisme*. Les *Veda**, auxquels se réfère le védisme, ne sont plus aujourd'hui qu'une référence lointaine, qui ne codifie plus, comme ce fut le cas, un ensemble de pratiques et de croyances.

VÉDRINES (Jules), aviateur français (Saint-Denis 1881 - Saint-Rambert-d'Albon 1919). Vainqueur de la course « Paris-Madrid » en 1911, il se signala pendant la Première Guerre mondiale et réussit, en 1919, à atterrir sur le toit des Galeries Lafayette, à Paris.

VÉGA → ÉTOILE.

VEGA CARPIO (Felix LOPE DE), écrivain espagnol (Madrid 1562-*id.* 1635). Il connut l'exil, fit partie de l'expédition de l'Invincible Armada et reçut les ordres en 1614, à Tolède. Mais la majeure partie de sa vie semble avoir été consacrée aux femmes, qu'il évoqua dans ses 1 800 comédies, ses 400 *autos* et dans de nombreux intermèdes et *loas.* Prenant ses sujets dans la Bible, la mythologie, les fables orientales, les chansons populaires et les événements politiques (*Nouvel Art de faire des comédies,* 1609), il

Lope de Vega, détail d'un tableau de Francisco Pacheco (1564-1654). [Musée Lázaro Galdiano, Madrid.]

Ramos

créa la formule définitive de la tragi-comédie : trois actes; trois mille vers; double interprétation des mêmes événements, l'une comique, l'autre tragique; unité du lieu scénique, sans décors; unité de temps (les trois heures d'une représentation peuvent embrasser l'histoire entière de l'humanité) : *l'Alcade* de Zalamea* (1600), *Peribáñez et le commandeur d'Ocaña* (1614), *le Chien* du jardinier* (1618), *Fuenteovejuna** (1618), *la Dorothée* (1632), *le Cavalier d'Olmedo* (1641). Il a laissé également un roman pastoral (*l'Arcadie,* 1598) et des poésies d'inspiration épique (*La Dragontea,* 1598) ou mystique (*le Romancero spirituel,* 1619).

VÉGÉTAL. — Un trait permet de définir à coup sûr un être vivant comme végétal : la présence de chlorophylle* fonctionnelle dans certaines de ses cellules*. Un second caractère, tout aussi assuré, est l'existence entre les cellules de parois cellulosiques (ce sont elles qui font classer les champignons parmi les végétaux). La fixation au sol ou au fond aquatique est de règle, avec quelques exceptions (sargasses, lentilles d'eau, plantes épiphytes). Toutefois, les botanistes annexent volontiers toute espèce non typiquement animale, c'est-à-dire dépourvue de bouche et digérant extérieurement ses proies, ce qui a pu faire classer dans le règne végétal les bactéries* et même les virus*. Statistiquement, bien d'autres caractères distinguent les deux règnes : seuls les végétaux fabriquent de l'amidon, du bois et de nombreuses autres substances; seuls ils dispersent des spores*, c'est-à-dire des cellules haploïdes capables de se multiplier par mitose* en formant un gamétophyte plus ou moins développé (v. PROTHALLE); etc.

VÉGÉTATION. — La végétation d'un lieu est, non sa flore, mais sa population* végétale : c'est elle qui imprime sa physionomie au paysage, qu'il soit sauvage, cultivé ou dégradé. Lorsque le lieu n'est pas trop aride, la végétation y exploite au maximum l'énergie solaire, en se répartissant entre plusieurs niveaux, ou *strates :* grands arbres, arbustes et buissons, mousses, hôtes du sol. Dans l'Océan, de même, s'observe la succession : algues vertes, algues brunes, algues rouges. En surface, la végétation voit son expansion limitée par le manque d'eau (déserts chauds, zones arides), le manque de chaleur (toundra, déserts froids) ou le manque de sol (villes, sols dégradés ou latéritisés, sable). Le lien avec le climat est donc très marqué, sauf là où l'activité humaine maîtrise la végétation (champs, prairies) ou détruit le sol.

VÉGÉTATIONS. — Les *végétations adénoïdes* sont formées par l'hyperplasie anormale de l'amygdale pharyngienne. Elles sont responsables d'accidents liés à l'obstruction du rhinopharynx et à l'infection, les deux mécanismes étant souvent associés. Les végétations adénoïdes entraînent une gêne fonctionnelle respiratoire, des rhinopharyngites (rhumes) fréquentes, qui se compliquent de trachéites, de bronchites, d'otites à répétition. Le traitement consiste en leur ablation (adénoïdectomie).

En *pathologie cutanée,* le terme de *végétations* désigne des excroissances de l'épiderme couvertes d'érosions suintantes, de croûtes. Citons les syphilides végétantes et les végétations vénériennes, ou crêtes-de-coq.

VÉHICULE ÉLECTRIQUE. — Les études sur le véhicule électrique ont repris simultanément, vers 1960, dans tous les pays intéressés par les problèmes de pollution*. En effet, un tel véhicule présente un minimum d'encombrement, il est peu bruyant et n'émet pas de gaz d'échappement. En revanche, son autonomie est réduite et son prix est élevé, parce qu'il est lié aux problèmes des charges massiques des accumulateurs et aux problèmes d'infrastructure (bancs de charge). Il utilise un moteur* à courant continu associé à une commande électromécanique (contacteur) ou électronique (thyristor).

VÉIES, en lat. **Veii,** en ital. **Veio,** anc. ville étrusque d'Italie, sur le Crémère, non loin du Tibre (près de l'actuelle *Isola Farnese*). La plus méridionale des métropoles étrusques, Véies fut pendant des siècles en lutte avec Rome : le conflit s'acheva, en 396 av. J.-C., par la prise de Véies par le dictateur M. Furius* Camillus, après un siège de dix ans. Importante nécropole aux tombes archaïques ornées de peintures murales. Parmi plusieurs temples, celui de Minerve oraculaire, à Portonaccio, a révélé l'existence d'une école de sculpture, qui s'épanouit au VIe s. av. J.-C. et qui, tout en s'inspirant des modèles attiques et ioniques, conserve une vivacité et une originalité proprement étrusques. Vestiges des quartiers d'habitation et des remparts du Ve s. av. J.-C.

VEINE. — Les veines caves, supérieure et inférieure, ramènent à l'oreillette droite du cœur le sang chargé de gaz carbonique provenant des organes périphériques; les veines pulmonaires (deux pour chaque poumon) ramènent à l'oreillette gauche le sang oxygéné provenant des poumons. Les veines possèdent trois tuniques : une tunique interne, qui est un endothélium, une couche musculaire mince, une enveloppe externe conjonctive. La paroi interne des veines comporte des replis formant des valvules*. La circulation dans les veines est lente et la pression y est faible.

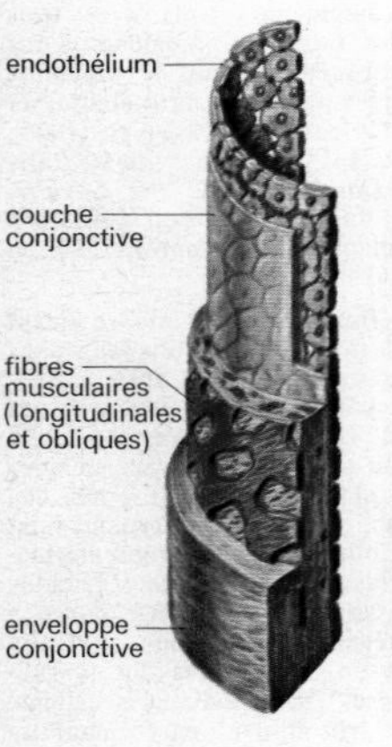

paroi d'une veine

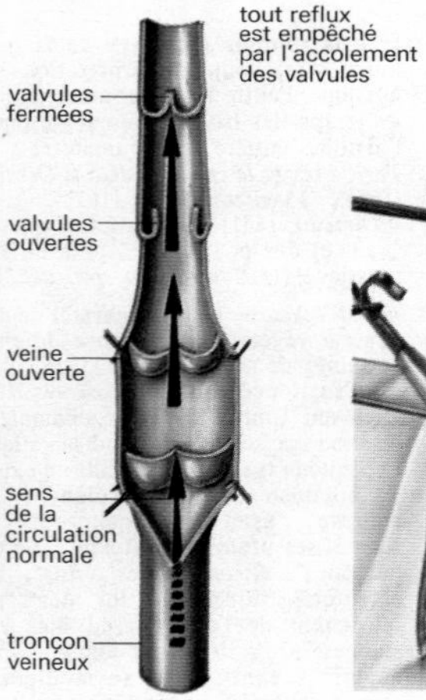

valvules

VEINE

anévrisme artério-veineux

Les dilatations permanentes et pathologiques des veines sont les *varices**; les inflammations constituent les *phlébites,* qui peuvent toucher la paroi externe (périphlébite), ou la paroi interne (endophlébite). Dans ce dernier cas, la veine est le siège d'une thrombose*. Les plaies des veines provoquent des hémorragies d'écoulement lent, dont la compression vient facilement à bout. Les plaies des veines associées à celles de l'artère voisine sont causes d'anévrismes artérioveineux.

VEJLE, port du Danemark, sur la côte orientale du Jylland; 49 000 hab.

VEKSLER (Vladimir Iossifovitch), physicien soviétique (Jitomir 1907 - Moscou 1966). Préoccupé de la production des hautes énergies, il a donné le principe du synchrotron et imaginé un accélérateur pour électrons.

VELAINES (55500 Ligny en Barrois), comm. de la Meuse, à 2,5 km au N.-O. de Ligny-en-Barrois; 976 hab. Câbles.

VELASCO ALVARADO (Juan), général et homme d'État péruvien (Piura 1910 - Lima 1977). Commandant en chef des forces armées, il dirige le coup d'État militaire d'octobre 1968, qui renverse le président Belaúnde Terry, et devient président de la République. Il oriente le pays dans la voie d'un socialisme autoritaire, avant d'être lui-même déposé en août 1975.

VELAY (le), région de la Haute-Loire, de part et d'autre de la vallée supérieure de la Loire, formée de hauteurs (notamment *monts du Velay,* à l'O., entre Allier et Loire, et ensemble Mézenc-Mégal, à l'E.) encadrant le bassin du Puy.

VELÁZQUEZ (Diego RODRÍGUES DE SILVA Y), peintre espagnol (Séville 1599 - Madrid 1660). De père portugais et de mère andalouse, il se forme auprès de Pacheco*, dont il épouse la fille en 1618. Tableaux religieux, portraits et scènes de genre de cette époque sévillane sont déjà d'une étonnante perfection (maniement de la lumière, vigueur du relief) dans leur registre, celui du ténébrisme caravagesque. Installé à Madrid en 1623, le jeune peintre va devenir l'artiste préféré de Philippe IV, et son serviteur (il est « huissier de la Chambre », en 1627). Au contact des peintures vénitiennes de la collection royale, puis grâce à un premier voyage en Italie (sur le conseil de Rubens : 1629-1631), il fait subir à sa manière une évolution profonde, éclaircissant sa palette, allégeant sa touche, renouvelant l'iconographie et la composition de toiles destinées à la décoration des résidences royales : œuvres profanes (*la Forge de Vulcain,* 1630, Prado; *la Reddition de Breda,* 1636, ibid.), qui constituent une exception, magistrale, dans le siècle d'or espagnol, portraits des membres de la famille royale, des nains et bouffons de la Cour. En 1649-1651, il prend prétexte d'une mission d'achat d'œuvres d'art pour retourner en Italie (portrait d'*Innocent X,* galerie Doria, Rome). Au cours de sa dernière période madrilène, le peintre parvient à un style encore plus libre, suggérant formes et matières à travers la vibration des taches de couleur, parvenant à une virtuosité unique dans le rendu de la lumière et de l'espace. Alors qu'il donne avec *les Ménines (las Meninas*)* et *les Fileuses* (qui associent au réel l'imaginaire du mythe d'Arachné), v. 1656, ses suprêmes chefs-d'œuvre, Velázquez peint beaucoup moins, absorbé par de lourdes tâches d'administration. Par-delà sa brillante maîtrise de l'espace figuratif classique, il est un précurseur que salueront les impressionnistes.

VELBERT, v. de l'Allemagne fédérale (Rhénanie-du-Nord-Westphalie), au S. de la Ruhr; 55 000 hab.

VÉLEZ DE GUEVARA (Luis), écrivain espagnol (Ecija 1579 - Madrid 1644). Il fut un des collaborateurs littéraires du roi Philippe IV. Dans ses pièces, perdues pour la plupart, il se révèle disciple de Lope de Vega par le choix des sujets, mais sa technique dramatique l'apparente plutôt à Calderón *(la Lune de la Sierra, Régner après la mort).* Il est surtout célèbre pour son roman satirique *le Diable boiteux* (1641), que Lesage imita.

VELIKO-TĂRNOVO, v. du nord de la Bulgarie; 37 000 hab. La ville fut la capitale de l'Empire bulgare de 1186 à 1393, et c'est là que se tint, en 1879, la première assemblée de la Bulgarie indépendante, qui adopta la Constitution dite « de Tărnovo ». Elle conserve des restes de son noyau fortifié *(Carevec),* au-dessus de la rivière Jantra, et de petites églises, comme Saint-Demetrios (1185, basilicale) et Saint-Pierre-et-Saint-Paul (XIVe s., cruciforme), dont le décor intérieur associait traditions sassanide (céramiques émaillées, marbres) et byzantine (peintures murales).

VÉLINES (24230), ch.-l. de cant. de la Dordogne, à 11,5 km à l'E. de Sainte-Foy-la-Grande; 955 hab.

VÉLIZY-VILLACOUBLAY (78140), ch.-l. de cant. des Yvelines, à 14 km au S.-O. de Paris; 23 856 hab. *(Véliziens).* Aérodrome. Base aérienne militaire. Siège du commandement de la IIe région aérienne et des transmissions de l'armée de l'air et du transport aérien militaire. Constructions aéronautiques.

VELLÉDA, prophétesse germanique (Ier s.). Elle soutint la révolte batave de Civilis contre les Romains en 69-70. Après la soumission de ce dernier, elle tenta de continuer la lutte, mais les chefs germains, las de la guerre, la livrèrent aux Romains. Son personnage a inspiré à Chateaubriand* un des épisodes des *Martyrs.*

VELLEIUS PATERCULUS, historien latin (v. 19 av. J.-C.-v. 31 apr. J.-C.). Il servit sous les ordres de Tibère en Germanie. Il a écrit deux livres d'*Histoire romaine.*

VELLUR ou **VELLORE,** v. de l'Inde, dans le nord du Tamil Nadu; 138 000 hab.

VELPEAU (Alfred), chirurgien français (Brèches 1795 - Paris 1867). Il a créé les bandages élastiques.

VELSEN, v. des Pays-Bas (Hollande-Septentrionale), au N.-O. d'Amsterdam; 66 000 hab.

VELUWE (la), région de collines boisées des Pays-Bas, bordant au S.-E. les polders du Zuiderzee et s'étendant principalement dans la Gueldre.

VENACO (20231), ch.-l. de cant. de la Haute-Corse, à 12 km au S. de Corte; 1 501 hab.

VENAREY-LÈS-LAUMES (21150 Les Laumes), ch.-l. de cant. de la Côte-d'Or, à 11,5 km au N.-E. de Semur-en-Auxois; 3 370 hab.

VENCE (06140), ch.-l. de cant. des Alpes-Maritimes, à 22 km au N.-O. de Nice; 11 660 hab. *(Vençois).* Restes de l'enceinte du XIIIe s. Cathédrale reconstruite au XIe s., très remaniée ensuite. Chapelle du Rosaire (1950), décorée par Matisse.

VENCESLAS *(saint),* en tchèque **Václav** (v. 907 - château de Boleslav 929), duc de Bohème (921-929), fils aîné et successeur du duc Vratislav. Il propagea le christianisme en Bohême et fut assassiné par son frère Boleslav Ier, chef du parti païen. Il devint le patron de la Bohême, et c'est à son nom que l'empereur Charles IV fit ciseler la « couronne de saint Venceslas », que ceignirent par la suite les rois de Bohême.

VENCESLAS IV (Nuremberg 1361 - Prague 1419), roi de Bohême (1363-1419), margrave de Brandebourg (1373-1376), roi des Romains (1376-1400), empereur (1378-1419), fils et successeur de l'empereur Charles IV. S'il parvint à assurer la couronne de Hongrie à son frère Sigismond, il ne put imposer son autorité à l'aristocratie tchèque, qui se révolta en 1394. S'étant aliéné le pape Benoît XIII (1398) par sa politique profrançaise, Venceslas fut déposé (1400) au profit du comte palatin Robert. À la mort de Robert (1410), il tenta vainement de reprendre l'Empire. Il réussit à se maintenir à Prague, où, en dépit d'une politique assez favorable aux hussites, ces derniers défenestrèrent ses conseillers catholiques (1419).

VENDA, territoire autonome bantou (bantoustan) de l'Afrique du Sud, à la frontière de la Rhodésie, peuplé de *Vendas;* 6 044 km^2; 265 000 hab. Ch.-l. *Sibasa.*

VENDÉE (la), riv. de l'ouest de la France, qui passe à Fontenay-le-Comte, avant de rejoindre la Sèvre Niortaise (r. dr.); 70 km.

VENDÉE (85), départ. de la Région Pays de la Loire; 6 721 km^2; 450 641 hab. *(Vendéens).* Ch.-l. *La Roche-sur-Yon.* S.-préf. *Fontenay-le-Comte* et *Les Sables-d'Olonne.*

La majeure partie appartient, au point de vue géologique, au Massif armoricain (atteignant 285 m au mont Mercure), couvert principalement par le Bocage*; ce dernier est voué, comme la Gâtine, à l'élevage bovin, qui se substitue progressivement à une maigre polyculture à base céréalière. Au S.-E., la plaine calcaire de Fontenay-le-Comte associe cultures céréalières et fourragères à l'élevage. Le littoral, où se succèdent dunes boisées et falaises rocheuses, est aussi marécageux, mais partiellement assaini : l'élevage domine dans les Marais breton (au N.) et poitevin (au S.), portant aussi des cultures légumières et florales. Ce littoral, précédé d'îles (Noirmoutier et Yeu), jalonné de quelques ports de pêche, est également, aujourd'hui, intensivement fréquenté par les touristes, notamment vers Saint-Jean-de-Monts et Les Sables-d'Olonne.

Près du quart de la population active est encore employé dans l'agriculture et le tiers dans l'industrie, dispersée (constructions mécaniques, alimentation, confection). La population, croissante au XIXe s., stagnante dans l'entre-deux-guerres, s'est accrue depuis 1946 (notamment dans la préfecture), mais sévit toujours l'exode rural, dont la poursuite apparaît inéluctable, compte tenu du poids du secteur primaire (approximativement le triple de la moyenne nationale engagée dans l'agriculture). Moins de la moitié de la population est urbanisée, et La Roche-sur-Yon est la seule commune dépassant 20 000 habitants.

Vendée *(guerre de),* insurrection royaliste et contre-révolutionnaire qui bouleversa, de 1793 à 1796, les départements de Vendée, Loire-Inférieure et Maine-et-Loire. À l'origine de cette guerre se situe la levée de 300 000 hommes, votée par la Convention* le 23 février 1793. Sous l'autorité de roturiers (Cathelineau*, Stofflet*) ou de nobles (Bonchamp*, Elbée, La Rochejaquelein*, Lescure...) s'organise une armée catholique et royale qui, aidée par les émigrés et la première coalition, après avoir surpris les troupes républicaines et pris la plupart des villes (sauf Nantes), est arrêtée par Kléber à Cholet, le 17 octobre 1793. Dès lors, les vendéens refluent. L'insurrection reprend en 1794, dans les Mauges, puis, partout, après l'échec et le massacre de Quiberon* (1795). Mais Hoche*, en 1796, a finalement raison des « Blancs ».

vendémiaire an IV *(journée du 13)* [5 octobre 1795], journée marquée par une insurrection royaliste que la Convention écrasa par l'intermédiaire de l'artillerie de Bonaparte*.

VENDEUVRE-SUR-BARSE (10140), ch.-l. de cant. de l'Aube, à 21 km à l'O. de Bar-sur-Aube; 2 613 hab. Église du XVIe s. Industries du bois. Bonneterie.

VENDIN-LE-VIEIL (62880), comm. du Pas-de-Calais, à 6 km au N.-E. de Lens; 6 896 hab. Cokerie.

VENDÔME (41100), ch.-l. d'arr. de Loir-et-Cher, sur le Loir, à 32 km au N.-O. de Blois; 18 547 hab. Ruines féodales. Porte fortifiée du XIVe s. Église de la Trinité, anc. abbatiale des XIe-XVIe s., avec remarquables clocher roman (XIIe s.) et façade flamboyante (début du XVIe s.); musée dans les bâtiments abbatiaux. Ganterie. Industries mécaniques et alimentaires. Imprimerie.

VENDÔME, famille issue de CÉSAR **de Bourbon,** duc **de Vendôme** (Coucy-le-Château 1594 - Paris 1665), fils légitimé d'Henri IV et de Gabrielle d'Estrées, qui conspira sous Richelieu puis commanda l'armée de Guyenne. — Son petit-fils, Louis de BOURBON, grand-duc **de Vendôme** et duc **de Penthièvre** (Paris 1654 - Vinaroz 1712), lieutenant général (1688), dirigea les armées françaises, puis l'armée espagnole dans les dernières années du règne de Louis XIV.

VÉNÈTES, en lat. **Veneti,** peuples provenant probablement d'un rameau indo-européen établi en Pologne au IIe millénaire av. J.-C. et qui, dissociés par diverses migrations, se répandirent vers le sud-est, le sud et l'ouest de l'Europe. Les deux groupes vénètes les mieux connus sont, d'une part, celui de l'Adriatique, qui occupait, au Ier millénaire, la plaine de Vénétie et qui fut romanisé à partir du IIe s. av. J.-C., et, d'autre part, celui d'Armorique, établi dans la région de Vannes, qui fut vaincu par César en 56 av. J.-C.

VÉNÉTIE, en ital. **Venezia,** région historique de l'Italie du Nord-Est, qui correspond à l'ensemble formé par la *Vénétie Euganéenne,* située entre le lac de Garde, les Alpes, le Pô et l'Adriatique, la *Vénétie Tridentine,* au nord, et la *Vénétie Julienne,* à l'extrémité nord-est du pays. Peuplée à l'origine par des Illyriens, les Vénètes*, cette région fut intégrée à l'Italie romaine. Occupée par les Ostrogoths (Ve s.), les Lombards (VIe s.) et les Francs (VIIIe s.), elle ne forma vraiment une entité politique qu'au XVe s., lorsque la république de Venise se constitua un État de terre ferme, s'étendant de l'Isonzo à l'Adda. Amputée de la région située entre l'Adda et l'Adige, elle fut cédée à l'Autriche par le traité de Campoformio (1797). Le traité de Presbourg l'intégra au royaume d'Italie (1805). Rendue aux Habsbourg en 1815, elle fut définitivement annexée à l'Italie en 1866.

VÉNÉTIE, en ital. **Veneto,** région de l'Italie du Nord; 18 377 km^2; 4 210 000 hab. Capit. *Venise.* Formée de sept provinces (Belluno, Padoue, Rovigo, Trévise, Venise, Vérone et Vicence), la Vénétie est occupée, sur près du tiers de sa superficie, par les Alpes (Dolomites*), bordées au S. de collines, au-dessus de la plaine qui s'abaisse progressivement vers l'Adriatique et occupe plus de la moitié de la superficie régionale. La plaine (correspondant à l'extrémité orientale de la plaine du Pô) porte d'importantes cultures céréalières (maïs), légumières et fruitières. L'élevage domine dans la montagne, aménagée aussi, ponctuellement, pour l'hydroélectricité et le tourisme (Cortina d'Ampezzo), celui-ci s'ajoutant à l'industrie (constructions mécaniques, alimentation, textile) dans les villes au riche passé, notamment Padoue, Vérone et Venise, les trois plus grandes cités de la Vénétie.

VÉNÉTIE JULIENNE → FRIOUL-VÉNÉTIE JULIENNE.

VENEZIANO (Domenico) → DOMENICO VENEZIANO.

VENEZIANO (Paolo et Lorenzo) → PAOLO VENEZIANO.

VENEZUELA, État de l'Amérique du Sud, sur la mer des Antilles; 912 050 km^2; 11 990 000 hab. *(Vénézuéliens).* Capit. *Caracas.*

GÉOGRAPHIE. Le pays s'étend sur trois ensembles naturels. À l'ouest, la terminaison nord-orientale des Andes (cordillère de Mérida et monts Caraïbes) isole le fossé d'effondrement occupé par le golfe et le lac de Maracaibo. Au centre, la plaine de

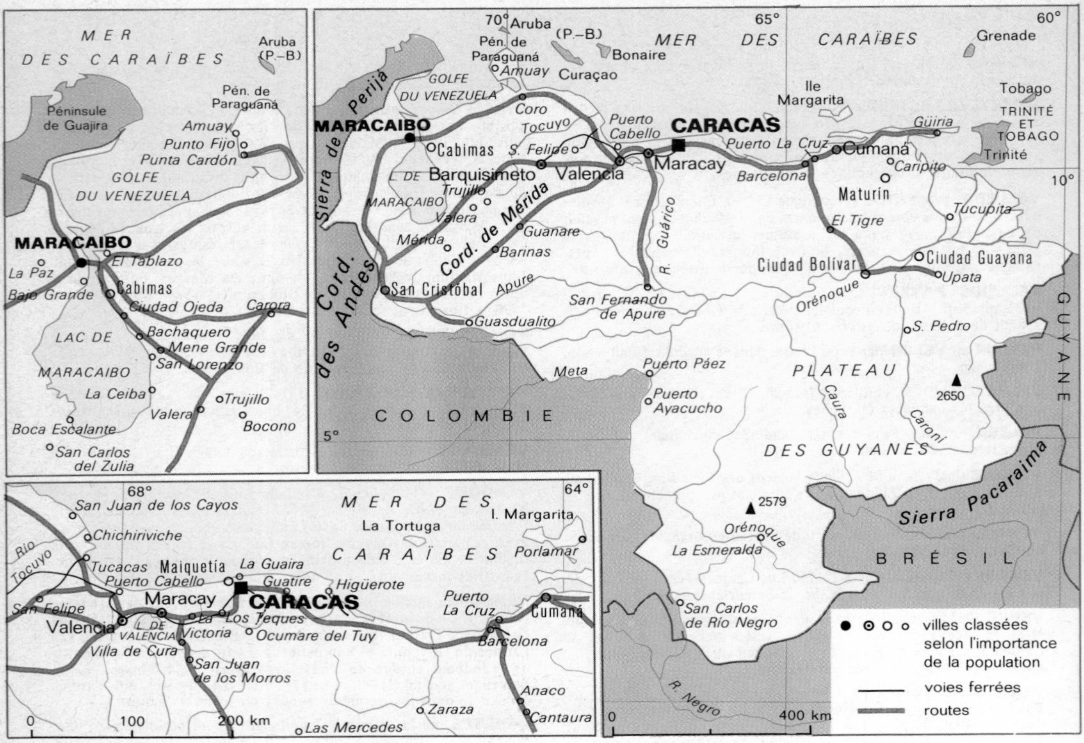

VENEZUELA

l'Orénoque est une vaste gouttière remblayée par les alluvions descendues des Andes, où le climat tropical sec explique la croissance de la savane, les Llanos. À l'est, cette plaine est dominée par les lourds bombements du bouclier des Guyanes, socle cristallin raboté, où le climat plus humide permet la croissance de la forêt dense.

Composée de descendants des colons espagnols, de Noirs et d'Indiens, la population s'accroît à un rythme très rapide (près de 3 p. 100 par an), du fait d'un fort taux de natalité : elle a quadruplé en cinquante ans. Parallèlement, le taux d'urbanisation a progressé, en raison surtout de l'afflux des ruraux dans les villes, qui regroupent les trois quarts des habitants. La population se concentre sur la côte nord. Les deux villes principales, Maracaibo et surtout Caracas, dominent un réseau urbain comprenant une dizaine de villes de plus de 100 000 habitants.

Pendant la période coloniale, l'économie était fondée sur la culture du cacao, du café et de la canne à sucre. Actuellement, l'agriculture ne constitue plus qu'un secteur secondaire. La découverte de pétrole, vers 1930, dans le golfe de Maracaibo a transformé la structure économique. La production pétrolière (125 Mt, cinquième rang mondial) assure plus de 80 p. 100 des revenus de l'État et 95 p. 100 des exportations (principalement dirigées vers les États-Unis), ce qui explique le net excédent de la balance commerciale. L'extraction de gaz naturel, de fer (dans les Llanos), d'or et de diamants apporte des revenus complémentaires. Cependant, le développement de l'industrie de transformation est seulement amorcé. Les rares usines (sidérurgie, textiles, alimentation) se concentrent surtout à Caracas. Elles sont insuffisantes pour offrir un emploi aux paysans, chassés des campagnes par la pression démographique, et la misère témoigne d'une répartition très inégale des revenus du pétrole.

HISTOIRE. Partie constitutive du vice-royaume espagnol de Nouvelle-Grenade, le Venezuela est, une première fois, république indépendante en 1811-12, grâce à Francisco Miranda*. Simón Bolívar* poursuit la lutte; mais la deuxième république du Venezuela tombe sous les coups des royalistes dès 1814. Puis Bolívar, fort de l'appui des masses populaires, heureuses de l'affranchissement des esclaves, délivre le nord du continent, et l'organise en une confédération de la Grande-Colombie (1821-22), qui échoue. À partir de 1830, le Venezuela est sous la coupe des militaires métis ou mulâtres, qui reconstruisent à leur profit le schéma colonial. À la tyrannie de José Antonio Páez succèdent la « révolution fédérale » (1863) et le règne du progressisme césariste et démagogique d'Antonio Guzmán Blanco (1829-1898); ce dernier dirige le pays, soit personnellement, soit par délégation, de 1870 à 1888. Suit le temps des généraux andins : à Cipriano Castro (1858-1924), maître du pays de 1888 à 1908, succède Juan Vicente Gómez (1859-1935), qui instaure, sous le nom de « Restauration », une longue tyrannie (1910-1935), contemporaine de la découverte du pétrole. Celui-ci change la vie du Venezuela, l'afflux des capitaux bouleversant son économie. De 1936 à 1945, sous les gouvernements des généraux Eleazar López Contreras (de 1936 à 1941) et Isaías Medina Angarita (de 1941 à 1945), le produit national grandit à la cadence de 8 p. 100 par an. Mais le bouleversement des structures socioéconomiques entraîne la crise politique : après une brève expérience démocratique sous Rómulo Betancourt, de 1945 à 1948, l'armée s'empare du pouvoir et impose le général Marcos Pérez Jiménez (de 1948 à 1958). La chute de Pérez Jiménez ramène à la tête de l'État R. Betancourt (de 1958 à 1964), auquel succède un autre membre de l'Action démocratique, Raúl Leoni (de 1964 à 1969). La démocratie chrétienne accède à la présidence avec Rafael Caldera (de 1969 à 1973), qui doit compter avec la guérilla et l'agitation estudiantine. En décembre 1973, c'est un membre de l'Action démocratique, Carlos Andrés Pérez Rodrigues, qui est élu président de la République.

VENIN. — Tout poison, même extrait d'une plante *vénéneuse,* n'est pas un venin. On désigne par ce terme seulement les substances toxiques injectées à l'aide d'un appareil vulnérant par les animaux (ou, très rarement, par les végétaux) *venimeux.* De tels appareils, offensifs ou défensifs, sont d'ailleurs très répandus dans le règne animal : tous les cœlentérés cnidaires, les échinodermes (pédicellaires des oursins), quelques mollusques (cône), les arachnides et la plupart des mille-pattes, les hyménoptères sociaux (guêpe), quelques poissons (pastenague, vive), certains reptiles (vipères, héloderme), etc. Chez les plantes, en revanche, on ne peut guère citer que l'ortie.

La nature chimique des venins est très variable. Leurs effets physiologiques sont également divers : hémolyse, thrombose, action sur les nerfs, sur le cœur, etc.

VENISE, en ital. **Venezia,** v. d'Italie, sur le *golfe de Venise* (formé par l'Adriatique), capit. de la Vénétie; 366 000 hab. *(Vénitiens).*

GÉOGRAPHIE. Construite au milieu d'une lagune, sur un archipel de 120 petites îles parcourues par 177 canaux, à 4 km de la terre ferme (à laquelle elle est reliée par un pont routier et ferroviaire) et à 2 km de la mer (dont elle est séparée par un long cordon littoral),

Venise est un centre touristique unique, mais aussi, hors de la ville historique (à Porto Marghera), un port pétrolier et un centre industriel notable (métallurgie et chimie), double fonction indispensable à l'emploi dans la plus grande ville (avec Bari) des rives de l'Adriatique.

HISTOIRE. Au moment de l'invasion lombarde (VIe s.), des habitants du littoral se réfugièrent sur les îlots de la lagune. Échappant ainsi à l'envahisseur, ils restèrent soumis à l'exarque de Ravenne. Leur chef le doge *(dux)*, à l'origine duc byzantin, fut bientôt choisi parmi les notables, ou « tribuns », qui formèrent son conseil. Au IXe s., les doges adoptèrent le Rialto comme résidence. Devenus pratiquement indépendants de Byzance, les Vénitiens jouèrent le rôle d'intermédiaires entre l'Occident barbare, l'Empire d'Orient et le monde musulman : leur flotte sillonnait la Méditerranée orientale, important vers l'Occident les soieries et les épices de l'Orient, ou exportant vers l'Orient les esclaves des Balkans, les minerais et les draps de laine d'Europe. En 1082, Venise obtint d'Alexis Ier d'importants privilèges commerciaux à Constantinople. Quelques années plus tard, sa participation aux premières croisades lui assura la concession de quartiers dans diverses villes de Syrie et de Palestine. D'immenses fortunes s'accumulèrent ainsi, et les Vénitiens les plus riches constituèrent un gouvernement oligarchique, par l'intermédiaire d'un Grand Conseil (1143), chargé de surveiller le doge, désormais élu sans le concours du peuple. Après la prise de Constantinople (1204), le partage de l'Empire byzantin entre les croisés et Venise assura à cette dernière, grâce à sa mainmise sur les îles, les principales escales sur la route du Levant.

La prospérité de la République allait durer près de trois siècles, en dépit de conflits avec ses rivales Pise et Gênes. Cette extraordinaire réussite commerciale trouva son expression la plus nette, à partir de 1284, dans la frappe du ducat (ou sequin), qui, jusqu'au XVIIe s., demeura l'étalon monétaire international. Aux XIIIe et XIVe s., l'oligarchie ferma les portes du Conseil aux nouveaux enrichis. Dès lors, par l'intermédiaire de conseils spécialisés, émanant du Grand Conseil et d'un redoutable organe de police politique, le Conseil des Dix, deux cents familles gouvernèrent Venise et surveillèrent étroitement l'administration du doge. Au début du XVe s., la formation d'États puissants en Italie incita Venise à se lancer à la conquête d'un territoire de Terre Ferme (le Frioul, Trévise, Padoue, Vérone). À ce territoire, Venise donna une unité de législation, tout en laissant aux villes l'essentiel de leur constitution intérieure. Le déclin commença avec la prise de Constantinople (1453), qui contraignit la République, désormais sur la défensive, à traiter avec les Turcs à chaque étape de leur avance, en vue de conserver ses relations commerciales. Affaiblie par les guerres d'Italie, Venise perdit son monopole d'importation des produits d'Orient après la découverte de la route maritime des Indes par Vasco de Gama. Si le XVIe s. fut marqué par la prospérité industrielle (verreries, soieries), par de grandes constructions et par une intense activité artistique, le déclin devint irrémédiable à partir du XVIIe s. Conquis sans peine par Bonaparte, l'État vénitien fut supprimé en 1797, au profit de l'empire d'Autriche. Après l'éphémère tentative républicaine de 1848, Venise fut intégrée en 1866 au royaume d'Italie.

BEAUX-ARTS. — Les liens de la cité avec Byzance expliquent l'adoption pour la cathédrale Saint-Marc, reconstruite à partir de 1063, d'un dispositif en croix grecque surmonté de cinq coupoles (ossature de brique recouverte de marbres; mosaïques à fond d'or, les plus anciennes de la fin du XIe s.; œuvres d'art, souvent venues d'Orient). Les XIIe-XIIIe s. voient se fixer le type vénitien du palais à la fois conçu comme entrepôt de commerce et habitation patricienne, avec entrée principale formant débarcadère sur un canal. Entre deux tours non saillantes, la façade offre portique et loggia (fondaco dei Turchi, sur le Grand Canal, remontant au XIIIe s.); puis les tours s'alignent en hauteur sur la partie centrale, très ajourée (palais Loredan), que l'âge gothique va parer d'une grâce nerveuse (Ca' d'Oro, 1421). L'élévation du palais des Doges, reconstruit à partir de 1340 environ, inverse le rapport habituel des masses en évidant les étages inférieurs et en faisant jouer au-dessus l'assemblage des marbres bicolores. La croisée d'ogives est adoptée à partir du milieu du XIIIe s. dans les deux églises des Dominicains (« S. Zanipolo ») et des Franciscains (les « Frari »).

L'esprit inventif de l'architecture vénitienne se maintient lors de la première Renaissance, qui voit l'adaptation d'éléments lombards ou toscans (P. Lombardo* : S. Maria dei Miracoli, 1481; Mauro Coducci [v. 1440-1504] : S. Zaccaria, palais Vendramin-Calergi) et l'association de la sculpture et de l'architecture, notamment dans les monuments funéraires (P. Lombardo et son fils Tullio; Antonio Rizzo [v. 1430-v. 1499]). Une ampleur nouvelle est apportée, en sculpture, par l'intervention de Verrocchio* (statue de B. Colleoni), puis, en architecture, par celle d'un autre Florentin, J. Sansovino*, auteur du fastueux décor de la « Piazzetta » (à partir de 1536). D'une harmonie plus cérébrale sont les églises de Palladio*, dont un disciple, Scamozzi, élève les « Nouvelles Procuraties » sur le côté sud de la place Saint-Marc (1584). Le XVIIe s. apporte l'animation des chefs-d'œuvre de Longhena : la « Salute », triomphe du thème de la coupole centrale, le palais Pesaro, à la façade puissamment modelée. Dès le milieu du XVIIIe s., Giorgio Massari (v. 1686-1766) revient à un classicisme assez strict (église des « Gesuati »), auquel succède le néoclassicisme de Giannantonio Selva (1753-1819) [théâtre de La Fenice]. Ce qui sera construit ensuite ne fera guère que déparer Venise, et l'on ne peut demander au XXe s. finissant autre chose que la préservation du plus captivant des ensembles métropolitains qu'offre l'Europe.

César - Giraudon

Venise. La basilique Saint-Marc (XIe s.), place Saint-Marc.

Les galeries de l'Accademia, le musée Correr, le palais des Doges (surtout pour ses prolixes décors du XVIe s.), la Ca' Rezzonico (pour le XVIIIe s.) rendent compte de la richesse de l'école picturale de Venise et de la Vénétie. Paolo* et Lorenzo Veneziano en marquent les débuts, suivis par les Vivarini*, Crivelli*, les Bellini*, Carpaccio* (« Scuola » di S. Giorgio degli Schiavoni). Une vision nouvelle est inaugurée par la brève carrière de Giorgione*, qui fait de la couleur un langage intime et sensible, auquel se réfèrent Palma* le Vieux, Sebastiano* del Piombo et surtout Titien*, au succès international. Le Tintoret* développe un langage dramatique qui culmine à la Scuola di S. Rocco, J. Bassano* peint pastorales et nocturnes, Véronèse* se plaît aux somptueux effets décoratifs... Ce grand style revit à l'aube du XVIIIe s. avec S. Ricci*, suivi de Piazzetta* et des Tiepolo*, tandis que Canaletto* et F. Guardi* magnifient, de façon bien différente, la *veduta*. Fondée en 1895, la Biennale internationale d'art de Venise a donné à la ville un rôle nouveau de confrontation des tendances contemporaines; l'établissement d'un musée d'Art moderne à la Ca' Pesaro en a été une conséquence.

VÉNISSIEUX (69200), ch.-l. de cant. du Rhône, dans la banlieue sud de Lyon; 74 751 hab. *(Vénissians)*. Véhicules lourds.

VÉNIZEL (02200 Soissons), comm. de l'Aisne, à 5,5 km à l'E. de Soissons; 1 651 hab. Papeterie et cartonnerie.

VENIZÉLOS (Elefthérios), homme politique grec (près de La Canée, Crète, 1864-Paris 1936). Il est, dès 1897, à la tête du mouvement d'émancipation de la Crète*. Premier ministre de Grèce (1910), il s'attelle à la création d'un État moderne, faisant voter, en 1911, une constitution libérale; en même temps, il songe au rattachement au royaume hellénique de tous les territoires méditerranéens peuplés de Grecs. Les deux guerres balkaniques (1912-13) dans lesquelles il engage la Grèce valent à celle-ci non seulement la possession de la Crète, mais aussi Thessalonique, une grande partie de la Macédoine, la Chalcidique, l'Épire méridionale et plusieurs îles égéennes. Partisan de l'Entente, Venizélos doit se retirer en mars 1915, mais, en 1916, il constitue à Thessalonique un gouvernement républicain provisoire; rappelé par le roi Alexandre, il déclare la guerre aux Empires centraux (1917), ce qui vaut à la Grèce de nouveaux gains territoriaux (traité de Sèvres, 1920), aux dépens des Turcs, qui réagissent victorieusement. Démissionnaire (1920), Venizélos rentre en 1924 dans une Grèce qui devient république. Il est plusieurs fois Premier ministre entre 1924 et 1933, et doit s'exiler après que ses partisans aient tenté un coup d'État en Crète. — Son fils, SOFOKLÍS (Athènes 1894-en mer 1964), chef du gouvernement grec en exil (1944), fut au pouvoir de 1950 à 1952.

VENLO, v. des Pays-Bas (Limbourg), sur la Meuse; 62 000 hab. Église remontant au XVe s., hôtel de ville du XVIIe s.

VENT. — Mouvement de l'air, le vent résulte de la conversion d'une partie de l'énergie du rayonnement solaire en énergie cinétique. Il se traduit par la circulation de masses d'air des zones de haute pression vers les zones de basse pression, tendant à rétablir l'équilibre. En raison de la rotation de la Terre, qui détermine la force de Coriolis, les vents sont déviés sur la droite dans l'hémisphère Nord, sur la gauche dans l'hémisphère Sud. La vitesse du vent, mesurée à l'aide d'un anémomètre, est figurée par la disposition des courbes isobares à la surface du globe : plus elles sont serrées, plus le vent est rapide (localement, il peut atteindre des vitesses de l'ordre de 200 km/h).

Les *vents généraux* sont à mettre en rapport avec la circulation* atmosphérique à l'échelle du globe, régie par la disposition des ceintures de hautes et de basses pressions. La zone intertropicale est caractérisée par les alizés*, la zone tempérée par les grands vents d'ouest, ou westerlies. Les *vents régionaux* sont liés à la disposition des masses continentales et du relief à l'échelle régionale : à cette catégorie se rattachent le mistral* de Provence ou le sirocco* d'Algérie. Les *vents locaux* n'ont qu'une aire d'influence réduite. Ainsi, la brise de mer souffle le jour de la mer vers le rivage, en alternance avec la brise de terre, qui souffle la nuit en sens inverse; de la même manière, les brises de vallée et de montagne soufflent alternativement le matin et le soir.

VENT *(îles du),* partie orientale de l'archipel des Antilles (correspondant à la majeure partie des Petites Antilles), de Porto Rico, au N., à la Trinité, au S., ainsi appelée parce que exposée à l'alizé du nord-est. La Guadeloupe et la Martinique appartiennent à cet ensemble, que les Anglais restreignent parfois à sa moitié méridionale *(Windward Islands),* au S. de la Dominique, appelant îles Sous-le-Vent* *(Leeward Islands),* la partie septentrionale.

VENT *(instrument à)* → INSTRUMENTS DE MUSIQUE.

VENTA (La), site archéologique du Mexique (État de Tabasco), non loin du golfe du Mexique. L'un des principaux centres cérémoniels olmèques, occupé entre 1000 et 400 av. J.-C., dont les différentes structures en terre — parmi lesquelles une haute pyramide — attestent l'importance. On y a dégagé des stèles gravées, plusieurs têtes colossales en basalte — probablement portraits dynastiques — et de nombreuses figurines de jade.

VENTE. — C'est un contrat du droit civil et du droit commercial, prévu par l'article 1582 du Code civil français et aux termes duquel l'un des cocontractants s'engage à livrer une chose et l'autre à la payer. Toute chose ne peut pas faire l'objet d'une vente, mais toute chose dans le commerce peut être vendue. Les meubles et immeubles, les droits de nue-propriété et d'usufruit, les droits corporels et incorporels (ex. : les fonds de commerce), les actions, obligations et parts de sociétés peuvent faire l'objet de vente, moyennant un prix, payé immédiatement ou à terme, ou transformé en une obligation de faire. Mineurs et majeurs incapables ne peuvent accomplir cet acte. Sauf exception, la loi prohibe la vente entre époux, entre pupille et tuteur, entre mandant et mandataire, etc., l'un des contractants pouvant être fâcheusement désavantagé.

LES EFFETS DE LA VENTE

• Le *transfert de propriété* est le premier effet de la vente, conséquence — en vertu du principe du consensualisme, essentiel en droit français — du consentement des parties au contrat, d'accord sur l'objet à transférer et sur le prix. Il faut, cependant, que la chose vendue soit parfaitement individualisée. Les contractants peuvent reculer à une date ultérieure le transfert de propriété.

• *Les obligations réciproques engendrées par la vente, contrat synallagmatique.*

Le *vendeur* doit permettre à l'acquéreur l'entrée en possession de la chose vendue. Il doit la conserver en l'état où elle se trouvait au moment du contrat, puis doit la livrer. Il doit protéger l'acquéreur contre l'éviction et le garantir des vices cachés.

L'*acquéreur* doit payer le prix, les frais d'enregistrement et de notaire, et prendre livraison de la chose, les frais de transport étant à sa charge. L'absence de prix sérieux (prix hors de toute proportion avec la valeur réelle de la chose) entraîne l'inexistence de la vente; le « vil prix » peut entraîner la révision de la vente, demandée en justice si la lésion subie par le vendeur est de plus de sept douzièmes.

LA PREUVE DE LA VENTE. Elle se fait par un écrit, acte sous seing privé ou acte authentique (les ventes de meubles, cependant, ne sont généralement accompagnées d'aucun écrit); s'il s'agit d'un immeuble ou d'un droit immobilier, il y a de plus une publication au bureau des hypothèques.

LA VENTE DANS L'ÉCONOMIE D'ENTREPRISE.

• L'*équipe de vente* regroupe les représentants et leur encadrement hiérarchique. Les entreprises cherchent de plus en plus à constituer des réseaux dits « exclusifs », au détriment des représentants multicartes. De même, sur le plan de la rémunération, on est passé des systèmes à la commission simple aux systèmes de fixe, accru de primes, et des frais forfaitaires ou réels pris en charge par l'entreprise. Les vendeurs sont encadrés par des inspecteurs et des chefs de vente, qui surveillent leurs résultats, les aident et les forment.

• Le *service des ventes* est chargé de réaliser de nombreuses tâches administratives : enregistrement des commandes, accusés de réception, déclenchement de mise en fabrication ou de prélèvement sur stocks, facturation, livraison, recouvrement des factures, etc.

VENTHON (73200 Albertville), comm. de la Savoie, à 3 km au N.-E. d'Albertville; 501 hab. Aluminium.

VENTILATEUR → AIR COMPRIMÉ.

VENTILATION. — La ventilation consiste à renouveler l'air intérieur d'une enceinte close. Elle prend le nom d'*aération* lorsque l'on fait appel à de l'air extérieur non traité, sans utiliser d'appareil mécanique. La ventilation doit maintenir un état atmosphérique optimal et défini par certains paramètres, teneur en gaz, en vapeurs, en particules solides et liquides (notamment en vapeur* d'eau), et température*. Elle implique donc l'évacuation d'un débit d'air intérieur à l'enceinte et son remplacement par un débit équivalent d'air neuf. L'évacuation de l'air vicié peut se faire par extraction directe lorsque les dégagements de substances nocives sont localisées (hottes de cuisine); le plus souvent, on évacue l'air après diffusion complète des éléments nocifs dans toute l'atmosphère. La ventilation peut être *naturelle,* c'est-à-dire sans appareillage mécanique, et elle s'effectue simplement sous l'effet d'une différence de pression entre l'intérieur et l'extérieur; elle peut aussi être *forcée,* l'air neuf étant soit soufflé, soit aspiré dans l'enceinte. La ventilation soufflée permet de traiter préalablement l'air introduit, notamment de le filtrer.

VENTOUX, sommet isolé des Préalpes du Sud, dans le nord du Vaucluse; 1 912 m.

VENTRE → ABDOMEN.

VENTRICULE → CERVEAU et CŒUR.

VENTRIS (Michaël G. F.), architecte et archéologue britannique (Wheathampstead, Hertfordshire, 1922-près de Hatfield 1956). Son déchiffrement de l'écriture minoenne syllabique « linéaire B », recueillie sur plusieurs milliers de tablettes d'argile, confirme, v. 1400 av. J.-C., l'usage d'un dialecte archaïque grec.

VENT SOLAIRE → LUNE, SOLEIL.

VENTURI (Giovanni Battista), physicien italien (Bibiano, près de Reggio, 1746-Reggio 1822). Il a construit la tuyère à cônes divergents qui porte son nom et étudié l'étendue des sons audibles.

VENTURI, historiens d'art italiens. ADOLFO (Modène 1856-Santa Margherita Ligure 1941), administrateur et professeur, a fondé la revue *l'Arte,* a travaillé à la promulgation d'une loi de protection du patrimoine artistique (1909) et a notamment donné une monumentale *Histoire de l'art italien* (1901-1941). — Son fils, LIONELLO (Modène 1885-Rome 1961), professeur, s'expatria de 1932 à 1945. Sa pensée, élargissement érudit et vigoureux de celle de B. Croce, s'exprime notamment dans : *le Goût des primitifs* (1926), *Histoire de la critique d'art* (1936), *Cézanne* (1936).

VÉNUS, divinité italique, assimilée vers le IIIe s. av. J.-C. à l'Aphrodite* des Grecs. Déesse de l'Amour et de la Beauté, elle eut à Rome de nombreux sanctuaires et fut associée au culte officiel de l'Empire romain par César*, qui prétendait descendre d'elle.

VÉNUS, planète du système solaire. Son éclat, dix fois supérieur à celui de Sirius, la plus brillante étoile, en fait l'astre le plus lumineux du Ciel après le Soleil et la Lune. Planète* intérieure, comme Mercure, Vénus présente des phases; mais bien qu'étant la plus proche de la Terre* (41 millions de kilomètres), elle est aussi l'une des plus mal connues. Elle se voile en effet perpétuellement derrière un épais manteau nuageux de 50 km d'épaisseur, qui tourne autour de la planète en 4 jours, sous l'effet de vents très violents, soufflant à 400 km/h. Jusqu'à 25 km d'altitude, toutefois, l'atmosphère est limpide et calme, mais les conditions sont infernales : température voisine de 500 °C, pression de 100 bar environ, et gaz carbonique dans une proportion de 95 p. 100.

VÉNUS *(Zool.)* → PRAIRE.

Vêpres siciliennes, émeute durant laquelle furent massacrés les Français de Sicile (1282). Elle débuta un lundi de Pâques (30 mars), à l'heure où l'on sonnait les vêpres. Provoquées par les exigences financières du roi de Sicile, Charles Ier d'Anjou, et préparées de longue date par Pierre III d'Aragon et l'empereur byzantin Michel VIII Paléologue, les « Vêpres siciliennes » firent des milliers de victimes et aboutirent à l'accession de Pierre III d'Aragon à la couronne de Sicile insulaire.

VER. — Les vers ne constituent pas un groupe zoologique : le terme s'applique, en effet, à tous les invertébrés au corps mou et allongé, aux pattes réduites ou absentes. La plupart des vers se répartissent entre les trois embranchements des annélides*, des plathelminthes* et des nématodes (némathelminthes), mais on appelle aussi « vers » de nombreuses larves d'insectes : ver blanc (hanneton), ver de farine (ténébrion), ver de vase (chironone), ver de fruits (carpocapse), etc.

Un certain nombre de vers, ou helminthes, déterminent des parasitoses humaines, ou helminthiases.

• Les *plathelminthes* ont un corps aplati, foliacé et rubané. On les divise en trématodes et cestodes.

— *Les trématodes.* Ils sont représentés par les bilharzies, causes des bilharzioses*, et les douves, qui déterminent les distomatoses. Les distomatoses hépatiques s'observent dans les pays tempérés (grande douve du foie contractée en mangeant du cresson sauvage) et en Extrême-Orient (douve de Chine). La période d'invasion peut donner lieu à des manifestations variées : fièvre, asthénie, urticaire. La période d'état est marquée par des crises d'obstruction biliaire, pouvant se compliquer d'infections intercurrentes. Les distomatoses intestinales ne s'observent qu'en Extrême-Orient et en Égypte, elles provoquent des douleurs abdominales, une diarrhée chronique et une anémie souvent importante. Des distomatoses pulmonaires sont observées en Extrême-Orient.

— *Les cestodes.* Ce sont les ténias. Le bothriocéphale s'observe surtout au voisinage des grands lacs (Scandinavie, Suisse). L'homme se contamine en mangeant crus des poissons d'eau douce contaminés. La maladie se caractérise par des douleurs abdominales, des troubles du transit intestinal et une anémie.

Le *Tænia saginata* (du bœuf) et, plus exceptionnellement, le *Tænia solium* (du porc), contractés en mangeant de la viande mal cuite, déterminent le téniasis. Celui-ci se manifeste par des nausées, des douleurs abdominales et un amaigrissement.

Le Ténia échinocoque (du chien) peut parasiter à l'état larvaire l'homme et déterminer une affection grave, l'échinococcose, qui se rencontre dans tous les pays où l'élevage du mouton est important. Il est responsable du kyste hydatique, localisé surtout au foie.

• Les *némathelminthes* ont un corps rond. Ce groupe réunit de nombreux vers. Les *ascaris,* vers parasites de l'intestin, très fréquents, de distribution cosmopolite, sont responsables de douleurs abdominales et de troubles du transit. Les *oxyures,* eux aussi parasites intestinaux très fréquents chez l'enfant, sont responsables de prurit anal, que provoquent également les *trichocéphales.* Les *anguillules* et les *ankylostomes,* qui se rencontrent dans les régions sub- et intertropicales et dans les zones tempérées (mines, tunnels), provoquent des troubles répartis en deux périodes : la première marquée par des manifestations pulmonaires et cutanées allergiques, la deuxième par des troubles digestifs. Les *trichines* se localisent dans les masses musculaires, réalisant la trichinose. Les *filaires** déterminent quatre filarioses, prédominantes dans les régions tropicales et subtropicales du globe : la loase, qui se manifeste par le passage du ver adulte sous la conjonctive et par des œdèmes fugaces et mobiles (œdèmes de Calabar); la filariose lymphatique, qui provoque des lymphangites, des adénites aiguës, des varices lymphatiques et des éléphantiasis, parfois considérables; la dracunculose, filariose dermique et sous-cutanée (filaire de Médine), qui, par les trajets sous-cutanés qu'elle provoque, est responsable de phénomènes de suppuration; l'onchocercose, qui détermine des nodules sous-cutanés, un prurit féroce (gale filarienne) et des lésions oculaires.

Le mode d'infestation par les vers peut se faire par ingestion d'œufs ou de formes larvaires enkystées dans l'eau de boisson ou dans les aliments (douves), par pénétration active des larves à travers la peau (anguillules), ou, indirectement, par un arthropode vecteur (filaires). Le traitement utilise des anthelminthiques.

VERACRUZ, port du Mexique, sur le golfe du Mexique, 214 000 hab. Métallurgie.

VÉRATRE. — Commune dans les moyennes montagnes, cette plante de la famille des colchicacées est dangereuse par son rhizome noir, violemment toxique, qui ressemble fâcheusement à la racine de gentiane croissant dans les mêmes sites. La partie aérienne est une longue hampe portant, à l'aisselle de feuilles allongées, des rameaux de petites fleurs blanches.

VERBÉNACÉES → VERVEINE.

VERBERIE (60410), comm. de l'Oise, à 14 km au S. de Compiègne; 2 512 hab. Constructions mécaniques.

VERBIER, station de sports d'hiver de Suisse (alt. 1 500 - 3 023 m), dans le Valais, au S.-O. de Sion.

VERCEIL, en ital. **Vercelli,** v. d'Italie (Piémont), ch.-l. de prov., sur la Sesia; 57 000 hab. Églises S. Andrea, anc. abbatiale cistercienne du XIIIe s., et S. Cristoforo, de 1526 (peintures de Gaudenzio Ferrari). — Victoire de Marius* sur les Cimbres (101 av. J.-C.).

VERCEL-VILLEDIEU-LE-CAMP (25530), ch.-l. de cant. du Doubs, à 36 km à l'E. de Besançon; 1 269 hab. Industrie alimentaire.

VERCINGÉTORIX, chef gaulois (v. 72 - Rome 46 av. J.-C.). Quand la nouvelle de la révolte des Carnutes contre les Romains parvint au peuple des Arvernes*, un jeune noble, Vercingétorix, décida d'appeler à la rébellion tous les peuples de la Gaule*, malgré l'opposition de l'aristocratie. Proclamé roi des Arvernes, il devint le chef des Gaulois qui s'étaient ralliés à son appel (52). Après quelques défaites, adoptant la tactique de la terre brûlée pour empêcher le ravitaillement de l'ennemi, il réussit à mettre en difficulté César, qui subit un grave échec à Gergovie*. Mais Vercingétorix, s'aventurant en champ ouvert, fut battu par César et s'enferma alors dans la forteresse d'Alésia*. Après une défense désespérée, il se rendit au vainqueur. La défaite d'Alésia mit fin à l'indépendance de la Gaule. Vercingétorix resta six ans captif et fut exécuté après avoir figuré au triomphe de César.

VERCORS (le), massif des Préalpes françaises, entre les vallées de la Drôme et de l'Isère (2 341 m au *Grand-Veymont),* domaine de la sylviculture (lié à l'abondante couverture forestière favorisée par la forte humidité) et de l'élevage, ponctuellement du tourisme (Villard-de-Lans et Autrans, notamment). — En juillet et en août 1944, 3 500 maquisards y résistèrent aux attaques de deux divisions allemandes, qui se livrèrent ensuite à de cruelles représailles, notamment à la grotte de la Luire et à Vassieux-en-Vercors.

VERCORS (Jean BRULLER, dit), écrivain et dessinateur français (Paris 1902). Révélé par *le Silence de la mer* (1942), écrit dans la clandestinité, il a fait de son œuvre graphique (*Vingt et Une Recettes pratiques de mort violente,* 1926), romanesque (*la Marche à l'étoile,* 1943; *Comme un frère,* 1973), dramatique (*Zoo ou l'Assassin philanthrope,* 1963), critique (*le Sable du temps,* 1945), une méditation continue et amère sur la condition humaine.

VERDAGUER I SANTALÓ (Jacint), poète catalan (Folgarolas 1845 - Vallvidrera 1902). Il est l'auteur de deux grands poèmes épiques qui mêlent les mythes antiques, les légendes locales et le merveilleux chrétien (*l'Atlántida,* 1877; *le Canigou,* 1885).

VERDI (Giuseppe), compositeur italien (Roncole 1813 - Milan 1901). Son œuvre dramatique a connu, en marge des maîtres allemands, une constante évolution depuis les premières partitions de *Nabucco* (1842) et *Rigoletto* (1851), en passant par *le Trouvère* (1853), *la Traviata* (1853), *Don Carlos* (1867), *Aïda* (1871), jusqu'aux œuvres accomplies que sont *Otello* (1887) et *Falstaff* (1893). Symbole de l'unité italienne, fils du romantisme, dramaturge né, mû par un dynamisme opiniâtre, psychologue, il a su jouer en maître du récitatif dramatique, des chœurs, de l'orchestre, du chant expressif et lyrique. Son *Requiem* est un chef-d'œuvre (1874).

VERDIER. — La caractéristique de ce petit passereau des bois et des vergers est son plumage vert. (Famille des fringillidés.)

VERDON (le), riv. des Alpes du Sud, principal affluent de la Durance (r. g.); 175 km. Entaillant des gorges pittoresques, le Verdon est coupé de barrages, utilisés pour l'irrigation (canal de Provence) et la production d'électricité (centrales de Sainte-Croix-de-Verdon et Vinon, notamment).

VERDON-SUR-MER (Le) [33123], comm. de la Gironde, à la pointe occidentale de l'estuaire de la Gironde, protégée par la pointe de Grave; 1 648 hab. Port pétrolier.

VERDUN, v. du Canada (Québec), dans la banlieue sud-est de Montréal; 74 718 hab.

VERDUN (55100), ch.-l. d'arr. de la Meuse, sur la Meuse; 26 927 hab. *(Verdunois).* Centre commercial. — Évêché dès le Ve s., administré par ses comtes-évêques, puis (XIIIe s.) ville libre impériale, Verdun forme ensuite, avec Metz* et Toul*, le district dit « des Trois-Évêchés* », dont s'empare Henri II en 1552 et qui est reconnu à la France en 1648.

BEAUX-ARTS. Porte Chaussée, du XIVe s. Cathédrale de tradition carolingienne (XIe et XIIe s.) remaniée durant la période gothique et au XVIIIe s. (sculptures romanes; crypte; cloître). Évêché du XVIIIe s., hôtel de la Princerie (musée municipal), hôtel de ville du XVIIe s. (musée de la Guerre) et autres monuments.

Verdun *(bataille de)* une des principales batailles de la Première Guerre* mondiale. En 1916, l'état-major allemand choisit le camp retranché de Verdun comme objectif stratégique pour vaincre l'armée française par épuisement de ses forces. Commandés par le Kronprinz, les Allemands attaquent le 21 février la rive droite de la Meuse, bousculent les défenses françaises (chasseurs de Driant au bois des Caures) et prennent le fort de Douaumont (25 févr.). Pétain, chargé par Joffre de la défense de Verdun, organise la résistance et l'arrivée des renforts par la « Voie sacrée ». Le 6 mars, l'offensive allemande s'étend à la rive gauche sans réussir à prendre le Mort-Homme ni la Cote 304. Une terrible bataille d'usure s'engage en avril et en mai, où Nivelle remplace Pétain à la tête de la IIe armée. En juin (prise du fort de Vaux) et en juillet, les attaques allemandes se succèdent en vain jusqu'à la crête de Souville, à 3 km de Verdun. À la fin d'août, les conséquences de l'offensive alliée sur la Somme se font sentir et l'initiative change de camp. Mangin reprend Douaumont (24 oct.), puis Vaux (2 nov.) et dégage largement les deux forts. Tournant de la guerre, la victoire de Verdun a coûté 380 000 tués ou blessés aux Français et 330 000 aux Allemands. En août 1917, une offensive, conduite par Guillaumat, rétablira le front français du 21 février 1916.

Verdun *(traité de),* accord conclu à Verdun (août 843) entre l'empereur Lothaire et ses frères Louis et Charles le Chauve, en vue de régler la succession de leur père, Louis le Pieux. Charles le Chauve reçut les pays situés à l'ouest de l'Escaut, de l'Argonne, de la Saône et des Cévennes; Louis le Germanique se vit attribuer la Bavière et les pays à l'est de l'Aar et du Rhin; Lothaire, qui conservait le titre impérial, reçut l'Italie ainsi que les territoires intermédiaires.

VERDUN-SUR-GARONNE (82600), ch.-l. de cant. de Tarn-et-Garonne, à 22,5 km au S.-O. de Montauban; 2 354 hab. Restes de fortifications. Église du XVe s.

VERDUN-SUR-LE-DOUBS (71350), ch.-l. de cant. de Saône-et-Loire, à 22 km au N.-E. de Chalon-sur-Saône; 1 216 hab.

VERDY (Nelly GUILLERM, dite **Violette**), danseuse française (Pont-l'Abbé 1933). Créatrice du *Loup* (de R. Petit, 1953), elle entre au New York City Ballet (1957). Dotée d'un style classique très pur, elle crée la plupart des œuvres de Balanchine *(Liebeslieder Walzer, Jewels* [*les Bijoux*], *Sonatine...)* et de J. Robbins *(Dances at a Gathering, In the Night).* Elle a été appelée à la direction de la danse à l'Opéra de Paris en 1976.

VEREENIGING, v. de l'Afrique du Sud (Transvaal), au S.-O. de Johannesburg; 170 000 hab. Centre houiller et sidérurgique. Constructions électriques.

VERFEIL (31590), ch.-l. de cant. de la Haute-Garonne, à 20 km à l'E. de Toulouse; 1 734 hab.

VERGA (Giovanni), écrivain italien (Catane 1840-*id.* 1922). Ses premiers romans peignent des conflits passionnels dans la haute société (*Eva,* 1873; *Eros,* 1875), puis, sous l'influence de Flaubert et de Zola, il se consacre à la description de la vie rurale de sa Sicile natale (*Vie aux champs,* 1880, recueil où se trouve *Cavalleria rusticana*). Il devient le meilleur représentant du vérisme* et projette la composition d'un cycle de romans, *les Vaincus,* dont il n'écrira que les deux premiers volumes, *les Malavoglia* (1881) et *Maître Don Gesualdo* (1889), dans lesquels il étudie l'apparition de la vie moderne dans une Italie archaïque, récemment unifiée.

VERGE *(Acoust.).* — Dans la plupart des instruments de musique qui utilisent des verges, celles-ci vibrent transversalement (diapason, xylophone, boîte à musique); les anches sont aussi des verges vibrant sous l'action d'un courant d'air. Pour les verges de section constante, la fréquence des sons émis est inversement proportionnelle au carré de la longueur et proportionnelle à l'épaisseur (comptée parallèlement à la direction des vibrations).

VERGE *(Anat.).* — La verge, ou pénis, organe copulateur de l'homme, est située à la partie antérieure du périnée, au-dessous de la symphyse pubienne et au-dessus des bourses. La partie antérieure, le *gland,* est entourée par un repli de la peau, le *prépuce,* et séparée du corps de la verge par le *sillon balano-préputial;* le repli médian attaché sous le gland est le *frein.* La partie moyenne, ou *corps* de la verge, est constituée par les trois corps érectiles que sont les deux corps caverneux et le corps spongieux, traversé par l'urètre. La racine de la verge se continue dans le périnée.

La principale malformation congénitale de la verge est l'*hypospadias :* le méat urétral s'ouvre à la face inférieure de la verge. L'étroitesse anormale de l'orifice préputial, ou *phimosis,* peut se compliquer d'étranglement du gland par l'anneau préputial ramené en arrière : c'est le *paraphimosis.* Les principales infections de la verge sont à germes banals, à *Candida albicans* ou à gonocoques; elles provoquent des balanites et des balano-posthites. Le chancre syphilitique siège très souvent sur le gland (v. SYPHILIS).

VERGENNES (Charles GRAVIER, *comte* DE), homme d'État français (Dijon 1719-Versailles 1787). Ambassadeur à Constantinople de 1754 à 1768, il travaille à entretenir la vieille alliance franco-turque, élément de stabilité en Méditerranée. En poste à Stockholm, il appuie le coup d'État de Gustave III* contre le Parlement. Ministre des Affaires étrangères de 1774 à sa mort, il s'assure l'amitié de l'Autriche (1779); afin de mieux lutter contre l'Angleterre, il s'allie (1778) avec les États-Unis d'Amérique, qu'il aide à accéder à l'indépendance. La signature du traité de Versailles avec les Anglais (1783) lui permet d'effacer partiellement les effets désastreux du traité de Paris de 1763.

VERGÈZE (30310), comm. du Gard, à 16 km au S.-O. de Nîmes; 2 265 hab. Eau minérale gazeuse.

VERGÍNA, site archéologique de Macédoine occidentale, près de Véria. On y a dégagé un palais hellénistique (IIIe s. av. J.-C.) et d'autres bâtiments de la même époque ainsi qu'une nécropole des premiers temps de l'âge du fer.

VERGLAS. — Mince couche de glace lisse qui se forme sur un sol très froid, le verglas résulte de la congélation à son contact de gouttes de pluies à l'état surfondu. On appelle aussi « verglas » la glace qui se forme par regel de la neige après un dégel partiel.

VERGNIAUD (Pierre Victurnien), homme politique français (Limoges 1753-Paris 1793). Il fut exécuté avec les Girondins.

VERGT (24380), ch.-l. de cant. de la Dordogne, à 21 km au S. de Périgueux; 1 393 hab.

VERHAEREN (Émile), poète belge d'expression française (Sint-Amands 1855-Rouen 1916). Auteur de contes, d'articles critiques et de pièces de théâtre, il semble s'orienter d'abord vers le naturalisme avec *les Flamandes* (1883). Mais ses tendances mystiques l'emportent (*les Moines,* 1886), et il connaît une crise spirituelle qui lui inspire les poèmes désespérés des *Soirs* et des *Débâcles* (1888), puis des *Flambeaux noirs* (1891). Préoccupé par les problèmes de la civilisation moderne, il passe des visions de cauchemar (*les Villes tentaculaires,* 1895) à un lyrisme social qui célèbre la poésie de la foule, de l'effort, des cités industrielles (*les Forces tumultueuses,* 1902; *les Rythmes souverains,* 1910). Abandonnant en même temps le mètre classique pour une versification plus souple, il exalte la sérénité que lui apporte l'amour (*les Heures claires,* 1896) et l'union de l'âme des hommes et des paysages de son pays natal (*Toute la Flandre,* 1904-1911). La guerre ébranla sa foi dans l'apparition d'une humanité meilleure, et, malgré les appels de Romain Rolland, Verhaeren s'engagea dans la « mêlée » (*les Ailes rouges de la guerre,* 1916). Il mourut écrasé par un train.

VÉRIFICATION EXPÉRIMENTALE. — Les procédures de vérification expérimentale ne se contentent pas d'analyser les relations qui se nouent entre les théories et les faits expérimentaux, mais étudient les liens qui assurent la cohérence interne d'un discours scientifique. On ne compare pas des faits bruts à des énoncés scientifiques, car les faits sont construits à l'aide de concepts* et de montages techniques, tandis que les énoncés théoriques sont complétés par des hypothèses ou simplifiés. (On soumet à la vérification certains théorèmes issus d'une théorie ou d'une combinaison de théories distinctes.) Ces difficultés, et particulièrement le problème des langages scientifiques posé par Carnap*, sont inhérentes à toute définition des sciences*. R. Popper* pense les résoudre par le concept de falsifiabilité*.

VÉRISME. — Cette école littéraire et musicale italienne, comme l'école réaliste et naturaliste en France, revendique le droit de représenter la réalité tout entière sans en exclure laideur et vulgarité. Ainsi le drame lyrique italien de la fin du XIXe s. et du début du XXe marque-t-il des tendances à l'expression totale de la vérité jusqu'en ses outrances (Leoncavallo, Puccini).

VÉRITÉ *(Log.).* — Traditionnellement définie comme adéquation de la chose et de l'esprit, la notion de vérité est une notion du calcul des propositions* logiquement indéfinissable. Mais, inversement, ce sont les tables de vérité qui permettent de définir les connecteurs propositionnels (v. LOGIQUE). Une théorie mathématique vraie est une théorie consistante (v. CONSISTANCE).

VÉRITÉ *(Philos.).* — Si la pensée est définie comme représentation* d'une réalité supposée, la vérité se définit alors comme adéquation. Cette adéquation de l'esprit et de la chose a été cherchée :
— dans un accord *a priori* entre la pensée et le monde *(idéalisme);*
— dans un accord *a posteriori (empirisme);*
— à travers la vérification* expérimentale;
— dans la pratique (ainsi, pour Marx, « la question de savoir s'il y a lieu de reconnaître à la pensée humaine une vérité objective n'est pas une question théorique, mais une question pratique »).

VERKHOÏANSK, localité de l'U. R. S. S. (R. S. F. S. de Russie), en Sibérie orientale, à l'E. des *monts de Verkhoïansk* (2 959 m). À 68^0 de latitude N., c'est l'un des pôles du froid, avec une température minimale relevée voisine de -70 ^{0}C et une moyenne annuelle inférieure à -15 ^{0}C.

VERLAINE (Paul), poète français (Metz 1844-Paris 1896). Il débute par une carrière banale de « poète-fonctionnaire », fréquente les salons, collabore au *Parnasse contemporain,* mais fait profession d'athéisme et s'affirme républicain. L'amour malheureux pour sa cousine Élisa, morte en 1867, l'influence de Baudelaire et l'alcoolisme le plongent dans un désarroi moral, que trahissent les *Poèmes saturniens* (1866) et les *Fêtes* galantes* (1869). Mais son mariage en 1870 semble lui apporter la sérénité, qu'il célèbre dans *la Bonne Chanson* (1870). La guerre et la rencontre de Rimbaud* bouleversent sa vie. Compromis politiquement, Verlaine perd son poste de fonctionnaire et, en compagnie de Rimbaud, s'enfuit en Belgique, puis à Londres. De retour à Bruxelles, il tire deux coups de revolver sur Rimbaud, qui veut se séparer de lui. Emprisonné, il retrouve la foi catholique et sent se réveiller son énergie créatrice (*Romances sans paroles,* 1874). Libéré, il mène une vie vagabonde, publie *Sagesse** (1881), recueil d'inspiration religieuse, puis *Jadis et Naguère* (1884), contenant « l'Art poétique » dans lequel il réclame une poésie plastique et musicale. En même temps, il fait connaître dans *les Poètes maudits* (1884) les maîtres de l'esthétique nouvelle (Tristan Corbière, Rimbaud, Mallarmé). Devenu, malgré lui, le chef de l'école « décadente », il vit de travaux alimentaires en prose, errant de garnis en hôpitaux et donnant de petits recueils religieux, érotiques ou de circonstance (*Liturgies intimes,* 1892; *Parallèlement,* 1889; *Invectives,* 1896).

VERMAND (02490), ch.-l. de cant. de l'Aisne, à 11 km à l'O. de Saint-Quentin; 1165 hab.

VERMANDOIS, région du nord du Bassin parisien, entre la Picardie et la Thiérache. Gouverné à partir du xe s. par une dynastie issue du comte Herbert Ier, un Carolingien, le comté de Vermandois passa en 1080 aux mains de Hugues de Maine, frère du roi Philippe Ier. Il fut réuni à la couronne en 1213.

VERMEER (Johannes), peintre néerlandais (Delft 1632 - *id.* 1675). Le XIXe s. a sorti de l'oubli ce peintre à l'œuvre rare (une quarantaine de petites toiles d'authenticité certaine) pour le porter au sommet de l'art non seulement hollandais, mais universel. On sait peu de chose sur la formation de Vermeer, mais celui-ci a connu à l'évidence la peinture italienne, notamment le courant caravagesque, et, s'il a subi des influences (Terbrugghen, Carel Fabritius...), il les a assimilées et dépassées très vite. Ses thèmes (scènes d'intérieur : *la Dame à la fenêtre,* v. 1660, Metropolitan Museum, New York; portraits : *la Jeune Fille au turban,* v. 1665, Mauritshuis, La Haye; paysages : *Vue de Delft,* Mauritshuis) sont issus de la vie quotidienne (*la Dentellière,* v. 1665, Louvre); ses toiles baignent dans le silence feutré d'un intérieur bourgeois ou dans le calme d'une ville hollandaise d'alors. Une sorte de distance apporte une part de rêve à des visions pourtant réalistes, mais dépourvues d'anecdotes.

La qualité poétique de ces œuvres est une totalité qu'on ne peut réduire à la rigueur subtile de la technique et de la composition, à la richesse et à la pureté de la matière et des tons (accords de bleus et de jaunes; rouges), au rendu de la lumière et de l'espace. Par la vertu d'un art qui transmute les êtres et les choses, c'est l'essence même de la réalité qui est révélée.

VERMENTON (89270), ch.-l. de cant. de l'Yonne, sur la Cure, à 23,5 km au S.-E. d'Auxerre; 1261 hab. Église des XIIe-XIIIe s.

VERMIFUGE. — Les vermifuges, ou antihelminthiques, permettent le traitement des affections dues aux vers* parasites. Citons le pyrvinium, utilisé contre les oxyures, la diéthylcarbamazine contre les filaires, les sels de pipérazine et le tétramisole contre les ascaris. Les médicaments employés contre les ténias, tel le niclosamide, sont désignés sous le terme de « ténifuges ».

VERMONT, État du nord-est des États-Unis; 24887 km^{2}; 445000 hab. Capit. *Montpelier.* À la frontière canadienne, en grande partie montagneux et boisé, l'État est demeuré largement rural (élevage bovin).

VERNE (Jules), écrivain français (Nantes 1828 - Amiens 1905). La vie de Jules Verne offre de grandes plages blanches mystérieuses comme celles des cartes de géographie de son temps qui fascinaient les explorateurs de ses romans. En face de banales études de droit, de vagues débuts dans le théâtre (comme auteur de livrets d'opérette et secrétaire du Théâtre lyrique) et d'une carrière d'auteur à succès, sillonnant les mers sur ses yachts toujours plus magnifiques mais sous l'unique invocation de « Saint-Michel », deux crises : une fugue à onze ans sur un voilier partant pour les Indes; un coup de revolver que lui tire, en 1886, son neveu préféré et qui le laissera boiteux.

Mais sa légende, qui à la fois l'aplatit en écrivain pour enfants et fait de lui l'auteur le plus traduit de toutes les littératures, ignore le diagnostic de Pierre Louÿs, qui voyait en lui un « révolutionnaire souterrain ». Père présumé de la science*-fiction, bien que ses anticipations soient plutôt des rêves d'ingénieur que de savant, Verne trouva dans son contrat avec l'éditeur Hetzel un terrain propre à cultiver ses fantasmes, qui se trouvent être, pour une bonne part, ceux de l'enfance et de l'adolescence (passion de l'inconnu et de la découverte, symbolisée par le message chiffré; désir de liberté et de libération, incarné notamment par Mathias Sandorf; aspiration vers le monde souterrain et intersidéral comme projection du désir intérieur). La technologie de plus en plus élaborée de Jules Verne est servie par des hommes dont l'intelligence et l'énergie frôlent sans cesse la folie et le désespoir (le capitaine Hatteras comme le mineur maudit des *Indes noires* sont des fous sans équivoque) ou, du moins, participent de l'« excentricité » (Phileas Fogg) ou de la solitude esthétique et destructrice (le capitaine Nemo). Aussi la tonalité de cette œuvre,

Rijksmuseum, Amsterdam

Vermeer. *La Laitière.* (Rijksmuseum, Amsterdam.)

lue souvent comme une prophétie scientifique et industrielle et comme un hymne au progrès, est-elle au fond singulièrement pessimiste (*Cinq Semaines en ballon,* 1863; *De la Terre à la Lune,* 1865; *les Enfants du capitaine Grant,* 1867-68; *Vingt Mille Lieues sous les mers,* 1870; *le Tour du monde en quatre-vingts jours,* 1873; *Michel Strogoff,* 1876; *Robur le Conquérant,* 1886; *l'Île à hélice,* 1895; *Maître du monde,* 1904; *l'Étonnante Aventure de la mission Barsac,* 1919).

VERNEAU (Jean), général français (Vignot, Meuse, 1890 - Buchenwald 1944). Chef d'état-major de l'armée d'armistice en 1942, il fut l'adjoint, puis le successeur du général Frère à la tête de l'organisation de résistance de l'armée. Arrêté par les Allemands en 1943, il mourut en déportation.

VERNET (Joseph), peintre français (Avignon 1714 - Paris 1789). Il travaille près de vingt ans à Rome, puis rentre en France, où ses envois d'Italie — vues urbaines, paysages habités, tempêtes, clairs de lune, naufrages — l'ont rendu célèbre, pour exécuter de 1753 à 1762 la grande commande officielle des vues de vingt ports de France, d'un classicisme un peu sec (la plupart au musée de la Marine, Paris). Il maintient sa veine italienne dans d'autres tableaux, répondant au sentiment préromantique que ses contemporains se font de la nature. — Son fils ANTOINE CHARLES HORACE, dit CARLE (Bordeaux 1758 - Paris 1836), peintre et lithographe, académicien en 1789 (pour quelques mois aux côtés de son père), est un peintre d'histoire, un spécialiste élégant du cheval (courses et chasses) et un caricaturiste (*incroyables* et *merveilleuses).* — HORACE (Paris 1789 - *id.* 1863), fils et petit-fils des précédents, est un peintre de batailles, témoin officiel de la conquête de l'Algérie.

VERNET-LES-BAINS (66500 Prades), comm. des Pyrénées-Orientales, à 11,5 km au S. de Prades; 1344 hab. Station thermale. — Aux environs, abbaye de Saint-Martin-du-Canigou, avec parties protoromanes et romanes (très restaurée).

VERNEUIL-EN-HALATTE (60550), comm. de l'Oise, à 4 km au N.-E. de Creil; 2560 hab. Centre d'études et de recherches des Charbonnages de France.

VERNEUIL-SUR-AVRE (27130), ch.-l. de cant. de l'Eure, à 34 km à l'O. de Dreux; 6857 hab. Donjon du XIIe s. Églises de la Madeleine (XIIe-XVIIe s.; tour flamboyante du XVIe) et Notre-Dame (XIIe s.; statuaire). Demeures anciennes. Industries alimentaires.

VERNEUIL-SUR-SEINE (78480), comm. des Yvelines, à 4 km au S.-E. de Meulan; 10233 hab.

VERNIER, comm. de Suisse (cant. de Genève), banlieue ouest de Genève; 22230 hab.

VERNIER *(marais),* région marécageuse, partiellement mise en valeur, du nord-ouest de l'Eure, entre la Seine et la Risle.

VERNIS. — Un vernis se compose d'un *liant* (élément feuillogène), d'un *solvant**, d'un *diluant** et d'un *colorant.* Il donne par séchage un feuil insoluble, adhérent, dur, généralement lisse et

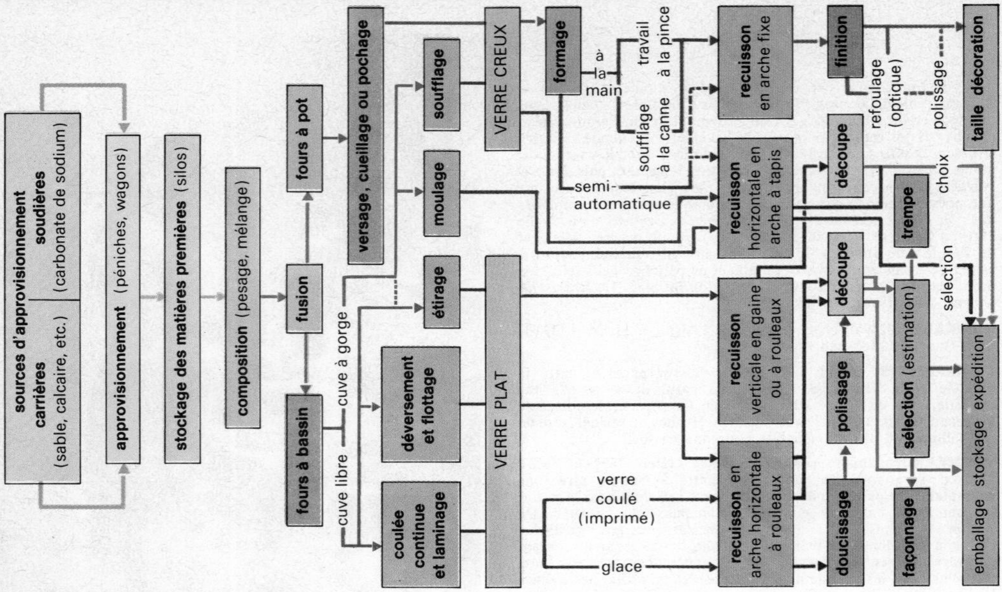

VERRERIE. Déroulement des opérations pour les diverses formes prises par les verreries actuelles.

brillant, qui laisse apparaître par transparence le détail de la surface qu'il recouvre. Le liant est constitué de résines naturelles ou synthétiques, d'élastomères et/ou d'huiles, éventuellement de plastifiants. Il existe des vernis gras et des vernis aux résines alkydes, à la nitrocellulose*, à l'acétocellulose, aux produits bitumineux, etc. Le composé feuillogène peut être présent en solution, en dispersion ou en émulsion.

VERNON (27200), ch.-l. de cant. de l'Eure, sur la Seine, à 31 km au N.-E. d'Évreux; 23 559 hab. *(Vernonnais)*. Tour des Archives (XIIe s.). Église Notre-Dame (XIIe-XVIe s.). — À proximité, raffinerie de pétrole.

VERNOUILLET (28500), comm. d'Eure-et-Loir, banlieue sud-ouest de Dreux; 8 143 hab.

VERNOUILLET (78540), comm. des Yvelines, sur la Seine, à 6 km au S.-E. de Meulan; 6 171 hab. Église des XIIe-XIIIe s.

VERNOUX-EN-VIVARAIS (07240), ch.-l. de cant. de l'Ardèche, à 30 km au S.-O. de Valence; 2 128 hab.

VERN-SUR-SEICHE (35230 St Erblon), comm. d'Ille-et-Vilaine, à 10,5 km au S.-E. de Rennes; 2 639 hab. Raffinerie de pétrole.

VERNY (57420), ch.-l. de cant. de la Moselle, à 13,5 km au S. de Metz; 1 324 hab.

VÉRONE, en ital. **Verona,** v. d'Italie, en Vénétie, ch.-l. de prov. sur l'Adige; 270 000 hab. Vestiges romains (dont les grandioses arènes, du Ier s.), belle basilique romane S. Zeno (porche et portes de bronze sculptés; campanile et cloître; triptyque de Mantegna), cathédrale en partie romane, Castelvecchio (XIVe s.; musée : peintures de Liberale da Verona [v. 1445-1529], de Pisanello, des Bellini, de Mantegna, de Véronèse et de l'école vénitienne...) et nombreux autres monuments, dont ceux des places *delle Erbe* et *dei Signori* (tombeaux gothiques des Scaliger, édifices de la Renaissance, etc.).

HISTOIRE. Ancienne agglomération celtique devenue colonie romaine (IIe s. av. J.-C.), Vérone fut conquise en 489 par Théodoric, qui en fit l'une de ses résidences favorites. Un siècle plus tard, elle tomba sous la domination des rois lombards. Elle fut érigée en chef-lieu d'une marche du royaume carolingien d'Italie (IXe s.), puis annexée par Otton Ier au duché de Bavière (Xe s.). En 1164, elle s'érigea en commune. De 1261 à 1387, elle fut gouvernée par la famille Della Scala, qui en fit le centre d'un grand État comprenant Vicence, Padoue et Trévise. Vaincue en 1387 par Milan, elle devint partie intégrante de l'État milanais, puis tomba (1405) sous la domination de Venise. En 1797, elle se révolta contre la destruction de l'État vénitien par Bonaparte (Pâques véronaises). Rattachée à l'empire d'Autriche en 1814, elle fut le siège d'un congrès de la Sainte-Alliance (1822) qui décida l'expédition d'Espagne et fut annexée au royaume d'Italie en 1866.

VÉRONÈSE (Paolo CALIARI, dit en franç. **le**), peintre italien (Vérone 1528-Venise 1588). Dans ses premières œuvres, la

Fabrication du fil de verre textile (continu) par étirage mécanique.

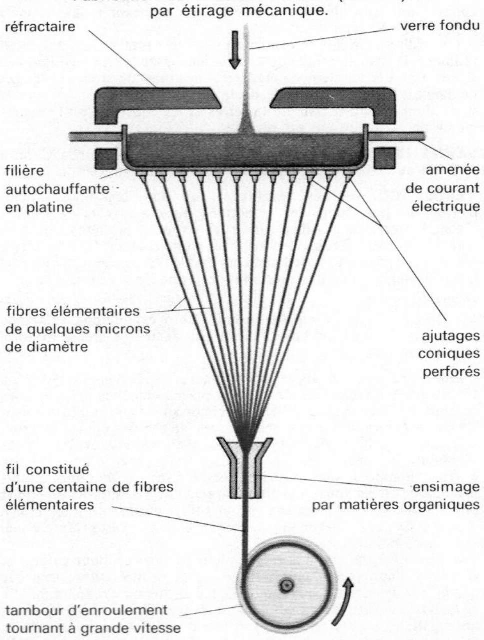

tradition de Giovanni Bellini se mêle aux apports du Corrège et de Jules Romain. Véronèse s'installe en 1553 à Venise, donne des compositions pour des plafonds au palais ducal (où d'autres œuvres suivront) et à la Libreria; son style, ample et aisé, son amour de la couleur, du mouvement et des perspectives d'architectures feintes s'affirment notamment dans l'ensemble de *l'Histoire d'Esther* et de *la Vie de saint Sébastien* à S. Sebastiano (1555-1558). Vers 1561 se situe la lumineuse décoration à fresque de la villa Barbaro à Maser (plafond de *l'Olympe*). Un autre sommet est atteint avec les fameuses et immenses toiles peintes pour des réfectoires de communautés, tels *les Noces de Cana* (1563, Louvre) et *le Repas chez Lévi* (1573, Accademia, Venise), qui reflètent la vie mondaine de la Venise du XVIe s. en même temps que les dons de portraitiste du peintre. Vers la fin de la carrière de Véronèse, sa production, avec des aides, demeure intense, tandis que des œuvres plus intimes et lyriques apparaissent, jusqu'au *Miracle de saint Pantaléon* de l'église du même nom (1587). La richesse de l'art de Véronèse a été une source d'inspiration non seulement pour Ricci et les Tiepolo, mais aussi pour Rubens, Velázquez, Delacroix, etc.

VÉRONIQUE. — Les véroniques (une trentaine d'espèces en France) font des herbes rameuses aux feuilles et aux fleurs de petites dimensions mais nombreuses. On les reconnaît à la structure de la fleur (quatre pétales, dont le supérieur plus grand que les autres), aux feuilles opposées, au goût amer de toutes les espèces. (Famille des scrofulariacées.)

VERPILLIÈRE (La) [38290], ch.-l. de cant. de l'Isère, à 22 km au S.-E. de Lyon; 3 176 hab. Constructions électriques.

VERRE. — La plupart des verres sont constitués de mélanges d'oxydes dont au moins l'un d'entre eux, tel que la silice* ou l'anhydride borique, est indispensable à la formation du verre. Dans les verres industriels courants, cet oxyde formateur est la silice, sous forme de sable. Les autres oxydes sont apportés par le carbonate et le sulfate de sodium*, le calcaire et la dolomie, et, éventuellement, des minéraux colorants. Ces matières sont transformées à 1 500 °C, par fusion, en un liquide visqueux homogène, qui se fige progressivement sans cristalliser lorsqu'il se refroidit. Ce figeage progressif permet la mise en forme par différents procédés : pressage et soufflage d'objets individuels (verrerie* de table, bouteilles*), laminage, étirage ou flottage sur étain* fondu (vitrages*), étirage et soufflage (tube). La *recuisson,* refroidissement lent, est le traitement habituel qui permet la découpe du verre; la *trempe,* obtenue par un refroidissement rapide de la surface ramollie, améliore sa résistance mécanique et thermique. Le *fil de verre* est obtenu par l'assemblage d'une centaine de fibres élémentaires de quelques microns de diamètre étirées mécaniquement. Son incorporation dans les plastiques* améliore leur résistance et leur rigidité.

VERRERIE. — Les verreries où l'on fabrique des verres* de compositions différentes et en quantités limitées sont généralement équipées de fours* à pots d'argile, où, après fusion des matières premières, le verre fondu est puisé manuellement, puis façonné, Les verreries mécaniques utilisent des fours à cuve, dont la production peut atteindre plusieurs centaines de tonnes par jour. Les phases successives de la fabrication — enfournement des matières, fusion, façonnage et traitements thermiques des objets — sont effectuées en continu et entièrement automatisées.

VERRÈS (Caius Licinius), homme politique romain (v. 119-43 av. J.-C.). Propréteur en Sicile (73-71), il accabla les villes de contributions illégales et dépouilla les monuments publics et les temples de leurs objets d'art. À sa sortie de charge, il fut accusé par les Siciliens. Cicéron se fit l'avocat de l'accusation *(Verrines).* Verrès dut s'exiler sans attendre l'issue du procès (70) et fut condamné à restituer aux Siciliens 40 millions de sesterces. Cette affaire, exploitée par les ennemis de la noblesse, permit d'arracher les tribunaux aux sénateurs.

VERRES CORRECTEURS. — Les *verres de lunettes* utilisés pour les corrections sphériques sont des ménisques; pour les corrections cylindriques (astigmates), ce sont des verres toriques. À partir de la cinquantaine, il faut compenser la perte d'une partie de l'accommodation (ou presbytie) par un verre convergent; mais comme ce verre gêne la vision de loin, on peut alors utiliser des verres à double ou à triple foyer, ou encore des verres à puissance progressive. Les *verres de contact* sont de deux types : le *verre de contact scléral* est un grand verre se plaçant sur la face antérieure du globe; la *lentille cornéenne,* de diamètre inférieur à celui de la cornée, est maintenue en avant de celle-ci par la tension superficielle du film lacrymal et la pression atmosphérique. Leurs indications médicales sont la myopie forte et l'astigmatisme important, mais ces verres sont souvent utilisés pour se libérer des lunettes dans un dessein esthétique ou pour pratiquer les sports.

VERRIÈRE (La) [78320 Le Mesnil St Denis], comm. des Yvelines, à 5 km au S.-O. de Trappes; 6 313 hab.

VERRIÈRES-LE-BUISSON (91370), comm. de l'Essonne, à 10 km au S.-S.-O. de Paris; 11 509 hab. Constructions aéronautiques.

VERROCCHIO (Andrea DI CIONE, dit **del**), orfèvre, sculpteur et peintre italien (Florence 1435-Venise 1488). À partir de 1465, il dirige à Florence un important atelier, rival de celui des Pollaiolo. Il exécute avec la même autorité *le Christ et saint Thomas* pour Orsammichele (bronze, v. 1466-1483), le tombeau de Pierre et Jean de Médicis à S. Lorenzo (1472), puis, reprenant des thèmes de Donatello, un *David* (1476, Bargello) où l'emporte la suavité rêveuse et une statue équestre d'un style puissant et individualisé, celle de Bartolomeo Colleoni (Venise), dont le bronze n'est fondu qu'après sa mort. Peintre engagé dans la révolution qu'entraîne l'adoption progressive de l'huile, il a parmi ses élèves Léonard de Vinci (qui collabore au *Baptême du Christ,* v. 1470-1475, Offices) et le Pérugin.

Versailles.
Façade sur les jardins :
le corps central
du château.

Lauros - Giraudon

VERROU *(Géogr.)* → GLACIAIRE *(relief).*

VERRUE. — Les verrues séborrhéiques apparaissent à l'âge moyen de la vie et siègent avec prédilection sur le tronc. Ce sont des lésions bénignes. Les verrues vulgaires sont d'origine virale, ce qui explique leur contagiosité. Elles siègent principalement aux doigts, aux mains, à la plante des pieds et au visage : elles ont alors l'aspect de verrues planes; au niveau des régions ano-génitales, ce sont les « crêtes-de-coq », ou végétations vénériennes. Les verrues peuvent être détruites par curetage et électrocoagulation ou par cryothérapie (neige carbonique ou azote liquide).

VERSAILLES (78000), ch.-l. du départ. des Yvelines, à 23 km au S.-O. de Paris; 97 133 hab. *(Versaillais).* Ville administrative, militaire (garnison), résidentielle, commerciale et touristique, centre d'une agglomération (incluse dans la banlieue parisienne) d'environ 150 000 habitants (englobant notamment Le Chesnay et Saint-Cyr-l'École), proche de la ville nouvelle de Saint-Quentin-en-Yvelines.

HISTOIRE. C'est à partir de 1662 que Versailles de village devient cité royale : cette année-là, en effet, Louis XIV entame l'édification de l'actuel palais, autour duquel s'organise une ville (50 000 âmes), grand centre administratif et véritable capitale du royaume. Versailles perd d'un coup ses prérogatives et son éclat en octobre 1789, quand Louis XVI, la Cour, puis l'Assemblée nationale sont ramenés de force à Paris.

En 1870, le quartier général allemand s'y installe, et c'est dans la galerie des Glaces du château qu'est proclamé l'Empire allemand (janv. 1871). Siège du gouvernement et de l'Assemblée nationale de 1871 à 1879, la ville s'anime de nouveau en 1919, quand s'y tient la conférence de la paix et qu'y est signé le traité qui met fin à la Première Guerre mondiale.

BEAUX-ARTS. À l'origine du château de Versailles, un des creusets de l'art classique français (et la vitrine de son expansion européenne au XVIIIe s.), se place la décision de Louis XIV d'agrandir le rendez-vous de chasse que s'était fait construire son père. Une première campagne est menée de 1662 à 1665 par Le Vau*, Le Nôtre* et Le Brun* (ornementation du noyau initial, avec la future cour dite « de Marbre » du côté de l'entrée; addition de deux nouvelles ailes du même côté; premier tracé du jardin et du parc autour de l'axe est-ouest). En 1667, Louis XIV entreprend de transformer le domaine à la mesure de l'idée qu'il se fait de la fonction royale. Du côté des jardins, le château s'enveloppe de trois corps de bâtiments, dus à Le Vau et à D'Orbay (au premier étage, appartement du Roi, bien conservé, et appartement de la Reine, très remanié au XVIIIe s.). La façade, à l'étage noble, comporte une terrasse centrale entre deux pavillons qu'animent des avant-corps à colonnes détachées. Entre 1678 et 1689, J. H.-Mansart* substitue à la terrasse la grande galerie « des Glaces » (que Le Brun et son équipe décorent avec somptuosité) et étire la façade par les deux longues ailes, en retrait, « du Midi » et « du Nord ». Celles-ci serviront à loger la cour et l'administration, de même que les ailes « des Ministres », en brique et pierre, qui, du côté de la ville, viennent amplifier, avec un ressaut de plus, le dispositif des cours d'entrée. Le Nôtre, durant tout ce temps, aménage ou remanie les jardins : le parterre d'Eau de la terrasse centrale, le parterre du Nord, aboutissant à l'allée d'Eau, le parterre du Midi, dominant l'orangerie de Mansart (1687), l'allée Royale, prolongée par le miroitement du Grand Canal et encadrée de « bosquets » — dont les décors, en général disparus, marquaient la part de la fantaisie baroquisante dans cet ensemble rigoureux — complètent l'œuvre architecturale par leur exaltation de l'espace environnant. Toute une équipe de sculpteurs, sous la direction de Girardon* et de Coysevox*, les enrichit de vases ciselés, de statues, de groupes allégoriques et mythologiques. Sous Louis XIV se situent encore la construction du Trianon de marbre (Mansart, 1687; réaménagé sous Napoléon Ier) et celle de l'originale chapelle, entreprise par Mansart (1699) et achevée par de Cotte* (peintures d'A. Coypel* et de La Fosse*).

De nouveaux appartements sont aménagés sous Louis XV et sous Louis XVI (salon d'Hercule, au plafond de F. Lemoyne*; petits appartements). Au premier des deux règnes reviennent le Petit Trianon et l'Opéra, par J.-A. Gabriel*, ainsi que les apports de sculpteurs comme L. S. Adam* et Pajou*; au second, les travaux de Mique* : jardin du Petit Trianon et Hameau de la reine.

La Révolution a été moins néfaste au château (cependant vidé de son mobilier) que le gouvernement de Louis-Philippe : l'organisation du musée dédié « à toutes les gloires de la France » a sacrifié les appartements du rez-de-chaussée (galerie des Batailles dans l'aile du Midi, etc.). La réparation d'un gros œuvre qui, dans cette entreprise immense, n'était pas de première qualité ainsi que la récupération ou le remplacement (par des pièces d'époque) du mobilier sont l'œuvre progressive du XXe s.

On n'oubliera pas les créations que la présence de la Cour a suscitées dans la ville même de Versailles : outre les Grandes et Petites Écuries (Mansart, 1682), séparant les trois larges avenues qui rayonnent de la place d'Armes, on citera les églises Notre-Dame (Mansart, 1684) et Saint-Louis (Jacques Hardouin-Mansart de Sagonne, 1743; auj. cathédrale), le couvent des Augustines (Mique; auj. lycée Hoche) et de nombreux hôtels particuliers, dont celui qui abrite le musée municipal Lambinet.

VERSEAU, constellation* zodiacale, dans laquelle se trouve la plus grande nébuleuse annulaire connue, NGC 7293. — Onzième signe du Zodiaque.

VERT *(cap),* promontoire le plus occidental de la côte d'Afrique (Sénégal), extrémité de la *presqu'île du Cap-Vert* (site de Dakar).

VERTAIZON (63910), ch.-l. de cant. du Puy-de-Dôme, à 18 km à l'E. de Clermont-Ferrand; 2020 hab. Ruines féodales et église des XIIe-XVe s.

VERTÈBRE. — Chacune des pièces osseuses de la colonne vertébrale est une vertèbre. On distingue les divers types vertébraux des animaux soit selon le mode d'articulation de deux corps vertébraux successifs (vertèbres procœle, opisthocœle, amphicœle ou platycœle), soit d'après les expansions (épine dorsale, côtes) qui émanent du corps vertébral.

Chez l'homme, les vertèbres sont au nombre de trente-trois à trente-cinq et constituent la colonne vertébrale. Chaque vertèbre comprend : une partie antérieure renflée, le *corps vertébral;* un arc osseux à concavité antérieure, l'*arc neural,* qui circonscrit avec la partie postérieure du corps vertébral un orifice, le *trou vertébral* ou *rachidien;* une saillie médiane postérieure, l'*apophyse épineuse;* quatre saillies verticales, les *apophyses articulaires,* par lesquelles la vertèbre s'unit aux voisines. Le squelette du cou est formé par les sept *vertèbres cervicales,* dont les deux premières sont l'*atlas,* qui s'articule en haut avec l'occipital, et l'*axis,* qui, par son apophyse odontoïde, est l'axe de rotation de la tête par rapport au cou. Le squelette du tronc comporte les douze *vertèbres dorsales,* les cinq *vertèbres lombaires,* les *vertèbres sacrées,* qui sont soudées et

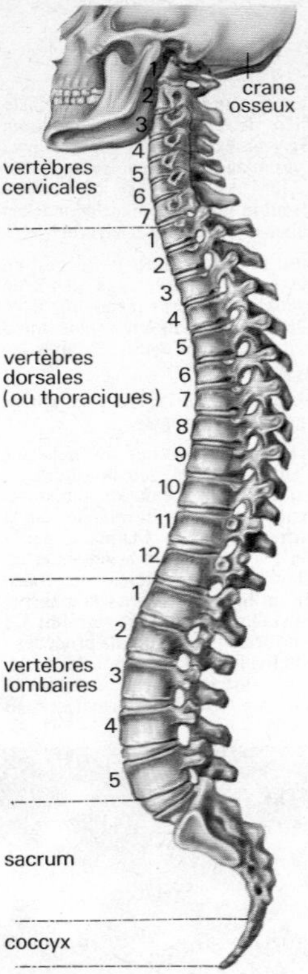

colonne vertébrale (de profil)

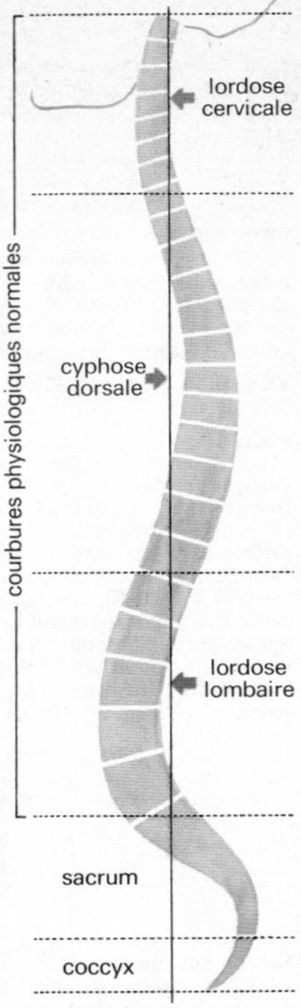

courbures antéro-postérieures

VERTÈBRE

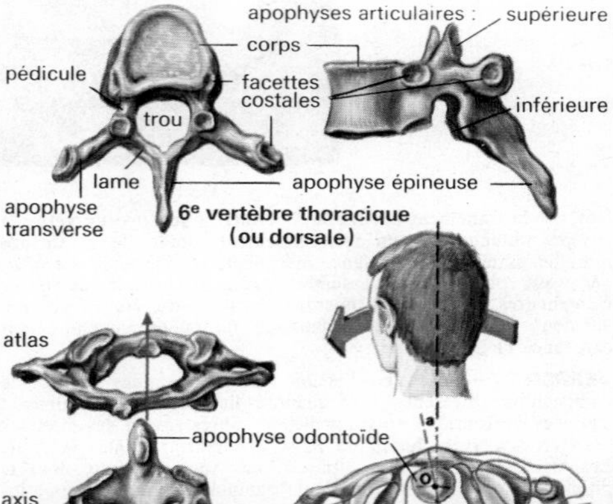

6e vertèbre thoracique (ou dorsale)

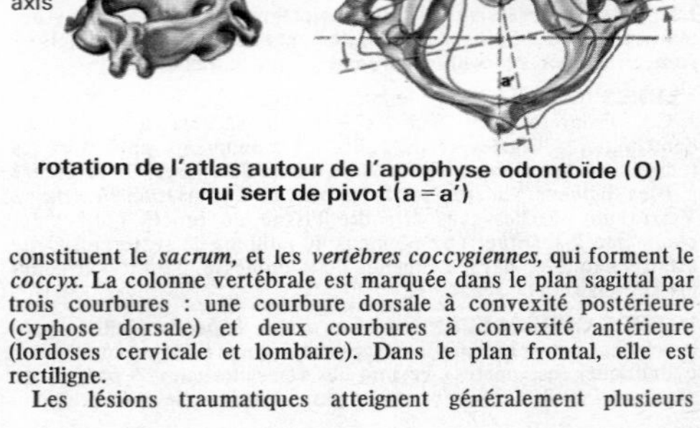

rotation de l'atlas autour de l'apophyse odontoïde (O) qui sert de pivot (a = a')

constituent le *sacrum,* et les *vertèbres coccygiennes,* qui forment le *coccyx.* La colonne vertébrale est marquée dans le plan sagittal par trois courbures : une courbure dorsale à convexité postérieure (cyphose dorsale) et deux courbures à convexité antérieure (lordoses cervicale et lombaire). Dans le plan frontal, elle est rectiligne.

Les lésions traumatiques atteignent généralement plusieurs

vertèbres. Leur gravité réside dans la possibilité de complications nerveuses (quadriplégie, paraplégie). Parmi les malformations congénitales citons la *spina bifida* : cette fissure verticale de certaines vertèbres est très fréquente, de découverte souvent fortuite lors d'un examen radiographique. Elle s'associe parfois à une lésion du système nerveux.

Parmi les *atteintes rhumatismales* citons la spondylose rhizomélique et l'arthrose vertébrale (spondylarthrose), très fréquente et dont une manifestation très connue est le lumbago.

Les atteintes infectieuses vertébrales (spondylites) peuvent être dues à une infection microbienne banale (staphylocoque, *Brucella*) ou tuberculeuse (mal de Pott).

Le cancer vertébral est le plus souvent secondaire à un cancer développé sur d'autres organes (prostate, sein, etc.); il est parfois primitif (maladie de Kahler).

KINÉSITHÉRAPIE VERTÉBRALE. À coté du traitement médical ou chirurgical, la kinésithérapie tient une grande place dans la thérapeutique des affections vertébrales. Elle peut être active (rééducation musculaire) ou passive (manipulations ou tractions vertébrales).

VERTÉBRÉS. — Tout vertébré possède un axe dorsal osseux (colonne vertébrale), divisé en vertèbres* distinctes, longé dorsalement par un axe nerveux (moelle épinière, névraxe), que ses apophyses entourent plus ou moins, et surmontant une aorte où le sang oxygéné circule d'avant en arrière. Ce «complexe axial» se termine en avant par une tête comportant un crâne et des mâchoires. Le tube digestif est central; le cœur est proche de la face ventrale. Des paires de côtes, articulées à certaines vertèbres, encadrent les flancs, se rejoignant parfois ventralement (sternum, fermant la cage thoracique). Il y a généralement cinq membres osseux : une queue et deux paires de pattes ou de nageoires, attachées au tronc. Le squelette de la patte est remarquablement constant dans tout l'embranchement.

Bien d'autres caractères — connexion de l'appareil respiratoire avec le pharynx, peau à plusieurs couches de cellules, existence de reins, de glandes endocrines (hypophyse, thyroïde) et d'hémoglobine sanguine, etc. — établissent à l'évidence la profonde unité de ce vaste groupe.

les vertébrés

• SQUELETTE CARTILAGINEUX. Écailles placoïdes : **élasmobranches** (requins, raies, chimères).

• SQUELETTE OSSEUX.

A. Nageoires. Écailles dermiques : **poissons osseux** (esturgeon, sardine, thon, etc.).

B. Pattes.

1. Peau nue, respiration branchiale au moins chez la larve : **amphibiens** urodèles (salamandre) et anoures (grenouille).

2. Jamais de branchies *(amniotes)*.
   a) Température variable, replis écailleux : **reptiles** (lézards, serpents).
   b) Température constante *(homéothermes)*.
   — Ailes, plumes, bec, ovipares : **oiseaux** (autruche, moineau);
   — Poils, dents, vivipares, mamelles : **mammifères** (cheval, homme).

VERTEILLAC (24320), ch.-l. de cant. de la Dordogne, à 12 km au N. de Ribérac; 652 hab.

VERTES (stations). — Ces communes doivent répondre à des normes précises pour être homologuées comme telles dans le cadre du développement du tourisme rural : elles ont moins de 10 000 habitants et doivent être dotées d'attraits naturels (forêts, cours d'eau, etc.), d'un équipement sportif (piscine ou plan d'eau, terrain de volley-ball, aire de jeux pour les enfants) ainsi que d'un équipement hôtelier (hôtel d'au moins une ou deux étoiles).

VERTIGE. — Les vertiges vrais donnent au malade l'impression de déplacement dans un des trois plans de l'espace des objets se trouvant autour de lui ou de déplacement de la tête par rapport aux objets environnants. Ils se différencient ainsi des autres malaises, et notamment des lipothymies. Le vertige traduit une anomalie au niveau des organes sensoriels de l'oreille interne, qui renseignent sur la position relative de la tête dans l'espace, ou au niveau des voies nerveuses qui en proviennent. Il peut être dû : à des *lésions labyrinthiques* (ainsi les traumatismes du labyrinthe de l'oreille, les causes vasculaires qui réalisent parfois le tableau du «vertige de Ménière», marqué par des vertiges, des bourdonnements d'oreilles, une baisse de l'audition, des nausées, évoluant par accès paroxystiques); à des *lésions rétrolabyrinthiques,* c'est-à-dire situées sur le nerf vestibulaire (ainsi le neurinome du nerf acoustique); à des *lésions des centres nerveux,* qui peuvent être tumorales, infectieuses, dégénératives ou vasculaires. Le traitement comporte si possible la suppression de la cause et la lutte contre les symptômes, en utilisant des dérivés des phénothiazines, de la pipérazine ainsi que l'acétylleucine et ses dérivés.

VERTOU (44120), ch.-l. de cant. de la Loire-Atlantique, sur la Sèvre Nantaise, à 8,5 km au S.-E. de Nantes; 13 913 hab. *(Vertaviens)*. Vignobles. Industries alimentaires.

VERTOV (Denis Arkadevitch KAUFMAN, dit **Dziga**), cinéaste soviétique (Byałystok 1896 - Moscou 1954). Après avoir été opérateur d'actualités pendant la guerre civile (1918-1921), il fonda le groupe des Kinok et la revue filmée *Kinopravda* [*Cinéma Vérité*]. En 1924, il publia le manifeste du Kino-Glaz [*ciné-œil*], où il définit ses théories cinématographiques, prônant l'avènement d'un cinéma dégagé des contraintes de la fiction et tourné vers la réalité objective. Dans cet esprit, il réalisa *Soviet en avant!* (1926), *l'Homme à la caméra* (1929), *la Symphonie du Donbass* (1931), *Trois Chants sur Lénine* (1934). Son influence a été considérable.

VERTUS (51130), ch.-l. de cant. de la Marne, à 17 km au S. d'Épernay; 2 863 hab. Vignobles.

VERUS (Lucius Aelius Aurelius Ceionius Commodus) [Rome 130 - † 169 apr. J.-C.], empereur romain (161-169). Il fut adopté par Antonin* (138) en même temps que Marc Aurèle*. Ce dernier partagea avec lui le pouvoir (sauf le grand pontificat) et lui confia la direction de la campagne contre les Parthes (161-166).

VERVEINE. — Herbe très commune des décombres et du bord des chemins, la verveine porte des fleurs mauves à cinq lobes inégaux, ce qui, joint à sa tige carrée, la rapproche des labiacées*. C'est l'une des plantes le plus couramment employées en tisanerie. (Type de la petite famille des verbénacées.)

VERVIERS, v. de Belgique (prov. de Liège), sur la Vesdre, dans l'Ardenne belge; 57 398 hab. Musée dans un ancien hospice du XVIIe s. Centre textile (laine).

VERVINS (02140), ch.-l. d'arr. de l'Aisne, à 36 km au N.-E. de Laon; 3 259 hab. *(Vervinois)*. Église des XIIIe, XVe et XVIe s., hôtel de ville du XVIIe s. Industries alimentaires. — La paix de Vervins, signée le 2 mai 1598 par la France et l'Espagne, confirma les clauses du traité de Cateau-Cambrésis*.

VERZY (51380), ch.-l. de cant. de la Marne, à 19,5 km au S.-E. de Reims; 1 007 hab. Vignobles.

VESAAS (Tarjei), écrivain norvégien (Ytre Vinje 1897 - Oslo 1970). Poète, auteur de pièces de théâtre, il se fait dans ses romans le peintre de la vie paysanne (*le Grand Jeu,* 1934), puis évolue vers un mysticisme allégorique (*Kimen,* 1940) et lyrique (*les Oiseaux,* 1957).

VÉSALE (André), anatomiste flamand (Bruxelles 1514 - île de Zante 1564), médecin de Charles Quint. Dans son traité d'anatomie; *De corporis humani fabrica libri septem* (1543), il attaquait les opinions de Galien et des Anciens.

VESCE. — Le genre latin *Vicia* (famille des papilionacées) comprend une trentaine d'espèces françaises, dont trois de grande culture : la lentille, la fève et la vesce fourragère. Les vesces sont des herbes dont les feuilles, composées et pennées, portent de nombreuses folioles normales et se terminent par plusieurs vrilles substituées aux folioles apicales. La tige est peu ramifiée, souvent légèrement coudée aux nœuds. Les fleurs sont souvent allongées, mauves, alignées en grappes; le fruit est une courte gousse.

VESCOVATO (20215), ch.-l. de cant. de la Haute-Corse, à 25,5 km au S. de Bastia; 2 030 hab.

VÉSICULE BILIAIRE → BILE ET VOIES BILIAIRES.

VÉSINET (Le) [78110], ch.-l. de cant. des Yvelines, à 11 km à l'O. de Paris; 18 206 hab. *(Vésinettois* ou *Vésigondins)*. Dans l'église, peintures et vitraux de M. Denis (v. 1900).

VESLE (la), riv. de l'est du Bassin parisien, qui passe à Reims, affl. de l'Aisne (r. g.); 143 km.

VESOUL (70000), ch.-l. du départ. de la Haute-Saône, sur le Durgeon, à 364 km au S.-E. de Paris et à 47 km au N. de Besançon; 20 081 hab. *(Vésuliens)*. Hôtel de ville et musée dans l'ancien hôpital, du XVIIe s. Église du XVIIIe s. (statues de la fin du gothique). Vieilles demeures. Constructions mécaniques. Textiles. Imprimerie.

VESPASIEN, en lat. **Titus Flavius Vespasianus** (près de Reate [auj. Rieti] 9 apr. J.-C. - Aquae Cutilae, Sabine, 79), empereur romain (69-79). Issu de la bourgeoisie italienne, il parcourut brillamment le *cursus* sénatorial. Néron lui confia en 66 le commandement de la guerre de Judée. En 69, Vespasien fut proclamé empereur par les troupes d'Alexandrie et reconnu par l'armée du Danube, qui vainquit les forces de Vitellius* près de Crémone. Après les guerres civiles consécutives à la mort de Néron (68), il sut rétablir l'ordre et la discipline. Dès 70, la révolte du Batave Civilis* en Gaule était réprimée par Q. Petilius Cerealis et la guerre juive prenait fin avec la chute de Jérusalem. Vespasien restaura l'Empire en monarque absolutiste. Il étendit ses pouvoirs par la *lex de imperio Vespasiani* et instaura l'hérédité du principat en faveur de ses fils Titus* et Domitien*, qui formèrent avec lui la dynastie des Flaviens*. Il se heurta à l'opposition du sénat et à celle des philosophes (qu'il expulsa de Rome); il contraignit au suicide le chef de l'opposition sénatoriale, Helvidius Priscus, et créa une aristocratie nouvelle en appelant au sénat des Italiens et des provinciaux. Il reconstitua les finances, améliora l'administration du domaine public, qu'il réunit aux biens de la couronne, récupéra les terres publiques qui avaient été usurpées et s'efforça de trouver des taxes nouvelles. À Rome, il fit reconstruire le Capitole et commença l'édification du Colisée.

VESPERTILION. — Les chauves-souris du groupe des vespertilions se reconnaissent à leur oreille externe doublée d'un oreillon et à leur queue entièrement enveloppée dans la membrane alaire. Les espèces françaises communes (oreillard, murine, noctule, sérotine, pipistrelle) font partie de ce groupe.

VESPIDÉS → GUÊPE.

VESPUCCI (Amerigo), navigateur italien (Florence 1454-Séville 1512). Installé à Séville, il s'occupe de l'équipement du deuxième et du troisième voyage de Christophe Colomb*. Après la disgrâce de ce dernier (1505), il devient *piloto mayor.* C'est à son insu que son nom fut donné par Martin Waldseemüller au continent américain.

VESSE-DE-LOUP. — Connu aussi sous le nom de « champignon-poussière », ce champignon très commun se présente, à maturité, comme un petit sac parcheminé qui, lorsqu'on l'écrase du pied, se déchire en dégageant une poussière de spores noires. C'est un basidiomycète.

VESSIE. — Ce réservoir musculomembraneux où s'accumule l'urine* dans l'intervalle des mictions est situé en arrière du pubis. Chez l'homme, la vessie se trouve au-dessus de la prostate; en arrière, les vésicules séminales et les canaux déférents la séparent des anses intestinales. Chez la femme, la vessie est en rapport, en arrière, avec l'utérus et le vagin. On distingue un dôme, aux dépens duquel la vessie se distend en se remplissant, et un bas-fond, limité par les deux orifices urétéraux en arrière et le col de la vessie en avant. La capacité vésicale est de 300 ml environ : au-delà, le besoin d'uriner se fait sentir. La contraction de la vessie et le relâchement du sphincter urétral permettent la miction.

La vessie peut être *malformée,* ouverte en avant de l'abdomen : il s'agit alors d'une exstrophie vésicale. La rupture de la vessie s'observe parfois au cours d'une fracture du bassin. Les tumeurs de la vessie sont bénignes (polypes) ou malignes (cancers). Les cystites, inflammations aiguës ou chroniques de la vessie, peuvent être isolées ou consécutives à une maladie de l'appareil urinaire; elles se manifestent par des brûlures mictionnelles, une pollakiurie (mictions fréquentes), une pyurie (pus dans les urines) et parfois une hématurie (sang dans les urines). L'exploration radiologique, ou *cystographie,* se fait soit par voie descendante (urographie), soit par voie rétrograde. L'examen endoscopique se réalise à l'aide d'un cystoscope, qui permet également la destruction de petites tumeurs et le cathétérisme des uretères.

VESTA, déesse romaine du Foyer domestique, dont le culte était desservi par les vestales*. Son temple, de forme circulaire, non loin du Forum, passait pour avoir été construit par Numa.

VESTA, petite planète*, la quatrième dans l'ordre de leur découverte. Elle fut observée pour la première fois en 1807 par Wilhelm Olbers (1758-1840). Elle circule entre Mars et Jupiter. Son diamètre est estimé à 420 ± 50 km.

VESTALE. — Le collège des vestales, prêtresses consacrées au culte de Vesta*, passait pour avoir été créé par Numa*, deuxième roi de Rome. Les vestales, dont le nombre passa de quatre à sept, étaient recrutées très jeunes par le grand pontife*. Pendant leur sacerdoce, qui durait trente ans, elles devaient entretenir le feu sacré de Rome, qui brûlait dans le temple de Vesta, et respecter le vœu de chasteté. En cas de manquement, elles étaient enterrées vives. Elles jouissaient d'un immense prestige et de privilèges, dont celui de gracier tout condamné à mort qu'elles rencontraient.

VESTDIJK (Simon), écrivain néerlandais (Harlingen 1898-Utrecht 1971). Poète, auteur de nouvelles et d'essais, il est célèbre pour ses romans psychologiques (*Anton Wachter,* 1934-1960) et historiques (*le Cinquième Sceau,* 1937).

VESTERÅLEN, archipel norvégien, au N. des îles Lofoten, au large de Narvik.

VESTMANNAEYJAR, archipel (dont Heimaey est l'île principale), au large de la côte sud de l'Islande. Pêche.

VESTRIS, en ital. **Vestri,** famille d'artistes italiens, d'origine florentine. GAÉTAN (Florence 1729-Paris 1808), élève de Dupré, type du danseur noble, mais aussi virtuose exemplaire, fut surnommé le « Dieu de la danse » et fut un disciple de Noverre. — AUGUSTE (dit **Vestr'Allard** ou **Vestris II**), fils naturel de Gaétan et de la danseuse MARIE **Allard** (1742-1802), ouvrit la voie au ballet romantique grâce à sa technique et à la qualité de ses interprétations.

VÉSUBIE (la), riv. des Alpes-Maritimes, affl. du Var (r. g.); 48 km. Gorges et aménagements hydroélectriques.

VÉSUVE (le), en ital. **Vesuvio,** volcan actif d'Italie, haut de 1270 m, au S.-E. de Naples et dont l'éruption en 79 apr. J.-C. ensevelit Herculanum et Pompéi.

VESZPRÉM, v. de Hongrie, au S.-O. de Budapest; 46000 hab. Anc. résidence des reines de Hongrie (XIe-XIVe s.), reconstruite au XVIIIe s., la ville conserve des monuments religieux des Xe-XIVe s. (fresques du XIIIe : chapelle Gisèle) et une église gothique du XVIIe s.

VÉTÉRINAIRE. — Les écoles nationales vétérinaires ont été créées à Lyon en 1762, à Alfort en 1766, et à Toulouse en 1828. Certains vétérinaires sont des praticiens responsables des soins donnés aux animaux domestiques ou d'agrément; la plupart d'entre eux sont, en outre, chargés, à temps partiel, d'interventions relevant de la police sanitaire ainsi que des vaccinations contre la fièvre aphteuse et la brucellose.

Les autres, au service de l'État, ont pour charge :
— l'organisation et l'application de la police sanitaire aux frontières, l'étude et la mise en œuvre des conventions sanitaires internationales (notamment C. E. E.);
— la surveillance et la protection sanitaires du cheptel ainsi que la prophylaxie des maladies contagieuses;
— le contrôle administratif des produits biologiques et la réglementation de la pharmacie vétérinaire;
— l'inspection sanitaire et de salubrité ainsi que le contrôle qualificatif et bactériologique des denrées animales ou d'origine animale;
— le contrôle sanitaire des abattoirs, des frigorifiques, des établissements de stockage, de conservation, de traitement et de transformation des produits animaux ou d'origine animale ainsi que celui des ateliers d'équarrissage.

VÉTÉRINAIRE BIOLOGISTE. — Les *vétérinaires biologistes des armées,* dont le corps a été réorganisé en 1971, assurent la gestion des animaux des armées et le contrôle des denrées alimentaires destinées aux militaires. Ils sont, en outre, chargés d'études et de recherches dans les domaines biologique, chimique et nucléaire. Les membres de ce corps se recrutent parmi les titulaires du diplôme de docteur-vétérinaire.

VÉTHEUIL (95510), comm. du Val-d'Oise, à 9 km au N. de Mantes-la-Jolie; 687 hab. Église gothique (XIIe s.) et Renaissance.

VÉTIVER. — Cette herbe des îles (Antilles, Réunion, Maurice, etc.) est une graminacée, dont la racine, parfumée, protège lainages et fourrures de l'attaque des insectes.

VEUILLOT (Louis), journaliste français (Boynes 1813-Paris 1883). Rédacteur en chef (1848) de *l'Univers,* il fait de ce journal la plus fameuse feuille ultramontaine de la France et du catholicisme intransigeant. Après avoir mené campagne contre l'Université (1844-1848), il se déchaîne contre la république sociale (1849-1851), puis, au temps du second Empire, auquel il s'est rallié par amour de l'ordre, contre les catholiques libéraux, Dupanloup* et Montalembert* notamment. Mais, ayant violemment critiqué la politique romaine de l'empereur, il voit *l'Univers* supprimé (1861). De nouveau à la tête de ce journal en 1867, il se fait le héraut de l'infaillibilité pontificale et de l'ultramontanisme.

VEUVE. — Ce moineau africain est apprécié comme oiseau de cage pour sa teinte noire, rehaussée d'un plastron rouge vif et de longues plumes caudales chez le mâle en parure de noces. (Famille des plocéidés.)

VEVEY, v. de Suisse (Vaud), sur le lac Léman, à l'E.-S.-E. de Lausanne; 17957 hab. Temple Saint-Martin, remontant aux XIIe et XVe s. Musées. Industrie alimentaire. Centre touristique.

VEXIN (le), région du Bassin parisien, au N. de la Seine, formée de plateaux calcaires souvent limoneux et divisée par l'Epte en un *Vexin normand* à l'O. (départ. de l'Eure), juxtaposant cultures (céréales, betteraves) et élevage bovin, et en un *Vexin français* à l'E. (départ. du Val-d'Oise principalement), où l'élevage tient toujours moins de place.

VEYNES (05400), ch.-l. de cant. des Hautes-Alpes, à 26 km à l'O. de Gap; 3434 hab. Hôtel de ville dans un ancien château du XVIe s.

VEYRE-MONTON (63960), ch.-l. de cant. du Puy-de-Dôme, à 15 km au S.-E. de Clermont-Ferrand; 1652 hab.

VÉZELAY (89540), ch.-l. de cant. de l'Yonne, à 15 km au S.-O. d'Avallon; 541 hab. Vézelay doit son origine à son monastère bénédictin, fondé au IXe s. et qui devint, au XIe s., un important lieu de pèlerinage en même temps qu'une étape sur la route de Saint-Jacques-de-Compostelle. Saint Bernard y prêcha la deuxième croisade* le 31 mars 1146. Magnifique basilique romane de la Madeleine, anc. abbatiale (v. 1120-1150), d'un type différent de celui de Cluny (élévation à deux étages de la nef, couverte de voûtes d'arêtes); façade refaite au XIXe s.; remarquables sculptures des trois baies intérieures du narthex; chœur du premier gothique.

VÉZELISE (54330), ch.-l. de cant. de Meurthe-et-Moselle, à 28,5 km au S. de Nancy; 1115 hab. Monuments des XVe-XVIIIe s.

VÉZÉNOBRES (30360), ch.-l. de cant. du Gard, à 9 km au S. d'Alès; 1056 hab.

VÉZÈRE (la), riv. de l'ouest du Massif central, affl. de la Dordogne (r. dr.); 192 km. Issue du plateau de Millevaches, jalonnée de stations préhistoriques célèbres (Les Eyzies, La Madeleine), entaillant des gorges pittoresques, elle est aussi coupée d'aménagements hydroélectriques (dont Treignac est le plus important).

VÉZINS-DE-LÉVÉZOU (12150 Séverac le Château), ch.-l. de cant. de l'Aveyron, à 28 km au N.-N.-O. de Millau; 882 hab.

VEZZANI (20242), ch.-l. de cant. de la Haute-Corse, à 28 km au S.-S.-E. de Corte; 671 hab.

VIAN (Boris), écrivain français (Ville-d'Avray 1920-Paris 1959). Ingénieur des arts et manufactures, il se consacra à la musique (il fut trompettiste de jazz) et à la littérature (dissimulant sa personnalité d'auteur sous de multiples pseudonymes, notamment celui de Vernon Sullivan). L'une des plus curieuses figures du Saint-Germain-des-Prés de l'après-guerre, il dispersa son humour dans ses poèmes (*Cantilènes en gelée,* 1950), ses romans (*l'Automne* à Pékin,* 1947; *l'Écume* des jours,* 1947; *l'Arrache-Cœur,* 1953) et son théâtre (*l'Équarrissage pour tous,* 1949; *le Goûter des généraux,* 1964).

VIANDEN, cant. du nord du Luxembourg, dans l'Ösling; 2700 hab.

VIARDOT (Pauline GARCÍA), cantatrice française (Paris 1821-*id.* 1910). Sœur de la Malibran, elle possédait un contralto magnifique et interpréta tout le répertoire d'opéra.

VIAREGGIO, v. d'Italie (Toscane), sur la mer Tyrrhénienne; 57000 hab. Station balnéaire.

VIARMES (95270 Luzarches), ch.-l. de cant. du Val-d'Oise, à 4 km à l'O. de Luzarches; 3305 hab. Église gothique. Mairie dans un ancien château du XVIIIe s.

VIATKA (la), riv. de l'U.R.S.S., à l'O. de l'Oural, qui passe à Kirov et rejoint la Kama (r. dr.); 1367 km.

VIAU (Théophile DE), poète français (Clairac 1590-Paris 1626). Huguenot de religion et libertin de goût, il fut plusieurs fois condamné et emprisonné pour l'audace de ses écrits (*le Parnasse satyrique,* 1623). Ses œuvres poétiques, où dominent les thèmes de la solitude, de la nature et du rêve, publiées en trois volumes (1623-1635) et contenant sa tragédie *Pyrame et Thisbé* (1621), ont été rééditées plusieurs fois au cours du XVIIe s., pendant lequel il exerça une grande influence.

VIAUR (le), riv. du Massif central, affl. de l'Aveyron (r. g.); 155 km. Il sépare les départements de l'Aveyron et du Tarn en aval du *viaduc ferroviaire du Viaur* (haut de 120 m).

VIBORG, v. du Danemark, dans le centre du Jylland; 37000 hab. Cathédrale romane du XIIe s., restaurée.

VIBORG → VYBORG.

VIBRATILES (cils). — Les cils vibratiles sont disposés sur le bord libre de certaines cellules épithéliales, à l'intérieur de cavités dont ces cellules forment le revêtement. Ils sont doués de mouvements permettant l'élimination des poussières ou des mucosités.

VIBRATION *(Phys.).* — Si un corps élastique (par exemple une languette métallique tenue à une extrémité) est écarté de sa position d'équilibre, il tend à revenir à cette position d'équilibre, puis, en vertu de la vitesse acquise, il la dépasse et exécute des vibrations autour d'elle. La fréquence est le nombre de vibrations (mouvements de va-et-vient) effectuées en une seconde. Si l'on veut éviter l'amortissement des vibrations, il est nécessaire d'entretenir celles-ci au moyen d'impulsions régulières.

VIBRAYE (72320), ch.-l. de cant. de la Sarthe, à 16 km au S. de La Ferté-Bernard; 2391 hab. Forêt.

Vicaire de Wakefield *(le),* roman de Goldsmith (1766), épopée domestique, sentimentale et didactique.

vicaire savoyard *(Profession de foi du),* un des épisodes remarquables de l'*Émile,* où J.-J. Rousseau s'efforce de démontrer la nécessité d'une religion toute personnelle, fondée à la fois sur la contemplation de la nature et sur le sentiment intérieur.

VICAT (Louis), ingénieur français (Nevers 1786-Grenoble 1861). Il détermina la composition des ciments naturels et trouva le moyen de fabriquer des ciments artificiels. En découvrant que les propriétés des chaux hydrauliques naturelles dépendaient de leur argile, il permit l'utilisation du bétonnage dans la fondation des ponts.

VICDESSOS, affl. pyrénéen de l'Ariège (r. g.); 37 km.

VICDESSOS (09220), ch.-l. de cant. de l'Ariège, sur le *Vicdessos,* à 30 km au S.-O. de Foix; 580 hab.

VIC-EN-BIGORRE (65500), ch.-l. de cant. des Hautes-Pyrénées, à 17 km au N. de Tarbes; 5048 hab. Église des XIVe-XVIe s.

VICENCE, v. d'Italie (Vénétie), ch.-l. de prov.; 119000 hab. Églises et palais surtout du XIIe au XVIe s. Édifices de Palladio*. Musée.

VICENTE (Gil), auteur dramatique et orfèvre portugais (Guimarães v. 1465-Évora v. 1537). Ouvert à l'influence humaniste, son théâtre offre un tableau précis de la société de son temps, à travers des pièces d'inspiration religieuse (*la Trilogie des barques,* 1516-1519), d'esprit aristocratique (*l'Exhortation à la guerre,* 1514), de caractère populaire (*Inês Pereira,* 1523).

VICENTE LÓPEZ, agglomération industrielle de la banlieue nord de Buenos Aires; 285000 hab.

VIC-FEZENSAC (32190), ch.-l. de cant. du Gers, à 29 km au N.-O. d'Auch; 4137 hab. Église des XIIe, XVe et XVIIe s. Eaux-de-vie.

VICHY (03200), ch.-l. d'arr. de l'Allier, sur l'Allier; 32251 hab. *(Vichyssois).* Noyau d'une agglomération d'environ 60000 habitants (avec notamment Bellerive-sur-Allier et Cusset), Vichy demeure d'abord une grande station thermale, avec quelques industries (constructions mécaniques) parfois liées (pharmacie) au thermalisme. Elle possède plus de trente sources aux eaux bicarbonatées sodiques utilisées dans le traitement des maladies digestives, de certaines affections des voies urinaires et du diabète.

Vichy *(gouvernement de),* gouvernement établi à Vichy sous la direction du maréchal Pétain* et qui constitua le régime de la France sous l'occupation allemande (1940-1944). Président du Conseil depuis le 16 juin 1940, Pétain s'installe à Vichy après l'armistice; ayant obtenu de l'Assemblée nationale les pleins pouvoirs, il promulgue une nouvelle Constitution. Chef de l'« État français », qui succède ainsi à la IIIe République (juill. 1940), il proclame l'instauration d'un « ordre nouveau » et la nécessité de la « Révolution nationale », fondée sur les notions de « travail, famille, patrie ». Influencé par l'idéologie maurrassienne, le régime prône le retour aux traditions nationales, tandis que son hostilité à la démocratie et au parlementarisme ainsi que sa conception autoritaire de l'État l'apparentent au fascisme.

Présidé par Laval* (de juillet à décembre 1940 et d'avril 1942 à août 1944) et par l'amiral Darlan* (de février 1941 à avril 1942), le gouvernement de Vichy restreint les libertés publiques, institue des juridictions exceptionnelles (procès de Riom*) et impose aux Juifs un statut discriminatoire. Sur le plan économique, le gouvernement, qui a supprimé les syndicats, met en place un système corporatif contrôlé par l'État (Charte du travail, 1941) et encourage le retour à la terre.

L'entrevue de Montoire entre Pétain et Hitler (oct. 1940) marque le début de la collaboration avec l'Allemagne, qui ira en s'accentuant sous l'impulsion de Laval (création de la Légion des volontaires français contre le bolchevisme [1941], développement des persécutions contre les Juifs à partir de 1942, création de la Milice et du Service du travail obligatoire en Allemagne [1943]). Après l'invasion de la zone libre (nov. 1942), les Allemands, qui ont imposé à Pétain le second ministère Laval, contrôlent totalement le régime, qui s'effondre lors de la défaite allemande.

VICKSBURG, v. des États-Unis (Mississippi), sur le Mississippi; 25000 hab. Place sudiste pendant la guerre de Sécession*, Vicksburg capitula en 1863.

VIC-LE-COMTE (63270), ch.-l. de cant. du Puy-de-Dôme, à 22 km au S.-E. de Clermont-Ferrand; 3186 hab. Ruines féodales. Une belle sainte-chapelle du début du XVIe s. (œuvres d'art) constitue le chœur de l'église (du XIXe s.).

VICO (20160), ch.-l. du cant. des Deux-Sorru (Corse-du-Sud), à 21 km au S. d'Évisa; 1970 hab.

VICO (Giambattista), historien et philosophe italien (Naples 1668-*id.* 1744). Ses études d'histoire, et plus particulièrement sa théorie des cycles de civilisations (âge divin, âge héroïque, âge humain, puis le cycle recommence), ont exercé une influence notable sur la pensée occidentale. Vico a écrit notamment *Principes d'une science nouvelle relative à la nature commune des nations* (1725) et *Autobiographie.*

VICQ D'AZYR (Félix), médecin et anatomiste français (Valognes 1748-Paris 1794). Il fonda avec Lassone la Société royale de médecine (1776). Ses travaux concernent surtout l'anatomie.

VIC-SUR-AISNE (02290), ch.-l. de cant. de l'Aisne, à 17 km à l'O. de Soissons; 1569 hab.

VIC-SUR-CÈRE (15800), ch.-l. de cant. du Cantal, à 20 km au N.-E. d'Aurillac; 2048 hab. Station thermale. Église avec parties romanes. Maisons anciennes.

VIC-SUR-SEILLE (57170 Château Salins), ch.-l. de cant. de la Moselle, à 8,5 km au S. de Château-Salins; 1518 hab. Église et maisons des XVe-XVIe s. Mobilier.

VICTOR Ier, II, III, IV → PAPE.

VICTOR (Claude PERRIN, dit), duc **de Bellune,** maréchal de France (Lamarche 1764 - Paris 1841). Général en 1793, il se distingua à Friedland (1807) et pendant la campagne de France de 1814. Rallié à Louis XVIII, il fut ministre de la Guerre de 1821 à 1823.

VICTOR (Paul-Émile), explorateur français (Genève 1907). Il a effectué à partir de 1934 de nombreux voyages en Laponie, au Groenland et en Antarctique. Il a créé les Expéditions polaires françaises.

VICTOR-AMÉDÉE, nom porté par trois souverains de Savoie* et de Sardaigne*. VICTOR-AMÉDÉE Ier (Turin 1587 - Verceil 1637), duc de Savoie (1630-1637), développe une politique favorable à la France. — VICTOR-AMÉDÉE II (Turin 1666 - Rivoli 1732), duc de Savoie (1675-1730), pris entre le camp français et les Habsbourg, pratique une diplomatie ondoyante; devenu roi de Sicile* en 1713, il échange en 1720 cette île contre la Sardaigne*; il abdique en 1730. — VICTOR-AMÉDÉE III (Turin 1726 - Moncalieri 1796), roi de Sardaigne (1773-1796), est battu par les troupes françaises révolutionnaires, ce qui lui vaut la perte de la Savoie et de Nice (1796).

VICTOR-EMMANUEL Ier (Turin 1759 - Moncalieri 1824), roi de Sardaigne (1802-1821), fils de Victor-Amédée III. Les traités de 1815 lui rendent tous ses États, mais l'insurrection de 1821, provoquée par sa politique réactionnaire, l'oblige à abdiquer.

VICTOR-EMMANUEL II (Turin 1820 - Rome 1878), roi de Sardaigne (1849-1861), puis d'Italie (1861-1878). Fils de Charles-Albert*, qui abdique en sa faveur après le désastre de Novare (1849), il s'appuiera sur Cavour*, à la fois pour rétablir le prestige de la dynastie de Savoie* en Italie et pour faire autour d'elle l'unité italienne. Après la campagne franco-sarde de 1859 contre l'Autriche, il recueille la Lombardie, puis (1860) la Romagne, Parme, Modène et la Toscane. S'il doit céder Nice et la Savoie à la France (1860), il devient en 1861 le maître des Deux-Siciles, des Marches et de l'Ombrie. Proclamé roi d'Italie (14 mars 1861), ayant obtenu la Vénétie à la suite de la guerre de 1866, il entre à Rome en 1870, devenant ainsi le souverain de toute l'Italie.

VICTOR-EMMANUEL III (Naples 1869 - Alexandrie, Égypte, 1947), roi d'Italie (1900-1946), fils et successeur d'Humbert Ier*. Il abdique pratiquement le pouvoir réel entre les mains de B. Mussolini* en 1922 et laisse se développer en Italie le régime fasciste, qui fait de lui en 1936 un empereur d'Éthiopie et en 1939 un roi d'Albanie. Quand, en 1943, la défaite italienne devient évidente, il fait arrêter Mussolini, mais il doit fuir Rome devant l'intervention allemande. L'année suivante, déconsidéré, il nomme son fils Humbert (II) lieutenant général; il abdique le 9 mai 1946.

VICTORIA. — Les plus vastes feuilles flottantes rondes de tout le règne végétal sont celles de *Victoria regia,* qui atteignent 2 m de diamètre. La plante qui les porte, voisine du nénuphar, a des fruits comestibles; d'où son nom de « maïs d'eau ». (Famille des nymphéacées.)

VICTORIA, État d'Australie; 227 618 km²; 3 616 000 hab. Cap. *Melbourne.* Petit (3 p. 100 de la superficie du pays), le Victoria est l'État le plus densément peuplé de l'Australie (dont il regroupe plus du quart de la population totale). Il doit cette situation à sa localisation dans le Sud-Est, au climat tempéré, avec des hivers doux et surtout à des précipitations relativement abondantes, ayant favorisé l'élevage et aussi (parfois avec l'apport de l'irrigation, développée surtout dans le Nord, à partir du Murray) les cultures céréalières (blé). Mais la forte densité (relative) résulte de la présence de l'agglomération de Melbourne*, qui regroupe plus des deux tiers de la population de l'État.

VICTORIA, port du Canada, capit. de la Colombie britannique, sur la côte sud-est de l'île de Vancouver; 61 761 hab. Université.

VICTORIA, capit. de Hongkong, dans l'île de Hongkong; 675 000 hab. Industries métallurgiques, textiles et alimentaires.

VICTORIA *(chutes),* chutes du Zambèze (hautes d'environ 120 m), aux confins de la Rhodésie et de la Zambie, au S. de Livingstone (Zambie).

VICTORIA *(île),* grande île de l'archipel arctique canadien, traversée par le 70e parallèle.

VICTORIA *(lac),* le plus vaste lac d'Afrique (68 100 km²), sous l'équateur, partagé entre le Kenya, l'Ouganda et la Tanzanie. Découvert par John Hanning Speke en 1858, il est notamment alimenté par la Kagera (branche mère du Nil), et son émissaire est le Nil (Victoria).

VICTORIA Ire (Londres 1819 - Osborne, île de Wight, 1901), reine de Grande-Bretagne et d'Irlande (1837-1901), impératrice des Indes (1876-1901). Petite-fille de George III, elle accède au trône après la mort de son oncle Guillaume IV, qui est sans héritier. En 1840, elle épouse son cousin Albert de Saxe-Cobourg-et-Gotha. Victoria restaure le prestige monarchique : l'« ère victorienne » correspond au zénith de la puissance et de l'impérialisme britanniques. Si elle donne toute sa confiance à lord Melbourne*, puis à Disraeli*, qui fait d'elle l'impératrice des Indes, elle se méfie de Gladstone*, dont elle combat la politique libérale, en Irlande notamment. Son règne s'achève dans une conjoncture intérieure (naissance du travaillisme*) et extérieure (guerre des Boers*) difficile.

VICTORIA (Tomás Luis DE), compositeur espagnol (Ávila v. 1550 - Madrid 1611). Prêtre, il passa une partie de sa vie au collège germanique de Rome et fut l'élève de Palestrina au séminaire romain, dont il dirigera un temps la chapelle. Chapelain de l'impératrice Marie, fille de Charles Quint, il sera à la fin de sa vie organiste du couvent madrilène où Marie se retira. Son premier livre de motets date de 1572, et son *Requiem* de 1603. Maître de la musique polyphonique religieuse, tant dans ses messes, ses motets que dans ses hymnes, ses psaumes, ses magnificat, Victoria reste l'un des plus grands mystiques de la musique.

Victoria and Albert Museum, musée londonien fondé en 1835 sous le nom de *South Kensington Museum.* Il abrite de vastes collections d'arts décoratifs et de beaux-arts, surtout du Moyen Âge et de la Renaissance, de l'Orient et de l'Extrême-Orient.

Victoria Cross, la plus haute distinction militaire britannique, créée en 1856 par la reine Victoria. Ruban rouge.

VICTORIAVILLE, v. du Canada (Québec), dans les cantons de l'Est; 22 047 hab.

VIDAL DE LA BLACHE (Paul), géographe français (Pézenas 1845 - Tamaris, Var, 1918). Fondateur (1891) des *Annales de géographie,* auteur notamment du *Tableau de la géographie de la France* (1903) [introduction à l'*Histoire de France* de Lavisse] et des *Principes de géographie humaine* (publiés en 1922 par E. de Martonne), il est l'un des pionniers de la géographie en France; il insista sur les rapports entre le milieu naturel et l'homme.

VIDE. — Dans l'industrie et la recherche, le vide (c'est-à-dire l'absence de l'air ou d'autres phases* gazeuses, de pression inférieure à la pression* atmosphérique) est très fréquemment utilisé à cause de ses propriétés physiques. On distingue diverses catégories de vide, qui correspondent à des moyens de production et à des modes d'utilisation différents, et dont les domaines de pression sont approximativement les suivants :
— le *vide grossier,* de la pression atmosphérique (760 torr) à 1 torr environ;
— le *vide fin,* de 1 torr à 10^{-3} torr environ;
— le *vide poussé* (ou vide secondaire ou moléculaire), de 10^{-3} torr à 10^{-6} torr environ;
— le *vide très poussé,* de 10^{-6} torr à 10^{-9} torr environ;
— l'*ultravide,* au-dessous de 10^{-9} torr.

Le vide grossier est d'abord utilisé pour mettre à profit la force de pression qui apparaît sur toute la surface de l'enveloppe dans laquelle il est produit et dont la valeur, à 1 torr, atteint plus de 99,8 p. 100 de sa valeur maximale, qui est de 1 daN/cm² environ, soit près de 10 t sur une surface d'un peu plus de 1 m de diamètre. C'est le cas des machines à former sous vide et des installations d'aspiration de liquide. Lorsqu'on amène la pression totale, au-dessus d'un liquide, à une valeur inférieure à la tension de vapeur de ce liquide à la température considérée, celui-ci se met à bouillir sans qu'il soit nécessaire d'élever sa température. Les molécules* vaporisées sont alors soit aspirées à l'état de vapeur* par les pompes à vide (séchage sous vide), soit condensées à l'état liquide ou solide sur les parois intérieures froides (cryodéshydratation et distillation* sous vide). La cryodéshydratation par sublimation*, improprement appelée *lyophilisation**, s'effectue en général vers $4 \cdot 10^{-1}$ torr et à une température inférieure à 0 °C.

Le vide grossier et le vide fin sont également utilisés pour des opérations d'*imprégnation* de matériels électriques (transformateurs*), de *dégazage* et de *coulée* sous vide* de métaux et d'alliages, de *débullage sous vide,* etc. Ils sont, tous deux, caractérisés par l'absence d'échanges thermiques convectifs et conductifs; ceux-ci se font presque exclusivement par rayonnement*. C'est pourquoi les réservoirs de gaz liquides (azote*, oxygène*, hydrogène*, etc.), les vases Dewar, les bouteilles Thermos ainsi que les fours* à très haute température sont isolés par le vide, notamment à l'aide de doubles enveloppes vides de gaz. Le vide fin et le vide moléculaire diminuent les risques d'oxydation*, même pour des corps très oxydables portés à haute température; d'où leur utilisation dans les lampes à incandescence* et en métallurgie.

Sous vide, on augmente le libre parcours moyen des molécules et des particules présentes, c'est-à-dire la distance moyenne qu'elles parcourent entre deux chocs successifs avec d'autres molécules, compte tenu de l'agitation thermique. Cette propriété permet de produire dans le vide des faisceaux de molécules et de particules diverses. La métallisation* sous vide en est une application, de même que la production des faisceaux de particules (électrons*) par les accélérateurs*, les machines à souder et à usiner par bombardement électronique, les installations de plasma*, notamment celles qui sont construites pour étudier la fusion* thermonucléaire.

Le vide est obtenu à l'aide de divers types de pompes, que l'on associe généralement pour former des groupes de pompage. Les

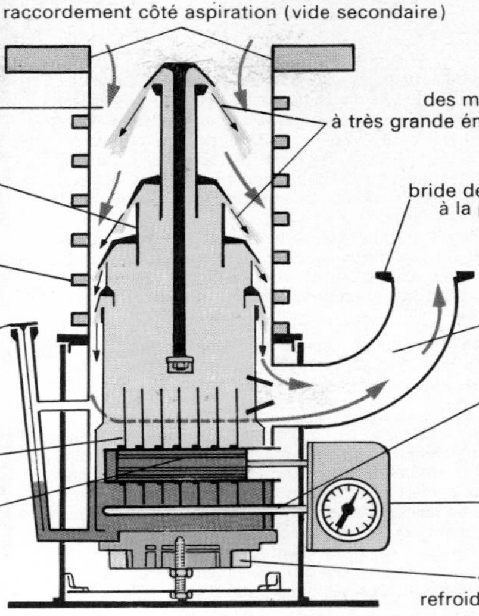

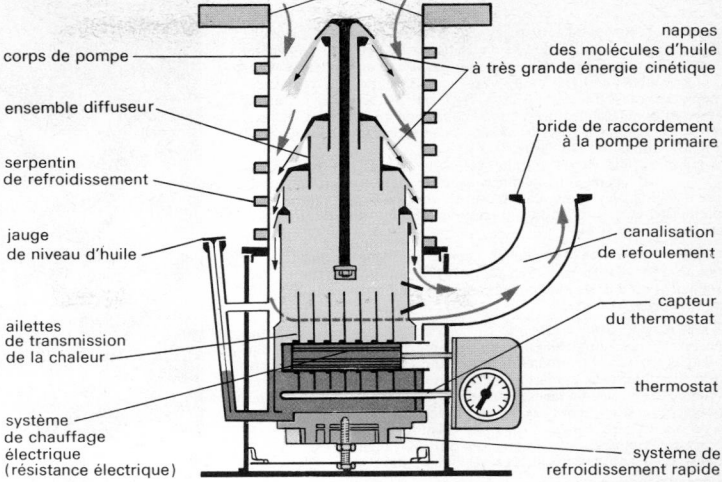

VIDE.
Coupe d'une pompe
à diffusion à vapeur d'huile.

pompes primaires refoulent les gaz pompés contre la pression atmosphérique. Ce sont principalement les pompes à eau, les pompes mécaniques à palettes ou à piston oscillant, certains dépresseurs Roots, les pompes à anneau liquide, certains éjecteurs à vapeur d'eau, certaines pompes cryogéniques, etc. Les autres pompes sont appelées *pompes secondaires.* Ce sont les pompes à diffusion et turbomoléculaires, les pompes ioniques, certains dépresseurs Roots, certains éjecteurs à vapeur d'eau, la plupart des pompes cryogéniques, etc. Elles doivent être nécessairement placées en série avec, au moins, une pompe primaire.

VIDELA (Jorge Rafael), général et homme d'État argentin (Mercedes, prov. de Buenos Aires, 1925). Chef de l'armée de terre, il est porté à la présidence de la République par la junte militaire, après le coup d'État de mars 1976 contre la présidente Perón.

VIDÉOCASSETTE. — La vidéocassette permet la reproduction à volonté d'un programme de télévision* en noir et blanc ou en couleurs sur un téléviseur d'appartement.

• L'EVR *(Electronic Video Recording),* dont la cassette contient 230 m de film photographique de 8,75 mm de large, soit 180 000 images, procure une durée de vision de 60 min en noir et blanc et de 30 min en couleurs. C'est uniquement un lecteur, car l'enregistrement photographique n'est pas possible par l'utilisateur. Le son est enregistré sur une piste magnétique en bordure de l'image.

• Le VCR *(Video Cassette Recording)* est équipé d'une bande magnétique à haute énergie, qui permet d'enregistrer et de reproduire à volonté les programmes en noir et blanc et en couleurs. La durée de vision et d'audition est de 60 min (noir et blanc ou couleurs).

VIDÉODISQUE. — Le vidéodisque restitue les images gravées dans ses sillons sur un écran de télévision relié à la table de lecture.

VIDÉOFRÉQUENCE. — La plage des signaux vidéofréquence s'étend de 0 à 10 MHz environ. Elle comprend l'ensemble des signaux nécessaires pour former une image de télévision*, en noir et blanc ou en couleurs. La vidéofréquence est à la télévision ce que la basse fréquence, ou audiofréquence, est à la radio et à l'amplification du son. La largeur de bande vidéofréquence dépend du standard de transmission de télévision* adopté; plus elle est importante, plus le nombre d'informations est élevé et plus l'image est fine. Ainsi, le standard 819 lignes français a une largeur de bande vidéo de 10,4 MHz, tandis que le standard 625 lignes n'admet que 6 MHz et que le standard 525 lignes (États-Unis) transmet seulement 4 MHz.

VIDÉOGRAMME *(Électroacoust.)* → ENREGISTREMENT.

VIDIE (Lucien), mécanicien français (Nantes 1805 - Paris 1866). En 1844, il inventa le baromètre anéroïde.

VIDOCQ (François), aventurier français (Arras 1775 - Bruxelles 1857). Bagnard évadé, il entre dans les services de l'espionnage (1809) avant de devenir chef de la brigade de sûreté. Balzac s'est inspiré de lui dans le personnage de Vautrin.

VIDOR (King), cinéaste américain (Galveston 1894). Il est l'auteur de plusieurs films importants (sa carrière, prolifique, s'étend sur plus de cinquante années), indissociables de la légende hollywoodienne (*la Grande Parade,* 1925; *la Foule,* 1928; *Hallelujah,* 1929; *Notre pain quotidien,* 1934; *Stella Dallas,* 1937; *Duel au soleil,* 1946; *L'homme qui n'a pas d'étoile,* 1954; *Guerre et paix,* 1955).

VIDOURLE (le), fl. côtier du Languedoc (entre Montpellier et Nîmes), issu des Cévennes, aux crues redoutables; 85 km.

VIE. — Il est plus aisé à un biologiste de définir les caractères propres aux êtres vivants que de définir, abstraitement, la vie. Le terme est en effet ambigu, puisqu'il désigne à la fois une durée et l'état qui persiste au long de cette durée. Cet état s'oppose non à la mort*, qui est un événement, mais à l'état inerte. Il a pour support la structure cellulaire (v. CELLULE), donc un système extrêmement compliqué et remarquablement semblable dans toutes les espèces vivantes. La vie ne se conçoit pas sans une harmonieuse coexistence du changement et de la fixité : fixité de forme, de fonctionnement et de composition chimique de chaque espèce, résistance de l'individu à tout ce qui tend à le modifier, mais aussi incessant renouvellement des atomes et des molécules par la nutrition. La synthèse de ces deux tendances opposées s'exprime dans l'*autoreproduction* des structures vivantes : multiplication cellulaire, croissance, reproduction des individus. À une échelle infiniment plus lente, et pour des raisons généralement tenues pour extrinsèques, le monde vivant se renouvelle par évolution* biologique. Mais, à chaque instant, il occupe tout l'ensemble des lieux habitables, qui constitue la biosphère*, et il tend à faire porter à celle-ci sa charge vivante maximale, le *climax.*

vie *(Une),* roman de G. de Maupassant (1883). Un récit marqué par l'influence de Flaubert et l'ambiguïté de sa conclusion réaliste : « Une vie, ça n'est jamais si bon ni si mauvais qu'on croit. »

vie est un songe *(La),* drame de Calderón (v. 1633). Sigismond est tenu enfermé dans une caverne par le roi son père, à qui un oracle a prédit que son enfant serait la ruine du trône. Pris de remords, le roi fait boire un narcotique à son fils et le fait conduire dans son palais. Mais les passions de Sigismond se font jour. Transporté de nouveau dans sa prison, il en est tiré par une révolte de soldats. Il s'amende, craignant que le songe qu'est pour lui la vie royale ne s'évanouisse encore une fois.

VIEIL-ARMAND (le) → VOSGES *(combats des).*

Vieil Homme et la mer *(le),* récit de Hemingway (1952). Après quatre-vingt-quatre jours infructueux, un vieux pêcheur prend un énorme espadon, que lui disputent les requins et dont il ne ramènera que la carcasse : illustration du thème favori de Hemingway, celui de la victoire dans la défaite, et démonstration achevée de sa conception du style comme « architecture » : l'analyse est remplacée par la vision, et l'émotion par le geste ou l'objet qui la matérialise.

VIEILLE (Paul), ingénieur français (Paris 1854 - *id.* 1934). Avec Marcelin Berthelot*, il découvrit le phénomène de l'onde explosive. On lui doit l'invention des poudres B, qui assurèrent une supériorité considérable à l'armement français, ainsi que de nombreuses recherches sur les ondes de choc (1898-99) et sur la stabilisation des poudres à la nitrocellulose (1900-1907).

VIEILLESSE *(Droit).* — Les personnes ayant atteint un certain âge ont, dans la plupart des pays, le bénéfice de régimes d'assurances sociales les protégeant contre l'absence d'activité professionnelle et leur assurant un montant de ressources minimales (« retraite » ou « pension »), généralement fonction du montant des salaires perçus pendant le temps d'activité et de la période pendant laquelle l'assuré s'est acquitté de ses cotisations. La retraite est généralement, en cas de mort, reversée pour partie au conjoint survivant.

Le « minimum vieillesse » est une garantie de ressources minimales assurée par l'État à ceux qui ne bénéficient pas de ressources suffisantes. Le montant comprend un minimum de base, versé en général à l'âge de 65 ans, augmenté d'une allocation du Fonds national de solidarité.

L'âge normal de la retraite est actuellement, en France, de 65 ans, âge auquel sont liquidées au taux plein les retraites de la sécurité sociale; mais des mesures sont souvent prises pour permettre aux salariés, avant cette échéance, une retraite plus hâtive.

VIEIRA (António), écrivain et homme politique portugais (Lisbonne 1608-Bahia, auj. Salvador, 1697), jésuite, défenseur des Indiens, l'un des classiques de la prose portugaise par ses *Sermons* et sa *Correspondance.*

VIEIRA DA SILVA (Maria Elena), peintre français d'origine portugaise (Lisbonne 1908). Issue d'un milieu intellectuel aisé, elle vient à Paris (1928) étudier la sculpture, la peinture (notamment avec Bissière) et la gravure. Elle développe progressivement, avec retenue et rigueur, un langage personnel où le graphisme aigu et les perspectives disloquées créent un espace labyrinthique (celui des « villes » ou des « bibliothèques », thèmes privilégiés), vide de présence humaine, aux résonances parfois fantastiques; d'autres toiles évoquent le plein air, les éléments naturels.

VIELÉ-GRIFFIN (Francis), poète français d'origine américaine (Norfolk, Virginie, 1863-Bergerac 1937). Il exposa la théorie du vers libre dans *les Entretiens politiques et littéraires* (1890-1892), qu'il rédigea avec P. Adam et B. Lazare, et il unit le moralisme anglo-saxon et les mythologies germanique et antique à l'enseignement de Mallarmé (*les Cygnes,* 1885-86; *Voix d'Ionie,* 1914).

VIELLA, localité d'Espagne (Catalogne), ch.-l. du val d'Aran; 1 000 hab. Centre touristique. — Au S., tunnel routier long de 6 km.

VIELLE À ROUE. — D'abord employée par les jongleurs, la vielle devint l'instrument de musique préféré des mendiants. Au XVIIIe s., par un caprice de la mode, elle connaît un regain de faveur dans les milieux aristocratiques. C'est un instrument à cordes dans lequel les sons s'obtiennent à l'aide d'un clavier dont les touches, en s'enfonçant, pressent les cordes contre une roue faisant fonction d'archet, par suite du mouvement de rotation que lui imprime une petite manivelle.

VIELLE-AURE (65170 St Lary), ch.-l. de cant. des Hautes-Pyrénées, à 10 km au S. d'Arreau; 221 hab.

VIELMUR-SUR-AGOUT (81220 St Paul Cap de Joux), ch.-l. de cant. du Tarn, à 14 km à l'O. de Castres; 835 hab.

VIENNE (la), riv. du centre-ouest de la France, affl. de la Loire (r. g.); 350 km. Descendant du plateau de Millevaches, la Vienne, coupée de modestes aménagements hydroélectriques et recevant la Creuse (r. dr.) comme principal affluent, passe successivement à Limoges, à Châtellerault et à Chinon.

VIENNE (86), départ. de la Région Poitou-Charentes; 6 985 km^2; 357 366 hab. *(Viennois).* Ch.-l. *Poitiers.* S.-préf. *Châtellerault* et *Montmorillon.*

Correspondant approximativement au haut Poitou historique, le département s'étend principalement sur les bas plateaux calcaires du seuil du Poitou, séparant Massif armoricain et Massif central d'une part, Bassin parisien et Bassin aquitain d'autre part. L'ensemble est assez abondamment arrosé (de 700 à 900 mm); vers le Limousin, des hivers assez rudes nuancent le climat, à dominante océanique. La densité de population est nettement inférieure à la moyenne nationale, malgré une croissance sensible durant les vingt dernières années, succédant à une longue phase de dépeuplement, amorcée à la fin du XIXe s. Cette faiblesse tient au poids du secteur agricole, qui emploie encore près du sixième des actifs et où l'élevage s'est développé aux dépens des cultures céréalières (blé surtout), qui demeurent cependant importantes. L'industrie, dominée par la métallurgie de transformation, occupe seulement le tiers des actifs; elle est représentée dans la vallée du Clain, à Châtellerault et surtout dans l'agglomération de Poitiers, qui regroupe plus du quart de la population totale du département et contribue à expliquer la prépondérance du secteur tertiaire. La vallée du Clain, voie de passage routière et ferroviaire entre Paris et le Sud-Ouest (Bordeaux), est l'axe vital du département.

VIENNE (38200), ch.-l. d'arr. de l'Isère, sur le Rhône, à 28 km au S. de Lyon; 28 753 hab. *(Viennois).* Chaussures. Constructions électriques.

BEAUX-ARTS. Vestiges gallo-romains (temple d'Auguste et de Livie, grand théâtre...). Églises médiévales : Saint-Pierre (VIe et IXe-XIIe s., auj. musée lapidaire), abbatiale Saint-André-le-Bas, non moins ancienne (chapiteaux romans du XIIe s.; musée d'art chrétien dans le cloître), Saint-Maurice, anc. cathédrale (XIIe-XVIe s.; sculptures romanes et gothiques). Musée des Beaux-Arts. Sur la rive droite du Rhône, fouilles romaines de Saint-Romain-en-Gal.

P. Koch - Rapho

Vienne. Bordant le Ring (boulevard circulaire), le Burgtheater, théâtre construit au XIXe s.

VIENNE, en allem. **Wien,** capit. de l'Autriche; 1 615 000 hab. *(Viennois).*

GÉOGRAPHIE. Sur le Danube, Vienne occupe une situation de carrefour européen entre les Alpes, à l'O., les Carpates, à l'E., l'Adriatique et le Bassin pannonien, au S., la Tchécoslovaquie et la plaine de l'Europe du Nord, au N. Autrefois capitale d'un vaste empire, elle n'est plus aujourd'hui que la capitale excentrée d'un modeste État, évolution qui explique à la fois son poids démographique (l'agglomération rassemble près du quart de la population autrichienne) et une récente stagnation de son effectif. La prépondérance de la ville est grande dans le domaine économique, surtout pour les services, bien que l'agglomération soit aussi fortement industrialisée (constructions mécaniques surtout). L'importance de la Vienne historique est attestée par la fréquentation touristique, cependant que la neutralité politique de l'Autriche (qui est au contact de l'Europe occidentale et de l'Europe socialiste) explique aussi une certaine vocation internationale, comme en témoigne le choix de Vienne comme siège de l'O. P. E. P.

HISTOIRE. La ville *(Vindobona)* se développe à un carrefour de voies naturelles. C'est à partir du moment où les Habsbourg*, au XVIe s., choisissent Vienne — qui n'est évêché que depuis 1469 — comme résidence principale qu'elle prend son essor. Ayant écarté deux fois (1529, 1683) le péril turc, la capitale autrichienne connaît une brillante période baroque (1683-1770), qui en fait une prestigieuse capitale culturelle; cette époque est suivie par l'« ère des manufactures » (1770-1840). Mais c'est surtout au XIXe s. que la ville se développe, passant de 440 000 habitants en 1840 à plus de 2 millions en 1910. En 1895, le parti social-chrétien, en inaugurant un « socialisme municipal », donne à la capitale austro-hongroise une administration modèle, qui se poursuit après 1919, avec la municipalité socialiste (1919-1934), qui multiplie les logements collectifs.

De très nombreux traités ont été signés à Vienne : en 1809, à l'issue de la victorieuse campagne napoléonienne en Autriche même; en 1864, à l'issue de la victoire austro-prussienne sur le Danemark à propos des duchés de Schleswig, de Holstein et de Lauenburg; en 1866, à l'issue de la victoire italo-prussienne sur l'Autriche. La rencontre internationale la plus importante est le congrès de Vienne* de 1814-15.

BEAUX-ARTS. — Cathédrale reconstruite en style gothique aux XIVe-XVIe s. (tombeau de l'empereur Frédéric III par Nikolaus Gerhaert de Leyde, 1469); église Maria am Gestade (XIVe-XVe s., vitraux). La ville est une capitale du baroque grâce aux édifices des Fischer* von Erlach père et fils (résidence impériale d'été de Schönbrunn, à partir de 1695; Karlskirche, 1716; Bibliothèque de la Hofburg, 1723), et de Hildebrandt* (palais du Belvédère, 1714), grâce à des peintures monumentales comme celles de Maulbertsch* à la Piaristenkirche, grâce aux sculptures de Permoser* ou de Georg Raphael Donner (statues de la fontaine du Neuer Markt). La seconde moitié du XIXe s. voit l'aménagement du *Ring,* ceinture verdoyante de boulevards autour du noyau de la vieille ville, animés d'édifices éclectiques tels que le parlement, l'hôtel de ville, l'université, l'opéra, le Burgtheater, le Kunsthistorisches* Museum, l'académie des Beaux-Arts, le musée des Arts appliqués. Outre les collections et appartements de la Hofburg et de Schönbrunn, Vienne possède de nombreux autres musées : historique de la ville, de l'Albertina*, du Baroque et d'Art autrichien dans les palais du Belvédère, d'Art moderne, etc.

Carrefour de la pensée européenne à la fin du XIXe s., la ville connaît une brillante activité artistique au sein de la « Sécession », mouvement fondé en 1897 par les architectes Josef Maria Olbrich (1867-1908) et J. Hoffmann* (élèves d'O. Wagner*), le peintre Klimt* et le graphiste Koloman Moser (1868-1918). Bien que corrigeant l'Art* nouveau dans le sens d'un géométrisme hiératique et précieux, la Sécession fut sévèrement critiquée par Loos*, ennemi de tout ornement.

Vienne *(cercle de),* groupe de scientifiques et de philosophes formé en 1922 à Vienne autour de M. Schlick*. Dominé par la personnalité de R. Carnap*, ce groupe, qui comprenait P. Franck (1884-1966), O. Neurath (1882-1945), H. Hahn (1879-1934), K. Gödel*, A. Tarski*, etc., eut des correspondants dans nombre de pays d'Europe, puis aux États-Unis. L'objet des débats était les problèmes relatifs à la théorie de la connaissance* dans l'optique de la logique* et de l'empirisme* (v. POSITIVISME *logique*). Rejetant les problèmes classiques de la philosophie comme « pseudo-problèmes », les membres du groupe ramènent celle-ci à l'étude des divers énoncés scientifiques et de leur vérifiabilité (possibilité logique d'une preuve tirée de l'observation qui établirait la vérité de la proposition en question).

Vienne *(congrès de),* congrès qui se tint à Vienne de juin 1814 à juin 1815 et qui eut à régler les problèmes liés à la liquidation de l'Empire napoléonien hors de France. Dominé par les quatre puissances alliées et victorieuses, Autriche (Metternich*), Prusse (Hardenberg*), Grande-Bretagne (Castlereagh*) et Russie (Nesselrode*), auxquelles s'adjoignit la France de la Restauration (Talleyrand*), le congrès de Vienne fut en fait un partage — qui se révéla difficile — de territoires et ne tint aucun compte des aspirations nouvelles de l'Europe, libérales et nationales, si bien que le XIXe s. verra se multiplier les remises en cause violentes de son œuvre.

VIENNE (Haute-) [87], départ. de la Région Limousin; 5 512 km²; 352 149 hab. Ch.-l. *Limoges.* S.-préf. *Bellac* et *Rochechouart.*

Correspondant au haut Limousin (centre et sud) et à la basse Marche (nord), le département est formé en majeure partie de plateaux d'altitude comprise entre 250 et 500 m, s'élevant vers le S.-E. et entaillés notamment par les vallées de la Vienne et de la Gartempe. L'ensemble, exposé aux vents d'ouest, est abondamment et assez régulièrement arrosé, alors que les hivers deviennent rudes dans le sud-est, plus élevé et éloigné de l'Océan. La densité de population est nettement inférieure à la moyenne nationale et le serait encore bien davantage sans la présence de Limoges, qui regroupe la moitié de la population du département; l'essor de cette ville explique la croissance démographique observée dans les vingt dernières années et qui a succédé à une assez courte phase de dépeuplement, amorcée après la Première Guerre mondiale. En fait, l'exode rural, ancien, est toujours sévère dans les campagnes, tenant au maintien d'un important secteur agricole (qui emploie encore le septième de la population active), largement dominé par l'élevage bovin pour la viande. L'industrie occupe un peu plus du tiers de cette population active; elle est représentée, en dehors d'activités extractives (uranium vers Bessines-sur-Gartempe, kaolin [à la base de la porcelaine de Limoges]) ou traditionnelles (ganterie de Saint-Junien), par la métallurgie de transformation, implantée surtout dans l'agglomération de Limoges, la plus importante entre Loire et Garonne. Limoges est favorisée par une bonne desserte routière et ferroviaire sur l'un des grands axes entre Paris et le Sud-Ouest (Toulouse).

L'EUROPE AU CONGRÈS DE VIENNE

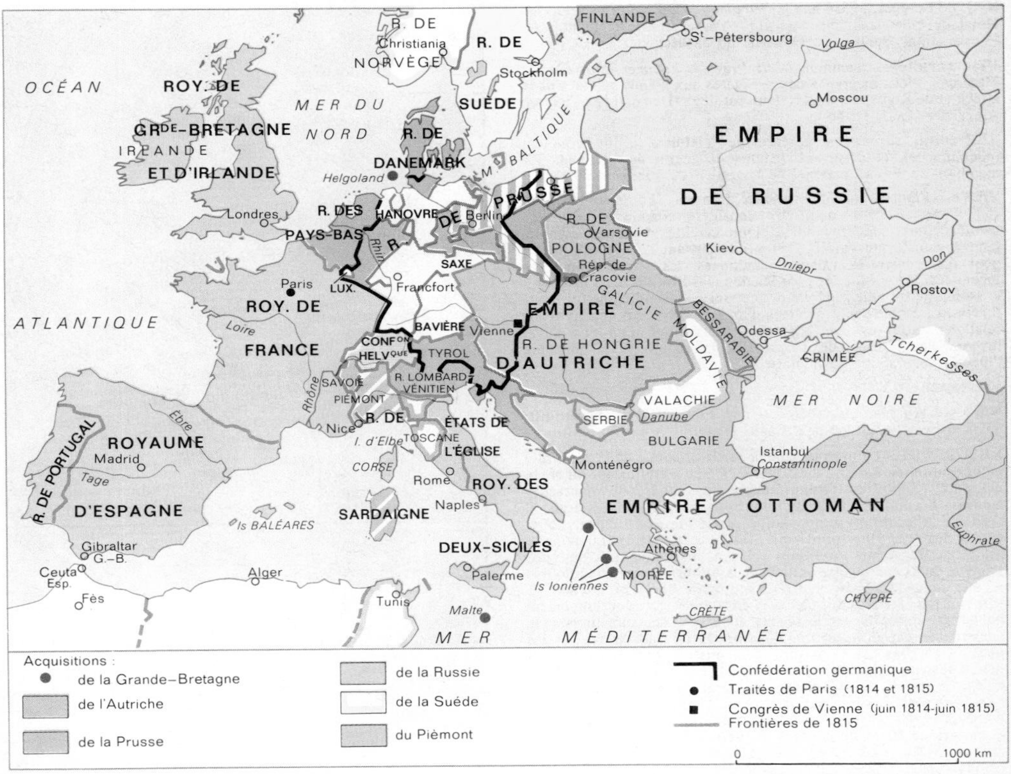

VIENTIANE, capit. administrative du Laos, sur le Mékong; 177 000 hab.

VIERGE, constellation* zodiacale, située presque sur l'équateur. C'est en observant son étoile la plus brillante, l'*Épi,* qu'Hipparque* découvrit la précession des équinoxes et la vraie durée de l'année.

Son étoile double γ fut l'une des premières étoiles découvertes, et dans ses environs se trouve un remarquable groupement de galaxies*, l'amas *Virgo.* — Sixième signe du zodiaque.

Vierge aux rochers *(la),* tableau d'autel de Léonard de Vinci, entrepris v. 1482-83 et dont il existe deux versions autographes, au Louvre (collection de François Ier) et à la National Gallery de Londres. On est saisi par la poésie de cette conversation silencieuse située devant la moiteur glauque d'étranges couloirs rocheux; Léonard y révèle son intérêt pour la géologie et la botanique et poursuit tant l'étude du clair-obscur et de la perspective aérienne que celle, plus intellectuelle, du groupement équilibré des personnages et du contrepoint gestuel des attitudes.

VIERGES *(îles),* en angl. **Virgin Islands,** archipel des Petites Antilles, à l'E. de Porto Rico, partagé entre les États-Unis (dont les îles Sainte-Croix; Saint Thomas et Saint John [344 km^2; 62 000 hab.; ch.-l. *Charlotte Amalie*]) et la Grande-Bretagne (dont Tortola, Virgin Gorda et Anegada [153 km^2; 10 000 hab.; ch.-l. *Road Town*]).

VIERNE (Louis), organiste et compositeur français (Poitiers 1870 - Paris 1937). Élève de Franck et de Widor, cet artiste aveugle, organiste de Notre-Dame de Paris, improvisateur de grand talent, a écrit de la musique de chambre, des mélodies, et une œuvre d'orgue d'une facture romantique.

VIERZON (18100), ch.-l. de cant. du Cher, sur le Cher, à 32 km au N.-O. de Bourges; 36 514 hab. *(Vierzonnais).* Église des XIIe et XVe s. Hôtel de ville dans une ancienne abbaye. Centre métallurgique. Constructions électriques. Industrie du caoutchouc.

Vies parallèles (communément *Vies des hommes illustres*), par Plutarque, récits biographiques consacrés aux grands hommes de la Grèce et de Rome, et groupés deux par deux (Démosthène-Cicéron, Alexandre-César, etc.).

Viêt-cong, expression abrégée de Viêt-nam et de công-san (communiste), et désignant, pendant la guerre du Viêt-nam, les membres du Front* national de libération du Viêt-nam du Sud.

VIÈTE (François), mathématicien français (Fontenay-le-Comte 1540 - Paris 1603). Il peut être considéré comme le père des mathématiques modernes. Il a sinon inventé, du moins complètement transformé l'algèbre en y introduisant l'usage des lettres pour représenter les valeurs numériques, les voyelles pour les inconnues, les consonnes pour les données : idée géniale menant à la notion de formule générale permettant de résoudre une fois pour toutes l'ensemble des problèmes d'un même type. Il découvrit les relations entre les coefficients et les racines d'un polynôme, inventa l'application de l'algèbre à la géométrie et présuma l'incommensurabilité du nombre π.

Viêt-minh → VIÊT-NAM.

VIÊT-NAM *(république socialiste du),* État de l'Asie du Sud-Est; 335 000 km^2; 46 520 000 hab. Capit. *Hanoi.*

GÉOGRAPHIE. Le pays occupe la partie orientale de la péninsule indochinoise, en bordure de la mer de Chine méridionale. Au N., le delta du Tonkin, ou fleuve Rouge, est encadré de montagnes élevées. Il connaît un climat tropical humide aux hivers frais. Il regroupe le quart de la population sur le vingtième du territoire, autour des deux villes principales, Hanoi et le port de Haiphong. Il est intensément mis en valeur grâce à l'irrigation. Les paysans, groupés en coopératives, pratiquent la culture du riz avec double récolte annuelle. Mais, malgré les progrès de la production, le surpeuplement est une menace constante. Le développement industriel, entrepris par le régime socialiste, demeure limité. Du sous-sol, on extrait un peu de charbon (Hông Gai), du zinc et des phosphates. Des usines textiles, des constructions mécaniques et des industries alimentaires sont localisées dans les principales villes. Le sud du pays demeure plus rural encore. Les plateaux de l'Annam sont bordés par d'étroites plaines côtières où une population très dense, groupée autour de Huê et de Da Nang, vit de la culture du riz et de la canne à sucre. Le delta du Mékong, de mise en valeur plus récente que le Tonkin, est moins densément peuplé. Des plantations d'hévéas occupent les plateaux bordiers, alors que le delta lui-même, au climat chaud et humide, est le domaine de la riziculture. L'énorme agglomération de Saigon (auj. Hô Chi Minh) regroupe 3 millions d'habitants.

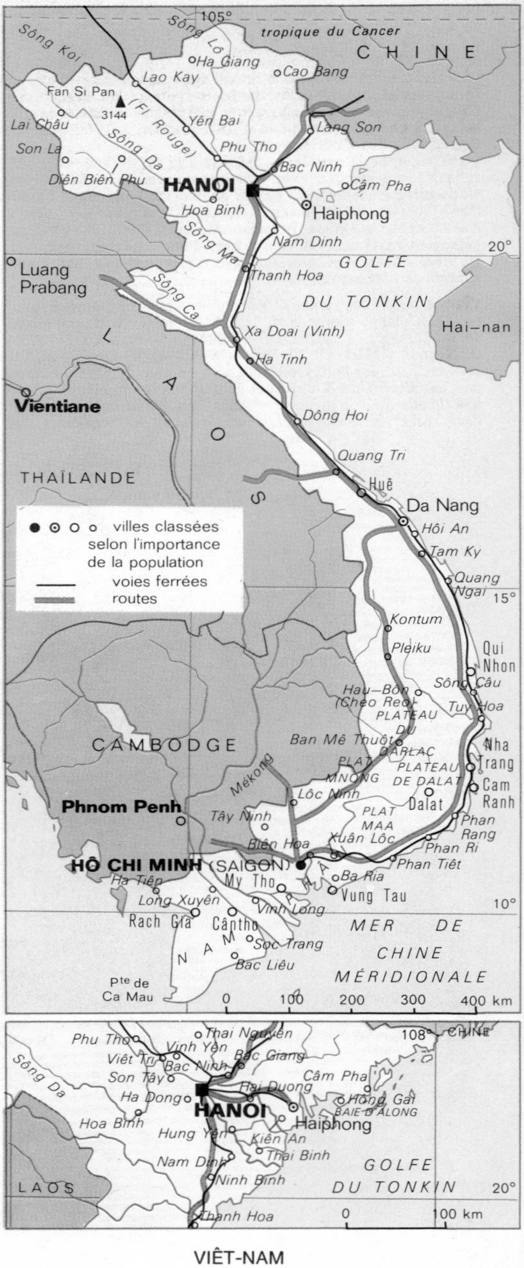

VIÊT-NAM

HISTOIRE. À partir du VIIIe s. av. J.-C. un royaume fédéral, connu sous le nom de Van Lang, occupe le nord du pays. Au IIIe s. av. J.-C., ce royaume disparaît pour faire place au royaume d'Âu Lac, principauté militaire et centralisée. Mais, dès 214 av. J.-C., l'empereur chinois Ts'in Che Houang-ti amorce la conquête des principautés au sud du Yang-tseu-kiang : celle-ci s'avère efficace sous les Han* (111 av. J.-C.), qui deviennent maîtres du royaume indépendant de Nam Viêt, constitué en 208 av. J.-C. par le général Triêu Da et qui devient la province du Giao Chi. D'abord libérale, la domination des Han se durcit à partir de 40 apr. J.-C., et contre le joug chinois éclatent de nombreuses révoltes. En 905, un Vietnamien, Khuc Thua Du, devient gouverneur à la place du gouverneur chinois, chassé par le peuple. Les T'ang, impuissants, assistent à l'indépendance du pays, qui devient effective avec l'accession au trône de Ngô Quyên, fondateur de la première dynastie nationale (939). La mort de ce dernier (944) ouvre une période d'anarchie, que clôt l'avènement de Dinh Bô Linh, qui donne au pays, théoriquement vassal de la Chine, le nom de Dai Co Viêt (968). Suit la dynastie des Lê antérieurs (980-1009), que remplace la grande dynastie des Ly (1010-1225); celle-ci, installée à Thang Long (Hanoi), centralise le pays (devenu le Dai Viêt en 1054), où elle instaure le régime chinois du mandarinat et de la bureaucratie. L'empereur, propriétaire de la terre, en apanage la plus grande part à ses dignitaires, qui pérennisent en fait le système du servage; la riziculture constitue la base de l'économie féodale, cependant que l'artisanat prend son essor. Sur le système socio-religieux du culte domestique se greffe le bouddhisme*, qui est évincé au XIIIe s. par le confucianisme, devenu doctrine d'État.

En même temps, le Dai Viêt étend ses territoires vers le sud, se heurtant au Champa*, puis aux Khmers*; mais, pour sauvegarder l'indépendance nationale, il doit contenir les Chinois, battus en 1076. Les Trân (1225-1413), qui succèdent aux Ly, repoussent les Mongols (1257-1287). Une vacance du pouvoir provoque l'occupation chinoise (1406-1428), à laquelle met fin Nguyên Trai (1380-1442), qui instaure la dynastie des Lê postérieurs : celle-ci culmine sous le règne de Lê Thanh Tông (1460-1497). Mais le pouvoir central se trouve encore en proie à des troubles graves : les autorités locales deviennent souvent autonomes, tandis que se développent des jacqueries. En 1527, un clan seigneurial, les Mac, chasse les Lê postérieurs du Sud. Le pays se coupe bientôt en deux, les seigneurs Trinh contrôlant le Nord, les Nguyên le Sud (Huê); nordistes et sudistes se livrent une guerre acharnée (1627-1672).

Cette anarchie favorise les ambitions européennes. Au XVIIe s., des missionnaires français s'installent au Dai Viêt. Évincée de l'Inde, la France tourne les yeux, au XVIIIe s., vers l'Indochine. Cependant, au Dai Viêt, la décadence est arrêtée par l'action de trois frères (Nguyên Nhac, Nguyên Lu et Nguyên Huê), les Tây Son, qui se débarrassent des Nguyên en 1785. L'empereur du Nord évite le même sort en livrant son pays à la Chine : investi «roi d'Annam» par la cour de Pékin, l'empereur Lê Hien Tong devient un simple jouet aux mains des Mandchous. Ceux-ci sont battus par Nguyên Huê (1789), qui se fait proclamer empereur sous le nom de Quang Trung (de 1789 à 1792). À la mort de ce dernier, des dissensions éclatent : aidé par les Français, Nguyên Anh défait les Tây Son (1802) et devient, sous le nom de Gia Long* (de 1802 à 1820), le maître de tout le Viêt-nam. La monarchie Nguyên, qu'il fonde, soucieuse de conserver l'unité du pays, pratique un centralisme rigoureux. La xénophobie développée par Minh Mang (de 1820 à 1841), Thiêu Tri (de 1841 à 1847) et Tu Duc (de 1848 à 1883) sert de prétexte à la France pour intervenir et devenir peu à peu maîtresse du pays; installés en Cochinchine dès le second Empire, les Français dominent tout le pays en 1884, après les campagnes du Tonkin* (v. INDOCHINE FRANÇAISE).

La colonisation française, qui donne de l'essor à certains secteurs de l'économie et développe une politique de grands travaux, provoque très tôt des mouvements nationalistes. D'abord le fait de mandarins («insurrection des lettrés», 1885-1896), le nationalisme vietnamien, après la Première Guerre mondiale, est façonné par de jeunes révolutionnaires d'obédience communiste (Hô Chi Minh*, Vô Nguyên Giap*...) et aussi par de nombreux étudiants revenus de France. En 1930 naît le parti communiste vietnamien, qui est sévèrement combattu par les autorités françaises. La défaite française de 1940 est fortement ressentie au Viêt-nam. Le régime colonial français s'effondre devant l'offensive japonaise et en mai 1941 naît le Front de l'indépendance du Viêt-nam (Viêt-minh), qui veut lutter contre le fascisme japonais et l'impérialisme français. En 1945, le Viêt-minh est solidement implanté dans les provinces septentrionales, mais reste faible dans le Sud. Proclamé indépendant, le Viêt-nam (2 sept. 1945) retombe bientôt sous la coupe de la France. Un moment, Hô Chi Minh croit pouvoir compter sur la France, qui reconnaît d'abord l'indépendance de la république démocratique du Viêt-nam au sein de la fédération indochinoise. Mais la proclamation, par le haut-commissaire français, l'amiral Thierry d'Argenlieu*, d'une «république autonome de Cochinchine» et le bombardement d'Haiphong par la marine française (nov. 1946) préludent à l'insurrection du Viêt-minh (19 déc.) et à une longue guerre, qui se clôt en 1954 par le désastre français de Diên Biên Phu et la reconnaissance, par les accords de Genève, de l'intégrité territoriale de la république démocratique du Viêt-nam (Nord) : mais le pays est divisé en deux par le 17e parallèle, en attendant des élections générales pour la réunification. Au sud, Ngô Dinh Diêm, fort de l'appui des Américains, dénonce les accords de Genève, provoque la déposition de l'empereur Bao Dai et proclame en 1955 la république du Viêt-nam (Sud), où il instaure un régime autoritaire. Dès 1960, des dissidents forment le Front national de libération du Sud Viêt-nam (F. N. L.). L'assassinat de Ngô Dinh Diêm (1963) et l'«incident du golfe du Tonkin» (1964) préludent à la seconde guerre du Viêt-nam, où s'enlisent les Américains. En 1968 s'ouvre à Paris une conférence qui n'aboutit à rien et ne peut empêcher la formation, en 1969, du gouvernement révolutionnaire provisoire de la république du Viêt-nam du Sud (G. R. P.). La guerre continue avec une rare intensité, et les Américains doivent finalement s'avouer vaincus. L'accord signé à Paris le 27 janvier 1973 semble devoir pérenniser la coupure du Viêt-nam en deux États; mais, dès le 15 décembre 1974, le Viêt-nam du Sud est attaqué par les troupes du G. R. P. et du Viêt-nam du Nord; le 30 avril 1975, Saigon se rend. En 1976, après l'élection d'une Assemblée nationale commune, le Viêt-nam est réunifié sous le nom de «république socialiste du Viêt-nam»; Ton Duc Thang* en est le président, et Pham Van Dong* le Premier ministre. En 1978, un conflit frontalier oppose le Viêt-nam au Cambodge.

BEAUX-ARTS. Carrefour du monde chinois et de l'Asie du Sud-Est, le pays a joué depuis la préhistoire un rôle important comme voie de passage des cultures de la Chine vers le Pacifique et s'illustre dès cette époque avec les cultures de Hoa Binh, de Bac Son, etc. Le néolithique final correspond à l'épanouissement de la civilisation du fleuve Rouge (villages sur pilotis, outils et armes de pierre polie, céramique au tour et au four, à décor imprimé, gravé, incisé, peint; vannerie). Le bronze — ou période vanlangienne, d'après le chef Lac de la tribu Van Lang —, apparu vers le IIe millénaire av. J.-C., voit fleurir dans sa phase finale et au début de l'âge du fer la culture de Dông Son*. La période post-vanlangienne (IIIe s. av. J.-C.-Ier s. apr. J.-C) est la continuation de la culture vanlangienne, alors que, pendant celle qui suit, dite «giaochaléenne» (Ier-IXe s.), après l'influence des Han, la pénétration du bouddhisme, du confucianisme et du taoïsme suscite des formules artistiques proches de celles de la Chine.

La période protodaiviêtique (Xe s.), première période d'indépendance, est à l'origine d'un art national, s'épanouissant durant la période daiviêtique (XIe-XVIe s.) avec la dynastie des Ly (1010-1225), qui édifie la cité impériale de Thang Long (auj. Hanoi*).

L'architecture connaît un brillant essor (pagodes Chuong Son et Bao Thiên); il en est de même de la sculpture et des divers arts mineurs, en particulier de la céramique avec les céladons du Thank Hoa, de Kim Ma, de Ngoc Ha, de Vinh Phuc, etc.

L'art des Trân (1225-1413), de tendance réaliste, porte encore l'empreinte de la Chine et reflète l'atmosphère martiale qui règne dans le pays. Sous les Lê postérieurs (1428-1527), le triomphe du confucianisme et la renaissance des lettres et des arts engendrent un art essentiellement aristocratique. Durant l'époque Mac (1527-1592), avec la renaissance du bouddhisme, une certaine évolution se décèle dans l'architecture, mais la sculpture reste dans la tradition de l'époque précédente. Le centre céramique de Bat Trang crée des «bleu et blanc» de très belle qualité.

Entre 1592 et 1789, sous les seigneureries des Nguyên et des Trinh, une certaine décadence envahit l'art de cour au profit d'un art de tendance populaire. Durant l'époque postdaiviêtique (1789-1945) l'artisanat demeure l'unique gardien des traditions anciennes.

VIETNAMIEN. — Le vietnamien s'est séparé très tôt des langues môn-khmères et a subi l'influence du thaï et du chinois : c'est une langue monosyllabique comportant six tons. Il s'est d'abord écrit grâce à un système particulier, utilisant des caractères chinois. À partir du XVIIe s., les missionnaires ont diffusé un système de transcription phonétique utilisant l'alphabet latin, le quôc-ngu.

VIEUX-BOUCAU-LES-BAINS (40480), comm. des Landes, à 8 km au N.-O. de Soustons; 1072 hab. Station balnéaire.

VIEUX-CATHOLIQUES. — Ce nom est porté, d'une part, par les héritiers, aux Pays-Bas (Utrecht, Haarlem, Deventer), du jansénisme* du XVIIIe s., qui forment une petite Église fortement intégrée au mouvement œcuménique, et, d'autre part, par l'Église indépendante, hostile à l'infaillibilité pontificale, qui se créa en 1871 autour du théologien allemand Döllinger*, au lendemain du premier concile du Vatican*, et qui groupe environ 600 000 fidèles.

VIEUX-CONDÉ (59690), comm. du Nord, sur l'Escaut, à 2 km au N.-O. de Condé-sur-l'Escaut; 11 547 hab.

VIEUX-CROYANTS → RASKOL.

VIF (38450), ch.-l. de cant. de l'Isère, à 16,5 km au S. de Grenoble; 3 616 hab. Église en partie romane. Cimenterie.

VIGAN (Le) [30120], ch.-l. d'arr. du Gard, à 63 km au N.-O. de Montpellier; 4434 hab. *(Viganais).* Pont d'époque gothique. Musée cévenol. Industrie textile.

VIGANO (Salvatore), danseur et chorégraphe italien (Naples 1769 - Milan 1821). Neveu du compositeur Luigi Boccherini, il subit l'influence de Dauberval. Il monte à Vienne *les Créatures de Prométhée* (1801) sur la partition que Beethoven écrit à sa demande. Initiateur du drame dansé, il est par ses conceptions esthétiques, qui lui font rechercher l'expression réaliste des actions qu'il suscite, le précurseur du ballet moderne.

VIGÉE-LEBRUN (Louise Élisabeth VIGÉE, **Mme**), peintre français (Paris 1755 - *id.* 1842). Elle commence à quinze ans sa carrière de portraitiste au talent délicat et flatteur. Son premier portrait de la reine est de 1779 (Vienne); elle est reçue en 1783 à l'Académie. Durant la Révolution, elle travaille en Italie, à Vienne, à Saint-Pétersbourg... Sous Louis XVIII, son art passe assez vite de mode.

VIGEOIS (19410), ch.-l. de cant. de la Corrèze, à 9 km au S.-O. d'Uzerche; 1 346 hab. Église conservant des parties des XIe-XIIe s.

VIGEVANO, v. d'Italie (Lombardie), au S.-O. de Milan; 68 000 hab. Monuments anciens. Chaussures.

VIGILANCE. — Être plus ou moins vigile, c'est s'adapter au monde extérieur en fonction des variations qui y sont perçues. Ce comportement est directement lié à l'activité des structures nerveuses. Les concepts d'attention et de conscience représentent l'aspect psychologique de ce que les neurophysiologistes appellent « vigilance ». À chaque niveau clinique de vigilance (éveil, sommeil* lent ou sommeil rapide) correspond un tracé sur l'électroencéphalogramme* caractérisé par son rythme et son amplitude. Le rythme de base d'éveil est le rythme α (10 c/s), qui se transforme en rythme β (15 à 20 c/s) d'amplitude plus faible au moment des stimulations sensorielles. Les travaux de Michel Jouvet ont montré que l'éveil était sous la dépendance de la formation réticulée activatrice ascendante du tronc cérébral et que cette structure, informée par une multitude de collatérales des voies sensitives et sensorielles, était soumise à l'influence facilitatrice de la noradrénaline, alors que le sommeil était sous contrôle de la sérotonine. Ces monoamines cérébrales sont sensibles à l'influence de certaines substances, des psychotropes* en particulier. L'impact de ces derniers produits sur le niveau de vigilance a été utilisé à des fins thérapeutiques, comme dans la narcoanalyse : les barbituriques* et les amphétamines* induisent une dissolution particulière de la vigilance, au cours de laquelle le sujet livre un matériel verbal qu'il avait jusque-là caché consciemment ou inconsciemment. Les « sérums de vérité » sont fondés sur ces effets.

L'hypovigilance recouvre des états variés tant physiologiques (sommeil) que pathologiques. Ainsi, suivant le degré croissant d'altération pathologique de la vigilance, on distingue l'obtusion (simple lenteur intellectuelle), l'obnubilation (torpeur intellectuelle), l'hébétude et la confusion*. Ces troubles sont d'origine organique : toxique, infectieuse, tumorale ou traumatique. La vigilance est totalement abolie dans le coma*; cet état est dû à une altération du mécanisme d'éveil et non pas à une simple exagération de l'activité des mécanismes responsables du sommeil. L'hypersomnie (torpeur, somnolence, narcolepsie ou léthargie) est en effet réversible à tout moment : le sujet peut en être extrait si on le sollicite fortement, alors que le « précoma », qui lui ressemble beaucoup cliniquement, évolue toujours vers un coma si on n'intervient pas pour en corriger le trouble causal.

VIGILE → PAPE.

VIGNE → VIN.

VIGNEMALE (le), point culminant des Pyrénées françaises (à la frontière espagnole), au S. de Cauterets; 3 298 m.

VIGNEULLES-LÈS-HATTONCHÂTEL (55210), ch.-l. de cant. de la Meuse, à 17 km au N.-E. de Saint-Mihiel; 1 259 hab. Sur la hauteur, église du vieux bourg, du XIVe s. (retable attribué à L. Richier).

VIGNEUX-SUR-SEINE (91270), ch.-l. de cant. de l'Essonne, à 3 km au S.-O. de Villeneuve-Saint-Georges; 26 654 hab. *(Vigneusiens).*

VIGNOLE (Iacopo BAROZZI, dit **il Vignola,** en fr. **le**), architecte italien (Vignola 1507 - Rome 1573). Il étudie peinture, perspective et architecture à Bologne, participe à la construction de la villa Giulia à Rome, chef-d'œuvre du maniérisme (1551-1555), élève à Caprarola le palais Farnèse* et à Rome, parmi d'autres travaux, la chapelle S. Andrea sulla Via Flaminia (1554, au plan ovale annonciateur du baroque) et l'église du Gesù (1568), où tout est conçu pour diriger l'attention vers le maître-autel. Ce dernier édifice sera le modèle le plus imité dans le monde catholique pendant deux siècles. L'influence du Vignole ne sera pas moins durable avec sa *Règle des cinq ordres,* traité dont la simplicité vigoureuse dans l'interprétation de l'antique fera le succès.

VIGNOLES (Charles Blacker), ingénieur britannique (Woodbrook, Irlande, 1793 - Hythe, Hampshire, 1875). Il introduit en Grande-Bretagne le profil du rail* à patin, dû à l'Américain Robert Stevens* et qui, depuis, porte à tort son nom.

VIGNON (Claude), peintre français (Tours 1593 - Paris 1670). Ayant fréquenté à Rome le milieu des caravagesques, connaissant les Vénitiens, audacieux et varié, il s'installa à Paris v. 1627 et enseigna à l'Académie royale à partir de 1651. (*L'Adoration des Mages,* d'un style féerique, 1619, Dayton, États-Unis.)

VIGNORY (52320 Froncles), ch.-l. de cant. de la Haute-Marne, à 20 km au N. de Chaumont; 437 hab. Église, en partie du début du XIe s., d'un anc. prieuré bénédictin (sculptures des XIVe-XVIe s.).

VIGNY (95450), ch.-l. de cant. du Val-d'Oise, à 13 km à l'O.-N.-O. de Pontoise; 919 hab.

VIGNY (Alfred, *comte* DE), écrivain français (Loches 1797 - Paris 1863). Sous-lieutenant aux gendarmes rouges de la maison du roi en 1814, il quitte l'armée en 1827 avec le grade de capitaine. Il fréquente depuis 1820 les cénacles romantiques et a publié ses premiers *Poèmes* (1822), les *Poèmes* antiques et modernes* (1826) et un roman historique, *Cinq-Mars** (1826). Le succès de ce livre l'encourage dans la voie du récit en prose, et il écrit deux ouvrages à thèse : *Stello** (1832) et *Servitude* et grandeur militaires* (1835). En même temps, il est attiré par le théâtre, pour lequel il traduit en vers *Othello* (1829) et auquel il donne un drame en prose (*la Maréchale d'Ancre,* 1831), un proverbe (*Quitte pour la peur,* 1833) et surtout *Chatterton* (1835). Après 1837, la mort de sa mère, sa rupture avec l'actrice Marie Dorval et la maladie de sa femme le font s'éloigner de Paris et des milieux littéraires. Vigny vit dans la solitude de son manoir du Maine-Giraud, dans l'Angoumois, et publie quelques grands poèmes dans *la Revue des Deux Mondes* (« la Mort du loup », 1843; « la Maison du berger »; « le Mont des Oliviers », 1844; « la Bouteille à la mer », 1854). Élu, après cinq échecs, à l'Académie française en 1845, il est blessé par la réponse du comte Molé à son discours de réception. Enthousiasmé d'abord par la révolution de 1848, il connaît une nouvelle déception aux élections en Charente et se rallie à l'Empire. Plein d'amertume, figé dans une attitude hautaine, il meurt après une longue maladie. Après sa mort ont paru les *Destinées* (1864), une suite de *Stello, Daphné* (1912) et le *Journal d'un poète* (1867 et 1948).

VIGO, port d'Espagne, en Galice, sur l'Atlantique; 199 000 hab. Pêche. Automobiles.

VIGO (Jean), cinéaste français (Paris 1905 - *id.* 1934). Fils du journaliste anarchiste, Almereyda, il fut marqué par une enfance inquiète et malheureuse. Dans les quelques films qu'il parvint à tourner — au prix de mille difficultés —, on découvre un ton très inhabituel dans le cinéma de son époque : esprit de révolte, âpreté de la critique sociale, lyrisme insolite, tendresse poétique (*À propos de Nice,* 1929; *Zéro de conduite,* 1933; *l'Atalante,* 1934).

VIGOGNE → LAMA.

VIGY (57640), ch.-l. de cant. de la Moselle, à 17 km au N.-E. de Metz; 984 hab.

VIHIERS (49310), ch.-l. de cant. de Maine-et-Loire, à 21 km au S.-O. de Doué-la-Fontaine; 3 709 hab.

VIIPURI, nom finnois de VYBORG*.

VIJAYAVADA ou **BEZWADA,** v. de l'Inde, dans l'est de l'Andhra Pradesh, sur la Kistnā; 317 000 hab.

VIKINGS, guerriers et navigateurs des pays scandinaves, qui entreprirent des expéditions maritimes de la fin du VIIIe s. au début du XIe. Colonisateurs des Shetland, du nord de l'Écosse, du Yorkshire et de la région de Dublin, ils découvrirent l'Islande, le sud du Groenland et peut être même la côte du Labrador en Amérique (v. NORMANDS). La fin de ce grand mouvement de migration coïncide avec la mise en place d'États unitaires, constitués par le regroupement des petits royaumes vikings primitifs en grandes unités territoriales, tels la Norvège* de Harald Ier Hårfager ou le Danemark* de Harald II Blåtand.

VILA → PORT-VILA.

VILAINE (la), fl. de la Bretagne orientale, long de 225 km, qui passe à Vitré, à Rennes, à Redon et dont l'estuaire, sur l'Atlantique, est coupé par un barrage à Arzal.

VILA NOVA DE GAIA, v. du Portugal, sur le Douro, en face de Porto; 51 000 hab. Commerce des vins de Porto.

VILAR (Jean), acteur et metteur en scène français (Sète 1912 - *id.* 1971). Élève de Dullin, animateur, à partir de 1947, du festival d'Avignon, il a dirigé de 1951 à 1963 le Théâtre national populaire, où il a donné une vie nouvelle à des œuvres classiques françaises *(le Cid, Don Juan, Lorenzaccio)* ou étrangères *(le Prince de Hombourg),* tout en initiant le public français aux dramaturges contemporains (Brecht, O'Casey).

VILEBREQUIN → GRAISSAGE.

VILLA. — Sous ce terme, les Romains désignaient deux résidences fort différentes : la *villa rustica,* ensemble de bâtiments convenant avant tout à l'exploitation agricole; la *villa urbana,* lieu de plaisance. Les plus riches des *villae urbanae* étaient somptueusement décorées de mosaïques et de peintures; la villa Hadriana*, à Tibur, et la villa albaine de Domitien sont parmi les plus célèbres. L'Italie de la Renaissance retrouva la conception de la villa de plaisance romaine (à Rome, la villa Médicis; à Tivoli, la villa d'Este).

VILLACOUBLAY → VÉLIZY-VILLACOUBLAY.

VILLAFRANCA DI VERONA, v. d'Italie, en Vénétie, au S.-O. de Vérone; 19 000 hab. En 1859, Napoléon III y signa l'armistice qui conclut la campagne d'Italie*.

VILLAHERMOSA, v. du sud du Mexique, capit. de l'État de Tabasco; 100 000 hab.

VILLAINES-LA-JUHEL (53700), ch.-l. de cant. de la Mayenne, à 28 km au N.-E. de Mayenne; 2 804 hab. Constructions mécaniques.

VILLA-LOBOS (Heitor), compositeur brésilien (Rio de Janeiro 1887 - *id.* 1959). De formation autodidacte, il réalisa dans son pays, après deux séjours à Paris, une action pédagogique remarquable. Parmi ses partitions les meilleures et les plus connues citons la série des quatorze *Chôros* (1920-1928) et celle des neuf *Bachianas brasileiras* (1930-1945).

VILLAMBLARD (24140), ch.-l. de cant. de la Dordogne, à 23,5 km au N. de Bergerac; 841 hab. Vignobles.

VILLANDRAUT (33730), ch.-l. de cant. de la Gironde, à 14 km à l'O. de Bazas; 887 hab. Ruine d'un château du début du XIVe s.

VILLANDRY (37300 Joué lès Tours), comm. d'Indre-et-Loire, à 17 km au S.-O. de Tours, sur le Cher; 679 hab. Église romane. Château remontant aux XIVe et XVIe s.; jardins à trois niveaux de parterres, restitués dans l'esprit de la Renaissance.

VILLARD de Honnecourt, architecte français du XIIIe s. Il semble avoir notamment donné, v. 1225, des plans pour la collégiale de Saint-Quentin. On a de lui un carnet de dessins au trait qui reflète l'expérience acquise au cours de ses voyages comme de ses travaux, sorte de mémento constituant pour nous une source exceptionnelle de connaissance (B. N., Paris).

VILLARD (Paul Ulrich), physicien français (Lyon 1860 - Bayonne 1934). Il a découvert et identifié en 1900 le rayonnement gamma des corps radioactifs.

VILLARD-BONNOT (38190 Brignoud), comm. de l'Isère, sur l'Isère, à 17 km au N.-E. de Grenoble; 6 034 hab.

VILLARD-DE-LANS (38250), ch.-l. de cant. de l'Isère, dans le Vercors, à 35 km au S.-O. de Grenoble; 3 930 hab. Station climatique et de sports d'hiver (alt. 1 050-1 926 m).

VILLARET DE JOYEUSE (Louis Thomas, *comte* DE), amiral français (Auch 1747 - Venise 1812). Contre-amiral en 1793, il se distingua contre les Anglais en 1794 au large d'Ouessant, commanda en 1801 l'expédition contre Saint-Domingue, capitula devant les Anglais à la Martinique (1809) et mourut gouverneur de Venise.

VILLARODIN-BOURGET (73500 Modane), comm. de Savoie, à 4 km à l'E. de Modane; 399 hab. Centrale hydroélectrique.

VILLARS (Claude Louis Hector, *duc* DE), maréchal de France (Moulins 1653 - Turin 1734). Ambassadeur à Vienne (1683 et 1697-1701) et lieutenant général (1693), il remporte la victoire de Friedlingen, qui lui vaut le bâton de maréchal (1702). De nouveau vainqueur des Impériaux à Höchstädt (1703), il combat ensuite les camisards* (1705). Chef de l'armée du Nord, il arrête les alliés à Malplaquet* (1709) avant de remporter la victoire de Denain (1712).

VILLARS-LES-DOMBES (01330), ch.-l. de cant. de l'Ain, à 33 km au N.-E. de Lyon; 2 372 hab. Église des XIVe-XVe s.

VILLARS-SUR-VAR (06710), ch.-l. de cant. des Alpes-Maritimes, à 18,5 km à l'E. de Puget-Théniers; 383 hab.

VILLAVICIOSA DE TAJUÑA, village d'Espagne, en Nouvelle-Castille (prov. de Guadalajara). Le 7 décembre 1710, le duc de Vendôme* y écrasa les alliés, sauvant ainsi la couronne de Philippe V* d'Espagne.

VILLE. — Traduction spatiale ponctuelle du phénomène d'urbanisation*, la ville est classiquement considérée comme le groupement continu et dense d'une population exclusivement (ou presque) vouée aux activités industrielles et surtout, aujourd'hui, tertiaires (services). Sa forme (le plan), résultante du site (contraintes du milieu naturel) et aussi de l'histoire (conditions humaines présidant à son développement), n'offre qu'un intérêt d'étude limité face à la détermination de la nature et de l'importance de ses fonctions, causes et effets de son poids démographique et de l'attraction qu'elle exerce sur le milieu environnant. La *métropole,* qu'il s'agisse des pays industrialisés ou en voie de développement, est d'abord un centre de services de haut niveau, stérilisant la création d'activités de même nature dans un large rayon (par exemple, l'université de Paris a longtemps interdit la création d'établissements supérieurs dans les villes périphériques, comme en témoigne le caractère récent des promotions d'Amiens au nord, de Reims à l'est, d'Orléans au sud, et de Rouen à l'ouest), et concentrant la majeure partie des pouvoirs de décision, dans les domaines politique, administratif et financier (prépondérance de la Bourse parisienne en France, de Wall Street aux États-Unis, du Stock Exchange de Londres). Au-dessous se situe la *capitale régionale* (comme Strasbourg en France, Florence en Italie, Utrecht aux Pays-Bas), au rôle souvent notable dans le domaine culturel, bien moindre aujourd'hui sur le plan économique. La relative faiblesse des services est parfois compensée par le poids plus grand de l'industrie, qui n'est plus jamais prépondérante au niveau des métropoles. La *petite ville,* enfin, est un centre surtout commercial pour une étendue restreinte (de l'ordre de l'arrondissement français) et souvent à prépondérance rurale. La hiérarchie des villes, parfois qualifiées de « lieux centraux », constitue le *réseau urbain,* trame plus ou moins serrée, en rapport premier avec l'intensité de l'urbanisation, et qui conditionne dans les pays développés la répartition des densités de population.

VILLÉ (67220), ch.-l. de cant. du Bas-Rhin, à 15 km au N.-O. de Sélestat; 1 530 hab.

VILLEBOIS-LAVALETTE (16320), ch.-l. de cant. de la Charente, à 25 km au S.-E. d'Angoulême; 772 hab. Vieux bourg fortifié. Château reconstruit au XVIIe s. (chapelle des XIIe-XIIIe s.).

VILLEBON-SUR-YVETTE (91120 Palaiseau), ch.-l. de cant. de l'Essonne, à 2 km au S. de Palaiseau; 7 364 hab.

VILLEBRUMIER (82370 Labastide Saint Pierre), ch.-l. de cant. de Tarn-et-Garonne, sur le Tarn, à 17 km au S.-E. de Montauban; 548 hab.

VILLECRESNES (94440), ch.-l. de cant. du Val-de-Marne, à 3 km au S.-E. de Boissy-Saint-Léger; 6 070 hab.

VILLE-D'AVRAY (92410), comm. des Hauts-de-Seine, à 5 km à l'O.-S.-O. de Paris; 11 699 hab. *(Ville-d'Avraysiens).* Église d'époque Louis XVI (peintures de Corot, etc.).

VILLEDIEU-DU-CLAIN (La) [86340], ch.-l. de cant. de la Vienne, à 14,5 km au S. de Poitiers; 831 hab. Église romane.

VILLEDIEU-LES-POÊLES (50800), ch.-l. de cant. de la Manche, à 22 km au N.-E. d'Avranches; 4 713 hab. Église du XVIe s. Objets en cuivre et en aluminium.

VILLE-EN-TARDENOIS (51170 Fismes), ch.-l. de cant. de la Marne, à 21 km au S.-O. de Reims; 318 hab. Église romane.

VILLEFAGNAN (16240), ch.-l. de cant. de la Charente, à 10 km à l'O. de Ruffec; 1 010 hab.

VILLEFORT (48800), ch.-l. de cant. de la Lozère, à 54 km au N. d'Alès; 787 hab.

VILLEFRANCHE (06230), ch.-l. de cant. des Alpes-Maritimes, au fond de la *rade de Villefranche,* à 5 km à l'E. de Nice; 7 258 hab. Station balnéaire. Citadelle du XVIe s. Vieille ville pittoresque, avec son église du XVIIe s. Chapelle décorée par J. Cocteau.

VILLEFRANCHE-D'ALBIGEOIS (81430), ch.-l. de cant. du Tarn, à 17 km à l'E. d'Albi; 796 hab.

VILLEFRANCHE-DE-CONFLENT (66500 Prades), comm. des Pyrénées-Orientales, à 6 km au S.-O. de Prades; 435 hab. Enceinte médiévale remaniée au XVIIe s. Église des XIIe-XIVe s.

VILLEFRANCHE-DE-LAURAGAIS (31290), ch.-l. de cant. de la Haute-Garonne, à 34 km au S.-E. de Toulouse, sur le canal du Midi; 2 948 hab. Anc. bastide, avec son église des XIIIe-XIVe s., typique du gothique méridional.

VILLEFRANCHE-DE-LONCHAT (24610), ch.-l. de cant. de la Dordogne, à 14 km au N.-E. de Castillon-la-Bataille; 740 hab.

VILLEFRANCHE-DE-ROUERGUE (12200), ch.-l. d'arr. de l'Aveyron, sur l'Aveyron; 13 673 hab. *(Villefranchois).* Puissante église Notre-Dame (XIVe-XVIe s.), formant l'un des côtés d'une place bordée, par ailleurs, de typiques « couverts » (galerie à arcades prise sur le rez-de-chaussée des maisons). Chapelle des Pénitents-Noirs (XVIIe s.). Sur la rive gauche de l'Aveyron, importante chartreuse du XVe s., auj. hospice. Industries alimentaires. Boulonnerie.

VILLEFRANCHE-DU-PÉRIGORD (24550), ch.-l. de cant. de la Dordogne, à 40 km au N.-O. de Cahors; 816 hab.

VILLEFRANCHE-SUR-SAÔNE (69400), ch.-l. d'arr. du Rhône, à 31 km au N. de Lyon; 30 696 hab. *(Caladois).* Église des XIIe-XVIe s. Maisons anciennes. Constructions mécaniques et électriques. Industries chimiques et alimentaires.

VILLEHARDOUIN, famille noble d'origine champenoise, dont une branche gouverna au XIIIe s. la principauté d'Achaïe. GEOFFROI **de Villehardouin** (Villehardouin v. 1150 - en Thrace v. 1213), maréchal du comté de Champagne, joua un rôle prédominant dans les négociations entre les chefs de la quatrième croisade et les Vénitiens. Après la prise de Constantinople (1204), il reçut le titre de « maréchal de Romanie », puis devint le principal conseiller de Boniface, marquis de Montferrat. Il est l'auteur d'une *Histoire de la conquête de Constantinople,* précieuse pour l'histoire des États latins de Grèce et de Romanie et dans laquelle il a cherché à justifier le détournement de la quatrième croisade vers Constantinople. — Son neveu, GEOFFROI Ier, fut prince d'Achaïe (de 1209 à 1229), ainsi que GEOFFROI II (de 1229 à 1246) et GUILLAUME II (de 1246 à 1278), tous deux fils de Geoffroi Ier.

VILLE-HÔ CHI MINH → SAIGON.

VILLEJUIF (94800), ch.-l. de cant. du Val-de-Marne, à 2 km au S. de Paris; 55 644 hab. *(Villejuifois).* Institut du cancer. Hôpital psychiatrique.

VILLÈLE (Jean-Baptiste, *comte*), homme d'État français (Toulouse 1773 - *id.* 1854). Maire de Toulouse en juillet 1815, il s'affirme à la Chambre introuvable comme le chef des ultraroyalistes. Il combat la politique modérée de Richelieu*, avant de lui succéder à la tête du ministère (1821). Soutenu, puis débordé par la Chambre élue en 1824, il doit, sous la pression de la majorité ultra, faire voter la loi sur le milliard des émigrés (1825). N'ayant pu obtenir le vote, par les pairs, de la loi rétablissant le droit d'aînesse (1826), ni celui de la loi Peyronnet sur la presse (1827), il dissout la garde nationale, puis la Chambre (1827). Il doit démissionner en 1828.

VILLELLA (Edward), danseur américain (Long Island, New York, 1936). Attaché au New York City Ballet, dont il est directeur artistique depuis 1972, il abandonne la scène pour raison de santé. Interprète balanchinien idéal, il est doué d'une exceptionnelle présence scénique et d'une technique hors de pair. Parmi ses meilleures interprétations citons *Afternoon of a Faun, Dances at a Gathering, Watermill* de J. Robbins; *The Prodigal Son, Agon, Bugaku, Harlequinade, Jewels...* de Balanchine.

VILLEMAIN (Abel François), professeur et homme politique français (Paris 1790 - *id.* 1870). Ministre de l'Instruction publique (1840-1844), il entreprit une réforme de l'enseignement secondaire. Il a été un des pionniers de la littérature comparée (*Cours de littérature française,* 1828-29; *Études de littérature ancienne et étrangère,* 1846).

VILLEMIN (Jean Antoine), médecin militaire français (Prey 1827 - Paris 1892). Professeur au Val-de-Grâce, il démontra en 1865 le caractère contagieux de la tuberculose.

VILLEMOMBLE (93250), ch.-l. de cant. de la Seine-Saint-Denis, à 8 km à l'E. de Paris; 28 860 hab. *(Villemomblois).*

VILLEMUR-SUR-TARN (31340), ch.-l. de cant. de la Haute-Garonne, à 26 km au S.-E. de Montauban; 4 692 hab. Constructions électriques. Industries alimentaires.

VILLENA (Enrique DE ARAGÓN, dit *marquis* DE), écrivain espagnol (Torralba 1384 - Madrid 1434). Il écrivit des *Coplas* (1414) pour les fêtes de Saragosse et donna des traductions de Virgile et de Dante.

VILLENAUXE-LA-GRANDE (10370), ch.-l. de cant. de l'Aube, à 14 km au N.-E. de Nogent-sur-Seine; 1 852 hab. Église des XIIIe-XVIe s.

VILLENAVE-D'ORNON (33140 Pont de la Maye), ch.-l. de cant. de la Gironde, à 9 km au S. de Bordeaux; 23 273 hab. Vignobles.

VILLENEUVE (12260), ch.-l. de cant. de l'Aveyron, à 12 km au N. de Villefranche-de-Rouergue; 1 493 hab. Église romane (chœur circulaire) et gothique, et autres vestiges médiévaux.

VILLENEUVE (Pierre Charles DE), amiral français (Valensole 1763 - Rennes 1806). Commandant l'escadre de Toulon, il fut vaincu par Nelson à Trafalgar* (1805), où il fut pris. Libéré, il se suicida.

VILLENEUVE-D'ASCQ (59650), comm. du Nord, dans la banlieue est de Lille; 36 913 hab. Elle a été formée en 1970 par la fusion d'Ascq, d'Annappes et de Flers-lez-Lille.

VILLENEUVE-DE-BERG (07170), ch.-l. de cant. de l'Ardèche, à 17 km au S.-E. d'Aubenas; 1 768 hab. Musée Olivier de Serres.

VILLENEUVE-DE-MARSAN (40190), ch.-l. de cant. des Landes, à 17 km à l'E. de Mont-de-Marsan; 2 125 hab. Église du XIIe s. Hôtel de ville du XVIIIe s.

VILLENEUVE-LA-GARENNE (92390), ch.-l. de cant. des Hauts-de-Seine, sur la Seine, à 3 km au N. de Paris; 23 691 hab.

VILLENEUVE-L'ARCHEVÊQUE (89190), ch.-l. de cant. de l'Yonne, à 22 km au N.-E. de Sens; 1 321 hab. Église des XIIIe et XVIe s. (sculptures).

VILLENEUVE-LE-ROI (94290), ch.-l. de cant. du Val-de-Marne, sur la Seine, à 11 km au S. de Paris, près de l'aéroport d'Orly; 21 096 hab. *(Villeneuvois).* Constructions mécaniques.

VILLENEUVE-LÈS-AVIGNON (30400), ch.-l. de cant. du Gard, sur le Rhône, en face d'Avignon; 8 977 hab. Chartreuse fondée en 1356 par le pape Innocent VI, fort Saint-André construit sur ordre du roi Charles V. Église et demeures de cardinaux de la même époque. À l'hospice, petit musée avec un célèbre *Couronnement* de la Vierge* de 1453.

VILLENEUVE-LOUBET (06270), comm. des Alpes-Maritimes, à 14 km à l'O.-S.-O. de Nice; 6 119 hab. Électronique.

VILLENEUVE-SAINT-GEORGES (94190), ch.-l. de cant. du Val-de-Marne, sur la Seine, à 12 km au S.-E. de Paris; 32 212 hab. *(Villeneuvois).* Église des XIIIe et XVIe s. Gare de triage.

VILLENEUVE-SUR-LOT (47300), ch.-l. d'arr. de Lot-et-Garonne, sur le Lot, à 29 km au N. d'Agen; 23 046 hab. *(Villeneuvois).* Anc. bastide du XIIIe s. Industries alimentaires.

VILLENEUVE-SUR-YONNE (89500), ch.-l. de cant. de l'Yonne, à 13 km au S. de Sens; 4 810 hab. *(Villeneuviens).* Anc. bastide du XIIe s., avec deux portes fortifiées et une église des XIIIe-XVIe s. (statues, vitraux).

VILLENEUVE-TOLOSANE (31270 Cugnaux), comm. de la Haute-Garonne, à 12,5 km au S.-O. de Toulouse; 5 159 hab.

VILLEPARISIS (77270), comm. de Seine-et-Marne, à 18 km au N.-E. de Paris; 14 913 hab. *(Villeparisiens).* Industrie chimique.

VILLEPINTE (93420), ch.-l. de cant. de la Seine-Saint-Denis, à 14 km au N.-E. de Paris; 17 711 hab.

VILLEPREUX (78450), comm. des Yvelines, à 9 km au S.-O. de Saint-Germain-en-Laye; 8 434 hab.

VILLERÉAL (47210), ch.-l. de cant. de Lot-et-Garonne, à 30 km au N. de Villeneuve-sur-Lot; 1 359 hab. Anc. bastide du XIIIe s., à la place typique (église fortifiée, halle aux piliers de bois).

VILLERMÉ (Louis René), médecin et sociologue français (Paris 1782 - *id.* 1863). Son *Tableau de l'état physique et moral des ouvriers dans les fabriques de coton, de laine et de soie* (1840) est une des premières monographies sociologiques.

VILLEROI (Nicolas DE NEUFVILLE, *duc* DE), maréchal de France (Paris 1598 - *id.* 1685). Il commanda Casale Monferrato et Pignerol (1631-1635) avant de devenir le gouverneur de Louis XIV; maréchal de France (1646), il fut président du Conseil des finances (1661). — Son fils FRANÇOIS (Lyon 1644 - Paris 1730), maréchal en 1693, essuya maintes défaites avant d'être gouverneur de Louis XV (1717-1722).

VILLERS-BOCAGE (14310), ch.-l. de cant. du Calvados, à 25 km au S.-O. de Caen; 2 321 hab. Marché agricole. Industries alimentaires.

VILLERS-BOCAGE (80260), ch.-l. de cant. de la Somme, à 11,5 km au N. d'Amiens; 1 091 hab. Église des XIIIe et XVIe s.

VILLERS-COTTERÊTS (02600), ch.-l. de cant. de l'Aisne, à 23 km au S.-O. de Soissons, en bordure de la forêt de *Villers-Cotterêts;* 8 978 hab. *(Cotteréziens).* Château rebâti pour François Ier. De la lisière de la forêt de Villers-Cotterêts déboucha le 18 juillet 1918, avec les armées Mangin et Degoutte, la première contre-offensive lancée par Foch contre le front allemand (v. GUERRE MONDIALE [*Première*]).

Villers-Cotterêts *(ordonnance de),* ordonnance de François Ier (1539), qui imposa, à la place du latin, le français dans les actes notariés et judiciaires, et obligea les curés à tenir régulièrement les registres de catholicité.

VILLERS-ÉCALLES (76360 Barentin), comm. de la Seine-Maritime, à 20 km au N.-O. de Rouen; 1 164 hab. Électronique.

VILLERSEXEL (70110), ch.-l. de cant. de la Haute-Saône, à 26 km au S.-E. de Vesoul, sur l'Ognon; 1 483 hab. Victoire de Bourbaki sur les Prussiens le 8 janvier 1871.

VILLERS-FARLAY (39600 Arbois), ch.-l. de cant. du Jura, à 14 km au N. d'Arbois; 386 hab.

VILLERS-LE-LAC (25130), comm. du Doubs, à 6 km à l'E. de Morteau; 4 428 hab. Horlogerie.

VILLERS-LÈS-NANCY (54600), comm. de Meurthe-et-Moselle, dans la banlieue sud-ouest de Nancy; 14 108 hab.

VILLERS-SAINT-PAUL (60870 Rieux), comm. de l'Oise, à 4 km au N. de Creil; 5 072 hab. Industrie chimique.

VILLERS-SAINT-SÉPULCRE (60134), comm. de l'Oise, à 15 km au S.-E. de Beauvais; 660 hab. Industrie chimique.

VILLERS-SUR-MER (14640), comm. du Calvados, à 8 km au S.-O. de Deauville; 1 773 hab. Station balnéaire.

VILLERUPT (54190), ch.-l. de cant. de Meurthe-et-Moselle, à 18 km au S.-E. de Longwy; 13 401 hab. *(Villeruptiens).* Sidérurgie.

VILLE-SUR-TOURBE (51800 Ste Menehould), ch.-l. de cant. de la Marne, à 15 km au N.-O. de Sainte-Menehould; 216 hab.

VILLETANEUSE (93430), comm. de la Seine-Saint-Denis, à 2 km au N.-O. de Saint-Denis; 8 909 hab. Université.

Villette *(la),* quartier du nord-est de Paris (XIXe arr.). Bassin où aboutit le canal de l'Ourcq et dont est issu le canal Saint-Martin.

VILLEURBANNE (69100), ch.-l. de cant. du Rhône, dans la banlieue est de Lyon; 119 418 hab. *(Villeurbannais).* Principale commune de l'agglomération lyonnaise (Lyon exclus), important centre industriel (métallurgie de transformation surtout).

VILLIERS DE L'ISLE-ADAM (Auguste, *comte* DE), écrivain français (Saint-Brieuc 1838 - Paris 1889). Influencé par Baudelaire et Edgar Poe, il donna des recueils de vers romantiques (*Premières Poésies,* 1859), avant d'exprimer son idéalisme mystique dans un roman (*Isis,* 1862) et une série de drames (*le Nouveau Monde,* 1875). Ami de Mallarmé, il ne fit cependant pas partie du mouvement symboliste, mais traduisit dans ses derniers contes son désir d'absolu et son dégoût de la vulgarité quotidienne (*Contes* cruels,* 1883; *l'Ève future,* 1886; *l'Amour suprême,* 1886; *Tribulat Bonhomet,* 1887; *Histoires insolites,* 1888; *Nouveaux Contes cruels,* 1888). Après sa mort parut, en plusieurs versions, le grand drame qui l'avait hanté toute sa vie (*Axel,* 1872, 1885-86, 1890), et en 1966 a été découverte une pièce inédite, *le Prétendant.*

VILLIERS-LE-BEL (95400 Arnouville lès Gonesse), ch.-l. de cant.

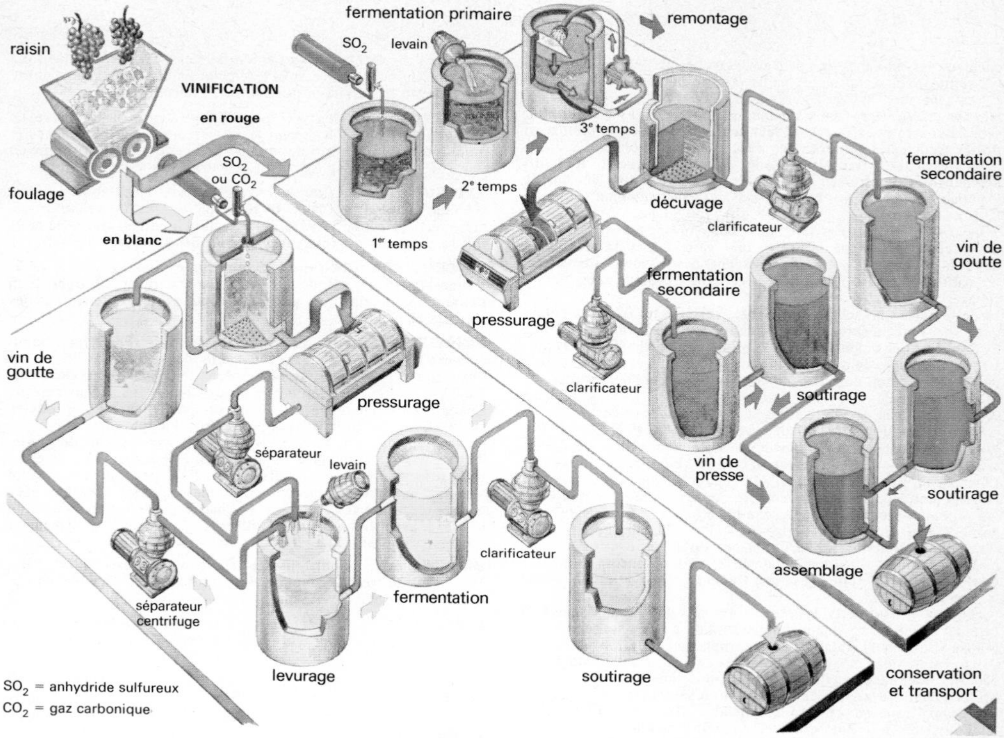

VIN. Schéma de fabrication.

du Val-d'Oise, à 14 km au N. de Paris; 22 042 hab. Église des XIIIe-XVIe s.

VILLIERS-SAINT-GEORGES (77560), ch.-l. de cant. de Seine-et-Marne, à 15 km au N.-E. de Provins; 1 036 hab. Église des XIIe et XIIIe s.

VILLIERS-SUR-MARNE (94350), ch.-l. de cant. du Val-de-Marne, à 12 km à l'E. de Paris; 22 302 hab. Église du XVIe s. Musée municipal (histoire de la Brie française).

VILLON (François), poète français (Paris 1431 - apr. 1463). De très humble famille, il est adopté par un chapelain de Saint-Benoît-le-Bétourné, Guillaume de Villon, qui lui fait entreprendre des études et lui donne son nom. Écolier indiscipliné, il s'affilie peut-être à une bande de malfaiteurs, les « Coquillards », dans le jargon desquels il écrit quelques ballades. Licencié et maître ès arts en 1452, il est bientôt entraîné dans une rixe mortelle, qui l'oblige à se cacher. Il obtient des lettres de rémission du roi Charles VII, mais participe peu après à un vol au collège de Navarre. Il écrit alors le *Lais*, ou *Petit Testament** (1456), et gagne la province, où il mène pendant plusieurs années une vie d'expédients et de rapines. En 1461, il est arrêté à Meung-sur-Loire et jeté dans les prisons de l'évêque d'Orléans, mais l'avènement de Louis XI le délivre. Il compose à cette date le *Testament**. Condamné à être pendu par le prévôt de Paris, il fait appel de la sentence, et sa peine est commuée en celle du bannissement (janv. 1463). Dès lors, on perd sa trace. Villon était certainement mort quand parut en 1489 la première édition de ses œuvres. Outre les genres à formes fixes (ballade, rondeau), il a pratiqué la strophe de huit vers octosyllabiques. En plus du *Lais* et du *Testament,* il a laissé une quinzaine de pièces, dont plusieurs se rapportent à son dernier procès *(Épitaphe,* dite *Ballade des pendus).* La force de son inspiration et la sincérité de ses accents font de lui le premier des grands lyriques français modernes.

VILLON (Gaston DUCHAMP, dit **Jacques**), peintre et graveur français (Damville, Eure, 1875 - Puteaux 1963). Son art, fait d'intelligence et de travail rigoureux, s'attache essentiellement aux rapports de forme et de couleur qui organisent la composition. S'il doit beaucoup au cubisme (il participe en 1912 à la « Section d'or », forme de cubisme synthétique), il s'en distingue par une recherche chromatique toujours riche et subtile, qui l'a mené pendant un temps à l'abstraction pure. Jusqu'en 1910, il avait donné des dessins dans les journaux humoristiques. Par la suite, il exerça le métier d'aquafortiste de reproduction.

VILNIOUS, v. de l'U. R. S. S., capit. de la Lituanie, au N.-O. de Minsk; 372 000 hab. La ville conserve son noyau monumental ancien : vestiges du château médiéval, bâtiments universitaires, église Saint-Pierre-et-Saint-Paul, baroque (XVIIe s.), cathédrale, reconstruite à l'époque néoclassique, etc. Musées. Constructions mécaniques et électriques. Anc. *Vilna* ou *Wilno.*

VILVORDE, en néerl. **Vilvoorde,** comm. de Belgique (Brabant), au N.-E. de Bruxelles; 34 992 hab. Église Notre-Dame, des XIVe-XVe s. (stalles baroques). Métallurgie.

VIMEU (le), région de l'ouest du département de la Somme, sur la Manche, entre les basses vallées de la Somme et de la Bresle. Serrurerie et robinetterie.

VIMINAL *(mont),* l'une des sept collines de Rome, située à l'E. de la ville, entre le Quirinal et l'Esquilin.

VIMOUTIERS (61120), ch.-l. de cant. de l'Orne, à 27 km au S. de Lisieux; 5 076 hab. Industrie alimentaire.

VIMY (62580), ch.-l. de cant. du Pas-de-Calais, à 9,5 km au N. d'Arras; 3 316 hab. Théâtre de violents combats en 1915 et 1917 (v. ARTOIS [*bataille d'*]).

VIN. — Les procédés de vinification varient d'un vignoble à l'autre, suivant la variété de vin que l'on veut obtenir. Cependant, certains principes restent les mêmes. Le raisin, une fois récolté, est, après égrappage ou non, pressé pour obtenir un jus, ou moût. Avant fermentation, le moût peut être additionné de sucre (chaptalisation), opération qui doit répondre en France aux prescriptions du Code du vin; sous l'action de levures sauvages ou de levures sélectionnées qu'on lui ajoute (levurage), la fermentation commence et se produit souvent en deux phases : une fermentation tumultueuse, suivie, après soutirage, d'une fermentation plus lente. Une fois la fermentation terminée, le vin est soutiré plusieurs fois pour le séparer des lies (matières solides formées par les levures et divers déchets provenant du pressage). Différents traitements peuvent être opérés suivant les variétés de vins : coupages, clarification par collage ou centrifugation, vieillissement de durée variable en tonneaux ou en bouteilles. Les sous-produits de la vinification sont les marcs (rafles des grappes, pulpes des grains de raisin), qui, distillés, donnent un alcool de consommation, le marc, ou peuvent être utilisés dans l'industrie des aliments du bétail ou comme amendement du sol.

Le vin est généralement obtenu à partir de raisin frais, mais, dans quelques cas, on laisse le raisin se dessécher partiellement sur cep (sauternes), sur claie ou sur paille (vin de paille).

Les vins sont classés d'après leur couleur (blanc, rosé, rouge), leur teneur en sucre, qui s'applique surtout aux vins blancs (brut, sec, demi-sec, doux, etc.), et leur teneur en alcool, exprimée en degrés alcooliques (pourcentage d'alcool pur en volume).

La législation française (Code du vin) distingue les vins d'appellation contrôlée (A. C.), les vins délimités de qualité supérieure (V. D. Q. S.) et les vins de consommation courante (C. C.).

Les caractéristiques et la qualité d'un vin dépendent :
a) du cépage de vigne utilisé (à cet égard, il y a un très grand nombre de cépages*, et, pour chacune des régions viticoles, la législation française prévoit les cépages recommandés et les cépages autorisés);
b) de la nature du sol où sont plantés ces cépages (c'est ce critère qui a bien souvent servi à la délimitation des appellations d'origine);
c) des conditions climatiques, qui influent en particulier sur la plus ou moins grande rapidité de la maturité des grains et sur leur teneur en sucre (glucose), dont dépend la quantité d'alcool qui résultera de la fermentation;
d) des méthodes de vinification et de conditionnement.

Outre la classification indiquée ci-dessus (A. C., V. D. Q. S., C. C.), les vins peuvent être désignés soit par des dénominations générales, tenant compte de leur région d'origine (Bourgogne, Bordeaux, Champagne, Beaujolais, Anjou, Alsace, Jura), soit par des dénominations plus précises, tenant compte ou de la commune où ils ont été produits (Meursault [bourgogne blanc], Vosne-Romanée [bourgogne rouge], Bouzy [vin rouge naturel de Champagne], Brouilly [beaujolais], Vouvray, Château-Chalon, Jurançon, etc.) ou du chai où a eu lieu la vinification (Château-Yquem), ou encore du cépage dont ils sont issus (pinot, riesling, traminer, tokay [alsace], aligoté [bourgogne], etc.).

On produit dans certaines régions des vins doux dans lesquels on rajoute une liqueur alcoolique nécessaire a leur conservation : pineau (Charentes), ratafia (Champagne), macvin (Jura).

La production mondiale annuelle de vin oscille autour de 350 Mhl. La France et l'Italie demeurent de loin les premiers pays producteurs, fournissant chacune environ le cinquième de ce total, précédant l'Espagne (environ le dixième). L'U. R. S. S., l'Argentine, les États-Unis et le Portugal, avec un apport unitaire compris entre 10 et 30 Mhl, font figure de producteurs moyens. Cette concentration de la production, dont finalement une faible partie (de qualité généralement) entre dans le commerce international, pose à la France et à l'Italie de redoutables problèmes d'écoulement.

VIÑA DEL MAR, v. du Chili, près de Valparaíso; 182 000 hab. Station balnéaire.

VINAIGRE. — Cette solution aqueuse, riche en acide acétique, résulte de la fermentation spontanée ou provoquée de vins, de boissons à faible teneur en alcool ou de solutions sucrées ou amylacées sous l'action d'un micro-organisme aérobie (*Mycoderma aceti*, encore appelé « acétobacter »). L'acétobacter transforme l'alcool en acide acétique et en eau par oxydation. Il se développe à la surface des solutions alcooliques en formant un voile plus ou moins épais dénommé « mère du vinaigre ».

Trois méthodes sont utilisées pour la fabrication industrielle : acétification lente en tonneaux horizontaux (procédé d'Orléans); acétification rapide en cuves verticales, où le milieu alcoolisé ruisselle sur des copeaux de bois de hêtre (méthode allemande); acétification en cuves verticales, où de l'air finement pulvérisé traverse le milieu alcoolisé (cultures immergées).

Le titre d'un vinaigre s'exprime en degrés acétiques : c'est l'acidité totale en grammes d'acide acétique pur pour 100 ml de vinaigre. Le vinaigre est employé comme condiment pour l'assaisonnement de mets divers, pour conserver petits oignons et cornichons. Il est également utilisé en pharmacie et dans la fabrication de quelques types de produits détergents.

VINAY (38470), ch.-l. de cant. de l'Isère, à 10 km au N.-E. de Saint-Marcellin; 3 209 hab.

VINÇA (66320), ch.-l. de cant. des Pyrénées-Orientales, sur la Têt, à 10 km au N.-E. de Prades; 1 593 hab.

VINCENNES (94300), ch.-l. de cant. du Val-de-Marne, limitrophe de Paris (à l'E.), au N. du *bois de Vincennes;* 44 467 hab. *(Vincennois).* Agglomération de résidence aisée. — Le *bois de Vincennes,* partie du XIIe arrondissement de Paris, lieu de promenade, englobe une université (Paris-VIII), un parc zoologique, un parc floral, un hippodrome et l'Institut national des sports (I. N. S.).

BEAUX-ARTS. Vaste château royal à l'enceinte rectangulaire fortifiée, construit au XIVe s. à l'emplacement d'un rendez-vous de chasse antérieur; puissant donjon; sainte-chapelle achevée au XVIe s. (façade flamboyante, vitraux); pavillons du Roi et de la Reine, du temps de Mazarin, par Le Vau (très restaurés). Une manufacture de porcelaine tendre s'y crée au XVIIIe s. Au XIXe, l'ensemble devient arsenal sous Napoléon Ier (qui fait araser les tours de l'enceinte), puis fort entouré de casemates et de glacis. La réhabilitation commence sous le second Empire. Le château abrite depuis 1946 le Service historique de l'armée.

VINCENT *(saint),* martyr espagnol († Valence 304). Diacre de Saragosse, il comparut devant le gouverneur romain à Valence et mourut à la suite des tortures subies. Son culte fut très populaire en Espagne et en France, où il est le patron des vignerons.

VINCENT de Lérins *(saint),* écrivain ecclésiastique, moine à Lérins († Saint-Honorat v. 450). Il reste de lui un *Commonitorium,* aide-mémoire sur le principe de la Tradition en tant que règle de la foi; sa théologie est influencée par un pélagianisme* adouci.

VINCENT FERRIER *(saint),* dominicain espagnol (Valence 1350-Vannes 1419). À partir de 1399, il se livre, à travers l'Europe, à un extraordinaire apostolat itinérant, appelant les chrétiens et les clercs à la pénitence.

VINCENT DE PAUL *(saint),* prêtre français (Pouy [auj. Saint-Vincent-de-Paul] 1581-Paris 1660). Fils de paysans landais, il est ordonné prêtre en 1600. Aumônier de la reine Marguerite de Valois (1610), il se lie avec Bérulle*; curé de Clichy (1612), puis curé de Châtillon-sur-Chalaronne (1617) et aumônier général des galères (1619), il touche du doigt la misère effroyable, physique et morale, de son temps. Aussi « Monsieur Vincent » voue-t-il ensuite sa vie, d'une part, à la formation de missionnaires pour les campagnes — et c'est la fondation des Lazaristes* (1625) — et, d'autre part, à un apostolat multiple de charité, qui donne naissance à de multiples œuvres, notamment les Filles de la Charité, congrégation qu'il fonde en 1634 avec Louise* de Marillac et qui devient extrêmement populaire, et l'œuvre des Enfants trouvés.

VINCENT (Hyacinthe), médecin français (Bordeaux 1862- Paris 1950), qui décrivit l'infection fuso-spirillaire et l'angine qu'elle détermine (angine de Vincent).

VINCENT (Clovis), médecin et neurochirurgien français (Ingré 1879-Paris 1947), fondateur avec Martel de la neurochirurgie française.

VINDEX (Caius Julius), général romain d'origine gauloise (Ier s. apr. J.-C.). Légat de Lyonnaise, il se révolta contre Néron*, mais fut vaincu devant Besançon (68) par P. Virginius Rufus, légat de Germanie supérieure. Sa révolte provoqua celle de plusieurs gouverneurs d'Occident, qui acclamèrent Galba*.

VINDHYA *(monts),* massif du nord du Deccan, dominant (au N.) la vallée de la Narbadā.

VINET (Alexandre), théologien protestant suisse et critique littéraire (Ouchy 1797-Clarens 1847). Professeur de littérature française à Bâle, puis de théologie à Lausanne, il se consacra par la suite à l'apostolat. Sa pensée religieuse est marquée par la doctrine du Réveil*; Vinet a été le défenseur de la liberté intérieure du chrétien et de l'indépendance de l'Église vis-à-vis de l'État.

VINH, v. du Viêt-nam septentrional, près du golfe du Tonkin; 50 000 hab.

VINNITSA, v. de l'U. R. S. S. (Ukraine), au S.-O. de Kiev; 212 000 hab. Industrie chimique.

VINOGRADOV (Ivan Matveïevitch), mathématicien soviétique (Milolioub 1891). Il est le représentant le plus important de l'école soviétique actuelle en théorie des nombres. Le théorème qui porte son nom établit que tout nombre impair assez grand est la somme de trois nombres premiers absolus (1937).

VINOY (Joseph), général français (Saint-Étienne-de-Saint-Geoirs 1800-Paris 1880). Commandant le 13e corps en 1870, il succéda en janvier 1871 à Trochu à la tête de l'armée de Paris. Il accepta l'armistice qui mit fin au siège de la capitale.

VINSON *(mont),* point culminant de l'Antarctique, dans l'ouest du continent, au S. de la Terre de Feu.

VINTIMILLE, en ital. **Ventimiglia,** v. d'Italie (Ligurie), sur le golfe de Gênes, à l'embouchure de la Roya; 23 000 hab. Gare internationale, entre la France et l'Italie.

VINYLIQUE. — Le chlorure de vinyle, $CH_2{=}CHCl$, et l'acétate de vinyle, obtenus par action directe des acides sur l'acétylène, se condensent au contact de catalyseurs pour donner des *résines vinyliques,* qui ont de nombreux usages.

VIOLAINES (62138 Haisnes), comm. du Pas-de-Calais, à 13 km à l'E. de Béthune; 2 425 hab. Centrale thermique.

VIOLE. — Les instruments à cordes frottées par un archet, ancêtres du violon, étaient désignés au XVIe s. par le terme générique de « violes » (vièle, gigue, rebec). Plus tard apparaît la famille des violes de gambe, qui se distinguent des précédentes par un volume généralement plus important, mais une table d'harmonie plus fine et un manche pourvu de frettes, sillets constitués par des cordes entourant celui-ci et marquant chaque demi-ton. Les modèles qui composent cette famille correspondent aux registres des voix. Le XVIIe s. accorde une prépondérance à la basse de viole, qui commence à jouer dans les ensembles, à doubler les instruments de la basse continue (clavecin, luth) ou à devenir soliste. C'est à Marin Marais* que l'on doit le plus beau répertoire de cet instrument.

VIOLETTE. — C'est la très petite fleur printanière de cette plante des forêts et des lieux peu éclairés qui a donné son nom à la couleur « violette ». Il s'agit d'une fleur à symétrie bilatérale, parfois très parfumée, surgissant d'une rosette de feuilles basses arrondies.

VIOLLE (Jules), physicien français (Langres 1841 - Fixin 1923). En 1875, il fit au mont Blanc les premières mesures de la constante solaire et, en 1881, il proposa un étalon d'intensité lumineuse.

VIOLLET-LE-DUC (Eugène), architecte et théoricien français (Paris 1814 - Lausanne 1879). Issu d'un milieu cultivé, très doué pour le dessin, il travaille, au sortir du collège, chez des architectes, fait des voyages archéologiques en France (1832-33) puis en Italie (1836-37). Mérimée, inspecteur général des Monuments* historiques, lui fait confier des restaurations d'œuvres du Moyen Âge comme l'abbatiale de Vézelay (1840), la Sainte-Chapelle de Paris (sous la direction de Duban), puis Notre-Dame, les cathédrales d'Amiens, de Chartres, de Reims, la basilique de Saint-Denis, etc. Sa théorie veut que la « restitution » d'un édifice soit établie en fonction des principes architectoniques dont découlent ses formes; il est ainsi amené à interpréter des monuments selon une rationalité scientifique parfois peu accordée à l'invention créatrice des constructeurs médiévaux. Il fut sévèrement critiqué, mais grâce à lui furent sauvegardés de nombreux monuments. On lui doit une œuvre écrite de grande importance, notamment deux *Dictionnaires raisonnés,* consacrés l'un à l'architecture (10 vol., 1854-1868), l'autre au mobilier (6 vol., 1858-1875) du Moyen Âge français, ainsi que le projet, réalisé après sa mort, du musée des Monuments français (où sont conservés ses dessins). Il a en outre jeté, dans ses *Entretiens sur l'architecture* (1863-1872), les bases d'une nouvelle école rationaliste, fondée sur l'emploi du métal.

VIOLON. — Création du XVIe s., boudé par l'aristocratie, cet instrument à cordes frottées par un archet donnait la cadence aux danseurs. Pour arriver à sa forme actuelle, il subit peu de modifications importantes. Il comporte une caisse de résonance, un manche évidé pour permettre la mise en place du chevillier, où s'enroulent quatre cordes (accordées par quintes) accrochées, à l'autre extrémité, au cordier. Le chevalet supporte la tension des cordes. L'alto, le violoncelle et la contrebasse sont, toutes proportions gardées, construits sur le même modèle que le violon. Cet instrument mit quelque temps à posséder une musique qui lui fût spécifiquement destinée; il commença par emprunter sa musique aux violes et au luth. Le vrai répertoire violonistique ouvrira la voie aux grandes formes classiques (sonate*, symphonie*, quatuor, concerto*). C'est aux Italiens (Corelli, Vivaldi, Paganini) que revient le mérite d'avoir pressenti la valeur artistique du violon.

VIOLONCELLE → VIOLON.

VIONNET (Madeleine), couturière française (Aubervilliers 1876 - Paris 1975). Formée au métier chez Callot, puis chez Doucet, elle présente chez ce dernier, en 1907, des mannequins sans corset, pieds nus dans des sandales. Elle ouvre sa propre maison en 1912. La première, elle travaille les tissus en biais dans des drapés. Elle se retire de la couture en 1939.

VIORNE. — Au fil de l'été, l'on peut voir passer un par un du rouge vif au noir les petits fruits en corymbes de la viorne, arbrisseau aux feuilles veloutées, qui se couvre au printemps de petites fleurs blanches aux pétales soudés. L'*obier,* ou « boule-de-neige », espèce de même genre, porte de belles baies rouges; le *tin* rappelle le laurier par ses feuilles. (Genre *Viburnum,* famille des caprifoliacées.)

VIOTTI (Giovanni Battista), violoniste et compositeur italien (Fontanetto Po 1755 - Londres 1824). Sorti de l'école de Somis et Pugnani, il voyagea en Allemagne, en Pologne, en Russie et s'installa à Paris en 1782, puis à Londres en 1792. Il fut le précurseur de l'école du violon moderne, réalisant en des concertos et des sonates une synthèse entre le monde baroque italien et les prémisses de l'esthétique romantique.

VIPÈRE. — On distingue deux espèces françaises de vipères : l'*aspic,* de la moitié sud de la France, et la *péliade,* de la moitié nord. L'une et l'autre espèce se distingue des couleuvres par une taille plus petite, une queue courte et commençant brusquement, l'absence de grandes plaques écailleuses entre les yeux, la forme des pupilles (en fente) et, surtout pour l'aspic, celle de la tête (nez saillant, arrière de la tête élargi en triangle). L'habitat des vipères est beaucoup plus aride que celui des couleuvres : buissons, éboulis, murs de pierres sèches, lieux ensoleillés.

Les vipères sont des *solénoglyphes,* c'est-à-dire que leurs crochets venimeux, rabattus au repos, se déplient pour piquer (ce qui peut se faire même bouche fermée) et sont creusés d'un canal pour l'écoulement du venin. Après avoir piqué leur proie, elles se retirent et attendent la mort de celle-ci pour venir la dévorer.

Leur nom vient de leur reproduction vivipare ou, plus exactement, ovovivipare : les œufs fécondés éclosent un peu avant, pendant ou juste après la ponte.

VIPÉRINE. — Cette belle plante velue, voisine de la bourrache, constitue le genre *Echium,* aux fleurs bleues, violettes ou roses, tubuleuses, issues d'un calice très apparent et disposées en une seule ligne le long de la tige. (Famille des borraginacées.)

VIRCHOW (Rudolf), médecin et homme politique allemand (Schivelbein 1821 - Berlin 1902). Son ouvrage *Pathologie cellulaire* (1858) a fondé une nouvelle branche de la médecine scientifique. Député progressiste au Reichstag (1862-1893), Virchow s'opposa à Bismark et prit part au Kulturkampf. La ville de Berlin doit beaucoup à son œuvre au conseil municipal.

VIRE (la), fl. côtier de l'ouest de la Normandie, qui passe à Vire, puis à Saint-Lô avant de rejoindre la Manche; 128 km.

VIRE (14500), ch.-l. d'arr. du Calvados, sur la *Vire,* à 59 km au S.-O. de Caen; 14 398 hab. *(Virois).* Église des XIIIe-XVe s. Constructions électriques. Industries alimentaires. — La ville a été presque entièrement détruite pendant la bataille de Normandie* en 1944.

VIRGILE, en lat. **Publius Virgilius Maro,** poète latin (près de Mantoue v. 70 - Brindes 19 av. J.-C.). Ses parents, de condition modeste, lui font donner une solide instruction à Crémone, à Milan, puis à Rome. Vers 44 ou 43, il retourne dans sa patrie, où il brille dans le cercle cultivé qui entoure Asinius Pollio, gouverneur de la province, et compose *les Bucoliques** (42-39). En 40, Pollio est chassé par les octaviens, et le domaine de Virgile aurait été livré aux vétérans : Virgile aurait recouvré ses biens grâce à Octave, et de là daterait son dévouement au futur empereur. En même temps, il rencontre Mécène et devient l'ami d'Horace. Il s'établit à Rome, où il publie *les Géorgiques** (39-29), aidant Auguste à redonner aux Romains le goût de l'agriculture. Enfin, il entreprend à partir de 29 une grande épopée nationale, *l'Énéide**, que tout le monde attend avec passion et dont l'empereur se fait réciter des passages. Il y travaille dix ans, mais ne peut terminer son ouvrage : pour compléter ce dernier, il se rend en Grèce et en Orient, mais meurt au retour, à Brindes. Ses amis publieront le poème que son auteur jugeait imparfait et avait voulu détruire. Enterré près de Naples, Virgile sera entouré d'un véritable culte. Silius Italicus lui élèvera un autel, et un cycle de légendes se formera autour de sa mémoire.

VIRGINAL ou **VIRGINALE** → CLAVECIN.

VIRGINIE, en angl. **Virginia,** État de l'est des États-Unis; 105 716 km^2; 4 648 000 hab. Capit. *Richmond.* État du Sud historique, entre les Appalaches et l'Atlantique, la Virginie, aux étés chauds et humides, est célèbre par ses plantations de tabac, activité aujourd'hui déclinante, mais qui alimente une industrie bénéficiant aussi de la présence de charbon et de minerais métalliques (plomb et zinc) et dominée par la métallurgie de transformation.

VIRGINIE-OCCIDENTALE, en angl. **West Virginia,** État des États-Unis, sur le versant ouest des Appalaches; 62 629 km^2 1 744 000 hab. Capit. *Charleston.* Terre d'émigration, liée à la pauvreté des sols et à la crise de l'extraction houillère, dont l'État demeure cependant un très gros producteur (nettement plus de 100 Mt par an, un apport supérieur à celui de la Ruhr).

VIRGULE *(Inform.)* — Lorsqu'on représente des nombres entiers dans un registre ou une mémoire* d'ordinateur*, on peut considérer qu'on a une *virgule fixée* à droite. La capacité du registre est vite limitée par rapport aux besoins des calculs, car elle atteint rarement une dizaine de chiffres décimaux. Aussi utilise-t-on de préférence une notation, tant interne qu'externe, dite en *virgule flottante.* Elle se présente d'une manière analogue à la notation usuelle, 243×10^2 pour représenter 24 300 ou 243×10^{-3} pour représenter 0,243. Cette notation présente un double avantage : d'une part le programmeur n'a pas à se soucier de la place de la virgule, qui est automatiquement gérée par les circuits de calcul, d'autre part cette technique conserve tout au long des calculs le maximum de chiffres significatifs.

VIRIATHE, chef des Lusitains († 139 av. J.-C.). Pâtre lusitain, il souleva ses compatriotes puis les Celtibères contre Rome et tint en échec les armées romaines pendant huit ans (147-139 av. J.-C.). Rome n'en triompha qu'en le faisant assassiner.

VIRIEU (38730), ch.-l. de cant. de l'Isère, sur la Bourbre, à 12 km au S. de La Tour-du-Pin; 828 hab. Château médiéval et classique.

VIRIEU-LE-GRAND (01510), ch.-l. de cant. de l'Ain, à 13 km au N. de Belley; 874 hab.

VIROFLAY (78220), ch.-l. de cant. des Yvelines, à 7 km au S.-O. de Paris; 15 758 hab. *(Viroflaysiens).*

VIROLOGIE, VIROSE → VIRUS.

VIRTANEN (Artturi Ilmari), chimiste finlandais (Helsinki 1895 - *id.* 1973). Il a reçu, en 1945, le prix Nobel de chimie pour ses recherches dans les domaines de la chimie agricole et alimentaire, notamment pour une méthode de conservation du fourrage.

VIRTON, v. de Belgique, dans le sud de la prov. du Luxembourg, près de la France; 3 558 hab. (en 1970). Combats en 1914 (v. ARDENNE [*l'*]).

VIRUS. — Les virus sont des organismes de très petite taille (de quelques dizaines à quelques centaines de nanomètres). Ils ne contiennent qu'un seul acide nucléique, soit l'A. R. N. (virus grippaux par ex.), soit l'A. D. N. (herpès-virus par ex.). Ils se comportent en parasites vis-à-vis de la cellule hôte qu'ils infestent. Il existe un grand nombre de virus capables de provoquer des infections humaines. L'atteinte de l'organisme peut se traduire par des signes variés, parfois elle est totalement latente. Certains virus détruisent les cellules qu'ils infestent, d'autres produisent une multiplication anormale de celles-ci et sont à l'origine de tumeurs (verrues); le cancer peut avoir dans certains cas une cause virale. Les affections virales peuvent être strictement humaines (rougeole) ou communes à l'homme et aux animaux (rage). La contamination se fait soit directement, par contact entre un sujet malade et un sujet sain, soit indirectement, par l'intermédiaire de l'eau (hépatite) ou d'insectes (fièvre jaune). Les moyens utilisés par l'organisme contre l'infection virale sont multiples : la fièvre et les réactions inflammatoires s'opposent à la multiplication du virus, la synthèse d'interféron par les cellules parasitées les rend résistantes à l'infection par tout autre virus tant que l'infection n'est pas guérie, enfin la production d'anticorps spécifiques, qui a lieu plus tardivement, permet l'acquisition d'une immunité plus ou moins prolongée vis-à-vis de l'infection en cause. Le diagnostic des viroses, objet de la virologie, fait appel à des méthodes directes et indirectes. Les méthodes directes permettent d'isoler et d'identifier le virus responsable de la maladie : on le recherche dans la salive, les urines, les selles, les lésions cutanées ou le liquide céphalo-rachidien, selon l'affection en cause. Le virus est identifié grâce au microscope électronique, mais, le plus souvent, après culture sur milieux spéciaux. Les méthodes indirectes mettent en évidence l'ascension du taux des anticorps spécifiques grâce à des réactions sérologiques.

Il n'existe pas encore de médicaments parfaitement actifs contre les virus. Au cours de ces dernières années cependant, un grand nombre de substances ont été essayées : ainsi l'iododésoxyuridine, la cytosine arabinoside. Toutefois il existe des vaccins préventifs très efficaces qui permettent de lutter contre les viroses : rougeole, variole, poliomyélite, rage, grippe, fièvre jaune.

VIRY-CHÂTILLON (91170), ch.-l. de cant. de l'Essonne, sur la Seine, à 17 km au S. de Paris; 32 493 hab. *(Castelvirois).*

VISAKHAPATNAM ou **VISHAKHAPATNAM,** v. de l'Inde (Andhra Pradesh), sur le golfe du Bengale; 353 000 hab. Chantiers navals.

VISBY, ville de Suède, ch.-l. de prov., dans l'île de Gotland; 16 300 hab. Centre touristique. Nombreux vestiges médiévaux (remparts, ruelles, églises romanes et gothiques en ruine); musée.

VISCACHE. — De la taille d'un gros rat, les viscaches des pampas sud-américaines vivent en troupes très redoutées des cavaliers à cause de leurs vastes terriers peu profonds, qui minent le sol et font broncher les chevaux. La fourrure de la viscache est très recherchée. (Ordre des rongeurs, sous-ordre des hystricomorphes.)

VISCHER, fondeurs et sculpteurs nurembergeois des XVe-XVIe s. L'atelier constitué par PETER L'ANCIEN (v. 1460 - 1529) et ses fils HERMANN LE JEUNE, PETER LE JEUNE, HANS et PAULUS pratiqua surtout l'art funéraire, vendant dans toute l'Allemagne et en Europe centrale dalles gravées, reliefs et statues dont le style gothique animé et décoratif évolue vers plus d'ampleur par une adhésion progressive à la Renaissance italienne (« mausolée de saint Sebald », laiton, 1488-1519, Nuremberg).

VISCONTI, famille italienne, dont la branche la plus connue domina Milan* de 1277 à 1447. Ces petits nobles, qui reçoivent la charge de vicomte *(visconte),* à laquelle leur nom est rattaché, doivent leur fortune à OTTON (1207-1295), qui s'empare de Milan en 1277. Parmi les membres les plus représentatifs, on peut citer : MATHIEU Ier (1250-1322), vicaire impérial de Lombardie en 1294; JEAN-GALÉAS (1351-1402), duc de Milan (1395) et de Lombardie (1397), et ses deux fils, JEAN-MARIE (1389-1412), duc de Milan de 1402 à 1412, et PHILIPPE-MARIE (1392-1447), duc de Milan de 1412 à 1447. À la mort de ce dernier, la branche ducale s'éteint et le pouvoir passe en 1450 à François Sforza*, qui a épousé Blanche-Marie, fille naturelle de Philippe-Marie.

VISCONTI (Luchino), cinéaste et metteur en scène de théâtre italien (Milan 1906 - Rome 1976). Venu au cinéma sous l'influence de Jean Renoir, il fut dès son premier film (*Ossessione,* 1942) à l'origine du mouvement néoréaliste. Esprit progressiste tenté par l'esthétisme, il sut concilier les vertus d'un art raffiné et lyrique et la rigueur du constat social (*La terre tremble,* 1948; *Senso**, 1954; *Nuits blanches,* 1957; *Rocco et ses frères,* 1960; *le Guépard,* 1963; *Stella,* 1964; *les Damnés,* 1968; *Mort à Venise,* 1970; *Ludwig, le Crépuscule des dieux,* 1972; *Violence et passion,* 1974; *l'Innocent,* 1976.)

Warner Bros (coll. J.-L. Passek)

Luchino Visconti. *Les Damnés* (1969).

VISCOSITÉ. — La viscosité des liquides et des gaz est due au frottement intérieur qui se produit pendant l'écoulement de ces corps. La loi de Poiseuille régit l'écoulement laminaire d'un fluide dans un tube capillaire. Elle s'exprime par la relation

$$q = \frac{\pi}{128} \frac{p_1 - p_2}{l} \frac{d^4}{\eta},$$

dans laquelle q est le débit, d le diamètre intérieur du tube, $p_1 - p_2$ la différence de pression qui provoque l'écoulement, l la longueur du tube, et η le coefficient de viscosité, qui, en C.G.S., s'évalue en poises.

VISÉ, v. de Belgique (prov. de Liège), au N.-E. de Liège; 6 880 hab. Dans l'église, châsse de saint Hadelin, mosane, des XIe et XIIe s., en bois recouvert d'argent repoussé (reliefs de la vie du saint).

VISION. — La vision, fonction spécifique des yeux (v. ŒIL), est une source incomparable d'informations sur la position, les contours et les mouvements des objets hors de contact avec le corps. L'angle solide contenant les objets visibles est le *champ visuel.* Chaque œil a le sien, mais ces deux champs peuvent se recouvrir partiellement (homme, chat, chouette) en fournissant un *champ binoculaire,* dans lequel chaque objet a deux images, dont la comparaison cérébrale permet l'appréciation des distances. L'*acuité visuelle* est l'aptitude à distinguer deux points du champ très voisins. L'œil humain atteint une précision d'une minute (1') sexagésimale. Dans notre espèce et dans beaucoup d'autres, les diverses longueurs d'onde lumineuses sont discernées comme des couleurs, susceptibles de se combiner diversement et qui constituent un élément majeur de l'identification des objets. L'œil humain ne distingue les couleurs qu'entre 0,4 μm (limite de l'ultraviolet) et 0,8 μm (limite de l'infrarouge), mais l'abeille, par exemple, discerne des couleurs dans l'ultraviolet.

La vision en faible lumière (vision scotopique) nécessite des processus adaptatifs qui s'établissent en quelques secondes : élargissement de la pupille, réglages rétiniens. Les cellules en bâtonnet des zones latérales de la rétine, reliées en grand nombre au même neurone optique, ont de ce fait un seuil de sensibilité très bas, voisin de la limite théorique, qui est le quantum lumineux, ou photon.

La vision des objets trop proches nécessite, quant à elle, une adaptation du système convergent qui forme l'image rétinienne, en particulier du cristallin, qui augmente sa courbure antérieure.

La vision des mouvements n'est possible que relativement à un fond fixe (les mouvements des globes oculaires pour « suivre des yeux » les objets ne font qu'élargir le champ visuel, au même titre que ceux de la tête). Chez les insectes, en revanche, les *yeux composés* perçoivent aussitôt le moindre mouvement, même sans fond fixe.

L'analyse, chez l'homme, des illusions d'optique et le dressage des animaux à l'aide de signaux visuels permettent de discerner le rôle du cerveau dans l'interprétation et l'utilisation des données visuelles, aussi bien que les performances, parfois remarquables, de l'identification visuelle des objets.

• *La vision humaine.* Elle n'est possible que par la mise en jeu d'un système complexe intéressant l'œil*, les voies optiques (rétine*, nerf optique, chiasma optique, bandelettes optiques, corps genouillé externe) et le lobe occipital du cerveau, où siègent les centres de la vision. Ainsi, n'importe quelle atteinte de ce système peut être responsable de troubles de la vision; le défaut de courbure des milieux réfringents de l'œil (qu'on mesure avec l'ophtalmomètre) rend la vision défectueuse de loin *(myopie)*, de près *(hypermétropie, presbytie)* ou à toutes distances *(astigmatisme)*. Les impressions lumineuses (éblouissements, phosphènes, voiles) peuvent être dues à des affections rétiniennes ou à des troubles cérébraux. La diminution de la vision dès que la lumière diminue *(héméralopie)* ou au contraire une sensibilité anormale à la lumière *(nyctalopie)* peuvent être dues à des anomalies de la rétine ou de l'iris. La vision binoculaire est permise grâce à la synergie fonctionnelle qui existe entre les muscles oculomoteurs. Ceux-ci se trouvent placés sous la dépendance d'un grand nombre de formations nerveuses. La vision de deux images *(diplopie)* est consécutive à la paralysie d'un des muscles moteurs du globe oculaire. L'accommodation à la distance permet à l'œil de voir nettement les objets alors qu'ils sont situés à des distances différentes. Cette mise au point est automatique, mais elle ne s'exerce qu'entre certaines limites : le *punctum proximum* et le *punctum remotum*. Ce dernier est à l'infini chez l'emmétrope (vue normale), à une distance finie chez le myope et virtuel chez l'hypermétrope. C'est la contraction du muscle ciliaire qui règle l'accommodation en modifiant les courbures du cristallin. La vision des couleurs, possible chez le sujet normal, permet la perception des multiples couleurs du spectre lumineux. Cette perception peut être reconstituée à partir de trois couleurs fondamentales : rouge, vert et bleu, mêlées en proportion variable. L'altération du sens coloré réalise une dyschromatopsie, qui porte sur l'une ou sur plusieurs de ces fondamentales. Ainsi, dans le *daltonisme*, les sujets sont aveugles pour le rouge, qu'ils perçoivent noir.

Visitation Sainte-Marie *(ordre de la)*, ordre de moniales, fondé en 1610, à Annecy, par saint François* de Sales et sainte Jeanne* de Chantal.

Visite de la vieille dame *(la)*, pièce de F. Dürrenmatt (1956). Une milliardaire revient dans son pays tirer vengeance, quarante-cinq ans après, de son amant qui l'a abandonnée : en échange de sa fortune, le village se fera son « justicier » complaisant.

VIṢṆU, divinité du panthéon hindouiste. Omniprésent dans l'univers, Viṣṇu en est le dieu qui garantit sa conservation. D'abord présenté comme un allié de Indra* dans les *Rigveda*, il passe au premier plan dans le *Mahābhārata**.

VIṢṆUISME. — Qu'il soit l'Absolu en personne, l'une des trois divinités de la trinité hindouiste (v. HINDOUISME) ou réduit à l'une ou à ses deux incarnations (Rāma et Kriṣṇa), Viṣṇu est l'objet d'une dévotion (bhakti*) qui constitue l'essentiel du viṣṇuisme. Cette religion a été réformée au XIe s. par Rāmānuja*.

VISO *(mont)*, sommet des Alpes franco-italiennes, à 3 841 m, au pied duquel le Pô prend sa source.

VISON. — Ce carnassier est un petit putois des régions froides, aux mœurs de loutre : il creuse un terrier dans les berges, nage et plonge, se nourrit de poissons et de grenouilles. (Famille des mustélidés.) À l'état sauvage, le vison présente une fourrure épaisse et soyeuse, brun foncé. Les trappeurs en rapportent encore chaque année un million de peaux. Inauguré en 1910, l'élevage du vison alimente aujourd'hui le marché mondial. Le vison d'élevage offre plus de deux cents couleurs de peaux. Les États-Unis et la Scandinavie sont les plus gros producteurs de visons, avec près d'une dizaine de millions de peaux chacun. On note, depuis peu, l'apparition sur le marché de visons en provenance de Chine et du Japon.

VISTULE (la), en polon. **Wisła**, principal fl. de Pologne; 1 090 km. Née dans les Carpates occidentales, la Vistule décrit une large boucle en Pologne, dont elle draine toute la moitié orientale, passant notamment à Cracovie, puis à Varsovie, avant de former un delta sur la Baltique (baie de Gdańsk).

VITALIEN → PAPE.

VITALISME. — Le terme s'applique à toute conception qui refuse de réduire la vie aux propriétés fondamentales de la matière, étudiées par les sciences physico-chimiques. C'est dire qu'il traduit une exigence plus qu'un ensemble de connaissances, puisque, en ramenant la vie à un principe spécifique (principe vital chez Barthez; force vitale chez Bichat), on a pu lui reprocher de loger la réponse dans la question.

VITAMINE. — Les vitamines sont indispensables en infime quantité à la croissance et au bon fonctionnement des organismes supérieurs qui ne peuvent en effectuer eux-mêmes la synthèse. De nombreuses vitamines ont été isolées : on ne citera ici que les principales.

• La *vitamine A* intervient dans la croissance et dans la constitution du pigment visuel; elle dérive de certains pigments (carotène), qui sont des provitamines. L'avitaminose A peut relever d'une carence d'apport (c'est une éventualité rare dans les pays développés) ou d'une carence d'utilisation lors de diarrhées chroniques. Elle se traduit par une héméralopie, une xérophtalmie, des anomalies cutanéo-muqueuses. L'hypervitaminose A se manifeste soit sous une forme aiguë réalisant un tableau d'hydrocéphalie transitoire, soit sous une forme chronique dominée par des troubles ostéoarticulaires.

• La *vitamine B1* (thiamine) joue un rôle important dans le métabolisme glucidique. La carence d'apport est rare dans nos pays, la carence d'absorption s'observe lors de diarrhées chroniques, mais la grande cause de carence d'utilisation est l'alcoolisme chronique. Le béribéri, marqué par une polynévrite et des manifestations cardiaques, est dû à une carence polyvitaminique B complexe. L'avitaminose B1 pure donne lieu à l'encéphalopathie de Gayet-Wernicke ou à une cardiopathie carentielle.

• La *vitamine B3* (ou *PP*) intervient comme coenzyme dans les processus réducteurs du métabolisme hydrocarboné. Sa carence provoque la pellagre.

• La *vitamine B9* (ou acide folique) est antianémique.

• La *vitamine B12* exerce une action sur l'hématopoïèse. Sa carence réalise la maladie de Biermer.

• La *vitamine C* (ou acide ascorbique) intervient dans la respiration cellulaire comme transporteur d'hydrogène. Elle joue un rôle important dans la formation des vaisseaux, des cartilages, des os. Sa carence réalise le scorbut.

• Parmi les constituants de la *vitamine C2* ou *P*, l'esculine joue un rôle dans la résistance et la perméabilité des vaisseaux.

• La *vitamine D* peut chez l'homme être synthétisée dans la peau, sous l'influence des rayons ultraviolets, à partir d'une provitamine. Elle régularise le métabolisme phosphocalcique. Sa carence réalise chez l'enfant le rachitisme, chez l'adulte l'ostéomalacie. L'hypervitaminose D peut aboutir à une néphrocalcinose.

• La *vitamine K* joue un rôle essentiel dans la coagulation du sang : elle préside à l'élaboration de la prothrombine par le foie; elle est aussi nécessaire à la synthèse de la proconvertine, du facteur Stuart et du facteur antihémophilique B.

Vita nuova, œuvre de Dante (v. 1294), qui réunit dans la trame d'un commentaire en prose des poésies composées antérieurement, et qui forme une autobiographie amoureuse et poétique de son adolescence. L'amour y apparaît à la fois comme expérience étendue dans le temps et l'espace, comme aventure spirituelle transcendante et comme le fondement de toute parole poétique.

VITEBSK, v. de l'U. R. S. S. (Biélorussie), sur la Dvina occidentale; 231 000 hab. Monuments médiévaux.

VITELLIUS (Aulus) [15 apr. J.-C.-Rome 69], empereur romain (69). Commandant de l'armée de Germanie inférieure, il fut proclamé empereur par ses légions en janvier 69. Mais, après la mort de Galba*, Othon* fut reconnu empereur par le sénat. Vitellius marcha sur Rome et vainquit Othon à Bédriac (avr. 69). Vitellius se montra hostile aux sénateurs et choisit des chevaliers comme ministres. En octobre 69, l'armée du Danube marcha sur l'Italie au nom de Vespasien* : Vitellius, dont l'armée fut écrasée près de Crémone, fut massacré par le peuple.

VITERBE, en ital. **Viterbo**, v. d'Italie (Latium), ch.-l. de prov., au N.-O. de Rome; 56 000 hab. La ville conserve son cachet médiéval et de nombreux monuments, comme le palais des papes, du XIIIe s. Hors des remparts, église S. Maria della Verità, anc. abbatiale fondée en 1100 (fresques de Lorenzo da Viterbo, émule de Piero della Francesca) et musée (archéologie; pinacothèque).

VITESSE DE LA LUMIÈRE. — Dans le vide, c'est une constante physique des plus importantes. Sa première mesure est celle de Römer, en 1676; elle fut faite sur une base d'observation astronomique (éclipses des satellites de Jupiter). Ultérieurement, on réussit à faire des mesures sur la Terre, par la méthode de la roue dentée (Fizeau, en 1849) et par celle du miroir tournant (Foucault, en 1850). Puis on a mesuré la vitesse d'ondes électromagnétiques de fréquence radioélectrique soit en ondes stationnaires, soit en ondes progressives de radar, ou par interférence. Enfin, l'usage des lasers a permis les déterminations les plus récentes. La valeur actuellement admise, connue à quelques mètres près, est de 299 792,5 km/s. Mais, dans les applications usuelles, on l'arrondit à 300 000 km/s.

VITI LEVU, la plus grande des îles Fidji.

VITILIGO → MÉLANINE.

VITORIA, v. d'Espagne, ch.-l. de la province basque d'Álava; 137 000 hab. Églises gothiques, dont la cathédrale, reconstruite au XIVe s. (sculptures). Demeures anciennes. Vaste place à arcades de la fin du XVIIIe s. Musées. Constructions mécaniques. Caoutchouc.

VITÓRIA, port du Brésil, capit. de l'État d'Espírito Santo; 133 000 hab. Exportation de fer.

VITRAC (Roger), écrivain français (Pinsac 1899-Paris 1952). Influencé par le mouvement dada* et théoricien de la poésie nouvelle (*Cruautés de la nuit, Connaissance de la mort,* 1927), il fut l'un des initiateurs du théâtre surréaliste (*les Mystères de l'amour,* 1927; *Victor ou les Enfants au pouvoir,* 1928; *les Demoiselles du large,* 1938).

VITRAGE. — Les vitrages sont fabriqués à partir de fours* à cuve débitant une feuille de verre* en un ruban continu. Le *verre imprimé translucide,* éventuellement armé par un treillis métallique, est produit par laminage. Le *verre à vitres* transparent est fabriqué par étirage vertical. La *glace* est obtenue par épandage de verre liquide sur de l'étain fondu. Cette technique de flottation assure la transparence et la planéité parfaites de la glace sans aucun traitement mécanique.

VITRAIL. — Si les fouilles ont mis au jour des débris plus anciens (Ravenne, VIe s.), les fragments qui constituent les premiers vitraux connus ne remontent pas au-delà du XIe s. (tête de Christ de Wissembourg, musée de l'Œuvre, Strasbourg). On possède d'assez nombreux vitraux romans du XIIe s., dans les pays germaniques (Augsbourg, Strasbourg), en Angleterre et surtout en France (Le Mans, Poitiers, Angers, Châlons-sur-Marne...). S'enchâssant comme une orfèvrerie lumineuse dans des ouvertures encore étroites, entourés de complexes bordures décoratives, ils se composent d'un assemblage de médaillons carrés ou circulaires et sont faits de verres de teintes claires, découpés en petites pièces scintillantes; l'iconographie est savante, la peinture à la *grisaille* indique avec soin les détails (visages, plis des vêtements).

Des compositions comme, à Chartres, *Notre-Dame* de la belle verrière* marquent une transition vers l'épanouissement du vitrail gothique au XIIIe s. L'amenuisement des murs transforme la vitrerie en véritable paroi lumineuse, à laquelle une coloration assombrie (accord rouge-bleu virant au violet) donne une densité nouvelle; la composition des scènes se complique, et les personnages perdent leur attitude hiératique; la technique se simplifie et abandonne le graphisme rigide de l'âge roman pour un modelé plus souple en deux tons de grisaille (styles divers de la première moitié du XIIIe s., aux cathédrales de Laon, Soissons, Amiens, Paris, Bourges, Le Mans; richesse de Chartres; unité de la Sainte*-Chapelle de Paris). Vers le milieu du XIIIe s., l'influence du vitrail français s'étend en Espagne, en Italie, en Allemagne...

Dès la seconde moitié du XIIe s., notamment dans les églises cisterciennes, existaient des vitraux non colorés, appelés *grisailles,* compositions décoratives peintes sur verre blanc. La seconde moitié du XIIIe s. voit l'amorce de compositions associant grisailles et panneaux de couleur (bande médiane) dans la même fenêtre (Saint-Urbain de Troyes). Cette pratique, répandue en France et en Angleterre, appelle une gamme légère de couleurs, à laquelle concourt le *jaune d'argent* employé en revêtement. L'élégance est la même que dans la miniature contemporaine (cathédrale d'York, v. 1310; Saint-Ouen de Rouen; Évreux, v. 1320). Puis l'espace figuratif commence à se creuser, par le modelé des volumes comme par une certaine mise en perspective des dais et édicules encadrant les grandes figures (Gloucester v. 1350; Évreux; Bourges v. 1400; XVe s. anglais). Les pays germaniques s'acheminent vers la même élégance complexe, caractéristique du « gothique international », mais restent fidèles à la pleine couleur. Au XVe s., le vitrail européen s'oriente, sous l'influence de l'art flamand, vers plus de réalisme visuel (modelé, perspective); les compositions tendent à s'affranchir de la structure de la fenêtre, en une même scène pouvant s'étendre sur plusieurs lancettes (Évreux, v. 1420; Rouen, Le Mans, région de la Loire...; Riom, Moulins [vitraux sur des cartons du Maître de Moulins]; *rose* de la Sainte-Chapelle de Paris, v. 1490).

Les vitraux de Ghiberti, Donatello, Uccello et Andrea del Castagno pour le dôme de Florence marquent le passage du style gothique tardif aux conceptions de la Renaissance. Celles-ci touchent l'Europe du Nord au début du XVIe s., surtout sous la forme d'une conversion du répertoire décoratif. Dans les anciens Pays-Bas subsistent de magnifiques ensembles, certains dus à des peintres comme Gossart ou Van Orley. Le vitrail germanique reste d'esprit gothique avec les cartons de Holbein l'Ancien ou de Dürer, s'italianise avec Valentin Bousch à Metz (v. 1525). L'abondante production française de la première moitié du XVIe s. est dominée par la personnalité d'Arnoult de Nimègue à Rouen (où il est installé de 1500 à 1513) et par le génie du Beauvaisien Engrand Leprince*. La tradition gothique se maintient dans les nombreuses verrières bretonnes et champenoises (vitraux narratifs troyens à petites scènes juxtaposés, répétés industriellement d'après les mêmes cartons, souvent issus de gravures flamandes ou allemandes), ainsi qu'à Brou, tandis qu'en d'autres lieux l'influence de l'école de Fontainebleau répand l'italianisme (églises d'Écouen ou de Gisors; rares vitraux civils conservés).

La recherche d'une lumière franche, qui accompagna le développement de l'architecture classique, condamnait le vitrail coloré. Les efforts de ressourcement du XIXe s. lui redonnèrent une actualité (par ex. chez les préraphaélites) qu'ont entretenue de nombreux peintres du XXe s., de Maurice Denis à Chagall. En marge du vitrail traditionnel s'est créée une technique distincte, où des dalles de verre enchâssées dans du ciment remplacent les plaques découpées maintenues dans leur réseau de plomb.

VITRÉ (35500), ch.-l. de cant. d'Ille-et-Vilaine, sur la Vilaine, à 36 km à l'E. de Rennes; 12 883 hab. *(Vitréens).* Château fort des XIVe-XVe s. et remparts. Église de style gothique flamboyant (XVe-XVIe s.). Maisons anciennes. Chaussures. Matériel agricole.

VITREUX (état). — C'est l'un des deux états de la matière, par opposition à l'état cristallisé. Caractérisé par l'isotropie, l'état vitreux comprend les gaz, les liquides et les solides amorphes, dont aucun ne peut passer à l'état cristallisé, anisotrope, par une transformation continue.

VITREY-SUR-MANCE (70500 Jussey), ch.-l. de cant. de la Haute-Saône, à 21 km au S. de Bourbonne-les-Bains; 380 hab.

VITROCÉRAMIQUE. — Les vitrocéramiques sont obtenues à partir d'un verre* contenant un agent de nucléation. Cet agent, après la mise en forme de l'objet par une technique verrière, provoque au cours de traitements thermiques successifs l'apparition de germes cristallins, puis leur grossissement aux dépens de la masse vitreuse. Les vitrocéramiques ont en général d'excellentes propriétés mécaniques et thermiques. Certaines d'entre elles ont une dilatation à peu près nulle et résistent à des écarts de température de 800 ^{0}C.

VITROLLES (13127), comm. des Bouches-du-Rhône, près de l'étang de Berre, à 24 km au N.-O. de Marseille; 13 441 hab.

VITRUVE, en lat. **Vitruvius,** ingénieur militaire et architecte romain (Ier s. av. J.-C.), auteur du seul traité d'architecture antique qui nous soit parvenu. Les copies, adaptations illustrées et extrapolations de ce *De architectura* (d'une difficile technicité) réalisées à partir du XVe s., ont nourri l'évolution du classicisme européen.

VITRY-EN-ARTOIS (62490), ch.-l. de cant. du Pas-de-Calais, à 10 km au S.-O. de Douai; 4 748 hab.

VITRY-LE-FRANÇOIS (51300), ch.-l. d'arr. de la Marne, sur la Marne, à 33 km au S.-E. de Châlons-sur-Marne; 20 092 hab. *(Vitryats).* Constructions mécaniques. Industries du bois.

VITRY-SUR-SEINE (94400), ch.-l. de cant. du Val-de-Marne, à 3 km au S.-E. de Paris; 88 230 hab. *(Vitriots).* Église des XIIIe-XIVe s. Centre industriel (centrales thermiques, métallurgie, chimie).

VITTEAUX (21350), ch.-l. du cant. de la Côte-d'Or, à 23 km au S.-E. de Semur-en-Auxois; 1 077 hab. Église gothique (œuvres d'art).

VITTEL (88800), ch.-l. de cant. des Vosges, à 43 km à l'O. d'Épinal; 6 791 hab. *(Vittellois).* Station hydrominérale aux eaux froides, employées dans le traitement des lithiases rénales et biliaires et de la diathèse arthritique.

VITTORIA, v. d'Italie, dans le sud de la Sicile; 47 000 hab.

VITTORINI (Elio), écrivain italien (Syracuse 1907 - Milan 1966). Ses romans composent à la fois une étude sociologique et une évocation dramatique de la vie des classes déshéritées (*Conversation en Sicile,* 1941; *les Femmes de Messine,* 1949).

VITTORIO VENETO, v. d'Italie, en Vénétie, au N. de Venise; 30 000 hab. Station thermale. — Victoire décisive des Italiens du général Diaz sur les forces austro-hongroises (24-31 oct. 1918) [v. GUERRE MONDIALE *(Première)*].

VIVACES (plantes). — Une plante est qualifiée de « vivace » lorsqu'elle vit plusieurs années. Rares sont les espèces vivaces qui n'ont qu'une floraison, puis meurent. L'agave est le type de ces monocarpiques. Les autres plantes vivaces ont soit une floraison étagée (régions chaudes, aux saisons peu marquées), soit une floraison annuelle (régions tempérées, par ex.), parfois à partir d'un âge déjà avancé (soixante ans chez le chêne). La mauvaise saison annuelle, qu'elle soit chaude (tropique) ou froide (zones tempérées), est toujours sèche. C'est en limitant strictement leur évaporation, par la chute des feuilles (arbres et arbustes) ou par la destruction de tout l'appareil aérien (espèces herbacées), que les plantes vivaces survivent jusqu'au retour des pluies. Leurs réserves aériennes (troncs, tiges grasses) ou souterraines (bulbes, rhizomes, tubercules, racines charnues, etc.) leur permettent alors une croissance rapide. On sait que cette alternance de vie active et de vie ralentie laisse sur les souches des arbres la trace des *cernes annuels* qui permettent d'évaluer l'âge qu'avait l'arbre.

VIVALDI (Antonio), violoniste et compositeur italien (Venise 1678 - Vienne 1741). Prêtre, professeur de violon, chef d'orchestre, maître de chœur au Conservatoire de la Pietà (où il n'avait qu'un effectif féminin), il a composé 46 opéras, de la musique sacrée *(Gloria, Magnificat),* des sonates, des symphonies et près de 500 concertos pour divers instruments solistes, notamment pour le violon, concertos groupés en recueils et dont certains ont connu la célébrité de son vivant : *L'Estro armonico, La Stravaganza, Il Cimento dell'armonia e dell'invenzione* (qui contient *les Saisons*), *La Cetra.*

VIVANTS (êtres) → VIE et SYSTÉMATIQUE.

VIVARAIS (le), région de la bordure orientale du Massif central, correspondant approximativement au département de l'Ardèche et divisé en un *haut Vivarais,* ou *monts du Vivarais,* partie la plus élevée, à l'O. (avec, notamment, les monts Mézenc et Gerbier-de-Jonc), et un *bas Vivarais,* à l'E., s'abaissant vers la vallée du Rhône, entre les vallées de l'Ardèche et du Doux.

VIVARINI, peintres vénitiens du XVe s., originaires de Murano. ANTONIO (documenté à Venise de 1440 environ à 1470) se situe à la charnière du style gothique international et de la sensibilité de la Renaissance (trois retables de l'église S. Zaccaria, exécutés en 1443-44 avec son beau-frère, Giovanni d'Alemagna). — BARTOLOMEO (Murano v. 1432-† apr. 1491), son frère, signe avec lui, en 1450, le polyptique de la chartreuse de Bologne. Il est sensible comme lui, et plus encore, à l'énergie d'un Mantegna, qu'il associe à une couleur brillante, comme vitrifiée. — ALVISE (Venise v. 1446-*id.* v. 1504), fils d'Antonio, reflète les influences de son oncle, d'Antonello da Messina et de Giovanni Bellini.

VIVE. — Ce poisson guetteur, qui vit enfoui dans la vase littorale, les yeux tournés vers le haut et la bouche oblique, doit son nom latin de *Trachinus vipera* aux rayons de sa dorsale et aux épines de ses opercules qui sont reliés à des glandes venimeuses et infligent de cruelles blessures, notamment à qui marche pieds nus sur la vase. Le genre compte deux autres espèces, très voisines, et vivant sur nos côtes. Les vives sont comestibles.

VIVEKĀNANDA (NARENDRANĀTH DATTA, dit), philosophe indien (Calcutta 1862-*id.* 1902), disciple de Rāmakriṣṇa*. Au cours de ses voyages en Amérique et en Europe, il fit connaître à l'Occident la pensée de Rāmakriṣṇa et les *Veda**. De retour en Inde, il implanta de nombreux monastères. Par sa vie et son œuvre, où il fait une place importante à la bhakti* (dévotion) et au yoga*, il fut à l'origine d'une certaine renaissance de l'hindouisme*.

VIVEROLS (63840), ch.-l. de cant. du Puy-de-Dôme, à 25 km au S.-E. d'Ambert; 462 hab.

VIVERRIDÉS. — C'est dans cette famille de mammifères carnassiers que l'on classe la genette, la civette et la mangouste, petits animaux aux pattes courtes, au museau pointu, au corps allongé, aux dents nombreuses, aux griffes rétractiles, qui répandent une forte odeur de musc.

VIVIERS (07220), ch.-l. de cant. de l'Ardèche, sur le Rhône, à 11 km au S.-O. de Montélimar; 3 198 hab. Cathédrale (XIIe-XVIIe s.) et maisons anciennes. Cimenterie.

VIVIEZ-LES-ALBRES (12110 Aubin), comm. de l'Aveyron, à 3 km à l'O. de Decazeville; 2 582 hab. Métallurgie du zinc.

VIVIPARITÉ. — La plupart des espèces animales pondent des œufs, mais on rencontre dans presque tous les groupes des exemples de viviparité, c'est-à-dire de mise bas de jeunes à l'état libre et actif, et ce mode de reproduction est de règle dans quelques cas : scorpions, mammifères. La viviparité nécessite d'abord une fécondation interne, consécutive à un accouplement, ou encore une reproduction parthénogénétique (pucerons, certaines mouches). Elle exige ensuite un mode quelconque de placentation, c'est-à-dire de jonction organique entre l'embryon et la mère, permettant à cette dernière de l'alimenter. Sous cette forme simple, outre les cas déjà cités, la viviparité se rencontre chez des reptiles, des amphibiens, des poissons osseux, de nombreux requins, des insectes, etc. Mais des cas plus complexes peuvent se présenter : incubation des œufs dans une cavité naturelle de la mère (crapaud *pipa*) ou du père (hippocampe, rhinoderme), utilisation comme nourriture des œufs par un seul jeune avant sa naissance (salamandre noire des Alpes), récupération de jeunes non viables dans une poche nutritielle (kangourou et autres marsupiaux), etc. On parle alors de *paraviviparité.* Tous ces processus sont utiles à l'espèce lorsque les œufs sont trop menacés de même que l'*ovoviviparité* (vipère), simple retard de ponte entraînant l'éclosion des œufs dans les voies génitales de la mère.

VIVONNE (86370), ch.-l. de cant. de la Vienne, à 19 km au S. de Poitiers; 2 675 hab. Église des XIIe-XVIe s.

Vivre, film japonais de Kurosawa Akira (1952). Un secrétaire de mairie, apprenant qu'il est atteint d'un cancer, consacre la fin de son existence à créer un terrain de jeux pour les enfants d'un quartier pauvre. Une méditation grave, déchirante et profondément chaleureuse sur le sens de la vie, traitée dans un style réaliste par l'un des maîtres du cinéma japonais contemporain.

VIX (21400 Châtillon sur Seine), comm. de la Côte-d'Or, près de Châtillon-sur-Seine*; 85 hab. En 1953, René Joffroy y dégagea la sépulture à char d'une princesse, au riche mobilier funéraire (bijoux d'or, vaisselle d'argent et de bronze, etc.). Cette découverte atteste l'importance du mont Lassois durant l'époque de Hallstatt*, due à sa position stratégique au-dessus de la vallée de la Seine.

VIZILLE (38220), ch.-l. de cant. de l'Isère, sur la Romanche, à 16 km au S. de Grenoble; 7 252 hab. *(Vizillois).* Imposant château reconstruit de 1611 à 1620, avec vestiges féodaux; il est propriété de l'État. Métallurgie et chimie. Papeterie. — Au château de Vizille se réunirent, le 21 juillet 1788, les états du Dauphiné* : l'assemblée réclama le rétablissement des parlements et la convocation des états* généraux.

VLAARDINGEN, port des Pays-Bas, sur la « Nouvelle Meuse », en aval de Rotterdam; 80 000 hab. Constructions mécaniques.

VLADIMIR, v. de l'U. R. S. S. (R. S. F. S. de Russie), au N.-E. de Moscou; 234 000 hab. — Forteresse fondée au XIIe s. au S.-E. de la principauté de Rostov*-Souzdal, elle devint la capitale de la principauté de Vladimir*-Souzdal.

BEAUX-ARTS. Remarquables églises en pierre du XIIe s. à plan en croix grecque, décorées de chapiteaux sculptés, de bas-reliefs et de colonnettes qui évoquent les arts arménien et roman (cathédrale de la Dormition; église de l'Intercession sur la Nerl, v. 1165; église palatine Saint-Dimitri, 1194; etc.).

VLADIMIR Ier le Grand († 1015), grand-prince de Kiev (v. 980-1015). Prince de Novgorod depuis 970, il chasse son frère Iaropolk de Kiev* et consolide l'union de ces deux villes au sein de l'État russe, auquel il soumet les Volhyniens et les Croates blancs. Il reçoit le baptême (v. 988) et impose à son peuple le christianisme de rite byzantin. Il a été canonisé par l'Église orthodoxe russe.

VLADIMIR II Monomaque (1053-1125), grand-prince de Kiev (1113-1125). Prince de Pereïaslavl puis de Tchernigov, il bat les Coumans (1103-1111). Il prend des mesures en faveur des classes inférieures de la société. Il a laissé une *Instruction,* une des premières œuvres de la littérature morale russe.

VLADIMIR-SOUZDAL *(principauté de),* État russe, qui se développa à partir de la principauté de Rostov*-Souzdal et qui eut pour centre Vladimir*, lorsque le prince André Bogolioubski (de 1157 à 1174), délaissant Kiev*, y élut résidence. Vsevolod (de 1176 à 1212), frère d'André, prit le titre de grand-prince de Vladimir. Héritière de Kiev, ouverte aux influences occidentales, la principauté de Vladimir, qui entretenait des relations commerciales avec les pays du Caucase et de l'Orient musulman, connut un grand essor économique et culturel, que vint interrompre la conquête mongole (1238). Le *iarlyk* (charte octroyée par le khān de la Horde* d'Or) de grand-prince de Vladimir conférait au prince qui le recevait la suprématie en Russie du Nord. Les princes de Moscovie* l'ont détenu à partir du XIVe s.

VLADIVOSTOK, port de l'U. R. S. S. (R. S. F. S. de Russie), dans l'Extrême-Orient soviétique, sur la mer du Japon, au débouché du Transsibérien; 442 000 hab. Russe depuis 1860, la ville fut occupée par les Japonais de 1918 à 1922.

VLAMINCK (Maurice DE), peintre français (Paris 1876-Rueil-la-Gadelière 1958). Autodidacte refusant tout intellectualisme, exalté par le travail de la couleur dont il a la révélation devant les toiles de Van Gogh, il mène avec Derain l'expérience la plus explosive du fauvisme*. Vers 1908, il apaise son style par une construction plus solide et équilibrée, des tons assourdis, puis se tourne, à partir de 1915, vers un réalisme teinté d'expressionnisme, non sans monotonie dans la véhémence (paysages à la pâte épaisse, aux ciels zébrés).

VLASSOV (Andreï Andreïevitch), général soviétique (Lomakino 1900-Moscou 1946). Prisonnier des Allemands en 1942, il passe à leur service, publie un manifeste à Smolensk et lève une « armée de libération russe ». Capturé par les Américains, il est remis aux Soviétiques, condamné à mort et pendu.

VLISSINGEN → FLESSINGUE.

VLORA ou **VLORË,** port d'Albanie, ch.-l. de région, sur le canal d'Otrante; 53 000 hab.

VLTAVA (la), en allem. **Moldau,** riv. de Bohême, coupée d'aménagements hydroélectriques et qui passe à Prague avant de rejoindre l'Elbe (r. g.); 430 km.

Vocation actuelle de la sociologie *(la),* œuvre de G. Gurvitch (1949, nouv. édit. 1963). Le souhait de Gurvitch est d'opérer une jonction entre la pratique et la théorie. Parti de l'essence dialectique de toute réalité sociale, il postule la multiplicité des déterminismes sociaux, garante à ses yeux de la liberté de chacun et de tous. Selon lui, il appartient à la sociologie d'élaborer une théorie qui permette de saisir dans tous leurs aspects et à tous leurs niveaux ce qu'il appelle après Marcel Mauss les « phénomènes sociaux totaux ».

VODKA → EAU-DE-VIE.

VÔGE (la), région partiellement boisée de la Lorraine méridionale, aux confins des départ. de la Haute-Saône et des Vosges.

VOGELGRUN (68600 Neuf Brisach), comm. du Haut-Rhin, à 22 km à l'E.-S.-E. de Colmar; 397 hab. Centrale hydroélectrique sur le grand canal d'Alsace.

VOGÜÉ (Eugène Melchior, *vicomte* DE), écrivain français (Nice 1848-Paris 1910). Tout en publiant des romans (*Jean d'Agrève,* 1897), il révéla au public français la littérature russe (*le Roman russe,* 1886; *Maxime Gorki,* 1905).

VOID-VACON (55190), ch.-l. de cant. de la Meuse, à 9 km au S. de Commercy; 1 200 hab.

VOIE *(Ch. de f.).* — La voie est constituée de deux files de rails* dont l'écartement est maintenu par des traverses qui transmettent les charges au sol naturel par l'intermédiaire du ballast. L'écartement des rails dit « normal » de 1,437 m équipe environ les deux tiers des voies exploitées dans le monde. Certains réseaux utilisent des voies plus larges (U. R. S. S., Espagne, Portugal, Amérique latine, Inde) ou plus étroites (Japon, Afrique). Les rails sont fixés aux traverses au moyen de crampons, de tirefonds ou d'attaches élastiques. Les traverses constituées de blocs de béton réunis par une entretoise métallique remplacent maintenant les traverses en bois sur de nombreuses voies. Le ballast est composé d'une couche de 35 à 50 cm de pierre* dure cassée et calibrée, constituant la banquette. Il transmet les charges à la plate-forme qui doit être un terrain conservant des caractéristiques mécaniques constantes dans le temps pour assurer une bonne tenue à la voie. La largeur totale de la plate-forme d'une ligne à double voie est inférieure à 10 m. Une double pente permet aux eaux superficielles s'infiltrant à travers le ballast d'être recueillies dans des fossés ou des buses qui les rejettent dans le réseau hydrographique général. La faible adhérence* des roues sur le rail et le guidage des véhicules qui caractérisent le chemin de fer expliquent le fait que la voie ne peut pas épouser le relief comme la route. Son tracé exige des courbes aux proportions majestueuses et des rampes peu agressives. Il impose des travaux importants et la construction d'ouvrages d'art prestigieux. Sur une ligne ayant un bon tracé, les rampes n'excèdent pas de 5 à 6 p. 1 000, et le rayon des courbes est rarement inférieur à 800 m. L'action de la force centrifuge sur les véhicules circulant dans une courbe est combattue par le *dévers* (ou surélévation) du rail extérieur. De l'alignement à la pleine courbe, la voie suit un raccordement parabolique qui permet de faire croître progressivement la courbure et le dévers. Malgré les soins apportés à la construction d'une voie, des écarts apparaissent entre le tracé théorique et la position réelle des rails. Ces défauts doivent rester dans des limites d'autant plus étroites que la voie devra supporter la circulation de trains lourds et rapides. Les méthodes modernes d'entretien permettent de les contenir dans une fourchette de ± 3 à 5 mm.

Voie de la liberté, itinéraire suivi en 1944, d'Avranches au sud de Paris puis à Metz, par les blindés américains de Patton.

VOIE DE RECOURS. — On entend par ce terme un moyen de droit permettant à un plaideur d'obtenir un nouveau jugement dans une cause où il a été partie.

Tous les jugements, en matière civile, sont susceptibles *d'appel,* sauf disposition contraire d'une loi. En matière pénale, les jugements des tribunaux de police et des tribunaux correctionnels peuvent donner lieu à l'appel, ainsi que les ordonnances des juges d'instruction. Les arrêts des cours d'assises ne peuvent en faire l'objet. L'appel a pour effet de suspendre l'exécution du jugement soumis à la juridiction d'appel.

Le *pourvoi en cassation* est une voie de recours extraordinaire, par laquelle est demandée à la Cour de cassation l'annulation, pour non-conformité à la loi, de jugements définitifs — rendus en dernier ressort — des tribunaux judiciaires. L'arrêt de cassation replace les parties dans la situation où elles étaient avant la décision attaquée. La cassation entraîne en général le renvoi devant une autre juridiction de même nature que celle qui a rendu la décision faisant l'objet du pourvoi.

La *requête civile,* ancienne voie de recours, fut supprimée par le décret du 5 décembre 1975, instituant un nouveau Code de procédure civile, et remplacée par le *recours en révision,* tendant à faire rétracter un jugement pour qu'il soit de nouveau statué en fait et en droit. Le recours est porté devant la juridiction même qui a rendu la décision attaquée.

La *tierce opposition* tend à faire rétracter ou réformer une décision au profit d'un tiers qui l'attaque et qui y a un intérêt.

VOIE LACTÉE, vaste nébulosité* qui paraît se développer tout autour du ciel comme une ceinture, irrégulière dans ses contours et sa continuité. Elle n'est que l'apparence prise par la Galaxie* pour un observateur situé à l'intérieur du système solaire.

Voie sacrée, nom donné en 1916 à la route de Bar-le-Duc à Verdun par Souilly (75 km), seule voie utilisable venant de l'arrière pour alimenter la défense de Verdun. De mars à juin, 90 000 hommes et 50 000 t de matériel transitèrent chaque semaine par la Voie sacrée.

VOILIER. — Un voilier est un bateau propulsé par la force du vent qui, s'exerçant sur la voilure, est transformée en mouvement par la réaction du plan de dérive sur l'élément liquide et permet de remonter jusqu'à 35° dans la direction du vent.

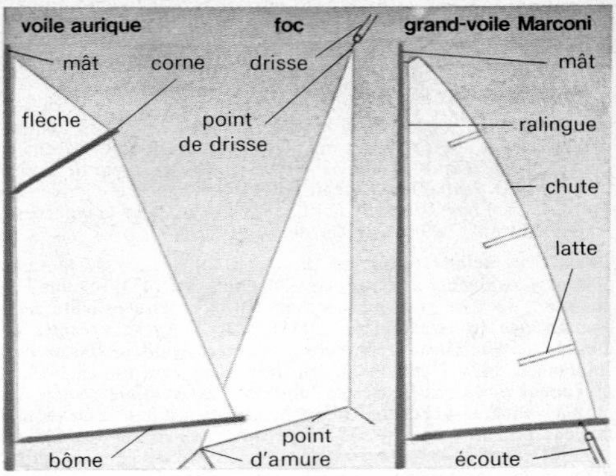

Voilier. Gréement aurique. Grand-voile Marconi.

• Le *gréement* est l'ensemble formé par la mâture, le haubanage et divers espars, le tout portant la voilure et permettant son utilisation. Les types de gréement usuels sont différenciés par le nombre de mâts et le nombre de voiles. Un voilier équipé d'un seul mât peut être soit un *cat-boat* (une seule voile), soit un *sloop,* s'il possède un seul foc, ou un *cotre,* s'il porte un foc et une trinquette. Équipé de deux mâts, c'est un *yawl,* si l'artimon est placé en arrière de la barre, ou un *ketch,* si l'artimon est situé en avant de la barre. Le gréement de *goélette* devient rare; il comporte deux mâts, dont le plus grand est celui qui est placé le plus en arrière.

• Le *plan de dérive,* ou quille profonde, s'oppose au déplacement latéral du voilier sous l'action du vent : à défaut de plan de dérive, un voilier ne pourrait avancer que poussé par le vent, sous l'allure du vent arrière; dans toute autre position par rapport au vent, il déριverait. Ce serait le cas d'un voilier tentant de remonter dans le vent, en prenant l'allure du *près,* dans laquelle la direction du vent et l'axe du bateau forment un angle aigu. Ce serait aussi le cas d'un voilier naviguant *au largue,* lorsque la direction du vent fait avec l'axe du bateau un angle sensiblement droit. Nombre de petits bateaux ont un plan de dérive amovible, ou *dérive,* traversant la coque par l'intermédiaire d'un puits intitulé *puits de dérive.* On les appelle *dériveurs.*

• La *voilure* est constituée de bandes de tissu, le plus souvent synthétique (Dacron), se présentant en bandes cousues côte à côte de telle façon que l'ensemble présente une surface galbée. L'action du vent est plus forte sur une voile creuse, mais, lorsque le vent est fort, le bateau est plus maniable s'il porte des voiles plates. Il existe plusieurs formes de voiles. Les *voiles auriques* et les *voiles à houari,* qui comportent une vergue dans leur partie haute, ne sont plus guère utilisées, au bénéfice des *voiles Marconi,* qui épousent le contour d'un triangle rectangle, dont le grand côté est fixé sur le mât, le petit sur la bôme; l'hypoténuse est libre et s'intitule *chute.* Les voiles d'avant sont les *focs.* Leur nom varie selon leur taille. Le *spinnaker* est un foc de grande surface et très creux, utilisé dans l'allure du *vent arrière.*

VOINOV (Dimitrie), biologiste roumain (Iaşi 1867-New York 1951). Il a apporté une contribution importante à la théorie chromosomique de l'hérédité et à l'étude directe de la transmission des chromosomes *(cytogénétique).*

VOIRIE URBAINE. — Elle comprend toutes les rues, avenues, boulevards et places utilisés dans les agglomérations, soit par le public, soit par les services publics et les transports. Elle constitue un des éléments du domaine public, aux exigences duquel elle est soumise. L'établissement et l'entretien de la voirie incombent aux municipalités, sauf les rues qui constituent le prolongement des routes nationales. À Paris, les rues, à l'exception des voies privées, font partie de la grande voirie. La voirie est équipée de marques et de signaux destinés à assurer la sécurité des usagers. Les égouts* sont enterrés sous la voirie, de même que les canalisations* de distribution d'eau, de gaz, de chauffage urbain ainsi que les câbles* électriques et téléphoniques.

VOIRON (38500), ch.-l. de cant. de l'Isère, à 24 km au N. de Grenoble; 20 365 hab. *(Voironnais).* Skis. Constructions mécaniques. Papeterie.

VOISIN *(les frères),* ingénieurs et industriels français. GABRIEL (Belleville-sur-Saône 1880-Ozenay, Saône-et-Loire, 1973) tenta, dès 1902, d'équiper les planeurs d'un moteur à explosion. Il fut le premier en France, avec son frères Charles, à réaliser industriellement des avions (1908). À partir de 1918, il se consacra à la construction automobile. — CHARLES (Lyon 1882-Corcelles, Rhône, 1912) fut le premier pilote français à voler en Europe (Bagatelle, 30 mars 1907).

VOITEUR (39210), ch.-l. de cant. du Jura, à 11 km au N. de Lons-le-Saunier; 812 hab.

VOITURE *(Ch. de f.).* — Les voitures modernes sont équipées de bogies*, qui leur confèrent de bonnes qualités de roulement. La caisse, qui constitue la partie résistante du véhicule, est entièrement métallique et peut résister à de fortes compressions. Le garnissage participe à son isolation acoustique et thermique. L'éclairage est alimenté par un système autonome de batterie* et de génératrice entraînée par un essieu*. Le chauffage est assuré par des radiateurs ou des diffuseurs, et l'énergie nécessaire est fournie par une ligne électrique alimentée par un fourgon générateur ou plus souvent par la locomotive*. Les voitures classiques sont à couloir latéral et compartiments ou de type *coach,* à couloir central. Les voitures-couchettes et les voitures-lits sont aménagées pour les voyages de nuit. Certaines voitures sont équipées pour des besoins spéciaux, telles les voitures-restaurants, les voitures-salons, etc.

VOITURE (Vincent), écrivain français (Amiens 1597 - Paris 1648). Rival, par ses *Lettres,* de Guez de Balzac auprès de la société qui se réunit à l'hôtel de Rambouillet, il souleva par ses sonnets et ses madrigaux de véritables querelles littéraires. Il est l'expression même de la préciosité.

VOIX. — La voix humaine résulte de l'ensemble des ondes sonores produites dans le larynx par la vibration des cordes vocales sous la pression de l'air provenant des poumons; ces ondes sont modifiées en timbre et en intensité par le passage dans les cavités supraglottiques (pharynx, cavité buccale, fosses nasales, cavité labiale), qui jouent le rôle de résonateurs.

Outre le parler, la voix intervient dans l'art du chant. Les possibilités d'une voix diffèrent avec le sexe, l'âge et la morphologie des individus. On distingue six espèces de voix, du grave à l'aigu : les voix d'hommes (basse, baryton, ténor), les voix de femmes ou d'enfants (contralto, mezzo-soprano, soprano), d'une étendue (registre) moyenne de treize degrés. Les voix prises de la basse au soprano sont à une tierce l'une de l'autre. Deux voix consécutives ont toujours onze notes communes.

La voix désigne aussi une partie vocale ou instrumentale d'une œuvre musicale. (V. CHANT, ÉCRITURE MUSICALE.)

Voix intérieures *(les),* recueil lyrique de V. Hugo (1837).

VOJVODINE → SERBIE.

VOL *(Dr.)* → DÉLINQUANCE.

VOL *(Zool.).* — Il convient de distinguer entre le simple vol plané, parachuté ou aérostatique d'une part, et d'autre part le vol actif. En effet, le vent transporte chaque jour, par milliards, graines, spores et semences, souvent munies d'ailes ou d'aigrettes (v. DISSÉMINATION), et de nombreux animaux arboricoles disposent de planeurs membraneux («patagiums») qui tendent leur chute selon une oblique de faible pente (polatouche, taguan, dragon volant, etc.). On peut, en revanche, considérer comme un véritable vol, maîtrisé et dirigé, l'utilisation par les grands oiseaux des courants ascendants et le vol circulaire plané qui les y maintient.

Le vol actif, lui, repose toujours sur le battement d'une paire d'ailes ou de deux paires d'ailes synchrones. L'abaissée d'ailes est si rapide que la masse d'air sous-jacente n'a pas le temps de s'écouler, se comprime et fournit un appui permettant au corps de se soulever et de progresser. La remontée d'ailes s'accompagne d'un reploiement ou d'une torsion, de façon à déplacer le moins d'air possible. Dans les trois groupes actuels d'animaux volant activement — oiseaux, chauves-souris, insectes —, il existe des dispositifs complémentaires pour alléger le corps (sacs aériens), l'équilibrer (queue plumeuse des oiseaux), améliorer le rendement énergétique, etc. Il en était certainement de même chez les reptiles volants du secondaire (ptérosauriens). La plupart des espèces volantes se déplacent comme des avions, vers l'avant seulement, quitte à prendre des virages plus ou moins rapides. Certaines espèces au vol «bourdonnant» de haute fréquence — colibris, libellules, insectes butineurs, mouches — peuvent voler sur place, de côté, en arrière ou verticalement, comme des hélicoptères.

VOL (mécanique du). — La mécanique du vol, qui rassemble toutes les études relatives au vol des avions*, comprend deux parties distinctes : l'*étude du mouvement du centre de gravité* de l'avion, qui définit la *trajectoire,* et l'*étude des mouvements autour du centre de gravité,* qui définit la *stabilité*.

• L'étude de la trajectoire est régie par les équations fondamentales du vol équilibrant la portance P et la traînée T par les composantes du poids et de la force propulsive. En vol horizontal, ces équations s'écrivent : $P = \frac{1}{2}\rho C_z S V^2$, et $T = \frac{1}{2}\rho C_x S V^2$, dans lesquelles ρ désigne la masse spécifique de l'air, C_x et C_z les coefficients de traînée et de portance, reliés par la polaire de l'avion en fonction de l'incidence, V la vitesse de vol et S la surface de l'aile. Il existe une altitude au-dessus de laquelle le vol n'est plus possible et qui est le *plafond* de l'avion. Cette altitude est généralement liée aux performances du propulseur; pour les avions propulsés par des moteurs-fusées dont la poussée augmente avec l'altitude, le plafond est défini par des considérations aérodynamiques. Lorsqu'un avion effectue un virage, la force centrifuge se combine au poids P pour donner un poids apparent P_a. Le rapport $\frac{P_a}{P}$ est le *facteur de charge,* dont la valeur maximale limite le rayon de virage minimal de l'avion. Les équations du vol permettent également d'étudier les trajectoires en montée et en descente, en introduisant la pente de la trajectoire. Cette dernière peut être d'autant plus forte en montée que le rapport de la poussée des moteurs au poids de l'avion est plus élevé. Pour les avions d'interception, ce rapport dépasse 80 p. 100.

• Les mouvements autour du centre de gravité se décomposent en mouvements longitudinaux et en mouvements latéraux. La *stabilité longitudinale* dépend, dans une large mesure, du centrage de l'avion, c'est-à-dire de la position du centre de gravité; on peut ainsi définir des limites avant et arrière du centrage au-delà desquelles le pilotage* est difficile. La *stabilité latérale* combine les mouvements de lacet et de roulis; elle est assurée par braquage des ailerons. La maniabilité latérale se traduit par le braquage d'ailerons nécessaire pour obtenir une vitesse de roulis déterminée; elle est très élevée sur les intercepteurs modernes, qui effectuent un tonneau complet en moins d'une seconde.

VOLAPÜK → ARTIFICIELLES *(langues).*

VOL À VOILE. — Dans le vol à voile, qui englobe l'ensemble des activités liées à la mise en œuvre des planeurs*, on utilise les mouvements ascendants de l'air pour compenser la vitesse normale de chute de l'appareil. Trois types d'ascendances sont recherchés : les *ascendances thermiques,* provoquées par les différences d'échauffement du sol, les *ascendances dynamiques,* dues à la déflexion du vent rencontrant un obstacle, tel qu'une pente perpendiculaire à la direction de l'écoulement d'air, et les *ascendances ondulatoires,* qui se produisent en régions montagneuses. Un planeur doit être remorqué en altitude par un avion*. Sa construction fait appel à des matériaux très légers, bois, parfois alliages* légers et, de plus en plus, matières plastiques*. L'étude aérodynamique recherche une très faible traînée par le recours pour la voilure à des profils laminaires et à un très grand allongement. Le vol à voile est devenu un sport de compétition, et les performances ont atteint un niveau élevé; le record d'altitude dépasse 14 000 m, alors que la distance maximale parcourue est supérieure à 1 000 km, et que des vols en circuit fermé sur plus de 300 km ont été réalisés. Le vol à voile se pratique exclusivement au sein de clubs, qui mettent à la disposition de leurs membres les planeurs et les équipements de service nécessaires, notamment les avions remorqueurs. En dehors des planeurs-écoles, qui sont biplaces, la plupart des planeurs sont monoplaces.

VOLCAN. — Un volcan est un relief résultant de l'émission en surface de produits de haute température, provenant de l'intérieur du globe, qui montent par une fissure de l'écorce, la *cheminée,* et sortent par une ouverture de forme généralement circulaire, le *cratère.*

Les produits émis par les volcans peuvent être à l'état gazeux, liquide ou solide. L'étude des gaz est rendue délicate par les problèmes de prélèvement, car ils se dissipent très rapidement dans l'atmosphère. Ils sont généralement composés de vapeur d'eau, de gaz carbonique, d'anhydride sulfureux, d'azote, d'hydrogène, etc., en proportions variables. Les produits liquides sont représentés par les laves*, magma dont la température varie de 600 à 1 300 °C et qui se refroidit brusquement au contact de l'atmosphère pour former des roches. Les produits solides sont constitués par les projections, expulsées à l'état solide ou tout au moins se solidifiant avant de retomber au sol. Suivant leur taille, on les classe, par ordre décroissant, en *bombes* ou *blocs* (diamètre supérieur à 64 mm), *lapilli* (de 2 à 64 mm) et *cendres* (moins de 2 mm). Le phénomène volcanique est caractérisé par sa brutalité à l'échelle géologique : le Paricutín, au Mexique, a atteint 150 m de haut en une semaine. Cependant une éruption volcanique passe par trois phases. La phase prévolcanique se manifeste par des grondements d'origine profonde, de petits séismes et souvent des variations de la pente des flancs du volcan. La phase paroxysmale, ou éruption proprement dite, se traduit par l'émission des produits volcaniques. La phase postvolcanique est marquée par des phénomènes atténués : fumerolles, sources d'eau chaude, geysers.

Suivant le type d'éruption et la nature des produits émis, on distingue plusieurs types de volcans. Le type *hawaiien,* ou effusif (volcan type : Mauna Loa, à Hawaii), est caractérisé par la prédominance de laves basaltiques très fluides, construisant un vaste cône surbaissé. Dans le type *vulcanien,* ou explosif (Vulcano, en Italie), ce sont les projections qui dominent, souvent accompagnées d'explosions. Le type *péléen,* ou extrusif (montagne Pelée, à la Martinique), est marqué par l'extrusion de laves acides, visqueuses, qui se solidifient très vite et forment des dômes ou des aiguilles. Dans le type *strombolien,* ou mixte (Stromboli, en Italie), les projections, accompagnées d'explosions, alternent avec des

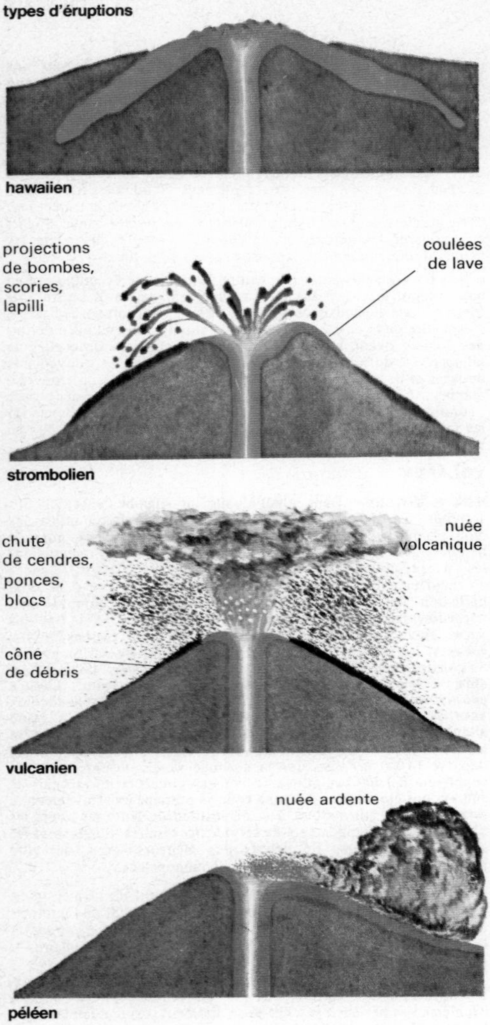

VOLCAN

coulées de lave. Il faut enfin ajouter les éruptions de type *fissural :* la lave se répand par des fissures longitudinales et forme de vastes épanchements, tels que les trapps du Deccan. Le volcanisme des rides médio-océaniques se rattache à ce type.

On dénombre environ 500 volcans actifs à la surface du globe (mais le volcanisme a existé à toutes les époques géologiques, ainsi qu'en témoignent les roches), qui ont une répartition très localisée, jalonnant les zones orogéniques récentes (chaîne alpine au sens large, ceinture de feu du Pacifique), les aires de faiblesse de l'écorce (rift africain) et les rides médio-océaniques. À l'intérieur des masses continentales, le volcanisme est rare et ponctuel. La théorie des plaques* a apporté une explication à cette répartition, qui se calque sur celle des séismes.

VOLCANIQUE (relief). — Le phénomène volcanique aboutit généralement à la construction de *cônes,* plus ou moins raides suivant le type de volcan et souvent couronnés d'un cratère de dimension modeste. Cependant, des effondrements donnent parfois naissance, au centre du volcan, à des *caldeiras,* vastes dépressions de forme circulaire, et les éruptions de type fissural provoquent la formation d'immenses plateaux de lave, les *trapps.* Les manifestations volcaniques modifient brutalement le paysage préexistant, en désorganisant le réseau hydrographique par exemple.

Aussitôt formés, les cônes sont attaqués par l'érosion. Leur démantèlement est plus ou moins rapide, suivant la nature des matériaux qui les constituent. Les flancs basaltiques des cônes hawaiiens sont découpés par les cours d'eau en *planèzes,* plateaux de forme triangulaire rayonnant à partir du cratère central. Les flancs des cônes vulcaniens sont rapidement incisés par des ravins, dus au ruissellement, les *barrancos.* Leur déblaiement fait apparaître, en saillie, un piton de roches dures, le *neck,* correspondant à l'ancienne cheminée du volcan. L'érosion différentielle entre roches volcaniques et substratum peut aboutir à des inversions de relief. Elle dégage parfois des *dykes,* murailles de lave solidifiée dans une fissure verticale.

VOLCANIQUES (roches). — Roches éruptives, les roches volcaniques résultent de la cristallisation d'un magma au contact de l'atmosphère, après son épanchement à la surface du globe. Elles sont caractérisées par leur structure microlitique, et sont constituées d'une pâte fine — formée de verre et de petits cristaux non discernables à l'œil nu, les microlites —, dans laquelle baignent parfois de grands cristaux qui se sont formés en profondeur. Suivant leur composition chimique, on distingue des roches acides (rhyolites), des roches intermédiaires (andésites) et des roches basiques (basaltes).

Vol de nuit, roman de Saint-Exupéry (1931), témoignage sur l'héroïsme quotidien des pilotes de l'aviation civile.

Voleur de bicyclette *(le),* film italien de Vittorio De Sica (1948). À travers la simple histoire d'un chômeur romain qui, pour devenir colleur d'affiches, achète avec les maigres économies de son ménage une bicyclette, se la fait voler et se laisse aller à en voler une à son tour, Vittorio De Sica et son scénariste Cesare Zavattini devaient assurer la renommée du néoréalisme italien.

VOLGA (la), fl. de l'U. R. S. S., en Russie, le plus long d'Europe (3 700 km), tributaire de la mer Caspienne. Née à basse altitude (223 m) sur le plateau du Valdaï, la Volga décrit une vaste boucle, autour de Moscou, dans une région encore assez abondamment arrosée, où lui parviennent ses principaux affluents, l'Oka (r. dr.) et la Kama (r. g.). En aval de Kouïbychev, elle coule (vers le S.) dans un bassin de plus en plus aride, et son débit s'appauvrit progressivement par défaut d'alimentation, évaporation estivale et prélèvements pour l'irrigation. Cette dernière constitue l'un des emplois du fleuve, utilisé aussi pour la navigation et la production d'hydroélectricité. À la majeure partie des grandes villes jalonnant le cours de la Volga (Iaroslavl, Gorki, Kazan, Kouïbychev, Saratov, Volgograd et enfin Astrakhan [à la tête du delta sur la Caspienne]) sont associées des grandes centrales, dont les plus productives sont celles de Volgograd, Kouïbychev et Saratov. La Volga est reliée par canaux à la Baltique, à Moscou ainsi qu'à la mer d'Azov et à la mer Noire (par le *canal Volga-Don*).

VOLGA *(Allemands de la),* Allemands, établis dans la région de la basse Volga depuis le règne de Catherine II, qui formèrent, de 1924 à 1941, une république autonome au sein de la R. S. F. S. de Russie (chef-lieu Engels). Ils furent déportés en Sibérie pendant la Seconde Guerre mondiale, et ont été réhabilités en 1964.

VOLGOGRAD, jusqu'en 1925 **Tsaritsyne,** de 1925 à 1961, **Stalingrad***, v. de l'U. R. S. S., sur la rive droite de la Volga; 818 000 hab. Dernière grande ville en aval sur le fleuve, Volgograd est un important centre industriel (métallurgie lourde et de transformation, raffinage du pétrole et pétrochimie, aluminium, bois), utilisant notamment l'hydroélectricité de la grande centrale établie en amont.

VOLHYNIE (la), région du nord-ouest de l'Ukraine. Intégrée à l'État de Kiev* de la fin du Xe s. à 1154, la Volhynie est réunie à la Galicie* en 1199. Enjeu des rivalités entre la Lituanie et la Pologne, qui se partage l'Ukraine* au XIVe s., elle est rattachée à la Russie lors des deuxième et troisième partages de la Pologne (1793-1795). De nouveau partagée entre l'U. R. S. S. et la Pologne en 1921, la Volhynie revient tout entière à l'Ukraine soviétique en 1939.

VOLJSKI, v. de l'U. R. S. S. (R. S. F. S. de Russie), sur la Volga, en face de Volgograd; 142 000 hab. Métallurgie et chimie.

VÖLKLINGEN, v. de l'Allemagne fédérale (Sarre), au N.-O. de Sarrebruck; 39 000 hab. Sidérurgie.

VOLLARD (Ambroise), marchand de tableaux et éditeur d'art français (Saint-Denis de la Réunion 1869-Paris 1939). Dans ses *Souvenirs* (1937), il a conté comment il connut le succès en s'intéressant à Cézanne, Van Gogh, Henri Rousseau, Maillol, Rouault, Bonnard, Picasso, Chagall, etc.

VOLLEY-BALL. — Ce sport oppose deux équipes de six joueurs (pouvant être remplacés en cours de partie), séparées par un filet. Il s'agit, à l'aide des bras (ou des avant-bras), de frapper le ballon pour lui faire toucher le sol dans les limites du camp opposé, après un maximum de trois passes. La partie se déroule en deux ou trois sets gagnants, obtenus par l'équipe totalisant quinze points (mais avec un écart minimal de deux points, exigence qui peut prolonger le jeu), et le point peut être marqué seulement par l'équipe possédant le service. Les joueurs se placent au début comme ils le souhaitent, mais, chaque fois que leur équipe s'assure le service, ils doivent effectuer une rotation d'un sixième de tour dans le sens des aiguilles d'une montre, occupant donc successivement tous les postes. D'origine américaine, né à la fin du XIXe s., le volley-ball ne prit son véritable essor qu'après la Seconde Guerre mondiale.

VOLMUNSTER (57720), ch.-l. de cant. de la Moselle, à 25,5 km à l'E. de Sarreguemines; 720 hab.

VOLNAY (21190 Meursault), comm. de la Côte-d'Or, à 5 km au S.-O. de Beaune; 452 hab. Église des XIIIe-XIVe s. Vins renommés.

VOLNEY (Constantin François DE CHASSEBŒUF, *comte* DE), érudit et philosophe français (Craon 1757 - Paris 1820), auteur des *Ruines ou Méditations sur les révolutions des empires* (1791).

VOLOGDA, v. de l'U. R. S. S. (R. S. F. S. de Russie), au N.-E. de Moscou; 178 000 hab. Industries mécaniques et chimiques.

VOLOGÈSE, nom de cinq rois parthes*, dont le plus important, VOLOGÈSE Ier († v. 77 apr. J-C.), régna de 50/51 à 77 environ. Ayant obtenu des Romains, après de difficiles négociations, la couronne d'Arménie* pour son frère Tiridate, en 66, il devint l'allié de Rome.

VOLOGNE (la), riv. de Lorraine, née près du Hohneck, et qui traverse les lacs de Retournemer et Longemer avant de rejoindre la Moselle (r. dr.); 50 km.

VOLONNE (04290), ch.-l. de cant. des Alpes-de-Haute-Provence, à 13 km au S. de Sisteron; 1 253 hab.

VÓLOS, port de la Grèce, en Thessalie, sur le *golfe de Vólos* (ouvert par la mer Égée); 51 000 hab. Industries mécaniques et textiles.

Volpone ou le Renard, comédie en cinq actes et en vers de Ben Jonson (1606). Volpone est un vieillard cynique, qui unit à l'avarice la ruse la plus subtile. — Jules Romains et Stefan Zweig ont donné sous le titre de *Volpone* (1928) une libre adaptation de cette œuvre.

VOLSINII, métropole religieuse et fédérale de l'Étrurie. Elle occupait le site actuel de Bolsena, ville du Latium située au N. du lac de Bolsena*.

VOLSQUES, anc. peuple de l'Italie, de souche ombrienne, établi à la fin du VIe s. av. J.-C., au sud du Latium, entre les monts Albains, le fleuve Sacco et la mer. Leurs métropoles étaient Antium (auj. Anzio) et Ecetra. Alliés aux Èques, dont le territoire s'étendait sur la région du haut Anio, ils furent des ennemis acharnés de Rome, qui ne les soumit qu'au début du IVe s. av. J.-C.

VOLT. — Les voltmètres* sont contrôlés au moyen d'un potentiomètre* et d'une pile* étalon dont la force électromotrice* se maintient suffisamment invariable. Les piles étalons des laboratoires d'étalonnage sont vérifiées par l'intermédiaire du Bureau international des poids* et mesures. La valeur attribuée aux étalons internationaux résulte de la réalisation de l'ampère* (par la balance de courant) et de l'ohm* (par le condensateur* à capacité* calculable d'après ses dimensions).

VOLTA (la), fl. de l'Afrique occidentale; 1 600 km. Elle est formée (au Ghāna) par la réunion de la *Volta Noire,* de la *Volta Blanche* et de la *Volta Rouge* (cours d'eau nés dans la *république de Haute-Volta*) et possède sur son cours inférieur le barrage d'Akosombo (auquel est accolée une centrale électrique), créant la vaste retenue dite *lac Volta.*

VOLTA (Alessandro, *comte*), physicien italien (Côme 1745 - *id.* 1827). Après avoir inventé l'électrophore et l'électroscope condensateur (1775), puis l'eudiomètre (1776), il entreprit des recherches sur l'expérience de Galvani*, et cette étude le conduisit, en 1800, à l'invention de la pile électrique.

VOLTA (Haute-) → HAUTE-VOLTA.

VOLTAIRE (François Marie AROUET, dit), écrivain français (Paris 1694 - *id.* 1778). Si, fils d'un notaire parisien, Voltaire se prétendait souvent bâtard par hostilité à son père, il est surtout l'héritier spirituel d'un croisement bizarre entre l'humanisme jésuite du P. Tournemine (il fit de brillantes études au collège de Clermont) et le libertinage à la Ninon de Lenclos (il fut très tôt introduit par son parrain, l'abbé de Châteauneuf, dans la société du Temple). Et il a une double postérité : d'une part M. Homais et la bourgeoisie libérale (les *Lettres philosophiques,* qui font de l'industrie et du commerce le moteur et le bonheur de l'histoire, et du « marchand » le héros de cette nouvelle épopée, sont les inspiratrices directes du toast du comice agricole de *Madame Bovary*), d'autre part le journaliste de combat. D'où la diversité et les limites d'une œuvre dont la « philosophie » nous paraît aujourd'hui bien courte. Voltaire est passé à côté de presque toutes les grandes idées et s'est moqué de presque tous les grands hommes de son siècle, de Buffon à Rousseau en passant par Needham; il s'est gaussé des « systèmes bâtis sur des coquilles » comme de l'idée du « bon sauvage » : il a ainsi manqué les débuts de la géologie, de la biologie, de la sociologie, de l'anthropologie. Il fut certes meilleur historien, peut-être parce qu'il abordait ainsi le monde par le biais des mécanismes du pouvoir, qui le fascina toujours.

Il débute cependant par des vers irrévérencieux contre le Régent, qui le contraignent à des séjours en province, puis à la Bastille (1717-18), où il commence la tragédie d'*Œdipe* (1718) et le *Poème de la Ligue* (1723). Il connaît bientôt la célébrité et la richesse (il entreprend de fructueuses opérations financières dans les fournitures aux armées et le commerce avec l'Amérique grâce aux banquiers Pâris), mais une altercation avec le chevalier de Rohan-Chabot lui vaut une bastonnade et un nouvel emprisonnement. Il n'obtient sa libération que contre l'exil en Angleterre. Ce séjour, qui dure trois ans (1726-1728), oriente définitivement vers la philosophie réformatrice sa pensée et son œuvre (il faut cependant remarquer que le régime anglais qu'il exalte est celui d'une « restauration », où aristocratie et haute bourgeoisie communient dans le même culte du commerce). Voltaire célèbre la liberté dans une tragédie politique (*Brutus,* 1730), critique la guerre (*Histoire de Charles XII,* 1731), s'attaque aux dogmes chrétiens (*Épître à Uranie,* 1733), aux fausses gloires littéraires (*le Temple du goût,* 1733), au régime politique français (*Lettres* philosophiques,* 1734). Dans le domaine de la marquise du Châtelet, à Cirey, en Lorraine, il échappe aux poursuites et entreprend de rajeunir la tragédie (*Zaïre*,* 1732), en évoquant le passé national, les pays exotiques, la Rome antique d'après Shakespeare (*la Mort de César,* 1735), et en supprimant le thème de l'amour (*Mérope,* 1743). Il réussit moins bien dans la comédie (*Nanine,* 1749), et Mme de Pompadour lui préfère Crébillon. Cependant, quelques poésies officielles (*Poème de Fontenoy,* 1745) lui ouvrent les portes de l'Académie (1746) et de la Cour. Voltaire devient historiographe du roi (1746). Peu satisfait de sa demi-faveur, il écrit le conte de *Zadig** (1747) et accepte l'invitation de Frédéric II. Pendant trois ans (1750-1754), à Potsdam, il corrige les vers de son hôte royal, tout en composant *le*

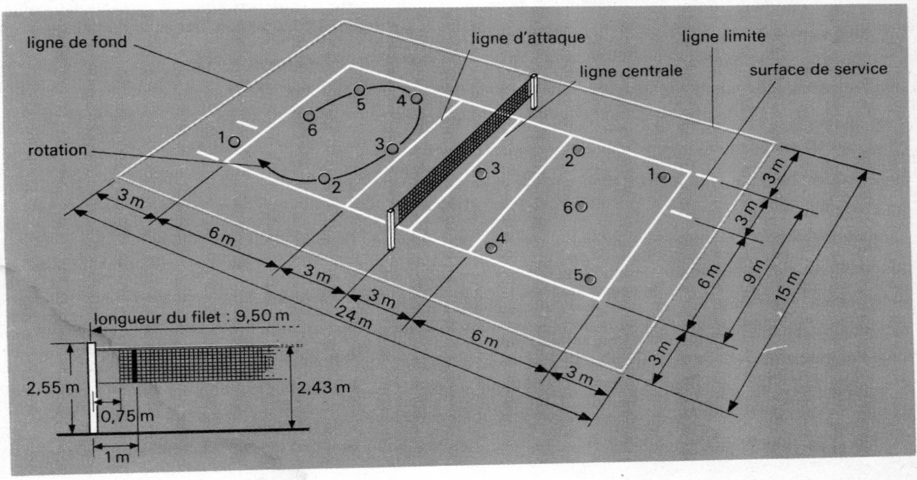

VOLLEY-BALL.

Plan et mesures du terrain, avec la disposition des joueurs.

Lauros-Giraudon

Voltaire. Peinture de Jean Huber (1721-1786), représentant le *Lever de Voltaire à Ferney.* (Musée Carnavalet, Paris.)

Siècle de Louis XIV* (1751) et un conte (*Micromégas,* 1752). En conflit avec un autre Français, Maupertuis, président de l'Académie de Berlin, il quitte la Prusse et, toujours indésirable à Paris, s'établit près de Genève (1755). Mais il choque les protestants par son *Essai* sur les mœurs* (1756), les catholiques par sa *Pucelle* (1755) et s'aliène Rousseau par le *Poème sur le désastre de Lisbonne* (1756). Cette expérience malheureuse lui inspire *Candide** (1759) et lui fait chercher une retraite sûre dans le pays de Gex, à Ferney. Pendant dix-huit ans, Voltaire y vit en souverain de l'esprit, reçoit l'élite européenne, joue ses tragédies (*Tancrède,* 1760) et multiplie les contes philosophiques contre les parvenus (*Jeannot et Colin,* 1764), les abus politiques (*l'Ingénu,* 1767), la corruption et l'inégalité des richesses (*l'Homme aux quarante écus,* 1767), les mœurs (*la Princesse de Babylone,* 1768). Il travaille par ses pamphlets à « écraser l'infâme » — le fanatisme clérical (mais il reproche aux Frères des Écoles chrétiennes d'apprendre à lire aux paysans qui, instruits, ne veulent plus labourer) — et à dénoncer les insuffisances de la justice : il obtient la réhabilitation de Calas (1765), de Sirven (1771), réclame celle du chevalier de La Barre (1766). Il poursuit son apostolat pour le triomphe de la raison en publiant le *Traité sur la tolérance* (1763) et le *Dictionnaire philosophique* (1764). En 1778, il répond à l'appel de Paris : il est reçu triomphalement à l'Académie et à la Comédie-Française, où son buste est couronné sur la scène pendant la représentation d'*Irène.* Épuisé par les émotions et la fatigue, il meurt le 30 mai.

VOLTA REDONDA, v. du Brésil, au N.-O. de Rio de Janeiro; 118 000 hab. Centre sidérurgique.

VOLTERRA, v. d'Italie, en Toscane (prov. de Pise), aux sources de l'Era, affluent de l'Arno; 18 000 hab. L'antique *Volaterrae* (*Velathri* à l'époque étrusque) fut l'une des plus puissantes lucumonies étrusques. Alliée de Rome, vers 281-280 av. J.-C., elle fut assiégée et prise par les partisans de Sulla en 81-80 av. J.-C.

BEAUX-ARTS. Vestige de l'enceinte étrusque, la porte de l'Arc, ornée de sculptures des IVe et IIIe s. av. J.-C. et partiellement refaite à l'époque romaine, contribue au charme de la ville médiévale (Palazzo dei Priori, XIIIe s., auj. hôtel de ville et pinacothèque; cathédrale des XIIe, XIIIe et XVIe s., musée étrusque). À proximité, la nécropole a livré une importante collection d'urnes cinéraires.

VOLTERRA (Vito), mathématicien italien (Ancône 1860 - Rome 1940). Il fut l'un des créateurs de l'analyse fonctionnelle, qui trouva de fécondes applications dans de nombreux secteurs de la physique et de la biologie. Pour cela, il entreprit l'étude systématique des fonctions, dont l'argument est soit une courbe, soit une fonction ordinaire. Il donna aux premières le nom de *fonctions de lignes;* Hadamard* désigna les secondes comme *fonctionnelles.*

VOLTMÈTRE. — Un voltmètre est généralement constitué par un milliampèremètre sensible en série avec une grande résistance additionnelle. On place cet ensemble en dérivation entre les deux points du circuit pour lesquels on veut mesurer la différence de potentiel.

VOLUBILIS → CONVOLVULACÉES.

VOLUBILIS, site archéologique du Maroc, au pied du djebel Zerhoun, dont les fouilles ont révélé une occupation qui remonte au néolithique et ont permis le dégagement de l'imposante ville romaine (forum, capitole, basilique, thermes, arc de Caracalla, temple, *mithraeum,* marché, etc.).

VOLUCELLE. — On voit souvent voler rapidement dans les clairières cette grosse mouche jaune et noir, ressemblant à une guêpe, et dont la larve vit en parasite des guêpiers.

Volupté de l'honneur *(la),* comédie en trois actes de Pirandello (1917). Un homme, apparemment sans scrupule, se fait le gardien intransigeant de l'honneur d'une famille et se prend à son propre jeu.

VOLVAIRE. — Les champignons de ce genre, caractérisés par des lamelles roses et une large volve, mais pas d'anneau, ne sont pas vénéneux.

VOLVIC (63530), comm. du Puy-de-Dôme, à 14,5 km au N. de Clermont-Ferrand; 3 543 hab. Église romane (chapiteaux). Ruines du château de Tournoël (XIIe-XVe s.). Carrières. Eaux minérales.

VOLVOCALES. — Ce groupe d'algues vertes des eaux douces, dont le type est le volvox, est profondément original. Le volvox forme de petites colonies sphériques creuses, qui nagent à l'aide de flagelles (deux par cellule) et dont les cellules sont spécialisées : celles de l'avant sont photosensibles et guident les déplacements, celles de l'arrière sont reproductrices et sexuées (colonies mâles et femelles distinctes). Une multiplication asexuée peut engendrer, à l'intérieur de la sphère, une sphère plus petite, qui s'en échappe en perforant les parois.

Ce sont des volvocales qui colorent en rouge certaines flaques et certaines plaques de neige.

VOMIQUIER → STRYCHNOS.

VÔ NGUYÊN GIAP, général et homme politique vietnamien (An Xa 1911). Membre du parti communiste, ministre de l'Intérieur puis de la Guerre du gouvernement Hô Chi Minh (1945), il organise les forces militaires du Viêt-minh et dirige leurs opérations contre les Français de 1947 à 1954. Vice-président du Conseil et ministre de la Défense du Viêt-nam du Nord depuis 1955 (puis, à partir de 1976, de la république socialiste du Viêt-nam réunifié), il anime, notamment de 1968 à 1975, l'effort de guerre contre les Américains. Il a publié, en 1959, *Guerre du peuple, armée du peuple.*

VORARLBERG, prov. la plus occidentale de l'Autriche, entre l'Allemagne fédérale et la Suisse; 2 601 km²; 271 000 hab. Ch.-l. *Bregenz.* Montagneuse, c'est une région d'élevage bovin, localement animée par le tourisme estival et hivernal.

VOREPPE (38340), comm. de l'Isère, à 14 km au N.-O. de Grenoble; 6 342 hab. — La *cluse de Voreppe,* entaillée par l'Isère, sépare les massifs préalpins de la Grande-Chartreuse et du Vercors.

VOREY (43800), ch.-l. de cant. de la Haute-Loire, à 22 km au N. du Puy; 1 240 hab.

VORKOUTA, v. de l'U. R. S. S. (R. S. F. S. de Russie), dans le nord de l'Oural; 55 000 hab. Houille.

VOROCHILOV (Kliment Iefremovitch), maréchal soviétique (Verkhni 1881 - Moscou 1969). Membre du parti bolchevik depuis 1903, il défendit, avec Staline, Tsaritsyne contre les Blancs en 1918 et devint chef de la garde rouge (1919). Commissaire du peuple à la Défense de 1925 à 1940, il dirigea la défense de Leningrad (1941). De 1953 à 1960, il présida le praesidium du Conseil suprême de l'U. R. S. S.

VOROCHILOVGRAD, anc. **Lougansk,** v. de l'U. R. S. S. (Ukraine), dans le Donbass; 383 000 hab. Centre houiller et sidérurgique.

VORONEJ, v. de l'U. R. S. S. (R. S. F. S. de Russie), près du Don; 660 000 hab. Constructions mécaniques. Caoutchouc. Centrale nucléaire.

VÖRÖSMARTY (Mihály), poète hongrois (Kápolnásnyék 1800 - Pest 1855). Auteur de tragédies et de drames d'inspiration romantique (*le Roi Sigismond,* 1823), il est par ses poèmes épiques (*la Fuite de Zalán,* 1825) et lyriques (*Appel,* 1837) l'un des créateurs de la poésie hongroise moderne.

VORSTER (Balthazar Johannes), homme d'État sud-africain (Jameston, prov. du Cap, 1915). Ministre de la Justice et de la Police (1961), il mène une sévère répression contre les mouvements nationalistes africains, puis devient leader du Parti national et Premier ministre (1966). Il poursuit une rigoureuse politique d'apartheid*, dans le cadre d'un État multinational associant à un État blanc des États bantous.

VORTEX. — Un tel tourbillon prend généralement naissance lors de la vidange d'un réservoir par un orifice situé dans le fond.

VORTICELLE. — L'observation microscopique de l'eau d'un vase de fleurs montre souvent, fixées à des débris végétaux, des vorticelles. Ce sont de curieux ciliés*, qui épanouissent leur calice

Vosges. Paysage du massif des Vosges, dans le département du Haut-Rhin.

Hachette - Iris

au bout d'un long pédoncule, susceptible de se rétracter brusquement en se pliant en zigzag, puis de se déplier lentement. Ce double mouvement rassemble devant la bouche de la vorticelle, par aspiration, les proies (bactéries surtout) dont elle se nourrit.

VOS (Marten DE), peintre flamand (Anvers 1532-*id.* 1603). Élève de F. Floris de Vriendt, il séjourna en Italie et fut un « romaniste » au style emphatique, plus sobre cependant dans ses portraits.

VOS (Cornelis DE), peintre flamand (Hulst 1584-Anvers 1651). Il exécuta des portraits individuels ou collectifs de la bourgeoisie anversoise (*l'Artiste et sa famille,* 1621, musées de Bruxelles). — Son frère PAUL (Hulst 1596-Anvers 1678), élève de Snijders, fut un animalier doué de fantaisie et de sens décoratif.

VOSGES, massif montagneux de l'est de la France. Massif hercynien, usé par l'érosion, mais relevé (surtout au sud) à l'ère tertiaire (lors du plissement alpin), les Vosges constituent la limite traditionnelle entre le plateau lorrain, à l'O., et la plaine d'Alsace, à l'E. (partie occidentale du fossé rhénan, qui les sépare aujourd'hui du massif symétrique de la Forêt-Noire*). On distingue traditionnellement les *Vosges cristallines* (culminant au Grand Ballon, ou ballon de Guebwiller [1 424 m]), au S., et les *Vosges gréseuses* (c'est-à-dire ayant conservé une couverture sédimentaire qui a formé, dans la partie centrale et méridionale, vers l'Alsace, la bande des collines sous-vosgiennes), au N. D'altitude modeste, percées de cols aisément franchissables, les Vosges n'ont constitué une barrière qu'en raison de l'extension ancienne de la forêt. Elles demeurent une limite climatique, élevant le volume des précipitations sur le versant lorrain (en pente douce) et abritant la plaine d'Alsace, sur laquelle retombe souvent plus abruptement la montagne. Aujourd'hui partiellement dépeuplées, notamment avec le déclin du textile implanté dans leurs vallées, les Vosges, vouées à l'élevage et surtout à la sylviculture, localement au tourisme estival et hivernal, s'étendent (partiellement) sur sept départements : Bas-Rhin et Haut-Rhin (Alsace*), Meurthe-et-Moselle, Moselle et *Vosges* (Lorraine*), Territoire de Belfort et Haute-Saône (Franche-Comté*).

Vosges *(combats des),* combats acharnés dont furent l'enjeu, en 1915, les observatoires des Vosges commandant les vallées alsaciennes. Parmi ces sommets (le Linge, le Lac Noir...), le plus connu est l'*Hartmannswillerkopf,* nommé familièrement le *Vieil-Armand.* Occupé par les Français en 1914, il changea plusieurs fois de mains avant de revenir aux Allemands en 1916.

VOSGES (88), départ. de la Région Lorraine; 5 871 km^2; 397 957 hab. Ch.-l. *Épinal.* S.-préf. *Neufchâteau* et *Saint-Dié.*

Le département ne correspond pas au massif du même nom, dont il n'englobe, à l'E., qu'une partie (hautes Vosges cristallines); il s'étend principalement sur le plateau lorrain. L'ensemble possède un climat humide et relativement froid (surtout dans l'est, plus élevé), expliquant l'extension de la forêt, principalement dans la montagne, et de sols lourds, difficiles à travailler, plus favorables à l'élevage qu'à la culture. Le secteur primaire emploie moins du dixième de la population active; il est dominé par l'élevage laitier (fromage). L'industrie occupe environ la moitié de la population active, utilisant depuis longtemps les matières premières locales (force hydraulique, bois, sable), pour la papeterie et la faïencerie notamment. Le textile s'implanta après 1871. Ces activités sont plus ou moins en crise et le relais des constructions mécaniques ne suffit pas à assurer le plein-emploi, d'autant que le secteur tertiaire est relativement peu développé, en raison de l'absence de grande ville (aucune n'atteint 50 000 hab., et seules Épinal et Saint-Dié comptent plus de 15 000 hab.) et malgré l'importance notable du tourisme (surtout dans l'est, vers Gérardmer) et du thermalisme (dans l'ouest [Vittel et Contrexéville]). Ainsi s'expliquent une densité de population, nettement inférieure à la moyenne nationale, et la lenteur de l'accroissement démographique depuis 1945, succédant d'ailleurs à une phase de dépeuplement après la Première Guerre mondiale, au seuil de laquelle (1911) le département comptait 433 914 habitants.

VOSNE-ROMANÉE (21700 Nuits St Georges), comm. de la Côte-d'Or, à 2 km au N. de Nuits-Saint-Georges; 613 hab. Vins renommés.

VOSS (Johann Heinrich), érudit et poète allemand (Sommersdorf bei Waren, Mecklembourg, 1751-Heidelberg 1826), auteur d'une idylle en trois chants, *Louise* (1795), qui décrit la vie quotidienne des paysans et des petits bourgeois de l'Allemagne du Nord.

VOSSIUS (Gerardus Johannis), humaniste hollandais (Heidelberg 1577-Amsterdam 1649). Il a laissé des ouvrages pédagogiques pour l'étude du grec et du latin, des travaux sur l'histoire des religions et des études critiques sur les historiens de l'Antiquité, qui sont les premières du genre. — Son fils et élève, ISAÄCUS (Leyde 1618-Windsor 1689), fut historiographe des États de Hollande, puis bibliothécaire de la reine Christine de Suède et chanoine de Windsor.

VOUGEOT (21640), comm. de la Côte-d'Or, à 5 km au N. de Nuits-Saint-Georges; 178 hab. Château anciennement abbatial du Clos-Vougeot (XVIe s.), avec ses bâtiments vinicoles en partie romans (XIIe s.). Vins renommés du Clos-Vougeot.

VOUGLANS, aménagement hydroélectrique (barrage avec grand lac de retenue alimentant une centrale) du départ. du Jura, sur l'Ain.

VOUILLÉ (86190), ch.-l. de cant. de la Vienne, à 19 km au N.-O. de Poitiers; 2 040 hab. — En 507, Clovis y remporta, sur Alaric II, roi des Wisigoths, la victoire qui permit l'établissement des Francs en Aquitaine, et contraignit les Wisigoths à se replier au sud des Pyrénées.

VOULTE-SUR-RHÔNE (La) [07800], ch.-l. de cant. de l'Ardèche, sur le Rhône, à 17 km au S. de Valence; 5 892 hab. *(Voultains).* Château des XIVe-XVIe s. Vieilles maisons. Textile.

VOUNEUIL-SUR-VIENNE (86210 Bonneuil Matours), ch.-l. de cant. de la Vienne, à 12 km au S. de Châtellerault; 1 218 hab.

VOÛTE. — À la différence des plafonds (aux poutres horizontales autonomes, exerçant sur les points d'appui des poussées verticales), les voûtes sont des ouvrages courbes dont les matériaux (voussoirs appareillés ou éléments plus frustes homogénéisés par un ciment) s'appuient les uns contre les autres pour franchir un espace en exerçant sur les supports des poussées obliques (qu'il faut amortir d'une façon ou d'une autre : par la massivité des murs, par les poussées contraires de voûtes (ou demi-voûtes) secondaires, par des contreforts ou, dans l'architecture gothique, par l'emploi d'arcs-boutants). Le déplacement selon un axe d'un arc* en plein-cintre, ou brisé, ou surbaissé (etc.) détermine géométriquement une voûte en *plein-cintre,* en *berceau brisé, surbaissée...* Une *voûte d'arête* se définit théoriquement comme la cellule (sur plan carré ou rectangulaire) résultant de l'intersection de deux voûtes en plein-cintre; *la voûte sur croisée d'ogives* de l'art gothique en est la transposition allégée et dynamique (les forces se concentrant dans la croisée de deux arcs ou nervures qui occupent l'emplacement des arêtes). Il existe toutes sortes d'autres voûtes, simples ou composées, sans oublier le cas particulier des *coupoles.* Les voûtes se construisent, en général, sur des *cintres* provisoires, que soutiennent des échafaudages (l'ouvrage tient par lui-même lorsque sont posés les derniers voussoirs, sur la ligne ou le point central et supérieur [clef de voûte]). Ce sont les Romains qui ont répandu en Occident la mutation architecturale que constitue l'usage des voûtes. De nombreuses civilisations anciennes ont construit de « fausses » voûtes (et coupoles), en *encorbellement* (assises successives de pierres posées horizontalement, se rapprochant chacune un peu plus du centre de l'espace à couvrir).

VOUVRAY (37210), ch.-l. de cant. d'Indre-et-Loire, sur la Loire, à 11 km à l'E. de Tours; 2 746 hab. Vins blancs et vins mousseux.

VOUZIERS (08400), ch.-l. d'arr. des Ardennes, sur l'Aisne; 5 465 hab. *(Vouzinois).* Église avec beau portail de la Renaissance.

VOVES (28150), ch.-l. de cant. d'Eure-et-Loir, à 22,5 km au S.-E. de Chartres; 2 646 hab. Église des XIIe et XVe s.

Voyage au bout de la nuit, roman de L.-F. Céline (1932). Les enlisements successifs d'un anti-héros, Bardamu, à travers l'expérience de la guerre, de la vie coloniale, du travail à la chaîne chez Ford, de la banlieue parisienne : dans le gris et dans l'atroce, la tonalité profonde du monde moderne.

Voyage dans la Lune *(le),* film français de Georges Méliès (1902). L'un des premiers essais de science-fiction au cinéma. Le film (près de 300 m de pellicule) se compose d'une trentaine de tableaux à la fois ingénieux et naïfs, sortis de l'imagination de l'un des grands pionniers du cinéma.

Voyage de M. Perrichon *(le),* comédie d'E. Labiche (1860).

Voyage du pèlerin *(le),* allégorie mystique, de Bunyan (1678), qui exerça une influence considérable sur l'évolution de l'esprit religieux en Angleterre.

Voyage en Amérique, de Chateaubriand (publié en 1826). Rempli de descriptions pittoresques, il témoigne cependant de nombreux emprunts à des récits de voyageurs ou de naturalistes.

Voyage sentimental *(le),* de Sterne (1768), suite de descriptions ou de réflexions, un des chefs-d'œuvre de l'humour anglais.

VOYELLE. — Les voyelles sont des sons dus aux vibrations de l'air laryngé qui s'écoule librement (au contraire des consonnes*) à travers le chenal buccal. On les classe en fonction : des résonateurs mis en jeu (orales et nasales, vélaires, labiales, palatales); de la position de la langue (antérieures, médianes et postérieures); du degré d'ouverture de la bouche (ouvertes et fermées).

VOYER (Marc René DE), marquis **d'Argenson,** homme d'État français (Venise 1652 - Paris 1721). Lieutenant général de police (1697-98), il fut président du Conseil de finances et garde des Sceaux (1718-1720). — Son fils, RENÉ LOUIS (Paris 1694 - *id.* 1757), fut ministre des Affaires étrangères de 1744 à 1747.

Voyeur *(le),* roman de Robbe-Grillet (1955). Le récit minutieux d'une journée d'un voyageur de commerce, excepté l'événement qui en est l'essentiel : le roman conçu non comme relation mais comme refoulement.

VOZNESSENSKI (Andreï Andreïevitch), écrivain soviétique (Moscou 1933). Influencé par Maïakovski et Pasternak, fasciné et révolté à la fois par le monde moderne (de la conquête spatiale au décor fantastique créé par les matériaux synthétiques et les objets industriels), il entreprend, à travers l'exploration du langage poétique, une nouvelle recherche de l'homme (*Mosaïque,* 1960; *la Poire triangulaire,* 1962; *le Cœur d'Achille,* 1966; *l'Ombre du son,* 1970).

VRANGEL ou **WRANGEL,** île soviétique de l'océan Arctique, au N.-O. du détroit de Béring, et limitant, à l'E., la mer de Sibérie orientale.

VRAQUIER. — On distingue les transporteurs de vrac lourd, comme les *minéraliers* (angl. « ore carriers »), les transporteurs de vrac léger, comme les *charbonniers* et les *céréaliers* (angl. « bulk carriers »), les transporteurs de vrac divers : ciment, soufre, produits chimiques, bois en grumes ou en paquets, tubes, etc., et les transporteurs combinés, tels que les *minéraliers-pétroliers* (angl. « ore/oil carriers », ou « O. O. » et les *vraquiers-pétroliers* (angl. « ore/bulk/oil carriers », ou « O. B. O. »). Comme les pétroliers*, les vraquiers n'ont qu'un seul pont et l'appareil moteur est généralement placé à l'arrière, mais ils sont pourvus des écoutilles nécessaires aux manutentions et possèdent des capacités de lestage (double fond et citernes latérales) très importantes, pouvant atteindre jusqu'à 50 et même 65 p. 100 du port en lourd. Les vraquiers sont exploités soit sur des itinéraires fixes, les manutentions étant, dans ce cas, effectuées au moyen d'engins portuaires, soit en tramping, et ils sont alors pourvus d'appareils de chargement propres : mâts de charge, grues ou portiques. Les navires combinés, qui transportent des hydrocarbures liquides, possèdent des installations de pompage et de sécurité analogues à celles des pétroliers*.

VREDEMAN DE VRIES (Hans), peintre, architecte et dessinateur néerlandais (Leeuwarden 1527 - † v. 1604). Disciple de P. Coecke et de C. Floris de Vriendt, connaissant l'art de Fontainebleau, il s'installa à Anvers, où il publia des traités d'architecture et de perspective ainsi que des recueils gravés d'ornements d'un maniérisme exubérant, qui eurent un grand succès en Europe du Nord.

VRILLETTE. — On ne rencontre guère la vrillette *(Anobium)* que dans les bois ouvrés des maisons (charpentes, parquets), qu'elle perfore avec des bruits réguliers, d'où son surnom d'« horloge de la mort ». Ce ravageur des bois est la larve d'un insecte coléoptère voisin des buprestes*.

VROUBEL (Mikhaïl), peintre russe (Omsk 1856 - Saint-Pétersbourg 1910). Marquée par la mosaïque byzantine, par la peinture d'icônes et aussi par l'art de la couleur des Vénitiens, son œuvre relève de l'esthétique symboliste, mais acquiert une dimension expressionniste par la technique, la richesse de la palette et la répétition obsessionnelle de certains thèmes.

VUILLARD (Édouard), peintre français (Cuiseaux 1868 - La Baule 1940). Membre du groupe des nabis*, il en représente la tendance la plus intimiste. Sa peinture, d'abord en aplats vibrants, évolue vers des tons rapprochés et rompus, qui conviennent à l'évocation pleine de sensibilité de l'atmosphère quiète et familiale dans laquelle il puise l'essentiel de son inspiration.

VULCAIN. — Ce papillon, au dessus des ailes noir à taches rouges, fait partie du groupe des vanesses*. Sa chenille vit sur l'ortie.

VULCAIN, ancien dieu romain du Feu et du Travail des métaux, assimilé au dieu grec Héphaïstos*. Il paraît être d'origine étrusque.

VULCANIEN → VOLCAN.

VULCANISATION → CAOUTCHOUC.

VULCI, ville étrusque, située à 20 km au nord de Tarquinia, près des villages modernes de Montalto di Castro et de Canino (prov. de Viterbe). Ce fut l'un des plus actifs centres commerciaux et artistiques de l'Étrurie, dont l'apogée se situe au VIe s. av. J.-C. (nombreuses importations grecques, ateliers de céramistes et de bronziers), et qui devient romain en 280 av. J.-C.

La vaste nécropole a livré des éléments de décoration sculptée de chambre funéraire du VIe s. av. J.-C., et de nombreuses peintures murales, dont les célèbres fresques de la tombe François (seconde moitié du IVe s. av. J.-C.; Rome, villa Albani), probablement réalisées par un artiste qui connaissait les originaux grecs de façon directe.

Vulgate (la), traduction latine de la Bible*, en usage dans l'Église catholique romaine. Elle fut l'œuvre de saint Jérôme* (347 - v. 420). Reconnue version officielle de l'Église latine à partir du VIIe s., elle fut approuvée par le concile de Trente* en 1546.

VULNÉRAIRE. — Cette herbe papilionacée, assez proche de la luzerne et hautement polymorphe (au moins six sous-espèces françaises), porte des couronnes de fleurs jaunes au sommet de rameaux porteurs de feuilles pennées, au lobe terminal beaucoup plus grand que les autres.

VULPIAN (Alfred), médecin français (Paris 1826 - *id.* 1887). Ses travaux ont porté sur la physiologie du système nerveux.

VULPIN. — Les vulpins sont des graminacées fourragères, dont les épis serrés et soyeux évoquent une queue de renard, d'où leur nom.

VULVE → GÉNITAL *(appareil).*

VYĀSA, anachorète hindou, compilateur légendaire des Veda*.

VYBORG ou **VIBORG,** en finnois **Viipuri,** port de l'U. R. S. S. (R. S. F. S. de Russie), sur le golfe de Finlande; 51 000 hab.

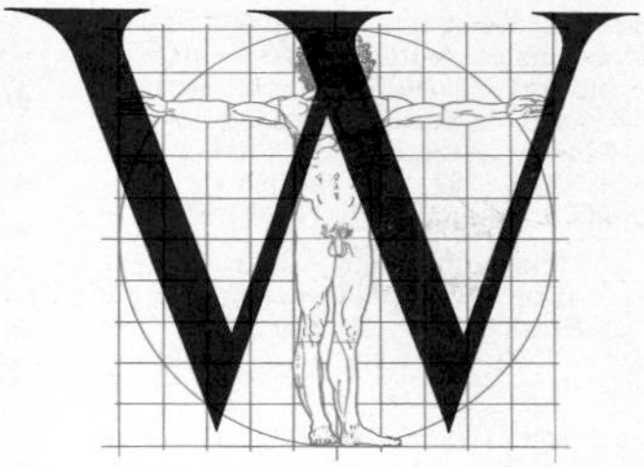

WAAGE (Peter), chimiste norvégien (Flekkefjord 1833 - Oslo 1900). Avec Guldberg*, il donna à la loi d'action de masse une forme quantitative.

WAAL (le), bras méridional du delta du Rhin, qui passe à Nimègue, avant de se confondre avec la Meuse.

WAAS → WAES *(pays de).*

WABUSH *(lac),* lac du Canada (Labrador). — À proximité, extraction du minerai de fer (acheminé par voie ferrée au port de Sept-Îles).

WACE, poète anglo-normand (Jersey v. 1100 - 1175), auteur du *Roman de Brut,* première œuvre en langue vulgaire, qui raconte les aventures du roi Arthur*, et du *Roman de Rou,* ou *Geste dēs Normands.*

WACKENRODER (Wilhelm Heinrich), poète allemand (Berlin 1773 - *id.* 1798). L'un des promoteurs du romantisme, il prêchait le retour au Moyen Âge, à l'art de Dürer et à la religion catholique. Ses *Effusions sentimentales d'un moine ami des arts,* qu'il publia en 1797 avec la collaboration de L. Tieck, exercèrent une profonde influence sur les artistes allemands.

WACO, v. des États-Unis (Texas), au S. de Dallas; 95 000 hab.

WADDEN *(mer des)* ou **WADDENZEE,** partie de la mer du Nord entre la côte néerlandaise et les îles de la Frise occidentale.

WADDINGTON (Conrad Hal), généticien et écologiste britannique (Evesham 1905 - Édimbourg 1975). Ses travaux les plus importants concernent la double hélice d'A. D. N. des chromosomes (1936). Il a combattu pour les thèses des écologistes et des pacifistes et est un des fondateurs du mouvement Pugwash et du club de Rome.

WÄDENSWIL, v. de Suisse (Zurich), sur le lac de Zurich; 15 695 hab.

WAES ou **WAAS** *(pays de),* région de Belgique, à la frontière néerlandaise, sur la rive gauche de l'Escaut, en aval d'Anvers.

Wafd, parti nationaliste égyptien. Sa'd Zarhlūl (1857-1927) préside la délégation *(wafd)* parlementaire qui se rend à Londres en 1919 pour réclamer l'indépendance de l'Égypte. Cette délégation est le noyau du futur parti politique, qui porte son nom. Le Wafd remporte les élections de 1924, mais il est tenu à l'écart du pouvoir par Fu'ād Ier*, puis par Farouk Ier*, à qui, cependant, les Britanniques imposent Naḥḥās* pacha de 1942 à 1944. De nouveau au pouvoir de 1950 à 1952, le Wafd est renversé par la révolution égyptienne.

WAGNER (Richard), compositeur allemand (Leipzig 1813 - Venise 1883). Tout d'abord influencé par Beethoven, Weber et Spontini, admirateur de Berlioz, ami de Liszt, il s'intéresse presque exclusivement au drame lyrique, qu'il se propose de réformer. Dès ses premiers chefs-d'œuvre (*le Vaisseau* fantôme,* 1841; *Tannhäuser**, 1843-1845; *Lohengrin**, 1845-1848), il s'éloigne de la conception italienne, renonce aux fioritures vocales, impose une action musicale continue, intensifie la participation orchestrale. Proscrit de son pays, il voyage, réside à Zurich, à Venise, à Paris, et rédige ses théories sur l'art, qu'il met en pratique parallèlement dans la *Tétralogie** (1852-1874), *Tristan* et Isolde* (1859) et *les Maîtres* chanteurs de Nuremberg* (1862-1867). Sa rencontre avec Louis II de Bavière à Munich sera décisive pour la construction d'un théâtre d'une conception nouvelle, destiné à la représentation de ses propres ouvrages, édifice qui se situera à Bayreuth (1872-1876). Entre-temps, il avait épousé Cosima, fille de Liszt. *Parsifal** (1877-1882) constitue sa dernière réalisation dramatique.

Partisan d'un théâtre mythique, voire mystique, symbolique, il parvient à une fusion étroite entre texte et musique, à une unité thématique due à l'exploitation du leitmotiv et à une symbiose heureuse entre les voix et les instruments.

WAGNER (Otto), architecte et urbaniste autrichien (Penzing, près de Vienne, 1841 - Vienne 1918). D'abord éclectique, il s'engage dans la voie du rationalisme comme professeur à l'Académie (1894) et auteur du livre *Moderne Achitektur* (1895). Il sacrifie toutefois à l'Art nouveau avant de parvenir à son idéal avec la Caisse d'épargne de Vienne, chef-d'œuvre de clarté fonctionnelle (1904).

WAGNER VON JAUREGG (Julius), médecin autrichien (Wels 1857 - Vienne 1940), prix Nobel de médecine, en 1927, pour ses travaux sur la paralysie générale.

WAGON. — Un wagon est constitué d'un châssis supportant un plancher et souvent une caisse et reposant, par l'intermédiaire d'une suspension*, soit sur deux ou plusieurs essieux*, soit sur deux bogies*. Sur les wagons à essieux, la suspension est assurée par des ressorts à lames disposés au-dessus de chaque boîte d'essieu. Sur les wagons à bogies, les ressorts sont interposés entre les boîtes d'essieu et le châssis de bogie ou entre celui-ci et la traverse-pivot sur laquelle repose la caisse. Les wagons modernes sont tous munis de bogies et d'un système de freinage proportionnel à la charge, ce qui a permis d'augmenter notablement la vitesse des trains* de marchandises : celle-ci peut atteindre 100, 120 ou même 140 km/h pour certains matériels spécialisés. Le transport des marchandises évoluant vers une spécialisation accrue, l'importance du parc de wagons classiques tend à diminuer au profit des wagons particuliers répondant à un transport déterminé.

WAGRAM, localité d'Autriche dans la *plaine de Wagram,* au N.-E. de Vienne. Victoire de Napoléon sur l'archiduc Charles le 6 juillet 1809 (v. COALITION [*cinquième*]).

wahhābisme, mouvement politico-religieux, né dans l'Arabie du XVIIIe s. Il avait pour but de restaurer l'islām dans sa pureté originelle et de rassembler tous les Arabes en un État conforme aux principes coraniques. Le fondateur de ce mouvement, Muḥammad ibn 'Abd al-Wahhāb (1703-1792), s'allie au chef bédouin du Nadjd Muḥammad ibn Sa'ūd († 1765) pour créer un État wahhābite. Sa'ūd (de 1803 à 1814) gagne au wahhābisme presque toute la péninsule arabique, ce qui provoque l'intervention des Ottomans (1811-1819), qui écrasent les Saoudites. Ceux-ci se maintiennent à Riyāḍ jusqu'en 1890, puis se réfugient au Koweït. À partir de 1902, 'Abd al-'Azīz III* ibn Sa'ūd restaure l'autorité saoudite et la doctrine wahhābite dans les régions qui formeront, en 1932, l'Arabie* saoudite.

WAIKIKI, plage d'Honolulu (Hawaii).

Lauros - Giraudon

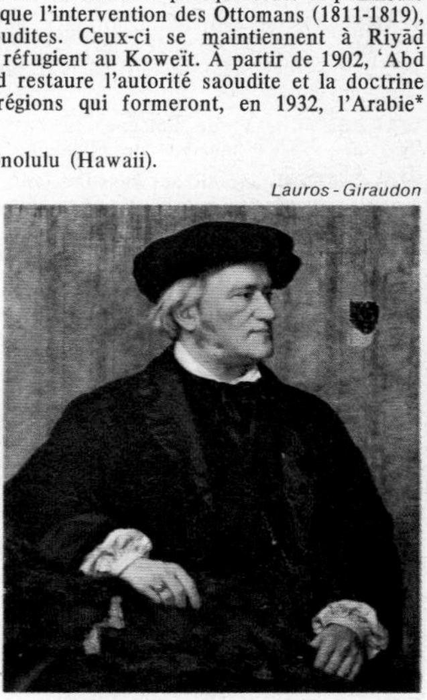

Wagner, par Giuseppe Tivoli. (Musée de Bologne.)

WAILLY (Charles DE), architecte, décorateur et peintre français (Paris 1729-*id.* 1798). Formé à Paris et en Italie, doué d'un talent multiforme qui ne se limite pas aux rigueurs du néoclassicisme, auteur de travaux divers en France, de nombreux projets pour la France et les pays étrangers (Russie...), il est surtout célèbre pour son théâtre de l'Odéon* à Paris (1767-1782; ainsi nommé en 1797), conçu en collaboration avec Marie Joseph Peyre (1730-1785).

WAIN (John Barrington), écrivain britannique (Stoke-on-Trent 1925). Son œuvre poétique, critique et surtout romanesque (*le Laveur de carreaux,* 1953; *les Rivaux,* 1958; *Un ciel sous l'autre ciel,* 1967; *Un hiver dans les collines,* 1970) illustre la révolte de l'individu contre l'aliénation sociale.

WAJDA (Andrzej), cinéaste polonais (Suwałki 1926). Alliant le style expressionniste baroque au lyrisme romantique, il s'imposa, entre 1955 et 1960, comme l'un des chefs de file (avec Munk et Kawalerowicz) de la nouvelle école polonaise (*Kanal,* 1957; *Cendres et diamant,* 1958; *Lotna,* 1959; *les Innocents charmeurs,* 1960). Il tourna ensuite plusieurs films qui consolidèrent sa réputation internationale (*Cendres,* 1965; *Tout est à vendre,* 1968; *Paysage après la bataille,* 1970; *le Bois de bouleaux,* 1970; *les Noces,* 1972; *la Terre de la grande promesse,* 1974; *la Ligne d'ombre,* 1976; *l'Homme de marbre,* 1976).

Andrzej Wajda : *la Terre de la grande promesse* (1974).

Film Polski/Films Molière (coll. J.-L. Passek)

WAKAYAMA, port du Japon (Honshū), au S.-O. d'Ōsaka; 365 000 hab. Aciérie. Raffinage du pétrole et pétrochimie.

WAKE *(île de),* atoll isolé du Pacifique. Relais aérien entre les îles Hawaii et les Philippines, Wake fut occupé par les Japonais de décembre 1941 à 1945.

WAKEFIELD, v. d'Angleterre, entre Leeds et Sheffield, ch.-l. du West Yorkshire; 60 000 hab.

WAKSMAN (Selman Abraham), microbiologiste américain d'origine russe (Prilouki, près de Kiev, 1888-Hyannis, Massachusetts, 1973), prix Nobel de médecine, en 1952, pour sa découverte de la streptomycine.

WAŁBRZYCH, v. de Pologne, en basse Silésie, au S.-O. de Wrocław; 128 000 hab. Houille. Métallurgie.

WALCHEREN, anc. île des Pays-Bas (auj. reliée au continent), au N. de l'estuaire de l'Escaut. V. princ. *Flessingue.*

WALD (George), biologiste américain (New York 1906), prix Nobel de physiologie et de médecine en 1967, avec Granit et Hartline, pour ses travaux sur la physiologie de la rétine et de la vision.

WALDECK, anc. principauté allemande. Souveraine en 1815, elle fut par la suite enclavée dans la Hesse-Cassel et administrée par la Prusse (1867-1918). Devenue république en 1918, elle fut rattachée à la Prusse en 1929. Depuis 1945, elle fait partie de la Hesse.

WALDECK-ROUSSEAU (Pierre), homme politique français (Nantes 1846-Corbeil 1904). Ministre de l'Intérieur (1881-82, 1883-1885), il attache son nom à la loi sur les associations professionnelles (1884). Il est président du Conseil de 1899 à 1902, à la tête d'un ministère de Défense républicaine : il poursuit alors les chefs nationalistes, tout en faisant voter la loi sur les associations (1901), dont le bénéfice échappe aux congrégations religieuses.

WALDERSEE (Alfred, *comte* VON), maréchal allemand (Potsdam 1832-Hanovre 1904). Chef du grand état-major (1888-1891), il commanda les troupes internationales envoyées en Chine pendant la guerre des Boxeurs (1900-01).

WALDHEIM (Kurt), diplomate autrichien (Sankt Andrä vor dem Hagentale 1918). Ministre des Affaires étrangères d'Autriche (1968-1970), il est secrétaire général de l'O. N. U. depuis 1972.

WALENSEE ou **WALLENSEE,** lac glaciaire de Suisse (24 km^2), aux confins des cant. de Glaris et de Saint-Gall.

WALES, nom anglais du pays de GALLES.

WALEWSKI (Alexandre Joseph COLONNA, *comte*), homme politique français (Walewice, Pologne, 1810-Strasbourg 1868). Fils naturel de Napoléon Ier et de Marie Walewska (1789-1817), ambassadeur à Londres (1851), il devient ministre des Affaires étrangères (1855-1860) : il préside à ce titre le congrès de Paris* (1856), qui clôt la guerre de Crimée*, et se montre hostile à la politique italienne de Napoléon III.

WALHALLA ou **VAL-HALL,** dans la mythologie germanique, séjour paradisiaque réservé aux guerriers morts en héros. Ces élus seront, autour du dieu Wotan*, les combattants qui soutiendront la grande lutte de la fin des temps contre les forces dévastatrices.

Walkyrie *(la)* → TÉTRALOGIE.

WALKYRIES, divinités féminines de la mythologie germanique. Elles sont les messagères de Wotan* (Odin) et les hôtesses du Walhalla*, où elles servent les élus. Elles suivent, invisibles, les combats dans de fantastiques chevauchées et conduisent au Walhalla les héros morts.

WALLACE (*sir* William), héros de l'indépendance écossaise (Elderslie, près de Glasgow, 1270-Londres 1305). Il prit, dès 1297, avec sir Andrew Moray, la tête de la résistance à l'occupant anglais, et remporta sur celui-ci une grande victoire à Stirling (sept. 1297). Nommé régent d'Écosse, il fut écrasé à Falkirk (juill. 1298). Abandonné par les barons, il continua la lutte avec de faibles moyens. Il fut capturé en août 1305 et exécuté.

WALLACE (Alfred Russel), explorateur et naturaliste britannique (Usk 1823-Broadstone 1913). Au cours de longs voyages en Amérique du Sud et en Indonésie (1848-1852 et 1854-1860), il conçoit, en même temps que Darwin, le principe de la sélection naturelle (1858). On lui doit aussi des vues pénétrantes sur le rôle du morcellement des continents dans la répartition actuelle des faunes et dans leur évolution. Loin de se poser en concurrent de Darwin, il contribua à diffuser l'œuvre de celui-ci.

WALLACH (Otto), chimiste allemand (Königsberg 1847-Göttingen 1931). Auteur de travaux sur la structure de composés comme le camphre et les terpènes, il a reçu le prix Nobel de chimie en 1910.

WALLASEY, v. d'Angleterre, sur l'estuaire de la Mersey; 97 000 hab.

WALLENSEE → WALENSEE.

WALLENSTEIN ou **WALDSTEIN** (Albrecht VON), général tchèque au service de l'Empire (Hermanič 1583-Eger 1634). Riche aventurier catholique, il met en 1618 une armée à la disposition de l'empereur. Généralissime des Impériaux dès 1625, il soumet l'Allemagne du Nord et les îles baltes : il se constitue alors une vaste et riche principauté dans le Mecklembourg. Un moment écarté, il est rappelé après la mort de Tilly* (1632), mais, plein de rancune, il négocie avec tous les ennemis de l'empereur. Il se laisse battre à Lützen (1632), laisse prendre Ratisbonne par Bernard de Saxe-Weimar (1633), avant de s'engager dans la rébellion ouverte. Relevé de son commandement (1634), il est assassiné peu après.

Wallenstein, trilogie dramatique de Schiller, jouée à Weimar (1798-99). Elle comprend *le Camp de Wallenstein, les Piccolomini* et *la Mort de Wallenstein.*

WALLER (Thomas, dit **Fats**), pianiste, chanteur, organiste et compositeur de jazz noir américain (New York 1904-Kansas City 1943). Accompagnateur de Bessie Smith en 1924, il travailla avec Louis Armstrong et joua chez Fletcher Henderson. Au cours des années 30, il s'imposa comme le plus inspiré des pianistes de jazz (avec Earl Hines et Art Tatum). Il sut également interpréter avec beaucoup d'humour et de swing de nombreuses chansons. Parmi ses enregistrements : *Valentine Stomp* (1929), *Sweetie Pie* (1934), *Christopher Colombus* (1936), *Keepin' out of Mischief now* (1937), *Georgia on my Mind* (1941).

WALLERS (59135), comm. du Nord, à 6 km au N. de Denain; 7 508 hab.

WALLIS (John), mathématicien britannique (Ashford 1616-Oxford 1703). Il mit à la portée du public les principes de la géométrie cartésienne et fut un précurseur de la géométrie infinitésimale. Son *Arithmétique des infinis* (1655) présente, d'une manière assez abstraite, les considérations sur l'infini traitées avant lui par des méthodes géométriques.

WALLIS (Samuel), navigateur anglais (Cornouailles v. 1728-Londres 1795). De 1766 à 1768, il est à la tête d'une expédition dans le Pacifique qui lui permet de découvrir Tuamotu, Tahiti et les îles Wallis et Futuna.

WALLISELLEN, comm. de Suisse (cant. de Zurich), au N.-E. de Zurich; 10 415 hab.

WALLIS-ET-FUTUNA, territoire français d'outre-mer, formé par un archipel d'Océanie, entre les Samoa et les Fidji, couvrant 255 km^2 et comptant 8 600 hab. L'archipel comprend deux groupes d'îles, les îles *Wallis* (englobant notamment Uvéa [site du chef-lieu *Mata Utu*] et couvrant 96 km^2, comptant 5 800 hab.) et les deux îles de Horn (*Futuna** et Alofi). — Découvert par l'Anglais Wallis (1767), cet archipel, protectorat français en 1886-87, devint, en 1959, territoire d'outre-mer.

WALLON (Henri), historien et homme politique français (Valenciennes 1812 - Paris 1904). Professeur à la Sorbonne, député en 1849-50, puis de 1871 à 1875, il attacha son nom à l'amendement qui, voté à une voix de majorité (30 janv. 1875), assura l'établissement de la république.

WALLON (Henri), médecin et psychologue français (Paris 1879 - *id.* 1962). Ses études sur l'enfant l'ont amené à élaborer une théorie de la genèse de la conscience, du développement de l'intelligence* et de l'affectivité*. Il s'est attaché à montrer que le psychique s'enracinait dans l'organique par l'intermédiaire de l'émotion*.

WALLONIE, partie francophone de la Belgique*, à l'exception de la ville francisée de Bruxelles*. Il s'agit, en fait, d'une entité linguistique et culturelle relativement récente, qui s'est affirmée par opposition au mouvement flamand, ou néerlandophone. Région de vieille industrialisation (en 1817, John Cockerill construit à Seraing le premier haut fourneau d'Europe), longtemps riche de ses ressources charbonnières, la Wallonie souffre de la situation minoritaire qui est la sienne dans la Belgique contemporaine, du fait du dynamisme démographique et économique de la partie néerlandophone.

Wall Street, rue de New York, dans le sud de Manhattan, centre financier (siège, notamment, de la Bourse de New York, de loin principal marché mondial des valeurs).

WALPOLE (Robert), 1er comte **d'Orford,** homme d'État anglais (Houghton 1676 - Londres 1745). Député whig (1701), secrétaire à la Guerre (1708) puis trésorier de la Marine (1710), il est écarté du pouvoir par les tories; il y revient avec les Hanovriens en 1714. Chancelier de l'Échiquier et premier lord du Trésor, il contrôle sans obstacle la vie politique du pays de 1721 à 1733. Walpole, désireux de fonder sur une prospérité retrouvée la stabilité du nouveau régime, se montre hostile à la guerre et donc très attaché à l'alliance française. Mais les scandales de la contrebande, à partir de 1733, la mort (1737) de la reine Caroline, son plus ferme soutien, l'ascension de William Pitt*, le fait que George II l'oblige à la guerre (1739) minent son pouvoir et l'obligent finalement à la retraite (1741). — Son frère, HORACE, 1er baron **Walpole of Wolterton** (Houghton 1678 - Wickmere 1757), deux fois secrétaire au Trésor (1715 et 1721), s'illustra comme ambassadeur extraordinaire à Paris (1723-1730), où il travailla à l'affermissement de la Triple-Alliance et contribua à propager l'anglomanie.

WALPOLE (Horace), homme politique et écrivain anglais (Londres 1717 - *id.* 1797), fils de Robert Walpole. Il fut l'un des initiateurs du « roman noir » (*le Château d'Otrante,* 1764).

WALRAS (Léon), économiste français (Évreux 1834 - Clarens, Suisse, 1910), fondateur de l'école de Lausanne. Nommé en 1870 professeur d'économie politique de l'académie de Lausanne, il y élabora une œuvre théorique importante. Initiateur (avec l'Autrichien Carl Menger et l'Anglais W. Stanley Jevons) du marginalisme, Walras diffuse la notion de « valeur-utilité » par opposition à la « valeur-travail » (prônée notamment par Ricardo et l'école classique) et celle de « calcul à la marge » (la dernière unité d'un bien acquis n'a pas la même valeur que la première). Très influencé par Cournot*, il est à l'origine de l'école mathématique. Ses principaux ouvrages sont : *Éléments d'économie pure* (1874-1887), *Théorie mathématique de la richesse sociale* (1873-1882), *Études d'économie sociale* (1896), *Études d'économie politique appliquée* (1898).

WALSALL, v. d'Angleterre, au N. de Birmingham; 185 000 hab. Métallurgie.

WALSCHAP (Gerard), écrivain belge d'expression néerlandaise (Londerzeel, Flandre, 1898). Il est l'auteur de contes (*la Mort au village,* 1930) et de romans qui analysent les conflits posés par la vie sociale et politique, à travers ses propres angoisses existentielles et religieuses (*Révolte au Congo,* 1953).

WALSER (Martin), écrivain allemand (Wasserburg, Wurtemberg, 1927). Ses récits (*Un avion par-dessus le toit,* 1955; *Quadrille à ...nsbourg,* 1958; *Mi-temps,* 1960; *la Licorne,* 1966; *la Chute,* ...âtre (*Chêne et lapins angora,* 1961; *le Cygne noir,* ...lité du monde contemporain.

...icain (New York 1892). Assistant ...réalisateur en 1918. Spécialiste ...ins presque tous les genres ...*agdad,* 1924; *la Piste des géants,* 1930; *High Sierra,* 1941; *Gentleman Jim,* 1942; *Aventures en Birmanie,* 1945; *L'enfer est à lui,* 1949; *les Nus et les morts,* 1958).

WALTARI (Mika), écrivain finlandais d'expression finnoise (Helsinki 1908). Célèbre pour ses romans historiques (*Sinouhé l'Égyptien,* 1945; *l'Ange noir,* 1952), il est aussi l'auteur de récits qui peignent aussi bien les crises de la bourgeoisie intellectuelle que les difficultés du monde rural ou la croissance des villes industrielles (*la Grande Illusion,* 1928; *Un inconnu vient à la ferme,* 1937; *la Viorne,* 1961).

WALTER (Bruno Walter SCHLESINGER, dit **Bruno**), chef d'orchestre américain d'origine allemande (Berlin 1876 - Beverly Hills 1962). Disciple de Mahler, il donna du répertoire classique et romantique des interprétations rayonnantes.

WALTER (Jean), architecte, collectionneur et philanthrope français (Montbéliard 1883 - Souppes-sur-Loing 1957). Administrateur des mines de Zellidja, il fut un des fondateurs des bourses de voyage de ce nom. Amateur d'art, il continua la collection du marchand de tableaux Paul Guillaume, que sa veuve a léguée à l'État.

WALTHER von der Vogelweide, poète allemand (v. 1170 - Würzburg v. 1230). Il fit de ses poésies une arme politique, prenant parti pour chacun de ses protecteurs successifs, et fut, bien avant Luther, le grand accusateur de la papauté.

WALTON (Ernest Thomas), physicien britannique (Dungarvan, Irlande, 1903). Avec Cockcroft, il a reçu, en 1951, le prix Nobel de physique pour leur réalisation, en 1932, de la première transmutation obtenue à l'aide de protons accélérés.

WALVIS BAY, enclave de la république d'Afrique du Sud (prov. du Cap), sur le littoral de la Namibie; 1 124 km^2; 13 000 hab. Base de pêche. Conserveries.

WAMBRECHIES (59118), comm. du Nord, dans la banlieue nord de Lille, sur la Deûle; 7 902 hab. Industrie alimentaire et textile.

WANG HOUEI ou **WANG HUI,** peintre chinois (1632-1717), l'un des membres du groupe des « Quatre Wang », comprenant aussi Wang Che-min (1592-1680), Wang Kien (1598-1677), Wang Yuan-k'i (1642-1715), qui comptent parmi les plus célèbres peintres de la dynastie Ts'ing. Wang Houei, qui s'est consacré à l'art du paysage, a laissé de nombreuses œuvres (musée de T'ai-pei), inspirées par les maîtres anciens qu'il a copiés avec talent et originalité.

WANG MONG ou **WANG MENG,** peintre chinois (v. 1300-1385), l'un des grands maîtres de la dynastie Yuan. Réputé pour ses paysages puissants, empreints d'une grandeur parfois dramatique, il est très admiré pour sa façon de peindre, par des « rides » d'encre sèche ou détrempée. Ses compositions, chargées mais clairement organisées, touchent souvent au baroque.

WANG TCH'ONG ou **WANG CHONG** → CONFUCIANISME.

WANG WEI, peintre, calligraphe et poète chinois (701 - 761). Il passe pour le créateur de la peinture monochrome à l'encre et pour le plus grand des poètes paysagistes, à l'origine de la peinture lettrée. Ses œuvres ont disparu et les copies ne nous donnent qu'une faible idée de la pureté de son art.

WANNE-EICKEL, v. de l'Allemagne fédérale (Rhénanie-du-Nord-Westphalie), dans la Ruhr; 95 000 hab. Métallurgie et chimie.

WANTZENAU (La) [67610], comm. du Bas-Rhin, à 12 km au N.-N.-E. de Strasbourg; 4 216 hab. Caoutchouc.

WAPITI. — Cette variété canadienne et américaine du cerf est plus grande de taille et de bois que le cerf d'Europe.

WARANGAL, v. de l'Inde (Andhra Pradesh), au N.-E. d'Hyderābād; 208 000 hab.

WARBURG (Emil), physicien allemand (Altona 1846 - Grunau, près de Bayreuth, 1931). Il a évalué le rapport des chaleurs spécifiques des gaz et découvert l'hystérésis magnétique en 1880.

WARBURG (Otto Heinrich), physiologiste allemand (Fribourg-en-Brisgau 1883 - Berlin 1970), un des fondateurs de l'enzymologie, prix Nobel de physiologie, en 1931, pour ses travaux sur la respiration cellulaire.

WAREGEM, comm. de Belgique (Flandre-Occidentale), au N.-E. de Courtrai; 17 725 hab. (en 1970).

WAREMME, en néerl. **Borgworm,** comm. de Belgique, dans le nord-ouest de la province de Liège; 10 956 hab. (en 1970).

WARHOL (Andy) → POP ART.

WARNDT *(forêt de la),* région boisée à l'O. de Forbach. Combats en 1939.

WARNEMÜNDE, avant-port de Rostock, sur la Baltique.

WARRANT. — Titres à ordre permettant la mise en gage des marchandises qu'ils représentent et qui sont déposées dans les

Lenars - Atlas-Photo

Washington. Le Capitole, siège du Congrès.

magasins généraux, les warrants permettent au débiteur de ne pas être dépossédé de ses marchandises. Ils existent en matière agricole, hôtelière, pétrolière, industrielle.

Le warrant implique pour son utilisation un récépissé délivré par le magasin, titre à ordre représentant la marchandise déposée dont le titulaire est propriétaire. Le récépissé n'est pas un effet de commerce, mais le warrant en est un; récépissé et warrant peuvent être transmis par endossement, ensemble ou séparément. Le porteur du récépissé seul est considéré comme propriétaire de la marchandise (mais celle-ci est grevée du gage); le porteur du warrant seul a un droit de gage sur la marchandise entreposée; le porteur du récépissé et du warrant réunis peut disposer librement de la marchandise; il en est considéré comme le plein propriétaire.

WARREN, v. des États-Unis (Michigan), banlieue de Detroit; 179 000 hab.

WARREN (Robert Penn), écrivain américain (Guthrie, Kentucky, 1905). Ses poèmes et ses romans (*le Cavalier de la nuit,* 1939; *le Grand Souffle,* 1950; *les Rendez-vous de la clairière,* 1972) posent le problème de la liberté humaine.

WARRINGTON, v. d'Angleterre, entre Manchester et Liverpool; 120 000 hab. Métallurgie.

WARSZAWA, nom polonais de VARSOVIE.

WARTA (la), riv. de la Pologne qui passe à Częstochowa et Poznań, affl. de l'Oder (r. dr.); 762 km.

Wartburg *(château de la),* château fort construit près d'Eisenach par les landgraves de Thuringe (fin du XIIe s.; transformé depuis), fameux par les séjours qu'y firent les *Minnesänger,* sainte Élisabeth de Hongrie, puis Luther (1521) [auj. musée].

WARTBURG (Walther VON) → ÉTYMOLOGIE.

WARWICKSHIRE, comté d'Angleterre, au S.-E. de Birmingham.

WASATCH *(monts),* chaîne de l'ouest des États-Unis, traversant l'Utah du N. au S.; 3 750 m.

WASH (le), golfe formé par la mer du Nord, sur la côte est de l'Angleterre.

WASHINGTON, capit. des États-Unis, sur le Potomac; 757 000 hab. La ville correspond au district de Columbia (174 km^2). Débordant sur les États voisins du Maryland et de la Virginie, l'agglomération compte plus de 3 millions d'habitants. La ville, qui vit presque exclusivement de sa fonction de capitale (siège des pouvoirs exécutif [Maison-Blanche], législatif [Capitole], judiciaire [Cour suprême, Tribunal fédéral] et militaire [Pentagone]) et d'activités annexes (rôle culturel et touristique), est peuplée pour plus de moitié de Noirs.

HISTOIRE. C'est en 1790 que le Congrès américain décide de construire une capitale fédérale près de l'estuaire du Potomac; en 1791, il lui donne le nom de Washington. Le président John Adams s'y installe en 1800. Incendiée par les Anglais en 1814, la ville est reconstruite lentement et ne prend son essor qu'après la guerre de Sécession. En 1878, Washington perd sa gestion autonome avec la création du district de Columbia.

BEAUX-ARTS. La ville fut construite sur un plan régulier dû au Français Pierre Charles L'Enfant (1754-1825). Du Capitole rayonnent de larges avenues souvent bordées de parcs. Nombreux musées, dont la National Gallery of Art, à vocation universelle, la Corcoran Gallery, la Freer Gallery (arts d'Extrême-Orient, etc.), la Phillips Collection (peinture moderne).

WASHINGTON, État du nord-ouest des États-Unis, sur le Pacifique; 176 617 km^2; 3 409 000 hab. Capit. *Olympia.* Formé en majeure partie de hauts plateaux et de chaînes montagneuses (Cascades, Coast Range) parfois englacées, l'État possède un climat frais et généralement humide, expliquant l'extension de la couverture forestière (conifères). La population, s'accroissant rapidement, se concentre sur le Puget Sound, de Tacoma à Everett, en passant par Seattle (la plus grande ville). La culture du blé et l'élevage sont les principales ressources de l'agriculture, bien loin en valeur derrière la production industrielle (bénéficiant d'un important apport hydroélectrique), dominée par la construction aéronautique, l'aluminium, le travail du bois (bois d'œuvre et papier).

WASHINGTON (George), homme d'État américain (Bridges Creek, Virginie, 1732-Mount Vernon 1799). Riche propriétaire virginien, il lutte à l'ouest contre les Indiens et les Français. Membre de l'Assemblée de la Virginie (1758), représentant de cette province au premier Congrès continental de Philadelphie (1774), il reçoit du deuxième Congrès le commandement en chef de l'armée continentale (1775). Malgré d'énormes difficultés, Washington — qu'épaulent les Français à partir de 1778 — dote son pays d'une armée, avec laquelle il mène, contre les Anglais, une guerre surtout défensive et de coups de main. En décidant avec Rochambeau de

Lauros - Giraudon

George Washington. Peinture attribuée à James Peale (1749-1831). [Metropolitan Museum of Art, New York.]

la capitulation de Cornwallis à Yorktown (1781), il devient le héros de l'indépendance* américaine. Retiré (1783) à Mount Vernon, il est rappelé à Philadelphie en 1787 par la convention, qui parvient, non sans peine, à doter les jeunes États-Unis d'Amérique d'une constitution. En 1789, Washington est élu président de l'Union; il sera réélu en 1792. Renforçant la fonction présidentielle, il combat Jefferson* et les républicains-démocrates, défenseurs des droits des États, au profit de Hamilton* et des fédéralistes.

WASQUEHAL (59290), comm. du Nord, à 4 km au N.-E. de Lille; 16 523 hab. *(Wasquehaliens).* Industrie textile et chimique.

WASSELONNE (67310), ch.-l. de cant. du Bas-Rhin, à 13 km au N. de Molsheim; 4 172 hab.

WASSERBILLIG, v. du Luxembourg, sur la Moselle; 2 000 hab.

WASSERMANN (August VON), médecin allemand (Bamberg 1866-Berlin 1925), créateur d'une réaction sérologique pour le diagnostic de la syphilis.

WASSIGNY (02630), ch.-l. de cant. de l'Aisne, à 15 km au N. de Guise; 1 011 hab.

WASSY (52130), ch.-l. de cant. de la Haute-Marne, sur la Blaise, à 19 km au S. de Saint-Dizier; 3 481 hab. Église en partie romane. — Le 1er mars 1562 des protestants y furent massacrés par les gens de François de Guise : ce fut le prélude aux guerres de Religion*.

WATERBURY, v. des États-Unis (Connecticut); 10[illegible]

WATERFORD, en gaélique **Port Láirge** [illegible] 32 000 hab. Verrerie.

WATERLOO, comm. de Bel[illegible] 17 764 hab. (en 1970). Victoir[illegible] sur Napoléon le 18 juin [illegible]

WATERLOO, v. du Canada (Ontario), au S.-O. de Toronto; 36 677 hab.

WATERLOO, v. des États-Unis, dans le nord-est de l'Iowa; 76 000 hab.

WATERMAEL-BOITSFORT, en néerl. **Watermaal-Bosvoorde,** comm. de Belgique (Brabant), dans la banlieue sud-est de Bruxelles; 25 123 hab. (en 1970).

WATSON (James Dewey), biologiste américain (Chicago 1928), prix Nobel de physiologie et de médecine, en 1962, avec M. A. F. Wilkins et F. A. Compton Crick, pour ses travaux sur la structure de l'acide désoxyribonucléique.

WATSON-WATT (*sir* Robert Alexander), physicien écossais (Brechin, Angus, 1892 - Inverness 1973). Il conçut un système de détection et de mesure de distance d'un obstacle par ondes radioélectriques, dont dériva le radar (1935).

WATT → UNITÉS.

WATT (James), ingénieur écossais (Greenock 1736 - Heathfield, près de Birmingham, 1819). Après avoir entrepris une série d'expériences sur la vaporisation de l'eau, il créa, à partir de la machine atmosphérique de Newcomen*, la machine à vapeur utilisable industriellement, en imaginant : le *condenseur* (1769), pour une meilleure utilisation de la chaleur; le *tiroir* (1785), pour distribuer automatiquement la vapeur de chaque côté du piston; le *parallélogramme déformable,* pour relier la tige du piston, animée d'un mouvement rectiligne, au balancier, dont chaque extrémité décrivait un arc de cercle; le *volant,* pour uniformiser le mouvement de la machine; le *régulateur à boules,* pour parer aux inégalités de production de la vapeur.

Watt, roman de S. Beckett (écrit vers 1935-1942; publié en 1953). Un voyage à travers des espaces qui se dérobent et un langage qui se délite : une ascèse de l'anéantissement.

WATTĀSIDES, dynastie marocaine. Les Waṭṭāsides, famille établie dans le Rif, apparentée aux Marīnides*, deviennent les régents du dernier souverain marīnide (de 1420 à 1465), puis règnent sur le Maroc de 1472 à 1554. Ils ne peuvent empêcher l'émiettement territorial du pays que mettent à profit les Portugais, qui s'emparent de Tanger (1491), de Safi et de sa région (1508). La résistance nationale et la guerre sainte qui s'organisent dans le Sud portent au pouvoir les Sa'diens*.

WATTEAU (Antoine), peintre français (Valenciennes 1684 - Nogent-sur-Marne 1721). Il acquiert sa formation dans l'atelier de Claude Gillot, qui lui donne le goût du dessin et de la comédie italienne, puis chez Claude III Audran. Mais sa fréquentation des collections des marchands d'estampes et la découverte de Rubens et des Vénitiens influencent un style en rupture avec l'académisme du XVIIe s. Après des toiles d'inspiration militaire peintes à Valenciennes, il développe, dans l'ambiance d'une société raffinée, son art des scènes de comédie et surtout des « fêtes galantes » (*le Pèlerinage* à l'île de Cythère,* 1717, Louvre), genre nouveau qui assure sa célébrité. Dans des paysages qui tiennent à la fois du décor et du cadre naturel, il offre une évasion vers un univers poétique évoqué, avec une extrême sensibilité, par une lumière vaporeuse et des tons dorés; à l'« illusion comique » se superpose une mélancolie que symbolise le *Gilles* (Louvre), un des derniers chefs-d'œuvre — avec *l'Enseigne de Gersaint,* 1720, château de Charlottenburg, Berlin — d'une carrière brève, mais brillante, qu'illustre encore la suave vivacité des dessins. Watteau eut peu d'émules (Lancret, Pater), mais de nombreux plagiaires.

WATTENSCHEID, v. de l'Allemagne fédérale, dans la Ruhr; 81 000 hab. Métallurgie.

WATTIGNIES (59139), comm. du Nord, dans la banlieue sud de Lille; 12 417 hab.

WATTIGNIES-LA-VICTOIRE (59680 Ferrière la Grande), comm. du Nord, à 13 km au N.-E. d'Avesnes-sur-Helpe; 216 hab. Victoire de Jourdan sur les Autrichiens (1793).

WATTMÈTRE. — Cet appareil est construit sur le modèle d'un galvanomètre à cadre mobile, mais l'aimant est remplacé par des bobines parcourues par une fraction connue du courant. Le cadre, mis en série avec une grande résistance, reçoit un courant proportionnel à la tension régnant aux bornes du circuit.

[illegible]ATTRELOS (59150), comm. du Nord, faubourg est de Roubaix, [illegible] frontière belge; 45 447 hab. *(Wattrelosiens).* Industrie textile [illegible]onstructions mécaniques et électriques.

[illegible] Suisse (Saint-Gall), sur la Thur; 8 566 hab.

[illegible]**ER**, agitateur anglais († 1381). [illegible] de juin 1381, le chef de la [illegible]. Tyler y rencontra [illegible]nt des serfs, la [illegible]in par un

WAUGH (Evelyn), écrivain anglais (Londres 1903 - Taunton, Somerset, 1966). Critique littéraire, essayiste, auteur de biographies et de récits de voyages (*Waugh en Abyssinie,* 1936), il a fait dans ses romans une satire de l'humanité contemporaine (*Diablerie,* 1932; *l'Épreuve de Gilbert Pinfold,* 1957; *la Capitulation,* 1961).

WAVELL (Archibald), 1er comte **de Cyrénaïque et de Winchester,** maréchal britannique (Colchester 1883 - Londres 1950). À la tête des forces du Moyen-Orient, il vainquit les Italiens en Libye puis occupa Tobrouk et Benghazi (1941). Commandant en chef anglais aux Indes, puis commandant interallié dans le Sud-Est asiatique (déc. 1941), il lutta contre les Japonais et devint vice-roi des Indes (1943-1947).

Waverley, le premier roman historique de Walter Scott (1814). C'est un épisode de la tentative de restauration jacobite en 1745.

WAVRE, en néerl. **Waver,** comm. de Belgique (Brabant), au S.-E. de Bruxelles; 11 767 hab. (en 1970).

WAVRE-SAINTE-CATHERINE, en néerl. **Sint-Katelijne-Waver,** comm. de Belgique (prov. d'Anvers), au N.-E. de Malines; 13 377 hab. (en 1970).

WAVRIN (59136), comm. du Nord, à 13,5 km au S.-O. de Lille; 6 187 hab.

WAYNE (Marion Michael MORRISON, dit **John**), acteur de cinéma américain (Winterset, Iowa, 1907). Il est l'un des acteurs les plus populaires du western (*la Piste des géants,* 1930; *la Chevauchée fantastique,* 1939; *la Rivière rouge,* 1948; *Rio Bravo,* 1958; *L'homme qui tua Liberty Valance,* 1962; *Cent Dollars pour un shérif,* 1969). Il s'est dirigé lui-même dans *Alamo* (1959).

WAZIERS (59119), comm. du Nord, à 6 km au N.-E. de Douai; 10 251 hab. *(Waziérois).*

WAZIRISTĀN, région montagneuse du Pākistān, à la frontière de l'Afghānistān.

WAŻYK (Adam WAGMAN, dit **Adam**), écrivain polonais (Varsovie 1905), auteur de poèmes (*Sémaphores,* 1924), de romans (*Mythes de famille,* 1938), de pièces de théâtre et d'essais (*De Rimbaud à Eluard,* 1964).

WEALD (le), région du sud-est de l'Angleterre, partiellement boisée, portant aussi des prairies d'élevage.

WEAVER (John), danseur, chorégraphe, pédagogue et écrivain de la danse anglais (Shrewsbury 1673 - *id.* 1760). Auteur de nombreux ballets d'action, il est considéré comme le créateur du ballet anglais et son premier théoricien. En 1706, il a publié *A Small Treatise of Time and Cadence in Dancing* et la première traduction de la *Chorégraphie* de R. A. Feuillet* sous le titre *Orchesography.*

WEBB (Sidney), baron **Passfield,** homme politique et économiste britannique (Londres 1859 - Liphook 1947). Il fut l'un des fondateurs du mouvement fabien (1883) et, avec sa femme, BEATRICE (1858-1943), marqua profondément le travaillisme.

WEBER → UNITÉS.

WEBER (Carl Maria VON), compositeur, pianiste et chef d'orchestre allemand (Eutin 1786 - Londres 1826). Tour à tour maître de musique à Stuttgart, à Darmstadt, à Prague, puis directeur de l'Opéra de Dresde, il fit un voyage en Angleterre pour la première audition de son opéra *Oberon** (1826). L'un des créateurs de l'art dramatique allemand (*Der Freischütz**, 1821; *Euryanthe,* 1823), il a excellé dans le maniement de l'orchestre; on lui doit, en outre, des pages intimes ou brillantes pour piano (*Invitation à la valse,* 1819) et de nombreuses pièces pour clarinette.

WEBER (Wilhelm Eduard), physicien allemand (Wittenberg 1804 - Göttingen 1891). Il réalisa avec Gauss*, en 1833, un télégraphe électrique et construisit, en 1846, le premier électrodynamomètre. Il mesura le rapport des unités dans les systèmes électrostatique et électromagnétique, qu'il trouva égal à la vitesse de la lumière.

WEBER (Max), sociologue et économiste allemand (Erfurt 1864 - Munich 1920). La sociologie de Max Weber est avant tout une philosophie de l'action*, principalement de l'action politique. L'existence de l'homme d'action se déploie, selon Weber, dans un univers de valeurs irrémédiablement contradictoires. En ce sens, le monde politique apparaît être le théâtre d'une « lutte inexpiable des dieux ». C'est dans ce combat singulier que le sociologue de l'action doit s'efforcer de comprendre (sociologie « compréhensive ») l'expérience vécue par les acteurs de la société du présent ou du passé. Sa méthode principale consistera à élaborer des « types* idéaux ». Dans *l'Éthique protestante et l'esprit du capitalisme* (1905) Weber a donné sa conception de la naissance du capitalisme. Son grand ouvrage *Économie* et société* fut publié après sa mort.

WEBERN (Anton), compositeur autrichien (Vienne 1883 - Mittersill, près de Salzbourg, 1945). Élève de Schönberg, il utilisa l'atonalité de façon originale, notamment dans les œuvres très brèves de la période 1910-1914 (*Quatre Pièces* pour violon et piano, op. 7; *Cinq*

Pièces pour orchestre, op. 10; *Trois Petites Pièces pour violoncelle et piano,* op. 11), puis tira de la découverte du principe sériel, à partir de 1924, les conséquences les plus radicales (*Symphonie,* op. 21; *Concerto pour neuf instruments,* op. 24; *Quatuor à cordes,* op. 28).

WEBSTER (John), auteur dramatique anglais (Londres v. 1580 - *id.* v. 1624). Ses tragédies, jalonnées d'épisodes atroces, font de lui un des plus vigoureux dramaturges du théâtre élisabéthain (*le Démon blanc,* publié en 1612; *la Duchesse de Malfy,* 1614).

Wechsler → TEST.

WEDEKIND (Frank), auteur dramatique allemand (Hanovre 1864 - Munich 1918). Mélange de réalisme mystique et de grotesque, son œuvre est l'une des plus caractéristiques incarnations de l'expressionnisme au théâtre (*Éveil du printemps,* 1891; *l'Esprit de la terre,* 1895; *la Danse de mort,* 1906).

WEDGWOOD (Josiah), céramiste anglais (Burslem, Staffordshire, 1730 - Etruria, près de Burslem, 1795). Créateur v. 1760 de la *faïence fine* (céramique à base d'argile très blanche, revêtue d'une glaçure transparente), qu'il travailla dans des formes néoclassiques simples, il rencontra un tel succès qu'il put fonder en 1768 la puissante manufacture *Etruria,* où sa production se diversifia (grès et émaux divers imitant les pierres dures; décors imprimés par transfert...). Un des plus grands succès de la firme furent les « jaspes », pièces de couleur (notamment bleues) non vernissées, décorées de reliefs blancs à l'antique (nombreux modèles de Flaxman*).

WEGENER (Alfred), géophysicien et météorologiste allemand (Berlin 1880 - Groenland 1930). Il participa à plusieurs expéditions polaires et trouva la mort au Groenland. Il demeure surtout connu pour sa théorie de la dérive* des continents.

WEHNELT (Arthur), physicien allemand (Rio de Janeiro 1871 - Berlin 1944). Il découvrit l'émission thermoélectronique des oxydes alcalino-terreux et imagina, pour régler le débit dans les tubes électroniques, l'électrode cylindrique qui porte son nom.

Wehrmacht (mot allem. signif. « force de défense »), nom donné de 1935 à 1945 à l'ensemble des forces armées allemandes de terre *(Heer),* de mer *(Kriegsmarine)* et de l'air *(Luftwaffe).* Le commandement de la Wehrmacht (*Oberkommando der Wehrmacht,* ou OKW), ayant pour chef le général Keitel, relevait directement de Hitler. Les effectifs passeront de 4,2 millions d'hommes en 1939 à 7,8 millions d'hommes en 1945. Entre ces deux dates, on estime à près de 18 millions le nombre d'hommes qui furent incorporés dans la Wehrmacht ou les Waffen SS.

WEI, le plus septentrional des Trois Royaumes qui se partagèrent l'empire de Chine au IIIe s. apr. J.-C. Il ne dura que quarante-cinq ans (220-265).

WEIDEN, v. de l'Allemagne fédérale (Bavière); 42 000 hab. Monuments, surtout des XVe-XVIe s., et maisons anciennes. Verrerie.

WEIDMAN (Charles), danseur, chorégraphe et pédagogue américain (Lincoln, Nebraska, 1901 - New York 1975). Collaborateur de Doris Humphrey*, excellent danseur, mime et humoriste, il est un des principaux représentants de la modern dance. Auteur de *American Saga* (1948), *The War between the Men and the Women* (1954), *Lynchtown* (1973).

WEIERSTRASS (Karl), mathématicien allemand (Ostenfelde, Westphalie, 1815 - Berlin 1897). Il fut le chef de file d'une brillante école d'analystes, qui entreprirent la révision systématique des divers secteurs de l'analyse mathématique, notamment l'étude des fonctions de la variable complexe. Son nom est resté attaché à la théorie des fonctions elliptiques, qu'il renouvela.

WEI-FANG ou **WEIFANG,** v. de Chine (Chan-tong); 149 000 hab.

WEI-HAI ou **WEIHAI,** port de Chine (Chan-tong), à l'entrée du golfe de Po-hai; 222 000 hab. Engrais.

WEIL (Simone), écrivain et philosophe français (Paris 1909 - Londres 1943). Elle entre comme ouvrière chez Renault (1934), combat auprès des républicains espagnols (1936) et rejoint la France libre (1942). Son engagement est pénétré de mysticisme chrétien, et son œuvre, qui se fait l'écho des bouleversements de la guerre et des souffrances du prolétariat, est une recherche passionnée de justice sociale (*la Pesanteur et la grâce* [1947], *l'Enracinement,* 1950).

WEILL (Kurt), compositeur américain d'origine allemande (Dessau 1900 - New York 1950). Élève de Busoni, il se tourna vers le « contemporain » *(Zeitnähe)* et la critique sociale, ce dont témoignent surtout ses œuvres écrites en collaboration avec B. Brecht *(l'Opéra de quat' sous, Grandeur et décadence de la ville de Mahagonny, Berliner Requiem).*

WEIMAR, v. de l'Allemagne orientale, en Thuringe, au S.-O. de Leipzig; 57 000 hab. Constructions mécaniques et électriques. BEAUX-ARTS. Église Saints-Pierre-et-Paul (ou *Herderkirche,* gothique et baroque; retable des Cranach*). Château ducal reconstruit sous la direction de Goethe (riche musée d'art surtout allemand). Palais Wittum, baroque du XVIIIe s., avec musée Wieland. Bibliothèque au *Grünes Schloss* (Renaissance et rococo). Maisons-musées Goethe, Schiller et Franz Liszt; pavillon du parc Goethe; archives Goethe-Schiller; musée Herder. Musée de préhistoire de Thuringe. Aux environs, châteaux du Belvédère (1731; musée du rococo, parc à l'anglaise) et de Tiefurt (fin XVIe et XVIIIe s.).

Weimar *(république de),* régime politique de l'Allemagne de 1919 à 1933. Dès l'avènement de la République allemande (nov. 1918), les sociaux-démocrates constituent, sous la direction de F. Ebert, un gouvernement provisoire pour barrer la route au spartakisme*. L'insurrection réprimée (janv. 1919), l'Assemblée constituante, qui se réunit à Weimar (févr.) et rassemble une majorité de sociaux-démocrates et de modérés, met en place un régime parlementaire et démocratique, où le pouvoir exécutif conserve cependant d'importantes attributions. Promulguée en août, la Constitution de Weimar, qui crée une confédération de 17 États autonomes, mais soumis à l'autorité du pouvoir central, renforce l'unité allemande. Sous la présidence d'Ebert (1919-1925), la république de Weimar se heurte aussitôt à des oppositions nombreuses (communistes, nationalistes, milieux industriels), que la signature, en juin, du traité de Versailles va exacerber.

Le pays, ruiné par la guerre, subit une très grave crise économique, financière et sociale, qui touche tout particulièrement la classe moyenne, appauvrie par l'inflation et l'effondrement du mark (1922). Le gouvernement, incapable de payer les réparations de guerre, doit subir l'occupation de la Ruhr par la France (1923), tandis que le régime se voit menacé par des mouvements séparatistes (Bavière, Saxe, Rhénanie), des tentatives de putschs militaires (W. von Lüttwitz et W. Kapp, Berlin, 1920; Hitler, Munich, 1923) et le développement des attentats nationalistes (Erzberger, 1921; Rathenau, 1922). À l'extérieur, l'Allemagne opère cependant, grâce à Stresemann, un redressement diplomatique qui lui permet d'atténuer les clauses du traité de Versailles et le problème des réparations (accord de Rapallo avec l'U. R. S. S. [1922]; plans Dawes [1924] et Young [1929]; détente avec la France et l'Angleterre [conférence de Locarno, 1925]).

À la mort d'Ebert (1925), auquel succède le maréchal Hindenburg, appuyé par les nationalistes, la république évolue vers un régime de type présidentiel et un renforcement de la droite. La crise mondiale, sensible à partir de 1930, va provoquer la chute du régime de Weimar. Le grave malaise social lié au développement du chômage et de la misère, ainsi que les crises parlementaires successives favorisent la montée du national-socialisme* et l'accession de Hitler* au pouvoir.

WEINGARTEN (Romain), écrivain français (Paris 1926). La fausseté des rapports humains se révèle, dans son théâtre (*Akara,* 1948; *l'Été,* 1966; *la Mandore,* 1974), à travers la peinture d'une réalité quotidienne sous laquelle affleure le fantastique et dont la cruauté ironique rappelle la violence de ses recueils lyriques (*le Théâtre de la chrysalide,* 1950).

WEIPA, port du nord de l'Australie (Queensland), à proximité de grands gisements de bauxite.

WEISMANN (August), biologiste allemand (Francfort 1834-Fribourg 1914). Entre 1882 et 1891, Weismann a fait évoluer la théorie de l'hérédité depuis la position darwinienne (doctrine des gemmules) jusqu'à une vision déjà proche de la théorie chromosomique. Sa contribution majeure a été la notion de continuité du plasma germinatif *(germen)* d'une génération à l'autre, indépendamment du *soma* (tissus non reproducteurs), ce qui fournit une base théorique au refus de l'hérédité des caractères acquis.

WEISS (Pierre), physicien français (Mulhouse 1865 - Lyon 1940). Il a découvert le phénomène magnétocalorique et élaboré une théorie du ferromagnétisme.

WEISS (Peter), écrivain suédois d'origine allemande (Nowawes, près de Berlin, 1916). Peintre puis auteur de récits en suédois, il revient à la langue allemande à travers des essais autobiographiques (*Point de fuite,* 1962) et des romans (*l'Esthétique de la contradiction,* 1975), mais se consacre surtout au théâtre, où, en disciple de Brecht, il affirme la nécessité de l'engagement politique (*Marat-Sade,* 1964; *l'Instruction,* 1965; *Hölderlin,* 1971).

WEISSENFELS, v. de l'Allemagne orientale, au S. de L
44 000 hab. Industrie de la chaussure.

WEISSMULLER (John), nageur américain
1904), cinq fois champion olympique
interpréta Tarzan à l'écran

WEIZMANN (Cha
1874 - Rehovot
de l'Age
d'Isr

WEIZSÄCKER (Carl, *baron* VON), astrophysicien allemand (Kiel 1912). Il a établi, en 1938, une théorie sur l'origine de l'énergie stellaire et formulé, en 1944, une hypothèse sur la formation des systèmes de planètes.

WELHAVEN (Johan Sebastian), écrivain norvégien (Bergen 1807-Christiania 1873). Il subit l'influence du romantisme allemand et entra en conflit avec le « norvégianisme » de Wergeland.

WELKOM, v. de l'Afrique du Sud (Orange); 132 000 hab. Métallurgie.

Welland *(canal),* canal du Canada (Ontario), long de 44 km et reliant les lacs Érié et Ontario, en évitant les chutes du Niagara. En bordure du canal, la ville de *Welland* (Ontario) compte 44 397 habitants. Métallurgie.

WELLES (Orson), cinéaste américain (Kenosha, Wisconsin, 1915). Il débute comme acteur et metteur en scène de théâtre. En 1938, il se rend célèbre en semant la panique aux États-Unis par la diffusion radiophonique de son adaptation de *la Guerre des mondes* de H. G. Wells. Avec *Citizen* Kane* (1940), son premier film, il ouvre une ère nouvelle de la mise en scène cinématographique en utilisant à des fins expressives des procédés techniques dont on avait mal su, jusque-là, comprendre tout l'intérêt dramatique et esthétique. Il poursuit — non sans difficultés — son œuvre, malgré la réticence des producteurs à s'accommoder d'une telle personnalité à la fois exigeante, insolite et désordonnée (*la Splendeur des Amberson,* 1942; *la Dame de Shanghai,* 1947; *Macbeth,* 1948; *Othello,* 1952; *Monsieur Arkadin,* 1956; *la Soif du mal,* 1957; *le Procès,* 1962; *Falstaff,* 1966; *Vérités et mensonges,* 1973). Acteur, s'est dirigé lui-même dans ses principaux films et a connu un légitime succès dans de nombreuses autres productions (*le Troisième Homme,* 1948; *le Génie du mal,* 1958).

WELLESLEY (Richard COLLEY WELLESLEY, 1er *marquis),* homme politique britannique (château de Dangan 1760-Londres 1842). Gouverneur général de l'Inde (1797-1805), il y étend l'influence britannique aux dépens de la France. Ministre des Affaires étrangères (1809-1812), puis lord-lieutenant d'Irlande (1821-1828, 1833-34), il prend la défense des catholiques irlandais.

WELLINGTON, capit. de la Nouvelle-Zélande, dans l'île du Nord, sur le détroit de Cook; 195 000 hab. Industries mécaniques et textiles.

WELLINGTON (Arthur Wellesley, 1er *duc* DE), général britannique (Dublin 1769-Walmer, Kent, 1852). Mis en 1809 à la tête des troupes britanniques au Portugal et en Espagne, il tient les Français en échec, puis, après sa victoire de Vitoria (1813), les refoule d'Espagne et envahit le sud de la France, jusqu'à Toulouse (1814). Délégué au congrès de Vienne, il commande pendant les Cent-Jours l'armée alliée des Pays-Bas et remporte sur Napoléon la victoire de Waterloo (1815). Chef des forces d'occupation en France de 1815 à 1818, il sera Premier ministre de 1828 à 1830, puis commandant en chef des troupes britanniques de 1842 à sa mort.

WELLS, v. d'Angleterre (Somerset); 7 000 hab. Importante cathédrale construite pour l'essentiel de la fin du XIIe s. à la fin du XIVe (façade occidentale sculptée, XIIIe s.).

WELLS (Herbert George), écrivain anglais (Bromley, Kent, 1866-Londres 1946). Il débuta par un roman scientifique, *la Machine à explorer le temps* (1895), dont le succès l'encouragea à exploiter cette veine nouvelle (*l'Homme invisible,* 1897; *la Guerre des mondes,* 1898). Il s'attaqua ensuite aux conventions religieuses et sociales (*Une utopie moderne,* 1905; *l'Histoire de Mr. Polly,* 1910; *Autobiographie,* 1934).

WELWYN GARDEN CITY, v. résidentielle (cité-jardin) d'Angleterre, au N. de Londres.

WEMBLEY, agglomération de la banlieue nord-ouest de Londres. Stade de football.

WEMMEL, comm. de Belgique (Brabant), au N.-O. de Bruxelles; 12 631 hab. (en 1970).

WEMYSS (Rosslyn Erskine), lord **Wester,** amiral britannique (Wemyss 1864-Cannes 1933). Chef de l'état-major naval en 1918, il signa l'armistice de Rethondes au nom de la Grande-Bretagne.

WENDEL (DE), famille d'industriels français originaires de Bruges. IGNACE (1741-1795) créa, avec Wilkinson*, au lieu-dit *Le Creusot,* une fonderie qui fut à l'origine de la métallurgie du Creusot. — Ses arrière-petits-fils, HENRI et ROBERT, avec leur cousin THÉODORE **de Gargan,** acquirent en 1879 le procédé Thomas, nouvellement découvert, et installèrent à Hayange, en 1880, une aciérie Thomas, la première en date des aciéries lorraines, constituant la société De Wendel et Cie, en participation avec le groupe Schneider.

WENDES → SORABES.

WENGEN, importante station de sports d'hiver de Suisse, dans l'Oberland bernois; 1 400 hab.

WEN-TCHEOU ou **WENZHOU,** v. de Chine (Tchö-kiang); 594 000 hab.

WENZEL (Karl Friedrich), chimiste allemand (Dresde 1740-Freiberg 1793). Il montra que la vitesse de réaction des acides sur les métaux était proportionnelle à leur concentration et énonça une loi de stœchiométrie.

WEÖRES (Sándor), poète hongrois (Pécs 1913). Son lyrisme traduit sa culture encyclopédique et sa prédilection pour les philosophies orientales (*la Tour du silence,* 1957; *Puits de feu,* 1964).

WERFEL (Franz), écrivain autrichien (Prague 1890-Beverley Hills, Californie, 1945). Poète, il célèbre dans ses drames et ses romans le combat de l'homme contre les lois qui tuent l'esprit. Il est aussi l'auteur de biographies romancées (*le Chant de Bernadette,* 1941).

WERGELAND (Henrik), poète norvégien (Kristiansand 1808-Christiania, auj. Oslo, 1845). Il se fit le champion d'une culture spécifiquement norvégienne, par son théâtre, ses récits et ses poèmes (*la Création, l'Homme et le Messie,* 1830).

WERNER (Zacharias), dramaturge allemand (Königsberg 1768-Vienne 1823), auteur de drames d'inspiration mystique *(le Vingt-Quatre Février).*

WERNER (Alfred), chimiste suisse (Mulhouse 1866-Zurich 1919). Il a étudié les complexes organiques du fer, du chrome et du cobalt, qu'il a représentés par des formules stéréochimiques, et défini la coordinence (1893). [Prix Nobel de chimie, 1913.]

WERTHEIMER (Max) → FORME *(théorie de la).*

Werther *(les Souffrances du jeune),* roman épistolaire de Goethe (1774). Ce récit dramatisé d'une aventure sentimentale, dont Goethe avait pris les éléments dans sa propre vie, contribua à créer l'image du héros romantique. — De ce roman, Édouard Blau, Paul Milliet et G. Hartmann ont tiré un drame lyrique, avec musique de Massenet (1892).

WERVE (Claus DE) → SLUTER (Claus).

WERVIK, comm. de Belgique (Flandre-Occidentale), sur la Lys; 12 672 hab. (en 1970).

WESER (la), riv. d'Allemagne; 480 km. Formée par la réunion de la Fulda et de la Werra, elle passe à Minden et à Brême, avant de rejoindre la mer du Nord par un long estuaire, au débouché duquel est établi Bremerhaven.

WESKER (Arnold), écrivain britannique (Londres, 1932). À travers l'évocation des luttes sociales et raciales, son théâtre peint la vie des Juifs pauvres et du petit peuple de l'East End de Londres (*la Cuisine,* 1957; *Soupe au poulet et à l'orge,* 1958; *Nous ferons de vous des hommes,* 1962; *les Amis,* 1970).

WESLEY (John), théologien anglais (Epworth 1703-Londres 1791). Suffragant de son père (pasteur anglican), il rompt très vite avec l'Église établie et devient le chef des méthodistes; il voyage sans cesse, s'imposant aux masses par la profondeur de sa piété, l'ardeur de son zèle, sa puissance oratoire, son sens du gouvernement des hommes. Wesley a fait du méthodisme* une des forces vives du protestantisme et de l'œcuménisme mondiaux.

WESSEX, royaume saxon fondé (v. 495) par le prince Cerdic; capit. *Winchester.* Après un demi-siècle d'expansion, le Wessex dut reconnaître la suprématie du Kent, puis de la Mercie. Il fallut attendre le règne d'Egbert (début du IXe s.) pour assister à un réveil de la puissance ouest-saxonne, qui, avec Alfred le Grand et ses successeurs, réalisa à son profit l'unité anglo-saxonne.

WEST (Benjamin), peintre américain (Springfield 1738-Londres 1820). Il émigre en Europe dès 1760, séjourne à Rome, puis s'installe en 1764 à Londres, où son talent et sa facilité lui valent le succès, au point qu'il succède à Reynolds, en 1791, à la tête de la Royal Academy. Il n'en est pas moins considéré, avec John Singleton Copley (1738-1815), comme l'un des pères de l'école américaine (*la Mort du général Wolfe,* 1770, musée d'Ottawa).

WEST (Morris), écrivain australien (Melbourne 1916), romancier des passions sourdes et des déchirements de la conscience (*la Vallée des maléfices,* 1956; *l'Avocat du diable,* 1959; *le Loup rouge,* 1971).

WEST BROMWICH, v. d'Angleterre, au N.-O. de Birmingham; 167 000 hab.

West End, ensemble des quartiers résidentiels de l'ouest de Londres.

WESTERLO, comm. de Belgique (prov. d'Anvers), en Campine; 14 173 hab. (en 1970).

WESTERMARCK (Edvard), anthropologue finnois (Helsinki 1862-Lapinlahti, prov. de Kuopio, 1939). Connu pour ses théories sur le mariage (*The History of Human Mariage,* 1891) et sur l'inceste, il contribua beaucoup à la remise en cause de la thèse de l'antériorité de la filiation matrilinéaire sur la filiation patrilinéaire.

Prodis (coll. J.-L. Passek)

Western. *Río Lobo* (1971), film de Howard Hawks, avec John Wayne.

WESTERN. — Selon le critique André Bazin, « le western est né de la rencontre d'une mythologie avec un moyen d'expression ». Genre cinématographique typiquement américain, parce que relatif à des événements essentiellement nationaux, il a tenté les producteurs de plusieurs autres pays, qui ont affadi le mythe au profit de ses apparences les plus spectaculaires (western « spaghetti » italien). Le premier grand western de l'histoire du cinéma date de 1903 (*le Vol du Grand Rapide,* d'E. S. Porter). Son succès entraîne une prolifération de petites bandes populaires où, selon un mot de l'époque, on ne « changeait pas de sujet, on changeait seulement de cheval ». Au cours des années 1910, à Hollywood, qui venait de naître, le western est roi et les premières vedettes spécialisées apparaissent (William S. Hart et Tom Mix). Deux metteurs en scène s'imposent à l'époque du muet : James Cruze (*la Caravane vers l'ouest,* 1923) et John Ford (*le Cheval de fer,* 1924). Quand le cinéma devient parlant, le western, jusque-là considéré comme un genre mineur, acquiert ses lettres de noblesse (*la Piste des géants,* de Raoul Walsh, 1930; *Pacific-Express,* de Cecil B. De Mille, 1939; *la Chevauchée fantastique,* de John Ford, 1939). Dès lors, la plupart des grands réalisateurs s'efforcent de magnifier à leur manière la légende de l'Ouest (William Wyler, Fritz Lang, William Wellman, Raoul Walsh, King Vidor, Howard Hawks, Henry Hathaway, Delmer Daves, Fred Zinnemann, George Stevens, Anthony Mann, John Sturges, Nicholas Ray, Robert Aldrich, Robert Wise, Richard Brooks). À la fin des années 50, le western diminue quantitativement dans la production américaine et s'intellectualise. Les auteurs des meilleurs westerns (Sam Peckinpah, Arthur Penn, Monte Hellman, Sydney Pollack, Robert Altman) remettent en question la légende dorée des grands espaces, démythifient les héros populaires (le général Custer, Billy le Kid, Buffalo Bill, etc.) et tournent des antiépopées, qui sont souvent des paraboles symboliques et sociopolitiques.

WESTERWALD, partie du Massif schisteux rhénan, en Allemagne fédérale, à l'E. du Rhin; 657 m.

WEST HAM, agglomération de la banlieue est de Londres; 157 000 hab.

WEST HARTLEPOOL, port du nord de l'Angleterre, sur la mer du Nord; 78 000 hab.

WESTINGHOUSE (George), inventeur et industriel américain (Central Bridge, New York, 1846 - *id.* 1914). Il imagina le frein à air comprimé, utilisé, dès 1872, sur un train de voyageurs, et fut le premier à préconiser l'électricité sur les voies ferrées, tant pour la traction que pour la signalisation.

WEST KILDONAN, v. du Canada (Manitoba); 23 959 hab.

Westminster, quartier de Londres situé sur la rive gauche de la Tamise, autour de Westminster Abbey (fondée au VIIIe s.). L'abbatiale fut reconstruite, au XIe s., par Édouard le Confesseur, puis, au XIIIe s., par Henri III, selon un plan que les remaniements, du XIVe au XVIIIe s., ont conservé; c'est le lieu de couronnement et d'inhumation des rois d'Angleterre, en même temps qu'un panthéon national des hommes célèbres; chapelle absidiale de Henri VIII, chef-d'œuvre du gothique perpendiculaire. Le palais du Parlement fut reconstruit à partir de 1836 par Charles Barry (1795-1860); édifice néogothique, fonctionnel et bien équilibré, il fut décoré et aménagé par Augustus Welby Northmore Pugin (1812-1852), pionnier de l'étude du style gothique.

WESTMORELAND (William Childs), général américain (Spartanburg 1914). Il commanda les forces américaines au Viêt-nam de 1964 à 1968 et fut chef d'état-major de l'armée de 1968 à 1972.

WESTMOUNT, v. du Canada (Québec), dans la banlieue sud de Montréal; 23 606 hab.

WESTON (Edward), électricien britannique (Londres 1850 - Montclair, New Jersey, 1936). Il monta à Newark une fabrique de dynamos et imagina une pile étalon au sulfate de cadmium.

WESTON (Edward), photographe américain (Highland Park, Illinois, 1886 - Carmel, Californie, 1958). Après avoir pratiqué le flou artistique, il découvre l'extrême précision de l'objectif rectilinéaire et oriente ses recherches vers le rendu de la matière et le réalisme (il est l'un des membres fondateurs du Groupe f. 64). Cette quête de la vérité, alliée à une conception rigoureuse et à une modulation subtile ou brutale de la lumière, contribue à la puissance émotionnelle de son œuvre.

WESTPHALIE *(royaume de),* État disparate de l'ouest de l'Allemagne, créé, en 1807, par Napoléon Ier, dans le cadre de la Confédération* du Rhin, en vue de faire contrepoids à la Prusse. Il eut comme titulaire Jérôme Bonaparte* et comme principal ministre Joseph Jérôme Siméon (1749-1842), Français et Allemands étant associés à l'administration. En fait, le protectorat trop rude de l'Empereur empêcha le roi de Westphalie de s'exprimer pleinement; en 1813, Jérôme dut abandonner sa capitale, Kassel, et le royaume s'effondra.

Westphalie *(traités de),* traités qui mirent partiellement fin à la guerre de Trente Ans* (1648); ils furent signés à Münster*, entre l'Espagne et les Provinces-Unies et entre l'empereur germanique et la France, et à Osnabrück* entre l'empereur et la Suède.

WEST POINT, terrain militaire, sur l'Hudson, au N. de New York. Fondée en 1802, l'Académie militaire de West Point assure la formation des officiers américains des armées de terre et de l'air.

WETTEREN, comm. de Belgique (Flandre-Orientale), sur l'Escaut; 20 816 hab. (en 1970).

WETTERHORN, sommet de l'est de l'Oberland bernois (Suisse); 3 703 m.

WETTINGEN, comm. de Suisse (Argovie), au N.-O. de Zurich; 19 900 hab. Anc. abbatiale du XIIIe s., redécorée aux XVIIe-XVIIIe s.

WETZIKON, comm. de Suisse (Zurich), au S.-E. de Zurich; 13 469 hab. Industries mécaniques et alimentaires.

WETZLAR, v. de l'Allemagne fédérale (Hesse), sur la Lahn; 37 000 hab. Métallurgie.

WEVELGEM, comm. de Belgique (Flandre-Occidentale), au S.-O. de Courtrai; 13 913 hab. (en 1970).

WEYGAND (Maxime), général français (Bruxelles 1867 - Paris 1965). Cavalier, chef d'état-major et intime collaborateur de Foch de 1914 à 1923, il est major général des armées alliées en 1918. Envoyé à Varsovie pendant la guerre polono-soviétique, il y assure la résistance victorieuse des Polonais à l'armée rouge (1920). Haut-commissaire en Syrie et au Liban (1923), puis chef d'état-major de l'armée (1930), il remplace Pétain comme généralissime (1931-1935). Rappelé de sa retraite en 1939 et envoyé à Beyrouth, il reçoit, en pleine bataille, le commandement suprême en France (mai 1940), ne peut rétablir la situation et se résout à recommander l'armistice. Ministre de la Défense nationale de Pétain (juin-sept. 1940), il est envoyé à Alger comme délégué général du gouvernement de Vichy et prépare l'armée à reprendre le combat contre l'Allemagne (1940-41). Après son rappel, exigé par Hitler (nov. 1941), il est arrêté par la Gestapo (1942) et interné en Allemagne. Libéré par les Alliés (1945), il est ramené à Paris, traduit devant la Haute Cour et obtient, en 1948, un non-lieu sur tous les chefs d'accusation. Weygand est l'auteur de nombreux ouvrages et, notamment, de Mémoires (1950-1957).

WEYL (Hermann), mathématicien allemand (Elmshorn, Schleswig-Holstein, 1885 - Zurich 1955). Ses nombreux travaux portent sur presque toutes les branches des mathématiques (équations différentielles, théorie des fonctions, théorie des groupes, topologie, mécanique quantique, philosophie des mathématiques) et, en particulier, sur la relativité.

WEYMOUTH AND MELCOMBE REGIS, station balnéaire d'Angleterre (Dorset), sur la Manche; 41 000 hab.

WEZEMBEEK-OPPEM, comm. de Belgique (Brabant), au S.-E. de Bruxelles; 10 899 hab. (en 1970).

WHARTON (Edith NEWBOLD JONES, Mrs.), romancière américaine (New York 1862 - Saint-Brice, Seine-et-Marne, 1937), peintre des mœurs de la haute société américaine (*l'Âge de l'innocence,* 1920).

WHEATSTONE (*sir* Charles), physicien anglais (Gloucester 1802 - Paris 1875). En 1838, il inventa le stéréoscope et un télégraphe électrique à cadran. Il imagina l'emploi de relais en télégraphie, ainsi que le « pont de Wheatstone » (1844), pour la mesure des résistances électriques.

WHEELER (*sir* R. E. Mortimer), archéologue britannique (Glasgow 1890 - Leatherhead 1976), devenu mondialement célèbre grâce à sa méthode de fouilles archéologiques, dont le principe essentiel est de généraliser l'information stratigraphique à l'ensemble d'un chantier et de la préserver pendant l'ensemble des travaux.

whig *(parti),* nom porté, à partir de 1680 environ, par les hommes politiques anglais protestants et antiabsolutistes, adversaires notamment de Jacques II*. La succession hanovrienne (1714) assure le triomphe de leur parti (v. WALPOLE), appuyé sur une oligarchie de grands propriétaires et sur de larges couches de la bourgeoisie. Divisé au milieu du XVIIIe s., le parti whig reprend vigueur face à l'autoritarisme de George III*, puis, après les guerres napoléoniennes, face au conservatisme aristocratique des tories*. Au milieu du XIXe s., le parti, renforcé par le torysme dissident, favorable au libre-échange, devient le parti libéral*.

WHIPPLE (George Hoyt), médecin américain (Ashland, New Hampshire, 1878 - Rochester 1976), prix Nobel de physiologie et de médecine, en 1934, avec G. R. Minot et W. P. Murphy, pour ses travaux sur les anémies et la façon de les traiter.

WHISKY → EAU-DE-VIE.

WHISTLER (James Abbott MCNEILL), peintre et graveur américain (Lowell, Massachusetts, 1834 - Londres 1903). Mêlé aux cercles d'avant-garde, à Paris (1855), il subit l'influence de Courbet, puis surtout de Manet et de l'art japonais. Mais c'est à Londres que son œuvre acquiert une dimension personnelle, notamment avec ses séries de *Nocturnes* (à partir de 1871), de *Symphonies* et d'*Harmonies,* variations chromatiques subtiles, qui prennent parfois valeur abstraite, mais évoquent aussi l'impressionnisme — tout comme les eaux-fortes de la *Suite vénitienne* (1880).

WHITBY, v. du Canada (Ontario), au N.-E. de Toronto; 25 324 hab.

WHITE (Patrick), écrivain australien (Londres 1912). Sarsaparilla, le faubourg de Sydney où il s'est fixé après un début de carrière en Angleterre (*Eden-Ville,* 1939; *les Vivants et les morts,* 1941; *l'Enterrement au jambon,* 1947), est le cadre privilégié des tableaux de mœurs ou des désarrois mystiques des héros de ses romans (*le Char des élus,* 1961; *le Mystérieux Mandala,* 1966), de ses nouvelles (*les Échaudés,* 1964) et de son théâtre. (Prix Nobel, 1973.)

WHITEHEAD (Robert), ingénieur britannique (Bolton-Le-Moors 1823 - Beckett 1905). Il réalisa à partir de 1866 des torpilles sous-marines automobiles, qu'il dota, en 1876, d'un servomoteur.

WHITEHEAD (Alfred North), mathématicien et philosophe britannique (Ramsgate, Kent, 1861 - Cambridge, Massachusetts, 1947). Il fut l'un des fondateurs de la logique mathématique. Sa métaphysique, essentiellement dynamiste, fait une grande place aux problèmes de la vie.

WHITEHORSE, v. du Canada, ch.-l. du Yukon, à la frontière de l'Alaska; 11 217 hab.

WHITE-SPIRIT → DÉSULFURATION et ESSENCE.

WHITLAM (Edward GOUGH), homme politique australien (Melbourne 1916). Chef de l'opposition travailliste depuis 1966, il a été Premier ministre de 1972 à 1975.

WHITMAN (Walt), poète américain (West Hills, Long Island, 1819 - Camden, New Jersey, 1892). Autodidacte, apprenti imprimeur, journaliste, il publie à ses frais, en 1855, un recueil de douze poèmes, qui constitue la première édition des *Feuilles* d'herbe (Leaves of Grass).* L'ouvrage, admiré par Emerson, est attaqué par la presse comme scandaleux, tant par sa forme — de longs versets libres où Whitman emploie les termes les plus directs de la langue populaire — que pour son fond — l'auteur exalte la sexualité dans une perspective dionysiaque qui choque l'Amérique puritaine. Dès lors, la vie de Whitman se confond avec les éditions successives de son livre, qu'il ne cesse d'augmenter et de remanier : il en publie neuf éditions, la dernière datant de 1892. Le lyrisme antilivresque, optimiste et violent de Whitman représente une des définitions les plus durables de la sensibilité américaine.

WHITNEY *(mont),* point culminant des États-Unis (à l'exclusion de l'Alaska), en Californie, dans la Sierra Nevada, au N. de Los Angeles; 4 418 m.

WHITNEY (William Dwight), linguiste américain (Northampton, Massachusetts, 1827 - New Haven, Connecticut, 1894). Professeur de sanskrit et de grammaire comparée à l'université Yale, il s'est également intéressé aux langues amérindiennes et à la linguistique générale. Outre une *Grammaire du sanskrit* (1879), on lui doit des ouvrages de synthèse (*Language and its Study,* 1876; *The Life and Growth of Language,* 1875) qui ont exercé une profonde influence sur F. de Saussure. Par son analyse du signe linguistique, par sa définition du langage comme fait social et instrument de communication, Whitney annonce la linguistique structurale du XXe s.

WHITTLE (*sir* Frank), ingénieur britannique (Coventry 1907). Les innombrables perfectionnements qu'il apporta à la turbine à gaz lui permirent de mettre au point le premier turboréacteur (1941).

WHITWORTH (*sir* Joseph), ingénieur et industriel britannique (Stockport, Cheshire, 1803 - Monte-Carlo 1887). Il préconisa un système uniforme de filetage pour les vis (1841), conçut un nouveau procédé pour produire la rotation du projectile à l'intérieur d'un tube de fusil et remplaça le marteau par la presse hydraulique pour le forgeage de l'acier (1870).

WHORF (Benjamin Lee), linguiste américain (Winthrop, Massachusetts, 1897 - Wethersfield, Connecticut, 1941). Élève de Sapir*, il a étudié les langues amérindiennes et a émis l'hypothèse que le langage est en relation causale avec la manière dont ses usagers se représentent le monde : chaque langue opère dans la réalité concrète un découpage particulier qui affecte non seulement le lexique mais aussi la grammaire. Ses principales études ont été réunies sous le titre *Language, Thought and Reality* (1956).

WHYALLA, port d'Australie (Australie-Méridionale); 32 000 hab. Sidérurgie. Chantiers navals.

WHYMPER (Edward), alpiniste anglais (Londres 1840 - Chamonix 1911). Il est l'auteur de la première ascension du Cervin en 1865, date importante de la conquête des Alpes.

WHYTE (Frederic Methven), ingénieur américain (1865 - Tarrytown, New York, 1941). On lui doit la classification des types de locomotives par nombre de roues.

WICHITA, v. des États-Unis, dans le sud du Kansas; 283 000 hab.

WICHITA FALLS, v. des États-Unis, dans le nord du Texas; 98 000 hab.

WICKSELL (Knut), économiste suédois (Stockholm 1851 - Stocksund 1926). On lui doit des travaux sur l'équilibre monétaire, et, notamment, *Geldzins und Güterpreise* (1898), où est contenue en germe une partie de l'apport doctrinal de Keynes*.

WIDAL (Fernand), médecin français (Dellys, Algérie, 1862 - Paris 1929). Il a établi la spécificité du bacille d'Eberth et découvert le sérodiagnostic de la fièvre typhoïde.

WIDNES, v. d'Angleterre, sur l'estuaire de la Mersey; 52 000 hab. Cimenterie. Chimie.

WIDOR (Charles Marie), compositeur français (Lyon 1844 - Paris 1937). Organiste de Saint-Sulpice, professeur au Conservatoire, il a laissé, en marge de ses partitions lyriques, dix symphonies pour orgue d'un style décoratif et orchestral.

WIECHERT (Ernst), écrivain allemand (Kleinort 1887 - Uerikon, canton de Zurich, 1950), auteur de nouvelles et de récits marqués d'une inquiétude romantique (*les Enfants Jéromine,* 1945-1947).

WIELAND (Christoph Martin), écrivain allemand (Oberholzheim 1733 - Weimar 1813). Influencé par la littérature française, il évolua du piétisme à l'esprit philosophique : il fonda *le Mercure allemand* et exerça par ses poèmes (*Obéron,* 1780-81), ses essais et ses récits (*Agathon,* 1766-1773; *les Abdéritains,* 1774-1781) une influence profonde sur Goethe et les écrivains allemands.

WIELAND (Heinrich), chimiste allemand (Pforzheim 1877 - Munich 1957). Il a proposé une théorie de l'oxydation biologique, étudié la constitution des sels biliaires, du venin de crapaud, etc. (Prix Nobel de chimie, 1927.)

WIEN (Wilhelm), physicien allemand (Gaffken, Prusse-Orientale, 1864 - Munich 1928). Il a donné, en 1893, la loi indiquant la répartition des radiations émises par le corps noir en fonction de la température. (Prix Nobel de physique, 1911.)

WIENER (Norbert), savant américain (Columbia, Missouri, 1894 - Stockholm 1964), fondateur de la cybernétique*.

Wieringermeer, polder du nord-ouest du Zuiderzee (Pays-Bas), au S. de l'ancienne *île de Wieringen.*

WIERTZ (Antoine), peintre belge (Dinant 1806 - Bruxelles 1865). Formé à Anvers, à Paris et à Rome, peintre d'histoire aux ambitions démesurées, il annonce symbolisme et surréalisme par son imagination romantique, souvent macabre et hallucinée (*la Belle Rosine,* 1874, musée Wiertz, Bruxelles).

WIESBADEN, v. de l'Allemagne fédérale, capit. de la Hesse; 252 000 hab. Musée municipal. Métallurgie. Chimie.

WIGAN, v. d'Angleterre, au N.-E. de Liverpool; 81 000 hab. Textile.

WIGHT *(île de),* île anglaise de la Manche, au large de Southampton; 381 km^2; 100 000 hab. V. princ. *Newport.* Centre touristique favorisé par la douceur du climat.

WIGMAN (Mary), danseuse, chorégraphe et pédagogue allemande (Hanovre 1886 - Berlin 1973). Élève, puis collaboratrice de Rudolf von Laban, dont elle n'est pourtant pas la disciple, elle est l'initiatrice de l'expressionnisme allemand dans sa manifestation la plus mystique et la plus véhémente. Son enseignement eut une grande influence, surtout en Allemagne et aux États-Unis.

WIGNER (Eugene Paul), physicien américain d'origine hongroise (Budapest 1902). Il a énoncé les principes de symétrie et découvert l'« effet Wigner », déplacement d'un atome dans un réseau cristallin par action d'un neutron ou d'un ion d'énergie suffisante. (Prix Nobel de physique, 1963.)

WIJNEGEM, comm. de Belgique, à l'E. d'Anvers; 8 560 hab.

WIL, v. de Suisse, à l'O. de Saint-Gall; 14 646 hab.

WILD (Henri), ingénieur et constructeur suisse d'appareils de précision (Bilten 1877-Baden 1951). Il créa les instruments modernes de géodésie et de photogrammétrie.

WILDE (Oscar Fingall O'FLAHERTIE WILLS), écrivain britannique (Dublin 1845-Paris 1900). Jeune étudiant d'Oxford, remarqué pour son prix de poésie (1878), sa longue chevelure et ses habits originaux, il se déclare un adepte fervent de la théorie de « l'art pour l'art ». Il devient rapidement le chef des « esthètes » et fait, en 1882, une tournée de conférences en Amérique, où il donne sa première pièce, *Vera.* Il a déjà publié un recueil de *Poèmes* (1881) à Paris, où il rencontre Verlaine et d'autres poètes symbolistes. À son retour en Angleterre, il donne plusieurs volumes de contes (*le Prince heureux,* 1888; *le Crime de lord Arthur Saville,* 1891; *Une maison de grenades,* 1891), des essais (*Intentions,* 1891) et son unique roman (*le Portrait* de Dorian Gray,* 1891), qui lui attire de violentes critiques. Célèbre, recherché de toute l'aristocratie anglaise, il s'affirme comme l'un des grands auteurs dramatiques de l'époque (*l'Éventail de lady Windermere,* 1892; *Une femme sans importance,* 1893; *De l'importance d'être constant,* 1895). En 1893, *Salomé,* pièce écrite en français, est jouée à Paris par Sarah Bernhardt, mais interdite en Angleterre dans la traduction qu'en donne l'ami de Wilde, lord A. Douglas. Le père du jeune lord, le marquis de Queensberry, attaque alors violemment Wilde, dans la presse, pour ses mœurs homosexuelles. Wilde intente au marquis un procès, qu'il perd. Ruiné, abandonné de tous et condamné à deux ans de travaux forcés, il purge une partie de sa peine à la prison de Reading, où il écrit sa *Ballade de la geôle de Reading* (1898). Il se retire ensuite en France, près de Dieppe, puis à Paris. Après sa mort, on a publié sa lettre à lord Douglas, écrite en prison (*De profondis,* 1905) et sa *Correspondance* (1963).

WILDER (Thornton Niven), écrivain américain (Madison, Wisconsin, 1897-New Haven 1975), auteur de pièces de théâtre (*Notre petite ville,* 1938) et de romans (*le Pont de San Luis Rey,* 1927), souvent accusés d'esthétisme.

WILDER (Billy), cinéaste américain d'origine autrichienne (Vienne 1906). Journaliste puis scénariste, il signa quelques films dramatiques (*Assurance sur la mort,* 1944; *le Poison,* 1945; *Boulevard du Crépuscule* [*Sunset Boulevard*], 1950), et s'imposa dans la comédie légère, ironique et satirique comme le digne héritier d'Ernst Lubitsch* : *Sept Ans de réflexion* (1955), *Certains l'aiment chaud* (1959); *la Garçonnière* (1960), *Irma la Douce* (1962), *Spéciale Première* (1974).

Wilhelm Meister, roman de Goethe, en deux parties : *les Années d'apprentissage de Wilhelm Meister* (1796) et *les Années de voyage de Wilhelm Meister* (1821). C'est le modèle du roman éducatif *(Bildungsroman).*

WILHELMINE (La Haye 1880-château de Het Loo 1962), reine des Pays-Bas (1890-1948). Fille de Guillaume III d'Orange, elle règne d'abord sous la régence de sa mère, Emma (1890-1898). Très populaire, respectant les usages constitutionnels, elle se réfugie à Londres de 1940 à 1945. En 1948, elle abdique en faveur de sa fille, Juliana.

WILHELMSHAVEN, v. de l'Allemagne fédérale (Basse-Saxe), sur la mer du Nord; 103 000 hab. Port pétrolier. Métallurgie.

WILKES (John), homme politique et publiciste britannique (Londres 1727-*id.* 1797). Député (1757), il est à la tête de l'opposition au roi George III*. Emprisonné dans des conditions de légalité douteuse, il devient très populaire.

WILKES (Charles), explorateur américain (New York 1798-Washington 1877). De 1838 à 1842, il dirige une mission scientifique d'exploration dans le Pacifique Sud et l'Antarctique.

WILKES-BARRE, v. des États-Unis (Pennsylvanie); 59 000 hab. Houille. Métallurgie.

WILKINS (*sir* George Hubert), explorateur australien (Mount Bryan 1888-Framingham 1958). À partir de 1913, il multiplie les expéditions aériennes dans l'Arctique et l'Antarctique.

WILKINS (Maurice Hugh Frederick), biophysicien britannique (Nouvelle-Zélande 1916), prix Nobel de physiologie et de médecine, en 1962, avec F. H. C. Crick et J. D. Watson, pour ses travaux sur la structure de l'acide désoxyribonucléique (A. D. N.).

WILKINSON (John), industriel britannique (Clifton, Cumberland, 1728-† 1808). On doit à ce maître de forges, qui fut le premier à utiliser les techniques modernes métallurgiques, une machine à aléser (1774) qui peut être considérée comme la première machine-outil industrielle travaillant le métal, le premier pont en fonte (1776-1779), le premier navire en fer (1787) et les tuyaux de fonte moulée destinés aux canalisations d'eau de Paris (1798).

WILKINSON (Geoffrey), chimiste britannique (Todmorden, Yorkshire, 1921). Il a étudié les complexes organométalliques à structure dite « sandwich », notamment le ferrocène. (Prix Nobel de chimie, 1973.)

WILLAERT (Adriaan), compositeur (Flandre-Occidentale v. 1490-Venise 1562). Maître de chapelle de Saint-Marc de Venise (1527), il a contribué à fixer l'écriture à double chœur en ses motets de style décoratif. Il a composé, en outre, des messes et des hymnes d'une grande pureté polyphonique, des madrigaux expressifs, des chansons françaises, des pièces instrumentales (fantaisies et *ricercari* à trois voix).

WILLEBROEK, comm. de Belgique (prov. d'Anvers), au N.-O. de Malines; 15 726 hab. (en 1970).

WILLEMSTAD, ch.-l. des Antilles néerlandaises, dans l'île de Curaçao; 45 000 hab.

WILLENDORF, localité d'Autriche (Basse-Autriche), non loin de Krems, devenue célèbre grâce à ses nombreux gisements du paléolithique supérieur, dont l'un a livré une statuette féminine en calcaire, la « Vénus de Willendorf ».

WILLIAMS (Thomas LANIER, dit **Tennessee**), auteur dramatique américain (Columbus 1911). Poète, romancier (*le Printemps romain de Mrs. Stone,* 1950), il est l'auteur de pièces en un acte (*Soudain l'été dernier,* 1958) et d'œuvres dramatiques d'inspiration pessimiste et d'un cynisme cruel (*Un tramway nommé Désir,* 1947; *la Rose tatouée,* 1950; *la Chatte sur un toit brûlant,* 1955).

WILLIAMSON (Alexander William), chimiste anglais (Wandsworth, Londres, 1824-Haslemere, Surrey, 1904). Il découvrit les éthers mixtes et, étudiant l'estérification, exprima, en 1850, la conception d'équilibre dynamique en chimie.

WILLOUGHBY (*sir* Hugh), navigateur anglais (Risley-† presqu'île de Kola 1554). Il pénétra dans l'océan glacial Arctique, puis dans l'intérieur de la péninsule de Kola, où il périt.

WILLSTÄTTER (Richard), chimiste allemand (Karlsruhe 1872-Muralto, Locarno, 1942). Il est l'auteur de travaux sur les alcaloïdes et les pigments végétaux et animaux. (Prix Nobel de chimie, 1915.)

WILMINGTON, port des États-Unis (Delaware), au S.-O. de Philadelphie; 80 000 hab. Industrie chimique.

WILRIJK, comm. de Belgique, dans la banlieue sud d'Anvers; 43 485 hab. (en 1970).

WILSON *(mont),* sommet de l'ouest des États-Unis (Californie), près de Los Angeles; 1 731 m. Observatoire.

WILSON (Richard), peintre britannique (Penegoes, Montgomeryshire, 1713/14 - Llanberis, Carnavonshire, 1782). Installé à Londres, il devient, après un séjour en Italie (1750-1757), le meilleur paysagiste de l'école anglaise du XVIIIe s. Tout en s'inspirant du Lorrain et de Cuyp (paysages « composés », parfois d'esprit préromantique), il étudie directement la nature et le motif (dessins et esquisses peintes; vues d'Angleterre et du pays de Galles).

WILSON (Thomas Woodrow), homme d'État américain (Staunton, Virginie, 1856-Washington 1924). Avocat, président de l'université de Princeton (1902), il devient le leader du parti démocrate. Gouverneur du New Jersey (1910), il est élu, en 1912, président des États-Unis. Il applique alors un programme réformiste et antitrusts. En 1917, il engage les États-Unis dans la guerre aux côtés des Alliés. Réélu, Wilson s'efforce de prolonger la paix en Europe, à partir de 1919, en y appliquant un système de sécurité collective. Mais, s'il est le créateur de la Société des Nations, il ne peut obtenir l'adhésion de ses concitoyens à son idéal. En 1921, il doit laisser le pouvoir aux républicains.

WILSON (*sir* Henry), maréchal britannique (Edgeworthstown, Irlande, 1864-Londres 1922). Ami de Foch, représentant britannique au Conseil suprême de guerre de Versailles (1917), il fut chef d'état-major impérial de 1918 à 1922 et mourut assassiné par des nationalistes irlandais.

WILSON (Charles Thomson Rees), physicien écossais (Glencorse, Midlothian, 1869-Carlops 1959). Il a inventé, en 1912, la chambre à condensation, qui permet de matérialiser les trajectoires des particules électrisées. (Prix Nobel de physique, 1927.)

WILSON (Henry Maitland, *baron*), maréchal britannique (Stowlangtoft Hall 1881-Aylesbury 1964). Il commanda les forces britanniques en Grèce, en Palestine et en Syrie (1941), puis dans l'ensemble du Moyen-Orient (1943). En 1944, il remplaça Eisenhower comme commandant interallié en Méditerranée et dirigea les opérations en Italie et en Provence.

WILSON (Edmund), écrivain américain (Red Bank 1895 - Talcottville 1972). Poète, romancier, critique littéraire au *New Yorker,* il fut l'interprète des littératures européennes et slaves auprès du public américain (*Je pensais à Daisy,* 1929; *la Gare de Finlande,* 1940; *Mémoires du comté d'Hécate,* 1946).

WILSON (Angus Frank JOHNSTONE-WILSON, dit **Angus**), écrivain anglais (Bexhill-on-Sea 1913). Dans son théâtre, ses nouvelles et ses romans, il fait une satire acerbe de la société anglaise contemporaine tout en témoignant d'un grand souci de l'invention verbale (*les 40 Ans de Mrs. Eliot,* 1958; *la Girafe et les vieillards,* 1961; *Comme par magie,* 1972).

WILSON (Harold), homme politique britannique (Huddersfield 1916). Il dirige le parti travailliste* à partir de 1963 et devient Premier ministre (1964-1970). Face au développement de la crise économique, il établit un programme d'austérité, mais ne peut éviter la dévaluation de la livre (1967). Il obtient la nationalisation des industries de l'acier et demande en vain l'adhésion de la Grande-Bretagne au Marché commun. À l'extérieur, son gouvernement poursuit la politique de décolonisation, mais connaît des relations difficiles avec certains pays du Commonwealth, notamment avec la Rhodésie du Sud, puis se trouve confronté aux événements dramatiques de l'Irlande du Nord (1969). De nouveau Premier ministre (1974-1976), H. Wilson obtient des syndicats une trêve sociale qui ne lui permet cependant pas de redresser l'économie et la monnaie. Après avoir obtenu la renégociation des conditions de l'adhésion au Marché commun (effective depuis 1973), H. Wilson fait approuver ces modifications par référendum (1975), puis il démissionne brusquement (1976).

WILSON (Colin), écrivain britannique (Leicester 1931), l'un des chefs de file des « Jeunes* Gens en colère », par ses essais (*l'Homme en dehors,* 1956) et ses romans (*le Sacre de la nuit,* 1960; *Soho à la dérive,* 1961).

WILTSHIRE, comté du sud de l'Angleterre.

WILTZ, cant. du Luxembourg; 294 km^2; 10 000 hab. Ch.-l. *Wiltz* (4 000 hab.), sur la *Wiltz* (affl. de la Sûre).

WIMBLEDON, quartier de la banlieue sud-ouest de Londres. Championnat annuel international de tennis.

WIMEREUX (62930), comm. du Pas-de-Calais, à 6 km au N. de Boulogne-sur-Mer; 6 712 hab. Station balnéaire.

WIMILLE (62126), comm. du Pas-de-Calais, à 5 km au N.-E. de Boulogne-sur-Mer; 4 779 hab.

WIMPFFEN (Félix, *baron* DE) → SEDAN (*bataille de*) [1870].

WINCHESTER, v. d'Angleterre, ch.-l. du Hampshire, au S.-O. de Londres; 31 000 hab. Vaste cathédrale romane et gothique (fin XIe-XIVe s.). Collège remontant au XIVe s.

WINCKELMANN (Johann Joachim), archéologue allemand (Stendal 1717 - Trieste 1768). Il séjourna à Rome, où il devint bibliothécaire du Vatican et put étudier méthodiquement les monuments antiques. Son *Histoire de l'art chez les Anciens* (1764) exerça une grande influence sur la formation du néoclassicisme.

WINDAUS (Adolf), chimiste allemand (Berlin 1876 - Göttingen 1959). Il parvint à isoler plusieurs vitamines et à en établir la constitution. (Prix Nobel de chimie, 1928.)

WINDHOEK, capit. de la Namibie, à plus de 1 700 m d'alt.; 65 000 hab.

WINDISCHGRAETZ (Alfred, *prince* ZU), général autrichien (Bruxelles 1787 - Vienne 1862). Il réprima, en 1848, les insurrections de Prague et de Vienne, mais fut battu par les Hongrois à Gödöllö, en 1849.

WINDSOR ou **NEW WINDSOR,** v. d'Angleterre, sur la Tamise, à l'O. de Londres; 27 000 hab.

WINDSOR, v. du Canada (Ontario), sur la rivière Detroit, en face de Detroit*; 203 300 hab. Industrie automobile.

WINDSOR *(dynastie),* nom adopté en 1917 par la dynastie hanovrienne qui règne en Grande-Bretagne.

WINDSOR (*duc* DE) → ÉDOUARD VIII.

WINDTHORST (Ludwig), homme politique allemand (Kaldenhof 1812 - Berlin 1891). Chef du *Zentrum* (Centre) catholique au Reichstag, il s'opposa à Bismarck lors du Kulturkampf*.

WINDWARD ISLANDS → VENT *(îles du).*

WINGLES (62410), comm. du Pas-de-Calais, à 11 km au N.-E. de Lens; 8 348 hab. Verrerie. Chimie.

WINNICOTT (Donald Woods), pédiatre et psychanalyste britannique (Plymouth 1896 - Londres 1971). Il s'est surtout intéressé au vécu commun de la relation mère-nourrisson. Élève de Melanie Klein*, il a introduit dans le champ de la psychanalyse un certain nombre de concepts qui marquent le processus d'individualisation progressive de l'enfant : un de ses apports fondamentaux est celui d'objet (ou de phénomène) transitionnel*. En dehors de travaux plus théoriques (*De la pédiatrie à la psychanalyse,* 1957; *la Consultation thérapeutique et l'enfant,* 1971; *Jeu et réalité,* 1971), Winnicott s'est attaché à présenter la psychanalyse dans un langage accessible aux parents et aux éducateurs (*l'Enfant et sa famille,* 1957; *l'Enfant et le monde extérieur,* 1957).

WINNIPEG *(lac),* grand lac du Canada (Manitoba), alimenté notamment par la Saskatchewan et la *rivière de Winnipeg,* et se déversant, par le Nelson, dans la baie d'Hudson; 24 600 km^2.

WINNIPEG, v. du Canada, au S. du *lac Winnipeg,* capit. du Manitoba; 246 246 hab. Winnipeg, dont le développement résulte de l'arrivée du Canadian Pacific Railway en 1881, commande une agglomération de plus de 500 000 habitants, la cinquième du Canada. Centre commercial important des Prairies (expédition de blé), Winnipeg s'est aussi industrialisée (alimentation, métallurgie de transformation, raffinage du pétrole).

WINNIPEGOSIS *(lac),* lac du Canada (Manitoba), à l'O. du *lac Winnipeg;* 5 430 km^2.

WINSTON-SALEM, v. des États-Unis (Caroline du Nord), sur le Piedmont appalachien; 134 000 hab. Industrie du tabac.

WINTERHALTER (Franz Xaver), peintre allemand (Menzenschwand, Forêt-Noire, 1805 - Francfort-sur-le-Main 1873). Venu à Paris en 1834, il devint le peintre attitré de la Cour. En s'inspirant de Van Dyck, des portraitistes anglais, des grâces du style Louis XV ou du graphisme ingresque, il a tendu à la « société » du second Empire le miroir qu'elle souhaitait (*l'Impératrice entourée des dames du palais,* 1855, Compiègne).

WINTERTHUR, v. de Suisse (cant. de Zurich), au N.-E. de Zurich; 92 722 hab. Le musée des Beaux-Arts et la fondation Oscar Reinhart conservent un important ensemble de peinture suisse, allemande et française des XVIIIe-XXe s. Métallurgie.

WINTZENHEIM (68000 Colmar), ch.-l. de cant. du Haut-Rhin, à 6 km à l'O. de Colmar; 6 637 hab. Constructions mécaniques.

WISCONSIN (le), riv. des États-Unis, drainant l'*État du Wisconsin,* affl. du Mississippi (r. g.); 1 000 km.

WISCONSIN, État du centre-nord des États-Unis; 145 348 km^2; 4 418 000 hab. Capit. *Madison.* À l'O. du lac Michigan, c'est une région au relief largement modelé par l'érosion glaciaire (paysage de collines), au climat rude en hiver, pluvieux en été. L'élevage bovin (produits laitiers) et porcin devance, de loin, les cultures (d'ailleurs en partie associées) et alimente l'industrie, qui est dominée, cependant, par les constructions mécaniques et représentée, notamment, à Milwaukee (dont l'agglomération concentre le tiers de la population de l'État).

WISEMAN (Nicholas Patrick), prélat catholique britannique (Séville 1802 - Londres 1865). Recteur du collège anglais de Rome (1828), il prend position en faveur du mouvement d'Oxford* et contribue à la conversion de Newman*. Vicaire apostolique du district de Londres (1849), il est fait, l'année suivante, archevêque de Westminster et cardinal. Il doit alors affronter une vague d'antipapisme. Il a écrit le roman historique *Fabiola* (1854).

WISIGOTHS ou **VISIGOTHS** (« Goths sages » ou « Goths de l'Ouest »), branche des Goths* qui apparaît au début du IVe s., installée entre le bas Dniepr et le Danube, où elle est en partie convertie au christianisme arien par l'évêque goth Ulfilas*. Admis par l'empereur Valens* à s'installer en Thrace (376) [v. BARBARES] et établis comme fédérés en Mésie (382), les Wisigoths, sous la conduite d'Alaric Ier (de 396 à 410), tentent à plusieurs reprises d'envahir l'Italie (prise de Rome, 410), puis, sous Athaulf (de 410 à 415), conquièrent l'Aquitaine. Après avoir combattu Suèves, Vandales et Alains en Espagne, pour le compte d'Honorius, ils sont installés dans le sud-ouest de la Gaule (418). Le royaume wisigothique de Toulouse ne tarde pas à s'émanciper de Rome et, sous Euric (de 466 à 484), à étendre sa domination sur la majeure partie de l'Espagne*, sur l'Auvergne et la Provence. Alaric II (de 484 à 507) tente de se concilier ses sujets romains en promulguant le *Bréviaire d'Alaric,* condensé de la loi romaine. En vain. Défaits par Clovis à Vouillé (507), les Wisigoths se replient en Espagne. Léovigild* (de 567/568 à 586) réussit à soumettre les Vascons et les Suèves*, réalisant ainsi l'unité politique de l'Espagne. La conversion au catholicisme de son fils, Reccared Ier (de 586 à 601), entraîne le ralliement du clergé à la monarchie. La fusion rapide des Wisigoths et des Hispano-Romains débouche, au plan juridique, sur l'interdiction du *Bréviaire d'Alaric,* auquel le roi Receswinthe (de 649 à 672) substitue le *Forum judicum.* D'héréditaire la monarchie devient élective, sous l'influence des Grands et des évêques. Mais la volonté du roi Wittiza (de 702 à 710) d'assurer le trône à son fils, Akhila, déclenche en 710 une guerre civile entre ce dernier et l'élu des Grands, Rodrigue. Affaiblie, la monarchie wisigothique ne peut résister aux forces berbères de Ṭāriq* ibn Ziyād, qui, victorieuses à la bataille dite « du Guadalete » (711) — où Rodrigue trouve la mort —, occupent la péninsule entre 712 et 714.

WISMAR, port de l'Allemagne orientale, sur la Baltique; 57 000 hab. Construction navale. — Point de jonction des forces soviétiques et britanniques en 1945.

WISSANT (62179), comm. du Pas-de-Calais, à 22 km au N. de Boulogne-sur-Mer; 1 140 hab. Station balnéaire.

WISSEMBOURG (67160), ch.-l. d'arr. du Bas-Rhin, sur la Lauter, à la frontière allemande, à 59 km au N. de Strasbourg; 6 870 hab. *(Wissembourgeois).* Église du XIIIe s., anc. abbatiale. Maisons anciennes. — Défaite des Français devant les Prussiens en 1870.

WISSLER (Clark), anthropologue américain (Wayne County 1870-New York 1947). Il appliqua la méthode diffusionniste à l'étude des aires culturelles de l'Amérique du Nord (*North American Indians of the Plains,* 1912; *The American Indian,* 1917).

WISSOUS (91320), comm. de l'Essonne, à 5 km à l'E. de Massy; 4 433 hab.

WITKIEWICZ (Stanisław Ignacy), écrivain polonais (Varsovie 1885-Jeziory 1939). Peintre du groupe des « formistes », auteur de quarante pièces de théâtre, figure pittoresque de la bohème cracovienne, il se suicida lors de l'invasion de son pays. Son œuvre affirme « l'inadaptation absolue de l'homme à la fonction de l'existence » (*la Métaphysique d'un veau à deux têtes,* 1969; *l'Inassouvissement,* 1970).

WITT (Jean DE), homme d'État hollandais (Dordrecht 1625-La Haye 1672). Conseiller-pensionnaire de Hollande dès 1653, il combat l'ambition de la maison d'Orange*, dont il obtient l'éviction (Acte d'exclusion, 1667). Tolérant à l'égard des catholiques, partisan des libertés urbaines, il se résigne à la lutte contre les Anglais (1665). L'invasion victorieuse des Provinces-Unies par Louis XIV (1672) lui est imputée par les orangistes, qui le laissent massacrer, ainsi que son frère, CORNELIS (Dordrecht 1623-La Haye 1672), par la population de La Haye.

WITTE (Sergueï Ioulievitch), homme politique russe (Tiflis 1849-Petrograd 1915). Ministre des Finances de 1892 à 1903, il prend les mesures fiscales et financières (stabilisation et dévaluation du rouble en 1897) qui permettent l'industrialisation de la Russie, grâce à l'afflux des capitaux étrangers. Président du cabinet des ministres (1905-06), il obtient de Nicolas II* la publication du manifeste d'octobre 1905, mais est renvoyé l'année suivante.

WITTELSBACH, famille princière qui régna sur la Bavière*. Elle est issue d'Otton de Scheyern, comte palatin de Bavière, qui acquit en 1124 le château de Wittelsbach. La ligne bavaroise, qui reçoit, en 1623, la dignité électorale, annexe ensuite le Haut-Palatinat et ne disparaît qu'en 1777, avec MAXIMILIEN III (de 1745 à 1777). La ligne palatine hérite alors du duché de Bavière; elle transmet l'ensemble des biens des Wittelsbach à l'héritier du rameau des Deux-Ponts, MAXIMILIEN Ier* *Joseph* (1799), à qui Napoléon Ier accorde la dignité royale (1806), que se transmettent ses descendants jusqu'en 1918.

WITTELSHEIM (68310), comm. du Haut-Rhin, à 12 km au N.-O. de Mulhouse; 10 032 hab. Extraction de la potasse.

WITTEN, v. de l'Allemagne fédérale, dans la Ruhr; 96 000 hab. Métallurgie.

WITTENBERG, v. de l'Allemagne orientale, sur l'Elbe, au N.-O. de Berlin; 49 000 hab. — Le 31 octobre 1517, Luther*, professeur à l'université de Wittenberg, afficha sur les portes de l'église du château ses 95 thèses sur les indulgences*.

WITTENHEIM (68270), ch.-l. de cant. du Haut-Rhin, à 7,5 km au N. de Mulhouse; 12 566 hab. Extraction de la potasse.

WITTGENSTEIN (Ludwig), logicien et philosophe autrichien naturalisé britannique (Vienne 1889-Cambridge 1951). Sous l'influence de B. Russell*, il poursuit des recherches de mathématique, de logique et de philosophie. Engagé dans l'armée autrichienne (1914-1918), il écrit le *Tractatus* logico-philosophicus.* Successivement professeur à Cambridge, portier et garçon de laboratoire, il écrit et publie peu, puis se retire en Irlande, où il meurt. Il laisse une œuvre importante, notamment *Carnets* (1914-1916), *Remarques philosophiques* (1930), *le Cahier bleu et le cahier brun* (1933-1935) et *De la certitude* (1949-1951). Selon lui, tout le langage serait décomposable en éléments simples (noms) qui sont autant de reproductions des objets (constituants élémentaires de la réalité). Il abandonne cette conception dès 1929, mais sa notion de philosophie comme délimitation de l'univers du dicible est reprise par le cercle de Vienne*. À la fin de sa vie, il développe la notion de jeu du langage (complexe d'actions linguistiques et extralinguistiques qui appartiennent à un contexte concret), où le langage est considéré comme activité.

WITWATERSRAND, en abrégé **Rand,** bombement rocheux d'Afrique du Sud, dans le sud du Transvaal, dont la richesse du sous-sol, recelant notamment de l'or, mais aussi d'autres minerais (charbon, fer, etc.), explique la formation d'une concentration humaine (plus de 2 millions d'habitants) et industrielle (métallurgie), dominée par Johannesburg*.

WITZ (Konrad), peintre allemand (Rottweil ? v. 1400/1410-Bâle ou Genève v. 1445), cité à partir de 1434 à Bâle, où il travaille jusqu'à sa mort. Sous l'influence des styles bourguignon et flamand, il pratique une peinture d'un puissant effet plastique, au coloris saturé (panneaux de retables dispersés entre les musées de Bâle, Dijon, Berlin, Nuremberg, Strasbourg). Son attention à la réalité du monde visible le conduit à ce prototype du paysage dans l'art germanique qu'est *la Pêche miraculeuse* de Genève.

WŁOCŁAWEK, v. de Pologne, sur la Vistule, au N.-O. de Varsovie; 87 000 hab.

WOERTH (67360), ch.-l. de cant. du Bas-Rhin, à 15 km au N. d'Haguenau; 1 741 hab. Château gothique et Renaissance.

WOËVRE (la), région humide (partiellement boisée et parsemée d'étangs) de la Lorraine (Meuse et Meurthe-et-Moselle), au pied des Côtes de Meuse.

WOGENSCKY (André), architecte français (Remiremont 1916). Après avoir travaillé entre 1945 et 1956 avec Le Corbusier, il fonde son propre atelier et réalise, dans un esprit proche de son maître (utilisation du système de proportions dit « Modulor », modulation de l'espace par l'emploi des couleurs...), des œuvres comme la maison des Jeunes d'Annecy (1962), les maisons de la culture de Besançon et de Grenoble (1965-1968), les C.H.U. de l'hôpital Saint-Antoine et de l'hôpital Necker à Paris, la préfecture de Nanterre (1972). Il a souvent collaboré avec sa femme, le sculpteur Marta Pan (née en 1923).

WOHLEN, comm. de Suisse (Argovie), sur l'Aar; 12 024 hab.

WÖHLER (Friedrich), chimiste allemand (Eschersheim, près de Francfort-sur-le-Main, 1800-Göttingen 1882). Il a isolé l'aluminium (1827), réalisé (1828) la première synthèse organique, celle de l'urée, et imaginé la préparation de l'acétylène par action de l'eau sur le carbure de calcium (1862).

WOIPPY (57140), ch.-l. de cant. de la Moselle, à 5 km au N.-O. de Metz; 13 397 hab. Château des XIIIe-XVIe s. Gare de triage. Constructions mécaniques.

WOLF (Friedrich August), philologue et érudit allemand (Hagenrode, Saxe, 1759-Marseille 1824). Il soutint que *l'Iliade* et *l'Odyssée* avaient été constituées par la juxtaposition de morceaux épiques d'époques différentes.

WOLF (Hugo), compositeur autrichien (Windischgrätz 1860-Vienne 1903), le plus grand maître du lied après Schubert et Schumann. Très attaché à la vérité psychologique, il ne mit en musique que des textes de grande qualité (Goethe, Mörike, Eichendorff). Son existence créatrice se limita presque à quatre années (1888-1891); à partir de 1897, il sombra dans la folie.

WOLFE (James), général britannique (Westerham 1727-Québec 1759). Envoyé au Canada en 1758, il reçoit le commandement de l'expédition contre Québec. Ses troupes remportent une victoire décisive aux plaines d'Abraham, mais il est tué durant l'action.

WOLFE (Thomas Clayton), écrivain américain (Asheville 1900-Baltimore 1938). Auteur de pièces de théâtre (*le Retour de Buck Gavin,* 1926), il eut l'ambition de décrire l'ensemble de la vie américaine dans de grands romans lyriques, qui forment une des plus vastes autobiographies de la littérature des États-Unis (*Aux sources du fleuve,* 1929; *Au fil du temps,* 1935; *la Toile et le roc,* publié en 1939; *Vous ne pouvez pas revenir,* publié en 1940).

WOLFF (Christian VON), mathématicien et philosophe allemand (Breslau 1679-Halle 1754). Professeur de philosophie à Halle puis à Marburg, il s'efforça, à travers une interprétation de Leibniz notamment, de montrer que révélation et raison sont conciliables. Ses cours et sa *Philosophie première* (1729), caractéristiques de l'Aufklärung*, ont influencé Kant.

WOLFF (Étienne), biologiste français (Auxerre 1904). Ses travaux portent sur l'inversion expérimentale du sexe par injections hormonales, l'obtention de diverses monstruosités par action sur l'embryon animal, la culture *in vitro* de tissus cancéreux, humains notamment, de façon à leur conserver leur spécificité.

WÖLFFLIN (Heinrich), historien d'art suisse (Winterthur 1864-Zurich 1945). Professeur à Bâle, à Berlin, à Munich, à Zurich, il a renouvelé les fondements de sa discipline dans ses *Principes fondamentaux de l'histoire de l'art* (1915) : analysant les œuvres de grands artistes, de Dürer au Bernin, il étudie les motivations internes des styles et l'opposition classique-baroque au travers de couples de catégories tels que le *linéaire* et le *pictural,* la *forme fermée* et la *forme ouverte,* etc.

WOLFRAM von Eschenbach, poète allemand (Eschenbach, Bavière, v. 1170-† v. 1220), auteur de trois grands poèmes : *Parzival,* où il traite de la légende du Graal; *Willehalm,* qui relate la lutte de Guillaume d'Aquitaine contre les Sarrasins ; *Titurel,* dont il ne reste que 170 strophes, qui content les amours du chevalier Schionatulander et de la belle Sigune.

WOLFSBURG, v. de l'Allemagne fédérale (Basse-Saxe), au N.-E. de Brunswick; 132 000 hab. Importante usine d'automobiles.

WOLGEMUT (Michael), peintre et graveur allemand (Nuremberg 1434-*id.* 1519). Il reprend en 1473 l'atelier de Hans Pleydenwurff (1420-1472), centre de propagation de l'art des Pays-Bas (Van Eyck, Rogier...). Nombreux retables (Zwickau, etc.), gravures sur bois d'un style brutal.

WOLIN, en allem. **Wollin,** île polonaise, fermant le golfe de Szczecin.

WOLLASTON (William Hyde), physicien et chimiste anglais (East Dereham, Norfolk, 1766-Londres 1828). Il découvrit la polarisation de la pile de Volta, signala l'existence de l'ultraviolet et la présence de raies noires dans le spectre solaire. On lui doit les découvertes du palladium et du rhodium.

WOLLONGONG, anc. **Greater Wollongong,** port d'Australie (Nouvelle-Galles du Sud), au S.-O. de Sydney; 186 000 hab. Sidérurgie.

WOLS (Alfred Otto Wolfgang SCHULTZE, dit), peintre allemand (Berlin 1913-Paris 1951). Après un bref passage au Bauhaus de Dessau, il se lie à Paris (1932) avec les surréalistes, pratique la photographie et exécute ses premiers dessins et aquarelles. Il aborde la peinture à l'huile en 1946. Prolongeant cette sorte d'automatisme qui dicte le foisonnement dense et fouillé des visions notées sur le papier (villes imaginaires suspendues dans l'espace, linéaments organiques...), ses toiles inaugurent, sur un mode angoissé et fulgurant, la peinture « informelle », que développe simultanément Pollock aux États-Unis.

WOLSELEY (*sir* Joseph GARNET, *vicomte*), maréchal britannique (près de Dublin 1833-Menton 1913). Il se distingua notamment au Transvaal (1879) et en Égypte (1884).

WOLSEY (Thomas), prélat et homme politique anglais (Ipswich v. 1473-Leicester 1530). Chapelain d'Henri VII, puis d'Henri VIII, il devint archevêque d'York (1514), cardinal et lord-chancelier (1515). Très influent auprès du roi, il dirigea pendant près de quinze ans la politique anglaise, disciplinant la noblesse et tentant d'améliorer le sort des classes pauvres. À l'extérieur, il se rapprocha de la France, après l'avoir longtemps combattue. L'échec de son intervention auprès du pape, dans l'affaire du divorce d'Henri VIII, provoqua sa chute (1529).

WOLUWE-SAINT-LAMBERT, en néerl. **Sint-Lambrechts-Woluwe,** comm. de Belgique (Brabant), dans la banlieue sud-est de Bruxelles; 47 360 hab. (en 1970).

WOLUWE-SAINT-PIERRE, en néerl. **Sint-Pieters-Woluwe,** comm. de Belgique (Brabant), dans la banlieue sud-est de Bruxelles; 40 884 hab. (en 1970).

WOLVERHAMPTON, v. d'Angleterre, au N.-O. de Birmingham; 269 000 hab. Église de style gothique perpendiculaire. Musée.

WOMMELGEM, comm. de Belgique, à l'E. d'Anvers; 8 973 hab.

WONSAN ou **WŎN-SAN,** port de la Corée du Nord, sur la mer du Japon; 215 000 hab.

WOOD (Robert Williams), physicien américain (Concord 1868-Amityville, New York, 1955). Il réalisa un écran filtrant laissant passer l'ultraviolet voisin de 3 660 angströms; ces radiations, dites *lumière noire,* ont reçu de nombreuses applications, grâce aux fluorescences qu'elles déterminent.

WOODSTOCK, v. du Canada (Ontario), entre London et Hamilton; 26 173 hab.

WOODWARD (Robert Burns), chimiste américain (Boston 1917). Il a réalisé les synthèses de la quinine (1944), du cholestérol et de la cortisone (1951), de la strychnine (1955), enfin de la chlorophylle (1961). [Prix Nobel de chimie, 1965.]

WOOLF (Virginia), femme de lettres anglaise (Londres 1882-Lewes, Sussex, 1941). Influencée par Proust et Joyce, elle tenta de rendre sensible la vie mouvante de la conscience et de saisir les impressions fugitives et quotidiennes dans des romans où l'action et l'intrigue ne jouent presque aucun rôle (*la Chambre de Jacob,* 1922; *Mrs.* Dalloway,* 1925; *la Promenade au phare,* 1927; *les Vagues**, 1931; *Années,* 1937). Elle fut en même temps éditeur (K. Mansfield et T. S. Eliot) et critique littéraire. On a publié son *Journal* en 1953.

WOOLWICH, agglomération de la banlieue est de Londres, sur la Tamise.

WOOMERA, localité de l'intérieur de l'Australie (Australie-Méridionale). Base militaire employée, depuis 1951, par le commandement britannique pour l'expérimentation des missiles, des armes nucléaires et des engins spatiaux.

WORCESTER, v. d'Angleterre, au S.-O. de Birmingham; 73 000 hab. Cathédrale surtout du XIIIe s. Musées.

WORCESTER, v. des États-Unis, dans l'intérieur du Massachusetts; 177 000 hab. Musée d'art.

WORDSWORTH (William), poète anglais (Cokermouth, Cumberland, 1770-Rydal Mount, Westmorland, 1850). Après des études à Cambridge, il voyage en France et s'enthousiasme pour les idées de la Révolution. Il publie ses premiers poèmes (*la Promenade du soir, Croquis descriptifs,* 1793), mais, ami des Girondins, il manque d'être guillotiné et regagne l'Angleterre. La Terreur et les guerres révolutionnaires provoquent chez lui une crise de découragement et de pessimisme. Il s'installe à Alfoxden, près de son ami Coleridge, et publie avec lui *les Ballades lyriques* (1798), véritable manifeste du romantisme. Au retour d'un voyage en Allemagne, il écrit son long poème autobiographique, *le Prélude,* qui ne sera publié qu'après sa mort, en 1850. Il donne encore ses *Poésies dédiées à l'indépendance nationale et la liberté* (1802-1816), *l'Excursion* (1814) et *Peter Bell* (1819). Il est nommé poète-lauréat en 1843. Disciple de Rousseau, il a chanté son amour de la nature en rejetant la phraséologie des poètes du XVIIIe s. et en employant les termes concrets et pittoresques de la langue de tous les jours.

WORMHOUT (59470), ch.-l. de cant. du Nord, à 8,5 km au N. de Cassel; 4 347 hab. Église du XVIe s.

WORMS, v. de l'Allemagne fédérale (Rhénanie-Palatinat), sur le Rhin; 77 000 hab. Cathédrale romano-gothique à deux chœurs opposés (fin XIIe-début XIIIe s.). Églises médiévales. Musée de la ville dans un anc. couvent (préhistoire, archéologie). — Un concordat, qui mit fin à la querelle des investitures, y fut signé par le pape Calixte II et l'empereur Henri V en 1122. À Worms siégèrent plusieurs diètes : celle de 1495 créa un tribunal d'Empire chargé de régler les conflits intérieurs; celle de 1521 mit Luther au ban de l'Empire.

WORTH (Charles Frédéric), couturier français (Bourn, Lincolnshire, 1825-Paris 1895). Il eut l'idée, en 1858, de créer des collections saisonnières présentées à la clientèle sur des mannequins vivants; il ouvrit la première maison de haute couture en 1860 et habilla la cour impériale. Il mit fin à la crinoline.

WORTHING, station balnéaire d'Angleterre, sur la Manche, à l'O. de Brighton; 80 000 hab.

WOTAN ou **ODIN,** grand dieu du panthéon germanique. Dieu de la Guerre, protecteur des guerriers et des héros, qu'il accueille dans le Walhalla*, il est aussi le dieu de la Science, de la Poésie, de la Sagesse et de la Magie, et, à ce titre, il est considéré comme l'inventeur et le grand maître des runes*.

WOU ou **WU** → CHINOIS.

WOU-HAN ou **WUHAN,** v. de Chine, sur le Yang-tseu-kiang, capit. du Hou-pei; 2 500 000 hab. Formée en 1950 par la réunion des anciennes villes de Han-k'eou, de Han-yang et de Wou-tch'ang, Wou-han est un important port fluvial ainsi qu'un grand centre commercial et industriel (métallurgie surtout).

WOU-HOU ou **WUHU,** v. de Chine (Ngan-houei), sur le Yang-tseu-kiang, au S.-O. de Nankin; 242 000 hab.

WOU-SI ou **WUXI,** v. de Chine (Kiang-sou), au N.-O. de Chang-hai; 613 000 hab.

WOU TCHEN ou **WU ZHEN,** peintre, calligraphe et poète chinois (1280-1354), qui fait partie des grands maîtres de la dynastie Yuan. Taoïste pratiquant, il vit retiré du monde et peint des bambous et des paysages, qu'il accompagne souvent de ses propres poèmes.

WOU-TCHEOU ou **WUZHOU,** v. de Chine (Kouang-si), sur le Si-kiang, à l'O. de Canton; 200 000 hab.

WOUTERS (Rik), sculpteur et peintre belge (Malines 1882-Amsterdam 1916). Principal représentant du « fauvisme brabançon », il a laissé une œuvre aux solides qualités techniques (*Fleurs d'anniversaire,* toile de 1912, coll. priv., Anvers).

WOU-T'ONG-K'IAO ou **WUTONGQIAO,** v. de Chine (Sseu-tch'ouan); 200 000 hab.

WOUWERMAN (Philips), peintre néerlandais (Haarlem 1619-*id.* 1668). Il a peint plus de huit cents tableaux, paysages et surtout scènes de genre où intervient le cheval (escarmouches, haltes devant une auberge, départs de chasse...). Excellent observateur, technicien délicat, virtuose du clair-obscur et de la « fonte des couleurs », il fut très copié au XVIIIe s., en France notamment.

Wozzeck, opéra d'Alban Berg (1925), d'après le drame de G. Büchner, œuvre clé de l'histoire du théâtre lyrique au XXe s. Fait

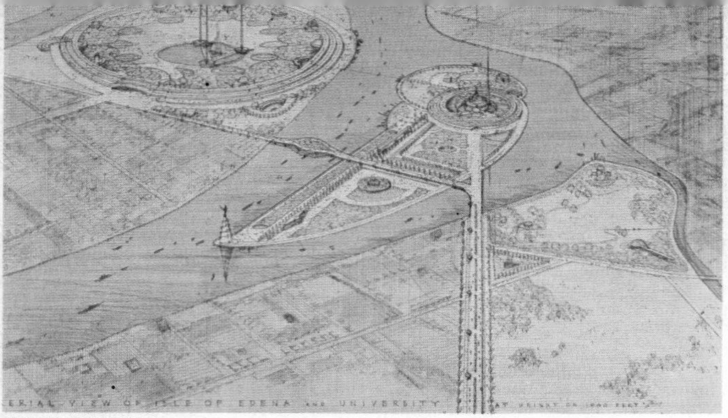

Frank Lloyd Wright.
Projet pour le Grand Bagdad et l'université.
1957.

Memorial Foundation

de trois actes de cinq scènes chacun et intitulés respectivement « Exposition », « Péripétie » et « Catastrophe », l'ouvrage analyse les rapports d'un pauvre soldat, Wozzeck, avec ses supérieurs hiérarchiques (le Capitaine et le Docteur), son ami Andres, sa maîtresse Marie et un Tambour-Major. D'une grande efficacité dramatique, mais d'une construction rigoureuse, *Wozzeck* résolut l'antinomie entre une conception cloisonnée (par scènes) de l'opéra et le drame musical continu issu de Wagner.

WRANGEL ou **VRANGEL** (Petr Nikolaïevitch, *baron* DE), général russe (Novo-Aleksandrovsk 1878 - Bruxelles 1928). Successeur, en 1920, de Denikine à la tête des armées blanches de la Russie du Sud, il combattit l'armée rouge en Ukraine pendant la guerre polono-soviétique et organisa un gouvernement qui fut reconnu *de facto* par la France en 1920. Battu, il se replia en Crimée, d'où ses troupes furent évacuées à Gallipoli, puis en Yougoslavie.

WREN (*sir* Christopher), architecte anglais (East Knoyle, Wiltshire, 1632 - Hampton Court 1723). D'abord mathématicien et physicien, il avait construit un théâtre à Oxford, où il professait, quand, après l'incendie de 1666, il fut consulté pour la restructuration de la Cité de Londres et chargé de rebâtir cinquante églises ainsi que la cathédrale Saint-Paul (1675-1709; audacieuse coupole à éclairage indirect par double coque sous dôme charpenté). Contrôlant l'ensemble des chantiers de la Couronne, il réalise notamment les hôpitaux royaux de Chelsea (1682) et de Greenwich. Le classicisme français, dans toutes ses œuvres, équilibre la tradition de Palladio et une influence hollandaise. En mathématique, il rectifia l'arc de la cycloïde simple et étudia le problème général du choc des corps.

WRIGHT *(les frères)*, aviateurs et constructeurs américains, WILBUR (Millville, Indiana, 1867 - Dayton, Ohio, 1912) et ORVILLE (Dayton 1871 - *id.* 1948). Orville accomplit le 17 décembre 1903, à bord d'un avion à deux hélices, le second vol mécanique après l'expérience d'Ader. En 1908, Wilbur exécuta une brillante démonstration au camp d'Auvours (France), dont le retentissement fut considérable.

WRIGHT (Frank Lloyd), architecte américain (Richland Center, Wisconsin, 1867 ou 1869 - Phoenix 1959). Après de brèves études d'ingénieur, il travaille avec Louis Henri Sullivan à Chicago*, puis affirme très rapidement sa personnalité. Adoptant des conceptions très en avance sur son temps, il développe dès 1895 le type des « maisons de la prairie » (Isabel Roberts House, 1908, River Forest; Robie House, 1909, Chicago), défini par un plan « en ailes de moulin à vent », un nouveau rapport intérieur-extérieur et une volonté d'intégration dans le paysage. À un moment où son influence pénètre en Europe grâce à une publication de l'éditeur allemand Wasmuth (1910), il va travailler au Japon (Imperial Hotel de Tōkyō, 1916); il connaît dans son pays une éclipse de réputation, suivie, en 1936, d'un retour décisif à l'avant-garde de l'architecture mondiale avec, d'une part, la « Maison sur la cascade » (Kaufmann House, Bear Run, Pennsylvanie), qui a servi de point de départ à Bruno Zevi pour définir l'architecture organique*, et, d'autre part, les bâtiments administratifs de la Johnson Wax Company (Racine, Wisconsin), dont le parti de diffusion de la lumière par en haut, déjà choisi au Larkin Office Building de Buffalo (1904, détruit), sera retenu pour le Guggenheim Museum. Après 1945, il réalise des maisons dites « usoniennes », fondées sur l'ellipse et la spirale en plan, thème qui trouve sa consécration au Solomon R. Guggenheim* Museum de New York. L'influence qu'a exercée son œuvre fait de lui un des grands précurseurs de l'architecture moderne. Wright a, en outre, créé des meubles qu'il considérait, à l'opposé de Le Corbusier, comme le reflet de l'architecture : meubles hexagonaux pour une maison hexagonale.

WRIGHT (Richard), écrivain américain (Natchez, Mississippi, 1908 - Paris 1960). De race noire, il révèle ses qualités de conteur en décrivant sa jeunesse difficile dans le Sud (*les Enfants de l'oncle Tom,* 1938; *Un enfant du pays,* 1940). Son œuvre manifeste ses préoccupations sociales et l'espoir que lui inspire l'émancipation des hommes de couleur (*Jeunesse noire,* 1945; *Puissance noire,* 1954; *Fishbelly,* 1960).

WRIGHT OF DERBY (Joseph WRIGHT, dit), peintre anglais (Derby 1734 - *id.* 1797). Peintre d'histoire, paysagiste (surtout à partir d'un voyage en Italie, 1773), portraitiste, empruntant certains de ses éclairages aux caravagesques d'Utrecht, il innove en tant que chroniqueur des premières années de la révolution industrielle dans les Midlands (*le Planétaire,* 1766, musée de Derby; *les Filatures d'Arkwright vues de nuit,* v. 1783, coll. priv.).

WROCŁAW, en allem. **Breslau,** v. de Pologne, en basse Silésie, sur l'Odra; 569 000 hab. Constructions mécaniques et électriques. Chimie.

HISTOIRE. Polonaise dès le Xe s., mais activement colonisée par les Allemands, la ville appartient à la Bohême (1335), puis à la maison de Luxembourg. Devenue propriété des Habsbourg (1526), elle prend le nom de Breslau; annexée par la Prusse avec la Silésie* en 1742, elle redevient Wrocław et polonaise en 1945.

BEAUX-ARTS. Cathédrale terminée vers 1430 et autres églises médiévales. Hôtel de ville des XIVe-XVe s. Apports du baroque autrichien : église du Saint-Nom-de-Jésus, *aula Leopoldina* de l'université. Musées dans l'ancien palais royal prussien (seconde moitié du XVIIIe s.).

WUNDT (Wilhelm) → PSYCHOLOGIE.

WUPPERTAL, v. de l'Allemagne fédérale (Rhénanie-du-Nord-Westphalie), dans la Ruhr, sur la *Wupper* (affl. du Rhin); 417 000 hab. Industries métallurgiques, électriques et textiles.

WURMSER (Dagobert Siegmund, *comte* VON), général autrichien (Strasbourg 1724 - Vienne 1797). Battu à Castiglione par Bonaparte (1796), il dut capituler dans Mantoue (1797) [v. ITALIE *(campagnes de Bonaparte en)*].

WURTEMBERG, anc. État du sud-ouest de l'Allemagne. Partie intégrante du duché de Souabe, le Wurtemberg fut, à l'origine, constitué par les seuls biens patrimoniaux de Conrad de Wirtinisberc, dont le fils, Louis, fidèle à la cause des ducs de Souabe, obtint en 1135 le titre comtal. Au XIIIe s., le Grand Interrègne, qui consacra le morcellement du duché de Souabe, permit aux comtes de Wurtemberg d'étendre leurs domaines. Eberhard Ier l'Illustre (de 1279 à 1325) se fit céder le bailliage de la Basse-Souabe par l'empereur Rodolphe Ier; ses successeurs se heurtèrent à la résistance des villes libres impériales, qu'ils vainquirent (1388). En 1482, Stuttgart devint la capitale du Wurtemberg, qui avait acquis sa structure territoriale définitive dès la fin du XIVe s., et qui fut érigé en duché en 1495. Confisqué par Charles Quint (1520), rendu à Ulrich Ier, qui dut accepter la suzeraineté autrichienne (1534), le duché fut gagné par la Réforme et devint en 1599 fief direct du Saint Empire. Dévasté par la guerre de Trente Ans, victime des guerres de la ligue d'Augsbourg et de la Succession d'Espagne, il fut troublé au XVIIIe s. par des conflits politiques et religieux dus à la volonté du duc Charles Ier Alexandre (de 1733 à 1737) d'y restaurer le catholicisme et de supprimer les états provinciaux. En 1803, le duc reçut le titre d'Électeur.

Allié de Napoléon contre l'Autriche (sept. 1805), le Wurtemberg fut érigé en royaume souverain et indépendant (1805), et agrandi par Napoléon en 1809. Rallié à la sixième coalition en 1813, il conserva, après la défaite de Napoléon, son intégrité territoriale. Il fut en guerre contre la Prusse en 1866, mais entra dans le premier Reich allemand en 1871. Devenu république en 1918, il fut intégré au IIIe Reich en 1934. Depuis 1951, il fait partie de l'État de Bade-Wurtemberg.

WURTZ (Charles Adolphe), chimiste français (près de Strasbourg 1817 - Paris 1884). Il a découvert les amines (1849), le glycol (1855), l'aldol (1872), montré que la glycérine est un trialcool (1875) et imaginé une méthode générale de synthèse employant le sodium (1854). Il fut l'apôtre français de la théorie atomique.

WÜRZBURG, v. de l'Allemagne fédérale, dans le nord de la Bavière, sur le Main; 114 000 hab. Siège d'un vieil évêché, la ville est riche en églises d'origine romane ou gothique ainsi qu'en monuments baroques, dont la magnifique *Résidence* des princes-évêques (architecte principal, B. Neumann, à partir de 1719; fresques de G. B. Tiepolo). Université. Constructions électriques.

WUUSTWEZEL, comm. de Belgique, au N.-E. d'Anvers; 8 779 hab.

WYAT ou **WYATT** (*sir* Thomas), poète et diplomate anglais (Allington Castle, Kent, v. 1503 - Sherborne, Dorset, 1542). Il connut la disgrâce lors du procès d'Anne Boleyn. Ses poèmes, publiés dans le *Tottel's Miscellany,* le révèlent comme un des meilleurs poètes amoristes. Il introduisit le sonnet dans la poésie anglaise.

WYCHERLEY (William), écrivain anglais (Clive 1640 - Londres 1716), auteur de comédies satiriques inspirées de Molière (*l'Amour dans un bois,* 1671; *l'Homme sans détours,* 1674).

WYCLIFFE (John), théologien anglais (Hipswell v. 1320 - Lutterworth 1384). Docteur en théologie à Oxford en 1372, avocat ecclésiastique de la Couronne, il devient le chef d'un courant antipapal et anticlérical. Peu à peu, de la défense du pouvoir civil face aux ingérences pontificales il passe à une attitude proche de celle des vaudois*, voyant dans une Église pauvre la seule qui soit conforme à l'Évangile. Le grand schisme* d'Occident (1378) le renforce dans ses positions. Il présente alors au Parlement anglais des propositions opposées aux biens ecclésiastiques et aux vœux monastiques. Rejetant la transubstantiation dans l'eucharistie, il souligne l'autorité exclusive de la Bible. Le concile de Constance le condamnera, à titre posthume, comme hérétique (1415).

WYLER (William), cinéaste américain d'origine suisse (Mulhouse 1902). Sa prédilection pour les drames psychologiques et les adaptations littéraires, son classicisme formel et la rigueur de sa technique ont fait de lui l'un des metteurs en scène les plus admirés de son pays : *l'Insoumise* (1938), *les Hauts de Hurlevent* (1939), *la Vipère* (1941), *les Plus Belles Années de notre vie* (1946), *l'Héritière* (1949). Parmi les films qu'il signa ensuite, il convient de citer *Vacances romaines* (1954), *Ben Hur* (1959), *l'Obsédé* (1964).

WYLFA HEAD, centrale nucléaire de Grande-Bretagne, dans le nord du pays de Galles (île d'Anglesey).

WYOMING, État de l'ouest des États-Unis; 253 597 km^2; 332 000 hab. Capit. *Cheyenne.* Montagneux, au climat rude (aride et froid [en hiver]), le Wyoming, peu peuplé, vit de l'élevage ovin et surtout des richesses du sous-sol (pétrole, gaz naturel, charbon) et du tourisme (parc national de Yellowstone).

WYSPIAŃSKI (Stanisław), auteur dramatique et peintre polonais (Cracovie 1869 - *id.* 1907). Célèbre pour un poème dramatique sur l'insurrection de 1830 (*la Varsovienne,* 1898), il s'affirma comme le plus grand tragique polonais, et son influence sur l'esprit national et la jeune génération littéraire fut immense (*les Noces,* 1901; *la Nuit de novembre,* 1904; *le Retour d'Ulysse,* 1907).

WYSS (Johann David), pasteur suisse (Berne 1743 - *id.* 1818). Il est l'auteur du *Robinson suisse,* publié en 1812-1827 par les soins de son fils Johann Rudolf.

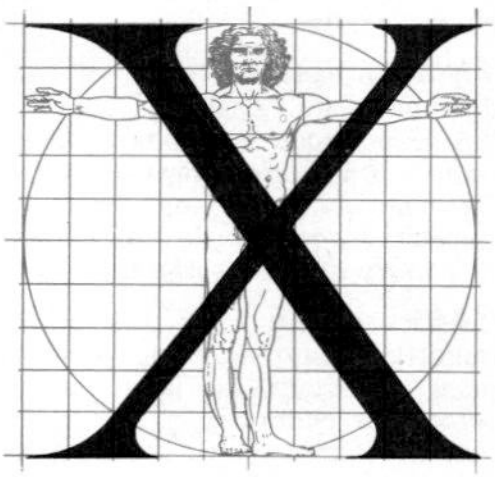

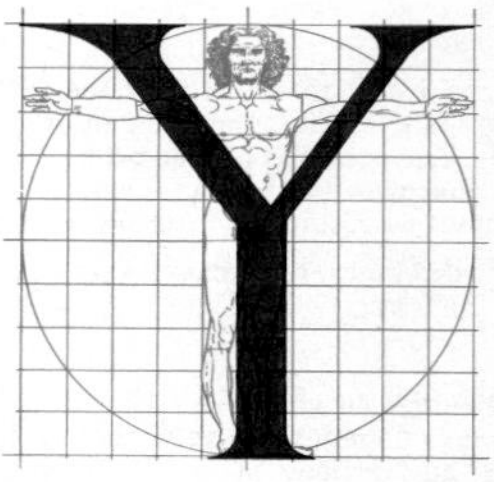

X (rayons). — Émis par les surfaces qui reçoivent un bombardement cathodique, ils ont été découverts par Röntgen à la fin du XIXe s. Ce sont des radiations électromagnétiques de même nature que la lumière, mais de longueurs d'onde bien plus petites (de 0,03 à 20 Å). Ces caractéristiques ont été établies en 1912 par von Laue, grâce à la diffraction de ces rayons par les lames cristallines. On produit les rayons X dans des tubes à vide comportant une cathode, source d'électrons, un dispositif accélérateur et une cible métallique, ou anticathode, qui reçoit les électrons et émet des rayons X. Après avoir utilisé le tube de Crookes, à cathode froide, on emploie le tube de Coolidge, dont la cathode chaude est un filament de tungstène chauffé par un courant. L'anticathode est une masse de tungstène creuse et refroidie par circulation d'eau; elle est reliée au pôle positif d'une source de haute tension. Les rayons X sortent du tube par une mince fenêtre d'aluminium.

Ils ionisent les gaz qu'ils traversent, ce qui permet de doser leur intensité. Ils sont progressivement absorbés par la matière, ceux de faible longueur d'onde étant les plus pénétrants et les éléments chimiques de grand numéro atomique étant les plus absorbants.

XAINTOIS (le), région agricole de la Lorraine méridionale, dans le nord-ouest du département des Vosges.

XANTHI ou **XANTE,** v. du nord de la Grèce, en Thrace; 25 000 hab.

XANTHOME et **XANTHÉLASMA.** — Ces lésions tumorales cutanées sont constituées par un infiltrat dermique riche en granulations lipidiques, constituées par du cholestérol, des phospholipides ou des graisses neutres. D'une teinte jaune, elles sont planes (xanthélasma aux paupières), papuleuses (xanthomes éruptifs) ou nodulaires (xanthomes tendineux). Certaines xanthomatoses sont liées à des troubles importants du métabolisme des lipides (hyperlipémie) et peuvent s'accompagner de lésions artérielles et cardio-vasculaires.

XENAKIS (Iannis), compositeur français d'origine grecque (Brăila, Roumanie, 1922). Également mathématicien et architecte, il fait appel dans ses œuvres à la loi des grands nombres, à la théorie mathématique des jeux, à la théorie des ensembles *(Metastasis, Stratégie, Nomos Alpha).* Il a été un des artisans du passage du pointillisme au tachisme.

XÉNOCRATE, philosophe grec (Chalcédoine v. 400 - † 314 av. J.-C.). Disciple de Platon, il dirige l'Académie (339). Il s'efforce de concilier la philosophie de Platon et le pythagorisme, identifiant les idées et les nombres.

XÉNON. — C'est l'élément chimique n° 54, de masse atomique Xe = 131,3. C'est un gaz incolore, de densité 4,5, se liquéfiant à − 109 ^{0}C, contenu en très petite quantité dans l'air.

XÉNOPHON, philosophe et écrivain grec (dème d'Erkhia, près d'Athènes, v. 430 - † v. 355 av. J.-C.). Il suit d'abord les leçons de Prodicos, puis s'attache à Socrate. En 401, il part pour l'Asie Mineure avec un de ses amis, le Thébain Proxenos, et accompagne l'armée que Cyrus le Jeune conduit contre son frère Artaxerxès. Après l'échec de l'expédition et l'assassinat des chefs des mercenaires, il est élu général et dirige la retraite, qu'il raconte dans *l'Anabase**. Banni par les Athéniens, il passe au service de Sparte, combat à Coronée, puis s'installe à Scillonte, en Élide. C'est là qu'il compose la plupart de ses ouvrages. En 371, à cause d'une guerre entre Sparte et Élis, il est obligé de se retirer à Corinthe. Ses nombreux ouvrages nous sont presque tous parvenus. Deux sont d'authenticité suspecte, *la République d'Athènes* et le traité de *la Chasse.* Bon témoin des choses de son temps, Xénophon est l'auteur de traités relatifs à Socrate *(l'Apologie de Socrate, les Mémorables),* de récits historiques *(les Helléniques),* d'essais techniques *(De l'équitation, l'Hipparque),* d'un roman historique et philosophique *(la Cyropédie)* ainsi que d'ouvrages d'économie domestique et de philosophie politique *(l'Économique, la Constitution de Sparte, Hiéron ou le Traité sur la tyrannie, les Revenus, l'Éducation de Cyrus),* dont Machiavel a souligné la profonde originalité.

XÉROGRAPHIE. — La xérographie est un procédé d'impression* sans contact. Celle-ci se fait par transfert de colorants qui, chargés électriquement, se déplacent dans un champ électrostatique et sont attirés par une surface chargée d'électricité de signe contraire. Les

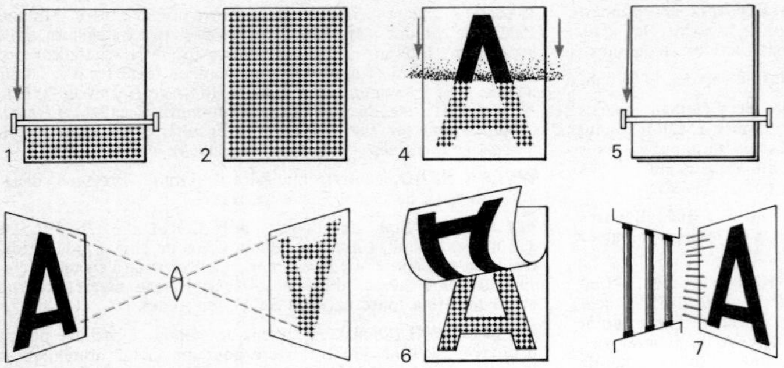

XÉROGRAPHIE.
1. La surface de la plaque enduite de sélénium est chargée électriquement; 2. Plaque chargée d'électricité positive; 3. L'original est projeté à travers l'objectif de l'appareil; la surface se décharge dans les zones éclairées et conserve sa charge positive dans les zones non éclairées; 4. Une poudre chargée négativement adhère à l'image latente positive; 5. Une feuille de papier est placée au-dessus de la plaque et reçoit une nouvelle charge positive; 6. La charge positive attire la poudre de la plaque sur le papier; 7. La feuille est chauffée pour fondre la poudre.

particules de colorants, ou *toners,* peuvent être chargées de diverses façons et sont fixées par fusion sur le papier. La xérographie utilise des formes d'impression légères, plaques, stencils, mais le prix des colorants est élevé et la vitesse des presses relativement faible. On emploie ce procédé pour l'impression d'étiquettes, de cartes géographiques, de papiers peints et de textiles. La *xérocopie,* procédé de reprographie* très répandu, est en fait un procédé d'impression xérographique pour petits tirages.

XERTIGNY (88220), ch.-l. de cant. des Vosges, à 18 km au S. d'Épinal; 3075 hab. Industries alimentaires.

XERXÈS Ier (v. 519-Suse 465 av. J.-C.), roi perse achéménide* (486-465), fils et successeur de Darios Ier*. S'il impose son autorité à Babylone et à l'Égypte révoltées, il ne peut, pas plus que son père Darios, venir à bout des cités grecques (v. MÉDIQUES [*guerres*]). Victime d'intrigues de palais, il meurt assassiné avec son fils aîné.

XINGU (le), riv. du Brésil, coupée de chutes, rejoignant l'Amazone (r. dr.) à son embouchure; env. 2000 km.

XIPHOÏDE → STERNUM.

XIPHOPHORE. — Plus souvent abrégé en *xipho,* ce nom désigne un des poissons d'aquarium les plus communs. Le xiphophore est un petit cyprinodonte originaire du Mexique et de l'Amérique centrale, et caractérisé par la curieuse « épée » caudale du mâle adulte. Il se nourrit de mouches et autres proies animales. La reproduction est vivipare et abondante (de 500 à 1000 petits par an), mais le cannibalisme est de règle : les deux parents dévorent la plupart de leurs jeunes.

XYLANDER, nom hellénisé de **Wilhelm Holzmann,** humaniste allemand (Augsbourg 1532-Heidelberg 1576). Il a publié de nombreuses éditions d'auteurs grecs et latins ainsi que divers traités philosophiques et historiques (*Institutiones aphoristicae logicae Aristotelis,* 1577).

XYLÈNE. — On en connaît trois isomères, dont le mélange, existant dans le goudron de houille, bout de 138 °C à 142 °C. Ce sont des liquides insolubles dans l'eau, à odeur de benzène, que l'on emploie comme solvants. (V. AROMATIQUES [*hydrocarbures*].)

XYLOCOPE. — Le xylocope, ou « abeille charpentière », est l'un des plus gros hyménoptères de France (il est plus grand qu'un frelon) et se reconnaît à son corps d'un violet très sombre à reflets métalliques et à ses ailes brunes. Son nid est creusé en galerie dans le bois d'un arbre et divisé en logettes par des cloisons en sciure de bois agglomérée. Ce n'est pas une espèce sociale.

XYLOGRAPHIE → ESTAMPE.

XYLOPHAGIE. — Ce régime alimentaire, qui consiste à se nourrir de bois, est celui de très nombreux insectes. Il semble que presque aucune espèce n'ait les enzymes digestives nécessaires pour solubiliser le bois. C'est pourquoi on trouve dans l'intestin des insectes mangeurs de bois — scolytes, bostryches, buprestes, longicornes, xylocopes, termites, etc. — toute une faune de ciliés et de bactéries symbiotiques (v. SYMBIOSE) qui, eux, digèrent le bois, que l'insecte digère à son tour, respectant toujours une partie de la population microscopique qui assure sa subsistance.

YACHTING. — Le yachting concerne toutes les formes de navigation de plaisance, pratiquées à bord de bateaux que l'on appelle « yachts ». Ceux-ci se classent en trois catégories : bateaux à voile, bateaux à moteur ou bateaux mixtes (voile et moteur). On distingue d'autre part les bateaux de compétition des bateaux de croisière* ou de promenade. En matière de yachting à voile, les bateaux destinés à la compétition sont les plus nombreux; ce sont généralement des monotypes*, embarcations fabriquées à partir d'un même plan et à l'aide des mêmes matériaux. La classe des dériveurs, qui comportent un plan de dérive relevable, l'emporte largement en nombre sur celle des bateaux à quille. Le yachting à moteur, ou motonautisme*, rencontre un succès sans cesse grandissant, bien que, contrairement à la voile, la compétition n'y intéresse qu'un petit nombre de pratiquants. Les yachts à moteur sont équipés soit de moteurs intérieurs fixes, ou *in-bord,* soit de moteurs amovibles, ou *hors-bord.* Dès qu'un yacht à voile atteint une certaine dimension, il comporte généralement un moteur auxiliaire. Lorsque la puissance du moteur est largement calculée par rapport à la surface de voilure, il s'agit d'un *motor-sailer,* bateau destiné à naviguer en utilisant à la fois voile et moteur.

YACINE (Kateb), écrivain algérien d'expression française (Condé-Smendou [auj. Zighout Youcef] 1929). Son inquiétude devant le destin politique et humain de son pays et de tous les peuples opprimés s'exprime dans ses poèmes (*Soliloques,* 1946), ses romans (*Nedjma,* 1956) et son théâtre (*le Cadavre encerclé,* 1955; *Les ancêtres redoublent de férocité,* 1959; *la Poudre d'intelligence,* 1967; *la Guerre de deux mille ans,* 1975).

YACK. — Le yack est un animal domestique de première importance pour les populations du Tibet, auxquelles il fournit son pelage, son cuir, sa viande, son lait et même ses excréments, qui servent de combustible, sans parler de sa force musculaire comme bête de somme ou de trait. Son épaisse toison aux poils pendants lui permet de vivre à 6000 m d'altitude, aux confins des neiges éternelles. Le yack marche et grimpe inlassablement. Au demeurant, c'est un grand bison noir (hauteur au garrot : 1,80 m).

YAFO → JAFFA.

YAHATA ou **YAWATA,** centre sidérurgique du Japon, auj. intégré à Kita-kyūshū.

YAHVÉ ou **JAHVÉ,** nom du Dieu d'Israël, révélé selon la Bible à Moïse* au Sinaï. Yahvé est-il d'origine akkadienne, phénicienne ou madianite ? Il est historiquement probable qu'il fut connu en dehors et indépendamment d'Israël; sa signification est communément rattachée à la racine sémitique du verbe « être », qui exprime un sens actif et dynamique : « celui qui est » (en opposition aux faux dieux, qui ne sont pas), c'est-à-dire le Dieu qui vit avec son peuple et le fait vivre.

YAHYĀ IBN MAHMŪD AL-WĀSIṬĪ, calligraphe et miniaturiste arabe, originaire du sud de l'Iraq et actif au début du XIIIe s. Il fut l'un des principaux représentants de l'école de Bagdad*, dont l'œuvre reflète avec verve la vie quotidienne et sociale dans les séances (Maqāmāt) d'al-Ḥarīrī (Paris, B.N.), exécutées (1237) en un style libre, où réel et imaginaire s'allient subtilement.

Yale *(université),* université américaine, fondée en 1701 à New Haven. Elle doit son nom à Elihu Yale, l'un de ses bienfaiteurs.

YA-LONG-KIANG ou **YALONGJIANG** (le), riv. de la Chine centrale, affl. du Yang-tseu-kiang (r. g.); 1300 km.

YA-LOU ou **YA-LU** (le), fl. d'Asie, séparant la Chine et la Corée du Nord avant de rejoindre la mer du Japon; 1300 km. Aménagement hydroélectrique.

YALTA, v. de l'U. R. S. S. (Ukraine), en Crimée, sur la mer Noire; 34000 hab. Station balnéaire.

Yalta *(conférence de),* conférence qui, avant la fin de la Seconde Guerre* mondiale, réunit Churchill, Roosevelt et Staline à Yalta du 4 au 11 février 1945, en vue de régler les problèmes posés par la prochaine défaite des Allemands. Roosevelt, déjà très malade et préoccupé par l'Organisation des Nations unies, voulait obtenir de Staline la promesse d'une intervention contre le Japon. En échange de cette promesse, l'Europe de l'Est (la Pologne en particulier) resta dans la zone d'influence de l'U. R. S. S., qui obtint en outre la restitution des territoires pris par le Japon à la Russie en 1905. Churchill, qui ne partageait pas ce point de vue, dut céder, mais il obtint, en particulier, que la France participât à l'occupation de l'Allemagne.

YA-LU → YA-LOU.

YAMAGATA, v. du Japon (Honshū), à l'O. de Sendai; 204 000 hab. Constructions mécaniques.

YAMAGUCHI, v. du Japon, dans le sud-ouest de Honshū; 101 000 hab. Ancienne cité féodale. Beaux temples (XIVe-XVe s.); jardin paysager (XVe s.). Industrie chimique.

YAMAMOTO ISOROKU, amiral japonais (Nagaoka 1884-près de Bougainville 1943). En 1939, il est mis à la tête de la flotte de combat, avec laquelle il attaquera par surprise la flotte américaine à Pearl Harbor (déc. 1941). Il dirige ensuite les opérations dans le Pacifique, mais est battu aux Midway (mai 1942) par les Américains, qui réussissent à abattre l'avion qui le conduisait à Bougainville.

YAMUNĀ → JAMNA.

YANAON, anc. établissement français de l'Inde.

YANG-CHAO ou **YANGSHAO,** village de Chine (Ho-nan), devenu éponyme d'une phase du néolithique* située aux alentours du IIIe millénaire, et caractérisée par une poterie polychrome et des habitations rondes ou rectangulaires, aux murs d'argile, groupées en villages. Cette culture appartenait à des agriculteurs-éleveurs qui pratiquaient encore la chasse et la pêche, et qui possédaient des coutumes funéraires.

YANG CHEN-NING, physicien chinois (Ho-fei 1922) → LEE TSUNG-DAO.

YANG-TCHEOU ou **YANGZHOU,** v. de Chine (Kiang-sou), au N.-E. de Nankin; 180 000 hab.

YANG-TSEU-KIANG ou **YANGZIJIANG,** appelé parfois **fleuve Bleu,** le plus long fleuve de Chine; 5 980 km.

Né dans les montagnes du Sseu-tch'ouan, le Yang-tseu-kiang s'étale dans le Bassin rouge après un long cours montagneux. Il s'encaisse ensuite dans le massif calcaire des Wou-chan, qu'il franchit, par une série de rapides et de gorges, entre Tch'ong-k'ing et Yi-tch'ang. Il atteint alors la cuvette du Hou-pei, où il reçoit le Yuan-kiang, le Siang et le Han. Après une succession de défilés, il va se jeter dans la mer de Chine orientale, son vaste estuaire étant creusé dans ses propres alluvions. Il draine un bassin de 1 830 000 km^2. Son débit moyen (30 000 m^3/s à Ta-t'ong) recouvre des variations annuelles : le fleuve connaît de basses eaux en hiver, les crues d'été étant liées aux pluies de mousson. Les inondations qui résultent de ces pluies sont surtout importantes dans le cours moyen, le lac Tong-t'ing jouant un rôle de régulateur sur son cours inférieur. Des travaux d'aménagement récents ont permis d'en limiter les effets désastreux. Les eaux du Yang-tseu-kiang sont le domaine d'une pêche active, mais le fleuve constitue surtout une voie navigable remarquable. Son cours est jalonné par des villes importantes : Tch'ong-k'ing, Wou-han, Nankin et surtout Chang-hai.

YANG-TS'IUAN ou **YANGQUAN,** v. de Chine, dans l'est du Chan-si; 177 000 hab. Métallurgie.

YAO, v. du Japon (Honshū), au S.-E. d'Ōsaka; 228 000 hab.

YAOUNDÉ, capit. du Cameroun; 178 000 hab.

YARKAND ou **SO-TCH'Ö,** ville-oasis de Chine, dans le sud-ouest du Sin-kiang; 80 000 hab.

YARMOUTH → GREAT YARMOUTH.

YAŞAR KEMAL, écrivain turc (Osmaniye, près d'Adana, 1922). Ses poèmes, ses chroniques et ses romans (*Mémed le Mince,* 1955; *Terre de fer, ciel de cuivre,* 1963) composent une épopée populaire de la terre et des paysans d'Anatolie.

YATSUSHIRO, v. du Japon, dans l'ouest de Kyūshū; 102 000 hab.

YAVARÍ → JAVARI.

YAWATA → YAHATA.

YAWL → VOILIER.

YAZILIKAYA, lieu-dit de Turquie, à 3 km de Boğazkale, où les Hittites — en associant des constructions artificielles aux chambres naturelles d'un cirque rocheux — ont aménagé un temple rupestre (XIIIe s. av. J.-C.), de plan identique aux temples de leur capitale, Hattousa*, et dont les parois rocheuses sont ornées de reliefs représentant tout leur panthéon.

YEATS (William Butler), écrivain irlandais (Sandymount, près de Dublin, 1865-Roquebrune-Cap-Martin 1939). Fils d'un portraitiste célèbre, il fonde à Londres une société littéraire irlandaise et publie des poèmes et des pièces en vers où il donne libre cours à ses tendances mystiques (*les Pérégrinations d'Oisin,* 1889; *la Comtesse Cathleen,* 1892; *le Pays du désir du cœur,* 1894). Rentré en Irlande en 1896, il prend part au mouvement de renaissance littéraire de son pays. Avec lady Gregory, il fonde le « Théâtre littéraire irlandais », qui joue les pièces de Synge et de Moore. Lui-même donne à la scène *Deirdre* (1907), tout en participant aux luttes politiques. Membre du Sénat de 1922 à 1928, il abandonne la vie publique en 1930 et se consacre entièrement à son art. Il publie des essais (*Pièces et controverses,* 1923) et des drames (*le Chat et la Lune,* 1924), tout en affirmant dans ses poèmes sa croyance à l'existence du monde surnaturel des légendes et des puissances occultes (*Sept Poèmes et un fragment,* 1927; *la Tour,* 1928; *l'Escalier tournant,* 1929). [Prix Nobel de littérature, 1923.]

YELLOWKNIFE, v. du Canada, ch.-l. des Territoires du Nord-Ouest, sur la rive nord du Grand Lac de l'Esclave et qui fut un centre de l'extraction de l'or; 8 256 hab.

YELLOWSTONE (le), riv. de l'ouest des États-Unis, affl. du Missouri (r. dr.); 1 600 km. Dans son cours supérieur, elle traverse le *parc national de Yellowstone,* célèbre par ses geysers, haut lieu de tourisme, dans les montagnes Rocheuses (Wyoming).

YÉMEN, région de la péninsule arabique. Les principaux royaumes du Yémen antique sont le royaume minéen (au nord), celui de Saba*, probablement fondé au XIe s. av. J.-C. (au centre), celui de Qataban (au sud-ouest) et celui de l'Hadramaout (au sud). Prospères grâce à la production de parfums et d'aromates et à leur rôle de plaque tournante du commerce entre l'Inde, l'Afrique orientale et la Méditerranée, ils sont dominés sans doute à partir du Ier s. apr. J.-C. par les Ḥimyarites. Occupé par les Éthiopiens (521-575), puis par les Perses Sassanides, le Yémen devient après 628 une province de l'Empire musulman (v. ARABIE). À partir du IXe s., des dynasties, quasiment indépendantes de Bagdad, gouvernent ses différentes régions. Les imāms zaydites ('Alides* professant un chī'isme* modéré) fondent dans le Nord une dynastie (893), qui régnera jusqu'en 1962. Ta'izz et la plaine côtière restent sunnites. Les Ottomans s'emparent des plaines côtières du Yémen (1517) et d'Aden (1538); en 1871, ils organisent le vilayet ottoman du Yémen après la conquête de Ṣan'ā'. Les Britanniques conquièrent Aden (1839) et établissent leur protectorat sur tout le sud du Yémen (v. ADEN [*protectorat d'*] et YÉMEN [*république démocratique et populaire du*]). Le nord du pays, libéré des Ottomans en 1920, est gouverné par les imāms zaydites jusqu'au coup d'État de 1962 (v. YÉMEN [*république arabe du*]).

YÉMEN *(république arabe du),* État de l'Arabie, sur la mer Rouge; 195 000 km^2; 5 238 000 hab. *(Yéménites).* Capit. *Ṣan'ā'.*

GÉOGRAPHIE. La plaine côtière de la mer Rouge, la Tihāma, désertique, est dominée par le rebord montagneux du socle arabique, qui atteint près de 4 000 m d'altitude et est couvert de grands épanchements basaltiques. Plus arrosées, ces hautes terres regroupent l'essentiel de la population, surtout autour de la capitale. Les habitants pratiquent les cultures des céréales (blé) et du qāt, destinés à la consommation intérieure, le café et le coton représentant la quasi-totalité des exportations. Malgré l'aide étrangère, le niveau de vie demeure très faible. La pression démographique dans les campagnes entretient un fort courant d'émigration, notamment vers les États du golfe Persique.

HISTOIRE. Après huit ans de guerre civile, pendant laquelle se sont affrontés les républicains, qui, soutenus par la République arabe unie, ont pris le pouvoir en 1962, et les tribus royalistes, armées par l'Arabie saoudite, un accord intervient en 1970 entre les belligérants. Le colonel Ibrāhīm al-Ḥamdī, qui prend le pouvoir en 1974, parvient à établir l'autorité du gouvernement central sur tout le Yémen septentrional. Le plan triennal de développement adopté en 1974 fait un large appel à l'aide extérieure, notamment à celle des pays arabes conservateurs et progressistes. En 1977, le colonel al-Ḥamdī est assassiné; le lieutenant-colonel Ghachemi lui succède à la tête de l'État.

YÉMEN *(république démocratique et populaire du),* État du sud de l'Arabie, sur le golfe d'Aden; 290 000 km^2; 1 630 000 hab. Capit. *al-Cha'ab.*

GÉOGRAPHIE. La retombée méridionale du socle arabique, élevée et assez arrosée à l'O., s'abaisse progressivement vers l'E. en même temps que l'aridité croît. Le nord du pays est occupé par le désert de sable du Rub' al-Khālī. La culture se cantonne dans la région d'Aden : céréales, café en altitude et sur la côte, coton et bananes grâce à l'irrigation. Le reste du territoire est parcouru par des troupeaux semi-nomades. La population se concentre dans les villes côtières (Aden), ports de pêche et de commerce.

HISTOIRE. Plusieurs émirats de l'ancien protectorat d'Aden* forment en 1962 la fédération de l'Arabie du Sud, qui comprend en 1967 l'essentiel des territoires de la région dominés par les Britanniques. Après des années de troubles, l'indépendance est proclamée (1967) et le pouvoir revient au F. N. L. (Front national de libération), qui réussit à juguler l'opposition intérieure. Le Yémen du Sud, devenu en 1970 la république démocratique et populaire du Yémen, soutient la rébellion du Ẓufār (Dhofar) contre le sultanat d'Oman. Sālim 'Alī Rubayyi', au pouvoir depuis 1969, met en œuvre un programme marxiste de nationalisations.

YENNE (73170), ch.-l. de cant. de la Savoie, à 12 km au S.-E. de Belley; 2 152 hab.

YEN-T'AI ou **YANTAI,** port de Chine (Chan-tong); 227 000 hab.

YERRES (91330), ch.-l. de cant. de l'Essonne, sur l'*Yerres* (affl. de la Seine), à 4 km à l'E.-S.-E. de Villeneuve-Saint-Georges; 23 448 hab.

YERSIN (Alexandre), bactériologiste français d'origine suisse (Morges, Suisse, 1863 - Nha Trang 1943). Il découvrit à Hong-kong, en 1894, le bacille de la peste et mit au point un sérum antipesteux.

YERVILLE (76760), ch.-l. de cant. de la Seine-Maritime, à 11 km à l'E.-N.-E. d'Yvetot; 1 492 hab.

YEU *(île d'),* île de la côte française de l'Atlantique, constituant une commune et un canton (*L'Île-d'Yeu;* [85350]) de la Vendée; 23 km^2; 4 766 hab.

YÈVRE, riv. du Berry, qui passe à Bourges et rejoint le Cher (r. dr.) à Vierzon; 67 km.

YEZD, v. d'Iran, à l'E. d'Ispahan; 93 200 hab. Belles mosquées du XIVe s. et mausolée des douze imāms (XIe s.).

YIDDISH. — Attesté depuis le XIVe s., le yiddish a été la langue des communautés juives de l'Europe centrale. C'est une langue d'origine germanique, mais dans laquelle les tournures et les mots d'origine hébraïque sont nombreux.

Yi-king ou **Yijing,** ou **Livre des mutations,** l'un des cinq classiques chinois. Il se compose de 64 hexagrammes qui symbolisent l'univers, de commentaires et d'appendices. L'un de ces derniers est le *Hi t'seu,* texte où apparaissent dans la pensée chinoise les notions de yin* et de yang.

YIN et **YANG.** — Le yin et le yang désignent les deux forces fondamentales du cosmos dans la pensée chinoise. Dans l'école dite « yinyang », le yang représente la masculinité, l'activité, le chaud et le mouvement; le yin, le repos, la féminité, la passivité, le froid et l'obscurité. Ces deux forces sont deux aspects complémentaires et opposés du *tao,* c'est-à-dire du principe d'ordre et d'unité qui régit le cosmos. Elles sont combinées aux cinq éléments (eau, feu, bois, métal et terre), dont la théorie est exposée dans le *Chou-king*.* Cette conception du cosmos a dominé la pensée chinoise des IVe et IIIe s. av. J.-C., et a influencé le taoïsme*.

YING-K'EOU ou **YINGKOU,** port de la Chine du Nord-Est (Leao-ning); 159 000 hab.

YIN-TCH'OUAN ou **YINCHUAN,** v. de Chine, près du Houang-ho, capit. de la région autonome du Ning-hia; 120 000 hab.

YI-PIN ou **YIBIN,** v. de Chine (Sseu-tch'ouan), sur le Yang-tseu-kiang; 178 000 hab.

YOGA. — Qu'elles soient bouddhistes ou hindouistes, les traditions indiennes s'accordent pour considérer le yoga comme une discipline spirituelle et corporelle dont le but est de libérer l'esprit (ātman) de sa condition charnelle. Cette conception vient des *yogasūtra* (du IIe s. av. ou apr. J.-C., ou encore du Ve s. apr. J.-C.), qui prescrivent une initiation devant conduire le yogin de l'adhésion à des règles de vie à la libération de son esprit après qu'il aura appris à maîtriser son souffle, à fixer son attention, à choisir une posture et à se couper du monde. (V. DARŚANA.)

YOGYAKARTA → JOGJAKARTA.

YOKKAICHI, port du Japon (Honshū), au S.-O. de Nagoya; 229 000 hab. Raffinage du pétrole et pétrochimie.

YOKOHAMA, v. du Japon (Honshū), sur la côte ouest de la baie de Tōkyō; 2 238 000 hab. Élément méridional de la principale conurbation japonaise, dominée par Tōkyō, Yokohama est d'abord un grand port (env. 130 Mt de trafic par an, constitué pour moitié d'hydrocarbures), dont l'activité explique celle de l'industrie (dominée par la métallurgie lourde et de transformation, les constructions électriques et la pétrochimie), qui pose des problèmes aigus de pollution et d'alimentation en eau.

YOKOSUKA, port du Japon (Honshū), sur la baie de Tōkyō; 348 000 hab.

YONAGO, port du Japon (Honshū), sur la mer du Japon; 109 000 hab.

YONKERS, v. des États-Unis, sur l'Hudson, banlieue nord de New York; 204 000 hab.

YONNE, riv. du sud-est du Bassin parisien, qui passe à Auxerre, puis à Sens avant de rejoindre la Seine (r. g.) à *Montereau-Faut-Yonne;* 295 km. Née dans le Morvan, recevant la Cure, le Serein et l'Armançon, l'Yonne est une rivière à pente relativement forte et draînant en majeure partie des terrains imperméables; cela explique les crues subites, perturbant le régime de la Seine, inconvénient partiellement pallié par le barrage de Pannecière-Chaumard.

YONNE (89), départ. de la Région Bourgogne; 7 425 km^2; 299 851 hab. Ch.-l. *Auxerre.* S.-préf. *Avallon* et *Sens.*

Dans le sud-est du Bassin parisien, le département est formé d'un ensemble de plateaux s'abaissant du Morvan, au S.-E., vers la plaine de confluence de la Seine et de l'Yonne, au N.-O. L'ensemble est atteint par les vents océaniques, qui assurent une assez forte humidité, en dehors de secteurs abrités. L'élevage domine dans le sud (Puisaye, Terre-Plaine, Morvan), cédant la prédominance aux cultures (blé et maïs surtout) sur les terres alluviales de la vallée de l'Yonne, dans le nord (Sénonais [au N. de la forêt d'Othe] et Gâtinais). Localement vers Chablis et Tonnerre, dans l'est, près d'Auxerre, se maintient le vignoble. L'agriculture emploie encore environ le huitième de la population active, alors que l'industrie en occupe plus du tiers; celle-ci est concentrée en majeure partie dans les villes jalonnant la vallée de l'Yonne (Auxerre et Sens) et dans l'agglomération diffuse étirée de Saint-Florentin à Joigny, au confluent de l'Yonne et de l'Armançon, et est dominée par la métallurgie de transformation. La densité de population est inférieure à la moitié de la moyenne nationale. Cette situation est liée à la relative proximité de Paris, ce qui a intensifié l'exode rural : le département comptait plus de 380 000 habitants au milieu du XIXe s. Une reprise est amorcée depuis une vingtaine d'années, en rapport avec la décentralisation industrielle et aussi la desserte autoroutière, favorisant notamment Auxerre. Elle est freinée par la relative faiblesse de l'armature urbanisée (seules Auxerre et Sens dépassent 15 000 habitants). Les villes ne peuvent absorber en totalité l'exode rural provenant notamment des confins du Morvan.

YORCK (Ludwig), comte **de Wartenburg,** feld-maréchal prussien (Potsdam 1759 - Klein-Oels 1830). Commandant en 1812 le corps prussien engagé dans la Grande Armée contre les Russes, il négocia avec ces derniers la convention de Tauroggen, préparant le changement de camp de l'armée prussienne aux côtés des ennemis de la France.

YORITOMO (1147-1199), premier shōgun Minamoto* (1192-1199). Ayant chassé les Taira de Kyōto (1185), il reçoit de l'empereur, en 1192, le titre de *shōgun** (général). Installé à Kamakura, il inaugure une nouvelle forme de gouvernement, le shōgunat.

YORK, v. d'Angleterre *(Yorkshire),* sur l'Ouse, au N.-E. de Leeds; 105 000 hab.

HISTOIRE. Capitale militaire de la Bretagne *(Eboracum)* durant l'occupation romaine, York fut conquise par les Angles au VIe s. et devint la capitale du royaume de Northumbrie. Évêché (VIIe s.), puis archevêché, elle fut célèbre aux VIIIe et IXe s. pour son activité scolastique. Lorsque les Danois conquirent la région (IXe s.), ils en firent l'un de leurs principaux établissements. Ruinée par la conquête normande (fin XIe s.), York retrouva au XIIe s. son importance économique; métropole d'une riche région agricole, elle bénéficia aux XVIIe et XVIIIe s. du développement de l'artisanat rural dans le Yorkshire. Mais la crise de l'Angleterre rurale précipita sa décadence (XIXe s.).

BEAUX-ARTS. Donjon *(Clifford's Tower)* et importants restes des remparts du XIIIe s. Cathédrale reconstruite en styles gothiques primitif (transept, XIIIe s.), *decorated* (nef, 1291-1345) et *perpendicular* (chœur, fin XIVe s.; tour-lanterne et tours de façade, XVe s.), conservant de beaux vitraux. Autres témoins de la ville médiévale. Musée du Yorkshire (archéologie romaine et médiévale). Galerie d'art.

YORK, branche de la famille des Plantagenêts, issue d'Edmond de Langley (1341-1402), quatrième fils d'Édouard III, qui fut créé 1er duc d'York en août 1385 par Richard II. Le fils aîné d'Edmond de Langley, Édouard (v. 1373-1415), duc d'York en 1402, fut tué à Azincourt en 1415; quant à Richard (v. 1375-1415), fils cadet d'Edmond, il complota contre Henri V et fut exécuté en août 1415. La mort presque simultanée des deux frères donna le titre ducal au fils du supplicié, Richard (1411-1460), dont la mère, Anne Mortimer (v. 1375-1415), était l'arrière-petite-fille de Lionel de Clarence, second fils d'Édouard III. Possédant de ce fait des droits à la couronne supérieurs à ceux du roi Henri VI, qui descendait de Jean de Gand, troisième fils d'Édouard III, Richard apparaissait comme un compétiteur potentiel redoutable. Cette situation inquiétant les Beaufort, héritiers possibles des lancastriens, ceux-ci cherchèrent à écarter Richard d'York. En 1455, se sentant menacé, Richard alluma la guerre civile (guerre des Deux-Roses*). Victorieux à Saint Albans (1456), il acquit une influence prépondérante au conseil, mais dut, dès 1459, reprendre les hostilités. Vainqueur en juillet 1460, il traita avec Henri VI, prisonnier, qui lui promit la succession. Mais, en décembre, il fut vaincu et tué par l'armée de la reine. Reconstitué sous l'autorité de son fils aîné, Édouard, le parti d'York remportait en 1461 la victoire de Towton, qui donnait la couronne à son chef (Édouard IV). Mais le règne sanglant de Richard III (de 1483 à 1485) devait compromettre définitivement les chances de la maison d'York, dont l'histoire s'acheva avec la mort de Richard III et le mariage de son vainqueur, Henri VII

YOUGOSLAVIE

Tudor (de 1485 à 1509), avec Élisabeth, dernière représentante de la rose blanche.

YORKSHIRE, comté du nord de l'Angleterre, sur la mer du Nord, divisé en *North Yorkshire,* en *South Yorkshire* et en *West Yorkshire.*

YORKTOWN, village des États-Unis, en Virginie. La capitulation de cette place, tenue par les Anglais face aux Franco-Américains, le 19 octobre 1781, marqua pratiquement la fin de la guerre de l'Indépendance* américaine.

YOROUBAS → AFRIQUE et NIGERIA.

YOSEMITE NATIONAL PARK, parc national des États-Unis (Californie), sur le versant occidental de la Sierra Nevada, couvrant près de 300 000 ha. Sites pittoresques, dont la *Yosemite Valley.*

YOUGOSLAVIE *(république socialiste fédérative de),* en serbo-croate **Jugoslavija,** État de l'Europe méridionale; 255 800 km^2; 21 330 000 hab. *(Yougoslaves).* Capit. *Belgrade.*

GÉOGRAPHIE

• *Le milieu naturel.* S'étendant sur le nord-ouest de la péninsule balkanique, la Yougoslavie est un pays montagneux au relief compartimenté. Les lourdes chaînes Dinariques, orientées N.-O.-S.-E., forment l'axe du pays. À l'O. elles sont flanquées par le massif calcaire du Karst, taraudé par l'érosion; ce massif domine le littoral adriatique, élevé et précédé de nombreuses îles. Au N.-E., les chaînes Dinariques retombent sur les plaines marécageuses de la Save et du Danube, terminaison méridionale du Bassin pannonien. Au N., elles se prolongent dans les Alpes slovènes; au S., elles vont buter sur les massifs du Pinde et du Rhodope, séparés par le fossé du Vardar, qui communique avec le Danube, au-delà d'un seuil peu élevé, par la vallée de la Morava. Le climat, méditerranéen sur le littoral, devient rude en montagne et franchement continental dans les plaines pannoniennes, aux étés chauds et orageux.

divisions administratives

républiques	*capitales*	*républiques*	*capitales*
Serbie	Belgrade	Bosnie-Herzégovine	Sarajevo
Croatie	Zagreb	Macédoine	Skopje
Slovénie	Ljubljana	Monténégro	Titograd

Le Kosovo et la Vojvodine sont rattachés à la Serbie.

• *La population.* La Yougoslavie est une mosaïque de nationalités, généralement slaves et dont les plus importantes sont regroupées dans les six républiques fédératives. Cela explique la coexistence de quatre langues officielles, qui sont celles des principaux groupes : serbe, croate, slovène et macédonien. Sur le plan religieux, la population est également divisée entre orthodoxes, catholiques et musulmans. Compte tenu des conditions naturelles souvent difficiles, la densité est élevée. Elle a entretenu, depuis la fin du XIXe s., un fort courant d'émigration vers l'Amérique du Nord, puis l'Europe. Aujourd'hui, on dénombre plus d'un million de travailleurs à l'étranger, surtout en Allemagne fédérale. Le taux d'urbanisation a fortement progressé et une dizaine de villes dépassent 100 000 habitants, constituant des pôles d'attraction pour les ruraux qui abandonnent les régions montagneuses.

• *La vie économique.* La Yougoslavie a organisé son économie sur des bases socialistes. L'agriculture occupe environ la moitié de la population active. Seule une faible partie des terres a été collectivisée et est exploitée dans le cadre de fermes d'État, mécanisées, ou de coopératives; la petite propriété individuelle reste majoritaire. La production se concentre dans les régions les plus favorables, les pentes montagneuses étant peu à peu délaissées par l'exode rural. Elle est fondée sur la céréaliculture (blé, maïs) et sur l'élevage, auxquels s'ajoutent des cultures spécialisées : coton et riz en Macédoine, vin sur l'Adriatique et en Serbie, betterave à sucre, tournesol, arbres fruitiers.

Le développement industriel date en majeure partie d'après la guerre. La priorité a été donnée à l'industrie lourde, favorisée par les ressources minières. Le sous-sol recèle des gisements de cuivre, de plomb et surtout de bauxite (2,3 Mt). Le lignite sert surtout à la production d'électricité thermique, à laquelle s'ajoute l'hydroélectricité. Mais le pays souffre de sa pauvreté en hydrocarbures.

Des combinats sidérurgiques (Zenica, Skopje) alimentent des constructions mécaniques variées : chantiers navals (Rijeka), constructions automobiles, machines-outils. La chimie et la métallurgie de l'aluminium sont actives. Parallèlement, l'industrie légère se diversifie : textiles (synthétiques), industries alimentaires (brasseries). L'artisanat traditionnel reste florissant (travail du bois). Les diverses activités se localisent dans les principales villes, surtout autour de Belgrade, de Zagreb et en Slovénie.

Actuellement, au sein des pays socialistes, la Yougoslavie occupe une place originale par l'ampleur de ses contacts avec l'Occident; elle accueille notamment les capitaux étrangers. Mais elle souffre de disparités régionales, les républiques méridionales présentant des signes de sous-développement malgré un effort gouvernemental de décentralisation des implantations industrielles. Par ailleurs, le déficit de sa balance commerciale n'est que partiellement comblé par le tourisme, actif sur le littoral adriatique, et par les revenus des travailleurs à l'étranger.

HISTOIRE. Le 1er décembre 1918, le régent Alexandre Karadjordjević*, fils du roi de Serbie Pierre Ier* et qui deviendra Alexandre Ier* en 1921, proclame la création du royaume des Serbes, Croates et Slovènes. Au cours des années 1919-20, la délicate question des frontières est réglée généralement en faveur du nouvel État. De 1919 à 1929, les principaux problèmes qui se posent au jeune royaume sont l'implantation du parlementarisme et l'opposition entre Serbes et Croates. La Constitution centraliste de 1921, favorable aux Serbes, ayant rencontré de fortes oppositions, Alexandre Ier la suspend en 1929 et établit sa dictature, en même temps qu'il donne à son royaume le nom de Yougoslavie. En 1931 une nouvelle Constitution ne met pas fin à l'activité terroriste des Croates (Oustacha) et à l'opposition des partisans d'une véritable démocratisation du régime. Le roi est assassiné par des Croates à Marseille le 9 octobre 1934. Le régent Paul, qui dirige le royaume avant la majorité du jeune Pierre II, essaie vainement de maintenir des gouvernements de coalition : l'opposition se renforce contre la dictature et contre la politique extérieure (la Yougoslavie, d'abord membre de la Petite-Entente* [1920] et de l'Entente balkanique [1934], s'éloigne de la France et des autres puissances occidentales pour se tourner vers l'Allemagne et ses alliés). En 1939, le gouvernement présidé par Dragiša Cvetković (1893-1969) est amené à créer une grande banovine de Croatie, englobant une partie de la Bosnie et jouissant d'une certaine autonomie. Un des problèmes sociaux majeurs de la Yougoslavie reste la question agraire, que l'abolition, en 1921, de tous les rapports féodaux n'a pas réglée.

En adhérant en 1941 au pacte tripartite, le régent Paul provoque un coup d'État : Pierre II est proclamé majeur, et la Yougoslavie conclut un accord d'amitié avec l'U. R. S. S. (5 avr.), ce qui déclenche aussitôt (6 avr.) l'invasion du pays par les Allemands. Dès le 17 avril, l'armée régulière est vaincue et le pays dépecé par l'Allemagne, l'Italie, la Hongrie, l'Albanie et la Bulgarie. Un État croate indépendant est créé, avec à sa tête Ante Pavelić. Pierre II et le gouvernement légal s'installent à Londres. Aussitôt, deux mouvements de résistance s'organisent en Yougoslavie : celui des tchetniks, du général serbe Draža Mihajlović, royaliste; celui de Josip Broz Tito*, secrétaire du parti communiste depuis 1937. D'abord unis, ils entrent bientôt en opposition ouverte. Les partisans de Tito, repliés en Bosnie, repoussent des offensives allemandes souvent appuyées par les tchetniks. En 1942 s'organise un Conseil antifasciste de libération nationale (AVNOJ), et, en 1943, les Alliés — qui, au début, ont appuyé Mihajlović — décident d'apporter leur aide à Tito, qui, en mars 1945, prend la tête du gouvernement (dont plusieurs ministres du gouvernement en exil sont membres).

Le pays est libéré en 1944-45. Les élections (11 nov. 1945) à l'Assemblée constituante seront largement favorables au Front populaire, dominé par le parti communiste. Le 29 novembre, l'Assemblée constituante proclame la république avec Tito comme président et la formation d'une fédération de six républiques et de deux régions autonomes; la Constitution du 31 janvier 1946 s'inspire largement du modèle soviétique.

Aussitôt se développe le processus de planification et de nationalisation; en même temps, le nouveau régime est affronté au problème de Trieste*, réglé seulement en 1954. Après avoir créé des liens étroits avec l'U. R. S. S., la Yougoslavie rompt avec celle-ci (1948), ce qui provoque une longue crise économique. Mais Tito reste fidèle à une formule originale de socialisme (titisme), fondée sur l'autogestion (1950), la décentralisation économique, l'assouplissement de la planification et de la collectivisation, tout en restant le maître du pays. À partir de 1960 s'ouvre une ère marquée par le développement de la démocratisation, une nouvelle Constitution (1963) mettant l'accent sur la démocratie directe, l'autonomie des républiques et le développement de l'économie de marché; la tension serbo-croate n'est pas éliminée pour autant. La Constitution de 1974 met en place une assemblée fédérale, tout en renforçant les droits des républiques. Sur le plan extérieur, la Yougoslavie améliore ses rapports avec les puissances occidentales; après la mort de Staline (1953), les relations reprennent progressivement avec l'U. R. S. S.

DÉFENSE ET ARMÉES

Budget 1977 : 1 798 millions de dollars (5,6 p. 100 du P. N. B.).

• Le système de défense créé en 1969 (loi sur la défense du peuple) comprend :
— les *forces armées populaires :* 250 000 hommes (dont 155 000 conscrits); service militaire de 15 mois pour l'armée et l'aviation, et de 18 mois pour la marine;
— l'*armée territoriale,* constituée à l'échelon local parmi les hommes de 16 à 65 ans et les femmes de 19 à 40 ans (env. 1 million de personnes).

Armée : 9 divisions et 21 brigades (dont 7 blindées).
Marine : 20 000 hommes, 1 destroyer, 5 sous-marins et une cinquantaine de bâtiments légers.
Aviation : 30 000 hommes et 350 avions de combat.

YOUNG (Edward), poète anglais (Upham, près de Winchester, 1683 - Welwyn, Hertfordshire, 1765). Après des deuils familiaux, il se composa un personnage de pasteur inspiré qui s'abîme dans des méditations nocturnes et écrivit les *Plaintes ou Pensées nocturnes sur la vie, la mort et l'immortalité* (1742-1745), plus connues sous le nom de *Nuits**. Ce long poème de près de dix mille vers inaugurait le genre sombre et mélancolique que le romantisme devait cultiver.

YOUNG (Arthur), agronome anglais (Londres 1741 - *id.* 1820). Auteur d'expériences agricoles et d'ouvrages théoriques sur l'agriculture, il est surtout connu pour ses *Voyages en France* (1792), qui restent un modèle d'observation.

YOUNG (Thomas), médecin et physicien anglais (Milverton 1773 - Londres 1829). Il découvrit l'accommodation du cristallin et les interférences lumineuses. Il fit aussi des travaux d'égyptologie.

YOUNG (Brigham), chef religieux américain (Whittingham 1801 - Salt Lake City 1877). Chef des mormons* après la mort de Smith* (1844), il décide l'exode vers l'ouest et fonde la Nouvelle-Sion, qui, devenue Salt Lake City, sera la capitale de l'Utah*, territoire gouverné par Young de 1850 à 1858.

YOUNG (Lester), saxophoniste et clarinettiste de jazz noir américain (Woodville 1909 - New York 1959). Après avoir travaillé avec Count Basie (jusqu'en 1940) et enregistré avec Billie Holiday — qui le surnomma « Prez » (Président) —, il dirigea plusieurs petites formations et s'imposa comme le plus grand des saxophonistes ténors du jazz (avec Coleman Hawkins). Son influence fut considérable sur l'évolution du jazz après 1945. Parmi ses meilleurs enregistrements citons *Lady be Good* (avec C. Basie, 1936), *The Man I Love* (avec B. Holiday, 1939), *Lester Leaps in* (avec C. Basie, 1939), *Ghost of a Chance* (1944), *Confessin'* (1947).

Young *(plan),* plan signé à Paris le 7 juin 1929 par les Alliés et qui, inspiré par l'expert américain Owen D. Young (1874-1962), fixa le montant de la dette allemande en fonction des dettes interalliées. En fait, la crise financière allemande de 1931 et l'avènement de Hitler* (1933) en Allemagne le rendirent inopérant.

YOUNGSTOWN, v. des États-Unis, dans le nord-est de l'Ohio; 141 000 hab.

YOURCENAR (Marguerite DE CRAYENCOUR, dite **Marguerite**), femme de lettres américaine d'origine belge (Bruxelles 1903), auteur de poèmes (*les Charités d'Alcippe,* 1956), de pièces de théâtre (*Électre ou la Chute des masques,* 1954), de romans, de nouvelles (*Mémoires d'Hadrien,* 1952; *l'Œuvre au noir,* 1968) et de récits autobiographiques (*Souvenirs pieux,* 1973), dans lesquels les problèmes du monde moderne se lisent à travers les mythes et l'histoire de l'Antiquité gréco-latine.

YOUSOUF (Joseph VANTINI ou VANINI, dit), général français (île d'Elbe v. 1810 - Cannes 1866). Il s'illustra contre Abd el-Kader (1843) dans la conquête française de l'Algérie et participa à la guerre de Crimée (1854-1856).

YOUSSOUFIA, anc. **Louis-Gentil,** v. du Maroc, au N.-O. de Marrakech; 10 000 hab. Phosphates.

YOUTKHEVITCH ou **IOUTKHEVITCH** (Sergueï), cinéaste soviétique (Saint-Pétersbourg 1904). Décorateur, metteur en scène de théâtre, fondateur, avec Kozintsev* et Trauberg, de la F. E. K. S. (Fabrique de l'acteur excentrique), il réalisa notamment *les Dentelles* (1928), *Montagnes d'or* (1931), *l'Homme au fusil* (1938), *Othello* (1956), *Lénine en Pologne* (1965).

YPORT (76111), comm. de la Seine-Maritime, à 8 km au S.-O. de Fécamp; 1 159 hab.

YPRES, en néerl. **Ieper,** v. de Belgique (Flandre-Occidentale), au N.-O. de Lille; 20 825 hab. (en 1970). Monuments médiévaux remontant au XIIIe s. (grandioses halles au drap; collégiale de style gothique français), reconstruits après 1918. Textile.

HISTOIRE. Fondée au Xe s., la ville devient rapidement l'un des grands centres drapiers du monde occidental au XIIe s. Dotée de franchises étendues, Ypres forme avec Bruges et Gand les « trois membres de la Flandre », qui, au XIIe s., disputent au comte le gouvernement du pays. Ensanglantée par les luttes entre patriciens et artisans, elle combat Philippe le Bel à Courtrai (1302) et participe aux révoltes du XIVe s. contre le comte. Ces luttes accélèrent sa décadence commerciale; à partir du XVIe s. la cité n'est plus qu'un point stratégique que se disputeront Français et Néerlandais aux XVIIe et XVIIIe s. En saillant sur le front allié couvrant la base de Calais, Ypres est, pendant la Première Guerre mondiale, l'objectif de violentes et vaines attaques allemandes contre les forces britanniques et françaises.

YPSILANTI, famille phanariote dont les principaux membres furent : ALEXANDRE (Constantinople v. 1726 - *id.* v. 1807), hospodar de Valachie* (1774-1782, 1796-97) et de Moldavie* (1786-1788); CONSTANTIN, son fils (Constantinople 1760 - Kiev 1816), qui, quoique hospodar de Moldavie (1794), puis de Valachie (1802), travailla à la libération de la Grèce; ALEXANDRE, fils de Constantin (Constantinople 1792 - Vienne 1828), qui échoua dans un essai de libération des provinces danubiennes; DÉMÉTRIOS (Constantinople 1793 - Vienne? 1832), frère d'Alexandre, qui, chef des insurgés grecs, mena les derniers combats de la guerre d'indépendance de la Grèce*.

YSAYE (Eugène), violoniste belge (Liège 1858 - Bruxelles 1931), fondateur d'un célèbre quatuor (1894), auteur de plusieurs œuvres pour son instrument et d'un opéra en dialecte wallon.

YSER, fl. côtier des Flandres, française et belge, qui rejoint la mer du Nord; 78 km. — Sa vallée fut à la fin de 1914 le théâtre de violents combats où les Belges, aidés par les Alliés, arrêtèrent l'offensive allemande des Flandres sur un front qui, inondé de Dixmude à Nieuport, resta fixe jusqu'en 1918.

YSSEL → IJSSEL.

YSSINGEAUX (43200), ch.-l. d'arr. de l'est de la Haute-Loire; 6 528 hab. *(Yssingealois* ou *Yssingeaviers).* Hôtel de ville dans un castel du XVe s. Constructions mécaniques.

YTTERBIUM. — C'est l'élément chimique no 70, de masse atomique Yb = 173,04, découvert dans la gadolinite.

YTTRIUM. — Élément chimique no 39, de masse atomique Y = 88,92, c'est un solide gris fer, de densité 4,6, que l'on retire de la gadolinite.

YUAN, dynastie mongole qui régna sur la Chine de 1279 à 1368. Ayant éliminé les Song*, les Mongols deviennent maîtres de la Chine en 1279. L'année suivante, Kūbilāy*, un des petits-fils de Gengis khān*, se fait proclamer empereur. Il étend à tout l'empire le système administratif mongol, fait remettre en état les routes afin que se développe le commerce international, travaille à améliorer le sort des paysans et donne à la culture populaire un grand essor. Mais une formidable insurrection éclate en 1353, qui fait de son chef, Tchou Yuan-tchang, le fondateur de la dynastie des Ming* (1368).

YUAN CHE-K'AI ou **YUAN SHIKAI,** homme d'État chinois (Siang-tch'eng, prov. du Ho-nan, 1859 - Pékin 1916). Chef de l'armée, il favorise le coup d'État réactionnaire de l'impératrice Ts'eu-hi (1898) et met fin aux tentatives réformistes. Chargé de briser l'insurrection républicaine de 1911, il est nommé Premier ministre, mais négocie avec les républicains et obtient la démission de l'empereur. Sun Yat-sen* s'étant effacé pour préserver l'unité du pays, il accède à la présidence de la République (1912), mais gouverne en dictateur, avec le soutien des puissances étrangères. En 1915, il tente, en vain, de rétablir l'empire à son profit.

YŪBARI, v. du Japon, dans l'intérieur de l'île de Hokkaidō; 102 000 hab. Houille.

YUCATÁN, péninsule du sud-est du Mexique, formée de bas plateaux calcaires, entre le golfe du Mexique et la mer des Antilles.

YUCCA. — Le yucca, originaire de l'Amérique centrale, est une liliacée, au port voisin de celui de l'aloès et portant à la fin de sa vie une belle hampe de fleurs blanches. La fécondation est curieusement assurée par l'intervention d'un papillon, le *pronuba,* dont la larve se nourrit du fruit du yucca.

YUKAWA HIDEKI, physicien japonais (Tōkyō 1907). En 1935, il émit l'hypothèse du méson pour expliquer la cohésion du noyau de l'atome, particule qui fut découverte l'année suivante. (Prix Nobel de physique, 1949.)

YUKON (le), fl. du nord-ouest de l'Amérique du Nord (Canada et Alaska), tributaire de la mer de Béring; 3 290 km. Il donne son nom au *territoire du Yukon,* extrémité nord-occidentale du Canada. Ce territoire, montagneux au S. et traversé par le cercle polaire au N., est presque aussi vaste (536 324 km^2) que la France, mais désert (18 388 hab.) hors des exploitations minières (zinc, plomb, cadmium, argent et amiante) et surtout du chef-lieu, *Whitehorse.*

YU-MEN ou **YUMEN,** centre pétrolier de la Chine du Nord-Ouest (Kan-sou).

YUN-KANG ou **YUNGANG,** grottes bouddhiques ornées de Chine (Chan-si). Elles représentent, avec celles de Longmen*, l'un des plus grands monuments de l'art religieux chinois et remontent à la dynastie des Wei du Nord (v. 380 - v. 550). Réalisés à partir de modèles indiens du Gāndhāra* et de Mathurā*, alliés à l'esthétique chinoise, les personnages, assez maigres et plats, aux visages rectangulaires légèrement aplatis, possèdent un ineffable sourire archaïque.

YUN-NAN ou **YUNNAN,** prov. du sud-ouest de la Chine; 436 000 km^2; 23 000 000 d'hab. Capit. *K'ouen-ming.* Le Yun-nan doit un peuplement formé pour plus de moitié par des minorités ethniques au caractère souvent montagneux d'un relief dépassant localement 6 000 m, entaillé notamment par les hautes vallées de la Salouen et du Mékong. Les cultures s'étagent en fonction de l'altitude (canne à sucre et coton, puis orangers, théiers, riz et, au-dessus de 2 500 m, blé, orge, maïs). L'élevage est développé; en revanche, l'industrialisation est faible, situation à rapprocher de la difficulté des communications avec le reste du pays.

YUNUS EMRE, poète mystique turc du début du XIVe s. Inspirateur de la poésie turque moderne, il est le héros de nombreuses légendes.

YŪSUF IBN TĀCHFĪN → ALMORAVIDES.

YUTZ (57110), ch.-l. de cant. de la Moselle, à l'E. de Thionville, formé en 1971 par la réunion de *Basse-Yutz* et de *Haute-Yutz;* 17 029 hab. Brasserie.

Yvain ou le Chevalier au lion, roman de Chrétien de Troyes (v. 1177). Un chevalier qui a délaissé la prouesse pour l'amour se lance dans de folles aventures pour reconquérir l'estime de sa dame. Ce poème, où le merveilleux celtique se mêle à l'analyse psychologique, est le modèle parfait du roman courtois.

YVELINES (78), départ. de la Région Île-de-France; 2 271 km^2; 1 082 255 hab. Ch.-l. *Versailles.* S.-préf. *Mantes-la-Jolie, Rambouillet* et *Saint-Germain-en-Laye.*

Dans l'ouest de l'ancienne Seine-et-Oise, le département connaît une vigoureuse croissance démographique; la population a approximativement doublé dans les vingt dernières années; elle est dense surtout sur les deux axes vitaux : au N., la vallée de la Seine et, au S.-O., entre Versailles et Rambouillet, où s'édifie la ville nouvelle de Saint-Quentin-en-Yvelines. La vallée de la Seine possède d'importants établissements industriels (construction automobile à Flins et à Poissy, centrales thermiques à Porcheville, raffinerie de pétrole à Gargenville), expliquant une part élevée (plus des deux cinquièmes) du secteur secondaire dans le total de la population active. L'agriculture, en revanche, n'occupe plus que de 2 à 3 p. 100 de celle-ci, malgré un apport céréalier et fourrager (lié à l'élevage) notable dans l'ouest; il est vrai que la forêt, dans l'est notamment (de Rambouillet à Saint-Germain-en-Laye), couvre de vastes superficies des Yvelines. Le développement du secteur tertiaire résulte de l'intensité et de la qualité de l'urbanisation, avec les villes historiques et touristiques, aujourd'hui à prépondérance résidentielle, de Versailles, de Saint-Germain-en-Laye, de Rambouillet. Bien desservi par le rail et deux autoroutes (accentuant d'ailleurs le développement des deux axes précités), le département continue à s'urbaniser; bon nombre de ses habitants travaillent quotidiennement à Paris et en proche banlieue.

YVERDON, v. de Suisse (Vaud), à l'extrémité méridionale du lac de Neuchâtel; 20 538 hab. Château en partie du XIIIe s. (musée). Matériel de bureau.

YVES *(saint),* prêtre, patron des gens de loi (Tréguier 1253 - Louannec 1303). Juriste, il se fit prêtre et défendit les pauvres.

YVES de Chartres *(saint),* évêque et canoniste (près de Beauvais v. 1040 - Chartres 1116). Évêque de Chartres (1090), il est réputé par ses études sur le droit ecclésiastique, qui eurent une grande influence sur l'élaboration du droit canon.

YVETOT (76190), ch.-l. de cant. de la Seine-Maritime, à 35 km au N.-O. de Rouen; 10 708 hab. Église circulaire à paroi-vitrail (1951-1956).

YVETTE, riv. du sud-ouest de la région parisienne, longue de 44 km, affl. de l'Orge (r. g.) et dont la majeure partie draine la vallée de Chevreuse.

YZEURE (03400), ch.-l. de cant. de l'Allier, dans la banlieue est de Moulins; 14 132 hab. *(Izeuriens).* Église en partie romane. Constructions mécaniques.

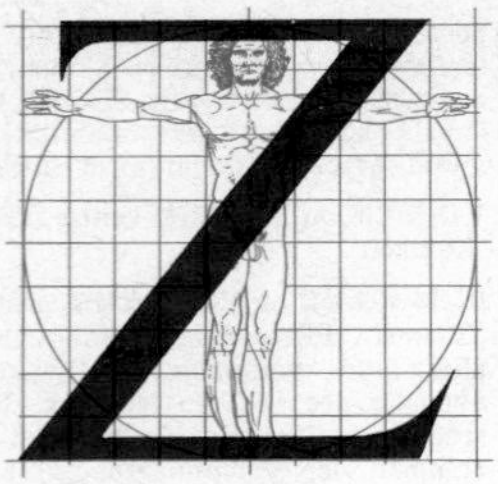

$\mathbb{Z}$ — Le symbole $\mathbb{Z}$ désigne l'anneau* des *entiers relatifs,* c'est-à-dire des entiers positifs, négatifs ou nuls, muni de l'addition et de la multiplication des nombres algébriques.

On construit $\mathbb{Z}$ à l'aide d'une *relation d'équivalence* $\mathcal{R}$ dans l'ensemble produit $\mathbb{N} \times \mathbb{N}$ des entiers naturels $\mathbb{N}$ par lui-même. Le couple (a, b) est en relation avec le couple (a', b'), a, b, a' et b' étant des entiers naturels, si $a + b' = b + a'$. Cette relation est bien réflexive, transitive et symétrique. C'est une relation d'équivalence. Chaque classe d'équivalence a un représentant de la forme $(m, 0)$ ou $(0, 0)$, ou $(0, n)$. Ces trois formes correspondent respectivement aux entiers positifs, nuls ou négatifs. On écrit m au lieu de $(m, 0)$, n au lieu de $(0, n)$ et 0 au lieu de $(0, 0)$. On peut alors munir $\mathbb{Z}$ d'une *addition* et d'une *multiplication.*

• L'*addition* dans $\mathbb{Z}$ est telle que, si x et y appartenant à $\mathbb{Z}$ ont même signe, la somme $x + y$ a leur signe commun et une valeur absolue égale à la somme des valeurs absolues de x et y. Ainsi, $(-2) + (-5) = -7$ et $(+12) + (+3) = +15$; on écrit $-2-5 = -7$ et $12+3 = 15$. Si x et y sont de signes contraires, la somme $x + y$ a le signe du nombre qui a la plus grande valeur absolue, et sa valeur absolue est la différence des valeurs absolues. Ainsi, $(+3) + (-8) = -5$ et $(+12) + (-5) = +7$; on écrit $3-8 = -5$ et $12-5 = 7$. L'addition est associative et commutative; 0 est l'élément neutre; tout nombre $x \in \mathbb{Z}$ possède un symétrique, $-x$, tel que $x+(-x) = 0$; on note $x-x = 0$. $\mathbb{Z}$, muni de l'addition, est un *groupe commutatif.*

• La *multiplication* dans $\mathbb{Z}$ obéit à la *règle des signes :* si x et y sont de mêmes signes, le produit $x.y$, noté aussi xy, est positif; si x et y sont de signes contraires, xy est négatif. Ainsi, $(-3) \times (-4) = 12$ et $(-3) \times (+4) = -12$. Dans tous les cas, la valeur absolue du produit est égale au produit des valeurs absolues. Le produit par 0 est égal à 0. Pour qu'un produit soit nul, il faut et il suffit qu'un des facteurs soit *nul.* La multiplication est *associative* et *commutative.* Elle possède un élément neutre, 1, tel que $1.x = x$, $\forall\ x \in \mathbb{Z}$. Elle est *distributive par rapport à l'addition.* Toutes ces propriétés, jointes à celles de l'addition, font de $\mathbb{Z}$ un anneau *unitaire, commutatif* et *intègre.*

L'anneau $\mathbb{Z}$ est *totalement ordonné* par la relation d'ordre « inférieur ou égal à », que l'on peut définir par a inférieur ou égal à b, noté $a \leq b$, si $b-a$ est positif. Zéro est inférieur à tout nombre positif. Tout nombre négatif est inférieur à zéro. De deux nombres positifs, le plus petit est celui qui a la plus petite valeur absolue. De deux entiers négatifs, le plus petit est celui qui a la plus grande valeur absolue. L'adjectif « positif » s'entend dans le sens de « positif ou nul ». On désigne par « strictement positif » un entier positif et non nul. La structure d'ordre de $\mathbb{Z}$ s'étend à l'ensemble $\mathbb{R}$. L'anneau $\mathbb{Z}$ permet, notamment, d'étudier les congruences* arithmétiques qui conduisent à des propriétés sur la divisibilité*.

ZAANDAM, localité des Pays-Bas, partie de *Zaanstad,* au N.-O. d'Amsterdam; 68 000 hab.

ZAANSTAD, agglomération des Pays-Bas, constituée notamment de l'ancienne ville de *Zaandam;* 125 000 hab.

ZĀB *(Grand* et *Petit),* nom de deux rivières du nord de l'Iraq, affluents du Tigre (r. g.), longues respectivement de 430 et de 370 km.

ZABALETA (Nicanor), harpiste espagnol (Saint-Sébastien 1907). Il a élargi le répertoire de son instrument. Des compositeurs comme Milhaud, Křenek et Villa-Lobos ont écrit pour lui.

ZABRZE, v. de Pologne, en haute Silésie, à l'O. de Katowice; 201 000 hab. Houille. Sidérurgie et métallurgie. Chimie.

ZABULON, dixième fils de Jacob, ancêtre éponyme de la *tribu de Zabulon,* en Galilée*.

ZACATECAS, v. du Mexique, capit. de l'*État de Zacatecas* (951 000 hab.); 50 000 hab.

ZACHARIE, prophète biblique de la fin du VIe s. av. J.-C. Ses oracles, rassemblés dans le livre de Zacharie, concernent la restauration matérielle et spirituelle du Temple ainsi que de la communauté juive revenue de l'Exil. Les derniers chapitres (IX-XIV) sont des ajouts du IVe s. av. J.-C.

ZACHARIE *(saint),* prêtre juif, mentionné dans l'Évangile de saint Luc. Il est le père de saint Jean-Baptiste*.

ZACHARIE *(saint)* → PAPE.

ZADAR, port de Yougoslavie (Croatie), dans le nord de la Dalmatie, sur l'Adriatique; 43 000 hab. Vestiges de fortifications (romaines, médiévales, vénitiennes). Monuments médiévaux, dont l'église Saint-Donat, monumentale rotonde du début du IXe s., et la cathédrale, en grande partie romane du XIIe s. Musée archéologique (antiquités illyriennes, grecques, romaines, paléocroates).

Zadig *ou la Destinée,* conte de Voltaire (1747). Zadig, jeune Babylonien vertueux et savant, traverse des vicissitudes sans nombre et reçoit d'abord les plus étranges salaires de son intelligence et de sa vertu, avant de devenir roi. L'auteur illustre ainsi l'idée que l'homme doit s'attendre à tout dans un monde livré aux caprices de la Providence, mais où les folies et les misères participent à l'harmonie générale.

ZADKINE (Ossip), sculpteur français d'origine russe (Smolensk 1890-Paris 1967). D'abord attiré par le cubisme lors de son arrivée à Paris (1909), il révèle progressivement les tendances baroques et expressionnistes de sa personnalité. Reliefs et creux, courbes et droites, ombres et lumières organisent ses œuvres avec une inventivité formelle, rythmique et poétique (*l'Homme foudroyé,* 1948-1951, Rotterdam).

ZAFFARINES *(îles),* en esp. **Chafarinas,** petit archipel espagnol, proche de la côte méditerranéenne du Maroc.

ZAGAZIG, v. d'Égypte, dans le delta du Nil, au N.-E. du Caire; 151 000 hab.

ZAGREB, v. de Yougoslavie, sur la Save, capit. de la Croatie; 566 000 hab. Deuxième ville du pays, Zagreb est un centre administratif, culturel, commercial (foire internationale) et industriel (métallurgie, chimie, alimentation).

BEAUX-ARTS. Monuments historiques de la vieille ville : cathédrale reconstruite en style gothique du XIIIe au XVe s. (trésor), églises (Sainte-Catherine, 1620) et palais baroques, etc. Nombreux musées (Archéologie, Arts et Métiers, Ethnographie...), galeries d'Art moderne et d'Art contemporain (reflétant le rôle de la ville, notamment depuis Meštrović*).

ZAGROS (le), longue chaîne montagneuse de l'Asie occidentale, s'étendant principalement dans le sud-ouest de l'Iran et limitant (au N.-E.) les plaines de la Mésopotamie et du pourtour du golfe Persique. Gisements de pétrole sur le piémont d'une montagne, traditionnel refuge de populations (dont les Kurdes).

ZAÏRE → CONGO *(fleuve).*

ZAÏRE *(république du),* anc. Congo belge et Congo-Kinshasa, État de l'Afrique équatoriale; 2 345 000 km^2; 24 900 000 hab. *(Zaïrois).* Capit. *Kinshasa.*

GÉOGRAPHIE. Le pays s'étend sur la majeure partie de la cuvette du Congo, ou Zaïre. Affaissée au centre, où elle est remblayée par d'épaisses couches d'alluvions, celle-ci se redresse à la périphérie, où affleure le socle précambrien. À l'E., les monts Mitumba dominent les profonds fossés tectoniques du Rift africain, flanqués d'édifices volcaniques. À l'O., des reliefs côtiers, que le Zaïre franchit difficilement, séparent la cuvette et le littoral atlantique. Traversé par l'équateur, le Zaïre connaît un climat chaud. Humide au centre, couvert par la forêt dense, il devient plus sec vers la périphérie, où pousse la savane.

La population est composée en majorité de Bantous. Dans la forêt, ceux-ci ont conservé leur genre de vie traditionnel, fondé sur une économie de subsistance. Mais l'accroissement rapide de la population a engendré un développement urbain important : le quart des habitants résident dans des villes.

L'agriculture occupe les trois quarts de la population active. À côté des cultures vivrières (manioc, maïs, riz) ou encore de la cueillette, de la chasse et de la pêche, les Belges avaient développé, du temps de la colonisation, des cultures commerciales. Pratiquées dans de grandes plantations, ces cultures fournissaient cacao, caoutchouc et huile de palme dans la zone forestière, thé, café et coton dans les savanes périphériques. La production a chuté après l'indépendance, mais, actuellement, on assiste à une reprise, plus spécialement du thé, du café et de l'huile de palme. L'exploitation de la forêt fournit de grandes quantités de bois.

Mais l'économie repose largement sur l'exploitation des ressources du sous-sol; commencée à l'époque coloniale, cette exploitation a été nationalisée, et la production s'est accrue. Le Shaba (ancien Katanga) et le Kasaï recèlent des gisements de cuivre (0,5 Mt), de zinc, de cobalt, de manganèse, d'uranium, d'or et de diamants. La plupart des minerais sont concentrés avant d'être exportés, assurant au pays une balance commerciale largement excédentaire. Cependant, les aménagements hydroélectriques ne pallient que partiellement l'absence de ressources énergétiques, et le Zaïre importe du pétrole. Ce vaste pays souffre encore des difficultés de communication malgré d'importantes améliorations.

HISTOIRE. C'est au cours de la conférence de Berlin (1884-85) que le roi des Belges Léopold II* obtient des puissances la reconnaissance d'une immense possession personnelle dans le bassin du Congo* : ce succès sanctionne des projets jalonnés par la constitution, en 1876, d'une Association internationale africaine (A. I. A.), puis, en 1878, d'un Comité d'études du Haut-Congo, dirigé par Stanley et devenu dès 1879 Association internationale du Congo, fruit de plus de quatre cents traités avec les chefs de tribus et dont le roi des Belges a le contrôle total. L'État indépendant du Congo, reconnu à Berlin, est, jusqu'en 1900, progressivement délimité. Léopold II en accentue l'exploitation, soit par lui-même, soit par des compagnies concessionnaires, mais il y engloutit sa fortune personnelle. Le Congo ne devient vraiment « rentable » qu'en 1895; cependant, une campagne internationale, provoquée par les abus constatés dans l'exploitation des indigènes, oblige la Belgique à assumer elle-même la charge du Congo (1908).

Une charte coloniale, qui ne laisse pratiquement aucun pouvoir aux autochtones, la puissance des missions catholiques et celle des sociétés exploitantes (plantations, huileries, mines de cuivre du Katanga) caractérisent le Congo belge, type de colonie d'exploitation. Cependant, ce n'est pas avant 1956 que se manifeste vraiment le mouvement nationaliste. Deux forces politiques congolaises principales se constituent alors : l'Abako (bakongo) de Joseph Kasavubu (1917-1969), qui exprime le nationalisme tribal, et le Mouvement national congolais (M.N.C.) de Patrice Lumumba* (1925-1961), qui s'appuie davantage sur les villes. Quand la Belgique, en 1959, promet au Congo l'indépendance pour 1960, ces forces se divisent. Les élections de 1960 semblent clarifier la situation : Lumumba devient chef du gouvernement, et Kasavubu chef de l'État du Congo-Kinshasa.

En fait, l'indépendance déchaîne les forces centrifuges : le Katanga* fait sécession avec Moïse Tschombé*, aidé par l'Union minière; ailleurs, des gouvernements indépendants se constituent, tandis que se développe la rivalité entre Kasavubu et Lumumba. C'est alors qu'intervient le colonel Joseph Mobutu*, chef de la force publique, qui suspend Kasavubu; en 1961, Lumumba est livré aux Katangais, qui l'exécutent. Les forces de l'O. N. U. doivent intervenir (1961-1964) : elles obtiennent la réduction de la sécession du Katanga et un calme relatif sous le gouvernement de Cyrille Adoula, un modéré. Mais, après leur départ, le retour de Kasavubu à la tête de l'État et la désignation de Tschombé à la tête du gouvernement provoquent une nouvelle crise, qui oblige l'armée nationale congolaise à intervenir. Finalement, le pouvoir reste à l'armée; Mobutu se fait proclamer président de la République et désigne Léonard Mulamba comme Premier ministre. Le calme ne revenant pas, Mobutu cumule les fonctions de président de la République et de Premier ministre (1966), et établit un régime présidentiel. En 1971, le Congo-Kinshasa devient le Zaïre : les mesures de « zaïrisation » se multiplient, s'accompagnant de l'élimination des adversaires du régime. En mars 1977, une offensive de rebelles venus du Shaba met un moment en péril le régime de Mobutu. En mai 1978, une autre tentative de rebelles tourne à des massacres d'Européens à Kolwezi, au Shaba, ce qui amène l'intervention de parachutistes français de la Légion étrangère.

Zaïre, tragédie de Voltaire (1732), inspirée de l'*Othello* de Shakespeare.

ZAKOPANE, v. du sud de la Pologne, dans les Hautes Tatras, à environ 900 m d'altitude, près de la Tchécoslovaquie; 27 000 hab. Centre touristique (sports d'hiver).

ZÁKROS, site archéologique de Crète orientale, où, depuis 1961, côtoyant une ville minoenne*, un vaste complexe palatial, daté des environs de 1575 av. J.-C., est en cours de dégagement.

ZAMA, anc. localité de l'Afrique du Nord, en Numidie, dont l'emplacement exact n'est pas connu. En 202 av. J.-C., Scipion* l'Africain y remporta sur Hannibal* la victoire qui mit fin à la deuxième guerre punique*.

ZAMBELLI (Carlotta), danseuse d'origine italienne (Milan 1877 - *id.* 1968). Elle a assumé la direction de l'école de danse de l'Opéra de Paris de 1936 à 1955.

ZAÏRE

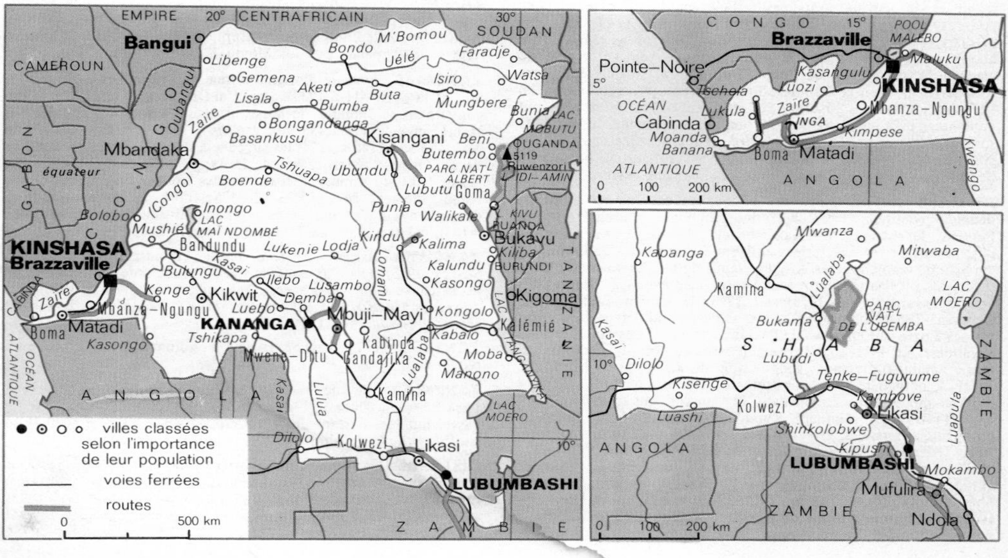

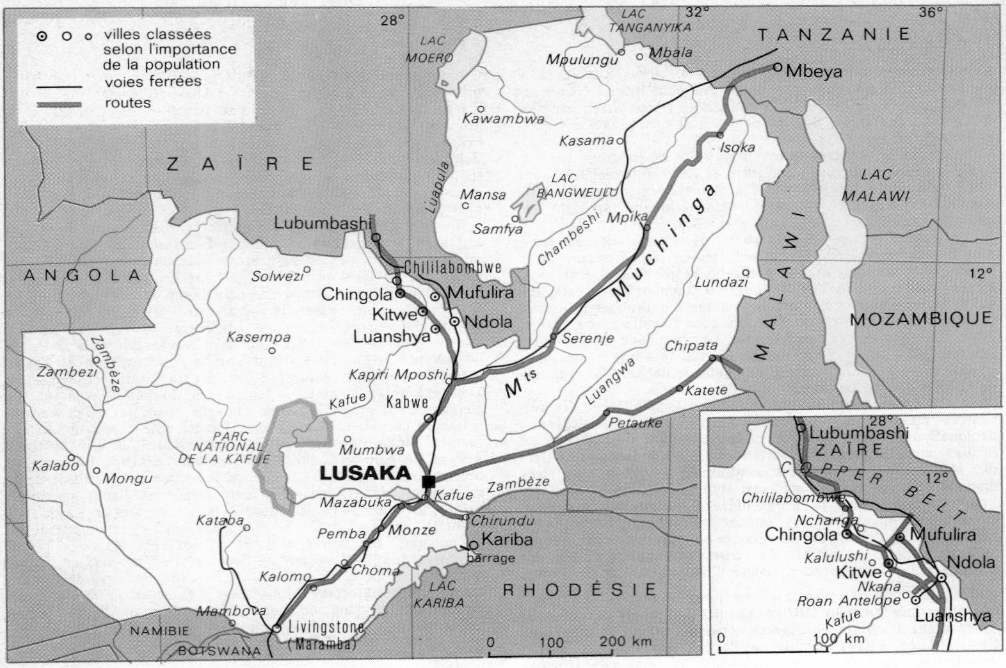

ZAMBIE

ZAMBÈZE, fl. de l'Afrique australe; 2600 km. Né aux confins de l'Angola, du Zaïre et de la Zambie, en aval des chutes Victoria, il sépare ce dernier pays de la Rhodésie. Barré à Kariba*, il pénètre ensuite au Mozambique, rejoignant l'océan Indien, dont il est le principal tributaire africain, dans le canal du Mozambique.

ZAMBIE, État de l'Afrique australe, membre du Commonwealth; 746253 km^2; 4750000 hab. Capit. *Lusaka.*

GÉOGRAPHIE. Un ensemble de plateaux d'altitude moyenne, entaillé dans le socle précambrien et drainé par le Zambèze, se relève vers l'E. dans les monts Muchinga, qui dominent les fossés tectoniques du rift africain. Le climat tropical, tempéré par l'altitude, permet la croissance de la forêt de feuillus, qui a été presque entièrement dégradée en savane.

La population bantoue, peu dense, vit des cultures vivrières du millet et du sorgho, associées à l'élevage bovin extensif. Les cultures commerciales (tabac, café) sont pratiquées dans des plantations créées par les anciens colons européens. Mais l'économie repose sur l'industrie extractive : le sous-sol recèle du manganèse, du plomb, de l'argent, du zinc et surtout du cuivre (Copper Belt), dont la Zambie est un important producteur mondial (0,7 Mt). Quelques usines de traitement des minerais sont implantées près des lieux d'extraction, mais la plupart des produits sont exportés bruts. Le pays souffre de son absence de débouché maritime, et ses échanges commerciaux passent surtout par le port de Dar es-Salaam, en Tanzanie, atteint par voie ferrée.

HISTOIRE. Au début du XIXe s., le pays est une mosaïque de peuples constituant trois chefferies principales : la chefferie des Bembas, le royaume du Kazembé et celui des Lozis. Mais les populations de ces chefferies subissent des invasions de Kololos et de Ngonis, tandis que les Arabes, venus de la côte, introduisent la traite. La pénétration européenne se précise avec les explorations de Livingstone* (1851-1873); en 1890, la British South Africa Company (BSA), de Cecil Rhodes, signe un traité avec Lewanika, roi des Lozis, qui lui concède l'exclusivité des droits commerciaux et miniers. En 1911, tout l'ensemble situé au nord du Zambèze est unifié administrativement sous le nom de Rhodésie du Nord, qui, en 1924, obtient le statut de protectorat de la Couronne. En 1948 naît un mouvement nationaliste, le Congrès, qui trouve un chef dans l'instituteur Kenneth Kaunda (né en 1924); la minorité européenne, inquiète, croit trouver son salut en une Afrique-Centrale, fédération regroupant les deux Rhodésies et le Nyassaland (1953) et où est établi en fait le régime de l'*apartheid**. Les émeutes qui éclatent au Nyassaland en 1959 obligent les Britanniques à libérer K. Kaunda, leader de l'United National Independence Party (UNIP), qui obtient la dissolution de la fédération (1963), puis la proclamation de l'indépendance de la Rhodésie du Nord sous le nom de Zambie (1964). Cet État est, depuis lors, doté d'un régime présidentiel, incarné en K. Kaunda, qui s'efforce de promouvoir, dans le cadre d'une « démocratie participante », fondée sur le parti unique, un « socialisme humaniste » et un neutralisme positif.

ZAMBOANGA, port des Philippines, dans l'île de Mindanao; 221000 hab.

ZAMENHOF (Lejzer Ludwik) → ARTIFICIELLES *(langues).*

ZAMIA → CYCAS.

ZAMIATINE (Ievgueni Ivanovitch), écrivain russe (Lebedian, gouvern. de Tambov, 1884-Paris 1937), l'un des chefs de file du groupe des Frères Sérapion, défenseur de la liberté totale de l'artiste (*Mamaï,* 1920).

ZAMORA, v. d'Espagne (León), ch.-l. de prov., sur le Douro; 49000 hab. Nombreuses églises romanes du XIIe s., dont la cathédrale (belle coupole de transept; œuvres d'art; musée annexe [tapisseries]). Palais « de los Momos » (XVIe s.). Etc.

ZANGĪDES, dynastie d'origine turque, qui régna sur la Mésopotamie et la Syrie (1127-1233). 'Imād al-Dīn Zangī (de 1127 à 1146), gouverneur seldjoukide de Mossoul, réunit à son domaine Alep et Ḥamā, et enlève Édesse aux croisés (1144). Son fils Nūr al-Dīn Maḥmūd (de 1146 à 1174) lui succède à Alep. Il parachève l'œuvre de son père : réunification de la Syrie, lutte contre les Francs, renaissance du sunnisme. Il envoie des troupes en Égypte sous le commandement de Chirkūh et de Saladin*. Ce dernier fonde la dynastie ayyūbide*, qui, après avoir conquis tous les États zangīdes (1183), à l'exception de Mossoul, poursuit la contre-croisade.

ZANGWILL (Israel), écrivain anglais (Londres 1864-Midhurst, Sussex, 1926). Fils d'un israélite russe émigré, ardent propagandiste de la cause sioniste, il a écrit des romans (*le Creuset,* 1908), des nouvelles (*le Roi des schnorrers,* 1894) et des pièces de théâtre (*Nous, les modernes,* 1925).

ZANTE, en gr. **Zákynthos,** la plus méridionale des îles Ioniennes (Grèce). Ch.-l. *Zante.*

ZANZIBAR, île de l'océan Indien, partie de la Tanzanie; 1658 km^2; 190000 hab. Ch.-l. *Zanzibar* (68000 hab.). C'est une île basse, humide, portant des plantations de cocotiers et surtout de girofliers (huile de girofle exportée surtout vers l'Inde).

HISTOIRE. Dès l'époque hellénistique, l'île et la ville de Zanzibar constituent un comptoir marchand sur la côte orientale d'Afrique. En 1509, les Portugais s'y installent, mais, au cours du XVIIe s., les sultans khāridjites de l'Oman* les remplacent. Zanzibar connaît alors un grand essor, culminant sous le règne de Sa'īd ibn Sulṭān

(1804-1856), qui, en 1832, transfère sa capitale de Mascate à Zanzibar et signe des traités de commerce avec les Européens, la traite des esclaves et le commerce de l'ivoire constituant l'essentiel du trafic. La rupture du sultanat d'Oman (1861) et la suppression du marché d'esclaves (1873) marquent la décadence : en 1890, les deux îles de Zanzibar et de Pemba — où affluent les Indiens et où s'étend la culture du clou de girofle — passent sous protectorat britannique. Doté, en 1960, d'un gouvernement responsable, le sultanat accède à l'indépendance en 1963, dans le cadre du Commonwealth. Mais des troubles sanglants aboutissent dès 1964 à la proclamation de la république : le chef du parti afro-shirazi, Abeid Amani Karume (1906-1972), décide alors l'union du Zanzibar et du Tanganyika au sein de la république de Tanzanie*, dont il devient le vice-président (1964). Cependant, Zanzibar garde un gouvernement propre, qui, depuis l'assassinat de Karume (1972), est dirigé par Aboud Jumbe.

ZAO WOU-KI, peintre français d'origine chinoise (Pékin 1921). Maître des techniques graphiques chinoises, mais attiré par la peinture occidentale, il s'installe à Paris en 1948. D'un lyrisme intense, ses œuvres tiennent à la fois, depuis 1953, du « paysagisme » abstrait et de la calligraphie.

ZAPATA (Emiliano), homme politique mexicain (État de Morelos 1879 - Cuernavaca 1919). Ce paysan indien conquiert à partir de 1910 tout le sud du pays, où il applique la réforme agraire. Mais il est assassiné par un de ses officiers.

ZAPOROGUES → Cosaques.

ZAPOROJIE, v. d'U. R. S. S., dans le sud de l'Ukraine, sur le Dniepr; 658 000 hab. Sidérurgie. Constructions mécaniques et électriques.

ZAPOTÈQUES, peuple ancien du Mexique. Leur civilisation, théocratique, s'épanouit dans la vallée d'Oaxaca, avec Monte Albán* pour principal centre, qu'ils occupent dès la seconde moitié du préclassique récent précolombien* (0-300 apr. J.-C.). L'influence maya* (rituel funéraire, décoration peinte des tombes, décor des poteries) précède celle de Teotihuacán*, plus marquée au début du classique. En dehors d'une architecture grandiose (terrasses étagées, pyramides...), à l'ornement décoratif rare, les Zapotèques réalisent des urnes funéraires, en céramique, richement décorées d'effigies modelées de dieux aux coiffures très élaborées; ils possèdent une écriture hiéroglyphique en partie déchiffrée. Après l'abandon de Monte Albán, ils élèvent le centre de Mitla*, où, peu à peu, leur culture a été supplantée par celle des Mixtèques*.

ZARATHUSHTRA, ZARATHOUSTRA ou **ZOROASTRE,** réformateur de l'ancienne religion iranienne, né, selon la tradition, vers 600 av. J.-C., mais plus probablement vers 700. Sa vie est en grande partie légendaire. De famille sacerdotale, Zarathushtra se retire à vingt ans dans la solitude et s'adonne à la vie contemplative. Il a la révélation d'Ahura-Mazdâ (v. Ormuzd) et devient le prophète du mazdéisme* réformé. En butte à l'opposition du clergé, il connaît de terribles épreuves, mais la protection du roi Vishtâspa assurera la diffusion de sa doctrine. Une légende veut qu'il ait été assassiné à soixante-dix ans. La réforme de Zarathushtra met en valeur la transcendance divine et prêche une morale d'action fondée sur la certitude du triomphe de la justice.

ZARIA, v. du nord du Nigeria; 201 000 hab. Textile. Tabac.

ZARLINO (Gioseffo), compositeur et théoricien musical italien (Chioggia 1517 - Venise 1590). Organiste, puis maître de chapelle de Saint-Marc de Venise, il a laissé des traités établissant les fondements du système diatonique tonal (*Istitutioni harmoniche,* 1558).

ZARQĀLĪ (**Al-**) ou **ARZACHEL,** astronome arabe d'origine juive (v. 1029 - v. 1090), célèbre pour ses tables astronomiques dites « tables de Tolède », utilisées jusqu'à l'établissement, deux siècles plus tard, des tables Alphonsines, qui ne firent que les améliorer. Il construisit des instruments d'observation, notamment un astrolabe dit « universel », la *saphea,* utilisable sous toutes les latitudes.

ZARZAÏTINE, gisement pétrolier du Sahara algérien, proche de la Libye.

ZÁTOPEK (Emil), athlète tchécoslovaque (Prague 1922). Il domina les courses de fond à son époque, remportant le 10 000 mètres olympique à Londres en 1948, le 5 000, le 10 000 et le marathon (triple exploit jamais réédité) aux jeux Olympiques de 1952 à Helsinki et franchissant le cap des 20 km dans l'heure en 1951.

ZAVATTINI (Cesare), écrivain et scénariste de cinéma italien (Luzzara 1902). Il fut l'un des grands théoriciens du néoréalisme cinématographique et collabora notamment avec Blasetti (*Quatre Pas dans les nuages,* 1942) et surtout De Sica, pour qui il signa de nombreux scénarios (*Sciuscia,* 1946; *le Voleur de bicyclette,* 1948; *Miracle à Milan,* 1950; *Umberto D,* 1952).

ZAVENTEM, comm. de Belgique (Brabant), au N.-E. de Bruxelles; 10 625 hab. (en 1970).

ZEAMI, acteur et écrivain japonais (1363-1443). Avec son père, Kanami (1333-1384), il fut acteur de nō*; il écrivit plus de la moitié des pièces du répertoire actuel et des traités de doctrine théâtrale, transmis de père en fils jusqu'à nos jours (*Kadenshō).*

ZÈBRE. — Connu pour ses rayures noires et blanches, dont la disposition caractérise chacune de ses espèces, le zèbre l'est aussi pour la rapidité de sa course. C'est un équidé sauvage aux oreilles assez longues, à la crinière courte et dressée, à queue d'âne et strictement cantonné en Afrique. Le couagga, ou quagga, aujourd'hui disparu, était un zèbre du Cap, rayé seulement sur la tête. On distingue cinq autres espèces, dont le *daw.*

ZÉBU. — Ce « bœuf à bosse », dont on élève de grands troupeaux à Madagascar, en Asie et en Amérique du Sud, résiste aussi bien à des conditions climatiques variées qu'aux principales épizooties. Il se reconnaît non seulement à la bosse de graisse qui surmonte son garrot, mais aussi à ses cornes en lyre et à ses oreilles pendantes. Son élevage dans des régions tempérées se répand rapidement.

ZÉDÉ (Gustave), ingénieur français (Paris 1825 - *id.* 1891). On lui doit, en 1887, les plans du sous-marin *Gymnote,* qui fut le premier spécimen de la flottille française de sous-marins.

ZEEBRUGGE, avant-port de Bruges (relié par canal à la ville), sur la mer du Nord. Pendant la Première Guerre mondiale, les Allemands y aménagèrent une base navale, qui fut attaquée par les Anglais en 1918.

ZEEMAN (Pieter), physicien néerlandais (Zonnemaire, Zélande, 1865 - Amsterdam 1943). Il découvrit en 1896 la décomposition des raies d'un spectre sous l'effet d'un champ magnétique et étudia la propagation de la lumière dans les milieux en mouvement. (Prix Nobel de physique, 1902.)

ZEHRFUSS (Bernard), architecte français (Angers 1911). Dans la voie ouverte par Perret et par Le Corbusier, il donne ses premières réalisations en Afrique du Nord (surtout à Tunis, où il retravaille après l'indépendance : nouvelle université, 1963), puis est chargé de deux édifices majeurs : l'Unesco à Paris (1953, avec Breuer et Nervi) et le Centre national des industries et des techniques (C. N. I. T.) à la Défense (1958, avec Robert Camelot et Jean de Mailly). Il construit encore les usines Renault à Flins (1951), l'imprimerie Mame à Tours (1952), l'École nationale d'enseignement technique au Havre (1961), divers ensembles d'habitation.

ZEISS (Carl), opticien allemand (Weimar 1816 - Iéna 1888). Il est le fondateur, en 1846, des ateliers d'optique d'Iéna.

ZEIST, v. des Pays-Bas, à l'E. d'Utrecht; 58 000 hab.

ZEITZ, v. de l'Allemagne orientale, au S.-S.-O. de Leipzig; 45 000 hab. Anc. château ducal.

ZÉLANDE, en néerl. **Zeeland,** prov. du sud-ouest des Pays-Bas, sur la mer du Nord; 1 789 km²; 333 000 hab. Ch.-l. *Middelburg.* La partie insulaire est aménagée dans le cadre du plan Delta*.

ZELE, comm. de Belgique (Flandre-Orientale), à l'E. de Gand; 18 585 hab. (en 1970).

ŻELEŃSKI (Tadeusz), plus connu sous le pseudonyme de **Boy,** écrivain polonais (Varsovie 1874 - Lvov 1941). Traducteur de la littérature française de Villon à Proust, il est également l'auteur d'ouvrages de critique et de monographies historiques (*Études et esquisses de littérature française,* 1920-1922; *Marysieńka Sobieska,* 1938).

ZELL AM SEE, v. d'Autriche (prov. de Salzbourg), sur le *lac de Zell;* 7 000 hab. Centre estival et hivernal (entre 754 et 2 000 m).

zélotes, membres d'un mouvement nationaliste juif, né en 6 apr. J.-C., lors de la réduction de la Judée en province romaine. Patriotes intransigeants, ils jouèrent un rôle très actif durant la révolte de 66-70. Le dernier bastion de la résistance zélote fut la forteresse de Massada*.

ZELTEN ou **BIR ZELTEN,** gisement pétrolier de Libye.

ZELZATE, comm. de Belgique (Flandre-Orientale), à la frontière néerlandaise, sur le canal Gand-Terneuzen; 12 785 hab. Sidérurgie.

ZEMAN (Karel), cinéaste tchécoslovaque (Ostroměř 1910). Réalisateur de dessins animés et de films de marionnettes, il se montra dans ses longs métrages le digne successeur de Méliès en combinant de manière à la fois ingénue et ingénieuse le film de fiction et les techniques de l'animation (*Aventures fantastiques* ou *Une invention diabolique,* 1956; *le Baron de Crac,* 1962; *Chronique d'un fou,* 1963; *Sur la comète,* 1970; *Krabat,* 1977).

zemski sobor, assemblée des représentants de la nation dans la Russie des XVIe et XVIIe s., qui regroupait les représentants de la noblesse, des marchands et, exceptionnellement, des paysans libres. Il était convoqué par le tsar et n'avait qu'un rôle consultatif. De 1549 à 1653, il se prononça sur l'adoption des grandes réformes proposées par les tsars.

zemstvos, assemblées locales russes, instituées par la réforme administrative (1864) d'Alexandre II*. Composés de représentants élus par les propriétaires fonciers, les citadins et les paysans, les zemstvos étaient chargés de l'entretien des routes et des bâtiments publics, de l'aide à l'agriculture et à l'industrie locales, de la protection de la santé et de l'instruction primaire. La réforme de 1890, qui accrut la prépondérance des élus nobles et le contrôle des gouverneurs, resta en vigueur jusqu'en 1917.

zen ou **zen-shū** (du sanskr. *dhyāna,* méditation), secte religieuse issue du bouddhisme*, qui s'est formée au Japon à partir du XIIe s. Le zen propose une méthode originale pour se libérer de la douleur : la méditation sur l'expérience plus que sur les textes. Selon lui, cette méditation doit conduire à l'illumination *(bodhi).*

ZENICA, v. de Yougoslavie (Bosnie-Herzégovine), au N.-O. de Sarajevo; 51 000 hab. Sidérurgie.

ZÉNOBIE, reine de Palmyre (266/267-272). Après la mort de son mari, Odenath*, elle prit le pouvoir au nom de son jeune fils Vaballath. Énergique et ambitieuse, elle étendit son autorité sur l'Égypte, la Syrie, l'Asie Mineure (sauf la Bithynie). Sa cour, somptueuse, brilla de la présence de Grecs cultivés, tel le rhéteur Longin, son principal conseiller. En 271, Zénobie cessa de reconnaître la primauté romaine et fit prendre à son fils le titre d'auguste. Aurélien* décida de détruire le royaume palmyrénien, qui dominait l'Orient et ne défendait plus Rome : vainqueur à Tyane, à Antioche et à Émèse, il prit Palmyre et captura la reine au cours de sa fuite (272). Zénobie orna le triomphe de l'empereur et finit ses jours près de Tibur (Tivoli).

ZÉNON d'Élée, philosophe grec, né vers 485 av. J.-C. à Élée. Disciple de Parménide, il s'applique à démontrer l'impossibilité de penser le mouvement et la pluralité par des arguments restés célèbres. La divisibilité à l'infini de l'espace et du temps rend impossible le mouvement; le plus petit mouvement épuise un infini; il implique donc une contradiction et n'est rien de réel. Considéré parfois comme l'inventeur de la dialectique, au sens d'une technique de mise à l'épreuve des opinions, Zénon a écrit un traité *De la nature,* des *Contestations* et un *Commentaire critique* d'Empédocle.

ZÉNON de Kition, philosophe grec (Kition, Chypre, v. 335-Athènes v. 264 av. J.-C.). Il devint philosophe par la lecture des *Mémorables* de Xénophon. Installé à Athènes en 312, il fut l'élève du cynique Cratès, du mégarique Stilpon et de Xénocrate. Vers 301, il fonda l'école du Portique (v. STOÏCISME). On prétend qu'il se donna la mort lorsqu'il estima sa carrière achevée.

ZÉNON (v. 426-491), empereur d'Orient (474-491). Gendre de Léon Ier, il fut régent sous Léon II et régna seul à la mort de celui-ci. Impopulaire, il mit deux ans pour s'imposer contre Basiliscos, proclamé empereur par Constantinople révoltée, et n'y parvint que grâce à l'aide des Ostrogoths*, dont il dut se débarrasser ensuite en les envoyant en Italie. Son édit d'union (482) sur le monophysisme* provoqua un schisme avec Rome.

ZÉOLITE. — Les zéolites ont des propriétés physicochimiques remarquables, liées à la mobilité de leur « peau » et à leurs cations, qui en font des échangeurs de bases.

ZÉPHYRIN *(saint)* → PAPE.

ZEPPELIN (Ferdinand, *comte* VON), officier, puis industriel allemand (Constance 1838-Berlin 1917). Après avoir rempli de nombreux postes militaires et diplomatiques importants, il se consacra à la construction de dirigeables rigides, dont le premier fut essayé sur le lac de Constance (1900).

ZERAVCHAN, fl. de l'U. R. S. S., en Asie centrale, long d'environ 740 km, né dans la *chaîne du Zeravchan* (5 494 m) et qui forme les oasis de Samarkand et de Boukhara, avant de se perdre dans les sables.

ZERMATT, comm. de Suisse (Valais), au pied du Cervin; 3 101 hab. Important centre d'alpinisme et de sports d'hiver (alt. 1 620-3 500 m).

ZERMELO (Ernst), mathématicien allemand (Berlin 1871-Fribourg 1953). Disciple de Cantor*, il est surtout connu pour son rôle dans le développement de la théorie des ensembles, dont il tenta la première axiomatisation. En 1904, il énonça un axiome, appelé *axiome de Zermelo* ou *axiome du choix,* dont il existe diverses formes équivalentes et qui permet, notamment, de démontrer que tout ensemble peut être bien ordonné.

ZERNIKE (Frederik), physicien néerlandais (Amsterdam 1888-Amersfoort 1966). Il imagina la méthode du contraste de phase dans les observations au microscope. (Prix Nobel de physique, 1953.)

ZÉRO → N et Z.

Zéro et l'infini *(le),* roman d'A. Koestler (1945). L'individu aux prises avec un parti infaillible et le cauchemar de l'histoire.

ŻEROMSKI (Stefan), écrivain polonais (Strawczyn, près de Kielce, 1864-Varsovie 1925). Auteur de nouvelles, de poèmes en prose, de récits historiques et de pièces de théâtre (*la Caille,* 1924), il dut sa gloire à ses romans, où il combat en un style lyrique les formes multiples du mal, les oppressions politiques et les injustices sociales (*les Cendres,* 1904; *Histoire d'un péché,* 1908; *l'Avant-printemps,* 1925).

ZETLAND → SHETLAND.

ZEUS, dieu suprême du panthéon grec. À l'origine dieu des phénomènes atmosphériques, il deviendra peu à peu l'image de celui qui a vaincu le mal et fait régner sur le monde l'ordre, la sagesse et la justice. Si les mythes grecs lui prêtent toutes les faiblesses humaines (ses aventures avec les mortelles sont innombrables), ils laissent aussi voir en lui la divinité éminente qui se penche avec bienveillance et équité sur la condition des humains. Les Romains l'assimilèrent à Jupiter*.

ZEUXIS, peintre grec de la seconde moitié du Ve s. av. J.-C., né à Héraclée (Lucanie). On sait qu'il a travaillé à Agrigente, à Crotone et pour le palais d'Archélaos, roi de Macédoine, mais ses œuvres ne sont connues que par les descriptions des auteurs anciens, qui signalent combien il s'attachait au rendu des jeux de lumière, complétant ainsi les apports de Polygnote* et d'Apollodore*.

ZIBAN *(mont des),* massif de l'Atlas saharien, en Algérie, au N. de Biskra.

ZIBELINE → MARTE.

ZICAVO (20132), ch.-l. de cant. de la Corse-du-Sud, au N.-O. de l'Incudine; 773 hab.

ZIEGLER (Karl Waldemar), chimiste allemand (Helsa, près de Kassel, 1898-Mülheim an der Ruhr 1973). Il a mis au point la fabrication des polyéthylènes à structure rectiligne grâce à un catalyseur spécifique. (Prix Nobel de chimie, 1963.)

ZIELONA GÓRA, v. de l'ouest de la Pologne, au S.-O. de Poznań; 82 000 hab. Métallurgie. Textile.

ZIGUINCHOR, port du sud du Sénégal, sur l'estuaire de la Casamance; 29 000 hab.

ZIMBABWE, site archéologique de Rhodésie, à environ 25 km de Fort Victoria, sur l'emplacement de l'ancienne capitale du Monomotapa*, mise à sac vers 1830. L'ensemble de constructions monumentales (Xe-XVIIIe s.), en moellons de granit soigneusement appareillés, comprend une acropole fortifiée et un vaste enclos elliptique (temple ?), dont les murs atteignent parfois 9 m de haut et 4,5 m d'épaisseur. Des mines préhistoriques de cuivre ont été repérées dans les environs, ainsi que de mines d'or, qui étaient dès le Xe s. à l'origine d'un commerce actif avec les Arabes.

ZIMMERMANN (Dominikus), stucateur et architecte allemand (Wessobrunn 1685-Wies 1766). Il est notamment l'auteur de l'église de pèlerinage de Steinhausen, en Souabe (1727), et de celle de Wies, en Bavière (1745), deux créations raffinées du rococo germanique.

ZIMMERMANN (Bernd Alois), compositeur allemand (Bliesheim 1918-Lövenich, près de Cologne, 1970). Il est l'auteur de l'opéra *les Soldats* (1958-1960), d'après Lenz.

ZINC. — C'est l'élément chimique n° 30, de masse atomique Zn = 65,38. Connu des Anciens sous forme d'alliages, il fut isolé au début du XIXe s. C'est un solide blanc, cassant à froid, mais malléable entre 100 et 150 °C. Il a pour densité 7,1, fond à 419,4 °C et bout à 929 °C. À l'air humide, il se recouvre d'une couche terne protectrice d'hydrocarbonate. Il brûle au rouge avec une flamme verte. Il est facilement attaqué à froid par les acides dilués et à chaud par les alcalis. Parmi ses composés citons : l'oxyde ZnO, poudre blanche employée en peinture sous le nom de « blanc de zinc »; c'est un oxyde amphotère, qui se combine aux acides en donnant des sels de zinc et aux alcalis en donnant des zincates; le chlorure $ZnCl_2$, solide blanc employé comme déshydratant; le sulfure ZnS, blanc, qui existe dans la nature sous forme de blende; le sulfate $ZnSO_4$, qui est un désinfectant. Comme le magnésium, le zinc peut donner des dérivés organométalliques.

Les principaux minerais* de zinc sont la *blende,* ZnS, la *calamine,* $Zn_4Si_2O_7(OH)_2$, H_2O, et la *smithsonite,* $ZnCO_3$. Après l'opération de grillage donnant l'oxyde de zinc, deux groupes de procédés sont utilisés : l'extraction par *voie thermique,* qui consiste à réduire l'oxyde de zinc par le carbone* dans des creusets verticaux ou dans des fours* à cuve, et l'extraction par *électrolyse.* La bonne tenue du zinc à l'air et dans certains milieux, surtout organiques, fait utiliser ce métal pour la protection de l'acier*, par galvanisation à chaud, par métallisation au pistolet, par zincage électrolytique, par shérardisation ou par peintures au zinc. Les alliages* de zinc-aluminium*-cuivre* (Zamak) sont mis en œuvre par moulage sous pression en raison de leur fusibilité et de leur bonne coulabilité; ils sont largement utilisés dans l'industrie automobile, le matériel électroménager, la quincaillerie, etc.

La production mondiale de minerai (exprimée en métal contenu) dépasse légèrement 6 Mt. Deux producteurs émergent : le Canada et l'U. R. S. S. (un peu plus de 1 Mt chacun), loin devant l'Australie et les États-Unis (0,5 Mt chacun). La géographie de la production de fonderie est différente : l'U. R. S. S. se place encore au premier rang, mais le Japon (notable producteur de minerai toutefois) vient ensuite; le groupe des pays de l'Europe occidentale (Allemagne fédérale, Belgique, France, Italie), qui travaillent souvent en majeure partie du minerai importé, se place après les États-Unis et le Canada.

ZINDER, v. du sud du Niger; 39 000 hab.

ZINGIBÉRACÉES → SCITAMINALES.

ZINNIA. — L'horticulture a fait apparaître de nombreuses variétés ornementales du zinnia, plante composée d'origine mexicaine, assez semblable au chrysanthème.

ZINOVIEV (Grigori Ievseïevitch RADOMYSLSKI, dit), homme politique soviétique (Ielizavetgrad [auj. Kirovograd] 1883-Moscou 1936). Étudiant en Suisse, il adhère dès 1903 au parti bolchevik. Rentré en Russie avec Lénine (avr. 1917), il devient président du Komintern (1919-1926) et du soviet de Petrograd. Après avoir formé avec Staline* et Kamenev* la troïka qui écarte Trotski* du pouvoir, il se rapproche de Trotski (1926). Expulsé du parti en 1927, il est condamné à mort et exécuté (1936).

ZION, centrale nucléaire des États-Unis, dans l'Illinois, près de Chicago.

ZIRCONIUM. — C'est l'élément chimique n° 40, de masse atomique $Zr = 91{,}22$. Il a été découvert en 1789. C'est un solide blanc-gris, de densité 6,5, fondant vers 1 900 ^{o}C. Il brûle dans l'air au rouge, mais résiste aux actions des acides et des alcalis. Son oxyde ZrO_2, la zircone, est un solide blanc réfractaire, qui ne fond que vers 2 700 ^{o}C. Il se combine aux acides en donnant des sels de zirconium quadrivalent et aux alcalis en donnant des zirconates.

Il est obtenu à partir des deux principaux minerais*, le *zircon,* $ZrSiO_4$, et la *baddeleyite,* ZrO_2, par réduction* du tétrachlorure de zirconium, par le magnésium* (procédé Kroll), puis par purification par distillation sous vide. En raison de sa bonne tenue à la corrosion* et de sa perméabilité aux neutrons* lents, il est utilisé dans l'industrie nucléaire — surtout pour la fabrication des gaines de combustibles dans les réacteurs* —, après purification particulière pour éliminer l'hafnium*, qui lui est toujours associé. Pour cette application, on utilise également un alliage* de ce métal avec l'étain*. Le zirconium sert aussi dans l'appareillage chimique, dans la chirurgie osseuse, dans les tubes* électroniques (getter pour absorber les traces gazeuses) ainsi que comme affinant et désoxydant dans l'élaboration de certains aciers*.

ZĪRIDES, dynastie berbère ṣanhādja, dont une branche régna sur l'est de l'Afrique du Nord (de 972 à 1167) et l'autre en Espagne (Grenade) [de 1025 à 1090]. Buluggīn ibn Zīrī (de 972 à 984) et ses successeurs gouvernent l'Afrique du Nord fāṭimide*. La branche collatérale des Ḥammādides* se rend indépendante dans les monts du Hodna (v. 1015). L'Ifrīqiya zīride connaît une grande prospérité, et ses souverains entretiennent à Kairouan une cour fastueuse. Al-Mu'izz (de 1016 à 1062) rejette l'obédience du Caire en 1048. Les Fāṭimides lancent alors vers l'ouest les Banū Hilāl*, qui dévastent l'Ifrīqiya à partir de 1050. Les derniers Zīrides, réfugiés à Mahdia, subissent l'assaut des Normands, que les Almohades* chassent du littoral tunisien.

ZISTERSDORF, localité d'Autriche, au N.-E. de Vienne. Extraction du pétrole.

ZITTAU, v. du sud de l'Allemagne orientale, près de la frontière tchèque; 42 000 hab. Monuments anciens.

ŽIVKOV (Todor), homme d'État bulgare (Pravec, près de Sofia, 1911). Premier secrétaire du parti communiste depuis 1954, président du Conseil de 1962 à 1971, il est chef de l'État depuis 1971.

ZIWIYÉ ou **ZĀWIYA,** site archéologique d'Iran (Kurdistan), au S.-E. du lac de Rezāye. C'est l'ancienne capitale du pays mannaï, découverte grâce au dégagement fortuit d'un trésor d'objets d'or, d'argent et d'ivoire, caractéristique de l'art du Mannaï (influencé par l'Assyrie*, l'Ourartou*, les Scythes*, etc.) et qui est à l'origine des formules artistiques des Mèdes.

ŽIŽKA (Jan), patriote tchèque (Trocnov, près de České Budějovice, v. 1360 ou 1370 - près de Přibyslav 1424). Après la mort de Jan Hus*, il fut l'un des chefs des hussites et dirigea la révolte de Prague (1419). Il combattit à la fois pour l'indépendance de la Bohême, contre l'empereur Sigismond, et pour sa foi, persécutant ceux qui la déformaient. Venu assiéger Prague en 1423, il dut faire retraite en Moravie (1424), où il mourut de la peste.

ZLATOOUST, v. de l'U. R. S. S. (R. S. F. S. de Russie), dans l'Oural; 181 000 hab.

ZLÍN → GOTTWALDOV.

Lauros - Giraudon

Émile Zola, par Manet. 1868. (Musée du Louvre, Paris.)

ZNANIECKI (Florian Witold), philosophe et sociologue polonais émigré aux États-Unis (Swiatniki, Pologne, 1882 - Urbana, Illinois, 1958). *The Polish Peasant in Europe and in America* (1918-1920) lui conféra une notoriété internationale en sociologie.

ZOCHTCHENKO (Mikhaïl Mikhaïlovitch), écrivain soviétique (Poltava 1895 - Leningrad 1958), peintre ironique de la vie quotidienne en Russie (*les Contes de Nazar Ilitch Sinebrioukhov,* 1922).

ZODIAQUE. — Le Soleil* décrit au cours de l'année un grand cercle sur la sphère céleste, l'*écliptique.* Les planètes principales, sauf Pluton*, se déplacent toutes dans une étroite bande située de part et d'autre de l'écliptique : c'est le Zodiaque. Les Anciens, qui attachaient une grande importance à la position relative du Soleil, des planètes* et des étoiles* pour leurs prédictions astrologiques, ont divisé le zodiaque en douze cases, ou *signes,* et leur ont fait correspondre les constellations* situées dans ces cases. Mais, depuis, la sphère céleste s'est décalée par rapport à l'écliptique et au zodiaque; c'est le phénomène de la *précession des équinoxes,* et les signes du zodiaque ne coïncident plus actuellement avec les constellations de même nom.

ZOG ou **ZOGU Ier** (Ahmed Zogu) [Burgajet 1895 - Suresnes 1961], roi d'Albanie (1928-1939). Ancien officier autrichien, il devient en 1922 Premier ministre d'Albanie. Élu président de la République en 1924, il organise un gouvernement autoritaire et fait de son pays un protégé de l'Italie fasciste. En 1928, il se fait proclamer roi. Devant l'invasion italienne, il doit fuir son pays (1939).

ZOÏLE, sophiste grec (IVe s. av. J.-C.), adversaire d'Isocrate, célèbre par son traité, en neuf livres, où il dénonçait les absurdités et les contradictions d'Homère.

ZOLA (Émile), écrivain français (Paris 1840 - *id.* 1902). À première vue, l'œuvre de Zola s'inscrit dans une perspective toute traditionnelle : il y règne un ordre et une tranquille conscience de la littérature qui font de la série des *Rougon*-Macquart* une des productions les plus achevées et les plus closes de l'univers romanesque. D'autre part, le récit zolien se présente comme organique et univoque : Zola ne pratique ni l'intervention d'auteur à la Balzac ou à la Stendhal, ni l'excroissance narrative à la Hugo, ni l'ironie à la Flaubert. Et pourtant l'attention de la critique contemporaine est tout entière attirée par l'intense charge symbolique d'une œuvre réduite trop souvent à un regard porté au ras de la vie la plus concrète. En réalité, l'œuvre de Zola semble ordonnée par le double courant qui parcourt son espace intérieur : exaltation des forces de la vie (thèmes de la nature, de la fécondation, de la fécondité, de la germination) et hantise du néant (thèmes de la violence, de la destruction, du meurtre, de la stérilité, de l'agonie). Il est vrai que, comme son œuvre, Zola semble s'être constitué progressivement, intégrant des méthodes et des idéologies diverses, porteur d'emblèmes successifs et contradictoires.

Il passe son enfance à Aix-en-Provence, où il noue une profonde amitié avec Paul Cézanne. Après deux années de bohème littéraire à Paris, il devient chef de la publicité à la Librairie Hachette (1862-1866), qu'il quitte pour faire carrière dans le journalisme. Dans ses études de critique littéraire qu'il donne à *l'Événement,* au *Figaro* et au *Gaulois,* il exprime son admiration pour Balzac, Flaubert et les Goncourt, et souhaite le développement d'une littérature d'analyse inspirée des principes de la science. À la suite de Taine, il accorde une grande importance aux déterminations matérielles des passions humaines (le milieu et le tempérament) et compare volontiers le romancier à un « naturaliste » (*Mes haines,* 1866). Tout en défendant dans ses articles de critique d'art les peintres de l'école des Batignolles, les futurs « impressionnistes » (*Édouard Manet,* 1867), et en prenant parti dans ses *Causeries* contre le régime impérial, il se débarrasse progressivement de ses tendances romantiques (*Contes à Ninon,* 1864; *la Confession de Claude,* 1865; *le Vœu d'une morte,* 1866) et donne avec *Thérèse Raquin* (1867) sa première « tranche de vie ». Influencé par les recherches des docteurs Prosper Lucas et Charles Letourneau sur les lois de l'hérédité et la physiologie des passions, il entreprend une grande œuvre cyclique, composée sur le modèle de *la Comédie humaine : les Rougon-Macquart, histoire naturelle et sociale d'une famille sous le second Empire.* Le premier volume, *la Fortune des Rougon,* paraît en 1871; le vingtième et dernier, *le Docteur Pascal,* en 1893. Si, en un sens, Zola répète Balzac, il le fait dans une autre époque et une autre société. Il le fait surtout dans un autre état de la science : la méthode du romancier n'est plus comparable à celle de Cuvier ou de Geoffroy Saint-Hilaire; elle est contemporaine du développement de la biologie et de la thermodynamique. L'« arbre » sur lequel Zola dispose sa société est un arbre généalogique, et sa société évolue selon le hasard et la nécessité des lois biologiques. Combinatoire et entropie sont les « deux lumières » qui éclairent l'œuvre et lui assurent sa dynamique. Chaque roman de Zola repose sur l'expérience vécue de l'écrivain; nourrie d'une minutieuse enquête préalable, associant l'investigation sur place et les lectures, cette expérience est animée par une intuition très personnelle du jeu des grandes forces naturelles qui gouvernent le destin des hommes. De là, le mouvement épique et lyrique des principaux romans, qui peignent le Paris populaire (*l'Assommoir**, 1877), le « demi-monde » des courtisanes (*Nana**, 1880), le pouvoir destructeur du capital anonyme (*Au bonheur des dames,* 1883), la mine et les mineurs (*Germinal**, 1885), la paysannerie (*la Terre,* 1887), tandis que certaines œuvres s'attachent à l'étude de drames plus intimes (*la Faute de l'abbé Mouret,* 1875). Cependant, Zola se montre de plus en plus attiré par les théories socialistes (de Fourier à Guesde), dont il retient moins les analyses économiques et la stratégie révolutionnaire que la confiance dans la science et les progrès de la société. D'ailleurs, il évolue vers une vision messianique de l'avenir humain (*les Quatre Évangiles,* 1899-1903) et s'engage dans l'Affaire Dreyfus*. Après son manifeste (*J'accuse,* 13 janv. 1898) lancé dans *l'Aurore* et un procès retentissant, Zola, condamné à un an de prison et à 3 000 F d'amende, s'exile en Angleterre. Rentré en France en juin 1899, il retrouve, outre son renom littéraire, un rôle de véritable directeur de conscience. Il meurt accidentellement trois ans plus tard. Il faut joindre à son œuvre romanesque plusieurs volumes de contes, des livrets pour les scènes lyriques, des pièces inédites, les adaptations qu'il fit de ses romans (ses idées sur la diction et la mise en scène influencèrent le fondateur du Théâtre*-Libre, André Antoine*) et les recueils critiques où il expose l'esthétique du naturalisme* (*le Roman expérimental,* 1880).

ZOLDER, anc. comm. de Belgique (Limbourg), au N. de Hasselt, partie de la comm. de *Heusden-Zolder.*

ZOLLIKON, comm. de Suisse, banlieue de Zurich; 12 117 hab.

Zollverein *(Deutscher)* [« Union douanière allemande »], association douanière qui, à partir de 1828 et par la volonté de la Prusse, finit par englober l'ensemble des États allemands (1842-1854). Elle joua un rôle déterminant dans la formation de l'unité allemande et dans la montée de la puissance économique allemande.

ZOMBA, v. du sud du Malawi, anc. capit. du pays; 20 000 hab.

ZONA. — Cette maladie infectieuse est due au virus zostérien, identique à celui de la varicelle. Il semble que le zona soit provoqué par une résurgence du virus qui avait pénétré dans le corps humain à l'occasion d'une varicelle et y était ensuite resté à l'état latent. Le zona frappe surtout l'adulte : il est caractérisé par une éruption cutanée douloureuse, dont la topographie, unilatérale, suit le trajet d'un nerf sensitif. Le zona thoracique est le plus fréquent : l'éruption est souvent précédée de douleurs à type de brûlures dans le territoire qui sera le siège du zona; puis apparaissent les vésicules confluentes, en bouquet, qui se recouvrent d'une croûtelle qui tombera en dix à quinze jours et laissera une cicatrice indélébile. Parmi les autres localisations du zona citons le zona ophtalmique, qui peut se compliquer d'une atteinte cornéenne et menacer la vision. Les complications sont dominées par les douleurs résiduelles et rebelles, surtout chez le sujet âgé.

ZONE → URBANISME.

ZONGULDAK, port de Turquie, sur la mer Noire; 73 000 hab. Houille.

ZONHOVEN, comm. de Belgique (Limbourg), au N.-O. de Genk; 13 484 hab. (en 1970).

ZOOGÉOGRAPHIE. — La répartition géographique des animaux à travers le monde n'obéit pas aux mêmes lois que celles des formations végétales, mais un animal peut être inféodé à une espèce végétale déterminée qui constitue son aliment (chenilles du liseron, du chou, etc.) et ne se trouver que là où pousse cette plante. De façon moins rigoureuse, il peut être exclusivement adapté à la forêt équatoriale (singes, perroquets), à la savane (antilopes), aux steppes désertiques (fennecs), à la toundra (rennes), etc. Mais les oiseaux migrateurs, par exemple, font partie, selon la saison, de la faune européenne ou de la faune africaine. Pour les animaux sans ailes, en revanche, un simple détroit peut être infranchissable et constituer une *barrière zoogéographique.* Une chaîne de montagnes telle que les Pyrénées peut jouer le même rôle. Lorsqu'une terre est isolée depuis longtemps, sa faune présente un haut degré d'endémisme : la plupart des espèces sont propres à cette île (Galápagos, Hawaii, Australie, Nouvelle-Zélande), les lignées ayant évolué diversement sur place, sans aucun mélange des diverses populations. La faune marine et fluviale ne connaît que rarement l'endémisme, et seulement dans des lacs très anciens (Baïkal, Tanganyika), car l'ensemble des océans et des bassins fluviaux communique à l'échelle mondiale : même les hôtes exclusifs des eaux froides peuvent migrer d'un pôle à l'autre par les grandes profondeurs équatoriales (eaux à 4 °C). C'est la *bipolarité.*

Bien entendu, la chasse d'extermination, la destruction des biotopes, l'expansion des animaux domestiques ont fait et font encore disparaître chaque année de nombreuses espèces animales.

ZOOLOGIE. — L'étude scientifique des animaux ne se distingue pas immédiatement de leur simple observation; cette dernière est déjà le fait des animaux supérieurs et démontre son acuité chez l'homme de la préhistoire par la perfection des peintures pariétales. Le passage à un stade vraiment scientifique va de pair avec l'anatomie (dissections), l'élevage (civilisations néolithiques), la domestication (chat dans l'Égypte ancienne), l'essor de la paléontologie (Cuvier, début du XIXe s.), la classification hiérarchisée ou « systématique » (Lamarck, fin du XVIIIe s.). Il y a deux façons de classer les sciences zoologiques. Si l'on considère le groupe animal étudié, on distinguera la mammalogie, l'ornithologie, l'erpétologie, l'ichtyologie, l'entomologie, la malacologie, la protistologie, etc. Si, en revanche, on considère le domaine d'étude, on énumérera la classification, l'anatomie, la physiologie, l'éthologie, l'écologie animale, la biologie au sens strict (étude de la reproduction et des étapes du cycle reproductif), l'histologie, la cytologie, la biologie cellulaire, voire moléculaire, la génétique, la phylogénie, la biométrie, etc.

ZORILLE → MOUFFETTE.

ZORN (Anders), peintre et graveur suédois (Mora, Dalécarlie, 1860-*id.* 1920). Grand voyageur, il a comme point d'attache Paris (1887-1896), puis sa province natale. Le même style fluide et animé caractérise ses peintures (surtout paysages suédois, intérieurs rustiques, nus) et ses eaux-fortes, aux larges hachures (portraits, etc.).

ZOROASTRE → ZARATHUSHTRA.

ZORRILLA Y MORAL (José), poète espagnol (Valladolid 1817-Madrid 1893). D'inspiration nationale et romantique, il emprunte les sujets de ses poèmes (*les Chants du troubadour,* 1841) et de ses drames (*Don Juan Tenorio,* 1844) aux légendes et aux traditions populaires de l'Espagne.

ZOSIME *(saint)* → PAPE.

ZOSTÈRE. — Il n'existe qu'un tout petit nombre de plantes à fleurs vivant dans l'eau de mer. Les plus importantes de ces plantes sont les *zostères* et leurs proches parentes, les *posidonies,* qui constituent de vastes prairies littorales appelées « herbiers », dont la faune diffère quelque peu de celle des prairies d'algues. (Ordre des hélobiales.)

ZOUERATE, centre minier (fer) de la Mauritanie.

ZOUG, en allem. **Zug,** v. de Suisse, ch.-l. du *cant. de Zoug* (239 km²; 67 996 hab.), sur la rive nord du *lac de Zoug* (38 km²); 22 972 hab. Pittoresque vieille ville. Constructions électriques.

ZOULOUS, ethnie noire de l'Afrique australe, portant le nom du clan dirigé par Chaka (de 1818 à 1828), qui organisa ce peuple de pasteurs en une véritable nation. Les chefs zoulous luttèrent contre les Boers et contre les Anglais. Protectorat britannique, le Zoulouland fut annexé au Natal et au Transvaal en 1897; il est devenu un *bantoustan,* sous le nom de *Kwazulu,* en 1972.

ZRENJANIN, v. de Yougoslavie (Vojvodine), au N. de Belgrade; 60 000 hab. Industries alimentaires.

Zurich. Vue sur la rive droite de la Limmat.

P. Koch - Rapho

ZSIGMONDY (Richard), chimiste autrichien (Vienne 1865 - Göttingen 1929). Au cours de recherches sur les colloïdes, il imagina en 1903, avec l'Allemand H. Siedentopf, l'ultramicroscope. (Prix Nobel de chimie, 1925.)

ZUG → Zoug.

ZUGSPITZE (la), sommet des Alpes, au S.-O. de Munich, à la frontière de l'Autriche et de l'Allemagne occidentale (dont il constitue le point culminant); 2 963 m.

ZUIDERZEE, grand golfe de la mer du Nord, pénétrant à l'intérieur du territoire néerlandais. Le Zuiderzee a été fermé en 1932 par une digue longue de 29 km et porte depuis le nom de *lac d'IJssel* (ou *IJsselmeer*). Son aménagement, visant essentiellement la conquête de terres nouvelles (225 000 ha au total), est en voie d'achèvement : le polder du Nord-Est (Noordoostpolder) a été mis en culture après la dernière guerre, celui du Flevoland-Oriental (Oostelijk Flevoland) à partir de 1962, celui du Flevoland-Méridional (Zuidelijk Flevoland) à partir de 1968; l'endiguement du dernier polder, le Markerwaard, est achevé, et sera suivi de son assèchement et de son exploitation. L'aménagement du Zuiderzee permet aussi une liaison plus facile entre le Randstad* Holland, fortement urbanisé et industrialisé, et le nord du pays (Frise et Groningue), encore largement rural.

ZULIA, État du nord-ouest du Venezuela; 1 299 000 hab. Capit. *Maracaibo.* Grands gisements de pétrole.

ZUOZ, comm. de Suisse (Grisons), dans la haute Engadine; 1 165 hab. Station climatique et de sports d'hiver (alt. 1 712-2 643 m).

ZURBARÁN (Francisco de), peintre espagnol (Fuente de Cantos, Badajoz, 1598 - Madrid 1664). Après des débuts mal connus, il donne à partir de 1626 de nombreuses peintures pour les couvents sévillans, collabore avec Velázquez à la décoration du Buen Retiro à Madrid (1634), puis exécute les majestueux ensembles destinés à la chartreuse de Jerez (musée de Cadix, etc.) et au monastère de Guadalupe (1639-1647). Lorsque les commandes se font plus rares (et que monte l'étoile de Murillo), il peint de saintes martyres et des apôtres pour l'Amérique, puis des Vierges à l'Enfant et des Immaculées; plus remarquables sont ses natures mortes, pleines de rigueur et de sobriété. Redécouvert au XIXe et au XXe s., son art, qui mêle les influences du naturalisme caravagesque, des Flamands, des Vénitiens et aussi de la sculpture polychrome espagnole, se caractérise par un dessin énergique, des reliefs cassants, des couleurs disposées en zones nettement tranchées et un statisme monumental, qui donnent aux éléments les plus simples et quotidiens une sorte de surréalité magique.

ZURICH, en allem. **Zürich,** v. de Suisse, ch.-l. du *cant. de Zurich;* 422 640 hab. *(Zurichois).* Grossmünster, cathédrale des XIe-XIIIe s. Musée national suisse (historique) et musée des Beaux-Arts.

GÉOGRAPHIE. Développée à l'extrémité nord du *lac de Zurich,* sur les rives de la Limmat, l'émissaire de ce lac, Zurich est le noyau d'une agglomération de plus de 700 000 habitants, de loin la plus peuplée et aussi la plus puissante économiquement du pays. Fortement industrialisée (constructions mécaniques et électriques, confection, édition, chimie), elle est également une métropole commerciale, financière (Bourse) et intellectuelle (université et Polytechnicum), ainsi qu'un nœud routier et ferroviaire; elle possède (à Kloten) le premier aéroport suisse. Le *canton de Zurich,* entre le Rhin et les Préalpes, couvre 1 729 km^2; près des deux tiers de ses habitants (1 107 788 au total) sont concentrés dans l'agglomération du chef-lieu, le dixième approximativement se trouvant dans celle de Winterthur, au N.-E. Le *lac de Zurich* (bordé par les cantons de Zurich, de Saint-Gall et de Schwyz) couvre 88 km^2.

HISTOIRE. Ancien poste romain *(Turicum),* Zurich est de 853 à 1218 sous la souveraineté de l'abbesse de Fraumünster. Proclamée ville libre (1218), cette cité marchande est d'abord dominée par l'aristocratie; mais, en 1336, les corporations artisanales prennent la direction de la ville, qui, en 1351, adhère à la Confédération helvétique. Au sein de celle-ci, le canton de Zurich joue un rôle prédominant au XVe s. En 1523, Ulrich Zwingli* fait de Zurich le foyer de sa réforme. Au XVIIe s., les réfugiés protestants français rénovent l'industrie de la soie et introduisent celle du coton. En 1830, la ville se dote d'une Constitution libérale, qui supprime l'antagonisme entre elle et le reste du canton.

ZURS, station de sports d'hiver (alt. 1 724-2 450 m) d'Autriche, dans le Vorarlberg.

ZWEIG (Stefan), écrivain autrichien (Vienne 1881 - Petrópolis, Brésil, 1942). Auteur d'une adaptation de *Volpone** (1928), avec Jules Romains, de drames (*la Maison au bord de la mer,* 1911), de poésies et de romans (*la Pitié dangereuse,* 1938), il ne put supporter de voir sombrer l'Europe dans la Seconde Guerre mondiale et se suicida en compagnie de sa femme.

ZWEVEGEM, comm. de Belgique (Flandre-Occidentale), à l'E. de Courtrai; 11 904 hab. (en 1970).

ZWICKAU, v. de l'Allemagne orientale, sur la Mulde, au S. de Leipzig; 124 000 hab. Cathédrale du XVe s. (œuvres d'art). Maison natale de R. Schumann. Musée. Houille. Construction ferroviaire et automobile. Confection.

ZWIJNDRECHT, comm. de Belgique, à l'O. d'Anvers; 9 581 hab. (en 1970). Industrie chimique.

ZWINGLI (Ulrich), réformateur suisse (Wildhaus 1484 - Kappel 1531). De solides études aux universités de Vienne et de Bâle l'amènent à un évangélisme proche d'Érasme*. Vers 1520, Zwingli adhère à la Réforme, et c'est à Zurich qu'il expose ses positions en soixante-sept thèses. Progressivement, avec l'appui du Conseil de Zurich, le culte et la constitution de l'Église se transforment, le souci du réformateur étant de ne rien conserver qui ne trouve sa justification dans l'Écriture; parallèlement, Zwingli s'efforce de constituer un véritable État chrétien, et cette idée sera reprise par Calvin* à Genève. Zwingli, qui avait suivi les troupes protestantes comme aumônier, mourut en 1531 à la bataille de Kappel, livrée contre les cantons catholiques suisses.

ZWOLLE, v. des Pays-Bas, ch.-l. de la prov. d'Overijssel, sur l'IJssel; 80 000 hab. Hôtel de ville et Grande-Église du XVe s. Jardins et canal ont remplacé l'ancienne enceinte bastionnée. Constructions électriques.

ZWORYKIN (Vladimir Kosma), ingénieur américain d'origine russe (Mourom 1889). On lui doit l'invention de l'*iconoscope* (1934) — tube à rayons catholiques qui fit faire à la télévision des progrès considérables —, la réalisation des multiplicateurs électroniques et de nombreux perfectionnements au microscope électronique.

ZYGÈNE. — Contrairement à la plupart des papillons diurnes, les zygènes portent leurs ailes en forme de toit au repos. Ce sont de petits papillons rouges et noirs, vénéneux pour les oiseaux. La chenille de l'espèce commune vit sur la spirée.

ZYGOMYCÈTES. — Parmi les champignons dits « inférieurs », dont les filaments ne sont pas divisés en cellules distinctes, le groupe des zygomycètes se caractérise par son isogamie, c'est-à-dire par l'union de deux gamètes apparemment identiques. Les spores issues de cette union sont appelées *zygospores.* La moisissure blanche du pain *(mucor)* est un zygomycète.

ZYGOTE. — Ce terme désigne l'œuf humain, animal ou végétal depuis l'instant où la pénétration d'un spermatozoïde fait de lui un œuf fécondé jusqu'au moment où, à la suite de ses premières divisions, il est devenu un embryon. Cette courte période s'accompagne d'une activité biochimique intense et inaugure la phase diploïde du cycle* reproductif.

ZYMASE → enzymes.

IMPRIMERIE JEAN DIDIER, LIZY-SUR-OURCQ. — Octobre 1977. — Dépôt légal 1977-4e. — N° de série Éditeur 8778.
IMPRIMÉ EN FRANCE *(Printed in France)*. — 20125-A-7-78.